et le N° de la zone.

Allemagne (RDA) .. 37
Berlin-Est 2
Leipzig 41
Allemagne (RFA) .. 49
Berlin-Ouest 30
Bonn 228
Brême (Bremen) . 421
Cologne (Köln) ... 221
Düsseldorf 211
Essen 201
Francfort-sur-Main (Frankfurt/Main) .. 69
Hambourg (Hamburg) 40
Hanovre (Hannover) 511
Karlsruhe 721
Kiel 431
Mannheim 621
Munich (München) 89
Nurernberg (Nurnberg) 911
Stuttgart 711
Angola (Rép. pop.) 244
Luanda 1
Antilles néerland. 599
Curaçao 9
Arabie Saoudite . 966
Riyad 1
Argentine 54
Buenos-Aires 1
Aruba 297
Aruba 8
Australie 61
Canberra 62
Melbourne 3
Sydney 2
Autriche 43
Innsbrück 5222
Salzbourg 662
Vienne (Wien) 1
Belgique 32
Anvers (Antwerpen) 3
Bruges (Brugge) .. 50
Bruxelles (Brussel) . 2
Gand (Gent) 91
Liège 41
Malines (Mechelen) 15
Ostende (Oostende) 59
Verviers 87
Birmanie 95
Mandalay 2
Rangoon 1
Bolivie 591
La Paz 2
Botswana 267
Gaborone 31
Brésil 55
Brasilia 61
Rio de Janeiro 21
São Paulo 11
Brunéi 673
Bandar Seri Begawan 2
Bulgarie 359
Sofia 2
Burundi 257
Bujumbura 22
Canada 1
Montréal 514
Ottawa 613
Québec 418
Toronto 416
Chili 56
Santiago 2
Chine 86
Beijing 1
Shanghai 21
Chypre 357
Nicosie 2
Colombie 57
Bogota 1
Medellin 4
Corée 82
Séoul 2
Danemark 45
Aarhus 6
Copenhague (København) .. 1 ou 2
Égypte 20
Le Caire 2
Émirats arabes unis 971
Abu Dhabi Ville 2
Équateur 593
Ouévedo 4
Quito 2
Espagne 34
Barcelona 3
Cordoba 57
Granada 58
La Coruña 81
Las Palmas (Canaries) 28
Madrid 1
Palma de Mallorca 71
Pamplona 48
Santa Cruz de Tenerife (Canaries) 22
Sevilla 54
Valencia 6
Zaragoza 76
États-Unis 1
Anchorage (Alaska) 907
Boston 617
Chicago 312
Dallas 214
Detroit 313
Honolulu (Hawaii) 808
Houston 713
Los Angeles 213
New York 212
Saint-Louis (Missouri) 314
San Francisco ... 415
Washington D.C. . 202
Feroë (îles) 298
Torshavn 42
Finlande 358
Helsinki 0
France 33
Gambie 220
Brikama 94
Grèce 30
Athènes (Athinai) .. 1
Thessaloniki 31
Guatemala 502
Guatemala 2
Guyana 592
Georgetown 02
Haïti 509
Port-au-Prince 1
Hong Kong 852
Hong Kong 5
Hongrie 36
Budapest 1
Miskolc 46
Inde 91
Bombay 22
Indonésie 62
Djakarta 21
Irak 964
Bagdad 1
Iran 98
Tabriz 41
Téhéran 21
Irlande 353
Dublin 1
Islande 354
Reykjavik 1
Israël 972
Jerusalem 2
Tel-Aviv 3
Italie 39
Bari 80
Bologne 51
Florence (Firenze) . 55
Gênes (Genova) ... 10
Milan (Milano) 2
Naples (Napoli) 81-84
Rome (Roma) 6
Turin (Turino) 11
Venise (Venezia) .. 41
Japon 81
Osaka 6
Tokyo 3
Jordanie 962
Amman 6
Kenya 254
Nairobi 2
Lesotho 266
Masenu 1
Libye 218
Tripoli 21-22
Luxembourg 352
Madagascar 261
Antananarivo 2
Malaisie 60
Kuala-Lumpur 3
Malawi 265
Thiyolo 467
Maroc 212
Casablanca 2
Fès 5
Marrakech 4
Meknès 5
Rabat 7
Mexique 52
Guadalajara 36
Mexico 5
Namibie 264
Windhoek 61
Nicaragua 505
Managua 2
Nigeria 234
Lagos 1
Norfolk 672
Norwich 3
Norvège 47
Oslo 2
Nouv.-Zélande 64
Auckland 9
Pakistan 92
Karachi 21
Paraguay 595
Asuncion 21
Pays-Bas 31
Amsterdam 20
Eindhoven 40
Groningen 50
La Haye ('sGravenhague) .. 70
Rotterdam 10
Pérou 51
Lima 14
Tarma 6432
Philippines 63
Manille 2
Pologne 48
Cracovie (Krakow) . 12
Varsovie (Warszawa) 22
Portugal 351
Lisbonne 1
Porto 2
Rép. sud-africaine . 27
Prétoria 12
Roumanie 40
Bucarest 0
Lipova 60
Risnov 22
Royaume-Uni 44
Belfast 232
Birmingham 21
Edimbourg (Edinburgh) 31
Glasgow 41
Liverpool 51
Londres (London) .. 1
Nottingham 602
Rwanda 250
Kigali .... 7 ou 8
Somalie 252
Magadiscio 1
Sri-Lanka 94
Colombo 1
Suède 46
Göteborg 31
Malmö 40
Stockholm 8
Suisse 41
Bâle (Basel) 61
Berne (Bern) 31
Genève (Genf) 22
Lausanne 21
Liechtenstein 75
Zurich (Zürich) 1
Syrie 963
Damas 11
Taïwan (rép. de Chine) ... 886
Taipee 2
Tchécoslovaquie .. 42
Bratislava 7
Prague (Praha) 2
Thaïlande 66
Bangkok 2
Tunisie 216
Bizerte 2
Tunis 1
Turquie 90
Ankara 41
Istanbul 1
URSS 7
Moscou 095
Uruguay 598
Montevideo 2
Vanuatu 678
Port-Vila 2
Venezuela 58
Caracas 2
Yémen (rép. arabe du) ... 967
Sanaa 2
Yougoslavie 38
Belgrade (Beograd) 11
Zagreb 41
Zambie 260
Lusaka 1
Kalomo 32
Zimbabwe 263
Harare 0

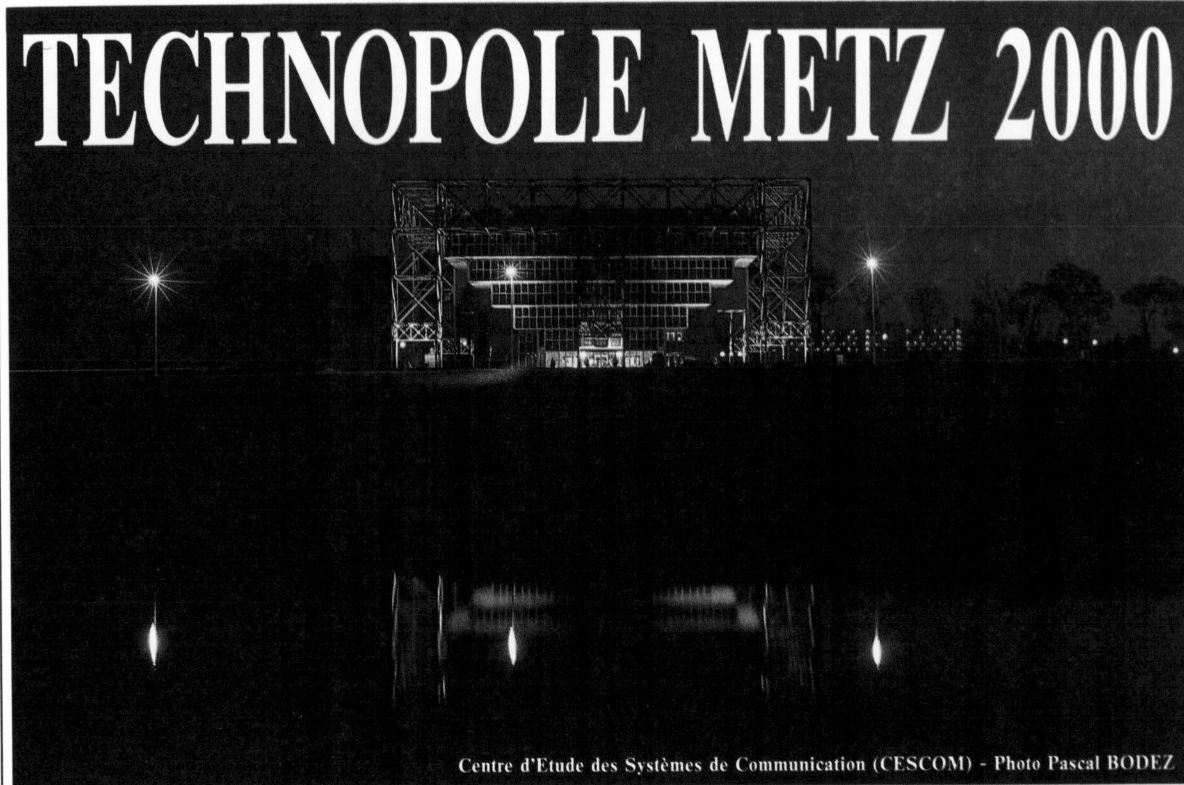

Centre d'Etude des Systèmes de Communication (CESCOM) - Photo Pascal BODEZ

LE TECHNOPOLE DE LA COMMUNICATION

1984 : le premier Contrat de Plan Etat-Région définit la Lorraine en pleine reconversion industrielle comme un pôle d'excellence de la communication.
Dans le Sud-Est de Metz, à trois kilomètres du centre-ville, 400 hectares de prés attendent qu'on leur donne leur vocation définitive.

1991 : sur le Technopôle Metz 2000, là où cinq ans plus tôt poussait le colza, 2.300 personnes et 2.000 étudiants travaillent. Les 130 entreprises présentes sur le site sont rejointes tous les quinze jours par une nouvelle implantation.
Plusieurs ingrédients contribuent à la réussite de ce gigantesque pari lancé simultanément à la reconversion lorraine.

Un contexte privilégié

Metz est situé à un carrefour majeur des voies de communication autoroutières, ferroviaires et aériennes en Europe.
Avec Nancy, Sarrebruck, Luxembourg, elle est aussi le nœud d'un réseau de villes concentrant un potentiel financier, universitaire, industriel et culturel d'une extrême richesse et rassemblant dans un rayon de 60 kilomètres autour de Metz deux millions d'habitants.

Une stratégie de développement clairement définie

La disponibilité d'un site vierge a permis de définir d'emblée une stratégie d'aménagement : sur le Technopôle comme partout ailleurs dans la ville, urbanisme, cadre de vie et développement économique sont intégrés dans une même réflexion. Tout a été mis en œuvre pour que le Technopôle Metz 2000 constitue un véritable quartier de la ville.

Des hommes, des services et un état d'esprit

Aujourd'hui, l'atout n° 1 du Technopôle, ce sont les hommes qui l'animent et le font vivre. La stratégie et le développement du Technopôle Metz 2000 sont pilotés par la Fondation Metz 2000 qui fédère dans une dynamique commune la Région de Lorraine, la Ville de Metz, la Chambre de Commerce et d'Industrie de la Moselle, les représentants du monde universitaire, des grandes écoles et des industriels du Technopôle.

Des services aux hommes et aux entreprises

Les entreprises du Technopôle Metz 2000 bénéficient du premier téléport français réalisé par France Télécom qui offre, au travers de nombreux services à tarifs privilégiés, une solution globale à leurs besoins de télécommunications. Le Technopôle Metz 2000 a un statut de Zone de Télécommunications Avancées. Le Centre d'Etude des Systèmes de Communication (CESCOM) en est le nœud vital, véritable interface de services auprès des entreprises.
A proximité immédiate du Centre International des Congrès et de l'héliport, le World Trade Center Franco-Allemand de Metz-Sarrebruck en cours de réalisation réunira des services de conseil, de financement et d'aide à l'exportation. Il constitue le moteur du nouveau Quartier d'Affaires situé à moins de dix minutes du nouvel aéroport régional Metz-Nancy-Lorraine.

La formation et la recherche, points d'appui majeurs du dispositif du Technopôle Metz 2000

Le campus du Technopôle Metz 2000 offre un dispositif d'enseignement et de recherche de haut niveau. L'Ecole Supérieure d'Electricité, pionnière sur le site a été rejointe en 1988 par le Centre Messin d'Enseignement de la Gestion qui regroupe l'Ecole Supérieure Internationale de Commerce, l'Institut d'Administration des Entreprises, l'Institut Supérieur Franco-Allemand des Techniques et d'Economie et le Centre Franco-Allemand du Commerce Extérieur.
Le Lycée de la Communication a ouvert ses portes en 1989, et 1990 a vu l'implantation de l'université américaine de GEORGIA TECH et de l'Institut de Physique et d'Electronique.
Cet ensemble sera complété dès la rentrée 1991 par un établissement de l'Ecole Spéciale des Travaux Publics et en 1992 par l'Institut des Langues et le Département "Mesures Physiques" de l'IUT.
La recherche est également présente sur le site au travers de centres de recherche publics et privés et en particulier le Centre de Recherche de Télédiffusion de France.

FONDATION METZ 2000 - BP 1025 - 57036 METZ CEDEX 1
Tél. : 87 55 50 55 - Télex : 860661 F - Télécopie : 87 75 39 93

DOMINIQUE ET MICHÈLE FRÉMY

quid

1992

ÉDITIONS ROBERT LAFFONT

Peut-on écrire à quid ?

Bien sûr ! Des milliers de lecteurs français et étrangers nous écrivent chaque année. Si l'abondance de ce courrier nous empêche de répondre individuellement à tous, que chacun sache que nous notons tout soigneusement. Avez-vous des suggestions, des reproches à nous faire ? N'hésitez pas. Bien souvent, nous créons des rubriques nouvelles, développons des chapitres existants à la suite de demandes justifiées de nos lecteurs.

Mais attention ! Chaque année des centaines de concours se déroulent. Chaque année des milliers de candidats nous écrivent pour nous poser, au même moment, les mêmes questions (certains n'hésitant pas à nous envoyer la liste complète des questions en nous demandant de répondre à leur place !). Nous les remercions de cette marque de confiance mais nous espérons qu'ils comprendront qu'il nous est difficile de donner satisfaction à de telles demandes (si nous voulons garder un peu de temps pour préparer le prochain quid.)

Adressez vos lettres à : M. Frémy, B.P. 447.07 - 75327 - Paris Cedex 07.

3 questions que vous vous posez peut-être sur quid

☞ QUE VEUT DIRE QUID ?

Quoi en latin... C'est le réflexe du curieux qui sommeille en nous et qui ne se satisfait pas des idées toutes faites. Aristote disait : « La science commence avec l'étonnement. » Soyons tous des étonnés !

☞ QU'EST-CE QUE QUID ?

• Une encyclopédie annuelle en un volume bourré de faits, de dates, de chiffres sur tous les sujets... Du sérieux au moins sérieux.

☞ FAUT-IL ACHETER QUID CHAQUE ANNÉE ?

• A vous de juger ! Mais sachez que le premier quid (quid 1963) était en format de poche de 632 pages et comptait 2 millions et demi de signes. quid 1992 : 2 032 pages contenant plus de 31 millions de signes soit l'équivalent de quelque 84 livres de format de poche à 11 F minimum (200 pages, 370 000 signes).

• Depuis 1963, chaque année le *nouveau* quid s'est enrichi. Chaque année le *nouveau* quid présente des milliers de faits nouveaux. Chaque année le *nouveau* quid relève pour vous les derniers chiffres parus dans tous les domaines (économie, finances, défense nationale, transports, démographie, etc.), les derniers records (sportifs ou autres). Chaque année le *nouveau* quid vous rappelle les événements qui comptent, qu'ils aient bouleversé la planète ou seulement le monde du cinéma ou de la politique intérieure de la Tanzanie.

• Chaque année le *nouveau* quid fait le point sur tout ce qui touche votre vie quotidienne, la législation des loyers, le prix des appartements et des charges, les impôts, les droits de succession, les droits des concubins, le montant des bourses, des salaires, les conditions d'entrée dans les grandes écoles, le droit du travail, l'échelle des salaires, la Sécurité sociale.

• Chaque année le *nouveau* quid vous permet d'être mieux informé. Chaque année le nouveau quid apporte aux jeunes, en cours d'études scolaires ou d'études supérieures, les derniers chiffres, les derniers faits dont ils ont besoin pour préparer leurs exposés, éclairer les cours qu'ils suivent, étayer les réponses qu'ils devront fournir à leurs examens.

Comment se servir de quid ?

☞ QUEL EST L'ORDRE DES SECTIONS ?

• **Quid est une encyclopédie méthodologique** : les renseignements ne sont pas présentés dans l'ordre alphabétique comme dans un dictionnaire, mais sont regroupés par sujets à l'intérieur de grandes sections. Exemple : littérature, économie, sports, finances, cinéma.

• **L'actualité détermine l'ordre des sections.** Les dernières sections remises à l'imprimeur sont celles pour lesquelles on ne dispose d'éléments que très tard dans l'année (par exemple : les sections Économie, Finances, car la plupart des statistiques officielles ne sont publiées qu'à partir de juin et juillet ; section Sports : car beaucoup d'épreuves se déroulent à partir du printemps). Aussi, ces sections se trouvent-elles à la fin de l'ouvrage.

☞ COMMENT TROUVER CE QUE L'ON CHERCHE ?

• **La table des matières,** page 4, vous donne quelques sujets traités pour vous permettre de vous faire une idée de la diversité de **quid**.
• **L'index à la fin du volume** vous indique, à partir de plus de 40 000 mots clefs classés par ordre alphabétique, les renvois aux pages traitant des sujets qui vous intéressent. Si le renvoi vous indique par exemple 615 a, reportez-vous à la page 615 et regardez la 1re colonne (colonne de gauche) que désigne « a ». S'il y avait eu 615 b, vous auriez dû chercher dans la colonne du centre et 615 c, dans la colonne de droite.

☞ COMMENT CHERCHER DANS L'INDEX ?

• Voulez-vous connaître la vitesse des avions supersoniques ? Vous pouvez trouver ce renseignement en cherchant dans l'index à partir d'un mot clef auquel vous pouvez penser : exemple au mot *vol,* au mot *avion,* au mot *supersonique,* au mot *vitesse* ou aux mots *Concorde* ou *Mirage.*
• L'index disposant de plusieurs mots clefs pour vous renvoyer à un même sujet, vous pouvez ainsi trouver un renseignement sans avoir besoin de connaître avec précision un mot déterminé.

☞ **Attention, tous les noms propres (personnages, lieux) cités dans l'ouvrage ne figurent pas dans l'index.** Si nous avions voulu mettre dans l'index le nom de tous les acteurs, écrivains, musiciens, hommes politiques ou citer tous les fleuves, villes ou montagnes, il aurait fallu un second volume. Si vous ne trouvez pas dans l'index le nom propre cherché, reportez-vous à un mot clef. Exemple : si vous cherchez l'âge d'une personnalité, cherchez dans l'index le mot correspondant à son activité : s'agit-il d'un acteur, cherchez à *acteur ;* est-ce un chanteur d'opéra ? cherchez à *chanteur ;* est-ce le président d'un État ? cherchez au nom de l'*État ;* le leader d'un syndicat ? cherchez à *syndicat...* Si vous désirez connaître la hauteur d'une montagne ? regardez à *montagne ;* la longueur de la Volga ? regardez à *fleuve ;* le trafic d'un port ? regardez au mot *port* (port maritime ou port fluvial), etc.

Abréviations

☞ Abréviations utilisées le plus souvent dans Quid. Vous trouverez en outre, page 1302, les principales abréviations utilisées en France (notamment sigles d'organisations, de sociétés, etc.), page 244, les abréviations des unités de mesure, page 239, les abréviations des éléments chimiques et en tête de certains chapitres (ex. : littérature, peinture, personnalités) d'autres abréviations particulières au sujet traité.

a. : an, année, **aéro** : aéronautique, **aérosp.** : aérospatial(e), **aff.** : affaire, **Afg.** : Afghanistan, **Afr.** : Afrique, **ag.** ou **agg.** : agglomération, **agr** : agriculture ou agricole, **A.-H.-P.** : Alpes-de-Haute-Provence, **Alg.** : Algérie, **alim.** : alimentation, alimentaire, **All.** : Allemagne, **dém.** : démocratique, **féd.** : fédérale, **alt.** : altitude, **alum.** : aluminium, **A.-M.** : Alpes-maritimes, **Amér.** : Amérique, **ameubl.** : ameublement, **anim.** : animaux, **app.** : appareil, **Arg.** : Argentine, **atom.** : atomique, **autom.** : automobile, **av.** : avant, **avr.** : avril.

bât. : bâtiment, **Belg.** : Belgique, **Berlin-O.** : Berlin-Ouest, **Bon** : baron, **B.-du-Rh.** : Bouches-du-Rhône, **B.-R.** : Bas-Rhin, **Brés.** : Brésil, **B.T.P.** : Bâtiment et travaux publics.

C.A. : chiffre d'affaires, **Cam.** : Cameroun, **Can.** : Canada, **cap.** : capitale, **cf.** : confer, comparer, **ch.** : chambre, château, **chim. org.** : chimie organique, **Ch.-M.** : Charente-Maritime, **cath.** : cathédrale, **C.-d'O.** : Côte-d'Or, **C.-du-N.** : Côtes-du-Nord, **ciném.** : cinématographe, **cir.** : circonscription, **com.** : commerce, communisme, communiste, **conféd.** : confédération, **confect.** : confection, **const.** : constitution, **constr.** : construction, **Cte, Ctesse** : comte, comtesse, **cult.** : cultivé.

D. : densité, **Dan.** : Danemark, **déc.** : décembre, **déf.** : défaite, **dém.** : démocratie, démocratique, **dép.** : département, **Desse** : duchesse, **Dr** : directeur, **dr.** : droit, **D.-S.** : Deux-Sèvres.

E. : Est, **écon.** : économie, **éd.** : édition, **édit.** : éditeur, **E.-et-L.** : Eure-et-Loir, **égl.** : église, **Égyp.** : Égypte, **él.** : élection, **élec.** : électrique, **élect.** : électoral(le), **électro.** : électronique, **emp.** : empereur, **env.** : environ, **ép.** : épouse, **équip.** : équipement, **Esp.** : Espagne, **exp.** : exportation, **expl.** : exploration.

F. : Franc, **f.** : fils, fille, fondé, **féd.** : fédéral, **ferr.** : ferroviaire, **févr.** : février, **filat.** : filature, **Finl.** : Finlande, **fr.** : frère, **Fr.** : France, **franç.** : français, **fr.-belge** : franco-belge.

g. : guerre, **Gab.** : Gabon, **G.-B.** : Grande-Bretagne, **Gal** : général, **géogr.** : géographie, **gouv.** : gouvernement, gouverneur, gouverné.

h. : heure, **h.** : homme, habitant, **ha.** : hectare, **hab.** : habitant, **habill.** : habillement, **H.-de-S.** : Hauts-de-Seine, **H.-G.** : Haute-Garonne, **hist.** : histoire, historien, **hl.** : hectolitre, **H.-M.** : Haute-Marne, **H.-P.** : Hautes-Pyrénées, **H.-R.** : Haut-Rhin, **H.-S.** : Haute-Savoie, **H.T.** : hors taxes, **h. tens.** : haute tension, **H.-V.** : Haute-Vienne, **hydr.** : hydraulique.

I.-et-L. : Indre-et-Loire, **I.-et-V.** : Ille-et-Vilaine, **imp.** : importation, **I. M** : Ile Maurice, **ind.** : industrie, **inf.** : inférieur, **inter.** : international, **Irl.** : Irlande, **Isr.** : Israël, **It.** : Italie.

j. : jour, **janv.** : janvier, **J.-C.** : Jésus-Christ, **juill.** : juillet.

L.-A. : Loire-Atlantique, **larg.** : largeur, **L.-et-C.** : Loir-et-Cher, **lég.** : légumes, **L.-G.** : Lot-et-Garonne, **long.** : longueur, **Lux.** : Luxembourg.

m. : membre, mètre, **mach.** : machine, **Madag.** : Madagascar, **Mal** : maréchal, **man.** : manufacture, **mat.** : matière, **matér.** : matériel, **mat. plast.** : matières plastiques, **max.** : maximum, **méc.** : mécanique, **mén.** : ménage, **métall.** : métallurgie, **M.-et-L.** : Maine-et-Loire, **M.-et-M.** : Meurthe-et-Moselle, **MF** : millions de F, **min.** : ministre, ministère, minimum, **Mis, Mise** : marquis, marquise, **mod.** : moderne, **mt** : milliers de tonnes.

N. : Nord, **n.** : né, **nat.** : national, **naut.** : nautique, **nav.** : naval(e), **N.-Guinée** : Nouvelle-Guinée, **Norv.** : Norvège, **N.-Zél.** : Nouvelle-Zélande, **nov.** : novembre, **nucl.** : nucléaire.

O. : Ouest, **occ.** : occident, **oct.** : octobre, **off.** : officier, **or.** : oriental, **ouvr.** : ouvrier.

P. : Parti, **p.** : pour, **P.-A.** : Pyrénées-Atlantiques, **P.-Bas** : Pays-Bas, **par.** : parenthèses, **Pce** : Prince, **P.-de-C.** : Pas-de-Calais, **P.-de-D.** : Puy-de-Dôme, **P.-O.** : Pyrénées-Orientales, **peint.** : peinture, **p. ex.** : par exemple, **p. f.** : petit-fils ou fille, **pharm.** : pharmacie, **PM.** : Premier ministre, **pneumat.** : pneumatique, **pop.** : population, **Port.** : Portugal, **prod.** : produit, production, **Pt.** : Président.

R. : réponse, **rég.** : région, **rec.** : recensement, **Rép.** : République, **repr.** : représentant, **rés.** : réserve, **ress.** : ressources, **roy.** : royaume, **R.-U.** : Royaume-Uni.

S. : Sud, **s.** : siège, **sal.** : salarié, **secr.** : secrétaire, **Sén.** : Sénégal, **sept.** : septembre, **s. f.** : son fils, sa fille, **S.-et-M.** : Seine-et-Marne, **S.-M.** : Seine-Maritime, **sid.** : sidérurgie, **soc.** : socialisme, socialiste, **S.-S.-D.** : Seine-Saint-Denis, **St, Ste** : Saint, sainte, **Sté** : société, **stat. baln. et therm.** : station balnéaire et thermale, **Suè.** : Suède, **Sui.** : Suisse, **suiv.** : suivant, suivante, **sup.** : supérieur.

t. : tonne, **Tchéc.** : Tchécoslovaquie, **télécom.** : télécommunications, **text.** : textile, **therm.** : thermique, **t. lab.** : terres labourables, **temp.** : température, **terr.** : territoire, **T.-et-G.** : Tarn-et-Garonne, **tourist.** : touristique, **tr.** : traité, **transp.** : transports, **trib.** : tribunal, **TTC** : toutes taxes comprises, **Turq.** : Turquie.

v. : vers, voix, voir, **V.-de-M.** : Val-de-Marne, **V. d'O.** : Val-d'Oise, **vég.** : végétal, **vict.** : victoire, **vign.** : vigne, vignoble, **vis.** : visiteur, **vitic.** : viticulture.

Youg. : Yougoslavie, **Yv.** : Yvelines.

Pour trouver un renseignement précis : consultez l'index p. 1929, il contient plus de 40 000 mots clefs.

Table des matières

Toute la presse a parlé de quid

LES GRANDS QUOTIDIENS DE PARIS

L'Aurore. Une banque d'informations au service de votre mémoire.

La Croix. Un précieux outil de référence. Il vaut mieux acheter le QUID plutôt que d'entasser des documents dans sa baignoire.

Les Échos. Quiconque a fait l'essai d'un QUID ne peut plus s'en passer.

Le Figaro. Le QUID est une formidable source de renseignements, donc un précieux outil de travail, ou de plaisir.

France-Soir. Pour tout savoir avant les autres... QUID.

L'Humanité. Une espèce de guide Michelin du savoir.

Le Monde. Le QUID est une institution... Tout est répertorié dans cet instrument de travail devenu indispensable.

Le Nouveau Journal. En société, on joue au QUID, ce livre dans lequel on trouve réponse à tout.

Le Parisien Libéré. Chaque année, l'édition de QUID est un émerveillement.

Le Quotidien de Paris. Si vous partez au désert avec un seul bouquin, on peut vous conseiller d'emporter QUID.

DE PROVINCE

L'Alsace. Fidèle à sa devise, il entend tout vous dire sur tout.

Berry Républicain. Une mine de connaissances pour les examens, les jeux radiophoniques et télévisés, etc.

Le Bien Public. Le QUID est tout simplement, indispensable.

La Bretagne à Paris. On reste confondu devant la somme de labeur que représente un tel travail, chaque année.

Centre-Matin. Sorte de bible de notre temps. Livre pratique et bon marché. Tout y est.

Centre Presse. QUID est l'arbitre indispensable de vos querelles familiales.

La Charente Libre. Un compagnon précis de la vie quotidienne.

Le Courrier de Bourg-en-Bresse. QUID révèle bien des secrets.

Le Courrier Cauchois. L'indispensable agent des services de renseignement.

Le Courrier de l'Ouest. Des renseignements fondamentaux, souvent introuvables ailleurs.

Le Dauphiné Libéré. Un document irréprochable à la portée de tous, véritable mémoire quotidienne pour « vérifier, confronter et approfondir vos connaissances ».

La Dépêche du Midi. QUID, mémoire sans défaillance.

L'Est Éclair. Une encyclopédie annuelle qui fait l'unanimité.

L'Est Républicain. Un ouvrage de référence indispensable.

Le Havre Libre. Cet indispensable ouvrage de référence, devenu aujourd'hui institutionnel, recueille tous les suffrages.

Le Havre Presse. Certainement la plus complète encyclopédie qui existe au monde sous un aussi petit volume.

Le Journal du Centre. Il ne devrait jamais quitter votre table de travail.

Le Journal de la Corse. Avec QUID, le lecteur connaîtra tout sur tout.

La Liberté du Morbihan. Tout homme (de l'universitaire au paysan) devrait le posséder.

Le Maine Libre. Cet ouvrage, où l'information de fond côtoie l'anecdote, est une mine.

Le Méridional - La France. Tout s'y trouve résumé mieux, condensé clairement.

Midi Libre. Conçu pour rendre service en toute occasion, ce document précieux vous aidera à briller sur les sujets les plus divers et à rafraîchir des souvenirs.

La Montagne. Vous ne pouvez vous passer de QUID.

Nice-Matin. Tient le pari de rassembler en un petit volume clair et pratique les réponses aux milliers de questions que tout un chacun se pose quotidiennement.

Nord-Éclair. Surtout ne pas résister au plaisir de s'y plonger pour y étancher sa soif de curiosité, se nourrir d'enseignement, pimenter sa vie quotidienne et digérer l'univers merveilleux de la connaissance.

Nord-Matin. On ne peut s'en passer.

La Nouvelle République du Centre-Ouest. A moi, QUID, deux mots !

Ouest-France. Un stupéfiant ouvrage. On y trouve véritablement tout ce qu'il est possible de souhaiter savoir dans tous les domaines.

Paris-Normandie. QUID répond aux innombrables questions qui ponctuent la vie quotidienne.

Le Petit Bastiais. Très utile en famille, au bureau, en classe, entre amis, en vacances.

Presse-Océan. QUID est en quelque sorte un S.V.P. écrit. Cet ouvrage précieux a place dans tous les foyers.

Le Progrès. Une institution !... Tout est dans QUID.

Le Provençal. Impossible d'être au courant de tout sans avoir à portée de la main cet ami de tous : des jeunes qui veulent apprendre, des adultes qui souhaitent comprendre, des plus âgés qui redoutent de se méprendre.

Le Républicain Lorrain. Une véritable somme de connaissances auxquelles tout un chacun est obligé quotidiennement de se référer, quel que soit son domaine.

La République du Centre. Une encyclopédie aussi originale que pratique.

La République des Pyrénées. Ceux qui « ne peuvent plus s'en passer » sont de plus en plus nombreux.

Sud-Ouest. Des milliers de précisions surprenantes.

Le Télégramme de Brest. On y trouve un savoir qui a nécessité la consultation de milliers d'ouvrages.

La Tribune de Saint-Étienne. Tout honnête homme y trouvera la réponse aux questions que l'actualité lui pose.

L'Union. Quid mérite bien sa devise : Tout pour tous.

Var Matin. Il s'impose chaque année depuis plus de vingt-cinq ans. Et, miracle, il parvient toujours à surprendre, à étonner, à répondre à de nouvelles questions... Le « QUID » tend à devenir l'ouvrage de référence pratique, rapide et familial.

La Voix du Nord. Un « fourre-tout » savant et soigné. Un tour de force.

L'Yonne Républicaine. L'ami indispensable que l'on aime avoir toujours à portée de la main.

LES GRANDS PÉRIODIQUES

Biba. Le QUID dépanne, divertit, vous met « dans le vent ».

Bonne Soirée. Le QUID, une vraie encyclopédie, décontractée et distrayante.

Centre Midi Magazine. Le cadeau parfait.

Le Chasseur Français. Une mine inépuisable, une somme sans rivale, passionnante à ouvrir, même pour une minute, et à lire presque « au hasard ».

Clair Foyer. Des renseignements fondamentaux et variés. Répond aux milliers de questions que l'on peut se poser.

Connaissance du Monde. C'est un ouvrage aussi précieux qu'étonnant.

L'Écho de la Mode. Réponses essentielles à un infini de questions.

Elle. Ce n'est pas un Who's Who, ce serait plutôt un What's What. QUID sera précieux à toutes.

Enfants-Magazine. Les questions les plus invraisemblables ne lui résistent pas.

L'Express. Une sorte de guide annuel du savoir avec des renseignements fondamentaux.

Femmes d'Aujourd'hui. Que vous ayez à l'esprit votre travail, les études de vos enfants, les mots croisés, les « quitte ou double » de la radio et de la T.V., ou tout simplement votre désir de posséder sur toute matière les données les plus neuves, adoptez ce livre... C'est vraiment l'encyclopédie de notre temps.

F. Magazine. Pour faire « banco » au jeu des 1 000 Francs.

Le Figaro Magazine. Petits conseils aux fanatiques de Scrabble : l'Index, en fin d'encyclopédie, comporte une mine de mots avec les W, X, Y et Z. Les joueurs du Mot le plus long ne seront pas déçus.

France-U.R.S.S. Nos amis russes sont très curieux et posent nombre de questions aux touristes. Le QUID est à prévoir dans les bagages.

Ici Paris. La plus grande partie des informations qu'un Français a besoin d'avoir sous la main.

Intimité. Chaque année, révisé et réactualisé, il n'a pas fini de nous en apprendre.

Le Journal du Dimanche. QUID... attendu comme le beaujolais nouveau.

Jours de France. Il contient des détails précis et nombreux sur le monde moderne et la vie actuelle.

Lui. Le QUID, accroché aux basques de l'actualité, permet de ne jamais avoir un métro de retard.

Marie-Claire. Tout ce qu'il faut savoir sur la France.

Marie-France. Un véritable S.V.P. à domicile.

Minute. Des milliers d'articles vraiment passionnants.

Modes et Travaux. Tout sur tout. Tout le monde y a accès.

Mon Jardin et Ma Maison. Un ouvrage dont vous profiterez toute l'année.

Nous Deux. QUID est l'indispensable livre de références à consulter pour trouver les réponses, des plus classiques aux plus farfelues.

Le Nouvel Observateur. Une mine de renseignements qu'on ne retrouve ainsi groupés dans aucune autre publication.

Panorama Chrétien. La plus étonnante encyclopédie de poche.

Paris-Match. QUID dit tout ce que les candidats aux jeux-concours de la T.V. voudraient savoir pour gagner.

Le Pèlerin. On est pris de vertige devant tant d'informations d'un vif intérêt... Il me semble impossible d'offrir un plus utile livre d'étrennes.

Le Point. Ce guide multi-services et multi-usages propose une masse d'informations.

Pour vous monsieur. Un incomparable instrument de travail pour l'homme moderne.

La Revue des Deux Mondes. Une somme, vous dis-je, un monument.

La Revue Parlementaire. Indispensable, documentation multiple.

Rivarol (H). On achète désormais le « QUID » comme le « Michelin ».

Science et Vie. La « bible » des temps modernes.

Télé Journal. A consulter pour s'informer ou pour se distraire quand la télévision n'est pas aussi bonne qu'elle devrait l'être.

Télé 7 Jours. Un véritable tour de force. Il faut le placer près de son poste de télévision.

Toutes les nouvelles de Versailles. Alors courez vite acheter le QUID. Vous aurez peut-être besoin, dans une minute, d'y trouver la réponse qui changera votre vie.

La Vie. Bon outil de travail pour l'étudiant, précieux aux amateurs de jeux, et utile à posséder en famille.

Vogue. QUID nous permet d'avoir, quoi qu'il arrive, le dernier mot.

LA PRESSE SPÉCIALISÉE

AGRICOLE. Le Bas-Rhin Agricole. Les questions les plus inattendues trouvent ici une réponse immédiate.

La France Rurale Indépendante. Satisfait toutes les curiosités, comble toutes les lacunes.

Le Paysan Français. Une mine de références.

Rustica. Cette petite encyclopédie extrêmement précise, claire et pratique dans tous les domaines abordés. A consulter sans cesse.

ARTS. Jardin des Arts. Répond à toutes les questions que l'on peut se poser.

AUTOMOBILE, AVIATION. L'Auto-Journal. Cet étrange recueil de renseignements en tous genres.

Europe-Auto. Ouvrage précieux : non. Indispensable.

France-Aviation. Instrument de travail pour tous ceux dont l'activité professionnelle exige des réponses immédiates aux questions les plus diverses.

CINÉMA. Le Film Français. Documentation, dates et renseignements essentiels sur le cinéma.

COMMERCE. Boutique de France. Répond à des milliers de questions de tous ordres.

Le Commerce Moderne. Ce précieux outil de documentation.

Le Coopérateur. Tout est dans le QUID. Le monde dans votre main. Un vrai livre de chevet.

L'Écho de la Vente. QUID vous permettra de pendre part à toute discussion... en un mot d'être, sur tout, le plus au fait.

ÉCONOMIQUE ET FINANCIÈRE. Les Affiches Moniteur. QUID fournit les renseignements qu'il faut, et surtout quand il faut.

L'Assureur Conseil. Précieux à ceux qui ont besoin de faire rapidement le tour d'une question.

Entreprise. C'est le livre de l'honnête homme du XXe siècle.

Hommes et Techniques. Une documentation précieuse.

Intérêts Privés. Permet d'être au courant d'une foule de détails anodins ou importants.

Le Moniteur des Travaux Publics. Une mémoire de secours, un ouvrage de référence et de culture « au quotidien » ; un outil de travail... et de distraction.

L'Opinion Économique et Financière. Complet, actuel, pratique, facile à consulter, l'on peut y trouver tout ce dont on a besoin tous les jours.

Valeurs Actuelles. Une documentation de base pour tous.

La Vie Française. Une masse de renseignements d'une variété peu commune. Tout ce qu'il faut savoir pour comprendre les événements et bien se classer dans les rallyes.

La Vie des Métiers. Tout y est, du plus classique au plus imprévu. C'est le livre qui peut donner le désir de « connaître ».

ENSEIGNEMENT. L'École Normale Supérieure. QUID reste l'ouvrage de référence capital.

École Ouverte. Bien rôdé, le QUID est devenu un outil de travail précieux, indispensable pour la mise à jour des connaissances sur les matières les plus diverses.

L'Éducation. Devant un tel travail, on est confondu d'admiration.

Éducation Enfantine. Le trésor des curieux.

L'Étudiant. Le QUID balaie large... Indispensable et d'une qualité indiscutable... Il faut l'avoir à la maison au coin d'une table.

L'Instituteur. En tout homme sommeille un curieux. QUID s'adresse à lui.

La Quinzaine Universitaire. QUID s'intéresse à tous les domaines, tout en s'efforçant de rester maniable, complet et lisible.

La Voix des Parents. Instrument de travail pratique et source de divertissement, un ouvrage des plus utiles.

HISTOIRE. Historia. Une manne de renseignements... Une idée – et ce n'est point si commun.

Historiens et Géographes. Le QUID est irremplaçable et sa lecture, bien réjouissante par l'entrelacement des questions et des réponses, est vraiment enrichissante parce qu'elle permet de retrouver facilement des références. Il est reconnu que, dans notre monde surinformé, l'information est difficile à trouver ; le QUID est là, heureusement.

Miroir de l'Histoire. Il ne nous semble pas qu'autant de définitions, de données, d'informations, de renseignements de toute nature aient jamais été réunis en un seul volume.

HÔTELLERIE. L'Hôtellerie. Avec QUID, vous êtes en état de déconcerter votre interlocuteur.

LITTÉRAIRE. Le Figaro Littéraire. Le QUID satisfera les curiosités les plus dévorantes.

Les Lettres Françaises. Une classification originale permet d'en lire beaucoup en peu de mots : c'est une excellente formule.

Lire. Indispensable pour jouer au jeu des mille francs et idéal pour coller ses amis.

Les Nouvelles Littéraires. QUID ? L'anthologie de tout pour tous.

MÉDICALE. Action Sociale et Santé. C'est le compagnon de chaque instant.

Le Caducée. QUID n'est pas un livre mais une véritable bibliothèque.

Le Génie Médical. Sa lecture est passionnante. Admirablement mis à jour, QUID renseigne sur tout.

Impact Médecin. Plus jeune et plus utile que jamais.

Lettres et Médecins. Au regard de l'homme pressé que nous sommes, QUID est un guide précieux, fondé sur une solide documentation.

Le Quotidien du Médecin. Un livre pratique qui dépanne, un instrument de culture et un livre de distraction.

MILITAIRE. Armées d'Aujourd'hui. QUID répond en un temps record à toutes vos questions et vous permet de rester mieux informé, de comprendre les événements et de les replacer dans leur contexte.

Cols Bleus. Un phénomène de l'édition.

Marine. QUID reste bien l'ouvrage utile qu'il se proposait d'être.

Revue Maritime. QUID vous sera précieux tant à vous-même qu'à vos enfants... Tant pour vous instruire que pour vous divertir, tant pour votre travail que pour votre délassement.

T.A.M. Des données précises qui éviteront tâtonnements et perte de temps.

RELIGIEUSE. Réforme. tout ce que vous ne savez pas est là, avec une quantité stupéfiante de tableaux, de cartes et même de photos.

Témoignage Chrétien. Une réussite.

Tribune Juive. Une encyclopédie de l'honnête homme.

SPORTIVE. Caravaning. QUID éclaire, enseigne, divertit.

L'Équipe. Répond à toutes les questions... Y compris celles des fanatiques du sport.

SYNDICALE ET DIVERS. Force Ouvrière. Unique non seulement par la diversité des matières qu'il traite, mais surtout par sa méthode et par ses points de vue particuliers.

Les Routiers. QUID vous permettra de prendre part à toute discussion politique, économique, scientifique, technique, littéraire...

Le Sapeur-Pompier. QUID a un seul défaut : on a du mal à l'abandonner pour se remettre au travail.

Syndicat (Belgique). QUID est sans doute l'encyclopédie la plus amusante qui existe en langue française. C'est peut-être aussi la plus étonnante.

La Vie Ouvrière. QUID répond aux exigences de la vie moderne.

LA PRESSE DES JEUNES

Formidable. C'est fantastique !

Jacinte. L'antisèche qui comble tous les trous de mémoire et étanche la curiosité.

Loisirs Jeunes. Rend des services tant aux étudiants qu'aux parents.

Mademoiselle Age Tendre. Une foule d'informations passionnantes.

Pilote. De quoi faire de chacun de vous un incollable.

Salut les Copains. Comment assimiler sans effort mais au contraire avec plaisir... simplement en lisant QUID.

Tintin. QUID répond avec beaucoup de précision, il faut absolument vous procurer QUID.

Vingt Ans. Consultez le QUID, avant de vous lancer dans toute affirmation... Faites-le vous offrir, vous y ferez, comme nous, de longues plongées.

PRESSE ÉTRANGÈRE

BELGIQUE

La Cité. Achetez QUID qui sans conteste est la plus parfaite des encyclopédies, l'ouvrage de référence qu'on gardera à portée de la main.

Dernière Heure. Une « Bible » de la connaissance.

Le Jour (Verviers). Un succès croissant que l'on comprend aisément.

Le Journal de Mons. Cet ouvrage est avant tout le livre de la famille.

La Libre Belgique. Un instrument de paix : grâce à lui on tranche le débat qui s'envenime ! Un complice : le tricheur qui vous souffle les bonnes réponses !

La Métropole (Anvers). Le plus amusant des livres de travail.

Le Peuple. Il est peu d'ouvrages aussi suprenants. Il doit être constamment à portée de la main. A toutes les heures du jour, et en toutes circonstances... même en vacances.

Le Phare. Sans commentaires, sans littérature, mais avec une multiplicité aussi grande que l'imagination permet de rêver, QUID est vraiment étonnant. QUID permet aux parents de répondre à (presque) toutes les questions que leur posent leurs enfants.

Pourquoi pas. Cette arme décisive de chasseur de prix et de « bravo, vous êtes le plus fort ».

Le Rappel. QUID sert à tout le monde. A l'heure des jeux et des débats, QUID n'est pas en retard au rendez-vous.

Le Soir. Un ouvrage qui accomplit la plus utile des missions, celle de rendre service... C'est aussi une invitation à la découverte, une incitation à la promenade, que ce soit à travers le temps, les pays ou les connaissances.

Spécial. Une encyclopédie providentielle.

SUISSE

Fémina. On a envie d'en faire sa lecture de chevet, attention aux nuits blanches.

La Gazette de Lausanne. Les questions les plus insolites y trouvent leur réponse.

Le Journal de Genève. Un irremplaçable instrument de référence pour l'étudiant, la mère de famille..., l'homme d'affaires.

Le Journal de Payerne. Ravira ceux qui sont curieux de tout, permettra de gagner maints concours.

Le Nouvelliste du Rhône. Le seul dictionnaire qui tienne compte du goût actuel des hommes pour les records et pour la petite histoire du quotidien.

La Tribune de Genève. Une extraordinaire somme d'informations prise aux meilleures sources. QUID me paraît parfaitement adapté à son époque. Il tient sa promesse : « Tout pour tous ».

La Tribune de Lausanne. Un remarquable instrument de travail.

PAYS DIVERS

Jeune Afrique. On y trouve « tout ce qu'il faut savoir ».

L'Information d'Israël... à la fois agréable et utile. A posséder.

Le Jour (Beyrouth)... dans les livres qui se vendent le plus au Liban : QUID.

O Popular (Brésil). Enfim, uma enciclopédia feita com inteligência.

La Presse de Tunis. Tout savoir grâce à QUID.

En feuilletant le **Quid,** amusez-vous à tester vos connaissances et celles des autres. **Quid** répond à des dizaines de milliers de questions.

Faites ce test... Sauriez-vous répondre ?

De quand date la folie des pin's ?

Le premier pin's a été créé en 1886 à Atlanta (Géorgie) par Coca-Cola mais ne triomphera qu'en 1984, aux J.O. de Los Angeles où il est distribué par la firme. En 1988, le pin's fait son apparition aux Internationaux de Roland-Garros, sous la forme d'une série au nom des sponsors officiels du tournoi. En 1990, la France a émis plus de 250 millions de pin's produits par 80 fabricants, sans parler d'une cinquantaine d'importateurs. Chaque semaine, + 300 modèles différents sont créés. En 1991, la Shell a commandé 8 millions de pin's, le Sénat 5 000.

Comment appelle-t-on les amateurs de pin's ?

Des philopins.

A combien se sont vendus les pin's les plus chers ?

De 3 000 à 4 000 F pour des pièces particulièrement rares (Opéra de Bercy, la 700e d'Apostrophes, le TSO du Paris-Dakar, la Caméra d'Or du festival de Cannes).

Quel est le pin's le plus rare ?

Celui en émail commandé par Ferrari à 939 exemplaires seulement pour la sortie de la F40.

Va-t-on manquer de main-d'œuvre ?

Selon les dernières projections de l'INSEE, il devrait y avoir après l'an 2000 pénurie de main-d'œuvre due au vieillissement de la population et au ralentissement, voire à l'arrêt ou l'inversion, du nombre des actifs. Chômage et pénurie de main-d'œuvre pourraient cependant coexister en raison d'un manque d'ajustement de la demande et de l'offre de travail. 3 solutions avancées. 1) *Le recours à l'immigration qualifiée.* Pour un indice de fécondité de 1,8, le nombre annuel de migrants nécessaire pour empêcher une diminution de la population active serait de 142 000 pour la période 2000-2009, 148 000 pour 2010-2019, 117 000 pour 2030-2039. 2) *Une augmentation de l'âge de la retraite.* De 2,5 ans environ pour maintenir jusqu'en 2040 la population active à son niveau de 1985. De 3 ans et plus si l'on veut conserver le rapport actuel entre travailleurs et retraités. 3) *Une hausse de l'activité féminine.* Ce qui supposerait des réformes sociales importantes si l'on ne veut pas qu'elle s'accompagne d'une baisse de la fécondité.

Comment s'appelleront les montagnes de Vénus ?

Du nom de femmes célèbres. Ainsi en a décidé la commission de la nomenclature de l'Union astronomique internationale (IAU). Les propositions doivent être envoyées à : Vénus Names, Magellan Project Office, Mail Stop 230-201, Jet Propulsion Laboratory, 4800 Ako Grove Drive, Pasadena, California 91109, USA. Une seule montagne portera un nom d'homme : celui du physicien James Clerk Maxwell (nom déjà attribué à la montagne la plus élevée).

Y a-t-il eu beaucoup d'attentats en France pendant la guerre du Golfe ?

Il y a eu eniron 3 000 alertes à la bombe, mais aucun attentat directement lié au conflit, seulement des attentats sans gravité contre *Libération,* le domicile de Mme Pompidou et un hôtel des Impôts parisien.

Les passagers d'Air France sont-ils voleurs ?

Chaque année il disparaît à bord des avions d'Air France 1 millier de petites cuillers en inox, près de 250 000 couvertures, 120 000 salières (supprimées depuis 1988), 500 000 écouteurs, bien qu'ils soient incompatibles avec les baladeurs. *Coût total : 1988 :* 46 millions de F pour 13 à 14 millions de voyageurs. *1990 :* 60 pour 35 millions de voyageurs.

Quelle est la différence entre portiques et stoas ? Voir page 957a.

Et ceux de la SNCF ?

En 1990, il a disparu 280 à 300 000 draps, 30 000 à 33 000 oreillers, 2 500 couvertures, 130 000 à 140 000 taies d'oreillers, 22 600 marteaux pour casser les vitres en cas d'accident, 32 300 cendriers, 1 300 cadres supports de publicité et 300 cadres de photos, 18 600 rideaux, 875 échelles de couchettes (1987), 2 000 distributeurs de savon. *Coût total :* l'équivalent du prix d'une rame de TGV-Sud-Est.

Quel est le coût économique de l'alcool et de la drogue aux États-Unis ?

144 milliards de $ selon le ministère de la Santé, soit la moitié des dépenses militaires annuelles.

Où se trouve la première station spatiale expérimentale ?

Dans le désert de l'Arizona où son aménagement a été financé par un milliardaire texan. Biosphère II se présente comme une cloche de verre de 17 000 m² abritant une reproduction miniaturisée de Biosphère I (notre planète), avec une forêt tropicale, une savane africaine, des cultures, un lac salé, des dunes, 3 800 espèces animales (insectes surtout) et 250 espèces végétales. A partir du 23 septembre 1991, 8 scientifiques (4 hommes et 4 femmes) doivent y vivre en autarcie complète pendant 2 ans. Ils respireront de l'air recyclé par des souffleries, et boiront et mangeront des produits engendrés dans ce système clos et recyclés. Ils ne seront reliés à l'extérieur que par un système audiovisuel.

Les gauchers sont-ils défavorisés ?

Selon des enquêtes récentes, ils vivraient 9 ans de moins que les droitiers et auraient davantage d'accidents, sans doute parce que leur environnement est conçu pour les droitiers. L'espérance de vie est similaire entre les 2 catégories jusqu'à 33 ans, mais ensuite on trouve 1 à 2 % de plus de droitiers vivants. Selon une étude chinoise, les gauchers seraient plus portés au crime que les droitiers et commettraient des délits plus graves. Sur 756 délinquants chinois étudiés, 7,4 % étaient des gauchers alors que leur proportion dans la population chinoise n'est que de 2,2 %.

Quel est le taux de cholestérol moyen des Français ?

Femmes 2,11 g par litre, hommes 2,19 g/l. 17,2 % des femmes et 3 % des hommes ont un taux égal ou supérieur à 2,5 g/l.

Où se trouve le pôle magnétique ?

Actuellement en mer, au large de la base antarctique Dumont d'Urville. En 1957, il se trouvait sur le continent, entre cette base et la station Charcot. Le pôle magnétique se déplace d'environ 10 km par an.

Qu'est-ce que la tribologie ?

Du grec *tribein,* frotter, et *logos,* étude ou science. C'est la science du frottement et des disciplines connexes (adhérence, lubrification et usure des solides). Le premier « tribologue » connu aurait été Léonard de Vinci qui énonça les premières lois du frottement.

Que signifie au Japon « faire Doda » ?

Changer d'entreprise, du nom de l'hebdomadaire « Doda » spécialisé dans les offres d'emploi. Jusqu'à une époque récente, les salariés japonais effectuaient toute leur carrière dans la même entreprise. La pénurie de main-d'œuvre a suscité la mode du *tenshoku* (changement d'emploi). 2 500 000 salariés ont ainsi changé d'emploi en 1989.

Que symbolise le trèfle à quatre feuilles ?

Chaque feuille apporterait une promesse : renommée, richesse, amour et santé.

Même arrêtée (moteur stoppé) une voiture peut-elle consommer de l'essence ?

Oui, par évaporation. Dès que la température s'élève, environ 10 à 20 g par jour s'évaporent par le carburateur et le bouchon du réservoir. Sur 1 an, 530 000 t d'essence s'évaporent ainsi en Europe sur les parkings plus 180 000 t dans les stations-service. Pour éliminer ces pertes, accusées d'être à l'origine du smog et du dépérissement des forêts, toutes les voitures neuves devront à partir du 1-1-1993 être équipées d'un canister ou filtre à charbon actif.

Combien de grêlons représente un orage de grêle ?

300 millions pour un orage « moyen » de 10 minutes couvrant une surface de 100 km².

Y a-t-il beaucoup de drogués en Chine ?

En 1952, la Chine s'était déclarée « libérée du fléau de la drogue », mais en juin 1991, pour la 1re fois, un responsable chinois a reconnu que le problème de la drogue était grave. On a découvert des plantations de pavot dans des régions reculées de Mongolie intérieure et de Mandchourie, et la formation de gangs armés liés aux réseaux internationaux. Le nombre de nouveaux drogués chinois est officiellement évalué à 70 000 pour 1989.

Quelles sont les dettes des Girondins de Bordeaux ?

En novembre 1990, elles s'élèvent à 242 millions de F d'après Jacques Chaban-Delmas.

Combien reste-t-il d'ours en France ?

10 seulement dans les Pyrénées, ce qui est insuffisant pour leur permettre de se reproduire (ils étaient une centaine en 1945 mais ont été décimés par les chasseurs qui les accusent de déranger le gibier, et par les éleveurs bien qu'ils soient herbivores à 80 %).

Combien a coûté l'Opéra de la Bastille ?

Total des crédits d'investissement ouverts jusqu'en 1990 pour la construction et l'équipement : 28 milliards de F plus une autorisation d'emprunts de 200 millions de F. Dépenses engagées au titre du fonctionnement de la nouvelle salle : 76 millions de F pour 1989. (La salle n'a été ouverte que pour le spectacle du 13 juillet et ces crédits ne représentent qu'une partie des dépenses de personnel.) Total des crédits de fonctionnement ouverts à titre prévisionnel pour 1990 : 308 millionsde F, dont 15 millions représentant les cachets versés aux artistes lyriques invités.

Quel est le gros lot le plus élevé du monde ?

Celui offert par la compagnie américaine Space Travel Services Corporations qui offre aux gagnants d'une loterie 1 semaine à bord de la station orbitale soviétique Mir.

Quels sont les mots les plus utilisés par le président Mitterrand dans ses discours ?

Entre parenthèses, fréquence pour 1 000 mots. *Substantifs :* monsieur (2,6), Europe (2), France (1,9), Français (1,8), politique, ministre (1,8), République (1,6), président (1,5), gouvernement, année, an (1,4), monde, fait (1,3), problème (1,2), chose, temps, cas, État (1,1), question (1). *Adjectifs :* social, politique (1,7), national (1,4), français, européen (1,3), certain, bon, vrai (1,2), grand (1,1). On constate dans ses discours un excédent des verbes croire, penser, connaître, comprendre, trouver, et de l'expression « il faut » (40 % de plus par rapport au français parlé courant, 3 fois plus par rapport au français écrit). De même pour le pronom « je ». (fréquence 29,2 pour 1 000 mots contre 1,6 chez Chirac, 0,36 chez de Gaulle). *Source :* étude P. Labbé « le vocabulaire de F. Mitterrand ».

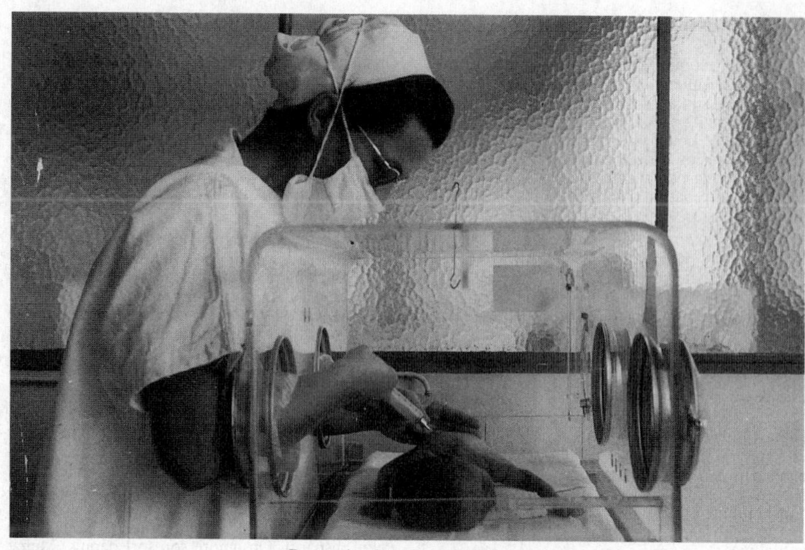

Peut-on citer des prématurés célèbres ?
Voir page 581b.

Quel est l'hymne national d'Andorre ?

Le Grand Charlemagne.

Les Français sont-ils sportifs ?

En 10 ans, le nombre des licenciés a augmenté de 34 % (*1990 :* 12 800 000, dont 6 294 102 dans les disciplines olympiques). *Sports qui ont le plus progressé (en %) :* badminton + 584, squash + 258, trampoline + 153, tir à l'arc + 130, tennis + 77, natation + 52,4, handball + 20,6, football + 19,7, rugby + 16,5, basket + 11,3, ski + 0,01. *En recul :* boxe et cyclisme.

Qu'est-ce que les quarantièmes rugissants ?

Des vents de secteur ouest qui soufflent en quasi-permanence aux latitudes moyennes de l'hémisphère sud et forment une zone de gros temps.

Les écoutes téléphoniques sont-elles légales ?

L'Assemblée nationale a adopté le 13-6-1991, en première lecture, un projet de loi autorisant les écoutes judiciaires si « les nécessités de l'information l'exigent et si les autres moyens d'investigation sont inopérants ou insuffisants ». Les écoutes administratives (dites « interceptions de sécurité ») sont soumises à une autorisation écrite du Premier ministre et les enregistrements doivent être détruits au-delà de 10 jours. Une Commission de contrôle de la légalité des interceptions de communications téléphoniques doit également être mise sur pied.

Quel pays a consacré une série de timbres à ses espions ?

L'URSS avec une série de 5 valeurs émises le 29 novembre 1990 et consacrées à ses agents secrets les plus célèbres : Vanpshasov, Abel, Kudrya, Molodyi et Kim Philby.

Combien de musées y a-t-il en France ?

Environ 3 900, dont 38,6 % appartiennent à des propriétaires privés. 55 % des musées sont consacrés à plusieurs thèmes, 45 % à 1 seul thème (Histoire 18,5, Beaux-Arts 14, Archéologie nationale 13,2, Ethnographie 12,5, Sciences et Techniques 12,2, Histoire naturelle 11,9, Art religieux 5,1, Mobilier, objets d'arts 4,7, Littérature ou Musique 2,6 etc.). Dans 4 musées sur 10, l'entrée est gratuite (43 % des musées privés, 36 % des musées publics).

Quelles molécules ont le plus mauvais goût ?

Celles du saccharate de dénatonium mis au point par deux chercheurs américains et dont l'amertume est 5 fois supérieure à celle de l'additif le plus amer. Ce saccharate pourrait être utilisé dans les gaines de câbles pour éviter qu'elles soient attaquées par les souris.

Que coûtent à l'économie française les ponts du mois de mai ?

Une dizaine de milliards de F.

Les Français sont-ils généreux ?

L'ensemble des dons collectés en 1989 pour des causes humanitaires se serait élevé à 8 milliards de F. En 1988, les associations s'occupant du développement du tiers monde ont recueilli 2 200 millions de F. Cependant, les dons particuliers ont tendance à stagner ou à reculer au bénéfice des cofinancements de programmes par des entreprises, par des banques ou par l'État. Le taux de rendement des appels humanitaires par publi-postage est tombé de 3 à 4 % en 1988, à 1 % en 1990.

Combien de voitures sont conduites à la fourrière chaque jour à Paris ?

Plus de 800.

Combien y a-t-il de personnes déplacées dans le monde ?

Fin 1991 : 17,5 millions selon les estimations du Haut-Commissariat des Nations unies pour les réfugiés, dont + de 4,5 millions en Afrique. (*1951 :* 1 million. *1960 :* 2. *Fin 1980 :* 8. *Fin 1989 :* 12.)

Quel est le cuir le plus cher du monde après le crocodile ?

La peau d'autruche. 2 300 F le m² (veau 450 F).

Les mariages blancs sont-ils fréquents ?

En 1990, à Paris, sur 12 141 mariages civils, 3 991 étaient des mariages entre Français et étrangers. 55 % auraient été des mariages de complaisance pour permettre à des étrangers d'acquérir la nationalité française. *Principales nationalités concernées :* Marocains, Égyptiens, Algériens, Ivoiriens et Zaïrois.

Comment se passait la journée de travail de Brejnev ?

Selon le Soviétique Alexandre Chelepine : lever à 10 h, petit déjeuner à 11 puis travail. Déjeuner à 14 h puis sieste jusqu'à 17 h. Ensuite partie de chasse jusqu'à 21 ou 22 h si le temps le permettait. Séance de cinéma et coucher à minuit ou plus tard. À l'opposé, Souslov, l'idéologue du Parti, était remarquable pour sa ponctualité. Il arrivait au travail à 8 h 59 et en repartait à 17 h 59.

Combien coûte un garde du corps ?

Environ 180 F de l'heure. Un agent de surveillance 60 à 80 F. Un conducteur de chien de défense 100 F.

Depuis quand les hommes portent-ils des boucles d'oreilles ?

Depuis la plus haute antiquité (Ramsès II, souverains de l'Assyrie et de la Babylonie, fonctionnaires et magiciens de l'époque sassanide, etc.). En France, portées à l'oreille gauche, elles étaient de tradition dans certaines professions (charpentiers, menuisiers, marins, mariniers), on les croyait efficaces contre les ophtalmies.

A combien s'élèveraient les réparations dues à l'Afrique pour cause d'esclavage ?

A 25 milliards de $ selon la Conférence mondiale sur les réparations à l'Afrique et aux Africains de la diaspora organisée en déc. 92 à Lagos (Nigeria). Les participants ont suggéré qu'une partie de ces « réparations » soit représentée par l'annulation des dettes africaines.

Combien de châteaux y a-t-il en France ?

Environ 20 000 dont 1 435 classés monuments historiques.

Quelle a été la conférence de presse la plus longue du président Mitterrand ?

La première (septembre 1981). Durée 2 h 30. 17 630 mots. De juillet 1981 à mars 88, le président est apparu 68 fois à la TV, soit 44 h d'émissions et 305 124 mots prononcés. A titre de comparaison, les allocutions du général de Gaulle de mai 1958 à décembre 1965 comportaient 62 471 mots ; les 12 tragédies de Racine 158 899, l'ensemble du théâtre de Corneille 532 800, l'œuvre la plus longue de Victor Hugo (« Les Misérables ») 640 000.

Combien y-a-t-il de Japonais en France ?

26 000 (il y a 2 600 Français au Japon).

Qu'est-ce qu'un télétravailleur ?

Quelqu'un qui utilise un micro-ordinateur branché sur un téléphone pour travailler à domicile ou dans un bureau satellite proche de son domicile. 26 millions d'Américains (20 % de l'ensemble des travailleurs) travaillent ainsi.

Cesser de fumer fait-il grossir ?

Les prises de poids moyennes sont de 2,8 kg pour les hommes, 3,5 pour les femmes. Sur 9 000 personnes suivies pendant 10 ans, près de 10 % des hommes et 13 % des femmes avaient pris 13 kg ou plus. Les femmes noires de – de 59 ans, fumant + de 15 cigarettes par jour, prenaient le plus de poids.

Où se trouve l'Homme de Pékin ?

Le squelette de cet homme primitif, retrouvé en 1930 près de Pékin par le père Teilhard de Chardin, avait été déposé au musée de Pékin. Il y fut enlevé à la fin de l'occupation japonaise par des Marines américains pour empêcher les partisans de Mao de s'en emparer, mais le convoi fut attaqué et l'Homme de Pékin disparut. On ignore son sort depuis. Même chose pour l'Homme de Néanderthal saisi à Berlin par les Soviétiques et transféré en URSS, qui a disparu lors de l'attaque du convoi par des partisans polonais.

Combien y a-t-il de maires noirs en France métropolitaine ?

2. Kofi Yamgnane, d'origine togolaise, maire de Saint-Coulitz (Finistère) et Berton Demea, d'origine antillaise, maire de Castillon (Alpes-Maritimes).

Combien a-t-on vendu de Ferrari en France en 1990 ?

350 dont 100 Testa Rossa, 180 « 348 » et 70 Mondial.

Pourquoi la Joconde sourit-elle ?

Selon 2 médecins lyonnais assistés d'un sculpteur, la Joconde souffrait d'une paralysie faciale et son célèbre « sourire » résulterait d'une asymétrie musculaire. Elle aurait eu aussi le bras et l'épaule paralysés.

Combien y a-t-il de mégapoles dans le monde ?

33 villes ou agglomérations urbaines sont aujourd'hui peuplées de + de 5 millions d'habitants. Tokyo-Yokohama (28,7), Mexico (19,4), New York (17,4), Sao Paulo (17,2), Osaka-Kobé-Kyoto (16,8), Séoul (15,8), Moscou (13,2), Bombay (12,9), Calcutta (12,8), Buenos-Aires-La Plata (12,4), Los Angeles (11,5), Londres (11), Le Caire (11), Rio de Janeiro (10,9), Paris (10).

Qu'a-t-on appelé la malédiction du pharaon ?
Voir page 921b.

Y a-t-il beaucoup de policiers tués en service ?

Il y en a eu 70 de 1989 à 1990. En *1985 :* 18. *1986 :* 12. *1987 :* 8. *1989 :* 10. *1990 :* 14. En *1991,* pour la première fois, deux femmes policiers ont été tuées en service.

De quand date l'Ambre solaire ?

En 1935 par Eugène Schueller, ingénieur chimiste et fondateur de la Société française de teinture inoffensive pour les cheveux (plus tard L'Oréal, du nom d'un produit de teinture). L'instauration des congés payés en 1936 assura le succès de l'Ambre solaire. 23 millions d'unités ont encore été vendues en 1990.

La syphilis fait-elle encore des ravages aux États-Unis ?

En 1990, on compte 20 cas en moyenne pour 100 000 habitants (en 1985, 11 cas). Dans la population masculine noire, le taux est passé en 5 ans de 69 à 156 cas pour 100 000 ; dans la population blanche, de 6 à 3.

L'accouchement au forceps ou par césarienne peut-il avoir des conséquences négatives ?

Oui, mais de peu d'importance selon une étude menée par des médecins israéliens sur 52 282 jeunes nés de façon spontanée, par césarienne ou au forceps. Leurs quotients intellectuels étaient voisins (légèrement inférieurs chez ceux nés par césarienne, qui avaient aussi plus d'anomalies fonctionnelles des pieds et des mains). Ceux nés par forceps avaient davantage d'altérations fonctionnelles minimes des pieds, de la vision et de la rétine. Ceux extraits par « ventouse » présentaient des anomalies fonctionnelles des jambes.

Qu'est-ce que le mal des yuppies ?

Un syndrome de fatigue chronique qui touche les jeunes cadres nantis américains. Caractérisé par un taux élevé de globules blancs, il serait lié à 1 ou plusieurs virus mais on ignore encore pourquoi il ne touche que les cadres.

Comment les arbres se défendent-ils des agressions ?

Des observations récentes sur l'acacia, en Australie, ont montré l'existence de messages chimiques entre végétaux. En cas d'agression, un arbre peut ainsi « prévenir » à distance les arbres qui l'entourent pour leur permettre d'élaborer un système de défense. Un acacia dont les feuilles sont dévorées par les antilopes augmente le taux de tanin de ses feuilles pour les rendre toxiques. En même temps, il libère dans l'air une substance volatile, l'éthylène, prévenant ainsi les arbres voisins d'avoir à augmenter la toxicité de leurs feuilles.

A quoi Socrate peut-il servir ?

C'est le système de réservation et de vente le plus performant du monde. Inauguré en France en 1992, il permettra de traiter en 1995 130 millions de réservations par an, contre 55 millions en 1991. Il est complété par le système d'information Aristote qui permet de connaître rapidement l'activité voyageurs et la comptabilité correspondante.

Combien relève-t-on de morsures de chien en France ?

Environ 160 000 par an. Moins de 1 000 sont considérées comme graves, et moins de 10 sont mortelles. Dans plus de 80 % des cas, elles sont dues à un mauvais dressage du chien par son maître.

Comment vendre 7 millions d'albums sans chanter 1 seule note ?

En imitant le duo pop des Milli Vanilli qui remporta en 1989, aux USA, le Grammy Award du meilleur nouveau groupe. Les 2 « chanteurs », Rob Pilatus et Fab Morvan, n'étaient en fait que des mannequins engagés pour leur physique avantageux, et le disque avait été enregistré par un chanteur inconnu, Charles Shaw, payé au tarif syndical. Depuis, le producteur du groupe fait l'objet d'un procès.

Dernière heure

• **Académies.** *-10-6* François Gros (n. 24-4-1925) élu secr. perpétuel de l'Académie des sciences. *-20-6* José Cabanis reçu à l'académie fr.

• **Architecture.** *Mai* annonce de la mise en vente de l'Empire State Building de New York par la Prudential Life Insurance Company of America, 45 à 50 millions de $, jouissance en 2076.

• **Astronomie.** *Mai* découverte de l'astéroïde DA 1991, située entre Mars et Uranus, diam. 5 km, vitesse 61 000 km/h, met 41 ans à couvrir son orbite. -6-5 retour de la navette Discovery (lancée le 28-4). -14-6 de la navette Columbia (lancée le 5-6).

• **Beaux-Arts. Ventes.** *-10-6* diplôme de Louis le Pieux et Lothaire, 345 000 F ; bifolium d'un texte de Grégoire le Grand, de l'époque carolingienne, 450 000 F. *Juin* manuscrit de *l'Étranger* de Camus, 1 000 000 F. *Juin* bronze « Héraklès archer » de Bourdelle, 8 600 000 F. *-27-6* tête Fang du Gabon, 2 500 000 F.

Divers. *-14-4* 20 toiles de Van Gogh volées au musée d'Amsterdam, retrouvées par la police 35 mn plus tard, 3 tableaux très abîmés. *Mai* Ryoei Sato, propriétaire du *Portrait du Dr Gachet* (Van Gogh) et du *Moulin de la Galette* (Renoir) renonce à être incinéré avec ses tableaux. *-16-6* vol dans une galerie de Zurich de 2 Picasso (env. 240 millions de F). *Juill.* projet d'assujettissement des œuvres d'art à la TVA.

Chiffres d'affaires (milliards de $). **Christie's International.** *1989-90 :* 2,3. *90-91 :* 1,1. **Sotheby's.** *1989-90 :* 3,2. *90-91 :* 1,3. **Drouot.** *1-1/1-7-1990 :* 3,104. *1-1/1-7-1991 :* 1,581.

• **Catastrophes.** *-3-6* éruption du volcan Unzen (Japon), 38 † dont 3 volcanologues [Maurice et Katia Krafft (Fr.) et Harry Glicken (USA)]. *-23-6* 10 nouvelles éruptions du volcan Pinatubo (Philippines). *-28-6* Barbotan (Gers), 20 † dans un établissement thermal (gaz toxiques émanés de la combustion d'une toiture).

• **Cinéma.** *Festival international de Moscou :* Grand Prix : « le Chien pie qui courait au bord de la mer » (Karen Guevorkian). Interprétation féminine : Isabelle Huppert (Mme Bovary).

• **Décès.** *Févr.* Edmond Jabes. *-3-4* Max Frisch. *-26-4* Robert Velter. *-29-4* Claude Gallimard. *-1-5* André Fraigneau. *-3-5* Jerzy Kosinski. *-8-5* Roman Jasinski. *-15-5* Amadou Hampâté Bâ. *Mai* Sir Angus Wilson, Léon Gishia. *-29-5* Chris Mc Gregor. *-10-6* Vercors. *-20-6* Pierre Jamet. *-24-6* Rufino Tamayo. *-26-6* Dominique Arban *(n. 1903)*. *-28-6* Henri Lefebvre. *-5-7* Howard Nemerov. *-14-7* 4 † (1 homme de 21 ans tué par un pétard de sa fabrication, 1 jeune fille de 17 ans par une fusée qui lui a heurté le front, 1 artificier par une fusée défaillante, 1 femme tombée de son balcon du 5e étage en regardant un feu d'artifice). *-16-7* Robert Motherwell (76 a.) peintre amér. *-24-7* Isaac Bashevis Singer (87 a.) amér., origine polon., Nobel de littér. 1978. *-29-7* Gal Christian de Castrie, (98 a.) défenseur de Dien-Bien-Phu. *-4-8* Émile Tchakarov, ch. d'or. bulg. *-5-8* Gaston Litaize (n. 11-8-90) organiste. Sorchiro Honda (84 a.). *-8-8* James Irwin (n. 17-3-30) astronaute ayant marché sur la lune. *-27-8* Vince Taylor (Brian Maurice Holden) n. 1939.

• **Décoration.** Chevalier du Mérite : Lt-Col Alain Mafart (41 ans), un des faux époux Turenge impliqué dans le sabotage du Rainbow Warrior en juillet 1985, condamné à 10 ans de prison le 22-11-1985 en Nouv.-Zél., déporté 8 mois plus tard à Hao (atoll de Polynésie fr.), rapatrié sanitaire en déc. 1987.

• **États. Afghanistan.** *-21-6* annonce du retour, après 5 ans d'exil en URSS, de l'ex-Pt Babrak Karmal et du limogeage de son frère de son poste de vice-PM.

Afrique du Sud *-5-6* abolition des lois sur la propriété de la terre et l'habitat séparé. *Juin* Nelson Mandela en France. *-9-6* les avions de la South African Airways peuvent survoler l'Afr. occidentale (interdit dep. 1963). *-17-6* loi sur les classifications raciales selon la couleur abolie. *-21-6* le Parlement réduit à 10 j la détention d'un suspect (avant illimitée). *-27-6* Pt de Klerk signe les textes supprimant l'apartheid à compter du 30-6. *Juil.* le gouv. aurait donné 5 millions de rands (11 millions de F) à l'Union des travailleurs sud-afr. (proche de l'Inkhata). Dette publique extérieure (1990) : 20 milliards de $ (21,5 % du PIB). *-5-7* Mandela Pt en titre de l'ANC. *-10-7* USA lèvent sanctions contre Afr. du S.

Albanie. *-2-4* incidents à Shkoder, 3 †. *-3-4* grève générale. *-11-4* arrivée en Israël des 11 derniers juifs de la communauté alb. (300 en tout, début en déc. 90). *-30-4* Ramiz Alia réélu Pt par le Parlement. *-4-5* conformément à la nouvelle Constitution, il démissionne de ses fonctions au sein du PTA. *-22-5* relations diplom. avec G.-B. reprises (rompues dep. 1946). *-10-6* ouverture du Xe congrès du PTA. *-11-6* gouv. de coalition. *-12-6* arrivée de 600 réfugiés alb. en Italie. *-12-6* le PTA devient le P. Socialiste Alb. ; Pt (élu 13-6) Fatos Nano. *-14-6* 800 réfugiés reconduits par les autorités it. dans les eaux internat. *-20-6* statue de Lénine à Tirana déboulonnée. *-22-6* visite du secr. d'État amér. James Baker. *Août* exode de milliers d'Alb. en Italie, renvoyés en Alb.

Algérie. *-1-4* nouvelle loi électorale (scrutin majoritaire uninominal à 2 tours). *-25-5* grève générale illimitée lancée par le FIS. *-27-5* 30 000 à 100 000 manif. du FIS à Alger. *-4-6* affrontements à Alger entre forces de l'ordre et FIS. *-5-6* état de siège instauré pour 4 mois, démission du gouv. Hamrouche, report des élections législatives des 27-6 et 18-7, Sid Ahmed Ghozali (n. 1937) PM. *-6-6* couvre-feu instauré à Alger et dans 3 départements. *-7-6* annonce d'élect. législatives et présidentielles avant la fin de l'année, fin de la grève générale lancée 25-5. *-15-6* Ahmed ben Bella candidat à la présidence. *-18-6* nouveau gouv. formé. *-25-6* agitation à Alger ; au *-26-6* 13 †, env. 60 bl. *-30-6* Abassi Madani et Ali Benhadj, dirigeants du FIS arrêtés pour conspiration armée contre la sécurité de l'État. *Début juill.* nombreux militants islamistes arrêtés. *-7-7* Mohammed Saïd, successeur de Madani, arrêté. *-8-7 bilan des affrontements,* selon la Ligue alg. des droits de l'h. : 300 I, 1 800 arrestations. *-9-7* gouv. Ghozali investi. *-18-7* l'A. prête à vendre 1/4 du gisement d'Hassi Messaoud à des Cies étrangères (bénéfice attendu : 6 à 7 milliards de $). *Prévisions an 2 000 :* 32 millions d'hab.

Économie : inflation 1989 : 9,3 %, *1990 :* 16,7 %, *1991 (juin) :* 43. *Chômeurs :* 1 200 000.

Allemagne. *-31-5* Rainer Sonntag, dirigeant néonazi assassiné. *-3-6* Susanne Albrecht condamnée à 12 ans de prison pour le meurtre du banquier Jürgen Ponto. *-17-6* traité de bon voisinage avec Pologne. *-25-6* ex-PDS dépossédé (2,27 milliards de DM). *-1-7* impôts + 7,5 % sur 1 an, taxes sur assurances + 3 %, tabac + 17 % (dès le 1-1-92). *-5-7* siège du Bundesrat maintenu à Bonn par 38 voix contre 30. *Déficit commercial (mai) :* 0,8 milliard de DM (1,4 *en avril*). *Projet de budget (1992) :* dépenses : 422,4 milliards de DM (410,3 *prévus en 91*) ; dépenses dues à l'unification : 109 (*93 en 91*). *-15-7* départ de la marine de guerre sov.

Le service militaire est-il plus long en Grande-Bretagne qu'en France ? Voir page 1839b.

Angola. *-25-5* départs des derniers soldats cubains. *-31-5* signature à Lisbonne de l'accord de paix ; l'ONU surveillera le cessez-le-feu. *-26-6* annonce du retour prochain d'Holden Roberto, ancien chef FNLA.

Antarctique. *-29-4* accord signé à Madrid interdisant l'exploitation minière pendant 50 ans.

Arabie Saoudite. *-11-7* DC 8 nigerian s'écrase à Djeddah (261 †).

Autriche. *-21-6* Kurt Waldheim annonce qu'il ne se représentera pas aux élect. présidentielles de 1992.

Bangladesh. *-7-8* système parlementaire restauré.

Belgique. *Début mai* émeutes à Bruxelles, Maghrébins s'opposent aux forces de l'ordre. *-18-7* ex-vice-PM André Cools (n. 1928) assassiné.

Bulgarie. *-5-6* Parlement annule référendum prévu. *-6-7* sur la forme du régime (rép. ou monarchie). *Juil.* B. ferme les 2 réacteurs de Kozlodoui (la CEE lui versera 11,5 millions d'écus). *-12-7* nouv. Constit. *-29-9* élections législ. et municipales.

Cambodge. *-17-7* Pékin, accord entre les 4 factions camb. Pce Sihanouk élu Pt du Conseil national suprême.

Chine. *1991* achat de 2 102 240 t de blé américain. *-4-6* 50 000 manif. à Hong Kong pour le 2e anniversaire de Tiananmen. *-17-6* le gouv. désapprouve la nomination comme cardinal de Mgr Ignatius Gong Pingmei (en exil aux USA).

Chine libre. *-30-4* fin officielle des hostilités entre nationalistes et communistes chinois. *-1-5* maintien de la loi martiale sur îles Quemoy et Matsu.

Colombie. *-7-6* importantes pluies : 57 †. *-8-6* dissolution du Congrès (approuvée par l'Ass. constituante le 15-6), él. législatives prévues 6-10. *-29-6* l'Ass. constituante interdit l'extradition des citoyens col. recherchés dans d'autres pays. *-4-7* fin état de siège.

Comores. *-3-8* Ibrahim Ahmed Halidi Pt par intérim.

Congo. *-10-7* conférence nat. (délégués de 67 partis pol., 134 associations et env. 30 personnalités, Pt : Mgr Ernest Kombo). Le Pt perd ses pouvoirs, le PM André Milango dirigera le pays pendant 1 an sous le contrôle du Cons. sup. de la Rép. (153 m.). *Nov.* référendum constitutionnel prévu. **1992** *mars* législatives prévues. *Mai* présidentielles prévues.

Corée du N. *Mai* refuse de signer un accord de vérification du tr. de non-prolifération nucléaire. *-28-5* va demander son admission à l'ONU.

Corée du S. *-1-5* PM. Michel Rocard en Chine. *-1-5* manif. demandant la démission du Pt, des étudiants s'immolent par le feu. *-5-5* un syndicaliste se suicide pour protester contre la répression policière. *-9-5* manif. à Séoul. *-22-5* démission du PM Ro Jaibong : nomination de Chung Wonshik. *-6-6* pasteur Moon Ik-hwan arrêté.

Côte-d'Ivoire. *-24-5* manif. à l'université d'Abidjan. *-17-6* un étudiant accusé d'être un agent du pouvoir lynché par ses camarades.

Cuba. *-31-3* office de Pâques à la radio (1re fois dep. 30 ans). *-16-5* plusieurs journaux soviétiques ferment leurs bureaux à La Havane. *Mai* retour des derniers soldats d'Angola.

Danemark. *Mai* arrêt des travaux du tunnel du Grand Baelt.

Égypte. *Juin* 1re visite dep. 1953 de Fouad, fils du roi Farouk. *-3-8* Ali Sabri meurt.

Espagne. *-18-3* Biarritz, Jesus Arkautz, numéro 2 de l'ETA arrêté. *-15-5* visas obligatoires pour maghrébins.

États-Unis. *Juil.* chômage en juin : 7 %. *Déficit budgétaire prévu 1992 :* -348 milliards de $, *1993 :* -245,7 (prévision antérieure -201,5), *1994 :* -132,1 (-68,1), *1995:*-76,3 (-2,9), *1996:*-55,5 (excédent de + 19,9 prévu).

Éthiopie. *-28-5* Londres, accord confiant le pouvoir au Front dém. et révol. du peuple éth. (Pt : Meles Zenawi, n. 9-5-1955). *-29-5* manif. à Addis-Abeba, 9 †. *Juin* explosion d'un dépôt de munitions, 800 †. *-1-7* conférence nat. adopte charte des libertés, doit désigner un gouv. de transition. *-4-7* indépendance de l'Érythrée prévue.

Finlande. *-4-6* mark finlandais rattaché à l'écu.

Gabon. *-2-5* boycott de l'Ass. nat. par l'opposition. *-8-5* universités fermées. *-7-6* démission de Casimir Oyé Mba qui forme un nouveau gouv. le 21-6.

Ghana. *-10-5* référendum sur la Constitution prévu. *-19-6* amnistie générale pour exilés pol. *-2-7* visite du Pt Jerry Rawlings à Paris.

Grèce. *-19-4* Patras, attentat 7 †, 8 bl. *Avril* arrivée de nouveaux réfugiés albanais. *-26-4* attentat contre un remorqueur. *-26-4* 4 Palestiniens arrêtés dans l'enquête de Patras. *Juin* expulsion de 26 Palest.

Guinée. *-6-5* grève générale illimitée. *-17-5* Alpha Condé, secr. gén. du RPG, rentre d'exil. *-19-5* manif. de l'opposition. *-17-6* 2 †.

Guinée-Bissau. *-4-5* loi instituant parti unique abrogée.

Haïti. *-10-7* Jean-Claude Duvalier ne pourra récupérer le château de Théméricourt.

Hong Kong. *-8-7* accord sino-britannique sur nouvel aéroport île de Lantau (coût 127 milliards de $ de H.K.).

Hongrie. *-4-5* inhumation du cardinal Mindszenty. († à Vienne 1975). *-13-6* grève générale. *-19-6* départ des derniers militaires soviét. *-10-7* loi sur restitution des biens des Églises, nationalisées 1948. *-12-7* loi sur le démantèlement des biens de l'ex-syndicat officiel rebaptisé. Confédération des syndicats hongrois (montant 4,2 milliards de forins, soit 400 millions de F). *-22-7* compromis sur collectivisation des terres.

Inde. *-1-7* dévaluation de 9,29 % par rapport au $. *Juil.* (chiffres 1991) : 410 millions de pers. en dessous du seuil de pauvreté (– de 30 $ par mois) et 250 « extrêmement pauvres ». En milliards de $: déficit de la balance des paiements (mars) : 8,9 ; réserves de change 1,4 (4 en 1987) ; coût de la guerre du Golfe : 3. En milliards de roupies : balance commerciale : - 96 ; subventions à l'agriculture (engrais) : 40 (+ 22 de soutien des prix) ; dépenses militaires : 168,5. *-4-7* Dhanu, tuée par la bombe qu'elle portait pour assassiner Gandhi, aurait été membre des Tigres tamouls.

Irak. *Mars-avril* combats au Kurdistan : exode kurde ; intervention humanitaire alliée à Dchouk (25-5 au 15-6) ; pourparlers pour autonomie du Kurdistan. *Mai* combats dans le Sud contre rebelles chiites. *Juil.* 6 700 Kurdes auraient péri dans l'exode vers Turquie (10 000 resteraient à la frontière turque et 100 000 à la frontière iranienne). *-6-7* dernière ogive balistique ir. (déclarée) détruite. *-7-7* 18 généraux et officiers sup. auraient été exécutés en juin pour conspiration. *-8-7* Irak admet qu'elle cherche à mettre au point des armes nucléaires. *-13-7* USA bombarderaient 20 objectifs si l'Irak ne se soumet pas au Conseil de sécurité. *-19-7* l'Irak admet avoir testé des « super-canons ».

Iran. *-3-7* visite Pt Mitterrand prévue à l'automne. *-8-8* Chapour Bakhtiar assassiné à Suresnes.

Israël. *Juin* 43e mois de l'Intifada, 400 †. *-18-6* élections professionnelles à Hébron, victoires des Islamistes. *-21-6* sondage publié par *Yédiot Aharonot,* la majorité de la pop. serait favorable à un compromis territorial en Cisjordanie et à Gaza, contre un tr. de paix.

Italie. *-21-5* programme écon. et financier de 3 ans (92-94) adopté. *-11-6* Antonio Fosso, ancien dirigeant Brigades rouges libéré. *-16-6* élect. régionales en Sicile, vict. de la Démocratie chrétienne.

Japon. *-14-5* catastrophe ferroviaire, 41 †, 120 bl. *-16-5* un moteur de la fusée H-2 explose au sol. *Juin* excédent commercial : + 7,3 millards de $ (dép. janvier 32,3 (déficit de la CEE : -14,4 (+ 63,3 %), des USA -15,9 (-6,2 %). *-26-6* empereur invité en Chine. *-1-7* taux d'escompte porté à 5,5 %. *-10-7* Ryutaro Hashimoto, min. des Fin., accepte sa responsabilité dans des scandales boursiers en réduisant son salaire de 10 %. *-12-7* Hitoshi Igarashi, 44 ans, traducteur des « Versets sataniques » assassiné. *-14-7* décapitation symbolique d'une effigie d'Édith Cresson par membres du groupe extrém. Issui-kai.

Koweït. *-2-6* élect. législatives prévues oct. 92. *-26-6* fin de la loi martiale ; condamnations à mort commuées en peines de prison à vie (450 pers. inculpées de collab., 29 condamnées à mort). *-4-7* rassemblement d'env. 1 000 opposants en faveur de la démocratie. *-9-7* convocation du Conseil nat. *-15-7* prod. de pétrole de 180 000 barils/j (en juillet 1990 : 2 millions) ; perte par jour : 120 millions de $ en recettes d'exportation. 215 puits éteints, 500 encore en feu sur 737. Koweït recherche un prêt de 200 milliards de F à l'étranger.

Lesotho. *-29-5* bilan dernières émeutes, 34 †, 66 bl. *-7-6* échec tentative de coup d'État.

Liban. *-15-5* adoption du tr. syro-lib. de « fraternité, coopération et coordination ». *-18-5* raid isr., 3 †. *-6-6* conseil des min. nomme 40 députés. *-1-7* début du déploiement de l'armée lib. vers Saïda. *Au 8-8-91,* 11 otages détenus (6 Amér., 2 Brit., 2 All., 1 Ital.). *-29-8* Gal Aoun amnistié part pour la France.

Libye. *-6-6* excuses de Kadhafi pour le meurtre d'une femme policier le 17-4-84 à Londres. *-11-6* 21 Indiens d'Amérique reçoivent le prix Kadhafi des droits de l'homme (250 000 $).

Madagascar. *-12-6* 100 000 manif. à Antananarivo. *-14-6* nouvelle manif. *-20-7* Gal Désiré Rakotoarijoana se rallie à l'opposition. *-22-7* annonce d'un gouv. de transition. *-23-8* Guy Willy razanamasy nommé Premier Ministre.

Mali. *Mai* env. 40 civils touaregs tués par l'armée.

Nigeria. *-29-5* 2 † (affrontements étudiants).

Nlle-Calédonie. *-8-6* convention du FLNKS, objectif : indépendance. *Juin* † de Henri Wetta, vice-Pt du Congrès.

Ouganda. *-23-3* affrontements dans mosquée de Kampala, 4 policiers †. *Avril* mort de Paul Puwanga, ancien PM.

Panama. *Juin* réforme constitutionnelle visant à supprimer l'armée.

Philippines. *-17-7* base aérienne de Clark fermée en 1992. Bail de base navale de Subic Bay renouvelé pour 10 ans (203 millions de $ par an).

Suisse. *-2-6* 3e référendum (après ceux de 1977 et 79) sur l'introduction de la TVA (en remplacement de l'impôt sur le chiffre d'affaires, au même taux, 6,2 %) : 32,3 % de part., « non » 54,3 %. *-26-6* gouv. préfère le F-18 au Mirage 2 000-5 (34 appareils).

Tchécoslovaquie. *-17-6* accord sur principes de la future Constitution.

Togo. *-5-6* grève générale. *-10-6* 30 000 manif. *-11-6* affrontements à Lomé. *-12-6* accord gouv.-opposition sur la tenue d'une conférence nat. le *24-6.*

Turquie. *-20-7* 12 militants du mouv. d'extrême gauche Dev-Sol tués par police.

URSS. *-28-6* proclamation de la souveraineté des Tatars de Crimée. *-29-6* incendie dans une mine d'Ukraine, 31 †. *-30-6* gouv. créé *-1-7* lois sur privatisation des entreprises. *Juin* 25 000 juifs partent pour Israël. *-1-7* agences de chômage ouvertes. *-4-7* Edouard Chevardnadze (ancien min. des Aff. étr.) démissionne du PC. *-17-7* Gorbatchev convié au sommet des 7 à Londres. *-29-7* traité russo-lituanien garantissant droits des russophones de Lituanie et de la minorité lit. de Russie. *Dette extérieure :* 60 à 70 milliards de $ (dont 12 à moyen et long terme à rembourser en 1991). Chiffres 1990 : déficit commercial : 800 millions de $ (limité par hausse des prix du pétrole) ; réserves pétr. : 4,9 milliards de $; stock d'or : 1 300 t (15,6 milliards de $). *-25-7* Lazare Kayanovitch (98 a.) meurt. *16-8* Alexandre Iakovlev démissionne. *18-8* COUP D'ÉTAT : Comité d'État constitué : Guennadi Ianaïev (n. 26-8-37) vice-Pt, Valentin Pavlov (n. 1937) P.M., Vladimir Krioutchov (n. 1924) Pt KGB, Omar Baklanov (n. 1932) 1er Vice-Pt du Conseil de Déf., Boris Pougo (n. 1937) min. de l'Intérieur, Mal Iazov (n. 1923) min. de la Déf., Vassili Starodoutsev (n. 1931) Pt de l'Union des paysans, A.I. Tiziakov Pt de l'association des entreprises d'État. *19-8* déclaration du comité : Gorbatchev ne pouvant assurer ses fonctions de Pt d'URSS pour « raison de santé », état d'urgence pour 6 mois. Résistance de Boris Eltsine. *20-8* Estonie proclame son indépendance. Vitali Dogoujiev, PM intérimaire, remplace Pavlov. *20/21-8* manif contre coup d'État 3 † à Moscou. *21-8* Lettonie proclame son indépendance. *22-8* Échec coup d'État. Suicide de B. Pougo. Gorbatchev rentre à Moscou.

23-8 sont nommés : Vadim Bakatine, chef du KGB ; Victor Barannikov, min. de l'Intérieur ; Gal Evgueni Chapochnikov, min. de la Défense ; Gal Lobov, chef d'État-Major. *24-8* Obsèques des 3 † du coup d'État (faits héros de l'Union Soviét.). Eltsine révèle : "Les putschistes devaient exécuter 12 personnalités libérales". Le PC se saborde au Soviet suprême. Eltsine reconnaît l'indépendance de l'Estonie et de la Lettonie. Le parlement ukrainien proclame l'indépendance de l'Ukraine. Gorbatchev demande : au Comité central du PC de se dissoudre, il interdit par décret l'activité du PC dans l'armée, au sein du KGB et au ministère de l'Intérieur ; il démissionne de son poste de secr. gén. du PC de l'Union Soviétique. Le Mal Akhromeïev (conseiller militaire de Gorbatchev) se suicide. L'ancien drapeau blanc, bleu, rouge devient drapeau officiel de Russie. Il interdit par décret la « Pravda » *26-8* le Parlement de Moldavie proclame l'indépendance. Nombreuses statues de Lénine déboulonnées. *-25/26* La Biélorussie proclame son indépendance. *-27-8* Le Parlement proclame l'indépendance de la Moldavie. *-28-8* Boris Pankine nommé min. des Affaires étr.

Viêt-nam. *-9-8* Vo Vankiet (69 a.) élu PM.

Yougoslavie. *-24-6* Parlement fédéral rejette déclaration de *dissociation* de la Slovénie. *-25-6* Slovénie et Croatie proclament leur indép., rejetée par gouv. fédéral dans la nuit du 25 au 26. Police et armée assureront le contrôle des frontières de l'État. *-26-6* Glina (Croatie), 4 †, l'armée prend le contrôle de la région. *-27-6* aéroport de Ljubljana occupé par l'armée. Combats armée-défense territoriale slovène, env. 100 † et bl. *-28-6* mission de bons offices de la CEE. Accord cessez-le-feu armée-Slovénie. *-30-6/1-7* 2e mission de la CEE. *-1-7* Stipe Mesic nommé Pt de l'État. *-2-7* reprise des combats en Slovénie. Cessez-le-feu unilatéral des slovènes. *-7-8/7* 3e mission de la CEE. *-10-7* Parlement slovène accepte par 189 voix contre 11 et 7 abst. l'accord conclu le 7 à Brioni sous l'égide de la CEE (moratoire de 3 mois sur la procl. d'indép. et rétablissement aux frontières de la situation antérieure au 25-6). *-18-7* Slovénie obtient le retrait de l'armée fédérale (reconnaissance de facto de l'indép. Bilan des affrontements en Croatie : 300 † dep. janvier. *Août* la guerre civile continue.

• **Europe. Comecon.** *-28-6* disparition officielle. CEE *-14-6* annonce la candidature officielle de la Suède (déposée le 1-7). *-18-6* accord sur le traité entre CEE et AELE instaurant un espace économique de libre-échange (doit être ratifié en juill.) *-24-6* accord sur modalités de rapprochement des taux de TVA et d'accises. **Confédération européenne.** *-12-6* réunion à Prague des 1res assises (env. 150 personnalités sans responsabilités gouvernementales). **Pacte de Varsovie.** *-1-7* dissous par les 6 pays m. **Convention de Schengen** (pays de la CEE voulant créer un espace sans frontières avant fin 1992). *-19-6-90* ratifiée par France, All., Bénélux, puis Italie. *-25-6-91* signée par Espagne et Portugal.

• **Femme.** Élisabeth Grosdhomme (24 ans) 2e major de l'ENA (1re : Françoise Chandernagor, 1969).

• **Fortunes mondiales.** *Source* « Fortune » (9 septembre 1991).

Nombres dans le monde (en 1990) : 18 291 202 (41 nouveaux ; 26 partis).

Les plus riches du monde (en milliards de $). Sultan de Brunéi 31, Sam Moore Walton [1,2] 21,1 (39,3 % du Warl-Mart). Roi Fahd d'Arabie 18. Albert, Paul et Ralph Reichmann [3] 12,8. Forrest Mars [1,2] 12,5 (confiserie). Samuel et Donald Newhouse [1,2] 12,1 (communication). Reine Elizabeth II 10,7. Taikichiro Mori [4] 10 (immobilier). John Werner Kluge [2] 7,1 (95 % de Métromédia). Kenneth Thomson [3] 6,7 (presse, agence de voyage). Gérald Grosvenor [1,5], (6e duc de Westminster) 6,6. Chung Ju-Yung [1,6] 6,5. Gad et Hans Rausing[5] 6,3 (100 % de Tetra Pak). Kenkichi Nakajima [1,4] 5,6. Estée Lauder [1,2] 5,2. Maktoum Cheikh de Dubai [7,5].

Par pays. *1er en Allemagne* : Erivan Karl Haub 4 (supermarchés). *1er en Suisse* : Otto Beisheim 3,9 (33 % de métro). *1er en Italie* : Gianni Agnelli 3,8 (39,4 % de Fiat). *1res en Espagne* : Esther et Alicia Koplovitch 2,5. *1er en Israël* : Ted Arison 2,1 (71 % de Carnival Cruise Lines). *1re en France* : Liliane Bettencourt 2 (25 % de l'Oréal, 4 % de Nestlé, 30 % de Cosmair) ; 2e Madeleine (90 ans) et Serge Dassault 1,1. *1er en Belgique* : Michèle Ferrero 1,5. *1er en Hollande* : Alfred Henry Heineken 1,5 (25 % des brasseries Heineken). *1er au Mexique* : Sir James Goldsmith 1,3. *1er au Maroc* : roi Hassan II 1,3. *1er en Autriche* : Karl Kahane 1,1. *1er en Turquie* : Nejat Ferit Eczacibasi 1.

Nota : (1) Avec sa famille (2) USA (3) Canada (4) Japon (5) G.-B. (6) Corée. (7) Émirats Arabes.

• **Justice.** *-3-6* vol de 130 000 F au siège d'Interpol à Lyon. *-9-6* Marie-Christine Baillet, femme policier en service, tuée à Mantes-la-Jolie. *Juin* saisie de contrefaçons de maroquinerie à Naples (70 000 000 F). *-19-6* le tribunal de Toulon relaxe 101 prévenus comparaissant pour non-paiement d'env. 3 200 procès-verbaux. *-3-7* Bernard Grasset (n. 23-12-1933) nommé directeur de la police nat. *-14-7* grâce collective du Pt de la Rép. (sauf pour les actes de terrorisme, remise de peine de 10 j pour chaque mois de prison restant à effectuer, max. de la remise 9 mois). Concerne env. 32 000 détenus. *-11-7* Paul Touvier libéré pour raisons médicales.

• **Médecine. Choléra** (au 18-7-1991). *Amérique du Sud* : 251 568 cas, 2 618 † notifiés (env. 90 à 120 millions de personnes menacées). *Afrique* (au 15-7-91) : 45 159 cas, 3 488 † notifiés. *Asie* : 6 776 cas, 68 †. *Europe* : 1 cas. *Monde* : 303 504 cas et 6 174 †. **Sida.** Est. du coût d'un malade : 150 000 à 200 000 F par an. *Cas signalés à l'OMS (mai 1991)* : 366 455 par 162 pays (en réalité, sans doute plus d'1 000 000 + 500 000 enfants). *Séropositifs* : adultes 8 à 10 millions, enfants 1 million (prév. 2000 : adultes 30 millions, enfants 10 millions). *-30-5* dans la revue Nature, le Pr Gallo reconnaît qu'une contamination s'est produite dans son labo. *-31-5* revient sur ses déclarations. *-1-6* démission du Dr Michel Garretta, dir. gén. du Centre nat. de transfusion sanguine.

• **Musique.** Daniel Barenboïm dir. de l'orchestre symph. de Chicago (automne 1991), dir. artistique de la Staatsoper de Berlin (1-8-1992).

• **Politique.** *-16-5* sondage Figaro-TF 1-BVA : 65 % des Français satisfaits de la nomination d'Édith Cresson comme PM. *-27-5* E. Cresson entre au Bêbête Show (panthère nommée *Amabotte*). *-12-6* RPR et UDF signent la charte de l'Union pour la France (candidatures communes pour cantonales, régionales et législatives, primaires pour présidentielles). *-23-6* sondage de l'IFOP pour le Journal du Dimanche, 40 % de satisfaits du Pt Mitterrand. *Juill.* création de 50 nouveaux sièges de conseiller régional. Au Bêbête Show, E. Cresson devient *Didi la Teigne*. *-2-7* Jean-Marie Le Pen relaxé en appel pour le jeu de mots « Durafour crématoire ». *-3-7* François Roussely (n. 9-1-1945) nommé secr. gén. pour l'administration de la défense.

☞ suite p. 1928.

Guerre du Golfe

Origine

Causes lointaines. *Refus de l'Irak de reconnaître l'indépendance du Koweït* : le Koweït ayant fait partie dans l'empire ottoman du « vilayet » de Bassorah, l'Irak devenu indépendant (1932) le réclame dès 1933 comme partie intégrante de son territoire et dénonce l'émirat comme simple protectorat anglais. *1961*, accession du Koweït à l'indépendance. L'Irak envoie des troupes à la frontière (*27-7* : examen de l'affaire par le Conseil de sécurité).

Contentieux territorial entre Irak et Koweït : L'Irak n'a qu'une façade de 19 km sur le Golfe. Les îles de Warba et de Boubyane (au débouché du Golfe) ont été attribuées au Koweït. *1938* les Britanniques rejettent une demande ir. de construire dans la baie de Koweït un port qui serait relié par chemin de fer à l'intérieur de l'Irak. L'Irak conteste également au Koweït le droit d'exploiter le champ pétrolifère de Roumallah à la frontière irako-koweïtienne.

Causes immédiates. 1°) *Ambitions de Saddam Hussein.* 2°) *La dette extérieure de l'Irak* (30 à 40 milliards de $) et le refus de l'émir Jaber al-Sabah d'annuler la dette (15 milliards de $) contractée à son égard par l'Irak lors de la guerre contre l'Iran. (S. Hussein qui considère avoir défendu les intérêts arabes contre l'expansionnisme iranien réclame même un crédit supplémentaire de 10 milliards de $). 3°) *La politique pétrolière du K. et des Émirats arabes* accusés par l'Irak de ne pas respecter les quotas pétroliers et d'être responsables de la chute des cours, privant ainsi l'Irak d'une part de ses revenus. L'effondrement économique de l'Irak au début de 1990 (endettement civil et militaire supérieur au budget de l'État, chômage accéléré par le retour de 200 000 soldats démobilisés, baisse brutale du débit de l'Euphrate et diminution de la superficie des terres ensemencées à la suite de la mise en eau du barrage Ataturk en Turquie (Anatolie du Sud-Est). 4°) *La volonté des États-Unis de garder le contrôle des ressources pétrolières.* 5°) *La volonté des Occidentaux de maintenir dans la région l'équilibre existant* (Irak, Syrie, Iran) menacé par les ambitions de S. Hussein. 6°) *La crainte de voir l'Irak disposer de l'arme atomique.* 7°) Enfin, le gouvernement amér. aurait été soumis aux *pressions du « lobby juif »* (l'Irak pays le plus menaçant pour Israël doit être mis hors d'état de nuire).

Chronologie

• **1990-24-2** S. Hussein au sommet du CCG (Conseil de coopération du Golfe) à Amman évoque le risque d'un contrôle total des USA sur le Golfe (suite au déclin de l'URSS) et la nécessité pour les Arabes de s'unifier. **3-5** le ministre des Affaires étr. irakien Tarek Aziz dénonce, sans les nommer, les responsables de la surproduction pétrolière au sein de l'OPEP (Koweït et Émirats arabes unis). **17-7** S. Hussein accuse certains pays du Golfe de provoquer une baisse des prix du pétrole à l'instigation des « cercles impérialistes et sionistes ». Il annonce que « les guerres peuvent être déclarées pour des motifs économiques ». **18-7** consultations interarabes (roi Fahd, Hussein de Jordanie, émir du K. et Pt du Yémen). L'Irak accuse le K. de lui « voler » du pétrole en exploitant les puits de Roumallah sur la frontière et réclame 2,4 milliards de $ en compensation du pétrole « volé » depuis 1980. **19-7** le Conseil national du K. rejette les accusations de l'Irak et rappelle qu'il l'a soutenu dans sa guerre contre l'Iran. Envoi d'émissaires auprès des pays arabes pour expliquer la position du Koweït, et au secr. gén. de la Ligue arabe d'un mémorandum rejetant les accusations de l'Irak et proposant la constitution d'une « commission arabe » pour régler le problème des frontières avec l'Irak. Lettre au Secrétariat général de l'ONU pour l'informer. **21-7** l'Irak accuse le K. d'avoir refusé une solution purement arabe et de faciliter une intervention étrangère en ayant pris contact avec l'ONU. **21/28-7** médiations égyptienne et saoudienne pour tenter de désamorcer la crise. Le Pt égyptien Moubarak reçoit à Alexandrie Tarek Aziz et Hussein de Jordanie, puis entreprend une tournée de bons offices à Bagdad, Koweït et Djeddah, Hussein assure qu'il n'a pas l'intention d'attaquer le K. **24-7** l'Irak rejette la proposition k. d'une commission arabe pour le règlement du conflit, sous le prétexte que le problème est « bilatéral » et masse 30 000 hommes à la frontière. **25-7** Mme April Glaspie ambassadeur amér. à Bagdad, convoquée par Saddam Hussein, lui fait savoir que les USA n'ont pas l'intention d'intervenir dans le différend, ni de déclencher une guerre économique contre l'Irak. **27-7** Conférence de l'OPEP à Genève. Sous la pression de l'Irak, le K. et l'Arabie S. acceptent que le prix de référence du pétrole soit augmenté de 3 $, passant ainsi à 21 $ le baril (l'Irak avait demandé 25 $). **27-7** la CIA transmet à la Maison Blanche des photos prises par satellites révélant des concentrations massives de troupes et matériels à la frontière. Avertis, K., Arabie S. et Égypte déclarent que ce n'est qu'un chantage. Les missions de médiation arabes continuent à Bagdad (*26 et 27-7* Arafat, *29 et 30-7* Hussein de Jordanie). **29-7** Arafat est reçu par l'émir Jaber qui refuse de parler des 10 milliards de $ réclamés par S. Hussein pour les puits de Roumallah. **31-7** ouverture à Djeddah des discussions irako-koweïtiennes. L'Irak exige l'ouverture d'entretiens bilatéraux à Bagdad. **1-8** rupture des pourparlers. La délégation irakienne quitte Djeddah sous le prétexte que le K. n'a pas fait de nouvelles propositions.

Invasion du Koweït

• **Août** : **le 2** : à 2 h (h. locale, le 1er à 23 h GMT), les troupes irak. entrent au K. Plusieurs dizaines de tués (dont Chekh Fahd, frère de l'émir Jaber). 4 h 45, aucune résistance n'étant plus possible, l'émir et sa famille s'enfuient en Arabie. A 6 h, USA et K. demandent une réunion du Conseil de sécurité. A l'unanimité le Conseil de sécurité adopte la résolution 660 exigeant « le retrait immédiat et inconditionnel » de l'Irak. Gel des avoirs irakiens et k. par USA, France et G.-B. A Moscou, déclaration commune des ministres des Aff. étr. des USA et d'URSS appelant à suspendre toute livraison d'armes à l'Irak. La Ligue des États arabes condamne l'agression irak. et demande un retrait immédiat et inconditionnel (ont voté contre OLP, Jordanie, Soudan, Yémen). Bagdad annonce la formation d'un « gouvernement koweïtien provisoire ». **5** : arrivée au K. des premiers éléments de l'armée populaire irak. **6** : le Conseil de sécurité de l'ONU décide l'embargo total sur l'Irak. Plusieurs centaines d'étrangers séjournant au K. (notamment Britanniques, Amér. et Ouest-All.) commencent à être déplacés en Irak. Fermeture des oléoducs ir. dont les terminaux sont en Turquie (Yumurtalik) et Arabie S. (Yanbu). Le gouv. kow. provisoire proclame la « République du K. libre ». Exode de centaines de milliers de travailleurs arabes (Égyptiens surtout) et asiatiques (Philippins, Bangladesh) fuyant K. et Irak. **8** : début de l'opération *« Bouclier du désert »*. Troupes et matériels sont débarqués à Dharan par de gros porteurs amér. La G.-B. rejoint la force multinationale dans le Golfe. **9** : la France envoie le porte-avions « Clemenceau » mais elle ne s'associe pas à la force internationale. L'Irak ordonne le transfert à Bagdad, avant le 24, des ambassades étrangères au K. et ferme ses frontières aux étrangers. Conférence au Caire : 14 chefs d'État et souverains de la Ligue arabe, Arafat et 5 délégations gouvernementales, S. Hussein est venu ainsi que les représentants du gouv. kow. en exil à Taef (Arabie), la Tunisie est absente. **10** et **12** : les 21 membres rejettent l'annexion du K., approuvent l'embargo et votent l'envoi de troupes en Arabie ; 3 (Irak, Libye, OLP) votent contre ; Algérie et Yémen s'abstiennent ; la Jordanie ne prend pas part au vote ; S. Hussein appelle au « djihad » : il faut sauver la Mecque et les lieux saints de l'occupation étrangère. **12** : S. Hussein déclare que la solution du conflit est liée au retrait israélien des territoires occupés, et syrien du Liban. **15** : l'Irak accepte de signer un traité de paix aux conditions de l'Iran et de partager le Chatt-Al-Arab qui avait provoqué une guerre de 8 ans entre les 2 pays. **18** : Irak annonce son intention de retenir les « ressortissants des nations agressives » comme « hôtes de la paix » au K. et en Irak. Certains sont regroupés sur des sites stratégiques pour servir de « boucliers humains ». **21** : France : conférence de presse du Pt Mitterrand. « Nous sommes dans une logique de guerre ». Envoi d'instructeurs et de 200 parachutistes à Abu Dhabi et convocation du Parlement pour le 27 en session extraordinaire. **22-8** : George Bush rappelle 40 000 réservistes. **24** : les troupes ir. encerclent à Koweit City les ambassades qui ont rejeté l'ultimatum (à partir du 26, eau, électricité et moyens de communication seront coupés). **25** : le Conseil de sécurité autorise l'emploi de la force pour faire respecter l'embargo. **28** : l'Irak annonce que le Koweït devient la 19e province irak. **31-8** début des bons offices du secrétaire général de l'ONU, M. J. Pérez de Cuellar.

• **Septembre** : **le 1er** : env. 700 étrangers (femmes et enfants brit., français, améric. et jap.) peuvent quitter l'Irak. Env. 3 000 étrangers pourront partir jusqu'au 22, sauf les hommes dont près de 500 envoyés sur des sites stratégiques. **15** : début de l'opération « Daguet », envoi de 4 000 h. et de forces aériennes : expulsion de 41 Irakiens, dont 11 des 29 fonctionnaires de l'ambassade. **23** : devant l'ONU le Pt Mitterrand propose un plan de paix et un règlement global des conflits du Moyen-Orient. **Fin sept.** : la moitié de la population du Koweït a fui l'émirat.

• **Octobre** : **le 17** : + de 200 000 soldats amér. dans le Golfe. **29** : l'Irak annonce la libération des 327 Français encore détenus au K. et en Irak.

• **Novembre** : **le 8** : envoi de 200 000 autres soldats amér. en renfort. **18** : l'Irak annonce la libération de tous les otages entre le 25-12-1990 et le 25-1-91. **19** : l'Irak porte à 700 000 le nombre de ses soldats au K. et dans le sud de l'Irak. **29** : le Conseil de sécurité autorise les États membres coopérant avec le K. à utiliser la force contre l'Irak s'il n'a pas quitté le K. avant le 15-1-91.

• **Décembre** : **le 6** : l'Irak libère les derniers otages. **16** : Bush réaffirme que la force sera employée si le K. n'est pas évacué le 15-1-91. **24** : S. Hussein répète qu'en cas de conflit, Israël sera le 1er objectif de l'Irak.

• **1991, janvier** : **le 2** : Bagdad : S. Hussein reçoit Michel Vauzelles, Pt de la commission des Aff. étr. de l'Assemblée nat. **5** : l'Irak refuse une invitation de la CEE à venir au Luxembourg. **9** : échec de la rencontre à Genève de James Baker et Tarek Aziz. Le Congrès amér. autorise le Pt Bush à faire usage de la force (Sénat 52 voix contre 47, Ch. des représentants 250 voix contre 183). **14** : au Conseil de sécurité, les USA repoussent le plan de paix proposé par la France, qui prévoit la convocation d'une conférence internationale sur la question palestinienne et les problèmes du Moyen-Orient. **15** : à minuit (h. américaine) ou 6 h (h. française) expiration de l'ultimatum. **16** : Paris : le Parlement, en session extraordinaire, approuve la position du Pt Mitterrand dans la crise (Ass. nat. par 574 voix contre 43, Sénat 290 contre 25). **22** : tir de 10 Scuds sur l'Arabie S. 9 sont détruits en vol par des Patriots, 1 abîmé en mer. Tir de Scuds sur Tel-Aviv (3 †, 96 bl.) ; Israël menace de répliquer. **23** : 1er accrochage terrestre entre Irakiens et Amér. à la frontière (2 blessés amér., 6 prisonniers ir.). **24** : début d'une marée noire : l'Irak a ouvert les vannes du terminal d'Al-Amahdi. **28** : la nappe de pétrole (15 km de large, 50 km de long) dérive à 8 km/jour vers Iran, Ar. Saoud. et émirats dont elle menace les usines de dessalement d'eau. **30/31** : bataille de Khafji : 3 bataillons irakiens (1 500 h) avec 80 chars et blindés pénètrent de 30 km en Arabie (jusqu'à Khafji).

Forces en présence

• **Coalition anti-irakienne.** 28 pays dont : **Arabie Saoudite :** 67 500 h, 550 chars M-60 américains et AMX-30 français, 1 840 blindés divers, 500 canons de 105 mm, des batteries Crotale et Roland de défense antiaérienne, 140 avions de combat F-15, Tornado et F-5 Sont également basés en Ar. Saoudite 10 000 h du CCG (Bahreïn, Qatar, Émirats arabes unis et Oman) et 4 000 h de l'armée kow. Au total, les Émirats comptent 40 000 h, 200 blindés, 60 avions ; Oman 25 000 h, 50 chars, 60 avions. **Argentine :** 300 h, 3 navires de g. **Australie :** 600 h, 3 nav. de g. **Bangladesh :** 2 000 h. **Belgique :** 400 h, 2 nav. de g. **Canada :** 1 830 h, 26 avions de combat F-18, 3 nav. de g. **Corée du S. :** 150 h d'une équipe médicale. **Danemark :** 1 patrouilleur et 1 éq. médicale de 30 personnes. **Égypte :** 35 600 h, 300 chars M-60, des blindés M-113 amér., des canons de 155 mm et des lance-roquettes de 122 mm soviét., des missiles antiaériens Crotale français, de l'artillerie sol-air ZSU soviét. **Espagne :** 500 h, 3 nav. de g. **États-Unis :** 510 000 h (armée de terre 285 000, US marines 90 000, marine de g. 80 000, armée de l'air 55 000), 2 000 chars (dont 1 000 Abrams M-I et M-I AI), 2 000 transports de troupes blindées, 1 300 avions de combat (F-15, F-117A, B-52 et F-16 de l'armée de l'air ; A-10 de l'armée de terre ; F-18, F-14 et A-6 de l'aéronavale), 1 500 hélicoptères (Cobra et Apache de l'armée de terre, Sea Knight et Super Stallion des US marines) ; des batteries Hawk, Patriot et Stinger de défense antiaérienne et antimissiles, une centaine de nav. dont 6 porte-avions avec leur groupe de combat embarqué et leurs bâtiments d'escorte (*Midway* dont c'est la dernière mission, *Saratoga, Independence*, etc) et le cuirassé *Wisconsin.* **France :** 15 600 h [terre : 12 000 (division Daguet), marine : 2 400, air : 1 200] + 3 400 h en réserve à Djibouti, 40 chars AMX-30, 650 blindés (dont une centaine AMX-10 RC), 18 canons de 155 mm, 120 hélicoptères, des batteries de missiles sol-air Crotale, Mistral et Stinger, 60 avions de combat (12 Mirage 2 000, 24 Jaguar, 70 pilotes, 250 mécaniciens), 5 avions de ravitaillement en vol C 135 FR, 1 Transall avec équipement électronique de surveillance, 11 nav. de g. (escorteur d'escadre lance-missiles *Du Chayla,* frégate *Dupleix,* avisos *Commandant-Bory* et *Premier-Maître-L'Her,* bâtiment-atelier *Jules-Verne* et de soutien de santé *Rance,* transport de chalands de débarquement *Foudre,* etc). **Au 23-9 :** 14 nav. de combat et de soutien étaient déployés dans la zone maritime de l'océan Indien, dont le porte-avions *Clemenceau* et le croiseur *Colbert,* soit 26 % des effectifs embarqués de la Marine nationale et 30 % du tonnage de surface. **Grande-Bretagne :** 36 000 h (terre 29 000, air 4 000, marine 3 000), 160 chars Challenger, 300 blindés légers, 80 hélicoptères, 76 canons de 155 mm, des batteries de missiles antiaériens Javelin et Rapier, 80 avions de combat Tornado et Jaguar, 5 chasseurs de mines. **Grèce :** 200 h, 1 nav. de g. **Hongrie :** 1 éq. méd. de 40 h. **Italie :** 1 300 h, 10 avions de combat Tornado, 5 nav. de g. **Maroc :** 1 200 h. **Niger :** 500 h. **N.-Zélande :** 1 éq. méd. de 40 h, 2 avions de transport. **Pologne :** 130 h, 2 nav. de santé. **Roumanie :** 360 h d'un hôpital de campagne et 160 h d'une unité de décontamination chimique. **Sénégal :** 500 h. **Sierra-Leone :** 200 h. **Suède :** 525 h d'un hôpital de campagne. **Syrie :**

Ventes d'armes à l'Irak

De 1985 à 1990, l'Irak a été le + gros importateur au monde de matériel militaire (10 % de toutes les armes disponibles dans le monde). Malgré le traité de non-prolifération des missiles balistiques et des technologies de fabrication signé à Rome en avril 1987 par 7 pays occidentaux dont la France, des Stés italiennes, all., amér. et fr. continuent à fournir à l'Irak du matériel de pointe à travers des Stés écrans.

Fournisseurs (de 1970 à 89) (en millions de $ 1985 et, entre parenthèses en %). URSS 19 237 (61), *France 5 538 (18),* Chine 1 664 (5), Brésil 1 121 (4), Égypte 1 108 (4), Tchécosl. 703 (2), autres pays 2 166 (6). *Total 31 537.*

Ventes totales françaises de 1970 à 90 : Dassault 328 Mirage ; *Aérospatiale* 121 hélicoptères, 4 248 missiles, dont 1 028 Exocets ; *Matra* 3 000 missiles ; *Giat* 548 chars AMX-30, 25 véhicules de combat ; *Panhard* 187 automitrailleuses, 143 blindés légers, 100 véhicules blindés VCR équipés de missiles franco-allemands Hot ; *Euromissile* (consortium franco-allemand) des missiles Roland II. *8 autres Stés* ont également fourni du matériel (Thomson-CSF des radars ; Snecma des réacteurs, etc).

20 800 h, 300 blindés (dont des chars soviét. T-72, T-62, T-54, T-55). **Tchécoslovaquie :** 200 h d'une unité de décontamination chimique.

• Armée irakienne. 700 000 h (armée régulière, réservistes et miliciens 545 000, Garde républicaine 140 000), 2 800 chars, 2 800 blindés divers, 1 900 pièces d'artillerie de 122 et 155 mm (avec obus chimiques), des missiles sol-sol Scud et Al-Hussein, des batteries de missiles sol-air SAM soviét., Crotale français et Hawk amér. (pris aux Kow.), des missiles sol-sol mobiles Frog 7 avec charges chimiques, 700 avions de combat, env. 200 hélicoptères.

Arsenal chimique. 3 000 à 10 000 t. *Scuds à ogive chimique :* aucun n'a été lancé pendant la guerre, sans doute à cause de leur précision insuffisante (de l'ordre de 900 m) et de leur portée limitée (300 km). Les Irakiens n'auraient pas réussi à maîtriser la stabilité et la résistance de la munition chimique aux accélérations. 1 Scud B ne peut d'ailleurs transporter que 400 livres, or 7 t d'agents chimiques seraient nécessaires pendant 24 h pour paralyser une base militaire.

Potentiel nucléaire. *Isis (Tammouz 2),* réacteur de recherche de 500 Kw livré par le CEA, *IRT-2 000,* réacteur de recherche (5 000 Kw) livré (1976) par les Soviét., une « maquette critique » (500/600 Kw, alimentée par une charge de 11,5 kg d'uranium enrichi à 93 %) 1 laboratoire de radiochimie fourni (1979) par l'Italie (capable de produire 8 kg/an de plutonium à partir de combustible nucléaire.

☞ *86 Scuds lancés* (47 vers Arabie, 39 sur Israël dont 13 les 4 premiers j de la g. blessant 115 pers., endommageant 2 700 appartements, 11 tuant 4 Isr., en blessant 174 et endommageant 9 303 appart., 15 tombés hors de la zone d'action des Patriots).

Les Amér. ont tiré *158 Patriots* (6 millions de F pièce).

Opérations militaires

Du 17-1 au 28-2-1991

• Janvier. **17 :** *déclenchement de l'opération « Tempête du désert » :* à 1 h (h. de Paris), le Pt Bush ordonne le bombardement des sites stratégiques irakiens. A 2 h 40 (h. locale), les forces aériennes alliées passent à l'attaque en Irak et au Koweït. L'aviation française participe à la 2e vague de raids. 12 Jaguars attaquent la piste Al-Jaber au Koweït (4 J. touchés, 1 pilote légèrement blessé). **18 :** le Parlement turc ayant autorisé (par 250 voix contre 148) l'utilisation des bases aériennes turques par les Amér. : 25 chasseurs et bombardiers et 3 avions ravitailleurs décollent à l'aube de la base d'Incirlik pour bombarder l'Irak. 1er tir de Scuds irakiens sur Israël (blessés légers). **19 :** le mauvais temps gêne les sorties aériennes (1 millier au lieu des 3 000 prévues). Nouveau tir de Scuds sur Tel-Aviv et Haïfa (une cinquantaine de blessés légers, 5 † par suffocation avec masques à gaz). Les USA livrent à Israël 2 batteries antimissiles Patriot (2 avaient déjà été livré avant le début du conflit). **21 :** les USA rappellent 20 000 réservistes supplémentaires. *Bilan des pertes :* 12 marines † (dont 11 probablement par un missile amér.). Côté irakien : env. 300 †, 24 chars et blindés détruits. **31-1 :** *bilan après 15 j de guerre* (selon le Gal Schwarzkopf) : 30 000 sorties de l'aviation alliée, 31 cibles nucléaires, chimiques ou biologiques attaquées en 535 sorties, 50 % des installations détruites ou endommagées, 11 dépôts et 3 usines de produits chimiques détruits avec certitude, 25 % de la capacité de production électrique, 23 ponts sur 33, 25 dépôts de munitions détruits, 45 terrains d'aviation attaqués (9 ne sont plus opérationnels), 29 avions irakiens abattus (89 réfugiés en Iran). Dans la seule nuit du 30 au 31, au cours de 178 attaques aériennes : 55 pièces d'artillerie et 55 chars mis hors d'état. Sur mer, les porte-avions ont déclenché 3 500 sorties aériennes et lancé 216 missiles Tomahawk ; 46 bâtiments irakiens coulés.

• Février. **1er :** la France autorise les B52 basés en G.-B. à survoler son territoire (à titre temporaire et sous certaines conditions). Les bases amér. en Espagne sont également utilisées pour les raids sur l'Irak. **6 :** poursuite des raids sur Bagdad, des avions irakiens se réfugient en Iran (110 au total), 17 000 marines acheminés vers le Golfe. **7 :** les Irakiens incendient plusieurs puits de pétrole au K. La capacité de l'Irak de ravitailler son corps expéditionnaire au K. a été réduite de 90 % (de 20 000 t/jour à 2 000 t) cependant, 15 à 20 % seulement des capacités militaires de l'Irak auraient été anéantis malgré les bombardements massifs (total des appareils irakiens réfugiés en Iran : 147), 600 chars détruits sur 4 500 ; 1 354 soldats irakiens se sont rendus. **12 :** Bagdad : 2 missiles détruisent 1 bunker abritant, selon les Alliés, un centre de commandement et de contrôle mais dans lequel s'étaient réfugiés des civils. Bilan annoncé : près de 400 † (en fait 94). **21 :** la base navale irak. installée dans l'île koweïti de Faylakah est rasée. 7 soldats US tués en Arabie S. (accident d'hélicoptère). **23 :** 20 h (h. locale), expiration de l'ultimatum lancé à l'Irak par le Pt Bush.

Bataille aéro-terrestre (24/28-2 : durée 100 h) : **dim. 24 :** à 2 h, début de l'offensive terrestre selon un mouvement en tenaille : *au N.O. :* 82e et 101e divisions aéroportées US (hélicoptères Apache) et Division Daguet (10 000 h dont Force d'Action Rapide, chars AMX-30 B2 et AMX-10, hélicoptères Gazelle) progresseront le 1er jour de 80 km. *Au Sud :* divisions blindées brit. et amér. (1 300 chars Abrams et Challenger, 350 hélicoptères Apache antichars) soutenues par lance-roquettes multiples MLRS font route le long de la côte ainsi que contingents saoudiens et koweïtiens soutenus par des marines. *Dans le Golfe :* la force amphibie (20 000 marines) est destinée à faire croire à un débarquement massif. **25 :** *5 h 10 :* les marines sont aux portes de Koweït City, la Division Daguet, en position défensive, a franchi 150 km depuis sa base de Rahfa et se trouve à 280 km de Bagdad. Les Brit. ont pénétré au Koweït. *Le soir :* tirs de Scuds sur Israël (2 : pas de victimes), Dhahran, Ryad et Bahreïn ; 1 missile tombe sur un campement amér. à Khobar, près de Dhahran (28 †). *23 h 30 :* Radio Bagdad annonce que les forces irak. se retirent sur « les positions qu'elles occupaient avant le 1-8-1990 ». **27 :** *4 h,* les troupes kow. entrent dans Koweit City abandonnée par les Irakiens. **28 :** *3 h,* le Pt Bush annonce une suspension des opérations offensives de la coalition à partir de 5 h GMT (6 h en France). *9 h,* Radio Bagdad annonce que les forces armées irakiennes ont reçu l'ordre de cesser le feu.

Pertes au combat

Forces alliées. **Pertes humaines :** *USA :* 30 † (4 au cours de l'offensive terrestre), 243 blessés. 28 † et 97 bl. dans le cantonnement de Dhahran touché par un missile (voir ci-dessus). *G.-B. :* 6 †, 6 bl. *France :* 2 † (explosion d'une mine à As-Solman), 27 bl. *Contingents arabes :* 13 †, 43 bl. *Arabie :* 18 † (13 au cours de l'offensive terrestre), 20 bl. *Sénégal :* 8 bl. (bombardement missile sol-sol). DISPARUS : *US* 43. *Arabie* 10. *G.-B.* 8. *Italie* 1. *Koweït* 1. PRISONNIERS : *US* 9 (dont 1 femme soldat). *G.-B.* 2. *Italie* 1. *Koweït* 1. **Pertes en matériel :** *avions* 42, dont US 31, G.-B. 7, Italie 1, Koweït 1, Arabie 2. *Hélicoptères* US 15 (3 avions et 1 hélico pendant l'offensive terrestre).

Irak. **Pertes humaines :** d'après l'Irak, au 27-2. 20 000 †, 60 000 blessés. Selon les estimations alliées, + de 100 000 †. PRISONNIERS : 175 000. **Pertes en matériel :** *avions* 139, *hélicoptères* 8, *bateaux* 74 (coulés ou gravement endommagés), *chars* 2 085 (dont 400 au 3e jour de l'offensive terrestre), *véhicules de transport* 856, *pièces d'artillerie* 2 140. La Division Daguet a détruit à elle seule 130 camions et 50 blindés, et s'est emparée de 102 pièces d'artillerie, 360 pièces antichars et 5 300 armes légères.

Victimes civiles **(bombardements et tirs de Scuds).** *Arabie :* 2 †, 76 blessés. *Israël :* 2 †, 304 bl. *Jordanie :* 14 †, 26 bl. (bombardements de camions sur la route de Bagdad). *Irak :* aucun chiffre officiel [au 1-2 (selon Bagdad) : 123 † civils, 327 bl.). Certains ont parlé de 50 000 à 100 000 †.

Tirs de Scuds. Au total, 76 missiles lancés sur Israël et Arabie. Aucun ne portait de charge chimique.

Haut commandement. USA : *Gal Colin Powell :* chef d'état-major interarmes, 53 ans, né à Harlem (1er Noir à la tête de la hiérarchie militaire) ; surnom : « Black Eisenhower ». *Gal Norman Schwarzkopf :* Cdt en chef de l'opération « Tempête du désert », 56 ans, 1 m 95, 110 kg, né à Trenton (New-Jersey), élevé en Iran (où son père, Gal, commandait la police du shah), surnom : « l'ours », a pris sa retraite en juillet 91. **France :** *Gal Michel Roquejeoffre :* Gal de corps d'armée. Cdt de la division Daguet, 56 ans, de la FAR depuis mai 1990. **Grande-Bretagne :** *Lieutenant-Gal sir Peter de La Billière :* 56 ans, cdt en chef des forces britanniques au Moyen-Orient. Officier le + décoré de l'armée britannique. **Irak :** *Hussein Al-Takriti :* Gal de corps d'armée 3 étoiles et Cdt de la Garde républicaine, chef d'état-major, 48 ans, originaire du village de S. Hussein et beau-père de son fils aîné.

Coût du conflit

☞ 1 division blindée amér. (16 000 h) consommait chaque jour jusqu'à 14 000 l de carburant, 100 000 l d'eau, 80 000 rations et près de 5 000 t de munitions.

États-Unis. Selon le Département de la Défense amér. (28-7-1991) 61,1 milliards de $ (dont transport aérien 3,2 ; maritime 5,8 ; soldes et allocations 7,7 ; frais médicaux, nourriture, uniformes 7,5). 43,1 ont été versés par les Alliés. Au 31-12-1990 : avant l'ouverture des hostilités, selon le Bureau gén. de la Comptabilité (GAO), le coût gén. hors conflit était de 1 milliard de $ par jour dont 500 millions pour l'armée amér.

Ensemble des pays du Golfe (en milliards de $). Fuite des capitaux : 60 (est.), pertes sèches pour les pays du CCG : 300.

Arabie Saoudite. 60 milliards de $ (+ de 50 % du revenu annuel) dont 400 à 500 millions de $/mois sous forme de fourniture gratuite de carburant, eau et nourriture aux 700 000 soldats de la coalition. Sans compter les dépenses militaires et engagements pris pour l'avenir auprès des alliés (Égypte, Syrie).

Égypte. 27 milliards de $ dont secteur touristique et aviation : 2, canal de Suez : 1, pour reclassement des rapatriés : 5.

France. *Début février :* Michel Rocard estimait le coût à 6 à 7 milliards de F + le financement de la Coface (assurance crédit à l'exportation) pour les contrats commerciaux impayés dans le Golfe. *Coût total au 26-2 :* 1,2 milliard de $ + perte des exportations françaises en Irak (3). *Contentieux financier avec l'Irak :* 29 milliards de F, dont 18 à la charge de l'État (15 d'échéances garanties impayées ou à venir pour le principal + 3 d'intérêts, soit l'équivalent de + de 1 000 km d'autoroute en France.

Israël. *Au 2-2 :* la Banque d'Israël estimait à 3 milliards les pertes directes et indirectes (baisse de l'activité économique et chute du tourisme). *Aides versées* (en millions de $) : Allemagne 600, USA 650.

Jordanie. 3 ou 4 milliards de $.

Koweït. 20 milliards + manque à gagner pétrolier (8,5). *Coût de la reconstruction :* 20 à 30 milliards de $ (dépense par puits 1,5 million de $).

Turquie. 7 milliards de $. *Aides versées* (en milliards de $) : Koweït 1,2 ; Arabie 1,16 ; Émirats 0,1 ; Allemagne 0,07.

Contributions de la CEE. Aide alimentaire de 23,7 millions d'écus (1 écu = 7 F) aux Palestiniens de Syrie, Jordanie et Liban dont 3,7 réservés aux territoires occupés. *Aide financière* (en millions d'écus) à l'Égypte 175, Jordanie 150. Prêt sans intérêts à la Turquie 175. 1 milliard d'écus ont également été accordés sous forme d'aides bilatérales par les États membres.

Principales contributions (engagement pris et, entre parenthèses, montants versés au département du Trésor US à juillet 1991, en milliards de $). Arabie 16,8 (17,7 versés), Koweït 16 (11,1), Japon 10,7 (9,4), Allemagne 6,6 (6,6), Émirats 4 (4), Corée du S. 0,38 (0,17), autres 0,02 (0,02). *Total* 54,6 (43,1).

Résolutions de l'ONU

12 rés. adoptées par le Conseil de sécurité de l'ONU, de l'invasion du Koweït (2-8-1990) à l'arrêt des combats (27-2-91). *2-8-1991 :* **Rés. 660** (14 voix pour, le Yémen n'a pas pris part au vote) : condamne l'invasion du K. et exige le retrait immédiat de l'Irak. *6-8 :* **Rés. 661** (13 voix pour, 2 abstentions : Cuba et Yémen) : « prône » des sanctions économiques (boycott financier, commercial et militaire de l'Irak,

à l'exclusion des fournitures médicales, et, dans certains cas, de vivres). *9-8 :* **Rés. 662** (unanimité) : l'annexion du K. est nulle et non avenue. *18-8 :* **Rés. 664** (unanimité) : le Conseil exige le départ des otages. *25-8 :* **Rés. 665** (13 voix pour, 2 abstentions : Cuba et Yémen) : autorisation du recours à la force navale pour faire appliquer l'embargo. *14-9 :* **Rés. 666** [(13 voix pour, 2 contre (Cuba, Yémen)] : l'aide alimentaire envoyée à l'Irak et au K. doit être acheminée et distribuée par ONU, CICR ou autres organisations internat. *16-9 :* **Rés. 667** (unanimité) : condamne le viol des ambassades et réclame la libération des étrangers enlevés dans les locaux diplomatiques. *24-9 :* **Rés. 669** (unanimité) : demande au « Comité des sanctions » d'examiner les demandes d'assistance formulées par les pays éprouvant des difficultés écon. en raison de leur respect de l'embargo. *25-9 :* **Rés. 670** (14 pour, 1 contre : Cuba) : extension de l'embargo au trafic aérien. *29-10 :* **Rés. 674** (13 pour, 2 abst. : Cuba et Yémen) : rappelle à l'Irak qu'en vertu du droit internat. il est responsable des dommages subis par K. ou pays tiers du fait de l'occupation illégale du K. *28-11 :* **Rés. 677** (unanimité) : condamne les tentatives de l'Irak pour modifier la démographie du K. et confie à l'ONU la garde d'une copie du registre d'état-civil de ce pays. *29-11 :* **Rés. 678** (12 pour, 2 contre : Cuba et Yémen, 1 abst. : Chine) : exige que l'Irak se conforme à la rés. 660 et autorise les états membres coopérant avec le K. à user de tous les moyens nécessaires » pour la faire respecter si l'Irak ne s'est pas retiré du K. au 15-1-1991. *2-3-1991 :* **Rés. 686** (11 pour, 1 contre : Cuba, 3 abst. Chine, Inde, Yémen) : après l'acceptation sans conditions par l'Irak (27-2-91) de la rés. 660 et des 11 autres rés. : fixe les conditions de la fin définitive des hostilités. Les 12 résolutions demeurent applicables. L'Irak doit revenir sur les mesures prises en vue de l'annexion du K., accepter sa responsabilité dans les dommages subis par le K. et des États tiers, libérer tous les ressortissants du K. ou de pays tiers qu'il détient, rendre les biens K. saisis, libérer immédiatement les prisonniers de g. et mettre fin à tout acte d'hostilité, fournir tous les éléments d'information pour identifier mines, pièges, matériels et armes chimiques au K. et dans les régions de l'Irak et les eaux adjacentes où sont déployées les forces de la coalition. *3-4 :* **Rés.** imposant à Bagdad la destruction de ses armements non conventionnels et de ses fusées à moyenne et longue portée. *5-4 :* **Rés. 688** (10 voix pour, 3 contre : Cuba, Yémen et Zimbabwe, 2 abstentions : Chine et Inde) : condamne la répression des pop. civiles irak. et insiste pour un accès immédiat des organisations humanitaires aux pop. ayant besoin d'assistance.

Coalition

Pays arabes en faisant partie. Dans la plupart, les gouvernements ont pris position en faveur du K. et de l'Arabie, contre leurs opinions publiques massivement favorables à S. Hussein (une exception : l'Égypte). Arabie Saoudite, Bahreïn, Égypte [le Pt Moubarak est soutenu par l'opinion publique en raison du sort fait aux travailleurs d'Irak (288 000 rapatriés d'urgence du 8 au 22-9-91 qui ont dû tout abandonner. Le grand mufti d'É. déclare que les musulmans doivent combattre l'Irak et que le recours aux forces étrangères n'est pas contraire à la *chari'a.* Manif. marginales pro-irak. organisées par les Frères musulmans et le Rassemblement patriotique progressiste unioniste], États des Émirats arabes unis (EEAU), Maroc, Oman, Qatar, Syrie (a eu une attitude ambiguë et a menacé de changer de camp si Israël intervenait militairement, elle sera l'un des bénéficiaires de la guerre du Golfe. L'Irak défait, elle est la principale puissance militaire de la région et a obtenu d'avoir les mains libres au Liban).

États de la Ligue arabe n'y ayant pas pris part. Algérie, Djibouti, Jordanie, Liban, Libye, Mauritanie, Somalie, Soudan, Tunisie, Yémen.

Palestiniens. *Répartition en juillet 1990 :* Jordanie 1 680 000, territoires occupés 800 000, Koweït 400 000, Arabie 180 000, Émirats 70 000, Irak 50 000, tous pro-irak. L'OLP est financée en grande partie par les dons des pays du Golfe (70 % du budget des écoles et hôpitaux pal.). 1er donateur : l'Arabie avec 6 millions de $/mois. Cependant, l'OLP, à l'instigation de Y. Arafat et sous la pression des masses, soutiendra l'Irak contre ses bailleurs de fonds. *Au 15-1-1991 :* la crise du Golfe avait déjà coûté à l'OLP env. 10 milliards de $. La communauté pal. au K. avait perdu 4,5 milliards de $ (avoirs bloqués, biens saisis, salaires non versés) : les territoires occupés 1,5 milliard de $ (transferts effectués par les Pal. du K., sommes allouées aux institutions et œuvres sociales et éducatives pal.) Enfin, cessation des contributions versées à l'Intifada par les pays arabes.

Israël. Récuse tout lien entre la crise et la question palestinienne. Souhaite ne pas être impliqué dans le conflit mais multiplie les mises en garde à l'égard de l'Irak. Pendant la guerre, Israël, sous la pression des USA, adopte un « profil bas » malgré une opinion publique habituée à des répliques brutales. En échange, Israël entend obtenir des garanties pour l'après-guerre et se prémunir contre des pressions amér. pour un règlement de la question palestinienne.

Iran. Ayant obtenu le 15-8 que S. Hussein accepte l'accord frontalier d'Alger (1975), l'Iran observe une attitude neutre, refuse de restituer à l'Irak les avions réfugiés sur son territoire (115 selon Irak, 137 selon Amér., 22 selon Iran) et accueille à la fin de la guerre des centaines de milliers de Chiites fuyant l'Irak.

Données diverses

• **Otages. Quelque dates :** *18-8-1991* l'Irak annonce que « les ressortissants des nations agressives » seront retenus « comme invités » au K. et en Irak. *19-8* propose leur libération contre l'évacuation des troupes amér. d'Arabie et le règlement interarabe du conflit. *20-8* annonce qu'ils seront « hébergés » sur des installations vitales. *23-8* S. Hussein à la télévision irak. entouré de ressortissants britanniques leur déclare « vous n'êtes pas des otages ». *28-8* il autorise le départ des familles ; quelques h. plus tard, nouvelle apparition à la télé avec des otages, dont des enfants. *22-10* S. Hussein annonce son intention de libérer tous les otages français. Réponse au discours du Pt Mitterrand aux Nations unies le 24-9. *6-12* tous les étrangers encore retenus en Irak ou au K. sont autorisés à partir.

Chiffres : *étrangers retenus (au 20-8-1990) :* G.-B. 4 600. USA 3 100. All. féd. 900. Japon 510. *France 480* (dont 230 au K., 175 en Irak et 125 en transit en Irak ou au K. le 2-8, dont 75 passagers d'un vol British Airways). Australie 127. Égypte 250 000. Turquie 6 000. Pakistan 135 000. *Autorisés à quitter le pays :* URSS 8 710. Italie 490. Bangladesh 110 000.

Libérations d'otages : *-26-8* le chancelier Waldheim ramène de Bagdad 95 Autrichiens. *-2-9* le pasteur Jesse Jackson : 44 Amér., 2 députés all. *-3-10* le Pt de l'Association d'amitié franco-irak. : 9 Français ; l'ancien PM Edward Heath : 33 Brit. *-12-10* l'émissaire de Gorbatchev Evgueni Primakov : 258 Soviét. *-8-11* le Japonais Nakasone : 106 (dont 77 Jap., 35 Brit., 15 Ital., 4 All. ; l'ex-chancelier all. Willy Brandt : 174 dont 120 All. *-22-11* Jean-Marie Le Pen : 87 ; 1 délégation de parlementaires suisses : 36 dont 16 Suisses, 4 Irl., 4 Suéd., 4 All., 4 Néerl., 2 Belges, 2 Brit. **Libération des otages français :** *-30-10* rapatriement de 262 ex-otages, dont 210 retenus en Irak (60 déplacés sur des sites stratégiques) et 52 au K. (4 sur des sites strat.). 38 choisissent de rester (24 au K. et 14 en Irak) dont 21 Franco-Koweït. ou Franco-Lib., des religieux et 3 par solidarité avec les autres otages occidentaux.

Au 6-12 : il restait env. 3 000 étrangers en Irak ou au K. (Brit. + de 1 300) (+ de 50 % au K.). USA 1 080 à 1 100 (+ de 50 % au K.). Canada 42. Irl. 150 à 170. P.-Bas 27. Japon 231. Austr. env. 160. URSS 3 232 (civils et militaires, autorisés à partir). Tchécosl. 40. Roumanie 312.

• **Siège des ambassades.** *-23-8* l'Irak ordonne aux ambassades et missions diplomatiques à Koweït City de fermer et de se replier à Bagdad. *Acceptent :* Jordanie, Inde, Brésil et Philippines. *-24-8* ultimatum aux Occidentaux pour la fermeture ; évacuation mais non fermeture de l'ambassade d'URSS. *-25-8* un convoi évacue le personnel diplomatique (non indispensable) de l'amb. de France. 7 diplomates restent sur place. L'armée irak. encercle les amb. amér., brit., franç. *A partir du 26-8* elles sont privées d'eau, d'électricité et de moyens de communications. *-28-8* évacuation à Bagdad, sous la menace, des diplomates marocains. *-14-9* la résidence de l'ambassadeur de Fr. et les missions des P.-Bas, de la Belgique et du Canada sont saccagées. 4 ressortissants français sont emmenés, dont l'attaché militaire seul relâché ensuite. *-16-9* l'ambassade de Tunisie est envahie. *-7,9-10* fermeture de l'ambassade d'Italie et évacuation des amb. de Belg., P.-Bas et All. *-Fin oct.* amb. USA, G.-B. et France restent ouvertes. *-22-10* départ du chargé d'affaires Fr., ambassade G.-B., réduite à l'ambassadeur et au consul, restera encore ouverte quelques jours.

• **Pollution. Marée noire :** provoquée par l'ouverture (21-1-1991) par les Irakiens du terminal de Sea-Island (Mina al-Ahmadi). Les 1res estimations (1,4 milliard de t de brut répandues) seront ramenées en avril à 100 000 t. Une 2e marée noire aurait été provoquée (30-11) par l'ouverture du terminal off-shore de Mina al-Bakr. *Conséquences :* nappe de 15 × 50 km, fragmentée ensuite : pollution des côtes saoudiennes, kow. et iraniennes ; menace sur les usines de dessalement (70 % de l'approvisionnement en eau douce de la région) ; menaces écologiques : le Golfe étant « fermé » et peu profond (25 à 30 m). Les mesures prises (bombardement du terminal pour limiter l'écoulement et incendier le brut répandu, mise en place de barrages flottants antipollution) limitent les dégâts.

Incendie des puits de pétrole koweïtiens. 737 incendiés sur 1 080. *Conséquences.* Sur ¼ du Koweït (au sud) fumée noire en suspension à env. 600 m du sol ; visibilité réduite de 25 km à 4,5 km ; chute de la température (jusqu'à - 10° C) et modification des conditions météo à 500 km à la ronde. Des traces de fumée auraient été retrouvées dans les neiges de l'Himalaya. *Extinction :* (au 30-6-91) : 171 puits éteints, la production a repris. Il faudra encore 2 ans pour éteindre tous les puits.

• **Attentats.** *Du 17 au 20-1-1991 :* + de 600 alertes à la bombe à New York. 7 attentats dans le monde contre les intérêts amér. : Quito (Équateur), Bonn, Jérusalem, New-Delhi, Chili, Manille (1 Irak. tué par sa bombe), Djakarta. *27 et 28-1 :* Athènes, Adana (Turquie), Ankara, Liban.

France. Plan Vigipirate (200 000 policiers et gendarmes). Une centaine d'opérations antiterroristes en région parisienne. 46 expulsions (diplomates et autres). *-26-1-1991* Paris : bombe contre « Libération ». *-27-1* Marseille : bombe contre la Maison de l'Étranger.

• **Sanctions économiques. Embargo :** décidé le 6-8-1990 *(résoluton ONU 661,* voir p. 15c). *Boycottage financier* (gel des avoirs irakiens à l'étranger et des avoirs kow. par crainte d'une main-mise irak.) ; *pétrolier* (fermeture des oléoducs transportant le pétrole irak. à travers Turquie et Arabie) ; *alimentaire* (cessation des ventes à l'Irak de céréales, aliments pour le bétail, fruits, légumes, viandes) ; *industriel* (interruption des ventes de pièces détachées nécessaires à la maintenance des usines) ; *militaire* (fin des ventes d'armes et de pièces détachées). *-25-8* Conseil de sécurité autorise l'emploi de la force pour le faire respecter. *-25-9* blocus aérien.

Efficacité. A la veille de la guerre, l'Irak exportait 80 % de son pétrole et importait 70 % de la consommation quotidienne en calories des Irakiens, dont 60 % de leur consommation en riz. *Pétrole :* pertes par jour : 2,7 millions de barils, soit 70 millions de $. Le carburant est rationné, l'Irak produisant du brut mais ne possédant pas de raffineries. *Vivres :* l'arrêt des importations est compensé par la saisie de stocks au Koweït, la mise en place (3-9, renforcée en nov.) d'un rationnement et l'encouragement à l'exploitation des friches. Le marché noir se développe (prix décuplés). *Industrie :* à la veille de la guerre, 40 % des entreprises sont arrêtées faute de pièces de rechange. Départ de l'encadrement étranger. Disparition de produits vitaux comme les pneus de rechange. Cependant, de nombreux biens matériels (voitures, réfrigérateurs) ont été saisis au Koweït. *Embargo militaire :* peu efficace en raison de l'importance des stocks d'armes de l'Irak et d'une industrie locale d'armement.

☞ **Contrebande :** par Turquie, Iran et Jordanie. Il suffit à l'Irak d'importer par jour 900 t de céréales (20 grands camions). + de 500 entreprises de 50 pays auraient violé l'embargo, dont une centaine de firmes allemandes.

Réparations. *Destructions pour faits de guerre en Irak* (guerre avec l'Iran et guerre du Golfe) : 500 milliards de $ (destructions civiles 200, militaires 300). *Réparations dues au Koweït et à l'Iran :* 200 milliards de $. *Dettes vis-à-vis des fournisseurs étrangers :* env. 50 milliards de $. *Total :* 750 milliards de $, soit 17 fois le PNB irakien (*1988 :* 44 milliards de $). Sur la base d'un baril à 20 $, il faudrait 20 ans à l'Irak pour les seules réparations dues au K.

• **Butin total pris au Koweït** (biens civils et matériels, en milliards de $) : 3 ou 4 dont 1 en or et devises fortes (sans compter 0,5 en or contenu dans le coffre de la Banque centrale).

☞ **Avoirs koweïtiens** (1989, en milliards de $). *Fonds de réserve générale :* 35. *Revenus nets procurés :* non communiqués. *Fonds de réserve pour les générations futures* (10 % des revenus annuels du pétrole) : 60. *Revenus nets procurés :* 3,5. *Total des réserves d'État :* 95.

Env. 40 à 50 milliards de $ seraient investis à l'étranger en *valeurs mobilières.* Ce portefeuille est géré par le KIO (Kuwait Investment Office) à Londres, qui dépend de la KIA (Kuwait Investment Authority) créée en 1984. Certaines années, les revenus des placements à l'étranger ont dépassé les recettes pétrolières.

Le Monde

Astronomie

Histoire

Conceptions de l'Univers

• **Avant les Grecs.** Babyloniens, Égyptiens et Chinois observent le Ciel, ils connaissent la révolution des planètes et savent prédire les éclipses. Mais leurs systèmes cosmologiques restent naïfs et imprégnés de mythologie : pour les Babyloniens, l'Univers est une voûte, la Terre flottant sur l'Océan ; pour les Égyptiens, le Nil est un bras de l'Océan et le Soleil y flotte en barque, etc.

• **Systèmes géocentriques grecs.** *Pour Anaximandre* (610-547 av. J.-C.), la Terre a la forme d'un disque (la partie habitée étant limitée à l'une des faces), et elle est comme suspendue dans l'espace, toujours à une même distance de tous les points du Ciel. Autour d'elle, différemment inclinées par rapport à son axe, tournent, à des distances internes respectivement égales à 9, 18 et 27 fois le diamètre terrestre, 3 grandes roues, ayant pour épaisseur chacune le diamètre de la Terre, celle du Zodiaque (des étoiles fixes), celle de la Lune et celle du Soleil. *Pour les pythagoriciens* (ve s. av. J.-C.), la Terre est sphérique, de même que la voûte des cieux, qui tourne autour d'elle en une journée sidérale. Il y a en outre 7 autres sphères concentriques à la 1re, tournant autour d'axes passant par le centre de la Terre, mais diversement inclinés (notion de l'obliquité de l'écliptique, découverte par Œnopide de Chio, v. 430 av. J.-C.). Ces 7 sphères sont, dans l'ordre croissant de leurs distances à la Terre, celles de la Lune, de Mercure, de Vénus, du Soleil, de Mars, de Jupiter et de Saturne.

• **Système d'Aristarque** (de Samos, 310-230 av. J.-C.). Il suppose, 17 siècles avant Copernic, que la Terre tourne sur elle-même et autour du Soleil, toujours considéré comme immobile dans l'Univers. Il a calculé (avec des erreurs considérables) les distances Terre-Lune et Terre-Soleil. Ses idées sont rejetées comme « impures ».

• **Système de Ptolémée** (Claude Ptolémée, Grec, 90-168 apr. J.-C.). Systématisation des conceptions géocentriques antérieures à Aristarque : le cercle (figure parfaite et divine) est le fondement de l'Univers. La Terre est un disque ou une sphère, entouré d'une série de sphères de cristal concentriques ; la sphère extérieure contient les étoiles. Toutes ces sphères se meuvent à une vitesse constante. Pour expliquer les observations de la « sphère des planètes » (car le cours des planètes, observé expérimentalement, ne cadre pas du tout avec la théorie de Ptolémée), on a recours à la théorie des *épicycles,* « cercles secondaires » : chaque planète a un cours circulaire autour d'un centre situé dans la sphère des planètes, mais soumis lui-même à un mouvement circulaire appelé le « déférent ».

• **Systèmes médiévaux.** Ils reprennent le système de Ptolémée avec des précisions sur les orbites des planètes (apportées surtout par les observations arabes) qui ruinent petit à petit la théorie des *épicycles* et des *déférents.*

• **Système de Copernic** (Nikolaj Kopernik, Polonais, 1473-1543). Le Soleil est placé au centre du système planétaire : la Terre tourne autour du Soleil (fixe) ; l'axe des planètes est celui du globe terrestre, la Lune tourne autour de la Terre ; la Terre tourne sur elle-même (dans son manuscrit, Copernic a cité Aristarque, mais il l'a biffé dans son livre imprimé).

• **Système de Kepler** (Johannes Kepler, Allemand, 1571-1630). Les planètes ne tournent pas autour de la Terre ; la Terre est une planète comme elles ; leurs orbites ne sont pas circulaires mais elliptiques ; elles ne se trouvent pas sur des plans parallèles et n'ont pas la Terre pour centre mais le Soleil pour foyer.

Mesure de la Terre

Ératosthène (276-v. 193 av. J.-C.), géomètre alexandrin, mesura presque exactement le méridien terrestre. Ses calculs étaient fondés sur 2 observations : le jour du solstice d'été à midi, le Soleil passe à la verticale dans le ciel de Syène (Assouan) puisqu'il y éclaire le fond des puits ; à Alexandrie il fait, avec la verticale, un angle de 7°12′. Après avoir mesuré la distance Alexandrie-Syène (5 000 stades = 840 km), il put calculer la circonférence de la Terre ainsi :

$$\frac{840 \text{ km} \times 360°}{7°12'} = 41\,710 \text{ km.}$$

Posidonios d'Apamée (géographe gréco-syrien). Vers 70 av. J.-C., il évalue à 9 000 lieues la circonférence de la Terre. Ses calculs ont été transmis par les Arabes aux Occidentaux, notamment à Gerbert (le pape Sylvestre II), et furent adoptés par de nombreux savants médiévaux (alors que ceux d'Ératosthène étaient oubliés). Ce fut une des raisons qui firent rechercher une « route plus directe » pour les Indes en partant vers l'Ouest (sur le chemin on découvrit l'Amérique). L'Eglise admettait que la Terre pouvait être ronde (mais elle n'admettait pas qu'elle puisse tourner autour du Soleil). Après le xve s., la théorie s'impose : 1° Bartolomé Diaz (1486) découvre l'océan Glacial Arctique, démontrant que le pôle brûlant n'existe pas ; 2° Christophe Colomb et Magellan prouvent la possibilité d'atteindre l'Orient par l'Ouest.

• **Mécanique de Galilée** (Galileo Galilei, Italien, 1564-1642, dit). Les corps ne sont pas immobiles naturellement : ils sont animés d'un mouvement rectiligne uniforme (inertie) ; ils ne sont au repos, apparemment, que par rapport à d'autres corps ayant la même vitesse.

• **Attraction newtonienne** (Sir Isaac Newton, Anglais, 1642-1727). Newton relie la mécanique astrale de Galilée à la notion de chute des corps. Le principe de ces 2 mouvements est la force universelle d'attraction que tout corps exerce sur tout autre corps.

• **Relativité einsteinienne** (Albert Einstein, Germano-Américain, 1879-1955). La masse pesante des objets, telle qu'on la calculait dans le système de Newton, est égale à leur masse inerte et la gravitation est à ranger parmi les inerties : l'Univers est à 4 dimensions (longueur, largeur, hauteur, temps), courbe et fini. Sa finitude a été remise en cause à partir de 1928 par les théories expansionnistes. On estime néanmoins aujourd'hui que la formule d'Einstein $E = mc^2$ a été étayée par 11 preuves : 1°) les explosions atomiques prouvent la relativité « restreinte », équivalence de la masse et de l'énergie, la 1re n'étant que la forme figée de la seconde ; 2°) l'augmentation de la masse des particules soumises à l'accélération $E = mc^2$ (si *E* croît, *m* croît aussi) ; 3°) la plus longue durée des mésons *mu* (puisqu'ils ne vivent que 1 millionième de seconde, et qu'ils vont à la vitesse de la lumière, ils devraient parcourir seulement 300 m ; en fait, ils traversent toute l'épaisseur de l'atmosphère, car ils vont aussi vite que le signal annonçant leur fin) ; 4°) l'avance du périhélie de Mercure : celui-ci devrait rester fixe. Or, il se déplace de 43″ par siècle, sous l'influence du Soleil qui déforme l'espace/temps dans une vaste zone englobant Mercure ; 5°) l'effet Einstein, variante de l'effet Doppler : la lumière est décalée vers le rouge, sans que sa source bouge, en traversant un champ intense de gravitation (conséquence de la gravité générale) ; 6°) la déviation des signaux lumineux émis par les étoiles et passant près du Soleil ; 7°) le retard infligé aux ondes radio par l'attraction solaire, hypothèse vérifiée par les sondes Mariner 6 et 7 ; puis par les sondes Hélios ; 8°) l'égalité de la masse d'inertie et de la masse pesante ; théorie démontrée par la stabilité de la Lune par rapport à la Terre : l'attraction solaire ne fait jamais osciller l'axe de la Lune (on le sait depuis la mesure au laser de la distance Terre-Lune, à 6 cm près) ; 9°) une horloge atomique faisant le tour du monde vers l'Est (en avion à 10 000 m d'alt.) retarde de 329 nanosecondes sur la même horloge faisant le tour du monde vers l'Ouest : preuve que la gravitation terrestre a un effet sur le temps ; 10°) l'effet Mossbauer gravitationnel prouve l'effet relativiste d'alt. (en utilisant des cristaux émetteurs de rayons gamma) ; 11°) l'existence des trous noirs prouve à la fois la courbure et la non-infinité de l'Univers. Voir Trou noir p. 20a.

Découvertes et inventions

• **Avant J.-C. XIIe s.** Chaldée : connaissance du Zodiaque. **1100.** Tchéou Hong (Chinois) : obliquité de l'écliptique. **VIIe s.** Chaldée : connaissance des planètes Jupiter, Mercure, Mars, Vénus. **550.** Anaximandre (Grec v. 610-v. 547) : premier cadran solaire. **V. 440.** Philolaos (Grec) : découverte de Saturne. **V. 250.** Aristarque (Grec 310-230) : distances Terre-Soleil et Lune-Terre (40 % d'erreur). **250.** Ératosthène (Grec 276-v. 193) : sphéricité de la Terre. **127.** Hipparque (Grec IIe s.) : 1er catalogue d'étoiles.

• **Après J.-C. IIe s.** Ptolémée (Grec 90-168) : durée des révolutions planétaires. **V. 1300.** Première utilisation des lentilles de verre.

Énigme

Planétarium d'Antikythera. Un trésor sous-marin, datant du Ier s. apr. J.-C., a été récupéré en 1900 au large d'Antikythera, îlot méditerranéen situé à 40 km du Péloponnèse. Il consiste en un assemblage d'axes métalliques et de roues centrées, montés autour d'un axe central ; le tout étant actionné probablement par chute d'eau. Examiné entre 1950 et 1970 par l'Américain Derek Price, le mécanisme s'est révélé comme un « planétarium » fondé sur le système géocentrique, seul admis en Grèce ancienne. Quelques astronomes établirent l'hypothèse vite abandonnée d'un système solaire. Copernic se serait inspiré de leurs travaux.

1601-18. Kepler : mesure des orbites planétaires. **1609.** Galilée : 1re lunette d'approche. **1610.** Galilée : les taches solaires. **1659.** Christian Huyghens (Holl. 1629-95) : anneau de Saturne. **1667.** Fondation de l'Observatoire de Paris. **1676.** Olaus Roemer (Danois 1644-1710) : vitesse de la lumière. **1685.** Fond. de l'Observatoire de Greenwich.

1744. Académie des Sciences : démonstration de l'aplatissement du globe. **1781.** William Herschel (Anglo-Allemand 1738-1822) : découverte d'Uranus. **1797.** Wilhelm Olbers (Allemand 1758-1840) : calcul des orbites cométaires.

1845. Léon Foucault (Franç. 1819-68) et Hippolyte Fizeau (Franç. 1819-96) : 1re photographie solaire. **1859.** Ernst Tempel (Allemand 1821-89) : déc. de la 1re nébuleuse, Mérope. **1859.** Gustav-Robert Kirchhoff (Allem. 1824-87) et Robert Wilhelm Bunsen (Allem. 1811-99) : analyse spectrale. **1868.** Norman Lockyer (Britannique 1836-1920) : déc. de l'hélium (astrophysique solaire). **1889.** Edward Emerson Barnard (Amér. 1857-1923) : 1re photo de la Voie lactée.

1917. Albert Einstein (Germano-Amér. 1879-1955) : relativité générale. **1919.** Courbure des rayons lumineux. **1924.** Edwin Hubble (Amér. 1889-1953) : galaxies. **1927.** Georges Lemaître (Belge 1894-1966) : hypothèse cosmologique de l'atome primitif. **1929.** Edwin Hubble : expansion de l'Univers. **1932.** Édouard Branly (Français 1844-1940) : radioastronomie. **1942.** Utilisation du radar en astronomie. **1948.** George Gamow (Amér. d'origine russe 1904-68) : théorie cosmologique de l'expansion primordiale *(big bang).* Bondi, Gold, Hoyle (n. 1915) : théorie cosmologique de l'état stationnaire. **1960.** Déc. des radiosources quasi stellaires (quasars). **1965.** Arno Penzias (Amér. 1933) et Robert Wilson (Amér. 1936) : rayonnement 3K (radiation thermique universelle). **1967.** Déc. des pulsars. **1969-72.** Exploration de la Lune par l'homme. **1970-80.** Exploration intensive du système solaire jusqu'à Saturne par des sondes spatiales.

☞ Voir le chapitre Astronautique p. 34.

Définitions

• **Amas stellaire.** Groupement d'étoiles situé à l'intérieur d'une galaxie.

Les *amas ouverts,* de forme irrégulière, rassemblent plusieurs centaines d'étoiles nées simultanément. On ne peut observer que ceux situés à l'intérieur de notre Galaxie. Ils se trouvent tous au voisinage du disque galactique. Ex. : amas des Pléiades, dans la constellation du Taureau (190 étoiles dont 6 visibles à l'œil nu). Les *amas globulaires,* de forme sphérique, rassemblent plusieurs dizaines voire plusieurs centaines de milliers d'étoiles : au centre de l'amas, les étoiles sont si serrées qu'on ne les distingue plus les unes des autres.

Ces amas forment un halo sphérique autour du disque des galaxies. Autour de notre Galaxie, ils se répartissent dans une sphère d'env. 160 000 années de lumière de diamètre. Ex. : amas d'Hercule. Voir Superamas p. 21b.

• **Année de lumière.** Voir Index.

• **Astre.** Corps céleste de forme déterminée (ex. : étoiles, Lune, planètes et comètes). Les corps de forme non déterminée sont en général appelés **objets célestes.** Les astres peuvent être lumineux par eux-mêmes (le Soleil, les comètes) ou simplement diffuser la lumière d'un autre astre (ainsi les planètes et leurs satellites, comme la Terre et son satellite la Lune, réfléchissent la lumière solaire). L'**albédo** est le rapport de la quantité de lumière diffusée par une planète à la quantité de lumière reçue. *Albédo* de Vénus 0,61 (elle renvoie de la lumière reçue) ; Neptune 0,54 ; Uranus 0,45 ; Saturne 0,42 ; Jupiter 0,41 ; Pluton 0,4 ; Terre 0,34 ; Mars 0,15 ; Lune 0,07 ; Mercure 0,06.

• **Astrométrie** (anciennement : astronomie de position). Branche traditionnelle de l'astronomie : mesure de la position des astres et de leurs mouvements.

• **Astrophysique.** Étude de la constitution, des propriétés physiques et de l'évolution des astres et des divers milieux qui les composent.

• **Constellation.** Région du ciel reconnaissable à un groupe d'étoiles voisines présentant une forme invariable, à laquelle on a donné un nom particulier. Les étoiles de notre galaxie déterminent 88 constellations sur la voûte céleste (ex. : Grande Ourse, ou Grand Chariot ou, en Chine, Grande Casserole, Orion, Scorpion). En général, l'étoile la plus brillante de la constellation reçoit la lettre α, la suivante la lettre β, etc. Voir tableau p. 19.

• **Étoile.** Astre doué d'un éclat propre et d'apparence ponctuelle (à l'exception du Soleil). On appelle : **étoile double** ou **triple,** un ensemble de 2 ou 3 étoiles apparemment proches dans le ciel [on distingue : les doubles *optiques,* qui ne sont doubles qu'en apparence, par un effet de perspective, alors qu'elles se situent à des points très différents de l'espace ; les doubles *visuelles* et *spectroscopiques,* qui sont réellement très rapprochées dans l'espace et forment un couple *(système binaire),* chaque partenaire tournant autour du centre de gravité commun ; à l'œil nu ces étoiles paraissent doubles (ex. : Mizar et Alcor dans la Grande Ourse) ; les doubles *visuelles* sont séparables avec un télescope tandis que les doubles *spectroscopiques* ne le sont que par l'analyse spectrale (l'étoile polaire est double et peut être séparée avec un télescope de 75 mm)] ; au moins 1 étoile sur 3 est une étoile double ; **étoile géante,** une étoile possédant une très grande luminosité et une très faible densité ; **étoile naine,** une étoile possédant une faible luminosité et une forte densité ; **étoile naine blanche,** une ét. de masse comparable à celle du Soleil mais dont le rayon est 100 fois plus petit [prototype : le compagnon de Sirius (Sirius B) découvert en 1862. Sa densité est de 170 000 (soit 90 000 fois plus que le Soleil) : 1 cm³ pèse 170 kg] ; **étoile variable,** une étoile présentant des variations d'éclat. Les étoiles sont comparables à des fournaises alimentées par des réactions atomiques. Beaucoup d'étoiles sont entourées de planètes, comme le Soleil (qui est une étoile) ; voir p. 21c.

• **Galaxie.** Vaste ensemble d'étoiles et de matière interstellaire dont la cohésion est assurée par les forces d'attraction gravitationnelle. On distingue des galaxies spirales, elliptiques et irrégulières. Leur taille souvent est difficile à évaluer (les plus petites ont un diamètre de 10 000 années de lumière).

Notre galaxie (voir p. 21), appelée la *Galaxie,* n'est donc qu'un spécimen parmi les autres (peut-être 500 millions, dont 200 000 ont été cataloguées). Vue par la tranche dans le ciel, elle forme la Voie lactée. Ses voisines les plus proches sont les 2 Nuages de Magellan (visibles dans le ciel austral) à 170 000 et 205 000 années de lumière.

Les galaxies s'associent en amas et en amas d'amas ; notre Galaxie, les 2 Nuages de Magellan, M 31 (dans Andromède) et M 33 (dans le Triangle), font partie d'un ensemble d'une trentaine de galaxies (l'**Amas local**) qui « tiendraient » dans une sphère de 10 millions d'années de lumière de diamètre. Cet amas est situé à la périphérie d'un ensemble beaucoup plus vaste, la « Supergalaxie », de 100 millions d'années de lumière de diamètre, dont le centre, situé dans la direction de la constellation de la Vierge, à 40 millions d'années de lumière env., est lui-même occupé par un amas de 200 ou 300 galaxies.

Historique de la découverte. Jusqu'à 1924, les galaxies étaient classées comme « nébuleuses », au même titre que les autres nébuleuses dont les spectres étaient continus et striés de raies d'émission. Pourtant, on savait depuis la fin du XIXe s. que les « nébuleuses » étaient de 2 types différents. Celles du 2e type se sont révélées être des systèmes d'étoiles et non des nuages de gaz interstellaire (travaux d'Edwin Hubble). 1re nébuleuse assimilée à une galaxie (« résolue en étoiles ») : Gde nébuleuse d'Andromède située à 2 millions d'années de lumière.

Des amas encore plus riches ont été découverts à l'ext. de la Supergalaxie. Le mieux connu est l'amas de *Coma* (appelé aussi le nid des nébuleuses : *Nebelnest*) : situé à quelque 300 millions d'années de lumière, il contient 1 000 galaxies dans un volume de 10 millions d'années de lumière de diamètre.

Le télescope du mont Palomar (1948) doit permettre de détecter env. 1 milliard de galaxies.

Galaxies les plus brillantes de l'Amas local

Galaxies	Constellations	m	M	Distance millions d'a. de l.
Notre Galaxie [1]	–	–	– 19,8	–
Grand Nuage [1]	Dorade	0,3	– 18,2	0,165
Petit Nuage [1]	Toucan	2,4	– 16,6	0,205
(3)	Sculpteur	7	– 12,6	0,28
(3)	Fourneau	7	– 14	0,55
NGC 6822 [2]	Sagittaire	10,0	– 13,9	2,0
NGC 147 [2]	Cassiopée	9,7	– 14,4	2,2
NGC 185 [4]	Cassiopée	9,4	– 14,7	2,2
M 31 [1]	Andromède	3,4	– 20,7	2,2
M 32 [3]	Andromède	8,2	– 15,9	2,2
NGC 205 [3]	Andromède	9,4	– 14,6	2,1
IC 1613 [2]	Baleine	9,6	– 14,8	2,5
M 33 [1]	Triangle	5,8	– 18,6	2,5
Leo I [3]	Lion	10,8	– 11	0,75
Leo II [3]	Lion	12,3	– 9,5	0,75
(3)	Dragon	10,6	– 8,5	0,22
(3)	Petite Ourse	10	– 9	0,22
NGC 3946	Céphée	15,5	– 8,4	2,0
NGC 2419 [5]	Lynx	11,5	– 7,7	0,225

Légende. m : magnitude apparente.
M : magnitude absolue.

Nota. – Type (1) Spirale. (2) Irrégulière. (3) Elliptique aplatie. (4) Elliptique sphéroïdale. (5) Amas globulaire.

• **Gravitation.** Phénomène d'attraction qui se manifeste par le mouvement orbital d'un corps autour d'un centre d'attraction ou par la chute d'un corps sur l'autre (la force correspondante est la gravité).

D'après la loi de gravitation énoncée par Newton, 2 masses m_1 et m_2 s'attirent avec une force F proportionnelle au produit $m_1.m_2$ et inversement proportionnelle au carré de leur distance r :

$$F = \frac{Km_1\ m_2}{r^2}$$

• **Lentille gravitationnelle.** Phénomène prévu par la théorie de la relativité générale et qui permet d'interpréter certaines observations : l'image de certains quasars apparaîtrait dédoublée par une masse de matière située entre ces objets très lointains et nous. C'est ainsi que le quasar 0957 + 561 serait observé 2 fois par les radiotélescopes et les télescopes optiques, les 2 images étant rigoureusement semblables du point de vue spectrographique. Il y aurait là une manifestation de la déflexion de la lumière dans un champ gravitationnel, prévue par Einstein il y a plus de 60 ans. On connaît à présent une dizaine de spécimens de lentilles gravitationnelles.

• **Nébuleuse.** Vaste nuage de gaz (hydrogène essentiellement) où la densité est nettement supérieure à celle de l'espace interstellaire. Les étoiles se forment à l'intérieur de certaines nébuleuses. On distingue : *les nébuleuses planétaires,* dont l'aspect rappelle parfois celui des planètes. Elles ne sont pas très grandes, possèdent une étoile centrale très chaude, et résultent de l'expansion des couches externes de cette étoile ; *les nébuleuses diffuses* ou *à émission,* dont le gaz est excité par le rayonnement ultraviolet d'étoiles chaudes voisines et qui émettent de la lumière (ex. : nébuleuse d'Orion) ; *les nébuleuses par réflexion,* qui n'émettent pas de lumière propre comme les précédentes mais ne font que réfléchir celle des étoiles voisines, beaucoup plus grandes que les nébuleuses planétaires ; *les nébuleuses obscures,* qui apparaissent sombres parce qu'elles ne sont éclairées par aucune étoile (ex. : nébuleuse Tête de Cheval dans Orion). Parfois, les nébuleuses sont trop vastes pour être totalement éclairées et comportent certaines parties obscures (ex. : nébuleuse Trifide du Sagittaire).

• **Nova** (pluriel : **novae**). Étoile qui, par suite de l'explosion de ses couches externes, devient brusquement très brillante, puis s'atténue ou disparaît en faisant place à une nébuleuse, associée à une étoile à neutrons ou « pulsar » (voir ci-dessous). Une supernova présente le même phénomène en beaucoup plus intense (plusieurs milliers de fois : c'est l'étoile entière qui explose).

• **Parallaxe annuelle** (d'une étoile proche : moins de 100 années de lumière). La Terre tournant autour du Soleil en 1 an, une étoile paraît effectuer, pour l'observateur terrestre, une ellipse par rapport à des étoiles lointaines. On appelle parallaxe annuelle l'angle Π sous lequel on voit de cette étoile le rayon de l'orbite terrestre. Cet angle est très petit (inférieur à 1 seconde).

En 1838, l'Allemand Bessel a déterminé le 1er la distance d'une étoile par la méthode des parallaxes, le grand axe $T_1\ T_2$ de l'orbite terrestre fournissant une base de triangulation de longueur parfaitement connue (étoile 61 Cygni, à 11 années de lumière).

• **Parallaxe diurne** (d'un astre du système solaire). Angle sous lequel on voit, de cet astre, le rayon terrestre qui aboutit au lieu d'observation.

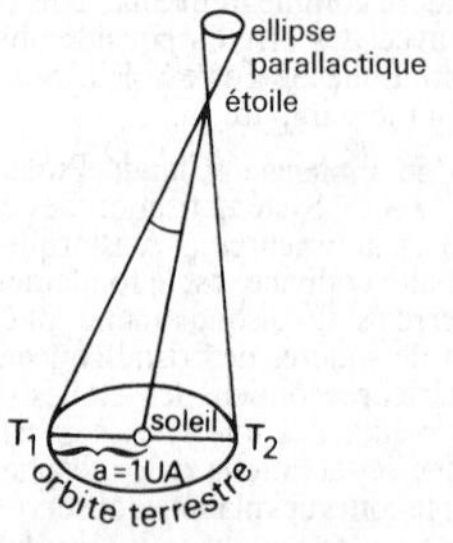

Parallaxe annuelle d'une étoile

• **Parsec.** Distance à laquelle se trouve une étoile dont la parallaxe est d'une seconde. 1 pc = 3,2615 années de lumière = env. 30 860.10⁹ km.

• **Planète.** Astre non lumineux par lui-même, tournant autour du Soleil. A un diamètre apparent sensible (ce que n'ont pas les étoiles). Voir p. 22b.

• **Pulsar** (de l'anglais *pulsating star*). Étoile à neutrons (astre très dense) en rotation rapide sur elle-même, de très faible diamètre (quelques dizaines de km) émettant des impulsions radioélectriques très régulières avec une période de l'ordre de la seconde ou de la milli-seconde. Un morceau de pulsar de la taille d'un sucre pèserait sur Terre 300 millions de t. Découvert en 1967 par des astronomes de Cambridge. On en connaît plus de 400. *Origine :* il s'agirait d'étoiles ayant implosé 3 à 4 fois, plus massives que le Soleil. Des pulsars ultra-rapides ont été découverts en 1982. **PSR** 1937 + 214, dans la constellation du Petit Renard, tourne 642 fois sur lui-même en 1 seconde (20 fois plus vite que le pulsar le plus rapide connu auparavant).

Constellations Nom latin (avec génitif), nom français et abréviation officielle	Limites approximatives Ascension droite	Déclinaison	Étendue (en degrés carrés)	Nombre d'étoiles + brillantes que la magn. 6
Andromeda *(-ae)*, Andromède, And [1]	22 h 56 à 02 h 36	+ 21,4° à + 52,9°	722	100
Antlia *(-ae)*, Machine pneumatique, Ant	09 h 25 à 11 h 03	– 24,3° à – 40,1°	239	20
Apus *(-odis)*, Oiseau du paradis, Aps	13 h 45 à 18 h 17	– 67,5° à – 82,9°	206	20
Aquarius *(-ii)*, Verseau, Aqr	20 h 36 à 23 h 54	+ 03,1° à – 25,2°	980	90
Aquila *(-ae)*, Aigle, Aql [2]	18 h 38 à 20 h 36	– 11,9° à + 18,6°	652	70
Ara *(-ae)*, Autel, Ara	16 h 31 à 18 h 06	– 45,5° à – 67,6°	237	30
Aries *(-tis)*, Bélier, Ari	01 h 44 à 03 h 27	+ 10,2° à + 30,9°	441	50
Auriga *(-ae)*, Cocher, Aur [3]	04 h 35 à 07 h 27	+ 27,9° à + 56,1°	657	90
Australe *(-is)*, Triangle austral, TrA	14 h 50 à 17 h 09	– 60,3° à – 70,3°	110	20
Bootes *(-is)*, Bouvier, Boo [4]	13 h 33 à 15 h 47	+ 07,6° à + 55,2°	907	90
Caelum *(-i)*, Burin, Cae	04 h 18 à 05 h 03	– 27,1° à – 48,8°	125	10
Camelopardalis (-), Girafe, Cam	03 h 11 à 14 h 25	+ 52,8° à + 85,1°	757	50
Cancer *(-cri)*, Cancer (ou Écrevisse), Cnc	07 h 53 à 09 h 19	+ 06,8° à + 33,3°	506	60
Canes *(-um)*, Chiens de chasse, CVn [5]	12 h 04 à 14 h 05	+ 28,0° à + 52,7°	465	30
Canis (-) Major *(-is)*, Grand Chien, CMa [6]	06 h 09 à 07 h 26	– 11,0° à – 33,2°	380	80
Canis (-) Minor *(-is)*, Petit Chien, CMi [7]	07 h 04 à 21 h 57	– 00,1° à + 13,2°	183	20
Capricornus *(-i)*, Capricorne, Cap	20 h 04 à 21 h 57	– 08,7° à – 27,8°	414	50
Carina *(-ae)*, Carène, Car [8]	06 h 02 à 11 h 18	– 50,9° à – 75,2°	494	110
Cassiopeia *(-ae)*, Cassiopée, Cas [9]	22 h 56 à 03 h 36	+ 46,4° à + 77,5°	598	90
Centaurus *(i)*, Centaure, Cen [10]	11 h 03 à 14 h 59	– 29,9° à – 64,5°	1 060	150
Cepheus *(-i)*, Céphée, Cep [11]	20 h 01 à 08 h 30	+ 53,1° à + 88,5°	588	60
Cetus *(-i)*, Baleine, Cet [12]	23 h 55 à 03 h 21	– 25,2° à + 10,2°	1 231	100
Chamaeleon *(-ontis)*, Caméléon, Cha	07 h 32 à 13 h 48	– 75,2° à – 82,8°	132	20
Circinus *(-i)*, Compas, Cir	13 h 35 à 15 h 26	– 54,3° à – 70,4°	93	20
Columba *(-ae)*, Colombe, Col	05 h 03 à 06 h 28	– 27,2° à – 43,0°	270	40
Coma *(-ae)* Berenices, Chevelure de Bér., Com	11 h 57 à 13 h 33	+ 13,8° à + 33,7°	386	50
Corona *(-ae)* Australis, Couronne australe, CrA	17 h 55 à 19 h 15	– 37,0° à – 45,6°	128	25
C. (-ae) Borealis, Couronne boréale, CrB [13]	15 h 14 à 16 h 22	+ 25,8° à + 39,8°	179	20
Corvus *(-i)*, Corbeau, CrV	11 h 54 à 12 h 54	– 11,3° à – 24,9°	184	15
Crater *(-is)*, Coupe, Crt	10 h 48 à 11 h 54	– 06,5° à – 24,9°	282	20
Crux *(-cis)*, Croix du Sud, Cru	11 h 53 à 12 h 55	– 55,5° à – 64,5°	68	30
Cygnus *(-i)*, Cygne, Cyg [14]	19 h 07 à 22 h 01	+ 27,7° à + 61,2°	804	150
Delphinus *(-i)*, Dauphin, Del	20 h 13 à 21 h 06	+ 02,2° à + 20,8°	189	30
Dorado *(-us)*, Dorade, Dor	03 h 52 à 06 h 36	– 48,8° à – 70,1°	179	20
Draco *(-nis)*, Dragon, Dra [15]	09 h 18 à 21 h 00	+ 47,7° à + 86,0°	1 083	80
Equuleus *(-i)*, Petit Cheval, Aqu	20 h 54 à 21 h 23	+ 02,2° à + 12,9°	72	10
Eridanus *(-i)*, Éridan, Eri	01 h 22 à 05 h 09	+ 00,1° à – 58,1°	1 138	100
Fornax *(-acis)*, Fourneau, For	01 h 44 à 03 h 48	– 24,0° à – 39,8°	398	35
Gemini *(-orum)*, Gémeaux, Gem [16]	05 h 57 à 08 h 06	+ 10,0° à + 35,4°	514	70
Grus *(-is)*, Grue, Gru [17]	21 h 25 à 23 h 25	– 36,6° à – 56,6°	366	30
Hercules *(-is)*, Hercule, Her	15 h 47 à 18 h 45	+ 03,9° à + 51,3°	1 225	140
Horologium *(-ii)*, Horloge, Hor	02 h 12 à 04 h 18	– 39,8° à – 67,2°	249	20
Hydra *(-ae)*, Hydre femelle, Hya [18]	08 h 08 à 14 h 58	+ 06,8° à – 35,3°	1 303	130
Hydrus *(-i)*, Hydre mâle, Hyi	00 h 02 à 04 h 33	– 58,1° à – 82,1°	243	20
Indus *(-i)*, Indien (Oiseau), Ind	20 h 25 à 23 h 25	– 45,4° à – 74,7°	294	20
Lacerta *(-ae)*, Lézard, Lac	21 h 55 à 22 h 56	+ 34,9° à + 56,8°	201	35
Leo *(-nis)*, Lion, Leo [19]	09 h 18 à 11 h 56	– 06,4° à + 33,3°	947	70
Leo *(-nis)* Minor *(-is)*, Petit Lion, LMi	09 h 19 à 11 h 04	+ 23,1° à + 41,7°	232	20
Lepus *(-oris)*, Lièvre, Lep	04 h 54 à 06 h 09	– 11,0° à – 27,1°	290	40
Libra *(-ae)*, Balance, Lib	14 h 18 à 15 h 59	– 00,3° à – 29,9°	538	50
Lupus *(-i)*, Loup, Lup	14 h 13 à 16 h 05	– 29,8° à – 55,3°	334	70
Lynx *(-cis)*, Lynx, Lyn	06 h 13 à 09 h 40	+ 33,4° à + 62,0°	545	60
Lyra *(-ae)*, Lyre, Lyr [20]	18 h 12 à 19 h 26	+ 25,6° à – 47,7°	286	45
Mensa *(-ae)*, Table, Men	03 h 20 à 07 h 36	– 69,9° à – 85,0°	153	15
Microscopium *(-ii)*, Microscope, Mic	20 h 25 à 21 h 25	– 27,7° à – 45,4°	210	20
Monoceros *(-otis)*, Licorne, Mon	05 h 54 à 08 h 08	– 11,0° à + 11,9°	482	85
Musca *(-ae)*, Mouche, Mus	11 h 17 à 13 h 46	– 64,5° à – 75,2°	138	30
Norma *(-ae)*, Règle, Nor	15 h 25 à 16 h 31	– 42,2° à – 60,2°	165	20
Octans *(-tis)*, Octant, Ocr	00 h 00 à 24 h 00	– 74,7° à – 90,0°	291	35
Ophiuchus *(-i)*, Ophiucus (ou Serpentaire), Oph	15 h 58 à 18 h 42	+ 14,3° à – 30,1°	948	100
Orion *(-is)*, Orion, Ori [21]	04 h 41 à 06 h 23	– 11,0° à + 23,0°	594	120
Pavo *(-nis)*, Paon, Pav	17 h 37 à 21 h 30	– 56,8° à – 75,0°	378	45
Pegasus *(-i)*, Pégase, Peg [22]	21 h 06 à 00 h 13	+ 02,2° à + 36,3°	1 121	100
Perseus *(-i)*, Persée, Per [23]	01 h 26 à 04 h 46	+ 30,9° à + 58,9°	615	90
Phoenix *(-cis)*, Phénix, Phe [24]	23 h 24 à 02 h 24	– 39,8° à – 58,2°	469	40
Pictor *(-is)*, Peintre (Chevalet du), Pic	04 h 32 à 06 h 51	– 53,1° à – 64,1°	247	30
Pisces *(-ium)*, Poissons, Psc	22 h 49 à 02 h 04	– 06,6° à + 33,4°	889	75
Piscis (-) Austrinus *(-i)*, Poisson austral, PsA [25]	21 h 25 à 23 h 04	– 25,2° à – 36,7°	245	25
Puppis (-), poupe, Pup	06 h 02 à 08 h 26	– 11,0° à – 50,8°	673	140
Pyxis *(-idis)*, Boussole, Pyx	08 h 26 à 09 h 26	– 17,3° à – 37,0°	221	25
Reticulum *(-i)*, Réticule, Ret	03 h 14 à 04 h 35	– 53,0° à – 67,3°	114	15
Sagitta *(-ae)*, Flèche, Sge	18 h 56 à 20 h 18	– 16,0° à + 21,4°	80	20
Sagittarius *(-ii)*, Sagittaire, Sgt [26]	17 h 41 à 20 h 25	– 11,8° à – 45,4°	867	115
Scorpius *(-ii)*, Scorpion, Sco [27]	15 h 44 à 17 h 55	– 08,1° à – 45,6°	497	100
Sculptor *(-is)*, Sculpteur (Atelier du), Scl	23 h 04 à 01 h 44	– 25,2° à – 39,8°	475	30
Scutum *(-i)*, Ecu (de Sobieski), Sct	18 h 18 à 18 h 56	– 04,0° à – 16,0°	109	20
Serpens *(-tis)*, Serpent, Ser	15 h 08 à 18 h 56	+ 25,7° à – 16,0°	637	60
Sextans *(-tis)*, Sextant, Sex	09 h 39 à 10 h 49	+ 06,6° à – 11,3°	314	25
Taurus *(-i)*, Taureau, Tau [28]	03 h 20 à 05 h 58	+ 00,1° à + 30,9°	797	125
Telescopium *(-ii)*, Télescope, Tel	18 h 06 à 20 h 26	– 45,4° à – 56,9°	252	30
Triangulum *(-i)*, Triangle, Tri	01 h 29 à 02 h 48	+ 25,4° à + 37,0°	132	15
Tucana *(-ae)*, Toucan, Tuc	22 h 05 à 01 h 22	– 56,7° à – 75,7°	295	25
Ursa *(-ae)* Major *(-is)*, Grande Ourse, UMa [29]	08 h 05 à 14 h 27	+ 28,8° à + 73,3°	1 280	125
Ursa *(-ae)* Minor *(-is)*, Petite Ourse, UMi [30]	00 h 00 à 24 h 00	+ 65,6° à + 90,0°	256	20
Vela *(-orum)*, Voiles, Vel	08 h 02 à 11 h 24	– 37,0° à – 57,0°	500	110
Venatici *(orum)*				
Virgo *(-inis)*, Vierge, Vir [31]	11 h 35 à 15 h 08	+ 14,6° à – 22,2°	1 294	95
Volans *(-tis)*, Poisson volant, Vol	06 h 35 à 09 h 02	– 64,2° à – 75,0°	141	20
Vulpecula *(-ae)*, petit Renard, Vul	18 h 56 à 21 h 28	+ 19,5° à + 19,4°	268	45

◀ *Nota.* – Étoiles principales : (1) Alpheratz ou Sirrah, Mirach, Almak. (2) Altaïr. (3) Capella. (4) Arcturus. (5) Cor Caroli. (6) Sirius, Adhara, Mirzam, Wezen. (7) Procyon. (8) Canopus. (9) Schedir, Caph, Tsih. (10) Rigil kentarus. (11) Alderamin. (12) Diphda, Mira. (13) Margarita. (14) Deneb. (15) Etamin. (16) Pollux, Castor. (17) Alnaïr. (18) Alphard. (19) Régulus, Denebola. (20) Véga. (21) Rigel, Bételgeuse, Bellatrix, Alnilam, Alnitak, Saïph, Mintaka. (22) Markab, Scheat. (23) Algénib. (24) Algol, Mirfak. (25) Fomalhaut. (26) Kaus australis, Nunki. (27) Antarès, Schaula, Dschubba, Acrab. (28) Aldébaran, El Nath. (29) Alioth, Alkaïd, Dubhe, Merak, Phecda. (30) Polaire, Kochab. (31) L'Épi.

• **Quasar** (de l'anglais *quasi stellar*). Type de radiosources dites quasi stellaires parce qu'associées à des objets visibles ayant une apparence ponctuelle. Découverts en 1960. On en connaît plus de 3 000. Leur fort décalage spectral vers le rouge conduit, d'après la loi de Hubble, à les situer aux confins de l'univers observable (le quasar le plus lointain a été découvert le 20-11-1989, à 14 milliards d'années de lumière de la Terre, dans la Grande Ourse ; en 1987 on avait découvert un quasar, Q0051-279, à plus de 12 milliards d'années de lumière, avec un décalage spectral de 4,43). On pense qu'il s'agit de noyaux de galaxies très jeunes. Les observations de Halton Arp (quasars très voisins de galaxies) ont conduit à une remise en question de la loi de Hubble (voir p. 20c).

• **Radiosource.** Astre émettant des ondes radioélectriques. Objets galactiques ou extra-galactiques, souvent de grande puissance (10^{32} à 10^{37} Watts), souvent restes de novae et de supernovae de notre galaxie ou galaxies singulières. Les principales sont *UAI 00 N 6A* (dans Cassiopée A), *UAI 05 N 2A* (nébuleuse du Crabe dans le Taureau), *3 C 358* (supernova de Kepler dans le Serpent), *UAI 18 S 1A* (nébuleuse Oméga dans le Sagittaire), *UAI 05 NO A* (nébuleuse d'Orion), *3 C 163* (nébuleuse Rosette dans Orion). Première découverte en 1948.

• **Rayonnement cosmologique.** Découvert en 1965. Rayonnement thermique à 3K qui baigne tout l'espace. Selon les tenants de la théorie du « big bang » (voir p. 21a), il s'agirait du résidu de la chaleur originelle de l'Univers. Ce rayonnement aurait été émis environ 1 million d'années env. après le « big bang », alors que la température de l'Univers atteignait encore 3 000 K, il n'aurait cessé de se refroidir depuis, par suite de l'expansion de l'Univers (en perdant de l'énergie, ce rayonnement primitivement lumineux s'est transformé en ondes radio).

• **Satellite.** Corps gravitant autour d'une planète. Astre gravitant autour d'un autre de masse plus importante. La Lune est un satellite de la Terre. *Satellite artificiel,* voir p. 35.

• **Supernova.** Étoile massive ayant atteint un stade avancé de son évolution, qui explose et se manifeste temporairement par un éclat beaucoup plus élevé.

2 types. Type I qui deviennent plus brillantes (leur luminosité décroît avec le temps de façon assez régulière, approximativement exponentielle). La matière qu'elles éjectent dans l'espace est pauvre en hydrogène mais contient davantage d'éléments métalliques lourds que la majorité des étoiles. L'étoile-mère aurait une masse moyenne (env. 5 fois celle du Soleil) et serait complètement détruite par l'explosion qui ne laisserait aucun résidu compact stable. *Type II* atteignant au max. la magnitude visuelle absolue (leur luminosité décroît plus rapidement et irrégulièrement). Elles résulteraient de l'explosion d'étoiles d'au moins 9 fois la masse du Soleil qui ont acquis un noyau de fer et une structure en « pelures d'oignon » avec des couches concentriques d'éléments de plus en plus légers vers la périphérie. L'arrêt brutal des réactions nucléaires dans le noyau de fer provoquerait son implosion. Une onde de choc serait ainsi créée en retour entraînant l'éjection des couches extérieures de l'étoile (à des vitesses dépassant 10 000 km/s).

Supernovae observées dans notre galaxie. Date (maximum d'éclat), durée de visibilité à l'œil nu, observateurs, magnitude apparente atteinte au maximum d'éclat, constellation : *185* (7-12) 20 mois, Chinois, – 8, Centaure. *1606* (fin avril) 25 mois, Chinois, Arabes, Japonais, Italiens – 9, Loup. *1054* (4-7) 22 mois (23 j. en plein jour) Chinois, Japonais, – 5, Taureau (la matière éjectée a donné naissance à la nébuleuse du Crabe). *1181* (août) 6 mois, Chinois, Japonais, + 2, Cassiopée. *1572* (11-11) 17 mois, Tycho Brahé, – 4, Cassiopée. *1604,* 12 mois, J. Kepler et D. Fabricius, Chinois et Coréens, – 2,5, Ophiucus.

La 1re supernova extérieure à notre Galaxie visible à l'œil nu a été 1987 A, observée à partir du 24 févr. 1987 dans le Grand Nuage de Magellan (à 170 000 années de lumière) ; son éclat a atteint la magnitude 3.

L'effondrement gravitationnel du noyau laisserait un résidu compact ultradense : une étoile à neutrons ou un trou noir.

• **Trou noir.** Ultime état d'évolution d'une étoile au moins 3 fois plus lourde que le Soleil et ayant subi un effondrement ou « implosion ». Région de densité extraordinairement forte : aucun rayonnement, aucune matière ne peut s'en échapper. Les trous noirs eux-mêmes sont donc impossibles à détecter. Mais leur présence se manifeste par l'attraction irrésistible qu'ils exercent sur la matière des étoiles voisines (ils la « pompent »). Quand ils attirent du gaz stellaire, ils le réchauffent, ce qui déclenche l'émission de rayons X. Certaines émissions de rayons X dans l'Univers peuvent donc être considérées comme le signe de la présence d'un trou noir. L'un des meilleurs candidats est la source X Cygnus X-1 (dans la constellation du Cygne), découverte en déc. 1972, qui correspond à un système binaire situé à env. 6 000 années de lumière dont l'une des composantes, invisible, aurait une masse égale à 10 fois celle du Soleil, tandis que l'autre est une étoile supergéante bleue, cataloguée HDE 226 868. Le rayonnement X serait émis par la matière de la supergéante aspirée par le trou noir et se déversant sur lui. Une dizaine d'autres trous noirs possibles ont été détectés depuis, notamment par des astronomes soviétiques. On ignore ce que devient la matière absorbée par le trou noir. *Hypothèse (non vérifiée)* : les matières absorbées par les trous noirs réapparaîtraient sous forme de « trous blancs » en d'autres régions de l'Univers.

D'après certains astronomes, il y aurait un trou noir au centre de notre Galaxie (voir p. 21).

Des mini-trous noirs se seraient formés dans l'Univers très jeune, leur masse ne dépassant pas 10^{14} g.

• **Univers-îles.** Nom donné parfois aux galaxies depuis Kant.

Cosmographie

• **Position conventionnelle.** Quoique ce soit la Terre qui tourne autour du Soleil, on choisit, pour plus de facilité, de faire comme si la Terre était fixe, le Soleil (et le ciel) tournant autour d'elle. On parle donc du **mouvement apparent** du Soleil.

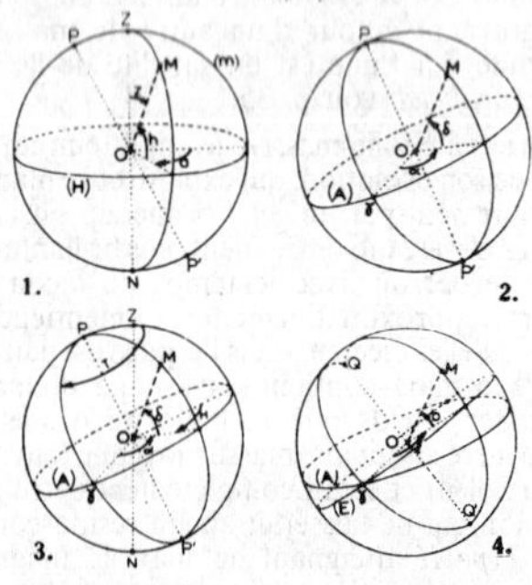

Pôles célestes P (*boréal*) et P′ (*austral*). Le grand cercle (A) d'axe PP′ est l'*équateur céleste*. Le demi-grand cercle PMP′ est le *méridien céleste* de M. Le grand cercle sur lequel se trouve le méridien de M est son *cercle horaire*. Le petit cercle (p) passant par M est son *parallèle céleste*.

Le méridien de Z (soit m) est dans le même plan que le vertical de P (grand cercle contenant la verticale de P). On l'appelle le *méridien du lieu*. Le plan vertical perpendiculaire au méridien du lieu s'appelle le premier vertical.

L'**écliptique** est la trajectoire apparente du Soleil en une année ; c'est aussi le plan (incliné de 23°26′ sur celui de l'équateur) dans lequel se déplace en réalité le centre de la Terre autour du Soleil.

Aux 2 intersections de l'écliptique avec l'équateur correspondent les **équinoxes.** Le **point vernal** (ou **point** γ) est le point où se trouve le Soleil à l'équinoxe de printemps. On distingue un point γ vrai qui se déplace chaque année par rapport aux étoiles fixes, et un point γ fixe conventionnel (il fait ainsi le tour en 25 785 ans). Ce point rétrograde chaque année d'environ 50″26 en raison du mouvement en axe de toupie de l'**axe du monde** autour duquel tourne la Terre (**précession des équinoxes**), d'où il résulte que le **pôle boréal (Nord)** n'est pas toujours à la même place dans le ciel ; actuellement très proche de l'étoile Polaire (étoile α de la Petite Ourse) ; il y a 4 000 ans, il se trouvait dans la constellation du Dragon. Le **pôle austral (Sud)** tourne de la même façon.

• **Coordonnées horizontales d'une direction. 1) l'azimut a,** angle dièdre du vertical de P′ et de celui de M, compté en degrés dans le sens rétrograde, de 0° à 360° ou de – 180° à + 180° (dans la marine française, le vertical de P et non celui de P′ est employé comme origine des azimuts ; il faut donc ajouter 180° à l'azimut astronomique pour obtenir l'azimut des marins) ; **2) la hauteur h,** angle de la direction (D) et du plan de l'horizon, comptée en degrés de – 90° à + 90°, à laquelle on substitue parfois la *distance zénithale z,* angle des directions de Z et de M, comptée en degrés de 0° à 180°. On a évidemment $z = 90° - h$.

• **Coordonnées équatoriales célestes** (de la direction représentée par M). **1) la déclinaison** δ, angle de la direction avec le plan de l'équateur céleste, comptée en degrés de – 90° à + 90° (on utilise parfois aussi la distance polaire, angle des directions de P et de M, et qui est le complément algébrique de la déclinaison) ; **2) l'ascension droite** α, angle dièdre du méridien de la direction et de celui d'un point donné γ de l'équateur céleste, dit point vernal ou équinoxe ; elle est comptée dans le sens direct, parfois en degrés, de 0° à 360°, plus fréquemment en heures, de 0 h à 24 h (1 h = 15°, 1 mn = 15′, 1 s = 15″.)

• **Coordonnées horaires, temps sidéral local. 1) la déclinaison** δ, déjà définie ; **2) l'angle horaire H**, angle dièdre du méridien de la direction envisagée et de celui du lieu. Compté, dans le sens rétrograde, parfois en degrés, plus souvent en h, de 0 h à 24 h, ou de – 12 h à + 12 h.

Le passage du système de coordonnées horaires au système de coordonnées équatoriales est immédiat dès qu'on connaît l'angle horaire T du point vernal, qui est aussi l'ascension droite du zénith. L'angle horaire et l'ascension droite de toute direction sont en effet liés par la relation $T = H + \alpha$. Cet angle T porte le nom de temps sidéral.

• **Coordonnées écliptiques. 1) la longitude céleste,** angle dièdre des 2 demi-grands cercles dont les extrémités sont les pôles Q et Q′ de l'écliptique, et qui contiennent respectivement le point vernal et le point représentatif de la direction envisagée, comptée de 0° à 360°, dans le sens direct ; **2) la latitude céleste,** angle de la direction envisagée et du plan de l'écliptique, comptée de – 90° à + 90°.

Les **coordonnées équatoriales** (ou écliptiques) d'une direction fixe ne sont pas constantes, car elles sont définies à partir de plans fondamentaux (équateur, écliptique) animés de mouvements dus aux actions perturbatrices de la Lune, du Soleil et des planètes. Ces mouvements sont conventionnellement décomposés en : **nutation** (superposition d'oscillations périodiques de courtes périodes et de faibles amplitudes) et **précession** (mouvement lent, mais de grande amplitude). Si l'on ne tient compte que de ce dernier mouvement, l'écliptique, l'équateur et le point vernal ainsi définis sont dits moyens. Si l'on introduit aussi la nutation, l'équateur et l'écliptique sont dits vrais. La *précession* modifie la longitude écliptique, puisque celle-ci est mesurée à partir du point γ ainsi que les coordonnées équatoriales. La position des astres est alors donnée par rapport à la Terre considérée comme le centre de la sphère céleste. L'*ascension droite* donne la position par rapport aux pôles célestes et à un méridien origine, et la *déclinaison* par rapport à l'écliptique céleste.

Cette façon de faire explique les expressions : le Soleil se lève ou se couche.

• **Zodiaque.** Zone de la sphère céleste étendue de 8,5° de part et d'autre de l'écliptique (dans laquelle semblent se mouvoir le Soleil dans son mouvement apparent, la Lune, les grosses planètes et une partie des petites), divisée en 12 parties de 30° de longitude. Les signes doivent leur nom aux constellations avec lesquelles ils coïncidaient il y a 2 000 ans : le passage du Soleil au point vernal (jour de l'*équinoxe* du printemps ; actuellement c'est dans le Bélier, dans 2 000 ans ce sera dans le Verseau) coïncidait alors avec son entrée dans le signe comprenant la constellation du Bélier. Par suite de la *précession* des équinoxes, le point vernal rétrograde sur l'écliptique de 50″26, soit 30° en 2 150 ans.

Actuellement, au printemps le Soleil est au milieu de la constellation des Poissons. Le Zodiaque comprend en fait 13 constellations (avec le Serpentaire).

Dates d'entrée du Soleil dans les signes du Zodiaque en 1992 (en temps universel)

Signe	Date	Heure
Verseau	19 janvier	8 h 06 mn
Poissons	17 février	19 h 48 mn
Bélier	20 mars	23 h 02 mn
Taureau	22 avril	16 h 09 mn
Gémeaux	23 mai	14 h 08 mn
Cancer	21 juin	18 h 09 mn
Lion	21 juillet	0 h 33 mn
Vierge	21 août	5 h 40 mn
Balance	23 septembre	9 h 19 mn
Scorpion	25 octobre	22 h 50 mn
Sagittaire	24 novembre	17 h 13 mn
Capricorne	22 décembre	4 h 51 mn

Nota. – L'entrée du *Soleil* dans le *Bélier* correspond à l'*équinoxe du printemps ;* dans le *Cancer* au *solstice d'été ;* dans la *Balance* à l'*équinoxe d'automne ;* dans le *Capricorne* au *solstice d'hiver.*

L'Univers

Généralités

• **Définition.** L'Univers, que l'on observe actuellement jusqu'à des distances d'environ 15 milliards d'années de lumière, comprend tout ce qui existe, c'est-à-dire des millions de galaxies séparées dans un espace contenant des poussières, des gaz et des particules atomiques.

Si la distance Terre-Soleil était représentée par un micron (1 millième de mm, or elle est en moyenne de 149 600 000 km), le diamètre de notre galaxie serait de 6,3 km, Andromède serait à 126,6 km, l'amas de la Vierge à 2 278,8 km, l'amas éloigné de la Grande Ourse à 106 344 km et les limites supposées de l'Univers à 759 600 km.

• **Age de l'Univers.** Infini selon certaines théories. 15 milliards d'années en moyenne selon d'autres (soit de 10 à 20).

La cosmologie s'efforce de déterminer les lois générales qui gouvernent l'Univers. La plupart des théories cosmologiques modernes admettent les principes de la relativité générale (Einstein, 1917) :
– *l'espace,* à 3 dimensions (longueur, largeur, hauteur), et *le temps,* à 1 dimension (durée), ne sont pas indépendants mais liés : l'Univers est un continuum espace-temps à 4 dimensions (la position d'un point quelconque y est définie par 3 coordonnées spatiales et 1 coordonnée temporelle) ;
– *la matière* et *l'énergie* contenues dans l'Univers le déforment : l'Univers est courbe.

• **Géométrie de l'Univers.** Dans le cas général, les équations d'Einstein sont extrêmement compliquées. Elles se simplifient beaucoup si l'on admet que l'Univers a les mêmes propriétés dans toutes les directions (isotropie) et que la matière y est uniformément distribuée (homogénéité). Alors, 3 modèles d'Univers sont envisageables (Friedman, 1922) :
– *sphérique,* ou à courbure positive (à 2 dimensions, l'espace peut être représenté par la surface d'une sphère) : Univers fini mais sans frontières ;
– *hyperbolique,* ou à courbure négative (à 2 dimensions, l'espace peut être représenté par la surface d'une selle de cheval) : Univers infini ;
– *euclidien,* ou à courbure nulle (à 2 dimensions, l'espace peut être représenté par une surface plane) : Univers infini.

Dans les 3 cas, le rayon de courbure de l'Univers varie avec le temps : s'il croît, l'Univers est en expansion ; s'il décroît, l'Univers est en contraction. On peut imaginer un type d'Univers pulsant, passant successivement et indéfiniment par des phases d'expansion et des phases de contraction. A un instant donné dans le passé, le rayon de l'Univers était nul : c'est l'origine de l'Univers actuel. Peut-être l'Univers existait-il antérieurement, mais on ne peut pas le savoir. On ignore encore lequel de ces modèles est conforme à la réalité. Toutefois, selon les observations astronomiques, l'Univers semble effectivement homogène et isotrope à grande échelle.

• **Évolution de l'Univers.** Hubble, en 1929, a découvert que les galaxies ont un spectre décalé vers le rouge (le *redshift*) et, en admettant qu'il s'agit d'un effet Doppler (Voir index), a tiré de ses observations une loi selon laquelle toutes les galaxies s'éloignent les unes des autres, les + lointaines s'éloignant le + rapidement : $V = H.d$ (V : vitesse de récession d'une galaxie dont la distance est d ; H : constante de Hubble, env. 25 km/s par million d'années de lumière). Si la théorie de la relativité est valable, cela signifie que l'Univers est en expansion. Depuis la découverte de Hubble, la plupart des astrophysiciens admettent aujourd'hui la réalité de l'expansion.

Théorie du big bang (grand boum). Énoncée par George Gamow (Russe naturalisé amér., 1904-68) ; vulgarisée en 1978 par l'Amér. Steven Weinberg, dans *Les Trois Premières Minutes de l'Univers* : l'Univers actuel serait issu d'une énorme explosion (le big bang) survenue il y a env. 15 milliards d'années (cf : Théorie de l'atome primitif de l'abbé Lemaître, 1927). Connaissant la vitesse d'éloignement des galaxies par le décalage vers le rouge, et mesurant la distance actuelle des galaxies, on détermine mathématiquement la date de l'explosion primitive. Au moment de l'explosion, l'Univers avait une température infinie et était constitué presque entièrement de rayonnement. Le big bang aurait duré 1/100e de seconde, et seul ce 1/100e de seconde demeurerait inexpliqué : on ne prétend connaître ni la cause, ni la nature de l'explosion. La température de l'Univers dépassa alors les 100 milliards de degrés centigrades, puis serait retombée en 3 min à 1 milliard de degrés, point suffisamment bas pour que protons et neutrons commencent à s'assembler, constituant la matière. Il resterait comme traces de cette explosion : 1°) un rayonnement radioélectrique dit fossile ; 2°) un fond sonore capté par les antennes acoustiques modernes ; 3°) une température résiduelle constante (+ 2,7 °C au-dessus du zéro absolu), découverte en 1965 ; 4°) la présence de deutérium dans la nébuleuse d'Orion et dans la radiosource Sagittaire A (l'hydrogène ne se transforme en deutérium que sous une pression et à une température extrêmement élevées).

Pour l'évolution future de l'Univers 2 scénarios sont envisagés selon la densité de la matière présente dans le cosmos : ou bien la vitesse de libération a été atteinte, et l'expansion ne cessera jamais ; ou bien la vitesse atteinte est insuffisante, et l'Univers est destiné à ralentir d'abord son expansion, puis à rétrécir jusqu'aux dimensions minuscules de ses « 3 premières minutes ».

D'après certaines expériences, il se pourrait que le *neutrino,* particule surabondante dans l'Univers, possède une masse infime. La densité de matière serait alors suffisante pour ralentir l'expansion, la stopper et engendrer une phase de contraction de l'Univers.

Selon certains astrophysiciens, l'énergie initiale aurait donné naissance à des quantités égales de matière et d'antimatière qui se seraient regroupées dans 2 régions différentes. L'Univers actuel serait donc formé symétriquement de matière et d'antimatière.

Théories de l'Univers stationnaire, sans commencement ni fin. La plus connue est celle de la *création continue* (Bondi, Gold, Hoyle, 1948) : bien que les galaxies ne cessent de se disperser dans l'espace, la densité de matière de l'Univers resterait constante grâce à la création continue de nouveaux atomes. Elle est aujourd'hui abandonnée.

Critiques du big bang. Les conclusions de Hubble ont été remises en question par la découverte de nombreux objets extra-galactiques échappant aux lois de la mécanique expansionniste. *Principaux contestataires :* en France, Jean-Pierre Vigier (n. 1919), Jean-Claude Pecker (n. 1923) ; aux U.S.A., Halton Arp. Il s'agit principalement de couples galaxie-objet compact (reliés par des ponts de matière), dont les 2 éléments ne s'éloigneraient pas à la même vitesse, si le *redshift* (décalage vers le rouge) est bien un effet Doppler.

EXEMPLE : Vitesse d'éloignement de NGC 1199 (déterminée en fonction de l'hypothèse : *redshift* = effet Doppler) : 1er élément (petite galaxie bleue) : 13 400 km/s ; 2e élément (objet compact relié à elle) : 2 600 km/s. Or la galaxie bleue reste dans la même position apparente par rapport à l'objet compact (pour l'observateur terrestre : juste devant). Il est donc impossible qu'elle soit animée d'une vitesse différente.

AUTRE ARGUMENT. *Localisation des quasars :* les quasars (voir p. 19) ont un fort décalage spectral vers le rouge ; interprété comme un effet Doppler-Fizeau, celui-ci conduit à les localiser beaucoup plus loin que toutes les galaxies connues. Or Halton Arp cite de nombreux cas de galaxies et de quasars qui, tout en ayant des *redshifts* très dissemblables, sont voisins et se trouvent en interaction (extension ou filament lumineux se dirigeant de la galaxie vers le radar). Les écarts entre les *redshifts* ne seraient donc pas imputables à un éloignement différent.

☞ *Selon J.-C. Pecker et J.-P. Vigier,* le décalage vers le rouge ne serait pas dû à l'éloignement des galaxies mais à une perturbation de la lumière, à un « vieillissement » (la lumière rougit en vieillissant). Une particule élémentaire, le *boson scalaire* ou *particule* ϕ, viendrait de la décomposition des neutrinos émis par les réactions nucléaires des étoiles. Les photons lumineux heurteraient les bosons et, perdant ainsi de l'énergie, changeraient de couleur. Les bosons ne dévieraient pas la trajectoire de la lumière lors de la collision. Les images des galaxies resteraient donc nettes, seule leur couleur serait décalée. *Ces bosons n'ont cependant pu être décelés.*

Structure à grande échelle de l'Univers. Le rayon de l'Univers observable serait de 15 à 20 milliards d'années de lumière (du fait de l'expansion de l'Univers, il y a un horizon cosmologique au-delà duquel on ne peut plus espérer rien voir ; cet horizon est délimité par la sphère au niveau de laquelle la vitesse de récession des galaxies atteint la vitesse de la lumière). Le nombre d'étoiles repérées serait de 1 000 milliards de milliards. Les étoiles sont groupées en galaxies, les galaxies en amas, les amas en superamas (3 000 recensés). L'amas dans lequel est située la Galaxie contenant le système solaire contient env. 30 galaxies (Amas local). Il est inclus dans le *Superamas local* (env. 5 millions d'années de lumière dans sa plus grande dimension), centré sur l'amas de la Vierge. À très grande échelle, les galaxies formeraient une structure cellulaire, en se répartissant sur les arêtes, les faces et les sommets de polyèdres, ayant des dimensions moyennes de 300 millions d'années de lumière. Leur disposition serait semblable à celle des molécules de cellulose dans un tissu végétal. La découverte en 1989 d'un « hyperamas » attirant des galaxies entières de la région de l'Hydre met en question le postulat de l'homogénéité de l'Univers.

Vie dans l'univers

L'exobiologie recherche les formes de vie extraterrestre. Pour rendre la vie possible (comme nous la connaissons) et lui permettre de se développer, il est nécessaire de réunir ces conditions :

1. **Présence d'eau** (de masses d'eau assez importantes pour former des océans). La preuve est faite que la vie s'est développée sur Terre dans les océans, et qu'elle serait détruite en milieu non aqueux. Il y aurait peut-être une planète sur 1 million dans la galaxie qui pourrait contenir des océans (c.-à-d. env. 200 000, puisqu'il y a 200 milliards d'étoiles de type solaire).

2. **Présence d'oxygène,** qui, en se combinant avec le carbone, libère l'énergie indispensable à l'activité vitale (les anaérobies, vivant en l'absence d'air, tirent leur oxygène de composés organiques qu'ils décomposent).

3. **Une certaine température** *maximale* (100 °C pour les bactéries, 65 °C environ pour les êtres complexes) et *minimale* (si certaines bactéries ou certains végétaux portés à très basse température restent en vie, ils ne peuvent pas se développer, leurs fonctions vitales étant arrêtées).

L'origine et l'évolution de notre règne vivant impliquent la rencontre au hasard de tant d'éléments favorables et exceptionnels que leur existence, dans une autre planète, peut apparaître improbable. Cependant, si nous raisonnons en « temps géologique » (milliards d'années) et en « espaces cosmiques » (milliards de systèmes solaires), un nombre presque infini d'alternatives apparaît, tel que toute éventualité déjà réalisée une fois (conditions de vie terrestre) doit se retrouver presque sûrement une ou plusieurs autres fois.

Ainsi, on peut penser qu'il existe dans certaines planètes du système de notre galaxie, ou ailleurs, les matériaux et les conditions qui ont engendré la vie sur notre globe. Mais une fois apparue, cette « matière vivante » n'a pas nécessairement suivi le même schéma évolutif que le nôtre.

Au cours de son évolution, la vie terrestre aurait eu de multiples occasions de s'arrêter ou de suivre des voies différentes, et il a fallu une longue série de hasards favorables pour qu'elle aboutisse à l'homme. Il existe dans notre histoire une série de « carrefours privilégiés ». L'un des plus spectaculaires fut sans doute l'immense développement du règne végétal, qui enrichit l'atmosphère en oxygène et fournit la ressource énergétique permettant le développement de tout le règne animal.

Plus près de nous, le phénomène de l'hominisation apparaît très aléatoire. Il est lié à la transformation d'un tout petit nombre de primates vivant en Afrique centrale. Si ces primates n'avaient pas existé (ou s'ils avaient disparu précocement), nous n'aurions jamais vu le jour. En notre absence, les « maîtres de la Terre » seraient les insectes sociaux, qui sont, en dehors de l'homme, les êtres vivants au psychisme le plus développé et le mieux différencié.

Nota. – La NASA a décelé sur une météorite tombée en Australie (Murchison) le 28 septembre 1969 des traces d'acides aminés d'origine chimique et extra-terrestre témoignant, ailleurs que sur la Terre, d'une évolution chimique du type de celle qui a permis l'apparition de la vie sur la Terre. La *météorite tombée à Orgueil* (France) le 14-5-1864 et conservée en partie à Montauban, Paris et New York, ainsi que la *météorite tombée à Mokvia* (Nouvelle-Zélande), auraient offert des traces comparables (cela est contesté).

Programme SETI

Un programme d'écoute de l'univers poursuivi par la Nasa depuis 30 ans à la recherche d'une intelligence extra-terrestre. A partir d'octobre 1992, un récepteur MCSA (Multi Channel Spectrum Analyser), 10 fois plus performant que les instruments actuels avec 10 millions de canaux de réception auditionnera chacune des 1 000 étoiles les plus proches de nous et ressemblant le plus au Soleil. Un autre radiotélescope, installé en France à Nançay, enregistre déjà 1 à 2 semaines par an 200 à 300 heures d'écoute.

Notre Galaxie

Données générales

• **Forme.** Un disque d'étoiles dont nous voyons la tranche. Devinée pour la 1re fois par Thomas Wright (1711-86). Jusqu'au XXe s., on a cru que le Soleil était en son centre alors qu'il est plutôt sur la périphérie. On sait actuellement qu'elle a un diamètre de 100 000 années de lumière, autour d'un centre vide d'étoiles.

La rotation de l'ensemble sur lui-même n'est pas uniforme, les régions centrales ayant une rotation plus rapide que les régions périphériques. L'ensemble compte 100 milliards d'étoiles et de la matière interstellaire (plasma et poussières). En dehors du bulbe central, la matière se répartit dans des bras spiraux.

Le Soleil est une étoile de dimension médiocre, autour de laquelle gravitent les planètes avec leurs satellites et les comètes. L'ensemble forme le *système solaire* qui parcourt son orbite en 250 millions d'années *(grande année* ou *année cosmique).* Des systèmes analogues existent sans doute autour de très nombreuses étoiles de notre galaxie.

• **Satellites de la Galaxie.** En dehors du disque d'étoiles, on connaît des amas globulaires, satellites de la Galaxie, qui tournent autour d'un centre situé dans la constellation du Sagittaire, à proximité du centre galactique.

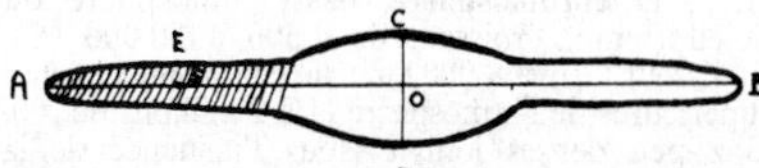

Zone hachurée : domaine accessible aux observations ordinaires. AB = 100 000 années de lumière environ ; direction du « plan galactique ». CD = 15 000 à 20 000 années de lumière. S = position du Soleil (situé en fait à environ 50 années de lumière au nord de la ligne AB). SO = 28 000 années de lumière. Un observateur situé au voisinage de S (sur Terre, par ex.) verra beaucoup plus d'étoiles dans la direction SB (Voie lactée) que dans la direction DE.

• **Énigme du centre de la Galaxie.** On est parvenu à localiser au centre de la Galaxie une radiosource très compacte, *Sagittarius A Ouest* (diamètre inférieur à 100 fois la distance de la Terre au Soleil, masse 5 millions de fois celle du Soleil). C'est aussi une source intense de rayonnement infrarouge, X et gamma. Elle est entourée d'anneaux de gaz en expansion. Certains pensent qu'il s'agit d'un volumineux trou noir capturant la matière environnante, d'autres qu'il s'agit au contraire d'un foyer d'étoiles en formation expulsant du gaz chaud.

Soleil et système solaire

• **Origine. Hypothèses nébulaires. Avec anneaux :** Pierre Simon de Laplace (1749-1827) considère que le Soleil et son système sont issus ensemble, il y a 4,6 milliards d'années, d'un nuage gazeux, nébuleuse primitive qui, en se condensant, a donné des anneaux fractionnés ensuite en différentes planètes. **Sans anneaux** (la plus généralement admise à présent) : le nuage de gaz et de poussière imaginé par Laplace s'est contracté sous l'effet de forces gravitationnelles, ce qui a accru sa pression et sa chaleur. A 10 millions de degrés, les réactions nucléaires de fusion de l'hydrogène ont commencé à se produire. La force centrifuge née de la rotation du nuage l'aplatit au point de lui donner la forme d'un disque (10 milliards de km de diamètre ; 100 millions de km d'épaisseur) dont sont issues les planètes (par condensation et accrétion). Près du Soleil ont subsisté surtout les métaux et le silicium (planètes telluriques), loin du Soleil, les gaz et des glaces d'eau, d'ammoniac, de méthane, etc. (planètes géantes). 2 grandes énigmes : celle de l'« étincelle » initiale qui a déclenché la contraction de la nébuleuse, et celle du processus final d'agglomération des planètes.

Hypothèses de la collision. Le Soleil serait né le premier, puis aurait donné naissance aux planètes au cours d'une collision avec une autre étoile. 2 variantes : 1) *James Jeans* (G.-B. 1877-1946) : une étoile passant près du Soleil lui a arraché un « cigare » de matière qui, en se sectionnant, a donné les planètes (les grosses au centre, les petites aux bouts) ; 2) *Woolfson* : le « cigare » ne vient pas du Soleil mais de l'étoile accrochée au passage.

Hypothèse de l'étoile jumelle. Il n'y aurait pas eu primitivement 1 Soleil mais 2 : le 2e s'est désintégré, et sa matière a fourni les planètes.

Hypothèse des 3 pré-étoiles. Primitivement, il y avait 3 pré-étoiles : le Soleil, Jupiter, Saturne. Mais Jupiter et Saturne, qui ont des satellites comme le Soleil, ont manqué leur explosion thermique faute d'une masse suffisante et sont restés des amas de gaz et de poussière, sans rayonnement lumineux.

• Caractéristiques. **Diamètre :** 1 392 530 km. **Rotation :** 25 à 35 j suivant les régions. **Masse moyenne :** $1{,}989.10^{30}$ kg.

Vitesse de déplacement. Vitesse absolue dans l'espace : 216 km/s ; relative par rapport aux autres étoiles (en direction de la constellation d'Hercule) : 19 km/s.

Émission thermique totale du Soleil : 10^{26} cal. par s. Chaque cm^2 de la photosphère rayonne une puissance de 6,45 kW, et le flux total d'énergie libérée par le Soleil est de 4.10^{23} kW. Sa *lumière* met 8 minutes env. à nous parvenir.

Par rapport à la Terre : densité 0,256 (par rapp. à l'eau 1,41) ; masse 333 432 fois ; surface 11 900 fois ; volume 1 300 000 fois.

Composition. Le Soleil comprend : le **noyau** (taille et composition inconnues, temp. 15 millions °C). Il agit comme un réacteur thermonucléaire et s'échauffe progressivement ; une **zone radiative ;** une **zone convective** (env. 200 000 km d'épaisseur). La **photosphère** (temp. décroissant vers l'extérieur de 6 600 à 4 500 °C). Épaisseur : 400 km env. ; la **chromosphère,** basse atmosphère du Soleil (temp. croissant de 4 500 à 50 000 °C). Épaisseur : env. 8 000 km ; la **couronne,** couches supérieures de l'atmosphère (1 à 2 millions de °C). Gaz peu denses ionisés (sous l'influence de la temp., les atomes perdent leurs électrons). Elle se disperse dans l'espace interplanétaire sans limites précises.

Activité solaire. Des phénomènes très divers sont observés quotidiennement dans les différentes couches du Soleil : des **taches** sombres [régions plus froides de la photosphère (4 500 °C au lieu de 6 000 °C) ; associées à un très fort champ magnétique] soumises à un cycle solaire de 11 ans. Minimum : 50 groupes de taches par an ; maximum : 500. Durée : de quelques jours à plusieurs mois. Étendue maximale : 18 milliards de km^2 (le 8-4-1947). Des **facules** brillantes entourant les taches. Des **explosions** *thermonucléaires* à la température de 14 millions de degrés, 2 atomes d'hydrogène se combinent en *deuton* qui se combine ensuite en *hélium* avec un 3e noyau. Cette fusion libère une énorme quantité d'énergie. Des **éruptions** et **protubérances** gazeuses pouvant s'élever à 1 million de km au-dessus de la chromosphère. Des **émissions** très importantes de rayonnements (X, ultraviolet, radio, etc.) et de particules atomiques dans l'espace interplanétaire : flux d'atomes, noyaux d'hélium, électrons, protons, particules chargées qui sont emprisonnées par le champ magnétique terrestre et créent les « orages magnétiques » (vent solaire).

• Futur. Dans 5 milliards d'années env., le Soleil deviendra une étoile géante rouge. Il engloutira sans doute Mercure et Vénus, et la Terre deviendra une fournaise où toute vie sera détruite. Puis il éjectera ses couches externes (qui formeront une nébuleuse planétaire) et ne subsistera que sous les traits d'une naine blanche ayant env. la taille de la Terre.

Compagnon hypothétique du Soleil. Selon certains astronomes, le Soleil aurait un compagnon, une petite étoile obscure (Némésis). Celle-ci, tous les 30 millions d'années env., passerait à son périhélie, à env. 20 000 fois la distance de la Terre au Soleil. Elle perturberait les orbites des comètes rassemblées dans le nuage de Oort (voir p. 26a). Pendant des dizaines de milliers d'années, des comètes seraient précipitées vers le Soleil. Certaines heurteraient la Terre ou exploseraient dans l'atmosphère, déclenchant des catastrophes comme celle qui provoqua, pense-t-on, la disparition des dinosaures, il y a 65 millions d'années.

☞ *12 janv. de l'an - 10 352 :* toutes les planètes du système solaire furent réunies dans un octant (secteur de 45°). *9 nov. 1881 :* le Soleil, Mercure, la Terre, Mars, Jupiter, Uranus, Neptune et Pluton presque alignés. *Mars 1982, janv. 1984 :* groupement de toutes les planètes dans un quadrant du système solaire.

Planètes

Données générales

• Catégories. On distingue : 1°) *9 planètes principales : 4 planètes telluriques* (Mercure, Vénus, la Terre et Mars), de taille et de composition proches ; *4 planètes géantes* dites aussi *joviennes* (Jupiter, Saturne, Uranus et Neptune), riches en glaces et en composés gazeux de l'hydrogène (alors que les planètes telluriques sont surtout composées de roches silicatées et de fer) ; *Pluton* (la plus petite), 2°) *des milliers d'astéroïdes* (petits corps rocheux) gravitant entre Mars et Jupiter. Leur masse totale ne dépasse pas 1/3 000 de la masse de la Terre. *Mercure* et *Vénus,* plus proches du Soleil que la *Terre,* sont les planètes inférieures, *Mars* et les suiv. les pl. supérieures.

• Densité. Terre 5,52. Mercure 5,45. Vénus 5,18. Mars 3,96. Lune 3,33. Astéroïdes environ 3. Pluton 2,1. Neptune 1,64. Uranus 1,57. Jupiter 1,33. Saturne 0,71.

• Mouvement des planètes. Les planètes gravitent approximativement dans le même plan moyen (seuls Mercure et Pluton s'en écartent un peu) sur des orbites à peu près circulaires. Leur révolution autour du Soleil s'effectue dans le sens inverse des aiguilles d'une montre (sens direct), qui est aussi le sens de rotation du Soleil sur lui-même. Planètes et astéroïdes tournent sur eux-mêmes en quelques heures (sauf Mercure 58,6 j et Vénus 242, 98 j), en général dans le même sens que leur mouvement de révolution autour du Soleil (sauf Vénus et Uranus).

Lois de Kepler (régissant le mouvement des planètes autour du Soleil). 1°) Les planètes décrivent autour du Soleil des orbites elliptiques dont le Soleil occupe un des foyers. 2°) Les aires balayées par les rayons vecteurs en des temps égaux sont égales. 3°) Les carrés des temps de révolution sont proportionnels aux cubes des demi-grands axes des orbites ; ainsi pour 2 planètes dont les révolutions sont respectivement égales à T et T', qui ont des orbites dont le demi-grand axe est a et a', on aura :

$$\frac{T^2}{T'^2} = \frac{a^3}{a'^3}$$

Ces lois peuvent se déduire du principe de l'attraction universelle.

La rotation autour du Soleil, ou **révolution sidérale,** correspond à une « année ». L'*année* terrestre est de 365,24 j ; l'année plutonienne vaut 248 années terrestres, etc.

• Nom des formations du relief planétaire. Choisi par l'Union astronomique internationale.

• Origine. Les planètes se sont formées par accrétion (accroissement de masse) de « planétisimaux » issus de l'accrétion de poussières présentes dans le protosystème solaire. Les anneaux pourraient être des résidus de cette matière non accrétée, et leur caractère « primitif » nous informerait sur l'origine des planètes et donc sur celle du système solaire.

• Vitesse de libération (vit. minimale qu'il faut communiquer à un corps pour qu'il quitte définitivement la planète). En m/s. **Planètes denses :** Terre 11 180, Vénus 10 360, Mars 5 018, Mercure 4 246, Lune 2 375, Astéroïdes maximum 44. **Légères :** Jupiter 59 850, Saturne 35 570, Neptune 23 270, Uranus 21 550, Pluton 1 270.

Planètes principales

Liste des 9 planètes principales. Dans l'ordre des distances croissantes au Soleil, exprimées en unités astronomiques (distance de la Terre au Soleil) :

1°) connues dès l'Antiquité : *Mercure* (0,39), *Vénus* (0,72), *la Terre* (1), *Mars* (1,52), *Jupiter* (5,20), *Saturne* (9,55) ;

2°) découvertes depuis : *Uranus* [(19,22) découverte par W. Herschel (Anglais, d'origine allem.) le 13-3-1781], *Neptune* [(30,11) déc. par l'All. Galle le 23-9-1846 grâce aux calculs du Français Le Verrier], et *Pluton* [(39,52) déc. le 13-3-1930 par l'Américain C.W. Tombaugh]. Tous les 248 ans, Neptune est plus éloignée du Soleil que Pluton pendant 20 ans. Il en est ainsi depuis le 22-01-1979 à mars 1999.

☞ Voir p. 24 b.

• Mercure. **Distance** *moyenne au Soleil :* 57,90 millions de km. **Diamètre :** 4 878 km. *Masse :* 0,056 (Terre = 1). **Densité** *moy. :* 5,6 (eau = 1). **Rotation** *sur elle-même :* 58,6 j. **Révolution** *autour du Soleil :* 87,969 j. **Durée du jour** *mercurien :* 175,9 j. **Température** *du sol :* 200 °C à 430 °C sur la face éclairée ; – 150 °C à – 200 °C sur la face non éclairée. **Atmosphère :** pratiquement nulle, sauf une très fine enveloppe d'hélium. **Champ magnétique :** 1/200 du champ terrestre. **Morphologie :** noyau de fer plus gros que la Lune (3 600 km de diamètre) entouré d'un manteau de silicates. **Surface** *(photographiée par Mariner 10 en 1974-75) :* comparable à celle de la Lune. **Vie :** pas de vie possible à cause de la température et de l'absence d'atmosphère dense. **Satellites :** aucun.

• Vénus. **Distance** *moy. au Soleil :* 108,2 millions de km. **Diamètre :** 12 104 km. **Masse :** 0,817 (Terre = 1). **Densité** *moy. :* 5,1. **Rotation** *sur elle-même :* 242,98 j dans le sens rétrograde. **Révolution** *autour du Soleil :* 224,701 j (inférieure à la rotation). **Durée du jour** *vénusien :* 116,74 j. **Température** *du sol :* 460 °C. **Pression :** 92 atmosphères. **Champ magnétique :** non détecté. **Vue de la Terre.** Vénus est blanche : on la voit soit le matin *(Ét. du Matin),* soit le soir *(Ét. du Soir).* Pythagore a affirmé le 1er que ces 2 étoiles n'en faisaient qu'une. **Exploration :** par sondes : voir p. 42c.

Atmosphère. Composée à 97 % de gaz carbonique ; ne laisse passer que 2 % seulement de la lumière solaire (Terre 30 %). Sur les 98 % perdus, 75 % sont réfléchis par la haute atmosphère, et 23 % sont absorbés par l'atmosphère centrale. Vénus ne reçoit ainsi que 55 W d'énergie solaire par m^2 (la Terre 600 W, bien que moins proche du Soleil), le rayonnement solaire représente 2 700 W pour Vénus (la Terre 1 400 W). 3 couches : 1°) *70-60 km d'altitude* (nuages réfléchissant la lumière solaire) : pression 0,05 atm., temp. – 30 °C ; 2°) *63-48 km :* pression 2 atm., temp. + 100 °C ; 3°) *48-30 km :* pression 10 atm., temp. + 200 °C (composée de cristaux d'acides sulfurique et chlorhydrique, qui bloquent les rayons infrarouges et provoquent l'effet de serre). Cette atmosphère tourne sur elle-même rapidement (durée moyenne : 3,995 j) dans le sens rétrograde. Une sonde amér. a enregistré de vives lueurs (30 000 lux) à la surface (peut-être dues à la combustion spontanée de soufre à 490 °C d'origine volcanique, ce qui expliquerait la présence d'acide sulfurique dans l'atmosphère). Il y aurait eu des océans aussi vastes que sur la Terre dont l'eau se serait évaporée formant les nuages vénusiens.

Géologie. La croûte, environ 2 fois plus épaisse que la croûte terrestre, aurait été morcelée en plaques tectoniques mais elle est maintenant constituée d'un seul bloc.

Relief. *Répartition de la surface : 60 % plaine, parsemée de cratères* (400 à 600 km de diam.) profonds de 200 à 700 m.

24 % région au-dessus du niveau moyen ; 2 grandes régions montagneuses : *Terra Ishtar* (de la dimension des U.S.A.) avec à l'Est, la chaîne du Mt Maxwell, *le plus haut sommet de Vénus* (11 250 m), à l'O. et au N. le Mt Akma (6 000 m) et les Mts Freija (7 000 m) ; et *Terra Aphrodite* (de la taille de la moitié N. de l'Afrique) comprenant une série de massifs culminant à 9 000 m à l'O. et 4 300 m à l'E., et dont l'E. est bordé par une grande vallée (largeur : 280 km ; longueur : 2 250 km) où se trouve *le point le plus bas* de *Vénus* (à 2 900 m sous le niveau de référence). Certains massifs montagneux comme *Beta Regio* (2 importants sommets, *Theia Mons* et *Rhea Mons*) à une latitude de 30° N environ, semblent

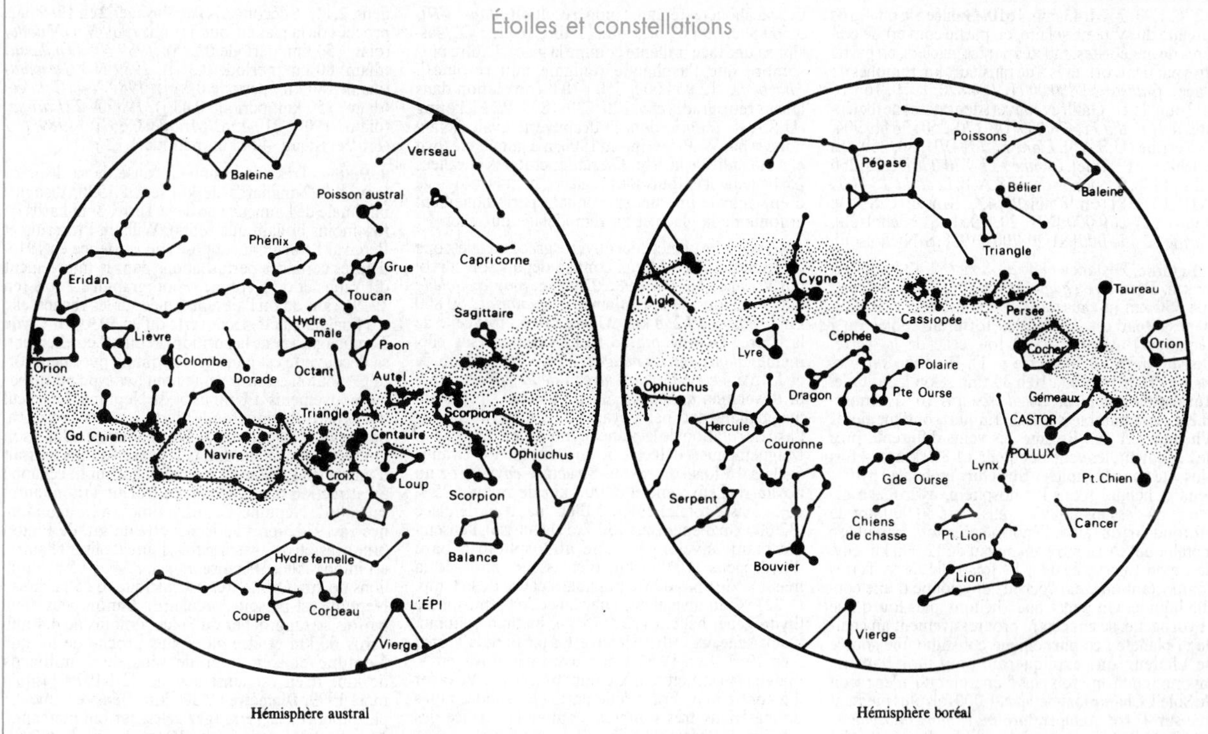

être des centres d'activité volcanique. Des éclairs ont été observés à leur aplomb.

16 % région au-dessous du niveau moyen. Le seul grand bassin (de la taille du bassin Nord-Atlantique) s'étend à l'E. de *Terra Aphrodite* (prof. max. : env. 3 000 m). Des photos du sol obtenues en 1975 et en 1982 par des engins soviétiques, en des points distants de 2 200 km, montrent un terrain parsemé de débris rocheux ayant subi, selon les sites, une érosion plus ou moins forte. Le sol et le ciel présentent une teinte orange due à l'épaisse atmosphère vénusienne absorbant et diffusant de façon privilégiée la composante bleue de la lumière solaire. Les images radar transmises par la sonde Magellan (voir p. 42 c) révèlent de nombreux plissements et des failles témoignant d'une activité tectonique, des coulées de lave, vestiges d'une activité volcanique, et des cratères d'impacts de météorites.

• Terre. **Distance** *moy. au Soleil* [appelée « Unité Astronomique (ua) »] : 149 597 870 km. **Diamètre** *équatorial :* 12 756 km, *polaire :* 12 713 km. **Densité** *moy. :* 5,51. **Rotation** sur *elle-même :* 23 h 56 mn 04 s *(jour sidéral).* Les marées ralentissent très légèrement sa rotation : la durée du jour augmente de 0,00164 s par siècle en moyenne. À ce ralentissement s'ajoutent de nombreuses fluctuations périodiques ou aléatoires. **Révolution** *autour du Soleil :* 1 an. **Température** *moy. du sol :* 12 °C. **Satellite :** la Lune. Voir Index : mots Terre, Atmosphère.

• Mars. **Distance** *moy. au Soleil :* 227,9 millions de km. **Diamètre** *équatorial :* 6 794 km, *polaire :* 6 760 km. **Densité** *moy. :* 3,91. **Masse :** 0,108 (Terre = 1). **Rotation** *sur elle-même :* 24 h 37 mn 23 s. **Révolution** *autour du Soleil :* 1 an 321,73 j. **Température** *moy. du sol :* – 25 °C (temp. extrêmes relevées : – 140 °C au pôle, en hiver ; 27 °C à l'équateur, à midi en été). **Saisons :** inégales ; pour l'hémisphère nord : printemps 199,6 j ; été 181,7 ; automne 145,6 ; hiver 160,1. **Cycles d'ensoleillement** *dus :* 1°) aux variations dans l'inclinaison de Mars (entre 15° et 35°) : 10 000 ans. 2°) à l'orbite excentrique, 1 an, avec variations de 40 %. **Atmosphère :** ténue (pression moy. au niveau du sol valant 5 à 6 millibars, 170 fois inférieure à celle de l'atm. terrestre, perd chaque seconde 1 à 2 kg), gaz carbonique 95,3, azote 2,7 (0,4), argon 1,6 (0,3), oxygène 0,13, oxyde de carbone 0,07, vapeur d'eau 0,03 (si toute la vapeur d'eau de l'atm. précipitait, elle formerait sur le sol une couche épaisse de 5 μm, soit 2 000 fois moins épaisse que sur la Terre). *Nuages* blancs (formés de cristaux de glace ou de neige carbonique), jaunes (poussières) et bleus (de nature encore inconnue). **Vie :** la présence de grandes quantités d'eau n'exclut pas l'hypothèse d'une certaine forme de vie.

Sol *(composition moy. en %) :* les roches sont surtout constituées d'oxygène (48), silicium (19), fer (10), magnésium (6), calcium (6), aluminium (5).

Sous-sol : fortement hydraté (grandes quantités d'eau sous forme de glace), sur les flancs des volcans, les éruptions provoquant une remontée de la glace. Il y a un milliard d'années, Mars aurait été recouvert d'un océan de 100 m de profondeur.

Relief. Larges bassins circulaires analogues aux mers lunaires ; nombreux cratères (moins profonds et plus érodés que ceux de la Lune) dans l'hémisphère Sud (âge estimé à 4 milliards d'années) ; terrains chaotiques parsemés de dépressions en forme d'auges ; champ de dunes ; réseau de dépressions sinueuses semblant être les lits de rivières asséchées ; immense canyon *(Valles Marineris)* de 4 000 km de long et 120 km de large, par endroits 6 km de profondeur ; 4 volcans de 20 km d'alt. env. (le plus gros de tout le système solaire *Olympus Mons* a près de 600 km de diamètre et 26 km d'alt.) ; coulées basaltiques atteignant 1 300 km de longueur ; régions polaires recouvertes de calottes blanches, formées sans doute d'un noyau de glace recouvert d'une mince couche de givre à base de neige carbonique qui se sublime en été. Depuis la Terre, on observe des zones sombres et des régions claires présentant des variations saisonnières ; il ne s'agit pas de végétation comme on l'a cru autrefois. Ces modifications sont dues à l'apparition et à la disparition de groupes de taches claires ou sombres correspondant à du sable soulevé ou déposé par les vents martiens, parfois très violents (200 km/h). À la fin du XIXe s. certains astronomes crurent déceler des **canaux** rectilignes, et supposèrent que ceux-ci avaient été creusés par des êtres intelligents : les clichés obtenus par les engins spatiaux ont définitivement établi qu'il ne s'agissait que d'illusions d'optique.

Satellites. 2 découverts en août 1877 par Asaph Hall : *Phobos* à 9 318 km (28 km de diam., révol. 7 h 39 mn) et *Deimos* à 20 000 km (env. 12 km de diam., révol. 30 h 18 mn). Ce sont sans doute des astéroïdes qui ont été captés par l'attraction planétaire. Ils se rapprochent de Mars (Phobos tombera sur Mars dans 10 ou 20 millions d'années). Jonathan Swift [dans les *Voyages de Gulliver* (1726)] et Voltaire [dans *Micromégas* (1752)] ont déjà parlé des 2 satellites de Mars, sans qu'on sache comment ils en avaient eu connaissance.

Mars est la planète qui ressemble le plus à la Terre : volcans, atmosphère, vents, tempêtes de poussière, eau (en quasi-totalité sous forme de glace mêlée à de la poussière).

Visibilité de la Terre. Mars est visible au mieux lors des oppositions (en moyenne tous les 2 ans 50 j), Mars et le Soleil étant par rapport à la Terre exactement opposés dans le ciel. Si l'opp. a lieu fin août, la distance Mars-Terre peut tomber à 55 millions de km (opp. périhélique). Si l'opp. a lieu à la 2e moitié de février, la distance minimale atteint + de 100 millions de km (opp. aphélique). **Distance maximale de la Terre** lorsque Mars est en conjonction avec le Soleil dans la 2e moitié d'août : 400 millions de km ; 355 millions en fin févr.

Exploration voir p. 43a.

• Jupiter. **Distance** *moy. au Soleil :* 778,3 millions de km. **Révolution** *autour du Soleil :* 11 ans 384,4 j. **Rotation** *sur elle-même :* 9 h 55 min. Possède des anneaux dont un de 6 500 km de large et de 30 km d'épaisseur, découvert le 5-3-1979 par les sondes Voyager, à 56 000 km au-dessus des nuages. **Diamètre** *équatorial :* 142 880 km, *polaire :* 133 540 km ; ce fort aplatissement est dû à sa grande vitesse de rotation. **Masse :** 317,83 fois celle de la Terre. **Densité** *moy. :* 1,31, environ 4 fois moins que la Terre parce que constituée à 99 % d'hydrogène et d'hélium. **Sol :** pas de surface solide. **Atmosphère :** seule partie visible, formée de ceintures nuageuses d'altitudes différentes (bande sombre parallèle à l'équateur, séparée par des zones claires) reflétant une circulation atmosphérique très turbulente (rotation de 9 h 50 à 9 h 56 mn selon la latitude). *Épaisseur :* env. 1 000 km. *Composition :* hydrogène 82 %, hélium 17 %, autres éléments 1 %. Présence d'une tache rouge mobile de 28 000 × 13 000 km, qui serait un tourbillon dominant les formations nuageuses environnantes. **Température** *moy. :* au plafond des nuages – 145 °C ; au centre de la planète, environ 30 000 °C. **Vie :** pas de vie possible à cause de la température et de la composition de l'atmosphère. **Champ magnétique :** très important. Sa partie interne (où il est le plus intense) s'étend au-delà des nuages jusqu'à 1,28 million de km ; sa partie externe jusqu'à 3,4 et par endroits, jusqu'à 10,4.

Certains considèrent que Jupiter est une étoile manquée, sa masse trop faible n'ayant pas permis d'amorcer les processus de fusion thermonucléaire qui fournissent l'énergie rayonnée par les étoiles.

Satellites connus. 16. *Classement par le nom ou la désignation provisoire, d'après l'éloignement de Jupiter,* en km à partir du centre, [entre crochets : numéro d'ordre officiel, diamètre approximatif (en km), densité (eau = 1), période et date de découverte, découvreur]. *1979 J 3 127 600* [XVI, 40, 1979, S.P. Synnott (U.S.A.)]. *1979 J 1 128 400* [XIV, 30, révolution 7 h 8 min, 1979, D. Jewitt, E. Danielson (U.S.A.)]. *Amalthée 181 000* [V, 265 X 140, 11 h 55 min, 1892, E. Barnard (U.S.A.)]. *1979 J 2222 400* [XV, 70, 1979, S.P. Synnott]. *Io 421 600* [I, 3 632, 3,53, 1 j 18 h 18 min, 1610, Galilée (Ital.) ; 7 ou 8 volcans en activité, dont l'un a été observé projetant un panache de gaz à 250 km de haut, à 1 km/h]. *Europa 670 900* [II, 3 126, 3,03, 3 j 13 h 14 min, 1610, Galilée ; noyau rocheux recouvert d'une épaisse couche de glaces d'env. 100 km. Il existerait en profondeur des « oasis » d'eau non gelée grâce à la chaleur dégagée par le cœur d'Europa, et la lumière pourrait y pénétrer, permettant la vie d'organismes primitifs.]. *Ganymède 1 070 000* [III,

5 276, 1,93, 7 j 3 h 43 min, 1610, Galilée ; le plus gros satellite du système solaire, en partie couvert de cratères de météorites, rabotés par les glaciers, en partie strié par des « ornières » de plusieurs km remplies de glace]. *Callisto I 8880 000* [IV, 4 820, 1, 79, 16 j 16 h 32 min, 1610, Galilée ; couvert de cratères de météorites)]. *Himalia 11 478 000* [IV, 170, 250 j 26 h, 1904, C. Perrine (U.S.A.)]. *Elara 11 737* [VII, 80, 259 j 26 h, 1905, C. Perrine]. *Lysithéa 11 720 000* [X, 20, 260 j 23 h, 1938, S. Nicholson (U.S.A.)]. *Leda 11 134 000* [XIII, 10, 238 j 16 h 48 min, 1974, C. Kowall (U.S.A.)]. *Ananke 21 209 000* [XII, 20, 1951, S. Nicholson]. *Carme 22 564 000* [XI, 20, 700 j, 1938, S. Nicholson].

• Saturne. **Distance** *moy. au Soleil :* 1 427 millions de km. **Diamètre** *équatorial :* 120 660 km, *polaire :* 108 350 km [à cause de cet aplatissement (0,102), la pesanteur est 2 fois plus forte aux pôles qu'à l'équateur]. **Masse :** 95,19 fois celle de la Terre. **Densité** *moy. :* 0,70 (Terre = 1). **Rotation** *sur elle-même :* 10 h 14 min à 10 h 39 min selon la latitude. **Révolution** *autour du Soleil :* 29 ans 167 j. **Atmosphère :** comparable à celle de Jupiter, contient moins d'hélium (11 %). Régime des vents différent : près de l'équateur, les vents soufflent à 1 800 km/h (4 fois plus vite que sur Jupiter). **Structure probable :** hydrogène et hélium (dans l'atmosphère, hydrogène gazeux ; au-dessous liquide ; puis, vers 30 000 km de profondeur, du fait de l'énorme pression, sous phase métallique). Au centre, un noyau de 12 000 km env. de rayon (masse égale à 18 fois celle de la Terre) comportant un cœur rocheux enveloppé d'une couche liquide. On pense que l'hélium, plus lourd que l'hydrogène, se concentre progressivement au cœur de la planète ; ce phénomène constitue une source de chaleur qui expliquerait pourquoi Saturne rayonne environ 3 fois plus d'énergie qu'il n'en reçoit du Soleil. **Champ magnétique.** 1 000 fois plus puissant que sur Terre. **Température** *moy. de l'atmosphère :* – 160 °C. **Vie :** pas de vie possible. **Anneaux :** des milliers (situés dans le plan équatorial), formés d'une multitude de petites particules solides tournant autour. Ils sont en perpétuelle évolution. Ils présentent des divisions sombres. Ce sont des zones où les particules sont beaucoup moins nombreuses, leur orbite étant rendue instable par des phénomènes de résonance gravitationnelle créés par les satellites de la planète. Avant les découvertes des sondes Voyager, on n'avait identifié que 6 anneaux [*E* à 480 000 km de la planète, large de 1,5 km. *F* découvert par Pioneer 11 le 1-9-1979, de 300 km de large, allant jusqu'à 500 000 km de la planète. *A* large de 17 000 km, allant de 75 000 à 55 000 km de la planète. *B* (très brillant, large de 29 000 km) de 50 000 à 30 000 km. *C* dit de crêpe (sombre, large de 29 000 km) de 25 000 à 11 000 ; *D* à 10 000 km].

Satellites connus : 23 d'après la NASA. Classement de 17 d'entre eux : nom ou désignation provisoire, numéro d'ordre officiel, rayon orbital, période de révolution [entre crochets : diamètre en km, densité, année de découverte, nom du découvreur]. *1980 S 28 (Atlas XII),* 137 670, 0 j 14 h 27 min [20 × 40, 1980]. *1980S 27,* 139 350, 0 j 14 h 42 min [140 × 80, 1980]. *1980S 26,* 141 700, 0 j 15 h 04 min [110 × 70, 1980]. *Épimétheus XI,* 151 470, 0 j 16 h 39 min [220 × 160, 1980, D. Cruikshank (U.S.A.)]. *Janus X,* 151 420, 0 j 16 h 40 min [140 × 100, 1966, A. Dolfus (Fr.)]. *Mimas I,* 185 540, 0 j 23 h 07 min [390, 1789, W. Herschel (G.-B.)] [vraisemblablement heurté jadis par un astéroïde qui faillit le faire éclater (d'où un cratère de plus de 100 km de diam., avec un piton central haut de 9 km]. *Encelade II,* 238 040, 1 j 8 h 53 min [500, 1789, W. Herschel]. *Calypso XIV,* 294 670, 1 j 21 h 19 min [34 × 26, 1980, D. Pascu, K. Seidelmann]. *Téthys III,* 294 670, 1 j 21 h 19 min [1 050, 1684, J.D. Cassini (Fr.)] ; la face opposée a une fracture de 800 km de long. *Télesto XIII,* 294 670, 1 j 21 h 19 min [34 × 26, 1980, D. Smith, H. Reitsema, S. Larson, J. Fountain (U.S.A.)]. *1980 S 6,* 378 060, 2 j 17 h 44 min [36 × 30, 1980, P. Laques, J. Lecacheux (Fr.)]. *Dioné IV,* 377 420, 2 j 17 h 11 min [1 120, 1684, J.D. Cassini]. *Rhéa V,* 527 100, 4 j 12 h 25 min [1 530, 1672, J.D. Cassini]. *Titan VI* 1 221 860, 15 j 22 h 41 min [5 150, 1655, C. Huygens (Holl.)]. Étudié en détail par Voyager 1 qui s'en est approché à 4 000 km le 12-11-1980 : 5 150 km de diam., entouré d'une épaisse couche de nuages, atmosphère comprenant 99 % d'azote, 1 % de méthane (que l'on pensait être le constituant principal), traces d'hydrocarbures et de composés divers. Température : – 100 °C dans les couches supérieures de l'atmosphère, – 180 °C à la surface (pression env. 1,5 bar). Pas de vie possible. Pas de champ magnétique. Constitué de roches, de glace et de dioxyde de carbone solide. On imagine sa surface parsemée de dépôts d'hydrocarbures gelés et de lacs d'azote liquide. *Hypérion VII,* 1 481 000 410 j [260 × 220, 1848, W. Bond (U.S.A.) ; en forme de cacahouète (énigme non résolue)]. *Japet VIII,* 3 560 800, 79 j 07 h 51 min [1 460, 1671, J.D. Cassini ; a une face brillante comme la glace, l'autre plus sombre que l'asphalate (énigme non résolue)]. *Phoebé IX,* 12 954 000, 550 j 10 h (révolution dans le sens rétrograde) env. 220 [220, 1898, W. Pickering (U.S.A.)]. *Thémis,* dont la découverte avait été annoncée par W. Pickering en 1900, n'a jamais été revu et a été radié de la liste. *Encelade :* cratères et vallées partiellement enfouis sous la glace ; peut-être le siège d'une activité interne, provoquant périodiquement la fonte de la glace et un remodelage du relief.

• Uranus. 1re planète découverte grâce au télescope (Herschel, 1781). Mieux connue depuis son survol par Voyager 2 le 24-1-1986. **Distance** *moy. au Soleil :* 2 869 millions de km. **Diamètre** *équatorial :* 50 800 km, *polaire :* 49 260 km. **Masse :** 14,58 fois celle de la Terre. **Densité** *moy. :* 1,21. **Rotation** (sur elle-même) *au niveau des nuages :* 17 h à 26° de latitude et 15 h à 44° de lat. ; *au niveau de la surface :* 16,8 h. **Révolution** *autour du Soleil :* 84 ans 7 j. **Champ magnétique** (déc. par Voyager 2) : incliné de 55° sur l'axe de rotation de la planète. Intensité : 0,25 gauss. Magnétopause détectée à une distance d'Uranus égale à 16 fois son rayon. **Structure** *envisagée :* un noyau rocheux central (8 000 km de rayon ; 25 % de la masse totale) entouré d'un manteau de glace (32 000 km d'épaisseur ; 50 % de la masse), l'ensemble étant enveloppé d'une atmosphère à base d'hydrogène (10 000 km d'épaisseur, 25 % de la masse). **Vie :** pas de vie possible à cause de la temp. (– 223 °C au niveau des nuages) et de l'atmosphère [hydrogène, hélium (12 à 15 %), méthane, ammoniac]. **Anneaux :** 10 (9 découverts à partir de la Terre : 5 en 1977, 4 en 1979, 1 découvert par Voyager 2), mais en fait structure très complexe vue par Voyager 2 à contre-jour. Formés de particules solides faites de matériaux très sombres (comme la surface des satellites de Mars).

Satellites connus : 15. 10 découverts par Voyager 2. *Classement par l'éloignement du centre d'Uranus,* en km : *Juliet* 49 300, *Puck* 53 300, *Bianca* 59 100, *Cordelia* 61 750, *Cressida* 62 700, *Desdémone* 64 350, *Ophélie* 66 090, *Rosalind* 69 920, *Portia* 75 100, *Belinda* 85 890. 5 découverts de la Terre (entre parenthèses : numéro d'ordre officiel, diamètre, période, date de découverte) : *Miranda* [1] 130 000 (*V,* 480 km, 1 j 19 h 56 min, 1948). *Ariel* 191 000 (*I,* 1 180 km, 2 j 12 h 19 min, 1851). *Umbriel* 267 000 (*II,* 1 220 km, 4 j 3 h 28 min, 1851). *Titania* 438 000 (*III,* 1 620 km, 8 j 16 h 56 min, 1787). *Obéron* 586 000 (*IV,* 1 570 km, 13 j 11 h 7 min, 1787).

Nota. – (1) Des photos prises par Voyager 2 montrent un relief tourmenté (montagne de 24 km d'altitude, vallée profonde de 16 km, failles, canyons).

• Neptune. Découverte en 1846 par l'Allemand Galle d'après les calculs du Français Le Verrier. Très mal connue jusqu'à son survol par Voyager 2 le 27-8-1989. **Distance** *moy. au Soleil :* 4 505 millions de km. **Diamètre** *équatorial :* 49 560 km. **Masse :** 17 fois celle de la Terre. **Densité** *moy. :* 1,76. **Rotation** *sur elle-même :* 16 h 03 min. **Révolution** *autour du Soleil :* 164 ans 280 j. **Structure :** voisine de celle d'Uranus mais atmosphère beaucoup plus turbulente, avec des formations nuageuses bleues (cirrus de méthane) se déplaçant à près de 1 200 km/h et une grosse tache sombre qui rappelle la Grande tache rouge de Jupiter. **Vie :** impossible à cause de la température (– 200 °C) et de l'atmosphère (hydrogène, hélium, méthane). **Anneaux :** 2 anneaux fins et brillants de 48 000 et 9 600 km et 3 anneaux diffus, situés entre 41 000 et 63 000 km de la planète. L'anneau extérieur est segmenté en arcs où se concentre davantage de matière ; ces arcs avaient été mis en évidence dès 1984 par des observations effectuées depuis la Terre. **Champ magnétique :** incliné de 50° par rapport à l'axe de rotation, découvert par Voyager 2.

Satellites connus : 8 dont 2 identifiés avant le survol de Voyager : *Triton* (I), à 355 300 km du centre de Neptune (diam. 2 705 km, période 5 j 21 h 3 mn, déc. 1846, dens. 2,03). Sa calotte polaire sud pourrait être une croûte d'azote gelé, déposée l'hiver précédent, il y a 80 ans, et qui s'évapore lentement. De grandes fissures zèbrent la surface. Des panaches de matières sombres recouvrant le sol polaire glacé (– 230 °C) pourraient être dus à de violentes éruptions d'azote et de matières organiques (jusqu'à 30 km d'alt.). On a identifié un geyser d'azote en activité. En dehors de la calotte polaire, le sol présente une structure craquelée « en peau de melon » qui indique que la surface a été déformée souvent (il y a peu de cratères météoritiques, ce qui atteste sa relative jeunesse). *Néréide* (II), à 5 560 000 km du centre de N. (diam. 340 km, période 359 j, déc. 1949, dens. 2,11). 6 découverts par Voyager 2 en 1989 plus proches de la planète que Triton. *1989 N 6 (Naïade)* (diam. 50 km, période 0,29 j). *1989 N 5 (Thalassa)* (diam. 80 km, période 0,31 j). *1989 N 3 (Despina)* (diam. 180 km, période 0,34 j). *1989 N 4 (Galatée)* (diam. 150 km, période 0,43 j). *1989 N 2 (Larissa)* (diam. 190 × 210 km, période 0,56 j). *1989 N 1 (Protée)* (diam. 400 km, période 1,12 j).

• Pluton. Très mal connue à cause de sa distance (env. 4,292 milliards de km le 8.5.1990, distance minimale de l'année ; vue de la Terre, 3 milliards de fois moins brillant que Mars). William Pickering et Percival Lowell ont supposé son existence en 1915, d'après certaines perturbations dans le mouvement d'Uranus et de Neptune. Photographiée 2 fois (en 1919), sans qu'on l'ait remarquée sur les clichés, elle n'a finalement été découverte qu'en 1930 par Clyde Tombaugh, à 5° de la position prédite. Actuellement, sa découverte est considérée comme purement fortuite : Pluton est trop petite pour avoir pu perturber les mouvements d'Uranus et de Neptune. Le calcul de ces perturbations fondé sur des erreurs d'observation était d'ailleurs faux. Des anomalies dans son mouvement avaient donné à penser qu'il s'agissait d'un ancien satellite de Neptune, qui aurait échappé à l'attraction neptunienne, en frôlant Triton, autre satellite de Neptune. Cette hypothèse a été abandonnée en 1978, après la découverte du sat. de Pluton (une évasion de 2 sat. à la fois, l'un satellisant l'autre, est impossible). **Distance** *moy. au Soleil :* 5 913 millions de km. Orbite très excentrique (0,25 ; celle de Neptune est presque circulaire). Pluton peut donc parfois se rapprocher du Soleil à moins de 4,4 milliards de km et être alors plus proche de lui que Neptune et s'éloigner de plus de 7 milliards de km. Il en est ainsi dep. le 22-1-1979 jusqu'à mars 1999. **Diamètre :** 2 300 km. **Densité :** env. 2,1 par rapport à la Terre (gaz gelés, surtout méthane). **Masse :** 0,3 % de la Terre. **Rotation** *sur elle-même :* 6 j 9 h. **Révolution** *autour du Soleil :* 247 ans 249 j. **Vie :** pas de vie possible (– 230 °C).

Satellite : *Charon* (diam. environ 1 200 km, déc. le 22-6-1978 par James Christy) à 19 000 km de Pluton, tourne en 6 j 6 h, il reste donc toujours à l'aplomb du même point de la planète.

• La dixième planète (planète X). Si une planète de ce genre existait, elle devrait avoir une masse importante (de 2 à 5 fois celle de la Terre) et être à une distance du Soleil égale à 50 ou 100 unités astronomiques (distance Terre-Soleil). Or les observations de C.W. Tombaugh révèlent qu'aucun corps céleste de cette taille n'existe sur le plan de l'écliptique jusqu'à 270 ua (unités astronomiques). Les perturbations signalées seraient dues à des circonstances momentanées (passage d'un faisceau de comètes, qui se seraient perdues ensuite dans le fond du système solaire).

Astéroïdes

• Nombre. Entre Mars et Jupiter, plus de 4 000 sont répertoriés mais il y en aurait env. 400 000 de plus de 1 km de diamètre. Leur masse totale ne dépasse pas 1/3 000e de celle de la Terre.

• Origine. Olbers, au XIXe s., a suggéré qu'il s'agissait de débris d'une planète qui aurait explosé il y a très longtemps. Mais, compte tenu de la masse totale très faible des astéroïdes, on pense aujourd'hui que ce sont des résidus du système solaire primitif qui n'ont pu s'agglomérer par suite des perturbations gravitationnelles provoquées par Jupiter. Certains astéroïdes sont aussi des fragments issus de collisions.

• Caractéristiques. **Diamètre :** *les plus gros* sont *Cérès* (diam. 1 001 km ; déc. le 1-1-1801), *Pallas* (607 km ; déc. en 1802), *Vesta* (537 km ; déc. en 1807), *Hygeca* (450 km ; déc. 1849), *Euphrosyne* (370 km ; déc. 1854). **Orbites :** 9 000 astéroïdes ont leurs orbites répertoriées (dont 4 000 connues avec précision). Certains circulent sur des orbites très excentriques qui les ramènent périodiquement dans le voisinage de la Terre : *Eros* (diam. 17 km) peut s'approcher à 22 millions de km, *Icare* (diam. 1,6 km) à 5,5 millions (ex. : le 15-6-1968), *Apollo* (diam. 2,1 km) à 3,7 millions [appelé d'abord *1932 HA* (car tous les astéroïdes ont d'abord un nom provisoire)], *Adonis* (diam. 3 km) à 2 millions et *Hermès* (diam. 0,8 km) à 300 000 km seulement (distance min. observée : 780 000 km, le 30-10-1937). Au périhélie, *Icare* s'approche plus du Soleil que Mercure ; à l'aphélie, *Hidalgo* (15,5 km de diam.) atteint l'orbite de Saturne. **Révolution** *la plus courte* (283,2 j) : *UA* (découvert le 18-10-1976).

• **Objets Apollo-Amor.** Tirent leur nom de 2 astéroïdes découverts en 1932, et suivant à peu près la même orbite (le périhélie d'Apollo est juste en dehors de l'orbite terrestre, à 1,08 unité astronomique du Soleil). Astéroïdes constituant l'extrême frange intérieure de la « ceinture » et dont le périhélie est inférieur à 1,3 ua. **Nombre :** depuis 1932, quelques dizaines d'objets Apollo-Amor ont été découverts. Apollo lui-même a disparu peu après 1932 et n'a été repéré que 41 ans après (1973). Tous ces objets risquent en principe d'entrer en collision avec la Terre. Mais ces collisions ne se produisent en moyenne que 4 fois par million d'années. *Les plus petits* ont moins de 1 km de diam. *Toutatis* découvert en janvier 1989 (diam. env. 2 km) a approché la Terre de 15 millions de km le 25-12-1988 et la frôlera à nouveau en 2013 à 384 000 km. Voir météorites p. 26.

• **Planètes « troyennes ».** Astéroïdes sur une même orbite. Sur l'orbite de Jupiter, ils portent le nom de héros de la guerre de Troie. Réparties en 2 groupes : *1) précédant Jupiter :* Achille, Hector, Nestor, Agamemnon, Ulysse, Ajax, Diomède, Ménélas ; *2) suivant J. :* Patrocle, Priam, Enée, Anchise, Troïlus, Antiloque.

Satellites de Saturne : Calypso, Télesto et Téthys sont tous 3 sur le même orbite. Satellite sur le même orbite que Mars : Astéria de 1990 B.

• **Satellites.** Certains astéroïdes ont des satellites, notamment 532 Herculina, Éros, Hébé, Antigone, Pallas, Junon. *Périodes les plus courtes de rotation sur eux-mêmes : durée max.* 4,5 h env. (16 Psyché, 81 Lucretia, 349 Dembrowska, 354 Eleonora) ; *les plus longues :* 38 h 42 min. (393 Lampetia), 39 h (128 Némésis).

Astéroïde 1989 FC de 100 m de diam. disloqué le 23-3-1989 à 690 000 km de la Terre, à 7 km/s.

Astéroïde 1991 BA de 5 à 10 m de diam. est passé à 170 000 km de la Terre le 18-1-1991.

Lune

• **Données générales. Densité :** 3,34. **Diamètre :** 3 476 km (son diamètre apparent varie de 29 à 34 minutes). **Distance** *moy. à la Terre :* 384 400 km (min. 356 375, max. 406 720). [La Lune, autrefois proche de la Terre (de 2,4 rayons terrestres), s'éloignera dans 15 à 20 milliards d'années de 60 à 75 rayons terrestres pour se rapprocher ensuite.] Un laser émettant une impulsion lumineuse (d'env. 20 millisecondes) focalisée par un réflecteur à rayon laser installé sur la surface de la Lune permet de déterminer la distance à quelques cm près. **Masse :** 1/81 de la Terre. Inégalement répartie [sous les mers annulaires (à environ 50 km de la surface), se trouvent les *mascons (lunar mass concentration),* concentrations de matières denses de 50 à 200 km de long, capables de perturber la trajectoire des engins spatiaux en les attirant]. **Pesanteur (accélération)** à la surface : 162 cm² [16,6 % de l'acc. sur Terre (une masse de 100 kg pèse 981 N sur Terre et 160 N sur la Lune)]. **Rotation sur elle-même :** égale à sa **durée de révolution** *autour de la Terre* (29 j 12 h 44 mn), la Lune présente en gros toujours la même face, ce qui fait que (en raison des inégalités de son mouvement, et du fait que son axe de rotation n'est pas exactement perpendiculaire au plan de son orbite) on peut constater que les taches lunaires éprouvent un balancement périodique autour de leurs positions moyennes : c'est la *libration* apparente de la Lune (par suite de cette *libration,* la partie de la Lune visible de la Terre est égale à 59 % de la surf. totale). **Superficie :** 37 960 000 km² (7,4 % de la surf. terrestre). **Température :** régions exposées au Soleil : + 117,2 °C ; non exposées : – 50 °C ; face non éclairée : – 162,7 °C.

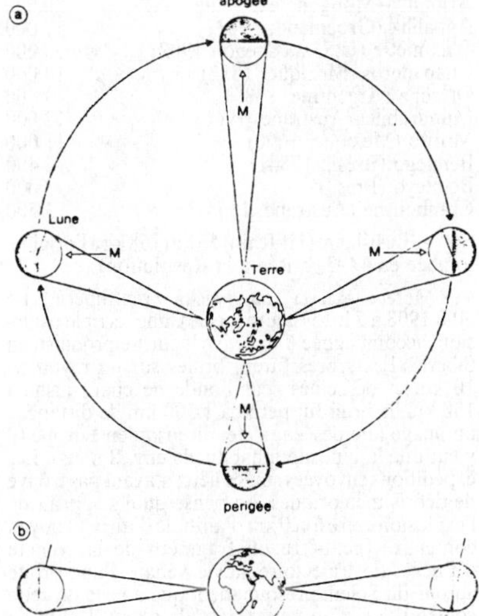

Quelques dates

2283 av. J.-C. 1re observation d'une éclipse de Lune en Mésopotamie. **632-546** Thalès découvre l'origine des phases lunaires. **500-450** Anaxagore découvre l'origine des éclipses de L. **150-130** Hipparque détermine la distance Terre-L. **IIe s. apr. J.-C.** 1re théorie empirique du mouvement de la L. par Ptolémée. **1609** 1re observation de la L. à la lunette astronomique par Galilée. **1619** Scheiner (Ingolstadt) établit la 1re carte lunaire. **1651** Riccioli (Bologne) dénomme les cratères lunaires. **1666** Newton découvre la loi de la gravitation universelle grâce au mouvement de la L. **1687** 1re théorie math. du mouvement de la L. par Newton. **1693** Lois de rotation de la L. par Cassius (Français). **1860** 1re photo de la L. par Warren de Larue (Anglais). **1868** 1re mesure de la temp. de la L. par Lord Rosse (Anglais). **1946** 1er écho radar (Bay, Hongrois). **1959** 1er envoi d'une sonde (Luna 2, soviétique, détruite au sol). **1966** 1er atterrissage lunaire en douceur (station sov. Luna). **1969 (21-7)** devant 600 millions de téléspectateurs, l'Américain Armstrong est le 1er homme à poser le pied (gauche) sur la Lune.

• **Histoire. Origine.** *Hypothèse abandonnée :* morceau de la Terre, détaché après la formation du globe terrestre. *Autres hypothèses :* 1°) Formation par accrétion : des poussières entourant la Terre au début de sa formation se sont accumulées et durcies ; 2°) Capture : la Lune était une planète tournant autour du Soleil ; un accident de gravitation l'a fait se satelliser autour de la Terre ; 3°) A la suite d'une collision tangentielle de la Terre avec un objet cosmique, impacteur de la taille de Mars qui se serait désintégré. Son noyau devenu satellite de la Terre a ensuite grossi (donnant la Lune actuelle) par accrétion des débris composés de son manteau et d'une partie du manteau terrestre pulvérisés sous le choc et gravitant autour de lui.

Évolution : *4,6 milliards d'années :* formation volcanique intense, formation d'une écorce, l'énergie mécanique (gradients de gravité) provoque la fusion. *4,2 à 3,9 milliards d'a. :* l'écorce refroidie est soumise à un bombardement de météorites, les impacts créent les *mers lunaires* (de la Sérénité, de la Tranquillité, des Crises, des Pluies...) et causent une fusion des roches. *3,9 à 3,1 milliards d'a. :* 2e fusion, provoquée par la désintégration des éléments radioactifs dans la couche des silicates, à quelques centaines de km sous la croûte superficielle, formation de laves s'écoulant vers la surface et remplissant certains bassins. *3,1 milliards d'a. :* la Lune, estime-t-on, devient rigide jusqu'à 1 000 km au moins, profondeur trop importante pour que les dégagements internes d'énergie puissent encore affecter sa surface. Aujourd'hui on estime l'épaisseur de la croûte lunaire à 60 km sur la face visible de la Terre et 100 km sur la face invisible, sur un rayon de 1 738 km (soit 13 fois moins que prévu). La surface lunaire, bombardée de petites météorites, soumise aux particules des rayons cosmiques et du vent solaire, se couvre d'une couche de *régolite* (2 à 10 m) surmontée de quelques cm de poussière. *Époque récente :* des glissements de terrains, roulements de pierres, etc., donnèrent à la Lune son aspect actuel.

• **Lumière.** Diffusée par la surface lunaire. La *lumière cendrée,* qui permet de distinguer le disque entier lorsque la Lune se montre sous forme d'un croissant, est due à la lumière solaire réfléchie sur la Terre, qui éclaire la partie de la Lune non éclairée par le Soleil et visible de la Terre. La Lune peut paraître rougeâtre et aplatie près de l'horizon, car la lumière qui nous en parvient parcourt une plus longue trajectoire à travers l'atmosphère. Les rayons rouges pénètrent l'atmosphère plus facilement que les autres. L'aplatissement est causé par la réfraction.

• **Noms.** *Luna* (nom latin) veut dire lumineux (lucna). *Séléné* [nom grec de la même racine que Hélios (Soleil)] a le sens de flambeau (Sélas). La déesse Séléné était la sœur du dieu Hélios. Termes modernes dérivés : sélénocentrique, sélénographie, parasélènes, sélénite (en science-fiction).

• **Phases.** Correspondent à l'éclairement du Soleil sur la Lune. *Nouvelle Lune* (tous les 28 j) décroît 14 j (ressemblant à un C) et croît pendant 14 j (ressemblant à un D). *Age* de la Lune : temps écoulé depuis la dernière nouvelle Lune. *Révolution synodique ou lunaison* (29, 5306 j) temps mis par la Lune à revenir dans la même phase ; *révolution draconitique* (27, 22 122 j) temps mis à repasser par la ligne des nœuds (intersection du plan de l'orbite de la Lune avec l'équateur terrestre) ; *révolution anomalistique* (27, 5 545 j) temps mis à repasser au périgée.

• **Relief.** Peu de *vallées,* mais des *chaînes de montagnes* (de 2 000 à 8 000 m au Mt Leibniz), des *cratères* de 1 à 20 km, et des *cirques* pouvant atteindre 295 km de diamètre (cirque Bailly) et 4 250 m de profondeur (cirque Létronne), creusés, pense-t-on, par la chute d'énormes météorites. Les grandes plaines et les étendues plates sont appelées *mers* (Mare Nubium, mer des Nuages ; Mare Imbrium, mer des Pluies, etc.). La plupart des chaînes montagneuses ressemblent à celles de la Terre ; en portent les noms, comme les Alpes (avec un Mt Blanc de 3 617 m) et les Apennins. Certains détails sont désignés par leurs équivalents terrestres : baies, golfes, caps et lacs.

• **Tremblements.** Explications proposées :

1°) *Effet du « gradient de gravité »* de la Terre : la Lune tourne tout entière à la même vitesse, mais à cause de sa taille, la partie la plus proche de la Terre est soumise à une gravité plus forte, ce qui provoque une tension dans la masse des matériaux lunaires. Ainsi s'explique la corrélation entre les secousses sismiques lunaires et les marées terrestres dues aux « gradients de gravité » réciproques dans le couple Terre-Lune.

2°) *Effet du rayonnement thermique solaire :* il s'agirait de séismes moins profonds que ceux des « gradients de gravité ». Ils se produisent au coucher et lever du Soleil (600 à 3 000 par an) et sont faibles (magnitude inférieure à 2 sur l'échelle de Richter). On pense que les rayons du Soleil dilatent la surface lunaire, et que la fin brusque de leur émission la contracte brutalement, d'où les tremblements observés en surface.

3°) *Impacts de météorites.*

• **Vie sur la Lune.** Impossible à cause de l'absence d'atmosphère. **Les hommes sur la Lune** doivent disposer d'un scaphandre (il n'y a pas d'atmosphère). Ils n'entendent aucun son (le son est une vibration de l'air, or il n'y a pas d'air) et doivent se protéger des radiations ultraviolettes et des rayons émis par le Soleil (qui ne sont pas absorbés comme ils le seraient sur la Terre grâce à la couche d'ozone de l'atmosphère). Ils ne peuvent faire aucun feu (une flamme ne peut brûler sans oxygène). Ils ne peuvent conserver aucun liquide (dans le vide tout liquide s'évapore immédiatement). Ils doivent se protéger contre les météorites. La gravité étant 6 fois plus faible que sur la Terre, un homme de 90 kg paraît 6 fois moins lourd sur la Lune, il peut donc s'y mouvoir plus facilement malgré son scaphandre.

Comètes

• **Caractéristiques.** Astres d'aspect diffus qui gravitent autour du Soleil en décrivant des orbites très allongées et deviennent observables à proximité du Soleil.

• **Composition.** Conglomérat de roches et de glace « sale » (glace d'eau, d'ammoniac, de méthane, d'oxyde de carbone...), de quelques km seulement de diamètre loin du Soleil. Lorsque la comète s'approche du Soleil, les gaz se subliment et s'échappent dans l'espace en entraînant des poussières. Ainsi se forme autour du noyau cométaire (« tête ») une auréole lumineuse, la chevelure, puis se développent, à l'opposé du Soleil, une queue de gaz (bleutée, fine, rectiligne) et une queue de poussières (jaunâtre, large, incurvée).

• **Dimensions. Tête :** diamètre 50 000 à 250 000 km [min. 15 000 km, max. 1 800 000 km (comète de 1811)]. Mais le noyau de poussières et gaz solidifiés

Superstitions

Les comètes ont été longtemps considérées comme des présages annonçant en général des catastrophes : épidémies, famines, sécheresses, inondations, tremblements de terre, guerres, assassinats, morts de personnages illustres... Une brillante comète apparut en 43 av. J.-C. après la mort de César, et l'on crut que c'était l'âme de César qui remontait au ciel.

Des comètes auraient été « annoncé » la mort de Vespasien (79) ; Constantin (336) ; Attila (453) ; Mérovée (577) ; Chilpéric (584) ; Mahomet (632) ; Pépin le Bref (768) ; Louis II (875) ; Boleslas Ier, roi de Pologne (1058) ; Henri Ier, roi de France (1060) ; Alexandre III, pape (1181) ; Richard Ier, roi d'Angleterre (1198) ; Philippe Auguste (1223) ; Innocent IV (1254) et Urbain IV (1264), papes ; Charles le Téméraire (1476) ; Philippe le Beau (1505) ; François II, roi de France (1560) ; Louise de Savoie (1531) ; Henri IV (1610). Louis le Débonnaire fut très effrayé en 837 par la comète de Halley, et, bien qu'il ne mourût que 3 ans plus tard, on associa la comète à sa mort. En 1811, l'apparition d'une comète très brillante coïncida avec d'excellentes vendanges, comme en 1858 avec la comète de Donati. Depuis, les comètes brillantes passent pour annoncer de grands millésimes en viticulture.

n'a jamais plus de quelques dizaines de km de diamètre (env. 15 × 8 km pour celui de Halley). **Queue** jusqu'à 320 millions de km (comète de 1843). Quand la comète approche du Soleil, sa queue la suit. Quand elle s'en éloigne, elle la précède. **Masse** très faible (sans doute moins d'un millionième de celle de la Terre, même pour les plus grandes). La masse totale des comètes est d'environ 1/10e de celle de la Terre.

• Nombre. De 240 av. J.-C. à 1982, 1 109 apparitions de comètes ont été répertoriées (en comptant les retours de comètes périodiques comme celle de Halley). On a pu classer parmi celles-ci 710 comètes distinctes ; 290 à orbites elliptiques (donc périodiques), 316 à o. paraboliques et 104 à o. hyperboliques. Actuellement, on observe en moy. env. 20 comètes par an (dont certaines, périodiques, sont déjà connues), mais la plupart restent invisibles à l'œil nu.

Origine. D'après le Hollandais *Oort,* aux confins du système solaire, à une distance représentant entre 50 000 et 100 000 fois celle de la Terre au Soleil, existerait un « réservoir » de comètes (peut-être 1 milliard de comètes), qui, sous l'effet de perturbations créées par les étoiles voisines, seraient éjectées dans différentes directions. Les comètes peuvent être capturées par les planètes (notamment Jupiter), ce qui abrège leurs orbites.

• Désagrégation. Exemple : la *comète de Biela,* découverte en 1826 par Biela, officier autrichien, périodicité : 6,6 années ; séparée en 2 en 1846, les 2 fractions revinrent ensemble en 1852, disparurent en 1859 et 65. Puis en 1872, Biela réapparut sous la forme d'un essaim de météores à 300 millions de km de sa position normale (160 000 étoiles filantes).

• Comètes périodiques. **Nombre.** On a observé le retour de 53 comètes périodiques. *Comète de Halley.* Elle revient tous les 76 ans env. *1re apparition (?)* mentionnée 467 av. J.-C. en Chine ; apparitions récentes : 1531, 1607, 1682, 1758, 1835, 1910, 1986 [plus courte distance du Soleil, 88 000 000 km, le 9 février. 5 sondes envoyées à sa rencontre (voir p. 44), l'ont survolée entre le 6 et le 13-3-1986]. *Prochain retour* de la comète à son périhélie le 29-7-2061 (mais elle semble s'être fragmentée en 1991 à 2,14 milliards de km de la Terre). L'astronome anglais Edmund Halley (1656-1742) avait calculé, en 1705, son retour pour 1759 en appliquant la théorie de Newton. *Noyau :* environ 15 km de long et 8 km de large. *Surface :* très sombre (pouvoir réfléchissant égal à 4 %), sans doute recouverte d'une croûte carbonée. *Température :* lors du survol par les sondes, env. 100 °C. Des jets de gaz et de poussières s'échappent par des cratères, du côté du Soleil. 9 zones actives repérées. *Période de rotation du noyau :* 2,2 j ou 7,4 j selon les observations prises en compte.

• Approches connues des comètes à moins de 0,100 unité astronomique de la Terre. Nom de la comète, date de l'approche et entre parenthèses distance en millions de km. COMÈTES À LONGUE PÉRIODE (+ de 200 ans) : *La Hire* 17-8-1499 (6,7), 20-4-1702 (6,6), *Cassini* 8-1-1760 (10,2), *Schweizer* 29-4-1853 (12,6), *Bouvard* 16-8-1797 (13,2), *Messier* 23-9-1763 (13,9), *Schmidt* 4-7-1862 (14,7) ; PÉRIODIQUES (– de 200 ans) : *Lexell* 1-7-1770 (2,3), *Tempel-Tuttle* 26-10-1366 (3,4), *Grischow* 8-2-1743 (5,8), *Halley* 10-4-837 (5,0), *Biela* 9-12-1805 (5,5), *Pons-Winnecke* 26-6-1927 (5,9), *Schwassmann-Wachmann* 3 31-5-1930 (9,3) noyau 80 km. Ces comètes furent observables à l'œil nu.

• Comètes aux révolutions les plus courtes *(numéro et période de révolution en années).* **1** Encke 3,302. **2** Grigg-Skjellerup 4,908. **3** Honda-Mrkos-Pajdusakova 5,210. **4** Tempel 5,259. **5** Neujmin 5,437. **6** Brorsen 5,463. **7** Tuttle-Giacobini-Kresák 5,489. **8** Tempel-L. Swift 5,681. **9** Tempel 5,982. **10** Pons-Winnecke 6,125.

☞ **Chiron,** découvert le 1-11-1977 par l'Amér. Charles Korwal et pris alors pour un astéroïde semble être un moyen cométaire. Distance au Soleil 1,27 (notamment en 1996) : 2,8 milliards de km, diam. 200 à 300 km, révolution : 50, 53 ans.

Météorites

Généralités

• Définition. Corps gravitant dans l'espace interplanétaire ; attirés par la Terre quand ils passent à proximité, ils pénètrent dans l'atmosphère à env. 40 000-290 000 km/h. Le frottement de l'atmosphère les rend incandescents vers 120 km d'altitude jusqu'à 80 km (le phénomène lumineux qui en résulte est le *météore,* dit *bolide* quand il est intense, et souvent appelé aussi étoile filante). La plupart sont volatilisés en poussière avant d'atteindre le sol. Les météorites qui parviennent au sol arrivent à 2 600 km/h (comme arriverait une bombe lancée de 20 km d'alt., du fait du freinage de l'atmosphère). Ils ont été arrachés, par collision, à des astéroïdes. La fréquence des chutes et le poids des projectiles étaient 10 000 fois supérieurs, au début de la formation du système solaire, à ce qu'ils sont actuellement : ce qui prouverait que l'espace interplanétaire est relativement dégagé, et que les collisions y sont devenues rares.

• Nombre. On peut observer à l'œil nu plus de 9 milliards de météorites par an. Un observateur exercé peut compter de 2 à 20 météores par heure (10 en moyenne) dans la région du ciel qu'il peut utilement surveiller. Certaines chutes arrivent à époque fixe, paraissant jaillir d'un même point, dit **point radiant** (en fait elles ont des trajectoires parallèles).

• Principaux essaims (date annuelle et nombre moyen de traînées à l'heure). *1-4 janv.* Quadrantides 40 ; *21 avr.-12 mai* Aquarides 20 ; *29 mai-19 juin* Ariétides 60 ; *1-7 juin* Perséides 40 ; *4 juin-5 juil.* Taurides 30 ; *21 juil.-15 août* Aquarides australes 20 ; *15 juil.-18 août* Aquarides boréales 10 ; *25 juil.-17 août* Perséides 50 ; *9 oct.* Giacobinides (Draconides) *1933* [lors du retour de la comète 1900 III de Giacobini-Zinner (période de 6 ans 1/2), la Terre se trouvait cette année-là au point de rencontre des orbites Terre-Comète, d'où la pluie de particules solides] 20 000, *1946* 1 000 ; *14 nov.* Biélides (Andromédides) *1872* et *85* 5 000/10 000 ; *14-20 nov.* Léonides *1866* et *83* 1 000/10 000 ; *7-15 déc.* Géminides 50.

Averses les plus denses observées. Léonides (1799-1833-1866-1933-1966 : 2 000 objets par min.).

Météorites arrivant au sol

• Composition. 96 % des météorites sont **pierreuses** (**aérolithes,** dont 92 % de **chondrites,** contenant des *chondres,* minuscules sphères de silicates). Leur composition est celle des roches basiques terrestres : silices, silicates et oxydes de calcium, magnésium ; mais certaines chondrites (C3) contiennent en outre des nodules enrichis d'éléments réfractaires (aluminium, calcium, titane). Le tout est noyé dans une matrice noirâtre, plus ou moins carbonée. 3 % sont des **sidérites,** entièrement métalliques, dont la composition est celle du noyau terrestre : fer 92 %, nickel 7 %. 1 % sont des **lithosidérites,** intermédiaires entre ces 2 types : 50 % de pierre, 50 % de fer et nickel.

• Origine. On admet actuellement que les corps célestes frappant la surface de la Terre viennent tous de la ceinture d'astéroïdes située en moyenne à 2,8 unités astron. du Soleil (entre Mars et Jupiter) et occupant la place d'une planète détruite par une explosion (voir p. 24c, astéroïdes).

Les *plus petites météorites* (masse inférieure à 10 t ; diamètre de 1,75 m pour les pierreuses, de 1,25 m pour les métalliques) sont freinées par l'atmosphère et atteignent le sol à 5 km/s max. Les météorites de plus de 10 t ne sont freinées que dans certaines conditions (angle d'entrée, vitesse déjà atteinte). Plus leur masse est grande, moins le freinage atmosphérique agit. Leur vitesse à l'entrée dans l'atmosphère peut varier de 11 à 72 km/s, soit de 40 000 à 200 000 km/h.

• Nombre. Environ 1 600 météorites ont été retrouvées et authentifiées. Il s'agit surtout de sidérites, moins nombreuses (5 % au total des météorites), mais plus faciles à repérer au sol.

Pour toute la Terre, il tomberait 10 000 t de météorites *par an,* mais comme les océans et mers recouvrent 71 % de la surface totale du globe, près des 3/4 vont au fond de l'eau. Un corps de 100 t entre chaque jour dans l'atmosphère terrestre, un corps de 1 000 t 1 fois par mois, un bloc de 15 000 t 1 fois par an, un bloc de 100 000 t 1 fois par décennie, un bloc de 1 000 000 de t 1 ou 2 fois par siècle. En général les blocs sont réduits en poudre dans la haute atmosphère et seule se dépose sur Terre une centaine de g de fine poussière par km^2.

Cependant arrivent au sol, en moyenne *tous les 30 ans,* 1 météorite de 50 t (diamètre : 2,25 m pour les sidérites, 3 m pour les aérolithes) ; *tous les 150 ans,* 1 de plus de 220 t (diam. 3,60 m à 4,80 m) ; *tous les 100 000 ans,* 1 de plus de 50 000 t.

Il faudrait une météorite de plusieurs milliers de milliards de t pour déplacer l'axe de rotation de la Terre. Nous avons un risque sur des centaines de millions d'en rencontrer une.

Pour une étendue comme celle de la France, on compte *chaque année* environ 6 météorites pesant 5 kg ou plus avant leur entrée dans notre atmosphère (à leur arrivée au sol elles ne pèsent plus que quelques g) ; *tous les 20 ans,* 1 météorite pesant plus de 3 000 kg (les plus grands fragments arrivant au sol pèsent moins de 500 kg).

• Plus grandes chutes au sol connues. Le 26-4-1803 à *Laigle* (Orne), 2 000 à 3 000 météorites sont tombées sur une superficie de 50 km^2. Le 30-6-1888 à *Polotsk* en Biélorussie, 100 000 météorites sont tombées sur quelques km^2.

Chute importante la plus récente. Près de Fianarantsoa (Madagascar) le 30-7-1977. Masse non déterminée : 2 cratères (l'un de 240 m de diam.)

• Plus grosses météorites connues depuis l'ère précambrienne (600 millions d'années), 1 500 astéroïdes de plus d'un km de diamètre ont atteint la Terre dont 200 environ sur le sol immergé. Elles ont dû provoquer une explosion équivalente à 100 000 mégatonnes de TNT. 50 cratères ont été identifiés, dont 23 au Canada (près de 50 % sur 1 % de la surface terrestre). Datant de quelques millions d'années [sauf les cratères de Sudbury (Ontario, Canada) ; Vredefort (Afr. du S.) qui remontent à l'ère précambrienne], ils étaient à l'origine comparables aux grands cratères de la Lune, de Mars et de Mercure. Un astéroïde de 1 km de diamètre et de densité 3,5 creuse un cratère d'env. 22 km de diamètre. On repère les points d'impact d'après les changements subis par les roches : quartz se transformant en coésite et en stishovite sous l'effet de la pression et de la chaleur.

Plus grosses météorites conservées

(lieu de chute, date de découverte et masse en kg)

Météorite	Masse (kg)
Hoba (Namibie, 1920)	60 000
Ahnighito (Groenland, 1894)	31 000
Cap York (Groenland, 1895)	36 000
Chingo (Chine, date n.c.)	30 000
Bacubirito (Mexique, 1863)	27 000
Mbosi (Tanzanie, 1930)	25 000
Armanty (Mongolie ext., date n.c.)	20 000
Agpalilik (Groenland, 1963)	17 000
Willamette (U.S.A., Oregon 1902)	15 000
Chapaderos (Mexique, 1852)	14 000
Otumpa (Argentine, 1783)	13 600
Mundrabilla (Australie, 1966)	12 000
Morito (Mexique, 1600)	11 000
Bendego (Brésil, 1784)	5 400
Beniteyo (Brésil)	5 000
Cranbourne (Australie, 1854)	3 500

☞ A Ensisheim (Ht-Rhin) 55 kg (158 kg à l'origine, tombée en 1492, brisée à la Révolution).

• « Météorite de la Toungouska » (en Sibérie). Le 30-6-1908 à 7 h 15 (heure locale), une terrible explosion, accompagnée d'une vive lueur, se produisit en Sibérie. Les arbres furent brûlés sur un rayon de 10 km et déracinés (par l'onde de choc) jusqu'à 100 km, le bruit fut perçu à 1 500 km de distance ; un nuage luminescent s'étendit jusqu'en Europe (il y eut une luminosité inhabituelle env. 2 mois). Les expéditions envoyées sur les lieux n'ayant pas trouvé de débris météoriques, on pense qu'il s'agissait de l'explosion entre 6 et 9 km d'altitude d'un petit noyau cométaire [peut-être un fragment de la comète d'Encke, (la trajectoire suivie venait d'une orbite autour du Soleil, presque identique à celle de cette comète)], ou d'un petit astéroïde d'env. 100 m de diamètre et de 1 million de t. L'énergie dégagée aurait

Tableau des 10 classes de spectres [1]

Classe [2]	Couleur	Température	Raies dominantes	Exemples
O	bleue	70 000°	hélium ionisé	θ Orionis O6 α Camelopardalis O9
B	bleue	38 000°	hélium neutre hydrogène	α Crucis B1 Régulus B7
A	blanche	15 000°	hydrogène métaux ionisés	Véga A0 Sirius A1
F	jaune	9 000°	métaux neutres hydrogène	Canopus F0 Procyon F5
G	jaune	6 500°	calcium métaux neutres	α Centauri G2 Soleil G2
K	orangée	5 000°	métaux neutres	Pollux K0 Arcturus K2
M	rouge	3 800°	oxyde de titane métaux	Antarès M1 Bételgeuse M2
R	rouge		molécules C_2, CN, CH	T Lyrae R6 S Camelopardalis F
N	rouge	2 000°		Y Tauri N2 R Leporis N6
S	rouge		oxyde de zirconium oxyde de titane	V Cancri S2 R Andromedae S6

Nota. – (1) A ces 10 classes, il faut ajouter certaines étoiles exceptionnelles : les ét. de Wolf-Rayet (W), très chaudes et très instables et dont le spectre présente des raies d'émission ; les ét. ayant subi une catastrophe (Q), comme les novae ; les ét. dont le spectre continu ne présente aucune raie. (2) On a divisé chaque classe en 10 sous-classes : B0, B1, B2... B9. Les étoiles B9 ressemblent beaucoup aux A0 ; les étoiles B0 ressemblent beaucoup aux A9.

été équivalente à 1 000 fois celle dégagée à Hiroshima. Lorsque la vitesse était de 12 à 14 m/s, les fragments ont été détruits presque instantanément (provoquant le flash final qui a brûlé les vêtements des témoins à 60 km de là). Il n'en est resté qu'une multitude de petites sphères de métal et de silicates que l'on trouve dans le sol de la région.

Il y a quelques millénaires, le Lincolnshire (G.-B.) a peut-être été le théâtre d'une explosion type Toungouska, provoquée par une comète (à tête petite mais entourée d'une grande quantité de gaz). La végétation de la région comporte une concentration élevée d'oligo-éléments, tels qu'arsenic, iode, brome, zinc et tellurium, anormale sur la Terre, s'expliquant par le fait que la comète aurait diffusé alentour les éléments qu'elle contenait.

• **Micrométéorites.** Poussières microscopiques. Plusieurs centaines de tonnes tombent chaque jour sur Terre.

Astroblèmes

Du grec *blêma,* blessure. Cratères météoritiques fossiles. Diamètre max. sur Terre 700 km (sur la Lune 1 600 km, mer des Pluies).

Astroblèmes terrestres de moins de 40 millions d'années. Diamètre (initial) et âge approximatif en millions d'années. **Allemagne :** Nordlinger Ries 24, 15 ± 1 ; Steinheim 3,5, 14,8 ± 0,7 ; Stopfenheim Kuppel 8, 14,8 ± 7. **Antarctique :** Wilkes Land 240, 0,7. **Australie (Tasmanie) :** Darwin Crater 1, 0,7. **Autriche :** Köfels 5, 0,0085. **Canada :** golfe du St-Laurent 290, 35 ± 1 ; Labrador, Mistatin 28, 38 ± 4 ; N.W.T., Haughton Dome 20, 15 ; Ontario, Wanapitei 8,5, 37 ± 2 ; Québec, New Quebec 3,2 ± 5. **Chili :** Monturaqui 0,46, 1. **Ghana :** Bosumtwi 10,5, 1,0 Z 0,1. **Inde :** Lonar 1,8, 0,05. **Mauritanie :** Aouelloul 0,37, 3,1 ± 0,1 ; Tenoumer 1,9, 2,5 ± 0,5. **Mongolie :** Tabun-Khara-Obo 1,3 plus de 30. **U.R.S.S. :** Kazakhstan, Zhamanshin 10, 1,1 ± 0,1 ; Kirghizistan, Shunak 18, 10 ; Russie, Karka 18, 10 ; Sibérie Or., Elgytgyn 23, 4,5 ± 0,1 ; Yakoutie, Popigai 100, 30,5, 1,5. **U.S.A. :** Alaska, Sithylemenkat 12,4, 0,012.

Astroblèmes terrestres probables d'un diamètre égal ou supérieur à 20 km. Diamètre (initial) en km, âge approximatif en millions d'années. **Afr. du S. :** Vredefort 140, 1970 ± 100. **Allemagne :** Nordlinger Ries 24, 15 ± 1. **Antarctique :** Terre Victoria 240. **Australie :** N.T., Gosses Bluff 22, 130 ± 6 ; N.T., Strangways 24, 150 ± 70. **Brésil :** Araguainha 40 moins de 250. **Canada :** Baie d'Hudson 440 ; Alberta, Steen River 25, 95 ± 7 ; Labrador, Mistatin 28, 38 ± 4 ; Manitoba, St-Martin, 23, 225 ± 40 ; N.W.T., Haughton Dome 20, 15 ; Ontario, Slate Islands 30, 350 ; Sudbury 140, 1840 ± 150 ; Québec, Charlevoix 46, 360 ± 25 ; Clearwater Lake East 22, 290 ± 20 ; Clearwater Lake West 32, 290 ± 20 ; Manicouagan 70, 210 ± 4 ; Saskatchewan, Carswell 37, 485 ± 50. **France :** Rochechouart 20, 160 ± 5 ; la météorite pesait env. 1 milliard de t et avait 600 m de diamètre ; elle a dû atterrir à 20 130 m/s, soit près de 76 000 km/h ; l'énergie libérée lors de la collision était de 10^{21}, soit l'équivalent de l'explosion de 300 000 mégatonnes de TNT (14 millions de fois Hiroshima) ; il s'agissait d'un bloc de sidérite, que l'érosion a entièrement éliminé, mais dont l'explosion a augmenté la teneur en nickel de toutes les brèches de la région ; jusqu'en 1969, on pensait qu'il s'agissait d'un ancien cratère volcanique. **Suède :** Siljan 52, 365 ± 7. **Tchécoslovaquie :** Bassin de Prague 300. **U.R.S.S. :** Labynkir 60 ; Nenetz, Kara 50, 57 ; Russie, Kamensk 25, 65 ; Puchezh-Katunki 80, 183 ± 3 ; Sibérie or., Elgytgyn 23, 4,5 ± 0,5. **U.S.A. :** Iowa, Manson 32 - 70.

Cratères météoriques terrestres certains. Localisation et date de découverte entre parenthèses, diamètre (en m), nombre de cratères associés et âge approximatif (en milliers d'années) (en italique). **Arabie Saoudite** Wabar (1932) 90, 2, *6.* **Argentine** Campo del Cielo (1933) 70, 20, *6.* **Australie** Boxhole (N.T., 1937) 175 ; Dalgaranga (W.T., 1923) 21, Henbury (N.T., 1931) 150, 15, *4 ;* Wolf Creek (W.-T., 1937) 850. **Canada** Ungava (Québec, 1943) 3 341. **Mauritanie** Aouelloul (1951) 250. **Pologne** Morasko 100, 8, *10.* **U.R.S.S.** Kaalijärvi (Estonie, 1928) 110, 7 ; Sikhote-Alin (Sib., 1947) 26, 122 [2] ; Sobolev (Sib.) 51 ; Toungouska (Sib., 1908) [3]. **U.S.A.** Haviland (Kansas, 1925) 11 ; Meteor Crater (Arizona) 1 220, *24* [1] ; Odessa (Texas, 1921) 168, 3.

Nota. – (1) Le mieux conservé des grands cratères récents, prof. 200 m. La météorite devait peser 60 000 à 100 000 t. (2) Tombée le 12-2-1947, s'est brisée à 10 000 m d'alt. en milliers de fragments dont certains de plusieurs t, et a creusé 122 cratères (29 m à 50 m de diamètre, et 6 m de profondeur pour le plus grand). (3) Tombée près du lac Baïkal le 30-6-1908, estimée à 40 000 t.

Tectites

• **Description.** De quelques g à quelques kg, de forme allongée ou sphérique, d'apparence vitreuse, ressemblent à du sable vitrifié. A l'analyse, dénotent une double fusion. Il s'agirait de morceaux d'écorce terrestre vaporisés et projetés lors de la chute d'une énorme météorite, retombant ensuite au sol, en se solidifiant, jusqu'à des milliers de km du lieu d'impact.

• **Lieux.** Probablement partout sur Terre, mais difficiles à repérer. On en trouve dans des déserts (ex. : Libye ou Australie), et plus difficilement, parce que masquées par la végétation, dans des endroits tempérés (ex. : Tchécoslovaquie).

Étoiles

• **Observation.** *Quelques dates.* **1712** liste de 300 étoiles par John Flamsteed. **1718** Edmond Halley découvre le mouvement propre des étoiles. **1726** James Bradley explique le phénomène d'aberration (ellipses apparentes dues au mouvement de la Terre). **1748** Bradley découvre la nutation (oscillation de l'axe de rotation de la Terre). **1837** détermination des parallaxes d'Altaïr, de *Delta UMi* et de *Vega* par Wilhelm Struve. **1838** de *61* du Cygne par Friedrich Bessel, de *alpha* du Centaure (notre voisine) par Thomas Henderson (Le Cap).

• **Analyse spectrale.** Le spectre d'une étoile est la photographie de sa lumière décomposée par son passage au travers d'un prisme de verre. Le prisme disperse la lumière en autant d'images qu'il y a de longueurs d'onde dans la lumière incidente (l'indice de réfraction du verre variant selon la longueur d'onde).

• **Classement.** Le système des magnitudes classe étoiles et planètes selon une échelle logarithmique telle qu'une différence de magnitude d'une unité correspond à un rapport d'intensité lumineuse de 2,5. Une étoile de m. 1 (on dit aussi de 1re grandeur) est 2,5 fois plus brillante qu'une ét. de m. 2. Une différence de 5 unités de m. correspond à un rapport d'intensité égal à 100, etc.

• **Composition chimique.** Presque toutes les étoiles de la même génération ont la même composition. Cependant des différences ont été observées (présence de terres rares). L'histoire de la galaxie et l'évolution des ét. expliquent ces différences. Les ét. les plus vieilles sont pauvres en métaux (la déficience par rapport au Soleil pouvant atteindre 1/200).

• **Définition.** Voir p. 18. *Définition des unités utilisées.* Voir Index.

• **Densité** (par rapport à l'eau = 1). **La plus faible :** supergéantes rouges (env. 2,10-7). **La plus forte :** pulsars (env. 10^{16}).

• **Dimensions. Les plus grandes étoiles connues :** *IRS 5,* 15 000 000 000 de km de diamètre. *ε du Cocher,* 5 560 000 000 de km de diamètre (soit env. 430 000 fois celui de la Terre).

La plus petite : *LP 327-186* (env. 20 km). Les pulsars (étoiles à neutrons) pourraient avoir moins de 20 km de diam., et les *trous noirs,* s'ils existent, moins de 1 km.

• **Distance à la Terre. Les plus proches :** le *Soleil* 149 600 000 km et *α Centauri* 40 398 milliards de km (4,23 années de lumière). **La plus éloignée visible à l'œil nu :** 15 millions de milliards de km (1 500 années de lumière).

On mesure la distance des étoiles proches par la méthode des *parallaxes trigonométriques :* on essaye de surprendre un léger décalage dans la position de l'étoile à 6 mois de distance, en raison du déplacement orbital de la Terre. Voir Parallaxe annuelle p. 18c.

☞ Voir tableau p. 28.

• **Éclat.** Dépend de la constitution et de la distance. De 2 étoiles similaires, si l'une est 10 fois plus éloignée que l'autre, elle sera 100 fois moins brillante (suivant la loi : l'éclat d'une source de lumière qui s'éloigne est inversement proportionnel au carré de sa distance).

Cet éclat a été nommé **grandeur** jusqu'en 1860 ; puis, après les travaux de Norman Pogson à Madras, **magnitude.** Par définition, la magnitude m d'une étoile d'éclat E sera : m = – 2,5 log E + k. Pratiquement, on choisit dans le ciel des étoiles-étalons, et on se débarrasse de la constante k en définissant la magnitude d'une étoile (2) par rapport à l'étalon (1) selon la formule :

$$m1 - m2 = -2{,}5 \log \frac{E1}{E2}.$$

La **magnitude apparente** (notée m) dépend de la luminosité réelle et de l'éloignement. La **magnitude absolue** (notée M) est la magn. apparente qu'aurait l'astre s'il était situé à 10 parsecs. Elle permet de comparer la luminosité réelle des astres. Les étoiles les plus grandes ont des m. négatives.

Calcul de la magnitude absolue : la quantité (m – M) s'appelle le module de distance et on peut démontrer à partir des relations de Pogson que :

$$m - M = 5 (\log d - 1)$$

où d doit être exprimé en parsecs. La connaissance de m et de d permet de calculer M ; inversement, si l'on connaît m et M, on saura calculer d.

La magnitude absolue de notre Soleil est de + 4,7 ; il serait visible jusqu'à 18,2 parsecs (= 59 années de lumière).

Nombre d'étoiles des 6 premières grandeurs (*XVIIe s.) : 1re grandeur :* 21. *2e :* 50. *3e :* 150. *4e :* 450. *5e :* 1 350. *6e :* 4 000.

L'œil nu distingue jusqu'aux étoiles de 6e grandeur. Le grand télescope du mont Palomar distingue les étoiles de 23e grandeur, qui sont 650 millions de fois plus faibles que celles de 1re grandeur.

Étoiles les plus proches

Nom	Constellation	Distance (en années de lumière)	Magnitude visuelle apparente m_v	Magnitude visuelle absolue M_v	Type spectral	Masse (par rapport à celle du Soleil)	Rayon (par rapport à celui du Soleil)
Proxima	Centaure	4,3	11	15,4	M	0,12	
α *Centauri* A	Centaure	4,3	0,3	4,7	G4	1,1	1,06
α *Centauri* B	Centaure	4,3	1,7	6,1	K1	0,99	0,87
Étoile de Barnard	Ophiucus	6	9,7	13,3	M5		
Wolf 359	Lion	7,7	13,5	16,6	M6		
Lalande 21185	Grande Ourse	8,2	7,6	10,7	M2	0,35	
UV *Ceti* A	Baleine	8,4	12,5	15,6	M5	0,04	
UV *Ceti* B	Baleine	8,4	13	16,1	M6	0,03	
Sirius A	Grand Chien	8,7	– 1,6	1,3	A0	2,31	1,68
Sirius B	Grand Chien	8,7	7,1	10	nb*	0,98	0,02
Ross 154	Sagittaire	9,3	11	13	M4e		
Ross 248	Andromède	10,3	12,2	14,7	M6		
ϵ *Eridani*	Éridan	10,7	3,8	6,2	K0		0,98
Ross 128	Vierge	10,9	11,1	13,4	M5	0,63	
ϵ*1 Cygni* A	Cygne	11,1	5,6	7,9	K5		
ϵ*1 Cygni* B	Cygne	11,1	6,3	8,6	K6		
ϵ *Indi*	Indien	11,4	4,7	7	K5		
Luyten 789-6	Verseau	11,1	12,3	14,8	M5e		
Groombridge 34 A		11,7	8,1	10,3	M1		
Groombridge 34 B		11,7	10,9	13,1	M6		
Procyon A	Petit Chien	11,3	0,5	2,9	F3	1,8	2,1
Procyon B	Petit Chien	11,3	10,8	13,2	nb*	0,7	0,01

* nb = naine blanche. Les 2 dernières colonnes comportent de nombreux « blancs » car on ne peut déterminer la masse et le rayon des étoiles que lorsqu'elles font partie d'un système double.

Étoiles les plus brillantes

Nom		Constellation	Magnitude visuelle apparente m_v	Magnitude visuelle absolue M_v	Classe spectrale	Distance (en années de lumière)
usuel	officiel					
Sirius	α CMa	Grand Chien	– 1,45	+ 1,41	A1	8,64
Canopus	α Car	Carène	– 0,73	+ 0,16	F0	190
Rigel Kentarus	α Cen	Centaure	– 0,10	+ 4,3	G2	4,37
Arcturus	α Boo	Bouvier	– 0,06	– 0,2	K2	36
Véga	α Lyr	Lyre	+ 0,04	+ 0,5	A0	26,5
Capella	α Aur	Cocher	+ 0,08	– 0,6	G8	45
Rigel	α Ori	Orion	+ 0,11	– 7,0	B8	660
Procyon	α CMi	Petit Chien	+ 0,35	+ 2,65	F5	11,41
Achernar	α Eri	Éridan	+ 0,48	– 2,2	B5	130
Agena	β Cen	Centaure	+ 0,60	– 5,0	B1	390
Altaïr	α Aql	Aigle	+ 0,77	+ 2,3	A7	16,1
Bételgeuse	α Ori	Orion	+ 0,80 *	– 6,0 *	M2	650
Aldébaran	α Tau	Taureau	+ 0,85	– 0,7	K5	68
Acrux	α Cru	Croix du Sud	+ 0,9	– 3,5	B2	260
Épi	α Vir	Vierge	+ 0,96	– 3,4	B1	260
Antarès	α Sco	Scorpion	+ 1,0	– 4,7	M1	425
Pollux	β Gem	Gémeaux	+ 1,15	+ 0,95	A0	36
Fomalhaut	α PsA	Poisson austral	+ 1,16	+ 0,08	A3	23
Deneb	α Cyg	Cygne	+ 1,25	– 7,3	A2	1 600
Mimosa	β Cru	Croix du Sud	+ 1,26	– 4,7	B0	490

* en moyenne (étoile variable).

Source : « Astronomie » sous la direction de Ph. de La Cotardière (Larousse).

Les étoiles faibles qui ont fait l'objet d'une étude spéciale sont connues par leurs coordonnées sur le ciel.

Céphéides : étoiles dont l'éclat varie selon des périodes régulières et, tirant leur nom de l'étoile *Delta* de Céphée. Il y a des périodes très courtes moins de 2 h (étoile type : RR Lyrae) et longues, plus de 45 j (étoile type : *Delta* de Céphée). **Etoile la moins lumineuse connue :** RG 0050-2722 dans la constellation du Sculpteur. **Magnitude absolue visuelle :** + 19 (étoile naine, riche en métaux ; temp. de surface 3 000 °C, située à env. 80 années de lumière).

• **Évolution.** Les étoiles naissent (souvent en *amas*) de la contraction de grandes nébuleuses de matière interstellaire (déclenchée peut-être par des explosions de supernovae). En se contractant, la matière de la nébuleuse s'échauffe. Lorsqu'elle forme une grosse boule au centre de laquelle la température atteint 10 millions de degrés, des réactions nucléaires de fusion s'amorcent : l'étoile commence à rayonner de la lumière visible. Ce phénomène ne se produit pas lorsque la masse est inférieure à 1 % de celle du Soleil : la température reste trop basse et il ne se forme pas une véritable étoile mais une *naine brune,* qui ne rayonne que de l'infrarouge. La vie d'une étoile se présente comme une succession de phases d'effondrement gravitationnel et de phases au cours desquelles sont synthétisés des éléments chimiques de plus en plus lourds *(nucléosynthèse). 1re phase :* l'hydrogène, dont est formée primitivement l'étoile, brûle tout d'abord au centre pour donner de l'hélium (cas actuel du Soleil) ; durée : 10 milliards d'années pour une étoile comme le Soleil. *2e phase :* le cœur d'hélium se contracte sous l'effet de la gravité et sa température augmente jusqu'à déclencher de nouvelles réactions nucléaires qui produiront alors des noyaux atomiques de plus en plus lourds : carbone, oxygène, etc. jusqu'au fer. Cette évolution calme peut s'arrêter si la masse de l'étoile est insuffisante. *3e phase :* période d'instabilité et pour certaines phases explosive *(nova, supernova). 4e phase :* effondrement gravitationnel qui donne naissance à une *naine blanche* (masse ultime de l'étoile à moins de 1,4 fois celle du Soleil), une *étoile à neutrons* (masse ultime entre 1,4 et 3 fois) ou un *trou noir* (masse ultime plus de 3 fois).

• **Lever héliaque.** Époque à laquelle une étoile est visible à l'aube dans la région de l'horizon où le Soleil va se lever (progressivement cette étoile s'éloigne de plus en plus du Soleil et se voit de mieux en mieux). Les Égyptiens, vers la fin du IVe millénaire av. J.-C., avaient remarqué que le lever héliaque de Sirius (qu'ils appelaient Sothis), vers le 19 juillet, coïncidait avec le début de la crue du Nil, apportant une irrigation bienfaisante à leurs cultures.

• **Masse.** En général les étoiles ont une masse comprise entre 0,05 et 60 fois celle du Soleil. Les supermassives ont jusqu'à 200 fois la masse du Soleil (durée de vie de quelques dizaines de milliers d'années ; 10 milliards d'années pour le Soleil).

• **Nombre.** Environ 200 000 000 000 dans notre galaxie, dont 1 000 000 sont cataloguées, et 6 000 sont visibles à l'œil nu (de 2 500 à 3 000 dans un seul hémisphère).

• **Scintillation.** Due aux modifications continuelles de l'atmosphère terrestre dont les couches successives, différentes par leur température, leur densité, leur humidité, produisent une inégale réfraction des rayons lumineux des diverses couleurs.

Cette scintillation est d'autant plus faible que l'atmosphère est plus calme, que le chemin des rayons lumineux à travers l'atmosphère est plus court (elle est moins accentuée au sommet des montagnes) ; elle est forte pour les étoiles basses sur l'horizon, tandis que les étoiles proches du zénith ne scintillent guère que les jours de grand vent. Elle est faible dans les pays tropicaux à l'atmosphère généralement calme.

Étoiles les plus scintillantes : les blanches et bleues, puis les jaunes et les rouges.

Supernovae : certaines étoiles géantes explosent parfois et rayonnent alors comme plusieurs centaines de millions de soleils (voir p. 19c).

• **Température** (suivant la couleur). Rouge 1 500 à 2 000 °C, orange 2 000 à 3 500 °C, jaune 3 500 à 5 000 °C, blanc 15 000 à 30 000 °C, bleu 45 000 à 55 000 °C.

Systèmes planétaires

Les planètes sont regardées aujourd'hui comme des sous-produits naturels de la formation des étoiles, par condensation de nébuleuses. Mais les télescopes actuels ne sont pas assez sensibles pour nous montrer des planètes autour d'autres étoiles que le Soleil. Cependant certaines étoiles proches ayant, dans le ciel, un mouvement légèrement perturbé (trajectoire ondulée), on présume qu'elles sont entourées d'une ou de plusieurs grosses planètes (voir ci-dessous). En 1983, le satellite d'astronomie IRAS (voir p. 39c) a détecté dans l'infrarouge, autour de plusieurs étoiles proches, notamment Véga et Fomalhaut, un disque de poussières qui pourrait être un système planétaire en formation. Un disque de poussières a également été détecté à l'aide de télescopes au sol autour de H L Tau, une jeune étoile de la constellation du Taureau, située à env. 500 années de lumière, et de Beta Pictoris, une étoile de la constellation du Peintre, à 50 années de lumière. En décembre 1984, des astronomes américains ont annoncé qu'ils avaient identifié une grosse planète (30 à 40 fois la masse de Jupiter) autour de l'étoile Van Biesbroek 8, située dans la constellation d'Ophiucus, à 21 années de lumière (env. 200 000 milliards de km). Il s'agissait en fait d'une erreur. En 1988, on a identifié un corps (ayant une masse d'au moins 10 fois celle de Jupiter) tournant en 84 jours autour de l'étoile HD 114762 située à 90 années de lumière dans la constellation de la Chevelure de Bérénice. Ce ne serait sans doute pas une planète mais plutôt une étoile naine brune (de masse insuffisante pour développer des réactions thermonucléaires).

Étoiles proches susceptibles de posséder des planètes

(Nom de l'étoile, constellations en italique, distance en années de lumière, nombre et caractéristiques des planètes envisagées.) M = masse par rapport à Jupiter, P = période de révolution.

Étoile de Barnard, *Ophiucus* (6 a.l.), 2 planètes : M_1 = 0,8 ; P_1 = 11,7 ans ; M_2 = 0,4 ; P_2 = 20 ans. **Lalande 21 185,** *Grande Ourse, Petit Lion* (8,2 a.l.), 1 pl. : M = 30 ; P = 420 jours. **Luyten 726-8,** *Baleine* (8,4 a.l.), 2 pl. : M_1 = 1,1 ; P_1 = ? ; M_2 = 1,4 ; P_2 = ? **Ross 248,** *Andromède* (10,2 a.l.), 1 pl. : M ? ; P = 8 ans. **Eridani,** *Éridan* (10,8 a.l.), 1 pl. : M ? ; P = 25 ans. **ϵ1 Cygni,** *Cygne* (11,1 a.l.), 1 pl. : M = 1,6 ; P = 5 ans. **BD + 1° 1668,** *Petit Chien* (12,3 a.l.), 1 pl. : M = 60 ; P = 7 ans.

Données diverses

Saisons

• **Commencement.** En UT en 1992. **Printemps** (équinoxe) : 20 mars à 8 h 48 mn UT [1]. **Été** (solstice) : 21 juin à 3 h 14 mn UT [1]. **Automne** (équinoxe) : 22 septembre à 18 h 43 mn UT [1]. **Hiver** (solstice) : 21 déc. à 14 h 43 mn UT [1]. L'inclinaison (23,5°) du

Cartes du ciel

Légende : Colonne de gauche : face au nord. Colonne de droite : face au sud.
Source : Société astronomique de France.

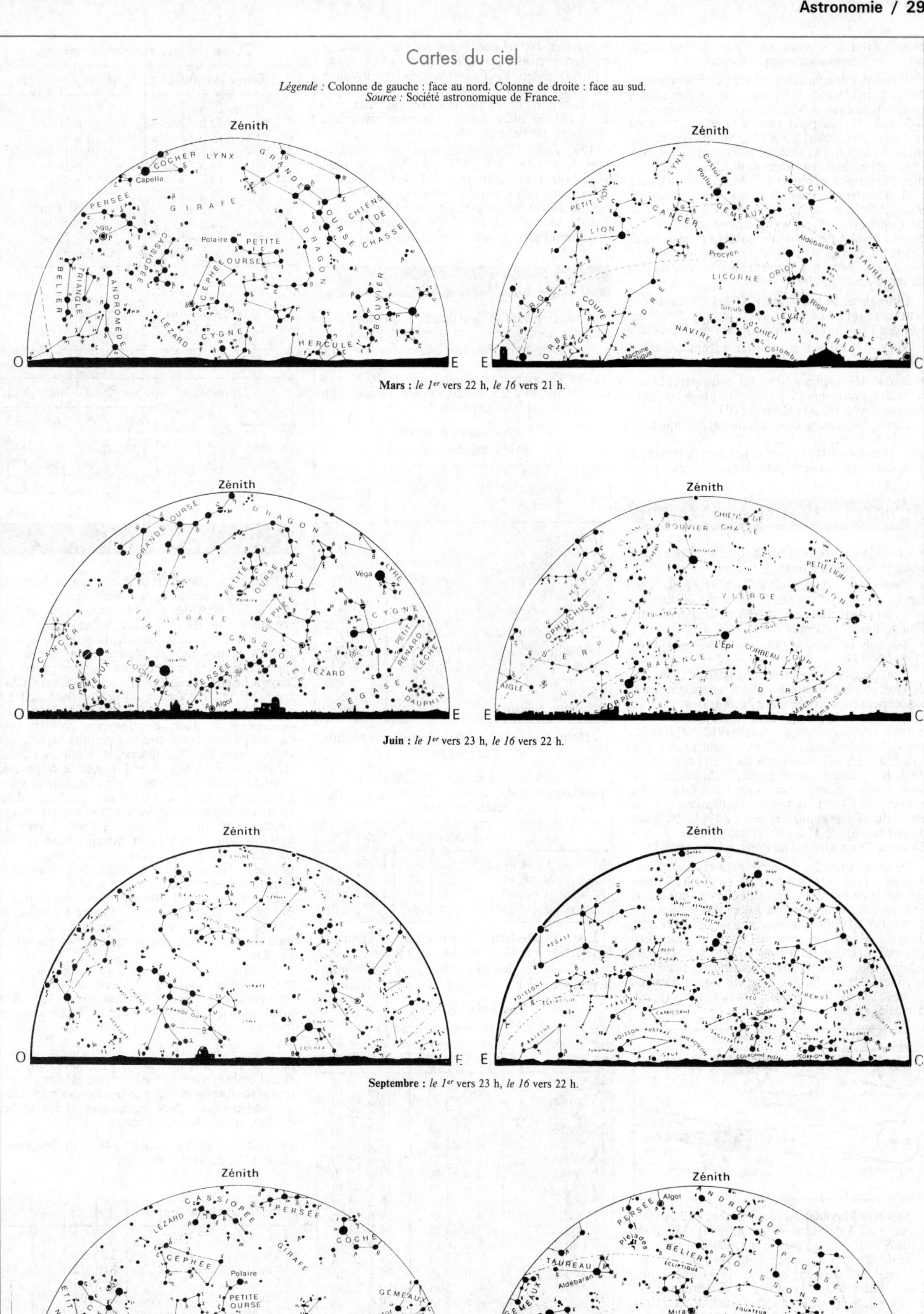

Mars : *le 1er* vers 22 h, *le 16* vers 21 h.

Juin : *le 1er* vers 23 h, *le 16* vers 22 h.

Septembre : *le 1er* vers 23 h, *le 16* vers 22 h.

Décembre : *le 1er* vers 22 h, *le 16* vers 21 h.

plan équatorial terrestre sur le plan de l'écliptique est à l'origine des variations saisonnières.

Au solstice de juin, début de l'été dans l'hémisphère Nord, la hauteur du Soleil est, pour un lieu situé à une latitude égale à Φ, donnée par l'expression $90° - \Phi + 23,5°$: un point situé à la lat. 23,5° Nord (tropique du Cancer) reçoit verticalement les rayons du Soleil à midi. Par contre, l'hiver commence dans l'hémisphère Sud. **Au solstice de déc.,** début de l'hiver dans l'hémisphère Nord et de l'été dans l'hémisphère Sud, la hauteur méridienne du Soleil est donnée par $90° - 23,5°$: un lieu situé à 23,5° de lat. Sud (tropique du Capricorne) reçoit verticalement les rayons du Soleil à midi. **A l'équinoxe de mars et à celui de sept.,** début du printemps et de l'été dans l'hémisphère Nord, la hauteur méridienne du Soleil, pour un lieu de lat. Φ, est égale à $90° + \Phi$.

Différences de température. Celles qui caractérisent les saisons sont dues aux différences d'inclinaison des rayons solaires par rapport à la verticale.

Nota. – (1) UT = Universal Time (Temps Universel).

• **Durée.** Hémisphère Nord (et entre parenthèses h. Sud) : **Printemps** 92,8 j (89,8) ; **Été** 93,6 (89) ; **Automne** 89,8 (92,8) ; **Hiver** 89 (93,6).

L'inégalité des saisons s'explique par l'ellipticité de la trajectoire terrestre. Elle est définie dans la *Loi des aires* (Kepler, 1618) : le rayon unissant une planète au Soleil balaie des aires égales dans des temps égaux.

Éclipses de Soleil et de Lune

• **Conditions.** **Éclipse de Soleil :** quand la Lune passe entre le Soleil et la Terre.

Durée max. : éclipse totale 7 mn 31 s (cela n'est jamais arrivé au cours des 10 derniers millénaires), et à l'équateur plus de 7 mn 58 s ; le 20-6-55, aux Philippines, elle atteignit 7 mn 08 s. Celle du 11-7-91 a approché les 7 mn (6 mn 54 s), visible à Hawaii et au Mexique.

Une éclipse est rarement totale sur plus de 1 000 000 de km², soit 1/500 de la surface terrestre. Plusieurs siècles peuvent s'écouler entre 2 éclipses totales en un même point de la Terre. Ainsi à Paris on calcule pour le XXᵉ s. 4 éclipses presque totales (1912, 1927, 1961, 1999). Mais la dernière éclipse véritablement totale a eu lieu le 22-5-1724 et la prochaine est prévue pour 2026. Il n'y aura eu au XXᵉ s. que 12 éclipses de Soleil totales ou annulaires visibles en Europe [dont, en France, le 17-4-1912 (totale dans la banlieue S.-E. de Paris, dura 7 s, et annulaire) ; le 15-2-1961 (totale sud de la France) ; le 11-8-1999 (totale, passera à 10 h 28 mn à 23 km au nord de Paris, à Luzarches)].

De Lune : quand la Lune passe dans le cône d'ombre derrière la Terre par rapport au Soleil. *L'éclipse est visible* de tous les points de la Terre situés dans l'hémisphère tourné vers la Lune. L'éclipse par la pénombre est difficile à observer à l'œil nu car l'éclat diminue. Même durant une écl. totale, la Lune apparaît souvent rougeâtre : elle est éclairée par les rayons solaires qui, réfractés par l'atmosphère, pénètrent le cône d'ombre. *Durée max.* (théorique) : des écl. totales : 104 mn (le cas s'est reproduit souvent) ; écl. partielles : 6 h.

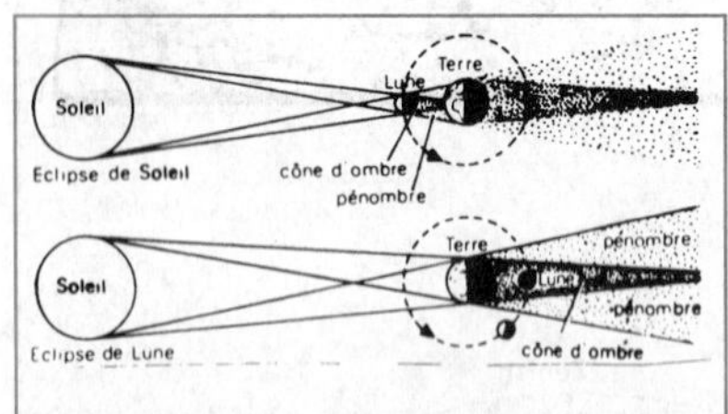

• **Nombre.** **Maximal** dans une année : 7 (2 ou 3 de Lune, 5 ou 4 de Soleil ou le contraire). **Minimal :** 2 (de Soleil). Les éclipses se reproduisent selon un cycle de 18 ans et 11 j appelé *saros*. Il y a eu 5 éclipses de Soleil et 2 de Lune en 1805 (prochaines 2206, 2709). 4 de S. et 3 de L. en 1917, 1982 (proch. 2094, 2159). 3 de S. et 4 de L. en 1908 (proch. 2038, 2103). 2 de S. et 5 de L. en 1879 (proch. 2132).

• **Observations.** 1res méthodiques ; Proche-Orient : solaire 2136 av. J.-C. ; lunaire 1362 av. J.-C.

Poursuite d'éclipse. 1936 1re tentative qui permit, avec un bateau, de gagner 1 seconde. *1952* avec un avion, gain 1 mn. *1973* (30-6) avec le Concorde, gain 74 mn (à 1 600 km/h l'avion s'est déplacé à la vitesse de l'éclipse depuis le N. du Brésil jusqu'à l'océan Indien).

• **Éclipses. 1991. Lune.** *30 janvier,* par la pénombre, en partie visible (grandeur max. 0,331, max. à 15 h 59). **Soleil.** *15-16 janvier,* annulaire invisible à Paris (gr. max. 0,9650, max. à 23 h 53). *27 juin,* par la pénombre, en partie visible (gr. max. 0,313 à 3 h 15). *26 juillet,* par la pénombre, invisible. *21 décembre,* partielle invisible.

1992. Lune. *15 juin* partielle, en partie visible (gr. max. 0,681, max. à 4 h 57). *9-10 décembre,* totale, visible (gr. max. 1,270, max. à 23 h 44). **Soleil.** *4-5 janvier,* annulaire, invisible à Paris (gr. max. 0,9595, max. à 23 h 05). *30 juin* totale, invisible à Paris (gr. max. 1,0302, max. à 12 h 10). *23-24 décembre* partielle, invisible à Paris (gr. max. 0,8429, max. à 0 h 31).

Rayonnement solaire

Il varie suivant le lieu (latitude, altitude) et les circonstances (saison, heures, météorologie).

Rayonnement incident renvoyé vers la voûte céleste (selon la nature des surfaces ensoleillées, en %). Neige fraîche 90, tassée et vieillie 60, nuages 40/80, sable clair 35, prairies 25, pierre, ciment 20, sol cultivé 15, mer (hiver 15), mer (été) 5.

Rayonnement global (Soleil et atmosphère)

En calories par cm² et par jour	St-Maur lat. 49° alt. 50 m	Irkoutsk lat. 52° alt. 467
Janvier	75	28
Février	133	97
Mars	248	204
Avril	358	260
Mai	441	285
Juin	482	384
Juillet	462	345
Août	390	272
Septembre	293	172
Octobre	178	118
Novembre	86	35
Décembre	60	28
Moyenne mensuelle	267	186

(Moyenne terrestre 300 calories, soit environ 1 250 joules.)

Intensité la plus grande

(altitude ; latitude : calories par cm² et par mn ; watts par cm²)

	Alt.	Lat.	Cal.	W.
Mt Rose (Suisse)	4 560	46	1,77	0,124
Ouargla (Algérie)	157	32	1,59	0,111
St-Maur (France)	50	49	1,43	0,100
Leningrad (U.R.S.S.)	qqs m	56,5	1,47	0,103

Lever. Le plus tard : 7 h 46 m (du 1er au 4 janvier) ; **le plus tôt :** 3 h 48 m (du 14 au 20 juin).

Coucher. Le plus tard : 19 h 57 m (le 20 juin) ; **le plus tôt :** 15 h 52 m (du 9 déc. au 15 déc.).

Le Soleil à Paris 1991 (Temps universel)

	Lever	Coucher
1er janvier	7 h 46 m	16 h 2 m
15 janvier	7 h 41 m	16 h 19 m
1er février	7 h 23 m	16 h 46 m
15 février	7 h 01 m	17 h 9 m
1er mars	6 h 35 m	17 h 32 m
15 mars	6 h 7 m	17 h 54 m
1er avril	5 h 31 m	18 h 19 m
15 avril	5 h 2 m	18 h 40 m
1er mai	4 h 33 m	19 h 4 m
15 mai	4 h 11 m	19 h 23 m
1er juin	3 h 54 m	19 h 43 m
15 juin	3 h 48 m	19 h 54 m
1er juillet	3 h 53 m	19 h 56 m
15 juillet	4 h 4 m	19 h 48 m
1er août	4 h 25 m	19 h 28 m
15 août	4 h 44 m	19 h 6 m
1er septembre	5 h 8 m	18 h 33 m
15 septembre	5 h 28 m	18 h 3 m
1er octobre	5 h 51 m	17 h 29 m
15 octobre	6 h 11 m	17 h 1 m
1er novembre	6 h 38 m	16 h 30 m
15 novembre	7 h 0 m	16 h 10 m
1er décembre	7 h 24 m	15 h 55 m
15 décembre	7 h 39 m	15 h 52 m
31 décembre	7 h 46 m	16 h 1 m

Durée du jour suivant la latitude

	Durée maximale	Durée minimale
0°	12 h 5 m	12 h 5 m
10°	12 h 40 m	11 h 30 m
20°	13 h 18 m	10 h 53 m
30°	14 h 2 m	10 h 10 m
40°	14 h 58 m	9 h 16 m
45°	15 h 33 m	8 h 42 m
50°	16 h 18 m	8 h 0 m
55°	17 h 17 m	7 h 5 m
60°	18 h 45 m	5 h 45 m
65°	21 h 43 m	3 h 22 m
66°	24 h 0 m	2 h 30 m

Jour et nuit polaires (durée en jours)

Latitude	Pôle Nord Jour	Pôle Nord Nuit	Pôle Sud Jour	Pôle Sud Nuit
70°	70	55	65	59
75°	107	93	101	99
80°	137	123	130	130
85°	163	150	156	158
90°	189	176	182	183

Crépuscule

Définition. Lueur croissante avant le lever du Soleil, décroissante après son coucher, venant de l'éclairement des couches supérieures de l'atmosphère par les rayons du Soleil, caché, mais voisin de l'horizon. Dans le langage ordinaire, le mot crépuscule est réservé à la disparition du jour ; son apparition est appelée **aube** ou **aurore.** Le crépuscule du soir commence au coucher du Soleil et finit lorsque le centre du Soleil est abaissé de l'angle h au-dessous de l'horizon, tel que : $h = 6°$ pour le **crépuscule civil** (le soir par temps clair, commencent à paraître les planètes et les étoiles de 1re grandeur, le matin les phénomènes sont inverses) ; $h = 12°$ pour le **crépuscule nautique** (le soir par temps clair, commencent à paraître dans le sextant les étoiles de 2e grandeur en même temps que la ligne d'horizon est encore visible, le matin les phénomènes sont inverses) ; $h = 18°$ pour le **crépuscule astronomique** (le soir par temps clair, apparaissent les étoiles de 6e grandeur : il fait nuit ; le matin les phénomènes sont inverses).

Pour les grandes latitudes, le Soleil ne s'abaisse pas de 6° au-dessous de l'horizon quand la somme algébrique de sa déclinaison et de la latitude du lieu est au moins égale à 84° en valeur absolue.

A Paris, dans la nuit du 24-6, l'angle h maximal du Soleil sous l'horizon est de 17° 41. Le *crépuscule astronomique* (au-dessous de 18°) dure donc jusqu'à l'aube et la nuit n'est totale à aucun moment.

Ombre de la Terre. En haute montagne, on voit parfois, à l'opposé du Soleil et juste après son coucher, l'ombre de la Terre se lever sous la forme d'une frange sombre surmontant un peu l'horizon et s'élargissant lentement. Cette ombre cesse d'être visible dès que la nuit devient sombre.

☞ Latitude de Paris : 48°50′46″ ; de St-Omer : 50°44′53″ ; de Marseille : 43°17′3″.

Durée du crépuscule civil [1]	0°	45°	50°	60°
15 janvier	24	35	40	57
15 février	22	33	36	47
15 mars	22	32	36	44
15 avril	22	34	37	50
15 mai	23	37	42	67
15 juin	23	39	46	107
15 juillet	23	37	43	81
15 août	22	33	37	53
15 septembre	22	31	33	44
15 octobre	22	31	34	44
15 novembre	22	34	37	15
15 décembre	23	35	40	60

Nota. – (1) En mn suivant les lat. Nord ; ex. : le crépuscule dure 35 mn le 15 janv. à la lat. N. 45.

Observations du ciel

Observatoires anciens

Antiquité, Moyen Age. *Babylone :* temple de Baal (2500 av. J.-C.). *Chine :* Obs. construit sous l'empereur Yao en 2300 av. J.-C. *Corée du Sud :* Chomsongdal à Kyongju (632). *Grèce :* Alexandrie (300 av. J.-C., construit par Ptolémée Soter). *Rhodes :* Hipparque (140 av. J.-C.). *Inde :* Jaïpur (XIIIe s. apr. J.-C.). *Proche-Orient :* Mokatta (Irak) 1000, par le calife Hakim ; Maragha (Iran) 1260, par le prince Ulugh Beigh. *Amérique centrale :* escargot (Caracol) de Chichen Itza, au Yucatan (IVe-XIVe s. apr. J.-C.).

XVIe-XVIIe s. *Uranienborg* (île de Hven alors danoise, aujourd'hui suédoise) construit en 1576 par Tycho Brahé (1546-1601), détruit en 1597 ; *Padoue* (Italie) 1610 (Galilée) ; *Copenhague* 1637 (Logomontamus) ; *Dantzig* 1641 (Johannes Hevelius) ; *Paris* 1667 ; *Greenwich* (Angl.) 1675 (architecte : Christopher Wren).

☞ **AAVSO (American Association of Variable Star Observers).** *Fondée* 1911. *Membres :* 1 300 dans 40 pays.

Siège : Astronomical Data and Research Center, Cambridge, Massachusetts. U.S.A.

Observatoires modernes

☞ Voir observatoires français p. 33.

Observatoire européen austral, [European Southern Observatory (E.S.O.)], créé 5-10-1962 à Paris. *Membres et % du budget :* All. féd. 26,75 ; Belg. 4,63 ; Dan. 2,90 ; Fr. 26,75 ; It. 20,23 ; P.-Bas 7,53 ; Suède 5,15 ; Suisse 6,06. *Budget 1987 :* 155 millions de F. *Siège :* Garching (All.). *Observatoire :* à La Silla (Chili), à 600 km env. au N. de Santiago du Chili, à 2 400 m d'alt. 14 télescopes en service, dont un de 3,60 m de diamètre (dep. 1976), un de 3,50 m (NTT, *New Technology Telescope,* inauguré 1988, radiotélescope millimétrique de 15 m de diamètre), un de 2,20 m. *VLT (Very Large Telescope)* à Cerro Paranal (Chili, à 500 km au N. de La Silla, à 2 664 m), en construction, mise en service : 1994 à 1998. *Coût prévu :* 1,2 milliard de F (participation française 340 millions de F). Comprendra 4 télescopes de 8,2 m de diamètre chacun (focale : 14 m ; miroir : masse 20 t ; épaisseur : 175 mm) à monture alt-azimutale, pouvant être utilisés indépendamment ou être pointés simultanément sur un même astre et avoir ainsi l'efficacité d'un télescope à miroir unique de 16 m de diamètre. Les faisceaux des télescopes pourront aussi être recombinés de façon cohérente pour atteindre la résolution angulaire d'un télescope de 100 à 150 m.

Greenwich (observatoire royal de). Angleterre. *Fondé* 1675 par Charles II au sud-est de Londres. *1887 :* site choisi pour définir le méridien origine international. *1957 :* observatoire transféré à Herstmonceux (Sussex) ; Greenwich transformé en musée. *1986 :* décision du transfert de l'observ. à Cambridge en 1990. *Observations :* essentiellement à l'observ. Roque de Los Muchachos aux Canaries.

Kitt Peak. U.S.A. Observatoire national géré par l'Associated Universities for Research in Astronomy, Arizona à 80 km de Tucson, à + de 2 000 m d'altitude. Inauguré en 1960. Rassemble une dizaine de télescopes dont le N.U. Mayall de 4 m de diamètre et le télescope solaire McMath.

Télescopes (Réflecteurs)

• **Origine.** *Isaac Newton,* en 1667, découvrit pourquoi les lentilles provoquent des *irisations* (aberrations chromatiques) et décida de construire un instrument astronomique où la lumière serait focalisée non plus par une lentille mais par un miroir. L'idée avait été suggérée peu de temps avant par James Gregory. En 1672, Newton présenta devant la Royal Society le 1er télescope (long. 16 cm, miroir de 38 mm grossissant 14 fois).

• **Description.** Comportent un miroir primaire concave qui concentre la lumière soit au foyer direct (peu utilisé), soit sur un miroir secondaire convexe qui la renvoie à travers le trou central du miroir primaire derrière lequel se trouve le foyer (foyer Cassegrain). Pour les télescopes d'amateur, la lumière du foyer direct peut être renvoyée sur le côté par un prisme à réflexion totale (foyer Newton). Un champ étendu avec de bonnes images peut être obtenu par un correcteur à plusieurs lentilles ou grâce à un choix judicieux de la forme des miroirs primaire et secondaire *(télescope Ritchey-Chrétien).* Certains télescopes à très grand champ ont un miroir sphérique et une lame correctrice près du centre de courbure de ce miroir *(télescope de Schmidt).*

Monture. Les grands télescopes étaient autrefois sur une monture *équatoriale,* permettant de suivre le mouvement diurne des astres par une simple rotation autour d'un axe parallèle à l'axe des pôles terrestres. Les très grands instruments modernes sont en monture *alt-azimutale,* avec 2 axes de rotation vertical et horizontal, l'astre étant suivi grâce à un ordinateur calculant en temps réel la position devant être visée par le télescope.

Diamètre : définit, en théorie, le pouvoir séparateur du télescope, donc la possibilité de distinguer des objets très serrés, comme les étoiles doubles. Il conditionne aussi la quantité de lumière reçue, donc le contraste avec lequel l'objet visé apparaîtra sur le fond céleste. Mais les avantages d'un grand diamètre sont perdus si la qualité optique du télescope est moins bonne (or elle est d'autant plus difficile à assurer que le diamètre est plus grand), ou si la turbulence de l'air est forte et brouille les images, ou s'il existe des lumières parasites au voisinage de l'observatoire. Miroir primaire concave le plus grand : 6 m (Zelentchouk). On utilise en général, dep. les années 60, une silice spéciale ou de la céramique vitrifiée (CerVit, Zerodur...) au coefficient de dilatation très faible pour que les miroirs ne se déforment pas lorsque la température varie. Grâce aux techniques modernes, le diamètre des télescopes optiques n'est plus limité : on réalise des télescopes mosaïques ou à miroir mince dont la forme est asservie pour avoir une image aussi parfaite que possible.

☞ *Télescope de Schmidt* (1930), de l'Allemand B.V. Schmidt (1879-1935), peut atteindre un champ de 5 à 10°. Son diamètre utile est limité par celui de la lame correctrice en verre dont les surfaces sont asphériques et qui est placée au centre de courbure du miroir concave sphérique. Le foyer est interne, c'est-à-dire entre la lame et le miroir concave.

Le plus grand est celui de Tautenburg (All. dém.) : 134 cm d'ouverture utile.

Avec les ordinateurs et les systèmes d'asservissement, on utilise de plus en plus pour les grands télescopes modernes la monture alt-azimutale à la place de la monture équatoriale. 1re tentative, celle du télescope de 6 m de Zelentchouk.

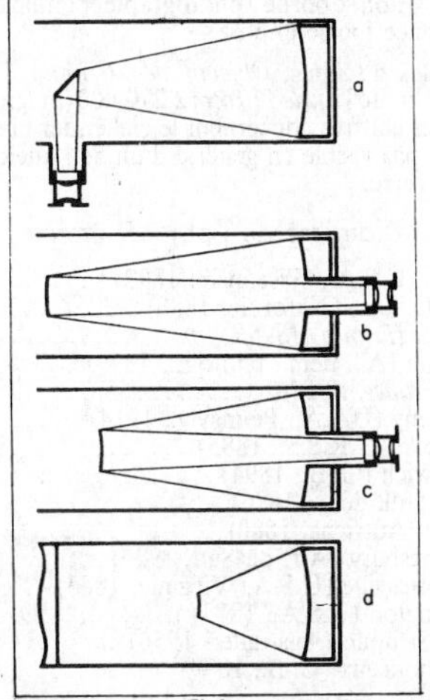

Principaux types de télescopes : a) Newton, b) Gregory, c) Cassegrain, d) Schmidt.

• **Principaux télescopes** (observatoire, nom du télescope ou appartenance, année de mise en service, lieu, altitude en m, diamètre du miroir en cm). *Zelentchouk* (1976, U.R.S.S., Caucase, 2 070 m) 603, masse du miroir 42 t. *Mont Palomar* (1948, U.S.A., Calif., 1 706) 508. *Fred Whipple,* Multiple Mirror Telescope (1979, U.S.A. Arizona, Mont Hopkins, 2 600) 450 (en réalité, 6 miroirs de 180). *Roque de los Muchachos,* N.H.O. (Northern Hemisphere Observatory) (1988, La Palma, Canaries 2 300) 420. *Cerro Tololo* (1976, U.S.A. situé au Chili, 2 400) 400. *Siding Spring* (télescope William Herschel) (1975, Australie, N.-Galles du S., 1 164) 389. *Kitt Peak,* Mayal (1973, U.S.A. Arizona, 2 064) 381. *Mauna Kea,* UKIRT (United Kingdom Infrared Telescope) (1979, Hawaii, 4 194) 380. *Mauna Kea* CFH (Canada-France-Hawaii), 1979, Hawaii, 4 200, coût 9 millions de F (1973) (utilisé par France 42,5 %, Canada 42,5 %, université de Hawaii 15 %) 360. *La Silla* (obs. européen austral, 1976, Chili, 2 400) 360 et 350. *Calar Alto* (en constr. All. féd., Espagne, 2 160) 350. *Lick* (1959, U.S.A., Calif., Mont Hamilton, 1 277) 305. *Mauna Kea* (IRTF : Infra Red Telescope Facility) (1979, Hawaii, 4 208) 300.

☞ En Europe (U.R.S.S. exclue), les plus grands sont : Calar Alto (Esp.) 350 et 220, Pic du Midi (Fr.) 203, Ondrejov (Tchéc.) 200, St-Michel (Fr.) 193 (voir Hte-Provence p. 33c).

Certains télescopes ont des miroirs d'un diamètre de construction qui n'est pas celui de fonctionnement, la qualité optique n'étant pas parfaite ; d'autres sont destinés à des usages spéciaux (télescopes infrarouges).

La date de mise en service diffère suivant les publications ; certains prennent la date de la *1re lumière* (1re observation optique), d'autres prennent la date du fonctionnement opérationnel.

• **Grands télescopes en projet ou en construction*.** Diamètre du miroir primaire ou diamètre équivalent en m, pays, date prévue de mise en service, type, site. *5,20,* G.-B., ?, télescope de Schmidt-Mersenne de 5° de champ, La Palma ? ; *6,50,* U.S.A, ?, remplacement des 6 miroirs du MMT par un miroir unique, Mont Hopkins ; *7,50,* Japon, ?, t. à miroir unique, Hawaii ; *8,* U.S.A., 1996, t. à miroir unique, Las Campanas* ; *10,* U.S.A., 1992, miroir hexagonal segmenté (36 miroirs de 1,8 m de diam.), Hawaii* ; *11,* U.S.A.-Italie, ?, 1 télescope de 2 miroirs de 8 m, Mont Graham ? ; *15,* U.S.A., ?, 1 télescope de 4 miroirs de 7,5 m, Hawaii ; *16,* Europe (voir *VLT,* p. ci-contre), 1994-98, 4 télescopes de 8 m, Chili ; *25 ?,* U.R.S.S., ?, Mont Shorbulak* ; *0,9,* France, 1992 télescope solaire Thémis, pic du Teide, La Palma.

• **Télescope spatial (Edwin P. Hubble Space Telescope).** Placé en orbite circulaire autour de la Terre, à 610 km d'altitude, par la navette amér. Discovery le 25-4-1990. Conçu pour servir 15 ans, il sera réparé dans l'espace par des astronautes grâce à la navette américaine. La NASA a la charge du satellite. L'Institut scientifique du télescope spatial prépare et dépouille les observations. L'Agence spatiale européenne participe à 15 % du coût du projet (les Européens disposeront de 15 % du temps d'observation de l'instrument). Un Centre européen de coordination du télescope spatial à Garching (All. féd.) coordonne l'accès des Européens à ce télescope.

Caractéristiques. Longueur 13 m, poids 11 t, diam. du miroir 2,40 m. Plus petit que le télescope Canada-France-Hawaii ou le télescope du Mt Palomar, malgré son défaut initial il aura des performances supérieures, car il ne subira pas les effets de l'atmosphère terrestre. [Les poussières réduisent la magnitude (l'éclat apparent) des étoiles observables à partir du sol. *0,005 mg* de poussière au m^3 fait perdre 1 magnitude (*0,01 mg/m^3* : 1,5 m ; *0,02 mg/m^3* : 2,1 m ; *0,03 mg/m^3* : 2,5 m).] Avec sa résolution angulaire qui devrait atteindre 0,1′, il devait détecter des astres de magnitude 29, soit 50 fois moins brillants que les objets les plus faibles accessibles depuis la Terre. En fait son miroir primaire est affecté d'un défaut de courbure de 0,002 mm au bord et les images qu'il fournit sont entachées d'aberrations de sphéricité. Un dispositif correcteur devrait être installé en juillet 1993. A l'aide de techniques de traitement d'image on arrive à préserver le pouvoir de résolution du télescope, mais celui-ci a une capacité moins bonne que prévue à détecter les objets plus faiblement lumineux.

1°) Télescope proprement dit (rapport d'ouverture : F/24) avec un système de guidage et un système de contrôle thermique. *2°) 5 instruments scientifiques,* remplaçables en orbite (initialement : 2 spectrographes, 2 caméras, dont une pour objets faibles, construite par les Européens, et un photomètre rapide). *3°) Module de support* comprenant les éléments assurant la vie indépendante du télescope et des instruments scientifiques ainsi que de leur interface avec l'environnement spatial.

Tours solaires

• **Définition.** Télescope vertical destiné à l'observation du Soleil, permettant de recueillir un faisceau de lumière loin du sol et d'éviter ainsi des courants thermiques au voisinage de l'appareil.

• **Nombre.** Env. 12 tours solaires dans le monde, dont *Meudon* (France, 36 m de haut, miroir de 60 cm, focale de 45 m ; en service en 1969), la plus haute ; *Kitt Peak* (U.S.A., Arizona, achevée 1962, long. 146,30 m, long. focale 91,50, miroir héliostatique 2 m, donne une image de 83,8 cm de diamètre) ; *Mt Wilson* (U.S.A., 19,8 m, 1907, long. focale 18,3,

Les plus grands radiotélescopes à une seule antenne

Surface des antennes en m² (S), diamètre ou diamètre équivalent en m (D), longueur d'onde minimale en m (λ m), facteur de qualité (D/λ m).

	S	D	λ m	D/λ m
Arecibo (Porto Rico) [1] .	73 000	305	0,5	600
Effelsberg (All. féd)	7 500	100	0,02	5 000
Green Bank (U.S.A., Virginie Occidentale, 1966) [2]	7 500	92	0,06	1 500
Nançay (France, 1958) .	7 000	90	0,009	1 000
Jodrell-Bank (G.-B., 1957) [3]	4 500	76	0,2	375
Parkes (Australie)	3 200	64	0,006	1 500
Algonquin (Canada) ...	2 000	50	0,03	1 700
Nobeyama (Japon) [3] ...	1 600	45	0,003	17 000
Green-Bank (G.-B.) [3] ...	1 400	42	0,02	2 000
Grenade (Espagne) [4] ...	700	30	0,001	30 000
Serpukhov (U.R.S.S.) [3] .	380	22	0,008	2 800
Crimée (U.R.S.S.) [3]	110	12	0,0012	10 000

Nota. – (1) Fixe. Inauguré en 1963 ; est en service depuis 1974 sur λ m 0,06. D/λ m 5 000. La surface collectrice est constituée d'un assemblage de 38 778 panneaux d'aluminium de 1 m sur 2 m chacun. Utilisé comme récepteur pour l'étude de radiosources célestes et comme émetteur radar (sur les planètes). (2) Effondré la nuit du 15/16-11-1988, irréparable. Méridien ; miroir fixe surf. 8 000 m², en forme d'arc de cercle ; plus 1 miroir mobile rectang. long. 200 m, haut. 40 m. (3) Complètement orientable. (4) Construit par l'IRAM (Institut de radio-astronomie millimétrique) regroupant Fr., All. féd., Esp. Mise en service 1986. Le plus avancé des radiotélescopes en ondes millimétriques. Entièrement orientable, sans abri protecteur, structure thermostatée pour éviter les déformations thermiques. Donne des résultats valables aux longueurs d'ondes radio les plus courtes que laisse passer l'atmosphère terrestre (0,8 millimètres).

En France. *Nançay. 1953,* station créée sous la responsabilité de l'École normale supérieure et de l'Observatoire de Paris, sur un terrain de 150 ha en Sologne, nécessite un environnement non industriel, libre de parasites électriques et radio. *1956,* construction du 1er interféromètre solaire. La branche est-ouest comporte 32 antennes réparties sur 1 550 m ; c'est le plus grand du monde dans sa catégorie ; antennes 5 m de diamètre. *1959,* branche nord-sud ; comporte 8 antennes de 10 m sur 770 m. Cet ensemble observe le Soleil tous les jours à midi. *1962,* grand radiotélescope fixe. *1972,* réseau décamétrique. *Bordeaux :* antennes pour l'écoute du Soleil (7 m de diamètre).

☞ Des signaux ont été envoyés le 16-11-1974 à partir d'Arecibo, vers l'amas globulaire *Messier 13.* Ils parviendront à d'éventuelles civilisations extraterrestres dans 24 000 ans. L'expérience a été renouvelée le 16-1-1987 avec le radiotélescope français de Nançay, en direction du centre galactique (28 000 années de lumière).

Nature du message : 1 700 signes en numérotation binaire (durée : 159 s). Symboles chimiques, silhouette d'un homme, du radiotél. d'Arecibo ; formules de math., de chimie (dessin des atomes d'hydrogène, hélium, lithium, etc.).

Interféromètres les plus importants

Ils remplacent les antennes uniques par plusieurs miroirs, et permettent la connaissance précise des coordonnées des radiosources et leur cartographie détaillée.

Principaux interféromètres (sauf ceux utilisés pour les observations du Soleil). Nombre et diamètre des antennes en m, base en km, longueur d'onde minimale d'utilisation en cm. *Owens Valley* (U.S.A., Calif.) [1] : 2 a. de 27 m, 0,5 km, λ 3 cm. *Socorro* V.L.A. : Very Large Array (U.S.A., N.-Mex., 1978-81) : 27 a. mobiles de 26 m, pesant chacune 210 t, 21 × 21 × 19 km, λ 1 cm en forme de Y. *Westerbork* (P.-Bas, 1970) : 14 a. (4 mobiles) de 25 m, 3,2 km, λ 6 cm. *Green Bank* (U.S.A., Virginie occ.) [1] : 3 a. de 25 cm, 5 km, λ 11 cm. *Cambridge* (G.-B., 1964) [1] : 3 a. (1 mobile) de 18 m, 1,6 km, λ 21 cm. *IRAM,* Bure (France, 1985) : 3 a. de 15 m, λ 0,13 cm [2]. *Cambridge* (G.-B., 1972) : 8 a. (4 mobiles) de 14 m, 4,6 km, λ 1 cm. *Owens Valley* (U.S.A., Calif., 1981) : 3 a. de 10 m, λ 0,13 cm. *Nobeyama* (Japon, 1983) : 6 a. de 10 m, λ 0,30 cm. *Hat Creek* (U.S.A., Calif.) : 3 a. de 6 m, λ 0,25 cm, augmentation à 6 a. en cours.

Nota. – (1) Antennes pouvant se déplacer les unes par rapport aux autres. (2) En service, 4e antenne en construction. – Des observations interférométriques à très grande base se font également entre des radiotélescopes situés dans diverses parties du monde.

RATAN-600 (Zelentchouk, U.R.S.S., 1977-80) : cercle de 576 m de diam., formé de 895 miroirs élémentaires de 7,4 m de hauteur et 2 m de côté (réflecteurs : 13 600 m²). Travaille entre 8 mm et 30 cm.

EISCAT (European Auroral Incoherent Scatter Facility), sondeur ionosphérique pour étudier les relations Soleil-Terre et l'environnement terrestre en région aurorale grâce à la diffusion d'ondes électromagnétiques de fréquence élevée par des électrons libres de la haute atmosphère. Station d'émission et réception à Tromso (Norvège) et stations de réception complémentaire à Kiruna (Suède) et Sodankyla (Finlande).

image de 17 cm de diamètre ; 51,8 m, 1912, long. focale 45,7 m, image de 43 cm de diamètre) ; *Einstein* (Potsdam, All. dém.) ; *Monte Mario* (It.).

Radiotélescopes

• **Origine.** En *1931,* l'Amér. Karl Jansky, ingénieur des télécommunications, a l'idée que les parasites brouillant certaines émissions viennent d'émetteurs naturels extraterrestres (voir radiosource, p. 19c). *1936,* le 1er appareil capable de recevoir ce type d'ondes créé par Grote Reber (Illinois), qui a mesuré l'intensité des ondes venant de la Voie lactée et a dressé la 1re carte radio de notre Galaxie.

• **Principes.** Miroirs métalliques formant antennes, dressés vers le ciel, et munis d'un récepteur pouvant recueillir des ondes radioélectriques de 0,7 mm à 20 m environ. Caractérisés par surface, dimensions extrêmes, mobilité et la plus petite longueur d'onde reçue. Pouvoir séparateur : env. 1 minute d'arc.

Cône de réception : appelé *lobe* par les astronomes. Peut être comparé au faisceau d'un projecteur : si une source radio se trouve dans ce cône, elle est reçue par le radiotélescope. Pour obtenir une image radio de tout un secteur du ciel, il faut balayer en bougeant l'appareil. Plus le lobe est étendu, plus la carte est floue.

Longueur des ondes reçues : avec un petit miroir parabolique, on ne peut capter que les ondes courtes. C'est pourquoi on construit des radiotélescopes de plus en plus grands. Quand on combine 2 antennes, ou plus, on obtient un *interféromètre* (voir p. 33a). Il existe plusieurs systèmes de radiotélescopes combinés entre eux et circulant sur voie ferrée. Pour obtenir une sensibilité plus grande dans le captage des ondes, on multiplie le nombre des antennes (jusqu'à 27 disposées en Y).

Lunettes astronomiques (Réfracteurs)

• **Description.** Elles comportent 2 lentilles : l'*objectif* qui capte la lumière et fournit une image, et l'*oculaire* qui grossit cette image. **Évolution.** *1590,* invention. *1609,* utilisées en astronomie (Galilée). *1673,* installées sur des instruments de position, notamment par John Flamsteed à Greenwich (1675). *1757,* « achromatiques », c'est-à-dire munies d'objectifs donnant des images dépourvues d'irisation (John Dollond, opticien anglais, 1701-64, qui a utilisé des lentilles faites de verres différents). Avant lui, on minimisait l'aberration chromatique en allongeant la distance focale (lunette d'Hévélius, 50 m de long).

• **Grossissements.** Maximum 1 000 fois la surface observée, pour ne pas trop délayer l'image. Certaines lunettes, comme celle de Lick (91 cm) ou de Meudon (83 cm), permettent théoriquement un grossissement de 1 500 à 2 000.

Pour des observations sans recherche de contrastes, visant seulement à exploiter le pouvoir séparateur (étoiles doubles), on ira à 1 500, 1 800, guère au-delà (le grossissement n'a d'intérêt que si l'on emploie un oculaire pour une observation directe). Si l'on se borne à photographier l'image, seule la distance focale importe.

• **Étoiles atteintes.** *Objectif de 70 mm :* 870 000 (magn. limite 11), *de 110 mm* 2 270 000 (magn. limite 12) ; ces chiffres concernent le ciel entier bien qu'il ne soit pas visible en général d'un lieu quelconque sur la Terre.

Diamètre de l'objectif en cm

Yerkes (U.S.A., Wisconsin, 1897) [1]	102
Lick (U.S.A., Californie, 1888)	91
Meudon (France, 1896)	*83*
Potsdam (All. dém., photogr., 1899)	80
Nice (France, 1887)	*76*
Allhegeny (U.S.A., Pennsylv., 1914)	76
Poulkovo (U.R.S.S., 1885)	76
Greenwich (G.-B., 1894)	71
Berlin (All. dém., 1896)	68
Vienne (Autriche, 1880)	68
Johannesburg (Afr. du Sud, 1925)	67
Charlottesville (U.S.A., Virginie, 1883) ...	67
Washington (U.S.A., 1873)	66
Mont Stromlo (Australie [2] 1956)	66
Hertsmonceux (G.-B., 1899)	66

Nota. – (1) Distance focale 19 m. (2) Implantée d'abord (1925) en Afrique du Sud.

Un objectif de 125 cm, coulé en France, équipait une grande lunette horizontale longue de 58 m, disposée en face d'un sidérostat et présentée à l'Exposition universelle de 1900. Peu pratique, cet instrument n'a jamais été utilisé.

Les lunettes ne sont plus utilisées par les professionnels, sauf pour l'étude des étoiles doubles et de moins en moins par les astronomes amateurs sauf les débutants ; utilisées pour faciliter le pointage des télescopes.

Jumelles

Ordinaires. Objectifs d'env. 25 mm de diam., grossissement de 2 à 3.

A prisme. 30 à 60 mm, grossissement de 6 à 20. A grossissement égal, le diamètre détermine la luminosité. Les jumelles de 7 (grossissement) × 50 (mm de diamètre) sont plus lumineuses que celles de « 7 × 35 ». Un objectif de 25 mm permet de voir 117 000 étoiles jusqu'à la magnitude 9 ; un de 45 : 324 000 (magn. limite 10).

Astrolabe

• **Astrolabe ancien.** Origine arabe. Plateau de cuivre, dominé par des « araignées » mobiles permettant de repérer les étoiles d'une constellation donnée. Servait à convertir les coordonnées terrestres en coordonnées célestes et vice versa.

• **Astrolabe moderne.** Astrolabe à prisme pour étudier les variations des coordonnées géographiques des observatoires dues aux déplacements du pôle, et déterminer temps sidéral et temps universel.

Astrolabe à prisme, conçu entre 1900 et 1902, par Claude et Driancourt, portatif, détermine des points astronomiques, avec une précision de ± 2″ : devant l'objectif d'une lunette d'axe horizontal, on place un prisme équilatéral. Le faisceau lumineux d'une étoile est partagé en 2 : une partie pénètre dans le prisme sur la face supérieure, se réfléchit sur la face inférieure et est renvoyée sur l'objectif de la lunette ; l'autre se réfléchit sur un bain de mercure liquide, pénètre dans le prisme par la face inférieure et se réfléchit sur la face supérieure qui la renvoie sur l'objectif. En général, les 2 faisceaux donnent des images distinctes. Mais, si l'angle que font les rayons avec la verticale est de 30°, les 2 faisceaux entrant dans l'objectif sont parallèles et donnent des images confondues. On peut ainsi noter l'instant où ils coïncident et en déduire la latitude du lieu d'observation. L'heure de passage de l'étoile au méridien (d'où se déduit la longitude) s'obtient en faisant la moyenne des instants de passage à la hauteur 60° (une étoile passe 2 fois par nuit à une hauteur donnée sur l'horizon, une en montant, une en descendant). *Principal défaut :* l'instant supposé de la coïncidence entre les images dépend de la mise au point de l'oculaire de la lunette, autrement dit de l'observateur lui-même.

Astrolabe impersonnel d'André Danjon : utilise un prisme biréfringent, instrument fixe, d'observatoire (pèse env. 200 kg). Précision de 0,05″ env. dans une détermination de latitude, correspondant sur le terrain à 1,5 m environ.

Lunette zénithale photographique (Photographic Zenith Tube) : lunette d'axe vertical permettant de photographier les étoiles quelques instants avant et après leur passage au zénith, un peu plus précis que l'astrolabe de Danjon : latitude à 0,03″, longitude ou temps sidéral à 0,003″ près.

Technologie moderne

C C D (Coupled Charge Devices). Récepteurs mosaïques construits initialement pour les caméras de télévision. Meilleurs dispositifs de réception de la lumière pour l'astronomie (sensibilité et linéarité très grandes). Pour l'infrarouge, dispositifs du même genre jusqu'à env. 17 micromètres de longueur d'onde.

Dispositif à comptage de photons. Sert à déceler les astres très faibles. Un dispositif libère des centaines d'électrons pour chaque photon capté ; ils sont détectés et focalisés par une grille, et une calculatrice reconstitue l'image de l'astre, en comptabilisant tous les photons reçus. Ces dispositifs ne sont plus utilisés qu'en imagerie monochromatique, ou pour observer des phénomènes variant rapidement.

Microdensimètre. Sert à séparer sur un cliché l'information désirée de toutes les images parasites. Cellule photo-électrique accouplée à un ordinateur qui élimine ce qui trouble l'image. Les microdensimètres de lissage et de déconvolution traitent spécialement les clichés transmis par les sondes interplanétaires.

Télescope multimiroirs. Moins cher et plus maniable que les grands télescopes à miroir unique. Plusieurs miroirs moyens (à l'observatoire du Mt Hopkins, dans l'Arizona, 6 miroirs de 1,80 m de diam. sont montés sur un barillet commun).

Un système d'écartométrie sur les images a remplacé le système automatique d'orientation des miroirs à laser.

Interférométrie des tavelures (ou interférométrie speckle). Le Français A. Labeyrie (au CERGA) a trouvé le moyen d'éliminer l'effet de la turbulence atmosphérique qui détériore les images données par les télescopes.

Sur une photographie à bref temps de pose (20 à 50 ms), l'image d'un petit objet céleste se présente comme un ensemble de tachetures, disposées différemment sur chaque photo. Le traitement par ordinateur de nombreuses photos reconstitue une image unique, presque aussi nette que si le télescope avait été hors de l'atmosphère. On sépare ainsi des étoiles doubles et l'on mesure le diamètre angulaire d'étoiles simples (à condition qu'elles soient assez lumineuses car les poses sont brèves).

Pointeur automatique de télescope. C'est un ordinateur qui a stocké en mémoire les paramètres relatifs aux étoiles choisies. Avec des moteurs d'asservissement, il pointe le télescope dans la bonne direction.

Instruments embarqués à bord de satellites. La plupart des rayonnements émis par les astres (rayonnements α, X, ultraviolet, infrarouge lointain) ne parviennent pas jusqu'au sol parce qu'ils sont absorbés ou réfléchis par l'atmosphère terrestre. Pour les capter, l'engin idéal est le satellite, qui évolue au-dessus de l'atmosphère et peut poursuivre sa tâche pendant des mois ou des années jusqu'à ce qu'il tombe en panne, qu'on cesse de l'interroger, ou qu'il retombe sur Terre.

Les instruments astron. embarqués diffèrent peu des appareils au sol : télescopes, spectrographes, récepteurs de lumière. Ils doivent cependant être adaptés au domaine de radiations à étudier [ex. : les télescopes à ultraviolet doivent être dotés de pièces optiques réalisées dans des matériaux transparents à l'UV (quartz, fluorure de calcium ou de lithium, etc.) ; leurs miroirs sont recouverts d'aluminium ou d'or. Aux longueurs d'ondes inférieures à 500 angströms, ils doivent recevoir la lumière sous incidence rasante, sinon les radiations pénétreraient la surface du miroir au lieu de s'y réfléchir]. Les détecteurs de rayons X varient avec l'énergie du rayonnement étudié : à basse énergie, les flux sont suffisants pour qu'on puisse les focaliser avec un télescope à incidence rasante ; par contre, à plus haute énergie, les flux étant plus faibles, on utilise des compteurs proportionnels pour lesquels on essaie d'avoir la surface collectrice la plus grande possible, de façon à capter le plus grand nombre possible de photons X.

On ne possède pas de méthode pour réfléchir ou focaliser le rayonnement γ. Suivant l'énergie des photons γ, on utilise des techniques de détection différentes : effet photo-électrique et effet Compton avec un détecteur du type scintillateur (pour les énergies inférieures à 5 MeV) ; production de paires électron-positon dans une chambre à étincelles (pour les énergies supérieures à 5 MeV). Les télescopes embarqués en satellite pour l'observation infrarouge doivent être refroidis entièrement à l'hélium liquide : c'était le cas du satellite IRAS (Infra Red Astronomy Satellite) et ce sera le cas du satellite européen ISO (Infrared Space Observatory), qui sera lancé en 1993.

Astronomie en France

Astronomes. *Nombre :* professionnels env. 700 dont 400 sont regroupés au sein de la S.F.S.A. (Société fr. des spécialistes d'astronomie) ; revue : Le Journal des astronomes français ; amateurs 25 000.

Organisations. Env. 500 dont : *Sté astronomique de France (S.A.F.)* (créée 1887 par Camille Flammarion, reconnue d'utilité publique), 3 rue Beethoven, 75016 Paris. Pt : Ph. de La Cotardière. Membres : 4 000. Revue : L'Astronomie. Observatoire de la Sorbonne. *Association fr. d'astronomie (A.F.A.)* (créée 1946 par Pierre Bourge), 17, rue Émile-Deutsch-de-la-Meurthe, observatoire du parc Montsouris, 75014 Paris, et à Aniane (Hérault). Pt : Yvon Dargery. Membres : 4 000. Revue : Ciel et Espace. *Association fr. d'observateurs d'étoiles variables (A.F.O.E.V.),* observatoire du Champ-Aubé, 71140 Bourbon-Lancy. Fondée 1922 par Antoine Brun. Pt : Émile Schweitzer. Membres : 150. Revues : BAF, Gazette des E.V. *Groupe européen d'observations stellaires (G.E.O.S.),* 12, rue Bezout, 75014 Paris. Fondé 1973. Membres : env. 100. *Sté d'astronomie populaire (S.A.P.),* 1, avenue Camille-Flammarion. Observatoire de Jolimont, 31500 Toulouse. Fondée 1910. Pt : Ch. Sanchez. Membres : 1 000. Revue : Pulsar. *Ass. astronomique du Nord,* 1, rue Norbert-Segard, 59800 Lille, fondée 1923. Pt : J.-P. Rohart. Membres : 100. Revue : Ciel Nord. *Sté astronomique de Bordeaux,* observatoire de Bx-Floirac. Pt : M. Guillon, fondée 1909, Hôtel des Sociétés Savantes, 1, pl. Bardineau, 33000 Bordeaux. Membres : 60. *Sté astronomique de Lyon,* observ. de Lyon, 69230 St-Genis-Laval. Fondée 1906/1931. Membres : 178. Pt : J.-C. Ribes. *Ass. éducative des amateurs d'astronomie du Centre,* 27, rue de Recouvrance, Orléans. *Sté d'astronomie des Pyrénées-Occidentales,* 81, av. du Loup, 64000 Pau. *Ass. franco-monégasque d'astronomie,* 19, bd de Suisse, Monte-Carlo. Fondée 1960. Pt : G. Viscardy. Membres : 477. Observatoire de St-Martin-de-Peille, 06440 L'Escarène. A 17 km de Monaco, 730 m d'alt. *Ass. astronomique de l'Ain,* Maison des Sociétés, bd Joliot-Curie, 01000 Bourg-en-Bresse. Fondée 1966. Pt : Ph. de la Cotardière (n. 1949). Membres : 70. De plus, il existe des clubs d'astronomie dans env. 200 établissements scolaires.

Utilité des astronomes amateurs. Avant l'avènement de l'ère spatiale, ils ont apporté une contribution importante à l'étude de la Lune et des surfaces planétaires ; aujourd'hui, leur collaboration demeure très utile aux professionnels pour l'étude des étoiles doubles ou variables, et plus généralement la surveillance du ciel (découverte de comètes, étude des météores, observation de satellites artificiels). Promeuvent la vulgarisation.

Coût du matériel. On peut débuter avec une paire de jumelles (500 à 1 000 F). Télescope de 20 cm fabriqué par un amateur 4 000 F, du commerce 16 000 F.

Études. *2e cycle* (maîtrise ès sciences) : unité de valeur d'astronomie ou d'astrophysique pouvant être préparée dans la plupart des villes universitaires dotées d'un observatoire. *3e cycle* (diplôme d'ét. approfondies, doctorat) : à Paris VI, VII, Paris XI (Orsay), Lyon, Marseille et Nice.

Observatoires français

Besançon. *Fondé* 1882. *Alt.* 312 m. Étude du mouvement des étoiles et de la rotation terrestre. Vocation métrologique (mesure du temps) et astrométrique. Étude de la structure galactique, des comètes, des sources binaires de rayons X, etc. Dispose d'une horloge atomique. Télescope 40 cm (amateur).

Bordeaux (Floirac). *Fondé* 1879. *Alt.* 73 m. Astrométrie, radioastronomie millimétrique, héliosismologie, atmosphères planétaires, surveillance de la couronne du soleil et de l'ozone atmosphérique. Lunette méridienne automatique, télescope de 60 cm, lunette de 35 cm, radiotélescope millimétrique.

Côte d'Azur. Nice. *Fondé* 1881 sur la colline du Mont-Gros au-dessus de Nice. *Alt.* 376 m. Grande lunette de 76 cm sous une coupole due à Eiffel et dans un bâtiment conçu par Garnier. Observations des étoiles doubles visuelles et des occultations lunaires, dynamique du système solaire, physique du Soleil et des étoiles, hydrodynamique et turbulence dans les fluides, analyse des images en astronomie, dynamique stellaire, développement instrumental et centre de recherches en technologie des miroirs astronomiques.

Caussols. *Implanté* en 1974 près de Grasse. Bureaux et centre administratif à Grasse. Station d'observation sur le Plateau de Calern à 25 km au nord de Grasse à 1 300 m d'alt. Géodésie et astrométrie spatiale, mesure du diamètre des étoiles, dynamique du système solaire, astronomie photographique, mesure du temps et de la rotation de la Terre. Télescope de Schmidt de 150 cm. Station de tirs laser sur la Lune. Réseaux de télescopes pour l'interférométrie optique et infrarouge ; plusieurs télescopes de moindre importance, centre de recherches en technologie des miroirs astronomiques.

Grenoble. *Fondé* 1988. Recherches d'astrophysique (radioastronomie millimétrique, infrarouge).

Haute-Provence. *Fondé* 1937, près de St-Michel. *Alt.* 651 m. Spécialisé dans l'observation spectroscopique. *Télescopes :* 193 cm d'ouverture, mis en service en 1958, et 2 autres de 120 et 152 cm.

Lyon (St-Genis-Laval). *Fondé* 1880. *Alt.* 299 m. Astrophysique. Télescope 60 cm (amateurs), 100 cm (réglages). Développement de détecteurs infrarouges.

Marseille. *Fondé* 1702. *Alt.* 75 m. Recherches d'astrophysique (nébuleuses, galaxies). Optique astronomique.

Meudon. *Fondé* 1876. *Alt.* 160 m. Étude du Soleil (tour solaire de 36 m) et des planètes. Service d'alerte aux éruptions solaires. Dépend de l'obs. de Paris, héberge plusieurs centaines de chercheurs. Grande lunette (1893) : 1re d'Europe et 3e du monde aujourd'hui désaffectée (2 objectifs, 83 cm et 62 cm d'ouverture, longueur focale 18 m) ; 2 télescopes : 1 m d'ouverture (1893, modernisé 1969) et 60 cm (1931). Recherche spatiale et radioastronomie. Astrophysique générale (relativité, galaxies, étoiles).

Midi-Pyrénées – Pic du Midi (Htes-Pyrénées). *Fondé* 1878. *Alt.* 2 862 m (dessus de la coupole 2 877 m). *Télescopes :* 203 cm, mis en service en 1980, 106 cm, spécialisé dans l'observation de la Lune et des planètes. Observations du Soleil au coronographe (lunette provoquant des éclipses artificielles), inventé en 1930 par Lyot. Télescope de 60 cm affecté aux astronomes amateurs depuis 1983.

Nançay (Cher). *Fondé* 1954. Grand radiotélescope méridien (200 × 35 m), interféromètres radio-solaires. Dépend de l'Observatoire de Paris.

Paris. *Fondé* 1667 (architecte Claude Perrault). *Alt.* 67 m. Abrite aujourd'hui le service de l'heure (horloge parlante), le service des fréquences, le Bureau international de la rotation terrestre et un musée d'instruments d'observation anciens. On y fait encore des observations astronomiques méridiennes.

Strasbourg. *Fondé* 1881. Lunette de 50 cm. Spectroscopie stellaire et structure galactique. Abrite le Centre de données astronomiques. Planétarium.

Toulouse. Recherches extragalactiques, cosmologie. Naines blanches. Développements instrumentaux (détecteurs CCD, spectrographes).

Autres établissements français de recherche astronomique

Institut d'astrophysique de Paris (I.A.P.). *Créé* 1938. Laboratoire de recherches théoriques. (C.N.R.S.).

Institut de radioastronomie millimétrique (I.R.A.M.). *Créé* 1979. Franco-allemand. Centre à Grenoble. Observatoires : Espagne (pico Veleta, dans la Sierra Nevada, à 2 850 m d'alt. : 1 radiotélescope de 30 m de diam.) ; France (plateau de Bure près de Gap, à 2 550 m d'alt. : 1 radio-interféromètre formé de 3 antennes de 15 m de diam.).

Laboratoire de physique stellaire et planétaire (L.P.S.P.). Verrières-le-Buisson. En cours de transfert à l'Institut d'astronomie spatiale d'Orsay. Recherches solaires, planétaires, stellaires, interstellaires ; développements pour l'astronomie spatiale.

Service d'aéronomie du C.N.R.S. Verrières-le-Buisson.

Laboratoire d'astronomie spatiale (L.A.S.). Marseille.

Centre d'études spatiales des rayonnements (C.E.S.R.). Toulouse.

Service d'astrophysique (C.E.N. de Saclay).

Bureau des longitudes. Paris (sous la tutelle de l'Institut de France).

Société du Télescope Canada-France-Hawaii, 1 télescope de 3,6 m de diam. sur l'île d'Hawaii (USA), à 4 200 m d'alt.

Observatoire européen austral. Voir p. 31a.

Institut national des sciences de l'Univers (I.N.S.U.). *Créé* le 13-2-1985. Succède à l'Institut national d'astronomie et de géophysique créé 1967. *But :* élaborer, développer et coordonner les recherches en sciences de la Terre, de l'océan, de l'atmosphère et de l'espace, menées au sein du C.N.R.S. et des établissements publics relevant du ministère de l'Éducation nationale. Coordonne les programmes de développement des recherches, élabore les plans et les programmes annuels d'équipement, et prend en charge les opérations d'investissement des observatoires, instituts de physique du globe, laboratoires d'astronomie et de sciences de la Terre.

☞ **L'Union astronomique internationale (U.A.I.)**, créée en 1919, compte près de 7 000 membres dans 51 États. *Secrétariat :* 98 *bis*, boulevard Arago, 75014 Paris.

Astronautique

Généralités

• **Origine du mot.** *Astronautique* a été inventé par l'écrivain français Joseph-Henry Rosny (1856-1940) et utilisé pour la 1re fois en 1927 par le Français Robert Esnault-Pelterie (1881-1957).

• **Vitesse.** Une fusée se place sur une orbite terrestre et devient le satellite de la Terre si, en fin de combustion, elle atteint, à 200 km d'altitude, une vitesse de 7 900 à 11 180 m/s.

• **Vitesse minimale** (m/s). **Au départ de la Terre** pour se placer sur une orbite polaire à 200 km : 8 020 ; équatoriale à 200 km (dans le sens de la rotation de la Terre) : 7 585 ; pour quitter l'attraction terrestre : + de 11 200 ; pour quitter le système solaire : 16 662.

Au départ d'une orbite circulaire à 200 km de la Terre (où il avait été placé auparavant, l'engin ayant alors une vitesse de 7 800 km/h). *Pour s'éloigner à 1 000 km de l'orbite :* 220 m/s ; *2 000 km* 468 ; *5 000 km* 960 ; *10 000 km* 1 522 ; *20 000 km* 2 065 ; *50 000 km* 2 640 ; *100 000 km* 2 747. *Pour pénétrer dans le domaine lunaire :* 3 090 m/s. *Pour atteindre Vénus :* 3 590 m/s ; *Mars* 3 700 ; *Mercure* 6 185 ; *Jupiter* 6 310 ; *Saturne* 7 280 ; *Uranus* 7 970 ; *Neptune* 8 240 ; *Pluton* 8 360.

• **Pour envoyer une sonde vers une planète du système solaire**, à l'arrivée on lui imprime une orbite autour du Soleil tangente de celle de la planète visée.

Si la planète est plus éloignée du Soleil que la Terre (cas de Mars, Jupiter, Saturne, Neptune, Pluton), la sonde doit s'éloigner du Soleil : on s'arrange pour que, après avoir échappé à l'attraction de la Terre, elle se dirige dans le même sens qu'elle et plus vite.

Si la planète est plus proche (Mercure, Vénus), la sonde doit être dotée d'une vitesse instantanée moins grande que celle de la Terre ; après l'avoir arrachée à l'attraction terrestre, on la lance non plus vers l'avant de la Terre, mais vers l'arrière, ce qui lui donne une vitesse plus faible par rapport au Soleil.

Modes de propulsion

Fusées

Principe. 2 réservoirs indépendants contiennent 2 substances chimiques (ergols) qui réagissent ensemble lorsqu'on les mélange dans la chambre de combustion. La réaction dégage des gaz très chauds qui sont éjectés à grande vitesse par une tuyère. La fusée « recule » dans la direction opposée au jet de gaz.

Inconvénient : vitesse relativement faible des gaz éjectés (3 à 4 km/s), donc faible poussée. On pallie cette faiblesse en faisant réagir d'énormes quantités d'ergols.

Poussée de la fusée (F). Exprimée en newtons. Égale au produit de la masse *q* des gaz débités par la tuyère en une seconde par leur vitesse d'éjection V*e* :

$$F = q \times Ve.$$

Vitesse finale atteinte par une fusée en fin de combustion (Vf). Elle est égale au produit de la vitesse d'éjection des gaz Ve par le logarithme népérien du rapport de masse :

$$V^f = V^e \times Log_{10} \frac{M}{M'} = V^e \times 2{,}3 \log \frac{M}{M'}.$$

Influence de la rotation de la Terre. Un engin lancé vers l'est et à la vitesse V reçoit du fait de la rotation terrestre une vitesse complémentaire. La vitesse finale V' est : V' = V + 450 × cos f (cos f est le cosinus de la latitude du lieu de lancement qui est exprimée en degrés).

Moteur ionique

Origine. En 1970, 2 propulseurs ioniques du satellite américain SERT-2 ont fonctionné 2 011 h et 3 781 h avant d'être mis hors service par des courts-circuits, puis ils furent remis en service. En 1975, la N.A.S.A. annonce qu'elle a fait fonctionner pendant 15 000 h un tel micropropulseur.

Principe. Le moteur dissocie un gaz en ions de charges électriques opposées (le plus souvent un ion lourd et un électron). Les ions sont ensuite accélérés par un champ électrique et éjectés à grande vitesse. *Avantage :* vitesse des ions (15 km/s). *Inconvénient :* on ne peut ioniser que des gaz à faible pression, donc offrant une poussée insuffisante pour arracher une fusée à l'attraction terrestre. Mais la puissance peut suffire pour modifier l'orbite d'un satellite.

Le moteur qui éjecte des charges positives a tendance à se charger négativement et à annuler la poussée.

Propulsion par laser

Principe. Une face du satellite est formée d'un matériau facilement vaporisable. Une 1re impulsion du laser fait apparaître une mince couche de gaz. Une 2e impulsion plus intense transforme ce gaz en plasma dont la dilatation brutale exerce sur le satellite une force importante. *Avantage :* poussée 3 fois supérieure à celle des meilleurs ergols. *Inconvénient :* nécessite un laser très puissant disposant d'une source d'énergie importante.

Emplacement du laser : placé au sol, il serait gêné par l'absorption de la lumière par l'atmosphère ; à haute altitude, par le gaz carbonique ; embarqué sur un satellite, il faudrait trouver une source d'énergie suffisante (énergie solaire, générateur d'électricité à radio-isotopes).

Voile solaire

Principe. Utiliser la pression de la radiation exercée par la lumière du Soleil sur la surface où elle se réfléchit (propulsion photonique). A la surface de la Terre, cette pression est négligeable. Mais dans l'espace interplanétaire, sans pesanteur ni effets parasites, la force ainsi exercée sur une grande voile (10 g sur une voile de 10 000 m²) faite d'un film de plastique aluminisé serait suffisante pour modifier sa trajectoire. Le pilotage serait réalisé en modifiant la position de la voile par rapport à la direction de la lumière. Une voile de quelques milliers de m², en nylon métallique ultra-léger, pourrait franchir la distance Terre-Lune (300 000 km) en un peu plus de 1 an, à la vitesse d'un cheval au galop. *Avantage :*

Énergie nécessaire pour mettre un satellite sur orbite

Dans le repère géocentrique, le satellite de masse *m* décrit une trajectoire circulaire de rayon *r* (à l'altitude *h*), à la vitesse *v* autour du centre de la Terre de masse m_T, et du rayon R_T.

L'énergie de mise sur orbite Δ E égale l'énergie du satellite E sur sa trajectoire dans le champ de pesanteur moins l'énergie E_O du satellite sur le sol terrestre, soit : $\Delta E = E - E_O$.

La constante de gravitation universelle :

$$g_t = 6{,}67 \times 10^{-11} \text{ S. I.}$$

Énergie du satellite sur sa trajectoire

$$E = -\frac{g_t\, m_T m}{2r} = -\frac{g_t\, m_T m}{2\,(R_T + h)}.$$

Énergie de mise sur orbite

$$\Delta E = -\frac{g_t\, m_T m}{2(R_T + h)} - \left(-\frac{g_t\, m_T m}{R_T} + \frac{1}{2} m\, v^2\right);$$

$$\Delta E = \frac{g_t\, m_T m}{R_T} - \frac{g_t\, m_T m}{2(R_T + h)} - \frac{1}{2} m\, v^2.$$

Le terme $\frac{1}{2} m\, v^2$ est négligeable devant les deux autres et :

$$\Delta E = m g_0 R_T - \frac{m g_0 R_T}{2}\left(\frac{R_T}{R_T + h}\right),$$

sachant que $g_0 = \frac{g_t \times m_T}{2}$.

C'est l'énergie à fournir au satellite pour le mettre sur orbite, elle lui est donnée sous forme d'énergie cinétique :

$$\frac{1}{2} m\, v_s^2 - \frac{m g_0 R_T}{R^2_T};$$

donc sa vitesse est $v_s = g_0 R_T$.

Mise sur orbite. L'altitude pratique minimale pour placer sur une orbite terrestre un satellite est de l'ordre de 150 km. A 2 000 km d'altitude, la vitesse de satellisation n'est plus que de 6,9 km/s.

Pour communiquer de telles vitesses, les fusées comportent généralement un à quatre étages, ce qui permet de se débarrasser, au fur et à mesure de la combustion, d'une masse devenue inutile. Lorsqu'il se trouve à l'altitude désirée, le dernier étage restant de la fusée est horizontal, et accéléré pour atteindre la vitesse de satellisation ; à la fin de cette phase, l'ensemble se situe au point d'injection du satellite, qui se sépare de la fusée porteuse.

Mouvement d'un satellite par rapport à la Terre

On caractérise l'orbite d'un satellite par son inclinaison sur l'équateur. Si l'inclinaison est nulle, il sera dit *équatorial* ; si elle est forte, il sera dit *polaire*.

Période de révolution. Plus l'orbite est basse, plus la vitesse est élevée et la distance à parcourir courte. Les satellites les plus bas ont donc les périodes de révolution les plus courtes. Par exemple, Cosmos 298 (1969) (périgée 127 km, apogée 162 km) avait une période de 87,3 mn. Heos (1968) (périgée 418 km, apogée 223 440 km), 4 j 17 h 13 mn.

Perturbation du mouvement. Les lois de Kepler sont la conséquence de la loi de Newton sur l'attraction universelle : deux corps s'attirent mutuellement avec une force $F = \frac{kmm'}{r^2}$ (où *k* est le coefficient universel de la gravitation ; *m* et *m'* les masses respectives des deux corps ; r^2 la distance qui sépare leur centre de gravité). Cette force vaut 9,81 newtons à la surface de la Terre pour une masse de 1 kg.

Si le corps se trouve à une grande distance de sa planète, il va subir cette même force d'attraction due au Soleil ou à d'autres planètes de masse importante. Par contre, si le satellite est trop rapproché de la planète, il pourra subir une autre perturbation dans le cas où la répartition des masses n'est pas uniforme sur la planète. En effet, la formule $F = \frac{kmm'}{r^2}$ appliquée à l'ensemble de la planète ne tient pas compte de la distribution des masses, mais suppose qu'elles sont concentrées au centre de gravité du corps.

Droit de l'Espace

• **Comité de l'Espace des Nations Unies.** *Créé* en 1958, 2 sous-comités, juridique, scientifique et technique.

Traités 5 (4 en vigueur) : *Tr. du 27-1-1967* : tr. de l'Espace. *Accord du 22-4-1968* : sauvetage, retour des astronautes, restitution des objets lancés dans l'espace. *Conventions du 29-3-1972* : responsabilité ; *du 14-1-1975* : immatriculation des objets lancés dans l'espace extra-atmosphérique. *Accord du 18-12-1979* : activités des États sur la Lune et autres corps célestes.

• **Principes de base** (tr. de 1967).

– **Article 1.** « L'exploration et l'utilisation de l'espace extra-atmosphérique, y compris la Lune et les autres corps célestes, doivent se faire pour le bien et dans l'intérêt de tous les pays, quel que soit le stade de leur développement économique ou scientifique ; elles sont l'apanage de l'humanité tout entière.

« L'espace extra-atmosphérique, y compris la Lune et les autres corps célestes, peut être exploré et utilisé librement par tous les États sans aucune discrimination, dans des conditions d'égalité et conformément au Droit international, toutes les régions des corps célestes devant être librement accessibles. »

« Les recherches scientifiques sont libres dans l'espace extra-atmosphérique, y compris la Lune et les autres corps célestes, et les États doivent faciliter et encourager la coopération internationale dans ces recherches. »

– **Article 2.** « L'espace extra-atmosphérique, y compris la Lune et les autres corps célestes, ne peut faire l'objet d'appropriation nationale par proclamation de souveraineté, ni par voie d'utilisation ou d'occupation, ni par aucun autre moyen. »

• **Prescriptions particulières.** Interdiction d'installation d'armes nucléaires ou de destruction massive dans l'espace (art. 3 et 4) ; les astronautes sont considérés comme des envoyés de l'humanité (art. 5) ; un régime de responsabilité protecteur est prévu (art. 6 et 7) ; obligation de restitution des objets spatiaux et de retour des astronautes (art. 5 et 8) ; obligation d'informer la communauté scientifique mondiale (art. 11) ; accessibilité de toutes les stations et installations, de tout le matériel et de tous les véhicules spatiaux se trouvant sur la Lune ou sur les autres corps célestes.

• **Revendications des pays en voie de développement. Télédétection :** les pays estiment que l'inventaire de leurs ressources naturelles constitue une atteinte à leur souveraineté. **Télévision directe internationale :** les pays veulent éviter toute ingérence intérieure qui se développerait au nom du principe de la libre circulation de l'information. Les pays équatoriaux revendiquent le segment d'orbites des satellites géostationnaires situé au-dessus de leur territoire (l'orbite des 36 000 km étant considérée comme ressource nationale de l'État sous-jacent).

ne nécessite l'emport d'aucun carburant. *Inconvénient :* difficulté pour plier (avant le décollage) puis déployer dans l'espace une grande surface d'un matériau fragile. Mariner 10 (1973) s'est orienté au-dessus de Mercure grâce à l'effet de ces « vents » lumineux sur ses panneaux solaires.

Satellites artificiels

Définitions

Satellites artificiels. Objets lancés de façon à décrire autour d'un astre une orbite sous le seul effet de l'attraction universelle et de certaines forces physiques (résistance du milieu, pression de radiation solaire, champ magnétique). On distingue les s. artificiels passifs et les s. actifs (émetteurs de données ou relais de télécom.).

Désignation des satellites lancés. *De 1957 à 1962 :* par le millésime suivi d'une lettre grecque en suivant l'alphabet (au 25e on recommença par $\alpha\alpha$, au 49e par $\beta\alpha$; les débris de fusée ayant le même indicatif plus un chiffre).

A partir de 1963 : par un numéro d'ordre dans l'année (débris catalogués sous le même no).

Apogée. Point d'une orbite le plus éloigné de la Terre. Un satellite pourrait s'éloigner à 1 million de km, mais les déformations de l'orbite seraient très importantes et chaque révolution durerait plus de 5 mois. *Orbite basse :* pour un apogée de 1 000 km et moins ; *moyenne :* apogée de 1 000 à 40 000 km ; *haute :* au-delà. Ex. IMP-4 (494 230 km), Explorer 34 (213 000 km).

Les *satellites de télécommunications* opérationnels ont une orbite *géostationnaire* à 35 786 km de la Terre procurant une immobilité apparente.

Périgée. Point d'une orbite le plus proche de la Terre. A moins de 150 km d'altitude, en raison du frottement de l'atmosphère, on ne place plus de satellite (sauf s. de surveillance et de reconnaissance photographiques récupérés quelques jours après leur lancement).

Records : 101 km (Cosmos 169, lancé le 14-11-1969), 129/286 km (orbite d'attente sur laquelle Luna 7, lancé le 4-10-1965, effectua une révolution incomplète avant de poursuivre vers la Lune).

Au-dessus de 200 km, le *freinage atmosphérique* s'affaiblit et le satellite peut vivre plusieurs semaines (à 300 km, plusieurs mois).

Au-dessus de 400 km, il devient négligeable surtout si le satellite a une forte densité.

Nota. – Pour les satellites d'autres astres, au lieu de périgée et d'apogée, on parle de *périastre* et d'*apoastre,* de *périsélène* ou *périlune* et d'*aposélène* ou *apolune* (sat. de la Lune), de *périhélie* et d'*aphélie* (sat. du Soleil).

Applications technologiques

Télécommunications. Liaisons téléphoniques ou télégraphiques, retransmission de programmes TV ; surveillance de la navigation aérienne et de la navigation maritime ; détermination du point maritime grâce aux satellites de navigation qui jouent le rôle de balises radio.

Exploration de l'espace. Études de mécanique céleste et détermination des densités du milieu par l'observation de leur mouvement [rayonnements, températures, pressions, courants de particules, champs magnétiques et électrostatiques, observations du satellite vers l'extérieur (ex. : étude des systèmes nuageux des astres)].

Connaissance de la Terre. Localisation et surveillance des bancs de poissons, des lieux de pollution, progression des invasions d'insectes, apparition d'incendies, détermination de l'importance des récoltes, étude du sous-sol [des variations de teintes révèlent des structures (ex. : failles géologiques) invisibles quand les clichés sont pris d'avions], mesure de distances intercontinentales à 10 cm près (v. 1950, l'emplacement exact d'îles comme Guam ou Tahiti n'était connu qu'à plusieurs km près), surveillance des régions polaires (déplacements de la banquise et des icebergs), surveillance militaire (mouvements de troupes, lancements de missiles, zones stratégiques).

Prévision météorologique. Avec un réseau de satellites géostationnaires qui photographient en permanence la couverture nuageuse et effectuent des mesures thermiques à l'aide de radiomètres opérant dans l'infrarouge.

Applications futures envisagées

Transport d'énergie par satellite. Les sources d'énergie (pétrole, eau, uranium, soleil) étant souvent éloignées des zones d'utilisation, il serait économique de les transformer sur place en électricité puis de transmettre celle-ci sous forme de micro-ondes à un satellite relais (diam. 1 km env.) qui la renverrait vers les régions d'utilisation.

Satellite-centrale solaire. L'énergie solaire pourrait être captée par un satellite grâce à des photopiles d'une surface totale de 50 km². Le courant électrique obtenu serait converti en micro-ondes. Une antenne gigantesque émettrait ces micro-ondes vers la Terre. On envisage la mise en orbite géostationnaire de centrales solaires de 5 000 à 10 000 MW (coût : 6,15 milliards de $ sur 14 ans). Projet Glaser, du nom de l'ingénieur qui le 1er l'a proposé.

Applications diverses. Mise au point de nouveaux matériaux (non inflammables, isolants, résistant à de hautes températures) : batteries solaires, composants électroniques miniaturisés, etc. ; de médicaments sous microgravité.

Quelques chiffres

☞ Les dates de lancement prennent pour référence *l'heure exprimée en temps universel.*

Bilan des lancements réalisés au 1-10-1990. 3 282 dans le monde. U.R.S.S. 2 215 fusées (sans compter les échecs et tirs secrets) qui ont placé en orbite 2 573 satellites (dont 2 100 dans la série Cosmos), U.S.A. 824 lancements.

Lancements réalisés en 1989. U.R.S.S. 97 fusées, U.S.A. 17, Japon 4, Europe 2.

Nombre d'objets lancés. De 1957 au 1-7-1990. 20 688 dont *6 687* encore en orbite. Dont par pays (1988) : U.S.A. 3 178, *2 844.* U.R.S.S. 3 358, *9 194.* Japon 82, *42.* France 40, *56.* Intelsat (Organisation internationale de télécommunications) 36, *0.* E.S.A. (Agence spatiale européenne) 34, *14.* Canada 14, *0.* Inde 11, *7.* G.-B. 10, *10.* All. féd. 8, *8.* O.T.A.N. 6, *0.* Chine 12, *67.* Indonésie 4, *2.* Mexique 3, *0.* Arabie Saoudite 2, *0.* Brésil 2, *0.* Espagne 1, *0.* Italie 1, *4.* Australie 6, *1.* Tchécoslovaquie 0, *1.* P.-Bas 0, *4.* Suède 1, *0.*

Selon le N.O.R.A.D. (North American Defense Command), il y aura env. 10 000 « objets » (satellites et leurs débris, éléments de fusées, etc.) gravitant dans l'espace en l'an 2000. Leur concentration sur certaines orbites recherchées est dangereuse en raison des collisions possibles. Un simple boulon peut tuer un astronaute, perforer un hublot et mettre un satellite hors d'usage. Or, il y a des dizaines de milliers

Projets à l'étude

Voile carrée (Jet Propulsion Laboratory, Californie) 800 m de côté ; épaisseur 2,5 micromètres. *Ronde* (N.A.S.A.) 860 m de diam. *Mini-voile* (C.N.E.S. et E.S.A.) 200 m de côté. *Voiles hexagonales* de 2 000 m² lancées en 1985 par associations d'amateurs (U.P.P.P. en France, W.S.F. aux U.S.A.) dans le cadre d'une course Terre-Lune à la voile.

Quelques précisions

☞ Pratiquement toutes les fusées américaines et soviétiques dérivent de missiles ou de projets militaires. En 30 ans près de 500 *Atlas* ont été lancés et 1 150 *Semiorka.*

Lanceurs soviétiques. Les 4 étages propulsifs de la fusée *Korolev* qui lança le 1er *Spoutnik* étaient accolés au corps central ; l'ensemble étant propulsé par 5 moteurs avec 20 chambres de combustion dont la poussée unitaire (24 à 26 t) ne dépassait pas celle d'un V 2. Il brûlait un mélange de kérosène et d'oxygène liquide, connu depuis les expériences de Robert H. Goddard aux U.S.A. dans les années 30. Les performances « spécifiques » de la fusée *Korolev* étaient inférieures à celles des fusées amér. de l'époque, du fait de la lourdeur des structures. Mais l'U.R.S.S. avait prévu une fabrication en série (plus de 1 000 furent utilisées).

Les satellites *Cosmos* sont lancés à l'aide de 10 modèles de fusées regroupées en 5 familles : *Sapwood,* poussée au décollage (196 t), *Sandal* (74 t), *Skean* (88 t), *Proton et Scarp* (275 t).

G1 serait le seul lanceur soviétique dont la mise au point ait été abandonnée [100 m de haut, 7 moteurs à 6 chambres de combustion (soit 42 au total) développant une poussée de 5 000 t au décollage]. Lors du 1er essai en vol, le 12-6-1969, il explosa sur le pas de tir, qui fut dévasté. De nouveaux essais, en août 1971 et novembre 1972, échouèrent. Le lanceur *Energia,* le plus puissant du monde, l'a remplacé (2 000 t au décollage, capacité de satellisation de 100 t puis 160 t), 1er essai le 15-5-1987 ; 2e essai le 15-11-1988 comme propulseur de la navette soviétique *Bourane.*

Lanceurs américains. Les États-Unis, après les *Jupiter* et *Atlas,* ont utilisé la fusée *Titan,* dérivée d'un missile destiné à lancer une charge nucléaire de 5 mégatonnes à 8 000 km (en sept.-oct. 1986, l'armée de l'air amér. a prévu de reconvertir en lanceur de satellite 13 de ses 56 missiles *Titan-2* et a commandé 23 *Titan-4.* Le 26-10-1987 un *Titan 34-D* a lancé 1 satellite *KH-11* d'observation au sol ; après 2 échecs en août et oct. 1986. La fusée *Delta,* issue du missile *Thor,* donna naissance à une famille de fusées (au 1-1-1987, 180 lancements). La fusée *Scout* [le plus petit (17 t) et le 1er lanceur amér. entièrement à poudre] fut conçue pour des lancements civils et des lancements militaires. Depuis 1961, sa charge utile est passée de 45 à 200 kg. Plus d'une centaine ont été tirées. *Saturn V* (haut. 110 m, 2 900 t), issue des projets militaires Juno 5, alias Horizon de l'U.S. Army, pouvait lancer 120 t en orbite basse ou 45 t vers la Lune.

de débris de taille centimétrique en orbite basse. 86 satellites auraient déjà été victimes de « résidus » (ex. *Cosmos 1275*, un satellite soviétique lancé en juin 1981, et réduit moins de 2 mois plus tard en 248 morceaux ; *Pageos*, satellite américain de géodésie mis en orbite en 1966, en 70 morceaux en juillet 1975). On estime qu'une station spatiale a, en 3 ans, 30 % de risques de rencontrer des fragments spatiaux. La situation pourrait devenir critique entre 2040 et 2100. Lors de retombées, il n'y en a eu, sur 15 100 objets lancés dans l'espace au 1-7-84, que 9 800, ce qui représente 15 000 t de matériaux (200 fois le *Skylab*). Il n'y a eu que 2 accidents ; 1962, ferme incendiée en Afrique du S. ; 1974, vache tuée à Cuba.

Nombre de satellites artificiels en fonctionnement (en sept. 1987) : 337 (dont 156 militaires) dont sov. 146 (dont 96 mil.), amér. 129 (90 mil.), 62 divers.

Satellites les plus gros. *Américains : Écho 2,* lancé le 25-1-1964, diam. 41,14 m ; satellite passif de télécommunications, constitué par 2 feuilles d'aluminium enserrant une feuille de mylar ; retombé le 7-6-1969 après 28 000 révolutions. *Pégase 1,* lancé le 18-2-1965, il a la forme d'un avion aux ailes déployées de 32 m d'envergure, alt. 495 à 753 km, révolution en 97 mn, retombé le 7-6-1969 (15,2 t), il apparaissait comme une étoile de magnitude 1.

Satellites les plus lourds. *Sur orbite terrestre : Skylab 1* 90 490 kg (35,96 m de long.), lancé le 14-5-1973, retombé le 11-7-1979. *Lunaire : Apollo 15* 39 920 kg, lancé le 26-7-1971. *Solaire :* fusée d'*Apollo 10* 13 810 kg, lancée le 18-5-1969.

Satellites les plus légers. *Sur orbite terrestre : Tetrahedron Research TRS 2* et *3* 0,667 kg, lancés le 9-5-1963. *Lunaire : Interplanetary Monitoring Probe 6* 68 kg, lancé le 19-7-1967. *Solaire : Pioneer 4* 5,896 kg, lancé le 3-3-1959.

Survie des satellites. Les O.V.I. (objets volants indésirables) ou « débris spatiaux », ont une durée de survie plus ou moins longue, selon l'altitude à laquelle ils évoluent. Ils peuvent durer plusieurs années pour les satellites se trouvant à 300 ou 400 km d'altitude, des siècles pour ceux à 800 km d'altitude (satellites d'observation de la Terre), indéfiniment pour les objets évoluant à 36 000 km (satellites géostationnaires).

Prise de photos (taille des objets discernables au sol) à partir de Landsat (U.S.A.) 30 m, Spot (France) 10, Soyouzkarta (U.R.S.S.) 6.

Principaux lanceurs spatiaux (et année du 1er tir)	Haut. (m)	Étages	Diam. max. (m)	Poussée (10^4 N)	Masse en charge (t)	Masse de la charge utile sur orbite (kg)	Carburants utilisés S = Solide L = Liquide
Américains							
Titan 2	33,50	2	3	195	150	3 000 [2]	S-S-S
Titan 34 D (1981)	50	2	3	1 203	680	13 000	S-S-S
Saturn I * (1961)	58	2	6,70	721	635	10 000 [2]	S-S-S
Scout B (1960)	22	3	1,02	206	18	185 [1]-38 [2]	S-S-S
Delta 3 914 *	35,4	3 [10]	2,4	206	191	2 500 [1]-900 [2]-440 [3]	L-L-S
Delta 3 920 PAM	35,4	3	2,44	206	192	2 500-1 247-545	
Atlas-Centaur (1962)	40,8	2	3,05	192	147	4 500 [1]-1 850 [2]-910 [3]	L-L
Titan III-C *	38,3	3 [7]	3,05	1 040	631	15 000 [1]-4 500 [2]-1 500 [3]	L-L-L
Titan III-Centaur *	30	3 [7]	3,05	1 040	638	7 250 [2]	L-L-L
Saturn I-B * (1966)	68,3	2	6,6	720	585	15 000 [1]	L-L
Saturn V * (1967)	111	3	10	3 350	2 900 [4]	125 000 [1]-45 000 [2]	L-L-L
Navette (1981)	56	1 [7]	8,5	2 850	2 030	30 000	L-S
Chinois							
Longue-Marche 1 (1970)	29,5	3	2,25	112	86,1	300 [1]	L-L-S
Longue-Marche 2c (1975)	32,8	2	3,35	284	190	2 500 [1]	L-L
Longue-Marche 3 (1984)	43	3	3,35	284	202	4 301 [1]-1 400 [2]	L-L-L
Longue-Marche 4 (1988)	41,9	3		300	249	2 500 [1]	L-L-L
Longue-Marche 2e (1990)	51,2	2,5	3,35	604	461	8 800 [1]-4 500 [2]	L-L
Européens							
Ariane 1 * (1979) [13]	47,8	3	3,8	245	210	4 800 [1]-1 800-1 040 [3]	L-L-L [14]
Ariane 2 (1984)	49	3	3,8	270	210	4 900 [1]-2 175 [2]	L-L-L
Ariane 3 ** (1984)	49	3	3,8	270	237	4 900 [1]-2 600 [2]	L-L-L
				+ 140 (accél.)	237	ou 2 × 1 200 (lancement double)	L-L-L
						1 330 [3] — 10 000 [1]	
Ariane 4 *** (1988)							
versions avec propulseurs d'appoint: 40	58	3	3,8	270	235	1 900	L-L-L
42 P	58	3	3,8	420	314	2 600	L-L-L
44 P	58	3	3,8	575	349	3 000	L-L-L
42 L	58	3	3,8	405	350	3 200	L-L-L
44 LP	58	3	3,8	560	406	3 700	L-L-L
44 L	58	3	3,8	540	460	4 200	L-L-L
Ariane 5 ****	57	3	5,40	900	750	20 000 [1]-7 000 [3]	L-L
Français							
Diamant A * (1965)	17,90	3	1,4	28	18,4	180 [1]	LSS [6]
Diamant B * (1970)	23,55	3	1,4	30-40	24,6	250 [1]	LSS
Diamant BP4 * (1975)	21,639	3	1,5	34,8	27	263 [1]	LSS
Indien							
SLV-3 (1980)	23	4	1	44	17,5	50 [1]	S-S-S-S
Japonais							
Mu-4S (1970) *	23,6	4 [9]	1,41	150	43,7	180 [5]	S-S-S-S
Mu-3C (1974) *	20,2	3 [9]	1,41	194	41,5	195 [5]	S-S-S
Mu-3H (1977) *	23,8	3 [9]	1,41	218	48,8	290 [5]	S-S-S
Mu-3S (1980) *	23,8	3 [9]	1,41	221	49,4	300 [5]	S-S-S
Mu-3S-II (1985)	27,8	3	1,41	192	61,2	-770 [2]	S-S-S
N-I (1975) *	32,6	3 [10]	2,44	149	90,4	-800 [1]-130 [3]	L-L-S
N-II (1981) *	35,4	3 [11]	2,44	220	134,7	-1 600 [1]-350 [3]	L-L-S
H-I (1986)	40,3	3 [11]	2,50	220	139,3	-100 [2]-550 [3]	L-L-S
H-II (1992)	49	2	4,00		260	4 000 [2]-2 200 [3] 9 400 [1]	L-L
Soviétiques							
Lance-Spoutnik * (1957)	28	1	2,3	470	295	1 500 [2]	L-L
L.-Vostok * (1959)	30	2	2,6	470	306	5 000 [2]	L-L
L.-Soyouz A2-e (1961)	49	2 [8]	3	470	317	7 500 [2]	L-L
					306	5 000 [2]	L-L
L.-Cosmos C1 (1964)	32	2	2,4	172	27	500	
SL 11 (1966)							
L.-Proton D1-e (1968)	42	3 [12]	4,1	1 500	850	22 675-7 500-300	L-L
Tsyklon (SL 14) (1977)							
Zenit (SL 12) (1985)							
Energia (1987)	59,6	2	8	3 600	2 400	100 000	L-L

Nota. – (1) Masse de la charge utile sur orbite circulaire basse. (2) Sur orbite de transfert géostationnaire. (3) Sur orbite géostationnaire (kg). (4) Dont 2 835 t de carburant liquide. (5) Sur orbite circulaire à 250 km d'altitude. (6) L = Peroxyde d'azote + diméthylhydrazine dissymétrique ou U.D.M.H. (7) + 2 accélérateurs. (8) + 4 acc. (9) + 8 acc. (10) + 3 acc. (11) + 9 acc. 1er lancement en version bi-étage (1986). (12) Étage de périgée. (13) Anciennement L III S, réalisée en coopération européenne (voir p. 49 c). (14) Hydrogène + oxygène liquides.

(*) Ne sont plus utilisées. (**) Sans accélérateurs, constitue la version Ariane 2. (***) Version « à la carte » pouvant être équipée de 2 ou 4 accélérateurs à poudre (42 P-44 P), de 2 ou 4 accélérateurs à propergols liquides (42 L-44), de 2 accélérateurs à poudre et 2 accélérateurs à propergols liquides (44 L P). (****) 6 versions, avec possibilité de lancements double, triple ou mise en orbite basse de l'avion orbital *Hermès*. L'étage inférieur est équipé de 2 propulseurs à poudre et d'un moteur cryotechnique délivrant une poussée de 80 t au sol.

Coût en millions de $. *Scout :* 5 (1977). *Delta 2 914 :* 15,4 (78) ; *3 914 :* 18,3 (78) ; *3 910 :* 25 (81) ; *3 920* (81). *Atlas-Centaur :* 38 (78). *Titan :* 58 (79). *III Centaur :* 50 (77).

☞ **Fusées-sondes françaises civiles.** V. Quid 87, p. 50. Le centre spatial guyanais ne lance plus que des fusées-sondes météorologiques du type *Super-Arcas* pour la mesure du vent en altitude.

Rapide historique

1926 (10-3). *Une fusée à propergol liquide,* lancée par Robert H. Goddard, physicien américain (1882-1945), atteint 30 m d'alt. **1935.** *Une fusée* lancée par Goddard atteint 2 300 m. **1942 (3-10).** *1er lancement réussi de* V2 (Allemagne), long. 14 m, poids au départ 13 t, portée 270 km, alt. max. 100 km. **1949 (24-2).** *Une fusée à 2 étages* lancée à White Sands (U.S.A.) atteint 400 km d'altitude.

1957 (4-10). *1er satellite artificiel soviétique* Spoutnik 1 (compagnon de voyage) (nom officiel : satellite 1957 Alpha 2), 83,6 kg, 58 cm de diam. mis sur orbite à une altitude de 228 à 947 km à plus de 28 160 km/h, révolution en 96,17 mn, lancé par fusée « R-7 » ou « Sémiorka » de Korolev (poussée + de 500 t) de Tyouratam à 275 km de la mer d'Aral, retombé le 4-1-58. **(11-10).** *1re sonde spatiale américaine* Pioneer 1,38 kg, retombe après avoir parcouru 126 000 km. **16-10.** *1er objet échappant à l'attraction terrestre* (un fragment d'une fusée américaine Aérobee). **3-11.** *1er être vivant dans l'espace :* chienne russe Laïka (Spoutnik 2, 508,3 kg, alt. 225 à 1 671 km, révolution en 103,7 mn, désagrégé le 14-4-58).

1958 (31-1). *1er satellite américain* Explorer 1, 14,6 kg, 1,20 m de long, 20 cm de diam., alt. 356 à 2 546 km, révolution 93,7 mn. Lancé par une fusée Jupiter C (Juno 1 de l'U.S. Army, 18 t, 21 m de haut) réalisée sous la direction de Wernher von Braun, ingénieur allemand de Peenemünde, qui travaillait depuis 1953 au Redstone Arsenal de l'U.S. Army (à Huntsville, Alabama) à la mise au point d'un missile balistique dérivé du V2. Durée d'existence jusqu'au *31-3-70.* Découvre les *ceintures de Van Allen* (ceintures de radiations autour de la Terre), **15-5.** *1er satellite lourd soviétique :* Spoutnik 3 (1 327 kg), pendant 23 mois fournit des renseignements. **18-12.** Atlas Score, *70 kg,* alt. 185 à 1 482 km, révolution 101,5 mn. Enregistre et retransmet un message du Pt Eisenhower. Retombé le *21-1-59.*

1959 (7-1). *1re planète artificielle* [sonde sov. Luna 1 lancée le 2-1, après être passée à 6 000 km de la Lune, devient la 1re planète artif. sous le nom de Miechta (rêve)]. **3-3.** *1re fusée amér. approchant la Lune* (à 59 000 km) : Pioneer 4. **12-9.** *1er objet envoyé sur la Lune* (sonde sov. Luna 2, détruite à l'atterrissage). **4-10.** *1er vol circumlunaire* (sonde sov. Luna 3, transmet des photos de la face cachée).

1960 (11-3). *1re planète artificielle américaine :* Pioneer 5 (orbite solaire jusqu'à 35 millions de km de la Terre). **1-4.** *1er sat. météor.* (Tiros 1, amér.). **15-5.** *1er vaisseau cosmique* (prototype des Vostok, 4 540 kg, sov.). **10-8.** *1re récupération d'un engin* *spatial* (capsule de Discoverer 13, américaine). **12-8.** Écho 1, *61 kg.* Alt. 598 à 1 691 km. Ballon en matière plastique. Diam. 30,5 m, recouvert d'une fine couche d'aluminium. Réfléchit les ondes électriques venues du sol (relais passif). Sa révolution (env. 1 h 50 mn) diminue très lentement. Retombé le 24-5-68. **19-8.** *1re récupération d'êtres vivants* après vol spatial (2 chiens sur vaisseau cosmique, sov.). **13-9.** *1re récupération réussie en vol d'une capsule éjectable après mise sur orbite* (Discoverer 15, amér.).

1961 (17-1). *1er sat. manœuvrable* (un propulseur autonome peut du sol être mis en marche) Discoverer 21 (amér.). **31-1.** *1er sat.-espion* transmettant des clichés par radio (Samos 2, amér.). **12-2.** *1re sonde vers Vénus* (sov., contact perdu après 7,5 millions de km). **12-4.** De 9 h 07 à 10 h 36 mn 34 s : *1er homme dans l'espace* Youri Gagarine (Soviétique), vit. max. 28 260 km/h, alt. 327 km (1er Amér. Alan Shepard, 5-5-61). **22-6.** *1er sat. qui utilise un générateur nucléaire SNAP comme source d'énergie à bord* (Transit 4 A, 79,10 kg, alt. 878 à 998 km). **15-11.** *1ers sat. lancés simultanément avec succès* Transit 4 B (90,4 kg, alt. 952 à 1 104 km) et TRAAC (90,4 kg, alt. 953 à 1 106 km).

1962 (21-2). *1er vol orbital autour de la Terre* (John Glenn, Amér.), capsule Mercury. **23-4.** Ranger 4 (328 kg, 36 h 57 mn après son lancement s'écrase sur la Lune à 9 540 km/h) lancé par l'Atlas (fusée de 29 m développant 163 t de poussée). **26-4.** *1er vol spatial d'un engin ni russe ni américain* (Ariel, anglais). **10-7.** Telstar 1 (80 kg. Alt. 952 à 5 634 km. Révolution 160 mn). Relais hertzien, amplifie les ondes reçues et les renvoie (puissance d'émission 2,5 W). **14-12.** Passage à 34 000 km de Vénus de la sonde américaine Mariner 2 (lancée le 27-8). **1963 (14-3).** *1er sat. géosynchrone* (Syncom 1, amér.). Contact radio perdu avant qu'il n'ait atteint son orbite définitive. **16-6.** *1re femme cosmonaute* (Valentina Terechkova, Sov.), vol : 2 j 22 h 46 mn.

1964 (14-1). *Début des fusées Saturn* (amér.) capables de satelliser 17 t. **9-4.** *1er sat. réellement géostationnaire,* les 2 premiers Syncom, lancés le 14-2-63 et le 27-6-63. Les émissions de 3 Syncom pourraient couvrir toute la Terre. **12/13-10.** *1er équipage sur orbite* (3 Sov.). **30-11.** *1er usage en vol moteurs ioniques* par la sonde sov. Zond 2.

1965 (18/19-3). *1re sortie d'un cosmonaute dans l'espace,* le Soviétique Alexeï Leonov (20 mn ; remorqué pendant 12 mn 5 s par un câble de 5 m de long) ; 1er Américain Edward White, 3-6-65 (sortie = 20 mn). **6-4.** *1er sat. commercial de télécommunications* (Early Bird, américain). **21-5.** *1er satellite lancé dans le sens inverse de la rotation de la Terre* ARS (Aerosym Rescare Satellite, amér.) ; mise sur orbite de 400 millions d'aiguilles métalliques à 3 020 km d'alt. **15-7.** Passage de la sonde Mariner 4 (amér.) à 10 000 km de Mars. **16-7.** *Début des fusées sov.* Proton capables de satelliser 12 t. **26-11.** *1er lancement par fusée ni sov. ni amér.* (Diamant, français, à Hammaguir, Sahara), *1er sat. français* (Astérix). **15/16-12.** *1er rendez-vous spatial* (Gemini 6 et 7, amér.).

1966 (3-2). *1er atterrissage en douceur d'une sonde sur la Lune* (Luna 9, sov.). **1-3.** Arrivée sur Vénus de Venera 3 (sov.) lancée le *16-11-1965* (détruite à l'arrivée). **31-3.** *1re satellisation autour de la Lune* (Luna 10, soviétique). **30-5.** *1er atterrissage en douceur d'une sonde américaine sur la Lune* (Surveyor I). **1967 (18-10).** *1er atterrissage en douceur d'une sonde sur Vénus* (Venera 4, sov.). **9-11.** *1er essai en vol de la fusée lunaire* amér. Saturn V. Une cabine Apollo rentre dans l'atmosphère à 40 000 km/h. **1968 (21-12).** *1er vol piloté circumlunaire* (Apollo 8).

1969 (17-1). *1er amarrage entre 2 engins spatiaux* (Soyouz 4 et 5, sov.). **21-7.** *1re marche d'un homme sur la Lune* (Armstrong et Aldrin, Amér., Apollo 11).

1970 (11-2). *1er engin spatial japonais* (Ohsumi). **24-4.** *1er engin spatial chinois* Dong-Fang-Hong. **24-9.** *1re sonde qui revient après s'être posée (le 12-9) sur la Lune.* (Luna 16, sov. qui ramène 103 g d'échantillons de sol). **10-11.** *1er véhicule automobile lunaire* (Lunakhod 1 fonctionne jusqu'au 4-10-71, parcourt 10,5 km en 11 mois et transmet 20 000 photos ; dépose un réflecteur laser français).

1971 (19-4). *1re station spatiale habitée* (Saliout, sov.). **26-7/7-8.** *Record pour un vol orbital autour de la Lune :* 12 j 7 h 12 mn (Apollo 15, américain). **14-11.** *1er satellite artificiel autour de Mars* (Mariner 9, amér., lancé le 30-5-1971).

1972 (23-7). *1er sat. d'observation des ressources terrestres* (ERTS 1, amér.). **7/12-12.** *Record de durée pour un séjour lunaire :* 74 h 59 mn 30 s (Eugen Cernan et Harrison Schmitt, Amér.).

1973 (14-5). *Lancer du plus gros engin spatial* Skylab (amér.) 90,5 t ; 35,96 m de long. *1re réparation d'un engin en vol par ses propres moyens.* **3-12.** *1er survol de Jupiter* (Pioneer 10, amér.).

1974 (29-3). *1er survol de Mercure* (Mariner 10, amér., lancé le 3-11-1973). **17-4.** *1er sat. météor. géostationnaire* (SMS 1, amér.). **10-12.** *1re sonde interplanétaire ni sov. ni amér.* (Hélios, allem., s'approche à 48 millions de km du Soleil le 15-3-75).

1975 (15-7). *1er vol conjoint américano-sov.* **22-10.** *1re photographie de Vénus prise au sol* (Venera 9, sov.). *1er sat. de télécomm. maritimes* (Télésat, amér.).

1977 (12-8). *1er vol d'essai atmosphérique de la navette spatiale amér.,* pilotée par Fred Haise et Gorden Fullerton. **1978 (2-3).** *1er cosmonaute tchèque,* Vladimir Remek, sur Soyouz 28 (sov.). **27-6.** *Polonais,* Miroslav Germacheirsky, sur Soyouz 30 (sov.). **26-8.** *Est-allemand,* Sigmund Jâhn, sur Soyouz 31 (sov.). **1979 (24-12).** *1er lancement d'essai de la fusée européenne* Ariane (succès). **1980 (11-10).** Retour sur Terre de Valéri Rioumine et Leonid Popov après avoir passé 185 j à bord de la station orbitale Saliout 6 (*1re mission de plus de 6 mois*). **1981 (12-4).** *1er vol expérimental,* avec 2 astronautes à bord de la navette spatiale amér. (Columbia). **1982 (24-6).** *1er vol d'un cosmonaute français* (Jean-Loup Chrétien).

1983 (13-6). La sonde interplanétaire américaine Pioneer 10 devient le 1er objet construit par l'homme à s'éloigner au-delà de la dernière planète connue du système solaire après 11 ans (4 119 j) de voyage. **28-11.** *Spacelab* (laboratoire européen habité, mis en orbite dans la soute de la navette spatiale américaine Columbia) a hébergé le 1er astronaute allemand : Ulf Merbold du 28-11 au 7-12-1983.

1984 (7-2). Lors du vol de la navette no 10, Bruce McCandless devient le *1er homme satellite,* en flottant librement dans le vide. **12-4.** A l'occasion de la mission de la navette no 11, *1re réparation d'un satellite en orbite* (S.M.M., dit Solar Max). **2-10.** Record de durée d'une mission spatiale (237 j, U.R.S.S.). **16-11.** Retour sur Terre de 2 satellites récupérés dans l'espace par la navette spatiale (mission no 14).

1985 (11-9). *1er passage dans la queue d'une comète* (Giacobini-Zinner) par la sonde américaine « ICE » à 800 km du noyau, 20 min. de traversée. **30-10.** Nombre record d'astronautes dans la navette : 8 (mission Spacelab D-1). **1986 (24-1).** *1er survol d'Uranus* par une sonde spatiale (Voyager 2). **28-1** 25e mission de la navette et 55e vol spatial piloté américain, Challenger explose 73 s après son décollage ; mort de l'équipage (voir p. 47 a). **Du 6 au 14-3** survol de la comète de Halley par sondes spatiales. **1987 (15-5).** *1er tir de la fusée géante soviétique Energia.* Retour sur la Terre le 29-12 du cosmonaute soviétique Youri Romanenko après un vol spatial de 326 j 11 h 37 mn.

1988 (19-9). Mise en orbite de « Offek-1 », *1er satellite israélien* (156 kg). **29-9.** Reprise des vols de navettes spatiales avec Discovery, après 32 mois d'interruption. **15-11.** Vol orbital automatique (sans cosmonautes à bord) de la 1re navette spatiale soviétique Bourane. **9-12.** Le Français Jean-Loup Chrétien sort dans l'espace 6 h 10 *(record).* **21-12.** Les cosmonautes soviétiques Vladimir Titov et Musa Manarov battent le *record de durée d'une mission spatiale* (365 j 22 h 30 mn).

1989 (25-8). *1er survol de Neptune* par une sonde spatiale (Voyager 2). **5-12.** L'Irak lance une fusée « Al-Abad » (3 étages, 25 m de haut, 48 t, poussée totale de 700 kN) qui se serait brièvement satellisée.

1990 (5-4). 1er vol de la fusée aéroportée amér. Pégase, larguée d'un B-52 à 13 000 m d'alt., met en orbite à 583 km d'alt. Pegsat (191 kg).

Principales dates par pays

Nombre de fusées lancées. Environ 3 000 fusées ont été lancées par 9 puissances spatiales (pays ayant des lanceurs de satellites).

Allemagne fédérale

6 satellites lancés de Vandenberg (Californie), du centre spatial Kennedy ou du Centre spatial guyanais, du *8-11-69* (Azur, *72 kg*) au *16-1-76,* par fusées Scout, Diamant B ou Titan III. *TV Sat :* voir p. 40 c.

Australie

1 satellite Wresat *(50 kg)* lancé le *29-11-67* de Woomera par fusée Redstone modifiée ; + Aussat, lancé le *19-6-87* par Ariane 3.

Brésil

Projet CBERS (en commun avec la Chine). Lancement prévu 2e sem. 1993. Satellite d'étude des ressources naturelles (1 400 kg).

Bulgarie

1 satellite Intercosmos-Bulgaria 1300 *(350 kg)* lancé le *7-8-81* par fusée sov.

Canada

2 satellites Alouette *(145, 147 kg)* lancés de Vandenberg par fusées Thor Agena B ; 2 s. Isis (*237* et *262 kg*) lancés de Cap Kennedy par fusées Thor Delta ; 9 s. Anik dont 4 lancés par fusées Thor Delta, 2 par la navette spatiale (voir p. 40 c).

Chine

A entrepris depuis 1958 la réalisation de missiles balistiques stratégiques dont dérivent les lanceurs chinois actuels. La fusée Longue Marche 1 lança les 2 premiers satellites chinois *(173 kg).* La fusée Longue Marche 2-e (190 t, ressemblant à Titan 2) a mis sur orbite 12 sat. (2,3 t à 2,9 t) entre *1975* et *1990.* La fusée Longue Marche 3 (200 t) ressemble à Ariane. 30 satellites lancés du *24-4-70* (Chine 1 ou Dong Fang Hong 1, 173 kg) au *31-12-90* par fusées chinoises dont le 8-4-90 Asiasat 1 (1 250 kg ex Westar-6 récupéré en 1984). 1er vrai contrat commercial exécuté par la Chine.

Espagne

1 satellite Intasat *(24,5 kg)* lancé le *15-11-1974* de Vandenberg par fusée Thor Delta-104.

États-Unis

Ont lancé, de 1958 à 1988, 1 041 fusées (dont 912 avec succès) et ne lancent plus actuellement qu'une quinzaine de fusées par an.

Caractéristiques. Recherche de la miniaturisation. Bien plus petites que les engins soviétiques, les sondes américaines contiennent des instruments de mesure plus efficaces et plus fiables. Ex. : Pioneer 6, en route dep. 1965, fonctionne toujours (26 ans).

Quelques programmes

• **Sondes. Explorer (55).** Les **9, 19, 24, 39** furent des **ADE (Atmospheric Density Explorer) :** sphères en aluminium (diamètre 3,65 m, *7 à 9 kg*), lancées en 1961, 63, 64, et 68. Les **14** et **15** appelés **EPE (Energetic Particules Explorers)** étudièrent, en 1962, les ceintures de radiations. Les **29** et **36** furent des sat. de géodésie rebaptisés **Geos 1** et **2.** Les **18, 21, 28, 33, 34, 35, 41, 43, 47** et **50** furent des IMP (Interplanctar Monitoring Probes). Ils explorèrent de 1963 à 1973 la magnétosphère (à env. 85 000 km de la Terre) du côté faisant face au Soleil. **42** *(12-12-70),* qui a repéré les sources cosmiques de rayonnement X, fut le 1er *SAS (Small Astronomical Satellite).* IMP 8 était encore en service début 1991.

Vanguard (3). Programme élaboré avec le concours de la marine américaine.

• **78 missions technologiques d'essai et d'information-expérimentation.**

Programme Discoverer (réalisé par l'U.S. Air Force ; 38 opérations entre le *28-2-1959* et le *27-2-1962*) a créé les techniques de récupération.

Cabine Mercury fut 3 fois expérimentée, vide, et avec les chimpanzés Ham et Enos (voir p. 44a). Le vol **Gemini 1** eut lieu sans équipage et la fusée **Saturn 1** fut mise au point à travers les opérations **SA 5, 6, 7.** Les 3 dernières **SA (SA 8, 9, 10)** lancèrent des satellites **Pegasus,** dont les larges ailes donnèrent une idée précise de l'abondance des météorites au voisinage de la Terre (2 perforations par an au m² pour une épaisseur de 0,4 mm).

Les fusées à hydrogène **Atlas-Centaur** (aujourd'hui employées pour les engins planétaires et gros satellites de communications) furent perfectionnées avec les vols **AC 2** et **AC 4.** Les opérations **Apollo**

2 et 5 qualifièrent la fusée Saturn I-B et le module lunaire, et les vols automatiques **Apollo 4** et **6,** Saturn V (voir p. 45b). Soit, au total, 15 expériences de qualification.

Avec l'opération **Snapshot,** une pile atomique de 500 watts *(3-4-1965)* a testé les conditions de fabrication d'électricité atomique dans l'espace ; le réacteur fonctionna 43 jours. Un véhicule **Sert,** de *1 500 kg,* alimenté par 2 panneaux solaires *(4-2-1970)* a expérimenté 2 moteurs ioniques au mercure pendant 3 et 5 mois.

ATS (Application Technology Satellite). Depuis déc. 1966, 6 satellites lancés depuis une orbite élevée (communications, climatologie, navigation).

• Biologie. 4 expériences de biologie spatiale permirent d'étudier, sur des micro-organismes, des plantes ou des animaux, les différents effets des radiations, d'une absence de pesanteur ou d'une pesanteur différente de la nôtre : 3 **Biosatellites** et l'**Opération OFO** *(9-11-1970)* placèrent 2 grenouilles dans l'eau d'une centrifugeuse afin de connaître le comportement de leur oreille interne.

• 28 lancements en liaison avec les vols pilotés. Après 2 vols suborbitaux de cabines **Mercury** lancées en 1961 par des fusées Redstone (opérations non spatiales), 23 fusées ont mis en orbite des cabines habitées, et 5 autres ont lancé des cibles de rendez-vous (**ATDA** et **Agena**), le programme **Gemini** étudiant les jonctions dans l'espace en vue des opérations Apollo.

• 31 vols pilotés *(au 1-1-76).* 6 Mercury, 10 Gemini, 11 Apollo, 3 Skylab, 1 ASTP. *Après 1981 :* uniquement missions de navettes spatiales.

• Météorologie. **Tiros.** Entre le *1-4-60* et le *2-7-65,* 10 lancés, *127 à 136 kg,* en forme de tambour. 605 075 photographies montrant les complexes nuageux (22 788 néphalyses transmises en fac-similé) permirent de saisir les mécanismes de la météo et d'envoyer 821 avertissements de tempête. Sur **Tiros 8,** une caméra dite APT (Automatic Puncture Transmission) permit la réception directe des images spatiales au moyen de petites stations autonomes, qui bientôt se comptèrent par centaines.

ITOS (Improved Tiros Operational Satellite). 8 lancés entre le *11-12-70* [1 : *340 kg,* alt. 1 450 km, révolution 115 mn, appelé NOAA (National Oceanic and Atmospheric Administration)] et le *28-3-83.*

Nimbus. 7 satellites *(28-8-64, 15-5-66, 14-4-69, 8-4-70, 11-12-72, 12-6-75 et 24-10-78),* présentant des panneaux de cellules au Soleil et braquant vers la Terre des caméras et spectromètres.

ESSA (Environmental Science Service Administration). 9 satellites *(3-2-66, 28-2-66, 2-10-66, 26-1-67, 20-4-67, 10-11-67, 16-8-68, 15-12-68, 26-2-69).* Certains ont sauvé des cités (Gomez Palacios et Torrean, au Mexique, menacées d'inondation).

SMS 1 (Synchronous Meteorological Satellite) *(17-5-74). 627 kg.* 1er sat. météorologique sur orbite géostationnaire 37 727/37 936 km.

GOES (Geostationary Operational Environmental Satellite). Participe au GARP (Global Atmospheric Research Program), 6 lancés, *16-10-75* au *28-4-83.*

AEM (Application Explorer Mission) ou HCCM (Heat Capacity Mapping Mission) *(26-4-78).* Alt. 620 km. Etude thermique de la Terre.

Seasat 1 *(26-6-78). 2 300 kg.* Alt. 800 km. Révolution 101 mn. Porteur de 4 émetteurs radar et d'un radiomètre infrarouge pour l'étude des océans. Tombé en panne le 10-10-1978.

SAGE (Stratospheric Aerosol and Gas Experiment) *(18-2-79). 147 kg.* Alt. 600 km. Mesure des concentrations en aérosols, ozone de l'atmosphère.

Solar Mesosphere Explorer *(6-10-81). 437 kg.* Alt. 530 km. Révolution 95 mn. Études des interactions entre le rayonnement solaire, l'ozone atmosphérique et les autres composants de l'atmosphère terrestre. Lancement d'un satellite de recherche sur les couches supérieures de l'atmosphère prévu pour 1988.

Active Magnetospheric Particle Tracer Explorers *(16-8-84)* avec G.-B. et All.-féd.

• Télédétection des ressources terrestres. **Programme Landsat** [d'abord appelé ERTS (Earth Ressources Technology Sat.)], 5 lancés du *23-7-72* au *1-3-84.*

• Astronomie et géophysique. Satellites auxquels on confie des observations qui seraient impossibles depuis la surface de la Terre (notamment parce que l'atmosphère intercepte presque tous les rayonnements autres que la lumière visible).

OGO (Orbiting Geophysical Observatory). 6 opérations du *5-9-64* au *5-6-69.*

OSO (Orbiting Solar Observatory). 8 opérations ont étudié le Soleil du *7-3-62* au *21-6-75.*

OAO (Orbiting Astronomical Observatory). 3 lancés du *8-4-66* au *30-11-70.*

Solrad. 11 lancés du *22-6-60* au *5-3-76.*

SMM (Solar Maximum Mission) *(14-2-80). 2 315 kg.* Alt. 570 km. Études des éruptions solaires pendant l'année du max. d'activité solaire. 1er satellite à être réparé en orbite en 1984. Retombé *2-12-89* au-dessus de l'océan Indien, au S.-E. du Sri-Lanka.

SAS (Small Astronomy Satellite). 2 lancés en *1970* et *1972.* Étude des sources célestes des rayons X.

HEAO (High Energy Astronomy Observatory). *3 lancés : 1°) 12-8-77. 2°) 13-11-78* appelé Observatoire Einstein, long. 6,7 m, diam. 2,4 m, masse 3 175 kg ; 1er observatoire spatial capable d'être pointé (avec une précision 1') dans une direction donnée pour collecter le feu de rayonnement X émis par une source donnée ; a fonctionné jusqu'en avril 81 et a détecté + de 10 000 sources célestes de rayonnement X, de nombreuses galaxies et certains quasars. *3°) 20-9-79.*

ISEE (International Sun Earth Explorer). 3 lancés en *1977* et *1978.* ISEE-3 a observé la comète Giacobini-Zinner le 11-09-85. ISEE a réintégré l'atmosphère en sept. 87.

Magsat. Étude du champ magnétique terrestre.

COBE (Cosmic Background Explorer). Lancé *18-11-89.* Étude du rayonnement thermique 3 K du fond du ciel, considéré comme un vestige du Big-Bang. Il a donné sa valeur : 2,735 K.

Gamma Ray Observatory *(1991).*

Hubble Space Telescope *(25-4-90).* Voir p. 31.

AXAF (Advanced X Ray Astrophysics Facility) programmé pour janvier 1996.

• Communications. *Dep. 1959,* on a expérimenté : le sat. enregistreur (**Score** et **Courier**), le ballon réflecteur (**Echo 1** et **2**), le satellite actif de défilement (**Telstar 1, 2** et **3** et **Relay 1** et **2**), la ceinture d'aiguilles (**West Ford**) et enfin le satellite actif géostationnaire (**Syncom 2** et **3**), formule retenue par l'organisme **Intelsat** (voir p. 40 c).

• Navigation. Grâce à 15 satellites **Transit** *(50 à 80 kg.* Alt. 1 000 km environ. Révolution 107 mn, orbite polaire), les navires font le point, quelles que soient heure et conditions météo. Système complété par G.P.S. (Global Positioning System) à base de satellites **Navstar** ; localisation à 25 m près

Nova *(1er lancé le 15-5-81).* Alt. 1 110 km. Série de 3 sat. complétant le réseau précédent. *Améliorations par rapport aux Transit :* émetteurs (150 et 400 MHz plus puissants), ordinateur à mémoire de capacité accrue (262 Kbits) pouvant stocker 5 j de données, meilleure stabilité de l'horloge embarquée et capacité de corriger les perturbations orbitales ; équipés d'un système permettant de compenser les effets de la pression de radiation solaire sur leur trajectoire (satellites « à traînée compensée »).

• Géodésie. 10 satellites géodésiques **Secor** permettent des triangulations radioélectriques à 10 m près, la précision métrique étant atteinte avec les sondages par laser (que permettent 4 satellites Explorer). 4 satellites **Geos.**

• Lageos (Laser Geodynamic Satellite) *(6-5-76). 411 kg.* Alt. 5 900 km. Sphère de 60 cm dont la surface comporte 426 réflecteurs pour renvoyer au sol des échos laser. **Lageos 2** lancement 1990.

• Engins de coopération fabriqués par divers pays. Voir G.-B., Canada, Australie, All. féd., France (FR-1 et Eole), Italie.

• Programme spécifique de l'U.S. Air Force. Nombreux lancements, dont beaucoup de multiples.

• Surveillance. Ex : **SAMOS** (Satellite and Missile Observatory System) depuis 1960. **LASP (Low Altitude Surveillance Platform)** dep. 1971, 1er lancement réussi *24-5-60,* alt. 430 à 444 km. Actuellement : Big Birds (satellites-caméras de 11 t), construits par Lockheed pour U.S. Air Force : larguent des capsules contenant les films.

Réseau (alt. 110 000 km). **Vela Hotel** lancé par paires à 6 reprises (dernière *8-4-70*), pour constater que le traité de Moscou de 1963 (interdiction des explosions atomiques dans l'atmosphère) était observé. **Midas** pour détecter les missiles.

Les **IMEWS (Integrated Multipurpose Early Warning Satellite)** prolongent ce programme ; depuis une orbite géostationnaire, doivent signaler, grâce à des détecteurs infrarouges, tout lancement de fusée ou toute entrée d'ogive dans l'atmosphère.

Les **DMSP (Defense Meteorological Satellite Program)** sont des satellites de l'U.S. Air Force.

Des opérations spéciales ont eu lieu dans le cadre des programmes **ARPA-X** (satellites **LCS** ou **DASH** notamment, pour calibrer les radars) et **SAINT (SAtellite INTerceptor),** en vue d'abordage et d'identification de satellites par des vaisseaux d'inspection.

• Recherche **(NASA).** Lancements militaires pour des recherches concernant matériaux, radiations et techniques : **ERS (Environmental Research Satellite) ; OV (Orbiting Vehicle),** ex. **OV** 3-6 qui fut un **ATCOS (ATmospheric COmposition Satellite) ; SURCALS (SURveillance CALibration Satellite ;** programme réalisé par l'U.S. Air Force) ; opérations pour une étude des radiations **(Hitchhiker, Radiation Satellite Radose, Starrad, Starflash) ;** opérations d'étude de la haute atmosphère **(Calsphere, Bluebell, Cannon Ball).** Ces opérations ont été souvent confiées à des engins du type Transtage (véhicule piloté constituant l'étage supérieur d'une fusée Titan III et conçu pour larguer plusieurs charges sur des orbites différentes).

Europe

L'Europe (CERS, ESRO et CECLES-ELDO puis ESA) a échoué dans sa tentative pour construire le 1er lanceur européen *Europa.*

Repartie sur de nouvelles bases en 1973, principalement sous l'impulsion de la France, elle a réussi à mettre au point Ariane, principal concurrent de la Navette spatiale américaine pour les mises en orbite géostationnaire (voir p. 49c).

France

L'industrie spatiale française employait, en 1984, 10 400 personnes dont 8 300 dans l'ind. privée. Elle a réalisé en 1984 un chiffre d'affaires H.T. consolidé de 5 500 millions de F (1983 : 5 133,6). *Prospace* fondé en 1981 ; réunit dans un groupe d'intérêts économiques pour les activités spatiales françaises 39 sociétés et organismes.

Objectifs : maintenir la Fr. au rang de 3e puissance spatiale, derrière U.S.A. et U.R.S.S. Après la mise en route du programme de sat. d'observation SPOT (lancé en fév. 1986), 2 autres programmes nationaux ont été décidés :

1°) Télécommunications au bénéfice de France-Telecom (3 sat. lancés depuis 1984). *2°)* Télévision directe au bénéfice de TDF.

Tous les satellites ci-dessous sont toujours en orbite (sauf Castor et Pollux) mais ne servent plus à l'exception de Starlette.

A-1 (Astérix) [lancé le *26-11-65* à 15 h 47 à Hammaguir (Algérie) par fusée Diamant A]. Capsule technologique simple. Orbite initiale 509 à 2 276 km, révolution 113 mn ; (au 31-12-89 : 523 à 1 723 km ; 107,8 mn), *38 kg.* A cessé d'émettre le *26-11-65.*

FR-1 [*6-12-65* de Vandenberg (U.S.A.) par Scout (amér.)]. Sat. scientifique pour l'étude de l'ionosphère. Orbite initiale 780 km, *62 kg.* Révolution 100 mn (au 31-12-89 : 710 à 721 km ; 99,1 mn). A cessé d'émettre le *28-2-69.*

D-1A (Diapason) [*17-2-66* d'Hammaguir (Alg.) par Diamant A]. Satellite d'études technologiques (mise à l'épreuve de matériels français) et scientifiques (géodésie). Orbite initiale 506 à 2 750 km. *18,5 kg.* Révolution 118,14 mn (au 31-12-89 : 502 à 2 541 km, 116,5 mn). A cessé d'émettre le *23-1-72.*

Diadème 1 (D-1C) [*8-2-67* d'Hammaguir (Alg.) par Diamant A]. Satellite d'études scientifiques (géodésie par moyens laser et Doppler). Orbite initiale 572 à 1 353 km. *20 kg.* Révolution 102,5 mn (au 31-12-89 : 554 à 1 145 km, 101,9 min.). A cessé d'émettre le *2-1-70.*

Diadème 2 (D-1D) [*15-2-67* d'Hammaguir (Alg.) par Diamant A]. Orbite initiale 592 à 1 886 km. *20 kg.* Révolution 109,5 mn (au 31-12-89 : 586 à 1 779 km, 109,1 mn). Mission identique à celle de Diadème 1. A cessé d'émettre le *5-4-67,* mais a été utilisé pour des observations optiques et des échos laser. Fin de vie *16-9-68.*

Péole (préliminaire à Éole) [*12-12-70* à Kourou par Diamant B-2]. Orbite initiale 516 à 748 km. Révolution 97,21 mn. *58 kg* (au 31-12-89 : 590 à 665 km, 97,3 mn). 1er sat. géodésique sur orbite équatoriale. A cessé d'émettre le *23-3-72.* Fin de vie *16-6-80.*

D-2A (Tournesol) [*15-4-71* de Kourou par Diamant B-3]. Orbite initiale 455 à 703 km. Révolution 96,3 mn. *96 kg.* Sat. scientifique destiné à l'étude du Soleil et de l'hydrogène autour de la Terre et dans l'espace, par des mesures dans l'ultraviolet. A cessé d'émettre le *22-7-73.* Est rentré dans l'atmosphère le *28-1-80.*

Éole [*16-8-71* de Wallops Island (U.S.A.) par Scout]. Orbite initiale 678 à 960 km. Révolution 100,7 mn (au 31-12-89 : 660 à 856 km, 100 mn). *80 kg.* Sat. météorol. expérimental, destiné à l'étude de la circulation des vents dans l'hémisphère austral. A la suite d'une erreur de manipulation, Éole a détruit par télécommande 89 des 479 ballons qu'il devait interroger. Peu à peu la disparition progressive des autres ballons l'a rendu disponible pour des expériences complémentaires : étude des courants marins, trajectographie de navires avec transmission de messages, étude des mouvements des icebergs, localisation de véhicules terrestres, mesures météorologiques, expériences technologiques. Arrêt des expériences en *juillet 1974.*

D-2A (Polaire) *(5-12-71). 96 kg.* Sat. scientifique : devait analyser l'émission Lyman Bêta de l'hydrogène. Lancé de Kourou par Diamant B-4. N'a pu être mis en orbite.

Sret-1 (Satellite de recherche et d'études technologiques) [*4-4-72* de Plesetsk (U.R.S.S.) par fusée soviétique en même temps qu'un satellite de télécommunications Molniya]. Orbite initiale 480 à 39 248 km. Révolution 12 h 15 mn. *15 kg.* Sat. technologique pour l'étude de la dégradation des cellules solaires en couches minces sous l'effet des particules chargées. Rentré dans l'atmosphère le *14-7-73.* Fin de vie *26-2-74.*

Symphonie 1 et 2, *1974* et *1975.* Voir p. 41c (sat. de télécommunications).

Starlette (Satellite de taille adaptée avec réflecteur laser pour l'étude de la Terre) *(6-2-75* de Kourou par Diamant BP4 n° 1). *47 kg.* Orbite initiale 806 à 1 109 km. Révolution 104 mn (au 31-12-89 : 806 à 1 108 km, 104,2 mn). Sphère d'uranium de 24 cm de diam. avec des réflecteurs pour la télémétrie laser. Satellite géodésique. Permit de mesurer la dérive des continents et de voir que les U.S.A. s'éloignaient de l'Europe d'env. 2 cm par an.

D-5A (Pollux) (*15-5-75* de Kourou par Diamant BP4). *37 kg.* Orbite initiale 277 à 1 277 km. Révolution 100,3 mn. Destiné à tester un micro-propulseur à hydrazine. Rentré dans l'atmosphère le *5-8-75.*

D-5B (Castor) (*17-5-75* de Kourou par Diamant BP4 n° 2). Orbite initiale 277 à 1 275 km. Révolution 100,3 mn. Expérimentation d'un micro-accéléromètre de haute précision. Réplique des satellites **Castor** et **Pollux** dont la mise en orbite échoua le *22-5-73.* Rentré dans l'atmosphère le *18-2-79.*

Sret-2 *(6-6-75* d'U.R.S.S. par fusée soviétique avec un sat. de télécom. Molniya). *30 kg.* Orbite initiale 400 à 40 000 km. Révolution 12 h (au 31-12-89 : 513 à 40 825 km, 737,8 mn). Sat. technologique devant qualifier un système radiatif cryogénique passif qui sera utilisé sur le sat. météorologique géostationnaire européen Météosat. Arrêt d'exploitation *12-80.*

D-2B (Aura) (*27-9-75* de Kourou par Diamant BP4). *120 kg.* Orbite initiale 503 à 715 km. Révolution 96,8 mn. Sat. scientifique pour l'étude du rayonnement ultraviolet du Soleil et des étoiles. A cessé d'émettre le *28-12-76.* Rentré dans l'atmosphère le *30-9-82.*

D-2B Gamma (rebaptisé Signe 3) (*17-6-77* en U.R.S.S. par lanceur soviétique). *102 kg.* Orbite initiale 480,96 à 512,11 km. Révolution 94 mn. Sat. scientifique pour l'étude des sources célestes de rayons gamma. Retombé le *20-6-79.* Argos. Programme prévu de 1978 à 1986. Système de localisation et de collecte de données opérationnelles (géologie, vulcanologie, agronomie, océanographie, météorologie, pollution, etc.) recueillies par 400 bouées dérivant dans les mers du Sud et 300 ballons déployés dans la haute troposphère (15 km). L'équipement est transporté à bord de 15 sat. : 5 géostationnaires, dont Météosat ; 2 à défilement sur orbite polaire ; 8 amér. (dont 2 simultanément en fonctionnement : Tiros N et NOAA-A).

Cat-01 [*24-12-79* de Kourou par Ariane L01 (qualification)]. Orbite initiale : 202,6 à 35 996 km. Révolution 634,5 mn ; rentré dans l'atmosphère le *31-12-89.*

Cat-03 (*19-6-81* à Kourou par Ariane L03). Mission identique à celle de Cat-01. Orbite initiale 201 à 36 173 km. Révolution 636,3 mn (au 31-12-89 : 239 à 31 607 km ; 552,4 mn). Fonctionnement normal 96 h. Mesure caractéristique trajectoire.

Arcad-3 [*21-9-81* de Plesetsk (U.R.S.S.) par fusée soviétique]. Orbite initiale 380 à 1 920 km. Inclin. sur l'équateur 82,6°. Révolution 108,2 mn. *1 000 kg.* Sat. franco-sov., étude des phénomènes magnétosphériques.

Thésée (*20-12-81* de Kourou par Ariane L04). Orbite initiale 199 à 36 051 km. Révolution 636 mn. (au 31-12-89 : 255 à 32 812 km ; 575,2 mn). Mesure de la densité électronique du plasma de l'éclairement solaire moyen. A cessé d'émettre le *9-1-82.*

SPOT (Système probatoire d'observation de la Terre). *700 kg.* Programme conçu par le CNES, 4 satellites successifs prévus pouvant assurer leur service pendant 12 ans. A leur bord, 2 télescopes capables de fournir des images de la Terre avec une finesse d'environ 10 m. *Budget :* 3,5 milliards de F (2/3 pour SPOT 1 et 1/3 pour SPOT 2), avec installations au sol et lancements par Ariane. *Coût des stations de réception :* 80 millions de F. La Belgique (pour 4 %) et la Suède (6 %) participent au financement. Commercialisation des données par SPOT Image (créée juillet 1982 ; 1re société commerciale spécialement destinée à la distribution de données satellitaires). SPOT 1 : lancé *22-2-86* de Kourou sur une orbite polaire héliosynchrone par Ariane 1. Orbite initiale 832 km ; inclinaison sur l'équateur : 98,7°. Direction : sud-nord. Révolution circumterrestre : 101 mn 28 s., soit 265 tours en 26 j. (au 31-12-89 : 821 à 822 km ; 101,3 mn). Désactivé le *31-12-80.* SPOT 2 : lancé *22-1-90* de Kourou par Ariane. Orbite initiale héliosynchrone circulaire. Mission de télédétection. SPOT 3 : prévu 1992-93. SPOT 4 : prévu 1994.

Hélios. Prévu 1993. 2 sat. militaires (révolution 1 mn).

☞ A St-Martin de Crau (B. du Rh.), **un dessin de 380 000 m² (760 m × 500 m)** sur lequel sont répartis 16 carrés de 80 m de côté, fait de 200 t de parpaings et 12 t de bâches, a permis de tester les instruments de SPOT et aurait pu être vu des astronautes. Aujourd'hui démonté.

TDF 1 (voir p. 41c). Telecom 1.

Grande-Bretagne

Satellites lancés. Ariel 1 *26-4-62* [1,7]. 2 *27-3-64* [2,8]. 3 *5-5-67* [3,8]. 4 *11-12-71* [3,8]. 5 *15-10-74* [4,8]. 6 *2-6-79* [2,8]. Prospero *28-10-71* [5,9]. Skynet 1 *21-11-69* [6,7]. 1 B *19-8-70* [6,10]. 2 A *19-1-74* [1,10]. 2 B *23-11-74* [1,7]. X 4/Miranda *9-3-74* [3,8]. UOSAT/OSCAR 9 *6-10-81* [3,7].

Nota. – (1) Cap Canaveral. (2) Wallops Island. (3) Vandenburg. (4) San Marcos. (5) Woomera. (6) Cap Kennedy. (7) Par Delta. (8) Par Scout. (9) Par Black Arrow. (10) Par Thor Delta.

Inde

Satellites lancés. 10 dont 4 par fusée soviétique Intercosmos [*19-4-75* Aryabhata : *360 kg ; 7-6-79* Bhaskara I : *444 kg ; 20-11-81* Bhaskara II : *436 kg ; 17-3-88* à Vostok IRS (Indian Remote Sensing Sat.) IA *975 kg* télédétection]. 1 par Ariane, de Kourou [*19-6-81* (Ariane passenger payload experiment). Apple géostationnaire en usage jusqu'au *19-9-83*], 3 par fusée indienne SLV-3 [*18-7-80* RS (Rohini-Sat) E-2 : *35 kg ; 31-5-81* RS-D-1 : *38 kg ; 17-4-83* RS-D-2 : *41,5 kg*], 2 par fusées indiennes ASLV [échec **SCROSS 1** (Stretched Rohini Sat Series) le *24-3-87 ;* 2 le *13-7-88*]. 1 par Delta (*10-4-82* Insat-1-A), 1 par la navette STS-8 (*30-8-83* Insat-1-B). Fusées indiennes. *SLV-3* (Sat Launch Vehicle) (22,7 m, 17 t, 4 étages, à poudre) en construction. *ASLV* (Augmented SLV) (23,5 m, 39 t, charge utile 150 kg, 5 étages, à poudre), *PSLV* (Polar Sat Launch Vehicle) (44,18 m, 275 t, charge utile 1 000 kg, 5 étages, à poudre et liquide). IRS (Indian Remote Sensing Satellite) 1-A *(17-3-88), 950 kg.* GSLV (Geosynchronismous SLV) charge utile 2,5 t.

Israël

Satellites lancés. 2, le *17-9-88* (Offek-1, *156 kg*), par fusée Shavit ; le *3-4-90* (Offek-2).

Italie

Satellites lancés. 6 du *14-12-64* (San Marco1, *115 kg,* lancé par fusée Scout de Wallops, USA) au *10-9-82* (Sirio 2 lancé de Kourou par Ariane). 1 (Italsat) lancé de Kourou *15-1-91* par Ariane.

Projet SAX (voir Pays-Bas ci-dessous).

Japon

Satellites lancés. 41 du *11-2-70* (Ohshumi, *24 kg*) au *6-9-89* (Himawari, *345 kg*) dont 17 scientifiques de la base de Kagoshima (lanceurs L-4S, M-4S, M-3C, M-3H, M-3S, M-3S11) ; 21 d'application par la NASDA de Tanegashima (lanceurs N-1, H-11, H-1) ; 3 par la NASA de Cap Canaveral pour la NASDA (lanceur U.S.-Delta). *24-1-90* (Muses A, *182 kg*) vers la Lune. *7-2-90* [MOS 1-B, (*740 kg*) + 2 petits (*50 kg*)] La NASDA utilisera dans les années 1990 un lanceur H-2 pour de plus gros satellites.

Le Japon entretient simultanément 2 programmes complets de moyens de lancement (fusées, champs de tirs) et de satellites.

Noms donnés. *Oshumi :* nom du site de lancement, *Tansei :* collier de lumière bleue, *Shinsei :* étoile nouvelle, *Denpa :* onde radio, *Taiyo :* soleil, *Kiku :* chrysanthème, *Ume :* fleur d'abricotier, *Himawari :* tournesol, *Sakura :* fleur de cerise, *Kyokko :* aurore, *Yuri :* lis tigré, *Jikiken :* magnétosphère, *Ayame :* iris, *Hakucho :* cygne, *Hinotori :* phœnix, *Tenma :* Pégase, *Ohzora :* ciel, *Ajisai :* hortensia, *Fuji :* Mont Fuji ou fleur de glycine, *Ginga :* galaxie, *Momo :* pêcher, *Sakigake :* pionnier, *Suisei :* comète.

Pays-Bas

ANS (Astronomical Netherland Satellite). *134 kg,* lancé par fusée Scout le *30-8-74.*

IRAS (Infrared Astronomical Satellite). *834 kg,* lancé le *25-1-83* (projet commun P.-Bas, U.S.A., G.-B.). Satellite réalisé en coopération avec U.S.A. et G.-B., a fonctionné jusqu'au *23-11-83,* a observé plus de 200 000 sources célestes d'infrarouge, découvert 3 comètes, 3 anneaux de poussière situés dans la ceinture d'astéroïdes entre les orbites de Mars et de Jupiter, 1 nouvel astéroïde (1983-TB), des filaments nuageux qui parsèment la Galaxie et des matériaux solides qui pourraient correspondre à un système planétaire autour des étoiles Véga et Fomalhaut.

SAX (projet commun avec Italie). Satellite radiologique pour recherche astrophysique à haute énergie.

Suède

Viking (*22-2-86* par Ariane). 1er satellite entièrement suédois : *538 kg,* hauteur : 0,5 m, diamètre : 2 m, coût : 108 millions de F. Explorera les aurores boréales, puis la magnétosphère terrestre. Orbite : 14 000 800 km.

Télé X (*24-4-89* par Ariane). Télédiffusion.

Freja (projet commun avec All.). Lancement prévu *1992 : 230 kg,* alt. 650-1 800 km. Emportera des détecteurs de particules magnétiques, des capteurs de champs électriques et magnétiques et un imageur à ultra-violets.

U.R.S.S. (exemples)

Statistiques. A lancé plus de 2 200 fusées, env. 2 000 satellites, dont plus de 2 100 Cosmos (dont plus de 75 % de sat. militaires).

Caractéristiques. Importance du poids non utile compensé par la puissance des fusées lanceuses, Spoutnik 3 (1958) pesant 1 327 kg tandis que la sonde amér. Explorer 1 en pesait 14. L'avance sov. remonte à la création des « orgues de Staline » (1943).

Spoutnik. 10 lancés de *1957* (*Spoutnik 1,* 83,6 kg, 1er satellite lancé dans le monde) à *1961* (*Spoutnik 9,* lancé le *9-3-61,* et *Spoutnik 10* lancé le *25-3-61,* furent des répétitions du vol *Vostok 1*). Voir p. 47b.

Cosmos. Du *16-3-62* (*Cosmos 1,* alt. 227 à 405 km, révol. 90,5 mn) au *31-12-90,* 2 120 Cosmos avaient été lancés ; sur 1 000, 782 avaient eu une mission militaire (401 reconnaissances photographiques, 71 renseign. électroniques, 189 télécomm. mil., 50 sat. agressifs, c.-à-d. simulant une attaque nucléaire), 85 une mission civile (navig., météor., télédétection), 76 avaient été accidentés, 13 étaient inclassables (voir p. 49 b, navette Bourane). Les satellites-caméras (poids 4 t) ne larguent pas de films mais sont récupérés au sol après 15 j de prises de vue. Pour le lancement : 3 types de fusées : 1) *Proton* qui place près de 20 t sur orbite basse (peu employée) ; 2) *Lance-Cosmos* pour des sat. scientifiques (charge utile env. 400 kg). Parfois (par ex. pour tester des composants ou expérimenter des équipements légers), les Soviétiques utilisent des mini-satellites (env. 50 kg), lancés par grappes de 8 par une Lance-

Cosmos ; 3) *Korolev* (charge utile 4 à 6 t, la plus employée).

Cosmos 110, 368, 605, 782 et *936* étaient des biosatellites, étudiant le comportement d'organismes vivants (animaux ou végétaux) en apesanteur. *Cosmos 782,* lancé le *25-11-75,* a emporté des expériences américaines et une française (Bio-bloc 1). *Cosmos 954* s'est écrasé au Canada le 24-1-78. *Cosmos 777* est retombé en U.R.S.S. le 18-4-79. *Cosmos 1094* (surveillance océanique avec radar-photographie) a été lancé à sa place. *Cosmos 1900* s'est désintégré le 1-10. *Cosmos 1267,* lancé *15-4-81* fut le 1er vaisseau modulaire à s'amarrer à une station orbitale (Saliout 6). *Cosmos 1402,* chargé d'un réacteur nucléaire comportant 50 kg d'uranium, est retombé en 3 morceaux les 30-12-82, 23-1-83 (océan Indien) et 7-2-83 (Atlantique Sud). *Cosmos 1443* fut le 1er vaisseau modulaire habité après son amarrage à Saliout 7 (10-3-83). *Cosmos 1870,* lancé *25-7-87* (15 à 20 t était le + gros satellite de télédétection). *Cosmos 1887* a été lancé *29-9-87* avec 2 macaques, 10 rats, 6 poissons à bord.

Intercosmos. 20 sat. lancés du *14-10-69* au *31-12-79.* Sat. d'étude des radiations dans la haute atmosphère, construits en collaboration avec All. dém., Bulgarie, Cuba, Hongrie, Mongolie, Pologne, Roumanie et Tchécoslovaquie.

Météor. 28 sat. **Météor 1** lancés du *7-10-69* au *29-6-77 ;* 15 **Météor 2** lancés du *11-7-75* au *5-1-87.* Sat. météor. Alt. 630/690 km.

Prognoz. Étude de l'activité du Soleil et de son influence sur le milieu interplanétaire et la magnétosphère de la Terre. 9 lancés du *14-4-72* au *1-7-83.*

Proton. Étude du rayonnement cosmique et gamma. **1** (16-7-65). **2** (2-11-65). **3** (6-7-66). **4** (16-11-66) alt. 190 à 495 km. Gros cylindres de 12 t (1 et 2) puis 17 t (3 et 4), flanqués de 4 grands panneaux solaires leur donnant une envergure de 9,7 m.

Élektron. Sat. d'étude du champ magnétique terrestre, du rayonnement cosmique, des émissions radioélectriques solaires et des ceintures de Van Allen (de particules entourant la Terre). 5 lancés.

Magik. Lancé le *24-10-78* avec Intercosmos 18 dont il se détache le *14-11-78.*

Astron. Lancé le *23-3-83.* Alt. 2 000 à 200 000 km. Sat. d'astronomie (3 500 kg + 450 kg d'instruments). Emporte l'expérience franco-sov. UFT pour des recherches d'astrophysique dans l'ultraviolet. Charge utile scientifique : 1 télescope de 80 cm de diam. et 5 m de long, associé à un spectromètre fonctionnant entre 1 150 et 3 500 Å de longueur d'onde.

Granat. Lancé le *1-12-89.* Sat. d'astronomie. Emporte le télescope français Sigma. Orbite 2 000/200 000 km.

Satellites de télécommunications

☞ **Redevance applicable à chaque demi-circuit** (en $). *1965 :* 32 000. *71 :* 15 000. *79 :* 5 760. *83 :* 1 700. Réglée par les pays membres du Réseau Intelsat à l'organisation Intelsat, à Washington. *Tarifs (au 1-4-86). Arabsat :* 200 $ les 2 premières minutes (*Intelsat :* 800 à 1 000 $) pour favoriser l'utilisation de ses satellites sur les liaisons commerciales transatlantiques Europe-Amérique du Nord (Intelsat a décidé en sept. 1986 de réduire de 25 % ses tarifs).

Stations terriennes françaises de télécommunications

(Télévision directe et une quinzaine de stations démontables et transportables exclues.)

Légende. D : Diamètre. *S :* Standard. *L :* Liaisons.

Pleumeur-Bodou (C.-du-N.). **PB-I** [1]. 1re antenne construite entre *oct. 1961* et *juillet 1962,* mise en exploitation commerciale en 1965. En forme de « cornet réflecteur » (haut. 29 m, long. 54 m) en acier et alliage d'aluminium, 340 t. *Réflecteur* 36 m, surface utile 360 m². *Antenne* roule sur 2 rails concentriques, protégée des vents et des variations de température par une sphère de dracon, le *radôme* (diam. 64 m, haut. 50 m, poids 27 t), tendue grâce à une soufflerie qui la gonfle à l'intérieur. *D :* env. 20 m. *S :* A. *L :* Intelsat. **PB-2** [2] (280 t). Sans radôme (inaug. en *sept. 1969*). Peut fonctionner avec des rafales de vent de 105 km/h. Précision de pointage 2/100 de degré. *D :* 27,5 m. *S :* A. *L :* Intelsat. **PB-3** (400 t, inaug. *déc. 1973*). Avec amplificateurs paramétriques refroidis à l'hélium gazeux (– 253 °C). Peut supporter les mêmes conditions de vent que PB-2. *D :* 30 m. *S :* A. *L :* Intelsat, Atlantique, Indien. **PB-4** (300 t). Mise en service en *1976.* 1re station française utilisant une source « périscopique » et des amplificateurs paramétriques non refroidis. *D :* 32,5 m. *S :* A. *L :* Intelsat. **PB-5.** *D :* 16,5 m. *S :* B. *L :* Symphonie. **P.T.T.S.** *D :* 14,5 m. *S :* B. *L :* P.T.T.S. (Poursuite, Télémesure, Télécommande, Surveillance), Intelsat. **PB-6.** En constr. *D :* 32,5 m. *S :* A. *L :* Intelsat. **PB-7.** En constr. *D :* 32 m. *S :* A. *L :* Intelsat.

Bercenay-en-Othe (Aube). **BY-1** (1978). *D :* 32,5 m. *S :* A. *L :* Intelsat. **BY-2.** *D :* 32,5 m. *S :* A. *L :* Intelsat. **BY-3** [1]. *D :* 17,4 m. *S :* C. *L :* Intelsat. **BY-E** [1] (1978). *D :* 14,5 m. *S :* C. *L :* O.T.S. puis E.C.S. **BY-4.** En constr. *D :* 32,5 m. *S :* A. *L :* Télécom 1.

Trois-Ilets (Martinique). **TR-1** (1972). *D :* 26 m. *S :* A. *L :* Intelsat. **TR-2** (1980). *D :* 11,8 m. *S :* B. *L :* Intelsat puis Télécom 1.

Trou Biran (Guyane). **TB** (1974). *D :* 32,5 m. *S :* A. *L :* Intelsat.

Rivière des pluies (Réunion). *D :* 14,5 m. *S :* B. *L :* Intelsat puis Télécom 1.

St-Pierre-et-Miquelon. Pain de sucre (1981). *D :* 11,8 m. *S :* B. *L :* Symphonie mais peut travailler avec Intelsat et travaillera avec Télécom 1.

Ile Nou (Nlle-Calédonie, 1976). *D :* 32,5 m. *S :* A. *L :* Intelsat.

Papenoo (Polynésie fr., 1978). *D :* 11,8 m. *S :* B. *L :* Intelsat.

Nota. – (1) Fréquences : 4-6 GHz sauf BY-3 et BY-E : 11-14 GHz. (2) Les antennes françaises du réseau Intelsat ont été adaptées à la réutilisation des fréquences par polarisations croisées, sauf PB-1 et PB-2 où cette transformation n'est pas possible.

Avec le développement rapide des télécomm. par sat. et l'augmentation du nombre de réseaux (Intelsat, Symphonie, O.T.S...), des stations d'un type différent de celui des grandes stations Intelsat sont de plus en plus utilisées. D'un diam. inférieur, elles sont plus faciles à mettre en œuvre et sont conçues pour être transportées. De telles stations transportables existent depuis 1976.

Risques de chute

La quasi-totalité des satellites de communications sont géostationnaires, et donc placés sur une orbite circulaire à 36 000 km d'alt. (6 rayons terrestres). Comme c'est vers 3 000 km d'altitude que la densité de l'atmosphère se confond avec celle du milieu interplanétaire, ils ne sont plus soumis au freinage atmosphérique, et sont donc éternels.

Depuis le 4-10-1957, plus de 10 000 débris sont retombés de leur orbite. *En 1961,* Fidel Castro affirma qu'un morceau de satellite américain avait tué une vache cubaine. *En 1962,* à Manitowoc (Wisconsin), un cylindre de Spoutnik 4 d'env. 10 kg est tombé à l'intersection de 2 rues. L'U.R.S.S. a accepté de payer 2,55 millions de $ de dédommagement au Canada. Un réacteur nucléaire *Romachka,* de *508 kg,* alimentait le radar de bord, fonctionnant avec une charge de 49 kg de dicarbure d'uranium-235 enrichi (un réacteur serait déjà tombé le 30-4-1973 dans la mer du Japon ; il y a eu aussi 3 chutes de réacteurs amér. : Madagascar 22-4-64, au large de la Californie 18-5-1968, fosse du Tonga 11-4-70). Le *24-1-1978,* des fragments de Cosmos 954, satellite soviétique de 5 t, doté d'une pile nucléaire, sont tombés au Canada dans la région de Yellow Knife, près du grand lac des Esclaves. *En 1979,* les restes du laboratoire orbital Skylab (77,5 t) pulvérisés tombent dans l'océan Indien et en Australie. « Cosmos 1736 », lancé le *21-3-1986,* dont un réacteur ou un réservoir a probablement explosé est retombé pulvérisé. *En 1988,* le réacteur nucléaire de Cosmos 1900 a pu être propulsé, le 30-9, sur une orbite à 720 km d'altitude, où il restera env. 200 ans ; le reste du satellite (non radioactif) s'est désintégré le 1-10 au-dessus de l'océan Indien. Le *7-2-91* Saliout 7 s'est désintégré puis est tombé dans le nord de l'Argentine.

Organismes internationaux

Eumetsat (European Meteorologic Satellite). *Créé* 19-6-1986. 16 États membres. Exploite Météosat-2 depuis 1981. 4 autres satellites prévus. Programme de 4 millions d'écus (27 millions de F env. entre 1985 et 1995). Aides au financement : France 22 %, All. féd. 21, G.-B. 14, Italie 11.

Eutelsat (European Telecommunication Satellite). Membres : 26 pays d'Europe. *Objet :* conception, mise au point et mise en place de systèmes opérationnels de télécom. par satellites et exploitation de satellites de télécom. assurant entre pays d'Europe des liaisons téléphoniques ou télex, des transmissions de données d'ordinateur, des échanges de programmes de télévision. *Siège :* Paris. *Dir. Gén. :* Jean Grenier.

Programme Eutelsat. Coût prévu pour 5 satellites : 340 millions d'ecus.

Inmarsat (International Maritime Satellite). *Créé* le 16-7-1979, entré en service le 1-2-1982. États membres 34. *Siège :* Londres.

Intelsat (International Telecommunication Satellite). *Créé* 19-8-1964, statuts définitifs 20-8-71. *Membres :* 115 pays. Gère le secteur spatial pour les télécomm. intercontinentales par satellite. Réseau de 13 satellites, 180 stations équipées de 800 antennes réparties dans 170 pays, 49 000 heures de mondovision relayées en 1984.

Interspoutnik. *Créé* nov. 1971 ; fonctionne dep. janv. 1974. *Membres :* All. dém., Bulgarie, Cuba, Hongrie, Mongolie, Pologne, Roumanie, Tchécosl., U.R.S.S. Un rapprochement d'Interspoutnik et d'Intelsat a été tenté. L'U.R.S.S. construit en Ukraine une station *Intelsat* et a mis en service une ligne spéciale par sat. Moscou-Washington, relayée par les Intelsat et les Molniya.

SBS (Satellite Business System). *Créé* 15-12-1975 par IBM, Comsat General Corp. et Aetna Life and Casualty Inc. 1er réseau privé de télécomm. intra-entreprises par satellites (rebaptisé CNS : Communications Network Service). 22 entreprises abonnées jusqu'à fin 1984. En 1985, SBS a signé des accords avec les administrations de Télécommunications, de France, Belgique et des Stes japonaises.

Exemples de satellites de radiocommunication

Satellite international

Intelsat-1 (1 sat. lancé *Early Bird* le *6-4-65).* Masse au départ : *68 kg ;* en orbite : *38,5 kg,* cylindre 58 × 72 cm ; alt. 35 752 à 35 823 km au-dessus de l'Atlantique ; espérance de vie : 1,5 an ; puissance rayonnée : 46 W ; voies disponibles : 240 ; ne peut pas communiquer avec plusieurs stations simultanément. **2** (4 lancés de *1966* à *1967*). Masse au départ : *162 kg ;* en orbite : *87 kg ;* espér. de vie : 3 ans ; puiss. ray. : 100 W ; voies disponibles : 240 ; peut communiquer simultanément avec plusieurs stations (accès multiples). **3** (8 lancés de *1968* à *1970*). Masse au départ : *287 kg ;* en orbite : *146 kg ;* espér. de vie : 5 ans ; puiss. ray. : 120 W ; voies disponibles : 1 200 (ou 4 canaux TV). **4** (8 lancés de *1971* à *1975*). Masse au départ : *1 390 kg ;* en orbite : *720 kg ;* espér. de vie : 7 ans ; puiss. ray. : 540 W ; voies disponibles : 6 000 (ou 12 canaux TV). **4 A** (6 prévus ; 4 lancés depuis *25-9-75*). Masse au départ : *1 515 kg ;* en orbite : *825 kg ;* espér. de vie : 7 ans ; puissance rayonnée : 700 W ; voies disponibles : 6 250 (ou 20 canaux TV). Le *29-9-77,* le 4e Intelsat 4, qui devait être satellisé au-dessus de l'océan Indien, a été détruit par l'explosion de la fusée porteuse 55 s après le lancement. **5** (15 prévus ; 1er lancé le *6-12-80*). Masse au départ : *1 950 kg ;* en orbite : *1 024 kg ;* espér. de vie : 7 ans ; puissance rayonnée : 1 200 watts ; voies disponibles : 12 000 (+ 2 programmes TV couleur) dans 2 bandes de fréquence (4-6 GHz et 11-14 GHz). **6** (1er lancé le *27-10-89*). Masse au départ : *4 286 kg ;* en orbite : *2 560 kg.* 24 000 circuits téléphoniques à 2 canaux simultanés (120 000 en utilisant un système de multiplication de circuits numériques) + 3 programmes TV couleur. **7** (en construction). 1ers lancements en 1993.

Allemagne

TV-SAT 1. Lancé *21-11-87* par Ariane de Kourou (Guyane). Tombe en panne (panneau bloqué). *Coût :* 1 400 millions de F (assuré : 3,2 millions en cas de défaillance). **2** Lancé *8-8-89* par Ariane.

Canada

Anik-A 1 *(9-11-72).* 1er segment spatial d'un système national de télécomm. par sat., assure la liaison entre 37 stations terriennes. Géostationnaire. *281,7 kg.* Alt. 35 758,6 km. Long. 114° ouest. Peut retransmettre 6 000 communications téléphoniques ou 12 programmes TV couleur (en esquimau signifie « frère »). **A 2** *(20-4-73). 288 kg.* Long. 109° ouest. **A 3** *(7-5-75). 270 kg.* Long. 104° ouest.

CTS ou **Hermes** *(17-1-76).* Sat. technologique de télécomm. *674 kg, 347 kg* en orbite. Alt. 35 785 km. Rév. 1 436. 3 mn. Utilisé par U.S.A. et Canada pour des essais de transmissions de télévision en couleur avec de petites stations terriennes et pour d'autres expérimentations : télédiagnostic médical, télé-enseignement, téléinformatique, etc. Géostationnaire. Long. 116° ouest. Hors service en nov. 1979.

Anik-B 1 (Telesat-D) *(15-12-78)*. *473 kg* (en orbite). Géostationnaire. Long. 109° ouest (prend la relève d'Anik-1). Équipé de 12 canaux à 4-6 GHz et 4 canaux à 12-15 GHz pour le téléphone, la télévision et la transmission de données et des expériences.

Anik-C 1 *(4-12-85)*. *569 kg* (en orbite) larguée par navette Columbia lors de son 1er vol opérationnel géostationnaire. C 2 *(18-6-83)*. Largué par la navette Challenger. C 3 *(11-11-82)*. Lancé par STS 5.

Anik-D 1 (Telesat-G) *(26-8-82)*. *658 kg* sur Delta (en orbite). Géostationnaire. D 2 (Telesat 8) *(8-11-84)*. Lancé par navette spatiale Discovery. Géostationnaire (long. 110,5° ouest). Prend la relève d'Anik-B 1 en nov. 86.

Chine

Au *10-1-1991*, 6 satellites de télécom. lancés.

États-Unis

Atlas Score *(18-12-58)*. *70 kg*. Alt. 185 à 1 482 km. Révolution 101,5 mn. Enregistre et retransmet un message du Pt Eisenhower. Retombé le *21-1-59*.

Programme SARSAT/COSPAS, en coopération internationale États-Unis, Canada, France (SARSAT) et depuis 1979 l'U.R.S.S. qui a proposé d'assurer la compatibilité de son système COSPAS. *Objectif* : assister la recherche et le sauvetage de personnes et de bâtiments en détresse. Utilise 2 satellites soviétiques « COSPAS » et 2 américains « NOAA ». 10 stations au sol, 250 000 balises de détresse équipent avions et navires dans le monde. En service dep. le 1-9-82, au début 1988, a permis de secourir près de 1 100 personnes.

Écho 1 *(12-8-60)*. *61 kg*. Alt. 598 à 1 691 km. Ballon en matière plastique. Diam. 30,5 m, recouvert d'une fine couche d'aluminium. Réfléchit les ondes électriques venues du sol (relais passif). Sa révolution (env. 1 h 50 mn) diminue très lentement. Retombé le *24-5-68*. 2 *(25-1-64)*. *256 kg*. Alt. 1 000 à 1 300 km, ballon de 41 m de diam. Relais passif. Retombé le *7-6-69* après 28 000 révolutions.

Telstar 1 *(10-7-62)*. *80 kg*. Alt. 952 à 5 634 km. Révolution 160 mn. Relais hertzien, amplifie les ondes reçues et les renvoie (puissance d'émission 2,5 W). Arrêt *21-2-63*. 2 *(7-5-63)*. *79,5 kg*. Alt. 974 à 10 797 km. Arrêt *mai 65*. **3** *(28-7-83)*.

Relay 1 *(13-12-62)*. *80 kg*. Alt. 1 323 à 7 433 km. Relais hertzien. Puissance d'émission 10 W. Révolution 3 h 5 mn. Arrêt *févr. 65*. 2 *(21-1-64)*. *86 kg*. Alt. 2 057 à 7 442 km. Révolution 3 h 15 mn. Relais hertzien à défilement. Permet des liaisons intercontinentales entre 10 et 70 mn. Arrêt *26-9-65*.

Syncom. *39 kg*. Relais hertzien stationnaire à 36 000 km. 1 *(14-2-63)*. Contact radio perdu avant qu'il n'ait atteint son orbite définitive. 2 *(26-7-63)*. 3 *(9-4-64)*. Les émissions de 3 Syncom pourraient couvrir toute la Terre. Nouvelle série (Syncom IV) pour le compte de l'U.S. Navy.

Programme OV (Orbiting Vehicle). 3 sat. ont, en *1966*, effectué des expériences de télécomm.

Programme IDSCP (Initial Defense Satellite Communication Program). 26 sat. lancés de *1966* à *1968* pour constituer le réseau IDSCS (Initial Defense Satellite Communication System). *45 kg* placés en orbite quasi circulaire à 33 000 km d'alt., révolution d'env. 13 j.

Programme DSCS (Defense Satellite Communication System). **DSCS-1 :** 26 satellites. **DSCS-2 :** 14 satellites. *550* à *590 kg*. Lancés par paires sur orbite géostationnaire. Les 2 premiers, lancés en *1971*, et l'un des 2 suivants lancés en *1973* sont tombés en panne. 2 perdus au lancement en *1975*.

Fltsatcom. Satellites de télécomm. militaires exploités par l'USAF, l'U.S. Navy et le Department of Defense. *1 900 kg*. Équipés chacun de 23 canaux de télécomm. en UHF (244-400 MHZ) pouvant relayer plus de 1 300 communications téléphoniques simultanées ainsi que le télex, le télégraphe et les données d'ordinateur. 1 *(9-2-78)*. Géostationnaire. Calé par 100° de long. ouest, au-dessus du Pacifique. 2 *(4-5-79)* au-dessus de l'océan Indien par 75° E. 3 *(17-1-80)*. Géostationnaire au-dessus de l'Atlantique par 23° ouest. 4 *(30-10-80)*. Géostationnaire au-dessus du Pacifique par 172° de longitude est. 5 *(6-8-81)*. 6 (échec). 7 *(5-12-86)*. 8 *(25-9-89)*.

Westar 1 *(13-4-74)*. *572 kg* au lancement, *280 kg* en orbite. Orbite géostationnaire par 99° de longitude ouest. *1er sat. de télécommunications domestiques américain*. Appartient à la compagnie Western Union Telegraph. Espérance de vie : 7 ans. Peut transmettre 12 programmes de TV couleur ou 14 400 comm. téléph. par l'intermédiaire de 5 stations au sol situées près de New York, Atlanta, Chicago, Dallas et Los Angeles. 2 *(10-10-74)*. Mêmes caractéristiques mais géostationnaire par 100° de longitude ouest. 3 *(9-8-79)*. Géostationnaire, par 91° de long. ouest. 4 *(25-2-82)*. Géostationnaire. 5 *(8-6-82)*. Géostationnaire. 6 *(4-2-84)*. Échec (largué de la navette spatiale et placé sur une mauvaise orbite à la suite d'une défaillance de son remorqueur spatial). Récupéré le 14-11-84 par la navette « Discovery » et ramené sur terre avec le satellite indonésien Palapa B-2 rebaptisé Asiasat 1 et lancé le 7-4-90 par fusée chinoise Longue-Marche.

Comstar. Sat. de comm. domestiques. *792 kg*. 1 *(13-5-76)*. Peut transmettre 18 000 comm. tél. Vie prévue : 7 ans. Géostationnaire par 128° de long. ouest. 2 *(22-7-76)*. Par 94° de long. ouest. 3 *(29-6-78)*. Par 87° de long. ouest. 4 *(21-2-81)*. Par 75° de long. ouest.

SBS. Sat. de télécomm. numériques intra-entreprises (télex, téléphone, transmission de données à grande vitesse : 6,3 Mbits/s ; télécopie à grande vitesse : 70 pages/mn, etc.). *550 kg*. 1 *(15-11-80)*. Géostationnaire par 100° de long. ouest. 2 *(24-9-81)*. Par 97° de long. ouest. 3 *(11-11-82)*. 4 *(31-8-84)*. 5 *(8-9-88)*. 6 *(12-10-90)*.

Satcom. Sat. de comm. domestiques, transmissions. 1 *465 kg*. *(12-12-75)*. Géostationnaire. 2 *(26-3-76)*. Géostationnaire par 128° long. ouest. 3 *895 kg*. Disparu 15 s après l'ordre de mise à feu du moteur d'apogée. 4 *(15-1-82)*. Géostationnaire. 5 *(27-10-82)*. Géostationnaire, 1er exemplaire d'une nouvelle série. **1-R** *(11-4-83)*. Géostationnaire par 139° de long. ouest, remplace Satcom 1. *598 kg*. Doté de 24 répondeurs, peut acheminer simultanément 36 000 communications téléphoniques, ou transmettre des programmes de télévision et des données à haut débit. 6 Dernier en date : Satcom-K-1 *(12-1-86)*.

Marisat. Sat. de nav. maritime. 3 lancés en *1976*.

Navstar. 10 lancés depuis *1978*. Placés par paires sur des orbites circulaires à 20 200 km d'alt. pour assurer la localisation des avions, navires, sous-marins, véhicules terrestres, fantassins, en longitude, latitude et altitude, à moins de 10 m près. Lorsque le système sera complètement opérationnel, il utilisera 24 satellites placés sur 3 orbites (8 satellites par orbite) avec des plans orbitaux décalés entre eux pour couvrir tout le globe.

TDRS (Tracking and Data Relay Satellites). 1 *(5-4-83)*. *2 270 kg*. Largué par la navette spatiale, mais n'a pu atteindre immédiatement l'orbite des sat. géostationnaires par suite d'une défaillance du remorqueur IUS (International Upper Stage). Cependant, après de longues manœuvres avec ses propres propulseurs, le sat. a pu être calé le *17-10-83* par 41° de long. ouest. A servi notamment de relais de télécom. lors du vol du Spacelab. 2 autres sat. identiques prévus. TDRS-B a explosé avec la navette Challenger *(28-1-86)*. TDRS-C lancé le *29-9-88*. TDRS-D lancé en mars *1989*.

ACTS (Advanced Communications Technology Satellite). En construction.

Europe

OTS (Orbital Test Satellite). Expérimental, géostationnaire, lancé le *11-5-78* par une fusée Thor Delta 3914 de la NASA. (Un 1er OTS avait été détruit le 14-9-77 après l'explosion du lanceur Thor Delta de la NASA.) OTS-2 n'est plus utilisé pour des expériences de télécommunications dep. 1984, mais fonctionne toujours. OTS préfigurait le système opérationnel ECS (European Communication Satellite) qui a démarré en 1983 avec le lancement du 1er satellite de la série.

Programme ECS (European Communication Satellite). Système régional de télécomm. développé par l'Agence spatiale européenne, il est géré par EUTELSAT (regroupant 26 pays) qui est propriétaire des satellites placés en orbite géostationnaire entre 5° et 15° de long. est ; positions : ECS 1-F 1 (lancé en juin *1983*) à 16° est dispose de 10 répéteurs de 20 W chacun ; mis hors service en avril 1991 ; ECS 2 (août *84*) 7° est ; ECS 4 (sept. *87*) 13° est ; ECS 5 (juillet *88*) 10° est, prendra la relève de ES 1-F 1 en avril 1991 (ECS 3 n'a pas été placé sur orbite : défaillance du lanceur). EUTELSAT 2 (lancé *15-1-91*) 10° est dispose de 16 répéteurs de 50 W chacun. Chaque satellite fournit 12 000 voies téléphoniques (1/2 circuits) et 2 canaux de télévision couleur (pour relayer les programmes de l'Eurovision) ainsi que 2 répéteurs pour les services d'affaires.

Programme Europsat. Avec répéteurs de 120 W (1993-96).

Programme Marecs. 2 satellites dérivés des ECS et destinés aux télécomm. maritimes, sont mis à la disposition d'Inmarsat : Marecs A (lancé déc. *81* par Ariane L04) et Marecs B-2 (août *84*). Marecs B-1 n'a pu être mis en orbite (défaillance du lanceur).

Programme Olympus. Sat. lourd européen prévu pour plusieurs missions, dont la télévision directe (2 canaux). *Lancé 12-7-89 par Ariane.*

France

Télécom 1. (Maître d'œuvre : Matra.) Système national de télécomm. par satellite. *Liaisons principales* : 1°) « intra-entreprises » qui permet d'offrir des liaisons numériques à large bande et grande vitesse. 2°) avec les D.O.M. (téléphone et télévision). 3 sat. (*653 kg* en orbite) lancés par Ariane [Télécom 1A : *4-8-84* ; 1B : *8-5-85* (rendu inutilisable le 15-1-88 après coupure de l'alimentation électrique de son système de stabilisation) ; 1C : *11-3-88*].

Télécom 2. Nouvelle génération à partir de 1991.

France-Allemagne

Accords de coopération : traité du 22-1-1963 ; convention du 16-6-1967.

Symphonie 1 *(19-12-74)* (lancé par fusée amér. Thor Delta 2914 de Cap Canaveral). Expérimental, stabilisé 3 axes. *402 kg*, géostationnaire à 35 860 km d'alt., calé à 11°5 de longitude ouest. *Vie prévue* : 6-7 ans. A été déplacé en 1977 de l'Atlantique à l'océan Indien où il a été mis à la disposition de l'Inde. Ramené au-dessus de l'Atlantique en août 1979, mission achevée le *19-2-83*, placé à 80 km au-dessus de l'orbite géosynchrone pour y libérer une place. 2 *(26-8-75)*. Identique, calé à 26° de long. ouest, au-dessus de l'Atlantique, encore utilisé.

TV-SAT 1 (Satellite de TV directe Ouest allemand). Lancé *20-11-87* par Ariane 4 20. **TV-SAT 2.** Lancé *6-8-89* par Ariane 4.

TDF-1 (Satellite géostationnaire de télédiffusion directe). Remplace le projet L-Sat. financé à 54 % par l'All. féd. et à 46 % par la France. Prévoit à long terme 5 fréquences d'émission directe. Coût (y compris lancements par Ariane et équipements au sol) : 1 300 millions de F. Lancé *28-10-88*. TDF 2. Lancé *24-7-90* par Ariane.

Satellites de communications à l'usage des radio-amateurs

Programme OSCAR (Orbiting Satellite Carrying Amateur Radio). 10 sat. lancés depuis *1961* par des fusées amér. et par Ariane. Construits par un groupe international de radio-amateurs.

Radio 1 et 2 (U.R.S.S.) *(27-10-78)*. Alt. 1 688 à 1 274 km. Révolution : 120,4 mn. **Radio 3 à 8** *(17-12-81)*. Alt. 1 685 à 1 794 km. Révolution : 120,9 mn. Construits par des radio-amateurs membres d'une organisation paramilitaire soviétique, le DOSAAF.

UOSAT (University of Surrey Satellite) *(6-10-81)*. Alt. 535 à 551 km. 1er satellite de radio-amateurs britanniques. Construit à l'initiative de l'université du Surrey (coût : 25 000 livres). Destiné aux liaisons F.M. entre radio-amateurs. Équipé d'un synthétiseur vocal et d'une caméra TV pour des prises de vue de la Terre. Lancé de Vandenberg (Californie) par une fusée Delta.

UOSAT D et E. *(22-01-90)*. Alt. 798 à 816 km. Emportent des charges utiles de démonstration. Lancés de Kourou par Ariane 4.

ARSÈNE (France). 200 kg. Lancé en 1987 par une fusée Ariane.

Grande-Bretagne

Skynet-1A *(22-11-69)*. *125 kg*. Sat. militaire. Lancé de Cap Kennedy par une fusée amér. Delta. Géostationnaire. 1B *(19-8-70)*. Échec. 2A *(19-1-74)*. Échec. 2B *(23-11-74)*. *235 kg*. Lancé de Cap Kennedy par Delta. Géostationnaire au-dessus de l'océan Indien. BSB-RC *(17-8-90)* de Canaveral par Delta, sat. de communication.

Inde

Apple *(19-6-81). 672 kg.* Géostationnaire par 102° de longitude Est. Lancé par Ariane L03 de Kourou, (Guyane fr.). Sat. expérimental de télécom. Série opérationnelle INSAT (Indian National Satellite). 1A *(10-4-82)* par Delta, déficient après 147 j., 1B *(30-8-83)* par Challenger, 1C *(22-7-88)* par Ariane, 1D *(2-6-90)* par Delta, *1 293 kg,* coût 80 millions de $. INSAT 2. 3 lancements prévus 1993-95.

Indonésie

Palapa. 4 satellites géostationnaires de télécom. lancés en *1976* (A-1), *1977* (A-2), *1983* (B-1), *1987* (B-2 P, **113 E**). B-2. Placé sur une mauvaise orbite le 3-2-84, récupéré par la navette *Discovery* le 12-11-84 et ramené sur terre pour remise en état puis relancé par une fusée classique le 13-4-90.

Israël

Amos (projet). 2 sat. géostationnaires à 15° de lat. E.

Italie

San Marco 4 *(18-2-74). 164 kg.* Alt. 232 à 905 km. Lancé par fusée Scout de San Marco (Kenya).

SIRIO (Satellite Italiano Ricerca Industriale Operativa). 1. *(25-8-77) (398 kg)* de Cap Canaveral. 2. *(10-9-82) (420 kg)* de Kourou (échec). ITALSAT 1 *(15-1-91* de Kourou) *(1 865 kg).* Sat. expérimental construit par l'A.S.E.

Japon

YURI ou BSE Medium Scale (Broadcasting Satellite for Experimental Purposes) *(7-4-78* de Cap Canaveral par fusée Thor Delta). Satellite expérimental de diffusion de programmes TV. Géostationnaire par 110° E de long. Hors service en janvier 1982. YURI-2a *(23-1-84* par fusée japonaise). Géostationnaire par 110 °E de long. *350 kg.* YURI-2b *(12-2-86* par fusée jap.). Géostationnaire par 110 °E de long. *350 kg.* BS 2X *(23-2-90* de Kourou, perdu en vol sur Ariane qui explose). BS 3A *(28-8-90* de Tage Gashima par fusée jap. H1).

Ayame ou ECS (Experimental Communication Satellite), 1 *(6-2-79). 130 kg.* Lancé par fusée N-1. Perdu 3 j après le lancement. 2 *(22-2-80). 130 kg.* Lancé par fusée N.I. Perdu après le lancement.

Sakura, 1 *(15-12-77). 350 kg.* Lancé par Delta. Expérimental. Géostationnaire par 135 °E de long. 2a *(4-2-83).* Géostationnaire par 132° de long. Est. 1er sat. de télécom. opérationnel dans la bande 20-30 GHz. Peut acheminer 4 000 communic. téléphoniques simultanées. 2b *(6-8-83).* Identique. *350 kg.* Géostationnaire par 136° de long. Est. 3a *(19-2-88). 550 kg.* Géostationnaire par 132° de long. Est. 6 000 circuits communic. 3b Identique. Géostationnaire par 136 °E de long.

OTAN

OTAN 1 *(mars 70).* 2 *(février 71).* 3-A *(22-4-76). 376 kg.* Géostationnaire par 18° de longitude Ouest. *Durée de vie prévue :* 7 ans. Assure la couverture complète des pays de l'OTAN (France exceptée) et plus spécialement de sa zone européenne. 3-B *(27-1-77). 680 kg.* 3-C *(15-11-78).*

Suède

Teles X *(2-4-89* de Kourou par Ariane) *2 142 kg.* Durée de vol prévue 8 ans.

U.R.S.S.

Molniya. Sat. sur orbites très excentriques (périgée : 460 km au-dessus de l'hémisphère sud ; apogée 40 000) inclinées à 65° sur l'équateur, et décrites en 12 h, donc repassant chaque jour au-dessus des mêmes régions en restant presque immobiles au-dessus de l'U.R.S.S. pendant 8 heures environ.

Au *1-8-1982* avaient été lancés 55 Molniya 1 de 1re génération (le 1er le *23-4-65),* 17 Molniya 2 de 2e génération (le 1er le *25-11-71*), 18 Molniya 3 de 3e génération (le 1er le *21-11-74*).

Les Molniya retransmettent la TV couleur (procédé français SECAM) ainsi que radio, téléphone, télex, télégraphe et fac-similé sur quelque 50 stations terrestres réceptrices (antennes de 12 m de diam.) formant le réseau national soviétique *« Orbita ».*

Cosmos 637 *(26-3-74).* Molniya-IS *(29-7-74).* Sat. géostationnaires expérimentaux.

Statsionar ou Radouga ou Ekran. Géostationnaires ou géosynchrones. 1er lancé le *22-12-75.*

Gorizont. Géostationnaires ou géosynchrones. 8 lancés depuis le *19-12-78.*

Sondes spatiales

Définition. Engins extraterrestres, envoyés sur des trajectoires non fermées pour explorer, en les approchant, la Lune et les planètes (Mars, Vénus, Jupiter, Mercure) ; elles pourront se placer sur orbite lunaire ou solaire, et, au passage, enregistrer des mesures sur le milieu traversé.

Planètes artificielles

Pioneer. 11 engins *(38 kg).* De 1958 à 73. 1 *(11-10-58)* retombe après avoir atteint 126 000 km. 2 *(8-11-58)* échec. 3 *(6-12-58)* retombe après avoir atteint 106 000 km. 4 *(3-3-59)* passe à 59 000 km de la Lune et 4 j après son lancement devient une planète artificielle. 5 *(11-3-60)* reste en communication jusqu'à 36 millions de km. 6 *(16-12-65)* gagne une orbite solaire infér. décrite en 311 j., fournit les 1res mesures de l'espace interplanétaire, mesure la couronne du Soleil et en 1973 la queue de la comète Kohorilek, continue à envoyer vers la Terre des informations sur les vents solaires. 7 *(17-8-66)* placé sur orbite solaire sup. décrite en 403 j à 5 millions de km, détecte, en 1976, *la queue magnétique* de la Terre à plus de 19 millions de km de notre planète. 8 *(13-12-67)* gagne une orbite solaire supér. décrite en 394 j. 9 *(8-11-68)* gagne une orbite solaire infér. décrite en 297 j. 10 *(3-3-72)* a quitté le système solaire le *13-6-83.* 11 *(6-4-73)* a survolé le premier la planète Saturne le *1-9-79.*

Helios. Sondes interplanétaires réalisées par l'All. féd. et lancées par des fusées américaines pour l'étude de l'espace dans les régions voisines du Soleil. Helios 1, lancée *10-12-74* s'est approchée à 48 millions de km du Soleil, le 15-3-75 ; Helios 2 lancée *15-3-78* s'est approchée à 45 millions de km.

Sondes lancées vers la Lune

Débuts. On a exploré l'environnement lunaire grâce à des engins qui gravitaient autour [4 Luna soviétiques (10, 11, 12, 14) ; 5 Lunar Orbiter américains], puis on a mis au point les techniques d'atterrissage en douceur [6 Luna sov. (5, 6, 7, 8, 9, 13) et 7 Surveyor amér.]. Seul le programme américain *Ranger* (engins prenant des clichés de plus en plus rapprochés du sol lunaire avant de s'y écraser) n'eut pas d'équivalent soviétique.

Premiers impacts. Avec des engins de *370* et *270 kg,* la fusée porteuse développant au décollage une poussée de 300 t, l'U.R.S.S. remporta les grandes premières : *1er impact sur la Lune (Luna 2, 12-9-59), 1er vol autour de la Lune* avec photographies de la face cachée *(Luna 3, 4-10-59), 1er atterrissage en douceur (Luna 9, 3-2-66).*

États-Unis

- Premiers essais. 0 *(17-8-58)* lancement non réussi. 1 *(11-10-58)* retombe à 114 000 km. 2 *(8-11-58)* échec. 3 *(6-12-58)* retombe à 102 000 km. 4 *(3-3-59)* passe à 60 000 km de la Lune et 4 j après son lancement devient une planète artificielle. 3 autres sondes sont lancées, sans succès *(26-11-59, 25-9-60, 15-12-60)* lors d'une tentative de satellisation.

- Programme Ranger. 9 engins, du *25-8-61* au *21-3-65.* 3 atteindront la Lune après avoir pris des photos. *Coût :* 267,4 millions de $.

- Programme Lunar Orbiter. 5 engins *(400 kg),* du *10-8-66* au *1-8-67.* Après avoir été mis sur orbite lunaire (39 à 1 843 km), tous sont ensuite tombés sur la Lune. *Coût :* 209,3 millions de $.

- Programme Surveyor. 7 engins *(281 à 286 kg),* du *30-5-66* au *7-1-68.* 5 succès dont Surveyor 1 qui, le *30-5-66,* se pose en douceur sur la Lune, transmet des photos. *Coût :* 297,6 millions de $.

- Programme Apollo. Voir p. 45 b.

- Explorer 49 *(8-6-73). 200 kg.* Placé sur orbite lunaire à 1 100 km d'alt. Sat. de radio-astronomie avec 4 antennes de 225 m disposées en X.

U.R.S.S.

- Luna : 24 lancés du *2-1-59* au *9-8-76.* Luna 1 *(2-1-59, 361 kg)* passe à 7 500 km de la Lune et devient une planète artificielle (rév. 450 j). Distance max. au Soleil : 197,2 millions de km. 9 *(3-2-66, 1 583 kg)* 1er atterrissage en douceur ; transmet des photos. 10 *(31-3-66, 1 600 kg)* gravite autour de la Lune en 3 h. 16 *(12-9-70)* se pose sur la Lune, prélève des échantillons de sol (103 g) et revient le *24-9.* 17 *(10-11-70)* débarque le *17-11* sur la Lune, dans la mer des Pluies, un véhicule automatique d'exploration, le *Lunokhod 1* (8 roues, long. 2,21 m, largeur 1,60 m, poids 800 kg, diam. 2,15 m. Chaque roue a 0,51 m de diamètre et est entraînée par un moteur électrique placé dans son moyeu. 3 bras obliques dirigés vers le bas empêchent l'engin de se renverser ou de se heurter à des rochers), qui fonctionne 11 mois et parcourt 10 540 m. 21 *(8-1-73, 840 kg)* pose sur la Lune le *15-1* un 2e réflecteur laser français TL-2 et le *Lunokhod 2* dont, le *3-6-73,* la mission est terminée (a parcouru 37 km, pris 86 vues panoramiques, transmis 80 000 photos). 24 *(9-8-76),* placé sur orbite circumlunaire le *14-8.* Se pose le *18-8* dans la mer des Crises (62° 12' est, 12° 45' nord). Le module de retour de l'engin décolle le *19-8* et revient sur Terre avec une carotte de roches prélevée le *22-8* en forant à 2 m de profondeur.

  Plusieurs échecs, dont *Luna 2 (12-9-59, 390 kg)* qui s'écrase sur la Lune le *13-9* après 36 h 26 mn à la vitesse finale de 10 810 km/h.

- Zond : 6 stations interplanétaires de 6 t qui contournent la Lune et reviennent (ex. Zond 5, lancé le *15-9-68,* récupéré le *21-9). Projet :* sat. en orbite lunaire polaire à 100 km d'alt. pour étudier plus en détail la face cachée (emporterait une expérience française). Lancement *1990.*

Sondes lancées vers Vénus

Quand la sonde atteint Vénus, la distance parcourue est d'env. 60 millions de km. Une erreur d'1 m/s dans la vitesse au départ se traduirait par un écart de 30 000 km au terme du voyage.

États-Unis

Pioneer 5 *(11-3-60). 40,5 kg.* Échec. Manque Vénus de plus de 10 millions de km et devient une planète artificielle. Mariner 1 *(22-7-62). 200 kg.* Échec. Lancement non réussi. Mariner 2 *(26-8-62). 202 kg.* A 34 000 km de Vénus le *14-12-62,* devient une planète artificielle. A sa dernière émission (3-1-63), se trouvait à 86 743 000 km. Mariner 5 *(14-6-67). 243 kg.* Approche Vénus à 4 094 km le 19-10-67. Mariner 10 *(3-11-73). 503 kg.* Approche le Soleil à 70 millions de km. Survole : Vénus à 5 760 km d'alt. env. le 5-2-74, Mercure le 29-3-74 à 700 km, le 21-9-74 à 48 000 km, et le 16-3-75 à 200 km.

Pioneer 12 Venus 1 *(20-5-78).* Cylindre de 2,5 m de diamètre et de 1,2 m de haut. *582 kg.* Devient satellite de Vénus le *4-12-78* (orbite entre 386 et 52 525 km, inclinée à 105° 6' et décrite en 24 h). Pioneer 13 Venus 2 *(8-8-78).* Même corps que P.V.1, mais surmonté de 4 capsules largables. *904 kg.* Envoie 4 sondes dans l'atmosphère de Vénus le 9-12-78 (Sounder *316 kg,* North, Day et Night *91 kg*), puis se désagrège. Les 4 sondes traversent l'atmosphère et se posent sur le sol de Vénus à moins de 40 km/h.

Magellan *(5-5-89* par navette Atlantis), cylindre de 3,6 t, antenne de 3,7 m, coût 550 millions de $. Mis en orbite polaire le 10-8-90 autour de Vénus, entre 250 et 8 070 km d'alt. (révolution en 187 min.), a établi une carte de la topographie de la surface de la planète (à 120 m près à l'équateur) avec un radar à ouverture synthétique.

U.R.S.S.

Venera 1 *(12-2-61). 643,5 kg.* Lancée à partir d'un satellite Spoutnik. Se place sur orbite solaire (106 000 000 à 151 000 000 km). Passe à 100 000 km de Vénus le 19-5-61. Contact radio perdu à 7 500 000 km de la Terre.

Zond 1 *(2-4-64).* Passe près de Vénus le 18-7-64.

Venera 2 *(12-11-65). 963 kg.* Orbite solaire. Passe à 24 000 km de Vénus le 27-2-66. 3 *(16-11-65). 960 kg.* Orbite solaire. Largue une sphère porteuse d'un fanion qui atteint Vénus le 1-3-66. L'émetteur se tait aussitôt après l'arrivée. 4 *(12-6-67). 1 106 kg.* Mesure pression et temp. de l'atmosphère vénusienne. Se pose sur Vénus le 18-10-67, mais cesse d'émettre aussitôt après l'arrivée. 4 *(12-6-67). 1 106 kg.* Mesure pression et temp. de l'atmosphère vénusienne. Se pose sur Vénus le 18-10-67, mais cesse d'émettre aussitôt après l'atterrissage. 5 *(5-1-69). 1 130 kg.* Se pose sur Vénus le 16-5-69. Idem. 6 *(10-1-69). 1 130 kg.* Se pose sur Vénus le 17-5-69. Après 130 j de vol et 350 millions de km. Idem. 7 *(17-7-70). 1 180 kg.* Après 120 j et plus de 320 millions de km, largue sur Vénus, le 15-12-70, une sonde qui transmet des informations pendant 35 mn. *(22-8-70).* Échec. Reste sur orbite terrestre. Rebaptisée Cosmos 359. 8 *(26-3-72). 1 184 kg.* Dépose un module le 27-7-72. Transmet 50 min. 9 *(8-6-75). 4 936 kg.* Largue un module qui se pose sur Vénus le 22-10. Transmet 53 min. 10 *(14-6-75). 5 033 kg.* Réplique de Venera 9. Largue un module qui se pose le 25-10-75. Transmet 65 min. 11 *(9-9-78).* Largue un module *(1 500 kg)* qui se pose le 25-12. Transmet 45 min. 12 *(12-9-78).* Largue un module qui se pose le 21-12. Transmet 110 min. 13 *(30-10-81).* Largue un module qui se pose le 1-3-82. Transmet 127 min. 14 *(6-11-81).* Largue un module qui se pose le 5-3-82. Transmet 120 min. 15 *(2-6-83).* Se place en orbite elliptique (alt. 1 000 à 2 000 km), parcourue en 24 h, autour de Vénus le *10-10-83.* Dotée d'un radar à balayage latéral et d'un radio-altimètre ; cartographie l'hémisphère nord de la planète avec une résolution de 1 à 2 km (découverte de failles, de canyons, de cratères météoritiques, etc.) ; analyse la composition de l'atmosphère et des nuages. 16 *(7-6-83).* Mission analogue en orbite autour de Vénus le *14-10-83.*

Vega (de Venera-Galleï, Vénus-Halley en russe). Projet franco-soviétique. 2 sondes d'env. *4 t* lancées les *15* et *21-12-84* vers Vénus. Les 9-6 et 13-6-85, les sondes ont éjecté les modules d'atterrissage sur Vénus (750 kg dont 177 kg d'instruments scientifiques) qui, les 11-6 et 15-6 se sont ouverts pour larguer chacun un ballon-sonde (3,4 m de diamètre après gonflage à l'hélium) puis se sont posés sur la planète. Celui de Véga 1 dans la plaine des Sirènes, par 7°11'N et 177°48'E ; celui de Véga 2 entre Alta Regio et Aphrodite, par 6°27'N et 181°05'E, sur un site montagneux. Les instruments n'ont fonctionné que 21 mn après l'atterrissage. Les ballons-sondes ont dérivé dans l'atmosphère 45 h 30 et 46 h 30, à une altitude de 53 à 55 km, en mesurant pression, température, vitesse du vent et densité de la couche nuageuse. Les sondes ont ensuite exploré la comète de Halley, voir p. 44 a.

Projet franco-soviétique Vesta. Lancement de 2 sondes jumelles (module soviétique de 3 t, module français de 2 t). Fin 1994, survol de Mars en 1995 et 1997 et utilisation de l'attraction de la planète comme tremplin gravitationnel pour survoler 8 petits corps (astéroïdes et peut-être comète).

Sondes lancées vers Mars

Quand la sonde atteint Mars, la distance parcourue est d'environ 250 millions de km. Une erreur d'1 m/s se traduirait par un écart de 70 000 km au terme du voyage.

États-Unis

Mariner 3 *(5-11-64). 259 kg.* Échec (le dôme de la fusée ne se détache pas). 4 *(28-11-64). 259 kg.* Survole Mars le 15-7-65 après avoir parcouru 630 millions de km en 230 j. Établit le 29-4-65 le record mondial de liaison radio (105 000 000 km). 6 *(25-2-69). 405 kg.* Survole les 31-7 et 1-8-69 la face éclairée de Mars à 3 427 km et prend des photos pendant 25 mn. 7 *(27-3-69). 405 kg.* Survole la face non éclairée de Mars à 3 347 km le 5-8-69. 8 *(9-5-71). 1 013 kg.* Échec, défaillance du système électronique. La fusée retombe après quelques mn. 9 *(30-5-71). 1 013 kg.* Alt. 1 389 à 17 816 km. Gravite le 13-11-71 autour de Mars. Mission terminée en oct. 1972 (après avoir pris 7 329 clichés).

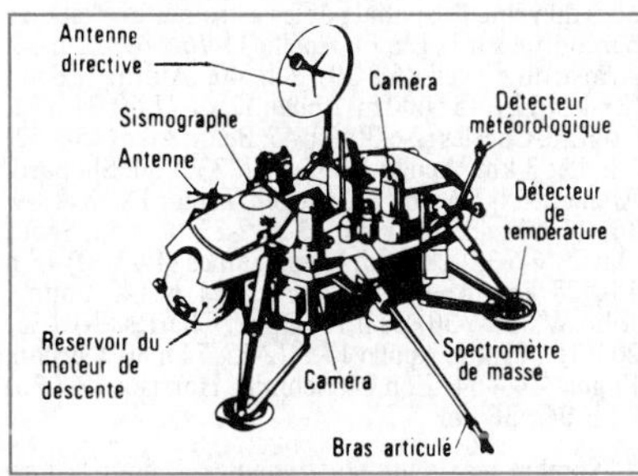

Lander de Viking

Viking 1 *(20-8-75). 3 450 kg.* Le lander se pose sur Mars le 20-7-76 dans la région Chryse Planitia par 22°27' nord et 48°1' ouest, à 28 km du point cible. Rebaptisé *Mutch Memorial Station* en souvenir du scientifique américain Thomas A. Mutch, mort en effectuant une ascension de l'Himalaya en sept. 1980. Communications radio avec la Terre interrompues le *19-11-1982.* 2 *(9-9-75). 3 450 kg.* Identique. Le lander se pose sur Mars le *3-9-1976* dans la région Utopia Planitia, par 47° 97' nord et 225° 67' ouest. Cesse d'émettre le *11-4-1980.* Les 2 V ont pris plus de 50 000 clichés.

Mars Observer. Prévu pour sept. 1992. Masse 769 kg (dont 96 kg d'instruments), orbite circulaire à 361 km d'alt. en 116 min. Mission prévue de 687 j.

U.R.S.S.

Mars 1 *(1-11-62). 893,5 kg.* Passe auprès de Mars le 19-6-63. Record soviétique de liaison radio (100 000 000 km) en avril 63.

Zond 2 *(18-11-64).* Orbite solaire (148 000 000 à 215 000 000 km). Passe à 1 500 km de Mars le 6-8-65.

En 1965, il fallait 8 h ½ pour envoyer vers la Terre (avec *Mariner 4*) une seule image contenant 240 000 unités d'information ; avec les nouveaux engins, chaque image en contient 4 millions et est transmise à la Terre en 5 mn environ. Chaque image comporte 704 lignes, chaque ligne étant composée de 945 points ; pour chaque point, un signal électrique codé est envoyé vers la Terre ; ce signal porte 6 unités d'information pour l'intensité lumineuse du point. On a décidé que si l'engin envoie une série de 6 chiffres 1, l'intensité lumineuse serait nulle : le point apparaît noir ; une série de 6 zéros représente l'intensité lumineuse maximale : le point apparaît blanc.

Chaque engin comporte 2 caméras de télévision, une à faible résolution (les détails les plus petits visibles ne dépassent pas 3,2 km) et une à haute résolution (permet d'observer des détails de 300 m environ).

Mars 2 *(19-5-71). 4 650 kg.* Placé le 27-11 sur orbite autour de Mars. Largue sur Mars une capsule contenant l'emblème soviétique. 3 *(28-5-71). 4 650 kg.* Un étage se pose sur Mars le 2-12, émet 20 secondes et s'arrête. 4 *(21-7-73). 5 000 kg.* Survole Mars à 2 200 km et poursuit sa route au lieu de se placer en orbite comme prévu. 5 *(25-7-73). 5 000 kg.* Placé sur orbite le 12-2-74 (min. 1 760 km), tombé en panne en mars. 6 *(5-8-73), 5 000 kg ;* orbite le 12-3-74, avant largue une capsule qui cessera d'émettre avant de toucher le sol. 7 *(9-8-73). 5 000 kg.* Arrive près de Mars le 9-3-74 et largue une capsule, qui passe à 1 300 km de Mars au lieu d'y atterrir.

☞ **Programme Phobos.** 2 sondes modulaires identiques de 5,5 t lancées les *7* et *12-7-88* et destinées à se placer en orbite autour de Mars (alt. min. 6 330 km), puis à survoler Phobos (satellite de Mars) à 50 m de sa surface pour l'étudier grâce à 22 expériences scientifiques (300 kg d'appareils) auxquelles participent 13 pays. Chaque sonde devait larguer sur Phobos 2 compartiments de 30 kg chacun : l'un, fixe, planté dans le sol à l'aide d'un pénétromètre, pour mesurer les propriétés physiques et mécaniques du sol (capable de fonctionner un an grâce à des panneaux solaires) ; l'autre, mobile, conçu pour effectuer une série de bonds à la surface pour l'étudier en différents points (capable de fonctionner pendant un mois). Les données devaient être retransmises à la Terre via la sonde restée en orbite. A la suite d'une mauvaise télécommande, le contact a été perdu avec Phobos-1 en septembre 1988 et le 27-3-89 avec Phobos 2 alors que la sonde était en orbite autour de Mars (à 300 km env. de Phobos). Nombreux spectres infrarouges et photographies de Mars et Phobos obtenus.

Sondes lancées vers d'autres planètes

États-Unis

Pioneer 10 *(3-3-72). 270 kg.* Lancée par Atlas-Centaure (à 51 800 km/h). A étudié la ceinture des astéroïdes au-delà de Mars, puis, après un voyage de 1 milliard de km, a survolé Jupiter le *4-12-73* à 131 400 km et a transmis une dizaine d'images (à cette distance, les signaux mettent 45 mn pour nous parvenir). Le *13-6-83,* la sonde a franchi l'orbite de Neptune, actuellement la planète du système solaire la plus éloignée du Soleil. Elle se trouvait alors à 4 527 978 612 km de la Terre et avançait à 50 000 km/h. Il fallait 4 h 20 mn aux signaux émis par la sonde pour parvenir à la Terre. C'est le 1er engin qui s'aventure au-delà de la plus lointaine planète connue. Dans l'hypothèse de la rencontre, hors du système solaire, d'une planète habitée, elle porte une « plaque d'identité » d'aluminium doré de 15 × 23 cm, gravée de symboles suggérant son origine terrestre et sa trajectoire. Se dirige vers un site de la voûte céleste par 5 h 22 min d'ascension droite de 28°10' de déclinaison, passera dans 4,7 millions d'années à 4 mois lumière de Wath (étoile géante rouge, une des cornes du Taureau). Le 1-1-91 était à 7,5 milliards de km du Soleil (soit 7 heures lumière). Il lui faudra 24 000 ans pour s'éloigner d'1 année de lumière.

Pioneer 11 *(6-4-73). 2 600 kg,* diam. 2,7 m. Passe à 42 560 km de Jupiter le 3-12-74 puis, propulsée par une réaction gravitationnelle, atteint la région de Saturne le 20-8-79. Traverse le plan des anneaux le 1-9 ; longe l'hémisphère non éclairé (à 21 400 km min. du sol) ; retraverse le plan des anneaux ; reçoit 2 impacts de micrométéorites.

Résultat de sa mission : 80 photos de Saturne ; 5 du sat. Titan ; découverte d'un 5e anneau ; mesure de l'épaisseur des anneaux (4 km) ; indications sur composition, couleur et turbulences des gaz de l'atmosphère. Une des photos montre un petit corps céleste de 100 à 200 km de diamètre, non identifié, peut-être un 11e satellite ? Les indications sur Titan ont été brouillées par un sat. soviétique. Des analyses de l'atmosphère ont pu être refaites en 1980-81 par les Voyager.

Nota. – Au point de la trajectoire le plus proche de Jupiter, Pioneer 10 avait une vitesse de 132 000 km/h et Pioneer 11 de 117 000 km/h. *Coût du programme Pioneer 10 et 11 :* 100 millions de $.

Voyager 2 *(20-8-77). 810 kg.* Survole Jupiter le 10-7-79 à 650 000 km de distance et étudie ses principaux satellites. Mission complémentaire de celle de Voyager 1. Survole Saturne le 26-8-81 à 101 000 km (avec un écart de 2,2 s et de 50 km par rapport aux prévisions). Survole Uranus à 81 400 km le 24-1-86 et a survolé Neptune le 24-8-89 à 4 900 km. Transporte 105 kg d'appareils scientifiques.

Voyager 1 *(5-9-77). 810 kg. Vitesse initiale :* 15 060 m/s. Survole Jupiter le 5-3-79, à 278 000 km de distance et étudie ses principaux satellites (s'approche à 18 170 km de Io). Survole Saturne à 124 000 km le 12-11-80 (s'approche à 4 000 km de son satellite Titan). Était début 1988 à 5,6 milliards de km de la Terre. Sera dans 40 000 ans près de l'Étoile *AC + 793 888.* A pris un dernier cliché, montrant l'ensemble du système solaire le 13-2-90.

Nota. – Les 2 sondes jumelles sont numérotées dans l'ordre inverse de leur départ mais dans l'ordre exact de leur arrivée près de Jupiter et de Saturne. Dans l'hypothèse d'une rencontre avec une civilisation extraterrestre, elles emportent un vidéodisque sur lequel figurent une encyclopédie de la Terre, des salutations enregistrées en 60 langues, des cris d'animaux, des morceaux de Beethoven, du jazz et du rock et... un message du président Jimmy Carter : « Si nous résolvons nos problèmes, nous espérons, un jour, rejoindre une communauté de civilisations galactiques. Nous essayons de survivre à notre époque pour pouvoir accéder à la vôtre... ». *Coût du programme Voyager 1 et 2 :* 342 millions de $.

Galileo. 1 473 kg. Lancement prévu pour 1983 puis mai 1986, reporté après l'explosion de la navette « Challenger ». A eu lieu le 19-10-89 avec la navette « Atlantis », a survolé Vénus le 10-2-90, après une période de 650 millions de km est repassé à 948 km de la Terre le 8-12-1990 à 10 400 km/h, repassera en 1991 et 1992 pour atteindre Jupiter en déc. 1995. Une sonde de 335 kg (dont 28 kg d'instruments scientifiques) étudiera l'atmosphère de Jupiter 60 à 75 mn avant d'être détruite par la pression subie. Un module de 1 138 kg (dont 103 kg de matériel) restera en orbite pour étudier, sur 20 mois, la magnétosphère, analyser la composition physico-chimique de Jupiter et de ses principaux satellites et relayer les données transmises par la sonde.

CRAF (Comet Rendez-vous Asteroid Flyby). 4 250 kg dont 1 360 d'ergols. Projet américain de survol prolongé d'une comète périodique (Kopff) et d'astéroïdes. Lancement envisagé en 1995.

Cassini. Voir p. 49 c.

Sondes lancées vers la comète de Halley

Noms, pays, masse de la sonde (en kg), dates de lancement (L), de survol (S), distance de survol (D), objectifs de la mission.

Vega 1 (U.R.S.S., voir p. 43 a), 2 000 kg, L *15-12-84,* S 6-03-86, D 8 900 km ; photographie et étude physique du noyau et de la chevelure de la comète ; étude de l'interaction avec le vent solaire.

Sakigake ou **MS-T5** (Japon, ISAS), 138 kg, L *8-01-85,* S 11-03-86, D 7 500 000 km ; même mission que Suisei.

Suisei ou **Planet-A** (Japon, ISAS), 140 kg, L *19-08-85,* S 8-03-86, D 151 000 km ; étude de l'enveloppe d'hydrogène de la comète et de son choc dans le milieu interplanétaire.

Vega 2 (U.R.S.S.), 2 000 kg, L *21-12-84,* S 9-03-86, D 8 000 km ; même mission que Vega 1.

Giotto (Europe), 960 kg, L par Ariane 1 *2-07-85,* S 12 au 13-03-86, D 605 km (à 68,4 km/s) ; photographie le noyau de la comète, identifie les composés volatils, observe les interactions de la comète avec le vent solaire. *2-7-90 :* repassée à moins de 20 000 km de la Terre et, grâce à l'assistance gravitationnelle, elle a été dirigée vers la comète Grigg-Skjellerup qu'elle survolera le 10-7-92.

☞ En outre, l'ancien satellite américain ISEE-3, rebaptisé ICE (International Cometary Explorer), dont la trajectoire a été modifiée pour qu'il s'approche de la comète Giacobini-Zinner le 11-09-1985, a observé la comète de Halley d'une distance de 31 millions de km le 28-03-1986 (mesure du vent solaire et observation de la queue de plasma).

Vaisseaux cosmiques

Premiers vaisseaux inhabités

U.R.S.S. Vaisseau cosmique 1 *(15-5-60). 4 540 kg.* Alt. 312 à 369 km. Echec. Après 4 jours, la cabine, au lieu de descendre, se place sur une orbite elliptique.

U.S.A. Mercury-Redstone *(19-12-60). 1 000 kg.* Alt. 200 km. 373 km parcourus. 18 mn de vol.

Premiers vaisseaux habités par des animaux

U.R.S.S. Vaisseau cosmique 2 *(19-8-60). 4 600 kg.* Alt. 306 à 339 km. 18 révolutions en 24 h. Les chiennes Strelka et Bielka sont récupérées le *20-9-60.* **3** *(1-12-60). 4 563 kg.* Alt. 187,3 à 265 km. 17 révolutions en 26 h. Les chiens Ptcholka et Mouchka ne sont pas récupérés (le vaisseau se désintègre à la descente). **4** *(9-3-61). 4 700 kg.* Alt. 183,5 à 248,8 km. La chienne Tchernouchka est récupérée. **5** *(25-3-61). 4 695 kg.* Alt. 178,1 à 247 km. La chienne Zvezdotchka est récupérée.

U.S.A. Mercury-Redstone *(31-1-61).* Alt. 250 km. 676 km parcourus. 16 mn de vol. Le chimpanzé Ham est récupéré. **Mercury Atlas 4** *(13-9-61). 1 220 kg.* Alt. 160 à 254 km. 1 révolution 104 mn. 40 000 km parcourus. Mannequin à bord. **Mercury Atlas 5** *(29-11-61). 1311 kg.* Alt. 160 à 237 km. 2 révolutions 193 mn, près de 50 000 km parcourus. Le chimpanzé Enos est récupéré.

Vols humains

☞ L'homme évoluant dans le milieu spatial est appelé *cosmonaute* par les Soviétiques, *spationaute* par les Français et *astronaute* par les Américains.

Problèmes physiologiques

Environnement spatial. *Obscurité du ciel :* totale au-dessus de 150 km d'alt. *Vide :* à 40 km d'alt., la pression atmosphérique est 300 fois plus faible qu'au sol. A 150-200 km, le vide est quasi absolu (1 milliardième de la pression au sol). *Manque d'oxygène :* peut conduire à la mort avant 8 000 m d'alt. *Écarts thermiques :* entre la paroi d'un satellite éclairée par le Soleil ou située à l'ombre, la temp. peut varier de + 150°C à − 50°C. Dans l'espace, les échanges de chaleur se font seulement par rayonnement et non plus par conduction et convexion, comme sur Terre. *Flux de particules et radiations diverses :* des météorites peuvent perforer les parois du véhicule spatial ou du scaphandre ; des rayonnements ionisants (r. cosmiques du Soleil ou de la Galaxie, électrons et protons de Van Allen qui entourent la Terre) peuvent, en traversant la matière, arracher des électrons aux atomes rencontrés et avoir un effet destructeur sur les cellules des organismes vivants ; rayonnements non ionisants (radiations visibles, ultraviolettes et infrarouges). *Absence de pesanteur :* un sat. artificiel de la Terre subit simultanément 2 forces qui s'équilibrent [attraction (vers la Terre) et répulsion (opposée), due au mouvement autour de la Terre].

Réactions de l'organisme humain. A cause des baisses de pression : *à partir de 9 000 m,* l'azote dissous dans les tissus et les liquides du corps passe à l'état gazeux, formant des bulles (aéroembolisme) pouvant susciter des troubles circulatoires : *vers 19 000 m,* la pression (env. 47 mm de mercure) est inférieure à la tension de vapeur des liquides du corps (37 °C) ; sans équipement protecteur, le sang se transformerait en mousse rouge et la chair se gonflerait (ébullisme).

Effets de la vitesse. Pour mieux supporter les fortes accélérations (4 à 5 g, 7 g pour les premiers engins, 3 pour la navette spatiale ; la fusée atteint 28 000 km/h en une dizaine de minutes), les cosmonautes sont couchés sur le dos. Les forces d'inertie agissant ainsi perpendiculairement à l'axe des gros vaisseaux sanguins, les déplacements de sang sont moins importants. Bruits intenses (110 à 125 dB à l'intérieur de la cabine), vibrations multiples.

Problèmes de respiration. *Système soviétique :* l'atmosphère des sat. et stations orbitales a une composition et une pression normales (env. 80 % d'azote et 20 % d'oxygène ; 760 à 800 mm de mercure). *Système américain :* missions Mercury, Gemini, Apollo : oxygène pratiquement pur (pression 258 mm) ; avantages techniques : allègement de la cabine, limitation des fuites ; inconvénient : risque d'incendie (le 28-1-67, 3 cosmonautes périrent carbonisés lors d'un entraînement au sol). *Séjours prolongés :* dans Skylab : atmosphère 75 % d'oxygène et 25 % d'azote, pression 258 mm. Stations orbitales actuelles ; régénération d'oxygène (un cosmonaute en consomme 600 à 900 l par j), absorption du gaz carbonique formé, filtrage des poussières et des odeurs. *Navette :* atmosphère normale d'oxygène et d'azote.

Problèmes de l'impesanteur. Dans Skylab, les cosmonautes avaient des poignées (pour s'agripper), un treillis métallique et des cale-pieds (à table, face aux appareils d'expérience, au cabinet de toilette, etc.). Les ustensiles de cuisine étaient retenus par des aimants. L'eau (et tous les liquides) ne pouvant rester dans les récipients ouverts (ils se fractionnent en gouttelettes éparses dans l'atmosphère), les cosmonautes faisaient leur toilette avec des serviettes humidifiées, buvaient dans des tubes ; ils ne prenaient pas d'aliments solides (les miettes se seraient propagées à l'intérieur de la cabine, créant un danger pour yeux et voies respiratoires). Les poils coupés risquant de se répandre dans l'habitacle et de provoquer des accidents pulmonaires, ils se rasaient avec des instruments spéciaux.

Influence sur le système cardio-vasculaire. Env. 2 l de sang abandonnent la partie inférieure pour la partie supérieure du corps (congestion des veines, du cou, de la face, amincissement des jambes). Cette augmentation du volume sanguin thoracique et la dilatation de l'oreillette droite du cœur, interprétées par l'organisme comme une augmentation du volume sanguin total, déclenche, par voie réflexe, des réactions hormonales et provoque une excrétion accrue d'eau et d'éléments minéraux. Après quelques j (de 3 à 10, parfois 20 à 30), l'organisme s'adapte. Cependant les réflexes cardio-vasculaires s'émoussent (car ils sont plus sollicités par les changements de position et se désadaptent de la pesanteur). On observe des troubles lors du retour sur Terre.

Équilibration. L'appareil vestibulaire, situé dans l'oreille interne et percevant normalement les accélérations linéaires, est troublé par l'absence de pesanteur, d'où des malaises comparables au « mal de l'air » : nausées, vertiges, pertes d'appétit, ennuis gastriques (disparaissent en quelques j).

Les muscles s'atrophient. Des travées osseuses s'amincissent, une décalcification se produit. Si aucun remède n'est trouvé, on ne peut envisager de mission habitée de plus de 6 mois.

La taille augmente (2 à 4 cm) ; la colonne vertébrale ne supportant plus le poids du corps, les vertèbres s'écartent. Sur Terre, la taille redevient normale. *Perte de poids* (3 à 5 kg quelle que soit la durée de la mission) due principalement à une perte du liquide organique et à la réduction de la masse musculaire (souvent liée à une alimentation trop peu calorifique et à une baisse d'appétit). Réduction des globules rouges (8 à 30 %). Ces troubles ne sont pas irréversibles. La *fonction respiratoire* semble peu perturbée, l'*acuité visuelle et auditive,* la *pression artérielle,* le *rythme cardiaque* et les électrocardiogrammes restent normaux.

Altitudes. A *19 000 m,* le sang de l'homme protégé du milieu extérieur bout, la température d'ébullition étant d'autant plus basse que la pression est faible. A partir de *40 000 m,* l'atmosphère n'est plus suffisante pour fournir le comburant nécessaire aux moteurs. A *45 000 m,* il n'y a plus d'ozone et un corps vivant non protégé serait brûlé.

Précautions d'hygiène. *Exercices musculaires :* tapis roulant, extenseurs, bicyclette ergométrique. *Vêtements spéciaux :* simulant sur les os et les muscles l'action de la pesanteur ou provoquant l'afflux de sang vers les parties inférieures. *Introduction du bas du corps* dans un caisson pour rétablir, par pressions négatives, une circulation sanguine presque normale dans les membres inférieurs, etc. Conservation du rythme des 24 h (1/3 de travail, 1/3 de loisirs, 1/3 de sommeil).

Activité hors des véhicules. Difficulté d'effectuer des gestes précis, importance des dépenses métaboliques. Il faut un point d'appui, des outils appropriés.

Déchets. Dans les 1ers véhicules spatiaux, les déchets étaient recueillis dans des sacs contenant des produits germicides évitant la fermentation et la formation de gaz ; les urines et matières fécales dans des sachets en plastique (contenant des bactéricides et du charbon suractivé).

Réadaptation au retour. Sentiment d'écrasement dû à la pesanteur retrouvée. Manque de coordination des mouvements.

☞ Les astronautes consomment pour leur douche 4 litres (20 l. pour un Terrien). Le pommeau d'eau asperge et aspire l'eau successivement, évitant la surconsommation. Emporter de l'eau dans l'espace coûte plusieurs milliers de $ par l.

Quelques chiffres

Nombre. Au 1-1-1991 239 personnes envoyées dans l'espace dont 147 astronautes amér. (136 h., 11 f.), 69 cosmonautes soviét. (67 h., 2 f.), 23 spationautes d'autres pays dont 2 français : Jean-Loup Chrétien sur Soyouz 6 (24-6/2-7-82) et (26-11/21-12-88) et Patrick Baudry sur Discovery (17 au 24-6-85).

Temps total passé dans l'espace. 234 000 h dont 182 000 h pour les Soviét., 52 000 h pour les Amér.

Durées maximales. Pour un seul vol : 365 j. 22 h 30 mn : Moussa Manarov et Vladimir Titov (326 j 11 h 37 mn : Youri Romanenko en 1987). **Durée totale cumulée pour un même cosmonaute :** *homme :* Youri Romanenko 429 j 42 h 19 mn (*1977-78 :* 96 j, *1980 :* 7 j, *1987 :* 326 j 11 h 37 mn) ; *femme :* 189 h 52 mn par Svetlana Savitskaya (U.R.S.S.) : Soyouz T7, Saliout 7, Soyouz T6 (du 19 au 27-8-82).

Nombre de vols effectués par un même astronaute. 6 vols (834 h 59) par John Young (U.S.A.) : *Gemini 3* (23-3-65) 4 h 52. *Gemini 10* (du 18 au 21-7-66) 70 h 46. *Apollo 10* (du 18 au 26-5-69) 192 h 03. *Apollo 16* (du 16 au 27-4-72) 265 h 51. *STS 1* (du 12 au 14-4-81) 54 h 20. *STS 9* (du 28-11 au 8-12-83) 247 h 04.

Astronautes ayant marché sur la Lune (*légende :* durée totale du séjour du véhicule spatial sur le sol lunaire, durée d'exploitation effectuée sur la Lune hors du véhicule spatial par les astronautes, distance parcourue sur la Lune). **Apollo 11** *16-7-69,* 21 h 36, Armstrong, Neil (5-8-30) 2 h 40, Aldrin, Edwin (21-1-30) 2 h 15 ; 400 m. **Apollo 12** *14-11-69,* 31 h 31, Conrad, Charles (2-6-30) 7 h 45, Bean, Alan (15-3-32) 7 h 45 ; 3 km. **Apollo 14** *31-1-71,* 33 h 30, Shepard, Alan (18-11-23) 9 h 17, Mitchell, Edgar Dean (17-9-30) 9 h 17 ; 4 km. **Apollo 15** *26-7-71,* 66 h 54, Scott, David (6-6-32) 18 h 35, Irwin, James (17-3-30) 18 h 35 ; 28 km. **Apollo 16** *16-4-72,* 71 h 14, Young, John W. (24-9-30) 20 h 15, Duke, Charles (3-10-35) 20 h 15 ; 27 km. **Apollo 17** *7-12-72,* 74 h 59, Cernan, Eugen (14-4-34) 22 h 04, Schmitt, Harrison (3-7-35) 22 h 04 ; 36 km.

Nombre maximum d'astronautes. 8 pour la mission Spacelab D-1 (le 30-10-1985).

États-Unis

Programme Mercury

• **Coût du programme.** 437 millions de $.

• **Cabine.** En forme de cône, protégée par un bouclier thermique (de 200 kg) pour la rentrée dans l'atmosphère. Hauteur 2,7 m, diam. max. 1,85 m, masse 1 350 kg. Monoplace. Emportait au départ des réserves de vivres et d'énergie pour env. 30 heures.

L'astronaute était assis, le dos appuyé à la base de la capsule, sur un siège moulé à son corps. Il pouvait regarder à l'extérieur par un hublot.

En principe, tous les systèmes fonctionnaient automatiquement, mais on avait prévu, à titre expérimental et comme moyen de secours, des commandes manuelles. Le poids de la cabine devant être limité, on avait choisi de faire respirer à l'astronaute de l'oxygène pur (au lieu d'air).

La sécurité au départ était assurée par des moteurs à poudre placés au sommet d'une tour à la partie supérieure de la cabine : en cas d'incidents au décollage, ces moteurs auraient séparé immédiatement la cabine de sa fusée porteuse. Si tout allait bien, la tour était éjectée après quelques minutes de vol.

La récupération de la cabine se faisait en 3 étapes. Un 1er freinage, assuré par 3 fusées à poudre, modifiait l'orbite de la cabine pour la faire rentrer dans l'atmosphère, puis le bouclier thermique se détachait. Un 1er parachute (diamètre 1,8 m) s'ouvrait à 6 000 m d'alt. pour stabiliser la cabine, un 2e (diam. 20 m) s'ouvrait à 3 000 m, ramenait la vitesse à 10 m/s. Enfin la cabine se posait sur l'eau pour éviter une arrivée trop brusque.

• **Vols : Freedom 7** *(5-5-61).* Alan Shepard fait un bond de 15 mn 22 s (alt. max. 187 km). Vitesse max. 8 263 km/h. Parcourt 485 km.

Liberty Bell 7 *(21-7-61).* Virgil Grissom, bond de 15 mn 55 s (alt. max. 188 km). Vitesse max. 8 318 km/h. Parcourt 486 km.

Friendship 7 *(20-2-62).* John Glenn (40 ans), vol de 4 h 55 mn. 3,24 révolutions (alt. max. 256 km, min. 157). Parcourt 125 000 km.

Aurora 7 *(24-5-62).* Malcolm Scott Carpenter (37 ans), vol de 4 h 56 mn. 3,25 révolutions (alt. max. 267 km, min. 160). Parcourt 125 000 km.

Sigma 7 *(3-10-62).* Walter Schirra (39 ans), vol de 9 h 13 mn. 6,17 révolutions (alt. max. 283 km, min. 160). Parcourt 250 000 km.

Faith 7 *(15-5-63).* Gordon Cooper (36 ans), vol de 34 h 20 mn. 23,25 révolutions (alt. max. 267 km, min. 163). Parcourt 950 000 km.

Victimes de l'astronautique

1960 (24-10). Explosion d'une fusée sur le cosmodrome de Baïkonour (U.R.S.S.). 165 victimes (savants, militaires et techniciens).

1967 (27-1). Virgil Grissom, Edward White, Roger Chaffee (Américains) meurent dans l'incendie d'une cabine Apollo, au Cap Kennedy, au cours d'un entraînement au sol. **(23-4).** Vladimir Komarov (Soviétique) s'écrase avec Soyouz 1 (le parachute s'est mis en torche).

1971 (29-6). G. Dobrovolsky, V. Volkov, V. Pataiev asphyxiés avant l'atterrissage de leur cabine Soyouz 11 (brusque dépressurisation).

1986 (28-1). 7 astronautes amér. dont 5 Blancs : Francis R. Scobee (n. 19-5-1939), Michael J. Smith (n. 30-4-1945), Gregory B. Jarvis (n. 24-8-1944), Judith A. Restnik (n. 5-4-1949), Sharon Christa Corrigan Mc Auliffe (n. 2-10-1948, 1re femme « civile » astronaute, enseignante) ; 1 Noir : Ronald E. Mc Nair (n. 21-10-1950) ; 1 Jaune : Ellison S. Onizuka (n. 24-6-1946) meurent dans l'explosion de la navette « Challenger ».

Nota. – Au cours du vol Apollo 13 (12-4-1970), écourté par une fuite d'oxygène, les 3 astronautes ont pu être sauvés.

Programme Gemini

• **Coût du programme.** 1 303 millions de $.

• **Cabine Gemini.** *3 200 kg.* En forme de cône. 2 parties : 1° une cabine récupérable de 2 750 kg, 2° un compartiment des instruments largués dans l'espace à la fin du vol. Calcul des manœuvres par une petite calculatrice pouvant effectuer 7 000 additions, 2 500 multiplications ou 1 200 divisions par seconde. L'avant était un petit cylindre contenant des radars destinés à s'emboîter dans une cavité équipant les fusées Agena que les Gemini devaient rejoindre dans l'espace. 2 moteurs (45 kg de poussée) pouvaient propulser la cabine vers l'avant et 2 autres (38 kg de p.) pouvaient la ralentir. 4 moteurs (45 kg de p.) lui permettaient de se déplacer vers le haut, le bas, la gauche et la droite. 8 propulseurs (11 kg de p.) servaient à contrôler la position. Tous ces moteurs consommaient des liquides à base d'azote. Les réservoirs pouvaient contenir 300 kg. Pour déclencher la rentrée dans l'atmosphère, il y avait 4 rétrofusées à poudre (1 130 kg de p. chacune).

2 astronautes pouvaient se tenir côte à côte. Ils respiraient de l'oxygène.

Gemini 1 *(8-4-64).* Pas de récupération, 64 révolutions, 4 j, expérimentation de la cabine et de la fusée Titan II. **2** *(19-1-65).* Vol balistique, essai du bouclier thermique de la cabine. **3** *(23-3-65).* V. Grissom, J. Young, vol de 4 h 53 mn. 3 révolutions (alt. max. 225 km, min. 155). **4** *(3-6-65).* J. McDivitt, E. White, vol de 97 h 56 mn. 62 révolutions (alt. max. 290 km, min. 158). Parcourt 2 700 000 km. *1re sortie d'un Américain dans l'espace* (White 20 mn). **5** *(21-8-65).* Ch. Conrad, G. Cooper, vol de 7 j 22 h 56 mn. 120 révolutions (alt. max. 352 km, min. 161). Parcourt 5 343 000 km. *1re utilisation de piles à combustibles.* **6** *(15-12-65).* W. Schirra, T. Stafford, vol de 25 h 51 mn. 17 révolutions (alt. max. 270 km, min. 161). *1er rendez-vous* (s'approche à 30 cm de Gemini 7). **7** *(4-12-65).* J. Lovell, F. Borman, vol de 13 j 18 h 35 mn. 206 révolutions (alt. 225 km, min. 160). Parcourt 9 195 756 km. **8** *(16-3-66).* N. Armstrong, D. Scott, vol de 10 h 41 mn. 7 révolutions (alt. max. 407 km, min. 396). *1re jonction spatiale* avec l'étage-cible Agena lancé 100 mn avant. **9** *(3-6-66).* T. Stafford, E. Cernan, vol de 72 h 21 mn. 44 révolutions (alt. max. 300 km, min. 159). Cernan sort 2 h 09. Rendez-vous spatiaux répétés (sans jonction) avec la cible A.T.D.A. **10** *(18-7-66).* J. Young. M. Collins, vol de 70 h 46 mn. 43 révolutions (alt. max. 763 km, min. 160). Utilisation des moteurs de l'Agena avec lequel le rendez-vous a été effectué. 2 sorties de Collins (total 1 h 30 mn.). **11** *(12-9-66).* Ch. Conrad, R. Gordon, vol de 71 h 47 mn. 43 révolutions (alt. max. 1 365 km, min. 160). Gemini est lancé directement à la poursuite de la cible sans être placé sur une orbite d'attente. 2 sorties de Gordon (total 2 h 50 mn). **12** *(11-11-66).* J. Lovell, E. Aldrin, vol de 94 h 34 mn. 59 révolutions (alt. max. 300 km, min. 257). Aldrin sort à 3 reprises (total 5 h 30 mn).

Programme Apollo

Au cours du programme Apollo, les Américains ont passé 19 j 11 h au total sur la Lune (dont 80 h 18 mn de sortie sur le sol), parcouru 95,2 km et rapporté 387 kg d'échantillons du sol lunaire.

• **Coût du programme** (en millions de $). 25 000 en 10 ans. 517 de matériel laissé sur la Lune (dont 6 modules lunaires : 40 à 50 chacun, 6 stations scientifiques, au total 130 ; 3 jeeps lunaires : 6 au total). Fusée Saturn V : 185 ; vaisseau Apollo : 65 ; opérations au sol pour 1 vol (A. 13) : 105.

• **Cabine Apollo** (3 hommes à bord). *Hauteur :* 10,44 m. *Diamètre :* 3,85 m. *Poids* au lancement : 18,58 t (y compris compartiment moteur). 3 parties : cabine (command module) où logent les astronautes, compartiment des machines (service module), LEM ou LM (lunar module) destiné à atterrir sur la Lune avec 2 astronautes à bord. *Propulsion :* 4 groupes indépendants de 3 moteurs-fusées sur le compartiment moteur (45 kg de poussée chacun) et 2 groupes indépendants de 6 moteurs fusées chacun sur la cabine pour la stabilisation, le contrôle d'altitude et la rentrée. Un moteur fusée (10 t de poussée) qui peut être rallumé plusieurs fois occupe le compartiment moteur et sert pour les corrections de trajectoire et mises sur orbite lunaire. *Énergie électrique de bord :* 3 piles à combustibles et 3 batteries rechargeables. *Communications :* liaison dans la bande des très hautes fréquences, en anglais VHF, couvre le domaine compris entre 30 et 300 MHZ en phonie sur distances faibles ; liaison phonique sur grandes distances ; radar de rendez-vous ; liaison de télémesure ; 10 antennes sur le compartiment moteur et la cabine. *Guidage et navigation :* plate-forme à inertie, guidage optique ; télescope et sextant ; calculateur de bord avec une mémoire de 39 000 mots. *Atterrissage :* 8 parachutes. *Lancement :* Saturn s'élève, emportant à son sommet la capsule Apollo ; quelques mn plus tard, la vitesse dépasse 10 000 km/h ; le 1er étage de la fusée est largué et le 2e est mis à feu. La vitesse augmente encore, le 2e étage est largué et le 3e est mis à feu ; il permet à Apollo de se mettre en orbite autour de la Terre. Le vaisseau tourne plusieurs heures autour de la Terre à 200 km d'alt., le temps de permettre des vérifications, puis le 3e étage est remis à feu pour donner le supplément d'énergie nécessaire.

Quand l'ensemble est placé sur sa trajectoire qui l'emmène vers la Lune, la cabine et le compartiment des machines se séparent du LEM resté accroché au 3e étage de la fusée. Puis ils se retournent et la cabine s'amarre au LEM. Le 3e étage de la fusée ne servant plus à rien est ensuite abandonné dans l'espace. Le voyage dans l'espace dure 3 j. Pendant ce temps, Apollo tourne sur lui-même (1 ou 2 tours par h) pour exposer successivement toute sa surface au Soleil.

A 60 000 km environ de la Lune, Apollo atteint le *point d'équigravité* où l'attraction de la Lune et celle de la Terre s'équilibrent exactement. A partir de là, c'est l'attraction de la Lune qui devient la plus forte. A 100 km environ de la Lune, si tout fonctionne parfaitement, les astronautes reçoivent l'ordre de se satelliser autour de la Lune. Le vaisseau spatial fait d'abord un tête-à-queue, puis ses rétrofusées sont allumées : il ralentit et se place sur une orbite lunaire. Ensuite, pendant que le vaisseau tourne autour de la Lune, 2 astronautes désignés à l'avance passent dans le LEM. Ils séparent le LEM de la cabine et se rapprochent de la Lune. Le LEM fonce vers la Lune, la tête en bas. En mettant à feu convenablement ses moteurs, les astronautes ralentissent peu à peu sa vitesse. A quelques km d'altitude, le LEM se redresse, les pieds en position d'atterrissage. La vitesse est réduite et le LEM se pose, à environ 9 km/h.

Retour vers la Terre : la partie inférieure du LEM sert de plate-forme de lancement à la partie supérieure et est abandonnée sur la Lune. Les astronautes du LEM se lancent à la poursuite d'Apollo et la rejoignent. Ils amarrent le LEM à la cabine, rejoignent leur compagnon dans la cabine, puis larguent dans l'espace le LEM devenu inutile. Ensuite, Apollo quitte son orbite lunaire et revient vers la Terre, grâce à la mise à feu du gros moteur du compartiment des machines. La capsule arrive dans l'atmosphère à 11,2 km/s : le frottement des couches de l'air contre les parois crée une énorme température. Un bouclier thermique, fait de matériaux spéciaux, protège la capsule (sa temp. atteint 2 600 °C en quelques mn).

La rentrée dans l'atmosphère s'effectue en plusieurs étapes : à 120 km du sol, la cabine se sépare du compartiment des machines devenu inutile. A 90 km, la capsule entre dans les couches denses de l'atmosphère, protégée par son bouclier thermique : pendant quelques minutes, on ne peut plus communiquer avec les astronautes. Ensuite, la capsule rebondit plusieurs fois sur les couches d'air de l'atmosphère, ce qui la freine beaucoup. A 8 km du sol s'ouvre un 1er parachute ; à 3 km, c'est au tour de 3 petits parachutes, suivis par 3 gros parachutes. La capsule descend alors doucement et amerrit.

• **Vols : Apollo 1 à 6.** Vols de qualification pour la fusée Saturn. **7** *(11-10-68). 1er lancement de la fusée Saturn I-B.* Walter Schirra, Walter Cunningham, Don Eisele, vol de 260 h 9 mn. Retour le *23-10.* **8** *(21-12-68).* Franck Borman, James Lovell, William Anders, vol de 147 h 1 mn, 800 000 km. *1er vol humain sur orbite lunaire* (à 113 km du sol) le *24-12.* Après 10 rév., quitte cette orbite le *25,* revient vers la Terre et amerrit le *27* à 15 h 51 dans le Pacifique, à 864 km de l'île Christmas.

☞ **3 records battus :** *poids au départ :* 123 t satellisées autour de la Terre, y compris les réserves de carburant ; *poids d'un engin sur trajectoire lunaire :* 43 t (délesté du 3e étage de la fusée porteuse) ; *vitesse du véhicule spatial habité :* 39 962 km/h.

Apollo 9 *(3-3-69).* James McDivitt, David Scott, Russel Schweickart, vol de 240 h 1 mn. Se pose sur orbite terrestre (191 à 500 km du sol). *Essais :* compartiment lunaire avec des hommes à bord, qui se sépare de la cabine Apollo et revient vers elle ; système autonome de propulsion, l'*EMU (Extra-vehicular Mobility Unit)* ; scaphandre de 82 kg. Revient le *14-3.* **10** *(18-5-69).* Thomas Stafford, John W. Young, Eugen Cernan, vol de 192 h 3 mn. Stafford et Cernan, à bord du LEM, se mettent sur une orbite elliptique de la Lune entre 15 km et 360 km, puis rejoignent la cabine Apollo. Retour le *26-5* à 600 km de Pago Pago (îles Samoa).

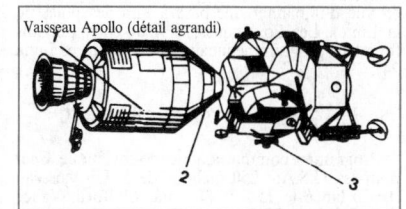

Vaisseau Apollo (détail agrandi)

1. Compartiment moteur. 2. Cabine Apollo. 3. Compartiment lunaire.

Apollo 11 *(16-7-69).* Neil A. Armstrong (n. 5-8-30), E. Aldrin (n. 20-1-30), M. Collins (n. 31-10-30). Lancé à 7 h 07 (h. locale), soit 12 h 07 (h française). Se met sur orbite terrestre à 190 km, puis la quitte à 17 h 06 et se dirige vers la Lune à 39 030 km/h. *20-7* à 21 h 17 (h française), le LEM (baptisé *Eagle)* se pose dans la mer de la Tranquillité à 6,4 km de l'endroit prévu. *21-7* à 3 h 56 mn 20 s [(h de Paris ; h. de Houston : 21 h 56, le 20-7) durée du vol : 195 h 19 mn] : Armstrong pose le pied gauche sur le sol lunaire ; Aldrin le rejoindra 1/4 d'h plus tard. Ensemble ils plantent dans le sol lunaire le pavillon américain et marchent 60 m, vêtus de l'EMU pour se protéger contre les agressions cosmiques et les différences brutales de température ; après avoir passé 21 h 36 mn 46 s sur la Lune, le LEM rejoint la cabine Apollo. *24-7* à 17 h 51, amerrissage des cosmonautes ; leur voyage a duré 195 h 18 mn 35 s (1 mn de plus que prévu). Rapporte 20,7 kg d'échantillons de sol lunaire. 12 *(14-11-69).* Ch. Conrad (n. 2-6-30), R. Gordon, A. Bean (n. 15-3-32), vol de 244 h 36 mn, aller 110 h 31 mn. Conrad et Bean se posent avec le LEM sur la Lune (océan des Tempêtes) et repartent 31 h 30 mn après (2 sorties : 7 h 45 mn). Retour le *24-11.* Rapporte 34,1 kg d'échantillons et des pièces prélevées sur la sonde automatique Surveyor 3 qui est posée là depuis 3 ans. 13 *(11-4-70).* Vol conçu comme les 2 précédents, avec James Lovell, Fred Haise, John Swigert († 1991), vol de 142 h 55 mn. Le LEM aurait dû rester 33 h sur la Lune et Lovell et Haise sortir 2 fois 4 h. Un incident technique (un réservoir d'oxygène explose) interrompt la mission à 320 000 km de la Terre, et Apollo 13 revient avec difficulté. 14 *(31-1-71).* Alan Shepard (n. 18-11-23), Stuart Allen Roosa, Edgar Dean Mitchell (n. 17-9-30), vol de 216 h 2 mn. *5-2 :* le LEM se pose près du cratère Fra Mauro dans l'océan des Tempêtes, aide les astronautes Shepard et Mitchell qui sortent 9 h 23 mn et déposent l'*ALSEP (Apollo Lunar Surface Experiment Package),* station scientifique automatique avec générateur nucléaire de 63 W, qui convertit en électricité la chaleur dégagée par du plutonium 238. *6-2 :* autre sortie de 4 h et décollage après un séjour de 33 h 31 mn (2 sorties : 9 h 17 mn). *7-2 :* retour. Rapporte 42,9 kg de roches lunaires [la brouette lunaire *(MET* ou *Modularized Equipment Transporter)* fut utilisée].

Apollo 15 *(26-7-71).* David R. Scott (n. 6-6-32), James B. Irwin (n. 17-3-30) et Alfred M. Worden, vol de 295 h 12 mn. *30-7 :* arrivée dans la mer des Pluies, au pied des Apennins. Scott et Irwin utilisent la « jeep lunaire ». Après séjour de 66 h 55 mn (3 sorties : 18 h 35 mn). *4-8 :* retour vers la Terre. *7-8 :* amerrissage. Rapporte 76 kg de roches. 16 *(16-4-72).* John Young (n. 24-9-30), Charles Duke (n. 3-10-35), Ken Mattingly, vol de 265 h 51 mn. Arrivé le *21-4* près du cratère Descartes. Séjour 71 h (3 sorties de Young et Duke : 20 h 14 mn ; 26,7 km parcourus). Retour le *27-4.* Rapporte 95,4 kg de roches. 17 *(7-12-72).* Eugen Cernan (n. 14-3-34), Ronald Evans (1934/7-4-90), Harrison Schmitt (n. 3-7-35) (géologue), vol de 301 h 52 mn. Arrivé le *11-2* dans la région des Mts Taurus près du cratère Littrow, séjour 74 h 59 mn (3 sorties de Cernan et Schmitt : 22 h 05 mn ; distance parcourue 36 km). Retour le *17-2 :* sortie dans le vide (Cernan) au retour. Rapporte 117 kg de roches.

☞ Abandon des explorations lunaires. Les vols Apollo 12 à Apollo 17 n'ont eu lieu que pour utiliser les fusées Saturn déjà existantes, les explorations scientifiques effectuées servaient seulement à justifier les expéditions. Les appareils de liaison Terre-Lune ont été débranchés le 1-10-77, les km de bandes magnétiques enregistrées ont été mises de côté et, sur les 382 kg de roches lunaires stockées, env. 350 kg n'ont pas été analysés. Une fusée Saturn restante a été exposée au centre spatial Kennedy et une autre à Houston. De nouveaux engins d'exploration lunaire sont prévus pour la fin du siècle (à partir de la future station spatiale américaine, pourraient être organisées des expéditions en vue d'implanter une base à l'un des pôles de la Lune). Les Soviétiques, de leur côté, ont mis fin à leur programme lunaire en 1976 (après Luna 24).

ASTP (Apollo-Soyouz Test Project)

Programme commun américano-soviétique. **Coût** pour les U.S.A. : 250 millions de $. Un vaisseau *Apollo* lancé le *15-7-75* (Thomas Stafford, Vance Brand et Donald Slayton) rejoint le vaisseau sov. Soyouz 19, s'y amarre le *17-7* [vol commun pendant 44 h à 225 km d'alt. ; transferts d'équipages, nombreuses expériences (physique, chimie, métallurgie, astronomie)] puis rentre le *24-7* après 9 j 1 h 28 mn.

Programme Skylab (« Labo céleste »)

● Cabine Skylab. *Atelier orbital :* long. 36 m, poids 90 607 kg, volume habitable 347 m³ sur 407 m², salles de travail 17 m², salle de séjour 10 m², dortoir avec alvéoles individuels 7 m², débarras 3 m² ; température réglable de 16 à 32 °C. 4 panneaux de cellules solaires (111 m² au total). Lancé par une fusée Saturn I-B ; les astronautes le rejoignent avec un vaisseau Apollo.

● Vols. Skylab 2 *(25-5* au *22-6-73).* Charles Conrad, Paul Weitz, Joseph Kerwin rejoignent le Skylab mis sur orbite le *14-5* par Saturn V. Ils ont du mal à amarrer, à débloquer des panneaux solaires, ont une panne de batterie et doivent mettre en place un écran solaire de dépannage. *Durée du vol :* 28 j (404 révolutions) *Distance parcourue :* 21,3 millions de km. *Sorties dans l'espace :* Conrad 6 h 34 mn, Kerwin 3 h 58 mn, Weitz 2 h 11 mn. *Nombre de photos prises :* 8 800 de la Terre, 30 000 du Soleil et des étoiles. 3 *(28-7* au *25-9-73).* Alan Bean, Jack Lousma, Owen Garriott rejoignent le même Skylab (succès de l'opération malgré de nombreux incidents). *Durée du vol :* 59 j 11 h (858 révol.). *Distance :* 45,4 millions de km. Alt. 450 km. *Sorties dans l'espace :* Bean 2 h 41 mn, Garriott 13 h 42 mn, Lousma 11 h 01 mn (total 27 h 24 mn). *Photos prises :* 77 000 du Soleil et des étoiles, 14 400 de la Terre. 4 *(16-11-73* au *8-2-74).* Gerald Carr, William Pogue, Edward Gibson. Séjour interrompu par le manque de vivres. Nombreuses expériences. *Durée du vol :* 84 j 1 h 16 mn (1 214 révol.). *Distance :* 63,9 millions de km. *Sorties dans l'espace :* durée totale + de 22 h. *Photos :* 17 000 de la Terre (étude relief et ressources), 75 000 du Soleil, des étoiles et de la comète Kohoutek.

☞ Chute de Skylab. Prévue pour 1983 [l'alt. (435 km) devait, pensait-on, assurer une grande longévité à Skylab] mais les radiations solaires ont accru la densité de la haute atmosphère, augmenté le freinage subi, et précipité la chute. La navette spatiale devait lui apporter un moteur et le faire remonter plus haut dans l'espace. Mais elle ne put être mise au point pour 1978 (comme prévu). A partir de fév. 1979, Skylab descendit en moyenne de 2 km par jour. En mai, il n'était qu'à 275 km de haut. Le 11-7-79 (après 2 249 j de vol), il rentrait dans l'atmosphère au-dessus de l'Australie et du sud de l'océan Indien. Sa désagrégation (sur 600 km) ne fit ni victimes ni dégâts. Les semaines précédant la chute, une inquiétude s'était manifestée, notamment en Inde.

Navette spatiale ou STS (Space Transport System)

Description. L'élément principal : l'*Orbiter* (long. 45 m, envergure 14,4 m, poids à vide 67,5 t), destiné à être temporairement satellisé autour de la Terre à 500 km d'altitude ; ressemble à un gros avion doté d'ailes en delta, mais se comporte comme une fusée au décollage et comme un planeur à l'atterrissage. Il comprend un compartiment habité pour 8 pers. et 1 soute de 29 t. Lui sont fixés 1 réservoir de 700 t, largué à chaque voyage, alimentant les 3 moteurs de 211 t de poussée chacun, et 2 fusées à carburant solide de 1 200 t de poussée chacune (munies de parachutes, elles sont larguées avant la mise sur orbite et récupérées). L'*Orbiter* est récupérable et réutilisable (env. 100 fois). Le *18-2-77,* 1er vol captif sur le « dos » d'un Boeing-747. Le *12-8-77,* 1er vol libre, après avoir décollé du Boeing porteur à 7 900 m d'altitude. Le *13-9-77,* 2e vol libre.

● Vols : STS-1. *Du 12-4 au 14-4-81 :* John Young et Robert Crippen, vol de 54 h 20 mn 52 s, et 36,5 révolutions autour de la Terre à 275 km d'alt. 2. *Du 12-11 au 14-11-81 :* Richard Truly et Joseph Engle, vol de 54 h 13 mn 12 s à 250 km d'alt. Vol écourté (défaillance d'une des 3 piles à combustibles). 3. *Du 22-3 au 30-3-82 :* Jack Lousma, Charles Fullerton (1 j de retard car mauvaise météo, vol de 8 j 05 mn) sur la base de White Sands, N.-Mex., celle d'Edwards (Californie) utilisée jusque-là étant impraticable. 4. *Du 27-6 au 4-7-82 :* Thomas Mattingly, Henry Hartsfield, vol de 7 j 1 h 09 mn 39 s. 5. *Du 11-11 au 16-11-82 :* Vance Brand, Robert Overmyer, Joseph Allen et William Lenoir 1er vol opérationnel de 5 j 2 h 14 mn 25 s. Grâce à un propulseur à poudre PAM-D, mise en orbite géostationnaire de 2 satellites de télécomm. : SBS-3 (U.S.A.) et Anik C-3 (Canada). Nombreuses expériences réalisées. Mais annulation d'une sortie dans l'espace de 2 astronautes (ennuis de scaphandres : manque de pressurisation de la combinaison de W. Lenoir et mauvais fonctionnement du système de ventilation de celle de J. Allen). 6 (« Challenger » *1er vol). Du 4-4 au 9-4-83 :* Paul Weitz, Karol Bobko, Story Musgrave, Donald Peterson, vol de 5 j 24 mn 32 s. *7-4 :* Musgrave et Peterson sortent 3 h 50 mn dans l'espace pour simuler des réparations. *5-4,* largage du sat. TDRS-1, qui ne parvient pas à être placé en orbite géostationnaire par le propulseur IUS. Atterrissage à Edwards. 7 (« Challenger »). *Du 18-6 au 24-6-83 :* Robert Crippen, Frederick Hauck, John Fabian, Sally Ride *(1re femme amér. de l'espace),* Norman Thagard, vol de 6 j 2 h 24 mn 10 s. Mise en orbite des sat. de comm. : Anik C-2 (Canada) et Palapa B-1 (Indonésie). A l'aide d'un bras télémanipulateur, largage à 2 reprises dans l'espace puis récupération du SPAS (Shuttle Pallet Satellite) d'instruments scientifiques. Atterrissage à Edwards. 8 (« Challenger »). *Du 30-8 au 5-9-83 :* Richard Truly, Daniel Brandenstein, Dale Gardner, Gruion Bluford, William Thornton, vol de 6 j 1 h 8 mn 40 s. Mise en orbite du sat. indien Insat 1-B (le 31-8). Déploiement par le bras télémanipulateur du PFTA (Payload Flight Test Article), structure métallique de 3,9 t en forme d'haltère, destinée à valider le bras pour la manipulation de charges très lourdes. Expériences d'électrophorèse en apesanteur. Atterrissage à Edwards. 9 (« Spacelab »). *Du 28-11 au 8-12-83 :* John Young, Brewster Shaw, Owen Garriott, Robert Parker, Byron Lichtenberg, Ulf Merbold (All. féd.), vol de 10 j 7 h 47 mn. Emportait le laboratoire spatial européen « Spacelab », dont c'était le 1er vol (voir p. 50 c). 72 expériences (57 européennes représentant 50 % de la charge utile, 14 amér. et 1 japonaise). Atterrissage à Edwards. 10 (« Challenger »). *Du 3 au 11-2-1984 :* Vance Brand, Robert Gibson, Ronald McNair, Bruce McCandless, Robert Stewart, vol de 191 h 17 mn. Mise en orbite de 2 satellites commerciaux. *1er vol libre de 2 astronautes* (McCandless et Stewart) avec le fauteuil spatial MMU (manned manoeuvring unit). Atterrissage au Cap Canaveral. 11 (« Challenger »). *Du 6 au 13-4-1984 :* Robert Crippen, Francis Scobee, Terry Hart. George Nelson, James Van Hoften, vol de 167 h 40 mn. Réparation du satellite « Solmax » en orbite, par Nelson et Van Hoften. Remis en orbite. Atterrissage à Edwards. 12 (« Discovery »). *Du 30-8 au 5-9-1984 :* Henry Hartsfield, Michael Coats, Richard Mullane, Steven Hawley (mari de la 1re femme-astronaute US), Charles Walker (*1er passager non astronaute,* ingénieur chez McDonnell-Douglas) et Judith Resnik *(1re femme-astronaute américaine),* vol de 144 h 56 mn. Largage de 2 satellites de télécommunications. 1er vol du 3e modèle de navette spatiale. Atterrissage à Edwards. 13 (« Challenger »). *Du 5 au 13-10-1984 :* Robert Crippen, John McBride, Kathryn Sullivan, Sally Ride *(1re Américaine à être allée 2 fois dans l'espace),* David Leetsma, Paul Scully-Power et Marc Garneau *(1er astronaute canadien),* vol de 197 h 23 mn. *1re sortie féminine dans l'espace.* Mission : observation de la Terre par radar. Atterrissage au Cap Canaveral. 14 (« Discovery »). *Du 8 au 16-11-1984 :* Frédéric Hauck, Joseph Allen, David Walker, Dale Gardner et Anna Fisher, vol de 191 h 45 mn. Récupération et retour sur Terre pour réparation de 2 satellites placés sur de mauvaises orbites 9 mois avant (Westar-6 et Palapa B-2). Atterrissage à Cap Canaveral. 15 (« Discovery »). *Du 24 au 27-1-1985 :* Thomas Mattingly, Loren Shriver, Ellison Onizuka, James Buchli, Gary Payton. Lancement secret (militaire), vol de 73 h 33 mn. Atterrissage à Cap Canaveral. 16 (« Discovery »). *Du 12 au 19-4-1985 :* Bobko, Williams, Griggs, Seddon, Hoffman, Walker, Jack Garn (sénateur), vol de 167 h 55 mn 20 s, largage de 2 satellites. Atterrissage à Cap Canaveral. 17 (« Challenger »). *Du 29-4 au 6-5-1985 :* Robert Overmeyer, Frederick Gregory, Don Lind, William Thornton, Taylor Wang, Norman Thagard, Lodewijk Vandenberg, vol de 168 h 8 mn, largage du sat. Nusat. Mission « Spacelab 3 ». 18 (« Discovery »). *Du 17 au 24-6-1985 :* Daniel Brandenstein, John Creighton, John Fabian, Shannon Lucid, Steven Nagel, Patrick Baudry *1er vol d'un Français à bord de la navette,* Sultan Al-Sand (Arabie Saoudite), *1re mission avec 2 étrangers à bord.* Largage de 3 satellites de télécomm. et d'une plate-forme astronomique récupérée après 48 h, vol de 169 h 38 mn 53 s. Atterrissage à Edwards. 19 (« Challenger »). *Du 12-7 au 6-8-1985 :* Story Musgrave, Antony England, John Bartoe, Roy Bridges, Karl Henize, Loren Acton. Mission « Spacelab 2 », vol de 190 h 45 mn 26 s. Atterrissage à Edwards.

STS-20 (« Discovery »). *Du 24-8 au 3-9-1985* (Engle, Covey, Van Hoften, Fisher, Lounge), vol de 170 h 18 mn 29 s. Largage de 3 satellites de télécommunications. Réparation dans l'espace de Syncom-IV-3. Atterrissage à Edwards. 21 (« Atlantis »). *Du 3 au 7-10-1985 :* Karol Bobko, Ronald Grabe, David Hilmers, Robert Stewart, William

Pailes, vol de 97 h 45 mn, 1er vol du 4e et dernier exemplaire opérationnel de navette (une autre, « Enterprise », n'est pas équipée pour le vol spatial). Atterrissage à Edwards. 22 (« Columbia »). *Du 30-10 au 6-11-1985* : 8 astronautes (record) : Henry Hartsfield, Steven Nagel, James Buchli, Guion Bluford, Bonnie Dunbar, Ernst Messerschmidt (All. féd.), Reinhardt Furrer (All. féd.), Wubbo Ockels. *(1er vol d'un Néerlandais), 1re mission avec 3 étrangers à bord.* Mission « Spacelab-D1 », vol de 168 h 44 mn 51 s. 23 (« Atlantis »). *Du 27-11 au 3-12-1985* : Brewster Shaw, Brian O'Connor, Mary Cleave, Sherwood Springs, Jerry Ross, Charles Walker, Rodolfo Vela *(1er vol d'un Mexicain).* Largage de 3 satellites de télécomm. et d'une plate-forme d'observation astronomique, vol de 165 h 4 mn 50 s. Atterrissage à Edwards. 24 (« Columbia »). *Du 12 au 18-1-1986* : Robert Gibson, Charles Bolden, Robert Cenker, Steven Hawley, George Nelson, Franklin Chang-Diaz, Bill Nelson (représentant démocrate de la Floride). Vol de 146 h 4 mn 9 s. Largage du satellite Satcom K-1. Expériences de métallurgie et de cristallographie. Observation de la comète de Halley. Décollage, prévu initialement le 18-12-85, a dû être reporté 8 fois, atterrissage à Edwards (différé de 48 h à cause du mauvais temps). 25 (« Challenger »). *Le 28-1-1986.* But : observation de la comète de Halley ; mise en orbite du satellite TDRS-B. Explosion de la navette et de son réservoir extérieur 73 s après le décollage par suite de la défaillance d'un joint d'étanchéité sur l'un des propulseurs d'appoint, entraînant la mort des 7 astronautes (voir encadré p. 45). 26 (« Discovery »). *Du 29-9 au 3-10-1988* : R. Harick, R. Covey, John Lounge, George O. Nelson, David C. Hilmers, vol de 96 h 0 mn, mise en orbite du sat. TDRS. Atterrissage à Edwards. 27 (« Atlantis »). *Du 2 au 5-12-1988* : R. Gibson, Guy Gardner, R. Mullane, Jerry Ross, W. Sheperd, vol de 105 h 0 mn. Largage d'un puissant sat.-espion de nouvelle génération (KH 12). Atterrissage à Edwards. 28 (« Discovery »). *Du 13 au 18-3-1989* : M. L. Coats, John E. Blaha, James F. Buchli, R. Springer, James P. Bagion. Mise en orbite du satellite TDRS-D. Atterrissage à Edwards. 29 (« Atlantis »). *Du 4 au 8-5-1989* : David M. Walker, Ronald J. Grobe, Norman Thagard, Mary L. Cleave, Mark Lee. Le 5-5 lancement de la sonde « Magellan » vers Vénus. Atterrissage à Edwards.

STS-30 (« Columbia »). *Du 8 au 13-8-1989* : Brewster Shaw, N. Richards, David Leetsma, Adamson, Mark Brown. Mission militaire secrète. Mise en orbite d'un satellite d'observation militaire. 31 (« Atlantis »). *Du 18 au 23-10-1989* : Donald Williams, Michael J.Mc Cully, Shannon W. Lucid, Ellen S. Baker, Franklin Chang-Diaz. Le 5-5 lancement vers Jupiter de la sonde « Galileo ». Atterrissage à Edwards. 32 (« Discovery »). *Du 22 au 27-11-1989* : Frederik D. Gregory, David Griggs, F. Story Musgrove, Kathryn C. Thurnton, Manley Carter. Mission militaire secrète. Mise en orbite d'un satellite d'écoute électronique. Atterrissage à Edwards. 33 (« Columbia »). *Du 9-1 au 20-1-1990* : Daniel Brandenstein, James Wetherbee, Bonnie Dunbar, David Low, Marsha Irvins. Record de durée 10 j 21 h 1 mn. Rapatriement du satellite LDEF (10,5 t contenant 10 000 échantillons). Atterrissage à Edwards. 34 (« Atlantis »). *Du 1-3 au 4-3-1990* : mission militaire secrète. Mise en orbite d'un satellite d'observation sur le grand Nord soviétique. Atterrissage à Edwards. 35 (« Discovery »). *Du 24 au 29-4-90* : Vance Brand, Guy Gardner, Jeffrey Hoffman, John Lounge, Robert Parker, Samuel Durance, Ronald Parise : mise à poste du télescope spatial « Hubble », à 620 km d'alt. (record pour une navette). 36 (« Discovery »). *Du 6 au 10-10-90* : Richard Richards, Robert Parker, Bruce Melnick, William Shepperd, Thomas Akers : lancement de la sonde solaire américano-européenne « Ulysse ». 37 (« Atlantis »). *Du 15 au 20-11-90* : mission militaire, largage d'un satellite d'écoutes électroniques « AFP-658 » pour la surveillance du golfe Persique. Atterrissage à Cap Canaveral (sur piste de secours de 5 000 m). 38 (« Columbia »). *Du 2 au 10-12-90* : (départ prévu le 12-5-90, reporté plusieurs fois) : mission astronomique, observation du ciel en UV grâce à la batterie de satellites « Astro-1 » fixés dans la soute. Atterrissage à Cap Canaveral. 39 (« Atlantis »). *Du 5-4 au 10-4-1991* : Jerry Ross, Jay Apt, Linda Godwin, Steven Nagel. Mise en orbite du satellite GRO (Gamma Ray Observatory) de 17 t. 2 sorties de Ross et Apt (5h46 mn et 3h30 mn) pour débloquer l'antenne. Atterrissage à Edwards.

☞ Le 5-4-90, à 13 000 m, un B52 a largué 1 fusée **Pegasus 1** à propergol solide (long. 18 m, diam. 1,15 m, masse 18,28 t, envergure 6,6 m et 3 ailerons de 1,5 m à l'arrière) qui a placé la charge Pegsat (191 kg : 1 équipement de télémesure, 1 satellite-relais militaire expérimental et des conteneurs de baryum largués au-dessus du Canada pour l'étude des courants électriques dans la haute atmosphère) à 583 km d'altitude. Intérêt : coût compétitif, peu de servitudes, pas de base de lancement fixe.

• **Projet de vol habité vers Mars.** En 2003, 2 vaisseaux spatiaux emportant 6 astronautes pourraient entamer de conserve un voyage aller-retour vers Mars. Le raid prendrait près de 3 ans (6 mois pour l'aller, 1 à 2 mois d'exploration sur le sol martien, 2 ans pour le retour) et coûterait environ 38 milliards de dollars. Compte tenu de la quantité de combustible à emporter, le départ ne s'effectuerait pas à partir du sol, mais depuis une station orbitale où les vaisseaux seraient apportés en pièces détachées et assemblés.

• **Projets de stations orbitales.** *Space Station « Freedom »* (États-Unis). Décidée par Ronald Reagan en 1984. Sera constituée d'une série d'éléments transportés par la navette et assemblés en orbite circulaire à 450 km env. de la Terre. Dans sa version initiale, vers 1996, elle pourra accueillir 4 à 8 astronautes pour des missions de longue durée (env. 3 mois). Ce sera sans doute un ensemble d'env. 34 t, formé de 4 modules pressurisés et alimentés par un grand générateur solaire de 60 kW, auxquels s'ajouteront une ou deux plates-formes autonomes. Modulaire et évolutif, ce système sera complété pour aboutir vers l'an 2000 à une grande station d'environ 95 t, comprenant 4 à 6 modules pressurisés et une série de plates-formes autonomes, et capable d'abriter 12 à 18 astronautes.

Configuration éventuelle : « Dual Keel » (double quille). La station comporte 2 grands mâts parallèles de 90 m de long, joints à chaque extrémité par 2 mâts perpendiculaires plus courts, portant les plates-formes scientifiques et commerciales ainsi que les hangars des véhicules de servitude et de logistique. Sur cette structure quadrangulaire est disposé un autre grand mât transversal de 90 à 100 m de long, portant à ses extrémités 2 centrales énergétiques hybrides (panneaux solaires + machines hybrides) et au centre l'assemblage de modules pressurisés et le poste d'amarrage de la navette spatiale. Les modules pressurisés sont disposés en parallèle par paires avec, à chaque extrémité, un tunnel servant de sas étanche. Aux modules américains viendront s'ajouter un module européen et un module japonais, ainsi qu'une « station-service » mobile canadienne, équipée de bras télémanipulateurs pour les travaux d'assemblage et de maintien. *Coût estimé* (en 1987) : 32 milliards de $ pour la version initiale.

U.R.S.S.

Quelques dates. Partie la 1re, l'U.R.S.S. a d'abord, avec ses vols Vostok et Voskhod, remporté toutes les premières, et semblait, en 1964, avoir au moins 2 ans d'avance sur les États-Unis. Mais, au moment où commençait le programme Gemini, le programme Voskhod s'arrêtait après 2 vols seulement.

Les vols humains sov. ne reprenaient que 2 ans plus tard, mais pour connaître leur 1er échec avec la mort de Komarov à bord de Soyouz 1, en avril 1967. Pendant ce temps, le programme Gemini s'était déroulé, et les Amér. réalisaient des exploits.

Programme Vostok (en russe : Orient)

• **Cabine Vostok.** Sphère de 2,30 m de diam., *2 400 kg* ; accolée à un compartiment des machines constitué par 2 troncs de cône accolés par leur grande base (2,6 m de diamètre), *2 300 kg.* Le vaisseau était conçu pour fonctionner de façon entièrement automatique. Changements d'orbites impossibles. Dans la capsule, atmosphère ayant la composition de l'air (21 % d'oxygène, 79 % d'azote). Cosmonaute installé sur un siège éjectable.

• **Vols. Vostok 1** *(12-4-61). 1er vol d'un homme (Youri Gagarine, 27 ans) dans l'espace.* Vol d'1 h 48 mn. Parcourt 45 000 km. 1 révolution (alt. max. 302 km, min. 175 km). 2 *(6-8-61).* Guerman Titov (25 ans, 329 j.). Vol de 25 h 18 mn. 17 rév. (alt. max. 256 km, min. 178 km). 3 *(11-8-62).* Andrian Nikolaiev (32 ans). Vol de 94 h 22 mn. 64 rév. (alt. max. 251 km, min. 183 km). 4 *(12-8-62).* Pavel Popovitch (31 ans). Vol de 70 h 57 mn. 48 rév. (alt. max. 254 km, min. 180 km). 5 *(14-6-63).* Valery Bykovski (28 ans). Vol de 118 h 56 mn. 81 rév. (alt. max. 235 km, min. 181 km). 6 *(16-6-63).* Valentina Terechkova *(1re femme dans l'espace,* 26 ans*).* Vol de 70 h 50 mn. 48 rév. (alt. max. 233 km, min. 183 km).

Nota. – Vostok 3 et 4 ainsi que Vostok 5 et 6 ont effectué un vol groupé.

Programme Voskhod (Soleil levant)

• **Cabine Voskhod.** Vostok perfectionné pour accueillir 2 passagers.

• **Vols. Voskhod 1** *(12-10-64). 5 320 kg.* Vladimir Komarov, Constantine Feoktistov, Boris Egorov. Vol de 24 h 17 mn. 16 rév. (alt. max. 408 km, min. 178 km). 2 *(18-3-65), 5 680 kg.* Pavel Belaïev, Alexei Leonov. Vol de 26 h 12 mn. 17 rév. (alt. max. 495 km, min. 173 km). Au début de la 2e révol., Leonov sort de la cabine revêtu d'un scaphandre spécial et reste 20 mn à l'extér. dont 10 à flotter dans l'espace à plusieurs m de la cabine.

Programme Soyouz (Union)

• **Cabine Soyouz.** Légère et maniable, destinée à être aussi bien un élément d'une grande station orbitale qu'un vaisseau pour l'exploration du cosmos ; *6 800 kg* ; long. : 7,5 m ; diam. max. : 2,72 m ; volume habitable : 10 m³. Composée de 3 modules accolés : m. de descente, compartiment orbital et compartiment des instruments (portant à sa partie arrière 2 panneaux solaires de 8,37 m de long).

• **Vols. Soyouz-1** *(23-4-67).* Vladimir Komarov (tué en vol le *24-4* : les parachutes du vaisseau ne se sont pas ouverts et la cabine s'est écrasée au sol). Vol 26 h 48 mn. 18 rév. 2. Inhabité *(25-10-68).* Alt. max. 225 km, min. 205 km. Retour *28-10-68.* 3 *(26-10-68).* Gueorgui Beregovoï. Vol 94 h 51 mn (alt. max. 252 km, min. 179 km). Rejoint *Soyouz 2* inhabité, lancé *25-10,* mais ne s'y amarre pas. 4 *(14-1-69).* Vladimir Chatalov. Vol de 71 h 12 mn. 48 rév. 5 *(15-1-69).* Boris Volynov. Evgueri Khrounov, Alexis Elisseiev. Vol de 72 h 54 mn. 50 rév. (alt. max. 230 km, min. 200 km). Accoste *Soyouz 4* qui revient en prenant 2 hommes de *Soyouz 5* (Khrounov et Elisseiev). 6 *(11-10-69).* Gueorgui Chonine, Valery Koubassov. Vol 118 h 58 mn. 7 *(12-10-69).* Anatoli Filiptchenko, Vladislas Volkov, Victor Gorbatko. Vol 119 h 12 mn. 8 *(13-10-69).* Vladimir Chatalov, Alexis Elisseiev. Vol 118 h 50 mn. 3 *Soyouz (6, 7, 8)* ont fait des vols groupés sans accostage. 9 *(2-6-70).* Andrian Nikolaïev, Vitali Sevastianov. Vol 17 j 16 h 59 mn. Reviennent *19-6.* 10 *(23-4-71).* Vladimir Chatalov, Alexis Elisseiev, Nikolaï Roukavichnikov. Rejoint l'engin *Saliout* (Salut), élément central d'une station spatiale lancé le *19-4-71,* et s'y amarre 5 h 30 mn. Vol 47 h 46 mn. Revient le *25-4.* 11 *(6-6-71).* Gueorgui Dobrovolski, Viktor Patsaiev, Vladislas Volkov. Rejoint *Saliout 1* (où ils passent 23 j 18 h 22 mn). Après 24 j 19 h dans l'espace, meurent au retour le *29-6* vers 23 h 55 (dépressurisation soudaine de la cabine). *Saliout 1* a été volontairement détruit le *15-10.* 12 *(27-9-73).* Vassily Lazarev, Oleg Makarov. Expérimentation d'un nouveau matériel à la suite de l'accident de Soyouz 11. Vol 7 h 16 mn. Retour *29-9.* 13 *(18-12-73).* Piotr Klimouk, Valentin Lebedev. Observation de la comète Kohoutek. Retour *25-12.* Vol 118 h 55 mn. 14 *(3-7-74).* Pavel Popovitch, Youri Artioukhine. Rejoint *Saliout 3,* le *5-7.* Vol 337 h 26 mn. Démarrage et retour *19-7.* 15 *(27-8-74).* Guennadi Sarafanov, Lev Demine. Approche plusieurs fois de *Saliout 3* le *28-8.* Vol 48 h 12 mn. Retour *28-8.* 16 *(2-12-74).* Anatoli Filiptchenko, Nikolaï Roukavichnikov. Essais réussis du collier simulateur de jonction avec le vaisseau *Apollo.* Répétitions des opérations d'amarrage et de démarrage. Vol 142 h 24 mn. Retour *8-12.* 17 *(10-1-75).* Alexis Goubarev, Gueorghui Gretchko. Rejoint *Saliout 4* le *12-1.* Vol 29 j 13 h 20 mn. Retour *9-2.* 18 *(5-4-75)* Vassily Lazarev, Oleg Makarov. Échec du lancement (défaillance de fusée porteuse à 165 km d'alt.). Retour après un vol suborbital de 21 min. 27 s sur 1 574 km². 18 bis *(24-5-75).* Piotr Klimouk, Vitali Sevastianov (journaliste et cosmonaute). Rejoint *Saliout 4* et s'y amarre *25-5.* Vol 62 j 23 h 20 m. Retour *26-7.* 19 *(15-7-75).* Alexei Leonov, Valery Koubassov. Rejoint *17-7* par un vaisseau amér. Apollo. Vol commun à 225 km d'alt. pendant 44 h. Transferts d'équipages d'un vaisseau à l'autre. Vol 142 h 01 mn. Retour *21-7.*

Soyouz-20 *(17-11-75).* Sans équipage. Rejoint *Saliout 4* le *19-11.* Retour *16-2-76.* 21 *(6-7-76).* Boris Volynov, Vitali Jolobov. Rejoint *Saliout 5* le *7-7-76.*

Vol 1 183 h 24 m. Retour *24-8-76*. 22 *(15-9-76)*. Valery Bykovski, Vladimir Aksenov. Vol 189 h 54 m. Retour *23-9-76*. 23 *(14-10-76)*. Viatcheslav Zudov, Valery Rodjestvensky. Échec de l'amarrage avec *Saliout 5* le *15-10*. Vol 48 h 20 m. Retour *16-10-76* sur lac Tenghir *(1er amerrissage d'un vaisseau cosmique soviétique)*. 24 *(7-2-77)*. Victor Gorbatko et Youri Glazkov. Amarrage avec *Saliout 5* le *8-2*. Retour *25-2-77*. 25 *(9-10-77)*. Vladimir Kovalenok, Valery Ryoumine. Échec d'amarrage avec *Saliout 6*. Retour *11-10-77*. 26 *(10-12-77)*. Youri Romanenko, Gueorgui Gretchko. Amarrage avec *Saliout 6* le *11-12*. Contact avec *Soyouz 27* (voir ci-dessous), *Progress 1* (cargo spatial de 7 020 kg lancé le *22-1* qui repart le *7-2* pour être détruit en vol) et *Soyouz 28* (voir ci-dessous). Les cosmonautes reviennent *16-3-78* à bord de *Soyouz 27*, après vol de 96 j 10 h. 27 *(10-1-78)*. Vladimir Djanibekov et Oleg Makarov rejoignent *Saliout 6* le *11-1* et repartent sur *Soyouz 26* le *16-1-78*. 28 *(2-3-78)*. Vladimir Remek (Tchèque) et Alexei Goubarev rejoignent *Saliout 6* le *3-3*. Retour *10-3-78*. 29 *(15-6-78)*. Vladimir Kovalenok, Alexandre Ivantchenkov rejoignent *Saliout 6* le *17-6*. Rejoints *28-6* par *Soyouz 30* (voir ci-dessous) ; *7-7* par *Progress 2* (camion spatial porteur d'instruments, d'1 t de carburant, de 235 kg d'aliments frais et de 18 l d'eau ; quittera *Saliout* le *2-8* et brûlera dans l'atmosphère le *4*) ; *10-8* par *Progress 3* (apporte vivres, matériel et guitare pour Ivantchenkov, quitte *Saliout 21-8*, se désagrégera *24-8*) ; *4-10* par *Progress 4* (apporte les panneaux permettant de créer des cellules individuelles et quitte *Saliout 24-10*). Les 2 cosmonautes reviennent à bord de *Soyouz 31* le *2-11-78* après 139 j 14 h 48 m dans l'espace *(record mondial)*.

Soyouz-30 *(27-6-78)*. Piotr Klimouk, Miroslav Hermaszewski (Polonais) rejoignent *Saliout 6 28-6*. Retour *5-7*. 31 *(26-8-78)*. Valery Bykowski, Sigmund Jähn (All. dém.) rejoignent *Saliout 6* ; reviennent *3-9* sur *Soyouz 29*. 32 *(26-2-79)*. Vladimir Lyakhov, Valery Ryoumine rejoignent *Saliout 6* le *29-2*. Effectuent des réparations. Ravitaillés par *Progress 5, 6* et *7* (ce dernier modifie la trajectoire de *Saliout 6* le *3-7-79)*. Contactés *11-4-79* par *Soyouz 33*. Mais l'arrimage échoue ; nouvel échec en juin (un vol Soyouz annulé au sol, à cause d'un défaut dans le sas de *Saliout*). Lyakhov et Ryoumine demeurent 175 j 0 h 36 m dans *Saliout 6*. Études du *24-7* au *8-8-79* avec le radiotélescope KRT-10 de 10 m de diamètre apporté par *Progress 7* le *30-6-79*. Le *8-6-79*, arrimage automatique de *Soyouz 34*, inhabité (voir ci-dessous) : Lyakhov et Ryoumine l'utilisent pour revenir sur terre, le *19-8-79*. *Soyouz 32* était rentré à vide le *13-6-79*. 33 *(10-4-79)*. Nicolas Roukavichnikov, Gueorgi Ivanov (Bulg.). A la suite d'une panne de moteur, renoncent à s'amarrer à *Saliout 6*, et reviennent sur Terre *12-4-79*. 34 *(6-6-79)*. Lancé inhabité pour permettre à Lyakhov et Ryoumine de quitter *Saliout 6*, *Soyouz 32* étant devenu inhabitable. Retour *19-8-79*. T1 *(15-12-79)*. Inhabité. Alt. 201 à 232 km. Révol. 88,6 mn. S'amarre le *19-12* à *Saliout 6*. Se sépare le *24-3-80*, revient le *26-3*. Version modernisée du Soyouz standard (plus léger et plus économique). 35 *(9-4-80)*. Leonid Popov, Valery Ryoumine. Rejoint le *10-4 Saliout 6*, à laquelle s'était amarré le *29-3 Progress 8* (qui se sépare de *S. 6* le *25-4-80* et se désintègre). *Progress 9, 10* et *11* les ravitailleront. *Soyouz 36, 37, 38* les visiteront. Ils rentrent sur *Soyouz 37* le *13-10-80* après 184 j 20 h 12 mn passés dans l'espace. 36 *(26-5-80)*. Valéry Koubassov et le Hongrois Bertalan Farkas ; s'amarre *27-5* à *Saliout 6*. T2 *(5-6-80)*. Youri Malychev et Vladimir Aksenov ; s'amarre *6-6* à *Saliout 6*. 1re mission pilotée de ce nouveau vaisseau. 37 *(23-7-80)*. Victor Gorbatko et le Vietnamien Pham Tuan ; s'amarre à *Saliout 6*. Retour *31-7* sur *Soyouz 36*. 38 *(18-9-80)*. Youri Romanenko et le Cubain Arnaldo Tamayo Mendez ; s'amarre à *Saliout 6*. Retour sur *Soyouz 37*. 39 *(22-3-81)*. Vladimir Djanibekov et le 1er Mongol, Jougdermidiin Gourragtcha. Retour *30-3*. T3 *(27-11-80)*. Oleg Makarov, Leonid Kizim, Guennadi Strekalov rejoignent *Saliout 6*. T4 *(12-3-81)*. V. Savinykh et V. Kovalenok ; s'amarre à *Saliout 6 13-3-81*. 40 *(14-5-81)*. Leonid Popov et le Roumain Dimitru Prunariu. S'amarre à *Saliout 6* le *15-5-81*. L'équipage procède, avec celui de *Soyouz T4*, à différentes expériences. T5 *(13-5-82)*. Anatoli Berezovoï, Valentin Lebedev. Rejoint *Saliout 7* le *14-5*. Retour *10-12-82* à bord de *Soyouz T7*. Les 2 cosmonautes ont battu le **record de durée dans l'espace** (211 j 08 h 05 mn) et ont réalisé près de 300 expériences dont une sortie dans l'espace le 30-7 pendant 2 h 33 mn par Lebedev. T6 *(24-6-82)*. Vladimir Djanibekov, Alexandre Ivantchenkov, Jean-Loup Chrétien *(1er Français dans l'espace)*. Rejoint *Saliout 7 25-6*. Retour *2-7*. T7 *(19-8-82)*. Leonid Popov, Alexandre Serebrov, Svetlana Savitskaya *(2e femme dans l'espace)*. Rejoint *Saliout 7 20-8*. Retour *27-8* à bord de *Soyouz T5*. T8 *(20-4-83)*. Vladimir Titov, Guennadi Strekalov, Alexandre Serebrov. Échec de l'amarrage avec le complexe orbital Saliout 7-Cosmos 1443 le *21-4*. Retour *22-4* par suite du non-déploiement d'une antenne du radar d'approche de l'engin. T9 *(27-6-83)*. Vladimir Lyakhov, Alexandre Alexandrov. Amarrage *28-6* au complexe orbital Saliout 7-Cosmos 1443, pour former un « train spatial » de 47 t. Après le désarrimage de Cosmos 1443, est décroché, basculé de 180° et réamarré à l'avant de Saliout 7 *(16-8-83)*. Revient sur Terre avec les cosmonautes le *23-11* après 149 j 10 h 29 mn dans l'espace. T10 A *(27-9-83)*. Vladimir Titov, Guennadi Strekalov. La fusée porteuse explose au départ. La cabine dans laquelle se trouve l'équipage est éjectée par un dispositif de sauvetage et revient au sol freinée par des parachutes. L'équipage est récupéré vivant à 4 km de la plate-forme de lancement. Devait rejoindre Alexandrov et Lyakhov à bord de Saliout 7. T10 bis *(8-2-84)*. Oleg Atkov, Leonid Kisim, V. Soloviev. S'amarre à Saliout 7 le 9-2-84. T11 *(3-4-84)*. Yuri Malishev, Gennady Strekalov, et Rakesh Sharma *(1er cosmonaute indien)*. Retour *11-4* après 7 j 21 h 41 m à bord de Soyouz T10 bis. T12 *(17-7-84)*. Vladimir Djanibekov, Igor Volk et Svetlana Stavitskaya *(1re femme à être allée 2 fois dans l'espace et à accomplir une sortie spatiale)*. Retour *29-7* après 11 j 19 h 14 m. T13 *(6-6-85)*. Vladimir Djanibekov, Victor Savinyk. Mission de remise en état de la station Saliout 7 détruite partiellement par un incendie. *26-9* retour de Djanibekov. Savinyk reste à bord avec Alexandre Volkov et Vladimir Vassioutine, arrivés à bord de T14 le 17-9. *21-11* retour de T13, en urgence, car Vassioutine, souffrant, doit subir une opération chirurgicale, *1re fois que des cosmonautes sont rapatriés pour raison sanitaire*. Savinyk est resté 168 j dans l'espace. Il aurait dû rester plus de 200 j et battre ainsi le record. T14 *(17-9-85)*. Vladimir Vassioutine, Alexandre Volkov et Georgui Grechko rendent visite aux 2 commandants qui sont à bord de Saliout 7. Relève partielle de l'équipage avec retour le 26-9. T15 *(13-3-86)*. Léonid Kizim, Vladimir Soloviev. Rejoint la station Mir le 15-3. Utilisé le 6-5 par l'équipage pour rejoindre le complexe orbital Saliout 7-Cosmos 1686, puis le 26-6 pour revenir à bord de la station Mir. Retour le 16-7-86.

TM1 *(21-5-86)*. Sans équipage. Version allégée et améliorée de Soyouz T. Rejoint la station Mir le 23-5 et y reste amarré jusqu'au 29-5, puis est largué dans l'atmosphère. TM2 *(5-2-87)*. Youri Romanenko (43 ans), Alexandre Laveikine. Rejoint la station Mir le 8-2. Youri Romanenko revient sur TM3 le 29-12-87 (après 326 j 11 h 37 mn, battant le record de vol, voir p. 44c) avec Alexandrov et Levtchenko. TM3 *(22-7-87)*. Alexandre Alexandrov, Mohammed Faris (Syrien), Alexandre Victorenko. Rejoint la station Mir le 24-7. Retour le 29-7. TM4 *(21-12-87)*. Anatoli Levtchenko († 6-8-1988), Moussakhi Manarov, Vladimir Titov. Rejoint la station Mir le 23-12. TM5 *(7-6-88)*. A. Soloviev, V. Savinykh, A. Alexandrov (Bulgarie). Équipage de visite, pour 9 j et 20 h à bord de Mir. TM6 *(31-8-88)*, Valéry Poliakhov, M. Mohmand (Afghanistan). Équipage de visite, 7 j à bord de Mir. TM7 *(26-11-88)*. Alexandre Volkov, Sergeï Krikalev, Jean-Loup Chrétien (France). Relève d'équipage. Chrétien regagne la Terre le 21-12 (après 24 j 18 h avec Vladimir Titov et Musa Manarov qui étaient dans l'espace depuis 365 j 22 h 30 min). Record de durée. TM8 *(5-9-89)*. Alexandre Viktorenko et Alexandre Serebrov. Retour le 19-2-90 après 166 j 7 h. TM9 *(11-2-90)* Anatole Soloviev et Alexandre Balandine. Retour le 9-8-90 après 171 j 1 h. TM10 *(1-8-90)*. Guennady Strekolov et Guennady Manakov. Retour le 10-12-90 après 130 j 19 h en compagnie du cosmonaute japonais. TM11 *(2-12-90)*. Relève de l'équipage précédent par Viktor Afanasiev et Moussa Manarov accompagnés du 1er cosmonaute japonais Toyoriho Akyama (48 ans) et 1er journaliste à aller dans l'espace (7 j 22 h). TM12 (1re mission Juno) *(18-5-91)*. Anatoli Artsebarski, Sergei Krikalev, Helen Sharman (brit. 27 ans). S'amarre à la station Mir le 20-5, relève de Viktor Afanassiev et Moussa Manarov. Mission de réparation de 5 mois. Retour le 26-5.

☞ **Prochaines missions.** *1991. 2-10* avec Clemence Lathaller ou Frank Fibeke, *1992, mars* Rheinhold Ewald ou Klaus Dietriech Flade. **Mission Antares.** *1992, juillet* avec Michel Tognini à bord. **Mission Bételgeuse.** *1994* avec Jean-Pierre Haignerie.

Coût par personne admise à bord pendant 1 semaine pour l'une de ces missions : 12 millions de $.

Programme de stations orbitales Saliout (Salut)

• **Vols Saliout 1** (avril 1971). Fut utilisé 2 fois. Le 2e équipage y trouva la mort à la suite d'une dépressurisation. 2 *(3-4-73)*. Longueur navette + laboratoire 20 m, larg. 4 m, poids 25 t, volume utile 100 m³. Explosa 3 j après son lancement. 3 *(25-6-74)*. Alt. 247 à 293 km. Inclinaison 51,6°. Révol. 89,7 mn. Arrimage avec *Soyouz 14* le *5-7*. Désamarrage le *19-7*. Programme de recherches terminé *23-9*. Retombée (Pacifique) *24-1-75*. 4 *(26-12-74)*. Orbite circulaire 350 km. Inclinaison 51,6°. En 1975, 2 expéditions ont travaillé au total 3 mois à bord. Amarrage avec *Soyouz 17* le *12-1-75*, *18 bis* le *25-5-75*, *20* le *19-11-75*. Retombée (Pacifique) *3-2-77* après 12 188 révol. 5 *(22-6-76)*. Alt. 219 à 260 km. Inclinaison 51,6°. Révol. 89 mn. Dotée d'un système de stabilisation électromécanique. Arrimage avec *Soyouz 21* le *7-7-76*, *23* le *15-10-76*, *24* le *8-2-77*. Retour *8-8-77*. 6 *(29-9-77)*. Alt. 219 à 275 km. Inclinaison 51,6°. Révol. 89 mn. Porte 2 colliers d'arrimage (avant et arrière : 2 Soyouz peuvent s'arrimer simultanément). Arrimage avec *Soyouz 26. 27, 28, 29, 30, 31, 32, 34, 35, 36, T2, 37, 38, T3, T4, 40*. Ravitaillée par les cargos spatiaux Progress 1 à 12. Cosmos 1267 (presque aussi lourd que la station) s'y amarre le *19-6-81* et forme avec elle un complexe orbital qui préfigure les stations orbitales modulaires de l'avenir. Il retombe dans l'atmosphère le *29-7-82*. Pendant près de 5 ans de séjour en orbite, *Saliout 6* a accueilli 27 cosmonautes qui ont effectué plus de 1 500 expériences (astrophysique, télédétection, technologie, etc.) en 676 j de vols pilotés. 5 équipages ont effectué des vols de longue durée (96, 140, 175, 185 et 75 j) ainsi que 11 équipages « visiteurs » dont 8 équipages « internationaux » (dont 1 non sov.).

Vie à bord de Saliout 6. *Pression atmosphérique :* entre 760 et 960 mm de mercure. La composition uniforme du mélange gazeux est assurée par des blocs de substances chimiques et un réseau de ventilation. L'oxygène est récupéré sur la vapeur d'eau dégagée par la respiration. (Consommation : 25 l à l'heure.) Les autres substances dégagées (400) sont éliminées par des filtres au charbon actif (notamment 20 l de bioxyde de carbone à l'heure). *Température :* thermorégulation par double circuit à liquide indépendant : 1 pour le refroidissement, 1 pour le réchauffement (assuré par des tuyaux captant la chaleur solaire). Entre 15 et 25°C. *Hygrométrie :* entre 20 et 80 %. La respiration et la transpiration dégagent environ 2 kg de vapeur d'eau par jour et par homme. Celle-ci est régénérée dans des condensateurs et rendue à la consommation sous forme d'eau pure. *Alimentation et hygiène :* rations de 3 000 calories portées ensuite à 3 300 calories (boîtes de conserve, bouchées de pain coupées en cube et enveloppées dans du plastique) ; heures des repas : petit déjeuner 9 h/9 h 20 ; déjeuner 14 h/14 h 40 ; goûter 19 h 15/19 h 30 ; dîner 22 h 30. Les cosmonautes disposent d'un four et d'une douche. Toilette par linge humide ; dentifrice non moussant ; rasoirs munis d'aspirateur pneumatique pour les débris de poils. Temps prévu pour la toilette : 40 mn. *Loisirs :* circuit de télévision vidéo, disques, films en magnétoscope, jeux de société ; contact par radiotélévision avec des familles. 1 h d'exercices physiques à midi (vélo et piste roulante) + 40 mn le soir (en tout 350 h). *Travail :* 42 h par semaine (expériences scientifiques, entretien du vaisseau). Un jour de repos hebdomadaire. *Sommeil :* obligatoire de 23 h 30 à 8 h. Repos d'1 h avant le repas de midi. *Compte rendu de la journée :* pendant le contact avec la Terre (de 21 h 30 à 22 h 30).

Saliout 7 *(19-4-82)*. Alt. 219 km à 278 km. Inclinaison 51,6°. Révolution en 89,2 mn, avant d'être relevée sur une orbite + élevée entre 300 et 350 km d'alt. env. Analogue à Saliout 6, avec des améliorations (système d'amarrage + grand, système de pilotage cybernétique opérationnel, 2 hublots transparents au rayonnement UV, etc.), scientifiques (un groupe de télescopes X remplace le télescope submillimétrique de Saliout 6), médicales (nouveau système d'examen et de diagnostic « Aelita »), et relatives au confort des équipages (au poste de pilotage principal, sièges amovibles légers ; des tablettes, pochettes, étagères et niches de rangement installées un peu partout ; parois latérales en vert salade et en teinte crème, « plafond » blanc ; ventilation moins bruyante ; nouveau système d'alimentation en eau potable installé ; réfrigérateur, etc. Ravitaillée par les cargos automatiques Progress 13 à 22. Amarrage avec *Soyouz T5* du 13-5 au 10-12-82 *(record de durée de vol :* 211 j 8 h 5 mn) ; *Soyouz T6* du 24-6 au 2-7-82 ; *Soyouz T7* du 19 au 27-8-82. *Cosmos 1443* du 10-3-83 au 14-8, *Soyouz T9* du 28-6-83 au 23-11. Lyakhov et Alexandrov le 1-11 et le 3-11 au cours de 2 sorties dans l'espace (durée totale : 5 h 45 mn) installent 2 panneaux solaires supplémentaires. Réactivée par Leonid Kizim et Vladimir Soloviev après leur arrivée à bord de Soyouz T15 le 6-5-86. 5 équipages s'y sont succédé (Kizim, Soloviev et Alkov y sont restés 237 j, record pour occupation de 3 hommes ; Jean-Loup Chrétien y séjourna du 24-6 au 2-7-82). Occupée jusqu'au 25-6-86. A été placée le 20-8-86 sur une orbite haute à 480 km et ne sera plus habitée. A permis plus de 800 h de vols habités (10 équipages différents ont effectué 30 sorties dans l'espace et utilisé 175 types différents d'appareils scientifiques). Sans nouveau changement d'orbite, Saliout 7 pesant 21 t ; 40 t avec le module Cosmos 1686 lancé le 27-9-89 accordé à Saliout et qu'on ne pouvait détacher. Devait tourner jusqu'en 1994 mais elle s'est désagrégée puis est tombée dans le sud de l'Argentine le 7-2-91.

• Mir *(20-2-86)*. Alt. 330/360 km. Inclinaison 51,6°. Version améliorée de Saliout 7. 6 sacs d'amarrage permettent d'y accoupler simultanément autant de vaisseaux, automatiques ou habités. 3 compartiments : 2 pressurisés (compartiments de transfert et de travail) à l'avant, 1 non pressurisé (compartiment des moteurs) à l'arrière. Masse totale : 21 t. Devrait constituer à terme le noyau central d'une station spatiale modulaire habitée en permanence par des cosmonautes. Rejointe successivement en 1986 par Soyouz T15, Progress 25, Progress 26 et Soyouz TM 1 ; en 1987, par Progress 27 (18-1), Soyouz TM 2 (8-2), Progress 28, Progress 29 (23-4). Module scientifique Kvant (20,6 t), échec 5-4-87, réussite 12-4. Amarrages de Soyouz TM3 (24-7) avec TM4 (23-12) (Youri Romanenko et Alexandre Alexandrov, qui a remplacé en juillet Alexandre Laveikine, rapatrié pour raisons de santé). En regagnant la Terre le 29-12-87, Youri Romanenko bat le record de durée de vol spatial : 326 j 11 h 37 mn. et le record de durée cumulée sur plusieurs vols : 429 j 42 h 19 mn. **1989** *(27-4)* Valéry Poliakov, Alexandre Volkov et Sergeï Krikalev regagnent la Terre à bord de Soyouz TM-7. Mir mise en sommeil (retard dans la mise au point d'un nouveau modèle orbital, coût d'exploitation élevé). *(8-9)* amarrage à Mir, (réalisé manuellement par l'équipage (panne du système de guidage automatique) de Soyouz TM-8 amenant Alexandre Viktorenko et Alexandre Serebrov. *(26-11)* lancement vers la station du module D (Doosnashcenyie = élément additionnel), baptisé Kvant 2 (cylindre de 14 m de long et 4 m de diam. offrant un volume habitable supplémentaire de 61,9 m³, volume utile 160 m³). Amarré le *6-12* à l'avant de Mir, puis transféré latéralement en attendant la jonction symétrique d'un 3e module au printemps 1990. **1990** *(1-2)* 1re sortie des 2 astr. en « scooter » Icare (220 kg) propulsé par 32 moteurs pendant 4 h 59 autour du vaisseau. *(13-2)* relève de Viktorenko et Serebrov par Anatoli Soloviev et Alexandre Balantine partis dans TM9 le 11-2. *(31-5)* lancement de Kvant 3 (« Kristall ») module destiné à la fabrication de matériaux dans l'espace (20 t) arrimé à la station Mir (26 t, 13 m) qui comprend outre Kvant 1 (11 t, 6 m³), module fixé à l'arrière destiné aux observations astronomiques, Soyouz (vaisseau fixé à l'avant) destiné au transport des cosmonautes, Kvant 2 module « D » (20 t) module atelier, Kvant 3 (20 t), Kvant 4 lancé fin 1991. Les vaisseaux de ravitaillement Progress peuvent venir s'accrocher à l'arrière.

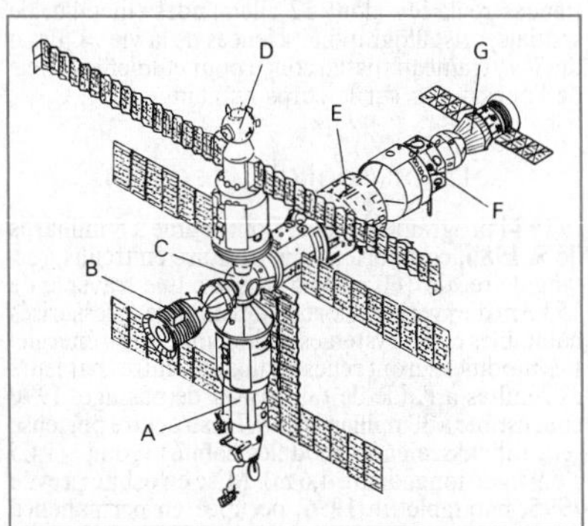

Légende : (A) Kvant 2 (B) Soyouz (C) Collier d'amarrage (D) Kvant 3 (E) Mir (F) Kvant 1 (G) Progress.

• Progress 25. Lancé 19-3-86, amarré à Mir 21-3 et détaché 20-4. Remplacé par Progress 26 amarré 27-4. Ces 2 vaisseaux ont apporté au total environ 5 t de fret. Retour de Kizim et Soloviev à bord de Mir le 26-6 avec 400 kg d'équipements. Fin de leur séjour le 16-7. Retour sur terre à bord de Soyouz T15 après 125 j de vol spatial.

Progress **26** (23-4-86), **27** (16-1-87), **28** (3-3-87), **29** (21-4-87), **30** (19-5-87), **31** (3-8-87), **32** (24-9-87), **33** (21-11-87), **34** (21-1-88), **35** (24-3-88), **36** (13-5-88), **37** (15-7-88), **38** (17-10-88), **39** (25-12-88), **40** (10-2-89), **41** (17-3-89).

Navette soviétique Bourane

Comparaison avec la navette américaine. Même voilure (24 m d'envergure, 250 m² de surface claire), fuselage plus court (36 m contre 37,2) et un peu plus large (5,6 m contre 5,5), volume de la cabine similaire (70 m³ contre 71,5), masses au décollage (105 t) et à l'atterrissage (82 t) inférieures (124 t et 95 t). La charge utile emportée (30 t) ou rapportée (20 t) peut ainsi être plus importante qu'avec le Shuttle (29,5 t et 14,5 t).

Différence essentielle : la navette amér. dispose à l'arrière de 3 gros moteurs à hydrogène et oxygène liquides qui assurent son lancement, la navette sov. doit être lancée par le lanceur lourd sov. Energia.

1er vol orbital (automatique) le 15-11-88. Essai à vide de 205 min.

Europe spatiale

Satellites européens

ESRO 1A (Aurorae) *(3-10-68)*. *86 kg*. Étude des aurores, des phénomènes corpusculaires et ionosphériques les accompagnant. Retombé le *10-6-70*. 1B (Boreas) *(1-10-69)*. *85 kg*. Même mission. Retombé le *23-11-69*. 2 (Iris) *(17-5-68)*. *86 kg*. Étude des rayons cosmiques, rayons X solaires et ceintures de radiations autour de la Terre. Retombé le *8-5-71*. 4 *(22-11-72)*. *115 kg*. Étude de l'ionosphère, des aurores et particules d'origine solaire. Retombé *15-4-74*.

HEOS 1 (Highly Eccentric Orbit Satellite) *(5-12-68)*. *108 kg*. Alt. 424 à 223 428 km. **2** *(31-1-72)*. *117 kg*. Alt. 359 à 238 199 km.

TD-1A *(12-3-72)*. *472 kg*. Alt. 533 à 545 km dans l'astronomie en ultra-violet.

COS-B (Cosmic Ray Satellite) *(9-8-75)*. *280 kg*. Alt. 350 à 100 000 km. Sat. d'astronomie des rayons gamma. Exploit. arrêtée le 26-4-82.

Geos 1 *(20-4-77)*. *237 kg*. Orb. 2 131 à 38 498 km. Devait être le 1er satellite scientifique géostationnaire au monde, mais il a été placé sur une orbite excentrique par suite d'une défaillance du lanceur Thor Delta 2914. 2 *(26-1-78)*. *230 kg*. Orb. géostationnaire par 5° de long. Est ; lancé de Cap Canaveral par fusée Delta 3914. Étude de la magnétosphère terrestre.

OTS 1 et 2. Voir satellites de télécomm., p. 41.

ISEE (International Sun Earth Explorer) *(22-10-77)*. *158 kg*. Alt. 280 à 38 137 km. 1 (construit par la NASA), et 2 (construit par l'ESA), lancés le *12-10-77* ; 3 *(12-8-78)* placé en orbite autour du Soleil à 1,5 million de km de la Terre.

Météosat. Série de satellites géostationnaires appartenant au réseau américain GOES et japonais GMS du programme « Veille météorologique mondiale ». *Position :* 0° de latitude au-dessus du Golfe de Guinée ; peut être déplacé le long de l'Équateur. *Fonction :* prend des images toutes les 30 mn, dissémination d'informations météo. *Poids* au lancement : 320 kg. Météosat 1/F1. Lancé par Thor Delta 2914 le 23-11-1977, a fonctionné jusqu'en 11-79. 2/F2. Lancé par Ariane LO-3 le 19-6-1981, encore utilisable. 3/P2. Lancé au printemps 1988 par Ariane 4 pour assurer la continuité des observations en attente des satellites opérationnels ; emporte le dispositif de synchronisation des horloges atomiques « LASSO » (Laser synchro from geostationnary orbit). 4/MOP1. Lancé en 1989 par Ariane, 1er satellite opérationnel d'EUMESAT. D'autres lancements prévus jusqu'en 1993.

IUE (International Ultraviolet Explorer) *(26-7-78)*. *671 kg*. Satellite astronomique permettant l'utilisation internationale d'un observatoire en orbite pour l'étude du ciel en U.V. ; réalisé et exploité par la NASA, l'Agence spatiale européenne et la G.-B.

Marecs. Voir p. 41.

Exosat *(26-5-83)*. *510 kg*. Orb. 340/192 000 km. Lancé de Vandenberg par fusée Delta 3914. Sat. astronomique pour la localisation (à 10^{11} près) et la cartographie des sources célestes de rayons X. A cessé de fonctionner le 9-4-86 après plus de 2 000 observations de sources X. Retombé le 6-5-86.

ECS. Voir p. 41.

Hipparcos (High Precision Parallax Collecting Satellite) (lancé *8-8-89* à Kourou par Ariane). *480 kg*. Sat. pour mesures d'astrométrie (doit mesurer à 0,002″ près les coordonnées et le mouvement propre de 114 488 étoiles).

Ulysse. *370 kg*. Sonde financée par la NASA et l'ESA chargée d'explorer les pôles du Soleil et le milieu interplanétaire en dehors du plan de l'orbite de la Terre. (Lancée le *6-10-90* par la navette Discovery). File vers Jupiter à 55 400 km/h qu'elle contournera en février 1992 en l'utilisant comme tremplin gravitationnel en atteignant 450 000 km/h pour sortir du plan de l'écliptique (plan dans lequel la Terre se déplace autour du Soleil), survolera le pôle Sud du Soleil en avril 1994, croisera l'écliptique en février 1995 et survolera le pôle Nord du Soleil en juin-septembre 1995 ; elle terminera sa mission en octobre 1995.

ISO (Infrared Space Observatory). *2 300 kg*. Sat. d'astronomie dans l'infrarouge doté d'un télescope de 60 cm de diam. et de 9 m de distance focale, refroidi à très basse température. Permettra l'étude des galaxies lointaines et des étoiles en formation. Sera lancé en *1993* par Ariane-4 (orbite 1 000/70 000 km).

ERS-1. Sat. de télédétection avec détecteur actif à hyperfréquences (AMI) fonctionnant en mode diffusiomètre vents ou en mode radar à synthèse d'ouverture (SAR). Lancement en 1990.

Programme « Space Science Horizon 2000 »

Solar-Terrestrial Science Programme. SOHO (Solar and Heliospheric Observatory). Vers 1995. Observatoire solaire à haute résolution, pour l'étude de la dynamique et de la perte de masse de l'atmosphère solaire externe (vent solaire). Étude de l'intérieur du Soleil par l'héliosismologie. *Cluster.* 4 sondes. Vers 1995. Étude tridimensionnelle à petite échelle des processus physiques dans la magnétosphère terrestre avec 4 satellites.

XMM (X-Ray Multi-Mirrors). Miroirs multiples : étude des sources de rayonnement X levés du rayonnement X émis par amas galactiques et galaxies, associés à la prise d'images et à la spectroscopie à haute résolution dans le domaine des rayons X.

CNSR (Comet Nucleus Sample Return). Retour d'échantillons cométaires pour analyses. Vaisseau spatial de type Mariner MK II, module d'atterrissage cométaire et capsule de retour sur Terre. Non décidé.

FIRST (Far-Infra-Red-Space Telescope). Télescope spatial pour l'infrarouge lointain et les longueurs d'ondes submillimétriques. Étude des émissions galactiques et extragalactiques. T. déployable de 8 m ; charge utile env. 2 t. Non décidé.

☞ Projet Cassini (coopération NASA-Agence spatiale européenne) pour une étude détaillée de Saturne, de ses anneaux, de ses satellites et pour le largage d'une sonde (Huygens) dans l'atmosphère de Titan. Lancement prévu en avril 1996. Le vaisseau spatial atteindra la banlieue de Saturne en oct. 2002. Survolera au passage l'astéroïde 66 de Maja en 1997 et la planète de Jupiter fin 1999.

Lanceur européen

• Ariane. Lanceur développé et réalisé par l'Agence spatiale européenne ESA (gestion technique confiée au CNES), opérationnel depuis 1982 après 3 lancements de développement réussis sur 4. En 1984, après 4 lancements opérationnels (série de promotion) sous la responsabilité de l'ESA, les États européens ont confié à Arianespace la responsabilité de la commercialisation, de la fabrication et des lancements du lanceur européen dans ses versions Ariane 1, 2, 3 et 4 après leur qualification.

Ariane 1. Place 1 850 kg (1 sat. + moteur d'apogée) en orbite de transfert géostationnaire (200/36 000 km), ou communique la vitesse de libération (11,2 km/s) à une charge de 980 kg. *3 étages :* 1er : haut. 18,40 m, diam. 3,80 m, 4 moteurs Viking V (62 t de poussée unitaire). Contient 145 t d'ergols, d'UDMH (diméthylhydrazine) et N_2O_4 (peroxyde d'azote) ; après 135 s, est largué. 2e : haut. 11,60 m, diam. 2,60 m, 1 moteur Viking IV (72 t de poussée). Contient 34 t des mêmes ergols ; après 123 s, est largué. 3e : haut. 8 m, diam. 2,60 m, étage cryogénique, moteur HM-7 (6,1 t de poussée). Contient 8,2 t d'oxygène et d'hydrogène liquides qui brûlent 570 s, ensuite le satellite se sépare ; coiffe : 3,2 m de diam., 8,65 m de haut., 826 kg, larguée pendant le vol du 2e ét. à 110 km d'alt. env. *Au total :* 210 t au décollage (sans charge utile) ; h. 47,70 m.

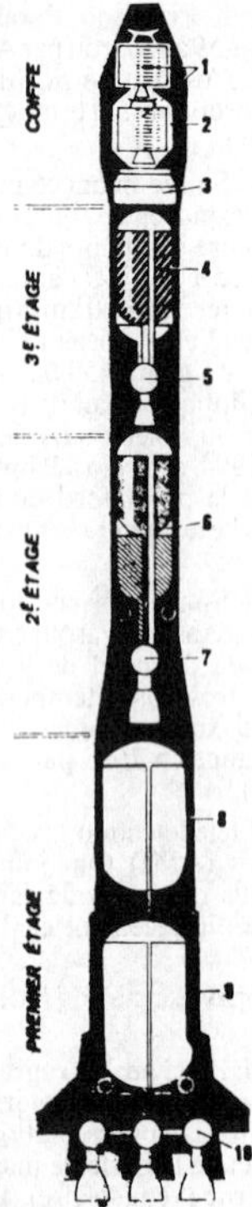

Légende. (1) 2 sat. sous la coiffe, maintenus par le système SYLDA. (2) Case d'équipements électroniques. (3) Réservoir. (4) Moteur HM-7. (5) Réservoirs (8 t d'oxygène et d'hydrogène liquide brûlées en 10 mn). (6) Réservoir de 33 t d'UDMH et de peroxyde d'azote brûlées en 139 s. (7) Par les moteurs Viking IV, le 1er étage fonctionne sur le même principe et pendant la même durée que le 2e. (8) 2 réservoirs d'oxyde d'azote. (9) Rés. d'UDMH. (10) 4 moteurs Viking V fournissent au départ une poussée de 245 t.

Ariane 2/Ariane 3 (qualification août 1984). Augmentation de la masse d'ergols cryogéniques du 3e étage (de 8 à 10) ; de l'impulsion spécifique du moteur du 3e étage ; de la poussée des moteurs Viking des 2 premiers étages ; du volume sous coiffe par allongement de la partie cylindrique.

Ariane 3, avec l'adjonction au 1er étage de 2 propulseurs d'appoint de 7 t de masse d'ergol solide fournissant 70 t de poussée chacun, peut placer une charge utile de 2,7 t ou 2 satellites de 1,25 t sur orbite de transfert grâce au système de lancement double SYLDA. Ariane 2, identique à Ariane 3 mais sans les propulseurs d'appoint, peut placer une charge utile de 2,17 t.

Ariane 4 (qualification juin 1988). 1er étage allongé d'env. 7 m, emportant 226 t d'ergols, propulsé par 4 moteurs Viking V identiques à ceux d'Ariane 3, un 2e et un 3e étages à structures renforcées. Une nouvelle case à équipements sur laquelle vient s'adapter un dispositif pour lancements multiples (SPELDA), et une coiffe de grand diamètre (4 m), disponible en 2 longueurs. Existe en 6 versions caractérisées par le nombre (4,2 ou aucun) et par le type d'ergols (solide ou liquide) des propulseurs d'appoint du 1er étage. Seule Ariane 4 est utilisée depuis le vol no 33, en août 1989. En 1995 Ariane 5 remplacera Ariane 4. 70 Ariane 4 ont été commandées.

Performances en orbite de transfert : Ariane 40 1,9 t, *42P* (masse, 318 t) 2,6, *44P* 3,0, *42L* 3,2, *44LP* (masse, 480 t) 3,7, *44L* 4,2 puis 4,5.

Ariane 5. 1er lancement de qualification prévu en 1995. *Composite inférieur,* comprenant un grand étage cryogénique de 155 t d'ergols (hydrogène et oxygène liquides), 5,4 m de diam., moteur HM 60 (Vulcain) (poussée 80 t au décollage et 100 t dans le vide) et 2 grands propulseurs latéraux à propergol solide de 3 m de diam. de 230 t de poudre (poussée env. 700 t chacun au décollage) ; *composite supérieur* selon la mission (lancement simple ou multiple, charge utile automatique ou vol habité) comprenant un étage supérieur à ergols stockables, la case à équipements, les adaptateurs charges utiles et la coiffe de 5,4 m de diamètre. Lors des missions habitées le composite supérieur est remplacé par l'avion spatial Hermès. D'une poussée totale de 1 512 t au décollage il permettra de placer 18 t en orbite basse et 6,8 t en orbite de transfert géostationnaire.

• Lancements de Kourou (Guyane). **Vols de qualification. 1.** *24-12-79* succès. **2** : *23-5-80* [échec, déséquilibrée par la panne d'un moteur, tombe à la mer avec 2 satellites (Firewell et Oscar 2), après 108 s de vol]. On parle de sabotage mais l'hypothèse d'un défaut de conception est retenue. 3. *19-6-81,* mise en orbite du sat. indien Apple et du sat. eur. Météosat 2. 4. *20-12-81.* Marecs-A, *576 kg* et expérience *Thésée,* étude de l'ionosphère. **Vols de promotion (opérationnels).** 5. *10-9-82,* échec dû à une avarie de la turbo-pompe du moteur du 3e étage après 9'20" de vol. Perte des sat. Marecs B et Sirio 2. 6. *16-6-83,* mise en orbite des sat. ECS 1 (1 043 kg) et Oscar 10 (155 kg). 1re utilisation réussie du système de lancement double (SYLDA). 7. *18-10-83,* Intelsat V-F7 (1er lancé par fusée non américaine). 8. *4-3-84,* Intelsat V-F8. 9. *22-5-84,* Spacenet F1. 1er lancement sous la responsabilité d'Arianespace. 10. *4-8-84* (Ariane 3). Télécom 1A et ECS 2. 11. *9-11-84,* Spacenet F2 et Marecs B2. 12. *8-2-85* (Ar. 3), Arabsat 1A et Brasilat S1. 13. (Ar. 3), *8-5-85* G-Star 1 et Télécom 1-6. 14. *2-7-85* (Ar. 1), sonde spatiale européenne Giotto vers la comète de Halley. 15. *13-9-85* (Ar. 3), échec en présence du Pt Mitterrand. Défaillance d'allumage du moteur du 3e étage, perte de Spacenet 3 (amér.) et ECS 3 (Europ.). 16. *21-2-86* (Ar. 1), Spot-1 (1er lancement d'un sat. sur orbite polaire par Ariane) et Viking (suédois). 17. *28-3-86* (Ar. 3), G-Star 2 (américain) et Brasilsat S2 (brésilien). 1er lancement depuis le 2e ensemble de lancement Ariane (ELA 2). 18. *29-5-86* (Ar. 2), échec : défaillance d'allumage du 3e étage. Perte d'Instelsat V-F 14. 19. *16-9-87* (Ar. 3), ECS 4 (européen) et AUSSAT K.3 (australien). 20. *21-11-87* (Ar. 2), TV-SAT (allemand). 21. *11-3-88* (Ar. 3), Telecom 1C (français) et Spacenet III R (américain). 22. *17-5-88* (Ar. 3), Intelsat V-F13. 23. *8-6-88* (Ar. 4), 3 sat., dont Météosat 2 P2 et un sat. pour radioamateurs. 24. *21-7-88* (Ar. 3), Eutelsat-1 (F 5). 25. *8-8-88* (Ar. 3), G-Star 3 et ECS-5. 26. *28-10-88* (Ar. 2), TDF-1. 27. *9-12-88* (Ar. 4), ASTRA (Lux.) et SKYNET 4 B (militaire, G.-B.). 28. *27-1-89* (Ar. 4), Intelsat 4. 29. *6-3-89* (Ar. 4, 44 LP), J.-C. Sat. 1 (Japon) et MOP, 1er Météosat opérationnel, Europe). 30. *2-4-89* (Ar. 2), TELE-X (Suède, Norv., Finl.). 31. *5-6-89* (Ar. 4, 44 L) Superbird A (Japon et DFS 1-Kopernikus (R.F.A.). 32. *11-7-89* (Ar. 3), Olympus 1 (Europe). 33. *8-8-89* (Ar. 4, 44 LP), Hipparcos (Europe) et TV-Sat 2 (R.F.A.). 34. *27-10-89* (Ar. 4, 44 LP), Intelsat IV-F 2. 35. *22-01-90* (Ar. 4, 40), Spot 2 (France) et 6 microsatellites (G.-B.) et U.S.A.). 36. *22-2-90* (Ar. 4, 44 LP), échec : défaillance d'un des 9 propulseurs, destruction de la fusée après 10 s. de mise à feu, perte de 2 sat. japonais « Superbird D » (télécomm.) et « BS-2X » (télévision). Un chiffon oublié dans la conduite d'alimentation en eau de la turbine D (on a parlé de malveillance), incendie d'un propulseur auxiliaire dû à de nombreuses fuites. 37. *24-07-90* (Ar. 4/44 L) TDF 2 (2 696 kg), DFS 2 Kopernicus (1 418 kg). 38. *30-8-90* (Ar. 4/44 LP) Eutelsat 2 F1 et Skynet 4C. 39. *12-10-90* (Ar. 4/44 L) SBS 6 (2 478 kg) et Galaxy VI (1 212 kg). 40. *21-11-90* (Ar. 4/42 P) Satcom C1 (1 169 kg) et GSTAR 4 (1 295 kg). 41. *16-1-91* (Ar. 4/44 L) Italsat 1 et Eutelsat F2. 42. *21-2-91* Astra 1B et MDF 2. 43. *14-4-91* (AR 44 P) Anik E2 (Canada, 2 923 kg). 44. *17-7-91* (AR 44 P) ERS 1 (2 383,6 kg) et 4 microsatellites.

☞ Vol 22 effectué après le vol 23. *Au 1-4-90 :* 33 fusées Ariane lancées dont *type 1 :* 11 ; *2 :* 6 ; *3 :* 10 ; *4 :* 7. Seul le lanceur de type 4 sera produit jusqu'en 2000.

• Arianespace. *Siège :* Évry (Essonne). *Créée* 26-3-1980. *P.D.G. :* Frédéric d'Allest (n. 1-9-1940) (France). Société de droit privé destinée à produire, financer, commercialiser et lancer Ariane à partir du 9e lanceur opérationnel (mi-1984). *Capital :* 270 millions de F, entre 50 actionnaires (36 industriels eur. du secteur aérospatial, 11 banques eur. et le CNES) originaires de 11 pays (en %) : *France : 58,48,* All. féd. 19,6, Belg. 4,4, Italie 3,6, G.-Bas 3,17, Suisse 2,7, Espagne 2,5, Suède 2,4, P.-Bas 2,2, Danemark 0,7, Irlande 0,25. *Bilan.* Vols (du 24-12-79 au 1-8-91) 43 dont 4 d'essai, 5 échecs. 89 commandes. % du marché mondial de mise en orbite de satellites civils : + de 50 %. 1991 (prévisions) ; 9 vols, 15 sat. placés en orbite géostationnaire. *Bénéfice net 1989 :* 135,4 millions de F, *1990 :* 135,4. *Maître d'œuvre :* CNES (Fr.). *Constructeurs :* Aérospatiale (Fr.) : architecte industriel, intégrateur 1er et 3e ét. MBB-ERNO (All.) : 2e ét. propulseurs d'appoint liquides. Air Liquide (Fr.) : réservoir 3e étage. SEP (Fr.) : systèmes propulsifs des 3 ét. Matra (Fr.) : case à équipements. Contraves (Suisse) : coiffes. SNIA-BPD (Italie) : propulseurs d'appoint à poudre. BAE (G.-B.) : structure lancement double.

Laboratoire spatial européen (Spacelab : labo spatial)

Caractéristiques. Habitable et réutilisable, réalisé pour l'ESA, par l'industrie eur. (diam. ext. 4,1 m ; long. 7 m). *1er vol opérationnel* réalisé du *28-11* au *8-12-83. Charge utile :* masse 3,9 à 5,5 t avec module et palettes ; 7,6 à 8,5 t avec palettes seules. *Volume :* 8 m³ en module court, 22 m³ en mod. long. *Coût* (à l'achèvement) : 1 milliard de $. A déjà été transporté en orbite par la navette spatiale de la NASA. Comprend un laboratoire pressurisé, ou une plateforme porte-instruments, ou les 2 à la fois. Une partie du lab. pressurisé peut emporter une instrumentation commune à toutes les missions (calculateurs, enregistreurs magnétiques, baies de contrôle) ; l'autre partie et les segments de plate-forme peuvent emporter les expériences (fours, microscopes, app. photographiques, radars, etc.). *Équipage :* jusqu'à 4 ingénieurs et scientifiques. *Missions* (durée 7 à 30 j) : météo ; étude des ressources et de l'environnement terrestres ; télécom. ; études biologiques, biochimiques ; étude de mise au point de matériaux nouveaux par des ingénieurs, travaillant dans Spacelab.

EURECA (European Retrievable Carrier). Plateforme autonome récupérable, dérivée du Spacelab, palette porte-instruments qui sera mise en orbite par la navette américaine à 525 km d'alt. pour des vols de plus de 6 mois pour des expériences diverses (en particulier : élaboration des matériaux et expériences biologiques en microgravité). *Haut.* 4 m, *diam.* 45 m, *masse* 4 t, *charge utile* 1 t (volume 8,5 m³).

• Vols Spacelab 1 (*du 28-11 au 8-12-1983,* lors du vol STS-9). 1 module pressurisé long + 1 porte-instruments. 6 astronautes, dont l'All. Ulf Merbold. 72 expériences (science des matériaux, cristallographie, science de la vie, astronomie, physique de l'atmosphère, etc.). **3** (*du 29-4 au 5-5-85,* lors du vol STS-17). 1 module pressurisé long + 1 porte-instruments. 7 astronautes. Expériences surtout consacrées à la science des matériaux. Utilisation d'une chambre photogrammétrique à très grand champ. **2** (*du 29-7 au 6-8-85,* lors du vol STS-19). 3 porte-instruments. 7 astronautes. 13 expériences (astronomie, physique des plasmas, sciences de la vie). Expérimentation d'un système de pointage des instruments astronomiques (IPS : Instrument Pointing System), et de l'*igloo* abritant les sous-systèmes essentiels en l'absence de module habité (cylindr. de 1 m de long. à l'intérieur duquel règne un environnement pressurisé et thermiquement régulé). **D-1** (*du 30-10 au 6-11-85,* lors du vol STS-22). 1 module pressurisé long. 8 astronautes dont 2 All. (R. Furrer et E. Messerschmid) et 1 Holl. (W. Ockels). 1er vol avec responsabilité étrangère (All. de l'Ouest). 89 expériences réalisées, dont 52 allemandes (métallurgie spatiale, cristallographie, sciences de la vie...). Essai du *Sled,* traîneau spatial conçu pour étudier les effets de l'apesanteur sur le corps humain.

Station spatiale Freedom

1984 programme lancé. Coût estimé à 8 milliards de $. **1986,** comportera une ossature en treillis, rectangulaire, de 100 × 44,5 m avec, une traverse de 153,3 m d'envergure portant des modules pressurisés habitables et des systèmes d'alimentation en énergie. Les modules seront reliés les uns aux autres par leurs extrémités à l'aide de tunnels-sas de passage. **1990** coût estimé à 37 milliards de $. La structure porteuse sera rapetissée et les modules habités réduits (14,5 à 8,9 m de long, diam. 4,6 m). Mise en orbite prévue **1995,** habitable fin **1996,** occupée en permanence par des astronautes à partir de **2000.** L'Europe construira le module scientifique pressurisé Columbus.

Avion spatial Hermès

Origine. Proposé par le C.N.E.S. et l'industrie française (Aérospatiale, Dassault-Bréguet), adopté en nov. 1987 au niveau européen par l'E.S.A., qui a délégué la responsabilité du développement de l'avion au C.N.E.S.

Groupe projet industriel à Toulouse-Blagnac : Aérospatiale (maître d'œuvre ind.), Dassault-Bréguet (maître d'œuvre délégué pour l'aéronautique),

Alenia (Italie) et Deutsche Aerospace, consortium d'ind. all. ; il répartit les travaux chez les ind. des États participant au programme. *Coût du programme* (avion plus installations au sol pour préparation, missions, contrôle ou entraînement, plus avion porteur, etc.) ; 30 milliards de F. *Contributions envisagées (en %) : Fr. 43,5,* All. féd. 27, It. 12,10, Belg. 5,8, Esp. 4,5, P.-Bas 2,20, Suisse 2, Suède 1,3, Canada 0,8, Autriche 0,5, Dan. 0,45, Norv. 0,35.

Caractéristiques. Planeur hypersonique réutilisable, sera lancé par Ariane 5 (ELA 3) à Kourou (Guyane). Long. : 14 m ; envergure : 9,5 m ; diam. fuselage : 3,4 m ; masse au lancement : 23 t + les ergols nécessaires à la satellisation (une partie importante se trouve dans un module propulsif largable), masse au retour 15,5 t. Équipage (3 personnes) ; charge utile (3 t au lancement) ; volume pressurisé 60 m³ ; 16 moteurs 400 N ; orbite : 300 à 500 km d'alt., inclinaison : 5 à 60° ; durée de vol : 12 j. Retour en vol plané hypersonique (Mach 25, températures extrêmes 1 600 à 1 800 °C) ; atterrissage sur piste de 3 000 m L × 45 m l en Guyane française ou en Europe, à 370 km/h ; transporté accroché sur le dos d'un avion porteur adapté (Airbus ?). *Missions :* desserte en hommes et en matériel (charge utile : 3 t) du laboratoire autonome de Columbus (M.T.F.F.), visite et desserte des stations amér. et sov., du laboratoire européen attaché à la station spatiale internationale Freedom.

Premiers vols orbitaux d'essai ; *1998* (inhabité) ; *1999* (habité) ; *puis* 2 vols par an prévus.

Columbus (Europe)

Origine. Projet (janvier 1985), approuvé par l'ESA (au niveau ministériel) le 10-11-1987 à la Haye.

Caractéristiques. 3 éléments : *module pressurisé* raccordé en permanence à la station spatiale internationale (le module raccordé, plus grand que le Spacelab européen, sera lancé par la navette, long 12 m, masse 14 t ; il comportera 4 segments offrant un volume de 25 m³, une surface de 55 m² pour loger des expériences). *Module autonome visitable (MTFF),* long 6 m, laboratoire exempt de perturbations, sera mis sur orbite par Ariane 5, recevra la visite occasionnelle d'astronautes après amarrage, soit à la Station spatiale internationale Freedom, soit à Hermès. *Plate-forme polaire,* non habitée, devant permettre d'assurer des missions d'observation de la Terre et de météorologie. *Coût total :* 23 milliards de F.

Bases de lancement

Allemandes. La Cie aérospatiale allemande OTRAG (*Orbital Transport und Raketen Aktien Gesellschaft,* « Sté par actions pour les transports orbitaux et les fusées ») avait obtenu en 1973, du Zaïre, 100 000 km², dans le Shaba, pour un centre expérimental de vols orbitaux. Des expériences y ont été réalisées en mai 1977 et en juin 1978. Mais en mai 1979, le Zaïre, pour des raisons de politique extérieure (hostilité de l'Angola et de l'U.R.S.S.), a dénoncé le contrat et fait fermer la base. L'OTRAG a implanté une nouvelle base en Libye au sud de Tripoli ; abandonnée en 1981 pour des raisons politiques. Elle utilise aussi le champ de tir suédois de Kiruna, pour des fusées-sondes.

Américaines. *Floride : J.F. Kennedy Space Center,* base civile placée sous le contrôle de la NASA sur le terrain de Merrit Island. *Eastern Test Range* ou *Cap Canaveral* (28° 27′ N, 80° 32′ O), dep. 1959. Zone militaire. On lui donna en 1964 le nom de Cap Kennedy, mais le Congrès américain a annulé cette décision en 1970. Le complexe n° 37 comprend une tour de 115 m en acier pesant 3 500 t (la plus grande construction roulante connue) ; le n° 39 (13 km²) comprend une installation centrale (V.A.B. : Vehicle Assembly Building) de 160 m de haut et 128 m de façade et 2 plates-formes de lancement. *Californie du Sud : Vandenberg* ou *Point Arguello* 33° 37′ N, 120° 35′ O *(Western Test Range),* dep. 1957. *Virginie : Wallops Island* (37° 50′ N, 75° 29′ O), dep. 1957.

Australienne. *Woomera* (31° S, 136° E). Créée 1946, désaffectée 1977, réouverte dep. 1987. Cape York (12,5° S). [Projet de centre spatial privé de la CYSA (Cape York Space Agency)].

Brésiliennes. 2 organismes brésiliens, l'un chargé des recherches sur les lanceurs : l'IAE (Institut d'activités spatiales) ; et l'autre sur les satellites : l'INPE (Institut national de recherches spatiales), regroupés au CTA (Centre technique aérospatial) à *São José dos Campos,* qui possède un champ de tir opérationnel pour les fusées sondes, le CLBI (Centre de lancement de la Barrière de l'enfer près de Natal), et un 2e champ de tir inauguré en 1990 à *São Luis* (près d'Alcantara), capable de lancer des satellites.

Chinoises. *Jiuquan. Xi-Chang* (28° N, 102° E). *Taiyuan* (38,5° N, 112,5° E).

Européennes (de l'Agence spatiale européenne) dans l'enceinte du C.S.G. près de Kourou. *ELA 1* (Ensemble de Lancement Ariane 1), opérationnel 24-12-79 (lancement du 1er exemplaire d'Ariane 1) permet lancements des Ariane 1, 2 et 3 ; *ELA 2,* opérationnel 28-3-86 (vol. V 17, Ariane 3) permet lancements des Ariane 2, 3, 4. Mis en œuvre par Arianespace dep. lancement V 9 (22-5-84) ; *ELA 3,* prévue 1995-97, en cours de réalisation pour lancer Ariane 5, vols automatiques et habités (Hermès).

Françaises. *Centre spatial guyanais (C.S.G.). Kourou* (Guyane française, 5° 14′ N, 52° 45′ O, 2 ensembles) mis en service en 1968 pour lancer des fusées sondes, puis des lanceurs français Diamant. Assure pour les lancements Ariane le soutien logistique général, les opérations de poursuite du lanceur et la sauvegarde des personnes et des biens. *Intérêt de Kourou :* la mise en orbite à 36 000 km d'un gramme de charge utile revient à 300 F ; plus on s'éloigne de l'Équateur, plus la puissance nécessaire à la mise sur orbite est grande, et plus la perte de performance augmente. A 5° de l'Équateur (situation de Kourou) elle est de 0,9 %, à 12,5° (Cape York) elle est de 5,3 %, à Canaveral (28,5) 24 %, à Tanegashima (30°) 27,1 %, Baïkonour (46°) 55 %. **Stations de lâcher de ballons** [1 à Aire-sur-Adour (Landes), 1 à Gap-Tallard (Htes-A.)], 100 vols scientifiques annuels.

Indienne. *SHAR Centre, Shriharikota,* petite île au S.-E. de l'Inde, à 100 km au N. de Madras (14° N, 80° E), inclut les sites de Thumba et de Balasore.

Israélienne. Palmadin (désert du Néguev). *Créée* 1988 (env. 30,8° N, 34,7° E).

Italienne. *San Marco,* plate-forme au large du Kenya (2,9° S, 40,2° E). *Créée* 1966.

Japonaises. *Kagoshima Space Center* (131° 05′ E, 31° 15′ N), *Uchinoura* (Kagoshima). *Tanegashima Space Center* (130° 58′ E, 30° 24′ N) (île de Tanegashima).

Soviétiques. Complexe de *Baïkonour* (*Tyuratam* au N.-E. de la mer d'Aral, 46,25° N, 63,25° E). *Kapustin-Yar* (à E.-S.-E. de Volgograd, 48,25° N, 47,2° E). *Plesetsk* (à 200 km au sud d'Arkhangelsk, 63° N, 40,2° E). 1 112 lancements de 1957 à 1986 (base la plus active du monde).

Suédoise. *Esrange* (base de l'ESA pour fusées-sondes au nord du cercle polaire, 68° N). *Kiruna* (lancements de fusées-sondes).

Organismes internationaux

IAA (Académie internationale d'astronautique). *Fondée* en 1960. *Siège :* Suisse. *Pt :* G.E. Mueller. *Membres :* 699 appartenant à 39 pays. *Publication :* Acta Astronautica (revue mens.).

COSPAR (Committee on Space Research Comité mondial de la recherche spatiale). *Fondé* en 1958 par le Conseil intern. des Unions scient. *Siège :* Paris. *Pt :* W.I. Axford (n. 1933, N.-Zél.). *Membres :* Ac. des Sciences de 35 pays et 12 Unions scient. intern. *Publ. : Advances in Space Research.*

IAF (Fédération internationale d'astronautique) : organisation non gouvernementale, à but non lucratif, fondée en 1950 pour favoriser le développement de l'astronautique dans des buts pacifiques. *Siège :* Suisse. *Secrétariat :* Paris. *Membres :* plus de 50 000, provenant de 62 sociétés issues de 36 pays.

Agences spatiales

• Australie. Comité spatial. *Fondé* le 21-9-1986.

• Brésil. Institut des Recherches spatiales (INPE). *Fondé* le 3-8-1961. *Siège :* São José dos Campos. *Dir. Gén. :* Marcio Nogueira Barbosa. Centre technique aérospatial.

• Canada. Agence spatiale. *Fondée* le 1-3-1989.

• États-Unis. **NASA (National Aeronautics and Space Administration).** Agence civile fédérale *fondée* le 1-10-1958 *(Administrateur général :* R. Truly). *Effectifs 1965 :* 400 000. *1975 :* 24 616. *1984 :* 21 117. *1990 :* 23 735. Dirige et coordonne les recherches aéronautiques et spatiales civiles aux U.S.A. *Siège :* Washington. Dispose de 2 bases de lancement : une sur la côte Est, John F. Kennedy Space Center, Cap Canaveral ; l'autre sur la côte Ouest, Vandenberg. *Centres de recherche :* Ames (Mountain View, Californie), Goddard (Greenbelt, Maryland), Langley (Hampton, Virginie), Lewis (Cleveland, Ohio), Jet Propulsion Laboratory (Pasadena, Californie), responsable des sondes automatiques qui sont lancées vers les planètes, Johnson Space Center (Houston, Texas) responsable de la préparation et du suivi des vols spatiaux pilotes. *Programmes :* Mercury, Gemini, Skylab. Vol Apollo-Soyouz en coopération avec les Soviétiques, Space Shuttle (navette spatiale), Space Station, Marshall (Huntsville, Alabama).

Budget spatial américain (en millions de $). *1960 :* 1 066 (Nasa 524, Défense 561). *66 :* 6 970 (N. 5 064, D. 1 689). *72 :* 4 575 (N. 3 071, D. 1 407). *80 :* 8 684 (N. 4 680, D. 3 848). *84 :* 16 694 (N. 6 509, D. 9 881, Enseignement 60, Commerce 208, Intérieur 9, Agriculture 26, N.S.F. 1). *85 :* 19 350 (N. 6 440, D. 12 910). *86 :* N. 7 660. *87 :* N. 10 500 dont 2 100 pour le remplacement de la navette détruite. *88 :* N. 9 574. *89 :* N. 10 700, D. 18 000. *90 :* N. 24 600.

• Europe. **ESA (European Space Agency) ASE (Agence spatiale européenne).** *Fondée* le 31-5-75. Regroupe les activités européennes dans le domaine des satellites et des lanceurs (anciennes missions de ESRO et de l'ELDO). *Siège :* Paris. *Dir. gén. :* Jean-Marie Luton (n. 1942) (France).

Budget 1990 : 1 679,9 millions d'Ecu dont recettes provenant des États 1 527,6 dont en % : membres : *France 31,5 ;* Allem. féd. 25 ; Italie : 15,8 ; Belgique 4,8 ; Espagne : 4,4 ; Pays-Bas 2,7 ; Danemark 1 ; Finlande 0,4 ; Irlande 0,3 ; membres associés : Grande-Bretagne 6,7 ; Suède 2,4 ; Suisse 2,4 ; Autriche 0,9 ; Norvège 0,9 ; membre coopérant : Canada 0,8. *Effectifs :* 1 750.

Le 10-11-87, le conseil des ministres de l'ESA a approuvé les programmes Ariane 5, Colombus et avion spatial Hermès. *Établissements : ESTEC* (Centre européen de recherche et de technologie spatiales). Noordwijk (Pays-Bas). *ESOC* (Centre européen d'opérations spatiales). Centre principal de

Assurances spatiales

• **1965** *(6-4).* Lancement d' Early Bird, 1er satellite assuré pour risques sol uniquement. **1974** (19-12) : lancement de Symphonie 1, 1er sat. assuré pour un client non américain. **1977** (13-09) : destruction du lanceur Thor-Delta 3914 et perte d'OTS 1 ; 1er sinistre indemnisé.

• **Depuis 1975,** 10 sat. commerciaux sont assurés en moyenne chaque année pour un montant de 62 millions de $ pièce.

• **Totalité des sommes que l'ensemble des assureurs peut engager au titre d'un sinistre maximal. 1991 :** 336 millions de $.

Répartition (en %). U.S.A. 25, *France 17,5,* All. féd. 17,5, G.-B. 15, Italie 15, Japon, Australie, Suisse, Suède, Belgique 13.

Depuis 1968, en millions de $: *Primes encaissées* 1 233 ; *sinistres payés* 1 330 ; *solde* – 97.

Montant de base des primes. 16 à 20 % des prix des satellites, soit entre 60 et 150 millions de $ par lancement (plus fort taux : 31,5 % pour le satellite japonais de télévision directe BS-2B lancé le 12-2-86).

Depuis le 1-1-1986, la Société de réassurance des risques relatifs aux applications spatiales (S 3R), filiale de la Sté Arianespace (qui commercialise la fusée Ariane), offre une garantie de relancement en cas d'échec, grâce à une « assurance lanceur » complémentaire de celle fournie par le marché traditionnel. Les lancements sont assurés par série de 15 (pour répartir le risque), au taux préférentiel de 11 ou 13 % selon qu'en cas de sinistre l'utilisateur choisit de relancer son satellite sur Ariane ou d'être remboursé. Durant sa 1re année d'existence, elle a signé 9 contrats d'assurance portant sur 3 satellites européens, 2 américains et 4 internationaux, dont 8 satellites de télécommunications et 1 satellite de télédétection, Spot 1, lancé avec succès en février 1986. L'explosion de la navette Challenger (qui elle-même n'était pas assurée), en provoquant la suspension des vols habités américains jusqu'en 1988, a privé les compagnies d'assurances spécialisées de revenus escomptés en 1986 et 1987.

contrôle à Darmstadt (All. féd.). *ESRIN.* Frascati (Italie) *créé 1965 ;* abrite le bureau du Programme Earthnet (télédétection des ressources terrestres) et le Service de ressaisie de l'information (IRS).

• **France. CNES (Centre national d'études spatiales).** *Fondé* le 19-12-1961, succède au Comité de recherches spatiales. *Siège :* 2, place Maurice-Quentin, Paris 75001. *Pt :* Jacques-Louis Lions (né le 2-5-1928). *Dir. gén. :* Daniel Lévi (n. 1940). *Établissements :* 3 centres spatiaux [Toulouse, Évry, Guyane (Kourou)]. Assure la réalisation des programmes spatiaux français (nationaux et internationaux).

Budget (en millions de F) : 1980 : 1 907,23 ; *81 :* 2 617,17 ; *82 :* 3 013,30 ; *83 :* 3 560,75 ; *84 :* 4 890 ; *85 :* 4 929 ; *86 :* 6 042 ; *87 :* 6 076,1 ; *88 :* 6 660,5 ; *89 :* 8 083,2 ; *90 :* 9 405,5 (dont 7 186,9 de subvention de l'Etat et 2 218,4 de ressources propres).

Programme de recherche et de technologie : 1989. 276 millions de F dont en % : observation de la Terre 15, propulsion 13,5, composants 13, lanceurs futurs 12,5, infrastructure orbitale 11,5, radiocommunications 10,5, multifinalités 8, microgravité 6, études générales de technologie 5, science 5. *Filiales en 1989.* Chiffre d'affaires en millions de F et effectifs entre parenthèses. Arianespace 3 794 (268), Intespace 158 (158), Spot Image 111 (113), Simko 65 (59), CLS Argos 45 (54), Sat Control 39 (39), GDTA 25 (19), Scot Conseil 15 (8), Novespace 6 (8), SATEL Conseil 6 (12), Prospace n.c. (4).

• **Inde. ISRO (Indian Space Research Organisation).** *Siège :* Bengalore.

• **Israël. Agence spatiale israélienne (ASI).** *Fondée* 1983.

• **Italie. Agence spatiale.** *Fondée* le 8-6-1988.

• **Japon. ISAS (The Institute of Space and Astronautical Science).** *Fondé* 14-4-1981. *Siège :* Kanagawa. *Dir. gén. :* Jun Nishimura. Organise la recherche scientifique spatiale au Japon. *Budget* (en milliards de yens) : *1989 :* 24,4. *Effectifs* (1989) : 291.

NASDA (National Space Development Agency of Japan). *Fondé* 1-10-1969. *Siège :* Tōkyō. *Pt :* Masato Yamano. Organisme semi-public, met en œuvre le programme spatial. *Budget* (en milliards de yens) : *1990 :* 137,9. *Effectif* (1990) : 949.

• **Royaume-Uni. National Space Center.** *Fondé* le 20-11-1985. Coordonne les activités spatiales civiles et élabore la politique future. *Membres :* 300.

O.V.N.I.

☞ Il y a des milliards de galaxies dans l'univers et environ cent milliards d'étoiles, et peut-être plusieurs milliards de systèmes planétaires dans notre galaxie.

Objets volants non identifiés

Traduit de l'américain « U.F.O. » (Unidentified Flying Object), remplaçant l'expression « soucoupe volante » (flying saucer) ; on a proposé l'expression « P.A.N.I. » (Phénomène Aérospatial Non Identifié), tombée en désuétude.

Définition. Phénomène généralement fugitif et lumineux se situant dans l'atmosphère, au sol, sous la mer ou dans l'espace et dont la nature n'est pas connue ou reconnue par les témoins. **Particularités.** Fortes luminosités, immobilisations à altitudes variables, accélérations fulgurantes, changements brusques de direction, apparitions et disparitions instantanées, stabilité dans l'air (certains rapports font état de formes généralement humanoïdes, au sol, à proximité du phénomène).

Effets secondaires constatés. *1) Sur le témoin. Psychologiques :* choc, peur, émerveillement, etc. *Physiologiques :* fourmillements, céphalées, conjonctivites, allergies cutanées, paralysie momentanée, dérèglements du cycle du sommeil, etc. *2) Sur l'environnement. Artificiels :* anomalies électriques, magnétiques, thermiques, mécaniques, voire radioactives. *Naturels :* traces au sol, brûlures, modifications de végétation, etc.

Historique. Bien que certaines observations anciennes puissent être prises en considération, on admet généralement que l'histoire du phénomène des O.V.N.I. (P.A.N.I.) a commencé le 24-6-1947, quand un industriel américain (Kenneth Arnold) affirma avoir observé, en survolant les montagnes Rocheuses avec son avion, 9 formes lumineuses discoïdales dont le mouvement évoquait celui des soucoupes ricochant à la surface de l'eau. Depuis, des phénomènes n'ont pas cessé d'être observés, particulièrement en 1947, 52, 54, 57, 65, 68, 74, 79, 80.

Observation française exceptionnelle. Le 8-1-1981, à Trans-en-Provence, une sorte de sphère aplatie (2,50 × 1,50 m) atterrit silencieusement devant un témoin et repart 40 s après, avec un léger sifflement. Au sol sera découverte une empreinte circulaire striée. La gendarmerie nationale prélève des végétaux. Analysés à la demande du G.E.P.A.N. par un laboratoire de l'I.N.R.A., ils accusent un inexplicable vieillissement biochimique interne (Note technique du G.E.P.A.N. n° 16.).

Nota. – Des interprétations ont été proposées. Ex. : *orthoténie* (thèse d'Aimé Michel d'après laquelle les points d'atterrissage des O.V.N.I. auraient tendance à se situer sur des lignes droites ou, plus précisément, des arcs de grand cercle) et *isocélie* (thèse de J.-Ch. Fumoux affirmant que les points d'atterrissage se situeraient préférentiellement sur les sommets de triangles isocèles), mais des recherches statistiques approfondies permettent de les contester.

Associations et revues

Australie. *UFO Research Australia* (M. Vladimir Godic), POB 229, Prospect, South Australia 5082.

Belgique. *S.O.B.E.P.S. (Sté belge d'étude des phénomènes spatiaux) :* av. P.-Janson 74, B-1070 Bruxelles. Revue trim. : *Inforespace.*

Espagne. *Cuadernos de Ufologia,* Rualasal 22, 39001 Santander.

États-Unis. HISTORIQUE : plusieurs grandes commissions (ou projets) ont été créées : *Commission d'enquête. Sign* (décret du 30-12-47) ; *Com. Grudge,* nouvelle version de Sign (11-2-49) ; *Com. Blue-book,* nouvelle version de Grudge (mars 52) (sur 10 147 cas examinés de 1947 à 1965, 9 501 ont été expliqués) ; *Com. d'étude du Colorado* (oct. 66 à 68), dirigée par le physicien Edward Condon qui, dans un rapport remis le 9-1-69, a conclu à l'inexistence des O.V.N.I. après avoir examiné une centaine de cas (dont un seul atterrissage) et bien qu'il n'ait pu expliquer env. 15 % de ceux-ci. La *Com. Robertson,* réunie du 14 au 17-1-53 recommanda de détourner l'attention du public des soucoupes volantes.

M.U.F.O.N. (Mutual UFO Network) : c/o W. H. Andrus Jr., 103 Oldtowne Road, Seguin, Texas 78155-4099. *C.U.F.O.S.* (J. Allen Hynek, Center for UFO Studies) : 2457 W. Peterson, Chicago, Illinois 60659. Revue mens. : M.U.F.O.N.-UFO Journal.

France. *Ass. GROVNIS-France.* Route de Placy 14220 Thury-Harcourt. Revue Mystéria. *C.E.R.P.A. (Centre d'Études et de Recherches sur les Phénomènes Aérospatiaux) :* Marseille. Revue trim. *A.M.A.C.I.G.U. (Comité Ile-de-France des Groupements Ufologiques) :* 12, rue du Pr-Jean-Ramon 94700 Maisons-Alfort. *Commission nationale de recherche sur les OVNIS :* résidence des Châtaigniers 45800 St-Jean-de-Braye. *C.N.E.G.U. (Comité Nord-Est des Groupements Ufologiques :* 318, tour de Neuvillers, 88200 Remiremont. *G.P.C.G.U. (Comité Poitou-Charentes des Groupements Ufologiques) :* la Belle Étoile, Pompaire, 79200 Parthenay. *C.R.U. (Comité de Recherche Ufologique) :* 24, rue du Cdt-Lucas, 29200 Brest. *G.E.P.A. :* 69, rue de la Tombe-Issoire, 75014 Paris. *G.E.P.S.I. (Groupe d'étude des phénomènes spatiaux inexpliqués) :* 89, rue de Siam, 29200 Brest. *G.E.S.T.O. (Groupe d'études sur les traces d'OVNIS) :* chemin de la Montagnère, 84120 Perthuis. *L.D.L.N. (Lumières dans la nuit) :* 5, rue Lamartine, 91220 Brétigny-sur-Orge. *OVNIS-Nord-Alsace.* 3, rue des Pierres, 67520 Odratzheim. *« S.O.S. OVNI »* B.P. 324, 13611 Aix-en-Provence. Publie *Ovni-présence* (trim.) et *Phénoména* (Bimest.).

Grande-Bretagne. *A.S.S.A.P (Association for the Scientific Study of Anomalous Phenomena) :* c/o H. Evans, 59, Tranquil Vale, London SE3-OBU. *B.U.F.O.R.A. (British Ufo Research Association) :* 16 Southway Burgess Hill Sussex RH15 9 ST. *F.S.R. (Flying Saucer Review) :* Snodland, Kent, ME6 5HJ (G.-B.).

Suède. *A.F.U. :* P.O. Box 11027,3-600 11 Norköping.

Suisse. AESV, case postale 342, 1800 Vevey 1.

Organisme gouvernemental. *S.E.P.R.A. (Service d'Expertise des Phénomènes de Rentrées Atmosphériques au sein du C.N.E.S.)* 18, av. E.-Belin, 31055 Toulouse Cedex.

Géographie physique

La Terre

Caractéristiques

• **Age de la Terre.** 4 450 à 4 650 millions d'années (datations potassium-argon), de même que pour la Lune et les météorites. Théories anciennes. *Upanishads indiens* (VIIe-V^{e} av. J.-C.) : 2 milliards d'années. *Bible* [interprétée par l'Irlandais James Usher (1581-1656)] : 4 004 ans, à la naissance du Christ ; pour des raisons religieuses, ce chiffre sera maintenu longtemps en Europe occidentale, notamment par Cuvier en 1830. *1758* [Jean Gesner (Suisse, 1709-90)] : 80 000. *1772* [Jean-Louis Giraud-Soulavie (Fr., 1752-1813)] : 6 millions. *1778* [Georges de Buffon (Fr., 1707-88)] : 75 000. *1838* [Charles Lyell (Angl., 1797-1875)] : 240 millions. *1862* [William Kelvin (Angl., 1824-1907)] : 20 à 400 millions. *1898* [Eugène Joly (Fr., 1845-97)] : 80 à 100 millions.

• **Axe de rotation de la Terre.** L'axe étant incliné de 23° 27' sur le plan de l'écliptique, des cercles fictifs sont respectivement tracés à cette distance angulaire de l'équateur (tropique du Cancer au N., tropique du Capricorne au S.) et des pôles (cercles polaires). Ils déterminent les zones torride, tempérée et glaciaire. Dans la rotation de la Terre autour du Soleil, ils prennent des positions qui fixent les saisons par les soltices et équinoxes.

• **Circonférence.** *Équateur* 40 075 017 m. *Méridien* 40 007 864 m. *Tropiques* (lat. 23°27') 36 784 632 m. *Cercle polaire* (lat. 66°33') 15 992 916 m.

• **Dépressions principales.** Au-dessous du niveau de la mer (en mètres). **Afrique.** Lac Assal (Djibouti) 155. El Kattara (Égypte) 137. Danakil (N. de l'Afr.) 120. Chott Melrhir (Algérie) 31. Chott el Gharsa (Tunisie) 21. Dépression du désert de Libye 20 à 75. **Amérique.** Lac Salton (Calif., U.S.A.) 90. Vallée de la Mort (Calif., U.S.A.) 85,4. **Antarctide.** Marie Byrd Land (plateau Hollick-Kenyon, recouvert d'une couche de glace de 4 267 m) 2 468. **Asie.** Mer Morte (Israël/Jordanie) 394. Lac de Tibériade (Israël) 208. Oasis de Liouktchoum et de Tourfan (Chine) 100. **Europe.** Mer Caspienne (U.R.S.S., Iran), la plus grande surface au-dessous du niveau de la mer (518 000 km², dont 371 790 couverts d'eau), 28. Wieringer (Polder IV, P.-Bas) 6,7. Bagband (Allemagne/Autriche) 1,1.

• **Distance au Soleil.** *A l'aphélie* 152 105 142 km. *Au périhélie* 147 103 311 km.

• **Énergie reçue du Soleil.** Varie comme l'inverse du carré de la distance. *Constante solaire :* énergie reçue à la distance moy. sur une surface normale à la limite de l'atmos. : env. 1,4 kW par m², c'est-à-dire 350 W/m² de surface terrestre.

• **Formation.** La Terre se serait formée à temp. relativement basse par *accrétion* (collision et agglomération de « planétoïdes » ayant quelques km de dimensions), aurait ensuite partiellement fondu par accumulation interne d'énergie thermique venant d'un tassement du matériau et de la radioactivité de certains éléments (uranium, thorium, potassium 40). Ni la contraction thermique ni les différences de force centrifuge ne peuvent expliquer le relief.

• **Forme.** On appelle *géoïde* la surface qui coïncide avec la surface moyenne d'équilibre des mers et la prolonge sous les continents en restant partout « horizontale », c'est-à-dire perpendiculaire au vecteur de la pesanteur. Le géoïde définit la figure de la Terre, indépendamment des accidents du relief ; par rapport à un *ellipsoïde de révolution* ayant pour axe la ligne des pôles, il présente des protubérances et des dépressions de l'ordre de 100 m.

L'ellipsoïde équipotentiel adopté en 1979 à Canberra est défini par : 1° le rayon équatorial de la Terre (ou demi-grand axe de l'ellipsoïde) : *a = 6 378 137 m ;* 2° le produit de la constante de gravitation universelle G par la masse M de la Terre (atmosphère comprise), soit $GM = 3\ 986\ 005 \times 10^{8}\ m^{3}(s)^{-2}$; 3° le rapport (C - A)/M a^2 qu'on désigne souvent par J_2 (C est le moment d'inertie par rapport au diamètre polaire et A le moment d'inertie par rapport à un quelconque des diamètres équatoriaux) soit $J_2 = 108\ 263 \times 10^{8}$; 4° la vitesse angulaire de la Terre : *6 = 7 292 115 ×* 10^{-11} *rad* s^{-1}. Ces 4 données sont *exactes par définition* et ne comportent pas de décimales. A partir de là on calcule beaucoup d'autres données et il peut y avoir de légères différences entre les auteurs suivant le nombre de termes conservés dans le développement des formules, les décimales conservées ou non, etc. Ex. selon H. Moritz (Bulletin géodésique, vol. 54, 1980) : rayon polaire ou demi-petit axe *b = 6 356 752,3 141 m.* Aplatissement *L = (a - b)/a = 1/298,257 222 101.* Rayon de la sphère de même volume que l'ellipsoïde *R = 6 371 000,7 900 m.*

Différence entre rayon polaire et rayon équatorial : 21 384,659 m.

• **Hauteur maximale.** *Everest,* à la frontière du Tibet et du Népal, 8 848 m (voir page 61a).

• **Magnétisme.** Si l'on fait abstraction de fluctuations locales et temporaires liées à l'activité solaire, la Terre se comporte comme un aimant. Le **champ magnétique terrestre,** qui varie lentement avec le temps (variation séculaire), est sensible sur tous les points de la surface terrestre et s'étend en hauteur jusqu'à des dizaines de milliers de km (magnétosphère). C'est une grandeur *vectorielle,* c.-à-d. possédant une direction (définie par 2 angles, inclinaison et déclinaison), un sens (vers le bas, actuellement, dans nos régions) et une intensité : les Chinois l'ont découvert vers 1000 apr. J.-C. et l'ont utilisé empiriquement pour leurs boussoles à aiguille aimantée, indiquant la direction du **méridien magnétique.** Cette direction forme avec celle du Nord géographique l'angle appelé **déclinaison magnétique.**

Les **isogones** (lignes d'égale déclinaison) sont des courbes qui passent par les pôles géographiques et par les pôles magnétiques définis plus loin.

Les méridiens magnétiques (courbes qui suivent les directions du champ moyen) aboutissent à **2 pôles magnétiques : Nord** (attirant le pôle Nord d'une boussole ; c'est un pôle de magnétisme sud) dans l'archipel Arctique canadien, à 1 900 km du pôle géographique Nord ; **Sud** en mer Australe, un peu au large de la Terre Adélie, à 2 600 km du pôle géographique Sud. Ces pôles magnétiques, où une aiguille aimantée libre de s'incliner se tiendrait verticale, ne sont donc pas aux antipodes l'un de l'autre : la droite qui les joint ne passe pas par le centre de la Terre. L'**équateur magnétique,** où la même aiguille serait horizontale, s'écarte de l'équateur géographique vers le nord ou le sud (jusqu'à 1 600 km au Brésil).

Intensité du champ. *Minimale :* de 24 000 à 45 000 nT (nanotesla, ou gamma suivant une notation ancienne) sur l'équateur magnétique. *Maximale :* 70 000 (pôle magnétique Sud), 62 000 (Nord).

Pôles géomagnétiques ou **pôles de Gauss.** Ils correspondent à un champ magnétique terrestre débarrassé de ses irrégularités, et ont été définis en 1839 par l'Allemand Carl Friedrich Gauss (1777-1855). Ils sont assez proches des pôles magnétiques, mais se situent, contrairement à ceux-ci, aux antipodes l'un de l'autre. Tout se passe comme si le champ venait d'un petit aimant fictif ayant un moment 8,05 ± 0,02 × 10^{25} gauss. cm^3 (ou 8,05 × 10^{15} T.m^3), situé au centre de la Terre et porté par le diamètre terrestre qui joint les pôles géomagnétiques (il fait un angle de 11°5 avec les pôles géographiques). Ce « dipôle » rend compte d'environ 90 % du champ magnétique total. Les 10 % qui restent (champ non dipôle) sont surtout d'origine profonde.

Causes du magnétisme terrestre. L'aimantation des roches terrestres ne peut expliquer que des anomalies locales et superficielles : elles cessent d'être aimantables au-dessus d'une certaine température (point de Curie). L'essentiel du champ serait produit par une dynamo auto-excitée par rotation du globe, fonctionnant grâce à des déplacements de matière conductrice se produisant dans le noyau liquide. L'énergie qui entretient ces mouvements viendrait : 1° soit de la poussée d'Archimède produite par des différences de température ; 2° soit de l'énergie gravitationnelle libérée par l'enfoncement de matériaux lourds dans le manteau ou le noyau.

Mesure de la Terre

IIIe s. av. J.-C. Le Grec Ératosthène pense que la Terre est ronde. Sachant que le Soleil est au zénith au solstice d'été à Assouan, il mesure l'inclinaison du Soleil par rapport à la verticale d'Alexandrie et la distance entre les deux villes, évaluant ainsi le rayon de la Terre à 7 300 km.

1669-70 L'abbé Jean Picard (1620-82), avec une méthode mise au point par le Hollandais Snellius, détermine la longueur d'un degré de méridien entre Malvoisine (à 6 km de La Ferté-Alais, au sud de Paris) et Sourdon (à 20 km au sud d'Amiens), et trouve 6 275 km.

1672 Jean Richer constate que le mouvement du pendule est plus lent à Cayenne qu'à Paris. Il en déduit que la gravitation près de l'équateur est moins sensible et que l'on doit s'y trouver plus loin du centre de la Terre. Le rayon terrestre à ce niveau est donc plus important et la Terre a la forme d'une ellipse aplatie aux 2 pôles.

Début XVIIIe s. Les Cassini mesurent la France et pensent que l'axe des pôles est plus long que l'axe équatorial.

1735 L'Académie des Sciences ayant décidé d'envoyer 2 expéditions pour mesurer l'angle des méridiens, 3 académiciens, Louis Godin (1704-60, rentré en 1751 en Espagne), Charles de La Condamine (1701-74, revenu 1744), Pierre Bouguer (1698-1758, revenu 1744), et Joseph de Jussieu (1704-79, académicien en 1742, rentré 1771) partent pour le Pérou. *1736 :* 4 autres, Pierre-Louis de Maupertuis (1698-1759), Alexis Clairaut (1713-65), Charles Camus (1699-1760), Pierre-Charles Lemonnier (1715-99) ainsi que l'abbé Renaud Outhier (1694-1774 correspondant) et Anders Celsius (1701-44, astronome suédois) partent pour la Laponie, retour en 1737. Leurs calculs montrent que la Terre est légèrement aplatie aux pôles. Rayon de la Terre à l'équateur 6 397 km. Le degré équatorial mesure 56 750 toises, le degré lapon 57 437 (centré sur le 66°20 parallèle, en fait 57 196).

1957 Les satellites permettent des mesures précises en prenant 2 points de la Terre et une étoile. **1972** (27-7) ERTS (Landsat-1), 1er satellite civil d'observation de la Terre (à 800 km d'alt.).

Champ magnétique dans le passé. *L'archéomagnétisme* (E. Thellier) retrouve le champ grâce à l'aimantation prise au moment de leur refroidissement par des briques datées ou des argiles cuites. Le *paléomagnétisme* retrouve à partir de l'aimantation des roches les positions anciennes des pôles magnétiques par rapport à un continent. Le dipôle qui fournit l'essentiel du champ s'inverse à intervalles irréguliers. La trace de ces inversions dans les carottes extraites des fonds océaniques aide à dater ceux-ci jusqu'à – 160 M.a. (le reste a disparu par subduction). Des études récentes sur des roches sédimentaires montrent que, depuis 320 M.a., il y a eu deux longues périodes sans renversement du champ magnétique. Ces périodes correspondent à un moment où la couche située à la base du manteau s'épaissit, absorbant de la chaleur venue du noyau. Voir Tectonique globale, p. 55a.

• **Masse.** 5,98 × 10^{24} kg, soit 5 980 milliards de milliards de tonnes.

• **Pesanteur** (résultante de la gravité et de la force centrifuge, v. Index). En *gals* (1 gal = 1 cm/s^2) (1967) : *0° :* (équateur) 978,033 ; *15° :* 978,379 ; *30° :* 978,325 ; *45° :* 980,620 ; *48°50'* [au *Bureau international des poids et mesures* (Sèvres, mesures absolues les plus précises du monde)] 980,925931 ; *60° :* 931,918 ; *75° :* 982,870 ; *90°* (pôle) : 983,219. Si la Terre tournait plus vite, la force de la gravité serait inchangée puisque cette dernière est égale au total des forces d'attraction newtonienne. C'est la pesanteur qui varierait.

• **Profondeur des mers.** *Maximale* 11 034 m (fosse des Mariannes) ; *moyenne* 3 800 m (Atlantique 3 300 ; Indien 3 900 ; Pacifique 4 030). *Le bathyscaphe américain « Trieste »* est descendu à 10 916 m dans la fosse Challenger (îles Mariannes) le 23-1-1960.

• **Superficie globale.** 510 065 000 km^2 (calcul de 1967) dont terres 133 620 000 (26,2 %), glaces 15 303 000 (3 %), eaux 361 059 000 (70,8 %).

• **Température.** La température superficielle des planètes telluriques dépend beaucoup de l'énergie renvoyée par leur sol ou par leur atmosphère (sauf Mercure, la Lune, qui n'en ont pas). La Terre a une température moyenne en surface de 14 °C. Elle serait d'env. – 18° sans l'effet de serre dû au gaz carbonique atmosphérique. Sur *Mercure,* la température passe de 350 °C le jour à – 170 °C la nuit ; sur *Vénus* de – 33° au niveau des nuages visibles à + 480° au sol. La température des planètes extérieures décroît de – 23° *(Mars)* à – 230° *(Pluton).*

• **Vitesse de libération.** Vitesse que doit atteindre un corps pour échapper à l'attraction terrestre : 11 180 m/s (sur la Lune : 2 376, Mercure 4 246, Saturne 35 570, Jupiter 59 850). *Conséquences :* la Terre a conservé les gaz de masse moléculaire supérieure à 28 : azote (28) et oxygène (32).

• **Rotation de la Terre sur elle-même.** 1 670 km/h à l'équateur, 1 100 en France, 640 à 60° de latitude, 0 aux pôles. Tour complet en 23 h 56 min 4 s ; soit 3 min 56 s de moins que le jour solaire (la Terre tourne d'environ 1 + 1/365 tour entre 2 passages consécutifs du Soleil au méridien d'un lieu donné).

Cette vitesse n'est pas constante : *1°) elle se ralentit progressivement* (ce retard pris par la Terre atteint 4 h par jour en 500 millions d'années), surtout en raison du ralentissement par frottement, dans les mers peu profondes, des masses d'eau soumises à la marée, et d'autres phénomènes mal connus (frottements internes, marées de l'atmosphère, etc.) ; *2°) des variations insuffisamment expliquées peuvent se produire* (maximum d'avance connu : 28,2 s en 1789, de retard : 49,7 s en 1970) ; *3°) des variations saisonnières,* découvertes en 1937, interviennent, provenant surtout de causes météorologiques.

On calcule cette vitesse de rotation en mesurant avec une horloge atomique le temps séparant 2 passages d'un point de la surface terrestre au méridien d'un repère choisi dans le ciel, et observé par des instruments tels que des méridiennes, des tubes photomultiplicateurs zénithaux ou des astrolabes impersonnels. Du fait de la rotation de la Terre, les corps en mouvement dans un plan horizontal ont tendance à dévier vers la droite (dans l'hémisphère Nord) ; *exemples :* pression des fleuves (qui, dans des circonstances identiques, serait différente selon la rive), mouvements de l'air et vents alizés (voir Météorologie p. 85c), courants marins. L'expérience du pendule de Foucault (1851) avait fourni une preuve de cette rotation.

• **Volume.** 1 083 219 000 km^3 (soit 1,083 milliard environ).

Datation de la Terre et des roches

Méthodes

• **Stratigraphie.** Méthode d'étude des terrains sédimentaires fondée sur 3 principes : superposition, intersection, inclusion. Elle a permis d'établir une chronologie relative. Les terrains stratifiés plus récents recouvrent en principe (sauf bouleversements) les plus anciens. Au XIXe s., on appela *primitifs* ou *archéens* les terrains les plus anciens dépourvus de fossiles et souvent métamorphisés ou granitisés.

• **Radioactivité naturelle** (dosage d'éléments radioactifs de certains minéraux). [*1ers essais* [1906 par l'Angl. Ernest Rutherford (1871-1937)] : entre 410 et 2 200 millions d'années. *Mesures actuelles :* 3 800 millions d'années (S. du Groenland) pour les plus anciennes roches connues. Les roches plus anciennes, qui avaient subi un intense bombardement météoritique jusqu'à environ 4 milliards d'années, ont été soit métamorphisées (et donc leur horloge atomique remise à 0), soit recyclées dans le manteau profond par les intenses courants de convection thermique qui auraient animé la Terre à cette époque.

Éléments radioactifs utilisés [1]. Rubidium-strontium (période 48,8 milliards d'années) ; samarium-néodyme ; rhénium-osmium ; lutétium-hafnium ; chronomètres uranium, thorium, plomb ; déséquilibres dans la famille de l'uranium ; potassium-argon (période 1,31 milliard d'années) ; isotopes cosmogéniques du béryllium 10, de l'aluminium 26, du calcium 41 ; chlore 36 ; carbone 14 (période 5 700 ans) ; argon 39 et silicium 32 ; argon-argon ; méthode par le plomb 210 (période 22 ans), datation de la neige antarctique ; tritium et tritium-hélium 3.

Nota. – (1) Dans cette liste (cf. « Méthodes de datation par les phénomènes nucléaires naturels. Applications », C.E.A., 1985), les isotopes utilisables sont rangés dans l'ordre des périodes décroissantes : de 48,8 milliards d'années (rubidium 87) à 12,3 ans (tritium). Les âges à mesurer doivent être comparables aux périodes correspondantes (mais les horloges de type accumulatif, telles que potassium-argon, n'ont pas de limite supérieure d'utilisation).

• Comptages. **Dendrochronologie :** comptage des cernes de bois actuels et fossiles. **Méthode des varves :** comptages de couches annuelles des dépôts de lacs périglaciaires.

• Méthodes physiques diverses. **Racémisation :** propriété de certaines substances organiques de ne plus dévier la lumière polarisée en vieillissant. **Traces de fission** (cicatrices dans les minéraux produites par la désintégration de l'uranium qu'ils contiennent). **Thermoluminescence** des quartz et d'autres minéraux transparents. **Résonance électromagnétique de spin. Inversions du champ magnétique.** Donnent des repères dans les laves et les sédiments. Le premier à – 730 000 ans.

Ères géologiques Évolution biologique de la Terre

Nota. – Divisées en *périodes,* puis en *étages.* Les dates constamment révisées (en fonction des progrès des connaissances et de la technologie instrumentale) figurent en regard des étages correspondant à leur base. M.a. : millions d'années.

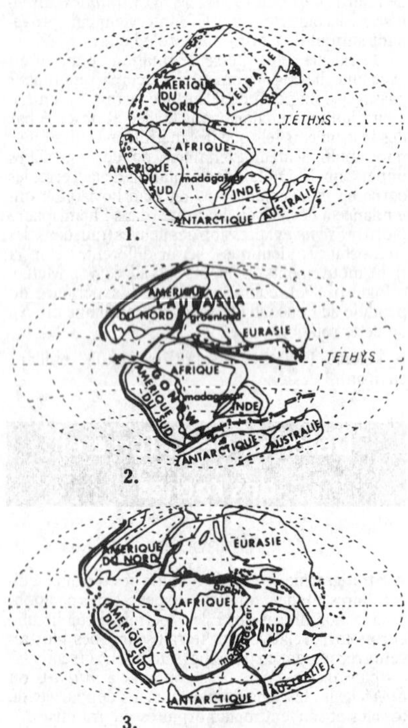

La Terre il y a : 1) 247 millions d'années (fin du Permien). 2) 130 millions d'années (fin du Jurassique). 3) 65 millions d'années (Paléocène). *(Dessins fournis par Le Monde)*

Prégéologique

Entre 4 600 M.a. et 3 800 M.a., formation de la Terre puis séparation (hypothétique) d'une croûte d'abord basaltique, mince et fragile, bombardée par de nombreuses météorites qui la crèvent facilement et se perdront dans les profondeurs du globe. Parmi ces objets cosmiques, de nombreuses comètes apportaient (sous forme de glace) une quantité d'eau et de composés volatils ainsi que des molécules carbonées pré-organiques qui permettront par la suite l'apparition de la biosphère. L'atmosphère primitive, réductrice, était composée essentiellement de dioxyde de carbone, d'azote et de vapeur d'eau. La condensation de cette vapeur par refroidissement sera à l'origine des océans. L'eau nouvellement apparue va alors dissoudre la plus grande partie du dioxyde de carbone atmosphérique avec de nombreuses substances minérales ou pré-organiques. C'est dans cette « soupe » chaude soumise au rayonnement ultraviolet solaire intense (absence d'oxygène et d'ozone dans l'atmosphère primitive) qu'apparaîtront les premières molécules organiques auto-reproductrices (bactéries).

Temps précambriens ou Archéozoïque

• Archéen. Dès avant 3 800 M.a., apparition des phénomènes d'érosion, de transport et de sédimentation sur une croûte très mince et chaude où s'individualisent des noyaux granitiques. Phénomènes tectoniques et métamorphiques reconnus au cœur de tous les continents (boucliers). Complexification progressive des composés organiques ; apparition de la reproduction *(bactéries)* aux environs de 3 500 M.a., de la *photosynthèse* (algues bleues) vers 3 200, des *eucaryotes* (êtres à cellules avec noyau) vers 2 800. Présence de cyanophytes : microflore d'Onderwacht (Afr. du S., Swaziland) datée de 3 600 à 3 350 M.a., microflore de Fig-Tree (Afr. du S.) – 3 100 M.a.

• Protérozoïque. A partir de 2 500 M.a., développement des *stromatolites* (colonies d'algues bleues calcaires), apparition des 1ers *organismes multicellulaires* qui vont s'épanouir à partir de 600 M.a. (associations de Sibérie et d'Ediacara, en Australie). Sur les 1res masses continentales, nombreuses phases de plissement, métamorphisme et granitisation, sans corrélation globale possible.

Protérozoïque inférieur. 2 600 M.a., en France : *Icartien ancien.* Existence de blocs stables de croûte entourés de zones sédimentaires.

Protérozoïque moyen. 2 000 M.a., en France : *Icartien récent.* Existence d'ensembles continentaux et 1res collisions entre plaques. Plusieurs phases de plissement.

Protérozoïque supérieur. 1 000 M.a., en France : *Briovérien.* Métazoaires. 1re individualisation des grands continents *Laurasie* et *Gondwanie.* Plusieurs phases de plissement, la dernière donnant la chaîne cadomienne.

Primaire ou Paléozoïque

De 570 M.a. à 260 M.a. Apparition des principaux embranchements d'invertébrés puis, à l'Ordovicien, des 1ers vertébrés (agnathes). Végétaux puis animaux s'adaptent à la vie continentale (atmosphère oxygénée) à partir du Dévonien. *Animaux caractéristiques :* trilobites (arthropodes), graptolites (stomocordés), goniatites (mollusques). *Végétaux caractéristiques :* flore houillère (lycopodiales, fougères). Plissements calédoniens, hercyniens.

• Cambrien. 570 M.a. « Géorgien », « Acadien », « Postdamien ».

• Ordovicien. 495 M.a. Trémadocien, Arénigien, Llanvirnien, Llandeilien, Caradocien, Ashgillien.

• Silurien (= « Gothlandien »). 435 M.a. Llandovérien, Wenlockien, Ludlowien. Présence établie de végétaux vasculaires (genre *Cooksonia*) au Silurien supérieur, du groupe des *Psilophytes ;* présence de mousses terrestres *(Hépatiques).*

• Dévonien. 400 M.a. *inférieur :* Gédinnien, Siegénien, Emsien. *Moyen :* Couvinien, Givétien. *Supérieur :* Frasnien, Famennien. Flore nombreuse et diversifiée. Cryptogames vasculaires archaïques (Lycopodes, Prêles, Fougères). Apparition des Préphanérogames (Ptéridospermes « Fougères à graines » et Cordaïtes).

• Carbonifère. 350 M.a. *Dinantien* ou *Carbonifère inf. :* Tournaisien, Viséen. *Silésien ou Houiller ou Carbonifère sup. :* Namurien, Westphalien, Stéphanien. Flore terrestre nombreuse et diversifiée ; la flore carbonifère n'apparaît plus comme traduisant un brusque développement. Apogée des Cryptogames vasculaires (Lépidodendrons et Sigillaires arborescents ; Calamites et Sphénophyllales ; Fougères herbacées et Fougères arborescentes). Extension des Préspermaphytes (prépondérance des Cordaïtes arborescents). Apparition des Conifères. 1ers Gymnospermes : Conifères *(Lebachia, Walchia).*

• Permien. 290 M.a. Autunien, Saxonien, Thuringien. Disparition des Psilophytes, raréfaction des Lycopodes, maintien des Prêles, prépondérance des Fougères, extinction des Cordaïtes, apparition des Cycadinées. Diversification des Gymnospermes (Conifères).

Secondaire ou Mésozoïque

De 260 M.a. à 65 M.a. Début des phases tectoniques aboutissant à la formation des Pyrénées et des Alpes. Après une crise biologique au Permien et au Trias, épanouissement des mollusques (ammonites, bélemnites) dans les mers. Sur la terre ferme, diversification des reptiles (dinosaures) et des végétaux supérieurs (gymnospermes). Apparition des 1ers mammifères et des 1ers oiseaux. Début de la formation des Pyrénées.

• Trias. 260 M.a. *Germanique :* Buntsandstein (grès rouges), Muschelkalk et Lettenkohle (marnes et calcaires), Keuper, Rhétien. *Alpin :* Werfénien (ou Scythien), Anisien (ou Virglirien), Ladinien, Carnien, Norien, Rhétien. Disparition des Lépidodendrons et Sigillaires, des Calamites et Cordaïtes des temps primaires. Survivance de quelques Lycopodes et Fougères (« à graines » et « à frondes ») des temps primaires. Prêles (Equisetum ou Equisetites) de grande taille.

• Jurassique. 204 M.a. **Inférieur (Lias) :** Hettangien, Sinémurien, Carixien, Domérien (ou Pliensbachien), Toarcien. Nombreuses Fougères (« à graines » et « à frondes »). Cycadinées persistantes, Cordaïtes en voie d'extinction, Conifères abondants. **Moyen (Dogger) :** Aalénien, Bajocien, Bathonien, Callovien. **Supérieur (Malm) :** Oxfordien, Kimméridgien, Portlandien. Tendance au renouvellement des formes. Fougères et Ptéridospermes abondants. Nombreux Conifères. Cycadinées et Ginkgoïnées prépondérantes. Apparition des premiers Angiospermes (Palmiers). Diversification probable des mammifères (découverte récente d'un insectivore de la taille d'une souris, vieux de 180 M.a.).

• Crétacé. 140 M.a. **Inférieur :** Berriasien, Valanginien, Hauterivien, Barrémien, Aptien, Albien. **Supérieur :** Cénomanien, Turonien, Coniacien, Santonien, Campanien, Maastrichtien. Abondance de Fougères, Cycadinées, Ginkgoïnées et Conifères. Brusque apparition des Angiospermes sur tous les continents.

Tertiaire ou Cénozoïque

De 65 M.a. à 1,8 M.a. A la fin de l'ère secondaire, les Ammonites, Bélemnites et Dinosaures disparaissent. Une première hypothèse attribue leur extinction à une crise biologique, une deuxième (1980) à l'obscurité qui a régné plusieurs mois après la chute d'une météorite d'un diam. sup. à 10 km. Epanouissement des mammifères et des plantes à fleurs (Angiospermes). Vers la fin du Tertiaire, apparition des 1ers hominidés. Plissements alpins. Volcanisme dans le Massif central.

• PALÉOGÈNE OU NUMMULITIQUE. **Paléocène :** 65 M.a. Danien, Montien, Thanétien.

Eocène : 52 M.a. Yprésien, Lutétien, Bartonien, Priabonien. Sous climat chaud (t. moy. 20-25 °C) et humide ou ± sec, les dépôts éocènes (travertins de Sézanne, argiles ligniteuses du Soissonnais, sables de Cuise, calcaire grossier du Bassin parisien, sables d'Ermenonville, gypses de Paris) montrent une végétation où des essences feuillues proches des formes tempérées actuelles [Châtaignier, Chêne, Cyprès, Figuier, Fougères (Osmonde, Pteris), If, Laurier, Lierre, Noyer, Thuya, Vigne] voisinent avec des végétaux exotiques de type tropical ou subtropical [Acacia, Araucaria, Eucalyptus, Jujubier, Magnolia, Palmiers (Sabal), Podocarpus, Poivrier, Séquoia, Taxodium (Cyprès chauve)].

Oligocène : 34 M.a. Stampien, Chattien. Sous climat tropical ou tempéré-chaud (t. moy. 18-25 °C), les dépôts oligocènes (« mines de potasse » d'Alsace, sables de Fontainebleau, gypses d'Aix, marnes d'Armissan, lignites de Manosque, argiles de Marseille) livrent une flore composite [Aulne, Chêne, Clématite, Figuier, Fougères (Osmonde, Pteris), Genévrier, Houx, Laurier, Lierre, Mahonia, Myrte, Noyer, Olivier, Orme, Peuplier, Pin, Saule, Thuya, Vigne d'une part ; Acacia, Agave, Camphrier, Cannelier, Dragonnier, Eucalyptus, Jujubier, Magnolia, Palmiers (Chamaerops, Phœnix, Sabal), Pistachier, Podocarpus, Séquoia, Taxodium (Cyprès chauve) d'autre part].

• NÉOGÈNE. **Miocène :** 23 M.a. Aquitanien, Burdigalien, Langhien, Serravalien, Tortonien, Messinien. Au début, climat encore subtropical ; la flore des volcans d'Auvergne et la flore des mollasses d'Oeningen offrent Bambous, Camphrier, Cannelier, Figuier, Jujubier, Laurier, Palmiers (Sabal), Séquoia, Taxodium (Cyprès chauve), Tulipier, en voisinage avec des feuillus (Aulne, Erable, Frêne), ± proches des formes actuelles. Puis survient une tendance au refroidissement général, entraînant une extension des espèces tempérées (Pin, Sapin, Epicéa, Mélèze, If, Chêne, Hêtre, Charme, Orme, Erable, Bouleau, Peuplier, Saule, Sorbier) au détriment des espèces tropicales ou subtropicales.

Pliocène : 6 M.a. Tabianien, Plaisancien. Au début, climat océanique relativement tiède et humide

(t. moy. 16-18 °C) : dans les volcans du Massif central, persistance d'éléments chauds (Vigne, Magnolia, Tulipier, Jujubier, Cannelier, Camphrier, Podocarpus, Libocedrus, Thuya, Séquoia, Taxodium) auprès d'éléments tempérés proches des types actuels. Puis s'accentue la tendance au refroidissement ; flore des tufs de Meximieux (Ain) ; quelques espèces chaudes (Bambous, Magnolia, Platane, Noyer, Laurier, Buis...) se maintiennent. *Glaciation de Donau* (2,1 à 1,8 M.a) : disparition de la forêt européenne.

Quaternaire

• **Prépaléolithique.** A Olduvaï (Tanzanie), 1ers hominidés : Australopithèques, puis pré-Zinjanthropes (Australopithécinés), puis Zinjanthropes (famille des Paranthropes).

• **Pléistocène. Paléolithique inférieur :** *Glaciation de Günz* (1,2 à 0,7 M.a) : Alpes, Nebraska (U.S.A.).

Paléolithique moyen : *glaciation de Mindel* [1] (0,65 à 0,35 M.a). Mindel I (0,5 M.a.), II (0,4 M.a.). *Interglaciaire Mindel-Riss* (0,35 M.a.) : tufs de La Celle-sous-Moret (S.-M.) et de La Perle (Aisne) montrant des forêts de feuillus, formées sous un climat tiède et humide et comprenant, à côté d'espèces actuelles, des espèces méditerranéennes (Arbre de Judée, Buis, Figuier, Laurier).

Glaciation [1] *de Riss* (de 0,3 à 0,12 M.a.) : lignites de Jarville (près de Nancy) et de Bois-l'Abbé (près d'Épinal), formés sous climat froid et sec et contenant les restes d'une forêt de Conifères (Mélèze, Épicéa, Pin, If, Genévrier) coupée de bouquets de Chêne et de marécages à Aulne et Bouleau. *Interglaciaire Riss-Würm* (de 0,12 à 0,080) : tufs de Resson (Aube), dont la flore dénote un climat assez doux.

Glaciation [1] *de Würm* (de 80 000 à 9 800 a.) : retour de steppe, taïga et toundra, avec forêts de Conifères (Pin), disparition des essences feuillues (sauf Bouleau, Tremble, Saule).

Paléolithique supérieur : 0,02 M.a., fin de la dernière glaciation (Würm). Niveau marin à - 120 m : la végétation perd peu à peu son caractère arctique.

Nota. – (1) En Afrique, aux périodes de glaciations correspondent des périodes de pluies (pluviaux) : à Günz, le Kaguérien ; – à Mindel, le Kamasien ; – à Riss. le Kanjérien ; – à Würm, le Gambien. Aux interglaciaires, correspondent des périodes arides.

• **Holocène. Mésolithique** 12000 av. J.-C., dans le Bassin parisien : *Phase subarctique* à steppe (12000 - 10000) ; *préboréale* à Pin-Bouleau (10000 - 8500) ; *boréale* à Pin-Noisetier (8500 - 7500). **Néolithique** 7500 - 3000 [*Phase atlantique* (optimum climatique vers - 6000, niv. marin de + 3 à 5 m) à Chênaie mixte (7500 - 4500) ; *subboréale* à flore actuelle (4500 - 3000). L'homme devient sédentaire].

Chalcolithique 3000 - 1000 [*Phase subatlantique* à flore actuelle].

Age des métaux. Cuivre, bronze, fer.

Chronologie marine du Quaternaire

Calabrien : 1,8 M.a. à 0,55 M.a. **Sicilien :** 0,55 à 0,2 M.a. **Tyrrhénien :** 0,2 à 0,04. **Versilien :** 0,04 M.a.

Apparition des grands groupes (en millions d'années). Lieu de la découverte. *Végétaux :* plante à photosynthèse 3 300 ; fleur 65 (U.S.A.). *Animaux :* crustacé 650 (U.R.S.S.) ; mollusque 500 (Costa Rica) ; vertébré 480 (U.R.S.S.) ; insecte 370 (Écosse) ; araignée 370 (Écosse) ; amphibien 350 (Groenland) ; reptile 290 (Canada) ; mammifère 190 (Lesotho) ; oiseau 140 (All. féd.) ; insecte social 100 (U.S.A.) ; primate 70 (Indonésie, Madagascar) ; singe 28 (Égypte).

Structure de la Terre tectonique globale

☞ *M.a. :* millions d'années.

• **Isostasie, lithosphère, asthénosphère. 1854** des géodésiens anglais constatent que la proximité d'une grande montagne comme l'Himalaya provoque une déviation de la verticale (par rapport à l'ellipsoïde de référence, voir p. 53a) bien moindre que ne le veut la théorie. Puis on trouva que l'intensité de la pesanteur diminuait sur une montagne plus que prévu. Les deux faits furent aussitôt expliqués en admettant 1) l'existence sous les montagnes d'une *racine* moins dense que celle normale à ce niveau ;

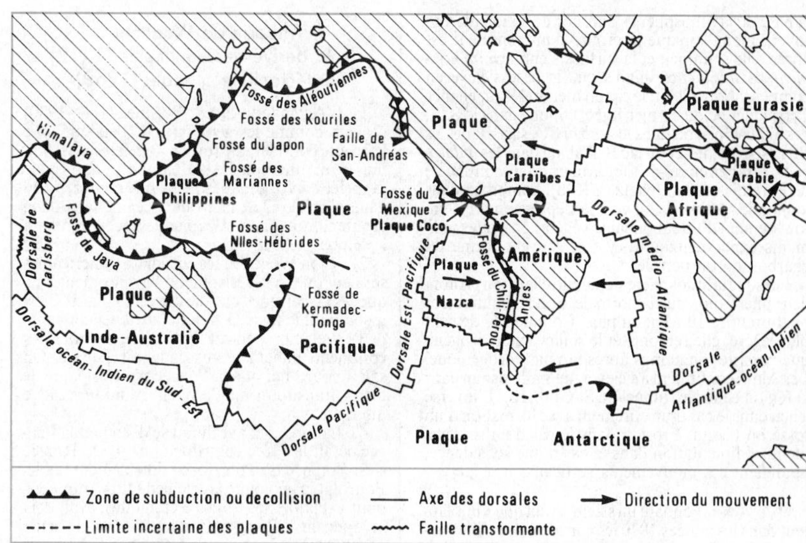

Plaques lithosphériques et leurs mouvements relatifs

2) des roches profondes plus denses mais moins rigides, constituant *l'asthénosphère* (du grec *asthénos* « faible »), sur laquelle flottent les roches plus légères et plus rigides constituant la *lithosphère.*

1909 le sismologue Mohorovičic met en évidence une discontinuité (appelée aujourd'hui le Moho) séparant la croûte du manteau (voir structure de la terre p. 57b ; on identifie alors à tort croûte et lithosphère. En fait, sous un vieil océan la croûte est une couche de basalte de 7 km d'épaisseur, alors que la lithosphère a 70 km d'épaisseur. Pour un vieux continent sans orogenèse, la croûte est épaisse d'env. 35 km, la lithosphère d'env. 200 km. Pour un système montagneux jeune, la croûte mesure env. 50 km (racine), mais la plaque de lithosphère peut se réduire à la croûte et de ce fait être moins résistante qu'ailleurs.

Lorsque la lithosphère est surchargée, p. ex. par le poids d'un grand volcan, elle se déprime élastiquement, formant cuvette, jusqu'à ce que le poids d'asthénosphère déplacée égale le poids du volcan et que l'équilibre s'établisse, conformément au principe d'Archimède. Il y a alors *isostasie.* Inversement, l'érosion lente d'une montagne ou la fonte bien plus rapide d'une calotte glaciaire provoquent un soulèvement de la région. La Scandinavie s'est soulevée encore de 1 m au XIXe siècle, alors que la calotte glaciaire y a disparu depuis plus de 7 000 a. (soulèvement *glacio-isostatique*).

• **Tectonique globale. 1960-66** il est clairement établi, grâce à la faible aimantation rémanente acquise par les laves lors de leur refroidissement (*aimantation thermo-rémanente,* ATR), que le champ magnétique terrestre s'était inversé à de nombreuses reprises dans le passé, le pôle N. magnétique devenant pôle S. et vice versa. Une chronologie remontant jusqu'à 4,5 M.a. fut élaborée.

Par ailleurs, depuis 1955 on découvre au-dessus des océans des anomalies du champ magnétique terrestre formant des bandes parallèles aux dorsales et symétriques de part et d'autre.

1962 Hess et Dietz (U.S.A.), pour expliquer qu'on n'ait jamais dragué de roches anciennes du fond des océans, émettent l'hypothèse d'un renouvellement des fonds océaniques lié à la convection thermique dans le manteau, hypothèse déjà formulée par Arthur Holmes en 1948.

1963 Morley au Canada, Vine et Matthews en Angleterre donnent l'explication des bandes d'anomalies magnétiques. De la croûte océanique se forme continuellement aux dorsales et prend une ATR correspondant au champ magnétique de l'époque, tantôt direct, tantôt inverse. Tuzo Wilson (U.S.A.) compléta l'explication en dégageant la notion de *failles transformantes* qui relient des sauts latéraux dans le tracé d'une dorsale.

Comme l'avait reconnu Dietz, c'est toute la lithosphère qui s'éloigne en bloc de la dorsale. L'écartement des bandes d'anomalies magnétiques sur quelques centaines de km de part et d'autre des dorsales fournit donc la vitesse « d'expansion des fonds océaniques » pendant les derniers M.a. (quelques cm par an). Bien qu'on ait émis, à l'époque, l'hypothèse risquée d'une dilatation continuelle du Globe, il fut vite reconnu qu'un même volume de lithosphère que celui créé s'engloutit dans des *zones de subduction,* soulignées par des fosses marines, des foyers de séismes et des volcans (ceux-ci dus à la fusion des roches les plus fusibles lorsqu'elles sont entraînées en profondeur, où la temp. est plus élevée).

1968 le Français Le Pichon, suivant une idée de l'Anglais Jason Morgan, montre que si l'on considère la lithosphère comme une mosaïque de grandes plaques rigides recouvrant tout le Globe, leurs mouvements relatifs (qui sont forcément des rotations autour d'un diamètre du Globe), mesurés en de nombreux points des dorsales, sont compatibles entre eux. La *Tectonique globale* était née.

Ce sont donc les mouvements des plaques qui entraînent les continents en faisant partie et provoquent la *dérive des continents* d'Alfred Wegener (voir encadré). Création, mouvement et subduction de plaques ne sont que la partie visible de mouvements de convection thermique mal connus dans le manteau. Cette convection est due à la chaleur interne venant d'une faible radioactivité du manteau (bien moindre que celle des terrains granitiques), et à celle subsistant depuis la formation du Globe, sa fusion et la solidification du manteau, il y a 4 500 M.a.

Plus grande création actuelle de croûte océanique : à la dorsale du Pacifique S.-E. ; plaques Nazca et Pacifique s'écartent de 16 cm par an. Plus fortes subductions (env. 10 cm par an) : p. Nazca sous les Andes, p. Pacifique sous le Japon, p. Australo-Indienne sous l'Indonésie. Des Hawaii aux Toubouaï il y a dans le Pacifique plusieurs chapelets d'îles volcaniques alignées N.-O./S.-E. et d'âge décroissant, le dernier étant actif dans les 2 chapelets cités (aux Toubouaï, sous-marin MacDonald, découvert en 1977). Explication (Tuzo Wilson) : la p. Pacifique se déplace, à env. 10 cm par an, au-dessus de *points chauds* situés à grande profondeur dans le manteau.

Formation du relief ou orogénèse

• **Mouvements verticaux.** La formation d'un système montagneux est un processus complexe, s'accompagnant de mouvements horizontaux et verticaux (voir Évolution géologique, p. 54a). On a parfois distingué la *tectogenèse,* formation de plis, de failles, de nouvelles roches, et l'*orogenèse* proprement dite (du grec *oros* « montagne » et *genesis* « naissance »), qui ne serait que le soulèvement des montagnes, mais les deux phénomènes sont liés. L'immense énergie nécessaire pour soulever les montagnes n'est qu'une faible partie de l'énergie mécanique produite par les courants de convection thermique dans le manteau du Globe. Ces très lents courants produisent des mouvements horizontaux des plaques de lithosphère de quelques cm par an (voir Tectonique globale, ci-contre), beaucoup plus importants que les mouvements verticaux (quelques mm par an).

Lorsque deux continents sont poussés l'un vers l'autre par le mouvement des plaques, à mesure que la zone de contact se rétrécit transversalement, elle s'épaissit verticalement. La déformation peut être homogène, avec formation de plis, mais aussi très souvent il y a télescopage, de grandes dalles s'empilant les unes sur les autres. L'*isostasie* (voir ci-contre) fait que chaque fois que la surface s'élève de 1 km, la base de la lithosphère s'enfonce de 5 km environ. Inversement, lorsque la croûte d'un continent est étirée, elle s'amincit et la surface s'enfonce *(mouvement de subsidence)* tandis que la base s'élève en compensation. Ce fut le cas en mer du Nord, en mer Tyrrhénienne ou en mer Égée, comme dans le S.-E. des États-Unis, ou dans le *graben* d'Alsace-Bade, les rifts est-africains et du lac Baïkal, ou dans les *aulacogènes* (graben en cul-de-sac à la marge d'un continent) de Parentis ou du Donetz (URSS), nombreux dans le monde. Afflux d'eau vers la dépression, puis enfouissement d'une abondante végétation par les sédiments expliquent qu'il s'y soit souvent formé du charbon ou du pétrole.

Lorsque la lithosphère s'épaissit, elle est en profondeur plus froide que la normale. Son réchauffement peut prendre 10 M.a. ou plus. Comme elle devient plus légère, elle remonte et le soulèvement orogénique persiste longtemps après la phase orogénique. Les Alpes continuent à s'élever, de 1 mm par an dans la région centrale (tunnel du St-Gothard). L'inverse a lieu dans le cas d'un étirement avec formation d'un fossé ou bassin. Érosion dans le cas d'un soulèvement, sédimentation dans le cas d'une subsidence, amplifient ces mouvements verticaux.

• **Orogenèse.** Pendant un siècle, avant que s'implantent dans les années 1970 les concepts de la Tectonique globale, les géologues décrivaient la formation d'un système de montagnes (sans pouvoir en expliquer les causes) selon un schéma simple, qui ne faisait guère place aux mouvements horizontaux. Pendant une longue première phase il y aurait eu subsidence d'une longue et large dépression, le *géosynclinal*, où s'accumulèrent des sédiments, puis une phase de compression et de plissements, avec métamorphisme général des roches en profondeur. Ensuite l'ensemble se serait soulevé (mouvement *épirogénique*), et des *nappes de charriage* se seraient écoulées par gravité de la zone *interne* vers la zone *externe*, tandis que le socle serait devenu rigide et cassant. L'ensemble constituait une *orogenèse*. Les orogenèses auraient été simultanées en des régions très éloignées du Globe, séparées par de longues périodes géologiques calmes (les Alpes, l'Himalaya et les cordillères américaines auraient fait partie d'une même « orogenèse alpine »).

Cette théorie est périmée aujourd'hui. On a reconnu qu'il peut y avoir très longue subsidence et sédimentation sans orogenèse ultérieure (bassin du Michigan), orogenèse sans sédiments épais (Atlas, Caucase), soulèvement sans orogenèse (plateau du Colorado). Un système de montagnes résulte de nombreuses phases orogéniques, chacune durant 1 à 10 M.a. et étant particulièrement intense (paroxysmale) dans une région différente. L'ensemble peut durer 100 M.a. En des régions du Globe très éloignées, les causes de ces phases sont indépendantes, et les simultanéités résultent du hasard.

Himalaya. Résulte de la *collision* vers – 43 M.a. du sous-continent indien avec le Tibet. Celui-ci s'était déjà constitué par téléscopages successifs de blocs continentaux. Toutes ces dérives vers le N. ont été liées à une très longue subduction de la plaque indienne sous l'Asie, qui persiste toujours plus à l'est, sous l'Indonésie. La suture Himalaya-Tibet est marquée, le long du Tsang-po (nom tibétain de l'Indus), par une ceinture d'*ophiolites*, fragments de croûte océanique coincés entre les blocs continentaux et ayant giclé en surface. Le rapprochement Inde-Tibet s'est poursuivi grâce à 3 failles subhorizontales sur le bord de la plaque indienne, permettant chevauchement et empilement de 3 « dalles ». Ces failles sont apparues successivement, la dernière, la plus au S., qui émerge en formant les Siwaliks, étant toujours active (foyers de séismes). La formation de *plutons* granitiques, par fusion des terrains sédimentaires et migration vers le haut des magmas, est ultérieure (ces magmas se sont solidifiés sans atteindre la surface, mais ont été partiellement dénudés par l'érosion). Il y a 40 M.a., l'Himalaya et le Tibet se trouvaient au niveau de la mer : il y a 5. M.a., ils n'atteignaient pas 3 000 m ; actuellement, à 7 000 m, ils s'élèvent toujours.

Alpes. Les Alpes et montagnes du S.-E. de l'Europe résultent de collisions successives depuis – 140 M.a. (1re phase orogénique en Grèce) entre une Europe et une Afrique aux limites sinueuses. L'océan séparant l'Afrique de l'Europe avant leur collision n'était pas la Méditerranée actuelle (dont les bassins occidentaux ne sont apparus qu'entre – 25 M.a. et – 10 M.a.), mais la *Téthys*, dont la mer Caspienne, la mer Noire, la plaine hongroise et le bassin Ionien entre Libye et Adriatique sont des résidus. Au départ, l'Afrique avait un prolongement vers le N., l'*Adrie* (Apulie, Adriatique, Vénétie, Istrie), aujourd'hui détachée de l'Afrique, et, par suite de l'ouverture de l'Atlantique, dérivait par rapport à l'Europe vers l'Europe du N.-E. (formation des Dinarides et d'écailles télescopées dans le socle en Autriche). Entre – 80 et – 53 M.a. le mouvement relatif a été presque inverse, E.-O. Ce n'est qu'après – 53 M.a., à l'Éocène, que le mouvement est devenu S.-N. La phase orogénique paroxysmale dans les Alpes occidentales (phase alpine *stricto sensu*), vers – 38 M.a., (Oligocène inférieur) coïncide avec l'ouverture de la mer de Norvège qui pourrait en être la cause. Depuis, il y a eu dans l'ensemble alpin des phases d'extension (formation d'un éphémère océan valaisan et formation de la Méditerranée). Ce sont elles qui sont la cause de la plupart des séismes du bassin méditerranéen, et non pas le rapprochement de l'Europe et de l'Afrique.

Théorie de Wegener de la dérive des continents (1912) et tectonique globale (1968)

1) L'Allemand Alfred Wegener (1880-1930) croyait, comme les géologues de l'époque, que la croûte continentale (qu'on appelait *sial*) « flottait » sur une couche de basalte moins rigide (appelée *sima*). En fait une plaque comprend en général à la fois de la croûte océanique et de la croûte continentale, et les plaques recouvrent tout le Globe.

2) Selon Wegener, les cordillères américaines seraient dues à la résistance à l'avancement lorsque les Amériques ont dérivé vers l'ouest. C'est incompatible avec la fluidité attribuée au sima.

3) Wegener pensait qu'à l'origine tous les continents étaient réunis dans une *Pangée*. On sait aujourd'hui que la Pangée n'a existé que de façon transitoire au Permien et au Jurassique inférieur.

4) La force qui aurait fait se disloquer la Pangée serait la force centrifuge lorsque la Pangée s'est éloignée du Pôle, force ridiculement faible. Pourtant le géologue autrichien Otto Ampferer, pour expliquer les forces tectoniques, avait déjà invoqué en 1906 la convection thermique, suite à des expériences de convection du Français Bénard.

Andes. C'est une *chaîne liminaire*, à la marge active du continent sud-américain, due à la subduction de la *plaque Nazca*, sans collision continentale. Le bord du continent a été grignoté et entraîné en profondeur par la plaque subduite à de nombreuses reprises. Les roches fusibles entraînées ont produit en profondeur des magmas de granodiorite. Il en est résulté de nombreux plutons contigus, d'âge différents mais apparaissant comme un seul *batholithe*, et un intense volcanisme, généralement andésitique, persistant depuis le Jurassique. L'accrétion de matière sous le continent a soulevé celui-ci dans la partie centrale des Andes (Altiplano bolivien et nord-argentin).

Cordillères nord-américaines. Il ne s'agit pas d'une chaîne liminaire simple. Le subduction de la *plaque Farallon* (aujourd'hui presque totalement disparue) n'a pas grignoté le bord du continent, mais y a fait s'accoler des prismes d'accrétion et des terranes (voir plus loin). Aujourd'hui la dorsale entre plaque Pacifique à l'O., plaques Nazca, Cocos et Farallon à l'E. passe près des îles de Pâques et de Clipperton, est hachée par des failles transformantes qui deviennent prédominantes dans le golfe de Californie. Plus au N., il n'y a plus qu'une faille transformante (en fait, plusieurs parallèles, la principale étant la *faille de San Andreas*). A l'E. du pluton qu'est la Sierra Nevada, dans le bassin du Nevada, il y a extension E.-O. de la croûte permettant la formation de petits chaînons volcaniques parallèles. Du cap Mendocino à l'extrémité N. de l'île de Vancouver, on retrouve la disposition classique : dorsale, petite plaque océanique Juan de Fuca, subduction, chaîne volcanique des Cascades.

• **Croissance et fragmentation des continents.** Le matériau des continents, plus « acide » (riche en silice) et plus léger que le basalte de la croûte océanique et que la péridotite du manteau, a progressivement exsudé du manteau au cours des 3 premiers milliards d'années suivant la formation de la Terre. Il est depuis resté en surface, mais sa répartition en différents continents a continuellement varié. Par continents, il faut entendre non seulement les grandes terres émergées, mais la croûte continentale recouverte de mer peu profonde (mers *épicontinentales, plateforme continentale*).

Un continent peut s'accroître le long de ses marges actives lorsqu'il y existe une zone de subduction, une plaque océanique plongeant sous le continent. Il y a deux processus d'*accrétion continentale.* 1) La plaque subduite est raclée par le bord du continent, et les sédiments marins qui la recouvrent s'agglutinent contre le continent, en un mélange faillé et bouleversé, le *prisme d'accrétion.* Il en est ainsi actuellement au S. des îles de la Sonde (que seule une mer épicontinentale sépare de la Malaisie et de la Thaïlande) ; le prisme d'accrétion émerge aux îles Mentawei. 2) Lorsque la plaque subduite renfermait de petits blocs continentaux, ceux-ci restaient accolés au continent. Dans les deux cas on obtient des terrains allochtones (d'origine exotique) dont la géologie diffère de celle des terrains voisins, et nommés en 1960 par Irwin des *terranes*. On reconnaît aujourd'hui des agglomérats de terranes même dans des terrains très anciens, protérozoïques, comme l'Australie centrale.

Inversement en d'autres marges actives des fragments de continent peuvent se détacher. Le continent, à l'arrière d'une bande côtière, est étiré, aminci, et envahi par une mer épicontinentale. De l'océan vers le continent, on a alors : fosse océanique à l'endroit de la subduction, îles (comme le Japon) ou presqu'île (comme le Kamtchatka) de nature continentale, mais avec des volcans récents, bassin intra-arc (mieux que marginal). Ce bassin se dilatant, le chapelet d'îles prend une forme arquée. Des intrusions de basalte, puis une vraie croûte océanique apparaissent dans le bassin intra-arc. Son extension dure 3 à 20 M.a. On peut rattacher à ce phénomène la formation des bassins de Méditerranée occidentale au Miocène inférieur et moyen (– 25 à – 10 M.a.), de la mer Égée depuis – 13 M.a. (En 13 M.a. l'extension N.-S. de la mer Égée a été de 300 km, alors même que l'Afrique et l'Europe se rapprochaient de 90 km.)

Par ailleurs deux continents peuvent se télescoper et fusionner, ou inversement un continent peut se fissurer. Dans ce cas, au début, la plaque, chauffée par en dessous, s'amincit le long d'une bande, qui est étirée transversalement. En surface l'aspect observé est un ou une série de grabens, à tort dits « d'effondrement ». Exemple : Grand Rift africain (qui n'évolue plus), prolongé par la mer Rouge (qui continue à s'élargir, et deviendra dans des dizaines de M.a. un océan, avec une dorsale médiane).

• **Paléogéographie.** *Critères utilisés :* la position relative des continents sur le Globe pendant les derniers 165 M.a. se déduit des positions relatives des plaques qui les supportent, que l'on peut connaître lorsqu'elles supportent aussi des océans. Il y a en effet sur chaque océan un système de bandes d'anomalies du champ magnétique correspondant à des bandes de croûte océanique d'âge croissant à partir d'une dorsale. Celles de même rang doivent être de même âge sur tout le Globe, et les plus proches de la dorsale sont bien datées. On a daté les autres en admettant que la vitesse de création de croûte océanique aux dorsales est en général resté constant. Il suffit donc de dessiner les plaques en remettant côte à côte deux bandes de même âge situées de part et d'autre d'une dorsale pour remonter le cours du temps.

Comme il n'existe pas de fonds océaniques antérieurs au Jurassique moyen (165 M.a.), la position des continents avant cette date ne peut se déduire que de mesures paléomagnétiques sur des roches continentales. On détermine la direction de leur ATR, qui est celle qu'avait le champ magnétique terrestre lors de leur dernier refroidissement. On ne s'occupe ni de l'intensité ni du sens de l'ATR (les inversions du champ magnétique se font à un cadence bien plus rapide que la dérive des continents). Pour chaque roche échantillonnée, on en déduit où aurait dû se trouver, par rapport à elle, le pôle géomagnétique (voir p. 53a) s'il n'y avait pas eu de perturbations locales du champ. C'est le *pôle géomagnétique virtuel* pour cette roche. Il faut faire faire des mesures sur un très grand nombre de roches d'âge à peu près similaire et d'une même région. Les pôles géomagnétiques virtuels apparaissent groupés, mais pas autour du pôle géographique actuel (sur l'axe de rotation de la Terre). Pour des roches du même âge d'un autre continent ou sous-continent, le groupement se fait autour d'un pôle différent. En fait la direction du pôle a peu varié, ce sont les continents ou sous-continents qui ont dérivé et tourné. On connaît donc la latitude et l'orientation qu'avait une région échantillonnée à l'âge considéré, mais pas sa longitude.

Autres critères utilisés : biogéographiques (mêmes animaux terrestres et plantes sur deux continents à partir d'une époque = contact entre ces deux continents à cette époque) ; *pétrographiques et tectoniques* (les roches doivent avoir le même âge et la même orientation des lignes tectoniques dans une province géologique que l'on retrouve aujourd'hui fragmentée et dispersée) ; *climatiques* (houille formée à une époque = continent dans une zone humide ; sel = c. dans une zone aride ; tillites, argiles comprimées par de grands glaciers = c. à une haute latitude).

Les reconstitutions paléogéographiques tiennent de plus en plus compte de phénomènes non inclus dans la théorie des plaques : extension de marges continentales, ou au contraire rétrécissement par suite de grands charriages ou de plissements. La largeur de la zone déformée peut avoir varié d'un facteur 2 à 3. Il faut donc recommencer par redonner à ces zones leur dimension antérieure, par une reconstitution *palinspastique* (du grec *spân* « étirer » et *palin* « en revenant sur ses pas »). En plus des collisions et fissions de continents, il faut envisager la possibilité de très grands coulissages le long de failles. Ainsi de grandes failles E.-O. en Asie centrale auraient pu permettre, selon Tapponnier, une extrusion vers l'océan de l'Asie du S.-E. Au tertiaire la plaque Caraïbe, avec le Honduras et le Nicaragua, ont coulissé vers l'E. de 2 000 km, le long d'une faille Acapulco - Guatemala Ciudad - S. des Grandes Antilles.

• **Grands traits de l'histoire géologique.** L'évolution géologique a dû être rapide, et les phases orogéniques nombreuses avant le Cambrien, mais on ne connaît que la date approximative de certaines orogenèses : en Europe du N., Badcallien (– 2700 M.a.), Laxfordien (– 1700 M.a.), Moine (– 1000 et – 740 M.a.), Cadomien (– 600 M.a.).

Au Cambrien existait un super-continent, la *Gondwanie,* groupant Amérique du S., Afrique, Antarctique, Australie et Asie du S. (Inde, Afghanistan, Iran, Arabie, Turquie). Elle s'étendait de 40 °N à 50 °S, avec une orientation inverse de l'actuelle, l'Afrique du S., l'Antarctique et l'Australie étant dans l'hémisphère N. Dans cette partie de la Gondwanie se développait un système montagneux, les *Gondwanides.* Séparés de la Gondwanie, il y avait d'autres continents : la *Laurentie* (Amérique du N. sans sa bordure O., Groenland, côte N.-O. de l'Écosse vers les îles Hébrides), l'Europe du N. ou *Baltique* (Irlande, Écosse, Scandinavie et plate-forme russe), la *Sibérie*, la *Chine*, la *Kazakhstanie*, etc.

L'océan *Japet,* qui séparait Laurentie et Baltique, était le siège de subductions, avec formations d'arcs insulaires volcaniques, de prismes d'accrétion, puis de chaînes liminaires. A la limite Cambrien-Ordovicien (– 500 M.a.) une phase orogénique *grampienne* en Écosse est la première des phases *calédoniennes* (Calédonie est l'ancien nom de l'Écosse). A la fin du Silurien a lieu la « collision calédonienne » entre Laurentie et Baltique, et les chaînes liminaires deviennent des chaînes de collision, avec grands charriages. Laurentie et Baltique formeront désormais, jusqu'au Tertiaire, un seul continent *(Laurasie* ou *Euramérique*).

Vers – 450 M.a., à l'Ordovicien, la Gondwanie avait tourné de 45° dans le sens anti-horaire et avait dérivé vers le S. Du Silurien à la fin du Carbonifère, elle reste centrée sur le pôle S., et tourne de 3/4 de tour dans le sens horaire. Cette rotation et une dérive vers le S. de la Laurasie provoquent vers – 300 M.a. la collision et la soudure de la Gondwanie et de la Laurasie, avec formation d'un super-continent, la *Pangée*. Ou plutôt une Proto-Pangée, distincte de celle de Wegener : d'après Irving, c'est le N.-O. de l'Amérique du S., et non de l'Afrique, qui aurait buté contre l'Amérique du N., causant la formation des Appalaches. Selon Bonhommet, un continent distinct présent dans l'*océan Hercynien* entre Gondwanie et Laurasie, le *continent Armoricain,* aurait déjà heurté la Laurasie vers – 340 M.a. Il explique ainsi la phase orogénique *bretonne*, la 1re des phases ayant formé les plissements *Hercyniens* (ou *Varisques*) au cours du Carbonifère.

Au *Permien* la Sibérie vient s'accoler à la Pangée en formant l'Oural, mais déjà des blocs continentaux commencent à s'en séparer (futurs Tibet, Afghanistan, Iran, Turquie). Au *Trias* les positions relatives des parties N. et S. de la Pangée changent, avec ouverture à l'E. d'un océan, la *Téthys,* et coulissage E.-O. d'environ 3000 km, l'Afrique venant se placer contre l'Amérique du N. L'Atlantique N. et une *Téthys caraïbe* s'ouvrent à partir de – 180 M.a. (Jurassique), l'Atlantique S. et l'océan Indien à partir de – 140 M.a. (Crétacé), la mer du Labrador et l'océan Arctique vers 60 M.a. L'Australie s'est séparée de l'Antarctique à partir de – 40 M.a., le Groenland de la Norvège et l'Arabie de l'Afrique vers – 38 M.a. Alors que la Gondwanie a subsisté plus de 2000 M.a., la Pangée n'a eu qu'une existence relativement courte.

L'Islande, qui se trouve sur une dorsale et n'est formée que de basaltes, sans croûte continentale, n'a que 23 M.a.

• **Glaciations.** On a trouvé des indices de grandes glaciations vers – 2300, – 950, – 750 et – 650 M.a. Puis vers – 450M.a. et entre – 350 M.a. et – 250 M.a, en diverses régions de la Gondwanie, au moment où elles devaient se trouver près du pôle S. et être bien exposées aux précipitations. On ne sait pas si une calotte glaciaire s'est formée sur l'Antarctique E. il y a 38 M.a., comme le soutiennent Kvasov et Verbinsky, ou il y a 25 M.a. seulement. Celle sur l'Antarctique ouest date de 15 à 12 M.a. La glaciation de l'hémisphère S. a été maximale autour de – 6 M.a. *(glaciation de Ross).* Les glaciations répétées de l'hémisphère N. (dont on ne connaît que les 4 dernières) ont débuté il y a 2,5 M.a. Nous nous trouvons depuis 10 000 ans env. en période interglaciaire ; mais, à cause de la combustion par l'homme des réserves de carbone, et de l'effet de serre provoqué par le gaz carbonique produit, il se pourrait que la prochaine glaciation, prévue dans quelques milliers d'années, n'ait pas lieu.

Structure de la Terre

La Terre est composée d'un matériau analogue à celui composant le Soleil, mais modifié par l'évasion des éléments les plus légers.

Composition chimique de la croûte terrestre en %. Oxygène 47,34. Silicium 27,74. Aluminium 7,85. Fer 4,50. Calcium 3,47. Sodium 2,46. Potassium 2,46. Magnésium 2,24. Titane 0,46. Hydrogène 0,22. Carbone 0,19. Phosphore 0,12. Soufre 0,12. Baryum 0,08. Manganèse 0,08. Chlore 0,06.

• **Structure profonde.** Indépendamment de la division en lithosphère et asthénosphère, fondée sur la viscosité, et utilisée par la *tectonique globale* (voir plus haut), la structure de la Terre se décrit en termes de matériaux, à partir de la surface : 1°) **la croûte,** séparée du manteau sous-jacent par la *discontinuité de Mohorovičic ou Moho* (voir plus loin) qui se situe en moyenne à 30 km de profondeur sous les continents (max. 70 km sous les plus hautes chaînes de montagne) et seulement 10 km sous les océans. *La croûte continentale* se subdivise en 3 « couches » : supérieure de roches sédimentaires, moyenne granito-gneissique, inférieure « basaltique » (en réalité roches métamorphiques de même composition : amphibolites, éclogites). *La croûte océanique* très mince (en moyenne 6 km d'épaisseur sous 4 000 m d'eau) est formée en surface de basaltes (masqués sous quelques milliers de mètres de sédiments des plaines abyssales) et en profondeur par des gabbros, roches plutoniques de même composition chimique. 2°) **le manteau.** 3°) **le noyau externe,** jusqu'à 5 100 km, liquide, de 3 485 km de rayon (1/6 du volume de la Terre, 1/3 de sa masse), sans doute composé presque exclusivement de fer ou, comme certaines météorites, de fer et de nickel *(Nife)* (des mesures de densité faites au laboratoire par ondes de choc ou par enclumes en diamant ont montré qu'il devrait comporter aussi une faible proportion d'éléments plus légers, comme le soufre) ; sa viscosité est voisine de celle de l'eau, et il conduit la chaleur et l'électricité mieux que le cuivre ; 4°) **la graine,** ou **noyau interne** (1 220 km de rayon, soit les 2/3 de la Lune), sans doute de composition analogue mais solide, s'étendant jusqu'au centre de la Terre. *Densité au centre :* au moins 12 g/cm³ ; *pression :* 3,7 millions d'atmosphères ; *température :* 3 000 ou 4 000 °C, la pression empêche le fer de se liquéfier à moins de 5 000 °C.

☞ **Les ophiolites** (gr. *ophis :* « serpent », *lithos :* « pierre ») sont les seules formations géologiques où l'on peut trouver actuellement des lambeaux de croûtes océaniques disparues.

La plupart des gisements de nickel et d'amiante, quelques gisements de chrome, de cuivre, de zinc et de manganèse leur sont associés.

• **Enveloppes extérieures.** De l'extérieur à l'intérieur de la Terre, on rencontre successivement plusieurs enveloppes : l'*atmosphère ;* la *cryosphère* [1], ensemble des glaces terrestres et marines (voir Banquise p. 78c et Glaciers p. 69) ; l'*hydrosphère,* ensemble des eaux marines, douces, dessalées ou sursalées (voir Mers p. 77b et Eaux continentales p. 67a). Par analogie avec cette classification physique, on introduit souvent la biosphère, ensemble des plantes et des animaux, et la *noosphère,* ensemble des êtres pensants.

Nota. – (1) Mars a aussi une cryosphère (calottes polaires de givre, et probablement sol cimenté par de la glace en profondeur).

• **Densités moyennes.** *Atmosphère* (air) de 0 à 0,0013. *Cryosphère* (glace) 0,91. *Hydrosphère* (océans) 1,04. *Croûte terrestre* 2,7. Au-delà de 30 à 40 km, 3,3, et l'on passerait brusquement, à 2 900 km, de 5,7 à 9,7 *(noyau),* puis vers 5 000 km, de 12 à 15 *(graine). Densité moyenne* 5,52 [Soleil 1,4, autres planètes : de 0,72 (Saturne) à 5,44 (Mercure)].

• **Température.** A un peu plus d'1 m de la surface, les variations de température journalière ne se font plus sentir et, vers 20 ou 30 m, suivant les sols, les variations annuelles ne jouent plus. Encore plus profondément, la température reste constante en un lieu donné. Au fur et à mesure que l'on s'enfonce, elle s'élève généralement d'environ 3 °C par 100 m : c'est le *gradient géothermique.* Le *degré géothermique* indique la profondeur dont il faut descendre pour que la température s'élève de 1 °C (en moyenne 33 m). Le sol peut être gelé sur 300 m (ex. au Spitsberg, en Sibérie). La température profonde est mal connue ; elle peut atteindre quelques milliers de degrés.

Techniques d'exploration

☞ La connaissance de la structure profonde de la Terre, telle qu'elle a été décrite ci-dessus, est essentiellement fondée sur l'étude de la propagation des ondes de séismes naturels ou artificiels.

1° Pénétration directe

Quelques km dans les mines les plus profondes (3 354 m à Boksburg, Afr. du S.) ou dans l'étude des fosses marines au moyen de submersibles (inaugurée en 1973 par le projet *Famous* dans le Rift médio-atlantique).

• **Forages. Projet Mohole.** Tire son nom de celui d'Andrija Mohorovičic (1857-1936), séismologue yougoslave ayant découvert la « discontinuité ». Les Américains espéraient atteindre cette « discontinuité » à l'endroit où elle était la moins profonde (c.-à-d. sous l'océan) ; le projet, de 1964, a été abandonné en 1968. Depuis, de nombreux forages dans les fonds marins, s'efforçant d'atteindre le socle basaltique, ont été faits par le navire spécial *Glomar Challenger,* dans le cadre du *programme américain Joides,* puis du *programme international Ipod.* Ils ont précisé la structure et l'âge de la plupart des grandes régions océaniques. Tous ont retrouvé, sous les sédiments, des roches analogues aux *« ophiolites »* des chaînes de montagnes (ophiolites désormais interprétées comme des lames de croûte océanique incorporées par la tectonique à la chaîne en question).

Forages soviétiques. *Presqu'île de Kola,* 12 006 m atteints en 1984 (profondeur prévue 15 000 m). A partir de 7 km, la température est de 120 °C. A 10 km, 300 °C (pression de 1 600 à 1 800 atmosphères). *A Saatly, en Azerbaïdjan,* 6 521 m atteints en 1969, où la croûte terrestre est mince ; 15 à 18 km (un forage plus profond est entrepris).

Forage allemand. *En Forêt-Noire et en Bavière :* 15 000 m, atteint – 3 893 m (température de 118 °C). *Coût :* 1,5 milliard de F. *Travaux :* de 1988 à 1995. *Inlandsis groenlandais et antarctique :* les forages profonds ont donné des informations précises (datées) sur la météorologie préhistorique, l'activité volcanique passée, l'activité solaire, les micrométéorites.

Forage suédois. Dans le cratère d'impact (astroblème) Siljan Ring, recherche de gaz « natifs » qui auraient pu s'accumuler dans le matériau profond émietté par l'impact il y a env. 360 millions d'années, et ainsi rendu poreux. Profondeur prévue 7,5 km, 6,3 km atteints en nov. 1987.

Pour l'*Antarctique,* coopération internationale coordonnée par le Scientific Committee of Antarctic Research (S.C.A.R.).

2° Méthodes géophysiques (prospection géophysique et télédétection)

Sismologie (étude en surface des ondes venant de tremblements de terre, d'explosions provoquées ou non, d'activité volcanique). On atteint jusqu'au centre de la Terre. La prospection sismique (terrestre, marine) commerciale recherche dans les couches superficielles (0-10 km) les gîtes minéraux ou sources de chaleur exploitables. La sismologie de surveillance explore l'activité souterraine des zones sismiques, géothermiques et des volcans. La sismologie d'observatoire, outre la connaissance de la sismicité mondiale (voir séismes p. 70b) et des grandes explosions (voir s. artificiels p. 74c) a fourni de plus en plus de précisions sur la structure de la Terre : son noyau (1906), la base de la croûte (1920), la graine centrale (1936), des détails sur la croûte, sa division en plaques (1968) et sur leurs zones de contact respectives.

Une *tomographie* complète du globe a été entreprise sur l'initiative de la France (1981). Son programme GÉOSCOPE (Inst. de Physique du Globe, Paris) complété par le projet IRIS (U.S.A. 1987) permettra de sonder jusqu'au centre de la Terre, à l'aide des ondes de très longue période (jusqu'à 1 heure) consécutives aux très forts tremblements de terre qui mettent en résonance le globe entier. Les résultats provisoires ont montré des bosses et des creux de ± 6 m sur le noyau, et une forme (trop) allongée, selon l'axe des pôles, de la graine solide centrale. On espère ainsi répondre à certaines questions sur le fonctionnement interne et les échanges entre manteau et croûte.

Gravimétrie (terrestre, marine, aéroportée, satellisée). Voir MAGSAT p. 38b. On mesure l'intensité et la direction de la pesanteur, dont les moindres variations reflètent des irrégularités de densité dans la lithosphère et dans les couches plus profondes.

Autres méthodes géophysiques utilisées (principalement pour l'exploration commerciale). Études locales plus ou moins profondes de la lithosphère : sondages thermiques, électriques, magnétotelluriques, magnétiques.

Le sondeur *Sea-Beam* a fourni depuis 1984 des cartes du fond des océans à l'échelle du 1/10 000 ou du 1/20 000 permettant l'étude des processus géologiques.

Continents

Nom

Masses continentales

L'Asie est la plus grande des masses continentales. Là se trouve *le point du monde le plus éloigné de tout littoral maritime :* le désert de Dzoosotoyn Elisen, dans le Sinkiang chinois (2 400 km). *Le continent où cette distance est la plus petite* est l'Australie : 780 km. *La terre la plus au nord* est le cap Morris Jesup, au nord du Groenland, à 711 km du pôle Nord. *La terre la plus au sud* est le pôle Sud dans l'Antarctique.

• **Afrique.** Du nom de la tribu berbère des Awrigha appelés *Afri* ou « noirs » par les Romains. Cette tribu habitait le territoire de Carthage. Le nom, appliqué par les Romains à la plus ancienne province conquise en Afrique du N. (Tunisie, et est de l'Algérie), fut étendu au XVe s. à tout le continent.

• **Amérique.** Du prénom italien Amerigo (en français Aymeric), porté par l'explorateur italien Vespucci (1451-1512). Il a désigné le continent américain pour la 1re fois dans la *Cosmographiae Introductio* de l'Allemand Martin Waldseemüller, publiée à St-Dié, Vosges, en 1507. En 1888, le géologue français Jules Dacon a voulu ramener le mot « Amérique » à une racine de dialecte indien (le xantal du Nicaragua) signifiant pays du vent [nom local d'une chaîne de montagnes (hypothèse abandonnée)].

• **Antarctique.** Des 2 mots grecs *anti,* « opposé » et *arktos,* « la Grande Ourse », c.-à-d. le Nord. Désigne la calotte sud du globe par opposition aux régions arctiques qui occupent la calotte nord. L'Antarctique est presque entièrement couvert d'un dôme de glace qui déborde, par endroits, sur la mer. Température moy. annuelle – 10 °C (niveau de la mer) à – 60 °C. Épaisseur de la glace jusqu'à 4 300 m, volume estimé à 28 millions de km³ (90 % du total terrestre). Vitesse d'écoulement quelques m par an (intérieur du continent), de 100 à 200 m par an (sur la côte) et 1 km par an (glaciers émissaires).

Nota. – Il n'y a pas de continent **arctique,** la banquise permanente du pôle Nord recouvrant un océan.

• **Asie.** D'une racine sémitique *esch* ou *ushos,* désignant le lever du soleil ou l'Orient. Utilisé par les géographes grecs pour désigner l'Anatolie actuelle, située à l'est des possessions crétoises de la mer Égée. Fut créé ensuite le personnage de la déesse Asie, mère (ou femme) de Prométhée.

• **Europe.** Sans doute de la racine sémitique *ereb,* « coucher du soleil », qui désignait les îles Égéennes et Crétoises situées à l'ouest de l'Anatolie (Asie Mineure). Les Grecs l'ont compris comme l'adjectif composé *europos,* « aux larges yeux », qu'ils ont appliqué à une divinité crétoise ayant la forme d'un

Cartographie

Projections

Le mot cartographie a été formé au XIXe s. par le vicomte portugais de Santarem lorsqu'il réunit dans son atlas des cartes du Moyen Age.

Projection cartographique. Procédé permettant de représenter la surface terrestre sur le plan de la carte au moyen de conventions mathématiques.

Projections conformes. En tout point, l'angle sous lequel se coupent 2 courbes tracées sur la surface se retrouve identique sur leurs images (projections de Mercator, Lambert, stéréographique...) ; une petite figure est reproduite sans déformation, mais à une échelle variable suivant la région. Utilisées notamment pour cartes topographiques à grande échelle (projection Lambert des cartes de France au 1/25 000).

Si l'on veut aller du Havre à New York, la ligne droite tracée sur une projection de Mercator entre ces 2 ports coupe tous les méridiens selon le même angle. La route est simple à suivre puisque l'on garde toujours le même cap. Cette méthode *(loxodromie)* ne suit pas la route la plus courte qui est l'*orthodromie* (l'arc de grand cercle passant dans l'exemple choisi par Le Havre et New York) où l'on passe par les points successifs de l'orthodromie mais en suivant de l'un à l'autre une *loxodromie,* avec un cap différent chaque fois. La différence entre la loxodromie (5 889 km) et l'orthodromie (5 695 km) est de 194 km.

Projections équivalentes. Les surfaces en projection sont proportionnelles aux surfaces correspondantes sur la sphère [*projection de Bonne* (Rigobert Bonne, Fr., 1727-95), abandonnée aujourd'hui ; *projection homalographique* (du grec *homalos,* « régulier » ; les parallèles sont rectilignes et les méridiens elliptiques) de Jacques Babinet (Fr., 1794-1872) et de Karl von Mollweide (All., 1774-1825) ; projection Albers des cartes au 1/25 000 des U.S.A.].

Projection gnomonique. Projection perspective à partir du centre de la Terre. Les grands cercles de l'orthodromie y deviennent des droites.

Projections perspectives. Perspectives géométriques sur le plan [projection gnomonique, projection stéréographique de la sphère (déjà signalée comme projection conforme), projection orthographique, projection polyédrique].

Projections pour la navigation. *Projection de Mercator.* Les méridiens sont représentés par des droites parallèles, et les azimuts (angles avec le méridien) sont conservés. Par rapport aux régions équatoriales, les autres régions sont de plus en plus agrandies à mesure que l'on s'approche des pôles. Ainsi, la Suède apparaît 7 fois plus grande que le Cameroun alors qu'ils ont la même surface.

Distances

Mesures. Les cartes sont dressées avec le support d'un réseau géodésique fait de triangles dont chacun a un côté commun avec l'un de ses voisins. *Méthode classique :* on part d'un point dont les coordonnées sont définies par des visées astronomiques (en France, la croix surmontant le dôme du Panthéon de Paris). De ce point partent les triangles dont les sommets (les points géodésiques) sont toujours en vue directe les uns des autres. Il y a, en France, env. 100 000 points géodésiques. On avait mesuré une quinzaine de bases, longue chacune, à vol d'oiseau, d'env. 10 km. Depuis les années 60, les distances peuvent se mesurer par le temps de propagation d'ondes radioélectriques [(lumineuses ou non) ; précision : 1/1 000 000 (rayon laser)]. Une mesure de distance est faite en 2 ou 3 h par une demi-douzaine de personnes. La France a réalisé son 1er réseau géodésique de 1670 à 1770, et son 2e de 1793 à 1850, et révise son 3e commencé en 1873. Chaque point géodésique est connu par ses coordonnées et par son altitude, mais l'altitude doit être recalée dans le réseau général de nivellement (500 000 points pour le réseau français). La surface réelle de la Terre (le géoïde) est très irrégulière, c'est pourquoi on rapporte toutes les cartes à une surface théorique de référence qui est un ellipsoïde de révolution. La pesanteur varie selon la densité du sous-sol. Les marées terrestres dues, comme les marées océaniques, à l'attraction de la Lune, font gonfler périodiquement certaines régions de 40 cm au maximum. *Méthode moderne :* on détermine directement les coordonnées de points géodésiques à partir de la constellation de satellites de navigation GPS.

Échelle d'une carte. Rapport entre les longueurs réelles sur le terrain et les longueurs des représentations cartographiques. Si 1 mm sur la carte représente 1 million de mm (1 km) sur le terrain, l'échelle sera de 1/1 000 000. Si 1 mm sur la carte représente 5 000 mm (5 m) sur le terrain, l'échelle sera de 1/5 000. Pour l'Institut géographique national, les grandes échelles vont du 1/2 000 au 1/10 000, les échelles moyennes du 1/25 000 au 1/50 000, les petites échelles du 1/100 000 au 1/1 000 000 et au-delà.

Coordonnées géographiques

La **latitude** d'un lieu est la hauteur du pôle au-dessus de l'horizon du lieu. Si on assimile la Terre à une sphère, la latitude du lieu est aussi celle de son *parallèle terrestre,* c.-à-d. du petit cercle ayant pour axe la ligne des pôles et qui passe par ce lieu (parallèles Nord et Sud). La distance entre l'équateur et les parallèles n'est pas exprimée en km mais en degrés, minutes, secondes comme l'ouverture des angles.

La **longitude** d'un lieu est celle de son méridien terrestre, c.-à-d. du grand cercle perpendiculaire à l'équateur qui passe par ce lieu (méridiens Est et Ouest de Greenwich, ancien observatoire à 6 km de Londres). Les méridiens convergent au pôle Nord et au pôle Sud. La longitude s'exprime en degrés, minutes et secondes comme la latitude, l'angle mesuré est celui que le méridien forme dans le plan de l'équateur avec le méridien 0 qui est celui de Greenwich.

Une différence de latitude de 1′ correspond à une longueur peu variable (1 842,78 m à l'équateur ; 1 861,67 m aux pôles) confondue en navigation courante avec le *mille marin international* (1 852 m) ou mille (dénomination légale en France depuis 1975) ; une différence de longitude de 1′ correspond à une longueur qui varie selon la latitude (1 855,32 m à l'équateur, nulle aux pôles). Paris est à 48°50′13″ de lat. Nord et à 2°20′24″ de long. Est de Greenwich.

Histoire des coordonnées. Les canevas formés de 2 séries de parallèles (N.-S. et E.-O.) se coupant à angles droits sont connus depuis l'Antiquité (cartes plates : Dicéarque, Ératosthène, Hipparque). Mais le premier qui tienne compte de la variation des latitudes nécessaire pour représenter correctement les angles entre directions (voir plus haut « Projection cartographique ») a été dessiné en 1569 par Mercator (Gérard Kremer, Hollandais, 1512-94).

Avant le canevas de Mercator, les cartes **portulans** comportaient une rose centrale avec les points cardinaux. Sur chacun des 16 rayons partant de cette rose était disposée, à égale distance, une rose plus petite. Les rayons de ces roses *(rhumbs)* étaient prolongés jusqu'au rebord des cartes et formaient un canevas serré. Chaque ligne de ce canevas portait l'indication de sa longueur, soit : en *milles marins* (1 480 m) ; en *milles méditerranéens* (1 250 m) ; en *lieues marines* (6 000 m). De 1537 à 1569, elles comportaient en outre une **loxodromie,** ligne droite coupant tous les méridiens à angle égal, dessinée par le Portugais Nonius (Pedro Nuneo, 1492-1577). En 1546, Nonius remplaça les **loxodromies** (droites, plus commodes pour la navigation) par les **orthodromies** (courbes, qui correspondent au chemin le plus court).

☞ **L'azimut** est l'angle formé par une direction avec une autre direction choisie comme repère (en général le Nord géographique).

Orientation par les astres

Méthodes approximatives évitant tout calcul. **Soleil :** aux équinoxes, se lève à l'est, se couche à l'ouest. Si l'on a une montre, mettre l'aiguille des heures en direction du Soleil : le nord se trouve à mi-chemin entre l'extrémité de l'aiguille et le chiffre 12. **Étoile polaire** (seulement dans l'hémisphère Nord) : le N. est indiqué par l'étoile polaire (3e du timon du Petit Chariot ou Petite Ourse ; exactement dans le prolongement de la garde du Grand Chariot ou Grande Ourse, magnitude : 2,12). Dans l'hémisphère S., aucune étoile n'indique nettement le pôle, mais en prolongeant vers sa base le grand bras de la *Croix du Sud,* on retrouve la direction générale du sud.

taureau. Europe désignait pour les Grecs tout ce qui est à l'ouest de l'Asie, y compris leur péninsule.

• **Océanie.** Du mot océan. Désigne l'ensemble des îles situées dans l'océan Pacifique, y compris l'Australie, qui avait donné pendant près de 100 ans son nom à toute cette partie du monde (nom tiré de celui des « mers australes », c.-à-d. du Sud).

Archipels océaniens

• **Insulinde.** De 2 mots latins *insula,* « île », et *India,* « Inde ». Partie insulaire de l'Asie du S.-E. : 13 000 îles, sur 5 600 km de long.

• **Mélanésie.** (Du grec *mélas,* « noir » et *nésos,* « île » : « île des Noirs »). Iles et archipels formant une guirlande au nord et à l'est de la N.-Guinée (et la comprenant) : archipel Bismarck, îles Salomon, Vanuatu, N.-Calédonie. On y rattache les îles Fidji, 965 000 km² (N.-Guinée 785 000 km²). *Population :* 2 700 000 indigènes + 200 000 étrangers.

• **Micronésie.** (Du grec *micros,* « petit »). Petites îles (plus de 2 000 dont 90 habitées). Pacifique (entre Indonésie et Philippines au nord, Mélanésie au sud, Polynésie à l'est). Ensemble d'archipels (Mariannes, Palaos, Carolines, Marshall, Gilbert, Ellice) dispersés sur 4,5 millions de km² d'océan. *Population :* 130 000 h. *Superficie totale :* 15 800 km².

• **Polynésie.** Signifie « îles nombreuses ». Ensemble des îles situées à l'est de la Mélanésie, de la Micronésie dans un triangle Hawaii-N.-Fidji-Pitcairn, soit env. 12 millions de km². *Superficie totale des îles :* env. 25 000 km², soit 0,2 % de l'espace océanique. *Répartition :* îles Tonga, Ellice, Phoenix, Sporades (G.-B.), île Samoa (Commonwealth). Iles de la Société, Australes, Tuamotu, Gambier, Marquises (Polynésie française). Wallis-et-Futuna (T.O.M. franç.). Hawaii et Samoa orientales (U.S.A.). *Population :* 500 000 h.

Découvertes et explorations

Nord et Sud

• **Nord, Groenland.** *1888* 1re traversée par Fridtjof Nansen (Norv. 1861-1930). 1948-53, expéditions de Paul-Émile Victor (Fr., n. 1907) et Jean Malaurie (Fr., n. 1922).

Conquête du pôle Nord. *1827* William Edward Parry (1790-1855) atteint à partir du Spitsberg la latitude 82°45'N avec des chaloupes transformées en traîneaux. *1895* (avril) Nasen et Johansen (Norv.) atteignent le but, 86 ° 13′ N. *1900* (25-6) Umberto Cagni (It.) atteint 86° 34′ N. *1909* Robert Edwin Peary (U.S.A., 1856-1920), reconnu officiellement par la Sté de géographie de Washington, pour avoir atteint le pôle le 6-4. Frederick A. Cook (médecin amér., 1865-?) prétend avoir atteint le pôle le 1er, le 21-4-1908 (on admet aujourd'hui que ni l'un ni l'autre n'avaient l'équipement astronomique nécessaire pour faire le point exactement). *1926* Richard Evelyn Byrd (Amér., 1888-1957) a dit l'avoir survolé le 9-5 (3 j avant Amundsen) : son pilote a révélé que Byrd avait menti. Roald Amundsen (Norv., 1872-1928) et Umberto Nobile (It., 1885-1978) [le 12-5-1926, dirigeable *Norge*]. *1928* Nobile veut recommencer avec le dirigeable *Italia*, mais au retour il s'abîme près du Spitsberg. En voulant lui porter secours, Amundsen disparaît à bord d'un hydravion français. Nobile sera sauvé par un avion suédois et son expédition secourue par un brise-glace soviétique, le *Krassine. 1937* Yvan Papanine (Sov., 1894) [le 21-5-1937, avion] ; *1958* sous-marin *Nautilus* (Amér.) le 3-8 (sous la calotte glaciaire) ; sous-marin Skate (Amér.) ; le 12-8 (émergé ; Cdt Jim Calvert) ; Ralph Phaisted (Amér.). *1968* le 19-4 (moto-neige) ; Wally Herbert (Angl.) ; le 6-4 [traîneau à chiens, sous contrôle aérien, parcourut 37 km en 15 h (record de kilométrage)] ; Guido Monzino (Italien). *1972* le 10-5 (idem) ; Youri Koutchiev (Sov.). *1977* le 17-8 (brise-glace atomique sov. *Arktika*) ; Naomi Uemura (Jap., 1941-84) 29-4-1978 (seul en traîneau).

• **Sous-continent antarctique.** Sur toutes les mappemondes du XVIe et XVIIe s. on représentait un « continent Austral » s'étendant de l'Australie (dont la côte nord-ouest était connue) jusqu'en Terre de Feu sans interruption. Il a fallu Drake (Angl., v. 1540-96), Dumont d'Urville (Fr., 1790-1842) et James Cook (1728-79) pour détruire ce mythe. [1838-1840 : découverte des côtes de la *Terre Adélie* (Dumont d'Urville, Fr., 1790-1842), de la *Terre de Wilkes* (Charles Wilkes, U.S.A., 1798-1877), de la *chaîne de l'Amirauté* et la *barrière de Ross* (James C. Ross, Angl., 1800-1862). **1819-21 :** *avec exploration* de l'Antarctique par Fabian von Bellingshausen (1792-1852) (pour Alexandre Ier de Russie) avec 2 bateaux [Mirny (le Pacifique) et Vostock (l'Orient)], *découverte des îles* Pierre-Ier et Alexandre-Ier. **1902 :** *1re exploration concertée* de l'Antarctique par Robert Scott (Angl., 1868-1912), Eric von Drygalski (All., 1865-1949), Otto Nordenskjold (Suéd., 1869-1928). **1904-05** et **1908-10 :** *exploration de la péninsule Antarctique* par Jean Charcot (Fr., 1867-1936). 24-11-**1957**/2-3-**1958 :** *expédition transantarctique* du Commonwealth dirigée par le Dr Vivian Fuchs (G.-B.), 3 500 km. 28-7-**1989** (de Seal-Nunatak)/ 3-3-**1990** (à Mirny) : *expédition Transantarctica* [Jean-Louis Étienne (Fr), Victor Boyarsky (U.R.S.S.), Will Steger (U.S.A.), Geoff Somers (G.-B.), Keizo Funatsu (Japon), Qin Dahe (Chine)], 6 400 km en 218 jours.

☞ **Conquête du pôle Sud.** *1911 :* le 14-12 Roald Amundsen et ses compagnons devancent l'expédition de Robert Scott (Angl.), arrivée le 18-1-1912, qui périt durant son retour. *1929, 1935, 1940 :* 1res explorations aériennes par Richard Byrd (U.S.A.).

Afrique

508 av. J.-C. Scylax de Coryarda explore *l'Érythrée* (côtes de la mer Rouge). XIVe s. : *Canaries* 1341 (Portugal) ; *Tombouctou* (Ibn Buttouka). XVe s. : *Rio de Oro* (Portugal). Redécouvertes et explorations au XIXe s. : traversée Tripoli-Niger 1800-01, Frédéric Hornemann (All., 1772-1801) ; traversée Angola-bas Zambèze 1802-11, Saldanha da Gama (Port.) ; *Sénégal, Soudan* jusqu'à Tombouctou 1816-28, René Caillié (Fr., 1799-1838) : *Tchad, Niger* 1823-24, Dixon Denham (G.-B., 1786-1828), Hugh Clapperton (G.-B., 1788-1827) : traversée Mozambique-Benguela 1838-58, João Coimbra (Port.) ; *Zambèze-Congo* 1849-73, David Livingstone (G.-B., 1813-73) ; *Sahara, Soudan central* 1850-55, Heinrich Barth (All., 1829-65) ; traversée Bengala-La Rovouma 1852-56, Antonio Silva-Porto (Port., 1817-90) ; traversée Loanda Quilimane 1854-56, Livingstone ; *lac Tanganyika* 1858, Richard Francis Burton (G.-B., 1821-90) ; *Ouganda, sources du Nil, lac Victoria* 1858-61, John Hanning Speke (G.-B., 1827-64) ; traversée Tripoli-golfe de Guinée 1865-67, Gérard Rohlfs (All., 1831-96) ; traversée Bagamoyo-Benguela 1873-75, Vermez Cameron (G.-B., 1814-94) ; *Congo, lac Léopold-II* 1874, John Rowlands Stanley (G.-B., 1841-1904) ; traversée Benguela-Port Natal 1877-79, Alexandre Serpa-Pinto (Port., 1846-1900) ; *Afr. équatoriale* 1857-78, Pierre Savorgnan de Brazza (Fr., 1852-1905) ; traversée Souakim-bas Niger 1880-81, Pellegrino Matteucci (Ital., 1850-81).

Énigme de l'Atlantide

Selon une légende égyptienne, l'Atlantide aurait été une île merveilleuse, engloutie au cours d'un cataclysme. Le Grec Platon, dans deux dialogues (*Timée* et *Critias*), la décrit. Par la suite, d'autres écrivains, comme Pierre Benoit, s'inspireront du thème du continent disparu. L'Atlantide a-t-elle vraiment existé ? Ses traces ont été recherchées dans les endroits les plus variés : Sahara, Canaries, parages de l'île allemande de Helgoland, Mexique, etc. En fait, Platon évoque 2 îles différentes, qui ont été confondues sous le nom d'Atlantide : 1° Un continent « plus grand que la Libye et l'Asie mises ensemble », situé en face des colonnes d'Héraclès (détroit de Gibraltar) et que l'on atteignait au temps « où l'Atlantide était navigable » ; il s'agit peut-être de l'Amérique, que les Européens de la protohistoire avaient atteinte et dont le souvenir avait fait naître des légendes (voir ci-contre). 2° Une île qui a été détruite et dont on ne précise pas les dimensions : selon l'helléniste irlandais J.-V. Luce, il s'agirait de la Crète. En effet, vers 1300 av. J.-C. (environ) la civilisation crétoise s'effondra brusquement. Or, des découvertes géologiques ont prouvé que, vers cette date, l'île de Santorin (ou Théra) avait été le siège d'une violente éruption volcanique. Comme cette île est située à 120 km au nord de la Crète, il est possible qu'une série de vagues géantes, se propageant à partir de Santorin, ait ravagé les côtes crétoises. Plusieurs détails de la description de l'Atlantide par Platon s'appliquent d'ailleurs fort bien à la Crète. En outre, la date fournie par Platon (d'après Hérodote), « il y a 9 000 ans », confirme l'hypothèse Crète-Santorin. En 1971, Cornelius Lanczos a démontré que les chiffres de Platon ont un zéro de trop : il s'agit de 900 ans avant le *Critias,* soit 1400 av. J.-C.

En août 1968, puis en fév. 1969, 2 équipes de plongeurs qui exploraient, chacune de leur côté, l'île de *Bimini,* dans les Bahamas, ont découvert des structures de pierre [une à 1 000 m de la côte nord (à 12 m sous l'eau), rectangulaire, en blocs « cyclopéens », une autre à 12 000 m de la côte ouest, en blocs de 6 m de long sur 3 m de large, et 80 cm d'épaisseur, formant un mur de 225 m de long]. Ils pensèrent avoir retrouvé l'Atlantide. Mais selon d'autres hypothèses, la muraille serait en fait d'origine naturelle ou serait une construction précolombienne, semblable à celles du Yucatán, immergée par suite d'une montée des eaux. Il y a eu des dizaines de propositions de ce genre, mais aucune vraiment sérieuse.

Il paraît maintenant acquis que l'Atlantide est un mythe créé par Platon à partir d'éléments historiques réels mais géographiquement et chronologiquement différents.

Amérique

Avant le XVe s. Christophe Colomb n'aurait entrepris sa traversée qu'après avoir consulté des cartes révélant l'existence d'îles mythiques situées à l'O. des Açores. On a trouvé dans l'État de Bahia (Brésil) des cailloux taillés datant de 250 000 à ± 45 000 av. J.-C. prouvant que des hominidés (pithécanthropes ?) étaient déjà passés en Amérique lors d'une ancienne glaciation.

Vikings. Jusqu'en 1970, aucun historien ne croyait à une descente des Vikings plus au S. que le Vinland (Maine et Massachusetts actuels aux U.S.A.). Depuis, certains parlent de leur présence en Amérique centrale et dans les Andes, dès le XIVe s. apr. J.-C. De fait, les légendes locales d'Amérique centrale et andine rappellent la présence de « dieux » à la peau blanche et aux cheveux roux.

Méditerranéens. Il y aurait en Amérique du N. et au Brésil de nombreux vestiges d'une occupation des côtes par les Phéniciens (et même les Minoens) du Ier millénaire av. J.-C. A Fort Benning, en Géorgie, on a découvert une inscription en caractères crétois, contenant notamment la hache double des sacrificateurs minoens de l'âge du bronze. Les Indiens melungeons (dans l'est du Tennessee), seraient, d'après l'ethnologue amér. Cyrus Gordon, les descendants d'une colonie phénicienne (peau claire, type sémite, traditions orales relatant la venue de leurs ancêtres par l'Atlantique). Néanmoins, le rapprochement que l'on a fait souvent entre les pyramides aztèques et celles de l'Égypte ancienne est abandonné aujourd'hui. Le souvenir des constructions pharaoniques (IIIe millénaire av. J.-C.) avait déjà disparu en Europe quand les pyramides centro-américaines ont été bâties (800-1400 apr. J.-C.).

Du XVe au XIXe s. Christophe Colomb (Gênes, 1451-Valladolid, 1506) a débarqué le 12-10-1492 à Samana Cay, aux Bahamas, d'après les calculs des ordinateurs de la NATI (National Geographic Society) et non à San Salvador, à 104 km plus au nord, comme on le croyait. AUTRES REDÉCOUVERTES MODERNES : *Indes occid.* puis *Amér. du S., golfe du Mexique,* Christophe Colomb ; *Venezuela,* Amerigo Vespucci (Florence, 1451-1512) ; *Nouvelle-Écosse,* 1497 Jean Cabot (Venise, 1450-98) ; *Canada,* 1534-36 Jacques Cartier (Fr., 1491-1557) ; *traversée de l'Ouest jusqu'au Pacifique par Missouri et montagnes Rocheuses (1806),* Meriwether Lewis (USA) 1774-1809 et William Clark (USA) 1770-1838 ; *côtes de l'Argentine,* 1520 Magellan ; *Labyrinthe de fjords et canaux de la Patagonie chilienne,* 1557 Juan Ladrillero (Esp.) ; Jakob Le Maire (Holl., 1585-1616) 1615 (découvre le cap Horn) ; 1623 Jean L'Hermite (Fr., 1766-1836) ; 1670 John Churchill Marlborough (G.-B., 1650-1722) ; 1675 Antonio de Vea (Esp.) ; 1763 Louis-Antoine de Bougainville (Fr., 1729-1811) ; Parkerking († en Terre de Feu) ; 1826 Robert Fitz-Roy (1805-65) Cdt l'*Adventure* et le *Beagle* (G.-B.) (à bord : Charles Darwin) ; 1837 Jules Dumont d'Urville (Fr., 1790-1842) ; 1840 Martial sur la *Romanche* (Fr.).

Un tracé exact des côtes n'a pu être fait qu'à partir de la couverture aérienne Trimetrogon effectuée en 1947 par l'armée de l'air des U.S.A., à la demande du Chili.

Asie

Mongolie et *Chine* 1246, traversées par Jean du Plan Carpin (franciscain ital., 1182-1252) ; 1253 par Guillaume de Rubruquès (franciscain flamand, 1220-93) ; 1275, visitées par Marco Polo (Venise, 1254-1324). Puis explorations par des missionnaires occidentaux, au S. ; par des Russes au N. *Chine* et *Japon* XVIe s., saint François-Xavier (Fr., 1506-52). *Traversées de la Sibérie* 1635, Élisée Bouza (Russe) ; 1639 Kopylof (Russe) ; 1644 Stadoukhim et Ignatief (Russes) ; 1648 Dejnef (Russe, v. 1605-73 ; atteint le détroit de Behring) ; 1654 Baykof (Russe ; atteint

Pékin) ; 1769-74 Pallas (All.) ; 1785-86 Jean-Baptiste de Lesseps (Fr., 1766-1834 ; porte des dépêches de La Pérouse du Kamtchatka à St-Pétersbourg). *Désert de Gobi, Tibet,* Nicolas Prjevalsky (Russie, 1839-88). *Passage N.-E. entre Atlantique et Pacifique* 1879, Adolf Erik Nordenskjold (Suède, 1832-1901).

Océanie

Iles du Pacifique. A partir du XVIe s. (1567-1605), Alvaro Mendana (Esp., 1541-95) et Pedro Fernandes de Queiros (Port., 1560-1614) ; 1642 Abel Janszoon Tasman (Hollande, 1603-59) ; 1767 Louis Antoine de Bougainville (Fr., 1729-1811) ; 1769-79 James Cook (G.-B., 1728-79). *Vanuatu* 1606, Luis Vaez de Torres (Esp.) et Pedro Fernandes de Queiros (Port.). *Iles Fidji* 1643, Abel Janszoon Tasman. *Nlle-Calédonie* 1774, et *Australie* XVIIIe s. James Cook. *Ile de Pâques* XVIIIe s., Jean-François de Galaup, comte de La Pérouse (Fr., 1741-88).

Iles principales

(Superficie en km²)

Les plus grandes du monde

Australie [1]	7 686 884
Groenland [2] (Danemark)	2 170 600
Nouv.-Guinée (Austr., Indonésie)	785 000
Bornéo (Indonésie-Malaisie)	736 000
Madagascar	592 000
Sumatra (Indonésie)	473 600
Terre de Baffin (Canada)	462 800
Hondo (Japon)	230 900
Grande-Bretagne	228 273
Victoria (Canada)	197 000
Ellesmere (Canada)	197 000
Nouvelle-Zélande (Sud)	150 525
Java (Indonésie)	126 800
Cuba	114 524
Nouvelle-Zélande (Nord)	114 500
Terre-Neuve (Canada)	110 000
Luçon (Philippines)	104 688
Islande	103 106
Mindanao (Philippines)	94 630
Irlande	84 421
Hokkaidō (Yeso, Japon)	78 411
Haïti (St-Domingue)	77 293
Sakhaline (U.R.S.S.)	75 600
Terre de Feu (Argentine-Chili)	71 500
Tasmanie (Australie)	67 890
Sri Lanka (ou Ceylan)	65 610
Banks (Canada)	60 163
Devon (Canada)	55 864
Nouv.-Zemble (Nord) (U.R.S.S.)	51 110
Nouv.-Zemble (Sud) (U.R.S.S.)	41 600

Nota. – (1) L'Australie est souvent considérée comme un continent. (2) Le Groenland est une île recouverte à 77,4 % par la calotte glaciaire (1 680 000 km²).

Combien coûte une île ? On pouvait en trouver entre 60 000 F (au Canada) et 150 millions de F (aux Caraïbes) au début de 1989.

Autres îles (Europe)

Sicile (Italie)	25 460
Sardaigne (Italie)	24 090
Chypre	9 251
Corse (France)	8 681
Crète (Grèce)	8 331
Eubée (Grèce)	3 908
Majorque (Baléares, Espagne)	3 505
Rhodes (Grèce)	1 392
Madère (Portugal)	815
Minorque (Baléares, Espagne)	668
Ibiza (Baléares, Espagne)	572
Krk (Yougoslavie)	400
Malte	246
Elbe (Italie)	223
Oléron (France, Charente-Maritime)	175
Jersey	116
Belle-Ile (France, Morbihan)	90
Ré (France, Charente-Maritime)	85
Noirmoutier (France, Vendée)	48
Yeu (France, Vendée)	23
Ouessant (France, Finistère)	15
Groix (France, Morbihan)	15
Porquerolles (France, Var)	13
Capri (Italie)	10,4
Montecristo (Italie)	10,4
Levant (France, Var)	10

☞ **La plus grande presqu'île du monde :** Arabie (3 250 000 km²). **Les plus grandes îles entourées d'eau douce :** Amérique ; **fluviale :** Marajo à l'embouchure de l'Amazone, Brésil (48 000 km²) ; **lacustre :** Manitoulin dans le lac Huron, Canada (2 766 km²). **Ile la plus isolée du monde, déserte :** île Bouvet (Atlantique Sud : 57,9 km²) à 1 700 km de la terre la plus proche ; **habitée :** Tristan da Cunha (87 km², 325 h.) à 2 120 km.

Superficie (îles comprises) en milliers de km²
Distribution des terres (arables, forêts, steppes) en %, et altitudes extrêmes
Population ; voir Démographie à l'Index.

	Superf. m. km²	Terres en %			Altitudes en m		
		Ar.	Fo.	Ste.	Moy.	Max.	Min.
Afrique	30 310	17,8	31,5	32	750	Kibo 5 895	Lac Assal – 155
Amér. du Nord	24 242	14,6	37,5	16,7	720	Mac Kinley 6 194	Lac Salton – 90
Amér. du Sud	17 859	21,4	45	23,3	590	Aconcagua 6 959	Rio Negro – 29,9
Antarctique	13 910 [1]	0	0	0	2 000	Vinson 5 140	Fossé de l'Astrolabe – 2 341 [2]
Asie	44 080	20,4	29,4	20,8	960	Everest 8 848	Mer Morte – 405
Europe	10 171	44	30	6	340	Elbrouz 5 641	Caspienne – 28
Océanie	8 935	11,1	14,4	57,8	340	Pic Jaya 5 030	Lac Eyre – 12
Terre	149 039	18,1	29,3	20,8	850		

Nota. – (1) dont 1 070 flottants *(shelfs)*. (2) Altitude du socle rocheux sous la calotte.

Montagnes

• **Érosion.** Désagrégation et altération des roches suivies de l'enlèvement des débris sous l'influence d'agents externes : froid, chaleur, vent, eaux, glaciers.

Théories. 1°) **Cycle d'érosion** de William Morris Davis (1850-1934) : les reliefs montagneux passent par 3 stades successifs : *a) jeunesse :* le relief est accidenté par des vallées étroites à versants raides ; *b) maturité :* les formes ont atteint leur profil d'équilibre (versants convexes et lits des cours d'eau à faible pente) ; *c) vieillesse :* les reliefs ont disparu au profit d'une surface à faibles dénivellations appelée **pénéplaine.** Seule l'inclinaison (pendage) des couches de terrains prouve que la région a été plissée à une époque antérieure. 2°) **Morphogenèse moderne :** chaque région a connu des séquences morphogéniques propres dues à une succession de périodes où l'érosion est très forte (notamment quand le climat amoindrit la végétation – *rhexistasie* – et surtout quand l'orogenèse soulève les montagnes), et de périodes où l'évolution se ralentit (en particulier sous couvert végétal dense – *biostasie* – et surtout en période de calme orogénique). Les *paysages* qui se succèdent dans le temps ne s'enchaînent pas systématiquement selon les 3 stades de W.M. Davis.

Éboulement. *Principaux éboulements historiques :* **1248** le Granier (sud de Chambéry) : 5 000 victimes ; **1806** Rossberg, au nord du Righi (lac des Quatre-Cantons, Suisse) : 4 km de long, 320 m de large, 32 m d'épaisseur, 40 millions de m³ (4 villages détruits, 1 000 †) ; **1882** Tschingelberg, près d'Elm (canton de Glaris, Suisse) : de 15 à 25 m d'épaisseur, vallée transformée en lac (110 †) ; **1892** St-Gervais (Hte-Savoie, France) : 100 000 m³ de terre entraînés par la poche glaciaire de la Tête Rousse (200 †) ; **1896** Le Gouffre sur la rive gauche du Gardon (Gard, France) : la montagne du Gouffre glisse pendant un mois et déplace le cours de la rivière de plusieurs centaines de m. **1963** Longarone (Italie) : le flanc de la montagne glisse dans le lac de barrage provoquant un gigantesque raz de marée qui détruit Longarone à plusieurs km de là (plusieurs milliers de †).

Cheminées de fée. Terrains résiduels respectés par l'action des eaux de ruissellement sur des formations rocheuses très hétérogènes. Les gros blocs dégagés protègent de la pluie les terrains situés en dessous, puis deviennent progressivement des chapiteaux de plus en plus hauts (jusqu'à 30 m). Les moraines glaciaires, qui nappent les versants des montagnes des pays ayant connu des glaciations à l'ère quaternaire, sont particulièrement aptes à donner naissance à des cheminées de fée en raison de leur nature très hétérogène. C'est le cas dans les Alpes où les cheminées de fée sont appelées aussi colonnes coiffées ou demoiselles.

Groupe le plus important : les demoiselles coiffées de Vallauria (par Théus, Htes-Alpes) : 200. *Autres groupes :* St-Gervais-les-Bains (Hte-Sav.), Le Sauze (Htes-Alpes), Euseigne (Valais, Suisse), Ritten, près de Bolzano (Italie).

Reliefs jurassien et subalpin. Dans les plissements réguliers d'une couverture sédimentaire faite d'une alternance de couches calcaires dures, et de couches tendres marneuses, le relief primitif [(alternance de *monts* (anticlinaux) et de *vaux* (synclinaux)] est attaqué par l'érosion. Si l'érosion est peu poussée, les anticlinaux restent en relief relatif ; le *relief,* dit *jurassien,* est marqué par les éléments suivants : **combe :** mont éventré par des dépressions longitudinales ; **crêts :** escarpements symétriques, de part et d'autre d'une combe ; **barre :** si le pendage est supérieur à 45° ; **cluse :** vallée traversant un mont d'un val à l'autre. Le ruissellement ouvre dans le flanc du mont des ravins appelés **ruz.** Quand l'érosion est plus poussée, les synclinaux dits « perchés » sont en relief relatif par rapport aux anticlinaux déblayés en *combes* profondes qui sont souvent de véritables vallées ; ce type de *relief* est dit *inverse* ou, mieux, *inversé ;* il est caractéristique du *relief subalpin.*

Visibilité du globe. A 36 000 km d'altitude (satellites stationnaires), on peut voir quasiment la moitié de la Terre. Ligne d'horizon suivant la hauteur à laquelle on se trouve. Le 1er chiffre (H) indique la hauteur au-dessus de la mer en mètres, le 2e (D) la distance en km de l'horizon de la mer.

H m	D km	H m	D km	H m	D km
1	3,6	*50*	25,2	*900*	107
2	5	*100*	35,7	*1 000*	112,9
3	6,2	*200*	50,5	*2 000*	159,6
4	7,1	*300*	61,8	*3 000*	195,5
5	8,9	*400*	71,4	*4 000*	225,8
10	11,3	*500*	79,8	*5 000*	252,5
20	15,9	*600*	87,4	*10 000*	357
30	19,5	*700*	94,4	*20 000*	505
40	22,6	*800*	101	*100 000*	1 133

Relief appalachien. Relief qu'acquiert une vieille structure plissée aplanie du fait de l'érosion quand elle est rajeunie par soulèvement. La terminologie « jurassienne » ne s'y applique pas tant que la surface d'érosion initiale reste visible. On a une succession de creux *(sillons)* et de rides allongées dont le sommet plat est témoin de la surface d'érosion antérieure *(barres).* Les encoches permettant le passage de l'une à l'autre sont des *gaps.*

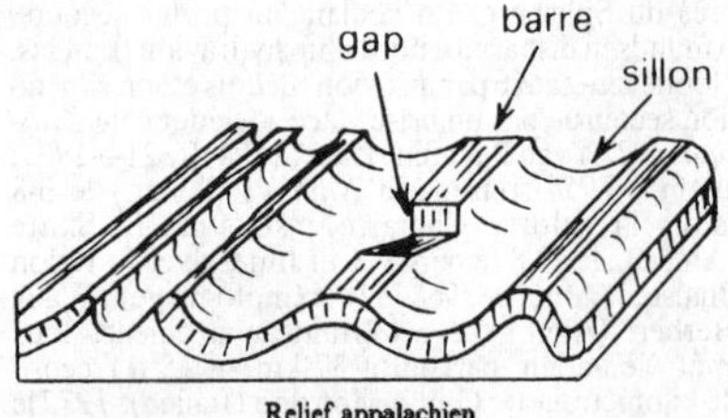

Relief appalachien

Pourquoi les vieux monuments des villes se sont-ils enfoncés ?

De très lourdes enceintes romaines, des cathédrales, des châteaux et palais ont été construits sur des terrains alluviaux non consolidés, parfois même rapportés (cas de Mexico, construit sur un lac remblayé), qui se tassent au fil des ans. (Aujourd'hui on y construirait sur des pieux de béton profondément ancrés.) De plus on a exhaussé plus tard berges, places et rues pour les mettre à l'abri des inondations. L'enfoncement des vieux immeubles s'accélère lorsqu'on puise trop d'eau dans la nappe phréatique (cas de Venise).

Érosion glaciaire. Les glaciers transportent des débris (les **moraines**) qu'ils arrachent à leur lit ou qui tombent du haut des versants. Ils peuvent leur faire franchir des contre-pentes et accentuer les accidents de terrain. Ils polissent leur lit en donnant aux rochers un aspect « moutonné » *(poli glaciaire).* La vallée glaciaire (**auge**) devient un escalier de bassins (les **ombilics**), séparés par des barres rocheuses que la glace n'a pu réduire (les **verrous**). En cas de déglaciation, des lacs profonds remplissent les ombilics et des gorges traversent les verrous. Si les versants fournissent beaucoup de débris, le glacier couvert de blocs devient un **glacier noir.**

Fjeld (prononcer fiël, mot norvégien) : étendue de roches moutonnées et striées que le glacier a ciselées + ou – profondément.

Fjord (prononcer fiord) : vallée en auge (parfois profonde de plus de 1 000 m), souvent très au-dessous du niveau de la mer, creusée par des langues glaciaires et envahie par les eaux océaniques après la déglaciation.

Les plus longs du monde : fjord du glacier Lambert (Antarctide) 400 km (large 50 km, prof. max. 2 200 m). Nord-westfjord (Groenland) 313 km. *Les plus profonds :* fjord du glacier Lambert (Antarctide) 2 200 m. Sognefjord (Norvège) 1 245 m (183 km de long., largeur moy. 4,75 km). François-Joseph (Groenland) 1 000 m (long. 225 km, larg. 3-26 km).

Au Danemark, le Limfjord (160 km) n'est pas un fjord, mais une simple vallée submergée.

Autres côtes à fjords : Canada (Colombie britannique, Labrador), Alaska, Chili méridional.

Érosion des régions montagneuses arides. 1°) **En bordure des déserts.** Montagnes décharnées, glacis d'érosion à l'amont (appelés *pédiments*), plaines d'épandage et dépressions fermées *(playas)* à l'aval. Des reliefs résiduels à pente raide [appelés *inselbergs* (montagnes-îles)] surplombent parfois ces glacis.

2°) **Dans les déserts.** Désagrégation importante (fortes amplitudes thermiques, rareté des sols, absence de végétation protectrice). Le vent, en projetant du sable sur les roches, les décape et les polit (vernis désertique sombre dû à l'oxyde de manganèse, ou croûte saline). *Déflation :* le vent soulève en nuages les particules les plus légères et dégage parfois d'immenses dallages rocheux (les **hamadas**) parsemés de blocs anguleux. Dans les zones d'accumulation des **oueds,** quand le vent a entraîné le sable et les poussières, il ne reste plus que de vastes champs de cailloux et de graviers : les **regs.** Si le vent est arrêté ou freiné par un obstacle, les grains de sable s'accumulent en dunes. Certains déserts pauvres en sable (*ex. :* ceux d'Asie centrale) ont des dunes élémentaires : les **barkhanes** (de 10 à 15 m de haut). D'autres, notamment le Sahara, ont d'importants massifs de dunes (les **ergs** d'Algérie ou de Libye) qui s'expliquent par la reprise de sables antérieurs, fluviatiles ou marins.

Accidents tectoniques. Déformations affectant les massifs rocheux : *plastiques et continues,* sans rupture, *les plis. Cassantes,* avec rupture, les *failles normales ou directes* avec affaissement du compartiment surincombant (et allongement du domaine affecté : tectonique distensive), *inverses* avec soulèvement du compartiment surincombant (et raccourcissement du domaine affecté : tectonique compressive) et *décrochantes* (décrochements, failles de coulissage) qui sont marquées par un déplacement relatif latéral des deux compartiments ; les *chevauchements ou charriages* pouvant résulter de plis couchés souvent dus à des mouvements de translation sur des *failles plates* et des *rampes* (systèmes de duplex).

Reliefs volcaniques (Voir Volcans p. 75b).

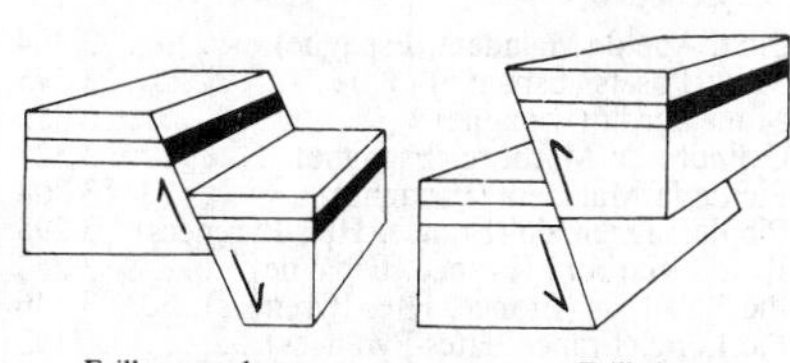

Faille normale　　Faille inverse

Sommets les plus hauts du monde

En comptant l'altitude à partir du niveau de la mer. Everest (appelé Sagamartha au Népal, Solmo Lungma en Chine, Mi-Ti Gu-Ti Cha-Pu Long-No au Tibet), Everest depuis 1863 d'après le nom du Gal George Everest (1790-1866), chef de la Mission cartographique britannique en Inde. Altitude évaluée en 1852 par R. Sikhadar adjoint d'Everest à 8 845 m. En 1920, par le Gal Bruce (Soc. royale de Géographie) à 8 882 m. En 1954, 8 887,47 m, le 25-7-1973 par les Chinois 8 848,10 m. Le K2 (ou Godwin Austen ou Chogori) au Pākistān mesurait officiellement 8 611 m, il mesurerait en fait 8 884 m (soit 36 m de plus que l'Everest) d'après les Pakistanais.

En comptant l'altitude à partir du fond de la mer. Le *Mauna Kea* (montagne Blanche à Hawaii) avec env. 10 000 m dont 4 205 au-dessous de la mer ; et *la plus importante chaîne du monde* est le système de dorsales médio-océaniques, hautes d'env. 2 000 m à 5 000 m au-dessus du fond des plaines abyssales et longues de 60 000 km, ne touchant la Terre qu'au niveau du golfe d'Aden et du golfe de Californie (mer de Cortès).

En comptant l'altitude en tenant compte de la distance au centre du globe. Le Chimborazo (officiellement 6 310 m), mont dont le sommet serait le plus éloigné du centre à cause de la courbure équatoriale.

Afrique

	en mètres
Kibo (ou Pic Uhuru dep. le 8-12-1962) (Kilimandjaro, Tanzanie)	5 895
Kenya (Kenya)	5 195
Ruwenzori (Ouganda, Zaïre)	5 118
Pico de España (Guinée Équatoriale)	4 710
Ras Dajan (Éthiopie)	4 620
Karisimbi (Rwanda)	4 500
Mikeno (Rwanda)	4 450
Elgon (Éthiopie, Kenya)	4 321
Djebel Toubkal (Maroc)	4 165
Cameroun (Cameroun)	4 094
Irhil M'Goun (Maroc)	4 071
Muhavura (Rwanda, Ouganda)	4 000
Djebel Ayachi (Maroc)	3 737
Pic de Teyde (Canaries)	3 710
Niragongo (Zaïre)	3 450
Emi Koussi (Tibesti, Tchad)	3 415
Piton des Neiges (Réunion)	3 069
Tahat (Hoggar, Algérie)	3 003
Tsaratanana (Madagascar)	2 885
Ankaratra (Madagascar)	2 650
Djebel Chelia (Algérie)	2 328
Nimba (Fouta-Djalon, Guinée)	1 854

Amérique du Nord

Sommet	m
McKinley (U.S.A., Alaska)	6 194
Logan (Canada)	6 050
North Peak (U.S.A., Alaska)	5 904
Pic de Orizaba (Citlaltepetl) (Mexique)	5 569
St-Elias (Canada-Alaska)	5 489
Popocatepetl (Mexique)	5 452
Foraker (U.S.A., Alaska)	5 304
Ixtaccihuatl (Mexique)	5 285
Bona (U.S.A., Alaska)	5 044
Blackburn (U.S.A., Alaska)	4 996
Kennedy (U.S.A., Alaska)	4 964
Sanford (U.S.A., Alaska)	4 949
South Buttress (U.S.A., Alaska)	4 842
Vancouver (U.S.A., Alaska-Yukon)	4 785
Churchill (U.S.A., Alaska)	4 766
Whitney (U.S.A., Californie)	4 420
Elbert (U.S.A., Colorado)	4 400
Harvard (U.S.A., Colorado)	4 395
Massive (U.S.A., Colorado)	4 395
Rainier (U.S.A., Washington)	4 393

Amérique du Sud (Andes)

Sommet	m
Aconcagua (Argentine)	6 959
(Volcán) Ojos del Salado (Argentine-Chili)	6 863
Huascarán (Pérou)	6 768
(Volcán) Llullaillaco (Argentine-Chili)	6 723
Mercedario (Argentine-Chili)	6 700
Nevado Pisis (Argentine)	6 650[1]
Nevado Incaguasi (Argentine-Chili)	6 610
Tupungato (Argentine-Chili)	6 550
(Volcán) Sajama (Bolivie)	6 520
Cerro Bonete (Argentine)	6 500[1]
Illimani (Bolivie)	6 458
Chimborazo (Équateur)	6 310

Nota. – (1) Environ.

Antarctique

Sommet	m
Vinson	5 140

Asie

Sommet	m
Everest ou Sagarmatha ou Solmo Lungma (Népal-Chine, Tibet) (Voir ci-contre)	8 848
K2 ou Godwin Austen ou Chogori (Karakorum, Pākistān) (Voir ci-contre)	8 611
Kanchenjunga (Népal-Inde, Sikkim) sommet principal (centre 8 482, sud 8 476, ouest 8 420)	8 598
Lhotse (Népal-Chine)	8 501

L'érosion en région calcaire

☞ Les formes propres des régions calcaires sont dites *karstiques* (province yougoslave du Karst où elles ont été étudiées) ; en France, on parle de *Causse* (adj. occitan, venu du latin *calcinus,* calcaire).

Eaux souterraines. Une région karstique évoluée comporte 3 zones superposées : *1°) Supérieure,* où l'eau acide chargée en CO_2 dissous s'infiltre sans demeurer et dissout activement le calcaire [région des cavernes, grottes, gouffres appelés *avens* dans les Causses, *emposieux* dans le Jura : grottes d'Orgnac (Ardèche), de Dargilan, aven Armand (Causses), de Clamouse (Hérault), gouffre de Padirac (Périgord), des Canalettes, de la Pierre-St-Martin (Pyrénées), Jean-Bernard en Haute-Savoie]. Voir Spéléologie à l'Index. *2°) Médiane,* occupée en permanence par de l'eau en mouvement encore agressive : les rivières reviennent à l'air libre par des *sources vauclusiennes* ou *résurgences* (source de la Loue dans le Jura, rivière de Han en Belgique). *3°) Inférieure ou zone noyée permanente* où l'eau réductrice et quasi stagnante imbibe pores et fissures du calcaire sans dissolution marquée. Dans un karst jeune, il n'existe que la zone supérieure.

Formes chaotiques de surface. Vallées sèches. Lapiez : cannelures de dissolution superficielles à la surface des dalles calcaires, profondes (karren) à l'emplacement des diaclases (fissures). **Dolines :** cuvettes circulaires à fond plat en Yougoslavie, appelées *sotchs* dans les Causses. **Terra rossa :** argile résiduelle tapissant le fond des dolines. **Poljés** (se prononce : polié) : grandes dépressions fermées (en Yougoslavie plusieurs dizaines de km de long), à fond plat, partiellement tapissées d'argile d'altération des calcaires, parfois alimentées par un ou plusieurs cours d'eau et drainées par les fissures du fond *(ponors).* **Vallées en gorges et canyons** (gorges du Tarn, du Verdon) : certaines viennent de l'effondrement du plafond qui subsiste au-dessus des grottes (à Padirac, le plafond n'a plus que quelques m au-dessus des salles les plus hautes). Ailleurs, elles se sont produites par enfoncement de la rivière à l'air libre.

Évolution des régions calcaires *selon le climat : en pays arides,* le calcaire subit très peu d'attaques par dissolution ; en *régions tropicales et équatoriales,* l'évolution est rapide : la libération d'une grande quantité d'acides organiques par la végétation qui pourrit sur place favorise l'évacuation d'une grosse masse de carbonate de calcium ; les couches calcaires se réduisent souvent à des « clochetons » (piliers isolés et rongés à la base), notamment dans les îles des Caraïbes, en Chine (karsts résiduels) et au Viêt-Nam (baie d'Along).

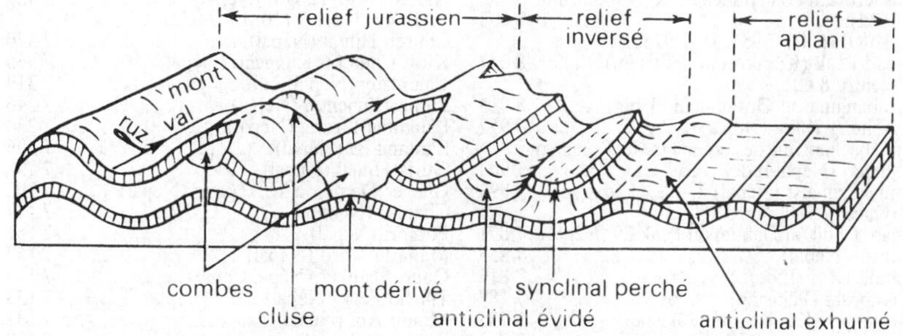

Évolution du relief plissé en fonction de l'intensité de l'érosion

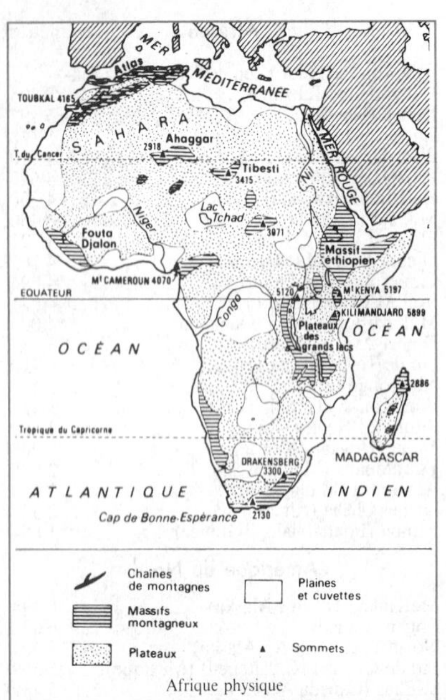

Afrique physique

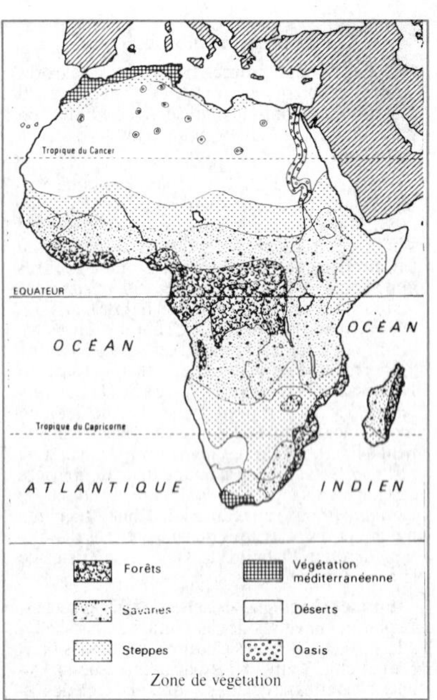

Zone de végétation

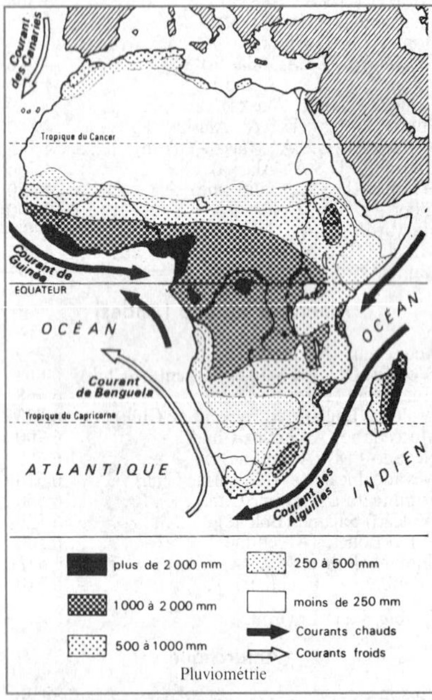

Pluviométrie

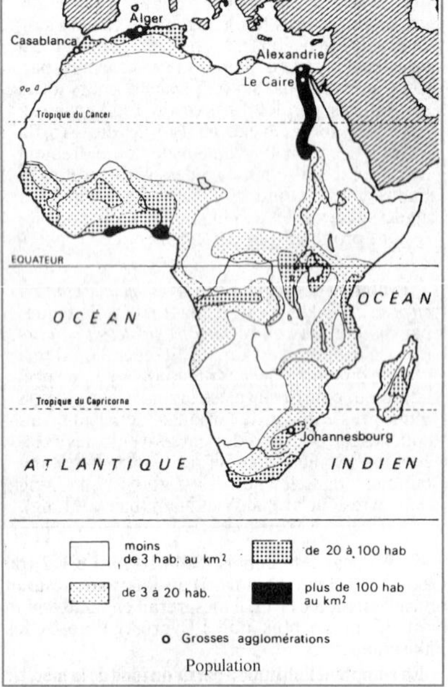

Population

Yalung Kang (Népal-Inde)	8 505
Makalu I (Népal)	8 470
(II Kangchungtse) 7 678	
Lhotse Shar ou Lhotse oriental (Népal)	8 400
Cho-Oyu (Népal-Chine)	8 201
Dhaulagiri I (Népal)	8 172
(II 7 751, III 7 715, IV 7 661, V 7 618, VI 7 268)	
Manaslu ou Kutang (Népal)	8 156
Nanga-Parbat (Inde)	8 126
Anapurna I (Népal)	8 078
(II 7 937, III 7 555, IV 7 525, Sud 7 219)	
Gasherbrum I ou Hidden Peak (Karakorum, Pākistān)	8 068
(II 8 034, III 7 951, IV 7 925)	
Broad Peak (Karakorum, Pākistān)	8 047
(centre 8 001)	
Xixabangma ou Gosainthan (Tibet)	8 013
Gyachung Kang (Népal)	7 952
Kangbachen (un des sommets du Kanchenjunga) (Népal-Inde)	7 903
Himalchuli Est (Népal)	7 893
(Ouest 7 540, Nord 7 371)	
Ngadi Chuli ou Dakum ou Peak 29 (Népal)	7 871
Nuptse (Népal)	7 855
Nanda Devi (Inde)	7 816
Rakaposhi (Pākistān)	7 787
Mustagh I (Karakorum, Pākistān)	7 785
Ngojumba Kang (Népal)	7 743
Kungur (Chine)	7 719
Jammu ou Khumbakarna (Népal)	7 710
Tirich Mir (Karakorum, Pākistān)	7 699
Fang ou Varaha Shikhar (Népal)	7 647
Minga Konba (Chine)	7 590
Mont Communisme (ex-pic Staline) (Tadjikistan, U.R.S.S.)	7 495
Roc Noir ou Khangsar Kang (Népal)	7 485
Jongsang Peak (Népal)	7 483
Shartse (Népal)	7 459
Gangapurna (Népal)	7 455
Pic Pobeda (Chine)	7 439
Mouo Tagh Ata (Chine)	7 433
Ganesh I ou Yangra (Népal)	7 429
(II 7 111, III 7 110, IV 7 052)	
Churen Himal (Népal)	7 370
Kirat Chuli ou Kangchu (Népal)	7 365
Chamlang (Népal)	7 319
Putha Hiunchuli (Népal)	7 246
Langtang Lirung (Népal)	7 234
Lantang Ri (Népal)	7 206
Gurja Himal (Népal)	7 193
Glacier Dome ou Tarkekang (Népal)	7 192
Chamar (Népal)	7 187
Pumori (Népal)	7 161
Manaslu Nord (Népal)	7 157
Gauri Shanker (Népal-Chine)	7 134
Tilicho Peak (Népal)	7 133
Mount Api (Népal)	7 132
Baruntse (Népal)	7 129
Pic Lénine (Tadjikistan, U.R.S.S.)	7 127
Himlung Himal (Népal)	7 126
Nilgiri Nord (Népal)	7 061
Saipal (Népal)	7 031
Demavend (Iran)	5 671
Ararat (Turquie)	5 156
Kliouchev (Kamtchatka, U.R.S.S.)	4 750
Beloucha (Altaï, U.R.S.S.)	4 506
Fuji-Yama (Japon)	3 776

☞ La chaîne de l'Himalaya-Karakorum est la plus élevée du monde : 96 sommets de plus de 7 300 m (sur 109 dans le monde).

Europe

Alpes

Mont Blanc (France, Hte-Savoie) [1]	4 808
Pointe Dufour (Mt Rose, Suisse)	4 638
Weisshorn (Suisse)	4 512
Matterhorn (ou Cervin) (Suisse-Italie)	4 482
Dent Blanche (Suisse)	4 357
Finsteraarhorn (Suisse)	4 275
Aiguille des Gdes Jorasses (Fr., Italie)	4 208
Jungfrau (Suisse)	4 168
Aiguille Verte (France, Hte-Sav.)	4 122
Aletschorn (Suisse)	4 105
Mönch (Suisse)	4 105
Barre des Écrins (France, Isère)	4 102
Grosses Schreckhorn (Suisse)	4 078
Grand Paradis (Italie)	4 061
Bernina (Suisse)	4 049
Weissmies (Suisse)	4 023
Pelvoux (France, Htes-Alpes)	3 955
Mont Viso (Italie)	3 842
Gross Glockner (Autriche)	3 797
Mont Pelat (France, Alpes-de-H.-Pr.)	3 051
Brévent (France, Hte-Savoie)	2 525

Nota. – (1) 4 808,4 m [(mesuré par satellite, août 1986), avant on avait mesuré 4 807 m.]. Situé sur la ligne de partage des eaux, le Mt Blanc aurait dû être sur la frontière franco-italienne, mais une commission mixte a fixé la frontière au mont Blanc de Courmayeur, seul visible d'en bas du côté italien.

Ardennes

Signal de Botrange (Belgique)	694
Baraque Michel (Belgique)	674

Caucase

Elbrouz (Russie, U.R.S.S.)	5 643
Kasbek (Géorgie, U.R.S.S.)	5 047

Corse

Monte Cinto	2 710

Jura

Crêt de la Neige (France, Ain)	1 723
Le Reculet (France, Ain)	1 717
Colomby-de-Gex (France, Ain)	1 689
Mont Tendre (Suisse)	1 680
La Dôle (Suisse)	1 678
Crêt de la Goutte (France, Ain)	1 621
Mont Chasseron (Suisse)	1 607
Mont Suchet (Suisse)	1 588
Mont du Gd Colombier (France, Ain)	1 531
Mont d'Or (France, Doubs)	1 463
Mont Risoux (Fr., Jura-Doubs/Suisse)	1 419

Massif central (France)

Puy de Sancy (Puy-de-Dôme)	1 886
Plomb du Cantal (Cantal)	1 855
Puy Mary (Cantal)	1 787
Mézenc (Hte-Loire)	1 753
Aigoual (Lozère)	1 567
Gerbier-de-Jonc (Ardèche)	1 551

Pyrénées

Pic d'Aneto (Maladeta, Espagne)	3 404
Mont Posets (Espagne)	3 375
Mont Perdu (Espagne)	3 355
Cylindre du Marboré (Espagne)	3 328
Pic de la Maladeta (Espagne)	3 308
Pic de Vignemale (France, Htes-Pyrénées)	3 298
Pic de Marboré (France, Espagne)	3 253
Pic Balaïtous (France, Htes-Pyrénées)	3 146
Pic Long (France, Htes-Pyrénées)	3 192
Pic d'Aubert (Néouvielle) (Htes-Pyrénées)	3 092
Pic de Montcalm (France, Ariège)	3 080
Pic Carlitte (France, Pyr.-Orientales)	2 921
Puigmal (France, Pyr.-Orientales)	2 909
Pic du Midi (ou de Bagnères-de-Bigorre) (France, Htes-Pyrénées)	2 877
Pic du Midi d'Ossau (Fr., Pyr.-Atl.)	2 872
Pic de Montvallier (France, Ariège)	2 838
Mont Canigou (France, Pyr.-Orientales)	2 785
Pic de Ger (France, Pyr.-Atlantiques)	2 612
Pic d'Anie (France, Pyr.-Atlantiques)	2 504
Pic des Trois Seigneurs (Fr., Ariège)	2 199
Pic de l'Orhy (Fr., Pyr.-Atlantiques)	2 017

Océanie et Pacifique

Carstensz (Irian, Indonésie)	5 040
Markham (Terre de Victoria)	4 602
Kirkpatrick (Antarctique)	4 451
Mauna Kea (Iles Hawaii)	4 210
Kinabalu (Bornéo)	4 175
Mauna Loa (Iles Hawaii)	4 170
Cook (N.-Zélande)	3 764
Kosciusko (Australie)	2 228
Cradle (Australie)	1 545

Cols européens principaux

Alpes	Altitude en mètres
Col d'Hérens (Suisse)	3 480
Col du Géant (Haute-Savoie)	3 369
Col de la Bonette (A.-de-Hte-Provence)	2 802
Col de l'Iseran (Savoie)	2 762
Col du Stelvio (Valteline/Haut Adige)	2 757
Col d'Agnel (Htes-Alpes)	2 744
Col du Galibier (Savoie/Hautes-Alpes)	2 645
Col de Fréjus (Savoie/Italie)	2 542
Col de la Vanoise (Savoie)	2 527
Col de la Seigne (Haute-Savoie)	2 513
Col du Gd-St-Bernard (Suisse/Italie)	2 472
Col du Nufenen (Suisse)	2 440
Col de la Furka (Suisse)	2 431
Col de l'Izoard (Htes-Alpes)	2 361
Col de la Bernina (Suisse/Italie)	2 330
Col du Bonhomme (Hte-Savoie)	2 329
Col de l'Albula (Suisse)	2 316
Col d'Allos (Alpes-de-Hte-Provence)	2 240
Col du Susten (Suisse)	2 227
Col de Balme (Savoie/Suisse)	2 202
Col du Splügen (Suisse)	2 117
Col du St-Gothard (Suisse)	2 112
Col de Vars (Alpes-de-Hte-Pr./Htes-Alpes)	2 111
Col du Mont-Cenis (Savoie)	2 083
Col du Lautaret (Htes-Alpes)	2 058
Col du Simplon (Suisse)	2 008
Col de Larche (Alpes-de-Hte-Provence)	1 991
Col de la Madeleine (Savoie)	1 984
Col du Ventoux (Vaucluse)	1 895
Col du Mont Genèvre (Hautes-Alpes)	1 850
Col de l'Echelle (Hautes-Alpes)	1 790
Col du Télégraphe (Savoie)	1 670
Col des Aravis (Savoie)	1 486
Col de Tende[1] (Alpes-Maritimes)	1 330
Col Bayard (Hautes-Alpes)	1 248

Nota. – (1) Tunnel ; vieille route 1871.

Corse	
Col de Vergio	1 464
Col de Verde	1 289
Col de Bavella	1 243
Col de Vizzavone	1 163
Col d'Ilarata	1 008
Col de Teghime	541

Jura	
Col de la Faucille (France, Ain)	1 320
Col de St-Cergue (Suisse)	1 232
Col de Jougne (France, Doubs)	1 010

Massif central (France)	
Pas de Peyrol (Cantal)	1 589
Col de la Croix-St-Robert (P.-de-D.)	1 446
Col de Dyane ou Croix-Morand (P.-de-D.)	1 410
Col du Lioran (Cantal)	1 276
Col de Noirétable (Loire)	754

Pyrénées	
Port de Vénasque (France/Espagne)	2 448
Port d'Envalira (Andorre)	2 407
Col du Tourmalet (Htes-Pyrénées)	2 115
Col de Puymorens (Pyr.-Orientales)	1 915
Col de l'Aubisque (Pyrénées-Atlantiques)	1 709
Col du Somport (Pyrénées-Atlantiques)	1 631
Col de la Perche (Pyr.-Orientales)	1 577
Port de Peyresourde (Htes-Pyrénées)	1 569
Col d'Aspin (Htes-Pyrénées)	1 489
Col de Menté (Hte-Garonne)	1 350
Col du Portillon (Hte-Garonne)	1 308
Col d'Ibañeta (Roncevaux, Espagne)	1 090
Portet d'Aspet (Hte-Garonne)	1 057
Col de Velate (Espagne)	868
Col de Maya (Espagne)	602
Col du Perthus (Pyrénées-Orientales)	290

Nota. – La Brèche de Roland (Htes-P., 2 804 m) n'est pas un col mais un lieu de passage.

Vosges (France)	
Col du Ballon (Vosges)	1 178
Col de la Schlucht (Vosges/Ht-Rhin)	1 139
Col du Bonhomme (Ht-Rhin)	949
Col de Ste-Marie-aux-Mines (Ht-Rhin)	772
Col de Schirmeck (Bas-Rhin)	739
Col de Bussang (Vosges)	731
Col du Donon (Bas-Rhin)	727

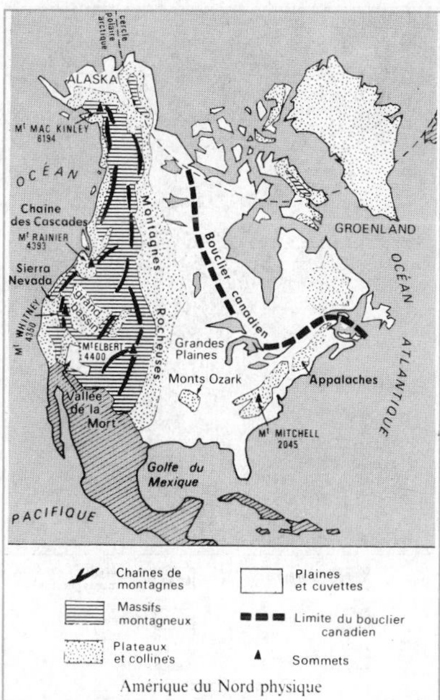

Amérique du Nord physique

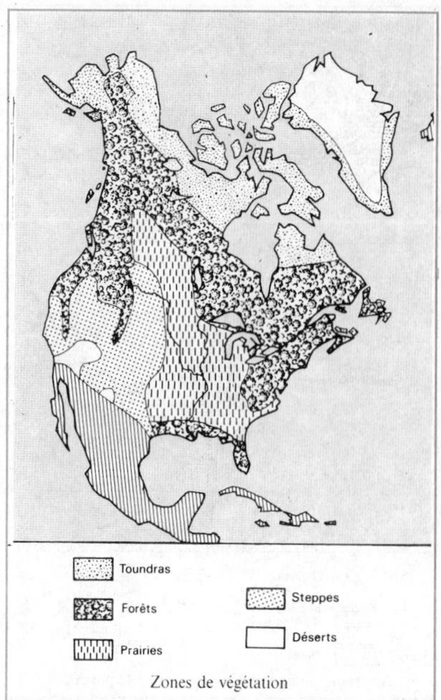

Zones de végétation

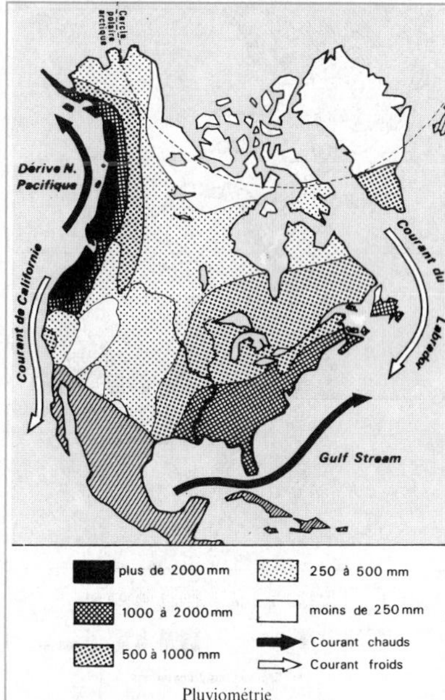

Pluviométrie

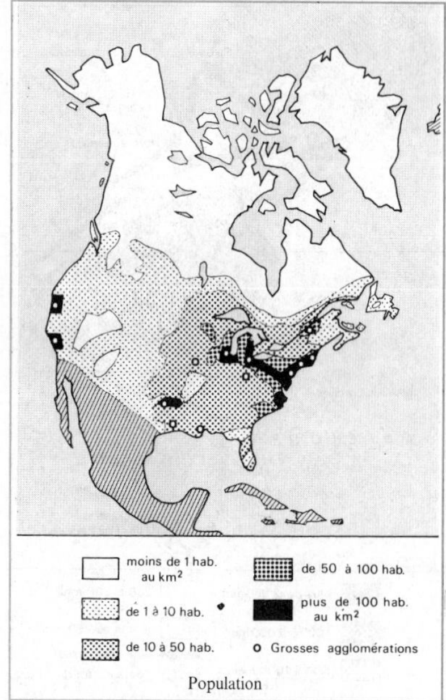

Population

Hauts plateaux principaux

	Altitude en mètres
Tibet (Chine)	5 000
Pamir (Chine et U.R.S.S.)	4 000
Altiplano (Bolivie)	4 000
Puna (Equateur)	3 000
Plateau éthiopien	2 000

Villes et villages de haute altitude

Altitude en mètres

Afrique. *Afr. du Sud :* Johannesburg 1 753. *Éthiopie :* Addis-Abeba 2 408, Asmara 2 374.

Amérique. *Bolivie :* Chacaltaya 5 130, Cochabamba 2 570, La Paz 3 800, Potosí 3 960, Sucre 2 874. *Colombie :* Bogotá 2 630. *Équateur :* Quito 2 890. *Guatemala :* Guatemala 1 500, Quezaltenango 2 335, San Marcos 2 398, Totonicapam 2 495. *Mexique :* Mexico 2 216, Toluca 2 680. *Pérou :* Ayacucho 2 760, Cerro de Pasco 4 375, Cuzco 3 360, Huancavelica 3 660, Machu Picchu (ruines) 2 300, Minasragra 5 100, Puno 3 855. *U.S.A., Colorado :* Leadville 3 100, observatoire Lincoln 4 332.

Asie. *Afghānistān :* Kaboul 2 224. *Inde :* Darjeeling de 1 791 à 3 365. *Iran :* Ispahan 1 583. *Népal :* Katmandou 1 500. *Tibet :* Jiachan 4 837, Lhassa 3 630, monastères 5 030.

Europe. *Andorre :* Andorra la Vella 1 029. *France :* Briançon (Htes-A.) de 1 200 à 1 365, St-Véran (Htes-A.) 2 200, pic du Midi (observ.) 2 859. *Suisse :* Grand-St-Bernard (Hosp.) 2 474, Juf 2 126.

Roches

Généralités

Étude scientifique. Une roche est une association de minéraux, occupant sur le terrain une plus ou moins grande étendue. La **pétrographie** les décrit et les classe ; la **pétrologie** recherche les lois de leur genèse et de leur évolution. La **lithologie** est l'étude macroscopique des roches, c.-à-d. des masses rocheuses prises dans leur ensemble. La **sédimentologie** est l'étude de la dynamique de dépôt des sédiments, donc de la genèse des roches sédimentaires.

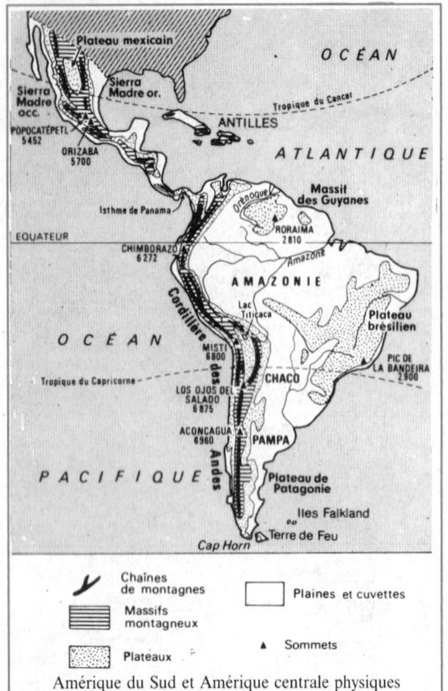

Amérique du Sud et Amérique centrale physiques

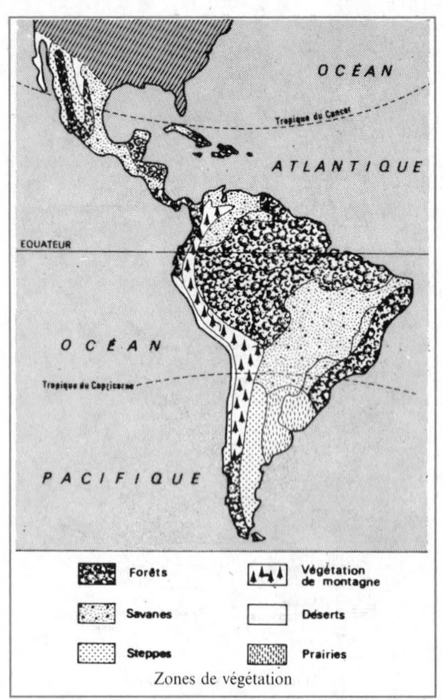

Zones de végétation

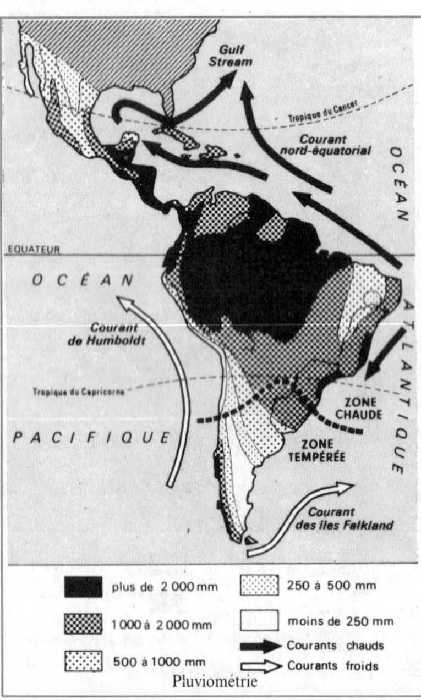

Pluviométrie

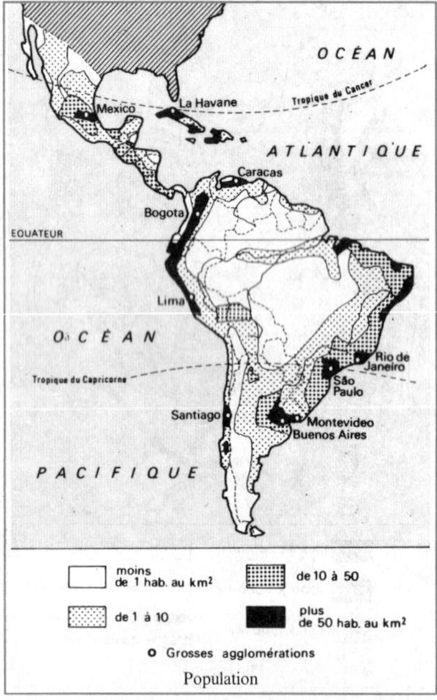

Population

Roches magmatiques

• **Définitions.** Roches *endogènes* qui ont pris naissance à l'intérieur de la Terre (du grec *endo,* « à l'intérieur » et *gène,* « engendré »). **Composition chimique.** En moyenne quantité : aluminium, fer, magnésium, calcium, sodium, potassium ; en grosse quantité : oxygène et silicium. Les magmas les plus fréquents sont de 2 types : *granitique* (70 % de silice, riche en aluminium et potassium) ou *basaltique* (45 % de silice, riche en fer, magnésium, calcium).

Minéraux essentiels (dont les proportions fixent la *composition modale* des roches). Silicates répartis en 2 groupes, selon leur densité et leur couleur : 1°) minéraux clairs (D 2,77) : silice (quartz) et alumino-silicates (feldspaths, feldspathoïdes) ; 2°) minéraux colorés parfois dits « barylithes » (du grec *barus,* « lourd ») : silicates ferromagnésiens (amphiboles, pyroxènes, péridots), oxydes, etc. *Texture* (assemblage d'ordre microscopique des minéraux, dépendant de la cristallisation) ; refroidissement brusque : vitreuse ou microlithique (verre et petits cristaux) ; refroidissement lent : grenue (pas de verre, seulement des cristaux, parfois de grande taille – phénocristaux, ex. granite à dents de cheval de la Margeride, Massif central). Exemple : le *basalte* et le *gabbro* viennent d'un même magma, mais ont un refroidissement différent et donc une texture différente, vitreuse et microlithique pour le basalte, grenue pour le gabbro.

• **Grandes divisions. Roches volcaniques.** Matières fondues, ou *magmas,* ayant fait éruption à la surface (« effusives ») ; proviennent de volcans anciens ou récents : coulées de laves et de basaltes parfois très étendues (le plateau de Columbia, aux U.S.A., et les *trapps* du Dekkan, en Inde, ont une superficie supérieure à celle de la France ; le plateau basaltique du Paraná, en Amér. du S., couvre près de 2 millions de km²) ; quand elles se sont accumulées dans des cheminées volcaniques sans atteindre la surface, elles forment des *necks* ; quand elles se sont accumulées dans des fissures, elles forment des *dykes* ; quand elles ont été émises sous l'eau, elles forment des accumulations de coussins *(pillow-lavas). Caractéristiques :* viennent, pour leur plus grande part, de magmas basaltiques (en particulier au fond des océans où partout sous les sédiments se rencontrent les basaltes de la *croûte océanique*) ; texture caractéristique des refroidissements rapides (cristaux dispersés dans un « verre » non cristallisé ; texture dite « microlithique »). *Subdivisions :* laves sans quartz, à feldspaths et ferromagnésiens : basalte, trachyte, andésite ; composition analogue plus feldspathoïdes : basanite, phonolite, téphrite, néphélinite, leucitite, etc. ; laves à quartz et feldspaths et ferromagnésiens en moindre quantité : rhyolite, dacite ; obsidienne et ponce appartiennent souvent à ces deux dernières familles.

Roches plutoniques. Roches résultant de la cristallisation de magmas en profondeur (souvent plusieurs kilomètres), et n'affleurant qu'à la faveur d'érosions abaissant la surface par rapport aux corps magmatiques ; elles constituent des massifs plus ou moins vastes. *Caractéristiques :* viennent soit de magmas granitiques (croûte continentale), soit de magmas basaltiques (croûte océanique) ; texture de roches refroidies lentement (cristaux jointifs, sans verre interstitiel ; texture dite « grenue »). *Subdivisions :* roches à quartz et feldspaths (granites et roches apparentées qui forment l'essentiel de la croûte continentale) ; roches contenant feldspaths mais sans quartz : syénite, monzonite, gabbro qui sont des massifs relativement rares dans la croûte continentale ; roches sous-saturées : syénites néphéliniques... ; roches « vertes » très riches en ferromagnésiens : péridotites, et plus généralement, ophiolites qui, avec les basaltes en pillow-lavas, forment l'essentiel de la croûte océanique.

Roches métamorphiques

• **Définition.** Du grec *meta,* « après », *morphosis,* « forme ». Roches sédimentaires ou magmatiques ayant subi des transformations dans leur structure sous l'action de hautes pressions ou de hautes températures après leur formation première. De telles roches se forment : soit par la simple augmentation de la pression et de la température avec la profondeur (métamorphisme d'enfouissement), soit par apport de chaleur par une source magmatique (métamorphisme de contact), soit plus généralement dans les parties profondes des chaînes de montagnes au moment de leur plissement. Ces transformations peuvent aller jusqu'à une fusion partielle *(gneiss migmatitiques)* ou totale *(granite d'anatexie).* Les roches métamorphiques les plus répandues sont en général *cristallophylliennes* (leurs minéraux sont disposés en lits qui traduisent la recristallisation de la roche sous l'effet d'une pression orientée).

• **Principaux groupes. Gneiss :** roches à quartz et feldspaths et divers minéraux ferromagnésiens (*orthogneiss :* transformation de roches magmatiques acides comme les granites et les rhyolites ; *paragneiss :* transformation de sédiments détritiques quartzo-argileux, principalement marins). **Micaschistes et phyllades :** roches sans feldspath, à quartz et divers minéraux ferromagnésiens résultant de la transformation de roches sédimentaires pélitiques où dominent les micas. **Marbres :** transformation de roches sédimentaires carbonatées (calcaire ou dolomie). **Quartzites :** grès métamorphisés, très riches en quartz.

Du point de vue génétique les roches métamorphiques se classent en fonction du couple pression-température. Aux roches de haute température (tels gneiss et micaschistes), s'opposent les roches de haute pression et basse température (tels schistes bleus à glaucophane). En liaison avec la subduction océanique, les roches métamorphiques se disposent en ceintures parallèles, successivement de haute pression puis de haute température, comme au Japon (haute pression sur la côte sud-est proche de la subduction pacifique, haute température sur la côte nord-ouest).

Roches sédimentaires

• **Définitions.** Déposées par les agents dynamiques externes, eau et vent, essentiellement au fond de la mer, mais aussi sur les continents par les rivières et le vent. Représentent une partie infime de la masse du globe, mais couvrent 75 % de la surface des continents. Leur épaisseur varie de 0 à 10 000 m et plus. Le passage d'un sédiment meuble à l'état de roche sédimentaire consolidée est un phénomène de *diagenèse* (du grec *dia,* « à travers » et *gênesis,* « naissance »). Le même sédiment peut fournir des roches différentes selon l'état plus ou moins avancé de sa transformation. *Méthodes de classement : 1° d'après la nature chimique :* roches siliceuses, argileuses, carbonatées (calcaires, dolomies), phosphatées, etc. ; selon les 3 composants essentiels : sable (surtout formé de quartz), calcaire, argile (d'après la proportion de ces 3 composants, on a des marnes formées d'un mélange intime de calcaire et d'argile, des sables argileux, des argiles sableuses, des marnes sableuses, des calcaires sableux, etc.) ; *2° d'après le milieu de formation :* roches continentales, lagunaires, marines ; *3° d'après le processus de différenciation :* mécanique (r. détritiques), chimique ou biochimique.

• **Roches détritiques** (formées de *détritus,* c.-à-d. par la désagrégation mécanique de roches préexistantes). Leurs composants majeurs sont les débris de roches (lithoclastes) ou de minéraux : les quartz, les felds-

(lithoclastes) ou de minéraux : les quartz, les feldspaths, les micas et les minéraux argileux. *Subdivisions* selon la grosseur de leurs éléments : supérieurs à 2 mm *rudites* [meubles : blocs (au-dessus de 32 mm), galets, graviers ; consolidés : conglomérats (brèches, poudingues)] ; de 0,06 à 2 mm *arénites* (m. : sables grossiers, moyens, fins ; c. : litharénites, grès) ; inférieurs à 0,03 mm *lutites* ou *pélites* (m. : sables très fins, sablons, silts et limons, argiles, boues, vases ; c. siltites, argilites, schistes).

• **Roches chimiques.** Résultant de la précipitation chimique pure ou biochimique d'ions en solution. *Ferrugineuses* (oolithes ferrugineuses, latérites, grès ferrugineux). *Siliceuses* (silex, meulières). *Carbonatées :* soit des carbonates de calcium (aragonite, calcite : calcaires), soit des carbonates de calcium et magnésium (dolomies). *Salines :* différents sels déposés par évaporation (gypse, sel gemme, sels de potassium et de magnésium).

Roches biogénétiques (du grec *bios,* « vie » et *genesis,* « naissance »). Provenant d'êtres vivants, animaux ou végétaux ou de l'action de ces êtres sur la physico-chimie de leur milieu de vie. La matière organique elle-même peut évoluer en roches (charbons, schistes bitumineux, pétrole). L'activité vitale de certains organismes (coraux mais aussi mollusques : par ex. les rudistes de l'ère secondaire) conduit, par extraction du calcium de l'eau de mer, au développement de coquilles plus ou moins épaisses ; d'où de véritables constructions rocheuses (récifs) formant des amas irréguliers *(biohermes)* et des assises litées *(biostromes),* ou de simples accumulations (lumachelles, calcaires à entroques) parfois siliceuses (diatomites, radiolarites, spongolites).

Formations superficielles

Formations meubles ou secondairement consolidées provenant de la démolition mécanique ou chimique des roches des continents. **Autochtones :** dérivent du substratum sur lequel elles reposent. **Allochtones :** déplacées, recouvrent un substratum étranger à leur origine. **Colluvions :** sur les pentes, par ruissellement diffus des eaux de pluie ou de fonte des neiges. **Alluvions :** résultent d'un transport plus lointain par des eaux fluviales, marines, des glaces ou des vents. **Fluviales :** apportées par les cours d'eau. **Marines :** sable et galets roulés par les vagues ou vases déposées dans les marais littoraux. **Glaciaires** ou **moraines ; éoliennes** ou **lœss :** apportées par le vent (ex. Chine du N., Alsace, plateau du N. et du centre du Bassin parisien) ; ces dernières donnent des sols très fertiles.

Pédologie

• **Définition.** Science des sols. Ils prennent naissance par l'action combinée sur les roches de divers agents d'altération en fonction du climat, de la végétation et de leur position dans le *paysage.* Proches de la surface, les roches s'altèrent et s'ameublissent. La vie végétale et animale transforme et réorganise ces produits d'altération, les enrichit de matière organique ou humus et donne ainsi des sols. Ces sols varient selon les climats (équatoriaux, tropicaux, méditerranéens, tempérés ou arides). Ils évoluent avec le temps et s'organisent généralement en *horizons* qui aident à les caractériser.

• **Composition. Partie minérale** (produits d'altération des roches : cailloux, sables et limons, parfois calcaires et souvent argiles dont les minéraux fixent puis libèrent des éléments nutritifs).

Partie organique ou **humus** (produits de dégradation des végétaux et animaux qui y vivent), nombreux composants organiques qui se dégradent lentement mais se reconstituent chaque année et concourent à la nutrition des plantes.

• **Zonation climatique des sols. Sols polaires** qui ne dégèlent que partiellement en été (toundra) ; **podzols,** dans les pays frais et humides, surtout dans les sables portant de grandes forêts de conifères ; **sols bruns** des pays tempérés portant des prairies ou des forêts d'arbres à feuilles caduques ; **sols noirs** des steppes, très fertiles (tchernoziom d'Ukraine et de Russie méridionale) ; **sols rouges** des pays chauds qui doivent leur couleur à des oxydes de fer (*terra rossa* des pays méditerranéens) ; **latérites** des pays intertropicaux, caractérisés par une cuirasse ferrugineuse sous la forêt tropicale ; **sols à croûte** [calcaire ou gypseuse *(roses des sables)*] des régions désertiques ou subdésertiques.

• **Autres sols.** *Liés à la roche mère.* **Rendzines :** sols riches en matières organiques, reposant sur des roches calcaires. **Rankers :** sols pauvres en matières organiques, reposant sur des roches cristallines. *Liés à un milieu :* sols aqueux (sols des *tourbières* quand l'eau est courante, sols à *gley* quand l'eau est stagnante) ; sols salins, souvent efflorescents ; sols de montagne en constant remaniement.

Asie physique

Grandes régions

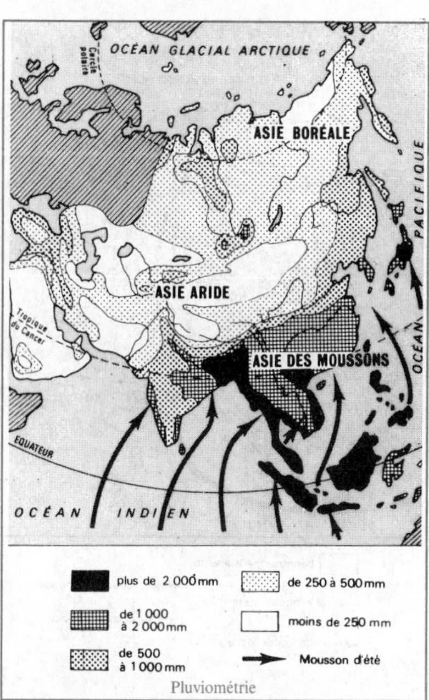

Pluviométrie

Population

Végétation

• **Forêt. Superficie :** 4 000 millions d'ha (sur env. 13 000 millions d'ha de terres), dont : Afrique 650, Amérique du N. et centrale 700, Amér. du S. 900, Asie 550, Europe 150 (sans U.R.S.S.), Océanie 150, U.R.S.S. 900.

Pays les mieux pourvus : Australie 100, Brésil 500, Canada 325, Chine 120, Espagne 15, États-Unis 300, Finlande 23, France 14, Inde 65, Indonésie 120, Pérou 75, Soudan 90, Suède 26, U.R.S.S. 900.

Forêt équatoriale (forêt pluviale, forêt ombrophile, forêt hygrophile) : en zone équatoriale (15° lat. de part et d'autre de l'équateur) sous climat chaud (température moyenne année 25-27 °C) et toujours humide (pluviométrie moyenne année 2 000-3 000 mm, pluies également réparties au long de l'année). Arbres élevés (50 m), peuplement serré et obscur, feuillage toujours vert : Amazonie, Congo, Birmanie, Malaisie, Indonésie (Java, Sumatra, Bornéo, Célèbes, Moluques), N.-Guinée, Philippines, Amérique centrale, Guyane, Côte-d'Ivoire, Cameroun, Inde du Sud, Sri Lanka, Océanie, Madagascar (côte E.), Australie (côte E.).

Forêt tropicale : entre les tropiques et sous climat chaud ou très chaud (temp. moy. année 20-30 °C) et sec (pluv. moy. année 800-1 500 mm, pluies d'été réparties sur 3 à 6 mois, période sèche plus ou moins longue). *Forêt caducifoliée* (« à feuillage caduc ») : les arbres perdent leurs feuilles au cours de la saison non pluvieuse. *F. de mousson* de l'Asie du S.-E. (Inde, Indochine, Malaisie, Philippines) recevant de 500 à 2 000 mm d'eau par an, saison sèche longue de 4 à 6 mois : végétation exubérante, bambous abondants. *F. claires* de l'Afrique orientale (Sahel soudanais), australe (Afr. du Sud, Zimbabwe, Mozambique), centrale (du Sénégal au Soudan : baobabs), là où la saison sèche se prolonge la plus grande partie de l'année : végétation basse et clairsemée. *F. parc tropical,* îlots de forêt dense parsemant une savane à hautes herbes [aspects variés : Madagascar (O.), Australie (N.), Floride, Cuba, Haïti, du Mexique à Panamá : Venezuela, Brésil (S.), Bolivie, Paraguay, Argentine (N.)] ; la *mangrove* (avicennias et palétuviers sur le littoral de pays tropicaux). La *forêt tropicale* humide couvre 1 160 millions d'ha (dont en %, Amérique 57, Asie 75, Afrique 18). Destruction, dégradation : 11,4 millions d'ha/an, soit 21,6 ha/min. (*Source :* W.W.F.).

Forêt méditerranéenne (Europe méridionale, Asie occidentale et Afrique du Nord) : sous climat chaud ou assez chaud (temp. moy. année 10-20 °C) et sec ou plus ou moins humide (pluv. moy. année 300-

Europe, géographie physique

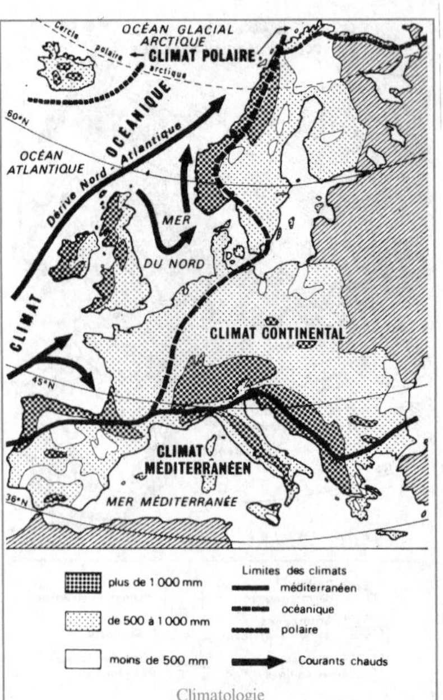

Climatologie

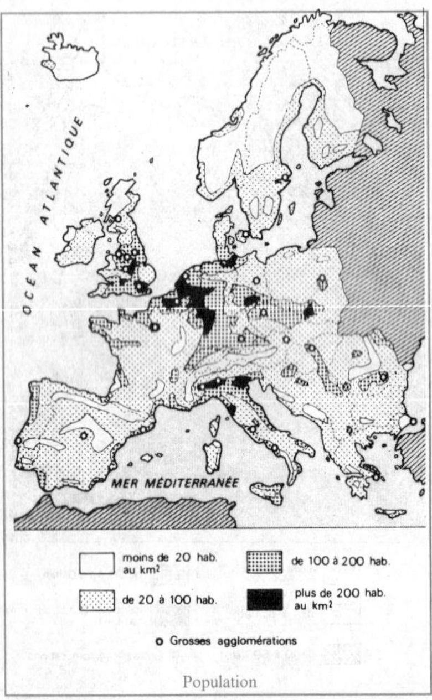

Population

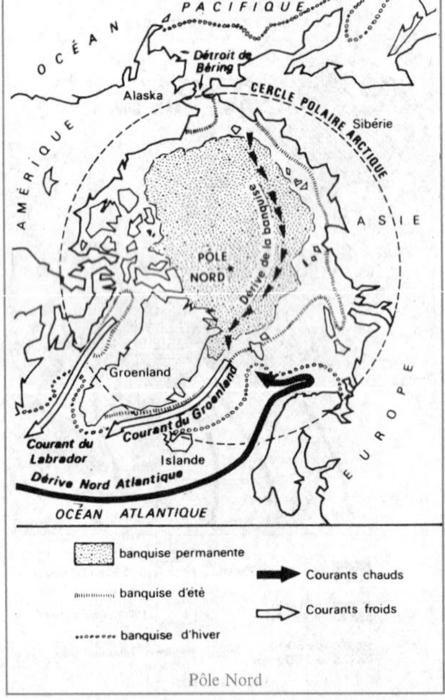

Pôle Nord

1 000 mm, pluies surtout hivernales, été chaud et sec long de trois à cinq mois). Feuillus à feuillage coriace et persistant (chênes à feuilles blanches, tomenteuses en dessous, comme *Quercus ilex* ou chêne vert ou yeuse et *Quercus suber* ou chêne-liège), résineux à aiguilles persistantes (pins comme *Pinus halepensis* ou pin d'Alep, *Pinus maritima* ou pin maritime et *Pinus pinea* ou pin pignon ou pin parasol).

Forêt tempérée : 1° *Sous climat tempéré chaud* (temp. moy. année 12-18 °C) et *humide* (pluv. moy. année 800-1 600 mm). Chênes (tauzin) sur lande (à ajonc nain) ; Espagne (Galice, Asturies, P. Basque) ; Italie (lac Majeur, Vénétie, Istrie) ; France (S.-O.) ; Asie (littoral de la mer Noire en Anatolie et Caucase, Chine, Japon) ; Afrique, Australie du S. (incl. Tasmanie) et N.-Zélande ; Am. du N. (sud des U.S.A.) et du Sud (sud du Brésil, Paraguay, Uruguay, est de l'Argentine). 2° *Sous climat tempéré froid* (temp. moy. année 6-12 °C) et *humide* (pluv. moy. année 600-1 200 mm). Europe : essences nombreuses, surtout chêne rouvre en Eur. occ. et hêtre en Eur. centrale. Feuillus à feuilles caduques en Am. du N. (U.S.A. et Canada : région des Grands Lacs) ; Asie orientale (Chine, Corée, Mandchourie, Japon) ; hémisphère S. (Patagonie, Tasmanie, N.-Zélande).

Forêt boréale : *taïga* (Scandinavie, Finlande, Russie du N., Sibérie, S. du Canada) et sous climat rude, très froid (temp. moy. année vers 0 °C, temp. min. pouvant s'abaisser à – 50 °C) et assez humide (pluv. moy. année 400-800 mm sous forme de pluie et de neige). Conifères, à aiguilles persistantes (pin sylvestre, sapin, épicéa) ou plus rarement caduques (mélèze), feuillus (bouleau, tremble, aulne, saule) ; ceinture forestière continue entre le cercle polaire arctique et le 50° lat. N., sur 1 000 à 2 500 km de largeur. En zone *arctique (toundra)* [extrême nord de la Scandinavie, Laponie, Sibérie du N., Islande, Groenland, Canada du N. du Labrador à l'Alaska], sous climat très rude, extrêmement froid (temp. moy. année comprise entre – 1 °C et – 16 °C) et peu humide (pluv. moy. année 100-500 mm sous forme de pluie et de neige) ; végétation arborescente pratiquement absente, marais avec quelques tourbières et arbrisseaux nains : saules, bouleaux, bruyères.

☞ Voir aussi Forêt à l'Index.

• **Lande, garrigue et maquis. Lande :** ensemble arbustif propre aux contrées de climat tempéré-froid humide (ajoncs, genêts, bruyères et fougères ; le genévrier commun est souvent abondant, lichens et mousses tapissent le sol). Domaine géographique : sables siliceux de l'Europe centrale et occidentale. Landes les plus typiques : Allemagne (landes de Lünebourg, au sud de Hambourg), Scandinavie, Écosse, Irlande, France (Armorique, Aquitaine, Massif central, Sologne), N.-O. de la péninsule Ibérique. **Garrigue** clairsemée (sur rocs calcaires) et **maquis** touffu (sur sables siliceux), peuplés d'arbustes et arbrisseaux bas (kermès, genévrier oxycèdre, genêts épineux, bruyères, lauriers, arbousier, lentisque, térébinthe, buis) et de plantes odorantes (cistes, myrte, romarin, thym, lavande, sarriette). Fréquents en zone méditerranéenne.

• **Prairie, steppe et savane.** Herbacés où dominent les graminées parfois associées aux légumineuses, labiées, composées... *Sous climat tempéré,* la *prairie* « naturelle » s'intègre à la forêt dans les fonds de vallées rebelles au boisement ; bien qu'ayant souvent évolué vers la prairie « cultivée » sous l'action de l'homme, elle se retrouve encore de nos jours, dans sa structure primitive, en Europe occ. et centrale de climat tempéré-froid humide et aussi en Chine orientale, Mandchourie, Corée, Japon, Tasmanie, N.-Zélande, Patagonie, est des U.S.A. et du Canada. *Dans les pays de climat continental, tempéré-froid* (temp. moy. année 7-11 °C) *et aride* (pluv. moy. année 300-400 mm), prend l'aspect de *steppe,* verdoyante et fleurie au printemps, et de « paillasson » en été [Asie centrale ; Amér. du N., « Grande Prairie » entre les Rocheuses et la vallée du Mississippi, de la Saskatchewan et du Manitoba au golfe du Mexique ; Amér. du S. : Bolivie, Paraguay, Argentine (« Gran Chaco » et « pampas ») et Patagonie]. *En zone très aride* (pluv. moy. année 200-400 mm). Bassin méditerranéen occidental, *steppe à alfa* sur les hauts plateaux d'Afr. du N. (Algérie et Tunisie env. 7 millions d'ha), le sud de l'Espagne et du Portugal. **Savane :** hautes herbes (de 1 à 3 m), où dominent les graminées ; la *s. arborée* a quelques arbres ou arbustes épars. Pays tropicaux : Afrique centrale (du Sénégal au Soudan, baobabs et karités ou arbres à beurre) et du S., Asie du S. (zones de mousson), en Amér. centrale et du S. (Cuba, Venezuela, Colombie, Brésil), Australie (N., présence eucalyptus).

• **Déserts et zones semi-arides. Caractéristiques.** *Désert :* moins de 100 mm d'eau par an (hyper-aride : le manque d'eau se combine avec une température très élevée). *Zone semi-aride :* de 100 à 400 mm d'eau par an [Sahel (arabe : « ceinture »)] entre le S. du Sahara et les régions cultivables.

Causes de la désertification. Elles sont en partie d'origine humaine. 1° *Déboisement :* les arbres, arbustes et broussailles xérophiles (c.-à-d. capables de survivre dans des zones sèches semi-arides), seule source d'énergie de ces régions, sont utilisés comme combustible. On déboise aussi pour cultiver ; mais le sol s'épuise rapidement et se désertifie. Des programmes de reboisement ont été mis en place en Europe, Amérique, Chine, Corée du Sud, Inde et dans plusieurs régions d'Afrique.

2° *Surpopulation animale :* les troupeaux, disposant de territoires moindres, ne peuvent plus transhumer et détruisent leurs pâturages en les broutant, en les piétinant.

3° *Salinisation des sols :* l'eau d'irrigation concentrant en surface les sels et amenée par canaux (Égypte, Irak, Pakistan) a détruit plusieurs millions d'ha valables pour la pâture.

Étendue en milliers de km² (source F.A.O.) : *désert extrême existant* 7 959 (Afr. 6 178, Asie 1 581, Amér. du S. 200) ; *régions à risque de désertification très élevé* 2 929 (Afr. 1 725, Asie 790, Amér. du S. 414), *élevé* 13 425 (Asie 7 253, Afr. 4 911, Amér. du S. 1 261), *modéré* 10 951 (Asie 5 608, Afr. 3 741, Amér. du S. 1 602). *Total* 35 264 (28 % des terres de l'ensemble des continents) dont Afr. 16 555 (50 %), Asie 15 232 (30 %), Amér. du S. 3 478 (20 %).

Types de déserts. La plupart des déserts sont chauds (zones subtropicales), certains sont tempérés ou froids (secteur aride de la zone tempérée-froide).

Répartition (en milliers de km²). Afrique et Madagascar 58 % du territoire (17 300) dont Sahara 7 770 de la Mauritanie à l'Égypte sous le tropique du Cancer vers 20° lat. Nord, E./O. 5 150 km, N./S. max. 2 250, min. 1 275 ; alt. min. – 137 m (dépression de Qattâra, Égypte), max. 3 415 m (mont Emi-Koussi, Tchad) ; Libye 1 683 ; Afrique du Sud : Kalahari (Bechuanaland, sous le tropique du Capricorne, vers 20° lat. Sud) 518, Namib (Sud-Ouest africain) ; Soudan : Nubie 310 ; Éthiopie ; Somalie ; Égypte : Qattâra 300. **Amérique du Nord et centrale** 20 % du continent (4 300) dont *Californie* 113 (Colorado 78 et Mohave 35) ; *Californie et Nevada* 8 (vallée de la Mort) ; Utah ; Arizona ; Mexique (Sonora). **Amérique du Sud** 19 % du territoire (3 400) Atacama (Chili) 181 ; Pérou. **Asie** 37 % du continent (15 600) dont *Chine-Mongolie :* Gobi 1 036, Takla-Makan 320 ; *Arabie :* Rub'Al Khali 300, Nefoud 120 ; *U.R.S.S. :* Karakoum 270, Kizil Koum 230 ; *Inde-Pakistan :* Thar 260. *Australie :* 80 % du territoire (2 458) dont Australie centrale 1 500, du Nord-

Ouest 414, Victoria 324, Gibson 220. **Europe** 9 % du continent (900) dont aride 200, semi-aride 700.

Progression annuelle des déserts : de 5 à 6 millions d'ha dans le monde. Exemples : Soudan (S. du Sahara, Afrique) de 90 à 100 km de 1960 à 77 ; Atacama (Amér. du Sud) de 1,5 à 3 km par an, sur un front de 80 à 160 km ; Thar (Asie) 1 km par an depuis 1930. En Australie, 15 % des pâturages à moutons sont irrécupérables. En Argentine, 44 millions d'ha de forêts ont été détruits sur 60 millions. Aux États-Unis, 26 millions d'ha de pâturages détériorés sur 80 millions. En Grèce et au Sahel (Afrique), une végétation diversifiée réapparaît spontanément dès que le territoire est protégé contre bétail, chèvres et lapins. Même les arbres repoussent dans des zones depuis longtemps désertiques.

Des techniques pour l'irrigation et la mise en valeur des déserts ont été mises au point depuis 1945, notamment en Israël (Neguev) et en U.R.S.S. (canal d'irrigation de l'Amou Daria au Turkménistan : commencé en 1954, arrosant le désert du Karakoum sur 1 400 km, il permet la culture de 650 000 ha).

Eaux continentales

• **Origine.** Précipitations arrosant les terres émergées (une partie est absorbée par l'évaporation, le sol et la végétation). Les eaux tendent à se rassembler au point le plus bas. On distingue :

– *les bassins hydrographiques exoréiques* (du grec *exo-*, « en dehors », *rhein,* « couler ») : 72 % des terres émergées, les eaux s'écoulent vers les mers ;

– *les bassins h. endoréiques* (du grec *endo-*, « dedans ») : 11 % des t. émergées, les eaux s'écoulent vers les lacs, mers intérieures, chotts (dépressions continentales) ;

– *les bassins h. aréiques* (*a* privatif) : 17 % des t. émergées, pas d'écoulement superficiel (peu de précipitations, évaporation intense, perméabilité des terrains).

• **Volumes comparés des eaux sur le globe** (millions de km^3). *Total* 1 385,6 dont *eaux salées :* océans et mers bordières 1 338; *eaux douces* 47,6 (neige et glace 24, eaux souterraines entre la surface et 2 000 m de profondeur env. 24, lacs 0,175, eau dans l'atmosphère 0,012, eau du sol 0,010, fleuves et rivières 0,002, eau dans les organismes vivants 0,001). *Situation en France* (prélèvements en milliards de m^3). 25 (en l'an 2000 : 30). *Potentiel hydraulique français :* 200. *Capacité actuelle des barrages :* 9, difficile à augmenter faute de sites. *Consommation d'eau douce :* 3,5 dont 2 pour l'industrie. Essais récents de réalimentation des nappes par l'eau des rivières décantée et filtrée (à Croissy notamment).

Fleuves

Généralités

• **Définition.** Cours d'eau important qui forme avec ses affluents un réseau *hydrographique* drainant jusqu'à la mer les eaux de ruissellement d'une surface géographique appelée son *bassin.*

• **Bassins hydrographiques** (en milliers de km^2). *Les plus grands bassins :* Amazone 7 045. Congo (Zaïre) 3 690. Mississippi-Missouri 3 248. La Plata/Parana 3 104. Ob-Irtych 2 950. Nil 2 876. *Autres bassins :* Danube 817. Rhin 224. Loire 115. Rhône 99. Seine 78, 6. Garonne 44,8.

• **Débit d'un fleuve.** Quantité d'eau qu'il évacue. Dépend du volume des eaux et de la vitesse du cours (selon la pente : torrentielle, rapide, lente, quasi stagnante). Évalué en m^3/s : lecture du niveau sur une échelle graduée, jaugeage au moulinet pour déterminer la vitesse pour chaque niveau (courbe de tarage). Récemment : traceurs radioactifs, jaugeages chimiques par dilution, traitement par ordinateur. Les *débits relatifs* ou *spécifiques* (exprimés en litres/s au km^2) permettent de comparer les rivières selon des critères géographiques (abondance pluviale, déficit d'écoulement, évaporation).

• **Deltas.** *Principaux deltas* (en milliers de km^2). *Asie :* Gange 75. Brahmapoutre 75. Irraouaddi 35. *Amérique :* Mississippi 34. *Afrique :* Nil 22. Mékong 21. *Europe :* Danube 3,75. Rhône 0,75.

• **Débits.** Débits moyens et, entre parenthèses, min. et max. en milliers de m^3/s. *Les plus grands débits :* Amazone 180 (70-200). Congo (Zaïre) 45 (40-80). Orénoque 31. La Plata 25 (12-60). *Autres débits :* Yang Tsé-kiang 31 (0,6-50). Ienisseï 20. Mississippi 18. Lena 16. Gange 13 (0,6-50). Ob 12. Amour 11. Volga 8 (2-40). Mackensie 7,2. Niger 7. Danube 6,3 (max. 22). Zambèze 3,5. Rhin 2,2 (0,78-9). Nil 2 (0,5-7). Rhône 1,7. Loire 0,65 (0,075-10). Elbe 0,6 (0,15-3,6). Seine 0,4 (0,05-1,65). Garonne 0,35 (0,1-9). Var (0,061-2,57). Argens (0,003-0,6).

• **Bassins montagneux très arrosés :** jusqu'à 200 à 300 l/s/km^2 : Alaska, Islande, N.-Zélande, Hawaii.

• **Bilan d'un fleuve.** Rapport entre le volume des eaux écoulées jusqu'à la mer et celui des précipitations tombées sur le bassin. Pour certains fleuves le bilan est égal à 0, toute leur eau se perdant en route (par évaporation, infiltration, utilisation dans les terres irriguées). *Ex. :* le Syr Daria (Kazakhstan) n'atteint pas chaque année la mer d'Aral. Autres bilans : Colorado 11 %, Seine 30 %, Rhône 65 %, torrents de montagne 85 % et plus.

• **Crues des fleuves.** *Origine :* le plus souvent pluviale : cyclones tropicaux, averses méditerranéennes, « cloudburst » au Texas. Mais aussi fonte des neiges (Brahmapoutre ; 20 % du volume total de la crue du Tarn en mars 1930 ; Isère en nov. 1951). Ou bien éboulement (Indus août 1929), débâcle (Rhin février 1784) et éruptions sous-glaciaires (Jokülhaup en Islande). *Prévision et remèdes contre les crues :* système d'alerte, calcul des hauteurs d'eau maximales, équipement des rivières et travaux de protection, barrages et digues. Tous les risques ne sont pas éliminés en cas de crue exceptionnelle, de très faible probabilité (centenaire ou millénaire). Progrès récents par télédétection : images des crues du Niger, du Sénégal ou Amazone, fournies par satellite. Pollution thermique du Rhin surveillée par le radiomètre Ariès embarqué sur un avion.

Crue record : le Nueces au Texas, juin 1935, a débité 15 000 m^3/s pour un bassin de 1 040 km^2.

Quelques autres crues célèbres. 1658 Seine (8,81 m à Paris). *1846* (22-10) Loire (Amboise). *1910* (28-1) Seine (8,42 m à Paris). *1915* Fleuve Rouge (Viêt-nam). *1931* Yang-Tsé et Fleuve Jaune (Chine), de 1 à 2 millions de victimes. *1952* (15-8) Devonshire (Angleterre). *1969* Shantung (Chine), 2 millions de †. *1972* Rapid City (Dakota du Sud, U.S.A.), 237 †. *1980* (22-9) haute vallée de la Loire, 5 †.

• **Érosion fluviale.** Se fait dans 2 directions : *perpendiculairement* à son cours, le fleuve élargit son lit. S'il coule en terrain meuble, ses crues peuvent créer de larges vallées fluviales (*ex. :* la plaine d'Alsace, créée par le Rhin). S'il coule sur des roches dures, il peut s'enfoncer profondément entre 2 rives rapprochées créant des *gorges* ou des *canyons* (*ex. :* canyon du Colorado, aux U.S.A.). *Dans le sens* de son cours, il modifie son *profil* en le régularisant ; grosso modo, il tend à transformer un profil en escalier (sur lequel il descend de chute en chute) en plan incliné où sa vitesse reste constante. *Mécanisme de régularisation :* il existe un creux de 60 m au pied de la chute du Niagara, haute de 50 m, et à l'aval de la chute Victoria sur le Zambèze la profondeur atteint 140 m. La chute, ainsi sapée à son pied, recule ; le creusement remonte donc peu à peu d'aval en amont : c'est l'érosion régressive. A mesure qu'elle recule, la chute diminue de hauteur. Au bout d'un temps + ou – long, il n'y a plus de chute mais une pente + forte où la vitesse du courant s'accélère, formant des rapides. *Captures :* un cours d'eau abandonne parfois sa vallée par suite de sa « capture » au profit d'une rivière voisine (*ex. :* capture par la Meurthe de la Moselle qui se jetait primitivement dans la Meuse et qui, actuellement, change brusquement de direction à Toul pour se jeter dans la Meurthe à Pompey).

• **Méandre.** *Nom donné aux sinuosités d'un fleuve,* le Bouyouk-Mendérez en Turquie (380 km), jadis appelé en grec Maindros, était célèbre pour ses sinuosités.

• **Transports solides.** Les fleuves contiennent des *sédiments fins* en suspension dans l'eau. Hoang Ho (Chine) 50 kg au m^3 ; rivières d'Afrique du N. ; Rio Puerco S.-O. des U.S.A. 144 kg, record ; Durance 2 kg ; Rhin néerlandais 80 g. *Transports de matériaux grossiers :* la Loire apporte à l'océan 4 millions de m^3 de matériaux par an, le Rhône 20, le Mississippi de 300 à 350, l'Amazone 1 milliard. Lors de fortes crues, le Tech (Roussillon, oct. 1940) a transporté 20 millions de t de blocs et cailloux en 36 h. La dégradation des sols paraît être en moyenne de 2 à 4 m par millénaire en Europe du N., de 1 m par millénaire dans le bassin du Fleuve Jaune (lœss très friables). Plus loin, les eaux déposent ces alluvions dans des plaines alluviales et deltas. Dans le lit majeur du Nil, l'accumulation est de 30 cm par siècle ; dans le lit mineur, elle est d'environ 16 cm.

Régime d'un fleuve

• **Définition.** Variations de son débit au cours de l'année : période de hautes eaux (maximum : la **crue**) et de basses eaux (minimum : l'**étiage**). Les variations dépendent de plusieurs facteurs : *précipitations* (pluie ou neige), *température* (favorisant l'évaporation ou le gel), *relief* (rapidité de l'écoulement en montagne), *sous-sol* (perméable ou imperméable) et *couvert végétal* (le manteau forestier régularise le ruissellement et atténue les crues).

• **Principaux types.** 1° **Zones intertropicales :** les régimes suivent les variations des précipitations qui ont lieu le plus souvent en période chaude. *Régime équatorial :* débits abondants toute l'année (*ex. :* l'Ogooué au Gabon). *Régime pluvial tropical :* une saison sèche, une saison humide (*ex. :* Rio Negro, Logone). L'écart entre hautes eaux et basses eaux peut être fortement accentué (*ex. :* Bénoué, Sénégal qui peut rouler 100 fois plus d'eau en été qu'en hiver). Peuvent entrer dans cette catégorie les fleuves des pays de mousson (Gange, Yang Tsé-kiang, Mississippi inférieur).

2° **Zones méditerranéennes et subarides :** pénurie grave en été et abondance en période froide, souvent automne et printemps [*ex. :* Ardèche, Èbre (Espagne), Sacramento (U.S.A.), Taquari (Brésil), Serpentine (Australie occid.)]. *Régime aride :* écoulement intermittent, crues torrentielles très rares séparées par de longs intervalles d'aridité (*ex. : oueds* sahariens).

3° **Zones tempérées et froides :** l'influence des températures l'emporte graduellement sur celle des précipitations. *Régime pluvial océanique :* hautes eaux en saison froide avec des différences peu accentuées mais de fortes variations interannuelles [*ex. :* Tamise (G.-B.), Coliban (Australie du S.-E.)]. *Régime des plaines continentales :* à influences nivales croissantes ; hautes eaux en avril-mai dues à la fonte des neiges, basses eaux en septembre-octobre (*ex. :* Danube, Volga). Sur les fleuves sibériens et alaskiens, le Yukon, le Mackenzie, le régime commandé par la fonte des neiges présente une brusque montée des eaux (débâcle) en juin, puis descente lente de juillet à avril.

4° **Zones de montagnes :** l'altitude accroît les précipitations et abaisse les températures ; les débits suivent fidèlement les variations thermiques. *Régime glaciaire :* dans les plus hauts bassins (Arve, Aar, Matter-Visp) maximum de juillet-août très prononcé, rétention quasi totale l'hiver, oscillations diurnes très fortes l'été. Bassins moins élevés, maximum avancé en juin (Romanche, Isère). Montagnes moyennes : maximum en mai et deuxième période de hautes eaux en automne-hiver (Garonne, Durance).

Cas particuliers : 1° Les plus grands fleuves traversant des zones variées ont des régimes *complexes* (*ex. :* les 2 plus grands fleuves tropicaux, le Congo et l'Amazone, ayant des affluents de chaque côté de l'équateur, ont un régime quasi équatorial. Le Mississippi garde son régime pluvio-nival jusqu'à son cours inférieur alors que la Floride voisine a un régime tropical. Le Nil, bien alimenté en amont avec un régime tropical, peut traverser une zone d'aridité complète sans jamais s'assécher. De même le Tigre et l'Euphrate se maintiennent grâce à la fonte des neiges des chaînes du Kurdistan).

2° On trouve un régime *pondéré* (sans variations saisonnières) à la sortie des grands lacs (*ex. :* le Waiau à la sortie du lac Te Anau, le Waitako après le lac Taupo en Nouvelle-Zélande). Des variations très amorties existent aussi dans les terrains très perméables (*ex. :* craie de la Somme, karst yougoslave, cours de la Sogid dans les laves d'Islande, sables du Kalahari).

Cours d'eau principaux

(longueur en km)

• **Afrique.** Nil-Kagera 6 670 (bassin 2 870 000 km^2, débit moyen 3 000 m^3/s). *1770* James Bruce (Brit.) découvre la source du Nil Blanc. *1820* Caillaud (Fr.) découvre le Nil Bleu qui est un affluent du Nil Blanc. *1858* Speke découvre le lac Ukerewe ou Nyanza (qu'il baptise Victoria où sont les sources du Nil). Longtemps considéré comme le plus long fleuve du monde. Il a d'ailleurs été raccourci d'une cinquantaine de km par la suppression de méandres dans l'actuel lac Nasser. Congo (ou Zaïre, déformation de nzadi ou nzari, fleuve) 4 700 (bassin 3 820 000 km^2, débit moyen 41 000 m^3/s). Niger 4 184. Zambèze 2 575. Orange 2 092. Kasaï 2 000. Volta 1 900. Sénégal 1 609. Limpopo 1 600. Oubangui 1 300. Chari 1 200. Gambie 1 127.

• **Amérique du Nord.** Mississippi 3 779 km (bassin 3 238 000 km², débit moyen 18 000 m³/s). Missouri-Read Rock 6 800. Mackenzie Peace 4 600. St-Laurent 3 800. Yukon 3 185. Rio Grande del Norte 2 832. Arkansas 2 348. Colorado 2 317. Ohio/Alleghany 2 102. Red 2 076. Columbia 2 000. Saskatchewan 1 931. Snake 1 670. Tennessee/French Broad 1 387. Churchill 1 094. Yellowstone 1 080.

• **Amérique du Sud.** *Amazone* 6 448 ou 7 025. Débit (180 000 m³/s en moyenne) ; bassin (7 045 000 km²) ; alluvions (1 milliard de t/an). Source découverte en 1953 : Huarco au Pérou qui prend naissance au sommet du Cerro-Huagra (5 238 m) ; puis s'appelle Toro, Santiago, Apurimac, Ené, Tambo, avant d'atteindre le 1er affluent de l'Amazone, l'Ucayali ; environ 15 000 affluents et sous-affluents dont 4 de plus de 1 600 km (dont le Madeira 3 380 km), prof. min. 90 m. On pourrait lui adjoindre le haut bassin de l'Orénoque, car un bras de ce fleuve, le Casquiare, se jette dans le Rio Negro, principal affluent rive gauche de l'A. Sa source est dans un lac péruvien (100 m de diamètre) à 5 050 m d'altitude, le lac de l'Enfant. Elle n'est éloignée du Pacifique que de 200 km, mais le torrent de l'Amazone dévale vers les plaines de l'Est, qui débouchent dans l'Atlantique (6 400 km de cours ; 10 km de large à 1 600 m de son embouchure ; remontée par les bateaux de mer jusqu'à Manaus, à 3 500 km de l'embouchure, car la pente est très faible : 65 m pour les 3 000 derniers km) [le Rio Negro charrie tellement d'eau qu'il crée à son confluent une mer intérieure et les eaux des 2 fleuves courent 80 km sans se mélanger ; le Rio Para se jette dans l'Atlantique à l'embouchure même (il est parfois considéré comme un fleuve indépendant, mais en fait les eaux de l'Amazone s'avancent de 300 km dans l'océan sans se mélanger aux eaux salées, et celles du Para se confondent avec elles)]. On a imaginé de régulariser l'Amazone en barrant son cours principal dans la région de Santarem (jungle amazonienne ; à 700 km de l'embouchure) ; on créerait la plus importante source hydroélectrique au monde et on libérerait en aval 600 000 km² de terres inondables fertiles (mais en amont, le lac de retenue noierait une surface presque aussi importante). Les écologistes craignent que le projet ne détruise l'équilibre biologique de la forêt amazonienne.

Autres fleuves. Parana 4 025 [son sous-affluent, le Pilcomayo (1 999 km), qui se jette dans le Paraguay (affluent), est le plus long sous-affluent du monde]. Purus 3 380. Madeira 3 240 (le plus long affluent du monde). São Francisco 3 198. Tocantins 2 698. Paraguay 2 415. Yapura 2 414. Rio Negro 2 253. Orénoque 2 062. Ucayali 2 000. Pilcomayo 1 999. Uruguay 1 609. Magdalena 1 537. Tapajos 1 500.

• **Asie et U.R.S.S.** Ienisseï 5 540. Ob 5 410 (plus long estuaire du monde, 885 km de long., 85 km de large). Yang Tsé-kiang 4 989 (ou 5 530 km avec affluent, bassin 1 800 000 km², débit moyen 34 000 m³/s). Hoang Ho 4 830. Amour 4 667. Lena 4 400. Mékong 4 023. Volga 3 701 (bassin 1 360 000 km², débit moyen 8 000 m³/s). Irtych 3 500. Syr-Daria 2 860. Euphrate 2 799. Indus 2 736. Brahmapoutre 2 704 (le plus vaste delta du monde 75 000 km²). Tarim 2 700. Sikiang 2 655. Salouen 2 500. Oural 2 500. Gange 2 478 (delta 57 000 km², débit moyen 38 000 m³/s). Amou-Daria 2 414. Dniepr 2 300. Kolyma 2 149. Irraouaddi 2 012. Tigre 1 899. Sungari 1 819. Don 1 770. Kama 1 280.

• **Australie.** Murray 2 575. Darling 1 298.

• **Europe (sans l'U.R.S.S.).** Danube 2 857 (bassin 817 000 km², débit moyen 7 000 m³/s). Tizsa 1 358. *Rhin* 1 298. Elbe 1 127. Vistule 1 091. *Loire* 1 080 (bassin 115 200 km²). Tage 1 038. Warta 974. *Meuse* 950. Èbre 927. Oder 911. Douro 850. *Rhône* 812 (delta 750 km²). Pruth 811. *Seine* 776 (estuaire 114 km). Maros (ou Muresh) 756. Weser 732. Drave 724. Save 712. Pô 675. Gotaelf 659. Guadiana 640. Guadalquivir 579. *Garonne* 575. *Moselle* 550. Inn 525. Main 524. Maritza 437. Escaut 430.

Lacs

Types selon leur origine

• **Lacs tectoniques.** Formés par des accidents cassants (rifts) ; les plus profonds, souvent longs et étroits (l. Baïkal, l. Tanganyika, l. Malawi).

• **Lacs glaciaires.** Occupant des zones surcreusées de vallée glaciaire limitées en aval par des verrous et des barrages morainiques ; ou d'anciens cirques glaciaires (l. d'Oô dans les Pyrénées) ; ou dus à la désorganisation du drainage accompagnant le retrait des inlandsis quaternaires (les Grands Lacs d'Amérique du Nord).

• **Lacs de cratère.** Occupant le fond des cratères de volcans éteints (Crater Lake, U.S.A. ; lac Pavin, France, Puy-de-Dôme), dormants (Java) ou d'astroblèmes (Clear Water Lakes au Canada ; Siljan (annulaire) en Suède, voir p. 57 c.).

• **Lacs karstiques.** Occupant les dépressions karstiques (dolines, poljés) dont le fond est devenu imperméable par suite de dépôts argileux, certains n'apparaissent qu'en période de hautes eaux (lac de Scutari).

• **Lacs de barrage.** Vallée obstruée par des éboulis, des coulées de laves ; ou construits par l'homme (l. de barrage artificiel).

• **Lacs des régions semi-arides** (correspondant souvent à des régions d'endoréisme). Les plus grands [Tchad, m. d'Aral (ancienne mer qui semblerait avoir été reliée à la mer Caspienne par la dépression de Sarykamych et l'Ouzboi jusqu'à l'époque historique), Balkhach, Lob-Nor] sont situés dans des régions bien alimentées en eau (fleuves allogènes) mais où l'évaporation très forte ne permet pas un débordement.

Les **sebkhas** correspondent à la périphérie, périodiquement asséchée, de ce type de lacs. La déflation (érosion éolienne) y est souvent active.

Lacs principaux

Ils occupent environ 1 % des terres émergées. Superficie en km².

• **Afrique.** *Victoria* (Oug., Tanz., Kenya ; prof. 79 m, long. 322 km) 68 100. *Tanganyika* (Zaïre, Zambie, Burundi, Tanzanie, alt. 782 m, prof. max. 1 435 m, long. 676 km, larg. 50 à 80 km) 31 900. *Malawi* (Rhodésie, Mal., Moz. ; long. 580 km, larg. 80 km, prof. max. 706 m) 30 900. *Tchad* (Tchad, Niger, Nigeria, Cameroun ; prof. moy. 4 m) 25 670 max. *Bangouelo* (Rhodésie) 10 000. *Rodolphe* ou *Samburu* (Kenya, Soudan, Éth.) 8 600. *Maï-Ndombe* (Zaïre), basses eaux 2 320 ; hautes eaux 8 200. *Moéro* (Rhod., Malawi, Zaïre ; alt. 930 m) 4 850. *Mobutu-Sese Seko* (ex-lac Albert) (Ouganda, Zaïre ; alt. 618 m) 4 500. *Tsana* (Éthiopie ; alt. 1 830 m) 3 100. *Kivu* (Zaïre ; alt. 1 462 m, prof. + de 400 m) 2 700. *Albert* (ex-Albert-Edouard, ex-Idi-Amin) (Ouganda, Zaïre) 2 150.

• **Amérique du Nord.**

Grands Lacs : *Supérieur* (U.S.A. 82 000 au total, Can. 27 750, profondeur max. 406 m, long. 616 km). *Huron* (U.S.A., Can. ; prof. 223 m, long. 397 km) 61 800. *Michigan* (U.S.A. ; prof. 265 m, long. 517 km) 58 100. *Érié* (U.S.A., Can. ; prof. 64 m) 25 612. *Ontario* (U.S.A., Can. ; prof. 225 m) 18 940.

Autres lacs : *Grand Lac de l'Ours* (Can. ; prof. 82 m, long. 373 km) 31 600. *Grand Lac des Esclaves* (Can. ; prof. 614 m, long. 480 km) 26 000. *Winnipeg* (Can.) 24 600. *Athabasca* (Can.) 7 160. *Reindeer* (Can.) 6 330. *Winnipegosis* (Can.) 5 400. *Nipigon* (Can.) 4 840. *Manitoba* (Can.) 4 700. *Grand Lac Salé*[1] (U.S.A. ; alt. 1 283 m) 4 700.

Nota. – (1) Saturés en sel, les lacs salés, d'étendue variable selon la saison, sont entourés de plaines de sel.

• **Amérique du Sud et centrale.** *Titicaca* (Bolivie 3 495, Pérou 4 790 ; alt. 3 811 m, prof. max. 370 m, long. max. 233 km, larg. max. 97 km, 36 îles ; *le plus haut des lacs navigables du monde*) 8 965. *Patos* (Brésil) 8 000. *Nicaragua* (Nicaragua) 8 000. *Poopó* (Bolivie) 2 512. *Mirim* (Brésil-Uruguay) 2 500. *Buenos Aires* (Argentine-Chili) 2 400. *Mar Chiquita (Argentine)* 2 000. *Chapala* (Mexique) 1 600. *Argentine* (Argentine) 1 400. *Viedma* (Argentine) 1 110.

• **Asie.** *Mer Caspienne* [U.R.S.S. (323 800 km²), Iran (43 200 km²), prof. max. 1 025 m, moy. 206 m, surface à 28 m en dessous du niveau de l'océan, 189 600 km³ d'eau un peu salée ; dep. 1930, diminution de la superficie de 39 000 km². Le niveau serait aujourd'hui stabilisé.] 371 800, long. 1 199 km. *Mer d'Aral* (U.R.S.S. ; prof. 68 m, long. 428 km) 64 500. Dep. 1960, la mer d'Aral a perdu env. 40 % de sa surface : 26 000 km² d'eau dispersée en irrigation mal comprise. Elle mesurait, dans ses plus grandes dimensions, 428 × 284 km, pour une surface d'env. 65 000 km². Au XIXe s., ses eaux avaient progressé de 3 m, mais dans les 30 dernières années, son niveau aurait baissé de 13 m. Certaines maisons, proches de la mer il y a 30 ans, en sont maintenant à 50 km. L'Amou Darya et le Syr Darya qui s'y jettent voient leur débit restreint par l'irrigation. *Baïkal* (U.R.S.S. ; *le plus profond du monde* 1 620 m, moy. 730 m, alt. 476 m, 23 000 km³ d'eau, 636 km de long, de 32 à 74 km de large) 31 685. *Balkhach* (U.R.S.S. ; prof. 26 m) 18 400. *Issyk-Kul* (U.R.S.S. ; prof. 702 m) 6 200. *Rezaye* ou *Ourmiah* (Iran ; alt. 1 560 m) 5 775. *Po Yang* (Chine) 5 000. *Kokou Nor* (Chine) 4 800. *Ting* (Chine) 4 800. *Van* (Turquie) 3 738. *Kossogol* (Mongolie) 2 620. *Tonlé-Sap* (Cambodge) 2 600. *Nam Tso* (Tibet, alt. 4 578) 1 956. *Tengri Nor* (Chine) 1 700. *Sevan* (U.R.S.S.) 1 400 km². *Mer Morte* (Israël, Jordanie) 980. *Tibériade* (ou lac de Génézareth ou mer de Galilée) (Israël, Syrie) 175.

• **Europe.** *Ladoga* (U.R.S.S. ; prof. 250 m) 17 700. *Onega* (U.R.S.S.) 9 610. *Vanern* (Suède) 5 546. *Saimaa* (Finl.) 4 440. *Peïpous* (U.R.S.S.) 3 583. *Vattern* (Suède) 1 912. *Ilmen* (U.R.S.S.) 1 200. *Mälar* (Suède) 1 140. *Bjelo* (Suède) 1 125. *Païjänne* (Finl.) 1 100. *Inari* (Finl.) 1 080. *Balaton* (Hongrie) 596. *Léman* ou de *Genève* (348 km² à la Suisse, 234 à la Fr. ; prof. 310 m, alt. 372 m, tour 167 km, plus grande long. en ligne courbe 72,3 km, plus grande larg. 13,8 km) 582. *Constance* (Allem., Suisse, Autr.) 538,5. *Neagh* (Irlande du N.) 396. *Garde* (Italie ; prof. max. 346 m, périmètre 180 km) 366. *Mjosa* (Norv. ; prof. 449 m) 366. *Neuchâtel* (Suisse ; prof. max. 153 m) 216. *Majeur* (It., Suisse ; prof. max. 372 m, périmètre 170 km) 210. *Côme* (It. ; prof. max. 410 m) 146. *Trasimène* (It.) 126. *Quatre-Cantons* (Suisse) 110. *Berre* (Fr., B.-du-Rh. ; prof. max. 10 m, tour 68 km, étang) 110. *Leucate*[1] (ou Salses) (Fr., Aude, Pyr.-Or. ; prof. 12 m, étang) 110. *Thau*[1] (Fr., Hérault ; prof. 30 m, étang salé) 75. *Grand-Lieu* (Fr., Loire-Atl. ; prof. 2 m) 67. *Iseo* (Italie) 65. *Lochness* (Écosse) 59. *Cazaux* (Fr., Landes, Gir. ; prof. 22 m) 56. *Lugano* (Suisse, Italie) 48. *Der* (Fr., Marne, Hte-Marne, *le plus grand lac artificiel d'Europe*) 48. *Thoune* (Suisse) 47,8. *Bages et Sigean*[1] (Fr., Aude ; prof. 2 m, étang) 45. *Le Bourget* (Fr., Savoie ; prof. max. 145 m ; alt. 231 m) 43,3. *Mauguio* (ou étang de l'Or) (Fr., Hérault ; prof. 2 m) 43. *Carcans et Hourtin* (Fr., Gir. ; prof. 10 m, étangs) 36,2. *Biscarosse* (ou étang de Parentis) (Fr., Landes ; prof. 20 m) 34,5. *Serre-Ponçon* (Fr., Htes-Alpes ; artificiel) 28,2. *Morat* (Suisse) 27. *Annecy* (Fr., Hte-Savoie ; prof. 64 m, alt. 446 m, long. 14 km, larg. 3,3 km) 27.

• **Océanie.** *Eyre* (Austr. ; salé ; fréquemment à sec) 8 200.

Nota. – (1) Lagunes.

Gorges (canyons)

• **France.** *Tarn,* longueur 50 km, largeur au fond de 30 à 500 m, au sommet de 1 200 à 2 000 m, prof. de 400 à 600 m ; *Verdon,* longueur 21 km, largeur au fond de 6 à 100 m, au sommet de 200 à 1 500 m, prof. de 250 à 700 m. **U.S.A.** *Rio Colorado,* prof. 2 133 m, long. 800 km, larg. 25 km à sa partie sup. *Hell Canyon* (Oregon, Idaho, U.S.A.) 2 400 m, *le plus profond du monde.*

• **Pont naturel.** *Le plus long du monde (au-dessus d'un canyon) :* Arches National Monument, Utah, U.S.A., 88 m de long.

Chutes d'eau principales

• **Les plus hautes.** Hauteur en mètres. *Angel* (Venezuela) (en escalier) 1 000. *Tugela* (Natal, Afr. du Sud) (en esc.) 914. *Utigard* (Nesdale, Norvège) 800. *Mongefossen* (Norvège) 774. *Yosemite* (Californie, U.S.A.) 739. *Østre Mardøla Foss* (Norvège) 657. *Tyssestrengane* (Norvège) 646. Cuquénan (Venezuela/Guyane) 610. *Sutherland* (N.-Zélande) (en escalier) 580. *Kile* (Norvège) (en escalier) 561. *Takkakaw* (Can.) 503. *Ribbon* (Californie) (saisonnière) 491. *George VI* (Guyane) 488. *Upper Yosemite* (Californie) 436. *Gavarnie* (France, Htes-Pyr.) 422. *Trummelbach* (Suisse) (en escalier) 400. *Krimmel* (Autriche) 396. *Vettisfoss* (Norvège) 366. *Window's Tears* (Californie) 357. *Kaloba* (Shaba, Zaïre) 342. *Staubbach* (Suisse) 300.

• **Les plus gros débits** (en m³ par seconde). *Khône* (Laos, 15 à 21 m de haut, 10,8 km de large) 42 500. *Boyoma* (ex-Stanley, Zaïre) 17 000. *Guayra* (Sete Quedas, Brésil/Paraguay) 13 000. *Stanley Falls* [(17 cataractes réparties sur une centaine de km sur le Congo ; aucune ne dépasse 4 m de haut)] (hauteur max. 114 m, en moy. 33,50 m, débit moyen 13 300, max. 50 000, largeur 4 850 m) 13 301. *Niagara* (U.S.A./Canada) (ht 59 m) 6 962. [Tentatives de descente des chutes : 1829 (Sam Patch, rescapé) ; 4-10-1901 (Annie Taylor, tonneau en bois, rescapée) ; 1911 (Bobby Leach, tonneau d'acier, rescapé, 6 mois d'hôpital) ; 1928 (Jean Lussier, Québécois, sphère de caoutchouc avec 32 tubes d'acier, rescapé) ; 1930 (Georges Stathakis, Grec, baril bois-acier, mort noyé) ; 1951 (William Red Mill, 13 chambres à air, tué) ; 1952 (Nathan T. Boya, même système, rescapé) ; 1960 (Roger Honeycutt, 7 ans, chute, rescapé grâce à son gilet de sauvetage, son père tué).] *Paulo Alfonso* (Brésil) (ht 84 m) 2 830. *Urubupunga* (Brésil) (ht 12 m) 2 745. *Iguazù* (Argentine/Brésil) (ht 72 m) 1 743. *Patos Maribondo* (Brésil) (ht 35 m) 1 500. *Churchill* (Labrador, Canada) (ht 75 m) 1 132. *Victoria* (Rhodésie/Zambie) (ht 108 m) 1 087. *Kaieteur* (Guyane brit.) (ht 226 m) 662.

☞ **Résurgence la plus importante.** Dumanli en Turquie, moy. ann. 50 m³/s (20 à 200 m³/s).

Glaces terrestres

Généralités

• **Formation de la glace.** Par température négative, sous l'effet de la pression, la neige se transforme en glace par élimination de l'air qui séparait les cristaux, et par recristallisation. L'état intermédiaire, le *névé,* est une neige à cristaux arrondis d'une densité supérieure à 0,54. Quand le névé cesse d'être perméable (densité 0,77), il devient de la glace (en 4 mois sous les Tropiques, 1 an dans les Alpes, 20 ans au Groenland, 1 000 ans au centre de l'Antarctique).

Poids moyen de 1 m³ : neige fraîchement tombée de 85 à 200 kg, névé de 500 à 600 kg, glace de 850 à 905 kg selon la quantité de bulles d'air.

• **Mouvement de la glace.** La glace se déforme à une vitesse proportionnelle au cube de la force imposée, et qui décroît rapidement avec la température. Au point de fusion, pour une cission de 1 kg-force/cm² = 10^6 Pa, telle qu'on la trouve à la base d'un glacier de 110 m d'épaisseur et de pente 0,1, la déformation est d'env. 20 degrés/an, la vitesse de la base par rapport à la surface de 8 m/an env. Mais il s'y ajoute un *glissement sur le lit,* variable selon les lieux (quelques m à des centaines de m par an). *Crevasses* et *séracs* (blocs entre crevasses) se forment là où la vitesse d'un glacier augmente (le glacier devenant plus mince, et la pente de sa surface plus forte).

Vitesses moyennes : Alpes : de 10 à 200 m par an (la glace du sommet atteint le front de la mer de Glace en 100 ans). Le glacier d'Argentières qui perd beaucoup d'eau l'été (700 millions de l par jour) n'a progressé que de 9 m en 1989 au lieu de 20 m depuis 1980. Au Groenland peut atteindre 4 km par an (elle atteint la mer en 2 000 ans au S.-O., et à l'extrême N. en 40 000 à 60 000 ans).

Érosion glaciaire : creusement de « cirques », vallées en « auge », stries et polissage des roches moutonnées. Dépôts de *moraines* (latérale, frontale, de fond...). Blocs erratiques (transportés jusqu'à 1 000 km).

Surge : phénomène affectant 2 % des glaciers de montagnes en Alaska, Asie centrale, Andes de Santiago. Périodiquement, après une longue période de stagnation et gonflement (de 10 à 50 ans), il y a rupture d'équilibre et le glacier avance de plusieurs km en quelques mois. Le Variegated Glacier (Alaska) atteignit pendant le surge de 1982, 60 m/jour. Il avait connu avant, pendant 2 ans, des accélérations momentanées locales dans la partie haute.

• **Bilans des glaciers.** C'est la différence entre l'*alimentation* et l'*ablation.* L'alimentation annuelle par les précipitations neigeuses est de 800 à moins de 200 mm de valeur en eau au Groenland, de 2 000 à 3 200 mm dans les Alpes occidentales, de 3 100 mm au Vatnajökull (Islande). L'ablation se fait par radiation solaire, mais la neige et la glace ont un fort *albedo* (% du rayonnement réfléchi : 80 % pour la neige fraîche) ; par la température de l'air quand elle est positive ; par le vent et par vêlage d'icebergs (l'Antarctique perd 260 km³ annuellement). Le bilan est *positif* ou *négatif* selon que l'alimentation l'emporte ou non. Positif en amont, il est négatif en aval, en équilibre à la *ligne d'équilibre* (Alpes à env. 3 000 m, Islande 1 150 m, Andes tropicales de 4 800 à 6 200 m selon la latitude, Himalaya, Kenya de 4 000 à 5 000 m).

La *mesure* se fait en octobre : là où le bilan est négatif *(zone d'ablation)* on relève l'émergence de balises plantées à 10 m ou 20 m de profondeur avec une sonde à jet de vapeur. Là où le bilan est positif *(zone d'accumulation)* on relève le bilan d'octobre à avril par carottage, et celui d'avril à octobre (négatif) comme en zone d'ablation. Le coefficient d'activité mesure la variation du bilan annuel selon l'alt. (environ 100 cm par an par tranche d'alt. de 100 m dans les Alpes). Le front des glaciers avance à la suite d'une série d'années où les bilans ont été supérieurs à la moyenne, avec un délai variable. Dans les Alpes, il y eut une grande extension pendant le petit âge glaciaire (1550-1860), puis une décrue, très forte après 1940. Depuis 1970, la tendance est à la crue.

• **Types de glaciers.** Les glaciers tempérés se trouvent exactement à la température de fusion de la glace (qui s'abaisse un peu avec la pression), les glaciers froids à une température inférieure.

– *Tempérés tropicaux,* très actifs. *Type équatorial* (159 km²) : précipitations en toutes saisons, décroissant avec l'altitude : monts Carstenz (N.-Guinée), Ruwenzori (Ouganda), Kenya et une douzaine de volcans en Équateur. *Type péruvien* (4 500 km²) : une saison presque sèche, précipitations croissant avec l'altitude : glaciers de Colombie, Pérou et Bolivie. *Type himalayen* (5 000 km²) : précipitations d'été décroissant fortement vers l'intérieur du massif.

– *Froids subtropicaux,* peu actifs. *Type Andes de Santiago* (5 300 km²) : étés rigoureusement secs. Glaciers dans les hautes vallées, les sommets étant souvent déneigés. Présence partout de *pénitents* (lames de glace orientées est-ouest, dues à la fonte par temps froid, très sec et très ensoleillé). Andes, Chili et Argentine entre 29 et 35° lat. S., Hindou-Kouch et plus hauts sommets du Proche-Orient. *Type Asie centrale* (22 000 km²) : précipitations faibles en toutes saisons : Pamir, Altaï ; chaînes du Tibet, Nan-Chan.

– *Tempérés des moyennes latitudes :* fortes précipitations en toutes saisons, moyennement actifs. 141 900 km² (dont Alaska 70 000, Ouest du Canada 20 000, Patagonie et Terre de Feu 24 000, Karakorum 13 600, Islande 11 000, Alpes 3 300 dont Alpes françaises 300).

– *Froids arctiques. Type sibérien* (2 800 km²) : précipitations modérées toute l'année, climat très continental, hivers très froids. *Type arctique sec* (220 000 km²) : précipitations faibles ou très faibles. L'hiver : banquise. Été bref et doux, permettant une fonte qui transforme une grande partie du manteau neigeux en glace de regel. Nord-Est du Canada, glaciers locaux au N.-O., N. et E. du Groenland, Spitsberg, archipel François-Joseph et Severnaia Zemlia. *Type arctique humide* (120 000 km²) : comme le précédent, mais précipitations plus fortes, très variables selon les années. Pourtour de la mer de Baffin, Spitsberg Ouest, N.-Zemble. *Inlandsis* (en danois : inlandsis) (1 726 000 km²) : 25 % de la surface sont du type arctique dans 45 %, l'eau de fonte regèle avant d'atteindre la glace compacte ; dans 30 %, il n'y a jamais de fonte ou, du moins, pas de percolation de l'eau de fonte.

– *Froids subantarctiques* (50 000 km²) : précipitations importantes en toutes saisons, glaciers tempérés dans leur partie basse. Iles Bouvet, Heard, Balleny, Pierre-Ier, Terre de Graham.

– *Calotte antarctique :* seuls 40 km² sur 12 579 000 km² sont libres de glace. Hors d'une frange côtière de 10 à 100 km de large, la fonte est totalement inconnue.

– *Shelfs* (plates-formes de glace) (1 417 000 km²) : glaciers flottants autour du continent antarctique, en partie nourris par des courants de glace issus de sa calotte.

• **Recherches glaciologiques en France :** *Laboratoire de glaciologie et géophysique de l'environnement du C.N.R.S.* (Grenoble), en collaboration avec le *Centre des faibles radioactivités* de Gif-sur-Yvette et le *C.E.N.* de Saclay. Pour les avalanches : *Centre technique du génie rural et des eaux et forêts, Centre d'étude de la neige de la météorologie nationale. Le Centre d'études arctiques (C.N.R.S.-E.H.E.S.S., Paris)* participe à des recherches au Spitsberg (géomorphologie, climatologie, chronobiologie humaine appliquées aux hautes latitudes).

☞ Le mot *glacier,* créé dans les Alpes, désignait à l'origine les glaciers locaux occupant un cirque ou une vallée, parfois s'étalant dans le piémont. On a ensuite appelé *glaciers émissaires* les courants de glace naissant au sein d'une *nappe de glace* (en noyant presque tout le relief) ou d'une *calotte glaciaire* (s'élevant bien au-dessus du relief), et qui viennent le plus souvent former des langues à la périphérie de la nappe de glace ou calotte. On a parfois étendu le sens du mot glacier pour désigner toute masse de glace venant de la neige et persistant à l'échelle d'une vie humaine, quelle que soit sa taille. La même confusion existe avec le mot islandais *jökull* (le Vatnajökull est une calotte ayant 10 émissaires principaux) ou le mot norvégien *bre* (le Jostedalsbre est un plateau englacé avec 25 glaciers émissaires, chacun appelé aussi bre).

Catastrophes glaciaires

Ruptures de lacs intraglaciaires : des poches d'eau se forment parfois dans les glaciers. Quand le barrage de glace cède, les eaux se libèrent à des allures torrentielles. A *St-Gervais* (Hte-Savoie), dans la nuit du 10 au 11-7-1892, 200 000 m³ d'eau ont dévalé depuis le glacier de Tête Rousse à 3 100 m d'altitude, faisant sauter un bouchon de glace de 90 000 m³ et entraînant 500 000 m³ de sédiments (144 morts).

Ruptures de lacs proglaciaires : les eaux de fonte d'un glacier, accumulées dans un lac barré par des débris morainiques, peuvent faire sauter cet « arc morainique » et se ruer vers l'aval. Au *Pérou,* le 13-12-1941 dans la Cordillera Blanca, 1/3 de la ville de Huaraz fut ainsi détruite (6 000 †). Lors de la catastrophe de Los Cedros (200 †) en 1950, un pilier de pont de 2 000 t fut charrié sur 20 km. Autre cas : l'avancée d'un glacier barre une vallée ; tôt ou tard, le lac de barrage ainsi formé se vide. *Ex. :* le Giétroz (Valais Suisse) en 1595 ; le Rutor (val d'Aoste, Italie) 6 fois de 1594 à 1751.

Écroulement de langue glaciaire : le 30-8-1965, le bas de la langue du glacier d'Allalin se détacha et 1,5 million de m³ de glace écrasèrent le chantier du barrage de Mattmark (88 †).

Secousses telluriques : elles peuvent précipiter roches et glaces, éroder les pentes supérieures et ensevelir sous des coulées de boue les villages des vallées ; le 31-5-1970, au Pérou, du haut du Huascaran (Andes, 6 700 m), 6 millions de m³ de glace et de roches tuèrent une cordée d'alpinistes au N. et à l'O. 30 millions de m³ de sédiments et de glace, lancés à plus de 300 km/h, recouvrirent la ville de Yungay détruite quelques minutes avant par le séisme (15 000 † sur les 66 800 † dus au séisme). Le 13-7-1990, dans l'Hindou-Kouch, 43 alpinistes furent tués par des avalanches déclenchées par un séisme de magnitude 5,6, dont le foyer se trouvait à 220 km de profondeur.

Activité volcanique. Lahars : voir p. 76. En *Islande,* une poche d'eau s'était formée dans le bouclier de glace qui recouvre le volcan Katla. Sa rupture (1973) déversa un flot énorme, avec un débit maximal comparable à celui de l'Amazone, le plus grand fleuve du monde en période de crue, soit 200 000 m³/seconde. Sous la plus grande calotte glaciaire de l'Islande [le Vatnajökull (8 390 km²)] la plus puissante région géothermale du pays libère 5 000 MW. Cette chaleur est transportée par l'eau, comme dans un thermosiphon, à partir d'une nappe de magma à 3/7 km de profondeur, qui se renouvelle grâce à l'écartement des plaques Amérique et Eurasie (voir Tectonique globale). La chaleur crée un lac sousglaciaire, le *Grimsvötn,* qui se vide périodiquement en inondant la plaine côtière (débit de pointe en 1954 : 10 000 m³/s), phénomène appelé improprement *jökulhlaup* (littéralement : sursaut du glacier). Avant 1934, le Grimstvötn atteignait 6 à 7 km³ et se vidait tous les 10 ans. Depuis, période et volume ont été réduits de moitié.

Statistiques

• **Étendue.** 15 260 000 km² (3 % de la surface du globe, 9 % des terres émergées). *Inlandsis* 14 800 000 km² (Antarctique 13 000 000 km² et Groenland 1 800 000 km²), représente 99 % du volume et 93 % de la surface des glaces terrestres. *Régions polaires* et *subpolaires* 362 000 km². *Latitudes moyennes* 49 000 km². *Basses latitudes* 44 000 km².

• **Volume.** Total 31 700 000 km³. Si tous les glaciers fondaient, le niveau général des océans monterait de plus de 60 m, recouvrant toutes les plaines basses. Par leur poids et par *réaction isostatique,* les grandes calottes enfoncent leur socle. A l'inverse, le socle scandinave, allégé par la déglaciation quaternaire, se relève lentement (1 m par siècle).

• **Principales calottes glaciaires et champs de glace** (superficie en km²). Antarctide (shelfs compris) 13 800 000, Inlandsis (Groenland) 1 726 000, 3 calottes de l'île d'Ellesmere 26 000, 22 000, 20 000, Nouvelle-Zemble du N. 21 500, Hielo Patagonico Sud (Chili-Argentine) 13 500, Vatnajökull (Islande) 8 390, Sörfonna + Austfonna (Nord austlandet, Spitsberg) 7 920, Mc Gill Icefield (I. Axel Heiberg, Archipel Canadien) 7 250, Barnes Ice cap (I. de Baffin) 6 000, Penny Ice cap (I. de Baffin) 6 000, I.

Komsomolets (Severnaïa Zemlia) 6 000, Schei Icefield (I. Axel Heiberg) 5 100, Hielo Patagonico Nord 4 400, Westfonna (Nord austlandet) 2 800, Jostedalsbre (Norvège) 473, Svartis (Norvège) 450.

• **Principaux glaciers locaux** (glaciers émissaires de calottes glaciaires exclus, longueur en km). Bagley icefield et Gla. Behring (Cord. de la Côte, Alaska) 185, Seward + Malaspina (id.) 100, Logan (id.) 95, Hubbard (id.) 80, Fedtchenko (Pamir) 77, Siachen (Karakorum Est) 75, Muldrow (Cord. d'Alaska) 72, Baltoro (Karakorum Est) 66, Inyltchek (Tian-Chan) 65, Koilaf (id.) 60, Uppsala (Patagonie) 60, Biafo (Karakorum Ouest) 60, Hispar (id.) 59, Batura (id.) 58, Monaco (Spitsberg) 48, Tasman (Nlle-Zélande) 28, Aletsch (Alpes suisses) 24,7, Ngojumba (Népal) 22, mer de Glace (Alpes franç.) 12.

Limite inférieure	Alt. m.	Degré de lat.
Alaska	0	59°
Patagonie	0	– 47°
Alpes du Nord (les Bossons, Fr.)	1 200	47°
Alpes du Sud (Pelvoux)	2 400	45°
N.-Zélande	760	– 43°
Pyrénées (France)	2 900	43°
Caucase (U.R.S.S.)	2 100	43°
Kilimandjaro (Afrique)	5 300	– 5°

Phénomènes exogènes et endogènes

Les **forces exogènes** agissent périodiquement ou irrégulièrement de l'extérieur et produisent des déformations, souvent superficielles. *Ex.* : attraction luni-solaire, responsable des marées océanique et terrestre ; déséquilibres dus à la lente accumulation ou fonte des calottes glaciaires, à l'érosion atmosphérique, fluviale, marine, qui dégrade les reliefs et produit ailleurs des accumulations de sédiments.

Évoluant dans le système solaire, la Terre subit l'influence de son environnement. *Exemples :* d'une part balancement de l'inclinaison de l'axe de rotation de la Terre (axe des pôles) en 26 000 ans et ses conséquences sur les climats (périodes glaciaires) et la biosphère en particulier ; cycle de 11 ans de l'activité solaire, avec des répercussions multiples (climat, agriculture, santé) ; cycle annuel autour du Soleil, commandant les saisons et la vie terrestre et marine ; attraction luni-solaire (23 h 56 min) produisant les marées océaniques et terrestres (jusqu'à 30 cm de soulèvement du sol), le Globe tout entier se comportant comme une bille d'acier ; chute de météorites ou de bolides ; éclipses de Soleil, perturbant quelques heures le climat local, l'ionosphère ; éruptions chromosphériques du Soleil, perturbant le champ magnétique terrestre, l'ionosphère, et produisant des aurores polaires.

Dans l'intérieur du Globe agissent des **forces endogènes** (du grec *endo,* dedans, et *genos,* origine) qui se manifestent en surface par des modifications habituellement très lentes ou parfois très brusques et violentes. On a mesuré le lent déplacement (quelques cm par an) des plaques de la croûte terrestre dans le sens horizontal ou vertical (voir fig. p. 55 et 75), le relèvement du sol après la fonte des calottes glaciaires (1,3 cm par siècle aux Grands Lacs USA/Canada) ; la surrection des montagnes jeunes (un mm par an, Pyrénées, Liban) ; les changements du niveau moyen des mers (en mètres) ; la formation continue d'une nouvelle croûte dans les rifts océaniques et terrestres (Djibouti, 1 m par an). Ces phénomènes lents sont mis en évidence et étudiés par la géologie, paléontologie, paléogéographie, géomorphologie, géodésie, archéologie et, pour l'époque actuelle, par les multiples branches de la physique du Globe. Parmi les phénomènes brusques, les plus redoutés sont les tremblements de terre et les éruptions volcaniques.

L'activité humaine grandissante a une influence bénéfique à court terme sur quelques points du globe : canaux (Suez, Panama) et digues fluviales et maritimes (Hollande), lacs-réservoirs-barrages (irrigation, énergie), plantations (forêts, fixation de dunes), etc., mais négative sur d'autres : déforestation (Amazonie, Afrique équatoriale, Népal, etc.), érosion des sols et désertification (pourtour de la Méditerranée, Sahel), assèchement de la mer d'Aral, baisse continue de la mer Morte. De grands projets d'aménagement ont été présentés : fermeture du détroit de Behring, inondation de la dépression de Kattarra (Égypte), détournement des fleuves arctiques de Sibérie, qui modifieraient l'environnement et la géographie.

Séismes. Tremblements de terre

Généralités

• **Causes.** La tectonique des plaques permet d'expliquer la localisation et la profondeur des foyers de la plupart des tremblements de terre (voir fig. p. 55).

Par l'action de forces endogènes, une énergie considérable s'accumule dans les zones d'affrontement des plaques ou microplaques. Elle est libérée par à-coups dans les séismes. Lorsque 2 plaques s'écartent (rifts océaniques), les séismes sont superficiels et généralement peu intenses. Lorsque 2 plaques entrent en collision avec formation d'une fosse océanique, les séismes peuvent être violents et superficiels, intermédiaires ou profonds (voir fig. p. 75). Lorsque 2 plaques coulissent l'une contre l'autre, les séismes sont superficiels (comme en Californie). La fréquence de retour des séismes varie selon la vitesse du mouvement relatif des 2 plaques.

De très grands séismes peuvent aussi se produire à l'intérieur des plaques (*ex.* grands séismes chinois du Liaoning et de Tanchan en 1975 et 1976). La sismicité de certaines régions de la France, marginale en comparaison (Massif armoricain, île d'Oléron), est aussi de type intra-plaque.

L'épicentre est le point de la surface de la Terre à la verticale de l'hypocentre.

L'hypocentre, ou foyer du séisme, est le point intérieur du globe où se produit le déplacement brusque qui engendre les ondes sismiques. Il peut se situer entre la surface et 720 km de profondeur [de 2 à 3 km à Agadir (1960), de 8 à 9 à Orléansville (1954), 15 au Pays basque].

• **Répartition par profondeur.** Un séisme est dit superficiel lorsque son foyer est entre 0 et 70 km ; intermédiaire entre 70 et 300 ; profond entre 300 et 720. 70 % superficiels, 25 % intermédiaires et 5 % profonds. En Europe il y a une source de séismes profonds, Sierra Nevada (Espagne, 650 km, 3 cas) et 3 de séismes intermédiaires à profonds, mers Tyrrhénienne (250-500 km) et Égée, Roumanie (150-400 km, nombreux). Les foyers très profonds jalonnent la base des zones de subduction (voir fig. p. 75) et le mécanisme de leur production et déclenchement est encore controversé.

• **Ondes sismiques.** Les vibrations élastiques se propagent à partir du foyer par des *ondes de compression,* ou longitudinales, analogues au son, appelées P et des *ondes de cisaillement,* ou transversales, moins rapides, arrivant en second lieu et appelées S.

Les vitesses de propagation, dans la partie supérieure de la croûte, granitique, sont d'environ 6,2 (km/s) pour les P et 3,6 pour les S ; plus bas, dans la couche basaltique, 8,2 et 4,7. Les vibrations des grands séismes et tirs nucléaires peuvent traverser le globe de part en part ; leur vitesse augmente encore avec la profondeur et renseigne sur la composition du manteau et du noyau terrestres. Les ondes S ne traversent pas le noyau, on en déduit qu'il a les propriétés d'un liquide.

Les *ondes de surface* se propagent *dans* la croûte et le manteau supérieur : ondes L (de Love) et ondes R (de Rayleigh). Ces ondes transmettent la plus grande partie de l'énergie et servent à calculer la magnitude Ms des séismes superficiels.

Plusieurs types de séismomètres, en fonctionnement permanent, sont nécessaires pour capter en surface, dans des forages ou sur le fond de la mer, les caractéristiques propres à chaque onde. Ils sont souvent groupés en réseaux, pour une analyse plus fine de la direction d'approche et du sens vertical des mouvements, fortement agrandis par divers procédés (jusqu'à x 500 000). L'amplitude de certaines ondes et la durée totale de l'enregistrement servent à calculer la magnitude du séisme.

Les écarts, mesurés sur les séismogrammes (enregistrements des mouvements du sol), entre les temps d'arrivée des différents types d'onde servent à déterminer la distance de l'épicentre et, dans certains cas, approximativement la profondeur du foyer (hypocentre). En outre on détermine la structure interne de la Terre grâce à l'étude des vitesses, périodes, amplitudes de ces ondes qui, à chaque obstacle ou changement de milieu, se réfléchissent ou dévient et changent même de nature : les P en S, S en P (voir techniques d'exploration p. 57).

Grandeur d'un séisme

• **Magnitude : échelle de Richter.** La magnitude caractérise l'énergie libérée au foyer d'une secousse. Cette grandeur a été proposée pour la 1re fois par Charles Richter (Am. 1900-1985) en 1935 pour classer entre eux les nombreux séismes californiens. *Définition initiale* : la magnitude est le logarithme de l'amplitude maximale *mesurée en microns* obtenue à une distance épicentrale de 100 km, inscription fournie par un séismographe étalon ayant une période propre de 0,8 s et un grandissement de 2 800. Ainsi la magnitude 3 (log 1 000) sera attribuée à un séisme enregistré à 100 km de l'épicentre avec une amplitude de 1 mm (1 000 microns) sur l'appareil étalon. *A partir de 1945 :* notion étendue aux séismes éloignés à l'aide de formules qui font intervenir la distance épicentrale et l'amplitude maximale des ondes de surface (magnitude Ms) ou l'amplitude et la période de l'onde P (magnitude m_b). La magnitude d'un même séisme calculée par différentes stations peut présenter des divergences importantes et l'on est conduit à prendre des moyennes pour Ms et m_b.

La *magnitude* ne doit pas être confondue avec l'*intensité* (voir plus loin). L'échelle de magnitude de Richter, seule en usage, n'est pas graduée de 1 à 9 ; par sa définition même, elle n'a *pas de limite* inférieure ou supérieure. Les plus forts séismes enregistrés au XXe s. ont des magnitudes Ms voisines de 8,5 ; le chiffre 9 pourrait être attribué à la magnitude du séisme de Lisbonne de 1755, mais elle pourrait éventuellement être dépassée. A l'opposé, les microchocs, minuscules craquements, ont des magnitudes voisines ou inférieures à 0 (– 1 à – 2) enregistrées par des séismomètres sensibles et bien abrités. On estime que seulement 1 à 10 % de l'énergie mise en jeu par un séisme est rayonnée sous forme d'ondes séismiques, la plus grande partie étant absorbée par la fracture des roches et dissipée en chaleur.

• **Énergie E et Moment Mo d'un séisme.** L'E libérée au foyer du séisme est liée à la magnitude par la formule $\log \mathbf{E} = 11{,}8 + 1{,}5$ Ms (en joules) qui montre qu'un séisme de magnitude 8 met en jeu env. 32 000 fois plus d'énergie qu'un séisme de magnitude 5. Ce dernier se produisant en France serait ressenti sur plusieurs départements et pourrait causer quelques dégâts. Il est lui-même 1 000 fois plus fort qu'un séisme de magnitude 3 qui pourra être faiblement ressenti dans la région de l'épicentre.

Quelques très grands séismes produisent d'apparents déplacements le long de failles sur des longueurs pouvant atteindre des centaines de km et des profondeurs difficiles à évaluer. Ils engendrent des ondes de surface de très longue période (200-300 s) qui font plusieurs fois le tour de la Terre durant 1 ou 2 jours. L'amplitude de ces ondes sert à calculer le Moment sismique M_o, qui est le produit : surface activée de la faille × déplacement moyen × rigidité de la roche brisée. On admet que $M_o = 2\,000 \times E$ (dyn/cm), et $\log M_o = 17 + 1{,}3\, M_L$ trouvé en Californie a été confirmé par l'étude des séismes du Frioul (1976).

Enfin, pour les très grands séismes on a proposé (1989) une magnitude Mw en relation avec le Moment par la formule :

$$Mw = 2/3 \log Mo - 10{,}7.$$

On trouve ainsi pour les derniers séismes majeurs, Alaska 1964 Ms 8,3 = Mw 9,2 et au Chili 1960 Ms 8,5 = Mw 9,6.

• **Intensité locale.** La violence d'un choc observée ou mesurée *en un point donné* dépend : de la quantité d'énergie rayonnée du foyer (m. du séisme) dans cette direction, de la distance de l'épicentre, de la nature des couches géologiques traversées par les ondes et de certaines conditions particulières au point d'observation. Si certaines couches superficielles amortissent les ébranlements, des terrains meubles peuvent amplifier les ondes de surface et des effets secondaires (réflexions dans les vallées, liquéfaction des sols humides) peuvent encore aggraver les effets nocifs sur les fondations et les superstructures.

Les *accéléromètres,* installés pour mesurer uniquement les mouvements forts, ont permis de constater des effets locaux importants au Frioul (Italie) : 0,15 g (accélération de la pesanteur) sur roche dure, mais 0,35 non loin de là sur couche alluvionnaire de 15 m d'épaisseur ; en Campanie (Italie) : 0,22 g sur un dépôt de conglomérats épais de 25 m et, à quelque distance seulement, 0,06 sur le même dépôt épais de 140 m. Installés dans les bâtiments, ils mesurent la réponse des structures et ouvrages aux vibrations du sol transmises par les fondations.

Échelles d'intensité macrosismique. Elles permettent de résumer et d'exprimer par un nombre (écrit en chiffres romains pour éviter toute confusion avec la magnitude) l'*intensité* **I** *d'une secousse ressentie* à terre ou en mer. Reportés sur une carte, ces chiffres permettent de cerner la région *pléistoséiste* (des plus grandes intensités) entourant la région *épicentrale* (maximum d'intensité) où se situe l'*épicentre macrosismique* (plus sûr et exact que l'épicentre calculé, *instrumental*) et de tracer l'enveloppe de la surface de *perceptibilité*, au-delà de laquelle seuls les instruments sont capables de réagir à la secousse.

Plusieurs échelles d'intensité ont été utilisées. En Italie, 1788, Pignataro pour la Calabre ; 1873 De Rossi-Forel, échelle à 10 degrés ; 1903 Cancani, échelle à 12 degrés, arrangée en 1917 par Mercalli et Sieberg, réarrangée en 1931 et en 1956 fixée en échelle MM = Mercalli modifiée, encore en usage aux U.S.A. Au Japon une échelle de 0 à VII est en usage depuis 1949.

Depuis 1956 on utilise en Europe l'échelle MSK (Medvedev-Sponheuer-Karnik) qui précise les XII degrés de l'ancienne « échelle internationale MM ».

Degrés d'intensité de l'échelle M.S.K.

La constatation des dommages aux constructions est le meilleur moyen pour évaluer les intensités moyennes et élevées. On distingue *3 types de constructions : A* constructions rurales en pierre tout-venant, pisé, argile, brique crue ; *B* c. en briques, blocs de béton, pierre taillée, et c. mixtes bois et maçonnerie ; *C* c. armées, chaînées et les c. de qualité en bois ; et *5 niveaux (degrés) de dégâts : 1 :* légères fissures aux plâtres, chute de petits débris de plâtre ; *2 :* petites fissures dans les murs, chute de tuiles ou de parties de cheminées, fissuration de cheminées ; *3 :* chute de cheminées, lézardes larges et profondes dans les murs ; *4 :* destruction : brèches dans les murs, effondrements de cloisons intérieures, de parties de constructions ; *5 :* ruine : effondrement total des constructions.

Degré I : imperceptible, inscrit par les sismographes.

Degré I-II : ressenti seulement aux étages supérieurs des maisons élevées (à grande distance de l'épicentre).

Degré II : ressenti parfois au repos, surtout aux étages supérieurs des maisons élevées.

Degré III : ressenti par quelques personnes à l'intérieur des habitations ; vibration analogue à celle causée par un camion ; léger balancement d'objets suspendus, surtout aux étages supérieurs.

Degré IV : ressenti à l'intérieur des constructions par de nombreuses personnes, à l'extérieur par quelques-unes ; quelques réveils de dormeurs ; vibration des fenêtres, des portes, de la vaisselle ; craquement des planchers, charpentes. Les liquides contenus dans des récipients s'agitent légèrement.

Degré V : ressenti par tout le monde à l'intérieur et par de nombreuses personnes à l'extérieur ; réveil de nombreux dormeurs ; constructions agitées d'un tremblement général ; large balancement d'objets suspendus ; dans certains cas les horloges à balancier s'arrêtent ; tintement des sonnettes ; les objets peu stables sont déplacés (lits) ou renversés ; projection de liquides hors de récipients bien remplis. Légers dégâts de degré 1 dans les bâtiments de type A. Modification, dans certains cas, du régime des sources.

Degré VI : ressenti à l'extérieur et à l'intérieur par la population ; de nombreuses personnes, effrayées, sortent des habitations ; chute d'assiettes, de verres, de livres ; sonnerie de petites cloches. Dégâts de degré 1 dans quelques constructions de type B et dans de nombreuses de type A ; de degré 2 dans quelques c. de type A. Petites crevasses dans les sols détrempés ; éventuellement glissements de terrain en montagne, changement dans le débit des sources.

Degré VII : la plupart des personnes, effrayées, se précipitent dehors ; vibrations ressenties par les conducteurs d'automobiles ; de grosses cloches sont mises en branle. Dommages de degré 1 dans de nombreux bâtiments de type C, de degré 2 dans de nombreux bât. de type B, de degré 3 dans de nombreux bât. de type A, de degré 4 dans quelques bât. de type A. Fissures en travers des routes et dans les murs de pierre ; joints de canalisations endommagés. Vagues sur l'eau ; eau troublée par la vase mise en mouvement. Tarissement de certaines sources ; variation du niveau des puits et du débit des sources.

Degré VIII : frayeur et panique ; des branches d'arbres cassent. Le mobilier, même lourd, est déplacé ou renversé. Dégâts de degré 5 à quelques bâtiments de type A, de degré 4 à de nombreux bât. de type A et à quelques-uns de type B, de degré 3 à de nombreux bât. de type B et à quelques-uns de type C, de degré 2 à de nombreux bât. de type C. Quelques ruptures de canalisations. Rotation de monuments et de statues ; renversement des stèles funéraires ; effondrement de murs de pierre. Petits glissements de terrain dans les ravins ; crevasses de quelques centimètres de largeur. Nombreux changements dans le débit des sources et le niveau d'eau des puits.

Degré IX : panique générale ; dégâts considérables au mobilier ; animaux affolés. Dégâts de degré 5 à de nombreux bât. de type A et à quelques-uns de type B, de degré 4 à de nombreux bât. de type B et à quelques-uns de type C, de degré 3 à de nombreux bât. de type C. Chute de monuments et de colonnes ; dommages considérables aux réservoirs au sol ; rupture partielle des canalisations souterraines ; dans quelques cas, des rails de chemins de fer sont tordus, des routes endommagées. Projection hors du sol d'eau, de sable, de boue ; larges crevasses sur les pentes et les berges des rivières. Chute de rochers ; nombreux glissements de terrain ; grandes vagues sur l'eau.

Degré X : destruction générale des bâtiments ; dégâts de degré 5 à la plupart des bât. de type A, à de nombreux bâtiments de type B et à quelques-uns de type C, de degré 4 à de nombreux bâtiments de type C. Dommages aux barrages et aux digues ; dommages sévères aux ponts ; lignes de chemins de fer légèrement tordues ; canalisations souterraines tordues ou rompues. Le pavage des rues et l'asphalte forment de grandes ondulations. Crevasses pouvant atteindre 1 m de largeur ; éboulement des terres meubles ; glissements de terrain considérables ; formation de nouveaux lacs.

Degré XI : dommages sévères même aux bâtiments bien construits, aux ponts, aux barrages, aux lignes de chemins de fer, aux grandes routes ; canalisations souterraines détruites ; déformation du terrain ; nombreux glissements de terrain et chutes de rochers.

Degré XII : changement du paysage ; toutes les structures au-dessus et au-dessous du sol sont gravement endommagées ou détruites. La topographie est bouleversée ; énormes crevasses ; vallées barrées et transformées en lacs.

Géographie sismologique

Sismicité mondiale

• **Généralités.** La sismicité est caractérisée par la fréquence, la magnitude et la profondeur de foyer des séismes. Son étude était basée autrefois sur des catalogues de tremblements de terre *ressentis*. En 1857 R. Mallet (G.-B.) a produit la 1re carte mondiale des tremblements de terre (voir sismicité historique ci-après). En 1895 J. Milne (G.-B.) persuadé que les grands tr. de terre pourraient être *enregistrés* partout dans le monde, installa le 1er réseau mondial de sismographes de type uniforme (15 dans l'Empire britannique et au Japon). Les grands tr. de terre de 1906 ont à nouveau attiré l'attention des universitaires, qui s'étaient réunis en 1903-05 pour fonder à Strasbourg l'Association internationale de séismologie. Après la guerre de 1914-18 de nombreux observatoires sismologiques (universitaires à 95 %) ont été fondés et leurs enregistrements exploités à l'échelle mondiale par l'International Seismological Summary (I.S.S., G.-B.) et le Bureau central international de séismologie (B.C.I.S. à Strasbourg). A partir de 1936 la France installa un réseau de sismographes dans ses territoires d'outre-mer.

Les conventions sur la suppression des essais atomiques dans l'atmosphère et le contrôle des explosions souterraines ont donné une impulsion définitive à la séismologie, qui, depuis, déborde largement le cadre universitaire. Le déploiement, à partir de 1963, de 120 stations avec 3 sismographes standards (don des U.S.A.) dans 60 pays a permis de dresser en 1967 la 1re carte *mondiale homogène* des épicentres (m. 4,5 et plus) en distinguant les foyers superficiels, intermédiaires et profonds. Elle a confirmé les grandes lignes de la carte de 1857, en précisant les limites des zones de forte sismicité, où se produisent 90 % des séismes, et a fait *découvrir les alignements* continus d'épicentres sur des dizaines de milliers de km au milieu des océans, ce qui a conduit à la théorie des plaques, éléments rigides mais mobiles dont la mosaïque forme et déforme toute la lithosphère terrestre. Voir fig. p. 75.

Env. 1 000 stations sismographiques (sur 2 200 en service) participent à la surveillance mondiale. Certaines sont installées en pleine mer, comme OSSIV dans le Pacifique à 200 km au N.-E. du Japon, au fond d'un trou de 20 m foré dans le basalte, surmonté de 358 m de sédiments marins et de 5 467 m d'eau. Les centres mondiaux A (U.S.A.) et B (U.R.S.S.) transmettent leurs observations à l'International Seismological Centre (I.S.C. en G.-B.) qui en fait la synthèse : 13 000 à 15 000 événements par an depuis 1964.

• **Statistiques.** Il y a de 500 000 à 1 million de secousses par an, dont 100 000 sont ressenties et 1 000 capables de causer des dégâts. Depuis 1971, on connaît pour le globe entier tous les séismes de m. 4,6 et plus.

La sismicité *globale* annuelle est très irrégulière ; l'énergie dissipée en une seule fois par un très grand séisme (m. 8 et plus) peut atteindre 90 % de la quantité annuelle libérée. On a reconnu des périodes de crise (1906, 1951-66) entre calme modéré (1932-47) ou profond (1925-31, 1969-78).

Nombre des localisations provisoires par Le Centre Mondial A (y compris quelques dizaines d'explosions). *1968 :* 5 695, *1983 :* 9 600 dont 36 séismes de m. au moins égale à 6,5, *1985 :* 14 511, *1987 :* 13 016, *1988 :* 13 239.

Le Centre sismologique européo-méditerranéen (Strasbourg) a localisé *des Açores à l'Iran* avec une bonne précision, en *1983 :* 1 272 événements, *1984 :* 1 213, *1985 :* 1 290, *1986 :* 1 444, *1987 :* 1 110, *1988 :* 1 190, *1989 :* 1 803. Les bulletins hebdomadaires du LDG (Paris) ont signalé, *dans un rayon de 1 000 km autour de la France, de 1962 à 1970 :* env. 2 000 séismes (143 par an), *1980-81 :* 973 par an ; *1982 :* 1 300 ; *1983 :* 1 200 ; *1984 :* 1 249 dont 764 localisés, *1985 :* 1 073 (668 localisés), *1986 :* 948 (724 loc.), *1987 :* 1 133 (765 loc.), *1988 :* 861 (602 loc.) et, à plus grande distance, env. 2 500 séismes bien enregistrés en France, *1989 :* 816 (615 loc.). Ces chiffres ne rendent pas compte de l'amélioration des résultats : position géographique, profondeur du foyer, magnitude, mécanisme au foyer, intensités ressenties sont de plus en plus précis grâce à la qualité des observations, des communications par satellite, au traitement par ordinateur.

Répartition par magnitude. *Grands séismes des 47 dernières années (par an). Ms 8,5-8,9 :* 0,3, *8-8,4 :* 1,1, *7,5-7,9 :* 3,1, *7-7,4 :* 15, *6,5-6,9 :* 56, *6-6,4 :* 210, soit 285 par an (24 par mois) potentiellement destructeurs.

Répartition géographique

• **Zones à forte sismicité.** *(Bordures de « plaques »). Cercle circumpacifique,* appelé autrefois *ceinture de feu du Pacifique* à cause des volcans actifs : Japon, Formose, Philippines, Nouvelle-Guinée, îles Fidji, Tonga et Kermadec, Nouvelle-Zélande, Amérique du Sud en bordure du Pacifique, Amérique centrale, Mexique, Californie, Alaska, îles Aléoutiennes. *Arcs insulaires :* îles Mariannes et Carolines, Antilles du Sud, Antilles. *Zone mésogéenne (ou transasiatique) :* des Açores à l'Indonésie (par l'Afrique du Nord, les Alpes, les Dinarides, la Grèce, la Turquie, l'Iran, la chaîne himalayenne). *Zones médio-océaniques :* dorsales et rifts au contact de 2 plaques dans l'océan Atlantique, l'océan Indien et la bordure de la plaque antarctique. Quelques régions intracontinentales (Mongolie, Chine).

• **Zones à sismicité modérée ou faible.** Nord de l'Europe, Bouclier canadien (séismes en 1925, 1935 et le 25-11-88), États-Unis à l'est des montagnes Rocheuses, les blocs africain et brésilien, bassin intérieur du Pacifique.

• **Zones réputées calmes** (de mémoire d'homme). Presque chaque année les instruments localisent 1 ou 2 séismes importants dans des régions *asismiques* (à sismicité négligeable ou nulle) : au Yémen (13-12-1982) 2 800 †, m. 6 ; en Guinée (22-12-1983) 650 †, m. 6,4 ; en mer au N.-O. de Madagascar (14-5-1985) m. 6,4, ressenti en Tanzanie et au Mozambique, suivi de nombreux autres : (30-5-1985) m. 5,4 ; en Australie (27-12-1989) 12 †, m. 5,4.

Sismicité régionale et « locale »

• **Zones menacées en Afrique du Nord et en Europe.** L'Afr. du N. [Agadir 1960, Orléansville 1954, El-Asnam (ex-Orléansville) 1980], la Sicile (Messine) 1908, les Apennins (Avezzano) 1915, Naples 1980, le Frioul 1976, les Dinarides (Skoplje) 1963, Monténégro 1979, les îles Ioniennes 1953, la Grèce, Rhodes font partie de la zone de collision entre la plaque Afrique et la plaque Eurasie ; plusieurs volcans y sont actifs (Vulcano, Etna, Stromboli, Vésuve, Champs phlégréens, Santorin).

• **France. Sud-Est : Provence :** *1227* Aix-en-Provence (? 5 000 †, selon une tradition douteuse) ; *20-7-1564* La Bollène (A.-M.) dans la vallée de la Vésubie (900 †), intensité X ; *11-6-1909* St-Cannat, Lambesc, Rognes (44 †) ; **Côte d'Azur :** secousses violentes à Nice. *1348, 1496, 1556, 1617, 1644, 1752, 1818, 1854,* le *23-2-1887* (plusieurs †), *1905, 1909.* **Rhône-Alpes :** essaim de Clansayes entre le *8-2-1772* et le *26-11-1773,* entre le *20-6-1872* et le *4-9-1873 ;* essaim du Tricastin d'*oct. 1933 à août 1936 :* dégâts à Roussas le *12-5-1934.* **Alpes :** Chamonix *29-4-1905 ;*

Sud du lac Léman et haute vallée du Rhône ; Queyras et Ubaye : Saint-Paul *5-4-1959 ;* une surveillance instrumentale de 4 semaines *13-9/11-10-1977* dans cette région a capté plus de 1 500 secousses dont 191 (7 par jour) ont pu être localisées et parmi elles 4 de m. 3 à 3,6 (non signalées ressenties).

Pyrénées : *2-2-1428* Prats-de-Mollo (P.-O.) int. XI, victimes ; *22-9-1537* gros dégâts à Oloron (P.-A.) ; *21-6-1660* victimes en Bigorre (H.-P.) ; *24-5-1750* victimes à Juncalas (H.-P.) ; *19-5-1765* victimes en Couserans (Ariège) ; *22-2-1924,* dégâts entre Arudy (B.-P.) et Argelès-Gazost (H.-P.), int. max. VII-VIII à Ferrières ; *13-8-1967* Arette et Montory (P.-A.) int. VIII, 1 †, blessés légers, 340 immeubles détruits, 2 300 endommagés ; *29-2-1980* région Arudy (P.-A.) 70 communes avec dégâts, frais de réparation env. 115 millions de F, int. VII.

Dans les P.-Atl., le réseau d'Arette (10 stations) localise en moyenne 20 secousses par mois, pour la surveillance de l'activité de cette partie de la faille N.-Pyr., et le réseau privé de Lacq localise dans ce bassin plus de 60 événements par an, dont quelques-uns ressentis.

Alsace et Vosges : sismicité moyenne. *18-10-1356* Bâle, Mulhouse intensité XI ; *12-5-1682* Remiremont (église détruite) ; *3-8-1728* Strasbourg ; dans le Bas-Rhin en *1802, 1933* et *1952 ; 14-7-1980* Mulhouse, intensité VII ; *19-12-1984* au *8-1-1985* Remiremont (V.) env. 395 secousses sur une faille de 3 km N.-S., intensité max. VI (le 29-12), magnitude 4,8.

Massif armoricain : essentiellement de la pointe du Raz à Angers. *15-2-1657* Ste-Maure-de-Touraine (plusieurs †) ; *25-1-1799* Bouin (Vendée).

Massif central : *6-8-1477* et *1-3-1490* Riom et Clermont-Ferrand (intensité VIII). *Déc. 1775* Villefranche-de-Rouergue et environs (685 bâtiments écroulés ou à réparer), séisme découvert en 1984 dans les archives.

• **Observations macrosismiques (tremblements ressentis) contemporaines.** Pour la France : *1940-50* 117 catalogués (11/an), *1951-60* 147 (15/an), *1961-70* 194 non comprises env. 20 répliques à Arette et 20 secousses locales en Hte-Savoie ; *1971-77* 156 (22/an) dont 13 (8 %) avaient un épicentre hors frontières. De 1978 à 1986, une section du B.R.G.M., chargée des enquêtes sur les tr. de t. ressentis en France, en a étudié en *1978* 17, *1979* 24, *1980* 16 [en outre des 370 répliques ressenties du séisme d'Arudy (P.-A.) après le 29 février]. Des listes plus complètes mentionnent comme ressentis en *1981* 119, *1982* 86, *1983* 198, dont 32 avec épicentres hors frontières et 48 petites secousses locales.

Dans les seules Pyrénées, on a signalé en *1984* 100 secousses, *1985* 60, *1986* 59, *1987* 65, *1988* 42, *1989* 73, en majorité très faibles.

La progression du nombre des tr. de t. ressentis en France est due au soin mis à recueillir les témoignages en sollicitant par des appels dans la presse régionale la participation du public. Ces observations viennent compléter les informations fournies par les mairies lorsqu'une enquête administrative est organisée par la Direction départementale de la protection civile.

☞ Quiconque ressent un tremblement de terre est invité à faire connaître ses constatations au Bureau central sismologique français (B.C.S.F.) 5 rue René-Descartes, 67084 Strasbourg Cedex : fondé en 1921, il assure à nouveau (1986) la collecte, l'étude et la publication des données macrosismiques.

Danger sismique

Seul un petit nombre des séismes majeurs enregistrés chaque année atteint des régions habitées. Cependant les tr. de terre font partie des catastrophes naturelles les plus meurtrières et destructrices. A partir de ceux de m. 5 peuvent survenir des dégâts et des accidents mortels (de plus en plus fréquents ces dernières années, par crise cardiaque). Il n'y a pas de relation simple entre la magnitude et les dégâts ou le nombre des victimes. Plusieurs facteurs peuvent intervenir : densité de la population, rurale ou citadine, fragilité des habitations, moment du séisme (jour ou nuit), déclenchement d'incendie (Tokyo, 1923), glissement de terrain, inondation, vagues marines « tsunami » qui, après plusieurs heures, peuvent ravager les côtes japonaises à partir d'un épicentre sur le voisinage du Chili ou de l'Alaska.

L'extension de la zone des dégâts varie : de 12 à 15 km² (Agadir) à 400 000 km² (2/3 de la France) en Assam en 1897. Le séisme du 5-9-1972 (magnitude 5,5), qui a fait quelques dégâts dans l'île d'Oléron a été ressenti sur environ 200 000 km² *(zone de perceptibilité,* limite de l'intensité II). On a estimé que le séisme de 1985 au Mexique a causé des dégâts sur 825 000 km² et a été ressenti par 22 millions de personnes. En outre, les ondes de surface des grands tremblements de terre se répercutent dans la haute atmosphère (lueurs sismiques ?) et jusqu'à l'ionosphère, où elles perturbent les liaisons radio à grande distance.

Prévision et prévention sismiques

• **Prévision.** Aucune méthode, scientifique ou autre, ne permet de prévoir l'imminence d'un séisme important en un lieu donné avec une probabilité suffisante pour décider la population à se mettre à l'abri ou les pouvoirs publics à intervenir. On connaît le succès d'une prévision à court terme en Chine (4-2-1975) où la population de Haicheng (100 000 h.) fut évacuée à temps, et la défaillance de la méthode l'année suivante, où le désastre (650 000 † ?) du 28-7-1976 surprit tout le monde. Une prévision « scientifique » faite aux U.S.A. début 1980, précisée ensuite pour le 10-8-1981, ne retint finalement pas l'attention du gouvernement péruvien, mais tint longtemps en émoi la population et eut de fâcheuses conséquences sur la vie et l'activité à Lima. Le séisme important (m. 5-6) prévu en Californie sur la faille de San Andreas dans la section de Parkfield vers 1988 (± n années) ne s'est pas encore produit. Par contre, plus au nord, le séisme destructeur du 17-10-1989 (m. 7,1) s'est produit dans un autre secteur de la faille de San Andreas jusqu'à San Francisco, celui de Santa Cruz, à 80 km au S.-E. de San Francisco, calme depuis 20 ans (6 000 millions de $ de dégâts). Une prévision faite en 1989 établissait que cette portion de la faille allait être dangereuse d'ici 2018 (m. prévue 8,4). La Californie subit plus de 15 000 séismes par an. Un séisme de magnitude égale ou supérieure à 6 est prévu dans l'est ou le centre des U.S.A. En 1812 un séisme de magnitude 7,3 s'était produit à New Madrid (Missouri) et en 1886 un autre de magnitude 6,7 à Charleston (Caroline du Sud). De nouvelles méthodes de prévision sont à l'étude, notamment en Grèce, la méthode VAN (d'après les initiales de ses inventeurs, les Grecs Varotsos, Alexopoulos et Nomikos), qui repose sur l'analyse de signaux électriques dus à des variations des courants telluriques. Mais cette méthode est actuellement encore trop incertaine. Un séisme de magnitude comprise entre 5,5 et 6 était annoncé entre le 8 et le 22-1-1991 dans la région de Salonique. Il a eu lieu le 23-1 mais à 114 km de là et sa magnitude était de 4,2. Les secousses annoncées ont lieu dans des régions où elles sont habituelles.

• **Risque sismique.** L'évaluation du risque sismique, des pertes possibles ou probables en vies, installations et services, nécessite la connaissance 1°) des zones exposées aux tr. de terre de m. supérieure à 5, 2°) de la fragilité des constructions et installations existantes et futures, 3°) des dispositifs de protection et de secours existants ou planifiés.

• **Prévention.** En France, pays peu sismique mais où le risque est élevé là où la population est groupée,

Zones de sismicité de la France

Légende. Zone 0 : sismicité négligeable pour les constructions courantes, mais pas pour celles nécessitant une protection spéciale. *Zone 1a :* région de transition de sismicité faible vers la *zone 1b :* sismicité faible où l'intensité max. peut atteindre le degré VIII (ex. Arette 1967, Arudy 1980) et où les périodes de retour sont estimées à 200-250 ans pour une intensité VIII, 75 ans pour VII. Concerne 241 villes ou cantons. *Zone II :* sismicité moyenne (en comparaison des régions fortement sismiques) où l'intensité max. peut atteindre le degré IX (ex. Provence 1909), où la période de retour d'une intensité de VIII ou plus est de 100 à 250 ans. Concerne 52 villes ou communes.

où les équipements techniques et industriels sont sensibles, la prévention sismique est basée sur :

1°) le nouveau zonage sismique de la France. Publié en 1968 (La Documentation française) par la Délégation aux risques majeurs, il a été établi par l'*Atelier risque et génie sismique* du B.R.G.M. à partir des données historiques sur les tr. de terre, des hypocentres et magnitudes connus depuis la période instrumentale, des profils profonds obtenus par la sismologie expérimentale et des études de néotectonique. Voir plus haut. Pour le perfectionnement du zonage sismique, le Bureau central sismologique français (BCSF) recalcule le foyer des séismes situés en France et à ses abords immédiats. En négligeant les faibles magnitudes (2,5 et moins), il localise en moyenne 409 foyers par an (358 en 1981 et 1985, 495 en 1978), soit 34 par mois.

2°) la construction parasismique, conforme aux « Recommandations AFPS90 pour la rédaction des règles relatives aux ouvrages et installations à réaliser dans les régions sujettes aux séismes ».

3°) la surveillance et l'alerte sismiques. Le Réseau national de surveillance sismique (ReNaSS) centralise à Strasbourg les enregistrements de 35 stations, groupées en réseaux régionaux (Fossé Rhénan, 7 stations ; Alpes-Mar. 8 ; Provence 8 ; Auvergne 7 et Pyrénées-Occ. 9). Complétés par les données des stations voisines de Belgique, Allemagne, Suisse, Italie, Espagne, ils permettent l'évaluation immédiate de la position et de la magnitude. Les autorités civiles sont avisées quand la magnitude (m.) atteint ou dépasse 3.

En outre, le Laboratoire de détection géophysique (LDG), rattaché au CEA, reçoit en continu les données de 30 stations réparties en France-Corse et émet sans délai pour chaque séisme de m. 3,5 en France ou à sa périphérie un avertissement aux organismes intéressés.

Le réseau SISMALP (Grenoble) 17 stations à l'est du Rhône, et en Italie, doublera le nombre de stations en liaison avec Gênes (14 st. en Ligurie et au Piémont). Le réseau Midi-Pyrénées (10 st. automatiques entre Méditerranée et Ariège) reçu heure par heure à Toulouse, ou immédiatement dès que la magnitude 3 est atteinte, sera raccordé au réseau Catalan (6 st.) de Barcelone et à l'Andorre. Le réseau Corse (3 st.) est géré par le Centre scientifique de Monaco. Depuis 1974, 7 st. surveillent le champ de Lacq et, en 1989, un réseau local de 6 st. a été installé au champ de gaz d'Assen (Pays-Bas).

Depuis 1978, il y a 26 st. aux Petites Antilles pour la surveillance séismique et volcanique (Soufrière et Montagne Pelée) ; 6 à la Réunion ; 11 en Polynésie et 1 en Nlle-Calédonie, aux Kerguelen et en Terre Adélie.

En Europe des réseaux nationaux et particuliers sont en service : Belgique 15 st. ; Pays-Bas 10 ; Espagne 43 dont Catalogne 6 et Andalousie 17 ; Allemagne, réseau du Fossé Rhénan, de Westphalie (mines) 7 st. ; Grande-Bretagne 72 st. groupées en sous-réseaux et en liaison avec la Norvège par l'archipel des Shetland ; Yougoslavie 22 st. et dep. 1975 des instruments mesurent les fortes secousses : accéléromètres (100 au sol, 176 dans des ouvrages) et séismoscopes (122 au sol, 15 sur des ouvrages) ; Albanie 9 st. ; Grèce et îles 23 ; Bulgarie 9 ; Roumanie 38 ; Hongrie 5 ; Autriche 14 ; Italie 85 (dont Sicile et Sardaigne).

Le Centre sismologique européo-méditerranéen (C.S.E.M.) à Strasbourg diffuse pour chaque séisme de m. 5 ou plus une alerte aux autorités civiles, agences de presse et services scientifiques : de 1983 à 1987, 112 alertes dont 56 concernaient l'aire géographique du C.S.E.M. (6 la France, 36 le reste de l'Europe, 9 le Proche et Moyen-Orient, 3 l'Atlantique et 2 l'Afrique du Nord). Haroun Tazieff a installé des réseaux de surveillance VAN dans l'Isère, les Pyrénées et à Marseille. En 1990, une liste (catalogue Medea) de 218 000 épicentres a été établie pour la période 1904-89.

Le Conseil de l'Europe coordonnerait les efforts de prévision et les contrôles, dans le cadre de l'Accord partiel ouvert sur les catastrophes naturelles (Strasbourg, oct. 1991).

• **Secours.** Le plan ORSEC en période initiale (12-24 h) assure l'assistance sanitaire et la protection aux sinistrés et organise la période principale, suivant l'ampleur reconnue du désastre, en mobilisant les moyens prévus (locaux, régionaux) pour les sauvetages, secours médicaux, ravitaillement, logement, pour le maintien des liaisons, de la circulation des personnes et de l'information, des transports. Un exercice à Sorgues (déc. 81) et celui simulant la destruction partielle de Belfort, « Vosges 83 », réalisé début déc. 1983, ont révélé des lenteurs et insuffisances en personnel et en matériel ; le plan a été amélioré en conséquence.

Les lenteurs des *indemnisations* pour les réparations ou reconstructions de l'habitat sont réduites depuis la loi du 13-7-1982 (intervention des assurances pour les catastrophes naturelles).

☞ **La prévention sismique est-elle efficace ?** Mr K. Sieh, géologue au California Institute of Technology (Pasadena), a estimé après le séisme du 1-10-1987 m. 5,8 en Californie (8 morts, 2 200 sans-abri, env. 360 millions de dollars de dégâts) que ce choc aurait pu tuer 10 000 personnes à Los Angeles si les normes de construction parasismique en vigueur depuis 50 ans n'avaient pas été appliquées. De même, les pertes et dégâts auraient été catastrophiques en Californie le 17-10-1989 (m. 7,1) si la réglementation parasismique pour les constructions n'avait pas été établie après 1906 et renforcée progressivement ensuite, spécialement après 1933 (intensité IX à Long Beach). En revanche, le séisme d'Arménie (1988) a fait 500 fois plus de victimes et d'énormes dégâts immédiats et à long terme.

Séismes principaux

• **Sismologie historique.** La protection recherchée par la prévention sismique doit tenir compte de la fréquence des fortes secousses dans la région. La période des observations instrumentales (souvent moins de 50 ans) étant trop courte, les recherches historiques ont pris de l'importance. Elles ont permis de réviser et compléter des catalogues existants (travaux de J. Vogt en France ; N.N. Ambraseys, U.K. ; Usami, Japon, etc.).

Catalogues. *Chine* (1988) : 5 vol., 4 471 p. réunissent les sources écrites du 23ᵉ s. av. J.-C. à 1980. *Japon :* Tuyama (1899) : 1 896 grands séismes entre 416 et 1864 ; Musha (1949) : 6 000 entre 416 et 1867 ; Usami (1977) : 617 destructeurs de 416 à 1975. *Iran :* Ambraseys : 260 grands tr. de t. de 628 à 1900 et plus de 144 de 1900 à 1979. *Italie :* 36 783 de 1450 av. J.-C. à 1982 dont 2 027 de m. ⩾ 4 entre 1890 et 1982 (22 par an).

Le catalogue mondial (NEIC, USA) contient des données sur 438 000 tr. de t. entre 2 100 av. J.-C. et 1988. *Suisse :* 4 000 sec. sont connues. *Hongrie et Carpates :* 5 000 connues entre l'an 456 et 1986. *France :* 50 000 observations concernant env. 5 000 tremblements de terre historiques et contemporains, plus de 15 000 références bibliographiques sont disponibles dans une banque de données informatisées tenue à jour par le B.R.G.M. (Orléans). Les connaissances acquises jusqu'en 1976 sont résumées par J. Vogt dans « Les tremblements de terre en France » (B.R.G.M. 1979). Les 260 épicentres connus de 1356 à 1976 ont servi à établir la carte des intensités maximales probables en France et une carte des *périodes de retour* des chocs causant des dégâts aux constructions (intensité VII) : moins d'un demi-siècle, 1/2 à 1 siècle, 1 à 2, 2 à 3, env. 3, plus de 3 siècles.

Données. *Les plus anciennes* avant celles, datées, de la Chine : inscriptions cunéiformes en Mésopotamie, destructions à Ninive aux 12ᵉ, 8ᵉ et 7ᵉ siècles av. J.-C. Bible et Coran : nombreuses allusions. Classiques grecs : destructions en Perse vers – 330 après le passage d'Alexandre le Grand.

Paléosismologie. Elle révèle l'existence de catastrophes préhistoriques, par l'étude et la datation des vestiges archéologiques : plusieurs destructions subites et massives aux 3ᵉ et 2ᵉ millénaires av. J.-C., dans le nord de la Perse et au 7ᵉ siècle av. J.-C. dans l'ouest de ce pays.

En Californie, des irrégularités observées dans les couches superficielles sont pour les géologues la trace de mouvements violents dans un passé géologique récent.

Séismes majeurs. En retenant les critères de la National Oceanic and Atmospheric Administration des U.S.A. (1 million de dollars 1979 de dégâts, 10 morts au minimum ou magnitude supérieure à 7,5) on dénombrerait près de 2 500 *séismes majeurs* depuis le début de l'histoire. Une compilation mondiale très incomplète (1981) signale 2 476 tremblements de terre importants (destructeurs ou meurtriers) entre l'an 10 et 1979. La carte mondiale de 1 277 grands séismes (1900-79) dont 680 destructeurs confirme les traits généraux de la carte de 1857 par R. Mallet (Dublin). Les catalogues établis de 1885 à 1906 par le comte F. de Montessus de Ballore et conservés à la Bibliothèque nationale à Paris mentionnent 171 000 tremblements de terre ressentis d'avant 1900.

• **Bilan** (pertes humaines). **Monde.** *De 1600 à 1900,* plus de 2 500 000 morts. *De 1900 à 1975* env. 1 000 000 † ; moyenne annuelle + de 14 000, *de 1906 à 1940* souvent + de 10 000, *de 1942 à 1957* souvent – de 1 000, depuis 1968 + de 10 000. *1976* année la plus meurtrière depuis 240 ans, sinon depuis 2 000 ans, en admettant que le nombre de 830 000 victimes en 1556 en Chine a pu être surestimé. *1983 :* 2 110 †, 1 000 blessés. *1984 :* 60 †, 500 blessés. *1985 :* 10 000 à 20 000 †, 26 000 blessés. *1986 :* 1 000 †, 11 120 bl., 150 000 sans-abri (Salvador). *1987 :* 5 100 †. *1988 :* env. 27 000 †, 500 000 sans-abri. *1989 :* 572 †, env. 80 000 sans-abri.

Bilan de quelques pays. Iran (1960-83) : 120 000 morts. **Japon.** De 1828 à 1948, il y eut 18 tremblements de t. avec plus de 500 †, soit au total 212 000 † et 937 000 maisons détruites. **Turquie** (1930-1983) : 29 grands séismes, 63 230 morts, 355 000 maisons détruites. **Pays méditerranéens** (avec Turquie) : 1968-88 : 19 130 morts, 40 000 blessés, 1 100 000 sans-abri.

Liste chronologique

Les 21 séismes d'intensité égale ou supérieure à VII ressentis en France sont en italique. Date, lieu, nombre de morts et de blessés, magnitude (m.), maximum d'intensité MSK en chiffres romains.

– 70 (1-6) Chine : 6 000. **– 15** Chypre, catastrophique. **25** Pakistan, catastrophique. **76** Chypre, destructeur. **115** Antioche. **340** Turquie : 30 000. **365 (27-7)** Crète : 50 000. **382** Portugal. **458** Antioche : 100 000. **528** Moyen-Orient. **565** Antioche : 30 000. **648 (29-11)** (Japon), catastrophique. **688** Smyrne (Turquie) : 20 000. **818 (10-8)** Japon ; m. 7,9. **851 à 894** Turquie/Arménie : 6 séismes : 70 000 à 100 000. **856 (22-12)** Corinthe (Grèce) : 45 000 ; m. 7,2 ; Iran : 200 000. **872 (21/22-6)** Dinawar (Iran) : 20 000 ; m. 6,8. **887 (26-8)** Japon, catastrophique. **893** Inde : 180 000. **943 (20-8)** Gorgan (Perse) : 5 000 ; m. 7,6.

1008 (27-4) Perse : 16 000 ; m. 7. **1021 (12-5)** Bâle (Suisse), destructeur. **1038 (9-1)** Chine : 23 000. **1042 (21-8)** Syrie : 50 000 ; **(4-11)** Tabriz (Iran) : 50 000 ; m. 7,6. **1057** Chine : 25 000. **1068 (18-3)** Palestine 25 000. **1138** Syrie, Égypte : 230 000. **1139** Géorgie : 100 000. **1157** Syrie (provoque une trêve entre Croisés et musulmans). **1201 (5-7)** Autriche, destr. ; mer Égée : 100 000. **1209** Perse : 10 000 ; m. 7,6. **1222 (mai)** Chypre. **1225 (25-12)** Lombardie (Italie) : 12 000. **1227 (?)** *Côte d'Azur, France : 5 000 (?).* **1248** *Maurienne (France) : 9 000.* **1268** Erzincan (Turquie) : 15 000. **1270 (7-10)** Perse : 10 000 ; m. 7,1. **1290 (27-9)** Jehol (Chine) : 100 000. **1293 (27-5)** Japon : 30 000. **1336 (21-10)** Perse : 20 000 à 30 000 †, 11 000 par épidémie. **1348 (25-1)** Autriche : 5 000. **1356 (18-10)** Bâle (Suisse) : 1 000 à 2 000, *IX en France.* **1361 (7 + 8-8)** Japon, centaines par tsunami. **1428 (2-2)** Catalogne, *600, IX en France.* **1441** Antioche (Turquie) : 1 440 ou 30 000 (?). **1456 (15-12)** Naples (Italie) : 30 000. **1458** Erzincan (Turquie) : 30 000. **1490 (1-3)** *Limagne (Auvergne) : VIII.* **1498 (20-9)** Japon : 41 000 ; m. 8,6.

1509 (14-9) Constantinople (Turquie) : 13 000. **1531 (26-1)** Lisbonne (Portugal) : 30 000. **1549 (15-2)** Khorassan (Iran) : 3 000. **1556 (23-1)** Shansi, Shensi, Kansu (Chine) : 800 000 à 1 000 000, le + meurtrier ; m. 8/8,3 ; **(10-5)** Constantinople. **1564 (6-6)** Cattaro (Italie) ; **(20-7)** *(France, arrière-pays de Nice) 900, X, le plus fort depuis la fin du Moyen Age.* **1570 (17-11)** Ferrare, Florence. **1582** Pérou : m. 7,5. **1586** Pérou : m. 8,1. **1590 (7-7)** Chine : très meurtrier.

1604 Pérou : m. 8,7. **1605 (31-1)** Japon : 3 862. **1611 (27-11)** Japon : 3 700 ; **(2-12)** 1 783. **1615** Ghana : VIII. **1619** Pérou : Trujillo détruite, m. 7,8. **1622 (25-10)** Chine : 12 000. **1627 (30-7)** Apulie (Italie) : 17 000. **1636 (18-12)** Ghana : IX ; m. 5,7. **1638 (27-3)** Calabre (Italie) : 19 000. **1641 (5-2)** Tabriz (Iran) : 3 000 ; m. 6,8. **1644 (15-2)** *Nice : victimes, IX.* **1653 (23-2)** Constantinople (Turquie) : 13 000. **1660 (21-6)** *Bigorre (France), victimes, X.* **1664** Pérou : m. 7,5. **1666 (1-2)** Japon : 1 500. **1667 (?-11)** Shemakha (Russie) : 80 000. **1668 (10-7)** Smyrne (Turquie) : 17 500. **1669** Antilles. **1678** Pérou : m. 8. **1680 (9-10)** Andalousie. **1682 (12-5)** *Remiremont (France) : VIII.* **1687** Pérou : m. 8,4 et 8. **1688** Smyrne (Turquie) : 15 000 à 20 000. **(19-2)** Jamaïque et Petites Antilles. **1690 (26-2)** Antilles : m. 7,5 ; **(16-4),** VIII. **1693 (11-1)** Catane (Italie) : 60 000. **1695 (mai)** Chine : 30 000.

1702 (sept.) Martinique : VIII ; m. 7. **1703 (30-12)** Japon : 5 233. **1707 (28-10)** Japon : 4 900. **1708 (14-8)** *Moyenne Durance (France), VIII.* **1715** Pérou : m. 7,5. **1716 (3-2)** Alger : 20 000. **1718 (juin)** Chine : 43 000. **1719 (6-3)** Scutari (Turquie) : 1 000. **1721 (26-4)** Tabriz (Iran) : 8 000 ; m. 7,7. **1722 (27-12)** Portugal. **1725** Pérou : m. 7,5. **1727 (7-11)** Martinique : le plus important dans cette île ; m. 7. **1730 (30-12)** Japon : 137 000. **1731** Andalousie, Maroc. **1735 (27-7)** Antilles : m. 6,5. **1737 (11-10)** Calcutta (Inde) : 300 000. **1739** Smyrne (Turquie) : 1 500. **1746 (29-10)** Pérou : 7 141, destruction de Lima. **1750 (24-5)** *Bigorre (France), X.* **1751 (20-5)** Japon : 2 000. **1755 (7-6)** Kashan (Iran) : 40 000 ; m. 5,9 ; **(1-11)** Lisbonne (Port.) : 60 000 ; m. 9 (?). **1758 (janvier)** Tunisie : plusieurs milliers de †. **1759 (30-10)** Baalbek (Liban) : 20 000. **1765 (19-5)** *Couserans (Ariège),* victimes. **1773 (23-1)** *Tricastin (France), VIII.* **1773 (12-4)** Espagne, Maroc. **1775 (déc.)** *Villefranche-de-Rouergue, VIII.* **1778 (15-12)** Iran : 8 000. **1779 (oct.-déc.)** *Pyrénées.* **1780 (8-1)** Iran : + de 50 000. **1783 (5-2/28-3)** Calabre (Italie) : 50 000. **1784** Pérou : m. 8,4. **1788** Togo : VIII ; m. 5,6. **1790 (9-10)** Oran (Algérie), destr. **1792 (21-5)** Japon : 14 810. **1797 (4-2)** Équateur : 40 000. **1799 (25-1)** *Vendée, VIII.*

1802 (14-10) Bulgarie, m. 7,5. **1810 (16-2),** dégâts en Égypte et à Chypre. **1812 (20-3)** *Moyenne Durance (France), VIII ;* **(26-3)** Venezuela : 40 000. **1818 (janv.)** Guinée : VII ; m. 5,9. **1819 (16-6)** Pākistān : 1 543 ; Mascara (Alg.), nombreux †. **1822 (19-2)** *Bugey/Savoie (France), ressenti VIII ;* **(5-9)** Alep (Syrie) : 20 000. **1825 (2-3)** Blida (Algérie) : 7 000. **1827 (24-9)** Lahore (Pākistān) : 1 000. **1828 (6-6)** Srinagar (Pākistān) : 1 000. **1828 (18-12)** Japon : 1 443 ; m. 6,9. **1832 (22-1)** Pākistān, destr. **1833** Pérou, Chili : m. 7,5. **1840 (2-7)** Arménie : 2 063 ; m. 7,4. **1842 (19-2)** Pākistān : 500. **1843 (8-2)** Guadeloupe : 1 800 (?), le plus important dans cette île, IX ; **(7-8)** Égypte : 77 ; m. 5,7. **1847 (8-5)** Japon : 6 000 ; m. 7,4. **1850 (12-9)** Chine : 20 650 ; m. 7,5. **1851** Guadeloupe. **1852 (22-2)** Quchan (Iran) : 2 000. **1853 (5-5)** Chiraz (Iran) : 12 000 ; **(11-6) :** 10 000. **1854 (7-9)** Japon : 1 800 ; m. 7,6 ; **(11-11)** Japon : 10 000 ; m. 6,9 ; **(23-12)** Japon : 1 000 ; **(24-12) :** 3 000 ; m. 8,4. **1855 (nov.-déc.)** *rég. de Castellane (France), VIII.* **1857 (16-12)** Naples, Salerne (Italie) : 12 000. **1859 (2-6)** Turquie : 15 000. **1861 (21-3)** Argentine : 18 000. **1862 (10-7)** Ghana : 5 ; m. 6,5. **1868 (13-8)** Équateur, Pérou : 40 000 ; Colombie : 30 000 ; m. 9,0. **1871 (23-12)** Quchan (Iran) : 1 000 ; m. 7,2. **1872 (3-4)** Antioche (Turquie) : 1 800 ; **(14-3)** Japon : 800 ; m. 7,1. **1875 (3/5-5)** Dinar (Turquie) : 1 300 ; **(16-5)** Venezuela, Colombie : 20 000. **1879 (11-2)** Côte-d'Ivoire : VIII ; m. 5,7. **1880 (29-6)** Chechme (Turquie) : 4 000. **1883 (28-7)** Ischia (Italie) : 2 313 ; **(26-8)** Java (Indon.) : 80 000 ; **(15-10)** Chechme (Turquie) : 15 000. **1884 (25-12)** Andalousie (Espagne) : 745. **1885 (30-5)** Cachemire : 3 000. **1887 (23-2)** *Riviera (Italie/France) : 640, ressenti VII en France ;* **(18-6)** Alma-Ata (U.R.S.S.) et Chili. **1889** Côte-d'Ivoire : VIII ; m. 4,7. **1891 (27-10)** Japon : 7 273 ; m. 8. **1893 (17-11)** Quchan (Iran) : 15 000 ; m. 7,1. **1894 (20-4)** Grèce : 223 ; m. 6,4 ; **(27-4) :** 30 ; m. 6,9 ; **(22-10)** Japon : 726. **1896 (15-6)** Japon : 27 959 ; m. 7,6 (2 séismes). **1897 (29-4)** Guadeloupe : VIII ; m. 5,5 ; **(12-6)** Assam (Inde) : 1 500 ; m. 8,7. **1899 (10-9)** Alaska : m. 8,6.

1902 (19-4) Guatemala : 2 222 ; m. 8,3 ; **(22-8)** Chine (?) U.R.S.S. : 5 000 ; m. 8,6 ; **(16-12)** Kirghizie (U.R.S.S.) : 4 725 ; m. 6,4. **1903 (28-4)** Turquie : 2 200 ; m. 6,3 ; **(4-6)** Zaïre : V ; m. 6,4. **1905 (4-4)** Kangra (Inde) : 20 000 ; m. 8,6 ; **(29-4)** *Mont-Blanc (France/Italie), ressenti VII en France ;* **(8-9)** Calabre (Italie) : 533 ; m. 7,3. **1906 (31-1)** Équateur : 2 000 ; m. 8,9 ; **(16-3)** Formose : 1 260 ; m. 7 ; **(18-4)** San Francisco (U.S.A.) : 700 ; m. 8,25, incendie de la ville, faille de 420 km de long ; **(17-8)** Valparaiso (Chili) : 2 500 ; m. 8,6. **1907 (14-1)** Jamaïque : 1 000 ; m. 6,5 ; **(21-10)** Tadjikistan (U.R.S.S.) : 12 000 ; m. 8,1. **1908 (2-4)** Zaïre : V ; m. 6,2 , **(28-12)** Messine (Ital.) : 84 000 ; m. 7,5. **1909 (23-1)** Fars (Iran) : 7 000 ; m. 7,4 ; **(11-6)** *région de Salon-de-Provence (France) : 43 200 blessés ; m. 6,2 IX.* **1910 (13-4)** Costa Rica : 1 750 ; m. 7,3. **1911 (3-1)** Alma-Ata (U.R.S.S.) : 450 ; m. 7,8. **1911 (26-3)** Cameroun : V ; m. 6. **1912 (9-8)** Turquie : 2 000 ; m. 7,7. **1915 (13-1)** Avezzano (Ital.) : 29 978 ; m. 7,5. **1917 (21-1)** Java : 15 000 ; m. 7,5 ; **1918 (13-2)** Chine : 10 000 ; m. 7,3 ; **(30-7) :** 1 800 ; m. 6,5. **1920 (7-9)** Italie : 1 400 ; m. 7,3 ; **(16-12)** Kansou (Chine) : 180 000 ; m. 8,5. **1922 (2 et 15-9)** Taiwan : (?). **1922 (11-11)** Pérou : 600 ; m. 8,4. **1923 (24-3)** Chine : 5 000 ; m. 7,3 ; **(25-5)** Iran : 2 219 ; m. 5,5 ; **(1-9)** Tokyo, Yokohama (Japon) : 99 331 †, 43 476 disparus, 103 733 blessés, 254 459 maisons détruites totalement ou à moitié, 447 128 entièrement incendiées, le + destructeur au Japon ; m. 8,2. **1924 (22-2)** *France : dégâts dans les Pyrénées ; VII-VIII ; m. 5.* **1925 (16-3)** Chine : 3 600 ; m. 7. **1926 (22-10)** Turquie : 355 ; m. 5,7. **1927 (7-3)** Japon : 3 017 ; m. 7,9 ; **(22-5)** T'sing-hai (Chine) : 41 000 ; m. 8. **1928 (1-12)** Chili : m. 8. **1929 (1-5)** Turkménie (U.R.S.S.). Iran : 5 803 ; m. 7,2.

1930 (6-5) Iran : 2 600 ; m. 7,2 ; **(23-7)** Ariano (Italie) : 1 425 ; m. 6,5. **1931 (2-2)** Nlle-Zélande : 255 ; m. 7,9 ; **(31-3)** Managua : 2 500 ; m. 5,6. **1932 (26-12)** Kansou (Chine) : 70 000 ; m. 7,6. **1933 (2-3)** Sanriku (Japon) : 3 064 ; m. 8,3 ; **(25-8)** Chine : 10 000 ; m.

7,4. **1934 (15-1)** Inde : 10 700 ; m. 8,4 ; **1935 (20-4)** Formose : 3 276 ; m. 7,1 ; **(31-5)** Quetta (Pak.) : 25 000 ; m. 7,5 ; **(16-7)** Formose : 2 746 ; m. 6,5. **1938 (11-6)** Belgique. **1939 (25-1)** Concepción (Chili) : 25 000 ; m. 8,3 ; **(22-6)** Ghana : 22 ; m. 6,3. **(26-12)** Erzincan (Turquie) : 32 700 ; m. 8. **1940 (24-5)** Pérou : m. 8,1 ; **(10-11)** Bulgarie : 1 000 ; m. 7,3. **1942 (24-8)** Pérou : m. 8,2 ; **(20-12)** Nibesar (Turquie) : 2 400 ; m. 7,3. **1943 (10-9)** Japon : 1 190 ; m. 7,2 ; **(26-11)** Turquie : 4 020 ; m. 7,6. **1944 (15-1)** Argentine : 5 000 ; m. 7,8 ; **(1-2)** Bolü (Turquie) : 2 790 ; m. 7,4 ; **(7-12)** Japon : 900 ; m. 8,3. **1945 (12-1)** Japon : 1 961 ; m. 7,1 ; **(12-9)** Cameroun : VIII ; m. 5,6 ; **(27-11)** Iran : 4 000 m. 8,2. **1946 (12-2)** Hodna (Algérie) : 246 ; m. 6 ; **(31-5)** Turquie : 1 000 ; m. 6 ; **(4-11)** Luristan (Iran) : 2 500 ; m. 6,8 ; **(10-11)** Pérou : 1 400 ; m. 7,3 ; **(20-12)** Japon : 1 362 ; m. 8,4. **1948 (25-5)** Chine : 1 000 ; m. 7,3 ; **(28-6)** Japon : 3 769 ; m. 7,3 ; **(5-10)** Iran : 19 800 ; U.R.S.S. 110 000 à Achkhabad (révélés en 1988) ; m. 7,3. **1949 (10-7)** U.R.S.S. : 3 500 ; m. 7,6 ; **(5-8)** Ambato (Équateur) : 6 000 ; m. 6,8.

1950 (21-5) Cúzco (Pérou) : 100 ; m. 6 ; **(15-8)** Assam (Inde) : 1 526 ; m. 8,6. **1951 (6-5)** El Salvador : 1 000 ; m. 6,5. **1952 (21-7)** Californie : 12 ; m. 7,5. **1953 (12-2)** Iran : 971 ; m. 6,5 ; **(18-3)** Turquie : 1 103 ; m. 7,2 ; **(9/13-8)** Iles Ioniennes (Grèce) : 504 ; m. 7,5. **1954 (9-9)** Orléansville (Alg.) : 1 243 ; m. 6,9 ; **(4-11)** Kamtchatka ; m. 8,4. **1955 (31-3)** Philippines : 430 ; m. 7,9. **1956 (4-11)** Luristan (Iran) : 2 500 ; m. 6,8. **1957 (2-7)** Iran septentrional : + de 1 200 ; m. 7,3, 7,1 ; **(28-7)** Mexique : 57 ; m. 7,5 ; **(4-12)** Mongolie : env. 30 ; m. 8. **1960 (29-2/1-3)** Agadir (Maroc) : 15 000 ; m. 5,8 ; **(24-4)** Lar, Herash (Iran) : 400 ; m. 5,8 ; **(22-5)** Chili (Lebu) : 5 000 ; m. 8,3. **1962 (1-9)** Qazvin (Iran) : 12 225 ; m. 7,3 ; **(25-4)** *Vercors (France), VIII.* **1963 (26-7)** Skopje (Yougoslavie) : 1 070, 3 300 blessés ; m. 6. **1964 (28-3)** Anchorage, Alaska (U.S.A.) : 130 ; m. 9,2. **1966** Ouzbekistan (U.R.S.S.) : 1 800 ; **(19/22-8)** Turquie : 2 394 ; m. 7 ; **(17-10)** Pérou : m. 8,2. **1967 (26-7)** Turquie : 4 000 (?) ; **(13-8)** *Arette (France) : 1 mort, VIII* ; m. 5,3. **1968 (15/22-1)** Gibbelina (Sicile, Ital.) : 291 ; m. 6,2 ; **(31-8)** Khorassan (Iran) : 10 488 ; m. 7,4. **1969 (25-7)** Chine : 3 000 ; m. 5,9. **1970 (4-1)** Yunnan (Chine) : au moins 55 000 ; m. 7,5 ; **(28-3)** Gediz (Turquie) : 1 086 ; m. 7,4 ; **(31-5)** Ancash (Pérou) : 66 794 ; m. 7,8. **1971 (22-5)** Bingöl et Genc (Turquie) : 995 ; m. 7. Californie : 64 ; m. 614. **1972 (10-4)** Fars (Iran) : 5 044 ; m. 7 ; **(23-12)** Managua (Nicaragua) : 5 000, 100 000 blessés, 70 % de la ville détruite ; m. 6,2. **1973 (30-1)** Mexique : 56 ; m. 7,5 ; **(3-10)** Pérou : m. 7,9 ; **(28-8)** : 40 villes détruites, 750 ; m. 7,2 ; **(6-2)** Chine : au moins 640. **1974 (10-5)** Chine : 10 000 ; m. 7,4 ; **(28-12)** Pakistan : 800 à 1 500 ; m. 6,2. **1975 (4-2)** Province de Liaoning (Chine) : peu (Haicheng évacuée à temps) ; m. 7,4 ; **(6-9)** Lice (Turquie) : 2 386 ; m. 6,8. **1976 (4-2)** Guatemala : + de 22 868 ; m. 7,5 ; **(6-5)** Frioul (Italie) : 965 ; m. 6,5 ; **(25-6)** N[lle]-Guinée (Indon.) : + de 6 000 ; m. 7,1 ; **(14-7)** Bali (Indonésie) : 559 ; m. 6,5 ; **(27-7 et 28-7)** T'ang-shan (Chine) : 240 000 (à 650 000 ?), 164 000 blessés graves ; m. 7,8 et 7,4 ; **(16-8)** Philippines : + de 6 000 ; m. 7,8 ; **(24-11)** région Van (Turquie) : 3 720, 200 villages détruits ; m. 7,3. **1977 (4-3)** Vrancea (Roum.) : 1 541 ; m. 7,2. **1978 (15-4)** Monténégro (Yougoslavie) : 156 ; m. 7,2 ; **(16-9)** Tabas (Iran) : 18 220 ; m. 7,3. **1979 (12-12)** Équateur : 600 ; m. 7,9 ; **(17-12)** Bali : 27 ; m. 6,6.

1980 (1-1) Açores : 56 ; m. 6,9 ; **(29-2)** *Arudy (France ; P.-Atl.) ress. VII ; m. 5,1* ; **(10-10)** El-Asnam (ex-Orléansville, Algérie) : 3 500 ; m. 7,3 ; **(23-11)** rég. Naples (Italie) : 2 737 ; m. 6,9. **1981 (19-1)** Nlle-Guinée : 305 ; m. 6,7 ; **(23-1)** Chine : 150 ; m. 6,7 ; **(24-2)** Grèce : 16 ; m. 6,7 ; **(11-6)** Iran : 3 000 ; m. 6,7 ; **(28-7)** Kerman (Iran) : 1 500 ; m. 7,1 ; **(12-9)** Gilgit (Cachemire, Inde) : 213 ; m. 5,9. **1982 (21-3)** Japon : 110 ; m. 6,5 ; **(23-3)** Côtes du Pérou : 2 ; m. 5,1 ; **(28-3)** Côtes du Pérou : 3 ; m. 6,1 ; **(13-4)** Afr. du S. (par suite d'un glissement de terrain) : 1 ; m. 5 ; **(7-6)** Mexique : 9 ; m. 6,9 ; **(15-6)** Chine : 10 ; m. 5,5 ; **(19-6)** Salvador : 43 ; m. 7 ; **(29-9)** Honduras : 3 ; m. 5,1 ; **(15-11)** Algérie : 3 ; m. 5,1 ; **(16-11)** Albanie : 1 ; m. 5,5 ; **(13-12)** Nord-Yémen : 2 800 ; m. 6, 187 villages détruits, env. 400 000 sans-abri ; **(16-12)** Afghanistan : 450 ; m. 6,7 ; **(25-12)** Ile Florès : 13 ; m. 5,7. **1983 (17-1)** Iles Ioniennes : m. 7,1 ; **(24-1)** Mexique : m. 6,7 ; **(23-3)** Grèce : m. 6,2 ; **(31-3)** Colombie : 350 ; m. 5,5 ; **(3-4)** Costa Rica : 6 ; m. 7,3 ; **(2-5)** Californie : m. 6,5 ; **(21-7)** Sicile : 1 ; m. 4,3 ; **(17-8)** Philippines : 14 ; m. 6,7 ; **(30-10)** Turquie : 1 330 ; m. 6,8 ; **(5-11)** Chine : 34 ; m. 5,9 ; **(8-11)** Belgique : 2 ; m. 4,9 ; **(22-12)** Guinée : 150, 500 bl., 16 villages détruits ; m. 6,4 ; **(30-12)** Afghānistān : 12, 483 bl. + Pākistān : 12 ; m. 7,2. **1984 (8-1)** Sulawesi (Célèbes) : 2, 23 bl. ; m. 6 ; **(1-2)** Afghānistān : 1, 35 bl. ; m. 5,9 ; **(16-2)** Indu Kush (Pākistān) : 4, 13 bl. ; m. 6,1 ; **(6-3)** Tokyo : 1 ; m. 6,2 ; **(19-3)** Ouzbekistan : + de 100 bl. ; m. 6,5 ; **(27-3)** N[lle]-Guinée : 11 bl. ; m. 5,8 ; **(24-4)** Californie : 21 bl. ; m. 5,7 ; **(29-4)** Italie : 36 bl., 7 500 sans-abri ; m. 5,2 ; **(7-5)** Abruzzes (Italie) : 3, 100 bl., 2 000 sans-abri ; m. 5,5 ; **(11-5)** Italie : 3, 63 bl., 7 500 sans-abri ; m. 5,2 ; **(13-5)** Herzégovine : 1, plusieurs bl. ; m. 5,1 ; **(21-5)** Chine : plusieurs bl. ; m. 5,7 ; **(30-5)** Japon : 1 bl. ; m. 5 ; **(24-6)** Rép. Dominicaine : 5 ; m. 5,1 ; **(19-7)** Pays de Galles : quelques bl. ; m. 5 ; **(6-8)** Japon : 6 bl. ; m. 6,2 ; **(13-9)** Honshu (Japon) : 30 ; m. 6,1 ; **(18-9)** Turquie : 3, 35 bl. ; m. 5,3 ; **(18-10)** Turquie : 3, env. 75 000 maisons endommagées ; m. 5,3 ; **(17-11)** Sumatra : 1 ; m. 6,2 ; **(20-11)** Philippines : m. 7,1 ; **(23-11)** Vanuatu : m. 6,7 ; **(28-12)** U.R.S.S. (côte est du Kamchatka) : m. 6,7 ; **(30-12)** N.-Zél. : m. 6,9 ; Inde-Bangladesh : 20, 100 bl., 10 000 sans-abri ; m. 5,8. **1985 (26-1)** Argentine : 6, 240 bl. ; m. 6,1 ; **(2-3)** Indonésie : m. 6,6 ; **(3-3)** Chili : 180, 2 575 bl., 130 000 sans-abri ; m. 7,8 ; **(4-3)** Chili : m. 6,5 ; **(17-3)** Chili : m. 6,6 ; **(18-3)** Philippines : 2 ; m. 6,5 ; **(19-3)** Chili : m. 6,7 ; **(3-4)** Chili : m. 7,2 ; **(9-4)** Chili : 2 ; m. 7,2 ; **(13-4)** Indonésie : m. 6,3 ; Indonésie : m. 6,8 ; **(18-4)** Chine : 23, 300 bl. ; m. 5,8 ; **(24-4)** Philippines : 6, 11 bl. ; m. 6 ; **(29-7)** Pākistān : 6, 38 bl. ; m. 6,7 ; **(23-8)** Chine : 67 ; m. 7,6 ; **(15-9)** Iran de l'O. : 9, 7 bl. ; m. 6,3 ; **(19-9)** Mexique : 25 000 ou 35 000, 30 000 bl., 100 000 sans-abri, tsunami sur la côte Pacifique ; m. 8,1 ; **(13-10)** U.R.S.S. (Tachkent) : plusieurs morts, 8 000 sans-abri ; m. 5,9 ; **(27-10)** Algérie : 6 ; m. 5,9 ; **(29-10)** Mexique : 13 bl. à cause d'une panique ; m. 5,6 ; **(16-12)** Nicaragua : 6, glissement de terrain ; m. 5,9 ; **(25-12)** Sicile : 1, 14 bl., avec éruption de l'Etna ; m. 4,3. **1986 (5-4)** Pérou : 16, 2 000 maisons détruites, 20 000 sans-abri ; m. 5,2 ; **(27-4)** Cachemire : 3, m. 5,5 ; **(5-5)** Turquie : 15, m. 5,8 ; **(13-5)** Arménie : 2, 1 500 mais. détruites ; m. 5,6 ; **(20-5)** Taiwan : 1, m. 6,2 ; **(6-6)** Turquie : 1, m. 5,6 ; **(11-6)** Venezuela : 2, m. 6,2 ; (12-7) Iran : 1, m. 5,7 ; **(13-7)** Californie : 1, m. 5,7 ; **(30-8)** Roumanie : 2, 558 bl., 55 000 mais. endommagées ; m. 6,9 et foyer à 140 km de profondeur ; **(13-9)** S. Grèce : 20, m. 5,8 ; **(10-10)** Salvador : 900, 10 000 blessés, 150 à 200 000 mais. touchées ; m. 5,4 ; **(20-10)** Tonga-Kermadec : m. 8,1 ; **(14-11)** Taiwan : 15 ; m. 7,8 ; **(7-12)** Bulgarie : 3, 60 bl., m. 5,1 ; **(18-12)** Pologne : 3. **1987 (6-3)** Colombie-Équateur : env. 1 000 ; m. 6,9. **(20-6)** Pologne : 3 bl. dans une mine ; m. 4,9 ; **(10-7)** Salvador : 1 000 ; m. 5,4 ; **(1-10)** Californie : 8 ; m. 5,8.

Séismes de magnitude min. Ms 7 ou ayant provoqué des décès. 1988 (9-1) Albanie : dégâts considérables, m. 5,8 ; **(6-2)** Bangladesh-Inde : 2, 100 bl., m. 5,8 ; **(11-2)** Californie S. : 1, m. 4,8 ; **(24-2)** Luzon, Philippines, m. 7 ; **(6-3)** golfe d'Alaska : dommages causés à 3 tankers en mer, m. 7,6 ; **(12-4)** côte du Pérou, m. 7 ; **(20-7)** Taiwan : 1, m. 5,6 ; **(6-8)** Birmanie-Inde : 3, 12 bl., m. 7,2 ; **(8-8)** mer de Norvège : ressenti sur les plates-formes pétrolières, m. 5,3 ; **(10-8)** Ile Salomon : 1, tsunami ; m. 7,4 ; **(20-8)** Népal-Inde : 998, milliers de bl., m. 6,6 ; **(16-10)** Grèce : 25 bl., m. 5,8 ; séisme « attendu » par les séismologues ; **(6-11)** Birmanie-Chine : 730, 3 900 bl., m. 7,3 ; **(7-12)** Arménie : 25 000 †, 15 000 bl., 400 000 sans-abri, villes à reconstruire ; m. 6,9. **1989 (22-1)** Tadjikhistan (U.R.S.S.) 274, nombreux bl., m. 5,3 ; **(19-2)** Japon : 1, 1 bl., m. 5,5 ; **(8-3)** Indonésie : 5 500 sans-abri, m. 5,6 ; **(10-3)** Malawi : 9, 100 bl., 50 000 sans-abri, m. 6,1 ; **(15-4)** Chine : 11, 37 bl., m. 6,2 ; **(25-4)** Mexique : 3, m. 6,9 ; **(7-5)** Birmanie-Inde : 1, 91 bl., 5 300 habitations détruites en Chine ; m. 5,6 ; **(23-5)**, Iles Macquarie : m. 8,3 ; **(1-8)** Iran : 90, 15 bl., m. 5,8 ; **(8-8)** Californie : 1, m. 4,9 ; **(20-8)** Éthiopie : 2, 2 bl., m. 6,3 ; **(22-9)** Chine : 54 bl., 4 270 habitations détruites, m. 6,1 ; **(17-10)** Californie (San Francisco) 67 † (surtout des automobilistes écrasés dans l'effondrement de la voie supérieure du Bay Bridge), 3 757 bl., 6,1 milliards de $ de dégâts ; m. 7,1. Chine : 29, 34 bl., m. 5,4 ; **(27-10)** Iles Salomon : m. 7,1 ; **(29-10)** Algérie : 30, 245 bl., m. 5,7 ; **(1-11)** Honshu, Japon : m. 7,4 ; **(20-11)** Chine : 5, 161 bl., m. 5,1 ; Iran : 3, 45 bl., m. 5,6 ; **(15-12)** Mindanao (Philippines) : 2, m. 7,4 ; **(27-12)** Australie : 12, 107 bl., m. 5,5. **1990 (4-3)** Pakistan : 11, 40 bl. ; m. 6,1 ; **(20-4)** Chine : 126 ; m. 6,9 ; **(30-5)** Pérou : 135, 800 bl., m. 6,4 ; **(30-5)** Roumanie, Bulgarie, U.R.S.S. : 15, 700 bl. ; m. 6,7 ; **(14-6)** U.R.S.S., Chine : 1, 20 000 sans-abri ; m. 6,8 ; **(20/21-6)** Iran : 50 000 ?, 100 000 bl., 500 000 sans-abri ; m. 7,7 (5,4 et 5,9 le 21-6) ; **(13-7)** Hindou-Kouch : 34 alpinistes (avalanches) : m. 5,6 et prof. du foyer 220 km ; **(16-7)** Luzon, Philippines : 1 620 †, 300 bl., m. 7,8. **(26-9)** Afr. du Sud : 2, 5 bl. (mine) ; Chine : 1 ou 2. ; **(25-10)** Hindou-Kouch : 11, 100 bl. ; m. 6,1 ; **(6-11)** Sud Iran : 22 †, 100 bl., 21 000 sans-abri, m. 6,8 ; **(13-12)** Sicile : 19, 200 bl. ; m. 5,4. ; Taiwan : 1 ou 2 ; **(21-12)** Grèce, Youg. : 1, 60 bl. ; m. 5,8 ; **(22-12)** Costa Rica : 1 ou 2.

Séismes artificiels

• **Provoqués par les tirs nucléaires souterrains** (détectés par les sismographes). **1983,** 36 dont U.R.S.S. 21 : Kazakhstan 10 (dont 2 de magnitude 6,1). **1984,** 47 dont U.R.S.S. 25 (m. max. 6,2), U.S.A. 14 (m. max. 5,9), France 7 (m. max. 5,7), Chine 1 (le 3-9 à 6 h, dans le Sin Kiang, 41° 38′ N, 88° 47′ E, m. 5,3). **1985,** 30 dont U.S.A. 15, France 8, U.R.S.S. 7. **1986,** U.S.A. 12, France 8, U.R.S.S. 0. **1987,** 40 dont U.R.S.S. 17, U.S.A. 15, France 7, Chine 1. **1988,** 28 dont U.S.A. 11 ; U.R.S.S. 12 y compris celui du 14-9, m. 6,1, « joint verification experiment » avec les U.S.A. ; France 5. **1989,** 27 dont U.S.A. 11, U.R.S.S. 7, France 8 (celui du 21 nov. serait le 110e tir français dans le Pacifique), Grande-Bretagne 1. **1990,** 15 dont U.S.A. 6, U.R.S.S. 1, France 6, Chine 2.

• **Simulations de tremblements de terre. 1969** *(2-10)* Iles Aléoutiennes, Alaska (U.S.A.) (bombe à 1 219 m de prof.), m. 5. **1971** *(6-11)* m. 5,7. : essais pour connaître exactement les vitesses de propagation des ondes sismiques et leur amortissement à longue distance afin de pouvoir distinguer les explosions des séismes naturels, fréquents dans cette région, et reconnaître ainsi à l'avenir les essais nucléaires souterrains à contrôler et à éliminer des catalogues de séismes naturels.

• **Travaux publics. 1983** *(10-7)* U.R.S.S., explosion de 5 mn en 5 mn de 3 charges nucléaires au N. de la Caspienne et *(24-9)* de 6 charges nucléaires, chacune voisine de m. 5, pour des travaux dans la région au nord d'Astrakan (46° 47′ N, 48° 16′ E). **1984** *(21-7)* U.R.S.S., 3 tirs dans les mêmes conditions (5 mn en 5 mn) en Kazakhie sur le fleuve Oural, vers 51° 20′ N, 53° 15′ E ; *(27-8)* U.R.S.S., presqu'île de Kola, m. 4,4 ; *(28-8)* 2 tirs m. 4,5 à 5 min d'intervalle dans l'Oural ; *(27-10)* 2 tirs m. 4,8, région d'Astrakan. **1987** *(19-4)* 2 tirs m. 4,5 à 5 min d'intervalle dans l'Oural.

Accidents inscrits par les séismographes éloignés. 1921 *(21-9)* Oppau (Rhénanie, All. féd.) : ? morts (explosion de 400 t salpêtre). **1947** *(16-4)* Texas-City (U.S.A.) : explosion de 2 navires à quai, chargés de nitrate. **1963** *(9-10)* Vajont (Italie) rupture barrage. **1968** *(25-1)* implosion du sous-marin Minerve au large de Toulon. **1970** *(4-3)* implosion du sous-marin Eurydice au large de Toulon. Localisé par la sismologie et retrouvé en plusieurs morceaux à 2 400 m de profondeur. **1984** *(13-5)* Mourmansk (U.R.S.S.) : explosion d'un arsenal, 400 (?) morts, 2 000 blessés. **1988** *(4-5)* 2 explosions dans une raffinerie au Nevada (USA), 2 †, 250 blessés, m. 3 et 3,5. **1989** *(13-3)* Merkers (All. dém.), tir de mine, m. 5,5.

• **Prélèvement d'hydrocarbures. 1951** *(15-5)* Vallée du Pô (Ital.) gaz, m. 5,5. **1960 à maintenant** Texas (U.S.A.) pétrole, m. jusqu'à 4. **1969** *(24-11)* Lacq (France) gaz, I. max. V. **1972** *(31-12)* Lacq (France) (et injection) gaz, I. max. V, m. 4. **1974** *(24-7)* Valempoulières (Jura) gaz, m. 2,3. **1975** *(8-1)* Valempoulières, I. max. III, m. 3,7. **1980** *(5-2)* Lacq, I. max. VI, m. 4,4. **1985** *(6-2)* Valempoulières, I. max. V, m. 3,7. **1986** *(3-6)* Lacq, I. max. V, m. 3,7 ; *(26-12)* Assen (P.-B.), gaz, m. 3. **1987** *(1-4)* Lacq, I. max. IV, m. 3,2 ; *(14-12)* Assen, m. 2,5 ; *(15-12)* Lacq I. max. IV, m. 3,9. **1989** *(25-2)* Lacq, I. max. IV, m. 3,6 ; *(5-3)* Lacq, I. max. IV, m. 3,2 ; *(10-3)* Lacq, I. max. IV, m. 3,7 et 3,5. **1990** *(3-1)* Lacq, I. max. IV, m. 3,4 ; *(31-10)* Lacq, I. max. IV, m. 4,0 le plus fort d'une série de 12, du 4-9 au 13-11.

Le plus important : 1984 (19-3) m. 7, Gazli (Uzbek, U.R.S.S.) gaz, intensité VIII, 1 †, 100 blessés, avait été précédé de 2 chocs importants en *1976 (8-4 et 17-5)* m. 7 et intens. IX à X avec dégâts.

• **Injection forcée d'eau dans le sous-sol. 1967** *(10-4/26-11)* Denver (U.S.A.) à 3 761 m de prof., m. 5 et 5,1. De **1967 à 1973** Rangeley (U.S.A.) à 1 700 m de prof. Séismes contrôlés en faisant varier la pression et le volume d'injection, m. 0 à 3. **1972-73** Codgell (Texas, U.S.A.), le maximum annuel d'eau injectée a été suivi de quelques séismes, mais les plus nombreux sont survenus 5 ans après. Dans d'autres champs du Texas, des injections beaucoup plus importantes en volume, pression et profondeur n'ont provoqué aucune activité sismique détectable. **1975** Caucase (U.R.S.S.) I. max. (intensité max. ressentie en surface) VII, m. 4. **1986** *(janv.)* Ohio (U.S.A.) m. 4 après 12 ans d'injection de déchets d'agrochimie à 100 kg de pression et avant la mise en service d'une proche centrale nucléaire. Pratiquée depuis quelques années dans le gisement de Lacq, conjointement avec le prélèvement de gaz et de pétrole ; les secousses ressenties en surface ou enregistrées seulement par le réseau local de surveillance ont eu une tendance à augmenter en nombre ; on ignore si cela est dû aux conséquences lointaines de la première phase d'extraction (intensive sans injection) ou aux injections plus récentes et actuelles.

• **Exploitation de mines (sans les coups de grisou).** **1869** *(14-8)* Dortmund (All. féd.) charbon : ? morts. **1873** *(31-10)* effondrement de plusieurs galeries de la mine de sel gemme à Varangéville (Lorraine), I. VI, plusieurs morts, une benne éjectée à 100 m du puits ; forte secousse à Nancy (12 km). **1940** *(13/14-2)* Bassin de Briey (Lorraine) fer, I. max. IV. **1964** *(29-7)* Champagnole (Jura), ondes inscrites jusqu'à 1 000 km : ? morts. **1970** *(23-2)* Hombourg-Haut (Lorraine) charbon, I. max. IV/V. **1971** Witwatersrand (Afr. du Sud) or, I. max. V, m. 4,2. **1972** *(27-9)* carrière de Pagny-s.-Meuse, m. 3,2. **1974** *(1-7)* Rochonvillers (Moselle) fer, m. 4,3. *(9-10)* Miéry (Jura), mines Solvay. *(25-10)* salines de Varangéville, m. 2,6. **1975** *(9-5)* Gardanne (Provence) lignite, I. max. IV, m. 3,2. **1983** *(2-8)* Merlebach (Lorraine)[1], m. 3,5. **1984** *(10-2)* Gardanne, m. 3,3. *(19-2)* Gardanne[1], I. max. V-VI, m. 4,3. **1985** *(28-5)* Gardanne, I. max. V, m. 3,9. **1986** *(1-5)* Merlebach, I. max. V/VI, m. 3,8. **1989** *(17-1)* Gardanne, m. 4, serait d'origine tectonique (naturelle) ; *(13-3)* Merkers (All. dém.), m. 5,4, après un tir dans une mine de potasse (3 bl., gros dégâts). Ressenti en All. féd., Tchécosl., Autriche, Suisse et France du N.-E. I. max. V.

Nota. – (1) *1984-86 :* Freyming-Merlebach, 7, m. supérieure à 3 ; Gardanne 36.

• **Création de lacs réservoirs.** *Type de réactions. A :* effet immédiat au 1er remplissage. *B :* effet différé de plusieurs années, attribué à des mécanismes différents [influence de la surcharge (plusieurs km^3 d'eau) et diffusion progressive d'effets de l'eau en profondeur (et parfois à plusieurs km du site)]. *C :* A et B successivement. *D :* aucune réaction.

Légende : hauteur en mètres du barrage ou de l'eau ; m. : magnitude du principal séisme.

Type A. **1963** *(25-4) Monteynard* (France, 150 m) m. 4,9 au 1er remplissage, vol. 240 (10^6 m^3). **1966** *(5-2) Kremasta* (Grèce, 130 m) m. 6,3 au 1er plein, 1 †. **1971** *(29-9) Alesani* (Corse, 60 m) m. 3 au 1er remplissage, vol. 11 (10^6 m^3), vidangé en 1977. **1972** *(6-11) Nurek* (U.R.S.S., 100 m) m. 4,6 au 1er remplissage. **1975** *(nov.) Manic-3* (Québec, 75 m) m. 4,1 un mois après le 1er plein. **1978** *(févr.) Monticello* (U.S.A., 35 m) m. 2,8 au 1er remplissage. **1978** *(3-4) Alesani* (Corse, 60 m) m. 4,4 au nouveau remplissage.

Type B. **1938** *Marathon* (Grèce, 50 m ?), m. 5 au 8e remplissage annuel. **1963** *(23-9) Kariba* (Zambèze, 125 m) m. 5,8 au 5e remplissage annuel. **1963** *(29-11) Grandval* (France, 180 m), intensité V au 4e remplissage annuel, vol. 292 (10^6 m^3). **1967** *(13-9) Koyna* (Inde, 75 m) m. 5,5 au 5e remplissage annuel ; *(10-12)* m. 6,2 au 5e remplissage annuel (117 †, 1 500 blessés, intensité X). **1975** *(1-8) Oroville* (U.S.A., 225 m) m. 5,7 au 7e remplissage. **1981** *(14-11) Assouan* (Égypte, 85 m) m. 5,3 I. max. VI au 18e remplissage ; *(20-8,* 80 m) m. 4,6 au 8e remplissage annuel.

Type C. Très nombreux cas, l'événement principal cité étant précédé dès l'origine d'une activité locale plus faible. **1939** *Hoover* (U.S.A., 210 m) m. 5 au 3e remplissage annuel. **1962** *(19-3) Hsinfengkiang* (Chine, 105 m) m. 6,1 au 3e remplissage annuel. **1971** *(21-6) Vouglans* (France, 130 m) m. 4,5 au 3e remplissage annuel, vol. 605 (10^6 m^3).

Type D. Serre-Ponçon (France, 120 m.), vol. 1 200 (10^6 m^3) n'a provoqué jusqu'à présent aucun séisme alors que le proche entourage, haute et basse Durance, présente une sismicité naturelle notable.

Volcanisme et volcans

☞ Voir Origine de la Terre p. 52.

Généralités

Nom (Origine). De l'italien *volcano* (de Vulcain, dieu du Feu) ; de l'espagnol *bolcan* (boucan), mot utilisé par les navigateurs des XVe et XVIe s.

Définition. L'éruption volcanique est la conséquence de l'arrivée, à la surface de la Terre, de matières minérales fondues à plus de 1 000 °C (*magma* ou *lave*) produites en profondeur dans l'asthénosphère (plus de 100 km de profondeur sous les continents). Les cheminées volcaniques sont généralement installées sur des fractures importantes de la croûte terrestre (voir p. 55, Structure profonde du globe terrestre).

Volcanisme : s'accompagne généralement d'émanations de gaz, certaines magmatiques à très haute température et d'autres à des températures plus basses en contexte périvolcanique : vapeur d'eau [*geysers* d'Islande, de Yellowstone aux USA et de Nouvelle-Zélande (voir p. 76 a), *soufflards* de Toscane, fumerolles d'hydrogène sulfuré et d'anhydride sulfureux à l'origine de dépôts de soufre *(solfatares),* gaz carbonique des *mofettes* qui stagne dans les points bas et dans les grottes (ex : grotte du Chien à Royat)].

Utilisation du volcanisme

Usines géothermiques de haute énergie. *1°) Méthode directe :* un forage en zone volcanique permet d'atteindre le gisement de vapeur sous pression qui alimente des turbines pour la production d'électricité. En *Italie*, Larderello, où le Français F. de Larderel (1789-1858) exploitait les dépôts de bore dès 1818, production actuelle : 3 milliards de kWh. *Nouvelle-Zélande* (1959), *Californie* (1960), *Japon* (1966-67), *U.R.S.S.* (1973), *Indonésie, Mexique, Guatemala, Guadeloupe* (Bouillante). Projet franco-allemand à Soulz-sous-Forêt.

2°) Procédé R.C.S. (roches chaudes sèches) : en Alsace de l'eau est injectée dans un forage de 1 900 m où la température atteint 170 °C. On récupère en surface de la vapeur d'eau à 150 °C, utilisée pour le chauffage urbain et la distribution d'eau chaude.

Classification des éruptions. Types d'activités volcaniques. On distingue plusieurs types d'activités volcaniques en fonction du milieu de mise en place du magma (aérien, souterrain, sous-aquatique en eau superficielle ou profonde, sous-glaciaire) et de la fluidité de celui-ci, qui dépend de sa composition chimique et de la teneur en gaz dissous. *Les magmas visqueux* donnent lieu à des explosions catastrophiques avec projections de matériaux en suspension dans des gaz brûlants (nuées ardentes : Vésuve 79, montagne Pelée 1902-1903). Ils sont riches en silice (« acides ») : rhyolites et dacites des volcans de type péléen ou doméen, sans cratères, avec un dôme ou une aiguille obstruant la cheminée. *Les magmas fluides* sont pauvres en silice (« basiques ») : basaltes des volcans de type hawaïen, strato-volcans ou volcans-boucliers formés de coulées de laves empilées et très peu de projections (cinérites), volcans de type strombolien avec coulées de laves et cône de scories. *Les magmas dits intermédiaires,* assez riches en silice, déterminent le type vulcanien : cône de projections, coulées limitées d'andésite, caractère explosif accentué.

A l'issue d'une éruption, le cratère sommital peut s'effondrer et former ainsi une vaste cuvette ou *caldeira.* Les *maars* sont des cratères d'explosions très violentes entourés d'un étroit rempart de projections. Les magmas injectés dans des failles forment des *dykes.* Entre des strates de roches sédimentaires ou d'anciennes coulées volcaniques, il s'agit de *sills* ou *lacolites.* Les éruptions sous-marines profondes, toujours basaltiques, donnent lieu à des accumulations de laves en coussins ou *pillow lavas* (dorsales médio-océaniques).

Prévision. On peut prévoir une éruption mais plus difficilement son éventuel paroxysme. Pour cela, on enregistre les températures, composition chimique des gaz, champ magnétique, courants telluriques, sismicité, gonflement du cône, flux d'énergie, nature pétrographique des produits ; et l'on s'efforce d'interpréter ces informations en termes d'activité éruptive.

En général, les éruptions ne commencent pas par une phase paroxysmique. Voir Danger volcanique, p. 77 a.

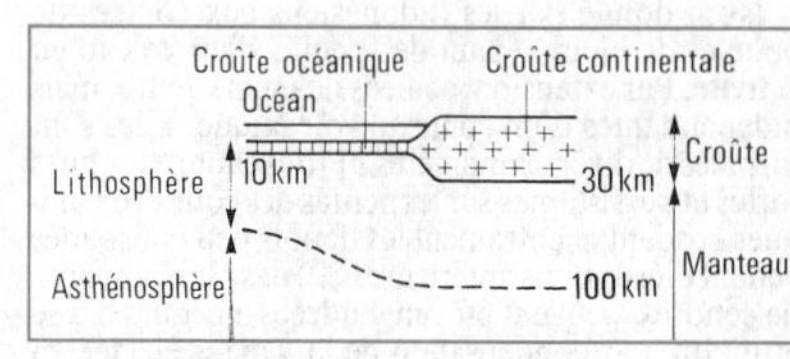

Schéma de la structure des enveloppes externes de la Terre

Zones volcaniques. Le volcanisme est la conséquence de transferts de chaleur entre l'intérieur de la Terre (manteau profond de l'asthénosphère et de la mésosphère) et les enveloppes extérieures (manteau supérieur et croûte constituant la lithosphère) par un mécanisme de lents courants de convection dans le manteau. La partie supérieure de l'asthénosphère, entre environ 100 km et 200 km de profondeur, recèle une très petite quantité de magma, ce qui est la cause de sa ductilité et du découplage de la lithosphère sus-jacente débitée en plaques rigides mobiles les unes par rapport aux autres. Du magma peut y apparaître en grande quantité par baisse de pression dans les zones ascendantes (dorsales médio-océaniques) ou par injection d'eau (qui abaisse la température de fusion des roches) dans les zones descendantes (croûte océanique à minéraux hydratés et à sédiments riches en eau aspirée dans les zones de subduction).

Le volcanisme est donc essentiellement associé aux limites des plaques : *volcanisme des dorsales médio-océaniques* [magma basique basaltique issu de la fusion à faible profondeur, env. 10 km, des péridotites du manteau ; le territoire des Afars (au S. de la mer Rouge) et l'Islande sont les seuls endroits au monde montrant une dorsale émergée] ; *volcanisme*

Coupe à travers le sud-est du Pacifique et l'Amérique du Sud
(J.-P. ROTHE : *Séismes et volcans,* coll. Que sais-je ?)

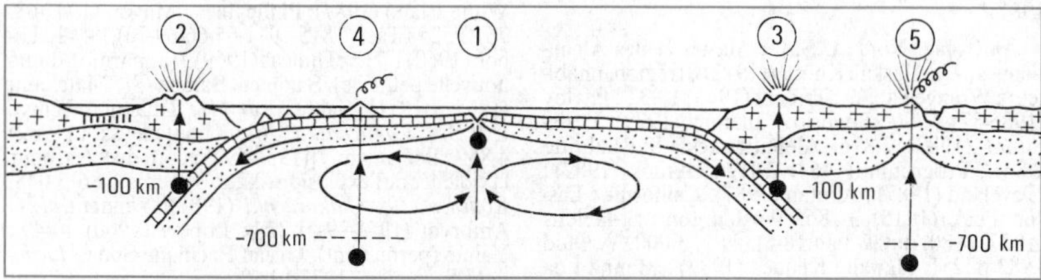

Volcanisme terrestre. Zones volcaniques et origine des magmas dans le cadre de la tectonique des plaques

Légende. *1* – Dorsale médio-océanique (zone de divergence de plaques : accrétion de la lithosphère océanique). *2 et 3* – Zones de subduction (zone de convergence de plaques) ; 2 : arc insulaire (ex : Japon, Indonésie, Antilles). 3 : chaîne des Andes. *4 et 5* – Points chauds ; 4 : en domaine océanique (Hawaii, la Réunion) ; 5 : en domaine continental, en bordure d'un fossé ou rift (rifts de l'Est africain, chaîne des Puys).

des zones de subduction ou marges continentales actives [magma intermédiaire à dominante andésitique produit vers 100 km de profondeur au niveau du plan de subduction à partir de la croûte océanique plongeante et du manteau de la plaque chevauchante (arcs insulaires et chaîne andine de la Ceinture de Feu du Pacifique, Indonésie, Antilles)]. Il existe aussi un *volcanisme ponctuel intraplaque,* océanique (Hawaii, la Réunion) ou continental, ce dernier associé à des fossés ou *rifts* traduisant une rupture prochaine ou avortée de la plaque continentale (rift de l'Est africain, Massif central, Tibesti, Yellowstone).

Volcanisme en France. Commencé en Auvergne il y a 22 millions d'années, il a continué vers le sud au plomb du Cantal (3 500 000 années), Aubrac (3 000 000), montagne d'Agde (800 000), vers le S.-E. au Velay (11 000 000/6 000 000), aux plateaux du Devès (1 400 000), de Montpezat-sous-Bauzon (12 000), vers le nord au Mt-Dore et chaîne des Puys (150000 à 1500 avant J.-C., puy de Montcineyre). V. 6350 avant J.-C. le puy de Dôme a rejeté des nuées ardentes et les cendres ont été retrouvées en Europe occidentale. Une autre éruption aurait pu se produire en 1050 après J.-C.

Certains noms de lieux (puy de l'Enfer, mont Chaud) témoigneraient d'éruptions récentes. La Chaîne des Puys est active et susceptible de se réveiller.

Geysers et champs de vapeur

Caractéristiques. Jets intermittents d'eau liquide et de vapeur d'eau accompagnées d'hydrogène sulfureux, de gaz carbonique, etc. *Température :* de 70 à 100 °C. *Hauteur max. :* Waimangu (N.-Zél.) 457 m en 1904 ; tari en 1917 ; *le plus grand en activité régulière :* Steamboat Geyser (U.S.A.), de 1962 à 1969, de 76 à 115 m à des intervalles allant de 5 j à 10 mois.

Statistiques. U.S.A. (Parc de Yellowstone, Wyoming) : plus de 3 000 geysers dont le Géant (jet de 61 m de haut pendant 4 min à intervalles de 27 à 97 min, en un jaillissement, il peut rejeter 37 850 hl) ; Old Faithful (Vieux Fidèle, jet de 50 m à intervalles de 35 à 95 min). **Islande** plus de 1 000 geysers dont le Grand Geyser (jet de 48 à 54 m). Le *Geysir,* près du mont Hekla, qui a donné son nom à tous les autres, jaillit (irrégulièrement) à 55 m de haut, le *Strokkur,* réveillé en 1963 par des forages, jaillit régulièrement toutes les 10 à 15 minutes. En **N.-Zélande,** dans le Wonderland, les geysers ont de 9 à 10 m de haut.

Utilisation des geysers et champs de vapeur. *1°) Géothermie :* ex. en France. *2°) Dépôts :* bore, soufre (Sicile, Java).

Lahars

Nom donné par les Indonésiens aux coulées de boue et de blocs venant des pentes d'un volcan en activité. Par extension, coulées de même genre, mais indépendantes d'un contexte volcanique. Elles sont formées de diverses manières : 1) des chutes de pluies fortes et persistantes sur les pentes des cônes volcaniques érodent et entraînent les dépôts peu consolidés venant d'éruptions antérieures ; 2) des pluies, mêlées de cendres, peuvent être engendrées au cours d'une éruption, par condensation de la vapeur éjectée en grande quantité et (ou) l'effet de tornade produit dans l'atmosphère par le panache vertical chaud ; 3) l'eau peut venir de la couverture glacée et neigeuse du volcan, rapidement fondue en surface lorsqu'elle est recouverte de gouttelettes de lave incandescentes ; 4) l'eau peut provenir de réservoirs préexistants subitement purgés : lac de cratère, lac temporaire formé lors d'éruption ou de lahar précédent, poche d'eau de fonte retenue entre le sol chaud et la carapace de glace jusqu'à ce qu'elle cède. Au mont *St Helens* le débit maximal du lahar formé par la fonte des glaces et neiges de la faible éruption du 19-3-1982 a été de 14 000 m^3 à la seconde. En 1919, 5 100 personnes furent tuées à Java, lorsque l'éruption du *Kelut* vida les 380 000 m^3 d'eau du lac du cratère. En 1985, 25 000 † au *Nevado del Ruiz* en Colombie.

Nuées ardentes

Éjection à grande vitesse, verticale ou latérale d'émulsions de solides, liquides et gaz sous très forte pression et température. Les dépôts ont encore 350 à 400 °C. *Exemples : Tambora* (Indonésie) *1815 :* 150 km^3 d'éjecta-nuées. *Soufrière de Saint-Vincent* (Antilles) *7-5-1902 :* 1 565 morts. *Montagne Pelée* (Martinique) *8-5-1902 :* vitesse 470-560 km/h, 28 000 morts. *Santa-Maria* (Guatemala) *24-6-1902 :* une des 10 plus fortes explosions historiques, dépose 5 km^3 de matériaux. *Bezymianni* (Kamtchatka) *30-3-1956 :* vitesse max. 2 200 km/h. *Mont Saint-Helens* (U.S.A.) *1980 :* vitesse max. 650 km/h, moyenne sur 5 km : 275 km/h.

Gaz mortels au Cameroun : Nyos, 1986

Lac Nyos (Cameroun) : lac de cratère du type « maar » comme le Gour de Tazenat en Auvergne formé il y a quelques siècles. Le 21-8-1986 une colonne de vapeurs lourdes s'élève du lac pendant près d'une heure et s'écoule en nappe par la vallée. On constatera plus tard que cette éruption brutale du gaz a arraché la végétation sur un flanc du lac jusqu'à une hauteur de 80 m, le niveau de l'eau a baissé d'un mètre. On a évalué à 1 million de m^3 et même à 1 km^3 le volume des gaz échappés et à 50 m l'épaisseur de la nappe toxique de dioxyde de carbone. *Nombre de morts :* 1 200 à Nyos et 500 dans les villages de Cha, Subum et Fang, jusqu'à 16 km en aval. Certains restés 36 h inconscients furent sauvés. *Bétail,* environ 3 000 têtes tuées ; animaux domestiques et sauvages ont pu sécher au soleil, les fourmis, mouches et même vautours ayant également succombé. La végétation est restée intacte. De 4 000 à 5 000 personnes furent déplacées jusqu'à ce que tout danger eût disparu. L'accumulation de 15 millions de m^3 de dioxyde de carbone dissous dans les eaux profondes persiste à un rythme qui laisse craindre une nouvelle remontée au prochain séisme, éboulement, tempête ou érosion rapide de la retenue naturelle friable.

☞ Il y a 40 lacs de cratère dans cette partie du *Cameroun.* Un accident analogue était survenu le 16-8-1984 au lac Monoun, à 95 km de Nyos (37 †). 3 petites émissions de gaz en l'espace de 5 mn ont été à nouveau observées au lac Nyos le 30-12-1986.

Des gaz volcaniques sortant de terre ont tué 140 personnes en 1979 au centre de Java (plateau de Dieng), en s'écoulant par les vallées.

Causes. L'éruption de CO^2, qui n'est pas un gaz volcanique, n'est pas due à un processus volcanique. Le gaz recueilli qui a plus de 35 000 ans d'âge semble venir du magma profond, mais s'est dissous au cours des siècles dans l'eau au fond du lac, toujours relié par une cheminée à ce magma. Après la catastrophe du 21-8-1986, l'eau du lac contenait encore de 3 à 5 litres de gaz dissous (99 % de CO^2) dans chaque litre d'eau. L'éruption a pu venir d'un déséquilibre soudain entre eaux de surface et eaux profondes (instabilité occasionnelle dans quelques lacs camerounais, habituelle en automne dans les lacs tempérés). Les survivants ne mentionnent aucune chaleur ou tremblement de terre. L'eau du lac a été trouvée limpide et sa température normalement répartie en profondeur, la vase de fond non perturbée, les sondages (à 208 m), conformes aux mesures de 1912. Les forages du fond n'ont montré aucun matériau volcanique récent.

Volcans et éruptions

Nombre par région, dates d'éruptions importantes ou des dernières éruptions (entre parenthèses), *altitude en m.*

• **Afrique. Est** *(36) :* **Djibouti :** Ardoukoba (1979). **Éthiopie :** Erta Ale (activité découverte en 1968, il était toujours actif en 1982). **Tanzanie :** Kilimandjaro 5 895 ; Lengaï (1960, 1983-84, 1988-89) 2 886. – **Centrale** *(6) :* **Zaïre** (monts Virunga) : Nyamuragira (1958-67-71-77-79- 81-83-85) 3 055 ; Nyiragongo (1948-77-82 ; un lac de lave permanent a disparu en 1977 puis a reparu le 21-6-82) 3 469 ; Visoke (1958 réveil). – **Ouest** *(1) :* **Cameroun :** Cameroun (1959-1982) 4 070 ; (21-8- 1986) sortie de gaz du lac Nyos (1 746 †) (voir ci-dessus). – **Nord** *(3) :* Massif du Tibesti. – **Comores** *(1) :* Kartala 2 631, dans la Grande Comore. – **Réunion** *(1) :* Fournaise (1979-1987).

• **Amérique. Nord : U.S.A. : Alaska et îles Aléoutiennes** *(93).* **Alaska :** Katmai (1912) 0 (région inhabitée) ; Wrangell 4 269 ; Trident (1963) 1 832 ; Pavlov (1986-87) 2 750 ; Bogoslov ; Iliamna (1979). Vesiaminof (1983) 2 816. **Aléoutiennes :** Shishaldine 2 861 ; Progromni (1964) 2 012 ; Okmok (1987) ; Cleveland (1987) ; Akutan (1987). **Californie :** Lassen Peak (1915) 3 186. **Washington :** St-Helens (1857, 1980, du 27-3 au 18-5), 99 †, 3 000. V. Quid 1983 p. 251. **Hawaii :** Kilauea (1987) ; Mauna Loa 4 171. **Mexique :** Paricutin (1943-45) 2 743 ; Colima 4 265 ; Popocatepetl 5 452 ; el Chichon (2-1982) milliers de †, 3 638 disparus, 40 000 évacués, la plus grande émission de cendres dep. 1912 (Katmai, Alaska).

Centrale *(35) :* **Costa Rica :** Irazu (1964) 3 432 ; [Arenal 1968 (78 †) à 1987]. Rincón de la Vieja (1983). **El Salvador :** Izalco (1770- 1957-1963) 2 385. **Guatemala :** Fuego (permanent) 3 765 ; Pacaya (1986-1987) 2 544 : Santa Maria (1902-24-10) 3 768 ; Acatenango 3 959. **Nicaragua :** Cerro Negro (1968) ; Masaya (1835, 1902) ; Momotombo.

Sud *(31) :* **Argentine :** Antofalla 6 450. **Chili :** Tupungatito (1959) 5 640 ; Guallatiri (Arg./Chili, 1959) 6 060 : Lascar (1951) 5 990 ; Llaima (1955) 3 121 ; Villarica (1964-71-79-80) 2 843 ; Calbuco (1961) 2 400 ; Hudson (1971) quelques †. **Colombie :** Purace (1950) 4 700 ; Ruiz (1985) 25 000 †. **Équateur :** Sangay (1946-1976-1983) 5 320 ; Cotopaxi 5 897 ; Galeras 4 083. **Pérou :** Misti (1903) : Ubinas 5 671, Sabancaya (1990).

• **Antarctique et îles Australes** *(18) :* Erebus (permanent) 3 950 ; Tristan da Cunha (1961) 2 060 ; Déception (1967-70) ; Kerguelen ; Heard.

• **Atlantique. Açores** *(9) :* Capelinhos (1957-58). **Antilles** *(8) :* montagne Pelée (Martinique) (8-5-1902 28 000 †, 30-8-1902 1 000 †, 1929) ; Soufrière (Guadeloupe) (1956, 1976) 1 467 ; Soufrière (St-Vincent) [(1902-7-5) 1 565 †, (1979-13, 14, 17, 22-4) 1 178]. **Canaries** *(3) :* 1 972. **Cap-Vert** *(1).* **Islande** et **Jan Mayen** *(27) :* Laki (1783-84) 1 560, 9 350 † pour toute l'île ; Hekla (1947-70) 1 560 ; Helgafell (1973) : Katla [1] 3 182 : Threngslaborgir ; Surtsey (1963-67) donna naissance à une île de 2,8 km^2 ; Beerenberg (1969-70) [2] ; Grimsvötn [1] ; Kirkjufell (1973) ; Krafla (1978-79). **Volcans sous-marins** *(19).*

Nota. – (1) Recouverts d'une calotte glaciaire ; la libération des eaux de fonte forme des torrents dont le débit peut atteindre plusieurs centaines de milliers de m^3/s. (2) Création de 3 km^2 de terre en bordure de l'île.

• **Asie et Pacifique. Chine :** nord-est du Tibet (5). **Galapagos** (3) (1969). Juan Fernandez (3). **Hawaii** (4) : Mauna Loa (1950) 4 170 ; Kilauea (régulières, dernière 1983). **Indonésie : Sonde** *(110) :* Merapi (1969, 1987) 2 911 ; *Krakatoa* [26/28-8-1883 ; destr. des 2/3 de l'île et création d'une dépression de 300 m dans l'océan ; 36 500 † ; 50 millions de t de cendres ; explosion entendue à 4 500 km : record mondial pour la violence de l'explosion après le cataclysme de Théra (ou Santorin) (XVe-XVIIe s. av. J.-C.), 5 fois plus puissant ; des blocs de roches furent propulsés à 55 km de haut, des poussières retombant à 5 330 km de là, 10 jours plus tard. On entendit l'explosion 4 h après, sur l'île Rodriguez, à 4 776 km de là. Sa puissance était environ 26 fois supérieure à celle des superbombes H. En 1927 il forma l'île d'Anak-Krakatoa ; 1979 ; Gedeh (1949) 2 959 ; Galung-gung (1822-1920-82) 2 168 ; Papandajan (1772, 3 000 †) ; Kelud [(Java) 1918 : coulées de boue (5 100 †) ; 1967] ; Semeru (1960, 1987) 3 676 ; Bromo 2 392 ; Rindjani (1964) 3 775 ; Raung 3 332 ; Slamat (1953) 3 426 ; Tambora (1815, 92 000 † ; record mondial pour le volume des matières projetées : 220 millions de t, 151,7 km^3 ; le volcan perdit environ 1 252 m d'altitude et l'éruption entraîna la formation d'un cratère de 11 km de diamètre) ; Ternate (1938) 1 715 ; Agung (17-3-1963 ; 1 500 †) ; Batur (1928-63-68) 1 718 ; Dieng (1979, 149 †) ; Paloë (1973) : Una Una (1983). **Iran :** Demavend (massif Elbourz) 5 641. **Japon** *(54) :* Fuji Yama (1707) 3 776 ; Unzendake (1792 ; 14 300 †) ; Asama (66 éruptions de 685 à 1 900, plus de 2 000 explosions depuis 1900) 2 542 ; Bandai-San (1888, 461 †, 1987) ; Koma-ga-take ; Showa Shinzan (1943-45) ; Mihara ; Myojin ; Sakurajima (1914-48-66-70-72-73-79-83-87) ; Kirisima (1979) 1 700 ; Aso (1958-79 3 †) ; Usu (1978 3 †) ; Miyakejima (1983) ; Nishino-Shima (îles Bonin) (1973-74). **Kermadec** *(15).* **Mariannes** *(8).* **Nouvelle-Bretagne** *(14) :* Langila (1983). **Nouvelle-Guinée** *(16) :* Lamington (18/21-1-1951 : 3 000 †). *Région de Rabaul* (1937). **Nouvelle-Irlande** *(9).* **Nouvelle-Zélande** *(5) :* Tarawera (1888) ; Ruapehu (1950) 2 797 ; Ngauruhoe (1956) 2 292 ; Tongariro (1950) ; White Island (1987). **Philippines :** Mayon (1947-68-76) 2 525 ; Taal (1815-1911-65-66-69-70) 1 449 ; Hibok (1960) 1 712 ; Didicas (1969) 2 (apparition d'une nouvelle petite île). **Salomon. Samoa** *(3) :* Matavanu (1905 à 1911). **Santa Cruz** *(1) :* Tinakula. **Tonga. U.R.S.S.** *Kamtchatka (28) :* Klioutchevskoï (1962) 4 850 ; Bezymianny [(1956-69 : record du XXe s. pour la violence de l'explosion (2,2 × 10^{25} ergs) – 86] 3 048. *Kouriles (39). Chikurachki* (1987). **Vanuatu** *(12) :* Ambrym (1951-79) 1 324 ; Lopevi (1960) 1 449 ; Yahue (permanent). **Océan Pacifique Sud :** *Macdonald Seamount* (1977-1987).

• **Europe. Méditerranée** *(18) :* **Grèce :** Santorin [XVe-XVIIe s. av. J.-C. (l'île s'appelait alors Théra ; l'explosion a provoqué un raz de marée de 50 m de haut, qui a détruit la civilisation minoenne en Crète) ; 1929]

584, Nisyros. **Italie :** Etna [1669-1928-71-79 (9 touristes †, 30 bl. 12-9-1979-1986 ; 2 touristes français †, 4 bl. 17-4-87) (permanent)] 3 276 ; Stromboli (permanent) 926, 1 † en 1986 ; Vulcano (1888) 499 ; Vésuve [79 après J.-C. (projection de cendres, mais non de laves) a détruit 2 villes : Stabies et Herculanum (ensevelie sous une coulée de boue, épaisse parfois de 20 m et qui s'est solidifiée ; découverte en 1927). Pompéi avait été détruite 16 ans avant (63) par un tremblement de terre. Elle était évacuée par ses habitants, seuls y vivaient des artisans travaillant à sa reconstruction quand elle fut, elle aussi, recouverte de cendres ; découverte en 1748. 1631, 1832, 1872, 1906, 1924, 1944] 1 186.

Activité volcanique mondiale du 1-10-1989 au 1-10-1990 (sauf volcans sous-marins)

Volcans entrés en éruption accompagnée de l'émission de produits solides (cendres, bombes, etc.) ou liquides (laves) : 41 dont Asie, Océanie 18 (6 morts à Rabaul, Nlle-Guinée, par inhalation de gaz carbonique), Amérique 16 (14 morts à Ahuachepan, Salvador, par explosion de vapeur), Europe 2, Afrique 2, Pacifique 1, Antarctique 1.

Statistiques

Nombre de volcans. *Volcans ayant fait éruption* durant les temps historiques : de 500 à 600 ; il y a actuellement des milliers de volcans endormis et plus de 1 000 grands volcans éteints sous-marins principalement dans l'océan Pacifique.

Volcans les plus hauts. Le Nevado Ojos del Saldado (6 863 m, Chili) [le Cerro Aconcagua (6 960 m, Andes argentines) n'est qu'une montagne] ; *en sommeil* le Llullaillaco (6 723 m, frontière du Chili et de l'Argentine) ; *en activité* Antonfalla (6 450 m, Argentine) ; *le plus au nord :* le Beeren Berg (2 276 m, île Jan Mayen, mer du Groenland à 71°5 nord) ; *le plus au sud :* Erebus (3 795 m, île de Ross, Antarctique, 77°35 sud). **Les plus grands.** Au large du Japon, caldera sous-marine de 40 km de large. Mt Aso (Kiu-Siu, Japon), caldera (cratère d'effondrement) diam. N.S. 27 km ; circonf. 114 km. **Les plus profonds :** Nyiragongo 800 m (1978), 450 m (1982), Java, mont Raung de 500 à 600 m.

Coulée de lave maximale. Islande, 96 km.

Nombre d'éruptions. Plus de 2 000 enregistrées surtout dans le Pacifique. En moyenne 1 éruption sur 100 est dangereuse.

Éruptions les plus meurtrières. *Nombre de morts :* 270 000 depuis le XVIIe siècle dont 58 % en Indonésie. *Grandes catastrophes : 1783* Islande 9 350 † ; *1792* Japon 14 300 † ; *1815* Indonésie 92 000 † ; *1883* Indonésie 36 500 †, la plupart noyés par le tsunami engendré par l'explosion du Krakatoa ; *1902 (8-5 et 30-8)* Martinique 29 000 brûlés par une nuée ardente ; *1985* Colombie 25 000 noyés/ensevelis dans la boue. *Répartition géographique :* 82 % dans le « cercle de feu » du Pacifique ; 1,5 % dans le Bassin méditerranéen (mais dont l'histoire est bien plus longue). *Causes de mort :* causes secondaires retardées (maladies, famines) 42 %, vagues marines (tsunamis) ou coulées de boue (lahars) 32 %, émissions proprement dites (projectiles, cendres, lave, pluie acide) 26 %.

Danger volcanique
Surveillance, prévention et secours

Surveillance. Des dispositifs complets ont été établis au Japon (pour 6 volcans), aux U.S.A. (pour 3), Islande (pour 4), en Italie (pour 3 : Etna, Vésuve, Stromboli). La France a disposé 7 sismographes en Guadeloupe, 14 à la Réunion, 7 à la Martinique et d'autres de chaque côté du rift d'Assal (Djibouti). A l'étude : un laboratoire mondial de surveillance, recevant par satellite les données sismiques, thermiques, chimiques, clinométriques émises automatiquement par chaque instrument. Haroun Tazieff juge inutile la construction d'observatoires sur des volcans qui ne sont pas en activité.

Détournement des coulées. En 1669 des essais ont été faits pour dévier des coulées de l'Etna qui menaçaient Catane. Une lutte active mais sans succès contre des coulées de lave fut entreprise à Hawaii en 1935 et 1942 au moyen de bombardements aériens, en 1955 et 1960 par la construction de digues de terre. La première réussite fut obtenue en Islande en 1973 par projection de grandes quantités d'eau puisée dans la mer proche, sur le front de la coulée. Au printemps 1983, une coulée de lave de l'Etna a pu être détournée (par des explosions et la construction de digues).

Les mers

Données générales

• **Limites.** **Atlantique et océan Indien** sont délimités par le méridien du cap des Aiguilles (20° long. E.), **Atlantique et Pacifique** par une ligne allant du cap Horn à l'île George. **Océan Indien et Pacifique** par le méridien du cap Sud de la Tasmanie (Australie 146°55′, long. E.). **Océan Austral :** parties sud des 3 océans : Indien, Atlantique et Pacifique en bordure du continent Antarctique ; ses limites sont définies d'après la température des eaux superficielles ; au sud de la ligne de convergence subtropicale située entre 35° et 40° de lat. sud dans chaque océan, les eaux ne dépassent jamais 10 °C. Ce sont ces eaux froides qui constituent l'océan Austral (superficie 35 à 75 millions de km^2).

• **Superficie** (en millions de km^2). Total 361,3 (soit 70,8 % de la surface du globe) : **Arctique (14,8).** [Bassin arctique 11,99 ; m. de Baffin 0,53 ; de Barents 1,40 ; de Beaufort 0,47 ; Blanche 0,09 ; détroits canadiens 1,42 ; de Davis 1,07 ; du Groenland 1,20 ; d'Iminger, de Kara 0,88 ; des Laptev (ou de Nordensjöld) 0,65 ; de Norvège 1,38 ; de Sibérie orientale 0,90 ; de Cukotsk 0,58] ; **Atlantique (91,6).** [Mer Adriatique 0,13 ; d'Azov 0,03 ; Baltique 0,42 ; Caraïbes 2,75 ; Celtiques ; Scotia (ou Antilles du Sud) 1,83 ; Écosse (m. intérieures) ; Egée 0,18 ; baie de Fundy ; golfe de Gascogne 0,19 ; du St-Laurent 0,23 ; de Guinée 1,53 ; détroit d'Hudson ; m. d'Irlande 0,10 ; Ionienne 0,25 ; du Labrador ; golfe du Lion 0,14 ; Manche 0,07 ; Méditerranée (sans mer Noire) 2,50 ; Médit. occidentale 0,82 ; Médit. orientale (sans mer Noire) 1,68 ; Mexique 1,54 ; du Nord 0,57 ; Noire 0,42 ; Tyrrhénienne 0,25 ; de Weddell 3,03]. **Indien (76,2).** [Mer d'Arafura 1,04 : Grande Baie australienne ; golfe du Bengale 2,172 ; canal de Mozambique 1,22 ; m. d'Oman 3,68 ; golfe Persique 0,23 ; m. Rouge 0,43] ; **Pacifique (178,7).** [Golfe d'Alaska 1,32 ; mers australasiennes 6,69 ; m. de Béring 2,30 ; golfe de Californie 0,15 ; m. de Chine méridionale 2,20 ; de Chine orientale 0,75 ; de Corail 4,07 ; du Japon 0,97 ; Jaune 0,41 ; d'Okhotsk 1,6 ; de Ross (Antarctique) 0,89 ; m. de Malaisie 8,142 ; des Philippines].

Énigmes

Les « hoquets de la mer ». De nombreux marins ont signalé, depuis le XVIIe s., que mers et océans peuvent être agités par des explosions (détonations sourdes, émission de brumes, formation de dômes d'eau). Lieux de ces observations : côtes de la Belgique (où le phénomène est nommé « mistpouf »), golfe du Bengale, golfe de Gascogne, côtes atlantiques des U.S.A. En 1976, les autorités américaines ont essayé d'expliquer ces « hoquets » par des raisons d'acoustique : les *bangs* du Concorde auraient des répercussions sur les masses d'eaux océaniques. Cette hypothèse est rejetée aujourd'hui. Autres hypothèses : émissions gazeuses d'origine volcanique ; tassement du plateau continental avec rejet des gaz contenus dans les sédiments ; microséismes.

« Triangle des Bermudes ». Dans l'océan Atlantique, entre Porto Rico, les Bermudes et les Bahamas, de nombreuses disparitions d'avions et de navires ont eu lieu. Charles Berlitz en cite 33, et leur attribue une origine mystérieuse, peut-être même extra-terrestre. En fait, ces disparitions s'expliquent car c'est un des lieux du globe où le compas indique le nord vrai au lieu du nord magnétique. Si cette variation n'est pas compensée, un navigateur peut être déporté loin de sa route. Le Gulf Stream y est extrêmement rapide et agité et peut effacer toute trace de naufrage. Le temps imprévisible des Caraïbes joue aussi son rôle. La variété des fonds marins provoque de violents courants changeants. Enfin, beaucoup de navires de plaisance sont victimes de l'inexpérience de leurs occupants. Les compagnies d'assurances aériennes et maritimes n'admettent pas que les statistiques du « Triangle des Bermudes » soient spécialement anormales.

En 1945, 5 avions Avenger furent pris dans un orage tropical. Une perturbation magnétique troubla les compas et les émissions de radio. Les aviateurs, perdus, cherchèrent en vain la côte avant de tomber un à un dans la mer, à court d'essence.

Vaisseaux fantômes. La plupart, tel celui du *Hollandais volant,* vaisseau fantastique (qui apparaît, dit-on, par mauvais temps dans les passages du cap de Bonne-Espérance), relèvent de la légende, mais des navires abandonnés peuvent effectuer d'immenses trajets sur les océans, au gré des courants, parfois pendant des années. Le plus fameux : le brick *Mary-Céleste,* trouvé en 1872 entre Gibraltar et les Açores, avait, semble-t-il, été construit de toutes pièces par un marin désireux de toucher une prime de sauvetage.

• **Plus grands golfes.** *G. du Bengale* 2 200 000 km^2 et le *g. du Mexique* 1 500 000 km^2.

• **Plus grande mer intérieure.** *Caspienne.* Voir lacs, p. 68 b.

• **Volume des eaux** (en millions de km^3). *Pacifique* 707,1, *Atlantique* 330,1, *Indien* 284,6, *Arctique* 16,7, total 1 338,5 (93,9 % de l'hydrosphère, c'est-à-dire de toutes les eaux du globe).

• **Poids total,** $1,3 \times 10^{18}$ t, soit 0,022 % du poids total de la *Terre.*

• **Profondeur des mers et océans :** *moyenne* 3 800, *max.* 11 034 : *Pacifique* 4 267 [Est : Mariannes[1] 11 035, Tonga[1] 10 882, Kouriles-Kamtchatka[2] 10 542, Philippines[3] 10 497, Kermadec[4] 10 047, Bonin[5] 9 810, Bougainville[6] 9 140, Yap[4] 8 527, Japon[7] 8 412, Palau[8] 8 133, Nlles-Hébrides 7 570, Ryu-Kyu 7 507. Ouest : Pérou-Chili[9] 8 064, Guatemala 6 662, Californie 6 225, Nord Aléoutiennes 7 822] ; *Atlantique* 3 602 [Porto-Rico[11] 9 218, Sandwich du Sud[12] 8 264, Romanche[13] 7 728, Caraïbes 7 680, Cap-Vert 7 292, Nares 6 328] ; *Indien* 3 736 [La Sonde-Java[14] 7 450, Madagascar Est 6 400, Mascareignes 5 349] ; *Méditerranée* 1 438 (Sud du cap Matapan 5 121, S.-E. Sicile 4 115, Tyrrhénienne 3 785, Baléares 3 420) ; *Austral* 6 972 ; *Arctique* 5 520[15] ; *mer Rouge* 3 039[15] ; *mer Noire* 2 245[15] ; *Adriatique* 1 260[15] ; *mer de Marmara* 1 273[15] ; *Baltique* 470[15] ; *mer du Nord* 725[15] (max. dans le Skagerrak) ; *Manche* (fosse centrale) 172[15] ; *golfe Persique* 110[15] ; *pas de Calais* 64[15] ; *mer d'Azov* 13[15].

Nota. – (Sondage : navire, pays, date.) (1) *Vitjaz,* URSS, 1957. (2) *Vitjaz,* URSS, 1954. (3) *Cape Johnson,* USA, 1945. (4) *Vitjaz,* URSS, 1958. (5) *Vitjaz,* URSS, 1955. (6) *Planet,* Allemagne, 1910. (7) *S.F. Baird,* USA, 1953. (8) *Stephan,* Allemagne, 1905. (9) *S.F. Baird,* USA, 1957. (10) *Chelan,* USA, 1956. (11) *Vema,* USA, 1956. (12) *Meteor,* Allemagne, 1926. (13) *Albatross,* Suède, 1948. (14) *Planet,* Allemagne, 1906. (15) Prof. max.

La mer des Sargasses (dans l'Atlantique au large des côtes de Floride : 6 000 000 km^2 env.) correspond à une zone de calme au centre des courants de l'Atlantique Nord (Gulf Stream, c. des Canaries). *Température en surface :* de 20 à 28 °C ; *en profondeur :* 18 °C à 200 m, 17 °C à 400 m. Son nom vient d'algues qui flottent (env. 10 esp. : 2 sont pélagiques, les 8 autres sont arrachées par les ouragans aux côtes de Floride, du Mexique, du Honduras, de la Jamaïque).

Expédition du HMS Challenger (navire britannique). Du 7-12-1872 au 24-5-1876. Ébauche une carte bathymétrique générale des océans, précise la position d'îles, le tracé des côtes, la profondeur des fosses (max. par 8 183 m dans la fosse des Mariannes), révèle les grandes lignes de la circulation marine et le mouvement des courants de surface comme la structure des grands fonds, ramène de toutes les profondeurs plus de 10 000 espèces, dont un grand nombre inconnues.

Selon les satellites artificiels, la surface des océans présente des dénivellations de plusieurs dizaines de mètres à presque 200 m. L'anomalie négative la plus forte se trouve au nord-ouest de l'océan Indien (–106 m) et la positive la + élevée au large de la Nlle- Guinée (+ 86 m), soit une différence de près de 200 m. On l'attribue aux différences de densité dans les profondeurs du manteau qui modifient régionalement l'intensité de la force de gravité.

Courants marins

• **Circulation océanique superficielle.** Les eaux superficielles des océans entre 0 et – 200 m sont mises en mouvement par les vents, puis leur direction est influencée par la rotation de la Terre. Ainsi se forment plusieurs tourbillons dans chaque océan.

Aux latitudes tropicales dans le Pacifique et l'Atlantique, les **alizés** engendrent sur la façade orientale des océans des courants assez frais qui longent les continents en direction de l'Équateur [*courant de Californie :* 1 km/h, 11 millions de m³/s, 2 500 km de long ; *c. de Humboldt* (Pérou) : 1 km/h, 18 millions de m³/s, 3 000 km de long ; *c. des Canaries :* 1,5 km/h, 16 millions de m³/s, 1 500 km de long ; *c. de Benguela* (Angola) : 1 km/h, 16 millions de m³/s, 2 000 km de long]. En se dirigeant ensuite vers le large, ils donnent naissance aux **courants transocéaniques équatoriaux** (N. et S.) qui portent vers l'O. entre 0 et 15° de latitude. Entre ces courants équatoriaux, le retour des eaux vers l'E. est assuré en partie par les **contre-courants équatoriaux** de surface et de sous-surface, ces derniers ayant été découverts assez récemment (*c. de Cromwell* dans le Pacifique, 1951, *du Lomonosov* dans l'Atlantique, 1961 et *de Tareev* dans l'océan Indien, 1960).

La majeure partie des eaux transportées par les c. équatoriaux vers l'O. longent ensuite les façades des continents vers le N. et le S. puis, sous l'influence des vents d'O. prédominants aux latitudes tempérées et de la rotation de la Terre, se transforment en grandes dérives transocéaniques en direction de l'E. (*Gulf Stream* prolongé par la dérive Nord-Atlantique, 7 000 km de long, 70 millions de m³/s, *Kouro-Shivo* et dérive Nord-Pacifique, 9 000 km de long, 50 millions de m³/s, par exemple).

Dans l'hémisphère austral, les dérives se confondent avec le *grand courant circumpolaire antarctique* qui fait le tour du globe, puisqu'il n'est pas interrompu par les continents, de l'ouest vers l'est aux latitudes tempérées et qui est **le plus puissant courant du monde** (270 millions de m³/s, largeur de 300 à 2 000 km, vitesse 0,75 km/h). Le courant de Somalie est **le plus violent du monde** (12,8 km/h).

Aux latitudes élevées de l'hémisphère N., la façade occidentale des océans est refroidie par la descente d'eaux froides venues du N. (*courant du Groenland oriental* et *du Labrador, courant du Kamtchatka* et *Oyashio*), tandis que les façades orientales sont attiédies par les prolongements des dérives transocéaniques d'origine tropicale (Europe occidentale et golfe d'Alaska).

Dans l'océan Indien austral, on trouve, comme dans les autres océans, un vaste tourbillon en sens inverse des aiguilles d'une montre, qui donne sur les côtes d'Afrique le puissant *c. des Aiguilles* (de 2,5 à 3 km/h, 2 500 km de long, 65 millions de m³/s), mais dans la partie boréale de l'océan le schéma de la circulation est altéré par la mousson, si bien que les courants tendent à changer de direction saisonnièrement comme les vents. Récemment a été individualisé un *contre-courant équatorial de sous-surface* appelé courant de Tareev, sans doute moins permanent que ceux des autres océans.

• **Circulation profonde.** En général beaucoup plus lente et provoquée par des différences de densité entre les masses d'eau, car, sauf quelques exceptions, les courants de surface ne font guère sentir leurs effets au-dessous de 500 m. En profondeur, les mouvements de l'eau sont dus à la plongée des eaux les plus denses donc les plus froides, issues de l'Antarctide pour les 3 océans, mais aussi de la mer du Labrador pour l'Atlantique ; elles ont une circulation à dominante méridienne.

• **Vitesse. Courants permanents.** *Gulf Stream* 1,2 à 2,7 m/s. *Courants équatoriaux* de 0,2 à 0,3 m/s.

Courants de marée. Se renversant avec la marée, toutes les 6 h, en Europe ils ne sont appréciables que près des côtes ; vitesse : sur les côtes de Bretagne, de 0,5 à 1 m/s ; dans le raz Blanchard, au large de la pointe de La Hague (Cotentin), 5 m/s. *Vitesse maximale :* fjord de Bodo (Norvège), 7,8 m/s. *Rapides Na-Kwato* (détroit de Slingsby, Colombie brit.). **Les + violents** du monde : 8,22 m/s, 29,6 km/h.

Eau de mer

• **Composition. Salinité.** D'après Defant (1961), il y a de 3 à 38 g de sels par kg d'eau de mer (en moyenne : 35 ‰), soit pour une salinité de 35 g (en g par kg d'eau de mer) : chlorure de sodium 27,213, de magnésium 3,807 ; sulfate de magnésium 1,658, de calcium 1,260, de potassium 0,863 ; carbonate de calcium 0,123 ; bromure de magnésium 0,076.

EXEMPLES : *Mer Rouge :* 44 g/l (avec des poches chaudes en profondeur 300 g/l). *Mer Morte* (lac salé) : 275 g/l. *Mer Baltique* qui reçoit les eaux douces de nombreux fleuves et se trouve dans une région tempérée assez froide, donc à faible évaporation : 2 g/l au minimum.

Autres composants. D'après Kalle (1945) (en mg par m³) : Fluor 1 400, Silice 1 000, Azote 1 000, Rubidium 200, Aluminium 120, Lithium 70, Iode 61, Phosphore 60, Baryum 54, Fer 50, Arsenic 15, Cuivre 5, Manganèse 5, Zinc 5, Sélénium 4, Uranium 2, Césium 2, Molybdène 0,7, Cérium 0,4, Thorium 0,4, Vanadium 0,3, Yttrium 0,3, Lanthane 0,3, Argent 0,3, Nickel 0,1, Scandium 0,04, Mercure 0,03, Or 0,004, Radium 0,000 000 1.

Température des océans

Profondeur	60° lat. Nord		Équateur			60° latitude Sud		
	Atlant.	Pacif.	Atlant.	Pacif.	Indien	Atlant.	Pacif.	Indien
Surface	7°	4°	27°	27°	27°	– 0°3	1°	0°8
100 m	10°	3°	21°	25°	23°	– 0°1	1°9	0°6
500 m	8°	3°5	7°	8°	12°	2°5	1°7	1°2
1 000 m	6°	3°	4°	4°5	6°	0°9	2°	1°5
3 000 m	2°	2°	2°8	1°7	3°	0°3	0°1	0°1

Matières organiques : produits d'assimilation des organismes vivants, de décomposition des organismes morts. L'ensemble représente une quantité de 3 à 10 fois plus importante que celle des organismes vivant dans la mer.

• **Couleur.** La mer reflète en partie la couleur du ciel, mais des particules en suspension sont capables de lui conférer des colorations particulières. Des algues microscopiques colorent la mer Rouge ; des micro-organismes donnent à l'Atlantique sa couleur verte. La terre jaune apportée par les fleuves chinois colore la mer Jaune. Vers 30 m de profondeur seules les radiations bleues subsistent.

• **Densité.** Dépend de la salinité et de la température : l'eau salée atteignant son maximum de densité à – 2 °C, les eaux froides sont donc plus lourdes que les eaux chaudes et tendent à s'enfoncer.

Les eaux de salinité, température et densité différentes ne se mélangent pas, mais elles glissent par masses les unes sous les autres (voir p. 77, Courants marins).

• **Pression. A la surface des eaux.** *Pression moyenne de l'atmosphère :* 1,033 kg par cm². **En profondeur.** La pression de l'eau s'y ajoute. Elle peut atteindre plus de 1 000 atmosphères à 10 000 m ; l'eau est comprimée au point que sa densité s'accroît : le poids d'1 l d'eau surpasse de 50 g celui du litre en surface. Si l'eau de mer était parfaitement incompressible, le niveau des océans serait relevé d'environ 30 m.

• **Température en surface (en °C).** Entre 30° sous les tropiques et 0° sous les latitudes élevées. **Golfe Persique : août 32°. Mer Rouge : août 31°** (avec au fond, des « poches » d'eau à 56°). **Golfe du Mexique :** 31°. **Atlantique** (moyenne sur le trajet Le Havre-New York) : 16° l'été ; 10° l'hiver. **Méditerranée** (au-dessous de 350 m 13°) : en surface, *golfe du Lion :* févr. 12° ; mai 15° à 15,50° ; août 21° ; nov. 15°. *Baléares :* févr. 13° ; mai 17° ; août 25° ; nov. 18°. *Côte algéro-marocaine :* févr. 15° ; mai 17,5° ; août 24,9° ; nov. 18° à 19° ; moy. annuelle 17,6°. *Détroit de Gibraltar :* févr. 14,7° ; août 23°. *Adriatique Nord :* févr. 9° ; mai 10° ; août 23° ; nov. 18°. *Adriatique Sud :* févr. 14° ; mai 15° ; août 25° ; nov. 21,5°. *Méd. orientale :* févr. 12° ; août 22°. *Mer de Marmara :* févr. 8° ; août 24° ; record hiver 4,5°. **Mer du Nord** à Douvres et, entre parenthèses, aux Shetland : hiver 6,5° (7,5) ; printemps 10° (9) ; été 17° (12,5) ; automne 11 à 12° (8,5). **Mer Blanche :** 0,5 à – 2° en hiver, 12 à 15° en été.

Quelques projets. Villes sur l'eau (souvent flottantes). *Extension des ports sur l'eau :* Rio de Janeiro, Tokyo, La Haye, U.S.A. (projet Novanoah). *Exploitations pétrolières, minières, chimiques en haute mer :* Sea City (G.-B., mer du Nord, 25 000 personnes, extensions prévues 200 000 pers.) ; Triton City (U.S.A., plusieurs dizaines de milliers de pers.) ; Tetra City (U.S.A., 1 million de pers. ; pyramide haute de 3 000 m) ; Marine City (Japon, plusieurs millions de pers. 60 km²).

• **Visibilité.** *Limite :* entre 40 et 50 m de profondeur. *Limite de pénétration des rayons solaires :* variable selon les éléments du spectre ; jusqu'à plusieurs centaines de m.

Fonds marins

Plates-formes, pentes continentales, cuvettes et fosses

• **Plate-forme continentale.** (7,6 % de la surface des océans et des mers). Borde les continents jusqu'à une profondeur voisine de 200 m. *Elle est large quand elle prolonge les plaines* en régions tempérées, étant elle-même d'origine détritique [*ex. :* la plate-forme continentale réunissant la G.-B. et l'Irlande au continent européen qui se compose de 3 grands bassins fluviaux submergés : *Rhin* (recevant sur sa rive gauche la Tamise, grossie de la Somme), *Seine* (affluents g. Rance, Elorn ; dr. Avon), *Severn*].

• **Pente continentale.** Entre 200 et 3 000 m env. de profondeur (15 % des océans) c'est un escarpement souvent raide qui relie les plates-formes aux grands fonds. Elle est parfois entaillée par des canyons sous-marins aux flancs abrupts ; gouf de Capbreton dans le golfe de Gascogne, trou sans fond au large d'Abidjan. On connaît env. 200 canyons sous-marins. A leur pied s'accumulent en de gigantesques cônes sous-marins tous les matériaux issus de l'érosion des continents.

• **Cuvettes océaniques.** Grands fonds (– 3 000 à – 6 000 m) recouvrant 77 % de la surface totale des océans en englobant les hauteurs qui les accidentent. Chaque océan se compose de plusieurs bassins profonds dont le relief est fait de plaines, de collines et parfois de cônes volcaniques.

• **Dorsales océaniques.** Elles forment dans l'océan mondial un système montagneux continu long de 75 000 à 80 000 km sur une largeur de plusieurs centaines de kilomètres, qui se dresse parfois à plus de 3 000 m au-dessus des fonds voisins, portant des îles comme les Açores et l'Islande.

• **Fosses océaniques.** 23 dépassent 7 000 m (Pacifique 19, Atlantique 3, Indien 1). Allongées, profondes au maximum de 10 960 m (Mariannes), 11 523 (Philippines), larges de 40 à 120 km, longues de 500 à 4 000 km, légèrement arquées, elles longent le bord d'un continent ou d'un arc insulaire et occupent env. 5 % de la superficie des océans.

• **Sédiments marins.** Formés par l'apport des cours d'eau, l'érosion des terres, le volcanisme ou les débris d'êtres vivants. Le Gange apporte à la mer 3 millions de t de sédiments par jour, soit l'équivalent de la Gironde en un an. Selon leur répartition par rapport à la côte on distingue les sédiments *littoraux* (vases, sables, galets) ; *néritiques* jusqu'à 200 m de prof., *bathyaux* de 200 à 3 000 m ; *abyssaux* au-delà de 3 000 m. Selon leur origine et leur nature, on individualise aussi les matériaux *terrigènes, volcaniques, chimiques* et *biogènes*. Les roches peuvent être d'origine sédimentaire *argileuses* (marne, schistes, etc.), *silicieuses* (grès, grauwackes, silex, etc.), *carbonates* (craie, calcaire détritique, etc.), *évaporites* (gypse, halite, potasse), *carbonées* (pétrole, charbon, gaz), *phosphatées, de climat glaciaire* (tillite). *Nodules polymétalliques :* voir Index.

• **Sommets immergés ou guyots.** Environ 10 000 dont beaucoup ne sont qu'à quelques centaines de mètres de la surface. Ils sont habités par des bancs de poissons et recèlent des « fossiles vivants ».

Glaces marines

Banquise

• **Définition.** L'eau de mer gèle à – 2 °C car la salinité abaisse le point de congélation. Le gel commence dans les mers peu profondes, baies et estuaires (*banquise côtière* = « fast ice »). Au centre de l'Arctique il y a une banquise permanente (le *Pack arctique*), que la banquise côtière rejoint en hiver. L'été on trouve aussi de la *banquise dérivante* entre les deux. Autour de l'Antarctide, la banquise est permanente en certains lieux.

Dans tous les cas la banquise est *zone d'ablation,* c'est-à-dire que la fonte estivale l'emporte sur l'accumulation de neige. Si elle se maintient, c'est parce qu'elle s'épaissit par en dessous, le gel de la mer ne cessant que lorsque la banquise a quelques mètres d'épaisseur. La banquise d'un hiver a 0,5 à 1,5 m d'épaisseur ; le Pack arctique 3 m d'épaisseur en moyenne, 6 m au nord du Groenland. Si la banquise devenait zone d'accumulation, on aurait un glacier flottant ou *plate-forme flottante* ou *shelf,* de 100 à 300 m d'épaisseur. De nombreuses plates-formes flottantes entourent l'Antarctique, la plus grande (plate-forme flottante de Ross) ayant la surface de la France ; elles sont aussi alimentées par les glaces s'écoulant de l'intérieur du continent. Dans l'Arctique il y avait de petites plates-formes flottantes au nord de l'île d'Ellesmere ; leur désintégration a donné des *îles de glace* disséminées dans l'Arctique. Sur certaines on a installé des bases scientifiques. Voir aussi Icebergs.

• **Processus physiques.** Lorsque la mer commence à geler, la microturbulence entraîne la formation d'une suspension de cristaux de glace *(fraisil),* rendant la mer « huileuse ». Puis se forme une glace mince, disloquée par la houle en *crêpes de glace.* Lorsque toute la mer est gelée, la croissance se poursuit vers le bas, formant de gros grains très allongés dans la direction verticale. Comme la glace ne peut pas incorporer de sels dans son réseau cristallin, le sel se concentre au contact de la glace, empêchant une croissance régulière. Des gouttelettes de saumure sont ainsi emprisonnées dans la glace de mer. Elles migrent lentement vers le haut, plus froid. Comme la surface fond l'été, la vieille glace de mer, à la fin de l'été, donne une eau potable.

A sa bordure, la banquise est morcelée par la houle en *floes* de 20 à 200 m de diamètre, parfois sur 50 km de large.

Vents et courants marins entraînent la banquise arctique. Son mouvement moyen est une circulation dans le sens des aiguilles d'une montre dans le bassin arctique, et une grande dérive des côtes de Sibérie vers l'Atlantique (découverte par la dérive du navire norvégien, le *Fram,* volontairement pris par les glaces, de 1893 à 1896). Autour de l'Antarctique, près des côtes, la banquise dérive vers l'ouest, et plus au large vers l'est (répondeurs placés par les expéditions polaires françaises sur des icebergs tabulaires et suivis par les satellites Argos).

Ces mouvements, irréguliers dans le détail, provoquent la formation de fractures dans la banquise, puis de chenaux (« rivières », en anglais *leads,* qu'on prononce lîdz), ou même au milieu de la banquise, d'étendues recouvertes de très jeune glace mince (2-30 cm d'épaisseur), les *polynies.* En se refermant, les chenaux sont remplacées par des *crêtes de pression (hummocks).* La distance moyenne entre crêtes de pression est 80-100 m. Sous l'eau elles s'enfoncent de 10-15 m, parfois 25 m (relevés au sonar à partir de sous-marins nucléaires).

• **Étendue et impact économique.** A la fin de l'été la banquise couvre 11,2 millions de km² ; à la fin de l'hiver, 38 millions de km², soit 7 % du globe, 12 % des océans. L'effet sur l'albédo du globe est faible car ces régions sont couvertes de nuages à 80 % ; mais en hiver la banquise prive l'océan de son rôle d'adoucisseur du climat.

En été la limite du Pack arctique passe juste au nord du Spitsberg (80° lat. N.) et de l'archipel François-Joseph, par la Nouvelle-Zemble, la Nouvelle-Sibérie et l'île Wrangel, laissant plus ou moins libre le *passage du Nord-Est* le long des côtes sibériennes. Cela permet l'évacuation par mer du charbon de Tiksi (mer des Laptev), des métaux non ferreux de Sibérie orientale, et le ravitaillement de ces centres miniers. L'archipel canadien et les côtes de l'Alaska sont aussi libérés des glaces *(passage du Nord-Ouest).* Il y a de nombreux puits de pétrole off-shore au large du Labrador (mer de Baffin), du Yukon et de l'Alaska (mer de Beaufort). Mais, l'évacuation du pétrole devant être continue et l'emploi de pétroliers brise-glace s'avérant trop problématique (croisière test du Manhattan, automne 1959), le pétrole de la mer de Beaufort est évacué par l'oléoduc transalaskien.

En hiver, la banquise couvre tout l'Arctique des côtes de Sibérie à celles de l'Alaska et parfois de l'Islande, ne laissant libre que la mer de Norvège, l'ouest de la mer de Barents et le port soviétique de Mourmansk. La navigation n'est alors possible que dans les régions les moins englacées, à l'aide de brise-glace.

Icebergs

• **Définitions et types.** Portions de glace continentale qui descendent lentement vers la mer, flottent, se détachent (le glacier vêle des icebergs) et partent à la dérive. Il y a 2 types d'icebergs : ceux venant des plates-formes de glace (glaciers flottants de l'Antarctique), tabulaires et à sommet plat, et ceux venant des glaciers de vallée, de forme irrégulière.

• **Limites normales.** Atlantique 60° de latitude N, 45° sur les côtes américaines, océan Austral 43 °S. Mais on a rencontré des débris d'icebergs jusqu'à 28° 44′ dans l'Atlantique N, et jusqu'à 26° 30′ dans l'Atlantique S.

• **Dimensions.** Ils peuvent avoir 700 m de hauteur (630 immergés et 70 au-dessus du niveau de la mer) et 2 km de long sur 2 km de large (l'épaisseur des glaciers à terre peut atteindre 4 335 m). La hauteur de la partie immergée dépend de la densité de la glace (les icebergs contiennent de 1 à 10 % d'air) et représente de 80 à 88 % du volume total. Pour un iceberg rectangulaire, la hauteur de la partie immergée est 4,2 à 7,8 fois plus grande que la hauteur qui émerge.

Le plus grand iceberg connu fut localisé en 1956 (31 000 km², longueur 330 km, largeur maximale 297 km, il venait d'une plate-forme de glace de l'Antarctique). *Le plus haut* mesurait 167 m (Groenland).

• **Exploitation des icebergs.** On avait imaginé de les remorquer pour l'irrigation des régions désertiques : zones d'Arica et d'Antofagasta (Chili), côte des Squelettes (Afr. du S.), littoral californien et Arabie Saoudite. Le projet a été abandonné devant les difficultés de remorquage, de stockage et de fusion. Il est moins coûteux de dessaler l'eau de mer.

Littoral

• **Niveau marin.** A beaucoup varié pendant le Quaternaire : il s'abaissait pendant les glaciations et montait lorsque les glaciers quaternaires se remettaient à fondre. La mer a ainsi envahi récemment les parties basses des continents, et le rivage ne s'est stabilisé dans sa position actuelle qu'au XIIe s. apr. J.-C. On appelle *transgression flandrienne* (pour l'Europe) cette variation récente des niveaux, car c'est dans les plaines flamandes qu'elle a eu ses effets les plus visibles : *1°) flandrien inférieur* (15000-8000 av. J.-C.) : réouverture du pas de Calais, entre Manche et mer du Nord. *2°) fl. moyen* (8000-5000 av. J.-C.) : baisse de niveau, transformant la Baltique en lac intérieur (« lac à ancyles »). *3°) fl. supérieur* (début de l'ère chrétienne) : émersion de la Flandre, avec brève submersion donnant naissance au Zuiderzee (lac Flevo).

• **Côtes élevées** (présence de falaises). Correspondent à des *littoraux structuraux,* c.-à-d. que les roches constituant les masses continentales sont en contact direct avec les mers.

Quand les roches ne sont pas plissées : structure *subtabulaire.* Les roches dures forment des caps avec des falaises ; les roches tendres sont entaillées et forment des baies.

Dans les zones montagneuses où les glaciers quaternaires ont érodé de profondes vallées à profil en U : côtes à fjords (ex : Scandinavie, Écosse, Andes chiliennes, Alaska méridional).

Quand les roches sont plissées, et que le plissement est parallèle à la ligne de rivage, la mer s'avance dans les sillons des synclinaux et laisse les crêtes des anticlinaux subsister sous forme d'îles ou de promontoires : côtes très déchiquetées (*ex. :* le littoral dalmate en Yougoslavie).

Quand les roches sont d'origine volcanique, structure *volcanique :* falaises dans les coulées de basaltes durs, boues dans les champs de cendres molles (*ex. :* l'île de Santorin). Sur les socles formés par d'anciens volcans submergés dans les mers chaudes : développement de structures d'origine animale, les *coraux.* Les *madrépores* vivent en colonies innombrables, soudés les uns aux autres, s'agglutinant aussi aux coquilles (polypiers) de ceux qui sont morts. Avec le temps, les madrépores édifient ainsi d'énormes masses rocheuses parvenant jusqu'au ras des flots, les *récifs.* Les *coraux* vivent dans les mers tropicales et équatoriales à l'écart des embouchures de fleuves, dans des eaux claires et salées à la temp. de 18 °C au moins (la + favorable avoisinant 25 °C). Les courants froids qui longent l'Amérique du Sud et l'Afrique du Sud empêchent en général leur développement, même dans les régions tropicales. Les courants chauds leur permettent de vivre au large de l'Amérique du Nord (Bermudes) et au voisinage du Japon. Ils meurent en dessous de 25 à 30 m de profondeur. Les *récifs* se trouvent donc à proximité des rivages. Seule exception connue : dans la mer de Céram (Indonésie), 1 500 m de profondeur, 27 km de la côte, mais ce sont des coraux fossiles.

• **Récifs coralliens. Atolls :** anneaux de corail entourant une étendue d'eau calme et peu profonde, le *lagon.* Structure calcaire reposant sur un ancien volcan basaltique enfoncé avec le plancher océanique. Les coraux ont compensé leur enfoncement par leur croissance. *Superficie maximale, lagon compris :* Kwajalein (îles Marshall) récif de 283 km² et lagon de 2 850 km² ; *superficie maximale de la terre ferme :* Christmas (île Line) 477 km². Les cordons coralliens des atolls ont entre 600 et 1 000 m de large. Des cocotiers prennent pied sur la partie émergée de l'atoll construite par les vagues à l'aide de débris de madrépores, de sables et de galets, alt. maximale 3 m. Mais des soulèvements de terrains peuvent dresser d'anciens atolls au sommet d'îles montagneuses [ex. Timor (Indonésie) : anciens atolls à 1 600 m d'alt.].

On distingue : les *faros,* qui sont de petits atolls à lagon peu profond, disposés en chaîne et dont l'ensemble forme un grand atoll ou une barrière (les plus célèbres sont aux îles Maldives) ; les *platures récifales,* plus petites et de formes diverses (récifs tabulaires, annulaires, pinacles, petits récifs s'élevant du fond des lagons) ; les *récifs* (barrières ou atolls) *immergés* à plus ou moins grande profondeur sous la surface de la mer ; les *récifs* (frangeants, accolés au littoral, barrières ou atolls) *élevés* à la suite de légers mouvements du substratum sur lequel ils reposent, édifiés au large des côtes sur une plate-forme continentale peu profonde et séparés du littoral par un « chenal d'embarcation ». Barrières de corail et lagons sont très fréquents autour d'îles volcaniques aux sommets élevés (ex. Tahiti et autres îles de la Société). Ils sont interrompus par des « passes » lorsque des rivières apportent localement des eaux douces et turbides. La côte du Queensland, en Australie, est protégée par la *Grande Barrière* sur 2 027 km, à env. 100 km au large.

Superficie des régions coralliennes (total du globe : 18 millions de km²). *Grandes régions :* 1°) Atlantique occidental : Floride, Antilles, Brésil (manquent en face des grands estuaires, en raison de la dessalure et de la turbidité des eaux fluviales) : 20 genres et 80 espèces de c. 2°) région indo-pacifique : de la mer Rouge au Pacifique central (80 genres et 700 espèces).

• **Côtes basses** (présence de plages et de vasières).

Plages de sables et de galets déposés entre des caps rocheux (*ex. :* la baie d'Audierne en Bretagne).

En bordure de plaines basses, les courants littoraux peuvent former des *cordons littoraux.* Ces cordons sont généralement coupés par des passes temporaires ou permanentes, les *graus,* qui font communiquer avec la mer des lagunes isolées derrière les cordons. Sur la côte du golfe de Gascogne, les dunes forment un alignement de 240 km presque continu de la Gironde à l'Adour. La *dune* la plus haute d'Europe est celle du Pilat (Gironde) 105 m ; en Asie centrale ou au Sahara, des dunes intérieures atteignent 500 m.

Vasières. A marée basse, dans la partie abritée des estuaires, dans des baies ou sous la protection d'un cordon littoral, la mer construit ainsi un paysage de *vasières* et de marais. On appelle *slikke* une vase molle recouverte par les marées, et *schorre* une vase durcie, desséchée et couverte de végétation. Dans les pays tropicaux (*ex.* golfe de Guinée), les palétuviers colonisent les vasières, formant une forêt littorale appelée *mangrove.*

Estuaires : embouchures de fleuves où se fait sentir l'action de la marée (du latin *aestus,* « marée »). Longueur (en km) : Seine 114, St-Laurent 500 ; Amazone 1 000.

Estuaires envasés. La boue charriée par les fleuves crée des terres amphibies que la végétation finit par incorporer au continent. Les falaises de l'ancien littoral subsistent parfois loin de la mer (*ex. :* l'embouchure de la Somme, en France). Un fleuve comme le Mississippi apporte à la mer 2 millions de t d'alluvions fines chaque jour et l'Amazone 1 milliard de t par an.

Flèches littorales. Au lieu d'étaler les sables en plages, les courants côtiers peuvent les étirer en *flèches littorales* ou en *cordons littoraux.* Le *tombolo* est une flèche littorale qui rejoint une île et la trans-

Estran. Frange littorale délimitée par l'avancée extrême des plus hautes marées et le recul des plus basses. La largeur de l'estran dépend de l'amplitude des marées et de la pente du rivage. Si cette pente est faible et la marée importante, il peut atteindre plusieurs km (12 km en baie du Mont-St-Michel).

Falaise la plus haute. *Du monde :* Umilehi Point, île de Molakaï (Hawaii) : 1 005 m au-dessus de la mer. *En Europe :* îles Féroé (600 m) et au N.-O. de l'Irlande (500 m à Achill Island). *En France :* cap Canaille (B.-du-R.) 362 m ; nez de Jobourg 128 m ; Étretat (S.-Mar.) 90 m.

Ria ou aber. Vallée fluviale envahie par la mer. Phénomène fréquent en raison de la transgression flandrienne. **Calanques :** indentations étroites et profondes à bords escarpés. Beaucoup viennent de la submersion de canyons creusés dans le calcaire.

forme en presqu'île (*ex.* : à Quiberon ou à Giens : tombolo double).

Formation des deltas. Quand un fleuve apporte une telle masse d'alluvions que celles-ci s'accumulent à l'embouchure, il se forme un *delta.* Il peut alors multiplier le nombre de ses bras et si les courants marins ne sont pas actifs, son delta se prolonge en *doigt de gant.* Le delta du Mississippi avance ainsi en moyenne de 70 m par an, par endroits.

Baïne (du patois landais signifiant « petit bain »). Cavité creusée par la houle qui déplace les sables sur le littoral aquitain (100 m de large, 4 à 5 m de profondeur). À l'origine de 95 % des noyades. *Prévention* : le baigneur aspiré par le courant ne doit pas se débattre, mais se laisser flotter comme une planche vers le large où un courant Nord-Sud le ramènera à 1 km de son point de départ.

Érosion marine

Érosion des falaises. On a admis longtemps que l'action des vagues en était la cause principale (en sapant du bas, elles provoquent la chute de pans entiers). On pense actuellement que les vagues jouent un rôle secondaire tandis que l'eau pluviale d'infiltration serait essentielle.

Vitesse de recul : en Picardie, moyenne de 50 à 220 cm par an ; le phare d'Ailly, construit à 160 m de la mer en 1775, en était à 4 m seulement quand il fut détruit en 1940. Son emplacement est aujourd'hui submergé.

Valleuses. Le recul des falaises peut être si rapide que les petits cours d'eau n'arrivent plus à creuser leur lit assez vite pour se raccorder au niveau de base et demeurent suspendus ; on appelle leurs vallées des *valleuses.*

Érosion des plages. **France.** Le phénomène est très variable d'un endroit à l'autre et les évolutions sont toujours réversibles. *Bretagne :* (sud de la baie d'Audierne) recul dans la commune de Tréguennec de 150 m entre 1952 et 1969. Landes : de 1 à 3 m/an plus de 10 m/an à Seignosse. *Méditerranée :* sauf à la pointe de la Gracieuse, à l'embouchure du Grand Rhône, à la pointe de Beauduc et à celle de l'Espiguette, le littoral se replie, en particulier à Faraman et aux Saintes-Maries-de-la-Mer. **Italie :** Émilie-Romagne et golfe de Tarente, jusqu'à 4 m/an depuis 1950. **Danemark :** Jutland du Nord. **Amérique :** du Mexique à la Colombie et au Venezuela, 10 % seulement des plages engraissent ; 10 à 20 % sont stables ; tout le reste recule. **Afrique :** Côte-d'Ivoire, Angola et au Nigeria, entre la frontière avec le Bénin et Lagos, de 4 à 7 m/an ; delta du Nil, jusqu'à 30 à 40 m/an depuis la construction du barrage d'Assouan.

Marées

• Causes. La marée est un mouvement oscillatoire du niveau de la mer dû aux effets de l'attraction de la Lune et du Soleil sur les particules liquides. Cette attraction varie selon la masse des astres perturbateurs et l'inverse du cube de leur éloignement par rapport à la Terre ; la Lune exerce l'attraction la plus grande ; le Soleil, très éloigné, exerce une attraction 2 à 3 fois moindre, bien que sa masse soit très supérieure, et son diamètre apparent égal. L'attraction de chaque astre tend à former 2 légères protubérances, l'une tournée vers l'astre, l'autre du côté opposé. Chacune des protubérances causées par l'attraction de la Lune met un peu plus d'1 j pour faire le tour de la Terre : en un point donné, l'une succède à l'autre à 12 h 25 mn d'intervalle, y causant la marée haute. Mais les protubérances causées par le Soleil font le tour de la Terre en 1 j exactement : elles se succèdent à 12 h d'intervalle.

Marnages [1] maximaux (en mètres)

Atlantique. Baie de Fundy (Canada) 16,7. Granville (France) 14,6. Bristol (G.-B.) 14,5. Puerto Gallegos (Arg.) 12,7. Chausey (Fr.) 11,7. Bréhat (Fr.) 9,9. Ouessant (Fr.) 8,6. Brest (Fr.) 8,3. Bayonne (Fr.) 4,8.

Océan Indien. Collier Bay (Australie) 12.

Pacifique. Honolulu (Hawaii) 0,6.

Méditerranée. Golfe de Gabès (Tunisie) 2,6. Tarifa (Espagne) 1,5. Pula (Youg.) 1,4. Toulon (Fr.) 0,5.

Nota. – (1) Le marnage ou l'amplitude de la marée est la différence entre la hauteur de la pleine mer et la hauteur de la basse mer qui la précède ou la suit immédiatement.

	Unités de hauteur des principaux ports de France (en mètres)	Niveau de mi-marée (en mètres)
Dunkerque	2,73	3,20
Calais	3,26	4,02
Boulogne	4,01	5,01
Le Tréport	4,57	5,02
Dieppe	4,48	4,97
Fécamp	3,65	4,47
Le Havre	3,33	4,68
Port-en-Bessin	3,07	4,22
St-Vaast-La Hougue	2,95	3,80
Cherbourg	2,73	3,78
Dielette	4,41	5,51
Granville	6,06	7,21
Saint-Malo	5,67	6,85
Paimpol	5,23	5,53
Morlaix (Taureau)	3,94	5,21
Roscoff	3,94	5,17
Ouessant	3,16	4,45
Brest	3,21	4,45
Douarnenez	2,96	4,17
Concarneau	2,21	2,93
Saint-Nazaire	2,56	3,06
Les Sables-d'Olonne	2,33	3,12
La Rochelle	2,61	3,64
Royan	2,24	3,01
Cordouan	2,31	2,83
Arcachon (Eyrac)	2,12	2,17
Boucau	1,85	2,56
Socoa	1,98	2,49

Calendrier des marées d'octobre 1991 à octobre 92

		Pleine mer		Coefficient	
		Matin	Soir	Matin	Soir
Octobre	NL 7	3 h 13	15 h 32	97	100
	PL 23	3 h 29	15 h 46	92	95
Novembre	NL 6	3 h 28	15 h 46	89	90
	PL 21	2 h 58	15 h 19	87	90
Décembre	NL 6	3 h 49	16 h 08	77	78
	PL 21	3 h 23	15 h 48	88	92
Janvier	NL 4	3 h 39	15 h 57	69	72
	PL 19	3 h 13	15 h 39	85	92
Février	NL 3	4 h 01	16 h 17	73	77
	PL 18	3 h 51	16 h 13	102	108
Mars	NL 4	4 h 08	16 h 22	82	86
	PL 18	3 h 31	15 h 52	103	108
Avril	NL 3	4 h 05	16 h 20	89	91
	PL 17	3 h 48	16 h 08	101	102
Mai	NL 2	3 h 31	15 h 49	85	88
	PL 16	3 h 27	15 h 48	87	87
Juin	NL 1	3 h 44	16 h 05	85	88
	PL 15	3 h 54	16 h 14	76	77
	NL 30	3 h 27	15 h 51	83	88
Juillet	PL 14	3 h 43	16 h 02	71	73
	NL 29	3 h 14	15 h 39	86	92
Août	PL 13	4 h 02	16 h 18	77	79
	NL 28	3 h 46	16 h 08	106	111
Septembre	PL 11	3 h 35	13 h 51	78	82
	NL 25	2 h 40	15 h 02	95	102
Octobre	PL 11	3 h 33	15 h 48	84	86
	NL 25	3 h 01	15 h 22	101	103

Heure de pleine mer à Brest. Temps universel.

Les annuaires des marées édités par le Service hydrographique et océanographique de la Marine donnent notamment les heures et les hauteurs des PM et des BM.

D'un jour à l'autre la marée a donc 50 mn de retard, parce que la Lune se retrouve dans la même position par rapport à la Terre toutes les 24 h 50 mn.

• Marées semi-diurnes. Généralement, et en particulier sur les côtes françaises de l'Atlantique et de la Manche, l'élévation des eaux présente chaque jour lunaire 2 maximums (ou *pleines mers,* PM), et 2 minimums (ou *basses mers,* BM). On dit que la marée présente le caractère *semi-diurne.*

a) Dans chaque port, les pleines mers suivent le passage de la Lune au méridien selon un intervalle de temps à peu près constant.

b) Tous les 15 j, au moment de la pleine Lune et de la nouvelle Lune, la Lune et le Soleil se trouvent sur une même ligne par rapport à la Terre *(conjonction)* et les hautes eaux causées par l'attraction des 2 astres coïncident : on a une marée de **vive-eau.** Au contraire, lors du premier et du dernier quartier, la direction de la Lune par rapport à la Terre est perpendiculaire à celle du Soleil et il y a des périodes de marnage minimal (**morte-eau**).

c) Dans l'année, les **vives-eaux** les plus importantes se produisent généralement au voisinage des équinoxes (en mars et septembre), quand le Soleil vient de franchir l'équateur.

d) On peut calculer sommairement la hauteur *h* de la pleine mer ou de la basse mer dans un port donné à l'aide de la formule :

$$h = N_m \pm \frac{U \times C}{100}$$

où Nm est le niveau *de mi-marée* en ce port, C un *coefficient* proportionnel à l'amplitude de l'oscillation de la marée considérée (compris entre 20 et 120), U le *demi-marnage* d'une marée moyenne de vive-eau d'équinoxe. Cette grandeur constante dans le port considéré est appelée **unité de hauteur.** Le coefficient de marée multiplié par l'unité de hauteur divisé par 100 donne un chiffre qui, ajouté ou retranché du niveau de mi-marée, permet de trouver la hauteur de la pleine mer ou celle de la basse mer. Le coeff. 120 n'a jamais été atteint dep. 1800. En 1900 et 1918, on atteignit 119 et depuis 1800, 14 fois 118 (dernière fois le 27-3-1967).

• Vitesse. Dans la baie du Mont-St-Michel, le reflux des grandes marées découvre plus de 600 km² de sable (12 km de profondeur × 20 km de large). Quand la marée remonte, dépassant parfois 15 m de haut (1 300 millions de m³ d'eau), elle peut atteindre 30 km/h, d'où l'expression « vitesse d'un cheval au galop » (40 mn pour 20 km). La vitesse normale, en dehors des marées d'équinoxe, est de 10 km/h.

• Marées diurnes. Toutes les marées ne sont pas à période semi-diurne (2 mouvements de flux et reflux par jour). Il existe sur certains rivages du Pacifique et de l'océan Indien des marées diurnes avec une montée et une descente des eaux par 24 h. Au contraire, la région de Southampton (G.-B.), compte 3 périodes de flux et reflux dans la journée pour des raisons locales. Les *mers fermées* ou engagées dans la masse des continents, telle la Méditerranée, ont des marées négligeables ou pas de marée.

• Mascaret. Barre d'eau tourbillonnante provoquée par la marée qui remonte le cours des fleuves (Garonne et Dordogne sur 160 km, Amazone sur 1 000 km) quand elle se heurte à leurs eaux descendantes.

Les plus hauts sont ceux du Mékong (14 m) et du Qiantangtjiang (Hang-tcheou), vague de 7,5 m de haut, audible à 22 km ; *le plus rapide* celui du bras Hooghly du Gange (27 km/h) ; *le plus volumineux* celui du canal de Norte (16 km de large) à l'embouchure de l'Amazone ; *le plus grand* de France était le mascaret de la Seine, près de Quillebeuf, à 30 km de la mer (Léopoldine Hugo, fille de Victor Hugo, s'y noya). Les travaux d'aménagement de l'estuaire (endigage, équipement des berges) l'ont presque fait disparaître.

• Marées terrestres. L'attraction de la Lune et celle du Soleil s'exercent sur le Globe et lui imposent une déformation périodique. L'amplitude du soulèvement du sol (nulle aux pôles et au maximum de 40 cm aux basses latitudes) et son retard par rapport à la position de ces astres font estimer que la rigidité de la Terre est analogue à celle de l'acier. On a constaté une très légère influence de cette déformation sur le déclenchement des séismes superficiels.

Vagues

• Définition. Mouvements oscillatoires de l'eau faisant se succéder crêtes et creux. Ne se font plus sentir au-dessous de 100 m de profondeur.

• Types de vagues. Se caractérisent par : *longueur d'onde,* distance en m entre 2 crêtes (dépasse rarement 300 m) ; *hauteur,* distance en m entre crêtes et creux ; *période,* temps en secondes entre le passage de 2 crêtes successives en un point fixe ; *célérité,* vitesse de propagation en nœuds déduite de la longueur d'onde et de la période ; *cambrure,* rapport de la hauteur à la longueur d'onde. Au-dessus de 0,14, il y a déferlement et formation de *rouleaux* ou de *moutons.* Aux abords du rivage, lorsque le fond se relève, la vague brise ou déferle, c'est la **barre ;** la base est freinée, mais la crête s'abat sur la côte ; le jet de rive est suivi du retrait de l'eau.

• **Houle.** Vagues régulières se propageant à la surface, souvent loin de l'endroit où souffle le vent.

• **Embruns.** Fines gouttelettes d'eau de mer en suspension dans l'air, souvent poussées par le vent.

• **Hauteur maximale, observée au large, de vagues provoquées par le vent.** *Pacifique* (7-2-1933) 33 m ; *Pacifique Sud* (enregistrée scientifiquement 2-4-1956) 23,4 m. *Atlantique* de 14 à 18,5 m. *Océan Indien* de 10 à 15 m. *Méditerranée* de 8 à 9 m. Une grosse vague qui rebondit sur un navire peut atteindre de 30 à 50 m.

• **Pression possible des grandes vagues.** 60 t/m².

Marées de tempêtes et tsunamis

• **Causes.** *1°) marées de tempête* dues aux causes météorologiques (tempêtes et dépressions barométriques conjuguées avec l'époque des marées hautes, ou typhons, tornades locales). La violence et la persistance des vents de mousson accompagnés de très fortes pluies ont souvent provoqué l'invasion par la mer des côtes basses au Bangladesh : 1974 (2 500 †), 1978, 1988 (2 fois) ; aux Philippines : 1972 (454 †) ; aux Pays-Bas : 1424 (100 000 †), 1953, par-dessus des digues de protection, (1 800 †, énormes dégâts). Les inondations de Venise sont également dues à la concomitance de causes météorologiques. *2°) Tsunamis* (appelés autrefois *raz de marée*) [du japonais *tsu* port, et *nami* vague (c'est-à-dire grande vague déferlant dans un port)] d'origine sismique. Vagues exceptionnelles, de grande période, pouvant envahir un littoral même escarpé. Souvent la mer se retire au loin avant l'arrivée d'une énorme vague qui se présente comme un mur d'eau arrivant à grande vitesse. *Causes diverses :* la plus fréquente, grand séisme en mer ; explosion volcanique parfois dans la mer ; effondrement de sédiments marins.

• **Principales marées de tempêtes. 1953** (1-2) Pays-Bas : 1 794 †. **56** (9-7) mer de Crète : 53 †. **60** (24-5) Japon : 900 †. **62** (17-2) Allem. : 281 †. **70** (13-11) Pakistan : 200 000 †. **71** (29-9) Inde : 10 000 †. **74** (12-8) Bangladesh : 2 500 †. **76** (20-5) Philippines : 215 †. **77** (19-11) Inde : 7 000 à 10 000 †.

• **Raz de marée méditerranéens.** Sur les côtes françaises, ils sont dus à des glissements sous-marins. Les rebords du plateau continental, distants des côtes de quelques centaines de mètres, sont en effet très escarpés. Les alluvions des fleuves s'y déposent en couches instables. Une forte crue de ces fleuves peut faire basculer de grosses masses de limon et de cailloutis. *Exemples connus :* Antibes 20-7-1565 ; Marseille 29- 6-1725 ; Antibes 23-3-1818 ; Ouest de Marseille 1821 ; Marseille 8-7-1829 ; littoral de Cannes à Oneglia (Italie) 28-2-1887 ; Saintes-Maries-de-la-Mer (Camargue) 11-6-1909 ; Nice à Antibes 17-9-*1979* (6 tués, gros dégâts).

• **Mécanisme.** La longueur des ondes dépend de la période et de la vitesse de propagation de l'onde, elle-même fonction de la haut. d'eau libre ($v = \sqrt{gh}$; g : accélération de la pesanteur, h : hauteur moyenne de l'eau). **Au large,** dans le Pacifique (profondeur moyenne 5 000 m), la vitesse est d'environ 800 km à l'heure, soit 200 m à la seconde ; pour une période moyenne de 15 min, la longueur de l'onde sera de 200 km. Aussi nul navire ne peut-il apercevoir au large le passage d'un tsunami ; la « pente » de la vague, quelques décimètres de hauteur pour 100 km par des fonds de 4 000 à 5 000 m, est insignifiante et le navire s'élève et descend de façon imperceptible. **Près des côtes,** la vitesse de l'onde diminue à mesure que les fonds remontent, mais sa hauteur croît jusqu'à 10, 20, 30 m et la vague que la profondeur trop faible finit par faire déferler s'abat sur le rivage de toute sa masse et provoque souvent d'énormes dégâts.

Échelle d'intensité des tsunamis d'Imamura et Iida. Magnitude, hauteur des vagues au large en italique, vague observée la plus haute et dégâts. t : 0, *10 cm* (jusqu'à 1 m, pas de préjudice). t : 1, *25 cm* (jusqu'à 2 m, dégâts aux maisons et navires sur la côte). t : 2, *50 cm* (jusqu'à 4-6 m, peut détruire les navires et faire des victimes). t : 3, *100 cm* (jusqu'à 10-20 m, destructions sur 200 km de côtes). t : 4, *200 cm* (30 m et +, destructions sur 500 km de côtes) vraiment exceptionnels.

• **Hauteur maximale de la principale vague.** 85 m, le 24-4-1771 au Japon (séisme) ; 67 m, 28-3-1964, Alaska (séisme).

• **Répartition en % des tsunamis recensés.** Pacifique 75 ; Méditerranée 12 ; Atlantique 9 ; o. Indien 3 ; divers 1.

Asie et Pacifique

Japon. La plupart sur la côte pacifique, dus aux séismes ; de l'an 684 à 1985, 171 dont 16 grands (vagues de 10 m) et 5 très grands [30 m et plus]. *1° Séismes proches : 869* (13-7) 30 m et + ; *1707* (28-10) 30 m et + ; 4 900 † avec le séisme ; *1771* (24-4) 85 m, 9 313 † ; *1854* (24-12), 1 000 † ; *1896* (15-6) 2 vagues de 30 et 24 m, 27 122 noyés ; *1933* (2-3) 20 m, 911 †. *2° Séismes lointains : 1937* (7-11) Chili, 5 m aux Hawaii ; *1968* (13-8) Pérou/Chili, dégâts aussi aux Hawaii ; *1877* (10-5) Pérou ; *1906* (31-1) Pérou, 10 m ; *1922 ; 1952* (4-11) Kamtchatka, 1 200 maisons inondées, dégâts aussi aux Hawaii ; *1960* (22-5) Chili, 5 107 maisons détruites et 1 137 embarcations (10 m aux Hawaii) ; *1969* (22-11) Kamtchatka, vague de 10 m en mer de Béring occidentale, plusieurs †.

Indonésie. Java, etc. *1883* (27-8) : 30 000 noyés (expl. Krakatoa) ; Mer des Célèbes *1967* : 13 †, *1969* : 210 †.

Iles Hawaii. Outre les précédents : *1841* (17-5, séisme du Kamtchatka) 5 m ; *1941* (séisme des Aléoutiennes) 10 m ; *1975* (29-11) vague de 8 m, plusieurs dizaines de †.

Amérique

Côtes Est et Pacifique. *1945-85,* U.S.A., 335 † et 485 millions de dollars de dégâts. *1958* (9-7) Alaska (chute de 90 millions de t de rochers et dégâts jusqu'à 600 m d'altitude dans la baie de Lituya). *1964,* Alaska (28-3) 67 m, 119 †, 6 m en Californie. *1868* (août) Chili, navire Wateree transporté 2 miles à l'intérieur des terres près d'Arica. *1918* (oct.) Porto Rico, 6 m ; *1979* (12-12) Colombie et Équateur, 5 m, 500 †.

Europe

1° origine volcanique : *vers 1470 avant J.-C.* explosion de Santorin 50 m ? Les cendres volcaniques de cette éruption ont été trouvées en 1990 à 736,1 m de prof. dans un forage au centre de l'inlandsis groenlandais (alt. 3 100 m). *1650* mer de Crète ; 50 m. *1956 (9-7)* mer de Crète ; 24 m, 23 †. **2° origine sismique :** *365* (21 ou 27-7) Crète, victimes ; *382* Portugal, victimes ; *479* Grèce, des navires du Pirée sont projetés sur les toits de maisons à Athènes ; *1531* (26-1) Lisbonne à Tunis ; *1650* mer de Crète, 50 m ; *1680* (9-10) Andalousie, victimes ; *1722* (27-12) Portugal ; *1731* Cadix à Agadir ; *1755* (1-11) Lisbonne (5 à 10 m), Gibraltar, Tunis ; *1773* (12-4) Cadix et Tanger ; *1816* (2-2) Portugal. Voir aussi « raz de marée méditerranéens » ci-contre. **3° vêlage d'un petit iceberg au fond d'un fjord :** *1940* Groenland (10 m).

Nota. – Un tsunami fossile a été mis au jour dans l'est de l'Écosse sur 300 km de côtes, à 4 m au-dessus du niveau des côtes actuelles jusqu'à 2 km à l'intérieur. Il a laissé un dépôt de sable marin de moins de 10 cm (75 cm par endroits). Il aurait pu être déclenché il y a env. 9 000 ans par un glissement de sédiments marins sur le talus continental au large de la Norvège, appelé Storega. D'autres tsunamis fossiles ont déposé des galets, coraux et coquillages à 375 m au-dessus du niveau actuel, aux Hawaii.

• **Prévision et prévention.** Autour du Pacifique, Chili, U.S.A., U.R.S.S., Japon pratiquent une surveillance continue (y compris des sismographes et marégraphes immergés au large) coordonnée à Hawaii par le Pacific Tsunami Warning Center (1948). Une préalerte est diffusée dans les minutes qui suivent la localisation d'un séisme majeur dans la zone. Sur le pourtour du Pacifique, 23 nations coopèrent à l'International Tsunami Warning System (ITWS) disposant de 69 stations séismiques, 65 marégraphes. Chaque séisme de m. 6,5 ou plus alerte l'observateur. Les mesures sont transmises par le satellite GEOS en temps réel au Tsunami Warning Center à Honolulu, chargé de l'analyse et de l'éventuelle diffusion de préavis ou d'alerte. L'avis peut précéder de plusieurs heures la vague, qui se propage à environ 800 km/h. De la côte du Chili au Japon sa traversée dure 22 h ; du Pérou ou Chili à Los Angeles, environ 10 à 12 h. Au fond de certaines baies du Japon, on a construit des digues pour résister aux tsunamis. Le salut consiste pour les navires à s'éloigner des côtes, pour les habitants à gagner les plus proches hauteurs.

Droit de la mer

Quelques dates

1958-*29-4* Conventions de Genève sur les droits des États riverains sur le plateau continental et sur les eaux côtières. **1970** l'Ass. gén. de l'O.N.U. décide à l'unanimité que les fonds marins situés au-delà des juridictions nationales constituent « le patrimoine commun de l'humanité ». **1971**-*21-12* à la suite d'autres pays, la France étend à 12 milles nautiques (22,22 km) la limite de la mer territoriale. **1973** début de la 3e conférence de l'O.N.U. sur le droit de la mer. **1977**-*1-1* la C.E.E. crée une zone de pêche communautaire de 200 milles nautiques (370,40 km) au large des pays membres. **1982**-*10-12* fin de la conférence de l'O.N.U. sur le droit de la mer : 159 pays signent à Montego Bay (Jamaïque) la *Convention du droit de la mer,* mais le texte n'est pas ratifié. Pour que la convention entre en vigueur, elle doit être ratifiée par 60 pays ; or, 43 l'avaient ratifiée au 17-12-1990. La convention est signée mais non ratifiée par la France.

Définitions

Les définitions suivantes sont extraites de la Convention de 1982.

• **Eaux intérieures.** Essentiellement ports, baies et estuaires de taille raisonnable. L'État côtier y est totalement souverain, comme sur son territoire de terre ferme. Les navires étrangers, même civils, ne peuvent y pénétrer qu'après autorisation (même règle pour le survol par les aéronefs).

• **Mer territoriale.** Sa limite extérieure est constituée par la ligne dont chaque point est à une distance du point le plus proche de la ligne de la base, égale à la largeur de la mer territoriale. Sa largeur varie suivant les États, mais ne doit toutefois pas dépasser 12 milles marins.

La ligne de base normale à partir de laquelle est mesurée la largeur de la mer territoriale est la laisse de basse mer. Là où la côte est profondément échancrée ou s'il existe un chapelet d'îles le long de la côte, des lignes de base droites peuvent se substituer aux lignes de base normales. Autrefois, la largeur des eaux territoriales était de 3 milles nautiques (5,55 km, soit à peu près la portée d'un boulet de canon) ; elle a été élargie depuis à 12 milles (22,22 km). Les navires bénéficient du « droit de passage inoffensif » à condition de ne pas troubler l'ordre public. Un navire de guerre doit traverser la mer territoriale de manière continue et rapide sans faire d'exercice ni d'entraînement et en arborant pavillon. Les sous-marins doivent transiter en surface dans la mer territoriale en arborant leur pavillon. De même les navires à propulsion nucléaire ou transportant des substances radioactives, dangereuses ou nocives, doivent être munis des documents réglementaires et prendre les mesures spéciales de précaution prévues pour eux par des accords internationaux.

Régimes spéciaux. *Détroits internationaux.* L'extension généralisée des eaux territoriales à 12 milles supprimant tout espace de mer libre dans 116 détroits (dont les plus importants), la liberté de navigation est sauvegardée par le régime du « passage en transit *sans entrave* » au profit des navires, aéronefs et sous-marins (en plongée), à condition qu'ils s'abstiennent de toute menace ou emploi de la force contre la souveraineté des États riverains. Certains détroits, comme les Dardanelles ou le Sund, ont un régime précisé par des traités internationaux (Lausanne, Montreux).

Eaux archipélagiques. Un État archipel peut tracer des lignes de base archipélagiques droites reliant les points extrêmes des îles les plus éloignées (Philippines, Indonésie). *Régime :* à mi-chemin de celui des eaux intérieures et de celui de la mer territoriale ; mais y sont réservés de larges chenaux dans lesquels navires et aéronefs civils et militaires ont droit en permanence au libre transit et au libre survol (sans marins en plongée).

Baies historiques. Certains États côtiers ont fait admettre qu'ils jouissent de droits plus étendus pouvant aller jusqu'au régime des eaux intérieures dans certaines baies historiques (estuaires, baies ou golfes) en raison d'activités anciennes : ex. baie du Rio de la Plata (Argentine et Uruguay), de Chesapeake et de Delaware (U.S.A.), de Fundy (U.S.A. et Canada), golfe de Tadjoura (Djibouti), de Cancale ou de Granville (France), golfe de Tunis (Tunisie), canal de Bristol (G.-B.), divers fjords norvégiens, etc.

Zone contiguë. La zone contiguë à la mer territoriale ne peut s'étendre au-delà de 24 milles marins des lignes de base à partir desquelles est mesurée la largeur de la mer territoriale. L'État côtier peut y exercer des contrôles douaniers, fiscaux, sanitaires ou d'immigration pour prévenir ou réprimer les infractions aux règlements en vigueur sur son territoire national ou dans sa mer territoriale.

Zone économique exclusive. Ne s'étend pas au-delà de 200 milles marins des lignes de base à partir des-

Détroits principaux

Larges au minimum de 50 km

Leur partie centrale échappe aux juridictions nationales.

	Largeur min. en km	Longueur en km	Profondeur min. en m	Profondeur max. en m
Yucátan. Cuba/Mexique (Atlantique)	220	270	44	100
Bass. Australie/Tasmanie (océan Indien)	160	350	90	128
Corée. Corée/Japon (Pacifique)	140	120	170	215
Floride. Cuba/U.S.A. (Atlantique)	130	300	110	2 290
Formose. Formose/Chine (océan Indien)	120	350	20	137
Mona. Haïti/Porto Rico (Atlantique)	105	380	64	128
Cabot. Terre-Neuve/Cap Breton (Atlantique)	100	90	66	529
Po Hai. Liaotoung/Chantoung (mer Jaune)	100	110	16	62
Béring. U.R.S.S./Alaska	92	—	—	58
Torres. Australie/N.-Guinée (Indien, Pacifique)	85	400	9	22
Canal d'Otrante (Italie/Albanie, Méditerranée)	70	150	648	1 000
Malacca. Malaisie/Sumatra (golfe du Bengale, mer de Chine)	55	780	13	135
Skagerrak. Norvège/Danemark (mer du Nord)	50	225	53	809
Kattegat. Suède/Danemark	—	—	—	116

Larges au maximum de 50 km

Avec la règle des 12 milles, leurs eaux se trouvent tout entières sous 1 ou 2 juridictions nationales. Un État pourrait ainsi légalement interrompre des trafics maritimes d'importance vitale en suspendant temporairement le droit de « passage inoffensif ». Mais le droit de « passage en transit sans entrave » dans les détroits servant à la navigation internationale ne peut en aucun cas être suspendu. Toutefois, certains détroits restent soumis à des conventions internationales anciennes (Dardanelles, Sund).

	Largeur en km		Profondeur en m	
	max.	min.	max.	min.
Afrique				
Bab-el-Mandeb. Éthiopie/Djibouti/Yémen	36	15	375	11
Gibraltar. Espagne/Maroc	44,5	14	1 092	18
Zanzibar. Tanzanie	44,5	29,5	72	11
Amérique				
Bouches du Serpent. Trinité-Tobago/Venezuela	48	14,8	51	10
Bouches du Dragon. Trinité-Tobago/Venezuela	10,5	10,5	325	14,5
Sainte-Lucie. Martinique (Fr.)/Ste-Lucie (G.-B.)	41,6	32,6	1 510	38
Détroit entre Ste-Lucie et St-Vincent. Ste-Lucie/St-Vincent (G.-B.)	51	40	1 820	103
La Dominique. Martinique (Fr.)/Dominique (G.-B.)	49	40	2 230	570
Détroit entre la Dominique et la Guadeloupe. Guadeloupe (Fr.)/ Dominique (G.-B.)	39,8	13	1 810	40
Magellan [1]. Argentine/Chili (Atlantique-Pacifique)	40	2,7	795	8
Juan de Fuca. Canada/U.S.A.	31,5	16,6	234	9
Asie et Australie				
Chosen. Corée du S./Japon	48	46	264	45
Hai-Nan. Chine	35	18	93	20
Palk. Sri Lanka/Inde (océan Indien)	53	1,6	parsemé d'îles	
Malacca. Indonésie/Malaisie (golfe du Bengale, mer de Chine)	74	37	43	5
Ombai. Indonésie	59	23	plusieurs milliers	
Sonde. Indonésie	57	10	110	30
San-Bernadino. Philippines	44	6,5	18,3	54
Surigao. Philippines	48	7	140	32
Ormuz. Iran/Oman (golfe Persique-océan Indien)	92	54	93	45
Canal St-Georges. Papouasie/N.-Guinée	74	14	3 000	214
Cook. N.-Zélande (Pacifique)	85	21	457	40
Foveaux. N.-Zélande	42	5,5	49	9
Chenal Kaïwi. Hawaii (U.S.A.)	43	40	987	100
Singapour. Indonésie/Singapour (golfe du Bengale, mer de Chine)	22	4,6	54	18
Europe				
Pas-de-Calais. France/G.-B. (Manche, mer du Nord)	48	31	51	3
Minorque. Majorque/Minorque (Esp.) [Méditerranée]	48	36	546	69
Messine [2]. Italie (Tyrrhénienne, Ionienne)	16	6,2	263	73
Bonifacio. France/Italie (Méditerranée)	10	5	85	33
Dardanelles. Turquie (mer Égée, Marmara)	8	1,4	97	30
Bosphore. Turquie (mer Noire, Marmara)	3,6	0,76	120	11
Grigo. Grèce	31	19	546	70
Scarpanto. Grèce	48	42	1 591	29
Sund. Suède/Danemark (Baltique, mer du Nord)	29	3,7	25	8

Nota. – (1) Isole du continent l'archipel de « Terre de Feu », sur lequel se trouve le cap Horn. (2) Détroit italien qui reste soumis au régime du « passage inoffensif » car il existe une route commerciale pratique au large de la Sicile.

Certains considèrent comme étant les plus longs ceux de *Malacca* (presqu'île de Malacca/île de Sumatra), 780 km et de *Macassar* ou *détroit d'Ujungpandang* (mer des Célèbes/mer de la Sonde), 750 km. Le plus large serait celui de *Drake* (Terre de Feu/Shetland du Sud) 880 km, et le moins large celui qui sépare l'île d'Eubée du continent grec (40 m à Khalkis).

quelles est mesurée la largeur de la mer territoriale, soit à 188 milles au-delà des mers territoriales de 12 milles. L'État côtier y jouit de droits souverains et exclusifs sur les ressources vivantes et minérales des eaux, du sol et du sous-sol et dispose de droits lui permettant de prévenir ou de combattre la pollution de la mer et de réglementer la recherche scientifique. Mais la navigation et le survol pour les navires et aéronefs civils et militaires y sont aussi libres qu'en haute mer.

Plateau continental. Prolongement submergé des masses continentales, descend vers le large en pente très douce et se termine par une rupture de pente (souvent près de l'isobathe 200 m). Au-delà, le talus, à pente assez raide, s'achève aussi par une rupture de pente. Les États côtiers y sont propriétaires des ressources vivantes et minérales du sol et du sous-sol sous-marins. Désormais, le plateau continental (au sens juridique) s'étend jusqu'à la limite des 200 milles nautiques (370,40 km), même s'il est plus étroit au sens géologique. Si le plateau continental géologique s'étend au-delà des 200 milles, sa limite juridique extérieure sera fixée soit à 350 milles (648,2 km) de la côte (maximum), soit à 100 milles (185,2 km) mesurés vers le large à partir de l'isobathe 2 500 m, soit à la ligne où l'épaisseur des sédiments accumulés sur le talus est égale à 1/100 au moins de la distance entre cette ligne et le pied du talus continental. Quelle que soit la limite extérieure choisie pour le plateau continental juridique, la navigation, le survol et la pêche des espèces de pleine eau sont libres, au-delà des 200 milles nautiques, comme dans les eaux internationales. Le plateau continental forme 7,3 % de la surface des océans. Il est prolongé par le *talus continental* (15 % de la surface des océans) jusqu'aux plaines abyssales. Les 9/10 des prises de pêche sont effectuées sur le plateau. Le monopole de l'exploitation du plateau continental bordant les côtes des pays devient de plus en plus bénéfique, du fait de la surexploitation des ressources vivantes et des découvertes minières et pétrolières. 15 millions de km² sur 72 sont des bassins sédimentaires dont 10 seraient très favorables et 5 favorables à la présence de pétrole ou de gaz naturel (réserves prouvées 27 milliards de t ; r. possibles 68).

« **Zone internationale** ». Fonds marins et leur sous-sol situés au-delà des juridictions nationales (soit 217 millions de km² sur 362). *Régime.* Défini par la déclaration de l'O.N.U. de 1970 et la convention sur le droit de la mer de Montego Bay (Jamaïque) [1]. « Patrimoine commun de l'humanité », exploité au profit de tous les pays, notamment du tiers monde. *Organisation.* Administré par un organisme international, « l'Autorité ». *Membres.* De plein droit : États signataires de la Convention. *Observateurs.* États signataires de l'acte final. *Mise en place.* Création de la Commission préparatoire de l'« Autorité » ; début des travaux le 15-3-1983.

Régime économique. Licences d'exploration délivrées (par la Commission préparatoire pendant la période transitoire) aux « investisseurs pionniers » : d'une part la France, le Japon, l'Inde et l'U.R.S.S. ou une de leurs entreprises publiques ou privées, d'autre part 4 consortiums internationaux (sociétés de : U.S.A., All. féd., Belgique, G.-B., Canada, Italie, Japon, P.-Bas). S'y ajoutent 2 consortiums nationaux : AFERNOD (Ass. française d'étude et de recherche des nodules polymétalliques) et DOMA (Japon, *Deep Ocean Minerals Association*). Conditions pour être « investisseur pionnier » : avoir investi avant le 1-1-1983 au moins 30 millions de $ (constants de 1982) ; pour les consortiums, trouver parmi les pays d'origine de leurs membres, 1 ou plusieurs États « certificateurs » signataires de la Convention. En outre, tout État en voie de développement ayant signé la convention pouvait devenir « investisseur pionnier » s'il avait investi, dans l'étude des nodules, 30 millions de $ avant le 1-1-1985.

Après l'entrée en vigueur de la Convention, les demandes de licences d'exploration ou d'exploitation présentées par les « entités » (« consortiums internationaux ») ne seront acceptées « que si tous les États dont relèvent les personnes physiques ou morales qui sont les éléments constitutifs de ces entités sont parties à la convention ».

Budget. Période transitoire : financé par l'O.N.U. (U.S.A. 25 %, U.R.S.S. 11,1 %, Japon 9,58 %, All. féd. 8,31 %, France 6,26 %, G.-B. 4,1 %, Italie 3,45 %, Canada 3,28 % ; 149 autres pays membres 28,50 %) ;

• **Côtes** (en km). *Les + longues :* U.R.S.S. 42 777,5, Indonésie 36 640, Australie 27 948,5, U.S.A. 21 575,8, Canada 20 605,4, Philippines 12 958,4. *Les + courtes :* Irak – de 37, Zaïre 74.

États enclavés. 31 n'ont pas d'accès à la mer. *Europe 9 :* Andorre, Autriche, Hongrie, Liechtenstein, Luxembourg, St-Marin, Suisse, Tchécosl., Vatican. *Afrique 14 :* Botswana, Burundi, Centrafricaine (Rép.), Burkina, Lesotho, Malawi, Mali, Niger, Ouganda, Rwanda, Swaziland, Tchad, Zambie, Zimbabwe. *Amér. du S. 2 :* Bolivie, Paraguay. *Asie 5 :* Afghānistān, Bhoutan, Laos, Mongolie, Népal.

• **Zones économiques les plus grandes** (en milliers de km²). U.S.A. 7 621,3. Australie 7 008,3. Indonésie 5 410. N.-Zélande 4 834,4. Canada 4 699. U.R.S.S. 4 491,5. Japon 3 862,07. Brésil 3 169,2. Mexique 2 852. Chili 2 288,8. Norvège 2 025,4. Inde 2 015,4. Philippines 1 891,2. Portugal 1 774,6. Madagascar 1 292,4. Maurice 1 183,3. Argentine 1 164,5. Équateur 1 159,3. Espagne 1 151. Fidji 1 135. Afrique du S. 1 017. Chine 963,8. Maldives 952,3. G.-B. 942,5. Islande 867. Pérou 786,8. Somalie 783. Viêt-nam 722,3. Colombie 603,3. Touga 596,1. Oman 561,8. Italie 552,2. Yémen 550,5. Sri Lanka 517,6. Birmanie 509,7. Malaysia 475,7. Nauru 431,1. T'ai-wan 392,4. Irlande 380,4. Venezuela 363,9. Cuba 362,9. Corée du S. 348,5.

France métropolitaine (en milliers de km²). *Superficie terrestre :* 551,7. *Zone économique :* 340.

DOM-TOM. *Superficie terrestre :* 558,9. *Zone économique :* 9 616,4.

les U.S.A. se sont opposés, le 2-12-82, à ce que l'ass. gén. de l'O.N.U. vote des crédits supplémentaires de 2 728 500 $, destinés à un secrétariat spécial du droit de la mer. Après l'entrée en vigueur de la Convention, le budget de l'« Autorité » sera autonome et les dépenses partagées entre les pays parties à la Convention. En cas d'absence des U.S.A., en % : U.R.S.S. 14,8, Japon 12,77, All. féd. 11,08, France 8,34, G.-B. 5,94, Italie 4,60, Canada 4,37.

Nota. – (1) Sur 178 pays et organisations invités : 24 absents (Afr. du S., Ar. Saoudite, Argentine, Liban, Syrie) ; ont signé l'acte final : tous les pays sauf la Turquie.

Raisons de l'hostilité des U.S.A. à la Convention (partie XI) : 1°) pour eux, l'« Autorité » sera complètement dominée par les « 77 » (plus de 120 pays en voie de développement) ; 2°) l'éventuelle exploitation des nodules sera limitée de façon à ne pas déstabiliser les économies des producteurs terrestres de manganèse, nickel, cobalt et cuivre, principaux métaux présents dans les nodules ; 3°) des transferts de technologie aux pays du tiers monde, sont prévus ; 4°) réglementation internationale d'une activité écon. (contraire au principe de la libre entreprise) alors que les nodules pourraient constituer pour eux des ressources stratégiques non soumises à des cartels de producteurs consommateurs.

Météorologie

Quelques dates

Avant J.-C. **3000** *« Nei Tsing Sou Wen »* : 1er ouvrage de météo du monde ; comprenait des prévisions. **330.** Météorologie d'Aristote (384-322 av. J.-C.). **300** *« Signes du temps »* de Théophraste (1er ouvrage européen de prévisions météo. **V. 280.** Ktésibios (310-250 env. av. J.-C.) ou Philon de Byzance invente le thermocope (utilisé par quelques médecins). **280.** Straton de Lampsake (335-269 env. av. J.-C.) remarque que le feu consume et raréfie l'air. **100.** Andromikos construit la « Tour des vents ».

Après J.-C. **40. env.** utilisation des moussons : relations commerciales suivies avec les Indes (Hippalos). **V. 800** Charlemagne (742-814) : échelle de direction des vents d'après les points cardinaux. **1450** Leone Battista Alberti (1404-72) : 1er anémomètre (à pression). **1610 env.** Johannes Baptista von Helmont (1579-1644) distingue l'air des autres gaz. **1615** Isaac Beeckmann (1588-1637) : l'action des pompes aspirantes résulte de la pression atmosphérique. **1630** Jean Rey (1583-1645) : l'oxydation dans l'air augmente le poids des corps. **1632** (?) J. Rey : thermomètre « médical » à eau. **1637** René Descartes (1596-1650) : théorie de la pluie. **1639** Mesures précises des pluies (Castelli). **1641** Ferdinand II de Toscane (1610-70) « invente » les thermomètres à liquide, fermés (therm. de Florence). Expérience du vide à Rome (baromètre à eau) [Raffaello Magiotti (1597-1656), Gasparro Berti (1600-43)]. **1644** expérience du vide avec du mercure [avec Evangelista Torricelli (1608-47), à Florence]. **1645** (?) Claude Beauregard (1591-1664), en Toscane, mesure des hauteurs à l'aide du baromètre. **1646 oct.** 1re expérience « barométrique » (expérience du vide) avec du mercure, en France (Rouen) par Pierre Petit (1598-1677), suivant les conseils de Marin Mersenne (1588-1648). **1647 sept.** M. Mersenne propose le premier, par écrit, de faire l'expérience du vide à des altitudes différentes. **1648** expérience du puy de Dôme par Périer, à la demande de Pascal (variation de la pression en altitude). **Juin** Adrien Auzout (1622-91) réalise le premier l'expérience du vide dans le vide. **1654-1670** Antinori : 1er essai de réseau météorologique. **1657 (19-7)** fondation de « l'Accademia del Cimento » (1657-67). **1660** Otto de Guéricke (All., 1602-1686) prévoit l'arrivée d'une tempête. **1667** John Mayow (1641-79) : l'air n'est pas un corps simple. **1679** Edme Mariotte (1620- 84) : constance de température des caves de l'observatoire de Paris. **1748-49** Alexander Wilson (1714-86) et Thomas Melvill (1726-53) : mesures météorologiques dans l'air libre, avec cerf-volant. **1770-79** Jean-Charles de Borda (1733-99), Théodore Mann (1735-1809), Hugues Maret (1726-86) et autres : réseau synoptique. **1783 (1-12)** Jacques Charles (1746-1823) : 1res observations météorologiques en ballon (3 400 m). **1802** Jean-Baptiste Lamarck (1744-1829) : 1re classification des nuages, suivie de celle de Luke Howard (1772-1864). **1842** Karl Kreil (1798-1862), de l'observatoire de Prague, propose d'utiliser le télégraphe électrique pour transmettre les observations, afin de les obtenir à temps pour les prévisions. **1845** découverte de l'ozone. **1847** W. Reid organise le premier système d'avertissement pour informer les ports (ceux-ci installent un système de boules pour avertir les marins). **1848** Matthew Maury (1806-73) : utilisation pratique des vents et des courants pour les trajets maritimes. **1853 août** 1re conférence internationale de météo. (Bruxelles). **1854 (14-11)** tempête sur la mer Noire, suivie d'une étude par Urbain Leverrier (1811-77). Fondation de l'Office Météo. anglais. **1856** William Ferrel (1817-91) : influence de la rotation de la Terre sur la direction des vents. Loi de Christopher Buys-Ballot (1817-90). **1860 mai** C. Buys-Ballot : 1er service régulier, en Europe, pour la prévision du temps. **1863 (16-9)** Urbain Leverrier et Edme Marié-Davy (1820-93) : début de la 1re série définitive de cartes synoptiques en France. *« Meteographica »* de Francis Galton (Anglais, 1822-1911) : 1er ouvrage établissant la théorie des anticyclones. **1867** Peslin : seul le refroidissement par détente adiabatique, dans les courants ascendants, peut expliquer la formation des nuages importants et des précipitations. **1873** Leipzig : accord international pour les observations sur Terre. **1875** Paul-Jean Coulier (1824-90) : pour que la condensation puisse se produire dans l'atmosphère, il faut de plus qu'il s'y trouve des poussières (« noyaux de condensation »). **1877** O. Reynolds : formation de la pluie par coalescence. **1878** fondation de l'Organisation météorologique internationale (O.M.I.). **1878-82** S. Balfour : les variations diurnes du magnétisme terrestre peuvent s'expliquer par l'existence de courants électriques dans la haute atmosphère. **1886** 1re prévision officielle d'arrivée de la mousson. **1891** Gothman pense à envoyer du CO_2 dans les nuages, à l'aide de fusées (pour provoquer de la pluie). **1892 (4-10)** G. Hermite et G. Besançon : 1er ballon-sonde. **1902** Kennely, Heaviside expliquent la propagation à longue distance des ondes radio par la présence de couches ionisées dans la haute atmosphère. Léon-Philippe Teisserenc de Bort (1855-1913) admet définitivement la présence d'une « zone isotherme » dans la haute atmosphère (appelée stratosphère depuis 1908). **1920** Vilhelm Bjerknes (Norv. 1862-1951) introduit la notion de masse d'air et de front. Mise en place du 1er navire météo. **1925** preuves de l'existence de l'ionosphère. **1927** Robert Bureau (1892-1965) : découverte et utilisation des radiosondes. **1931** Auguste Picard (Suisse, 1884-1962) atteint la stratosphère en ballon. **1932** 1er *Atlas des nuages.* **1937** 1re station météo flottante de l'Atlantique Nord (Carimaré). **1946** 1res fusées météo. **1950** utilisation d'un gros calculateur (ENIAC) pour la prévision du temps par modèle mathématique (travaux de Von Neuman). **1951** fondation de l'Organisation météorologique mondiale (O.M.M.). **1960 (1-4)** 1er satellite météo TIROS. **1962** Veille météorologique mondiale. **1967** programme de recherches sur l'atmosphère globale (GARP). **1977 (22-11)** Météostat (satellite européen géostationnaire, centré sur le méridien de Greenwich).

L'atmosphère

Généralités

• **Définition.** L'*atmosphère* est l'enveloppe gazeuse de la Terre. Sa masse globale est d'environ 5×10^{15} t (dont env. 50 % dans les 5 premiers km et 99 % dans les 30 premiers). Au fur et à mesure que l'on s'élève au-dessus du sol, elle se raréfie et, au-dessus de 700 km environ d'altitude, les molécules rapides peuvent s'échapper : c'est l'**exosphère.**

L'atmosphère protège la Terre contre un excès de rayonnement solaire et arrête les rayons dangereux. La nuit, elle retient la majeure partie de la chaleur. La Terre se refroidit plus rapidement pendant les nuits claires que les nuits couvertes, car le ciel couvert lui renvoie du rayonnement. Sans atmosphère, la Terre aurait une température semblable à celle de la Lune (100 °C au milieu du jour, – 150 °C la nuit).

Nota. – La **biosphère** comprend les milieux terrestres propres au développement de la vie, comprenant la partie inférieure de l'atmosphère, les mers et les couches supérieures du sol, la biomasse étant la masse de matière organique constituée par l'ensemble des êtres vivants. La **cryosphère** est l'ensemble des glaces continentales et flottantes présentes à la surface du globe ; la **lithosphère,** l'ensemble des masses continentales de notre planète.

• **Composition de l'atmosphère.** *Composition pour un million de parties d'air sec,* on a pour l'ensemble de l'atmosphère (en volume et, entre parenthèses, en masse) : air total 1 005 300 (1 003 300). Air sec 1 000 000 (1 000 000). Azote (N_2) 780 836 (755 192). Oxygène (O_2) 209 475 (231 418). Argon (Ar) 9 340 (12 882). Vapeur d'eau (H_2O) 5 300 (3 300). Bioxyde de carbone (CO_2) 322 (489). Néon (Ne) 18,18 (12,67). Krypton (Kr) 1,14 (3,30). Méthane (CH_4) 1,5 (0,83). Hélium 5,24 (0,724). Oxyde nitreux (N_2O) 0,27 (0,410). Ozone (O_3) 0,04 (0,065). Xénon (Xe) 0,087 (0,395). Hydrogène (H_2) 0,5 (0,035). Monoxyde de carbone (CO) 0,19 (0,190).

Composition globale de l'air [en volume (par rapport à l'azote N_2) et, entre parenthèses, en masse (m. totale dans l'atmosphère)] : air total 128 747 (5 150 ± 10 Tt[1]). Air sec 128 068 (5 133 ± 11 Tt). Azote (N_2) 100 000 (3 876,5 ± 9 Tt). Oxygène (O_2) 26 827 (1 187,5 ± 3 Tt). Argon 1 196 (66,1 ± 0,1 Tt). Vapeur d'eau (H_2O) 679 (17 ± 2 Tt). Bioxyde de carbone (CO_2) 41 (2,51 ± 0,1 Tt). Néon 2,33 (65,0 ± 0,2 Gt[2]). Krypton 0,146 (16,9 ± 0,2 Gt). Méthane (CH_4) 0,19 (4,27 ± 0,5 Gt). Hélium 0,67 (3,72 ± 0,05 Gt). Oxyde nitreux (N_2O) 0,035 (2,1 Gt). Ozone (O_3) 0,005 (0,34 Gt). Xénon 0,011 (2,03 ± 0,03 Gt). Hydrogène (H_2) 0,064 (0,20 ± 0,04 Gt). Monoxyde de carbone (CO) 0,025 (1,0 Gt).

Nota. – (1) Tt : tératonne (mille milliards de tonnes). (2) Gt : gigatonne (un milliard de t).

Variations : la proportion des gaz de l'atmosphère est pratiquement constante sur toute la surface de la Terre ; et, par suite du brassage vertical de l'air, sa composition reste sensiblement la même (à tous les niveaux) jusqu'à env. 85 km, sauf pour les composants suivants :

1° – **Dioxyde de carbone (CO_2).** On constate une variation diurne sur une grande partie du globe dans les basses couches, due principalement à la fonction chlorophyllienne des plantes vertes exposées à la lumière solaire. Depuis une centaine d'années, par suite du développement industriel et de l'augmentation des combustions qui en résulte, le CO_2 augmente d'une façon continue, car son absorption par les océans est maintenant insuffisante, 5 milliards de tonnes de carbone sont transférées vers l'atmosphère chaque année. Simultanément, l'action de l'homme sur les forêts et la végétation introduit une autre perturbation dans l'échange naturel du carbone. La production agricole, l'approvisionnement en eau, la production des pêcheries, les récoltes de protéines marines en subiront les effets. Un réchauffement de l'Antarctique pourrait – au cours des prochains siècles – entraîner une désintégration d'une partie de la calotte glaciaire, relevant ainsi de plusieurs mètres le niveau des mers.

Autres variations. Pollution locale (voisinage de volcans, rues de grandes villes, usines, etc.).

2° – **Vapeur d'eau (H_2O).** Quantités déterminées principalement par la température (au sol et en altitude) ; elle se condense sous l'action du froid (formation des nuages, par exemple).

3° – **Ozone (O_3).** Ramenée aux conditions standard de température et de pression, la couche d'ozone qui entoure la Terre n'aurait que 3 mm d'épaisseur. *Maximum par unité de volume* vers 25 km d'altitude ; *maximum relatif dans l'air* vers 35 km (environ 7,5 millionièmes en volume ou 12,5 millionièmes en masse).

Sa formation et sa destruction en altitude sous l'action du rayonnement solaire sont rapides dans la stratosphère. Il est aussi détruit en altitude (troposphère et stratosphère) par les rejets industriels, les aérosols et les vols stratosphériques, les éruptions volcaniques et leurs émissions gazeuses. Cependant depuis 1965, la concentration d'ozone aurait en gros tendance à croître dans certaines régions de l'hémisphère nord (des réactions dues à la pollution l'aug-

• **Ceintures de Van Allen.** Détectées en 1958 par l'engin américain Explorer 1, puis explorées par les engins Explorer et Pioneer [mesures interprétées par James Alfred Van Allen (n. 1914), directeur de l'observatoire de Washington]. Disposées parallèlement au plan de l'équateur magnétique, inclinées d'environ 11° sur l'équateur géographique. *Ceinture intérieure* (3 500 km) : composée essentiellement de protons, dus à l'action des rayons cosmiques qui bombardent la Terre en permanence, et, à très faible densité, d'électrons dont certains ont sans doute la même origine cosmique que les protons (sauf ceux, très abondants, de moins de 1 100 000 V). *Ceinture extérieure* (à 20 000 km) : composée d'électrons. Si un cosmonaute était exposé, sans protection, aux radiations des ceintures de Van Allen, il subirait plusieurs millions de rads par heure (une dose de 500 rads est généralement mortelle).

• Rayonnement cosmique. Découvert en 1912. Origine galactique mal établie ; peut-être s'agit-il de particules émises lors d'explosions ou d'implosions d'étoiles (supernovae, trous noirs). On connaît l'intensité des particules qui le constitueraient, leur nature [90 % de protons (noyaux d'hydrogène), 9 % de particules alpha (noyaux d'hélium), 1 % d'électrons et quelques noyaux lourds] et approximativement leur spectre d'énergie.

Il arrive dans les parties hautes de l'atmosphère sous sa forme primaire avec une séparation **isotrope** (dans toutes les directions) ; là, il se transforme et donne naissance à des phénomènes secondaires nombreux et variés comprenant même des créations de particules nouvelles, des effets multiples tels que des gerbes d'électrons, des explosions nucléaires, etc. Ce que les physiciens peuvent déceler et étudier, ce sont les transformations de ce rayonnement primaire au fur et à mesure qu'il s'enfonce dans l'atmosphère. Dans ce développement complexe du rayonnement qui correspond à une dégradation progressive de l'énergie, on distingue souvent plusieurs groupes principaux, celui des électrons et photons, celui des mésons, celui des neutrons et des protons, celui des désintégrations nucléaires (appelées encore *étoiles*). L'on étudie aussi parfois des sous-groupes dont l'évolution présente des caractères particuliers tels que les *grandes gerbes de l'air,* les *gerbes pénétrantes,* les très grandes *bouffées d'ionisation* correspondant à la production simultanée de quantités considérables de rayons.

Les protons, en entrant en collision avec les atomes d'oxygène et d'azote de l'atmosphère, donnent naissance à des mésons « pi », très rapides, qui se désintègrent en 1/100 de millionième de seconde (ils ne peuvent donc parcourir que quelques centaines de m), mais se transforment en mésons « mu », de durée de vie cent fois supérieure et qui parcourent quelques dizaines de km.

Énergie. L'énergie de chaque rayon est très grande mais, leur nombre étant très petit, l'énergie globale du rayonnement cosmique est très faible : de l'ordre de grandeur de l'énergie qui provient des étoiles et qui est reçue sur la Terre.

Le nombre de particules reçues décroît très vite à mesure que leur énergie augmente. Certaines, très rares, atteignent ainsi 100 milliards d'électrons-volts ; pour un seul proton (énergie suffisante pour faire briller une ampoule électrique pendant une seconde).

Dans les hautes couches de l'atmosphère (vers 30 km), le rayonnement est 100 fois plus puissant qu'au niveau de la mer ; dans les couches encore plus élevées, il décroît. Cela s'explique ainsi : le rayonnement primaire produit dans l'atmosphère des effets secondaires, tertiaires, etc. de plus en plus abondants, à mesure que l'épaisseur d'atmosphère traversée grandit ; donc l'effet global augmente d'abord lorsqu'on s'enfonce dans l'atmosphère, puis il diminue par suite des différentes absorptions.

Au sol, on a très peu de rayons, ce qui rend l'observation difficile et longue, et l'on doit utiliser des appareils puissants (par ex. l'électroaimant de l'Académie des sciences à Bellevue).

Cadence d'arrivée des particules cosmiques. Au niveau de la mer 1 particule par cm^2 et par minute (soit env. 1 particule par seconde sur la main).

Au-dessus du milliard d'électrons-volts, les rayons cosmiques sont en grande partie intégrés par le « vent solaire » [lui-même courant de particules électrisées (protons, électrons)]. Leur intensité décroît ainsi au niveau de la Terre : c'est l'effet *« Forbush »* (Américain qui le premier le mit en évidence).

mentent près du sol). Les chlorofluorométhanes (dérivés du méthane contenant du chlore et du fluor) n'atteindraient pas la stratosphère. Pratiquement, leurs réactions avec O_3 n'ont pas d'importance par rapport à la destruction de celui-ci pendant la longue nuit polaire, par suite des réactions avec les composés hydrogénés formés avant le coucher du Soleil mais certaines réactions sont mal connues : CH_4, CO, N_2O sont très variables.

• **Rayonnement solaire.** Provoque les mouvements de l'atmosphère (Voir page 85). Il parvient de manière continue sur l'hémisphère terrestre éclairé.

Puissance incidente : 1° Hors de l'atmosphère, 1,4 kW/m^2 env. sur une surface perpendiculaire aux rayons solaires, correspondant à une énergie quotidienne moyenne de 8,4 kWh/m^2/jour, pour l'ensemble de la Terre (à sa distance moyenne du Soleil). **2° Dans l'atmosphère,** le rayonnement solaire direct est en partie absorbé et diffusé par les molécules gazeuses et les gouttelettes nuageuses ou les poussières en suspension. 34 % env. est renvoyé dans l'espace, 18 % est absorbé dans l'atmosphère, et 48 % arrive au sol, sous forme de rayonnement solaire global direct ou diffusé (Voir ci-dessus).

En absorbant cette énergie, le sol s'échauffe. Divers mécanismes naturels lui permettent de transférer de l'énergie à l'atmosphère : *évaporation* à la surface des océans ou des mers, à partir du sol humide et de la végétation ; émission par *rayonnement* ; échanges thermiques directs entre la surface du sol et l'air, par contact et *convection.*

Couleurs du Soleil et du ciel. La lumière solaire est blanche, mais le ciel paraît bleu, car les rayons bleus et violets sont plus facilement diffusés par les molécules de l'atmosphère, à cause de leurs longueurs d'onde plus courtes (env. 0,4 micromètre contre 0,6 au jaune et 0,7/0,8 au rouge).

Coupe de l'atmosphère

Nota. – mb = millibar (= 100 pascals ou 1 hPa = hectopascal), pour les météorologistes.

I – En fonction de la composition de l'air

a) **Homosphère.** De 0 à 90 km d'altitude, caractérisée par la constance de la composition de l'air (approximative, voir p. 83).

b) **Hétérosphère.** Composition variable. Se confond pratiquement avec la thermosphère (voir ci-après).

II – En fonction des variations de la température

a) **Troposphère.** De 0 (pression 1015 h Pa) à 12 km (pression 200 h Pa) dans les régions tempérées, 0 à 8 km (400 h Pa env.) aux pôles, 0 à 16 km (100 h Pa) à l'équateur. Sa limite supérieure s'appelle la **tropopause.** Elle représente les 5/6 de la masse de l'atm. L'air y contient (surtout dans les 3 premiers km) de la vapeur d'eau, du gaz carbonique, des poussières, des cristaux de sel marin. Elle est le siège des événements météorologiques (nuages, pluies, orages). En général la température s'abaisse régulièrement (6,5 °C par 1 000 m), jusqu'à – 55 °C (régions tempérées), – 50 °C (pôles), – 85 °C (équateur). Il y a parfois des *inversions de température,* celle-ci augmentant avec l'altitude, par ex. près du sol, lorsque celui-ci est froid.

b) **Stratosphère.** De 15 à 50 km env. (pression 100 Pa au sommet). Sa limite supérieure s'appelle la **stratopause.** Elle comprend des couches de température différente dont l'une est riche en ozone (la température y dépasse 0 °C). Ce réchauffement est dû à l'absorption d'une partie du rayonnement ultraviolet émis par le Soleil.

Grâce à ce rayonnement, un faible % de l'oxygène compris dans la stratosphère (1 molécule pour 10^6) est transformé en *ozone ;* la couche d'ozone ainsi formée est suffisante pour arrêter les radiations ultraviolettes néfastes à la vie sur Terre.

c) **Mésosphère.** De 50 à 85 km (pression 1 Pa au sommet). Sa limite supérieure s'appelle la **mésopause.** Temp. décroissant jusque vers – 90 °C.

d) **Thermosphère.** De 85 à 700 km. Caractérisée par un commencement de dissociation de certaines molécules de l'air, qui se décomposent soit en molécules plus simples, électriquement neutres (qui peuvent être monoatomiques, ex. : $O_2 \rightarrow O + O$), soit en ions positifs et négatifs (ceux-ci étant généralement des électrons, voir plus loin : *ionosphère*). Ces décompositions sont dues à l'action des rayons ultraviolets et des rayons X émis par le Soleil ; elles peuvent être suivies de réactions donnant lieu par exemple à la « lumière du ciel nocturne » ; la chaleur dégagée provoque une augmentation de température avec l'altitude (température moyenne : vers 100 km : – 80 °C, vers 120 km : + 60 °C, vers 150 km : 360 °C, vers 200 km : 590 °C, vers 300 km : 700 °C ; plus haut, on arrive à 730 °C). Dans le haut de la thermosphère, la température varie selon l'activité solaire, de 350 à 1 700 °C env.

e) **Exosphère.** De 700 à 3 000 km env. Composée d'« atomes » d'hydrogène, d'hélium et d'oxygène ; les particules sont si raréfiées qu'elles n'ont pratiquement plus aucune chance de s'entrechoquer et se comportent comme des corps indépendants soumis à la seule action gravitique : leur trajectoire est devenue balistique. On peut admettre que l'exosphère commence dès que le libre parcours moyen de molécules dépasse une fraction déterminée de la hauteur de référence H (qui peut être cette hauteur elle-même).

Nota. – La hauteur de référence H est donnée par :

$$\frac{dx}{H} = -\frac{dp}{p},$$

c'est-à-dire qu'en altitude une petite diminution de pression (dp), du millième de sa valeur p par exemple, correspond à une augmentation d'altitude (dx), égale au millième de la hauteur de référence H. Ces divisions sont un peu arbitraires et il y a certaines complications : les parties inférieures de l'hétérosphère et de la thermosphère dépendent de la transformation de l'oxygène ordinaire en oxygène monoatomique sous l'action de la lumière solaire, mais la propagation des atomes d'oxygène et de la température ne sont pas identiques pour les deux ce qui explique qu'on a donné à la thermosphère des limites inférieures différentes.

III – En fonction des propriétés électriques et de l'ionisation des couches

1°) **Couche D.** De 60 à 90 km. Atmosphère encore dense, nombreux chocs des molécules. Cette couche absorbe certaines ondes radioélectriques, provoquant des « évanouissements brusques » de celles-ci. 2°) **Couche E.** De 90 à 160 km. Elle réfléchit les ondes longues ; sa densité ionique a une forte variation diurne. 3°) **Couche F.** De 150 à 500 km. Elle se dédouble, le jour, en une couche F_1 à grande variation diurne, et une couche F_2 à variation saisonnière , dont le maximum de densité se trouve vers 350 km (2 × 10^6 électrons/cm^3).

L'ensemble des trois couches forme l'**ionosphère,** qui est le siège de certains phénomènes lumineux : aurores polaires (dites antérieurement boréales ; il y en a aussi dans l'hémisphère Sud) ; rayons mobiles, draperies, arcs de couleur souvent verte, parfois rose ou jaune, nuages nocturnes lumineux.

Météores

En météorologie, on désigne sous ce nom général de *météores* la plupart des phénomènes qui se produisent dans l'atmosphère. On les classe en :

• **Lithométéores.** Constitués par des particules solides (sauf l'eau congelée) : brume sèche, brume de sable, fumées, chasse-poussière, chasse-sable, tempête de poussière, tempête de sable, tourbillon de poussière, tourbillon de sable, etc.

• **Hydrométéores.** Constitués par de l'eau sous forme liquide ou solide (les nuages étant classés à part ; il se produit dans certains cumulo-nimbus orageux des phénomènes électriques) : pluie, bruine, brouillard, brume, neige, neige en grains, granules (grains) de glace, grésil, grêle, rosée, gelée blanche, prismes ou aiguilles de glace, givre blanc, givre transparent (verglas), chasse-neige, embruns, trombes...

• **Électrométéores.** Phénomènes dus à l'électricité atmosphérique : orages, feux Saint-Elme, aurores polaires...

• **Photométéores.** Phénomènes lumineux non électriques : arcs-en-ciel, halos, couronnes, irisation, gloire, anneau de Bishop, mirages, tremblotement, scintillation, rayon vert, teintes crépusculaires...

Pression atmosphérique

• **Définition.** En un lieu donné, elle équivaut au poids par unité de surface de la colonne d'air qui surmonte ce lieu. Mesurée autrefois par la hauteur de mercure équivalente, puis en millibars, elle s'exprime actuellement en pascals (unité internationale officielle) [1 pascal (Pa) : 1/100 de millibar, 1 millibar = 100 Pa ou 1 h Pa].

Variation de la pression suivant l'altitude (dans une atmosphère moyenne) [1]

Altitude m	Pression h Pa	Altitude m	Pression h Pa
0	1 013	8 000	356
1 000	899	9 000	307
2 000	795	10 000	264
3 000	701	11 000	226
4 000	616	12 000	193
5 000	540	15 000	120
6 000	472	20 000	55
7 000	411	30 000	11

Variations en des lieux donnés (en h Pa)

	Milieu janvier	Milieu juillet	Moyenne annuelle
Équateur	1 011,2	1 011,5	1 011,4
Lat. 35° N	1 018,7	1 014,5	1 016
Lat. 30° S	1 015	1 021	1 018,5
Paris	—	—	1 013,5

Une colonne d'air de 1 cm² de section traversant verticalement toute l'atmosphère a un poids de 1 033 g env. Nous « portons » donc chacun environ 10 t d'air, mais comme la pression règne aussi à l'intérieur du corps, nous ne sommes pas écrasés. La pression atmosphérique varie suivant le lieu et la température. L'air chaud plus léger s'élève, inversement l'air froid plus lourd s'affaisse au voisinage du sol. Un air chaud et humide donne une aire de basse pression (cyclone ou dépression) ; un air froid donne une zone de haute pression (anticyclone).

La *répartition moyenne* de la pression au niveau de la mer est caractérisée dans chaque hémisphère, de l'équateur vers le pôle, par : une zone de basse pression, une ceinture d'anticyclones tropicaux (l'anticyclone des Açores par exemple), des dépressions aux latitudes moyennes (dépression de l'Atlantique Nord), des pressions hautes près du pôle.

• **Types de baromètres. A mercure.** Formé d'un tube vertical en verre, de 80 cm de long (ou un peu plus), dont la partie inférieure est plongée dans une cuvette de mercure ou est recourbée en U. Il contient du mercure qui, à pression normale, atteint une hauteur de 760 mm, c'est-à-dire que la pression de l'air équilibre le poids d'une colonne de mercure de 76 cm de haut. Le mercure monte quand il y a haute pression et descend quand il y a basse pression. **Métallique (anéroïde).** Boîte métallique, close et vide d'air, au couvercle souple et déformable. Il s'écrase d'autant plus que la pression est plus forte, et ce mouvement est transmis par un levier à une aiguille mobile devant un cadran.

• **Écart maximal** observé entre pressions réduites au niveau de la mer : 209 hPa, entre 1 083,8 hPa (Agata-Sibérie, 31-12-1968) et 874 hPa (œil du typhon IDA 1968), par 19° N et 135° E (Pacifique).

Pot au noir. Zone de basse pression, s'étendant en bande le long de l'équateur. Ciel couvert, pluies, orages, mais peu de vents, le baromètre y variant peu. Les navires à voiles y étaient souvent immobilisés pendant de longues périodes...

Marées barométriques ou atmosphériques. Oscillations faibles de la pression dues au Soleil ou à la Lune (insignifiantes pour la Lune) ; celles du Soleil sont plus importantes car l'onde thermique s'ajoute à l'onde de gravitation, et celle-ci est renforcée par un phénomène de résonance. Dans les régions intertropicales, la pression barométrique est soumise à une oscillation semi-diurne (d'où son nom, métaphorique, de marée). De l'ordre de 1 à 2 hPa.

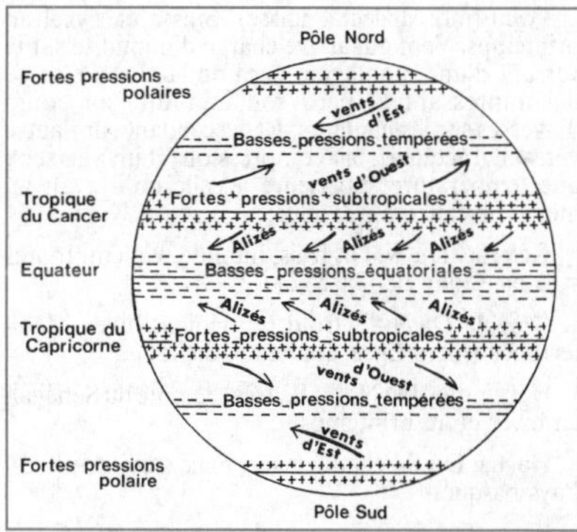

En réalité, par suite du frottement au sol, les bandes de hautes et de basses pressions ne sont pas continues, mais fragmentées.

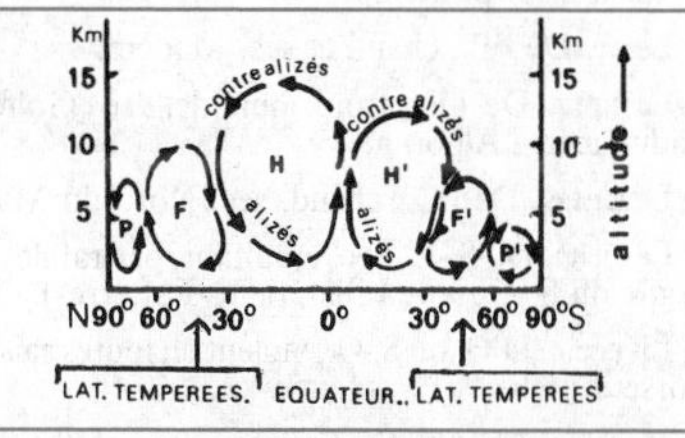

Circulation méridienne moyenne H.H.' : cellules de Halley. F.F.' : cellules de Ferrel. P.P.' : cellules polaires.

Circulation atmosphérique et vent

Théories du mécanisme de la circulation atmosphérique

1) La convergence des alizés des 2 hémisphères crée une ascendance au voisinage de l'équateur météorologique, qui oscille avec la saison. Au niveau de la tropopause, les contre-alizés transportent l'air des basses latitudes vers les latitudes moyennes.

2) Le jet-stream (courant-fusée, ou courant-jet). Observé dans chaque hémisphère, entre les latitudes 30° et 45° à 8 000-12 000 m d'altitude, large de 1 000 km environ sur 7 km de haut. Au centre, sa vitesse moyenne est de 150 km/h l'hiver et 80 km/h l'été, et peut dépasser 400 km/h. Un courant-fusée typique s'accompagne de zones de vents maximaux qui ont tendance à se déplacer vers l'est. Ces maximums sont très fréquents au Japon, en Libye et en Nouvelle-Angleterre (U.S.A.). La France est parfois traversée du N.-O. au S.-E. par un courant-fusée qui rejoint le courant-fusée subtropical au-dessus de la Méditerranée orientale.

Masses d'air

• **Théorie** (due à Bjerknes, Solberg, Bergeron, 1922). La troposphère n'est pas homogène, même à un niveau déterminé. Suivant l'« origine » et le séjour plus ou moins long de quantités d'air importantes (à l'échelle considérée), celles-ci prennent des températures, des humidités et des pressions relativement bien déterminées. On distingue principalement, dans chaque hémisphère, 2 de ces « masses d'air » : l'air polaire et l'air tropical. Chacune de ces masses comprend 2 subdivisions : maritime et continentale. **Air polaire :** maritime humide (tiède en été, frais en hiver), continental sec (glacial en hiver, chaud en été). **Air tropical :** maritime (tiède et humide) ; continental (sec et chaud).

Une masse d'air chaud qui circule au-dessus d'une surface plus froide qu'elle-même est stable, car sa partie inférieure, qui se trouve refroidie, tend à demeurer au sol. Une masse d'air qui circule au-dessus d'un sol plus chaud qu'elle-même est en général instable. Du fait du réchauffement qui se produit au contact de la Terre, l'air léger et chaud cherche à s'élever et traverse l'air froid, entraînant des turbulences. Généralement les masses d'air froid polaires évoluent rapidement en s'étendant sur les océans (l'air polaire est plus froid que les océans sur lesquels il circule) tandis que les masses d'air chaud, tropicales, varient lentement, car elles sont plus chaudes que le sol au-dessus duquel elles se déplacent.

Front. Surface de contact entre 2 masses d'air. Cette surface est inclinée (l'air le plus dense tend à s'enfoncer en biseau sous l'air le plus léger) et ondule (des langues d'air chaud alternent avec des poussées d'air froid). En Europe, elles sont désignées sous le terme de **dépressions atlantiques.** Venant de l'océan et se déplaçant vers l'est à env. 50 km/h, elles traversent la France en 3 j env. du N.-O. au S.-E. A l'avant de la perturbation se trouve le **front chaud :** la masse d'air la plus chaude s'élève au-dessus de l'air froid (s'accompagne de nuages et de pluie). A l'arrière de la perturbation, l'air froid succède à l'air chaud et le soulève : c'est le **front froid** (nuages épais, averses ou orages brefs, vents violents du N.-O., O.). Les perturbations se succèdent par groupes (familles) : elles peuvent se renouveler 4 ou 5 fois sur 15 j. Quand l'air chaud s'est refroidi au contact de l'air froid, la dépression se comble, le front s'atténue et finit par disparaître (frontolyse). Lorsque les masses chaudes n'ont pas de contact avec le sol et sont rejetées dans les couches supérieures, on parle de **front occlus.**

• **Température.** Est fonction de : latitude, périodes d'éclairement, répartition des terres, des mers, des courants marins. *Minimum :* un peu avant le lever du jour (la Terre s'étant refroidie au cours de la nuit, et n'ayant encore reçu aucun rayon). *Maximum sur les continents :* 2 ou 3 h après le passage du Soleil au midi vrai, *en mer :* 1/2 h.

La température de l'air est mesurée à 2 m au-dessus du sol. Elle atteint dans les régions polaires − 20 °C, tempérées + 11 °C, équatoriales + 26 °C. *Moyenne générale du globe :* + 10 °C, ce n'est pas la moyenne arithmétique des 3 valeurs citées. Elle est plus forte de 4 °C parce que les régions équatoriales sont plus étendues que les régions polaires.

Vent

Formation

Résulte de l'équilibre entre la force de pression, la force de Coriolis [ou force déviante composée, perpendiculaire au vent et à l'axe de rotation de la Terre ; sa composante utile, c'est-à-dire horizontale, est égale à 2 ωVsinA et est dirigée vers la droite dans l'hémisphère Nord (ω vitesse angulaire de rotation de la Terre, V vitesse du vent, A latitude du lieu)], la force de frottement et la force d'inertie. *Hors du voisinage du sol et de l'équateur,* les forces de frottement et d'inertie sont en général négligeables ; le vent résulte alors de l'équilibre de la force de pression et de la force de Coriolis ; on dit qu'il est géostrophique (de *gê* « terre », et de *strophein* « tourner »). Il est tangent aux isobares, laissant les hautes pressions à sa droite (dans l'hémisphère N.) et les basses pressions à sa gauche. *Près du sol,* la force de frottement ne peut plus être négligée, elle dévie le vent vers les basses pressions (dépressions) où apparaissent de la convergence et des mouvements ascendants. Au contraire, il y a divergence autour des hautes pressions (anticyclones) et subsidence (descente).

Certains vents locaux s'expliquent parce que des surfaces contiguës peuvent absorber des quantités de chaleur différentes (ex. : l'eau se réchauffe le jour et se refroidit la nuit moins vite que la terre, d'où les brises de terre et de mer).

Définitions

Alizé. Vent régulier de N.-E. dans l'hémisphère N. et de S.-E. dans l'hém. S., soufflant des hautes pressions subtropicales vers les basses pressions équatoriales. De faible vitesse (sauf au départ), soufflant en moyenne à 20 km/h, il apporte des pluies sur les côtes orientales des continents.

Anticyclone. Zone de pression élevée où la pression augmente de la périphérie vers le centre.

Cyclone. En général, désigne les centres de basses pressions, mais est utilisé plus particulièrement pour désigner les dépressions tropicales (cyclone tropical) au centre desquelles la pression est très basse (diamètre : 200 à 900 km). Ces dépressions se déplacent sur la mer vers l'ouest, mais sont capables de brusques changements de direction et leur trajectoire est peu prévisible. Plus la pression est basse, plus sont violents les vents qui tournent autour du centre (sens contraire des aiguilles d'une montre dans l'hémisphère Nord, dans le sens inverse dans l'hémisphère Sud). **Vitesse** de déplacement 20 à 35 km/h (il ne faut pas les confondre avec les vents tourbillonnants autour d'elles, dont la vitesse peut atteindre 350 km/h). Le terme cyclone désigne également, par suite, les *tempêtes tropicales* qui naissent généralement entre les 8ᵉ et 3ᵉ parallèles. **L'œil** (diamètre

30/35 km) est une zone assez calme où le ciel est clair ou faiblement nuageux (vent de 0 à 30 km/h). **Ravages :** causés par la vitesse du vent, les raz de marée et les crues soudaines des rivières provoquées par des pluies diluviennes (par ex. Réunion, mars 1962 : 2 200 mm en 2 jours ; en 4 j, 4 150 mm). **Énergie** libérée par un cyclone : 200 à 300 kilotonnes par s (bombe d'Hiroshima : 20 kilotonnes). **Nombre aux U.S.A. :** 2 cyclones tropicaux au moins par an. Tous les 3 ans environ, un ouragan très violent dévaste le pays sur 100 à 150 km de largeur et parfois sur des centaines de km de longueur. De puissantes digues anti-raz de marée ont été élevées, au XIXe s., le long des côtes du Texas.

Classification des cyclones tropicaux. **Classe I :** pression égale ou sup. à 980 hPa ; vents de 130 km/h. **II :** pression de 979 à 965 hPa ; vents de 150 à 190 km/h. **III :** pression de 964 à 945 hPa ; vents de 200 km/h. **IV :** pression de 944 à 920 hPa ; vents de 200 à 250 km/h (lors de l'arrivée de « Hugo » 923 hPa. **V :** pression inférieure à 920 hPa ; vents de + de 250 km/h (cyclone « Gilbert » : record de basse pression des cyclones d'Amérique avec 885 hPa).

Hurricane. Transcription anglaise du mot hispano-antillais *huracán,* désignant les tempêtes tropicales (cyclones) de la zone américaine.

Mousson. La *mousson d'hiver* (sèche), d'octobre à avril, souffle du continent froid vers les mers chaudes.

La *mousson d'été* (humide), de mars à septembre, souffle de l'océan vers le continent. Pays : Inde (régions les plus arrosées : 1° le fond du golfe du Bengale, le long des montagnes de l'Assam et jusqu'à l'Himalaya ; 2° la côte du S.-O. ou côte de Malabar), Viêtnam, Afrique (du golfe de Guinée au Sénégal), Amér. du N. (dans la plaine du Mississippi ; mousson venue du golfe du Mexique). Vitesse de 30 à 40 km/h.

Ouragan. Forme francisée du mot *hurricane* (Antilles francophones).

Tornade. Tourbillon circulaire (diamètre de moins de 2 km) se déplaçant à 30-60 km/h, dont les vents tournants peuvent dépasser 500 km/h. Ils tournent dans le sens des aiguilles d'une montre dans l'hémisphère Sud ; dans le sens contraire dans l'hémisphère Nord. La zone de dévastation qui les accompagne s'étend rarement à + de 200 m de part et d'autre du nuage en forme d'entonnoir qui correspond au tourbillon. Le courant ascendant, au centre de l'entonnoir, varie entre 150 et 300 km/h et il emporte tout sur son passage. *Tornades de sable :* quotidiennes l'été aux heures chaudes (désert S. de l'Iran).

Typhon. Appellation des tempêtes tropicales (« cyclones ») dans le Sud-Est asiatique (étymologie contestée : soit de l'arabe *tufan,* « tourbillon », soit du chinois *taïfung,* « vent de Formose », soit du nom du dieu grec du vent funeste : *Typhoeus*).

Willy-willy. Typhon se formant au nord de l'Australie.

Vents de l'Antiquité

Aphéliotes, de l'E. **Aquilon,** du N. **Auster** ou **Notos,** du S. **Borée,** du N. **Cecias,** du N.-E. **Euros,** du S.-E. **Lips,** du S.-O. **Sciron,** du N.-O. **Zéphyr,** de l'O., etc.

Vents locaux et marins

Anoraru. Du S.-E., île de Pâques, d'octobre à avril.

Antolikos. De l'E. Doux, octobre à avril. Méditerranée E., mer Égée.

Apeliotes. De l'E. Doux. Mer Égée.

Autan blanc (Voir Pressions et vents p. 568 b).

Autan noir (Voir Pressions et vents p. 568 b).

Belats. Du N.-N.-O. Chaud, sec, hiver, printemps. Côtes sud de l'Arabie.

Bentu de Soli. De l'E. Chaud, humide. Sardaigne.

Berg Winds. Du N.-E.-E. Chaud, sec, toutes saisons. Côte S.-O. d'Afrique du S. (15° S).

Bora. Du N.-E.-E., vent froid de toutes saisons. Adriatique, mer Noire.

Chergui. Du S.-S.-E. Chaud, sec, printemps, été. Maroc.

Chubascos. De l'E.-N.-E., chaud, humide, avril à janvier. Côte ouest de l'Atlantique central.

Este. De l'E.-S.-E., chaud, sec, été. Madère.

Étésiens (vents). N., frais, sec, été. Méditerranée orientale, Bosphore.

Fœhn (mot dialectal suisse). Suisse et Tyrol au printemps. Vent qui arrive chargé d'humidité sur le versant d'une montagne, perd de la chaleur en se décompressant et perd son humidité au cours d'averses sur les hauteurs. Redescendant sur l'autre versant, il acquiert, par compression (étant plus sec), une température supérieure à celle qu'il avait au même niveau avant la pluie.

Galerne. Du N.-O., frais, humide, violent, toutes saisons. Golfe de Gascogne.

Grégale. Du N.-E., froid, sec, violent, hiver. Méditerranée (mers Égée, Ionienne, Sicile).

Harmattan. Du N.-N.-E., très sec, côte du Sénégal, en hiver et au printemps.

Hegoa. Du S., chaud et sec, mais suivi de pluies. Pays basque.

Kaus. Du S.-E.-S., chaud, humide, été. Golfe Persique.

Khamsin. Du S., chaud et sec, mer Rouge, golfe d'Aden, hiver-printemps.

Leste. De l'E., chaud et sec. Madère.

Levante. De l'E., froid, humide, été. Golfe de Cadix, mer d'Alboran.

Levantes. De l'O., chaud, sec. Nord du Maroc.

Lévéché. Du S.-E., sec, étouffant, par rafales. Espagne du S. (70 km à l'intérieur des terres).

Libeccio. D'O. ou S.-O., violent en toutes saisons. Corse et Italie.

Maestrale. Du N.-O., toutes saisons. Adriatique.

Marin. Du S.-E.-E. (considéré comme l'antagoniste du mistral). Mousson maritime (chaude et humide) soufflant l'hiver de la Méditerranée vers la Provence et le Languedoc.

Mistral (V. Pressions et vents p. 568 b).

Mumuku. Froid, sec, hiver. Îles Hawaï.

Nortes. Du N., frais, printemps, hiver. Côtes ouest d'Espagne et du Portugal.

Northers. Du N., froid, sec, avec grains, automne, hiver. Golfe du Mexique, mer Caraïbe.

Paaske Osten. De l'E., avril, froid. Baltique.

Pampero. D'O. Río de la Plata. Juillet à sept.

Papagayo. Du N., hiver. Golfe de Papagayo (Costa Rica).

Papakino. Du N.-O., été. Île de Pâques.

Poniente. De l'O., humide, toutes saisons. Golfe de Cadix, mer d'Alboran, côte marocaine.

Quarantièmes rugissants. De l'O., vents froids, violents, toutes saisons. Mers australes.

Revolin. Du N.-E., froid, sec, hiver. Mer Noire, Adriatique.

Shamal. Du N.-N.-O., frais, humide (hiver), toutes saisons. Golfe Persique, Somalie.

Simoun. Du S.-O.-S.-E. Chaud et sec. Sahara (Tunisie, Algérie), printemps, été.

Sirocco. Du S., chaud et humide, hiver. Golfe de Gênes, Adriatique, Égée.

Tramontane (V. Pressions et vents p. 568 b).

Vendavales. Du S.-O., frais, humide, hiver : golfe de Cadix. O., mai à décembre : côte occidentale d'Amérique centrale, Colombie.

Échelle anémométrique Beaufort

Cette échelle donne la force du vent pour une hauteur standard de 10 m au-dessus d'un terrain plat et découvert. Les derniers chiffres donnent la hauteur probable des vagues et, entre parenthèses, leur hauteur max., en haute mer, loin des côtes (dans les mers intérieures ou près des côtes avec un vent de terre, la hauteur des vagues sera plus faible et leur escarpement plus fort).

0. Calme. < 1 km/h (< 1 nœud). La fumée s'élève verticalement. La mer est comme un miroir.
1. Très légère brise. 1-5 km/h (1 à 3 nds). Fumée déviée. Rides ressemblant à des écailles de poisson, mais pas d'écume – 0,1 m.
2. Légère brise. 6-11 km/h (4 à 6 nds). Frémissement des feuilles, une girouette ordinaire est mise en mouvement. Vaguelettes courtes, mais accusées ; leurs crêtes ont une apparence vitreuse, mais ne déferlent pas – 0,2 m (0,3).
3. Petite brise. 12-19 km/h (7 à 10 nds). Feuilles et petites branches constamment agitées, le vent déploie les drapeaux légers. Très petites vagues, crêtes commençant à déferler, écume d'aspect vitreux, parfois quelques moutons – 0,6 m (1).
4. Jolie brise. 20-28 km/h (11 à 16 nds). Le vent soulève la poussière, les petites branches sont agitées. Petites vagues devenant plus longues, moutons nombreux – 1 m (1,5).
5. Bonne brise. 29-38 km/h (17 à 21 nds). Les arbustes en feuilles commencent à se balancer. De petites vagues avec crêtes se forment sur les eaux intérieures. Vagues modérées, allongées, nombreux moutons (éventuellement des embruns) – 2 m (2,5).
6. Vent frais. 39-49 km/h (22 à 27 nds). Grandes branches agitées, fils télégraphiques faisant entendre un sifflement, usage des parapluies rendu difficile. Des lames se forment, crêtes d'écume blanche partout plus étendues (habituellement quelques embruns) – 3 m (4).
7. Grand frais. 50-61 km/h (28 à 33 nds). Arbres agités, marche contre le vent pénible. La mer grossit, l'écume commence à être soufflée en traînées qui s'orientent dans le lit du vent – 4 m (5,5).
8. Coup de vent. 62-74 km/h (34 à 40 nds). Branches cassées, marche contre le vent impossible. Lames de hauteur moyenne et plus allongées, du bord supérieur de leurs crêtes se détachent des tourbillons d'embruns – 5,5 m (7,5).
9. Fort coup de vent. 75-88 km/h (41 à 47 nds). Tuyaux de cheminée et ardoises arrachés. Grosses lames, épaisses traînées d'écume dans le lit du vent, crêtes des lames déferlant en rouleaux, embruns pouvant réduire la visibilité – 7 m (10).
10. Tempête. 89-102 km/h (48 à 55 nds). Rare à l'intérieur des terres, arbres déracinés, importants dommages aux habitations. Très grosses lames à longues crêtes en panache, épaisses traînées blanches d'écume, déferlement en rouleaux intense et brutal, visibilité réduite – 9 m (12,5).
11. Violente tempête. 103-117 km/h (56 à 63 nds). Très rarement observée, très gros ravages. Lames très hautes (les navires de moyen tonnage peuvent par instant être perdus de vue), la mer est complètement recouverte de bancs d'écume allongés dans la direction du vent, partout le bord des crêtes des lames est soufflé et donne de la mousse, visibilité réduite – 11,5 m (16).
12. Ouragan. 118 km/h et plus (64 nœuds et plus). Air plein d'écume et d'embruns, mer entièrement blanche d'écume, visibilité très réduite – 14 m (36).
13. Ouragan. 134-149 km/h (72-80 nds).
14. O. 150-166 km/h (81-89 nds).
15. O. 167-183 km/h (90-99 nds).
16. O. 184-201 km/h (100-108 nds).
17. O. 202-220 km/h (109-118 nds), etc.

Nota. – La vitesse record mesurée du vent au sol est de 370 km/h.

Échelle de Douglas

État de la mer et, en italique, **hauteur moyenne des vagues bien formées (en m.). 0** mer calme, sans rides *0.* **1** mer calme, ridée *0 à 0,1.* **2** mer belle (vaguelettes) *0,1 à 0,5.* **3** mer peu agitée *0,5 à 1,25.* **4** mer agitée *1,25 à 2,5.* **5** mer forte *2,5 à 4.* **6.** mer très forte *4 à 6.* **7** mer grosse *6 à 9.* **8** mer très grosse *9 à 14.* **9** mer énorme *plus de 14.*

Fronts océaniques

Atlantique. Boucle du golfe. Mur du Gulf Stream. Front Polaire Nord. Front de Pente. Front des Sargasses. Convergence subtropicale. Fr. Islande Féroé. Fr. du détroit du Danemark. Fr. du Groenland oriental. Fr. de la mer de Norvège. Fr. de l'île de l'Ours. Remontée d'eau du N.-O. africain. Fr. de Guinée. Fr. de Guyane. Remontée d'eau de Benguela. Convergence subtropicale. Fr. polaire S. Divergence antarctique. Méditerranée. Fr. de Gibraltar. Fr. d'Alboran. Fr. de Malte. Fr. ionien. Fr. du Levant. Indien. Remontée d'eau d'Arabie. Fr. salin de l'océan Indien. Contre-courants équatoriaux. Fr. occidental australien. Divergence antarctique. Pacifique. Mur du Kuro Shivo. Fr. de la mer Jaune. Fr. de Corée. Fr. de Tsushima. Mur de l'Oya-shivo. Fr. des Kouriles. Fr. subarctique. S. salin Nord. Fr. salin Sud. Convergence tropicale. C. de Tasmanie. Fr. subantarctique australien. Fr. subtropical. Fr. de Californie. Fr. équatorial. Divergence antarctique.

Catastrophes

Principaux typhons (t.), cyclones (c.), ouragans (o.), tornades (tor.). Nombre de morts (†).

1864 (5-10) Inde (c.) : 70 000 †. **76** (31-10) Inde (c.) : 215 000 †. **81** (8-10) Indochine (t.) : 300 000 †. **82** (6-6) Inde (c.) : 100 000 †. **92** (avril) Ile Maurice (c.) : 1 200 †.

1900 (8-9) Galveston, Texas, U.S.A. (o.) : 6 000 †. **06** (17-9) Chine (t.) : 10 000 †. **25** (18-3) U.S.A. (tor.) : 792 †. **28** (12/17-9) Caraïbes (o.) : 4 000 †. **30** (3-9) R. Dom. (o.) : 2 000 †. **34** (21-9) Japon (o.) : 4 000 †. **35** (25-10) Haïti (o.) : 2 000 †. **36** (5/6-4) U.S.A. (tor.) : 498 †. **37** (1/2-9) Hong Kong (t.) : 11 000 †. **38** New York, N.-Angleterre, U.S.A. (o.) : 6 000 †. **42** (16-10) Inde (c.) : 40 000 †. **49** (31-11) Philippines (t.) : 1 000 †.

1952 (20/22-10) Indoch., Philip. (t.) : 1 000 †. **53** (25-9) Viêt-nam (t.) : 1 000 †. **54** (26-9) Japon (t.) : 1 600 †. Ontario (tor.) : 81 †. **55** (18/19-8) U.S.A. (o.) : 400 † ; (19-9) Mexique (t.) : 200 † ; (22/28-9) Caraïbes (o.) : 500 †. **57** (27/30-6) U.S.A. (o.) : 430 † ; (20/23-9) Hong Kong [Gloria (c.)] : 8 †. **58** (27/28-9) Japon (t.) : 600 †. **59** (14-8) U.R.S.S., Japon (t.) : 137 † ; (20-8) Chine (t.) : 720 † ; (17/19-9) Japon (t.) : 2 000 † ; (26/27-9) Japon (t.) : 4 460 † ; (27-10) Mexique (o.) : 15 500 †.

1960 (oct.) Pak. : 14 000 † ; (4/12-6) Hong Kong [« Maru » (c.)] : 45 †. **61** (9-5) Pak. or. (t.) : 200 † ; (31-10) Honduras (t.) : 400 † ; (17/21-5) Hong Kong [« Alice » (c.)] : 4 † ; (7/10-9) Hong Kong [« Olga » (c.)] : 7 †. **62** (28-8/2-9) Hong Kong [« Wanda » (c.)] : 130 † ; (25-10) Thaïlande (o.) : 769 †. **63** (29-5) Pākistān (c.) : 11 942 † ; (1/9-9) Hong Kong [« Faye » (c.)] : 3 † ; (2-10) Haïti (t.) : 5 000 †, Cuba : 1 000 †. **64** (2/9-8) Hong Kong [« Ida » (c.)] : 5 † ; (2/6-9) Hong Kong [« Ruby » (c.)] : 38 † ; (4/10-9) Hong Kong [« Sally » (c.)] : 9 † ; (5-10) Inde (c.) : 70 000 † ; (7/13-10) Hong Kong [« Dot » (c.)] : 26 †. **65** (11-5) Pak. (c.) : 17 956 † ; (1/2-6) Pak. (c.) : 30 000 † ; (6/16-7) Hong Kong [« Freda » (c.)] ; (8-9) Sud Floride (U.S.A.) [« Betsy » (o.)] : 75 † ; (15-12) Pak. (c.) : 10 000 † ; (25/28-9) Hong Kong (« Agnès » (c.)] : 5 †. **67** (5/22-9) Caraïbes et U.S.A. [« Beulah » (o.)] : 2 †. **68** (9/10-5) Birmanie : 1 000 † ; (août) l'île de Teguan (Indonésie) engloutie : plusieurs centaines de †. **69** (16/18-8) S.-E. U.S.A. [« Camille » (o.)] : 256 † (mi-mai) Inde (c.) : 600 †.

1970 (2/3-8) Cuba et S.-E. U.S.A. [« Célia » (o.)] : 24 † ; (21-8) Japon [« Anita » (t.)] : 20 † ; (13/14-10) Philip. [« Joan » (t.)] : 600 † ; (25-10) Pak. or. : 265 † ; (12/13-11) Pak. or. : 400 000 † (la plus grande catastrophe météo. du siècle) ; (12-11) Bengale oriental (c.) : env. 300 000 † ; (29/30-11) Thaïlande (t.) : 14 †. **71** (5-8) Japon [« Ruth » (t.)] : 43 † ; (10/17-8) Hong Kong [« Rose » (c.)] : 110 † ; (10-9) Japon [« Shirley » (t.)] : 12 † ; (29/30-10) Inde (c.) : 20 000 à 50 000 †. **72** (21-6) Maryland (U.S.A.) [« Agnès » (o.)] : 118 †. **73** (avril) Bangladesh (c.) : 1 000 †. **74** (3-4) U.S.A. (tor.) : 307 † ; (19-9) Honduras [« Fifi » (o.)] : + de 8 000 †. **76** (22-6/4-7) Hong Kong [« Ruby » (c.)] : 3 † ; (21/24-8) Hong Kong [« Ellen » (c.)] : 27 † ; (30-9) Mexique (c.) : + de 2 500 † ; (31-10) Indes (c.) : 215 000 †. **77** (25/31-7) T'ai-wan (t.) : 39 † ; (19-11) Inde (Andhra-Pradesh) (c.) + de 10 000 †. **78** (24/30-7) Hong Kong [« Agnès » (c.)] : 3 †. **79** (28-8/3-9) Hong Kong [« Hope » (c.)] : 12 † ; (28-8/4-9) Antilles et Floride [« David » (o.)] : + de 1 000 † ; (13-9) Floride et Alabama U.S.A. [« Frédéric » (o.)] : 8 †.

1980 (4/11-8) Texas U.S.A. [« Allen » (o.)] : 272 †. **81** (5-10) Indochine (t.) : 300 000 †. **83** (5) Équateur, Pérou [« El Niño » (c.)] : 600 †. (18-8) Texas [« Alicia » (o.)] : 17 † ; (29-8/9-9) Hong Kong [« Ellen » (c.)] : 10 †. **85** (2-9) Mississippi [« Elena » (c.)]. **87** (31-7) Canada (Alberta) (tor.) : 35 † ; (16/17-10) France (Bretagne) (o.) : 6 †, dégâts 10 milliards de F, vitesse du vent 246 km/h à Concarneau ; G.-B. : 20 † ; (24/25-10) Philippines [« Lynn » (o.)] 58 † ; (25/26-11) Philippines [« Nina » (t.)] : 700 †. **88** (11/17-9) Venezuela, Rép. Dominicaine, Haïti, Jamaïque, Caïmans, Cuba, Mexique, Texas, Louisiane (c.) : 50 à 100 † (Gilbert, pression 885 hPa, vents 280 à 320 km/h). **89** (25-2) Europe S.-O. (o.) : 60 † ; (16-9) Chine [« Véra » (t.)] : 162 † ; (16/17-9) Guadeloupe [« Hugo » (c.)] : 5 † ; (21/22-9) U.S.A. [« Hugo » (c.)] : 12 † ; (nov.) Thaïlande [« Gay » (t.)] : 419 † ; (16/17-12) Europe O. (o.) : 8 †. **90** (25/26-1) Europe N.-O. (o.) : 94 † ; (3-2) France (o.) : 24 † ; (26-2/1-3) Europe (o.) : 84 †, France : 19 † ; (9-5) Inde (Andhra-Pradesh) (c.) 450 †.

Protection contre les dangers de la foudre

Signes précurseurs de la foudre. Apparition de cumulus et de cumulo-nimbus en forme de tours. Petites lueurs bleues [**feux Saint-Elme** (dus au courant d'ions qui sortent par les objets conducteurs pointus aux endroits où le champ électrique près du sol atteint une intensité suffisante)] sur les pics et crêtes de montagne. Ils sont la manifestation de l'existence d'un fort gradient de potentiel électrique. Difficilement perceptibles en pleine lumière du jour, mais s'accompagnent d'un bruissement ou d'un bourdonnement ; le système pileux s'électrise sur la tête. Grêle ou forte averse au sein d'un nuage. En plaine, les indications sont moins marquées, mais peuvent être enregistrées par des systèmes d'alerte électrique (indiquent seulement la probabilité d'un orage au voisinage).

Lieux de protection. Bâtiments en béton à ossature d'acier présentant au moins une continuité verticale. Immeubles bordés d'acier ; ou ayant des revêtements métalliques en feuilles sur les toits et les murs ; ou avec paratonnerre. Véhicules à carcasse métallique continue.

Ce qu'il faut éviter. Les arbres isolés, particulièrement sous les branches basses s'étendant loin du tronc ; plus l'arbre est grand, plus grand est le danger en terrain découvert et sur les cimes. L'orée d'un bois comportant de gros arbres. Granges, chapelles ou petites églises (en fait tous les édifices non protégés). Voisinage immédiat de lignes, de mâts d'antennes, etc., de ponts roulants et treuils élevés. Lacs, piscines, vastes plages plates. Crêtes, contreforts montagneux. Navires et tentes sans paratonnerre. Clôtures métalliques, rails. Foule. Être à cheval, à bicyclette ou sur un véhicule agraire. Se tenir près d'un véhicule ou se coucher dessous.

Attitude à adopter. Se tenir aussi bas que possible afin de réduire la probabilité d'un coup de foudre direct ; réduire autant que possible la surface de contact entre le corps et le sol. En terrain découvert : s'agenouiller avec les deux genoux joints, placer les mains sur les genoux et se pencher en avant (dans cette position, la protection d'un imperméable est efficace). Il est dangereux de se coucher dans un fossé ou un creux, car le sol y est meilleur conducteur. Se recroqueviller sous un bon conducteur métallique à mailles fines ou une bicyclette, ou s'asseoir sur des vêtements en tissu enroulés formant une épaisseur de 10 cm, avec les pieds joints, le corps penché en avant et mains aux genoux. Personnes groupées : s'écarter les unes des autres. Automobilistes : ne pas sortir de la voiture. Débrancher du secteur et de la terre les appareils délicats (ex. télévision, équipements ménagers), en écartant largement les prolongateurs de leurs prises. Faire de même avec les téléphones et ne pas les utiliser, même pour répondre à un appel. La ligne peut être foudroyée à plusieurs km.

Premiers soins. Voir Index : soins.

Nota. – 1896-97, « années des cyclones » en France : 26-7-96 : Paris ; 1-9-96 : Le Havre ; 10-9-96 : Paris (dégâts sur 6 km, larg. 150-300 m, plusieurs blessés) ; 6-6-97 : trombe de Voiron (Isère), 10 millions de dégâts ; 18-6-97 : Asnières, banlieue O., ravagée jusqu'à Courbevoie, 1 †, nombreux blessés.

Orages

• **Définition.** Les orages correspondent à des mouvements verticaux très violents de l'air (ils créent au voisinage de l'équateur des nuages jusqu'à 20 000 m). Ces mouvements ascendants sont dus soit au réchauffement de l'air par le sol terrestre et la condensation de la vapeur d'eau, soit à l'influence d'un front d'air froid. Ils se manifestent par des décharges électriques et un roulement de tonnerre (la séparation des électricités positive et négative se produit lors de la congélation des gouttelettes d'eau). Les précipitations entraînées par un orage amènent un refroidissement, et l'orage se termine quand ce refroidissement arrête les mouvements ascendants de l'air.

• **Nombre.** 1 000 à 2 000 orages à tout moment autour de la Terre. L'énergie libérée par un orage moyen correspond à celle d'une bombe H d'une mégatonne. **Quantité d'eau tombée lors d'un orage.** Paris 27-6-1990 : 32,8 litres par m² en 1 h 35 mn ; 20-7-1972 : 52,2 mm en 1 h ; 19-7-1955 : 47,1 mm en 30 mn (moyenne de pluie tombée en juillet 55 mm).

• **Foudre.** Décharge électrique entre un nuage et le sol, entre 2 nuages, ou à l'intérieur d'un nuage, pouvant atteindre 20 000 (parfois 150 000) ampères et se produisant sous une différence de potentiel de 10 à 20 millions de volts. La durée d'un coup de foudre est très courte. La puissance équivalente à l'ensemble des coups de foudre tombant sur la France en un an est d'env. 15 mégawatts, celle d'une petite turbine de fleuve. L'utilisation éventuelle d'une telle source d'énergie supposerait résolus les problèmes techniques que sont le stockage et l'étalement dans le temps de cette énergie instantanée. La foudre tue chaque année env. 100 personnes en France. Elle frappe surtout à la campagne, en montagne et d'une façon générale sur terrain découvert.

Éclair. Lueur résultant de l'échauffement de l'air traversé par la décharge. Il dure environ 5 ou 6 dixièmes de seconde. La décharge est une étincelle de très haute fréquence qui passe facilement dans des espaces vides. Les 3 aspects les plus fréquents sont : ramifié, sinueux, en chapelet. Les éclairs en boule (souvent de 10 à 20 cm de diamètre) seraient constitués d'oxygène et d'ozone produits par un éclair normal. Ils éclatent ou se dispersent. Les éclairs sont causés par l'attraction des charges électriques différentes au sein d'un nuage ou entre les nuages ou entre ceux-ci et la terre. En montagne, si les nuages sont très bas, les éclairs peuvent mesurer moins de 90 m ; si les nuages sont très hauts, un éclair, du nuage au sol, peut mesurer 6 km (ou même 32). Le diamètre serait d'environ 1,50 cm, entouré par une **« enveloppe Corona »** de 3 à 6 m de diamètre ; vitesse de 160 à 1 600 km/s vers le sol, jusqu'à 140 000 km/s lors de son coup de retour. L'énergie dégagée peut atteindre 3 milliards de joules et 30 000 °C. Hypothèse (1967) : les éclairs seraient déclenchés par des rayons cosmiques.

• **Éclairs artificiels.** Au centre expérimental de St-Privat-d'Allier (E.D.F.), on a lancé des fusées munies d'un fil d'acier très mince quand le ciel devient orageux et qu'une décharge électrique va vraisemblablement s'y produire (champ électrique local de 20 000 volts par mètre). On obtient ainsi des éclairs sur commande (10 000 ampères), avec possibilité de les photographier, de mesurer la croissance et la décroissance de leur intensité, et de repérer le *canal ionisé* par où s'écoule la décharge électrique.

Tonnerre. Bruit dû à l'expansion rapide de l'air échauffé par la décharge électrique.

• **Paratonnerre.** *Fonctionnement :* les paratonnerres se composent d'une tige conductrice verticale dressée sur l'édifice pour le protéger. Cette tige est terminée par une pointe en cuivre ou en nickel doré reliée par un câble de cuivre de forte section ou par des barres de cuivre à une prise de terre de faible résistance. Par temps d'orage, le paratonnerre émet des effluves électriques (pour favoriser l'émission d'électrons par les pointes, on enduit celles-ci d'oxyde de baryum, strontium, thorium) qui diminuent le gradient de potentiel, réduisant ainsi le risque d'une décharge brutale. Si la foudre tombe, elle est guidée par le courant établi, et la décharge dont l'intensité peut atteindre plusieurs milliers d'ampères est canalisée par le conducteur à forte section.

Zone de protection d'un paratonnerre (le cercle de base du cône a pour rayon le double de la hauteur)

Cage de Faraday. Elle constitue une autre forme de paratonnerre (dit paratonnerre Melsens). En effet, un conducteur creux (par ex. une cage grillagée) forme écran pour les actions électriques et isole son contenu. L'intérieur d'une *cage de Faraday* ne renferme aucune charge d'électricité statique. Aussi, en cas d'orage, si l'on est en voiture, le meilleur abri est d'y rester.

Paratonnerres radioactifs (ou ionisants). Ils rendent plus efficaces les p. classiques de Franklin, en rendant conducteur, par ionisation, l'air environnant : la foudre se dirige préférentiellement vers leur pointe.

Eau dans l'atmosphère

Généralités

L'eau se présente dans l'atmosphère sous les 3 formes : vapeur, liquide, solide.

• **Vapeur d'eau.** On la trouve partout. Elle exerce une pression variant selon les conditions météorologiques et selon l'altitude (inférieure à 1 h Pa aux pôles, elle peut atteindre 40 h Pa dans les régions humides et chaudes, près du sol). A chaque température correspond une pression maximale (ou **tension**) à laquelle l'air est **saturé** de vapeur d'eau : celle-ci se condense alors sous forme de gouttes d'eau liquide ou de cristaux de glace. Cette tension maximale est atteinte si la vapeur d'eau augmente quand la température reste constante ou si la température s'abaisse quand la quantité de vapeur d'eau ne varie pas. Dans ce dernier cas, on appelle **point de rosée** la température à laquelle la pression devient maximale. La **rosée** du matin est due à la condensation sur les objets au sol, ou près du sol, de la vapeur d'eau contenue dans l'air, du fait de son refroidissement au contact du sol (refroidi lui-même par le rayonnement nocturne).

L'humidité relative de l'air en un lieu donné est le rapport de la tension de la vapeur d'eau présente à la tension maximale pour la température du lieu.

Quantité de vapeur d'eau contenue dans 1 m³ d'air saturé (en grammes), suivant la temp. – 20 °C (1,07) ; – 10 °C (2,28) ; 0 °C (4,83) ; 10 °C (9,36) ; 20 °C (17,15) ; 30 °C (30,08) ; 40 °C (50,67) ; 50 °C (82,23).

Suivant le degré hygrométrique, une même température peut paraître plus ou moins « supportable ». Ainsi 30 °C avec 40 % d'humidité sont plus supportables que 25 °C avec 80 % d'humidité.

• **Eau liquide.** Nuage, pluie (Voir ci-dessous).

• **Eau solide. Verglas.** Congélation de gouttes d'eau (brume, pluie ou brouillard) en surfusion sur des objets dont la surface est à moins de 0 °C.

Neige. Petits cristaux de glace, souvent groupés sous forme d'étoiles à 6 branches. Si la température n'est pas trop basse, les cristaux sont généralement agglomérés en flocons.

Grésil. Petite pelote de givre formée sur un cristal de neige.

Grêle. Morceaux de glace constitués souvent de plusieurs couches.

Gelée blanche. Phénomène analogue à celui de la formation de la rosée, mais la température inférieure à 0 °C. La vapeur d'eau, au lieu de se condenser en gouttes, se cristallise en glaçons minuscules, en forme d'aiguilles, d'écailles...

Givre. Dépôt de glace se formant, au-dessous de 0 °C, sur les parties des objets recevant de petites gouttelettes d'eau en surfusion (nuage ou brouillard) ; il y a congélation dès l'impact, avec inclusions d'air.

• **Cycle de l'eau.** Il peut être schématisé ainsi : évaporation et respiration (il faut 0,7 kWh/m² pour faire évaporer 1 mm d'eau) ; transport de la vapeur d'eau par l'atmosphère ; précipitations solides (neige, grêle) ou liquides (pluies, bruine) au sol ; écoulement et ruissellement de surface aboutissant aux torrents, fleuves, marais, mers, océans ; infiltration dans le sol permettant l'alimentation des végétaux ou donnant naissance aux sources, et le cycle recommence animé par l'énergie solaire. La circulation planétaire de l'eau permet sa répartition, à la fois dans le temps et dans l'espace, et sa purification. La production de ce cycle naturel nécessite de l'énergie fournie par le Soleil. Il y a donc nécessité d'un certain équilibre entre l'eau et l'énergie solaire pour que la machine thermodynamique fonctionne.

Pluies

Caractéristiques. La pluie se caractérise par la hauteur d'eau recueillie (1 mm correspond à 1 l par m²) et aussi par le nombre d'heures de précipitations, rapporté à une période donnée. Ainsi, à Paris, il pleut davantage en août (54,7 mm) qu'en janvier (46,4 mm) mais moins longtemps (28 h en août, 60 h en janvier). En un jour d'août, il peut d'ailleurs pleuvoir autant qu'en 3 mois d'hiver.

Différents types de pluie. *Pluies de convection,* dues à un réchauffement local des masses d'air déclenchant leur ascendance ; *de relief,* dues à la rencontre d'un massif contraignant l'air à s'élever ; *littorales,* dues à la rugosité des continents ; *cyclonales* ou *pluies de front* accompagnant les fronts des perturbations (caractéristiques des zones tempérées).

Vitesse de chute de la pluie (moyenne). Diamètre des gouttes en mm et, en italique, vitesse par sec. en m. 1 *4.* 2 *6,6.* 3 *8.* 4 *8,8.* 5 *9,25.* 6 *9,3* (une goutte de 8 mm a été mesurée à Hawaii en 1986).

Pluies de sang (en réalité : pluies de « sable rougeâtre »). Fréquentes sur l'Atlantique et le Sahara, elles sont causées par le mélange, avec des gouttes de pluie, de fines poussières contenant des micro-organismes tels que les diatomacées et les rhizopodes (souvent rouges). Le vent peut les entraîner à des distances considérables des zones sablonneuses de l'Afrique. *Exemples :* Paris (en 580), Hongrie (765), Tours (784), Naples (1814), Brescia (1872), Fontainebleau (1887 : couleur due sans doute à des grains de pollen), Le Cap (1888 : couleur tirant sur le noir), Palerme (10-3-1901), Yonne (30-10-1926).

Trombes d'eau. Se forment sur lacs et mers lorsque la distance sur l'eau est suffisante. Le 16-5-1898, au large d'Eden (Australie), on a observé une trombe d'eau haute d'env. 1 850 m (diamètre 3 m env.). Équivalent, sur mer, des tornades sur terre. Se produisent lorsque le vent est emprisonné à l'intérieur d'un nuage, par temps calme, et le déforme en lui communiquant un mouvement tourbillonnaire localisé.

Pluies de « soufre ». Laissent une poudre jaune (pollen des pins des Landes). Pyrénées-Atl. (presque tous les ans), Htes-Pyrénées (plus rares).

Pluies jaunes. Sud-Est asiatique. Dues pour 99 % à des enveloppes de graines de pollen venant de la défécation en masse d'essaims d'abeilles géantes.

Brouillards

Définition. Nuage (stratus) reposant sur la surface du globe. Les météorologistes l'appellent **brouillard** quand la visibilité est inférieure à 1 km ; **brume,** quand la visibilité est de plus de 1 km.

Différents types de brouillard. *Brouillard d'advection :* provoqué par un déplacement en sens horizontal d'une masse d'air chaud et humide, au contact d'une surface froide (notamment l'océan), qui provoque une condensation. *Brouillard de rayonnement :* surtout terrestre ; provoqué par le rayonnement du sol qui, la nuit, refroidit par le bas l'air chaud et humide à son « contact » ; densité maximale au petit matin, rare l'été (nuits tièdes). *Brouillard d'évaporation :* se produit en mer, ou sur les étangs et cours d'eau quand la température de l'eau est supérieure à celle de l'air, la vapeur d'eau qui se dégage se condensant par refroidissement.

Diamètre en mm. Gouttelettes de nuage 0,004 à 0,01. Bruine – de 0,5. Pluie + de 0,5. Grésil 2 à 5. Grêle 5 à 50 ou plus.

Vitesse de chute en km/h. Brouillard 0,036 à 1,8. Bruine 1,8. Grosse pluie 30.

Nuages

Généralités

• **Formation.** Condensation (puis congélation éventuellement) de la vapeur d'eau atmosphérique sur des particules appelées noyaux de condensation (puis de congélation) en fines gouttelettes liquides (ou cristaux de glace). Ils précipitent en pluie, neige, grésil ou grêle, quand les gouttes d'eau, devenues trop lourdes, ne peuvent plus être soutenues par les mouvements ascendants de l'air.

• **Dimension.** Un *gros nuage* d'orage s'étend sur plusieurs km², monte jusqu'à 12 000 m et peut contenir 300 000 t d'eau. La *densité* des nuages varie de 0,3 à 5 g d'eau par m³ d'air. *Les plus épais* (cumulonimbus) ont de 3 000 à 10 000 m d'épaisseur. Les moins épais (stratus), de 50 à 800 m.

• **Altitude. Étage supérieur** (Cirrus, Cirro-cumulus, Cirro-stratus). Altitude dans les régions tempérées 4 à 15 km ; tropicales 6 à 18 ; polaires 3 à 8.

Étage moyen (Altostratus [1], Altocumulus). Temp. 2 à 7 ; trop. 2 à 8 ; pol. 2 à 4.

Étage inférieur (Cumulo-nimbus [3], Strato-cumulus, Cumulus [3], Stratus, Nimbo-stratus [2]). Temp. 0 à 2 ; trop. 0 à 2 ; pol. 0 à 2.

Nota. – (1) Débordent souvent sur l'étage supérieur ; (2) sur l'étage moyen et parfois supérieur ; (3) les Cumulus et les Cumulo-nimbus ont leur base dans l'étage inférieur, mais parfois les sommets des gros Cumulus et des Cumulo-nimbus pénètrent jusque dans l'étage supérieur.

Ces hauteurs varient suivant saisons et zones climatiques. Au-dessus des grandes villes, la base des nuages sera plus haute que dans la campagne environnante (plus froide).

Classification

☞ En vigueur depuis 1956. Pour un observateur situé au sol :

Altocumulus (latin *altus,* haut, et *cumulus,* amas). Couche ou banc de nuages blancs ayant généralement des ombres propres, habituellement ondulé ou composé de lamelles, galets, rouleaux, etc., soudés ou non, à aspect parfois partiellement fibreux ; la plupart des petits éléments, disposés régulièrement, ont une largeur apparente au zénith comprise entre 1 et 5°. Ces éléments s'ordonnent en groupes, en files ou en rouleaux, suivant une ou deux directions, et sont parfois si serrés que leurs bords se rejoignent : ils « moutonnent ». Parfois, le soleil ou la lune peuvent apparaître avec une couronne, rouge à l'extérieur, verte à l'intérieur.

Altostratus (*altus + stratus,* couche). Nappe ou couche grisâtre, d'aspect strié, fibreux ou parfois uniforme, couvrant totalement ou partiellement le ciel, qui présente des parties suffisamment minces pour déceler vaguement la position du soleil, vu comme à travers un verre dépoli, mais sans phénomène de halo.

Cirro-cumulus (*cirrus,* filament + *cumulus*). Banc, nappe, ou couche mince de nuages blancs, sans ombre propre, constitué de très petits éléments, en forme de granules, de rides, etc., soudés ou non et organisés avec plus ou moins de régularité.

Cirro-stratus (*cirrus + stratus).* Voile transparent, blanchâtre, d'aspect fibreux, chevelu ou lisse couvrant totalement ou partiellement le ciel et provoquant généralement des phénomènes de halo [22° de rayon et le Soleil pour centre ; ses couleurs sont, de l'intérieur à l'extérieur, rouge, orangé, jaune, vert, bleu, indigo, violet (l'inverse de l'*arc-en- ciel*)]. Pendant le jour, lorsque le soleil est assez élevé sur l'horizon, le voile ne supprime généralement pas les ombres des objets.

Cirrus (latin *cirrus,* filament). Nuages séparés, d'aspect fibreux ou chevelu et d'éclat soyeux, en forme de filaments blancs et délicats, de bancs ou de bandes étroites, blancs ou en majeure partie blancs. Composés de cristaux de glace dispersés, ils sont transparents. Au lever et au coucher du soleil, ils deviennent roses ou rouges.

Cumulo-nimbus (latin *cumulus + nimbus,* nuage). Masses de nuages denses et puissants, à grand développement vertical en forme de montagnes ou d'énormes tours. Leur région supérieure présente presque toujours une partie aplatie, souvent lisse, de structure fibreuse ou striée (partie glacée) ; elle s'étale souvent en forme d'enclume ou de vaste panache. Base semblable à celle du nimbo-stratus ; souvent doublée de nuages très bas déchiquetés. Quand un cumulo-nimbus couvre tout le ciel, il est difficile parfois de le distinguer d'un nimbo-stratus. La présence d'averses de pluie, de neige, d'orages ou de grêle le permet. (D'une façon générale, la hauteur pour chaque genre est plus grande pendant la saison chaude que pendant la saison froide. De même, pour une saison donnée, cette hauteur est généralement plus grande dans les régions chaudes que dans les régions froides.)

Cumulus (latin *cumulus,* amas). Nuages séparés, parfois alignés en « rues », généralement denses, à contours nets, se développant verticalement en forme de mamelons, de dômes ou de tours, dont la partie sup. bourgeonnante est souvent en forme de chou- fleur. Les parties de ces nuages illuminées par le soleil sont le plus souvent d'un blanc éclatant ; leur base relativement sombre est presque horizontale. Souvent, les cumulus apparaissent le matin, se gonflent et se résorbent à la fin de la journée. Une variété, le **fracto-cumulus,** se déchiquette et change constamment de forme.

Nimbo-stratus. Couche grise, souvent sombre, dont l'aspect est rendu flou par des chutes de pluie ou de neige, plus ou moins continues ; elle est partout suffisamment épaisse pour masquer totalement le soleil. Il existe fréquemment, au-dessous de la couche, des nuages bas, déchiquetés, soudés ou non avec elle, qui peuvent former une couche inférieure continue.

Strato-cumulus. Couche ou banc de nuages blancs ou gris, non fibreux, ayant presque toujours des parties sombres, ondulé ou composé de dalles, galets, rouleaux, etc., soudés ou non.

Stratus (latin *stratus,* en couche). Couche généralement grise, à base assez uniforme, pouvant donner de la bruine, des aiguilles de glace ou de la neige granulaire ; vu à travers une couche mince, le contour du soleil est nettement discernable. Le stratus apparaît parfois sous forme de bancs aux contours déchiquetés.

Nota. – On distingue aussi les **nuages nacrés** (ou **irisés**) situés vers 25 km d'altitude et les **nuages nocturnes lumineux** (noctiluques), les plus élevés connus (environ 80 km d'altitude, se composant probablement de poussière météorique), *dorés* près de l'horizon et *bleuâtres* au-dessus. Leur vitesse peut atteindre 630 km/h env.

Climats

Système climatique

• Définition. Ensemble que constituent l'atmosphère, les océans, les zones de glace et de neige, les masses continentales et la végétation. Les liens (physiques et chimiques) qui unissent ces éléments jouent un rôle prépondérant dans l'organisation du régime climatique du globe et sont à l'origine des fluctuations et de la variabilité du climat. Les fluctuations climatiques peuvent aussi résulter de phénomènes extérieurs au *système climatique :* variations possibles de l'énergie rayonnée par le Soleil, variations de la quantité de particules provenant d'éruptions volcaniques présentes dans les couches supérieures de l'atmosphère et accumulation dans l'atmosphère de gaz carbonique résultant de la combustion de carburants fossiles (+ 10 % depuis la deuxième moitié du XIXe s. ; si l'on consomme la plus grande partie des réserves connues de carburants d'ici à 100-200 ans, le taux de concentration de gaz carbonique atteindra plusieurs fois le taux actuel).

PRINCIPAUX PARAMÈTRES CLIMATIQUES. Ils définissent le climat d'une région ou d'un lieu donné.

Pression atmosphérique. Ses variations dans le temps permettent de préciser les prévisions météorologiques.

Vent. Sa direction, sa vitesse, mais aussi sa turbulence, associées à la rugosité du sol qui intervient pour accroître les échanges sol-atmosphère.

Température moyenne de l'air. Mais aussi les valeurs maximales et minimales. La température est fonction de la latitude, des périodes d'éclairement, de la répartition des terres, des mers, des courants marins.

Contenu de l'air en eau ou humidité relative, avec leurs valeurs extrêmes et moyennes qui dictent principalement l'évaporation et le rayonnement de l'atmosphère.

Visibilité. Associée aux brumes et brouillards, définit la transmission du rayonnement visible dans l'atmosphère et intervient ainsi sur celle du rayonnement solaire.

Nébulosité. C'est-à-dire le type, la nature et la quantité des nuages présents à diverses hauteurs, qui déterminent le rayonnement terrestre provenant de l'atmosphère ainsi que l'ensoleillement et sa durée.

Rayonnement solaire (direct, diffus, global) et *rayonnement total* (solaire et terrestre) définissent bilan radioactif au sol et températures de surface, en déterminant la plupart des échanges énergétiques sol - atmosphère.

Évaporation (ou évapotranspiration potentielle) qui traduit le pouvoir récepteur de l'atmosphère en vapeur d'eau et dépend aussi bien de la température que de l'humidité de l'air et du vent.

Précipitations. C'est-à-dire pluie ou neige qui assurent l'alimentation du sol en eau et permettent à l'évaporation de se produire, agissant ainsi en agent régulateur sur les extrêmes de température.

Phénomènes associés à ces divers paramètres et caractéristiques des hydro- ou lithométéores, ainsi que divers autres paramètres qualitatifs : électriques, chimiques...

Causes des différences

Les différents climats proviennent : – *des différences de latitude* (les radiations solaires reçues aux pôles sont de 2 à 3 fois plus faibles qu'à l'équateur) ;

– *du balancement apparent du Soleil* par rapport au plan de l'équateur ;

– *de l'inégale répartition des terres et des mers* (différence d'échauffement entre continents et océans, influence de courants marins chauds comme le Gulf Stream, froids comme le Labrador) ;

– *du relief,* de sa forme, de son orientation, de ses altitudes ;

– *de l'influence des différents facteurs météorologiques* (circulation générale de l'atmosphère et situation géographique).

Le Gulf Stream

Apparaît au milieu de l'Atlantique comme un bras de mer bleu, large de 600 km et profond de 300 m. Divisé en plusieurs tronçons qui vont réchauffer le Groenland, l'océan Arctique jusqu'à Mourmansk et l'Europe occidentale.

Grâce à lui, la France bénéficie d'un climat privilégié ; sans lui, en raison de sa latitude, la température atteindrait – 40 °C en hiver. Le littoral atlantique des Français en reçoit une chaleur équivalente à celle que nous fourniraient 30 milliards de t de pétrole (10 fois la prod. mondiale).

Aux latitudes moyennes, *l'été est plus chaud que l'hiver* parce que :

1) les jours sont plus longs (le Soleil dispose de plus de temps pour réchauffer la Terre) ;

2) les rayons du Soleil atteignent la Terre plus verticalement et sont ainsi plus concentrés ;

3) la circulation générale de l'atmosphère diffère de celle de *l'hiver.*

Comparaisons

• Climats locaux ou microclimats. Ils s'expliquent par le rôle : du relief ; de sa configuration ; de l'orientation des pentes et des vallées [gel plus fréquent au fond des vallées ; aux latitudes moyennes, les versants exposés au sud sont plus ensoleillés et plus chauds que ceux exposés au nord ; les versants S. (**adret** dans les Alpes du S.) sont directement réchauffés par le Soleil, tandis que les versants N. (**ubac**) sont à l'ombre] ; de la nature du sol et de sa végétation (la proximité d'une forêt apporte de l'humidité) ; de la proximité de la mer qui joue le rôle de régulateur thermique (hivers plus doux sur les côtes et étés moins chauds) ; de la proximité d'une agglomération importante : à Paris, la température moyenne est plus élevée de 2 à 3 °C au centre de la ville qu'en banlieue.

• Climat équatorial. Rayons solaires toujours proches de la verticale ; températures variant peu (env. 25 °C) ; légers maxima aux 2 équinoxes de mars et septembre.

Les nuages arrêtent souvent les rayons du Soleil le jour et ralentissent le rayonnement de la Terre la nuit ; d'où une faible amplitude diurne. Pluies abondantes (souvent de grosses averses) ; nuages noirs s'élevant à plusieurs milliers de m (le pot au noir). La pluviosité s'explique par le surchauffement de l'air au contact du sol ; il se renforce l'après-midi ; les pluies sont des pluies de convection (appelées aussi *pluies d'instabilité :* dues au gradient vertical de température) ; dans les basses latitudes se trouve le front intertropical (FIT) où convergent l'air tropical de l'hémisphère N. et celui de l'hém. S. ; la pression au sol s'abaisse ; il pleut d'autant plus que l'air, chargé de vapeur d'eau, est proche de son point de saturation.

A l'époque des solstices, la convergence intertropicale se déplace, accompagnant le mouvement apparent du Soleil dans l'hémisphère N. (juin-août) et dans l'hém. S. (déc.-février). Seules tombent alors les pluies de convection.

• Climats tropicaux. Températures élevées, vents permanents = alizés soufflant régulièrement des anticyclones tropicaux vers le front intertropical (déviés selon la formule de Coriolis, ils s'infléchissent sur leur droite dans l'hémisphère N. et sur leur gauche dans l'hém. S.). S'ils soufflent des océans, ils apportent des averses (Antilles) ; sur un continent (Afrique), ils restent secs une grande partie de l'année. Il y a donc des *climats tropicaux à caractère océanique,* très humides (ex. : Martinique), et des *climats tropicaux continentaux,* plus secs (ex. : Tchad).

Tableau schématique des climats

Légende. – (A) mois le plus froid, temp. supérieure à 18 °C. (B) pluies très peu abondantes, à la limite de la sécheresse. (C) mois le plus froid entre 18 °C et – 3 °C. (D) mois le plus froid inférieur à – 3 °C, mois le plus chaud supérieur à 10 °C. (E) mois le plus chaud entre 0 °C et 10 °C. (F) mois le plus chaud inférieur à 0 °C. (f) constamment humide. (s) saison sèche en été. (w) saison sèche en hiver.

Le 1er chiffre indique la température moyenne annuelle, le second la moyenne annuelle des pluies en mm et le troisième la superficie de ce type de climat en millions de km². D'après Kœppen (1846-1940).

Af Forêt vierge (ex. : Amazonie), 26 °C, 2 500 mm, 14 millions de km².

Aw Savane (ex. : Afrique orientale), 22 °C, 1 000 mm, 15,7 millions de km².

Bs Steppe (ex. : Irak), 20 °C, 400 mm, 21,2 millions de km ².

Bw Désert (ex. : Arabie), 20 °C, 200 mm, 17,8 millions de km².

Cw Tempéré à été pluvieux (ex. : Éthiopie), 18 °C, 900 mm, 11,3 millions de km².

Cs Tempéré à hiver pluvieux (ex. : Grèce), 15 °C, 500 mm, 2,5 millions de km².

Cf Tempéré humide (ex. : G.-B.), 12 °C, 1 100 mm, 9,3 millions de km².

Df Humide à hiver froid (ex. : Russie d'Europe), 4 °C, 600 mm, 24,5 millions de km ².

Dw Pluvieux l'été, froid l'hiver (ex. : Sibérie, Est), 5 °C, 500 mm, 7,2 millions de km².

E Toundras (arbres nains, mousses, lichens ; ex. : Sibérie Nord), – 5 °C, 50 mm, 10,3 millions de km².

F Gelées permanentes (ex. : Antarctique), – 15 °C, 10 mm, 15 millions de km².

Nota. – Autre classification en 4 climats et 14 sous-climats. I. Froid (glaciaire, toundra, gelées estivales possibles). II. Tempéré (continental, semi-pluvieux, continental aride, atlantique, méditerranéen). III. Chaud (équatorial humide, tropical à 2 saisons humides, tropical à 1 saison humide, semi-aride, désertique). IV. Alpin (montagnard).

En été, la convergence intertropicale, qui suit le déplacement apparent du Soleil, apporte avec elle ses perturbations pluvieuses ; entre les 2 passages, il y a une petite saison sèche. Quand tombe la pluie, la température fraîchit : c'est l'*hivernage.* Lorsqu'il fait sec, la température monte plus haut que sous l'équateur, car aucune évaporation ne limite l'ardeur du soleil. La durée de la saison sèche s'accroît quand on s'éloigne de l'équateur : dans les *régions tropicales humides,* elle ne dure que quelques mois ; près des tropiques, dans les *régions tropicales sèches,* il n'existe qu'une courte saison des pluies, l'été, lors du seul passage du soleil au zénith ; la saison sèche dure de 8 à 10 mois ; l'amplitude thermique annuelle est plus marquée (près de 10 °C).

• Déserts chauds. Anneaux plus ou moins continus de part et d'autre des tropiques. Saison sèche toute l'année ; pluies exceptionnelles (hauteur moyenne : 100 mm par an). Gros écarts de température, car, la nuit, aucun nuage ne contrarie le rayonnement de la Terre. Sauf les *déserts littoraux,* résultant de courants froids (côte du S.-O. africain : courant de Benguela ; littoral pacifique de l'Amérique du Sud : courant de Humboldt) et les *déserts de position* en cuvette, protégés par des montagnes contre toute influence humide de l'extérieur (Basse-Asie centrale), tous les déserts chauds sont dus aux anticyclones ceinturant la Terre à la latitude des tropiques : Sahara, Arabie, Thar, Arizona (hémisphère N.) ; Australie et Kalahari (hém. S.). L'air pesant descend, se réchauffe et s'assèche au lieu d'apporter des pluies.

L'eau plus ou moins salée qui alimente les dépressions appelées *sebkhas,* que les *chotts* entourent, affleure à partir de nappes phréatiques ou artésiennes que la surface du sol a fini par atteindre par déflation éolienne. Les *oueds* sont presque toujours à sec.

• Climat méditerranéen. Étés chauds et secs ; hivers doux ; pluies brutales pendant 50 à 100 j. *Été :* influence des anticyclones tropicaux ; l'air descendant, comprimé, empêche toute perturbation barométrique. *Automne :* le front polaire s'installe sur la région libérée des anticyclones tropicaux qui se sont rappro-

Températures en °C (1re ligne) et pluies en mm (2e ligne, en italique) dans quelques villes

		J	F	M	A	M	J	J	A	S	O	N	D
Afrique													
Abidjan	max.	31	32	32	32	31	29	28	28	28	29	31	31
(Côte d'Ivoire)	min.	23	24	24	24	24	23	23	22	23	23	23	23
		26	*40*	*120*	*170*	*365*	*610*	*200*	*35*	*55*	*225*	*190*	*110*
Addis-Abeba	max.	23	24	25	25	25	23	20	20	21	22	22	22
(Éthiopie)	min.	6	7	9	10	9	10	11	11	10	7	4	5
		16	*45*	*70*	*85*	*95*	*135*	*280*	*295*	*190*	*25*	*15*	*6*
Agadir (Maroc)		14	15	17	18	19	21	22	23	22	20	18	15
		50	*30*	*25*	*16*	*5*	*1*	*0*	*1*	*6*	*20*	*30*	*40*
Alger (Algérie)		12	13	14	16	19	22	24	29	23	20	17	14
		115	*75*	*60*	*65*	*35*	*14*	*2*	*4*	*30*	*85*	*90*	*120*
Assouan (Égypte)	max.	23	26	31	36	39	42	41	41	39	37	31	25
	min.	10	11	14	19	23	26	26	26	24	22	17	12
		pluies exceptionnelles											
Casablanca (Maroc)		12	13	15	16	18	20	22	23	22	19	16	13
		65	*55*	*55*	*40*	*20*	*2*	*0*	*1*	*7*	*40*	*55*	*85*
Conakry (Guinée)	max.	31	31	31	32	31	29	28	27	29	30	31	31
	min.	22	23	23	23	24	23	22	22	23	23	24	23
		1	*2*	*5*	*17*	*155*	*565*	*1 329*	*995*	*715*	*330*	*120*	*10*
Dakar (Sénégal)		21	20	21	22	23	26	27	27	27	27	26	23
		4	*2*	*0*	*0*	*1*	*13*	*90*	*250*	*165*	*50*	*5*	*6*
Funchal (Madère)		16	16	16	16	18	19	21	22	22	20	18	16
		80	*85*	*70*	*45*	*20*	*5*	*2*	*2*	*30*	*80*	*95*	*95*
Gabès (Tunisie)		11	12	15	18	21	24	27	27	26	22	17	12
		17	*17*	*17*	*17*	*9*	*2*	*0*	*1*	*14*	*40*	*30*	*19*
Johannesburg	max.	26	25	24	22	19	17	17	20	23	25	25	26
(Afr. du S.)	min.	14	14	13	10	6	4	4	6	9	12	13	14
		115	*100*	*80*	*45*	*25*	*9*	*8*	*6*	*25*	*60*	*110*	*120*
Le Caire (Égypte)		12	15	20	24	26	28	30	30	26	22	20	16
		4	*5*	*3*	*1*	*1*	*0*	*0*	*0*	*0*	*1*	*1*	*8*
Le Cap	max.	26	26	25	22	19	18	17	18	19	21	23	25
(Afr. du Sud)	min.	16	16	14	12	10	8	7	8	9	11	13	15
		12	*8*	*17*	*45*	*85*	*80*	*85*	*70*	*45*	*30*	*17*	*11*
Marrakech (Maroc)		11	13	16	19	21	25	29	29	25	21	16	12
		30	*30*	*30*	*30*	*17*	*7*	*2*	*3*	*10*	*20*	*30*	*35*
Mombasa (Kenya)	max.	32	32	33	31	29	29	28	28	29	30	31	32
	min.	23	24	24	24	23	21	20	20	21	22	23	23
		25	*15*	*60*	*200*	*320*	*110*	*90*	*65*	*70*	*85*	*95*	*60*
Nairobi (Kenya)	max.	25	26	26	24	23	22	21	22	24	25	23	23
	min.	11	11	12	14	13	11	10	10	11	13	13	13
		73	*60*	*93*	*211*	*195*	*37*	*19*	*25*	*35*	*52*	*157*	*92*
Port-Louis (Île Maurice)		27	28	27	27	25	23	23	22	23	24	26	27
		145	*127*	*126*	*83*	*40*	*26*	*27*	*22*	*19*	*19*	*32*	*116*
Saint-Denis (Réunion)		26	27	26	25	23	22	22	21	21	22	23	25
		155	*470*	*299*	*227*	*213*	*45*	*77*	*359*	*30*	*95*	*95*	*56*
Tenerife (Canaries)		17	17	18	19	20	22	24	25	24	23	20	18
		36	*30*	*27*	*13*	*6*	*1*	*0*	*0*	*3*	*31*	*45*	*51*
Tunis (Tunisie)		11	12	13	16	19	24	26	27	25	20	16	12
		69	*46*	*44*	*40*	*23*	*9*	*1*	*9*	*36*	*54*	*56*	*67*
Yaoundé (Cameroun)		24	25	24	24	24	23	22	22	23	23	22	24
		22	*63*	*146*	*182*	*204*	*151*	*56*	*74*	*202*	*300*	*127*	*120*
Amérique du Nord													
Anchorage (U.S.A.)		−11	−8	−4	1	8	13	14	13	9	1	−6	−10
		20	*18*	*15*	*11*	*13*	*28*	*22*	*63*	*61*	*29*	*26*	*24*
Boston (U.S.A.)		−2	−2	3	9	15	19	23	21	18	13	7	0
		85	*68*	*83*	*84*	*67*	*85*	*75*	*79*	*70*	*64*	*85*	*81*
Chicago (U.S.A.)		−4	−3	3	10	15	21	24	23	19	13	4	−2
		40	*30*	*65*	*64*	*81*	*106*	*62*	*76*	*78*	*60*	*55*	*48*
Houston (U.S.A.)		11	13	16	21	25	27	28	28	26	21	16	13
		91	*82*	*64*	*78*	*107*	*88*	*106*	*106*	*106*	*91*	*95*	*108*
Los Angeles (U.S.A.)		14	14	15	16	18	18	23	23	23	20	17	14
		100	*85*	*69*	*35*	*19*	*3*	*0*	*1*	*5*	*20*	*42*	*99*
Miami (U.S.A.)		19	20	21	24	25	27	28	28	28	25	22	20
		52	*42*	*52*	*85*	*125*	*130*	*107*	*122*	*165*	*190*	*52*	*42*
Montréal (Canada)		−10	−9	−3	6	13	18	21	20	15	9	2	−7
		24	*15*	*37*	*64*	*64*	*82*	*90*	*92*	*88*	*74*	*61*	*33*
Nassau (Bahamas)	max.	24	25	26	27	29	30	31	31	31	29	27	25
	min.	17	17	18	20	21	23	24	24	23	22	20	18
		35	*45*	*45*	*80*	*115*	*160*	*150*	*135*	*165*	*165*	*85*	*40*
La Nouvelle-Orléans		11	13	16	20	24	26	28	28	25	21	15	13
(U.S.A.)		*98*	*152*	*135*	*126*	*133*	*141*	*233*	*151*	*156*	*59*	*84*	*116*
New York (U.S.A.)		0	0	5	11	16	22	25	24	20	15	8	2
		84	*80*	*105*	*92*	*90*	*86*	*94*	*130*	*100*	*86*	*90*	*86*
Philadelphie (U.S.A.)		0	1	5	12	17	22	25	24	20	14	8	16
		79	*65*	*91*	*80*	*88*	*101*	*108*	*113*	*81*	*65*	*80*	*68*
Québec (Canada)	max.	−7	−5	0	8	17	22	25	24	19	12	4	−5
	min.	−16	−14	−8	−1	5	10	14	13	8	3	−3	−12
		80	*75*	*70*	*75*	*75*	*110*	*105*	*90*	*100*	*80*	*95*	*100*
San Francisco (U.S.A.)		10	11	12	12	15	15	15	15	16	16	15	11
		102	*88*	*68*	*33*	*12*	*3*	*0*	*1*	*5*	*19*	*40*	*104*
Toronto (Canada)		−7	−6	−1	6	12	18	21	20	16	9	3	−4
		21	*21*	*37*	*62*	*66*	*67*	*71*	*77*	*64*	*61*	*55*	*36*
Vancouver (Canada)	max.	5	8	9	13	17	19	22	22	18	10	9	−7
	min.	0	1	2	5	8	11	13	13	10	6	3	1
		131	*107*	*95*	*60*	*52*	*45*	*32*	*41*	*67*	*114*	*147*	*165*
Washington (U.S.A.)		0	1	5	11	17	21	24	24	19	13	7	1
		83	*61*	*80*	*75*	*97*	*81*	*104*	*110*	*108*	*79*	*60*	*59*
Amérique du Sud et Antilles													
Acapulco (Mexique)	max.	31	31	31	31	32	32	32	33	32	32	32	31
	min.	22	22	22	23	24	25	25	25	25	24	24	23
		8	*1*	*0*	*1*	*40*	*275*	*280*	*220*	*385*	*155*	*35*	*11*
Asunción (Paraguay)		27	27	26	22	19	17	18	19	21	22	24	27
		130	*120*	*100*	*120*	*110*	*60*	*50*	*30*	*70*	*130*	*140*	*150*
Bogotá (Colombie)		14	14	14	14	14	13	14	14	14	14	14	14
		45	*73*	*84*	*131*	*101*	*66*	*34*	*44*	*74*	*153*	*136*	*67*
Buenos Aires (Argentine)		30	39	26	22	18	15	15	16	18	21	25	29
		60	*55*	*65*	*75*	*80*	*90*	*95*	*85*	*80*	*70*	*65*	*60*
Caracas (Venezuela)	max.	15	26	27	28	27	26	26	27	27	27	26	25
	min.	14	15	15	17	18	18	17	17	17	17	16	15
		23	*28*	*10*	*44*	*89*	*111*	*108*	*107*	*107*	*130*	*69*	*48*
Cayenne (Guyane)		27	27	27	27	27	27	27	28	28	28	27	27
Cochabamba (Bolivie)		19	18	20	19	17	15	16	17	19	20	20	20
		111	*82*	*31*	*9*	*0*	*3*	*0*	*15*	*1*	*9*	*77*	*65*
Fort-de-France (Martin.)		24	24	25	26	26	26	26	27	27	26	26	25
Guatemala City (Guat.)		16	17	18	19	19	18	18	18	18	17	16	16
		3	*2*	*7*	*19*	*141*	*265*	*211*	*187*	*57*	*159*	*23*	*7*

		J	F	M	A	M	J	J	A	S	O	N	D
La Havane (Cuba)		21	21	23	24	25	26	27	27	26	25	22	22
		64	*53*	*45*	*55*	*101*	*155*	*108*	*101*	*161*	*172*	*66*	*38*
La Paz (Bolivie)		18	18	18	19	17	17	17	17	18	19	19	19
		6	*12*	*16*	*23*	*30*	*24*	*30*	*25*	*18*	*20*	*20*	*7*
Lima (Pérou)		22	23	22	21	18	17	16	15	16	16	18	20
		1	*0*	*0*	*0*	*2*	*3*	*4*	*5*	*5*	*2*	*1*	*1*
Merida (Mexique)		28	29	32	33	34	33	33	33	32	31	29	28
		25	*26*	*14*	*11*	*85*	*147*	*124*	*166*	*220*	*111*	*23*	*25*
Mexico (Mexique)		19	21	24	25	26	24	23	23	23	21	20	19
		28	*24*	*25*	*19*	*16*	*11*	*6*	*7*	*10*	*19*	*24*	*27*
Montevideo (Uruguay)		23	22	20	17	13	10	11	11	13	15	18	21
		77	*73*	*99*	*102*	*95*	*95*	*66*	*84*	*89*	*70*	*78*	*80*
Pointe-à-Pitre (Guade-		24	24	25	26	26	26	26	27	27	26	26	25
loupe)		*98*	*55*	*64*	*119*	*156*	*130*	*193*	*206*	*246*	*230*	*221*	*128*
Quito (Équateur)		14	14	14	14	14	14	14	14	14	13	13	14
Rio de Janeiro (Brésil)		30	30	29	27	26	25	25	25	25	26	26	28
		150	*125*	*133*	*103*	*66*	*56*	*50*	*40*	*63*	*80*	*95*	*130*
Salvador (Brésil)		26	26	27	26	25	24	24	24	25	24	25	26
		68	*129*	*51*	*272*	*314*	*224*	*82*	*168*	*162*	*162*	*66*	*68*
Santiago du Chili (Chili)		21	20	18	14	11	9	8	9	12	14	18	20
		2	*5*	*5*	*16*	*65*	*71*	*62*	*58*	*21*	*17*	*6*	*2*
Santiago de Cuba	max.	28	28	29	29	29	31	32	32	32	31	29	29
(Cuba)	min.	18	18	19	20	21	22	23	23	23	22	21	20
		30	*17*	*40*	*70*	*150*	*130*	*55*	*95*	*150*	*215*	*100*	*30*
Ushuaia (Argentine)	max.	14	14	13	9	6	4	4	6	8	11	12	13
	min.	5	5	3	1	−2	−3	−4	−3	−1	2	2	4
		60	*50*	*55*	*45*	*50*	*45*	*45*	*50*	*40*	*35*	*50*	*50*
Asie et Pacifique													
Al-Dawha (Qatar)	max.	21	22	26	32	37	41	42	42	39	35	28	22
	min.	12	12	16	20	25	28	29	29	26	12	18	13
		20	*12*	*11*	*3*	*2*	*0*	*0*	*0*	*0*	*0*	*4*	*20*
Antananarive	max.	25	26	25	24	22	21	20	20	22	25	26	25
(Madagascar)	min.	16	16	16	15	12	10	10	10	11	12	15	16
		285	*220*	*230*	*35*	*13*	*9*	*10*	*10*	*15*	*45*	*145*	*255*
Auckland (N.-Zélande)		20	20	19	17	14	12	11	12	13	14	16	18
		70	*87*	*79*	*98*	*118*	*130*	*135*	*115*	*96*	*96*	*84*	*77*
Bali (Indonésie)		30	30	30	31	31	30	30	31	31	32	32	30
		60	*80*	*179*	*43*	*25*	*09*	*0*	*16*	*0*	*0*	*110*	*230*
Bangkok (Thaïlande)		26	27	29	30	30	29	28	28	28	27	27	27
		10	*31*	*24*	*64*	*185*	*160*	*171*	*198*	*342*	*221*	*44*	*5*
Bombay (Inde)		24	25	27	28	31	29	28	28	27	28	27	26
		2	*1*	*4*	*3*	*16*	*520*	*709*	*439*	*297*	*88*	*21*	*2*
Calcutta (Inde)		20	23	28	30	31	30	29	29	29	28	24	21
		13	*24*	*27*	*43*	*120*	*260*	*302*	*306*	*290*	*160*	*35*	*3*
Canton (Chine)	max.	17	13	21	25	30	31	33	33	32	28	25	25
	min.	9	11	13	19	23	24	26	26	25	19	16	12
		50	*70*	*90*	*150*	*250*	*265*	*250*	*240*	*125*	*60*	*50*	*20*
Colombo (Sri Lanka)	max.	31	31	31	32	31	30	30	30	30	30	30	30
	min.	22	23	24	24	25	25	25	25	25	24	23	23
		70	*88*	*121*	*287*	*388*	*186*	*154*	*99*	*216*	*396*	*329*	*193*
Delhi (Inde)		21	24	29	36	31	39	35	34	34	34	28	23
		69	*51*	*42*	*15*	*16*	*165*	*533*	*432*	*381*	*79*	*3*	*13*
Djakarta (Indonésie)		25	25	26	26	26	26	26	25	26	26	26	25
		326	*235*	*198*	*133*	*112*	*90*	*57*	*50*	*77*	*89*	*149*	*180*
Eilat (Israël)	max.	21	23	26	31	36	38	39	40	37	33	28	23
	min.	10	11	12	14	18	24	26	26	25	21	16	12
		2	*5*	*5*	*3*	*0*	*0*	*0*	*0*	*0*	*2*	*9*	*25*
Hong Kong		16	16	19	22	26	28	29	28	26	25	21	18
		30	*42*	*55*	*140*	*298*	*432*	*317*	*413*	*320*	*121*	*36*	*25*
Honolulu (Hawaii)		22	22	23	23	24	25	26	26	26	26	24	23
		96	*84*	*73*	*33*	*25*	*8*	*11*	*23*	*25*	*47*	*55*	*76*
Istanbul (Turquie)		5	6	7	12	16	21	23	23	20	16	12	8
		91	*76*	*64*	*44*	*31*	*23*	*21*	*24*	*48*	*66*	*82*	*106*
Jérusalem (Israël)		8	8	12	15	20	21	22	24	22	17	16	10
		60	*268*	*31*	*35*	*4*	*0*	*0*	*0*	*1*	*5*	*29*	*48*
Kaboul (Afghanistan)		4	1	7	13	20	25	30	32	19	13	9	4
		30	*35*	*93*	*100*	*20*	*5*	*2*	*2*	*2*	*15*	*20*	*10*
Karachi (Pakistan)		19	21	24	27	29	30	29	28	28	27	25	21
		7	*11*	*6*	*2*	*0*	*7*	*96*	*50*	*15*	*2*	*2*	*6*
Katmandou (Népal)	max.	17	21	25	27	29	33	30	27	26	24	20	19
	min.	2	3	9	11	17	20	20	19	18	12	8	3
		3	*3*	*19*	*32*	*82*	*237*	*375*	*240*	*175*	*65*	*7*	*12*
Koweit (Koweit)	max.	19	20	27	31	39	44	45	45	42	35	28	22
	min.	8	11	14	18	24	28	29	29	26	20	15	9
		15	*7*	*8*	*11*	*3*	*0*	*0*	*0*	*0*	*0*	*25*	*40*
Lhassa (Tibet)	max.	7	9	12	16	19	24	23	22	21	17	13	9
	min.	−10	−7	−2	1	5	9	9	9	7	1	−5	−9
		2	*13*	*7*	*5*	*25*	*63*	*120*	*90*	*65*	*13*	*2*	*0*
Manille (Philippines)		25	26	27	29	29	28	28	27	27	27	26	25
		221	*131*	*151*	*90*	*189*	*254*	*279*	*422*	*403*	*412*	*354*	*322*
Médine	max.	28	30	35	38	42	44	44	44	43	39	33	29
(Arabie Saoudite)	min.	8	10	12	15	20	25	25	26	24	19	13	9
		8	*1*	*4*	*5*	*4*	*0*	*0*	*0*	*0*	*1*	*10*	*4*
Nouméa (Nouvelle-Calé-		26	26	25	24	23	22	20	21	21	23	24	25
donie)		*117*	*94*	*175*	*124*	*93*	*89*	*84*	*70*	*53*	*52*	*47*	*85*
Nukualofa	max.	29	29	29	28	26	25	25	24	25	26	27	28
(Îles Tonga)	min.	22	23	23	22	20	18	18	18	18	19	21	21
		200	*220*	*225*	*150*	*115*	*90*	*105*	*110*	*110*	*115*	*110*	*130*
Papeete (Tahiti)		30	30	30	30	29	29	28	28	28	29	29	29
		330	*235*	*185*	*126*	*94*	*65*	*61*	*40*	*47*	*87*	*149*	*285*
Pékin (Chine)		−5	−4	4	15	27	31	31	30	26	20	10	−5
		2	*4*	*6*	*15*	*30*	*75*	*250*	*125*	*60*	*12*	*8*	*2*
Perth (Australie)		23	24	22	19	16	14	13	13	15	16	19	22
		9	*12*	*19*	*45*	*123*	*183*	*173*	*137*	*81*	*54*	*21*	*14*
Phuket (Thaïlande)	max.	31	32	33	33	31	31	31	31	30	31	31	31
	min.	23	23	24	25	25	25	25	24	24	24	24	24
		35	*40*	*75*	*125*	*295*	*265*	*215*	*246*	*325*	*315*	*195*	*80*
Pnom Penh (Cambodge)		26	27	29	29	29	28	28	28	27	27	27	25
		6	*6*	*27*	*75*	*150*	*125*	*125*	*150*	*250*	*250*	*125*	*30*
Port Victoria	max.	29	29	30	31	30	29	28	28	29	29	30	29
(îles Seychelles)	min.	24	25	25	25	25	25	24	24	24	24	24	24
		310	*300*	*180*	*190*	*100*	*50*	*65*	*110*	*125*	*220*	*230*	*305*
Puerto Baquerizo	max.	29	30	30	30	29	27	25	24	24	25	26	27
(Galapagos)	min.	23	23	23	23	22	21	19	19	18	19	20	21
		50	*65*	*85*	*35*	*16*	*2*	*4*	*5*	*7*	*7*	*5*	*7*
Rangoon (Birmanie)	max.	29	34	37	41	35	32	32	31	31	34	30	29
	min.	19	18	21	24	25	24	24	24	24	25	23	19
		–	–	*26*	*20*	*418*	*517*	*482*	*634*	*375*	*109*	*11*	*4*

Températures en °C (1re ligne) et pluies en mm (2e ligne, en italique) dans quelques villes *(suite)*

		J	F	M	A	M	J	J	A	S	O	N	D
Rarotonga (Îles Cook)		26	26	26	25	24	23	22	22	22	23	24	25
		253	*223*	*275*	*183*	*172*	*108*	*94*	*129*	*104*	*124*	*144*	*229*
Saigon (Viêt-nam)	max.	32	33	24	25	33	32	31	31	31	31	31	31
	min.	21	22	23	24	24	24	24	24	23	23	23	22
		15	*5*	*10*	*40*	*225*	*325*	*300*	*250*	*325*	*250*	*100*	*50*
Sapporo (Japon)	max.	–2	–1	2	11	16	21	24	26	22	16	8	1
	min.	–12	–11	–7	0	4	10	14	16	11	4	–2	–8
		110	*80*	*65*	*65*	*60*	*65*	*100*	*110*	*145*	*110*	*110*	*105*
Séoul (Corée)	max.	0	3	9	17	23	26	28	30	25	19	11	3
	min.	–8	–5	0	6	12	17	21	22	16	9	2	–4
		20	*28*	*49*	*105*	*88*	*151*	*383*	*265*	*160*	*48*	*43*	*24*
Shangai (Chine)	max.	8	8	13	19	25	23	32	34	28	23	17	12
	min.	1	1	4	10	15	19	23	23	18	14	7	2
		50	*60*	*80*	*100*	*100*	*175*	*150*	*140*	*125*	*50*	*50*	*30*
Singapour	max.	30	31	31	31	31	31	31	31	31	31	30	30
	min.	23	23	23	24	24	24	24	24	24	24	23	23
		239	*173*	*187*	*183*	*172*	*168*	*159*	*180*	*172*	*201*	*253*	*281*
Suva (îles Fidji)	max.	30	30	30	29	28	27	26	26	27	27	28	29
	min.	23	23	23	23	22	21	20	20	21	21	22	23
		305	*295*	*375*	*330*	*255*	*165*	*135*	*190*	*205*	*220*	*250*	*305*
Sydney (Australie)		22	22	21	18	15	12	12	13	15	17	19	21
		102	*114*	*136*	*124*	*122*	*132*	*101*	*77*	*69*	*78*	*81*	*78*
Taipei (Taiwan)	max.	19	18	20	24	28	31	32	32	30	27	23	20
	min.	12	11	13	17	20	22	24	24	22	19	16	13
		90	*145*	*165*	*180*	*205*	*320*	*270*	*265*	*190*	*115*	*70*	*75*
Téhéran (Iran)	max.	8	10	15	21	28	33	36	35	31	24	16	9
	min.	1	2	4	9	15	19	22	21	18	12	5	5
		38	*27*	*32*	*25*	*13*	*2*	*6*	*1*	*1*	*5*	*27*	*27*
Tel-Aviv (Israël)	max.	18	19	23	25	27	28	31	32	31	29	25	20
	min.	9	10	11	14	17	19	22	23	21	18	14	10
		130	*95*	*60*	*15*	*4*	*0*	*0*	*0*	*2*	*18*	*80*	*130*
Tōkyō (Japon)		4	5	8	13	18	21	25	27	23	17	11	6
		49	*65*	*98*	*122*	*145*	*192*	*140*	*153*	*182*	*203*	*96*	*58*
Wellington	max.	21	21	19	17	14	13	12	12	14	16	17	19
(Nlle-Zélande)	min.	13	13	12	11	8	7	6	6	8	9	10	12
		80	*80*	*80*	*95*	*115*	*115*	*135*	*115*	*95*	*100*	*90*	*90*
Europe													
Amsterdam (P.-Bas)		2	2	5	8	12	15	17	17	14	11	6	4
		70	*50*	*50*	*50*	*50*	*65*	*80*	*95*	*80*	*80*	*85*	*85*
Athènes (Grèce)		9	10	12	15	20	25	27	26	23	18	14	11
		43	*37*	*42*	*27*	*17*	*7*	*5*	*7*	*15*	*16*	*53*	*65*
Barcelone (Espagne)	max.	13	14	16	18	21	25	28	28	25	21	16	13
	min.	6	7	9	11	14	18	21	21	19	15	10	7
		30	*40*	*50*	*45*	*55*	*40*	*30*	*50*	*80*	*85*	*50*	*45*
Belgrade	max.	3	5	11	17	22	26	28	28	24	18	10	5
(Yougoslavie)	min.	–3	–2	2	7	12	15	17	17	13	8	4	0
		45	*45*	*45*	*55*	*75*	*95*	*60*	*55*	*50*	*55*	*60*	*55*
Bergen (Norvège)		1	1	3	6	10	13	14	14	12	9	4	2
		188	*146*	*142*	*110*	*99*	*114*	*140*	*178*	*235*	*245*	*203*	*195*
Berlin (All.)		–1	1	4	8	13	17	18	17	14	8	4	1
		30	*30*	*40*	*40*	*60*	*70*	*80*	*70*	*50*	*40*	*40*	*40*
Bucarest (Roumanie)		–3	–1	5	11	16	20	22	22	18	11	5	0
		38	*32*	*35*	*44*	*72*	*84*	*68*	*54*	*38*	*38*	*45*	*37*
Budapest (Hongrie)		–1	2	6	12	16	20	21	21	17	11	6	2
		41	*40*	*34*	*43*	*58*	*77*	*58*	*56*	*41*	*42*	*64*	*50*
Copenhague (Danemark)		1	0	2	7	12	16	18	17	14	9	5	3
		49	*39*	*32*	*38*	*42*	*47*	*71*	*66*	*62*	*59*	*48*	*49*
Corfou (Grèce)		9	10	12	14	19	23	25	25	22	19	13	10
		146	*149*	*113*	*74*	*42*	*7*	*19*	*23*	*83*	*174*	*168*	*149*
Crète (Grèce)		12	12	13	16	20	24	26	26	23	20	16	13
		94	*65*	*52*	*30*	*11*	*3*	*1*	*0*	*23*	*63*	*53*	*76*
Dublin (Irlande)		5	5	6	8	11	14	15	15	13	10	7	6
		68	*51*	*50*	*47*	*58*	*53*	*59*	*75*	*73*	*68*	*69*	*79*
Genève (Suisse)		0	1	5	9	13	17	18	18	14	9	5	2
		64	*60*	*69*	*64*	*69*	*82*	*74*	*98*	*98*	*86*	*89*	*79*
Iakoutsk (U.R.S.S.)	max.	-43	-33	-18	-3	9	19	23	19	10	-5	-26	-38
	min.	-47	-40	-29	-14	-1	9	12	9	1	-12	-31	-43
		7	*6*	*5*	*7*	*15*	*30*	*43*	*38*	*22*	*15*	*13*	*10*
Leningrad (U.R.S.S.)	max.	-7	-5	0	8	15	20	21	20	15	9	2	-3
	min.	-13	-12	-8	0	6	11	13	12	9	4	-2	-8
		35	*30*	*30*	*35*	*45*	*50*	*72*	*78*	*65*	*75*	*45*	*40*
Lisbonne (Portugal)	max.	14	15	17	20	21	25	27	28	27	22	17	15
	min.	8	8	10	12	13	15	17	17	16	14	11	8
		110	*75*	*110*	*55*	*45*	*16*	*3*	*4*	*3*	*60*	*95*	*105*
Londres (G.-B.)		5	6	7	10	13	16	18	18	16	13	9	6
		42	*31*	*38*	*40*	*46*	*48*	*42*	*52*	*53*	*43*	*54*	*48*
Madrid (Espagne)		5	7	10	13	16	21	24	24	20	15	9	6
		42	*40*	*44*	*46*	*40*	*28*	*10*	*12*	*32*	*51*	*50*	*46*
Moscou (U.R.S.S.)	max.	-7	-6	0	9	17	22	24	22	16	8	0	-5
	min.	-14	-14	-8	0	6	10	13	12	6	1	-5	-10
		33	*30*	*34*	*36*	*51*	*65*	*77*	*72*	*58*	*50*	*38*	*39*
Mourmansk	max.	-8	-9	-5	2	7	13	16	15	9	3	-1	-6
(U.R.S.S.)	min.	-15	-16	-12	-5	0	5	8	8	4	-2	-6	12
		30	*25*	*18*	*17*	*28*	*52*	*52*	*60*	*45*	*50*	*35*	*33*
Naples (Italie)	max.	12	13	15	18	22	26	29	29	26	22	17	16
	min.	4	5	6	9	12	16	18	18	17	12	9	6
		115	*85*	*75*	*60*	*45*	*30*	*19*	*30*	*65*	*105*	*145*	*135*
Odessa (U.R.S.S.)	max.	0	2	5	12	19	23	26	26	21	16	10	4
	min.	–6	–4	0	6	12	16	18	17	14	9	4	–2
		57	*62*	*30*	*20*	*35*	*35*	*42*	*37*	*37*	*13*	*35*	*70*
Oslo (Norvège)	max.	–2	–1	4	10	16	20	22	21	16	9	3	0
	min.	–7	–7	–4	1	6	10	13	12	8	3	–1	–4
		50	*35*	*25*	*45*	*45*	*70*	*80*	*95*	*80*	*75*	*70*	*65*
Palerme (Sicile)	max.	16	16	17	20	24	27	30	30	28	25	21	18
	min.	8	8	9	11	14	18	20	21	19	16	12	10
		70	*45*	*58*	*50*	*19*	*9*	*2*	*18*	*40*	*75*	*70*	*60*
Palma de Majorque	max.	14	15	17	19	22	26	29	29	27	22	18	15
(Espagne)	min.	6	6	8	10	13	17	20	20	18	14	10	8
		40	*35*	*50*	*30*	*30*	*17*	*3*	*25*	*55*	*75*	*45*	*40*
Paris (France)		3	4	7	10	14	17	19	18	16	11	7	4
		54	*43*	*32*	*38*	*52*	*50*	*55*	*62*	*51*	*49*	*50*	*49*
Prague (Tchécoslovaquie)		7	2	3	8	13	16	19	17	14	8	3	7
		23	*24*	*23*	*32*	*61*	*67*	*82*	*66*	*36*	*42*	*26*	*26*
Rome (Italie)		8	9	11	14	17	22	24	24	21	17	13	9
		79	*73*	*77*	*47*	*34*	*20*	*7*	*35*	*76*	*83*	*127*	*109*
Sofia (Bulgarie)		–2	1	5	11	15	19	21	21	17	11	5	1
		42	*37*	*37*	*55*	*71*	*90*	*59*	*43*	*42*	*155*	*52*	*44*
Stockholm (Suède)		–3	–3	–1	4	10	15	18	17	12	7	3	0
		43	*30*	*26*	*31*	*34*	*45*	*61*	*76*	*60*	*48*	*53*	*48*
Sulina (Roumanie)		0	0	4	10	16	21	23	23	19	14	8	3
		25	*24*	*19*	*25*	*33*	*36*	*29*	*36*	*27*	*29*	*33*	*29*
Venise (Italie)		2	4	8	12	17	21	23	23	19	13	8	4
		60	*58*	*55*	*72*	*73*	*70*	*62*	*87*	*59*	*72*	*100*	*49*
Vienne (Autriche)		–1	0	4	9	14	17	19	19	15	10	4	0
		40	*43*	*45*	*45*	*70*	*67*	*83*	*72*	*41*	*56*	*54*	*45*
Vladivostok	max.	-11	-6	1	8	13	17	22	24	20	13	2	-7
(U.R.S.S.)	min.	-18	-14	-7	1	6	11	16	18	13	5	-4	-13
		10	*13*	*20*	*45*	*70*	*90*	*100*	*145*	*125*	*57*	*30*	*17*

chés de l'équateur ; gros nuages parfois orageux. Vents secs et froids (mistral en Provence, tramontane dans le Roussillon, bora en Dalmatie). Lieux : Méditerranée, Californie, Chili central, région du Cap (Afrique du S.), S.-O. de l'Australie. Forêts clairsemées, fragiles et basses (arbres dépassant rarement 10 à 15 m) : chênes-lièges, chênes verts, pins parasols ou pignons, oliviers sauvages ; quand la sécheresse d'été s'allonge : eucalyptus, pins d'Alep, thuyas au lieu des chênes.

Garrigue sur pentes calcaires : chênes kermès, ronces, thym, romarin ou sol nu. **Maquis** (régions granitiques) : quelques chênes-lièges, lentisques, arbousiers, myrtes, cistes. Aux mêmes latitudes, sur la façade est des continents (Chine, Japon, S.-E. des U.S.A.), climat *type sud-chinois :* hiver doux et pluvieux, mais invasion d'air polaire sec avec parfois vagues de froid ; été, vents se chargeant d'eau sur les océans voisins, le climat s'apparente à celui des régions tropicales. Forêts : essences tropicales (magnolias, camélias, bambous) et tempérées (chênes, hêtres, pins et sapins).

• **Climat océanique.** Sur la frange occidentale des continents, à des latitudes plus élevées (côte atlantique de l'Europe, côte pacifique de l'Amérique du N.). Saisons peu marquées (moyenne annuelle : 11 °C). Amplitude thermique annuelle et journalière faible. Pluies réparties sur toute l'année ; maximum en saison froide ; pluie fine (crachin). Nuances régionales dues à la latitude (la Bretagne a une moyenne supérieure de 1 °C à l'Irlande ; la Scandinavie est plus fraîche), et à l'éloignement de la mer (à Paris, pluies moins abondantes et moins fréquentes). Les *anticyclones* apportent des journées fraîches l'hiver, des beaux temps l'été. L'air maritime (polaire ou tropical), peu dense, domine, le plus souvent accompagné de vents d'ouest et de systèmes nuageux. Lorsque le front polaire aborde la côte bretonne, le front chaud d'une perturbation apporte la pluie avec un vent tiède de S.-O., le **suroît.** Le front froid, pluvieux, provoque une chute de température et le vent saute au N.-O., c'est le **noroît** qui apporte de l'air polaire.

• **Climat continental. Ex. Moscou :** hiver rigoureux. 2 types : *1) Anticyclonique :* fréquent ; pression de 1 040 millibars ; temps sec ; température nuit – 20 °C ou – 25 °C, journée – 10 °C. *2) Front polaire :* tempêtes de neige, température remontant ; en avril, les jours s'allongent vite (4 mn par 24 h) et les rayons du soleil sont moins obliques ; dégel. Eté chaud (40 °C ou 50 °C) et pluvieux, pluies de convection ; chaque perturbation de front polaire apporte un orage. **Sibérie :** l'hiver, beaucoup plus froid, dure 7 mois. Amplitude moyenne : 65 °C à Verkhoïansk (absolue : plus de 100 °C). Forêt de conifères : la *taïga* (épicéas de 30 à 40 m de haut, mélèzes, sapins, quelques feuillus : bouleaux). **Ukraine, centre de l'Amérique du Nord** (prairie) : si les pluies sont inférieures à 350 mm : **steppe** (herbe courte irrégulière). Sol, **podzol :** horizon supérieur mince, humus acide ; intermédiaire lessivé, ressemblant à de la cendre ; en profondeur, accumulation d'éléments, parfois en couche imperméable et dure, l'**alios.** Sols bruns forestiers : plus riches que les podzols, forêt de feuillus ; horizons superficiels incomplètement lessivés, car un mouvement de remontée des eaux et des sels minéraux compense en partie le lessivage.

Sous la prairie, sol : terre noire granuleuse, très féconde, le **tchernoziom ;** lessivage compensé par la remontée des éléments minéraux.

• **Polaire arctique.** Hiver – 40 °C ; été < + 10 °C. A la fonte de la neige apparaît la *toundra* où poussent dans les creux marécageux : mousses, lichens, joncs, carex, et dans les régions moins humides : rhododendrons, myrtilles, saules, bouleaux nains. L'été le sol ne dégèle qu'en surface, les racines s'étalent (le sol contient peu de matières nutritives), le froid ayant nui à la décomposition des végétaux.

Rennes, caribous broutent mousses et lichens ; phoques, morses, manchots se nourrissent de poissons. Moustiques l'été.

• **Polaire antarctique.** Encore plus froid (hiver – 60 °C, été < 0 °C). Il n'y a ni dégel, ni toundra, ni animaux terrestres. Faune marine et oiseaux très abondants.

• **Milieu montagnard.** Les températures s'abaissent quand l'altitude augmente (de 0,5 °C à 1 °C pour 100 m), car l'air raréfié absorbe moins de chaleur solaire. Sur l'*adret,* versant exposé au sud, l'incidence des rayons solaires peut être semblable à celle de la zone équatoriale. L'*ubac* est le versant exposé au nord. Les précipitations augmentent avec l'altitude, car la montagne oblige l'air à se détendre, à se refroidir et à condenser son humidité. Les Alpes reçoivent souvent plus de 2 m d'eau ; les chutes de neige atteignent 47 m au mont Blanc.

Vents : fœhn, sec (Alpes suisses) ; chinook (est des Rocheuses). *Torrents* irréguliers : hautes eaux dues à la fonte des neiges au printemps (régime nival), à la fonte des glaces l'été (régime glaciaire). *Végétation* étagée : forêt à feuilles caduques et prairies ; plus haut, forêt de conifères ; puis prairies ou alpages. Sur les hautes montagnes tropicales, la forêt toujours verte peut subsister jusqu'à 2 000 m.

Vers 3 500 m, en Afrique : séneçons, lobélies, graminées ; dans les Andes humides : prairie de graminées **(paramo) ;** dans les Andes sèches, steppe buissonneuse **(puna).**

Modification des climats

Évolution

• **Grandes périodes.** Des périodes alternativement chaudes et froides se sont succédées au cours des millénaires écoulés. Pendant les 2 derniers millions d'années, des phases glaciaires ont alterné avec des périodes plus chaudes (chaque refroidissement et chaque réchauffement = 100 000 ans env.). Des oscillations moins marquées ont affecté certaines régions de la Terre. Durant les périodes les plus froides, les glaciers occupaient une superficie importante à la surface du globe.

Il y a 20 000 à 50 000 ans, le continent arctique s'étendait jusqu'au bord de l'Allemagne, et le niveau moyen de la mer était à 100 m au-dessous du niveau actuel, par suite de l'importante quantité d'eau immobilisée dans les glaciers.

Principales périodes glaciaires. Connues actuellement : *1) de - 1 050 000* à - *700 000* (Alpes : glaciation de Günz ; U.S.A. : Nebraska). *2) de - 650 000* à - *350 000* (Alpes : gl.de Mindel ; U.S.A. : Kansas). *3) de - 200 000* à - *120 000* (Alpes : gl. de Riss ; U.S.A. : Illinois). *4) de - 75 000* à - *30 000* (Alpes : gl. de Würm ; U.S.A. : Wisconsin).

Périodes interglaciaires. *Entre la 1re et la 2e p. glaciaire :* Günz-Mindel (Alpes), aftonienne (U.S.A.) ; *entre la 2e et la 3e :* Mindel-Riss (Alpes), Yarmouth (U.S.A.) ; *après la 3e :* Riss-Würm (Alpes), Sangamon (U.S.A.).

Période actuelle. Depuis 8 000 ou 10 000 ans, nous nous trouvons dans une phase interglaciaire relativement chaude et humide. La prochaine période glaciaire pourrait commencer dans 1 000 ans. *Oscillations mineures :* existent à l'intérieur des grandes périodes, par ex. : épisode chaud de 800 à 1 200 ap. J.-C. (réchauffement de la Scandinavie, expansion démographique des Scandinaves, invasions normandes) ; petit âge glaciaire de 1550 à 1870, qui causa de nombreuses pertes de récoltes en Europe et provoqua la prolifération des loups.

Le *minimum de Maunder* (activité solaire anormalement basse pendant 70 ans, de 1645 à 1715) a coïncidé avec le petit âge glaciaire. En G.-B. on a pu observer des corrélations entre les périodes de sécheresse (déduites de l'examen des cernes d'arbres – dendroclimatologie), et le cycle magnétique du Soleil (22 ans).

Depuis 1860 env., grâce aux instruments de mesure, on connaît plus exactement l'évolution du climat : on constate dans certaines régions un réchauffement général de 0,6 °C entre 1880 et 1940, puis un refroidissement de 0,4 °C entre 1940 et 1965. Depuis, il y aurait une légère remontée. Mais l'activité des volcans, qui a crû depuis 1945 (40 éruptions par an contre 16 il y a 35 ans), entraînerait une baisse de température dans les 20 prochaines années.

A Paris, la température moyenne de l'air s'est élevée de 2 °C depuis 100 ans, ainsi que la température du sous-sol : à 28 m de profondeur, dans les caves de l'observatoire de Paris, la température, qui était de 11,8 °C jusque vers 1880, dépasse actuellement 13,3 °C. Cette augmentation est liée principalement aux apports thermiques (foyers domestiques, industries, circulation auto) et aux modifications de surface (extension des surfaces dures).

• **Raisons de ces variations climatiques. Rôle du Soleil.** 98 % de l'énergie solaire arrive sous forme de rayonnement visible et de proche infrarouge en quantité constante. Le reste nous parvient sous forme de rayonnement ultraviolet, de rayons X, d'ondes radio et de particules qui peuvent varier en fonction de l'activité solaire. Cette partie variable des flux solaires n'est pas observable au sol. La température de la thermosphère changeant en fonction de l'activité solaire, ses modifications entraînent peut-être des changements dans les couches atmosphériques situées au-dessous d'elle. L'activité solaire retentit peut-être directement sur les couches situées sous la thermosphère (stratosphère en particulier), où se trouve la couche d'ozone qui empêche les ultraviolets de parvenir à la surface de la Terre.

Explication astronomique. Due à l'astronome yougoslave Milutin Milankovitch (1941) : les alternances de chaleur et de froid obéissent à 3 rythmes principaux. 1° *Cycle de l'inclinaison de l'axe terrestre* (40 000 ans) : l'angle que fait la Terre avec le plan orbital varie ; plus l'inclinaison est forte, plus les écarts entre les saisons sont importants. 2° *Cycle d'excentricité de l'orbite* (92 000 ans) : la forme de l'orbite décrite par la Terre autour du Soleil n'est pas constante : en certaines périodes, le globe terrestre est plus éloigné du Soleil, donc plus froid. 3° *Cycle de précession des équinoxes* (21 000 ans ou 25 920 ans pour retrouver la même position dans l'espace) : un des 2 hémisphères se trouve plus proche du Soleil que l'autre (actuellement, l'hémisphère Nord est le plus favorisé ; la glaciation progresse dans l'hém. Sud, entre le 45e et le 65e parallèle).

La combinaison de 2 ou 3 effets de ces cycles peut produire des variations climatiques considérables ; par ex., dans les Alpes, 4 avancées puis retraites des glaciers en 700 000 ans ; présence de l'hippopotame dans les Pyrénées il y a 450 000 ans ; du mammouth dans le Périgord il y a 17 000 ans.

• **Perspectives d'un réchauffement.** Le gaz carbonique (CO_2) augmente régulièrement dans l'atmosphère. A l'ère glaciaire, il y a 18 000 ans, il y avait 200 molécules de CO_2 par million de molécules présentes dans l'atmosphère. Vers 1880, env. 275 ; actuellement, il y en a 345 ; en 2050, il y en aura 600. Si toutes les réserves de combustibles fossiles étaient brûlées, la teneur en CO_2 atteindrait 1 200 à 1 500 ppm. Or, les particules de gaz carbonique réalisent un « effet de serre » ; elles laissent passer de manière pratiquement normale le rayonnement solaire arrivant sur Terre, mais piègent les infrarouges qui permettent, la nuit, d'évacuer le surplus de chaleur reçu le jour. En 1990, la température moyenne de la Terre était supérieure de 0,39 °C à la moyenne établie entre 1951 et 1980. D'ici à 2050, la température s'élèverait de 2 à 3 °C dans les latitudes tempérées, tandis que les précipitations augmenteraient en moyenne de 7 %. L'augmentation de température serait d'environ 6 °C avant l'an 2100. Le réchauffement serait de 3 à 5 fois plus important aux pôles.

Pour les partisans du réchauffement. Cette augmentation de CO_2 vient de la combustion de l'énergie fossile et de la décomposition organique de la forêt tropicale (dont l'homme détruit au moins 1 % chaque année). Les forêts tropicales, qui absorbent à elles seules 52 % du CO_2 produit dans le monde, sont exploitées à grande échelle, ou défrichées par des paysans en quête de nouvelles terres. Une autre thèse fait valoir que l'analyse d'anneaux d'arbres et de carottes prélevés dans l'Antarctique permet de faire remonter le réchauffement global à 1000 ans. Ce réchauffement serait dû à des anomalies dans la rotation de la Terre et non à l'activité humaine.

Les océans, qui absorbent aussi le CO_2 et rejettent de l'oxygène, voient la capacité d'absorption de leurs couches supérieures arriver à saturation. Il faudrait au moins 1 000 ans pour qu'un rééquilibrage entre les couches profondes et les eaux de surface se fasse afin d'absorber l'excédent de CO_2. En outre, les pellicules d'hydrocarbures recouvrant la mer (en particulier à proximité des régions polaires) diminueraient les échanges entre la surface et le fond et les possibilités de réflexion des rayons solaires. *Conséquences :* la fonte des calottes glaciaires provoquerait le relèvement du niveau des océans (de 65 m selon Kellogg si la fonte était complète, mais déjà, par dilatation, une élévation de 5 °C de la température des mers suffirait pour relever de 1 mètre le niveau des océans et provoquer l'inondation des terres les plus riches). Le dégel de la banquise océanique influerait sur les températures de la surface des océans, les possibilités de pêche et le climat des régions côtières.

Pour un réchauffement de 1 °C, les agronomes escomptent les effets suivants : extension des terres agricoles et des cultures vers des zones auparavant froides (ex. : pour le blé, extension sur 200 km de large ; ce qui permettrait à l'U.R.S.S. et au Canada d'accroître considérablement leur production). Relance de la productivité de certaines zones arides grâce à l'augmentation de pluviosité. Rallongement variable de la période de végétation (15 j à 50° de latitude, 30 j à 70° de latitude), permettant d'utiliser des variétés moins précoces à rendement plus élevé. Le gain de productivité agricole serait d'environ 25 %. Mais on peut cependant s'inquiéter d'une extension (ou d'un déplacement) des déserts vers des latitudes plus élevées.

Perspectives de refroidissement. Pour d'autres météorologues, le rayonnement solaire ne sera pas emprisonné à cause de l'effet de serre car il n'arrivera même plus à traverser entièrement l'atmosphère. Une prison froide sera ainsi créée par les particules dues à la pollution. L'air de l'Arctique contient beaucoup de particules solides baignées d'acide sulfurique (caractéristique de la pollution urbaine). Or les gouttelettes d'eau ont tendance à se former autour de ces particules. Plus il y a de particules, plus il y a de gouttes d'eau et, moins les gouttes sont grosses, moins elles sont lourdes et moins il y a d'averses. Le grand nombre de particules intensifie le pouvoir réfléchissant des nuages et une plus grande partie de rayonnement venu du Soleil repart dans l'espace.

☞ Toute matière vivante contient du carbone (dans un poids donné de CO_2, le carbone intervient pour 27,3 %). Sans carbone, il n'y aurait pas de vie sur Terre. Sans gaz carbonique dans l'atmosphère, la température moyenne serait de l'ordre de - 25 °C.

L'activité industrielle répand 20 milliards de t de CO_2 dans l'atmosphère par an, soit 5 % du flux naturel des océans. On saura bientôt si le climat de la planète évoluera de manière dangereuse, la capacité des océans à absorber l'excédent de CO_2 produit par l'homme restant encore inconnue.

Modifications accidentelles

• **Effets des cendres volcaniques.** En 1815, une explosion détruisit le volcan **Tambora** dans l'île de Sumbawa (Indonésie). Des milliards de m³ de poussières fines furent projetés dans la haute atmosphère, où elles formèrent des nuages qui firent écran à la lumière solaire. A partir de juin 1816, une partie de ces nuages se stabilisa au-dessus de la Nouvelle-Angleterre (U.S.A.), provoquant 4 vagues de froid successives ; des gelées détruisirent le blé les 9 juillet, 21 et 30 août. Il y eut une chute de 15 cm de neige le 11 juin. De nombreux habitants, ruinés par leurs mauvaises récoltes, émigrèrent vers le Middle West. Une autre partie des cendres du Tabora stationna au-dessus de l'Europe : la récolte de blé fut désastreuse en France en 1816 et le prix du grain doubla au début de 1817.

Après l'éruption du **Krakatoa** en 1883 (dans les îles de la Sonde), celle du **Bezymianny** (Kamtchatka) en 1956 et celle du mont **Agung** (Bali) en 1963, qui ont projeté des milliers de t de poussières, on a eu des hivers rigoureux.

Modifications volontaires

L'homme procède actuellement à des expériences visant à modifier le temps.

• **Brouillards (dissipation).** On peut dissiper artificiellement les brouillards froids (temp. < 0 °C) sur les aérodromes, par diffusion de propane ou réchauffement artificiel, mais les brouillards chauds (temp. > 0 °C), plus fréquents dans les régions tempérées, sont plus coûteux à dissiper. *Procédés utilisés (ex.) :* réchauffage de l'air Fido (G.-B., 2e Guerre mondiale) ; procédé thermocinétique Turboclair à Orly et Roissy ; procédé thermodynamique Linde (All.) ; utilisation d'aérothermes ; de tamis rotatifs ou de matières hygroscopiques (U.S.A.). *A l'étude :* dénébulation à l'aide de champs électriques, sondes sonores, rayons infrarouges, rayons lasers...

• **Grêle (lutte contre).** L'iodure d'argent multiplie les noyaux glaçogènes. Ceux-ci, nombreux, se font une concurrence et, la quantité d'eau présente à ce moment dans le nuage étant supposée fixe, les « glaçons » ne peuvent pas devenir assez gros pour tomber en grêle. Les expériences sont encore loin d'être concluantes.

En France, le principal organisme antigrêle est le Groupement national d'études des fléaux atmosphériques (G.N.E.F.A.), groupant des représentants des chambres d'agriculture, des syndicats d'exploitants agr.,des mutuelles agr., des conseils généraux de diverses organisations agr. et de compagnies d'assurances. Dans le S.-E., une association utilise un bouclier de 540 générateurs dressé en permanence dans 11 départements (rensemencement des cumulonimbus en noyaux d'iodure d'argent ; env. 50 % d'efficacité).

Dégâts dus à la grêle en France. En 1984 les assurances ont versé 1 milliard de F aux agriculteurs (+ de 80 000 sinistres déclarés).

• **Pluies artificielles. Méthodes.** *Si la température du nuage est supérieure à 0 °C,* on l'ensemence (par avion ou par fusée) avec de la poudre de chlorure de sodium ou parfois d'alginates (extraites d'algues brunes). *Si elle est inférieure à 0 °C,* on diffuse dans les nuages des vapeurs d'iodure d'argent [celui-ci cristallise comme la glace, selon un système hexagonal de dimension très voisine de celle du cristal de glace (4,58 dix millionièmes de mm) et, comme le cristal élémentaire de glace, il attire l'eau et la vapeur et les fait geler]. On a utilisé d'abord des forges portatives transportées par avion, puis des générateurs à trémies, des appareils pulvérisant une solution acétonique d'iodure d'argent, et enfin un générateur électrique sublimant des pastilles d'iodure.

Résultats. Les statistiques précises d'échecs et de succès ne sont pas publiées. On ignore en outre si un nuage transformé artificiellement en pluie n'aurait pas amené une pluie naturelle un peu plus tard et un peu plus loin. Seul résultat chiffré obtenu scientifiquement : une pluie ne « vide » jamais un nuage de plus de 10 % de l'eau transportée. L'Organisation météorologique mondiale (O.M.M.) a mis sur pied un Projet d'augmentation des précipitations (P.A.P.), auquel participent plusieurs pays (dont la France) mais il a été ajourné à la suite d'essais coûteux n'ayant pas donné de résultats probants.

Provoquer la pluie à volonté serait d'un intérêt primordial ; 30 % de précipitations supplémentaires sur l'Afr. du N. permettraient d'y doubler les récoltes.

Projets de transformation du climat (en détournant par barrage les courants naturels).

– *Bassin arctique,* détournement par pompage (de 140 000 m³ d'eau) d'eaux arctiques froides dans l'océan Pacifique grâce à un barrage coupant le détroit de Behring, les eaux atlantiques chaudes traversant alors le Bassin arctique (conditions existant il y a 4 000 ans) ; élèverait la température du Danemark de 8 ° C à 10/10,5 ° C en 4 ou 5 ans ; déglacerait progressivement le Groenland.

– *Extrême-Orient soviétique,* déviation de la branche occidentale du Kuro-Shivo (chaud) dans la mer d'Okhotsk (barrage dans le golfe de Tartarie : 100 000 000 de m³).

Prévision du temps

• **Réalisations techniques.** *Veille météorologique mondiale* assurée par 3 systèmes mondiaux : *1°) d'observation* (réseaux nationaux) ; *2°) de traitement* des données [3 centres météor. mondiaux (C.M.M.) : Washington, Moscou, Melbourne ; des centres régionaux et des centres nationaux (C.M.N.)] ; *3°) 3 systèmes de télécommunications* pour acheminer et diffuser vers les centres la masse des informations nécessaires.

• **Observations. 1°) Réseau terrestre.** 9 285 stations dont 7 352 dans l'hémisphère Nord (79 %) et 1 933 dans l'hém. Sud (21 %).

Il y a *138 stations en France* dont celle d'Albertville, la plus haute d'Europe (+ 187 postes auxiliaires). Elles enregistrent au sol toutes les 3 h un certain nombre de données (pression et variation de pression pendant les 3 h précédentes, température et humidité, force et direction du vent, nébulosité, temps présent, visibilité...) et envoient immédiatement le résultat de leurs observations aux autres services météo.

A 0 h et à 12 h TU, *1 485 stations* (7 en France : Brest, Trappes, Nancy, Bordeaux, Nîmes, Lyon, Ajaccio) lancent des *ballons-sondes* (en caoutchouc ou Néoprène gonflés à l'hydrogène ; diamètre au départ 2 m environ ; charge emportée : la radiosonde + un réflecteur radar + un parachute ; altitude atteinte 25 à 30 km ; diamètre à l'éclatement 10 m). Avec leur émetteur, ils retransmettent les données recueillies en altitude par chaque appareil de mesure sur : température, pression, vent, degré d'humidité. 25 % de l'hémisphère Nord et 75 % de l'hémisphère Sud sont dépourvus de telles stations de sondage.

2°) Réseau maritime. 3 navires spécialisés dans l'Atlantique et 2 dans le Pacifique (chargés de radiosondages) ; 7 386 navires marchands sélectionnés par les services nationaux (G.-B. 550, All. 400, *France 181 nav.* dont 4 font régulièrement des radiosondages sur la liaison France-Antilles) effectuent des observations de surface aux heures synoptiques (0 - 6 - 12 - 18 h TU) et quelques observations en altitude (19 font des radio-vents, 39 des radiosondages). Il y a en moyenne une observation de surface pour 40 000 km² et une observation en altitude pour 550 000 km². Ces observations sont nombreuses dans les pays industrialisés, très insuffisantes dans les autres et sur les océans (elles sont réduites aux lignes fréquentées).

• **Techniques utilisées. Radars.** Traitent les masses nuageuses et analysent leur contenu en vapeur d'eau jusqu'à 300 km ; permettent ainsi de voir les petites perturbations orageuses locales qui ont pu ne pas être décelées par les observateurs en surface.

France : réseau Aramis doté de 9 radars (Trappes, Brest, Nantes, Bordeaux, Bourges, Lyon, Marignane, Nancy, Toulouse), qui permettent de visualiser tous les 1/4 d'h les observations (système Météotel). Ils permettent, 2 h à l'avance, la prévision des précipitations.

Les U.S.A. expérimentent un réseau de radars-Doppler fonctionnant dans la bande 6-30 MHz ; avec des antennes fixes de 900 à 1 800 m de long, se réfléchissant sur les couches ionisées, ils sont ainsi capables de déterminer l'état de la mer jusqu'à 2 000 milles de la station. 3 (en Virginie, Groenland, Liberia) suffiraient pour avoir l'état de la mer sur l'ensemble de l'Atlantique Nord avec une précision de 15 % sur la hauteur des vagues, 10 % sur leur période et 20 % sur leur direction.

Ballons plafonnants. Indilatables, naviguant à pression constante, mesurant pression, température de l'air, vent en vitesse et direction.

Bouées météo-océanographiques. Servent en dehors des lignes maritimes ; mouillées en particulier

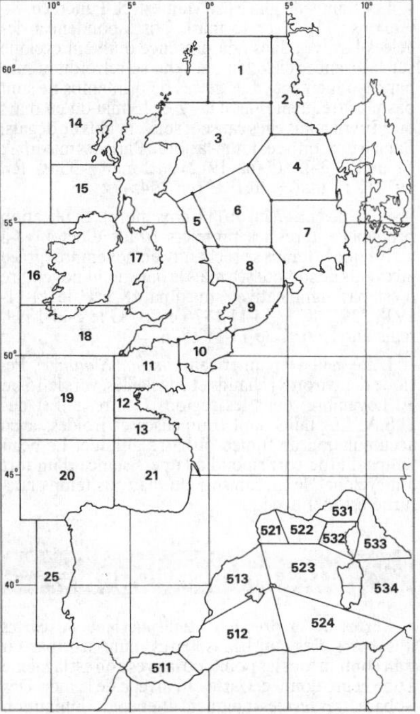

Météorologie maritime

Légende. 1 Viking Bank. *2* Utsire. *3* Fladen Ground. *4* Fisher Bank. *5* Tyne. *6* Dogger Bank. *7* German Bight. *8* Humber. *9* Sandettie. *10* Manche Est. *11* Manche Ouest. *12* Ouest Bretagne. *13* Nord Gascogne. *14* Ouest Écosse. *15* Nord Irlande. *16* Ouest Irlande. *17* Mer d'Irlande. *18* Sud Irlande. *19* Sole. *20* Cap Finistère. *21* Sud Gascogne. *25* Ouest Portugal. *511* Alboran. *512* Sud Baléares. *513* Nord Baléares. *521* Lion. *522* Provence. *523* Ouest Sardaigne. *524* Sud Sardaigne. *531* Gênes. *532* Ouest Corse. *533* Est Corse. *534* Est Sardaigne.

par Japon et U.S.A. au large de leurs côtes (aux U.S.A., 12 m de diamètre, 150 t, autonomie de 6 mois) et transmettant (à plusieurs milliers de km), à heure fixe ou sur interrogation, toutes les données météo-océanographiques en surface et en profondeur ; leur fiabilité dépasse 85 %.

France. Bouées « Marisondes » opérationnelles dans 2 réseaux : UOBA (S. du Groenland) et UCOS (près des Açores). Les informations retransmises par satellite (système Argos) comprennent les données classiques, pression, température, humidité, vent, en plus de l'observation possible des courants.

Satellites météorologiques. Photographient les nuages, repèrent les cyclones tropicaux en formation, mesurent la température de l'atmosphère et le vent à différents niveaux. 2 types sont utilisés :

1°) les satellites « à défilement », qui évoluent à 1 500 km d'altitude env., sur des orbites passant au-dessus des pôles, et survolent 2 fois par jour n'importe quel point à la surface du globe ;

2°) les s. « géostationnaires », qui survolent la Terre, au-dessus de l'équateur, à 36 000 km d'altitude, et font le tour en 24 h dans le sens de la rotation terrestre, paraissant ainsi immobiles pour un observateur à terre ; leur position au-dessus de l'équateur les empêche d'observer les zones polaires.

• **Méthodes de prévision. Géométriques.** *Méthodes d'extrapolation :* ne sont plus employées sauf pour la prévision des précipitations à courte échéance (2 h) où l'on extrapole le déplacement d'un écho radar sur un écran de visualisation (système Météotel). *Modèles numériques :* employés pour les prévisions aux échéances de quelques h, comprennent des champs de vent, de pression, de température, d'humidité, de précipitations, de nébulosité.

Physiques. S'expriment par des règles non rigoureuses faisant intervenir températures, vents, grandes ondes caractérisant la circulation dans la moyenne ou haute troposphère (ondes de Rossby), cartes de niveau à 500 millibars et de courant régnant à cette altitude, structure thermique des masses d'air (notions de stabilité de l'air), situations analogues...

Mathématiques. Connaissant l'état de l'atmosphère à l'instant T, recherchent ce que deviendra cet état à l'instant T + *n* en utilisant les lois d'évolution. Puissants calculateurs modernes (CRAY 2 a une capacité de 1,2 milliard d'opérations binaires par seconde) permettant aux modèles numériques d'atmosphère de mieux approcher la réalité des phénomènes (diminution des mailles de calcul, augmentation jusqu'à 15 des niveaux pour décrire la structure verticale). On ne néglige plus la vitesse verticale. Puis on introduit les données dans un modèle en un nombre limité de points qui sont les nœuds d'une grille ; l'intervalle entre 2 points de grille est de 380 km ; verticalement, le modèle est à 3 ou 5 couches, ce qui signifie que les niveaux de travail sont espacés de plusieurs km ; des phénomènes de dimensions réduites, tels les orages, peuvent passer « à travers les mailles ».

Records

Les records sont difficiles à établir, car les observations ne sont faites que localement et, dans beaucoup d'endroits, depuis une époque récente. Elles ont été aussi parfois interrompues (ainsi en France, sauf à Paris, durant la guerre 1939-45).

Mesure des températures. Les vraies températures météorologiques indiquent la température de l'air, prise à environ 1,5 à 2 m de hauteur sous abri, ou au thermomètre-fronde (afin d'éviter les radiations qui, au soleil, fausseraient les mesures). Les températures qui sont prises plus bas, ou directement sur la neige, ne doivent être comparées qu'avec celles prises ailleurs dans les mêmes conditions, et non aux températures météorologiques normales. Il en est de même des températures prises au cours de sondages en altitude.

Mesure des pressions. Les pressions ne sont comparables que si elles sont réduites à la même altitude. Sinon, les pressions sont plus basses, en particulier dans certaines régions du Tibet.

Records mondiaux

☞ Records français Voir Index.

• **Températures. Les plus élevées** : 58 °C à El Azizia, Libye (13-9-1922) ; 57,8 °C à San Luis, Mexique (11-8-1933) ; records douteux.

Les plus basses. *Au sol :* - 89,2 °C à Vostok, Antarctique (21-7-1983) ; dans l'hémisphère Nord : - 78 °C en Alaska (29-1-1989) ; - 67,6 °C à Verkhoïansk (5-2-1892) et - 67,7 °C à Oimekon, U.R.S.S. (1932). *Dans l'atmosphère :* - 143 °C à 80,5/96,5 km d'alt., observé au-dessus de Kronogard (Suède) du 27-7 au 7-8-1963.

La plus grande amplitude : 104,3 °C (de - 67,7 °C à 36,7 °C) à Verkhoïansk, Sibérie.

Maximum d'amplitude diurne : 55,5 °C (de 6,7 °C à - 48,8 °C) à Browning (Montana) le 23-1-1916.

Le réchauffement le plus spectaculaire : de - 20 °C à 7,2 °C en 2 mn à Spearfish (Dakota du Sud, U.S.A.) le 22-1-1943.

Moyenne annuelle en °C. Maximales. Dallol (Éthiopie, 1960-66) : 34,4. Aden (Yémen du S.) 32,5. Djibouti 30. Tombouctou (Mali) 29,3. Tirunelveli (Inde) 29,3. Tuticorin (Inde) 29,3. **Minimales.** Polus Nedostupnosti, « pôle froid » - 57,8. Norilsk (U.R.S.S.) - 10,9. Yakoutsk (U.R.S.S.) - 10,1. Oulan-Bator (Mongolie) - 9,6. Fairbanks (Alaska) - 9,4.

• **Précipitations. Hauteurs maximales.** *En 1 mn :* 31,2 mm à Union-Ville (Maryland, U.S.A.) le 4-7-1956 à 15 h 23. *En 15 mn :* 198 mm (au moins) à Plumb-Point (Jamaïque) le 12-5-1916. *En 20 mn :* 205,7 mm à Curtéa de Argès (Roumanie) le 7-7-1889. *En 1 jour :* 1,87 m à Cilaos (La Réunion) 15/16-3-1952 ; 1,8225 m au massif du Volcan (La Réunion) le 7-1-1956. *1 mois* (31 j) : 9,3 m à Cherrapunji (Inde) en juillet 1861. *1 an* (12 mois) : 26,461 m (au moins) à Cherrapunji en 1860-61.

Moyenne annuelle (en mm). Maxi. A Cherrapunji (Inde, de 1851 à 1960) 11 477. Monrovia (Liberia) 5 131. Moulmein (Birmanie) 4 820. Padang (Sumatra, Indon.) 4 452. Conakry (Guinée) 4 341. Bogor (Java, Indon.) 4 225. Douala (Cameroun) 4 109. Cayenne (Guyane franç.) 3 744. Freetown (Sierra Leone) 3 639. Ambon (Ambon, Indon.) 3 530. Il pleut 350 j/an au mont Walaleale (Hawaii). **Mini.** Antofagasta (Chili) 0,4. Louqsor (Égypte) 0,5. Assouan (Ég.) 1. Assiout (Ég.) 5. Callao (Pérou) 12.

• **Neige. Plus forte chute.** *En 12 mois :* 31,102 m à Paradise, Mont Rainier, Washington (U.S.A.) du 19-2-1971 au 18-2-1972. *En 1 jour :* 1,93 m à Silver Lake (Colorado, U.S.A.) les 14 et 15-4-1921.

• **Brouillards maritimes. Les plus longs :** plus de 120 j/an à Terre-Neuve (Canada) (visibilité : – 900 m).

• **Grêlons. Les plus lourds :** 1,9 kg au Kazakhstan (U.R.S.S.) en 1959 ; 972 g à Strasbourg (France) le 11-8-1958 ; 750 g à Coffeyville, Kansas (U.S.A.).

• **Sécheresse. La plus longue :** de l'an 400 à 1971, désert d'Atacama (Chili). À Iquique (Chili) : 14 a. de suite sans pluie (record douteux). A Arica (Chili) : en 53 ans il est tombé en moyenne 0,8 mm d'eau par an.

• **Pression. La plus élevée :** 1 083,8 hPa à Agata (Sibérie) le 31-12-1968 (réduite au niveau de la mer). **Les plus basses :** 870 hPa au centre du typhon Joan aux Philippines, les 13/14-10-1970 ; 876 hPa dans l'œil du typhon Ida, au large de Guam (Pacifique) le 26-9-1958 (réduite au niveau de la mer). Env. 810 hPa à Minneapolis au passage d'une tornade le 20-8-1904 (réduite au niveau de la mer), non vérifiée officiellement.

Pressions au sol, non réduites au niveau de la mer : 450,6 hPa dans l'Antarctide en 1958 ; environ 300 hPa à l'Everest, au Makalu, au K2, au Kanchengjunga.

• **Ensoleillement. Max. :** 97 % au Sahara. **Min. :** pôle Nord, avec 186 j d'hiver.

• **Vent (km/h).** Mont Washington (U.S.A., le 12-4-1934) : 371. Mt Ventoux (Fr., le 15-2-1967) : 320. Pointe du Roc (Fr., Manche), Pte du Raz (Fr., Finistère, en févr. 1989) : 216.

• **Orage. Maximum par an.** 322 j en 1916 à Bogor (Java, Indonésie).

Durée. Se localisent en « cellules » de 2 à 10 km de diamètre, chacune ayant une durée de vie moyenne d'une heure.

• **Les Saints de glace** (St-Mamert, St-Pancrace, St-Gervais : 11, 12 et 13 mai). Correspondent à des gelées tardives dues à la présence d'un anticyclone sur la France (ciel clair ; sol qui se refroidit la nuit par rayonnement). Les gelées de printemps ne sont pas plus fréquentes les 11, 12 et 13 mai qu'en mars ou en avril, mais elles causent souvent plus de dégâts. Par ailleurs, on a ces jours-là noté à Paris ces maxima : 11 mai + 30,2 °C (en 1912) ; 12 mai + 33 °C (en 1912) ; 13 mai + 30,1 °C (en 1945).

• **L'été de la St-Martin** (11 novembre). Explication probable : après les premiers froids d'octobre, il arrive que le temps se réchauffe en novembre (grâce aux vents de sud-ouest), mais la date du 11 novembre n'est pas significative : maxima 18,5 °C le 11-11-1938 ; 19,7 °C le 14-11-1876 et 21 °C le 2-11-1899, mais aussi – 6 °C le 11-11-1876.

L'été indien (en américain : *Indian Summer*). Période d'environ 8 j chauds et ensoleillés, vers le 15 ou 30 novembre, dans les régions Centre et Est des U.S.A. Les nuits sont brumeuses et froides, avec accumulation de fumées à basse altitude. Le beau temps diurne correspond à la persistance d'un fort anticyclone ; le mécanisme du mauvais temps nocturne est mal expliqué.

Cartes météorologiques

Cartes de la pression atmosphérique ou cartes d'isobares. Les courbes isobares réunissent par un trait continu tous les points où la pression est la même à une heure donnée. Cartes au niveau de la mer. Des isobares très serrées indiquent une rapide diminution de la pression entre 2 points rapprochés.

On appelle *pente barométrique* ou *gradient* cette diminution, elle est mesurée par la distance en degrés géographiques entre 2 isobares consécutives.

Si 2 isobares sont distantes de 1° (c.-à-d. 111 km), la pente barométrique est 5 fois plus forte que si elles sont distantes de 5° (555 km).

Cartes d'isohypses. Courbes de niveau d'une surface isobare.

Cartes frontologiques. Plus détaillées que les cartes d'isobares, car y figurent aussi les « fronts » ou limites des différentes masses d'air.

Cartes d'isallobares. Indiquent les variations de la pression dans des intervalles de temps définis.

Cartes des systèmes nuageux. Détaillent la répartition des nuages, catégorie par catégorie.

Cartes de masses d'air. Plus détaillées que les cartes frontologiques, car chaque masse d'air est représentée par ses différentes caractéristiques : humidité, stabilité ou instabilité, origine, etc. obtenues grâce aux radiosondages en altitude.

Cartes de température : cartes d'isothermes où les courbes rejoignent les points de même tempér. à une heure donnée (cartes au niveau de la mer et cartes en altitude) et **cartes d'isallothermes** indiquant les variations de la température entre des intervalles de temps définis.

Cartes « néphanalyses ». Cartes des systèmes nuageux obtenues à partir des photos de la couverture nuageuse du globe, prises par des satellites météorologiques.

Cartes d'isohyètes. Courbes reliant tous les points d'égale hauteur des précipitations recueillies durant une période donnée.

Prévisions météorologiques

La Météorologie nationale utilise : *1°) Un modèle global (modèle Émeraude)* avec une maille de 100 km env., 15 niveaux suivant la verticale, dont l'intégration est réalisée jusqu'à 72 h ou 96 h selon les cas. *2°) Un modèle à maille plus fine « emboîté » dans le 1er (modèle Péridot)* à 15 niveaux avec une maille de 35 km fonctionnant sur la France et les régions limitrophes. Il utilise des conditions aux limites latérales fournies par le modèle Émeraude, pour des prévisions à 36 h-48 h affinées, avec notamment une meilleure prise en compte du relief.

Au-delà (4 à 10 jours), la Météorologie nationale utilise les cartes diffusées par le Centre européen de prévisions situé à Reading (G.-B.). Au-delà de 6 j, et sauf exception, la qualité de ces prévisions se dégrade.

« Baromètre » de l'abbé Moreux

Méthode de l'abbé Théophile Moreux (1867-1954) qui fut directeur de l'observatoire de Bourges, fondée sur 2 observations : 1° pression atmosphérique ; 2° côté d'où vient le vent. Pour déterminer la provenance des vents de terre, il faut observer la direction d'où arrivent les nuages en tenant compte du fait que le vent vient toujours de plus à gauche que les nuages ; on peut également observer un ruban fixé au bout d'un bâton qui serait planté sur un lieu élevé.

Il obtint par cette méthode 81 % de réussite dans ses prévisions. Dans son ouvrage *Comment prédire le temps* (1919), il publie des tables (pour chaque région de France) indiquant (suivant la pression atmosphérique) les directions possibles des vents, et le temps qu'ils annoncent pour le lendemain. Ces prévisions sont basées d'une part sur les vents par rapport aux systèmes nuageux qui amènent le mauvais temps, d'autre part sur les règles de Gabriel Guilbert (un vent supérieur à la normale précédant une augmentation de pression, et inversement).

Prévisions empiriques

Selon le vent et les nuages

En Europe de l'Ouest : *le temps sera généralement beau* si le vent souffle faiblement de l'ouest ou du sud-ouest, si des cumulus parsèment le ciel l'après-midi, si le brouillard matinal se dissipe au plus tard à midi.

Autres indications fournies par la direction des vents. Vent d'en bas : pluie. *D'en haut :* beau temps surtout si le vent passe par l'ouest. *De bise :* temps sec et froid. *De soulaire* (c.-à-d., en montagne : venant du côté ensoleillé de la vallée) : temps plus chaud. *De mer :* vent plus fort, pluie et réchauffement. *De galerne* (c.-à-d., en Touraine-Berry-Aquitaine : venant du N.-O.) : giboulée. *Maritime du S. à l'O. :* pluie. *Du N. au N.-E. :* sec. *De l'O. :* tempête ou pluie. *Du S.-E. :* froid. *Du S.-O. :* temps couvert, pluie. *Du S. :* réchauffement. *Du N.-O. :* assez vif et légèrement pluvieux. *Du N. ou de l'E.* fixe ou tournant avec le soleil : beau temps. *Du S. ou de l'O.* tournant en sens contraire du soleil : mauvais temps.

La pluie ou la neige pourra apparaître : s'il y a un anneau autour de la Lune (anneau provoqué par les cirro-stratus) ; si le ciel est noir et menaçant à l'ouest ; si le vent, et celui du nord en particulier, change de direction en sens inverse des aiguilles d'une montre.

Le temps s'éclaircira généralement : si la base des nuages s'élevant se transforme en nuages continus et plus élevés, si un vent d'est vire à l'ouest. Si le ciel nocturne est clair et le vent léger, on peut craindre un refroidissement.

Autres indications fournies par l'état du ciel. Beau temps : orangé ou rose le soir, gris le matin ; assez de bleu au ciel pour « tailler une culotte à un gendarme » ; horizon dégagé à l'aube ; un coin de ciel bleu au milieu de l'orage (il passe). *Mauvais temps :* ciel pâle : pluie ; rose et gris (couleur perdreau) : pluie ; rouge le matin ou le soir : vent ; couvert, bas et gris en hiver : neige, s'il est accompagné d'un abaissement de température ; bleu sur la plaine, noir sur la montagne : grosses pluies ; verdâtre et laiteux à l'horizon : bourrasque. *Vent :* nuages jaunes au coucher du Soleil.

Selon les nuages

Les nuages annoncent : un changement de temps (amélioration quand il pleut ; dégradation quand il fait beau) : cirrus, cirro-stratus, cirro-cumulus ; **la pluie :** stratus, altostratus, nimbo-stratus, cumulo-nimbus (orages, fortes averses) ; **le beau temps :** petits cumulus immobiles.

Pour reconnaître les différentes formes de nuages, voir p. 88.

Selon des signes divers

Signes dus à l'augmentation de l'humidité de l'air et, parfois, aux variations de l'électricité atmosphérique.

Considérés comme des signes de pluie : démangeaisons dans une cicatrice, douleurs rhumatismales et dues aux cors au pied ; frisottement des cheveux. De même : le sel obstrue la salière ; la mayonnaise est longue à prendre, etc.

« Baromètre » des plantes

• **Pour la journée. Beau temps, chaleur :** la nielle penche la tête ; le tabac ferme ses corolles ; l'oxalis et le ficoïde s'ouvrent ; la polierva redresse ses branches ; le pavot relève sa fleur ; la rose de Jéricho se contracte. **Chaleur accablante :** la nigelle des champs redresse la tête.

Vent : les feuilles de trèfle se referment.

Orage : l'oxalis redresse ses feuilles et ferme ses pétales ; le pissenlit s'abrite sous ses feuilles ; l'alléluia relève ses feuilles ; la polierva incline et replie ses feuilles.

Pluie : le chardon à foulon resserre ses écailles ; la fleur de laitue s'épanouit ; le liseron replie sa corolle ; le souci resserre ses pétales ; le trèfle redresse ses tiges ; la pimprenelle, le pissenlit, le chardon, le mouron referment leur fleur ; au contraire la quintefeuille et le laiteron de Sibéné ouvrent largement la leur ; la drave printanière replie ses feuilles ; les pommes de pin ou de sapin se resserrent avant la pluie ; une algue séchée au soleil redevient molle.

Tempête : le trèfle, la drave printanière replient leurs feuilles ; la carline, ou chardon-baromètre, resserre son « capitule » (touffe de fleurs).

Un ruban de varech flottant au vent vibre sur 3 rythmes différents : ininterrompu : beau temps ; avec brèves interruptions : vent ; très irrégulier : tempête.

• **Prévisions à longue échéance. Hiver froid :** feuilles des hêtres humides et molles à la Toussaint ; arbres encore couverts de feuilles le 11 novembre ; abondance de noix, noisettes, aubépines, prunelles ; triple pelure sur les oignons.

Hiver doux : feuilles des hêtres sèches et craquantes à la Toussaint.

Nota. – Ces dernières prévisions sont peu valables.

« Baromètre » des animaux

• **Pour la journée. Beau temps, chaleur :** le chat ronronne sans être sollicité et se passe la patte derrière l'oreille gauche (signe souvent interprété à tort comme annonçant la pluie) ; pigeons et tourterelles roucoulent ; l'âne se roule dans la poussière ; les abeilles s'envolent malgré la brume matinale ; les moustiques volent et tourbillonnent en colonne ; l'érigone (petite araignée) tisse ses fils de la vierge au ras du sol ; les coccinelles volettent de fleur en fleur ; les hannetons volent vers la mer ; les moucherons tournent au coucher du soleil ; les araignées dédaignent les coins sombres ; les grenouilles remontent à la surface de l'eau (signe souvent interprété à tort comme annonçant la pluie) ; alouettes, grues et hirondelles volent haut ; les chauves-souris sortent nombreuses et volent tard dans la soirée ; les cygnes s'ébattent joyeusement ; les grives se posent au sommet des arbres ; les rouges-gorges chantent le matin ; les pies borgnes frétillent gaiement dans l'herbe et jouent ; les hiboux poussent leur cri en fin de journée ; le rossignol chante toute la nuit ; le corbeau croasse après le lever du soleil ; plongeons et oiseaux de mer volent à l'intérieur des terres ; les oiseaux en général se perchent haut dans les arbres.

Vent : le chat se nettoie soigneusement la truffe ; le chien se roule par terre ; les vaches mettent plus longtemps à boire mais se laissent traire facilement, elles courent en levant la queue ; les moutons sont agités ; les abeilles rentrent dans leur ruche ; les porcs grognent et éparpillent leur litière ; les oies crient et agitent les ailes ; l'araignée brise et détend sa toile ; la mer est phosphorescente (minuscules mollusques à la surface) ; les corbeaux se groupent en bandes et poussent des clameurs ; les gros poissons font surface ; les oiseaux sauvages sont particulièrement bruyants.

Orage : le chat monte et descend le long d'un rideau ; le chien gratte le sol, reste silencieux, puis va se mettre à l'abri ; les mouches piquent fort ; les fourmis sont agitées.

Pluie : le chat se lèche les cuisses et va se poster près d'une fenêtre avant de se passer la patte derrière les oreilles (gauche et droite) ; le chien mange de l'herbe ; les abeilles restent près de leur ruche ; les pigeons battent des ailes ; les coqs chantent avant la nuit ; les poules s'abritent et s'épluchent ; poules et pigeons se mettent à l'abri dès les premières gouttes (pluie de longue durée) ; les poules se grattent et se roulent dans la poussière, se couvrent de poussière avec leurs pattes, caquettent et appellent leurs poussins ; les pintades poussent des cris plaintifs ; les ânes secouent les oreilles et braient sans arrêt ; les chevaux battent du pied, tendent le cou et aspirent l'air avec bruit ; les vaches se lèchent, tendent le cou et aspirent l'air avec bruit ; canards et oies battent des ailes, crient et restent dans l'eau ; la coccinelle qu'on prend au bout du doigt refuse de s'envoler ; moustiques, puces, mouches et taons piquent ; les moucherons volent bas ; les papillons volent près des fenêtres ; les libellules effleurent les eaux ; les araignées tissent leur toile avec précipitation et montent des caves ; vers de terre et scorpions sortent de leur trou ; les escargots sont nombreux ; grenouilles et crapauds coassent le jour ; les crapauds sautent dans les chemins ; les serpents grimpent sur les hauteurs ; les poissons « mordent » plus que d'habitude et sautent hors de l'eau ; les mouettes battent des ailes au-dessus des maisons ; les pies bavardent en allant au-devant les unes des autres ; les hirondelles se rapprochent des arbres et volent bas ; le corbeau émet 2 sons, bat des ailes, et vient croasser près des cours d'eau ; les moineaux se battent et se couvrent de poussière ou se baignent dans les flaques ; merles et piverts chantent à tort et à travers ; les corneilles volent par groupes ; geais et pies se querellent ; le pinson chante avant que le jour se lève ; les poules d'eau se baignent, crient et battent des ailes ; le coucou chante (la pluie ne dure pas).

Tempête : le chat tourne le dos au feu ; le chien hume l'air longuement, museau dressé ; les fourmis déménagent leurs œufs ; les araignées quittent leur nid et cherchent une fente où se cacher ; les marsouins s'ébattent ; les corbeaux croassent dès la pointe du jour ; les mouettes crient et volent vers l'intérieur des terres.

Froid : les grives poussent des cris ininterrompus ; les oiseaux de nuit hululent plus ; les merles crient le long des haies ; les rouges-gorges s'approchent des maisons.

• **Prévisions à longue échéance. Hiver rigoureux :** la fourrure des chats est épaisse dès octobre ; le bétail tourne le dos à la porte de l'étable ; vanneaux et pluviers arrivent par le nord-est ; le grillon s'enfonce profondément dans le sol ; la taupe aussi dès le début de l'automne ; la souris fait son nid sur les buttes ; les hirondelles partent tôt ; cygnes et étourneaux arrivent tôt du nord ; les hérons restent immobiles au bord de l'eau ; les lièvres sont gras l'automne ; les épaves sont couvertes d'anatifes (hiver dur, mais suivi de belles récoltes) ; les cocons d'insectes sont épais.

Fin de l'hiver : le grillon commence à chanter.

Année chaude : les pies nichent au sommet des arbres ; les alcyons font leurs nids sur la mer.

Quelques dictons météorologiques

Janvier. *1er :* jour de l'an chaud, mois d'août chaud. *6 :* pluie aux Rois, blé jusqu'au toit. *7 :* si le soir des Rois le temps est clair, l'été sera sec. *15 :* St-Maur, d'habitude à la St-Maur moitié de l'hiver est dehors. *17 :* à la St-Antoine, les jours croissent d'un repas de moine. *20 :* à la St-Sébastien, l'hiver reprend ou se casse les dents. *22 :* à la St-Vincent, l'hiver quitte ou reprend ; le vin monte dans les sarments. *25 :* à la St-Paul l'hiver s'en va ou se rompt le col. *30 :* à la Ste-Martine souvent l'hiver se mutine.

Février. *2 :* fleur de février ne va pas au pommier ; quand la Chandeleur est claire, l'hiver est par-derrière ; Chandeleur couverte, 40 jours de perte. *5 :* Ste-Agathe emplit les rivières, lait coulera dans les chaumières. *12 :* beau temps à la Ste-Eulalie pommes et cidres à la folie. *14 :* à la St-Valentin, la roue gèle avant le moulin. *16 :* s'il neige à St-Onésime, la récolte est à l'abîme. *19 :* St-Boniface brise la glace. *22 :* neige à la Ste-Isabelle rend fleur belle. *24 :* si St-Mathias trouve la glace, il la casse, s'il n'en trouve pas, il faut qu'il en fasse.

Mars. Si mars entre en lion, il sort en mouton. Pluie de mars ne vaut pas pisse de renard. *12 :* le jour de St Pol, l'hiver se rompt le col. *17 :* Sème des pois à la St-Patrice, tu en auras à ton caprice. *23 :* s'il pleut à la St-Victorin, tu peux compter sur bien du foin. *28 :* s'il gèle à la St-Gontran, le blé ne deviendra pas grand.

Avril. Avril doux, pire que tout ! Vent des Rameaux ne change pas de sitôt. *5 :* le 5 avril le coucou chante mort ou vif. *14 :* pour St-Valérien, tout arbre bourgeonne, le fruit n'est pas loin. *25 :* quand St-Marc n'est pas beau, pas de fruit à noyau ; à la St-Marc monte l'herbe. *30 :* à la St-Robert tout arbre est vert.

Mai. Sts-Mamert (6 mai), Pancrace (12 mai) et Gervais (13 mai) sont toujours des saints de glace. *20 :* s'il gèle à la St-Bernardin, adieu le vin. *25 :* à la St-Urbain, la fleur au grain. *26 :* quand il pleut à la St-Philippe, point besoin de fût ni de barrique. *31 :* pluie de Ste-Pétronille change raisins en grappilles.

Juin. Pluie à la Pentecôte, beau temps à la Trinité. *3 :* le temps qu'il fait en juin le trois sera le temps du mois. *8 :* St-Médard, grand pissard, il pleut 40 jours plus tard. *10 :* si le 10 juin est serein on assure avoir du grain. *11 :* soleil à la St-Barnabé, Médard a le nez cassé ; St-Barnabé reboutonne la culotte de St-Médard ; de Barnabé la journée clairette de St-Médard rachète. *17 :* Fête-Dieu mouillée, fenaison manquée. *24 :* pluie de St-Jean, pluie pour longtemps. *29 :* St-Pierre pleure toujours. *30 :* pour la St-Martial, la faux est au travail.

Juillet. Pluie de juillet, eau en janvier. *1er :* si le 1er juillet est pluvieux, tout le mois sera douteux. *9 :* à la St-Procule arrive la canicule. *18 :* s'il pleut pour la Ste-Marguerite, les noix sont gâtées bien vite. *22 :* Madeleine, pluie amène. *25 :* si St-Jacques est serein, l'hiver sera dur et chagrin. *27 :* les sept dormants remettent le temps. *29 :* mauvais temps pour la Ste-Marthe, n'est rien car il faut qu'il parte.

Août. A la mi-août, l'hiver se noue ; soleil rouge en août, c'est la pluie partout. *1er :* s'il pleut le 1er août, les noisettes seront piquées de poux. *8 :* à la St-Dominique, te plains pas si le soleil te pique. *12 :* à la Ste-Claire, s'il éclaire et tonne, c'est l'annonce d'un bel automne. *15 :* la Vierge du 15 août arrange ou dérange tout. *24 :* à la St-Barthélemy, la caille fait son cri. *28 :* pluie fine à la St-Augustin, c'est comme s'il pleuvait du vin.

Septembre. *1er :* s'il fait beau à la St-Gilles, ça dure jusqu'à St-Michel ; du 1er au 8 l'hirondelle fuit. *7 :* le 7 septembre sème ton blé, car ce jour vaut du fumier. *15 :* un beau St-Valérien amène abondance de biens. *17 :* St-Lambert pluvieux, 9 jours dangereux. *20 :* gelée blanche pour St-Eustache, grossit le raisin qui tache. *21 :* quand vient la St-Mathieu, adieu l'été. *25 :* à la St-Firmin, l'hiver est en chemin. *29 :* les hirondelles à St-Michel, l'hiver s'en vient après Noël.

Octobre. Octobre en bruine, hiver en ruine. *3 :* à la St-Gérard, sème ton blé. *9 :* à la St-Denis, ramasse les fruits ; le laboureur se réjouit ; s'il pleut à la St-Denis, tout l'hiver sera pluie. *16 :* à la St-Gall, première chute de neige. *18 :* à la St-Luc, sème dru. *21 :* le jour de la Ste-Ursule, l'été d'un mois recule. *22 :* à la St-Crépin, les mouches voient leur fin. *28 :* St-Simon et St-Jude, l'hiver est arrivé.

Novembre. *1er :* telle Toussaint, tel Noël. *9 :* la St-Mathurin passée, merde de chien pour la gelée. *11 :* à la St-Martin, il faut goûter le vin ; l'été de la St-Martin dure 3 jours au moins. *14 :* pour la St-Montant, l'olive à la main. *22 :* pour la Ste-Cécile, chaque fève en donne mille. *23 :* St-Clément a rarement un visage avenant. *25 :* à la Ste-Catherine, l'hiver s'achemine. *30 :* à la St-André, il est acheminé ; quand il n'est pas pressé, l'hiver arrive à la St-André.

Décembre. Quand en décembre il a tonné, l'hiver est avorté. *13 :* pour la Ste-Luce, les jours augmentent du pas d'une puce. *25 :* Noël au balcon, Pâques aux tisons ; Pâques aux tisons, Noël au balcon.

Géographie humaine

☞ Voir Index : Origine de l'homme, Races.

Population dans le monde

Quelques données

Début du néolithique 10 milliards avaient vécu (population mondiale : 5 à 10 millions). *V. 4000 av. J.-C. :* 20 (pop. 50 millions). *V. 500 av. J.-C. :* 40 (pop. 100 millions). *V. 800 après J.-C. :* 50 (pop. 200 millions). *V. 1500 :* 60. *1950 :* 80 (pop. 4 à 5 milliards).

Combien d'hommes ont-ils vécu sur Terre ?

Environ 80 milliards d'hommes ont vécu sur Terre depuis l'origine (75 sont morts, 5 sont en vie). En les serrant bien (4 au m²), ils tiendraient tous dans le Val-d'Oise (1 246 km²). 12 milliards sont nés entre 600 000 et 6000 av. J.-C., soit pendant 594 000 ans ; 42 milliards entre 6000 av. J.-C. et 1650 après (soit 7 650 ans) et 30 milliards de 1650 à nos jours, soit 324 ans. Pendant des millénaires, mortalité et fécondité se sont équilibrées, avec un léger gain pour la vie. La Terre parvint à son 1er milliard d'habitants vers 1820, à son 2e milliard en 1925 (105 ans), à son 3e en 1960 (35 a.), à son 4e en 1975 (15 a.), à son 5e en 1988 (13 a.).

Accroissement

• **Évolution. En Europe.** *XVIe et XVIIe s.,* taux de natalité 45 à 50 %, mortalité 35 à 45 ; de loin en loin, épidémies, famines et guerres réduisent brusquement la population [ex. : épidémie de peste noire en Europe *(1346-48)* réduisit la population de 20 à 35 % (50 % dans les villes ; réduction de 19 à 15 millions de la pop. française)]. A partir de la *2e moitié du XVIIIe s.,* le rythme change (abaissement de la mortalité infantile, amélioration des techniques agricoles). La population passe en France, entre *1715 et 1789,* de 18 à 26 millions (taux moyen annuel de croissance de 0,5 ‰). Vers la fin du XVIIIe s., s'amorce en France le contrôle des naissances. Le reste de l'Europe suit ; vers la fin du XIXe s., sa population ayant eu le temps de croître de plus du double (en France : de 45 %).

Évolution de la population en millions

	1800	1850	1900	1939	1989	2000 [9]	2075 [8]
Europe [1]	**155**	**195**	**293**	**380** [2]	**498,5**	**521**	**533**
Allemagne [10]	24,8	35,9	56,3	78,6	78,6	59,8 [10]	
Autriche	14	17,5	26,1	6,6	7,6		
Belgique	3	4,3	6,6	8,3	9,9		
Bulgarie			4,3 [3]	6,3 [4]	9		
Danemark	0,9	1,4	2,7 [3]	3,8 [4]	5,1		
Espagne	10,5	15,6	18,6	25,5	38,8	45	
Finlande	0,8	1,6	2,9 [3]	3,7 [4]	5		
France	*28,7*	*36,4*	*40,6*	*41,3*	*56,1*	*57,5*	*60*
Grèce		1	2,7 [3]	7,1 [4]	10		
Hongrie		13,2	20,8 [3]	9,2 [4]	10,5		
Irlande		5,1	3,1 [3]	2,9 [4]	3,5		
Italie	18,1	24,3	33,5	43,1	57,5	61	62
Norvège	0,9	1,4	2,4 [3]	2,9 [4]	4,2		
Pays-Bas	2,1	3	5,1	8,7	14,8		
Pologne			12 [3]	34,7 [4]	37,8	41	
Portugal		3,8	5,9 [3]	7,5 [4]	10,4		
Roumanie		3,9	7 [3]	19,8 [4]	23,1	30	
Royaume-Uni	18	27,3	44,9 [3]	47,5 [4]	57,2	61	64
Suède	2,3	3,5	5,1	6,3	8,5		
Suisse		2,3	3,3	4,2	6,6		
U.R.S.S.	**44**	**57,2**	**103,6**	**170,4**	**285,8**	**312**	**359**
Amérique du Nord	**12,4**	**33**	**94,6**	**163,4** [2]	**274,9**		**505**
Canada	0,5	11,8	5,3	11,5	26,2		
États-Unis	5,3	23	75,9	131	248,7	260	266
Mexique	6,4	7	13,6	19,4	84,5	128	210
Amérique du Sud	**13,6**	**28**	**51,4**	**110,6** [2]	**435,4**		**793**
Argentine	0,3	0,8	4	13,9	32		
Brésil	3,2	7,7	17,3	40,2	147,4	205	350
Colombie		2,2	4,9 [3]	8,7 [4]	31,1	37	
Pérou		2	4,6 [3]	6,8 [4]	21,8		
Afrique	**100**	**100**	**150**	**191** [2]	**678,5**	**853**	**1 599**
Afrique du Sud			5,9 [3]	10 [4]	34,5	46	
Algérie		2,9	4,7	7,2	24,6	35	72
Égypte	2,4	4,4	9,7	16,5	53	64,9	157
Éthiopie					49,5	54	78
Maroc			4,3	7,6	24,5		251
Nigeria					109	148	
Tunisie			1,8	3	8		
Zaïre				10,3 [4]	34,5	47	
Asie	**630**	**810**	**930**	**1 244** [2]	**3 331,5**	**3 549**	**5 633**
Afghanistan			5 [3]	11 [4]	15,8		
Bangladesh			28,9 [6]	42 [7]	106,5	156	
Birmanie			11,8 [3]	15,8 [4]	40,8	50	
Chine	330			452,4	1 119,7	1 212	1 297
Inde			294,3	312,2	811,8	976	1 798
Indonésie			45 [3]	68,4 [4]	179	210	448
Iran				16 [4]	54,2	66	
Japon	25	33,3	46,7	70,8	123,2	129	133
Népal			5,6	6,3 [7]	18,4		
Pakistan			18,2 [6]	28,3 [7]	108,6	152	
Philippines					60	78	
Sri Lanka			3,5 [6]	6 [9]	16,8		
Thaïlande			8,2 [5]	14,8 [4]	55,4	76	
Turquie			24 [3]	17	56,7	69	
Viêt-nam				19,5 [4]	65,6	81	9
Océanie	**2**	**2**	**6**	**11,1** [2]	**26**	**30**	**40**
Australie		0,4	3,7	6,9	16,8		
Monde	**954**	**1 240**	**1 650**	**2 295** [2]	**5 584**	**6 168**	**9 462**

Nota. – Sources : Annuaire rétrospectif I.N.S.E.E., I.N.E.D., O.N.U. (1) Europe considérée sans U.R.S.S. et sans Turquie. (2) 1940. (3) 1910. (4) 1938. (5) 1911. (6) 1901. (7) 1941. (8) Cette projection basse appliquant la baisse la plus rapide de la fécondité alors que variante supérieure conduit à 15 831 millions et « moyenne » à 12 210 millions ; dans cette projection basse, le taux de remplacement de 1 est atteint en Europe en 1975, en Amér. du N. en 2000, en U.R.S.S. 2005, en Asie de l'Est 2010, en Océanie 2010, en Amérique latine 2025, en Asie du Sud 2050, en Afrique 2060. (9) Projections de la Banque mondiale, 1978. (10) + All. dém. sauf pour l'an 2000 All. féd. seulement.

Répartition par continents (1989)

Continents	Superficie		Population		Densité (hab./km²)
	(1)	%	(2)	%	
Afrique	30,4	20,3	678,5	12,1	22,3
Amérique ..	42,1	28,1	710	12,7	16,8
Asie	27,6	18,4	3 331,5	59,6	120,7
Europe	4,9	3,3	498,5	8,9	101,7
Océanie ...	8,5	5,7	26	0,4	3
URSS	22,4	15	285,8	5,1	12,7
Monde	**149,8** [3]	**100**	**5 584**	**100**	**37,2**

Nota. – (1) En millions de km². (2) En millions. (3) Continent Antarctique inclus (env. 13 000 000 km², 9,2 %).

Dans le tiers monde. *A partir de 1945,* le taux de mortalité s'effondre de près de 50 %, grâce à la science et à la technique occidentales, alors que sa fécondité demeure identique : les taux de croissance montent à 2 %, puis à 2,5 %, à 3 %... Puis cette fécondité baisse dans la plupart des pays (de 1965 à 75 - 10 à - 20 % pour Brésil, Égypte, Inde, Indonésie, Philippines, Turquie ; - 20 % pour Corée du S., Thaïlande ; - 34 % pour la Chine populaire, - 47 % pour Cuba).

Le % de la croissance démographique mondiale baisse ainsi de 1,76 % en 1950 à 1,72 % en 1980 et sera d'environ 1,5 en l'an 2000. S'il baissait à 1,2 % et s'y maintenait, la Terre atteindrait en 10 000 ans, 88 000 milliards d'h. ; s'il baissait à - 0,1 %, elle n'aurait plus que 182 000 h.

● **Taux d'accroissement annuel de la population** (augmentation en % par rapport à l'année précédente). 1980-1985. *Source :* O.M.S. *Monde :* 1,66. *Afrique :* 2,99. *Amérique :* 1,7. *Asie :* 1,73 dont Chine 1,17, Japon 0,68 [1]. *Europe:* 0,55 dont U.R.S.S. (Biélorussie 0,67 [1], Ukraine 0,35 [1]). *Océanie :* 1,27.

Nota. – (1) 1982.

Chaque jour, la Terre doit abriter + de 210 000 personnes de plus (+ de 76 000 000 par an).

Age

Population de – de 15 ans et, entre parenthèses, de + de 65 ans, en % en 1983. *Source :* O.N.U. *Monde :* 35 (6) dont Kenya 52 (2), Jordanie 51 (3), Botswana 50 (2), Nicaragua 47 (3), Surinam 43 (5), *France 22 (13),* Finlande 20 (12), Danemark 20 (15), Suisse 19 (14), Luxembourg 19 (13), All. féd. 17 (15).

Vieillissement. *En 1975,* il y avait dans le monde 350 millions d'hab. de 60 ans et + ; *en l'an 2000,* il y en aura 590 millions ; *en 2010,* env. 1 milliard (dont tiers monde 72 %). En 2000, le % des 60 ans et + serait en Europe de 19,8 %, U.R.S.S. 17,5, Amér. du N. 15, Océanie 12,5, Asie orientale 11,4, Amérique 7,2, Asie méridionale 6,4, Afrique 5.

Densité

☞ 1/10 du globe (constituant l'oekoumène ou ékoumène) est habité. 90 % des humains vivent dans l'hémisphère Nord (surtout entre 20 et 60° de latitude, les Esquimaux vivent jusqu'à 81°).

Nombre d'habitants au km² (1989). Entre parenthèses, densité en 2075 (projection basse de l'O.N.U.). *Source :* O.N.U.

Afrique. Rwanda 247,9. Burundi 176,8. Nigeria 110,3. Gambie 69,9. Ouganda 68,8. Malawi 63,3. Ghāna 57,4. Togo 55,5. Lesotho 53,4. Égypte 50,8. Tunisie 46,1. Swaziland 40,9. Kenya 39,4. Bénin 38,2. Éthiopie 36,9. Sénégal 35,1. Côte-d'Ivoire 34,5. Maroc 32,7. Burkina Faso 30,3. Afr. du S. 29,4. Tanzanie 24,6. Guinée 23,1. Cameroun 22,7. Zimbabwe 22,1. Liberia 20,7. Madagascar 18,5. Zaïre 13,8. Somalie 10,7. Zambie 10. Algérie 9,6. Soudan 9,2. Mali 7. Congo 4,9. Rép. Centrafricaine 4,3. Tchad 4,1. Libye 2,3. Botswana 2. Mauritanie 1,8. *Moyenne 40,15.*

Amérique. Trinité-et-Tobago 252,6. El Salvador 234,1. Jamaïque 219,2. Haïti 196. Rép. Dominicaine 138,7. Cuba 92,8. Guatemala 76,1. Costa Rica 54,4. Honduras 41,5. Mexique 41,4. Équateur 35. Panamá 29,4. Nicaragua 29. U.S.A. 26 (28). Colombie 26. Venezuela 20. Uruguay 17. Brésil 16 (41). Chili 16. Pérou 16. Argentine 11. Paraguay 9. Bolivie 6. Guyana 4. Canada 2.

Asie. Singapour 4 198. Bangladesh 712. Corée du S. 434. Japon 323. Liban 264. Sri Lanka 249. Inde 237. Israël 199. Philippines 191 (520). Viêt-nam 189. Corée du N. 183. Pakistan 127. Chine 113 (135). Thaïlande 104. Indonésie 89. Chypre 76. Turquie 65. Birmanie 59. Syrie 59. Cambodge 43. Yémen du N. 39. Irak 38. Jordanie 38. Iran 31. Afghanistan 23. Laos 15. Yémen du S. 7. Arabie Saoudite 5. Mongolie 1.

Europe et océanie. Monaco 18 791. Malte 1 140. P.-Bas 349. Belg. 325. All. féd. 245 (265). G.-B. 233 (262). Italie 190. Liechtenstein 187. Suisse 158. All. dém. 153. Luxembourg 143. Tchécoslovaquie 121. Pologne 120. Danemark 119. Hongrie 114. Portugal 112. Albanie 107. *France 100 (110).* Roumanie 96. Yougoslavie 91. Autriche 90. Bulgarie 90. Espagne 76. Grèce 75. Irlande 50. Suède 18. Finlande 14. N.-Zélande 12. U.R.S.S. 12. Norvège 10. Australie 2. Islande 2.

Espérance de vie

Évolution

Jusqu'au XVIII e s., l'espérance de vie n'excédait nulle part 30 ans, compte tenu de la mortalité infantile (1 mort sur 4 naissances en France jusqu'en 1789-90). Des épidémies, famines pouvaient emporter 2/3 ou 3/4 des enfants de moins de 1 an.

Dans les années 1950, elle était de 66 ans dans les pays développés et 41 ans dans les pays sous-dév. *En 1990,* elle est passée à 75 ans et 61 ans. Dans les pays de l'Est (sauf la Yougoslavie) et en U.R.S.S., elle a régressé de 71 à 67,5 ans de 1964 à 81, sans doute à cause de l'augmentation de la consommation d'alcool, de l'insuffisance médicale et des conditions matérielles d'existence.

Centenaires

• **Monde.** Un être sur 2 100 000 parviendrait à 115 ans. **Record femmes :** *U.S.A. :* Carrie White (18-11-1874) 117 ans. *France :* Jeanne Calment (Arles, 21-2-1875) 116 ans. Lydie Vellard (St-Sigismond, Loiret, 18-3-1875/17-9-1989) 114 ans. **Hommes.** *Japon :* Shigechiyo Izumi (29-6-1865/21-2-1986) 120 ans 237 j. *Canada :* Pierre Joubert (15-7-1701/16-11-1814) 113 ans 124 j. *France :* Jean Teillet (6-11-1866/Issy-les-Moulineaux, 12-3-1977) 110 ans 131 j., coiffeur. Henri Pérignon (Cabourg, Calvados, 14-10-1879/18-6-1990) 110 ans 247 j., blanchisseur.

• **France. Nombre.** *1970 :* 1 000 ; *1982 :* 3 315 ; *1985 :* 2 483. **Record femmes.** Jeanne Calment (voir plus haut). Gracieuse Costemza-Aiello-Inzirillo (Ital., 20-1-1871/Sarcelles, 16-1-1984) 112 ans 361 j., brodeuse. Eugénie Roux (Jura, 24-1-1874/Lyon, 21-6-1986) 112 ans et 152 j. Augustine Teissier (Florensac, 2-1-1869/Nîmes, 8-3-1982) 112 ans 67 j., religieuse (sœur Julia).

Quelques cas célèbres

Femmes. *Fanny Thomas* (1867-1980) 113 ans 215 jours (U.S.A.). Mme Simone (née Pauline Benda) (1877-1985) 108 ans. *Alexandra David-Neel* (23-10-1868/9-9-1969) 100 ans 10 mois, femme de lettres, exploratrice (Asie centrale). *Camille Mayran* (Mme Pierre Hepp) († 26-4-1989 à 100 ans). *Juliette Adam* (née Lamber) (1836-1936) 99 ans 10 mois, femme de lettres.

Hommes. *Waldeck* (Prague 1766-Paris 1875) voyageur, peintre. *Celal Bayar* (1882-1986) 104 ans, ancien président turc. *Charles Samaran* (1879-1982) 103 ans, historien. *Alexandre Gueniot* (Tignecourt, 1832/Paris 1935) 102 ans 10 mois, prof. de médecine. *J.-M. Eugène Chevreul* (Angers, 1786/1889) 102 ans 9 mois, chimiste. *Charles Le Maresquier* (16-10-1870/6-1-1972) presque 102 ans, architecte (beau-père de Michel Debré). *Henri Fabre* (29-11-1882/1-7-1984) 101 ans 8 mois, ingénieur (réalisateur du 1er hydravion). *Henri Busser* (16-1-1872/30-12-1973) presque 102 ans, pianiste et compositeur. *Bernard Le Bovier de Fontenelle* (1657/1757) † quelques semaines avant d'avoir atteint 100 ans, écrivain. *Jean de Laborde* (Chantilly, 29-11-1878/Castillon-la-Bataille, 30-7-1977) 98 ans 9 mois, amiral. *Joseph Paul-Boncour* (St-Aignan, 4-8-1873/Paris, 28-3-1972) 98 ans 8 mois, Pt du Conseil des IIIe et IVe Républiques. *Maxime Weygand* (Bruxelles, 21-1-1867/Paris, 28-1-1965) 98 ans 7 jours, général. *Philippe Pétain* (24-4-1856/23-7-1951) 95 ans 3 mois, maréchal, chef d'État.

Depuis le XIXe s., le taux de mortalité est tombé en Europe (– de 7 ‰ en Suède, – de 10 ‰ en France). Mais, la mortalité infantile reste à 12 ou 14 ‰ dans les pays anglo-saxons (U.S.A., G.-B., Australie, N.-Zélande).

Situation actuelle

Pour les hommes et entre parenthèses pour les femmes, en années à la naissance (*Source* O.N.U. et O.M.S. 1985).

Afrique. Algérie 58,5 (61,3). Angola 38,5 (41,6). Bénin Rép. 39 (42,1). Burkina Faso 40,6 (43,8). Cameroun occ., Centrafricaine Rép., Congo Rép. pop., Côte-d'Ivoire 44,6 (47,6). Égypte 51,6 (53,8). Gabon 41,9 (45,1). Ghana 46,7 (50). Guinée 36,7 (39,8). Kenya 46,9 (51,2). Liberia 45,8 (44). Madagascar 44,4 (47,6). Mali 46,9 (49,6). Maroc 53,8 (57). Maurice (île) [20] 63,6 (71,1). Mauritanie 40,6 (43,8). Niger 39 (42,1). Réunion 55,8 (62,4). Rhodésie (Zimbab.) 51,8 (56,6). Sénégal 39,7 (42,9). Tchad 42,5 (45,1). Togo 44,4 (47,6). Tunisie 57,6 (58,6). Zaïre 46,4 (49,7). Zambie 47,7 (51).

Amérique du Nord. Canada 71,8 (78,9). États-Unis [20] 70,9 (78,4). Guadeloupe 66,6 (72). Guatemala 53,7 (55,5). Haïti 49,1 (52,2). Martinique 66,6 (72). Mexique 63,3 (67,4).

Amérique du Sud. Argentine [3] 65,16 (72,1). Brésil 57,6 (61,10). Chili 61,3 (67,6). Colombie 60 (64,5). Pérou 52,5 (55,4).

Asie. Birmanie 51 (54,1). Cambodge 29 (31,4). Chine 62,6 (66,5). Inde 46,4 (44,7). Israël [21] 73,1 (76,4). Japon [22] 74,8 (80,7). Malaysia occidentale [15] 67,17 (72,49). Pakistan 59 (59,2). Thaïlande 53,6 (58,7). Turquie 60,3 (61,6).

Europe. All. dém. 69 (75,11). All. féd. [22] 71,3 (78,1). Autriche [21] 69,5 (76,6). Belgique [5] 68,6 (75,08). Bulgarie [21] 68,4 (74,4). Danemark [19] 71,1 (77,2). Espagne [2] 70,41 (76,21). Finlande [21] 70,2 (78,5). *France [6] 70,4 (78,4).* Grèce 70,80 (75). Hongrie [22] 65,1 (73,3). Irlande [18] 70,1 (75,8). Islande [21] 73,4 (80,6). Italie [9] 69,69 (75,91). Luxembourg [20] 68,9 (76). Norvège [21] 72,8 (79,8). P.-Bas [16] 72,4 (79,2). Pologne [22] 66,8 (75). Portugal [20] 69,1 (76,1). Roumanie [21] 66,9 (72,5). Roy.-Uni : Angleterre 70,20 (76,40), Écosse [22] 69,9 (75,9). Suède [17] 73,05 (79,08). Suisse [22] 73,8 (80,8). Tchécoslovaquie [21] 66,9 (74,3). U.R.S.S. [23] 65 (73,6). Yougoslavie [20] 67,8 (73,7).

Océanie. Australie [21] 72,2 (79). N.-Zél. [21] 70,8 (77).

Nota. – (1) 1970-72. (2) 1975. (3) 1970-75. (4) 1978. (5) 1972-76. (6) 1979-80. (7) 1977. (8) 1976-78. (9) 1974-78. (10) 1968-73. (11) 1971-72. (12) 1965-67. (13) 1975-77. (14) 1979. (15) 1974. (16) 1980. (17) 1981. (18) 1979-81. (19) 1980-81. (20) 1982. (21) 1983. (22) 1984. (23) 1986.

Écart d'espérance de vie à la naissance entre les hommes et les femmes. Allemagne féd. : 6,8 [3] ; Angl. et Galles : 6 [2] ; Écosse : 6 [3] ; France : 8,2 [1] ; P.-Bas : 6,9 [2] ; Suède : 6,1 [2].

Nota. – (1) 1981. (2) 1982. (3) 1984.

Population (en millions) suivant les variantes. Variante moyenne, entre parenthèses élevée, et en italique faible. Monde : an 2000 : *6 123* (6 363) 5 895, **2025 :** *8 162* (9 171) 7 263, **2050 :** *9 513* (11 629) 7 687, **2075 :** *10 097* (13 355) 7 662, **2100 :** *10 185* (14 199) 7 524. **Pays développés (variante moyenne) : 1975 :** 1 095, **2000 :** 1 272, **2025 :** 1 382, **2050 :** 1 402, **2075 :** 1 419, **2100 :** 1 421. **Pays en développement (variante moyenne) : 1975 :** 2 981, **2000 :** 4 851, **2025 :** 6 779, **2050 :** 8 111, **2075 :** 8 677, **2100 :** 8 764.

Source : O.N.U. (évaluations 1982).

Nuptialité

Nombre de mariages annuels par rapport à 1 000 habitants (1989). Maurice 10,5. États-Unis 9,7[1]. Cuba 8,1. All. dém. 7,9. Portugal 7,9[1]. Tchécoslovaquie 7,5. Mexique 7,4[1]. Canada 7,3. N.-Zélande 7,1. Australie 7,1[1]. Israël 7. Pologne 6,8. Suisse 6,8. Yougoslavie 6,7. All. féd. 6,4. Hongrie 6,3. P.-Bas 6,1. Danemark 6. Grèce 6. Luxembourg 5,8. Japon 5,8. Belgique 5,8[2]. Autriche 5,6. Italie 5,4. Espagne 5,3[3]. Panamá 5,2. Norvège 5,2. Suède 5,2. Finlande 5,1. Irlande 5,1. *France 5.*

Nota : (1) 1988. (2) 1987. (3) 1986.

Mariage

Age légal dans le monde. Avec consentement des parents (en général ce consentement est inutile après la majorité légale).

Légende : 1er chiffre : âge légal pour les femmes ; 2e chiffre : pour les hommes.

Afrique du Sud 15-18. All. dém. 18-18. All. féd. 16-21. Argentine 14-16. Australie 16-18. Autriche 16-21. Belgique 15-18. Bolivie 12-14. Canada (Québec) 12-14. Canada (Ontario) 18-18. Chili 12-14. Colombie 12-14. Cuba 14-16. Danemark 15-18. Égypte 16-18. Espagne 12-14 (religieux 14-16). États-Unis 16-18 (sauf N. Hampshire 14-18 ; Missouri 15-15 ; N. York, Caroline du S., Texas, Utah 14-16 ; Colorado, Connecticut, Maine, Caroline du N., Pennsyl., Tennessee 16-16 ; Alabama 14-17 ; Mississippi 15-17 ; Washington 17-17 ; Dakota, Oklahoma 15-18 ; Kansas 18-18). Finlande 17-18. *France 15-18.* Grande-Bretagne 16-16. Grèce 14-18. Hong Kong 16-16. Hongrie 16-18. Irak 18-18. Irlande 12-14. Israël 16 (pas d'âge min. pour les hommes). Italie 15-16. Japon 16-18. Jordanie 17-18. Luxembourg 15-18. Maroc 15-15. Mexique 14-16. Monaco 15-18. Norvège 18-20. P.-Bas 16-18. Pérou 14-16. Pologne 18-21. Portugal 14-16. Roumanie 16-18. Suède 18-18. Suisse 18-20. Tunisie 17-20. Turquie 15-17. U.R.S.S. 18-18. Uruguay 12-14. Venezuela 12-14. Yougoslavie 18-18.

Age moyen. Les Irlandais se marient les plus vieux (hommes 31,4 ans, femmes 26,5), les Indiens les plus jeunes (hommes 20 ans, femmes 14,5 ans.).

Divorce dans le monde

Taux brut de divortialité (nombre de jugements de divorce définitifs prononcés par les tribunaux pour 1 000 hab.). *Source :* O.N.U.

Taux les plus élevés : Maldives 25,5 [8]. Bermudes 5,5 [8]. U.S.A. 5 [10]. Vierges (Iles) 4,5 [5]. Porto-Rico 4,4 [8]. Guam 3,2 [8]. **Taux les plus bas :** Chypre 0,4 [8]. Nicaragua 0,3 [7]. Honduras 0,2 [8]. Italie 0,2 [10]. Portugal 0,2 [7]. Guatemala 0,1 [6]. **Autres pays :** Albanie 0,7 [9]. Algérie 0,5 [4]. All. dém. 3 [10]. All. féd. 1,9 [9]. Australie 2,8 [8]. Autriche 1,8 [8]. Belgique 1,7 [10]. Berlin-E. 3,3 [1]. Berlin-O. 3 [3]. Bulgarie 1,6 [10]. Canada 2,8 [9]. Cuba 3 [10]. Danemark 2,9 [10]. Égypte 2 [8]. Finlande 2 [8]. Formose 0,4 [1]. *France 1,7 [7].* Grèce 0,6 [8]. Hongrie 2,7 [10]. Iran 0,9 [10]. Israël 1,2 [10]. Japon 1,4 [9]. Liban 0,6 [2]. Libye 1,8 [5]. Luxembourg 1,6 [10]. Mexique 0,3 [7]. Norvège 1,7 [9]. P.-Bas 2,3 [10]. Pologne 1,2 [10]. Roumanie 1,5 [9]. Roy.-Uni 2,8 [9]. Suède 2,4 [10]. Suisse 1,7 [8]. Tchéc. 2,3 [10]. Tunisie 1,1 [7]. Turquie 0,4 [7]. U.R.S.S. 3,4 [10]. Yougoslavie 0,9 [9].

Nota. – (1) 1967. (2) 1972. (3) 1974. (4) 1977. (5) 1978. (6) 1979. (7) 1980. (8) 1981. (9) 1982. (10) 1983. Il y a un divorce pour 10 mariages en France contre 3 pour 10 aux U.S.A.

Natalité

• **Nombre de naissances.** Env. 131 millions par an.

• **Indice de fécondité (enfants par femme) en 1984, et entre parenthèses, en 1985.** Irlande 2,54. U.R.S.S. 2,41. Pologne 2,37 (2,31). Yougoslavie 2,13 [3]. Tchéc. 2,07 (2,07). Roumanie 2 [1]. Bulgarie 1,99. N.-Zél. 1,94 [3]. Portugal 1,89 (1,61) [4]. Australie 1,88 (1,95). Grèce 1,82 (1,62) [4]. États-Unis 1,82. France 1,81 (1,82). Japon 1,77 [3]. G.-B. 1,76 [2] (1,78 [2]). All. dém. 1,74. Hongrie 1,73 (1,83). Espagne 1,73. Finlande 1,70 (1,65). Canada 1,69 (1,67). Norvège 1,66 (1,68). Suède 1,65 (1,73). Belgique 1,52 (1,49). Autriche 1,52 (1,46). Suisse 1,52 (1,51). Italie 1,50 (1,42). Pays-Bas 1,49 (1,50). Luxembourg 148 [1]. Danemark 1,40 (1,45). All. féd. 1,29 (1,27).

Nota. – (1) 1983. (2) Angleterre-Galles. (3) 1982. (4) 1986 (prov.).

Évolution de la population par continents en millions et en % de la pop. mondiale

Années	Afr.	%	Amér. S. et centrale	%	Amér. du N.	%	Asie	%	Europe et U.R.S.S.	%	Océanie	%	Total
- 35 000 [1]	—	—	—	—	—	—	—	—	—	—	—	—	0,6 à 4
- 5 000 [2]	—	—	—	—	—	—	—	—	—	—	—	—	6 à 60
- 400	17	10,4	5	3	1	0,6	102	62	36	22,2	1	0,6	162
+ 14	—	—	—	—	—	—	—	—	—	—	—	—	300
+ 200	30	11,7	9	3,5	1	0,3	161	62,8	55	21,4	1	0,3	256
600	24	11,6	12	5,8	2	0,9	135	65,5	32	15,5	1	0,4	206
1000	50	15	13	4	2		212	65	47	14	?		322
1340	—	—	—	—	—	—	—	—	—	—	—	—	450
1400 [3]	68	18,1	33	8,8	3	0,8	203	54,2	65	17,3	2	0,5	374
1650	100	21	1	0,2	7	1	257	55	103	22	2	0,4	470
1750	100	14	1	0,1	10	1	437	63	114	21	2	0,2	694
1850	100	9	26	2	33	3	656	60	274	25	2	0,1	1 091
1900	120	8	81	5	63	4	857	55	423	27	6	0,3	1 550
1950	198	8	168	6	163	6,5	1 376	55	576	23	13	0,5	2 494
1960	273	9	216	7,2	199	6,7	1 706	57	593	20	16,3	0,5	2 998
1970	352	9,7	283	7,9	226	6,3	2 027	58	702	17,8	19,3	0,5	3 609
1980	449	12,1	383	9	256	6	2 532	58	687	16	23,6	0,5	4 330
1983	513	11	390	8,3	259	5,5	2 730	58,4	761	16,3	24	0,5	4 677
1989	678,5	12,1	435,4	7,8	274,9	5	3 331,5	59,6	784,3	14	26	0,4	5 584
2000	768	12,5	568	9	422	7	3 560	58	778	12,5	33,4	0,5	6 129 [4]
2100								55,3 [5]					10 000

Nota. – (1) Éclosion des techniques. (2) Adoption de l'agriculture, élevage, vie sédentaire en agriculture. (3) Peste noire, guerre de Cent Ans. (4) soit 1 441 pour les nations développées et 4 688 pour celles en voie de développement. Hypothèse forte 6 814 (soit 1 574 et 5 240) ; faible 5 449 (soit 1 293 et 4 156). Avant un siècle, il y aurait 30 milliards d'hommes si la progression continuait. (5) En 2025.

• **Taux de natalité pour 1 000 hab. (1989).** *Source :* O.N.U. Mexique 31,5 [1]. Tunisie 27,5 [1]. Panamá 24,4. Israël 22,3. Maurice 20,4. Singapour 17,8. Cuba 17,6. N.-Zélande 17,5. États-Unis 15,9 [1]. Australie 14,9. Pologne 14,9. Irlande 14,7. Canada 14,5 [1]. Yougoslavie 14,2. Norvège 14. *France 13,6.* G.-B. 13,6. Suède 13,6. Hong Kong 13,3 [1]. Tchécoslovaquie 13,3. Finlande 12,8. Pays-Bas 12,7. Luxembourg 12,3. Suisse 12,2. All. dém. 12. Belgique 11,9 [2]. Portugal 11,9. Hongrie 11,7. Autriche 11,5. Danemark 11,5. Espagne 11,2 [3]. All. féd. 11. Grèce 10,1. Japon 10,1. Italie 9,7.

Nota. – (1) 1988. (2) 1987. (3) 1986.

Dénatalité en Europe. Depuis 1980, le remplacement des générations n'est plus assuré et la population vieillit sauf en Irlande et en Grèce. En All. féd., le nombre de naissances atteint à peine 1,5 tandis que le remplacement des générations en exigerait 2,1. Causes : travail des femmes, maîtrise de la fécondité, diminution du nombre des mariages, augmentation du nombre des divorces, baisse de la mortalité.

• **Naissances illégitimes pour 100 naissances vivantes en 1988.** Danemark 44,7. Suède 44,6 [1]. *France 26,3.* G.-B. 25,1. Autriche 21,5 [1]. Portugal 13,8. Luxembourg 12,1. Irlande 11,7. P.-B. 10,2. All. 10. Espagne 8. Belgique 7,9. Italie 5,8. Suisse 5,7 [1]. Grèce 2,1.

Nota. – (1) 1984.

• **Rapport des sexes.** Il naît environ 105 garçons pour 100 filles. Ce rapport s'éleva à la fin et au lendemain des guerres en faveur des garçons.

Pics des naissances de garçons pour 100 naissances de filles après les deux guerres mondiales : Allemagne 108 et 108, Angleterre 106,5 et 106, *France 106,6 et 106,4,* Italie 106,5 et 106,2.

Mortalité

• **Taux de mortalité pour 1 000 hab (1989).** Hongrie 13,7. All. dém. 12,4. Danemark 11,6. Tchécoslovaquie 11,6. G.-B. 11,5. All. Féd. 11,2. Autriche 10,9. Suède 10,8. Belgique 10,7 [2]. Norvège 10,6. Luxembourg 10,5. Pologne 10,1. Finlande 9,9. Portugal 9,5 [1]. Grèce 9,3. Suisse 9,2. Italie 9,1. Yougoslavie 9,1. *France 9.* États-Unis 8,8 [1]. Irlande 8,8. Pays-Bas 8,7. N.-Zélande 8,2. Espagne 7,9 [2]. Malte 7,4. Australie 7,3. Canada 7,3. Maurice 6,7. Cuba 6,4. Japon 6,4. Israël 6,3. Mexique 5,2. Singapour 5,2. Hong Kong 4,9.

Nota. – (1) 1988. (2) 1986.

Surmortalité

• **Masculine.** Elle était en France de 1,5 an en 1861-65 et de 8,2 ans en 1981 (4 à 5 ans dans les autres pays industrialisés). Elle a légèrement reculé en 1976-77. **Féminine.** Les *veuves* sont ainsi plus nombreuses que les veufs (en France, en 1968, 1 veuf pour 4,6 veuves). Avec 2 ans (en moyenne) de moins que son mari, la femme avait, en 1967, 9 ans de plus que lui d'espérance de vie au moment du mariage (en 1900, elle avait 4 ans de moins que lui). Dans de nombreux pays du tiers monde, la mortalité féminine de 15 à 35 ans reste légèrement supérieure à celle des hommes.

☞ Pour toutes les maladies communes aux deux sexes, la mortalité est plus forte chez l'homme. Certains attribuent ce fait à une moindre résistance organique de l'homme, aggravée par des facteurs externes (alcoolisme, surconsommation alimentaire, cigarettes, accidents).

• **Taux de mortalité infantile.** Nombre d'enfants de moins de 1 an décédés dans l'année par rapport à 1 000 naissances vivantes en 1984 et, entre parenthèses, en 1985. Yougoslavie 28,9. U.R.S.S. 25,4 [2]. Roumanie 23,9 [1]. Hongrie 20,4 (20,4). Pologne 19,2. Portugal 16,7. Bulgarie 16,1. Tchéc. 15,1 (14). Grèce 14,3. N.-Zél. 12,5 [1]. Luxembourg 11,7. Autriche 11,4 (11). Italie 11,1. Belgique 10,7 (9,4). U.S.A. 10,6 (10,5). Espagne 10,5 [1]. All. dém. 10. Irlande 9,8. All. féd. 9,6 (8,9). G.-B. 9,6 (9,4). Australie 9,2 (9,9). *France 8,3 (8,3).* Norvège 8,3. P.-Bas 8,3 (8). Canada 8,1 (7,9). Danemark 7,7. Suisse 7,1. Finlande 6,5. Suède 6,4.

Nota. – (1) 1983. (2) 1986.

Définitions. *Mortalité infantile rectifiée :* mortalité de la 1re année, y compris les faux mort-nés ; *intra-utérine :* m. dans l'utérus, quelle que soit la durée de gestation ; *mortinatalité :* m. dans l'utérus de fœtus de + de 6 mois ; *m. fœto-infantile :* décès de la 1re année + vrais mort-nés ; *néonatale :* décès des 28 premiers jours ou du 1er mois, selon les pays ; *post-néonatale :* décès de 1 à 11 mois ; *périnatale :* mortinatalité + décès de la 1re semaine. La **létalité** est le nombre de décès dus à une maladie donnée, par rapport à 100 cas de cette maladie.

• **Décès maternels pour 100 000 naissances vivantes** (1982). Finlande 1,6 [3]. Norvège 2 [4]. Danemark 3,8 [4]. Suède 4,3 [4]. P.-Bas 6,4. Suisse 6,8 [4], R.-U. [4] (dont Écosse 18,8, Angleterre et Galles 9, Irl. du Nord 3,7), Grèce 11,4 [4]. Espagne 11,5 [2]. Pologne 11,7 [3]. Tchécoslovaquie 12,9 [2]. *France 15,5* [4]. Autriche 17. Portugal 30,6 [2]. Malte 68,2 [4]. Ile de Man 131,9 [2]. Roumanie 139,9 [3].

Nota. – (1) 1978. (2) 1979. (3) 1980. (4) 1981. Au *XVIIIe s.*, il y avait environ 2 000 décès maternels pour 100 000 naissances vivantes ; en *1945 :* 80 à 200 ; en *1974 :* 12 à 70 selon les pays.

Pays les plus étendus

Superficie en km², % de la surface mondiale des terres émergées (entre parenthèses) et % de la population mondiale en 1989 (en italique). *Source :* O.N.U.

Pays	km²	(%)	*% pop.*	Pays	km²	(%)	*% pop.*
U.R.S.S.	22 402 200	(16,5)	*5,7*	Iran	1 648 000	(1,2)	*1*
Canada	9 976 139	(7,3)	*0,5*	Mongolie	1 565 000	(1,1)	*0,04*
Chine	9 596 961	(7)	*22*	Pérou	1 285 216	(0,9)	*0,4*
U.S.A.	9 372 614	(6,9)	*5*	Tchad	1 284 000	(0,9)	*0,1*
Brésil	8 511 965	(6,3)	*3*	Niger	1 267 000	(0,9)	*0,1*
Australie	7 686 848	(5,6)	*0,3*	Angola	1 246 700	(0,9)	*0,2*
Inde	3 287 590	(2,4)	*17*	Mali	1 240 000	(0,9)	*0,1*
Argentine	2 766 889	(2)	*0,6*	Éthiopie	1 221 900	(0,9)	*0,9*
Soudan	2 505 813	(1,8)	*0,5*	Afr. du S.	1 221 037	(0,8)	*0,7*
Algérie	2 381 741	(1,7)	*0,5*	Colombie	1 138 914	(0,8)	*0,6*
Zaïre	2 345 409	(1,7)	*0,7*	Bolivie	1 098 581	(0,8)	*0,1*
Groenland	2 149 690	(1,6)	*0,001*	Mauritanie	1 030 700	(0,7)	*0,04*
Arabie S.	2 175 600	(1,6)	*0,3*	Égypte	1 001 449	(0,7)	*1*
Mexique	1 972 547	(1,5)	*1,7*	*France*	*547 026*	*(0,4)*	*1,1*
Indonésie	1 904 569	(1,1)	*3,6*	Allemagne (réunifiée)	357 048	(0,2)	*1,5*
Libye	1 759 540	(1,3)	*0,08*				

☞ En 1990, sur 160 pays membres de l'O.N.U., 20 pays avaient + de 50 millions d'habitants, 20 avaient – de 10 millions d'ha.

Population des villes

Urbanisation

Population urbaine par rapport à la pop. totale. Ordre de grandeur ; en % et, entre parenthèses, année de référence. La définition de la zone urbaine varie (voir Nota). *Source :* O.N.U.

Afrique. Algérie 52 [2] (74). Tunisie 49,8 [2] (75). Afrique du Sud 47,9 [1] (72). Sahara occ. 45,1 (74). Égypte 44,3 [3] (81). Maurice (Ile) 42,5 (82). Maroc 42,1 [7] (80). Libye [5] 31,6. Malawi 8,5 [14] (77). Ouganda 7,1 [7] (72). Burkina Faso 6,4 [19] (75). Rwanda 4,6 [3] (78).

Amérique du Nord. Canada 75,7 [8] (81). U.S.A. 73,7 [9] (80). Cuba 69,7 [4] (82). Mexique 66 [9] (79).

Amérique du Sud. Chili 82,6 [10] (83). Venezuela 76,4 [8] (81). Brésil 68,3 [10] (82). Pérou 66,2 [12] (83). Colombie 54,3 [11] (75).

Asie. Israël 86,8 [4] (82). Japon 76,2 [18] (80). Irak 68 [13] (79). Iran 52 [13] (82). Syrie 47 [14] (82). Turquie 44,7 [14] (82). Pakistan 29,1 [13] (83). Inde 23,3 [13] (81). Indonésie 22,4 [14] (80). Thaïlande 17 [14] (80).

Europe. Belgique 94,6 [16] (76). Espagne 91,4 [18] (81). Islande 88,7 [17] (82). P.-Bas 88,4 [4] (81). Suède 82,7 [17] (75). Danemark 82,6 [17] (76). Luxembourg 77,8 [4] (79). G.-B. 77,7 [16] (73). All. dém. 76,6 [4] (83). Saint-Marin 74,4 (76). *France 73,4* [4] *(82).* Norvège 70,2 [16] (80). Tchéc. 66,7 [6] (74). Grèce 64,8 [4] (71). Bulgarie 64,6 [16] (83). U.R.S.S. 64,1 [16] (82). Finlande 59,9 [16] (81). Pologne 59,3 [16] (82). Irlande 55,6 [16] (81). Suisse 54,6 [18] (70). Hongrie 54,3 [16] (82). Roumanie 48,5 [16] (82). Youg. 38,6 [18] (71). Portugal 29,7 [16] (81).

Océanie. Austr. 86,0 [8] (76). N.-Zél. 83,0 [16] (76).

Nota. – (1) Loc. de + de 500 h. (2) Uniquement centres urbains. (3) Chefs-lieux adm. (4) Loc. de + 2 000 h. (5) Tripoli, Benghazi, Beida, Derna. (6) Loc. de + 5 000 h. (7) 184 centres urbains. (8) Loc. de + 1 000 h. (9) Loc. de + 2 500 h. (10) Chefs-lieux adm. (11) Loc. de + 1 500 h. (12) Centres de peuplement de + 100 logements. (13) Loc. adm. et villes de + 5 000 h. (14) Loc. adm. et zones urbanisées. (15) Loc. adm. et villes de + 50 000 h. (16) Villes, agglom. et communes urbaines. (17) Loc. de + 200 h. (18) Loc. de + 10 000 h. et banlieue. (19) 5 villes.

Proportion, en %, de la population vivant dans les régions urbaines

Depuis 100 ans, alors que doublait la population du monde, celle des villes a parfois décuplé.

Régions	1950	1970	1990	2000
Monde	29,4	37	43,6	48,2
Pays développés	53,6	66,4	74,2	77,7
Pays en développement	17,4	25,3	34,4	40,4
Afrique	14,8	22,9	35,5	42,2
Amérique latine	41,1	57,4	72,1	76,9
Amérique du Nord	63,9	73,8	75,2	78
Asie de l'Est	17,8	26,3	30,2	34,2
Asie du Sud	16,1	21,2	30,4	36,8
Europe	55,9	66,2	75,4	78,9
Océanie	61,2	70,8	71,9	73,1
U.R.S.S.	38,3	56,7	69,2	74,3

Source : estimations et projections démographiques de l'O.N.U., évaluées en 1982.

Les plus grandes villes

Villes	1800	1900	1940	1983
Londres	959 000	4 536 000	8 700 000	6 754 500
Tōkyō	800 000	1 440 000	6 779 000	8 361 054
Pékin	700 000	1 000 000	1 556 000	9 230 687 [8]
Istanbul	600 000	1 106 000	741 000	2 854 689 [7]
Paris	547 000	2 714 000	2 725 000	2 176 243 [1-8]
Naples	437 000	564 000	920 000	1 209 086
Moscou	250 000	1 039 000	4 137 000	8 546 000
Amsterdam .	201 000	511 000	794 000	994 062 [9]
Madrid	160 000	540 000	1 048 000	3 188 297 [7]
Rome	153 000	463 000	1 280 000	2 834 094
Varsovie ...	100 000	638 000	1 261 000	1 649 100 [9]
New York ..	79 000	3 437 000	7 455 000	7 086 096 [2-8]
Rio de Jan. .	43 000	811 000	1 711 000	5 093 232 [3-7]
Buenos Aires	40 000	821 000	2 389 000	2 908 000 [4-7]
Athènes	12 000	123 000	487 000	885 737 [5-7]
Stockholm ..	6 000	301 000	557 000	650 952 [6]

Antiquité. Rome 1 335 000. Alexandrie 216 000. Byzance 190 000 à 375 000. **Au XIVe s.** Paris 200 000. **XVIe s.** Paris 350 000. Londres 35 000. **Vers 1700.** Londres 700 000. Paris 500 000.

Nota. – (1) Ag. 8 612 000 (75). (2) Ag. 9 080 777. (3) Ag. 9 018 637. (4) Ag. 9 677 200. (5) Ag. 2 282 633 avec Le Pirée (71). (6) 1 387 000. (7) 1981. (8) 1982. (9) 1984.

Les plus grandes agglomérations

En millions d'habitants.

Source : O.N.U. **En 1900 :** Londres 6,5. New York 4,2. Paris 3,9. Berlin 2,4. Chicago 1,7. Vienne 1,6. Tōkyō 1,8. Saint-Pétersbourg 1,4. Philadelphie 1,4. Manchester 1,2. Birmingham 1,2. Moscou 1,2. Pékin 1,1. Calcutta 1. Boston 1. Glasgow 1. Liverpool 1,0. Osaka 0,9. Constantinople 0,9. Hambourg 0,9. **1950 :** New York 12,3. Londres 10,4. Rhin-Ruhr 6,9. Tōkyō 6,7. Shanghai 5,8. Paris 5,5. Buenos Aires 5,3. Chicago 4,9. Moscou 4,8. Calcutta 4,4. Los Angeles 4. Osaka-Kobe 3,8. Milan 3,6. Mexico 3. Philadelphie 2,9. Rio de Janeiro 2,9. Bombay 2,9. Detroit 2,8. Naples 2,8. Leningrad 2,6. **1975 :** New York 19,8. Tōkyō 17,7. Mexico 11,9. Shanghai 11,6. Los Angeles 10,8. São Paulo 10,7. Londres 10,4. Buenos Aires 9,3. Rhin-Ruhr 9,3. Paris 9,2. Rio de Janeiro 8,9. Pékin 8,7. Osaka-Kobe 8,6. Chicago 8,1. Calcutta 7,8. Moscou 7,4. Bombay 7. Séoul 6,8. Le Caire 6,4. Milan 6,1. **1990 :** Tōkyō 23,4. Mexico 22,9. New York 21,8. São Paulo 19,9. Shanghai 17,7. Pékin 15,3. Rio de Janeiro 14,7. Los Angeles 13,3. Bombay 12. Calcutta 11,9. Séoul 11,8. Buenos Aires 11,4. Djakarta 11,4. Paris 10,9. Osaka-Kobe 10,7. Le Caire 10. Londres 10. Rhin-Ruhr 9,3. Bogota 8,9. Chicago 8,9. **2000 :** Mexico 31. São Paulo 25,8. Tōkyō 24,2. New York 22,8. Shanghai 22,7. Pékin 19,9. Rio de Janeiro 19. Calcutta 17,7. Bombay 17,1. Djakarta 16,6. Séoul 14,2. Los Angeles 14,2. Le Caire 13,1. Madras 12,9. Manille 12,3. Buenos Aires 12,1. Bangkok 11,9. Karachi 11,8. Delhi 11,7. Bogotá 11,7.

Étrangers, émigration

Nombre d'étrangers (en milliers). **Allemagne** (1988) 4 489,1 (7,3 % de la pop. tot.) dont Turquie 1 523,7, Youg. 579,1, Italie 508,7, Grèce 274,8, Autriche 155,1, Espagne 126,4, Portugal 71,1, Maroc 52,1, Tunisie 21,6, Finlande 9, Algérie 5,1, autres pays 1 162,4. **Belgique** (1988) 868,8 (8,8 % de la pop. tot.) dont Italie 241, Maroc 135,5, Turquie 75,5,

Espagne 52,5, Grèce 20,6, Portugal 13,5, Tunisie 6,2, Youg. 5,4, autres pays 304. **Danemark** 128. **Espagne** 33. **France** (1985) 3 752,2 (6,8 % de la pop. tot.) dont Algérie 820,9, Portugal 751,3, Maroc 516,4, Italie 277,1, Espagne 267,9, Tunisie 202,6, Turquie 146,1, autres pays 769,9. **Italie** 527. **Luxembourg** 96. **Norvège** (1988) 135,9 (3,2 % de la pop. tot.) dont Turquie 4,9, Finlande 3,6, Youg. 3, Maroc 1,9, Espagne 0,9, Italie 0,8, Autriche 0,5, Portugal 0,4, Grèce 0,3, autres pays 119,6. **Pays-Bas** (1988) 623,7 (4,2 % de la pop. tot.) dont Turquie 176,5, Maroc 139,2, Espagne 17,4, Italie 16, Youg. 12,1, Portugal 8, Grèce 4,3, Autriche 3, Tunisie 2,7, Algérie 0,7, autres pays 243,8. **Portugal** 90. **Royaume-Uni** 1 736. **Suède** (1988) 421 (5 % de la pop. tot.) dont Finlande 127,9, Youg. 38,9, Turquie 23, Grèce 7,1, Italie 3,9, Autriche 2,8, Espagne 2,8, Portugal 1,5, Maroc 1,1, autres pays 212. **Suisse** (1988) 1 006,5 (15,3 % de la pop. tot.) dont Italie 382,3, Espagne 114, Youg. 100,7, Portugal 57,6, Turquie 56,8, Autriche 28,6, Grèce 8,4, Tunisie 2,5, Algérie 2, Maroc 1,8, Finlande 1,5, autres pays 250,3.

☞ **% des étrangers de la CEE par rapport au total des étrangers.** Allemagne 30. Belgique 63. Danemark 20. Espagne 58. *France 43.* Italie 48. Luxembourg 92. Pays-Bas 28. Portugal 27. Royaume-Uni 43.

Résidents du Maghreb (1988, en milliers). Allemagne 79. Belgique 152. Espagne 12. *France* 1 540 (dont Algérie 821, Maroc 516, Tunisie 208). Italie n.c. (Maroc 15, Tunisie 24). Pays-Bas 148. Suisse 6.

Travailleurs étrangers (en milliers). Allemagne 1 911 [1]. Autriche 151 [1]. Belgique 412 [2]. *France 1 557 [1].* Luxembourg 53 [3]. Pays-Bas 176 [1]. Suisse 608 [1]. Suède 221 [2].

Nota.- (1) 1988, (2) 1987, (3) 1984.

Demandes d'asile (1989). Allemagne 121 318. Autriche 18 300. Belgique 8 115. Danemark 4 600. *France 61 200.* Norvège 4 400. Pays-Bas 14 000. Suède 32 000. Suisse 24 500.

Nombre de réfugiés (1987). Australie 12 255. Canada 21 565. U.S.A. 96 474.

Naturalisations (1988). Allemagne 37 810. Australie 116 468. Autriche 8 233. Belgique 1 705. Canada 58 810. Espagne 8 137. États-Unis 242 063. *France 54 299.* Luxembourg 700. Norvège 3 364. Pays-Bas 9 110. Royaume-Uni 64 584. Suède 17 966. Suisse 11 356.

Mouvements migratoires (1990). 226 521 (non compris les évacués du Golfe) dont *réfugiés :* 215 553 (dont Asie du S.-E. 123 739, Europe 70 445, Amér. latine 10 737, Moyen-Orient et Afrique 6 587, Proche-Orient 3 813, autres régions 222) et *migration de nationaux :* 10 968 (dont travailleurs migrants 6 130, migration pour le développement 4 838).

• **Entrées de migrants légaux** (moyenne annuelle en milliers et, entre parenthèses, en % de la pop. totale). **Pays européens. Allemagne.** *1970-75 :* 746 (1,2). *1976-80 :* 445 (0,7). *1981-84 :* 320 (0,5). *1985-87 :* 373 (0,6). **Belgique.** *1970-75 :* 58 (0,6). *1976-80 :* 48 (0,5). *1981-84 :* 37 (0,4). *1985-87 :* 40 (0,07). **France.** *1970-75 :* 177 (0,3). *1976-80 :* 67 (0,1). *1981-84 :* 84 (0,1). *1985-87 :* 40 (0,07). **Pays-Bas.** *1970-75 :* 49 (0,4). *1976-80 :* 61 (0,4). *1981-84 :* 41 (0,3). *1985-87 :* 53 (0,4). **Suède.** *1970-75 :* 39 (0,5). *1976-80 :* 35 (0,4). *1981-84 :* 25 (0,3). *1985-87 :* 75 (1,2). **Suisse.** *1970-75 :* 82 (1,3). *1976-80 :* 62 (1). *1981-84 :* 76 (1,2). *1985-87 :* 75 (1,1).

Pays non-européens. Australie. *1970-75 :* 133 (1). *1976-80 :* 69 (0,5). *1981-84 :* 98 (0,6). *1985-87 :* 95 (0,6). **Canada.** *1970-75 :* 164 (0,7). *1976-80 :* 121 (0,5). *1981-84 :* 107 (0,4). *1985-87 :* 112 (0,4). **États-Unis.** *1970-75 :* 385 (0,2). *1976-80 :* 511 (0,2). *1981-84 :* 574 (0,2). *1985-87 :* 591 (0,2).

Mouvements de rapatriement. Du 3-9 au 31-12-1990, 155 974 étrangers résidant en Irak et au Koweït sont rentrés dans leur pays grâce au pont aérien coordonné par l'OIM dont 48 050 Sri Lankais, 43 825 Bangladeshis, 29 545 Indiens, 15 791 Philippins, 4 846 Pakistanais, 8 701 Vietnamiens, 4 719 Soudanais, 301 Égyptiens et 916 divers.

Indice de fécondité en 1986 (nombre moyen d'enfants par femme). Allemagne : Nationaux 1,25, Étrangers 1,67. Australie : N 1,89, É. 2,04. Autriche : N 1,41, É 2,56. Belgique : 1,48, É 1,82. Canada N 1,57, É 1,93. *France :* N 1,75, É 3,05. G.-B. : N 1,7, É 2,4. Luxembourg : N 1,44, É 1,45. Pays-Bas : N 1,48, É 2,43. Suède : N 1,76, É 2,24. Suisse : N 1,52, É 1,58.

Migrations transocéaniques, 1821-1932

Nombre d'émigrants (en milliers) de 1846 à 1932. Iles Britanniques 18 020 (64 %) [dont Irlande 5 443 (66)], Italie 11 092 (48), Autriche-Hongrie 5 196 (17), Allemagne 4 889 (15), Espagne 4 653 (31), Russie (1846-1924) 2 253 (4), Portugal 1 805 (48), Suède 1 203 (36), Norvège 854 (63), Pologne (1920-32) 642 (2,4), *France 519 (1,5),* Japon 518 (1,6).

Nombre d'immigrants (en milliers) jusqu'en 1932. *U.S.A. 1821* 34 244 (320 %), *Argentine 1856* 6 405 (500), *Canada 1821* 5 206 (550), *Brésil 1821* 4 431 (110), *Australie 1861* 2 913 (290), *Cuba 1901* 857 (54), *Afr. du S. 1881* 852 (24), *Uruguay 1836* 713 (800), *N.-Zél. 1851* 594 (475), *Maurice 1836* 573 (433).

Sources : calculé d'après Ferenczi-Willcox (1929), Carr-Saunders (1936) et les recensements nat. de pop.

Catastrophes

☞ **Typhons** : voir index.

Nombre de morts

Avalanches

Allemagne. *1965 (15-5)* Garmisch : 100. **Autriche.** *1916 (13-12)* Tyrol : + de 10 000 ; *1954 (12-1)* Blons : 380. **États-Unis.** *1910 (1-3)* Wellington : 118. **France.** *1892 (11/12-7)* St-Gervais (Hte-Sav.) : 200 ; *1970 (10-2)* Val-d'Isère (Sav.) : 42 ; *1970 (16-4)* Plateau d'Assy (Hte-Savoie), glissement terrain : 79. **Italie.** *1618 (4-9)* Plurs : 1 500. **Pérou.** *1941 :* 4 000 ; *1962 (10-1) :* 3 000 à 4 000. **Suisse.** *1689* Saas GR : 300 ; *1951 (24-2) :* 300 ; *1965 (30-8)* Mattmark : 88 ; *1970 (24-2)* Rechingen VS : 29 ; *1978 (12-3)* Les Diablerets : 20 ?

Catastrophes minières

Afrique du Sud. *1910* Pretoria : 344 ; *1960 (21-11)* Coalbrook : 417. **Allemagne.** *1908* Radbod : 360 ; *1946* Grimberg : 439. **All. dém.** *1960 (22-2)* Zwickau : 123. **All. féd.** *1960* Lisienthal : 184 ; *1962 (7-2)* Voelklingen (Sarre) : 298. **Australie.** *1936* Wonachaggi : 208. **Belgique.** *1956 (8-8)* Marcinelle : 263. **Chine.** *1935* Lun-Chou : 600 ; *1942 (26-4)* Honkeito : 1 549. **États-Unis.** *1907 (6-12)* Monongah (Virg. occ.) : 361 ; *19-12* Darr : 239 ; *1909 (13-11)* Cherry : 259 ; *1947 (25-3)* Centralia (Illinois) : 111 ; *1951 (21-12)* West Frankfurt : 119 ; *1976 (9/11-3)* Oven Fork : 26 ; *1981 (15-4)* Redstone : 15 ; *1984 (19-12)* Hutington (Utah) : 27. **France.** *Courrières (1906-10-3) :* 1 060 ; *Forbach (1958-21-11) :* 11 ; *Liévin (1974-27-12) :* 42 ; *Merlebach (1959-29-5) :* 26 ; *(1976-30-9) :* 16 ; *Roche-la-Molière (1928-30-06) :* 48 ; *Forbach (1985-25-2) :* 22 (103 blessés). **Inde.** *1958* Chinakuri : 182 ; *1965 (28-5)* Dhanbad : 267 ; *1975* Dhanbad : 350. **Japon.** *1963 (9-11)* Ohmuta : 452 ; *1965 (1-6)* Yamano : 237. **Mexique.** *1969* Barroteran : 156. **Mozambique.** *1976 (18-9)* Tete : 140. **Népal.** *1976 (7-6) :* + de 150. **Rhodésie.** *1972 (6-6)* Wankie : 457. **Royaume-Uni.** *1910* Whitehaven : 136 ; *1913 (14-10)* Senghenydd : 439 ; *1934* Wexham : 264 ; *1966 (21-10)* Aberfan (Galles) : 144 dont 116 enfants (glissement d'un crassier). **Taiwan.** *1984 (5-12)* Taipei : 94. **Tchécosl.** *1961 (9-7)* Dukla : 108. **Yougoslavie.** *1965 (7-6)* Kakanj : 127.

Chaleur

Angleterre (Grand Londres) *1976 (26-6 au 2-7) :* 400. **États-Unis.** *1936 :* 4 678. *1966 (4-7) :* 1 300. **France.** *1983 (fin juill.) :* 300. **Grèce.** *1987 (juill.) :* 1 280.

Éboulements

Brésil. *1966 (17-3)* Rio : 550. **Chine.** *1983 (9-3)* Dongxiang : 270. **Corée.** *1972 (8) :* 410. **Colombie.** *1974 (28-6) :* 200. *1987 (27-9) :* 400. **États-Unis.** *1938 (2-3)* Los Angeles : + de 200. **France.** *1987 (14-7)* Grand Bornand : 23 (15 disparus). **Hong Kong.** *1972 (18-6) :* 100. **Italie.** *1618 (4-9)* Chiavenna : 2 420. **Pérou.** *1971 (18-3) :* 240 ; *1974 (4)* à 200 km de Lima : 1 000 ; *1970 (31-5)* Yungay : 20 000. **Puerto Rico.** *1985 (7-10)* Mameyes : 129. **Suisse.** *1806 (2-9)* Rossberg (15 millions de m³, 3 villages ensevelis) : 1 000. *1881 (11-9)* Elm (nappe 1 400 m sur 500 m et 20 m d'épaisseur). **Turquie.** *1980 (28-3) :* 60. **Venezuela.** *1973 (30-8)* Caracas : 100. *1987 (sept.) :* 400.

Épidémies

Choléra : France *1832-37 :* 100 000 [dont Paris (févr.-août 1832) 18 402] ; *1853-54 :* 143 000.

Grippe espagnole : 25 000 000 (avr.-nov. 1918) dont des centaines de mille en France.

Maladie du sommeil : Ouganda 200 000 (1901-05).

Malaria : en Russie, des millions (1923).

Oreillons : Fidji 40 000 (1875).

Peste noire (Europe occidentale) : 25 000 000 (1347-51). **Grande Peste** de Londres (1664-65) 75 000 ; de Vienne (1679) 76 000 ; de Prague 83 000 ; de Marseille (1720) 50 000 ; Canton (1894) 100 000 ; Indes (de 1896 à 1917) 9 841 396 dont 1 315 000 en 1907 ; Mongolie (1910-11) 60 000.

Typhus : France 85 000 (1628, Lyon, Limoges), Pologne, Russie 3 000 000 (1914-15).

Empoisonnements

Italie. *1976 (10-7)* **Seveso :** vapeurs toxiques (dioxines) de l'usine ICMESA (filiale de la firme suisse Givaudan). 36 000 h. vivaient dans la zone potentiellement contaminée (1 800 ha), 736 furent évacués. La dioxine (qui disparaîtra définitivement vers 2040) a peut-être provoqué davantage de cancers du foie et davantage de naissances d'enfants malformés. *Contamination :* Givaudan a versé 338 millions de F aux victimes et a dû financer les travaux de décontamination. 5 personnes de la direction condamnées de 2 ans et demi à 5 ans de prison. Le responsable de la production d'ICMESA avait été assassiné le 5-2-1980 par des terroristes de « Prima Linea ».

Inde. *1984 (3-12)* **Bhopal :** fuite d'isocyanate de méthyle dans une usine de pesticide. Plus de 3 000 morts et 100 000 blessés.

☞ Gaz de combat, voir Index.

Explosions

Afghanistan. *1982 (2-11) Salang,* tunnel : 1 000 à 3 000. **Algérie.** *1964 Bône,* bat. de munitions égypt. Star of Alexandria : 100. **Allemagne.** *1921 (21-9) Oppau,* 4 000 t de salpêtre + usine à gaz : 1 000 ; *1948 (28-7) Ludwigshafen,* usine : 184. **Brésil.** *1984 (25-2)* Oléoduc : 508. **Canada.** *1917 (6-12) Halifax,* cargo fr. Mont-Blanc chargé de munitions : 1 600. **Colombie.** *1956 (7-8)* camion mun. : 1 100. **Corée du Sud.** *1977 (11-11) Iri,* train de marchandises : 57. **Cuba.** *1960 (4-3) La Havane,* bat. mun. fr., *La Coubre :* 100. **Espagne.** *1947 (18-8) Cadix,* usine de torpilles : 300 ; *1978 (11-7)* camping de *Los Alfaques,* camion de carburant : + de 200 ; *1980 (23-10) Ortuella,* école : 51. **États-Unis.** *1937 (18-3) New London,* école : 413 ; *1944 (17-7) Port Chicago,* 2 bat. mun. : 322 ; *1947 (16-4) Texas City,* bat. fr. *Le Grandcamp,* chargé de nitrate expl. entraînant l'explosion d'une usine de produits chimiques et du *High Flyer* aussi chargé de nitrate : 575 ; *1963 (31-10) Indianapolis :* 64 ; *1965 (9-4) Searcy,* dans le silo d'un missile Titan-II : 53 ; *1967 (29-7)* sur le porte-avions *Forrestal :* 134 ; *1973 (10-2) New York,* réservoir de gaz liquéfié : 43 ; *1977 (22-12) Westwego,* aspirateur à céréales : 35 ; *1985 (25-6) Hallett,* fabrique de feux d'artifice : 21. **Finlande.** *1976 (13-4) Lapua,* usine de mun. : 45. **France.** *Argenteuil* (Val-d'Oise) *(1971-21-12),* gaz : 17 (44 blessés) ; *Auch* (Gers) *(1971-4-1) :* 14 ; *Colmar (1822-26-7),* poudrière : 12 ; *Essonne (1820-16-10),* poudrière : 0 ; *Lagoubran* (près de Lyon) *(1899-5-3)* n.c. ; *Le Havre-Graville (1915-11-12),* usine belge d'obus ; *Le Mans (1955-11-6),* voiture : 82 ; *Paris* (rue Raynouard) *(1978-17-2),* conduite de gaz : 12 ; *St-Amand-les-Eaux* (Nord) *(1973-1-2),* camion : 9. **Grèce.** *1856 Rhodes,* poudrière dans une église : 4 000. **Mexique.** *1984 (19-11) Mexico,* réservoirs de gaz : 452 (4 248 blessés, 31 000 sans-abri). **Inde.** *1944 (14-4) Bombay,* bateau Fort Stibène (munitions) : 800 à 900. *1975 (27-12) Chasnala,* mine : 431. **Iran.** *1980 (19-8) Gatchsaran,* dépôt de matériels : 100. **Italie.** *1769 Brescia,* poudrière dans une église, foudre : 3 000 ; *1945 (9-4) Bari,* Liberty Ship, munitions : 360 ; *1979 (13-11) Parme,* hôpital : 20 à 25. *1982 (25-4) Todi,* exposition d'antiquités : 13. **Royaume-Uni.** *1974 (2-6) Flixborough,* usine chimique Nypro : 28 (100 blessés). **U.R.S.S.** *1984 (déc.) Tbilissi,* explosion de gaz dans la cave d'un immeuble : env. 100.

Famines

(Nombre des morts indiqué en millions.) **Chine** (Nord) *1333-37 :* 4 ; *1877-78 :* 9,5 ; *1892-94 :* 1 ; *1928-29 :* 3. **France** *1693 :* des millions ; *1769 :* 5 % de la pop. **Inde** *1769-70 :* 3 à 10 ; *1869-70* et *1873* (ensemble) : 73,5 % ; *1876-78 :* 3,5 à Madras ; *1891-97 :* 5 ; *1899-1900 :* 1,25 à 3,25 ; *1943-44 :* 1,5. **Irlande** *1846-51 :* 1. **Nigeria** (Biafra) *1967-69 :* 1. **Sahel** *1965-70 :* plusieurs centaines de milliers. **U.R.S.S.** *1921-22 :* 1,5 à 5 ; *1943-44 :* 1,5.

Incendies

Allemagne. *1842 (28-2)* Karlsruhe, théâtre de la Cour : 100 ; *(5/7-5)* Hambourg : 100. **Arabie Saoudite.** *1975 (12-12)* La Mecque : 138. **Argentine.** *1985 (26-4)* hôpital psychiatrique, Saavedra : 79. **Autriche.** *1881 (8-12)* Vienne, théâtre Resig : 850. **Belgique.** *1967 (22-5)* Bruxelles, magasin Innovation : 322 ; *1974 (25-1)* collège de Heudsen : 25 enf. ; *1976 (1-1)* Louvière, dancing : 15. **Brésil.** *1961 (17-12)* Niteroi, chapiteau de cirque : 323 ; pénitencier de Taubate : 152 ; *1972 (24-2)* São Paulo, gratte-ciel : 20 ; *1974 (1-2)* São Paulo, imm. : 189. **Canada.** *1846 (12-7)* Québec, Théâtre-Royal : 200. *1927 (9-1)* Montréal, cinéma : 71 ; *(14-12)* Québec, hospice : 50 ; *1980 (1-1)* Chapais, dancing : 42. **Chili.** *1863 (8-12)* Santiago, église de la Campania, panique 2 500. **Chine.** *1845 (25-5)* Canton, théâtre : 2 500 ; *1871 (juin)* Shanghai, théâtre : 900 ; *1937 (13-2)* Antoung, théâtre : 700 ; *1949 (2-9)* Tchongking : 1 700 ; *1987 (mai)* forêts : 200. **Colombie.** *1958 (16-12)* Bogota, les gds magasins Vida : 101. **Corée du Sud.** Séoul : *1971 (26-12)* hôtel Taeyonkak : 163 ; *1973 (2-12)* théâtre : 50 ; *1974 (3-11)* théâtre : 50. **Côte-d'Ivoire.** *1977 (9-6)* Abidjan, night-club : 41. **Danemark.** *1973 (1-9)* Copenhague, hôtel Hafnia : 35. **Espagne.** *1778 (12-11)* Saragosse, Colisée : 77 ; *1928* Madrid, théâtre : 270 ; *1973 (11-12)* Saragosse, fabr. de meubles : 25 ; *1979 (12-7)* Saragosse, hôtel : 81 ; *1983 (17-12)* Madrid, dancing : 83 ; *1990 (13-1)* Saragosse, discothèque : 43. **États-Unis.** *1776 (21-4)* New York : ville à moitié détruite ; *1788 (21-3)* La Nouvelle-Orléans : 856 immeubles ; *1835 (16-12)* New York : 650 immeubles ; *1871 (8-10)* Chicago, gros dégâts : 250 ; *(9-10)* Peshtigo (Wisconsin) forêt : 1 182 ; *1876 (5-12)* New York, théâtre Conway : 295 ; *(10-12)* San Sacramento : 110 ; *1903 (30-12)* Chicago, théâtre iroquois : 602 ; *1923* Chicago, théâtre : 383 ; *1930 (21-4)* Colombus (Ohio) pénitencier : 320 ; *1940 (23-4)* Natchez (Mississippi) bal : 198 ; *1942 (28-11)* Boston, night-club : 491 ; *1944 (7-7)* Hartford, cirque : 168 ; *1946 (7-12)* Atlanta (Géorgie) Motel Winecoff : 119 ; *1977 (26-5)* Columbia : 42 ; *(28-5)* Southgate (Kentucky) dancing : 167 ; Las Vegas. *(14-11)* Manila, hôtel : 47 ; *1980 (21-11)* Las Vegas, hôtel-casino M6M (26 étages, 2 076 chambres) : 81 ; *1990 (25-3)* Bronx (New York) dancing : 87. **France.** *Barbezieux* (Charente) *1985 (5-10) :* 9 ; *Marseille 1938 (28-10),* Nouvelles-Galeries : 75 ; *Nice 1880* théâtre : 70 ; *Paris 1781 (8-6)* Opéra : 21 ; *1880* les grands magasins du Printemps ; *1887 (25-5)* Opéra-Comique : 115 ; *1897 (4-5)* Bazar de la Charité : 129 [123 femmes (dont la Desse d'Alençon), 6 hommes et garçonnets] : 400 bl. ; *1900 (8-3)* Théâtre-Français : 1 (Jane Henriot, pensionnaire) ; *1903 (10-8)* rame de métro, station Couronnes : 84 ; *1917* les grands magasins du Bon Marché ; *1921 (28-9)* les gds magasins du Printemps : 1 ; *(5-10)* tunnel des Batignolles, 2 trains : 16 (100 bl.) ; *1923* Opéra-Comique : 103 ; *1973 (6-2)* rue Édouard-Pailleron, C.E.S. : 17 ? ; *1976 (11-8)* hôtel : 13 ; *Rueil 1947 (3-8) :* 89 ; St-Jean-de-Losne (Côte-d'Or), *1980 (21-4)* hospice : 30. *St-Laurent-du-Pont 1970 (31-10)* (Isère) dancing Le Cinq-Sept : 147 ; **Guatemala.** *1960 (14-7),* asile : 225. **Inde.** *1878 (11-5)* Ahmadnuggar : 40. **Irlande.** *1981 (15-2)* Dublin, dancing : 46. **Italie.** *1784 (8-6)* Capo d'Istria : 1 000 ; *1857 (7-6)* Livourne : 100 ; *1983 (13-2)* Turin, cinéma : 64. **Jamaïque.** *1980 (21-5)* Kingston, hospice : + de 180. **Japon.** *1934 (22-3)* Hakodate : 1 500 ; *1972 (13-5)* Osaka, magasin : 119 ; *1973 (29-11)* Kumamoto, gd magasin : 101 ; *1980 (22-11)* Kawaji : 43. **Pays-Bas.** *1772 (11-5)* Amsterdam, théâtre Schouwbourg : 25. **Philippines.** *1985 (21-4)* Tabaco, cinéma : 44. **Portugal** *1988 (25-8)* Lisbonne, vieille ville : 1. **Royaume-Uni.** *1666 (1-9)* Londres, grand incendie ; ville détruite : 4 ; *1808 (20-9)* Londres, Covent Garden : 22 ; *1811 (26-9)* Richmond : 72 ; *1887 (4-9)* Exeter, théâtre : 200 ; *1973 (3-8)* Douglas (île de Man), centre de loisirs : 51 ; *1985 (11-5)* Bradford, stade : 53. **Suède.** *1751* Stockholm. **Suisse.** *1971 (6-3)* Burghoezli, clinique psychiatrique : 28. **Syrie.** *1960 (13-11)* Amouda, cinéma : 152. **Thaïlande.** *1971 (20-4)* Bangkok, hôtel : 24. **Turquie.** *1729* Constantinople : 7 000 ; *1870 (15-6)* 550 ; *1772* Smyrne : 3 000 logements, 4 000 bateaux ; *1922 (13-9)* Smyrne, détruite aux 3/5. **U.R.S.S.** *1812* Moscou. *1836 (14-2)* Saint-Pétersbourg, cirque Lehmann : 800. **Venezuela.** *1939 (14-11)* Lagunillas : plus de 500.

Inondations

Mers et fleuves

Allemagne : 343 (1962). **Bangladesh :** 2 500 (1974). **Brésil :** 894 (1967) ; 436 (1967) ; 218 (1969) ; 1 500 (1974). **Chine :** 300 000 (1642) ; fleuve Jaune : 900 000 (1887) ; 100 000 (1911) ; milliers de sinistrés (1934) ; 500 000 (1939) ; 10 000 à 100 000 (1948) ; 4 800 (1951) ; 2 000 000 à Shantung (1969). Yang-tseu-kiang : 1 million (1931). **Corée :** 20 (1962) ; 250 (1969) ; 200 (1984). **Espagne :** Barcelone 445 (1962). Prov. de Grenade, Murcie, Almería (oct. 1973) 350. Prov. d'Alicante et Valence (oct. 1982) + de 40. **États-Unis :** 2 000 (1928) ; 250 (1937). Rapid City : 236 morts, 500 disparus (1972). **France :** Paris (1872) (1876) (1910) ; Grand-Bornand (Hte-Sav., 14-7-1987) 21 † dans un camping. **Guatemala :** 40 000 (oct. 1949) ; + de 1 300 (sept. 1982). **Honduras :** 9 000 (sept. 1974). **Inde :** 1 700 (1955) ; 2 000 (juill.-août 1968) ; 1 000 (1968) ; 780 (1968) ; 500 (1970) ; 5 000 à 15 000 (1979). **Iran :** 2 000 (1954). **Italie :** Pô (nov. 1951) 100. Florence 113 ; destruction d'œuvres d'art, 6 000 boutiques (4/5-11-1966). **Madagascar :** 300 (1959). **Mexique :** Mexico 2 000 (1959). **Pakistan :** 10 000 (1953) ; 1 700 (1955). **Pays-Bas :** 100 000 (1424) ; 1 800 (9,4 % des terres agr. immergées, 34 000 bovins, 25 000 porcs, 100 000 volailles) (1953). **Philippines :** 454 (août 1972). **Portugal :** 387 (nov. 1967). **Roumanie :** + de 300 (mai 1970). **Russie :** 50 000 (1287) ; 10 000 (1421) ; Neva 10 000 (1824) ; 150 (mars 1973). **Tunisie :** 500 (1969). **Viêt-nam du Sud :** 7 000 (1964).

Barrages (rupture ou éboulement)

Argentine. *1970 (4-1)* Mendoza : 100. **Brésil.** *1960 (28-3)* L'Oros : 1 000. **Colombie.** *1972 (25-2)* Foledon : 60. **Corée du Sud.** *1962 (28-10)* Sunchon : 163. **Espagne.** *1802 :* 608 ; *1959 (9-1)* Wega de Fera : 144. **États-Unis.** *1874 (16-5)* Williamsburgh (Mass.) : 144 ; *1884 (31-5)* Johnstown (Pennsyl.) : 2 204 ; *1928 (13-3)* St-Francis (Calif.) : 450 à 700 ; *1972 (26-2)* Logan (Virg.) : + de 450 ; *1976 (7-6)* Teton (Idaho) : 140. **France.** *1895 (25-4)* (Vosges) Bourzey : 86 ; *1959 (2-12)* (Var) Malpasset : 433. **Inde.** *1979 (11-8)* Mervi : env. 30 000. **Indonésie.** *1967 (27-11)* Kébumen : 160. **Italie** *1923 (1-12)* Gleno : 1 500 ; *1963 (9-10)* Vaiont (Longarone) : 2 118 ; *1985 (19-7)* Tesero : 264. **U.R.S.S.** *1961 (13-3)* Kiev : 145.

Paniques, bousculades, effondrements

Argentine. *1968 (juin)* Buenos Aires ; stade : 80 morts, 150 bl. **Belgique.** *1985 (29-5)* Bruxelles, stade du Heysel : 38 †, 454 bl. **Colombie.** *1980 (10-1)* Sincelejo, effondrement d'une arène : 134. **Égypte.** *1974 (17-2)* Le Caire, mur en ciment effondré, panique : 49 morts, 47 bl. **États-Unis.** *1979 (3-12)* Cincinnati, concert pop. : 11. *1981 (17-7)* Kansas City, effondrement de passerelles dans un hôtel : 111. **France.** *1770 (7-5)* Paris, Place Louis-XV, mariage du futur Louis XVI, feu d'artifice : 133 ; *1837 (15-6)* Paris, Champ-de-Mars, mariage du duc d'Orléans : 23. **G.-B.** *1989 (15-4)* Sheffield, stade : 95 morts. **Pérou.** *1964 (24-5)* Lima, match de football Argentine-Pérou : 400 morts, 800 bl. **Turquie.** *1967 (18-9)* Kayseri, match de football Kayseri-Sivas : 40 morts, 600 bl. **U.R.S.S.** *1896 (20-5)* Chodinskoye, couronnement de Nicolas II : 3 000.

☞ *Le plus grand massacre :* 32,5 à 61,7 millions de tués en Chine de 1949 à 1965 selon le rapport Walker au Sénat (U.S.A., 1971).

Langues

Définitions

Il est difficile de définir ce qu'est une langue, en raison de l'imprécision des limites entre les différents parlers. A. Martinet distingue : **patois** (forme linguistique d'utilisation strictement locale et qui ne se maintient que du fait de l'inertie du milieu) ; **dialecte** (forme ling. à l'échelle d'une province où les divergences entre parlers locaux sont tenues pour négligeables) ; **langue** (système voulu consciemment comme tel ; généralement lié à l'idée de nation).

Le *nombre de langues parlées* est, pour les mêmes raisons, impossible à indiquer.

Certains avancent que 2 500 à 3 500 langues seraient parlées de nos jours.

Classement

Les différents systèmes de classement des langues imaginés dep. plus d'un siècle (langues analytiques, synthétiques, de type flexionnel, agglutinant, isolant) se fondent sur le degré d'enchevêtrement des unités significatives (monèmes). Ils sont aujourd'hui très controversés. On se borne à distinguer des parentés, des groupes, dont les liens sont souvent discutés.

(En italique, langues qui ne sont plus parlées aujourd'hui. Les langues indiquées par * ne forment pas une famille mais des groupes géographiques.)

Langues et dialectes de France (d'après le rapport Giordan).

• **Langues indo-européennes** (Europe et Asie du S.-E., avant les expansions récentes).

Langues indo-iraniennes. *Sanskrit* (*védique* début du Ier millénaire av. J.-C. ? et *classique*) *pâli,* hindi (utilisé par les hindous), urdu (utilisé par les musulmans) bengali, marathe, cingalais, tsigane dit gitan ou romani (principaux dialectes parlés en France : rom, manouche, sinto, gitan), etc.

Vieux-perse, avestique, pehlvi, parthe, sogdien, persan, kurde, afghan, ossète.

Grec. *Grec ancien (linéaire B* attesté dès le IIe millénaire av. J.-C.) et grec moderne.

Italique. *Osque, ombrien, latin* et langues romanes dérivées du latin : italien, espagnol, portugais, catalan, parlers d'oc [1] (provençal, occitan [1], gascon), franco-provençal, français et parlers d'oïl (picard, wallon, etc.), romanche, frioulan, roumain.

Nota. – (1) Actuellement on désigne souvent sous le mot d'occitan l'ensemble des parlers d'oc.

Celtique. *Gaulois, celtibère :* 1 branche brittonique [breton, gallois et cornique (Cornouailles anglaises)] ; 1 branche gaélique (irlandais, gaélique d'Écosse et manx).

Germanique. *Branche ostique : gotique, burgonde. Branche nordique :* islandais, norvégien, danois, suédois. *Branche occidentale :* anglo-frison, anglais et frison ; néerlandais, allemand.

Balte. *Vieux-prussien,* letton, lituanien.

Slave. *Au sud,* slovène, serbo-croate, macédonien, bulgare ; *à l'ouest,* polonais, tchèque, slovaque ; *à l'est,* russe, biélorusse, ukrainien. Le *vieux-slave* (macédonien) est attesté au IXe s.

Albanais. Parlé en Albanie et Kosovo (Youg.)

Anatolien, hittite, louwite, etc. attestés en Asie Mineure au IIe mill. avant J.-C.

Arménien (IVe s.).

Tokharien. Parlé en Asie au Ier mill. apr. J.-C.

• **Chamito-sémitiques** (Proche-Orient et moitié nord de l'Afrique).

Sémitiques. *Sémitique oriental : akkadien* ou *assyro-babylonien,* attesté par des documents du IIIe millénaire aux env. de l'ère chrétienne (langue de l'Empire mésopotamien).

Sémitique septentrional : amorite, connu par des noms propres, grâce aux particularités de certains textes akkadiens du IIe millénaire ; *ougaritique,* parlé jusqu'au XIIe s. av. J.-C. au N. de la Syrie sur le site actuel de Ras Shamra.

Sémitique cananéen : phénicien, langue de Tyr, Sidon, Byblos, etc., attesté à partir du IXe s. jusqu'au Ier s. av. J.-C. ; sa variété *punique* a été parlée à Carthage ; *moabite,* du roy. de Moab, au S.-E. de

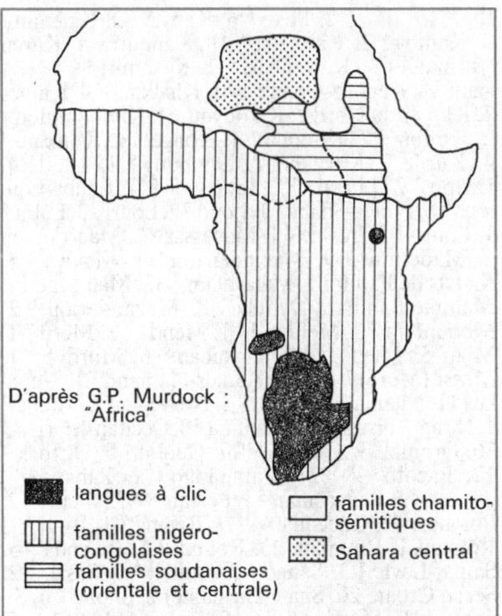

la mer Morte, connu par une inscription commémorant les victoires du roi Mécha, datée du VIIIe s. av. J.-C.

Hébreu, attesté à partir du IXe s. av. J.-C. *Hébreu ancien* (1ers documents en caractères purement hébraïques) : le « Calendrier agricole » de Gezer (Judée), les ostraca de Samarie (IXe s. av. J.-C.), notes succinctes de comptabilité, *Hébreu michnique :* parlé entre IVe et IIe s. av. J.-C. *Hébreu médiéval :* influencé par des langues dans l'ambiance desquelles s'est développée cette littérature, notamment par l'arabe. A partir de 1880 avec le développement du mouvement à objectif nationaliste Xoveve Ciyon, a constitué l'israélien grâce à Eliezer Ben Yehuda (1858-1922).

Sémitique araméen : ar. ancien, parlé de la Palestine à l'Arabie du N., langue administr. de l'Empire achéménide ; *ar. occidental :* encore parlé dans l'Anti-Liban par quelques milliers d'individus à Ma'lula, Bax'a et Guba'din. *Judéo-araméen,* langue de certains documents de la mer Morte, des targoums et du Talmud palestinien (Ve s. apr. J.-C.) ; *samaritain* (on a une traduction de la Bible du IVe s. av. J.-C. et des textes liturgiques et religieux) ; *christo-palestinien,* on a des traductions de documents bibliques et évangéliques et des textes religieux (VIIIe et IXe s. apr. J.-C.) des chrétiens melkites de Palestine ; *nabatéen* connu par des inscriptions de Palmyre (Ier au IIIe s. apr. J.-C.). *Ar. oriental,* représenté par le *syriaque,* parlé à Edesse (aujourd'hui Urfa), dans tout le Proche-Orient, IIIe au XIIIe s. apr. J.-C., *babylonien talmudique* (on a des textes de compilation aux IVe et Ve s.), *mandéen* (textes religieux à partir du VIIIe s.), *néo-araméen oriental,* encore parlé dans la région de Tur'Abdin, et en U.R.S.S.

Sémitique méridional : arabe ancien, connu par des inscriptions sous les formes lihyanite, thamoudéenne, safaïtique, du IIe s. av. J.-C. au VIe s. apr. J.-C. *Arabe classique :* celui du Coran et de la littérature du VIIe s. à nos jours. Dialectes arabes en Arabie, Irak, Jordanie, Palestine, Syrie, Liban, Égypte, Soudan, Maghreb, Mauritanie, Malte. *Sud-arabique ancien :* dialectes minéen, sabéen, awsanique, qatabanique, hadramaoutique (du IVe av. au VIe s. apr. J.-C., représenté aujourd'hui entre Hadramaout et Oman et dans les îles côtières par les dialectes mahri, grawi, harsusi, botahari, soqotri). *Langues éthiopiennes : guèze* ou éthiopien classique, attesté dès le IIIe ou IVe s. apr. J.-C., parlé jusqu'au XIe siècle env., *tigré* et *tigrigna* au N., *amharique* langue officielle de l'Empire, *harari, gouragué* parlés de nos jours au centre et au sud, *gafat* et *argobba,* langues méridionales, pratiquement éteintes.

Égyptien. *Égyptien* et *copte* romain.

Libyco-berbère. *Libyque,* berbère, *guanche* (éteint au XIXe s.).

Couchitique. Bedja, afra, saho, somali, galla, agaw, sidama.

• **Négro-africaines*** (Soudan et Guinée, Bantou, Ouest afric.).

• **Khoisan*** (Afr. du Sud). Hottentot, boschiman.

• **Ouraliques** (Europe de l'E. et Asie du N.-O.). Finnois (finnois, estonien, live, permien, tchérémisse). Lapon. Mordve.

Vogoule, ostiak, hongrois. On rattache parfois à cette branche de l'ouralique le maïdu et les langues apparentées parlées en Californie.

Samoyède.

• **Turques, mongoles et toungouzes*** (Asie du N.-E., avant expansions).

Turques. Kirghiz, bachkir, turcoman, osmanli, tarantchi, sarte, azerbaïdjanais, etc.

Mongoles. Mongol, kalmouk, bouriate, khalkha, etc.

Toungouze, mandchou.

• **Sino-tibétaines*** (Extrême-Orient). Tibébain, birman, lolo, chinois, thaï, siamois, laotien.

• **Dravidiennes** (Inde). Tamoul, canara, telougou.

• **Austriennes*** (Asie du S.-E., océan Indien, Pacifique).

Austro-asiatiques. Môn-khmer (cambodgien), vietnamien, munda.

Malayo-polynésiennes. Indonésien (malais), mélanésien, polynésien, etc.

• **Américaines*.** *Nord :* esquimau, sioux, navajo, etc. *Centre :* aztèque, maya, zapotèque, otomi, etc. *Sud :* quechua, aymara, carib, arawak, bororo, tupiguarani, mapuche, etc.

• **Isolées. Europe.** *Langues caucasiques :* 3 langues N.-O. ; N.-E ; S. (khartvéliennes dont le géorgien). *Basque :* 6 dialectes principaux (France : souletin, bas-navarrais, labourdin ; Espagne : haut-navarrais, guipuzcoan, biscayen).

Asie du Nord-Est*. Japonais, coréen, aïnou, ghiliak, tchouktche, etc.

Langues sifflées. Dans 3 villages, les habitants s'appellent au moyen de langues sifflées, c'est-à-dire de modulations créées par le bout de la langue : Aas (Pyrénées françaises, quelques personnes de + de 50 ans le connaissent encore ; comprend un vocabulaire béarnais restreint aux activités pastorales), Silbo Gomero (Canaries), Mazateco (Mexique).

Langues universelles

Depuis le XVIIIe s., environ 500 à 600 « langues universelles » ont été proposées. On peut citer, avec leur inventeur :

• **Kosmos** (1844) Landa (All.).

• **Sol-Ré-Sol** (1858) de Sudre. Soutenue par Napoléon III et Victor Hugo.

• **Volapük** (1879) du prêtre catholique allemand Johann Martin Schleyer (*vol* de l'anglais *world,* a marque slave du génitif, *pük* de l'anglais *speak*) ; en 1880, elle avait des centaines de clubs et env. 500 000 adhérents.

• **Blaia Zimondel** (1884) Meriggi.

• **Espéranto** **1887** (26-7). « Langue internationale » : 1er livre publié par l'oculiste polonais Louis-Lazare Zamenhof (1859-1917), sous le pseudonyme « Doktoro Esperanto » adopté pour raison de censure. **1895** revue russe interdite pour avoir publié un texte de Tolstoï. **1905** 1er congrès universel à Boulogne-sur-Mer (France) ; 688 participants de 20 pays. Paul Berthelot fonde la revue « Esperanto ». Zamenhof fonde une instance linguistique qui deviendra l'Akademio de Esperanto. **1908** Hector Hodler (Suisse) fonde l'Universala Esperanto-Asocio. **1954 et 1985** la Conférence générale de l'Unesco vote des recommandations en faveur de l'Esp. **1987** congrès de Varsovie, 5 943 participants de 73 pays.

Littérature (traduite ou originale). Plus de 33 000 volumes (dont 200 dictionnaires et terminologies techniques et scientifiques) env. 20 titres par mois. **Presse.** Env. 125 titres de publications régulières. **Radios.** 2 238 h en 1989 ; 14 stations émettent en espéranto (« Radio Polonia » 3 h par jour, « Radio Pékin » 2 h par jour), associations spécialisées (cheminots, médecins, enseignants, journalistes, etc.). **Universités et instituts sup.** 151 dont Chine 57, U.S.A. 14, Pologne 12, U.R.S.S. 9, All. féd. 5, Brésil 5, Corée du Sud 4, France 3, Japon 4, Roumanie 4. En France, l'espéranto est une unité de valeur dans 3 universités (langue optionnelle ou matière libre) pour le D.E.U.G. et la licence (cette U.V. n'est pas réservée aux étudiants en langues). **Musées d'espéranto.** Jérusalem (Israël), Vienne (Autriche), Gray (France, Hte-Saône), San Pablo de Ordal (Espagne). **Témoignages.** Plus de 729 rues (la 1re à Limoges en 1907), places, édifices publics, monuments baptisés au nom du Dr Zamenhof ou de l'espéranto.

Usage officiel. Académie intern. des Sciences de St-Marin, Académie intern. des Sciences Comenius (Suède) et Section scientifique et technique d'espéranto de l'Académie des Sciences de Chine. Utilisé pour la publication de divers documents par l'O.N.U., l'U.N.E.S.C.O., l'O.M.S. et de nombreux offices du tourisme. Sa structure qui l'apparente aux langues dites agglutinantes (japonais, coréen, turc, finnois...) permet de former une multitude de mots très nuancés à partir d'un nombre limité d'éléments (radicaux, préfixes, suffixes). L'invariabilité des éléments de base le rapproche des langues isolantes (vietnamien, chinois...). Toute lettre de l'alphabet ne représente qu'un son, quelle que soit sa place par rapport à une autre lettre. L'espéranto s'écrit donc comme elle se prononce et se prononce comme elle s'écrit. 40 % des mots sont compréhensibles pour un Russe après assimilation de la phonétique et de la structure. 6 lettres accentuées.

Alphabet

A B C Ĉ D E F G Ĝ H Ĥ I J Ĵ
a b c ĉ d e f g ĝ h ĥ i j ĵ
K L M N O P R S Ŝ T U Ŭ V Z
k l m n o p r s ŝ t u ŭ v z

Prononciation :
c = *ts* comme dans *tsé-tsé*
ĉ = *tch* (*Tch*èque)
e : modérément accentué (m*e*rci)
g : dur comme dans *g*ant
ĝ = *dj* (*dj*ebel)
h : fortement expiré
ĥ : ch guttural allemand (Ach !)
j = *y* (*y*oga)
ĵ = *j* (*J*ean)
o : modérément ouvert
r : modérément roulé
s = *ss* (cla*ss*e)
ŝ = *ch* (*ch*at)
u = *ou* (c*ou*)
ŭ = *ou* très bref (Ra*ou*l)

L'avant-dernière syllabe du mot est toujours accentuée [ex. : Esperanto (espe**ran**to) – estas (**es**tass) – moderna (mo**der**na)].

Grammaire. Simple, basée sur 16 règles sans aucune exception.

Vocabulaire. Mots formés par des « racines » (max. 10 000 à 12 000) auxquelles on ajoute une ou plusieurs lettres caractéristiques [substantif : *parolo* parole, *homo* homme ; adjectif : *parola* oral(e), *homa* humain ; adverbe : *parole* oralement, *home* humainement ; pluriel : *paroloj* paroles, *homoj* hommes, *parolaj* oraux, orales, *homaj* humain(e)s]. Sur 2 629 racines on compte : racines romanes 63 %, étrangères au français 13 %, étrangères à l'anglais 30 %, étrangères à l'allemand 32 %, étrangères au russe 60 %.

Terminaisons verbales : 12, expriment toutes les nuances du passé, du présent et du futur : 6 (invariables à toutes les personnes) pour l'infinitif et les temps simples ; 6 pour temps composé et participe (comparaison : terminaison de verbes en russe 157, allemand 364, anglais 652 ; en français le seul verbe « avoir » a plus de 40 terminaisons différentes). *Exemple : aller* (« *iri* »). *Présent :* as (iras), *passé :* is (iris), *futur :* os (iros), *conditionnel :* us (irus), *impératif-subjonctif :* u (iru). *Présent de l'indicatif :* mi ir*as* je vais ; ci ir*as* tu vas ; li (ŝi) ir*as* il (elle) va ; ni ir*as* nous allons ; vi ir*as* vous allez ; ili ir*as* ils (elles) vont.

Affixes : permettent de former un très grand nombre de mots avec une seule racine ; exemple : bovo (bœuf), -ino (féminin) : bovino (vache), -ido (descendant) : bovido (veau), bovidino = (génisse), -ejo = (lieu affecté à) : bovejo = (étable), -isto = (profession) : bovisto = (bouvier), -aro = (ensemble de) : bovaro = (troupeau de bovins). Connaissant une racine et la gamme des affixes, on peut construire tous les mots de la même famille. Pas de verbes irréguliers. Un seul article défini et invariable : la. Pas de genre grammatical.

Le seul préfixe *mal* sert systématiquement à former les contraires. *Exemples :* ami (aimer), malami (détester).

☞ Minitel : 3615 Espéranto.

• **Anglo-latin** (1888) Menderson (Angl.).

• **Universel** (1893) Meintzeler (All.).

• **Novilatin** (1895) Beerman (All.).

• **Tal** (1903) Hoesrich.

• **Perio** (1904) Talundberg.

• **Ido** (1907) Louis Couturat et Louis de Beaufront (Fr.). Espéranto modifié dans un sens naturaliste (rapprochement avec les langues occidentales utilisées dans les rapports internationaux).

• **Latino sine flexione (ou interlingua)** de G. Peano (1908), de tendance naturaliste, le vocabulaire étant celui du latin avec abandon des désinences (les noms prennent normalement la forme de l'ablatif ; ex. : latino, flexione).

• **Timiero** (langue numérique) (1921). Thiemer.

• **Novial** (1924) d'Otto Jespersen, linguiste danois (*nov* « nouvelle », *i* pour « international », *a* pour « auxiliaire », *l* pour « langue »), développement à partir de l'ido pour un équilibre entre naturalisme et régularité.

• **Interlingua** (1922-51) International Auxiliary Language Association ; se veut une synthèse des langues romanes, conçue pour être intelligible sans préparation par quiconque en parle une. **Article.** *Défini : le* (le, la, les) [précédé de *a : al* (au, aux)] ; *de :* de ; *del :* du, des. *Indéfini : un* (un, une). **Pluriel :** *-s,* si la lettre finale est une voyelle, *-es,* si c'est une consonne. **Adjectif :** invariable, avant ou après le nom. **Adverbe :** finale *-mente,* ou *-o.* Ex. : recente-mente, clar-o. **Comparatif :** *plus.* **Superlatifs :** *le plus, meno* ou *le meno.* **Pronom personnel :** *io, tu, el/ella, ello, nos, vos, elles, ellas, ellos.* **Adjectif possessif :** *mi, tu, su, nostre, vostre, su.* **Verbes :** 3 groupes (finale *-ar, -er, -ir*). **Conjugaisons (finales).** Présent, impératif : le radical seul. Passé ponctuel : *-t,* durable : *-va.* Futur : *-ra.* Conditionnel : *-rea.* Infinitif : *-r.* Participe présent : *-nte.* Passé : *-te.* Parfait, plus-que-parfait et futur antérieur : avec l'auxiliaire *haver.*

• **Occidental ou Interlingue** (1922) E. de Wahl (Esth) (1928), développé dans un sens naturaliste, pour la compréhension visuelle immédiate par le public international cultivé.

Grammaire (exemple). *Adjectif :* invariable, finale obligatoire *-i,* Ex. : micr-i. *Adverbe :* finale *-men.* Ex. : visibil-men, regulari-men. *Verbe : Infinitif :* finale *-r.* Ex. : fini-r, ama-r, deve-r. *Présent,* le radical seul. Ex. : tu fini, il ama, noi deve. *Passé,* finale *-t.* Ex. : Yo fini-t, vu ama-t, ili deve-t. *Futur,* avec l'auxiliaire *va.* Ex. : il va finir, tu va amar. *Conditionnel,* avec l'auxiliaire *vell.* Ex. : tu vell finir, tu vell amar. *Impératif : Ples* ou le radical seul. Ex. : Ples finir, ou : Finis ! *Participe* présent : -nt, Participe passé : -t. Gérondif : -nte. Ex. : Parla-nt, parla-t, parla-nte. *Article : li* = le, la, les. *Masculin : -o.* Ex. : cavall-o. *Féminin : -a.* Ex. : cavall-a. *Pluriel : -(e)s.* Ex. : patres. *Pronoms personnels :* Yo, tu, il, ella, it (indéfini), noi, vu, ili.

☞ Le **Basic English** (1929) des Anglais Ogden et Richards est plutôt une voie d'accès à l'anglais normal.

Statistiques

Langues parlées

En 1991, en millions. *Source :* Sidney S. Culbert, University of Washington.

Par plus de 50 millions de personnes. Chinois [1] : Mandarin 882, Wu 63, Cantonais 62, Min 49, Kejia 31. Anglais 445. Hindi [2] (Inde) 363. Espagnol 351. Russe 292. Arabe 201. Bengali 186. Portugais 175. Malais-Indonésien 144. Japonais 125. *Français 121.* Allemand 118. Ourdou [2] (Inde, Pakistan) 95. Pendjabi 87. Coréen 72. Telougou 69. Tamoul 67. Marathi 66. Italien 63. Javanais 60. Vietnamien 59. Turc 56.

Nota. – (1) Seule l'écriture fait l'unité du chinois. (2) Hindi et ourdou sont presque une même langue (l'hindoustani) mais l'hindi est écrit en Inde en caractères *nagarie* ou *devanagarie,* et au Pakistan en caractères arabes modifiés.

Par moins de 50 millions de personnes. Afrikaans [7] 10. Akan [7] 7. Albanais 5. Amharique [1] 17. Arménien 5. Assamais [4,12] 22. Atchinais [9] 3. Aymara [11] 2. Azerbaïdjanais [2] 14. Bachkir [2] 1. Balinais [9] 3. Baoulé [7] 2. Batak Toda [9] 4. Bedja [1] 1. Béloutchi [8] 4. Bemba [7] 2. Béti [7] 2. Bhili [4] 3. Bicoli [5] 4. Biélorusse [2] 9. Birman 29. Brahui [3,8,10] 1. Bugi [9] 3. Bulgare 9. Bundankole [7] 1. Buyi [16] 2. Catalan [13] 9. Cebuano [5] 12. Chleuch [7] 3. Danois 5. Dimli (Turquie) 1. Dogri [4] 1. Dong [16] 2. Édo [7] 1. Efik-Ibibio [7] 6. Espéranto 2. Estonien 1. Éwé [7] 3. Finnois 5. Fon [7] 1. Fulakunda [7] 1. Futa Jalon [7] 2. Galicien [13] 3. Gilaki [3] 2. Gogo [7] 1. Gondi [4] 2. Grec 11. Guarani [11] 4. Gujarati [4,8] 38. Gusii [7] 1. Haddiya [1] 1. Hani [16] 1. Haoussa [7] 34. Haya [7] 1. Hébreu 4. Ho [4] 1. Hongrois (Magyar) 14. Iban [9] 1. Ibo [7] 15. Ijaw [7] 2. Iloko [5] 6. Kabyle [7] 2. Kalenjin [7] 2. Kamba [7] 2. Kannada [4] 41. Kanouri [7] 4. Karen (Birmanie) 3. Karo-Dairi [9] 2. Kashmiri [4,8] 4. Kazakh [2] 8. Kenouz-Dongola [7] 1. Khalkha [14] 4. Khmer 7. Khmer du Nord 1. Kikouyou [7] 4. Kimboundou [7] 2. Kirghiz [2] 2. Kitouba [7] 4. Kongo [7] 4. Konkani [4] 4. Kurde 9. Kurukh [4] 2. Lampung [9] 1. Lao [15] 4. Letton [2] 2. Lingala [7] 7. Lituanien [2] 3. Louba-Louloua [7] 6. Louba-Shaba [7] 1. Louo [7] 2. Louri [3] 3. Lubu [9] 1. Luhya [7] 2. Luvale [7] 1. Macassar [9] 2. Macédonien 2. Madourais [9] 9. Magindanaon [5] 1. Makwa [7] 3. Malais de Pattani 1. Malayalam [4] 33. Malgache 11. Malinké-Bambara-Dyoula [7] 8. Mazandarani [3] 2. Mboundou [7] 3. Meithei [4,8] 1. Mendé [7] 2. Meru [7] 1. Miao 5. Mien 2. Minangkabau [9] 6. Mordve [2] 1. Mossi (Moré) [7] 4. Néerlandais-Flamand 21. Népalais 11. Nganja [7] 4. Ngulu [7] 2. Norvégien 5. Noupé [7] 1. Nung 1. Nyamwezi-Sukuma [7] 3. Occitan 4. Oriya [4] 30. Oromo [7] 9. Ouïgur [2,16] 7. Ouolof [7] 5. Ouzbek [2] 12. Pachtô [8,10,3] 21. Pampango [5] 2. Panay-Hiligaynon [5] 5. Pangasinan [5] 1. Persan [3,10] 32. Peul [7] 12. Polonais 42. Quechua A [11] 7. Rejang [9] 1. Rifia [7] 1. Romani 1. Roumain 25. Roundi [7] 5. Rwanda [7] 8. Samar-Leyte [5] 3. Sango [7] 2. Santali [4] 5. Sasak [9] 2. Serbo-Croate 20. Shan (Birmanie) 2. Shona [7] 6. Sidamo [1] 1. Sindhi [8,4] 16. Singalais [6] 12. Slovak (Tchéc.) 5. Slovène 2. Soga [7] 1. Somali [7] 7. Songye [7] 3. Soninké [7] 1. Sotho du Nord [7] 3. Sotho du Sud [7] 4. Soundanais [9] 23. Suédois 9. Swahili [7] 44. Swazi [7] 1. Sylhetti [12] 3. Tadjik [2] 4. Tagalog [5] 36. Tamazirt [7] 3. Tatar [2] 7. Tausug [5] 1. Tchagga [7] 1. Tchèque 12. Tchiga [7] 1. Tchouvache [2] 2. Temne [7] 1. Thaï 46. Tho 1. Tibétain [16] 5. Tigrigna [7] 4. Tiv [7] 2. Tonga [7] 3. Toulou [4] 2. Tsonga [7] 3. Tswana [7] 3. Tujia [16] 3. Tumbuka [7] 2. Turkmène [2] 3. Ukrainien [2] 45. Wolaytta [1] 1. Xhosa [7] 6. Yao 1. Yi [16] 6. Yorouba [7] 18. Zandé [7] 1. Zhuang [16] 14. Zoulou [7] 7.

Nota. – (1) Éthiopie. (2) U.R.S.S. (3) Iran. (4) Inde. (5) Philippines. (6) Sri Lanka. (7) Afrique. (8) Pakistan. (9) Indonésie. (10) Afghanistan. (11) Amérique du S. (12) Bangladesh (13) Espagne. (14) Mongolie. (15) Laos. (16) Chine.

☞ Classement des langues, voir p. 100.

Comment se nomment les habitants de ?

☞ Les appellations ont souvent changé au cours des siècles.

Agde Agathois
Agen Agennais, Agenois
Aigues-Mortes Aigues-Mortais
Aire-sur-l'Adour Aturins
Aire-sur-la-Lys Airois, Airiens
Aix-en-Provence Aixois, Aquisextains
Ajaccio Ajacciens
Albens Albanais
Albi Albigeois
Aléria (Corse) Aleriacci
Alès Alésiens
Amboise Amboisiens, Ambaciens
Andelys (Les) Andelisiens
Anet Anétais
Angers Angevins
Angoulême Angoumoisins, Angoumois
Annecy Anneciens, Anniçois
Annonay Annonéens
Antibes Antibois, Antipolitains
Antony Antoniens
Antrain Antrenais
Apremont-la-Forêt Asperomontais
Apt Aptésiens, Aptois
Arbois Arbosiens
Ardres Ardrésiens
Argentan Argentanais
Argenteuil Argenteuillais, Argentoliens
Armagnac Armagnacots
Arques Arquais
Arras Arrageois
Arrou Arroutains
Asco (Corse) Aschesi
Asnières Asniérois
Asnières (Cher) Hannetons
Aspremont-la-Forêt Aspéramontais
Athis-Mons Athégiens, Athémonsois
Aubagne Aubains, Aubaniens
Aubenas Albenassiens
Aubervilliers Albertivilliariens
Aubusson Aubussonnais
Auch Auscitains, Auchois
Auchy-les-Mines Alsiaquois
Augan Alganais
Aulnay-sous-Bois Aulnaisiens
Auneau Aunelliens, Alnélois
Auray Alréens, Alriens
Aurillac Aurillacois
Auriples Auriplans
Auterive Auterivains
Autun Autunois
Auxerre Auxerrois
Avon Avonnais
Avranches Avranchinais, Avranchais, Avranchins
Baccarat Bachamois
Bagnères-de-Bigorre Bagnérais, Bigourdans, Bigourdains
Bagnères-de-Luchon Luchonnais
Bagneux Balnéolais
Bagnolet Bagnoletais, Bagnolaisiens
Bagnols-sur-Cèze Bagnolais
Bailleau-l'Évêque Baillolais, Ballotins
Bains-en-Vosges Benous
Balzac Balzatois
Banyuls-sur-Mer Banyulencs, Bagnolais
Bapaume Bapalmois
Barbezieux Barbeziliens
Barcelonnette Barcelonnettains
Bar-le-Duc Barisiens, Barois
Bar-sur-Aube Baralbins, Barsuraubois
Bar-sur-le-Loup Barots
Bar-sur-Seine Barséquanais, Barrois
Barrettali (Haute-Corse) Barrettalesi
Bas-en-Basset Bassois
Basse-Indre Basse-Indrais
Bastelica Bastilcacci
Batz Batziens
Bayeux Bayeusains, Bajocasses
Beaugency Balgenciens
Beaujeu Beaujolais
Beaulieu-sur-Mer Berlugans
Beaupréau Bellopratains
Beausoleil Beausoleillois
Beauvais Beauvaisiens, Beauvaisins
Bécon Béconnais
Becquet Becquetais
Bédarieux Bédariciens
Bègles Béglais
Beignon Beignonais
Belfort Belfortains
Belgodère Belgodercecci
Bellac Bellacquais, Bellachons
Belle-Isle-en-Mer Bellilois
Belleville Belvillois
Belley Belleysans
Berck Berckois
Bergues Berguois, Berguerrards
Bernay Bernayen
Berre-l'Étang Berratins
Besançon Bisontins
Besné Besnétins
Bétharram Bétharramites
Bethoncourt Bethoncourtois
Béziers Biterrois
Biarritz Biarrots, Biarottes
Bicêtre Bicetriens
Billy Billesois
Le Blanc Blancois
Le Blanc-Mesnil Blancmesnilois
Blay Blaviens
Blaye Blayais
Blois Blésois
Bobigny Balbyniens
Bois-d'Arcy Arcysiens
Bolbec Bolbécais
Bondy Bondinois
Bonnat Bonnachons
Bonneveau Bonnevatiers
Bordeaux Bordelais
Boué Boeyans
Bouille Bouillois
Boulay-Moselle Boulageois
Boulogne-Billancourt Boulonnais
Boulogne-sur-Mer Boulonnais
Bourbon-l'Archambault Bourbonnais
Bourbourg Bourbourgeois, Bourbouriens
Bourganeuf Bourgouniauds
Bourg-de-Péage Péageois
Bourg-en-Bresse Bressans, Burgiens
Bourges Berruyers
Bourget (Le) Bourgetins
Bourg-la-Reine Réginaborgiens, Burgo-Réginiens
Bourg-lès-Valence Bourcains, Bourquins
Bourgoin Bergusiens
Bourgoin-Jallieu Berjalliens
Bourg-Saint-Andéol Bourgaisins, Bourguesans
Bourg-Saint-Maurice Borains
Bourg-sur-Gironde Bourgeais
Bourgneuf-en-Retz Bourgoniens
Le Bouscat Bouscatais
Boussac Boussagols
Boussagues Boussagols, Boussaquins
Bouvran Bouvronais
Boz Burhins
Brest Brestois
Breteuil-sur-Iton Bretoliens
Breteuil-sur-Noye Breteuillois
Brétigny-sur-Orge Brétignolais
Briançon Briançonnais
Briey Briotins
Brignoles Brignolais
Brioude Brivadois
Brive-la-Gaillarde Brivistes
Bron Brondillants
Brou Broutins, Broutains
Bruay-en-Artois Bruaysiens
Brunoy Brunoyens
Bry-sur-Marne Bryards
Bulles Bullois
Bully-les-Mines Bullygeois
Bures-sur-Yvette Buressois
Bussang Bussenets
Buzançais Buzançaïens
Buzancy Buzancéïens
Cachan Cachanais
Caen Caennais
Cagnes-sur-Mer Cagnois
Cahors Cadurciens
Cahuzac Cahuzagues
Caluire-et-Cuire Caluirards
Calvi Calvais
Cambo-les-Bains Camboards
Cambrai Cambrésiens
Canari (Corse) Canarinchi
Cancale Cancalais
Canteleu Cantiliens
Carlat Carladais, Carladois
Carmaux Carmausins
Caro Carotins
Carpentras Carpentrassiens
Carrières-sous-Poissy Carriérois
Carvin Carvinois
Cassel Casselois
Casteljaloux Casteljalousains
Castelnaudary Chauriens
Castelsarrasin Castelsarrasinois
Castifao Caccianinchi
Castres Castrais
Cateau (Le) Catésiens
Caudry Caudrédiens
Cauterets Cauterésiens
Celle-Saint-Cloud (La) Cellois
Cellé-sur-Braye Celletiers
Céret Céretans
Cergy Cergynois
Cergy-Pontoise Cergypontins
Chagny Chagnotins
Challans Challandas, Challandais
Châlons-sur-Marne Châlonnais
Chalon-sur-Saône Chalonnais
Chalus Châlusiens, Chalussois
Chambéry Chambériens
Chambly Chambliais
Chambon-Feugerolles (Le) Chambonnaires
Chamonix Chamoniards
Champagnole Champagnolais
Champigny-sur-Marne Campinois, Campiniens
Champlitte Chanitois
Champsaur Champsaurins
Chantilly Cantiliens
Chapelle-de-Guinchay (La) Capelins
La Chapelle-Saint-Luc Chapelains
Charolles Charollais
Charenton-le-Pont Charentonnais
Charité-sur-Loire (La) Charitois
Charleville-Mézières Carolomacériens
Charlieu Charliandins
Chartres Chartrains
Châteaubriant Castelbriantais
Château-Chinon/Château-Chinonais Dunois
Châteaudun Casteldunois, Dunois
Château-Gontier Castrogontériens
Châteaulin Châteaulinois, Castellinois
Châteauneuf-sur-Loire Castelneuviens
Château-Porcien Porcéannais
Châteaurenard Châteaurenardais
Château-Renault Renaudins
Châteauroux Castelroussins, Châteauroussins
Château-Salins Castelsalinois
Château-Thierry Castrothéodoriciens, Casteltheodoriciens
Châteauvillain Castelvillanois
Châtelguyon Châtelguyonnais, Brayauds
Châtellerault Châtelleraudais
Châtenay-Malabry Châtenaysiens
Châtenois Castiniens
Chatou Catoviens
Châtre (La) Castrais
Chaudenay Chaudenais
Chaumont Chaumontais, Chaumontois
Chauny Chaunois
Chelles Chellois
Chenôve Cheneveliers, -ères

☞ Suite page 266.

L'HOMME

Origines de l'homme

Origine de la vie sur terre

Théories anciennes

Panspermie. Défendue par l'Anglais lord Kelvin (William Thomson, 1824-1907) et le Suédois Svante Arrhenius (1859-1927) : des germes venus d'autres planètes se seraient développés sur terre. Cette hypothèse n'indiquait pas leur nature, ni leur provenance, ni comment ces germes auraient pu résister à la traversée des espaces interstellaires (froid, rayonnement) [néanmoins, des êtres vivants comme les rotifères, protozoaires, sont capables de résister à la température de l'air liquide].

Génération spontanée. *De l'Antiquité jusqu'au XVII*e *s.* : théorie adoptée par des savants, poètes et philosophes, selon laquelle les animaux, même élevés en organisation, pouvaient se former spontanément dans certaines conditions (comme la putréfaction ou la corruption) dans l'eau et la terre. Pour Aristote : la vase décomposée donnait naissance à une génération d'anguilles ; pour Virgile : des essaims d'abeilles se formaient dans les entrailles d'un taureau en putréfaction. Le Belge Jean-Baptiste Van Helmont (1577-1644) admettait la gén. spontanée des sangsues, limaces, grenouilles à partir de la vase des marais, et des souris par transmutation d'un sac de blé entouré d'une chemise sale.

*XVII*e *s.* (début de la méthode expérimentale) : l'Italien Francesco Redi (1626-98) montra que les vers de viande (asticots) venaient des œufs que les mouches avaient pondus et non de la décomposition de la viande ; élaboration de la théorie selon laquelle « tout être vivant venait de parents préexistants ».

*XVIII*e *s.* (expérience liée à la découverte du microscope) : de nombreux savants admettent la génération spontanée pour les êtres microscopiques (infusoires, levures, etc.).

1748 : expérience de l'Anglais John Needham (1713-81) : il constate que des animalcules apparaissent au bout de quelques jours sur des morceaux de viande préalablement chauffés. Mais Lazzaro Spallanzani (1729-99), reprenant l'expérience à une température plus élevée, ne constate plus la présence d'animalcules.

*Fin XIX*e *s. : expérience de Pasteur :* les micro-organismes sont les agents, la cause des fermentations ; le pullulement des micro-organismes dans les matières fermentescibles résulte de la présence ou de l'introduction de germes préexistants et non d'une génération spontanée ; en l'absence des germes de l'air, un liquide putrescible mais stérile (air privé de son pouvoir germinatif à cause d'un chauffage intense ou prolongé) reste indéfiniment stérile.

Théories modernes

Premières théories modernes. *XX*e *s.* [essais d'Oparin (1938), Dauvillier et Desguin (1942), Gamow, Schrödinger, etc.] ; *1957* (Moscou) : 1er symposium international sur l'origine de la vie, organisé par l'Union internationale de biochimie.

Cosmogonie (théorie généralement admise) : toute la matière actuellement répandue dans l'Univers (avec ses millions de galaxies, chacune composée de 1 milliard d'étoiles) était autrefois groupée sous forme d'une énorme boule, l'Atome primitif. Il y a 13 milliards d'années env., cette masse a éclaté et la matière s'est répartie en un grand nombre de nuages gazeux à très haute température.

Terre. Formée alors surtout de vapeurs métalliques constituant un nuage. La matière s'est formée sans doute à partir de matériaux froids (thèse de Vinogradov au congrès de Moscou), refroidis peu à peu au cours de 6 étapes (théorie de Dauvillier et Desguin) :

1°) + de 4 000 °C : tous les corps connus sont dissociés ; vers 3 000 °C : 1res réactions chimiques et associations d'atomes en molécules dont les plus stables sont les siliciures, les hydrures, les carbures, puis l'oxygène (fixé par les métaux alcalins et alcalino-terreux), l'azote (donnant des nitrures métalliques) et des composés métalliques (donnés par d'autres métalloïdes) ; à ce stade, l'atmosphère contient seulement de l'hydrogène et des gaz rares.

2°) 500 à 600 °C : l'hydrogène réduit les oxydes ferreux ; formation de l'eau et constitution des océans.

3°) La vapeur d'eau ainsi produite détruit certains composés métalliques formés pendant la 1re étape (les carbures donnent des carbures d'hydrogène, les nitrures donnent de l'ammoniac) ; la Terre s'entoure d'une atmosphère d'hydrocarbures, de siliciure d'hydrogène, d'ammoniac, d'hydr. phosphoré, sulfuré, arsénié, etc. (atmosphère actuelle de Saturne et Jupiter) ; la pression de cette atmosphère est énorme (300 kg/cm²) ; elle contient à l'état de vapeur l'eau des océans actuels.

4°) La vapeur d'eau à haute temp. transforme en oxydes les hydrures métalliques et décompose les siliciures, phosphures, sulfures, arséniures ; surtout, le méthane donne de l'oxyde de carbone, puis du gaz carbonique suivant les réactions :

$$CH_4 + H_2O \rightarrow 3H_2 + CO$$
$$CO + H_2O \rightarrow H_2 + CO_2$$

(les cristaux de quartz du granit et du gneiss contiennent du gaz carbonique) ; l'ammoniac se dissout dans les océans. L'atmosphère est composée d'azote, de gaz carbonique, d'eau et de gaz rares (atmosphère actuelle de Vénus) ; des gisements métallifères se forment à partir de la réduction des composés métalliques volatils ; 2 500 espèces minéralogiques se forment à partir du nuage gazeux primitif ; le cycle du carbone peut commencer grâce au gaz carbonique de l'atmosphère, la chaleur des eaux et la lumière solaire.

5°) Le carbure d'hydrogène formé à la 4e étape se polymérise et se condense avec d'autres atomes comme le soufre (thiophène), l'ammoniac (pyrrole), l'acide cyanhydrique (pyridine) ; c'est le point de départ de formation de cycles (la pyridine est le point de départ des 2 bases azotées de l'A.D.N., la cytosine et la thymine) ; synthèse des sucres grâce à l'utilisation de l'énergie solaire et des rayons ultraviolets : ceux-ci agissent sur le gaz carbonique pour donner d'abord l'aldéhyde formique qui, polymérisé, donne les sucres (glucose, cellulose, etc.) ; les sucres se dissolvent dans l'eau condensée des océans ; sous l'action des ultraviolets, l'amide formique se condense avec l'aldéhyde formique pour donner le glycocolle, acide aminé le plus simple ; l'argile, semble-t-il, a joué le rôle de catalyseur pour la condensation des acides aminés.

Puis, formation des premières molécules asymétriques de carbone, selon Pasteur, « *1re frontière bien marquée entre la chimie de la matière inanimée et celle de la matière vivante » à cause de :* a) l'action de la lumière U.V. polarisée circulairement à droite ; b) la catalyse asymétrique effectuée par des cristaux ou minéraux eux-mêmes dissymétriques ; c) la disparition d'un des 2 composés isomères, par cristallisation spontanée, ou par décomposition. A la fin de ce stade, la mer primitive contenait « en vrac » les éléments du vivant (glucides, acides aminés, protéines, sels).

6°) La manière dont ces molécules organiques se sont organisées pour former les 1res cellules est inconnue à l'heure actuelle.

Après 1968 (Rybak, Fesenkov, Goldschmidt, Haldane, Urey). L'acide adénosine-triphosphorique (A.T.P.) a été fabriqué à l'origine par des cellules anaérobies (c.-à-d. vivant dans une atmosphère sans oxygène).

Mais son développement, de même que celui des cellules nerveuses, a exigé toujours plus d'oxygène dans l'atmosphère ; cette oxygénation a été possible grâce à une mutation ayant permis la biosynthèse de la chlorophylle.

Néanmoins, on n'a pas encore expliqué l'origine des premières bactéries aérobies (c.-à-d. vivant dans l'oxygène) : il s'agirait peut-être de bactéries anaérobies dégénérées.

Ages de la vie

☞ M.a. = million d'années.

• **Terre.** 5 milliards d'années.

• **Premières traces de la vie** (bactéries). 3 300 M.a. (on connaît de petits amas charbonneux de 3 800 M.a. que l'on appelle *prébiontes* et qui pourraient être d'origine biologique).

• **Premiers Vertébrés.** Uniquement marins. *Silurien* (350 M.a.), 1er poisson sans mâchoires (Agnathes), les Cyclostomes encore actuellement représentés. *Au Dévonien* (320 M.a.), 1er poisson avec mâchoires (Gnathostomes) comprenant Placodermes, Condrichthyens (p. cartilagineux) et Ostéichthyens (p. osseux) qui ont évolué ainsi : les Chondrostéens qui donnent il y a 200 M.a. Holostéens et Téléostéens actuels ; les Dipneustes et les Crossoptérygiens *(« cousins » du Cœlacanthe)* à double respiration (poumons et branchies), ce qui leur a permis de quitter le milieu aquatique. La *sortie des eaux* s'effectue au Dévonien où se voient les premiers Tétrapodes (Stégocéphales) qui ont conquis la terre ferme, les nageoires se sont transformées en membres porteurs transversaux. *Au Permien* (235 M.a.), ils ont donné les 1ers reptiles d'où sont issus Oiseaux (180 M.a.) et Mammifères (160 M.a.).

• **Premiers Mammifères.** Il y a 200 M.a. les Reptiles mammaliens (Thérapsidés) vont donner naissance aux Mammifères placentaires. Caractéristiques : dents différentes, productions cornées (sabot, griffe, ongle) ; peau recouverte de poils, riche en composants sensoriels, avec de nombreuses glandes cutanées ; membres devenus parasagittaux ; homéothermie (régulation interne de la température) ; viviparité constante (le petit naît vivant débarrassé des enveloppes de l'œuf), développement dans l'utérus maternel avec un placenta (enveloppe fœtale pour la nutrition et l'élimination des déchets) ; présence de mamelles qui servent à nourrir les petits (lactation) ; psychisme élevé.

• **Premiers Primates** (70 M.a.). Descendent probablement des Proto-Insectivores (ancêtres des Primates et des Insectivores actuels comme la musaraigne), mais on ne connaît ni leurs restes ni leur berceau. Ils ont donné naissance aux Plésiadapiformes (Pénéprimates) répartis en Amérique du Nord, en Europe et en Afrique. Le plus ancien connu est *Purgatorius* (70 M.a.) découvert au Montana (U.S.A.) dans la colline du Purgatoire. Les autres Primates *(Euprimates)* se divisent très tôt en *Strepsirhiniens* et *Haplorhiniens*. Les *Strepsirhiniens* nés dans l'hémisphère Nord ont envahi la Laurasie à l'Éocène (52 M.a.) avec : les *Adapiformes* qui persistent en Europe jusqu'à l'Oligocène (34 M.a.) et gagnent l'Amérique du Nord (Notharctidés) ; les *Lémuriformes* ont migré récemment vers Madagascar à travers le canal de Mozambique ; les *Lorisiformes* apparus tardivement au Miocène (20 M.a.) en Afrique *(Galago)* ne pénètrent en Asie (Inde, Ceylan) qu'au Néogène *(Loris)*. Les *Haplorhiniens* s'individualisent au début du Tertiaire (65 M.a.), ils se divisent 10 M.a. plus tard en *Tarsiiformes* et *Simiiformes* différenciés par ségrégation géographique de part et d'autre de la Téthys. Les *Tarsiiformes laurasiatiques* montrent une radiation en Amérique du Nord (Omomyidés) et en Europe (Teilhardina). Les formes actuelles d'Indonésie *(Tarsius)* semblent dériver d'ancêtres asiatiques refoulés dans leur habitat insulaire par l'invasion des Catarhiniens occidentaux.

• **Premiers Simiens** (40 M.a.). Les *Simiiformes* constituent un groupe naturel monophylétique dont les plus anciennes formes ont été découvertes en Afrique. Ils se subdivisent en *Platyrhiniens* et *Catarhiniens*. Les premiers *Platyrhiniens* (Parapithécidés) vivaient au Fayoum (Aegyptopithèque, Égypte) il y a 30 M.a. Par contre les *Atéloïdés* ont traversé l'Atlantique encore peu élargi à l'Éocène. Le 1er connu en Amérique (Bolivie) est *Brasinella* (35 M.a.). Ils se sont répandus en Amérique du Sud jusqu'en Patagonie (réchauffement climatique : 25 M.a.) avec *Homunculus*, mais aussi à la Jamaïque *(Zenothris)* et Haïti *(Saimiri)* au Néogène. Les *Catarhiniens* apparaissent à l'Oligocène du Fayoum (30 M.a.) avec les *Propliopithécidés* qui se retrouvent en Europe au Miocène *(Pliopithécidés)*. Les *Cercopithécidés*, responsables de l'extinction des Parapithécidés au Miocène, se divisent en *Colobinés* et *Cercopithécinés* il y a 10 M.a. L'origine des *Hominidés* est par contre beaucoup plus mal connue. La position de l'*Oréopithèque* (1,20 m, 40 kg) découvert en Toscane en 1869 reste une énigme. Il semble cependant plus proche des Anthropoïdes auxquels se rattachent des fossiles du Néogène et du Pléistocène suivant 3 lignées : *Dendropithèque* (Kenya)-*Pliopithèque* (Europe), ancêtres des Hylobatidés (Gibbons) ; *Limnopithèque* (Kenya)-*Proconsul* [appelé ainsi parce qu'un chimpanzé célèbre d'un zoo américain avait été surnommé « Consul » (découvert en 1933, au Kenya)] ; *Dryopithèque* (Europe), ancêtres des Pongidés (Chimpanzé, Gorille, Orang), 22 à 10 M.a. ; *Ramapithèque* (déc. en 1934 Inde, Pakistan)-*Sivapithèque* (Grèce, Hongrie, Turquie, Inde, Chine)-*Ouranopithèque* (Grèce), entre 15 et 10 M.a., d'où semblent issus le *Gigantopithèque* (Chine, Inde, Pakistan), l'*Australopithèque*, et *Homo* d'autre part.

Nouveau schéma d'évolution. D'après le biologiste néo-zélandais Allan Wilson (n. 1930), utilisant l'analyse protéinique, *Proconsul* (22 M.a.) serait l'ancêtre du *Kenyapithèque* (16 M.a.). Il y a 15 M.a., le rameau des *Dryopithèques* se serait détaché de lui (éteint après 7 M.a.). Il y a 14 M.a., se détache le rameau des *Ramapithèques*, qui a donné les orangs-outans actuels. Un tronc commun *homme-chimpanzé-gorille* persiste encore 10 M.a. (l'orang-outan est donc assez différent de l'homme). Il y a env. 4 M.a., le rameau *Australopithèque*, dont est issu l'homme, se détache de ce tronc. Chimpanzés et gorilles (les plus proches parents de l'homme) se différencient plus tard entre eux (2 M.a.).

Tendances générales des Primates. Redressement du tronc ; développement du cerveau (télencéphalisation) ; réduction de la face et des organes olfactifs ; perfectionnement de la vision par frontalisation des orbites (vision stéréoscopique) ; remplacement des griffes par des ongles ; accroissement de l'acuité sensitivo-motrice de la main ; disparition de la queue (chez les Pongidés). Augmentation de la durée de l'enfance.

• **Premiers Hominidés.** Il y a plus de 3 M.a. (de 4 à 2,8). *Australopithèque* (taille 1 m à 1,50 m, 20 à 50 kg), en Afrique du Sud [découvert 1924 par Raymond Dart (1893-1988)] et de l'Est. La forme la plus ancienne et la plus archaïque en est le fossile AL 288-1 dit « Lucy » *(A. afarensis)* dont on a découvert, en 1974, 52 fragments associés du squelette d'une femme de 20 ans, dans la vallée de l'Aouache (Éthiopie). Il existe, d'autre part, vers 2 M.a. 2 formes contemporaines d'Australopithèques, l'une gracile *(A. africanus)* ayant persisté jusqu'à 900 000

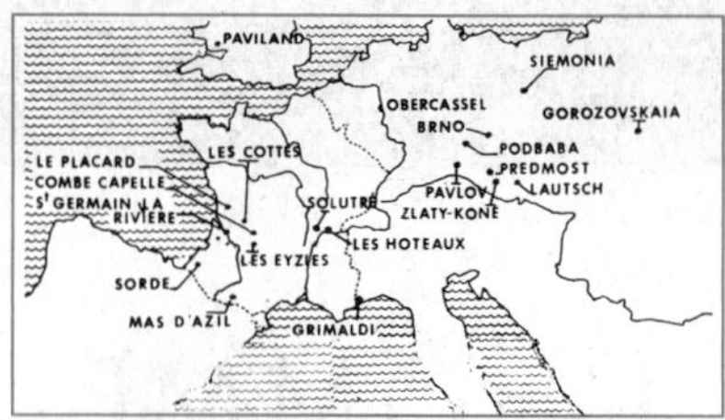

Gisements d'ossements de Cro-Magnon

Gisements de restes néandertaliens

années, l'autre robuste *(A. robustus = A. boisei)* caractérisées par leur capacité crânienne (442 et 530 ml). On connaît la trace de leurs pas découverte en 1978 à Laetoli (Tanzanie). Des formes comparables (méganthropes), qui présentent des caractères voisins d'*Australopithecus robustus* (1,5 M.a.), ont été découvertes en Indonésie ainsi qu'en Chine.

• **Premiers Hommes.** A cette même époque (3 à 1,7 M.a.) où se voient les 1ers outils de pierre et d'os, coexistait le 1er représentant de l'Homme *(H. habilis)*, avec un cerveau plus volumineux (750 ml) ; découvert au lac Turkana (Kenya) en 1972 et à Olduvai (Tanzanie en 1964). Il y a un peu plus de 1 million d'années, des vestiges d'habitat structuré ont été trouvés à Melka-Kunturé (Éthiopie) et Olduvai (Tanzanie). L'enchaînement se poursuit avec les *Archanthropiens*, les *Paléanthropiens* et les *Néanthropiens*.

Archanthropiens *(H. erectus)*. Répartis en Asie, en Afrique (1,7 M.a.) et en Europe (0,7 M.a.), connus sous le nom de *Pithécanthrope* (700 000 a.) ou *homme de Java* (déc. en 1890 à Trinil), *Sinanthrope* (300 000 a.) ou *homme de Pékin* (déc. en 1926 à Choukoutien), *Atlanthrope* (500 000 a.) ou *homme de Ternifine* (déc. en 1955, Algérie). En Europe, les Archanthropiens *(H. erectus presapiens)* présentent des caractères généralement moins robustes : leur morphologie annonce celle des Hommes de Neandertal. Aussi les appelle-t-on *Prénéandertaliens* (Mauer 700 000 ans, Arago et Montmaurin 450 000 ans ? etc.). Ces hommes ont maîtrisé le feu il y a 700 000 a. (grotte de l'Escale, B.-du-R.). Certaines formes ont persisté jusqu'à 100 000 a. Salé (Maroc) et Solo (Java), Broken Hill (Zambie), Dali (Chine), voire 35 000 ans (Djebel Irhoud, Maroc ; Mapa, Chine).

Paléanthropiens. Terme artificiel regroupant tous les Hommes fossiles associés aux industries moustériennes. La forme la mieux connue, essentiellement européenne, est désignée sous le terme d'Hommes de Neandertal représentée dès 100 000 ans *(Homo presapiens neandertalensis)*. Les exemplaires les plus complets proviennent de Dordogne (La Chapelle-aux-Saints, La Ferrassie, Le Moustier) où ils disparaissent il y a 35 000 a. (St-Césaire, Vindija). L'abri de La Ferrassie qui comprenait 8 squelettes est la sépulture collective la plus complète. D'autres restes sont connus à Gibraltar, Shanidar (Irak), Teshik-Tash (Ouzbékistan), Mapa (Chine) et Wadi Amud (Israël), tandis que coexistaient des formes plus évoluées dans le sens « sapiens » *(Homo presapiens sapiens)* à Skhul Qafzeh en Israël.

Néanthropiens. *Homo sapiens fossilis*, proche de l'homme actuel, devient la seule forme humaine présente depuis 30-35 000 a. : Cro-Magnon (25 000 a.), assez grand, déc. en Dordogne en 1868, puis dans le Midi méditerranéen. Dès le Mésolithique et surtout au Néolithique, *H. sapiens fossilis* laisse place à *Homo sapiens sapiens* (fréquence de la brachycéphalie, gracilisation du crâne) : Taforalt (Maroc), crânes trépanés (12 000 a.) ; Afalou-Bou-Rhumel (Algérie) ; Chancelade (Dordogne) déc. en 1888. Enfin, au Néolithique, il y a 5 000 a., l'Homme est répandu sur tous les continents, à l'exception de certaines îles d'Océanie.

Origine de l'Homo sapiens. 2 thèses. *Monocentristes : H. sapiens sapiens* apparaît dans une zone définie (Moy.-Orient, Afrique australe, Afr. orientale, S.-E. asiatique) avant de se répandre sur toute la Terre. *Polycentristes* (plus conformes aux données de la paléontologie) : *H. sapiens* apparaît en différentes régions et à diverses époques, à partir d'une forme avancée d'*Homo erectus (Homo erectus presapiens)*, rencontré en Europe dès 700 000 a.

Capacité crânienne

Exemples (en ml) : Lémuridés 25-40 ; Loris 5 ; Tarsiiformes 3-6 ; Platyrhiniens 90-110 ; Cercopithécidés 90-140 ; Hylobatidés 82-125 ; Chimpanzé 284-474 ; Gorille 383-625 ; Orang-outan 410 ; Australopithèque gracile 428-484, robuste 500-530 ; *Homo habilis* 590-752 ; *H. erectus* 850-1 200 ; Néandertaliens 1 490-1 680 ; « Néandertaloïdes » 1 100-1 300 ; Cro-Magnon 1 450-1 590 ; Chancelade 1 710 ; *H. actuel* 1 000-2 000 (moyenne : homme 1 450, femme 1 220 ; aborigènes d'Australie 1 100).

☞ Roger Saban, professeur au Muséum, montre que la vascularisation méningée progresse avec l'accroissement du cerveau. Le réseau se compose de 2 branches chez l'*Australopithèque gracile*, de 3 chez l'*A. robuste*. Les 1res anastomoses apparaissent chez *H. habilis*. L'arborisation se développe chez les Archanthropiens où se distinguent 2 phylums : 1° l'un, représenté par *H. erectus* avec un réseau simple, se termine avec les Néandertaliens ; 2° l'autre, représenté par *H. palaeojavanicus* avec de très nombreuses anastomoses, se continue jusqu'à nos jours à travers des formes présapiens depuis 450 000 a. (Arago-Swanscombe, Biache, Kulna, Cro-Magnon pour la lignée eurasiatique et Rhodésie, Taforalt pour la lignée africaine).

Le concept de l'*Ontogenèse fondamentale* développé par A. Dambricourt-Malassé (1987) montre l'évolution du crâne comme résultant d'un processus continu dans sa cause et ses effets qui procède par sauts ontogénétiques. Ce processus se traduit par une « contraction crânio-faciale » qui modifie la conception actuelle de la croissance du crâne et de la face et s'intègre dans la théorie de la « biodynamique crânienne » de M. J. Deshayes (1986). Dès l'origine apparaît une double tendance évolutive : l'une spécialisante par entrave de la contraction aboutit à l'H. de Neandertal ; l'autre, en développant cette contraction crânio-faciale, mène au saut ontogénétique qui par une nouvelle contraction définira *Homo sapiens sapiens*.

Mécanisme de l'évolution

• **Théories darwinistes.** Selon l'Anglais Charles Darwin (1809-82), la spéciation s'explique par des raisons de milieu : au sein d'une même espèce, certains individus possédant des « variants » caractéristiques, particulièrement favorables, ont plus de chances que les autres de perpétuer leur lignée. Objections : 1° durée de la sélection (pour qu'un principe de sélection aussi faible ait quelques chances d'être efficace, il devrait disposer de centaines de milliards d'années ; or la vie n'existe que depuis 5 milliards d'années) ; 2° cette sélection pourrait jouer à l'intérieur d'une espèce, mais n'explique pas la création d'espèces nouvelles : la plupart des variants sont définis comme des « somations » (non héréditaires) et non comme des « mutations » (héréditaires).

• **Théories néo-darwinistes.** Considèrent que les « variants » de D. sont réellement des mutations héréditaires, car ils correspondent aux « mutations géniques » [c.-à-d. celles qui affectent les gènes, (unités héréditaires, transportant le patrimoine génétique d'une espèce), et qui se produisent en moyenne chez un individu sur 55 000].

• **Inversion de la théorie darwiniste.** *Pour les darwinistes :* les accidents chromosomiques ne peuvent intervenir dans l'évolution, car ils provoquent la mort ou la stérilité des sujets. Les changements de races (dus à des mutations géniques accumulées) précèdent donc les changements d'espèces. *Pour l'école de Jean de Grouchy (Français 10-8-1926)*, directeur au CNRS, les mutations géniques, qui expliquent de multiples changements de détail, sont insuffisantes pour expliquer la spéciation : celle-ci ne peut être réalisée que par des changements chromosomiques, seuls capables de constituer des barrières sexuelles pouvant isoler des espèces nouvelles. Les individus ayant subi un accident chromosomique (tel que : inversions péricentriques, fusions, translocations) sont stériles ou hypoféconds seulement quand il y a *hétérozygotie* (élément hérité du seul père ou de la seule mère) ; il n'y a pas stérilité en cas d'*homozygotie* (élément hérité à la fois du père et de la mère). Des espèces nouvelles peuvent donc se stabiliser en cas de reproduction entre individus consanguins, mâle et femelle ayant hérité du même accident chromosomique. À l'intérieur d'une espèce déjà constituée de cette façon, des mutations géniques peuvent se produire, entraînant des changements de races, mais la spéciation précède toujours la raciation. *Principal argument :* sur le plan des GÈNES, deux races appartenant à des espèces différentes se ressemblent parfois plus que deux races de la même espèce ; sur le plan des CHROMOSOMES, toutes les races d'une même espèce sont semblables. Par ex., les singes anthropoïdes avaient 48 chromosomes. Voilà env. 20 millions d'années, une divergence s'est produite : certains ont conservé 48 chr. et sont devenus les singes pongidés. D'autres sont passés de 48 chromosomes à 46, donnant naissance au « phylum » (c.-à-d. au rameau) humain (genre : *Homo ;* espèce : *Homo sapiens*). Par la technique du marquage chromosomique en bandes, Grouchy et son équipe ont démontré que le chromosome humain n° 2 résulte de la fusion de 2 chr. ancestraux : le [2 p] et le [2 q] (existant encore chez les Pongidés. V. ci-dessus : premiers Simiens). Ceci explique la réduction du nombre chromosomique (mais pas forcément l'isolement définitif du rameau humain, car il y a eu d'autres accidents affectant les chromosomes 1, 9, 16 et peut-être 15).

• **Théorie du biomagnétisme.** Les cellules (les génomes, nom de l'ADN) émettent un rayonnement ultraviolet qui entrerait en résonance avec l'environnement. Pour maintenir cette résonance électromagnétique, les espèces muteraient.

Adam et Ève, mythe ou réalité ?

Le mythe d'Adam et d'Ève peut être utilisé symboliquement pour expliquer l'apparition des 1ers hominidés : un individu de la super-famille des hominoïdes (appelé conventionnellement Adam) a subi une mutation chromosomique (par exemple la fusion en 1 chromosome unique des 2 chromosomes [2 p] et [2 q]). Il féconde une hominoïdée femelle, qui n'est pas Ève, mais met au monde une fille ayant hérité la mutation chromosomique de son père. Cette fille est appelée conventionnellement Ève. Fécondée ensuite par son père, elle donne naissance aux premiers individus de la famille des Hominidés, qui, à cause du nombre réduit de leurs chromosomes, se séparent définitivement des pongidés. Tous les humains, sans exception, sont nés de ce couple-là, car la probabilité d'une rencontre entre un hominoïdé mâle et une hominoïdée femelle ayant subi, chacun de son côté, le même accident chromosomique est pratiquement nulle.

Races actuelles

Généralités

• **Définition.** Groupe d'individus issus d'ancêtres communs présentant un ensemble de caractères anatomiques, physiologiques et pathologiques communs, transmissible par voie génétique.

• **Origine.** Selon le *monophylétisme* (seul admis aujourd'hui), tous les hommes dérivent d'une souche unique, leurs groupes ne se distinguant que par des différences secondaires acquises sous l'effet de causes externes, adaptatives, géographiques sélectives et génétiques. Selon le *polyphylétisme,* il existe autant de souches que de grandes races humaines.

• **Groupes actuels.** L'Homme actuel appartient à l'espèce *Homo sapiens,* à l'intérieur de laquelle on distingue au moins 4 groupes ou « races géographiques » : blanc, noir, jaune et australoïde, qui se subdivisent en races, puis en sous-races, types et faciès locaux.

Blancs (leucodermes) : peau claire ou basanée. Cheveux plus ou moins bouclés. Nez mince, pas de prognathisme. On a souvent qualifié d'*aryens* les Blancs (notamment nordiques), mais à tort car ce terme a seulement une signification linguistique.

Noirs (mélanodermes) : peau foncée. Cheveux crépus. Nez large. Lèvres épaisses. Prognathisme, dolichocéphalie dominante.

Jaunes (xanthodermes) : peau jaune-brun. Cheveux raides. Nez variable. Pommettes fortes. Face large, brachycéphalie dominante.

Australoïdes : front fuyant, arcades sourcilières développées, racine du nez enfoncée. Voûte crânienne basse. Petite capacité crânienne (ex. : races australienne et vedda).

• **Caractéristiques. Cheveux.** Gros (chez les Jaunes), moyens ou fins (chez les Blancs). On distingue les cheveux *lissotriches :* raides, droits, faiblement ondulés ; *cymatotriches :* ondulés, bouclés ; *ulotriches :* frisés, crépus.

Indice céphalique. Largeur du crâne × 100/longueur. *Brachycéphale :* crâne dont la largeur égale presque la long. (indice supérieur à 81). *Dolichocéphale :* crâne étroit et allongé (indice inférieur à 76). *Mésocéphale :* crâne aux proportions moyennes (indice 76 à 81).

Prognathisme. Face projetée en avant. Ce caractère n'existe pas en Europe. Il est limité chez l'Homme actuel au seul prognathisme alvéolo-sous-nasal.

Nota. – Métis : personne issue du croisement de races différentes ; *mulâtre :* métis né de l'union d'un parent blanc et d'un parent noir ; *zambo* (Am. du Sud) : né d'un parent amérindien et d'un parent noir.

Races par continents

Afrique. *Méditerranéenne :* greffée d'éléments nordiques et alpins, d'éléments des races sud-orientale et anatolienne et d'éléments nigritiques mélano-africains. Une partie des *Guanches* des Canaries, race aujourd'hui éteinte, était le vestige presque intact d'une race nord-africaine voisine de la race de Cro-Magnon (Mechta-Afalou). *Mélano-africaine :* Africains noirs. *Négrille :* Pygmées. *Khoisan :* Hottentots + Boschimans. *Éthiopienne :* les *Peuls* sont des éléments similaires aux Éthiopiens croisés de Méditerranéens et de Noirs.

Amérique. *Amérindienne :* peuplement récent par immigration d'Asie par le détroit de Behring, en vagues successives il y a env. 15 000 a. (Les *Esquimaux* représentent la dernière vague de ces immigrants, les Fuégiens et les Patagons la première.)

Asie. *Blanches : Indo-afghane :* élément le plus oriental du complexe médit. *Anatolienne sud-orientale :* Todas et Tsiganes sont 2 groupes où la race indo-afghane s'est mêlée à des groupes dravidiens. *Aïnou :* Sakhaline. *Mélano-hindoue :* rattachable aux Noirs plutôt qu'aux Médit. *Jaunes : Sibérienne, Nordmongole, Centro-mongole* (Chine, Tibet), *Sud-mongole* (Chine du Sud, Indochine, Japon). *Indonésienne* ou *Proto-malaise. Touranienne* (Perse, Turquie, Crimée). *Vedda :* primitive (Sri Lanka).

Europe (toutes blanches). *Nordique :* a peut-être pour ancêtre la race de Cro-Magnon. *Est-Baltique, Alpine :* les Lapons en sont un rameau. *Dinarique :* en Europe centrale et aux Balkans. *Méditerranéenne :* se prolonge en Afrique du N., au Sahara et au Proche-Orient.

Océanie. *Négrito* et *Mélanésienne :* noire (Papous, Canaques). *Tasmanienne* (éteinte dep. 1877), *Polynésienne, Indonésienne :* jaune. *Australienne :* australoïde.

Les Tsiganes

Nom. (Du grec, nom d'une secte de musiciens et de devins) groupe culturel organique d'origine indienne comprenant les Rom (9/10e de la pop. totale), les Manouch ou Sinté (la majorité des Tsiganes français), les Kalé.

Histoire. Émigration ancienne vers l'ouest Xe s. Perse, Grèce, XVe s. France (1re apparition à Paris en août 1427). XVIIIe s., présents dans tous les pays d'Europe. XIXe s. immigration volontaire vers U.S.A., Canada, Mexique, Amérique centrale, Chili, Argentine. 1939-1945 : persécutions racistes nazies (800 000 disparus). 1971 : création du Comité international Rom ; 1er congrès intern. à Londres. 1978 : congrès à Genève. 1981 : congrès à Gottingen. Adoption d'un hymme et d'un drapeau, l'O.N.U. accorde un statut consultatif au Comité Rom.

Nombre. 12 à 15 millions dont Yougoslavie 700 000 à 900 000, Roumanie 500 000 à 900 000, Hongrie 400 000 à 600 000, Bulgarie 300 000 à 500 000, Tchécoslovaquie 300 000 à 400 000, Espagne 250 000 à 450 000, U.R.S.S. 200 000 à 500 000, France 180 000 à 250 000, Italie 70 000 à 100 000, G.-B. 70 000 à 100 000, All. dém. 50 000 à 80 000, Suède 6 000 à 10 000, Belgique 5 000 à 10 000, Finlande 5 000 à 8 000, Danemark 2 000 à 3 000.

Médecine

Histoire de la médecine

Quelques étapes de la médecine et de la chirurgie occidentales

• **Préhistoire.** 1res trépanations connues (13 000 années).

• **Antiquité. Médecine :** humorale et pneumatique fondée sur l'équilibre ou le déséquilibre des 4 humeurs (bile, sang, pituite et atrabile), la libre circulation du souffle vital *(pneuma)* et l'opposition harmonieuse ou discordante de la chaleur innée et de l'humide radical. Hippocrate (v. 460-v. 377 av. J.-C.) et Galien (v. 131-v. 201) sont les deux figures de proue de cette médecine. Développement de l'hygiène, utilisation des plantes et du thermalisme.

Chirurgie : connaît la réduction des fractures et luxations, l'abaissement du cristallin, la taille vésicale pour calculs et les amputations des membres.

• **Moyen Age. Médecine :** la science antique perdue est retransmise par Byzantins et Arabes. *Sphygmologie* (étude du pouls) et uroscopie sont la base du diagnostic. Lèpre et peste imposent la création de léproseries (en France, St-Claude, 461), hôpitaux (en France, Lyon 542 ; Paris, St-Julien-le-Pauvre 577, Hôtel-Dieu 650), quarantaines. *Progrès sur l'Antiquité :* emploi de produits nouveaux (sucre, alcool, coton) ; utilisation de lunettes pour presbytes (v. 1285). **Chirurgie :** développement de l'arsenal chirurgical, des méthodes anesthésiques et des procédés de suture des plaies ; premières ouvertures de cadavres (XIIe s., Bologne, Italie).

• **Renaissance. Médecine :** le renouveau du néoplatonisme irrationnel, antiaristotélicien, explique l'essor de l'alchimie, le remplacement des drogues végétales par des médicaments chimiques (antimoine, arsenic, mercure) et le succès de la médecine spagyrique (chimique) représentée par Paracelse (Su., 1493-1541). Il s'oppose à Jean Fernel (Fr., 1497-1558). C'est aussi le siècle de l'anatomie, avec la *Fabrica* (1543) d'André Vésale (Flamand, 1514-64) et la découverte de la circulation pulmonaire en 1553 (Michel Servet, Esp., 1511-1553), et celui de la matière médicale exotique américaine (gaiac, salsepareille, tabac, ipéca...) ou orientale (squine, café...). La syphilis, maladie nouvelle, est importée d'Amérique. Frascator (It., 1483-1553) parle de la contagion.

Chirurgie : Ambroise Paré (Fr., 1510-1590) est le plus grand chirurgien d'Europe. Pierre Franco (Fr., 1500-1561) est le père de la chirurgie plastique, herniaire et urinaire. Apparition des verres concaves pour les myopes.

• **XVII**e **s. Médecine** : introduction du microscope : débuts de la microbiologie avec Pierre Borel (Fr., 1620-1689) et Antoine Van Leeuwenhoek (Holl., 1632-1723) et de l'histologie (étude descriptive des tissus vivants) avec Marcello Malpighi (It., 1628-1694). La double découverte de la circulation du sang en 1628 (William Harvey, 1578-1657, Angl.) et du transit du chyle (description du canal thoracique, Jean Pecquet, 1622-1674, Fr., en 1661) et l'émergence de l'adénographie [découverte des sécrétions pituitaires, biliaires, salivaires et pancréatiques (Reinier De Graaf, 1641-73, Holl.)] ruinent la médecine humorale et la théorie du foie sanguiformateur. Les médecins se divisent en iatro-physiciens et en iatrochimistes. Mais cette approche quantitative de la pathologie est prématurée, d'où le vitalisme. *1667 :* 1re transfusion sur l'homme pratiquée à Montpellier par J. Denis avec du sang d'agneau. Résultats décevants (ignorance de l'usage des anticoagulants et surtout de la prophylaxie des accidents d'hétérotransfusion).

Nouvelles maladies décrites : apoplexie (Johann Wepfer, Su., 1658), rachitisme (Francis Glisson, 1597-1677, Angl., 1650), cataracte dont le siège est définitivement fixé dans le cristallin (1694). *Nouveau médicament :* quinquina.

Chirurgie : introduction du forceps par les Chamberlain (Angl.). Cure de la fistule anale de Louis XIV. Nouveaux procédés de taille vésicale pour calculs. Naissance de l'odontologie (dentisterie) et de la stomatologie (étude et traitement des affections de la bouche et du système dentaire).

• **XVIII**e **s. Médecine** : naissance de la physiologie moderne avec la notion d'irritabilité introduite par Albrecht von Haller (Su., 1708-1777) et de l'anatomie-pathologie avec Giambattista Morgani (It., 1682-1771). De nombreux systèmes classent les maladies comme les plantes en botanique. Émergence de la médecine sociale qui s'intéresse aux aveugles, aux sourds-muets, aux femmes enceintes, aux enfants en bas âge et à l'hygiène hospitalière (Jacques Tenon, 1724-1816, Fr., 1788). Lutte contre les épizooties et les épidémies [en particulier la variole combattue par la variolisation (v. 1720), puis par la vaccination (Edward Jenner, Angl., 1749-1823) en 1798].

Chirurgie : création en France de l'Académie royale de chirurgie (1731) et transformation du statut social et scientifique du chirurgien. Perfectionnement et diffusion du forceps (André Levret, Fr., et William Smellie, Angl.). Débuts de la neurochirurgie. Cure des occlusions intestinales par les anus contre nature. Cure de la cataracte par extraction (Jacques Daviel, 1696-1762, Fr.). Introduction des dents à tenon, bridges, prothèses (Pierre Fauchard, Fr., 1678-1761). Progrès dans la technique des amputations des membres et de leur appareillage. 1re ablation réussie de l'appendice réalisée par Claudius Amyand (1680-1740) en Angleterre.

• **XIX**e **s. (1**re **moitié)**. Fusion de la *médecine* et de la *chirurgie*, et triomphe de la médecine hospitalière. Avec Gaspard-Laurent Bayle (Fr., 1774-1816) et René Laennec (Fr., 1781-1826), la méthode anatomo-clinique, relayée par la méthode numérique (Pierre-Charles-Alexandre Louis, 1787-1872, Fr.), introduit une nouvelle sémiologie (percussion, auscultation) qui permet le diagnostic de la lésion sur le vivant. À ces données, Pierre Bretonneau (1778-1862, Fr.) ajoute la notion de contagion, niée par l'école de Paris. Ainsi sont isolées tuberculose pulmonaire, diphtérie et fièvre typhoïde. Les acquisitions chirurgicales nouvelles (désarticulation des membres, chirurgie plastique) sont freinées par le développement de l'infection hospitalière (hospitalisme).

• **XIX**e **s. (2**e **moitié)**. **Médecines** de laboratoire, expérimentale et micrographique surclassent la médecine d'hôpital avec François Magendie (Fr., 1783-1855), Claude Bernard (Fr., 1813-1878) et Rudolph Virchow (All., 1821-1902). Découverte des grandes fonctions biologiques : ovulation, fécondation, circulations locales, sécrétions internes, milieu intérieur (1859). Introduction de la pathologie cellulaire, des notions de phlébite et d'embolie (Virchow, 1858). Connaissance du mécanisme de l'inflammation (diapédèse, Conheim, All., 1872 ; phagocytose, Metchnikoff, Russie, 1875-1884). Louis Pasteur (Fr., 1822-1895) et Robert Koch (All., 1843-1910) créent la bactériologie et les concepts de maladie microbienne, d'immunité, de vaccination et de sérothérapie.

On utilise : thermométrie, sphygmographe (Potain, Fr., 1889), électricité médicale (Guillaume Duchenne de Boulogne, Fr., 1806-1875), prise de la *tension artérielle,* seringues à injection hypodermiques (1853), et *intraveineuses. 1ers laboratoires cliniques* (1868) permettant la recherche de la glycosurie, de la protéinurie, de la numération des globules sanguins, du sérodiagnostic (Fernand Widal, Fr., 1896) et de l'hémoculture (1902). Découverte des rayons X (Röntgen, All., 1895) et du radium (les Curie, Fr., 1898).

Chirurgie : découverte de l'anesthésie générale à l'éther (1846) et au chloroforme (1847). Lutte contre l'hospitalisme en 3 temps : hygiène hospitalière, antisepsie chimique listérienne (1867) et asepsie physique pasteurienne (v. 1880). Conquête de l'hémostase par la notion de circulation collatérale (Luigi Porta, It., 1800-75) et introduction de la pince à forcipressure (Eugène Kœberlé, Fr., 1865). Essor de la chirurgie gynécologique (ovariectomie, Kœberlé, 1863), puis abdominale (pylorectomie, Jules Péan, Fr., 1879 ; gastro-entérostomie, Wölfler, All., 1881). Apparaissent les spécialités chirurgicales (urologie, ophtalmologie, orthopédie, oto-rhino-laryngologie, gynécologie).

• **XX**e **s. (1**re **moitié). Médecine** : découverte de l'*anaphylaxie,* augmentation de la sensibilité de l'organisme envers une substance en lui administrant (par injection ou ingestion) une dose minime [Charles Richet (1850-1935) et Paul Portier (1866-1962), Fr., 1902] ; de l'*allergie* [Clemens von Pirquet (1874-1929), Autriche, 1906] et conception des maladies allergiques (asthme, urticaire, eczéma). La notion de *vitamine* [Casimir Funk (1884-1967), Pol., 1911] explique les maladies de carence (béribéri, scorbut, rachitisme, pellagre, héméralopie...) ; celle d'*hormone* [William Bayliss (1860-1924) et Ernest-Henry Starling (1866-1927), Angl., 1902] permet de pallier les troubles dus à un déficit de sécrétion interne [diabète : insuline, découverte en avril 1921 par N.C. Paulesco (Roumain)]. La *chimiothérapie* [Paul Ehrlich (1854-1915), All., 1903-12] permet de soigner la syphilis (606 et 914 ou novarsenobenzol). On découvre les *sulfamides* (1935, Gerhard Domagk, All., 1895-1964). L'*électrocardiographie* [(1887) 1er électrocardiogramme humain enregistré par Augustin Désiré Waller (G.-B.), 1901 William Einthover (P.-B.)] et l'*électroencéphalographie* (1929) augmentent la précision du diagnostic, comme la nouvelle sémiologie biochimique et les progrès de la radiologie.

Chirurgie : les succès de la chirurgie aseptique sont limités par les maladies opératoires. Pendant la guerre de 1914-18, la traumatologie doit progresser. L'aspiration et le bistouri électriques, la motorisation des instruments de chirurgie osseuse et crânienne et l'enrichissement de l'arsenal chirurgical facilitent l'acte opératoire sous anesthésie locale, tronculaire, rachidienne ou générale. Par la radiumthérapie (Dominici, Fr., 1910) et la radiothérapie pénétrante, le traitement du cancer échappe, en partie, aux chirurgiens.

• **XX**e **s. (2**e **moitié). Médecine** : la guerre de 1939-45 répand la réanimation-transfusion, l'anesthésie générale par intubation et l'usage des antibiotiques. Leur pouvoir germicide est limité par la renaissance de l'hospitalisme.

Le *microscope électronique* permet de voir ce qui échapperait à l'observation au microscope photonique (ex. : organites cellulaires, virus, certaines molécules, etc.). Il a contribué à l'essor de disciplines comme la virologie et la pathologie moléculaire [1re maladie moléculaire connue : l'anémie à hématies falciformes (1949)]. L'association de la biochimie et de la génétique explique les erreurs innées du métabolisme (alcaptonurie, etc.). Les nouveaux médicaments : anticoagulants, corticoïdes antirhumatismaux, contraceptifs, médiateurs chimiques du système nerveux, inhibiteurs d'enzymes transforment le pronostic de nombreuses maladies. Il faut ajouter la psycho-pharmacologie (1952) et la chimiothérapie du cancer associée à la chirurgie, à la cobalthérapie et à la radiothérapie isotopique.

Chirurgie : diagnostic de plus en plus précis grâce à la *laparoscopie* (permet, grâce à un dispositif optique, d'observer à l'intérieur même de la cavité abdominale les différents organes qui s'y trouvent), à l'*angiographie* (radiographie des vaisseaux après injection de substance opaque aux rayons X), à la *scintigraphie* (après injection d'une substance radioactive dans un organe, on obtient une image sur une surface photosensible), à l'*échographie* [utilise la réflexion (écho) des ultrasons dans les organes], à la *tomographie* (permet d'obtenir l'image radiographique d'un plan à un niveau choisi d'une région du corps), et à la *scanographie* (utilise les rayons X mais la plaque photographique est remplacée par des capteurs électroniques qui apprécient mieux que l'œil ou les émulsions photographiques la densité des organes traversés ; on obtient ainsi une image plus fidèle et plus précise du plan anatomique exploré). La résonance magnétique nucléaire (R.M.N.) qui repose sur l'analyse du comportement des électrons dans un organisme soumis à un champ magnétique intense permet d'obtenir des images anatomiques très précises, de ne pas utiliser des radiations et d'être ainsi moins traumatisante. Exérèses de plus en plus larges suivies de mise en place de prothèses ou d'organes transplantés (cœur, rein, poumon et foie). L'usage des immunodépresseurs minimise les phénomènes de rejet, toujours à craindre. La *microchirurgie* permet des interventions de plus en plus précises sur les organes des sens et le cerveau ; elle facilite les transplantations de segments de membres, de peau et d'organes.

Le corps humain

☞ 365 maladies nouvelles sont apparues ou ont été reconnues depuis 25 ans, selon une équipe animée par le Pr Jean Dormont.

Contenance

Contenance globale. Le corps humain contient, en moyenne, 60 % d'eau, 39 % de matières organiques (lipides, protides, glucides) et 1 % de sels minéraux. Il dispose de 100 milliards de milliards (10^{20}) de molécules d'anticorps produits par 1 000 milliards de lymphocites (globules blancs). Dans un corps de 70 kg, on trouve :

Éléments en kg. Oxygène 45,5. Carbone 12,6. Hydrogène 7. Azote 2,1. Calcium 1. Phosphore 0,7. Potassium 0,214. Soufre 0,175. Sodium 0,1. Chlore 0,07. *Oligo-éléments en grammes.* Fer 3. Magnésium 3. Zinc 2. Manganèse 0,2. Cuivre 0,15. Iode 0,03. – Traces de Cobalt, Nickel, Aluminium, Molybdène, Vanadium, Plomb, Étain, Titane, Brome, Fluor, Bore, Arsenic, Silicium.

Déperditions quotidiennes en eau. *Par les urines :* 1 à 1,5 litre, *sudation :* 100 à 500 ml, *évaporation pulmonaire : 350 à 600 ml, pertes insensibles cutanées :* 400 à 1 000 ml, *matières fécales :* 50 à 200 ml. Compte tenu de ces pertes, les besoins quotidiens en eau sont de : par adulte 30 à 40 ml par kg, enfant (de 3 à 10 kg) : 72 à 96 ml. En cas de forte fièvre ou de diarrhée, pertes et besoins très supérieurs.

Poids de différentes parties. *En kg :* Muscles et chair 52,5. Os 17. Tête 7. Bras 7. Jambes 11. *En g :* Foie 1 600. Cerveau 1 300. (Voir p. 116). Poumons 1 200 (homme) ; 900 (femme). Cœur 300. Rate 165. Rein 160. Pancréas 70. Glandes parotides 25. Thyroïde 25 à 30. Capsules surrénales 6 g chacune.

Rythmes biologiques

Cycle menstruel : durée 28 j. **Sommeil-veille :** durée 24 h, contrôlé par le cerveau. **Température :** durée 24 h (minimum au cours du sommeil), contrôlée par l'hypothalamus et chez la femme en activité génitale, rythme de 14 jours, température plus élevée de 3 à 5 dixièmes de degré au cours de la 2e moitié du cycle menstruel. **Rythme cardiaque :** diminue pendant le sommeil. **Sécrétion des capsules rénales :** durée 24 h, baisse pendant le sommeil mais croît avant le réveil. **Élimination rénale :** durée 24 h, maximum au milieu de la journée. **Nombre de globules du sang :** durée 24 h, minimum à la fin du sommeil. **Division cellulaire :** durée 24 h, maximum en fin de soirée.

Taille et poids des individus

La tête représente 1/7 (homme d'env. 1,60 m) à 1/8 (h. de 1,80 m) du corps.

• **Fœtus.** *Taille en cm. 3 mois :* 9. *4 :* 20. *5 :* 25. *6 :* 36. *7 :* 41. *8 :* 44. *9 :* 50.

• **Nourrissons.** A la naissance 3 kg à 3,5 kg (record : 283 g, 31 cm, Marion Chapman née 5-6-1938 en G.-B. ; à 1 an pesait 6,89 kg). *Un prématuré* (enfant né avant 37 semaines d'aménorrhée) pèse souvent moins de 2,5 kg.

Augmentation du poids. *1er mois* après la naissance env. 30 g par jour. *2e :* 30. *3e :* 25. *4e au 6e :* 20. *6e au 12e :* 500 g par mois. *12e au 18e :* 180. *18e au 24e :* 150. *De la taille* (par mois). *1er mois :* 3,5 cm. *2e* et *3e :* 3. *4e :* 2,5. *5e :* 2. *5 à 12 mois :* 1 cm par mois.

• **Taille de quelques populations** (v. 1960, en cm). Tutsis 180. Tehuelches (Patagonie) 178. Monténégrins 178. Scandinaves 175. Cheyennes (Indiens) 174. Foulbé (Soudan) 174. Polynésiens (îles Marquises) 174. Anglais 173. Turkestanais 171. *Français 170* (1870 : *165 ;* 1971 : *174* hommes, *164* femmes). Belges 169. Allemands 168. Russes 168. Italiens 166. Hongrois 163. Mongols 163. Espagnols 162. Japonais (Aïnous) 158. Esquimaux 158. Lapons 153. Andamans (Insu.) 148. Aëtas (Philippines) 146. Mbutis (Pygmées) 137 (femmes 135), certains 132 (femmes 124).

La taille augmente chez les Blancs (ex. Pays-Bas : taille moyenne des conscrits *v. 1880 :* 1,65 m, *1980 :* 1,80 m) en raison des nombreux métissages entre les diverses races blanches et indépendamment du régime alimentaire et du milieu.

• **Rapport du poids à la taille. Poids théorique** (en kg) (formule de Lorentz) :

$$(\text{Taille} - 100) \text{ en cm} - \left(\frac{\text{Taille} - 150}{a^1} \right).$$

On peut améliorer la relation du poids à la taille en tenant compte de l'ossature de l'individu : largeur du bassin (diamètre bi-iliaque mesuré à partir de la partie la plus large de l'aile iliaque) ; largeur des épaules (diam. biacromial) ; tour de poignet.

Nota. – (1) a = 4 chez l'homme, 2 chez la femme.

• **Nanisme.** Origines multiples : génétique (ex. : syndrome de Turner), nutritionnelle, endocriniennes, osseuses, psychosociales.

Maladies endocrines. Ex. : insuffisance hypophysaire. La croissance est réglée par l'hormone HGH (Human Growth Hormone) synthétisée dans l'hypophyse et sous l'action du GRF (Growth Hormone Releasing Factor). Lorsqu'elle est absente, la croissance est ralentie.

Maladie des os, du métabolisme. On peut déceler avant la naissance les nanismes d'origine osseuse dont l'achondroplasie (nanisme le plus fréquent, héréditaire à 50 %).

Traitements : hormonaux s'il s'agit d'un déficit hormonal. Aucun pour les nanismes osseux ou génétiques.

Nains célèbres. Jeffery Hudson (1629-92), nain de la cour de Charles Ier d'Angleterre, 1,16 m. « Comte » Joseph Buralowsky (Pologne, nov. 1739 Durkham, 5-9-1839) 0,77 m. Nicolas Ferri « Bébé » (1741-64), nain de la cour de Stanislas de Lorraine, 0,89 m. Calvin Phillips (Amér., 1791-1812), 0,67 m, 4,5 kg habillé. Caroline Crachami (Sicilienne, 1815-24), 0,51 m. Charles Sherwood Stratton dit Tom Pouce (Américain, 1838-83), 1,02 m. William E. Jackson « Major Mite » (Nlle-Zélande, 1864-New York, 1900), 0,70 m. Un Russe, 0,74 m à 34 ans. Paulina Musters « Princesse Pauline » (Hollandaise, 1877-1895), 0,59 m, 3,5 à 4 kg. Walter Boehming (Allemand, 1907-55), 0,52 m. Un nain cité par Buffon, 0,40 m à 37 ans. Antonio Ferreira (Port. 1943-89) 0,75. On connaît 2 naines centenaires : Anne Clowes 114 cm, 21,70 kg († 5-8-1784 à 103 ans aux U.S.A.) ; Susanna Bokoyni 1,01 m, 16 kg, † à 105 ans le 24-8-84.

Nains vivants : Mlle Patinah (Indonésie, n. 1931) 0,65 m ; Nruturam (Inde, 28-5-1929), 0,71 m ; Suleyman Eris (Turquie, 24-1-1955), 0,76 m, 11,4 kg.

Nains en France. *Nombre :* environ 5 500 nains de moins de 1,40 m (moyenne 1,20 m) ; il naîtrait par an 1 000 nains. *Le plus petit* mesurerait 0,92 m.

Association des Personnes de Petite Taille (A.P.P.T.) 8, av. Anatole-France, 94600 Choisy-Le-Roi ; fondée en 1976, regroupe 600 nains français de moins de 1,40 m.

• **Gigantisme.** Dû à une hyperfonction antéhypophysaire par tumeur hypophysaire avant la puberté. *Forme particulière : l'acromégalie* (croissance anormale des lèvres, de la langue, de la mâchoire inférieure, des pieds et des mains due à une hyperactivité de la glande pituitaire débutant après la puberté).

Homme le plus grand *(mesuré d'une façon irréfutable).* Robert Wadlow (1918-40, U.S.A.) pesait 3,85 kg à sa naissance, mesurait 1,63 m (48 kg) à 5 ans ; 1,83 m (77 kg) à 8 a. ; 2 m (95 kg) à 11 ans ; 2,34 m (161 kg) à 15 a. ; 2,61 m (218 kg) à 20 a. ; *2,72 m* (199 kg) à 22 a. Ses pieds mesuraient 47 cm, ses mains 32,5 cm. Il consommait 8 000 calories par jour. Quand il mourut il grandissait encore. On connaît avec certitude 9 géants de plus de 2,44 m (U.S.A., Allemagne, Finlande, Irlande, Libye, Pakistan, Mozambique), dont 6 étaient atteints d'*acromégalie.*

Jumeaux les plus grands. Michael et James Lanier (U.S.A., 1969), 2,23 m. Les frères Knipe (Irlande, 1761), 2,18 m. Ronnie et Donnie Creamer (U.S.A., 1960), 2,10 m et 2,08 m. Dan et Doug Busch (U.S.A., 1961), 2,10 m.

Femme la plus grande. Zeng Jinlian (Chine, 1964-82), 2,40 m, 147 kg. Ses pieds mesuraient 35,5 cm, ses mains 25,5 cm. Mulia (Bornéo, Indonésie 1956) 2,33 m. Jane Bunford (Anglaise, 1895-1922), 2,31 m (si elle n'avait pas souffert de cyphose, elle aurait mesuré 2,41 m). Sandy Allen (U.S.A., 18-6-1955), 2,31 m, 209 kg, croissance interrompue en 1977 par l'ablation de la glande pituitaire ; à la naissance elle pesait 2,9 kg, sa croissance anormale débuta aussitôt.

Nain et géant. Adam Rainer (Autriche, 1899-1931) 1,18 m à 21 a., 2,18 m en 1931. Dut rester alité à partir de sa croissance jusqu'à sa mort.

• **Poids idéal.** Une étude des Cies d'Assurances américaines portant sur 4 900 000 sujets a permis de constater que le taux de mortalité de l'homme de 30 à 40 ans est plus bas quand son poids est inférieur de 10 à 15 % au poids théorique et qu'il augmente notablement à partir de 25 à 30 % de surpoids.

Un obèse court plus de risques s'il présente un taux d'hyperglycémie supérieur à 1,10 g/l ; d'hypercholestérolémie supérieur à 2,40 g/l (avant 40 ans), à 2,60 g/l (après 40 ans) ; d'hypertriglycéridémie supérieur à 1,6 g/l ; hypertension supérieure à 16 pour la maximale et 10 pour la minimale.

% d'obèses en France : hommes 29 %, femmes 22 %. *Espérance de vie moyenne :* homme de 50 ans (1,80 m) *77 kg :* 25 ans ; *100 kg :* 18 ans. *Accroissement de la mortalité en fonction du poids : + 15 à 25 %,* mortalité + 16 % ; *+ 25 à 35 %,* + 30 % ; *+ 35 à 50 %,* + 54 % ; *+ 50 à 74 %,* 130 à 182 %.

Homme le plus lourd du monde. Jon Brower Minnoch (U.S.A., 29-9-1941) 635 kg, 1,85 m. René Rémond (France, 1882-1936), habitait Fontenoy-le-Château (Vosges), en 1934 pesait 311 kg, mesurait 1,75 m, tour de poitrine 2,15, ceinture 2,89, cuisse 0,99, mollet 0,84.

Femme la plus lourde du monde. Mrs Jackson, dite Baby Flo (Noire des U.S.A., † 1965), à sa naissance 4,5 kg, 11 a. 121 kg, 25 a. 282 kg, à sa mort 381 kg pour 1,75 m.

Poids théorique selon l'âge

Age	Garçons		Filles	
	Taille cm	Poids kg	Taille cm	Poids kg
1	74,3	9,8	72,6	9
2	85,6	12	84,3	11
3	94,2	14	92,7	13,6
4	101,3	16	99,8	15
5	107,7	17,6	106,3	17
6	113,8	20	112,2	19
7	119,7	22	118,2	21,4
8	125,3	24	123,9	23
9	130,6	27	129,4	26,5
10	135,6	29	134,7	29,2
11	140,5	32	140,7	33
12	145,8	35,7	147,7	37
13	152,5	40	154,3	42,7
14	159,9	43,6	158,7	46
15	166,7	46	161,1	48,8

Poids théorique de la femme adulte selon la carrure [1]

Diamètre bi-iliaque [2] Taille (cm)	étroite < 28 cm		moyenne 28-29 cm		large > 29 cm	
	(a)	(b)	(a)	(b)	(a)	(b)
150	47	50,5	50	53,5	53	58
152,5	47,5	51,5	50,5	54,5	54	58,5
155	49	52	51,5	55,5	55	59,5
157,5	50	53,5	53	56,5	56	61
160	51	55	54,5	58	57,5	62,5
162,5	52,5	56,5	56	60	59,5	64,5
165	54	58	57,5	61	60	65,5
167,5	55,5	60	59	63,5	62,5	68
170	57	61,5	60,5	65	64,5	69,5
172,5	58,5	63	62	66,5	65,5	71,5
175	60	64,5	64	68,5	67,5	73,5
177,5	61,5	66,5	65,5	70	68,5	75
180	62,5	68	67	71	70	76

Poids théorique de l'homme adulte selon la carrure [1]

Diamètre bi-iliaque [2] / Diamètre biacromial [3]	Carrure étroite < 28 cm / < 39 cm		Carrure moyenne 28-29 cm / 39-41 cm		Carrure large > 29 cm / > 41 cm	
	(a)	(b)	(a)	(b)	(a)	(b)
Diamètre du poignet	< 17	> 20	< 17	> 20	< 17	> 20
Taille (cm)						
157,5	52,5	56,5	56	60	59,5	64,5
160	54	58	57,5	61,5	60	65,5
162,5	54	60	59	63,5	62	67,5
165	57	61,5	60,5	65	64	69,5
167,5	58,5	63	62	66,5	65,5	71
170	60	65	64	68,5	67,5	73,5
172,5	61,5	66,5	65,5	70,5	69,5	75
175	63,5	68,5	67,5	72,5	71	77
177,5	65	70	69	74,5	73	79,5
180	67	72	71	76	74,5	81,5
182,5	69	74,5	73	78,5	76,5	84
185,5	71	76,5	75	80,5	79	86

Nota. – (1) Ajouter ou retrancher 2,1 kg par cm de largeur de bassin en plus ou en moins. (2) Diamètre du bassin. (3) Distance séparant les 2 acromions (apophyse de l'omoplate qui s'articule sur la clavicule). (a) tour du poignet < 16 cm. (b) tour du poignet > 18 cm.

Gain de poids. Doris James (U.S.A., 1907-45) grossit de 142 kg les 12 mois qui précédèrent sa mort. Arthur Knor (U.S.A., 1914-60) grossit de 136 kg les 6 derniers mois de sa vie.

• Maigreur. Rosa Lee Plemons (U.S.A., 1873) 12 kg à 18 a. Edward C. Hagner (U.S.A., 1892-1962) 22 kg pour 1,70 m. Homme le plus maigre de France. Claude Ambroise Sourat (de Troyes, 1797-1826) mesurait 1,70 m, pesait 22 kg ; tour de biceps (10 cm), épaisseur de torse (8 cm) (selon un autre rapport : 1,63 m pour 16 kg).

Amaigrissement. William Cobb en 3 ans passa de 364 à 105 kg, revint ensuite à 245 kg. Celesta Geyer (U.S.A., 1901) passa de 251 à 69 kg en 14 mois (puis plus tard 50 kg). Paul Kimelman (U.S.A.) passa de 215,9 à 59 kg en 8 mois, puis se stabilisa à 79 kg.

• Taille la plus mince. Pour une femme de taille normale. Mlle Polaire (1877-1939), actrice française, 33 cm.

• Périmètre thoracique. **Records :** Arnold Schwarzenegger (n. 1948), « Monsieur Univers », pesait 107 kg, tour de poitrine de 1,45 m, de biceps de 56 cm. **Moyen** à *10 ans :* garçon 63 cm (fille 61,5 cm), *15 :* 77 (76,5), *18 :* 84 (80).

Appareil moteur

Généralités

L'appareil moteur comprend les os, rigides et durs, unis par les articulations. L'ensemble constitue le squelette, complété par les muscles, contractiles, fixés sur les os et les entraînant à se déplacer.

Os

• Définition. Pièce du squelette constituée généralement par l'association de 2 tissus : t. osseux et t. cartilagineux. Le plus long. Le fémur (env. 50 cm pour un homme de 1,80 m ; il peut atteindre 76 cm chez les géants). Le plus petit. L'étrier (oreille moyenne : long. 2,6 à 3,4 mm, poids 2 à 4,3 mg). Le plus de doigts : fille née avec 14 doigts et 12 orteils en 1938.

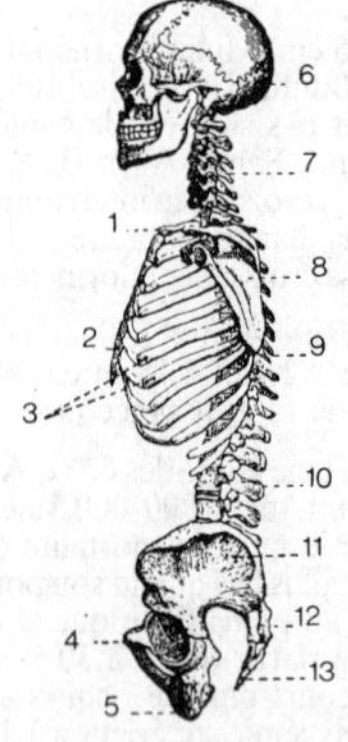

1 clavicule. *2* sternum. *3* côtes. *4* pubis. *5* ischion. *6* crâne. *7* vertèbres cervicales (7). *8* omoplate. *9* vertèbres thoraciques (12). *10* vertèbres lombaires (5). *11* ilion. *12* sacrum (4). *13* vertèbres coccygiennes (4).

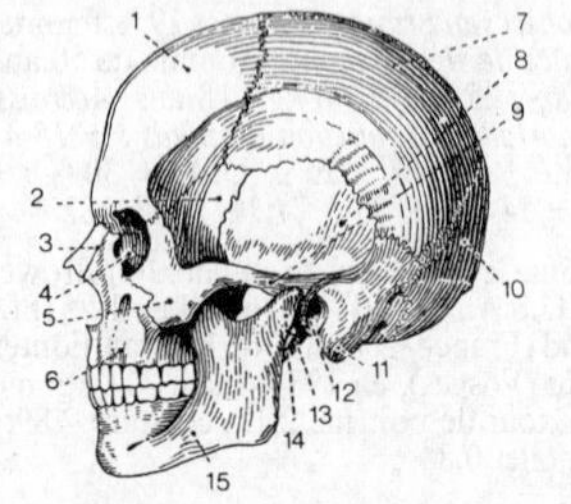

1 frontal. *2* sphénoïde. *3* nasal. *4* lacrymal. *5* zygomatique (jugal). *6* maxillaire. *7* pariétal. *8* temporal. *9* apophyse zygomatique. *10* occipital. *11* apophyse mastoïde. *12* trou auditif. *13* apophyse styloïde. *14* condyle. *15* mandibule.

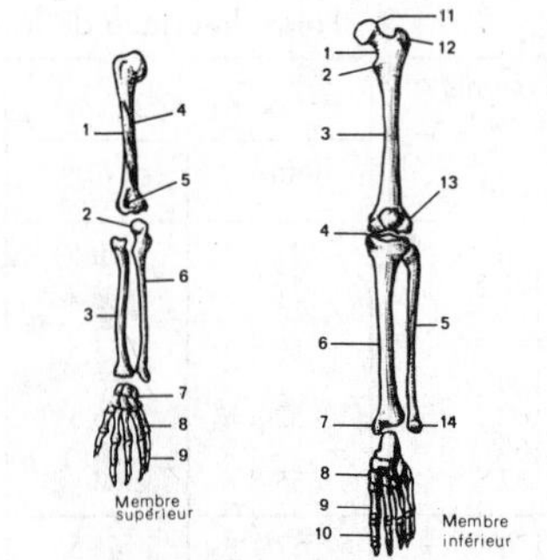

Membre supérieur (vue postérieure). *1* humérus. *2* olécrane. *3* radius. *4* gouttière du nerf radial. *5* cavité olécranienne. *6* ulna (cubitus). *7* carpe. *8* métacarpe. *9* phalanges. *Inférieur* (vue antérieure). *1* col. *2* petit trochanter. *3* fémur. *4* rotule. *5* fibula (péroné). *6* tibia. *7* malléole interne. *8* tarse. *9* métatarse. *10* phalanges. *11* tête. *12* grand trochanter. *13* poulie trochléenne. *14* malléole externe.

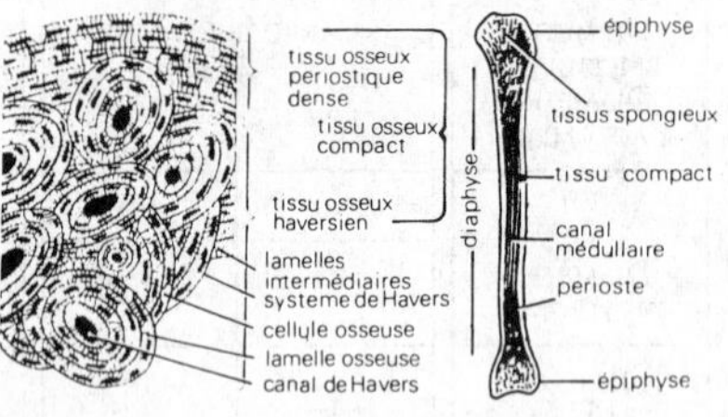

Coupe d'un os : *A gauche :* coupe microscopique de tissu osseux. *A droite :* coupe longitudinale d'un os long.

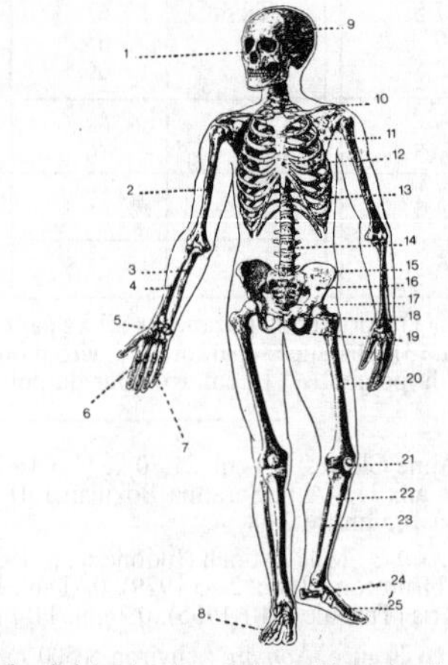

1 crâne facial. *2* humérus. *3* ulna (cubitus). *4* radius. *5* carpe. *6* métacarpe. *7* doigts (3 phalanges). *8* orteils (3 phalanges). *9* neurocrâne. *10* clavicule. *11* omoplate. *12* sternum. *13* côtes. *14* colonne vertébrale. *15* bassin. *16* ilion. *17* sacrum. *18* pubis. *19* ischion. *20* fémur. *21* rotule. *22* tibia. *23* fibula (péroné). *24* tarse. *25* métatarse.

Nombre théorique d'os du squelette. 198 à 214 os constants et distincts : tête 22 dont crâne 8, massif facial 14 ; oreilles 7 dont osselets de l'ouïe 6, os hyoïde 1 ; côtes 24 ; colonne vertébrale 33 dont vertèbres (distinctes) 24, sacrum (soudées) 5, coccyx 4 à 6, membres 128 (32 × 4). Le nombre varie au niveau du rachis avec parfois des côtes surnuméraires, cervicales ou lombaires.

• Structure de l'os. Description. 1° *Corps de l'os* ou *diaphyse* contient : *l'os compact* (substance dure, blanc mat) ; *le périoste* (membrane externe, fibreuse, adhérant à l'os compact) ; *la moelle* (substance molle, jaune rougeâtre, remplissant le canal médullaire). 2° *Dans les épiphyses* (ou extrémités), ce sont : *l'os spongieux* (travées d'os délimitant des cavités pleines de moelle rouge) ; *le cartilage articulaire* (lisse et élastique) ; *le périoste* (partout où il n'y a pas de cartilage).

Tissus osseux. T. conjonctif formé de cellules *(ostéocytes)*, incluses dans une substance fondamentale, l'*osséine*, imprégnée de sels minéraux (essentiellement des phosphocarbonates de calcium). Ce tissu se présente sous forme de lamelles imbriquées et généralement disposées autour d'un canal central, leurs couches concentriques formant une colonnette creuse, l'*ostéon*. L'association des ostéons constitue le *système de Havers* qui se présente à l'œil nu homogène et lisse : l'os compact. Celui-ci constitue le matériau de base à partir duquel se forment les 3 variétés de pièces osseuses : l'os plat, constitué par 2 lames d'os compact séparées par une lame d'os « spongieux » formé d'un réseau de travées compactes minces ménageant entre elles des alvéoles, le *diploé ;* l'os court, constitué d'une coque mince (corticale) de tissu compact enserrant une masse, généralement globuleuse, de t. spongieux analogue au précédent ; l'os long, formé d'un tube épais d'os compact (« diaphyse ») aux extrémités duquel sont soudés 2 os courts (les « épiphyses »). **Cartilage.** T. conjonctif différent du t. osseux et constitué d'une substance fondamentale non calcifiée, translucide et élastique, et de cellules groupées à son intérieur dans des « capsules ». Le cartilage intervient essentiellement dans le développement de l'os (voir ci-dessous), ou comme élément articulaire. **Périoste.** Lame de t. fibreux, riche en vaisseaux sanguins jouant un rôle important dans l'accroissement de l'os en épaisseur. **Moelle.** T. mou, hébergé dans les cavités de l'os, appartenant au système sanguin dont elle assure le renouvellement cellulaire.

Formation et croissance des os. L'os naît d'un t. conjonctif embryonnaire, le *mésenchyme* selon 2 modalités : directement *(ossification dite « membraneuse »)* sous forme de points de condensation qui se calcifient secondairement ; ou en 2 étapes, le point de condensation donnant d'abord une maquette cartilagineuse qui s'ossifie secondairement. Cette ossification se fait sous forme de « points » qui envahissent peu à peu le cartilage. Certains os n'ont qu'un point d'ossification, d'autres (os longs en particulier) naissent d'un point principal précoce (pendant la vie intra-utérine) et sont ensuite complétés par des points secondaires donnant les extrémités *(épiphyses)* et certaines saillies *(apophyses)*. Croissance des os plats et courts par extension directe ; des os longs, en épaisseur par leur périoste, en longueur aux dépens d'une plaque cartilagineuse (« cartilage de conjugaison ») interposée entre épiphyses et corps de l'os *(diaphyse)*. L'activité de ce cartilage persiste durant la croissance de l'individu. Son arrêt marque l'établissement de la stature définitive. Le tissu osseux se renouvelle sans cesse. Les travées osseuses sont en partie résorbées par des cellules *(ostéoclastes)* et reconstruites par d'autres *(ostéoblastes)*. De l'équilibre entre formation et résorption dépend le contenu minéral de l'os et sa solidité.

Déformations du squelette. Voir maladies p. 109.

Articulations

Articulation. Organe unissant 2 (ou plus) pièces du squelette et permettant généralement entre elles des mouvements plus ou moins étendus. **Diarthrose.** Articulation-type ; possède tous les éléments permettant le mouvement : *surfaces articulaires,* zones osseuses qui entrent en contact par l'intermédiaire d'une couche de cartilage « hyalin » dont elles sont revêtues ; leur forme varie selon la nature du mouvement à produire (sphériques, planes, en selle, etc.) ; *membrane synoviale,* manchon de tissu conjonctif mou qui se fixe à la limite des surfaces articulaires qu'il engaine en totalité en délimitant une cavité articulaire ; sa face profonde sécrète un liquide, la *synovie,* qui se répand sur les surfaces articulaires et les lubrifie ; *moyens d'union,* ensemble des éléments anatomiques qui maintiennent en place les pièces articulaires en mouvement. On distingue : la *capsule,* manchon fibreux qui circonscrit la membrane synoviale et réunit les pièces osseuses en débordant souvent au-delà des surfaces articulaires ; les *ligaments,* bandelettes fibreuses tendues d'un os à l'autre, soit en faisant corps avec la capsule (l. intrinsèques), soit à distance d'elle (l. extrinsèques). A ces moyens d'union « passifs » il faut ajouter les muscles moteurs de l'articulation qui contribuent également à sa stabilité et sont parfois dits « ligaments actifs ». **Amphiarthroses.** Articulations incomplètes, pourvues tout au plus de quelques vestiges de synoviale, dépourvues de capsule et dont la cavité est occupée par un « ligament interosseux » unissant les surfaces articulaires. Ce sont des joints élastiques ne permettant que des mouvements de très faible amplitude. **Synarthroses.** Articulations encore plus rudimentaires dans lesquelles les os en présence sont, soit unis par une lame de cartilage (synchondrose), soit directement au contact l'un de l'autre et parfois engrenés (os du crâne) ; cette dernière variété *(synostose)* ne permet aucune mobilité.

Disques intervertébraux. Confèrent au rachis sa mobilité et servent d'amortisseurs entre les vertèbres. Ils sont constitués d'un anneau fibreux périphérique *(arnulus)* et d'un noyau gélatineux central *(nucleus pulposus)*. La fissuration de l'anneau fibreux peut entraîner une hernie discale par libération à travers cette fissure de tout ou partie du nucleus pulposus.

☞ **Arthrose** désigne aussi une variété de rhumatisme articulaire.

Muscles

Généralités

Organes actifs du mouvement et de l'équilibre. Ils représentent environ 40 % du poids du corps. Ils sont composés de 75 % d'eau, 21 % de protéines (myosine), 1 % de glycogène, des sels minéraux, phosphagène et acide adénylphosphorique, des composés azotés et phosphorés jouant un rôle important dans la contraction musculaire.

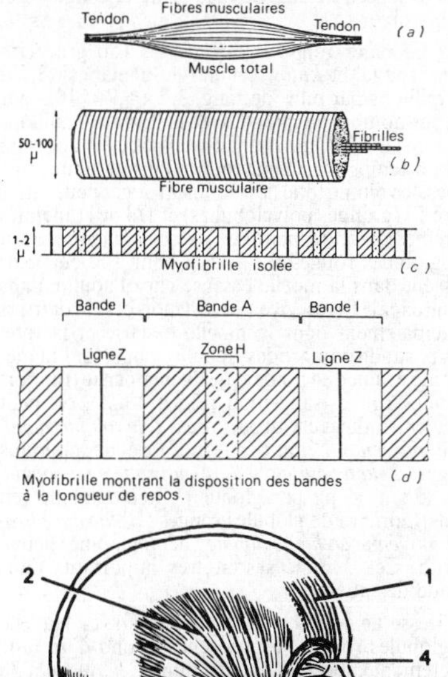

Myofibrille montrant la disposition des bandes à la longueur de repos.

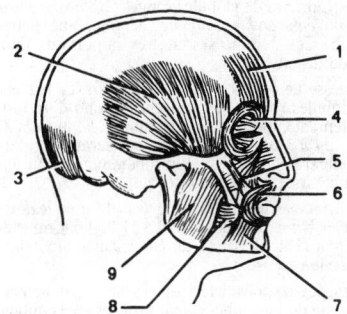

Tête (profil), muscles : *1* frontal. *2* temporal. *3* occipital. *4* orbiculaire des paupières. *5* petit zygomatique. *6* orbiculaire des lèvres. *7* triangulaire des lèvres. *8* grand zygomatique. *9* masseter.

Structure

• **Muscles striés.** Soumis à l'influence de la volonté. Assurent le mouvement. *Formes :* fuseau (biceps), éventail (grand dorsal), anneau (orbiculaires des lèvres ou des paupières). *Composition :* faisceaux de fibres. Les fibres ont plusieurs noyaux. Leur cytoplasme contient des fibrilles. Une fibrille présente une alternance régulière de disques sombres et de disques clairs traversés par une membrane mince, la membrane Z, qui se continue dans le cytoplasme entre les fibrilles et s'attache sur l'enveloppe de la fibre qu'elle divise en cases musculaires. *Fixation. Muscles squelettiques :* ils se fixent à l'os (insertion) par implantation directe de ses fibres charnues ou par un cordon fibreux, le *tendon,* qui permet de projeter l'ensemble de l'insertion sur une surface réduite de l'os ; *muscles peauciers :* se fixent sur la couche profonde de la peau. **Aponévrose.** Toile fibreuse annexée au muscle et qui peut remplir 2 fonctions : constituer un véritable tendon pour les muscles plats (a. d'insertion), ou engainer 1 ou plusieurs muscles et constituer des loges musculaires.

Nombre de muscles striés. 570 dont tête et cou 170, tronc 200, membres supérieurs 100, membres inférieurs 100.

Le plus grand est le grand fessier (qui permet l'extension de la cuisse) ; *le plus petit* est le stapedius qui actionne l'étrier (– de 1,27 mm de long).

• **Muscles lisses.** Forment la paroi des principaux viscères du tube digestif (estomac, intestin) et de l'appareil circulatoire (cœur, artères). Constitués de fibres plus petites à un seul noyau, non striées transversalement, avec fibrilles longitudinales homogènes. Le cytoplasme contient des *chondriosomes,* des globules de graisse, du glycogène.

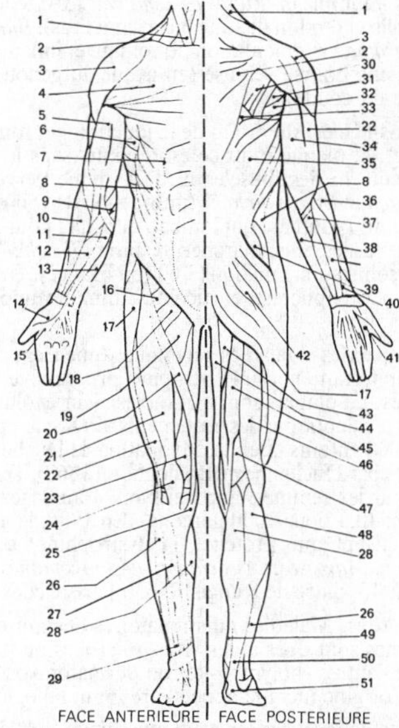

1 sterno-cléido-mastoïdien. *2* trapèze. *3* deltoïde. *4* grand pectoral. *5* biceps. *6* grand dentelé. *7* aponévrose du grand oblique. *8* grand oblique. *9* rond pronateur. *10* long supinateur. *11* petit palmaire. *12* grand palmaire. *13* cubital antérieur. *14* éminence Thénar. *15* aponévrose palmaire. *16* psoas. *17* tenseur du fascia lata. *18* pectiné. *19* moyen adducteur. *20* couturier. *21* droit antérieur. *22* vaste externe. *23* vaste interne. *24* rotule. *25* patte d'oie. *26* long péronier latéral. *27* jambier antérieur. *28* jumeau interne. *29* extenseur commun. *30* sous-épineux. *31* petit rond. *32* grand rond. *33* grand rhomboïde. *34* longue portion. *35* grand dorsal. *36* 1er radial. *37* anconé. *38* cubital antérieur. *39* moyen fessier. *40* long adducteur. *41* lombricaux. *42* grand fessier. *43* grand adducteur. *44* droit interne. *45* demi-tendineux. *46* biceps crural. *47* demi-membraneux. *48* jumeau externe. *49* long fléchisseur commun. *50* tendon d'Achille. *51* calcanéum.

• **Muscle cardiaque.** Formé de fibres striées accolées sur une certaine longueur (anastomose en réseau), elles-mêmes formées de cellules distinctes.

Propriétés physiologiques

Excitabilité. Le muscle réagit à des excitants mécaniques (piqûre, choc, pincement, blessure) ; thermiques (variations brusques de température) ; chimiques (acides et alcalis faibles, chlorure de sodium, glycérine) ; électriques (variations brusques d'intensité d'un courant continu, d'un courant induit, décharges d'un condensateur) ; physiologiques (influx nerveux amenés par les nerfs).

Élasticité. Assez faible, elle est due à l'allongement des disques clairs du muscle.

Contractibilité. 2 formes de contraction : 1) *isotonique :* le muscle se raccourcit et développe une force constante. 2) *isométrique :* le muscle garde une longueur constante même soumis à une force croissante. Au repos, le muscle est en demi-contraction isométrique. Cet état, le *tonus,* lui permet d'obéir rapidement à une excitation, de garder une attitude (station debout, assise).

Tétanisation. État de contraction permanente du muscle ; il est imparfait lorsque, à la suite d'excitations nombreuses et rapprochées, le muscle est sollicité à nouveau avant de s'être complètement relâché. Le courant alternatif de basse fréquence provoque une tétanisation.

Rhéobase (du grec *rheos,* courant). Seuil minimal d'intensité du courant nécessaire pour qu'un muscle puisse se contracter. La rhéobase varie selon chaque muscle.

Chronaxie. Temps minimal pendant lequel il faut faire passer un courant d'intensité double de la rhéobase pour obtenir une contraction du muscle.

Énergie. Vient de réactions chimiques. Le muscle au travail consomme de l'oxygène (jusqu'à 30 fois plus qu'au repos) et du glycogène (accumulé dans le muscle au repos à partir du glucose du sang) pour fournir de l'énergie, de l'eau, du gaz carbonique (dans les mêmes proportions que l'oxygène consommé) et de la chaleur. Rendement du muscle :

$$\frac{\text{Travail fourni}}{\text{Quantité totale d'énergie dépensée}} = \frac{1}{4}.$$

Maladies de l'appareil moteur

Maladies du squelette (os et articulations)

Elles frappent isolément tout ou partie du squelette osseux ou des articulations mais peuvent intéresser à la fois pièces osseuses et éléments de leur jonction.

Maladies congénitales. Ce sont souvent des « malformations » telles que le *pied bot* ou la *luxation congénitale de la hanche* ou bien de véritables « vices de structure » du tissu osseux, telle la *maladie de Lobstein* ou *ostéogenèse imparfaite* responsable de fractures multiples. Certaines sont héréditaires, d'autres causées par certains virus *(rubéole)* qui atteignent l'individu au cours de la période embryonnaire.

Anomalies de croissance. Liées à des défauts du développement osseux, elles peuvent frapper n'importe quel point du squelette notamment la colonne vertébrale ; en particulier, la *scoliose des adolescents,* maladie souvent évolutive et grave, ce qui justifie un dépistage précoce et un traitement approprié (contrairement à une opinion répandue, elle n'est pas due à des attitudes ou des exercices défectueux). Chez l'adulte, la scoliose est stabilisée et est très rarement responsable de complications. Beaucoup de *cyphoses* (dos rond) douloureuses des jeunes adultes ont également pour origine un défaut de croissance de la vertèbre (maladie de Scheuermann). Certaines anomalies de la croissance peuvent freiner celle-ci et causer différentes formes de « nanisme », notamment l'*achondroplasie,* maladie héréditaire, qui frappe les zones d'accroissement en longueur des os longs.

Troubles de la nutrition. Certaines carences alimentaires (en particulier des carences vitaminiques) peuvent déterminer des maladies osseuses. Ainsi la carence en vitamine D est responsable chez l'enfant du *rachitisme* (déformations des membres, du thorax et du crâne) et chez l'adulte d'une *ostéomalacie* (fissurations osseuses douloureuses, voire déformations du squelette).

Vieillissement osseux et ostéoporose. Le capital osseux diminue normalement à partir de l'âge adulte et de façon plus importante chez la femme, surtout après la ménopause. L'*ostéoporose commune* (raréfaction de la substance osseuse) est considérée comme une maladie dans la mesure où elle constitue une accentuation d'un phénomène physiologique. Elle est à l'origine de tassements vertébraux et de fractures des os longs (40 000 à 60 000 *fractures du col du fémur* par an en France). On s'efforce de la prévenir par des exercices physiques et un traitement hormonal substitutif de la ménopause. 25 % des femmes ménopausées de + de 75 ans ont une ostéoporose.

Tumeurs. Le squelette osseux peut être le siège de tumeurs bénignes *(ostéomes)* ou malignes « primitives » *(ostéosarcomes),* ou « secondaires » par métastase de tumeur maligne d'autres organes (cancer du sein, de la prostate...).

Traumatismes. *Fractures :* rupture d'un os ; elles peuvent être accompagnées d'une plaie qui les met à nu (fractures ouvertes) ; diagnostic : radiographie ; traitement : réduction et immobilisation par plâtre ou ostéosynthèse chirurgicale (plaque, clous, agrafes, vis...) : 25 % des femmes de + de 70 ans ont été victimes de fractures. *Luxations :* déboîtement d'une extrémité osseuse avec lésions plus ou moins graves des moyens d'union ; traitement d'urgence (réduction) sinon risque de séquelles irréversibles. *Entorses :* élongation ou rupture des ligaments articulaires. L'entorse du disque intervertébral et des ligaments adjacents provoque dans la colonne lombaire une crise aiguë appelée *« tour de reins »* ou *lumbago* (peut être aussi spontané et sans rapport avec un traumatisme).

Maladies infectieuses. Peuvent être liées à la présence de germes microbiens (notamment staphylocoques) dans une ou plusieurs pièces osseuses (*ostéite aiguë, ostéomyélite aiguë* des sujets jeunes), ou dans les articulations *(arthrites septiques). Rhume de la hanche :* synovite transitoire, aiguë, bénigne du très jeune enfant avec boiterie douloureuse qui survient souvent après une rhinopharyngite ou une infection gastro-intestinale.

Maladies inflammatoires. Arthrites et rhumatismes inflammatoires. *1°) Déclenchés par une infection à distance : rhumatisme articulaire aigu* (après angine à streptocoques), *arthrites réactionnelles* (après infection intestinale ou génitale). *2°) Arthrites microcristallines provoquées par la précipitation dans la synoviale de microcristaux d'urate de sodium* (goutte, v. plus loin) *ou de pyrophosphate de calcium* (chondrocalcinose). *3°) De nature inconnue : polyarthrite rhumatoïde* (600 000 cas en France), frappe de nombreuses articulations des membres, peut entraîner des déformations, *spondylarthrite ankylosante* (soudant à des degrés divers sacro-iliaques et vertèbres, parfois secondaire à une arthrite réactionnelle), *connectivites* ou maladies de système, en particulier *lupus érythémateux* disséminé (femme jeune, lésions viscérales parfois graves), *pseudopolyarthrite rhizomélique* ou *rhumatisme des ceintures* du sujet âgé, *maladie de Horton, périarthrite noueuse, sclérodermie...*

Maladies dégénératives. Caractérisées par des altérations de forme ou de structure des pièces du squelette. Peuvent frapper *1°) une ou plusieurs articulations : arthroses* [localisations les plus fréquentes : hanche *(coxarthrose)* : concerne 2 à 4 % des personnes de 40 à 70 ans et 10 % des + de 80 ans (soit env. 10 millions de personnes en France) ; dans 60 % des cas, est secondaire à une maladie de la hanche, le plus souvent congénitale, mais parfois acquise dès l'enfance : subluxation congénitale (ou dysplasie coxo-fémorale) ; les douleurs débutent alors vers 45/50 ans ; dans 40 % des cas l'arthrose est primitive, et commence à se manifester vers 65 ans ; genou (gonarthrose), colonne vertébrale *(cervicarthrose, dorsarthrose, lombarthrose)*, doigts (mains noueuses)]. Elles réalisent un raidissement prématuré de l'articulation (par atteinte du cartilage). N'étant pas d'origine infectieuse, ces maladies ne sont pas accessibles aux traitements antimicrobiens, notamment aux antibiotiques. *2°) Des disques intervertébraux* : la simple fissure d'un disque est responsable des lumbagos qui guérissent en quelques jours. Si la fissure s'agrandit, une hernie discale se forme qui peut comprimer les nerfs qui sont derrière, donnant des *sciatiques*, des *cruralgies*. Au cou, la hernie discale peut être responsable de *névralgie cervicobrachiale*. Un disque qui a perdu ses qualités d'amortisseur est responsable de *lombalgies* plus chroniques. La saillie des disques et l'arthrose vertébrale peuvent rétrécir le canal rachidien entraînant une claudication intermittente : douleur à la marche qui disparaît après quelques minutes de repos pour reparaître après un certain temps de marche. *3°) Des tendons périarticulaires* (voir infra).

Maladies ostéoarticulaires diverses. *Maladie de Paget* : remaniement anarchique du t. osseux de cause inconnue qui entraîne diverses déformations des membres et du crâne (avec surdité possible) ; frappe les adultes de + de 50 ans et se caractérise par un aspect radiographique particulier et, dans le sang par une augmentation du taux des phosphates alcalins (enzymes). Peut être localisée à une ou quelques pièces osseuses et être totalement latente. *Goutte* : maladie métabolique caractérisée par l'accumulation dans les tissus de cristaux d'urate de sodium et par l'augmentation du taux de l'acide urique sanguin ; génératrice de douleurs et de déformations articulaires avec certaines localisations caractéristiques (gros orteil). *Chondrocalcinose* : cristaux de pyrophosphate de calcium dans les articulations. *Rhumatisme psoriasique* : rhumatisme inflammatoire particulier observé chez certains sujets atteints d'une maladie cutanée (le psoriasis). *Syndrome algodystrophique* ou *ostéoporose douloureuse réflexe* : localisée dans un segment de membre ; évolue vers la guérison dans un délai de 4 à 8 mois. *Ostéonécrose aseptique* : localisée sur certains os ; due à une obstruction vasculaire intraosseuse.

Maladies des muscles, tendons, aponévroses, bourses séreuses

Maladie de Dupuytren. Décrite en 1831. Rétraction de l'aponévrose palmaire de la main, entraînant celle des doigts (d'abord du 4e et 5e). *Causes* : mal connues. *Traitement* : chirurgical ou par fasciotomie à l'aiguille sous anesthésie locale. *Touche* 2 % des adultes (en général v. 45-60 ans).

Maladies de Ledderhose. Rétraction de l'aponévrose de la plante des pieds.

Périarthrites. Maladies des tendons et structures périarticulaires. Altérations dégénératives (par microtraumatismes répétés) ou inflammatoires des tissus (tendons, capsule, bourse séreuse, gaine synoviale des tendons) qui entourent une articulation. *Tendinite* : à l'épaule, à la hanche, au coude *(tennis elbow)*. *Ténosynovite* : main, poignet. Parfois tendinite calcifiante à localisations éventuellement multiples et récidivantes (maladie des calcifications tendineuses multiples). *Ruptures tendineuses* : tendon d'Achille et tendon du long biceps (au bras). *Bursite ou hygroma* : augmentation de volume et inflammation d'une bourse séreuse (en avant du genou, en arrière du coude).

Myasthénie. Altération de la jonction neuromusculaire : la plaque motrice est atteinte, sans lésion apparente ni des muscles ni du système nerveux. *Symptômes divers : diplopie* (impression de voir double), *ptosis* (paupière qui tombe), difficulté pour mâcher, lever les bras, marcher, respirer. *Touche* 40 à 50 personnes sur 1 million (3 000 en France). *Traitement* : plasmaphérèse, corticoïdes, immunosuppresseurs.

Myopathies. Maladies génétiques (une trentaine) se manifestant par une atrophie progressive des muscles. La plupart sont incurables ; leur évolution peut être ralentie par des traitements. *En France*, près de 15 000 enfants atteints. Myopathie de Duchenne (décrite par Duchenne de Boulogne en 1868). Transmise par les femmes, apparaît vers 4 ans chez les garçons (0,3 pour 1000 garçons). En 1986, le gène (synthétisant une protéine, la dystrophine) a été identifié. *Adresse : Association des myopathes de France*, 13, place de Rungis, 75650 Paris Cedex 13.

Myosites. Maladies inflammatoires des muscles. Certaines sont dues à des virus, microbes ou parasites. D'autres (polymyosites ou dermatomyosites) sont d'origine inconnue, peut-être immunologique.

Dystonie localisée (spasme musculaire, torticolis spasmodique). Ex. : blépharospasme caractérisé par la contraction répétée des muscles entourant la paupière, ou *« crampe »* des écrivains qui peut gêner l'écriture.

Sang et appareil circulatoire

Sang

Données générales

Composition

Le corps contient 4 à 5 litres de sang (soit env. 75 cm³ par kg de poids corporel). Un litre de sang d'adulte est composé de 450 cm³ de *globules rouges* et de 550 cm³ de *plasma* et a une densité de 1,05.

Le sang est légèrement alcalin : potentiel hydrogène (pH) = 7,40 [le pH indique le degré d'acidité ou d'alcalinité ; la solution n'est acide que si le pH est de 0 à 7 ; alcaline s'il est de 7 à 14 (max.)].

Tous les ions (Na, K, Ca, Cl, etc.) peuvent se doser dans le sang. Leurs perturbations peuvent créer des troubles très graves. Les « ionogrammes » souvent répétés constituent un des éléments de surveillance en réanimation.

Le sang est composé de :

• **1° Plasma** (liquide). Transparent, jaune clair, à constitution chimique très complexe. *Il contient* : protéines 75 g par l dont albumine 45 g (joue un rôle important dans le maintien de la masse sanguine ; une diminution du taux d'albumine entraîne une fuite d'eau vers les tissus avec formation d'œdèmes) ; globulines 30 g (les gammaglobulines qui en constituent les 2/5 sont le support des anticorps qui protègent l'organisme contre certains microorganismes et corps étrangers) ; glucose (taux de glucose ou glycémie : 0,80 à 1 g/l) ; lipides ou graisses (5 à 7 g/l) ; parmi lesquels les plus importants : cholestérol, vient de *cholé* (bile) et *stéros* (solide) ; lipide isolé pour la 1re fois des calculs biliaires v. 1769. On distingue le HDL (High Density Lipoprotein), LDL (Light DL), VLDL (Very Low DL) ; présence indispensable dans chaque cellule du corps pour la synthèse de certaines substances [hormones, acides biliaires, vitamine D (+ soleil)] ; quantité 105 à 175 g dans un corps de 70 kg. 10 à 20 % se trouvent dans viande, lait, fromages, œufs, abats, etc., le reste est fabriqué surtout par le foie à partir des sucres et autres graisses, 1,80 à 2,50 g/l (s'élève avec l'âge) ; triglycérides (0,50 à 1,50 g/l). Par ailleurs : urée (déchets des matières azotées < 0,50 g/l) ; acide urique (déchets de nucléoprotéines < 70 mg/l) ; sels minéraux (calcium, sodium, potassium, phosphore).

Actuellement on explore les protides et notamment le système complexe des globulines par 2 méthodes : *1° L'électrophorèse* d'une petite quantité de sérum (plasma modifié par la coagulation) sur papier ou film d'acétate de cellulose. On sépare ainsi (par leur vitesse de migration dans un champ électrique) l'albumine et 4 globulines de poids moléculaires différents (désignées α_1, α_2, β et γ) qu'on peut doser. *2° L'immuno-électrophorèse* combinant une électrophorèse et la précipitation des globulines par des sérums antiglobulines. On met ainsi en évidence 5 classes d'immunoglobulines, désignées par l'abréviation Ig, IgA, IgG, IgM, IgD, IgE (elles correspondent aux bandes de migrations β et γ de la méthode précédente).

Temps de coagulation : variable, jusqu'à 15 minutes (chez l'hémophile, plusieurs heures).

Prothrombine. Substance qui, sous l'influence d'une dizaine d'autres facteurs de la coagulation (ex. : facteur VIII, voir hémophilie) se transforme en thrombine. Celle-ci fait coaguler le sang par transformation du fibrinogène en fibrine. Sa surveillance est très importante au cours des traitements anticoagulants. % normal : entre 70 et 100 %. (% attendu en cas de traitement anticoagulant : 15 à 30 %). Le dosage séparé de chaque facteur de la coagulation est possible.

• **2° Globules rouges [érythrocytes** (du grec *eruthrop*, rouge, et *kutos*, cellule) **ou hématies]**. 3,7 à 5,9 millions par mm³ de sang (3,7 à 5,9 × 10^{12} par l). Leur nombre augmente avec l'altitude (6 millions par mm³ à 3 700 m, 7 millions à 4 500 m) après un certain temps d'acclimatation. Dans certaines maladies, le volume total des globules rouges peut varier entre 5 l (grandes polyglobulies) et 1/4 de l (anémies extrêmes). Contiennent de l'*hémoglobine* (colorant des globules rouges, 12 à 16 g pour 100 cm³). Ils naissent dans la moelle osseuse chez l'adulte, dans le foie chez le fœtus, vivent env. 4 mois et sont détruits principalement dans la moelle osseuse et la rate.

A partir du nombre des globules rouges, de l'hémoglobine évaluée en poids et de **l'hématocrite** (rapport globules rouges/sang total : 35 à 48 %), on peut calculer 3 indices érythrocytaires : *1) le volume globulaire moyen* : hématocrite/nombre de globules rouges ; *2) la teneur globulaire moyenne en hémoglobine* (28 à 34 pg par globule) : hémoglobine (en poids)/nombre de globules rouges ; *3) la concentration moyenne en hémoglobine* : hémoglobine/ hématocrite. Ces 3 indices sont très importants dans l'étude des anémies.

Vitesse de sédimentation : rapidité avec laquelle les globules rouges se déposent au fond d'un tube exactement calibré. *1 h* : 3-10 mm ; *2 h* : jusqu'à 20 mm ; *24 h* : 40 à 60 mm. Son accélération traduit de manière générale un état inflammatoire ou une maladie systémique sous-jacente.

• **3° Globules blancs : leucocytes** (du grec *leukos* : blanc et *kutos* : cellule). 4 000 à 11 000 par mm³ de sang (4 à 11 × 10^9 par l). Ils naissent avant tout dans la moelle osseuse.

Leucocytes polynucléaires : ils ont normalement un noyau de 1 à 5 lobes et leur protoplasme contient des granulations (d'où leur autre nom de granulocytes et le terme d'agranulocytose pour désigner la disparition des polynucléaires du sang). Ils peuvent être neutrophiles (60 à 70 %), basophiles (0,4 à 1 %) et acidophiles (synonyme d'éosinophile, 1 à 3 %) selon les affinités de leur granulation pour fixer des colorants neutres, basiques ou acides. Ces 3 variétés se distinguent aussi par d'autres caractères : morphologie du noyau et des granulations, rôles physiologiques et pathologiques différents (les neutrophiles jouent un rôle primordial dans la défense contre les bactéries, les phagocytent et les digérant littéralement). Les *polynucléaires* séjournent dans le sang quelques heures et passent dans les tissus où ils meurent après avoir éventuellement rempli leur fonction.

Leucocytes mononucléaires : lymphocytes (diam. 6 à 8 µm) : 25 à 45 % ; ils quittent les vaisseaux sanguins et passent dans les vaisseaux lymphatiques et les ganglions ; la plupart ont une vie courte. Les lymphocytes « mémoire » ou lymphocytes T, agents essentiels des immunités humorale et tissulaire (voir plus loin) peuvent vivre au moins plusieurs mois ; les **monocytes** (diam. 15 à 40 µm) : 3 à 8 % ; ils participent aussi à la défense de l'organisme en englobant des particules. Ils quittent les vaisseaux sanguins pour gagner les tissus (diapédèse) et se différencient en macrophages.

• **4° Plaquettes sanguines** ou **thrombocytes.** Fragments de cytoplasme d'une grande cellule médullaire : le mégakaryocyte. 180 000 à 300 000 par mm³ de sang (180 à 300 × 10^9 par l). *Durée de vie moyenne* : 7 j.

Lors de la coagulation du sang, le **fibrinogène** se polymérise en un réseau de fibrine enserrant dans ses mailles les globules et formant ainsi un *caillot* qui se rétracte grâce aux plaquettes. Le liquide plasmatique restant prend alors le nom de **sérum** (plasma = sérum + fibrinogène).

Sang. *Taux moyens.* Acide urique 30 à 70 mg/l (180 à 420 µmol/l). Albumine 35 à 50 g/l (500 à 725 µmol/l). Bilirubine totale 1 à 10 mg/l (2 à 17 µmol/l). Bilirubine conjuguée 0 à 2 mg/l (0 à 3,5 µmol/l). Calcium 88 à 105 mg/l (2,2 à 2,60 mmol/l). Cholestérol 1,5 à 2,50 g/l (4 à 6,50 mmol/l). Créatinine < 12 mg/l (< 110 µmol/l). Glucose 0,65 à 1 g/l (3,6 à 5,5 mmol/l). Fer 80 à 170 γ % (14 à 30 mol/l). Magnésium 18 à 22 mg/l (0,75 à 0,90 mmol/l). Phosphore 25 à 40 mg/l (0,80 à 1,3 mmol/l). Triglycérides 0,50 à 1,50 g/l (0,60 à 1,60 mmol/l). Urée 0,20 à 0,40 g/l (3,3 à 6,6 mmol/l).

Groupes sanguins

Les groupes sanguins sont définis par les antigènes présents sur les globules rouges.

La transmission héréditaire de ces groupes obéit à des lois rigoureuses.

• Système ABO. Les globules rouges d'un individu ont sur leur membrane des antigènes de structure différente : A, B, A et B, ni A ni B (O). De plus, chaque individu a dans son plasma un **anticorps,** ou **agglutinine,** dirigé contre le ou les antigènes qu'il ne possède pas. Si un sérum contenant un anticorps est mis en présence d'hématies contenant l'antigène correspondant, il y aura agglutination puis, éventuellement, hémolyse (destruction des globules).

Pour que les agglutinines présentes chez le receveur ne détruisent pas les globules rouges transfusés, les transfusions de globules rouges doivent être faites entre sujets de même groupe (ou tout au moins de groupes compatibles).

Syst. ABO Groupe sanguin	Antigène sur l'hématie	Agglutinine dans le sérum
A	A	Anti B
B	B	Anti A
AB	A et B	—
O	—	Anti A et Anti B

Groupes auxquels on peut donner ses globules rouges ou desquels on peut en recevoir :

Groupe sanguin	Peut donner à	Peut recevoir de
AB	AB	Tous
A	AB, A	O, A
B	AB, B	O, B
O	Tous	O

Nota. – Ces règles ne concernent que le système ABO. Il faut également tenir compte des agglutinines irrégulières (voir plus loin) et ne transfuser que des globules rouges dépourvus de l'antigène correspondant à ces agglutinines.

Le groupe sanguin de la naissance est conservé toute la vie, même si l'on subit de multiples transfusions sanguines d'un autre groupe. La seule exception connue est la greffe de moelle osseuse.

Fréquence en %. *Moyenne mondiale :* O : 38,81 ; A : 31,41 ; B : 22,81 ; AB : 6,97. *France :* O : 45 ; A : 44 ; B : 8 ; AB : 3. *Aborigènes d'Australie :* A : 61,33 ; O : 38,67 ; B : 0 ; AB : 0. *Bantous du Congo :* O : 51,66 ; A : 25,01 ; B : 19,60 ; AB : 3,66. *Japon :* A : 37,34 ; O : 31,51 ; B : 22,06 ; AB : 9,10. *Peaux-Rouges :* O : 90. *Esquimaux :* O : 86.

• Autres systèmes. Antigène D, ou facteur Rhésus. Découvert chez le singe macacus rhésus. 85 % des individus de race blanche le possèdent. Un sujet ayant le facteur Rhésus (dit Rh + ou D +) peut recevoir du sang Rh + ou Rh –. Un individu ne le possédant pas (dit Rh –) ne doit recevoir que du sang Rh –, car un anticorps anti-Rh peut se développer dans le sang du receveur et être à l'origine d'accidents graves lors de transfusions ultérieures. Cette « sensibilisation », c'est-à-dire le développement d'agglutinines dites irrégulières (par opposition aux agglutinines régulières ou naturelles du système ABO), peut être aussi le fait de la grossesse. Lorsqu'un fœtus est Rh + (par son père) et sa mère Rh –, des globules rouges de l'enfant peuvent traverser le placenta et déterminer la formation d'un anticorps anti-Rhésus chez la mère. Cet anticorps passant dans la circulation du fœtus lors d'une grossesse ultérieure déclenchera une destruction massive des globules rouges de celui-ci si ce dernier est Rh +. C'est la *maladie hémolytique du nouveau-né* (Voir Mortinatalité à l'Index). L'injection systématique d'immunoglobulines Anti-D (ou sérum Anti-Rh) chez les femmes Rhésus négatif encore non immunisées, après tout accouchement d'enfant Rhésus positif ou après tout avortement, permet d'éviter l'apparition des anticorps anti-Rhésus.

Kell, MNS, Kidd, Duffy, etc. Il n'y a pas d'agglutinines naturelles correspondantes dans le plasma, mais des agglutinines irrégulières peuvent se développer par transfusion ou par grossesse et être responsables d'accidents transfusionnels.

Autres antigènes (P1, Lewis[a], Lewis[b], etc.) : s'ils manquent, des anticorps irréguliers naturels peuvent se développer sans inconvénient pour les grossesses (ne traversent pas le placenta), avec des inconvénients mineurs pour les transfusions.

Recherche d'hérédité : en confrontant les groupes ABO, MN et Rh, etc., de la mère, de l'enfant et du père présomptif, on peut éliminer des paternités faussement alléguées.

Certains antigènes ne se retrouvent que dans certaines ethnies (antigène Diego, Indiens d'Amérique), ou même dans certaines familles (antigènes privés). A l'opposé, un antigène très répandu (ant. public) peut manquer chez de très rares individus.

• Système HLA *(Human Leucocyte Antigen)* ou système majeur d'histocompatibilité. Antigènes, pratiquement absents sur les globules rouges, mais présents en quantité importante sur les globules blancs d'où leur nom. On les a retrouvés sur toutes les cellules de l'organisme en quantité variable selon les tissus. Ils jouent un rôle primordial dans le rejet ou la prise des greffes de tissus ou d'organes, ainsi que dans la tolérance de la grossesse.

Le système HLA est constitué d'au moins 6 couples de gènes auxquels correspondent plus de 70 variétés possibles *(allèles).* Le nombre de combinaisons génotypiques possibles est de plus d'un milliard. L'histocompatibilité ne se rencontre guère que parmi les frères et sœurs. La détermination du groupe HLA est essentielle pour les greffes d'organes et de moelle osseuse et pour les transfusions de globules blancs et de plaquettes. Certains groupes HLA semblent prédisposer à certaines maladies telles la spondylarthrite ankylosante et l'allèle B 27. L'étude des groupes HLA est aussi intéressante en ethnologie qu'en médecine légale (exclusion ou calcul de la probabilité de paternité en association avec les autres groupes sanguins).

Rôle du sang

• Le plasma transporte les déchets aux organes qui les éliminent (rein, foie) et apporte à l'ensemble du corps les éléments nutritifs nécessaires. Il contient eau, sels minéraux, glucides, lipides et protides (albumine, globulines) à des taux constants, maintenus grâce aux divers mécanismes régulateurs.

• Les globules rouges constituent l'agent de la respiration tissulaire grâce à l'hémoglobine qu'ils contiennent. A la pression atmosphérique, celle-ci possède une grande affinité pour l'oxygène et se transforme en *oxyhémoglobine* de couleur vermeille *(sang artériel).* Dans les capillaires des tissus, sous l'influence de la chute de pression d'oxygène, l'oxygène quitte l'hémoglobine. C'est alors l'hémoglobine réduite ou *désoxyhémoglobine,* plus sombre *(sang veineux).* L'hémoglobine possède aussi une affinité pour l'oxyde de carbone (250 fois plus grande que pour l'oxygène) et forme avec ce gaz un composé stable rouge groseille, la *carboxyhémoglobine.*

• Les globules blancs défendent l'organisme de plusieurs façons :

les polynucléaires englobent et détruisent *les bactéries (phénomène de phagocytose) :* le *pus* est la résultante de leur action ;

les monocytes ont aussi une fonction phagocytaire, mais englobent des particules plus grosses *(macrophages) ;*

les lymphocytes B (donnant par transformation les *plasmocytes*) sécrètent des anticorps qui passent dans le sang (immunité humorale) ; les *lymphocytes T* sont le principal obstacle à la prise des greffes et le substratum des réactions cutanées positives à la tuberculine et autres antigènes (immunité cellulaire). Les lymphocytes T4 et T8 sont particulièrement concernés dans le syndrome d'immunodéficience acquis (SIDA), la molécule CD4, caractéristique du lymphocyte T4, constituant le récepteur du virus VIH.

• Une solution chimique improprement appelée substitut du sang, le Fluosol-DA, mise au point au Japon, a été expérimentée pour la 1re fois chez l'homme en 1979. C'est un perfluorocarbone (molécules d'hydrocarbure où les atomes d'hydrogène sont remplacés par des atomes de fluor). Cette substance capable de transporter l'oxygène des poumons vers les tissus pourrait se substituer en cas d'urgence aux transfusions de globules rouges (sans avoir à pratiquer une analyse de groupe sanguin). Elle ne peut assurer les autres fonctions du sang (coagulation, défense immunitaire). D'utilisation pratique difficile (nécessité d'équipement hyperbare), le Fluosol-DA ne semble pas appelé à remplacer le sang humain. D'autres études sont actuellement en cours, en particulier sur des solutions d'hémoglobine.

Maladies du sang

Anémie. Diminution des globules rouges et (ou) de leur teneur en hémoglobine. Nombreuses variétés :

Anémie après saignement abondant : fréquence liée à celle des hémorragies.

Anémie de Biermer, à gros globules, donc très chargés en hémoglobine ; atrophie de la muqueuse de l'estomac, troubles nerveux. Peu fréquente. Évolution grave en l'absence de traitement. Frappe surtout les Blancs. *Traitement :* vitamine B 12.

Anémie hypochrome, à globules petits et décolorés ; traduit un appauvrissement en fer, presque toujours consécutif à des hémorragies peu abondantes mais continues. Fréquente. *Traitement :* sels ferreux.

Anémie par atrophie de la moelle osseuse (anémie aplasique), grave, avec fièvre et hémorragies, souvent d'origine toxique. Très rare.

Anémie par destruction exagérée des globules rouges (anémie hémolytique) : peut être due à une malformation héréditaire des globules rouges, ou acquise. Assez rare. La destruction des globules rouges peut être aussi liée à des anticorps (anémie hémolytique auto-immune), des parasites (paludisme) ou plus rarement des microbes (septicémies).

Drépanocytose. Maladie sanguine héréditaire répandue chez les Noirs, caractérisée par la présence dans les globules rouges d'une hémoglobine anormale dite HbS. La désoxygénation de l'hémoglobine entraîne une déformation en faucille des globules rouges, créant un risque de thrombose et d'anémie. Cette tare atténue chez ceux qui en sont atteints la fréquence et la gravité du paludisme. L'anomalie moléculaire est le remplacement d'un seul acide aminé (glutamine) par un autre (valine). Aux U.S.A. 9 Noirs sur 10 seraient porteurs de la tare. Dans la forme majeure, homozygote, l'évolution est très grave, nécessitant des transfusions à répétition.

Dysglobulinémies. Maladies comportant une augmentation considérable d'un des 3 types d'immunoglobulines. *Principales :* le **myélome** [douleurs et tumeurs osseuses avec infiltration de la moelle osseuse par des plasmocytes (dérivés des lymphocytes), augmentation très importante de l'IgG ou plus rarement de l'IgA dans le sang] ; la **maladie de Waldenström** [ganglions, grosse rate, infiltration de la moelle osseuse par des éléments intermédiaires entre lymphocytes et plasmocytes, augmentation très importante des IgM (appelée aussi macroglobulinémie en raison du très gros poids moléculaire de cette globuline)]. La mort du Pt Pompidou peut être attribuée à une dysglobulinémie.

Hémophilie. Maladie héréditaire transmise par les femmes et se manifestant chez les hommes. Impossibilité pour le sang de se coaguler ou coagulation très longue due à l'absence d'un des facteurs nécessaires à la coagulation (facteur VIII : hémophilie A ; facteur IX : hém. B). Une blessure légère peut donc causer une grosse hémorragie. *Hémophilie de Leyden :* du nom de la ville hollandaise où elle fut identifiée, s'atténue à la puberté pour guérir à l'âge adulte. En France, il y a env. 5 000 hémophiles.

Jadis les hémophiles atteignaient rarement l'âge adulte. Actuellement ils peuvent vivre jusqu'à un âge avancé grâce aux progrès du traitement. Au lieu d'apporter les facteurs VIII et IX par des transfusions abondantes, on utilise des fractions de plasma ou de concentrés d'un de ces facteurs. La production de Facteur VIII par génie génétique (Facteur VIII recombinant) est envisagée. Les malades peuvent conserver ces fractions dans leur réfrigérateur et se les faire injecter par voie intraveineuse à la moindre alerte, ce qui diminue la gravité des accidents hémorragiques et abrège les incapacités de travail. Diagnostic anténatal possible. De nombreux hémophiles ont été contaminés par le SIDA lors de transfusions sanguines, avant la mise en place du dépistage obligatoire du VIH.

Leucémie. Prolifération de globules blancs de type cancéreux. *Leucémie myéloïde chronique* avec hypertrophie de la rate et accroissement des globules blancs de la lignée des polynucléaires ; *lymphoïde chronique*

Sangsues

Leur utilisation en médecine remonte à l'Antiquité : laryngites aiguës, néphrites, névralgies, saignements de nez, ophtalmies, gastrites aiguës, scarlatine, appendicite, accidents vasculaires cérébraux (congestion cérébrale)... Elles sécrètent une substance anticoagulante (l'hirudine) et « adorent » le sang désaturé en oxygène. On peut les utiliser pour drainer des zones où le retour veineux s'effectue mal. Pour inciter la sangsue à « mordre », on peut placer sur la zone choisie de l'eau sucrée ou du lait, ou faire une minuscule piqûre. En 10 ou 20 minutes elle se détache elle-même après avoir absorbé 10 à 15 millilitres de sang, soit 6 à 9 fois son propre poids. Il lui faut alors, pour digérer, 12 à 18 mois. Si l'on veut la réutiliser plus tôt, on peut lui faire « régurgiter son repas » en la mettant dans une solution d'eau salée ou vinaigrée.

avec hypertrophie des ganglions et de la rate, sang riche en lymphocytes ; *aiguë* avec anémie, hémorragie et fièvre, peu d'hypertrophie des ganglions et de la rate ; env. 40 % de l'ensemble des leucémies ; fièvre variable dans le temps et selon les pays.

Les leucémies frappent un peu plus les hommes que les femmes. Les leucémies chroniques s'observent surtout à partir de 40 ans, les leucémies aiguës à partir de 2 ans. *Traitements :* diverses substances chimiques détruisant les cellules anormales (antimitotiques capables de bloquer la mitose ou division cellulaire) et variant selon le type de leucémie, cortisone, transfusions.

Les leucémies chroniques ne guérissent pas, exception faite de la leucémie myéloïde chronique lorsqu'une allogreffe de moelle osseuse est possible, mais les traitements peuvent procurer de longues survies. On améliore la durée des rémissions complètes des leucémies aiguës de l'adulte, notamment par le recours éventuel à la greffe de moelle (autogreffe ou allogreffe histocompatible) qui permet d'administrer des chimiothérapies plus lourdes et prolongées. Dans les formes lymphoblastiques de l'enfant, les survies sans rechute à 4 ans sont nombreuses ; lorsqu'elles dépassent 10 ans la guérison est à peu près certaine.

Taux de mortalité par leucémie. Les plus élevés : Danemark (8,3 pour 100 000 personnes), Berlin-Ouest (8,2), Suède (8). *Les plus bas :* Espagne (3,3), Pologne (3,9). *France (7).*

Leucopénie. Baisse des globules blancs ; parfois accentuée et durable en rapport avec une intoxication (pyramidon surtout) ou une dépression de la moelle osseuse. Elle expose à des infections très graves. *Traitement :* antibiotiques et éventuellement transfusions de globules blancs.

Maladie de Hodgkin. Maladie grave des ganglions lymphatiques atteignant de préférence des adultes jeunes. Actuellement, grâce à la radiothérapie et à la chimiothérapie, elle guérit dans 70 à 80 % des cas reconnus précocement ; même dans les formes très étendues on peut observer de longues rémissions.

Mononucléose infectieuse. Voir p. 137.

Purpura. Éruption de taches sanglantes sur la peau, de tailles variables. Les petites sont appelées **pétéchies,** et les grandes **ecchymoses.** *P. rhumatoïde :* avec douleurs articulaires surtout chez l'enfant, généralement bénin ; *p. hémorragique :* s'accompagne d'hémorragies diverses : nez, gencives, utérus, etc., traduit presque toujours une baisse considérable des plaquettes sanguines *(thrombopénie).*

Il existe de nombreuses variétés de purpuras et de nombreuses causes : infection, intoxication, maladie du foie, anticorps, etc.

Traitements : varient selon la variété de purpura : antibiotiques, cortisone, perfusion de fractions coagulantes de plasma, ablation de la rate, immunoglobuline, intra veineuses, etc.

Thalassémie. Production insuffisante d'hémoglobine normale (molécule transportant l'oxygène dans le sang).

Héréditaire. Touche des dizaines de millions de personnes dans sa forme bénigne ou mineure (hétérozygote). La forme complète (homozygote) est grave mais rare (surtout Bassin méditerranéen et Extrême-Orient). Une greffe des gènes commandant la synthèse de l'hémoglobine normale dans les cellules malades de la moelle osseuse a été expérimentée en 1980 sur 2 jeunes femmes de 21 et 16 ans. Le code génétique des chaînes d'ADN a été modifié. Diagnostic anténatal possible.

Maladies transmises par le sang

Des agents pathogènes (dont ceux du paludisme, de la syphilis, des hépatites et de certaines maladies infectieuses) peuvent être transmis par voie sanguine. Les risques doivent être dépistés à chaque don de sang. Sont obligatoires : depuis longtemps, le dépistage de la syphilis, plus récemment celui de l'antigène HBs (hépatite B) ; dep. le 1-8-1985, celui des anticorps « anti-VIH » (caractérisant le contact avec le virus du SIDA) et, dep. 1988, celui d'anti-HBc et des transaminases hépatiques anormalement élevées (prévention d'hépatites non A, non B). Dep. 1990, dépistage obligatoire sur tous les dons de sang (anticorps anti-HCV) qui permet d'éliminer + de 80 % de ces hépatites non A, non B provoquées par des transfusions.

Lymphe

Liquide incolore qui baigne la peau et tous les organes. Représente 1/4 du poids du corps. 2 sortes :

Lymphe interstitielle. Formée par le plasma sanguin filtré à travers la paroi des capillaires artériels des tissus. Elle remplit les espaces conjonctifs des tissus et constitue une réserve de plasma utilisée en cas d'hémorragie.

Lymphe circulante. L'*appareil lymphatique* comprend des capillaires qui plongent dans les tissus conjonctifs et drainent la lymphe interstitielle. Ils convergent vers les vaisseaux lymphatiques. Aux points de confluence des vaisseaux se trouvent des ganglions. Les lymphatiques de la moitié droite de la tête et du thorax se réunissent dans la grande veine lymphatique (long. 1 cm) qui se jette dans la veine sanguine sous-clavière droite. Les lymphatiques du reste du corps rejoignent le canal thoracique (long. 25 cm, diam. 3 mm) qui débouche dans la veine sous-clavière gauche.

Composition. *Lymphe interstitielle :* variable et mal connue. *Lymphe circulante :* composition d'un sang privé de globules rouges : 97 % de plasma, 3 % de leucocytes (formés dans les ganglions lymphatiques). La lymphe est moins riche en aliments et plus riche en déchets que le sang.

Les lymphatiques de l'intestin grêle jouent un rôle essentiel dans l'absorption des graisses. Appelés **chylifères,** ils drainent les graisses absorbées par la paroi intestinale vers le canal thoracique, tandis que les protides et les hydrates de carbone empruntent la voie veineuse (veine porte).

Système circulatoire

Description. I. Le cœur, organe musculaire creux dont les parois sont formées de 3 tuniques. De l'extérieur vers l'intérieur : **1° le péricarde** (séreuse formée de 2 feuillets glissant l'un sur l'autre ; le feuillet externe est lié aux organes thoraciques, le feuillet intérieur est soudé au cœur) ; **2° le myocarde** (fibres musculaires striées, ramifiées et anastomosées) ; **3° l'endocarde** (mince épithélium qui tapisse l'intérieur des 4 cavités : 2 *oreillettes* et 2 *ventricules*). Des *valvules* (soupapes) placées à l'entrée et à la sortie des ventricules dirigent le sang dans le bon sens. **II. Les vaisseaux** qui sont de 3 types : **artères** qui conduisent le sang du cœur vers les organes ; **veines** qui ramènent au cœur le sang qui a irrigué les organes ; **capillaires** (diamètre 4 à 16 μm, parois 1 à 2 μm) qui, à l'intérieur des organes, font communiquer veines et artères. L'intérieur des vaisseaux est tapissé d'*endothélium,* prolongement de l'endocarde. Cette surface, très lisse, facilite le glissement du sang et empêche sa coagulation.

L'activité mécanique du cœur comporte 2 phases : contraction des ventricules (sang éjecté sous forte pression dans l'aorte et les artères pulmonaires), et relâchement (le sang, arrivé au cœur par les veines caves et pulmonaires, passe des oreillettes dans les ventricules). Le débit du cœur est de 65 à 100 cm^3 par contraction. Il envoie 5 à 7 l de sang par minute dans les artères, selon la taille et le poids du sujet, et l'importance de l'effort qu'il fournit. A cause de ce débit important, une plaie d'une grosse artère peut être mortelle en quelques minutes.

Vitesse du sang. Au départ des gros troncs : 50 cm/s ; dans les capillaires, quelques mm/s. Pour aller d'une main à l'autre, 11 à 15 s ; de la cuisse au pied, 2 s.

Tension artérielle. Varie à chaque battement du cœur pour passer successivement par un maximum [pression dans les artères au moment de la contraction cardiaque (12 à 14 cm de mercure au bras)] et un minimum [pression se maintenant dans les artères entre 2 contractions cardiaques (environ 8 cm de mercure au bras)]. *Causes de variations. Augmentation :* certaines substances toxiques, émotions, efforts, durcissement des artères, maladies rénales. *Diminution :* hémorragies, insuffisance cardiaque, certaines maladies, fatigue.

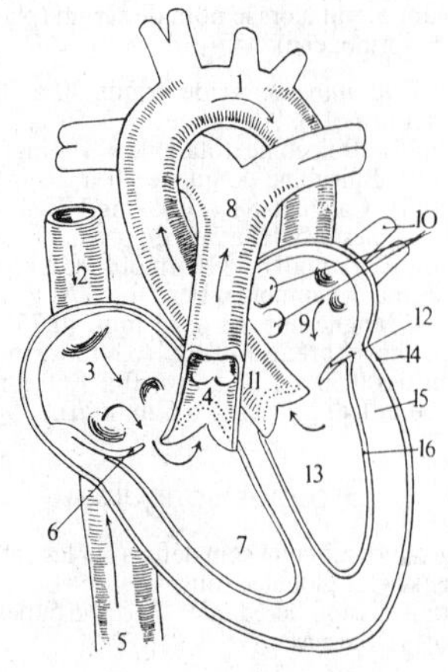

Le cœur :
1 aorte. *2* veine cave supérieure. *3* oreillette droite. *4* orifice de l'artère pulmonaire. *5* veine cave inférieure. *6* valvule tricuspide. *7* ventricule droit. *8* artère pulmonaire. *9* oreillette gauche. *10* veine pulmonaire. *11* orifice de l'aorte. *12* valvule mitrale. *13* ventricule gauche. *14* péricarde. *15* myocarde. *16* endocarde.

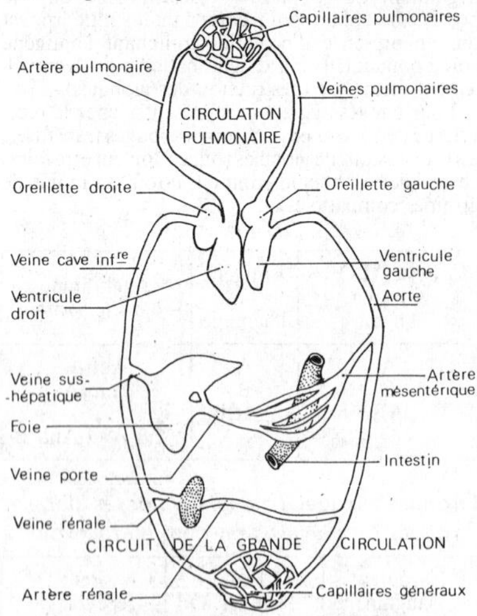

Schéma général de la circulation

Pouls. Il représente le passage de l'onde provoquée par chaque contraction cardiaque. *Pulsations par minute* (au repos) : *1 an* 115 à 130. *2 ans* 100 à 115. *7 ans* 85 à 90. *14 ans* 80 à 90. *Adultes* 60 à 80. 70 à 72 (homme), 78 à 80 (femme). *Limites extrêmes* possibles (mais anormales) : 15 à 30. On compte en moyenne une accélération de 18 battements par minute par degré de température au-delà de 37°.

Bruits du cœur. Le *stéthoscope* permet d'entendre les 2 bruits normaux du cœur et l'apparition de bruits surajoutés, de souffles ou de frottements. Ces bruits peuvent également être enregistrés par un phonocardiographe.

Électrocardiogramme (ECG). Enregistrement des variations de l'activité électrique du cœur en fonction du temps. Toute cellule vivante étant polarisée, cette activité comporte une phase de dépolarisation rapide, suivie d'une phase de repolarisation plus lente. Ces phases créent des différences de potentiel qui se transmettent à tout le corps. L'ECG recueille ces variations à la surface du corps par des électrodes appliquées sur la peau et reliées par des fils conducteurs à un appareil d'enregistrement comportant un amplificateur, un galvanomètre et un système d'inscription sur un papier qui se déroule à vitesse constante. Des dérivations bi- ou unipolaires peuvent être utilisées, mais, quel qu'en soit le type, le tracé comporte toujours une onde P correspondant à la contraction des oreillettes, puis un complexe ventriculaire comportant l'onde QRS de dépolarisation rapide, et l'onde T lente de repolarisation.

Calculez vos risques d'infarctus

SEXE	AGE	HEREDITE
1 Femme en dessous de 40 ans	1 De 10 à 20 ans	1 Aucune hérédité cardiaque connue
2 Femme de 40 à 50 ans	2 De 21 à 31 ans	2 1 parent avec une malade cardio-vasculaire plus de 60 ans
3 Femme au-dessus de 50 ans	3 De 31 à 40 ans	3 2 parents ayant eu malade cardio-vasculaire à plus de 60 ans
5 Homme	4 De 41 à 50 ans	4 1 parent ayant eu une maladie cardio-vasculaire à moins de 60 ans
6 Homme trapu	6 De 51 à 60 ans	6 2 parents ayant eu une maladie cardio-vasculaire au-dessous de 60 ans
7 Homme trapu et chauve	8 De 61 à 70 ans	7 3 parents ayant eu une maladie cardio-vasculaire au-dessous de 60 ans

+

TENSION (chiffre maxima)	TABAC	RÉGIME Matières grasses	POIDS	EXERCICE
1 10	0 Non fumeur	1 Régime pratiquement sans beurre ni huile ni œufs	0 Moins de 2,5 kg au-dessous du poids normal	1 Travail actif et exercices intensifs
2 12	1 Cigare et/ou pipe	2 Régime de grillades et légumes, avec peu d'œufs et matières grasses	1 De moins de 2,5 kg à plus de 2,5 kg par rapport au poids normal	2 Travail actif et exercices modérés
3 14	2 10 cigarettes au moins par jour	3 Régime normal avec œufs mais sans fritures ni sauces	2 3 à 10 kg au-dessus du poids normal	3 Travail sédentaire et exercices intensifs
4 16	4 20 cigarettes par jour	4 Régime normal avec quelques fritures et sauces	3 De 10 à 16 kg au-dessus du poids normal	5 Travail sédentaire et exercices modérés
6 18	6 30 cigarettes par jour	5 Régime riche avec assez souvent sauces, fritures, pâtisseries, etc.	5 18 à 25 kg au-dessus de la normale	6 Travail sédentaire et peu d'exercice
8 20 ou plus	10 40 cigarettes par jour et plus	7 Régime gastronomique avec abondance de sauces, fritures, pâtisseries	7 25 à 32 kg au-dessus de la normale	8 Manque total d'exercice

Poids souhaitable

	HOMME	FEMME
1,50 m	50 kg	50 kg
1,55 m	54 kg	52,5 kg
1,60 m	57,5 kg	55 kg
1,65 m	61,5 kg	57,5 kg
1,70 m	65, kg	60 kg
1,75 m	69 kg	62,5 kg
1,80 m	72,5 kg	65 kg
1,85 m	76,5 kg	67,5 kg
1,90 m	80 kg	70 kg
1,95 m	84 kg	72,5 kg

(Tableau de la Fédération française de cardiologie, 50, rue du Rocher, 75008 Paris)

◄ **Résultats** *6 à 11 :* vos risques d'infarctus sont très faibles. *12 à 17 :* vos risques sont faibles. *18 à 24 :* vos risques sont réels mais encore peu inquiétants. *25 à 31 :* vous devriez faire attention, vos risques sont assez nets. *32 à 40 :* vos risques sont grands. *41 à 62 :* vos risques sont très grands, voyez votre médecin.

L'intervalle PR reflète le temps de conduction de l'influx entre oreillettes et ventricules.

L'ECG permet d'apprécier le rythme cardiaque, la taille des parois et des cavités du cœur (l'augmentation d'épaisseur constituant l'hypertrophie), l'existence d'anomalies de cheminement de l'activité électrique et de la circulation dans les artères coronaires. L'arrêt de cette dernière entraîne la destruction d'une partie du muscle cardiaque dont l'activité électrique anormale peut être décelée par l'ECG.

Holter. Enregistrement dans une cassette placée sur la poitrine pendant 24, 48 ou 72 h, qui permet de noter les modifications des battements quotidiens, les tracés et le rythme.

Maladies de l'appareil circulatoire

Affections cardio-vasculaires

Représentent 55 % des causes de morbidité.

Angine de poitrine (du grec *agko,* j'étrangle, ou du latin *angere,* serrer, du fait du caractère angoissant, constrictif de la douleur). Oppression douloureuse à la hauteur du sternum, irradiant vers le cou en étau avec sensation d'étranglement, et vers la mâchoire inférieure, les épaules, la face interne des bras, les poignets (douleur en bracelet), plus souvent à gauche. Cette douleur survient lors d'un effort, ou, parfois, au repos en période digestive ou la nuit. Elle cède en général, très rapidement, après la prise de dérivés nitrés administrés par voie sublingale et correspond à un apport insuffisant de sang oxygéné dans une région du cœur. Si elle se prolonge (plus de 15 mn), elle peut faire craindre la constitution d'un infarctus du myocarde.

Artériosclérose. Sclérose artérielle sans préjuger de son origine.

Athérosclérose. Sclérose des artères due à l'athérome (surcharge en graisse de la paroi). Cause essentielle des affections cardio-vasculaires. Siégeant en particulier au niveau des deux artères coronaires, elle provoque leur durcissement et leur épaississement, une perte d'élasticité avec dépôt de substances lipidiques et calcaires.

Fréquente chez l'homme à partir de 20 à 30 ans, de 35 ans chez la femme. 50 % des causes de mortalité dans les pays développés. Facteurs de risque : hérédité, sexe (masculin, féminin après la ménopause), obésité, habitudes alimentaires, diabète, tabac (important), hypertension artérielle, sédentarité, hypercholestérolémie, hyperlipidémie.

Infarctus du myocarde. Lésion du muscle cardiaque d'origine ischémique [(du grec *iskhein,* retenir et *haima,* sang), réduction très importante de l'apport de sang oxygéné dans une partie de l'organisme] due à une oblitération **(thrombose)** d'une des artères coronaires ou d'une de ses branches (les artères coronaires sont les artères nourricières du myocarde) entraînant la *nécrose,* c'est-à-dire la mort, des cellules du myocarde qui ne sont plus oxygénées.

La douleur ressemble à celle de l'angine de poitrine, mais elle est plus intense, plus étendue, plus prolongée. Elle s'accompagne parfois d'essoufflement, de troubles digestifs (nausées, éructation), de modification de la tension artérielle, toujours de modification de l'électrocardiogramme.

Traitement. Médical : repos au lit, héparine, thrombolytiques, vaso-dilatateurs, antiangineux.

Coronarographie possible : injection de produit opaque dans les artères coronaires de façon à visualiser le siège et le nombre des *sténoses* (rétrécissements des artères coronaires) en vue d'un éventuel traitement instrumental (dilation percutanée) ou chirurgical (pontage aorto-coronaire avec greffe veineuse implantée entre l'aorte initiale et la coronaire en aval de la sténose).

Complications : jusqu'au 30e ou même 90e jour : risques de trouble du rythme ou de conduction, rupture du foyer cicatrisé, etc.

☞ 80 000 Français sont hospitalisés chaque année (10 à 12 j) pour une attaque cardiaque. La durée d'hospitalisation après un infarctus est de 10 à 12 j, la convalescence est limitée en général à 3 ou 4 semaines. 51 000 par an meurent d'infarctus. Mortalité immédiate 10 à 15 % des cas, dans les jours suivants 10 à 15 %.

Comment s'expliquent les « coups de foudre » ? Ce « coup au cœur » provoque une chute de la pression sanguine dans le cerveau et fait fonctionner une de nos glandes endocrines : l'hypophyse. Celle-ci pompe dans le sang un peu d'adrénaline (hormone liée au système sympathique). Le cœur bat alors plus vite (90 pulsations à la minute, au lieu de 72) ; la respiration s'accélère ; la tension artérielle monte ; les mains deviennent moites ; les pupilles, inconsciemment, se dilatent. On connaît une certaine euphorie.

Autres maladies

Anévrisme. Dilatation d'une artère. S'il s'agit de l'aorte dans le thorax : douleur, troubles de la voix et de la déglutition, difficultés à respirer, œdème. *Traitement :* repos, régime ; si volumineux : traitement chirurgical.

Artérite des membres inférieurs. Les artères iliaques ou fémorales durcissent et tendent à s'obstruer sous l'effet de dépôts calcaires et de *cholestérol.* Claudication douloureuse avec crampe du mollet ou de la cuisse survenant à la marche et imposant son arrêt, parfois impuissance, artère ensuite totalement obturée et inefficace avec risque de gangrène.

Traitement : médical (arrêt du tabac, marche, vasodilatateurs), chirurgical (section des nerfs sympathiques, pontage court-circuitant la portion d'artère malade avec un tube en textile synthétique), ramonage, chimique (traitement d'un diabète, de l'excès de lipides en général), cures thermales. Atteindrait 700 000 Français.

Collapsus cardio-vasculaire. Diminution de la tension artérielle, accélération du pouls dont l'amplitude faiblit, diminution de la sécrétion urinaire. *Causes :* 1° diminution de la masse sanguine circulante (choc hémorragique par ex.) ; 2° défaillance primitive de la pompe cardiaque (infarctus du myocarde massif par ex.). *Traitement :* 1er cas : transfusions rapides et abondantes ; 2e cas : drogues tonicardiaques.

Embolie pulmonaire. Obstruction d'une artère pulmonaire ou d'une de ses branches, généralement par un caillot sanguin venant d'une veine des membres inférieurs ou du pelvis : migration d'un thrombus veineux vers le poumon à travers le cœur droit. *Terrain :* survient chez un sujet opéré, alité, ou chez une accouchée, surtout chez les sujets porteurs de varices ou d'une maladie veineuse, et surtout lors du 1er lever et après une immobilisation prolongée. *Traitement :* préventif : héparine à petites doses chez tout sujet alité ou opéré, lever précoce ; *embolie de petite taille :* médications contre la douleur, héparine pour éviter les récidives ; *embolie massive avec état de choc :* héparine, tonicardiaques ; si échec : dissolution du caillot par les thrombolytiques ou extraction chirurgicale du caillot.

Endocardite. Inflammation de l'endocarde (tunique interne du cœur). *Rhumatismale* (poststreptococcique) : fièvre, tachycardie, souffles cardiaques d'origine valvulaire laissant des séquelles immédiates ou, souvent plusieurs années après la crise, de rhumatisme articulaire aigu. *Traitement :* pénicilline, anti-inflammatoires (corticoïdes). Endocardite *bactérienne :* infection bactérienne des valves cardiaques souvent déjà lésées, par le rhumatisme articulaire aigu, par exemple, ou par une anomalie congénitale (très souvent d'origine dentaire, après extraction dentaire). *Signes :* tout état fébrile survenant chez un patient porteur d'une cardiopathie soufflante peut faire craindre une endocardite bactérienne ou endocardite d'Osler. *Traitement :* hospitalisation pour recherche de germes dans le sang par hémoculture, puis antibiothérapie adaptée au germe mis en évidence ; souvent intervention pour remplacer la valve détruite par le processus infectieux.

Hypertension artérielle. Maux de tête, bourdonnements, vertiges (« mouches volantes » devant les yeux). *Causes :* rétrécissement congénital de l'aorte thoracique, hypertension artérielle d'origine rénale ou endocrinienne par hyperfonctionnement de la glande surrénale dans sa portion corticale ou externe (hypercorticisme), ou dans sa portion centrale (tumeur de la médullo-surrénale), ou phéochromocytome, le plus souvent sans cause reconnue. *Complications :* nerveuses souvent très graves. *Raisons :*

• **Transfusion sanguine.** *1628,* découverte de la circulation sanguine par W. Harvey. *V. 1650,* 1res transfusions sanguines entre animaux de la même espèce ou d'espèces différentes. *1667,* 1re transfusion sanguine chez l'homme par du sang d'agneau, pratiquée à Montpellier par J. Denis ; tentatives reprises en Europe et surtout en G.-B. par R. Lower et E. King avec le sang d'autres mammifères ; souvent fatales, elles sont abandonnées. *1818,* l'obstétricien anglais, J. Blundell, tente des transfusions inter-humaines. *A partir de 1873,* avec les travaux de L. Landois, les transfusions de sang animal à l'homme sont pratiquement abandonnées (incompatibilité dénoncée par Prévost et Dumas). 2 obstacles entravent l'expansion des transfusions inter-humaines : l'ignorance des groupes sanguins, source d'accidents hémolytiques graves, et la coagulation du sang immédiatement après son prélèvement chez le donneur. *1900,* Landsteiner décrit les groupes sanguins ABO. *A partir des années 1940,* mise au point et amélioration des solutions anticoagulantes et préservatrices de sang. *A partir de 1960,* transfusion adaptée aux besoins spécifiques des malades, en tel ou tel composant du sang. Des contrôles biologiques du sang sont faits avant transfusion : groupage sanguin, recherche d'agglutinnine irrégulière, recherche de marqueurs infectieux tels que l'antigène HBS (hépatite à virus B), la réagine syphilitique et l'anticorps anti-VIH (virus du SIDA), et désormais l'anticorps anti-HCV (virus de l'hépatite non A, non B) et dans certains cas le paludisme, l'anticorps anti HTLV 1.

• **Principales indications.** *Hémorragies ; brûlures graves* [la peau brûlée laisse s'échapper le liquide plasmatique, et, en quelques heures, un grand brûlé peut perdre les 2/3 du volume de sa masse sanguine (10 à 20 % de son poids corporel) ; on injecte par perfusion des quantités importantes de plasma ou d'albumine] ; en *chirurgie* les opérations thoraciques et la chirurgie du cancer du rectum entraînent une perte sanguine de 1 200 ml en moyenne, la chirurgie du cerveau plus de 500 ml, une opération de la hanche de 400 à 1 200 ml, sur le cœur 7 500 à 10 000 ml ; *transplantations d'organes ; anémies ; syndromes hémorragiques par thrombopénie et infectieux par leucopénie* (injection de concentrés de globules rouges, de plaquettes, de leucocytes). De nos jours, on n'injecte au malade que ce dont il a besoin : les dérivés industriels du plasma (albumine iso-oncotique) ou plus rarement le plasma lui-même, pour maintenir le volume liquide dans le système cardio-vasculaire après une perte de sang ; les globules blancs, pour lutter contre l'infection ; les plaquettes, pour combattre l'hémorragie, etc.

• **Techniques de prélèvement.** *Prélèvement de sang total :* le donneur donne 3 (femmes) ou 5 fois (hommes) par an 300 à 450 ml de sang. *Plasmaphérèse :* le sang est recueilli, centrifugé ou filtré pour séparer le plasma des globules rouges, qui sont réinjectés au donneur. Le plasma se reconstitue vite dans l'organisme, et l'on peut prélever 600 ml de plasma par mois. *Du plasma, on tire,* par des techniques industrielles (fractionnement) : les immunoglobulines ; les facteurs antihémophiliques, etc. *Cytaphérèse :* le sang du donneur est dérivé dans un système de circulation extra-corporelle qui va prélever les seuls globules blancs ou les plaquettes. L'opération peut être renouvelée 2 fois par an. Par cytaphérèse, un donneur peut fournir la dose pour laquelle la technique habituelle demande le sang de plus d'une dizaine de donneurs. La « transfusion autologue » consiste, soit à prélever le sang nécessaire en vue d'une intervention chirurgicale au sujet lui-même, dans les semaines précédant l'opération, soit, dans les interventions non septiques et hémorragiques, à récupérer le sang perdu dans les plaies opératoires et, après filtration ou lavage, le retransfuser au malade.

• **Organisation. Dans le monde.** Les organisations de la Croix-Rouge, toutes bénévoles, prélèvent le sang gratuitement, mais dans beaucoup de pays, des banques du sang privées rétribuent les donneurs, souvent selon la rareté de leur groupe sanguin (ex. : U.S.A., All.). Dans certains pays pauvres (Proche-Orient et Amér. du S.), un trafic du sang est organisé vers des banques de sang à but commercial ou lucratif.

En France. *Législation :* la transfusion sanguine est contrôlée par l'État depuis la loi du 21-7-1952 ; seuls les centres agréés peuvent recueillir et traiter le sang humain. Ils doivent le distribuer sans bénéfice commercial sur la base d'un tarif de cession fixé par arrêté ministériel. Le don de sang est toujours bénévole mais obéit à des règles médicales strictes visant à protéger la santé du donneur et du receveur.

L'importation de sang étranger est interdite. Sang ou dérivés ne peuvent quitter la métropole qu'avec l'autorisation du ministère de la Santé (catastrophes internationales, etc.).

Collecte : en « poste fixe », dans les établissements de transfusion sanguine, ou en « équipe mobile » notamment sur les lieux de travail.

• **Nombre d'opérations de dons.** *1963 :* 1 400 000, *1970 :* 3 000 000, *1985 :* env. 4 000 000, *1989 :* 3 400 000 par an.

1° L'hyp. conduit à une augmentation du travail du cœur dont le besoin en oxygène augmente. La quantité d'oxygène fournie par les artères coronaires peut devenir insuffisante, et entraîner une fatigue et une souffrance du muscle cardiaque, le myocarde. 2° Elle participe au vieillissement des artères du cœur : leurs parois s'épaississent et leur calibre intérieur diminue, au point de réduire ou d'interrompre le débit sanguin (conséquences : angine de poitrine, infarctus du myocarde, troubles du rythme et, à échéance variable, insuffisance cardiaque ou mort subite). *Attention.* On peut être atteint d'hyp. sans ressentir les troubles qui l'accompagnent parfois (impression de mouches volant devant les yeux, maux de tête, vertiges, bourdonnements d'oreille). Parce qu'on l'ignore ou la néglige, l'hypertension provoque des altérations graves et irréversibles, 10 à 15 ans après son apparition. Env. 30 % des décès sont dus directement ou indirectement à l'hypertension. Un homme hypertendu de – de 46 ans court 10 fois plus de risques de mourir jeune, et une femme 8 fois plus de risques. S'ils sont convenablement traités, ce taux tombe à 3 et 2,5. *Traitement :* repos, régime, médicaments hypotenseurs.

Statistiques. En retenant les critères de l'O.M.S. (pression du sang 16-9,5), sont des hypertendus : 1,6 % des hommes et 1,1 % des femmes de 18 à 24 ans ; 18,9 % des h. et f. entre 45 et 55 ans ; 30 % des h. et 50 % des f. entre 65 et 75 ans. *Total en France :* 5 à 10 millions de personnes.

Insuffisance cardiaque (« asystolie »). Essoufflement, cyanose (oxygénation insuffisante du sang), œdèmes (gonflement du tissu sous-cutané ou d'autres organes dû à l'infiltration de liquide séreux). *Traitement :* repos, tonicardiaques, diurétiques, régime sans sel (capital).

Insuffisance mitrale. Reflux anormal du sang du ventricule gauche vers l'oreillette gauche, lors de la systole, provoquant un souffle. Souvent associée au rétrécissement mitral (dans ce cas, maladie mitrale) : rétrécissement de l'orifice qui sépare oreillette et ventricule gauches, obstacle au passage du sang. *Cause :* rhumatisme articulaire aigu. *Traitement :* tonicardiaques et éventuellement chirurgie (pose d'une prothèse valvulaire).

Maladie d'Adams-Stokes. Bradycardie (battements lents), pouls lent (de façon intermittente ou permanente), 30 pulsations par mn. S'il descend à 10 ou 20 : vertiges, syncopes (arrêt momentané du cœur et du pouls, pâleur, perte de connaissance, risque de mort subite). Dans la *syncope respiratoire,* seule la respiration s'arrête, le malade devient bleu. Dans le *coma,* abolition de la conscience et de la vie de relation (audition, conversation) et de la motricité volontaire. *Cause :* blocage de la conduction normale de l'influx entre oreillettes et ventricules. *Traitement :* respiration artificielle, tonicardiaques ; implantation de stimulateur cardiaque définitif (utilisé couramment et de façon préventive) qui supprime les risques de syncope et de mort subite, mais nécessite une surveillance régulière et le changement de la pile tous les 6 ans. 2 méthodes : 1° sonde de stimulation mise en place par une veine jugulaire à l'intérieur du ventricule droit et reliée à un stimulateur logé sous le muscle pectoral ; 2° électrodes fixées à la face externe du cœur et reliées à un stimulateur logé derrière les muscles droits abdominaux.

Maladie bleue (cardiopathies congénitales avec cyanose). Malformations cardiaques : rétrécissement de l'orifice pulmonaire entre le ventricule droit et l'artère pulmonaire causant une augmentation des pressions dans les cavités droites du cœur avec une ou plusieurs communications anormales entre oreillettes ou ventricules : le sang artériel est contaminé par le sang veineux, d'où la cyanose ou teinte bleutée de la peau. *Traitement :* chirurgical.

Maladie de Bouveret. Tachycardie (battements rapides) survenant par accès, début et arrêt brutaux, pouls très rapide, 160-180/mn, et régulier. *Traitement :* digitaline, manœuvre d'expiration à glotte fermée (dite de Valsalva) permettant d'arrêter la crise, massage du sinus carotidien, ou compression des globes oculaires, injection intraveineuse d'un antiarythmique.

Myocardite. Inflammation aiguë du myocarde (muscle du cœur). Battements accélérés du cœur, arythmie, pouls et tension faibles. *Myocardiopathie :* affection du muscle cardiaque, souvent sans cause reconnue, évoluant progressivement vers l'insuffisance cardiaque. *Traitement :* repos, tonicardiaques.

Péricardite. Inflammation du péricarde (séreuse à 2 feuillets entourant le cœur), sèche ou à épanchement. Diagnostic par électro ou échocardiographie. Confirmation par ponction ou par biopsie, soit pour diagnostiquer l'origine tuberculeuse, cancéreuse ou purulente, soit thérapeutique si un épanchement abondant gêne le remplissage ventriculaire (péricardite purulente : drainage chirurgical + antibiotiques ; tuberculeuse : antibiotiques antituberculeux + corticoïdes).

Phlébite (thrombose veineuse). Inflammation d'une veine (en général d'un membre inférieur), formation d'un caillot. *Traitement :* repos au lit très strict les 1ers jours (risque de migration du caillot vers le poumon ou embolie pulmonaire parfois grave ou mortelle si le membre est utilisé lors du lever) ; antalgiques, héparine (anticoagulant).

Rétrécissement mitral. Voir ci-contre.

Syncope. Voir Maladie d'Adams-Stokes.

Thrombose cérébrale (coagulation du sang à l'intérieur d'une artère cérébrale) et **embolie cérébrale** (occlusion d'une artère cérébrale par une particule entraînée par la circulation : caillot sanguin détaché du cœur le plus souvent) entraînent l'**apoplexie** (hémorragie cérébrale) avec éventuellement coma et paralysie (monoplégie, hémiplégie). *Traitement : thrombose :* vasodilatateurs cérébraux, hôpital : maintien des fonctions végétatives (respiration et circulation), surveillance du coma, réhydratation ; *embolie sans coma profond :* idem + héparine.

Varices. Dilatation permanente des veines des membres inférieurs. *Causes :* troubles endocriniens, grossesse, infections, phlébites, stations debout prolongées. *Traitement :* injections sclérosantes, chirurgical (ablation complète de la veine profonde).

Nota. – 1 % des Français sont atteints d'insuffisance vasculaire des membres, dont 14 % env. de variqueux.

Statistiques des maladies cardio-vasculaires

Sujets menacés. Personnes souffrant de stress excessifs, sédentarité, erreurs diététiques ; tabagisme, hypercholestérolémie, diabète, association pilule contraceptive-tabac. Un Français sur 5 est exposé aux risques d'accident ischémique aigu par athérothrombose.

Nombre de maladies coronariennes. Entre 39 et 49 ans, 3 fois plus élevé chez les grands fumeurs, et 4 fois + fréquent chez l'homme que chez la femme (9 h. pour 1 f. vers 40 ans ; égalité après 80 ans).

Mortalité. % des décès dus aux mal. cardio-vasc. par rapport à l'ensemble des décès. Finlande 54. Écosse 54. U.S.A. 54. Australie 54. Suède 52. Danemark 52. Angleterre et Galles 51. Canada 51. N.-Zélande 51. Irlande 50. Hongrie 50. Norvège 50. Suisse 46. Italie 45. Tchécosl. 45. Belgique 44. Pays-Bas 44. All. féd. 43. *France 37,5.* Japon 37. Pologne 35. Grèce 30. Yougoslavie 30.

Aux U.S.A. le taux est plus élevé dans les États où l'eau est peu calcaire, que dans ceux où elle est dure (quelle que soit l'eau bue aux repas).

Taux de mortalité annuel pour 10 000 personnes, avec et sans hypertension : attaques 66 *19,* thrombose 72 *16,* infarctus du myocarde 176 *83.*

Quelques conseils

• **Alimentation. Excès alimentaires.** Aggravent les prédispositions personnelles au diabète et au cholestérol. *Diabète* et états prédiabétiques latents multiplient par 3 à 5 le risque d'infarctus du myocarde. *Cholestérol :* les risques de maladie artérielle diminuent de 2 % chaque fois que le *cholestérol* baisse de 1 %. La lovastine permettrait de diminuer le taux de 20 à 30 %.

Raisons : un régime riche augmente le taux des graisses et du cholestérol sanguin. Le fait de manger sucré, ou gras, est un moyen de manger trop et, en particulier, des calories vides de vitamines dont la carence intervient probablement dans la formation de l'athérosclérose.

Conseils : limiter les excès (surtout graisses saturées, cholestérol et calories des viandes grasses, produits laitiers, jaunes d'œufs, pâtisseries). Éviter graisses solides (beurre, lard) et boissons alcoolisées ou sucrées à valeur calorique élevée. Préférer viandes maigres, volaille, poisson, lait écrémé, fromage blanc, légumes, fruits, huiles végétales. Éviter excès de sel (ne pas dépasser 5 à 7 g par jour) ; le chlorure de sodium a des effets hypertenseurs.

Cholestérol. Origine dans le corps : 70 % synthétisé par le foie, 30 % venant de l'alimentation. Sert à reconstruire les membranes des cellules, permet la fabrication des hormones produites par les glandes génitales et surrénales. 2 types : à *« basse densité »* (LDL : Low Density Lipoproteins), encrasse les artères ; à *« haute densité »* (HDL : High Density), nettoie les artères. Il est transporté par des particules, les lipoprotéines. On admet en général que le taux jusqu'à 55 ans ne doit pas dépasser 2 g/litre de sang, au-delà, il peut avoisiner 2,3 ou 2,4 g/l, sans que cela soit alarmant.

Taux recommandés : cholestérol total < 2,00 g/l ; triglycérides < 1,50 g/l ; cholestérol HDL > 0,40 g/l (chez l'homme), > 0,50 g/l (la femme) ; LDL < 1,30 g/l ; Apo A1 ⩾ 1,20 g/l, B ⩽ 1,30 g/l.

Les hommes sont plus touchés par l'athérosclérose que les femmes (protégées par leurs hormones jusqu'à la ménopause). 3 pommes par jour pendant 2 mois peuvent faire baisser de 5 % le taux de cholestérol sanguin.

Aliments riches en cholestérol en mg. Pour 100 g d'aliments. *Laitages :* lait écrémé 3 ; lait entier 14 ; crème 130 ; camembert 140 ; emmenthal 145 ; parmesan 190 ; beurre 260. *Œufs :* jaune d'œuf 1 480 (1 gros jaune d'œuf 300). *Viandes* (dégraissées) : bœuf 67 ; mouton 77 ; veau 84 ; ris de veau 225 ; foie de veau 400 ; rognon 400 ; cervelle 1 810. *Poissons et produits de la mer :* morue 44 ; maquereau 80 ; hareng 85 ; huîtres 200 ; crevettes 226.

• **Hypertension.** Voir p. 113.

• **Obésité.** Définie par une augmentation de la masse grasse. Un sujet est dit obèse lorsque son poids dépasse de 20 % le poids souhaitable (celui qui, en fonction de la taille et du sexe, correspond à la plus grande longévité). Il existe une surmortalité de la population obèse : les hommes de 40 ans pesant à taille égale 30 % de plus que leur poids idéal ont 2 fois plus de risques de mourir d'une maladie cardio-vasculaire dans les 10 ans. Voir p. 107 c.

Raisons : les obèses sont plus exposés à développer diabète et hypertension artérielle. Leur sérum contient souvent un excès de *triglycérides,* associé ou non à un excès de *cholestérol,* graisses favorisant l'athérosclérose.

De plus, le poids en excédent exige du cœur un travail supplémentaire pour transporter une masse adipeuse superflue.

• **Sédentarité.** Le repos conduit à une diminution de volume du cœur et à une élévation du rythme cardiaque. L'exercice physique est bienfaisant : il dilate les vaisseaux du cœur, ce qui leur permet de mieux supporter un rétrécissement ou une oblitération éventuelle ; il développe le cœur (les muscles utilisent mieux l'oxygène apporté par le sang et, pour un effort donné, le débit est moindre et le cœur se fatigue moins) ; il permet un équilibre meilleur, parce que dynamique, de la ration alimentaire ; il est un facteur d'équilibre psychologique, permettant de remédier au rythme accéléré et aux agressions de la vie moderne.

• **Sports** (avec prudence chez les sujets menacés). En règle générale, conserver une activité physique progressive, régulière et contrôlée.

Sports pouvant être pratiqués sans surveillance (à condition qu'il ne s'agisse pas de compétition) : cyclisme, marche, golf, ski de fond (éviter froid intense et déclivités importantes).

Sports pouvant être pratiqués sous surveillance : aviron, équitation, tennis de table, ski alpin (mêmes précautions que pour le ski de fond), natation (eau, env. 24 °C).

Sports interdits (en général) : alpinisme, athlétisme, basket, football, judo.

• **Tabagisme.** Les décès dus aux maladies cardio-vasculaires sont 2 à 3 fois plus fréquents chez les fumeurs que chez les non-fumeurs. 20 cigarettes par j augmentent de 70 % le risque de cardiopathie. La mort subite est 5 fois plus fréquente chez les fumeurs de 20 cig. par j que chez les non-fumeurs. La nicotine de 2 cig. suffit à entraîner une élévation du rythme cardiaque de 20 pulsations/minute. Cette accélération entraîne une augmentation du travail du cœur et sa fatigue. L'oxyde de carbone fixe en partie l'hémoglobine, rendant le sang impropre à transporter l'oxygène, donc à produire et à renouveler l'énergie musculaire, le rendant autant dire impropre à l'effort. La proportion d'hémoglobine inutilisable peut atteindre 10 % chez le fumeur qui inhale la fumée.

Traitement : psychothérapies individuelle (consultation) *et collective* (dynamique de groupe permettant des contacts entre les sujets) ; *l'acupuncture* (souvent associée à *l'homéopathie*) : basée sur l'utilisation des points dynamisants de l'organisme et des points activant le fonctionnement du foie, élément important de la désintoxication ; plusieurs variantes dont : 1° la *nasothérapie :* utilisation d'un point situé sur la face latérale du nez, stimulant la vésicule biliaire, décongestionnant et restituant l'odorat, et annihilant l'envie de fumer ; 2° *l'auriculothérapie :* 7 points (sur l'oreille droite chez le droitier, gauche, chez le gaucher) ; on introduit au point *0* (dit équilibre neurovégétatif) un fil de Nylon tressé, conservé par le patient 3 à 4 semaines, mais ce fil n'est pas toujours bien supporté ; 3° la *mésothérapie :* injection dans l'oreille d'un mélange de Divasta et de procaïne entraînant un dégoût de sa fumée et de celle des autres. *Autres aides médicales :* médicaments ayant pour but de remplacer la nicotine par une substance n'entraînant pas une dépendance, de donner un goût désagréable au tabac, de lutter contre les troubles du sevrage ; les *cures thermales* et la *thalassothérapie* permettent d'associer au traitement les bienfaits de l'eau thermale et de mer.

Appareil nerveux

Généralités

Le système nerveux est présent dans tout l'organisme (nerfs périphériques), mais la plus grande part de sa masse totale est regroupée en une formation centrale (cerveau et moelle épinière).

Système nerveux sensoriel. Recueille les informations sur l'état de l'environnement et du milieu interne.

Système nerveux central. Coordonne ces informations, les confronte aux données antérieurement acquises et détermine les conduites à effectuer.

Système nerveux moteur. Assure la réalisation des conduites choisies.

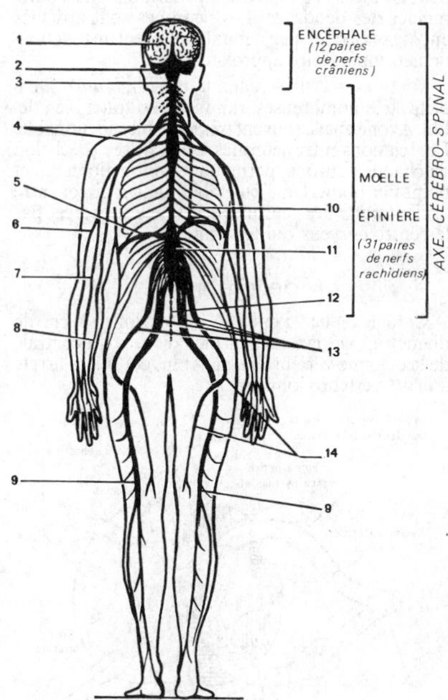

Système cérébro-spinal de l'homme : *1* cerveau. *2* cervelet. *3* bulbe rachidien. *4* plexus brachial. *5* diaphragme. *6* nerf radial. *7* nerf médian. *8* nerf cubital. *9* nerf sciatique. *10* nerf phrénique droit. *11* renflement lombaire. *12* filament terminal. *13* queue de cheval. *14* nerf crural (face antérieure de la cuisse).

Structure du tissu nerveux

2 types de cellules forment l'essentiel du tissu nerveux :

1° **Les cellules nerveuses** proprement dites **ou neurones** (10 à 20 milliards, 3 à 100 ans). Dès leur mise en place avant la naissance, elles perdent la possibilité de se diviser. Le vieillissement fait disparaître env. 50 000 neurones par j à partir de 20 ans. Les lésions cérébrales ont un effet définitif.

2° **Les cellules satellites,** principalement les **cellules gliales** des centres nerveux. 5 à 10 fois plus nombreuses que les neurones, elles continuent à se multiplier durant la vie. Elles sont disposées dans les interstices séparant les neurones, ou forment des gaines autour des prolongements neuroniques.

Neurones

Structure. Presque tous ont : un *corps cellulaire* pourvu d'un noyau et assurant le métabolisme et les fonctions du neurone ; des prolongements centripètes ou *dendrites* qui transmettent au corps cellulaire les informations périphériques qu'ils recueillent ; un prolongement centrifuge ou *axone* (de moins de 1 mm à 1 m de long) qui transmet l'influx nerveux né du corps cellulaire lorsque l'excitation issue des dendrites atteint un certain seuil.

La juxtaposition d'un grand nombre d'axones longs forme les *nerfs.*

Différents types. *Sensoriels :* pourvus aux extrémités des dendrites de prolongements sensibles à un excitant particulier, physique ou chimique, venant de l'environnement ou des organes du corps. Il transforme ainsi en influx nerveux une information externe au système nerveux. Il en existe autant de types distincts que de sensations : vision, audition, goût, odorat, tact, douleur, chaleur, etc.

Moteurs : aboutissent aux muscles, transforment en action physique les influx venus des centres nerveux. D'autres neurones effecteurs s'en rapprochent qui ne provoquent pas de mouvement mais déclenchent des sécrétions de tous types.

Intermédiaires : les plus nombreux, ils forment les circuits des *centres nerveux* de la moelle épinière et du cerveau, transmettent ou modifient l'influx nerveux provenant d'autres neurones, et réalisent toutes les fonctions opératoires du système nerveux.

Fonctionnement. *Au repos,* la membrane du neurone présente une différence de potentiel entre sa face externe, chargée positivement, et sa face interne, chargée négativement. *L'excitation reçue* par les dendrites, ou, directement, par le corps cellulaire, inverse localement cette polarisation. Si l'effet est suffisamment accentué, cette dépolarisation se propage le long de l'axone et de ses ramifications terminales, parvient aux synapses et peut se transmettre à d'autres neurones. Ainsi naît et circule l'influx nerveux. Dans les nerfs périphériques, cette circulation transmet un message. *Vitesse de conduction :* dépend du diamètre de l'axone et des cellules gliales qui lui forment une gaine ; 100 m/s dans certains axones moteurs ; 50 m/s dans les axones de la sensibilité tactile consciente ; 1 m/s dans les axones fins de la sensibilité douloureuse. Dans les centres nerveux, à la transmission de l'influx nerveux d'un point à un autre s'ajoute l'opération sur les signaux (intégration, amplification, transformation d'un effet facilitateur en effet inhibiteur, etc.).

Articulations interneuroniques. Le regroupement et la succession de nombreux neurones en circuits permettent le fonctionnement nerveux ; un intervalle entre les neurones interrompt la propagation électrique de l'influx. L'articulation entre neurones se fait par de nombreuses *synapses* (10^{14} pour le système nerveux humain). Une synapse élémentaire comprend un bouton synaptique sur une ramification terminale d'un axone, un étroit espace synaptique et un récepteur synaptique sur les dendrites ou le corps cellulaire du ou (plus souvent) des neurones qui font suite dans le trajet de l'influx nerveux. L'arrivée d'un influx présynaptique dans le bouton synaptique provoque la libération d'un médiateur chimique qui atteint le récepteur des neurones suivants au travers de l'espace synaptique et génère un influx postsynaptique. Le médiateur ne s'accumule pas entre 2 passages de l'influx, car il est très rapidement recapturé par le bouton synaptique ou détruit par un antimédiateur dans l'espace synaptique.

Couples médiateurs/antimédiateurs connus : ceux de *l'acétylcholine,* de *l'adrénaline,* de *la dopamine,* de *la sérotonine.*

Morphologie

Le système nerveux comprend une *partie centrale d'où partent ou parviennent des fibres nerveuses constituant les nerfs périphériques, le névraxe* constitué par l'encéphale contenu dans la boîte crânienne, et *la moelle épinière* contenue dans le canal rachidien. Le terme de **cerveau** désigne l'ensemble de l'encéphale ou sa partie antérieure et supérieure, au-dessus de la tente du cervelet.

Encéphale

1° Hémisphères cérébraux. Forment à eux seuls presque tout l'encéphale, contiennent 3/4 des neurones de l'organisme. Séparés par une fissure au fond de laquelle s'étend le *corps calleux* (ensemble de fibres constituant la voie principale de communication entre les 2 hémisphères). Au centre de chaque hémisphère, une cavité, le *ventricule latéral.* Extérieurement, les hémisphères cérébraux dessinent des circonvolutions séparées par des sillons ou scissures. La scissure de Sylvius sépare les *lobes frontal et pariétal,* en haut, du *temporal,* en bas. Le sillon de Rolando sépare le *lobe frontal* (antérieur) du *pariétal* (plus postérieur). L'*occipital* est moins bien individualisé. Un 5e, l'*insula,* se trouve au fond de la scissure de Sylvius.

Structures. a) *Externe (ou cortex cérébral dit substance grise).* Formée essentiellement de corps cellulaires de neurones *(cellules grises)* et de prolongements dendritiques. Certaines régions du cortex, dites *aires primaires,* sont directement en rapport avec des portions extra-cérébrales du système nerveux. On distingue les a. de la motricité, de la sensibilité corporelle, de la vision, de l'audition, du goût, de l'olfaction. Le reste du cortex forme les *aires d'association* permettant une coordination entre les aires primaires. Elles sont essentiellement le siège du déroulement de la pensée.

La région plus centrale du cortex, au contact du corps calleux, constitue *le système limbique.* Relié aux aires d'association du cortex, aux structures du cerveau central viscéral, c'est le siège de la décision et du contrôle des émotions. Une partie de l'*hippocampe* assure le contrôle de la mémorisation.

b) *Sous-corticale, dite substance blanche :* faite d'axones provenant des neurones du cortex.

c) *Profondes :* formées de corps cellulaires neuroniques, constituent les noyaux gris centraux, *noyaux caudé et lenticulaire* ou *corps striés.* D'autres noyaux centraux plus petits, comme le *noyau amygdalien* ou le *noyau du septum,* se rattachent au système limbique, et contrôlent l'orientation du comportement vers l'action ou au contraire le retrait et l'inhibition motrice.

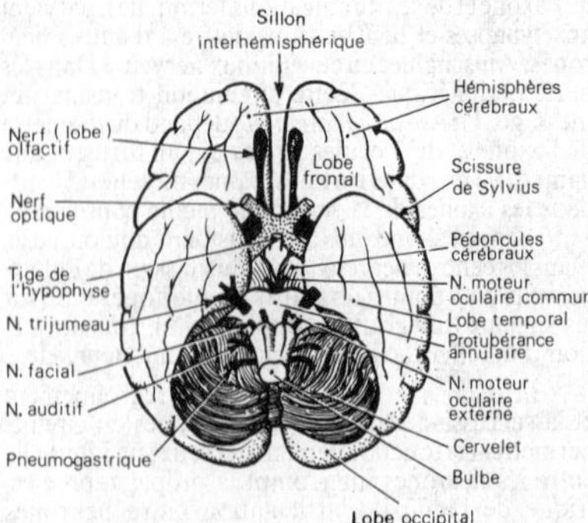

Face inférieure de l'encéphale

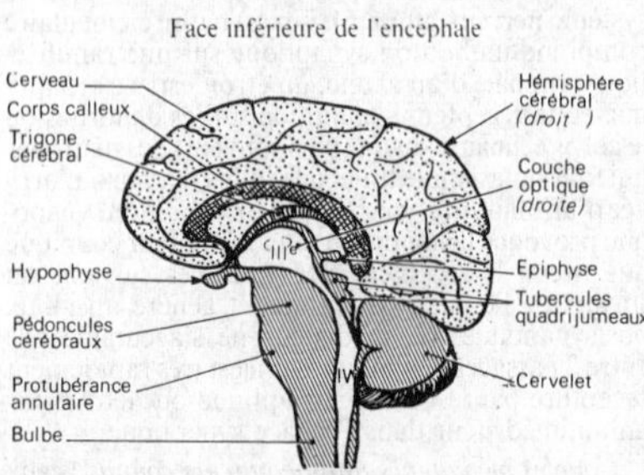

Coupe verticale et médiane de l'encéphale

2° Structures médianes. Diencéphale. Formations les plus importantes : *thalamus* ou couches optiques, s'enfonçant dans les hémisphères cérébraux, séparés l'un de l'autre par la cavité du 3e ventricule, relais essentiels sur les voies de la sensibilité. *Hypothalamus,* plancher du 3e ventricule se prolongeant jusqu'à l'hypophyse ; véritable cerveau viscéral réglant les équilibres physiologiques du corps. C'est le cerveau de la faim, de la soif, de la régulation thermique. Il est sous le contrôle du système limbique et contrôle le système nerveux autonome (v. plus loin) et l'ensemble des sécrétions de la glande hypophysaire. Il modifie l'équilibre du corps selon le contenu des processus psychiques.

Pédoncules cérébraux. Traits d'union entre cerveau et bulbe ; principalement formés d'axones ascendants de la sensibilité et d'axones descendants de la motricité. Formation réticulée, se prolonge jusqu'au bulbe et joue un rôle essentiel dans le contrôle des états de vigilance.

Protubérance annulaire ou pont de varole et cervelet. Jouent un rôle essentiel dans le contrôle de l'équilibre. Entre les 2 se situe le 4e ventricule.

Bulbe. Constitution proche de celle de la moelle épinière qu'il prolonge. Ses noyaux moteurs ou sensoriels correspondent aux organes viscéraux et à la région céphalique.

On peut renforcer ou inhiber un médiateur synaptique et modifier ainsi le fonctionnement du système nerveux sans léser les neurones.

Poids du cerveau

Moyenne (en g). Adulte homme 1 450 ; femme 1 300 ; à la naissance 380 ; à 1 an 1 000.

Cerveau de quelques célébrités (en g). Lord Byron (poète anglais) 2 300. Oliver Cromwell 2 300. Ivan Tourgueniev (écrivain russe) 2 012. Georges Cuvier (paléontologue français) 1 792. William Thackeray (écrivain anglais) 1 624. Léon Trotski (politicien russe) 1 568. Robert Kennedy (politicien amér.) 1 432. Janis Joplin (chanteuse amér.) 1 432. Marilyn Monroe (actrice amér.) 1 422. Howard Hughes (milliardaire amér.) 1 400. Walt Whitman (poète amér.) 1 256. Léon Gambetta (politicien français) 1 092. Anatole France (écrivain français) 1 017.

Rapport poids du cerveau/poids total : 1/50 (chez le chimpanzé 1/150).

Texture neuronique dans les centres nerveux

Textures archaïques (dans les formations anciennes de l'*archéo- et du paléo-cérébrum*). Les dendrites sont relativement longues, peu nombreuses et peu ramifiées ; l'axone est fin, court, difficile à différencier des dendrites. Les neurones sont articulés en réseaux lâches, permettant seulement un fonctionnement opératoire approximatif.

Textures récentes (dans le *néo-cérébrum*). Dendrites très nombreuses, ramifiées, au trajet bien défini. Axone épais, souvent très long, bien identifiable. Les relations entre neurones sont précises à l'échelon de chaque neurone, permettant un fonctionnement point par point. On a pu établir un lien direct entre la disposition des neurones et la fonction exercée par le centre nerveux qui les contient.

Moelle épinière

Cordon blanc, d'env. 50 cm de long, 1 cm de diamètre, logé dans le canal rachidien (cavité centrale de la colonne vertébrale), mais plus court : il s'arrête à la 1re vertèbre lombaire.

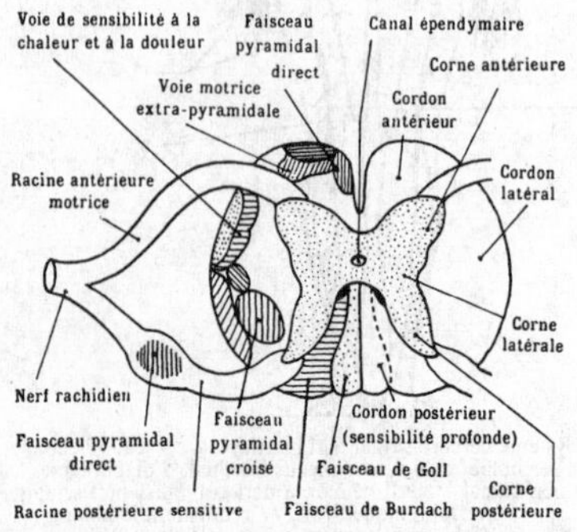

Moelle épinière (coupe horizontale)

Substance blanche périphérique formée de fibres axoniques assurant la transmission de l'influx nerveux entre les différents étages segmentaires de la moelle et les centres de l'encéphale. Les voies motrices, faisceaux pyramidaux notamment, sont descendantes ; les voies sensorielles sont ascendantes.

Substance grise centrale qui contient des corps cellulaires neuroniques regroupés en noyaux et étagés en segments. Ces corps cellulaires constituent des relais synaptiques sur le trajet des voies nerveuses en communication avec l'encéphale. Mais ils permettent, en outre, des jonctions courtes entre neurones sensoriels et moteurs, assurant les réflexes médullaires. Au centre se trouve le *canal de l'épendyme.*

A intervalles réguliers, la moelle présente des racines antérieures et postérieures ; leur fusion constitue les *nerfs rachidiens.* Un renflement sur la racine postérieure, le *ganglion rachidien,* contient les corps cellulaires des neurones sensoriels venant des nerfs rachidiens. Les nerfs rachidiens quittent le canal rachidien entre les vertèbres.

Nerfs périphériques

Assurent la communication entre le névraxe et les zones périphériques de l'organisme.

Nombre : 12 paires de nerfs crâniens et 31 de nerfs rachidiens. Les nerfs optiques, auditifs, olfactifs ne sont pas de véritables nerfs périphériques car ils servent à joindre l'encéphale avec des organes périphériques (œil, oreille, muqueuse olfactive) qui contiennent plusieurs étages neuroniques et constituent par eux-mêmes des centres nerveux.

Système nerveux autonome

L'innervation des viscères, qui a surtout pour effet d'assurer les équilibres corporels et de les adapter aux exigences du moment, est constituée par des systèmes relativement autonomes au sein du système nerveux général.

1° Système sympathique ou adrénergique (le médiateur synaptique des fibres terminales en est l'adrénaline). Il s'articule avec le système nerveux central par des colonnes de substance grise contenue dans la moelle épinière, entre le 8e segment cervical et le 2e segment lombaire. Une lésion haute de la moelle soustrait le sympathique à toute action du cerveau et fait notamment disparaître l'émotion. Les neurones font relais dans les ganglions de la *chaîne sympathique latéro-vertébrale* et dans les ganglions prévertébraux regroupés en plexus (cardiaque, solaire, mésentérique et hypogastrique). Le s. sympathique met l'organisme en état de dépense énergétique pour permettre une meilleure réponse aux exigences de l'environnement.

2° Système parasympathique ou cholinergique, car le médiateur synaptique des fibres terminales est l'acétylcholine. Il s'articule avec le système nerveux central par des noyaux situés dans le tronc cérébral ou dans la partie terminale de la moelle, au-dessus ou au-dessous des centres sympathiques. Les fibres parasympathiques font relais dans des ganglions, comme le ganglion *ciliaire,* ou dans des cellules

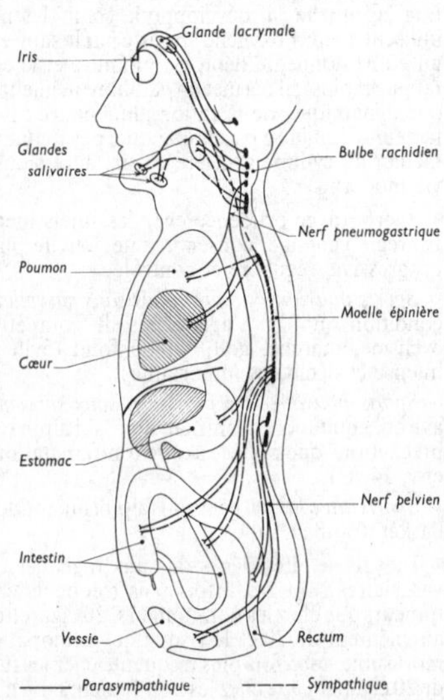

Systèmes sympathique et parasympathique (chaque organe est innervé par les 2 systèmes)

ganglionnaires contenues par les viscères. Il est le système de la diminution des dépenses énergétiques et de l'orientation vers l'accumulation de réserves.

Certaines fibres sympathiques se terminent au contact de cellules différenciées contenues dans les glandes surrénales et capables de libérer de grandes quantités d'adrénaline. Ce médiateur diffusant dans le sang facilite le passage synaptique des fibres sympathiques (état émotif très rapide).

Enveloppes et liquide céphalo-rachidien

Méninges : enveloppe externe : **dure-mère ;** fibreuse, adhère au crâne, mais séparée des vertèbres par une couche graisseuse : **l'arachnoïde ; la pie-mère :** au contact immédiat du névraxe dont elle suit les moindres replis ; entre arachnoïde et pie-mère : **l'espace sous-arachnoïdien :** cloisonné par des bandes fibreuses, communique avec les cavités des ventricules. L'ensemble contient le **liquide céphalo-rachidien (L.C.R.)** : soustrayant le névraxe à l'action de la pesanteur, il amortit les chocs que peut transmettre la boîte crânienne. *Composition moyenne* : Protéines 0,15 à 0,30 g/l. Glucose 0,40 à 0,70 g/l (2,2 à 3,9 mmol/l). Chlorures 7,10 à 7,50 g/l NaCl (120 à 130 mmol/l). IgG < 0,09 g/l.

Vascularisation cérébrale

Le cerveau (qui représente 2 % du poids du corps) consomme 25 % de l'oxygène utilisé par l'organisme au repos, ce qui exige une irrigation continue importante. Le drainage du sang veineux cérébral se fait par les *veines jugulaires* mais n'est pas empêché par une oblitération du système veineux supérieur du corps en raison d'anastomoses nombreuses. Un filtre (barrière cérébro-méningée) entre le tissu cérébral et le contenu des vaisseaux permet de sélectionner les différents constituants du sang et il rend très difficile l'acheminement des médicaments dans le système nerveux central.

1 décès sur 6 est dû aux troubles vasculaires cérébraux. Le cerveau reçoit 1/5 du débit cardiaque et consomme 1/10 de l'oxygène nécessaire à l'organisme. Toute oblitération ou rupture d'un vaisseau sanguin *(ischémie)* le prive d'oxygène *(anoxie)* et de glucose.

Fonctions neurologiques

Réception

Analyse de l'environnement s'effectuant sur 3 niveaux successifs :

1° **Neurone sensoriel.** Aucun excitant ne peut atteindre le système nerveux s'il ne stimule pas un neurone sensoriel qui le code en influx. Un neurone sensoriel est toujours plus sensible à un type particulier d'excitant, mais si l'énergie de l'excitant est suffisante, il y a réponse pour tout excitant et réponse identique (loi du tout ou rien).

2° **Centres perceptifs.** Assurent l'intégration, la confrontation des données simultanées et successives des neurones sensoriels. Les c. perceptifs élémentaires, aires primaires perceptives du cortex cérébral par exemple, coordonnent les neurones d'un même champ perceptif. Les aires d'association coordonnent les données perceptives de nature différente.

3° Exige l'apprentissage alors que les 2 premiers sont innés. Il y a soit reconnaissance d'un excitant déjà perçu, soit élaboration de conduites perceptives qui classent les objets perçus ou permettent leur reconstruction mentale en leur absence, c'est la **représentation perceptive**

Une lésion de neurones sensoriels (atteinte de la rétine, de la cochlée), ou des premiers relais qui suivent ces neurones, empêche toute perception dans le champ sensoriel atteint. *Syringomyélie :* lésion de la moelle épinière, fait perdre la perception de la douleur et de la température cutanée, mais le sens du tact est conservé.

Maladies. Névralgies : douleurs souvent violentes provoquées par l'inflammation des nerfs périphériques. **Agnosie :** atteinte des centres perceptifs, excitants et objets ne sont pas perçus mais les réflexes sensoriels persistent. **Asymbolie :** objets ou excitants sont perçus mais non identifiés. **Aphasie sensorielle :** incapacité de donner un sens aux mots. **Prosopagnosie :** incapacité d'identifier les physionomies.

Motricité

Dès qu'une action motrice est décidée, elle se réalise grâce à une organisation complexe.

Le neurone moteur est la seule voie de commande du muscle.

Des réflexes médullaires ou cérébraux favorisent la coordination des contractions musculaires.

La *réciprocation* adapte les mouvements d'une jambe à ceux de l'autre jambe. L'oreille interne et le cervelet règlent l'équilibre. Les noyaux gris centraux permettent les mouvements fins et ajustés.

Les aires corticales motrices assurent la commande motrice, notamment la commande consciente.

L'apprentissage moteur favorise l'activité conjuguée des différents muscles mais est surtout indispensable pour ajuster la motricité aux données de la perception, essentiellement la perception visuelle.

Paralysie. Incapacité d'effectuer un mouvement ; elle peut être parcellaire en cas d'atteinte de muscles *(myopathie),* ou du neurone moteur *(poliomyélite).* Atteinte des centres de la motricité provoquant une paralysie étendue, des 2 membres inférieurs par lésion de la moelle thoracique *(paraplégie),* des 4 membres par lésion de la moelle cervicale *(tétraplégie),* de la moitié droite ou gauche du corps par lésion de l'hémisphère cérébral opposé *(hémiplégie).*

Amyotrophie spinale infantile (ou maladie de Werdnig-Hoffmann). Héréditaire, récessive autosomique, n'apparaît que si les 2 parents transmettent le gène défectueux à l'enfant et que ce gène n'est pas un chromosome sexuel. Faiblesse et atrophie des muscles provoquées par une dégénération des neurones de la corne antérieure de la moelle épinière. *Dans les formes les + sévères :* l'enfant meurt avant sa 1re année. *Formes chroniques :* simple faiblesse musculaire jusqu'à une mort possible dans l'adolescence. Touche une naissance sur 5 000 et sur 20 000 pour les cas les + graves. *Symptômes :* hypotrophie et paralysies musculaires s'ils apparaissent quelques mois après la naissance, touchent le bassin, muscles de la ceinture, nuque, puis muscles des membres avant de gagner les muscles respiratoires, entraînant une mort rapide.

Ataxie, dystonie, dyskinésie, chorée (danse de St-Guy), **athétose** : altérations d'activités motrices qui sont perturbées. **Maladie de Parkinson** : décrite en 1817 par le Dr James Parkinson ; provoque une rigidité des muscles ; un tremblement de la tête et des mains au repos. Une perte de l'initiative motrice, survient vers la cinquantaine, due à la destruction de cellules de la substance noire du cerveau (ces cellules fabriquent la dopamine). *Concerne* env. 80 000 personnes en France. *Traitement :* la *L-dopa,* greffes intercérébrales.

Apraxie. Difficulté ou impossibilité de concevoir une activité motrice.

Mémoire et apprentissage

Le nombre et la disposition des neurones dans les centres nerveux sont stables au cours de la vie et ne sont pas modifiés par l'acquisition de nouvelles conduites. Cependant, les modifications des dendrites et des synapses permettent une évolution des conduites ; les cellules gliales jouent peut-être aussi un rôle dans la mémorisation.

Capacités de mémorisation du cerveau. L'apprentissage et la mémorisation du souvenir s'expliquent par une modification limitée de l'organisation cérébrale antérieure. Le souvenir est reconstruit au moment de l'évocation à partir de quelques traces, grâce à des repères spatiaux et temporels qui ne sont construits qu'à partir de 3-4 ans.

La mise en jeu des structures du système limbique, spécialement de l'*hippocampe,* est obligatoire. La mémorisation demande quelques heures pour une fixation de longue durée. Le *rêve* permet de renforcer les traces mnésiques. La *réminiscence* fait qu'une leçon apprise le soir est toujours mieux sue le lendemain matin.

Amnésie. Défaut de la mémorisation de fixation (et non oubli), l'atténuation des souvenirs et des apprentissages qui ne sont pas évoqués de temps à autre est un processus normal. *A. antérograde* ou *de fixation :* défaut de fixation des faits nouveaux, souvenir des faits anciens conservé ; *a. d'évocation :* les faits mémorisés ne peuvent plus être évoqués ; *a. lacunaire :* perte du souvenir d'une tranche vécue, quelques dizaines de minutes le plus souvent. *Causes :* déficience des hippocampes, traumatisme crânien (ex. électrocution brutale, en cas d'accident de voiture...), lésions du thalamus et des corps mamillaires (amnésie de Korsakoff). Correspond généralement à la période qui a précédé un choc cérébral sévère avec perte de connaissance.

Ecmnésie. Fausse impression de déjà vécu, à l'origine des croyances de métempsycose. Ces troubles peuvent traduire des affections cérébrales mais se rencontrent souvent chez des sujets normaux en bonne santé.

Paramnésie. Fausse impression de déjà-vu.

Droitiers et gauchers

• **Causes.** L'homme possède un hémisphère cérébral privilégié différent à droite et à gauche : le *gauche* domine le droit pour les fonctions linguistiques et intellectuelles, le *droit* domine le gauche pour la sensibilité et la perception de l'espace et des formes. Presque tous les droitiers ont le centre du langage situé à gauche, 20 à 30 % des gauchers ont le leur situé à droite. La majorité garde un cerveau de droitier avec une différence : l'hémisphère droit contrôle aussi la main active (les réseaux nerveux des commandes motrices étant inversés, la main gauche est mue par l'hémisphère droit) ; par rapport aux droitiers, il s'agit d'une sorte de court-circuit : par exemple, au moment où le joueur de tennis voit le mouvement de son adversaire et celui où il répond, tout se passe dans l'hémisphère droit alors que le droitier doit effectuer un détour vers le gauche pour mettre sa main en mouvement.

On peut normalement se servir de la main droite et être gaucher du pied, de l'oreille ou de l'œil.

• **Nombre de gauchers.** Env. 10 % de la population.

• **Quelques gauchers célèbres. Acteurs, actrices.** Lenny Bruce, George Burns, Charlie Chaplin, W.C. Fields, Greta Garbo, Judy Garland, Betty Grable, Rex Harrison, Olivia de Havilland, Rock Hudson, Shirley MacLaine, Marcel Marceau, Harpo Marx, Marilyn Monroe, Robert De Niro, Kim Novak, Richard Prior, Telly Savalas, Rod Steiger, Kenneth Williams. **Criminels :** Billy le Kid, Jack l'Éventreur. **Écrivains :** Goethe, Heine, Andersen, Nietzsche, Lewis Caroll. **Escrime :** aux J.O de Moscou en 1980, il y avait parmi les Français 8 gauchers sur 15 ; aux J.O. de 1968, la finale de fleuret masculin s'est disputée entre gauchers. Au *fleuret,* les gauchers dominent pour les touches à courte distance où le temps de réaction est inférieur à 4 centièmes de seconde ; par contre, à « distance de fente », quand il faut viser mais que l'on a presque une seconde pour réagir, les droitiers s'imposent. **Football :** Pelé shoote du pied gauche. **Hommes d'État :** Bismarck, Gerald Ford, Frédéric II, James Garfield, Georges VI, Tibère (Empereur), Harry Truman. **Musiciens :** Bach, Beethoven, Jimi Hendrix, Paul Mac Cartney, Paganini, Schumann. **Peintres :** Duby, Holbein, Michel-Ange, Léonard de Vinci. **Tennis :** les droitiers préfèrent généralement jouer en fond de court avec des balles plus lentes. Les gauchers excellent au filet. *% de tennismen gauchers en 1981 :* dans les *22* premiers 16 %, les *20* 25 %, les *40* 75 %. Björn Borg, Ivan Lendl, Yannick Noah, Max Wilander sont droitiers ; Jimmy Connors, Henri Leconte, John McEnroe, Martina Navratilova, Roscoe Tanner, Gillermo Vilas sont gauchers. **Divers :** Baden-Powell, Benjamin Franklin, Alphonse Bertillon, l'amiral Nelson.

Chez les étudiants musiciens 15 %, architectes 13 %, les scientifiques (4 %).

Nota. – Les gauchers contrariés ont moins de problèmes scolaires que les sujets écrivant de la main gauche.

États de vigilance

Il y a 3 états de vigilance (éveil, sommeil lent et sommeil paradoxal), qui peuvent être reconnus et enregistrés au moyen d'un appareil appelé polygraphe et de capteurs (électrodes) qui sont placés sur le scalp, le pourtour des globes oculaires et les muscles du menton.

Éveil. Caractérisé par un rythme électroencéphalographique entre 8 et 12 c/s, des mouvements des globes oculaires et des paupières et la présence d'un tonus musculaire.

Sommeil lent. Divisé en 4 stades de profondeur croissante. L'activité électrique enregistrée sur le scalp devient de plus en plus lente, les globes oculaires ont des mouvements lents lors de l'endormissement puis deviennent immobiles, le tonus musculaire demeure. La fréquence cardiaque se ralentit, la pression artérielle baisse ; la fréquence respiratoire diminue, l'amplitude des mouvements respiratoires augmente. L'hormone de croissance est sécrétée au début du sommeil. L'activité mentale comprend des hallucinations visuelles ou auditives lors de l'endormissement et des fragments de rêve par la suite.

Sommeil paradoxal. Il s'oppose par de nombreux aspects au sommeil lent. L'activité électroencéphalographique est voisine de celle du stade le plus léger (stade 1) du sommeil lent. Une activité oculaire particulièrement riche apparaît sous forme de mouvements conjugués des globes oculaires visibles sous les paupières demeurées closes. Le tonus musculaire est aboli à l'exception de brèves secousses intéressant les petits muscles du visage et des doigts. La fréquence cardiaque demeure ralentie et la pression artérielle abaissée, mais avec de brusques irrégularités. La fréquence respiratoire est irrégulière, le diaphragme conserve une activité normale tandis que les muscles intercostaux deviennent inactifs. Le débit sanguin cérébral augmente. Le pénis est en érection, le clitoris gonflé. Le sommeil paradoxal est le moment électif, mais non exclusif, du rêve.

Cycles du sommeil

4 à 5 cycles de 60 à 100 mn, débutant par du sommeil lent et s'achevant par du sommeil paradoxal. Le 1er épisode du sommeil paradoxal survient de 50 à 100 mn après l'endormissement. Les 2 ou 3 premiers cycles de sommeil comportent du sommeil lent profond (stades 3 et 4), les derniers cycles des épisodes de sommeil paradoxal plus longs.

Chez l'adulte, le sommeil lent représente environ 80 % de la durée totale de sommeil (dont *stade 1 :* 5 % ; *st. 2* 50 % ; *st. 3 et 4* 25 %) et le sommeil paradoxal env. 20 %.

Facteurs de l'organisation des états de vigilance

Phylogenèse. Chez tous les vertébrés, un rythme repos-activité peut être identifié, mais un véritable cycle veille-sommeil avec les 2 types de sommeil, lent et paradoxal, n'apparaît que chez les oiseaux et les mammifères. *Exception :* le dauphin de la mer Noire n'a pas de sommeil paradoxal et dort alternativement avec un hémisphère cérébral, puis avec l'autre, ce qui lui permet de venir respirer à la surface de l'eau toutes les 30 sec. env., comme il en a besoin. A l'intérieur d'une même espèce la répartition et la durée des différents états de vigilance varient selon l'habitat, l'alimentation et le conditionnement des animaux.

Ontogenèse (ou avec l'âge). La durée et la proportion des états de vigilance varient avec l'âge. *Fœtus :* son sommeil (analysé par échographie abdominale) est indépendant de celui de la mère. On note à 20 semaines une alternance d'activité et d'immobilité, à 28 l'apparition du sommeil agité (futur sommeil paradoxal), à 30 celle du sommeil calme (futur sommeil lent), à 36 une alternance régulière des 2 s. Le s. agité représentant avant le terme env. 65 % du temps de s. *A l'accouchement,* le nouveau-né ne se réveille qu'au moment des contractions utérines les plus fortes et lors de l'expulsion. *Après la naissance :* 8 h de veille et 16 h de sommeil (45 % de s. calme, 45 % de s. agité et 10 % de s. indéterminé). Ensuite la durée totale du s. diminue régulièrement jusqu'entre 7 et 9 h. *Adulte :* le % de s. lent augmente. *Répartition :* le sommeil dans la journée au cours du 1er mois est d'une période de 4 h env. Puis, la période du s. nocturne augmente, tandis que le nombre des périodes de s. de jour (siestes) diminue : 3 ou 4 à 6 mois, 2 à 1 an, et un seul à partir de 18 mois. La sieste disparaît entre 4 et 6 ans. *Personnes âgées :* durée totale de s. : 7 à 9 h, mais le s. de nuit tend à se morceler et des cycles de s. de jour apparaissent souvent.

Génétique. Le sommeil est soumis à une influence génétique. Einstein dormait 10 h et plus ; Pline le Jeune, Napoléon, Victor Hugo, Poincaré, Paul Doumer, Churchill dormaient 3 à 5 h par nuit. Le sommeil des grands et des petits dormeurs n'est pas structuré de la même manière. La quantité du stade 2 est beaucoup plus grande chez les grands dormeurs, celles du stade 1 et du sommeil paradoxal un peu plus élevées. La quantité des stades 3 et 4 (sommeil de récupération) est égale dans les 2 groupes.

Chronobiologie. Le cycle veille-sommeil est soumis à l'influence de *synchroniseurs* (ou *Zeitgebers*) : lumière et obscurité et, de façon prédominante chez l'homme, les variations du niveau d'activité sociale. *Variation :* circadienne (autour de 24 h) : dans les conditions normales d'entraînement par ces synchroniseurs, l'endormissement se produit lors de la diminution de la température centrale (maximale à 17 h et minimale vers 3 h), et le réveil lors de l'augmentation de la température, ce qui explique les variations de la durée de sommeil selon l'heure du coucher : *pour un coucher entre 21 h et 23 h :* 7 à 9 h ; *à 7 h :* 4 à 5 h, *entre 18 h et 20 h :* jusqu'à 11 h. *Variations ultradiennes* (de période inférieure à 20 h) : il existe une phase de propension au sommeil, entre 13 h et 15 h (l'heure normale de la sieste), sans relation avec le repas de midi, et peut-être encore d'autres phases, toutes les 4 h et toutes les 100 mn.

Environnement. Le nombre et la durée des éveils augmentent à haute et à basse *températures.* La quantité de sommeil paradoxal est diminuée, proportionnellement, plus à basse qu'à haute température, et la quantité de sommeil lent profond proportionnellement, plus à haute qu'à basse température. Si la température de la chambre est entre 16° et 25°, celle du lit sera à 30° env. Le sommeil à *haute altitude* est marqué au début par une réduction du sommeil lent profond et de fréquentes réactions d'éveil. Le bruit entraîne une altération subjective et objective du sommeil. La plainte subjective disparaît après quelques nuits et l'architecture du sommeil se normalise progressivement. Par contre, la réponse du rythme cardiaque au bruit pendant le sommeil demeure perturbée.

Hypnotiques. La plupart des hypnotiques, barbituriques, benzodiazépines, modifient la structure du sommeil. Le stade 2 du sommeil lent augmente, le stade 4 diminue de façon durable et le sommeil paradoxal de façon transitoire. Les hypnotiques récents (cyclopyrrolones, imidazopyridines) modifient peu la structure du sommeil.

Mécanismes de la veille et du sommeil

Ils sont complexes et mal connus. L'état de veille dépend au moins de 3 neurotransmetteurs, la noradrénaline, la dopamine et l'histamine. Le sommeil lent est probablement sous la dépendance d'un ou de plusieurs facteurs synthétisés dans l'hypothalamus postérieur, sous l'influence de la sérotonine, neurotransmetteur libéré pendant la veille. Le sommeil paradoxal serait provoqué par un facteur synthétisé dans l'hypothalamus et le lobe intermédiaire de l'hypophyse, facteur qui mettrait ensuite en jeu un système bulbaire déclenchant à son tour différents systèmes exécutifs en majorité cholinergiques.

Pendant le sommeil le corps perd 28 à 42 g, la température baisse : 30 déplacements (en moyenne) sont effectués par nuit (14 mn dans chaque position).

Fonctions du sommeil

Elles demeurent hypothétiques. Des expériences de privation totale de sommeil (jusqu'à 264 heures : Randy Gardner à San Diego) ont été réalisées. On a noté une augmentation importante de l'absorption de nourriture et une diminution de la température centrale (d'environ 1 °C), mais aussi une altération des fonctions cérébrales supérieures : vigilance, performances psychomotrices, élocution. Les fonctions végétatives, cardio-vasculaires, respiratoires, neurologiques résistent remarquablement. A la suite d'une privation prolongée de sommeil, un quart seulement du sommeil perdu est récupéré dans les nuits qui suivent. Les différents types et stades de sommeil ne sont pas récupérés dans les mêmes proportions. Le stade 4 du sommeil lent, le plus important, est récupéré à 65-70 %, le sommeil paradoxal à 40-45 % et les autres stades du sommeil lent dans une proportion très faible sinon nulle.

Troubles du sommeil

Insomnie. Expérimentalement, une absence totale de sommeil peut être obtenue par la volonté et relativement bien supportée. Randy Gardner (jeune homme de 17 ans) est demeuré 264 h sans dormir ; à la fin de son « record » il a tenu une conférence de presse, puis est allé dormir 14 h 40 mn. La nuit suivante il dormit 8 h. L'insomnie est différente. Elle correspond à une plainte de mauvais sommeil, avec un ou plusieurs des symptômes suivants : difficulté d'endormissement, éveils nocturnes, réveil précoce et retentissement sur la vie de jour (irritabilité, performances diminuées, somnolence). Elle associe le plus souvent un trouble du sommeil et un trouble de la perception du sommeil, le sujet surestime généralement le temps passé éveillé. *Traitement :* bonne hygiène de sommeil, chimiothérapie (anxiolytiques, hypnotiques, antidépresseurs), approches non pharmacologiques (relaxation, biofeedback, déconditionnement).

Conseils pour mieux dormir. Se lever à heure fixe, et de préférence tôt. Avoir des activités physiques dans la journée, mais pas à proximité du coucher. Ne pas avoir d'activité intellectuelle intense dans l'heure précédant le coucher. L'alcool favorise l'endormissement mais également le réveil précoce. Thé et café peuvent gêner l'endormissement.

Cliniques du sommeil. Un certain nombre de centres hospitaliers universitaires sont aujourd'hui équipés d'unités spécialisées dans l'investigation et le traitement des troubles du sommeil (Bordeaux, Clermont-Ferrand, Grenoble, Lille, Lyon, Montpellier, Paris, Rouen, Strasbourg, Toulouse, Tours).

Ronflement (ronchopathie). *Raisons.* On confond souvent le ronflement avec le raclement, qui résulte d'une obstruction des fosses nasales empêchant de respirer par le nez. Le ronflement est dû à la vibration du voile du palais, partie flottante que termine la luette. La relaxation musculaire engendrée par le sommeil, la position sur le dos entraînent un rétrécissement du conduit pharyngé. Quand on inspire, l'air, en tourbillonnant, se fraie un passage forcé provoquant un tremblement sonore du voile (l'intensité peut atteindre 70 décibels).

Le ronflement s'accroît avec l'âge, qui suscite un relâchement de la peau, des muqueuses et des muscles. L'obésité, l'absorption d'alcool, un repas copieux le facilitent.

Effets : le ronfleur fait des efforts respiratoires plus grands, il peut s'éveiller fatigué avec mal à la tête. Le ronflement facilite une somnolence diurne excessive, une hypertension artérielle, ou des accidents vasculaires. Il est associé à des pauses respiratoires (apnées) responsables d'une diminution de l'oxygénation du cerveau et parfois de troubles hémodynamiques (hypertension artérielle) et du rythme cardiaque.

Traitement : intervention chirurgicale, *l'uvulopalatopharyngoplastie,* ou U.P.P.P., qui consiste à élargir le pharynx en supprimant la partie basse du voile mou du palais, ainsi que la luette.

Statistiques : Hommes 80 % ronflent. *Femmes* 50 %.

Somnolence diurne excessive. 5 % de la population en souffre. Elle provoque des difficultés professionnelles et des accidents de la route ou du travail. L'insuffisance ou l'excès de sommeil, les horaires de sommeil irréguliers et la prise de médicaments hypnotiques dont l'effet se prolonge le jour en sont responsables. Le syndrome d'apnée au cours du sommeil (1 % à 2 % des dormeurs) et les maladies de la vigilance (narcolepsie-cataplexie, hypersomnie idiopathique, hypersomnie récurrente) sont moins fréquentes mais responsables de somnolence diurne sévère. *Traitement :* dépend de l'étiologie. Requiert une investigation spécialisée dans une unité d'exploration des troubles du sommeil.

Épisodes paroxystiques du sommeil ou parasomnies. Rassemblent *énurésie* (non acquisition ou perte de contrôle de la vessie : font « pipi au lit » à 3 ans : 40 % des enfants, à 4 a. : 20, à 5 a. : 10, à 12 a. : 3, à 14 a. : 1), *terreurs nocturnes, somnambulisme* (1 personne sur 16 est, ou a été, somnambule). Fréquents dans l'enfance, ils disparaissent plus tard dans la majorité des cas.

Troubles du rythme veille-sommeil. Se signalent par une somnolence invincible pendant les heures d'activité, et une incapacité à trouver le sommeil pendant les heures de repos.

2 types : *1°) troubles du rythme veille-sommeil* induits par le choix ou l'obligation d'être éveillé et de dormir en opposition avec les synchroniseurs (travail posté, vols transméridiens) ; *2°) altérations endogènes du rythme veille-sommeil* correspondant à un échappement pathologique de ce rythme au contrôle des synchroniseurs (syndromes de retard ou d'avance de phase du sommeil, rythme veille-sommeil différent de 24 h).

☞ Avec 150 millions de boîtes de calmants et de somnifères (dont 115 millions de benzodiazépines), les Français détiennent le record du Monde de consommation d'hypnotiques.

Fonctions végétatives

Le cerveau assure la régulation des grandes fonctions végétatives, notamment la faim et la soif, le contrôle de la température centrale. Cette régulation dépend pour une grande part de fonctions innées, mais également d'éléments appris. Ainsi, l'information de faim est liée à l'état des sucres dans le sang selon un mécanisme inné, mais les conduites alimentaires doivent être entièrement apprises.

Anorexie. Perte de l'appétit : normalement provoquée par les états d'alerte, ce qui explique la sensibilité de l'appétit à l'anxiété. *A. du nourrisson :* liée le plus souvent à l'anxiété, associée au déroulement du repas, rarement grave. *A. mentale :* affection mentale frappant le plus souvent les jeunes filles (10 filles pour 1 garçon). L'anorexique peut perdre jusqu'à 30 % de son poids.

Relations psychosomatiques

3 processus résument les relations entre psychisme et équilibres corporels : le contrôle du degré d'éveil cérébral, de l'équilibre des systèmes neurovégétatifs, des équilibres hormonaux, notamment des hormones surrénaliennes comme la cortisone.

Les troubles psychosomatiques liés à la persistance exagérée de la mise en alerte de l'organisme reflètent la fatigue de l'organisme en alerte.

Fonctions du moi

Le système limbique paraît en être le siège principal. La neurophysiologie permet d'isoler : un contrôle de l'humeur et des émotions ; un contrôle des processus de décision, orientés vers un choix parmi plusieurs conduites possibles ou vers un remaniement des conduites anciennes pour les adapter à des situations nouvelles ; une orientation de la conduite vers l'initiative motrice ou au contraire vers des attitudes d'inhibition et de retrait.

De nombreux troubles neurologiques ou mentaux comme la dépression, les troubles de l'humeur, la perte de l'initiative motrice (au cours de la maladie de Parkinson), peuvent s'expliquer par un dérèglement de ces fonctions cérébrales qui contrôlent l'exercice du moi.

Fonctions cognitives supérieures

Assurées par le cortex du néo-cérébrum. Le déroulement de la pensée est lié à une activité perceptivo-motrice qui s'effectue dans le cerveau, sans recours aux objets extérieurs, ces objets étant remplacés par une image perceptive, et l'action motrice du sujet sur les objets étant remplacée par une action sur l'image. Neurologiquement, la pensée ne diffère donc pas fondamentalement des conduites perceptivo-motrices. Cependant certaines fonctions supérieures ne s'expliquent pas immédiatement en termes de conduite.

Fonction symbolique

Correspond avant tout au langage (mais il existe des symboles non verbaux, par ex., visuels).

On distingue dans le langage : un code phonétique adapté aux possibilités d'expression vocale du larynx et d'analyse de l'oreille ; un système de concepts construit peu à peu par expérience et conservé par la succession des générations ; un lien arbitraire, propre à chaque langue, entre un mot et le concept qu'il désigne.

La construction des concepts, la mise en équivalence d'images mentales différentes impliquent l'activité corticale dans son ensemble. La manipulation du code phonétique est une fonction particulière effectuée par la zone du langage, aux confins du lobe temporal et du lobe pariétal de l'hémisphère gauche.

Aphasie. Défaut de langage lié à une atteinte de la zone du langage.

Cécité verbale. Perte du sens des mots à la lecture, liée à une atteinte du cortex cérébral situé en arrière de la zone du langage.

Raisonnement

Les lobes frontaux jouent un rôle essentiel ; ils assurent la communication entre les structures du moi et les fonctions cognitives. L'altération des faisceaux reliant les lobes frontaux et les structures du moi pourrait expliquer la *schizophrénie.*

Conduites intellectuelles générales

La fonction n'est pas localisée. Il existe une certaine corrélation entre le volume cérébral et l'efficience intellectuelle aux tests mentaux.

Débilité mentale. Insuffisance intellectuelle constitutionnelle. *Causes :* débilités sévères : lésions cérébrales ; débilités légères : influences sociales, variance constitutionnelle. Les formes très graves de débilité sont regroupées sous le vocable d'arriération mentale (les termes d'imbécillité, d'idiotie, de crétinisme ne sont plus guère utilisés).

Démence. Insuffisance intellectuelle acquise (l'alcoolisme et la sénilité en sont les principales causes).

Maladies du système nerveux

• **Affections transmises par hérédité. Anencéphalie :** absence partielle ou totale de l'encéphale, parfois associée à l'absence de moelle épinière **(amyélencéphalie).** Le crâne est absent ou rudimentaire. Très courte survie possible, mais exceptionnelle. **Chorée :** affection rhumatismale aiguë, se manifestant par des mouvements involontaires brusques, désordonnés et des troubles mentaux. *Traitement :* repos, traitement antirhumatismal, sédatifs. **Chorée de Huntington,** rare (1 personne sur 20 000), héréditaire, entraîne la perte de la mémoire et peut aboutir à un état de démence irréversible. **Démence présénile de Pick. Spina-bifida :** malformation de la partie terminale de la moelle épinière. **Hydro-encéphalie :** liée à une accumulation du liquide céphalo-rachidien sous tension.

• **Affections dégénératives.** Comme la **maladie de Friedreich.** Congénitales non héréditaires. Présentes à la naissance, transmises par voie génétique.

Mongolisme ou **trisomie :** associe arriération mentale et diverses malformations.

Séquelles de rubéole ou **toxoplasmose :** contractées par la mère durant la grossesse.

Infirmité motrice cérébrale : liée habituellement à une anoxie cérébrale au moment de la naissance.

• **Affections toxiques ou toxiniques. Botulisme :** lié à la consommation de conserves avariées. Intoxications par métaux lourds, arsenic, plomb, manganèse, thallium. **Tétanos :** frappe env. en France 500 à 600 personnes par an (30 à 40 % de mortalité, dont 40 % dans les 10 premiers jours). 11 % présentent des séquelles. Pourtant la vaccination protège à 100 %, mais 70 % des adultes oublient de se faire un rappel de vaccination tous les 10 ans.

• **Affections traumatiques. Lésions cérébrales :** sans relation bien étroite avec l'existence ou l'absence de fracture du crâne. Un coma indique une commotion cérébrale sévère mais la guérison complète est possible. Des complications secondaires, *hématomes extra-duraux* ou *sous-duraux,* imposent un traitement neurochirurgical. Séquelles fréquentes : épilepsie, syndrome post-traumatique. **Paraplégies** ou **tétraplégies** accompagnant une fracture du rachis, de plus en plus fréquentes au cours des accidents de circulation.

• **Affections tumorales. Bénignes** *(méningiomes) :* ablation chirurgicale possible. **Malignes primitives** *(astrocytome) :* évolution lente possible, difficile à traiter ; *secondaires :* compliquent un cancer primitif d'une autre région du corps.

• **Affections vasculaires.** Liées à l'oblitération d'une artère par thrombose, entraînant un *ramollissement cérébral* ou attaque.

L'hémorragie cérébrale : moins fréquente mais toujours mortelle si elle est importante. 1 décès sur 6 y est lié. Les accidents vasculaires peuvent être favorisés par des malformations vasculaires, angiome ou anévrisme, qui peuvent bénéficier de la neurochirurgie s'ils sont diagnostiqués à temps.

• **Épilepsie.** Provoquée par une décharge synchrone d'un grand nombre de neurones. Diagnostiquée par les données cliniques et l'E.E.G. Peut être *généralisée* avec perte de connaissance et convulsions, ou *focale* avec des symptômes variés. Causes diverses, favorisée par l'alcoolisme. *Traitement* par médications antiépileptiques (barbituriques, hydantoïnes).

• **Infections bactériennes. Abcès du cerveau :** beaucoup plus rare, traitement chirurgical.

Chorée de Sydenham : frappe le plus souvent les adolescents, liée à une affection streptococcique ; guérison habituellement sans séquelles.

Méningites : les plus fréquentes, guérissent sans séquelles si le traitement est précoce.

• **Infections virales. Encéphalites** ou **encéphalomyélites :** ensemble des états inflammatoires non suppurés de l'encéphale souvent accompagnés de *myélite. Nombreuses causes :* a) E. *des maladies infectieuses :* rougeole, variole, vaccine, coqueluche, etc., par mécanisme sans doute allergique. b) E. *dues à des virus neurotropes :* E. épidémique ayant sévi après la guerre de 1914-18 (troubles du sommeil, maladie de Parkinson). Rage. E. *causées par des arbovirus :* E. équine américaine, E. japonaise. D'autres virus (poliomyélite, oreillons, herpès, hépatite virale) peuvent causer aussi des encéphalites. *Symptômes généraux :* fièvre, convulsions, délire, coma, troubles paralytiques divers, signes méningés. *Evolution :* souvent grave. *Séquelles* paralytiques et mentales fréquentes. *Traitement :* symptomatique. *Décès en France en 1984 :* 131 (E. myélites et encéphalomyélites).

Méningite. Contagieuse. Inflammation aiguë des enveloppes du cerveau et de la moelle par des virus (méningocoque de Weischelbaun) ou des bacilles. Maux de tête, nuque raide, vomissements. On distingue mén. à virus, mén. bactérienne guérissant rapidement grâce aux sulfamides et antibiotiques, et mén. tuberculeuse plus longue à guérir (guérissable dans 90 % des cas).

Poliomyélite antérieure aiguë. Le plus souvent inapparente, peut laisser des séquelles graves à type de paralysies multiples. Vaccination efficace.

Syringomyélie. Raréfaction de la moelle provoquant des cavités intramédullaires. Troubles de la sensibilité thermique.

Tabès. Lésion de la moelle, non-coordination des mouvements (ataxie locomotrice). *Cause :* syphilitique. *Traitement :* antibiotiques.

• **Sclérose en plaques.** Liée à l'altération de la *myéline* qui entoure les axones. Évolue par poussées avec début chez l'adulte jeune, un espoir de vie moyen de 25 ans. Les premiers symptômes sont habituellement liés à une atteinte du nerf optique ou de la moelle épinière. *Cause :* inconnue (affection auto-immune ou virus lent). Ne touche que les pays tempérés froids. *Cas en France par an :* affecte 50 000 personnes ou plus, 1 500 cas nouveaux. *Traitement :* du symptôme.

☞ *Adresses : Ligue française contre la sclérose en plaques* 17, bd Auguste-Blanqui, 75013 Paris. *Association pour la recherche sur la sclérose en plaques (ARSEP),* 13, rue Baudoin, 75013 Paris ; créée 1969. *Assoc. française des sclérosés en plaques (NAFSEP),* Aéropole 1, av. Didier-Daurat, 31700 Blagnac ; créée 1962, adhérents : 5 800.

☞ **Maladie d'Alzheimer.** Découverte en 1906 par Alois Alzheimer. Destruction partielle des neurones cholinergiques. Actuellement incurable. *Durée :* 2 à 20 ans. *Origine :* inconnue. Les recherches s'orientent actuellement vers une origine éventuelle neurochimique, virale, immunologique, vasculaire et métabolique, la toxicité de certains métaux, notamment l'aluminium, la possibilité d'une influence génétique, les « radicaux libres ». *Effets :* augmentation du nombre de plaques séniles, dégénérescences neuro-fibrillaire, granulo-vacuolaire, atrophie du cortex. *Symptômes :* affaiblissement intellectuel progressif, souvent dissimulé par des formules toutes faites. Troubles de la mémoire immédiate (de fixation) et plus lointaine (de conservation) s'accompagnant souvent de troubles du sommeil avec turbulence nocturne. La maladie se traduit également par des troubles du jugement, l'égocentrisme, la gloutonnerie, l'incontinence, la manipulation des excréments. Concerne 5 % des + de 65 ans, 20 % des plus de 80 ans. *Traitement :* des symptômes, tétrahydroaminoacridine (n'arrête pas la maladie). *Adresse :* France-Alzheimer, 49, rue Mirabeau, 75016 Paris.

Démence sénile (gâtisme). *Causes.* En % : maladie d'Alzheimer 52, accidents vasculaires 17, petites attaques 14, tumeurs cérébrales et affections neurologiques 7, maladie de Parkinson 2, désordres psychiatriques 1, causes indéterminées 7. 1 démence sur 10 est due à une rétention du liquide céphalo-rachidien (hydrocéphalie à pression normale) ou à des troubles hormonaux, métaboliques ou dépressifs, curables.

Statistiques. *France :* 300 000 à 400 000 cas de détériorations cérébrales apparentées dont env. 50 % de démences séniles de type Alzheimer. 10-15 % (30 000 malades) ont entre 45 et 65 ans. *U.S.A. :* 2,5/4 millions de cas dont Rita Hayworth (1918-87) (4e cause de mortalité après affections cardiaques, cancers et accidents vasculaires cérébraux).

Personnalité (maladies de la)
(Handicaps relationnels)

Caractères généraux. Perturbations de la personnalité et de l'affectivité entraînant une restriction des capacités d'amour, de travail et de loisir, et des symptômes divers, avec ou sans altération du jugement, de l'intelligence et du sens de la réalité. *État dépressif :* touche 4,5 % des femmes (7 à 8 % de celles de 40 à 50 ans), et 1,6 % des hommes (3 % de ceux de 50 à 60 ans).

Autisme. État interdisant toute relation sociale normale : l'enfant semble muré dans une solitude absolue. *Causes :* mal connues, anomalie (hypoplasie) dans les lobules VI et VII du vermis du cervelet, syndrome de l'X fragile.

Syndrome de Rett. Identifié en 1965 par Andréa Rett, apparaît chez les petites filles de 6 à 18 mois (l'enfant garde ses mains plaquées sur la poitrine) ; en France 1 cas sur 10/15 000 naissances, 25 à 40 cas nouveaux par an. *Cas :* 4 à 5 pour 10 000 naissances. Soit en France 1 enfant sur 4 000 env. (dont 4/5 de garçons), mais 1 sur 1 000 présente des difficultés à établir des relations normales avec autrui et une propension à se replier sur lui-même. *Quotient intellectuel d'autistes :* en général moins de 100. Souvent confondu avec l'autisme. *Complications :* crises d'épilepsie, scoliose, mobilité réduite, difficultés alimentaires. *Causes :* mal connues, anomalie chromosomique liée à l'X. *Adresse :* Association française d'Andréa Rett, La Rondelière Larcay 37270 Montlouis.

Névroses

• **Formes. Névroses d'angoisse.** Peur irraisonnée avec sentiment de mort menaçante, de danger. Signes physiologiques : oppression thoracique, accélération du rythme cardiaque, accélération de la respiration, tremblements...

Névroses phobiques. Déplacement de l'angoisse sur des êtres, des animaux, des objets externes, des actes, des situations (par ex. : grands espaces, rues, lieux fermés, etc.), qui deviennent l'objet d'une peur paralysante.

Hystérie de conversion (déplacement de l'angoisse sur le corps). L'angoisse s'exprime par une paralysie d'un membre, un trouble sensitif ou sensoriel, sans lésion organique.

Névroses hypocondriaques. Crainte permanente de la maladie ; obsession de la santé. Exagération de sensations normales éprouvées douloureusement et de façon chronique par le malade (froid ou chaleur dans les membres, mouvements de l'estomac ou de l'intestin).

Névroses obsessionnelles. Caractère forcé d'idées, images, affects, conduites qui envahissent tout le champ de conscience malgré les efforts du malade et déterminent en lui une lutte inépuisable, entraînant un malaise absorbant (scrupules obsédants, crainte de commettre une action ridicule ou criminelle) et poussant à des rituels invariables (compulsions, vérifications).

Psychasthénie. Fatigue vécue à la fois sur le plan somatique et psychique mais résultant directement de facteurs psychologiques. Caractères : sous-estimation de sa propre valeur, doute, indécision, timidité, rumination mentale... Les troubles sont à leur maximum le matin, avec une amélioration fréquente l'après-midi.

Névroses de caractère. Désigne le plus souvent des états névrotiques où les moyens de défense se situent essentiellement au niveau des réactions caractérielles en relation avec la structure névrotique ; du fait de la structure de sa personnalité, le sujet se trouve constamment exposé à des difficultés dans son existence ; *névrose de conflit :* conflits incessants avec son entourage ; *névrose d'abandon :* crainte perpétuelle d'être abandonné par les êtres que le sujet affectionne ; *névrose d'échec :* exposant le sujet à des insuccès répétés.

Névroses à symptômes sexuels. Frigidité totale ou partielle, vaginisme, impuissance sexuelle, éjaculation précoce.

Affections psychosomatiques. L'angoisse du sujet contribue au développement d'affections d'un organe ou d'un système variant selon émotions ou conflits : ulcère de l'estomac, colites spasmodiques, asthme, hyperthyroïdies...

• **Traitement.** Chimiothérapie (médicaments tranquillisants : action modérative sur certains symptômes sans effet de fond), relaxation, psychothérapie (individuelle ou en groupe), cure psychanalytique.

Psychoses

Affections paroxystiques ou durables de la personnalité se traduisant par l'altération du sens de la réalité.

• **Formes. Psychose thymique.** Formes périodiques (ex. : psychose maniaco-dépressive) ou chroniques. Répétition ou alternance d'états maniaques (excitation euphorique et désordonnée) et d'états mélancoliques (abattement, tristesse insondable, sentiments d'indignité, de culpabilité, de ruine et d'incurabilité, idée et tentative de suicide : état dangereux).

Accès délirants aigus. A la suite d'une émotion gaie ou triste, d'un surmenage, d'une maladie organique... : état de confusion pouvant s'accompagner d'hallucinations, avec perturbations de l'humeur, altération de la conscience. Résolution rapide sous traitement intensif. Ces accès délirants peuvent aussi marquer le début ou le déroulement d'une psychose chronique.

Schizophrénie. Dissociation de la personnalité (sentiments, idées et autres contenus psychiques coexistent ou se succèdent sans liens entre eux dans le sujet). Se caractérise par une altération profonde et progressive de la personnalité qui se coupe de la communication avec autrui pour se perdre dans le chaos de son propre monde imaginaire. **Forme hébéphrénique.** Syndrome patent de dissociation mentale avec peu d'idées délirantes. Apathie progressive ou comportement puéril qui peuvent évoluer rapidement vers une grande déchéance mentale. Le début est généralement insidieux et progressif surtout chez les adolescents. **Forme catatonique.** Perte de l'initiative motrice, tension musculaire, phénomènes parakinétiques et troubles mentaux où prédominent la stupeur et le négativisme. **Forme paranoïde** (la plus fréquente). Délire actif, perceptif, sensoriel d'étrangeté, de dépersonnalisation, d'influence, idées délirantes polymorphes et incohérentes, impression d'être sous l'emprise d'une force extérieure, hallucinations surtout auditives et cénesthésiques (ensemble de nos sensations internes). *Évolution :* début précoce (adolescence), évolution prolongée, parfois pendant toute la vie. *Cas :* 1 ‰ de la population des pays modernes. France : 50 000.

Délires interprétatifs *sans désintégration de la personnalité.* Délires de persécution, de revendication, délires passionnels (jalousie, érotomanie). La psychose paranoïaque est la forme type de la psych. dél. chr. interprétative. 4 composantes : surestimation du moi, méfiance, fausseté du jugement, psychorigidité [tantôt ennui, sentiment de solitude ; tantôt révolte, autoritarisme ; pour tous les cas : sentiments de persécution, conduites persécutantes ou quérulentes (tendance à porter plainte en justice)].

Psychose hallucinatoire chronique. Délires de persécution avec phénomènes hallucinatoires auditifs, visuels, olfactifs.

Ces différentes psychoses, les unes à évolution paroxystique (comme la psychose maniaco-dépressive et les accès délirants), les autres à évolution chronique (comme la paranoïa et les délires chroniques) entraînent une altération non pas des capacités mentales mais de leur utilisation. La schizophrénie entraîne une détérioration de l'utilisation des capacités intellectuelles. Par contre, les capacités mêmes sont atteintes dans les cas suivants ci-dessous (qui ne sont pas des psychoses mais que l'on cite pour information).

Affaiblissement intellectuel *d'origine organique* (démence sénile, démence artériopathique, paralysie générale syphilitique, tumeurs cérébrales, syndrome de Korsakoff alcoolique).

• **Traitement** (exemples). *Mélancolie :* électrochoc et antidépresseurs. *Manie :* neuroleptiques. *Schizophrénie et délires chroniques :* neuroleptiques et psychothérapie d'inspiration psychanalytique. *Psychose maniaco-dépressive :* sels de lithium. *Dans toutes les psychoses :* nécessité d'associer aux traitements biologiques les thérapeutiques par le milieu (sociothérapie, ergothérapie) et la psychothérapie.

• **Statistiques** *(France).* 16 à 20 % des Français (env. 10 millions) ont souffert de troubles psychiques relevant d'une aide médicale. Selon une « Enquête nationale sur l'anxiété » lancée en 1987 par l'INSERM, parmi les névroses d'angoisse, les psychiatres ont relevé, une fois sur trois, la présence de troubles paniques et d'agoraphobie et, une fois sur quatre, une anxiété permanente généralisée. Près d'un malade sur 4 (et plus de 28 % des femmes) avait été traité auparavant pour une « spasmophilie ». Ces prétendus spasmophiles souffraient en réalité d'une dépression névrotique (pour 28 %), d'une névrose d'angoisse ou phobique (27 %), d'hystérie (12 %) ou d'une névrose hypocondriaque (4,2 %), toutes accessibles à des moyens thérapeutiques. Ces troubles, 2 fois plus fréquents chez les femmes que chez les hommes, ont débuté vers 25 à 30 ans, et augmenté après 45 ans. 62 % des sujets n'ont jamais bénéficié d'un traitement. *Cas nouveaux de malades souffrant d'affections mentales de longue durée* ou justifiant des soins de plus de 6 mois : 114 500 par an (17,2 %). Voir Index.

Appareil respiratoire

Fonction principale. Achemine l'air dans les poumons, organe où se fait l'échange gazeux O_2 CO_2, apportant l'oxygène aux cellules de l'organisme et les débarrassant de l'anhydride carbonique. Il comprend les voies aériennes supérieures (nez, pharynx et larynx), la trachée, les bronches et les poumons.

Voies respiratoires

Fosses nasales : filtrent et réchauffent l'air aspiré.

Pharynx : carrefour avec les voies digestives.

Larynx : soutenu par des cartilages ; le plus développé est le *cartilage cricoïde* (du grec *krikos :* anneau) ou *pomme d'Adam ;* il produit la voix grâce à des *cordes vocales* [2 rubans nacrés longs de 18 mm (femme) ou 20 (homme)]. Grâce aux petits muscles et cartilages environnants, elles s'écartent pendant la respiration et se rapprochent pendant la phonation. Les cordes vocales sont recouvertes par une muqueuse fragile qui glisse sur un tissu sous-muqueux permettant la vibration. La longueur de la corde vocale intervient dans la hauteur de la voix, la muqueuse dans le timbre, alors que la force ou l'intensité de la voix est due avant tout à la puissance du souffle expiratoire.

Trachée : tube de 12 cm de long maintenu par une vingtaine d'anneaux cartilagineux. Relie le larynx aux bronches.

Bronches : formées d'anneaux cartilagineux. Les 2 bronches principales pénètrent dans le poumon correspondant au niveau du *hile* et s'y ramifient en bronchioles auxquelles succèdent les canaux alvéolaires qui débouchent dans les alvéoles, petits ballonnets à paroi gaufrée (taille 200 à 250 µ).

Poumons

Description

Forme. 2 masses spongieuses et élastiques, roses chez les jeunes, gris noirâtre chez les adultes, à cause des poussières respirées. Des sillons ou scissures limitent 3 lobes dans le poumon droit, 2 dans le gauche. Formés de plusieurs millions de *lobules pulmonaires,* entourés d'un tissu conjonctif élastique riche en capillaires sanguins (volume 150 à 200 ml). Les *alvéoles* représentent une surface totale de 70 à 200 m² suivant l'inspiration ou l'expiration des poumons ; recouverte par un *film* de substance tensioactive : le *surfactant.* Ils constituent en définitive une vaste membrane au travers de laquelle l'air entre en quasi-contact avec le sang des capillaires pour l'oxygéner et en rejeter l'anhydride carbonique en excès.

Plèvre. Séreuse enveloppant les poumons. Ses feuillets humectés par le liquide pleural glissent l'un sur l'autre et facilitent les mouvements des poumons. Le feuillet externe est soudé à la paroi thoracique et au diaphragme.

Échanges gazeux dans les poumons

Se font au travers de la paroi des alvéoles pulmonaires (véritable barrière air-sang) essentiellement entre le gaz carbonique (CO_2) et l'oxygène (O_2) selon une double opération, captation de l'oxygène alvéolaire par le globule rouge, évacuation du gaz carbonique sanguin vers l'alvéole. A la fin de l'expiration, ne reste plus dans les poumons que l'air alvéolaire. L'oxygène et le gaz carbonique sont présents dans le sang à l'état dissous et en combinaisons chimiques. Les échanges entre air alvéolaire et sang des capillaires sanguins s'effectuent selon plusieurs mécanismes parmi lesquels les phénomènes de diffusion et de dissociation jouent un rôle majeur.

Diffusion. Phénomène purement physique. Les molécules d'oxygène et de gaz carbonique traversent la barrière alvéolo-capillaire (paroi alvéolaire) en raison de la différence de pression partielle qui existe dans l'alvéole pulmonaire et le capillaire sanguin de ces 2 gaz.

Le passage s'effectue du compartiment dans lequel la pression gazeuse est la plus élevée vers celui dans lequel elle est moindre.

Dissociation. L'hémoglobine joue un rôle essentiel dans le transport de l'oxygène (O_2) et du gaz carbonique (CO_2). La désoxygénation de l'hémoglobine favorise la formation de bicarbonates tandis que l'oxygénation de l'hémoglobine favorise la formation d'acide carbonique et la production instantanée de CO_2 diffusible. L'hémoglobine possède un pouvoir tampon qui intervient dans l'équilibre acide-base du sang. Les variations du pH ont des conséquences identiques à celles de la pression partielle du CO_2 : Pa CO_2 (Acidose → Hypercapnie-Alcalose → Hypocapnie). Le gaz carbonique dissous est en équilibre avec les ions bicarbonates (CO_3H) selon une formule bien connue. S'il y a augmentation de la pression partielle de CO_2 (Pa CO_2) au-dessus de la tension d'équilibre ($PCO_2 \leftarrow CO_2$ dissous) une partie du CO_2 se combine avec des bases tampons : hémoglobine réduite, protéines, phosphates organiques et inorganiques selon l'équation :

$$CO_2 \text{ dissous} + H_2O \rightleftharpoons CO_3H_2 + \text{bases}$$
$$\rightleftharpoons \text{Acide faible} + CO_3 - H_2$$

Capacité pulmonaire en litres. Volume courant (VC ; normalement inspiré et expiré) : 0,4 à 0,7 ; de réserve inspiratoire (VRI) : 1,5 à 2,5 ; de réserve expiratoire (VRE) : 1 à 2. Volume résiduel (VR ; air intrathoracique après expiration forcée) : 1,5. VC, VRE et VRI constituent la **capacité vitale :** [à *7 ans :* 1 litre ; *11 :* 2 ; *15, garçon :* 3 (*fille :* 2,5)] ; *18 et +, homme :* 3,5 à 4,5 (grands sportifs : 5 à 7), *femme :* 2,7 à 3,5.

Volume expiratoire maximal par seconde (VEMS) : normalement 80 % de la capacité vitale ; sa diminution traduit un obstacle à la circulation de l'air dans les petites bronches (syndrome obstructif).

Le gaz alvéolaire et le gaz expiré sont saturés en vapeur d'eau. Le gaz expiré s'est appauvri en oxygène dans les poumons et enrichi en gaz carbonique. Le sang s'est simultanément enrichi en oxygène dans les poumons et appauvri en gaz carbonique.

En altitude, il y a une diminution de la pression atmosphérique, d'où diminution de la pression d'oxygène inspiré. Il en résulte une *hyperventilation* qui peut amener des malaises attribués à l'*hypoxémie* (diminution du taux de l'oxygène dans le sang) et à l'*alcalose* (rupture de l'équilibre acide-base dans le sang avec diminution du CO^2).

Cadence normale de respiration au repos (mouvements par minute). *Nouveau-né* 35. *5 ans* 25. *15 à 20 ans* 20. *20 à 25 ans* 18. *25 à 40 ans* 15 (par jour 20 000 entrées ou sorties d'air).

Nombre de litres d'air expirés par un individu en une minute (à 20 °C). A jeun au lit 6. Assis 7. Debout 8. Marche (3 km/h) 14, (5 km/h) 26. Course 43. Violent effort physique 65 à 100. Mobilisation de 15 kg d'air (env.) par jour.

Composition de l'air

	Inspiré	Alvéolaire	Expulsé
Azote	79,2 %	80,4 %	79,2 %
Oxygène	20,7 %	14,0 %	15,4 %
Acide carbonique	0,03 %	5,6 %	5,4 %

Pressions des gaz dans divers compartiments du poumon

	Sang veineux mêlé	Air alvéolaire	Sang artériel
Pa O_2	40 mm Hg	100 mm Hg	97 mm Hg
Pa CO_2	46 mm Hg	40 mm Hg	40 mm Hg

Agresseurs du poumon

Microbes et virus responsables des infections : abcès, pneumonie, bronchites aiguës, grippes... **Allergènes** responsables de l'asthme (graminées, poils, plumes, poussières). **Particules minérales** (silice, amiante...) ou **organiques** (moisissures...). **Gaz toxiques** (CO, oxydes d'azote, oxydes de soufre, composés chlorés, gaz pulseur et composés toxiques des appareils à aérosols...) et surtout **tabac** (composés toxiques de la fumée de cigarettes) qui accentue en outre l'action néfaste des autres polluants.

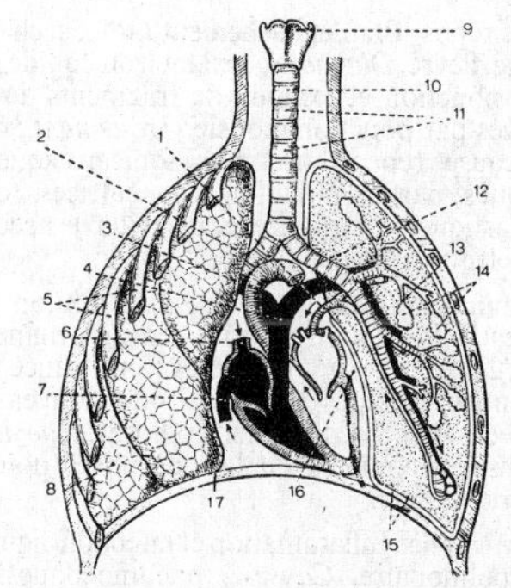

1 veine pulmonaire. *2* hile. *3* aorte. *4* artère pulmonaire. *5* côtes. *6* veine cave supérieure. *7* veine cave inférieure. *8* lobules. *9* larynx. *10* trachée-artère. *11* anneaux cartilagineux. *12* bronches. *13* bronchioles. *14* alvéoles. *15* plèvre. *16* lit du cœur. *17* diaphragme.

Épuration pulmonaire

Le poumon est un filtre autonettoyant : *moyens mécaniques :* cils vibratiles tapissant les parois bronchiques et rejetant à l'extérieur les poussières inhalées et engluées dans le mucus des cellules bronchiques ; *cellulaires :* macrophages (cellules à poussières) qui digèrent les poussières et particules toxiques ; *immunologiques :* anticorps et lymphocytes qui luttent contre les antigènes inhalés. Mais lorsqu'il est soumis à des agresseurs trop nombreux, ce filtre ne peut plus fonctionner efficacement.

Autres fonctions : production de lipides et de nouvelles protéines ; contrôle certaines enzymes ; libère des hormones vaso-dilatatrices et vasoconstrictrices ; s'oppose à certaines substances capables de provoquer des spasmes bronchiques.

Maladies de l'appareil respiratoire

Abcès du poumon. Suppuration circonscrite du tissu pulmonaire. *Traitement :* antibiotiques, drainage, aspiration du pus, intervention chirurgicale.

Acidose respiratoire. Acidose ventilatoire ou gazeuse caractérisée par des désordres respiratoires qui provoquent l'élévation de la Pa CO_2 *(hypercapnie)* au-dessus de 45 mm de Hg. Elle est tantôt compensée, tantôt décompensée selon que les mécanismes correcteurs, notamment rénaux, s'avèrent efficaces ou insuffisants, auxquels cas le pHg sanguin artériel s'abaisse au-dessous de 7,38.

Alcalose respiratoire ou alcalose gazeuse. S'exprime par la diminution *(hypocapnie)* de la Pa CO_2 au-dessous de 40 mm de Hg. Due à l'hyperventilation alvéolaire, elle est compensée ou décompensée selon qu'elle est corrigée ou non par les mécanismes compensateurs rénaux. En cas d'alcalose décompensée, le pH sanguin titre 7,45 ou plus.

Agénésie pulmonaire. Absence totale de bronche, de tissu pulmonaire et d'artère pulmonaire ; conséquence d'un désordre embryonnaire qui suspend très précocement (3e-6e semaine) le développement d'1 ou des 2 poumons ; si un seul poumon est absent, la malformation est parfois bien tolérée et en accord avec une existence normale. *Diagnostic :* signes cliniques traduisant le déplacement du cœur et du médiastin vers l'hémithorax opposé, opacité totale de ce côté sur les radiographies et sur les bronches et angiographies pulmonaires, absence conjuguée de tronc bronchique et d'artère pulmonaire. Danger des infections sur le poumon unique, et cause habituelle de la mort : les *hypoplasies pulmonaires,* proches de l'agénésie, qui sont la conséquence d'une atteinte embryonnaire tardive ou d'une infection sévère très précoce.

Alvéolites allergiques extrinsèques. Bronchopneumopathies d'hypersensibilité liées à une exposition massive (formes aiguës) ou limitée mais répétée (formes chroniques) à des poussières organiques en rapport avec la profession : fermiers (foin moisi), éleveurs d'oiseaux (déjections), fourreurs, champignonnistes, ouvriers de minoteries, filatures, scieries (bois exotiques)... Surviennent chez les sujets prédisposés. *Traitement :* corticostéroïdes, antibiotiques mais surtout amélioration des conditions de travail et suppression de l'exposition aux poussières, masques.

Asbestose. Fibrose pulmonaire due à l'inhalation prolongée, souvent d'origine professionnelle, de poussières d'amiante. *Manifestations :* images pathologiques d'aspects divers, insuffisance respiratoire, éventuellement : pleurésies exsudatives bénignes, plaques pleurales hyalines, calcifications pleurales, cancers bronchiques, tumeurs malignes primitives sur la plèvre ou mésothéliomes.

Asthme. On distingue la « crise » (obstruction bronchique paroxystique due à un spasme réversible) de l'asthme à dyspnée continue (fréquence, intensité, durée des crises et leur retentissement sur la vie quotidienne de l'asthmatique et de son entourage). *Causes :* allergique, microbienne, endocrinienne. *Facteurs favorisants :* climatiques, saisonniers, professionnels, psychologiques, terrain allergique familial. *Traitement :* identification et suppression de la cause, désensibilisation aux allergènes incriminés. Des médicaments traitent la « crise », d'autres sont utilisés entre les crises pour en prévenir le retour. Une surveillance médicale stricte s'impose. L'automédication peut être dangereuse, en particulier l'abus des dérivés de la cortisone. Sont utilisés : médicaments antiallergiques et bronchodilatateurs (théophylline, cromoglycate disodique, sympathicomimétiques, corticostéroïdes), désensibilisants chez l'enfant et l'adulte jeune, cures climatiques, rééducation respiratoire, kinésithérapie, psychothérapie. *Sport conseillé :* natation (Mark Spitz, champion olympique, est asthmatique). *Fréquence :* env. 2 millions de cas en France ; en augmentation. Plus fréquent chez les garçons (2 cas pour un chez les filles), env. 3 000 décès par an.

Atélectasie pulmonaire. Rétraction du tissu pulmonaire sur l'axe bronchique, causée par l'obstruction totale de la lumière bronchique par obstacle endobronchique ou compression extrinsèque de la bronche. Diagnostic essentiellement radiographique : opacité homogène totale, lobaire ou segmentaire d'un poumon. *Traitement :* de la cause.

Blebs. Variété d'emphysème sous-pleural disséquant.

Fibroses interstitielles diffuses (F.I.D.). Ce sont des états caractérisés par la fibrose des cloisons conjonctives interalvéolaires. Habituellement bilatérale, cette fibrose est généralisée à l'ensemble du parenchyme pulmonaire. *Causes diverses :* collagénoses, sarcoïdose fréquemment dyspnée d'effort ; radios, images radiologiques micromodulaires. *Diagnostic :* repose sur signes associés. Pas de traitement.

Bronchites aiguës et chroniques. Inflammation des bronches, due soit à des microbes (et favorisée par le froid), soit à des substances irritantes (tabac, pollution atmosphérique). Toux sèche, puis grasse avec expectoration mucopurulente.

On distingue : *br. aiguë* atteignant les grosses bronches et réversible, et *br. chronique.* Est suspect de br. chronique quiconque présente toux et expectoration plus de trois mois par an, plus de 2 ans de suite (en France, 5 % de la population). On distingue la br. chronique limitée aux grosses bronches (catarrhe) sans gravité et la *br. chronique obstructive et invalidante* qui atteint les petites bronches, se complique d'emphysème et conduit à l'insuffisance respiratoire grave, non réversible. *Causes :* fumée du tabac, irritation permanente ou répétée par des poussières minérales ou organiques, polluants atmosphériques ou professionnels, microbes et virus (poussées infectieuses aiguës souvent traitées sans que l'on porte attention à l'insuffisance respiratoire sous-jacente). *Facteurs favorisants :* climats humides, habitat insalubre, protection insuffisante des milieux du travail, facteurs génétiques (déficits immunitaires). La br. chronique obstructive est cause d'absentéisme et d'hospitalisations répétées. Plus tard, elle entraîne des séjours en service de réanimation et des soins difficiles et coûteux à domicile. *Traitement :* arrêt du tabac, rééducation respiratoire, antibiotiques, fluidifiants et drainage bronchique, changement de postes de travail et changement de climat quand il est possible, oxygénothérapie, ventilation assistée par respirateurs.

Nombre en France : 50 000 grands insuffisants respiratoires chroniques dont 20 000 sont appareillés.

Broncho-pneumonie. Inflammation aiguë des bronches et des poumons ; en général après rougeole, coqueluche, grippe. *Aspect :* toux, fièvre, difficulté de respiration. *Traitement :* chaleur, expectorants, antibiotiques, tonicardiaques, oxygène.

Cancer du poumon. Voir page 141.

Congestion pulmonaire. Pneumonie bénigne, sauf complication d'épanchement pleural purulent ou de suppuration pulmonaire. *Durée :* 7 à 10 j. *Traitement :* antibiotiques.

Dilatation des bronches (bronchectasie). Augmentation de calibre des bronches révélée par catarrhe bronchique, expectoration purulente abondante, hémoptysie et identifiée par bronchographie. *Traitement:* kinésithérapie respiratoire, aérosols, antibiotiques ; cures posturales ; intervention chirurgicale si dilatation bronchique localisée et limitée.

Embolie pulmonaire. Voir Embolie à l'Index.

Emphysème pulmonaire. Distension permanente et destruction des alvéoles. *Causes:* bronchite chronique, pneumoconioses (silicose) et autres fibroses pulmonaires, parfois éosinophilie sanguine accrue. *Traitement :* gymnastique respiratoire, cures thermales.

Hémosidérose pulmonaire. Infiltration diffuse, bilatérale.

Hémothorax. Épanchement de sang dans la cavité pleurale, parfois associé à un pneumothorax. C'est un état non-inflammatoire qui se produit parfois spontanément [rupture d'un vaisseau qui sous-tend une bride pleurale au cours d'un pneumothorax thérapeutique, traumatique (plaie de poitrine)]. *Signes :* tableau d'anémie aiguë associé à des signes physiques d'épanchement pleural avec ou sans syndrome de pneumothorax. *Traitement :* transfusions sanguines, ponctions évacuatrices ; chirurgie.

Histiocytose X. Variété de fibrose pulmonaire, rare, bilatérale. Pronostic souvent fatal. Origine : inconnue.

Hoquet. Décharge brusque (jusqu'à 0,5 seconde) des muscles inspiratoires, à glotte fermée ; cadence 15 à 60 par minute. *Origine :* irritation de l'arc réflexe (partant du bas de l'œsophage et se rendant au centre nerveux) d'où un reflux gastro-œsophagien (repas excessif ou trop arrosé), une hernie hiatale, une tumeur ou un ulcère du cardia (à l'entrée de l'estomac). *Traitement :* moyens physiques, avaler sans respirer (eau, mie de pain), cuillerée de sucre en poudre, retenir sa respiration, respirer dans un sac (l'air inspiré ayant une teneur en CO_2 plus importante, les poumons, avides d'oxygène, exigeront des mouvements respiratoires plus amples), peur soudaine (pour couper la respiration), clef glacée dans le dos..., médicaments : ex. amitryptiene.

Hydropneumothorax. Association d'un épanchement pleural liquide et d'un pneumothorax. Signes cliniques de pleurésie surmontés par des signes d'épanchement gazeux. La limite entre les deux syndromes est horizontale dans toutes les positions. *Causes :* plaies pleuropulmonaires, rupture d'une alvéole ou d'un kyste pulmonaire gazeux dans la plèvre. *Traitement :* abstention ou ponctions. Si tuberculose, antibiothérapie appropriée.

Hydrothorax. Épanchement liquide non inflammatoire de la plèvre. Signes physiques identiques à ceux de la pleurésie séro-fibrineuse. Association éventuelle à œdème généralisé. *Causes :* cardiopathies décompensées, néphropathies œdémateuses, cirrhose de Laennec, carences protidiques. Traitement de la maladie causale.

Kystes gazeux ou aériens du poumon. Formations arrondies ou ovaires à contenu gazeux développés au sein du parenchyme pulmonaire ; les uns sont congénitales, kystes dysembryoplasiques, d'autres sont acquises, séquelles d'abcès, de cavités tuberculeuses inactivées (en rapprocher les bulles géantes d'emphysème qui ne sont pas de vrais kystes). Sur les radiographies donnent des images claires cerclées d'un liseré opaque ; complications possibles : infections bactériennes, pneumothorax. *Traitement :* chirurgical.

Microlithiase pulmonaire. Affection exceptionnelle, familiale. Pronostic régulièrement mortel.

Miliaire. Image radiologique micromodulaire, traduisait autrefois une forme mortelle de tuberculose généralisée. Se voit aussi au cours de cancers, alvéolites, fibroses, pneumoconioses.

Œdème pulmonaire. Inondation des alvéoles par la sérosité non coagulable du plasma sanguin (après lésions cardio-rénales, infections, intoxications, maladies nerveuses). *Aspect :* grande suffocation sans collapsus. *Complications :* cardiaques et asphyxie. *Traitement :* diurétiques, oxygène.

Parasitose pulmonaire (Aspergilloses, hydatidoses, amibiases). Toux, hémoptysies, infiltrations pulmonaires. *Traitement :* antiparasitaire, en fonction du parasite en cause.

Pleurésie. Inflammation fréquemment exsudative de la plèvre. *Principales causes :* tuberculose, cancer, maladies cardio-vasculaires (embolie pulmonaire et insuffisance du ventricule gauche), infections bactériennes et virales des poumons et des bronches. **Pl. sèche** (pleurite) : point de côté, toux sèche. *Traitement :* repos. **Pl. à épanchement :** toux sèche, point de côté, fièvre. *Diagnostic :* examen du liquide pleural après ponction et examen de fragments de plèvre prélevés par ponction-biopsie. *Traitement :* dépend de la cause : repos, diurétiques, tonicardiaques, antibiotiques, parfois ponctions évacuatrices, toujours gymnastique respiratoire pour éviter les séquelles. Peut être très longue à guérir.

Pneumoconiose. Maladies du poumon consécutives à l'inhalation de poussières d'origine minérales. 2 variétés : *p. fibrosantes* [(en France 40 000 personnes atteintes par an, 1 400 nouveaux cas, 900 décès) silicose, amiante, teryliose] ; *p. de surchage* à poussières mixtes de la sidernose (poussières d'oxyde de fer).

Pneumonie. Inflammation et infection aiguës d'un lobe pulmonaire. *Causes :* pneumocoques, virus, rickettsies, mycoses. *Aspect :* toux, fièvre, difficultés de respiration. Signes cliniques en foyer ; opacité lobaire en radiographie. *Traitement :* expectorants, antibiotiques, sulfamides, tonicardiaques, réhydratation, oxygène chez les vieillards.

Pneumothorax. Présence d'air ou de gaz dans la plèvre, due à des infections pleurales, plus souvent à des ruptures de vésicules pulmonaires superficielles dans la plèvre. Brutal point de côté, difficultés de respiration, hyperclarté pulmonaire en radiographie. *Traitement :* repos, exsufflations, drainage ou talcage pleural ; si pneumothorax persistant ou récidivant : pleurectomie.

Pollinose. Rhinite spasmodique saisonnière (équivalent asthmatique) avec éternuements incessants, écoulements nasaux et lacrymaux, gonflements des muqueuses nasales et oculaires. État allergique dû habituellement aux pollens de graminées. *Traitement :* antihistaminiques de synthèse dérivés cortisoniques, désensibilisation spécifique intersaisonnière.

Protéinose alvéolaire. Affection très rare du poumon. Pronostic très grave. Type clinique : maladie d'Hamam-Rich.

Sclérose pulmonaire. Production de tissu fibreux en abondance. *Causes :* tuberculose, pneumoconiose, maladies du tissu conjonctif. *Traitement :* lutte contre l'infection, cortisone, oxygène, kinésithérapie.

Séquestration pulmonaire. Hémoptysies, tableau de suppuration pulmonaire, opacité : postéro-inférieure, lobe inférieur. *Causes :* vice du développement embryonnaire du poumon qui affecte un territoire broncho-pulmonaire ayant perdu ses connexions aériennes et vasculaires normales. La ventilation est absente. La vascularisation est assurée par la grande circulation. *Traitement :* chirurgical : lobectomie.

Thymome. Tumeur du thymus. Latente découverte de la radiographie ou plus rarement associée à des signes de compression médiastinale, parfois un syndrome myasthénique. Subit rarement la dégénérescence cancéreuse. *Traitement :* exérèse chirurgicale.

Tuberculose. Voir page 139.

Appareil digestif

En 24 h environ, il transforme les aliments (digestion) et fait passer dans le sang les aliments digérés (absorption).

Bouche

• **Rôle.** *Mastication* (broyage des aliments par les dents). Travail dû à des mouvements complexes de la langue et du maxillaire inférieur mû par les muscles masticateurs (temporal et masséter : m. élévateurs robustes ; digastiques : m. abaisseurs ; divaricateurs ou ptérygoïdiens : m. des mouvements latéraux). Sécrétion de salive : environ 1 litre par jour ; composition : 995 ‰ d'eau, carbonates et phosphates alcalins, ptyaline ou amylase (diastase).

La salive aide à la mastication et commence la digestion des sucres (amylase salivaire). *Déglutition* qui chasse les aliments dans le pharynx. Le voile du palais ferme alors le passage vers les fosses nasales ; le larynx se soulève et vient buter contre une languette, l'*épiglotte,* qui s'abaisse et l'obture. Une seule voie s'offre alors au bol alimentaire, l'œsophage. Par réflexe, les fibres musculaires circulaires et longitudinales de l'œsophage se contractent en amont du bol alimentaire et se relâchent en aval. Les aliments gagnent ainsi l'estomac même si l'on est couché ou renversé la tête en bas.

• **Maladies. Abcès.** Dans la gorge, au niveau de l'amygdale, ou chez le jeune enfant au niveau de la paroi pharyngée. *Traitement :* antibiotiques, incision si non-résorption.

Angine. *Diagnostic :* douleur de la gorge, inflammation du pharynx, fièvre. Pendant longtemps, on a distingué : *1° l'angine érythémateuse « rouge » :* début brutal, malaise général, frisson et difficultés de déglutition, gorge enflammée mais pas d'atteinte ganglionnaire (symptômes alors attribués habituellement aux angines virales) ; *2° l'angine érythémato-pultacée « blanche » :* douleurs de la gorge, grande fatigue, troubles digestifs, aspect particulier des amygdales et du pharynx, gros ganglions douloureux dans le cou (symptômes alors habituellement attribués aux angines streptococciques). Complication : rhumatisme articulaire aigu responsable d'une atteinte articulaire et cardiaque.

Angines dites spécifiques, diphtérique, de Vincent, herpétique (fièvre élevée, vésicules), des maladies infectieuses (scarlatine, typhoïde), des hémopathies (dues à une mononucléose infectieuse, peuvent aussi révéler une agranulocytose ou une leucémie), de Ludwig (n'est pas une angine mais un phlegmon du plancher de la bouche), gangreneuses et phlegmoneuses (angine de poitrine, voir p. 113). *Causes :* bactéries (20 %), virus (80 %). *Traitement :* antibiotiques. *Nombre :* 7 millions de cas par an en France.

Cancer. Voir page 141.

Glossite. Inflammation de la langue. Mêmes causes.

Stomatite. Altération de la muqueuse buccale. Affection locale *(microbienne* ou *mycosique)* ou générale *(sanguine),* ou due à une intoxication *(médicamenteuse* ou autre), ou à des troubles allergiques. Gingivite par carence vitaminique (en particulier vit. C, scorbut). *Traitement :* selon la cause. La forme la plus fréquente est cependant due à la présence de plaque.

Dents

Denture et dentition

• **Denture.** Ensemble des dents d'un sujet à une époque donnée (denture de lait ou temporaire, denture mixte, denture adulte ou permanente).

Denture de lait. Complète : 20 dents dont 8 incisives (6 à 12 mois), 4 premières molaires (12 à 18 m), 4 canines (18 à 24 m), 4 secondes molaires (24 à 30 m).

Denture mixte. Entre 6 et 12 ans.

Denture adulte. Complète : 32 dents dont 4 premières molaires (6 ans). 4 incisives centrales (7 a), 4 incisives latérales (8 a), 8 prémolaires (8 à 10 a), 4 canines (11 à 12 a), 4 molaires (12 a), 4 molaires (dents de sagesse) (18 à 25 a). La réduction du volume de la mandibule entraîne souvent des difficultés d'éruption des dents de sagesse qui peuvent être retenues dans l'os (dent incluse).

• **Dentition.** Ensemble des phénomènes qui aboutissent à l'établissement de la denture. C'est ainsi qu'on parle des « accidents de la dentition ». *Agénésie :* absence des germes dentaires entraînant l'absence sur les arcades des dents correspondantes. *Dents surnuméraires :* des germes atypiques donnent des dents placées souvent en dehors des arcades ou des dents incluses.

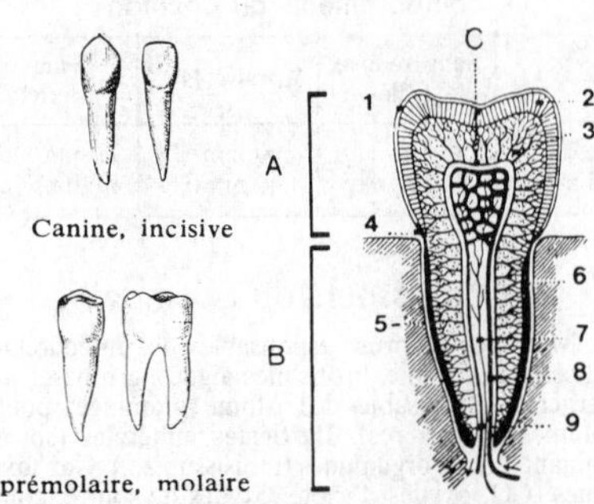

A couronne. *B* racine. *C* pulpe dentaire. 1 cuticule. 2 émail. 3 dentine ou ivoire. 4 collet. 5 alvéole. 6 cément. 7 paquet vasculo-nerveux (veine, artère, système nerveux, vaisseaux lymphatiques). 8 artère dentaire. 9 veine dentaire.

Origine des dents. Les bourgeons dentaires se forment à partir de « lames épithéliales » situées dans le tissu conjonctif embryonnaire. Chaque bourgeon se présente comme une cloche dont la face convexe est constituée de cellules épithéliales. Les *adamantoblastes* qui formeront les cellules de l'émail viennent de grosses cellules appelées « gelée de l'émail ».

Les cellules conjonctives situées dans le fond de la cloche formeront les *odontoblastes* générateurs de la dentine.

Disposition des dents

Maxillaire (mandibule : idem).

Molaire	Prémol.	Can.	Inc.	Can.	Prémol.	Molaire
3	2	1	4	1	2	3

Maladies

Carie. Altération des tissus durs de la dent (émail, cément, dentine), évoluant de la périphérie vers le centre et aboutissant à leur destruction progressive. *Cause :* les bactéries de la plaque dentaire transforment les glucides salivaires en acide lactique qui déminéralise les prismes de l'émail. Lorsque la carie atteint la chambre pulpaire, elle engendre des lésions pulpaires avec leurs conséquences (pulpites, accidents infectieux aigus ou chroniques, locaux, régionaux ou généraux).

Traitement : 1° préventif : fluor par voie buccale (pendant la grossesse et chez les enfants jusqu'à 14 ans) et applications locales, régime alimentaire équilibré, limitation des sucreries, hygiène bucco-dentaire (brossage après les repas, usage des hydropulseurs), contrôle du brossage et visualisation de la plaque dentaire à l'aide de révélateur de plaque, examens périodiques ; *2° curatif :* curetage des tissus atteints, traitement protecteur de la dentine sous-jacente, obturation après préparation d'une cavité destinée à recevoir un matériau (ciment, amalgame d'argent, résine composite, alliages d'or). Reconstitutions possibles en céramique, céramique sur métal, couronnes en or ou en alliage non précieux. Les résines acryliques permettent des travaux provisoires ou semi-provisoires. Les collages sur la dentine et l'émail des résines « composites » permettent des reconstitutions esthétiques et fonctionnelles ainsi que des maquillages. Dents de lait ou temporaires reçoivent les mêmes traitements que les dents définitives et peuvent être reconstituées par des couronnes lorsqu'elles sont délabrées.

Parodontopathies. Maladies bactériennes aggravées ou favorisées par des facteurs locaux et/ou généraux des tissus de soutien de la dent : gencive, os alvéolaire, ligament alvéolo-dentaire (desmodonte), cément. Formes cliniques : *parodontites superficielles :* gingivites aiguës, chroniques, ulcéro-nécrotiques ; *profondes :* caractérisées par une lyse de l'os alvéolaire (alvéolyse) qui entraîne la formation de « poches parodontales » autour des dents atteintes. L'évolution des lésions peut être accompagnée de saignements gingivaux, *halitose* (mauvaise haleine), douleurs, abcès, suppuration chronique. La mobilité des dents atteintes augmente pour aboutir souvent à leur perte. *Parodontite juvénile et à évolution rapide :* formes aiguës avec des alvéolyses importantes ; peuvent atteindre enfants (forme prépubertaire), adolescents (forme juvénile) et adultes jusque vers 30 ans (forme à évolution rapide) ; liées à des déficits immunitaires, sont localisées (1res molaires, incisives, plus spécifiquement pour la parodontite juvénile) ou généralisées.

Parodontose (plus usité). Décrivait une forme dystrophique entraînée par la résorption plus ou moins régulière et lente des tissus de soutien qui tend à dénuder les collets des dents. Déclenche souvent une sensibilité désagréable aux agents thermiques ou chimiques. La mobilité peut n'apparaître que tardivement. Complications possibles : caries sur les parties dénudées, apparition de parodontites qui accélèrent l'évolution.

Traitements. Éliminer la plaque bactérienne : brossage, emploi de fil de soie dentaire, de bâtonnets, d'un hydropulseur. Visites régulières chez le spécialiste pour supprimer : tartre, caries, obturations débordantes, prothèses traumatisantes, équilibrage des dents (meulages sélectifs). Thérapeutiques anti-infectieuses et anti-inflammatoires et parfois traitements concernant l'état général du patient. Traitement chirurgical pour éliminer des tissus non traitables et parfois les remplacer ou les stimuler par des greffes. Prothèses (attelles fixes ou amovibles immobilisant les dents mobiles).

Statistiques. En France, + de 60 % de sel fluoré produit pour la table (à 250 mg/kg) est consommé.

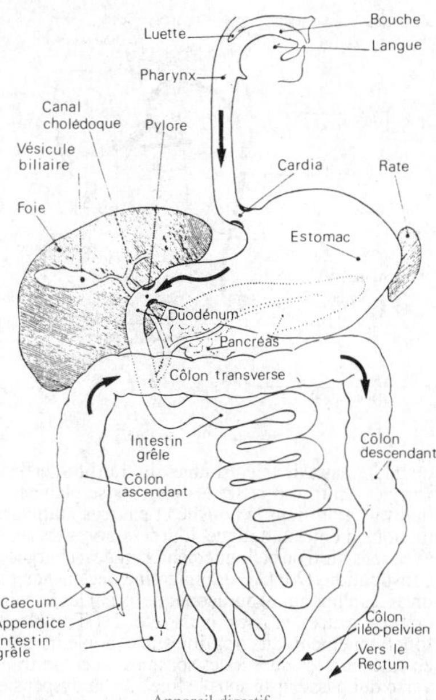

Appareil digestif

A 6 ans : un enfant a en moyenne 6 dents permanentes en bouche. Plus de 2 dents temporaires sont cariées et plus d'1 enfant sur 2 a une carie sur une dent permanente ; *à 9 ans :* près d'1 enfant sur 2 a en moyenne 1 dent permanente cariée sur 12 permanentes ; *à 12 ans :* sur 24 dents permanentes plus de 2 sont cariées. Près de 70 % ont des caries sur 1 ou plusieurs dents permanentes. 12 % des enfants sont sans dents cariées ou soignées.

☞ **ODF** (orthopédie dento-faciale). *But :* rétablir l'équilibre fonctionnel des dents et des arcades dentaires et améliorer l'esthétique. *Prothèse dentaire :* adjointe, partielle, totale ou conjointe (fixée).

Estomac

• **Description.** Poche de 1 200 cm³ env. Communique avec l'œsophage par le cardia (du grec *kardia,* cœur), avec l'intestin grêle par un sphincter, le pylore (du grec *pulê,* porte et *ôra,* garde).

• **Rôle.** *Brassage* des aliments (contractions gastriques), ce qui facilite la digestion. *Sécrétion du suc gastrique* (1 à 1,5 litre par jour) qui comprend 99 % d'eau ; des chlorures et phosphates ; 0,5 % d'acide chlorhydrique et 3 diastases : la *pepsinase* qui agit sur les protides, la *présure* qui coagule le lait et la *lipase* qui agit sur les lipides. Les aliments sont transformés en bouillie claire : le chyme, qui est évacué par jets successifs dans le duodénum. Un tri s'opère dans l'estomac : l'eau et le bouillon ne s'arrêtent pas ; le lait, la bière, le pain, la viande sont évacués en 2 à 3 h ; les graisses en 7 à 8 h.

• **Maladies. Aérophagie.** Gonflement de l'estomac par de l'air avalé. *Causes :* diverses. Souvent existe un élément nerveux favorisant (véritable tic). *Traitement :* celui de la cause.

Dyspepsie. Digestion difficile. *Traitement :* celui de la cause (affections hépato-vésiculaires, intestinales, abdominales).

Gastrite. Inflammation de la muqueuse de l'estomac. *Causes :* forme aiguë : indigestion, erreurs alimentaires ; chronique : tabac, alcool, certains médicaments.

Ulcère de l'estomac et du duodénum. Perte de substance profonde de la paroi gastrique ou duodénale. Crampes de l'épigastre par périodes de 1 à 3 semaines rythmées par les repas, calmées par l'alimentation ; parfois vomissements hématémèses. *Complications aiguës :* perforation (il s'agit d'accidents graves, nécessitant l'hospitalisation et l'intervention d'urgence) ; *chroniques :* rétrécissement de l'estomac et du duodénum ; greffe du cancer sur l'ulcère (pour l'estomac seulement). *Traitement :* régime, pansements gastriques, médicaments diminuant la sécrétion, parfois traitement chirurgical.

Œsophage

• **Description.** Tube musculo-membraneux vertical, qui, par des mouvements péristaltiques, conduit les aliments de l'arrière-bouche vers l'estomac. Long. 25 cm, diam. 3 cm.

• **Maladie. Œsophagite.** Inflammation de l'œsophage. Douleurs et gêne à la déglutition. *Causes :* ingestion de caustiques et surtout reflux de liquide gastrique acide par anomalie du cardia *(hernie hiatale). Traitement :* pansements et antiacides, parfois chirurgie. Rétrécissement de l'œsophage comme séquelle d'œsophagite toxique.

Pancréas

• **Description.** Comporte 2 glandes entremêlées : le *pancréas externe,* glande digestive, sécrétant du *suc pancréatique* lors de l'arrivée du chyme dans l'intestin (env. 1 litre par j), et le *pancréas interne,* glande à sécrétion interne, purement hormonale. La sécrétion, qui s'écoule par le *canal de Wirsung,* est commandée par un mécanisme nerveux et hormonal (sécrétine agissant sur les sels alcalins, pancréozymine agissant sur les ferments pancréatiques).

Composition du suc. 98,5 % d'eau ; chlorures, phosphates, carbonates alcalins. 4 diastases : *amylase* qui transforme les amidons (féculents) en maltose ; *maltase* qui transforme le maltose en glucose ; *lipase* qui transforme les lipides en glycérine, acides gras et savons ; *tryptase* et autres *protéases,* qui transforment les protides en polypeptides et autres acides aminés (pour agir, les protéases doivent être activées par une diastase intestinale, l'entérokinase).

Nota. – Le *pancréas interne* (ou *insulaire*) est composé de cellules à sécrétion interne : *cellules de Langerhans* (8 variétés, dont la *cellule alpha* qui sécrète le *glucagon* et la *cellule b ou bêta* qui sécrète l'*insuline* dont le rôle est capital dans le métabolisme glucidique (sécrétion altérée dans le diabète sucré).

• **Maladies. Mucoviscidose (M.V.D.) ou Fibrose kystique du pancréas (F.K.).** Affection génétique récessive autosomique. Le gène délétère a été repéré au niveau du bras long du chromosome 7. L'union de 2 partenaires porteurs du gène MVD entraîne à chaque conception le risque de donner naissance soit à un enfant atteint, soit à un enfant sain, soit à 2 enfants sains mais porteurs du gène et donc transmetteurs de l'affection. France : 1 porteur sur 20. L'affection due à un transfert ionique perturbé au niveau des cellules du revêtement bronchique, intestinal et pancréatique entraîne la production d'un mucus épaissi générateur au niveau des bronches d'obstruction, puis secondairement d'infection conduisant avec l'âge à une insuffisance respiratoire plus ou moins sévère. L'obstruction des canaux pancréatiques diminue le flux enzymatique et bicarbonaté nécessaire à la digestion des graisses et des protéines. Se manifeste à la naissance, dans 20 % des cas, par une occlusion intestinale puis par des bronchites à répétition et des troubles digestifs responsables parfois de troubles de la croissance. Peut aussi se compliquer de diabète aux approches de l'âge adulte. On note également la stérilité dans le sexe masculin par suite de l'obstruction des canaux spermatiques. *Traitement :* kinésithérapie respiratoire, antibiothérapie, traitement substitutif par extraits pancréatiques protégés ; nécessité d'un régime alimentaire à haute énergie (130 % de la ration calorique normale) ; greffe de 2 poumons.

Diagnostic-Anténatal : 1°) méthode de génie génétique, dans certains cas à la 8/10e semaine de grossesse. 2°) méthode biochimique : dosage enzymatique dans le liquide amniotique prélevé à la 18e semaine de grossesse. *A la naissance :* dosage enzymatique sur une goutte de sang desséchée recueillie au 5e jour de la vie (dosage de la trypsine immunoréactive). *Après la naissance :* dès 2 mois, test de la sueur : dosage du chlore (la maladie se signale par une augmentation de la concentration en chlorure de sodium dans la sueur).

Fréquence : 1 couple sur 400 risque de transmettre la maladie ; fréquence de reproduction de la maladie : 1 pour 2 000 naissances environ (en Bretagne, dans certaines régions 1 pour 377). *Nombre de Français atteints :* 5 000.

Pancréatite. Inflammation aiguë (très grave) ou chronique, souvent compliquée de lithiase ou de diabète (certains cas de diabète, peu fréquents, sont liés à une pancréatite chronique). Fréquente chez les alcooliques. *Traitement :* difficile ; antienzymes, réanimation, chirurgie. Diagnostic difficile.

Cancer du pancréas. *Externe :* se traduit par de très violentes crises douloureuses (type solaire) quand il atteint le corps, ou par un syndrome d'ictère par rétention quand il atteint la tête. Développement tumoral variable. Beaucoup de cancers sont longtemps latents. *Interne :* se traduit par des troubles variables (douleurs, amaigrissements, troubles du métabolisme glucidique, diabète sucré ou hypoglycémie). Les techniques récentes (échotomographies) aident beaucoup le diagnostic.

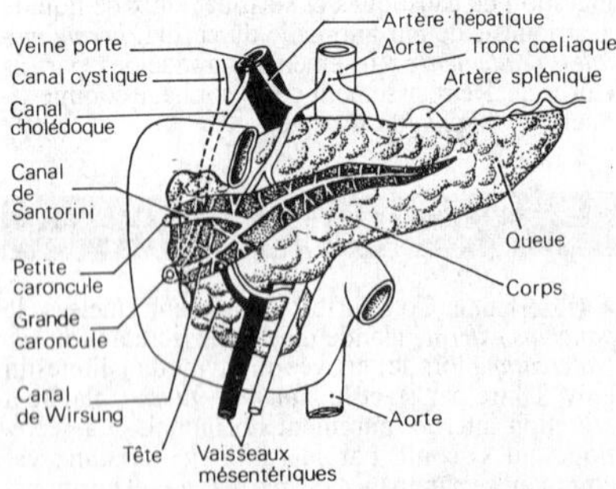

Pancréas (en partie ouvert pour montrer les canaux)

Foie

Généralités

• **Description.** Glande volumineuse (2 kg) formée d'un assemblage de lobules, massifs cellulaires qui engainent un rameau d'une veine hépatique.

• **Rôle.** 1° *Sécrétion de bile,* liquide jaune rougeâtre, verdissant, filant, très amer (env. 1 litre par j). *Composition d'un litre de bile hépatique :* eau 970 g, sels minéraux 8 g, sels biliaires 15 g, cholestérol 1,5 g, pigments biliaires 4 g. Entre les repas la bile s'écoule par les canaux hépatiques et s'accumule dans la vésicule biliaire.

Quand les aliments pénètrent dans l'intestin, la sécrétion est activée par la *cholécystokinine* qui déclenche en même temps l'écoulement de la bile par le canal cholédoque et du bol alimentaire dans le duodénum. La bile ne comprend aucune diastase, mais elle rend actives les lipases pancréatique et intestinale ; elle rend mouillables à l'eau les corps solides qu'elle touche et facilite ainsi leur absorption.

2° *Fonction capitale sur l'ensemble des transformations* (métabolismes) des glucides, lipides, protides et du fer ; une f. de réserve : glycogène constitué à partir de glucose. Il détruit les hématies. Il produit le fibrinogène du sang et la prothrombine et l'antithrombine qui empêche la coagulation du sang. Il joue un rôle essentiel dans l'équilibre glucidique par le glycogène, et parce qu'il contrôle la néo-glycogenèse (élaboration de glucose aux dépens des protides).

3° *Régulation de la température.*

Maladies

Angiocholite et cholécystite. Inflammation des voies biliaires (angiocholite) ou de la vésicule (cholécystite aiguë ou chronique). Douleurs, fièvre, ictère. *Cause :* souvent due à des calculs. *Traitement :* souvent chirurgical surtout s'il y a calculs (lithiase). Des produits capables de dissoudre les calculs cholestéroliques sont à l'étude.

Cancer. Voir page 141.

Cirrhose. Sclérose du foie qui devient dur et fibreux. Maladie grave. *Causes :* alcoolisme chronique (cause habituelle), déséquilibre alimentaire (plus rare en France), virus (hépatite virale). *Complications :* œdèmes, ascite (liquide dans la cavité péritonéale), hémorragies par hypertension veineuse dans l'abdomen, insuffisance hépatique. *Traitement :* suppression de l'alcool, régime sans sel, diurétiques, ponction d'ascite, parfois chirurgie (en cas d'hypertension veineuse avec hémorragie).

Colique hépatique. Crise douloureuse de quelques heures, siégeant sous les côtes à droite, en avant ou au creux de l'estomac, irradiant en arrière vers les reins, due habituellement à la migration d'un calcul. *Traitement* de la crise : antispasmodiques ; de la cause : parfois chirurgie.

Crise (ou mal) de foie. Terme impropre. *Signes* variables : mal au ventre (douleur sous-costale droite), nausées, vomissements (les vomissements verdâtres sont en réalité du liquide gastrique teinté

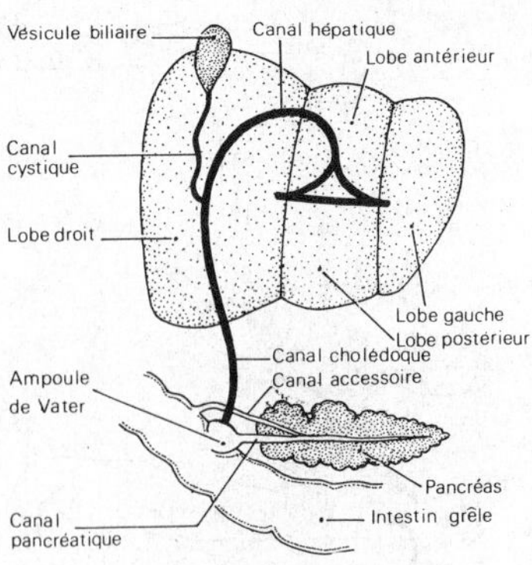

Face inférieure du foie

de bile), maux de tête, troubles du transit intestinal, vertiges. Entre les crises les patients se plaignent : mauvais goût dans la bouche et nausées matinales, manque d'entrain, fatigue, lourdeur après les repas avec sensation de ballonnement, langue « chargée », constipation. *Origine :* 1°) migraine déclenchée par un excès alimentaire ou alcoolique ou par le chocolat, crèmes, sauces grasses, œufs, etc. 2°) Trouble du fonctionnement du gros intestin : douleurs sous-costales droites dues à des spasmes du côlon transverse qui passe juste sous le foie ; 3°) la dyspepsie : fonctionnement imparfait du tube digestif en cas de contrariété ou d'émotion par ex. Peut être déclenchée par des aliments réputés nocifs pour le foie (graisses cuites, café, alcool).

Hépatite. Inflammation du foie, aiguë ou chronique. 3 formes : **1° virale,** voir Index. **2° toxique,** rare mais grave : champignons (amanite phalloïde), phosphore blanc ; *traitement :* techniques de réanimation. **3° médicamenteuse,** due à une intolérance de certains sujets à diverses drogues ; habituellement bénigne, supprimée par arrêt du médicament qui l'a causée ; *traitement :* variable selon la cause.

Ictère, ou jaunisse. Peau et muqueuse jaunâtres par élévation de la bile dans le sang. *Causes :* 1° Inflammatoire (hépatite, voir ci-dessus). 2° Obstacle sur le canal allant du foie à l'intestin par des calculs *(lithiase)* ou une compression (inflammation ou tumeur pancréatique). *Traitement :* chirurgical. 3° Hémolyse (ictère hémolytique) (maladie du sang entraînant la destruction des globules rouges, ce qui donne une hyperproduction de pigments biliaires). Anémie. Grosse rate. *Origine :* infectieuse, toxique ou congénitale (en ce dernier cas, ablation de la rate).

☞ Env. 3 500 000 Français ont des calculs biliaires dont 20 à 25 % souffrent de symptômes (coliques hépatiques, douleurs épigastriques, nausées, vomissements...) ; chaque année env. 80 000 doivent subir une cholécystectomie (ablation chirurgicale de la vésicule biliaire). *Nouvelle technique :* la « lithotritie extracorporelle » (du grec *lithos,* pierre, et *tripsis,* broiement) qui permet de pulvériser les calculs grâce aux ondes de choc.

Intestin grêle

• **Description.** Long. 8 m, diam. 3 cm. Il comprend le *duodénum* (20 cm, du latin *duodeni,* douze, car il est long de 12 travers de doigt), le *jéjunum* (latin : jeûne) et l'*iléon* (prononciation française médiévale du latin *ileum,* forme latinisée du grec *eiléôn,* « se tortillant »). Le *tube digestif* est formé d'une *muqueuse* plissée et couverte de 10 millions de petites villosités (0,4 à 0,8 mm de long) qui protègent le tube contre l'action des sucs digestifs et ont un rôle sécrétoire ; d'une *tunique musculaire* à fibres circulaires et longitudinales ; d'une *tunique conjonctive* extérieure. *Surface totale d'absorption :* 200 à 400 m².

• **Rôle.** *Brassage* des aliments ; *digestion des 3 types de nutriments* (graisses, protides, sucres) grâce à l'arrivée dans le duodénum de la bile hépatique, du suc pancréatique et à l'action du suc intestinal [composé de 98,7 % d'eau, de chlorure et carbonates de sodium ; de diastases (entérokinase, lipase, érepitase et autres protéases)]. Sécrétion par le duodénum des hormones pariéto-digestives : rôle dans le métabolisme du glucose. *Absorption* par la paroi de l'intestin grêle des 3 types de nutriments précédents, des vitamines, des ions (calcium, sodium, potassium, etc.), du fer, de l'eau, des sels biliaires ; *évacuation* des résidus vers le côlon. *Durée de la digestion* dans l'intestin grêle : 5 à 6 h.

• **Maladie de Crohn.** Décrite en 1932 par l'Amér. Burril B. Crohn comme une iléite terminale (inflammation de la partie terminale de l'intestin grêle), peut toucher l'ensemble du tube digestif, de la bouche à l'anus. *Symptômes :* diarrhée, douleurs abdominales, amaigrissement, fatigue, fièvre, fistules. *Traitement :* médical et chirurgical. *Cas :* env. 40 000 en France. *Adresse :* Assoc. française Aupetit – Hôpital Rothschild, 33 bd de Picpus, 75012 Paris.

Côlon (gros intestin)

• **Description.** Long 1,6 m ; diam. 3 cm au début, 7 cm à la fin. Il débute par un cul-de-sac, le *cæcum* (du latin *caecus,* aveugle), sur lequel s'implante l'appendice. Il se compose des côlons ascendant, transverse et descendant, du sigmoïde.

• **Rôle.** *Brassage* des aliments non absorbés ; *digestion* de la cellulose par des bactéries de fermentation ; *absorption* de l'eau et du sel ; *évacuation* des matières fécales vers le rectum et l'extérieur (défécation). *Durée du séjour des aliments* dans le côlon : droit 7 h, gauche 9 h, portion terminale (sigmoïde et rectum) 34 h.

• **Maladies. Appendicite.** Inflammation de l'appendice iléo-caecal (tube étroit de 5 à 6 cm de long formant cul-de-sac, situé à l'extrémité du caecum) parfois chronique, parfois aiguë (en ce cas danger de péritonite et d'abcès. *Traitement* chirurgical d'urgence). *En France :* 1 500 opérations par jour (en 1885 : 30 % des victimes meurent) ; mortalité : 0,3 à 1 ‰. Dans 51 % des cas chez la femme et 31 % chez l'homme, le diagnostic était erroné.

Dysenteries. Voir page 136.

Hémorroïdes. Varices de la région anale, fréquentes et bénignes. Peuvent être révélatrices d'une atteinte digestive ou hépatique. Au moment des selles, douleur, saignement, sortie des hémorroïdes. *Traitement :* suppositoires, injections sclérosantes, parfois chirurgie.

Hernie. Sortie d'une partie de l'épiploon ou d'une anse intestinale (souvent côlon) à travers un orifice de la paroi abdominale (h. crurale, inguinale, ombilicale). *Etranglée,* elle doit être opérée d'urgence.

Parasitoses intestinales. *Causes :* parasites divers. Gravité variable selon parasite et importance de l'infestation (plus grande en pays tropicaux). Découverte du parasite par l'examen des selles. *Traitement :* différent selon le parasite en cause.

Péritoine

• **Description.** *Membrane* formée de 2 feuillets protégeant les viscères abdominaux et entre lesquels existe une cavité virtuelle.

• **Maladie. Péritonite.** Infection aiguë ou chronique du péritoine. *Causes :* perforation de l'estomac ou du duodénum (ulcère), de l'appendice (appendicite), de la vésicule (cholécystite) ; plaie abdominale profonde. *Traitement :* chirurgical d'urgence. Tuberculose du péritoine : médicaments antituberculeux.

Parasites digestifs

Ver solitaire. Le *ténia* (ver aplati pouvant atteindre 10 m de long) est formé d'anneaux appelés proglottis (tête minuscule : renflement large de 1,5 mm). On s'infeste en mangeant de la viande de bœuf ou de porc insuffisamment cuite, ou (rarement) du poisson. Il est difficile de s'en débarrasser. Les derniers anneaux sont remplis d'œufs (environ 6 000 par anneau). Ces anneaux se détachent facilement et un ténia en perd 5 à 6 par jour. Si un porc ou un bœuf avale des œufs, par exemple en absorbant de l'eau contaminée, l'un de ces œufs peut donner une larve, munie de crochets, qui perfore l'intestin de l'animal, passe dans le sang et se fixe à un muscle. Après métamorphose, la larve se transforme en *cysticerque,* sorte de petit sac de quelques mm de long, où bourgeonne intérieurement un *scolex* (tête de ténia). Si quelqu'un mange de ce porc ou de ce bœuf, il risque d'avaler en même temps ce scolex qui se fixera dans son intestin et reconstituera bientôt les anneaux du ténia.

Ascaris. Anguillules. Bilharzia. Lamblia. Oxyures (prurit anal). *Parasitoses intestinales.* Voir ci-dessus.

Nutrition

• **Avitaminose.** Rare en France (sauf dans les régimes amaigrissants trop sévères), fréquente dans les pays sous-développés. Carence de **vitamines. A :** troubles de la vue, lésions cutanées, troubles digestifs. **B1 :** *béribéri,* troubles cardiaques, œdèmes. **B2 :** *glossite, perlèche,* rougeurs de la peau. **PP :** *pellagre,* rougeurs de la peau, troubles digestifs. **C :** *scorbut,* gingivite, hémorragie, anémie, fièvre, amaigrissement, *maladie de Barlow* (scorbut du nourrisson), troubles osseux, digestifs. **D** (acide folique) : non exceptionnelle en France chez les gens âgés : anémie macrocytaire ; asthénie, *rachitisme ;* **carences minérales :** proches des avitaminoses (les vitamines sont potentialisées par un métal ou un métalloïde) ; **carences en fer :** dans les p. sous-dév. 20 à 25 % des enfants atteints, 20 à 40 % des femmes (concerne 30 % des femmes enceintes en France), 10 % des hommes : diminution de la résistance au travail et aux maladies, anémies ; **carences en iode :** cause de goitre endémique pour 200 millions de personnes des p. sous-dév. (augmentation du volume de la thyroïde) ; troubles du développement physique et mental (crétinisme) ; **carences en oligo-éléments :** calcium, magnésium, zinc, etc. *Traitement :* vitamine ou métal.

• **Diabètes sucrés** (du grec *diabêtês :* qui traverse). Mauvaise assimilation des hydrates de carbone. *Cause* essentielle : carence absolue ou relative de la sécrétion d'insuline par le pancréas (îlots de Langerhans) ; facteurs endocriniens contrecarrant l'action de l'insuline ; le mécanisme est encore incomplètement précisé dans certains cas. *Rôle de l'hérédité* (prédisposition génétique) ; rôle révélateur de l'*environnement* (affections virales pour le diabète de type I et obésité pour le diabète de type II).

Symptômes : faim et soif vives : polyphagie, urines abondantes, obésité (diabète gras) ou amaigrissement (d. maigre) (20 % des cas environ). *Complications :* on peut les éviter par un bon traitement du diabète ; atteinte des yeux (cataracte, rétinopathie pouvant aller jusqu'à la cécité), lésions cutanées, névrites, artérite des membres inférieurs, insuffisance rénale, coma diabétique (intoxication générale par les corps cétoniques produits par suite de la mauvaise assimilation du sucre, asthénie, diminution de la connaissance pouvant aller jusqu'au coma, respiration soufflante, odeur de pomme de reinette de l'haleine, élimination urinaire de corps cétoniques ; non traité, l'issue est fatale). *Examens biologiques* nécessaires pour le diagnostic : glycémie (épreuve d'hyperglycémie provoquée) ; étude des corps cétoniques dans les urines ainsi que du taux d'acidité.

L'acidose due aux corps cétoniques se rencontre surtout dans le diabète maigre (risque de coma). L'O.M.S. propose d'appeler le diabète maigre « diabète type I » et le d. gras « type II ». *Traitement :* insuline (en cas de d. maigre ou d. insulinoprive, piqûres d'insuline), antidiabétiques de synthèse (Voir Alimentation à l'Index), régime de restriction des glucides. Pour les non-insulino-dépendants, surveillance de la glycémie, traitement systématique des infections épisodiques ; pour obtenir un bon contrôle, il faut parfois multiplier les injections d'insuline d'où la création de distributeurs automatiques d'insuline (pompe à insuline) ; certains appareils à l'étude peuvent être insérés sous la peau.

Des greffes de pancréas ont été tentées. *Coma diabétique :* insuline, réhydratation, réanimation. *Prévention :* possible chez certains sujets prédisposés, par mesures hygiéno-diététiques ; intérêt des examens de dépistage. Les femmes diabétiques devraient avoir leurs enfants le plus tôt possible et ne pas avoir plus de 2 à 3 grossesses. Souvent la grossesse doit être terminée avant terme par césarienne.

Fréquence. Hausse (sans doute à cause de l'élévation du niveau de vie associée à une nourriture plus riche), de l'allongement de la durée de la vie, qui permet l'apparition du d. de l'âge tardif, et, de meilleures méthodes de dépistage. 1° Mortalité supérieure à la population non diabétique (tend à s'abaisser), 2 à 3 fois plus d'accidents cardio-vasculaires, 20 fois plus d'amputations pour gangrène, 2° cause d'insuffisance rénale, 3° surtout cause de lésions oculaires (env. 1 aveugle sur 2 serait diabétique).

Cas en France. Diabétiques traités à l'insuline : 150 000 dont 500 nouveaux cas par an chez les enfants de moins de 15 ans. 4 500 enfants de moins de 15 ans sont diabétiques. *Coût :* 3,5 milliards de F. (traitement : 2 500 F avec insuline et 2 000 F sans). *Décès (pour 100 000 h.) : 1976 :* hommes 13,4, femmes 20,3 ; *1981 :* h. 10,6, f. 16,3.

Cas dans le monde (nombre de diabétiques). U.S.A. 5 000 000, U.R.S.S. 7 000 000.

Adresses en France. *Association française des diabétiques :* 14, rue du Clos, 75002 Paris. *Aide aux jeunes diabétiques :* 3, rue Gazan, 75020 Paris. *Services de diabétologie* dans toutes les grandes villes. Compétence en diabétologie délivrée par l'Ordre des médecins.

• **Kwashiorkor.** Carence de protéines caractérisée par des œdèmes, survenant chez les enfants dans les semaines qui suivent le sevrage lorsque le lait maternel est remplacé par des céréales. Les enfants sont petits et maigres ; la croissance est freinée pour équilibrer la ration alimentaire insuffisante. Lorsque les conditions s'améliorent, le développement physique s'accélère. *Fréquence :* rare en France ; fréquente dans les pays sous-développés (Indonésie, Inde, Philippines, Viêt-nam, Proche-Orient, Afr. du N., certaines zones de l'Afr. soudano-sahélienne, d'Amérique centrale et d'Haïti). *Traitement préventif :* allaitement très prolongé, consommation de lait après le sevrage ; *curatif :* réalimentation.

• « **Allergies** » **alimentaires.** *Causes :* associe allergies voir p. 143 et phénomènes d'intolérance non immunologiques. *Symptômes :* divers. **Pseudo-allergies** (intolérance non immunologiques, sans présence d'anticorps). *Causes :* aliments provoquant la sécrétion de quantités d'histamine (farine, poisson, chocolat, porc) ou aliments eux-mêmes riches en histamine [fromages ou boissons fermentés, certains poissons (thon, saumon, sardine) ou légumes (tomates, épinards)]. Certains de ces aliments peuvent entraîner des symptômes voisins de l'allergie : céphalées, urticaire [substances en cause : tyramine, phénylalanine, certains agents conservateurs (E 350) présents dans des charcuteries ou des fromages]. Intolérance au lactose fréquente (due aux produits lactés) : en cas de déficit enzymatique (absence de lactose), lait ou produits lactés provoquent douleurs abdominales, diarrhée, flatulences. Le déficit de lactose peut venir de gastro-entérites virales ou génétiques. *Symptômes du « côlon irritable » :* troubles du transit, ballonnement, douleurs abdominales (dans 40 % des cas, intolérance au lactose).

Obésité

Causes. *Excès de stockage des graisses* (excès de nourriture ou trouble métabolique, facteurs endocriniens). Dans l'hypothalamus, 2 centres assurent la régulation des réserves énergétiques dans les cellules (Ponderostat).

Nombre des adipocytes. 15 à 25 % du corps sont constitués de graisses contenues dans les cellules adipeuses ou *adipocytes.* Leur volume et parfois aussi leur nombre varient avec l'âge ou en fonction des modifications de la ration alimentaire.

En période de jeûne même prolongé, elles ne meurent pas : seule leur taille diminue. Elles tiennent en réserve des substances qui fournissent, sur demande, l'énergie indispensable aux réactions cellulaires et libèrent des corps gras (lipides) en raison des besoins de l'organisme.

En regard de l'excès des apports caloriques et du stockage lipidique, on tend à considérer l'importance des déperditions caloriques liées à l'exercice (influence néfaste de la sédentarité) et à la thermogenèse : dispersion des calories excédentaires en chaleur.

Précautions. Surveiller son poids, s'inquiéter de toute prise de poids anormale, se souvenir qu'une obésité récente se soigne plus facilement qu'une obésité installée et qu'une nourriture moins abondante chez le jeune enfant (2 à 3 ans) pourrait peut-être éviter une obésité future dans des milliers de cas.

Traitement. Régime restrictif en calories pendant des périodes prolongées ; médicaments qui diminuent l'appétit (à n'utiliser que pendant quelques semaines). Lipoaspiration (succion des graisses surabondantes, résultats médiocres).

Statistiques. 20 à 30 % des hommes, 24 à 26 % des femmes présentent un excès de poids et il y a 5 à 10 % de grands obèses. Après traitement, moins de 10 % des consultants se fixent à leur poids théorique, 30 % ont réussi à perdre significativement des kilos.

☞ Voir pages 107 et 115.

Appareil urinaire

Couplé embryologiquement avec l'appareil génital (appareil génito-urinaire) ; il élabore l'urine qui élimine les déchets et les substances étrangères ; maintient l'équilibre du milieu intérieur ; agit sur la stabilité de la pression sanguine.

Anatomie et physiologie

• **Rein.** Dimension 3 × 6 × 12 cm, poids (vide de sang) 140 à 150 g. « Usine » de fabrication de l'urine (domaine de la néphrologie). Plein et riche en vaisseaux, il choisit ce qu'il faut conserver ou éliminer et fonctionne avec souplesse. Constitué d'une zone périphérique *corticale* et d'une zone centrale, la *médullaire,* d'où émergent les papilles percées des orifices d'écoulement de l'urine. Formé de *néphrons* (plus d'un million par rein) possédant un *pôle vasculaire,* le *glomérule,* où s'épanouit un réseau artériel et un *pôle urinaire* d'où sort l'urine primitive filtrée par le glomérule.

Les *artères rénales* apportent aux reins 1 100 à 1 300 ml de sang par minute ; les reins l'épurent. La composition constante du sang (urée, créatinine, électrolytes) découle de la valeur des néphrons. Leur altération (transitoire ou définitive) entraîne une insuffisance rénale : un rein artificiel ou une greffe rénale peuvent alors s'avérer indispensables.

• **Appareil excréteur** (domaine de l'urologie). Comprend des organes creux et musclés. Les *calices :* drainent les papilles rénales. Le *bassinet :* petit entonnoir intrarénal, termine les 3 calices habituels. L'*uretère :* canal fin (long de 25 à 30 cm) doué de contractions, fait suite au bassinet. La *vessie :* muscle creux (capacité : 300 à 400 ml), recueille les urines et les expulse par l'*urètre* au cours de la miction. Le système sphinctérien assure la continence et aussi l'ouverture du col vésical au moment de l'évacuation des urines.

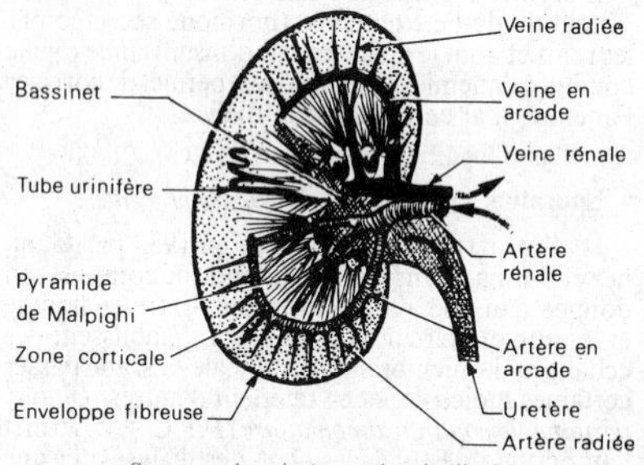

Structure du rein (coupe longitudinale)

Urine

• **Composition chimique moyenne** (en g par l). *Eau :* 950. *Matières minérales :* chlorures (ClNaClK) 11, phosphates 3, sulfates 3, sels minéraux divers 3, *organiques :* urée $[(NH_2)^2 CO]$ 25, acide urique 0,5, urobiline 0,05, divers 4.

• **Constantes normales chez l'adulte. pH** (acidité ou alcalinité) : renseigne sur quelques maladies du rein ; acidité dans le cas de calculs uriques et de tuberculose urinaire : 6,2. L'urine des carnivores est claire et légèrement acide (pH = 5 à 6) ; celle des herbivores est trouble et alcaline (jument). **Densité** (par rapport à l'eau) : toujours un peu + lourde. **Glycosurie** (sucre dans les urines) : 0. **Albuminurie** (albumine dans les urines) : 0. **Corps cétoniques.** Acétone, acides acétylacétique et bêta-oxybutyrique se trouvent chez certains diabétiques. **Urée** (fabriquée par le foie), déchet de consommation des protéines : 25 g/l. 15 à 30 g/24 h. **Globules** (cellules du sang) **blancs :** quelques-uns ; **rouges :** quelques-uns. **Cylindres** (substances de cette forme) : 0. **Cristaux de sels minéraux :** 0. **Microbes :** 0.

Acide urique 0,40 à 0,80 g/24 h (2,4 à 4,80 mmol/24 h). Calcium 150 à 250 mg/24 h (3,75 à 6,25 mmol/24 h). Créatinine H < 150 mg/24 h (< 1 150 µmol/24 h). Créatinine F < 250 mg/24 h (< 1 800 µmol/24 h). Clearance de la créatinine 80 à 120 ml/mm (1,30 à 2 ml/s). Hydroxyproline 20 à 30 mg/24 h/m² (150 à 230 µmol/24 h/m²). Phosphate 0,40 à 1 g/24 h (13 à 32 mmol/24 h).

Maladies de l'appareil urinaire

• **Signes. Douleurs.** *Coliques néphrétiques :* douleur latéralisée très violente avec signes urinaires correspondant le plus souvent à la migration d'un calcul. *Douleur plus sourde de l'abcès du rein (avec fièvre). Douleur du bas-ventre d'origine vésicale (vessie).* **Troubles mictionnels.** Brûlures, envie fréquente, difficulté à uriner.

• **Anomalie de l'urine.** Présence de sang (hématurie). Peut être macroscopique : urine rouge, ou microscopique ; on peut déceler également dans l'urine la présence d'albumine.

• **Infection urinaire.** Décelée au niveau de l'urine, peut traduire une atteinte de chacun des éléments de l'appareil urinaire. *Signe de gravité :* température, frissons. *Causes :* urétrite, prostatite, cystite (v. infection urinaire basse, 500/800 000 femmes atteintes en France), pyélite, néphrite, abcès du rein.

• **Néphrite.** Peut être aiguë ou chronique, grave si elle s'accompagne d'insuffisance rénale.

• **Insuffisance rénale. Aiguë.** Incapacité le plus souvent transitoire du rein de jouer son rôle d'excrétion et de maintien de l'équilibre du milieu intérieur. Se traduit par de *l'anurie :* le volume des urines devient inférieur à 200 ml/24 heures. *Signes :* surtout ceux de l'affection causale (infection, septicémie, traumatisme, toxique, obstacle mécanique, etc.). *Diagnostic :* l'échographie rénale permet de dépister l'obstruction. Traitement de la cause d'anurie, épuration extra-rénale en attendant la remise en route du rein.

Chronique. Toute réduction du capital rénal induit une sclérose progressive des néphrons restants avec évolution possible vers une insuffisance rénale chronique qui va s'aggraver inéluctablement (théorie de Brenner). A terme, dans un délai qui dépend de la sévérité de l'atteinte initiale et d'éventuelles complications intercurrentes (hypertension), on peut voir s'installer de l'urémie grave qui nécessite le recours définitif à la dialyse ou à la greffe.

L'érythropoïétine de synthèse, obtenue par génie génétique de l'ér. naturelle (hormone sécrétée par les reins et dont le défaut en cas d'insuffisance rénale conduit à l'anémie des urémiques) permet de corriger l'anémie, mal corrigée par la dialyse.

☞ **Cas d'insuffisance rénale (France).** 20 000.

• **Épuration extra-rénale.** *2 grands procédés :*

Dialyse péritonéale. Imaginée en 1932 par Gantner et Putman. On injecte un liquide de composition donnée dans la cavité péritonéale. Entre ce liquide et le sang qui circule sous la paroi s'établissent des échanges, la membrane péritonéale laissant passer certaines molécules et en retenant d'autres. *Dialyse péritonéale continue ambulatoire (D.P.C.A.) :* permet l'autonomie des malades (7 % des dialysés) et une épuration continue. On introduit dans la cavité péritonéale (dans l'abdomen) un liquide de dialyse au travers d'un cathéter, un petit tube en silicone. Le péritoine étant semi-perméable, des échanges s'opèrent entre le liquide de dialyse et le sang des vaisseaux qui irriguent le péritoine. Le liquide se charge progressivement des toxines et de l'excès d'eau du sang pour être ensuite évacué et remplacé par une solution de dialyse neuve. Le patient change ses poches 4 fois/j, ce qui lui prend de 30 à 40 min. à chaque changement.

Hémodialyse (ou littéralement « dialyse sur le sang »). On fait circuler le sang hors de l'organisme (circulation extracorporelle) jusqu'au rein artificiel où le sang est mis au contact du liquide de dialyse (de composition définie) par l'intermédiaire d'une membrane semi-perméable permettant des échanges (entre le sang et le liquide) intéressant : eau, ions, urée, déchets azotés, glucose, etc. Par contre : albumine, globules rouges, globules blancs demeurent intégralement dans le sang.

Premiers reins artificiels réalisés dans le monde : en Hollande par Kolff (Kampen) v. 1945 ; en France par Maurice Derot.

Coût annuel comparé (1988) par patient : autodialyse 279 000 F, hémodialyse à domicile 247 000, DPCA 205 000.

• **Calculs urinaires (reins, uretère, vessie) (lithiase ou gravelle).** Coliques néphrétiques, sang ou pus dans les urines. *Traitement :* chirurgical pour extraire les calculs obstructifs [chirurgie percutanée, dissolution des calculs par ultrasons ou lithotriteurs (peuvent être classés en fonction de la technique : radiographie ou ultrasons, utilisée pour repérer le calcul et en fonction de la source d'énergie employée de l'extérieur de l'organisme pour détruire le calcul : choc hydroélectrique, piézo-électricité, système électroacoustique, etc.)], médical pour dissoudre les calculs uriques (alcalinisation des urines : eau de Vichy). Recherche d'une cause métabolique pour les autres (calcémie, calciurie, phosphorémie).

• **Infestations parasitaires.** Shistosomiase urinaire (parasite de la bilharziose). *Cause :* parasite des eaux tropicales et subtropicales. Atteint 180 à 200 millions de personnes. Chimiothérapie efficace et parfois chirurgie en cas de rétrécissement des uretères ou de lésions vésicales par les œufs. Trichomonas, responsables d'urétrite et de vaginite.

• **Tumeurs du rein, de l'uretère, de la vessie, de la prostate** (bénignes, malignes). *Traitement :* chirurgie, radiothérapie, chimiothérapie.

• **Adénome prostatique.** Tumeur bénigne très commune de la prostate se traduisant par de la rétention d'urine. *Traitement :* chirurgie ou résection endoscopique.

Maladies de l'appareil génital

Femmes

Fibrome. Tumeur bénigne de l'utérus, douleurs, pertes de sang. *Traitement :* chirurgical, radiothérapique ou hormonal.

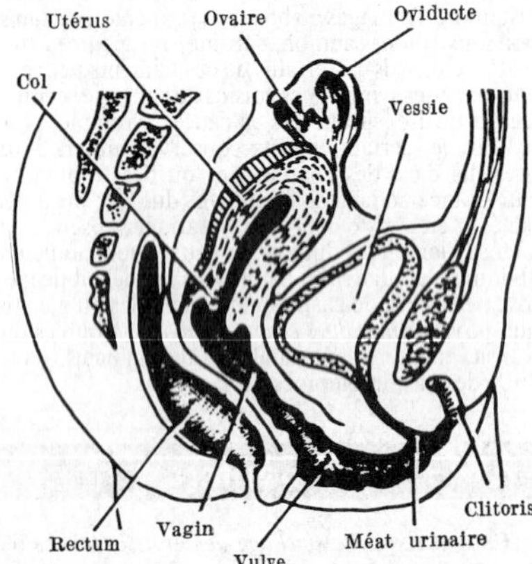

Appareil génital de la femme

Kyste de l'ovaire. Tumeur bénigne (fréquente). *Traitement :* chirurgical.

Métrites. Affections inflammatoires de l'utérus. *Traitement :* antibiotiques ou ionisation du col.

Salpingites. Complications des blennorragies ignorées. Risque de stérilité.

Troubles menstruels. *Aménorrhée* (absence de règles). *Oligoménorrhée* (diminution du volume des règles). Hémorragies génitales : *ménorragies* (règles prolongées 10 à 15 j) ; *métrorragies* (dans l'intervalle des règles). Ces troubles imposent un examen gynécologique.

Vaginite. Inflammation, douleurs, pertes. *Traitement* (de la cause) : antibiotiques, antiparasites ou antimycosiques, désinfectants.

Vulvite. Inflammation souvent due à des infections (gonocoque, *Candida albicans*...), pertes, douleurs. *Traitement :* de la cause et antibiotiques.

Hommes

Balanites. Inflammations du gland. *Causes :* infection microbienne ; virus, mycoses (candida albicans), parasitaires ; intolérances médicamenteuses ou allergies ; mauvaise hygiène chez les non-circoncis. Impose la recherche d'un diabète... *Traitement :* suppression de la cause, soins d'hygiène, voire anti-infectieux, etc.

Épididymite. Inflammation du cordon épididymaire qui relie les testicules à la prostate et l'urètre. *Complication :* abcès épididymaire, stérilité.

Orchite. Inflammation des testicules d'origine microbienne ou virale : oreillons, gonocoques surtout. Risque de stérilité masculine si bilatérale.

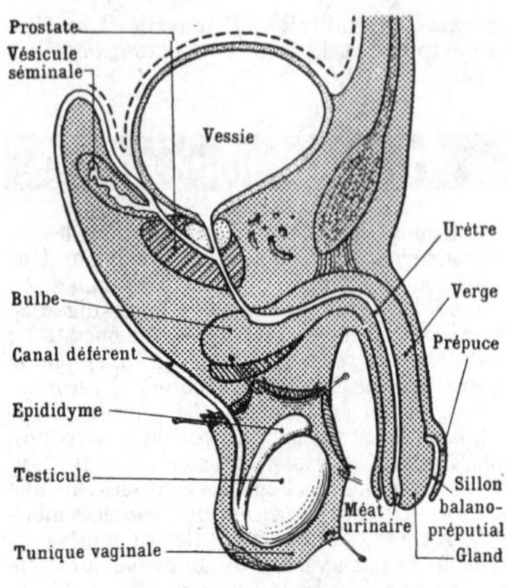

Appareil génital de l'homme

Phimosis. Striction (resserrement) de l'anneau préputial. Congénital (circoncision ou plastie du prépuce) ou inflammation (syphilis, chancre mou, blennorragies, balanites) ou par sclérose progressive (sclérodermie, lichen scléro-atrophique, involution sénile).

Prostatite. Inflammation de la prostate ; d'origine infectieuse microbienne ou virale. *Traitement :* antibiotiques, chirurgie.

Tumeurs du testicule. *Traitement :* chirurgie, radiothérapie, chimiothérapie.

Maladies sexuellement transmissibles

Maladies essentiellement transmissibles par contact sexuel

• **Blennorragies infectieuses.** Se manifestent *chez l'homme* par du pus s'écoulant du conduit urinaire (urètre) et provoquant des brûlures plus ou moins vives en urinant ; *chez la femme,* augmentation des pertes vaginales, habituellement aucun symptôme. *Causes :* gonocoques, chlamydiae, trichomonas, etc. *Localisation* ano-rectale possible dans les deux sexes. *Contagieuses* pendant les rapports sexuels, et transmission possible par fellation. *Incubation :* pour la gonococcie urétrale de l'homme : 2 à 4 j, parfois 24 h à 30 j ; pour les chlamydiae, 2 à 60 j. Souvent impossible à préciser dans les autres localisations : vulve et vagin, rectum, gorge. Peut atteindre les organes génitaux profonds ou/et d'autres organes (œil, certaines articulations, peau). *Traitement :* pour la gonococcie et la chlamydiose, essentiellement antibiotiques pendant 1 à 21 j.

Blennorragie à gonocoque. *Cas déclarés en France : 1979 :* 15 366, *1980 :* 18 189 ; *à Paris : 1984 :* 9 905, *1985 :* 7 694. *Cas estimés en France : 1986 :* 400 000 à 500 000.

• **Chancre mou.** Ulcérations douloureuses et contagieuses dues au bacille de Ducrey sur et autour des organes génitaux ; épidémie parisienne depuis août 1973. *Incubation :* 3 à 6 j. *Traitement :* sulfamides, antibiotiques.

Cas déclarés en France : 1976 : 214, *1977 :* 283, *1980 :* 255 ; *à Paris : 1984 :* 136, *1985 :* 63.

• **Syphilis.** *Nom :* vient de *Syphilus,* berger héros du poème (1530) de *Hieronymus Frascatorius,* chirurgien de Vérone. Fut appelée longtemps grande vérole. *Origine. 2 théories :* colombienne ou américaine (Astruc) : la s. a été apportée des Antilles en 1493 par les marins de Christophe Colomb ; uniciste (Sanchez) : le tréponématome existerait depuis la préhistoire et se serait répandu sous des formes différentes : syphilis vénérienne, pinta (Am. du S), pian (Asie, Afrique), s. endémique, etc. *Forme :* infectieuse et contagieuse, due au *tréponème pâle* de Schaudinn. *Incubation* moyenne de 20 à 30 j, parfois 5 à 6 semaines. *Phase primaire :* érosion indolore (chancre) avec gonflement des ganglions voisins (adénopathies) ; formes douloureuses, purulentes, avec adénopathies inflammatoires. Guérison rapide avec antibiotiques. Non traitée, évolution en quelques semaines vers une *phase secondaire* (*roséole :* petites taches arrondies roses, plus visibles sur le thorax, faisant croire à une allergie) ; *syphilides secondaires :* papules rouges sur le corps (notamment paumes, plantes des pieds, autour de la bouche, pouvant faire croire à une poussée d'acné). Parfois chute de cheveux, fatigue avec maux de tête, insomnie, douleurs osseuses. Pendant cette période (très contagieuse), la sérologie de la syphilis (B.W., immunofluorescence et T.P.H.A.) permet de préciser le diagnostic ; guérison sans séquelle encore rapide par pénicilline. *S. tertiaire :* certains cas de s. non traitées évoluent en 5 à 30 ans vers des accidents plus ou moins graves de s. tertiaires : cutanés, viscéraux, osseux ou neuropsychiques. *S. congénitale* précoce ou tardive : transmise au fœtus par la mère atteinte de s. évolutive et non traitée pendant la grossesse d'où l'intérêt des tests de dépistage obligatoires aux 3e et 6e mois de grossesse. *Traitement :* pénicilline de préférence.

Nota. – Le diagnostic appuyé sur la sérologie sanguine (B.W., Nelson, T.P.H.A., immunofluorescence) ne permet pas de différencier la syphilis vénérienne des autres tréponématoses non vénériennes africaines ou sud-américaines (pian, pinta, bejel).

Statistiques. *Cas déclarés. Monde :* 150 000 000 (3 000 000 aux États-Unis). *France : 1945 :* 11 740 ; *1963 :* 12 968 ; *1971 :* 14 030 ; *1974 :* 17 874 ; *1978 :* 21 447 ; *1979 :* 19 486. Env. 6 à 7 % des cas sont déclarés. *Syphilis primo-secondaire. Cas déclarés à Paris : 1984 :* 772 (6 à 7 % des cas sont déclarés), *1985 :* 642.

Mode de contamination (en %), de la syphilis primo-secondaire (hommes et femmes en France) : *1979 :* prostitution 4,4 ; 7. Rapports libres 91,8 ; 74,2. Conjugaux 2,6 ; 17,7.

Maladies et parasitoses éventuellement transmissibles par contact sexuel

Condylomes acuminés (encore appelées crêtes-de-coq, végétations vénériennes, papillomes). Petites formations (2 à 3 mm) verruqueuses (facilement reconnaissables sur le gland ou le prépuce), en forme de crête de coq, blanc rosé, à surface dentelée, chez l'homme et la femme, sur les organes sexuels, autour de et dans l'anus. Nombre : de une à plusieurs dizaines. Formant parfois des grappes grosses comme des noisettes ; peuvent ressembler à des hémorroïdes externes. Se multiplient en vieillissant. Contagieuses (dues à un virus). *Délai d'apparition après contamination :* de quelques j. à quelques mois. *Traitement :* électrocoagulation, application d'azote liquide, de podophylline.

Hépatites virales. **Type B** transmissible par les contacts sexuels, le virus étant présent dans les liquides organiques (notamment salive, urines, selles, sperme) des sujets atteints. *Incubation :* 1 à 6 mois. Fatigue, ictère (jaunisse). *Vaccination.* **Autres types :** A, non A non B. *Décès par hépatite virale* (France). *1982 :* 262, *1985 :* 244.

Herpès. Très fréquent. Dû à un virus. Appelé « bouton de fièvre » (autour de la bouche), peut aussi atteindre les organes génitaux. Récidives fréquentes. La plaie est un passage facile pour le tréponème pâle (syphilis) : abstention sexuelle recommandée en dehors de la ou du partenaire habituel, pendant l'éruption. *Traitement :* immunomodulants et antiviraux dans les formes sévères.

Molluscum contagiosum : petites boules hémisphériques, comme posées sur la peau, dont le sommet est percé d'un orifice. De la taille d'une tête d'épingle à celle d'une lentille, ils sont facilement repérables. On les fait disparaître par arrachage à la curette ou par cryothérapie.

Parasitoses cutanées. Gale : éruption de petits points rouges qui démangent énormément, surtout la nuit, disséminés entre les doigts, sur les poignets et les bras, le devant du corps, des cuisses et donnant des chancres sur la verge, le scrotum, les mamelons. *Traitement :* badigeons au benzoate de Benzyl. Désinfection des vêtements et de la literie.

Parasitoses intestinales. Amibes : parasites du tube digestif ; symptômes douloureux, diarrhées. En cas de rapport sexuel anal, il peut apparaître un chancre de la verge chez le partenaire. Contamination : eau ou denrées alimentaires souillées, principalement sous climats chauds, rapports sexuels. Présence d'amibes révélée par un examen parasitologique des selles pratiqué dans les laboratoires spécialisés. *Traitement :* simple et efficace mais recontaminations fréquentes si partenaires non traités. **Oxyures :** vers intestinaux de 7 à 10 mm très fins ; démangeaisons anales ; contamination par ingestion de larves au cours des rapports sexuels ou simplement intimes (parasitose fréquente chez les enfants).

Phtiriase inguinale *(morpions) : traitement :* poudre antiparasitaire pendant au moins 8 j ou spray antiparasitaire (efficace en 1/2 h), désinfection des vêtements et de la literie.

S.I.D.A.

• Origine. Peut-être d'origine africaine (où il se développe à la fin des années 50 puis passe à Haïti et de là aux U.S.A.). Aux U.S.A., un décès de 1969 a été attribué au S.I.D.A., 3 décès dès 1976 en Norvège (1 marin, sa femme et sa fille). Mais l'épidémie n'a été révélée qu'en juin 1981 (5 cas recensés à New York le 5-6) mais a posteriori. Au 25-2-82, 251 Américains avaient été touchés, 99 étaient morts ; Gaetan Dugas, steward (homosexuel), auquel on a attribué 2 500 partenaires et qui aurait répandu la maladie, mourra le 30-3-84. Le 1er mort célèbre fut l'acteur homosexuel Rock Hudson (en oct. 1985).

• Cause. **Virus.** *Baptisé* L.A.V. *(Lymphadenopathy Associated Virus),* puis H.T.L.V.3 et enfin H.I.V. [*Human Immunodeficiency Virus* ; (en français V.I.H. « virus de l'immunodéficience humaine »)].

☞ En 1983, une campagne de désinformation a été lancée : le virus aurait été intentionnellement synthétisé à Ford Derrick (Maryland, U.S.A.) pour anéantir la race noire en Afr. du S. Mais au Zaïre, un accident se serait produit et le système contaminant réservé aux Noirs se serait trouvé modifié. Cette thèse, soutenue par des journaux soviétiques, et par un professeur allemand de l'Est, a été contredite par le Pt de l'Académie soviétique de médecine au nom des scientifiques russes.

• Modes de contamination. Coït vaginal, rectal, buccal (parfois), mais le baiser n'est pas contagieux ; injection de drogues avec seringue contaminée, de sang ou dérivés sanguins contaminés ; les mères atteintes contaminent leur enfant au cours de la grossesse ou de l'accouchement dans 50 % des cas ; rapport sexuel non protégé (préservatif) avec des sujets à risques : hommes et femmes, homosexuels ou non, à partenaires multiples ; toxicomanes ou anciens toxic. Mais, en fait, actuellement, tout individu peut être contagieux même s'il n'appartient pas (ou plus) à un groupe à risque. Le virus peut être présent dans les larmes, la salive, la sueur, l'urine, les selles, mais seuls, le sang et le sperme en contiennent un taux de concentration suffisamment élevé pour être dangereux. Le S.I.D.A. n'est pas contagieux dans les rapports professionnels ou sociaux.

L'usage des préservatifs est recommandé mais ils ne sont pas totalement à l'abri de défauts (sur 41 marques testées, 23 n'étaient pas fiables d'après « 50 Millions de consommateurs »).

• Incubation. 3 semaines à quelques années ; du jour de la contamination au jour d'apparition des premiers symptômes, ces sujets dits « porteurs asymptomatiques » sont considérés comme déjà contagieux et pourtant ils sont apparemment sains et nullement reconnaissables au cours d'une rencontre. La grande majorité d'entre eux a une sérologie V.I.H. positive.

• Symptômes. Amaigrissement inexpliqué de + de 5 kg en – de 2 mois, fièvre inexpliquée sup. à 38° durant + de 1 mois, diarrhée inexpliquée durant + de 3 mois avec altération de l'état général, apparition de ganglions assez volumineux (cou, aisselles). Infections fréquentes au cours du S.I.D.A. : pneumonie à *Pneumocystis carini,* maladie de Kaposi.

Dépistage. Des porteurs de virus par prise de sang : sérologie V.I.H. ; Intérêt : indique la contamination et une forte probabilité de contagiosité du sujet positif mais ne dépiste pas 100 % des porteurs et n'a aucune valeur de pronostic.

• Traitement (à l'essai). Alpha-Interféron (1983), Suramine (1984), HPA 23 (1985), AZT (azidothymidine) (1986). Commercialisée sous le nom de Retrovir.

• Statistiques. France. *Cas déclarés cumulés depuis 1978. 1990 (31-12) :* 14 762 (en réalité 16 200 à 17 700) dont 18 % de femmes. *Décès (prév.) 1989 :* 4 000. *90 :* 8 000. *91 :* 16 000. *Séropositifs :* 150 000 à 500 000 selon des estimations dont 30 % pourraient développer la maladie dans les 4 à 6 ans. Sur 3 à 5 000 *hémophiles* en France, env. 1 500 seraient séropositifs (50 seraient déjà morts : sang contaminé). 600 à 800 enfants infectés par leur mère naissent séropositifs chaque année, 1/3 vont être atteints par la maladie.

Répartition (en %, de 1978 au 31-3-90). Homosexuels 5 069, toxicomanes 1 804, homo-bisexuels toxicomanes 203, hémophiles 148, transfusés 625, hétérosexuels 1 024, enfants 255, indéterminés 590.

Monde. **Cas notifiés à l'O.M.S.** *Avant 1979 :* 9, *1979 :* 14, *80 :* 85, *81 :* 382, *82 :* 1 522, *83 :* 4 999, *84 :* 12 062, *85 :* 26 090, *86 :* 50 997, *87 :* 92 227, *88 :* 132 976 (dont U.S.A. 84 693). *89 (1-10) :* nombre de pays notifiant, entre parenthèses cas notifiés et en italique cas estimés. Afrique 48 (31 152) *280 000.* Amériques 43 (123 343) *200 000.* Asie 25 (435) *1 000.* Europe 29 (25 589) *33 000.* Océanie 7 (1 584) *2 000.* Total 152 (182 463) *516 000. 90 (1-9) :* 157 (283 010 dont 95 % d'adultes de 20 à 49 ans). *800 000* (adultes). *Cas par million d'habitants :* U.S.A. 200, France 45, Suisse 40,9, Danemark 34,5. **Séropositifs (en millions).** *1990 :* 8 à 10 (dont Afrique noire 5, Asie 0,5) dont femmes 3. *V. 2000 :* 25 à 30. *De 1990 à 2000 :* 10 millions d'enfants auront été infectés et mourront avant leur majorité.

Selon le Bureau américain de statistiques : d'ici 2015, + de 70 millions de personnes seront atteintes en Afrique noire.

Décès. U.S.A. *De 1981 à fin 1990 :* 100 000 personnes. *1991-93 :* 165 000 à 215 000.

Coût U.S.A. *Total :* soins médicaux (prév. pour 1991) : 8,5 milliards de $; *par individu :* 50 000 à 75 000 $. **France.** *Coût moyen annuel d'un patient atteint du S.I.D.A. :* 130 000 à 150 000 F.

☞ *1988,* William Masters et Virginia Johnson estimaient que 3 000 000 d'Américains étaient déjà contaminés. A New York, 30 % des décès sont dus au S.I.D.A., 1 homme de moins de 50 ans sur 3 est contaminé. 35 à 40 % des enfants nés de mères séropositives ou atteintes du S.I.D.A. sont contaminés et condamnés. + de 1 000 000 de personnes mourraient du S.I.D.A. dans le monde en 1991, dont 300 000 Américains. *En 2000,* il y aura 25 à 30 millions de malades sur terre (15 millions de séropositifs et 200 000 malades en U.R.S.S.). Certains estiment que d'ici là, 80 à 150 millions d'Africains pourraient mourir du S.I.D.A.

• Information du public. *Ligue nationale française contre le péril vénérien, Institut A.-Fournier,* 25, bd Saint-Jacques 75014. *Association pour la diffusion de l'information sur les maladies sexuellement transmissibles (A.D.I.M.S.T.),* 59, rue Saint-André-des-Arts, 75006. *Association AIDES,* B.P. 759, 75123 Paris Cedex ; B.P. 3, 13351 Marseille Cedex 05. *Association Vaincre le Sida,* B.P. 434, 75233 Paris Cedex 05. *Association de lutte contre le S.I.D.A.,* 152, cours Gambetta, 69007 Lyon. *S.O.S. M.S.T. S.I.D.A.,* B.P. 2210, 92604 Asnières Cedex.

• Consultations et soins. **Paris.** *Centre clinique et biologique des M.S.T. de l'hôpital Saint-Louis,* 42, rue Bichat 75010. *Institut Alfred-Fournier,* 25, bd Saint-Jacques 75014. *Hôpital Tarnier,* 89, rue d'Assas 75006. *Croix-Rouge française,* 43, rue de Valois 75001. *Institut Arthur-Vernes,* 40, rue d'Assas 75006. *Cité universitaire,* 42, bd Jourdan 75014. *Ligue de préservation sociale,* 29, rue Falguière 75015. *Centre de dépistage anonyme et gratuit du SIDA : Centre médico-social,* 218, rue de Belleville, 75020 ; 3/5, rue de Ridder, 75014. **Marseille.** *Dispensaire antivénérien central,* 39, rue Francis-de-Pressensé. **Lyon.** *Centre d'hygiène sociale,* 4, avenue Rockefeller.

L'apparition du **S.I.D.A. (syndrome d'immunodéficience acquise)** à la fin des années 70 redonne à la prévention de ces maladies une place prépondérante : utilisation systématique d'un préservatif dans les relations sexuelles occasionnelles ou recours à des relations sexuelles non contaminantes (absence de toute pénétration = safe-sex).

Causes de la recrudescence des M.S.T. : mouvement de masse à travers le monde (tourisme, travail), liberté des mœurs (rapports sexuels libres occasionnels). Les femmes ignorent presque toujours qu'elles sont malades et contagieuses. Les hommes l'ignorent dans 2 à 20 % des cas selon la maladie et leurs pratiques sexuelles. Il y a beaucoup de porteurs asymptomatiques (sujets apparemment sains) parmi ceux ou celles atteints de M.S.T.

Déclarations (anonymes) : en France elles sont obligatoires pour : la syphilis, la blennorragie à gonocoque, le chancre mou, l'hépatite virale et le S.I.D.A.

Glandes endocrines et hormones

Glandes endocrines (ou gl. à sécrétion interne). Elles sécrètent des *hormones,* qui sont entraînées dans le sang et qui vont exercer, à distance, des actions spécifiques.

Glandes exocrines. Leurs produits se déversent à l'extérieur ou dans un conduit intérieur : voies respiratoires, tube digestif, etc. (voir Peau, Glandes digestives).

Principales glandes endocrines

• **Épiphyse** (ou gl. pinéale). Attachée au toit du 3e ventricule cérébral. Très petite (0,16 g au maximum). Descartes y avait situé le siège de l'âme. **Hormone :** la *métatonine* qui intervient sur le système pigmentaire des batraciens et exerce sur l'appareil génital une action inverse de celle de l'hypophyse.

• **Hypophyse.** Ovoïde, longue de 1 à 1,5 cm. Reliée à la base du cerveau par un pédoncule, elle repose dans une dépression de la base du crâne, la *selle turcique.* Elle est sous la dépendance des centres nerveux sus-jacents *(hypothalamus),* et comprend 2 parties, antérieure et postérieure, fonctionnellement distinctes.

Hormones anté-hypophysaires. *H. somatotrope :* assure la croissance du corps, *H. thyréotrope :* stimule la thyroïde. *H. gonadotropes :* l'une, *folliculo-stimulante,* provoque la croissance et la maturation des follicules ovariens chez la femme, la fabrication des spermatozoïdes chez l'homme ; l'autre, *lutéo-stimulante,* provoque chez la femme la ponte ovulaire et le développement du corps jaune, stimule chez l'homme le tissu interstitiel du testicule, *H. corticotrope :* stimule la corticosurrénale. *Prolactine :* stimule la glande mammaire.

Hormones post-hypophysaires (nées dans l'hypothalamus et collectées par la post-hypophyse). *Vasopressine :* augmente la pression artérielle et s'oppose à la fuite de l'eau par les reins. *Ocytocine :* fait contracter l'utérus gravide à terme.

• **Thyroïde.** Située à la base du cou, en forme de H. Poids : 30 g. Haut. : 5 cm. Largeur : 4 cm. **Hormones :** *Thyroxine* et *tri-iodothyronine :* activent les oxydations cellulaires et élèvent le métabolisme basal, intervenant ainsi dans toutes les fonctions organiques, et plus spécialement sur la croissance et le développement intellectuel. *Thyrocalcitonine :* action hypocalcémiante, opposée à celle de la parathormone.

• **Thymus.** Situé dans le thorax, au-dessus du cœur. Atteint 40 g avant la puberté, s'atrophie ensuite. Assure la production d'anticorps *(fonction immunologique),* par l'intermédiaire des lymphocytes et des organes lymphoïdes.

• **Parathyroïdes.** 4 petites glandes de la taille d'une lentille, disposées à la face postérieure de la thyroïde. Produisent la *parathormone,* qui règle les taux de calcium et de phosphore dans le sang par son action sur le tissu osseux.

• **Surrénales.** Situées au pôle supérieur de chaque rein. Pyramidales, long. 5 cm. Formées de 2 parties embryologiquement distinctes : CORTICOSURRÉNALE. **Hormones :** *corticostérone* et *cortisol :* actions sur les divers métabolismes, glucides, lipides, protides. *Aldostérone :* contrôle les électrolytes. MÉDULLOSURRÉNALE. **Hormones :** *adrénaline* et *noradrénaline :* provoquent vasoconstriction et hypertension artérielle, hyperglycémie.

• **Ovaires** (glandes sexuelles féminines). **Hormones :** *folliculine* (œstrone, œstradiol) : provoque la maturation de l'ovule dans l'ovaire. *Progestérone :* fait descendre l'ovule mûr et maintient la grossesse après la fécondation.

• **Testicules** (glandes sexuelles masculines). **Hormones :** *testostérone :* contrôle et stimule les caractères sexuels du mâle et la spermatogenèse (formation des spermatozoïdes).

• **Pancréas endocrinien** (constitué par les îlots de Langerhans, situés entre les acini du pancréas exocrine). **2 hormones :** l'*insuline* qui abaisse le sucre sanguin et favorise l'assimilation des graisses ; le *glucagon,* qui élève la glycémie aux dépens du glycogène et favorise la néo-glycogenèse.

Maladies endocriniennes

Anté-hypophyse. *Insuffisance : nanisme* et *infantilisme* chez les sujets jeunes. *Cachexie hypophysaire* avec déficit pluriglandulaire chez l'adulte (syndrome de Simmonds) ; principalement chez la femme par nécrose hypophysaire du post-partum (maladie de Sheehan). *Syndromes d'hyperfonctionnement* (le plus souvent liés à la formation d'adénomes). *Acromégalie :* déformations hypertrophiques des os, par excès d'hormone somatotrope. *Gigantisme* en cas de développement prépubertaire. *Maladie de Cushing,* par excès d'hormone corticotrope, hypertrophiant les surrénales. *Adénomes à prolactine :* galactorrhée, déficit sexuel.

Post-hypophyse. *Insuffisance : diabète insipide* (fuite de l'eau par les reins, entraînant polyurie, soif, polydipsie et déshydratation).

Épiphyse. Tumeurs intracrâniennes avec possibilité de troubles du développement sexuel (puberté précoce).

Thyroïde. *Insuffisance : myxœdème,* simple chez l'adulte ; avec nanisme et idiotie chez l'enfant. *Hyperfonctionnement,* soit pur *(adénome toxique),* soit hyperfonctionnement associé à une exophtalmie *(maladie de Basedow.)*

Parathyroïdes. *Insuffisance :* tétanie (crises de contracture musculaire) avec chute du calcium sanguin. *Hyperfonctionnement. Hyperparathyroïdisme :* avec hypercalcémie, déminéralisation et déformations pseudo-kystiques des os. Lithiase rénale.

Corticosurrénale. *Insuffisance* globale. **Maladie d'Addison :** pigmentation, asthénie, hypotension artérielle. *Syndromes d'hyperfonctionnement :* **S. de Cushing,** par hyperplasie ou tumeur : troubles métaboliques multiples, hypertension artérielle, diabète sucré, troubles génitaux. **S. de Conn** (hypersécrétion d'aldostérone) : hypertension artérielle, hypokaliémie et ses conséquences. **S. adrénogénitaux :** *états intersexuels* (pseudo-hermaphrodisme féminin ; syndromes tardifs, virilisants chez la femme, féminisants chez l'homme).

Médullosurrénale. Tumeurs *(phéochromocytomes) :* hypertension artérielle paroxystique ou permanente. Troubles de la glycorégulation.

Ovaires. *Insuffisance globale.* Précoce (avant la puberté) : *infantilisme sexuel.* Après la puberté : *aménorrhée. Défaut électif de progestérone :* irrégularités menstruelles, hémorragies utérines.

Testicules. *Insuffisance :* avant la puberté : *eunuchoïdisme.* Après la puberté : régression des caractères sexuels secondaires et de la spermatogenèse (production du sperme).

Pancréas endocrinien. *Insuffisance : diabète sucré. Hyperinsulinisme :* accidents hypoglycémiques (surtout nerveux).

Sens

Goût

Définition. Faculté de reconnaître une saveur. On appelle substances *sapides* ou fondamentales les substances chimiques qui au contact de la muqueuse de la langue provoquent des sensations gustatives. Elles sont de 4 sortes : sucré, salé, amer, acide. Il faut au moins 0,5 % de sucre dans une solution pour qu'elle donne l'impression du *sucré ; salé* 0,25 % de sel ; *acide* 1 pour 130 000 d'acide ; *amer* 1 pour 2 000 000.

La face supérieure de la langue est recouverte de petits reliefs ou *papilles* (3 000 ou 4 000, le porc 6 000 à 8 000) de différentes formes (4 ou 5) auxquelles correspondent des formes de sensibilité gustative (la pointe est sensible aux saveurs sucrées et salées, les côtés aux saveurs acides et l'arrière à l'amertume). De ces papilles ou récepteurs partent des fibres nerveuses qui se groupent en *nerfs gustatifs (nerfs lingual* et *glosso-pharyngien)* et qui transportent l'influx nerveux à la zone cérébrale qui va l'intégrer.

Agueusie. Perte du goût.

Gustométrie. Étude du goût en partant des 4 saveurs élémentaires ou en pratiquant la gustométrie électrique utile pour diagnostiquer certaines paralysies, en particulier dans le diagnostic topographique (siège) d'une paralysie faciale.

Odorat

Définition. Faculté sensorielle permettant la reconnaissance et la discrimination des odeurs.

Organe récepteur. *Tache olfactive* (haut de la muqueuse des fosses nasales) formée de cellules sensorielles qui enregistrent et transforment en influx nerveux les caractéristiques physiques de l'odeur. Des *filets nerveux* partant de ces cellules pénètrent dans le crâne en traversant la *lame criblée* (plafond osseux fragile des fosses nasales, dont la fracture peut entraîner la rupture des filets nerveux et, par-là, la perte de l'odorat). Ils se réunissent au-dessus de celle-ci en *2 bulbes olfactifs* auxquels font suite *2 bandelettes olfactives* qui aboutissent à une formation du cortex cérébral, *l'hippocampe,* où l'influx est transformé en une notion consciente permettant de reconnaître l'odeur.

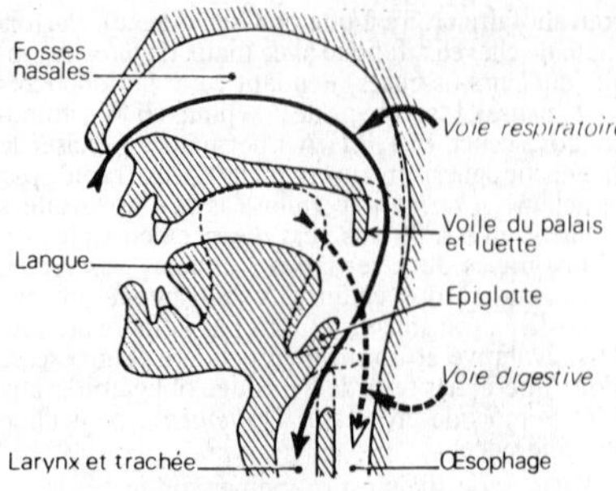

Voies respiratoire et digestive

Le chien décèle une odeur acétique avec 200 000 molécules par m³ d'air ; l'homme avec 500 millions.

• **Olfactométrie.** Étude de la fonction olfactive ; difficile et parfois imprécise.

Odeurs. *Classification de H. Zwaardemaker* (XIXe s.) : 9 groupes d'odeurs qui semblent ne pas s'influencer réciproquement : *odeur éthérée* (fruits), *aromatique* (camphre, amandes), *fragrante* (fleurs), *ambrosiaque* (musc), *alliacée* (ail, soufre, chlore), *empyreumatique* (odeurs de brûlé), *caprylique* (fromage, graisse, sueur), *répulsive* (punaise, belladone), *nauséeuse* (chair ou végétaux putrides, matières fécales).

Maladies

Anosmie. Perte de l'odorat. *2 types.* **De transmission** par obstruction mécanique des fosses nasales empêchant le contact des odeurs avec la tache olfactive. Due le plus souvent à un coryza, inflammation aiguë de la muqueuse des fosses nasales et des sinus, liée à un processus soit viral (grippe), soit allergique (rhume des foins). **De perception** par atteinte des filets nerveux ou des centres cérébraux de reconnaissance de l'odorat. Dans le 1er cas, elle est en rapport avec un traumatisme crânien atteignant la lame criblée par rupture des filets olfactifs (un traumatisme occipital entraînant un ballottement de la masse cérébrale peut provoquer une élongation avec rupture de ces mêmes filets) ou avec une infection virale par processus méningé. Dans le 2e cas, il s'agit de processus tumoral, vasculaire ou dégénératif atteignant le bulbe olfactif ou les centres. *Traitement :* rétablissement de la perméabilité nasale dans les atteintes transmissionnelles (corticothérapie et gestes locaux) ; inutile dans les atteintes perceptives.

Coryza (rhinite, rhume de cerveau). Inflammation aiguë de la muqueuse des fosses nasales et des sinus. Liée à un processus soit viral (**grippe,** 140 rhino-virus différents), soit allergique [**rhume des foins** concerne 5 à 15 % des Français. Principaux pollens responsables : arbres, de janvier à août (noisetier, aulne, cyprès, orme, peuplier, saule, frêne, charme, bouleau, platane, mûrier, chêne, olivier, troène, tilleul, châtaignier) ; plantes herbacées, d'avril à fin septembre (oseilles, dactyles, plantains, orties, solidages, pissenlits, armoises, chénopodes, ambroisies). Si 2 parents sont allergiques, le risque pour leur descendant de l'être aussi est de 40 à 60 %, si l'un des 2 parents seulement est affecté, risque de 25 à 40 %, si aucun n'est atteint, risque de 3 à 15 %].

Hémorragies nasales. Réalisent les *épistaxis* en rapport avec une rupture de la muqueuse nasale très vascularisée, au niveau de la cloison nasale. Origine traumatique (choc, grattage, mouchage violent), ou spontanée. *La favorisent :* congestion locale, hypertension, affections sanguines. *Traitement :* cautérisations chimiques des points hémorragiques, méchage des fosses nasales, antihémorragique par voie générale. Ligature de l'artère sphéno-palatine dans les cas graves. Décès exceptionnels.

Parosmie. Perversion de l'odorat : perception d'une odeur généralement nauséabonde n'existant pas réellement ou correspondant à une perception de qualité différente pour un sujet normal.

Sinusite. Infection d'un sinus, aiguë ou chronique. Conséquence de la propagation d'une infection des fosses nasales, parfois d'une infection dentaire (sinus maxillaire). Favorisée par l'existence d'une allergie nasale (naso-sinusienne). *Traitement :* pulvérisations, inhalations, associées à une thérapeutique antiallergique et antibiotique, ou chirurgie dans les sinusites chroniques isolées tenaces ou d'origine dentaire.

Ouïe

Appareil auditif

Organe de l'audition et de l'équilibration, il comprend 3 parties :

1° **L'oreille externe.** Pavillon de l'oreille et conduit auditif externe dont le fond est fermé par la membrane du **tympan.**

2° **L'oreille moyenne.** Petite cavité aplatie de l'os temporal ; elle communique avec l'arrière-fosse nasale par la **trompe d'Eustache** et avec l'oreille interne par 2 orifices, la *fenêtre ovale* obturée par un osselet, l'**étrier,** et la *fenêtre ronde* obturée par une membrane. Elle renferme *3 osselets* (marteau, enclume, étrier) articulés entre eux et reliant la fenêtre ovale au *tympan* qui la sépare de l'extérieur.

3° **L'oreille interne ou labyrinthe.** Correspond à une cavité osseuse où se moule un sac membraneux, le labyrinthe membraneux. Celui-ci, séparé de l'os par un liquide (la *périlymphe*), comprend : la **cochlée** contenant l'**organe de Corti,** élément sensoriel recueillant les messages auditifs, et le **vestibule** formé des *canaux semi-circulaires,* organe de l'équilibre, dont l'atteinte se manifeste par des vertiges. A l'intérieur du sac membraneux, les différents organes sensoriels baignent dans un 2e liquide : l'*endolymphe.*

Les oreilles externe et moyenne forment l'appareil de transmission qui amène l'onde sonore au labyrinthe. L'oreille interne forme l'app. de perception et transforme l'onde sonore mécanique en une énergie nerveuse (électrique). Cette énergie nerveuse est transmise par le *nerf auditif cochléaire* aux centres nerveux bulbaires, puis à l'écorce cérébrale temporale qui la transforme en perception consciente.

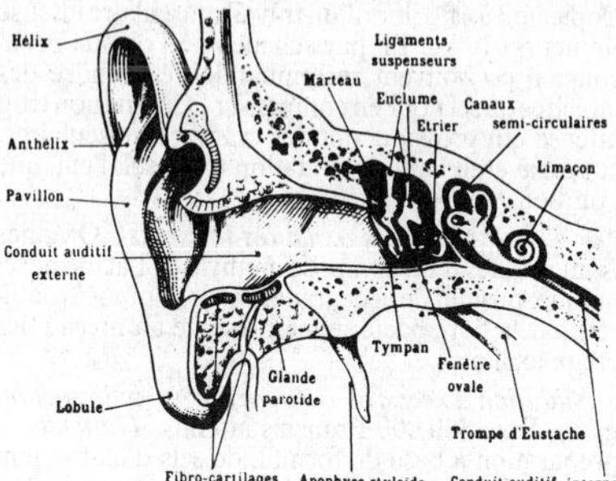

Ensemble de l'appareil auditif

Perception du son

Hauteur. L'oreille perçoit les sons dont la hauteur (fréquence vibratoire) est comprise entre 16 et 18 000 cycles (vibrations doubles) par seconde. Les infrasons (au-dessous de 16 vibrations), les ultrasons (au-dessus de 20 000) sont inaudibles par l'homme (les enfants souffrant d'asthme pourraient percevoir des sons de 30 000 Hz).

En termes musicaux, l'oreille perçoit *10 octaves* (intervalle qui sépare une fréquence de la fréquence 2 fois plus élevée ou plus basse). L'oreille est plus sensible aux fréquences de 1 000 à 4 000 cycles par s. A partir de 40 ans, l'audition, dans les fréquences aiguës, diminue.

Intensité. Si l'oreille ressent une augmentation d'intensité quand l'amplitude de la variation de pression passe de 1 à 2 microbars, elle ressentira la même augmentation quand l'amplitude passera de 2 à 4 microbars, puis de 4 à 8, etc. C'est la *loi de Fechner :* la sensation est proportionnelle au logarithme de l'excitation. Aussi repère-t-on l'intensité d'une onde sonore par le logarithme de l'énergie transportée par cette onde, énergie qui, pour une fréquence donnée, est proportionnelle au carré de la variation de pression. L'unité ainsi définie est le *bel* (dû à A. Graham Bell), mais on utilise un sous-multiple, le *décibel* (en gros : la plus petite variation d'intensité sonore perceptible par l'oreille humaine). Le niveau *zéro décibel* correspond à une amplitude de variation de pression égale, par convention, à 2/10 000 de microbars. Toute augmentation de 20 décibels de l'intensité sonore correspond à une multiplication par 10 de l'amplitude de l'onde.

L'audiogramme tonal mesure l'intensité suffisante à laquelle différentes fréquences (habituellement 125 à 8 000 hertz) doivent être émises pour être perçues par un individu. L'unité de mesure est le *décibel.* L'*audiomètre* permet cette mesure ; il est étalonné de façon que chaque fréquence soit perçue par un individu normal au niveau 0 décibel. Il s'agit donc du *seuil d'audibilité* qui augmentera de façon plus ou moins importante suivant les cas. L'intensité nécessaire pour l'obtenir traduira en décibels la perte auditive tonale.

L'audiogramme vocal permet d'apprécier la capacité d'un individu à comprendre la parole. Il consiste à faire répéter des mots phonétiquement et statistiquement équilibrés et à reporter sur un diagramme le % de mots compris en fonction de l'intensité : on trace ainsi une courbe d'intelligibilité.

Parmi le champ auditif humain, les fréquences de 500 à 2 000 hertz représentent la *zone conversationnelle,* les fréquences de 2 000 à 8 000 hertz permettront l'intelligibilité du message sonore.

Autres tests n'utilisant pas l'interprétation du sujet examiné : le *tympanogramme,* pour apprécier la perméabilité de la trompe d'Eustache et partant de l'oreille moyenne ; le *réflexe stapédien,* pour apprécier la mobilité du système tympan-osselets, en particulier de l'étrier et la valeur de l'oreille interne ; étude des *potentiels évoqués du tronc cérébral,* recueillent les influx nerveux consécutifs à l'émission de sons, au niveau de la partie basse du cerveau.

Seuils de tolérance. L'exposition au bruit entraîne une diminution de la perception dépendant de l'intensité du bruit, de la durée d'exposition dans le temps, de la résistance individuelle et de la qualité du bruit. L'excès de bruit agit au niveau de l'oreille interne provoquant un déficit temporaire ou définitif de la sensibilité auditive qui peut être évalué en décibels, en testant l'élévation du seuil de l'audition pour les différentes fréquences. La surdité commence pour les sons voisins de 4 000 Hz. La perte est d'abord faible, 20 à 30 dB(A), et l'on ne s'en rend pas compte car elle ne concerne pas la zone conversationnelle. Cependant 4 000 Hz jouent un rôle important dans la sélectivité du message. Si l'action du bruit se prolonge plusieurs années, la surdité s'étend vers les sons plus aigus et, plus lentement, vers les sons plus graves, atteignant alors les fréquences nécessaires à la conversation. Une exposition courte mais très violente dans une discothèque de musique disco à 110 dB(A) peut faire perdre définitivement une partie ou la totalité de l'audition. On peut ainsi passer sur le plan auditif de l'âge de 25 à 65 ans.

Quelques niveaux de pression en décibels

140 Réacteur au banc d'essai. *Seuil de la douleur.*
130 Avion au décollage à 25 m, marteau pneumatique, moto à échappement libre.
120 Tonnerre, plastic.
110 Avion à quelques m, orchestre disco (pointes de 120 à 130 dB), train passant dans une gare.
100 Atelier de chaudronnerie, rivetage, circulation routière intense, intérieur d'un autobus, marteau piqueur dans une rue à – de 5 m.
90 Rugissement d'un lion à quelques m, métro, scooter, gros camion, mixer à 50 cm.
80 Rue très active, Klaxon à 4 m, bureau avec machines comptables, Mobylette (pointe à 100).
75 Usine moyenne, métro sur pneus.
70 Train (pour le passager), orchestre classique (la 9e de Beethoven peut atteindre 105 dB), téléviseur à son maximum, wagons-lits modernes.
65 Appartements bruyants, automobile sur route.
60 Conversation courante, radio en fonctionnement normal, bureau, musique de chambre, bateau à moteur.
50 Auto peu bruyante.
45 Transatlantique de 1re classe.
40 Rue calme, tic-tac de montre, conversation à voix basse, campagne tranquille.
35 Bateau à voile.
30 Habitation tranquille.
20 Chuchotement (distance de 1,20 m).
15 Bruissement de feuilles dans la brise.
10 Studio d'enregistrement.
0 Seuil absolu d'audibilité.

Surdités

• **1° De transmission.** Liées à une atteinte de l'oreille moyenne dont le rôle est de transmettre le message à l'oreille interne : mauvais fonctionnement ou rupture de la chaîne des osselets ou du tympan. **Causes :** l'*otospongiose* (blocage de l'étrier dans la fenêtre ovale par de l'os néo-formé) ; *blocage de la trompe d'Eustache* (canal faisant communiquer les fosses nasales et l'oreille moyenne et permettant l'établissement d'une équipression de part et d'autre du tympan, indispensable à son fonctionnement normal) ; se produit en particulier lors d'un atterrissage avec descente rapide en raison des brusques variations de pression atmosphérique ; les *otites :* inflammation du conduit auditif (otite externe), de la caisse du tympan (otite moyenne). *Causes :* le plus souvent eczéma ou furoncle en cas d'otite externe, abcès à l'intérieur de la caisse du tympan généralement consécutif à une infection rhinopharyngée dans les atteintes de l'oreille moyenne. Cette otite peut se compliquer d'une infection mastoïdienne (mastoïdite) ; la répétition des otites moy. aiguës peut aboutir à une otite moy. chronique avec perforation permanente du tympan et suppuration intermittente. Les complications de l'otite chronique : paralysie faciale, méningite, abcès endocrânien, moins fréquentes dep. l'apparition des antibiotiques. **Traitement :** *chirurgical ou médical.* Intervention sur la chaîne osseuse (remplacement des osselets manquants ou déficients par des prothèses), tympanoplastie (reconstitution d'un tympan à partir d'une greffe), homogreffe tympano-ossiculaire (remplacement du « bloc » tympan-osselets par un organe fonctionnel prélevé sur un cadavre). *Otites externes :* traitement local par solution antibiotique et quelquefois général ; *moyennes :* le plus souvent antibiotiques et quelques fois paracentèse (incision du tympan), évidemment pétro-mastoïdien total ou partiel en cas d'otite chronique ; *séreuses* (fréquentes chez l'enfant), ablation des végétations, pose d'un drain à travers le tympan pour évacuer la sérosité.

• **2° De perception.** D'origines héréditaires ou acquises, s'accompagnant souvent d'*acouphènes* qui sont des bruits anormaux (sifflements, ronflements, jet de vapeur) dus à une irritation des cellules cochléaires ou du nerf auditif et de traitement décevant. Sont liées à une lésion de l'oreille interne, en particulier de l'organe de Corti, chargé de la réception et du codage du message auditif, aussi du nerf auditif. **Traitement :** soins possibles pour les surdités brusques d'origine vasculaire lorsqu'elles sont soignées d'urgence ; *prothèses :* essentiellement amplificateurs de vibrations sonores (10 à 15 % des malentendants en France en utilisent, soit 60 000 prothèses par an ; en G.-B. 30 %, Danemark 60 % ; *prix :* contour d'oreille 4 000 à 8 000 F, intra-auriculaire 3 500 à 9 000).

Différents degrés de surdité. 0-20 dB : audition normale ; 20-40 dB : surdité légère ; 40-60 dB : demi-surdité ; 70-90 dB : s. sévère ; + de 90 dB : s. profonde.

Quelques sourds célèbres

Archéologue. Heinrich Schliemann (1822-90) all. **Chef d'orchestre.** Wilhem Fürtwaengler (1886-1954) all. **Cinéaste.** François Truffaut (1932-84). **Compositeurs.** Ludwig Van Beethoven (1770-1827) all. ; Gabriel Fauré (1845-1924) fr. ; Bedrich Smetana (1824-84) tchéc. **Écrivains.** Joachim du Bellay (1522-60) fr., poète ; Henri Bergson (1859-1941), fr., philosophe ; Philip Stanhope, Cte de Chesterfield (1874-1965) angl. ; Knut Hamsun (1859-1952) norv. ; Ernest Miller Hemingway (1899-1961) amér. ; Jacques de Lacretelle (1888-1984) fr. ; Antoine de Lévis-Mirepoix (duc, 1884-1981) fr. ; Somerset Maugham (1874-1965) angl. ; Pierre de Ronsard (1524-85) fr., poète ; Jean-Jacques Rousseau (1712-78) sui. ; Jonathan Swift (1667-1745) irl. **Hommes politiques.** Leonid Brejnev (1906-83) sov. ; Winston Churchill (1874-1965) angl. ; Georges Clemenceau (1841-1929) fr. ; Édouard Herriot (1872-1957) fr. ; Charles Maurras (1868-1952) fr. ; Ronald Reagan (1911) amér. **Ingénieurs.** Marcel Dassault (1892-1986) ; Thomas Edison (1847-1931) amér. **Médecin.** Robert Debré (1882-1978) fr. **Militaires.** Arthur Wellesley, duc de Wellington (1769-1852) angl. **Peintre.** Francisco Goya (1746-1829) esp. **Prédicateur.** Louis Bourdaloue (1632-1704) fr. **Rois.** Christian VII (1766-1808) dan. ; François II (1544-60) fr. **Savants.** Graham Bell (1847-1922) amér. ; Charles Nicolle (1866-1936) fr.

Causes. **Avant la naissance :** génétiques (70 % de déficiences auditives), infection syphilitique, maladies infectieuses (essentiellement la rubéole pendant les 3 premiers mois de grossesse), le facteur rhésus (incompatibilité fœto-maternelle). **Après la naissance :** *origine infectieuse ou virale :* méningites, surtout cérébro-spinales, oreillons, zona, infections auriculaires mal ou non traitées ; *toxique :* en particulier l'administration d'antibiotiques de la série aminoglucosique (streptomycine, kanamycine, gentalline, etc.). *Traumatismes crâniens. Traumatismes sonores* liés au bruit : surdités professionnelles, surdité des fervents des boîtes disco et amateurs d'appareils individuels constituant une menace très sérieuse. *Vieillissement* physiologique. Variable suivant chaque individu qui constitue la presbyacousie des sujets âgés. Il s'agit d'une hypoacousie apparaissant entre 50 et 60 ans. Liée à une dégénérescence progressive plus ou moins rapide des cellules de l'organe de Corti et des fibres acoustiques. Le vieillissement cérébral, entraînant une augmentation des temps de réaction, intervient également. Chez le nourrisson : absence de réactions aux bruits environnants (surtout voix maternelle), de « gazouillis », d'onomatopées ; à 2 ans et plus : mutisme anormal, mauvaise articulation, confusion dans les mots, gestes bruyants doivent donner l'éveil. Certaines formes de surdité de perception, du type familial, héréditaire, apparaissent après 10/15 ans.

Conséquences d'une surdité sévère, congénitale ou précoce : mutisme.

• **Acouphène.** Réaction des cellules cochléaires ou du nerf auditif à une irritation ; entraîne au niveau des oreilles des bruits anormaux (sifflements, ronflements, jet de vapeur) ; un élément psychique (variable avec chaque individu) s'y ajoute. *Causes :* difficiles à préciser (souvent détonation). *Traitement récent :* masqueurs d'acouphène (assez décevants), électro-stimulation (30 % de résultats).

Communication avec les sourds

Alphabet dactylologique. Alphabet manuel, inventé v. 1620 par un moine espagnol, Juan Pablo Bonnet, repris par l'abbé de L'Épée (1712-89). Mot créé par un écrivain sourd, Saboureux de Fontenay, vers 1750.

Langue des signes française. Possède sa grammaire et sa syntaxe propres, reconnue comme langue à part entière par les linguistes, qui lui ont consacré de nombreux ouvrages.

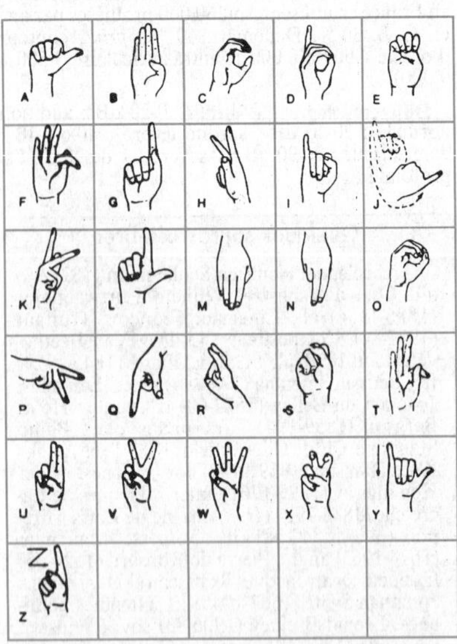

Lecture labiale qui permet de déchiffrer visuellement les messages prononcés par celui qui parle. **Appareils permettant** l'apparition de sous-titres d'émission TV. **Téléphone** par écrit Minitel.

• **Statistiques. Nombre de sourds et déficients auditifs en France (1988).** 3 800 000 dont *selon l'âge : 8-18 ans* : 450 000, *18-60* : 1 000 000, *+ de 65* : 2 400 000 ; *selon le déficit : profond* (+ 80 dB de perte) 115 000, *sévères* (70-90 dB) 340 000, *moyens* (40-50 dB) 1 250 000, *légers* (20-40 dB) 2 100 000. Il naît env. 1 enfant sourd sur 1 000. **Proportion des enfants sourds entrant dans les études** primaires : 90 %, secondaires 8 %, supérieures 0,5 %.

Beaucoup de sourds ne se marient pas : 49 % des hommes et 30 % des femmes entre 25 et 40 ans ne sont pas mariés (8,7 % chez les entendants).

• **Adresses utiles** : *Association nationale des parents d'enfants déficients auditifs* (A.N.P.E.D.A.), 37-39, rue St-Sébastien, 75011 Paris. *Fédération nationale des sourds de France,* (F.N.S.F.), 254, rue Saint-Jacques, 75005 Paris. *Centre de promotion sociale des adultes sourds,* (C.P.S.A.S.), 254, rue St-Jacques, 75005 Paris. *Union nationale pour l'insertion des sourds et déficients auditifs* (U.N.I.S.D.A.), 38, bd Raspail, 75007 Paris.

Toucher

Rôle de la peau

Enveloppe élastique, la peau protège le corps contre l'entrée de l'eau et des microbes, les frottements, les chocs, les agents chimiques. Elle régule la température (lutte contre la chaleur : sudation ; contre le froid : poils et graisse). Elle agit comme organe auxiliaire de la respiration et de l'excrétion et comme réserve de graisse. Elle produit de la vitamine D par action du soleil sur le cholestérol et absorbe des solutions alcooliques (ex. : teinture d'iode) ou graisseuses (pommade). Elle se continue au niveau des orifices naturels par les muqueuses digestive ou respiratoire.

> *Jusqu'à 30 ans,* si plus de 22 % de la peau est détruite, la mort peut s'ensuivre (à plus de 75 %, elle est inévitable). *De 45 à 49 ans,* 12 % (mort possible) et 58 % (mort inévitable). *Chez les plus âgés,* 23 %, mort probable.

Structure de la peau

• **Surface** 1,5 à 2 m² dont en % : membres inférieurs 18, supérieurs 9, tête 9, tronc face antérieure 18, postérieure 18, parties génitales 1. **Épaisseur** 0,5 à 4 mm (parfois plus pour la peau plantaire).

• **Épiderme** (du grec *epi :* sur et *derma :* peau). Épithélium stratifié de 0,1 mm d'épaisseur. **1° couche basale** qui s'applique sur les saillies ou papilles du derme et renferme des *mélanocytes,* cellules qui, sous l'effet des ultraviolets, transforment la tyrosine en mélanine [pigment noir qui protège des rayons solaires, responsable du brunissement et de la couleur des Noirs (moins de 1 g de *mélanine* suffit à colorer la peau d'un Noir)] ; **2° couche muqueuse** dite de **Malpighi** formée de cellules vivantes polyédriques ; **3° couche cornée,** formée de cellules mortes qui desquament de façon inapparente.

• **Derme.** Réseau serré de fibres conjonctives et de fibres élastiques auxquelles la peau doit sa résistance et son élasticité. Renferme des vaisseaux sanguins qui nourrissent et réchauffent la peau, et des terminaisons nerveuses sensorielles.

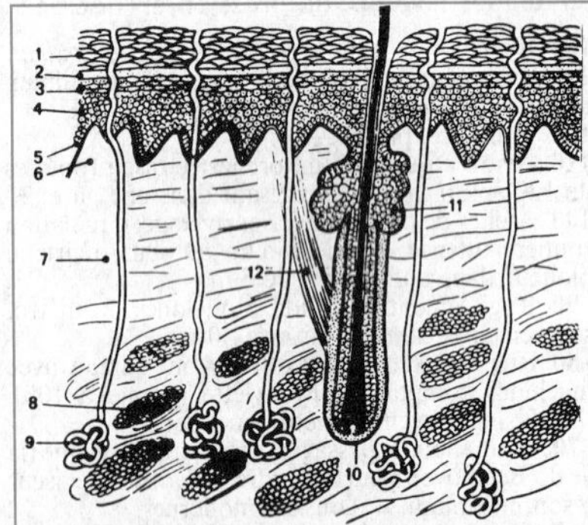

Coupe schématique de la peau. *Épiderme : 1.* Couche cornée ; *2.* Couche claire (n'existe qu'au niveau palmoplantaire) ; *3.* Couche granuleuse ; *4.* Corps de Malpighi ; *5.* Couche génératrice : couche basale. *Derme : 6.* Papilles ; *7.* Couche du tissu conjonctif ; *8.* Cellule adipeuse du tissu sous-cutané ; *9.* Glomérule sudoripare ; *10.* Poil ; *11.* Glande sébacée ; *12.* Muscle arrecteur du poil.

• **Cheveux. Nombre.** Adulte 100 000 à 150 000. *Perte par jour :* enfant 90, adulte 35 à 100, vieillard 120 (non remplacés). **Croissance.** 0,35 mm par jour (8 à 11 mm par mois) pendant 10 ans chez la femme, 3 chez l'homme, puis le cheveu meurt et tombe en 3 semaines.

• **Poils.** *Nombre :* 200 000 à 1 000 000. Poussent sur un épaississement conique de la couche de Malpighi, enfoncés obliquement dans le derme. *Croissance* 0,2 mm par jour. Le *blanchiment* **(canitie)** est dû à la destruction des pigments par des phagocytes et à la pénétration de bulles d'air microscopiques. A la base du poil s'attache un faisceau de fibres musculaires lisses, le **muscle horripilateur** ou arrecteur. Dans la gaine du poil, une glande en grappe, la **glande sébacée,** déverse un liquide gras ou **sébum** qui lubrifie l'épiderme et les poils et les empêche d'être mouillés par l'eau.

• **Glandes sudoripares.** Enfoncement en doigt de gant de la couche basale de l'épiderme dans le derme. 2 millions sur tout le corps. Longueur 2 à 4 mm (totale env. 5 km). S'ouvrent à la surface par un pore. **Gl. mérocrines :** sécrètent des liquides sans cellules ni débris cellulaires ; produisent la plus grande partie de la transpiration. **Gl. apocrines :** dans les creux axillaires, au niveau des oreilles et des organes génitaux ; commencent à fonctionner à la puberté.

• **Terminaisons nerveuses.** Extrémités des fibres nerveuses des nerfs rachidiens (tronc, membres) ou du trijumeau (visage). Des terminaisons nerveuses libres viennent les sensations douloureuses ; la sensibilité *thermique* (au chaud : corpuscules de Ruffini ; au froid : bulbes de Krause) ; *tactile superficielle* (corpuscules de Meissner, disques de Merkel) ; *profonde* (corp. de Golgi-Mazzoni, corp. de Pacini).

Nombre sur l'ensemble du corps : points de pression, env. 500 000 ; de froid, 250 000 ; de chaud, 30 000 ; de piqûre, 3 500 000. *Zones les plus sensibles :* régions palmaires (pulpes de doigts : 2 300 terminaisons nerveuses au cm²) et plantaires. Le reste du corps présente une sensibilité à peu près identique.

Temps de réaction : excitation douloureuse 0,9 s ; mécanique 0,12 s ; thermique 0,15 à 0,18 s.

Sueur

• **Composition.** Produite par les glandes sudoripares, elle ressemble à de l'urine diluée comprenant 10 g de matières dissoutes par litre (CLNa 4 g ; urée 1 g ; urates, phosphates, sulfates, acides gras volatils).

• **Rôle.** L'élimination de la sueur **(sudation)** nous permet de lutter contre une élévation de la température du corps et sert à l'élimination des déchets du sang (mais elle ne peut remplacer l'action des reins car elle n'élimine que 1 g d'urée par j). En 24 h, pour une température moyenne, un adulte au repos élimine de 0,6 à 1 kg de sueur ; pour une température tropicale 3 à 4 kg ; lors d'un travail musculaire intense (mineurs) 10 kg. En pays chauds où l'on sue beaucoup, il est souvent recommandé de prendre des tablettes de sel pour en compenser l'élimination trop intense qui provoquerait des crampes musculaires, et aggraverait la déshydratation (sans sel, l'eau que l'on boit n'est pas fixée).

☞ *Odeur des creux axillaires (aisselles).* Origines isométriques d'un composé méthyle de l'acide hexénoïque, produit de la dégradation de composés naturels par la flore bactérienne présente au niveau des creux axillaires.

Sudation excessive (hyperhydrose palmo-plantaire). Env. 300 000 Français atteints. *Traitement :* préparation à base de formol, de sels d'aluminium ou de zinc ; ionophorèse (technique ancienne), permettant le passage transcutané d'éléments ionisés, qui, sous l'action d'un courant électrique, vont produire un effet thérapeutique. Appareil coûtant 3 000 à 6 000 F.

Température de l'homme

La température du corps repose sur l'équilibre entre la chaleur qu'il reçoit et celle qu'il perd.

Chaleur reçue par le métabolisme du corps, le milieu ambiant, les contractions volontaires ou involontaires des muscles et l'absorption de nourriture.

Chaleur perdue par rayonnement, conduction et convection 72 %, évaporation 15 %, échanges pulmonaires 7 %, réchauffement de l'air inspiré à l'intérieur des poumons 3 %, expulsion de l'urine et des matières fécales 3 %.

Température normale. 37 °C (un peu plus pour les jeunes enfants et un peu moins pour les personnes âgées). *Comparaisons :* cheval 37,6 °C, jument 37,8 °C, vache (embouche) 38,3 °C, v. laitière 38,6 °C, chat 38,6 °C, chien 38,9 °C, mouton 39 °C, porc 39,1 °C, lapin 39,5 °C, chèvre 39,9 °C, poule 41,7 °C.

Maladies de la peau

Parfois isolées, les maladies de la peau peuvent aussi révéler une maladie organique, ou être dues à des facteurs liés à l'environnement.

Acné. Accumulation de sébum et de kératine dans le follicule pilo-sébacé, formant une masse arrondie, fermée *(microkyste)* ou ouverte à la surface de l'épiderme *(comédon* ou *point noir).* La rupture des parois folliculaires dans le derme (spontanée par distension excessive, après manœuvres incomplètes d'élimination) provoque une inflammation : possibilité d'infection avec formation de pustules. *Causes :* mal connues (facteur hormonal ?, génétique ?). L'hyperséborrhée et l'infection ne seraient que secondaires. *Adoles-*

cents: 80 % atteints. *Adultes :* acnés liées aux « cosmétiques » (lanoline, vaseline), fréquentes au niveau du menton ; « mécaniques », au niveau du cou (violonistes) ; « toxiques », dues aux dérivés chlorés et à certains médicaments. N'est ni contagieuse ni infectieuse. *Traitement : 1º local :* hygiène (savonnages, pulvérisation d'eau minérale), antiseptiques doux, peroxyde de benzoyle, vitamine A (acide rétinoïque), traitement hormonal local, nettoyages de peau, neige carbonique ; plus rarement ultraviolets, exceptionnellement radiothérapie. Les cicatrices peuvent justifier un *peeling* ou mieux une dermabrasion précédée par des « relèvements » ou des injections de « collagène » ; *2º général* (éventuellement) : antibiotiques, vitamines, hormones, vaccins. Isotrétinoïne par voie buccale pendant 5 à 6 mois.

Albinisme. Absence de pigmentation (peau très blanche, cheveux blancs, iris pâle, reflet rouge du fond rétinien), vue faible avec photophobie et parfois myopie, strabisme, nystagmus. Sensibilité marquée au soleil (cancers cutanés plus fréquents). Très rare, transmis par un gène récessif, plus fréquent en cas de consanguinité. Formes atténuées (plus fréquentes).

Alopécie. Chute des cheveux diffuse ou localisée. *Formes aiguës* après : une maladie infectieuse (grippe, angine, typhoïde, diphtérie, syphilis), certains traitements (antimitotiques, anticoagulants, anticholestérolémiants, antithyroïdiens, anorexigènes, rayons X), traumatisme (accident, chirurgie, choc psycho-affectif) ou par un trouble hormonal (après accouchement, à la ménopause). *Formes chroniques :* alopécie séborrhéique banale (surtout chez l'homme), a. sèche (surtout chez la femme). *Formes localisées :* pelade, teigne, lichen plan, sclérodermie, lupus érythémateux, folliculite décalvante, impétigo, trichotillomanie (tic d'épilation), alopécie du chignon, des bigoudis, etc.

Traitement : f. séborrhéiques : vitamine B, fer, soufre, bépanthène, shampooings fréquents non détergents ; *f. sèches :* lotions excitantes (à base d'alcool, acétone, soufre, huile de cade), vitamines A et B, shampooings doux et espacés ; *autres cas :* neige carbonique, traitement de la cause (sédatifs, antimicrobiens, antifongiques, suppression du toxique...), Minoxidil.

Angiome plan. « Tache de vin ». *Traitement :* essentiellement laser (argon et CO_2).

Angiome tubéreux. Tumeur vasculaire saillante rouge violine. Augmentation de volume pendant quelques mois puis régression progressive et spontanée. *Traitement :* abstention thérapeutique sous contrôle médical, ou neige carbonique ; chirurgie (après arrêt de la régression spontanée, si celle-ci est incomplète).

Anthrax. Réunion de plusieurs furoncles d'origine staphylococcique. *Traitement :* antiseptiques locaux, antibiotiques locaux et généraux, radiothérapie, chirurgie en cas d'échec de tous les traitements.

Aphtes. Ulcérations superficielles très douloureuses, dues à un virus. Habituellement dans la bouche. *Traitement :* antiseptiques buccaux, antiviraux, immunothérapie.

Calvitie. Perte définitive des cheveux dans certaines zones. Les hommes sont plus atteints que les femmes (plus de 50 % des hommes sont concernés).

Condition chez l'homme : une zone sensible aux androgènes et programmée dans ce sens, où les racines des cheveux (site récepteur de l'hormone) vieillissent plus rapidement sous l'impact de l'hormone mâle. Un homme âgé qui garde ses cheveux n'a pas moins d'hormones mâles qu'un autre. Il a des zones de cuir chevelu génétiquement insensibles à ces hormones.

Chez la femme : mêmes conditions ; les hormones mâles que toute femme possède en faible quantité sont insuffisantes pour déclencher une calvitie et sont contrecarrées par l'effet antiandrogène de ses hormones femelles. *Risques :* perte de cheveux à la ménopause en cas d'injections thérapeutiques d'hormones mâles, ou en cas d'hypersensibilité de certaines zones sensibles à l'hormone mâle (zone frontale et bi-temporale).

Traitements : locaux ; autogreffes possibles car les cheveux occipitaux restent insensibles à l'hormone mâle lorsqu'on les transplante (résistance au vieillissement prématuré). Les cheveux greffés continuent de pousser normalement.

L'analyse des cheveux peut servir au diagnostic de nombreuses maladies (diabète juvénile, désordres métaboliques, carences alimentaires, affections du pancréas, toxicomanies, empoisonnements, certaines arriérations mentales, et même schizophrénie), fixées et dosées dans les cheveux. Leur situation dans le cheveu peut permettre de dater le moment où elles se sont introduites dans l'organisme.

Canitie. Blanchissement prématuré des cheveux. Normalement les cheveux commencent à blanchir entre 35 et 40 ans, et le blanchissement s'accentue entre 55 et 60 ans (les hommes paraissent plus atteints, mais les femmes utilisent plus les teintures). Résulte d'une diminution progressive de l'activité d'une enzyme, la *tyrosinase,* du bulbe pileux. *Cause :* mal connue, programmée dans nos gènes, apparaît à des dates variables selon les sujets et les cheveux. Le Dr Shaw-Claye a observé (1884) l'apparition de mèches blanches symétriques dans les aliénations mentales, avec retour à la coloration initiale lors d'améliorations. Pary aurait observé une canitie aiguë chez un cipaye révolté que l'on avait attaché à la bouche d'un canon. Le Dr Mac-Neille-Love (1944) cite un homme de 65 ans dont les cheveux blanchirent en une nuit après un bombardement de V2.

Couperose. Distension permanente des petits vaisseaux superficiels de la peau du visage. *Traitement :* électrocoagulation.

Eczéma. Lésion cutanée passant par différents stades : érythème (rougeur) et œdème (gonflement), vésicules, suintements, croûtes, guérison. Peut s'infecter, se généraliser, se lichenifier. *Causes : allergies* professionnelles (ciment, vernis, colles...) ; aux cosmétiques, allergènes, produits ménagers (détergents, eau de Javel), textiles, cuir, métaux (chrome et nickel des bijoux fantaisie), thérapeutiques locales ou générales (foyers infectieux latents). *Constitutionnel :* eczéma atopique, pouvant précéder l'apparition d'asthme, de migraines, de rhinites allergiques... *Traitements :* suppression de la cause ou traitement du terrain ; *local :* antiseptiques, anti-inflammatoires, cicatrisants ; *général :* sédatifs, antihistaminiques, anti-inflammatoires, antibiotiques si nécessaire.

Engelure. Tache rouge inflammatoire pouvant s'ulcérer et saigner. *Cause :* froid. *Traitement :* nifédipine.

Éphélides. Taches de rousseur. Causées par une accumulation de mélanine dans les cellules épidermiques. Accentuation par les expositions solaires. Plus fréquentes chez les roux.

Épithélioma. Petit cancer de la peau développé à partir des cellules non pigmentaires de la peau, favorisé par les expositions solaires non protégées, manifesté par une petite tumeur rouge ou par une formation croûteuse persistante.

Furoncle. Infection d'un follicule pilo-sébacé due au staphylocoque doré. *Traitement :* comme pour l'anthrax.

Furonculose. Succession de furoncles.

Gale. Démangeaisons nocturnes parfois isolées (« gale des gens propres »). Sillons et vésicules perlées (espaces interdigitaux, poignets, membres, fesses, seins, organes génitaux masculins, emmanchures intérieures, et chez les nourrissons, paumes et plantes). *Cause :* due à un acarien (sarcopte *Scabei hominis*) vivant dans la couche cornée de la peau. *Contagion :* surtout directe, parfois indirecte (linges, literie). *Incubation :* 15 j env. *Traitement :* DDT en solution organique.

Herpès. Éruption vésiculeuse souvent récidivante due à un virus. *Traitement :* antiseptiques, pommades antivirales, vitamine C, gammaglobulines, vaccin antiherpétique (nouvelle souche vaccinale à l'étude). *Cas par an en France :* herpès génital env. 310 000, labial (moins grave) 8 à 18 millions.

Hypertrichose. Développement anormal de la pilosité. *2 cas célèbres actuellement dans le monde :* Ty Yun Bao et Yu Zhen Huan (1939, 1977, Chine). *Hypotrichose :* diminution de la pilosité. *Atrichie :* absence de pilosité.

Impétigo. Pustule due au streptocoque (complication : néphrite) ou au staphylocoque. Touche surtout enfants et nourrissons. *Traitement :* antiseptiques et antibiotiques locaux, antibiotiques généraux dans les formes à streptocoques.

Mélanome malin. Tumeur maligne, développée à partir des cellules pigmentaires de la peau. Le Soleil est un facteur déclenchant et aggravant. Au début, petite tache noire, sans relief et qui s'étend rapidement. Enlevée à temps, sa guérison est totale. Plus tard (quelques mois ou années) elle s'épaissit, s'ulcère, saignote. L'évolution peut être très grave. *Prévention :* repérer toute tâche noire nouvelle.

Mycoses cutanées. Infection de la peau par champignons divers : épidermophyton, trichophyton, *Candida albicans. Traitement :* Miconazole, Kétoconazole.

Nævus. Tache brune, souvent congénitale (grains de beauté), ne devant pas être irritée ni blessée par crainte de transformation maligne (cancer). En cas de traumatisme, l'ablation est impérative.

Phlegmon. Inflammation sous-cutanée du tissu cellulaire ou conjonctif se diffusant. *Traitement :* chirurgical sous antibiotiques.

Phtiriase. Dermatose parasitaire due à 3 sortes de poux, parasites exclusifs de l'homme : poux du cuir chevelu, du corps, du pubis. Se nourrissent de sang et se transmettent le plus souvent par contact direct, plus rarement par les vêtements, la literie, les peignes (la femelle vit 4 à 6 semaines, pond une dizaine d'œufs par jour qui éclosent en 8 j et donnent une nymphe qui mûrit en 8 j). Actuellement en recrudescence. *Traitement :* HCH (Aphtiria), DDT (Benzochloryl), rasage au peigne fin, rinçages à l'eau vinaigrée avant de peigner. Recommencer 15 j après pour tuer les parasites devenus adultes.

Psoriasis. Dermatose fréquente associant un érythème (rougeur) et des squames, touchant surtout les coudes, genoux, avant-bras, jambes, tronc, plus rarement cuir chevelu, ongles, plis cutanés, paumes et plantes des pieds. Complications : rhumatisme, généralisation, pustulisation. *Traitement local :* décapage des squames (réducteurs) puis traitement de l'érythème ; *général :* sédatifs, vitamine D_2, A, cuivre... Photochimiothérapie (exposition aux UVA après absorption de médicaments appelés psoralènes) : récente, permet de traiter 80 % des psoriasis. Certains malades rechutent très rapidement mais peuvent être traités à nouveau dans les mêmes conditions (en Turquie : bain dans une eau remplie de poissons attirés par les squames).

Purpura. Tache rouge par extravasation sanguine ne s'effaçant pas à la pression. Voir p. 112. *Traitement :* pour les membres inférieurs, position allongée.

Rides. Plis cutanés du visage consécutifs à l'altération des fibres élastiques, dus au vieillissement de la peau. Le soleil joue un rôle majeur. *Traitement préventif :* protection solaire par écrans, hydratation de la peau, vitamine A acide ; *curatif :* peeling, dermabrasion, injections de collagène, opération de chirurgie esthétique dite « lifting ».

S.I.D.A. Voir p. 127.

Tache brune (grain de beauté). Voir p. 141 a.

Teigne. Infection du cuir chevelu par des champignons (dermatophyte). *Traitement :* Griséofulvine, Nizoral.

Tumeurs bénignes. Prolifération d'un tissu à un endroit donné. Ex. : verrues, kystes sébacés, loupes (sur la tête) (on dit *adénomes* pour tumeurs de glandes, *fibromes* pour tumeurs des tissus fibreux).

Expositions solaires

Le soleil permet la synthèse dans la peau de la vitamine D, mais les expositions trop longues présentent 2 dangers : *à court terme,* brûlures avec parfois coups de soleil ou érythème actinique ; *à long terme* ou *répétées* de nombreuses années, un risque de vieillissement cutané précoce, avec rides et dessication de l'épiderme, nombreux plis et taches pigmentées (particulièrement visibles sur la peau du visage et du cou des sujets travaillant au grand air). Ce vieillissement dépend des radiations pénétrant le plus profondément dans la peau : les ultraviolets A (U.V.A.) et la lumière visible.

Lésions précancéreuses et cancers de la peau

Dus aux radiations absorbées : surtout les U.V.B. mais aussi les U.V.A.

Prévention : photoprotection naturelle obligeant un bronzage progressif : 1º éviter l'exposition entre 11 h et 14 h (très riche en U.V.B.), préférer le soleil du matin et de la fin de l'après-midi ; 2º être prudent en haute montagne et sous les Tropiques ; 3º la réflexion des U.V. (varie suivant la nature du sol : pour la neige 85 %, le sable 17 %, l'eau 5 %) constitue un facteur d'ensoleillement supplémentaire ; 4º s'exposer progressivement et modérément (5 mn le 1er jour), emploi de filtres ; 5º éviter l'usage au soleil de substances photosensibilisantes (origine de réactions cutanées anormales) : application de produits parfumés (eau de Cologne, bergamote, etc.), déterminant souvent des taches foncées indélébiles.

Certains médicaments peuvent entraîner des réactions anormales au soleil.

Traitement : chirurgical ; pour les verrues, on peut utiliser la cryothérapie (congélation par azote liquide).

Urticaire. Rougeurs saillantes au toucher (papules ortiées) avec démangeaisons. Se modifient en quelques heures. *Causes les plus fréquentes :* aliments, médicaments, parasites intestinaux, foyers microbiens ou mycosiques chroniques, maladie organique. *Traitement* (de la cause) : sédatifs, antihistaminiques.

Vergetures. Atrophie cutanée en lignes parallèles (rappellent les stries que donneraient des coups de verges). Persistent indéfiniment.

Vitiligo. Dyschromie de la peau caractérisée par l'apparition en plusieurs points du corps de plaques décolorées limitées par une zone où la pigmentation est au contraire plus accusée. *Cause :* inconnue, peut-être trouble des glandes endocrines. Plus fréquent chez la femme et les sujets nerveux.

Xanthome. Tumeur dermique jaunâtre constituée de grosses cellules remplies de lipides (cholestérol) dont l'intérêt réside dans l'association possible avec une maladie de surcharge lipidique. Les xanthomes peuvent être diffus ou localisés, plans ou en reliefs (tubéreux, papuleux). *Cas particulier :* xanthélasma (xanthome plan) aux paupières. *Traitement :* destruction localisée (électrocoagulation et chirurgie).

Vue

Œil

• **Description.** *Diamètre* antérieur postérieur 2,5 cm, vertical 2,3 cm ; *poids* 7 g ; *volume* 6,5 cm³. Le globe oculaire est logé dans l'*orbite.*

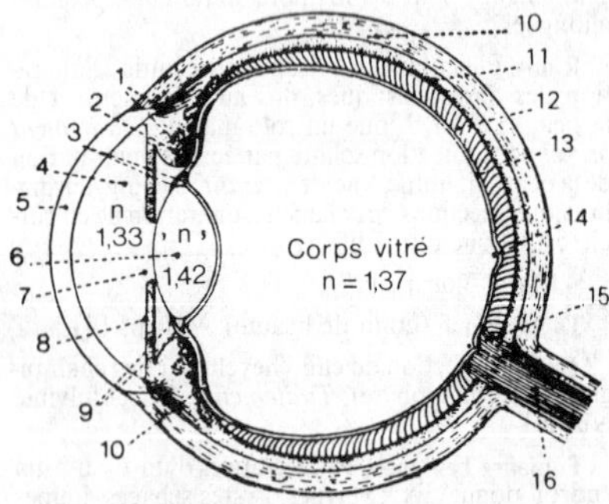

Coupe de l'œil : *1* muscle ciliaire. *2.* procès ciliaires. *3* et *9* ligament suspenseur du cristallin ou zonule de Zinn. *4* humeur aqueuse. *5* cornée transparente. *6* cristallin. *7* pupille. *8* iris. *9* voir 3. *10* sclérotique (du grec : scléros, dur). *11* choroïde. *12* rétine. *13* membrane hyaloïde. *14* tache jaune et macula. *15* tache aveugle et papille optique. *16* nerf optique. *n* : indice de réfraction.

Membranes. L'œil est enveloppé dans 3 membranes disposées d'arrière en avant et de l'extérieur vers l'intérieur :

1) **La scléro-cornée.** *La sclérotique* (opaque, blanche et vascularisée), sur laquelle s'insèrent les muscles oculomoteurs, occupe les 4/5 postérieurs de la surface. *La cornée* (transparente, avasculaire, richement innervée avec une puissance réfractive de 40 dioptries) est la fenêtre par où les images du monde extérieur pénètrent dans l'œil avant d'atteindre la rétine ; occupe le 1/5 antérieur de la surface.

2) **L'uvée.** *a) La choroïde.* Transforme le globe oc. en chambre noire grâce à un pigment noir, la *mélanine.* Essentiellement composée de vaisseaux sanguins, elle maintient constante la température de l'œil et nourrit les neurorécepteurs de la rétine.

b) L'iris. Placé derrière la cornée. C'est un diaphragme variable (de 1,5 à 9 mm), percé d'un trou circulaire, la *pupille,* régie par un sphincter et par un dilatateur formé de fibres musculaires antagonistes, lisses, rayonnantes et circulaires. Quand les f. musculaires sympathiques se contractent, la pupille s'agrandit ; elle se rétrécit quand ce sont les f. circulaires qui se contractent. Diamètre pupillaire : 2,5 à 4,5 mm. *Couleur :* résulte de la combinaison de la transparence des fibres iriennes et des pigments qui s'y fixent progressivement. Bleu à la naissance, varie jusqu'à la puberté. *Nuances :* du gris-bleu au brun en passant par le bleu et le vert. Dans l'hétérochromie, les 2 iris sont de couleur différente (ex. : bleu et marron).

c) Le corps ciliaire prolonge l'iris en arrière, rejoignant la choroïde. Il contient des fibres longitudinales [muscle lisse qui rattache la choroïde à l'éperon scléral et qui, en se contractant, ouvre les mailles du *trabéculum ;* un muscle ciliaire circulaire, qui par contraction, modifie la puissance du cristallin (équivalente à 19 dioptries) pour permettre la vision de près]. La partie interne plissée du corps ciliaire est formée par les **procès ciliaires** (env. 70 à 80, riches en capillaires sanguins) qui élaborent l'humeur aqueuse (barrière hémato-aqueuse).

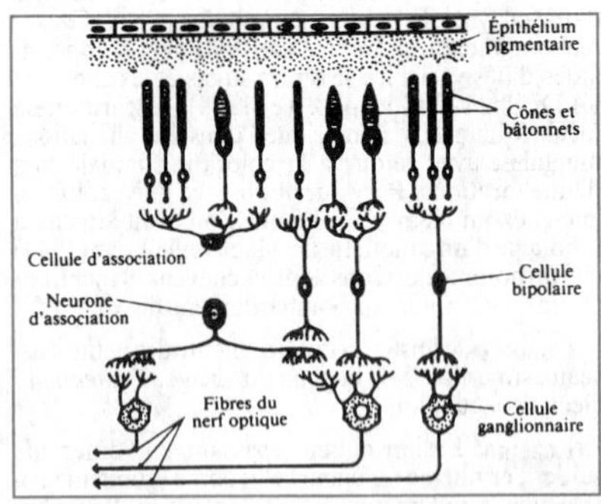

Structure de la rétine avec les neurones de ses 10 couches

3) **La rétine.** Membrane transparente très fragile (épaiss. 0,5 mm ; 10 couches dont l'*épithélium pigmentaire :* au contact de la *choroïde,* teinte noire permettant la réalisation d'une chambre noire pour la formation des images). Elle transforme en énergie électrique assimilable par le cerveau l'énergie lumineuse reçue par les 7 millions de *cônes,* surtout sensibles aux formes et aux couleurs (on peut théoriquement percevoir 750 nuances chromatiques différentes), et les 130 millions de *bâtonnets* (qui enregistrent plus spécialement la lumière crépusculaire et monochrome) sensibles à la perception du mouvement. Les cônes réagissent aux vibrations les plus longues (rouge, orangé), les bâtonnets aux plus courtes (vert-bleu et violet). L'influx nerveux est transmis au cerveau par les 800 000 fibres du *nerf optique.*

La rétine a 2 points singuliers :

1° *la tache jaune* (ou *macula lutea)* placée juste dans l'axe optique de l'œil qui ne renferme qu'environ 2 500 cônes (chaque cône est relié directement au cerveau par un neurone bipolaire et un neurone ganglionnaire propres, tandis qu'à la périphérie de la rétine, 1 neurone bipolaire conduit l'influx de 100 à 200 cellules visuelles) ;

2° *la tache aveugle,* correspondant à la papille optique, origine du nerf optique, est dépourvue de cellules visuelles. Après avoir traversé le réseau des vaisseaux rétiniens et les couches de neurones, la lumière atteint les cellules réceptrices, du moins chez l'homme.

Rôle optique de l'œil. Assuré par différents milieux. **Les larmes :** elles constituent un lubrifiant pour les paupières et un humidificateur pour la cornée. Elles contiennent des protéines (neurotransmetteurs) et des hormones, notamment l'ACTH qui viennent du cerveau, et sont liées à l'état d'anxiété. Pleurer diminue la tristesse ou la colère d'env. 40 %. Les femmes pleurent en moyenne 4 fois plus que les hommes parce qu'elles possèdent une hormone, la prolactine, en plus grande quantité. Jusqu'à 12 ans, les filles ne pleurent pas plus que les garçons (leur taux de prolactine est équivalent). A 18 ans, elles en sécrètent 60 % de plus que les garçons. Les larmes provoquées par une grande émotion débarrassent l'organisme des produits chimiques responsables du stress. Une absence totale de larmes entraînerait la cécité. On réalise des pompes à larmes comprenant un petit boîtier alimentant un tuyau qui n'apparaît qu'au niveau du col du chemisier, avant de disparaître derrière l'oreille et de se glisser sous la peau pour déboucher sous la paupière.

L'humeur aqueuse : dans la chambre antérieure (entre cornée et iris) et dans la ch. postérieure (entre iris et cristallin) communiquant avec la ch. antérieure ; fluide comme de l'eau (indice de réfraction n = 1,37).

Le cristallin (du grec *krustallos,* glace) (n = 1,42) : lentille biconvexe, symétrique et déformable par traction du muscle ciliaire. Position : derrière l'iris (sépare la chambre antérieure du segment postérieur), enchâssé dans les rebords des procès ciliaires, constitué de lames transparentes de nature cellulaire, emboîtées comme les écailles d'un oignon.

Le corps vitré (ou vitré) (n = 1,37) : substance gélatineuse qui remplit le *segment postérieur* du globe située en arrière du cristallin (constitue, en vol. les 4/5 du contenu du globe oculaire). C'est un tissu.

L'œil donne d'un objet une image réelle renversée. Pour un œil *emmétrope* (normal), tous les rayons venant d'un objet situé à l'infini, c'est-à-dire env. 6 m, arrivent parallèlement à l'axe de l'œil pour former sur la rétine une image inversée.

On peut comparer l'œil à une lentille convergente d'une puissance de 60 dioptries dont le foyer principal serait sur la tache jaune et dont la distance focale serait de 15,7 mm.

Nota. – L'abeille qui ne réagit pas au rouge est sensible à l'ultraviolet.

• **Vision. Centres.** Les messages reçus par la rétine sont transmis au nerf optique (800 000 fibres) qui est en réalité une expansion cérébrale. Pour chaque œil, après traversée du chiasma optique, ils sont dirigés par les bandelettes optiques, le corps genouillé externe et les radiations optiques vers chacune des zones occipitales correspondantes. Les lésions de centres récepteurs produisent une cécité corticale (hémorragies, tumeurs, ramollissement).

Les radiations optiques aboutissent aux 2 berges de la *scissure calcarine* à la face interne du lobe occipital = *aire striée* (ou aire 17 de Brodmann), entourée concentriquement par les aires *parastriée* (= aire 18) et *péristriée* (= aire 19). Le cortex occipital répond à l'excitation lumineuse. La réponse est étudiée en clinique sous le nom de P.E.V. (potentiel évoqué visuel). Les cellules corticales répondent à de petites taches lumineuses : les *champs récepteurs.* Ces cellules sont regroupées en colonnes fonctionnelles. Au terme du codage, l'excitant n'est plus la lumière mais les lignes, les contours, le mouvement. Chaque cellule réagit électivement pour une position donnée. L'aire 18 reconnaît les objets animés ou inanimés, l'aire 19 évoque des souvenirs visuels. Dans les aires 18 et 19 d'autres cellules répondent aussi aux stimuli auditifs et tactiles qui assurent les corrélations entre la vision et les autres messages sensoriels.

Acuité visuelle. C'est l'aptitude à distinguer le détail des objets spatiaux. Les rayons lumineux venant d'objets situés à plus de 5 m sont sensiblement parallèles et forment sur la rétine de l'œil au repos une image réelle inversée. La qualité de cette image est appréciée par l'utilisation d'une échelle d'acuité visuelle portant des *optotypes* (lettres, chiffres, mires, tests, formes géométriques, silhouettes). *Pouvoir de séparation de l'œil :* 0,0003 radian, soit un arc de 1 minute (1/60 de degré), ce qui correspond à 100 microns vus à 25 cm (1 micron = 1 millième de millimètre). En France, l'acuité visuelle-unité est celle qui permet de séparer 2 points vus sous un angle de 1 minute d'arc. Le test correspondant à une acuité égale à l'unité, ou 10/10, est vu sous un angle de 5′, et chaque détail caractéristique sous un angle de 1′. Si l'observateur ne peut distinguer ce détail caractéristique que sous un angle de 10′, l'acuité est égale à 1/10′ (inverse de cet angle). L'acuité visuelle de loin correspond à la zone centrale de la rétine, la tache jaune (ou fovéa), dont le champ n'est que de 2°. Dès qu'on s'écarte de ce point, l'acuité de l'œil normal tombe à 4,2 puis à moins d'1/10 à la périphérie du champ visuel. L'acuité visuelle de près est déterminée sur des tests vus à 33 cm [à distance de lecture (Harmon)]. Elle fait entrer en jeu le *phénomène d'accommodation* réalisé par la modification de la courbure du cristallin sous l'influence du muscle ciliaire : l'image d'un objet à l'infini se forme sur la rétine. Quand l'objet se rapproche de l'œil, son image se déplace dans le même sens et se forme en arrière de l'œil. Elle est donc floue sur la rétine mais l'œil ramène l'image sur la rétine : en bombant la partie antérieure du cristallin par action des muscles ciliaires, il modifie la distance focale.

Distance minimale de vision distincte (en cm selon l'âge) : *7 ans* 7, *15* 15, *20* 20, *30* 25, *40* 30, *50* 40, *60* 50, *75* 65. Elle correspond à la limite d'accommodation. Début de la presbytie à 43 ans.

Vision des couleurs. L'œil n'est pas sensible aux radiations lumineuses dont la longueur d'onde est supérieure à 750 nanomètres (nm) (infrarouge) ou plus courte que 380 nm (ultraviolet). On connaît mal le mécanisme de la vision des couleurs, la théorie trichromatique est actuellement adoptée. 130 millions de *bâtonnets* (1 000 fois plus sensibles que les cônes) assurent la sensation de lumière. Les *cônes* (7 millions) différencient la couleur (grâce aux substances photosensibles). Il y aurait dans la substance de la rétine 3 sortes de cônes sensibles à la couleur classés selon les longueurs d'ondes dans lesquelles se situe leur bande d'absorption : bleu (longueur d'onde absorbée 400 à 500 nm) ; vert (500 à 600 nm) ; rouge (600 à 750 nm).

Ces 3 *couleurs fondamentales* permettent de produire par mélange toutes les couleurs ; ex. le jaune (mélange rouge et vert) ; violet (rouge et bleu) ; blanc (mélange de toutes les couleurs du spectre par la superposition du bleu, du vert et du rouge). On compte 750 nuances pour une bande de longueurs d'onde de 380 à 750 nm.

• **Illusions d'optique.** Il faut parfois se méfier des renseignements donnés par la vue. Ex. : *1)* les 2 rectangles ont la même largeur. *2)* Les 2 segments ont la même longueur. *3)* Les 2 droites sont parallèles. *4)* Les surfaces des petits carrés sont identiques.

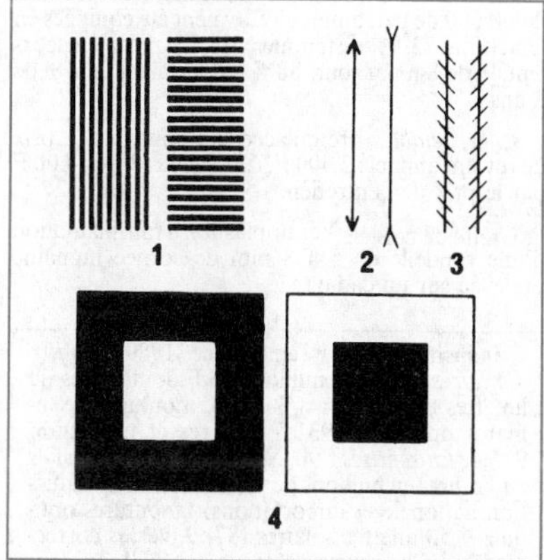

Vision du relief. Quand on regarde un objet, il se forme une image renversée sur chaque rétine. De ces 2 images, le cerveau donne une seule image droite en relief. Cette représentation est le résultat d'une éducation qui se fait dans les premiers mois de la vie par synthèse des sensations tactiles, auditives et visuelles. Avec la perception maculaire simultanée et la fusion sensorielle, la vision du relief parachève les 3 constituants principaux de la vision binoculaire, fonction n'existant que chez les primates.

Lecture. Se fait par saccades : l'œil se fixe durant 1/5 à 1/3 de seconde avant de se fixer sur un prochain arrêt ; il ne lit rien pendant le temps du mouvement entre 2 points de fixation.

Anomalies de la vision

Albinisme. Affection congénitale et héréditaire due à une absence ou insuffisance de mélanine dans les mélanocytes par déficit enzymatique (tyrosine) qui s'accompagne de malformations chorio-rétiniennes et d'une gêne considérable à la lumière, rendant la vision très faible. L'iris est pâle, transilluminable comme l'œil de lapin russe.

Amblyopie. Diminution de l'acuité visuelle (surtout par manque d'usage) non améliorable par des lunettes, mais améliorable par des lentilles de contact suivant le type d'amblyopie. Elle peut être uni ou bilatérale soit *organique* par malformations, infections, etc., soit *fonctionnelle :* baisse d'acuité visuelle inaméliorable par verres, sans lésion apparente ou dont les lésions ne sont pas proportionnelles à l'importance de la baisse d'acuité ; elle est le plus souvent unilatérale, et elle conduit au strabisme par défaut de vision binoculaire.

En France : chaque année, 25 000 nouveau-nés sont menacés d'amblyopie fonctionnelle s'ils ne sont pas dépistés et traités avant l'âge de 3 ans.

Amétropie. Anomalie de la réfraction de l'œil, congénitale ou acquise, caractérisée par une mauvaise mise au point des images rétiniennes venant d'objets situés à l'infini (myopie, hypermétropie, astigmatisme, etc.).

Aniridie. Absence de l'iris. Congénitale ou après traumatisme.

Aphakie. Absence de cristallin par luxation ou par ablation après opération de la cataracte, corrigée par lunettes, par lentille de contact ou par implantation d'un cristallin artificiel.

Astigmatisme. Vice de réfraction où les rayons parallèles incidents ne sont pas focalisés en un point. Vision déformée par les défauts de courbure de la cornée ou du cristallin. Il est corrigé par des verres cylindriques.

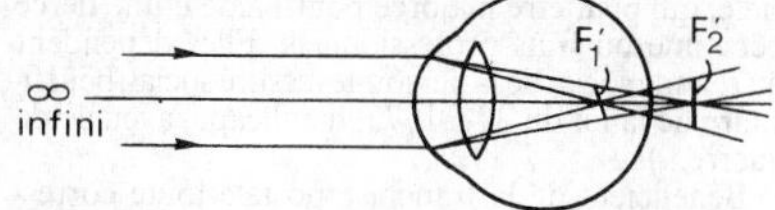

Œil astigmate. Les 2 droites focales F'$_1$ et F'$_2$ perpendiculaires entre elles, placées en avant et en arrière de la rétine donnent une image linéaire au lieu d'une image ponctiforme (astigmatisme mixte).

Dyschromatopsie. Anomalie congénitale de la vision des couleurs déterminée par des gènes récessifs situés sur le chromosome sexuel X (hérédité liée au sexe). Plus fréquent chez les hommes (2 à 8 %) que chez les femmes (0,33 %).

1° Anomalie trichromatique : protanomal (déficience pour le rouge : jaune et orange confondus), assez commun ; *deutéranomal* (faible pour le vert, jaune et orange conf.), assez commun ; *tritanomal* (faible pour le bleu, bleu et vert conf.), le plus rare. *2° Anomalie dichromatique (daltonisme) : protanopie* (cécité pour le rouge ; rouge, jaune et vert confondus), assez commun ; *deutéranopie* (cécité pour le vert ; rouge, jaune et vert conf.), le plus commun ; *tritanopie* (cécité pour le bleu, bleu et vert confondus), très rare. *3° Achromatopsie* (cécité et confusion pour toutes les couleurs), très rare.

Fréquence : 8 % chez les hommes, 0,33 % chez les femmes (non atteintes, elles peuvent transmettre la tare à leurs enfants).

Diplopie. Trouble de la vision binoculaire entraînant un dédoublement des images par paralysie ou mauvaise coordination des muscles moteurs des yeux, ou par modification du noyau du cristallin (plus rare).

Héméralopie. Baisse de la vision crépusculaire (carence de vitamine A, congénitale, ou maladie, trop longue exposition à la lumière traduisant une altération de la fonction des bâtonnets avec gêne notable en vision crépusculaire). En Europe et au Japon : on parle de l'*héméralopie* pour la cécité nocturne ; en Angleterre et U.S.A. : pour la cécité diurne.

Hémianopsie. Disparition de la moitié ou du quart du champ visuel, traduisant une lésion des voies optiques au chiasma et en arrière du chiasma.

Hypermétropie. Œil trop court. Due à une convergence trop faible des milieux transparents ou à un axe antéro-postérieur trop faible de l'œil. L'image se forme en arrière de la rétine. L'hypermétrope a une bonne vision de loin (mais nécessite une accommodation permanente et pénible). Il distingue mal les objets rapprochés. *Correction :* verres convexes convergents.

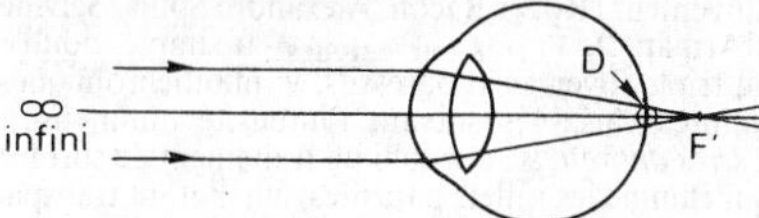

Œil hypermétrope. Le foyer image F' est situé en arrière de la rétine. Sur la rétine, il se forme un cercle de diffusion D (image floue).

Kératocône. Cornée de forme conique. *Correction :* emploi de verres de contact ou par kératoplastie (greffe de la cornée).

Myopie (de 2 mots grecs signifiant fermer l'œil ou cligner, les myopes ayant l'habitude de fermer les yeux à demi pour ne laisser qu'un étroit passage aux rayons lumineux incidents). Due à une trop grande convergence de l'œil ou à un diamètre antéro-postérieur de l'œil trop grand. L'image se forme en avant de la rétine. Le myope distingue mal les objets éloignés ; l'accommodation ne commence à jouer qu'à faible distance et lui permet de voir des objets très rapprochés. *Causes :* congénitale liée à l'environnement et peut-être favorisée par l'allongement de l'œil pendant la croissance. Cet étirement peut déclencher une *choriorétinite* favorisant des troubles visuels et prédisposant au décollement de la rétine. *Correction :* si l'œil est trop long pour sa valeur optique au repos, verres concaves divergents pour replacer l'image sur la rétine. Sans cela la vision de près est seule précise. Les verres au baryum ou au titane permettent de réaliser des verres plus minces. Les lentilles de contact rigides ou souples sont actuellement la correction optique de choix. Récemment est née la chirurgie réfractive cornéenne, encore au stade expérimental (kératotomie radiaire, etc.). Voir p. 146.

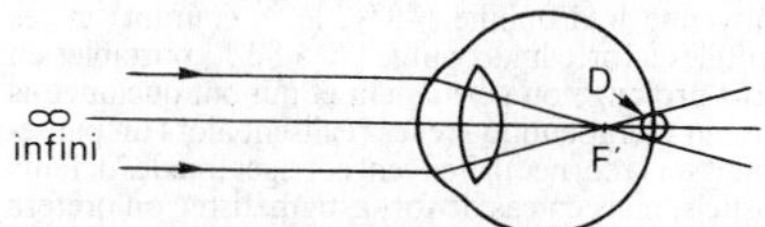

Œil myope. Le foyer image F' est situé en avant de la rétine. D : cercle de diffusion (image floue).

L'amplitude d'accommodation : 14 dioptries chez l'enfant, 3 dioptries vers 45 ans et 2 vers 60 ans.

Nyctalopie. Mauvaise vision diurne quand la lumière est bonne, vision normale lorsque la lumière est faible. Gêne à la luminosité normale. Origine congénitale ou maladive. Aux U.S.A. la *nyctalopie* désigne le cas d'une bonne vision seulement diurne ou avec une lumière forte, en G.-B. celui d'une bonne vision en éclairement modéré, mais déficiente en faible éclairement (définition européenne de l'*héméralopie*).

Phosphènes. Sensations lumineuses subjectives dues à une excitation de la rétine ou des centres visuels.

Presbytie. La presbytie (vue floue en vision rapprochée) est un phénomène naturel et inévitable. On ne peut ni la prévenir ni la traiter. L'œil accommode insuffisamment, le muscle ciliaire perd progressivement son élasticité (dès l'enfance). La presbytie atteint tous les adultes emmétropes (de réfraction normale) à partir de 43 ans. *Le myope* voit bien de près mais mal de loin. Quand il devient presbyte, il est tenté de lire en retirant ses lunettes de vision de loin. Mais dès qu'il lève les yeux, sa vision devient floue. *L'hypermétrope* voit mieux de loin que de près. Il aura donc l'impression de devenir presbyte plus tôt que les autres. *L'astigmate* connaît une presbytie normale. Sa cornée n'est pas parfaitement sphérique mais ce défaut ne concerne pas le système d'accommodation. *Correction :* verres convexes ou bifocaux ou multifocaux ou « progressifs » (rayons de courbure différents d'un point à l'autre du verre correspondant à une progression du degré de correction de la vision et permettant une vision normale à toutes distances). Vision de près : 33 cm à 42 cm.

Nombre de presbytes en France : 12 millions.

Scotome. Lacune dans le champ visuel central ou paracentral. Ilot de dépression de la sensibilité rétinienne, mis en évidence par la périmétrie ou la campimétrie. Le *scotome scintillant transitoire* est dû à la migraine ophtalmique.

Strabisme (loucherie). Défaut de parallélisme des deux axes visuels dans le regard de loin et de près, lié à un trouble de la vision binoculaire. 4 % des enfants (32 000 par tranche d'âge en France) ont un trouble de la vision binoculaire dont 2,5 % louchent de la naissance à 3 ans. *Correction :* rééducation orthoptique (entraînement visuel) et chirurgie.

Voile noir des aviateurs. Dû à une diminution d'apport sanguin normal de la rétine sous l'effet de l'accélération.

☞ **Défauts cumulables.** Myopie + astigmatisme ; hypermétropie + astigmatisme ; après 50 ans, la presbytie peut s'ajouter à tous ces défauts optiques.

Fréquence des anomalies de la vision en France (en %) : *enfants d'âge scolaire* 15 ; *21 à 45 ans* 17 ; *50 à 60* 50 ; *+ de 60* 70 (dont 2/3 pour la vision de loin). *Troubles congénitaux de l'œil :* 8 % des hommes, 1 % des femmes.

Maladies de l'œil

Blépharite. Inflammation aiguë ou chronique du bord ciliaire de la paupière pouvant entraîner la chute des cils. *Causes :* locales (infectieuses, allergiques en particulier), optiques (mauvaise correction de la vision), générales (diabète, allergies, troubles intestinaux), irritations diverses (poussières, lumière, fards, etc). *Traitement :* adapté à la cause.

Blépharospasme. Dystonie liée à un dysfonctionnement des noyaux gris du cerveau. Contraction involontaire et répétée (tic) des muscles entourant la paupière, entraînant une fermeture involontaire des yeux. *Traitement du symptôme :* piqûre de toxine botulique.

Cataracte. Opacification du cristallin. Peut être congénitale ou acquise (diabète, intoxication, troubles hormonaux, âge, traumatismes, maladies, médicaments, etc.). La cataracte sénile est la plus fréquente. 90 % des plus de 70 ans présentent des formes plus ou moins évoluées. L'ablation du cristallin se fait en intra ou extracapulaire selon le mode de correction optique utilisé (lunettes, lentilles de contact ou implants). *Traitement :* chirurgical. En cas de cataracte évoluée, on enlève le cristallin. Les cataractes (endocrines ou séniles) touchent les adultes de tous pays. Plus de 60 % des cataractes opérées sont corrigées par l'implantation de cristallin artificiel.

Chalazion. Kyste d'une glande de Meibomius (gl. palpébrale sébacée). *Traitement :* chirurgical.

Conjonctivite. Inflammation de la conjonctive, du blanc de l'œil (c. bulbaire) ou de celle des paupières. Se traduit par une rougeur du blanc de l'œil, une sécrétion et un œdème. *Traitement :* par collyres antibiotiques ou anti-inflammatoires.

Dacryocystite. Inflammation du sac lacrymal. *Traitement :* parfois chirurgical (dacryocystorhinostomie).

Décollement de la rétine. Séparation de la couche des cônes et bâtonnets de l'épithélium pigmenté, habituellement causée par une déchirure spontanée (myopes) ou traumatique de la rétine. *Traitement :* cette déchirure doit être rapidement obstruée et la rétine réappliquée par indentation sclérale ou tamponnement intraoculaire. *Prévention :* obturation des trous et déchirures rétiniennes (laser à l'argon ou cryoapplication transsclérale). Les lésions dégénératives rétiniennes doivent être précocement dépistées pour être photocoagulées avant la production de la déchirure. *Cas en France (par an) :* 5 000.

Ectropion. Renversement extérieur du bord libre de la paupière (sénile, cicatriciel, paralytique).

Entropion. Enroulement intérieur du bord libre de la paupière. *Traitement :* chirurgical pour empêcher le frottement des cils sur la cornée.

Embolie (de l'artère centrale de la rétine). Entraîne une perte brutale et durable de la vision de l'œil atteint *(amaurose)* par oblitération de l'artère.

Épiphora. Larmoiement persistant avec écoulement des larmes le long de la joue.

Exophtalmie. Protrusion du globe oculaire (tumeur de l'orbite, hyperthyroïdie).

Glaucome. Augmentation de la pression intraoculaire au-dessus de 22 mm Hg et dégradation progressive de la vision. Certaines formes d'hypertonie des liquides intraoculaires provoquent une atrophie du nerf optique irréversible par compression de la papille optique et dégradation progressive du champ visuel. *Signes :* maux de tête, brouillards, arc-en-ciel, trouble du champ visuel. *Traitement :* médical, chirurgical en cas d'échec. Non traité, le glaucome peut aboutir à une perte partielle ou complète de la vision (atteint plus de 1 % de la population en Europe), % augmentant après 50 ans. Forme infantile congénitale (buphtalmie). *En France :* 500 000 glaucomateux. Nécessité d'un dépistage précoce par prise systématique de la pression intraoculaire après 45 ans, relevé du champ visuel et examen de la tête du nerf optique.

Iritis. Inflammation de l'iris entraînant des adhérences entre iris et cristallin avec risque de glaucome secondaire. *Traitement :* local et général ; collyres dilatateurs de la pupille, anti-inflammatoires, traitement de la cause (maladie générale, foyer infectieux dentaire, rhinopharyngé, etc.).

Kératite. Maladie ou inflammation de la cornée.

Onchocercose (cécité des rivières). Transmise par une petite mouche, la *simulie,* qui inocule une filaire minuscule de l'espèce *Onchocerca volvulus* qui vit sous la peau, formant des nodules et produisant des démangeaisons ; les larves vivent dans les tissus sous-cutanés et dans les yeux, entraînant la perte de la vision. 30 millions sont atteints dont 1 million d'aveugles. *Traitement :* ivermectine.

Orgelet. Furoncle à la base d'un cil.

Rétinite. Altération des tissus rétiniens associée souvent à ceux de la choroïde (choriorétinite). *Causes :* diverses : myopie, diabète, hémorragies, exsudats, toxoplasme, streptocoque, dégénérescence. La rétinite pigmentaire (héréditaire) engendre une héméralopie et une baisse visuelle progressive. 20 000 à 30 000 personnes atteintes en France. Dégénérescence tapétorétienne héréditaire : la mutation génétique de la forme dominante se situe sur le bras long du chromosome 3. *Association française. Rétinitis Pigmentosa :* B.P. 62, 31771 Colomiers Cedex.

Rétinoblastome. Tumeur maligne rétinienne héréditaire de l'enfant se développant avant 4 ans ; unilatérale dans 64 %, bilatérale dans 36 %. *Fréquence :* 1/16 000, due à une mutation germinale (gène sur la bande Q 14 du chromosome 13).

Rétinopathie. Affection non infectieuse de la rétine. **Rétinopathie diabétique :** lésion de la rétine survenant tardivement chez les diabétiques. La membrane, les vaisseaux capillaires de la rétine s'altèrent, perturbation de la circulation sanguine et de la nutrition des tissus avec formation de microanévrismes, d'œdème, d'exsudats, de néo-vaisseaux et d'hémorragies. *Traitement :* en général médical, ou photocoagulation des néo-vaisseaux au laser à l'argon (except. chirurgical, par vitrectomie).

Trachome. Conjonctivite granuleuse due à un micro-organisme proche des virus *(Chlamydia trachomatis).* Entraîne la perte progressive de la vue. Il y a environ 350 millions de personnes atteintes dans le monde, dont 7 à 9 millions aveugles. Sa propagation est favorisée par surpeuplement, eau insalubre, hygiène défectueuse. Il existait déjà au IIIe millénaire avant J.-C. dans l'ancienne Égypte, en Mésopotamie et en Chine. *Traitement :* antibiotiques appliqués localement ou sulfamides. Aucun vaccin efficace n'existe encore. L'*éducation sanitaire* serait l'élément essentiel de prévention.

Thrombose de la veine centrale de la rétine. Oblitération partielle ou totale de la veine entraînant des hémorragies rétiniennes diffuses et une perte visuelle liée à leur importance.

Xérophtalmie (œil sec). Sécheresse de la conjonctive et de la cornée due à l'insuffisance des larmes ou à une carence en vitamines (surtout A et B1). Souvent facteur de complication de la malnutrition protéino-énergétique dans la petite enfance (entraîne une cécité par perte de transparence de la cornée). Se développe de façon inquiétante dans les pays où il existe une malnutrition, notamment dans les régions où le riz forme la base de l'alimentation et où les feuilles vert sombre sont rares ou inutilisées (Asie mér. et or., Afrique, Amérique lat.). Affection très grave chez l'enfant. Occasionne rarement la mort, mais y contribue. *Traitement :* pourrait être prévenue par une vitaminothérapie précise. 5 millions sont atteints dont 500 000 enfants aveugles.

☞ **Lasers-YAG** (Yttrium Aluminium Garnet). Jusqu'en 1975, seuls les effets thermiques des lasers étaient utilisés en médecine. Entre 1975 et 1978, Danielle Aron-Rosa et Jean-Claude Griesemann réussissent, en utilisant les impulsions de l'ordre du trilliardième de seconde d'un laser-YAG, à neutraliser les effets thermiques et à n'utiliser que les effets mécaniques par l'intermédiaire du placage optique ; ce qui permet sans anesthésie, ni couteau, ni incision sanglante de couper à l'intérieur de l'œil tout tissu visé.

Correction de la vue

• **Lunettes.** Dans l'Antiquité, usage de lentilles. La loupe fut inventée au XIe s. et les lunettes apparurent à la fin du XIIIe s. mais on ne connaît pas le nom de l'inventeur (Roger Bacon, Alexandre Spina, Selvine d'Armati ?). **Verres correcteurs :** à simple, double ou triple foyer, et progressifs, v. photochromiques (teintes variables suivant l'intensité lumineuse). *Verres antireflets :* ont subi un traitement de surface qui élimine les reflets parasites, améliorant transparence et esthétique. *V. organiques :* v. en matière plastique légers et pratiquement incassables, ils ont désormais des surfaces durcies moins rayables. *V. minéraux :* sécurisés par trempe ou feuilletage. *V. composites :* combinant les qualités des v. minéraux et des v. organiques.

Nombre de porteurs de lunettes. *Monde :* 600 millions [1 800 millions en auraient besoin (dont 50 % de presbytes)]. *France : 1989* 24 millions, 43 % de la pop. totale [dont presbytes 26 %, myopes 20 % (Japon 40 %), astigmates 55 % (inf. au nombre réel d'astigmates)].

• **Lentilles de contact.** Cornée artificielle placée au contact de l'œil. *Avantages :* esthétique, parfois seule correction possible (kératocône, astigmatisme irrégulier, aphakie unilatérale) ; freine l'évolution de la myopie. *Forme originelle :* verres scléraux en verre utilisés en 1887 par Eugène Kalt (Fr.). Recouvraient cornée et partie de la sclérotique. Fabriqués à partir de 1939 en plexiglas, leur adaptation exigeait une technique élaborée. Peu utilisés maintenant sauf dans certaines anomalies oculaires (kératocône) ou pour les sports aquatiques. *Formes actuelles de lentilles. Rigides :* en PMMA (1948), excellentes qualités optiques et mécaniques, peuvent durer + de 10 ans, entretien simplifié, tolérance progressive. *Souples :* hydrophiles en Hema et dérivés (Wichterlé, 1964), mieux tolérées par les paupières mais il faut une sécrétion lacrymale suffisante, nécessitent un entretien soigneux et l'utilisation de solutions de conservation et d'aseptisation ; on distingue les lentilles de moyenne hydrophilie (40 %, le + courant) et les lentilles à forte hydrophilie [70 à 80 %, portables en port prolongé ou permanent et qui ont quelquefois un but thérapeutique (elles réalisent alors un pansement sur la cornée)]. Peuvent corriger tous les défauts visuels, mais en cas de fort astigmatisme on préfère les rigides. *Jetables :* souples hydrophiles, usage limité à 1 mois max. Peuvent être portées en port continu jour et nuit ou retirées chaque soir. Pas ou peu d'entretien, selon qu'elles sont portées en port journalier (retrait chaque soir) ou en port prolongé (retrait chaque semaine). *Rigides perméables :* à l'oxygène (1974), PMMA + Siloxène ou fluorcerbone. Mêmes qualités optiques que celles en PMMA. Coefficient de perméabilité à l'O^2 de + en + élevé, permettant un port prolongé et sécurisant. Nécessitent un entretien soigneux. *Pour correction de la presbytie :* bi-focales (vision de loin et de près), concentriques, ou par segments, ou faisant intervenir des formes géométriques complexes qui permettent une vision progressive loin-près. *Cosmétiques :* pour modifier la couleur des yeux.

Statistiques en France (1989). Lentilles distribuées : 1 323 671 (dont souples 83 %). À la fin 1987 : 2 000 000 de personnes env. avaient été équipées en lent. (dont 72,1 % de femmes). 86,4 % portaient leurs lent. + de 8 h par jour, 88 % en portaient dep. + de 3 ans.

Coût. *Jetables :* remplacées au bout de 8 j, prix de revient annuel : 2 400 F. *Classiques :* + de 1 600 F par le prix de l'entretien.

Greffe de cornée (kératoplastie). Transplantation d'une rondelle de 5 à 8 mm de cornée humaine prélevée sur un cadavre.

Industrie oculaire (en France, 1989). *Chiffre d'affaires :* 4 619,7 millions de F dont verres de lunettes et de contact 1 772,8, montures de lunettes optiques 1 931,5, solaires et protection 915,4. *Entreprises :* 90. *Salariés :* 12 050. *Ventes en France* (en millions de pièces en 1989, production nationale et importations) : montures optiques 7,5, lunettes solaires (87) 9, verres correcteurs 17,5 et verres de contact 1,2. *Rang dans le monde* (87) : 4e après U.S.A., Allemagne fédérale et Japon. *Exportations :* 58 % du C.A. total.

Principales firmes : Essilor-International, B.B.G.R., l'Amy et Bourgeois S.A.

Aveugles

• **Statistiques. Monde.** Env. 42 millions d'aveugles et malvoyants dont 28 m. d'aveugles (50 % par cataracte) (estimation O.M.S.). **Pays industrialisés.** 0,01 à 0,7 % de la population. **Tiers monde.** 1 à 7 %. **France.** Env. 100 000 déficients visuels, soit 0,18 % de la population [40 000 aveugles complets (dont l'acuité visuelle est inférieure à 1/20 de la normale au meilleur œil) et 60 000 amblyopes (acuité visuelle inférieure à 1/10)] ; 1 100 000 personnes présentent une anomalie visuelle, soit 2 % de la population.

• **Causes de cécité les plus fréquentes.** *Accidents* (voiture, 6 % des acc. du travail). *Infections virales de la cornée* (surtout herpétiques), curables par greffes de la cornée, *glaucome* (personnes âgées), *cataracte* (id.), *affections congénitales, cancer, maladies métaboliques et dégénératives, carence en vitamine A* (enfants des pays sous-développés), puis *maladies infectieuses : onchocercose* [30 millions de personnes touchées en Amérique lat., Arabie, Afrique occid. et équat. (plus de 50 % des hab. dans certaines régions) ; amène une perte de vision chez 30 %, la cécité chez 4 à 10 %] ; *diabète,* par rétinopathie ; *trachome ; xérophtalmie. Traumatismes divers* (lésions de la cornée, lésions du globe, hémorragies du vitré, décollement de la rétine). Un programme mondial visant à limiter la cécité évitable coûterait de 350 à 560 millions de $.

• **Emploi. En France.** Sur 15 000 aveugles de 20 à 60 ans, 5 000 ont des responsabilités professionnelles : 900 masseurs kinésithérapeutes, 1 300 standardistes, 150 sténodactylos, 1 000 musiciens professionnels, carrières intellectuelles, accordeurs de pianos, ouvriers manuels et même agricoles. + de 50 % ne peuvent trouver de travail du fait d'un handicap associé ou de mauvaise santé, un certain nombre parce qu'ils n'ont pas la rentabilité suffisante. D'autres professions, comme l'informatique, leur sont accessibles.

• **Canne blanche.** 1re, remise officiellement le 7-2-1931 par Mlle Guilly d'Herbemont pour les déficients visuels graves ou aux aveugles. *Blanche striée de rouge* pour les sourds-aveugles (dep. 1987).

• **Allocations.** La baisse d'acuité visuelle bilatérale inférieure à 1/20 donne droit à une allocation spéciale, qui peut être majorée pour l'aide d'une tierce personne ou frais professionnels. Elles dépendent du régime social de la personne (assuré social, bénéficiaire de la loi du 30-6-1975, handicapé, aveugle de guerre...).

Bénéficient de la franchise postale toute correspondance en écriture Braille (lettres ou volumes), ainsi que les enregistrements sur bandes magnétiques circulant entre les bibliothèques sonores et leurs bénéficiaires.

Alphabet Braille

Invention. Due à Louis Braille (1809-52, inhumé au Panthéon). Fils de bourrelier. A 3 ans, se blesse à l'œil avec une serpette ; à 4 ans, il est aveugle. A 10 ans, il entre à l'Institution des jeunes aveugles, créée par Valentin Haüy. Grâce à l'invention par le cap. Barbier de la sonographie, il s'oriente vers une utilisation nouvelle du point saillant. Il réussit à former 63 combinaisons donnant l'alphabet, les chiffres, les mathématiques et la musique. Aujourd'hui système international.

Principe. Formé de groupes de points en relief représentant lettre, chiffre ou signe. Lecture tactile (150 mots/minute). Adopté dans presque toutes les langues. L'emploi des ordinateurs permet maintenant une production automatique du Braille sans que l'opérateur ait besoin de connaître cette écriture.

Instruments modernes. a) *Braille.* Informatisation de la saisie des textes imprimés et de la fabrication des textes en Braille. b) *Lecture directe pour aveugles : machine à lire « Delta » :* dispositif électronique muni d'une caméra miniature ; permet de traduire en Braille des textes imprimés ou dactylographiés. c) *Pour déficients visuels graves :* loupes électroniques (caméra et écran de télévision permettent de grossir de 4 à 20 ou 30 fois un texte). Il existe aussi des machines adaptées pour aveugles (ordinateurs personnels, machines à calculer parlantes avec synthétiseur de parole ou à affichage Braille).

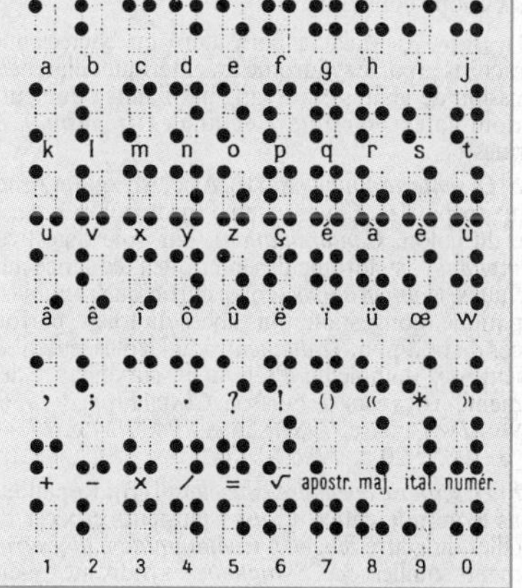

Recherches. Machines à lire parlantes (reconnaissance de caractères et synthèse de la parole ou produisant le texte en Braille). Perception d'images en implantant des électrodes dans le cerveau. Instruments d'aide pour circuler utilisant les ultrasons.

Associations

Activités. Certaines associations produisent des ouvrages Braille ou enregistrent des livres sur bandes magnétiques (livres parlés), gèrent des établissements de rééducation et de formation professionnelle (standardistes, sténodactylos, masseurs kinésithérapeutes, musiciens et accordeurs de piano, ouvriers manuels, agricoles, horticulteurs, programmeurs en informatique), des maisons de vacances ou des maisons de retraite, encadrent des activités sportives. Certains aveugles suivent un cycle d'études supérieures normal et exercent des carrières dans l'enseignement, le secteur public ou le secteur privé.

Association pour les aveugles. Association nationale des parents d'aveugles.

Ass. Valentin-Haüy pour le bien des aveugles

Créée : 1889 par Maurice de La Sizerane [(1857-1924), aveugle (par accident) à 9 ans, entra à l'Institution nationale pour les jeunes av. ; études musicales]. Reconnue d'utilité publique en 1891.

Valentin Haüy (1745-1822) : fils de tisserand ; son frère aîné, l'abbé Haüy, inventa la cristallographie et fut membre de l'Académie des Sciences. Pratiquait une douzaine de langues (interprète du Roi, de l'Amirauté, de l'Hôtel de ville) ; spécialiste du déchiffrement des manuscrits, créa la typographie en relief et fonda l'Institut royal des enfants aveugles (1787) ; dès 1784, recueillit le 1er jeune aveugle. Autres fondations créées de son vivant : Liverpool (1791), Vienne (1804), St-Pétersbourg (1806), Amsterdam (1808), Dresde (1809), Zurich (1810), Copenhague (1811).

Principales activités. (1989). Production Braille : 6 828 000 pages imprimées, 285 nouveaux ouvrages traduits (250 copistes). Livre parlé : 369 nouveaux titres. *Bibliothèques* à Paris (1re bibl. fondée 1886), Lyon, Marseille, Nice, Rennes (250 000 volumes, soit 25 000 titres) ; bibliothèques sonores : 9 190 titres disponibles, 8 000 auditeurs et 6 000 lecteurs Braille. Prêts (gratuits). *1989* 93 300 volumes Braille et 481 000 cassettes.

Formation professionnelle. *Centre* à Paris (120 étudiants). Formation aux emplois de kinésithérapeute (dep. 1906), standardiste (1917), sténodactylo (1949). Cycle de formation permanente.

Action sociale. Fonds de secours. Centres de vacances et 87 groupes en province. *Institut médico-pédagogique* (pour adolescents aveugles), 91380 Chilly-Mazarin. *Centre d'aide par le travail Odette Witkowska* (j. f. de 18 ans et +), 69110 Ste-Foy-lès-Lyon. *Auxiliaires des aveugles. Croisade des aveugles. Institut des jeunes sourds et des jeunes aveugles de France. Fédération des aveugles de France,* 49, rue Blanche 75009 Paris. *Fondation pour la réadaptation des déficients visuels. Groupement des intellectuels aveugles et amblyopes. Union des aveugles de guerre.*

Publications. « Le Louis Braille », « le Valentin Haüy », « la Causette » (Femme), « les Échos du Monde », « la Ronde Sonore », « la Revue musicale », « Et la Lumière fut », « La Canne Blanche » (12 000 ex.).

Maladies infectieuses

Définitions

Bactéries. Êtres unicellulaires possédant un noyau rudimentaire. *Taille :* de 2 à 45 microns. Visibles au microscope optique. Cultivables sur des milieux artificiels. Formes : *sphériques* (cocci), *associées en chaînes* (streptocoques), ou en *grappes* (staphylocoques) ; en *bâtonnets* (bacilles diphtérique, tuberculeux, entérobactéries, etc.) ; *incurvées* (vibrion cholérique) ; *spiralées* (spirilles). En culture liquide, 1 bactérie peut donner naissance à plus de 1 milliard de bactéries. Certaines exigent de l'oxygène libre *(aérobies)* ; d'autres l'extraient de ses combinaisons organiques *(anaérobies)*. Sensibles aux antibiotiques. La *virulence* est leur pouvoir de multiplication dans l'organisme. Certaines sécrètent des *toxines* diffusibles dans l'organisme. Il y a des milliers de bactéries utiles ou inoffensives *(saprophytes),* et quelques centaines seulement dangereuses *(pathogènes).* En 1975 sont apparues des bactéries résistant aux antibiotiques par un mécanisme de résistance extra-chromosomique transmissible d'une bactérie à l'autre.

Entre bactéries et virus se situent des micro-organismes possédant les propriétés des unes et des autres : *rickettsies, Chlamydia, mycoplasmes.*

Étiologie. Recherche et étude des causes des maladies (mécaniques, physiques, chimiques ou biologiques).

Maladies. Altérations de l'organisme définies par leurs causes (ex : infections, intoxications) ou par leur localisation et leurs effets (ex. : maladies digestives, pulmonaires, nerveuses, etc.).

Maladies contagieuses. Maladies transmissibles, qui se communiquent à des sujets réceptifs *(épidémie :* groupement de nombreux cas ayant la même origine et de caractère extensif ; *pandémie :* épidémie qui s'étend à tout un continent ou au monde entier ; *endémie :* persistance pendant toute l'année de cas ne présentant pas de liens apparents entre eux ; *épizootie :* épidémie atteignant un grand nombre d'animaux et donnant lieu à des mesures de police sanitaire).

Maladies infectieuses. Dues à des agents pathogènes (bactéries, virus, parasites) de différents types.

Maladie quarantenaire. Maladie infectieuse entraînant des mesures sanitaires internationales (déclaration, isolement des malades, surveillance des suspects, contrôles sanitaires aux frontières) : choléra, peste, variole, fièvre jaune.

Maladies tropicales. Paludisme : 2 100 millions de personnes exposées et 270 millions de pers. infectées. Schistosomiase 600 et 200. Filariose lymphatique 900 et 90. Onchocercose 90 et 17. Maladie de Chagas 90 et 16 à 18. Leishmaniose 350 et 12. Lèpre 1 600 et 10 à 12. Trypanosomiase 50 et 25.

Parasites. Êtres uni- ou pluricellulaires, plus développés biologiquement que les bactéries, adaptés pour vivre aux dépens d'un être organisé. Dimensions et comportement variés (hématozoaire du paludisme, amibe dysentérique, vers, etc.). Les parasites végétaux (champignons inférieurs) causent des maladies appelées *mycoses.*

Rétrovirus. Famille de virus à ARN (acide ribonucléique) comprenant notamment des virus portant le gène du cancer (oncogène) pour les animaux et les virus du Sida chez l'homme. En 1987, étaient connus les *HTLV1* et *HTLV2* [favorisant l'apparition de maladies cancéreuses (leucémies, lymphomes)], le *HIV1* et le *HIV2* (ex-LAV1 et LAV2 selon la dénomination française, et ex-HTLV3 et ex-HTLV4 selon la dénomination américaine), le *HTLV5.*

Virus. Le 1er fut découvert en 1892. On en connaît aujourd'hui plus de 1 000. *Taille :* de 14 à 300 millimicrons (millionièmes de mm). Visibles seulement au microscope électronique. Parasites obligatoires de cellules vivantes. Détruits par la chaleur. Résistent à la congélation.

Les cellules infectées par un virus sécrètent une protéine appelée *interféron* qui s'oppose à la pénétration d'un autre virus.

☞ **Mode de transmission.** Paludisme : un moustique. Onchocercose : mouche. Maladie de Chagas : un insecte. Dracunculose : un ver. Peste : une puce. Choléra : une bactérie. Poliomyélite : un virus.

Quelques maladies

Légende. – AZ : anthropozoonose (maladie infectieuse des animaux pouvant se transmettre à l'homme). B : infection bactérienne. P : parasitose. R : rickettsiose. V : virose.

Le nombre de cas réels est souvent supérieur au nombre de cas déclarés ci-après.

• **Blennorragie.** Voir p. 126.

• **Botulisme** (B). *Cause :* bacille anaérobie sécrétant une toxine neurotrope. *Contamination :* par ingestion d'aliments (conserves mal stérilisées, charcuteries) contaminés par le bacille. *Symptômes :* troubles gastro-intestinaux, suivis de paralysies (pharyngées, oculaires et respiratoires dans les formes graves). *Traitement :* réanimation, respiration assistée. *Cas en France : 1984 :* 13 c., 1 décès ; *1985 :* 18 c., 1 d. ; *1986 :* 18 c ; *1987 :* 34 c. ; *1988 :* 12 c. ; *1989 :* 30 c.

• **Brucellose** (fièvre de Malte, mélitococcie) (B) (AZ). Très répandue dans le bétail. Provoque des avortements (ovins, caprins, bovins). Diagnostic difficile chez l'animal. En France, en 1978, 98 % des bovins, 99 % des ovins et 99 % des caprins ont été reconnus indemnes. *Cause :* 3 espèces de bacilles (Brucella). *Contamination humaine :* le plus souvent professionnelle (agriculteurs, bergers, vétérinaires) au moment de l'avortement des animaux infectés ; plus rarement, par consommation de lait ou de viande crus. *Symptômes :* état fébrile prolongé, irrégulier (fièvre ondulante) ; sueurs, douleurs, rate hypertrophiée. Évolution souvent longue. *Complications :* ostéo-articulaires, nerveuses, psychiques. *Traitement :* antibiotiques. *Cas en France* (localisée d'abord à l'île de Malte, elle s'est répandue dans les pays méditerranéens, puis apparut en France en 1908) : *1978 :* 889 c., 4 d. ; *1979 :* 725 c. ; *1980 :* 685 c. ; *1981 :* 529 c. ; *1982 :* 548 c. ; *1983 :* 406 c., 1 décès ; *1984 :* 289 c. ; *1985 :* 228 c. ; *1986 :* 210 c ; *1987 :* 191 c. ; *1988 :* 204 c. *1989 :* 146 c.

• **Chancre mou.** Voir Index.

• **Charbon** (B) (AZ). *Cause :* bactéridie charbonneuse (découverte par Davaine), sporulée. *Contamination :* autrefois par contact avec bétail infecté ; actuellement par manipulation de produits importés d'origine animale (poils, laine, peaux, os). Maladie professionnelle. *Symptômes :* pustule maligne (surtout à la face), œdème malin ; parfois septicémie. *Traitement :* antibiotiques. Devenu exceptionnel.

• **Choléra** (B). *Contagion :* voie digestive (eau, aliments souillés par déjections), contact avec malades (bacille découvert en 1884). *Incubation :* moins de 5 j. *Symptômes :* vomissements, diarrhée ; déshydratation très rapide et grave. *Traitement :* réhydratation par perfusion veineuse ; antibiotiques. 95 % de guérisons si la réhydratation est correcte. *Prévention :* maladie quarantenaire (mesures intern.), stérilisation de l'eau de boisson, abstention de crudités ; sulfamides, antibiotiques ; vaccin. *Origine :* Afrique du Nord (essentiellement) ; aucun pays n'est à l'abri. Le choléra peut être importé mais s'éteindra rapidement si le pays jouit d'un niveau d'hygiène suffisant. Jusqu'au XIXe s., il fut confiné en Asie et en Inde. Il y resta endémique, se répandant parfois vers l'Ouest. *1817 :* Europe, Amérique et Afrique. *Nombre de cas déclarés à l'O.M.S. 1982 :* 54 856, *1983 :* 64 061, *1984 :* 28 893, *1985 :* 40 510, *1986 :* 46 473, *1987 :* 48 507, *1988 :* 44 083, *1989 :* 48 403 [dont *Afrique :* 35 606 dont Angola 17 601, Malawi 8 351, São-Tomé et Principe 3 953, Tanzanie 2 150, Nigeria 1 078 ; *Asie :* 12 785 dont Chine 6 158, Inde 5 026 ; *Europe :* 11 (dont 7 importés) dont Yougoslavie 4 (2i), Espagne 3 (1i), Allemagne 1 (i), France 1 (i), G.-B. 1 (i) ; *Amérique :* Canada 1 (i)]. *1990-91 :* Colombie, Pérou.

Pandémies : 1829, 1832 (1ers cas à Paris en mars ; en 6 mois : 18 000 †, *de 1832 à 1837 :* 100 000 † en France), *1846 à 1854* (la France est atteinte, *1849* 110 000 †). *1851, 1854* (France 143 478 †), *1856* (atteint Crimée, Bassin méditerranéen), *1865, 1866, 1871* (Baltique), *1873* (France), *1883-84* (Égypte : 28 616 † en *1883*), *1884* (Fr 11 769 † ; Espagne 119 931 † ; Italie 17 750 †), *1892* Russie (400 000 †), *1899, 1923, 1929* Iran. *1947* Égypte. *1961* provoqué par le vibrion El Tor à partir des Célèbes (Indonésie). *1964* Inde. *1965-66* Pakistan, Iran et Irak. *1970* Proche-Orient, Afr. du N. ; O. africain, Espagne. *1971 :* cas signalés : Afrique 155 873 (22 922 †) ; Bengale 61 526 (6 935 †) ; Indochine 21 604 (3 371 †) ; Europe 96 (4 †). *1972 :* 60 000 c. *1974 :* 99 141 c. *1979 :* 56 813 c. *1980 :* 42 164 c. *1981 :* 36 840 c. *1982 :* 54 856 c. *1983 :* 64 061. *1984 :* 28 893. *1985 :* 34 510 (dont Afrique 21 108, Asie 13 383, Europe 9, Océanie 6, Amérique 4). *Cas importés en France. 1981 :* 20 cas, *1982 :* 21, *1983 :* 3, *1984 :* 1, *1985 :* 0, *1986 :* 35, *1987 :* 7, *1988 :* 0, *1989 :* 0.

• **Coqueluche** (B). Au Moyen Age, les malades atteints par la toux et les accès de fièvre portaient des capuchons appelés « coqueluches ». *Cause :* bacille de Bordet-Gengou. Contamination directe par voie aérienne. *Incubation :* 6 à 12 j (8 en moyenne). *Symptômes :* quintes de toux spasmodiques avec reprise bruyante (chant du coq). *Durée :* 20 à 30 j. *Complications :* quintes asphyxiantes chez les tout jeunes enfants ; encéphalite ; infections respiratoires secondaires. *Traitement :* antibiotiques. *Prévention :* isolement (durant 30 j après le début des quintes). Injection précoce de gammaglobulines humaines aux sujets ayant été en contact avec un malade. Vaccin recommandé dès 3 mois. *Dans le monde :* chaque année, 46 millions d'enfants atteints dont 490 000 meurent. *Cas en France : 1961 :* 5 516 cas, 207 †. *1971 :* 668 c., 29 †. *1978 :* 163 †. *1980 :* 100 c., 6 †. *1981 :* 66 c. *1982 :* 137 c. *1983 :* 112 c. *1984 :* 57 c. *1985 :* 86 c. On ignore le nombre réel de cas en France par an, env. 1 000 enfants de – de 1 an seraient hospitalisés chaque année pour une coqueluche (1987). Aucun décès en 1987.

• **Coryza** (rhume de cerveau) (V). *Cause :* plusieurs variétés de virus. Chacun comporte de nombreux sérotypes, ce qui explique la répétition des rhumes et l'échec des essais de vaccination.

• **Diphtérie** (B). *Cause :* bacille de Löffler (découvert par Klebs en 1883 et isolé par Roux en 1889). *Contamination :* directe par voie aérienne, parfois ind. (objets souillés). *Symptômes :* angine à fausses membranes ; ganglions cervicaux hypertrophiés ; signes toxiques (pâleur, fatigue). Parfois, angine maligne, noirâtre, avec intoxication grave (myocardite), souvent mortelle. Le *croup* est dû à la localisation des fausses membranes au larynx (dyspnée : gêne respiratoire, essoufflement, asphyxie). *Complications :* paralysies (voile du palais, accommodation), parfois généralisées. *Traitement :* sérum antidiphtérique, antibiotiques. *Prévention :* isolement de 30 j. Vaccination obligatoire avant 1 an (découverte de l'anatoxine par Ramon). *Cas en France.* Nombreux avant la vaccination systématique (1946). *1945 :* 45 000 cas, 3 168 décès. *1948 :* 7 235 c., 489 d. *1961 :* 726 c., 23 d. *1972 :* 43 c., 1 d. *1980 :* 1 d. *1981 :* 6 d. *1985 :* 4 c. *1986 :* 4 c. *1987 :* 2 c. *1988 :* 0 c. *1989 :* 0 c.

• **Dracunculose.** Maladie parasitaire transmise par l'eau de boisson. Due au *Dracunculus medinensis* (ver de Guinée ou filaire de Médine), grand ver rond qui migre dans le tissu conjonctif pour émerger à travers la peau, provoquant une ampoule puis un ulcère douloureux. Si tout se passe bien, invalidité de 2 à 4 semaines. Cas d'invalidité permanente par ankylose et décès par tétanos, septicémie, gangrène ou phénomènes de compression rares. Toucherait 10 millions de personnes (Afrique, Inde, Moyen-Orient) ; les embryons sont absorbés par un « hôte intermédiaire », cyclops (crustacé de 0,5 à 2 mm), l'infection se produit en absorbant de l'eau contenant des cyclops contaminés.

• **Dysenterie.** Maladie parasitaire ou bactérienne caractérisée par le syndrome dysentérique : diarrhée, émission de glaires et de sang par l'anus ; douleurs abdominales *(épreintes)* et anales *(ténesme)*. 2 formes :

a) Dysenterie amibienne (P). Asie, Afrique et Amérique tropicales. *Cause :* amibe (protozoaire), parasite du côlon. *Contamination :* par voie digestive. *Symptômes :* syndrome dysentérique ; tendance aux rechutes. *Complications :* colite chronique ; amibiase hépatique (congestion, puis abcès du foie) ; parfois abcès du poumon. *Traitement :* imidazoles, émétine, arsenicaux, quinoléine. *Prévention :* surveillance des aliments et des eaux de boisson. *Cas en France : 1980 :* 169 c. *1981 :* 31 c. *1982 :* 56 c. *1983 :* 24 c. *1984 :* 20 c. *1985 :* 20 c. *1986 :* 13 c.

b) Dysenterie bacillaire (shigellose) (B). Répandue dans le monde entier. *Cause :* plusieurs espèces de bacilles du genre *Shigella. Contamination digestive :* aliments souillés, eau. *Symptômes :* syndrome dysentérique avec fièvre ou gastro-entérite aiguë plus bénigne (cas le plus habituel en France). *Complications :* rhumatisme. *Traitement :* sulfamides intestinaux, antibiotiques. *Cas en France : 1982 :* 373. *1983 :* 193. *1984 :* 271 c. *1985 :* 118 c. *1986 :* 76 c.

Syndrome dysentérique épidémique des enfants dans les pays en voie de développement. *Causes :* shigella, salmonella, clostridia. Risque de mort par déshydratation aiguë. Nécessité de réhydratation rapide par solutés de glucose additionné de potassium et sodium.

• **Encéphalite épidémique** (V). *Cause :* virus filtrant. *Symptômes :* encéphalite aiguë avec coma, paralysie, troubles respiratoires. Maladie très grave. A sévi au XVIIe s. en Italie et en Hongrie, plusieurs épidémies en Europe aux XVIIIe et XIXe s. En France, en 1916, 6 000 victimes. 1919-1920 elle atteint le monde entier. A pratiquement disparu. Pas de traitement connu.

• **Érysipèle** (B). *Cause :* streptocoque. *Symptômes :* plaque rouge limitée par bourrelet, née d'un foyer infectieux superficiel (nez, oreille) ; fièvre. *Durée :* 5 à 10 j. *Traitement :* antibiotiques.

• **Fièvres hémorragiques virales.** FIÈVRE DE LA VALLÉE DU RIFT. *Cause :* virus transmis par des moustiques ; réservoir naturel constitué par les rongeurs. *Traitement :* vaccin. *En 1977,* Égypte : env. 20 000 cas et 100 décès.

FIÈVRE JAUNE (V). *Cause :* virus amaril (arbovirus), transmis d'homme à homme et de l'animal (singe) à l'homme par un moustique : l'*Aedes aegypti* (découvert à Cuba en 1901 par la mission américaine). *Incubation :* 4 à 6 j. *Symptômes :* début brutal, fièvre élevée, ictère grave, vomissements noirs, hémorragies, néphrite. *Mortalité :* 30 à 50 %. *Traitement :* symptomatique (réanimation). *Prévention :* maladie quarantenaire (mesures internationales) ; destruction des moustiques. *Vaccination* par virus atténué. *Épidémies* meurtrières en Afrique tropicale et Am. du Centre et du Sud [Sénégal (1778, 1927) ; canal de Panama], parfois U.S.A. [Philadelphie 1793 (4 000 † sur 40 000 hab.) ; vallée du Mississippi 1878 (13 000 †) ; New York] ; Europe (moustiques importés l'été par des navires) : Barcelone 1821 (10 000 †). Actuellement, épidémies localisées dues au relâchement de la prévention ou à l'existence chez les singes d'un réservoir de virus, que les moustiques peuvent transmettre en piquant l'homme *(fièvre selvatique)*. **Cas dans le monde.** *1986 :* 3 450 (754 †) dont Afr. 3 291 (623 †, tous au Nigeria, épidémie) ; Amér. du S. 159 (131 †). *1987 :* 2 082 (958 †) dont : Afr. 1 847 (747 †). *1988 :* 2 058 [dont *Afr.* 1 823 (1 511 †) dont Nigeria 1 786 (1 497 †), Angola 37 (23 suspects, 14 †) ; *Amér. du S.* 235 (198 †) dont Pérou 195 (166 †), Brésil 21 (14 †), Bolivie 12 (11 †), Colombie 7 (7 †)].

DENGUE HÉMORRAGIQUE. Identifiée en 1953 aux Philippines, puis en Asie du S.-E., à Calcutta (Inde), et dans le Pacifique occidental. *Cause :* virus transmis par des moustiques du genre *Aedes. Incubation :* 5 à 8 j. *Symptômes :* fièvre, maux de tête, fortes douleurs musculaires et articulaires, collapsus brutal. *Mortalité :* 7 %. *Prévention :* destruction des moustiques.

FIÈVRE A VIRUS CHIKUNGUNYA. Transmise par les moustiques. Complexe fièvre hémorragique de Crimée/Congo/Hazara. *Cause :* virus transmis par les tiques. *Mortalité :* 30 à 50 % en U.R.S.S. et au Pakistan, rare en Afrique.

MALADIE DE LA FORÊT DE KYASANUR ; FIÈVRE HÉMORRAGIQUE D'OMSK. Transmise par les tiques.

FIÈVRE HÉMORRAGIQUE D'ARGENTINE. *Cause :* virus Junin transmis par les rongeurs. *Contamination :* poussières, aliments souillés. *Incubation :* 7 à 16 j. *Symptômes :* frissons, maux de tête et nausées, suivis de fièvre. *Mortalité :* 3 à 15 %.

FIÈVRE DE BOLIVIE. *Cause :* virus Machupo, transmis par des rongeurs.

FIÈVRE DE LASSA. *Cause :* virus transmis par les rongeurs, puis de personne à personne. *Contamination :* par l'urine qui contamine les aliments, la poussière. *Symptômes :* peu spécifiques, début lent et insidieux. *Mortalité :* 36 à 67 % parmi les formes graves de la maladie. Virus isolé en 1969 au Nigeria, puis au Libéria et en Sierra Leone (Afr.). 2 cas rapportés en G.-B. en 1982 (origine : Nigeria).

FIÈVRE HÉMORRAGIQUE AVEC SYNDROME RENAL. Transmise par des rongeurs.

VIRUS MARBURG ET EBOLA. Mode de transmission non élucidé. *Symptômes :* violents maux de tête, fièvre élevée, douleurs généralisées puis diarrhée conduisant à une déshydratation rapide. Hémorragies entre le 5e et le 7e jour. *Mortalité :* 29 %. *Prévention :* maladie quarantenaire. La confirmation du diagnostic viral est confiée à 4 laboratoires dans le monde (Anvers, Belg. ; Atlanta, U.S.A. ; Moscou, U.R.S.S. ; Salisbury, G.-B.). 2 épidémies au Soudan et Zaïre (318 cas, 280 décès) en 1976 (virus Ebola).

• **Fièvre Q.** Voir Rickettsioses p. 138.

• **Filariose.** Voir Helminthiases p. 137.

• **Grippe** (influenza) (V). *Cause :* virus grippal. 3 types : A, B, C. Le type A, le plus dangereux, est sujet à des mutations et variations périodiques (virus A, A1 A2). B, plus bénin, se propage moins facilement. *Dernières souches isolées :* A Victoria (G.-B.), Tokyo, New Jersey *(1976)*, A Texas, U.R.S.S. *(1977)*. *1980-81 :* A : 68 % appartenaient au sous-type H3N2, A Bangkok /1/79 (H3N2), A Texas /1/77 (H3N2) ; 28 % au sous-type H1N1, surtout A Angleterre /333/80 (H1N1). B : 4 % : surtout à B Singapour /222/79, présentes dans le vaccin antigrippal. *Contagion :* directe par voie aérienne. *Incubation :* 1 à 3 j. *Symptômes :* fièvre, début brutal ; catarrhe trachéo-bronchique. *Durée :* 3 à 5 j. *Complications :* pneumonie, broncho-pneumonie ; danger chez les vieillards, les insuffisants respiratoires, les cardiaques. Asthénie prolongée de la convalescence. *Traitement :* antibiotiques (seulement contre les complications bactériennes). *Prévention :* vaccins. 2 sortes : *v. tué concentré et purifié* administré par voie parentérale et *v. vivant atténué,* par instillations ou pulvérisations nasales. Protection jusqu'à 80 % dans l'intervalle qui précède l'apparition de nouveaux variants du virus. Env. 5 000 000 de vaccinés chaque année en France : amantadine, rimantadine (réduisant l'infection de 70 à 90 %).

Une *mutation* du virus rend caduque l'immunité acquise par une atteinte antérieure ou par vaccination ; il se produit alors une pandémie [1918, 1947, 1957 (60 000 † en 6 mois aux U.S.A.), 1968 (80 000 † en 6 mois aux U.S.A.)]. Dans l'intervalle, les simples variations antigéniques provoquent des épidémies saisonnières.

Origine des virus : centre de l'Asie. Épidémies connues : 1530 (1re épidémie), 1729, 1733, 1782, 1830, 1847, 1889, *1918-19 [grippe dite espagnole* (nom donné déjà en 1580 à une grippe sévissant en Allemagne)]. Le virus apparut en février 1918 en Chine, à Canton, puis dans des camps militaires aux U.S.A., il suivit l'armée amér. en Europe ; la 1re phase (été 1918) clouait le malade au lit 3 j ; la 2e (à l'automne) et la 3e (en janvier 1919) tuaient en 3 j ; ces grippes « espagnoles » firent 15 à 25 millions de morts dans le monde [dont Inde 6 000 000, U.S.A. 600 000, France 400 000 (dont Guillaume Apollinaire en nov. 1918, dont 30 382 sur 408 180 cas dans l'Armée de Terre du 1-5-1918 au 30-4-1919), Japon 246 000], soit plus que la guerre de 1914/18 (15 millions de †). L'île de Ste-Hélène, seule, ne fut pas touchée. Virus découvert en 1933 ; réapparu aux U.S.A. (1976, 500 cas dans le New Jersey).

Nombre de décès attribués à la grippe en France (causes directe et indirecte)

60	12 323	*69*	15 070	*78*	3 502
61	2 471	*70*	7 264	*79*	1 054
62	7 092	*71*	4 065	*80*	1 084
63	8 867	*72*	4 797	*81*	2 947
64	2 447	*73*	8 906	*83*	2 278
65	9 309	*74*	4 375	*84*	627
66	3 116	*75*	4 806	*88*	1 020
67	4 160	*76*	5 336		
68	8 253	*77*	2 600		

Coût de la grippe en France : diagnostics : 2,5 à 6 millions de malades, 750 à 2 600 décès, 0,7 à 3 milliards de F de soins médicaux, 24 millions de journées de travail perdues, coût indirect 6 à 12 milliards de F. En moyenne, 20 % des Français sont atteints chaque année (12 % se font vacciner).

• **Helminthiases** (P). Maladies parasitaires causées par diverses classes de vers.

1°) *Cestodes* (vers plats rubannés) : contamination par ingestion de porc ou bœuf pour les ténias, de poissons pour le bothriocéphale. Exception : le *ténia chinocoque* (stade larvaire chez l'homme), les *larves* (cysticerques) produisent les *kystes hydatiques.*

2°) *Trématodes* (vers plats ovalaires) : contamination par ingestion de poissons ou végétaux d'eau douce : douves, qui provoquent la *distomatose* (hépatite toxi-infectieuse) ; à partir d'eaux polluées par des déjections urinaires ou fécales : *bilharziose* vésicale due à des vers plats [les *schistosomes* ou *bilharzies :* 200 millions de cas dans le monde (Égypte, Afrique tropicale) ; 800 000 décès par an : vaccin en préparation], intestinale (Amér. du S., Antilles), artérioveineuse (Japon, Philippines).

3°) *Nématodes* (vers cylindriques) : comprennent : a) Parasites *intestinaux :* ascaris, trichocéphales, et oxyures (contamination par ingestion de larves) ; ankylostomes, anguillules (les larves pénètrent à travers la peau) ; trichines (ingestion de viande de porc mal cuite). b) Parasites des *vaisseaux lymphatiques* ou du tissu cellulaire *sous-cutané :* les *filaires,* transmises par des insectes vecteurs (filariose : filaire de Bancroft, 250 millions de cas dans le monde ; f. loa-loa, *onchocercose* ou cécité des rivières, 90 millions de cas en Afrique noire) ou par ingestion d'un petit crustacé (filaire de Médine). *Traitement :* vermifuge. *Prévention :* lutte contre les mollusques, assèchement des plans d'eau inutiles, suppression des plantes d'eau, etc.

Cas en France : 1975 : 4 346 c., 460 décès. *U.S.A. : 1975 :* 56 134 c. *1976 :* 56 795 c.

• **Hépatite virale** (V). *Contamination. Hépatite A,* par ingestion (eau, aliments). *Incubation :* 3 semaines. *Hépatite B,* par inoculation de sang ou de plasma infecté, quelquefois par voie orale. *Incubation :* 2 à 3 mois. *Cause :* virus apparenté à l'antigène *Australia,* plus directement associé à l'hépatite B ; 300 millions d'individus dans le monde seraient porteurs du virus B (Occident 0,1 à 0,5 % de la population ; Amér. du Sud, Japon 1 à 2 % ; Afr. du Nord, M.-Orient, E.-Orient 2 à 5 % ; Afrique intertropicale, Asie du S.-Est 5 à 15 %). Décès : 2 millions par an par cancer du foie ou cirrhose. *Symptômes :* début par fièvre, troubles digestifs (nécrose du foie) ; puis *ictère* (jaunisse) durant 3 semaines environ. *Complications :* formes prolongées, à rechutes, ictère grave, cirrhose. *Traitement :* repos, régime. *Hépatite D :* virus défectif (se glissant dans l'enveloppe d'un virus B). *Prévention : hépatite A :* hygiène alimentaire ; injection préventive de gammaglobulines humaines polyvalentes ; *hépatite B :* recherche systématique de l'antigène HB chez les donneurs de sang ; élimination des porteurs, injection de gammaglobulines spécifiques anti-HB, vaccination depuis 1981. *Hép. virale professionnelle :* des sujets effectuant le prélèvement, le conditionnement ou l'emploi du sang humain ou de ses dérivés. *Déclaration :* oblig. en France dep. 1973. *Cas en France :* 1984 : 2 270 c., 262 d. *1985 :* 1 641 c. *1986 :* 1 062 c.

• **Légionellose (maladie du légionnaire).** *Cause : Legionella pneumophila,* germe en forme de bâtonnet, mode d'action en grande partie inexpliqué. En 1976, 200 congressistes de l'American Legion réunis à Philadelphie avaient été atteints et 29 étaient morts. *Symptômes :* pneumonie aiguë, forte fièvre. *Traitement :* antibiotiques. *Cas.* États-Unis : 25 000 par an, *France : 1984 :* 223, *1988 :* 26 c., *1989 :* 93 c. *Décès. France : 1981 :* 2. *1987 :* 1.

• **Leishmaniose** (P) (AZ). *Cause : leishmania,* parasite des cellules de l'homme et d'animaux (chiens, rongeurs sauvages). *Contagion* indirecte par piqûre d'un insecte vecteur. *2 formes : a) cutanée* (bouton d'Orient), dans le Bassin méditerranéen : lésion croûteuse et ulcérée sur la peau ; durée : 2 à 12 mois ; *b) viscérale* (Kala-Azar) : Inde, Bassin méditerranéen. En France, le chien est le réservoir du virus. *Symptômes :* fièvre prolongée, irrégulière ; hépatosplénomégalie (augmentation du volume du foie et de la rate) ; anémie ; cachexie. *Traitement :* diamidine, antimoniaux. *Cas dans le monde :* env. 400 000 par an (Afrique, Amérique du Sud, Inde). *1984* env. 12 millions de cas enregistrés. *Cas en France. 1986 et 87* (sur 2 ans) *viscérale autochtone :* 63 c. (dont Bouches-du-Rhône 33, Gard 8, Vaucluse 7, Alpes-Mar. 7, Pyrénées-Or. et Hérault 2, Ardèche, Gers, Lozère, Tarn 1) ; *cutanée autochtone :* 4 c.

• **Lèpre.** *720,* apparue en France avec les Sarrasins. Nombreux ravages à l'époque des Croisades. *1225,* s'étend de la Provence dans toute la France (il y aura 2 000 léproseries v. *1550*), disparaît presque complètement et cesse v. *1664. Cause : Mycobacterium leprae,* bacille découvert par le Norvégien Hansen, en 1873. *Contamination :* contact prolongé avec un lépreux contagieux. *Incubation :* longue (2 à 5 ans en moyenne, parfois beaucoup plus). *Symptômes :* débute par une macule (tache) indéterminée. Puis évolue vers 2 formes extrêmes (dites polaires) entre lesquelles existent de nombreuses formes intermédiaires (interpolaires). *1°) Forme tuberculoïde :* macules décolorées anesthésiques, lésions nerveuses (névrites, troubles trophiques), lésions osseuses. Aboutit à des déformations et mutilations. Se voit chez les sujets ayant une bonne défense immunitaire. Très peu contagieuse et très sensible au traitement (min. 6 mois). *2°) Forme lépromateuse :* nodules (lépromes), rhinite bacillifère, lésions viscérales et oculaires. Accidents neurologiques tardifs. Survient chez les sujets ayant une mauvaise défense immunitaire. Forme la plus grave et la plus contagieuse. Nécessite un traitement prolongé (min. 2 ans). *Traitement :* sulfones (depuis 1941), rifampicine (très active), clofazimine (lamprène), thioamides (éthionamide-protionamide). Association indispensable de plusieurs antibiotiques. Dans les états réactionnels, intérêt des corticoïdes, de la clofazimine, de la thalidomide (sous certaines conditions) et parfois de la chirurgie décompressive. Chirurgie réparatrice. *Prévention :* un vaccin spécifique est à l'étude. *Cas dans le monde (déc. 1988) :* 10 millions selon l'O.M.S. et la fondation Raoul Follereau, 31, rue de Dantzig, 75015 Paris [dont Asie 3,3, Afrique 0,5, Amér. 0,35, Pacifique 0,2, Proche et Moyen-Orient 0,1, Europe 0,01] (4 millions suivent un traitement régulier). *Cas déclarés en France métropolitaine : 1981 :* 13, *1982 :* 14, *1983 :* 17, *1984 :* 9, *1985 :* 15, *fin 1986 :* 7 (mais 117 malades sont enregistrés pour traitement en France).

• **Leptospirose** (spirochétose ictéro-hémorragique) (B) (AZ). *Cause :* diverses espèces de leptospires (organismes spiralés). Découvert par Inada et Ido en 1914. *Contamination :* immersion dans l'eau souillée par l'urine des rats. Souvent maladie professionnelle : égoutiers. *Symptômes :* fièvre, douleurs musculaires, ictère, atteinte rénale, méningite. *Traitement (antibiotiques) :* pénicilline. *Cas déclarés en France : 1980 :* 52, *1981 :* 62, *1982 :* 60 (8 décès), *1983 :* 105 (mortalité : 10 %), *1984 :* 72, *1985 :* 42, *1986 :* 83 (2 d.), *1987 :* 675, *1988 :* 670, *1989 :* 560 (dont métropole 179, DOM-TOM 381).

• **Listériose.** *Cause :* microbe : *listéria.* Rare, mais mortelle pour env. 1/3 des cas. Groupes à risque : femmes enceintes et enfants qu'elles portent, cancéreux soumis à des chimiothérapies qui diminuent l'immunité naturelle, alcooliques, drogués, diabétiques, vieillards et malades atteints du SIDA. *Principaux produits alimentaires concernés :* lait, produits laitiers, viande et surtout produits à base de viande crue, légumes et salades, fruits de mer. Les listeria peuvent se multiplier aux températures de réfrigération (4 à 6 °C). Aliments pouvant être considérés exempts de listeria : pasteurisés, irradiés, cuits, ou conservés au vinaigre, à condition que toute recontamination ultérieure ait été évitée. *En France :* env. 900 c./an (soit env. 16,8 c./million d'h.). *1988 :* env. 11 c./million d'h.

• **Maladie de Lyme.** Décrite en 1910 par A. Afzelius (Suédois). *Identifiée :* 1975, par Allen Steere, à Lyme (Connecticut, U.S.A.). *Cas annuels en France :* env. 1 000 (U.S.A. 15 000). *Cause :* due à un spirochète *(Borrelia burgdorferi),* provoquée par la piqûre d'une tique forestière, l'*Ixodes ricinus* ou *dammini* (la fixation de la tique doit durer au moins 24 h pour que l'infection se produise). *Symptômes :* dans 70 % des cas, éruption cutanée (claire au milieu, rouge sombre à la périphérie) (érythème migrant), qui survient jusqu'à un mois après la morsure de la tique, parfois fièvre, raideurs articulaires et fatigue intense. *Traitement :* antibiotiques (absence de traitement : arthrites, atteinte cardiaque, méningite, névrites, paralysie, encéphalites).

• **Méningite cérébrospinale** (B). *Cause :* méningocoque [dans le rhino-pharynx de nombreux sujets ; quelques-uns font une méningite (30 % des cas), Haemophilus influenzae (50 %), pneumocoques (20 %)]. *Contamination* directe par mucosités pharyngées. *Incubation :* 2 à 4 j. *Symptômes :* syndrome méningé (céphalée, raideur de la nuque), fièvre élevée ; pus dans le liquide céphalo-rachidien. *Complications : septicémie, purpura, arthrites. Traitement :* sulfamides, antibiotiques, très efficaces (autrefois 50 % de décès, actuellement moins de 5 %). *Prévention :* recherche des porteurs sains dans l'entourage ; sulfamidothérapie des sujets en contact avec le malade. Il existe des vaccins contre les méningocoques A (Afrique) et C (pays anglo-saxons), non contre B (95 % des méningites à méningocoques en France, bactérie *Haemophilus influenzae*). *Cas en France : 1950 :* 518. *1960 :* 610. *1970 :* 1 105. *1980 :* 1 661. *1981 :* 1 374 c. (107 décès). *1982 :* 1 080. *1983 :* 886 (103 d.). *1984 :* 867 (47 d.). *1985 :* 840 (65 d.). *1986 :* 859 (40 d.). *1987 :* 621 (38 d.). *1988 :* 511 (32 d.). *1989 :* 513, taux de létalité 12 %.

• **Monkeypox humain.** Zoonose rare. *Nombre de cas :* 400 en Afrique de 1970 à 87.

• **Mononucléose infectieuse** (V). *Cause :* virus EB (virus Epstein-Barr). *Symptômes :* fièvre, angine, fluxion des ganglions du cou, splénomégalie (grosse rate) discrète ; présence dans le sang de mononucléaires basophiles. *Durée :* de 2 à plusieurs semaines. *Complications :* hépatite, méningo-encéphalite (rares). *Traitement :* corticoïdes (discutés). Fréquente chez les jeunes adultes. *Mortalité* très exceptionnelle.

• **Mycoses** (P). *Causes :* champignons microscopiques (par action directe et par sensibilisation). *Nombreuses variétés :* mycoses superficielles de la peau *(teignes, candidoses)* et des muqueuses *(muguet),* m. *sous-cutanées (sporotrichose, mycétomes),* m. *profondes (aspergillose, histoplasmose).* Évolution toujours lente, chronique. *Traitement :* antifongiques.

• **Oreillons** (V). *Cause :* virus ourlien. *Contagion* directe par voie aérienne. *Incubation :* 18 à 22 j. *Symptômes :* gonflement bilatéral des glandes parotides. *Durée :* 5 à 6 j. *Complications :* orchite, pancréatite ; complications nerveuses, parfois méningo-encéphalite. *Traitement :* repos au lit. *Prévention :* isolement jusqu'à guérison clinique ; vaccin (U.S.A.). *Statistiques :* difficiles à établir, 40 % des cas seraient inapparents. 20 % des + de 20 ans ne seraient pas immunisés. *Cas en France : 1986 :* 931c.

• **Ornithose** (AZ). *Cause : Chlamydia psittachi. Contamination :* inhalation de poussières contenant des excréments d'oiseaux infectés (pigeons). *Symptômes :* fièvre, pneumonie atypique (durée : 8 à 10 j). La *psittacose,* transmise par les perroquets, est plus grave. *Traitement :* antibiotiques.

• **Paludisme (malaria)** (P). *Cause :* hématozoaire de Laveran, parasite des globules rouges (le plus répandu : *Plasmodium falciparum* responsable des formes mortelles et graves de p.). *Contagion :* indirecte par piqûre de moustique (400 espèces d'anophèles identifiés dont env. 80 vecteurs de paludisme) se nourrissant d'hémoglobine riche en fer. *Symptômes* (paludisme de 1re invasion) : incubation 8 à 15 j, fièvre, embarras gastrique fébrile. *Cause :* éclatement des globules rouges pénétrés par les protozoaires parasites microscopiques que contient l'anophèle ; de jeunes parasites sont libérés et pénètrent dans de nouvelles hématies ; plus tard, accès fébriles intermittents, tous les 2 ou 3 j, causés par la libération de substances lors de l'éclatement.

Traitement : antimalariques de synthèse (chloroquinine, amodiaquine), *quinine, méfloquine. Prévention : lutte contre les moustiques :* DDT dans du pétrole répandu sur l'eau (marais, lacs, etc.) ou méthodes biologiques (écoulement des eaux stagnantes, suppression des mares d'eau inutiles, création de courants chassant les larves) permettant le respect de la faune et de la flore ; pulvérisations d'insecticides (peuvent supprimer aussi des parasites utiles ; résistance par sélection des plus résistants ou par mutation génétique). *Prise continue d'antimalariques* (pyriméthamine, proguanil, aminoquinoléines, chloroquine, amodiaquine, méfloquine) en pays d'endémie. En zone de paludisme, dès le jour du départ, prise quotidienne de chloroquine (Nivaquine) pendant le séjour et les 2 mois suivant le retour (se renseigner : dans certaines zones, le parasite résiste à ce médicament et la méfloquine sera nécessaire). En 1955 l'O.M.S. a commencé une campagne d'éradication (144 pays étaient atteints, 2 milliards d'hommes étaient anémiés, 3 millions et demi d'h. en mouraient).

Statistiques. Monde : 2 milliards de personnes vivent dans des pays où la situation est instable ou se détériore, dont 500 millions dans des pays où le risque est très élevé. Cas (nouveaux par an) 110 à 300 millions. Décès signalés à l'O.M.S. (en milliers). *1986 :* 5 081. *1987 :* 5 191. *1988 (partiels) :* 8 344 dont Afrique 3 285, Amérique 1 100 (pas en Amérique du N. sauf au Mexique 116) ; Asie du S.-E. 2 645, Méditerranée orientale 602, Pacifique occidental 704, Europe 8.

Cas en France (importés). 1984 : 113, *1985 :* 631, *1986 :* 161. *Décès* (janv. 86 à juin 87) : 21. *Cas autochtones,* métropole et entre parenthèses DOM-TOM : *1987 :* 0 (3 072), *1988 :* 0 (904, dont Guyane 747, Réunion 154, Guadeloupe 3).

• **Peste** (B) (AZ). *Cause :* bacille de Yersin. *Contamination :* maladie du rat et des rongeurs sauvages, transmise à l'homme par la *puce* (le rat noir serait davantage porteur que le rat gris). *Incubation :* 2 à 5 j. *Symptômes :* a) *peste bubonique :* fièvre élevée, délire ; ganglion suppuré dans l'aine ou l'aisselle. b) *peste pulmonaire :* pneumonie, transmise directement d'homme à homme, très grave. *Complications :* septicémie. *Traitement :* antibiotiques (ont réduit considérablement la mortalité). *Prévention :* maladie quarantenaire (mesures internationales) ; port d'un masque pour le personnel soignant ; vaccin ; chimioprophylaxie ; lutte contre les rats ; désinsectisation. Traitée tôt, elle est curable grâce aux antibiotiques.

Quelques cas autochtones observés en Corse depuis 1970 (côte orientale, cap Corse).

Quelques épidémies : Avant J.-C. : 1285, 700 (env. tous les 15 ou 20 ans), *431* (Athènes). *Après J.-C. : 542* (Paris) ; *994, 1027, 1035, 1043, 1232* (Chine), *1347-52* (peste noire, 25 millions de † en Europe), *1537, 1548, 1566, 1568, 1580, 1628* (Lyon et Paris, + de 40 000 †), *1630-31, 1638, 1654* (Danemark), *1657* (Suède), *1665* (G.-B., 75 000 † à Londres en 7 mois, peste bubonique et pulmonaire), *1668* (Suisse), *1669* (P.-Bas), *1681* (Espagne), *1713* (Moscou), *1720* (Marseille et Provence, 85 000 †), *1722* (France), *1815-24* (Constantinople), *1834-35* (Le Caire), *1867-1892* (Irak), *1879* (Russie), *1894* (Chine, de Canton essaime sur tous les continents), *1898-1908* (Inde, 6 032 693 †), *1901* (Formose, 3 670 †), *1907* (Birmanie, 9 249 †), *1908* (U.S.A.), *1911* (Mandchourie, 60 000 † ; Inde, 840 000 †), *1914* (Ceylan, 401 † ; Hong Kong, 2 020 †), *1916* (Ét. de New York, 13 000 c.), *1917* (Mongolie, 16 000 †), *1920* (Mandchourie, 93 000 †) ; *France* (peste des chiffonniers 34 †), *1930* (Chine, 20 000 †), *1961 à 70* (2 000 cas annuels déclarés dans le monde), *1985 :* 483 (51 †), *1986 :* 1 003 (115 †), *1987 :* 1 055 (215 †), *1988 :* 1 363 (153 †), *1989 :* 770 (104 †) dont Viêt-nam 374 (37 †), Madagascar 180 (42 †), Botswana 103 (9 †), Myanmat 34 (2 †), Tanzanie 31 (4 †), Brésil 26 (0 †), Chine 10 (6 †), Mongolie 5 (3 †), U.S.A. 4 (0 †), U.R.S.S. 2 (1 †), Zaïre 1 (0 †).

• **Pian** (P). *Cause :* tréponème voisin de celui de la syphilis. *Transmission* par contact cutané. *Symptômes :* ulcérations cutanées, lésions bourgeonnantes et suintantes. *Complications :* osseuses déformantes. *Traitement :* pénicilline (excellents résultats par traitement de masse). Morbidité et mortalité inconnues.

• **Poliomyélite** (V). *Cause :* virus comportant 3 types (I, II, III). Reconnue en 1840 par Heine et 1890 par Medin. En 1909, Karl Landstenner découvrit une immunité. *Contamination :* par voie digestive (eau). *Incubation :* 4 à 15 j. *Symptômes :* tous les sujets infectés ne présentent pas de symptômes : certains font une *maladie mineure* (angine, troubles digestifs) ; d'autres font ensuite une maladie *majeure* (méningite) ; parmi eux, certains font une *paralysie* à début brusque, plus ou moins étendue. *Forme grave :* paralysie respiratoire. *Séquelles :* paralysies définitives. *Traitement :* rien pour la forme courante ; respiration assistée et réanimation pour les paralysies respiratoires. *Prévention :* vaccination : virus atténué (vaccin Sabin par voie orale) ou inactivé (vaccin Salk-Lépine par injection).

Cas dans le monde (déclarés à l'O.M.S.). *1985 :* 29 890 ; *1987 :* 35 548 ; *1988 :* 26 621 dont Asie du S.-E. 22 567 (dont Inde 20 881). En fait il y aurait 200 000 à 250 000 cas de poliomyélite paralytique chaque année dans le monde.

France : 1957 4 000 cas ; *61* 1 513 cas, 126 décès ; *79* 14 c. ; *80* 8 c. ; *81* 8 c. ; *82* 14 c. ; *83* 3 c. ; *84* 7 c. ; *85* 2 c. ; *86* 5 c. ; *87* 3 c. ; *88* 1 c ; *89* 2 c.

• **Psittacose** (V). *Cause :* chlamydia. *Symptômes :* pneumonie aiguë fébrile avec toux, douleurs thoraciques et parfois encéphalites ou péricardites. Peu fréquente. *Traitement :* antibiotiques. *Cas en France : 1979 :* 11. *1980 :* 8. *1982 :* 14.

• **Rage** (V) (AZ). *Cause :* virus rabique. *Contamination :* contact d'une blessure (morsure, griffure ou léchage sur blessure) avec la salive d'un mammifère enragé : chien, chat, chauve-souris, renard ; bovins, chevaux et autres herbivores sauvages sont atteints par la rage et en meurent mais ne la transmettent qu'exceptionnellement à d'autres animaux ou à l'homme, sauf si ce dernier « explore » la gueule des herbivores suspects (paralysie de la mâchoire) ; très exceptionnellement par gouttelettes en suspension dans l'air aspirées par inhalation. Dans certains pays d'Amérique, les chauves-souris vampires hématophages contaminent le bétail [prévention : vaccination massive du bétail ; vampires badigeonnés d'anticoagulant et relâchés pour qu'ils contaminent le reste de la colonie]. Contre la rage des chauves-souris insectivores (menacées de disparition pour d'autres causes et protégées par la loi), aucune mesure de limitation de leur population, mais information raisonnée du public concernant le risque de morsure de cette espèce. En Europe, nombreux cas de rage des chauves-souris insectivores (sérotines) dep. 1986 au Danemark, P.-Bas, All. féd. ; sept. 1987 : 2 cas en Esp. ; sept. 89 : 2 cas en France. *Prévention :* en Europe, renards en régions de rage endémique. Limitation des populations de renards (gazage, chasse, tir de nuit) en évitant de bouleverser les conditions écologiques initiales. La « prime à la queue » a été abandonnée en 1990. Depuis 1978 en Suisse, en 1983 en All. féd., en 1985 en Italie et en Autriche, en 1986 en Belgique, en France et au Luxembourg, protection des animaux par distribution d'appâts contenant un vaccin à virus vivant. Méthode un peu risquée, mais efficace. En France, distribution d'appâts par hélicoptères depuis 1988. *Symptômes : chez l'homme :* hydrophobie, spasmes de la gorge, convulsions, paralysies des membres jusqu'à la mort ; *chez l'animal : 2 formes d'évolution : rage furieuse,* excitation générale (se méfier aussi de l'animal habituellement agressif devenu subitement doux, affectueux...), bave, mord, griffe ; *rage mue :* prostration, paralysie des muscles (difficile à déceler, le chat cherche les coins sombres, miaule plaintivement ou peut passer par des crises de furie). *Décès :* 100 % en 2-3 j. *Prévention :* vaccination des professions exposées à titre préventif. *Traitement. France :* vacc. à titre « curatif » après morsure, griffure, léchage ou contact avec animal suspect de rage ou enragé. *Nombre de cas de rage humaine contractée en France :* aucun cas observé depuis 1968. En 1988, 14 241 personnes sont venues aux consultations dans l'un des 64 centres antirabiques français ; un traitement antirabique a été instauré pour 7 836 personnes (53,3 %). *Vaccination des animaux :* obligatoire dans les départements officiellement atteints : les chiens non vaccinés doivent être tenus en laisse, et les chats doivent rester enfermés ; pour le chien dès 3 mois, pour le chat dès 6 semaines (2 injections à 15 j ou 1 mois d'intervalle pour les carnivores ou 1 injection seulement avec certains vaccins agréés, 1 seule pour les herbivores, 1 rappel par an pour les carnivores, tous les 2 ans pour les bovins, avec certains vaccins agréés). Identification des animaux (tatouage obligatoire pour valider la vaccination des carnivores).

Conduite à tenir : éviter de toucher à mains nues, mort ou vivant, un animal sauvage ; ne jamais laisser son animal familier en liberté dans une forêt ; ne jamais caresser et surtout adopter un animal que l'on ne connaît pas. Agir immédiatement dès que l'on a un doute sur la possibilité d'une contamination, morsure ou griffure : laver immédiatement la plaie à grande eau (additionnée de savon) ; éviter de suturer la plaie ; consulter le médecin le plus proche ou l'Institut Pasteur ou un centre de traitement antirabique qui administrera le vaccin antirabique et la préparation de gammaglobulines si nécessaire.

Identifier l'animal qui a mordu ; obtenir nom et adresse du propriétaire pour faire exécuter dans les 48 h les examens vétérinaires (exigés par la loi) qui doivent se poursuivre dans les 15 j (traitement antirabique interrompu si l'animal reste sain 5 j) ; prévenir immédiatement la gendarmerie (si l'animal a été abattu, conserver le cadavre au froid et le remettre à un service vétérinaire). Si les examens sont positifs, aller aussitôt à l'Institut Pasteur ou à l'un des 65 centres ou antennes antirabiques de France. *Traitement :* s'il y a eu contact sans lésions avec un animal présumé enragé, aucun traitement vaccinal n'est entrepris. Sinon 6 injections de vaccin aux jours 0 (1re consultation), puis 3, 7, 14, 30 et 90. Associer au vaccin une injection de sérum antirabique en cas de morsures multiples ou de morsures graves (face, mains, organes génitaux) ou de morsure par animal sauvage ; elle sera effectuée le plus tôt possible après la morsure. Une fois la rage déclarée, il est trop tard pour vacciner ; le traitement se borne alors à : sédatifs pour soulager anxiété et douleur ; respiration assistée (resp. artificielle, trachéotomie) ; médicaments pour combattre les contractions spasmodiques des muscles ; hydratation et normalisation des fonctions rénales par perfusion intraveineuse avec contrôle contre les arrêts cardiaques. Dans les morsures graves, les gammaglobulines humaines antirabiques sont associées.

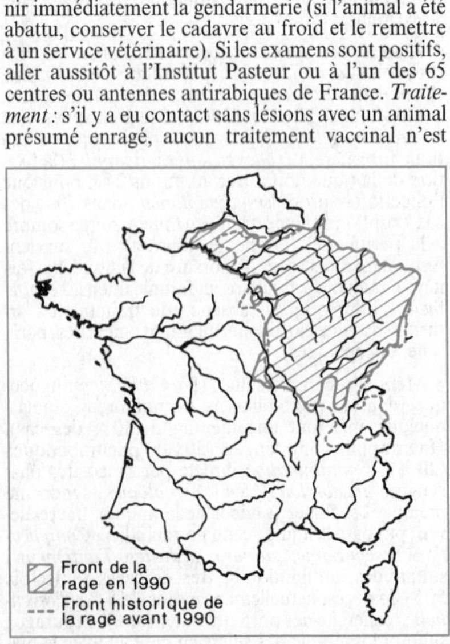

Front de la rage en 1990
Front historique de la rage avant 1990

La rage en 1990
Source : MAF-CNEVA, Nancy

Rage animale. *En France :* rage du chien disparue depuis 1928, réapparue sous forme de rage du renard dep. le 26-3-1968, en Moselle. Dep. 1978, le front de rage, qui progressait de 40 km par an vers l'ouest, s'est arrêté, sauf en direction de l'Allier et de la Seine-Maritime.

Départements où ont été signalés des cas de rage en 1989. Ain, Aisne, Allier, Ardennes, Aube, Cher, Côte-d'Or, Doubs, Eure, Jura, Marne, Hte-Marne, M.-et-Moselle, Meuse, Moselle, Nièvre, Oise, B.-Rhin, Ht-Rhin, Rhône, Saône, Saône-et-Loire, Seine-Mar., S.-et-Marne, Somme, T. de Belfort, Val-d'Oise, Vosges, Yonne, Yvelines. **1990.** Cher.

Liste des départements officiellement déclarés infectés. Les mêmes + Loiret, Savoie, Hte-Savoie, S.-Maritime, S.-St-Denis, Essonne et Val-d'Oise. [Lorsqu'un cas de rage a été signalé dans un département, quel qu'il soit, ce dép. reste officiellement « déclaré infecté » les 3 années suivantes (et tant qu'un département contigu est lui-même infecté)].

Cas : *1968 :* 63 c. *1970 :* 514 c. *1975 :* 2 029 c. *1979 :* 1 705 c. *1980 :* 1 618 c. *1981 :* 2 349 c. *1986 :* 2 463 c. *1987 :* 2 068 c. *1988 :* 2 225 c. *1989 :* 4 213 c (dont *animaux sauvages :* renards 3 340, blaireaux 35, chevreuils 27, autres 85 ; *animaux domestiques :* chiens 52, chats 117, bovins 198, ovins et caprins 316, équins 37, porc 1. *Total de mars 1968 à nov. 1990 :* 45 709 cas de rage animale signalés (dont renards 35 375).

Rage humaine. Monde. Décès 60/80 000 par an (dont + de 50 % en Chine, Birmanie, Viêt-nam, Inde et Thaïlande, où la religion interdit souvent de tuer les animaux). **France.** Env. 10 000 par an. *Décès* (au 15-4-1991) : 2 cas depuis 1982 : 1982 et 1991 (16-2).

• **Rickettsioses** (R). Groupe de maladies causées par des rickettsies, parasites (diamètre : 1 micron) des cellules ; sensibles aux antibiotiques. 5 grands groupes :

a) Typhus exanthématique. Transmis d'homme à homme par le *pou* (découvert en 1909). *Incubation :* 14 j. *Symptômes :* fièvre élevée, torpeur, éruption de taches rosées. *Complications :* cardiaques, artérites. *Prévention :* épouillage ; vaccin (le 1er employé fut celui de Weigl). Dans le passé, nombreuses épidémies redoutables (camps de prisonniers). 30 % de décès avant les antibiotiques. La *peste de St-Cyrien* (253) serait une épidémie de typhus. A surtout sévi pendant les g. [Trente Ans, campagne de Russie de Napoléon, de Crimée, russo-turque de 1878, 1914-18 (Russie), 1940-45 dans les camps de déportés et sur le front oriental]. *1623* le typhus paraît pour la 1re fois (à Montpellier après le siège de cette place). *1649-1650* épidémie en Languedoc et Saintonge. *1794-1799* littoral méditerranéen. *1806* Est. *1807* Aube et Yonne. *1808* Gascogne. *1812* Yonne et Côte-d'Or. *1814* bords du Rhin et grande partie de la Fr. *1918-22* Russie 30 000 000 de cas, 3 000 000 de †. *1976 :* 8 065 c. (106 †). *1977 :* 6 087 c., 88 †. *1978 :* 6 686 c. *1979 :* 18 364 c. *1980 :* 7 506 c. (Afr. 7 432, Amér. Centre et S. 74), 18 † (Afr. 10, Amér. Centre et S. 8).

b) Typhus murin (AZ). Transmis du rat à l'homme par les *puces. Symptômes :* cf. précédents (moins graves).

c) Fièvres boutonneuses pourprées (AZ). *Transmises* par morsures de tiques infectées sur des animaux (rongeurs sauvages, chien). *Symptômes :* fièvre, éruption boutonneuse (papules saillantes). Amérique et Méditerranée.

d) Fièvre des broussailles (scrub-typhus) (AZ). *Transmise* par morsure de larves d'acariens infectés sur des rongeurs. *Symptômes :* fièvre, éruption maculeuse, escarre au point d'inoculation. Maladie rurale d'Extrême-Orient et îles du Pacifique : (armées alliées : 12 000 cas en 1941-44).

e) Fièvre Q (AZ). *Contamination :* surtout par inhalation de poussières infectées par divers animaux (bétail). *Symptômes :* fièvre, pneumonie atypique (pneumopathie aiguë fébrile avec toux, dyspnée et cyanose). Maladie découverte en Australie et répandue dans le monde entier.

En France, tous groupes réunis. Cas : 1983 : 35, *84 :* 41, *85 :* 20, *86 :* 21.

• **Rougeole** (V). *Cause :* virus. *Contagion :* directe (voie aérienne). *Incubation :* 8 à 14 j. *Symptômes :* catarrhe oculo-nasal, toux, puis fièvre, éruption généralisée de papules rouges. *Durée :* 4 à 6 j. *Complications :* broncho-pneumonie, otite, encéphalite, peut tuer 1 malade sur 10 en Amérique du Sud et en Afrique intertropicale, et être la 1re cause de mortalité des enfants de 6 mois à 4 ans (mort entraînée par broncho-pneumonie, ou déshydratation provoquée par les troubles digestifs).

Traitement : antibiotiques (seulement contre complications bactériennes). *Prévention :* séro-prévention dès le contact par gammaglobulines humaines ; vaccination : efficace, recommandée chez les enfants fragiles et dans les crèches. Grâce à cette vaccination, 1 697 cas seulement en 1982 aux U.S.A. (0,7 pour 100 000 hab.).

Décès dans le monde : env. 1 400 000 ; *France (estim.) : 1980 :* 1 244, *1981 :* 1 132. *1982 :* 812. *1983 :* 876. *1984 :* 979. *1985 :* 290. *1986 :* 268. *1988 :* 7.

• **Rubéole** (V). *Cause :* virus rubéoleux. *Contagion :* directe (voie aérienne). *Incubation :* 14 j. *Symptômes :* fièvre, éruption maculo-papuleuse parfois discrète et atypique ; ganglions cervicaux. Nombreuses formes inapparentes : 90 % des adultes ont des anticorps (preuve d'une atteinte). *Danger de la rubéole :* malformations congénitales chez les enfants dont la mère a été atteinte durant les 3 premiers mois de la grossesse (cataracte, surdité, malformations cardiaques). *Prévention :* gammaglobulines humaines chez la femme enceinte supposée contaminée ; vaccination : préconisée chez les filles avant la puberté ; éventuellement femmes adultes n'ayant pas d'anticorps, uniquement sous contrôle médical. Vaccin efficace après 3 à 4 semaines. L'immunité naturelle ou par vaccin dure quelques années. Il faut donc contrôler systématiquement en cas de grossesse. 75 % des femmes sont protégées naturellement. *Cas en France :* env. 100 infections rubéoliques annuellement (chez les femmes enceintes : de 10 à 40 cas/an de rubéole congénitale). *Décès :* – de 5/an.

• **Salmonelloses** (B). Causées par des entérobactéries du groupe *Salmonella :* plusieurs centaines d'espèces. 2 variétés : *a) fièvre typhoïde et paratyphoïde* (voir typhoïde) ; *b) autres salmonelloses,* transmises par les aliments, causent : intoxications alimentaires, septicémies, méningites, gastro-entérites infantiles, etc. *Traitement :* antibiotiques. *Cas en France :* 9 000 à 10 000/an.

• **Scarlatine** (B). *Cause :* streptocoque A. *Contagion :* directe (voie aérienne). *Incubation :* 3 à 5 j. *Symptômes :* angine, fièvre, puis éruption généralisée en nappe rouge uniforme ; ensuite desquamation de tout le corps. *Complications :* otites, néphrites, rhumatismes. *Traitement :* pénicilline. *Prévention :* antibiotiques dans l'entourage. Isolement : 15 j seulement s'il y a eu traitement. *Cas en France : 1978 :* 1 555 (1 d.). *1979 :* 1 163. *1980 :* 933. *1981 :* 652. *1982 :* 902. *1983 :* 609. *1984 :* 740. *1985 :* 484. *1986 :* 360.

• **Schistosomiase** (ou bilharziose) (P). *Cause :* provoquée par 3 espèces de plathelminthes (schistosomes) : *Schistosoma japonicum* en Asie orientale ; *S. haematobium* en Méditerranée orientale, Afrique ; *S. mansoni* en Méd. orientale, Amér. du Centre et du S. *Contagion :* le parasite, avant d'atteindre l'homme, passe par un intermédiaire (un mollusque) et par le milieu dans lequel vit cet intermédiaire et avec lequel l'homme entre en contact. Chez l'homme, les vers adultes s'installent dans les vaisseaux sanguins des divers organes internes où ils peuvent survivre 20 à 30 ans. *Symptômes :* maladie chronique à évolution lente ; symptômes urinaires (émission d'urines douloureuses ou sanglantes, rétention ; cas graves : symptômes de néphrite). *Traitement :* chimiothérapie. *Prévention :* tuer les mollusques qui transportent le parasite, éducation sanitaire surtout. 180 à 200 millions de personnes infectées en pays tropicaux. *Décès :* 200 000 par an. Pas de cas en France.

• **Septicémies (B).** *Cause :* nombreuses bactéries : strepto-, staphylo-, pneumocoques, entérobactérie, bacille pyocyanique, etc., qui se multiplient dans le sang par ensemencement répété à partir d'un foyer infectieux communiquant avec la circulation. Possibilité de localisations suppurées dans divers organes (septicopyohémie). *Traitement :* antibiotiques. *Décès en France : 1980 :* 1 207. *1981 :* 2 440. *1982 :* 2 353. *1983 :* 2 829. *1984 :* 2 644. *1985 :* 2 699. *1988 :* 2378. Depuis 1985, déclaration non obligatoire.

• **Spirochétose ictéro-hémorragique.** Voir Leptospirose page 137.

• **Syphilis.** Voir page 126.

• **Tétanos** (B). *Cause :* bacille de Nicolaier (découvert en 1884) produisant des spores qui se conservent dans le sol souillé par les déjections de bovidés, équidés. *Contamination :* plaies souillées de terre, ulcères chroniques de jambes, avortements septiques, etc. *Incubation :* 4 à 21 j. *Symptômes :* début par *trismus* (mâchoires serrées), puis contractures musculaires généralisées, avec paroxysmes. Décès par syncope, spasme laryngé. *Traitement :* sérum antitétanique, réanimation, respiration assistée (après trachéotomie). Moins de 30 % de décès si le traitement est correct. *Prévention :* sérum préventif ou gammaglobulines humaines chez les blessés non vaccinés ou mal vaccinés ; rappel de vaccin chez les autres ; vacc. systématique de la population par anatoxine avec rappel tous les 10 ans (obligatoire depuis la loi du 24-11-1940). **Décès de nouveau-nés :** monde (par an) 767 000. *Cas en France : 1980 :* 208. *1981 :* 157 (99 d.). *1982 :* 142 (96 d.). *1983 :* 119 (66 d.). *1984 :* 141 (63 d.). *1985 :* 131 (68 d.). *1986 :* 88. *1987 :* 110. *1988 :* 72 (29 d.). *1989 :* 63, létalité 23 %.

• **Toxoplasmose** (P) (AZ). *Cause :* toxoplasme (protozoaire). 2 formes. *a) T. acquise :* contagion par ingestion de viande mal cuite (bœuf, porc, mouton) ou par contact avec les chats et leurs déjections. *Symptômes :* adénopathies, atteintes oculaires, rarement encéphalite. *b) T. congénitale :* transmise au fœtus par mère infectée. *Prévention :* les femmes enceintes doivent éviter le contact avec les chats, l'ingestion de viande crue. Un examen médical au 3e mois de grossesse permet de déceler et de guérir la maladie. *Symptômes :* soit encéphalite à la naissance, soit plus tard lésions oculaires ou nerveuses. *Traitement :* sulfamides, antibiotiques. Maladie très répandue, souvent latente. Le dépistage de la vulnérabilité à la maladie par dosage d'anticorps est possible lors d'un examen sérologique par prise de sang (85 % des adultes ont des anticorps, preuves d'une atteinte). Risques de contamination du fœtus pour une mère atteinte de toxoplasmose : non traitée 40 % ; traitée par antibiotiques 5 à 12 %. 7 à 8 ‰ des femmes enceintes sont contaminées pendant leur grossesse. 2 à 3 ‰ des enfants naissent avec une toxoplasmose congénitale de gravité variable.

• **Trypanosomiases** (P). **Maladie du sommeil.** *Cause :* trypanosome. *Contagion :* indirecte par piqûre de *mouche tsé-tsé* (glossine). *Incubation :* 8 à 15 j. *Symptômes :* fièvre, ganglions, puis symptômes nerveux : céphalée, torpeur, troubles mentaux, puis cachexie. *Traitement :* lomidine, arsenic, ornidyl (DFMO ou éflornithine). *Prévention :* destruction des glossines ; dépistage et traitement de sujets infectés ; encore répandue en Afrique intertropicale (25 000 nouveaux cas par an), nécessitant une surveillance constante des foyers résiduels. **Maladie de Chagas.** *1984, 85, 86 :* 20 millions de cas (surtout en Amér. du Sud).

• **Tuberculose** (B). *Cause :* bacille de Koch (BK), bâtonnet de 2 à 3 millièmes de mm de long, isolé ou groupé, entouré d'une coque cireuse, résistante, détruite à temp. élevée (100 °C) : par antiseptique, capable de dissoudre la coque ; par l'action prolongée du soleil et des rayons UV. Le BK se développe chez un être vivant (découvert en 1882). *Contagion :* directe par voie aérienne (fines gouttelettes se transformant en noyaux microscopiques en suspension dans l'air), rarement digestive (bacille bovin dans le lait). *Causes favorisantes :* pauvreté, malnutrition, diabète, ulcère gastrique, maladie infectieuse grave, fatigue inhabituelle (grossesse, surmenage...), transplantation, contaminations importantes et répétées, et surtout alcoolisme.

Symptômes : a) Primo-infection : chancre pulmonaire avec ganglions intrathoraciques ; silencieuse (sans traduction clinique ni radiologique) dans 90 % des cas ; décelée par virage des réactions tuberculiniques qui traduisent un état d'allergie accompagnant un certain degré d'immunité. Formes graves de la primo-infection : pleurésie, méningite. **b) Tuberculose pulmonaire chronique** (phtisie) : début rarement caractéristique ou aigu (fièvre, toux, crachats purulents, fièvre vespérale) ; lésions infiltratives destructrices (cavernes) et fibreuses des poumons évoluant par poussées. Le BK peut aussi atteindre les os : tuberculose ostéo-articulaire, coxalgie (atteinte de la hanche), *mal de Pott* (colonne vertébrale), tumeurs blanches aux articulations (coudes, genoux, poignets, etc.) ; tuberculose rénale ou génitale (souvent cause de stérilité chez la femme) ; tub. intestinale ; adénopathies tuberculeuses, atteignent souvent les ganglions du cou (les cicatrices amenées par la suppuration de ces ganglions étaient appelées jadis les « écrouelles ») ; méninges, rein, etc.

Traitement : antibiotiques, isoniazide (découverte en 1951), streptomycine, rifampicine, éthambutol, pyrazinamide, etc., associés pour éviter l'apparition de résistance jusqu'à la fin du 9e mois, reprise possible du travail dès le 2e ou 3e mois, 12 à 18 mois dans les pays en voie de développement avec des médicaments moins durs mais moins actifs ; envoi en sanatorium exceptionnel (cas graves, rechutes, pathologie associée). **Prévention :** dépistage et traitement des malades contagieux, ce qui coupe la chaîne de transmission du BK ; vaccin B.C.G. de Calmette et Guérin. Le vaccin provoque une primo-infection inoffensive et immunisante ; protège à 80 %. Non traitée, la tub. pulmonaire conduit à la mort dans 50 % des cas, 25 % guérissent spontanément, 25 % deviennent des malades chroniques. Il y a 6 fois moins de tuberculose chez les vaccinés que chez les non-vaccinés.

Statistiques. Monde. *Nombre de cas par an :* 8 à 10 millions. *Nouveaux cas contagieux* (taux pour 100 000 h) : pays industrialisés 10 à 40, pays intermédiaires 40 à 120, tiers monde 120 à 360. *Décès :* 4 à 6 millions par an. **France.** Il y aurait de 50 à 60 c. par an.

Nouveaux cas de tuberculose, pour 100 000 habitants : 1950 : 135,6. *1970 :* 66,7. *1984 :* 22,3. *1989 :* 16,2 dont Français 11, étrangers résidents 51.

Décès. 1910 : 85 088. *1930 :* 65 803. *1950 :* 24 364. *1960 :* 10 086. *1970 :* 4 141. *1975 :* 2 843. *1980 :* 1 156 (20 000 cas). *1981 :* 1 621 (16 669 c.). *1982 :* (15 425 c.). *1983 :* 1 315 (13 831 c.). *1984 :* 1 143 (12 302 c.). *1985 :* 1 155 (11 290 c.). *1986 :* env. 1 000 (10 525 c.). *1987 :* env. 1 000 (métropole 10 178 et DOM-TOM 247). *1988 :* (9 191 et 273). *1989 :* (9 027 et 139).

Législation en France. Vaccination par le B.C.G. obligatoire dep. le 5-1-1950 pour les enfants de 6 ans. Elle est précédée d'un test tuberculinique (introduction sous la peau de tuberculine obtenue par filtration de cultures de bacilles tuberculeux tués par la chaleur, par cuti, ou souvent intradermoréaction à l'aide d'une fine aiguille). Si ce test est positif (on est déjà infecté par le BK ou on a été vacciné antérieurement), la vaccination est inutile. Le B.C.G. (marque déposée) fait virer le test tuberculinique qui devient positif. Un rappel de vaccination est effectué en classe de 3e (ou équivalente) si le test est redevenu négatif. La vaccination B.C.G. (marque déposée) protège contre la tuberculose et, dans les pays où elle est pratiquée sur l'ensemble de la population, elle accélère le recul de la maladie. *Comité national contre les maladies respiratoires et la tuberculose,* 66, bd Saint-Michel, 75006 Paris.

• **Tularémie** (B) (AZ). *Cause :* bacille *(Francisella tularensis* découvert par Mac Coy et Chapin en 1911). *Contamination :* indirecte par manipulation de cadavres d'animaux infectés (lièvre, lapin, rat, écureuil). *Incubation :* 2 à 4 j. *Symptômes :* fièvres, adénopathies (ganglions) ; ulcérations cutanées. *Complications :* pleuro-pulmonaires, septicémie. *Traitement :* antibiotiques. *Cas en France. 1981 :* 7. *1982 :* 15. *1983 :* 4. *1984 :* 3. *1985 :* 2.

• **Typhoïde** (fièvre) (B). *Cause :* bacilles d'Eberth et paratyphiques A, B et C (salmonelles) d'Achard, Bensaude et Schottmüller. *Contagion :* surtout indirecte par ingestion d'aliments souillés par déjections de malades, et surtout de porteurs sains de germes. *Incubation :* 8 à 15 j. *Symptômes :* fièvre élevée, torpeur. *Complications :* hémorragie et perforation intestinale ; encéphalite, myocardite. *Traitement :* antibiotiques (chloramphénicol, ampicilline). Autrefois : durée 3 à 4 semaines ; 10 à 15 % de décès. Aujourd'hui : 2 à 3 %. La fièvre tombe après 4 à 5 j de traitement. *Prévention :* surveillance de l'eau ; abstention de crudités, coquillages, etc. ; vaccin antityphoïdique (expérimenté chez l'homme en 1896). Depuis 1914, obligatoire dans l'armée fr. Nouveau vaccin de l'Institut Mérieux mis en vente dep. le 17-4-1989, efficace à 60 ou 70 %.

Cas en France. 1980 : 950 (51 d.). *1981 :* 951 (68 d.). *1982 :* 913. *1983 :* 848 (87 d.). *1984 :* 693 (55 d.). *1985 :* 658. *1986 :* 657 (pas de d.). *1987 :* métropole 563, DOM-TOM 91. *1988 :* 427 et 16. *1989 :* 430 et 21.

• **Typhus exanthématique.** Voir Rickettsioses, page 138.

• **Varicelle** (V). *Cause :* virus. *Contagion :* directe par voie aérienne. *Incubation :* 14 j. *Symptômes :* fièvre légère ; éruption de vésicules superficielles en plusieurs poussées. *Complications :* infection des vésicules, rares encéphalites (maladie bénigne), peut devenir grave chez les sujets atteints de leucémie ou d'insuffisance rénale. *Isolement* jusqu'à guérison clinique. *Méthode préventive unique :* administration d'immunoglobulines (protection de quelques semaines).

• **Variole** (V). *Cause :* virus. *Contagion :* directe par voie aérienne, et indirecte par les croûtes. *Incubation :*

7 à 17 j. *Symptômes :* fièvre élevée, invasion brutale ; puis éruption généralisée de pustules qui s'ulcèrent et se couvrent de croûtes persistantes. *Formes* graves (confluentes, hémorragiques : 80 % de décès) ; mineures. *Complications :* encéphalite, surinfection microbienne. *Séquelles :* cicatrices indélébiles. *Traitement :* Méthisazone, gammaglobulines humaines. *Prévention :* maladie quarantenaire, isolement des malades et suspects ; vaccination tous les 3 ou 5 ans. Importée d'Asie par les Sarrasins au XVe s.

Statistiques : XVIe s., tue 3 500 000 Indiens (conquête de l'Amér. par les Espagnols). *XVIIIe s. :* Europe : 20 % des nouveau-nés en meurent. *1707 :* Islande : 18 000 † sur 57 000 h. *1770 :* Inde 3 000 000 †. *1870 :* 23 400 † dans l'armée française (278 dans l'armée allemande, vaccinée). *1930 :* U.S.A. 48 000 cas. *Dernières épidémies françaises :* Paris (1947) 52 c., 2 d. ; Aisne (1952) 19 c., 2 d. ; Vannes et Brest (1954-55) 75 c., 18 d.

Cas dans le monde : 1967 (début du programme mondial d'éradication) 10 à 15 millions (2 millions de †) dans 33 pays. *1974 :* 218 364. *1975 :* 19 278. *1976 :* 954 (Éthiopie, Somalie). *1977 :* 3 234 (Somalie 3 229 derniers malades, Kenya 5). Le Somalien, Ali Maow Maalin, guéri en 1977, fut le dernier malade officiellement recensé. *1978 :* 2 c. à Birmingham (G.-B.) en août et sept. (origine probable : laboratoire). *1979 :* éradication totale dans le monde. La dépense (total 200 à 300 millions de $) a permis d'économiser une dépense annuelle de 2,5 milliards de $. *De 1980 à 86 :* 131 cas suspectés (causes réelles : varicelle 54, rougeole 19, maladie de la peau 16, erreurs dans les statistiques ou les médias 42).

Vaccination : variolisation pratiquée il y a plus de 2 500 ans en Asie, puis à partir du XVIIe s. en Europe, fut importée en Angleterre par lady Montague, épouse de l'ambassadeur britannique à Constantinople, au XVIIIe s. *Vaccination par prélèvement de vaccine sur le sujet atteint : 1796* (Edward Jenner, Anglais). *1803-11 :* 2 500 000 vaccinés en France. *1902 :* primovaccination ou revaccination obligatoire en France. *1979 :* suspension de l'obligation de primovaccination, mais maintien de l'obligation de « rappels ». *1984* (mai) obligation suspendue.

L'O.M.S. constitue actuellement une réserve de vaccin pour 200 à 300 millions de personnes. 157 des 160 États membres de l'O.M.S. ont officiellement supprimé la vaccination antivariolique.

• Zona (V). *Cause :* virus de la varicelle. Survient chez des sujets partiellement immunisés par varicelle antérieure. Localisation du virus sur ganglion nerveux rachidien. *Symptômes :* éruption douloureuse de vésicules le long du trajet d'une ou plusieurs racines nerveuses. Troubles oculaires graves par localisation sur le trijumeau. *Complications :* douleurs prolongées (chez les sujets âgés) ; méningo-encéphalites (rares).

Maladies longtemps mystérieuses

Feu de Saint-Antoine (ou mal des ardents). Sévit au Moyen Age. Gangrène des membres qui noircissaient et se détachaient du corps. Dû à la consommation de pain fait avec du seigle parasité par un champignon : l'ergot de seigle. En août 1951, à Pont-Saint-Esprit (Gard), on l'accusa d'avoir provoqué 250 empoisonnements et 6 décès, mais on découvrit plus tard la cause réelle de l'intoxication.

Tarentisme (tarentulisme). Sévit près de Tarente (Italie) du XVe siècle au XVIIe siècle. Maladie nerveuse due, croyait-on, à la morsure de la tarentule. On la soignait par la musique. Il s'agissait probablement d'une chorée du type de la danse de Saint-Guy.

Cancer

Généralités

• Définitions. Tumeur maligne due à la prolifération anormale et anarchique des cellules d'un tissu. **Épithéliomas** ou **carcinomes :** tumeurs malignes du tissu épithélial (formé de cellules qui se touchent). **Sarcomes :** cancers du tissu conjonctif (dont les cellules sont séparées par une matière conjonctive). Ces tumeurs constituent des masses anormales ne respectant plus la forme des organes et peuvent provoquer des hémorragies (en perforant les vaisseaux), obstruer des organes, détruire les tissus voisins. **Métastases :** cellules détachées de la tumeur, pouvant passer dans le sang ou la lymphe pour aller se greffer à distance et former ainsi d'autres tumeurs. **Leucémies :** proliférations de type cancéreux des tissus formateurs des globules blancs du sang avec apparition de leucocytes incomplètement matures dans la circulation.

• Origine. Le message génétique commandant la reproduction des cellules subirait une mutation due à l'introduction dans la cellule d'un agent cancérigène, se fixant sur la molécule d'ADN. Des remaniements ultérieurs des chromosomes seraient nécessaires pour qu'une cellule cancéreuse vraiment « efficace » se forme, ce qui expliquerait la lente évolution d'une tumeur avant qu'elle soit décelable. Les *oncogènes,* fragments de l'ADN, peuvent dans certaines conditions transformer une cellule normale en cellule potentiellement cancéreuse.

Agents favorisants. **Agents physiques** (rayons X, ultraviolets, corps radioactifs). **Certaines hormones sexuelles** (cancer du sein, de la prostate). **Des substances cancérigènes :** amiante, goudrons divers, aliments carbonisés ou fumés (le c. de l'estomac est 3 fois plus fréquent chez les pêcheurs des États baltes se nourrissant l'hiver de poisson fumé que pour la pop. de l'arrière-côte qui en mange moins), suie (en 1775, Pott lui attribuait les c. du scrotum, fréquents chez les ramoneurs), gaz résultant de combustion incomplète, aflatoxines, hydrocarbures polycycliques tels que benzopyrène, chlorure de vinyle, azoïques, nitrosamines (ex. : jambon conservé par les nitrites), mycotoxines (moisissures), *tabac* [cancers des voies aéro-digestives supérieures, du poumon, de la vessie (des goudrons cancérigènes sont éliminés dans l'urine)], aux U.S.A., la fréquence des cancers est réduite pour les hommes de 50 %, les femmes de 70 %, chez mormons et adventistes du 7e Jour auxquels leur religion interdit le tabac. **Certains virus :** le virus d'Espteín-Barr (avec d'autres facteurs) dans le lymphome de Burkitt et certaines tumeurs malignes du rhinopharynx.

Cancers héréditaires. 4 connus : *rétinoblastome* (c. de la rétine qui se manifeste dans un œil avant de gagner rapidement le second), *tumeur de Wilms* (c. du rein qui peut atteindre les 2), *c. médullaire de la glande thyroïde, Xeroderma pigmentosum* (c. de la peau survenant dans les zones du corps exposées au soleil). Tous peuvent toucher, la plupart du temps, de jeunes enfants dont les parents sont normaux mais porteurs d'un gène anormal. En raison des mariages consanguins, on dénombre ainsi à peu près 10 fois plus de cancers type Xeroderma pigmentosum au Japon et en Tunisie qu'en France où ils sont rares (1/1 000 hab.). Ils peuvent être détectés *in utero* dès 8 ou 9 semaines de grossesse.

• Symptômes. Induration ou grosseur (au sein et ailleurs) ; nouvel aspect de verrues ou de grains de beauté ; dérangement des fonctions intestinales ou urinaires ; indigestions ou difficultés à avaler ; cicatrisation interminable d'une plaie ; enrouement ou toux opiniâtre ; saignement ou écoulement anormal. Ces symptômes ne révèlent pas nécessairement la présence d'un cancer, mais s'il y a persistance, consulter le médecin. La douleur apparaît très tard, ce qui rend le diagnostic précoce difficile.

• Dépistage et méthodes diagnostiques. **Frottis cellulaires et colposcopie** (loupe permettant d'examiner le col de l'utérus à un très fort grossissement) : cancers génitaux féminins. **Endoscopie :** étude du tube digestif, exploration directe, photographie et **biopsie** (prélèvement pour analyses) par fibres de verre souples. Autres fibroscopes pour pancréas, voies biliaires, estomac, duodénum, intestin ; certains munis de syst. d'électrocoagulation peuvent permettre d'ôter des polypes intestinaux. **Scintigraphie :** étude par caméra à scintillations de la répartition d'isotopes radioactifs. **Radiographie « X » :** détection de tumeurs des poumons, os et tissus mous. **Thermographie :** étude des différences de températures locales (cancer du sein). **Radiographie classique** exploratoire ou **tomographie** + ordinateur : exploration du syst. nerveux (*scanner,* V. encadré), « marqueurs », chimiques ou biologiques (cauticène, carcino-embryonnaires, etc.), peuvent révéler, par leur présence dans le sérum, l'existence d'un cancer. Ex. : la calcitonine et le cancer médullaire de la thyroïde.

• Traitement. Chirurgie. Guérit 1/3 des cancéreux si le cancer est bien localisé. Si l'on ne peut extirper qu'une partie de la tumeur, on parle de *chirurgie de réduction.* Chimiothérapie. Permet en principe d'attaquer les cellules cancéreuses là où elles se trouvent, même si on ne sait pas où elles sont. Les médicaments peuvent, sans trop détruire les autres, tuer sélectivement les cellules cancéreuses bloquant leur division. Une tumeur pesant 1 g contient env. 1 milliard de cellules. Un médicament doit pouvoir tuer toutes ces cellules sans altérer plus d'une cellule normale. Il doit donc être un milliard de fois plus actif sur les cellules cancéreuses que sur les autres.

Certains médicaments se fixent directement sur l'ADN *(alkylants : Myleran, Endoxan, Thiotepa),* d'autres tuent les cellules et empêchent la division cellulaire en empêchant la fabrication de l'ADN ; se glissent à l'intérieur de la molécule d'ADN et empêchent son fonctionnement *(Actinomycine D, Daunorubicine, Adriamycine) ;* empêchent la formation du fuseau chromosomique indispensable au dédoublement des chromosomes bloquant ainsi la division de la cellule *(alcaloïdes : vinblastine, vincristine).* Autres substances employées : *Vehem,* extrait de la *podophylline,* et *nitrosourées* (tumeurs cérébrales), *bléomycine* (tumeurs cutanées), *5-Fluoro-uracile* (digestif), *adriblastine* (sein), *cisplatyl* (tumeurs du testicule et de l'ovaire), *antibiotiques* (leucémie).

Radiothérapie. On peut tuer les cellules cancéreuses (comme les cellules saines) en les irradiant. Un tissu irradié a reçu une dose d'un rad quand il a absorbé une énergie de 100 ergs par gramme venant des radiations. Théoriquement une dose de 100 rads tue la moitié des cellules d'un tissu. 1 000 rads laissent vivante une cellule sur mille, 4 000 rads une sur un milliard (chiffres valables pour des cellules bien oxygénées). **1° R. transcutanée :** on envoie à travers la peau des rayonnements de haute énergie [cobalt, radium, rayons X, électrons pour cancers de la peau, bouche, sein, etc. ; ou rayons gamma (tumeurs plus profondes : vessie, œsophage, utérus, etc.)] car la peau absorbe peu ces rayonnements ; ils sont produits par la *bombe à radiocobalt* (corps radioactif fabriqué artificiellement) et le *bétatron* (accélérateur de particules). **2° Curiethérapie :** une aiguille ou une sonde contenant un corps radioactif entre en contact avec la tumeur ; actuellement on préfère les corps radioactifs artificiels (radio-iridium ou radio-césium) au radium. **3° R. métabolique :** certains organes fixant préférentiellement certaines molécules particulières, on introduit dans les organes malades les molécules correspondantes radioactives et dont les rayons tuent les cellules cancéreuses environnantes.

Immunothérapie. Quand le nombre de cellules cancéreuses restant après chimiothérapie ne dépasse pas un certain seuil (env. 100 000), on stimule le

Recommandations des cancérologues pour l'Europe

Certains cancers peuvent être évités. 1°) Ne fumez pas. Fumeurs, arrêtez le plus vite possible et n'enfumez pas les autres. 2°) Modérez votre consommation de boissons alcoolisées, bières, vins ou alcools. 3°) Évitez les expositions excessives au soleil. 4°) Respectez les directives de santé et de sécurité. En particulier dans les activités professionnelles lors de la production, la manipulation ou l'usage de tout produit pouvant causer un cancer.

Votre santé bénéficiera des deux commandements suivants qui peuvent aussi limiter les risques de certains cancers. 5°) Consommez fréquemment des fruits et des légumes frais et des aliments riches en fibres. 6°) Évitez l'excès de poids et limitez la consommation d'aliments riches en matières grasses.

Un plus grand nombre de cancers seront guéris s'ils sont détectés plus tôt. 7°) Consultez un médecin si un grain de beauté change de forme, si une grosseur apparaît ou en cas de saignement anormal. 8°) Consultez un médecin en cas de troubles persistants, tels que toux, enrouement, troubles du transit intestinal, pertes inexpliquées de poids.

Pour les femmes : 9°) Faire pratiquer régulièrement un frottis vaginal. 10) Surveillez vos seins régulièrement. Et si possible, après 50 ans, faites effectuer des mammographies à intervalles réguliers.

De 20 à 40 ans, il est recommandé de faire pratiquer **tous les ans :** un examen des seins, un examen gynécologique ; **tous les 3 ans :** des examens de la bouche et de la dentition, de la peau, une recherche de nodules ou « petites boules », une palpation de la thyroïde, des testicules, un examen de la prostate par toucher rectal, une mammographie (radiographie des seins), entre 35 et 40 ans un frottis vaginal.

Dès 40 ans, il est conseillé de faire pratiquer **chaque année :** un hémoccult (examen des selles), un examen rectoscopique (tous les 3 à 5 ans après 50 ans), un frottis vaginal, un prélèvement de la muqueuse utérine pour les femmes ménopausées à risque.

système de défense de l'organisme ; par ex., on introduit des cellules tumorales porteuses du même antigène que le cancer à traiter mais stérilisées par irradiation ; on utilise des adjuvants non spécifiques de l'immunité (B.C.G. ou substances qui agissent sur certaines cellules immunitaires particulières).

Hormonothérapie. Pour le sein, la prostate : cortisone.

Principaux organes atteints

• **Cancer de l'appareil respiratoire. C. primitif des bronches** (c. du fumeur) : dû en général au tabac ou à l'association tabac-polluants professionnels (amiante). **Secondaire du poumon :** localisation pulmonaire (métastase) d'un cancer initial évoluant dans un autre organe.

Fumer une dizaine de cigarettes par jour est dangereux. Celui qui fume 20 cig. par j voit ses risques d'avoir un cancer multipliés par 10 ; 40 cig. par 18. Après avoir cessé de fumer, 8 ans sont nécessaires pour se retrouver au même niveau que celui d'un non-fumeur.

Mortalité. Monde : 550 000 cancers du poumon par an. *France* (taux pour 100 000 h.) : *1952 :* 11,7, *1976 :* 60,6 (guérison 5 % des cas), *1981 :* 32,5, *1984 :* 38,3, *1988 :* 37,8. Décès imputables au tabac : 35 000 par an.

• **Cancer du larynx.** *Taux moyen de mortalité :* environ 2 pour 100 000 (1979) : Espagne 3,9 ; Suède et Norvège 0,4 à 0,5 ; *France (décès) 1980 :* 3 956, *1984 :* 3 758, *1986 :* 3 434, *1988 :* 3 168.

• **Cancer des os** *(ostéosarcome).* Tumeur naissant directement dans l'os à partir des cellules des tissus osseux. Les moins de 30 a. sont les plus atteints, souvent au niveau des os longs (membres). *Taux de guérison :* 40 % à 5 ans.

• **Cancers de la peau.** Apparaissent le plus souvent entre 60 et 80 ans ; atteignent surtout les régions exposées au soleil (face, mains, avant-bras) ; ceux qui ont une peau peu pigmentée (blonds, roux). Se méfier d'un *grain de beauté* qui s'étend ou augmente de volume, bourgeonne, suinte ou saigne, prend une couleur plus intense, présente un aspect inflammatoire à l'entour, s'ulcère, se creuse ou se fissure. Ceux situés aux zones de pression (soutien-gorge, ceintures, chaussures) doivent être enlevés dès qu'ils sont irrités. Éviter les expositions permanentes au soleil (96 % des 80 000 cas dénombrés en France sont imputables au soleil).

• **Cancer de la prostate.** Cas fréquents chez les + de 57 ans. *Prévention :* toucher rectal (chaque année), dosage sanguin (PSA : Prostatic Specific Antigens). *Traitement :* chirurgie, radiothérapie transcutanée, curiethérapie, hormonal.

• **Cancer du sein.** *Fréquence :* atteint env. 1 femme sur 5 en France. Y sont plus exposées les femmes qui ont eu des antécédents familiaux, ou des règles précoces (11 ans), une ménopause tardive (55 ans), un 1er enfant tardif (+ de 35 ans), ou qui n'ont jamais accouché. La vie cachée d'un c. du sein peut être d'env. 9 ans. *Traitement :* chirurgie (ablation), radiothérapie, chimiothérapie, et traitements combinés adjuvants, hormonothérapie ou immunothérapie. Reconstruction du sein à l'Institut Gustave-Roussy de Villejuif : insertion d'une poche emplie d'un gel ou insertion d'un liquide. *Prévention :* autopalpation (allongée sur le dos, une main sous la nuque, la femme en palpant ses seins 10 à 15 j après le début de ses règles sent la plus petite anomalie sous la pression des doigts ; dès le moindre doute, prévenir le médecin). A partir de 50 ans, mammographie et cytologie chez les femmes à « haut risque ». *Taux de guérison :* 60 % si la tumeur est petite et limitée à la zone d'origine, 20 % des femmes opérées seront mortes au bout de 10 ans, 35 % au bout de 15 a. *Mortalité. Monde :* 250 000 femmes par an, surtout Europe de l'O., Amér. du N. *France :* 9 820 (1988) sur 22 000 atteintes par an.

• **Cancer médullaire de la thyroïde (CMT).** Héréditaire. Taux de guérison à 100 % si dépisté à temps. *Cas :* 1 600 en France de 1968 à 1990 (dont 1/3 touchant 102 familles).

• **Cancer de l'utérus.** *Traitement :* chirurgie, radiothérapie, laser CO_2. Fréquent chez les prostituées et quasiment inexistant chez les religieuses. *Taux de guérison :* 100 % si pris à temps.

• **Cancers du tube digestif.** Fréquents dans les pays industrialisés. Très rares dans le tiers monde. **a) Œsophage :** difficulté d'avaler. *Prévention :* examens radiologiques et œsophagoscopie. **b) Estomac :** dyspepsie durable, anorexie, parfois hémorragie, anémie, amaigrissement. Fréquent dans les pays où l'on mange beaucoup de pain, pâtes, pommes de terre. **c) Foie :** douleurs abdominales avec amaigrissement, parfois apparition d'une coloration jaune (due à un ictère). C. primitif ou souvent secondaire. Fréquent dans les pays où l'on mange peu de protides (gluten de farine, albumine des œufs, matières protéiques des viandes et du fromage). Équilibre alimentaire préconisé (ration alimentaire de 2 400 calories pour un adulte sédentaire) : mat. grasses env. 80 g, protides 100 g, glucides 300 g par j. **d) Côlon** (gros intestin) **et rectum:** diarrhée ou constipation, sang et glaires dans les selles, parfois faux besoins. *Diagnostic :* toucher rectal et rectoscopie pour le rectum ; radiologie ou endoscopie digestive pour les autres. Caché (sauf s'il est au niveau de l'anus), il risque de ne pas être traité à temps. Se développe souvent sur des polypes (aspérités à l'intérieur du gros intestin). *Traitement :* chirurgical. *Taux de guérison :* 50 % à 5 ans (diagnostic précoce très important). *Cas en France :* 25 000 nouveaux par an chez les + de 45 ans, dus sans doute à des nourritures trop riches en graisses (beurre, viande, charcuterie, fromage). Les microbes qui se développent en présence d'un excès de graisse transforment en corps cancérigènes certaines des matières normalement présentes dans l'intestin (sels biliaires notamment). Trop de glucides (sucres, amidon) sont déconseillés. **e) Pancréas :** cancer de tête : ictère chronique ; c. de corps : amaigrissement et violentes crises douloureuses épigastriques.

• **Cancers professionnels. Substances chimiques reconnues comme cause possible** (entre parenthèses parties atteintes, en italique professions exposées). Goudron (peau) *fabricants de goudron, d'huiles de machine.* Arsenic (peau, poumons, foie) *fonderies et raffineries de minerais, conservation du bois, fourrures, herbicides, pesticides, indust. pharmaceut., verriers.* Colorants (appareil urinaire, intestins, poumons) *fabric. de teintures, d'antioxydants, de caoutchouc ; manipulation d'amines aromatiques.* Amiante (poumons, plèvres) *tisseurs et manipulateurs d'am.* Benzol (organes hématopoïétiques présidant à la fabrication du sang) *peintres, ouvr. du caoutchouc, typographes, fabric. de boîtes métalliques.* Chrome (poumons, nez, sinus, larynx, estomac) *fabric. goudron de houille et poix,* (peau, scrotum, larynx, poumons, vessie) *sidérurgie, métallurgie, charpentiers, fabric. de brosses, de cordes, ramoneurs, pêcheurs, souffleurs de verre.* Créosote (peau, poumons) *créosoteurs, installateurs téléphon. et électr.* Huiles minérales (peau, scrotum, larynx, poumons, tube digestif) *camionneurs, ouvr. des entrepôts pétroliers, des chaussées, imprimeurs.* Ypérite (poumons, larynx, os) *usines d'armement.* Nickel (nez, sinus, poumons) *poudreurs et brasseurs.* Paraffine (peau, poumons, estomac) *presseurs de cire, raffin. de pétrole, craquage.* Suie (peau, scrotum, poumons) *fours à coke, ramoneurs.* Radiations (peau, os, hématopoïèse, poumons, foie, larynx, thyroïde, reins, seins, utérus) *fabric. tubes cathodiques et à rayons X, peintres en cadrans lumineux, radiologues.* Rayons ultraviolets (peau) *travailleurs de plein air, en particulier sous climats chauds et secs ou à haute altitude ou près de grandes nappes d'eau.*

☞ *Le cancer du rhinopharynx* est rarissime sauf chez les Chinois du Sud, qu'ils vivent à Canton, Singapour ou en Californie ; *le c. primitif du foie* est rare sauf en Afr. subsaharienne et dans une grande partie de l'Asie du Sud-Est.

Mortalité en France, par cancer, en 1989

☞ Actuellement, 1 Français sur 4 a été, est, ou sera atteint d'un cancer. Il y en aura 1 sur 3 en l'an 2000.

Nombre total de décès par cancer : 137 480 (dont 51 enfants de moins d'un an), soit 26,21 % du total des décès qui est de 524 480. **Cancers masculins :** 83 165, soit 30,62 % des décès masculins. **Cancers féminins :** 54 315, soit 21,47 % des décès féminins. **Bronches et poumons :** 20 871 (dont 18 132 masculins). **Autres parties de l'appareil respiratoire :** 3 456 (dont 2 960 m.). **Intestin :** 15 322 (dont 7 790 m.). **Autres cancers digestifs et péritoine :** 10 448 (dont 6 175 m.). **Sein :** 9 945 (dont 139 m.). **Prostate :** 8 785. **Estomac :** 6 624 (dont 3 892 m.). **Cavité buccale et pharynx :** 5 305 (dont 4 733 m.). **Pancréas :** 5 567 (dont 2 947 m.). **Œsophage :** 4 798 (dont 4 188 m.). **Vessie :** 3 861 (dont 3 873 m.). **Leucémies :** 4 596 (dont 2 469 m.). **Autres cancers des tissus lymphoïdes :** 3 088 (dont 1 607 m.). **Larynx :** 3 075 (dont 2 893 m.). **Utérus :** 3 179. **Ovaires et autres annexes :** 3 009. **Rein :** 2 921 (dont 1 790 m.). **Autres organes génito-urinaires :** 703 (dont 201 m.). **Cerveau :** 2 315 (dont 1 298 m.). **Peau :** 1 306 (dont 697 m.). **Os :** 695 (dont 456 m.). **Tissu conjonctif :** 480 (dont 252 m.). **Maladie de Hodgkin :** 333 (dont 180 m.). **Cancers de siège non précisé :** 11 191 (dont 5 936 m.). **Cancers de nature non précisée :** 3 292 (dont 1 715 m.). **Myélomes multiples :** 1 823 (dont 868 m.). **Tumeurs bénignes :** 492 (dont 189 m.).

Causes du cancer. En France, le tabac est responsable de 95 % des cancers du poumon, 85 % des cancers du larynx, 65 % des cancers de la cavité buccale, 40 % des cancers de la vessie. 80 % des cancers ont à l'origine des facteurs extérieurs à l'organisme (dont 5 % liés à la pollution de l'air, de l'eau ou de l'alimentation). L'alcool est incriminé dans plus de 10 % des cas.

Taux des guérisons (1982). Pour l'ensemble des cancéreux, 43 % des malades survivent 5 ans après avoir subi un traitement approprié. Passé ce délai, le cancer a peu de risques de récidiver. **Taux de survie à 5 ans.** Cancers de la peau (95 %), certains cancers de la gorge (90 %), les cancers des lèvres (70 %), du sein (68 %), du col utérin (64 %), de l'œsophage (9 %).

☞ **Mortalité dans le monde.** Chaque année 7 000 000 de pers. meurent du cancer pour un total de 50 millions de décès (soit 14 %). *Taux pour 100 000 h. :* pays industrialisés 289, pays en voie de développement 181.

Déclaration des maladies en France

Le décret n° 88-770 du 10-6-1986 fixe les maladies dont la déclaration est obligatoire en application de l'article L. 11 du Code de la santé publique.

1° Maladies justiciables de mesures exceptionnelles au niveau national ou au niveau international : choléra, peste, variole, fièvre jaune, rage, typhus exanthématique, fièvres hémorragiques africaines.

2° Maladies justiciables de mesures à prendre à l'échelon local et faisant l'objet d'un rapport périodique au ministre chargé de la Santé : fièvre typhoïde et fièvre paratyphoïde, tuberculose, tétanos, poliomyélite antérieure aiguë, diphtérie, méningite cérébro-spinale à méningocoque et méningococcémies, toxi-infections alimentaires collectives, botulisme, paludisme autochtone, syndrome immuno-déficitaire acquis (S.I.D.A.) avéré.

Quels sont les plus favorisés devant la mort ?

Probabilité de décéder entre 35 et 60 ans : professeurs, 7 % ; ingénieurs, 8,3 % ; instituteurs et cadres administratifs, 10 % ; contremaîtres, techniciens, cadres moyens, agriculteurs et artisans, 12 % ; employés, petits commerçants, sous-officiers et personnel subalterne de la police, 14,8 à 16,5 % ; salariés agricoles, personnel de service et ouvriers spécialisés, 20 % ; manœuvres, 25 %.

Facteurs de différenciation. Niveau culturel : le manœuvre de 35 ans est soumis au même risque que l'ouvrier spécialisé ou qualifié de 45 ans ou que le cadre supérieur de 53 ans. Quelle que soit la nature de l'emploi, la mortalité est sensiblement plus élevée chez les ouvriers sans formation. **Existence ou absence d'une activité professionnelle :** inactifs, chômeurs, retraités meurent plus jeunes. Probabilité des inactifs de décéder entre 55 et 65 : 40 % ; actifs du même âge : 17 %. **Situation familiale :** le mariage, ou en tout cas une certaine vie familiale, protège l'homme. Vers 20 à 25 ans, les célibataires ont tendance à prendre plus de risques que les hommes mariés (ils sont 2 fois plus nombreux à mourir que les hommes mariés). Les célibataires, les veufs, les divorcés entre 35 et 60 ans sont dans le même cas. Probabilité de décéder pour un homme marié : 15 %, célibataires : 20 %, divorcés : 31 %, et veufs : 35 %. **Cadre de vie :** cadres supérieurs et professions libérales sont mieux protégés en agglomération urbaine. C'est le contraire pour les exécutants. Surmortalité des ouvriers spécialisés parisiens par rapport à ceux des zones rurales, près de 40 %, celle des manœuvres 100 %. Vivre dans un logement trop petit accroît la mortalité : pour un même espace vital, les propriétaires sont plus favorisés que les locataires. Pour les femmes, l'activité professionnelle les protège moins. Milieu social, possession ou absence d'un diplôme ne se traduisent pas par les mêmes écarts de mortalité. La privation de vie familiale est moins grave ; les veuves n'ont pas une mortalité très supérieure à celle des femmes mariées, l'homme semble donc supporter la solitude plus difficilement que la femme.

Suicide

• **Groupes les plus vulnérables.** *Personnes âgées :* mauvaise santé physique et mentale, solitude, mort d'un être cher, interruption du mode de vie habituel, arrêt de l'activité lors de la retraite (et souvent brusque diminution du revenu). *Personnes atteintes de troubles mentaux :* en particulier d'états dépressifs. *Alcooliques. Personnes appartenant à des collectivités socialement désorganisées :* logements surpeuplés, solitude (personnes divorcées ou séparées), criminalité, grande mobilité de la population, etc.

☞ *Record mondial* Groenland : 142 pour 100 000 habitants dont 75 % de 15 à 30 ans.

En France

Suicides déclarés

• **Nombre.** *1970 :* 7 834. *1975 :* 8 247. *1980 :* 10 341. *1981 :* 10 551. *1982 :* 11 342. *1983 :* 11 862. *1984 :* 11 958. *1985 :* 12 363. *1986 :* 12 525. *1987 :* 12 131. *1988 (prov.) :* 11 352 (hommes 8 056, femmes 3 296).

Il existe des suicides non déclarés (pour des raisons familiales ou religieuses, par crainte d'une action médico-légale, etc. ; dont l'origine volontaire de l'acte ne peut pas être toujours prouvée).

Taux pour 100 000 h. Femmes entre parenthèses. *1960 :* 24 (8,2). *1970 :* 23,5 (8,5). *1980 :* 19,2 (5,6). *1981 :* 30,4 (10,6). *1982 :* 32,5 (11,4). *1985 :* 33,1 (12,7). *1986 :* 32,9 (12,9). *1987 :* 31,7 (12,5).

• **Répartition. Selon la catégorie socio-professionnelle.** Taux pour 10 000 h. de 15-64 ans : 1987 (hommes et entre par. femmes). *Cadres sup.* 20,8 (6,8). *Prof. intermédiaires* 16,6 (8,9). *Patrons ind. et comm.* 27,9 (11,7). *Employés* 52 (9,9). *Ouvriers* 38 (8,5). *Agriculteurs* 43,4 (15,2).

Selon l'état matrimonial. Taux pour 100 000 h. de 15 ans et +, 1987 (hommes et entre par. femmes). *Mariés* 31,9 (11,5). *Célibataires* 66,4 (20,5). *Divorcés* 71 (22,2). *Veufs* 96,7 (26,3). *Ensemble* 42,9 (15).

Selon le mode. En %, 1987 (hommes et entre par. femmes). *Pendaisons* 41 (28). *Armes à feu* 30 (8). *Empoisonnements* 10 (25). *Noyades* 7 (20). *Autres* 12 (19).

Suicides en prison. *Nombre.* Environ 40 par an. *Taux pour 100 000 :* 120 (presque tous par pendaison). **Dans l'armée.** *Taux pour 100 000 :* 9,2 *(1972).* **Du haut des monuments.** *Tour Eiffel* (1889-1983) : 366. *Notre-Dame de Paris* (1190-1983) : 23.

Tentatives

Nombre. 100 000 à 150 000 par an. **Réussites.** *Hommes : 15-24 ans* 4 %, *25-44 ans* 8 %, *45-64 ans* 50 %. *Femmes : 15-24* 0,5 %, *25-44* 1,5 %, *45-64* 8 %. Elles essaient souvent de se supprimer avec des calmants. Sur 160 tentatives féminines (15-24 ans), 1 seulement aboutira.

Sur 100 premières tentatives ratées, 10 % seront renouvelées dans les 2 ans qui suivent. Sur 10 tentatives, 4 suicidants sont des « récidivistes ».

Coût médical moyen. *Tentative de suicide :* 5 310 F. **Coût social.** *Suicide réussi :* 2 047 058 F.

☞ **Comparaisons internationales.** *Taux pour 100 000 h. de 15 ans et +* (1982, hommes et entre par. femmes) : All. féd. 38,8 (16,2). Autriche 56,5 (17,7). Belg. 38,4 (18). Danemark 49,8 (26,2). *France 41 (14,2).* G.-B. 15,3 (7,5). Norvège 26,2 (9,2). P.-Bas 18,1 (10,9). Suisse 47,1 (18,4). U.S.A. 26,1 (7,6).

Au Japon : 23 589 suicidés en 1985, dont 15 624 hommes (20 % de + de 65 ans), 92 enfants de 12 à 15 ans et 12 de moins de 12 ans.

Examens intérieurs du corps humain

Création d'image. *Principes physiques utilisés :* rayons X (radiographies conventionnelles et scanographie), rayons gamma (scintigraphie), fibres optiques (endoscopie), ultrasons (Doppler et échographie), champs magnétiques (IRM ou RMN, imagerie par résonance magnétique nucléaire). Chaque procédé a des indications particulières.

Radiographie. *Radioscopie :* visualisation sur un écran fluorescent d'une partie du corps soumise à un faisceau de rayons X pendant quelques minutes. *Radiographie :* pour minimiser le temps d'exposition (quelques fractions de secondes) et la dose de rayons X reçue. Visualise, par impression d'un film photographique, les différences de densité au sein d'un tissu ou d'un organe. Sert principalement au dépistage des affections pulmonaires (tuberculose) ou troubles ostéo-articulaires (fractures, inflammations articulaires ou osseuses), lésions mammaires (*mammographie* pour étudier modules ou anomalies découverts lors d'un examen médical préalable des seins). On expose, nue, la partie du corps à radiographier, sans autre préparation. Radio de l'abdomen : permet de mettre en évidence certains calculs rénaux ou biliaires (lithiases), une occlusion intestinale ou une perforation. Pour visualiser l'intérieur d'une cavité ou des vaisseaux, on utilise des produits de contraste (médicaments qui rendent la zone voulue opaque aux rayons X) à base de baryum ou d'iode qui peuvent entraîner une allergie. En général, l'étude de l'appareil digestif, en particulier du transit dans l'œsophage, estomac et intestin est réalisée grâce à des produits (barytés) à base de sels insolubles de baryum, avalés (examens de la partie supérieure du tube digestif), ou introduits par voie rectale (lavement baryté) (examen des intestins). Non toxiques, ne provoquent pas d'allergie. On doit suivre un régime alimentaire strict 48 h avant pour éviter tout résidu intestinal le jour de l'examen. Pour visualiser l'appareil vasculaire, il faut injecter par voie veineuse un produit de contraste iodé. *Angiographie :* étude du système vasculaire, artériel ou veineux. *Angiocardiographie :* examen du cœur (valves, cavités cardiaques, parois des ventricules cardiaques). *Coronarographie :* état des artères coronaires (irriguant le cœur). Examen pratiqué après un infarctus ou en cas d'angine de poitrine, pour déterminer l'état cardiaque ; peut être effectué au repos ou après un effort. *Urographie :* exploration des reins et des voies urinaires, à la suite d'une crise de coliques néphrétiques, pour déterminer l'importance des lithiases, ou étudier le retentissement rénal d'une maladie. *Cholécystographie :* vésicule biliaire et canal cholédoque. Pratiquée à la suite de troubles digestifs ou de douleurs au côté droit qui pourraient provenir de calculs biliaires.

Scanographie X ou tomodensitométrie. Mis au point en G.-B. en 1971, le scanner intègre les images radiologiques obtenues grâce à la rotation d'un faisceau de rayons X autour du corps et les reconstruit sur un écran, grâce à un traitement d'image par ordinateur, pour obtenir des coupes transversales d'une partie donnée du corps. Les images obtenues sont plus précises que les images de radiographie conventionnelle, car on évite la superposition des tissus. Un produit de contraste est parfois utilisé pour obtenir l'image de certains organes. *Principes d'utilisation :* pathologies osseuses (tumeurs, lésions arthrosiques ou inflammatoires, ostéoporose, hernie discale...), abdominales (au niveau du foie, de la rate, du pancréas...) ou cérébrales (traumatisme crânien, accident vasculaire cérébral, tumeurs...). *Durée examen :* env. 20 mn. Indolore. *Nombre de scanners en France. 1984 :* 59. *1985 :* 132. *1988 :* 300 env.

Médecine nucléaire. Scintigraphies. Visualisent concentration et répartition d'un *produit radioactif* ou *radio-isotope* injecté par voie intraveineuse dans l'organisme à dose infime non toxique, pas d'intolérance. Les isotopes courants utilisés ont la vie courte (quelques h.) pour diminuer l'irradiation du sujet. Les + courants : iode 123, puis technétium, indium et thallium. Examen sans danger, employé pour explorer l'appareil endocrinien (thyroïde, parathyroïdes, surrénales...), l'appareil ostéoarticulaire : permet de voir les lésions inflammatoires (arthrite rhumatoïde) et dégénératives (arthrose), les fractures peu visibles à la radiographie conventionnelle, les tumeurs osseuses. Visualise le système osseux. Pour l'examen des poumons, le produit est employé sous forme gazeuse. Ces radio-isotopes sont fabriqués par le Commissariat à l'Énergie Atomique et conservés dans des conteneurs scellés.

Endoscopie. Examen des organes creux du sytème digestif (œsophage, estomac, duodénum, intestin grêle, côlon, rectum). Utilise un *fibroscope* (sonde souple et flexible composée de fibres optiques et possédant un « œil » à son extrémité ; peut explorer le tube digestif en introduisant la sonde par l'anus ou par la bouche). Un anesthésique local est administré au malade peu avant l'examen. Permet de traiter les affections : enlèvement des polypes, électrocoagulation de zones hémorragiques, destruction des lésions par laser, extraction des calculs après leur pulvérisation.

Doppler et échographie. *Doppler :* principe de l'effet Doppler : mesurer la différence entre la fréquence des ultrasons émis par une source fixe et celle des ultrasons réfléchis par un objet en mouvement. Permet de diagnostiquer des lésions artérielles (plaques d'athérome, rétrécissement...), lors d'artérite des membres inférieurs ou de problèmes veineux. *Échographie : onde ultrasonore.* Émise par un générateur, canalisée dans une sorte de stylo que le médecin applique sur la peau, pour diriger le faisceau d'ultrasons vers l'organe exploré. L'onde se propage dans les tissus mous et subit une réflection partielle, ou écho, chaque fois qu'elle rencontre un nouveau type de tissu. Images visibles sur un écran par l'opérateur et le patient. Les ultrasons sont complètement réfléchis par os et gaz (air pulmonaire, gaz intestinaux) et ne peuvent être utilisés pour explorer squelette et poumons. Permet l'étude d'organes en mouvement, comme le cœur, en donnant des images des cavités cardiaques et du mouvement des valves, et de mettre en évidence des phénomènes d'obstruction ou de tourbillons sanguins grâce à son couplage avec la mesure de la vitesse sanguine par *effet Doppler.* Permet de déceler les malformations des organes et des membres mais pas de dépistage dans des maladies dues à une anomalie chromosomique (mongolisme par exemple). Examen inoffensif et indolore, peut être pratiqué sur le fœtus comme chez l'adulte (ex. : femme enceinte). Donne des indications sur le degré de maturité des organes du fœtus (peau, reins, poumons), sur le sexe de l'enfant, et sur l'existence éventuelle de malformations et sur le degré de l'atteinte fœtale en cas d'incompatibilité des facteurs Rhésus entre la mère et l'enfant.

Imagerie par résonance magnétique (IRM). Fondée sur les *propriétés magnétiques* de la matière, dont l'hydrogène [abondant dans l'eau (H20) contenue dans le corps]. En présence d'un double champ magnétique extérieur, les atomes d'hydrogène s'orientent dans une même direction et il se produit un *phénomène de résonance.* A l'arrêt de l'exposition aux champs magnétiques, ils s'orientent à nouveau d'une façon aléatoire, en émettant une onde. En analysant, grâce à un ordinateur, les signaux de résonance fournis par ces mouvements, on peut obtenir une image précise d'organes (cerveau, os, système cardio-vasculaire, moelle épinière...). Technique à ne pas utiliser chez les porteurs de stimulateurs cardiaques (pacemaker), prothèses, fils ou agrafes métalliques qui risquent d'être déréglés ou déplacés par le champ magnétique, ni chez les porteurs de couronnes dentaires en acier ou en or (au niveau de la tête). Durée moyenne de l'examen : env. 1 h.

Quelques chiffres

Quantité totale de rayonnement administrée par radiographie médicale en 1 an, par habitant (en millirems, par pays). *France 158,* Japon 131, Espagne 105, Italie 76,3, Pologne 43, Suède 41, G.-B. 28,2.

Examens de radiodiagnostic par an, pour 1 000 hab. *France 825.* Italie 665. G.-B. 444. En comptant le dépistage pulmonaire systématique et les radiographies dentaires : *France 1 536.* Italie 864, G.-B. 621.

Nombre d'examens annuels en France. 11 ou 12 millions [dont la plupart pour déceler d'éventuels cas de tuberculose (radiographies du thorax pratiquement abandonnées dans les autres pays, puisque la tuberculose a presque disparu, hormis dans certaines classes de population connues)] ; les autres affections respiratoires et cardio-vasculaires sont mal repérées par cette méthode. *Dentistes :* 27,5 millions de clichés par an par 30 000 praticiens. La plupart produisent – de 100 millirems ; 6 % englobent toute la denture et sont plus irradiants.

Dose pour un examen. Thorax ou abdomen. *Radiographie classique :* 30 à 200 millirems. *Scanographie :* + de 2 500. **Cerveau :** jusqu'à 44 000.

Selon le radiologue, les doses peuvent varier de 1 à 20.

Dose génétiquement significative (DGS). Ensemble des doses reçues au niveau des organes de reproduction réparti sur toute la population. *France : 29,5 millirems/an,* G.-B. : 2 fois moins.

Enfants. Chaque bébé passe en moyenne 2 ou 3 fois/an en radiographie (5 fois + qu'en Italie ou G.-B.) surtout en raison du dépistage systématique de la dysplasie (luxation) congénitale de la hanche. Les examens pratiqués avant 3 mois ne permettent pas de poser un diagnostic.

Allergies

• **Définition.** Sensibilisation immunologique d'un individu par contact avec une substance biologique ou chimique le faisant réagir à cette même substance lors d'un nouveau contact.

L'allergie nécessite le contact plus ou moins prolongé ou répété avec une substance sensibilisante (allergène). Les « atopiques » se sensibilisent facilement aux substances naturelles de l'environnement aérien (acariens, pollens, allergènes animaux) d'où rhinites, conjonctivites et asthme.

Les conditions de la vie moderne (appartements confinés et humides, multiplication des substances chimiques de synthèse, pollution) favorisent l'accroissement constant des allergies.

Les animaux peuvent devenir allergiques (allergies respiratoires des chevaux de sport).

• **Principales substances sensibilisantes. Inhalées** (pneumallergènes) : poussières de maison contenant de minuscules bestioles (acariens), spores de moisissures, pollens (d'herbes surtout mais aussi d'arbres), sécrétions d'animaux, poussières professionnelles (farine, ricin, soja, gommes végétales, produits de traitements agricoles), vapeurs chimiques, industrielles.

Ingérées (trophallergènes) (plus rarement) : aliments (tous peuvent être allergisants ; les plus fréquents en France : poisson, œuf, crustacés, céleri, lait), impuretés et additifs alimentaires, médicaments (aspirine, somnifères, antibiotiques, etc.).

Injectées : médicaments (antibiotiques, anesthésiques, iode, sérums), venins d'insectes (guêpes, abeilles). Les décès par piqûre d'insecte (plusieurs centaines par an) sont plus fréquents que les décès par morsure de serpent. Un dard de 3 mm injectant 1/10 de mg de venin peut tuer un allergique en quelques minutes. *Traitement :* adrénaline, associée aux corticoïdes et antihistaminiques. *Prévention :* disposer d'une trousse avec seringue prête à l'emploi ou ampoules auto-injectables au moindre risque, désensibilisation spécifique avec des extraits de venin purifié.

Agissant par contact avec la peau. *Professionnelles :* bois exotiques (dermite des ébénistes), ciment, caoutchouc, matières plastiques, résines synthétiques, cuir (tannage ou teinture), colorants chimiques, végétaux (tomate, artichaut, céleri, lierre, primevère). *Cosmétiques* (teintures capillaires, rouge à lèvres, fards à paupières, vernis à ongles, lotions, crèmes, poudres, fards, parfums). *Produits d'entretien :* savons, détergents. *Médicaments* en lotion, crèmes, pommades, poudres, collyres (antibiotiques, antihistaminiques, iode) (facteurs d'eczéma).

• **Principales formes d'allergie. Respiratoires :** rhumes, sinusites, toux chroniques, bronchite et asthme : troubles se répétant, habituellement sans fièvre ; atteintes pulmonaires (alvéolite du poumon des fermiers et éleveurs d'oiseaux, par ex.). **Oculaires :** rougeurs, démangeaisons, gonflement. **Digestives :** inflammation de la bouche, de l'estomac, de l'intestin : douleurs et vomissements. **Foie et reins, sang** (anémies) : généralement médicamenteuses. **Peau :** eczéma (par contact), urticaire, éruptions et démangeaisons (par voie générale). **Système nerveux :** maux de tête. **Articulations :** gonflements et douleurs. **Allergies généralisées :** *allergies mineures :* œdèmes (gonflements) externes ou internes, troubles digestifs, malaise général. *Allergies majeures :* perte de connaissance et, à l'extrême, choc et mort (très rarement) par collapsus (effondrement de la tension artérielle). **Facteurs surajoutés :** peuvent révéler ou aggraver l'allergie, mais ils ne peuvent la créer, *facteurs psychiques* (inconfort moral, contrariétés, émotions), *facteurs hormonaux* (grossesse, ménopause), *facteurs pathologiques* (infections virales, opérations, surmenage).

• **Diagnostic.** Interrogatoire précis, tests cutanés, analyses de sang : Radio Allergo-Sorbent Test (R.A.S.T.). Tests enzymatiques (E.L.I.S.A.) (les tests sanguins sont utiles mais sont moins sensibles que les tests cutanés). Tests cutanés ou sanguins positifs confirment l'allergie ; négatifs, ils ne permettent pas de la nier.

• **Traitement. Préventif :** éviction de la substance sensibilisante ; peut nécessiter un changement de milieu ou un reclassement professionnel.

Curatif : immunisation spécifique : vaccination à l'aide d'extraits très dilués de substances sensibilisantes ; efficace (sauf pour les produits toxiques) quand elle est possible [poussières, pollens, allergènes animaux, certains allergènes professionnels (farines, antigènes animaux)] ; doit toujours être prolongée longtemps sous peine de rechute (plusieurs années). Le traitement accéléré permet d'atteindre en quelques jours de fortes doses mais n'exclut pas l'entretien prolongé. Expose à des réactions parfois violentes (malade hospitalisé seulement).

Suspensif de la crise : adrénaline et médicaments adrénergiques, antihistaminiques, cortisone, théophylline.

Traitements protecteurs : cromoglycate, nédocromil, ketotifène, corticoïdes inhalés en particulier réduisant l'inflammation allergique responsable du spasme bronchique et l'asthme.

• **Statistiques (France).** *Nombre d'allergiques :* + de 15 millions (env. 28 % de la population) dont les 3/4 souffrent de troubles respiratoires.

☞ Selon un sondage IPSOS-Le Point (mai 1989) : 15 % des hommes, 32 % des femmes ; 23 % des prof. libérales ou cadre sup., 20 % des ouvriers, 25 % des agriculteurs ; 33 % des UDF, 29 % des PC, 23 % des RPR, 22 % du Front National, 20 % du Parti Socialiste étaient sujets à des allergies.

Handicaps physiques, mentaux et sensoriels

Est *handicapée* toute personne qui se perçoit ou est perçue comme exclue, frustrée ou pénalisée en raison de différences qu'elle a par rapport aux personnes qui l'entourent.

Il y a env. 500 millions d'handicapés physiques ou mentaux dans le monde dont 80 % dans le tiers monde (dont 9 sur 10 non secourus).

Catégories de handicaps

Auditifs, visuels, relationnels

Voir p. 128 et suivantes.

Handicaps intellectuels

• **Degrés. Débile léger** [Q.I. (quotient intellectuel) entre 0,65/0,70 et 0,80/0,85] : mal à l'aise, mal aimé, mal compris dans des situations sociales qui exigent rapidité, efficacité, prévision, initiative (en particulier à l'école où il n'est pas apte à la compétition). En revanche, un enseignement spécial peut lui permettre une vie autonome. Dans la vie active, s'il exerce une activité où l'intuition, la répétition dominent, il est intégré normalement. Relève de classes de perfectionnement, d'I.M.P. (instituts médico-pédagogiques).

Débile moyen (Q.I. entre 0,50 et 0,65/0,70) : se définit par lenteur, étourderie, dispersion, maladresse ; faible capacité de résistance aux pulsions, d'abstraction. Pouvant aboutir, après rééducation, à une autonomie partielle et à un poste de travail, mais il aura besoin d'une aide psychologique ou matérielle. Relève d'I.M.P. et des instituts médico-professionnels (comme ceux atteints de handicaps associés).

Débile profond (Q.I. entre 0,20 et 0,50) : capable d'acquérir le langage, mais souvent limité à l'expression de besoins élémentaires ou à l'échange d'informations concrètes ; modes de pensée empiriques. Affectivité « immature » : il est partagé entre des réactions d'insécurité et de fuite et des réactions de prestance. Son travail est lent et ne peut être que la répétition d'actes simples. Relève d'I.M.P. et des instituts médico-professionnels.

Arriéré profond (Q.I. inférieur à 0,20) : âge mental inférieur à 2 ans en fin de croissance psychologique. La parole est normalement absente mais des formes plus primitives de communication (sourire, mimiques) sont généralement présentes ; les gestes sont limités, l'arriéré dépend totalement de son entourage pour l'alimentation, la toilette, l'habillement. Les réactions émotionnelles sont très mal contrôlées. L'adaptation socio-affective ne peut être obtenue qu'en milieu très protégé, après de longs efforts éducatifs.

• **Causes. Types pouvant se conjuguer.** *Organiques :* accidentelle (lésions traumatiques) ; congénitale [aberrations chromosomiques comme la trisomie 21 (V. ci-dessous) ou absence de certains gènes transmis héréditairement et provoquant des troubles graves du métabolisme s'accompagnant d'une débilité]. *Psychologiques :* brusque carence affective entraînant un blocage ou une régression du développement moteur, verbal, intellectuel et affectif. *Socio-économiques :* alimentation de la mère pendant la grossesse, mode de vie ; alimentation du jeune enfant, conditions de sommeil, privations affectives subites, niveau des échanges verbaux avec la famille.

Handicaps moteurs

• **Degrés.** Il y a *parésie* (diminution de la motilité) quand l'atteinte est partielle, *paralysie* (abolition de la mobilité) quand le déficit moteur est complet. *Monoplégie :* atteinte d'un seul membre, *diplégie :* de 2, *hémiplégie :* de 2 du même côté, *paraplégie :* des 2 inférieurs, *tétraplégie :* des 4 membres. Lorsque les troubles moteurs sont liés à une lésion cérébrale, des troubles associés perceptifs, intellectuels, sont souvent présents.

• **Origines. Cérébrale.** Caractérisée le plus souvent par des hémiplégies ou des difficultés de coordination ; s'y ajoutent parfois des difficultés d'articulation, de phonation, de la motilité oculaire. Accidents de période fœtale (1/3 des cas), parfois liés à une rubéole de la mère. Accidents de la naissance (1/3 des cas) ; au cours de la 1re enfance (10 %) : méningites, encéphalites. Accidents vasculaires.

Médullaire. Les atteintes de la moelle épinière entraînent interruption ou perturbation dans la transmission au muscle de l'influx nerveux constituant la commande motrice et une interruption ou une perturbation des informations sensorielles périphériques qui ne parviennent plus correctement à la conscience. Le muscle devient inefficace, la croissance de l'os est perturbée, le déséquilibre postural peut entraîner des scolioses. Les troubles sphinctériens sont la règle.

Ostéo-articulaire. Entraîne des blocages articulaires, des anomalies de la croissance du squelette. *Principales atteintes :* tuberculose osseuse (attaque par le bacille de Koch de l'articulation de la hanche ou des vertèbres) ; malformations congénitales [luxation congénitale : hanche, cheville *(pied-bot),* poignet *(main bote)*], ostéites dégénératives (anomalies dans la formation du tissu osseux) ; atteintes traumatiques ; hémophilie (lenteur de la coagulation sanguine, qui, dans certains cas, se manifeste par des épanchements de sang dans la cavité articulaire entraînant des blocages articulaires).

Musculaire. Myopathie ou dystrophie musculaire progressive (dégénérescence de la fibre musculaire évoluant plus ou moins rapidement ; cause génétique faisant l'objet d'une intense recherche médicale actuellement) liées à des anomalies de la microcirculation sanguine, se traduisant par un affaiblissement progressif des membres.

Accidentelle. Traumatismes, paraplégies, tétraplégies.

☞ **Malformations handicapantes. Cardiopathies :** malformations cardiaques congénitales ; rhumatisme articulaire aigu (réaction allergique au streptocoque hémolytique A) ; néphrite chronique ; affections des artères coronaires, du muscle cardiaque. **Affections des voies respiratoires. Maladies métaboliques** (ex. : diabète). **Epilepsie.**

Personnes handicapées (France)

☞ Bien que les statistiques soient disparates et ne se recoupent pas, on estimait (début 1991) qu'il y avait en France 2 750 000 à 3 500 000 handicapés (on parlerait de 5 000 000 ?) en incluant les personnes à mobilité réduite du fait de lâge.

Personnes handicapées, selon le régime (au 31-12-1985). Il y aurait en France environ 2 500 000 handicapés (dont 1 400 000 hand. et malades mentaux et 1 100 000 hand. physiques et sensoriels). Les statistiques varient selon les auteurs. Accidents du travail et maladies prof. (CNAMTS) 1 803 860 [1]. Bénéficiaires de réduction d'impôt au titre de la carte d'invalidité jusqu'à 40 % (min. des Finances) 1 236 500. Bénéf. de l'allocation aux adultes handicapés (CNAF) 455 807 [2]. Assurance invalidité (CNAMTS) 500 909 [2]. Bénéf. de l'alloc. compensatrice (min. des Affaires sociales) 152 074 [2]. Bénéf. de l'alloc. d'éducation spéciale (CNAF) 77 851.

Élèves handicapés (1985-86). 342 754 dont enseign. ordinaire des 1er et 2e degrés 26 861 ; établ. de l'éducation spéciale : min. de l'Éducation nat. 210 725, min. des Affaires sociales 90 481 (établ. médico-éducatifs 75 047, médicaux 8 779, socio-éducatifs 6 655) [3].

Quelques malades célèbres

Maladies nerveuses et mentales

Agoraphobie. Le Nôtre.

Amnésie. Ampère, Beethoven, Diderot.

Dédoublement de la personnalité. Musset.

Épilepsie. Britannicus, César (?), Dostoïevski, Flaubert, Molière, Pétrarque, Pierre le Grand.

« Folie ». Caligula, Charles VI, Christian VII de Danemark, Héliogabale, Jeanne la Folle, Junot, Louis II de Bavière, Maupassant, Nietzsche, Otton Ier de Grèce, Paul Ier de Russie, Pierre III de Russie, Van Gogh, le Tasse, Feydeau.

Hallucinations. Cellini, César, Colomb, Cromwell, Goethe, Napoléon.

Mégalomanie. Giordano Bruno, Auguste Comte, Dante.

Mélancolie, tristesse. Chopin, Molière, Voltaire.

Obsession (doute). Leopardi, Manzoni.

Paranoïa. J.-J.Rousseau (?), Deschanel.

Phobies. Pascal.

Porphyrie (maladie héréditaire caractérisée par une urine rouge et des crises nerveuses). Familles royales d'Angleterre et de Prusse, notamment Marie Stuart, Henriette d'Angleterre, la reine Anne d'Angleterre, George III et George IV (pour l'Angleterre), et Frédéric II de Prusse.

Psychose maniaco-dépressive. Gérard de Nerval, Robert Schumann (?).

Ont été considérés comme « névropathes » : Baudelaire, Byron, Chateaubriand, Schopenhauer, Shelley, Wagner.

Maladies diverses

Arthrite. Louis XIV, Scarron, Renoir, Dufy, Édith Piaf. Décelée sur momies de pharaons égyptiens.

Asthme. Gambetta, Proust.

Azoospermie. Duc d'Angoulême.

Bilharziose. Décelée sur momies égyptiennes.

Calculs. Boileau, Cromwell (en mourut).

Cancer. Pauline Borghèse (utérus), Voltaire (prostate), Vigny, Freud (mâchoire), Ingrid Bergman (c. des 2 seins). En 1954, Dick Powell tourna « le Conquérant » à 220 km de Yucca Flat (Nevada), centre d'expérimentation nucléaire où 11 bombes atomiques avaient explosé en 1953. Le magazine *People* retrouva en 1980 la trace de 150 participants sur 220 : 91 avaient eu un c. [46 étaient morts dont Pedro Armendariz (c. des reins en 1958, mal. lymphatique, suicide 1963), Susan Hayward († 1975, tumeur au cerveau faisant suite à un c. de la peau, du sein et de l'utérus), Agnes Moorehead († 1974), Dick Powell († 1963, c. lymphatique), John Wayne († 1979, c. de la gorge, poumons, estomac), Steve Mac-Queen († 1980, c. des poumons)].

Choléra. Mal Bugeaud, Gal Daumesnil, Gal Lamarque (tous deux en moururent en 1832), Casimir Perier, Tchaïkovski 1893.

Coxarthrose. Colette.

Diabète. Youri Andropov.

Dysenterie bacillaire. Saint Louis (?). V. Peste, typhoïde.

Eczéma. Marat, Pasteur.

Goitre. Cléopâtre (?), Marie de Médicis.

Goutte. B. Franklin, George V d'Angleterre, Leibniz (en mourut), Louis XIII, Luther, Mazarin.

Hémophilie. La reine Victoria d'Angleterre était porteuse d'un gène de l'hémophilie qu'elle transmit à plusieurs de ses descendants, dont 2 fils du roi d'Espagne Alphonse XIII [Alphonse (1907-38), Gonzalo (1914-34)] ; le tsarévitch (fils de l'empereur de Russie Nicolas II).

Hoquet. Charles Osborne (n. 1894, U.S.A.) a le hoquet depuis 1922. Pie XII.

Macroglobulinémie de Waldenström. Boumediene.

Maux de tête. Calvin, Pascal.

Membres arrachés. Gal Castelnau (main), Gal Gouraud (bras droit), Nelson (bras), Gal Pau (main droite amputée).

Myélome. Pompidou.

Myiase (parasitose). Maximin II Daia, Galère, Sylla.

Os (maladie des). Toulouse-Lautrec (nanisme par atteinte dysplasique du squelette des membres inf.). P. Reynaud (soudure de l'atlas et de l'axis).

Paludisme. Alexandre le Grand (en mourut, attrapé dans les marais de l'Euphrate).

Paralysie. Cuvier, A. Daudet, H. Heine, Scarron (jambes), Léonard de Vinci.

Péritonite. Gambetta.

Peste. Camoens (en serait mort) ; on a dit que Saint Louis en était mort en 1270 (le mot *peste* signifiant « épidémie » en général). On pense aujourd'hui qu'il mourut de la typhoïde.

Pierre (maladie de la). Napoléon III.

Poliomyélite. F.D. Roosevelt, Walter Scott.

Psychodysostose. Toulouse-Lautrec.

Rayons (mal des). Les Curie.

Rhumatisme déformant. R. Dufy, A. Renoir.

Sarcome. Rimbaud.

S.I.D.A. En moururent : Rock Hudson (1985), Jean-Paul Aron (1988), Michel Foucault (1984).

Syndrome de Frohlich (dystrophie). Nap. Ier.

Syphilis. Baudelaire, Louis Bonaparte, Charles Quint, Alphonse Daudet, le roi David (?), François Ier, le Gal Gamelin, Hérode (?), Job (?), Maupassant, Mussolini, Nietzsche, Rimbaud.

Tuberculose. L'Aiglon, Chopin, Kafka, Molière, Musset, Spinoza (?), etc.

Tuberculose intestinale. Louis XIII (en mourut).

Tumeur au genou. Rimbaud (en mourut).

Typhoïde. Gogol (en mourut), Saint Louis [(?) hypothèse récente].

Ulcère de l'estomac. Napoléon avait un ulcère non encore cancérisé.

Urémie. Rousseau.

Variole. Ramsès II, Marie II (reine d'Angl.), Louis XV (en mourut), Mirabeau, Vauvenargues.

Tares, infirmités, anomalies

Aphasie. Baudelaire, Valery Larbaud, Ravel.

Astigmatisme. Le Greco.

Bégaiement. Louis II le Bègue, Jean-Jacques Rousseau, Georges Clemenceau, Lewis Carroll, Louis Jouvet. 500 000 Français souffrent de cette « hypertonie au niveau des muscles articulateurs ».

Blanchiment précoce (dès l'enfance). Tamerlan.

Borgnes. Gabriele D'Annunzio, Vincent Auriol (pistolet à amorce), Camoens (bl. de guerre), Horatius Cocles (bl. de guerre, en latin, Cocles veut dire borgne), Moshe Dayan (bl. de guerre), John Ford, Gambetta (fragment de tige d'une foreuse), Henri Garat (coup de palette donné par un croupier), Hannibal (froid et humidité à la veille de la bataille du lac Trasimène), maréchal Koutousoff (bl. de guerre), Marconi (accord d'instr.), Philippe de Macédoine, Gal Maunoury (bl. de guerre 12-3-1915), général-comte von Neipperg 2e époux de Marie-Louise (bl. de guerre), Nelson (œil droit au siège de Calvi 1794), Philippe d'Orléans, Jean-Marie Le Pen (bagarre politique), Willy Post (en 1937 fit le tour du monde seul en 7 j 18 h 42 mn), Henri, Cte de Saint-Simon (suicide raté : se crève l'œil droit, 9-3-1823), Gal Simon, colonel Stauffenberg, Xavier Vallat, maréchal Wavel (bl. de guerre 1914-18).

Bosse. Ésope.

Cécité. Daumier, Homère (selon la tradition), Lamarck, Milton, Sanson (le bourreau), Euler.

Claudication. Jeanne la Boiteuse (femme de Louis XI), Anne de Bretagne, Byron (pied-bot), B. Constant, Goebbels (pied-bot), W. Scott, Shakespeare, Talleyrand, Tamerlan, Mlle de La Vallière.

Conjonctivite bilatérale chronique. Marat.

Daltonisme. Dalton (physicien anglais, 1766-1844), d'où le nom.

Gauchers. Voir p. 117

Hydrocéphalie. Cuvier, Milton.

Hypersensibilité sensorielle (visuelle ou auditive). Alfieri, les Goncourt, Musset.

Loupe (à la joue gauche). Le peintre David.

Obésité. Guillaume le Conquérant, Charles le Gros, Louis le Gros.

Prononciation (défauts de). Boissy d'Anglas, Darwin, Démosthène, C. Desmoulins, La Condamine, Lesage, Malherbe, Moïse, Virgile.

Strabisme. Henri de Montmorency, Sartre.

Surdité. Voir p. 129.

Adultes handicapés en établissement (au 31-10-1983) 93 388 [1].

Handicapés sévères (estim. 1983). 658 190 dont : *0 à 4 ans* 21 190, *5 ans à 19 ans* 145 000, *20 ans à 64 ans* 492 000.

Handicaps associés graves. *Plurihandicapés* associant de façon circonstancielle deux handicaps, surdité-cécité par exemple. 8 000 à 15 000 de 0 à 20 ans.

Polyhandicapés associant une déficience mentale sévère à des troubles moteurs, sensoriels, somatiques, épileptiques, entraînant une restriction extrême de l'autonomie. 30 000 à 40 000 de 0 à 20 ans.

Surhandicapés, dont le handicap originel se cumule avec un handicap relationnel, troubles du comportement par exemple. 50 000 à 80 000 de 0 à 20 ans.

☞ Il y a env. 25 000 paraplégiques et tétraplégiques en France dont + de 50 % de – de 25 ans. Il y a 1 500 à 2 000 nouveaux cas par an.

Association des paralysés de France, 17, boulevard Auguste-Blanqui, 75013 Paris. Fondée 1933. Groupement des handicapés moteurs et des parents d'enfants handicapés moteurs.

Nota. – (1) *Source :* min. des Affaires sociales et de l'Emploi – S.E.S.I. (2) *Source :* C.N.A.F.-C.N.A.M.-M.S.A. (3) *Source :* min. de l'Éducation nationale – S.P.I.E.S.E.

Quelques anomalies et malformations

• **Achondroplasie.** Nanisme (membres, tête volumineuse). Mortalité *in utero* (au sein de la mère) très élevée.

• **Anencéphalie.** Absence partielle ou totale de l'encéphale parfois associée à l'absence de moelle épinière (amyélencéphalie). Le crâne est absent ou rudimentaire. Exceptionnellement, très courte survie.

• **Anomalies chromosomiques.** *Incidence :* 1 sujet sur 500 (1 couple sur 250) est porteur d'une anomalie déséquilibrée, c.-à-d. pouvant provoquer la formation d'œufs anormaux. 1 sujet sur 1 000 porte une anomalie de translocation robertsonienne (45 chromosomes sur 46) ; 1 sur 1 000 porte une anomalie de translocation réciproque (une partie du capital génétique est disposée sur des chromosomes différents). La plupart des œufs anormaux sont éliminés précocement sans que la mère s'en aperçoive ou donnent lieu à des avortements précoces. La fréquence des anomalies croît avec l'âge de la mère à la conception (3,5 % des grossesses entre 40 et 44 ans, 8 % entre 45 et 49 ans). **Trisomie 21 ou syndrome de Down ou mongolisme** (nom donné en 1866). *Causes :* présence de 3 chromosomes 21 au lieu de 2 (découverte du Pr Jérôme Lejeune et du Pr Turpin). Association de malformations variées (ainsi : l'existence d'yeux bridés, plus écartés que normalement et bordés en dedans par un repli cutané, donnant un faciès mongoloïde). L'insuffisance intellectuelle est constante, l'âge mental atteignant dans les meilleurs cas 6 ou 7 ans. *Statistiques :* Atteint 1 enfant sur 650 ; 40 000 en France. Aucune race n'en est exempte. Risques d'avoir un enfant mongolien : 1 pour 2 000 pour une femme de 20 ans (1 p. 150 à 40 ans, plus au-delà de 45), 1 pour 2 si la mère est mongolienne. En raison de l'origine accidentelle et non héréditaire de la trisomie 21, le risque d'avoir un 2e enfant trisomique est très faible.

Décès : la plupart des trisomiques 21, polyhandicapés, meurent dans les premières années. En 1981, on estimait que 50 % des trisomiques vivraient jusqu'à 20 ans et que certains atteindraient 40 ans.

Diagnostic : en France, le diagnostic prénatal n'est proposé systématiquement qu'aux femmes de 38 ans et plus, si bien que 20 % seulement des trisomies 21 sont diagnostiquées avant la naissance.

Ambiguïtés sexuelles. Sont parfois une conséquence d'anomalies chromosomiques. *Dysgénésies gonadiques féminines :* syndrome de Turner (nanisme, atrophie ovarienne, infantilisme génital), trisomie X (infantilisme génital). *Masculines :* syndrome de Klinefelter (atrophie testiculaire, développement des seins), caryotype 47 XYY (grande taille, agressivité). *Hermaphrodismes :* présence de gonades fém. et masc.

Transsexuels

Définition. On appelle souvent transsexuels ceux dont l'état se caractérise par le sentiment irrésistible et inébranlable d'appartenir au sexe opposé à celui qui est génétiquement, physiologiquement et juridiquement le leur, avec le besoin constant de changer d'état sexuel, anatomie comprise. Il y a env. 1 000 « transsexuels » en France. Jean-Charles Dufresnoy (devenu Jeanne-Charlotte, artiste connue sous le nom de Coccinelle) fut le 1er opéré en 1958.

Changement de sexe. 18-1-1965, lors de l'affaire « Coccinelle », les juges décidèrent d'avoir recours à l'analyse des chromosomes (sexe génétique). Ce critère conduisait à rejeter toutes les demandes des transsexuels, leur patrimoine héréditaire étant celui du sexe auquel ils souhaitaient ne plus appartenir. Depuis les années 1976-77, on se fonde sur l'analyse « scientifique des différentes composantes du sexe : morphologique, chromosomique, psychologique et psychosociale ». Mais en France 3 arguments principaux permettent de refuser le changement de sexe à l'état civil : le respect du corps humain (3 articles du Code pénal répriment les atteintes illicites au corps humain, fût-ce avec le consentement de la victime), l'indisponibilité de l'état des personnes (nul ne peut modifier l'état qui est le sien du fait de la loi ou de la nature) et l'atteinte à l'ordre public.

• **Anomalies congénitales** (existant dès la naissance) et héréditaires (transmises avec le patrimoine génétique). *Diagnostic prénatal (ou anténatal) :* 1) Par l'*amniocentèse précoce :* a) *consultation génétique* (si possible avant la conception ou en tout début de grossesse) ; b) *ponction amniotique ou amniocentèse* proprement dite (à travers la paroi abdominale, sur l'utérus, en évitant le fœtus) ; à la 16e sem. après les dernières règles, en milieu chirurgical, ne nécessite pas d'hospitalisation ; peut provoquer une fausse couche dans 1 % des cas ; c) *culture des cellules fœtales* (pour l'étude des chromosomes du fœtus). 2) Par le *prélèvement* par voie vaginale des *villosités choriales* à 10 sem. après les dernières règles ; permet le diagnostic de nombreuses maladies génétiques plus précocement, mais avec un risque de fausse couche plus important (2 à 5 %). Ces méthodes permettent de diagnostiquer les anomalies d'origine chromosomique, mais de nombreuses atteintes leur échappent (par exemple : bec-de-lièvre...). 3) L'*échographie* permet de révéler *in utero* diverses atteintes morphologiques ou viscérales graves (anomalies cardiaques, rénales, anésie de l'œsophage, malformations du squelette...) et de prévoir, dans certains cas, une intervention chirurgicale précoce à la naissance dans les conditions optimales de réussite.

• **Bec-de-lièvre.** 1 enfant sur 1 000 naît avec une anomalie portant sur le palais, la lèvre supérieure ou les 2 à la fois. Le bec-de-lièvre (groupe I), parfois double, représente 25 % des cas (pouvant sucer et avaler normalement, il n'est pas nécessaire d'intervenir avant qu'ils soient sevrés), la fissure du palais, gencive et lèvre (groupe III) : 50 %. Le palais fendu est généralement réparé dans la 2e année. *Risques* de bec-de-lièvre : si des parents normaux ont un enfant avec bec-de-lièvre, il y a 4 à 7 chances sur 100 pour que l'enfant suivant en ait un également. S'ils ont 2 enfants avec un bec-de-lièvre, risques pour le suivant : 10 %. Si l'un des parents a un bec-de-lièvre et un de ses enfants aussi, risques pour le suivant : 11 à 15 %. *Pour la malformation du palais* (qui affecte les filles plus que les garçons), si les 2 parents sont normaux et ont un enfant avec un palais fendu, il y a 2 à 5 % de chances pour que l'enfant suivant ait la même infirmité (si l'un des parents et un enfant sont atteints : 15 %).

• **Enfants siamois. Définition.** Jumeaux monozygotes avec fusion en des points variables, ce qui entraîne l'existence d'organes communs. **Siamois complets :** chacun a la totalité des organes. **Incomplets :** les organes vitaux nécessaires sont dans l'un d'eux, ce qui, dans le cas d'opération, ne permet pas la survie de l'autre. Toutes les variétés d'accolement existent et portent des noms distincts. *Fréquence :* 1 cas sur 60 000 naissances. *Opérations : 1912,* 1re réussie en Angleterre ; *1974* (juillet), le Pr Pertuiset, français, a séparé 2 sœurs liées par le crâne ; le 18-9, l'Américain Koop 2 sœurs qui avaient un foie et un intestin communs.

Les plus célèbres. *Chang et Eng* (Gauche et Droite en thaï) n'étaient pas siamois (ils avaient des parents chinois), mais étaient nés à Bangkok (Siam) en 1811 (les Siamois les appelaient « les frères chinois »). Ils n'avaient qu'un seul foie pour 2 et étaient réunis par le bas du sternum. Ils furent conduits aux U.S.A. à 18 ans et exhibés par Phineas Taylor Barnum dans son cirque, puis devinrent fermiers en Caroline du Nord, épousèrent les 2 filles d'un pasteur et eurent 22 enfants normaux. Chang mourut à 69 ans d'une embolie cérébrale, pense-t-on. Eng mourut quelques heures après son frère (probablement de « frayeur »). *Les sœurs Bibbendon,* nées en 1100 en Angleterre, vécurent 34 ans, réunies des épaules aux hanches. *2 sœurs hongroises* nées en 1701 étaient réunies par le dos, partageant le même anus et le même vagin. *Les sœurs Blazek* étaient réunies de même, l'une devint enceinte, l'autre continua d'avoir ses règles, mais quand un garçon sain et normal fut né, toutes 2 eurent du lait.

• **Hydrocéphalie.** Accumulation excessive de liquide céphalo-rachidien sous tension dans les ventricules cérébraux qui se dilatent. Anomalie presque toujours fatale.

• **Mucoviscidose ou maladie fibrokystique du pancréas.** Voir p. 123.

• **Spina-bifida.** Malformation de la colonne vertébrale mettant dans certains cas la moelle épinière à nu surtout dans la région sacrée. *Spina-bifida occulta :* la masse nerveuse est recouverte de téguments. Souvent inaperçue à la naissance lorsqu'elle est bénigne, décelée v. 4 ou 5 ans. Se voit sur une échographie. Peut être opérée.

Greffes et organes artificiels

Il se pose entre 200 000 et 300 000 prothèses par an dans le monde (stimulateurs cardiaques, prothèses de hanche, greffes vasculaires, lentilles transparentes, cristallins artificiels).

Fausses greffes

Servent de *support* à une réhabilitation par les tissus de l'hôte, ou de *prothèse* (remplacement mécanique d'une pièce d'un organisme vivant : exemple : dents artificielles). On peut utiliser des greffons conservés, donc morts.

• **Autogreffes** (ou autotransplantations). Assez fréquentes. Le greffon est pris chez le sujet lui-même [les greffes entre jumeaux vrais (nés à partir du même œuf) se comportent à peu près comme des autogreffes : aucun rejet ne se produit]. **Exemples :** *transfert de peau* d'une région à l'autre chez un brûlé (aucun problème « immunologique », aucune tendance au rejet de la greffe) ; *membres :* doigts, mains, bras, pieds. 1re réimplantation *d'un pouce* totalement sectionné par S. Komatsu et S. Tamai. En octobre 1974, transplantation réussie à Lyon de *la main droite d'un hémiplégique* à la place de sa propre main gauche amputée accidentellement. En 1979, au P.-Bas : greffe *du gros orteil d'un pied gauche* à la place d'un pouce gauche sectionné. En juillet 1986 (à Montpellier, France), les *2 gros orteils des pieds* d'une jeune fille ont été greffés sur sa main privée de 2 doigts. *Cerveau :* professeurs Olof Backlund (neurochirurgien) et Lars Olson et Aki Seiger (histologistes), de Stockholm ont, en 1982, prélevé des cellules de glandes surrénales sur un patient (atteint de la maladie de Parkinson) et les ont greffées sur son cerveau.

Il faut entre 4 h et demie et 5 h pour recoller un pouce et 7 à 8 h pour une main. % de réussite : pour un bras ou une main de 70 à 80, un doigt, 50 à 60. Après 40 ans la récupération fonctionnelle (sensibilité et muscles) est médiocre. *Conditions :* l'intervention doit avoir lieu dans les 12 h (une opération a été réussie 17 h après un accident, mais c'est une exception) ; le membre sectionné doit être transporté dans de bonnes conditions (dans un sac en plastique placé lui-même dans un sac contenant de la glace, et non en contact direct avec la glace). On ne peut guère savoir avant 12 j pour un doigt (15 pour un bras) si le membre survivra.

• **Os.** La 1re greffe réalisée en 1680 à Moscou : un noble russe, qui avait eu le crâne fêlé par un coup d'épée, reçut des fragments osseux d'un crâne de chien. La greffe réussit, mais le noble russe fut excommunié. Fort pieux, il ordonna au chirurgien de lui extirper ses os de chien. Il put ainsi retourner à l'église. Actuellement, grâce aux banques d'os où sont conservés des greffons, les greffes osseuses réussissent 8 fois sur 10. « Greffe d'Albee ». Actuellement, les greffes osseuses sont couramment employées. Lorsque de petites quantités sont nécessaires et que les conditions de consolidation semblent devoir être difficiles, elles sont prélevées sur le sujet lui-même (sur le tibia ou le bassin). S'il faut de plus grandes quantités, on utilise des greffes de banque (fragments osseux ou os presque entiers prélevés sur des cadavres et conservés au froid).

• **Valves et valvules cardiaques.** 1res réalisées v. 1960 par le Dr J.-P. Binet. Plusieurs centaines de milliers ont été réalisées depuis 20 ans. Greffons de cadavres humains ou d'animaux. Réussite : 60 à 90 % à 8 ans.

Vraies greffes

• **Définition.** Greffes proprement dites, de tissus ou organes vivants et devant continuer à vivre et à fonctionner chez l'hôte. On distingue :

a) Allogreffes (ou homotransplantations). Le greffon est pris chez un autre sujet de la même espèce : par ex. d'un homme à un autre homme. Le tissu greffé est d'abord accepté quelques jours, puis reconnu pour étranger par les systèmes « immunologiques » de l'hôte et rejeté, c'est-à-dire détruit, après une semaine environ (selon le degré de « compatibilité » du donneur et du receveur). Grâce à l'usage de médicaments « immuno-dépresseurs », les allogreffes peuvent être tolérées (azathioprine ou imurel, sérum antilymphocytaire, etc.).

Le Pr Dausset, prix Nobel, à l'origine de la découverte du système tissulaire HLA-A, B, C, DR qu'il faut respecter pour assurer la compatibilité entre donneur et receveur, a constitué un fichier de 51 000 volontaires donneurs de moelle osseuse, ce qui permettrait, dans 60 % des cas, de trouver un donneur compatible. S'adresser à France A.D.O.T. à l'hôpital St-Louis ou au Service Dr Raffoux (Voir dons, chapitre Œuvres).

b) Xénogreffes (ou hétérotransplantations). Le greffon est pris dans une autre espèce, ex. : greffe de peau d'une souris à un rat. Rejet rapide.

Principaux exemples actuels

• **Cerveau.** *1987,* des greffes de cellules de fœtus humains sont greffées chez des patients atteints de la maladie de Parkinson.

• **Cœur.** *Nombre de transplantations cardiaques. France : 1985 :* 149, *86 :* 315, *87 :* 497, *88 :* 600, *89 :* 700, *90 :* 870. *Monde : de 1967 à 1989 :* env. 12 000.

Taux de réussite (1989) : 72 % de survie à 8 ans, grâce à la découverte de nouvelles molécules neutralisant les rejets.

Coûts : opération à cœur ouvert ou remplacement d'une valve : 60 000 à 90 000 F, *transplantation cardiaque* 300 000 à 500 000 F.

1res greffes : dans le monde : Afrique du Sud, 3-11-1967 par le Dr Chris Barnard (Louis Washkansky, survie 18 j) ; *en Europe :* Pr Christian Cabrol (28-4-68, Clovis Roblain, 66 ans, survie 2 j et 5 h). *En France :* Dr Nègre (8-5-68, survie 2 j) et Prs Ch. Dubost et J.-P. Cachera (12-5-68, R.P. Boulogne, survie 17 mois 5 j). *En U.R.S.S. :* 1re le 26-10-86, Nikolaï Chichkine († 29-10-86).

1re femme opérée : Mme Guerra (3-4-73 à Lyon par le Pr Pierre Marion, survie 27 j). *Plus jeune opérée :* 4 j (20-11-1985 à Loma Linda par Léonard L. Bailey, en vie). Hollie Roffey (11 j, le 31-7-

1984 par le Dr Magdi Yacoub, survie 17 j). Nouveau-né extrait par césarienne au 9e mois et transplanté d'emblée par le Pr Bailey (1986).

Survie la plus longue : Emmanuel Vitria, opéré en France par le Pr Henry le 27-11-1968, † 11-5-1987 après 6 738 j, avait reçu le cœur d'un fusilier marin, Pierre Ponson (20 ans), victime d'un accident mortel de la circulation.

Depuis, 1 greffé par le Pr Shumway (U.S.A.), 20 ans 1/2 en sept. 1990.

Greffe d'un cœur d'animal sur un homme. 3 échecs (1964 Pr Hardy à Jakson ; 1978 Pr Barnard au Cap ; 30-7-1984 Londres) 1 survie de 20 j, greffe d'un cœur de babouin sur une fille de 14 j le 26-10-1984 à Loma Linda (Californie, Dr Leonard Bailey).

Greffe d'un 2e cœur, placé en dérivation afin d'assister le cœur défaillant : *1974* (24-12) : succès, Pr Barnard. *1988 :* 290 interventions, 60 % de survie à 2 ans.

• **Bloc. Cœur et poumons.** *1er succès :* 1981 Pr Shumway (Stanford, U.S.A.). *1re en Europe :* 6-3-1982 à la Pitié (Pr Cabrol). *Monde : 1989 :* env. 800 ; 60 % de survie à 4 ans. *En France, nov. 89 :* env. 150. **Cœur et foie.** *1re greffe :* 14-2-1984 par les Prs Thomas E. Starzl et Henry Bahnson (U.S.A., Pittsburg) sur Stormie Jones (6 ans). *1988 :* 6. **Cœur, poumons et foie.** 1re en 1986, par Wallwork et Calne. **Cœur et pancréas.** *1er succès* 25-3-1989 (Washington, U.S.A.). **Cœur et rein.** Env. 16 greffes réalisées dans le monde. En France, 3 (la 1re à la Pitié, le 17-10-1984 par le Pr Cabrol). 1re en France : 22-6-1990 par équipe du Pr Carpentier (Paris, hôp. Broussais). **Cœur-pancréas-rein.** En Europe, au CHU de Strasbourg le 20-2-1990, équipe des Prs Cinqualbre et Kieny, durée de l'opération 13 h.

☞ Certains greffés ont repris une activité sportive intense. Ils doivent seulement suivre un traitement à vie fondé sur une association de ciclosporine et de corticoïdes à petites doses, et des contrôles médicaux réguliers. Les décès observés surviennent surtout dans les 15 jours à 3 semaines suivant la greffe. Ils sont dus en général à la mauvaise qualité du cœur du donneur, ou à une incompatibilité entre donneur et receveur, ou parfois à l'organisme épuisé du receveur.

• **Cornée (kératoplastie).** Le fragment de cornée à greffer est prélevé sur un cadavre. Ne peuvent guérir que les cécités dues à une opacité de la cornée, l'œil lui-même restant de bonne qualité derrière l'opacité. *1re greffe* en 1877 par von Hippel (env. 2 000 greffes en France par an, avec actuellement 80 % de succès, sans rejet). Depuis 1950, les greffes de sclérotique donnent de bons résultats. La greffe de l'œil entier demeure impossible.

☞ Selon le fichier de la Banque des yeux, il y a en France plus de 60 000 donneurs potentiels ayant accepté le prélèvement après leur mort.

• **Dent.** L'autogreffe est pratiquée.

• **Foie.** 1re en 1963. Sensible au rejet comme le cœur, le pancréas ou le rein. *Principales indications :* certaines cirrhoses au stade de l'insuffisance hépatique grave, certaines maladies des voies biliaires de l'enfant et certaines tumeurs primitives du foie. *Survie à 2 ans :* 75 %. *Coût :* env. 500 000 à 1 million de F. *Les plus longs survivants* (transplantation orthotopique) : 14 ans (par le Pr Starzl aux U.S.A.) ; tr. hétérotopique : 7 ans (par le Pr Bismuth en France). *Premières réalisations. 1963 :* 1re greffe. *1988* (mai) : Pr Henri Bismuth, 1re greffe d'un demi-foie à 2 malades. (juillet) : 1re double greffe foie-rein en France (Grenoble). *1989* (27-11) : 1re transplantation partielle aux U.S.A. (Dr Christopher Broelsch, Chicago) une partie du foie entre une femme (Teri Smith, 29 ans) et sa fille Alyssa (21 mois). 3 tentatives avaient eu lieu en 1989 (Brésil 2, Australie 1). *Nombre en France. 1984 :* 14. *85 :* 56. *86 :* environ 120 (la moitié par le Pr Bismuth). *87 :* 232. *89 :* 585 ; besoins : de 1 000 à 3 000 par an à partir de 1990. *90* (9-11) : triple greffe foie-pancréas-duodénum [Prs René Bricot, Le Trent, Marseille (la Conception)].

• **Genou.** 1re greffe en 1987 aux U.S.A. (Philadelphie) par Richard Schmidt (bas du fémur, genou, haut du tibia) sur Susan Lazarchik (32 ans).

• **Intestins.** Une dizaine d'essais. Échecs à court terme (quelques semaines de survie).

• **Jambe.** 1re double greffe en Europe (France : Bordeaux le 26-7-1988), pied droit au niveau de la cheville, jambe gauche au-dessous du genou).

• **Larynx.** 1re en février 1969 par le Dr Kluyskens. Le malade atteint d'un cancer du larynx est mort 10 mois plus tard.

• **Moelle osseuse.** Utilisée dep. 1970 pour le traitement des leucémies, des malades en aplasie médullaire ou nés en déficit immunitaire. Essentiellement pratiquée entre frères et sœurs, mais les familles étant réduites, 2 fois sur 3 on ne peut rencontrer 2 individus compatibles. On réenvisage de faire appel à des donneurs étrangers (1 chance sur 40 000), des médicaments immunodépresseurs, comme la cyclosporine A, permettant de maîtriser la GVH (*Graft Versus Host :* réaction du greffon contre l'hôte). *Nombre de greffes réalisées en France en 1988 :* env. 5 000 (besoins : 2 000). Un groupe de volontaires donneurs de moelle a été constitué (env. 51 000 volontaires), géré par l'Association France Greffe de Moelle et France A.D.O.T. BP no 35, 75462 Paris Cedex 10.

• **Œil.** Seule la cornée de l'œil est greffable. Un borgne ou un aveugle peuvent donner leur cornée. S'adresser à la *Banque française des yeux,* 6, quai des Célestins, 75004 Paris.

• **Ongle.** 1re greffe le 29-3-1980 par le Dr Guy Foucher sur Christophe Kempf (12 ans).

• **Ovaire. Greffé au bras.** 1re en 1985 à Caen sur une jeune fille de 18 ans pour préserver sa fertilité (elle devait subir une radiothérapie abdominale pour guérir une maladie ganglionnaire). L'ovaire (grand comme une noisette) fait saillie au milieu du coude et se gonfle à chaque ovulation. Le jour où elle désirera un enfant, un ovule sera prélevé sur cet ovaire et fécondé *in vitro.*

En 1979, le Dr Robert J. White de Cleveland (Ohio, U.S.A.) en était à sa 35e expérience de transplantation de têtes sur des singes. Survie de quelques semaines.

• **Pancréas.** Stade expérimental dépassé en 1976 à Lyon (Pr Dubernard). En général double greffe rein-pancréas pratiquée chez les diabétiques type I arrivés au stade de l'insuffisance rénale. En France + de 200 dont 1989 : 57 (survie du pancréas légèrement inférieure à celle du rein et régression partielle des complications du diabète). *Greffes de cellules de Langerhans obtenues par culture :* échecs chez l'homme. Les « pancréas artificiels » (distributeurs automatiques d'insuline) sont utilisés dans le traitement des comas et de certains diabètes maigres très graves.

• **Peau.** *1re greffe* réalisée en 1870 par Jacques-Louis Reverdin. Surtout utilisée lors de brûlures ou de pertes de substance spontanées (ulcères de jambe...) ou postopératoires (exérèse de tumeurs cutanées...) : autogreffe, à la rigueur allogreffe entre membres d'une même famille (rejetée après quelques j ; peut aider à passer un cap critique).

• **Poumon.** *1re greffe tentée* en 1964. *1re réussie* par le Pr Derom le 14-11-1968 en Belgique (avec survie de 9 mois) sur Alois Vereecken (atteint de silicose). Survie max. : plus de 3 ans. 1re greffe de 2 poumons, 1986 (Toronto, Canada). *1989 :* 35.

• **Rate.** *1re greffe* en 1964. Échec.

• **Rein.** *1ers greffes réussies : 1950 :* par le Dr R.H. Lawler sur un homme. *1951 :* par R. Kuss, Teinturier et P. Milliez. *1952* (25-12) : 1re en France avec survie prolongée, par Jean Hamburger. *1958 :* entre jumeaux vrais (par John Putnam Merrill et John E. Murray à Boston, U.S.A.). *1959 :* entre faux jumeaux (par Jean Hamburger à Paris, J.P. Merrill à Boston). *1962 :* entre sujets non apparentés (par J. Hamburger).

Nombre de greffes réalisées dans le monde : + de 60 000 venant de volontaires vivants apparentés (parents, semi-identiques, frères-sœurs identiques) ou surtout de cadavres (en France 95 %). À 1 an, il y a 85 % de succès, 3 % de décès, 12 % d'échecs (repris en hémodialyse). Les rejets sont moins fréquents [meilleure maîtrise des médicaments immunosuppresseurs (qui affaiblissent le bouclier immunitaire), nouveaux produits (Ciclosporine A, bientôt FK 506 et anticorps monoclonaux)].

En 1988, sur 17 000 malades traités par rein artificiel en France, 4 500 attendaient une transplantation, 1 810 seulement ont pu en bénéficier, le nombre de prélèvements étant insuffisant ; il en faudrait 2 500 à 3 000/an. En France, jusqu'au 31-12-1988, il y eut 15 000 transplantations rénales [les 4 centres les plus actifs en France : Paris Necker – Enfants malades (Prs Kreis et Boyer) 140 greffes/an, Paris Bicêtre (Pr Fries), Lyon (Prs Touraine et Dubernard), Nantes (Pr Soulillon)]. *1989 :* 1 957 transplantations.

Coût (en 1986) : env. 150 000 à 200 000 F (1re année). Surveillance ultérieure : 30 000 à 60 000 F/an, au lieu de 350 000 F le traitement par dialyse.

• **Système digestif.** 1re 11-11-1987. 1re greffe simultanée réussie des foie, pancréas, intestin grêle, parties du côlon et de l'estomac à Pittsburgh (U.S.A.) sur Tabatha Foster (Noire, 3 ans).

• **Testicule.** 1re en 1977 aux U.S.A. par le Dr Stilber.

Dons d'organes. S'adresser à *la Féd. française pour le don d'organes et de tissus humains,* France A.D.O.T.-Magniez, B.P. 35, 75462 Paris Cedex 10.

• **Thymus.** Réalisées chez des enfants nés sans thymus. U.S.A. 2 réussites, G.-B. 1.

• **Trompe de Fallope.** Greffe du conduit amenant l'ovule à l'utérus. Aucune réussite jusqu'à présent (en cas de réussite : grossesse à terme normale).

☞ **1re greffe de cellules fœtales** réalisée « in utero » le 30-6-1988 à l'Hôtel-Dieu de Lyon sur un fœtus de 28 semaines atteint du « syndrome des lymphocytes dénudés ».

Le 22-5-1989 à Washington, les Drs Stephen Rosenberg et French Anderson ont greffé un **gène de bactérie** dans les chromosomes d'un homme atteint d'un cancer de la peau.

Organes artificiels

• **Matériel utilisé.** *Plastiques* (silicones, polyesters, polyuréthanes, hydrogels) : prothèses vasculaires, articulaires, chirurgie esthétique. *Métaux* (aciers inoxydables à faible teneur en carbone, alliages de chrome-cobalt, de titane) : armatures de valves cardiaques, broches, plaques, vis. *Céramiques* (alumine fritée, oxyde de titane, phosphate de calcium, céramiques carbonées et carbone-silice) : prothèses articulaires ou implants dentaires.

• **Cœur. Cœur artificiel.** *4-4-1969,* Denton Cooley et Domingo Liotta (Houston, Texas) implantent un cœur artificiel total dans le thorax d'un Américain de 47 ans, Harpell Karp, qu'ils retirent 65 h après pour greffer le cœur d'une femme de 40 ans : survie de 3 j. Autres tentatives : le 10-8-1971, par Cooley et Akutsu. *Depuis, le 2-12-1982,* implantation du modèle Jarvik 7 mis au point par les docteurs William Kolff et Robert Jarvik, légèrement plus gros qu'un cœur normal. Il est comme tous les cœurs artificiels à animation pneumatique et nécessite un compresseur externe de la taille d'un réfrigérateur, fournissant de l'air sous pression et relié à la prothèse intrathoracique par 2 tuyaux qui traversent la poitrine du malade.

Cœurs placés à titre définitif pour des malades ne pouvant être greffés. 1re tentative : 2-12-1982, Barney Clark (61 ans) à Salt Lake City (Utah, U.S.A., † 23-3-83 de complications rénales et pulmonaires) : Jarvik 7 implanté par William Devries. *2e : 25-11-1984,* William Schroeder (U.S.A., † 6-8-86, soit 620 j après). *3e : 17-2-1985,* Murray Haydon (U.S.A., † 19-6-86). *4e (1re en Europe) : 7-4-1985,* Leif Stenberg († 21-11-85 d'embolie cérébrale), par le Dr Bjarne Semb, Suède. *1re en Europe :* Bücherl (All.) 7-3-1986, 1er cœur fabriqué en Europe, survie 3 j, mort le lendemain d'une transplantation. *Placés à titre provisoire en attente de greffe. 1re réussie : 29-8-1985,* par Jack Copeland.

Prothèse d'assistance cardiaque. Nombreuses applications suivies de greffe. Pompe d'assistance extérieure. 1re implantée : *monde :* 1967 U.S.A., Dr Bakey. 4-2-1986 France, Pr Carpentier à Broussais, double assistance ventriculaire de Pierce (suivie de greffe). Ventricules artificiels destinés à l'implantation définitive : le ventricule artif. *Novacor* avec batteries externes portables, permettant l'autonomie, est en essai sur animal ; sur l'homme en fin 1991.

Le 11-1-1990, la Food and Drug Administration (FDA) américaine retire l'autorisation d'implantation du cœur de Jarvik (défauts de fabrication).

Statistiques (au 1-11-1990). *Utilisation de ventricules artificiels ou de cœur artificiel en attente de greffe :* + de 400 dont ventricule gauche (Novacor) 72, thermo-cardio-systèmes 28, ventricules droit et gauche (Thoratec) 127, Symbion 130 (Toyobo, Nippon-Zéon, Berlin Heart) cœur artificiel Symbion (Jarvik 7) 179. *Durées d'utilisation :* 1 à 603 j (moyenne 14 à 45 j). 60 à 70 % des malades ont pu être greffés, 50 à 59 % ont survécu à la greffe.

Pompes d'assistances externes utilisées en attente de greffe cardiaque : pulsatiles (Abiomed), centrifuges (Biomédicus, 3 M), turbines endo-vasculaire (Hemopump). Env. 400. *Durées moyennes d'utilisation :* 7 j env.

Utilisation en attente de récupération du cœur naturel : pompes, centrifuge (Biomédicus, 3 M), turbines (Hemopump), ventricules artificiels (Thoratec, Symbion, Berlin Heart, Nippon-Zéon, Toyobo) : + de 500. *Durées d'utilisation :* – de 7 j. Le % des malades sevrés et sortis vivants de l'hôpital : 15 à 20 %.

De 1985 à oct. 1990, 193 implantations effectuées : *20 avec des modèles divers* (U.S.A. : Pierce avec « Pennstate ») 173. *Jarvik 7* sur 169 patients : 3 encore sous Jarvik, 118 transplantés, 84 survivants [sur ces implantations provisoires de Jarvik 7, 50 ont été faites à la Pitié (Pr Cabrol) : 24 décédés avant transplantation, 1 encore sous Jarvik 7, 25 transplantés, 21 survivants]. Greffes après *Jarvik 7 :* env. 50 % de malades vivants.

• **Oreille artificielle.** Comprend : *un boîtier capteur et transformateur* de sons (porté en bandoulière par le non-entendant), *un émetteur* placé à l'extérieur du crâne contre le rocher, *un récepteur* implanté à l'intérieur du crâne et relié au nerf auditif (le non-entendant doit donc avoir partiellement conservé son nerf auditif, ce qui serait le cas de 80 % des sourds-muets). Si l'implantation échoue, la cochlée (partie de l'oreille interne) est définitivement inutilisable. 3 ans de rééducation sont nécessaires pour acquérir un langage normal. *Coût :* env. 60 000 F, + orthophonie.

• **Poumon artificiel.** 1re implantation d'un IVOX à Salt Lake City (U.S.A.) le 2-2-1990 sur une jeune fille de 16 ans. Composé de 1 200 fibres en polypropylène d'une surface de 1 m², implanté dans la veine cave inférieure, il permet l'échange oxygène-gaz carbonique. Durée d'utilisation : 7 jours au plus.

• **Reins artificiels. Premiers.** Créés par Wilhelm Kolff aux Pays-Bas (1944), Nils Alwall en Suède (1947), Skeggs et Leonards aux U.S.A. (1948). *1re génération de reins artificiels efficaces et bien tolérés :* John Merrill à Boston (1950), Jean Hamburger et Gabriel Richet à Paris (1956), Fredrik Kiil en Norvège (1960).

Principe. Faire passer le sang du malade urémique pendant plusieurs h dans un circuit situé en dehors du corps et permettant une « épuration » imitant celle du rein normal. Cette épuration est obtenue par dialyse (séparation entre substances diffusibles « dialysables ») et non diffusibles) au travers d'une membrane semi-perméable de cuprophane, de l'autre côté de laquelle se trouve un liquide de dialyse de composition exactement calculée.

Formes. Le rein artificiel se présente sous plusieurs formes : *bobines* (plus guère utilisées), *plaques,* surtout *capillaires* (Hospal, Gambro, Baxter). De nouvelles membranes mieux tolérées, plus performantes ont succédé à la cuprophane : polyacrilonitrile, acétate de cellulose, polycarbonate, etc. La très grande perméabilité de certaines a permis de pratiquer l'hémofiltration : à travers la membrane, on soustrait jusque 20 l d'ultrafiltrat plasmatique en 4 heures que l'on remplace par une solution dont la composition est connue.

Utilisation dans 2 sortes de cas. *1° Traitement de maladies aiguës curables :* quelques séances de rein artificiel permettent de passer sans accident la phase critique d'insuffisance rénale aiguë réversible (par exemple le blocage des fonctions rénales après un avortement était mortel dans 90 % des cas avant le rein artificiel, il guérit dans 90 % des cas aujourd'hui, cette cause devient très rare). Autres usages : permet d'épurer le sang des produits toxiques dans certains empoisonnements. *2° Remplacement des reins définitivement détruits* (dialyse périodique) (Scribner, 1959) : 2 ou 3 séances hebdomadaires, dans un centre de néphrologie ou à domicile. 70 % par hémodialyse en centre (300 000 F/an), 25 % à domicile [15 % hémodialyse, 10 % dialyse péritonéale continue ambulatoire (150 000 F/an)], 5 % en autodialyse (intermédiaire entre dialyse en centre et à domicile). En 1987, 15 000 adultes (276 par million d'habitants) ont été traités dans 220 centres de la France métropolitaine (+ 250 aux Antilles et 240 à la Réunion). Chaque année, 3 200 nouveaux malades doivent être pris en charge. 230 enfants sont traités dans 14 centres pédiatriques.

• **Divers.** *Respirateurs artificiels. Prothèses de membres. Larynx artificiel. Valves artificielles cardiaques* (70 à 90 % de succès à 9 ans). *Pancréas artificiel* à l'étude pour les diabétiques insulino-dépendants ; se composerait d'un lecteur de glycémie, d'un syst. de traitement de l'information, d'une pompe, d'un réservoir à insuline et d'une source d'énergie.

• **Stimulateur cardiaque** dit *« pacemaker »* (PM). **1re implantation.** 1958 (Stockholm). **Statistiques.** Plus de 30 000 PM implantés chaque année en France (chiffres stables depuis 1985), dont 85 % en 1re intervention (500 par million d'habitants dont 1 % à des enfants). *Age moyen des porteurs :* 75 ans ; extrêmes : quelques jours à plus de 100 ans.

Indications. *Bradycardies* (cœurs lents) chroniques, permanentes ou intermittentes, dues à 2 types de lésions parfois associées : atteinte des voies de conduction *nodo-hissienne* (entre oreillette et ventricule) réalisant un *bloc auriculo-ventriculaire* souvent précédé d'un bloc de branche *(maladie de Lenègre),* lésion *sino-auriculaire* (20 à 30 % des cas) par anomalie située plus haut entre le nœud sinusal et l'oreillette. Indication formelle : maladie d'*Adams-Stokes :* syncopes brutales causées par des arrêts cardiaques.

Les causes de bradycardies sont souvent inconnues. La maladie de Lenègre est liée à une fibrose des voies de conduction. Des lésions des valves mitrales et surtout aortiques peuvent être à l'origine de bloc auriculo-ventriculaire nécessitant la mise en place d'un stimulateur et d'une valve artificielle. Les blocs sont parfois d'origine congénitale, éventuellement associés à d'autres anomalies (communication interventriculaire, etc.). L'infarctus donne des troubles de conduction presque toujours transitoires ne nécessitant qu'une stimulation temporaire.

La fiabilité des PM actuels aboutit à une extension des indications sans attendre le stade de la bradycardie chronique syncopale.

Les stimulateurs purement antitachycardiques sont peu utilisés, le traitement chirurgical ou endocardiaque. La fulguration est souvent préférée.

Caractéristiques. 2 parties, placées dans une coque en titane hermétique : **1° une pile** chimique, au lithium (iode) depuis 1973-75 de 1 à 2 A/h de capacité. **2° Un circuit électronique.** Actuellement, tous les PM sont programmables, réglables, de l'extérieur, à l'aide d'un émetteur à radiofréquence et télémétriques (interrogeables). Les PM *« diagnostiques »* comptent les contractions cardiaques spontanées et stimulées, les classent en tranches de fréquences. 2 types : *1°) monochambres (75 %)* reliés à une seule électrode, ventriculaire ou auriculaire, toujours *sentinelles* (surveillant le rythme cardiaque autonome). 20 % sont à fréquence asservie : elle peut s'accélérer grâce à des capteurs incorporés au PM (détection des variations de l'activité physique grâce à un quartz inclus dans le PM ; quand le « stimulé » marche, le quartz vibre, la fréquence de stimulation s'accélère). Autres procédés : asservissement à la fréquence respiratoire, à la ventilation minute, à la température du corps, etc. *2°) Doubles chambres (25 %)* stimulant oreillette et ventricule (contre-indiqués en cas d'arythmie auriculaire). Certains sont à fréquence asservie si l'oreillette n'est pas capable d'accélérer spontanément.

Épaisseur : 6 à 8 mm. *Poids :* 25 à 40 g. *Volume :* 10 à 25 cm³, dimensions conditionnées par la capacité de la pile. *Longévité* 5 à 10 ans selon capacité de la pile et consommation du circuit. *Électrode :* fil multispire de 50 à 60 cm en acier inoxydable ou elgiloy recouvert d'un isolant en caoutchouc de silicone ou polyuréthane terminé par l'électrode proprement dite intracardiaque en platine ou carbone. Des « accrocheurs » (barbillons ou mini-vis) le fixent au cœur. Le PM est relié à une électrode (double si c'est un PM double chambre) par un connecteur. *Prix :* PM : 12 000 à 25 000 F ; électrode : 2 000 à 3 000 F. Matériel pris en charge par la Sécurité sociale. *Constructeurs :* 9 principaux dont 2 Français.

Techniques d'implantation. *Endocavitaire* (98 % des cas), en général sous anesthésie locale : introduction d'une ou deux électrode(s) par dénudation de la veine céphalique ou ponction de la sous-clavière poussée(s) sous contrôle radiologique dans les cavités cardiaques droites, le PM est enfoui dans une poche sous-cutanée par la même incision au creux de l'épaule. L'intervention dure entre 20 et 60 minutes. Le remplacement d'un PM usé est plus rapide (on ne change pas l'électrode). *Stimulation épicardique* (fixation directe d'électrodes sur le myocarde) : s'impose en cas de remplacement de la valve tricuspide et se discute en cas de bloc apparaissant au cours d'une chirurgie à cœur ouvert.

Défauts. *Pannes :* exceptionnelles. *Intolérance et infection :* favorisées par les interventions longues, plus fréquentes après les réinterventions. *Déplacement d'électrodes :* panne précoce rare depuis la mise au point d'électrodes « accrocheuses ». *Rupture de fil :* les fils sont constitués de spires multiples robustes. L'isolant qui les recouvre peut se rompre, aboutissant alors à des stimulations de contiguïté ou à des courts-circuits.

Précautions. Les PM modernes sont bien protégés contre les interférences. Éviter les détecteurs d'aéroport et surtout les dispositifs antivol qui peuvent arrêter le PM pendant l'exposition au champ électromagnétique mais pas le dérégler. Précautions à prendre en cas d'intervention chirurgicale nécessitant le recours au bistouri électrique. Les appareils électriques de la vie courante y compris les fours à micro-ondes ne sont pas dangereux à condition d'être en bon état. *Contrôles cardiologiques :* recommandés une ou deux fois par an pour vérifier le fonctionnement du PM. L'usure est diagnostiquée avant de pouvoir entraîner des symptômes : elle se traduit par un ralentissement de fréquence ; la télémétrie permet de mesurer l'impédance de la pile.

Revues spécialisées : *Stimucœur :* C.H.U. Rangueil, 31054 Toulouse Cedex – *Stimulography :* 1, rue Bel-Air, 54520 Laxou-Nancy.

• **Autres types de stimulateurs. Stimulateurs destinés à traiter la douleur,** notamment celle induite par les *artérites des membres inférieurs* arrivées au stade où traitements chirurgical et médical sont dépassés. Une électrode est introduite dans la cavité épidurale (en regard de la colonne vertébrale) et reliée à un stimulateur externe puis secondairement implantable si le procédé s'avère efficace. A l'action antidouleur s'ajouterait une dilatation artérielle permettant d'espérer une stabilisation. Technique peu utilisée. **Stimulateurs de la vessie et du cervelet** (rares).

• **Défibrillateurs implantables (DI). 1re implantation** 1980 (U.S.A.). Destinés à traiter la fibrillation ventriculaire ou les tachycardies ventriculaires récidivantes, à l'origine de la mort subite. **Caractéristiques.** Constitués d'une pile au lithium et d'un circuit électronique, ils délivrent une énergie de 20 à 30 joules (contre 10 à 30 microjoules pour les stimulateurs), réalisant un « choc électrique ». Délivré quand le DI a détecté le trouble du rythme grâce à un dispositif de veille permanente. Certains DI (option *cardioversion*) peuvent délivrer un choc faible (1 à 5 joules) en cas de tachycardie ventriculaire, ou fort (20 à 30 joules) en cas de fibrillation. *Poids :* + de 200 g ; *épaisseur :* 2 cm du fait de la capacité de la pile et surtout des condensateurs. *Implantation :* dans l'abdomen ; jusqu'en 1989, les électrodes de défibrillation étaient fixées directement sur le ventricule, ce qui nécessitait une thoracotomie ou un abord souscostal. Depuis, des DI sont reliés à des électrodes endocavitaires introduites par une veine sous-clavière. Du fait de ses dimensions, le défibrillateur est toujours implanté dans l'abdomen.

Prix : env. 130 000 F. *Longévité :* 2 à 4 ans, qu'ils soient sollicités ou non.

Indications. Les « morts subites récupérées », liées à une fibrillation ventriculaire, les troubles du rythme ventriculaires récidivants dont 80 % apparaissent à distance d'un infarctus.

Statistiques. *Nombre implantés :* Monde 10 000 ; France 170 depuis 1982 (100 en 1990) ; États-Unis 5 000. *Constructeurs :* 3 (États-Unis, Australie).

☞ Des défibrillateurs externes très répandus (utilisés dans les SAMU) permettent de traiter, en urgence, les fibrillations ventriculaires.

Causes de décès

En France

Causes de décès (tous âges) en 1989

Ensemble, dont entre parenthèses, femmes (statistiques provisoires). *Source :* INSERM 1989 (Fr. métropolitaine).

Maladies infectieuses et parasitaires 8 441 (3 681) dont : fièvre typhoïde, paratyphoïde et infections à salmonella 56 (36). Autres infections intestinales 457 (282). Tuberculose 941 (372). Infections à méningocoques 26 (10). Tétanos 28 (14). Septicémie 2 409 (1 277). Poliomyélite aiguë 3 (0). Maladies à virus du système nerveux central 95 (57). Hépatite virale 144 (53). Syphilis 16 (9). Sida 1 936 (303). Autres maladies infectieuses et parasitaires 1 840 (1 066). Séquelles de mal. infectieuses ou parasitaires 450 (202).

Tumeurs 137 480 (54 315) dont : tumeurs cavité buccale et pharynx 5 305 (572) ; œsophage 4 798 (610) ; estomac 6 624 (2 732) ; intestin 15 322 (7 532) ; pancréas 5 567 (2 620) ; autres parties appareil digestif et péritoine 10 448 (4 273) ; larynx 3 075 (182) ; trachée, bronches et poumons 20 871 (2 739) ; autres parties appareil respiratoire et organes thoraciques 3 456 (496) ; os et cartilage articulaire 695 (239) ; tissu conjonctif et autres tissus mous 480 (228) ; peau 1 306 (609) ; sein 9 945 (9 806) ; utérus 3 179 (3 179) ; ovaire et autres annexes de l'utérus 3 009 (3 009) ; prostate 8 785 (0) ; vessie 3 871 (988) ; rein et organes urinaires autres 2 921 (1 131) ; autres organes génito-urinaires 703 (502) ;

encéphale 2 315 (1 017) ; sièges autres et n.p. 11 191 (5 255) ; maladie de Hodgkin 333 (153). Autres t. malignes des tissus lymphoïde et histiocytaire 3 088 (1 481). Myélome multiple et tumeurs immunoprolifératives 1 823 (955). Leucémies 4 596 (2 127). Tumeurs bénignes 492 (303). Carcinome *in situ,* tumeurs à évolution imprévisible et de nature n.p. 3 292 (1 577).

Maladies endocriniennes, *nutrition, métabolisme, troubles immunitaires* 12 547 (7 807) dont : diabète sucré 6 427 (3 869). Autres mal. 6 120 (3 938).

Maladies du sang et des organes hématopoïétiques 2 329 (1 213).

Troubles mentaux 12 151 (6 918) dont : alcoolisme et psychose alcoolique 2 806 (560). Autres t. mentaux 9 345 (6 358).

Maladies du système nerveux et des organes des sens 10 695 (5 563) dont : méningites 282 (119). Encéphalite, myélite et encéphalomyélite 117 (59). Syndrome parkinsonien 2 479 (1 242). Hémiplégie et autres syndromes paralytiques 960 (557). Autres maladies 6 854 (3 586).

Maladies de l'appareil circulatoire 172 802 (94 363) dont : cardiopathies rhumatismales 1 134 (793). M. hypertensives 5 949 (3 767). Cardiopathies ischémiques 48 501 (22 157). Autres formes de cardiopathies 10 989 (5 701). Troubles du rythme 10 703 (6 168). Insuffisance cardiaque et maladies cardiaques mal définies 31 291 (19 248). Maladies vasculaires cérébrales 48 990 (28 984). Autres m. de l'appareil circulatoire 15 245 (7 545).

Maladies de l'appareil respiratoire 34 393 (16 262) dont : pneumonie et broncho-pneumonie 11 112 (6 008). Grippe 1 299 (855). Bronchite chronique et maladies pulmonaires 12 127 (4 528). Asthme et alvéolite allergique 2 078 (1 158). Autres maladies 7 677 (3 713).

Maladies de l'appareil digestif 26 649 (12 286) dont : ulcère 2 038 (942). Occlusion intestinale sans hernie 2 861 (1 913). Cirrhose alcoolique ou n.p. du foie 6 933 (2 927). Autres maladies chroniques du foie 430 (206) ; de l'app. digestif 11 687 (6 298).

Maladies des organes génito-urinaires 7 083 (3 416) dont : néphrite et insuffisance rénale 4 705 (2 323). Hyperplasie de la prostate 384 (0). Autres maladies des organes génito-urinaires 1 994 (1 093).

Complications grossesse, accouchement, suites de couches 59 (59).

Maladies de la peau et du tissu cellulaire sous-cutané 1988 (1 407).

Maladies du système ostéo-articulaire, muscles, tissu conjonctif 2 449 (1 685).

Anomalies congénitales 1 786 (846) dont : anomalies c. du système nerveux 211 (101) ; de l'app. circulatoire 979 (460) ; de l'app. digestif 107 (46). Autres anomalies et syndromes congénitaux 489 (239).

Affections dont l'origine se situe dans la période périnatale 1 370 (544) dont prématurité et immaturité 79 (37). Traumatisme obstétrical et hémorragies fœtale et néo-natale 123 (42). Anoxie et autres affections respiratoires 764 (291). Infections spécifiques de la période périnatale 152 (62). Autres affections 252 (111).

Symptômes, signes et états morbides mal définis 46 059 (24 102) dont sénilité sans mention de psychose 6 346 (4 796). Mort subite de cause inconnue 3 204 (1 382). Causes inconnues ou non déclarées 23 519 (10 430). Autres symptômes, signes et états morbides mal définis 12 990 (7 489).

Causes extérieures de traumatismes et empoisonnements 46 199 (18 426) dont : accidents de la circulation 9 866 (2 680). Intoxications accidentelles 333 (142). Accidents et complications au cours et suites actes médic. et chirurgicaux 2 125 (920). Chutes accidentelles 10 879 (7 099). Accidents n.p. 3 115 (1 039). Autres accidents et séquelles 6 249 (2 538). Suicides 11 152 (3 208). Homicides 564 (226). Traumatismes, empoisonn., intention indéterminée 1 864 (566). Autres morts violentes et séquelles 10 (3).

• **Total général** 524 480 (252 888).

Causes de décès d'enfants de - de 1 an, en 1989

Maladies infectieuses et parasitaires 87 dont fièvre typhoïde, paratyphoïde et infection à salmonella 0. Infections intestinales 40. Tuberculose 0. Infections à méningocoques 4. Septicémies 5. Maladie à virus du système nerveux central 0. Hépatites virales 1. Sida 6. Autres maladies infectieuses et parasitaires 31.

Tumeurs 51 dont : maligne de l'œsophage 1 ; du pancréas 0 ; de l'intestin 2 ; d'autres parties appareils digestif et péritoine 2 ; trachée, bronches, poumon 1 ; autre app. resp. 0 ; os et cartilage articulaire 1 ; tissu conjonctif et autres tissus mous 0 ; sein 0 ; ovaires et autres annexes 0 ; vessie 1 ; rein et d'organes urinaires autres ou n.p. 4 ; encéphale 3 ; sièges autres et sans précision 6 ; tis. lymphoïde et histiocqt. 0. Myélome multiple et tumeurs immunoprolifératives 1. Leucémies 12. Tumeurs bénignes 2. Carcinome *in situ,* tumeurs à évolution imprévisible et de nature n.p. 15.

Maladies endocriniennes, nutrition, métabolisme, troubles immunitaires 61 dont diabète sucré 1.

Maladies du sang et organes hématopoïétiques 15.

Troubles mentaux 0.

Maladies du système nerveux et des organes des sens 146 dont méningites 54. Encéphalite, myélite et encéphalomyélite 3. Hémiplégie et autres syndromes paralytiques 4. Autres maladies du système nerveux et des organes des sens 88.

Maladies de l'appareil circulatoire 84 dont : autres formes de cardiopathies 26. Trouble du rythme 17. Insuffisance cardiaque et mal. cardiaques mal définies 27. Mal. vasculaires cérébrales 10. Autres mal. de l'appareil circulatoire 4.

Maladies de l'appareil respiratoire 96 dont : pneumonie et broncho-pneumonie 32. Grippe 1. Bronchite chronique et maladies pulmonaires obstructives 5. Asthme et alvéolite allergique 1. Autres maladies de l'appareil respiratoire 57.

Maladies de l'appareil digestif 45 dont : occlusion intestinale sans mention de hernie 2. Autres maladies de l'appareil digestif 43.

Maladies des organes génito-urinaires 12 dont néphrite et insuffisance rénale 10. Autres maladies des organes génito-urinaires 2.

Maladies de la peau et du tissu sous-cutané 0.

Anomalies congénitales 1 117 dont : anomalies congénitales du système nerveux 131 ; de l'appareil circulatoire 616 ; de l'appareil digestif 60. Autres anomalies et syndromes congénitaux intéressant différents appareils 310.

Affections dont l'origine se situe dans la période périnatale 1 365 dont : prématurité et immaturité 79. Traumatisme obstétrical et hémorragies fœtale et néonatale 123. Anoxie et autres affections respiratoires 761. Infections spécifiques de la période périnatale 150. Autres affections dont l'origine se situe dans la période périnatale 252.

Symptômes, signes et états morbides mal définis 1 719 dont : mort subite de cause inconnue 1 335. Causes inconnues ou non déclarées 317. Autres symptômes, signes et états morbides mal définis 67.

Causes extérieures de traumatismes et empoisonnements 272 dont : accidents de la circulation 25. Intoxications accidentelles 2. Acc. et complic. actes méd. et chirur. 5. Chutes accidentelles 10. Accidents n.p. 10. Autres accidents et séquelles 201. Homicide 12. Trauma., empoisonn., intention indéterminée 7. Autres morts violentes 0.

Total général 5 070.

☞ Sur 2 600 000 anesthésies pratiquées en France chaque année, il y a environ 1 décès pour 6 600 anesthésies. Le taux est de 0,02 ‰ pour les bien portants et de 10 ‰ lorsqu'une fonction vitale est défaillante. 42 % des accidents surviennent au cours du réveil. D'après une enquête de l'Inserm (1982), il y aurait 4 500 accidents et 1 300 morts par an. Selon une étude américaine, 82 % des accidents sont imputables à une erreur, notamment un défaut de surveillance pendant la période de réveil.

Dans le monde

Principales causes

• **Pays en voie de développement.** 1°) Gastro-entérite, colite et autres maladies diarrhéiques. 2°) Grippe et pneumonie. 3°) Accidents. 4°) Maladies du cœur, cancer, apoplexie, infections du nouveau-né, tuberculose, rougeole, coqueluche, paludisme, homicides et blessures de guerre, méningites, anémies, etc.

• **Pays industrialisés** (en %). Mal. du cœur 32,5. Cancer 18,6. Apoplexie 13. Accidents 5. Grippe et pneumonie 3,3. Puis, suivant le pays : diabète sucré, malformation congénitale, complication à la naissance (lésion obstétricale, asphyxie postnatale), suicide, bronchite, cirrhose du foie, néphrite, tuberculose.

Thérapeutiques diverses

Acupuncture

• **Origine.** Du latin *acus :* aiguille et *punctura :* piqûre. D'origine chinoise remontant à la préhistoire ; utilise, en vue d'établir un traitement, des points repérés sur la peau, et piqués ensuite à l'aide de fines aiguilles de métal. *1er ouvrage théorique : 1 500 av. J.-C. (?).* Pénétration en Occident : ramenée de Chine par des missionnaires français au XVIIe s., créateurs du nom actuel (le R.P. Harvieux publia en 1671 « Le Secret de la médecine des Chinois »). *1826 :* le Baron Cloquet l'introduit à l'hôpital St-Louis. *1863 :* Dabry de Thiersant publie « La Médecine chez les Chinois ». *1934 :* 1re traduction des principaux traités chinois, réalisée par Soulié de Morant, consul de France en Chine. *1945 :* fondation de la Sté française d'acupuncture et du Syndicat national des médecins acupuncteurs par le Dr de La Fuye.

• **Base théorique.** Résumée par la doctrine cosmologique du *Tao :* distingue 2 formes complémentaires de l'énergie en vertu du principe de dualité qui dit qu'il n'est pas d'unité durable dans le monde : vers le ciel (le *Yang,* énergie lumineuse, chaude, positive, virile) ; vers la Terre (le *Yin,* énergie obscure, froide, négative, féminine).

Yang et *Yin* tendent vers un équilibre jamais atteint car toujours instable, puisque tous les cycles naturels et biologiques passent successivement par des phases Yang et Yin. Les avatars du Yin et du Yang font l'objet du « Yi King » (Livre des transformations), qui passionna Leibniz et rend compte de toutes les possibilités et éventualités, et touche ainsi à l'art divinatoire.

L'acupuncture repose sur la projection de la représentation de l'univers sur l'homme en vertu de l'analogie macrocosme-microcosme. Elle n'envisage pas cet homme sous un angle anatomique mais elle étudie les mouvements de ses énergies, les transformations dont il est le siège, les fonctions qui permettent la vie, l'entretiennent, la transmettent, la coordonnent et la régulent, et les rythmes biologiques. Les méridiens sont les lieux privilégiés où résonnent toutes les activités du corps, ces activités émergeant au niveau des points, qui sont les moyens de leur régularisation.

Le dérèglement de l'un de ces paramètres engendre la maladie. Il peut être quantitatif (excès ou insuffisance) ou qualitatif [introduction dans le circuit d'une énergie déréglée, dite énergie perverse, soit exogène (vent, chaleur, feu, humidité, sécheresse, froid), soit endogène (le plus souvent d'ordre alimentaire ou psychique : émotions, soucis, etc.)].

• **Pratique.** Sur le trajet des méridiens, les acupuncteurs recherchent, au millimètre près, l'emplacement des points qui leur permettront d'intervenir pour régulariser les fonctions, mouvements, mutations ou rythmes de l'homme. Plus de 800 points ont été dénombrés. En Chine, chacun porte un nom propre. En Occident, on utilise de plus un système par numérotage.

Les *aiguilles,* en or, argent ou acier, sont implantées aux points choisis. La piqûre ne provoque en général qu'une douleur minime. On se sert parfois aussi de *moxas* (cautères formés le plus souvent d'armoise en ignition).

La plupart des acupuncteurs s'aident, pour étayer leur diagnostic, de la prise des pouls à la manière chinoise. Les Chinois ont en effet établi qu'il existe des rapports entre les différents niveaux et qualités des pulsations radiales d'une part, et les perturbations énergétiques (donc le fonctionnement des organes) d'autre part.

• **Indications générales.** *Domaine de la douleur et du spasme, liés ou non à l'état inflammatoire :* en *rhumatologie :* tendinites, cervicalgies, dorsalgies, lombalgies, polyarthrite chronique évolutive, spondylarthrite ankylosante ; *neurologie :* névralgies faciales, cervico-brachiales, sciatiques, séquelles d'hémiplégie, paralysies faciales. Torticolis, lumbago aigu. Colite spasmodique, dyskinésie biliaire, dysménorrhée. *État inflammatoire aigu ou chronique :* pharyngite, rhinite, otite, sinusite ; *digestive :* gastrite, colite ; *urinaire :* cystite. *Troubles endocriniens :* stérilité, troubles des règles, goitres. *Allergie :* asthme, coryza spasmodique, urticaire, eczéma. *Déséquilibres du système nerveux : central :* états dépressifs, insomnie, émotivité, trac, spasmophilie ; *vago-sympathique :* tachycardie paroxystique, aérophagie, déséquilibres endocriniens (goitre, troubles des règles, stérilité). *Traumatismes sportifs :* entorses, tendinites. *Désintoxication tabagique.*

Analgésie par acupuncture : seule ou associée à des médicaments à base de plantes ; peu pratiquée en Occident, sauf en art dentaire.

• **Thérapeutiques associées.** Auriculothérapie, auriculomédecine, nasothérapie, réflexologie podale utilisent des points réflexogènes spécifiques de l'image du corps (somatotopies périphériques). Les points peuvent être stimulés par aimants ou par champs électromagnétiques *(magnétothérapie)* et par rayonnement laser *(laserthérapie).* La *neurostimulation transcutanée (NST)* fait passer un courant électrique dans des aiguilles d'acupuncture au niveau des nerfs périphériques (entorses, lumbagos, torticolis, sciatiques, arthroses, douleurs après amputation).

• **En France. Enseignement :** facultés de médecine de Bordeaux, Montpellier, Nice, Marseille, Strasbourg et Bobigny, diplôme interuniversitaire en 3 ans d'études. Plusieurs écoles privées délivrent un diplôme sous l'égide de la Confédération. Études : 3 ou 4 ans.

Consultations d'acupuncture publiques et hospitalières : 52 en France, dont Paris (St-Jacques, Cochin, Broussais, Lariboisière, Ambroise-Paré, Salpêtrière), Créteil, Marseille, Bordeaux, Toulouse, Lyon, Strasbourg.

Acupuncteurs en (1987). Env. 10 000 dont 900 reconnus comme qualifiés par le syndicat, étudiants env. 3 000. Les docteurs en médecine sont seuls autorisés en France à pratiquer l'acupuncture et à ouvrir droit à remboursement par la Sécurité sociale.

☞ **Renseignements.** *Syndicat des médecins acupuncteurs de France,* 60, bd de Latour-Maubourg, 75340 Paris Cedex 07. *Confédération nationale des Associations médicales d'acupuncture,* même adresse (36 associations en 1987).

Allopathie ou médecine traditionnelle

Nom donné à la médecine traditionnelle par les homéopathes et qui signifie usage de médicaments qui produiraient chez l'homme sain des symptômes contraires à ceux de la maladie que l'on veut éviter. Terme peu utilisé par la médecine classique.

Utilise des médicaments reconnus par les instances officielles : gouvernements et universités, syndicats de l'industrie pharmaceutique, O.M.S. Actuellement, ces médicaments ne peuvent être commercialisés qu'après certaines réglementations. Sur 10 000 molécules créées dans un laboratoire, une seule aura l'autorisation de mise sur le marché. Après diverses expériences, sur des organes isolés et sur l'animal entier ; études de toxicité sur plusieurs espèces animales, de création possible de cancer (6 mois à 2 ans), de modification du patrimoine héréditaire, des recherches sur le cheminement et la transformation du médicament dans l'organisme, on observe l'action du médicament chez l'homme sain, puis chez l'homme malade (200 env.) et on procède à des études multicentristes. Puis la fabrication industrielle commence (1 à 2 ans pour la réalisation). Si l'autorisation gouvernementale de vente est donnée : autorisation de mise sur le marché (AMM en France), Food and Drug Administration (FDA aux U.S.A.).

Auriculothérapie

Origine. Du latin *auriculo* (oreille) et du grec *thérapeuein* (soigner). Découverte en 1951 par le Dr Paul Nogier (Français). Repose sur la propriété qu'a la peau de recueillir les stimulations douloureuses, électriques ou lumineuses et de les transmettre au système artériel. Le médecin, s'aidant de cette propriété, peut capter sur l'artère radiale certaines modifications du pouls pour établir un diagnostic précis de maladie.

Principes. Utilisation du pavillon auriculaire à des fins thérapeutiques. L'emploi de l'oreille (auricule surtout), qui serait l'image renversée du fœtus, *in utero,* s'explique par son innervation très riche et ses multiples connections avec le système nerveux central et certaines parties du corps (points de l'œil, de l'estomac, etc.). L'auriculothérapie consiste à détecter ces points (électriquement) puis à les stimuler par piqûre et par microcourant électrique.

Indications. Nombreuses : douleurs aiguës ou chroniques, traumatiques ou rhumatismales, états allergiques (rhume des foins, eczéma, asthme), états d'intoxication (tabac, alcool), analgésies (problèmes dentaires, accouchement).

Auriculothérapie injectée pratiquée à l'origine par le Dr Roure sous le nom de méso-isothérapie antitabac (tabagisme, troubles neurovégétatifs) en utilisant chez les vrais fumeurs un extrait de tabac de l'I.P. au 1/1 000.

Développement. *Nombre d'auriculothérapeutes en France :* env. 5 000, *à l'étranger :* 50 000. 1 million de Français traités. *Enseignement :* depuis 1982, faculté de médecine de Bobigny.

☞ Selon l'Académie nationale de médecine (bulletin 1987, p. 961), l'auriculothérapie n'est valable sur le plan scientifique ni dans ses bases, ni dans ses réalisations.

Galactothérapie

Méthode. Injection de lait (de vache en général) sous la peau, dans les muscles ou dans les veines. Pratiquée au XVIIe s. en G.-B. et en 1875 aux U.S.A. Développée en Europe en 1914-18. N'est plus utilisée.

Guérisseurs

• **En France.** Guérisseurs et rebouteux ne sont pas reconnus et n'ont pas de statuts légaux. Les guérisseurs utilisent surtout le magnétisme, l'hypnotisme et les plantes. Les vrais professionnels, peu nombreux, paient la taxe professionnelle comme magnétiseurs, radiesthésistes médicaux, etc., et sont assujettis à la T.V.A. Selon l'article L 372 du Code de la santé publique, la profession de « guérisseur » est interdite et ceux-ci peuvent être passibles de la correctionnelle. Toutefois, une certaine tolérance semble s'instaurer envers les praticiens sérieux.

Guérisseurs célèbres. Mis de Puységur (Français, 1655-1743), Mesmer (1734-1815), Deleuze (1753-1835), Cl de Rochas (1837-1914), Charles de Saint-Savin (1892-1976), Camille Eynard, Serge Alalouf, Hector Durville (1849-1923), Henri Durville (fils d'Hector et frère des médecins naturistes Gaston et André Durville, qui connurent une certaine renommée entre les deux guerres).

G.N.O.M.A. (Groupement national pour l'organisation de la médecine auxiliaire), 12, rue de la Grange-Batelière, 75009 Paris, Minitel 36 15, TNAT. Fondé 1949 par Charles de Saint-Savin, Pt : Jean-Michel Girardin, regroupe des « guérisseurs » employant des thérapeutiques naturelles, sans être diplômés docteur en médecine. *Publication : « Thérapeutiques naturelles »* (bimestr.).

• **En Allemagne fédérale,** les guérisseurs « Heilpraktikers » sont reconnus par l'État après examen devant une commission officielle. Leurs patients sont remboursés par les organismes sociaux.

Héliothérapie

Méthode. Emploi thérapeutique des bains de soleil. On utilise aussi de puissantes lampes électriques aux rayons riches en ultraviolets. **Action.** Fixation du calcium par les rayons ultraviolets.

Indications. Cicatrisation des plaies, traitement des infections localisées, tuberculoses chirurgicales (osseuses, ganglionnaires, péritonéales), pour les enfants chétifs, rachitiques ou spasmophiles.

Homéopathie

Origine. Du grec *homoios* (semblable) et *pathos* (affection), s'oppose à l'allopathie. Méthode thérapeutique découverte par Samuel Hahnemann (1755-1843) et révélée en 1796, après plusieurs années de recherches et d'expérimentations. Après l'installation de Hahnemann à Paris en 1835, plus de 1 million d'adeptes en 8 ans. Doctrine répandue aux U.S.A. par Hering (1800-80) et en France par Des Guidi (1769-1863), fondateur de l'école lyonnaise. De nombreux médecins homéopathes français ont participé au développement mondial de l'homéopathie : Benoît Mure (1808-58), Chargé (1810-90), P. Jousset (1818-1910), Léon Vannier (1880-1963). *But :* restauration des défenses de l'organisme. Kent (U.S.A. 1800-80) est le plus connu par ses travaux (répertoire).

Principes de base. *Loi de similitude :* « Toute substance susceptible de déterminer chez l'homme sain certaines manifestations est susceptible, chez l'homme malade, de faire disparaître des manifestations analogues » (Hahnemann).

Notion d'infinitésimalité : si l'on diminue la dose d'une substance médicamenteuse, en passant progressivement des doses pondérables aux doses infinitésimales, on accroît le champ d'action de cette substance, tout en atténuant ses effets toxiques. On utilise des dilutions infinitésimales hahnemanniennes dynamisées. Le choix de la dilution est généralement fonction de la similitude : plus celle-ci est étendue, plus la dilution est élevée.

Individualisation du malade : « Il n'y a pas des maladies, mais des malades ; aucun malade ne ressemble totalement à un autre » (Hahnemann).

Diagnostic. Clinique et diagnostic du médicament à prescrire, fondé sur l'étude du terrain (type, tempérament personnel, réaction individuelle des malades), de l'élément d'attaque (microbe, virus, stress...), des symptômes clés (ayant trait au comportement, au caractère).

Traitement. Combinaison de plusieurs remèdes, ou remède unique.

Médicaments. Comportent une substance active (souche) et un produit de dilution (alcool ou eau distillée, poudre de lactose ou de saccharose). D'origine *végétale* (plantes cueillies fraîches dans la nature et macérées), *animale* (à partir d'animaux entiers, d'organes, de venins), *minérale* (métaux et métalloïdes, sels chimiques complexes) ; dans certains cas à partir de cultures microbiennes. Ils sont remboursés par la Séc. soc.

A plusieurs reprises, l'Académie de médecine a jugé sévèrement l'homéopathie. En 1987, à la suite d'une étude sur les médecines alternatives, il apparaissait que l'utilité des médicaments homéopathiques était douteuse, leur prescription ne se justifiant que dans des syndromes guérissant spontanément.

Pratique. En France, env. 10 000 méd. pratiquent l'homéopathie parmi d'autres thérapeutiques (dont env. 1 500 l'homéop. seule). Dans le cadre de la médecine libérale, mais des soins peuvent être reçus dans certains hôpitaux : St-Jacques à Paris, St-Luc à Lyon, certains services de C.H.U. qui assurent des consultations et plusieurs dispensaires dont Hahnemann, St-Augustin, Centre homéopathique Danton (Paris). 10 à 30 % de la pop. se traite par homéopathie. En 1987, l'homéopathie représentait 2 % (1,7 milliard de F) du marché des médicaments (dont Laboratoire Boiron 60 %, Dolisos 27 %, Homéothéra 10 %). **Enseignement officiel** (diplôme d'université) **et privé.**

Renseignements. *Syndicat national des médecins homéopathes français,* Domus medica, 60, bd de Latour-Maubourg, 75007 Paris. *Faculté de médecine Paris XIII,* 93000 Bobigny.

☞ **Gemmothérapie.** Est proche de l'homéopathie. Utilise les jeunes pousses, radicelles et bourgeons. Après macération, le médicament est délivré en 1re dilution décimale hahnemannienne.

Hydrothérapie

Définition. Emploi thérapeutique de l'eau en applications externes, locales ou générales, chaudes ou froides. Très utilisée au cours des cures thermales.

Grandes méthodes. Bain de siège de Khune ; capillothérapie de Salmanoff ; bain vertébral de Sharma ; affusion de Kneipp ; bain froid de Brandt ; bain de vapeur ; pédiluve ; douche rectale de Marchesseau ; aquapuncture du Dr Leprince ; circuit inversé de Baruch ; cure d'eau distillée de Hanish ; compresses, cataplasmes et enveloppements humides, etc.

But. Accélérer le drainage humoral au niveau des vaisseaux et des émonctoires, donc à favoriser l'autoguérison – par l'élimination des déchets et résidus du métabolisme.

Hygiénisme

Définition. Conception fondée sur la recherche de la santé naturelle, uniquement par les facteurs nécessaires à la vie, rejetant tout ce qui ne lui est pas indispensable, comme les médicaments, les remèdes, fussent-ils naturels. S'oppose à la lutte contre les symptômes, à la théorie microbienne. « Le microbe n'est rien, le terrain est tout. »

Moyens privilégiés. Le jeûne, les aliments végétariens compatibles, fruits et légumes, sans céréales ni pain. *Exclus :* café, vin, tabac, chocolat, épices, sel, fritures, fromages fermentés.

Enseignement et pratique. *Maison de jeûne A. Mosseri,* 10290 Rigny-la-Nonneuse. *Revue :* Les Hygiénistes.

Iridologie

Définition. Méthode d'étude et d'interprétation des modifications histologiques de l'iris de l'œil (texture, relief, couleur, forme, position, etc.).

Elle n'est pas un moyen de diagnostic médical proprement dit, mais elle permet au médecin d'orienter son diagnostic, non pas en désignant nommément la maladie dont souffre le patient mais en permettant une appréciation de l'état organique général au jour de l'examen, de ses altérations antérieures, de ses troubles fonctionnels actuels et de ses tendances pathologiques.

Origine. Connue des Hébreux, des civilisations antiques du Proche-Orient et de la Chine. Employée par Hippocrate et de nombreux médecins du Moyen Âge (dont R. Lulle).

En 1836, un Hongrois, Ignaz Peczeli (devenu plus tard médecin), l'expérimenta sur un oiseau blessé. Il fonda l'iridologie (en 1881) et publia le 1er traité d'ir. systématique. Recherches surtout en Allemagne (J. Thiel, E. Felcke, R. Schnabel, Maubach, Angerer, Grethman, J. Deck) ; France (L. Vannier, G. Verdier, G. Jausas, Dr J.-C. Houdret), Europe du N. (M. Liljequist), Espagne (L. Ferrandiz), U.S.A. (H. Lindlarh, J. Haskell Kritrer, B. Jensen), Canada (Koegler, Winter), Australie et N.-Zélande (H.-S. Grimes) ; autre précurseur : Dr Fortier Bernoville.

Principes. Un organe commençant à ne plus fonctionner normalement réagit sur les centres nerveux dont il dépend, et sur le système sympathique en particulier, avant qu'une douleur n'attire l'attention. L'iris garde également l'empreinte du passé pathologique, des affections qui se sont mal terminées ou qui ont laissé des traces dans l'organisme. L'iris est divisé en 12 secteurs correspondant aux différentes parties du corps. Par exemple une tache noire située vers 8 h dans l'iris droit peut faire suspecter un calcul de la vésicule biliaire.

Pratique. On pratique l'*iridoscopie :* examen de l'iris sur le sujet ; l'*iridographie :* photographie de l'iris pour obtenir une diapositive que l'on examine ; l'*irido-examen télévisé :* permet de conserver l'image de l'iris vivant, en mouvement.

Diagnostic. *Signes :* en *relief,* indiquent un excès ; en *creux :* une carence ; *trame irienne affaiblie :* une fragilité ; *coloration anormale* de certaines parties : intoxications d'origine extérieure (médicaments mal éliminés) ou auto-intoxications par mauvaise élimination des toxines.

Nombre d'iridologues. Plusieurs milliers en All. féd., U.S.A., Canada, Europe du N. ; quelques centaines en France, Espagne ; un certain nombre en G.-B., Australie.

En France. *Enseignement :* plusieurs écoles privées. *Académie des sciences de l'homme,* 26, rue d'Enghien, 75010 Paris. *Cercle d'études et de recherches en iridologie scientifique et expérimentale* (CERISE) 19, rue Thiers, 10110 Bar-sur-Seine. *Vie et Action-Cerédor,* 06140 Vence (cours à distance et stages). *Faculté de médecine Paris XIII,* 93000 Bobigny. *Institut médical français d'iridologie,* 26, rue Vavin, 75006 Paris.

☞ Selon Guy Oppret : « Il faut se garder d'attribuer à des changements morphologiques minimes, à des dispositions pigmentaires subtiles, ou encore à de discrètes modifications géométriques de l'iris, une importance que ni l'expérience, ni la connaissance médicales ne confirment. »

Kinésithérapie

Discipline exercée par des auxiliaires médicaux spécialisés, utilisant le massage, la rééducation motrice (mouvements passifs et actifs), et la mécanothérapie.

Macrobiotique

Principes. Fondés sur une réforme alimentaire, axée sur un régime de riz et de soja. Sont exclus, en principe, fruits, laitages et viandes. Les aliments sont classés, suivant la philosophie chinoise, en 2 catégories : *Yin* (dilatateur) et *Yang* (constricteur).

Introduite en Occident par *Oshawa,* après 1945.

Indications. Monodiète au riz (ou aux céréales pauvres, avec une légère base azotée), chez les gros mangeurs (hypertendus, pléthoriques, obèses, sanguins, etc.), et pour un temps donné de désintoxication.

Magnétisme

Origine. Connu dans l'Antiquité, utilisé par les Égyptiens, mentionné dans la Bible. Étudié scientifiquement par François Mesmer (1734-1815) dans son livre « Mémoire sur la découverte du magnétisme animal ». Développé en France avec Henri Durville et ses frères Gaston et André à l'origine du naturisme médical.

Le magnétisme *minéral* s'explique par le mécanisme interne des aimants, le magnétisme *vital* (végétal, animal ou humain) s'explique par le double aurique (effet Kirlian).

Le magnétisme *mental* relève de la suggestion et de l'hypnotisme (sophrologie) et dans certains cas de la télépathie (action mentale à distance).

Le magnétisme *spirituel* (prière) est de nature métaphysique.

Pas d'explication scientifique connue. *Actions :* désinfectante, revitalisante, calmante, cicatrisante. Nécessite de la part du magnétiseur un don, des qualités morales, psychologiques et professionnelles.

Mésothérapie

Origine. *1952* le docteur Michel Pistor (15-12-24) observe des résultats inattendus après des traitements par petites injections locales à base de Procaïne. *1958* il en publie les conclusions et propose le nom de *Mésothérapie.* Il la définit comme « l'art de soigner une maladie à l'endroit où elle se trouve ».

Principe. Injections sous-cutanées superficielles et intradermiques le plus près possible du lieu de la douleur ou de la maladie, verticalement par rapport à l'organe douloureux ou malade, avec des aiguilles de 4 mm, de mélanges à base de Procaïne et de médicaments actifs injectables à petites doses (10 à 30 fois moins de médicament). Le « méso-patch », permet la pénétration lente de produits appliqués sur la peau après microperforation indolore.

Indications. *Douleurs :* arthroses, tendinites, névralgies sciatiques, entorses, migraines, céphalées (la cause même de la douleur est souvent traitée). *Infections O.R.L. :* rhinopharyngites, otites, angines. *Allergies :* eczéma, rhinite, asthme. *Insomnie. Constipation. Colites. Médecine esthétique. Presbytie, certaines myopies et surdités.*

La mésothérapie revendique l'avantage d'utiliser des doses minimes. C'est une thérapeutique qui a ses limites et non une spécialisation médicale au sens propre du terme. L'acte mésothérapique n'a pas reçu le label d'une cotation à la nomenclature des actes médicaux.

Médecins. *Pratiquants :* plus de 10 000 en France.

☞ **Renseignements.** *Sté internationale de mésothérapie, créée* 1983 (regroupe France, Italie, Belgique, Suisse, Espagne, All. féd., Argentine, Chine populaire). *Sté française de mésothérapie,* 15, rue des Suisses, 75014 Paris, *créée* 1964, env. 1 500 membres.

Naturothérapie

Histoire. *Origine.* Pratiques ancestrales ayant bénéficié ensuite de la réflexion hippocratique, de la recherche et de l'expérience de nombreux praticiens – médecins ou non – souvent ignorés mais parfois célèbres (ex. Sydenham, médecin du roi d'Angleterre au XVIIe s.), en Allemagne (Kuhne, Just, Biltz, Kneipp), aux U.S.A. (Jackson, Trall, Lindlahr, Tilden, MacFadden) et en G.-B. (Thomson, Stanley, Lief, Benjamin). *1850-1980,* Le mouvement se développe. *En France 1920-40,* synthèse réalisée par Paul Carton et les frères Durville. *Depuis 1945,* essais de synthèse proposés par Marchesseau, Passebecq, Roux, Masson, Merien, avec des conceptions plus ou moins hygiénistes ou symptomatiques, parfois fondamentalistes.

Définition. Ensemble de prescriptions et de pratiques visant à restaurer les défenses immunitaires et donc à renforcer le « terrain », par des mesures purement naturelles chaque fois que possible. Interviennent notamment : l'alimentation (diététique), le jeûne, l'ostéopathie, la physiothérapie, les exercices physiques et respiratoires alternant avec le repos, la relaxation et le sommeil, les massages, l'hydrothérapie, le thermalisme, la crénothérapie (traitement par les eaux de source à leur point d'émergence), la thalassothérapie, la réflexologie, l'étude de l'habitat, du climat, des facteurs psychoaffectifs, etc. Certains y ajoutent la phyto-aromathérapie et de nouvelles techniques psychocorporelles tels la biorespiration et le massage tensionnel.

Enseignement. Pour médecins et non-médecins, plusieurs écoles dont l'Académie des sciences de l'homme, Vie et Action-Cerédor, l'I.H.M.N. Depuis 1983, la naturothérapie est enseignée au corps médical à la faculté de Bobigny.

☞ **Renseignements.** *Académie des sciences de l'homme,* 26, rue d'Enghien, 75010 Paris. *I.H.M.N.,* 83511, La Seyne-sur-Mer. *Vie et Action-Cerédor* (Centre de recherches et d'éducation orthobiologiques), 06140 Vence. *Faculté de médecine Paris XIII,* 93000 Bobigny. *Nature et Vie* (Centre d'éducation vitale) 56100 Lorient.

Oligothérapie

Origine. *1890* mise en évidence de la nécessité de métaux pour la vie (13 oligo-éléments sont indispensable aux animaux à sang chaud). *1932* 1res utilisations thérapeutiques chez l'homme par J. Ménetrier puis Henry Picard (1945).

Principes. La plupart des réactions biochimiques de notre organisme nécessitent la présence du métal coenzyme. Risques de troubles divers du fait de carences. Du fait d'une alimentation trop raffinée, d'une augmentation de la pollution qui amène des agents bloquant les « bons » oligo-éléments et des minéraux toxiques (plomb, mercure), un apport supplémentaire en oligo-éléments s'imposerait. Dosage des oligo-éléments dans les cheveux.

Produits utilisés. Ampoules toutes prêtes et solutés ioniques miscibles et adaptés à chaque patient (Laboratoires Oligopharma).

Statistiques (France). Très peu d'oligothérapeutes spécialisés mais prescription fréquente d'oligo-éléments par les homéopathes et les médecins classiques.

☞ **Enseignement et renseignements.** *Institut français d'étude et de recherche sur les oligométaux* (IFEROM), 2, rue de l'Isly, 75008 Paris. Créé en 1986 par le Pr Massol, le Dr Bernard Saal et M. Piquet. *Collège international d'oligothérapie et des médecines de terrain,* 13, rue Fortuny, 75017 Paris. Pt : Dr Roger Moatti.

Ozonothérapie

Origine. *1895,* en France. Travaux des docteurs Labbé et Oudin. Essor après 1935.

Principe. Utilise un mélange gazeux composé d'ozone, dilué dans de l'oxygène.

Ozone. *Relance énergétique* par stimulation de la respiration cellulaire, désintoxication de l'organisme et stimulation des défenses immunitaires. *Action anti-infectieuse :* détruit bactéries, champignons et virus ; d'où l'application de l'ozone en industrie, dans le traitement des eaux polluées entre autres.

Indications. Stress, fatigue, tendance dépressive, troubles du sommeil, ankylose ; indications cardio-vasculaires (hypertension artérielle, artériosclérose, troubles veineux, artérites) ; rhumatologiques (arthrose, arthrite) ; pneumologiques (bronchite chronique, asthme, emphysème) ; gastro-entérologiques (troubles hépatiques, colites...) ; chirurgicales : propriétés anti-infectieuses, anti-inflammatoires et cicatrisantes de l'ozone (essentiellement plaies chroniques et suintantes, ulcères variqueux, brûlures).

☞ **Renseignements.** *Sté Française d'ozonothérapie,* 36, av. Hoche, 75008 Paris. Fondée par le docteur Monnier.

Phytothérapie

Définition. Utilisation de plantes et d'extraits de plantes (tisanes, extraits secs, poudre et nébulisats mis en gélules, extraits pour gels [Phytols]). L'*aromathérapie* utilise les essences de plantes aromatiques.

Indications. Exemples : efficace dans certains domaines comme la rhumatologie, troubles métaboliques (excès de poids), circulatoires.

En France. Prescriptions faites par médecins, préparations par les pharmaciens. *Herboristes* (1987 : 120, 1939 : 4 500) ; il n'y a plus de délivrance de diplôme (depuis 1941) ; ne délivrent que les plantes sèches.

☞ **Renseignements.** *IEPMG,* 13, rue Fortuny, 75017 Paris, fondé par les docteurs Roger Moatti, Bernard Saal et Robert Fauron, Dr en pharmacie. *Faculté de médecine Paris XIII,* 93000 Bobigny. *ADIMED,* 2 rue de l'Isly, 75008 Paris. *ADCMP,* 19, rue Milton, 75009 Paris.

Exemples de soins par les plantes

Antispasmodiques : *aubépine* (écorce) tonifie le cœur et a une action régulatrice sur les vaisseaux. *Olivier* (feuilles) en alternance avec l'aubépine pour l'hypertension artérielle, en préparation aqueuse (20 feuilles d'olivier bouillies dans 300 g d'eau) filtrée et sucrée, matin et soir (consommer chaud). *Gui, valériane* (racine) agit sur le système nerveux central. *Lavande* en infusion avec des fleurs de souci, de la bourrache, du genêt, de la pensée sauvage, active le débit de l'urine et de la sueur (de 3 à 4 tasses par jour). Apéritifs : *serpolet, thym, anis, hysope, menthe, camomille, lavande, mélisse* stimulent l'appétit (1 tasse avant les repas).

Béchiques (plantes contre la toux) : ÉMOLLIENTS : *tisane pectorale* (coquelicot, bouillon-blanc, guimauve et mauve) ; EXPECTORANTS : *aunée, drosera, mouron rouge, gui ;* FLUIDIFIANTS : *réglisse* (racines) calme aussi les douleurs de la gastrite et de l'ulcère gastrique, possède des propriétés anti-inflammatoires sur certaines conjonctivites (en bains oculaires). La *primevère* (légèrement laxative) peut dégager les voies respiratoires en début de grippe (décoction de la racine, à 2 ou 3 %, 3 tasses par jour). Rhume de cerveau : presser, dans la main, la moitié d'un *citron* (coupé en deux) et respirer fortement le jus qui s'écoule ; après avoir éternué plusieurs fois, faire de même avec l'autre moitié.

Dartres, eczéma : prendre à jeun des tisanes de *houblon, salsepareille, douce-amère.*

Dépuratifs : *Bardane* (en décoction à 6 %) agit sur la sécrétion hépato-biliaire, les glandes sudoripares. *Buis,* fébrifuge, agit aussi sur sécrétion biliaire. Tisanes de *serpolet,* de *marrube,* de *millepertuis. Pensée sauvage* et *orme* (écorce moyenne des pousses) pour les dermatoses.

Diarrhées, dysenteries : 25 g d'écorce de racine de *simarouba* (arbre de Guyane) que l'on fait bouillir dans un litre de vin jusqu'à réduction de moitié. Boire un verre le matin et un le soir, à jeun. Guérison en 24 h. *Pour les enfants :* un blanc d'œuf délayé dans de l'eau sucrée ; dans la journée, tisane de riz. *Pour les adultes :* faire bouillir ensemble 1 verre d'eau et 2 verres de fort vinaigre jusqu'à réduction de moitié ; boire froid le matin à jeun, en 2 fois, et à 20 mn d'intervalle.

Diurétiques : *sauge* sous forme de vin de sauge (80 g de feuilles de sauge, vin de Samos ; macéré 8 j), une à trois cuillerées à soupe après les repas, facilite le flux menstruel et la conception. *Barbe de maïs* calme les douleurs de la cystite chronique. *Fragon* ou petit houx, indiqué pour les crises hémorroïdaires. *Mâche* ou céleri sauvage, bon aussi pour les engelures (en bains de pieds). *Fenouil* associé aux racines d'asperges, de persil, de petit houx et d'ache. *Pariétaire* ou perce-muraille (seulement fraîche). *Busserole* ou raisin d'ours (en décoction concentrée). *Prêle, sureau, solidago, oignon, piloselle, scille, cassis, bourrache, chiendent* et *queues de cerises.*

Narcotiques et analgésiques : *pavot* [1] renferme une vingtaine d'alcaloïdes (dont morphine, papavérine, codéine, narcéine). L'action sédative de l'opium sur la douleur s'accompagne d'une excitation des autres activités organiques : motricité nerveuse, fonctions respiratoires... *Aconit* [1] analgésiant actif. *Grande ciguë* [1] sédative, s'emploie en extrait alcoolique, en teinture de feuilles ou de semences. **Maux de dents :** faire bouillir 10 mn, dans ½ l de vin, une poignée de feuilles de *lierre grimpant ;* ajouter une forte pincée de sel de cuisine, passer avec un linge et se gargariser la bouche du côté où les dents font mal avec une cuillère ; cracher après quelques minutes. **Goutte et rhumatismes :** *colchique* [1] (bulbe) dont l'alcaloïde, la colchinine, est très active au début des crises de goutte (à utiliser seulement sur ordonnance médicale car elle a un effet inflammatoire sur la muqueuse intestinale). Faire bouillir chaque matin 120 g de racines sèches de *bardane* dans 2 l d'eau ou de bière pendant 5 mn, tenir au frais et, dans la journée, quand on a soif, en boire un verre. Un litre au moins par jour. **Lumbago, douleur dans un genou ou sur les épaules :** feuilles de *chou* bouillies avec du lait, étendues à chaud en compresse sur un morceau de toile ou de flanelle et appliquées sur la partie souffrante. Maintenir 10 h.

Nota. – (1) Plantes toxiques, leur vente est réglementée et ne peut être effectuée que sur prescription médicale.

Purgatifs : *bryone* (racine). *Rhapontic* (poudre des racines) bon purgatif. *Psyllium* (semences) augmente le volume du bol fécal et lubrifie la paroi de l'intestin. *Son* dans une compote de pruneaux frais trempés (1 cuillerée à soupe aux 3 repas). *Frêne* (feuilles en tisane) à prendre chaque matin à jeun, pendant 8 à 10 j. Régime : légumes, laitages.

Toniques : ASTRINGENTS. *Tanin* entre dans leur composition. *Chêne* (écorce) en décoction aqueuse à 100 pour 1 000, conseillé pour hémorragies utérines par fibrome ou métrites, inflammation de la muqueuse de l'utérus, pertes blanches, hémorroïdes. *Marron d'Inde* (écorce) efficace surtout pour les hémorroïdes. *Tormentille* (racine) pour diarrhées chroniques, *consoude* (racine). *Peuplier* (bourgeons), action antiputride. TONIQUES AMERS : excitent l'appétit, facilitent la digestion : *gentiane* (racine). *Artichaut* (la feuille de la tige) agit sur l'élimination urinaire, abaisse le taux d'urée. *Marrube blanc* (huile essentielle en substance cristallisée), cardiotonique, en sirop simple (4 à 5 cuillerées à entremets par jour). *Houblon* pour gastrites nerveuses, en infusion (15 g de cônes de houblon pour 1 l d'eau).

Vermifuges : *ail* (agit aussi, sous forme d'infusion, sur les quintes de toux et les vomissements). *Chou cru* (20 à 30 g de suc de chou cru). *Tanaisie* ou herbe aux vers (semences) en infusion ou en poudre, agit contre oxyures et ascaris.

Psychosomatique

Définition. Fondée sur l'union étroite du psychique et du corporel.

Traitement des troubles des fonctions végétatives en relation avec l'affectivité, tr. biologique complété par la psychanalyse, la thérapeutique de groupe, la cure de sommeil et les tranquillisants.

Indications : asthme, œdème pulmonaire, tuberculose, ulcère d'estomac, colites, crise de foie, tachycardie, perte de tension artérielle, impuissance et frigidité, eczéma et psoriasis (répandus chez les enfants).

Radiesthésie

Origine. Document le plus ancien traitant de l'art du sourcier : bas relief de 147 apr. J.-C. représentant l'empereur chinois Yu une baguette à la main. *Europe :* utilisée à la Renaissance pour rechercher des trésors ; *XVIe et XVIIe s. :* l'art du sourcier se développe ; le *pendule,* mentionné pour la 1re fois en 1662 par le père Schott, est réservé à la recherche de l'or. *1749 :* 1er usage « radiesthésique » pour rechercher des trésors. *XVIIIe s. :* l'abbé Guinebault ramène de Chine, et l'abbé Gerboin (prof. à Strasbourg) des Indes, des pendules utilisés pour les sources. *XXe s. :* la radiesthésie est divulguée en France. **Origine du mot.** Inventé en 1890 par l'abbé Bouly (de *radius :* rayon et *aisthêsis :* sensibilité), officialisé en 1922 (fondation de l'Association française et internationale de radiesthésie).

Radiesthésistes célèbres. *XXe s. :* abbé Bouly, curé de Hardelot (1865-1958) ; père Bourdoux ; abbé Mermet (1866-1937), sourcier ; père Henry de France (1872-1937), sourcier ; Joseph Treyve (1877-1946) ; abbé Jean Jurion († 1977), guérisseur, fondateur du Syndicat nat. des radiesthésistes. *Scientifiques :* Turenne, de Belizal, Jean de La Foye, Pagot. *Écrivains :* Luzy, Michel Moine, Christopher Bird.

Principes. Aucune explication scientifique n'a pu être fournie. Forme de sensibilité possédée par tout être humain à des degrés divers, et qui le pousserait à trouver instinctivement le remède approprié à son mal (comme le ferait l'animal). Le pendule ou la baguette sont des amplificateurs devant permettre à l'opérateur d'obtenir une réponse à une question posée, affirmative ou négative selon le sens de la giration et suivant une convention variant d'un radiesthésiste à l'autre. *Services rendus (médecine) :* le pendule peut guider le médecin dans le diagnostic en lui indiquant les causes de la maladie selon un ordre d'importance et l'organe à traiter en premier ; peut aider au choix judicieux du remède adapté au terrain du malade ; peut avoir une action préventive. Même des sujets doués doivent suivre un entraînement très intensif pour parvenir à une entière objectivité excluant leur raisonnement conscient.

☞ **Renseignements.** *Syndicat national des radiesthésistes* (créé en 1954), 42, rue Manin, 75019 Paris.

Autres centres de recherches : hydrologie, minéralogie, agriculture, affaires, etc.

Sophrologie

Définition. Étudie la conscience en harmonie (c'est-à-dire la totalité de l'individu : conscience et inconscience). La *relaxation dynamique* (technique thérapeutique de base créée en 1960 par le Pr Cayado) s'apprend en 3 mois, individuellement et en groupe. C'est une prise de conscience de notre corporalité, une méditation sur le corps. Le rythme de la respiration est associé à la méditation sur une pensée (inspiration bouddhique). Au 3e degré, méditation totale inspirée du Zen, pas de différenciation entre le corps et l'esprit.

Indications. Troubles psychiques, physiologiques (respiratoires, circulatoires, digestifs), préparation à la grossesse et à l'accouchement. 20 000 médecins pratiquent cette méthode dans le monde.

Tai-Chi-Chuan ou Tai-Ji-Quan

Origine. Art martial d'origine chinoise, mais le combat ne peut être pratiqué qu'après plusieurs années d'exercice.

But. Ouvrir le pratiquant à la circulation libre du *Chi,* c'est-à-dire de l'énergie interne, qui intègre l'homme accompli, le Tchenjen, dans l'énergie cosmique « de la Terre et du Ciel ». Cette énergie donne une grande efficacité au combat, car ce n'est plus la force de l'individu qui agit, mais le *Chi,* transmis à travers le geste. *Deux aspects : Lao-Jia,* « Vieille Forme », qui mène au combat de la « Nouvelle Forme », ou *Xin-Jia* (technique de santé physique et mentale). Lié à une conception de l'univers, l'existant est un tout, dont l'homme fait intimement partie : l'homme est un microcosme dans un macrocosme. Cela implique l'acceptation des rythmes naturels, principalement du rythme binaire exprimé dans le symbole du *Tao* [un cercle divisé en 2 sortes de virgules (noire et blanche, chacune portant un gros point de la couleur opposée)] qui exprime la juxtaposition complémentaire des éléments contraires (féminin-masculin, nuit-jour, etc.), c.-à-d. du Yin et du Yang, se suivant, se détruisant et s'engendrant l'un l'autre, n'existant que l'un par rapport à l'autre. Ce symbole se nomme un Tai-Chi. Le Tai-Chi-Chuan est le *Chuan,* c'est-à-dire l'action (ou la boxe, au sens plus restreint) suivant les lois du Tai-Chi. *Aspects thérapeutiques :* assouplissement des articulations, maîtrise de soi, meilleure santé.

Étude. Nombreux exercices d'enracinement, de souffle, d'assouplissement, des applications non violentes à deux. Aspect le plus connu : apprentissage de la Forme (succession réglée de déplacements et de gestes exécutés régulièrement et lentement, sur la vitesse de la respiration).

Championnats internationaux de Tue-Cho (joute) : intermédiaire entre le travail doux et le combat.

☞ **Renseignements.** *Féd. nationale de Tai-Ji-Quan,* 37, rue Clisson, 75013 Paris (fondée 26-5-1982). *Féd. fr. de Tai-Chi-Chuan,* 24, rue de Babylone, 75007 Paris. *Féd. fr. de Tai-Chi et Kungfu,* 65, quai d'Orsay, 75007 Paris.

Thalassothérapie

Origine. En France, le 1er établissement de bains de mer chauds fut créé à Dieppe en 1822. Le Dr Labornadière d'Arcachon, en 1869, a créé le terme de thalassothérapie. Sous le second Empire, la cure marine connut une grande vogue. Des établissements s'ouvrirent sur la Manche, l'Atlantique puis la Méditerranée. Avec René Quinton (1866-1925), la thalassothérapie développa sa thérapeutique (sérum marin ou plasma de Quinton), résumée dans *l'Eau de mer milieu organique,* paru en 1904. Le Dr Louis Bagot créa en 1899 à Roscoff un établissement, aujourd'hui encore en activité. En 1978, il a été démontré que les ions calcium facilitent les réparations osseuses et articulaires, les ions potassium constituent une réserve cumulatrice pour les muscles, et les ions magnésium sont indispensables aux plaques motrices.

Définition. Exploitation à des fins thérapeutiques des vertus curatives de l'eau de mer, de l'air et du climat marin.

Traitement. Bains d'eau de mer chauffée, associés à des soins physiothérapiques (rééducation, gymnastique médicale, massothérapie) et, s'il y a lieu, à des douches, applications de boues marines ou de pâtes d'algues, bains bouillonnants (les bulles effectuent un brassage continu de l'eau qui masse le corps), bains thermo-gazeux, massages par douches sous-marines (la pression de l'eau peut atteindre 4 kg) ; aérosols (inhalations de brouillard d'eau de mer), traitement bucco-dentaire selon l'avis du médecin.

Indications thérapeutiques. Rhumatologie, traumatologie, orthopédie, neurologie, maladies métaboliques, maladies dites « de la civilisation ».

Contre-indications. États infectieux, affections cardiaques et rénales décompensées, dermatoses suintantes, maladies aiguës évolutives.

Centres en Europe. *France :* 15 centres adhérents à l'U.N.D.E.T. : Antibes, Le Barcarès (2 ét. en 1984), Belle-Ile, Biarritz, Cap-d'Agde, Carnac, Dinard, Douarnenez-Tréboul, Deauville, Perros-Guirec, Pornic, Porticcio, Quiberon (créé par Louison Bobet), Roscoff-Rock-Room, Saint-Malo, Sainte-Marie-de-Ré, Saint-Raphaël, Le Touquet. Autres établissements : La Baule, Bidart, Cannes, Cerbère, La Ciotat, Collioure, Dieppe, La Grande-Motte, Granville, Gujan-Mestras, Luc-s.-Mer, Marseille, Pornichet, Porticcio-les-Molini, Roscoff-Ker-Léna, Saint-Jean-de-Monts, Siouville, Tréboul, Trouville, La Turballe, Villeneuve-Loubet. 23 établissements fonctionnent sous la responsabilité de médecins présents à temps complet.

Établissements à l'étranger : All. féd. : 21. Yougoslavie : 5. Roumanie : 4. Espagne : 2. Belgique : 1.

Nombre de curistes en France. *1971 :* 26 741. *1982 :* env. 40 000-45 000. *1983 :* env. 90 000. *1985 :* env. 240 000. *1990 :* env. 650 000.

Thérapeutiques manuelles

Chiropractie ou chiropraxie

Origine. Fondée en 1895 aux U.S.A. par le Dr Daniel David Palmer (1844-1913) et le Dr Bartlett Joshua Palmer (1881-1961). *Nom :* du grec *keiros :* main, et *prakticos :* pratique.

Principe. La cause des maladies serait le déplacement d'une vertèbre provoquant le coincement d'un nerf dont l'influx nerveux commande le fonctionnement de l'organe malade. Le chiropracteur recherche la déviation vertébrale en cause et à remettre en place la vertèbre ; alors l'organe malade retrouve la puissance de l'influx nerveux nécessaire. Sa fonction guérit sans médication. Cette doctrine qui ne repose sur aucune base scientifique est illustrée par une cartographie nerveuse allant de haut en bas de la colonne vertébrale.

Au niveau 1 : folie, méningite, céphalée, otite, écoulement des oreilles, migraines, vertiges, insomnies. *2 :* laryngite, pharyngite, névralgie faciale, névrite des membres supérieurs, coqueluche, etc. *3 :* bronchite, asthme, pleurésie, tuberculose. *4 :* dépression nerveuse, maladies du cœur. *5 :* maladies du foie et de l'estomac, ulcérations, gastralgies. *6 :* dyspepsie, calculs biliaires, zona. *7 :* néphrite, eczéma, urticaire, arthrite, rhumatisme. *8 :* constipation, entérite, maladies rénales, appendicite chronique. *9 :* lumbago, colite, dysménorrhée, prostatite, cystite, etc. *10 :* sciatique, fistules, hémorroïdes, douleurs du bassin et des membres inférieurs.

L'Académie nationale de médecine a souligné le caractère antiscientifique de ces faits (Bulletin 1987, p. 945).

Ethiopathie

Variante de la chiropraxie. Née à Genève en 1983. Les manipulations sont destinées « à rétablir la place et les fonctions des organes dont la dysharmonie structurale est à l'origine des maladies ». Méthode irrationnelle fondée sur une doctrine verbale dénuée de fondement scientifique (selon l'Académie de médecine).

Ostéopathie

Origine. Fondée par Andrew Taylor Still (1830-1917), médecin, chirurgien et pasteur.

Principes. Intervention sur les principaux facteurs susceptibles de modifier la fonction d'un organe ou d'un ensemble de cellules : innervation, circulation d'arrivée ou de retour, déséquilibres permanents inscrits dans les tissus de soutien et modifiant la mobilité rythmique de l'organe.

Indications. Réparation de certains déséquilibres mécaniques (subluxations, entorses, séquelles d'accidents, etc.) ; soins des troubles fonctionnels venant d'une mauvaise circulation des liquides du corps (sang, lymphe, liquide céphalo-rachidien) ou d'une perturbation de la transmission de l'influx nerveux (névralgie faciale, troubles neurovégétatifs, etc.) ; à titre préventif (grossesse) pour préparer l'accouchement ; à la naissance, chez le jeune enfant, lorsque la structure osseuse (en particulier crânienne) fait pressentir des compressions ou des blocages ; pour traiter un grand nombre de problèmes viscéraux. *Séances :* de 1 à 10 selon l'état du patient.

☞ La manipulation vertébrale est un acte thérapeutique (à ne pas confondre avec la kinésithérapie). En relèvent : lumbagos aigus ou chroniques, radiculalgies sciatiques, cruralgies, cervicalgies, dorsalgies. On imprime à l'articulation intéressée un mouvement qui, en respectant l'intégrité anatomique de l'articulation, dépasse l'amplitude du mouvement passif normal.

Les manipulations vertébrales ne sont pas sans inconvénients ou dangers : *aggravations de l'affection traitée,* exacerbation durable d'une douleur lombaire ou sciatique, lombalgies simples devenant lombosciatiques, sciatiques simples devenant paralysantes, ou paraplégie avec syndrome de la queue de cheval ; *d'une lésion méconnue,* spondylite infectieuse, ostéoporose ou cancer vertébral, faute d'un diagnostic exact, posé avant la manipulation ; *apparition de troubles nerveux sévères après manipulations cervicales* (céphalées, vertiges, troubles de l'équilibre, bourdonnements d'oreille, nausées, troubles du sommeil réalisant un syndrome semblable au syndrome dit subjectif des traumatisés de la tête et du cou) ; *accidents cérébraux et bulbaires graves* (rares), par ischémie provoquée dans le territoire de l'artère vertébrale ou du tronc vertébro-basilaire.

Statistiques (en France). *Nombre d'ostéopathes :* plusieurs centaines. *Patients :* plusieurs dizaines de milliers.

☞ **Renseignements.** *Faculté de médecine Paris XIII,* 93000 Bobigny. *Collégiale académique :* Groupement des collèges ostéopathiques de France, 10, rue des Grillons, 34470 Perols. *Registre des ostéopathes de France :* Serge Zilbermann, 27, bd Casimir Pelloutier, 04100 Manosque.

Thermalisme-crénothérapie

Définition. *Thermalisme :* signifie chaleur, englobe les thérapeutiques pratiquées dans les villes d'eau. *Crénothérapie :* thérapeutique par les sources (crenos) (serait plus approprié). **Principaux types de thérapeutiques.** *Internes :* cure de boisson. *Externes :* hydrothérapie (douches, massages secs ou sous l'eau, douches sous-marines, lombo-rénales, pharyngiennes, inhalations, pulvérisations nasales, humages, aérosols), applications de boues très chaudes (peloïdes) très analgésiantes dans les réactions arthrosiques douloureuses, vaporarium.

☞ Voir également « Thermalisme et eaux minérales » au chapitre « Principaux secteurs économiques ».

Spécialisation. *Rhumatologie* (stations les plus nombreuses et les plus fréquentées, 74 stations, 25 % de curistes). *Maladies respiratoires* (37 stat., 15 % de cur.). *Mal. de l'appareil digestif* (17 stat.). *Mal. de l'appareil cardio-vasculaire. Gynécologie* (14 stat.). *Dermatologie, affection buccale* (12 stat.). *Mal. rénales et voies urinaires.*

☞ **Renseignements.** *Synd. nat. des établissements thermaux,* 10, rue Clément-Marot, 75008 Paris. *Union nat. des établissements thermaux,* 16, rue de l'Estrapade, 75005 Paris.

Premiers soins

• **Accidents de la route.** *1° Prévenir les secours* publics (sapeurs-pompiers, gendarmerie, police) et baliser les abords de l'accident si possible.

2° Sauf danger immédiat (surtout incendie), ne pas sortir un blessé d'un véhicule avant l'arrivée des secours et, dans ce cas, avant qu'un nombre suffisant de sauveteurs (3 ou 4) ne soit réuni pour en assurer le dégagement. Installer ensuite la victime, si elle est inconsciente, en position latérale de sécurité (P.L.S.). Ventilation artificielle par bouche-à-bouche si arrêt respiratoire. Arrêt des hémorragies par compression. Le S.A.M.U. doit être obligatoirement alerté lors des accidents graves en même temps que les sapeurs-pompiers.

• **Brûlures. Thermiques :** passer immédiatement la zone atteinte dans l'eau froide pendant 10 min. *1er degré :* simple rougeur de la peau ; ex. : *érythème (coup de soleil). 2e degré :* pour les brûlures de petites surfaces (phlyctènes : cloques). Celles de moyenne surface, pas de liquide antiseptique, mettre un pansement stérile et appeler le médecin ; d'une grande surface, envelopper dans un drap, appeler le S.A.M.U. *3e degré :* destruction de toute l'épaisseur de la peau et même d'os ou de muscles entraînant des croûtes noires indolores plus ou moins profondes. Ne pas dévêtir, ne mettre aucun liquide antiseptique, envelopper d'un linge propre ou stérile, ne pas faire boire, prévenir les secours. Lorsque la brûlure atteint la face, les yeux ou qu'elle dépasse l'étendue totale d'un membre supérieur, il faut hospitaliser dans un centre spécialisé pour grands brûlés. **Chimiques :** par projections ; de bases et d'acides (soude caustique, acide chlorhydrique, sulfurique, nitrique). Laver abondamment à l'eau courante pendant 15 à 20 minutes et appeler le S.A.M.U.

Statistiques (moyenne par an en France). 500 000 brûlés dont 10 % doivent être hospitalisés, 2 500 handicapés, 2 500 décès.

• **Coma.** Perte prolongée de l'éveil et des réactions, avec persistance des mouvements de ventilation et du pouls. Coucher le sujet sur le côté pour éviter que sa langue ne « tombe » dans le fond de son gosier et n'obstrue celui-ci (ronflement) ou que les liquides stagnant à ce niveau ne puissent aller obstruer les poumons.

Coma profond (sujet ne réagissant pas au pincement) appeler le S.A.M.U.

Perte de connaissance brève (quelques minutes). Appeler le médecin après avoir couché le sujet sur le côté. Souvent sans gravité, même si une crise de convulsion a précédé, sauf si elle s'accompagne d'autres signes de détresse.

Convulsions : chez le diabétique soumis à un traitement à l'insuline, traduit un défaut de sucre dans le sang et peut être très grave ; dès les premiers signes annonciateurs (pâleur, crise d'irritation, agitation...) faire croquer 2 ou 3 morceaux de sucre.

• **Convulsions.** Mettre en position latérale de sécurité, en raison du risque d'obstruction des voies aériennes par les vomissements. Appeler médecin, S.A.M.U. si elles se répètent.

• **Crise de nerfs (hystérie).** Se déclenche en public. Isoler le sujet, le coucher sur le côté ; même si il y a une petite perte de connaissance apparente, ne lui donner aucun médicament, lui conseiller de voir son médecin. Sans gravité vitale.

• **Crise de tétanie.** Se déclenche chez des sujets prédisposés, même en bonne santé. Picotements, mains raides, pertes brèves de connaissance. Ne pas pratiquer des piqûres de calmants ou de calcium ; appeler le médecin si on n'arrive pas à calmer l'angoisse et l'hyperventilation.

• **Détresses respiratoires.** Quand l'oxygénation du cerveau est insuffisante, l'évolution à court terme aboutit à : une détresse neurologique, des troubles de la conscience, un coma, une inefficacité circulatoire, un arrêt cardiaque.

Causes : 1° *L'air n'arrive plus aux alvéoles du poumon* en raison d'un obstacle mécanique sur les voies aériennes, le sujet « étouffe », « suffoque » : (œdème de la glotte, piqûre d'insectes ou allergie aiguë), chute de la langue en arrière (état inconscient ou comateux), corps étrangers divers (vomissements, dentiers, aliments, etc.). Si obstacle, il fait du bruit : il « ronfle », « gargouille » (obstruction par la langue ou des liquides stagnant dans l'arrière-gorge).

2° *L'appareil respiratoire est mécaniquement atteint :* muscles paralysés (électrisation), compression et fracture du thorax, maladies respiratoires chroniques (insuffisance respiratoire, asthme grave).

3° *Atteinte des centres nerveux respiratoires de commande du bulbe rachidien :* intoxication par barbituriques, tranquillisants, opiacés, alcool..., overdose. Le sujet est inconscient (coma).

4° *L'air qui arrive aux poumons contient des produits toxiques : a) Pour les globules rouges :* monoxyde de carbone (appareils de chauffage) ; *b) Pour les tissus :* en inhibant la respiration tissulaire (non-utilisation de l'oxygène au niveau des cellules) : cas notamment de l'hydrogène sulfuré (fosses d'aisance), de l'acide cyanhydrique, certaines fumées d'incendie (combustion de matériaux plastiques).

5° *Le transport de l'oxygène des poumons aux tissus n'est plus assuré ;* ainsi, en cas d'arrêt cardiaque.

Conduite à tenir. *Dégagement de la victime :* retrait de l'atmosphère toxique. *Bilan rapide :* état de conscience, de la respiration, cardiaque. *Gestes d'urgence à effectuer sur place :* dégager et libérer les voies aériennes, dégrafer les vêtements, nettoyer la cavité buccale et l'arrière-gorge (débris alimentaires, dentier, sable, etc.), s'opposer à la chute de la langue en arrière, mettre la victime en position latérale de sécurité s'il y a un risque de vomissements. Si le sujet ne respire pas, lui faire le bouche-à-bouche après avoir dégagé ce qui peut obstruer la bouche, placer sa tête « bien en arrière ». Si on constate un arrêt cardiaque, il faut faire un massage cardiaque externe.

Arrêt respiratoire. Overdose par drogue morphinique : demander avec insistance au sujet de respirer dès qu'il s'arrête plus de 10 secondes. **Bouche-à-bouche.** Se fait en cas d'arrêt respiratoire. Allonger à plat dos le patient. Ouvrir largement la bouche et la placer autour de la bouche ouverte du patient ; d'une main pincer les narines de celui-ci (afin d'éviter des fuites d'air) ; souffler dans la bouche ; vérifier si la poitrine s'est bien soulevée. Lorsque la poitrine du patient s'est affaissée, recommencer l'opération (15 à 20 fois par minute). Alerter le S.A.M.U.

Arrêt cardio-respiratoire. Arrêt de la circulation (ou inefficacité due à un trouble de la fréquence ou du rythme cardiaque) ; si dure moins de 1 minute : syncope ; si dure plus et ne reçoit pas la réanimation cardio-pulmonaire : mort cérébrale puis mort.

Massage cardiaque externe (ne doit se faire qu'associé au bouche-à-bouche : réanimation cardio-pulmonaire). *Indications :* arrêt cardiaque caractérisé par absence de pouls carotidien, arrêt des mouvements respiratoires, perte totale de connaissance et des réactions. *Technique :* coucher le patient sur le dos, sur un plan dur ; se placer à côté, placer les deux mains l'une sur l'autre, le talon de la main du dessous doit être posé au niveau du sternum, au niveau des mamelons ; exercer alors des pressions rythmiques, en se penchant en avant, bras bien tendus médians et verticaux (la dépression doit atteindre 4 cm environ).

Seul le talon de la main doit toucher le sternum afin de réduire la surface de pression et éviter le bris de côtes. *Fréquence :* env. 80 pulsations par minute. Tout massage cardiaque doit s'accompagner d'une respiration artificielle. *Rythme :* 2 insufflations pulmonaires pour 15 compressions sternales. Pour un nourrisson, 2 doigts suffisent. Alerter systématiquement le S.A.M.U.

Corps étranger (obstruction respiratoire par). *Si l'obstruction est totale,* pratiquer la manœuvre d'Heimlich qui permet d'augmenter la pression à l'intérieur du thorax et d'expulser le corps étranger. Si la victime est debout, passer derrière, entourer la taille avec les 2 bras, placer un poing au creux de l'estomac, l'autre main étant sur la 1re, et pratiquer une pression vers le haut. Si la victime est couchée, se placer à califourchon, avec un poing exercer une pression vers le bas. Après, tirer de la bouche le corps étranger.

Si l'obstruction est partielle, la victime fait un bruit de « corne » en respirant ; ne tenter aucune manœuvre et, surtout chez l'enfant, ne pas mettre la tête en bas en le pendant par les pieds ; laisser la victime à demi assise et alerter le S.A.M.U. pour *suffocation* et les sapeurs-pompiers qui pourront donner de l'oxygène en attendant l'équipe médicale.

• **Électrisation. Électrocution.** Couper le courant au disjoncteur ; écarter le fil conducteur (basse tension 110-120) avec un corps isolant (bois sec, objet de verre) en s'isolant du sol (tabouret, tapis caoutchouté). Ne pas toucher des fils haute tension. Soins en fonction de l'état de la victime. Appeler les secours (sapeurs-pompiers et le S.A.M.U.) s'il y a blessé ou électrisé.

Nota. – Le plus haut voltage auquel un homme ait résisté est 230 000 volts (Brian Latassa, 17 ans, U.S.A.). L'ampérage joue plus que le voltage.

• **Entorses** (foulures). Extension forcée ou déchirure des ligaments d'une articulation caractérisée par : un œdème plus ou moins important, un hématome, une limitation des mouvements. *Bénignes :* immobilisation avec bandage peu serré ; pansement alcoolisé, repos et possibilité de rééducation précoce (*méthode finlandaise :* pendant 10 min, plonger alternativement la cheville dans de l'eau à 0 °C et dans de l'eau aussi chaude que possible, chaque fois 1 min). *Graves :* contrôle radiologique, immobilisation plâtrée (8 à 15 j) souvent nécessaire, voire intervention chirurgicale.

• **Épilepsie** (voir Convulsions). Spectaculaire mais relativement peu grave (même si le malade bave du sang après s'être mordu la langue) ; réveil env. 15 min après la perte de connaissance. Grave si les convulsions se répètent ou s'accompagnent d'autres signes de détresse vitale plus de 15 min, appeler le S.A.M.U.

• **État de choc.** *Signes :* pâleur, sueurs froides, anxiété, agitation, soif, pouls lent ou rapide difficile à prendre. *Soins :* coucher à plat dos le sujet et lui remonter les jambes en plaçant un objet sous les talons. Le réchauffer et le rassurer ; ne lui donner ni à boire ni à fumer. Si l'état de choc persiste plus de 10 min, appeler le S.A.M.U.

• **Fracture. Crâne.** La gravité n'est pas liée à la fracture mais à l'atteinte du cerveau qui peut être lésé même sans fracture. Attention à l'apparition secondaire (après 14 à 15 j) de troubles de la conscience, de maux de tête ou de vomissements qui peuvent traduire une compression du cerveau. Tout sujet ayant présenté un traumatisme crânien avec perte de connaissance doit être hospitalisé. Appeler le S.A.M.U. dès qu'il y a coma.

Rachis. Une fracture ou luxation peut provoquer une section de la moelle épinière au niveau du rachis dorsal ou cervical, et une paralysie (impossibilité de bouger bras ou jambes, fourmillements). Suspecter une fracture chez tous les inconscients après accident de voiture, de 2-roues ou une chute de grande hauteur. Immobiliser la colonne en rectitude axiale sur un plan dur jusqu'à ce qu'une radio soit faite. Appeler S.A.M.U. et sapeurs-pompiers pour assurer le transport à l'aide d'un matériel assurant une immobilisation stricte (matelas coquille et collier cervical ; ne pas retirer le casque d'un motard si l'on n'est pas entraîné à cette manœuvre) [mettre à plat dos sur une planche si l'on est privé de secours médicaux].

Membre supérieur. Immobiliser le membre blessé à l'aide d'une attelle de fortune (planche de bois, journal plié) et d'une écharpe.

Membre inférieur. Immobiliser en utilisant l'autre membre. Les fractures « urgentes » des membres sont celles qui lèsent une artère (pas de pouls au-dessous de la fracture) et celles qui sont ouvertes. Certaines fractures (cuisse ou bassin) provoquent des hémorragies internes de + de 1 litre de sang et méritent l'intervention préventive d'une équipe médicale (S.A.M.U. systématiquement appelé).

• **Hémorragies.** 1° **Externes :** *plaie superficielle,* se tarit d'elle-même par vasoconstriction des capillaires lésés et coagulation locale ; *profonde :* compression (compresses ou mouchoir propre sur la plaie). Bandes semi-élastiques sur la bande de compresses. Si la compression locale n'est pas suffisante, comprimer l'artère qui irrigue le membre. *Garrot :* tissu de 5 à 10 cm de largeur sur 1,50 m de long, à poser après avoir fait les gestes précédents quand il y a beaucoup de blessés et que les secouristes sont débordés (le garrot est douloureux et dangereux). Le blessé doit être vu dans l'heure (risque de devoir amputer le membre menacé de gangrène). 2° **Extériorisées :** hémorragie nasale (épistaxis) : faire appuyer sur l'aile du nez avec la pulpe de l'index pendant au moins 5 min. Ne pas mettre de coton à cause du risque de récidive chaque fois qu'on l'enlèvera. Si ce traitement ne suffit pas, se faire conduire là où l'on pourra mettre en place une mèche nasale. Ne pas étendre le sujet à plat dos, car le sang s'accumulerait dans l'arrière-gorge provoquant une sensation désagréable. Crachement ou vomissement de sang et selles sanglantes (une hémorragie digestive d'origine haute n'est pas rouge mais noire comme du goudron) ne sont graves que s'ils s'accompagnent de signes d'état de choc. 3° **Internes :** fracture de la cuisse ; atteinte d'un organe plein (rate ou foie) après un traumatisme de l'abdomen ou du thorax ; rupture de grossesse extra-utérine (grossesse toute récente ; douleur aiguë dans le flanc), si hémorragies graves, appeler le S.A.M.U. dès qu'apparaissent les signes de l'état de choc.

• **Infarctus du myocarde.** Appeler le S.A.M.U. dès les signes prémonitoires (douleur atroce derrière le sternum, qui s'étend aux mâchoires et aux 2 bras) car il y a danger d'arrêt cardiaque dans les 12 premières heures. *En attendant les secours :* 1) laisser le patient allongé ou en position semi assise, au calme ; lui conseiller de prendre ses médicaments habituels (en particulier dérivés Nitis) ; 2) certains traitements appliqués précocement (au chevet même du patient) peuvent limiter l'extension de l'infarctus en détruisant le caillot obstructeur (traitement par « thrombolyse »). Certains infarctus peuvent ne se manifester que par des douleurs thoraciques plus ou moins vagues, peu importantes, plus ou moins accompagnées d'un malaise général avec nausées. Les signes peuvent être uniquement digestifs (nausées, vomissements, douleurs abdominales) et retarder le diagnostic.

• **Insolation** (hyperthermie ou coup de chaleur de plus de 40 °C). *Cause :* exposition trop longue à une température élevée et humide. *Forme grave :* élévation de température, troubles neurologiques, maux de tête, troubles de la conscience, convulsions, hyperthermie (fièvre élevée). *Soins :* dévêtir le malade, le coucher sur le côté dans un endroit frais ; compresses ou vessie de glace sur la tête, le thorax, le cou ; jamais d'alcool ; enfant : tremper dans un bain tiède (la temp. rectale diminuée de 2 °C). Alerter le médecin ou le S.A.M.U. qui enverra le secours nécessaire.

• **Intoxications.** *Par inhalation de gaz toxiques :* monoxyde de carbone, gaz industriels, etc. En cas d'intoxications oxycarbonées (nausées, vomissements, malaises, perte de connaissance, maux de tête) : ouvrir les fenêtres, arrêter tout chauffage et prévenir sapeurs-pompiers et S.A.M.U. qui peuvent trouver des traces de monoxyde de carbone dans l'air [l'intox. par oxyde de carbone est fréquente (chauffe-eau mal réglé, pièce non ventilée, chauffage d'appoint à gaz)]. *Par ingestion de produits toxiques ou substances vénéneuses* [médicaments (ex. : surdosages médicamenteux accidentels ; somnifère donné à un enfant ; à un malade présentant une bronchite chronique : risque de coma et de troubles ventilatoires), toxiques agricoles, industriels, ménagers]. *Par intoxication alimentaire.* Aliments avariés : botulisme (conserves) ; trichinose (viande infestée de parasites). Si la victime est inconsciente, en état de choc ou avec des troubles respiratoires, appeler les sapeurs-pompiers, qui pourront pénétrer dans les locaux dangereux grâce à leur équipement de protection, ou le S.A.M.U.

Statistiques (% des causes). Dans l'ensemble des cas et, entre parenthèses, chez les – de 4 ans. Médicaments 52 (47). Prod. ménagers 22,4 et insecticides ménagers 0,7 (les 2 : 23,1). Prod. industriels 6,5 (3,4). Pesticides 4,4 (3). Cosmétiques 2,5 (4,7). Plantes 2,6 (2,4). Animaux 1 (0,8). Aliments (dont alcool éthylique) et div. 7,7 (5,1).

☞ **Intoxication au talc Morhange (1972).** De l'hexachlorophène (bactéricide), mélangé (6,35 %) à un lot de 600 kg de talc pur par une entreprise chargée de conditionner le talc Morhange ; avait provoqué la mort de 36 bébés et des handicaps chez 145 enfants. *Lors du procès,* les familles ont accepté env. 8 millions de F d'indemnisation. 5 principaux inculpés ont été condamnés de 1 à 20 mois de prison (peine réduite à 12 mois au maximum en appel).

Centres antipoisons. *Extrême urgence :* appeler le 15. Au 1-10-1990 : *Angers,* hôpital, tél. : 41.48.21.21. *Bordeaux,* hôpital Pellegrin-Tripode, 56.96.40.80. *Clermont-Ferrand,* hôpital St-Jacques, 73.27.33.33. et 73.26.09.09. *Grenoble,* hôpital Albert-Michalon, 76.42.42.42. *Lille,* 5, av. Oscar-Lambert, 20.54.55.56. *Lyon,* hôpital E.-Herriot, 78.54.14.14. *Marseille,* hôpital Salvator, 91.75.25.25. *Montpellier,*

Urgences médicales

En cas d'urgence médicale, *téléphoner* à votre médecin si vous en avez un ; ou au S.A.M.U. ; ou au 15 s'il existe dans votre département.

Précisez : d'où vous téléphonez (pour qu'on puisse vous rappeler) ; où se trouve la victime (ville, rue, n°, étage, etc.) ; comment réagit la victime lorsqu'on lui parle fort ou lorsqu'on la pince (état de conscience) ; comment elle respire ; ce qui s'est passé.

S.A.M.U. (Service d'aide médicale urgente). Service public rattaché à un centre hospitalier, chargé de coordonner l'ensemble des urgences. Centre d'information et de coordination des urgences d'un département.

Il fonctionne 24 h sur 24 et envoie ambulance, médecin. Dispose d'un réseau téléphonique et radiotéléphonique. Il choisit selon le besoin entre : 1. envoi d'ambulance professionnelle d'urgence ; 2. envoi de médecin praticien d'urgence ; 3. envoi d'une unité mobile hospitalière (ambulances médicalisées pour soins intensifs).

A chaque S.A.M.U. sont rattachés des S.M.U.R. qui disposent d'ambulances de réanimation, de véhicules de liaison, et peuvent faire appel aux moyens de la Marine, de l'Armée, de la Sécurité civile (hélicoptères, avions, bateaux).

Les décrets d'application de la loi sur l'aide médicale urgente et les transports sanitaires (loi de 1986) sont parus au J.O. du 1-12-1987.

Des hélicoptères de la Sécurité civile ou de la gendarmerie peuvent être utilisés.

A Paris et à Marseille les sapeurs-pompiers sont militaires et disposent d'un caisson mobile d'oxygène Hyperbare, de plusieurs équipes médicales à bord d'ambulances de réanimation, d'un hélicoptère médicalisé et d'un service de régulation médicale où 24 h sur 24 un médecin reçoit les appels et coordonne les moyens envoyés sur place. La brigade des sapeurs-pompiers est responsable de la mise en œuvre du Plan-Rouge qui est déclenché lors d'accidents collectifs (attentats de 1986, accident de la gare de Lyon...).

Garde départementale des médecins généralistes. Voir annuaire par professions à Médecins. Appeler directement ou par le 15, ou par le S.A.M.U.

Garde départementale d'ambulanciers (A.T.S.U.). Appeler directement, ou au 15 ou par le S.A.M.U.

Organismes de secours médicaux aux Français en déplacement. *Organismes publics. Français à l'étranger :* consulat, S.A.M.U. de Paris. *Français en vol aérien :* Air France, U.T.A. et S.A.M.U. de Paris. *Français en mer :* littoral : S.A.M.U. local par les moyens locaux ; en haute mer : S.A.M.U. de Toulouse par St-Lys.

Organismes privés : Europe-Assistance, Mondial, Gesa, Intermutuelle.

Organismes divers dans la région parisienne

S.O.S. Médecins. Visites jour et nuit (dans les départements 75, 92, 93, 94).

Urgences des hôpitaux publics en oto-rhino-laryngologie à Paris. *Hôpital Necker-Enfants-Malades,* 140, rue de Sèvres, 75015 Paris.

Ophtalmologie. *Hôtel-Dieu,* 1, place Parvis Notre-Dame, 75004 Paris. *Hôpital des Quinze-Vingts,* 28, rue de Charenton, 75012 Paris.

Stomatologie. *La Pitié (Pavillon G.-Cordier),* 47 et 83, bd de l'Hôpital, 75013 Paris.

Psychiatrie. *Centre psychiatrique d'orientation et d'accueil (C.P.O.A.) de l'hôpital Sainte-Anne,* 24 h sur 24, 1, rue Cabanis, 75014 Paris. *Hôtel-Dieu* (Paris), service psychiatrie.

S.O.S. Drogue. *Sainte-Anne,* 1, rue Cabanis, 75014 Paris.

S.O.S. Lyon Médecine. 33, quai d'Arloing, Lyon.

S.O.S. Mains. Si l'on s'est coupé totalement un doigt, une main ou un bras : déposer le membre coupé dans un sac de plastique fermé et posé sur de la glace ; mettre un pansement compressif ; ne pas mettre de mercurochrome ni d'antiseptique sur la blessure, mais de l'ammonium quaternaire ; ne boire ni alcool ni café, et rester à jeun pour l'anesthésie. Téléphoner le plus vite possible au S.A.M.U. *A Paris :* S.O.S. Mains, *hôpital Boucicaut, hôpital Bichat, hôp. départemental de Nanterre. Province : hôpital Saint-Jacques,* Besançon. *Hôpital du Tondu,* Bordeaux. *Hôpital Edouard-Herriot,* Lyon. *Hôpital de la Timone,* Marseille. *Hôpital* de Montpellier-Nîmes. *Hôpital Jeanne-d'Arc,* Nancy. *Hôpital* 29, allée de la Robertsau, Strasbourg. *C.H.U.,* Tours. *Étranger : hôpital de Bavière,* Liège.

Urgences pour enfants à Paris

En cas de détresse vitale, téléphoner au S.A.M.U. (15) ou à son médecin ou aux sapeurs-pompiers (18).

Pédiatrie. *Hôpital Antoine-Béclère,* 157, rue de la Porte-Trivaux, 92140 Clamart ; *Hôpital Ambroise-Paré,* 9, av. Charles-de-Gaulle, 92100 Boulogne ; *Bicêtre,* 78, rue du Général-Leclerc, 94270 Kremlin-Bicêtre ; *Bretonneau* [1], 2, rue Carpeaux, 75018 Paris ; *Hérold* [1], 7, place Rhin-et-Danube, 75019 Paris ; *Jean-Verdier,* avenue du 14-Juillet, 93140 Bondy ; *Louis-Mourier,* 178, rue des Renouilliers, 92700 Colombes ; *Necker-Enfants-Malades* [1], 149, rue de Sèvres, 75015 Paris ; *Saint-Vincent-de-Paul* [1], 74, av. Denfert-Rochereau, 75014 Paris ; *Trousseau* [1], 26, rue du Dr-Arnold-Netter, 75012 Paris.

Nota. – (1) Hôpitaux d'enfants.

Chirurgie. *Hôpitaux : Bretonneau, Hérold, Necker-Enfants-Malades, Saint-Vincent-de-Paul, Trousseau.*

Psychiatrie. *Pitié-Salpêtrière,* salle Raymond, division Clérambault.

Statistiques

Nombre d'accidents annuels d'enfants de moins de 14 ans en France : 250 000 dont 25 000 *intoxications* par médicaments (aspirine, sédatifs, antitussifs, analgésiques, antiseptiques) : 52,8 % ; produits ménagers (eau de Javel, caustiques, détartrants, produits de nettoyage et de bricolage) : 36,2 %. 12 000 enfants *brûlés,* 7 000 *asphyxiés* ou *étouffés,* 1 000 *électrocutés,* 40 000 victimes de *fractures* diverses, plus de 100 000 blessés avec des couteaux, des ciseaux ou un *objet tranchant,* près de 50 000 cas d'hospital. pour *empoisonnement.*

☞ **Enseignements de premiers secours.** Brevet national de secourisme et plusieurs options spécialisées : réanimation, secourisme routier, secourisme rural, secourisme aquatique, secourisme sportif... La Protection civile, la Croix-Rouge et plusieurs associations de secourisme participent à l'enseignement.

hôpital Lapeyronie, 67.63.24.01. *Nancy,* Hôpital central, 83.32.36.36. *Paris,* hôpital Fernand-Widal, 40.37.04.04 +. *Reims,* hôpital Maison-Blanche, 26.40.79.20. *Rennes,* hôpital Pontchaillou, 99.59.22.22 et 99.28.42.22. *Rouen,* hôpital Ch.-Nicolle, 35.88.44.00. *Strasbourg,* Hôpital civil, 88.37.37.37 +. *Toulouse,* hôpital Purpan, 61.49.33.33, poste 4.5181 ou 4.6882. *Tours,* hôpital Bretonneau, 47.66.85.11 et 47.47.47.47 poste 6614.

Intoxications dues aux champignons. *Symptômes : troubles digestifs, précoces* de 1 à 3 h après l'ingestion : signes nerveux (excitation, délire, hallucinations), signes digestifs (salivation, sueurs, vomissements, diarrhées) ; évolution le plus souvent favorable après soins en milieu hospitalier ; *tardifs* (12 h après) : mortelles dues aux amanites phalloïdes. Dans tous les cas, garder les restes de repas ou les épluchures, alerter le S.A.M.U. *Décès* (France) : de 10 à 30 par an (dont 80 % dus aux amanites).

• **Luxation.** Déboîtement d'une articulation. Immobiliser le membre comme pour une fracture, prévenir le médecin ou faire transporter à l'hôpital.

• **Mal de mer.** Malaise provoqué par les mouvements du bateau. *Formes :* céphalée, somnolence, sueurs froides, nausées. *Cause :* une excitation anormale des canaux semi-circulaires de l'oreille interne, régulateurs de l'équilibre. Accentué par froid, manque de sommeil, anxiété, faim, chaleur et manque d'air. *Remèdes préventifs :* Nautamine, Dramamine, etc. (peuvent provoquer une somnolence) ; Marzine (France), Sea-leg (G.-B.), Valontan (Espagne) n'entraînent pas de somnolence (quelquefois contre-indiqués). *Remèdes :* s'allonger, tête basse, sommeil ou air frais. *Conseils :* ne pas regarder la mer ; si possible avaler une petite gorgée d'eau de mer.

• **Migraine.** Crises de 4 à 72 h, de caractère pulsatif, unilatéral, très handicapantes ou aggravées par les activités physiques et plus ou moins accompagnées de nausées et vomissements, de photophobie ou de phonophobie. Causées par la dilatation des vaisseaux cérébraux amenant une congestion du cerveau : appliquer une bouillotte remplie de glace sur le crâne, s'allonger dans le noir ; médicament : sumatriptan.

• **Morsure par animal. Chien.** Voir p. 138. **Rat.** La morsure est souvent profonde et souillée de spores tétaniques ou d'autres germes pouvant provoquer de graves infections. Consulter tout de suite un médecin pour éviter le tétanos. Il vaut mieux être vacciné (le sérum a un effet de courte durée et est parfois dangereux). **Chat.** Morsure et griffure peuvent provoquer chez les enfants une inflammation ganglionnaire à l'aisselle ou au cou qui n'est pas douloureuse et guérit souvent sans traitement.

☞ En cas de morsure par un animal sauvage ou inconnu, consulter immédiatement le médecin traitant ; si l'on a pu capturer l'animal, le remettre à la police ou la gendarmerie, qui le confiera à un vétérinaire pour observation.

Vipère (ou serpent mal connu). *Morsure :* appeler le S.A.M.U. On a 2 h pour agir. Ne pas courir ni s'énerver, ni faire aucun effort musculaire (afin de restreindre la diffusion du venin dans l'organisme), s'allonger. Refroidir le membre mordu à l'aide de glace entourée de linge ; nettoyer et désinfecter la plaie à l'eau savonneuse ou à l'eau de Javel allongée à 5 ou 6 fois son volume d'eau ; prévoir un transfert immédiat vers un hôpital avec un accompagnement médical.

Attention. Ne pas inciser la plaie ; ne pas exprimer le sang même par succion (on court un risque grave si on a la moindre plaie dans la bouche), on peut éventuellement mettre une bande élastique. Le sérum n'est pas toujours efficace et peut provoquer des accidents allergiques.

Statistiques. On reconnaît la vipère par le rétrécissement brusque de sa queue et les nombreuses plaques qu'elle a entre les 2 yeux. On trouve les vipères dans les pierriers et vieux murs exposés au sud, les lisières des bois, les anciennes carrières et le long des voies ferrées. Parce qu'elles avalent des millions de rongeurs et protègent les récoltes, une loi de 1980 a en France interdit de tuer les vipères. Autrefois chaque département avait son chasseur de vipères (certains en ramassaient 1 000 par an). Chaque année, plusieurs centaines de Français sont mordus (2 tués en 1984).

• **Mort apparente ou arrêt cardiaque.** Perte totale du tonus de l'éveil avec arrêt des mouvements respiratoires et du pouls, dilatation bilatérale des 2 pupilles ; coloration blême, livide de la peau. Peut survenir inopinément lors d'infarctus du myocarde dès les 12 premières heures ; à craindre pendant une électrisation. *Gestes d'urgence :* bouche-à-bouche, massage cardiaque. *Pour arrêt cardiaque :* le S.A.M.U. met en œuvre perfusion, choc électrique, injection de médicaments ; mais il faut commencer la réanimation avant son arrivée : le cerveau ne « survit » que 3 min. Si un arrêt cardiaque survient dans le froid (neige, glace, hiver) on peut pratiquer la réanimation pendant un délai plus long (max. 45 min en 1982).

Les donneurs d'organes en coma dépassé sont des morts dont on maintient les organes à greffer en survie (reins, cornée, cœur, foie) pendant quelques heures.

• **Noyade.** *Causes : 1) Incapacité technique :* sujet ne sachant ou ne pouvant pas nager et tombant à l'eau ; *2) Sachant nager, mais épuisé ; 3) Hydrocution :* syncope survenant dans l'eau, ou au moment de la pénétration, dans certaines circonstances (exposition prolongée au soleil avant le bain ; immersion par plongeon sans adaptation progressive ; effort physique intense avant le bain ; période digestive après un repas riche). Cette syncope est liée à un déséquilibre circulatoire et à des réactions vasomotrices quand il y a une différence importante entre la température de la peau et celle de l'eau. Des signes d'alarme (frissons, tremblements, sensations d'angoisse vive ou de fatigue intense et brutale, vertiges, nausées, troubles visuels ou auditifs, crampes) l'annoncent parfois. Ne pas se baigner quand on ne se sent pas bien dans l'eau (en particulier si l'on a de l'urticaire) ; *4) Chute dans l'eau après une perte de connaissance.*

Conduite à tenir : tendre perche, corde, lancer une bouée. Dans l'eau, ne pas assommer la victime qui se débat, mais l'approcher par-derrière en plongeant et remonter le long de son dos. Si elle s'accroche, la laisser couler, elle lâchera prise et on pourra mieux la reprendre. Si elle respire, la ramener, alerter le S.A.M.U. La mettre en position latérale de sécurité :

l'allonger en dégageant les voies aériennes supérieures (nettoyage de la cavité buccale) ; si elle ne respire pas, mettre en route une réanimation respiratoire. Bouche-à-bouche et massage cardiaque externe (si arrêt cardiaque). Se rappeler que des noyés ont pu être sauvés après plusieurs heures de réanimation (voir ci-contre, hypothermie).

Précautions lors du 1er bain, ou si la température de l'eau est inférieure à 20 °C (24 °C pour l'enfant) : se baigner en compagnie, ne pas se baigner à + de 10 m de la rive ou en eau profonde à + de 5 m, entrer progressivement, rester dans l'eau 15 min maximum à 18 °C. Sortir si l'on a froid, si l'on ressent un malaise, des crampes, de l'urticaire. Éviter : exposition prolongée au soleil, entrées et sorties successives dans l'eau, choc émotif, période digestive avant le bain, qui tous favorisent l'hydrocution.

Statistiques (en France) : env. 2 000 personnes se noient chaque année, dont 800 entre le 1-6 et le 30-9. Env. 33 % se noient en mer, 13 % ont – de 20 ans.

• **Nuage toxique.** Ex. : incendies d'usines, accidents dans des complexes industriels. Sauf avis contraire des autorités, rester chez soi, portes et fenêtres fer+mées en se calfeutrant, suivre les consignes des autorités en écoutant la radio.

• **Oreille (obstruction).** *Insecte :* baisser la tête dans le sens opposé à celui de l'oreille où se trouve l'insecte, mettre de l'eau ou de l'huile d'olive pour noyer l'insecte. *Objet enclavé :* lavage avec une poire ou une seringue (de préférence s'adresser à un médecin).

• **Overdose.** Provoque un arrêt ventilatoire. Coucher le malade sur le côté. Faire le bouche-à-bouche s'il s'arrête de respirer. Le drogué est en danger dès qu'il ralentit sa respiration à moins de 1 respiration par 10 secondes (pauses respiratoires). Le stimuler pour qu'il respire et appeler le S.A.M.U.

• **Pendaison** ou **strangulation.** Les pendus avec chute brutale peuvent mourir immédiatement. Les pendus incomplètement survivent avec parfois des séquelles de l'anoxie du cerveau (compression des carotides), lésions laryngées (fractures).

Gestes d'urgence en fonction de l'état cardio-respiratoire et neurologique de la victime. (Voir Asphyxies). Dépendre ou desserrer et se conformer à la marche à suivre en cas d'arrêt cardiaque. Voir p. 154 c.

• **Piqûres. Abeilles, guêpes, frelons.** Le dard ne doit pas être extrait avec les ongles ou avec une pince à épiler (qui risque de vider le sac à venin), mais par pression de la peau. Répandre un peu d'ammoniaque. Par voie interne : adrénaline, corticoïde.

Les accidents généraux sont rares (fièvre, sueurs, malaises, difficultés à respirer) ; chez des sujets piqués déjà plusieurs fois et devenus allergiques (certains au contraire sont immunisés), des signes graves d'état de choc peuvent apparaître. Appeler le S.A.M.U. en cas d'étouffement ou de malaise général avec vomissements, pâleur...

Statistiques (en France) : chaque année, 20 à 25 personnes meurent du choc allergique brutal (choc anaphylactique) provoqué par une piqûre d'hyménoptère, abeille, guêpe ou frelon (soit 3 fois plus que celles qui meurent de morsures de serpent). 500 piqûres peuvent entraîner la mort (5 à 10 chez des sujets allergiques).

Aoûtats. Se fixent sur la peau (surtout sur les membres inférieurs), provoquent des démangeaisons qui, par grattage, entraînent une infection secondaire. Appliquer une lotion au benzoate de benzyle.

Animaux marins. *Raie, grande et petite vives :* peuvent provoquer des enflures (lymphangite), des vertiges, sueurs, fièvres, paralysie motrice. Retirer l'épine, désinfecter et consulter le médecin. *Murène* (morsure) : nettoyer et aseptiser la plaie, appeler le médecin. *Actinies* (anémones de mer), *méduses, physalies* peuvent inoculer des toxines par contact avec la peau provoquant urticaire, démangeaisons, malaise général allant jusqu'à la perte de connaissance brève si on n'étend pas le malade.

Malmignatte (araignée dont l'abdomen noir porte 13 taches rouge vif ; Midi et Corse). Peut provoquer une raideur musculaire, un ralentissement cardiaque, de l'hypertension. Appeler le S.A.M.U.

Tiques (parasites des animaux domestiques). Se fixent parfois sur l'homme [généralement inoffensives (cas possibles de paralysie ascendante à tique dont les symptômes ressemblent à ceux de la poliomyélite)]. Avant d'enlever les tiques avec des pinces, mettre dessus quelques gouttes de toluène.

• **Plaies.** *Simples* (peu profondes, peu étendues, sans saignement important et sans corps étranger) : désinfection (eau savonneuse, eau de Dakin, eau javellisée, liquides antiseptiques) ; recouvrir d'un pansement stérile maintenu à l'aide d'une bande ; quelquefois nécessitent une suture. *Graves* [profondes, étendues ou saignant abondamment ou plaies spéciales (œil, cavité buccale, abdomen, thorax)] : arrêter l'hémorragie (Voir Hémorragies) ; recouvrir d'un pansement stérile sans aucune désinfection préalable ; immobiliser le membre blessé ; diriger sur service hospitalier pour exploration chirurgicale et traitement.

Délais d'intervention

Délais immédiats. Dégager, évacuer des victimes potentielles (par ex. traîner en tirant par les chevilles un accidenté inconscient gisant au milieu d'une chaussée où il risque d'être écrasé). Coucher sur le côté un sujet inconscient qui risque de s'étouffer ou de se noyer avec ses vomissements. Étendre à plat dos ceux qui s'évanouissent dès qu'ils sont assis ou debout. Arrêter par compression locale les saignements à flots, ou les fuites d'air des plaies béantes du thorax. Réaliser un bouche-à-bouche sur ceux qui s'arrêtent de respirer (overdose, mort subite du nourrisson). **Délais de 3 minutes.** Un arrêt du cœur de plus de 3 minutes qui ne fait l'objet d'aucun secours compromet définitivement les chances de survie cérébrale (sauf hypothermies).

Premiers soins en situation de catastrophe

En cas d'urgence collective (attentats, explosions, accidents de chemin de fer, etc., avec de nombreux blessés) : prévenir les services publics (dans l'ordre : sapeurs-pompiers, police ou gendarmerie, S.A.M.U.) ; éviter toutes évacuations « sauvages » vers les hôpitaux dans des moyens non adaptés et sans soins médicaux préalables ; limiter les soins aux blessés les plus graves : ceux qui saignent abondamment, qui sont inconscients, qui respirent très mal ; rassembler les blessés légers au même endroit, dans une zone abritée (café, gare, lieux publics...) ; guider les secours dès leur arrivée et se mettre à leur disposition.

☞ L'organisation officielle des secours lors des catastrophes et urgences collectives dépend de la mise en œuvre du plan ORSEC, du *Plan Rouge* (sous l'autorité du préfet, circulaire interministérielle de mars 1989).

• **Syncope.** « Arrêt cardiaque » de quelques secondes (en fait cœur très lent pendant la crise). Le sujet se réveille après quelques mouvements convulsifs. S'il récidive et ne respire pas pendant plus de 30 s, lui donner 4 ou 5 « coups de poing » sur le sternum pour faire « repartir » le cœur. Les syncopes sont dues à des ralentissements importants du cœur. Souvent ces sujets nécessitent l'implantation d'un stimulateur cardiaque. Appeler le S.A.M.U.

• **Température.** Doit être prise après ½ h au moins de repos et la digestion terminée. La température rectale prise avec un thermomètre médical au mercure est la plus fidèle. Chez l'enfant, et parfois chez l'adulte, des prises de température trop répétées peuvent provoquer l'ulcération des muqueuses. Certains préfèrent prendre la température dans la bouche ou sous l'aisselle. Dans les cas d'hypo-ou d'hyperthermie, appeler le S.A.M.U.

Hyperthermie. *Cas de Kalow* (1970) : 44,4 °C (femme anesthésiée à l'Halothane). *Coureurs de marathon :* 41 °C par temps chaud. *Dans un sauna,* on supporte une température de 140 °C. *Hyperthermie maligne :* peut tuer très rapidement ou laisser des séquelles cérébrales.

Hypothermie. Température centrale en dessous de 36 °C. Modérée jusqu'à 31 ou 32 °C (frissons, obnubilations, confusion), profonde jusqu'à 27 °C (coma, troubles cardiaques et respiratoires) ; en dessous de 27 à 25 °C, elle peut provoquer un état de mort apparente ; en dessous de 11 °C, mort cellulaire irrémédiable. Il faut y penser devant un sujet resté comateux au froid (accident de circulation, ivresse aiguë). *Si le sujet est conscient :* boissons chaudes, hospitalisation ; *s'il est inconscient,* appeler le S.A.M.U. Respiration artificielle et massage cardiaque externe si état de mort apparente. Pas de frictions ni de bouillottes. **Cas extrêmes.** *Noyés :* en 1987, après 6 h de réanimation, on a pu sauver, à Lyon, un enfant de 7 ans qui était resté 20 minutes sous l'eau, car il était hypothermique. En 1978, le centre hospitalier universitaire du Michigan publiait les observations de 15 « noyés » qui avaient séjourné plus de 4 min (38 min pour l'un d'eux) dans les eaux glacées des Grands Lacs et que l'on avait récupérés sans pouls, sans respiration, les pupilles dilatées, en état de « mort apparente ». Soumis à une réanimation intensive dans un centre spécialisé, ils ressuscitèrent sans séquelle. *Ensevelis sous la neige :* une femme de 25 a., prisonnière d'une avalanche 9 h, ne respirant plus, ayant le cœur arrêté et une température rectale de 28 °C, a été réanimée après 45 min de massage cardiaque et 3 chocs électriques. Un homme de 42 a., enseveli sous 7 m de neige, dégagé au bout de 5 h en état de « mort évidente », ayant une température de 19 °C a pu être réanimé. En 1984, on a sauvé une skieuse de fond restée 70 min en arrêt cardiaque et respiratoire, ayant une température de 18 °C. On connaît 2 cas où le malade a survécu à une température de 16 °C.

• **Victimes psychiques.** Ayant subi des traumatismes psychiques lors d'événements dramatiques [prises d'otages, attentats, explosions, accidents collectifs (avions, trains)]. Peuvent être prises en charge dans des hôpitaux, ex. : hôpital St-Antoine, Service psychiatrie, Paris, ou par des organismes spécialisés (Institut national d'aide aux victimes et de médiation, I.N.A.V.E.M.).

Principaux médicaments

☞ **Médicaments génériques.** *Définition :* un médicament est dit *générique* lorsqu'il est une copie fidèle d'un médicament déjà commercialisé et qui n'est plus protégé par un brevet (durée 20 ans). *Ventes en France :* moins de 3 % du marché total (U.S.A. 12 %, R.F.A. 3 ou 4 %).

Statistiques

☞ Voir Industrie pharmaceutique à l'Index.

Nombre de présentations et, entre parenthèses, **de produits en** *1978.* G.-B. 6 996 (2 475), *France 10 104 (4 721),* Italie 13 405 (7 699), Espagne 15 128 (7 960), Japon 20 780 (7 020), U.S.A. 22 436 (14 475), All. féd. 28 946 (9 383).

Consommation en France (en millions de F). *1960 :* 3 520, *65 :* 6 589, *70 :* 10 730, *75 :* 20 256, *80 :* 33 687, *85 :* 64 851, *86 :* 71 725.

Coût des médicaments consommés hors de l'hôpital en France : en 1986, 1 295 F par personne, 1,6 % du revenu national (All. féd. 1,7, G.-B. 0,8).

Selon une enquête du Synd. nat. de l'industrie pharmaceutique (1984), le stock périmé de médicaments jeté au bout de 2 ou 3 ans s'élève en moyenne à 47,38 F par individu (20 F par an et par pers.), env. 2 % de la consommation totale.

Médicaments les plus vendus en 1986. Doliprane [1], Efferalgan [1], Temesta [2], Halcion [5], Tanakan [3], Aspegic [1], Clamoxyl [4], Aspirine eff. Upsa [1], Praxilène [3], Sermion [3], Glifanan [1], Voltarène [1], Fluocaril [6], Flugum [6], Tranxène [1], Nifluril [4].

Nota. – (1) antalgique ; (2) tranquillisant ; (3) vasodilatateur ; (4) anti-infectieux ; (5) hypnotique ; (6) dentifrice.

Répartition du marché intérieur (en prix production, hors taxe, en milliards de F, en 1986). *Ventes en France* 42 dont ventes aux hôpitaux 4,2 ; aux ménages 35. Les cardio-vasculaires représentent 28 % en valeur des ventes aux ménages. En 1986, les 100 premiers produits les plus vendus aux ménages représentaient 41,4 % du marché général du médicament.

Prix d'un médicament (en %). Laboratoires 57, pharmaciens 30, grossistes 7, T.V.A. 7.

Classification

• **Analeptiques.** Terme général s'appliquant aux médicaments qui stimulent les fonctions de l'organisme (par ex. : anal. respiratoire, anal. cardiaque).

• **Analgésiques.** Suppriment la douleur. Acétanilide, antipyrine, pyramidon, paracétamol, aspirine, glafénine, amydopirine.

• **Anesthésiques.** *Généraux,* provoquent un sommeil profond : protoxyde d'azote, cyclopropane (gazeux), chloroforme, éther éthylique, éther divinylique, halothane (liquides volatils), barbituriques par voie veineuse. *Locaux,* exerçant une action localisée : cocaïne, procaïne, tétracaïne, dextrocaïne, butacaïne... ; effet du froid local (liquides volatils à action réfrigérante, application de glace).

• **Anorexigènes.** Freinent l'appétit, généralement dérivés de la phényléthylamine.

• **Antalgique stupéfiant.** Morphine et certains de ses dérivés. Morphiniques de synthèse. Le Glifanan (commercialisé dep. 1965 dont + de 4 000 000 de boîtes ont été vendues en France en 1990) a été retiré de la vente en Belgique dep. le 1-1-91 (la glafénine, principe actif du Glifanan, peut être cause d'allergies graves).

• **Antiarythmiques.** Visent à régulariser le rythme cardiaque en abolissant ou en atténuant les troubles de l'excitabilité du myocarde ; ex. : quinidine, procaïnamide, disopyramide, etc.

• **Antibiotiques.** 1° **Ant. sulfamidés,** synthétiques. [En 1935, Gerhard Domagk (1895-1964) obtint le protonsil ou rubiazol, 1er médicament contenant un groupement sulfanilamide (commercialisé en 1936 sous le nom de Septoplix). J. Tréfouel, Mme Tréfouel, F. Niti et D. Bovet montrèrent en 1935 que c'était le groupement sulfanilamide qui était actif. Leurs travaux permirent la création d'un grand nombre de dérivés de sulfamidés (sulfathiazol, sulfadiazine, sulfaguanidine) qui se montrèrent d'excellents bactériostatiques et devinrent les médicaments miracles des infections un peu avant 1939.] Retardent ou empêchent la multiplication des bactéries. Utilisés dans de nombreux cas ; ex. : érysipèle, blennorragie, méningite à méningocoques, colibacilloses, pneumococcies, entérocolites. *Noms chimiques :* sulfanilamide, sulfamidochrysoïdine, sulfapyridine, sulfathiazol, sulfathiourée, sulfadiazine, sulfaguanidine. Pour chacun, plusieurs noms de marque ont été déposés.

2° **Antibiotiques fongiques** (ex. : pénicilline). Effets secondaires indésirables : troubles intestinaux (par destruction de la flore intestinale) ; troubles otitiques consécutifs à la streptomycine ; accidents allergiques et toxiques. Résistance microbienne aux antibiotiques.

1ers antibiotiques : chloromycétine (déc. en 1947 par Burkholder) ; érythromycine (1952, Mac Guire) ; pénicilline (1928, Fleming) ; tétracyclines et dérivés, ex. : chlortétracycline (1948, Duggar), oxytétracycline (1950, Finlay), streptomycine (1943, Waksman). *Antibiotiques hémi-synthétiques* (ex. : ampicilline), et *nouveaux antibiotiques* très puissants (exemple : céphalosporines, gentamycine) ou spécifiques de certains germes.

Traitement. Généralement quelques jours, parfois plusieurs mois (acné, tuberculose) ou administré en une seule fois (traitement minute de la blennoragie). Réduire la dose ou arrêter trop tôt le traitement sous prétexte que la température a diminué, c'est risquer une rechute ou un retard de la guérison. Compléter le traitement par une hygiène de vie adéquate : éviter de sortir en cas d'infections des voies respiratoires et rester à la maison ; boire beaucoup d'eau (facilite l'assimilation du médicament et contribue à son efficacité) ; supprimer alcool et tabac ; prendre des repas légers pour éviter de surcharger l'organisme déjà fatigué par l'infection. *Effets indésirables. Allergies* à certains antibiotiques comme les pénicillines, céphalosporines, sulfamides : signes cutanés en général bénins (rougeurs, démangeaisons, urticaire) ou généraux et parfois graves (œdème du visage et des lèvres, chute brutale de la tension, état de choc, fièvre). Arrêter immédiatement le traitement et appeler le médecin. *Réaction photoallergique* dite de photosensibilisation (manifestations cutanées aux régions non couvertes par les vêtements). *Grossesse :* certains antibiotiques sont contre-indiqués, notamment les tétracyclines, qui forment des complexes avec le calcium, se fixent sur les bourgeons dentaires et colorent les dents de l'enfant.

Mortalité avant et, entre parenthèses, après la découverte des antibiotiques, en % : méningite tuberculeuse 100 (7) ; broncho-pneumonie 32,4 (6,3) ; pneumonie 31,1 (7,1) ; typhoïde 10 (3,2).

• **Anticoagulants.** [La vitamine K, corrigeant le taux sanguin de la prothrombine, s'oppose à la coagulation du sang.] *Anticoagulants modernes :* héparine (1935), dicoumarol (synthétisé en 1940) et ses analogues (tromexane : 1944 ; narcoumar, counopyran, dipaxine : 1952), dérivés de l'indane-dione (phénindione).

• **Antidiabétiques de synthèse.** Hypoglycémiants faisant baisser le taux de sucre dans le sang, essentiellement dérivés des sulfamides (sulfonylurées) ou des biguanides.

• **Antihémorragiques.** Hémostatiques (ayant la propriété d'arrêter une hémorragie) généraux (vitamines K...) et locaux (gélatine, thrombine...).

• **Antihistaminiques.** S'opposent à l'histamine libérée lors des allergies. Action hypnotique.

• **Anti-inflammatoires.** S'opposent aux éléments constituant la réaction inflammatoire (vasodilatation, diapédèse leucocytaire) par différentes propriétés dont l'inhibition de la synthèse des prostaglandines. 2 sortes : *1° Les dérivés des hormones corticosurrénaliennes (corticoïdes) :* les plus puissants. Le 1er fut la cortisone. Leurs nombreuses actions sur différents organes (tissu osseux, estomac, muscles) et différents métabolismes (sucres, eau et sel) en rend dangereux l'emploi prolongé comme anti-inflammatoires. *2° Les anti-infl. non dérivés des corticoïdes.* Différentes familles chimiques : pyrazolés (phénylbutazone) ; indoliques (indométacine) ; propioniques (ketoprofène, ibuprofène, naproxène) ; anthraniliques (acide niflumique, ac. flufénamique).

• **Antimitotiques.** Inhibent les proliférations cellulaires (anticancéreux).

• **Antipaludéens** (ou antimalariques). Contre le paludisme : quinine, nombreux corps de synthèse dérivés, notamment, de la quinoléine (chloroquine, amodiaquine, pentaquine...), de l'acridine (mépacrine) et du biguanide (proguanil).

• **Antipyrétiques.** Combattent la fièvre. Aspirine [acide acétylsalicylique ; marque déposée par Bayer en 1899 en Allemagne. « A » pour Acétyl, « spir » pour Spirsaüre (en all. « acide de la pirée », nom scientifique de la reine-des-prés) et « ine » (suffixe classique en chimie ind.) ; jusqu'à la guerre de 1914-18, Bayer garda la propriété exclusive de la marque ; en 1829, Henri Leroux avait isolé la salicine (principe chimique actif de l'écorce de saule)], quinine.

• **Antiseptiques.** Tuent les microbes par action locale. Alcool éthylique, éther, formol, mercurescéine sodique (M.D. : mercurochrome), teinture d'iode.

• **Antispasmodiques** (combattent les spasmes). Le type en est l'atropine, alcaloïde de la belladone ; on réalise maintenant de nombreux antispasmodiques de synthèse.

• **Antitussifs** (combattent la toux). Produits variés. Essentiellement codéine et dérivés, antihistaminiques.

• **Anxiolytiques.** Tranquillisants légers. Benzodiazépines (8 millions de consommateurs réguliers en France).

• **Barbituriques.** Dérivés de l'acide barbiturique, ils provoquent le sommeil : phénobarbital (ex. : gardénal). Utilisés dans l'anesthésie : hexobarbital (ex. : évipan), thiopenthal sodique.

• **Cholérétiques.** Augmentent la production de bile : artichaut (cynarine), boldo (boldine), nombreuses substances de synthèse. Cholagogues : font vider la vésicule biliaire (sulfate de magnésie).

• **Curarisants.** Provoquent un relâchement musculaire (en entraînant des modifications de la chronaxie des nerfs) : curare, d-tubocurarine (substances naturelles), ammoniums quaternaires synthétiques comme la gallamine triéthiodure.

• **Diurétiques.** Augmentent la diurèse. On utilise des dérivés sulfamidés, des antagonistes de l'aldostérone (spironolactone) et divers produits de synthèse, dont le mode et le niveau d'action déterminent les conditions d'emploi. Sulf. diurétiques.

• **Ganglioplégiques.** Interrompent la conduction de l'influx nerveux au niveau des ganglions du système nerveux autonome, empêchant sa transmission de la fibre préganglionnaire à la fibre postganglionnaire. Certains alcaloïdes naturels (nicotine, spartéine, lobéline) possèdent cette activité, mais essentiellement des ammoniums quaternaires de synthèse.

• **Hormones.** Sécrétées par les glandes, elles agissent à distance après avoir été transportées par le sang (Voir Index). Cortisone et ses dérivés : anti-inflammatoires. Insuline : traitement du diabète.

Les *prostaglandines* sont des substances hormonales complexes mais susceptibles d'applications dans divers domaines : en gynécologie (déclenchement de l'accouchement, avortement précoce), pour traiter stérilité masculine. Leur coût très élevé en limite l'usage.

• **Hormones sexuelles, hypophysaires et hypothalamiques.** Élaborées par les gonades (testostérone, folliculine, progestérone), l'hypophyse (gonadostimulines, corticotrophine ou A.C.T.H., thyréostimuline, somatotrophine, intermédine...) et l'hypothalamus *(releasing hormones* et *inhibiting hormones).*

• **Hypotenseurs. Anti-hypertenseurs.** Abaissent la tension artérielle ; de groupes divers (alcaloïdes du rauwolfia et dérivés, ganglioplégiques, salidiurétiques, dérivés guanidiques bêta-bloquants...).

• **Laxatifs.** Facilitent ou provoquent l'évacuation des selles : essentiellement lubrifiants (huile de paraffine), mucilages (agar-agar, lin, psyllium...), salins (sulfates de sodium et de magnésium), péristaltogènes (produits à anthraquinones tels aloès, séné...), glucidiques (miel, manne, pulpes de fruits...).

• **Myorelaxants.** Provoquent un relâchement musculaire en agissant au niveau de la jonction neuromusculaire ou à l'étage médullaire ou central.

• **Psychotropes.** Modifient le comportement et corrigent les troubles psychiques ; tranquillisants, psychotoniques ou antidépresseurs.

• **Sédatifs.** Calment le système nerveux. Bromure de calcium (sodium, potassium) ; barbituriques et leurs associations.

• **Sérums.** Confèrent une immunité passive contre une infection ou une intoxication grâce à des *anticorps* formés dans le sang d'un animal ou d'un sujet humain qui est alors un donneur de gammaglobulines spécifiques, immunisé contre l'agent pathogène ou la toxine responsable. *Sérum anti- :* botulinique, charbonneux, coquelucheux, diphtérique, gangréneux, tétanique, venimeux.

Sérums cytotoxiques : sérums Bogomoletz (toxines injectées sous la peau pour exciter les réactions de défense) ; sérum antiréticulocytotoxique (S.A.C.) (sérum de lapins ayant reçu des injections d'antigènes à base de cellules humaines pour stimuler l'organisme).

On appelle improprement sérums des solutés injectables massifs (à base de chlorure de sodium ou de glucose par ex.) utilisés en perfusions.

• **Tonicardiaques.** Renforcent et régularisent les contractions du cœur. Digitaliques, dérivés de la scille, du strophantus.

• **Vasodilatateurs.** Provoquent une dilatation des vaisseaux. Agissent par l'intermédiaire du système nerveux autonome (acétylcholine, yohimbine, histamine, adrénolytiques de synthèse...) ou sur les muscles lisses des vaisseaux : papavérine, dérivés nitrés...

• **Vitamines** (terme créé par Casimir Funk en 1912). Sont, comme les enzymes, des catalyseurs biologiques. L'organisme humain étant incapable d'en opérer la synthèse, elles doivent venir toutes faites de l'extérieur. Si cet apport n'est pas possible, l'avitaminose se traduit par une maladie carentielle (notion connue depuis très longtemps des médecines extrême-orientales).

☞ *Selon le professeur Philippe Meyer* (prof. de pharmacologie à Necker), les Français abusent des médicaments (ils en consomment 5 fois plus que les Suédois). En cas de forte fièvre, la prise systématique d'antibiotiques peut gêner le diagnostic d'infections localisées et sérieuses. Même l'aspirine doit être utilisée avec prudence, car la température permet au corps de se défendre contre les virus. *Les médicaments* contre varices, hémorroïdes, fatigue, grippe ne sont guère efficaces mais ils rassurent les malades.

☞ *Interféron,* découvert en 1957 par Alick Isaacs (Anglais) et Jean Lindenmann (Suisse) : protéine naturelle sécrétée par les cellules humaines attaquées par un virus et qui les rend incapables d'être attaquées par un autre virus en même temps ; agit aussi sur le système immunitaire (renforce les défenses naturelles de la cellule contre un agresseur). Expérimentée avec succès dans certaines infections (1res expériences positives dans les années 1970 pour grippe, hépatite, herpès), essais en cours pour le cancer, une dose massive est nécessaire mais sa production est difficile et coûte cher (180 millions de F le g d'interféron pur).

Vaccinations

Généralités

• **Principe.** Censées conférer une immunité active, spécifique contre une maladie déterminée, en introduisant dans un organisme l'agent pathogène atténué ou inactivé de cette maladie ou sa toxine préalablement détoxifiée.

• **Dates d'invention.** Vaccins *antivariolique* (1796), Jenner, G.-B. ; *antirabique* (1885), Pasteur, France (a vacciné Joseph Meister le 6-7-1885) ; *antityphoïdique* (1888), Chantemesse et Widal, Fr. (1896), sir

Almroth Wright, G.-B. ; *anticholérique* (1884), Jaime Ferran, Esp. (réaction forte : abandonné) ; (1892), Waldemar Mordecai Haffkine, Russie, travaillait à l'Institut Pasteur de Paris ; *B.C.G.* (1921), Albert Calmette et Camille Guérin, Fr. ; *antidiphtérique* (1923), Gleeny, G.-B. ; (1923), Gaston Ramon, Fr. ; *antitétanique* (1927), Pierre Descombey et G. Ramon, Fr. ; *anticoquelucheux* (1935), Leslie Gardner, U.S.A. ; *antiamaril* (vaccin contre la fièvre jaune) (1932), Sellard et Laigret, Fr., travaillaient à l'Institut Pasteur de Dakar (abandonné) ; (1937), Theiler souche 17D, U.S.A. ; (1939), Peltier, Durieux et collab., Fr., Institut Pasteur de Dakar ; *antigrippal* (1937), Francis et Magill, U.S.A. ; *antipoliomyélitique* (1954), J. Salk, U.S.A. ; (1955), Pierre Lépine, Fr. ; *antirougeoleux* (1960), Enders ; *antirubéoleux* (1962), Weller, Neva et Parkmann ; *antiourlien* (1966), Weibel, Buynach, Hillemann ; *antiméningococcique C* (1968), Gotschilch ; *antiméningococcique A* (1971), Gotschlich ; *anti-hépatite B* (1976), Maupas, Fr. ; Hillemann, U.S.A.

• **Résultats.** Les vaccinations ont permis la régression spectaculaire de maladies infectieuses graves. Par exemple, en France : *Coqueluche : 1961* : 5 516 cas (207 décès) ; *71* : 668 c. (29 d.). *85-87* : 1 065 c. *Diphtérie : 1961* : 726 c. (23 d.) ; *71* : 38 c. (1 d.). *85* : 4 c. *89* : 1 c. *Méningite : 1989* : 510 c. *Oreillons : 1989* : 162 c./100 000 hab. *Poliomyélite : 1961* : 1 513 c. (126 d.) ; *71* : 48 c. (9 d.) ; *76* : 6 c. (sujets non vaccinés) (0 d.) ; *85* : 2 c. *89* : 2 c. *Rougeole : 1989* : 269 c./100 000 hab. *Rubéole congénitale : 1988* : 4 c. *Tétanos : 1989* : 61 c. *Tuberculose pulmonaire : 1989* : 7 163 c.

Principaux vaccins

Anti-amarile (fièvre jaune). 1 injection au moins 10 j avant le départ. Valable 10 ans, 10 j après une primovaccination, le jour même d'une revaccination. L'analyse d'urines systématique préalable aux vaccinations a été supprimée par la circulaire du 3-10-84 (y compris pour les vaccinations internationales).

Anticholérique. Bien que n'étant plus recommandé par l'O.M.S., ce vaccin continue d'être exigé dans certains pays. Une injection sous-cutanée est suffisante. Ce vaccin n'apporte qu'une protection de 50 %, limitée à 6 mois. On recommande un intervalle de 3 semaines entre une vaccination anticholérique et une vaccination anti-amarile. Un vaccin oral très efficace est expérimenté.

Antidiphtérique. N'est pas disponible isolément. Présent dans les associations : D.T., D.T.P.-D.T.C.P., D.T.-T.A.B.

Antigrippal. Conseillé tous les automnes, surtout aux + de 60 ans, aux insuffisants cardiaques et respiratoires, en cas de grossesse, d'affections métaboliques, aux professions exposées aux risques de contamination, aux entreprises, cela pour des raisons professionnelles. En 1989, 11 % des Français ont été vaccinés (dont 66 % des plus de 65 ans). Efficacité : 70 à 80 %.

Antipoliomyélitique. Obligatoire chez l'enfant avant 18 mois. Recommandé également aux adultes.

Antirubéolique. Voir calendrier. Voir p. 139 a. Chez adolescentes et jeunes filles, la vacc. contre la rubéole peut être proposée lors d'une visite de contraception, elle peut être faite sans sérologie préalable. Le contrôle sérologique post-vaccinal n'est pas nécessaire en routine. Lorsque le vaccin est administré après la puberté, l'éventualité d'un risque tératogène doit faire éviter toute grossesse dans les 2 mois qui suivent la vaccination. Si la sérologie prénatale est négative, la vaccination pourra être pratiquée immédiatement après l'accouchement. La vaccination anti-rubéolique peut être faite chez le petit enfant et chez la fillette avant la puberté sans sérologie préalable, ensuite elle est faite avec sérologie préalable.

Antitétanique. 2 injections à un mois d'intervalle, rappel au bout d'un an puis tous les 10 ans.

Antituberculeux.

Antityphoïdique. T.A.B. (typhoïde-paratyphoïdique A et B). 3 injections à une semaine d'intervalle au minimum, rappel au bout d'un an.

Vaccin typhoïdique monovalent, administré en 1 seule injection, protège 2 à 3 ans.

Antivariolique. N'est plus obligatoire en G.-B. dep. 1971, P.-Bas 1975, Suède et Danemark 1976, Italie 1977, France : primo-vaccination depuis juillet 1979 ; revaccination dep. la loi du 30-5-1984.

Obligations dans quelques pays. *Allem.* : aucune. *Belgique* : polio. *Danemark* : aucune. *Espagne* : aucune (vaccinations demandées à l'inscription dans un établissement scolaire mais sans obligation légale). *Finlande* : aucune. *France* : diphtérie, tétanos, polio obligatoires avant 18 mois, rappel 1 an après la vaccination initiale sauf contre-indication médicale ; BCG à partir de 6 ans jusqu'à 25 ans pour les sujets présentant une réaction négative à la tuberculine. Ces vaccinations sont exigées pour la fréquentation d'un établissement scolaire (sauf B.C.G. en maternelle). *G.-B.* : aucune. *Irlande du S.* : aucune. *Islande* : aucune. *Italie* : obligatoires : diphtérie, polio, exigées pour la fréquentation d'un établissement scolaire. *Luxembourg* : aucune. *Pays-Bas* : aucune. *Portugal* : obligatoires : diphtérie, tétanos pour les enfants de 12 à 18 mois. *Suède* : aucune. *Suisse* : aucune.

Calendrier vaccinal en France

Adopté par le Conseil supérieur d'hygiène publique de France. *Légende.* B.C.G. : Bacille Calmette et Guérin. C. : Coqueluche. D. : Diphtérie. P. : Poliomyélite. T. : Tétanos.

Vaccinations recommandées non obligatoires

La vaccination doit être pratiquée à l'entrée en collectivité. Le B.C.G. précoce est réservé aux enfants de milieu à risque. L'épreuve tuberculinique doit être pratiquée 3 à 12 mois plus tard.

Dès le 1er mois, B.C.G. **A partir de 2 mois,** D.T.C.P. 1re injection. Le vaccin polio injectable est recommandé, surtout pour les primo-vaccinations, en réservant le vaccin polio oral pour des situations particulières. Sauf contre-indication particulière et laissée à l'appréciation du médecin traitant, il est recommandé de pratiquer l'association D.T.C.P. **3 mois,** D.T.C.P. 2e injection. **4 mois,** D.T.C.P. 3e injection. **A partir de 12 mois,** rougeole-rubéole-oreillons. Vaccination associée recommandée de façon indiscriminée pour petits garçons et petites filles. *V. contre la rougeole* doit être pratiquée plus tôt, à partir de 9 mois pour les enfants vivant en collectivité, suivie d'une revaccination 6 mois plus tard en association avec la rubéole et les oreillons. En cas de menace d'épidémie dans une collectivité d'enfants, on peut vacciner tous les sujets supposés réceptifs de plus de 9 mois ; la vaccination immédiate peut être efficace si elle est faite moins de 3 j. après le contact. On peut faire simultanément, en un site d'injection séparé, le rappel D.T.C.P. **15-18 mois,** D.T.C.P. 1er rappel. **5-6 ans,** D.T.P. 2e rappel, rougeole-rubéole-oreillons. La vaccination associée rougeole-rubéole-oreillons est recommandée chez les enfants n'ayant pas encore été vaccinés. Elle peut être injectée simultanément, en un site séparé, au rappel diphtérie, tétanos, polio et/ou B.C.G. **Avant 6 ans,** B.C.G. **11-13 ans,** D.T.P. Oreillons pour les garçons non vaccinés et n'ayant pas eu la maladie. Rubéole pour toutes les filles, en primo- ou en revaccination. Épreuve tuberculinique suivie du B.C.G. en cas de négativité. **16-21 ans,** D.T.P. Rubéole pour les filles non vaccinées. Recommandée lors d'une visite de contraception ou prénuptiale. La vaccination peut être faite sans sérologie préalable. Le contrôle sérologique postvaccinal n'est pas nécessaire. En raison d'un risque tératogène, s'assurer de l'absence d'une grossesse débutante (1er mois) et éviter une grossesse dans les 2 mois suivant la vaccination. Si la sérologie prénatale est négative, la vaccination devra être pratiquée immédiatement après l'accouchement, avant la sortie de la maternité. Épreuve tuberculinique suivie du B.C.G. en cas de négativité. **21-60 ans,** T. Polio tous les 10 ans. Rubéole pour les femmes non immunisées jusqu'à 45 ans. **Après 60 ans,** Tétanos, Polio (tous les 10 ans), vaccination grippale tous les ans.

En cas de retard dans la réalisation du calendrier indiqué, il n'est pas nécessaire de recommencer tout le programme des vaccinations nécessitant des injections répétées. Il suffit de reprendre ce programme au stade où il a été interrompu et de compléter la vaccination en réalisant le nombre d'injections requis en fonction de l'âge. Un délai minimal de 4 semaines est requis entre chaque injection. Vaccinations et dates d'injection doivent être mentionnées sur un *carnet de vaccination.*

Nota. – Éviter les boissons alcoolisées le jour du vaccin. – Les rappels D.T.P. tous les 5 ans, ainsi que les vac. contre rougeole, rubéole, coqueluche et oreillons sont recommandés mais non obligatoires (en cas d'accident, les victimes ne disposent d'aucun recours s'il s'agit d'une vaccination seulement recommandée).

☞ La vaccination est gratuite si elle est faite à l'école, ou remboursée par la S.S. (ticket modérateur) si les parents font appel à leur médecin.

Risques professionnels

• **Personnels de santé** (soumis à l'article L. 10 du Code de la santé). **Vaccinations obligatoires :** *Diphtérie* : à l'embauche si la vaccination date de plus de 10 ans. *T. polio* : tous les 10 ans. *Typhoïde* : à l'embauche, puis tous les 5 ans jusqu'à 35 ans. *B.C.G. ou I.D.R. +* : jusqu'à 25 ans : si l'épreuve est négative. **Vaccinations recommandées** (circulaire du 15-6-1982). *Hépatite B* : 3 injections à 1 mois d'intervalle, rappel 1 an après, puis tous les 5 ans [personnel en contact avec des malades ou avec des prélèvements biologiques ; étudiants et élèves des établissements préparant aux professions de la santé].

• **Autres catégories professionnelles. Vaccinations recommandées.** *Tétanos* : tout individu, tous les 10 ans. *Leptospirose* : égoutiers, employés de voirie, gardes-pêche, travailleurs agricoles en particulier des rizières. *Brucellose* : laboratoires, abattoirs, vétérinaires et services vétérinaires, agriculteurs en zone d'endémie. *Rage* : services vétérinaires, laboratoires manipulant du matériel contaminé ou susceptible de l'être, équarrisseurs, fourrières, naturalistes, taxidermistes, gardes-chasse, gardes forestiers, abattoirs.

Risques particuliers

Vaccination grippale : tous les ans. *V. pneumococcique* : tous les 5 ans, insuffisants cardiaques et respiratoires. *V. contre l'hépatite B* : insuffisants rénaux, entourage proche de sujets Ag H.B. s. positif, nouveau-nés de mère porteuse Ag H.B. s. positif, polytransfusés, hémophiles, homosexuels, partenaires sexuels de sujets Ag H.B. s., sujets ayant des partenaires sexuels multiples, toxicomanes utilisant des drogues parentérales.

Voyages à l'étranger

Fièvre jaune : si exigée + pays endémiques. *Choléra* : si exigée (quand ces 2 vaccinations sont exigées, se faire vacciner dans cet ordre : *fièvre jaune ;* 3 semaines après : *anticholérique*). *Tétanos et polio* : pour tout voyageur. *Typhoïde, hépatite B et méningocoque A + C* : recommandées dans certaines circonstances.

Vérifier auparavant à quand remonte la *vaccination de rappel antipoliomyélitique* et *antitétanique* : vaccin puis rappel tous les 10 ans (tétanos) ; tous les 5 ans (polio) ; *antituberculeuse* : B.C.G. et contrôle par cuti-réaction tous les ans ou tous les 2 ans ; *antityphoïdique* : conseillée surtout en cas de voyage dans de mauvaises conditions d'hygiène ; *vaccins* préconisés.

Plus aucun pays n'exige officiellement la vaccination antivariolique pour les voyageurs étrangers.

Contestations

Adversaires. La vaccination obligatoire a des adversaires, quoique les accidents soient très rares par rapport aux millions de personnes vaccinées.

Il existe une *Ligue nationale pour la liberté des vaccinations,* 4, rue Saulnier, 75009 Paris, qui considère l'obligation d'un acte médical comme une grave atteinte aux libertés individuelles d'autant plus grave que les vaccins à germes vivants activent le virus du Sida chez les porteurs asymptomatiques.

Refus de vaccinations obligatoires : amende de 600 à 1 000 F et 10 j à 1 mois de prison, sauf contre-indication médicale (décret du 21-5-1973) ; un enfant peut être écarté d'un établissement (scolaire public ou privé, classe de neige, centre d'apprentissage), par décision de l'inspecteur d'académie ou du préfet uniquement s'il ne présente ni certificat de contre-indication ni de vaccination. **Désaccord entre son médecin et le directeur départemental de la Santé :** le Code de la santé prévoit l'arbitrage d'un spécialiste pour le B.C.G. (pour les autres vac. le médecin de famille est seul juge et peut établir un certificat de contre-indication sans être tenu d'en préciser le motif). **Accident provoqué par une vaccination obligatoire :** l'État est responsable (lois de 1964 et 1975) ; il faut des années de procédure pour obtenir réparation (pas d'indemnité pour les vaccins facultatifs).

Drogues et Toxicomanie

Définitions

Drogue. Substances étrangères à l'organisme qui ne sont pas utilisées comme aliment, mais doivent être éliminées après avoir subi des modifications de structures dans les cellules. Elles agissent en doses très faibles, ont pour cible principale le cerveau limbique ou paléo-cortex. Drogues, au sens des Nations unies, définies dans 3 Conventions internationales : sur les *stupéfiants* (1961), *psychotropes* (1971), *stupéfiants et psychotropes* (1988).

Pharmaco-dépendance. État psychique et parfois physique résultant de l'interaction entre un organisme vivant et une drogue ; se caractérise par des modifications du comportement et d'autres réactions qui comprennent toujours une pulsion à prendre de la drogue afin de retrouver ces effets psychiques et quelquefois d'éviter le malaise de la privation (définition de l'O.M.S.).

Toxicomanie. État d'intoxication périodique ou chronique, psychique et/ou physique engendrée par l'absorption périodique ou continuelle d'une ou de plusieurs drogues. *Caractéristiques :* invincible désir ou besoin (obligation) de continuer à consommer la drogue et de se la procurer par tous les moyens ; tendance à augmenter les doses pour obtenir les mêmes effets (tolérance) ; dépendance d'ordre psychique et parfois physique à l'égard des effets de la drogue ; effets nuisibles à l'individu et à la société.

Catégories de toxicomanes. 1) *Usage expérimental :* un essai, sans suite et sans conséquences. 2) *Usage occasionnel :* l'utilisateur peut faire un usage expérimental « à répétition », ou il peut, en certaines occasions, prendre un produit pour modifier son psychisme et donc être relativement dépendant psychologiquement (dissimuler son angoisse dans des situations bien précises). 3) *Usage habituel :* l'utilisateur est déjà dépendant psychologiquement du produit toxique, mais les symptômes du manque (issus de la dépendance physique liée aux opiacés, aux benzodiazépines et aux barbituriques) n'apparaissent pas encore. 4) *Usage toxicomaniaque :* l'utilisateur est dépendant psychologiquement et aussi – quand c'est le cas – dépendant physiquement. Il centre sa vie autour du produit toxique : il ne vit que par lui et pour lui ; il devra augmenter sa dose et la fréquence de ses prises ; pour se procurer de la drogue, il se livrera à un petit (ou moyen) trafic de drogue, à la prostitution, au vol, aux faux et usages de faux ou à des hold-up.

Produits utilisés

Analgésiques. Naturels (opium, morphine, codéine), de demi-synthèse (héroïne) ou de synthèse (péthidine, dextromoramide, méthadone, buprénorphine) ; la synthèse clandestine de péthidine s'est développée aux U.S.A. et la substance obtenue, souvent polluée par un dérivé, a provoqué un syndrome de Parkinson irréversible chez de nombreux jeunes toxicomanes. Les fabricants clandestins (« combinards », aux U.S.A. « designers drugs ») ne savent pas exactement ce qu'ils synthétisent, les toxicomanes ne savent pas ce qu'ils utilisent et les médecins ne savent pas ce qu'ils essayent de traiter. Le Mexique produit une héroïne noire : black star, utilisée par voie intraveineuse. En avril 1990 à Marseille, de l'héroïne frelatée contenant ciment, plâtre et strychnine a tué 6 jeunes et en a paralysé 4.

Cannabis. Produit actif (le tétrahydrocannabinol dit THC) utilisé sous 3 formes : *herbe* (feuilles et fleurs séchées : kif, marijuana...) ; *haschich* (résine : hasch, shit..., revendue au détail sous forme de « barrettes ») ; *huile* (goudronneuse). En France, généralement en le fumant, le plus souvent mélangé à du tabac (cigarettes de kif, « joints », « pétards », etc.). Peut se cultiver partout, mais il vient du Maroc, Colombie, Mexique, Jamaïque, Afrique noire, Afghãnistãn, Liban, Népal, Indonésie. Drogue la plus répandue et la moins chère. L'Espagne envisage de revenir sur la « décriminalisation » de l'usage du cannabis.

Coca. *Culture :* Pérou, Bolivie, Équateur, Brésil, Colombie. *Transformée* en cocaïne, principalement en Colombie, et acheminée ensuite en Amérique du Nord et en Europe. *Usage :* dans la zone de production, on fume la pâte de coca (produit du premier traitement de la feuille de coca, contenant env. 50 % de cocaïne). Souvent utilisée en association avec le cannabis ou les morphiniques. La coca, il y a *env. 4 500 ans,* servait à des fins religieuses et rituelles en Amérique centrale et du Sud. *1551,* après la conquête espagnole, le concile de Lima en interdit l'usage. *1573,* le vice-roi l'autorise car elle accroît la productivité dans les mines de Potosi, et devient alors la principale forme de rémunération de la main-d'œuvre. *1860,* Albert Nieman (All.) élabore le produit purifié connu sous le nom de cocaïne. *1863,* Angelo Mariani, chimiste corse, commercialise un vin « remontant » (il lui donne son nom). *1886,* naissance du coca-cola (mélange d'extrait de coca, caféine et noix de kola avec de l'eau et du gaz carbonique). *1887,* Freud, qui en a fait lui-même usage, constate les dangers de la cocaïne.

« Crack » ou « Rock ». Apparu aux U.S.A. vers 1985 et, depuis peu, en France : cocaïne sous forme de base libre à env. 70 % (sa puissance est de 5 à 10 fois celle de la cocaïne classique) ; obtenu en traitant un *sel* de cocaïne impur par un alcalin (ex : ammoniaque ou bicarbonate de sodium). Appelé crack à cause du bruit qu'il fait lorsqu'on le chauffe, rock à cause de sa forme (gros cristaux beige ou marron). Se fume avec une pipe à eau, pur ou mélangé à du cannabis ou du tabac. Aspiré par la bouche très brusquement, il pénètre ainsi dans le cerveau beaucoup plus rapidement qu'après reniflage, injection ou après une cigarette. Au-delà de la dépendance psychique, il crée rapidement une très forte dépendance physique (2 ou 3 semaines).

Hallucinogènes. Produits naturels (mescaline, psilocybine), de semi-synthèse (LSD 25) ou de synthèse (STP, DMA, DMT, etc.). Fabrication relativement aisée en laboratoire, mais dosage délicat : de l'ordre du µg/kg. On trouve dans tous les pays des substances hallucinogènes naturelles (plantes, champignons). La PCP (phencyclidine) : produit de synthèse créant des accidents très graves ; aux U.S.A. est classée comme hallucinogène, bien qu'à l'origine elle soit un anesthésique utilisé en médecine dentaire, puis vétérinaire. *Ecstasy (XCT ou Adam) :* hallucinogène très puissant et très toxique : MDMA (Méthylène Dioxy – 3,4 – Méthamphétamine). Les hallucinogènes peuvent entraîner la folie ou de graves désordres psychotiques.

Inhalants. Éther. Produits d'usage ménager, de nettoyage ou de beauté qui, pour la plupart, contiennent des dérivés d'hydrocarbures (« spiromanie au solvant »). *Effets premiers recherchés :* ébriété, euphorie, hallucinations. *Secondaires non désirés :* céphalées, douleurs abdominales, asthénie. *A long terme :* irritation des muqueuses, atteintes de certains organes : reins, foie, cœur. Tous les effets sont réversibles sauf les cas (rares) de lésion cérébrale et d'encéphalopathie. De nombreux accidents sont dus au mode de prise (dans un sac plastique, « sniffing ») et aux risques dus à la baisse de vigilance.

Khat ou Kat. *Thé des Abyssins* ou *thé d'Arabie :* feuilles d'un arbuste *(Catha edulis),* mastiquées, anorexigènes et stimulantes.

Médicaments. *Hypnotiques barbituriques, non barbituriques et tranquillisants :* ces dépresseurs sont détournés de leur usage médical comme sédatifs et somnifères ou pour calmer une angoisse (le valium, tranquillisant, est réellement une drogue de masse). *Amphétamines :* on en trouve dans des anorexigènes ou des produits décongestionnant des voies nasales. Utilisés dans le « doping » des sportifs. *Benzodiazépines :* souvent des anxiolytiques, induisent le sommeil. *Temgésic* (Buprémorphine) : antalgique détourné comme substitut à l'héroïne.

Stimulants. *Ice* (glace) ou *Crystal meth :* méthamphétamine sous forme de cristaux (ressemblant à du gros sel ou à du sucre candi) qui se fume et dont l'action est beaucoup plus longue que celle du crack.

Substances volatiles. *Solvants :* colles plastiques ou à séchage rapide, utilisées pour modèles réduits, solvants et diluants pour peinture ; laque (contient du toluène et des alcools) ; produits à base de pétrole (essence, kérosène et essence à briquet) ; *agents propulsants* contenus dans les aérosols (le plus souvent du difluorodichlorométhane et d'hydrocarbone isobutane) ; *produits anesthésiants.*

Effets : ivresse semblable à celle provoquée par l'alcool, vertiges, sensation de flottement, sentiment de toute-puissance, euphorie, visions très colorées, état de rêve à l'état éveillé, parfois hallucinations, perte du sens de la durée, torpeur, tendance à éclater de rire, diminution des inhibitions... Toxicité. *A court terme :* faible pour l'oxyde nitreux, elle est élevée pour les fréons ; *à long terme :* troubles du foie, des reins, troubles nutritionnels dus à une perte d'appétit. *Tolérance et dépendance :* une tolérance aux effets des substances volatiles peut se développer en 2 à 3 mois en cas d'inhalation régulière. Il semble que l'inhalation de substances volatiles provoque une dépendance physique.

Nota. – La drogue est utilisée très diluée : cocaïne 10 à 30 %.

Lexique. *Accro :* accroché, soumis à l'effet de dépendance de la drogue. *Acid :* L.S.D. *Afghan :* résine de cannabis d'Afghãnistãn. *Amphés :* amphétamines. *Baba cool :* hippie des années 60. *Barbis :* barbituriques. *Bassouko ou Bazzuko :* crack colombien. *Poudre, blanche :* héroïne. *Brown-sugar :* héroïne n° 3. *Coke :* cocaïne. *Être cool :* éprouver un sentiment de bien-être et d'apaisement. *Dealer :* petit revendeur de drogue. *Défonce :* abus de drogue. *Flash :* impression ressentie après un shoot. *Fix :* injection intraveineuse. *Flipper :* ressentir l'angoisse du manque. *Hook :* drogué. *Joint :* cigarettes de tabac et cannabis. *Julie :* cocaïne. *Junky :* toxicomane « lourd ». *Naphtaline :* héroïne. *Neige :* cocaïne. *Rails :* lignes de cocaïne. *Shit :* hachisch. *Shoot :* une piqûre et son effet. *Sniffer :* renifler. *Speed :* amphétamines. *Trip :* prise de L.S.D., voyage imaginaire sous l'effet de la drogue.

Statistiques

Production

Production licite (1987, monde, en t) *d'opium :* 712 (dont Inde 698) ; *équivalent morphine :* 170 ; *paille de pavot* (en t d'équivalent morphine) : 95,5 dont Australie 32,7, *France 11,8,* Turquie 9,2, Espagne 5,8. Autres 36.

Production illicite (en t, estim. 1989). **Opium.** *1986 :* 1 900 t, *1989-90 :* 5 000 dont Triangle d'or 2 940 (Myanmar 2 500, Laos 400, Thaïlande 40), Croissant d'or 1 500 à 2 000 t (Afghanistan 1 000, Pakistan, Iran). Mexique 85, Inde 55 t. Hong Kong : 20 t d'héroïne par an dont 2/3 sont revendus sur place, 6 à 7 t sont disponibles sous forme de granulés orange ou grisâtres (brown sugar). **Cocaïne.** Surfaces cultivées et production (Source : O.I.P.C.-Interpol). *Bolivie :* 7 000 ha, 483 t de cocaïne HCl (Hydrochloride : poudre blanche)/an, 75 % des exportations. *Pérou :* 100 000 ha, 300 à 1 000 t, 14 % des export. *Colombie :* 25 000 à 60 000 ha, 40 à 60 t, 13 % des export.

☞ *Pour obtenir 1 kg d'héroïne :* il faut 500 000 fleurs de pavot (2/3 ha), *1 kg de morphine base :* 10 kg d'opium, *1 kg de cocaïne :* 180 à 500 kg de feuilles de coca.

Statistiques financières

Chiffre d'affaires (en milliards de $) : 300 à 500 (budget France : 150). **Importations totales de drogue en Europe et aux U.S.A.** (prix de gros) : 30 (imp. totales de l'Autriche : 31). **Importance financière.** D'après un rapport du 7-2-1990 du groupe d'action financière sur le blanchiment des capitaux provenant de la drogue, les trafics illicites d'héroïne, de cocaïne et de cannabis en Europe et aux U.S.A. génèrent un total de ventes de 122,5 milliards de $ dont 85,4 seraient investis ou blanchis. En févr. 1990, la Commission des Stupéfiants de l'O.N.U. a recommandé de ratifier et de faire entrer en vigueur dans les meilleurs délais la Convention du 20-12-1988 contre le trafic illicite. En déc. 1990, une saisie de 50 millions de $ (en provenance du trafic illicite) a été faite en Europe, placés dans 14 pays dont G.-B., All., France (27 millions de F confisqués dans 5 banques parisiennes).

Prix de la drogue en F des pays producteurs au kg, entre crochets **[prix à Paris au kg,** entre parenthèses **(prix au g à Paris et à Marseille)]. Cannabis** *herbe* 800 à 1 200 [5 000 à 6 000 (20 à 25/40 à 50)] ; *résine du Maroc* 1 200 à 1 500 [12 000 à 17 000 (25 à 35/50 à 70)] ; *du Liban* 1 800 à 2 000 [3 000 à 4 000 (35 à 50/70 à 100)] ; *huile du Liban* 3 000 à 4 000 (40 à 50). **Feuilles de coca (500 g)** 3 000 à 4 000. **Pâte (base, 2,5 kg)** 7 000 à 8 000. **Cocaïne (base, 1 kg)** 28 000 à 30 000. **Chlorydrate de cocaïne (1 kg)** 65 à 80 000 [180 000 à 200 000 (800 à 1 000)]. **Opium brut triangle d'or** 2 500. **Croissant d'or** 1 800 à 2 000. **Héroïne laboratoire Triangle d'or** 35 000. **Croissant d'or** 30 000. **N° 4 Triangle d'or** 50 000 à 60 000 [250 000 à 400 000 (600/1 000)].

La répression menée en 1990 en Amérique latine a provoqué une baisse du prix de la feuille de coca dans les pays andins. Cette baisse s'est traduite, dans plusieurs pays consommateurs, par une diminution, au moins momentanée, des quantités disponibles de cocaïne et, donc, par une hausse des prix de détail.

Prix du g (1989). Allemagne cocaïne 1 700 F, héroïne 680 à 1 360 F. *France* cocaïne 800 à 1 000 F, héroïne 600 à 800 F. *U.S.A.* cocaïne 500 à 2 300 F (1990).

Saisies

Monde. Saisies de stupéfiants (1989 en t.) (*Source :* O.N.U.). **Total :** 1 957,2. **Cannabis.** *Herbe :* 1 240,5 dont Amériques 1 009,3 ; E.-O. [1] 122,5 ; Europe 39,5 ; Afrique 35,2 ; Océanie 33,3 ; M. - O. [2] 643. *Résine :* 390 dont Eur. 209,1 ; M. - O. [2] 169,3 ; E. - O. [1] 8,4 ; Amér. 2,3 ; Afr. 0,4 ; Oc. 0,3. **Cocaïne.** 255,1 dont Amér. 246,9 ; Eur. 8,1 ; Afr. 0,06 ; Oc. 0,05 ; E. - O. [1] 0,02 ; M. - O. [2] 0,01. **Dépresseurs.** 0,75 dont E. - O. [1] 0,72 ; M. - O.[2] 0,02 Eur. 0,008. **Hallucinogènes.** 0,038 dont Eur. 0,018 ; Am. 0,017 ; Oc. 0,003. **Héroïne.** 23,3 dont M. - O.[2] 10,9 ; E. - O. [1] 5,8 ; Eur. 5,1 ; Am. 1,1 ; Afr. 0,2 ; Oc. 0,17. **Méthaqualone.** 0,969 dont E. - O. [1] 0,887 ; Eur. 0,082. **Morphine.** 0,921 dont M. - O.[2] 600 ; Eur. 0,275 ; E. - O. [1] 0,041 ; Am. 0,005. **Narcotiques de synthèse.** Eur. 0,003. **Opium.** 42,6 dont M. - O. [2] 33,5 ; E. - O. [1] 8,6 ; Am. 0,46 ; Eur. 0,094. **Stimulants.** 3,013 dont M. - O. [2] 1,3 ; E. - O. [1] 0,95 ; Eur. 0,6. Oc. 0,15.

Nota. – (1) E.-O. : Extrême-Orient. (2) M.-O. : Moyen-Orient.

Saisies record (en une fois). *Cocaïne 1988.* Espagne 471 kg. *90* Allemagne (nov.) 1 t, P.-Bas (mars) 3 t, Mexique (sept.) 6 t, (en un an) France 1990 21 t.

Répression. En Iran, + de 1 000 personnes ont été pendues en 1990 pour trafic de stupéfiants. En Malaisie, dep. 1983, + de 25 étrangers ont été condamnés à mort et exécutés pour trafic de drogue.

Toxicomanes

• Monde. Nombre de toxicomanes. *Nombre* en augmentation dans le monde, dans toutes les couches sociales et tous les groupes d'âge, mais l'abus reste surtout le fait des jeunes. Les polytoxicomanies augmentent, souvent en conjonction avec l'alcool.

États-Unis. *Utilisateurs habituels de drogues (en millions) :* cocaïne + de 6 ; analgésiques 27. *% des usagers de 18 à 25 ans* au cours des mois précédents : *1972 :* 0,6 ; *1974 :* 1 ; *1985 :* 1,8. *+ de 25 ans : 1985 :* 2. 1989 : diminution des héroïnomanes, augm. des cocaïnomanes.

Iran. 600 000 toxicomanes.

Pakistan : 1 million d'héroïnomanes.

U.R.S.S. *1989 :* 150 000 utilisateurs habituels à Moscou.

☞ Khat. Madagascar, Kenya, Abyssinie, Yémen, Erythrée continuent à en consommer. Toxicomanie signalée en Europe en 1989 (G.-B., Italie, Scandinavie) : développement des transports aériens de la plante fraîche.

% des toxicomanes atteints du S.I.D.A. Dans certains pays, plus de 50 % des cas de SIDA chez les adultes concernaient, en 1988, des toxicomanes ayant utilisé des aiguilles et des seringues contaminées. Les femmes enceintes toxicomanes transmettent fréquemment le virus à leur bébé. En 1990 (1er trim.) 2 569 cas à Paris, 1 804 cas dans les dép. de la couronne.

A Marmottan et à Fernand-Widal, env. 1 toxicomane sur 2 est séropositif. Au centre Didro, + de 70 % des jeunes accueillis en 89 étaient séropositifs.

En prison, en France : 30 % des prisonniers sont toxicomanes [Fleury-Mérogis, sur 3 000 femmes, 80 % sont toxicomanes, 45 % séropositives (1990)]. A Fresnes (1988) : 50 à 60 % des toxicomanes étaient séropositifs. *Espagne :* 1 détenu sur 4. *Italie et Suisse :* 1 sur 10. *A New York (1987) :* 53 % des morts du SIDA étaient des drogués, 38 % des homosexuels et bisexuels.

• En France. Nombre de toxicomanes. *1946-49 :* env. 5 000 à 8 000, la plupart d'origine thérapeutique ; 768 détectés dans la Seine (dont, en %, femmes : 53,6. H : 35,1 ; M : 28,2 ; C : 3 ; cannabis : 1,2). *De nov. 1948* (mesures de contrôle de l'emploi médical des stupéfiants) *à 1966* env. 1 000. *Dep. 1967 :* recrudescence du cannabis puis morphine ou héroïne ; de médicaments psychotropes (ex. : amines de réveil). *1976 :* 60 000 à 100 000 toxicomanes. *1989 :* env. 100 000 à 150 000 vrais toxicomanes (dont 100 000 héroïnomanes et + de 20 000 cocaïnomanes). Le crack a fait son apparition début 1989 ; l'ecstasy, dep. 1987.

Toxicomanes veillés dans les centres spécialisés 1989 (entre parenthèses, *1988*). *Centre médical Marmottan :* nouveaux toxicomanes 1 937 (1 599). *Espace Murger à Fernand-Widal :* consultants 1 054 (1 020) ; hospitalisations 272 dont 73 en réanimation. *Trait d'Union* à Boulogne : consultations 4 682 (4 700) ; visites en prison 1 198 (1 317). *Centre Pierre-Nicolle 1989* 14 lits d'hospitalisation et 4 chambres spécifiquement consacrées à une mère toxicomane séropositive et à son nourrisson. 1 toxicomane sur 2 est soigné en Ile-de-France.

Affaires enregistrées par l'Office central pour la répression du trafic illicite des stupéfiants (ensemble des services opérant sur le territoire national : Gendarmerie, Police nat. et Douanes), *1989* (entre parenthèses, *1988*) : 18 406 (17 044), 33 510 (31 213) interpellations dont 24 301 (22 316) usagers simples, 4 760 (4 653) usagers-revendeurs, 3 487 (3 355) trafiquants locaux, 931 (889) trafiquants internationaux. En 1989, augmentation des infractions liées à la consom. + 9,59 %, au trafic + 11,18 %.

Saisies. **Produits (en kg).** *1989* (entre parenthèses, *saisie record depuis 1982). Opium* 2,4 [1] (1982 : 15,9). *Morphine* 8,1 (1982 : 5,8). *Héroïne* 295 (record). *Cocaïne* 938 (record). *Cannabis,* résine 16 206 (1984 : 22 380,5) ; herbe 1 628 (1982 : 18 818,7) ; huile 17,1 [1] (1984 : 53,5) ; pieds 1 704 [1]. *Amphétamines* 4. *L.S.D. 25* 12 124 doses (1982 : 30 230 doses). *M.D.A.* et *M.D.M.A.* (1988) 5 047 [1] cachets. Le 6-2-1989, saisie record de 471 kg de cocaïne (estimés au détail à 4 milliards de F) dans un voilier parqué à Cosne/Loire (Nièvre).

Nota. – (1) 1988.

☞ *Difficultés du contrôle du trafic de la drogue en France :* frontières terrestres 2 970 km, maritimes 2 700 ; franchissements (annuels) : individus 240 millions, marchandises 400 millions de t, camions 7,4 millions, wagons 255 000, avions 382 000.

Trafiquants interpellés et déférés à la justice. *1981 :* 1 336, *82 :* 1 581, *83 :* 2 004, *84 :* 2 558, *85 :* 4 045, *88 :* 4 244, *89 :* 4 418 dont 931 traf. internationaux, 3 487 traf. locaux dont 2 520 étrangers dont 489 Algériens, 342 Marocains, 242 Sénégalais, 223 Tunisiens, 123 Zairois, 112 Italiens, 86 Espagnols, 72 Maliens, 57 Angolais, 49 Colombiens.

Usagers interpellés (entre parenthèses, *% des femmes*). *1971 :* 1 855 (21,36). *75 :* 2 593 (16,02). *80 :* 8 482 (16,73). *81 :* 10 897 (16,29). *82 :* 21 145 (12,97). *83 :* 23 615 (12,14). *84 :* 25 519 (12,55). *85 :* 25 704 (12,94). *86 :* 26 167 (12,84). *87 :* 26 987 (12,15). *88 :* 26 969 (12,12). *89 :* 29 091 (11,53) dont 24 331 usagers, 4 760 usagers revendeurs (dont cannabis 18 544, héroïne 9 525, cocaïne 677, psychotropes 208, L.S.D. 67, opium 14, morphine 1).

Usagers. **Par âge** (en %) : - *de 16 a. :* 0,18. *16 à 20 a. :* 8,39. *21 à 25 a. :* 50,02. *26 à 30 a. :* 24,06. *31 à 35 a. :* 13,79. *36 à 40 a. :* 2,29. *+ de 40 a. :* 1,27.

Produits utilisés *(en % 1989* et, entre parenthèses, *1978*). Cannabis 63,74 (60,7). Héroïne 32,74 (16,22). Cocaïne 2,33 (2,07). L.S.D. 0,23 (3,38). Psychotropes 0,9 (14,42). Opium 0,05 (0,55). Morphine 0,01 (2,55).

Morts par surdose. *1969 :* 1 ; *70 :* 5 ; *71 :* 11 ; *72 :* 6 ; *73 :* 13 ; *74 :* 29 ; *75 :* 37 ; *76 :* 59 ; *77 :* 72 ; *78 :* 109 ; *79 :* 117 ; *80 :* 172 ; *81 :* 141 ; *82 :* 164 ; *83 :* 190 ; *84 :* 237 ; *85 :* 172 ; *86 :* 185 ; *87 :* 228 ; *88 :* 236 ; *89 :* 318 dont (en %) héroïne 86,48, médicaments 6,92, solvants 3,46, cocaïne 2,2, indéterminés 0,94 ; *89 :* Italie 970, All. féd. 991 (450 en 87), Suisse 248 (196 en 87).

Pharmacies volées. *1971 :* 21 ; *73 :* 200 ; *74 :* 710 ; *75 :* 795 ; *76 :* 447 ; *77 :* 642 ; *78 :* 1 049 ; *80 :* 900 ; *82 :* 926 ; *83 :* 740 ; *84 :* 697 ; *85 :* 551 ; *86 :* 436 ; *87 :* 297 ; *88 :* 205 ; *89 :* 207. + *tentatives :* 24 (1982 : 132), *vols violences pharmaciens-médecins :* 26 (1982 : 102), *vols toxiques dans d'autres établissements :* 99 (1985 : 228), *vols au préjudice des médecins :* 165 (1984 : 383), *total :* 521 (1982 : 1 636).

Chiffre d'affaires de la drogue en France. Env. 20 milliards de F (les saisies représentent 4 à 5 % de la marchandise circulant). 1989 et, entre parenthèses 1988, en millions de F : 200 (250) dont *prévention* 16,4 (77,9), *répression* 43,3 (69,3), *accueil et soins* 110 (98,6), *formation* 17,3, *action internationale* 0,24.

Comité interministériel de lutte contre la drogue. *Créé* par le décret du 6-12-1989. *Présidé* par le Premier ministre. Délégation générale à la lutte contre la drogue et la toxicomanie (D.G.L.D.T.). 137, rue du Fbg St-Honoré 75008 Paris. *Créée* par décret du 6-12-1989. Rattaché au 1er ministre. *Déléguée générale :* Mme Georgina Dufoix. *Dél. gén. adjointe :* Mme Domenach-Chich.

Renseignements. *Centre Didro,* 9, rue Pauly, 75014 Paris. *Centre national de documentation sur la toxicomanie (C.N.D.T.) : Université Lyon-II,* 14, av. Berthelot, 69007 Lyon. *Fondation toxicomanie et prévention jeunesse.* Créée en 1980 au sein de la Fondation de France et présidée par Mme Micheline Chaban-Delmas, 18-20, rue de Gergovie, 75014 Paris. *Centre médico-psychologique,* 8, av. Joyeuse, 94340 Joinville-le-Pont. *Monceau,* centre de thérapie familiale, 62, rue de Monceau, 75008 Paris. *Direction départementale de l'action sanitaire et sociale (D.D.A.S.S.)* de son département. *Union nationale familiale de lutte contre la toxicomanie (U.N.A.F.A.L.T.),* 42, avenue Jean-Moulin, 75014 Paris. *Centre Marmottan,* directeur : Dr Claude Olievenstein, 19, rue d'Armaillé, 75017 Paris. *Centre Pierre-Nicolle,* 27, rue Pierre-Nicolle, 75005 Paris. *Bureau d'aide psychologique universitaire,* 44, rue Henri-Barbusse, 75005 Paris. *Toxitel :* service minitel : 3615 GP2.

Beaucoup de services hospitaliers organisent des cures de sevrage et le suivi médical des toxicomanes. Env. 800 centres d'accueil et de soins spécialisés.

Nota. – 2 structures de lutte contre le blanchiment de l'argent sont nées en 1990. *Traitement du renseignement et de l'action contre les circuits clandestins (T.R.A.C.F.I.N.).* 27, rue de l'Université, 75007 Paris. Dépend du ministère des Finances. *Office central pour la répression de la grande délinquance financière (O.C.R.G.D.F.).* 11, rue des Saussaies, 75008 Paris. Dépend du ministère de l'Intérieur.

Législation

☞ La convention de Vienne adoptée par les Nations Unies en 1988 vise à élargir la lutte contre le trafic des stupéfiants dans le monde.

Législation internationale

Répression du trafic de stupéfiants. 6 pays européens distinguent drogues dures et douces (Esp., Irl., It., P.-Bas, Portugal, G.-B.). 6 ne les distinguent pas : All. féd., Belg., Danemark, *France,* Grèce, Lux.

Peines d'emprisonnement maximales : All. féd. 4 ans, Belg. 5, Danemark 2, Esp. 6, *France* 20, Grèce 20, Irl. à perpétuité, It. 15, Lux. 5, P.-Bas 12, Portugal 12, G.-B. à perpétuité.

Usage de stupéfiants. 5 pays le répriment : *France,* Italie, Irl., Lux., Port. 3 pays ne le répriment que dans certains cas : usage collectif (Belg.), si l'usager n'est pas toxicomane (Grèce), usage d'opium (G.-B.), 4 ne le répriment pas : All. féd., Dan., Esp., P.-Bas.

Possession de stupéfiants en vue de l'usage. 5 pays assimilent toute possession à du trafic : Belg., Danemark, *France,* Irl., Lux. Dans tous ces pays (sauf Lux.), si la possession porte sur une très faible quantité, elle peut être assimilée à de l'usage ou même ne pas donner lieu à des poursuites. 6 pays ont créé une incrimination spécifique : Grèce (traitement indulgent la 1re fois), All. féd., It. et Portugal (posséder une faible quantité n'est pas punissable), P.-Bas (distingue drogues douces et dures mais ne poursuit pas), G.-B. (distingue 3 catégories de drogues).

L'Espagne n'incrimine ni la possession de stupéfiants en vue de l'usage, ni l'usage.

Soins-répression. L'Espagne n'a pas prévu d'obligation de soins dans sa législation. 8 pays en ont prévu : Danemark, Grèce, *France* (l'oblig. peut être cumulative ou alternative en cours de poursuites), Lux., P.-Bas (oblig. alternative à la répression), Belg., It., Portugal. 3 pays, lors du jugement, incitent, sans les contraindre, les toxicomanes poursuivis, à se soigner : All. féd., Irl., G.-B.

Législation française

Loi du 31-12-1970 « relative aux mesures sanitaires de lutte contre la toxicomanie, et à la répression du trafic et de l'usage illicite des substances vénéneuses ». *Si l'usager se présente spontanément ou est signalé* à l'autorité sanitaire, il n'y a aucune poursuite judiciaire. *S'il est signalé par l'autorité judiciaire* (le procureur), les peines ne seront pas prononcées s'il poursuit jusqu'à son terme l'injonction thérapeutique. Si c'est une 1re infraction, l'usager aura le choix entre la cure ou la prison. S'il est récidiviste, l'autorité judiciaire (juge d'instruction, procureur de la République, juge des enfants ou juridiction de jugement) choisira. *Peines :* de 2 à 10 ans de prison et/ou amende de 5 000 à 50 000 000 F, pour ceux qui auront contrevenu aux dispositions réglementaires, 10 à 20 ans pour ceux qui auront produit, fabriqué, importé ou exporté des substances ou produits vénéneux classés comme stupéfiants, de 2 mois à 1 an et/ou amende de 500 à 15 000 F pour ceux qui auront fait usage, de manière illicite, des substances ou produits classés comme stupéfiants. Un arrêté ministériel (1984) soumet à prescription médicale la délivrance d'éther, mais il existe beaucoup d'autres inhalants. Une circulaire du 17-9-1984 invite la police à signaler au parquet l'usage même licite de produits toxiques s'ils peuvent compromettre la santé ou la sécurité d'un mineur. La loi du 17-1-1986 (art. 2 et 4) 1 à 5 ans de prison et/ou une amende de 5 000 à 500 000 F pour « ceux qui auraient cédé ou offert des stupéfiants à une personne pour sa consommation personnelle ». De plus, leurs biens pourront être confisqués.

Circulaire du 12-5-1987. Définit, en se référant à la loi du 3-12-1970, les dispositions pratiques face aux simples usagers, usagers-trafiquants ou auteurs d'un autre délit et véritables trafiquants. Une circulaire conjointe du 12-5-1987 renforce la coopération entre les autorités judiciaires, sanitaires et sociales pour l'application de la loi 1970. Décret du 13-5-1987 : libéralise pour 1 an la réglementation relative à la vente des seringues. Décret du 28-8-1987 : réglemente fabrication, commercialisation et détention des dissolutions de caoutchouc et colles à boyaux, et vente de certains inhalants. Loi du 31-12-1987. Renforce la sévérité des peines à l'encontre des trafiquants ; prévoit des exemptions ou atténuations de peine en faveur des « repentis » ; autorise les services des douanes à faire procéder à des examens médicaux, après accord d'un juge, lorsque des indices sérieux laissent penser que quelqu'un a dissimulé de la drogue dans son organisme ; incrimine les divers actes et manœuvres tendant à permettre « le blanchissement » des revenus venant du trafic illicite des stupéfiants ; garantit le paiement des amendes encourues, par des mesures conservatoires sur les biens de la personne poursuivie ; permet la confiscation par le tribunal de tout ou partie des biens du condamné ; instaure la prescription de l'action publique par 10 ans et des peines par 20 ans.

Le Service des *injonctions thérapeutiques* de Paris (tribunal de grande instance de Paris) « traite » chaque jour 13 personnes interpellées pour infraction à la législation sur l'usage des stupéfiants ; 3 se voient ordonner un traitement obligatoire.

Circulaire du 1-2-1988. Définit les modalités d'application de la loi du 31-12-1987 relative à la lutte contre le trafic des stupéfiants. Décret du 29-12-1988. Supprime les tableaux A, B et C et redéfinit les 3 catégories de substances vénéneuses : *substances dangereuses, stupéfiantes* (ancien tableau B), *psychotropes*, avec, pour les médicaments, la distinction entre « Liste 1 » et « Liste 2 » selon leur toxicité (âge et sexe du malade doivent être spécifiés sur l'ordonnance médicale).

Décret du 11-8-1989. Permet, en pharmacie, la vente libre des seringues aux majeurs. Des municipalités (Paris, Marseille, St-Denis) organisent le ramassage des seringues usagées pour enrayer la prolifération du S.I.D.A.

Les Animaux

Biologie

Caractéristiques des êtres vivants

☞ Les organismes vivants peuvent se diviser en *procaryotes* (dépourvus de noyau) qui comprennent les eubactéries, les bactéries photosynthétiques, les archéobactéries et les cyanobactéries (anciennement algues bleues) et en *eucaryotes* (à noyaux différenciés) comprenant le règne animal et le règne végétal.

• Bactéries. Êtres unicellulaires, sans vrai noyau. On distingue les bactéries *parasites* (se développant dans des organismes vivants) ; *saprophytes* (sur des matières organiques mortes) ; *autotrophes* [élaborant leur propre substance par chimiosynthèse (ou par photosynthèse pour les bactéries chlorophylliennes) à partir de substances minérales] ; *symbiotiques* (vivant en association avec un autre être).

Une *bactérie* placée dans de bonnes conditions se multiplie très vite. Un colibacille peut se diviser en deux colibacilles fils toutes les 1/2 h. S'il trouvait de quoi se nourrir, sa lignée atteindrait le poids de la Terre en 67 h. Des bactéries ont été trouvées à l'état fossile dans des terrains datés de – 3 350 à 4 000 millions d'années.

• Animaux et végétaux. Se distinguent par leurs facultés de respirer, se nourrir, rejeter des déchets, croître, se reproduire, se mouvoir, réagir à des excitations, mourir.

La plupart des *végétaux* contiennent de la chlorophylle et peuvent réaliser la *photosynthèse.* Certains ne sont pas enracinés et ne contiennent pas de chlorophylle.

Les *animaux* se nourrissent de vitamines, de sels variés et de matières organiques complexes (à base de carbone, protéines, graisses, sucres). Ils ne peuvent, à la différence des végétaux à chlorophylle, élaborer les matières organiques à partir du gaz carbonique de l'atmosphère ; ils sont donc obligés de se nourrir de plantes ou d'autres animaux (qui auront eux-mêmes obtenu leurs matières organiques de plantes ou d'autres animaux, d'où l'existence de *chaînes alimentaires* dont le maillon initial est toujours végétal).

• Reproduction. Asexuée. Ex. : l'amibe se reproduit par simple division de la cellule ; les hydres bourgeonnent de nouveaux individus. Chez certaines formes, alternent des générations à reproduction asexuée et à reproduction sexuée. Sexuée. Un nouvel individu résulte de la fusion de 2 gamètes : l'*ovule* (gamète femelle) est fécondé par le *spermatozoïde* (gamète mâle). Les gamètes peuvent se rencontrer au hasard dans le milieu aquatique (nombreux invertébrés). Dans d'autres cas, la femelle pond des œufs qui sont ensuite fécondés par le mâle (Téléostéens, Amphibiens). Chez de nombreux animaux (terrestres en particulier), la fécondation est interne et la rencontre des gamètes a lieu dans les voies génitales de la femelle.

Parthénogenèse (*parthenos :* vierge, en grec). Reproduction d'un animal à partir d'un ovule vierge. Elle existe naturellement chez certains animaux [ex. : *abeilles :* elle aboutit à l'apparition des mâles ; la reine conserve, dans une sorte de réceptacle, le sperme qu'elle a reçu lors de son unique accouplement : les œufs qui descendent ses voies génitales sans être atteints par ce sperme donneront des mâles ; les autres, fécondés normalement, engendreront des femelles (reines ou ouvrières)]. La parthénogenèse naturelle est dite *arrhénotoque* lorsqu'elle donne des mâles (abeilles) et *thélytoque* lorsqu'elle produit des femelles (pucerons). La parthénogenèse a pu être obtenue artificiellement chez certains animaux (oursins, grenouilles, lapins).

En général les sexes sont séparés (gonochorisme) : les individus sont de sexe mâle ou femelle. Mais certains animaux sont bisexués (hermaphrodites) : ils ont des organes mâles et femelles. Les vers de terre et les escargots possèdent à la fois organes mâles et femelles, mais sont quand même obligés de s'accoupler pour échanger leur sperme. Les huîtres sont alternativement mâles et femelles. Les *crepidulas,* qu'il n'est pas rare de rencontrer empilées les unes sur les autres, sur les coquilles de moules, sont femelles à la base, mâles au sommet, et hermaphrodites au milieu de la pile.

• Respiration. Elle consiste à absorber de l'oxygène, qui sera utilisé pour oxyder les substances organiques, et à rejeter du gaz carbonique. Chez certains animaux, terrestres comme aquatiques, la respiration a lieu par toute la surface du corps. D'autres ont un système respiratoire différencié. Les poissons possèdent des *branchies,* richement vascularisées, au niveau desquelles les gaz dissous (oxygène et gaz carbonique) diffusent entre le sang et l'eau du milieu. Chez l'homme, l'oxygène et le gaz carbonique transitent entre l'air et le sang au niveau des innombrables alvéoles pulmonaires, mais la respiration cutanée assure 1/10 des échanges. Chez les insectes, l'air est amené à chaque cellule du corps par un réseau de tubules de plus en plus fins, les *trachées.*

• Système sanguin. Le sang qu'il canalise distribue l'oxygène et les métabolites à travers le corps. Il n'y a pas de système circulatoire chez les animaux les plus primitifs, chez qui ces éléments se déplacent par diffusion.

• Système nerveux. Très rudimentaire chez certaines espèces (simple réseau de cellules nerveuses, ex. : hydre d'eau douce), il est très élaboré chez d'autres (ex. : vertébrés avec nerfs, ganglions, cerveau).

Constitution chimique de la matière vivante

Éléments

• Éléments. **Abondants** (99,99 % de la mat. vivante). 11 ou 12 (sur plus de 100 éléments constituants de la matière). Par ordre d'importance : *carbone* (le plus abondant, car il est capable de présenter une très grande variété de combinaisons avec d'autres atomes par ses liaisons bien solides) ; *hydrogène ; oxygène ; azote ; soufre ; phosphore ; chlore ; calcium ; magnésium ; potassium ; sodium.* Proportions et combinaisons varient d'une espèce vivante à l'autre (cell. anim. : + de carbone, d'hydrogène, d'azote et de calcium).

Mineurs (0,1 % de la mat. vivante). *Oligo-éléments* (du grec *oligoï,* peu nombreux) : ils sont les catalyseurs des réactions chimiques. *Fer* (0,005 % du poids total, 3,5 g chez un adulte de 70 kg) ; *zinc* (0,002 %, soit 1,4 g) ; *brome ; aluminium ; silicium ; cuivre* (de 1 à 2 millièmes du poids).

• Transmutation biologique. En 1958, le Français Louis Kervan annonça que les organismes vivants pouvaient dans certaines conditions transmuter un élément en un autre : par ex., le potassium assimilé par un tissu vivant pouvait devenir du calcium. Il ne s'agissait pas d'une fusion atomique, mais d'une « interaction à faible énergie » qui s'expliquait par la conjonction d'une enzyme et de « rayons cosmiques » faisant naître des « courants neutres » (auxquels étaient intégrés des éléments actifs appelés « neutrinos »).

Composés

Ces éléments s'assemblent pour former un petit nombre de composés distincts.

• Eau (de 80 à 90 % du poids de la mat. vivante). Combinaison de 2 atomes d'hydrogène et d'1 d'oxygène.

• Glucides (sucres). Principale source d'énergie de la mat. vivante (on en trouve aussi bien dans le suc des plantes, le sang des vertébrés). *Hexoses* (contenant 6 atomes de carbone) : glucose, mannose, galactose, fructose, sorbose. *Pentoses* (5 at. de C.) : ribose présent dans l'A.R.N. (acide ribonucléique) ; désoxuribose (qui a perdu un oxygène), caractéristique de l'A.D.N. (acide désoxyribonucléique). Les glucoses se trouvent à l'état libre ou liés à d'autres molécules.

• Lipides (matières grasses ou graisses). Combinaison d'acides gras (chaînes à nombre pair d'at. de C. et riches en hydrogène : acide laurique C_{12}, acide palmitique C_{16}, acide stéarique C_{18}) et d'un alcool, le plus souvent glycérol (ex. triglycérides). Les membranes biologiques sont faites de phospholipides, glycolipides et cholestérol.

• Protides (du grec *protos,* premier). Matériaux de construction de la matière vivante. **Structure :** enchaînement de molécules constituées principalement d'acides aminés dont les 2 *groupements fonctionnels acide et amine* peuvent se lier entre eux par des *liaisons peptidiques* (élimination d'une molécule d'eau entre les 2 groupements). C'est l'ordre précis des acides aminés et la disposition de cette chaîne dans l'espace qui détermine la protéine. Il y a env. 100 000 espèces de protéines dans le corps humain.

Classification. Holoprotéines : *solubles dans l'eau :* protamines (laitance de poisson, graines de végétaux) ; histones ; albumines (sang, lait, blanc d'œuf...) ; globulines (sérum sanguin, lait, muscle).

Insolubles dans l'eau : collagènes (os, tendon, soie) ; gélatine ; kératine (ongles, cheveux). **Hétéroprotéines** (association d'une protéine avec un groupement variable) ; *glycoprotéines* (association avec des glucides) ; *phosphoprotéines* (caséines, vitelline) contenant de l'acide phosphorique ; *lipoprotéines* (association d'une protéine avec des lipides) ; *chromoprotéines* (hémoglobines, cytochrome) ; *nucléoprotéines* (association avec un ac. nucléique).

Les protéines les plus simples contiennent seulement quelques ac. aminés (insuline), les plus grosses, des centaines (+ de 500 pour la sérum-albumine) ou des milliers (hémocyanine) ; leur poids moléculaire varie donc beaucoup : protamine 8 000, histone du foie de rat 15 000, albumine du sérum 68 500, ovalbumine 40 000, hémoglobine 68 000, hémocyanine 440 000. Les plus grosses ont des poids moléculaires supérieurs à celui du Nylon (20 000), du caoutchouc (300 000).

Biocatalyseurs favorisant les réactions chimiques

Vitamines. Substances reçues dans l'organisme par l'alimentation ; les cellules animales sont incapables d'en effectuer la synthèse.

Hormones (du grec *hormao,* je stimule). Produites par des glandes dites à sécrétions endocrines, car elles passent directement dans le sang qui les transporte jusqu'à l'organe qu'elles stimulent.

Enzymes (les plus nombreuses). Ce sont des protéines ; capables d'agir *in vitro,* c.-à-d. en dehors des organismes qui les produisent ; elles sont très actives (ex. : 1 g d'uréase à 20 °C libère en 20 min 133 g de NH_3 ; la présure fait coaguler 72 millions de fois son poids de lait en 10 min à 40 °C), mais ne catalysant qu'un seul type de réaction dont elles sont spécifiques. *Rôle :* interviennent dans les diverses réactions de dégradation ou de synthèse (ex. : les phosphorylases fixent de l'ac. phosphorique sur les sucres ; les isomérases transforment une molécule en son isomère en opérant des déplacements d'atomes à l'intérieur de la même molécule).

Cellule

● **Dimensions.** De 1 (bactéries) à 75 microns, le plus souvent env. 20 microns. *Cellules géantes :* jaune d'œuf, certaines cell. nerveuses chez les gros vertébrés (plusieurs mètres de long). Leur taille est relativement fixe en rapport, semble-t-il, avec des facteurs héréditaires. Elles peuvent être groupées et jointives pour former des tissus, ou laisser entre elles des espaces (méats).

● **Formes.** Globuleuses, ovoïdes, parallélépipédiques, cubiques, en croissant, étoilées, ramifiées, sinueuses, etc. Certains êtres vivants ne comprennent qu'une cellule (ex. : bactéries et protozoaires). Les métazoaires sont formés de nombreuses cellules organisées en tissus.

● **Composition. Membrane plasmique** (épaisseur 75 angströms env.). Doublée chez végétaux et bactéries d'une enveloppe cellulosique ou polysaccharidique, comme les autres membranes cellulaires. Formée de 2 feuillets lipidiques dans lesquels sont incluses des protéines. Contrôle les échanges entre le cytoplasme et l'extérieur : perméabilité sélective. Siège de phénomènes d'endocytose [phagocytose, pinocytose (incorporation de particules de faible taille ou de liquide externe)] et d'exocytose (libération de substances sécrétées). Intervient dans les phénomènes de reconnaissance cellulaire et de reconnaissance immunologique.

Cytoplasme. Constitué par le *hyaloplasme,* milieu fondamental visqueux (gel colloïdal) dans lequel baignent tous les composants du cytoplasme :

1) **Réticulum endoplasmique.** Système de membranes plus ou moins parallèles, délimitant des espaces (citernes ou canaux) séparés du *hyaloplasme.* Les membranes peuvent porter du côté cytoplasmique des granulations, les *ribosomes* (taille 150 angströms) : réticulum endoplasmique granulaire ou ergastoplasme au niveau duquel sont synthétisées des protéines qui s'accumulent dans les citernes, puis passent vers l'appareil de Golgi.

2) **Appareil de Golgi.** Réseau de cavités présentant par endroits des empilements de *saccules (dictyosomes)* dont se détachent des vésicules de sécrétion. Rôle : fin de l'élaboration des sécrétions, concentration et empaquetage.

3) **Vacuoles.** Dilatations du réticulum endoplasmique, particulièrement développées chez les végétaux.

4) **Mitochondries.** Délimitées par 2 membranes emboîtées, dont l'une interne repliée en crêtes mitochondriales se projette dans la matrice centrale. Rôle : siège de la respiration cellulaire, production d'A.T.P.

5) **Plastes (chloroplastes).** Uniquement dans les cell. végét. Formés d'une double membr. limitant le plaste ; la membr. interne émet des crêtes ou lamelles générales entre lesquelles sont interposés des *granums* faits d'éléments empilés, contenant les pigments (chlorophylle) et les enzymes de la photosynthèse.

6) **Centrosome** (dans la plupart des cell. anim. et dans certaines cell. vég.). Sphérule de cytoplasme clair sans structure particulière, se trouvant près du noyau ; possède une granulation centrale sombre, le **centriole,** lui-même formé de 2 cylindres perpendiculaires (long. env. 5 000 angströms, diam. 1 500 Å), dont la paroi est formée de 9 fibrilles composées chacune de 3 tubules (diam. 200 Å).

Noyau. Limité par une *enveloppe nucléaire* formée de 2 membranes : une interne, et une externe continue avec celle du réticulum endoplasmique et portant des ribosomes. L'enveloppe nucléaire est percée de pores nucléaires (de 300 à 500 angströms de diamètre) au travers desquels s'effectuent des échanges entre nucléoplasme et cytoplasme. Le nucléoplasme (suc nucléaire) contient la *chromatine* qui forme les masses denses, dont certaines sont accolées à l'enveloppe nucléaire, et présente un *nucléole,* masse plus dense composée de fibrilles et de granules de ribonucléoprotéines.

Le noyau contrôle le métabolisme de la cellule. Il est indispensable à sa survie.

● **Division. Méiose.** Mode de division de la cellule vivante, où les cellules filles ont moitié moins de chromosomes que la cellule mère (précède la formation des cellules reproductrices). **Mitose** (cas général). Intervient au terme d'un cycle cellulaire au cours duquel l'A.D.N. s'est dupliqué (ou répliqué). La division du noyau ou *caryocinèse* se déroule en 4 phases :

1) **Prophase.** A partir du réseau de chromatine s'individualisent des filaments enchevêtrés, les *chromosomes* au nombre constant pour une même espèce. Les nucléoles se désorganisent, l'enveloppe nucléaire disparaît, tandis que s'organise un *fuseau* fait de microtubules qui oriente le sens de la division.

2) **Métaphase :** les chromosomes se fixent sur les fibres du fuseau chromatique et se disposent en plaque, la *plaque équatoriale,* à égale distance des 2 pôles.

3) **Anaphase :** les chromosomes se scindent en 2 lots qui se déplacent vers les pôles *(« ascension polaire »).*

4) **Télophase.** Les chromosomes perdent leur individualité et forment à nouveau un réseau autour duquel se reforme une enveloppe nucléaire ; les nucléoles se réorganisent. Le cytoplasme de la cellule mère se répartit en 2 masses égales autour des noyaux des 2 cellules filles qui se séparent : *cytodiérèse.*

Différences entre les mitoses des cellules animales et celles des végétales. *C. animales :* en début de prophase, le centrosome se divise, les 2 centrosomes fils s'entourent de microtubules (asters) et migrent vers chacun des pôles de la cellule ; ils déterminent les pôles du fuseau. A la télophase, les 2 cellules filles sont séparées par la constriction d'un anneau contractile situé dans la région équatoriale.

C. végétales : chez certains végétaux inférieurs et chez les végétaux supérieurs, il n'y a pas de centrosomes, le fuseau est donc dépourvu d'asters. A la télophase, les 2 cellules filles sont séparées par la formation de membranes plasmiques et d'une membrane cellulosique dans le plan équatorial (phragmoplaste).

● **Fonctionnement.** La cellule est constituée des éléments de base de toute matière vivante : eau, lipides, glucides, protides. Ces substances se renouvellent (métabolisme) ou se dégradent (catabolisme) ou sont remplacées (anabolisme). Dans la cell., l'*A.D.N.* dirige les opérations de fonctionnement spécifiques à l'espèce à laquelle elle appartient, et l'*A.R.N.* assure la production des protéines nécessaires à la construction des matériaux de la cell. Ces opérations nécessitent une énergie qui est stockée ou libérée dans la cellule.

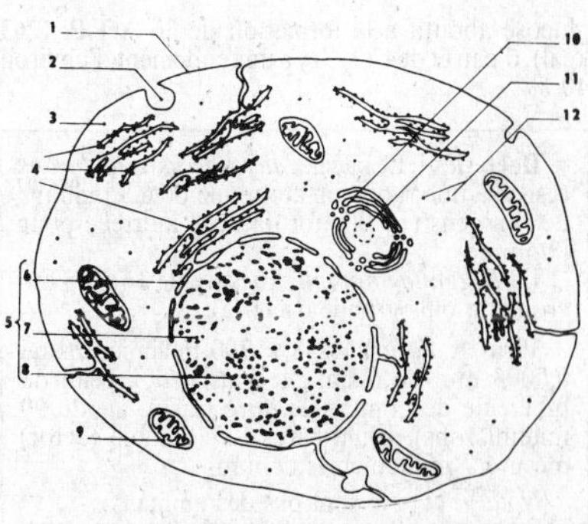

Ultrastructure d'une cell. anim. 1. *Membrane cytoplasmique.* 2. *Vacuole de pinocytose.* 3. *Hyaloplasme.* 4. *Ergastoplasme.* 5. *Noyau.* 6. *Membrane nucléaire.* 7. *Nucléoplasme et chromatine.* 8. *Nucléole.* 9. *Mitochondrie.* 10. *Appareil de Golgi.* 11. *Centriole.* 12. *Ribosomes libres.*

A.D.N. (acide désoxyribonucléique). Protéine de masse moléculaire très élevée, organisée en une double hélice formée de 2 brins complémentaires constitués chacun d'un enchaînement de *nucléotides.* Un nucléotide comprend : 1 acide phosphorique, 1 sucre (désoxyribose), 1 base [4 types : pariques (adénine et guanine), pyrimidiques (thymine et cytosine)]. Les nucléotides d'un brin ou chaîne sont reliés par des liaisons entre acide phosphorique et désoxyribose. Des liaisons hydrogènes entre bases complémentaires : adénine, thymine et guanine, cytosine relient entre eux les nucléotides des 2 chaînes, comme les barreaux d'une échelle.

Dans la cellule, l'A.D.N. est combiné à des protéines basiques, les *histones.* Les nucléohistones constituent la chromatine du noyau ou des chromosomes.

Synthèse de l'A.D.N. : réplication. Les 2 chaînes se séparent localement et des nucléotides complémentaires sont ajoutés un à un pour constituer des brins complémentaires associés à chacun des brins initiaux. Il y a formation de 2 chromatides qui se séparent lors de la mitose suivante.

A.R.N. (acide ribonucléique). Chaîne simple de nucléotides dont le sucre est le ribose et où la thymine est remplacée par de l'*uridine.* Plusieurs types d'A.R.N. interviennent dans la synthèse des protéines : *A.R.N. messager :* séquence de nucléotides copiée sur l'A.D.N. (transcription) et codant la synthèse d'une protéine (traduction) ; *A.R.N. ribosomaux ; A.R.N. de transfert :* amenant les divers acides aminés à la molécule protéique en cours d'élaboration.

Énergie. Les organismes vivants utilisent de l'énergie : mouvements, échanges de molécules, synthèse de macromolécules, etc. Chez les *hétérotrophes* (ex. : animaux), la source d'énergie vient de l'oxydation des métabolites : sucres simples, acides gras et acides aminés (production de CO_2 et d'eau), dans les *organismes photosynthétiques* (ex. : végétaux chlorophylliens), elle vient de l'énergie lumineuse.

Dans la cellule, la molécule d'A.T.P. (adénosine triphosphate) est le transporteur d'énergie ; elle est produite au cours de l'oxydation des métabolites. Elle libère 7,3 kcal lorsqu'elle est hydrolysée en A.D.P. (adénosine diphosphate) et phosphate inorganique. Aussi, les réactions cellulaires qui nécessitent de l'énergie sont-elles couplées à l'hydrolyse d'A.T.P.

L'énergie contenue dans une molécule de glucose (686 kcal) est libérée par étapes.

1°) 1re étape : glycolyse se déroule dans le cytoplasme, elle fournit 2 pyruvates (en C_3), 2 A.T.P., 1 N.A.D.H. (2 paires d'électrons sont fixées sur le transporteur d'électrons N.A.D. qui se trouve réduit).

2°) Étapes suivantes : ont lieu dans la matrice mitochondriale :

a) transformation du pyruvate en acétylcoenzyme A avec production de 1 CO_2 et 1 N.A.D.H.,

b) oxydation de l'acétylcoenzyme A : cycle de l'acide citrique ou cycle de Krebs qui produit 2 CO_2, 1 A.T.P., 3 N.A.D.H., 1 $F.A.D.H._2$.

3°) Dernière étape : phosphorylation oxydative, se déroule dans la membrane mitochondriale. Les transporteurs d'électrons réduits N.A.D.H. et $F.A.D.H._2$ sont oxydés tandis que les électrons sont transportés vers l'oxygène par la série des transporteurs d'électrons de la *chaîne respiratoire (cytochromes).* 32 A.T.P. sont produits (à partir d'une molécule de glucose) et il se forme de l'eau. Ainsi, la dégradation d'une molécule de glucose aboutit à la formation de 36 A.T.P. (263 kcal), d'eau et de CO_2. Il y a un rendement d'environ 40 %.

Bactéries [1]. Le bacille *Micrococcus radiodurans* résiste à une radiation atomique de 6,3 millions de röntgens (10 000 fois la dose mortelle pour l'homme).

La *Beggiatoa mirabilis* mesure de 16 à 45 microns (la plus grande bactérie).

Virus [1]. *Variole* : 250 × 300 millimicrons ou 0,0003 mm de diam. ; le plus petit : celui du tubercule de pomme de terre (diam. : ~ de 20 millimicrons). L'ultravirus SF (Scrapie factor) mesure 7 millionièmes de mm.

Nota. – (1) Ne sont pas des animaux.

Zoologie

Quelques précisions

• **Ailes** (battements par minute). *Moucheron Forcipomya* 62 760 (133 080 à 37 °C). *Colibri* de 1 800 à 5 400. *Chauve-souris* 960 à 1 200. *Moineau* 600. *Faisan* (à l'envol) 500. *Papillons divers* de 460 à 636. *Martinet* 360. *Machaon* 300. *Canard col-vert* 300. *Pigeon ramier* 300. *Coucou* 280. *Cigogne* 180. *Héron cendré* 120. *Cygne* de 60 à 120. Les grands *vautours* planent des heures (quelquefois 1 batt. par seconde). Les *condors* planent sur 100 km sans 1 seul battement. Les *albatros* peuvent planer pendant des jours.

Certains oiseaux néo-zélandais, les *kiwis (aptéryx)* et de nombreuses espèces insulaires *(cormoran des Galapagos, râles,* jadis *drontes,* etc.), adoptant une vie uniquement terrestre, ont perdu l'usage de leurs ailes devenues minuscules.

• **Alimentation.** *Antheraea* (papillon du chêne) dévore sitôt éclos, en 48 h, 86 000 fois son poids en feuilles ; *le rat* mange 1/3 de son poids (150 g) chaque jour ; *la taupe* son propre poids (50 à 80 g) ; *les petites chauves-souris brunes* 5 000 petits insectes ou 150 gros, en 1 h ; *un cheval* de club hippique monté 2 h par j consomme par jour 4 à 5 kg de foin, 5 kg d'avoine, 6 de paille, 100 g de vitamines et sels minéraux. Un cheval de course mange jusqu'à 12 kg d'avoine par jour. Un poulain tête de 20 à 30 l de lait par jour. Le sevrage se fait entre 4 et 6 mois. *La baleine bleue* absorbe au moins 5 t de krill par jour et le baleineau 100 l de lait.

• **Altitude.** *Bactérie* découverte à 41 000 m par la N.A.S.A. *Amphipodes* (crustacés) 4 053 m. *Crapaud* (Himalaya) 8 000 m (le plus bas à 340 m sous terre). *Yak* (peut vivre à 6 100 m). Voir Vol p. 167.

• **Animaux hybrides.** Obtenus le plus souvent en captivité par croisement de 2 espèces différentes, ils sont généralement stériles mais il arrive parfois que l'un des sexes soit fécond.

Anesse × *Cheval :* Bardot ou Bardine ; × *Zèbre :* Zébroïde ou Zébrule. *Bœuf* × *Bison :* Cattalo. *Bélier* × *Chèvre :* Mouchèvre (obtenu en 1983 en G.-B. par « chimère » embryonnaire). *Canard pilet* × *Canard col-vert. Chameau à 2 bosses* × *Dromadaire. Chèvre* × *Mouton :* Chabin (1985, École vétérinaire de Nantes). *Chien* × *Chacal. Chien* × *Loup. Gibbon* × *Siamang* (grand gibbon de Sumatra à 50 chromosomes) : Siabon. *Jaguar* × *Léopard (Panthère) :* Jaguapard. *Jaguar* × *Lionne :* Jaguarion. *Jument* × *Ane :* Mulet stérile ou Mule parfois féconde ; × *Zèbre :* Zébrâne ou Donzèbre (Donkey signifie Ane en anglais). *Léopard (Panthère)* × *Lionne :* Léopon. *Lièvre* × *Lapin :* Léporide (semble parfois viable). *Lion* × *Tigresse :* Ligre. *Porc* × *Laie* ou *Sanglier* × *Truie* (Corse). *Tigre* × *Lionne :* Tigon (ou Tigron). *Triton à crête* × *Triton marbré :* Triton de Blasius. *Zébu* × *Yack :* hybride mâle stérile (zopiok), hybr. femelle parfois fécond (zoom).

De nombreuses espèces de papillons s'hybrident entre elles. Certains hybrides sont féconds.

De nombreux autres hybrides aussi chez les *oies* et *canards,* notamment entre les divers Fuligules (*Milouin* × *Morillon* par ex.), et même *Oie rieuse* × *Bernache du Canada.*

Nota. – Le *Jumart,* prétendu hybride de *Taureau* et de *Jument,* relève du canular ou de la légende ; les hybrides de *Serin* et de *Chardonneret* sont appelés *Mulets* par analogie.

• **Animaux envahisseurs.** Les *abeilles* africaines introduites au Mexique détruisent progressivement les espèces indigènes, de l'Amérique centrale aux U.S.A. Leur piqûre cause des allergies graves. Des étoiles de mer du genre *acanthaster* ont, depuis 1962, ravagé les récifs coralliens des océans Indien et Pacifique : elles pullulent sur d'immenses surfaces. Des escargots géants, les *achatines* (coquille de 20 cm), originaires d'Afrique, ont envahi : S.-E. asiatique, Hawaii et Floride. Le *crapaud géant* (25 cm et 1,3 kg), originaire d'Amérique du S., a été introduit aux Antilles, aux Hawaii, en N.-Guinée et en Australie (qui en abrite déjà des millions). Le *ragondin,* originaire d'Amérique du S., et le *rat musqué,* originaire d'Amérique du N., ont colonisé une partie de l'Europe où ils sont considérés comme nuisibles. Le *raton laveur* (Amér. du N.) et le *chien viverrin* (Asie) se sont implantés en Europe (Bassin parisien). Le chien viverrin (20 cm, 7 kg) ou nyctereute procyonoïde ressemble au raton laveur ; il se nourrit de petits rongeurs, poissons, œufs, fruits, glands et grenouilles.

• **Animaux qui emploient des outils.** *Pinson des Galapagos* et *Corbeau néo-calédonien :* empalent les insectes avec des brindilles. *Sajou :* appelé singe mécanicien pour son aptitude à ouvrir des fruits durs. *Chimpanzé :* introduit des tiges dans des termitières et les suce lorsqu'elles sont couvertes d'insectes (acte réfléchi), et casse des noix ou des noisettes avec des gros cailloux. *Macaque :* nettoie ses aliments avec des feuilles (acte réfléchi). *Loutre de mer :* casse les coquillages sur une pierre en faisant la planche. *Mangouste :* projette des œufs sur les rochers pour les casser. *Rongeur américain Néotoma :* tapisse les sentiers proches de son terrier avec des épines de cactus. *Éléphant :* se gratte avec une branche qu'il tient dans sa trompe. *Vautour percnoptère :* brise des œufs d'autruche avec des pierres. *Merle :* déblaie la neige avec une brindille qu'il tient dans son bec pour pouvoir gratter le sol. *Fourmi fileuse :* coud les feuilles avec de la soie. *Ammophile* (sorte de guêpe) : dame le sol avec un caillou tenu entre ses mandibules. *Tisserin :* passereau des régions chaudes, coud des feuilles pour construire son nid. *Crabe des cocotiers* (de grosse taille) : se nourrit de noix de coco qu'il cueille ; pour les ouvrir, il les frappe contre un rocher ou les hisse au sommet de l'arbre et les laisse tomber.

Nota. – Des utilisations d'outils ont été observées sur des animaux captifs (singes « peintres », vautour employant un morceau de bois pour « labourer » le sable de sa cage, etc.).

• **Animaux qui se droguent. Comportements naturels.** *Grives* et *Merles* se soûlent avec le raisin, divers autres oiseaux *(Bulbuls)* avec des fruits fermentés, les *Perroquets* avec du nectar, les *Pigeons* avec du chènevis broyé. *Chevaux* et *Moutons* recherchent les astragales (Amérique du Nord), les *Moutons* s'enivrent avec le genêt (Europe), les *Éléphants* et les *Babouins* avec les baies de l'arbre Marula (Afr. du S.). Le *Chat* est attiré par le papyrus (souvenir de son origine égyptienne ?) et le nepeta (« herbe-aux-chats »). Les *Poules* s'enivrent avec l'alcool de cassis. Dans les fumeries d'opium, *Mouches, Souris, Araignées* semblent attirées par la drogue. Les *Fourmis* se droguent avec les sécrétions des pucerons qu'elles élèvent.

Comportements artificiels. Les *Aigles* de chasse sont drogués à l'opium (Afghānistān), les *Pigeons* au haschisch (Syrie), les *Coqs* et les *Taureaux* de combat au chanvre indien (Mexique).

Les dresseurs romains excitaient jadis leurs fauves à l'aide d'infusions de riz et de roseau. De nombreuses expériences ont montré que des animaux *(Singes, Rongeurs,* etc.) pouvaient devenir de véritables intoxiqués ; selon les drogues qu'on leur fait ingérer, les *Araignées* construisent des toiles d'aspect variable.

• **Animaux lumineux.** Généralement abyssaux ou planctoniques. La luminescence est due à des bactéries symbiotiques ou à des réactions chimiques intracellulaires (émission de lumière froide). Ces cellules sont groupées en organes plus ou moins complexes, les photophores. Ex. : *Poissons abyssaux :* Cératidés, Stomiatidés. *Procordés :* Salpes, Pyrosomes. *Céphalopodes :* Thaumatolampas. *Échinodermes :* quelques étoiles de mer. *Mollusques :* Phyllirhoe ; Pholas dactylus. *Crustacés :* Copépodes, Ostracodes ; Streetsia (Amphipode) : Euphausiacés ; Sergestidés (crevettes). *Insectes :* Ver luisant (lampyre femelle ; mâle : lumière plus faible) ; Lucioles ; Pyrophore (Élatéride des Antilles)... *Annélides :* Syllidiens ; Tomopteris. *Médus Acalèphe :* Pelagia noctiluca.

Luminescence. *De la mer* (et non phosphorescence) : due aux noctiluques (algues flagellées, ne sont donc pas des animaux) ; ils sont de taille microscopique. *D'oiseaux :* a été parfois signalée : il s'agit de chouettes dont le plumage était imprégné de moisissures luminescentes. *Des yeux du chat ou du chien :* due au tapis irisé qui recouvre leur choroïde et agit comme un miroir. *Un scorpion* placé sous une lampe à rayons ultraviolets présente une splendide *fluorescence.* Il en est de même de certains *coraux.*

Nota. – Les officiers japonais utilisèrent pendant la guerre une poudre d'*ostracodes* (petits crustacés) pour communiquer leurs ordres de nuit par signes.

☞ **Hybridation de l'homme avec une espèce animale.** N'a jamais été prouvée. En 1897, dans une roulotte à Vichy, une fillette qui vivait avec son père et un singe (probablement un chimpanzé) a mis au monde un fœtus monstrueux ayant des caractères simiesques. Mais on ne peut conclure avec certitude sur ce cas. Des expériences ont été tentées : U.R.S.S., Chine, U.S.A, ex.-A.-O.F.

• **Animaux « savants ».** Le dressage est aujourd'hui mal considéré par les défenseurs des animaux. Certains numéros d'autrefois étaient très audacieux : par ex., éléphants marchant sur une grosse corde chez les Romains. Au début de ce siècle, sur les scènes parisiennes : cheval plongeur, cheval aéronaute ; le chimpanzé Consul fumait le cigare, portait le haut-de-forme, allait aux courses ; singes utilisés en Thaïlande pour cueillir des noix de coco [on leur crie *ripe* (mûre, en anglais) pour leur indiquer celles qu'ils doivent cueillir].

Puces savantes : sous Louis XIV apparurent des dresseurs de puces (puces attelées à des voitures, canons, corbillards miniatures). Vers 1830, un dresseur présentait un orchestre de puces, jouant avec des instruments à leur mesure. D'autres se battaient en duel ou dansaient la valse. Certaines, costumées en personnages historiques (le duc de Wellington, le dey d'Alger), chevauchaient d'autres puces harnachées et sellées. Des puces en costumes militaires français et hollandais jouaient le siège d'Anvers.

• **Animaux utilisés pour la guerre.** *Abeilles* (parfois utilisées) : des assiégés ou des assiégeants ont lancé des ruches pleines d'abeilles sur leurs ennemis, obtenant ainsi une fuite immédiate (par exemple Richard Cœur de Lion à St-Jean-d'Acre). *Bothrops* (crotalinae) : introduits en Martinique et à Ste-Lucie au cours des guerres entre Caraïbes. *Chats :* pas d'utilisation véritable, mais selon la légende, les Perses prirent, en 525 avant J.-C., la ville égyptienne de Péluse, en tenant des chats sur leur poitrine ; les Égyptiens n'osèrent tirer de peur de blesser les chats, sacrés chez eux. Au XVIe s., le maître d'artillerie Christophe de Habsbourg proposa de placer des canons sur le dos des chats : jamais mis en application. *Chauves-souris :* après la bataille de Pearl Harbor, les Américains pensèrent utiliser des chauves-souris pour les lancer d'avion après les avoir munies de bombes incendiaires à retardement (projet X-Ray). 8 millions de chauves-souris furent capturées dans ce but ! Un village expérimental construit dans le désert fut détruit à 80 % par ces animaux. Le projet fut néanmoins abandonné. *Chevaux. Chiens :* molosses des Égyptiens aux colliers à pointes de fer ; également chez les Gaulois ; Henri VIII lança plus de 500 dogues contre l'armée de Charles Quint ; guerre 1941-45 : les Russes dressent des centaines de chiens affamés munis de charges explosives, qui cherchent leur pitance sous les chars allemands ; des chiens sont toujours employés par les armées modernes. *Dauphins :* nombreux projets, peut-être des débuts de réalisation dans les missions de protection ; mais les essais de dressage pour l'attaque d'humains ont échoué et semblent abandonnés. Vers 1973, la marine américaine aurait employé un dauphin « espion » qui aurait permis d'obtenir des informations sur le combustible des sous-marins nucléaires russes. Il aurait posé dans un port étranger, sur la coque de l'un de ces sous-marins, un appareil de détection et serait venu le récupérer quelques semaines plus tard. En 1987, elle a utilisé 5 dauphins dans le golfe Arabo-Persique pour participer au dragage des mines. *Éléphants :* utilisés à la guerre en Asie (Perses, Indiens, Mongols, Siamois encore au XIXe s. : ils leur mettaient des canons sur le dos), Afrique (Égyptiens et Carthaginois ; traversée des Pyrénées, du Rhône et des Alpes par les éléphants d'Hannibal). *Lions :* les pharaons égyptiens Amenhotep II et Ramsès le Grand en utilisèrent. *Marsouins :* 3 marsouins auraient été utilisés pendant la guerre du Viêt-nam par la marine américaine. *Moutons :* pour faire sauter les mines. *Pigeons voyageurs :* utilisés depuis l'Antiquité, ils ont joué un rôle important en diverses occasions (guerre d'Indépendance des Pays-Bas, siège de Paris par Henri IV, Waterloo, siège de Paris

Quelques animaux légendaires

Aspic de Cléopâtre. Craignant de figurer comme prisonnière au triomphe d'Auguste après la bataille d'Actium (30 av. J.-C.), Cléopâtre, reine d'Égypte, se fit apporter un aspic dissimulé dans un panier de figues et se laissa mordre.

Cheval de Brunehaut. Voir index.

Cheval de Troie. Voir index.

Dauphin d'Arion. Arion, poète et musicien grec du VIIe s. av. J.-C. rentrait, couvert de présents, de Syracuse où il venait de remporter un prix de musique et de poésie, lorsque ses compagnons de voyage l'agressèrent pour le voler. N'opposant aucune résistance il leur demanda la grâce de chanter en s'accompagnant de son luth, puis il se jeta dans les flots. Or un dauphin, charmé par sa musique, avait suivi le bateau, il le recueillit et le porta jusqu'à la côte de Laconie. Pour ce sauvetage, il fut placé parmi les constellations.

Hydre de Lerne. Serpent monstrueux vivant dans le marais de Lerne en Argolide, qu'Hercule extermina en coupant d'un seul coup ses nombreuses têtes qui renaissaient sans cesse quand on les coupait une à une.

Licorne. Cheval portant au milieu du front une corne torsadée, symbole de puissance virile et de fécondité. Les défenses de narvals que les chasseurs de baleine basques rapportaient des régions subarctiques sont à l'origine de cette légende.

Lion d'Androclès. Androclès, esclave d'un proconsul d'Afrique, fut jeté aux bêtes dans le Colisée pour avoir échappé à son maître. Le lion reconnut l'homme qui jadis l'avait soigné d'une blessure à la patte et se coucha à ses pieds. On fit grâce à l'esclave, on lui donna le lion, qui le suivit comme un chien.

Oies du Capitole. Quand les Gaulois s'emparèrent de Rome en 390 av. J.-C. ils ne rencontrèrent de résistance qu'au Capitole. Ils en firent le siège, et profitant de la nuit, tentèrent de l'envahir par surprise. Mais les oies sacrées consacrées au culte de Junon, effrayées par les assaillants, poussèrent des cris perçants, donnant ainsi l'alerte. Le Capitole fut sauvé.

Énigmes zoologiques

Anaconda géant. En Amazonie, spécimens relatés de plus de 10 m.

Bigfoot ou Sasquatch. Homme sauvage des montagnes Rocheuses, ainsi nommé en raison de la taille de ses empreintes, parfois extrêmement nettes (dermatoglyphes visibles). Assimilé au gigantopithèque.

Coelacanthe espagnol. Une espèce de coelacanthe survivrait en Espagne (Baléares).

Félins mystérieux. Signalés sur la plupart des continents : Afrique (survivance du machairodus ?), U.S.A., G.-B. (affaire des *British big cats*), Australie (marsupiaux carnivores ?), etc.

Homme des neiges ou Yéti. Des « hommes sauvages » ou des primates mystérieux ont été signalés en Asie. Les cryptozoologistes considèrent qu'il pourrait exister *1°) des néanderthaliens reliques* (Caucase, Pamir, Viêtnam) (un spécimen probablement exposé dans la glace aux U.S.A. en 1968), dits hommes pongoïdes ; *2°) des gigantopithèques reliques* (Chine) ; *3°) le Yéti proprement dit* de l'Himalaya (ou *metohgankmi* en tibétain) : grand singe (?) de l'Himalaya, quelques photos récentes (?), l'alpiniste R. Messner affirme aussi l'avoir vu en 1986 ; *4°) un orang-outan terrestre* (Asie du S.-E.) ; *5°) un macaque géant* (Chine) dont on possède des mains et des pieds.

Irkouiem. Ours géant du Kamtchatka.

Mammouth. Rumeurs sur sa survie en Sibérie et en Alaska.

Mokélé-mbêmbé. Animal de la région du lac Télé (Nord-Congo). Serait long de 7 à 8 m, long cou, longue queue, massif, amphibie, frugivore. Hypothèses : proboscidien ; crocodilien ; tortue géante (trionyx), varan géant ; dinosaurien sauropode. Au Niger ont été trouvés les ossements d'un dinosaurien apparenté à l'iguanodon *(Ouranosaurus)* qui dateraient de 70 000 ans.

Monstres lacustres d'Europe centrale (Allemagne féd., Pologne) : ne sont sans doute que de grands silures [signalés aussi dans les fleuves français (Saône surtout, depuis 1985].

Monstre du loch Ness (Écosse). Lac d'eau douce, long. 42 km, larg. 1,8 km, prof. 200 à 300 m. Signalé plusieurs fois dep. l'an 565. On en parle surtout depuis 1934. Appelé depuis 1972 *Nessiteras rhombopteryx.* Plusieurs explorations ont été tentées (avec bathyscaphe, sous-marins de poche, sonars, dauphins, équipes de caméras et de projecteurs). La dernière (Deepscan, budget : 10 millions de F, en oct. 1987) utilisa 24 vedettes équipées de sonars, quelques échos peu convaincants ont été obtenus. S'appuyant sur 4 000 témoignages (dont env. 15 % de valables), plusieurs photographies et une campagne au sonar (1975), certains savants ont affirmé son existence : il serait gris ou brun, long de 4 à 5 m, avec un cou grêle, des nageoires dorsales en « pointe de diamant » et une forte queue. Ce ne serait pas le survivant d'une espèce de plésiosaures disparue depuis 70 millions d'années, mais plutôt une sorte de salamandre ou d'anguille géante (ce pourrait aussi être un cétacé ou une « otarie à long cou » pouvant respirer sous l'eau grâce aux « périscopes » qui prolongent les narines). D'autres monstres du même genre ont été signalés en Suède, en Sibérie, dans les marais africains, etc.

Ptérosauriens. Présence (?) en Afrique (Cameroun, Namibie, etc.) de ces animaux à l'allure de reptiles volants.

Serpent de mer. Signalé depuis l'Antiquité dans toutes les mers du globe. Très peu de preuves palpables : une larve de congre de 1,84 m, capturée dans l'Atlantique Sud en 1930, alors qu'elle n'aurait dû mesurer normalement que 10 cm. Au moins 3 reptiles et mammifères marins inconnus semblent avoir été classés sous une même dénomination. Par un recoupement systématique des témoignages, on a distingué les « monstres à tête de cheval », qui sont les prototypes des dragons chinois et vietnamiens (nombreuses observations dans la baie d'Along au Viêt-nam) ; les « monstres à long cou », dont fait partie celui du loch Ness (voir ci-dessus), et qui sont parfois présentés comme des cétacés primitifs ou des otaries, capables de se reproduire en haute mer ; des reptiles marins à l'aspect de crocodiles (peut-être des mosasaures) ; des calmars géants (Architeuthis) dont les tentacules peuvent atteindre 17 m (en Floride, en 1896, s'est échouée une pieuvre de 60 m d'envergure : venant sans doute des Bahamas, centre de dispersion des pieuvres géantes). La plupart des « monstres » échoués, signalés de temps à autre, ne sont que des requins pèlerins plus ou moins décomposés.

Observations de « serpents de mer » près du littoral français : Cotentin 1 (+ îles Anglo-Normandes : 1) ; Bretagne 7 ; côtes Atlantique 4 ; Camargue 2 ; Corse 3.

Singe de mer. Animal marin à tête de mammifère et queue de requin, observé en 1741, près des îles Aléoutiennes, par le naturaliste allemand G.W. Steller.

Tatzelwurm (« ver à pattes »). Salamandre (?) inconnue signalée dans les Alpes.

Thylacine (loup marsupial). Survivrait en Australie et Tasmanie (la Tasmanie offre une prime de 100 000 $ pour une photo de cet animal).

Tzuchinoko. Mystérieux serpent des montagnes du Japon.

Rumeurs modernes inspirées par les animaux

La plupart sont des « légendes urbaines ». Certaines peuvent avoir une base de vérité.

Mygales dans les yuccas. Parfois trouvées dans le tronc de yuccas. En fait, pas de preuves (il est cependant exact que des plantes exotiques transportent araignées, insectes, etc.).

Serpent dans le supermarché. Caché dans un régime de bananes, il mord un client.

Vipères lâchées d'avion. Des écologistes les réintroduiraient de cette façon (nombreuses régions de France).

Alligators dans les égouts de New York. Il y en eut un ou deux. Paris : mêmes rumeurs.

Loutres de Paris. Signalées sur les quais ou dans les égouts, et au lac d'Enghien.

Gros « rat » mangeur de chats. Rumeur très répandue en Europe. Une dame recueille, en Amérique du Sud, un « chien » familier et le ramène en Europe où il dévore son chat. On s'aperçoit alors qu'il s'agit d'un énorme rongeur.

Chauves-souris suceuses de sang. Croyance répandue dans certaines provinces.

Attaques de rapaces, grands corbeaux, lynx, chats sauvages, etc. Contre les personnes ou contre les animaux domestiques. Presque toujours dénuées de fondement.

Comportements dont la réalité est discutée. *Hérisson :* transporterait parfois des pommes fichées sur ses épines. *Serpents :* téteraient les vaches. *Martinets :* passeraient quelquefois l'hiver dans nos régions, à l'état de léthargie. *Pêche à la queue :* divers mammifères tremperaient leur queue dans l'eau et attendraient que les écrevisses s'y fixent. *Vol monté :* de petits passereaux voyageraient sur le dos de grands oiseaux (grues). *Sangliers nageurs :* iraient de Provence en Corse et vice versa. *Narval :* embrocherait des flétans avec sa défense. *Tribunaux de corbeaux :* jugeraient parfois l'un des leurs, puis le mettraient à mort. *Funérailles d'animaux :* signalées (?) chez les singes, les chats, les éléphants (qui recouvrent leurs morts de terre et de feuillage ; explication partielle des « cimetières d'éléphants » ?).

en 1870-71, Verdun 1916, guerre 1939-45). *Requins :* nourris près des bases aéronavales pour écarter les hommes-grenouilles. *Rhinocéros :* les Indiens l'utilisaient pour enfoncer les lignes adverses. Sa corne était renforcée par un trident de fer. *Sangliers* (?). *Singes :* en 1971 les Indiens en déguisaient en soldats et les envoyaient en éclaireurs ; les Pakistanais en tirant sur eux dévoilaient leurs batteries. *Taureaux. Varans :* utilisés en Asie. Ils adhéraient si fort aux murs que des soldats assiégeant une ville s'accrochaient à des cordes attachées aux varans.

• **Animaux venimeux pouvant présenter un danger pour l'homme en France.** *Arachnides. Scorpion languedocien* (région méditerranéenne). *Araignées : Latrodecte* ou *Veuve noire* (Corse). *Tarentule* (peu dangereuse). *Cnidaires. Méduses* (contact urticant) ; quelques *Physalies* en Méditerranée. *Échinodermes. Oursins. Insectes. Hyménoptères : Fourmis, Abeilles, Guêpes, Frelons, Bourdons* (la gravité des piqûres dépend de leur nombre, de leur localisation, de l'âge de la victime). Le *faux-bourdon,* qui ne possède pas d'aiguillon, est le mâle de l'abeille ; le *bourdon,* qui lui ressemble, constitue un genre à part. *Myriapodes. Scolopendre* (région méditerranéenne). *Poissons : Vives* et *Rascasses* (rayons épineux des nageoires), *Raies Pastenagues* (aiguillon sur la queue), *Murène* (toxines cutanées chez certaines, mais pas de dents inoculatrices). *Reptiles : Vipère d'Orsini* (Sud-Est). *Vipère péliade* (Nord, Bretagne et Centre). *Vipère aspic* (Sud et Centre, jusqu'à Fontainebleau au nord). *Vipère aspis zinnikeri* (Pyrénées) : venin au moins deux fois plus toxique que celui de la vipère aspic. Leurs prédateurs se raréfient : les hérissons sont écrasés sur les routes ; le circaète (rapace mangeur de serpents) devient de plus en plus rare, les dindons, les pintades et les poules vivant à l'état libre disparaissent de plus en plus. La capture et la vente des vipères sont interdites (loi du 10-7-1976). *Morsures :* 10 % des morsures de vipères sont graves. *Cas mortels :* en moyenne, 3 par an en France.

☞ *Nombre annuel de victimes des serpents venimeux dans le monde :* 1 000 000 dont 3 % de cas mortels. *Serpents dont la morsure est mortelle ou provoque une invalidité grave :* cobra cracheur à cou noir, crotale, serpent marin à bec, s. bananier, s. brun oriental, s. de mort, s. tigré, vipère heurtante, v. à dents de scie, v. levantine, v. de Palestine, v. de Russel, v. européenne (péliade).

• **Bec.** *Coup : vitesse de frappe :* le bec d'un pivert à tête rouge peut frapper le tronc d'un arbre à 20,9 km/h. Décélération à l'impact d'environ 10 g.

• **Biomasse.** Les *Lombrics* (ou vers de terre) constituent 80 % du poids global des animaux des milieux terrestres, hommes compris. Ils représentent en moyenne une t à l'ha (de 4 à 5 t/ha dans les milieux les plus favorables). Ils forment la première masse de protéines du globe. Poids total des lombrics de France : de 100 à 200 millions de t (poids total des Français : env. 3 millions de t). Plus de 200 animaux de nos régions mangent des lombrics (qui constituent plus de 90 % du régime de la mouette rieuse). *Biomasse des forêts tempérées par ha :* 300 t d'arbres, 1 t d'herbes, 1 t de lombrics, 8 kg d'oiseaux.

• **Bois.** *Les plus longs :* le cerf géant *Megaceros giganteus* (envergure) 4,30 m (disparu) ; élan d'Alaska (enverg.) 2 m.

• **Cerveau.** *Le plus petit relativement :* le *Stegosaurus* (reptile couvert), 70 g soit 0,00004 % de son poids. *Le plus grand : Cachalot mâle* 9,2 kg (long. de l'animal 14,93 m), *éléphant* 4,2 à 5,5 kg en moy. (record 7,5 kg). *Animal domestique :* cheval 700 g.

• **Chant des baleines (à bosse).** Peuvent émettre 1 000 sons différents. On croirait entendre des cymbales, un orgue ou un piccolo. Le concert dure plusieurs heures. Les chants évoluent d'une semaine à l'autre. Ils comprennent env. 6 thèmes contenant chacun un nombre constant de phrases identiques ou différentes composées de 2 à 5 sons distincts. Seul l'homme a un comportement musical aussi complexe et inventif. Les baleines seraient génétiquement dotées de certaines règles de « composition » sonore, mais aussi d'une certaine « imagination ».

• **Combats d'animaux.** De nombreux combats d'animaux sont, ou ont été, organisés par les hommes. *Jeux de cirque* antiques ou plus récemment en Asie (Inde) (fauves variés). *Chiens contre rats :* dans le nord de la France. *Coqs :* nord de la France, Belgique, Amérique latine, Martinique, Polynésie, Madagascar ; Rome antique. *Dromadaires :* Turquie. *Cailles* (en réalité turnix) : Asie. *Perdrix :* Afghānistān. *Chiens :* chez divers peuples ; aux U.S.A., en France jusqu'en 1834. *Grillons :* Chine, Indonésie, Madagascar. *Poissons* (combattants) : Thaïlande. *Mouches :* Singapour. *Serpents contre mangoustes :* Inde.

• **Courses d'animaux.** *Autruches* (Afr. du S.), *chevaux* (voir index), *lévriers* (voir index).

• **Concentrations.** Les plus fortes : les chauves-souris molosses du Mexique *Tadarida brasiliensis* se regroupent à plus de 20 millions, les *pinsons du Nord* à 36 millions. En 1889, 250 milliards de *criquets pèlerins* occupèrent 5 180 km² au-dessus de la mer Rouge.

• **Constructions.** Les plus grandes faites par des animaux sont les *termitières* (en terre) [6 m pour un diamètre de 12 à 30 m par le genre des Bellicositermes vivant en Afrique]. Les *castors* construisent des barrages pouvant mesurer de 1,5 à 4 m de haut, et 500 m de long : leurs huttes (diam. 2 m, parfois 6 m) ont des entrées situées sous l'eau, permettant, quand l'eau est gelée, l'accès aux réserves. Les *annélides polychètes* ont construit un récif, appelé le Banc des Hermelles, dans la baie du Mont-Saint-Michel. Long. : 200 à 300 m (de 15 000 à 60 000 tubes d'annélides au m²).

• **Cornes.** *Les plus longues :* buffle d'eau d'Inde, 4,24 m de pointe à pointe ; bœuf domestique d'Ankole (Botswana), 2,06 m et 46 cm de circonférence ; rhinocéros blanc (Afrique) 1,58 m (petite corne 57 cm) ; Argali (mouflon du Pamir) 1,90 m. *Les plus courtes :* Suni (antilope royale) 3,8 cm. *La plus grande envergure :* bœuf Longhorn 3 m.

• **Cri des animaux.** *Abeille,* bourdonne (avec ses ailes). *Aigle,* trompette ou glatit. *Alouette,* tire-cire, grisolle ou turlute. *Ane,* brait. *Bécasse,* croule. *Bélier,* blatère. *Bœuf,* mugit, meugle, beugle. *Bouc,* béle ou chevrote. *Buffle,* souffle, beugle ou mugit. *Caille,* pituite, margotte, carcaille ou margaude. *Canard,* cancane, nasille ou canquette. *Cerf, brocard,* brame, rée ou rait (le faon ralle). *Chacal,* jappe ou aboie. *Chameau,* blatère. *Chat, matou,* miaule, ronronne. *Chat-huant,* hue. *Cheval, étalon,* hennit. *Chèvre,* bêle ou béguète. *Chevreuil,* brame, rée. *Chien,* aboie, jappe, hurle, grogne, clabaude, clatit, halète. *Chiot,* glapit ou jappe. *Chouette,* hue, ulule ou chuinte. *Cigale,* craquette, cricelle, criquette (avec ses membranes abdominales) ou stridule. *Cigogne,* craque, craquette, claquette ou glottore. *Cochon, porc, verrat,* grogne. *Colombe,* roucoule. *Coq,* chante. *Corbeau,* croasse, croaille, coraille. *Corneille,* corbine, craille, criaille, babille. *Coucou,* coucoule. *Crapaud,* coasse. *Crocodile,* pleure, vagit. *Cygne sauvage,* trompette, drense, drensite [la plupart des cygnes domestiques sont muets ou n'émettent que de faibles gloussements. Le « chant du cygne » (qu'ils pousseraient avant de mourir) est une légende]. *Daim,* brame. *Dindon,* glougloute. *Éléphant,* barète ou barrit. *Épervier,* glapit ou piale. *Faisan,* criaille, glapit ou piaille. *Faon,* ralle. *Faucon* huit. *Fauvette,* zinzinule. *Geai,* cajole, cajacte ou fringote. *Gélinotte,* glousse. *Grenouille,* coasse. *Grillon,* grésillonne, craquette (avec ses ailes). *Grue,* glapit, trompette ou craque. *Hibou,* ulule, hue, bubule ou bouboule. *Hirondelle,* gazouille, trisse, truisotte. *Hulotte,* hole. *Huppe,* pupule. *Hyène,* hurle. *Jars,* criaille, cagnarde, cacarde ou jargonne. *Lapin,* clapit ou glapit. *Lièvre,* vagit. *Lion,* rugit. *Loup,* hurle. *Marmotte,* siffle. *Merle,* siffle, appelle, babille, flûte, chante. *Mésange,* zinzinule. *Milan,* huit. *Moineau,* pépie, chuchète. *Mouche,* bourdonne (bruit fait avec ses ailes). *Mouton, bélier,* bêle. *Oie,* cacarde, criaille, siffle. *Oiseaux de nuit,* hululent. *Ours,* gronde, grogne. *Panthère,* rugit. *Paon,* braille, criaille, paonne. *Perdrix,* cacabe, rappelle, pirouitte, glousse. *Perroquet,* piaille, parle, siffle, jase, cause. *Perruche,* jacasse, siffle. *Pie,* jacasse ou jase. *Pigeon,* roucoule ou caracoule. *Pinson,* ramage, siffle, fringote. *Pintade,* cacabe, criaille. *Pivert,* picasse, peupleute. *Poule,* glousse, caquette. *Poulet,* piaille. *Ramier,* caracoule, roucoule. *Rat,* chicote, couine. *Renard,* glapit. *Rhinocéros,* barète ou barrit. *Rossignol,* chante, trille, quirritte. *Sanglier,* grogne, grommelle, roume, nasille. *Sauterelle,* stridule. *Serpent,* siffle. *Singe,* crie, hurle. *Souris,* chicote. *Taureau,* beugle, mugit. *Tigre,* rauque, feule, râle ou miaule. *Tourterelle,* gémit ou roucoule. *Vache,* beugle, mugit. *Zèbre,* hennit.

• **Décharges électriques.** Tension le plus souvent faible (quelques volts), pour communication et électro-localisation, et parfois élevée (jusqu'à 700 volts) pour attaque ou défense par électrocution. L'*Electrophorus electricus* (anguille électrique ou improprement « Gymnote »), poisson d'eau douce de l'Amérique du Sud, peut émettre une charge de 400 volts avec une intensité de 1 ampère. Il est le seul pratiquant l'électro-localisation et l'électrocution, grâce à des générateurs distincts. *Malaptérures* (silures électriques), 2 espèces, Afrique, électrocution : 400 volts. *Torpille* (mers), électrocution : 45 volts. *Gymnarques, Mormyres* ou *Poissons-Éléphants* (Afrique) et *Gymnotes vrais* (Amérique du Sud) : électro-localisation.

Les médecins romains, constatant que les décharges des torpilles soulageaient les rhumatismes et maux de tête, prescrivaient des applications de torpilles récemment pêchées à leurs malades.

Les pêcheurs sud-américains pêchent les anguilles électriques à main nue, après avoir immergé une carcasse d'animal contre laquelle les poissons déchargent toute leur électricité.

• **Défenses.** *Les plus longues :* Mammouth laineux 5,02 m (courbure externe). Éléphant déf. droite 3,49 m, et gauche 3,35 m (poids total 133 kg). *La plus lourde :* Mammouth 159 kg (89 cm de circonférence max., long. env. 3,60 m), Éléphant 117 kg ; *paire :* Mammouth 226 kg (long. 4,21 et 4,14 m), Éléphant 211 kg (3,11 m et 3, 18 m). Quelques cas d'éléphants d'Afrique à 4 défenses ; 1 cas à 6 (atrophiées). Voir index.

• **Denture record.** *Poisson-chat :* 9 280 dents. Certains *Dauphins* ont 260 dents (plus que n'importe quel autre mammifère). Le *Cachalot* a 40 dents plantées sur sa mâchoire inférieure. Le *Narval :* 2 dents à la mâchoire sup. chez le mâle, dont une incisive unique se développe en défense torsadée pouvant atteindre 3 m. La *Baleine franche* (comme tous les cétacés à fanons) n'a pas de dents, mais seulement des fanons qui retiennent le plancton : 700 de 2,70 m à 3,60 m de long (60 cm chez le Rorqual bleu). La canine supérieure du morse mâle peut atteindre 80 cm.

• **Distances. Animaux marins.** *Thon albacore* peut parcourir 8 800 km en 11 mois (du sud-est de Tōkyō au large de Los Angeles). Les *Saumons* fraient en eau douce et parcourent environ 3 000 km. **Oiseaux.** *Capacités :* d'une seule traite : *courlis de l'Alaska* 3 300 km, *colibri* 1 100, *fauvette, gobe-mouches* 1 000, *aigle* 300. Foulque 730 km en 2 j. *Tournepierre* (petit échassier) 825 km en 25 h. *Pie-grièche écorcheur* 700 km en 20 h (traverse la Méditerranée en 12 ou 13 h, met 3 mois pour arriver en Afr. du S. en automne, et 2 mois pour revenir en Europe au printemps ; parcourt environ 500 km chaque nuit). *Traquet-motteux* 15 000 km. Certains parcourent plus de 19 000 km 2 fois par an (ex. : la *Sterne arctique,* qui va de l'Arctique à l'Antarctique, ou le *Pluvier doré,* qui pourrait parcourir 5 200 km sans escale ; une sterne a parcouru 19 300 km). *Cigognes* parcourent de 10 000 à 20 000 km. Un *Pigeon* a volé de Saigon (Viêt-nam) à Arras (France) soit 11 265 km (8-15 sept. 1931). Un *albatros hurleur,* contrôlé avec une balise Argos (180 g) fixée sur son dos, parti des îles Crozet le 1-2-1989 et revenu le 5-3, a parcouru 15 200 km en 33 jours (moyenne 56,1 km/h, maxi 81,2 km/h). **Autres animaux.** Certains *Manchots,* incapables de voler, effectuent des déplacements de plus de 1 000 km à la nage et reviennent à leur plage d'origine pour y élever leurs petits. Les vols des *Criquets* peuvent atteindre 50 km de largeur (peuvent parcourir de 1 000 à 1 500 km) et se composer de trillions d'individus. En 1988, des *Criquets pèlerins,* poussés par les vents à partir de l'Afrique, ont, pour la première fois, atteint les Antilles. Un *puceron* peut parcourir de 1 000 à 2 000 km par jour, avec des courants favorables. *Des larves d'anguilles* 7 000.

Un *Fox-terrier* a parcouru 2 720 km pour rejoindre son maître. On connaît de nombreux autres cas comparables chez les chiens et les chats.

• **Envergure** (en mètres). **Oiseaux.** *Albatros hurleur* 3,50 (longueur 1,20 m ; 8 kg). *Condor* 3,20 (2,80 m en moy.) (longueur 1,20 m ; 9 kg). *Albatros migrateur* 3,15 (max. 3,63). *Vautour de l'Himalaya* 2,90. *Vautour moine* 2,87 (7 kg). *Gypaète barbu* 2,80 (6 kg). *Pélican blanc* 2,75 (10 kg). *Pygargue à queue blanche* 2,75 (10 kg). *Marabout d'Afrique* 2,50 (max. 4,06). *Cygne* jusqu'à 3,65, moy. 2,50 (20 kg). *Aigle royal* 2,30 (5 kg). *Grue blanche* 2,28 (6 kg). *Outarde barbue* 2,20 (11 kg). *Frégate superbe* 2,10. *Hibou pêcheur* 1,89 (2 kg). *Kalong* 1,70 (900 g). *Grand Corbeau* 1,20 (1 200 g). *Corneille* 1 (500 g). *Pigeon ramier* 0,75 (500 g). *Perdrix grise* 0,50 (400 g). *Papillon* (Thysania agrippina du Brésil) 0,30. *Sauterelle de N.-Guinée* 0,25. *Araignée* (Lasiodora) 0,27. *Libellule* (Amér. du S., Bornéo) 0,19 (12 cm de long). *Chauve-souris Bismark* 0,18 (2 g). *Papillon* 0,02. *Oiseau-mouche abeille* 0,02 (1,5 g). *Johanssonia acetosae* (lépidoptère) 0,002. **Autres animaux.** *Calmar géant Architeuthis* 18, *Raie* (la plus grande) 15, *Crabe Macrocheira du Pacifique* 3,50. *Tortue luth* 3.

• **Euthanasie.** Des éléphants achèveraient leurs blessés à coups de défense.

• **Fourmis.** 7 000 espèces (2 000 en Europe, 100 en France). *Taille : 0,8 à 4 cm. Fourmilières : fourmi rousse (Formica rufa)* dans 1 m³, 400 000 fourmis, dont la reine, seule fertile. *Géante :* fourmilière de la *Formica polyctena,* plusieurs millions de fourmis et jusqu'à 5 000 reines. *Vie des adultes :* neutres (ouvrières) : courte, reine jusqu'à 12 ans (pond des milliers d'œufs chaque jour pendant plusieurs années).

• **Free-martin (ou vache-bœuf).** Terme d'éleveur : génisse intersexuée (plus rarement un animal d'une autre espèce : brebis, chèvre, etc.). Quand une vache porte 2 embryons faux jumeaux de sexes différents, les hormones du mâle peuvent gagner, par le sang, l'embryon femelle et le « masculinisent ». Demeure stérile toute sa vie et a l'aspect d'un bœuf castré.

• **Gestation** (durée en jours). *Opossum* 12-13 (min. 8). *Hamster doré* 16. *Souris* 21. *Rat* 22. *Lapin* 30. *Ours* 30 à 36. *Taupe* 40. *Lièvre* 42. *Renard* 54. *Hérisson* 58. *Chat* 60. *Chien* 63. *Loup* 68. *Cobaye* 68. *Lynx* 70. *Panthère* 93. *Lion* 106. *Porc* 115. *Castor* 128. *Mouton* 150. *Chèvre* 150. *Gazelle* 160. *Chamois* 165. *Vache* 180. *Hippopotame* 200. *Ours* 240. *Daim* 240. *Renne* 246. *Morse* 260. *Chevreuil* 270. *Homme* 270. *Phoque* 276. *Chameau* 320. *Cheval* 335. *Marsouin* 360. *Baleine* env. 335. *Ane* 375. *Zèbre* 375. *Girafe* 440. *Cachalot* 480. *Rhinocéros* 560. *Éléphant d'Asie* 609-760. *Salamandre noire des Alpes* 1 160 (si elle vit au-dessus de 1 400 m d'alt.).

• **Habitat.** On a découvert des *éponges* à 5 637 m de profondeur ; un poisson, le *Bassogigas profundissimus,* à 8 300 m de profondeur ; un *Amphipode* (crustacé) à 10 500 m.

Désignation. *Aigle :* aire [l'aigle belliqueux bâtit son aire (mesurant jusqu'à 4,80 m) dans les arbres à 15-25 m]. *Bouc :* étable. *Chevreuil :* bois. *Cochon :* soue. *Faisan :* faisanderie. *Lapin :* terrier. *Lièvre :* gîte, fort, antre. *Ours :* tanière. *Pigeon :* colombier. *Sanglier :* bauge. *Serpent :* repaire. *Souris :* trou, tanière. *Taureau :* bouverie. *Tigre :* repaire. *Tourterelle :* colombier.

• **Hibernation.** La température du corps s'abaisse. L'animal diminue sa consommation d'oxygène et utilise, goutte à goutte, ses réserves de graisse, le rythme cardiaque s'abaisse également.

Marmotte. S'endort l'hiver dans son terrier pour 8 mois. Ses battements de cœur passent de 88 à 15 par mn, ses mouvements respiratoires de 16 à 2, sa température interne de 37,5 à 10 °C. En 160 j, elle perd 1/4 de son poids. Se réveille toutes les 3 à 4 sem. pour ses besoins naturels, éliminer ses toxines et se réalimenter (écureuil : tous les 15 à 20 j, chauve-souris : tous les 30 j, sa température pouvant atteindre – 3,5 °C). En cas de froid excessif, elle peut reprendre en 2 ou 3 h et pour 1 ou 2 j sa température d'été. *Autres animaux.* Durée : petit écureuil 9 mois, siciste des bouleaux (petit rongeur de 13 g) 8, engoulevent de Nutall 88 j.

• **Insectes. Marin :** une seule espèce, l'*halobate,* glisse sur l'eau (de 2 à 3 km/h), n'a pas d'ailes, vit de plancton, de petits poissons, pond ses œufs sur n'importe quel objet flottant, habite les mers du Sud-Est asiatique. **Poids :** scarabée goliath de 70 à 100 g. **Longueur :** phasme géant (Indonésie) 40 cm, phalène érébus, 30 cm, scarabée longicorne 27 cm (antenne 19). Myriapode (golfe du Bengale) 33 cm (38 de large). Papillon de nuit (Australie tropicale, Nlle-Guinée) envergure 36 cm. Papillon (Nlle-Guinée) envergure 28 cm, 25 g. Sauterelle (Nlle-Guinée) 25 cm. Libellule (Amérique centrale et du Sud) 12 cm, envergure 19 cm. Scarabée Goliath 12 cm, 100 g. Papillons de nuit (Johanssonia acetosea, G.-B.) et (Stigmella ridiculosa, Canaries) 0,002 m, mymar 0,0003. **Vitesse :** oestre du daim de 39 à 58 km/h.

Quelques noms de larves d'insectes

Asticot : mouche. *Chenille* : lépidoptère (papillon). *Chenille processionnaire* : chen. de papillons du genre Thaumetopoea. *Diablotin* : empuse. *Portefaix* : phrygane (ou porte-bois). *Ver blanc* : hanneton. *V. coquin* : chenille de conchylis. *V. de farine* : ténébrion (coléoptère). *V. fil de fer* : taupin (coléoptère). *V. gris* : chenille de la noctuelle des moissons. *V. militaire* : certains diptères (sciaridés) forment de longues colonnes qui rampent sur le sol. *V. à queue* : eristale (diptère). *V. à soie* : chenille du bombyx du mûrier. *V. de vase* : chironome (diptère).

☞ *Le fourmilion* doit son nom à sa larve qui chasse les fourmis. *Les tordeuses* sont des papillons dont les chenilles roulent les feuilles en « cigares ». *La nymphe* des lépidoptères est appelée chrysalide, celle des mouches la pupe. *Le cocon* est l'enveloppe de soie qui renferme une nymphe. Les œufs de poux sont appelés *lentes*. *Les œufs de fourmis* sont en réalité des nymphes. *Le couvain* est l'ensemble des œufs, larves et nymphes, chez l'abeille surtout.

Longévité : scarabées Buprestidae +de 30 ans à l'état de larve (un Buprestidae aurulenta 47 ans). **Saut** : puce (1 830 espèces) hauteur 20 cm, longueur 33.

• **Invasions d'oiseaux.** Certaines espèces d'oiseaux nordiques envahissent l'Europe occidentale certains hivers. Ex. bec croisé des sapins (ex. en 1990-91), casse-noix moucheté, jaseur boréal (autrefois accusé d'annoncer la guerre ou la peste). D'Asie : syrrhapte paradoxal (dernière invasion 1908), roitelets huppés (Cotentin 1990), etc.

• **Lait** (% de protéines, de graisses en italique et de glucides entre parenthèses). *Femme* 16 *34* (64). *Vache* 34 *34* (48). Record 90 kg (1 jour), 25 247 kg (365 j). *Chèvre* 42 *41* (46). *Chienne* 93 *85* (28). *Renne* 102 *224* (25). *Chatte* 11 *109* (34). *Marsouin* 111 *458* (13).

• **Lombrics.** Géants (de 60 à 70 cm, jusqu'à 1 m au plus quand ils s'étirent). France (Vosges, Provence, Aveyron, Languedoc, Pays Basque, etc.). Amérique du Sud, Afrique et Australie : jusqu'à 3 m. Voir aussi Biomasse.

• **Longévité** (en années ; entre parenthèses, records exceptionnels connus). *Abeille mâle* (1/2). *Abeille ouvrière* (de 1/12 à 1/2). *Abeille reine* (5). *Aigle* (47). *Alligator* 56. *Ane* 18-20 (46). *Anguille* 6 (88). *Anguille électrique* (11 1/2). *Antilope addax* (25). *Araignée* (4). *Autruche* (50). *Baleine* 70 (de 90 à 100). *Belette* 8. *Boa constrictor* (40). *Bovins* (30). *Bigorneau* (3). *Cacatoès* 60 (80). *Cafard* (4 1/2). *Calmar* (4). *Canard* 15 (20 1/2). *Canari* 12-15 (34). *Carpe* 50. *Castor* 20. *Cerf rouge* (26 a. 8 m.). *Chameau* (29 1/2). *Chamois* 20. *Chat* 15-20 (36). *Chauve-souris* (31 a. 5 m.). *Cheval* 20-25 (62). *Chèvre* 12 (18). *Chien* 8-15 (29 a. 5 m.). *Chimpanzé* 20-35 (44 1/2). *Clam à coquille* (kuahog) (220). *Cobra* (12 1/2). *Cochon* 10 (22). *Cochon d'Inde* 3 (14 a. 10 m. 1/2). *Condor des Andes* (70). *Coq à crête de soufre* (73). *Coquille St-Jacques* (2). *Corbeau* (69). *Crapaud* (30 à 50). *Crocodile* jusqu'à 70 (en capt. 56). *Cygne* (29 1/2). *Daim* 10-15 (26). *Daphnie* 0,2. *Dauphin* (32). *Dinde* (12 1/2). *Drosophile* 0,1. *Écureuil* 8-9 (15). *Éléphant* 30, d'Asie (81). *Éponge* (50). *Escargot* 1 (30). *Esturgeon* 30 (82). *Esturgeon lacustre* (152). *Étourneau* (16). *Flétan* (40). *Fourmi* (reine) (13). *Girafe* (33 1/2). *Goéland* (32). *Gorille* (39). *Grenouille* 5 (15 1/2). *Hamster* 2 (4). *Hamster doré* (19). *Hérisson* 4-7 (14). *Hibou* (68). *Hippocampe* (4 1/2). *Hippopotame* 30 (51). *Hirondelle* (8). *Homard* 30 (50), *américain* 50. *Huître* (12). *Huître perlière* 50-60. *Insecte* (certaines larves 17-30). *Jaguar* (23). *Jars* (49). *Kangourou* 10-12 (19 1/2). *Lapin* 6-8 (18 a. 10 3/4 m.). *Lézard* (54). *Limace* (1 1/2). *Lion* 10 (49). *Loup* 10-12 (16). *Mainate* 17-20 (30). *Maquereau* (15). *Martinet* (21). *Moineau* 10 (20). *Mouche* (76 j). *Moule d'eau douce* (60). *Moustique* (1 1/2). *Mouton* 12 (26). *Oie* 15-35 (49 a. 8 m.). *Oiseau-mouche* (8). *Opossum* (7). *Orang-outan* (59). *Orque épaulard* (90). *Ours* 15-20 (34 1/2). *Pélican* (52). *Perroquet* 35-40 (gris d'Afr. 72, d'Amazonie 104). *Perruche* 10-12 (29 a. 3 m.). *Phoque gris* (î. Shetland 46). *Pieuvre* (4). *Pigeon* 10-12 (35). *Pinson* 10-18. *Pogonophores* (invertébrés marins) : pourraient vivre env. 200 000 ans, si l'on tient compte de la vitesse très lente avec laquelle croît le tube dans lequel ils vivent. *Poisson rouge* (41). *Poney* (54). *Porc* (27). *Porc-épic* de Sumatra (27 a. 3 m). *Poule* 7-8 (20). *Poulet* (30). *Punaise* (1 1/2). *Rat* 3 (5 a. 8 m.). *Raton laveur* (14). *Renard* 8-10 (14). *Rhinocéros* 36 (40). *Rossignol* 3-8. *Roussette des Indes* (31). *Salamandre du Japon* (55). *Sangsue* 27. *Sansonnet* 10-20. *Saumon* (13). *Serpent* (6). *Serpent à sonnette* (19 1/2). *Silure* 60. *Singe* (50). *Souris* 1-3 (7 a. 6 m.). *Sterlet européen* 69. *Tanrec* (16). *Tarentule* (20). *Taureau* (30). *Termite* (15). *Thon* (7). *Tique* (4). *Tortue* 20, géante terrestre 152-200 (record chez les vertébrés) ; la tortue géante du Jardin des Plantes de Paris y est entrée en 1878 ou 1929, à l'âge de 40 ans min. ; elle a au moins 100 ans et c'est le plus gros specimen connu. *Tortue marine* (88). *Tortue de Caroline* (138). *Tourterelle* 15-18 (25). *Truite* (41). *Vache* 9-12 (25). *Vautour* (41 1/2). *Ver de terre* (6). *Ver solitaire* (35). *Vison* (10). *Vombatus ursinus* (marsupial) (26). **Vie courte.** *Éphémères* (insectes), vie adulte : de 1 h à quelques semaines suivant les espèces. *Phryganes* : de 4 j à quelques semaines. *Poux* et certains *hyménoptères* : quelques semaines. *Bombyx du mûrier* (papillon du ver à soie) 24 h.

• **Mammifères du désert. Ongulés :** Bovidés : *Addax ; Gazelle dorcas ; Oryx algazelle ; Mouflon à manchettes.* **Camélidés :** *Dromadaires.* Ils sont adaptés à la sécheresse : leurs urines quotidiennes ne dépassent pas 1/1 000 de leur poids ; ils respirent par coups brefs, ne perdant pas d'humidité par la langue et le museau. La *gazelle de Grant* possède un système artériel à contre-courant qui amène au cerveau un sang rafraîchi au niveau du museau. Pour tous, un pelage épais amortit le rayonnement solaire (à l'extérieur 70° ; à l'intérieur 40°).

• **Migrations d'oiseaux.** La tendance à migrer est déclenchée par la diminution de la longueur du jour ; ils accumulent alors des réserves de graisse (50 % de leur poids), source d'énergie pour la migration. Ils volent de 6 à 8 h par jour à 30-40 km/h (alouettes), à 100-110 km/h (sarcelles). Environ 600 millions d'oiseaux européens viennent en Afrique passer l'hiver. De 400 à 600 millions d'oiseaux migrateurs survolent la France à l'automne et au printemps. Voir distances p. 164 b.

En volant : oies sauvages (sauf quand la mue des ailes les empêche de voler), râles, foulques, dindons sauvages. *A la nage* : manchots, grand pingouin (autrefois), petit pingouin, guillemot, fou de bassan, tadorne, harle bièvre (surtout les jeunes).

• **Mouches et moustiques.** Ordre des diptères (à une seule paire d'ailes). + de 100 000 espèces (dont 36 familles). *Plus grands :* mydas d'Amérique (8 cm de long), tipule de France (4 cm). *Plus petits :* (- de 1 mm) : mouches au sens strict (muscidés), 1 000 esp. européennes. Pondent 300 à 500 œufs (10 j après, ce sont des adultes reproducteurs). *Moustiques (culicidés)* : 2 000 esp. dont 50 en France. Peuvent voler 35 h sans nourriture (7 h chez l'abeille). 600 battements d'ailes par seconde.

• **Nage.** Des *Élans* vont parfois de Suède au Danemark. Des *Sangliers* iraient de Provence en Corse. Voir aussi migrations.

• **Nid. Le plus petit** : *Colibri calliope* : diamètre interne 19 mm, hauteur 30 mm. **Les plus grands** : *Mégapode de Freycinet* (taille d'un poulet ; Nouv.-Guinée) ; diamètre 7 ou 8 m, hauteur 2 m (maximum 10 m et 5 m), 300 t de matériaux. En fait, il s'agit plus d'une « couveuse » que d'un vrai nid. *Pygargue* (ou *aigle de mer*), nid jusqu'à 2,9 m, prof. 6 m, 3 t. L'*Hirondelle de cheminée* fait environ 1 000 voyages avec de la boue dans le bec pour édifier son nid, formé de 750 à 1 400 boulettes de terre. Un nid de crocodile contient env. 60 œufs (développement 2 ou 3 mois).

• **Odorat.** Le *chien* peut mémoriser plus de 100 000 odeurs. Le *petit paon de nuit* décèle sa femelle à 11 km ; la quantité de substance odorante (phéromone) émise par celle-ci serait suffisante pour attirer un trillion de mâles. La *truie* est attirée par la truffe car celle-ci contient une substance odorante semblable à celle sécrétée par le verrat. Un *doberman pinscher* a suivi un voleur sur 160 km. Un *colley* a retrouvé ses maîtres à 3 200 km (intervention d'un sixième sens ?). *Oiseaux :* en général dépourvus d'odorat (exceptions : kiwis, pétrels, vautours, etc.).

• **Œil.** *Le plus grand :* calmar géant, diam. 38 cm.

• **Œufs. Nombre d'œufs par ponte (oiseaux) :** *albatros, manchot, pingouin, pétrel, grands rapaces* 1. *Colibri, pigeon* 2. *Mésange* de 8 à 10. *Canard sauvage* de 8 à 12. *Autruche* de 10 à 15. *Perdrix* de 8 à 20. *Poules d'élevage* (par an) certaines près de 300 œufs, max. 371. *Oie* (except.) 50 œufs en 3 mois. *Cane* (except.) 457 œufs en 463 jours.

Poissons (par an) : *Carpe* env. 20. *Lotte de rivière* 1 000 000. *Poisson-soleil océanique* 300 000 000 (0,127 mm de diam.). *Poisson-lune* 300 000 000 (1,3 mm de diam.). **Insectes** (par an) : *Termite* jusqu'à 10 000 000 (20 000 par jour). *Abeille* 25 (osmies, abeilles sauvages) à 200 000 (abeilles domestiques). *Mouche* de 200 à 400. *Criquet* 100. *Hanneton* 20. *Mouche tsé-tsé* de 8 à 10 dans leur vie (3 mois). *Scarabée sacré* 2.

Taille des œufs (en mm) : *Æpyornis maximus* (oiseau fossile de Madagascar) 340 × 240, 856 × 723. *Dinosaure* (Hypselosaurus priscus) 300 × 140 × 90. *Requin-baleine* 300 × 140 × 90 (1953, dans le golfe du Mexique). *Autruche* 150/200 × 100/150 (1 650/1 860 g) [cuisson à la coque : 40 min, coquille 1,5 mm d'épaisseur]. *Oie* 680 g (record), 340 × 240. *Nandou* 135 × 94 (570 g). *Cygne muet* 120 × 75 (370 g). *Poule domestique* 454 g ; 31 × 23 cm. *Aigle royal* 77 × 59 (145 g). *Alouette des champs* 24 × 17 (3 g). *Mésange* 14 × 11 (0,8 g).

Incubation. Oiseaux : chez 54 % d'entre eux, les œufs sont couvés alternativement par le mâle et la femelle, 25 % par la femelle seule, 6 % par le mâle seul, 15 % de cas indéterminés. Les *Mégapodes* (7 espèces ; de la taille d'un pigeon ou d'un dindon : Australie, Célèbes, N.-Guinée) ne couvent pas : ils pondent leurs œufs au milieu de végétaux en cours de décomposition : la chaleur de fermentation assure l'incubation. Le *coucou* pond ses œufs (de 5 à 12 env.) dans le nid d'environ 50 espèces (fauvette, rouge-gorge, bergeronnette, troglodyte, rousserolle, etc.).

DURÉE EN JOURS : *Gros-bec* de 9 à 10. *Coucou à bec noir* 10. *Passereau* (la plupart) de 12 à 15. *Mésange, fauvette, moineau* 13. *Rouge-gorge, pinson, grive* 14. *Hirondelle, merle* 15. *Pigeon* 17. *Poule* 21. *Faisan* de 26 à 27. *Canard* 28. *Dindon, héron, oie* 28. *Pintade* de 28 à 30. *Faucon* 29. *Cigogne* 30. *Flamant* 30. *Grand duc* 35. *Cygne* 40 à 45. *Autruche* 50. *Vautour* de 54 à 60. *Mégapode* 65. *Albatros hurleur* de 75 à 82. *Kiwi* 80.

• **Oiseaux. Espèces ayant niché pour la première fois en France ces dernières années :** *Bécasseau variable :* Finistère. *Cigogne noire :* Jura, Pays de Loire, Hte-Marne. *Grue cendrée :* Orne (1 couple en 1990) ; nidification possible dans le Sud-Ouest. *Locustelle fluviatile :* Alsace. *Pluvier guignard :* Pyrénées.

Nota. – *L'élanion blanc* (petit rapace) cherche à s'installer dans la région de Bayonne. Le *busard* pâle a tenté de nicher dans les Ardennes en 1990.

Principaux oiseaux exotiques introduits en Europe, avec région d'origine et pays où ils sont implantés. Afrique : *oie d'Égypte* (Angleterre) ; Afrique tropicale : *sénégali ondulé* (Portugal) ; Afrique, Asie : *perruche à collier* (divers pays). Amérique du Nord : *bernache du Canada* (îles Britanniques, Scandinavie), hiverne et niche en France, *érismature rousse* (Iles Brit.), *colin de Virginie et c. de Californie* (France). Amérique du Sud : *flamant du Chili* (Allemagne). Asie : *oie à tête barrée* (Suède, Norvège) ; Asie orientale : *faisan doré* et *faisan de lady Amherst* (diverses régions), *faisan vénéré* (France notamment), *canard mandarin* (îles Brit.).

Oiseaux parleurs. *Perroquet* a appris 1 000 mots. *Mainate. Étourneau. Corbeau. Corneille. Pie. Geai. Alouette calandre. Ménure (Oiseau-lyre)* ; éventuellement d'autres passereaux.

Plumes. Un oiseau a de 1 000 à 30 000 plumes (soit 10 % du poids de son corps). Le *cygne siffleur* 25 216. L'*oiseau-mouche* a env. 940 plumes seulement. Le *coq phœnix* (Japon) possède les plumes les plus longues : jusqu'à 6 m (max. 10,60 m).

• **Organes génitaux (volume).** Éléphant (1,5 m, 25 kg). Baleine bleue (érection : 2,4 m ; par rapport au volume de l'animal, représenterait env. 12 cm pour l'homme). Gorille (érection 5 cm). *Record (proportionnellement à la taille) :* la puce (pénis 1/4 de sa longueur + 2 pénis subsidiaires).

• **Pattes.** Record : plusieurs centaines de paires pour certains *myriapodes (mille-pattes)* : les espèces européennes en ont 30 ou 40 environ. Certains millipèdes ont des pattes de 28 cm de long et 2 cm de diam. L'*Illacme plenipes* (Californie, U.S.A.) en a 375 paires. Certains *crustacés* ont également de nombreux appendices (14 pattes pour les cloportes).

• **Plongée.** *Cétacés : cachalot* peut plonger à 1 200 m sous l'eau pendant 90 min, parfois à + de 3 000 m pour trouver sa nourriture. *Dauphin* 200 à 300 m, pour chasser 600 m, pendant 20 min. max. *Hypérodon* atteindrait 1 300 m et resterait 2 h sous l'eau. Record 1 134 m (pression 118 kg/cm²). *Éléphant de mer* 630 m. *Phoque de Weddel* 600 m pendant 45 min. *Manchot empereur* 250 m pendant 18 min. *Poissons : Bassogigas profundissimus* 8 300 m ; *sole* 10 912 m. *Crustacé amphipode* 10 500 m. *Étoile de mer* (Porcellanaster ivanovi) 7 584 m.

• **Portées** (records). *Chien* 23 (Saint-Bernard, Fox), *chat* 19 dont 15 survivants, *lapin* 8 à 12 (Blanc de N.-Zélande), *souris* 34, *brebis* 8, pas de survivant, *truie* 34. *Tanrec sans queue* 31 (30 survivants).

• **Prix** (records). *Cheval de course* 40 000 000 $ (Shareef Dancer en 1983). *Couple d'orques,* estim. 20 000 000 $ (Orky et Corky en 1985).

• **Régénération.** Développement d'un organe ou d'une partie de l'organisme après son amputation. Si la cicatrisation consiste en la « réparation » d'un tissu par les cellules de celui-ci, la régénération implique l'action de cellules indifférenciées ou différenciées. Elle existe chez cnidaires, échinodermes, annélides, crustacés, plathelminthes, vertébrés (surtout amphibiens et reptiles, assez peu chez les oiseaux et les mammifères). Ainsi, un bras coupé d'étoile de mer repousse rapidement. Un bras isolé, auquel on a laissé une portion du « disque central », peut reconstituer une astérie entière.

Autotomie : amputation volontaire d'un organe, par un animal, pour échapper à un ennemi. Le crabe se débarrasse ainsi de ses pattes, et le lézard de sa queue. L'organe amputé se régénère ensuite.

• **Reproduction.** Record : la *paramécie* (infusoire d'un millionième de milligramme) se reproduit surtout par division transversale. Après 15 j, elle pourrait avoir 1 t de descendants ; au bout d'1 mois, leur masse égalerait celle de la Terre ; après 5 semaines, celle du Soleil...

Quelques animaux prolifiques. *Lapin :* 24 lapins introduits en 1874 en Australie avaient, en 1949, 5 milliards de descendants. *Campagnol :* peut avoir 200 descendants par an. *Rat :* peut avoir 3 à 14 petits 2 à 7 fois/an (soit 100 petits), et 20 millions de descendants en 3 ans. Le *tanrec* (insectivore de Madagascar et des Comores) peut avoir une portée de 31 petits (moy. de 12 à 15), les femelles se reproduisent de 3 à 4 semaines après la naissance. Chez les insectes sociaux, les *neutres* sont des sujets asexués (des mâles ou des femelles qui ont subi une *castration alimentaire :* ils ont une alimentation plus réduite que les autres membres de la colonie). Ces neutres sont les ouvrières des abeilles et des fourmis, les soldats et les ouvriers des termites.

Les mâles des insectes sociaux ont essentiellement pour mission de féconder les femelles (Ex. : vol nuptial de *l'abeille*) et donc de perpétuer l'espèce. La reine est fécondée par plusieurs mâles, et non par un seul. A l'automne, les mâles d'abeille (ou faux bourdons) sont chassés de la ruche par les ouvrières, ce qui les condamne à mort. La douve du foie de mouton (ver parasite) pond 100 millions d'œufs, mais n'a que 2 descendants.

• **Requins.** **Non dangereux** (tout au moins à proximité des plages) : *r. pèlerin* qui peut atteindre 12 m et peser 6 t ne mange plus que du plancton ; se rassemble en groupe pouvant aller jusqu'à 300 ; pêché pour son huile ; *r. baleine* qui se nourrit de plancton ; *r. taupe* de 3 m à 3,50 m dont le foie donne de l'huile et dont la peau est utilisée en maroquinerie ; *r. renard* qui peut atteindre de 5 à 6 m ; *r. nourrice ; r. de sable ; roussettes* ou *chiens de mer* qui sont petits. **Dangereux :** *r. blanc* peut atteindre 6 m et peser jusqu'à 3 t., *r. marteau, r. tigre* et *r. mako* qui peuvent attaquer les baigneurs en Australie, en Afr. du Sud, sur les côtes de l'océan Indien, dans le Pacifique ou sur la côte Atlantique des U.S.A. jusqu'à la hauteur du cap Horn. *R. bleu* ou *peau bleue* de 3 à 6 m, aux flancs d'un bleu intense (a un comportement dangereux dans les eaux chaudes tropicales), vivipare, portée de 4 à 6 jeunes de 50 cm à la naissance ; *r. taureau.* Le + petit requin de l'Atlantique est *l'aiguillat noir* ou *sage* (45 cm).

• **Résistance.** La *grenouille* peut jeûner un an, la vipère 20 mois, le python 24 mois, les serpents à sonnette 27 mois, les boas 28 mois, le scorpion 3 ans. Un *chien* est resté sans manger 47 j (record 112). On a retrouvé 16 *moutons* enfouis sous la neige depuis 50 j (1 survivant). L'*oryx* et *l'addax* (antilopes d'Afrique) peuvent rester 4 mois sans boire. Certains rongeurs du désert ne boivent jamais. Une *carpe* ou une *truite* peut être congelée à – 40 °C et revenir à la vie. Un *mille-pattes* résiste à – 50 °, une *oie* à – 100 °, un *escargot* à – 120 °, un *chien* à – 160 °, un *moucheron* (Polypedilum vanderplanki) de – 270 °C à + 102 °C. Un *tuatara* (lézaridé) peut retenir sa respiration 60 mn.

Un *scarabée* pesant 1/4 de g a pu porter sur son dos une charge égale à 850 fois son poids. Une paire de *chevaux* a tiré une charge de 55 t sur traîneau. Un *saint-bernard* de 80 kg a déplacé sur 4,57 m, en moins de 90 s, une charge de 2,905 t. Un *escargot de Bourgogne* peut tirer 200 fois son propre poids. Un *cerf-volant* a tenu entre ses mandibules une baguette de verre pesant 200 fois son poids. Une *abeille* développe une force égale à 24 fois son propre poids, certains insectes jusqu'à 40 fois. Un *hanneton* supporte 400 g.

L'*araignée* est capable de former un fil long de 30 m, soit plus de 1 000 fois sa propre longueur. Un *gorille* peut porter 850 kg.

• **Saut en hauteur** (en m). *Homme 2,40* (except. 8,9). Cheval 2,47 (except. 8). Puma 3. Saumon 3. Kangourou 4. Chamois, bouquetin 4,5. Chien 3,55. Dauphin 7.

• **Saut en longueur** (en m). Grenouille 2 (max. 5,35 m ; 10,30 m en 3 bonds). Chamois, bouquetin 7. Ours polaire 5 à 8. Singe 8. *Homme 8,90.* Chien 9,14. Antilope de 10 à 12. Kangourou 13. Puce ordinaire 0,33. Sauterelle 3 (grâce à la résiline, protéine se trouvant dans l'articulation et restituant 97 % de l'énergie impartie).

Pour le (la)	un saut en hauteur de	représente sa hauteur
Kangourou . .	400 cm	2,5 fois
Grenouille . . .	48	6
Sauterelle	40	35
Puce	44	300
Pour le (la)	**un saut en longueur de**	**représente sa hauteur**
Kangourou . .	1 280 cm	8 fois
Grenouille . . .	200	27
Sauterelle	120	100
Puce	32,5	200

• **Saut en profondeur.** Un chat parvient à retomber de 6 m sur ses pattes, sans se blesser. Au-delà, il se brise un membre ou l'os du palais, et peut souffrir de lésions dans la rate. Plus il est lourd, plus il risque de se blesser ou de se tuer.

• **Sevrage.** *Le plus rapide :* tanrec 5 jours. *Le plus tardif :* éléphant de 4 à 7 ans.

• **Sixième sens des animaux.** A la suite d'observations, on a parlé d'un 6e sens chez les animaux. **Orientation.** Les animaux s'orientent grâce aux étoiles et aux repères terrestres (oiseaux, insectes, mollusques). Les chiens ou les chats retrouveraient leur maître à grande distance, grâce à « quelque chose » d'autre, encore inconnu : le « psy rampant ». **Télépathie.** Chiens et chats retrouvent leur maître grâce à une communication télépathique : un chien placé dans une pièce insonorisée s'agite si l'on fait mine d'attaquer sa maîtresse se trouvant dans une autre pièce. **Prémonition.** Des chiens ont la prémonition de la mort ou la capacité de la ressentir à distance : ils s'agitent et hurlent à la mort au moment où leur maître décède. **Psychokinèse** (action du cerveau sur la matière). Un chat, des insectes, voire des œufs, seraient capables de divers exploits (ex. : faire s'allumer des lampes).

Chez les poissons. Les « poissons éléphants » des grands fleuves africains (Congo, Niger, Nil, Volta) sont pratiquement aveugles ; ils se meuvent dans des eaux profondes et boueuses, où la visibilité est nulle. Ils ne heurtent pourtant aucun obstacle, et dénichent leurs aliments (larves, vers, mollusques, petits crustacés) grâce à leur bec en forme de trompe, qui leur a valu leur surnom d'éléphant. Ils émettent sans arrêt des décharges électriques de faible tension (1 à 2 V) et de faible intensité (quelques mA) qui créent autour d'eux un champ électrique, suffisant pour permettre une « électro-navigation sans visibilité ».

• **Sommeil.** Le *chat* 14 h par jour dont 27 % de sommeil paradoxal (sommeil de rêve). *Cobaye* 12 h dont 5 % de sommeil paradoxal. *Paresseux* et *opossums* dorment 80 % de leur existence.

Sommeil record. 27 ans chez les vers nématodes (en raison de la sécheresse). Sommeil (anhydrobiose) fréquent chez les petits animaux des mousses tartigrades et anguillules.

• **Son.** **Le plus aigu :** les *vampires* et les autres *chauves-souris frugivores* perçoivent les fréquences jusqu'à 80 000 Hz (l'homme : 20 000 Hz). Ils émettent eux-mêmes ces sons 30 à 60 fois par mn de 1 à 5/1000e de s., et captent avec leurs oreilles très développées les échos renvoyés par les obstacles, même les plus ténus (fils de nylon). Le système est comparable à celui du sonar. En dépit d'un préjugé tenace, les chauves-souris ne se prennent pas dans les cheveux (car elles les détectent). La *baleine bleue* émet des sons de 188 dB détectés à 850 km. L'*éléphant* possède dans le front un organe émetteur d'infrasons, véritable « téléphone naturel ». La *grenouille* perçoit des sons de 50 à 10 000 Hz, les *insectes* de 500 à 50 000, les *poissons rouges* de 200 à 4 000, le *perroquet* de 40 à 14 000, le *dauphin* jusqu'à 150 000 Hz. **Le plus bruyant :** la *cigale* mâle, 7 400 pulsations par mn, émet un son perceptible à plus de 400 m.

• **Suicides.** Il n'y a pas de suicides chez les animaux. *Scorpion :* cerné par les flammes, ne se tue pas volontairement en se piquant, mais il peut arriver que, terrifié, il se recroqueville et donne l'impression de se frapper de son aiguillon (en fait, il est immunisé contre son propre venin et on a pu ranimer des scorpions après leur « suicide » en les plongeant dans l'eau salée). Les *lemmings* (rongeurs, voisins du campagnol) qui se jettent dans la mer obéissent à leur impulsion migratoire. Vivant du nord de l'Europe à l'Asie arctique, ils quittent les Alpes de Scandinavie en droite ligne vers la mer du Nord ou le golfe de Botnie à la recherche de régions de bouleaux et de genévriers (les migrants sont des jeunes de moins d'un an, dont les femelles ne sont pas fécondées) : ils traversent de nombreux cours d'eau et, ne distinguant pas la mer d'un cours d'eau, ils essaient de la traverser. Les *cétacés* s'échouent en masse pour des causes variées : impulsion migratoire, dérèglement du sonar (des signaux sonores émis par l'animal lui sont renvoyés par des obstacles, ce qui lui permet d'en apprécier l'éloignement ; si par ex. une plage s'enfonce en pente douce sous l'eau, elle ne renvoie pas d'écho s'il n'y a pas de ressac), énervement dû aux parasites, obéissance aveugle au chef du troupeau, orages, raz de marée et surtout variations du champ magnétique terrestre. Des *dauphins* se sont parfois cogné la tête contre leur bassin et se sont tués.

Des *chats* ou des *chiens* se laissent parfois mourir après la mort de leur maître (dépression réactionnelle ou comportement suicidaire).

• **Surdité.** Les serpents ne possèdent ni oreille interne, ni oreille externe, et sont sourds. Ils n'entendent pas la musique des prétendus « charmeurs de serpents » mais perçoivent seulement les vibrations du sol provoquées par les pieds battant la mesure.

• **Taille et poids.** **Espèces actuelles** (fossiles, voir p. 170). **Les plus grands.** **Marins :** *méduse cyanée arctique géante* envergure 75 m (corps 2,28 m, tentacules 36,50 m) ; la plus petite, 0,02 m. *Pieuvre géante* jusqu'à 66 m d'envergure (voir Index). *Ver lacet* 55 m. *Baleine bleue* ou *rorqual de Sibbald* 35 m, 150 t, la femelle peut peser 190 t. *Requin-baleine* 18,60 m, 43 t. *Requin pèlerin* 15 à 18 m, 40 t. *Calmar géant* 17,50 m (dont 14,95 m pour les tentacules) ; 2 t. *Régalec* (hareng) 15,2 m. *Cachalot* 15 m (except. 20,7 m ; 25 m). *Grande raie cornue* 8 m, 3 t (golfe du Mexique). *Esturgeon* jusqu'à 10 m, 1 400 kg. *Orque épaulard* (« baleine tueuse ») 7,5 m à 10 m. *Arapaïma d'Amazonie* 5 m, 200 kg. *Éléphant de mer* 5 m, 2,3 t (max. 6,50 m, 4 t). *Espadon* 4 m, 300 kg. *Grand requin blanc* 4,5 m, 500 à 800 kg (except. 6,5 m ; 3 312 kg).

Produits particuliers d'origine animale

Ambre gris : constitué à partir des restes de calmars rejetés par les cachalots.

Bézoard : concrétion du tube digestif des ruminants.

Cantharidine : substance extraite de la cantharide ou « Mouche d'Espagne » (Coléoptère), et à laquelle des propriétés vésicantes et aphrodisiaques étaient attribuées.

Carmin et laque : fournis par les cochenilles.

Castoréum : sécrétion du castor, considérée jadis comme une panacée.

Colle de poissons : requin, morue, etc.

Crin de cheval : utilisé pour cosmétiques.

Engrais de poissons.

Essence d'Orient : nacre fournie par l'ablette.

Farines de poissons : requin, morue, etc.

Galuchat : peau de sélaciens utilisée en maroquinerie.

Huiles de poissons : requin, morue etc. ; **d'hémiptère :** l'Agonoscelis, au Soudan.

Musc : matière odorante produite par divers mammifères (civette, genette, chevrotain porte-musc).

Poisons de flèche : ex. : les Indiens de Colombie utilisent un poison provenant de la peau de grenouille (batrachotoxine).

Pourpre : matière colorante sécrétée par des mollusques gastéropodes marins *(Murex, Purpura).*

Soie : celle de certaines araignées est aussi utilisée (notamment aux îles Salomon).

Spermaceti : sorte de cire très fine contenue dans l'extrémité antérieure de la tête du cachalot.

Trépang : nom donné aux holothuries en Extrême-Orient, où on les mange.

Crocodile 3,70 à 4,30 m, 500 kg, max. 6,20 m. *Esturgeon huso* 3 à 4 m, 1,3 à 1,6 t, une femelle donne 100 kg de caviar. *Poisson-lune* 4,26 m (2,235 t). *Octopus appolyon* (pieuvre) 3,7 m ; 25 kg (except. 7 m envergure, 53,8 kg). *Silure géant* 2,50 m, 160 kg (record 300 kg). *Poisson-chat géant* 2,45 m, 163 kg (max. 4,57 m, 336 kg). *Éponge* (Loggerbead des Antilles) 2 : record Hippospongia canaliculatta de 1,83 m, gonflée d'eau 41 kg, sèche 5,44 kg ; la plus petite : 3 mm (Leucosolenia blanca). *Tortue de mer* 1,85 à 2,15 m, 300 à 360 kg (max 2,54 m, 865 kg). *Tortue-luth* 1,8 m, 60 kg (record 2,54 m, 864 kg). *Tortue Caret* 1,2 m, 450 kg (Méditerranée). *Étoile de mer* 1,38 m d'envergure (diam. au centre 2,6 cm, sèche 70 g), max. 63 cm d'env., 6 kg ; la plus petite mesure 18,3 mm, pèse 10 g. *Bénitier* 1,2 m. *Salamandre géante* 1,10 m, 25 à 30 kg (max. 1,80 m, 65 kg). *Praire géante* 1,09 m. *Clam géant* 1,09 m × 0,73 m, 263 kg. *Homard américain* 1,06 m, 20 kg (max. 22 kg). *Conque marine* (Australie) 0,77 m, 1 m circonf., 18 kg. *Grenouille goliath* 34 cm, 81,5 cm pattes étendues (3,306 kg). *Crabe-araignée géant* 0,30 à 0,35 m (pinces 2,45 à 2,75 m d'envergure, max. 3,65 m, 18,6 kg). *Triton* 0,40 m, 450 g ; le plus petit 0,05 m. *Crapaud marin* (Bufo marinus), une femelle : 0,26 m, 1,3 kg (except.) ; le plus petit : Bufo taitanus teiranus avec 0,02 m. *Rainette* 0,09 m, max. 0,14 m ; la plus petite 0,015 m. *Gobie* (poisson des îles Marshall) : 12 à 16 mm (le gobie nain pygmée d'eau douce 7,5 à 10 mm, 4 à 5 mg). **Coquillages.** *Tridacna gigas* (coquillage bivalve) jusqu'à 333 kg (110 cm) ; record 132 cm.

Terrestres. *Anaconda* (serpent) 8,48 m. *Cobra royal* 5,71 m. *Lombric mégascolide* 3 m. *Crocodile d'estuaire* 3,70 à 4,30 m, 500 kg. *Ours Kodiak* 2,40 m. *Python réticulé* 6 m, max. 10 m. *Salamandre géante de Chine* 1,15 m, 25 à 30 kg. *Serpent à sonnette* 2,36 m, 15 kg. *Varan de Komodo* 2,25 m, 60 kg (record 3,10 m, 166 kg). *Varan de Salvador* 4,75 m. *Ver d'Afrique du Sud* (Microchaetus rappi) 1,36 m (record 6,70 m, diam. 0,02 m).

☞ La plus grande chauve-souris est la *Pteropus vampyrus* : long. 40 cm, envergure 1,70 m.

Les plus hauts. **1) Vertébrés.** *Autruche d'Afrique du Nord* 2,70 m, 156,5 kg. *Capybara* (rongeur) 1 m à 1,40 m, 79 kg. *Cheval* 2,19 m. *Élan d'Alaska* 2,30 m, 1,18 t. *Élan du Cap* 1,65, 943 kg. *Éléphant africain*, h. 4,16 m au garrot, 10,67 m de long, 11,96 t. *Girafe* en hauteur 2,50 à env. 6 m (record 6,09), 1,8 t. *Gorille des montagnes* (except. 1,95 m) 130 à 220 kg. *Gymnure de Raffles* (insectivore) 0,26 à 0,44 m, queue 0,20/0,21 m, 1,4 kg. *Kangourou rouge* 2 m, 80 kg. *Lion d'Afrique* 2,70 m, 180 à 185 kg (max. 313 kg, en captivité 375 kg). *Ours kodiak* 2,40 m (2,32 m au garrot), 476 à 533 kg (max. 4,11 m, 751 kg). *Ours polaire* 3,40 m. *Tigre de Sibérie* 3,15 m, 265 kg. *Tigre d'Inde* 3,22 m, 388,7 kg. **2) Invertébrés.** *Gastéropode Syrinx aruanus* 0,71 m, circonf. 0,96 m, 15,9 kg. *Escargot géant d'Afrique* 0,39 m, 900 g. *Scolopendre* 0,33 m, diamètre 0,38 m. *Phasme des tropiques* 0,33 m. *Araignée Theraphosa blondi*, envergure 0,25 m, 56 g. *Millipède Graphidostreptus gigas* (Seychelles, oc. Indien) 0,28 m, diam. 0,02 m. *Scarabée Dynastes hercules* et *D. neptunus* 0,19 m et 0,18 m. *Scarabée longicorne* 0,27 m (antenne 0,19 m).

Les plus petits. *Amibe protée* (unicellulaire) 0,5 mm. *Antilope royale* 25 à 30 cm au garrot, 3 à 3,5 kg. *Araignée* Patu marplesi 0,43 mm. *Belette polaire* 1,5 à 15 cm, 35 à 70 g. *Caméléon nain* 3,2 cm. *Centipèdes* 5 mm. *Chat moucheté* 65 à 70 cm, 1,4 kg. *Chauve-souris de Kitti* (Thaïlande) 16 cm, 1,7 à 2 g. *Cheval falabella* 38 à 74 cm au garrot (record 35,5 cm), 12 à 36 kg (except. 9,1 kg). *Chevrotain* (S.-E. Asie) 20 à 24 cm, 2,7 à 3,2 kg. *Coléoptère* (fam. Ptiliidés) 0,008 à 0,2 mm. *Coquillage univalve* (G.-B.) 0,5 mm. *Crabe petit pois*, diamètre 6,3 mm. *Crapaud* (Bufo beiranus) 2,5 cm. *Crocodile* nain du Congo 1 m. *Dauphin de Commerson* 23 à 35 kg. *Étoile de mer* (Patiriella parvivipara) 9 mm. *Fauconnet de Bornéo* 35 g. *Gambusie* (Europe) 3,5 cm. *Gecko* (Haïti) 3,4 cm dont 1,7 de queue (record). *Gobie* (de mer) 0,86 à 0,89 cm ; *nain* (eau douce) 0,75 à 1 cm, 0,01 à 0,03 g. *Grenouille venimeuse* (Cuba) 8,5 à 12,5 mm. *Guêpe* (Mymaridae) 0,2 mm. *Hanneton à ailes velues* 0,2 mm. *Homard* 10 à 12 cm. *Loutre de mer* 25 à 38,5 kg. *Marmouset pygmée* 30 cm, 49 à 80 g. *Millipède* Polyxenus lagurus 2,1 à 4 mm. *Musaraigne pachyure étrusque* 3 à 5 cm, 1,6 à 3 g ; *à queue plumée* 2,3 à 3,3 cm, 30 à 50 g. *Oiseau de mer* (pétrel) 14 cm. *Oiseau-mouche abeille* (Cuba) 5,6 cm, 1,6 g. *Papillon nain bleu* (envergure) 1,4 cm ; *de nuit* (Stainton) et *Stigmella ridiculosa* (envergure 2 mm). *Pétrel pygmée* 14 cm, 28 g. *Phoques marbrés* (Pusa hispida et P. sibirica) 1,67 m, 127 kg (max.). *Planigale d'Ingram* (marsupial) 4,5 cm, 4 g. *Poisson* (Schindleria praematurus) 1,2 à 1,9 cm. *Puce d'eau* (Alonella) 0,25 mm. *Pudu* (cerf, Équateur) 33 à 38 cm, 8 à 9 kg. *Rainette* (Hyla ocularis) 1,5 cm. *Requin à longue tête* 15 cm. *Roitelet triple bandeau* 4 à 5,5 g. *Salamandre pygmée* (U.S.A.) 2 cm. *Souris marsupiale* 4,5 cm, 4 g. *Souris pygmée* (Mexique) 10 cm, 7 à 8 g. *Tortue* (Afrique du Sud) 10 cm. *Toupaye* (marsupial) 23 à 33 cm, 30 à 50 g. *Triton rayé* 5 cm. *Ver* (Chaetogaster annandalei) 0,5 mm.

Poids records. **Marins.** *Crocodile marin* 2 t. *Homard américain* 20,14 kg. *Loutre de mer* 37 kg. *Perche du Nil* 188,6 kg. *Poisson-lune* 2 235 kg (except.). *Rorqual bleu* de 33,58 m, en gestation 195 à 200 t (langue 4,3 t, cœur 698,5 kg). **Terrestres.** *Anaconda* 230 kg. *Bœuf domestique* 2,2 t. *Chat* 21,3 kg. *Cheval pur-sang belge* 1 440 kg. *Chien Saint-Bernard* 140,6 kg. *Élan du Cap* 943 kg. *Éléphant d'Afrique* 5,7 t (record 12 t). *Gorille* 350 kg. *Jument* poids moyen 1 t (record 1,450). *Lapin géant des Flandres* de 7 à 8,5 kg (0,9 m) [record 11 kg]. *Ours polaire* 400 kg (record 1 t). *Porc* 1 157,5 kg. *Poudou* (Équateur, Colombie) de 33 à 35 cm, de 7,2 à 8,1 kg. *Tarentule velue* 85 g. *Taureau* 2,260 t. *Tigre d'Inde* 190 kg (record 389 kg). *Tortue éléphantine* 279 kg. *Vache* 2,267 t. **Aériens.** *Condor de Californie* 10,5 kg (record 14 kg). *Cygne muet* 18 kg. *Dindon* 35,8 kg. *Outarde barbue* 12 kg et +. *Outarde de Kori* 18 kg. *Poule* 9,98 kg. *Poulet « White Sully »* 10 kg.

• **Température.** 2 groupes. *Animaux à température constante* ou *homéothermes* (appelés improprement « animaux à sang chaud ») : leur température ne varie pas avec celle du milieu extérieur : mammifères et oiseaux, et dans une certaine mesure quelques reptiles ; *la plus élevée* : chèvre domestique 39,9 °C, *la plus basse* : hamster doré en hibernation 3,50 °C (record : chauve-souris – 1,3 °C). *Animaux à temp. variable* ou *poïkilothermes* (dits « animaux à sang froid » à cause de la sensation ressentie à leur contact) : reptiles, amphibiens, poissons, invertébrés ; leur temp. dépasse celle du milieu ambiant de quelques 1/10e de degré ou, except., quelques degrés ; temp. d'un lézard au soleil : jusqu'à 50-60 °C.

• **Territoire de chasse.** Un *lion* chasse sur 3 000 ha, une *buse* 260 ha, un *cygne* de 120 à 150 ha, un *héron* 400 m², un petit *lézard* 37 m².

• **Transport des jeunes par les oiseaux en vol.** La *Bécasse* transporte ses jeunes (un par un) entre ses pattes ou sur le dos, quelquefois sur plus de 100 m. D'autres échassiers en font autant entre leurs pattes. Le *Tadorne* transporte ses jeunes par le bec.

• **Troupeau.** *Springboks,* env. 10 millions de têtes, 24 km × 160 km.

• **Vitesse** (en km/h, sous toutes réserves).

Sur terre. *Escargot* 0,05 [*en 1987, 1er prix de traînage de pierres*, organisé chaque année à Valle de Trapaga (province de Biscaye, Esp.) pour les escargots : *Es Igual* a déplacé de 12,8 cm en 10 mn un caillou de 240 g]. *Paresseux* 0,1 à 0,2 (max. 4,57 m/mn). *Boa* 0,36. *Tortue* 0,37. *Araignée* (Tegenaria gigantea) 1,8. *Centipède Scutigera coleoptrata* 1,8. *Serpent* (mamba noir ou Dendroaspis polylepis) 11 (max. 24). *Crabe* (terrestre) 12. *Crocodile* 12 à 13. *Poulet courant* 14,4. *Cochon* 17,6. *Mouton* 24. *Chameau* 25 (max.). *Banteng* (ou *buffle des I. de la Sonde*) 25. *Reptile* (coureur à 6 lignes ou Cnemidophorus sexlineatus) 29 (poursuivi par une voiture). *Gélinotte* 32. *Lézard sprinter* 32. *Rorqual bleu* 37 (pendant 10 mn en cas de danger). *Homme* 37. *Lapin* 38. *Éléphant* 40. *Chien de traîneau* 45 (pointe). *Loup* 45. *Rhinocéros* 45. *Daim* 48. *Kangourou* 48. *Autruche* 50. *Émeu* 50. *Girafe* 50. *Phacochère* 50. *Ane sauvage de l'Inde* 55. *Chacal* 55. *Buffle d'Afrique* 55. *Antilope-cheval* 56 (88 sur 800 m). *Chien* 60. *Kangourou géant* (record) 64. *Coyote* 65. *Hyène tachetée* 65. *Zèbre* 65. *Cheval* 69,3 (70 sur 400 m). *Lévrier afghan* 69,8 (sur 314 m). *Lièvre* 70. *Antilope* 72-100. *Cerf* 78. *Gazelle* 80. *Gnou* 80. *Lion* 80. *Antilope américaine* 88,5 sur 800 m. *Springbok* 95. *Chevreuil* 98 (record sur 183 m). *Guépard* 96 à 101 (sur 550 m).

A partir de 80 km/h, les champions se trouvent dans les régions où la visibilité est très étendue : les *prairies* dont la couverture végétale (graminées et quelques arbres du type acacia) ne permet pas à l'animal poursuivi de se cacher (plaines d'Afr. et d'Amér. du Sud, Australie). Un équilibre s'établit entre le poursuivi et le poursuivant (ex. : la gazelle et le lion). L'avantage du guépard (Afr. tropicale, Proche-Orient, Iran, Inde centrale) est compensé : il ne possède pas de griffes rétractiles ; sa patte ne peut pas retenir une proie et il est obligé de chasser à la gueule. Le cheval a plus d'endurance : 48 km/h sur 6 km (pointes de 69 km/h).

Malgré son poids, le rhinocéros court aussi vite que la girafe. Son coup de corne donné au maximum de sa vitesse est comparable au choc d'une voiture d'une t lancée à 100 km/h.

Oiseaux qui ne volent pas

Autruche.

Casoar : Australie et Papouasie.

Cormoran des Galapagos.

Dodo : disparu vers 1700, vivant dans l'île Maurice et à la Réunion.

Émeu : Australie, peut courir à 45 km/h.

Kiwi : N.-Zélande, ailes atrophiées de 5 cm de long.

Manchot.

Moa : disparu fin XIXe s., vivant en N.-Zélande.

Nandou.

Grand Pingouin.

Râle de l'île Inaccessible et beaucoup d'autres espèces insulaires.

Les restes d'un *canard* aptère, éteint au XVIIIe s., ont été récemment découverts à l'île Amsterdam.

Dans les airs. **Mammifères :** *Chauve-souris* 16 à 20 battements par s. : miniopètre 55 km/h, sérotine 40, pipistrelle 22 (record *molosse* 51). **Oiseaux :** *Bécasse* 21. *Chardonneret* 30. *Alouette* 32. *Corbeau* 38. *Faucon* 40. *Pélican* 48. *Grue* 50. *Faisan* 59. *Pigeon* 63 à 150 (moy. sur 800 km : 45). *Corneille* 76. *Vanneau* 80. *Épervier* 80-110. *Perdrix* 84. *Cygne* 88. *Canard* 90-120. *Sarcelle* 135. *Oie* 142. *Vautour* 150. *Aigle* 161 (aigle belliqueux 50 à 80 en vitesse de croisière, lui permettant de parcourir + de 300 km/j). *Martinet épineux* 171. *Frégate* 200. *Faucon pèlerin* en piqué 270 à 350. **Insectes :** *Cératopogon* (moucheron) 0,035. *Moucheron* 35. *Insectes* 38 (57 par à-coups). *Sphinx* 50. *Libellule* env. 80. **Poissons :** *volants* 72.

Dans l'eau. **Homme** nageant 6,451. **Pinnipèdes :** *Lion de Californie* 40. *Otarie* 40. **Cétacés :** *Cachalot* 40. *Rorqual commun* 45. *Baleine* 48. *Marsouin de Dall* 55,5. *Orque* 55,5. *Dauphin* 15 à 60. **Crustacés :** *Homard* 23. **Mollusques :** *Pieuvre* 6. **Poissons :** *Perche* 2,10. *Chabot* 8. *Épinoche* 11. *Anguille* 12. *Carpe* 12,20. *Mulet* 12,80. *Gardon* 16. *Brochet* 33. *Truite* 37. *Saumon* 40. *Poisson volant* 56. *Poisson volant à 4 ailes* 65 et + (moy. 55). *Espadon* 92 (moy. 56 à 64). *Merlan, Wahoo, grand Requin bleu, Thon* (à nageoire bleue) 70. *Voilier cosmopolite* 109. **Oiseaux :** *Manchot gentoo* 27,4. *Petit Pingouin* (en plongée) 36 (10 m/s sous l'eau). *Grèbe* 7. *Cormoran* (en plongée) 2,5. **Reptiles :** *Tortue luth* 35. *Crocodile* 20/25.

• **Vol.** **Altitude :** *Oies sauvages* et bécasseaux 3 000 m, *linotte* 3 300 m, *grue cendrée* (Europe) 4 053 m, *barge à queue noire* et *canard pilet* (Himālaya) 5 000 m, *courlis, choucas* (rég. diverses) 6 000 m, *cygnes* 8 230 m, *oies sauvages* (Himālaya, survolent le Mt Everest) 9 000 m, vautour 11 000 m (record). Les migrateurs volent généralement entre 100 et 700 m d'altitude (certains entre 3 000 et 9 000 m). **Vol le plus long :** *sterne arctique,* 22 530 km, de la mer Blanche à l'Australie ; peut voler 3 ou 4 ans sans revenir au nid. *Poisson* 90 s à 11 m de haut sur 1 110 m. *Criquets* couvrant 5 200 km² (250 milliards d'insectes, 508 000 t). Ont la capacité de voler : insectes, ptérosauriens (fossiles), oiseaux et chauves-souris. A un degré moindre, calmars (décollent parfois), poissons (exocets, dactyloptères, poisson-hachette d'Amérique du Sud, pantodon d'Afrique), amphibiens (grenouille planeuse d'Indonésie), reptiles fossiles et actuels (« dragons volants » et serpents planeurs d'Asie du Sud-Est), divers mammifères : phalanger volant, galéopithèque, écureuil volant (une espèce en Europe : le polatouche).

Nota. – Les jeunes araignées « volent » accrochées à de longs fils de soie, les « fils de la Vierge ».

• **Vue.** **Champ de vision total :** *Chat* 187° (homme 125). *Chouette* 110°, sa vision binoculaire correspond à un angle de 70°. *Pigeon*, ses yeux étant sur les côtés de la tête, a un champ de vision plus vaste, mais la chouette peut faire pivoter sa tête sur 180°. **Acuité visuelle :** *Rapaces nocturnes* 50 à 100 fois supérieure à celle de l'homme. Ils peuvent atteindre leurs objectifs à 2 m de distance, avec un éclairage équivalent à celui d'une bougie située à 360 m. Mais ils ne voient cependant pas dans l'obscurité totale. Ils ne sont pas aveugles dans la lumière du jour, mais préfèrent la nuit, parce qu'ils chassent des gibiers surtout nocturnes (souris, rats, mulots, etc.). *Aigle doré* décèle un lièvre de 46 cm de long à 3,2 km d'altitude. *Faucon pèlerin* peut voir un pigeon à + de 8 km.

☞ Le *cheval* est le mammifère à l'œil le + grand [diamètre : 55 mm ; sa rétine n'a que 12 500 fibres nerveuses par mm² (homme : diam. 24 mm, fibres 160 000 mm²)].

Classification

Nombre d'espèces. Aristote (384-322 av. J.-C.) ne connaissait guère plus de 400 animaux. Linné (1707-78) connaissait plus de 4 400 espèces.

Aujourd'hui, on en connaît plus de 1 800 000 [environ 1 500 000 d'Arthropodes, dont plus de 1 000 000 d'Insectes (30 000 000 selon Terry Erwin), 100 000 de Mollusques, 40 000 de Procordés et de Vertébrés, 25 000 de Vers]. Chaque année, l'on découvre des milliers d'espèces nouvelles.

☞ Le classement ci-dessous est résumé. Si l'on voulait être complet, on pourrait par exemple définir ainsi un moustique : *embranchement :* Arthropode ; *sous-embranchement :* Mandibulate ; *classe :* Insecte ; *sous-classe :* Ptérygote ; *superordre :* Mécoptéroïde ; *ordre :* Diptère ; *sous-ordre :* Nématocère ; *famille :* Culicidé ; *genre :* Culex (en latin Moustique) ; *espèce :* Culex pipiens (en latin, pipiens : qui pique).

Nota. – Certains animaux échappent à une classification simplifiée. *Ex. :* le dipneuste est un poisson qui dispose de branchies et de poumons qui lui permettent de vivre hors de l'eau.

I. Protozoaires

Formés d'une seule cellule. Plus de 30 000 espèces. Forme animale des protistes. Les nummulites (disparus) mesuraient 24,13 mm. Actuellement, *le plus grand* protozoaire est le *Pelomyxa palustris* (15,2 mm) ; *le plus petit : Micromonas pusilla,* diam. 2 microns.

• Rhizopodes (se déplacent par pseudopodes). *Amibes :* pas de squelette. *Foraminifères :* squelette externe calcaire ; marins.

• Radiolaires (pseudopodes rayonnants : squelette interne siliceux). Ex. : Hexalonche, Thalassicola.

• Flagellés (se déplacent à l'aide d'un flagelle). Ex. : Trypanosome de la maladie du sommeil.

• Ciliés (se déplacent grâce à des cils vibratiles). Ex. : Paramécie.

• Sporozoaires (ni cils, ni flagelle à l'état non reproducteur ; parasites). Ex. : Coccidie intestinale du lapin, Hématozoaire du paludisme.

II. Métazoaires

Formés de nombreuses cellules groupées en tissus et organes différenciés.

Invertébrés

• Spongiaires ou Éponges (aquatiques, surtout marins, toujours fixés ; corps à cavités et canaux ; courant d'eau provoqué par des cellules flagellées ; squelette formé de spicules calcaires ou siliceux et de fibres cornées). 5 000 espèces. *Éponge de toilette :* pas de spicules, seulement des fibres cornées.

• Cnidaires (aquatiques, surtout marins ; corps en forme de sac ; des cellules urticantes : harpons microscopiques). Tentacules. 10 000 espèces.

a) **Hydrozoaires :** 2 700 espèces *Hydraires :* alternance polype-méduse ; de petite taille ; marins : ex. : Obelia ; en eau douce : Hydre, à polypes solitaires, et Craspedacusta à phase méduse et phase polype. *Siphonophores :* coloniaux ; parfois de grande taille ; souvent très urticants. Ex. : Physalie, Velelle.

b) **Scyphozoaires ou Méduses acalèphes :** grande taille, ex. : Pelagia, Aurelia ; ou très grande taille, ex. : Rhizostoma, Cyanea. 200 espèces.

c) **Cuboméduses :** très venimeuses, parfois mortelles (Pacifique sud-ouest).

d) **Anthozoaires :** 7 000 espèces ; tous marins ; sans squelette rigide : Anémones de mer, Alcyons. Avec squelette calcaire : Madrépores ou Coraux, Corail rouge. Avec squelette corné : Gorgones, Corail noir ou Antipathaire.

• Vers plats ou Plathelminthes (Platodes). *Turbellariés :* en forme de feuille ; des cils vibratiles : ex. : Planaires. 16 000 espèces. *Trématodes :* en forme de feuille ; pas de cils ; parasites ; ex. : Douve du foie. 2 400 espèces *Cestodes :* en rubans articulés ; parasites ; ex. : *Ténia* (ver solitaire). 1 500 espèces (pond 80 millions d'œufs par an).

• Vers ronds ou Némathelminthes (Nématodes). Ex. : *Trichine* du porc ; *Ascaris* de l'homme ou du cheval (pond 64 millions d'œufs soit 1 700 fois son poids) ; *Anguillule* du vinaigre. 10 000 espèces ; nématodes marins ; phytoparasites et nématodes du sol (plusieurs milliers d'espèces de chaque catégorie).

• Rotifères (eaux douces surtout) ; une couronne de cils locomoteurs. Ex. : *Rotifer, Seison.* 1 500 esp.

• Annélides (corps à anneaux porteurs ou non de soies). **Soies nombreuses :** *Polychètes,* 40 000 espèces dont *Néréis :* errants, marins ; *Arénicoles :* creusent une galerie en U, marins ; *Serpules :* vivent dans un tube calcaire, marins. **Soies rares :** *Oligochètes :* Ver de terre (Lombric), 2 500 espèces. **Pas de soies :** *Achètes* ou *Hirudinées : Sangsues,* 300 espèces (utilisées en médecine).

• Pogonophores : marins, vermiformes avec tentacules. Pas de tube digestif. Bathyaux et abyssaux.

• Vestimentifères. *Riftia* vivant dans les sources hydrothermales des dorsales océaniques.

• Brachiopodes : coquille bivalve généralement dissymétrique, l'une dorsale, l'autre ventrale. 330 espèces. Ex. : Térébratule, Lingule.

• Bryozoaires ou Ectoproctes : colonies fixées, paroi calcifiée. Tube digestif périodiquement renouvelé. Couronne de tentacules ciliés. Env. 5 000 espèces pour la plupart marines (ex. : Alcyonidium, Bugula, Membranipora) ; eau douce (Plumatella).

• Kamptozoaires ou Entoproctes : colonies fixées, individus toujours pédonculés. Une couronne tentaculaire entourant les orifices buccal et anal. Souvent ectoparasites. 100 espèces, toutes marines. Ex. : Loxosoma, Pédicellina.

• Mollusques [corps mou, coquille calcaire à 1 ou 2 valves (droite et gauche)]. 100 000 espèces.

a) **Lamellibranches ou Bivalves :** coquille à 2 valves, branchies lamelleuses ; pied en forme de soc. Ex. : Moule, Huître, Coquille St-Jacques. 18 000 espèces.

b) **Gastéropodes :** coquille à 1 valve souvent en spirale ; des branchies ou un poumon ; se déplacent sur leur pied. Ex. : Escargot, Limace : poumon ; Bigorneau, Ormeau : branchies. 80 000 espèces.

c) **Céphalopodes :** des branchies, pied en tentacules. Ex. : Seiche (coquille réduite = os) ; Pieuvre (pas de coquille) ; Nautile (belle coquille). 700 espèces.

• Arthropodes ou Articulés (squelette chitineux externe articulé ; pattes à segments articulés ; croissance par mues). Ensemble animal le plus riche : 80 % de la faune connue, env. 1 million d'espèces, les Insectes formant à eux seuls les 9/10e des Arthropodes.

A) Mandibulates : avec mandibules et antennes.

a) Crustacés : respirent par des branchies ; presque tous aquatiques ; 2 paires d'antennes. Corps divisé en 3 parties : tête, thorax, abdomen. 25 000 esp.

1) INFÉRIEURS, ANCIENS ENTOMOSTRACÉS. Ex. : Daphnie, Anatife, Pousse-pied (comestible), Artémie. 2) SUPÉRIEURS OU MALACOSTRACÉS. 18 000 espèces : *a) corps aplati dorso-ventralement : Isopodes :* ex. : Cloporte (terrestre), Ligie. *b) corps comprimé latéralement : Amphipodes :* Puces de mer (Talitres). *c) une carapace soudant tête et tronc : Décapodes :* abdomen grand : Homard, Langouste, Écrevisse ; abdomen réduit, replié sous le corps : Crabe ; abdomen mou, vit dans une coquille vide de Gastéropode : Pagure ou Bernard-l'ermite.

b) Myriapodes : nombreuses pattes (Mille-pattes). 1 paire d'antennes. Scolopendre : crochets venimeux ; carnassière. Iule : herbivore. 8 000 espèces.

c) Insectes : 33 ordres actuels ; 6 pattes ; 1 paire d'antennes ; souvent des ailes.

– **1re sous-classe : Aptérygotes. Collemboles :** développement de type protomorphe ; mues imaginales ou « à l'état adulte ». Appendices abdominaux servant le plus souvent au saut. **Protoures :** aveugles et sans antennes, minuscules, dépigmentés. Développement du type anamorphe : changement du nombre des segments (9 chez le jeune, 12 ensuite). **Diploures et Thysanoures :** conservent encore des rudiments d'appendices abdominaux. Cerques (appendices uni ou multi-articulés à l'extrémité de l'abdomen) : Thysanoures vrais 3, Diploures 2.

Nota. – On divise souvent les Aptérygotes en 2 groupes : les *Ectotrophes* à pièces buccales visibles, qui comprennent les Thysanoures vrais ; les *Entotrophes* à pièces buccales masquées par les joues, qui comprennent : Protoures, Diploures et Collemboles.

– **2e sous-classe : Ptérygotes.** Pas d'appendices abdominaux, 1 ou 2 paires d'ailes. Développement du type épimorphe.

1°) Paléoptères. a) PALÉODICTYOPTÈRES. Fossiles. b) ÉPHÉMÉROPTÈRES. Pas d'ailerons prothoraciques, presque toujours un 3e cerque impair. *1°) Protoéphémères* (fossiles). *2° Plectoptères :* éphémères actuels. Les ailes peuvent se relever au repos ; la 2e paire est très réduite. Prométaboles. c) ODONATOPTÈRES. 4 500 espèces. Cerques réduits, ailes à plat au repos, sauf chez quelques familles où elles peuvent se relever. Hémimétaboles. *1°) Méganisoptères :* libellules géantes (fossiles). *2°) Odonates :* libellules actuelles.

2°) Polynéoptères. a) BLATTOPTÉROÏDES. *1°) Dictyoptères :* blattes et mantes. Ailes croisées à plat sur le dos. Pontes s'effectuent en oothèques. *2°) Protoblattoptères* (fossiles). *3°) Isoptères :* termites avec 4 ailes semblables qui ne subsistent que le temps du vol nuptial. *4°) Zoraptères :* voisins des termites, mais ne sont pas sociaux. b) ORTHOPTÉROÏDES. Plus évolués ; en général, les ailes sont croisées à plat sur le dos ; pas d'oothèques au sens strict du terme. *1°) Proto-orthoptères* (fossiles). *2°) Plécoptères :* perles (larves aquatiques, la femelle n'a pas d'appareil génital bien différencié en ovipositeur). Chez les ordres suivants, la femelle possède un appareil de ponte plus ou moins développé et les larves sont terrestres. *3°) Notoptères :* quelques rares espèces vivant au froid dans les montagnes d'Amérique (Rocheuses) et du Japon. *4°) Phasmoptères* (ou Chéleutoptères) : phasmes et phyllies, marcheurs. *5°) Orthoptères :* 1 000 espèces. Sauteurs ; chez beaucoup, les ailes ne sont plus typiquement à plat sur le dos, mais leurs gros fémurs postérieurs sont très caractéristiques. Sauterelles, criquets, grillons. *6°) Embioptères :* vivent dans des tubes de soie sécrétée par des glandes des pattes antérieures. c) DERMAPTÉROÏDES. Ailes antérieures transformées en élytres. *1°) Protélytroptères* (fossiles). *2°) Dermaptères :* perce-oreilles (forficules) à cerques durcis, formant pince.

3°) Oligonéoptères. a) COLÉOPTÉROÏDES. 1re paire d'ailes transformée en élytres vrais. Un seul ordre. *Coléoptères :* 300 000 espèces. Broyeurs. Ex. : Hanneton, Doryphore, Coccinelle, Carabe, Staphylin. b) NÉVROPTÉROÏDES. *1°) Mégaloptères :* Sialis aux ailes membraneuses pourvues de grosses nervures ; larves aquatiques. *2°) Raphidioptères :* prothorax très étiré ; larves terrestres, Raphidia. *3°) Planipennes* (ou Névroptères vrais) : pas de grosses nervures, ni de thorax allongé ; larves terrestres et chasseuses. Chrysope, Fourmi-lion. c) MÉCOPTÉROÏDES. Suceurs. *1°) Mécoptères :* tête allongée. Panorpe ou Mouche-scorpion. *2°) Trichoptères :* souvent semblables à des papillons dont les ailes postérieures seraient transparentes. Les ailes portent des poils. Phryganes, larves aquatiques dans un fourreau ou porte-bois. *3°) Lépidoptères :* 120 660 espèces. Papillons. Les maxilles se développent en appareil de succion pouvant former une véritable trompe. Larves : chenilles ; nymphe : chrysalide. Ex. : Bombyx du mûrier dont la chenille est le Ver à soie. *4°) Diptères :* 75 000 espèces, 1 paire d'ailes, la 2e étant transformée en « balanciers » ou « haltères ». Mouche (100 000 espèces), Taon, Moustique, Tipule. d) APHANIPTÉROÏDES. Aphaniptères. Puces. e) HYMÉNOPTÉROÏDES. Orientés vers le type lécheur. *1°) Hyménoptères :* 100 000 espèces. Abeilles, guêpes, fourmis (12 000 à 15 000 espèces). *2°) Strepsiptères :* larves et femelles sont parasites. Le mâle n'a qu'une paire d'ailes, la 2e ; la 1re est transformée en organes formant haltères.

4°) Paranéoptères. a) PSOCOPTÉROÏDES. *1°) Psocoptères :* ailés ou aptères. Broyeurs. *2°) Anoploures :* Poux. Parasites exclusifs des mammifères dont ils sucent le sang ; aptères. *3°) Mallophages :* aspect des poux, mais broyeurs se contentant d'ingérer les desquamations tégumentaires de leurs hôtes ; aptères. b) THYSANOPTÉROÏDES. Thysanoptères. Suceurs, ailes frangées de cils. c) HÉMIPTÉROÏDES. 55 000 espèces. *1°) Homoptères :* suceurs, 4 ailes membraneuses. Cigales, Pucerons, Cochenilles. *2°) Hétéroptères :* suceurs. Punaises : 1re paire d'ailes partiellement durcie forme des « hémélytres ». Punaises terrestres et aquatiques, 45 000 espèces.

B) Chélicérates : sans mandibules, ni antennes ; des pinces minuscules, les chélicères.

Aériens (respiration par des trachées et des poumons) : *Arachnides,* 4 paires de pattes ; *Acariens.* 10 000 espèces. : Tiques [1] ; Sarcoptes. *Aranéides :* Araignées (30 000 espèces) dont la moitié tissent des toiles. Myopes. La toile leur permet d'attraper ou d'identifier une proie ; le filage de la toile est inné. *Opilions.* 2 400 espèces : Faucheurs. *Scorpionides.* 600 espèces : Scorpions.

Marins (respiration par des branchies) : *Limules,* grande taille, aspect d'un sabot de cheval.

Nota. – (1) Tiques, Sarcoptes et araignées sont considérées souvent à tort comme des insectes.

• Échinodermes (marins ; squelette calcaire dans la peau ; symétrie d'ordre 5 ; se déplacent à l'aide de pieds ambulacraires). *Oursins :* globuleux, des piquants. 800 espèces. *Astéries* (Étoiles de mer) : 5 bras. 1 600 espèces. *Holothuries* (Concombres de mer) : cylindriques. 900 espèces. *Ophiures :* petite taille ; 5 bras très grêles. 2 000 espèces. *Crinoïdes :* fixés ; abyssaux. 80 espèces. *Czinoïdes* fixés par des crampons littoraux : Comatules ; abyssaux : Pentacrines, lys de mer. 200 espèces.

• Procordés : tous marins. Présence chez la larve de la corde dorsale, ébauche de la colonne vertébrale des vertébrés. 3 000 espèces. *Fixés :* Ascidies. Ex. : Ciona, Microcosmus (Vioulet comestible). *Planctoniques :* Appendiculaires, Salpes, Dolioles, Pyrosomes. *Abyssaux :* Sorberaces. *Nageurs :* Amphioxus.

Vertébrés

• Vertébrés. Squelette avec colonne vertébrale, fentes branchiales pharyngiennes – au moins chez l'embryon, épiderme pluristratifié, appareil circulatoire clos avec cœur ventral, glandes endocrines nombreuses, assurant, sous le contrôle de l'hypophyse, l'homéostasie de l'organisme, reproduction purement sexuée à hermaphrodisme exceptionnel. Système nerveux dorsal complexe formé à partir d'un tube neural et de crêtes neurales.

I – Agnathes. Pas de mâchoire inférieure ni de membres. *Cyclostomes :* 45 espèces ; une ventouse buccale, des branchies, aquatiques, souvent ectoparasites. Ex. : Lamproie, Myxine.

II – Gnathostomes. Mâchoires et membres.

a) Poissons. Aquatiques ; respirent par des branchies ; le plus souvent ovipares ; membres pairs représentés par des nageoires.

1°) **Chondrichthyens.** Squelette interne cartilagineux, poissons principalement marins ; quelques espèces en eau douce.

Élasmobranches : 5 à 7 paires de fentes branchiales (en général 5 paires) apparentes, latérales chez les Requins (350 esp.) et ventrales chez les Raies (450 esp.). **a) Superordre des Squalomorphes** (requins « primitifs »). Ordres des *Hexanchiformes* (Requin à collerette, Requin-lézard, Griset, Perlon) ; *Squaliformes* (Squale bouclé, Squale chagrin, Squale liche, Sagres, Squales grogneurs, Laimargues, Centrines, Aiguillats) ; *Pristiophoriformes* (Requins-scies). **b) Superordre des Squatinomorphes,** ordre des *Squatiniformes* (Anges de mer). **c) Superordre des Galéomorphes** (Requins « évolués »). Ordres des *Hétérodontiformes* (Requins dormeurs, Requins à cornes) ; *Orectolobiformes* (Requins-carpettes, Requins-tapis, Requins nourrices, Requin-baleine, Requin-zèbre) ; *Lammiformes* (Requin-taureau, Requin féroce, Requin-lutin, Requin-crocodile, Requin grande gueule, Renards de mer, Requin pèlerin, grand Requin blanc, Taupe bleu, Requin-taupe) ; *Carcharhiniformes* (Roussettes, Émissoles, Requin-hâ, Milandres, Requin-tigre, Requin du Gange, Requin pointe blanche, Requin pointe noire, Requin citron, Requin océanique, Peau bleue, Requins-marteaux). **d) Superordre des Batoïdes,** ordres des *Rajiformes* (Raies, Pocheteaux, Guitares de mer), *Pristiformes* (Poissons-scies) ; *Torpediniformes* (Torpilles) ; *Myliobatiformes* (Pastenagues, Aigles de mer, Raies-papillons, Mourines, Mantes).

Holocéphales. 4 paires de fentes branchiales recouvertes par un faux opercule (30 espèces). Familles des *Chiméridés* (Chimères) ; *Rhinochiméridés* (Chimères à long nez) ; *Callorhinchidés* (Chimères-eléphants).

2°) **Ostéichthyens.** Squelette interne ossifié.

Actinoptérygiens : nageoires paires soutenues par des rayons. **Chondrostéens :** squelette peu ossifié, vessie natatoire : Esturgeon, Poisson-spatule (25). **Holostéens :** squelette plus ossifié, poissons dulcicoles : Lépisostée, Amia (8). **Téléostéens :** squelette très ossifié ; 30 ordres et env. 20 000 espèces. **Superordre des Élopomorphes.** Ordre des *Élopiformes* (Tarpon) ; *Anguilliformes* (Anguille, Congre, Murène) ; *Notacanthiformes.* **Superordre des Clupéomorphes.** Ordre des *Clupéiformes* (Sardine, Anchois). **Superordre des Ostéoglossomorphes.** Ordre des *Ostéoglossiformes* (Arapaima) ; *Mormyriformes* (Mormyre). **Superordre des Protacanthoptérygiens.** Ordre des *Salmoniformes* (Saumon, Éperlan, Argentine, Brochet, Hache d'argent, Poisson-lanterne) ; *Cétomimiformes ; Cténothrissiformes ; Gonorhynchiformes.* **Superordre des Ostariophysaires.** Ordre des *Cypriniformes* (Characin, Carpe, Gymnote) ; *Siluriformes* (Poisson-chat). **Superordre des Paracanthoptérygiens.** Ordres des *Percopsiformes ; Batrachoïdiformes* (Poisson-crapaud) ; *Gobiésociformes* (Porte-écuelle) ; *Lophiiformes* (Baudroie) ; *Gadiformes* (Morue, Grenadier, Donzelle). **Superordre des Athérinomorphes.** Ordre des *Athériniformes* (Exocet, Orphie, Guppy, Prêtre). **Superordre des Acanthoptérygiens.** Ordre des *Béryciformes* (Dorade rose) ; *Zéiformes* (Saint-pierre) ; *Lampridiformes* (Lampris, Régalec) ; *Gastérostéiformes* (Épinoche, Bécasse de mer, Vipère de mer, Hippocampe) ; *Channiformes ; Synbranchiformes ; Scorpaeniformes* (Rascasse, Grondin, Chabot) ; *Dactyloptériformes* (Grondin volant) ; *Pégasiformes ; Perciformes :* sous-ordres des *Percoïdes* (Serran, Perche, Rémora, Carangue, Coryphène, Lutjan, Pageot, Sargue, Ombrine, Rouget-barbet, Chétodon, Demoiselle) ; *Mugiloïdes* (Mulet) ; *Sphyraenoïdes* (Barracuda) ; *Polynémoïdes* (Capitaine) ; *Labroïdes* (Labre, Poisson-perroquet) ; *Scombroïdes* (Thon, Maquereau) ; *Stromatéoïdes ; Anabantoïdes ; Luciocéphaloïdes ; Mastacembéloïdes ; Pleuronectiformes* (Turbot, Flétan, Limande, Sole) ; *Tétraodontiformes* (Baliste, Poisson-coffre, Diodon, Poisson-lune).

Brachioptérygiens : écailles losangiques, osseuses, très épaisses ; poissons dulcicoles ; 10 espèces : Polyptère.

Dipneustes. Respiration branchiale et pulmonaire, poissons dulcicoles ; 6 esp. : Protoptère, Cératodus, Lépidosirène.

Crossoptérygiens. Fossiles connus du Dévonien (300 millions d'années) ; une espèce-relique pêchée en 1938 au large du Mozambique : **Latimeria chalumnae** (Cœlacanthe) ; un vestige de poumon. On fait dériver les Vertébrés Tétrapodes de Crossoptérygiens de l'ère primaire.

b) Tétrapodes. Terrestres ; respirent par des poumons ; membres pairs marcheurs ; subdivisés en Anamniotes (Amphibiens) et Amniotes (Reptiles, Oiseaux et Mammifères) suivant l'absence ou la présence chez l'embryon d'une annexe embryonnaire, l'amnios, poche de liquide dans laquelle l'embryon effectue son développement.

1°) **Amphibiens ou Batraciens** (peau nue, à métamorphose ; la larve – têtard – respire par des branchies). *Gymniophones* ou *Apodes* (sans pattes) : environ 155 esp., cécilie. *Urodèles* (allongés, pattes courtes, avec queue) : env. 336 esp., salamandre, triton. *Anoures* (courts, pattes longues, sans queue) : env. 2 775 esp., grenouille, crapaud, rainette.

2°) **Reptiles** (recouverts d'écailles, ovipares ou ovovivipares). *Rhynchocéphales* (semblable au lézard) : 1 esp., sphénodon ou hatteria en N.-Zél. *Chéloniens* (avec carapace) : 222 esp., tortue. *Crocodiliens* (de grande taille). 22 esp., crocodile, caïman, alligator, gavial. *Squamates.* Sous-ordre des Sauriens (écailles très fines) : env. 3 536 esp. à 4 membres, lézard, iguane, caméléon, varan ; sans membres, amphisbènes, orvet. Sous-ordre des Ophidiens (sans membres) : env. 2 269 esp., serpents.

3°) **Oiseaux** (couverts de plumes ; ailes, bec corné ; ovipares ; température constante, de 37 à 42 °C).

A) **Sous-classe des Archéornithes.** Archéoptéryx [2]. Oiseaux Fossiles reptiliens avec des dents et des mains griffues.

B) **Sous-classe des Enantiornithes.** Oiseaux fossiles d'Amér. du Sud.

C) **Sous-classe des Odontornithes.** Hesperornis [2]. Ichthyornis [2]. Oiseaux Fossiles marins qui possédaient encore des dents.

D) **Sous-classe des Néornithes. 1°) Superordre des Paleognathae.** *Ratites* (coureurs, ne peuvent voler) : Struthioniformes (autruche) ; Rhéiformes (nandous) ; Casuariiformes (émeu, casoars) ; Æpyornithiformes (æpyornis [2]) ; Dinornithiformes [dinornis (moas) [2]] ; Aptérygiformes [aptéryx (kiwis)]. *Tinamous :* Tinamiformes (tinamous). **2°) Superordre des Neognathae.** *Procellariiformes* (bons voiliers ; haute mer) : Diomédéidés (albatros) ; Procellariidés (pétrels, puffins, prions) ; Hydrobatidés (pétrels-tempête) ; Pélécanoïdidés (pétrels plongeurs). *Sphénisciformes* (ne volent pas, adaptés à la nage) : manchots. *Gaviiformes* (bons plongeurs) : Gaviidés (plongeons) ; Podicipédidés (grèbes). *Pélécaniformes* (= Stéganopodes : 4 doigts réunis par une palmure) : Phaéthontidés (phaétons) ; Pélécanidés (pélicans) ; Sulidés (fous) ; Phalacrocoracidés (cormorans) ; Frégatidés (frégates). *Ciconiiformes* (= Ardéiformes. Hautes pattes, long cou) : Ardéidés (hérons, aigrettes, butors) ; Cochléariidés (savacou) ; Balénicipidés (bec-en-sabot) ; Scopidés (ombrette) ; Ciconiidés (cigognes, becs-ouverts) ; Threskiornithidés (ibis, spatules). *Phoenicoptériformes :* flamants. *Ansériformes :* Anhimidés (kamichis) ; Anatidés [(bec lamellé) : cygnes, oies, canards, sarcelles, macreuses, harles]. *Falconiformes* (= Accipitriformes. Bec crochu, serres ; généralement prédateurs) : Cathartidés [(vautours américains) : condors] ; Sagittariidés (serpentaires) ; Accipitridés [aigles, buses, autours, éperviers, circaètes, busards, milans, pygargues, bondrées, vautours de l'Ancien Monde (vautours fauves, gypaètes, percnoptères)] ; Pandionidés (balbuzard) ; Falconidés (faucons). *Galliformes* (ailes courtes et arrondies, bec court et fort) : Mégapodiidés (mégapodes) ; Cracidés (hoccos) ; Tétraonidés [tétras (coqs de bruyère), gélinottes, lagopèdes] ; Phasianidés (faisans, coqs, perdrix, cailles, colins, francolins, paons) ; Numididés (pintades) ; Méléagrididés (dindons) ; Opisthocomidés (hoazins). *Gruiformes* (= Ralliformes. « Échassiers », ailes arrondies) : Mésitornithidés (mésites) ; Turnicidés (cailles bataillleuses) ; Gruidés (grues) ; Aramidés (courlan) ; Psophiidés (agamis) ; Rallidés (râles, poules d'eau, poules sultanes, foulques) ; Héliornithidés (grébifoulques) ; Rhynochétidés (kagou) ; Eurypygidés (caurale) ; Cariamidés (cariamas) ; Phororhacidés (phororhacos [2]) ; Otididés (outardes). *Charadriiformes* (« Échassiers », petite ou moyenne taille, ailes pointues ; généralement mers et marais) : Jacanidés (jacanas) ; Rostratulidés (rhynchées) ; Haematopodidés (huîtriers) ; Charadriidés (pluviers, vanneaux, gravelots) ; Scolopacidés (bécasses, bécassines, bécasseaux, chevaliers, courlis) ; Récurvirostridés (avocettes, échasses) ; Phalaropodidés (phalaropes) ; Dromadidés (pluvier crabier) ; Burhinidés (œdicnèmes) ; Glaréolidés (glaréoles, courvites) ; Thinocoridés (thinocores) ; Chionididés (becs-en-fourreau). *Alciformes :* Alcidés (pingouins, guillemots, macareux). *Lariformes* (« Palmipèdes »), bons voiliers : Stercorariidés (labbes) ; Laridés (goélands, mouettes, sternes, guifettes) ; Rhynchopidés (becs-en-ciseaux) ; *Columbiformes* (bec et pattes faibles) : Ptéroclididés (gangas, syrrhaptes) ; Columbidés (pigeons, tourterelles, gouras, diduncule) ; Raphidés (drontes ou dodos [2], solitaires [2]). *Psittaciformes* (bec crochu, coloration généralement vive et variée) : perroquets, perruches. *Cuculiformes* (souvent parasites : coucous) : Cuculidés (coucous) ; Musophagidés (touracos). *Strigiformes* (nocturnes, carnivores et insectivores) : Strigidés (chouettes, hiboux) ; Tytonidés (effraies). *Caprimulgiformes* (crépusculaires et nocturnes) : Caprimulgidés (engoulevents) ; Podargidés (podarges) ; Nyctibiidés (ibijaux) ; Aegothélidés (aegothèles) ; Stéatornithidés (guacharo). *Apodiformes* (= Micropodiformes. Bons voiliers, pattes courtes) : Apodidés (martinets, salanganes) ; Hémiprocnidés (martinets arboricoles) ; Trochilidés (colibris ou oiseaux-mouches). *Coliiformes :* colious. *Trogoniformes :* couroucous. *Coraciadiformes* (colorés) : Alcédinidés (martins-pêcheurs) ; Todidés (todiers) ; Momotidés (momots) ; Méropidés (guêpiers) ; Coraciadidés (rolliers) ; Brachyptéraciidés (rolliers terrestres) ; Leptosomatidés (courols) ; Upupidés (huppes, moqueurs) ; Bucérotidés (calaos). *Piciformes* (« Grimpeurs ») : Galbulidés (jacamars) ; Bucconidés (paresseux) ; Capitonidés (barbus) ; Indicatoridés (indicateurs) ; Ramphastidés (toucans) ; Picidés (pics, torcols). *Passériformes* (petite taille ; doués en général pour le chant : Alaudidés à Fringillidés) : [Eurylaimidés : eurylaimes] ; [Dendrocolaptidés (dendrocolaptes) ; Furnariidés (fourniers) ; Formicariidés (fourmiliers) ; Conopophagidés (conopophages) ; Rhinocryptidés (tapaculos) ; Cotingidés (cotingas) ; Pipridés (manakins) ; Tyrannidés (tyrans ou gobe-mouches américains) ; Oxyruncidés (oxyramphes) ; Phytotomidés (raras) ; Pittidés (brèves) ; Xénicidés (xéniques : N.-Zél.) ; Philépittidés (philépittes : Madagascar)] ; [Ménuridés (ménures ou oiseaux-lyres) ; Atrichornithidés (atrichornis : Australie)] ; [Alaudidés (alouettes) ; Hirundinidés (hirondelles) ; Dicruridés (drongos) ; Oriolidés (loriots de l'Ancien Monde) ; Corvidés (corbeaux, corneilles, choucas, chocard, zavattariornis, podoces, pies, geais, casse-noix) ; Cracticidés (gymnorhines, cassicans) ; Grallinidés (grallines) ; Ptilonorhynchidés (oiseaux à berceaux ou oiseaux-jardiniers) ; Paradiséidés (paradisiers ou oiseaux de Paradis) ; Paridés (mésanges) ; Aegithalidés (mésanges à longue queue) ; Sittidés (sittelles) ; Certhiidés (grimpereaux) ; Paradoxornithidés (paradoxornis, mésange à moustaches) ; Timaliidés (grives bruyantes, picathartes) ; Campéphagidés (échenilleurs, minivets) ; Pycnonotidés (bulbuls) ; Chloropsidés (verdins) ; Cinclidés (cincles) ; Troglodytidés (troglodytes) ; Mimidés (moqueurs) ; Turdidés (merles, grives, rossignols, rouges-gorges, rouges-queues, traquets) ; Sylviidés (fauvettes de l'Ancien Monde) ; Régulidés (roitelets) ; Muscicapidés (gobe-mouches de l'Ancien Monde) ; Prunellidés (accenteurs) ; Motacillidés (pipits, bergeronnettes) ; Bombycillidés (jaseurs) ; Artamidés (langrayens) ; Vangidés (vangas : Madagascar) ; Laniidés (pies-grièches) ; Prionopidés (bagadais) ; Calléidés (corneilles caronculées : N.-Zél.) ; Sturnidés (étourneaux, mainates, pique-bœufs) ; Méliphagidés (méliphages) ; Nectariniidés (souï-mangas) ; Dicéidés (dicées) ; Zostéropidés (oiseaux à lunettes) ; Viréonidés (viréos) ; Coerébidés (sucriers) ; Drépanididés (drépanis : Hawaii) ; Parulidés (fauvettes américaines) ; Plocéidés (moineaux, pinsons des neiges, veuves, républicains, tisserins, bengalis, astrilds, quéléas) ; Ictéridés (troupiales, cassiques, molothres) ; Tersinidés (tangaras-hirondelles) ; Thraupidés (= Tanagridés : tangaras) ; Fringillidés (pinsons, serins, chardonnerets, linottes, bouvreuils, gros-becs, becs-croisés, bruants, ortolans, pinsons de Darwin : Galapagos].

Nota – (1) Correspondance avec classifications anciennes. *Coureurs :* Struthioniformes, Rhéiformes, Casuariformes, Aptérygiformes. *Gallinacés :* Galliformes. *Palmipèdes :* Procellariiformes, Sphénisciformes, Gaviiformes, Pélécaniformes, Ansériformes, Lariformes. *Échassiers :* Ciconiiformes, Phoenicoptériformes, Gruiformes, Charadriiformes. *Rapaces diurnes :* Falconiformes. *Rapaces nocturnes :* Strigiformes. *Colombins :* Columbiformes. *Grimpeurs :* Piciformes, Cuculiformes, Psittaciformes. *Passereaux :* Passériformes. (2) Famille ou ordre disparu.

4°) **Mammifères** (en général vivipares ; les petits se nourrissent du lait des mamelles ; en principe température constante de 37 à 40 °C ; dents différenciées en incisives, canines, prémolaires, molaires ; corps poilu). + de 4 000 espèces.

A) **Monotrèmes** (ovipares, sans dents) : Ornithorynque ; 1 espèce. Échidnés ; 2 espèces.

B) **Marsupiaux** (vivipares, nouveau-né achève sa gestation dans une poche). 254 espèces : Kangourous ; 52 espèces. Sarigues ; 73 espèces.

C) **Euthériens ou Mammifères placentaires** (vivipares, nouveau-né entièrement constitué). 19 ordres. **1°) Édentés (Xénarthres).** 29 esp. : pas de dents (fourmiliers) ; dents semblables (tatous, paresseux). **2°) Pholidotes** (pas de dents, recouverts d'écailles). 7 esp. : pangolins. **3°) Insectivores** (denture hérissée de tubercules pointus). 343 esp. : hérissons, musaraignes, taupes. **4°) Tupaiidés** (dents rappelant celles des Insectivores, allure d'écureuil). 16 esp. : tupyes. **5°) Macroscélides** (dents rappelant celles des Insectivores, museau allongé). 15 esp. : rats à trompe. **6°) Dermoptères** (dents rappelant celles des Insectivores, allure d'écureuil volant). 2 esp. : galéopithèques. **7°) Chiroptères ou Chauves-souris.** 950 esp. : vampires (suceurs de sang), pipistrelles (insectivores), roussettes (frugivores). **8°) Carnivores** (canines en crocs ; terrestres). 240 esp. : [Canidés (ressemblent aux chiens) ; 35 esp. : chiens, loups, chacals, renards. Ursidés ; 7 esp. : ours. Procyonidés ; 18 esp. : ratons laveurs, coatis. Ailuropodidés ; 2 esp. : petit panda et panda géant [1]. Mustélidés ; 67 esp. : belettes, martres, gloutons, blaireaux, moufettes, loutres. Viverridés ; 72 esp. : civettes, genettes, mangoustes. Hyénidés ; 4 esp. : hyènes. Félidés (félins) ; 35 esp. : chats, lynx, panthères, jaguar, lion, tigre, guépard]. **9°) Pinnipèdes** (Carnivores amphibies). 34 esp. : phoques, 17 esp. ; éléphants de mer, 2 esp. ; otaries, 14 esp. ; morse, 1 esp. **10°) Cétacés** (marins ; membres antérieurs transformés en nageoires, membres postérieurs atrophiés). 76 esp. A fanons (baleines, rorquals) ; 10 esp. A dents (dauphins, marsouins, 48 esp. ; cachalots, 3 esp. ; narval, 1 esp.). **11°) Siréniens** (aquatiques). 5 esp. : dugongs, 2 esp. ; lamantins, 3 esp. **12°) Tubulidentés** (denture réduite, fouisseur ; Afrique). 1 esp. : oryctérope. **13°) Proboscidiens** (Ongulés : herbivores à sabots recouvrant leurs doigts ; 5 doigts au membre antérieur, nez en trompe, défenses). 2 esp. : éléphants d'Afrique et d'Asie. **14°) Hyracoïdes** (Ongulés ; glande dorsale ; allure de marmotte). 5 esp. : damans. **15°) Périssodactyles** (Ongulés ; moins de 5 doigts et en nombre impair). 17 esp. : Tapirs ; 4 esp. Rhinocéros ; 5 esp. Équidés [chevaux (28 races homologuées), zèbres, ânes] ; 8 esp. **16°) Artiodactyles** (Ongulés ; nombre de doigts pair). 184 esp. *Non ruminants* (4 doigts, estomac simple) : Sangliers ; 8 esp. Pécaris ; 3 esp. Hippopotames ; 2 esp. *Ruminants* (2 ou 4 doigts, estomac à 3 ou 4 compartiments : panse, bonnet, feuillet, caillette) : Bovidés ; 123 esp. (bœufs, chèvres, moutons, gazelles, antilopes). Camélidés ; 4 esp. (chameaux, dromadaires, lamas). Giraffidés ; 2 esp. (girafes, okapis). Antilocapridés ; 1 esp. (pronghorn). Cervidés ; 34 esp. (cerfs, chevreuils, daims, élans, rennes). Moschidés ; 3 esp. (porte-musc). Tragulidés ; 4 esp. (chevrotains). **17°) Rongeurs** (pas de canines). 1 600 à 3 000 esp. suivant les auteurs : écureuils, marmottes, castors, gerboises, loirs, campagnols, hamsters, rats, souris, porcs-épics. **18°) Lagomorphes** (voisins, mais 4 incisives à la mâchoire sup. au lieu de 2). 54 esp. : lièvres, lapins, pikas. **19°) Primates** (pouce opposable aux autres doigts). 179 esp. Ils comprennent : *Tarsiens :* 3 esp. : Tarsiers (tarsiers spectres). *Lémuriens :* 40 esp. : ayes-ayes, makis, loris, galagos. *Hapalemur doré :* l'« Hapalemur ureus », la 29e espèce de lémurien connue à ce jour, a été découvert en 1986 à Madagascar. Il mesure 75 cm, pèse environ 1 kg. *Simiens* (Singes) : 135 esp. : Platyrhiniens ou Singes d'Amérique à queue prenante ; 49 esp. : ouistitis, hurleurs, sajous, atèles. Catarhiniens ou Singes de l'Ancien Monde à queue non prenante : 76 esp. : babouins, macaques, magots, cercopithèques, semnopithèques, nasiques, colobes. Anthropoïdes (grande taille, pas de queue) ; 10 esp. : gibbons, orangs-outans, chimpanzés, gorilles. *Hominiens* (Hommes).

Source : J. Roche, Muséum.

Nota. – (1) Certains rapprochent le petit panda des viverridés (civettes), lui trouvant une ressemblance avec le binturong, grande civette asiatique.

Apparition et disparition

A l'époque préhistorique

Évolution

• **Évolution générale.** Les reptiles *mammaliens* (leurs dents sont comme celles des mammifères, différenciées en incisives, canines, molaires), apparus il y a env. 280 millions d'années, furent remplacés vers la fin du trias par de petits mammifères (de la taille d'une musaraigne). A cette époque apparurent des reptiles volants et les crocodiles, tortues, lézards et dinosaures. L'*ichtyostega,* amphibien découvert au Groenland, fut le 1er vertébré connu à s'installer sur la terre ferme, au cours du Dévonien supérieur.

Causes de la disparition des grands reptiles il y a 66 millions d'années (fin du crétacé). Hypothèses principales : 1° décimation par des prédateurs plus évolués (carnassiers mammifères) ; 2° accroissement excessif de la taille et du poids par rapport au volume de la cervelle ; 3° disparition de leurs proies ; 4° (récente, due à Walter Alvarez, Amér.) : accroissement de la teneur en iridium de l'atmosphère à la fin du crétacé, soit à cause de la chute d'une météorite de 1 000 milliards de t qui aurait provoqué des incendies sur toute la Terre, soit à cause d'un volcanisme exceptionnel ; 5° recul des mers (régression) et refroidissement du climat (voir Index). 6° une pluie de comètes [envoyées par une étoile (Némésis ?) ou une planète (la planète X)] qui auraient frappé la Terre à la fin de l'ère secondaire. Une telle catastrophe surviendrait tous les 28 millions d'années. 7° 1985 : A. Hoffmann (New York) et R. Bernas (Orsay) : période d'inversion du champ magnétique terrestre qui s'annule d'où un bombardement cosmique intense ayant eu de nombreuses conséquences nocives. 8° 1987 : baisse de 50 % de la teneur en oxygène de l'atmosphère en quelques dizaines de millions d'années (calculée d'après l'air contenu dans l'ambre fossile).

• **Types. Dinosaure.** *Découvertes. En France,* de nombreux ossements de grands reptiles furent découverts dans les falaises des Vaches Noires près de Villiers-sur-Mer. Ils ont été décrits par Cuvier dès 1788. *1677 :* le Dr Robert Plot décrivit une tête de fémur qu'il attribua à un géant humain. *1818 :* William Buckland, professeur de géologie à l'Université d'Oxford (G.-B.), décrivit divers ossements découverts dans la région qui devaient, selon lui, appartenir à un « grand reptile » qu'il baptisa du nom de Megalosaurus. *1822 :* le Dr Gideon Mantell trouva dans le Sussex (G.-B.) des dents géantes et conclut qu'elles ressemblaient à celles d'un iguane. Il songea dans une lettre adressée à Cuvier le 12-11-1824, à le dénommer Iguanosaurus. En 1825, il le décrivit sous le nom d'Iguanodon. *1841 :* Sir Richard Owen, anatomiste et paléontologue, constata qu'il y avait neuf genres de grands reptiles ayant vécu à l'ère secondaire. Ils avaient suffisamment de points communs pour constituer un nouveau groupe : les dinosaures (du grec deinos : terrible, et saura : lézard). Aux U.S.A. (Colorado, Montana et Wyoming), entre 1880 et 1900, Othniel Charles Marsh et Edward Drinker Cope décriront plus de 130 espèces de dinosaures. Charles H. Sternberg découvrit deux exemplaires de momies de dinosaures, les deux seules connues. Il vendra au Muséum National d'Histoire Naturelle de Paris un squelette complet (sauf la tête) d'Anatosaurus. *1878 :* on fit à Hainaut (Belgique), dans une mine, à 322 mètres de profondeur, la plus grande découverte de dinosaures en Europe.

Des accumulations d'œufs de dinosaures ont été trouvées dans le bassin d'Aix-en-Provence ou sur le plateau de Rennes-le-Château, dans les Corbières. Les œufs peuvent être ronds, ovoïdes ou allongés. Coquille : 1 à 2 mm d'épaisseur pour un œuf de 20 cm de long. Un œuf de Protocératops (2 m de long) mesure une vingtaine de cm, celui d'Hypselosaurus (12 m de long) ne mesure que 25 à 30 cm.

Selon une théorie récente, les dinosaures devraient être séparés des reptiles pour être réunis aux oiseaux, leurs descendants. Ils se répartissaient en 2 ordres principaux *(Saurischiens* et *Ornithischiens)* et de nombreux genres pouvaient peser de 1 kg à plusieurs tonnes. La plupart étaient herbivores. Leur disparition (en quelques millions d'années) favorisa le développement des mammifères.

Diplodocus (« double poutre »), le plus célèbre dinosaurien, mesurait env. 26,60 m de long (cou 6,70 m, corps 4,5 m, queue 15 m), h. 3,50 m (au bassin), poids (estimation) 10,56 t (Amér. du Nord, – 150 000 000 ans) ; la 1re reconstitution d'un squelette complet (Diplodocus carnegiei) a été faite en 1908 au Jardin des Plantes de Paris, par le paléontologue américain Holand, avec les os de 4 sujets différents, extraits de la carrière de Sheep Creek (Wyoming, U.S.A.). En 1909, Earl Douglas découvrit dans une carrière de l'Utah, un squelette complet de Diplodocus de 27 mètres, conservé au Musée Carnegie de Pittsburg (moulage au Muséum de Paris). La carrière est devenue le Centre du Dinosaur National Monument créé en 1915. L'anatomie du crâne n'a été connue correctement qu'en 1975. Le Diplodocus aurait vécu le plus souvent dans l'eau, car sa pression sanguine (estimée à partir de celle de serpents, notamment le python à tête noire du Queensland) était trop faible pour irriguer normalement son cerveau lorsque sa tête était dressée ; ses œufs très poreux devaient être recouverts d'un amas de végétation jouant le rôle d'un incubateur. Genres voisins : Brachiosaure, Brontosaure, Gigantosaure. Aux U.S.A., ont été découverts des ossements de Supersaure, Ultrasaure, Séismosaure (long. 40 à 50 m, 135 t). **Reptiles.** *Brontosaure* (herbivore) 30 m. *Carnosaure* 4,87 m de haut. *Gigantophis* (serpent) 11 m. *Ichtyosaure* (marin) 10 m. *Iguanodon* 10 m. *Kronosaurus queenslandicus* (marin) 17 m (crâne 3,67 m). *Plésiosaure* (marin) 5 à 15 m. *Ptéranodon* (volant) [8,23 m d'envergure]. *Ptérodactyle* (volant) 1 m d'envergure. *Ramphosuchus,* 15,25 m (N. de l'Inde, – 150 000 000 ans). *Stégosaure* (à plaques osseuses) 7 m. *Stretosaurus macromerus,* plésiosaure à cou court, 15,50 m. *Tricératops* 8 m (crâne de plus de 1,5 m de large, cerveau 16 à 17 cm). *Tyrannosaure* 13,7 m, 7 t (crâne de 1 m de large).

Amphibiens. *Prionosuchus plummeri* d'env. 9 m de long (– 230 000 000 ans).

Oiseaux. *Archéoptéryx,* bipède, ancêtre des oiseaux, 30 cm, issu des reptiles bipèdes (pour les uns, il volait ; pour les autres, il ne volait pas). *Æpyornis maximus* (oiseau-éléphant) 2,75 à 3 m, 455 kg, ne pouvait voler. *Condor,* envergure 5 m, 22 kg (Amér. du Nord – 10 000 ou 100 000 ans). *Dinornis giganteus* (N.-Zélande) 3,50 m, 227 kg (ne volait pas). *Dromornis stirtoni,* haut. 3 m, plus de 500 kg. *Gigantormis eaglesomei,* envergure 6 m. *Ornithodeomus latidens,* 5 m d'envergure. *Teratornis incredibilis,* 5 m d'envergure.

Mammifères. *Baluchitherium* (rhinocéros sans corne), 11 m de long, h. 5,40 m, poids 20 t (Europe et Asie centrale entre – 20 et 40 000 000 ans). *Mégathérium* 4,50 m. Le plus grand mammifère marin était le *Basilosaure,* 21,33 m, 27 t (découvert en Alabama).

Insecte. *Meganeura monyi* (libellule) avait 0,70 m d'envergure (fossile découvert dans l'Allier, – 280 000 000 ans).

Nota. – Des expériences de résurrection du mammouth par clonage ou par fécondation in vitro (avec utilisation d'une éléphante pour porter l'embryon) seraient en cours en U.R.S.S. et aux U.S.A.

Animaux préhistoriques survivants

(Age en millions d'années)

Mammifère : *okapi* 30. **Mamm. aquatique :** *platypus* ou *ornithorynque* 150. **Reptiles :** *Sphénodon* (N.-Zél.) 200, *crocodile* 160 à 195, *tortue* 275. **Amphibien :** *grenouille de l'île de Stephens* (N.-Zél.) 170 à

275. **Animaux marins :** *lingule,* brachiopode 500, *néopilina,* mollusque marin, disparu dep. 350 m. a., retrouvé par 4 000 m de fond en 1957. **Poissons :** *cœlacanthe* (1,40 m, 65 kg), 400 redécouverts dep. 23-12-1938, on croyait l'espèce éteinte depuis 70 millions d'années, 200 pêchés de 1938 à 88, *dipneuste* (pêché en 1869) 200. **Chélicérates :** *limule* 300, *péripate* (Tropiques) 500. **Crustacés :** *néoglyphea* (Philippines) 60 (pêchée en 1908, puis 1976).

A l'époque historique

Disparitions

Depuis trois siècles, plus de 100 mammifères et env. 150 espèces d'oiseaux ont disparu (de 1880 à 1914, 300 000 éléphants ont été tués pour leur ivoire). Voici les principales de ces espèces, avec leur date de disparition, souvent approximative, ainsi que quelques autres, éteintes dans certaines régions, mais qui subsistent en d'autres.

Afrique. V. 1800 : *Hippotrague bleu* (antilope, Afr. du Sud). 1875 : *Zèbre couagga* (Afr. du S.). 1909 : *Zèbre de Burchell* (Botswana). Au XXe s. : *Bubale.* Le *Lion,* toujours présent en Afr. trop., a disparu d'Afr. du Nord (dernier tué en 1922).

Amérique du Nord. 1878 : *Canard du Labrador. Courlis esquimau* (Canada). 1904 : *Perruche de la Caroline.* 1914 : *Pigeon migrateur* (U.S.A.). Le *Grand Pingouin* habita Terre-Neuve. 1987 : *Moineau maritime Ammodromus maritimus.*

Amérique du Sud. De gigantesques parents des *Tatous* et des *Paresseux* ont peut-être persisté au début de la période historique. 1876 : *Loup des Falkland.*

Asie. 1768 : *Rhytine* ou *vache de mer* (mammifère sirénien) [îles du Commandeur, U.R.S.S.]. V. 1850 : *Cormoran à lunettes* (île de Béring, U.R.S.S.). 1927 : *Hémippe de Syrie* (sorte d'âne sauvage). XXe s. : *Cerf de Schomburgk* (Thaïlande). l'*Aurochs* a habité le Proche-Orient dans l'Antiquité, ainsi que le *Lion,* qui subsiste dans la forêt de Gir, en Inde (sa survivance en Iran est douteuse). Le *cheval de Przewalski* (Gobi, Altaï) est considéré comme éteint à l'état sauvage (il survit cependant en captivité).

Europe. *Lagomys* (parent du lapin) a persisté en Corse peut-être jusqu'au XVIe s. env. 1627 : *Aurochs* (forêt de Jatkorowka en Lituanie, 1,80 à 2 m au garrot, mâle noir, vache rousse, cornes en lyre) ; jusqu'au Moyen Age dans les forêts et marais, a été reconstitué par des croisements entre races bovines de Camargue et d'Espagne. 1844 : *Grand Pingouin* (Islande), encore sur les côtes normandes au XIXe s. (égaré). 1876 : *Tarpan* (cheval sauvage d'Europe centrale). Jusqu'au XVIe s. dans les Alpes et les Vosges. V. 1914 : *Lynx pardelle,* le dernier tué dans les Htes-Alpes ; une cinquantaine de couples survivent en Espagne. *Francolin* (sorte de perdrix), dans les régions méditerranéennes ; subsiste en Asie. Le *cerf de Corse* (sous-espèce) a disparu récemment. Le *mammouth* (il y a 9 000 ans, haut. 3,2 m ; long. 2,7 m ; poids 3,5 t ; défenses : record 5 m, 200 kg). *Loup,* disparition progressive (chasse, empoisonnement, défrichements). Derniers « noyaux » en Limousin, Sologne, Lozère (un loup fut tué en Hte-Vienne en 1946). Survivance possible dans le Massif central et en Provence. *Bison,* hôte de la forêt gauloise, jusqu'au VIIe s. dans les Vosges. *Elan,* jadis en Gaule, en Alsace jusqu'au Xe s. *Baleine des Basques,* exterminée par les Basques dans le golfe de Gascogne. *Outarde barbue* (1 m) nichait encore en Champagne au siècle dernier ; apparaît parfois durant les coups de froid. *Ibis chauve* (ou *Waldrapp*) (75 cm) dans le Jura et les Alpes jusqu'au XVIe s. (subsiste en Afr. et au Proche-Orient). *Pélican blanc,* jadis en Camargue. *Sarcelle marbrée* (38 cm) disparue de Camargue. *Erismature à tête blanche* (autre canard, 45 cm) disparue de Corse en 1954.

Madagascar et îles voisines. A Madagascar se sont éteints, entre le XVIe et le XIXe s., les *Æpyornis* (oiseaux géants, 3 m de haut, 455 kg), plusieurs espèces de *Lémuriens* géants (de la taille du gorille), l'*Hippopotame* et une *Tortue géante.* Les Mascareignes ont perdu à peu près aux mêmes époques : le *Dronte* (apparenté aux pigeons) de l'île Maurice (v. 1680), et de la Réunion (v. 1700) ; le *Solitaire* (sorte de dronte) de l'île Rogriguez (1760) ; la *Tortue* de Rodriguez (XVIIIe s.) ; la *« Huppe de Bourbon »* (passereau de la Réunion) [milieu du XIXe s.] ; une *Poule d'eau* géante (Leguatia) et un *Perroquet* terrestre.

Océanie. Entre le XVIe et le XIXe s. (?), disparition des *Dinornis* ou *Moas,* oiseaux gigantesques de N.-Zélande (jusqu'à 3,50 m de haut, 234 kg). Vers 1700 (?) *Dodo* de l'île Maurice. Début du XIXe s. : *Émeu noir* (Austr.). Nombreuses disparitions d'oiseaux aux Hawaii. Au XXe s. : *Marsupial insectivore* (Perameles fasciata) ; *Perroquet nocturne* (Austr.) ; *Chouette de N.-Zélande.*

Animaux menacés de disparition

Généralités

Statistiques. 4 589 espèces sont déclarées en danger ou menacées de disparition. L'effectif total des espèces menacées de disparition mentionnées ci-dessous est réduit à quelques milliers ou quelques centaines, voire quelques dizaines d'individus. Lorsque cet effectif a été évalué, il est mentionné entre parenthèses.

Causes de disparition. Responsabilité de l'homme : directe (chasse, pêche, piégeage, fourrures, insecticides, trafics d'animaux vivants, collections, etc.) ou indirecte (destruction des milieux par assèchement des marais, défrichement des forêts, routes, pollution des eaux douces et marais, etc.), surtout pression démographique. Élimination par des concurrents mieux adaptés. Compétition avec les troupeaux domestiques.

Principaux animaux menacés

Afrique. *Ane sauvage* (Somalie) (400). *Hippotrague* (Antilope noire, variété « variani » de l'Angola). *Céphalophe de Jentink* (Liberia, Côte-d'Ivoire). *Cerf de Barbarie* (Algérie, Tunisie) (500). *Chimpanzé* (Afr. occidentale) : *1990* 10 000. *Crocodile du Nil. Éléphants* (voir p. 174). *Cercopithèque à face de chouette. Gorilles* (voir p. 175). *Panthère* (voir p. 174). *Manchot du Cap, Oryx. Mandrill.* La faune de l'Afr. du Nord, mal protégée, a presque complètement disparu, à part de rares chacals, renards et panthères au Maroc, des singes en Algérie et Maroc, des gazelles Dorcas et de Cuvier, des ibex de Nubie au sud de l'Égypte. Les addax ont presque disparu des régions sahariennes. Le Sahara héberge encore des mouflons à manchettes et de rares addax, oryx et gazelles Dama. *Rhinocéros* (voir p. 174). *Zèbre de montagne* (Afr. australe) [140].

Amérique du Nord. *Bison. Bœuf musqué. Condor de Californie* (considéré comme disparu dans la nature, 29 en captivité). *Cygne-trompette* (2 200). *Grue blanche, cygne-trompette* de l'Alaska et du Canada (70). *Morse. Ours blanc. Pétrel des Bermudes* (50). *Phoques du Groenland* (quotas d'abattage imposés). *Pic à bec d'ivoire* (moins de 20). *Putois à pattes noires* (disparus dans la nature, important élevage en captivité). *Pygargue à tête blanche.*

Amérique du Sud. *Ara de Spix* (moins de 10). *Cervidés endémiques. Chinchilla* (Andes). *Loutre géante du Brésil. Ours à lunettes* (Andes). *Pénélope à ailes blanches* (Pérou, retrouvée vivante en 1977). *Singe-lion* (Brésil). *Tatou géant* (Amazonie). *Tortue géante des Galapagos.*

Antilles. *Crocodile* de Cuba. *Perroquets* et *passereaux. Pic à bec d'ivoire* de Cuba. *Solénodon* (Insectivore géant).

Asie. *Aigle mangeur de singes* (Philippines, moins de 100). *Anoa* (Buffle nain et babiroussa des Philippines). *Cerf du Père David* ou *Milou* (env. 500) (Chine ; disparu à l'état sauvage, survit en captivité, réintroduit en 1987). *Chameau sauvage* (Asie centrale, 400 à 500). *Cheval de Przewalski* (Asie centrale ; disparu à l'état sauvage). *Daim iranien* (30 à 40). *Dauphin lacustre* de Chine (400). *Douc* (singe d'Indochine). *Grue de Mandchourie. Hémione* (sorte d'âne sauvage). *Ibis nippon* (10). *Kouprey* ou bœuf gris cambodgien très rare (il a été victime des guerres) ; quelques animaux ont été redécouverts en Indochine et au Cambodge après 20 ans de disparition. *Lièvre à poil dur* (Inde). *Lion d'Asie* (Inde + de 200). *Orang-outan* (Sumatra, Bornéo). *Oryx d'Arabie* (réintroduit en Jordanie en 1983, à Oman et en Arabie Saoudite). *Panda géant* (voir p. 177). *Panthère des neiges* (Asie centrale) (env. 1 000). *Rhinocéros de l'Inde* (1 700) ; *de Sumatra* (700) ; *de Java* (55). *Salamandre géante* (Chine, Japon). *Sanglier pygmée* (Inde). *Tigre* [toute l'Asie, env. 4 000 (100 000, v. 1920)]. *Varan géant de Komodo* (Indonésie).

Europe. *Bison d'Europe* (voir p. 176).

Cigognes blanches (noires voir p. 176c). *Faucons pèlerins :* G.-B. 750 couples, Italie 350, *France 500,* All. féd. 115, Suisse 100, Finlande 70, Suède env. 15, All. dém. 5. Ils sont menacés par les alpinistes, les chasseurs et les trafiquants. Un spécimen sauvage peut se vendre plusieurs milliers de Francs, surtout au Moyen-Orient où il sert à la chasse.

Goéland d'Audouin (Méditerranée).

Grands rapaces (Pygargue, Aigle impérial, etc.).

Loutre (en France v. *1920 :* 300 000, *1988 :* 1 000).

Lynx pardelle (Espagne).

Ours bruns (voir p. 176c).

Phoque moine. 200 survivants en 1990 ; extinction prévue entre 1994 et 1998 : victimes de la pollution des eaux, des pêcheurs (tir, dynamite) ; des dérangements (plaisanciers, pêche sous-marine). En Bulgarie, Grèce, Yougoslavie, Sardaigne (et à Madère, dans l'Atlantique), la pêche est réglementée dans les zones où ils habitent, pour ne pas les priver de poisson. *En France :* a disparu des îles d'Hyères (1950) et de Corse (v. 1975). Projet C.E.E. d'élevage en captivité (France) et réintroduction. La plus grande colonie (40) est menacée au cap Blanc en Mauritanie.

Protée (Yougoslavie).

Madagascar et environs. *Aigle des serpents. Aye-aye* (lémurien, 20). *Faucon crécerelle de l'île Maurice* (12). *Indri* (lémurien). *Propithèque de Verreaux* (lémurien).

Océanie. Australie : *Perroquets et passereaux. Phalanger de Leadbeater* et autres *marsupiaux.* **Hawaii :** *Oie d'Hawaii* ou *néné* (plus de 500). **N.-Calédonie :** *Kagou* (échassier), *perruche d'Ouvéa, Gerko, Effraie des clochers* (chouette), *Papillon bleu.* **N.-Zélande :** *Kakapo* ou *perroquet-hibou. Takaké* ou *Notornis* (sorte de poule d'eau, 200 à 300). **Tasmanie :** *loup marsupial* (éteint ?).

Océan. *Dugong* (océan Indien). *Grands cétacés* [baleine des Basques, quelques centaines ; b. du Groenland, quelques dizaines ; *b. bleue, b. franche, b. à bosse ;* des dauphins (7 millions auraient été massacrés ces dernières années dans le Pacifique par les Japonais ?) ; *rorqual bleu* (600 à 700, 400 000 il y a 60 ans) ; etc.]. De 150 à 200 cétacés s'échouent chaque année sur les côtes françaises. *Tortues marines :* intoxiquées par des sacs plastiques confondus avec des proies (méduses). Capture dans les filets, ramassage des œufs, dérangement des plages de ponte.

Quelques animaux menacés en France

Amphibiens : *Euprocte des Pyrénées* (sorte de triton).

Insectes : *Apollon* (papillon, montagnes). *Cerf-volant* et autres coléoptères. *Isabelle* (papillon, Queyras).

Mammifères : *Blaireau :* détruit par gazage de ses terriers ou au déterrage à l'aide de chiens ; protégé dans certains départements. *Castor :* autrefois chassé pour sa fourrure et sa chair dans la vallée du Rhône et de ses affluents, il est aujourd'hui protégé par la loi. *Cerf de Corse :* détruit, mais réintroduit de Sardaigne. *Desman des Pyrénées. Genettes :* quelques centaines dans le Centre et Sud-Est ; nombre inconnu au sud de la Loire et à l'ouest du Rhône. Protégées par la loi. *Loup :* un spécimen (sauvage ?) tué dans les Alpes-Maritimes en 1987. Quelques-uns signalés çà et là. *Loutre* (1,20 m, 5 à 10 kg) : surtout détruite par la pollution et par les pêcheurs alors qu'elle élimine les poissons malades et assainit les rivières, env. 500 à 1 000 (contre 50 000 en 1900) (O., Centre et S.-O.). *Lynx :* 2 ou 3 survivants dans les Pyrénées ; quelques individus venant de Suisse dans le Jura ; réintroduits dans les Vosges depuis 1983 (3 + 2) comme cela a été réalisé avec succès en Suisse et en Allemagne, puis 6 en 1987 mais au moins 3 tués (1re reproduction en 1987). *Martre :* se maintient en Bourgogne et dans l'Est. *Mouflon* (Corse). *Phoque* (veau marin) : en 1900, il y en avait

Principaux animaux exotiques introduits en France, avec leur région d'origine

Afrique : hérisson d'Algérie, mouche des fruits. **Amér. du N. :** rat musqué, raton laveur, vison d'Amérique, omble de fontaine (dit saumon de fontaine), poisson-chat, perche-soleil, black-bass (deux espèces), truite arc-en-ciel, doryphore, phylloxéra, écrevisse américaine. **Amér. du S. :** ragondin, gambusie, fourmi d'Argentine. **Asie occidentale et méridionale :** faisan ordinaire, crabe (Hétéropanope). **Australie :** cochenille (Icerya purchasi), coccinelle (Novius cardinalis). **Europe de l'Est :** sandre, hotu, huchon, moule zébrée. **Extrême-Orient :** cerf sika, hydropote, chien viverrin, faisan vénéré, amour (carpe de Chine, 2 espèces), bombyx de l'ailante, pou de San José, sauterelle des serres, crabe chinois, huître japonaise, palourde japonaise.

des centaines dans la baie de la Somme. L'espèce y réapparaît de plus en plus. Chaque année de jeunes phoques venant d'Angleterre s'échouent sur nos côtes. S'ils étaient respectés, les populations se reconstitueraient. *Phoque gris :* archipel d'Ouessant.

Oiseaux : *Chevalier combattant* (marais de l'Ouest). *Faucon pèlerin :* décimé par les gardes-chasse, recherché par les fauconniers, sensible aux pesticides. Remonté à env. 500 couples. *Glaréole* (Camargue). *Grand-duc :* victime des pièges, du dénichage, des accidents causés par les lignes à haute tension, plusieurs centaines de couples en France. *Grand tétras :* 2 000 à 3 000. *Guillemot de Troïl* (Bretagne). *Gypaète barbu :* vautour géant (3 m d'envergure) ; détruit par le poison et le fusil ; une dizaine de couples dans les Pyrénées françaises, 8 ou 9 en Corse ; réintroduit dans les Alpes. *Macareux moine :* par suite des marées noires, env. 200 en 1982 (Bretagne). *Merle à plastron* (protégé) : détruit pendant ses migrations d'hiver, surtout en Corse ; quelques centaines de couples dans les Alpes et les Pyrénées. *Petit pingouin* (Bretagne). *Outarde canepetière* et *grande outarde ou outarde barbue :* détruite par la chasse et l'agriculture mécanisée. Quelques centaines de couples de canepetières des Charentes à la Champagne, dans la basse vallée du Rhône. *Râle des genêts :* décimé par la chasse et l'agriculture mécanisée qui détruit son nid établi au sol.

Poissons : *Esturgeon* (fleuves du S.-O.). *Saumon. Omble chevalier* (lacs alpins).

Reptiles : *Cistude* (tortue d'eau) (Brenne). *Tortue d'Hermann* (Provence). *Tortue-luth* (Charente-Mar.). *Vipère d'Orsini* (Hte-Provence).

Animaux découverts depuis 1980

☞ De 1900 à 1970, voir Quid 1983, p. 215. De 1970 à 1979 voir Quid 1989 p. 192.

Des centaines d'espèces sont découvertes chaque année (surtout des invertébrés et plus particulièrement des insectes). Chaque année, on découvre encore quelques espèces de mammifères (surtout rongeurs, insectivores, chauves-souris) et d'oiseaux généralement confondues avec une autre espèce très proche, déjà connue. Parmi les principales, découvertes dep. 1970, on peut citer :

Afrique. **1980 :** *Lemniscomys roseveari,* rat rayé de Zambie. *Leggada baoulei,* souris de Côte-d'Ivoire. *Myonycteris relica,* roussette du Kenya. *Crocidura usambarae,* musaraigne de Tanzanie. *Crocidura lucina* et *thalia,* musaraignes d'Éthiopie. **1982 :** *Mirafra ashi,* alouette de Somalie. *Ploceus ruweti,* tisserin du Zaïre. **1983 :** *Lemur fulvus flavifrons,* maki de Madagascar. *Glaucidium albertinum,* chouette chevêchette du Zaïre. *Nectarinia rufipennis,* souï-manga de Tanzanie. **1984 :** *Hipposideros lamottei,* chauve-souris du mont Nimba (Guinée). **1985 :** *Taterillus petteri,* gerbille du Burkina. *Hurando Hirundo perdita,* hirondelle du Soudan. **1986 :** *Lamottemys okuensis,* rat du mont Oku (Cameroun). *Hybomys eisentrauti,* rat à bande dorsale (Cameroun). **1987 :** *Hapalémur aureus (doré),* lémurien de Madagascar. **1988 :** *Cercopithecus solatus,* Cercopithèque rayon de soleil, Gabon. **1989 :** *Propithecus tattersalli,* lémurien de Madagascar. *Ploceus burnieri,* tisserin d'Afrique de l'Est. *Allocebus trichotis,* lémurien redécouvert à Madagascar.

Amérique. **1980 :** *Cabassous chacoensis,* tatou du Paraguay. *Tijuca condita,* cotinga du sud-est du Brésil. *Metallura odomae,* colibri du nord du Pérou. **1981 :** *Marmosa handleyi,* sarigue de Colombie. *Otus marshalli,* hibou petit-duc des Andes du Pérou. **1984 :** *Dicrostonyx minutus,* le lemming des lichens (Canada). **1985 :** *Tangara meyerdeschauenseei,* tangara du sud du Pérou. *Saïmiri Vanzolinii,* singe-écureuil du Brésil. **1986 :** *Onza,* félin du Mexique, sous-espèce du puma. *Chaetomys subspinosus,* rongeur retrouvé vivant au Brésil. **1989 :** *Asthenes luizae,* fournier terrestre (passereau) du Brésil. *Glaudidium hardyi,* petite chouette chevêchette du Brésil. *Leontopithecus caissara,* singe-lion (tamarin) du Brésil.

Asie. **1980 :** *Acomys whitei,* rat épineux du sultanat d'Oman. *Microtus evoronensis,* campagnol de Sibérie orientale. *Brachypteryx cryptica,* petite grive à ailes courtes de l'Inde. **1985 :** *Gazella bilkis,* gazelle du Yémen. **1986 :** *Courvite de Jerdon* qu'on croyait disparu depuis 1900, retrouvé vivant en Inde. *Eublepharis ensafi,* gecko (40 cm, Iran). **1986 :** un faisan du genre *Lophura,* Viêt-nam. **1988 :** *orcelle d'eau douce* sans dent à Bornéo (dauphin sans dent). **1989 :** un varan au Yémen. **1990 :** *Himantura ; Chaophraya,* raie d'eau douce (500 à 600 kg, Thaïlande).

Europe. **1980 :** *Baleaphryne muletensis,* alyte de Majorque (crapaud).

Océanie. **1983 :** *Cichlornis llaneae,* fauvette de l'île Bougainville. *Rheobatrachus silus,* grenouille australienne qui incube ses œufs dans son estomac. **1985 :** *Hipposideros carynophyllus,* chauve-souris de N.-Guinée. **1986 :** *Hoplodactylus delcourti,* gecko (62 cm, Nlle-Zélande ou Nlle-Calédonie). Il était conservé au muséum de Marseille. **1990 :** *Fregetta titan,* pétrel de l'île de Rapa, en Polynésie française. *Rendrolague,* kangourou arboricole géant, en N.-Guinée.

Océans. **1980 :** *Hexatrygon,* raie aberrante, côtes d'Afrique du Sud. **1983 :** *Néopiline* (mollusque monoplacophore) près des Açores. *Orcinus glacialis,* orque dans l'Antarctique. **1984 :** une grande pieuvre inconnue filmée dans le Pacifique par la soucoupe plongeante Cyana. **1986 :** *Guillecrinus reunionensis,* échinoderme primitif (abysses près de la Nlle-Calédonie) [rebaptisé *Gymnocrinus richeri*]. **1990 :** *Frigonognathus kabeyai,* requin, au large du Japon.

Terres australes. **1983 :** *Diomedea amsterdamensis,* albatros d'Amsterdam.

Protection

Accords internationaux

Des accords internationaux protègent la faune sauvage et en réglementent le commerce : la Convention de Washington sur le commerce international des espèces de faune et de flore sauvages menacées d'extinction, signée puis approuvée par la France le 11-5-1978 (93 pays contractants). Application harmonisée par la C.E.E. à compter du 1-1-1984.

Convention de Berne sur la protection de 109 plantes (dont 9 présentes en France) et 680 espèces animales (dont - de 50 % présentes en France) menacées d'extinction. Élaborée 1979 par une vingtaine de pays ; ratifiée par la France le 22-8-1990. Oblige les signataires à protéger les habitats des espèces menacées, interdit « la détérioration des sites de reproduction ou des aires de repos », « la perturbation, notamment durant la période de reproduction et d'hibernation » (art. 6), encourage « la réintroduction des espèces indigènes de la faune sauvage, lorsque cette mesure contribue à leur conservation ».

Classement des espèces

I : espèces menacées d'extinction immédiate pour lesquelles le commerce et la circulation sont interdits (ex. : félins tachetés, tortues marines, éléphants, crocodiles africains, chimpanzés...). **II : considérées comme très vulnérables** et dont le commerce est réglementé (ex. : hippopotame nain, loutres, pangolin d'Inde et de Chine). **III : menacées de disparition dans un pays donné** (ex. : grue cendrée en Tunisie, pangolin géant au Ghana, dauphin de l'estuaire en Uruguay...). *La Directive du Conseil de la C.E.E.* concernant la conservation des oiseaux sauvages (entrée en application le 6-4-1981). *La Convention de Berne* (conclue en 1979) relative à la conservation de la vie sauvage et du milieu naturel de l'Europe, engageant les 21 pays membres du Conseil de l'Europe, signée par la France en 1971 (en cours de ratification par la France). *La Convention de Bonn* sur la conservation des espèces migratrices appartenant à la faune sauvage signée en 1979 (en cours de ratification par la France). *La Convention de Ramsar,* relative aux zones humides d'importance internationale, particulièrement comme habitats de la sauvagine (1971) ; 39 pays contractants ; signée par la France le 26-7-1984 et ratifiée le 1-10-1986. *Convention baleinière internationale* (1948) sur la protection des cétacés et allocation des quotas de captures (quotas 0 en 1986), ratifiée par la France.

Une législation interdisant la chasse ou la pêche d'une espèce suffit souvent à la sauvegarder. Ex. : après l'accord international de 1911 protégeant l'otarie à fourrure (3 à 4 m, 500 kg, vivant du Kamtchatka à l'Alaska), leur nombre est remonté de 125 000 (1910) à 2 ou 3 millions.

Méthodes

Reproduction en captivité ou semi-captivité. Parfois le seul moyen de sauver certaines espèces : *lions, babouins, daims* se reproduisent facilement, au contraire des *gorilles, rhinocéros, grues* (espaces insuffisants, régimes alim. et mœurs mal connus). On a créé des banques de sperme (notamment pour les éléphants). Le *milou* ou *cerf du Père David,* cerf à queue de vache, ne subsistait au XIXe s. que dans le parc de l'empereur de Chine où un missionnaire français, le père A. David, le découvrit. Des spécimens furent envoyés en Europe, et l'avenir de ce cerf put être assuré en captivité. Réintroduit en Chine en 1987.

Surveillance. Ex. : En France comme en Allemagne, des volontaires (recrutés par le Fonds d'intervention pour les rapaces) se relaient 24 h sur 24 pour empêcher le dénichage des rapaces rares.

Parmi les espèces sauvées par des réintroductions (mais qui subsistent encore plus ou moins à l'état sauvage) : *bison d'Europe, oryx d'Arabie, damalisque à front blanc* (antilope d'Afrique du Sud), *oie d'Hawaii* (néné). Dans de nombreux pays d'Europe, on tente de réintroduire des espèces animales disparues ou qui menacent de s'y éteindre. *Exemples. Mammifères : Lynx* (Alpes suisses, France : Vosges, 12 lynx, relâchés de 1983 à 1987, plusieurs tués, notamment, en 1987 et 1988 car ils sont accusés de tuer les moutons). *Cheval de Przewalski* (pas encore mis en liberté). *Bison* (Ardennes françaises : Parc de Bel Val) ; *Castor,* France (Alsace, Poitou, Bretagne, Val de Loire, etc.) et Suisse. *Oiseaux : Vautour fauve* (Cévennes) ; *Gypaète* (Alpes) ; *Grand-duc* (Jura suisse) ; *Macareux moine* (Sept-Iles : Côtes-d'Armor – depuis les îles Féroé) ; *Petit Pingouin* (Finistère) ; *Cigogne blanche* (Alsace, Suisse, Belgique : Knokke-le-Zoute) (la réintroduction du *Pygargue,* ou aigle de mer, aux îles Hébrides). *Oie naine,* étant trop chassée en Turquie où elle hiverne, des Suédois en confient des œufs à des Bernaches nonnettes qui hivernent aux Pays-Bas. *Insectes : Apollon* (papillon) au mont Pilat (Loire).

Organisations

Organisations internationales

World Society for the Protection of Animals (W.S.P.A., Sté mondiale pour la protection des animaux). 106, Jermyn Street, London SW1Y 6EE, G.-B. *Formée* le 1-1-1981, fusion de la *Fédération pour la protection des animaux* (F.M.P.A.) et de la *Société internationale pour la protection des animaux* (I.S.P.A.). **Chaîne bleue.** Association sans but lucratif, 10, av. Guillaume-Gilbert, Ixelles, Belgique. **World Wide Fund for Nature** (W.W.F.). *Créé* en 1961. *Siège :* avenue du Mont-Blanc, CH 1196 Gland, Suisse. *Pt :* le duc d'Édimbourg. *Section française :* créée en 1973. *Siège :* 151, bd de la Reine, 78000 Versailles. *Pt :* Philippe Poiret. Fondation privée de conservation de la nature à caractère international et apolitique. *Revue : Panda* (trim.) lancée en 1980, 10 000 abonnés. *Symbole :* panda de Chine. *Objectifs :* faire prendre conscience à l'opinion publique des menaces réelles existantes ; étudier les dangers qui pèsent sur chaque espèce animale et végétale, les modes d'action propres à les combattre efficacement ; collecter les fonds nécessaires au financement des programmes de conservation des milieux de notre planète, susciter l'adhésion morale et financière des gouvernements, des sociétés privées et des particuliers concernés. *Réalisations :* a collecté plus de 900 millions de F sur env. 4 200 programmes dans le monde, a sauvegardé le tigre de l'Inde et de l'Indonésie, le rhinocéros de Java, l'oryx d'Arabie, l'orang-outan de Sumatra, etc. ; a permis la création de plus de 260 parcs nationaux et réserves ; a contribué, en France, au financement de nombreux projets en faveur des zones humides (nov. 1989 : près de 5 000 000 F investis) : acquisition-location de marais, étangs en Normandie, Charentes, Lorraine, Brenne, etc. ; au sauvetage des phoques, à la réintroduction du lynx, à des opérations de sensibilisation et d'information. **Ligue internationale des droits de l'animal** (International League for Animal Rights). Créée : 1977 par le Pr G. Heuse (Belgique). *Siège :* B.P. 785, Luxembourg. *Pt :* Pr L. Bollendorff (Luxembourg). **Ligue luxembourgeoise des Droits de l'Animal.** B.P. 785, L-2017 Luxembourg. **Ligue nationale pour la protection des Animaux.** 33, rue Adolphe, L-1116 Luxembourg. **World Organisation for the Rights of Animals** (Organisation mondiale des droits de l'animal). Créée : 1986. *Siège :* 446, Sardarpura, Jodhpur 342003, Inde. *Pt :* Justice V.R. Krishna Iyer (Inde). *Secr. gén. :* Madan Raj S. Bhandari. **Conseil mondial d'éthique des droits de l'animal** (World Council for the Ethics of Animal Rights). *Créé :* 1987. *Pt :* Pr Georges Heuse (Belgique). *Siège :* FAIB, rue Washington, 40, 1050 Bruxelles. **Fonds mondial pour la qualité de la vie animale** (World Fund for the Quality of Animal Life). *Créé* : 1988. *Siège* : FAIB, rue Washington 40, 1050 Bruxelles. *Pt* : Dr Serge Tolstoï.

Associations nationales

Aire du chat. 102, rue St-Maur, 75011 Paris. **Assistance aux animaux.** 90, rue J.-P. Timbaud, 75011 Paris. **Association de l'hippopotame.** 114 ter, av. de Versailles, 75016 Paris. **Amis des renards et autres puants (A.R.A.P.).** 50, rue Molitor, 75016 Paris. **Artus.** La Maison de Valérie, B.P. 50, 41353 Vineuil Cedex. Protection de l'ours brun des Pyrénées. **Fondation assistance aux animaux.** 23, av. de la République, 75011 Paris. **Association des amis des ânes (A.D.A.D.A.).** Pissevache, 19450 Chamboulive. **Assoc. française d'information et de recherche sur l'animal de compagnie (A.F.I.R.A.C.).** 7, rue Pasteur, 75011 Paris. **Assoc. d'information et de protection animale.** 1, rue Pasteur, 29000 Quimper. **Assoc. de protection des animaux sauvages.** Créée 1983, 9 000 adhérents. B.P. 34, 26270 L'Oriol-sur-Drôme. **Assoc. de défense des animaux de compagnie (A.D.A.C.).** 3, rue de l'Arrivée, B.P. 107, 75749 Paris Cedex 15. **Assoc. pour la sauvegarde des chats sauvages.** 130, bd Murat, 75016 Paris. **Centre d'hébergement pour équidés martyrs.** Créé 1978, 1000 m. 3, rue de Lyon, 75012 Paris. **Centre d'information et de documentation jeunesse.** 101, quai Branly, 75740 Paris Cedex 15. **Centre de réintroduction des cigognes en Alsace.** 41, rue Parc des Cigognes, Hunawihr, 68150 Ribeauvillé. **Comité européen pour la protection des phoques et autres animaux à fourrure (C.E.P.A.F.).** 2, avenue Charles V, 94130 Nogent-sur-Marne. **Conseil nat. de la protection animale (C.N.P.A.).** 11, rue Alfred-Roll, 75017 Paris. **Confédération nat. des stés protectrices des animaux (C.N.S.P.A.).** 17, place Bellecour, 69292 Lyon Cedex 1. **Convention nat. pour la défense des animaux (C.N.P.D.A.).** 84, rue Blanche, 75009 Paris. **Fédération française des stés de protection de la nature** (fédère 150 associations). 57, rue Cuvier, 75005 Paris. **Fondation Brigitte Bardot.** 83990 St-Tropez. **Fonds d'intervention pour les rapaces.** 3000 m. en 1989. 60, rue Sartors, B.P. 27, 92250 La Garenne-Colombes. **France Nature Environnement.** 57, rue Cuvier, 75231 Paris Cedex 05. Créée 1968. 850 000 membres dans 150 associations. **Greenpeace.** 13, rue Maître-Albert, 75005 Paris. **Groupe Ours.** La Maison de Valérie, 41021 Blois Cedex. **Groupement pour la recherche des équidés volés** (G.R.E.V.). Moulin des Sablons, 61290 Maletable. **Ligue française des droits de l'animal (L.F.D.A.)** 61, rue du Cherche-Midi, 75006 Paris. **Ligue internationale pour la protection du cheval.** 3, rue de Lyon, 75012 Paris. **Ligue française pour la protection du cheval.** Fondée 1909, 2000 m. 56, rue des Renaudes, 75017 Paris. **Ligue française pour la protection des oiseaux.** La Corderie royale, B.P. 263, 17305 Rochefort Cedex et 48, rue Ste-Anne, 75002 Paris. Créée 1912, 9 000 adhérents. **Œuvre d'assistance aux animaux de laboratoire (O.P.A.L.).** 63, bd des Invalides, 75007 Paris. **Œuvre d'assistance aux bêtes d'abattoirs (O.A.B.A.).** Créée 1961, 4 000 adhérents. 10, place Léon-Blum, 75011 Paris. **Rassemblement des opposants de la chasse** (Pt : Th. Monod, de l'Institut). B.P. 261, 0216 St-Quentin Cedex et 10, rue Érard, 75012 Paris. **Société herpétologique de France.** Lab. d'anatomie comparée. 2, place Jussieu, 75320 Paris Cedex 05. Créée 1971, 600 membres. **Sté nationale pour la défense des animaux** (S.N.D.A. et Union anti-tauromachie). B.P. 105, 94304 Vincennes Cedex. **Sté protectrice des animaux (S.P.A.).** 39, boulevard Berthier, 75017 Paris : fondée en 1845, 70 000 adhérents, 37 refuges. Recueille 200 000 animaux par an dont 100 000 chiens. *Pte* : Jacqueline Faucher. *Pt d'honneur* : Roland Nungesser. *Section éducative des jeunes.* Fondée en 1948. 5 000 membres. *Refuge Grammont,* 30, avenue du Pont-de-St-Denis, 92230 Gennevilliers. Le plus grand d'Europe (7 000 m²), 25 000 animaux y transitent par an. Les services de recherches retrouvent 20 000 animaux par an, dont 6 000 chiens. *Mensuel : Animaux Magazine.* **Station d'observation et de protection des tortues des Maures.** La Truitière des anges, 83340 Les Mayons. **Union nationale des centres de sauvegarde de la faune sauvage.** Château de Rochasson, 38240 Meylan.

Services et organismes publics. *Ministère de l'Environnement,* 14, bd du Gén.-Leclerc, 92524 Neuilly. *Directions départementales des services vétérinaires ; Procureurs de la République :* chargés de la répression des infractions pénales. *Mairies, commissariats de police, gendarmerie. Services régionaux de l'inspection de la pharmacie et du médicament. Circonscriptions régionales du service des haras et de l'équitation.*

Déclaration universelle des Droits de l'animal

La Déclaration Universelle des Droits de l'Animal a été proclamée solennellement à Paris, le 15-10-1978, à la Maison de l'UNESCO.

Son texte a été révisé et adopté par la Ligue Internationale des Droits de l'Animal réunie à Genève le 21-10-1989. Le texte précédent avait été publié en 1977.

Préambule

Considérant que la vie est une, tous les êtres vivants ayant une origine commune et s'étant différenciés au cours de l'évolution des espèces,

Considérant que tout être vivant possède des droits naturels, et que tout animal doté d'un système nerveux possède des droits particuliers,

Considérant que le mépris, voire la simple méconnaissance de ces droits naturels provoquent de graves atteintes à la Nature et conduisent l'homme à commettre des crimes envers les animaux,

Considérant que la coexistence des espèces dans le monde implique la reconnaissance par l'espèce humaine du droit à l'existence des autres espèces animales,

Considérant que le respect des animaux par l'homme est inséparable du respect des hommes entre eux,

Il est proclamé ce qui suit :

Article 1. 1° Tous les animaux ont des droits égaux à l'existence dans le cadre des équilibres biologiques. 2° Cette égalité n'occulte pas la diversité des espèces et des individus.

Article 2. Toute vie animale a droit au respect.

Article 3. 1° Aucun animal ne doit être soumis à de mauvais traitements ou à des actes cruels. 2° Si la mise à mort d'un animal est nécessaire, elle doit être instantanée, indolore et non génératrice d'angoisse. 3° L'animal mort doit être traité avec décence.

Article 4. 1° L'animal sauvage a le droit de vivre libre dans son milieu naturel, et de s'y reproduire. 2° La privation prolongée de sa liberté, la chasse et la pêche de loisir, ainsi que toute utilisation de l'animal sauvage à d'autres fins que vitales, sont contraires à ce droit.

Article 5. 1° L'animal que l'homme tient sous sa dépendance a droit à un entretien et à des soins attentifs. 2° Il ne doit en aucun cas être abandonné, ou mis à mort de manière injustifiée. 3° Toutes les formes d'élevage et d'utilisation de l'animal doivent respecter la physiologie et le comportement propres à l'espèce. 4° Les exhibitions, les spectacles, les films utilisant des animaux doivent aussi respecter leur dignité et ne comporter aucune violence.

Article 6. 1° L'expérimentation sur l'animal impliquant une souffrance physique ou psychique viole les droits de l'animal. 2° Les méthodes de remplacement doivent être développées et systématiquement mises en œuvre.

Article 7. 1° Tout acte impliquant sans nécessité la mort d'un animal, et toute décision conduisant à un tel acte constituent un crime contre la vie.

Article 8. 1° Tout acte compromettant la survie d'une espèce sauvage, et toute décision conduisant à un tel acte constituent un génocide, c'est-à-dire un crime contre l'espèce. 2° Le massacre des animaux sauvages, la pollution et la destruction des biotopes sont des génocides.

Article 9. 1° La personnalité juridique de l'animal et ses droits doivent être reconnus par la loi. 2° La défense et la sauvegarde de l'animal doivent avoir des représentants au sein des organismes gouvernementaux.

Article 10. L'éducation et l'instruction publique doivent conduire l'homme, dès son enfance, à observer, à comprendre et à respecter les animaux.

Loi Grammont

Votée le 2-7-1850. Le général comte de Grammont. *Fondateur* de la S.P.A. en 1845, en est l'instigateur. Prévoyait « une amende et un emprisonnement de 1 à 15 j pour ceux qui ont exercé, publiquement et abusivement, de mauvais traitements envers les animaux domestiques ».

Cette loi a été *renforcée le 11-12-1937 : amende :* 5 000 F ; emprisonnement possible (pouvant aller jusqu'à 10 mois) pour qui se livre, publiquement ou non, à la torture ou à des sévices sur les chiens et autres animaux domestiques ; qui abandonne un animal est responsable.

Charte de l'animal

Loi votée le 10-7-1976 par le Parlement. Quiconque aura, sans nécessité, publiquement ou non, exercé des sévices graves ou commis un acte de cruauté envers un animal domestique ou apprivoisé ou tenu en captivité sera puni d'une amende de 500 F à 6 000 F et d'un emprisonnement de 15 jours à 6 mois, ou de l'une de ces deux peines seulement. En cas de récidive, les peines seront portées au double.

L'abandon volontaire d'un animal domestique ou apprivoisé ou tenu en captivité, à l'exception des animaux destinés au repeuplement, est passible des peines prévues à l'article 453 du Code pénal.

Peines prévues au Code pénal

Article R 38-12. Amende de 1 300 F à 2 500 F et prison pendant 5 j pour ceux qui auront exercé sans nécessité, publiquement ou non, des mauvais traitements envers un animal domestique ou apprivoisé ou tenu en captivité. En cas de condamnation du propriétaire de l'animal ou si le propriétaire est inconnu, le tribunal pourra décider que l'animal soit remis à une œuvre de protection animale qui pourra librement en disposer (dispositions non applicables aux courses de taureaux et aux combats de coqs lorsqu'une tradition locale ininterrompue peut être invoquée).

Art. R 39. Prison 10 j en cas de récidive. **Art. 453.** Amende de 500 à 8 000 F et/ou emprisonnement de 15 jours à 6 mois pour quiconque aura, sans nécessité, publiquement ou non, exercé des sévices graves ou commis un acte de cruauté envers un animal domestique ou apprivoisé ou tenu en captivité, ou en cas d'abandon volontaire d'un animal, domestique ou apprivoisé ou tenu en captivité, à l'exception des animaux destinés au repeuplement.

Art. 13-11 de la loi nº 76-629 du 19-7-1976. La remise de l'animal à une assoc. de protection animale ou à un particulier, en renonçant à tout droit de propriété moyennant signature d'une décharge, ne constitue pas un abandon tel qu'il est défini par la loi. Les associations de protection animale peuvent exercer les droits reconnus à la partie civile.

Art. 454. Sera puni des peines prévues à l'art. 453 quiconque aura pratiqué des expériences sur les animaux sans autorisation délivrée par une Commission spéciale (décret du 9-2-1968). Les expérimentateurs sont contrôlés afin d'assurer aux animaux la nourriture et l'habitat convenables. Ils doivent tenir un registre indiquant la provenance des animaux.

Quelques animaux

Légende. Longueur en cm (du museau à la base de la queue) + longueur de la queue en cm ; H : hauteur au garrot en cm.

☞ Voir aussi Gibier à l'Index.

Animaux d'Afrique

Mammifères

• **Antilopes. Addax** 150 à 170 + 25 à 35 cm, H 95 à 115 cm, poids 60 à 125 kg. *Cornes* 75 cm (record 109), en hélice étirée (2 tours). *Gestation* 330 j. *Longévité* 16/18 ans (en voie de disparition). **Bongo** 170 à 250 + 45 à 65, H 110 à 125, poids 220 kg. *Cornes* 60/70 cm (record 1 m) en forme de lyre, très épaisses, massives, mais élégantes. *Gestation* 230 j. *Longévité* 14/16 ans. **Bubales** ou **Bubales majors** (Hartebeest, nom donné par les Boers : bête dure). 175 à 245 + 45 à 70, H 110 à 150, poids 120 à 225 kg. Haut sur jambes, ligne oblique du dos s'abaissant du garrot à la croupe. *Cornes* 45/55 cm (record 70) annelées à base massive. *Gestation* 8 mois. *Hardes* de 5 à 30. *Longévité :* peut atteindre 19 ans. **Cobs** 180 à 220 + 22 à 45, H 120 à 130, poids 170 à 250 kg. *Cornes* 50/80 cm (record 99) simplement arquées, très écartées à leur base. *Hardes* de 10 à 30. 6 espèces dont **C. defassa** ou **C. onctueux** (Waterbuck) et **C. à croissant ;** hardes de + de 30. **C. de Buffon** 125 à 180 + 18 à 45, H 70 à 105, poids 50 à 120 kg. *Cornes* 35/50 cm (record 57) plutôt courtes et épaisses en lyre et courbées. *Gestation* 215/225 j. **Élan de Derby** ou **Élan géant** 275 + 100, H 170. *Cornes* 80/100 cm (record 123). Poids 900 kg (record). **Élan du Cap** ou **Antilope canna** 235 à 345 + 50 à 90, H 140 à 180, poids 800/1 000 kg. *Cornes :* mâle jusqu'à 113 cm, bien développées chez la femelle. *Gestation* 8 mois 1/2 à 9 mois, *portée* 1. *Habitat* steppe. *Longévité* 15/18 ans. *Ressemble à l'élan de Derby.* **Gnou bleu à queue noire** (blue wildebeest). 175 à 240 + 70 à 100, H 115 à 145, poids 145 à 250 kg. *Cornes* 60/70 cm (record 83) resserrées et recourbées. **Guib d'eau, Sitatunga** ou **Limnotrague** 115 à 170 + 30, H 75 à 124, poids 45/50 kg. *Cornes* 55 cm max. assez faibles et en lyre. *Croupe* + haute que le garrot. *Longévité* 8/10 ans. **Hippotrague** 188 à 267 + 37 à 76, H 100 à 160, poids 150 à 300. *Cornes* recourbées en croissant dirigé vers le haut. Élancé, haut sur jambes, profil dorsal un peu tombant. *Gestation* 270/280 j, 1 jeune. *Longévité* 17 ans env. en captivité. *2 espèces :* **antilope rouanne** ou **a. chevaline** (ou hippotrague), *cornes* 50 à 95 cm. **Hippotrague noir** (sable antilope), 225 + 75, H 140 env., poids 250 kg, *cornes* 70 à 173 cm (record 154, 164 pour la race d'Angola). **Koudou** (grand), l'une des plus belles antilopes. 195 à 245 + 150, H 120 à 150, poids 290 à 320. *Cornes* jusqu'à 168 cm (record 181) spiralées et divergentes. *Hardes* de 6 à 20. *Longévité* 15 ans. *Gestation* 8 mois. **Koudou** (petit) 110 à 140 + 45, H 90 à 105, poids 60 à 100 kg. *Cornes* jusqu'à 90 cm. *Gestation* 7 mois. *Longévité* 12 à 15 ans. **Nyala** 135 à 165 + 60, H 80 à 115, poids 120 à 130 kg. *Cornes* 70/80 cm (record 83). *Gestation* 225 j. *Hardes* de 6 à 40. *Longévité* 14/16 ans ; **de montagne** (à partir de 2 500 m d'alt.). 190 à 260 + 30, H 90 à 135, poids 215 à 230 kg. *Cornes* 80/100 cm (record 118). *Longévité* 8 ans. *Gestation* 7 mois. **Oréotrague sauteur** (Klipspringer), 75 à 115 + 8 à 13, H 50/60, poids 18 kg. *Cornes* 9 cm (record 15). *Gestation* 215 j. *Longévité* 7 à 9 ans. **Oryx gazelle** 160 à 235 + 45 à 90, H 90 à 140, poids 100 à 210 kg. *Cornes* 85 cm (record 109), droites comme une lance ou légèrement recourbées. *Gestation* 290 j. *Longévité* 15 ans. **Oryx algazelle.** *Habitat :* zone sahélienne, déplacements fréquents. Autrefois, animal domestique des anciens Égyptiens ; actuellement, la plus menacée des antilopes.

• **Buffles.** **B. noir de Cafrerie** ou **du Cap** 250/260 + 80/100, H 170, poids 800 à 1 200 kg. *Cornes* à section semi-circulaire, écartement de + d'1 m. Agile et rapide (50 km/h). *Gestation :* 10 mois env. *Longévité :* 26 ans. *Troupeaux* de 30 à 60. **B. de forêt** ou **nain** 180 + 60, H 100 à 130, poids 400 à 450. *Cornes :* 50/60 cm (record 75) pointues, dirigées vers l'arrière. *Vit* solitaire, en couple ou petite harde. **B. de savane,** taille moyenne, haut sur pattes, H 120 à 140. *Gestation :* 245 j. *Longévité :* 15 à 18 ans.

• **Caracal** (apparenté au lynx). Félidé 55 à 75 + 22 à 33, H 40 à 45. Pelage rouge vineux à gris rougeâtre ou jaune sable, ventre blanchâtre, oreilles grises terminées par un long pinceau de poils. *Habitat :* steppes à épineux. *Gestation :* 70 à 78 jours. *Portée :* 1 à 4.

• **Chacal commun** ou **doré** (ressemble au loup). 70 à 85 + 22 à 28, H 45 à 50, poids 7 à 14 kg. *Gestation :* 63 j. *Portée :* 3 à 8. *Longévité :* 12 ans.

• **Dromadaire** (ou **méhari**). H 200, poids jusqu'à 700 kg. Une bosse. Camélidé domestique d'Arabie, adapté à la vie désertique. Résiste à la soif (5 à 6 j en hiver, 20 à 30 j s'il dispose de pâturages verts). Absorbe 100 l d'eau en 10 min ; évacue très peu d'eau (urines peu abondantes, transpiration nulle au-dessous de 40 °C grâce à sa température corporelle variable entre 34 et 41 °C). Résiste à la faim grâce aux réserves de graisses accumulées dans sa bosse (celle-ci, d'un poids de 15 kg, n'est pas un réservoir d'eau, mais les graisses sont soumises à un régime d'hydratation et de déshydratation, dans lequel les réserves d'eau jouent un grand rôle). Peut perdre 30 % de son poids dans une traversée. Monté, peut marcher 17 h de suite, parcourir 210 km en 1 j, 640 km en 4 j. Lourdement chargé (250 kg), peut faire 70 km/j. *Portée :* 1. *Gestation :* 1 an. *Régime :* herbivore.

• **Éléphant d'Afrique.** 500 + 150, H 200/350, largeur du pied 40 cm, poids moyen 4 500 kg (record 6 650). *Défenses :* 100 à 200 cm, 10 à 50 kg [record : 349 et 335 cm. Poids (paire) 132 kg, record du poids 241 kg]. *Différences avec l'éléphant d'Asie :* oreilles très larges couvrant 1/6 de la surface du corps, sont irriguées de telle sorte que lorsqu'il s'évente, la temp. du sang circulant dans les oreilles s'abaisse de 5 °C. Front régulièrement convexe (chez l'él. d'Asie, le front est concave et l'échine convexe), défenses plus fortes, 2 appendices en forme de doigt terminent la trompe. *Trompe* de 150 à 210 cm lui permet d'absorber 9 l à chaque inspiration. *Cerveau :* 5 kg. *Vitesse :* marche 7 à 15 km/h, trot 45 km/h lorsqu'il charge. Peut parcourir de 30 à 50 km par jour. *Sommeil :* 2 à 4 h par jour. *Nourriture végétale :* 1/5 de son poids par jour : écorces, feuilles, pousses, herbes, racines et fruits. *Besoins en eau :* env. 200 l par jour. *Gestation :* 21 à 22 mois, la femelle peut reproduire de 16 à 80 ans ; *l'éléphanteau* mesure 80 à 90 cm au garrot à sa naissance et pèse env. 100 kg. Il tète avec sa bouche, et non sa trompe. Il est sevré à 2 ans. Intervalle entre 2 naissances : 4 ans, quelquefois 8. *Longévité :* mâles 50 ans et plus, femelles 60 ans et plus. Réputé *myope* (il ne distingue pas un obstacle à plus de 30 m), *odorat* et *ouïe* très développés ; sous le vent on peut l'approcher à 20 m, sinon pas à moins de 1 km. *Vit* souvent en troupeaux (hardes) de 4 à 16 ; parfois de plusieurs centaines, conduits par la femelle la plus âgée et la plus grosse, les mâles fermant la marche. De vieux mâles vivent par 2 à 5. 3 sous-espèces : *Loxodonta africana* (él. de savane de 3 m à 3,5 m au garrot) ; *Loxodonta cyclotis* (él. de forêt, de 2,3 m à 2,6 m au garrot), défenses longues et droites ; *Loxodonta pumilio,* él. pygmée de 2 m au garrot, vivrait dans les forêts marécageuses. On peut évaluer la hauteur au garrot d'un él. en multipliant par 2 la circonférence de ses traces. *Nombre : 1970* 2 000 000 ; *1990* 400 000. Protégés partout (sauf régulation locale ou tir de trophées), classés en Annexe I de la Convention de Washington (interdisant le commerce), mais braconnage important. On exporte 1 000 t d'ivoire par an, ce qui représente 120 000 éléphants abattus. Autrefois, on trouvait sur le marché des défenses de 13 à 16 kg, actuellement elles ne dépassent pas 3 à 4 kg (on tue donc des petits).

• **Fennec.** Canidé 35,7 à 40,7, H 17,8 à 30,5, moins de 1,5 kg. Oreilles : plus de 15 cm. Pelage doux et laineux jaune crème, queue touffue. *Habitat :* déserts et zones semi-désertiques (Sahara) ; creuse des terriers dans le sable. *Mœurs :* nocturnes ; *vit* en groupe jusqu'à 10. *Omnivore :* peut rester longtemps sans boire. *Gestation :* 52 j. *Portée :* 2 à 4. *Longévité :* 12 ans.

• **Fossa** (prononcer *fouche*). Viverridé 80 + 80. Madagascar. Peut-être le plus primitif des carnivores actuels. Ressemble à une grande martre, ou au jaguarondi. Chasse les lémuriens.

• **Gazelles** (Antilopes de taille moyenne). 26 espèces dont : **G. leptoceros** ou **à cornes grêles** H garrot 70 cm, poids 20 kg ; cornes 25/30 cm (record 40), longues et droites 25/30 cm (record 40). *Habitat :* désert (zones sablonneuses), de plus en plus rare. **G. dorcas** H 60, cornes en lyre. *Longévité :* 10 à 12 ans. A l'âge d'une semaine, peut courir à 75 km/h comme les adultes. *Habitat :* désert et semi-désert (zones pierreuses), en régression. **G. damma** H 70. *Habitat :* autrefois, zone sahélienne. Ne vit plus qu'en captivité. **G. de Grant** 125 + 35, H 85, poids 60/75 kg ; cornes 50 cm (record 80). **G.-girafe** ou **de Waller** 160 + 25, H 95, poids 50 kg ; cornes 25/35 cm (record 44). **Impala** ou **G. à pieds noirs** 160 + 30, H 100, poids 65/75 kg ; cornes seulement chez le mâle, en forme de lyre, 70/75 cm (record 91). Fait des bonds jusqu'à 2,50 m de hauteur et 8 à 10 m en longueur.

• **Girafe tachetée.** 225 + 80, H 300/550, poids 500 kg dont cœur 12 kg. Tête avec 2 ou 3 cornes, parfois 5. Se nourrit essentiellement de feuillage (surtout acacias) : 88 % de sa nourriture. Cueille les feuilles en enroulant sa langue (atteint parfois 45 cm) autour d'elles. *Territoire :* 5 000 ha. *Groupes* de 10 à 30. Parfois la proie des lions. *Gestation :* 450 j. *Portée :* 1. *Longévité :* 25 ans.

• **Guépard.** 135 + 75, H 80, poids 40 kg. Félidé, mais aux griffes non rétractiles. Peut atteindre 95 km/h ; ne grimpe pas aux arbres. *Habitat :* savane sèche. *Groupes* de 2 à 5. *Gestation :* 3 mois. *Portée :* 2 à 5. *Longévité :* 15 ans. S'apprivoise. Menacé de disparition.

• **Hippopotames.** 2 espèces : **H. amphibie** 400 + 55, H 140, poids 2 400/3 000 kg. Courtes pattes terminées par 4 orteils. Couleur du noir au brun, au rose sale. *Canines* inférieures jusqu'à 60/70 cm de long. L'ivoire, très fin, est plus dur que celui de l'éléphant. *Souvent immergé,* il respire à la surface toutes les 2 à 4 min en ne laissant dépasser que les narines. *Groupes* de 5 à 20 ou 30. *Gestation :* 8 mois (le jeune hippopotame pèse 40 kg à la naissance). **H. nain** 150/170 + 15, H 75, poids 150/170 kg (Guinée, Liberia, Côte-d'Ivoire). *Vit* hors de l'eau et ne s'y rend que pour se baigner.

• **Hyène tachetée.** 130 + 35, H 1,40, poids 80 kg. *Groupes* de 5 ou 6 individus. **H. rayée.**

• **Lamantin.** Voir Amérique du Sud.

• **Lion.** 180 + 90, H 105, poids 180/200 kg. Sauf dans certaines régions (ex. : Congo-Brazzav.), les mâles ont une *crinière* (poils de 50 cm de long) qui apparaît à 4 ans (la lionne, plus petite, n'en a pas). *Polygame,* un gros mâle vit souvent avec 2 ou 3 lionnes et peut s'accoupler à 20 ou 25. 2 à 6 lionceaux naissent aveugles après 3 mois 1/2 de *gestation,* sevrés à 3 mois, chassent à un an, n'ont leur pelage définitif qu'à 2 ans et n'arrivent à pleine maturité qu'à 5 ans. 1re proie à 15 mois. *Attaque* tous les animaux : zèbres, antilopes, girafes, phacochères, buffles. On a constaté, dans une savane d'Afr. orientale, qu'en un an, un adulte, deux femelles et trois lionceaux ont tué : 5 élans, 5 bubales, 9 impalas, 9 girafes, 12 buffles, 25 gazelles de Thomson, 33 zèbres, 107 gnous, 14 divers. Les lions ne chassent que lorsqu'ils sont affamés. Ils peuvent manger jusqu'à 35 kg de viande en une seule fois. Ils vivent en *groupes* (2 à 3), contrairement à la plupart des félins. *Territoire :* 4 000 à 13 000 ha, selon la taille du groupe et la densité de population des proies (en moy. 1 000 herbivores pour 3 ou 4 lions). Seuls les vieux lions solitaires peu agiles deviennent mangeurs d'hommes. *Vitesse max. :* 80 km/h. *Bonds* de 6,5 m en longueur, 2 m en hauteur. *Longévité :* env. 20 ans. Se trouve essentiellement au S. du Sahara.

• **Mouflon à manchettes.** Voisin du mouton, mais avec des caractéristiques propres aux chèvres. 130/165 + 25, H 75/100, poids 40 à 140 kg. Pas de barbe, longue crinière à la partie inférieure du cou et sur le devant du poitrail. *Cornes :* 60 cm (record 87). *Habitat :* montagnes du Sahara. *Gestation :* 170 j. *Portée :* 1 ou 2. *Longévité :* 13/15 ans. Rare.

• **Okapi.** Giraffidé. 210 + 30/40, H 150/170, poids 250 kg. Mammifère ruminant voisin de la girafe, découvert vers 1900 dans la forêt congolaise. *Portée :* 1. *Broute* des feuillages (l'essentiel de sa nourriture). Il se sert de sa langue (presque aussi longue que celle de la girafe) pour saisir les branches. Son ouïe très fine l'alerte des dangers. Animal très rare. *Gestation :* 426 j. *Portée :* 1. *Longévité :* 25/30 ans.

• **Pangolin géant.** Édenté à écailles, pouvant atteindre 1,50 m (famille des manidés).

• **Panthère d'Afrique** ou **Léopard.** 120 + 95, H 65, poids 70 kg. Grimpe aux arbres, ne dévore pas toujours les animaux abattus. *Chasse* seule et *vit* généralement en solitaire, sauf pendant les périodes de rut. S'attaque aux : volailles, pintades, pangolins, petites antilopes, phacochères et potamochères, chacals. *Gestation :* 3 mois. *Portée :* 2 à 5. *Longévité :* env. 20 ans. *Nombre :* 700 000 (dont Zaïre 210 000, Angola 62 400, Zambie 46 300, Cameroun 41 900). 6 000 tués chaque année (dont 2 000 légalement, pour protéger les troupeaux, et 4 000 victimes du braconnage : les braconniers revendent en moyenne 600 $ chaque peau).

• **Phacochère** (en grec : cochon à lentille). 130 + 40, H 75, poids 90/105 kg. Porc sauvage, 2 défenses supérieures jusqu'à 60 cm (record), généralement 30 cm chez les mâles. Défenses inférieures plus petites, rarement + de 15 cm. Bandes de 4 ou 5. Herbivore. *Portée :* 4 en moy., quelquefois 8.

• **Rhinocéros africains.** 2 espèces : **Rh. noir** 330 + 65, H 150, poids 1 200/1 750 kg. *Corne* antérieure : 55/75 cm (record 158). *Pieds* à 3 doigts, celui du centre étant plus long. *Couleur :* gris beige surtout due à la boue séchée. *Vit* seul, par couple ou groupes de 3 ou 4. *Nourriture :* feuilles, racines et pousses d'arbres. *Vitesse* de charge : 40/45 km/h. *Gestation :* 15/16 mois. *Longévité :* env. 45 ans. *Odorat* et *ouïe* très fins, mais ne distinguent pas des objets situés à plus de 25 m. *Nombre :* 3 000 à 4 000 (65 000 en 1990). **Rh. blanc** 400 + 70, H 165, poids 1 900/2 100 kg. Record *corne* antérieure : 158 cm. Plus grand

que le noir (S. Soudan, N.-E. Zaïre, Ouganda, Afr. du S.). *Nombre :* 3 000 ? [dont Kenya 200 (13 000 en 1969)].

• Singes. **Babouin** ou **Cynocéphale commun.** L de la tête et du corps 60/80 cm. L de la queue 50 cm, poids 30/65 kg. Aboie. *Groupes* de plus de 100. *Longévité :* jusqu'à 50 ans. *Alimentation :* omnivore. **Cynocéphale d'Abyssinie** ou **Hamadryas.** Environ 60 cm et parfois plus, queue assez longue en pinceau. La femelle s'apprivoise mieux que le mâle. *Alimentation :* viande, poisson, légumes cuits, quelques fruits, biscuits. **Chimpanzé,** H 150/170 cm. Membres antérieurs 80 cm, postérieurs 60 cm, poids 50/70 kg. Sans queue. Surtout *végétarien. Intelligence :* remarquable, grande mémoire. *Longévité :* 50/60 ans. *Gestation :* 8 mois 1/2 [*chimpanzé nain,* rive sud du Congo]. En voie de disparition (il en resterait 250 000 à 300 000).

Gorille. H 160/200 cm. L des membres antérieurs 100 cm, postérieurs 75 cm, poids 130/200 kg, femelle 60/115 kg. Sans queue ; cage thoracique développée. Tour de poitrine jusqu'à 2,05 m. *Vit* par familles, ou par groupes, jusqu'à 30 à 40. Établit généralement son nid à même le sol, parfois sur des branches basses. *Végétarien* (fruits et pousses). Ne se tient debout que pour regarder au-dessus de la végétation. Herbivore, n'attaque pas l'homme. En cas de danger, pousse des cris sauvages et se livre à des mimiques, qui généralement mettent l'adversaire en fuite ; mais il ne combat pas. *Longévité :* 50 ans. *Territoire :* 40 km². *Nombre : g. de côte (Gorilla gorilla gorilla)* 9 000 au sud du Cameroun, Rép. centrafricaine, Guinée équatoriale ; env. 150 redécouverts récemment au S.-E. du Nigeria ; *g. de plaine (Gorilla gorilla graveri)* 4 000 à l'est du Zaïre ; *g. de montagne (Gorilla gorilla beringei)* 365 à la frontière du Rwanda avec Zaïre et Ouganda, et en Ouganda. Sur 48 gorilles capturés, 30 survivent à la captivité, 12 au transport, 6 jusqu'à l'âge adulte, un seul couple se reproduit.

Mandrill. L 90 cm, poids 40-50 kg. Face (rouge et bleue). Queue très courte. *Vit* souvent à terre par groupes de 30 à 40 individus. Un mâle est mort en captivité à l'âge de 46 ans. **Singes verts** (dont **Grivet** et **Vervet**). L 90/125 cm dont 50/70 pour la queue, poids 3/5 kg. Communs et largement répandus. Pelage gris à verdâtre. *Groupes* de 20 à 30, dominés par un mâle. Seuls les vieux mâles vivent en solitaires. Font partie (avec le hocheur, le talapoin, la mone à face bleue) du groupe des cercopithèques, appelés aussi **guenons** (*guenon* est employé abusivement dans le sens de « singe femelle » : il désigne en réalité les cercopithèques des 2 sexes). **S. rouge** ou **Patas.** L moyenne, tête, corps et queue : 140 cm, poids 10 kg. Ne grimpe pratiquement jamais aux arbres. *Groupes* de 10 à 20, dirigés par un mâle âgé. *Longévité :* 15/20 ans. *Gestation :* 7 mois.

Talapoin ou **Cercopithèque mignon** ou **singe de mangrove.** 30 à 40 cm, queue 37 à 50 cm. *Poids :* 800 g à 1 kg. *Longévité :* 20 ans. S'apprivoise vite, doux, gai et affectueux. *Alimentation :* fruits, raisins secs, œuf dur, aliments en boîte pour chien. *Reproduction :* 1 fois par an. *Gestation :* 200 j env. *Portée :* 1.

• Zèbres (équidés). **Z. Commun.** 230 + 80, H 130, poids 250/300 kg. *Couleur :* blanc avec raies noires. *Groupes* de 6 à 20 ou même de plusieurs centaines. *Vitesse :* 65 km/h. *Longévité :* 12 ans. Souvent accompagné de gnous, bubales, damalisques et autruches. **Z. de Grévy** 240 + 100, H 150, poids 280/320 kg. Le plus grand des zèbres ; *vit* en Éthiopie, Somalie, dans le nord du Kenya, par troupeaux de 6 à 30. 2 spécimens furent offerts au Pt Jules Grévy par l'empereur d'Éthiopie. **Z. de montagne.** Le plus petit (120 cm au garrot) [Afr. australe]. Il n'en reste que 120.

Oiseaux

• Autruche. H 200/250 cm, poids 100/120 kg. Le plus grand des oiseaux connus. Ne se sert de ses ailes atrophiées que pour se déplacer plus vite ou comme balancier. *Vitesse* d'un adulte : 50 km/h. Craintive et vigilante, ne dort pas plus de 15 min consécutives. *Vit* en troupeaux de 2 à 40. Un seul mâle accompagne les femelles. Œufs de 15 cm de long sur 10/12 de large, près de 2 kg. La femelle en pond de 10 à 20, ils sont couvés alternativement par mâle et femelle. A l'éclosion, les petits sont hauts de 30 cm. Elle avale fréquemment des cailloux assez gros (comme les volailles avalent des gravillons minuscules qu'elles stockent dans leur gésier, et qui servent à triturer les grains). Ces cailloux ne vont pas dans leur estomac et l'expression « estomac d'autruche » est fausse. Parfois, par voracité, elle avale des objets non comestibles : cette erreur lui est toujours fatale. L'expression « la politique de l'autruche » (l'a. se cachant la tête sous le sable en cas de danger) repose sur une mauvaise observation (les a. creusent des trous pour leurs œufs, mais ne se cachent pas).

• Pélicans. 140/160 cm, poids 10 kg. Blanc et gris. Long bec, pouvant atteindre 50 cm de long. Vol un peu lourd mais rapide (60 km/h). Se nourrit principalement de poissons et grenouilles.

Reptiles

• Crocodile du Nil. L 5 à 6 m. Ovipare. *Nourriture :* poissons, oiseaux et mammifères (env. 2 kg/j). *Dentition :* mâchoire sup. 36 ou 38 dents, inf. 28 ou 30. *Température :* 25 °C. Peut rattraper un homme à la course. L'expression « larmes de crocodile » s'explique : 1° ses yeux sont humides à cause d'une sécrétion de ses paupières. 2° ses cris ressemblent à des vagissements de bébé. Menacé de disparition. Élevage au Zimbabwe et en Afr. du Sud.

• Python de Seba. L 4 à 5 m. Non venimeux. Capture généralement sa proie en la frappant d'un coup de tête, puis en s'enroulant autour pour l'étouffer. Ensuite, l'avale lentement et la digère parfois en plusieurs semaines. Ovipare.

• Serpent cracheur, certains (le cobra égyptien ou naja-haje) crachent leur venin pour aveugler leurs victimes (ne provoque généralement qu'une conjonctivite). Morsure fréquemment mortelle. Ovipare.

Serpent minute, typhlopidé (c.-à-d. presque aveugle). L 10/90 cm. Écailles lisses, inoffensif. Son nom (latin *Serpens minutus,* « serpent menu ») a fait croire que son venin donnait la mort en une minute, mais il n'est pas venimeux.

• Tortue-léopard. L 30/50 cm, poids mâle 8/10 kg ; femelle 15/20 kg. Terrestre, 100/150 cm, poids 100/300 kg. Ovipare.

• Varan du désert. L 100 cm, poids 1,5 kg. Carnivore, polyphage (lézards, rongeurs, insectes), diurne, héliophile. Ovipare (8 à 12 œufs). Repos hivernal.

• Varan du Nil. L 120/170 cm à 2 m, poids jusqu'à 2 kg. Grimpe aux arbres, nage bien, court vite. Se nourrit d'oiseaux, rongeurs, batraciens, d'œufs d'oiseaux et de reptiles. Ne s'attaque pas à l'homme. Ovipare. Menacé de disparition, sauf au Sénégal.

Animaux d'Amérique du Sud

Mammifères

• Cabiai ou Capybara. 100/130 cm, H 50 cm, poids 50 kg. Le plus grand rongeur connu. Aquatique. Vit au bord des fleuves par bandes d'une trentaine. Herbivore. *Portée :* 2-8. *Gestation :* 110/120 j.

• Chinchilla. 20/28 + 7,5/15, poids 0,5/1 kg. Rongeur. Rare à l'état sauvage parce que massacré pour sa fourrure. Herbivore. *Portée :* 5-6. *Gestation :* 115/125 j. *Longévité :* jusqu'à 20 ans.

• Coypou. Voir **Ragondin.**

• Guanaco. 225 + 25, H 100/120, poids 60 kg. Camélidé, proche du lama. Végétarien. Vit jusqu'à 4 000 m d'altitude. *Portée :* 1, parfois 2. *Gestation :* env. 11 mois. *Longévité :* 22 à 28 ans.

• Jaguar. 160/230 + 51/65, poids 60/115 kg (jusqu'à 180 kg). Félin. Peau jaune parsemée d'ocelles noirs. Mélanisme fréquent (jaguar noir). Chassé, survit dans des zones réduites. *Portée :* habituellement 2 (de moins de 6 kg). *Gestation :* env. 100 j. Long et difficile apprentissage. Menacé de disparition.

• Jaguarondi. 93/120 + 30/46, H 120/140, poids 60 à 80 kg. Félin, mais proche des mustélidés par son allure. Robe sans taches, noire, rousse ou grise. Agile et souple. Omnivore. *Portée :* 2 ou 3.

• Kinkajou. 88/105 + 46/54. Un des rares carnivores à queue préhensile. Gris ou beige. *Portée :* 1 ou 2.

• Lama. 220, H 150, poids 60/80 kg. Utilisé comme bête de bât et pour sa chair, sa laine, son cuir, ses os (armes et ornements) et même ses excréments (« taquia ») qui servaient de combustible. Haut sur pattes, il grignote les broussailles jusqu'à 2 m, mais n'attaque pas l'écorce des arbres. Les coussinets sous ses pattes ne dégradent pas le sol, à la différence des sabots des ongulés. Il avait aussi une grande importance religieuse. Aujourd'hui en voie de disparition. Manifeste son mécontentement en crachant avec force et précision un jet d'aliments prédigérés. *Portée :* 1. *Gestation :* 350 j. *Longévité :* 20 ans. *Charge :* 30 à 50 kg. *Parcours maximal journalier :* 15 à 18 km. *Très proches du lama :* guanaco, vigogne (sauvage) et alpaga (domestique).

• Lamantin de l'Amazonie. 250/300, poids 140/500 kg. Aquatique. Ordre dit des « siréniens », car il a donné naissance à la légende des sirènes. *Portée :* 1 petit une fois par an. *Gestation :* 270 j. *Longévité :* 8 ans.

• Mara ou Lièvre de Patagonie. 69/75 + 4,5, poids jusqu'à 16 kg. Longues pattes conçues pour le saut (2 m d'un seul bond). Au repos se tient assis comme un chien. Herbivore. *Portée :* 1 à 5.

• Mazama. 70/135 + 8/15, H 35/75, poids 8/25 kg. Petit cerf aux bois courts, sans ramifications. Habitudes nocturnes. Herbivore. *Portée :* 1 ou 2. *Gestation :* 32 semaines.

• Nutria (espagnol : « loutre »). Voir Ragondin.

• Ocelot. 85/120 + 30/45, poids 4/12 kg. Félin. Teinte variable, couvert de taches. Arboricole et nocturne. *Portée :* 2.

• Opossum. 32/50 + 25/53, poids 2,5/5 kg. Didelphidé, proche de la sarigue ; pelage doux et fourni. Les femelles ont une poche ventrale (le marsupium) qui renferme 13 mamelles et à l'intérieur de laquelle les petits, qui naissent à l'état de larves, achèvent leur développement. Une fois sortis de la poche, les jeunes vivent longtemps accrochés au dos de la mère. *Gestation :* 12/13 j. *Portée :* 8/18 petits dont 13 au maximum viables. Simule la mort pour décourager ses prédateurs (« faire le mort » en américain se dit « to play opossum »).

• Ours à lunettes. 150/180, poids jusqu'à 140 kg. Seul ours sud-américain. Habite les forêts andines. Marques blanches sur la face. Végétarien. *Portée :* 1 à 3. *Gestation :* 32/34 semaines. *Longévité :* 36 à 39 ans.

• Paca. 60/80 + 2,5, poids 6/10 kg. Rongeur, taille d'un lièvre. Chassé pour sa chair. *Portée :* 1 petit 2 fois par an.

• Paresseux. 50/65 + 6,5, poids 4/9 kg. Édenté (xénarthre) tardigrade, couvert de longs poils. Survit grâce au mimétisme avec la végétation. Gros dormeur. Se déplace avec lenteur dans les arbres. Végétarien. *Portée :* 1. *Gestation :* 5/6 mois.

• Pécari. 75/110 + 2/5, H 45/55, poids 18/30 kg. Ressemble au porc. Couvert de poils. Une glande sécrète une substance d'odeur pénétrante dont le rôle n'est pas connu. Se déplace en bandes. Omnivore. *Portée :* souvent 2. *Gestation :* 140/160 j. *Longévité :* 25 ans.

• Pudu. 33/38, poids 8/9 kg (le plus petit cervidé).

• Puma. 100/150 + 60/90, poids 120 kg max. Félin ressemblant à une lionne. Nocturne. *Portée :* 1 à 6 (aveugles, tachetés, pesant moins de 500 g). *Gestation :* 92 j. Se rencontre aussi en Amér. du Nord.

• Ragondin. 43/63 + 30/40, poids 7/9 kg. Rongeur évoquant le castor. Adapté à la vie aquatique (les mamelles de la femelle très haut sur les flancs permettent aux jeunes de téter quand leur mère flotte). Construit des refuges à la manière des castors. Végétarien. *Portée :* 5/6 petits 2 ou 3 fois par an. *Gestation :* 130 j.

• Singes. **Hurleur** ou **alouate** 60/92 + 59/62, poids 7/9 kg. Le plus corpulent d'Amérique. Au lever du jour les mâles poussent des hurlements rauques audibles à plusieurs km (communication entre les hardes du voisinage). Omnivore. *Portée :* 1. *Gestation :* 140 j. **Atèle** ou **S.-araignée** 38/64 + 51/89, poids 6 kg. Queue préhensile. Vit en groupes de 10 à 35. *Nourriture :* fruits. *Portée :* 1. *Gestation :* 139 j. *Longévité :* jusqu'à 20 ans en captivité (record).

Douroucouli 24/37 + 32/40, poids 0,6/1 kg. Espèce primitive. Seul singe nocturne. Queue non préhensile. Omnivore. *Portée :* 2. *Longévité :* 25 ans. **Lagotriche** 59/69 + 60/72, poids 5 kg. Abondante bourre laineuse. *Portée :* 1. *Gestation :* 135/150 j. **Ouakari** 51/57 + 15. Queue courte. Face et dessus de la tête rouges. Omnivore.

Ouistiti ou **Marmouset** (Brésil). 13/24 + queue 20/38 annelée et noire. *Poids :* 80 à 350 g. *Longévité :* jusqu'à 15 ans. Griffu, son pouce n'est pas opposable aux autres doigts. Ne supporte qu'une semi-captivité (chambre au soleil : il est frileux et fragile). *Alimentation :* fruits, légumes crus, raisins secs, semoule, farine, insectes, viande, poisson. *Gestation :* 145 j env. *Portée :* 2. **Ouistiti mignon** 15 + 15/18, poids 49/80 g. Le plus petit des ouistitis. Communication auditive uniquement par ultrasons. *Nourriture :* fruits et insectes. *Portée :* 2 petits 1 fois par an. *Gestation :* 140 j. *Longévité :* 20 ans.

Saïmiri ou **Singe-écureuil.** 26/36 + 35/43, poids 750/1 100 g. Roux, museau foncé, queue longue et touffue non préhensile. Vit en bordure des fleuves. *Nourriture :* insectes, œufs et fruits. *Reproduction :*

1 fois par an. *Gestation :* 170 à 180 j. *Portée :* 1. **Sajou** ou **Capucin** 30/38 + 38/51, poids 1/4 kg. Très intelligent. Fructivore. *Portée :* 1. *Gestation :* env. 6 mois. *Longévité :* plus de 32 ans en captivité. 12 à 13 ans sous nos climats. Indépendant et susceptible. *Alimentation :* fruits frais et secs, verdure, cacahuètes, riz, viande hachée très fraîche... *Reproduction :* 1 à 2 fois par an. *Gestation :* 180 j. *Portée :* 1.

• Tamandua à 4 doigts. 54/58 + 5,5. Édenté insectivore. Vit à la cime des arbres. 4 ongles aux membres avant. Capture ses proies en projetant sa longue langue gluante.

• Tamanoir ou Grand fourmilier. 100/200 + 65/90, poids 18/23 kg. Édenté insectivore. Très puissant, aux griffes effilées, craint même par le jaguar. Odorat développé. *Gestation :* 190 j environ.

• Tamarin (Amérique du S.). *T. à crinière de lion ou dorée. Taille :* 25 à 35 cm, queue 30 à 36 cm. *Poids :* 490 à 550 g. *Gestation :* 130 j. *Portée :* 2. *T. impérial, à moustaches, à manteau rouge, à manteau nègre. Taille :* 15 à 30 cm, queue 29 à 44 cm. *Poids :* 280 à 400 g. *Alimentation :* V. Ouistiti.

• Tapir. 180/250 + 5/10, H 75/120, poids 225/300 kg. Ongulé archaïque, proche des porcins. 4 espèces connues en voie de disparition. Corps massif, cou trapu, petite trompe mobile. Bon nageur et grimpeur. Omnivore. *Portée :* 1. *Gestation :* env. 14 mois.

• Tatou. 37/43 + 25/37, poids 4/8 kg (Tatou géant : 100 + 50, poids 60 kg). Édenté ; protégé par une épaisse cuirasse articulée. Nocturne, vit dans des galeries souterraines. Insectivore. Chassé pour sa chair et sa carapace (dont on fait des paniers ou des instruments de musique).

• Tuco-tuco (rongeur appelé aussi *rat à peigne* à cause de poils durs qu'il a à la base des ongles). 17/25 + 6/11, poids 200/700 g. Vit en Patagonie. Adapté à la vie souterraine. Yeux sur le dessus de la tête. *Nourriture :* bulbes, racines et tiges. *Portée :* 1 à 5. *Gestation :* 103/107 j.

• Vampire d'Azara. 7,9/9 + avant-bras 6, poids 15/50 g. Chauve-souris hématophage. S'attaque aux gros herbivores, parfois aux hommes, arrache un petit lambeau de peau et aspire le sang (boit env. 3 cl de sang par nuit). Sa salive contient une substance anticoagulante qui empêche le cicatrisation de la blessure. Peut transmettre la rage. *Gestation :* 90/100 j. **Faux vampire.** 13 + avant-bras 10,5, poids 145/190 g. Plus grande chauve-souris d'Amérique. Carnivore.

• Vigogne. 160/190 + 15, H 75/110, poids 35/50 kg. Camélidé proche du lama. Vit au-dessus de 3 600 m (jusqu'à 5 000 m) (au-dessous des neiges éternelles). Agile et rapide (jusqu'à 60 km/h). Se nourrit de feuilles. *Portée :* 1. *Gestation :* 11 mois.

• Viscache des pampas. 47/66 + 15/20, poids 7/10 kg, femelle 2/5 kg. Rongeur. Vit en petites communautés dans des galeries souterraines. Chassé car dangereux pour les chevaux qui trébuchent dans les galeries.

Oiseaux

• Agami. 55 cm. Noir à reflets métalliques.

• Ara. 95. Le plus grand des psittacidés. Énorme bec. Souvent une dominante rouge. Plusieurs espèces.

• Colibri ou Oiseau-mouche. 350 formes et 140 genres connus. Le plus petit (oiseau-mouche Hélène) a la taille d'un bourdon, le plus grand (patagon géant) mesure 25 cm et pèse 20 g. Plumage irisé. Mode de vie plus proche de celui des insectes que de celui des oiseaux. Un des oiseaux les plus rapides du monde (100 km/h). L'effort fourni au cours du vol explique son appétit (c'est le vertébré ayant pour son poids l'appétit le plus exigeant). *Portée :* 1 ou 2 œufs, 2 ou 3 fois par an. Vol « bourdonnant », fréquence de 50 Hz chez le Pygmornis ; rythme respiratoire : 300 mouvements/min, 250 au repos.

• Condor des Andes. Rapace, proche du vautour. Ailes repliées 80/85, queue 35/38, envergure 290, poids 12 kg (mâle). Un des plus grands oiseaux voiliers du monde. Se déplace en solitaire ou en bandes (jusqu'à 60). Nécrophage. *Ponte :* sept. à oct. une année sur 2 (1 œuf).

• Coq de roche. 27. Passereau orange, avec huppe érectile.

• Harpie. 80/90, poids 6 kg. Aigle forestier, le plus grand oiseau de proie d'Amérique. Chasse singes et gros oiseaux. *Portée :* 1 œuf.

• Nandou. 95/170, poids 25 kg maximum. Ressemble à l'autruche en plus petit. Vit en groupes de 10 à 20. Voit loin mais ne sent pas. S'associe au cerf qui sent mais ne remarque pas l'approche des prédateurs. Le mâle couve les œufs (20 à 30).

• Quetzal. 33. Famille des couroucous, ou trogonidés. Jadis adoré par les Aztèques et les Mayas. Très rare. L'un des plus beaux oiseaux du monde. Vert avec de grandes plumes émeraude. Emblème national du Guatemala, *Ponte :* 2 à 4 œufs.

• Tinamou. 25/45. Ressemble à la perdrix. Mimétisme avec le sol. Le mâle couve l'œuf et s'occupe du poussin.

• Toucan. 35/60 (bec 8/10). Surnommé « clown de la forêt » pour son énorme bec coloré et ses habitudes tapageuses. *Ponte :* 2 à 4 œufs.

• Vautour pape ou royal. Ailes repliées 50, queue 25, poids 3,5 kg. Plumage blanc. *Ponte :* 1 œuf.

Poissons

• Arapaïma ou Picaruyu. 230 cm, 200 kg. Habite les fleuves d'Amazonie.

• Gymnote électrique ou Anguille tremblante. 180/200 cm. Capable de nager en avant ou en arrière et de produire de l'électricité (jusqu'à 650 volts) pour s'orienter, localiser ses proies et les électrocuter par une forte décharge (200 décharges de 650 volts et 1 ampère consécutives). Respire l'oxygène atmosphérique (toutes les 15 min env.).

• Piranha. 30/50 cm. Carnassier des eaux douces d'Amazonie. Se déplacent par milliers ; armés de dents tranchantes, ils dépècent de très grosses proies en quelques minutes. Mais ils sont attirés exclusivement par l'odeur du sang et n'attaquent jamais un homme s'il n'est pas déjà blessé et ensanglanté.

Reptiles

• Alligator (alligatoridé). 200/600 cm. Vit en eau douce. *Ponte :* jusqu'à 50 œufs. Les crocodiles vivant en zone équatoriale hibernent 5 à 7 mois.

• Anaconda ou Eunecte. 500/1 100 cm. Boa aquatique. Mord sa proie puis s'enroule autour d'elle. La mort se produit par arrêt de la circulation sanguine et par asphyxie. *Portée :* 60 petits mis au monde vivants, mesurant environ 1 m. *Longévité :* 29 ans.

• Boa. 400 cm. Non venimeux. Étouffe sa proie en s'enroulant autour d'elle. *Longévité :* 23 ans.

• Caïman (crocodilidé : se distingue de l'alligator par les écailles du ventre, aussi dures que celles du dos). 120/500 cm. *Ponte :* env. 50 œufs. En voie de disparition.

Animaux d'Amérique du Nord et d'Europe

Crustacés

• Cloporte. Oniscidé isopode. L 2 cm. Corps aplati. 14 pattes. Certaines espèces peuvent se rouler en boule. Vit dans les lieux sombres et humides. Souvent considéré à tort comme un insecte.

Mammifères

• Bison **d'Europe.** L 270 + 80 cm, H 180/195 cm, poids 800/900 kg : plusieurs milliers Caucase et forêt de Bialowieza, à la frontière russo-polonaise. **B. d'Amérique.** 250 + 50, H 200, poids 1 t (femelle 500 kg et H 150). *Vitesse :* 45 km/h au galop. *Nombre :* au XVe s. : env. 75 000 000 ; 1890 : 1 000 000 ; 1991 : env. 35 000 (dans les réserves) ; quelques centaines dans la forêt canadienne.

• Desman des Pyrénées. L 12 + 14 cm, 60 g. Petit insectivore à trompe mobile. Petits yeux. Pelage brun. Habite les torrents des Pyrénées.

• Glouton. Atteint 110 cm de long, poids 15/30 kg. Le plus gros mustélidé connu. Carnivore, surtout charognard. Sa voracité lui permet de dévorer un cadavre entier de cerf ou de renne. *Territoire* de chasse étendu, généralement solitaire. Vit dans les forêts de résineux et dans la toundra. *Gestation :* jusqu'à 9 mois. *Portée :* 2 à 3.

• Loup. L 110-140 + 35 cm, H 60-65, poids 25-50 kg. Europe, Asie, Amér. du N. Difficile à distinguer de certains chiens. Yeux obliques. Couleur variable. N'est pas dangereux pour l'homme. Chasse les ongulés à la course. Souvent charognard. Encore assez prospère en Italie, Espagne. S'hybride avec les chiens. Très rare en France.

• Loutre. L 60-95 + 25-50 cm, poids 5-20 kg. Adaptée à la vie amphibie. Pattes palmées. Museau court. Queue épaisse. Europe, Asie. Devenue rare (pollution, chasse, fourrure, etc.). En France : surtout Bretagne, Vendée, Massif central.

• Lynx boréal. Félin (N.-E. de l'Europe, Mts Tatra, Carpates, réintroduit en Suisse, All. occidentale, Yougoslavie, France). 80/130 + 10/25, H 60/75, poids 18/38 kg. *Gestation :* 70 j. *Portée :* 2 à 4. *Longévité :* 16 à 18 ans. **L. pardelle** (Espagne, Grèce, S. de la Youg.). 85/110, H 60/70, pelage fauve tacheté de noir. Prédateurs carnivores, peuvent sauter à 2,50 m.

• Ours brun (Europe). 150/240, poids 120/300 kg (croissance rapide : 350 à 400 g à la naissance, aveugle 3 sem., 3 kg à 3 mois, 12 à un an, 40 à 3 ans. Ensuite prend 15 à 16 kg par an pendant 10 à 15 ans). *Longévité :* env. 25 ans. Espèce en voie de disparition, vit dans les forêts pyrénéennes, surtout hêtraies-sapinières situées entre 1 100 et 1 500 m d'altitude. *Vitesse* (de pointe) : 40 km/h, *rayon d'action :* 30 km (en une nuit de 10 h) ; passe toujours aux mêmes endroits. Omnivore (surtout végétarien, consomme 75 kg de viande par an). N'attaque les troupeaux qu'en période de disette. La fin des faines (dont il est friand) correspond à son entrée en hibernation. *Nombre. France :* quelques-uns dans les P.-Occ., la Hte-Garonne, l'Ariège et les P.-Or. (*1937* 150, *1954* 70, *1984* 20, *1990* 13). Ont disparu des Vosges et du Massif central au début du XIXe s., du Jura à la fin du XIXe s., des Alpes v. 1937. *Grèce :* moins de 100. *Hongrie :* 6 à 10. *Italie :* près de 100 (Abruzzes : 90 ; Trentin : moins de 10). *Norvège :* env. 40. *Pologne :* env. 30. *Roumanie :* plus de 3 000. *Suède :* 300. *Suisse :* ont disparu au début du XXe s. *Tchécoslovaquie :* 300. *U.R.S.S. :* 10 000 dans la partie européenne. *Yougoslavie :* 2 000. **O. noir** ou **Baribal** (Amér. du N.). 150 kg, mais le grizzly peut atteindre 500 kg. **Kodiak** (Alaska). Dépasse parfois 850 kg et mesure 2,70 m du museau à la queue. *Vitesse :* 45 km/h sur de courtes distances. Régime carné et végétal. *Gestation :* 7 à 8 mois. *Portée :* 1 à 3.

• Pronghorn ou Antilocapre. Ongulé le plus rapide d'Amér. du Nord : 60 km/h sur de courtes distances, 45 km/h sur plusieurs km. *Nombre :* 350 000 (au XVIIIe s. 40 000 000 env.). L'été, vit en petites hardes ; l'hiver, forme de grands troupeaux (100 indiv.) migrant vers le sud. *Portée :* 2.

Oiseaux

• Aigle impérial (Europe). 79/84 cm, poids 2,5/3,5 kg. Carnivore. Possède des serres moins puissantes que celles de l'aigle royal, ses proies sont les rongeurs, les gallinacés. Le territoire de chasse d'un couple serait de 2 000 ha. *Ponte :* 1 à 3, *incubation :* 43 j. **Royal** (Eurasie et Amér. du N.) 80, envergure 210/230, poids maximal : femelle 6,5 kg ; mâle 4 kg. Rapace, chasse les mammifères de taille moyenne, les oiseaux ; parfois charognard. *Territoire :* 9 000 ha par couple. Ne peut enlever des enfants, trop lourds pour son propre poids, sinon des bébés de 3 ou 4 kg.

• Albatros (à sourcils noirs). Envergure : 2 m. Fréquente régulièrement les côtes d'Europe (îles Féroé, G.-B. : Shetland, Irlande).

• Balbuzard. Voir p. 178.

• Chouette effraie. 34, envergure 91/95, poids 0,3 kg. Disque facial blanc en forme de cœur, yeux noirs. Dos roux doré. Carnivore (essentiellement des rongeurs), chasse même dans les greniers et les maisons habitées des villages et des faubourgs urbains. *Ponte :* 5 à 6 œufs, *incubation :* 30/34 jours. **Chouette hulotte** ou **Chat-huant** 46, aile repliée 27/29,7, poids jusqu'à 0,6 kg. Aspect massif, pas d'aigrettes frontales. Yeux noirs. Carnivore (rongeurs, oiseaux, batraciens, lézards). *Ponte :* 2 à 4 œufs, *incubation :* 30 jours.

• Cigogne blanche. 100, aile repliée 60, envergure 180, 3-4 kg. Blanche avec rémiges noires. Bec et pattes rouges. Niche sur toits ou arbres. *Nombre de nids :* France 118 couples en 1990 (Alsace, Char.-Mar., Landes). Élevage en Alsace. P.-Bas : 14 (1970). Allemagne occid. : 1 918 (1968). Danemark : 82 (1966). Belgique, Suisse : quelques nids. Abondante en Espagne, Maghreb, Balkans, Turquie. Hiverne en Afrique noire. **Cigogne noire.** Même taille. Noire au ventre blanc (Europe centrale). Chasse interdite en Europe (sauf Portugal), mais elles souffrent des lignes électriques qu'elles percutent, des produits chimiques fragilisant les coquilles d'œufs, de l'assèchement des marais, de la disparition des bocages contribuant à raréfier petits rongeurs, serpents, criquets, grenouilles. Passent l'hiver en Afrique (Niger), en partent de janvier à mars. Nés en Europe, les jeunes suivent leurs parents en Afrique, 70 j après leur naissance et ne reviennent en Europe qu'une fois adultes, 2 ans plus tard. En 2 ans, la cigogne s'acclimate au froid et peut vivre dans des enclos protégés.

• Condor de Californie. En voie d'extinction (survit uniquement en captivité).

• Grand Corbeau. 62, aile repliée 41, envergure 125. Gorge hirsute. Régions sauvages des côtes et montagnes. **Corneille noire.** 46, aile repliée 32, envergure 95. Commune (jusque dans les villes). **Corbeau freux.** 45, aile repliée 31, envergure 93. En grandes bandes dans les champs. Niche en colonies dans les bois (corbeautières). Face dénudée chez l'adulte. **Choucas des tours.** 32, aile repliée 23, envergure 67. Niche en colonies sur falaises et édifices. Vie sociale complexe. **Chocard à bec jaune.** Commun en montagne (appelé à tort choucas).

• Coucou gris (Europe). 33, aile repliée 20/23, envergure 59/61, poids 90/135 g. Insectivore essentiellement. Parties supérieures grisâtres, parties inférieures rayées de brun-noir et de blanc, queue longue et ailes pointues. Difficile à apercevoir. *Ponte :* 2 à 12 œufs. Couvaison par des parents nourriciers (12/13 j).

• Cygne muet ou tuberculé. 145/155, aile repliée 54/62, envergure 210/230, poids 10/23 kg. Plumage blanc immaculé, bec orangé, cou long et recourbé en S. Vit dans les lacs des villes européennes. A l'état sauvage, se reproduit encore en Europe du Nord. Les mâles attaquent souvent, à coups de bec et d'ailes, leurs congénères. **C. sauvage** 125/150, aile repliée 57/64, envergure 210/250, poids 7 à 13 kg. Plumage blanc ; bec jaune à la base ; sans tubercule. **C.-trompette américain** plus grand, bec noir. env. 2 000 (en zones protégées). Nourriture exclusivement végétale. *Ponte :* 5 à 7 œufs, *incubation :* 5 semaines.

• Étourneau sansonnet. 21. Europe, introduit en Amérique du Nord. L'hiver, se rassemblent par millions, notamment dans les villes. *Ponte :* 5/7 œufs, *incubation :* 12 j.

• Goéland argenté. 57, aile repliée 42, envergure 145. Ailes grises terminées de noir. Bec jaune, pattes roses. Jeune à plumage tacheté. En expansion sur côtes et fleuves.

• Goéland leucophée. Méditerranéen. Pattes jaunes. **Mouette rieuse.** 37, aile repliée 30, envergure 105. Bec et pattes rouges. « Capuchon » brun au printemps. Commune (l'hiver dans les villes).

• Grand-duc. 66/71, aile repliée 43/46, poids jusqu'à 0,7 kg. Le plus grand des rapaces nocturnes européens. Couleur fauve, yeux énormes et orangés. Carnivore (les rongeurs représentent 50 % de sa nourriture). *Ponte :* 2 à 5 œufs, *incubation :* 35 j. *Longévité :* 60 ans (en captivité). Peut vivre jusqu'à 5 000 m.

• Grue cendrée (Europe du Nord). 114, aile repliée 54/61, envergure 250, poids 4/5 kg. Échassier migrateur, au printemps, se dirige vers les toundras du Nord. Se nourrit de fruits sauvages, graines et plantes aquatiques, insectes, amphibiens, reptiles. *Ponte :* 1 à 3 œufs, *incubation :* 4 semaines.

• Héron cendré. 90, aile repliée 45, envergure 180. Gris, avec long cou blanc. En expansion. Commun au bord des étangs. Niche en colonies (héronnières) dans de grands arbres.

• Moineau domestique. 14,5. Europe, introduit en Amér. du N. et ailleurs dans le monde. Mâle : dos brun chaud, bavette noire. Femelle : gris-brun terne. Oiseau le plus commun dans villes et villages. Niche sur édifices ou arbres. *Ponte :* 5 œufs, *incubation :* 12 jours.

• Pigeon biset de ville. 32, aile repliée 22, envergure 62. Descend de pigeons domestiques redevenus sauvages. **Pigeon colombin.** Même taille, plumage gris-bleu, niche dans les trous d'arbres. **Pigeon ramier.** 40, aile repliée 25, envergure 75. Tache blanche au cou. Commun dans les parcs. Nid de brindilles dans les arbres.

• Oiseaux accidentels (espèces d'autres continents) : *Exemples :* oiseaux de haute mer (Albatros, Pétrels, Puffins, etc.) apparaissant sur les côtes, déportés par les vents ; espèces nord-américaines (petits échassiers, Bruants, etc.) traversent parfois l'Atlantique ; oiseaux africains et asiatiques dans les régions méditerranéennes, notamment. Une origine captive est possible.

En France (exemples) : Fuligule à bec cerclé (Amér. du N.), Goéland sénateur (Arctique), Mésange azurée (Sibérie). 3 espèces nord-américaines signalées en 1987 : Merle américain (près du Der, Hte-Marne), Phalarope de Wilson et Grand Chevalier à pattes jaunes (en baie de Seine).

• Nouveaux sites ornithologiques en France. *Port d'Antifer* (S.-Mar.) : Plongeons et Grèbes d'espèces rares, l'hiver ; un Pélican blanc s'y est fixé depuis 1981. *Lac de Créteil* (V.-de-M.) : nidification du Grèbe huppé ; hivernage de Canards variés (Milouin, Garrot, etc.). *Lac de la Forêt d'Orient* (Aube). *Lac du Der* (Marne et Hte-Marne) : des milliers de Grues cendrées y font escale, hivernage du Pygargue à queue blanche, du Grand Cormoran, d'Oies et de Cygnes ; parfois Aigle royal, Grande Aigrette, Demoiselle de Numidie, Flamant rose.

Reptiles

• Couleuvre. Serpent (colubridé). 10 espèces, dont : c. à collier (150 cm), semi-aquatique ; c. vipérine (70 cm), aquatique, c. verte et jaune (Midi, 200 cm) ; c. d'Esculape (Midi, 150 cm), bronzée ; c. de Montpellier (pourtour Méditerranée, 100/250 cm), venimeuse mais peu dangereuse (crochets postérieurs).

• Orvet. L. 15/20 cm. Lézard sans pattes. Souvent considéré à tort comme un serpent, car il se déplace en rampant sur le ventre. Appelé « serpent de verre » (sa queue se casse facilement).

• Vipère. Serpent (vipéridé). 10 espèces venimeuses, dont : v. péliade (70 cm), sombre avec taches noires en zigzag ; aspic (Est, Midi, Bassin parisien), nez retroussé ; v. d'Orsini (Alpes du Sud, 50 cm) ; v. de Seoane (Pays Basque).

Animaux d'Asie

Mammifères

• Antilopes. Végétarien. **A. cervicapre** 120 + 18 cm, H 81 cm, poids 37 kg. Un des plus rapides du monde. Le mâle possède des cornes torsadées (longueur 45 à 68 cm). *Portée :* 1 ou 2 petits. *Gestation :* 180 jours. *Longévité :* 15 ans. **A. tétracère** 100 + 12,5, H 60. 4 cornes (postérieures 8 à 10 cm, antérieures 2,5 à 3,8 cm). *Portée :* 1 à 3 petits. *Gestation :* 8 mois.

• Axis. Cervidé. 110/140 + 30, H 75/97, poids 75/100 kg. Bois plus fins et moins ramifiés que ceux du cerf européen (3 andouillers seulement). Herbivore.

• Banteng. Bovidé. 180/200, H 130/170, poids 500/900 kg.

• Binturong. Viverridé, proche de la mangouste. 117/185 + 56/90, poids 9/14 kg. Couvert de poils longs et noirs. Arboricole et nocturne. *Portée :* 2 ou 3. *Gestation :* env. 3 mois.

• Buffle d'eau. H plus de 180, poids 500/1 000 kg. Vit en zones marécageuses. Domestiqué. Rares troupeaux sauvages. *Gestation :* 310 j.

• Chameau de Bactriane. Domestiqué, mais existant encore à l'état sauvage dans le désert de Gobi. H 210 (du sol au sommet des bosses). 2 bosses (réserves de graisse et non d'eau). Ne transpire qu'à partir de 40 °C, perd en urinant 1 l d'eau par jour. Peut perdre jusqu'à 30 % de son poids et se réhydrater sans danger en buvant 120 l d'eau (les globules rouges, très nombreux, se gonflent et absorbent l'eau sans éclater). Par comparaison, un homme perdant 12 % de son poids (en cas de déshydratation extrême) ne peut absorber une quantité équivalente d'eau sans encourir une indigestion hydrique entraînant sa mort. *Vitesse* max. 25 km/h, chargé 3,5 km/h. (*Charge :* 250 à 270 kg.)

• Grande civette de l'Inde. Viverridé. 115/125 + 40/48, poids 7/11 kg. Mœurs nocturnes. Sécrétion odorante des glandes périnéales, qui s'apparente au musc ; utilisée en parfumerie. *Portée :* 2 ou 3.

• Dhole ou Cuon. Chien sauvage. 76/100 + 28/48, poids 14/21 kg. Apparenté au loup. 4 doigts aux membres antérieurs. *Portée :* 2 à 6. *Gestation :* 9 semaines.

• Éléphant d'Asie. H 300 max., poids jusqu'à 5 t. Front déprimé, dos arqué, oreilles et défenses petites, trompe lisse terminée par un seul appendice. N'existe plus à l'état sauvage qu'en Assam. *Dressage :* capturé, il est confié à un cornac chargé de le conduire et de le soigner toute sa vie. Au début, 2 sujets déjà apprivoisés l'aident. Après 2 à 3 semaines, sait répondre à « En route ! Debout ! A genoux ! Lève-toi ! » Obéira à 21 à 24 formules différentes. Herbivore. *Portée :* 1. *Gestation :* 21 mois. *Longévité max. :* 100 ans.

• Galéopithèque. 50/69 + 22/27, poids 1,50 kg. Mammifère (Dermoptère) planeur, allure d'écureuil volant. Sur 136 m, ne descend que de 10 à 12 m. Végétarien. *Portée :* 1. *Gestation :* 60 j.

• Gaur. 260/330 + 85, H 180/200, poids 1 t. Le plus grand bovidé asiatique. Cornes incurvées atteignant 60 cm chez le mâle.

• Kouprey. 220 max., H 190, poids 900 kg. Bovidé (Cambodge).

• Linsang rayé ou Civette à bandes. Viverridé. 75/80 + 35 ; 750 g. *Portée :* 2 ou 3. *Gestation :* 2 mois.

• Lion d'Asie. N'existe plus que dans la réserve de Gir (Inde). *Différences avec le lion d'Afrique :* touffe de poils à l'articulation des membres antérieurs, toupet de la queue plus grand, crinière peu fournie.

• Muntjac ou Cerf aboyeur. 89/135 + 13/23, H 50, poids 15/35 kg.

• Nilgaut. 180/210 + 45/53, H 120/150, poids 200 kg. Antilope ressemblant au taureau et au cerf. *Mâle :* cornes de 20 cm. Vénéré en Inde. Végétarien. *Portée :* 2. *Gestation :* 245 j. *Longévité :* 15 ans.

• Ours. Omnivore. **O. lippu.** 180, H 90, poids max. 120 kg. Redouté à Ceylan (agressif). Nocturne. Mange des termites qu'il aspire avec ses lèvres (il est si bruyant qu'on l'entend à plus de 200 m). *Portée :* 2. *Gestation :* 7 mois. *Longévité :* 30 ans environ. **O. malais** ou **des cocotiers** 125, H 60, poids 70/100 kg. Très agile. Arboricole. *Portée :* 2. *Gestation :* 7 mois. **O. à collier** (Tibet, Japon, Asie du N.-E.) 180, poids 130 kg. Arboricole.

• Panda **(grand).** 150 (avec la queue), poids 75/160 kg. Vit solitaire dans les forêts de bambous du S.-Ouest de la Chine, se nourrit de bambous. *Gestation :* 140 j. *Portée :* 1. S'apparente aux ours et aux procyonidés (classé parfois parmi les ursidés), proche des ratons laveurs. *Nombre :* 700 dans les montagnes du Sechuan, entre 2 000 et 3 000 m d'altitude. Seul un couple, offert en 1975 au zoo de Mexico (2 400 m d'altitude), a pu procréer durablement. **(Petit).** 60, poids 3/4,5 kg, se nourrit la nuit de végétaux, bambous, racines, glands. *Gestation :* 90/150 j. *Portée :* 1 ou 2. La femelle n'est en chaleur que 2 ou 3 j par an.

• Panthère longibande. 120/190 + 60/91, H 80, poids 14/23 kg. Grisâtre ou fauve ornée de taches. *Portée :* 2 à 4. *Gestation :* 90 j. A la naissance, les petits sont aveugles et pèsent de 140 à 170 g. *Longévité :* 21 ans.

• Primates : 1) **Singes : Gibbon** 45/90, H 100, poids 5/12 kg. Membres antérieurs très développés. Bonds de plus de 10 m. Seul primate capable de marcher sur ses pattes arrière. Monogame. La communication se fait surtout par cris. Omnivore. *Portée :* 1. *Gestation :* 200/212 j. *Longévité :* jusqu'à 30 ans en captivité. **Macaque** 38/76 + 0/61, poids jusqu'à 13 kg. Queue absente, moyenne ou longue selon les espèces (12). Vit au sol, en groupe ; isolé, ne peut survivre. Utilisé dans les laboratoires en raison de sa similitude physique et psychique avec l'homme (découverte du facteur Rhésus grâce au « macaque Rhésus »). Omnivore. *Portée :* 1. *Gestation :* 5/6 mois. *Longévité :* plus de 30 ans en captivité. **Macaque à bonnet** (Bengale) (ou singe-crabier : il pêche les crabes avec sa queue). Env. 50 cm, fourrure assez courte, ocre jaune ; oreilles rosâtres et décollées. *Alimentation :* riz cru ou cuit, céréales, légumes verts crus, peu de fruits. *Portée :* 1 par an. **Nasique** 66/76 + 56/76, poids 16/22,5 kg (femelle 54/60, poids 7/11 kg). Vit à Bornéo. Vers 7 ans, le nez du mâle s'allonge démesurément. Végétarien. *Portée :* 1. **Orang-outan** (« homme des bois » en malais). H. 150, poids 75/100 kg (femelle H 115, poids 40 kg). Pas de queue. Membres antérieurs plus développés que les postérieurs. Vit en solitaire. Coefficient intellectuel proche de celui du chimpanzé. Peu farouche, aisément capturé par l'homme. Arboricole. En captivité devient obèse. *Nourriture :* fruits, feuilles, écorces, œufs. *Portée :* 1. *Gestation :* 8/9 mois. *Longévité :* en liberté 30 à 40 ans, en captivité moins car sensible aux maladies pulmonaires transmises par l'homme. **Semnopithèque** 43/80 + 33/107, poids 7/18 kg. Vénéré en Inde comme animal sacré. Végétarien. *Portée :* 1. *Gestation :* 196 j.

2) **Tarsier spectre :** 27/35 + 17/22, poids 100/150 g. Nocturne. Iles de la Sonde. Yeux et membres postérieurs démesurés. Se déplace comme une grenouille par bonds (jusqu'à 2 m). Doigts préhensiles pourvus de disques. Sa tête peut tourner sur 180°.

• Rhinocéros asiatique. 3 espèces : **Rh. unicorne de l'Inde** 420, H max. 200, poids max. 4 t. Une seule corne de 60 cm. Cuirasse formée de plaques. Vit en milieu marécageux. Végétarien. *Portée :* 1. *Gestation :* 560 j. *Longévité :* 40 ans. **Rh. de Java.** Même aspect, plus petit. *Nombre :* estimé à 30. **Rh. de Sumatra** 250/280, H 150, poids max. 1 t. Le plus petit des rh. vivants, le seul en Asie à posséder 2 cornes. Pelage laineux ; dépourvu de plaques. Le rh. d'Asie a été presque entièrement exterminé par l'homme pour les prétendues vertus aphrodisiaques de la poudre de ses cornes.

• **Tigre.** 230/300 + 75/91, H 90, poids jusqu'à 300 kg. Pelage jaune (parfois blanc, dans la principauté de Rewah en Inde) rayé de sombre. Originaire de Sibérie, supporte neige et froid. Solitaire. Chasse dans l'obscurité. Ouïe très fine. Attaque tous les animaux, parfois l'homme. *Portée :* 2 ou 3 (1/1,5 kg, ouvrent les yeux à 14 j). *Gestation :* 105/113 j. *Longévité :* 25 ans. En Inde, il en reste 3 000.

• **Tupye.** 3/45 + 15/24. Petit mammifère (Tupaiidés) à allure d'écureuil, insectivore. Présente des caractères simiens. *Portée :* 2. *Gestation :* 45/50 j.

• **Yack du Tibet.** H. 170, poids 550/700 kg. Vit jusqu'à 6 000 m d'alt. Résiste à – 40 °C. Mange, quand la nourriture se raréfie, des mousses, des lichens et avale de la neige pour se désaltérer. *Gestation :* 277/290 j. *Portée :* 1.

Mammifères aquatiques

• **Dugong.** 250/280 cm, poids 140/170 kg. Sirénien, proche du lamantin (océan Indien, Pacifique ouest). Chassé pour sa chair, sa graisse et de prétendues propriétés curatives. *Portée :* 1. *Gestation :* 11 mois.

• **Plataniste du Gange** ou **Dauphin du Gange.** 250. Cétacé d'eau douce. Aveugle. *Nourriture :* animaux aquatiques. *Portée :* 1.

Oiseaux

• **Balbuzard** ou **Aigle pêcheur.** 60/72 + 45/51 (envergure 115/119), poids 1,3/1,7 kg. *Ponte :* 3 œufs, *incubation :* 35/38 j.

• **Coq bankiva.** 65/70 + 27,5/50. A l'origine de toutes les races de coqs domestiques. *Ponte :* 5 à 10 œufs (après chaque ponte, la poule s'éloigne de son nid et caquette pour attirer sur elle l'attention des prédateurs ; ce comportement s'est souvent maintenu chez les races de basse-cour, mais sans utilité). Domestiqué vers 5 000 ans av. J.-C.

• **Gypaète barbu.** On le trouve aussi bien en Afrique qu'en Eurasie. Charognard. Vole jusqu'à 9 000 m d'alt. (Himalaya).

• **Paon bleu.** 150/200. Vénéré dans certaines régions de l'Inde comme l'incarnation du dieu Krishna. *Nourriture :* végétaux, fourmis, petits reptiles. *Portée :* 3/5 œufs.

Poissons

• **Archer cracheur** ou **Toxotie.** Plus de 30 cm. Capture les insectes en lançant un jet d'eau jusqu'à 2 m.

• **Périophtalme.** 12/30. Marche à l'aide de nageoires pectorales ressemblant à des bras. Avant d'aller sur le rivage, fait provision d'eau dans de vastes cavités situées de chaque côté de la tête. Voit mieux à l'air libre que dans l'eau.

Reptiles

• **Crocodiles.** 2 espèces : **C. des marais** 300/425 cm. En Inde et à Ceylan. *Ponte :* 15 à 20 œufs. **C. marin** 700/1 000. Carnivore, dangereux pour l'homme. *Ponte :* 30 à 50 œufs (pesant de 66 à 140 g). *Incubation :* 2 mois et demi. A la naissance 30 cm, s'alimente d'insectes.

• **Gavial du Gange.** Un des plus grands crocodiles actuels. 450/800 cm. Inde et Birmanie. Gavialidés. Aspect redoutable dû à son immense mâchoire pourvue de dents fines, mais n'est pas dangereux pour l'homme. Va rarement à terre. Se nourrit surtout de petits poissons. *Ponte :* jusqu'à 40 œufs (de 9 cm sur 7 cm).

• **Varan à deux bandes** ou **varan malais.** 200 cm. Lézard géant. Bon nageur, grimpe aux arbres. Omnivore. *Ponte :* 7 à 30 œufs dans une cavité. **V. de Salvadori.** Jusqu'à 400 cm et plus. Nlle-Guinée. Très longue queue. **V. de Komodo.** Jusqu'à 300 cm. Le plus célèbre des grands varans. Massif. Petites îles à l'est de Java.

Animaux australiens

Mammifères

• **Couscous** ou **Phalanger.** Marsupial. 40/50 cm (sans compter la queue). Vit dans les arbres. Assez agressif. Omnivore.

• **Dingo.** Chien sauvage. Chasse par bandes. Descend d'un loup d'Asie domestiqué ou d'un chien semi-domestiqué.

• **Échidné.** 25 cm. Ovipare. Couvert de piquants, bec corné. Insectivore. La femelle pond puis porte ses œufs dans une poche (repli de peau).

• **Kangourou** (en aborigène signifie animal). Herbivore. 3 espèces : **K. roux :** mâle 130 à 160 cm + queue 85 à 105 cm ; femelle 100 à 120 cm + queue 65 à 85 cm ; 23 à 70 kg, mâle 2 fois plus lourd que la femelle ; régions : plaines. **K. géant :** mâle 105 à 140 cm + queue 95 à 100 cm ; régions : forestières. **K. wallaroo :** mâle 100 à 140 cm + queue 80 à 90 cm ; régions : montagneuses. *Couleur* k. roux et certains wallaroos : mâle roux, femelle grise ou rousse ; k. géant : tête et haut du corps gris-brun à gris rougeâtre. *Vitesse :* jusqu'à 88 km/h sur trajets courts, bonds exceptionnels de 13,5 m de l. et 3,3 m de h. *Poche* (le marsupium) bien développée chez les femelles, dirigée vers l'avant et contenant 4 tétines. *Gestation :* 30/40 j. *Portée :* 1, mesurant env. 25 mm. Il grimpe par reptation dans la poche et happe une tétine. Y demeure 235 j. *Longévité* (en captivité) : 17 à 18 ans.

• **Koala.** Le plus grand phalangéridé. L 60 à 82 cm, poids 16 kg. Sans queue. Arboricole nocturne lent, mangeant des feuilles d'eucalyptus. *Gestation :* 25/30 j (2 cm de long à la nais.). Reste plus de 6 mois dans la poche ventrale.

• **Ornithorynque.** L 45 cm + queue 15 cm. Mammifère ovipare. Description : bec corné, pattes palmées, corps recouvert de fourrure, queue plate lui permettant de creuser des galeries près des étangs où il vit. La femelle pond des œufs, les couve, puis nourrit les petits de son lait.

• **Wallabie.** Nom d'innombrables petites espèces de marsupiaux.

Oiseaux

• **Balbuzard.** Voir ci-contre.

• **Émeu.** Famille des casoars, voisin des autruches. H 180 cm, H dos 100 cm, poids 55 kg. 8 à 15 œufs. *Mâle couve* les œufs : 52/60 j (perd 5 kg et +). *Plumage* brun mat. *Court* à env. 50 km/h, peut nager.

• **Martin-chasseur.** *Géant* ou *kookaburra,* dit *« Jean-le-Rieur »* (il ricane). Famille des martins-pêcheurs. Se nourrit exclusivement de petits reptiles, d'insectes, de crustacés.

• **Oiseau-lyre** ou **Ménure.** 100 cm max. Doit son nom aux longues plumes recourbées de la queue du mâle. Voix forte et mélodieuse, talent d'imitateur.

Reptiles

• **Crocodile de mer.** Au Nord de l'Australie. Le + grand du monde (mâle : 7 à 8 m, 1 tonne). La femelle pond 50 œufs. Peut vivre 70 ans.

Animaux polaires

Arctique

• **Bœuf musqué.** L 180 à 245 cm + 7 à 10 cm, H 110 à 145 cm. Poids 200 à 300 kg, femelle beaucoup plus petite que le mâle. *Cornes* recourbées vers le bas, pointes dressées vers le haut. Ruminant. *Pelage* hirsute exceptionnellement long, hiver : bourre longue et épaisse qui enveloppe tout le corps sauf mufle et lèvre inférieure, et à l'arrière du corps descend presque jusqu'aux sabots ; les poils du mâle sont plus longs au niveau de la gorge, d'où son nom eskimo : Umimmak (le barbu). Été : quand la bourre est recouverte de poils, le b. musqué a un aspect échevelé. L'odeur du taureau Ovibos (mouton-bœuf) vient d'une sécrétion produite pendant la saison du rut. *Gestation :* 8 mois 1/2. *Portée :* 1 tous les 2 ans. Acclimaté sur l'île de Nunivak, et en Norvège. En 1964, un troupeau a été implanté sur l'île Wrangel, au large de la Sibérie. Aire de répartition « normale » : Nord Canada, Nord et Est du Groenland. Implantation réussie à l'ouest du Groenland mais échouée au Spitzberg. Pendant l'ère glaciaire il était très répandu en Europe centrale.

• **Harfang des neiges** ou **Chouette harfang** *(Nyctea scandiaca).* N'est pas un rapace nocturne au sens littéral : il chasse le jour et s'accommode de la clarté de l'été comme de l'obscurité hivernale. L 56-65 cm (la plus grande chouette connue). Le mâle est plus petit et d'un blanc pur ou blanc avec des points ou des rayures d'un gris pâle ou brunâtres. Femelle plus foncée, rayures plus prononcées. Présence et reproduction dépendent de l'abondance des rongeurs.

• **Lemming** (plusieurs genres et espèces). Rongeur proche du rat. *Fourrure* longue, épaisse, ne craignant pas l'eau. Surtout dans les régions polaires, mange des végétaux (lichens) et de petites charognes ; en hiver, vit presque exclusivement sous la neige. Prolifique et abondant, facile à capturer, par les renards polaires ou ordinaires, gloutons, hermines, chouettes harfangs, chouettes lapones et rapaces diurnes du Nord, loups arctiques, ours blancs. **L. des forêts :** L 7,5 à 11 cm, poids 20 à 30 g. *Fourrure :* gris ardoisé, dessin brun-rouge sur le dos. La femelle met bas 2 fois l'été. **L. des toundras :** L 10 à 13 cm + queue 1,8 à 2,6 cm. *Poids* 40 à 112 g. Couleur variable. Mauvaise réputation à cause de ses migrations.

• **Morse.** Mâle L 360 cm, poids jusqu'à 1,5 t. Femelle L 300 cm, poids 550 kg. Possède des défenses (L jusqu'à 1 m chez le mâle adulte). Peut rester jusqu'à 12 min en plongée. Se nourrit de mollusques (env. 3 000 palourdes par j).

• **Ours blanc** *(Thalarctos maritimus).* Mâle L 241/251 cm, femelle L 180/210 cm, poids 320/410 kg (en Sibérie jusqu'à 1 000 kg). Carnivore en hiver (phoques), omnivore en été (œufs, algues, bois, détritus, cadavres de cétacés). Marche à l'amble (en levant les 2 jambes du même côté). Bon grimpeur en dépit de sa taille et de son poids. Excellent nageur, il peut parcourir en mer environ 30 km à 10 km/h, mais il ne chasse pas dans l'eau. Les mâles sont solitaires, les femelles et les jeunes vivent en famille 2 ans environ. *Gestation :* 8 mois. *Portée :* souvent 2 (25 à 30 cm, 700 à 900 g). *Effectif :* 10 000 à 20 000 dans le monde (il y a environ 1 300 ours blancs tués chaque année par l'homme).

• **Petit pingouin** *(Alca torda).* Famille des Alcidés. L 39 à 48 cm. Poids 700 g env. Vit dans l'hémisphère Nord (contrairement au manchot, voir ci-après) jusqu'en France (falaises bretonnes). *Ailes* relativement petites, vol rapide et impétueux. Excellent nageur et plongeur.

• **Phoque.** 5 espèces. **Marbré :** L 135/165, poids 90 kg, solitaire se déplace peu. **Du Groenland :** L 180 cm, poids 180 kg. Vit en grande société. Se reproduit sur la glace en février et mars. **A capuchon :** L 315 cm, poids 400 kg. Possède des cavités nasales dilatables qui s'étendent au-dessus des yeux. **Barbu :** L 225 cm, poids 225/270 kg. Solitaire. **A rubans :** solitaire, vit dans le nord du Pacifique.

• **Renard polaire** ou **Renard bleu** *(Alopex lagopus).* L 46/68 cm + queue 30/40 cm. H à l'épaule 30 cm. Poids jusqu'à 9 kg. Carnivore. *Pelage* d'hiver de 2 types : blanc et bleu (presque noir, bleu d'acier, brun marron ou gris clair). S'active normalement jusqu'à – 50 °C et peut survivre à – 80 °C. La plante de ses pieds très poilue lui permet de ne pas déraper sur la glace et la neige. *Gestation :* 50 j. *Portée :* 1 à 2/an avec 3-4 à 8-10 petits (rarement plus).

• **Renne** (appelé **caribou** en Amérique) *(Rangifer tarandus).* Habite le Grand Nord dans la ceinture polaire et subpolaire. Son aire s'étend aux toundras et aux contrées boisées d'Europe, d'Asie et d'Amérique du Nord. L 130 à 220 cm + queue 7 à 20 cm, H corps 80 à 150 cm. Poids 60 à 150 kg. *Bois :* voir chapitre sports (chasse : gibier). *Rut :* juillet à oct. *Gestation :* 192 à 246 j. *Portée :* 1, rarement 2. Ruminant. *Troupeaux* migrateurs (quelquefois plusieurs milliers). L'été, grimpent haut dans les montagnes, l'hiver descendent dans les vallées où la neige ne gèle pas. *Nombre :* 500 000 semi-domestiques en Scandinavie et 300 000 caribous au Canada. En mangeant du lichen, le renne concentre de la radioactivité (les Lapons ont dû en abattre après l'accident de Tchernobyl).

Antarctique

• **Manchot.** Palmipède marin. Ailes transformées en nageoires et rendues ainsi impropres au vol, queue triangulaire servant de gouvernail, corps recouvert de plumes courtes et raides, sauf sur la plaque incubatrice. 4 espèces (manchot empereur, m. papou, m. Adélie et m. à jugulaire). En colonies, on peut compter plusieurs dizaines de milliers de couples.

M. empereur. Bec long, étroit, légèrement recourbé vers le bas, portant à la mandibule inférieure une plaque orange ou violette. *Plumage :* gris bleuté (dos) et blanc (ventre) avec taches orange sur tête et cou. *Long. :* totale 120 cm, aileron 34 cm. *Poids :* 30 à 40 kg. *Alimentation :* poissons, céphalopodes et crustacés. *Reproduction :* hivernale, jusqu'à – 50 °C. *Ponte :* en automne un œuf unique. *Nid :* aucun. Les adultes couvent l'œuf sous leurs pattes. Ils peuvent se déplacer avec et se former en groupes serrés (tortues) pour lutter contre le froid. *Incubation :* 62 à 64 j, par le seul mâle, qui jeûne près de 4 mois entre son arrivée dans la colonie et son départ en fin d'incubation. La femelle, retournée à la mer dès la ponte, revient lors de l'éclosion, les 2 parents alterneront pour alimenter leur jeune. *Mue des adultes :* 3 ou 4 semaines, débute lorsque celle des poussins est achevée.

M. Adélie. *Plumage :* noir (dos et tête), blanc (ventre), bec noir, pattes orange. *Queue :* longue. *Long. :* 70 cm ; aileron : 18 cm. *Poids :* 6 kg. Se nourrit essentiellement de krill (crustacés planctoniques). *Reproduction :* estivale. *Nid :* constitué de petits cailloux sur lesquels 2 œufs sont pondus. *Incubation :* 33-35 j, *élevage* des poussins (pendant 2 mois env.) effectué en alternance par les 2 partenaires.

• **Phoque.** 4 espèces. *Gestation* 9 mois, les jeunes naissent sur la glace. **Ph. de Weddell :** L 300 cm, poids 340 à 450 kg, plonge à + de 500 m pour pêcher calmars et poissons. **Léopard de mer :** L 400 cm, poids 380 kg (et + pour la femelle). Solitaire. Carnassier : poissons, manchots et jeunes phoques d'autres espèces. **Ph. crabier :** L 260 cm, poids 225 kg. Femelle plus grande. Se nourrit de petits crustacés planctoniques. **Ph. de Ross :** L 200/230 cm, poids 215 kg, mange varechs et invertébrés mous des fonds océaniens, et céphalopodes. Se reproduit sur la glace, croissance rapide (P. de Weddell 29 kg à la naissance, 112 kg à 6 semaines).

Zoos

Histoire

Antiquité. Chine, Mésopotamie, chez les Incas et les Aztèques. *Parmi les plus célèbres :* ménagerie d'Auguste (29 av. J.-C.), 3 500 animaux : 20 tigres, 260 lions, 600 bêtes africaines (panthères, guépards, etc.) ; de Gordien (vers 237), 1 000 ours, 100 tigres, 100 girafes ; de Probus (276-282), 1 000 autruches, 1 000 cerfs, 1 000 sangliers, 300 ours.

1re collection d'animaux connue. Celle de Shulgi, gouverneur de la IIIe dynastie d'Ur, de 2094 à 2047 av. J.-C., à Puzurish (Irak).

Zoos modernes. Nombre dans le monde. Environ 500 zoos (330 millions de visiteurs par an). *1er zoo moderne :* Schönbrunn (Vienne, Autriche, 1752).

Zoos français

Nombre

Au 30-4-1975 : 116 parcs zool., 25 parcs (présentant des animaux de la faune d'Europe dans un cadre naturel), 45 établ. inspectés pour détenir des animaux sauvages en marge de leur activité. Ce qui représente 52 000 animaux dont 15 000 mammifères, 35 000 oiseaux, 2 000 reptiles ou amphibiens.

Liste

Date de création, superficie (ha), nombre d'animaux (a), d'espèces (e), de visiteurs par an (v).

Ambert (P.-de-D.). *Parc z. du Bouy* (1975). 50 ha. 350 a. 35 000 v. **Amiens** (Somme). *Parc z. de la Petite Hotoie* (1952). 6,5 ha. 88 e., 349 a. 92 000 v. (87), rénovation prévue en 91. **Amnéville** (Moselle). *Parc du Bois de Coulanges* (1986). 6 ha. 600 a. 110 e. 190 000 v. (1990). **Ardes-sur-Couze** (P.-de-D.). *Parc animalier de Cezalier.* **Bel-Val** (Ardennes). *Parc de vision* (1973). 350 ha. 13 e. 50 000 v. par an. **Besançon** (Doubs). *Parc z. d'Histoire nat. de la Citadelle* (1963). 3,5 ha. 350 a. Aquarium, insectarium. 230 000 v. (89). **Bordeaux-Pessac** (Gironde). *Parc z.* (1976). 5 ha. 350 a. 120 000 v. (84). **Boutissaint-en-Puisaye** (Yonne). *Parc de vision* (1970), 400 ha, 100 km de chemins, miradors, 400 a. 15 000 v. **Cambrai** (Nord). *Parc d'Estourmel* (animalier et jeux). 5 ha.

Château-sur-Allier (Allier). *Parc z. de St-Augustin* (1962). 100 ha. 50 e. 80 000 v. **Châteauneuf-sur-Cher** (Cher). *Parc animalier du château* (1978). 4 ha. 30 000 v. **Clères** (S.-M.). *Parc z.* (1919-20). 13 ha ouverts au public (parc), 13 ha en réserve. 1 500 oiseaux de plus de 250 e., 200 mammifères de 8 e. Élevage d'animaux rares ou en danger de disparition, dans le cadre de programmes d'élevage internationaux. **Courzieu** (Rhône). *Fauconnerie.* 23 ha.

Dompierre-sur-Besbre (Allier). *Le Pal* (1973). 23 ha. *Parc animalier* (+ de 50 e.) ; *d'attractions* (1er rafting de France). 200 000 à 250 000 v. **Doué-la-Fontaine** (M.-et-L.) (1960). 10 ha. 500 a. 80 e. Spécialité : 18 îles pour singes en liberté, safari, charognards. 220 000 v. par an. **Émancé.** *Parc du Château de Sauvage* (Rambouillet, Yvelines) (1974). 40 ha. ouverts au public, 14 ha en réserve. 200 oiseaux, 300 mammifères en liberté. **Ermenonville** (Oise). *Zoo Jean-Richard* (1956). 7 ha. 140 000 v. **Eschbourg** (B.-Rhin). *Parc animalier du Schwartzbach.* **Fréjus** (Var). *Parc z.* (1971). 20 ha. 700 a. 230 e. 150 000 v.

Gramat (Lot). 1) *Parc de vision* (1979). 40 ha. 300 gros a. (faune européenne). 100 e. (300 oiseaux). 80 000 v. (85) 2) *Parc z. de Padirac.* 2 ha. Oiseaux et petits mammifères tropicaux, toucans. **Heudicourt-sous-les-Côtes** (Meuse). *Parc ornithologique de Madine (1983).* 4 ha. 500 oiseaux, 150 e. 20 000 v. + *réserve Lac de Madine :* + de 2 000 o. migrateurs selon saison. **Jaligny-sur-Bresbe** (Allier). *Les Gouttes, parc de loisirs de Thionne* (1975). 250 ha. 400 grands a. (11 e.) (semi-liberté). 200 oiseaux (20 e.). 100 000 v. **Jurques** (Calvados). *Parc z. de « La Cabosse »* Jurques 10 ha. 500 a. 100 e. (girafes) 120 000 v.

La Barben (B.-du-R.). *Parc z.* (1969). 30 ha. 600 mammifères, 100 oiseaux, 100 reptiles et poissons. 8 km de visite à pied. **La Boissière-du-Doré** (L.-Atl.). *Espace zoologique* (1984). 9 ha. + de 400 a. (éléphants d'Afr., orangs-outangs, ours bruns, etc.). 185 000 v. (1990). **La Faute-sur-Mer** (Vendée). *Parc de Californie* (1986). 4 ha. 300 variétés d'oiseaux des 5 continents dont 20 de rapaces. 60 000 v. (1990). **La Fère** (Aisne). *Parc z. du Fort de Vendeuil* (1964). 13 ha. 200 a. Zoo fermé en 1988. Parc d'attractions et animalier rouvre en avril 1991. **La Flèche** (Sarthe). *Le Tertre rouge* (1950). 7 ha. 700 a. 250 e. 3 ha, 400 oiseaux de 70 e. Vivarium et musée de sciences nat. 200 000 v. **Langoiran** (Gironde). (1971) 1,5 ha. **La Palmyre** (Ch.-Mar.) (1966). 10 ha. + de 1 200 a. 103 e. dont 200 singes. 740 000 v. Le plus important z. privé de France. **Le Breil-sur-Mézire** (Sarthe). *Parc animalier du domaine de Pescheray* (1976). 70 ha. 300 a. 55 e. 60 000 v. par an. **Le Guerno** (Morbihan). *Branféré,* fondation Paul et Hélène Jourde sous l'égide de la Fondation de France. 50 ha. 2 000 a. en liberté. 130 000 v. **Les Abrets** (Isère). *Parc z. Fitilleux Bruniaux* (1968). 250 a. 45 000 v. **Lescar** (Pyr.-Atl.). *Parc z.* (1965). Env. 100 a. Env. 30 e. 15 000 v. **Les Sables-d'Olonne** (Vendée). *Jardin z.* (1975). 3,5 ha. 200 a. (îles à singes, félins, loups à crinière) 100 000 v. **Ligugé** (Vienne). *Parc zoologique des Bois de St-Pierre.* **Lille** (Nord). *Parc z. municipal.* 6 ha. **Lisieux** (Calvados). *Cerzä Parc zoologique.* (1986) 50 ha. 40 e. vivant en semi-liberté (ours brun, lynx, tigres, jaguars, chimpanzés, lémuriens, bisons). 139 000 v. (1990). **Lyon** (Rhône). *Parc de la Tête d'Or.* (1856-58). 105 ha dont lac 16 ha, jardin botanique 6 ha, zool. 6 ha. Roseraie internat. (1964). 6 ha. 55 000 rosiers. 400 variétés.

Maubeuge (Nord). *Parc z.* (1955). 7 ha. 600 a. 90 e. 220 000 v. par an. **Merlimont** (P.-de-C.). *Parc d'attractions de Bagatelle* (1955). 26 ha. Zoo classé. 300 000 v. (86). **Mervent** (Vendée). *Parc z.* (1959). 5 ha. 350 a. reproductions. 100 000 v. **Montpellier** (Hérault). *Parc z. de Lunaret* (1964). 80 ha. 887 a. 148 e. (168 reptiles de 16 e., 375 oiseaux de 83 e., 342 mammifères de 48 e.). Lémuriens de Madagascar, 300 000 v. (est.). **Mulhouse** (Ht-Rhin). *Parc z. et botanique de la ville* (1868). 25 ha. 1 200 a. env. 230 e. et sous-e.

Nay (Pyr.-Atlant.). *Jardin exotique d'Asson.* (1964). 3 ha. 275 a. 75 e. 35 000 v.

Obterre (Indre). *Parc de la Haute-Touche* (1980). 180 ha. 880 a. 50 e. de mamm., 27 e. d'oiseaux, 1 e. de reptiles. E. rares : Cerfs Duvaucel, d'Eld, du Père David ; élan, baudet du Poitou. **Oléron** (île d'). *Le Marais aux oiseaux.* **Orcines** (P.-de-D.). *Parc z. des Dômes.* **Orléans** (Loiret). *Parc floral* (1964). 30 ha. Flamants, grues couronnées et de Numidie, canards, oies (se trouvent surtout sur le Loiret en été et en hiver car il n'y gèle jamais). Émeus, nandous, mouflons, chèvres, daims, oiseaux dans le parc. 250 000 v. **Ozoir-la-Ferrière** (S.-et-M.). *Parc z. du bois d'Attilly* (1966). 18 ha. 150 mammifères, 600 oiseaux. Vivarium. 100 000 v.

Pardies-Piétat (P.-Atl.). *Parc z. de Piétat* (1974). 1 ha. 270 a. 85 e. 30 000 v. **Paris.** 1) *Jardin d'Acclimatation* (1860). 19 ha. Parc d'attractions. Petite ferme. Musée en herbe. Théâtre. 2) *Ménageries du jardin des Plantes* (1793). 5 ha., *et vivarium.* 1 150 a. 67 e. de mamm., 140 e. d'oiseaux, 63 e. de reptiles, 9 e. de batraciens, 11 e. d'arthropodes. 466 500 v. 3) *Parc zoologique de Paris* (1934), dit zoo du bois de Vincennes. 15 ha. 130 employés. 1 100 a. 450 mamm. de 80 e., 500 oiseaux de 65 e., 1 000 000 v. *Espèces très rares :* cerfs d'Eld, cobs de Mrs Gray, hippotragues noirs, okapi, grand panda, rhinocéros blancs, loups du Canada, éléphant d'Asie mâle, lémuriens, guépards. **Peaugres** (Ardèche). *Safari de Peaugres* (1974). 80 ha. 800 a. 290 000 v. **Peumerit** (Finistère). *Parc de la Pommeraie.* **Plaisance-du-Touch** (Hte-G.). *Parc z.* (1970). 5 ha. 35 a. + *Réserve Africansafari* (1990) 60 a. 130 000 v. **Pleugueneuc** (I.-et-V.). *Parc z. de la Bourbansais* (1965) et château XVIe s. (1980). 6,5 ha : 50 e. 80 000 v. **Poitiers** (Vienne). *Parc de Blossac.* **Pont-Scorff** (Morbihan). *Parc z.* (1973). 10,5 ha. En 1990 : 380 a., 112 e., 95 000 v.

Rambouillet (Yvelines) (1972). 250 ha. *Parc animalier des Yvelines* (en liberté 250 cerfs, chevreuils, sangliers et daims). 45 000 v. **Rive-de-Gier** (Loire). *Espace z. de St-Martin-la-Plaine* (1972). 13 ha. 300 a. 60 e. Élevage d'animaux en voie de disparition. 125 000 v. **Rocamadour** (Lot). *Rocher des Aigles* (1979). 3 ha. 200 rapaces. 40 e. 150 000 v. (1990). **Romanèche-Thorins** (S.-et-L.). *Touroparc* (1961). 10 ha. 800 a. **Rue** (Somme). *Parc ornithologique du Marquenterre* [dominant la réserve de chasse de la baie de la Somme (8 000 ha)] (1973). 300 ha clos. 200 à 2 000 oiseaux (selon migrations). 50 e. en permanence, 250 e. au long d'une année. 110 000 v.

St-Aignan-sur-Cher (L.-et-C.). *Zoo. Parc de Beauval* (1980). 8 ha. 120 mammifères, 2 000 oiseaux. 100 000 v. **St-Denis-de-la-Réunion.** *Parc z. Ste-Clotilde.* **St-Jean-Cap-Ferrat** (Alpes-Mar.). *Parc d'acclimatation* (1950). Ancienne propriété du roi Léopold II de Belgique. 25 000 m². 400 a. 100 000 v. **Stes-Maries-de-la-Mer** (B.-du-Rh.). *Parc ornithologique du Pont de Gau* (1949). 60 ha. 800 oiseaux. 100 e. (flore et faune sauvage de Camargue). 80 000 à 100 000 v. **St-Vrain** (Essonne). *Parc* (1975) : au XVIIIe s. à la comtesse du Barry, depuis propriété des Mortemart. 130 ha. Animaux en liberté. Reconstitution de scènes préhistoriques. **Sanary-sur-Mer** (Var). *Jardin exotique. Zoo de Sanary-Bandol* (1960). Dans un parc tropical de 2 ha. 75 000 v. **Sigean** (Aude) (1974). *Réserve afr.* + de 200 ha. de garrigue et d'étangs. 1 600 a. (dont 320 mammifères, 1 152 oiseaux, 128 reptiles). 340 000 v.

Thoiry (Yvelines) (1967). 450 ha. 800 a. 110 e. vivant en liberté. Parcs des tigres et ligrons, des ours, parc à lions, cité des singes, réserve africaine, jardin d'oiseaux exotiques, ferme d'animaux miniature. Château XVIe s. 400 000 v. **Toulon** (Var). *Centre d'élevage et de reproduction de fauves.* Mont Faron. **Trégomeur** (C.-d'Armor) (1970). *Parc z. Moulin de Richard.* 12 ha. 400 a. 65 e. 100 000 v.

Upie (Drôme). *Le jardin aux oiseaux* (1976). 4 ha. Parc ornithologique et botanique. 1 000 oiseaux. 200 e. Élevage d'espèces menacées. 50 000 v. **Villars-les-Dombes** (Ain). *Parc des oiseaux* (1970). 24 ha. 2 000 oiseaux + 500 à 2 000 migrateurs selon les saisons. 385 e. (de l'oiseau-mouche à l'autruche). 300 000 v. **Villedieu-les-Poêles** (Manche). *Parc z. de Champrepus* (1957). 7 ha. 90 e. 85 000 v. par an. **Villiers-en-Bois** (Deux-Sèvres). *Zoorama européen de la forêt de Chizé* (1973). 25 ha., 600 a., 165 e. (européen). 65 000 v. (73 : 35 000). **Xertigny** (Vosges). *Le Fer à cheval* (1974). 150 a., 25 e., 50 000 v.

Syndicat national des directeurs de parcs zoologiques français (S.N.D.P.Z.). *Créé* 1974. *Siège :* Maison de la Nature et de l'Environnement, 23, rue Gosselet, 59000 Lille. *Emblème :* le Dodo, oiseau de l'île Maurice exterminé au XIXe s. *Revue :* Inter Zoo. *Bulletin intérieur :* la lettre du Dodo.

Association nationale des parcs et jardins zoologiques privés. *Créée* en 1969. *Siège :* Zoo de la Palmyre, 17570 Les Mathes. *Objectif :* décerne un label (licorne blanche sur fond vert), qui a été obtenu par 52 zoos français (sur 130) répondant à des normes de qualité : ne pas se livrer au négoce d'animaux, activités culturelles et récréatives, les animaux doivent être en bon état, bien nourris et présentés dans des bâtiments ou des parcs régulièrement entretenus.

Syndicat France Parcs. *Créé* 1983. *Siège :* Parc de Bagatelle, 62155 Merlimont. Regroupe 42 parcs dont 35 parcs d'attractions récréatifs et 7 parcs d'attractions nautiques (Aqualands et Aquacities).

Principaux zoos étrangers

Afrique du Sud. Pretoria. **Algérie.** Alger. **Allemagne.** Berlin-Ouest, Berlin-Est, Francfort, Munich, Dresde, Leipzig, Hambourg-Stellingen, Cologne, Wuppertal, Hanovre, Duisbourg, Gelsenkirchen, Nuremberg, Halle, Krefeld, Münster, Osnabruck, Rheine, Stuttgart, Augsburg. Walsrode (parc ornithologique le plus important du monde). **Australie,** Sydney. **Autriche,** Vienne, Innsbruck. **Belgique.** Anvers, Planckendael. **Canada.** Québec, Toronto. **Chine.** Pékin. **Danemark.** Copenhague. **Égypte.** Le Caire, Alexandrie. **Espagne.** Madrid, Barcelone, Jerez. **Finlande.** Helsinki.

Grande-Bretagne. Londres (Regent's Park), Edimbourg, Manchester, Bristol, Chester, Whipsnade, Canterbury, Chichester, Farnham, Bourton on the Water, Glasgow, Aviemore, Jersey. **Hollande.** Amsterdam, Rotterdam, Emmen, Arnhem, Apeldorn. **Hongrie.** Budapest. **Italie.** Rome, Naples. **Maroc.** Rabat.

Pologne. Varsovie. **Portugal.** Lisbonne. **Sénégal.** Dakar. **Sri Lanka.** Colombo. **Suède.** Stockholm (Skansen). **Suisse.** Bâle, Berne, Zurich, La Garenne. **Tchécoslovaquie.** Prague. **Tunisie.** Tunis.

U.R.S.S. Moscou. **U.S.A.** New York (Bronx, Central Park), Chicago (Lincoln Park, Brookfield), St-Louis, Cincinnati, Cleveland, Detroit, Kansas City, San Diego, Philadelphie, Miami (Oceanarium), Marineland (Oceanarium), Washington. **Zaïre.** Kinshasa.

Quelques prix européens (en F)

Autruche 10 000. Chimpanzé 10 000. Cygne 500 à 1 500. Eléphant 250 000. Girafe 80 000. Hippopotame 65 000. Lion 500. Lionceau 500. Okapi non commercialisé. Ours 750 à 5 000. Panda non commercialisé. Perroquet 10 000. Rhinocéros d'Asie 450 000. Tigre 1 500 à 10 000.

☞ Le commerce des animaux inscrits à l'annexe I de la Convention de Washington est interdit. Nul ne peut détenir un animal sauvage sans pouvoir justifier qu'il l'a acquis légalement.

Alimentation des animaux en zoo

Carnivores. *Tigre* ou *lion :* 4 à 5 kg de viande avec os par jour en un seul repas (bœuf, mouton, cheval ou volaille).

Granivores. *Autruche :* 750 g de mélange de blé, sarrasin, avoine, orge, millet, maïs et chènevis par jour + des feuilles de salade, choux, luzerne verte, compléments minéraux ; 2 repas par jour.

Herbivores. *Éléphant :* avoine 10 kg, foin ou luzerne 50 à 80 kg, carottes 5 kg ; 2 repas par jour.

Omnivores. 1 repas par jour. *Ours :* 2 kg par jour de viande cuite, désossée avec bouillon + pâtes alimentaires + croûtes de pain, déchets, biscottes et son ; salade, choux, carottes et pommes crues. *Ours blanc :* poisson cru. *Ours à longues lèvres :* lait, riz cuit, bananes, pain et confiture, pommes et poires.

Piscivores. 1 repas par jour. *Phoque :* 5 kg de poisson par jour (hareng, merlan, maquereau). *Éléphant de mer :* 10 à 30 kg suivant la taille. *Manchot :* 1 kg de poisson frais (hareng, merlan, maquereau).

Régimes spéciaux. *Girafe* et *okapi :* 2 repas, 8 à 10 kg d'avoine germée, 10 à 15 kg de luzerne sèche fine (1re qualité) et verte, 4 l de lait avec 4 kg de flocons d'avoine et farine d'orge cuite, cresson, oignons, carottes, bananes. *Chimpanzé ;* 3 repas, viande grillée (bœuf), lait + farine lactée (1/4 à 1/2 l), pommes de terre cuites, flocons d'avoine cuits, pâtes et riz cuits, salade, carottes, petits pois, haricots verts, pain + confiture, brioches vitaminées (levure, vitamines A, C et D), arachides, figues, bananes, oranges, fruits de saison. *Panda :* lait + farine lactée, bananes, pommes, feuilles de bambou ; 2 repas par jour. *Grand fourmilier :* 2 l de lait + 500 g de viande très finement hachée et 4 œufs, le tout mélangé ; 2 repas par jour.

Nota. – Tous les mammifères reçoivent des compléments minéraux : sel gemme, pierres à lécher ou sels de chaux vitaminés.

Parcs et réserves

Dans le monde

Définitions

Selon l'Union internationale pour la conservation de la nature et de ses ressources [U.I.C.N. *Créée* 1948. *Organisation :* 67 États. 114 organismes de droit public, 460 organisations non gouvernementales nationales et internationales, 37 membres affiliés sans droit de vote].

Pour être reconnu comme parc national ou réserve, un territoire doit bénéficier d'un statut de stricte protection (pas de chasse, pêche, coupe de bois, culture, élevage, exploitation du sous-sol), et ne pas être trop exigu (minimum 1 000 ha).

• Réserves naturelles. De quelques km² à près de 50 000 km². Ne sont pas entourées de grillage : les animaux s'y réfugient. Fermées au public. *La plus grande réserve naturelle intégrale du monde :* Lorentz (Irian Jaya-Indonésie) (créée en 1978) 21 500 km² ; *de France :* réserve marine Yves Merlet en Nlle-Calédonie (créée en 1970) 167 km².

• Parcs nationaux et réserves analogues. Territoires qui, dans un ensemble homogène généralement non exploité par l'homme, présentent des espèces végétales et animales de grand intérêt. Gestion et surveillance sont assurées par la plus haute autorité du pays. Visite autorisée sous certaines conditions (habituellement contrôle à l'entrée et à la sortie). A l'intérieur, on distingue *les aires naturelles : intégrales :* interdites au public ; *dirigées :* pour protéger une espèce ou un groupe d'espèces particulier (ex. : zèbre de montagne ou de bontebok en Afr. du Sud ; du rhinocéros noir à Miameré Miadiki en Rép. centrafricaine ; du bison d'Europe, de l'élan et du cheval de Tarpan dans le parc de Bialowieza en Pologne ; du bison, zèbre, gnou, yack, guanaco, nilgaut en U.R.S.S.) ; *de nature sauvage :* le public peut y circuler suivant des conditions particulières à chaque parc (absence de moyens motorisés, routes, camps aménagés).

1er créé : Yellowstone, en 1872 (899 135 ha). C'était « un domaine mis en réserve par la nation pour servir les aspirations sportives, esthétiques et culturelles de tous ses membres ». *Le plus grand du monde :* parc du N.-O. du Groenland (Danemark), créé en 1974, 700 000 km². *De France :* les Ecrins, créé en 1973, 918 km².

• Parcs provinciaux. Statut de protection fixé par une autorité autre que le gouvernement central.

• Nombre de parcs nationaux et aires protégées en 1990. 6 940 (652,8 millions d'ha) dont *catégorie I* (réserves scientifiques, réserves naturelles intégrales) 658 (51,8 Mha), *II* (parcs nationaux) 1 392 (309), *III* (monuments naturels, éléments naturels marquants) 316 (19), *IV* (réserves de conservation de la nature, réserves naturelles dirigées, sanctuaires de faune) 2 944 (195), *V* (paysages terrestres ou marins protégés) 1 630 (78).

☞ Il existe souvent, autour des réserves et parcs, des zones de protection, où la plupart des activités humaines sont permises, sauf la chasse, la capture d'animaux, et la construction de cités d'habitation.

Parcs et réserves en France

☞ Espaces protégés (en hectares). Parcs nationaux 347 001, zones périphériques 901 589, parcs régionaux 2 518 400.

Parcs nationaux

• Définition. Créés par la loi du 22-7-1960. Un parc national peut comprendre 3 territoires :

1° **Parc proprement dit.** Protège faune, flore et milieu naturel. Les activités agricoles, pastorales et forestières sont réglementées : chasse interdite en général, autorisée mais sévèrement réglementée par exception (p. nat. des Cévennes) ; constructions et tous travaux publics ou privés interdits s'ils altèrent le caractère du p. nat., autorisés s'ils correspondent à la mission dévolue au parc ; discipline du tourisme (déchets, dérangement minimal, bruits, etc.).

2° **Zone périphérique** ou **préparc.** Peut être constituée autour du parc comme un domaine de transition permettant l'accueil et l'hébergement des visiteurs. Cette zone périphérique bénéficie de crédits spécifiques permettant des programmes d'amélioration d'ordre social, économique et culturel, tout en rendant plus efficace la protection de la nature dans le parc. Seul Port-Cros, parc marin, ne dispose pas de zone périphérique.

3° **Réserves intégrales.** Peuvent être constituées à l'intérieur d'un parc national, pour les besoins de la recherche scientifique, pour la sauvegarde de sites géologiques, d'espèces animales ou végétales particulièrement menacées. Actuellement aucune réserve intégrale n'a été constituée dans les parcs nationaux.

• Budget. **Subventions** (en millions de F) en **1987 :** fonctionnement, en italique investissement : Cévennes 13,1 *3,3 ;* Ecrins 13,4 *2,5 ;* Mercantour 9,9 *3,1 ;* Port-Cros 7,8 *3,3 ;* Pyrénées occidentales 10,7 *2,4 ;* Vanoise 9,4 *1,7.* **Dépenses** de fonctionnement et investissements en 1984 : 58,1 et 16,3 millions de F. **Crédits** pour l'aménagement des zones périphériques (du Fonds interministériel pour la qualité de la vie) en 1987 : Cévennes 1,5 ; Écrins 1,2 ; Mercantour 1,1 ; Pyrénées occidentales 1 ; Vanoise 0,6.

• Parcs créés. **P. de La Vanoise** (15, rue du Dr.-Julliand, B.P. 105, 73000 Chambéry). *Créé* le 6-7-1963. Parc de haute montagne : 1 250 à 3 855 m. 107 sommets de plus de 3 000 m. Contigu sur 14 km au parc national italien du Grand Paradis. *Concerne :* 29 communes en Savoie, moitié en Maurienne, moitié en Tarentaise. *Zone centrale :* 52 839 ha (11 domaniaux, 47 610 communaux et 5 218 à des particuliers). *Zone périphérique :* 144 000 ha. *2 réserves naturelles contiguës* (Tignes-Champagny et Val d'Isère-Bonneval) : 2 490 ha. *Faune :* 650 bouquetins, 5 000 chamois, martre, marmotte, lièvre variable, hermine, aigle royal, grand duc, lagopède, casse-noix, renard, blaireau, campagnol des neiges, tétras-lyre, bartavelle, niverolle, chocard, accenteur alpin, crave, tichodrome, merle de roche. Chasse interdite, pêche autorisée. *Flore :* env. 1 000 espèces dont 15 uniques ; saule arctique, valériane celtique, bruyère des neiges, mélèzes, épicéas.

P. de Port-Cros (50, av. Gambetta, 83400 Hyères). *Créé* le 14-12-1963. Parc national sous-marin et insulaire du Var ; île de Port-Cros, île de Bagaud, îlots de Rascas et de la Gabinière. *Superficie marine :* 1 800 ha, *terrestre :* 694 ha (176 domaniaux, 518 appartenant à 2 propriétaires privés, plus une zone maritime protégée jusqu'à 600 m des côtes de Port-Cros). *Flore :* 4 zones de végétation : côtière résistante aux embruns ; ensuite groupe caractérisé par l'oléastre et le pistachier lentisque ; forêt de chênes verts dans les fonds des vallons et les secteurs plus frais ; maquis élevé : arbousiers et bruyères arborescentes. Sous la mer : posidonies et algues. *Faune : fonds marins :* mérou, corbs, congre, murène, langouste, homard. *A terre :* goéland argenté, puffin cendré, faucon, batraciens, couleuvres, scorpions inoffensifs, papillons, 600 esp. de coléoptères. Etape pour migrateurs : huppes, guêpiers, passereaux. Parc non retenu par l'O.N.U. (protection insuffisante).

P. des Pyrénées occidentales (B.P. 300, route de Pau, 65000 Tarbes). *Créé* le 23-3-1967. *Alt. :* 1 100 à 3 298 m. Longe sur 100 km une zone continue de plus de 100 000 ha de réserves de chasse nationales espagnoles qui englobent le parc national esp. d'Ordesa (1 000 ha), non contigu. *Concerne :* 87 communes, 40 000 hab. (2/3 Htes-Pyrénées, 1/3 Pyrénées-Atl.). *Zone centrale :* 45 707 ha (Pyr.-Atl. 15 120, Htes-Pyr. 30 587 ; 166 domaniaux, 44 347 communaux et 1 194 à des particuliers). *Zone périphérique :* 206 352 ha (Pyr.-Atl. 94 192, Htes-Pyr. 112 160). Réserve naturelle (Néouvielle) créée en 1968, contiguë : 2 300 ha. *But :* préserver cirques de Troumouse, de Gavarnie, vallée du Marcadau, pic du Midi d'Ossau ; nombreux lacs et torrents peuplés de salmonidés, surtout truites communes. *Faune :* sauvage : une quinzaine d'ours bruns, en majorité en zone périphérique, isard, desman des Pyrénées, vautour fauve, v. percnoptère (v. d'Égypte), aigle royal, gypaète, grand coq de bruyère, lagopède, grand duc ; nombreux animaux communs : marmotte, hermine, genette, chat sauvage, renard, martre, loutre, sanglier. *Flore :* variée, d'espèces rares : ramondia, fritillaire, lys, aster des Pyrénées. *Chasse* interdite. *Pêche* autorisée.

P. des Cévennes (Château de Florac, 48400, Florac). *Créé* le 2-9-1970. *Concerne :* 126 communes (4/5 Lozère, 1/5 Gard). *Zone centrale :* 84 409 ha (41 000 hab.) (25 694 domaniaux, 6 344 communaux et 53 683 à des particuliers) *Zone périphérique :* 228 210 ha dont 123 400 Lozère, 81 826 Gard, 22 984 Ardèche. 122 communes, 41 000 hab. *Faune :* richesse particulière en : aigle royal (menacé), circaète Jean le Blanc, faucon pèlerin (menacé), grand duc (menacé) ; sanglier, mouflon, genette ; réintroduits :

vautour fauve, petit et grand tétras, castor sur le versant atlantique et en zone centrale : cerf et chevreuil. *Flore :* riche et diversifiée, sans espèces très rares, mais associations végétales remarquables : narses et tourbières du mont Lozère, hêtraie, sapinière naturelle. Certaines espèces sont menacées : lys martagon, trolle, adonis printanière, sabot de Vénus ; 3 400 ha hêtres et conifères.

P. des Écrins (7, rue du Colonel-Roux, 05000 Gap, B.P. 142 Cedex). *Créé* le 27-3-1973. *Alt. :* 800 à 4 102 m. *Concerne :* 61 communes (2/3 Htes-Alpes, 1/3 Isère). *Zone centrale :* 91 800 ha (Htes-Alpes 57 900, Isère 33 900 ; 21 180 domaniaux, 67 630 communaux et 2 930 à des particuliers). *Zone périphérique :* 177 400 ha, 26 400 hab. (Htes-Alpes 124 200, Isère 53 200). *Faune :* riche en insectes, 300 esp. de mammifères : chamois, marmotte, campagnol ; 90 esp. d'oiseaux : lagopède, aigle royal, coq de bruyère, tichodrome ; 12 esp. de reptiles et batraciens : triton alpestre. *Flore alpine :* quelques esp. rares, et beaucoup menacées par la cueillette : reine des Alpes, sabot de Vénus, lys orangé, ancolie des Alpes, génépi : groupements forestiers (du chêne pubescent au pin cembro).

P. du Mercantour (23, rue d'Italie, 06300 Nice). *Créé* le 18-8-1979. *Alt. :* 490 à 3 143 m. A 50 km de Nice, hautes vallées de la Roya, de la Tinée, de la Vésubie, du Var, du Verdon et de l'Ubaye. Sur 28 communes (Alpes-Mar. 22, Alpes de H.-Prov. 6). *Zone centrale :* 68 500 ha (16 500 domaniaux, 41 000 communaux et 11 000 à des particuliers). *Zone périphérique :* 146 200 ha, 28 communes, 17 000 hab. *Faune :* chamois, bouquetin, mouflon, lièvre variable, marmotte, hermine, tétras-lyre, lagopède, chouette de Tengmalm, aigle royal, insectes remarquables. *Flore :* plus de 2 500 espèces méditerranéennes. *Étage méditerranéen :* chêne vert, olivier, ostrya ; étage de sapins et d'épicéas sur les ubacs, sur les adrets de pins sylvestres ; ét. de pins à crochets et pins cembro ; lande de rhododendrons, pelouse alpine et rochers. Riche en esp. endémiques dont la *Saxifraga florulenta. Richesses archéologiques :* notamment gravures rupestres de la vallée des Merveilles.

P. de la Guadeloupe (Habitation Beausoleil, Montéran, 97120 St-Claude). *Créé* février 1989 (origine parc naturel créé 1969). Destiné à protéger le massif montagneux de la Guadeloupe (la Basse-Terre) : ensemble forestier de 17 300 ha. Comprend un ha et une zone périphérique qui s'étend sur le territoire des communes de Pointe-Noire, Bouillante et Vieux-Habitants. *1 réserve naturelle :* 3 700 ha sur le littoral (mangrove, marais, forêt marécageuse). *Faune :* racoon (raton laveur), pic noir de la Guadeloupe, grive « pieds jaunes », coucou manioc, colibri. *Flore :* forêt dense primaire. 300 espèces d'arbres et d'arbustes : bois rouge, carapate, gommier, côtelette noire, châtaignier, lianes et épiphytes.

Parcs naturels régionaux

• **Définition.** Territoires habités mais fragiles, au patrimoine naturel et culturel particulièrement intéressant, où tous les partenaires concernés associent leurs efforts pour inventer et mettre en œuvre un aménagement équilibré, soucieux du respect de l'environnement. A la protection s'associent le développement de l'accueil, l'éducation et l'information du public sur le patrimoine naturel et culturel. Les parcs sont réalisés sur l'initiative de la région, en accord avec ou sur proposition des collectivités locales ou groupements de collectivités concernées. Ils contribuent au développement économique et social des territoires concernés.

Leur existence ne provoque ni interdiction, ni législation spécifique. **Nombre.** 26 parcs régionaux : 8 % du territoire national, 2 000 communes, 3 600 000 ha, 2 000 000 d'habitants. **Le plus petit.** Parc de la Haute Vallée de Chevreuse (19 communes, 38 000 h). **Les plus grands.** Plus de 150 communes et plus de 300 000 ha.

• **Budget de fonctionnement d'un parc.** Moyenne 5 000 000 F (venant des régions 40 %, départements 27 %, communes du Parc 20 %, ministère de l'Environnement 13 %).

• **Parcs créés.** *Armorique* (Finistère, 30-9-1969) 105 000 ha. *Ballons des Vosges* (Ht-Rhin, Belfort, Hte-Saône, Vosges, 4-6-1989) 322 000 ha. *Brenne* (Indre, 22-12-1989) 166 000 ha. *Brière* (Loire-Atl., 16-10-1970) 40 000 ha. *Brotonne* (S.-Mar., Eure, 17-5-1974) 50 000 ha. *Camargue* (B.-du-R., 25-9-1970) 85 000 ha, autour d'une réserve naturelle botanique et zoologique qui s'étend sur 13 500 ha. *Corse* (Hte-C., C.-du-S., 12-5-1972) 250 000 ha. *Forêt d'Orient* (Aube, 16-10-1970) 70 000 ha. *Ht-Jura* (Jura 21-4-86) 62 000 ha. *Hte vallée de Chevreuse* (Yvelines 11-12-1985) 25 600 ha. *Ht-Languedoc* (Hérault, Tarn, 22-10-1973) 145 000 ha. *Landes de Gascogne* (Gironde, Landes, 16-10-1970) 206 000 ha. *Livradois-Forez* (Hte-L., P.-de-D., 4-2-1986) 297 000 ha. *Lorraine* (M.-et-M., Meuse, Moselle, 17-5-1974) 206 000 ha. *Luberon* (Vaucl., Alpes de H.-P., 31-1-1977) 130 000 ha, à l'est d'Avignon. *Marais du Cotentin et du Bessin* (Manche, Calvados, 17-4-1991) 120 000 ha. *Marais poitevin. Val de Sèvres et Vendée* (Vendée, Ch.-Mar., D.-Sèvres, 6-2-1979) 200 000 ha, bassin fluvial du Marais poitevin entre Niort et la baie de l'Aiguillon. *Martinique* (10-9-1979) 70 000 ha. *Montagne de Reims* (Marne, 28-9-1976) 50 000 ha. *Morvan* (C.-d'O., Nièvre, S.-et-L., Yonne, 16-10-1970) 175 000 ha. *Nord-Pas-de-Calais* (*Parc éclaté* N., P.-de-C.) (146 000 ha) en 3 zones : Plaine de la Scarpe et de l'Escaut, Audomarois, Boulonnais. *Normandie-Maine* (Manche, Mayenne, Orne, Sarthe, 23-10-1975) 234 000 ha, autour des forêts d'Écouves, Andaine, Sillé-le-Guillaume. *Pilat* (Loire, 17-5-1974) 65 000 ha, au sud de St-Étienne. *Queyras* (Htes-Alpes, 31-1-1977) 60 000 ha, au sud de Briançon, le long de la frontière ital. *Vercors* (Drôme, Isère, 16-10-1970) 140 000 ha. *Volcans d'Auvergne* (Cantal, P.-de-D., 25-10-1977) 393 000 ha, à l'O. de Clermont-Ferrand, la chaîne des Puys et, dans le Cantal, l'ensemble du massif volcanique. *Vosges du Nord* (B.-Rhin, Moselle, 30-1-75) 120 000 ha, entre Wissembourg, Saverne et Bitche.

Réserves naturelles

• **Définition.** *Créées* au titre des lois du 2-5-1930 (modifiée) et du 10-7-1976 sur la protection de la nature. *Vocation :* conservation de la faune, de la flore, du sol, des eaux, des gisements de minéraux et de fossiles et des milieux naturels (marins ou terrestres) présentant une importance particulière, ou devant être soustraits à toute intervention artificielle susceptible de les dégrader.

Il faut un décret pour classer les terrains mis en réserve, soit un décret simple s'il y a accord des propriétaires, soit un décret en conseil d'État en cas de non-consentement des propriétaires.

L'acte de classement peut soumettre à un régime particulier et, le cas échéant, interdire à l'intérieur de la réserve toute action susceptible de nuire au développement naturel de la faune et de la flore et d'altérer le caractère de ladite réserve, notamment la chasse et la pêche, les activités agricoles, forestières et pastorales, industrielles, minières, publicitaires et commerciales, l'exécution de travaux publics ou privés, l'extraction de matériaux concessibles ou non, l'utilisation des eaux, la circulation du public quel que soit le moyen employé, la divagation des animaux domestiques et le survol de la réserve.

• **Réserves.** *Créées* au 30-11-1989, 108 947 ha.

• **Liste. Ain :** *Grotte de Hautecourt,* 10-9-1980, 10 ha ; faune cavernicole. *Marais de Lavours,* 22-3-1984, 473 ha ; marais, intérêt faunistique et floristique. **Aisne :** *Marais d'Isle,* 5-10-1981, 47,5 ha, zone humide, intérêt faunistique et floristique. **Alpes-de-Hte-Provence :** *Digne,* 31-10-1984, 269 ha, alt. 600 à 2 000 m ; intérêt géologique, 18 sites fossilifères (ichtyosaure). **Ardèche :** *Gorges de l'Ardèche* (Ardèche et Gard), 14-1-1980, 1 572 ha ; intérêt géomorphologique, floristique et faunistique. **Aude :** *Grotte du TM 71,* 17-8-1987, 96 ha ; grotte, concrétions. **Bas-Rhin :** *Forêt d'Offendorf,* 28-7-1989, 60 ha. *Forêt d'Erstein,* 18-9-1989, 180 ha. **Bouches-du-Rhône :** *Camargue,* 24-4-1975, 13 117,5 ha ; zone humide, saumâtre, intérêt faunistique et floristique.

Calvados. *Coteaux de Mesnil Soleil,* 28-8-1981 ; 25 ha ; intérêt botanique et insectes. *Falaise de Cap Romain,* 16-7-1984, 24 ha dont 23 du domaine public maritime ; intérêt géologique. **Charente-Maritime :** *Lilleau des Niges (Fiers d'Ars),* 31-1-1980, 15 ha avec la zone de protection ; avifaune migratrice. *Marais d'Yves,* 28-8-1981, 192 ha ; intérêt ornithologique et floristique. *Marais de Moeze,* 5-7-1985, 6 500 ha (Domaine public maritime), 220 ha (littoral) ; intérêt ornithologique. **Corse-du-Sud :** *Iles Cerbicale,* 3-3-1981, 36 ha ; intérêt faunistique et floristique (terrestre et marin). *Iles Lavezzi,* 8-1-1982, 79 ha et 5 093 ha du dom. mar. ; faune et flore. **Côtes-d'Armor :** *Sept Iles,* 18-10-1976, 320 ha ; protection des oiseaux (macareux, fous de Bassan), phoques gris. **Deux-Sèvres :** *Toarcien,* 27-11-1987 ; 61 a ; intérêt géologique. **Doubs :** *Ravin de Valbois,* 26-10-1983, 335 ha ; flore (plantes de rocaille à affinités méditerranéennes), faune entomologique. *Remoray,* 15-4-1980, 426 ha ; avifaune aquatique. **Drôme :** *Ramières,* 2-10-1987, 346 ha ; ripisylves, intérêt ornithologique et faunistique. **Essonne :** *Réserve géologique de l'E.,* 13-7-1989, 5 ha.

Finistère : *St-Nicolas-des-Glénan,* 18-4-1974, 1,5 ha ; intérêt floristique (narcisse). **Gironde :** *Banc d'Arguin,* 4-8-1972 et 9-1-1986, sup. variable (domaine public maritime de 150 à 500 ha), îlot sableux situé à l'entrée du bassin d'Arcachon ; avifaune migratrice (sterne caugek, huîtrier-pie). *Étang du Cousseau,* 20-8-1976, 600 ha ; synthèse écologique typique des landes de Gascogne et de nidification des oiseaux migrateurs. *Marais de Bruges,* 24-2-1983, 262 ha ; marais péri-urbain, faune (migrations) et flore. Vocation pédagogique. *Prés-salés d'Ares et de Lège-Cap-Ferret,* 7-9-1983, 495 ha dont 350 maritimes ; faune (nombreuses espèces prés-salés, marais côtiers). *Réserve géologique de Saucats et Labrède,* 1-9-1982, 75,5 ha ; intérêt géologique. **Guadeloupe :** *Grand Cul-de-Sac Marin,* 27-11-1987, 3 706 ha ; récif corallien, faune marine.

Haute-Corse : *Scandola,* 9-12-1975, partie terr. 919 ha, partie marit. 750 ha ; intérêt ornithologique (balbuzard pêcheur), faune et flore sous-marines. *Iles Finocchiarola,* 29-6-1987, 3 ha ; zone de nidification du goéland d'Audouin. **Hautes-Alpes :** mitoyennes du parc national des Écrins. *Hte Vallée de la Séveraisse,* 15-5-1974, 155 ha, alt. 1 150-1 640 m ; intérêt faunistique. *Hte Vallée de St-Pierre,* 15-5-1974, 20 ha ; intérêt faunistique. *Cirque du Grand Lac des Estaris,* 15-5-1974, 145 ha ; intérêt faunistique. *Versant nord des pics du Combeynot,* 15-5-1974, 685 ha, alt. 1 823-3 155 m ; intérêt faunistique et floristique. **Hautes-Pyrénées :** *Néouvielle,* 8-5-1968, 2 313 ha, alt. 1 750-3 092 m, mitoyenne du parc national des Pyr. occidentales ; faune (isards), flore (forêts, tourbières, pelouse, milieux lacustres). **Haut-Rhin :** *Petite Camargue alsacienne,* 11-6-1982, 120 ha ; intérêt faunistique et floristique. **Haute-Saône :** *Sabot de Frotey,* 28-8-1981, 98 ha ; intérêt botanique ; insectes. *Grotte du Carroussel,* 2,31 ha. **Haute-Savoie :** *Aiguilles Rouges,* 23-8-1974, 3 279 ha, alt. 1 200-2 965 m ; réserve à vocation générale mixte (faune et flore). *Delta de la Dranse,* 17-1-1980, 45 ha ; intérêt mixte : flore, faune (sternes). *Marais du bout du lac d'Annecy,* 26-12-1974, 84,5 ha ; zone humide roselière, intérêt faunistique et floristique. *Sixt Passy,* 2-11-1977, 9 200 ha ; réserve à vocation générale mixte : faune et flore. *Roc de Chère,* 2-11-1977, 68 ha ; intérêt floristique. *Contamines-Montjoie,* 29-8-1979, 5 500 ha ; réserve à vocation générale mixte : faune et flore. *Passy,* 22-12-1980, 2 000 ha ; intérêt faunistique et floristique (deux types de végétation). **Hérault :** *Bagnas,* 22-11-1983, 561 ha ; zone humide littorale, ornithologie, flore. *Roque Haute,* 9-12-1975, 158,5 ha ; plateau basaltique, intérêt floristique. *Étang de l'Estagnol,* 19-11-1975, 78 ha ; lieu d'escale et de nidification pour canards et foulques.

Indre : *Cherine,* 22-7-1985, 145 ha ; zone humide intérieure, ornithologie et flore. **Isère :** *Hts plateaux du Vercors,* 27-2-1985, 16 662 ha (aussi Drôme) ; lapiaz, faune et flore. *Hte Vallée du Vénéon,* 15-5-1974, 90 ha. *Hte Vallée du Béranger,* 15-5-1974, 85 ha, mitoyenne du parc national des Écrins ; intérêt faunistique. *Ile de la Platière,* 6-3-1986, 485 ha (aussi Ardèche, Loire) ; zone humide intérieure, ornithologie et flore (ripisylves). *Lac Luitel,* 15-3-1961, 6,2 ha ; lac glaciaire, intérêt floristique (sphaignes, diatomées, droséracées), tourbières acides d'altitude. **Jura :** *Girard,* 9-7-1982, 94 ha ; intérêt faunistique et floristique, protection de la forêt. **Landes :** *Courant d'Huchet,* 29-9-1981, 656 ha ; étang landais et courant côtier, cordon dunaire, botanique, faune (loutre, genette), avifaune. *Étang Noir,* 2-7-1974, 59 ha ; intérêt faunistique (batraciens) et floristique. **Loire-Atlantique :** *Grand Lieu,* 10-9-1980, 2 694 ha ; plus grande colonie européenne de hérons cendrés. **Loiret :** *Ile de St-Pryvé-St-Mesmin,* 19-11-1975, 6,5 ha, île de la Loire en aval d'Orléans ; intérêt ornithologique. **Loir-et-Cher :** *Vallées de Grand-Pierre et Vitain,* 23-8-1979, 296 ha ; vallée sèche, intérêt botanique. **Lot-et-Garonne :** *Étang de la Mazières,* 19-6-1985, 68 ha ; zone humide intérieure, ancienne boucle du lit mineur de la Garonne, ornithologie et flore. *Frayère d'Alose,* 13-5-1981, 45 ha ; intérêt faunistique ; préservation de l'alose.

Manche : *Domaine de Beauguillot,* 17-1-1980, 686 ha ; vocation faunistique (avifaune migratrice). *Tourbière de Mathon,* 26-9-1973, 16 ha ; tourbière, plantes rares hydro-et hygrophiles. *Mare de Vauville,* 6-5-1976, 44,5 ha ; intérêt mixte faune-flore, phytosociologie, insectes. *Forêt domaniale de Cérisy* (Manche et Calvados), 2-3-1976, 2 124 ha ; intérêt entomologique (protection des carabes dorés). **Martinique :** *Presqu'île de la Caravelle,* 2-3-1976, 517 ha ; intérêt mixte faune-flore, milieux variés : littoraux (mangroves), forêt tropicale, savanes. **Morbihan :** *Réserve géologique « François le Bail »-Ile de Groix,* 23-12-1982, 43 ha ; sites minéralogiques, faune et flore. **Moselle :** *Hettange Grande,* 4-4-1985, 6 ha ; intérêt géologique.

Nord : *Dune Marchand,* 11-12-1974, 20,4 ha ; intérêt floristique et géomorphologique. **Pas-de-Calais :** *Platier d'Oye,* 9-7-1987, 141 ha, 250 ha de domaine public maritime ; intérêt ornithologique (migrations, nidifications et hivernage). *Baie de Canche,* 9-7-1987, 465 ha et 40 ha de domaine public maritime ; intérêt ornithologique. **Puy-de-Dôme :** *Les Sagnes de la Godivelle,* 27-6-1975, 24 ha ; zone humide d'altitude, intérêt faunistique et floristique. *Rocher de la Jacquette,* 18-10-1976, 18 ha 38 a ; réserve mixte, intérêt ornithologique et floristique. **Pyrénées-Atlantiques :** *Aires de nidification de vautours fauves en vallée d'Ossau* (2 secteurs), 11-12-1974, 82,3 ha ; intérêt ornithologique. **Pyrénées-Orientales :** *Forêt de la Massane,* 30-7-1973, 336 ha, hêtraie relique, carrefour biogéographique, succession rapide des étages de végétation, faune (insectes et micro-arthropodes du sol). *Cerbère-Banyuls* 26-2-1974, 600 ha ; faune et flore sous-marines (herbier à posidonies, poissons de roches, coraux). *Conat,* 23-10-1986, 549 ha ; avifaune forestière, flore. *Jujols,* 23-10-1986, 472 ha ; flore, faune. *Mantet,* 17-9-1984, 3 028 ha, alt. 1 400 à 2 700 m ; faune et flore. Vocation pédagogique. *Mas Larrieu,* 17-7-1984, 145 ha ; zone humide littorale (estuaire du Tech), faune et flore. *Nohèdes,* 23-10-1986, 2 137 ha ; espace montagnard, flore, faune (blaireau, rapaces). *Prats-de-Mollo,* 14-3-1986, 2 186 ha ; faune (lagopède, aigle royal, isard), flore. Vocation pédagogique. *Py,* 17-9-1984, 3 930 ha, alt. 1 000 m à 2 400 m ; faune et flore.

Réunion : *St-Philippe-Mare-Longue,* 28-8-1981, 68 ha ; intérêt botanique. **Saône-et-Loire :** *La Truchère,* 3-12-1980, 93,04 ha ; intérêt botanique et ornithologique. **Savoie :** mitoyennes du parc national de la Vanoise ; intérêt : faune et flore. *Tignes-Champagny,* 24-7-1963, 999 ha, alt. 2 000-3 655 m. *Val d'Isère-Bonneval-sur-Arc,* 24-7-1963, 1 491 ha, alt. 2 100-3 400 m. *Grande Sassière,* 10-8-1973, 2 230 ha, alt. 1 798-3 747 m. *Plan de Tuéda,* 12-7-1990, 1100 ha. **Somme :** *Étang de St-Ladre,* 11-9-1979. 13 ha, zone humide à intérêt floristique (sphaignes). **Vaucluse :** *Luberon* (aussi Alpes-de-Hte-Provence), 16-9-1987, 312 ha ; site géologique. **Vendée :** *St-Denis-du-Payré,* 18-10-1976, 206 ha ; intérêt ornithologique. **Vienne :** *Pinail,* 30-1-1980, 135 ha ; intérêt faunistique (oiseaux, amphibiens et reptiles) et floristique. **Vosges :** *Massif du Ventron,* 26-5-1989, 1 647 ha. *Tanet-Gazon du Faing,* 28-1-1988, 504 ha ; tourbière, chaumes d'altitude, hêtraie, Grand Tétras. *Tourbière de Machais,* 28-1-1988, 145 ha, tourbière, flore et faune montagnardes. **Yonne :** *Bois du Parc,* 30-8-1979, 45 ha ; intérêt floristique et géomorphologique. **Yvelines :** *St-Quentin-en-Yvelines,* 14-3-1986, 139 ha + l'étang ; ornithologie, botanique, entomologie.

• Réserves **biologiques domaniales et forestières.** *Créées* après une convention passée entre le ministre de l'Environnement, celui de l'Agriculture et le directeur général de l'Office national des Forêts (3-2-1981). *Nombre :* 109 couvrant 16 100 ha. *But :* sauvegarde d'espèces animales ou végétales, rares ou menacées (ours, tétras), ou de celles de milieux fragiles ; protéger des territoires particulièrement intéressants sur le plan scientifique, et permettre le progrès de nos connaissances, grâce, notamment, à l'observation scientifique prolongée de milieux forestiers typiques laissés à eux-mêmes. La convention de 1981 a été étendue en 1986 aux forêts des communes : 2 réserves biologiques (45 ha) ont été créées depuis.

Certaines réserves sont intégrales (7 700 ha) : toute intervention humaine y est exclue. Exemple : certaines réserves de la forêt de Fontainebleau (S.-et-M.), ou celle d'Offendore protégeant une forêt rhénane.

Réserves naturelles volontaires

Afin de protéger, sur les propriétés privées, les espèces de la flore et de la faune sauvages présentant un intérêt particulier sur le plan scientifique et écologique, les propriétaires peuvent demander que celles-ci soient agréées comme réserves naturelles volontaires par le ministre chargé de la protection de la nature. Un décret en Conseil d'État précise la durée de l'agrément (6 ans, renouvelable par tacite reconduction), ses modalités, les mesures conservatoires dont bénéficient ces territoires, ainsi que les obligations du propriétaire, notamment en matière de gardiennage et de responsabilité civile à l'égard des tiers. *Nombre* (1990) : 65 env. totalisant 3 740 ha.

Réserves de statut libre

Réserves départementales, communales, privées, réserves gérées par les Stés de protection de la nature, établies par le propriétaire ou le locataire du terrain à son initiative.

Arrêtés de protection de biotope

Arrêtés préfectoraux visant à prévenir dans les zones concernées toute action pouvant porter atteinte à l'équilibre des milieux biologiques nécessaires à la survie d'espèces protégées (protection de sites de nidification, maintien de la valeur écologique des rives, sauvegarde de marais, etc.). *Nombre* (1990) : 150 env.

Réserves de chasse

• Statut. 1° *Réserves de chasse approuvées par arrêté ministériel.* Créées sur l'initiative des propriétaires ou détenteurs du droit de chasse (terrains privés, forêt domaniale), elles obtiennent l'approbation du ministre ; interdites à la chasse, sauf à celle des « espèces nuisibles » qui obéissent à une réglementation spéciale. L'approbation offre des garanties (garderie, sanctions pénales) et des avantages (fiscaux notamment).

2° *Réserves nationales de chasse.* Constituées généralement autour d'un noyau de forêts soumises au régime forestier (domaniales et communales), pouvant incorporer des terrains communaux ou privés. Leur budget inclut un gardiennage permanent, et leur gestion est le plus souvent du ressort d'un établissement public [Offices : national de la chasse (O.N.C.) ou des forêts (O.N.F.)].

3° *Réserves des A.C.C.A. et A.I.C.A. :* (associations communales et intercommunales de chasse agréées) obligatoirement créées par les associations sur au moins 1/10 de la superficie de leur territoire (même type de sanction que pour les réserves approuvées).

4° *Réserves du Domaine public maritime :* leurs limites sont définies par arrêtés ministériels. La gestion revient de droit aux préfets mais elle est en fait confiée par décision préfectorale aux fédérations départementales des chasseurs qui en assurent en particulier la garderie.

5° *Réserves de chasse communales.*

6° *Réserves naturelles :* voir plus haut. L'Office national de la chasse intervient sur certaines d'entre elles par voie de conventions passées avec les organismes gestionnaires.

• Superficie (1989). 35 réserves nationales, 49 542 ha. En 1986, réserves maritimes 256 315 ha (dont 850 ha de sites), approuvées 262 000 ha.

• Liste des principales. Gibier de terre. **Alpes-Marit. :** *Pierlas* (O.N.C.), 1 100 ha, faune de montagne. Sept communes ou quatre cantons (O.N.C.) 1 418 ha ; chamois, tétras-lyre. **Ariège :** *Orlu* (O.N.C.), 4 151 ha ; isards, lagopèdes : territoire privé ; *Mt-Vallier* (O.N.F.), 8 815 ha ; chamois, grands tétras, lagopèdes ; forêt domaniale. **Bas-Rhin :** *Petite-Pierre* (O.N.F./O.N.C.), 2 678 ha ; cervidés et sangliers ; for. dom. 2 642 ha ; for. communale 225 ha. **Deux-Sèvres et Charente-Mar. :** *Chizé* (O.N.F./O.N.C.), 2 614 ha ; chevreuils, sangliers, for. dom. **Htes-Alpes :** *Combeynot* (O.N.F.), 4 780 ha ; chamois, petits tétras, lagopèdes ; for. dom. ; *Pelvoux* (O.N.F.), 10 199 ha ; chamois, petits tétras, lagopèdes ; for. dom. 8 714 ha ; ter. priv. 1 485 ha. **Hte-Corse :** *Asco* (O.N.C.), 3 511 ha, mouflons. *Bavella* (O.N.F./O.N.C.), 1 847 ha ; mouflon. **Htes-Pyrénées :** *Moudang* (O.N.C.), 2 433 ha ; isards ; ter. com., chevreuils, marmottes. **Hérault :** *Le Caroux-Espinouse* (O.N.C.), 1 831 ha ; mouflons ; for. dom. et ter. priv. **Loir-et-Cher :** *Chambord* (O.N.F./O.N.C.), 5 440 ha ; cervidés, sangliers ; forêt dom. **Pyrénées-Or. :** *Carlitte* (O.N.C.), 3 576 ha ; isards, mouflons, grands tétras, lagopèdes ; for. dom. **Savoie et Hte-Savoie :** *Bauges* (O.N.F./O.N.C.), 5 171 ha ; chamois, mouflons, chevreuils, tétras-lyre ; for. dom. 3 917 ha ; for. départ. 126 ha ; ter. priv. 1 515 ha.

Gibier d'eau. **Ain :** *Réserve ornithologique et botanique de Villars-les-Dombes,* chasse interdite, 160 ha ; ter. dép. **Ardèche (et Drôme) :** *Printegarde* (O.N.C.), 500 ha, avifaune migratrice. **Ardennes :** *Étang de Bairon,* 152 ha ; domaine public. **Aube :** *Lac de la forêt d'Orient,* 320 ha. **Aude :** *Étang de Campignol,* 200 ha ; dom. publ. marit. **Bouches-du-Rh. :** *Réserves de Camargue,* dom. publ. marit., 9 366 ha. **Hte-Corse :** *Casabianda* (O.N.C.), 1 748 ha, avifaune migratrice. **C.-d'Armor :** *Les Sept-Iles :* îles et îlots dom. publ. marit. (propriété de l'O.N.C.), réserve naturelle, 40 ha, avifaune migratrice. **Eure :** *Grand' Mare* (O.N.C.), 147 ha, avifaune migratrice. **Finistère :** *Iles de Beniguet* (O.N.C.), 81 ha ; avifaune migratrice et lapins de garenne. **Hérault :** *Estagnol* (O.N.C.), réserve naturelle, 78 ha ; avifaune migratrice ; *Méjean* (O.N.C.), 81 ha ; *St-Marcel-Mauguio* (O.N.C.), 37 ha ; avifaune migratrice. **Landes :** *Arjuzanx* (O.N.C.), 2 452 ha, avifaune migratrice. **Loir-et-Cher :** *Malzone* (O.N.C.), 77 ha, avifaune migratrice. **Loire-Atl. :** *Grand'Lieu,* chasse interdite, 450 ha ; avifaune migratrice. *Réserve de Loire,* 13 500 m de fleuve ; dom. publ. fluvial ; *Le Massereau,* 393 ha ; dom. priv. et dom. publ. marit., avifaune migratrice. **Manche :** *Iles Chausey* (O.N.C.), 54 ha d'îles et îlots + dom. public marit. ; ter. priv., avifaune migratrice. *Sainte-Marie-du-Mont,* partie terrestre de la baie des Veys (O.N.C.), 135 ha. ; avifaune migratrice. *Marais de Gorges* (O.N.C.), 505 ha ; avifaune migratrice. *Carentan et Marais de la Plaine* (O.N.C.), 359 ha ; avifaune migratrice. **Hte-Marne et Marne :** Lac du Der, Chantecoq (O.N.C.), 5 107 ha ; avifaune migratrice. **Meuse (et Meurthe-et-Mos.) :** *Lac de Madine* (O.N.C.), 1 100 ha ; avifaune migratrice. **Bas-Rh. :** *Ile du Rhin* (O.N.C.), 2 140 ha ; avifaune migratrice. **Hte-Saône :** *Vaivre-Vesoul,* chasse interdite, 50 ha ; avifaune migratrice. **Hte-Savoie :** *Génissiat,* 227 ha. **Somme :** *Hable d'Ault* (O.N.C.), 60 ha ; avifaune migratrice. **Vaucluse :** *Donzère-Mondragon* (O.N.C.). (Vaucl.-Drôme), 1 545 ha ; avifaune migratrice. **Vendée :** *Chanteloup* (O.N.C.), 38 ha ; avifaune migratrice ; *La pointe d'Arçay* (O.N.F./O.N.C.), 570 ha + dom. publ. marit., for. dom. ; avifaune migratrice.

Aquariums

☞ Le *plus grand aquarium* est celui de Sydney (Austr.) : 3 315 398 l, 5 000 poissons, 2 delphinariums, 50 aquariums (dont 21 grands).

Aquariums français

Légende. Date de création, a. : Nombre d'animaux, e. : d'espèces et v. : de visiteurs par an.

Arcachon (Gir.). *Aquarium* (1865). Une centaine d'e. + de 1 000 a (poissons et invertébrés marins). *Musée : zoologie, archéologie. Ouvert* avril à fin sept. 90 000 v. (1990).

Banyuls-sur-Mer (Pyr.-Or.). *Aquarium du laboratoire Arago* (1895). 350 e. *Faune et flore marine de Méditerranée.* Exposition de 200 e. d'animaux naturalisés du Languedoc-Roussillon 75 000 v.

Biarritz (Pyr.-A.). *Aq. du musée de la Mer* (1933). 125 e. 2 000 a. 40 aq. (100 m³), 3 bassins (80 m³). Tortues, oiseaux de mer, phoques. *Faune locale du golfe de Gascogne.* 168 000 v. (1990).

Brioude (Hte-Loire). *Maison du Saumon et de la Rivière.* Poissons d'eau douce d'Auvergne. Anneau à saumon unique en Europe, 25 m de circonférence, 30 t d'eau.

Courseulles-sur-Mer (Calvados). *Maison de la Mer. Aquarium-tunnel et musée du coquillage.* 100 e. (Manche et Mer du Nord). Ouverture 1987.

Dinard (I.-et-V.). *Laboratoire maritime* (1935). 100 e. (faune marine locale : invertébrés et vertébrés) 24 bacs. 18 000 v. (1985).

Granville (Manche). *Musée océanographique Le Roc* (1960) 31 aq. 95 e. de poissons, 40 e. d'invertébrés, otarie de Bironia. 60 000 v.

La Rochelle (Ch.-Mar.). *Aq. Coutant-La Rochelle* (1988). *L'un des plus grands de France :* bassin à requins et plongeurs de 250 m³, tunnel traversant un aquarium de 80 m³. Volume total 550 m³. 560 000 v.

Le Croisic (L.-Atl.). *Aq. de la Côte d'Amour* (1972). 250 e. env. 400 a. (dont requins, murènes, cœlacanthe, mérou géant, collection de coquillages). 150 000 v. Nouvel océarium géant (avec tunnel de 300 000 l) prévu printemps 1992.

Monaco (Principauté). *Institut océanographique* (1910). 4 500 animaux, 450 espèces, 975 634 v. (1989). *Jardin exotique* 544 620 v. (1985).

Nancy (M.-et-M.). *Aq. du musée de Zoologie de l'Université et de la Ville* (1970). + de 350 e. + de 2 000 a. 80 000 v.

Paris. *Musée nat. des Arts de l'Afrique et de l'Océanie,* 293 av. Daumesnil, 75012 Paris (1931), *Aq. du MAAO,* porte Dorée. 5 000 poissons. 200 e. (reptiles 10 e.). 300 000 v.

Roscoff (Fin.). *Aquarium* (1953). Env. 160 e. vertébrés et invertébrés marins typiques de la Manche. 36 bacs de 0,05 à 11 m³. *Musée.* 95 000 v. (1988).

St-Malo (I.-et-V.). *Aquarium* (1963). 90 aquariums, env. 200 à 300 e. 100 000 v./an. *Exotarium malouin* (1974). 67 terrariums, env. 100 e. reptiles et amphibiens. 100 000 v.

Sarlat (Dordogne). *Aquarium* (1985). 100 e. env. Poissons d'eau douce de la région (aloses, saumons, esturgeons, lamproies), 19 bacs totalisant 75 m³, 50 000 v. (1989).

Six-Fours-les-Plages (Var, île des Embiez). *Fondation océanographique Ricard* (1966). Rénové 1989. Espèces méditerranéennes, grand bac panoramique. 30 e. d'invertébrés, 60 e. de vertébrés, 250 a. Recherche océanographique (stages). Musée écologique marin méditerranéen rénové 1990. Reconstitution d'un tombant rocheux. Expositions permanentes et temporaires.

Tours (I.-et-L.). *Aquarium tropical du château de Tours* (1985). 1 500 a., 220 e. des 5 continents, 60 000 v. (1986).

Trouville (Calvados). *Aquarium écologique* (1973). 200 à 250 e., reconstitutions des fonds marins. 600 m² d'exposition, 75 aquariums et vivariums à reptiles. Bassin à requins. 90 000 v. (1985).

Vannes (Morb.). *Aquarium océanique et tropical* (1984), 600 e., 6 000 a., reconstitution fidèle des fonds marins, bac à requins, record de longévité en captivité des nautiles. Crocodile trouvé dans les égouts de Paris ; requins de récif. 170 000 v. (1988).

Océanariums (delphinariums ou marinelands)

Dans le monde

Le plus ancien. *Marineland* ouvert en *Floride* en 1938. 26,3 millions de l d'eau de mer par jour sont pompés pour alimenter les réservoirs. 2 réservoirs, l'un rectangulaire (30,5 m × 12,2 × 5,5 ; 1 700 m³) et l'autre circulaire (71 m de circonférence et 3,65 m de profondeur ; 1 500 m³).

Les plus grands réservoirs. *Marineland de Hanna Barbera* (Palos Verdes, Californie, U.S.A.) 76,65 m de circonférence et 6,70 m de prof., 2,4 millions de l d'eau de mer. Capacité totale 9 400 m³.

En France

Antibes (A.-M.). Le plus grand show marin d'Europe. 4 ha, 1 bassin circulaire (35 m de diamètre) de 1 800 m³, un bassin de 8 500 m³, 10 m de prof., 1 700 m² (2ᵉ au monde). Créé (1970) par Roland de La Poype. Possède une cinquantaine d'animaux marins (orques, dauphins, otaries, phoques, manchots). 500 000 v. par an.

Animaux familiers

☞ **Revues.** *Revue Chiens 2000,* 69, rue Saint-Nicolas, B.P. 1, 78600 Maisons-Laffitte (mensuel 51 915 ex.). *Atout Chiens* (mensuel), 151, bd de la Reine, 78000 Versailles. *Vos Chiens,* route de Beaurepaire, 26210 Lapeyrouse-Mornay. *Chien Actuel,* BP 10, 63390 St-Gervais-d'Auvergne (mensuel). *Animaux Magazine* (mensuel S.P.A., 110 000 ex.), 39, bd Berthier 75017 Paris. *Trente Millions d'Amis* (mensuel, 165 000 ex.), 14, rue Brunel, 75017 Paris.

Statistiques générales (France)

Animaux domestiques (1990) : 37,7 millions dont chiens 9, oiseaux 8,8, poissons 8,4, chats 6,2, petits mammifères 3,8, tortues 1,5.

Nombre de chiens et, entre parenthèses, *de chats pour 100 hab. France 17 (12),* Belg.-Lux. 15 (16), Irlande 14 (7), Angleterre 12 (11), Danemark 11 (12), Portugal 10 (11), Pays-Bas 9 (14), Italie 9 (10), Espagne 8 (4), Allemagne fédérale 6 (6).

Foyers possesseurs d'animaux en France (1985). 1 foyer sur 2 possède un animal familier. Possèdent des chiens 34 % des foyers, chats 20,6 %, oiseaux 11,2 %. 21 % des chiens et 18 % des chats vivent en appartement. 79 % des chiens et 82 % des chats vivent en maison individuelle.

Dépenses des Français (en milliards de F, 1990) pour les animaux de compagnie : 25 (3 % de la consommation des ménages) : chiens et chats 22,5 (dont alimentation 20, accessoires 2,5, soins vétérinaires et produits pharmaceutiques 1, transactions 1, assurance 0,5, toilettage 0,1) ; autres animaux 5 (dont accessoires 0,5). *Coût annuel moyen (1991) :* chien 2 600 F, chat 1 000 F.

Commerce. France. CHIENS ET CHATS. *Importations :* 20 % des chiens importés chaque année meurent avant d'avoir été vendus. *Ventes sauvages :* 0,2 à 0,3 million de chiens par les particuliers.

Industries des aliments pour animaux familiers (France 1989). *Production :* 1 100 000 t dont export 350 000 t. *Balance commerciale :* + de 700 milliards de F (importations : 27 000 t).

☞ *Aliments préparés pour animaux :* inventés par sir James Pratt qui s'est inspiré du pemmican, nourriture à base de viande de bison séchée créée par les Indiens. *Premiers biscuits spéciaux pour chiens :* commercialisés en 1885 en G.-B., en 1921 en France. *Principaux producteurs :* Unisabi (Pal, Whiskas, Frolic), Gloria (Friskies, Gourmet), Quakers (Fido), Royal Canin.

Syndicat national des vétérinaires. 10, place Léon-Blum, 75011 Paris. **Organismes.** Voir p. 172, p. 183 (chat), p. 184 (chien).

Chats

☞ Ancêtres du chat domestique : le chat sauvage d'Afrique (80 cm de H., 40 de large), domestiqué il y a + de 10 000 ans ; le chat de steppe asiatique *(Felis ornata)* (corps 63-70 cm, queue 23-33 cm, mince comme chez le chat domestique).

• **Alimentation.** Besoins protidiques supérieurs de 25 % à ceux du chien. Le mou est sans valeur nutritive. Le chat se rationne mieux que le chien (6 à 12 % d'obèses au lieu de 1/4 à 1/3 des chiens). *Par jour :* viande 50 à 75 g, flocons céréales 20 à 30, complément d'équilibre (huile, complément minéral vitaminé, levure sèche) 10 à 15, ou aliment complet sec 50 à 75, humide 130 à 250. Doubler chez femelles en lactation. Tolérance au lait : variable.

• **Chute.** Les chats retombent-ils toujours sur leurs pattes ? Selon l'association américaine des vétérinaires : sur 22 chats tombés d'une hauteur supérieure à 7 étages (environ 25 m), un seul est mort sur le coup, 20 ont été blessés par leur chute (principalement à l'abdomen), dont 1/3 de lésions graves et 1/3 de lésions sérieuses.

• **Exposition.** Pour participer à une exposition, il faut adhérer à une association ou un club affiliés à la Fédération féline française. Le chat doit être inscrit au Livre des origines français (L.O.F.) ou au Registre expérimental (R.I.E.X.), si le propriétaire ne peut prouver les origines de son animal, et après avis favorable donné par 2 juges au cours d'une exposition où le chat concourra en classe « novices ».

• **Hygiène.** Un chat fait sa toilette lui-même. Cependant, brosser régulièrement et démêler les poils très longs des chats de race.

• **Maladies.** *Respiration :* 25 à 30 mouvements à la mn. *Pouls :* 110 à 140 pulsations par mn ; le pouls se mesure à la face interne de la cuisse. *Température normale :* 38 °C. *Leucopénie infectieuse (typhus) :* évitée par la vaccination (2 injections à partir de 3 mois, à 10 j d'intervalle) 250 000 † par an en France. *Coryza :* en recrudescence, vaccin possible. *Tuberculose :* très rare aujourd'hui, communiquée par une viande infectieuse ou par l'homme. Signes : le chat maigrit, tousse, s'essouffle. Il faut l'abattre. *Cancer :* 1 % des chats. *Vie moyenne :* 11 ans (max. 35).

• **Nom de baptême.** Mêmes règles que pour les chiens. **Pedigree.** Établi par la Fédération féline. Un chat français ne peut figurer au Livre d'origines de la Fédération féline française, 75, rue Claude-Decaen, 75012 Paris (L.O.F.F.), que si ses parents y sont inscrits jusqu'à la 3ᵉ génération. Environ 80 000 chats sont inscrits. Il existe un fichier réservé aux chats de la Région parisienne (700) créé à l'initiative des Syndicats des vétérinaires de la Région parisienne. Tous doivent être tatoués pour y figurer. **Tatouage.** Sur l'oreille ou sur la face interne de la cuisse (par un vétérinaire).

• **Organismes. Fédération internationale féline (F.I.Fé.)** 23, Boerharelaan 5644BB, Eindhoven, Hollande. *Fondée* en 1949, 22 membres, env. 200 000 chats inscrits. **Union nationale des associations félines,** 43, rue Labouret, 92700 Colombes. **Association féline de France,** 49, av. Foch, 75016 Paris *(créée* en 1959 par M. Estève). **Association féline rhodanienne,** 2, av. de Brogny, 74000 Annecy. **Fédération féline française,** 75, rue Claude-Decaen, 75012 Paris, créée en 1933 (sous le nom de Société centrale féline), plus de 20 000 adhérents. **Cat Club de Paris,** 75, rue Claude-Decaen, 75012 Paris. *Crée* 1913 par le Dr Jumaud à St-Raphaël. Une section se constitue à Paris et en 1924 le Cat Club de Paris devient autonome. Après 1945, la Sté centrale féline, créée en 1933, s'intègre au Cat Club de Paris et il ne subsiste plus depuis qu'un seul Livre des origines sous la responsabilité de la Fédération féline française (FFF) affiliée à la Fédération internationale féline (F.I.Fé.). 3 500 membres. **Cercle félin de Paris,** 16, rue de Marignan, 75008 Paris. **Association de l'école du chat,** Villa des Arts, 15, rue Hégésippe-Moreau, 75018 Paris. **Regroupement des chats perdus** (RCP), 82, rue Paul-Doumer, 91330 Yerres, héberge, dans de bonnes conditions, de 150 à 200 chats venant de la Région parisienne.

• **Races.** 4 catégories. **1) Poils longs.** *Persans :* unicolores (blanc, noir, bleu, chocolat, lilas, rouge, crème), tabbies ou marbrés [brown tabby, blue t., silver t. (peuvent avoir également les yeux orange), red t.], écaille-de-tortue, fumés. **2) Poils mi-longs.** *Birmans* ou *Chat sacré de Birmanie :* 6 variétés officiellement reconnues, en tabby : seal point, blue point, chocolat, lilas point, creme et red ; en tortie tabby : seal, bleu, chocolat et lilas. Les pattes sont plus foncées que le reste du corps et se terminent par des « gants ». *Balinais :* Siamois à poil long. Seules sont reconnues les 4 couleurs classiques : seal point, blue, chocolat et lilas. *Chat turc* ou *chat du lac de Van :* poils roux et blancs ; marques rousses autour des oreilles et sur la queue. *Maine Coon :* le plus connu est le brown tabby classique, le faisant ressembler à un raton laveur. *Somali :* Abyssin à poil long dû à un gène récessif. *Chat des forêts norvégien :* enregistré en 1977. **3) Poils courts.** *Abyssin :* fourrure caractérisée par le « ticking » : chaque poil présente 2 zones de coloration, la plus claire près de la peau, la plus foncée à l'extérieur. Couleurs principales : Abyssin lièvre et Abyssin roux. *Bleu russe :* bleu. *British :* reconnu dans presque toutes les couleurs. *Burmese :* issu du croisement d'un Siamois et d'un chat d'une race non identifiée au pelage foncé. Variété d'origine marron ou zibeline. Autres couleurs apparues : bleu (ou gris argent), chocolat (Burmese champagne), lilas (aussi appelé platine), également écaille-de-tortue (mélange de brun, crème et roux, nettement tranché et sans barres apparentes). *Chartreux :* Origine française. Bleu, en fait beau gris bleuté. *Manx* ou *Chat de l'île de Man :* sans queue, poil bicolore, tabby, écaille-de-tortue. *Européen* dit de maison (avant : de gouttière) : env. 12 couleurs ; les plus classiques : marbrés brun, rouges, argentés et mouchetés. *Exotique à poil court :* en fait Persan à poil court, résultat de croisement entre Persans et Européens. *Korat :* bleu. *Scottish Fold :* oreilles tombantes. Couleurs nombreuses. *Rex Cornish* ou *Rex Devon.* Apparus dans les expositions dans les années 1950. Nombreuses couleurs. **4) Siamois et orientaux.** *Siamois :* apparus en Europe lors d'une exposition à Londres en 1871. Couleurs : Seal point d'origine, blue point, chocolat point et lilac point. *Orientaux :* Siamois de couleur uniforme ou bicolore, écaille-de-tortue, tabbies ou tiquetés.

• **Records. Le plus gros** 21,3 kg (long. 96,5 cm, tour de cou 38 cm, de taille 81 cm) [poids moyen 5 kg]. **Le plus petit** (chat moucheté du sud de l'Inde et Sri Lanka) 65 cm à 70 cm, 1,4 kg. **Le plus vieux** 36 ans. La plus nombreuse portée 19 nouveau-nés (après césarienne 15 survécurent). **La chatte la plus prolifi-**

que 420 chatons. **Le meilleur chasseur** 22 000 souris en 23 ans. **Le meilleur grimpeur** 21 m le long d'un immeuble. Un chaton de 4 mois a suivi des alpinistes jusqu'à 4 478 m. **Le plus cher,** Miss Myshadows Banghdy Lady, persante de 4 ans, vendue 160 000 $ en nov. 1989 aux U.S.A.

• **Reproduction.** Possible dès le 10e mois pour la femelle. Conseillée à la 2e chasse. *Période de chaleur* variable : chatte européenne 2 à 4 fois par an, persane printemps et automne, siamoise ou abyssine la plus grande partie de l'année. *Rut :* 6 j. Faire pratiquer la saillie entre 2e et 3e j de « chasses ». *Gestation :* 63 à 67 j en moyenne. Les races à poil court sont plus prolifiques que celles à poil long. *Castration :* très pratiquée pour les mâles. Restreint odeur, saleté, vagabondage. Pour les femelles : ablation des ovaires ou ovariectomie courante. *Stérilisation :* ligature des trompes, vasectomie.

• **Revue.** *Atout Chat.* 27 394 ex. (1988).

• **Ronronnement.** Son produit par un mouvement aérodynamique. Serait le signe d'une émotion intense. Tous les félidés, y compris la panthère des neiges, ronronnent. Il s'agit d'un murmure.

• **Statistiques. Nombre de chats domestiques.** *Monde :* 400 000 000, *France :* 8 000 000. **Prix d'achat :** chat de race, poil court, siamois 1 500 à 2 000 F, persan 2 000 à 5 000 F (suivant beauté et pedigree), persan chinchilla et sacré de Birmanie 3 000 F (à la SPA de Gennevilliers 330 F). **Nourriture** (par mois) : 120 à 300 F.

• **Vaccinations.** *Leucopénie infectieuse* (typhus du chat) : à partir de la 10e sem. Rappel 1 mois plus tard, puis tous les ans. *Rage :* à partir de la 10e sem. Rappel 10 à 20 jours plus tard, puis tous les ans.

☞ Renseignements pratiques, voir p. 188.

Chiens

• **Alimentation.** Le chien avale sans mastiquer ; la salive agit peu. Une abondante sécrétion de suc gastrique (riche en acide chlorhydrique) dans l'estomac assure une bonne digestion de la viande crue et des os tendres. La cuisson détruit 15 à 50 % des vitamines du groupe B. La viande bouillie, moins attaquable par les sucs, est moins bien assimilée. Cependant la cuisson peut renforcer l'appétit pour la viande. Donner la viande en morceaux plutôt que hachée. Pain, pâtes, riz et autres céréales, pommes de terre... doivent être bien cuits (l'intestin court n'est pas adapté à la digestion des hydrates de carbone). Légumes verts cuits (éviter les excès de carottes et d'épinards), qui participent à la prévention des suralimentations et des constipations, seront hachés et bien mélangés à la viande (le chien les aime peu).

Donner : viande rouge (bas morceaux), pour le phosphore, peu de poisson et d'abats divers en évitant les excès d'aponévroses et tendons (« nerfs » de cartilage, d'os) ; ne donner que des os plats et friables : omoplates de veau, humérus de bœuf (ni porc ni côtes de mouton). Les gros os à moelle fournissent aux chiots des phosphates de calcium assimilables. Ils doivent être toujours frais ; jamais d'os de volaille et de gibier pouvant former des esquilles.

Matières grasses : 5 à 12 % d'apport d'acides gras indispensable (qualité de la fourrure), et d'énergie sous forme très concentrée (jeunes, nourrices, chiens de travail) : lait (calcium) (aliment complet ; le lait de chienne est 2 fois plus nourrissant que le lait de vache), œufs (1 ou 2 par semaine), yaourts (bons pour l'hygiène digestive) et fromages (excellents pour la croissance), complément minéral vitaminé (aide de croissance très rapide ; à 1 mois un berger pèse 3 fois son poids de naissance, 18 fois à 2 mois, 49 fois à 6 mois).

Éviter : farineux crus (ne donner du pain que sec et rassis), sauce, soupes trop liquides, à base de pain trempé, ou trop grasses (suif ou saindoux), sucre, chocolat, bonbons, crème glacée (exceptionnellement), repas trop chauds ou glacés. Ne pas alimenter un animal avant un voyage. *Proscrire :* poissons à grosses arêtes, aliments rances, rognures de viande faites de graisse, de tendons ou d'aponévroses riches en collagène (putréfactions intestinales).

Recommander : huile de table riche en acides gras essentiels, levure sèche, complément minéral vitaminé bien adapté pour garantir une ration équilibrée. Veiller à un apport suffisant en magnésium et en fer, en évitant les excès de chlorure de sodium.

Ration journalière. Le chien doit absorber 5 à 10 % de son poids en nourriture par jour. 2 repas par jour. *Ration moyenne par jour en g : Races naines et petites (jusqu'à 5 kg) :* 80 à 130 de viande de bœuf, 50 de riz et légumes, 5 de fruits, 5 de graisses, 2 à 5 de sels minéraux. Supplément possible 50 de lait de vache. *Races moyennes (de 15 à 20 kg) :* 300 à 500 de viande ou foie de bœuf, 200 de riz, avoine ou pâtes, 200 de légumes verts, 20 de graisses, 1 à 20 de fruits et carottes râpées, 5 de sels minéraux, 100 de lait par jour. *Grandes races (de 30 kg et plus) :* 350 à 500 de viande de bœuf crue, 250 d'abats (foie), 150 de riz (flocons d'avoine ou pâtes), 25 à 50 de graisses, 25 de fruits et carottes râpées, 20 de sels minéraux, 200 de lait par jour. Besoins et ration de travail sont de 1,5 à 4 fois plus importants que ceux d'entretien. *Besoins en calories :* petits chiens 150 par kg, grands 45 par kg. Les os sont des compléments. Les aliments secs (granulés, croquettes), semi-humides ou humides (conserves) sont généralement complets et satisfont l'ensemble des besoins. Ne pas oublier l'eau : un chien boit env. 60 ml par kg de son poids.

• **Allaitement.** Au minimum 4 à 6 semaines ; sevrage à partir d'un mois ou, mieux, 6 semaines ; ne laisser que 4 à 5 petits à la mère ou l'aider par un allaitement artificiel complémentaire (lait sec). Dès la fin du mois on épaissit progressivement avec un aliment composé complet, le sevrage sera alors facile et précoce si nécessaire ; donner ensuite 3 à 4 repas, puis 2 par jour. On doit limiter la consommation des aliments plus humides.

• **Concours.** *De standard :* conformité au standard de race. *De travail :* correspondant à la destination des chiens (bergers : rassemblement et garde des moutons ; chiens de chasse : *field trials ;* teckels et terriers : recherche de nuisibles sous terre ; lévriers : vitesse).

• **Contraception. Mâle.** *Chirurgie :* vasectomie ou castration. **Femelle.** *Bombes déodorantes :* masquent l'odeur mais sont inefficaces ; *culottes* adaptées à la chienne : s'enlèvent facilement. *Contraception transitoire :* pilules (report de quelques semaines), injections (report de 6 mois), mais on ne peut la prolonger plusieurs années ; *définitive :* chirurgie (ovariectomie ou ovario-hystérectomie) ; ligature ou sectionnement des trompes utérines.

• **Livre des origines français** (LOF). Livre généalogique canin ouvert par la Sté centrale canine en 1885, inscrit en 1957 au Registre des livres généalogiques du ministère de l'Agriculture. Inscription codifiée par décret ministériel en 1966 : la SCC est chargée de tenir le Livre généalogique de l'espèce canine. Seuls les certificats d'inscription délivrés par elle sont reconnus par le min. de l'Agriculture. Ils comportent 1 tableau généalogique remontant à 3 générations. La SCC a délivré en 1989 un *certificat de naissance* (inscription au LOF à titre provisoire), à 133 451 chiots (dont bergers allemands 12 %, teckels 3,2 %, bergers de Brie 3,8 %, épagneuls bretons 3,7 %, terriers du Yorkshire 4,2 %, labrador 3,6 %) ; 36 environ seront présentés à la *confirmation,* et 32,5 % seront confirmés et recevront leur pedigree (certificat d'inscription définitive au LOF). Un animal peut être confirmé par un juge ou un expert qualifié pour la race considérée s'il est capable d'entretenir ou d'améliorer les qualités de la race, et s'il est au minimum conforme aux normes du standard de la race. Les 2/3 non confirmés (% variable selon les races) ne sont pas inscrits définitivement au LOF. En 1989, 47 511 chiens confirmés.

• **Hygiène.** *Oreilles :* nettoyer à sec, avec bâtonnet de coton, toutes les semaines. *Yeux :* nettoyer régulièrement avec coton humide. *Poils :* longs : peigne fin ; frisés : étrille ; courts : brosse. Baigner le chien régulièrement 1 fois par mois, d'autres conseillent 4 à 5 fois par an.

• **Maladies.** *Température normale :* 38,5 à 38,7 °C. *Respiration normale :* env. 16 à 18 mouvements à la minute (jeune 18 à 20, vieux 14 à 16). *Pouls :* 90 à 100 pulsations à la minute (jeune 110 à 120, vieux 70 à 80), se mesure à la face interne de la cuisse. **Parasites.** *Puces :* transmettent d'autres parasites internes tels que le ténia. Le chien souvent allergique à la salive de puce se gratte violemment. Prévention : colliers, poudres insecticides d'usage hebdomadaire. Traiter litière et recoins de l'animal. *Tiques :* provoquent souvent des kystes, vecteurs de la piroplasmose. Pour les décrocher, les asphyxier avec un tampon de coton imbibé d'éther (2 min.), puis avec une pince à épiler, saisir la tête à la surface de la peau, tirer doucement mais fermement. Ne pas les brûler avec une cigarette allumée (brûlures de la peau). Colliers, bombes ou poudres insecticides n'ont pas une efficacité totale. *Gale :* dermatose causée par des petits acariens aux pattes munies de ventouses, qui creusent dans la peau des galeries à la vitesse de 2 mm par jour. Très contagieuse. **Maladies virales.** *Maladie de Carré :* la plus grave ; symptômes : pus dans les yeux, toux, sécrétion nasale, temp. 39,5 à 40 °C ; vaccination dès 3 mois (vaccin CHL, Carré, hépatite, leptospirose), rappel à 4 mois (rappels annuels), sinon traitement par sérums homologues et antibiotiques. *Mal. de Rubarth ou hépatite contagieuse :* fièvre 41°, amaigrissement ; souvent en même temps que la maladie de Carré ; vaccin commun. *Echinococcose, hydatidose :* prévention : ne jamais donner d'abats, surtout de moutons ; vermifuger. *Ehrlichiose :* lutte contre les tiques, antibiotiques, tétracyclines. *Filariose :* prise quotidienne de Notézine, mensuelle d'Ivermectine. *Leishmaniose :* vaccin à l'étude. *Leptospirose (typhus) :* fièvre 40°, abattement ; vaccination dès jeune âge, rappel annuel. *Rage :* très dangereuse, transmissible à l'homme par morsure ; vaccination à 3 mois, rappel annuel. *Parvovirose :* gastro-entérite provoquant vomissements, diarrhées souvent hémorragiques. Vaccin. *Piroplasmose :* due à des parasites sanguins transmis par les tiques ; température élevée, muqueuses jaunes, urines foncées. Traitement efficace. *Tuberculose :* peut être transmise par l'homme, amaigrissement, toux, essoufflement. Il faut sacrifier l'animal. *Cancer :* 3 à 7 % des chiens. *Coryza :* à partir de 2 mois, 2 injections à 1 mois d'intervalle, quel que soit l'âge. Rappel tous les ans.

• **Métiers de chiens.** *Garde* (troupeaux, locaux) ; *défense ; chasse* (courants, d'arrêt, etc.) ; *police* et *douane* (contrebandiers), *détecteur de drogue ; sauvetage en mer* (terre-neuve), en montagne (avalanches) ; *trait* (Belgique et Nord de la France ; traîneau, en cas de catastrophes naturelles, tremblements de terre, éboulements, etc.) ; *course* (lévriers) ; *destruction des rats ; cirque,* music-hall, théâtre, cinéma, *guerre* (Égyptiens, Gaulois) ; *cuisines* (saint-bernard faisant tourner la broche) ; *truffiers ; géologues* (détectent les minerais) ; *chiens d'aveugle,* psychologues.

Chien de catastrophe. *Origine :* 1939-40, en G.-B. utilisé après les bombardements. En France, lors de

Quelques chiffres (France)

Nombre de chiens. En 1990 : 9 000 000 dont 2 000 000 d'apparence pure ; 1 500 000 chiens vivants inscrits au Livre généalogique (LOF). 20 % vivent en appartement. *Naissances en 1988 :* 128 309 enregistrées par la Sté centrale canine (dont berger all. 15 289, de Brie 5 145, épagneul breton 5 470, terrier du Yorkshire 5 603, colley 3 913, caniche 4 336, teckel 4 378). *Confirmations :* 39 902. *Races les + demandées à la Sté centrale canine :* caniche, labrador, terrier du Yorkshire, berger all., bichon, boxer, cocker spaniel, teckel, Siberian husky, fox terrier, épagneul breton, West Highland white terrier.

Chiens retrouvés grâce au fichier central. *1985 :* 28 000. *1986 :* 34 490. *1988 :* 42 500.

A Paris env. 161 000 chiens dont 81 caninettes (moto-benne-balayeuse-ramasseuse) ratissent 2 500 km de trottoirs parisiens (20 t de déjections par jour). *Coût :* 37 millions de F par an en personnel et engins motorisés.

Prix. *Chiot de race.* Varie selon ses origines (qualité et récompenses en travail et standard obtenues par les géniteurs) et la demande. Bases pour chiots de 3 mois (vaccinés, tatoués avec certificat de naissance) de 1 200 (Griffon vendéen) à 3/4 000 F (Lévrier afghan). *Prix à la SPA* (Gennevilliers) : 200 à 500 F.

Frais divers. *Soins* (consultation simple à Paris) : 27,5 à 143 F. *Coût alimentaire annuel moyen d'un chien :* 2 200 F (avec des aliments industriels), sinon fonction des achats du ménage.

Quelques records

Le plus gros. Mastiff anglais 145 kg. **Les plus grands.** Dogue allemand 1,05 m au garrot ; lévrier irlandais plus de 1,05 m au garrot. **Le plus petit.** Yorkshire terrier (record haut. 6,3 cm, long. 9,5 cm, 113 g), chihuahua, caniche toy moins de 450 g (record : 9 cm au garrot, 283 g). **Le plus fort.** Un danois a tiré une charge de 3 438,5 kg ; un saint-bernard 2 905 kg ; un terre-neuve a tiré 2 289 kg. **Le plus vieux.** 34 ans (rarement plus de 20 ans).

Le plus rapide. A la course de traîneaux Anchorage-Nome (Alaska en 1981) 1 688 km en 11 j, 2 h 5 mn, 13 s. **Le meilleur sauteur, en hauteur :** un berger allemand 3,55 m ; **en longueur :** un lévrier 9,14 m.

La plus grande portée. Une chienne foxhound et une st-bernard 23. **Les plus prolifiques.** Lévriers : 3 014 en 8 ans.

Les plus chers. 110 000 à 400 000 F.

la catastrophe du plateau d'Assy (Hte-Savoie), le 16-4-1970. En 1979, création de la cellule catastrophe à la Préfecture de Police. 1re intervention officielle : Joigny (Yonne) le 21-4-1981. Actuellement quelques grands centres urbains sont dotés de chiens de catastrophe (police et pompiers).

Chien pour sourd. *Origine.* 1976, aux U.S.A. l'American Humane Association de Denver (Colorado) dresse des chiens capables de reconnaître quatre sons différents : sonnerie de la porte d'entrée, du téléphone, du réveille-matin et les pleurs du bébé. Le chien se manifeste auprès de son maître en le touchant puis en l'amenant à la source du bruit.

• Mémoire. Un chien peut mémoriser plus de 100 000 odeurs différentes.

• Morsure. Toute personne mordue a le droit de savoir si le chien mordeur n'est pas atteint de rage : le propriétaire du chien devra donc faire examiner son chien 3 fois à une semaine d'intervalle, le plus tôt possible après la morsure. Chaque année 500 000 personnes mordues (en 1990, 2 755 facteurs. 50 000 journées d'hospitalisation).

• Nom de baptême. Dans le cadre de l'Union nationale des livres généalogiques (U.N.L.G.) à laquelle elle est affiliée, la Sté centrale canine attribue aux chiens de race pure nés dans l'année une lettre initiale pour leur nom inscrit au Livre généalogique. Soit en : 1977 N, 1978 O, 1979 P, 1980 R, 1981 S, 1982 T, 1983 U, 1984 V, 1985 A, 1986 B, 1987 C, 1988 D, 1989 E, 1990 F, 1991 G, etc., les lettres K, Q, X, Y, Z n'étant pas attribuées. Certains chiens ont des doubles noms. Ex. : Titus « de l'Ombrée ». L'affixe (l'Ombrée) est une dénomination, mais pas une marque au sens légal et juridique du terme, permettant de savoir de quel élevage provient un chien. Il est attribué par la Sté centrale canine sous réserve d'engagements précis de l'éleveur auquel il peut être retiré en cas de manquement à ces engagements.

• Organisme. *Société centrale canine (S.C.C.).* 155, av. Jean-Jaurès, 93535 Aubervilliers Cedex. Fédération des Stés régionales et des associations de race affiliées. *Fondée* en 1882. Le *Fichier central d'identification* est la propriété du min. de l'Agriculture qui en a confié la gestion à la Sté centrale canine à laquelle, après le tatouage, doivent être adressés pour enregistrement les volets d'identification.

• Pollution. A Paris (161 000 chiens, 20 t de déjections par jour) amende de 600 F si le chien fait ses déjections hors caniveaux (à New York 100 $ soit 6 000 F). 2 chutes malencontreuses par jour et 650 glissades annuelles.

• Reproduction. *Maximum de chances de fécondation :* entre le 9e et le 13e j des « chasses » de la femelle. Renouveler la saillie 2 jours après pour plus de sécurité. Ces « chaleurs » se reproduisent tous les 6 mois et durent 12 à 15 j. Éviter la saillie avant 18 mois (2 ans est mieux). Ne pas faire saillir pour la 1re fois une chienne de 5 à 6 ans. *Gestation :* 59 à 67 j (moy. 60). *Nombre de chiots :* 3 à + de 12 selon les races (record 23). Le chiot double son poids en 8-9 jours, le double à nouveau à 28 j. *Mise bas :* pendant les 24 dernières heures, la température tombe au-dessous de la normale (37,3°-37,5°) ; les petits sont mis au monde à la cadence d'un toutes les 20 mn à un toutes les heures ; si la mère est primipare, attendre qu'elle ait nettoyé ses petits et les lui enlever au fur et à mesure de leur arrivée afin d'éviter qu'elle ne les mange ; les lui rendre dès la mise bas terminée.

• Tatouage. Effectué sur la face interne de la cuisse ou de l'oreille droite par 7 200 vétérinaires et 1 987 particuliers agréés par le ministère de l'Agriculture. Obligatoire pour chiens de race devant être inscrits au Livre généalogique, cédés par les marchands, transitant par des établissements spécialisés, circulant librement sous le contrôle direct de leur maître (chiens qui chassent) dans les départements déclarés officiellement atteints par la rage. Le propriétaire reçoit alors la carte d'immatriculation et un double destiné au fichier central de la Société centrale canine. Au 31-12-1989, 5 291 164 chiens sur 8 500 000 sont tatoués en France.

• Titres homologués (par la S.C.C.) et inscrits sur les pedigrees. **Championnats de France.** *Conformité ou standard* [pour être Champion de France, un chien doit obtenir un certain nombre de certificats d'aptitude au Championnat de conformité au standard (CACS) en 2 ans et, pour les races soumises au travail, un minimum de récompenses en travail]. Chaque année, env. 2 champ. de France par race (1 mâle, 1 femelle). *Travail* (un par spécialité, avec des règlements revus régulièrement ; récompense les aptitudes naturelles des chiens et non des épreuves visant à « mécaniser » des chiens).

• Titres divers (non homologués). A l'occasion d'expositions, on décerne souvent le titre de « meilleur chien du groupe » ou « de l'exposition ».

• Vaccinations. Programmes (âge min.). *Rage :* 3 mois. *M. de Carré :* 7e à 12e semaine. Rappel 1 mois plus tard, ensuite tous les ans. *Hépatite contagieuse* et *leptospirose :* 7e à 12e semaine. Rappel 1 mois plus tard, puis tous les ans. *Rage :* 7e à 12e semaine. Rappel 15 à 50 jours plus tard, ensuite tous les ans. **Vaccination** non imposée pour les chiens en laisse et muselés, ceux-ci peuvent donc ne pas être tatoués.

☞ Une proposition de loi a été débattue à l'Assemblée australienne pour rendre obligatoire l'implantation d'un circuit électronique sur chiens et chats domestiques. Il offrirait un numéro d'identification lisible à distance par un appareillage spécial.

Nomenclature

Applicable à partir du 1-1-1989. Nombre d'inscriptions provisoires en France, en 1989.

• Groupe I. Chiens de berger et de bouvier (sauf chiens de bouvier suisses) A. CHIENS DE BERGER. **I Bergers allemands :** Berger allemand 16 023. **II Bergers d'Australie :** *berger australien* n.c. **III B. de Belgique :** *1. Chien de berger belge* dont noir à poil long (Grœnendael) 921, à poil long autre que noir (Tervueren) 1 589, à poil court (Malinois) 1 974, ras (Laekenois) 17. *2. Schipperke* 168. **IV B. britanniques :** Collie (Colley) (poil long, poil court) 3 802, Collie barbu (Bearded Collie) 1 630, Border Collie 224, Berger des Shetland 598, Bobtail (Old English Sheepdog) 1 866, Corgi (Welsh Corgi) dont Cardigan Welsh Corgi 7 et Pembroke Welsh Corgi 96. **V Chiens de berger d'Espagne :** *Chien de berger de Catalogne* (Gos d'Atura) 18, *Chien de berger de Majorque (Cao de bestiar)* n.c. **VI B. français :** de Beauce 3 860, de Brie 4 990, de Picardie 307, des Pyrénées (à poil long, à face rase) 1 123. **VII B. hongrois :** (Komondor 32, Kuvasz 2, Mudi n.c., Puli 51, Pumi n.c.). **VIII B. italiens :** des Abruzzes et de la Maremme 22, de Bergame 2. **IX B. des Pays-Bas :** B. hollandais à poil court (Kortharige) 11, long (Langharige) n.c., dur (Ruwharige) n.c. Schapendoes 27. Chien loup de Saarloos (Saarloos Wolfhond) n.c. **X B. polonais :** Berger des Tatras 5, de Vallée 162. **XI B. du Portugal :** portugais (Cão da Serra de Aires) n.c. **XII B. russes :** du Caucasse 11, de Russie méridionale n.c. **XIII B. tchécoslovaques :** Slovensky Cuvac 1. **XIV B. yougoslaves :** de Charplanina 407. B. CHIENS DE BOUVIER. **I Des Ardennes** n.c. **II D'Australie** 3. **III Des Flandres :** 701.

• II. Chiens de type Pinscher et Schnauzer, chiens de bouvier suisses. Molossoïdes. A. TYPE PINSCHER-SCHNAUZER. I **Pinscher :** Affenpinscher 7. Dobermann (noir et feu, marron et feu, bleu et feu) 1 775. Pinscher autrichien à poil court n.c. Pinscher moyen 153, nain 387. II **Deutscher Schnauzer :** moyen (noir ; poivre et sel) 473, géant (noir ; poivre et sel) 632, nain (noir ; poivre et sel ; gris argenté ; blanc) 447. III **Smoushond.** B. MOLOSSOIDES. I **Type dogue :** Broholmer, Boxer 2 271, Bulldog 86, Bullmastiff 130, Dogue allemand 1 314, Dogue argentin 21, Dogue de Bordeaux 184, Fila Brasileiro 2, Mastiff 134, Mâtin de Naples 362, Rottweiler 913, Shar Pei (très ridé) 304, Tosa n.c. II **Type Montagne :** Aïdi n.c., Cão de Castro Laboreiro n.c., Chien de montagne portugais de la Serra de Estrela (à poil court, ondulé) 11, Chien de montagne des Pyrénées 837, Tibetan Mastiff 79, Hovawart 26, Berger du Caucase 2, Landseer 16, Léonberg 696, Mâtin espagnol n.c., Mâtin des Pyrénées n.c., Terre-Neuve 938, Chien de combat majorquin n.c., Rafeiro de Alentejo n.c., Saint-Bernard (à poil court, long) 462, berger d'Asie centrale n.c. Berger d'Anatolie 8. C. CHIENS DE BOUVIER SUISSES. Bouvier d'Appenzell 15. B. bernois 425. B. de l'Entlebuch n.c. Grand b. suisse 11.

• III. Terriers. I **De grande et moyenne taille :** Airedale 731, Bedlington 40, Border Terrier 13, Fox-Terrier (à poil lisse, à poil dur) 1 788, Glen of Imaal Terrier n.c., Terrier irlandais 19, Deutscher Jagdterrier 629, Terrier japonais n.c., Kerry Blue Terrier 18, Lakeland Terrier 26, Terrier de Manchester n.c., Soft-Coated Wheaten Terrier 20, Terrier noir russe 5, gallois 285, Welsh Terrier 285, Cesky Terrier 7. II **De petite taille et bassets :** australien 2, Cairn 969, tchèque 7, Dandie Dinmont 7, de Norfolk 2, de Norwich 17, écossais 479, de Sealyham 2, de l'île de Skye 209, West Highland White Terrier 1 116. III **De type bull :** Staffordshire américain 43, Bull-terrier (English Bull Terrier) 117, miniature n.c., Bull-terrier du Staffordshire 11. IV. **D'agrément :** Silky 100, Toy 4, du Yorkshire 5 538.

• IV. Teckels. TECKELS 4 289 dont Standard (poil ras, long, dur), Nain (poil ras, long, dur), Kaninchen (poil ras, long, dur).

• V. Chiens de type Spitz et type primitif. A. CHIENS NORDIQUES. I **Chiens de traîneau :** Esquimau du Groenland 25, Husky sibérien 4 326, Malamute de l'Alaska 415, Samoyède 164. II **Chiens de chasse :** norvégien de Macareux 9, d'ours de Carélie 7, d'élan norvégien (gris, noir) 22, suédois n.c., Laïka a) russo-européen n.c., b) de Sibérie occidentale n.c., c) de Sibérie orientale n.c., Spitz de Norrbotten n.c., finlandais 6. III **Chiens de garde et de berger** (garde et conduite des troupeaux) : Chien d'Islande n.c., Buhund norvégien (Norsk buhund) n.c., Chien finnois de Laponie n.c., Berger finnois de Laponie n.c., Chien suédois de Laponie n.c., des Goths de l'Ouest 8. B. SPITZ ALLEMANDS. Spitz Loup 73, Grand Spitz (noir, marron, blanc) 7, Spitz moyen (noir, marron, blanc, orange, gris nuagé), Petit Spitz (noir, marron, blanc, orange, gris nuagé), Spitz nain (noir, orange, gris nuagé, autres couleurs) 663. C. SPITZ ITALIENS. Volpino Italiano 4. D. SPITZ ASIATIQUES ET APPARENTÉS. I **Spitz japonais :** Akita Inu 127, Hokkaïdo 3, Kai n.c., Kishu n.c., Shiba Inu 3, Spitz japonais n.c., Shikoku n.c. II **Chow-Chow :** (noir, bleu) 554. III **Eurasier :** 169. E. TYPE PRIMITIF. Basenji 16, Chien de Canaan n.c.

• VI. Chiens courants et chiens de recherche au sang. **1re Section :** CHIENS COURANTS. A. CHIENS COURANTS DE GRANDE TAILLE. I **Races françaises à poil ras :** Billy 2, Français tricolore 24, blanc et noir 30, blanc et orange n.c. ; Grand anglo-français tricolore 28, blanc et noir n.c., blanc et orange n.c., Grand bleu de Gascogne 42, Grand gascon saintongeois 85, Poitevin 122. II **Race française à poil long :** Grand griffon vendéen 149. III **Autres races de grande taille :** 1) *à poil court :* Coonhound noir et feu n.c., Chien de Saint-Hubert (Bloodhound) 130, Foxhound américain, anglais n.c. ; 2) *à poil long :* Chien de loutre n.c. B. CHIENS COURANTS DE TAILLE MOYENNE. I **Races autrichiennes de taille moyenne :** Brachet feu n.c., de Styrie à poil dur n.c., autrichien à poil lisse n.c. II **Race britannique de taille moyenne :** Harrier 99. III **Race espagnole de taille moyenne :** Sabueso Español. IV **Races françaises de taille moyenne :** *1) à poil ras :* Anglo-français de petite vénerie 423, Ariégeois 221, Beagle Harrier 581, Chien d'Artois 78, Porcelaine 307, Petit bleu de Gascogne 223, Petit Gascon saintongeois 42 ; *2) à poil long :* Briquet griffon vendéen 485, Griffon bleu de Gascogne 71, fauve de Bretagne 191, nivernais 330. V **Race grecque de taille moyenne :** Chien courant hellénique n.c. VI **Race italienne de taille moyenne :** Segugio Italiano (poil court, dur) n.c. VII **Races scandinaves de taille moyenne :** Dunker (norvégien) n.c., Finsk stövare (finlandais) n.c., Hamilton stövare (suédois) n.c., Haldenstövare (norvégien) n.c., Hygenhund (norvégien) n.c., Schiller stövare (suédois) n.c., Smälandsstövare (suédois) n.c. VIII **Races suisses de taille moyenne :** Chien courant suisse 5, bernois 4, du Jura (type Bruno 458, type Saint-Hubert 19), lucernois 2, de Schwyzer n.c. IX **Races yougoslaves de taille moyenne :** Balkanski Gonic n.c., Bosanki Ostradlaki Gonic-Barak n.c., Istarski Kratkodlaki G. n.c. I. Ostradlaki G. n.c., Jugoslovenski Plaminski G. n.c., Trobojni G. n.c., Posavski G. n.c. X **Race tchécoslovaque de taille moyenne :** Chien courant slovaque n.c. XI **Race polonaise de taille moyenne :** Brachet polonais n.c. C. CHIENS COURANTS DE PETITE TAILLE. I **Races allemandes :** Brachet allemand du Sauerland n.c., Basset du Sauerland n.c. II **Race autrichienne de petite taille :** Basset des Alpes (Alpenländische Dachsbracke) n.c. III **Races britanniques de petite taille :** Basset Hound 585, Beagle 1 482. IV **Bassets français :** Basset artésien normand 814, bleu de Gascogne 157, fauve de Bretagne 1 015, Grand Basset griffon vendéen 281, Petit Basset griffon vendéen 634, Petit griffon bleu de Gascogne n.c. V **Race suédoise :** Drever n.c. VI **Races suisses :** Petit chien courant suisse 10, bernois n.c., du Jura n.c., lucernois n.c., de Schwyz 14. **2e Section :** CHIENS DE RECHERCHE AU SANG. Chien de rouge du Hanovre 10, chien de rouge de Bavière 6.

• VII. Chiens d'arrêt. A. CONTINENTAUX. I **Braques :** *1) Allemagne :* 2 079 dont Braque allemand à poil court n.c., Drahthaar 986, raide n.c. Braque de Weimar (à poil court, long) 792 ; *2) Danemark :* Gammel Dansk Hönsehund n.c. ; *3) France :* Braque de l'Ariège 2, d'Auvergne 475, du Bourbonnais 172, Dupuy n.c., français (type Gascogne, grande taille, Pyrénées, petite taille) 403, St-Germain 8 ; *4) de Hongrie :* Braque hongrois (Vizsla) (à poil court, dur) 194, Erdelikopo n.c. ; *5) Italie :* Bracco italiano (blanc/orange, marron/rouan) n.c. II **Épagneuls :** *1) Allemagne :* Épagneul de Munster 170 (Langhaar, petit Münsterlander, grand Münsterlander), chien d'arrêt allemand à poil long n.c. *2) France :* Épagneul bleu picard 98, breton (blanc et orange, autres couleurs) 4 960, français 687, picard 114, de Pont-Audemer 54 ; *3) Pays-Bas :* Épagneul hollandais de Drente n.c., Stabijhoun n.c. III **Griffons :** d'arrêt à poil dur 1 633, à poil laineux (Griffon Boulet) n.c., Czeski Fousek 1, Slovensky Hruborsty Ohar n.c., Spinone Italiano 3. IV **Autres races :** Perdiguesro de Burgos n.c., Perdigueiro Português n.c., Pudelpointer 6. **B. CHIENS D'ARRÊT DES ÎLES BRITANNIQUES.** I **Pointers :** 2 082. II **Setters :** Setter irlandais 731, anglais 4 212, Gordon 1 132.

• **VIII. Chiens leveurs de gibier, Rapporteurs et Chiens d'eau.** **A. RAPPORTEURS DE GIBIER.** I **Chiens d'Amérique du Nord :** Chesapeake Bay Retriever (U.S.A.) n.c. Novia Scotia Duck Tolling Retriever n.c. II **Chiens britanniques :** Retriever à poil bouclé (Curly-coated) n.c., plat (Flat-coated) 68, du Labrador 4 823, Golden 463. **B. CHIENS LEVEURS DE GIBIER OU BROUSSAILLEURS.** I **Allemagne :** Épagneul allemand n.c. II **Amérique :** Cocker américain 489. III **Afrique :** Rhodesian Ridgeback 45. IV **Grande-Bretagne :** Cocker (English Cocker Spaniel, noir, rouge et doré, autres couleurs) 2 532, Clumber (Clumber Spaniel) 9, Field Spaniel 4, Springer anglais (English Springer Spaniel) 654, gallois (Welsh Springer Spaniel) 23, Sussex Spaniel 2. VI **Pays-Bas :** Kooikerhondje n.c. **C. CHIENS D'EAU.** I **Amérique :** American Water Spaniel n.c. II **France :** Barbet 62, Frison 3. III **Pays-Bas :** Wetterhoun n.c. IV **Irlande :** Irish Water Spaniel 7. V **Portugal :** Cão de Agua (à poil long ondulé, bouclé) 13.

• **IX. Chiens d'agrément ou de compagnie.** **A. BICHONS ET APPARENTÉS.** I **Bichons :** à poil frisé 1 150, bolonais 22, havanais 30, maltais 423. II **Coton de Tuléar :** 1 005. III **Petit chien lion :** 74. **B. CANICHE.** Grand (blanc, marron, noir, gris, abricot) n.c. Moyen (b., m., n., g., a.) n.c. Nain (b., m., n., g., a.) n.c. Miniature (b., m., n., g., a.) n.c. *Total :* 4 525. **C. CHIENS BELGES DE PETIT FORMAT.** I **Griffons :** Griffon belge 8, bruxellois 22. II **Brabançon** 28. **D. CHIENS NUS.** Chien chinois à crête 83, mexicain à peau nue (Xoloitzcuintle) 27, du Pérou à peau nue (Inca Orchid Moonflower Dog) n.c. **E. CHIENS DU TIBET.** Lhassa Apso 1 273, Épagneul tibétain 99, Shih Tzu 1 613, Terrier tibétain 478. **F. CHIHUAHUA.** Chihuahua à poil court, long 598. **G. DALMATIEN.** 241. **H. ÉPAGNEULS ANGLAIS D'AGRÉMENT.** I **Cavalier King Charles Spaniel : 1 183.** II **King Charles Spaniel :** 83. **I. ÉPAGNEULS JAPONAIS ET PÉKINOIS.** I **Épagneul japonais (Chin) :** 87. II **Épagneul pékinois (Pekingese) :** 445. **J. ÉPAGNEULS NAINS CONTINENTAUX.** Papillon (à oreilles droites) 240, Phalène (à oreilles tombantes) 59. **K. KROMFOHRLANDER. L. MOLOSSOÏDES DE PETIT FORMAT.** Bouledogue français (bringé, caille), 341, Carlin (Mops Pug, beige à masque noir, noir) 166. Boston Terrier 48.

• **X. Lévriers et races apparentées.** **A. LÉVRIERS.** I **A poil long ou frangé :** *1) Asie :* Afghan 613, Saluki 96. *2) Russie :* Barzoï 459. II **A poil dur :** lévrier écossais (Deerhound) 7, irlandais (Irish Wolfhound) 147. III **A poil court, oreilles couchées ou tombantes :** Azawakh 23, Galgo español 11, Greyhound 204, Magyar Agar n.c., Petit Lévrier italien 176, Sloughi 45, Whippet (à poil court, dur) 1 129. **B. RACES APPARENTÉES.** **Chiens de garenne :** Cirneco de l'Etna n.c., Chien du Pharaon 8 ; Podenco Ibicenco (poil dur, lisse) 17, Portuguès ; a) à poil court (grand, moyen, petit) n.c. b) dur (grand, moyen, petit) n.c.

☞ **Les 20 premières races (dans l'ordre décroissant). France 1989.** Berger allemand, Terrier du Yorkshire, Berger de Brie, Épagneul breton, Retriever du Labrador, Caniche, Berger belge, Husky sibérien, Teckel, Setter anglais, Berger de Beauce, Colley, Cocker anglais, Boxer, Pointer, Braque allemand, Bobtail, Fox-Terrier, Doberman, Griffon d'arrêt à poil dur, Korthals.

Autres mammifères

• **Cobaye** [viendrait du mot indigène (Amér. du Sud) « *cabiai* »], surnommé *cochon d'Inde. Origine :* Andes. *Taille :* 15 à 30 cm, pas de queue. *Poids :* 350 à 500 g. Dans la nature, vit en communauté mais s'accommode de la solitude, ne cherche jamais à mordre. Réactions presque semblables à celles de l'homme vis-à-vis des agents infectieux et médicamenteux. *3 types :* à poil lisse, à rosettes (touffes de poil sur le dos), angora (mèches de poil de 12 à 15 cm). *Habitation :* volière en grillage fin au sol recouvert de sciure, paille ou copeaux de bois (+ accessoires : fontaine-buvette, mangeoires, râtelier), ou en liberté avec une petite caisse remplie de foin pour dormir. Fait des siestes fréquentes. Mange le jour et la nuit. *Alimentation :* variée (env. 200 g/jour). Foin, paille, blé, luzerne, graines germées ou sèches (orge, blé maïs, semoule...), pâtée de riz à l'eau (pendant les froids), verdure propre et jamais humide ni fermentée (pas de chou, chou-fleur, tomate, pomme de terre...), fruits, sandwiches de graines et des granulés spéciaux. Éviter bouton-d'or, digitale, pavot, ciguë, primevère, moutarde... nocifs à presque tous les rongeurs. Boisson : eau pure et légère, faiblement minéralisée. *Reproduction :* toute l'année. *Gestation :* 66 j. Isoler la femelle dans une cage à part. La mère allaite 15 j et abandonne ses petits à 1 mois pour recommencer une famille nouvelle. *Adultes* à 9 mois.

• **Hamster doré** (de l'allemand *hamster,* « accapareur »). *Origine :* rapporté de Syrie en 1930 par le biologiste anglais Aharoui pour étudier son comportement. Un autre avait été rapporté en 1839 par Waterhouse. *Longévité :* 2 à 4 ans. *Taille :* 15 à 30 cm, queue 2 à 5 cm. *Poids :* 50 à 200 g. Oreilles courtes, corps dodu, pelage roux doré. *Autres types :* hamster nettement plus petit aux tons plus recherchés, h. arlequin à fourrure blanche et taches brunes, h. albinos aux yeux rouges, h. ruby-eyed à fourrure jaune clair et yeux rouges, h. angora à poils longs. Dort le jour et vit la nuit. Ouïe fine, odorat très sensible. Ne sent pas. Ronge tout. Aime vivre seul. 2 mâles dans une cage se battent à mort, une femelle vivant dans un lieu exigu dévorera sa portée. *Habitation :* cage spacieuse (50 × 50 cm) avec barreaux en métal (sinon il les rongerait) et litière absorbante en sciure, rognures de papier, etc. (+ mangeoires, fontaine-buvette, coton, papier, brins de laine) ; à placer dans une pièce saine, à temp. constante d'au moins 15 à 16 °C, sans humidité ni courant d'air ni télévision ; le sortir très souvent. *Achat :* à 3 ou 4 semaines (robe lisse, yeux brillants, queue dressée).

Alimentation : mange dressé sur les pattes arrière, se sert des antérieures pour décortiquer la nourriture, fait des provisions dans ses bajoues (jusqu'à 500 kg par an) et dans sa cage. Choux, carottes, fruits, graines, viande crue, biscuits secs, fromage, de temps en temps foin des Alpes et quelques gouttes d'huile de foie de morue. Ne pas dépasser 200 g par jour. Boisson : eau pure et légère. *Reproduction :* à partir de 4 mois. Jusqu'à 6 fois dans l'année de mars à octobre pendant quelques h tous les 4 j. Stérile vers 1 an et demi. *Détermination du sexe :* la femelle a l'arrière-train arrondi, le mâle en forme de poire ; en soulevant la queue et en regardant les deux orifices naturels, ceux de la femelle sont en contact, ceux du mâle séparés par quelques mm.

Gestation : 15 à 18 j. *Portée :* 1 à 10. *Maladies : carence alimentaire* (chute du poil, entérite, ajouter à la nourriture une goutte d'une solution buvable polyvitaminée, donner des légumes crus, de l'huile de foie de morue), *diarrhée* (donner de l'eau de riz) ou *constipation* (carottes râpées et huile d'amandes douces), *parasites* (vermifuges en prévention 2 fois par an avec un produit pour chien très dilué, lotion antiparasites et fréquents brossages du poil), *maladies respiratoires* (lui faire inhaler de l'eau chaude additionnée d'un produit balsamique), *otite* (nettoyage de l'oreille), *ophtalmie* (irréversible si l'animal est vieux).

• **Lapin.** *Originaire* de la péninsule ibérique, domestiqué et disséminé à travers l'Europe par les Romains. *Habitation :* si possible « abri de jardin » pourvu d'une litière sèche ou cage plus longue que haute (100 × 50 × 50 cm) à 2 « pièces » si possible avec un nid ; ne supporte pas l'humidité ; en appartement prévoir un « plat à chat » ; leur donner les moyens d'user leurs dents et leurs griffes qui poussent continuellement.

Alimentation : son frais, pain rassis (complet), restes de carottes, choux, granulés spéciaux (70 g par jour, 200 pour une mère allaitant), 200 à 250 g de foin sec ou luzerne l'hiver. Éviter bouton-d'or, digitale, pavot, ciguë, primevère, moutarde. *Détermination du sexe :* appuyer derrière l'orifice urogénital : la femelle a une fente, le mâle un orifice circulaire. *Reproduction :* femelle à env. 7 mois, mâle env. 12 mois. *Gestation :* 31 j ; la lapine prépare son nid vers le 20e j et s'arrache les poils du ventre pour le rendre plus confortable ; elle a alors besoin de beaucoup d'eau comme pendant les 4 semaines d'allaitement et sa ration doit être doublée en fin de gestation. Vers 1 mois, les lapereaux peuvent être sevrés avec du lait à moitié coupé d'eau et un peu de son. Ne jamais soulever un lapin même petit par les oreilles.

Maladies : myxomatose (virus transporté par certains moustiques) : difficilement réversible, déclaration obligatoire à la mairie ou la préfecture. Vaccins préventifs dès 21 j. 1 fois par an. *Parasites :* gros ventre, diarrhées (surveiller l'alimentation, donner herbes fraîches et sèches, thym, ail, bruyère, pissenlit, coquelicot, etc., carottes en morceaux saupoudrées de sulfate de fer). *Coryza :* lui donner vitamines. *Gale :* donner alimentation saine, surveiller sa propreté.

Races. *Alaska :* petit, noir. *Argenté de Champagne :* moyen, né noir puis argenté après quelques mois, oreilles assez courtes, craint peu l'hiver. *Blanc de Vendée :* 3 à 5 kg, blanc, poil mi-long, longues oreilles droites, assez résistant. *Blanc de Vienne :* blanc plutôt court, yeux bleus. *Fauve de Bourgogne :* moyen, fauve et ventre blanc, longues oreilles droites, moustaches noires. *Géant blanc du Bouscat :* blanc, longue queue, yeux roses, peu fragile. *Géant de Flandres :* gros (7 à 8 kg), gris brunâtre, oreilles en V. *Papillon français :* blanc avec taches noires, oreilles noires droites en V. *Polonais :* minuscule, fourrure épaisse et serrée, argent ou blanc, yeux bleus ou rose. *Russe :* 3 kg, blanc taché de noir aux extrémités, œil rouge. *Zibeline :* petit, poil très soyeux assez long, avec sous-poil ocré, et grands yeux fauves.

• **Souris blanche.** *Taille :* 9 cm, queue de 7 cm. *Poids :* 19 à 30 g. *Habitation :* cage métallique avec litière végétale à renouveler souvent (+ fontaine-buvette et mangeoires en verre ou porcelaine) et quelques obstacles si possible ; température moyenne 15 °C ; éviter humidité, courants d'air et proximité de la télévision. *Alimentation :* variée (blé, maïs, orge, sandwiches de graines, biscuits, croûtons de pain rassis). *Reproduction :* à partir de 8 semaines, en toutes saisons, jusqu'à 6 portées par an. *Gestation :* 18 à 20 j, au 15e jour il est préférable de séparer la femelle du mâle. *Portée :* jusqu'à 8. *La souris danseuse japonaise* (*taille :* 6,5 à 8 cm, 13 à 25 g, queue 5 à 7 cm, vit 3 ans maximum, gestation 21 à 24 j) a besoin d'une température constante de 17 °C.

Oiseaux

Généralités

• **Achat (précautions).** Œil bien ouvert, vif (sans larmoiement, croûtes, gonflements), se méfier d'un œil terne, aqueux ; tour de bec bien lisse sans malformation ni bouton, respiration silencieuse et régulière, narines sèches, sans écoulement, ailes se repliant vivement quand on les déploie, plumage brillant, souple et ordonné, pectoraux puissants, région cloacale non irritée ou enflammée, pattes non déformées, sans croûtes, aucun parasite, aucun tremblement ni perte d'équilibre, ventre rose et souple (celui de la femelle rond, couvert d'une petite couche de graisse). L'oiseau, vif, se tient droit ; en respirant, son bec ne s'entrouvre pas ; le perroquet ne doit pas avoir les yeux mi-clos et la tête sous l'aile.

• **Alimentation.** *Granivores,* surtout graines variées ; *insectivores,* insectes ; *frugivores et baccivores,* fruits et baies ; les *omnivores* mangent de tout ; les *nectivores* du nectar des fleurs ; les *carnivores et les rapaces diurnes ou nocturnes,* des proies. *Boisson :* eau pure et légère, éviter l'eau du robinet. *Graines courantes. Alpiste (ou millet plat) :* nourriture de base des papes, tarins, chardonnerets, perruches, canaris et de nombreux granivores ; graine farineuse riche en protéines ; doit être jaune clair et brillant. *Anis :* dans les mélanges de santé. *Arachide :* convient aux psittacidés, ne pas en abuser. *Avoine pelée* ou *gruau :* riche en protéines, nourrissante l'hiver, en période de ponte et de mue. *Chènevis* ou *chanvre :* échauffante et nourrissante, ne pas en abuser. *Colza :* convient à tous, agit sur la pigmentation des plumes. *Lin :* riche en lipides. *Maïs :* riche en vitamines A ; sous forme d'épis ou cuits à l'eau. *Millet blanc :* graine maigre ; alimentation de base des petits exotiques ; *de Bordeaux :* pour perruches et astrilds ; *jaune :* canaris. *Navette :* tarins et canaris, ne pas en abuser. *Œillette* ou *pavot :* tous les mélanges en contiennent, pour granivores. *Rizon :* pas de riz précuit ; cuire à l'eau et égoutter. *Tournesol :* riche, ne pas en abuser, pour perroquets, cardinaux, perruches, mésanges...

• **Espèces.** *Amaranthe :* Afr. occid. Granivore. 10 cm. Sociable, assez fragile. Une fois la période d'acclimatation passée, se montre plus résistant et se reproduit facilement. *Astrild :* voir Bengali, Cordon-bleu, Bec-de-corail.

Bec-d'argent : Afr. occid. Granivore. 10 cm. Sociable, robuste. Reproduction aisée. *Bec-de-corail :* Astrild d'Afr. Granivore. 9 cm. *Bengali de Bombay :* Inde, Thaïlande. Granivore. 7 à 8 cm. Sociable, robuste (volière extérieure avec abri). Reproduction aisée. *Bengali de Chine* ou *Bengali royal :* Extrême-Orient. Granivore. 9 cm. Robuste, sociable. Reproduction aisée. *Bouton-d'or :* Amér. du S. Granivore. 12 cm. Remuant, robuste. Volière extérieure. Reproduction aisée. *Bulbul Orphée :* sud de l'Asie. Insectivore et frugivore. 20 cm. Robuste, vit en groupe.

Cacatoès à huppe jaune : Australie. Granivore et frugivore. Grand. Parle peu, s'apprivoise bien. Intelligent, robuste. *Cacatoès à huppe rouge :* Moluques. Granivore et frugivore. Grand. Apprend à parler. Robuste, vite familier. *Caille de Chine :* Sud-Est asiatique, Australie. Granivore et insectivore. Moyen. Sociable en volière avec d'autres oiseaux. Vole peu et mal, court. *Canari :* origine du lointain ancêtre du canari actuel, îles Canaries. Élevé en captivité, oiseau artificiel, nombreuses couleurs obtenues par hybridation ou par mutation (blanc, jaune, isabelle, rouge...). Granivore. Petit. Sociable, fragile. Reproduction aisée. *Cap-Moor (Tisserin) :* Afr. du N. et centrale. Granivore et insectivore. Moyen. Peu sociable. S'entend avec les perruches. *Cardinal vert :* Brésil et Argentine. Granivore, insectivore et frugivore. 22 à 25 cm. Moyennement sociable. Siffle plus qu'il ne chante. Reproduction variable selon climats. *Cardinal de Virginie :* Amér. du N. Granivore, insectivore et frugivore. 22 à 25 cm. Relativement sociable, fragile. Reproduction rare en volière. Chanteur. *Chanteur d'Afrique :* Granivore, 10 cm. Bon chanteur. Peu sociable. Reproduction aisée. Peut s'accoupler au mozambique et au canari. *Colibri :* Amér. ou Antilles. Insectivore et nectarivore. 2,5 à 11 cm. Querelleur et agité, très fragile. Coûteux. *Colombe-diamant d'Australie* (très résistante en volière extérieure, supporte le gel) et *Colombe-moineau d'Amérique du Nord :* granivores, petites, craignent humidité et courants d'air. Plus sociables avec d'autres espèces qu'avec leurs pareilles. Reproduction aisée. *Corbeau freux* et *Corneille noire :* Europe. Omnivores. 53 à 69 cm. Robustes, intelligents. Pas toujours sociables. A installer à part en semi-liberté dans la maison. *Cordon-bleu :* Afr. du N.-O. Granivore, insectivore et frugivore. 12 cm. Fragile, craint courants d'air et froid. Facile à vivre avec des espèces de sa taille. Chanteur médiocre. Reproduction possible. Très insectivore pour nourrir ses petits.

Damier : Inde, Sri Lanka, Java, Viêt-nam. 12 cm. Granivore et insectivore. Robuste, sociable. Reproduction aisée. *Diamant de Gould :* Australie. Granivore. 10 à 13 cm. Certains, parmi les plus résistants, peuvent s'adapter à la volière extérieure (craignent humidité et courants d'air). Vite familier, paresseux ; confie ses œufs à couver aux mandarins et aux moineaux du Japon, prolifique. *Diamant mandarin :* Australie. Granivore. 10 cm. Sociable sauf période de reproduction.

Étourneau sansonnet : Europe. Omnivore. 18 cm. Fragile en captivité. Sociable, paisible, bon imitateur. Il lui faut de l'espace. Se reproduit peu en captivité.

Geai des chênes : Europe. Omnivore. 35 cm. Robuste, affectueux, sociable, joyeux, intelligent. Imitateur. Se reproduit peu en captivité. *Grenadin :* Astrild d'Abyssinie. Granivore et insectivore. 10 cm. Craint humidité et courants d'air.

Mainate de Java (Grand) : omnivore. 27 cm. Craint courants d'air et fumée de tabac. Robuste, sociable, imitateur. A installer seul. *Ministre bleu :* linotte d'Amér. du N. Insectivore l'été et granivore l'hiver, omnivore en cage ou volière. 12 cm env. Bon chanteur, frileux. Se reproduit en captivité. *Mozambique :* Sahara, Afr. du S., Madagascar et Maurice. Granivore et frugivore. 10 cm. Chanteur. Affectueux. Reproduction possible.

Pape de Leclancher ou *Pape arc-en-ciel :* Mexique. 12 à 13 cm. Mange seulement des graines d'alpiniste. Très frileux, sociable. *Pape de Louisiane aux vives couleurs :* granivore et insectivore. 12 à 14 cm. Frileux, peut vivre en volière chauffée et s'y reproduire s'il est seul avec sa femelle. *Paroare huppé* ou *Cardinal gris :* Argentine, Bolivie, Brésil. Granivore, frugivore et insectivore. 19 cm. Robuste, peu sociable. Aime la proximité de l'eau. Chanteur moyen. *Amazone (front jaune et front bleu) :* Amér. du S. ou centrale. Omnivore. 31 cm. Robuste, vit jusqu'à 75 ans. *Perroquet gris du Gabon* ou *« Jaco » :* omnivore. 31 cm. Robuste. Affections digestives et infectieuses faciles à guérir. Jaloux, exclusif. A garder en solitaire ou en couple en semi-liberté. Parle bien. *Perruche callopsitte :* Australie. Omnivore. 33 cm. Bon caractère, sociable en volière avec divers passereaux, ne supporte pas la cage. Reproduction aisée. *Perruche ondulée :* Australie, Inde, Birmanie. Granivore, frugivore. 20 cm. Robuste, peut vivre en volière extérieure hors des courants d'air, jusqu'à – 5°. *Pie d'Europe* (et *Pie bleue d'Extrême-Orient) :* omnivore. 48 cm (la bleue a une queue de 40 cm). Taquine, curieuse, chapardeuse. Parle bien. Chasse souris, petits reptiles. Doit vivre seule en semi-liberté.

Rossignol du Japon : Chine, Viêt-nam, Inde. Frugivore, insectivore, peu granivore. 15 cm. Bon chanteur, sociable, curieux, robuste et remuant. Exige de la place (volière). Reproduction possible.

Tarin rouge du Venezuela : granivore 10 cm. Très beau. Donne avec le canari des canaris orangés. Reproduction aisée. Vite familier. *Tourterelle rose et grise :* Afr. du N.-O., Soudan. Granivore. 21 cm. Sociable, familière, robuste. Reproduction aisée. *Travailleur :* Sénégal, Soudan, Éthiopie. Granivore 12 cm. Robuste, vif, querelleur. Prolifique.

• **Exposition.** Consulter le *Journal des oiseaux* (59, rue du Faubourg-Poissonnière, 75009 Paris).

• **Habitation.** Une cage ou une volière de préférence en métal. Haute au maximum (jusqu'à 2 m), largeur minimum de 1,50 m, sol en ciment si elle est extérieure. Éviter miroirs, cloches... qui gênent les oiseaux. Mettre abreuvoirs, baignoires et mangeoires (verre ou porcelaine) ; les nettoyer chaque jour à l'eau et une fois par semaine avec un désinfectant. *Perchoirs :* selon la taille des oiseaux (trop minces ou trop gros ils fatiguent les oiseaux). Pour un canari 1,5 cm de d. ; oiseau moyen (merle des Indes, cardinal, bulbul...) 2 cm ; grand oiseau (perroquet, toucan, corbeau...) 2,5 à 3 cm. *Nids :* que font les oiseaux avec herbes, mousse, brindilles, ficelles, laine, paille qu'on leur donnera. Éviter odeurs de lessive, cuisine, tabac, alcool à brûler, pétrole, vernis, peinture, naphtaline, parfums entêtants, eau de Javel... ; la station prolongée sur un réfrigérateur, les objets en aluminium, fourrure, laine mohair, la lumière fluorescente trop proche. *Température :* 12 à 15 °C (oiseaux courants), éviter les écarts. Exposer à la lumière solaire, à l'ombre pendant les heures les plus chaudes. Laisser une lampe allumée jusqu'à 20 h quand les jours sont courts. Le soir, recouvrir à moitié la cage d'un tissu. Nettoyer ongles, becs, yeux...

• **Physiologie. Appareil digestif.** La perruche consomme 100 fois son propre poids en graines et en eau par an. Elle mange 1 à 2 cuil. à café en graines et boit 1 à 2 cuil. à café d'eau par j (par comparaison un homme de 70 kg mangerait 22 kg de nourriture par j). Les déchets sont rejetés 1 à 2 h après l'ingestion des aliments ; elle fait 40 fientes par jour. **Pathologies :** *infections bactériennes :* pasteurellose, pseudo-tuberculose, colibacillose, ornithose-psittacose : indolence, anorexie. *Parasitaires :* trichomonose, coccidiose, candidose, aspergillose, vers ronds. *Intoxications :* pesticides et insecticides organo-chlorés, empoisonnement au plomb.

Appareil respiratoire. Un canari au repos a 140 inspirations/mn (un chien en a 20 et un homme 13). Un pigeon endormi respire 29 fois, en vol 450 fois. Les bronches aboutissent aux poumons et à 9 sacs aériens : 2 cervicaux, 1 claviculaire, 2 axillaires, 2 thoraciques antérieurs, 2 thoraciques postérieurs, 2 abdominaux. Cet appareil respiratoire représente env. 20 % du volume du corps (les poumons de l'homme 5 %). **Pathologies.** *Mort rapide :* suffocation et mort : hémorragie cérébrale, variole suraiguë, septicémie du canari ; *mort en 4 ou 5 j :* aspergillose aiguë : mort inévitable, congestion pulmonaire : suffocation, halètement, pneumonie ; *traitement :* oxygéno-et antibiothérapie, aérosols, quelques gouttes de whisky dilué. *Mal. pouvant durer des semaines ou des mois :* coryza des perruches ou des perroquets (éternuements) dû aux mycoplasmes ; mycoplasmose des canaris : respiration bruyante, petits râles ; variole ou diphtérie des canaris ou mal. de Kikuth ; acariose respiratoire ; syngamose dans la trachée : fréquent chez les faisans d'ornement, les colombidés et les rapaces ; aspergillose chronique : crises de diarrhée, vomissements, gêne respiratoire ; dysplasie de la thyroïde.

Mues. *5 espèces de plumes :* rémiges ou rectrices, plumes de contour ou tectrices, plumes filiformes, duvet, duvet pulvérulent. Le renouvellement annuel est appelé mue. L'oiseau ne chante plus, n'aime plus, devient apathique ; il recherche tranquillité, chaleur et cache parfois sa tête. *Mue juvénile :* entre 2 mois et 10 semaines : mue partielle, dure 1 mois et demi, le duvet laisse place à des plumes plus fournies et plus chaudes. *Mue des adultes :* commence par la 9e rémige primaire, puis la 8e, la 7e, la 6e jusqu'à la 1re. La plupart des oiseaux de cage ont une mue annuelle. La pigeonne, qui pond en toutes saisons, a une mue saisonnière qui n'affecte pas son rythme de ponte. Il en est de même pour les perruches qui muent en toutes saisons ou pas du tout. **Pathologies :** prurits et déplumations d'origine parasitaire : gale du corps ou déplumante ; falculifères, poux des plumes ou poux blancs ; poux rouges *(Dermanyssus)* ; gale des extrémités : pattes de la perruche, bec et narines, teignes.

• **Reproduction.** Influence de la lumière : les radiations lumineuses (en particulier rouge et orange à grande longueur d'onde) ont une action stimulante sur les glandes sexuelles des oiseaux, par l'intermédiaire de certaines cellules rétiniennes. Ces cellules excitent, grâce au nerf optique, certains noyaux nerveux hypothalamiques qui sécrètent des substances chimiques et activent l'hypophyse antérieure qui, à son tour, lance dans la circulation sanguine des hormones gonadotrophines stimulantes du système génital. Chez quelques espèces de perruches ondulées, c'est la diminution de la lumière qui stimule les glandes génitales. **Pathologies :** kystes ovariens ; rétention d'œufs ; renversement de l'oviducte ; affections diverses de l'œuf ; anomalies de constitution.

• **Température normale.** 42 à 44 °C.

• **Statistiques.** FRANCE : *Canaris* 4 à 5 millions (60 % du nombre total d'oiseaux), perruches 1 000 000, le reste en oiseaux exotiques. Éleveurs : 8 000 inscrits à une société et baguant les oiseaux (800 000 chaque année dont canaris 500 000, perruches 100 000, le reste o. exotiques).

☞ Bibliographie : *l'Amateur des oiseaux de cage et de volière* et *les Maladies des oiseaux de cage et de volière* par le Dr de Wailly (éd. J.-B. Baillière).

Colombophilie

• **Définition.** Art d'élever et d'entraîner des pigeons voyageurs pour des compétitions. Placée sous la tutelle des ministères de l'Intérieur et de la Défense nat., régie par une loi, un décret d'application, indépendamment de règlements intérieurs.

• **Caractéristiques des pigeons.** Ils peuvent parcourir jusqu'à 1 000 km par jour et leur vitesse varie de 70 à 140 km/h. **Vol le plus long :** 8 700 km (ou 11 250 si le pigeon a évité le Sahara), par le pigeon du duc de Wellington (1769-1852), lâché au large des îles Ichabo (Afrique occidentale) le 8-4-1845, tombé mort à 1 500 m de son colombier, près de Londres, le 1-6, 55 j plus tard. **Vitesse :** 60 à 80 km/h par vent de face ; 90 à 140 par vent arrière. **Orientation :** à la base du cerveau une zone contient de minuscules cristaux de magnétite lui servant de boussole. Des éruptions solaires provoquant une projection d'ondes électriques à très haute énergie peuvent désorienter les pigeons. Longtemps, on les a crus seulement attirés par le pôle Nord (en Europe la plupart des colombophiles se trouvaient dans le Nord, les lâchers se faisaient dans le Sud et les pigeons remontaient vers le Nord).

• **Concours.** 1ers organisés en Belgique en 1818. 1re course sur longue distance 1819 (Londres-Anvers), 36 concurrents. Compétitions organisées par associations, groupes d'associations, régions. 3 catégories : concours *vitesse* jusqu'à 250 km, *1/2 fond :* de 250 à 550, *fond :* + de 550. *Nombre en France :* concours de *vitesse* 40 000, *1/2 fond* 15 000, *fond* 2 000.

• **Nombre de pigeons à Paris.** Env. 35 000.

• **Réglementation.** Jusqu'en 1789, seuls monastères et châteaux forts avaient le privilège de posséder un colombier (la possession de pigeons était synonyme de puissance et de richesse). Aujourd'hui, avant de devenir colombophile, il faut demander une autorisation à la police (accordée après enquête administrative). La loi interdit de transmettre par pigeon voyageur un message de particulier à particulier et de posséder un ou plusieurs pigeons hors du cadre d'une association sans but lucratif *(loi de 1901).* Chaque pigeon est immatriculé (bague matricule fermée et sans soudure indiquant : matricule, année de naissance et pays d'origine). Chaque année, 850 000 bagues sont délivrées en France. *L'article 11 de la loi du 27 juin 1957* punit d'une amende de 125 F à 1 500 F et d'un emprisonnement de 10 j à 3 mois toute personne qui aura capturé ou détruit, ou tenté de le faire, des p. ne lui appartenant pas (le p. voyageur se distingue par son plumage clair sous les ailes).

• **Revues.** *Colombophilie-Bulletin national* (trimestriel), 30 000 ex., Union des fédérations régionales des associations colombophiles de France, 54, bd Carnot, 59042 Lille Cedex, créée en 1976. *Le Pigeon voyageur de France* (bimensuel) ; tirage 3 000 ex. *L'Union colombophile* (hebdomadaire).

• **Statistiques (France).** *Adhérents licenciés :* 29 800. *Associations :* 870 [80 % dans le Nord (Roubaix 1849, 1re Sté « le Cercle Union »)]. 1/3 des colombophiles ne participent pas aux concours. *Fédérations régionales :* 20, correspondant aux anciennes régions militaires.

Poissons d'eau douce

Ovulipares

Reproduction : la femelle pond dans l'eau une certaine quantité d'ovules que le mâle fertilise en projetant sur eux une émission de laitance ; les alevins sortent des œufs après une incubation plus ou moins longue selon l'espèce et la température de l'eau.

• Cyprinidés. 2 000 espèces. Sans dents ; os broyeurs dans le fond de la gorge sur 1, 2 ou 3 rangées. La plupart ont 2 paires de barbillons et très souvent des boutons sur le corps. Il faut parfois 2 mâles pour 1 femelle et éloigner les parents après la ponte. **Poissons rouges,** voir encadré. **Barbus :** Inde. 4 à 15 cm. *Éclosion :* 1 à 2 j. 300 variétés dont les poissons-clowns (*Barbus everetti* à reflets émeraude et écailles ourlées de vert), barbeaux à tête pourprée, barbeaux rosés. **Danios géants :** 10 cm max. Bleus avec des bandes roses et violettes, nageoires verdâtres, nageoire anale rouge orangé. *Eau* 20 à 25°. **Petits danios :** Bengale, faux poissons cardinaux. **Poissons cardinaux :** Chine, à l'état sauvage. 4 cm. *Eau* 20 à 25°. Remuants. **Rasboras :** îles de la Sonde, Malaisie, Inde. 5 cm max. Blanc argenté, reflets bleus et rose saumon. *Ponte :* 2 h. *Incubation :* 18 h. **Bouvières :** très petites carpes associées à des moules d'eau douce dans lesquelles elles pondent. *Eau* 5 à 20°.

• Cyprinodontidés. 500 espèces. Petite taille. Couleurs vives (surtout les mâles). Pourvus de dents, mais sans barbillons. La lumière empêche les œufs d'éclore. *Reproduction* en hiver. *Ponte :* 1 semaine, parfois plus. *Éclosion :* 2 à 5 semaines. **Têtes plates (Epiplatys dageti) :** Afr. occid. 4 à 6 cm. *Eau* 20 à 25°. Carnivores : proies vivantes. *Incubation :* 15 j. **Cap-Lopez (poissons-lyres) :** Afrique. 6 cm. *Eau* 22 à 26°.

• Siluridés. Plus de 2 000 espèces. **Poissons-chats :** Am. du N. 40 cm. Brun-gris. *Eau* 10 à 20°. **Poissons de verre :** transparents, on voit leur squelette. *Eau* 20° à 25°.

• Cichlidés. Plus de 1 000 espèces. Formes et couleurs spectaculaires. Chez certaines espèces, la femelle ou le mâle pratique l'incubation buccale. **Scalaires :** Amazonie. Blanc argent, légèrement bruns sur le dos, bandes verticales foncées. Nageoires (surtout dorsales) rouges. *Eau* 21 à 23° l'hiver, 20 à 25° l'été. **Hemichromis à deux taches :** Afr. Querelleurs. 8 à 15 cm. Femelle brun-rouge, mâle tacheté de bleu. *Eau* 15 à 28°. Se nourrissent de viande ou de proies vivantes. **Paratilapie multicolore :** Égypte, 8 cm max. Reflets rouges, verts, bleus. *Eau* 18 à 28°. Se nourrissent de petites proies vivantes. Œufs pondus dans le sable et fécondés par le mâle puis pris par la femelle dans sa bouche. La femelle garde la ponte 15 j, pendant lesquels elle ne prend que très peu de nourriture.

• Labyrinthidés. Respirent l'oxygène de l'eau et de l'air extérieur grâce à un organe respiratoire supplémentaire situé au-dessus de la cavité branchiale : le *labyrinthe.* Se contentent d'un faible volume d'eau, peuvent vivre plusieurs heures hors de l'eau. Les mâles construisent à la surface un nid de bulles d'air où les œufs seront incubés. **Combattants (Betta splendens) :** *Couleurs* variées. *Eau* 18 à 32°. En Thaïlande, on dresse des bettas pour le combat qui peut durer plusieurs minutes. L'un des 2 finit par refuser le combat ou par tomber au fond de l'aquarium. **Poissons de paradis (Macropodus opercularis) :** T'ai-wan, Viêt-nam. 8 cm max. Corps brun-vert. Femelle plus pâle que le mâle. *Eau* 14 à 25°. Monogames. Craignent les rayons directs du soleil. Variétés albinos rose. **Gouramis grondeurs (Ctenops vittatus) :** Sumatra. 6,5 cm. *Eau* 28 à 30°.

• Scatophagidés. Évoluent dans les eaux tropicales de préférence au voisinage des ports. Leurs nageoires dorsale et anale sont séparées en 2 parties : l'une aux rayons épineux qu'ils peuvent redresser, l'autre aux rayons souples qu'ils font onduler. **Scatophages (Scatophagus argus) :** Inde, Australie. 8 à 12 cm. *Eau* 18 à 25°. Corps gris ou saumon.

• Gobiidés. 2 000 espèces, surtout marines ou d'eau saumâtre. Possèdent sous le thorax une ventouse constituée par les nageoires pelviennes et qui leur permet de se fixer sur les pierres. *Reproduction* difficile en aquarium. **Poissons-abeilles (Brachygobius xanthozonus) :** Viêt-nam, archipel de la Sonde, 5 cm. *Eau* 23 à 28°. Sautent fréquemment hors de l'eau.

• Centrarchidés. **Pomotis à bandes noires (Mesogonistius chaetodon) :** U.S.A. Argent strié de bandes noires. *Eau* 10 à 12°.

• Characoïde. Afr. (200 esp.), Am. centrale et du S. (1 200 esp.). Bouche avec denture. Reproduction difficile pour certains, les parents ayant tendance à dévorer les œufs. **Tétras de Rio (Hyphessobrycon flammeus) :** 5 cm max. Rouges, partie antérieure brun-jaune avec 2 barres noires. *Eau* 18 à 24°. **Tétras noirs (Gymnocorymbus ternetzi) :** Paraguay. 4 à 6 cm. Blanc argenté avec 2 raies noires, noir velouté sur la moitié antérieure. *Eau* 24 à 30°. **Aphyocharax à nageoires rouges :** 4 à 6 cm. Dos vert olive, flancs argentés à reflets bleus ou verts, nageoires rouge sang. *Eau* 10 à 25°. **Pristellas (Pristella maxillaris) :** Amazonie, 4 à 5 cm. Corps jaune-brun transparent. **Feux-de-position (Hemigrammus ocellifer) :** 4,5 cm. Dorés avec tache rouge. Yeux lumineux dans la pénombre s'ils reçoivent les rayons d'une lumière venant d'en haut. *Eau :* 20 à 28°. **Nannostomus (Nannostomus beckfordi) :** ressemblent à des requins en miniature. Amazonie. Dos brun, bande noire bordée d'or et de rouge, nageoires rouges. Fragilité des jeunes. *Eau* 22 à 30°. **Néons** (cheirodon, 3 espèces). **Piranhas** (carnivores). **Pacous** (herbivores).

• Callichthyidés. Larges plaques osseuses sur le corps. Utiles : friands des déchets et débris. **Corydoras à casque :** Argentine. 8 cm max. *Eau* 13 à 28°. Nettoyeurs.

• Cobitidés. Discrets, se cachent dans le fond de l'aquarium où ils dévorent les débris. Voisins des cyprins (barbillons plus nombreux, écailles plus petites). **Loches de Malaisie :** Java, Sumatra. Orange marbré de taches brunes. *Eau* 7 à 28°.

• Loricariidés. Nombreuses plaques osseuses, bouche en forme de suçoir. Omnivores. **Laveurs de carreaux (loricaires à bouche inférieure) :** 15 cm max. *Eau* 16 à 27°.

Poissons rouges
(Dorade de Chine, Cyprin doré, Carassin [doré].)

Nom scientifique : Carassius carassius auratus. De la famille des Cyprinidés (+ de 2 000 espèces). *Ovipares.* **Caractéristiques :** *longueur :* 10 à 20 cm, parfois 25 à 30. *Adulte :* mâle 2 ou 3 ans, femelle 3 ou 4. *Longévité :* 10 ans, parfois 30. *Poisson d'eau froide :* température idéale 15°. **Description :** *denture :* 4 dents pharyngiennes sur 1 rangée (la carpe en a 5 sur 3 rangées). Pas de dents buccales. *Nageoires :* caudale, dorsale, ventrale, anale et pectorale. *Vitesse :* 14,5 cm/s soit 5,2 km/h. *Écailles :* 650 env. *Couleurs :* unicolores : rouges, orangés, rosés ou blanchâtres ; tachetés : taches souvent noires, parfois bleutées ; multicolores. **Anatomie :** pas de véritable estomac (sa fonction est assumée par les *intestins*). *Cœur* formé d'une oreillette et d'un ventricule. *Sang,* alimenté en oxygène, est pulsé dans les veines, et de minuscules vaisseaux alimentent les *branchies.* A ce niveau, le sang va se charger de l'oxygène dissous dans l'eau, et se débarrasser du gaz carbonique. *Vessie natatoire ou v. gazeuse :* poche membraneuse emplie des gaz contenus dans l'air que le poisson respire à la surface de l'eau. Sert à l'équilibre et constitue un réservoir d'oxygène et un appareil auditif. *Ouïe :* fine : perçoivent des sons de 3 480 Hz. **Reproduction :** impossible dans un bac de petite taille (ex. 50 × 30 × 30). L'eau du bac de ponte doit être chauffée au min. à 20°. 1re *ponte :* mi-avril, 2e : fin mai, 3e vers la mi-juin et 4e début juillet. Sitôt la ponte achevée, retirer les poissons qui, sinon, dévoreront les œufs. Les *alevins* (env. 2 mm) adhèrent à l'aquarium ou aux plantes et restent la tête vers le haut 2 ou 3 j jusqu'à résorption complète du *sac vitellin,* dont ils se nourrissent en premier. Puis, ils prennent la position horizontale. Dès le 4e j, il faut les alimenter (infusoires).

Aquarium de 30 cm de profondeur : 70 poissons de 2 cm ou 3 poissons de 10 cm. *Volume minimal* 100 l (90 × 30 × 40 cm) *idéal* 400 l (150 × 50 × 55 cm). *Largeur* plus importante que la hauteur : la surface de contact de l'eau et de l'air doit être la plus grande possible.

Ovovivipares

Reproduction : le mâle fertilise les ovules dans le ventre de la femelle en s'accouplant à elle. Les œufs restent dans le ventre maternel jusqu'au moment de l'éclosion.

• Poeciliidés. Comme tous les poissons ovovivipares, les 1ers rayons de la nageoire anale du mâle constituent l'organe copulateur ou *gonopode.* Dans l'aquarium il faut un mâle pour plusieurs femelles. Après l'accouplement très rapide, la femelle est fécondée pour 4 ou 5 pontes. **Gambusies (poissons-léopards) :** U.S.A. Mâle 3 cm, femelle 7 cm. Gris pâle avec des reflets bleus ou violets. Friands de proies vivantes. *Eau* 8 à 10°. **Guppys :** Guyane, île de la Trinité. Mâle 2,5 cm, femelle 5 cm. *Eau* 16 à 22°. **Xiphos (porte-glaive ou porte-épée) :** chez le mâle, le prolongement de la partie inférieure de la nageoire caudale évoque une épée. Mâle 8 cm, femelle 12 cm. *Eau* 20 à 28°. **Platys tachetés :** Mexique, Guatemala. Mâle 3 cm, femelle 7 cm. *Eau* 18 à 28°. **Mollies à voilure :** Mexique. Portent un voile sur le dos (développement de leur nageoire dorsale). Mâle 12 cm, femelle 15 cm. *Eau* 22 à 30°.

Tortue

• Aquatique (cistude). *(Amphibie).* Carapace aplatie, pattes fines, doigts griffus réunis par une palmure. Vit en *2 phases : belle saison,* active ; *saison froide,* s'enfouit dans le sable ou la vase. *Carnassière :* recherche escargots, hannetons, limaces, lombrics, petits mollusques, œufs de batraciens, têtards, larves... Reproduction difficile. *Longévité :* jusqu'à 100 ans. *Taille* maximale : 20 cm.

Verte à tympan rouge. Décorative, se plaît en captivité (temp. constante 25°, éclairage pendant 5 h par j, tubes fluorescents à proscrire). *Taille :* 30 cm env. *Carapace* vert olive striée de jaune ou de noir, peau de la tête et des pattes vert tendre rayée longitudinalement de gris sombre ou d'or clair, touche rouge sur les tympans. *Carnassière :* vers vivants, viande, œufs de poisson, poisson cru émietté.

Autres espèces. *Peinte, à dos diamanté...* Les traiter comme la cistude et la verte à tympan rouge.

• Terrestre. *Taille :* variable, de la petite tortue grecque ou mauresque à l'éléphantine (250 kg). *Tortue grecque :* carapace bombée, pattes antérieures courtes mais puissantes et armées de griffes qui l'aident à avancer sur le sol, pattes postérieures plus faibles. Vit en *2 phases : saison chaude,* active, se déplace rapidement et constamment ; *froide,* ralentit son rythme vital jusqu'à l'hibernation ou la semi-hibernation. *Omnivore :* salade, fruits, lait, fromage blanc. Boit, se baigne souvent. Reproduction difficile.

Renseignements pratiques

• Abandon d'un animal. *Reptiles :* aquarium écologique de Trouville. *Oiseaux :* s'adresser à la L.O.P. (57, rue Cuvier, 75005 Paris). *Autres animaux :* dans les refuges de la S.P.A. D'après l'art. 213 du Code rural, un animal *non tatoué* trouvé sur la voie publique sera mis à mort au bout de 4 j si le propriétaire ne vient pas le réclamer ; s'il est *tatoué* ou a un autre moyen d'identification (collier, tube avec nom et adresse), au bout de 8 j. *Nombre d'abandons :* 100 000 par an.

• Abattoirs. Bovins, ovins, caprins, porcins, équidés, volailles, lapins et gibier doivent être étourdis (plongés immédiatement dans un état d'inconscience), avant la saignée, selon des procédés autorisés (trépanation ou percussion de la boîte crânienne à l'aide d'un pistolet spécial, électroanesthésie, anesthésie par un gaz). Il est interdit de suspendre les animaux avant leur étourdissement (sauf volailles, lapins et petit gibier si l'étourdissement est fait immédiatement). *Abattage rituel :* ne peut être pratiqué que dans un abattoir, par des sacrificateurs autorisés. L'animal doit être couché et maintenu par un dispositif le protégeant des risques de contusion. Pour les bovins, des appareils mécaniques agréés doivent être utilisés. *Les animaux de boucherie :* abattage possible hors de l'abattoir en cas d'urgence (maladie ou accident) ; il faut un certificat vétérinaire ; pour caprins, ovins et porcins si l'abattage est pratiqué par celui qui les a élevés et qui réserve la viande à la consommation de sa famille.

• Achat d'un animal. Exiger *un certificat de bonne santé* comprenant (pour les chiens) les vaccinations contre la maladie de Carré et l'hépatite virale faites à 7 ou 8 semaines, *un pedigree* et non un « certificat de race » qui n'a aucune valeur (si le chien est vendu comme animal de race), *un certificat de garantie et une attestation de vente* signée par le vendeur et l'acheteur précisant la date de la vente et de la livraison de l'animal, son identité, son prix de vente et l'adresse du vétérinaire personnel de l'acheteur. Depuis le 22-12-1971, la vente est nulle de droit lorsque, dans les 15 j qui suivent leur livraison, les animaux sont atteints ou soupçonnés d'être atteints d'une des maladies suivantes : *chiens :* maladie de Carré, hépatite contagieuse ; *chats :* typhus. Le diagnostic peut être fait par un des vétérinaires désignés sur l'attestation de vente ou par un expert nommé par le tribunal d'instance. La réclamation peut être déposée dans le mois qui suit la vente. En cas de problème, s'adresser au service d'enquêtes de la S.P.A. L'absence d'attestation est punie d'une amende de 160 à 600 F.

Vivisection

Principe. La vivisection, et plus généralement l'expérimentation sur l'animal, consistent à utiliser diverses espèces animales comme « matériel » expérimental.

Opposition. Selon les adversaires de la vivisection, un tel « matériel » est inadéquat et d'une fiabilité aléatoire : l'animal qui a peur et vit en régime concentrationnaire subit des perturbations métaboliques importantes, d'autant plus qu'un grand nombre (50 000 chiens, 8 000 chats par an en France) sont des animaux de compagnie volés ou abandonnés.

En outre, les résultats obtenus varient selon l'heure, la saison, l'espèce, la souche, l'alimentation, la température. Ces résultats incertains ne sont, d'autre part, pas transférables à l'homme. Dans la recherche permanente, la majeure partie des expérimentations ne sont que la répétition de ce qui a déjà été réalisé ailleurs. L'expérimentation sur l'animal pourrait et devrait être remplacée en maintes disciplines par des méthodes substitutives : culture de cellules, modèles mathématiques, instruments divers. Surtout en toxicologie et en pharmacologie où l'animal n'est utilisé que pour répondre aux exigences des réglementations officielles contraignantes et peu conformes aux données scientifiques actuelles.

Exemples d'expériences. *Souris :* cancérologie (les générations sont très rapprochées et permettent ainsi de suivre l'évolution génétique), *chats :* neurophysiologie (système nerveux très développé), *lapins :* tératologie (genèse des monstres), *chiens :* chirurgie expérimentale (par leur grande taille), *primates :* pharmacologie et expériences complexes.

Statistiques. ANIMAUX SACRIFIÉS. Chaque année dans le monde : 800 millions dont U.S.A. + de 60 (75 % de souris et de rats) ; France + de 5.

Les laboratoires français détiennent 3 350 000 souris et rats, 300 000 cobayes, 150 000 lapins, env. 150 000 oiseaux, 150 000 hamsters, 10 531 chiens, 4 535 chats et 3 226 singes. 30 % servent à la recherche biomédicale, 70 % aux industries (pharmacie, chimie et cosmétiques pour tester la toxicité des produits).

Env. 85 % des expériences se feraient sans anesthésie.

Législation. En France. *Circulaire de 1967* interdisant vivisection et expérimentation dans les écoles, collèges et lycées. *Décret de février 1968* réglementant l'expérimentation sur l'animal. *Convention européenne* pour la défense des animaux utilisés à des fins expérimentales adoptée par le Conseil de l'Europe en 1985 (contestée, car elle réglemente la torture).

Principales associations. **Coalition mondiale pour l'abolition de l'expérimentation sur l'homme et sur l'animal** créée en 1955 par M. Messerly. 8, chemin du Cèdre, Chêne-Bougeries, 1224 (Genève). *Pt:* Dr Jacques M. Kalmar (France). **Ligue française contre la vivisection et contre les expérimentations sur les animaux,** 4, quai de la Fontaine, 30000 Nîmes et 84, rue Blanche, 75009 Paris, créée en 1956 par Jean Duranton de Magny. **Ligue antivivisectionniste de France, Défense des animaux martyrs,** 9, rue Paul-Féval, 75018 Paris. **Pro anima.** 92, rue Perronet, 92200 Neuilly-sur-Seine. *Pt :* Pr Yves Cherruault. Propose des méthodes de substitution à l'expérimentation sur l'animal.

Selon la Ligue, la toxicité des médicaments est mieux vérifiée (et à moindre coût) par des cultures de cellules, modèles mathématiques, ordinateurs, etc. que par l'emploi des animaux.

Ligue internationale des Droits de l'animal. S'élève dans sa Déclaration universelle (voir p. 173) contre toute expérimentation douloureuse et se déclare pour l'obligation légale d'utiliser les techniques substitutives.

☞ **En Suisse.** Référendum du 1-12-1985, 70,5 % des voix contre le projet de révision constitutionnelle demandant l'interdiction de la vivisection (88,5 % dans le Valais, de langue française).

• **Assurance.** Dans un contrat d'assurance multirisques, faire ajouter une clause couvrant l'animal et les dégâts qu'il peut commettre. Il existe également une *Assurance mutuelle des animaux domestiques* (A.M.A., 14, rue de l'Armorique, 75015 Paris) qui comprend une assurance responsabilité civile ; *M.G.F.,* 17, rue du Faubourg-St-Honoré, 75008 Paris ou 19-21, rue Chanzy, 72030 Le Mans Cedex ; *Concorde,* 5, rue de Londres, 75009 Paris ; *Avenir et Protection des Animaux* (A.P.A. assurance-vie), 117, rue Caulaincourt, 75018 Paris ; *Association St-Bernard,* 3, rue Guesde, 87000 Limoges.

• **Certificat d'inscription.** Les géniteurs doivent être inscrits définitivement au Livre généalogique français avec délivrance du certificat définitif *(pedigree).* Il faut déclarer la *saillie* dans les 4 semaines à la Sté centrale canine, puis la naissance dans les 2 semaines. Après vérifications, la S.C.C. adresse à l'éleveur une proposition d'inscription qu'il lui renvoie après avoir radié les chiots décédés entre-temps et en joignant les volets d'identification par tatouage au fichier central ainsi que les frais d'enregistrement. L'inscription provisoire au titre de la descendance donne lieu à délivrance d'un certificat provisoire *(certificat de naissance)* lequel est remplacé par un certificat définitif *(pedigree)* lorsque le chien a été reconnu apte à la confirmation (examen pratiqué à la demande du propriétaire à partir de 12 ou 15 mois suivant les races). Les certificats n'ont de valeur officielle que s'ils sont délivrés par la Sté centrale canine et comportent le numéro d'inscription au Livre généalogique.

• **Chevaux.** Usage des barbelés interdit autour des enclos.

• **Circulation.** ANIMAUX DE COMPAGNIE : *art. 9 du décret du 6-10-1904 :* tout chien circulant sur la voie publique en liberté ou en laisse doit être muni d'un collier portant gravés sur une plaque de métal nom et demeure de son propriétaire. Arr. du 16-3-1955. Lui sont interdits : magasins d'alimentation, restaurants et hôtels (en principe), taxis. La loi du 9-7-1970 autorise la présence d'animaux familiers dans les appartements à condition de ne pas gêner les autres locataires. *Art. 213 du Code rural :* les maires peuvent prendre toutes dispositions propres à empêcher la divagation des chiens et chats. Ils peuvent ordonner qu'ils soient tenus en laisse et que les chiens soient muselés ; chiens et chats errants et tous ceux trouvés sur la voie publique, dans les champs ou dans les bois sont conduits à la fourrière et abattus si leur propriétaire reste inconnu et s'ils n'ont pas été réclamés par lui : l'euthanasie doit être effectuée 4 j après l'entrée en fourrière d'un animal s'il n'est pas tatoué, et 8 j s'il l'est, sauf si le propriétaire vient le récupérer. Propriétaires, fermiers ou métayers peuvent saisir ou faire saisir par le garde champêtre ou tout autre agent de la force publique les chiens divaguant dans bois, vignes ou récoltes. Ils seront conduits au dépôt et, s'ils n'ont pas été réclamés dans les délais et que dommages et autres frais ne sont pas payés, ils pourront être abattus sur l'ordre du maire. Loi du 17-5-1989 : les chats non identifiés peuvent circuler librement jusqu'à 200 m des habitations ; 1 000 pour les chats identifiés.

• **Décès.** *Chien de + de 40 kg.* L'équarrisseur (ou service d'hygiène) à la mairie doit être averti au plus tôt. Il est interdit d'enterrer un animal de + de 40 kg. *Chien de – de 40 kg.* Doit être enterré à 1 m, à au moins 35 m des habitations, puits, sources...

Cimetières. 4, pont de Clichy, 92600 *Asnières :* établissement privé, *créé* 1899, plus de 2 000 tombes ; site protégé dep. 25-6-1987, fermé 31-8-1987 par son propriétaire ; devenu propriété communale, réouvert 3-2-1989. *Route de Tremblay, 93420 Villepinte.* Créé 1957 (env. 3 000 tombes). *« Le Champ du repos »* 92081 Paris La Défense Cedex 11. **Service de pompes funèbres.** S.E.P.F.A., Route de Tremblay, 93420 Villepinte. **Prix.** *Forfait de base :* 1 300 F, *concession annuelle :* 290 F, renouvelable annuellement.

Incinération. Admise pour les – de 40 kg. *Collective :* chat : env. 250 F, chien 500 ; *individuelle :* chat 450, chien 850. *A Paris :* S.I.A.F. (Service d'incinération des animaux familiers, 3, rue du Fort, 94130 Nogent-sur-Marne). Déplacement à domicile 24 h/24 h pour enlèvement du corps. (On peut se faire enterrer avec les cendres de son animal dans son cercueil).

Empaillement. Chat : env. 2 000 F ; chien : 3 000 à 5 000.

• **Espèces protégées.** Voir liste à chasse. *Loi du 12-5-1979 :* interdiction de ramasser, transporter, vendre, acheter, naturaliser des espèces protégées mortes ou vivantes. Restent les animaux naturalisables : grandes pièces, faisans, perdrix, canards, nuisibles (renard et blaireau).

• **Importation.** *Animaux destinés à la revente :* il faut au préalable avoir l'autorisation du ministère de l'Agriculture (accordée uniquement aux établissements officiels de vente). En cas de décision favorable, il faut une visite sanitaire au poste de douane d'entrée en France, un certificat sanitaire précisant les vaccinations contre la rage [1], la maladie de Carré, l'hépatite contagieuse pour les chiens ; contre la rage [1], le typhus (leucopénie infectieuse) pour les chats. L'importation de chiens et chats de moins de 3 mois est interdite. *Chiens et chats âgés d'au moins 3 mois accompagnant les voyageurs* (3 animaux dont au plus 1 chiot) : entrée en France possible sans autorisation, sur présentation d'un certificat vétérinaire de vaccination antirabique.

Nota. – (1) Le certificat antirabique est remplacé par un certificat vétérinaire pour les pays indemnes de rage dep. + de 3 ans.

• **Pensions.** La S.P.A. fournit une liste de pensions que ses inspecteurs connaissent mais dont elle ne se porte pas garante.

• **Perte d'un animal.** **Région parisienne.** Aviser S.P.A., gendarmerie ou commissariat de police les plus proches du lieu où a été perdu l'animal. Leur demander l'adresse de la fourrière. *S.P.A.* (Sté protectrice des animaux, pour Paris, *Refuge Grammont,* 30, av. Charles-de-Gaulle à Gennevilliers. Capacité max. 500 chiens, 500 chats. *Assistance aux animaux,* 90, rue J.-P.-Timbaud, Paris 11ᵉ. *Actions animaux nature,* 36-15 code AAN. *S.O.S. animaux perdus,* 26, rue du Bouloi, 75001. **Province :** gendarmerie. *Confédération nationale des S.P.A. de France,* 17, place Bellecour 69002 Lyon.

• **Possession.** A Paris, on peut posséder jusqu'à 5 animaux domestiques (sans compter les oiseaux et les poissons). *Animaux exotiques ou dangereux.* On peut en posséder chez soi. Mais la réglementation actuelle ne permet, en principe, de se procurer que bengalis, mandarins, calfats, ministres, canaris, cardinaux, moineaux du Japon, papes, tortues de Floride. Leur exportation est très souvent interdite par le pays d'origine car leur capture engendre souvent des massacres (1 animal sur des dizaines qui sont capturés parvient à bon port). La police ne peut intervenir que si l'animal est reconnu dangereux pour l'entourage et capable d'occasionner un accident grave. S'il est sale et bruyant et cause des troubles de voisinage, il faut saisir les responsables municipaux de l'environnement.

• **Rage.** Dans les départements infectés, les chiens peuvent circuler librement sous la surveillance directe de leur maître, si celui-ci peut présenter un certificat de vaccination valide et une carte d'identification portant le numéro du tatouage ; les chiens non vaccinés ne peuvent circuler qu'en laisse et muselés. Les chiens errants capturés ne peuvent être restitués que s'ils sont tatoués et vaccinés contre la rage. Sinon, le délai de garde est de 4 j pour un animal non tatoué, 8 j pour un animal tatoué. Tout animal ayant mordu ou griffé une personne ou un autre animal, si l'on peut s'en saisir sans l'abattre, est soumis à la surveillance d'un vétérinaire (période d'observation 40 j).

• **Responsabilité.** *Art. 1385 du Code civil :* le propriétaire d'un animal, ou celui qui s'en sert, est responsable du dommage que l'animal a causé, qu'il fût sous sa garde, ou égaré ou échappé. Il existe des assurances. Un chien doit être tenu en laisse à l'extérieur. *Dommages corporels* (500 000 morsures par an) ; *matériels* (plates-bandes dévastées, vêtements déchirés, poulaillers « visités », meubles endommagés), *troubles divers* (aboiements incessants, frayeur chez des cardiaques).

• **Taxidermie** (du grec *taxis* « arrangement » et *derma* « peau »). Art de naturaliser les animaux en vue de leur conservation. Science consistant à classer et à présenter leurs dépouilles dans les musées.

Réglementations. La loi du 10-7-1976 réglemente la protection de la nature. Les arrêtés du 17-4-1981 interdisent de ramasser, transporter, vendre ou acheter et naturaliser les sujets d'espèces protégées.

Tarifs des animaux empaillés (en milliers de F, 1991). *Source :* Deyrolle. *Oiseaux.* Autruche (2,50 m) 45. Cacatoès 2,5. Canard 0,9. C. de Barbarie 1,1. C. exotique 1,5. Coq 1,1. Cygne blanc 4. C. noir 4. Dinde 1,5. Dindon (en roue) 2,5. Faisan commun 1. F. doré, vénéré 1,6. Grue couronnée 4. Jabiru 2,5. Oies (grise et blanche) 2 à 2,4. Paon blanc 5. P. en marche 4,5. Perroquet 1,2. Pintade 0,9. Poule 0,9. *Mammifères.* Babouin 9. Bélier 20. Bison (jeune) 40. Blaireau 2,5 à 3,5. Bouc (grandes cornes) 22. Cerf (bramant, debout) 45. C. Sika 25. Chameau 22. Chamois 9. Chat 3,5. Cheval 70. Chevreau 1,5. Chèvre 9,5. C. naine 8. Chevrette 6,5 à 8. Chien cocker 5,5. C. épagneul 5. C. eskimo 15. Daim (femelle 15) mâle 30. Éléphanteau africain 45. Hyène 34. Kangourou 3,5. Lion debout 42. L. couché 45. Lionne 36. Lycaon 19. Mandrill 12. Marcassin 2 à 3,5. Mouton noir 9. Orignal 70. Ours blanc 32,5. O. brun 30. O. noir 35. Poney 30. Porc 18. Ragondin

3. Renard 3,3. Renne 38. Sanglier 10 à 16. Singe 4. Taureau de Camargue 45. Tigre 60. Veau debout 9. V. couché 8. Yack 35. Zèbre jeune 11. Z. adulte 45. *Têtes.* Bœuf (roux) 7. Cerf 5,5 à 12. Cheval 7,5. Cob 5,8. Koudou 5,5. Vache 7. Yack 8,5. Waterbuck 6. Zèbre 8.

Taxidermistes : 670 établis (plus 40 à 50 dans les musées d'État). Profession regroupée dep. 1966 au sein du *Syndicat des naturalistes de France,* création d'un C.A.P. le 2-7-1982. Ouverture d'une section Taxidermie au CFA de la Chambre des métiers de Meaux, en sept. 1987.

• **Testament.** On peut faire un testament en faveur d'une personne ou d'une association stipulant que celle-ci devra prendre soin de l'animal désigné jusqu'à sa mort.

• **En voyage. Autobus.** *Chiens et chats :* autorisés dans panier (max. 45 cm). *Gros chiens :* non admis. **Autocar.** *Animaux de - de 5/6 kg :* généralement dans un sac, gratuit. *Gros chiens :* muselés, tenus en laisse, demi-tarif ou prix forfaitairement fixé par la Cie. **Avion.** *Animaux de - de 5 kg :* sac Air France : 190 F. *Gros chiens :* 3 sortes de caisses (- de 6,5 kg : 320 F, 8 kg : 440, 12,5 kg : 190. Ajouter le prix du billet : 1,3 % du plein tarif écon. de la destination, + 140 et 50 F lignes intérieures de la France et 70 et 25 F Corse. **Bateau.** *Gros chiens :* généralement dans un chenil à bord du bateau ; *chiens, chats :* + petits (5/6 kg) : admis dans cabine. Un certificat récent de bonne santé, et de vaccination antirabique de - de 6 mois est exigé. **Métro.** *Chiens et chats de - de 5/6 kg :* autorisés dans panier de 45 × 30 × 25 cm. Gratuit. *Animaux grands :* non admis sauf chiens d'aveugles. **R.E.R.** *Petits chiens et chats :* admis dans un sac (max. 45 cm). *Chiens + grands :* muselés, tenus en laisse, aux extrémités avant ou arrière des voitures, billet demi-tarif 2ᵉ cl. **Taxi.** *Province :* dans la plupart des départements les chauffeurs ont le droit de refuser les personnes accompagnées d'animaux (sauf chiens d'aveugles). *Paris :* supplément de 3 F par animal transporté. **Taxis spéciaux pour animaux.** *Paris et région parisienne :* « Taxi-canine ». *Dijon et alentours :* « Snoopy service ». *Reims :* « Cabotage ». **Train.** *Chats et chiens de - de 5/6 kg :* dans un panier de 45 × 30 × 25 cm, prix forfaitaire 26 F. *Chiens + grands :* demi-tarif 2ᵉ cl. Les petits animaux familiers des enfants titulaires de la *carte kiwi* ne paient pas.

• **A l'étranger.** Pour entrer avec un chien ou un chat, vous devez posséder avant votre départ (sous réserve de modifications) :

Certificat de bonne santé : Algérie, All. féd., Espagne, Finlande, Grèce, Maroc, Norvège, Portugal, Tunisie, Yougoslavie. *Certificat antirabique datant de moins d'un an et de plus d'un mois :* All. féd., Autriche, Belgique, Danemark, Espagne, France, Finlande, Grèce, Italie, Luxembourg, Norvège, Pays-Bas, Portugal, Suisse. Certificat indispensable pour le retour en France.

Quarantaine : Finlande, autorisation nécessaire ; *Irlande* 6 mois ; *Norvège* 3 mois, entrée interdite aux chiens ; *G.-B. et Australie* 6 mois ; *Suède* 4 mois. Se renseigner à l'avance auprès du consulat du pays de destination ou auprès de la Direction générale des douanes.

Les Plantes

Il y aurait env. 450 000 espèces de plantes (dont 250 000 à fleurs parmi lesquelles 500 carnivores) et chaque année 5 000 espèces nouvelles seraient signalées.

Cellule et tissus

Cellule

Comme chez tous les êtres vivants plus évolués que les bactéries, la cellule végétale renferme un noyau baignant dans le cytoplasme [limité par une membrane (la *membrane plasmique* ou *plasmalemme*)] et renfermant divers *organites* (mitochondries, dictyosomes, reticulum endoplasmique...). Elle se distingue de la cellule animale par 3 particularités essentielles :

1) Elle renferme un organite qui lui est propre : le *plaste. Chloroplaste* (contenant de la chlorophylle) dans les feuilles et autres tissus chlorophylliens, *amyloplaste* (contenant de l'amidon) dans les tissus de réserve, *chromoplaste* (coloré) dans les pétales des fleurs, *proplaste* (peu structuré) dans les cellules très jeunes, *étioplaste* (contenant un corps prolamellaire) dans cellules de plantes étiolées (croissance à l'obscurité), *leucoplaste* (plaste blanc) dans les tissus non chlorophylliens des plantes.

2) Elle est entourée d'une paroi relativement épaisse et rigide, pecto-cellulosique ou lignifiée, qui confère aux plantes leur « tenue ». *Des plasmodesmes* (perforations transpariétales d'un µm de diamètre) mettent en contact les cytoplasmes de 2 cellules voisines.

3) Elle possède un appareil vacuolaire très développé (occupant souvent plus de 80 % du volume cellulaire) : les vacuoles sont bordées par une membrane, le *tonoplaste,* et renferment des solutions de sels et molécules organiques, assurant la turgescence de la plante.

Tissus

• **Définition.** Ensemble de cellules assurant une fonction déterminée.

• **Tissus essentiels chez les plantes supérieures :**

Parenchymes chlorophylliens. Les cellules contenant de très nombreux chloroplastes assurent la photosynthèse.

Parenchymes de réserve. Les cellules assurent le stockage de sucres, protéines ou lipides.

Bois ou xylème. Conducteur de la sève brute. Constitué par *les vaisseaux,* longs tubes à parois lignifiées, épaisses et ponctuées résultant de l'assemblage de plusieurs cellules dont le cytoplasme et le noyau régressent complètement à l'état adulte ; *les cellules parenchymateuses* (à contenu vivant) qui jouent le rôle d'intermédiaire entre les vaisseaux (transporteurs à longue distance) et les tissus irrigués ; *les fibres de soutien,* lignifiées, souvent à proximité des vaisseaux, qui améliorent la rigidité du bois.

Quelques définitions

Anémochore. Plantes dont les semences sont disséminées par le vent. *Le type planeur léger* correspond aux diaspores de faible poids (ex. des spores de Mousses) pouvant être disséminées à des milliers de kilomètres. *Type lourd,* diaspores dont la dissémination est facilitée par ex. par des organes plumeux (graines de Saules), des ailes membraneuses (samares des Frênes ou des Érables). *Type rouleur :* cas d'organes ou de plantes en boules qui arrachés par le vent, sont roulés parfois sur de grandes distances.

Autochore. Plante dont la dissémination des semences s'effectue par elle-même [ex. fruits qui explosent sous l'influence d'un dispositif mécanique (Genêt à balai) ou d'une augmentation de la pression osmotique (Balsamine)].

Autotrophe. Être vivant capable de faire la synthèse de sa propre substance à partir de substances minérales. Les végétaux chlorophylliens sont autotrophes.

Entomophiles. Plantes dont la pollinisation est assurée par les insectes.

Cryophiles. Plantes recherchant le froid.

Chaparral. Formation végétale d'arbustes sclérophylles (à petites feuilles dures et persistantes). Californie et nord du Mexique.

Endozoochore. Semence ou spore qui est disséminée par les animaux en passant à l'intérieur de leur corps.

Éphémérophyte. Plante dont le cycle biologique est très court (quelques semaines au plus).

Épiphyte. Organisme végétal se développant sur une plante (un arbre en général) qui lui sert uniquement de support.

Formes biologiques selon Raunkiaer. *Thérophytes :* plantes annuelles qui passent la mauvaise saison (période froide ou période sèche) sous forme de diaspores. *Cryptophytes :* plantes vivaces dont les organes pérennants sont enfouis dans le sol (géophytes), la vase (hélophytes, ex. : roseaux), ou l'eau (hydrophytes). *Hémicryptophytes :* plantes dont les bourgeons hivernaux sont au ras du sol, entourés d'une rosette de feuilles protectrices. *Chaméphytes :* plantes ligneuses de grande taille : nanophanérophytes (hauteur de 50 cm à 2 m) et macrophanérophytes (hauteur de + de 2 m).

Héliophile. Plante recherchant la lumière.

Hétérotrophe. Être vivant ne pouvant faire la synthèse de ses propres produits organiques qu'à partir des produits organiques préexistants. Tous les animaux et les champignons sont hétérotrophes.

Limnophyte. Plante fixée dans la vase. Certaines parties peuvent être submergées (ex. : myriophylles), ou flotter à la surface de l'eau (ex. : renoncules).

Psammophyte. Plante croissant dans le sable (ex. : l'Oyat sur les dunes).

Phytocénose. Ensemble des végétaux vivant dans un biotope.

Symbiose. Association (à bénéfices réciproques) entre 2 ou plusieurs êtres vivants (Lichens).

Tropisme. En biologie végétale, orientation de la croissance d'un végétal suivant certains facteurs externes : lumière (phototropisme), humidité (hydrotropisme), attraction terrestre (géotropisme), contact sur un support (haptotropisme).

Plantes carnivores

Dionée : feuilles composées de 2 lobes réunis par une nervure formant charnière ; mouches, moustiques ou insectes touchant ce piège sont digérés par des enzymes. **Drosera** (ou Rossolis) : petite espèce des tourbières acides possédant des poils rouges qui engluent les petits insectes puis les digèrent. **Grassette** (10 à 15 cm) : feuilles sécrétant une substance permettant d'engluer et de digérer les insectes. **Utriculaires :** plantes aquatiques possédant des feuilles transformées en une petite outre qui sert de siège pour les petits crustacés. **Sarracinie** (dans les marais) : cornet dressé pour attirer les insectes qui ne peuvent remonter à l'intérieur.

Plantes toxiques

En italique : substances toxiques. *Abréviations. Al. :* alcaloïdes. *At. :* atropines. *Card. :* cardiotoxiques. *Hét. :* hétérosides. *Inc. :* inconnues. *M. c. :* mal connues. *Sap. :* saponosides. *Sol. :* solanines. **Aconit** [1] (plusieurs espèces) *al.* **Actée en épis** [3] *inc.* **Arum** [3] *m. c. (sap.).* **Belladone** [1,3] *al. (at.).* **Bryone** [3,6] *cucurbitacines.* **Chanvre** [1] *dérivés phénoliques.* **Chèvrefeuilles** [3] *m. c.* **Ciguës** [1] *al.* **Colchique** [1] *al. (colchicine).* **Cytise** [1] *al. (cytisine, phytohémagglutinines).* **Daphnés** [3] *hét.* **Datura** [2] *al. (at.).* **Dieffenbachia** [4] *protéase hét.* **Digitales** [1] *hét.* **Douce-amère** [3] *sap. gluco-al.* **Fusain** [2] *hét.* **Glycine** [5] *phytohémagglutinines.* **Gui** [3] *m. c.* **If** [5] *al. (taxine).* **Laurier rose** [1] *hét. card.* **Lierre** [2] *sap.* **Lyciet** [3] *sol. sap.* **Morelle noire** [3] *sol. sap.* **Muguet** [1,3] *hét. card.* **Maïanthème** [3] *card.* **Oenanthe safrané** [1] *oenanthotoxine.* **Parisette** [3] *inc.* **Phytolaque** [3] *sap.* **Redoul** [2] *hét.* **Ricin** [5] *phytotoxines.* **Sceau de Salomon** [3] *sap.* **Tamier** [3] *sap.* **Vératre** [6,1] *al. (vératrine).*

Nota. – (1) Toute la plante. (2) Fruit. (3) Baies. (4) Feuilles. (5) Graines. (6) Racines.

Liber ou phloème. Conducteur de la sève élaborée. Il comprend : *les tubes criblés,* à parois transverses et longitudinales percées de nombreux pores, assurant le transport à longue distance ; *le parenchyme libérien* entourant les tubes criblés ; *les cellules compagnes* pouvant se transformer en tubes criblés quand ceux-ci sont obstrués.

Nota. – Bois et liber sont les tissus conducteurs des plantes. On a découvert récemment que certaines mousses et algues ont également des tissus conducteurs.

Toutes les plantes supérieures possèdent des tissus conducteurs en quantité variable. Plantes possédant le moins de bois : plantes aquatiques et de milieux humides, *le plus :* arbres (essentiel du volume du tronc et des branches). Sous nos climats, chaque année, une zone génératrice fabrique un anneau ou cerne de bois près de la périphérie des axes ; il est aisé d'y reconnaître le *bois de printemps* (plus poreux et plus clair) et le *bois d'été* (plus dense). Seuls, les cernes des quelques dernières années *(aubier)* assurent la conduction de la sève ; le bois le plus ancien *(cœur)* n'a qu'un rôle de soutien.

Le bois revêt des aspects divers : la dureté, la porosité... dépendent beaucoup du milieu d'origine de l'espèce considérée (plus ou moins humide et chaud, par exemple).

Collenchyme. Constitué de cellules à parois cellulosiques épaisses et à contenu cytoplasmique fonctionnel ; joue un rôle de soutien.

Sclérenchyme. Ensemble de cellules à parois lignifiées, épaisses, dont le contenu vivant disparaît à l'état différencié ; assure un rôle de soutien.

Fibres. Regroupées en ensembles de quelques unités, ce sont des cellules allongées à paroi épaisse, cellulosique ou lignifiée, à contenu régressé (comme le sclérenchyme ou comme les vaisseaux du bois) ; assurent un rôle de soutien.

Épiderme. Couche de cellules enveloppant le végétal et dont la paroi externe est cutinisée. Il est percé de *stomates* et éventuellement pourvu de poils. Il a un rôle protecteur : régule l'évapotranspiration de la plante.

Liège ou suber. Situé à la périphérie des troncs et des rameaux et constitué de cellules dont le contenu vivant est remplacé par de l'air et dont les parois sont souples. Il isole les tissus intérieurs de l'atmosphère ambiante, mais permet les échanges gazeux par des pores de communication ou lenticelles. Le suber le plus épais : le chêne-liège.

Méristèmes. Constitués de cellules aptes à la division. *Les méristèmes primaires* sont responsables de la mise en place des cellules des tiges, feuilles et racines. *Les m. secondaires,* ou zones génératrices, édifient le bois et le liber secondaires ainsi que le liège.

Tissus sécréteurs. Très diversifiés du point de vue de la constitution cellulaire. Accumulent des produits de sécrétion, ex. : essences dans les poches sécrétrices des orangers, poils de nombreuses labiées (lavande, thym, menthe, mélisse...), résines dans les canaux sécréteurs des conifères du latex, dans les laticifères des Hévéas (arbres à caoutchouc), Euphorbes, Salsifis ou Laitues.

Nutrition

Nutrition minérale

Les racines puisent dans le sol les solutions hydriques (apport d'eau par pluies ou arrosage) complexes, à base de N.P.K. (azote, phosphore et potassium), contenues dans le sol. Les légumineuses (Pois, Soja, Haricot) hébergent dans des nodosités de leurs racines des bactéries symbiotiques (Rhizobium) qui fixent directement l'azote de l'air. La plante

Quelques records

• **Abondance. La plante la plus répandue :** la *Cynodon dactylon.* EN FRANCE, c'est le *paturin des prés* qu'on trouve entre 0 et 2 600 m d'altitude. **La fleur la plus rare :** un *souci* entièrement blanc (Iowa, U.S.A.) prix Burpee de 1924. Un spécimen de *Presidio manzanita* à petites fleurs roses en Californie.

• **Croissance. La plus rapide :** *l'Albizzia falcata :* peut atteindre 10,75 m en 13 mois. Un spécimen d'*Hesperoyucca whipplei* a grandi de 3,65 m en 14 jours en 1978 dans les îles Scilly. Certaines sortes de bambous poussent de 90 cm par jour (4 cm/h), et peuvent atteindre 30 m en 3 mois. **La plus lente :** *Puya raimondi :* son panicule apparaît au bout de 150 ans de vie. Les *bonzaï* atteignent 30 cm de haut. au bout de 98 ans (tronc : 2,5 cm de diam.).

• **Étendue.** La *Gay lussacia brachvera* peut recouvrir une surface de 40 ha en 13 000 ans.

• **Dimensions. Algue.** *Macrocystis :* 60 m de long au plus, il croît de 45 cm par jour. Pousse au large des côtes pacifiques de l'Amér. du Nord, et au sud de l'Amér. du Sud. Le plus grand *philodendron* 168 m de long à Thornton, G.-B.

Arbres. DANS LE MONDE. **Les plus grands :** *Séquoias* de Californie, âgés de 3 000 à 4 000 ans (le plus haut : le New Tree 111,60 m ; le « Général Sherman » mesure 83 m de haut, 9,8 m de diamètre et 24,32 m de circonférence à 1,50 m au-dessus du sol ; il pèserait env. 6 100 t). *Pin Douglas* de 94,5 m (U.S.A.). Un *Eucalyptus regnans* australien tombé en 1868 aurait atteint env. 132,5 m. EN EUROPE *Eucalyptus sempervirens* 92 m (Portugal, 1972). **Le plus petit :** *le saule arctique ou herbacé :* 2 cm (visible en haute montagne) pousse jusqu'à 83° de lat. Nord (ainsi que le pavot jaune). **Les plus gros troncs :** *« L'arbre des 100 Chevaux »* (Sicile), châtaignier ayant entre 3 500 et 4 000 ans, aurait eu un tronc de 64 m de circ. (détruit en partie par les intempéries, il mesure auj. env. 51 m). Le pin *Mathusalem* aurait actuellement 4 600 ans (Californie, U.S.A.). Le *cyprès* de Santa Maria del Tula (Mexique), vieux d'env. 1 000 ans, a un tronc d'env. 34,25 m **Altitude :** l'*Abies squamata* pousse jusqu'à 4 600 m. Un seul arbre, le *banian,* peut avoir plus de 350 gros troncs et 3 000 petits.

EN FRANCE. **Le plus grand :** sapin pectiné de 295 ans (Russey, Doubs) : 53 m. Les plus vieux : *if de la Motte-Feuilly* (Indre) : env. 1 500 ans, *le chêne d'Allouville* (Seine-Mar.), le plus vieux d'Europe : 15 m de circonférence, 1 000 ans, h. 25 m, contient 2 chapelles dep. 1696, refaites en 1851. *Chêne des partisans* (Vosges) : 18 m de circonférence, au niveau des racines, 9,8 m à 2,3 m du sol, 32 m de haut. *Orme de Cassignas* (Lot-et-Garonne) : 1 000 ans. *Chêne de St-Jean en Compiègne :* plus de 700 ans. *Hêtre de Montigny* (Normandie) : 600 ans. *Chêne Jupiter* (Ile de France) : 450 ans.

☞ Le chêne où Robin des Bois et ses compagnons avaient l'habitude de se cacher, près de Nottingham (G.-B.), vieux de 800 ans, sera soutenu par une structure métallique (coût 20 millions de F).

Bambou. Le plus haut : *Bambusa arundianacea à épines* (Travancore, Inde) : 37 m.

Bonzaï. Art d'origine chinoise remontant à la dynastie Song, perfectionné et maintenu dès le XIVe s. par les Japonais. – Arbuste ou arbre miniature qui vit à l'extérieur, est cultivé en pot et à qui on a donné une forme intéressante. 3 GROUPES : miniature (15 à 20 cm), moyen (30 à 70 cm), jardin (1 à 1,80 m). Sa valeur sera fonction de l'harmonie des proportions entre l'arbre et son contenant et de sa ressemblance avec ses frères vivant à l'état sauvage. On réalise également des plantations sur rochers, des groupes et aussi de véritables paysages miniatures *(saikei).* ESPÈCES : de préférence des variétés à feuilles, épines, aiguilles, fruits de petite taille.

CULTURE : à partir de graines, de boutures, par des greffes, des marcottes et par récolte. NANIFICATION : par la taille des racines, des branches, du feuillage et par la conduite du tronc et des branches avec du fil de cuivre, vers la forme désirée.

Cactus. *Saguaro* (Arizona, U.S.A.), 16 m, 6 à 10 t, peut vivre 200 ans (grande colonne verte surmontée de branches ayant la forme de candélabres). *Cactus sans branche :* 24 m (Arizona, U.S.A.).

Champignon. Le plus gros : morille *(Galactinia Proteana)* 55 kg, long 80 cm (près de Jonage, Isère). Vesse-de-loup *(Lycoperdon gigantea),* 8,340 kg, 1,84 m de circonférence (Kent, G.-B.).

Feuilles. Les plus grandes : *Raffia raffia* (îles Mascareignes) et *bambou amazonien :* leurs palmes ont jusqu'à 20 m de long. *Victoria regia (plante aquatique) :* les feuilles ont jusqu'à 2 m de diam. *Bananier :* 6 m, 1 m de large (except.). **Arbres ayant le plus de feuilles :** cyprès, 45 à 50 millions d'aiguilles. Chêne, env. 250 000.

Fleurs. *Rafflesia arnoldi :* jusqu'à 91 cm de diamètre, 1,9 cm d'épaisseur, 6 à 7 kg (à Sumatra et Java où elle se développe comme un champignon, avec une odeur de viande putréfiée). *Nénuphar sauvage blanc :* 15 cm de large (la plus grande fleur en France). **La plus grande plante à fleurs :** un *Wisteria géant* (Sierra Madre, Californie) : branches de 152 m de long, s'étend sur 1/2 ha, 228 t, 1 500 000 fleurs. **Les plus petites plantes à fleurs :** les lentilles d'eau des étangs : 0,6 mm. **Les plus petites fleurs :** les *Pilea microphylia* (Antilles) : 0,35 mm. **Plantes ayant beaucoup de fleurs :** broméliacée géante *Puya raimondi* dont chaque panicule (diam. 2,4 m, haut. 10,70 m) porte jusqu'à 8 000 fleurs blanches (fleurit pour la 1re fois entre 80 et 150 ans, puis meurt) ; une *glycine chinoise* plantée en Californie : branches 152 m de long, poids 228 t, 1 500 000 fleurs pendant la floraison. Sur un *rosier* de Californie, 20 000 fleurs peuvent fleurir chaque année. *Chrysanthème* 1 028 fleurs (hauteur 2,11 m ; tour 6,37 m, parvenu à maturité en 11 mois à partir d'une tige de 10 cm). **Altitude :** une fleur de l'Himalaya, la *Stellaria decumbens,* a été trouvée à 6 500 m.

Fougère. *Alsophila excelsa* (île de Norfolk), 18 à 19 m.

Haies. *Hêtres* (Écosse), haut. 26 m, long. 550 m, plantée en 1746. *Ifs* (parc d'Earl Bathurst, G.-B.), haut. 11 m, épaisseur 4,50 m. *Buis* (Offal, Irlande), haut. 11 m, plantée au XVIIIe s.

Lianes. *Palmier rotang* dont on tire le rotin. Lianes de plus de 100 m, 5 cm de diamètre : on découpe l'écorce de ses longs entre-nœuds en fines lanières pour le cannage.

Mousses. La plus grande : *Fontinalis :* filaments jusqu'à 91 cm de long. **La plus petite :** *l'Ephemerum.*

Racines. Les plus profondes, celles d'un figuier sauvage du Transvaal : 120 m. Un seul épi de seigle *(Secale cereale)* peut avoir 622 km de minuscules racines sur 0,051 m³ de terre.

• **Fossiles vivants.** *Ginkgo :* date du jurassique ; il en subsiste un peuplement naturel en Chine ; il y en a dans les parcs de Paris. *Cycas :* datent du trias ; ont des feuilles pennées et un port dressé ; régions tropicales. *Welwitschia mirabilis :* plante archaïque, aux feuilles rampantes, des déserts d'Afrique australe.

• **Fruits.** *Jacques (du jacquier),* 15 à 40 kg ; *Coco de mer,* 18 kg (1 236 graines) ; certaines *orchidées,* 1 g.

• **Graines.** GERMINATION. Une graine du *Lupin arctique,* datant d'env. 10 000 ans, trouvée en 1954 dans un endroit gelé au Canada, a pu germer en 1966. On a pu faire germer des graines d'autres espèces (datant de 1 000 à 1 700 ans), mais on ne dispose d'aucun témoignage établissant avec certitude que l'on ait pu faire germer des graines trouvées dans les tombeaux des pharaons. NOMBRE. L'*Acropera* peut compter 74 millions de graines (par plante).

• **Latitude. Sud :** *le Colobanthus crassifolius* pousse en Antarctique jusqu'à 67° ; le *Rhinodina frigida* jusqu'à 86°. **Nord :** *le Papaver radicatum* et le *Salix artica* jusqu'à 83°.

• **Longévité.** (Ces records sont donnés sous toute réserve.) En années : cèdre japonais 7 200. Séquoia géant 6 000. Baobab 5 000. Pinus longaeva env. 4 900. Pinus aristata 4 600. Châtaignier commun 900 à 1 000. Chêne 4 000 (en Europe 500 à 600). Chêne-liège 250 à 300. Cyprès 1 970 (France 250 à 500). Frêne commun 250 à 275. If 3 000 (en Europe, 400 à 1 600). Olivier (avec souches recépées) 2 000 à 4 000. Orme 1 000 (France, Cassignas, Lot-et-G.). Peuplier noir 500. Rosier 1 100. Platane 800 (367). Poirier 700. Tilleul 400. Robinier acacia 386 en 1988 (le plus vieil arbre de Paris). Espèce la plus ancienne : le *Ginkgo biloba* de Chine : ère jurassique, 160 millions.

• **Bois. Le plus lourd :** l'*Olea laurifolia* (Afr. du Sud) dont le poids spécifique est de 1,49 (1 490 kg/m³), il ne flotte pas. **Le plus léger :** *Aeshynomene hispida* (Cuba), densité 0,044 (44 kg/m³). La densité du *Balsa* varie de 50 à 385 kg/m³. Densité moyenne du *Liège :* 0,240.

• **Projection.** Le *Hura crepitans* (arbre de 10 à 12 m) projette à 25 cm les morceaux de son fruit.

a également besoin de soufre, de phosphore, de magnésium, de fer et de calcium *(macro-éléments)*, et, en quantité infime, de bore, de cobalt, de cuivre, de manganèse, de molybdène et de zinc *(oligo-éléments)*.

La **sève** est le liquide nourricier qui circule dans les vaisseaux de la plante. *2 sortes : la sève brute*, composée d'eau et de substances minérales puisées dans le sol par les racines, circule des racines vers les feuilles ; *la sève élaborée*, à base de sucres, circule vers tous les organes de la plante qu'elle va nourrir.

Vitesse de circulation de la sève élaborée : de quelques cm à quelques m par heure suivant l'espèce, l'heure, la saison.

Nutrition carbonée

Plantes sans chlorophylle. Elles empruntent des matières organiques à d'autres corps morts **(saprophytisme)** ou vivants **(parasitisme** ou **symbiose)**.

Plantes à chlorophylle. Grâce principalement à la chlorophylle contenue dans les chloroplastes de leurs feuilles, les plantes utilisent l'énergie lumineuse venant du soleil pour combiner le gaz carbonique qu'elles absorbent avec l'hydrogène (apporté par l'eau) et former des substances organiques (sucres en particulier). Elles rejettent alors de l'oxygène. Cette synthèse appelée **photosynthèse,** se fait grâce à la lumière :
$CO_2 + H_2O$ + énergie lumineuse → $1/6\ (C_6H_{12}O_6)$ (glucose) + O_2.

Dans la 1re phase, le dégagement d'oxygène s'accomplit à la lumière (phase photochimique). Grâce à l'énergie lumineuse captée par la chlorophylle, au niveau de 2 photosystèmes, des électrons arrachés à l'eau sont transférés jusqu'au $NADP^+$ par l'intermédiaire d'une chaîne de transporteurs d'électrons. Le $NADP^+$ est alors réduit en $NADP + H^+$ en prélevant 2 protons dans le stroma plastidial. Au cours du transfert des électrons, 2 protons sont accumulés dans le lumen des thylacoïdes, petits sacs constituant les lamelles photosynthétiques et les grana. Un gradient de proton, c'est-à-dire un gradient de pH, s'établit de part et d'autre de la membrane du thylacoïde entre le lumen et le stroma. La libération de ces protons vers le stroma au niveau des ATP synthétases permet la synthèse d'ATP, à raison de 3 protons par molécule d'ATP formée. Des molécules d'ATP (adénosine triphosphate), accumulateurs d'énergie, sont formées par l'intermédiaire d'une accumulation de protons dans les thylacoïdes (membranes internes) des chloroplastes.

Dans la 2e phase, le gaz carbonique est fixé sans besoin de lumière (phase thermochimique). Elle utilise $NADPH + H^+$, et ATP précédemment obtenus pour transformer le gaz carbonique en sucre (glucose). Du point de vue de l'assimilation du CO_2, on distingue : *1°) les plantes en C_3* (surtout arbres des forêts tempérées) pour lesquelles le 1er produit qui suit la fixation du CO_2, est une molécule à 3 atomes de carbone (acide phosphoglycérique). *2°) en C_4* (maïs, canne à sucre, plantes de régions sub-tropicales) qui incorporent le CO_2 dans un corps en C_4 (acide malique ou aspartique).

La 1re plante à photosynthèse date de 2 milliards d'années.

Importance de l'assimilation chlorophyllienne. Un hectare planté en maïs, depuis le semis jusqu'à la récolte, consomme 3 000 m³ de gaz carbonique ; un km² de forêt par an 350 000 m³ et +. Un hectare planté en tournesols produit 6 à 7 t de matière organique par an, et la totalité des végétaux chlorophylliens de la planète env. 3×10^{11} t.

L'énergie lumineuse utilisée annuellement par les seuls végétaux chlorophylliens est évaluée à 7×10^7 t de charbon, soit $0{,}5 \times 10^{14}$ calories (kcal).

Le rendement de la photosynthèse est faible : 1 à 2 calories sur 100 apportées par l'énergie lumineuse sont utilisées.

Respiration

Les plantes échangent des gaz (gaz carbonique, oxygène, vapeur d'eau) avec l'atmosphère environnante par l'intermédiaire des **stomates** de leurs feuilles. Les stomates, situés à la surface des feuilles, sont constitués de 2 cellules en forme de rein qui ménagent entre elles un orifice, l'**ostiole,** par où circulent les gaz. Selon les conditions, l'ostiole peut être ouvert ou fermé, et les stomates contrôlent ainsi les échanges gazeux de la plante. 1 feuille de chêne contient 350 000 stomates, 1 feuille de tournesol en contient 13 millions.

Langage des fleurs

Achillée mille-feuille : *guerre, mérite caché, guérison.* Adonis : *tendre douleur.* Amaryllis : *fier et volage.* Ancolie : *folie.* Anthémis : *présomption.* Aristoloche : *tyrannie.* Azalée : *amour timide.* Belle-de-jour : *coquetterie.* Bleuet : *délicatesse.* Bruyère : *rêverie solitaire.* Buglosse : *mensonge.* Camélia : *constance.* Capucine : *flamme d'amour.* Célosie : *fidélité et constance, immortalité.* Centaurée : *message d'amour, félicité.* Chèvrefeuille : *liens d'amour.* Chrysanthème : *amour.* Clématite : *attachement.* Cobée : *nœuds.* Corbeille-d'argent : *indifférence.* Corbeille-d'or : *tranquillité.* Crocus : *joie, allégresse juvénile.* Cyclamen : *sentiments durables.* Cyprès : *deuil.* Dahlia : *reconnaissance stérile, nouveauté.* Delphinium : *charité ou légèreté.* Dentelaire de Chine : *causticité.* Digitale pourpre : *travail et absence.* Doronic du Caucase : *grandeur.* Euphorbe : *inquiétude.* Fougère : *sincérité.* Fritillaire : *arts ménagers, puissance.* Fuchsia : *gentillesse.* Fusain : *souvenir constant.* Genévrier : *asile secourable.* Giroflée quarantaine : *élégance, compassion.* Glaïeul : *défi, indifférence.* Hélénie : *pleurs.* Héliotrope : *éternel amour, amour fou.* Hortensia : *froideur.* Houblon : *méchanceté.* Houx : *insensibilité.* Immortelle : *constance.* Immortelle jaune : *souvenir.* Impatience : *impatience.* Iris : *message.* Jacinthe : *grâce et douceur, jeu.* Jasmin : *sympathie voluptueuse.* Jonquille : *désir.* Joubarbe : *esprit.* Laurier-sauce : *séduction, sincérité.* Lavande : *silence.* Lierre : *attachement, amitié solide.* Lilas : *amour naissant.* Lin : *bienfait.* Lis : *majesté et pureté.* Marguerite : *grandeur et fidélité.* Mauve : *sincérité.* Millepertuis : *retard.* Monnaie-du-pape : *oubli.* Muflier : *présomption.* Muguet de mai : *bonheur.* Myosotis : *ne m'oubliez pas.* Narcisse : *égoïsme.* Nénuphar : *froideur.* Nénuphar blanc : *éloquence.* Nielle : *sympathie.* Noyer : *ferveur.* Œillet : *amour sincère, caprice.* Œillet de poète : *finesse.* Œillet jaune : *dédain, exigence.* Œillet des fleuristes : *amour sincère.* Œillet mignardise : *enfantillage.* Pâquerette : *affection partagée.* Pavot : *oubli.* Pavot blanc : *sommeil du cœur.* Pavot-coquelicot : *beauté éphémère.* Pensée : *souvenir, pensez à moi.* Pervenche : *amitié sûre, doux souvenir.* Phlox : *unanimité.* Pivoine : *confusion.* Pois de senteur vivace : *délicatesse.* Primevère : *jeunesse.* Reine-marguerite : *variété.* Renoncule : *attraits et danger.* Rose : *amour et beauté.* Rose blanche : *silence.* Rose blanche et rouge : *beauté ardente.* Rose capucine : *éclat.* Rose cent-feuilles : *grâce.* Rose des quatre saisons : *beauté toujours nouvelle.* Rose du Bengale : *complaisance.* Rose en bouton : *jeune fille.* Rose flétrie : *beauté flétrie.* Rose jaune : *infidélité.* Rose moussue : *amour voluptueux.* Rose musquée : *beauté capricieuse.* Rose pompon : *gentillesse.* Rose simple : *simplicité.* Rose trémière : *fécondité.* Sauge : *estime.* Scabieuse : *incertitude ou deuil.* Soleil-vivace : *fausse richesse.* Sureau : *prudence.* Tilleul : *amour conjugal.* Troène : *défense.* Tulipe : *magnificence.* Valériane : *facilité, aisance.* Véronique : *fidélité, aveu.* Verveine : *enchantement, vertu des épouses.* Violette blanche : *candeur, innocence,* double : *amitié réciproque,* odorante : *modestie,* en bouquet avec feuilles : *amour caché.* Virone : *refroidissement, calomnie.* Volubilis : *attachement.*

D'où vient leur nom ?

Bégonia. De Michel Bégon (1638-1710), intendant des Îles d'Amériques entre 1682 et 1684. Nom donné par Charles Plumier (1646-1706).

Bignonia. De Jean-Paul Bignon (1662-1743), prédicateur puis bibliothécaire du roi en 1718, académicien. Donné par Joseph de Tournefort en 1694.

Bougainvillée. De Louis-Antoine de Bougainville (1729-1811), diplomate, navigateur, auteur du *Voyage autour du monde* (1771), comte de l'Empire. Donné par Philibert Commerson (1727-73).

Camélia. De G.-J. Kamel, jésuite moravien, botaniste (fin XVIIIe s.). Donné par Charles de Linné (1707-78).

Cobéa. De Barnabé Cobo (Lopéra, Esp. 1582), jésuite, missionnaire au Mexique et au Pérou. Donné par Cavanillès, directeur du Jardin royal de botanique de Madrid.

Colchique. Du pays de Médée, fille du roi de Colchide (légende de la Toison d'Or).

Dahlia. D'Andréas Dahl (Suède 1751-89), élève de Linné. Donné par Cavanillès (?).

Forsythia. De G. Forsyth (G.-B., 1737-1804), surintendant des jardins royaux. Donné par M. Vahl.

Fuchsia. De Léonard Fuchs (All. 1501-66), botaniste. Donné par Plumier en 1693.

Gardénia. D'Alexander Garden (Écosse, 1728-91), médecin, botaniste amateur. Donné par Linné en 1777.

Hortensia. De *flos hortorum* (« fleur des jardins »). Donné par Commerson, qui, lors d'un séjour en Chine, remarqua cette plante cultivée dans tous les jardins.

Magnolia. De Pierre Magnol (Montpellier, 1638-1715), professeur de botanique. Donné par Plumier en 1737, confirmé par Linné en 1752.

Paulownia. De Anna Paulownia, fille du tsar Paul Ier de Russie.

Pétunia. De *pétun,* nom donné par les Indiens du Brésil et de la Floride, puis pétunie (1828), enfin pétunia. Rapportée par Jean Nicot en 1560 à Catherine de Médicis, d'abord appelée nicotiane ou l'herbe à la reine.

Robinier. De Jean Robin (1550-1629), apothicaire, directeur du Jardin des Plantes et Vespasien Robin († en 1662, neveu de Jean), directeur du Jardin Royal des Plantes. Donné par Linné en 1735.

Zinnia. De Zinn, botaniste allemand. Donné par Linné en 1763.

En respirant, une plante absorbe de l'oxygène et accomplit une série de réactions chimiques se terminant dans les mitochondries, assimilables à la combustion lente des substances mises en réserve. Alors que ces substances sont transformées en gaz carbonique, rejeté par la plante, l'énergie qu'elles contenaient est libérée puis utilisée à divers processus d'entretien et de croissance. Les échanges gazeux liés à la respiration sont inverses de ceux de la *photosynthèse,* les mécanismes des 2 phénomènes ne font pas intervenir les mêmes compartiments cellulaires ni les mêmes enzymes, mais ils présentent certaines homologies de fonctionnement.

Dans la journée, la *photosynthèse* l'emporte sur la respiration. Mais la nuit, la photosynthèse s'arrête faute de lumière tandis que les plantes continuent à respirer. Elles rejettent alors le gaz carbonique et absorbent l'oxygène de l'atmosphère. C'est pour cette raison que l'on recommande de ne pas garder les plantes la nuit dans une chambre à coucher sauf les plantes à métabolisme photosynthétique en C_4 (ficus, caoutchouc) qui fixent le CO_2 au cours de la nuit. Certaines plantes présentent en + de la respiration mitochondriale, une photorespiration stimulée par la lumière : au cours de la photosynthèse, les chloroplastes peuvent rejeter une partie du carbone fixé sous forme d'acide glycolique. Cet acide passe dans le cytoplasme puis dans de petits organites (1 μm de diamètre) : les peroxysomes, où il se trouve oxydé (en acide glyoxylique) par de l'oxygène au cours d'une réaction dont l'un des produits intermédiaires est l'eau oxygénée ou peroxyde d'hydrogène (qui donne son nom au peroxysomes).

Transpiration

Lorsque la température ambiante s'élève, les plantes luttent contre la chaleur excessive en laissant évaporer à travers les stomates de leurs tiges et de leurs feuilles la plus grande partie de l'eau puisée dans le sol par leurs racines.

En une année, 1 ha de maïs tire du sol 2 800 m³ d'eau mais il n'en gardera finalement que 56 m³. En une saison, un bouleau restitue près de 7 000 l d'eau, un hêtre 9 000 l. Les plantes peuvent arrêter cette transpiration en fermant leurs stomates. Les feuilles des plantes grasses s'épaississent et constituent une réserve d'eau.

Types d'inflorescences

Certaines fleurs sont isolées (coquelicot, tulipe), mais le plus souvent elles sont rassemblées dans la région sexuée de la plante : ce groupement constitue une *inflorescence.* On en distingue 2 types :

1) Les grappes au sens de floraison ascendante (fleurs les plus âgées à la base et de plus en plus jeunes vers le haut) ; ex. : muguet. Si à la fin de son développement la grappe a une fleur terminale, elle est dite *définie* ; sinon elle est dite *indéfinie* (cas le plus fréquent). Il existe de nombreux cas particuliers de grappes : *Épis :* grappes de fleurs sessiles (sans pédoncule) ; ex. : maïs. *Châtons :* épis de fleurs unisexuées (mâles ou femelles) ; ex. : saule. *Corymbes :* grappes dont les pédoncules ont des longueurs telles que les fleurs se trouvent dans un même plan, ex. : poirier. *Ombelles :* comme dans les corymbes, les fleurs sont dans un même plan mais les pédoncules partent pratiquement d'un même point ; ex. : lierre, et quelques ombellifères (la plupart dans cette famille ont des inflorescences complexes comme des ombelles d'ombellules, des cymes d'ombelles... Voir plus loin). *Capitules :* les fleurs sessiles sont regroupées en une « tête serrée ». Toutes les fleurs de la famille des composés ont un capitule : marguerite, bleuet, pissenlit.

2) Les cymes au sens de floraison descendante (la fleur la plus âgée est en position terminale ; on observe les fleurs de plus en plus jeunes en descendant le long de l'axe) ; ex. : stellaire.

☞ Beaucoup de plantes ont en fait des *inflorescences complexes :* cyme de grappes, cyme d'abeilles, cyme de capitules, grappe de grappes.

Classification et reproduction

I. – THALLOPHYTES

Embranchement de végétaux dont les cellules sont assemblées en un *thalle* dont aucune des parties n'est spécialisée comme le sont les tiges, les feuilles ou les racines d'autres plantes. Le thalle entier assure généralement les différentes fonctions (photosynthèse, conduction, absorption...).

1) Algues. Elles prospèrent en milieu aquatique [(surtout marin) il existe cependant quelques espèces terrestres]. Les *algues vertes* (Ulve, Chlorelle...) possèdent surtout de la chlorophylle. Chez les *algues rouges* (Porphyra, Chondrus...), la chlorophylle est masquée par des pigments surnuméraires rouges et bleus (phycobilines), chez les *algues brunes* par des pigments bruns.

Les thalles peuvent être unicellulaires (Chlorelles) ou pluricellulaires filamenteux (Ulothrix), parenchymateux relativement homogènes (Ulve) ou présentant des ébauches de tissus, notamment conducteurs (Laminaires).

Les modes de reproduction varient : certaines algues rouges ont, par exemple, des cycles à 3 générations morphologiquement différentes.

2) Champignons (sans chlorophylle). On en compte plus de 100 000 espèces. Monocellulaires (levures) ; en filaments ténus (moisissures) ; champignons de grande taille. Vivent en **parasites** sur les arbres, les plantes et les cultures (maladies crypto-

Multiplication des végétaux

Le **semis** qui consiste à placer des grains en terre est le moyen le plus naturel et pratiquement le seul pour toutes les plantes qui ne vivent qu'un an (multiplication dite sexuelle).

Le **bouturage** (segment de rameau coupé prenant racine), le **marcottage** (tiges rampantes prenant racine), le **greffage** (partie d'une plante insérée dans une autre plante), le **drageonnage** (racines s'étendant autour de la plante-mère et donnant d'autres tiges) sont des modes de multiplication dits asexués des végétaux.

Les boutures de **méristèmes** en tube à essai sont des boutures par prélèvement de parties microscopiques dans l'extrémité de la tige (boutures dites d'apex). Jouent un grand rôle dans l'obtention de végétaux exempts de viroses.

Plantations

Époque. D'octobre à avril inclus (sauf pendant les gelées) : plants en paniers, mottes ou racines nues. Toute l'année (sauf pendant les gelées) plants en conteneurs. Si l'on ne plante pas immédiatement, mettre : arbres et arbustes à racines en jauge (racines jusqu'au collet en terre meuble ou sable frais) ; végétaux en mottes, pots ou paniers à l'abri du vent et du soleil protégés par une toile ou un plastique noir. En cas d'attente prolongée, déposer les plants en cave ou dans un local non chauffé où il ne gèle pas. Trous : grands végétaux, 70 cm³, petits, 50 cm³ minimum.

Calendrier (floraison)

Fleurs

Légende : mois de floraison (début), nom, couleur des fleurs, date du semis (*(s.)* ou de la plantation *(pl.)*, période de floraison en italique.

Janvier. Hellébore : fleurs pourpres, *s.* juin-juill., *pl.* 2 ans après, *janv.-mars.*

Février. Arabette : blanches, *pl.* sept.-oct. ou mars, *févr.-juin.* **Aconit d'hiver :** jaune citron, *pl.* automne, *févr.* **Chionodoxa :** bleu clair à cœur blanc, *pl.* automne, *févr.-mars.*

Mars. Aubriète : rouges et roses, *pl.* sept.-mars, *mars-juin.* **Pâquerette :** blanches à rouges, *pl.* oct.-nov., *mars-oct.* **Crocus :** bleues, violettes, rouges, prune, *pl.* oct., *mars.* **Primevère :** blanches, roses, jaunes, rouges, violettes, *s.* mai-sept., *mars-mai.*

Avril. Giroflée : rouges, orangées, *s.* mai, *pl.* oct., *avr.-juin.* **Dicentra :** blanches, *s.* mars, *pl.* oct.-mars l'année suivante, *avr.-juin.* **Drave :** jaunes, *pl.* mars-avril, *avr.* **Couronne impériale :** jaunes, orange rouge, *s.* juill.-août, *avr.* **Giroflée :** blanches, roses, jaunes, rouges, bleues, mauves, *s.* mai-juil., *avr.-août.* **Coucou :** jaunes, *s.* juin-juil. *3 à 7 ans après, en avril.* **Tulipe :** roses, blanches, rouges, jaunes, violacées, panachées, *s.* juil.-août, *repl.* les bulbes un an après.

Mai. Ancolie : bleues, *pl.* sept.-mars, *mai.* **Bergénia :** rose violacé, *pl.* oct.-mars, *mai.* **Souci :** jaunes, orangées, *s.* mars, fl. *mai-oct.* **Céraiste :** blanches, *pl.* mars, *mai.* **Œillet des fleuristes :** blanches, roses, rouges, jaunes, *s.* mi-avr., *mi-mai/mi-juin.* **Eremurus :** rose pâle, *pl.* automne, *mai.* **Héliotrope :** blanches à violet foncé, *s.* févr. ; *mai-oct.* **Iris des marais :** jaunes, *pl.* début déc., *fin mai-début juin.* **Lupin :** bleues, blanches, rouges, jaunes, *pl.* automne ou printemps, *mai-juil.* **Pivoine :** rouges, blanches, roses, *pl.* sept.-mars, *mai.* **Pelargonium :** roses, pourpres, *pl.* début printemps, *mai-oct.*

Juin. Alysse : jaune vif *pl.* avr., *juin-août.* **Anthémis :** blanches, jaunes, *pl.* sept.-mars, *juin-août.* **Campanule :** bleu lavande clair, *pl.* sept.-avr., *juin-juil.* **Pied d'alouette :** bleues, violettes, *pl.* sept.-mars, *juin-août.* **Digitale :** tachetées de pourpre, *pl.* automne ou printemps, *juin-juil.* **Vergerette :** jaunes, *pl.* automne ou print., *juin-août.* **Pavot de Californie :** orange, *s.* sept., *juin-oct.* **Gaillarde :** rouges, jaunes, *pl.* mars-mai, *juin-oct.* **Glaïeul :** roses, rouges, blanches, *pl.* mars, *juin-juil.* **Gypsophile :** blanches, *pl.* oct.-mars, *juin-août.* **Julienne :** blanches, mauves, pourpres, *pl.* oct.-mars, *juin.* **Iberis :** blanches, violettes, *pl.* sept.-mars, *juin-sept.* **Balsamine :** roses, *s.* mars-avr. *juin-sept.* **Pois de senteur :** blanches, jaunes, roses, rouges, orangées, *pl.* mars, *juin-sept.* **Lis blanc :** blanches, *pl.* autom. ou print., *juin-juil.* **Chèvrefeuille :** blanches, roses ; *pl.* autom., print., *juin.* **Mauves :** blanches, roses, *pl.* oct.-mars, *juin-sept.* **Méconopsis :** bleues, *pl.* mars-avr., *juin-juil.* **Tabac :** blanches, *pl.* mai, *juin-sept.* **Nigelle :** bleues, mauves, pourpres, roses, blanches, *s.* mars, *juin-août.* **Pétunia :** blanches, bleues, roses, rouges, *pl.* fin mai, *juin-nov.* **Réséda :** jaunes, rouges, *s.* mars-avr., sept., *juin-oct.*

Juillet. Achillée : jaune citron, *pl.* oct.-mars, *juil.-sept.* **Rose trémière :** blanches, roses, violacées, jaunes, *pl.* avr., *juil.-sept.* **Amaranthe queue de renard :** pourpres, *pl.* mai, *juil.-oct.* **Muflier :** jaunes, rouges, roses, blanches, *pl.* mars-juin, *juil.-oct.* **Reine-marguerite :** rose-rouge, pourpres, blanches, *pl.* mai, *juil.-nov.* **Chrysanthème :** blanches, jaunes, *pl.* avr., *juil.-sept.* **Clarkia :** roses, écarlates, orangées, *s.* mars, *juil.-sept.* **Cléome :** blanches, roses, *pl.* mai, *juil.-nov.* **Chardon bleu :** bleues, *pl.* autom., *juil.-sept.* **Fuchsia :** roses, *pl.* mai, *juil.-oct.* **Gazania :** orange tachée de noir, *pl.* juin, *juil.-sept.* **Bec-de-grue :** bleu violacé, *pl.* sept.-mars, *juil-août.* **Soleil, tournesol :** jaunes, *s.* mars-avr. *fin juil.-sept.* **Hélipterum :** roses à cœur jaune, *pl.* mai, *juil.-sept.* **Millepertuis :** jaunes, *pl.* avr., *juil.-sept.* **Ipomée :** rouges, *pl.* mai-juin, *juil.-oct.* **Lavatère :** roses, *pl.* autom., print., *juil.-sept.* **Lobélia :** rouges, *pl.* avr., *juil.-août.* **Lychnis :** roses, magenta, blanches, *pl.* mai, *juil.-sept.* **Belle-de-nuit :** roses, rouges, jaunes, blanches, *pl.* fin mai, *juil.-sept.*

Août. Anémone : roses, rouges, blanches, *pl.* oct., *août-oct.* **Cosmos :** roses, blanches, rouges, *pl.* mai, *août-sept.* **Cyclamen de Naples :** mauves, roses, *pl.* début autom., *août-nov.* **Dahlia :** rouges, *pl.* mi-avr., *août-nov.* **Verveine odorante :** mauve pâle, *pl.* fin mai, *août.* **Sauge :** bleues, *pl.* mai, *août-sept.*

Septembre. Amaryllis : blanches, roses, *pl.* juin-juil., *sept.-oct.* **Colchique :** blanches, *pl.* août-sept., *sept.-nov.* **Léonitis :** orangées, *pl.* print., *sept.-oct.* **Lis de Guernesey :** roses, *pl.* août, avr., *sept.-nov.* **Orpin :** roses, *pl.* oct.-avr., *sept.-nov.*

Octobre. Perce-neige : blanches, *pl.* après la fl., *oct., janv.*

Décembre. Jacinthe commune : blanches, roses, jaunes, mauves, bleues, *pl.* mars-avr., *déc.-mai.*

Arbres et arbustes

Légende : nom, hauteur en mètres, couleur des fleurs.

Arbustes

Janvier. Camélia : 3, roses, blanches. **Chimonanthe :** 3, jaunes.

Février. Cornouillier mâle : 2,5, jaune d'or. **Mahonia du Japon :** 2,5, jaune citron. **Rhododendron :** 0,6 et +, blanches.

Mars. Cognassier du Japon : 0,9, rouge orangé. **Forsythia :** 2,5, jaune d'or. **Magnolia étoilé :** 2,5, blanches.

Avril. Berberis : 2,5 , jaunes. **Genêt à balai :** jaunes. **Spirée :** 1,8, blanches.

Mai. Oranger du Mexique : 1,5, blanches. **Cotonéaster :** 4, blanches. **Buisson ardent à feuilles crénelées :** 3, blanches.

Juin. Arbre aux papillons : 3, jaune orangé. **Deutzia :** 1,8, blanches. **Seringat :** 2,5, blanches.

Juillet. Callune : 0,08 à 0,75, blanches, roses, pourpres. **Fuchsia :** 1,2-1,8, rouges. **Indigotier :** 1,75, pourpres. **Cléthra :** 1,8, crème. **Hibiscus :** 2,5, blanches à pourpres. **Myrte :** 2,6, blanches.

Septembre. Lespedeza : 2, roses. **Leycesteria :** 1,8, rouge foncé.

Octobre. Fatsia : 0,5, blanches.

Novembre. Jasmin d'hiver : 3, jaunes. **Chèvrefeuille de Standish :** 1,4, crème. **Viorne odorante :** 3,5, rose pâle.

Décembre. Hamamélis : 2,2, jaunes. **Chèvrefeuille odorant :** 2, crème. **Viornetin :** 2,5, blanc rosé.

Arbres d'ornement

Janvier. Mimosa : 6-8, jaune clair.

Février. Peuplier tremble : 20, brun-gris, jaunes. **Pêcher à fleurs :** 5-10, roses. **Rhododendron :** 6-12, rouge foncé.

Mars. Érable rouge : 23. **Magnolia yulan :** 4, 5-8, blanches. **Arbre de fer :** 6-8, rouge cramoisi.

Avril. Érable duret : 20, jaune pâle. **Merisier :** 10-13, blanches.

Mai. Marronnier rouge : 4, 5-6, roses. **Arbre de Judée :** 4, 5-6, roses. **Paulownia :** 5-10, bleu lavande.

Juin. Orne : 24, blanc crème. **Robinier :** 30, blanches.

Juillet. Catalpa commun : 18, blanches. **Tulipier de Virginie :** 10-15, jaune-vert.

Août. Arbre de soie : 6-12, roses. **Sophora du Japon :** 15-20, violettes.

Septembre-octobre. Arbousier : 10, blanc verdâtre.

Octobre-novembre. Aulne de l'Himalaya : 8-15, brunes.

gamiques) ; en **saprophytes** sur les débris animaux et végétaux ; ou en **mycorhize** [association symbiotique du mycélium (partie végétative d'un champignon) et d'une racine, peut être endotrophe (vivant à l'intérieur de la racine) ou ectotrophe (vivant à l'extérieur de la racine) selon la position du mycélium].

Les *truffes* sont des champignons mycorhiziens.

3) Lichens. Association symbiotique d'une algue et d'un champignon. Premiers colonisateurs des terrains nus.

II. – BRYOPHYTES

1) Mousses. Plantes de taille modeste, possédant des tiges et des feuilles mais pas de racines. Les mousses sont caractérisées par 2 générations de plantes morphologiquement différentes dont l'une parasite l'autre : *la plante feuillée,* qui est productrice de gamètes (gamétophyte), est autotrophe ; *la capsule* (généralement sur une soie) est la 2e génération issue de l'œuf qui germe sur le gamétophyte. Cette capsule produit des spores : c'est le *sporophyte,* parasite du gamétophyte.

Les mousses colonisent des milieux très variés : reviviscentes, certaines espèces sont bien adaptées aux substrats secs *(Polytric poilu)* ; les *Hypnums* et Polytrics des bois s'accommodent de peu de lumière ; les *sphaignes,* avec leurs cellules à réserves d'eau, colonisent les tourbières acides et contribuent à la formation de la tourbe.

2) Hépatiques. Leur cycle est comparable à celui des mousses. Leur appareil végétatif, de taille toujours réduite, présente des aspects variés : tantôt feuillé (Frullania), tantôt en forme de thalle (Marchantia).

III. – PTÉRIDOPHYTES (CRYPTOGAMES VASCULAIRES)

Plantes dépourvues de fleurs, affiliées aux fougères, dont l'appareil végétatif est un *sporophyte ;* les spores germent en donnant un gamétophyte appelé *prothalle* qui porte gamètes mâles et femelles ; en germant, l'œuf redonne un *sporophyte.*

1) Fougères. A grandes feuilles (frondes ou macrophylles) portant sur leur face inférieure des *sporanges.* Herbacées sous les climats tempérés, elles sont en forme de *rosette* (sans tige aérienne) et possèdent un *rhizome* souterrain. En région tropicale, certaines espèces sont arborescentes.

2) Prêles. Herbacées, à tige chlorophyllienne pourvue de petites feuilles *(microphylles)* disposées en verticilles. Les sporanges sont groupés en épis. Dans la houille du Carbonifère, on trouve des Prêles géantes de plus de 30 m.

3) Lycopodes et Sélaginelles. Assez petites, pourvues de tiges rampantes et dressées munies de petites feuilles (microphylles). Les spores sont à l'aisselle des feuilles ou groupés en épis. Sous nos climats, plusieurs espèces de Lycopodes rares sont protégées. Les Sélaginelles sont surtout tropicales.

4) Psilotes. Sans feuilles, à tige chlorophyllienne, représentent peut-être les ancêtres de toutes les plantes de cet embranchement.

IV. – PHANÉROGAMES (PLANTES À FLEURS ET À GRAINES)

Avec tige, feuilles, racines, fleurs.

La partie mâle **(l'étamine),** en général à filet, est surmontée d'une *anthère* à loges se déchirant à maturité, laissant échapper le **pollen** (grains de 0,01 millimètre). La partie femelle (le **pistil**), constituée de feuilles modifiées *(carpelles),* comprend un ovaire contenant des ovules, surmonté d'un style terminé par un renflement, le **stigmate,** qui retiendra le pollen transporté par les insectes, pollen entomophile ; ou par le vent, pollen anémophile. L'ovaire se transforme en fruit et les ovules en graines.

Fruits charnus. **Baies** ou fruits à pépins, ex. : raisin, melon. **Drupes** ou fruits à noyau, ex. : pêche, cerise, abricot.

Fruits secs (s'ouvrant à maturité et généralement à plusieurs grains), ex. : pois. **Follicules** (s'ouvrant par une seule fente), ex. : hellébore. **Gousses** (par 2), ex. : haricot. **Siliques** (par 4), ex. : giroflée. **Capsules** venant de plusieurs carpelles coudées, ex. : datura.

Certains fruits secs n'ont qu'une seule graine, ex. : le fraisier [sur le réceptacle charnu (partie comestible) il y a une quantité de fruits, les **akènes**], le blé (le grain est un fruit nommé **caryopse ;** les grains sont groupés sur un épi).

A) ANGIOSPERMES

A stigmate, à ovules contenus dans un ovaire clos, graines encloses dans un fruit.

Disposition des sexes floraux : une fleur peut avoir les 2 sexes (étamines et pistil bien constitués), elle est hermaphrodite ; ou un seul (fleur mâle ou femelle), elle est dite dichogame.

Lorsque les étamines et parfois les carpelles sont transformés en pièces pétaloïdes, la fleur est dite double. Une plante peut avoir : soit des fleurs hermaphrodites ; soit des fleurs entièrement mâles ou des fleurs entièrement femelles, l'espèce est dite monoïque ; soit des fleurs mâles et des fleurs femelles, l'espèce est dite dioïque.

1. – Monocotylédones

Graine avec un seul cotylédon ; en général, feuilles à nervures parallèles ; pièces florales par 3 ou 6.

Quelques familles

Palmiers. Tige, ou stipe, presque toujours simple terminée par un bouquet de feuilles pennées ou en éventail. Ex. : cocotier, raphia.

Liliacées. Calice floral à 3 sépales pétaloïdes, corolle à 3 pétales, 2 verticilles à 3 étamines, ovaire à 3 loges, stigmate trilobé. Certains à bulbe (lis, tulipe, jacinthe, oignon, poireau) ou à rhizome (asperge, muguet).

Iridacées. 3 étamines, ovaire infère (au-dessous de la corolle et du calice). Ex. : glaïeul, iris, crocus.

Amaryllidacées. 6 étamines, ovaire infère. Ex. : amaryllis, narcisse.

Commelinacées. Comprennent des espèces des pays chauds *(Commelina, Tradescantia)* cultivées comme plantes d'ornement.

Broméliacées. Souvent épiphytes (fixés sur un autre végétal mais non parasites). Ananas.

Orchidacées. Ex. : cattleya, vanille.

Graminées (ou graminacées). Tige creuse, feuilles engainantes, fleurs groupées en épillets, 3 étamines, ovaires à un ovule, fruit : caryopse. Ex. : céréales (blé, maïs, orge, riz, seigle), gazons (paturin, dactyle), bambous, roseaux, canne à sucre.

Cyperacées. Plantes des lieux humides en régions tempérées *(Carex, Souchets).* La moelle du *cyperus papyrus* servait à fabriquer le papier qu'utilisaient, dans l'Antiquité, Égyptiens, Grecs et Romains.

2. – Dicotylédones

Graine à 2 cotylédons ; feuilles à nervures ramifiées ; pièces florales par 4 ou 5.

a – Dialypétales (à pétales séparés)

Quelques familles

Renonculacées. Herbacées à nombreuses étamines aux anthères ouvertes vers l'extérieur, fruits indéhiscents (akène) : renoncule, anémone, clématite ; ou à fente longitudinale (follicules) : hellébore, pivoine, ancolie ; baie : actée.

Autres familles : *Papavéracées :* pavot, coquelicot, œillette. *Malvacées :* mauve, guimauve, rose trémière, cotonnier, baobab. *Tiliacées :* tilleul. *Lauracées :* lauriers. *Nymphéacées :* nénuphar.

Rosacées. Fleurs régulières, 5 sépales verts, 5 pétales, étamines nombreuses en verticilles, feuilles dentées et stipulées : fraisier, framboisier, rose, églantine, pimprenelle, pommier, poirier, aubépine, reine-des-prés, amandier, cerisier, pêcher, prunier.

Légumineuses. Souvent herbacées, corolle irrégulière à 10 étamines dont 9 soudées, ovaire se transformant en gousse. Pois, haricot, fève, lentille *(Papilionoïdées).* Sainfoin, trèfle, luzerne, vesce. Arachide. Robinier, cytise, glycine, acacia *(Mimosoïdées).*

Autres familles : *Linacées :* lin. *Vitacées :* vigne. *Violacées :* violettes, pensées. *Géraniacées :* géranium.

Crucifères ou Brassicacées. Fleurs régulières, 4 sépales, 4 pétales en croix, 6 étamines, ovaire à 2 carpelles soudés par leur bord ; fruit sec : silique. Chou, navet, radis, cresson, colza, giroflée.

Ombellifères ou Apiacées. Herbacées, ovaire à 2 loges, fleurs groupées (ombelles simples ou composées) ; fruit : akène double. Panais, carotte, céleri, persil, ciguë.

b – Gamopétales (à pétales soudés)

Quelques familles

Solanacées. En général herbacées, fleurs régulières à 5 étamines, ovaire libre à 2 loges ; fruit : baie (pomme de terre) ou capsule (tabac).

Autres familles : *Borraginacées :* fruits à 2 carpelles cloisonnés en 4 loges ayant chacune un ovule. Myosotis, bourrache, héliotrope. *Cucurbitacées :* melon, citrouille, potiron, concombre, courge.

Labiacées. Tige quadrangulaire, fleurs à 2 lèvres, à 4 étamines, ovaire libre à 4 loges (ayant chacune un ovule) ; fruit : tétrakène. Thym, menthe, lavande, romarin, sauge.

Autres familles : *Scrofulariacées,* ex. : gueule-de-loup.

Composées. Fleurs groupées en capitules, étamines soudées, ovaire infère à un ovule ; fruit : akène en général à aigrette. Pissenlit, laitue, chicorée. Bleuet, marguerite, pâquerette, dahlia, zinnia, chrysanthème, artichaut, topinambour, salsifis, tournesol.

Autres familles : *Convolvulacées :* liseron. *Éricacées :* myrtille, callune, bruyères, rhododendrons, azalées. *Caprifoliacées :* sureau, yèble, obier, chèvrefeuille. *Valérianacées :* valériane, mâche, lilas d'Espagne. *Dipsacacées :* cardère, scabieuse. *Oléacées :* frêne, troène, lilas...

c – Apétales (pas de corolle distincte)

Amentacées. Arbres à chatons. Chêne, hêtre, châtaignier, noisetier, charme, aulne, bouleau, peuplier, noyer.

Caryophyllacées. En général, tiges avec des nœuds, feuilles opposées, fruits en capsules. *Alsinées :* nielle des blés. *Silénées :* œillet.

Chénopodiacées. Betterave, épinard.

Urticacées. 4 étamines, 1 ovaire : 1 loge, une graine. Ortie, ramie.

Autres familles : *Cannabinacées :* houblon, chanvre. *Ulmacées :* orme. *Polygonacées :* oseille, patience, sarrasin, renouée...

B) GYMNOSPERMES

Ovules et graines nues ; fleurs unisexuées, – mâles : axe portant des étamines serrées ; femelles : ensemble d'écailles portant les ovules.

Comprennent notamment : *Cycadacées :* cycas. *Ginkgoacées :* ginkgo. **Conifères** dont : *Abiétinées :* fleurs femelles groupées en cônes formés de nombreuses écailles : pin, sapin, épicéa, cèdre, mélèze. *Cupressinées :* fleurs femelles groupées en cônes globuleux formés de quelques écailles : cyprès, thuya, genévrier. *Taxinées :* fleurs femelles isolées : if.

Reproduction des gymnospermes. Les ovules sont nus, portés sur des écailles souvent groupées en cônes. La fécondation s'opère de la même façon que chez les angiospermes.

MATHÉMATIQUES

Histoire des mathématiques

• **Science des nombres (arithmétique).** *V. 3000 av. J.-C.* arithmétique chaldéenne ; arithm. commerciale sumérienne. *2200-1350* tablettes de Nippur (Babylone) : utilisent la base 60 [encore utilisée de nos jours dans le calcul du temps (60 secondes, 60 minutes) et dans la mesure des angles (1 cercle = 6 × 60°)]. *1650* papyrus Rhind en Égypte : utilise la numération de base 10 (décimale). Connaît les signes + (2 jambes marchant vers la gauche) et – (2 jambes marchant vers la droite). *1102* rédaction du traité d'arithmétique chinois, le *Chou-Pei :* les calculs se font avec le boulier (connu également en Inde, au Moyen-Orient, en Égypte ; sera introduit dans le monde gréco-romain sous le nom d'*abacus*). *VIe s. av. J.-C.* Pythagore crée l'arithmétique moderne. Numération décimale [les chiffres sont les 10 premières lettres de l'alphabet ; ils seront supplantés dans le monde méditerranéen par les chiffres romains ; les calculs se font ordinairement avec des tables à calculer, qu'on appellera plus tard des *échiquiers* car elles contiennent des cases (rangées 10 par 10) : il y a la rangée des unités, des dizaines, des centaines, etc. ; les chiffres sont représentés par des cailloux placés sur les cases, d'où le mot de *calcul,* pour désigner les opérations d'arithmétique (latin *calculus,* « petit caillou »)]. La table de multiplication ou « table de Pythagore », qui donnait par écrit les multiples des premiers nombres en utilisant les notations grecques (lettres de l'alphabet), a été conservée avec des chiffres romains.

IVe s. apr. J.-C. 1er traité complet d'arithmétique occidental : Diophante d'Alexandrie, *Arithmetica. 610 apr. J.-C.* traité de l'Indien Aryabatta : extraction des racines carrées et cubiques ; règle de trois : il utilise 9 chiffres et le zéro est figuré par un point. *V. 900* les Arabes utilisent le système indien et remplacent le point du zéro par un petit cercle. *V. 1000* le pape Silvestre II (940-1003) réintroduit en Occident l'ancien *abacus* gréco-romain, utilisé par les Arabes (les mathématiciens sont nommés abacistes). Mais l'usage de la table à calculer reste prédominant, et le calcul écrit est ignoré. *1202* Léonard de Pise (Leonardo Fibonacci, 1175-1240) répand les méthodes de calcul arabe en Occident *(Traité de l'abacus) ;* il adopte les chiffres arabes et le zéro ; il crée la « suite de Fibonacci » : 0, 1, 2, 3, 5, 8, 13, 21, 34, etc. (chaque nombre étant la somme des 2 précédents). *1545 Ars Magna,* de l'Italien Jérôme Cardan (1501-76) : résolution des équations du 3e degré. *1550* manuel d'arithmétique de l'Allemand Adam Riese (1492-1559) : contribue à l'abandon de la table à calculer, du boulier, des chiffres romains, et à l'adoption en Occident du calcul écrit. *1585 Arithmétique* de Simon de Bruges (Simon Stevin, 1548-1620) : substitue les fractions décimales aux fractions communes.

• **Géométrie.** *VIe s. av. J.-C.* le Grec Thalès (625-550) inscrit un triangle dans un cercle, trouve la hauteur d'un objet d'après la longueur de son ombre, démontre l'égalité des angles opposés par le sommet. *IVe s. av. J.-C.* le Grec Euclide (450-380) expose son « postulat » dans son traité, *les Éléments :* d'un point extérieur à une droite, on ne peut mener qu'une parallèle à cette droite. *IIIe s. av. J.-C.* le Grec Archimède (287-212), dans son traité *Mesure du cercle,* donne la valeur de π (pi) [traité perdu, mais connu indirectement par le mathématicien arabe Al Biruni (973-1048)]. *IIe s. apr. J.-C.* le Grec Hipparque le Rhodien divise le cercle en 360 degrés, selon les normes babyloniennes (V. plus haut). *1637* le Français René Descartes (1596-1650) pose les fondements de la géométrie analytique (utilisant le calcul algébrique). *1639 Traité des coniques* du Français Blaise Pascal (1623-62) ; à 16 ans, il retrouve les lois du Grec Apollonios de Perga (262-180 av. J.-C.). *1768* le Français Jean-Henri Lambert (1728-77) crée la géométrie non euclidienne. Autres théoriciens : le Russe Nikolaï Lobatchewski [(1792-1856) géométrie hyperbolique (1830)] ; l'Allemand Bernhard Riemann (1826-66).

• **Algèbre.** Mot venant de l'arabe *al djabr,* « réduction », par le latin médiéval *algebra. IIe millénaire av. J.-C.* les Babyloniens (tablettes de Nippur) connaissent l'équation du 1er degré à plusieurs inconnues. *IVe s. apr. J.-C.* Diophante d'Alexandrie adopte les termes de *X* et *Y* pour les inconnues des équations. *825* l'Arabe Mohamed al Kharezmi (né à la fin du VIIIe s.) invente l'élimination des termes égaux de chaque côté du signe =, et le transfert des termes avec changement de signe. *1591* traité du Français François Viète (1540-1603) : *Isagogê in artem analyticum* (« Introduction à l'analyse »), qui fonde l'algèbre moderne ; les inconnues sont désignées par des consonnes et les données par des voyelles. *1572* l'Italien Raffaele Bombelli invente les nombres complexes ou racines imaginaires. *1637* Descartes, dans une annexe au *Discours de la Méthode,* distingue la géométrie de l'algèbre et crée le système de notations algébriques encore utilisé de nos jours.

L'algèbre se divise alors en de nombreuses branches, notamment :

Calcul des probabilités. Précurseurs : l'Italien Luca Pacioli (1445-1510) et aussi Jérôme Cardan (V. ci-dessus). Créateurs : les Fr. Pascal, Georges de Méré (1610-85), Pierre Fermat (1601-65). 1er traité complet : *De ratiociniis in ludo aleae* (« Spéculations sur le jeu de dés », 1656) du Hollandais Christiaan Huygens (1629-95).

Calcul infinitésimal. Précurseur : Pierre Fermat, en 1636. Théoriciens : l'Allemand Gottfried Leibniz (1646-1716) : nouvelle méthode pour déterminer les maximums et les minimums (1684) ; l'Anglais Isaac Newton (1642-1727) : méthode des fluxions et des séries infinies (1671).

Algèbre logique ou « algèbre de Boole ». Créée en 1846 par l'Anglais George Boole (1815-64).

Trigonométrie. Précurseurs : les Grecs Aristarque de Samos (300-230 av. J.-C.) et Hipparque de Nicée (180-135 av. J.-C.). Claude Ptolémée d'Alexandrie (80-160) rédige l'*Almageste.* Les premières tables sont dues à l'Arabe Mohamed al Kharezmi (Voir ci-dessus), mais la notion de sinus a été empruntée par les Arabes à l'Inde (à la fin du XIIIe s.). La trigonométrie sphérique a été conçue par l'Arabe al Battani (858-922), appliquant la trigonométrie classique à l'espace à 3 dimensions. 1er exposé complet : 1770, par le Français Jean-Henri Lambert, devant l'Académie de Berlin (Voir ci-dessus) : *Trigonométrie hyperbolique.*

Logarithmes. Archimède (IIIe s. av. J.-C.) dans son traité de l'*Arenaria* (« études sur les grains de sable »), calculant le nombre de grains de sable nécessaire pour remplir l'univers, donne un nombre équivalent à 10 puissance 51 : il est près de concevoir les logarithmes modernes.

Le Français Nicolas Chuquet (1445-1500) définit les progressions géométriques et arithmétiques ; il invente les exposants négatifs. L'Écossais John Napier (1550-1617) invente le mot et le concept de logarithme, dans sa *Description de la stupéfiante règle des logarithmes* (1614), mais en adoptant la base e^{-1}. Son système permet de remplacer les multiplications par des additions et les divisions par des soustractions (en utilisant des nombres plus petits). L'Anglais Henry Briggs (1561-1631) invente en 1617 les logarithmes de base 10 (appelés décimaux ou vulgaires) ; en 1624, il donne les tables logarithmiques de 1 à 20 000 et de 90 000 à 101 000 avec 14 décimales [1res tables logarithmiques (très sommaires) par le Suisse Jobst Bürgi (1552-1632), en 1620].

• **Mathématiques modernes.** Précurseurs : le Français Évariste Galois (1811-32) dans sa *Lettre à Auguste Chevalier* (1832) ; les Allemands Carl Friedrich Gauss (1777-1855) ; Georg Cantor (1845-1918) : *Théorie des ensembles* (1872-79) ; le Norvégien Niels Abel (1802-1829) : *Théorie des fonctions elliptiques.*

Arithmétique

Dans cette étude on considère uniquement les entiers naturels non nuls (dont l'ensemble est noté N *).

Nombres premiers

Définition. Dans N *, un nombre est dit premier si, et seulement si l'ensemble de ses diviseurs est une paire (ensemble de 2 éléments). 2 ou plusieurs nombres sont premiers entre eux s'ils admettent pour seul commun diviseur 1.

Ex. : 12 a pour diviseurs 1, 2, 3, 4, 6, 12.
35 a pour diviseurs 1, 5, 7, 35.

Seul diviseur commun 1 : 12 et 35 sont premiers entre eux (quoique aucun des deux ne soit premier).

Décomposition d'un nombre en facteurs premiers. On démontre que tout nombre entier peut s'écrire d'une seule façon comme produit de puissances de nombres premiers.

Ex. : $504 = 2^3 \times 3^2 \times 7^1$ qu'on écrit plus simplement $504 = 2^3 \times 3^2 \times 7$.

Depuis le 6-8-1989, le plus grand nombre premier connu est (391 581 × 216 193) – 1. Jusque-là, les

Nombres premiers de 1 à 1 000

2	97	227	367	509	661	829
3	101	229	373	521	673	839
5	103	233	379	523	677	853
7	107	239	383	541	683	857
11	109	241	389	547	691	859
13	113	251	397	557	701	863
17	127	257	401	563	709	877
19	131	263	409	569	719	881
23	137	269	419	571	727	883
29	139	271	421	577	733	887
31	149	277	431	587	739	907
37	151	281	433	593	743	911
41	157	283	439	599	751	919
43	163	293	443	601	757	929
47	167	307	449	607	761	937
53	173	311	457	613	769	941
59	179	313	461	617	773	947
61	181	317	463	619	787	953
67	191	331	467	631	797	967
71	193	337	479	641	809	971
73	197	347	487	643	811	977
79	199	349	491	647	821	983
83	211	353	499	653	823	991
89	223	359	503	659	827	997

Nombre parfait

Nombre entier égal à la somme de tous ses diviseurs autres que lui-même.
Ex. : 1 + 2 + 4 + 7 + 14 = 28.

Le plus petit est 6 : 1 + 2 + 3.

Nombres les plus élevés portant un nom

Dans le système des puissances successives de dix : centillion (10^{600} ou le chiffre 1 suivi de 600 zéros). *Gogolplex* (10 puissance 10 puissance 100) = 10 puissance 60060L. Terme inventé par Edward Kasner († en 1955) et James Newman.

En dehors du système décimal : asankhyeya bouddhiste (10^{140}).

grands nombres premiers appartenaient à la classe des nombres de Mersenne : $2^n - 1$. Ils appartiendront désormais à une nouvelle classe de la forme $(m \times 2^n) - 1$. En 1979, le plus grand nombre premier connu (calculé avec l'ordinateur Cray-1) était « 2 puissance 44 497 moins 1 ». Entre 1875 et 1950 le plus grand connu était un nombre de 39 chiffres (« 2 puissance 127 moins 1 »).

P.G.C.D. et P.P.C.M.

P.G.C.D. : Plus grand commun diviseur.
P.P.C.M. : Plus petit commun multiple.

Ces termes se définissent d'eux-mêmes : Ex. : *Diviseurs de 12 :* 1 2 3 4 6 12 ; *de 18 :* 1 2 3 6 9 18 ; *de 24 :* 1 2 3 4 6 8 12 24. *P.G.C.D. de 12, 18 et 24 :* 6.

Multiples de 12 : 12 24 36 48 60 72 84, etc. ; *de 18 :* 18 36 54 72 90, etc. ; *de 24 :* 48 72 96, etc. *P.P.C.M. de 12, 18, 24 :* 72.

Pour calculer P.G.C.D. et P.P.C.M. de plusieurs nombres, on les décompose chacun en facteurs premiers.

P.P.C.M. : on prend le produit des facteurs premiers figurant dans *au moins une* des décompositions, chacun d'eux étant affecté du plus grand exposant avec lequel il figure dans les décompositions des nombres.

P.G.C.D. : on ne prend que le produit des facteurs premiers rencontrés dans *toutes* les décompositions, chacun d'eux étant affecté du plus petit exposant avec lequel il figure dans les décompositions des nombres.

Nota. – Si aucun facteur premier n'est commun à toutes les décompositions, les nombres considérés sont premiers entre eux et ont pour P.G.C.D. : 1.

Ex. :
7 425 $= 2^0 \times 3^3 \times 5^2 \times 11^1$
23 958 $= 2 \times 3^2 \times 5^0 \times 11^3$
P.P.C.M. $= 2 \times 3^3 \times 5^2 \times 11^3$
P.G.C.D. $= 2^0 \times 3^2 \times 5^0 \times 11$

Remarquons qu'en remplaçant les facteurs premiers manquant dans une décomposition par ce nombre à la puissance zéro (soit 1), il suffit de se rappeler la règle mnémonique : P.P.C.M. : plus grand exposant ; P.G.C.D. : plus petit exposant.

Divisibilité d'un nombre. *Par 2* ⇔ il se termine par 0, 2, 4, 6 ou 8.

3 ⇔ la somme de ses chiffres est divisible par 3 ;
4 ⇔ les 2 derniers chiffres du nombre sont 2 zéros ou forment un nombre divisible par 4 (ex. : 48 752 est divisible par 4 car 52 est divisible par 4) ;
5 ⇔ il se termine par 0 ou 5 ;
6 ⇔ il est divisible à la fois par 2 et 3 ;
8 ⇔ ses 3 derniers chiffres sont 3 zéros ou forment un nombre divisible par 8 ;
9 ⇔ la somme des chiffres du nombre est divisible par 9 ;
10 ⇔ il se termine par zéro ;
11 ⇔ la différence entre la somme des termes de rang impair et la somme des termes de rang pair (à partir de la droite par exemple) est nulle ou divisible par 11 ;

Ex. : 48 543 est divisible par 11 car (4 + 5 + 3) – (8 + 4) = 12 – 12 = 0.

93 819 est divisible par 11 car (9 + 8 + 9) – (3 + 1) = 26 – 4 = 22 (multiple de 11) ;
12 ⇔ il est divisible par 4 et par 3 ;
15 ⇔ il est divisible par 3 et par 5 ;
22 ⇔ il est divisible par 2 et par 11 ;
25 ⇔ il se termine par 00, 25, 50 ou 75.

Congruences

Définition. C'est une relation binaire telle que : $x \equiv x' [m] \Leftrightarrow x - x' \in m\,\mathbb{N}^*$ $m \in \mathbb{N}^*$.

x et x' ont même reste dans la division euclidienne par m.

1 x et x' ont même reste dans la division euclidienne par m.

Étude de cette relation. C'est une relation d'équivalence. Classes d'équivalence :

La classe d'équivalence de a est notée : $\dot{a} = \{ x ; x \equiv a [m] \}$.

Ensemble quotient noté :

$Z/mZ = \{ \dot{0}, \dot{1}, \dot{2} ....\overline{(m-1)} \}$

Remarque : { 0, 1, 2....(m – 1) } sont appelés entiers modulo m.

Numération

On peut utiliser, comme base de numération, tout nombre entier à partir de 2.

• **Base dix** (numération décimale). Permet de représenter n'importe quel nombre au moyen de 10 symboles appelés chiffres. Ce nombre de 10 symboles a été choisi probablement parce que l'homme a compté très tôt sur ses 10 doigts.

Cette numération indique, par le rang que chaque chiffre occupe à partir de la droite, la puissance de 10 que ce chiffre concerne. Ainsi 37 524 signifie $4 \times 10^0 + 2 \times 10^1 + 5 \times 10^2 + 7 \times 10^3 + 3 \times 10^4$.

Nota. – Tout nombre non nul élevé à la puissance zéro vaut 1.

• **Base deux.** On utilise 2 symboles : 0 et 1.

Ex. : $\frac{\text{deux}}{1011011}$ correspond à (on part toujours de la droite) :
$1 \times 2^0 + 1 \times 2^1 + 0 \times 2^2 + 1 \times 2^3 + 1 \times 2^4 + 0 \times 2^5 + 1 \times 2^6$
$= 1 + 2 + 0 + 8 + 16 + 0 + 64$
= 91 du système décimal.

Le système binaire, utilisant seulement 2 symboles pour représenter tout nombre entier, est très utilisé dans l'industrie (machines électroniques).

• **Base quatre.** Utilise 4 symboles : 0, 1, 2, 3.

$\frac{\text{quatre}}{3012}$ (lire trois, zéro, un, deux : écrit en base quatre, et non trois mille douze) ;
correspond à : $2 \times 4^0 + 1 \times 4^1 + 0 \times 4^2 + 3 \times 4^3$
= 2 + 4 + 0 + 192 = 198 du système décimal.

• **Base douze.** On utilise 12 symboles : 0, 1, 2, 3, 4, 5, 6, 7, 8, 9, *a*, *b*, (*a* et *b* sont souvent remplacés par les lettres grecques α et β et représentent 10 et 11).

Ex. : $\frac{\text{douze}}{1ab3}$ (lire un, *a*, *b*, trois, écrit en base douze) correspond à :
$3 \times 12^0 + 11 \times 12^1 + 10 \times 12^2 + 1 \times 12^3$
= 3 + 132 + 1440 + 1728
= 3303 du système décimal.

Nota. – Problème : Comment écrire dans le système de base cinq, par exemple, le nombre 184 écrit dans le système décimal (base 10) ? Le système de base cinq (symboles 0, 1, 2, 3, 4) utilise :
$5^0 =$ 1 groupe d'ordre zéro ;
$5^1 =$ 5 groupes d'ordre un ;
$5^2 =$ 25 groupes d'ordre deux ;
$5^3 =$ 125 groupes d'ordre trois ;
$5^4 =$ 625 groupes d'ordre quatre ; etc.

On voit que 184 ne contient aucun groupe d'ordre quatre, mais contient un groupe d'ordre trois (184 divisé par 125 donne un quotient entier 1 ; reste 59) ;
$184 = 125 + 59 = 5^3 + 59$.

De même 59 contient 2 groupes d'ordre deux et il reste 9 ;
$184 = 5^3 + 2 \times 25 + 9 = 5^3 + 25^2 + 9$.

9 contient un groupe d'ordre un et il reste 4 ;
$184 = 5^3 + 2 \times 5^2 + 1 \times 5^1 + 4$;
et 4 contient exactement 4 groupes d'ordre zéro.

184 s'écrit donc en base cinq : $\frac{\text{cinq}}{1214}$

Algèbre

Quelques définitions

• **Équation algébrique.** Égalité entre 2 expressions algébriques, contenant des variables inconnues, valable seulement pour certaines valeurs des variables ; ces valeurs sont appelées solution de l'équation. Ex. : l'équation $3x = 6$ est valable seulement pour $x = 2$.

• **Équation du 1er degré à 1 inconnue.** $ax + b = 0$.

Solution : $x = -\frac{b}{a}$ si $a \neq 0$.

• **Système de 2 équations du 1er degré à 2 inconnues.** Méthodes pour les résoudre :

1) **Méthode par substitution.** On exprime l'une des inconnues en fonction de l'autre dans l'une des équations et on remplace, dans l'autre équation, cette inconnue par l'expression équivalente tirée de la 1re.

2) **Méthode par comparaison.** On exprime une inconnue en fonction de l'autre dans les 2 équations et on égale les 2 expressions ainsi obtenues.

3) **Méthode par combinaison linéaire.** On multiplie les 2 équations par des coefficients convenables de façon qu'en ajoutant membre à membre on obtienne une équation ne renfermant plus qu'une inconnue.

4) **Méthode des déterminants.** *Le déterminant de 4 nombres a, b, c, d* est une quantité représentée

par $\begin{vmatrix} a & b \\ c & d \end{vmatrix}$

et valant $+ ad - bc$.

Ex. : $\begin{vmatrix} 3 & 2 \\ 4 & 7 \end{vmatrix} = 3 \times 7 - 2 \times 4 = 21 - 8 = 13$

$\begin{vmatrix} +9 & +2 \\ -3 & -4 \end{vmatrix} = +(+9) \times (-4) - (+2) \times (-3) = (-36) - (-6) = -36 + 6 = -30.$

Résolution d'un système de 2 équations du 1er degré à 2 inconnues :

$$\begin{cases} ax + by = c \\ a'x + b'y = c' \end{cases}$$

coefficients de x	coefficients de y	Termes de degré zéro
a	b	c
a'	b'	c'

On extrait les 3 déterminants :

$D = \begin{vmatrix} a & b \\ a' & b' \end{vmatrix} = ab' - a'b$ (déterminant principal du système).

$Dx = \begin{vmatrix} c & b \\ c' & b' \end{vmatrix} = cb' - c'b$ (déterminant relatif à x), obtenu en remplaçant dans le tableau la colonne des coeff. de x par celle des termes de degré zéro supposés écrits dans le 2e membre.

$Dy = \begin{vmatrix} a & c \\ a' & c' \end{vmatrix} = ac' - a'c$ (déterminant relatif à y), obtenu en remplaçant dans le tableau la colonne des coeff. de y par celle des termes de degré zéro supposés écrits dans le 2e membre.

Solution :

1er cas : D ≠ 0. Il y a un couple *(x, y)*, unique solution.

$$x = \frac{Dx}{D} = \frac{cb' - c'b}{ab' - a'b}$$

$$y = \frac{Dy}{D} = \frac{ac' - a'c}{ab' - a'b}$$

2e cas : si D = 0, alors il y a soit impossibilité, soit indétermination.

• **Équation du 2e degré à 1 inconnue.** $ax^2 + bx + c = 0$.

La quantité Δ (delta) $= b^2 - 4ac$ est appelée *discriminant*. 3 cas possibles :

1er cas : Δ est négatif (Δ < 0). Il n'y a pas de racines : aucune valeur réelle de x ne satisfait l'équation.

2e cas : Δ est nul (Δ = 0). Une seule valeur de x, appelée racine double, satisfait l'équation :

$$x' = x'' = -\frac{b}{2a}$$

3e cas : Δ est positif (Δ > 0).

Il existe alors 2 valeurs réelles de x, appelées racines distinctes, satisfaisant l'équation. Les racines sont :

$$x' = \frac{-b - \sqrt{b^2 - 4ac}}{2a} \quad x'' = \frac{-b + \sqrt{b^2 - 4ac}}{2a}$$

Ex. : $x^2 - 3x + 2 = 0$
$\Delta = 9 - 4 \times 2 = 9 - 8 = 1$

$x' = \frac{+3 - \sqrt{1}}{2} = 1.$ $x'' = \frac{+3 + \sqrt{1}}{2} = 2.$

• **Somme et produit des racines de l'équation.** $ax^2 + bx + c = 0$. Si elles existent, les racines ont pour somme :

$S = x' + x'' = -\frac{b}{a}$ et pour produit

$P = x'x'' = \frac{c}{a}$

Réciproquement, si 2 nombres ont pour somme S et pour produit P, ils sont solutions de l'équation $x^2 - Sx + P = 0$.

Soit le système $y + z = 5$ et $y \times z = 6$, y et z sont solutions de l'équation :

$$x^2 - 5x + 6 = 0.$$
$$\Delta = 25 - 24 = 1,$$

$x' = \frac{5 - \sqrt{1}}{2} = 2,$ $x'' = \frac{5 + \sqrt{1}}{2} = 3.$

On a $y = 2$, $z = 3$ (ou $z = 2$, $y = 3$).

Fractions. Pour tout $m \neq 0$ on a $\frac{b}{a} = \frac{mb}{ma}$;

$\frac{a}{b} + \frac{c}{d} = \frac{ad + bc}{bd}$ avec b et $d \neq 0$;

$\frac{a}{b} \times \frac{c}{d} = \frac{ac}{bd}$ avec b et $d \neq 0$;

division par un nombre : $\frac{\frac{a}{b}}{c} = \frac{a}{bc}$;

division par une fraction : $\frac{\frac{a}{b}}{\frac{c}{d}} = \frac{ad}{bc}$.

• **Identités.** Égalités entre 2 expressions algébriques valables quelles que soient les valeurs données aux *paramètres* ou *variables* qu'elles contiennent.
Ex. : $(x + a)^2 = x^2 + 2ax + a^2$ quels que soient a et x.

Identités remarquables.
$(a + b)^2 = a^2 + 2ab + b^2$
$(a - b)^2 = a^2 - 2ab + b^2$
$a^2 - b^2 = (a + b)(a - b)$
$a^3 + b^3 = (a + b)(a^2 - ab + b^2)$
$a^3 - b^3 = (a - b)(a^2 + ab + b^2)$
$(a + b)^3 = a^3 + 3a^2b + 3ab^2 + b^3$
$(a - b)^3 = a^3 - 3a^2b + 3ab^2 - b^3$

Si n entier $\geqslant 2$,
$a^n - b^n = (a - b)(a^{n-1} + a^{n-2} b + a^{n-3} b^2 + ... + ab^{n-2} + b^{n-1})$.

$$(a + b)^n = \sum_{k=0}^{n} C_n^k a^k b^{n-k} = \sum_{k=0}^{n} C_n^k a^{n-k} b^k$$

(binôme de Newton).

• **Puissances.** On appelle puissance n^{ieme} (n entier naturel) d'un nombre réel a, le produit de n facteurs égaux à a ; n s'appelle l'exposant.
Ex. : $(-2)^4 = (-2) \times (-2) \times (-2) \times (-2) = +16$.

Propriétés :
1) $a^m a^n = a^{m+n}$ $a^5 \times a^7 = a^{12}$
2) $(abc)^m = a^m b^m c^m$ $(2 \times 4 \times 5)^3 = 2^3 \times 4^3 \times 5^3$.
3) $(a^m)^n = a^{m \times n}$ $(a^5)^4 = a^{20}$.
4) $\left(\frac{a}{b}\right)^m = \frac{a^m}{b^m}$ $\left(\frac{3}{4}\right)^2 = \frac{3^2}{4^2} = \frac{9}{16}$

Puissances entières relatives :

Calcul de $\frac{a^m}{a^n}$ avec $a \neq 0$, $m \in N^*$, $n \in N^*$:

$\frac{a^m}{a^n} = a^{m-n}$, $a^{-n} = \frac{1}{a^n}$, $a^0 = 1$.

Puissance rationnelle. On convient d'écrire, si m et n sont 2 nombres entiers arithmétiques premiers entre eux et $a \geqslant 0$:

$\sqrt[m]{a^n} = a^{\frac{n}{m}}$. Ex. : $\sqrt[5]{a^9} = a^{\frac{9}{5}}$.

Les propriétés des puissances entières relatives sont encore vraies.

Ex. : $\sqrt[2]{64} \times \sqrt[3]{64} = 64^{\frac{1}{2}} \times 64^{\frac{1}{3}} = 64^{\frac{1}{2}+\frac{1}{3}} = 64^{\frac{5}{6}} = 32$.

• **Racine carrée d'un nombre algébrique.** On appelle racine carrée d'un nombre réel A tout nombre réel, s'il y en a, dont le carré est égal à A. Ex. : + 9 a pour racines carrées – 3 et + 3, car $(-3)^2 = +9$, $(+3)^2 = +9$.

Le nombre 0 a pour seule racine carrée 0. Les nombres négatifs n'ont pas de racine carrée. Tout nombre positif A a 2 racines carrées opposées. La racine positive se note $\sqrt{A}$, l'autre, négative $-\sqrt{A}$.

Propriétés (valables seulement pour des nombres positifs ou nuls) :
$\sqrt{a \times b \times c} = \sqrt{a} \times \sqrt{b} \times \sqrt{c}$;

si $a \geqslant 0$ et $b > 0$, $\sqrt{\frac{a}{b}} = \frac{\sqrt{a}}{\sqrt{b}}$.

Attention : on n'a pas $\sqrt{a + b} = \sqrt{a} + \sqrt{b}$
ni $\sqrt{a - b} = \sqrt{a} - \sqrt{b}$.

• **Borne supérieure et inférieure d'un ensemble ordonné.** A est une partie de l'ensemble E.
1) g est le plus grand élément de A si :
$g \in \forall (V x \in A)(x < g)$
g est le plus grand élément de A $\Leftrightarrow$ g majorant de A.
2) p est le plus petit élément de A si :
$p \in A (\forall x \in A)(p < x)$
p est le plus petit élément de A $\Leftrightarrow$ p minorant de A.

3) L'élément S est borne sup. de A si S est le plus petit élément de l'ensemble M des majorants de A.

Progressions

• **Pr. arithmétique.** Suite de termes tels que chacun est égal à la somme du précédent et d'un nombre réel constant appelé *raison*.

Ex. : 3, 7, 11, 15, 19,... (raison : + 4).
7, 3, – 1, – 5, – 9, – 13,... (raison : – 4).
a premier terme, r la raison, le n^{ieme} terme $l = a + (n - 1) r$.

Somme de n termes consécutifs (a le premier, l le dernier) :

$$S = (a + l) \times \frac{n}{2} = [2a + (n - 1) r] \times \frac{n}{2}$$

• **Pr. géométrique.** Suite de termes tels que chacun est égal au produit du précédent et d'un nombre constant appelé *raison*.

Ex. : 3, 6, 12, 24, 48, 96... (raison : 2).
1, – 5, + 25, – 125, + 625... (raison : – 5 : suite dite *alternée*).
a 1er terme, q la raison, le n^{ieme} terme $l = a \times q^{n-1}$.

Somme de n termes consécutifs ($q \neq 1$) ;

$$S = \frac{a(q^n - 1)}{q - 1}.$$

Application : le paradoxe de Zénon d'Élée (490 av. J.-C.). Zénon « démontrait » qu'Achille ne pouvait jamais rattraper à la course une tortue partie avant lui.

Supposons, disait-il, que la tortue ait 100 m d'avance et qu'elle parcoure 1 m en 1 s, tandis qu'Achille parcourt 10 m en 1 s, que va-t-il se passer ? Achille parcourt les 100 m de son retard en 10 s pendant lesquelles la tortue a avancé de 10 m. Pour rattraper ces 10 m de retard, Achille mettra 1 s pendant laquelle la tortue a avancé de 1 m. Pour rattraper ce m, Achille mettra 1/10 de s pendant lequel la tortue a avancé d'1/10 de m, etc. Le temps nécessaire pour rattraper la tortue peut s'écrire ; 10 s + 1 s + 1/10 s + 1/100 s + 1/1 000 s etc., ce qui est une suite infinie de temps et « prouve » que par conséquent Achille ne rattrapera jamais la tortue.

En réalité, il s'agit d'une progression infinie mais de somme finie puisque de raison $q < 1$, dont la formule :

$$S = 1 \frac{a}{1 - q} = \frac{10}{1 - 1/10} = \frac{100}{9} = 11 \text{ s } 1/9$$

montre qu'Achille rattrapera la tortue au bout de 11 s 1/9.

• **Suite.** Une application de N * dans E est une suite d'éléments de E ; une application de N * × N * dans E est une suite double d'éléments de E.

Notation : $(x_1, x_2..., x_n)$ ou plus simplement (x_n). Égalité de deux suites $(x_n) = (y_n) \Leftrightarrow \forall n \in N^*$, on a $x_n = y_n$. Somme de deux suites : $(x_n) + (y_n) = (x_n + y_n)$. Produit de deux suites : $(x_n) \times (y_n) = (x_n y_n)$ (à condition que sur E on ait défini + et ×). Convergence d'une suite : (x_n) converge $\Leftrightarrow x_n \rightarrow x_o$ quand $n \rightarrow + \alpha$, ce qui donne pour une suite de rationnels : $\forall \varepsilon > 0, \exists N \in N^*$ tel que $n > N \Rightarrow |x_n - x_o| < \varepsilon$.

Les 2 suites a, b, c, et x, y, z sont proportionnelles si :

$$\frac{a}{x} = \frac{b}{y} = \frac{c}{z}.$$

Analyse combinatoire

Arrangements. On appelle arrangements de n objets (d'un ensemble E) pris par p ($p \leqslant n$) tout sous-ensemble ordonné de E contenant p objets distincts. On démontre que leur nombre

$$A_n^p = \frac{n!}{(n-p)!}$$

$n!$ (lire : factorielle n) est le produit des n premiers entiers naturels non nuls.

Exemple : Supposons 17 chevaux au départ d'une course. La notion de *tiercé dans l'ordre* correspond à celle d'arrangement de ces 17 chevaux pris par 3. 2 tiercés joués différeront soit parce qu'ils ne contiennent pas les mêmes chevaux, soit parce qu'ils contiennent les mêmes chevaux, mais pas dans le même ordre [(chevaux A, B, C) et (chevaux C, A, B)]. Nombre de tiercés possibles dans l'ordre pour 17 chevaux :

$$A_{17}^3 = \frac{17!}{(17-3)!} = \frac{17!}{14!} =$$

$$\frac{1 \times 2 \times 3 \times 4 \times ... \times 13 \times 14 \times 15 \times 16 \times 17}{1 \times 2 \times 3 \times 4 \times ... \times 13 \times 14} =$$

$$15 \times 16 \times 17 = 4\,080.$$

Permutations. Dans le cas où $p = n$, l'arrangement prend le nom de permutation.

Nombre de permutations de n objets :

$$A_n^n = \frac{n!}{(n-n)!} = \frac{n!}{0!} = n! \qquad P_n = n!$$

Valeurs des premières factorielles.
$1! = 1$ (= 1).
$2! = 1 \times 2$ (= 2).
$3! = 1 \times 2 \times 3$ (= 6).
$4! = 1 \times 2 \times 3 \times 4$ (= 24).
$5! = 1 \times 2 \times 3 \times 4 \times 5$ (= 120).
$6! = 1 \times 2 \times 3 \times 4 \times 5 \times 6$ (= 720).
$7! = 1 \times 2 \times 3 \times 4 \times 5 \times 6 \times 7$ (= 5 040).
$8! = 1 \times 2 \times 3 \times 4 \times 5 \times 6 \times 7 \times 8$ (= 40 320).
$9! = 1 \times 2 \times 3 \times 4 \times 5 \times 6 \times 7 \times 8 \times 9$ (= 362 880).
$10! = 1 \times 2 \times 3 \times 4 \times 5 \times 6 \times 7 \times 8 \times 9 \times 10$ (= 3 628 800).

Ex. : De combien de façons possibles peuvent se placer 6 personnes sur un banc ? Leur nombre est celui des permutations n! = 6! = 720. Mais le nombre de façons possibles pour placer ces 6 personnes autour d'une table ronde est (n – 1) ! = 5! = 120.

Combinaisons. On appelle combinaison de n objets (d'un ensemble E) pris par p ($p \leqslant n$) tout sous-ensemble de E contenant p objets distincts.

On démontre que leur nombre, noté C_n^p a pour

$$\text{valeur } C_n^p = \frac{n!}{p!(n-p)!}$$

Soit 17 chevaux au départ d'une course. La notion de *tiercé dans le désordre* correspond à celle de la combinaison de 17 chevaux pris par 3.

2 tiercés dans le désordre ne diffèrent que s'ils ne contiennent pas les mêmes chevaux. Ex. : {chevaux A, B, C} et {B, D, E}, en revanche : {chevaux A, B, C} et {B, A, C} représentent le même tiercé dans le désordre ou la même combinaison de 17 chevaux pris par 3.

Nombres complexes

Définition. On appelle *nombre complexe* toute écriture de la forme $a + bi$ où a et b sont des nombres réels, i représentant un nouvel élément tel que $i^2 = -1$.

L'ensemble des nombres complexes forment le corps C. Ainsi : le corps C permet de résoudre toutes les équations du second degré qui n'ont aucune racine réelle.

Pour additionner, soustraire ou multiplier les nombres complexes, on procède exactement comme pour additionner, soustraire ou multiplier des nombres réels en tenant compte (chaque fois que cela se présente) du fait que $i \times i = -1$.

Exemple :

$$(2 + 3i)(-1 + 4i) = -2 + 8i - 3i + 12i^2$$
$$= -2 + 8i - 3i - 12$$
$$= -14 + 5i.$$

Autre écriture :
$z = x + iy = \rho(\cos\Theta + i \sin\Theta) = [\rho, \Theta]$.

Module : $|z| = \sqrt{x^2 + y^2} = \rho$.

Argument : $\arg z = \Theta + 2k\pi$.

Conjugué : $\bar{z} = x - iy$
$= \rho(\cos \Theta - i \sin \Theta) = [\rho, -\Theta]$.

Opérations :

$z + z' = x + x' + i(y + y'n)$, $z - z' = x - x' + i(y - y')$

$$\begin{cases} zz' = xx' - yy' + i(xy' + yx') \\ \text{ou} \\ zz' = \rho\rho'[\cos(\theta + \theta') + i \sin(\theta + \theta')] = [\rho\rho', (\theta + \theta')] \end{cases}$$

$$\begin{cases} \frac{z}{z'} = \frac{xx' + yy' + i(-xy' + yx')}{x'^2 + y'^2} \\ \text{ou} \\ \frac{z}{z'} = \frac{\rho}{\rho'}[\cos(\theta + \theta') + i \sin(\theta - \theta')] = \left[\frac{\rho}{\rho'}, \theta - \theta'\right]. \end{cases}$$

$z^n = \rho^n(\cos n\theta + i \sin n\theta) = [p^n, n\theta]$, n entier relatif (formule de Moivre).

Propriétés :

$|z|^2 = |\bar{z}|^2 = z.\bar{z}$; z réel $\Leftrightarrow z = \bar{z}$;

z complexe pur $\Leftrightarrow z + z = 0$;

$\overline{z + z'} = \bar{z} + \bar{z}'$; $\overline{z.z'} = \bar{z}.\bar{z}'$;

$\overline{(z^n)} = (\bar{z})^n$; $\overline{\left(\frac{z}{z'}\right)} = \frac{\bar{z}}{\bar{z}'}$.

Si P $\underline{(z)}$ est un polynôme en z à coefficients réels, on a : P (z) = P $(\bar{z})$.

Conséquence : P $(z_o) = 0$ $\Leftarrow$ P $\overline{(z_o)} = 0$.

Interprétation matricielle :

$M = \begin{pmatrix} a & -b \\ b & a \end{pmatrix}$ avec $a^2 + b^2 = 1$. Ensemble des *matrices des isométries positives* du plan vectoriel.

On munit l'ensemble $\mathbb{R} \times \mathbb{R}$ des couples de deux opérations :

+ ——— Addition $(a, b) + (a', b') = (a + a', b + b')$;

× ——— Multiplication $(a, b)(a', b') = (aa' - bb', ab' + a'b)$.

Ensemble $\mathbb{R} \times \mathbb{R}$ muni de + et × = ensemble des complexes
$\mathbb{C}$, +.x) = corps commutatif non ordonné $\mathbb{C}$.

Nota. – Seuls les éléments de $\mathbb{C}$ * sont inversibles.

$M(a, b) = a\begin{pmatrix} 1 & 0 \\ 0 & 1 \end{pmatrix} + \begin{pmatrix} 0 & -1 \\ 1 & 0 \end{pmatrix}$
$\forall M\ M(a, b) = aI + bJ$
$M(a, b) = aI + bJ$; $I = M(1,0)$, $J = M(0,1)$.

Logique

Introduction

La science mathématique peut être comparée à un jeu de construction. Elle comporte un « matériel de base », constitué de « termes primitifs » (ou « notions premières ») posées *a priori*. Ceux-ci ne sont pas définis (au sens mathématique) puisqu'ils ne sont en relation avec aucun terme antérieur. Exemples de « termes primitifs » : ensemble, élément.

Un assemblage de « termes primitifs » est une **notion dérivée.** Une succession de « termes primitifs » ou de « notions dérivées » est une **proposition.**

La théorie mathématique fournit les « règles du jeu » permettant d'affirmer que tel assemblage est permis ou non.

Ces règles du jeu sont constituées par les **axiomes** qui sont des propositions posées comme vraies au départ, ou des **règles d'assemblage** des termes primitifs ou dérivés pour former de nouveaux termes dérivés.

Une proposition peut être vraie (valeur de vérité notée 1 ou V) ou fausse (valeur de vérité 0 ou F).

Une proposition munie de sa valeur de vérité s'appelle une *assertion :* (2 + 3 = 5, V), (Louis XIV fut roi d'Angleterre, F) sont des assertions.

Négation d'une proposition. Axiome du tiers exclu

P étant une proposition, « non P » (noté ˥ P ou $\bar{P}$) est une proposition appelée *négation* de P.

Ex. : Proposition P : M. X est né à Paris. Proposition ˥ P : M. X n'est pas né à Paris. Quelle que soit P :

P et ˥ P ne peuvent être vraies ensemble ;
P ou ˥ P est vraie.

Table de vérité P.

P	˥ P
V	F
F	V

˥ P (ou $\bar{P}$) est fausse si P est vraie.
˥ P est vraie si P est fausse.

Disjonction logique de deux propositions

Si P et Q sont deux propositions, on appelle proposition « P ou Q » (notée P ∨ Q) la proposition vraie si l'une au moins des deux propositions est vraie.

Table de vérité de P ∨ Q.

P	Q	P ∨ Q
V	V	V
V	F	V
F	V	V
F	F	F

Ex. : P : Marie a l'un de ses vêtements rouge. Q : Marie a l'un de ses vêtements vert. « P ou Q » sera vraie si : Marie a un vêtement rouge ou a un vêtement vert ou a un vêtement rouge et un vêtement vert. « P ou Q » n'est fausse que si Marie ne porte aucune de ces 2 couleurs.

Conjonction logique de 2 propositions

Si P et Q sont 2 propositions, on appelle proposition « P et Q » (notée P ∧ Q) la proposition vraie seulement si les 2 propositions sont vraies.

Table de vérité de P ∧ Q.

P	Q	P ∧ Q
V	V	V
V	F	F
F	V	F
F	F	F

Ex. : P : x habite une capitale géographique. Q : x habite en France. P ∧ Q : x habite Paris. Si P ∧ Q n'est jamais vraie, P et Q sont dites propositions incompatibles. Ex. P : x est newyorkais. Q : x est européen.

Implication logique

P et Q étant deux propositions, la proposition dérivée « non P ou Q » (˥ P ∨ Q) s'appelle « *implication* ».

On écrit P ⇒ Q (on lit « P implique Q » ou quelquefois « Si P, alors Q »).

Table de vérité : P ⇒ Q.

P	Q	˥ P	˥ P q (ou P ⇒ Q)
V	V	F	V
V	F	F	F
F	V	V	V
F	F	V	V

On s'aperçoit que P ⇒ Q est fausse uniquement dans le cas où P est vraie et Q fausse.

Exemple :
P : Paris est la capitale de la France (V) ;
Q : Bruxelles est la capitale du Maroc (F.) ;
R : 3 + 4 = 7 (V) ; S : 2 × 4 = 10 (F) ;
P ⇒ R (vraie : 1re ligne de la table) ;
P ⇒ Q (fausse : 2e ligne ; on écrit P ⇏ Q) ;
S ⇒ P (vraie : 3e ligne) ; Q ⇒ S (vraie : 4e l.).

Nota. – Une proposition fausse peut impliquer aussi bien une proposition vraie qu'une proposition fausse. En revanche le « vrai » implique le « vrai ».

Équivalence logique

La proposition « P est logiquement équivalente à Q » est la proposition :
(P ⇒ Q) ∧ (Q ⇒ P). On la note P ⇔ Q.

Table de vérité : P ⇔ Q.

P	Q	˥ P	˥ Q	P ⇒ Q	Q ⇒ P	P ⇔ Q
V	V	F	F	V	V	V
V	F	F	V	F	V	F
F	V	V	F	V	F	F
F	F	V	V	V	V	V

Rappelons que P ⇒ Q est la proposition « ˥ P ou Q ».

Donc Q ⇒ P est la proposition « ˥ P ou P ».

On remarque que P ⇔ Q si P et Q sont vraies ou sont fausses toutes les 2.

Avec les notations de l'exemple du paragraphe précédent, on a : P ⇔ R, Q ⇔ S.

Quantificateurs. *Existentiel,* ∃ : « Il en existe au moins un » ; *universel,* ∀ : « Quel que soit ». Ex. : soit N l'ensemble des entiers naturels.
$(\exists\ x \in N)\ x^2 - x = 0$;
$(\forall\ x \in N)\ (x + 1)^2 = x^2 + 2x + 1$.

Déduction raisonnement mathématique. Dans l'implication p ⇒ q, il n'y a aucune notion de conséquence, contrairement au contenu psychologique du mot « implique », source de nombreuses difficultés.

La proposition : « s'il pleut, alors je suis triste », vraie ou fausse (on peut aimer la pluie) (p implication q, notée p ⇒ q).

Ensembles

Ensemble – Éléments

La notion d'*ensemble* est une « notion première ». Elle ne peut être définie au sens mathématique du terme. Ex. : ensemble des habitants d'une ville, ensemble des nombres premiers en arithmétique, etc.

Un ensemble est composé d'*éléments.* Ex. : appelons A l'ensemble des nombres entiers de 3 inclus à 14 inclus. 7 « est un élément de » A, ou 7 « appartient à » A. On écrit : 7 ∈ A. 2 « n'est pas un élément de » A, ou 2 « n'appartient pas à » A. On écrit : 2 ∉ A.

L'ensemble des nombres pairs terminés par le chiffre 3, l'ensemble des capitales d'Europe commençant par X, sont des « ensembles vides ». On convient qu'il y a un seul *ensemble vide* noté ∅. Un ensemble à un seul élément est appelé *singleton.*

Inclusion – Sous-ensemble

L'ensemble C des chevaux est inclus dans l'ensemble Q des quadrupèdes, car tout cheval est un quadrupède. C est dit « sous-ensemble » de Q. On note C ⊂ Q.

Un ensemble F est dit « sous-ensemble » ou « partie » d'un ensemble E si tout élément de F est élément de E. On a F ⊂ E. Remarquons qu'on a aussi, quel que soit E : E ⊂ E, car tout élément de E est un élément de E. On convient que l'ensemble vide est sous-ensemble de tout ensemble ∀ E, ∅ ⊂ E. C'est-à-dire quel que soit E, l'ensemble vide est sous-ensemble de E.

Tout sous-ensemble de E distinct de ∅ et de E est dit sous-ensemble propre de E.

Nota. – On dit aussi « est inclus dans » pour « est sous-ensemble de ». L'ensemble des Parisiens est inclus dans l'ensemble des Français.

Intersection de 2 ensembles

Prenons un jeu de 52 cartes. Soit H l'ensemble des honneurs (valets, dames, rois, as). Soit K l'ensemble des « carreaux ». H et K ont en commun les éléments : valet, dame, roi, as de carreau. L'ensemble I de ces 4 cartes s'appelle *intersection* de H et K.

On écrit I = H ∩ K (lire : I égale H inter K). L'intersection de 2 ensembles est l'ensemble des éléments communs aux 2.

Si 2 ensembles n'ont aucun élément commun, on dit qu'ils sont *disjoints.* Ex. : l'ensemble A des chats et l'ensemble P des poissons sont disjoints : A ∩ P = ∅.

Réunion de 2 ensembles

André et Bernard veulent réunir leurs amis. Ensemble A des amis d'André : {Paul, Luc, Line, Sylvie}. Ensemble B des amis de Bernard : {Luc, Sylvie, Jean, Serge, Françoise, Martine}.

André et Bernard ont donc pour amis communs : Luc et Sylvie. L'ensemble C des invités sera : C : {Paul, Luc, Line, Sylvie, Jean, Serge, Françoise, Martine}. L'ensemble C s'appelle *ensemble réunion* des ens. A et B. On écrit C = A ∪ B (on dit : C égale A « union » B).

Produit cartésien de 2 ensembles

Soit A l'ensemble {Luc, Jean, Paul},
B l'ensemble {canne, parapluie}.

On appelle *couple* du *produit cartésien* de A et B (noté A × B) tout ensemble *ordonné* de 2 éléments où le 1er élément appartient à A et le 2e à B.

(Luc, canne), (Jean, parapluie) sont des éléments de A × B (lire : A croix B). En revanche, (canne, Paul) est un élément de B × A.

A × B a 6 éléments (3 × 2). (Luc, Paul) est un élément de A × A noté A^2 ; (canne, canne) est un élément de B^2.

Relation entre les éléments d'un même ensemble

On peut établir des relations entre les éléments d'un même ensemble. Ex. : E : {André, Jean, Jacques, Bob, Bernard, Luc, Jules}. La proposition

Symboles

$+$	plus
$-$	moins
$\pm$	plus ou moins
$\times$	multiplié par
$.$	multiplié par (en algèbre) ou bien aucun signe
$:$	divisé par
$\lvert\,\rvert$	valeur absolue Ex. : $\lvert+5\rvert = 5$; $\lvert-3\rvert = 3$
$\sqrt[2]{\ }$ ou $\sqrt{\ }$	racine carrée
$\sqrt[3]{\ }$	racine cubique
$\sqrt[n]{a}$	racine n° de a
$=$	égal à
$\equiv$	identique à
$\neq$	différent de
$\simeq$	environ (à peu près égal à)
$<$	strictement inférieur à
$\leqslant$	inférieur ou égal à
$\ll$	très inférieur à
$>$	strictement supérieur à
$\geqslant$	supérieur ou égal à
$\gg$	très supérieur à
$\forall$	quel que soit
$\exists$	il existe
$\rightarrow$	tend vers
$\nearrow$	croissant
$\searrow$	décroissant
$!$	factorielle
Σ	sigma de (somme de)
π	pi de (produit)
$\in$	appartient à
$\notin$	n'appartient pas à
$\subset$	sous-ensemble propre
$\not\subset$	non inclus dans
$\cup$	symbole d'union
$\cap$	symbole d'intersection
Δ	différence symétrique
$\complement_E^A$	complémentaire de A dans E
$\varnothing$	ensemble vide
$\mathbb{N}$	ensemble des entiers naturels
Z	ensemble des entiers relatifs
Q	ensemble des nombres rationnels
Q^+	ensemble des nombres rationnels positifs ou nuls
Q^{+*}	ensemble des nombres rationnels positifs strictement
$\mathbb{R}$	ensemble des nombres réels
$\mathbb{C}$	ensemble des nombres complexes
$\Rightarrow$	implique
$\Leftrightarrow$	équivalent à
$\vee$	« ou » propositionnel
$\wedge$	« et » propositionnel

« précède dans l'ordre alphabétique » définit une *relation* R. Le couple (André, Luc) vérifie la relation R. On écrit André R Luc. Le couple (Jean, Jean) ne la vérifie pas. On écrit : Jean R Jean (lire Jean non R Jean). « A même initiale que » définit une relation S.

On établit une relation entre les éléments d'un ensemble E si, quel que soit le couple (ensemble *ordonné* de 2 éléments) d'éléments de E, on peut affirmer que le couple vérifie ou ne vérifie pas la relation.

Propriétés possibles d'une relation. Conservons les exemples précédents :

- On a André S André, Jean S Jean, etc. Tout élément de E est en relation par S avec lui-même. R ne jouit pas de cette propriété. S est une relation **réflexive** : R est une relation non réflexive.
- « André R Jean » n'implique pas « Jean R André ». En revanche « Jean S Jacques » implique « Jacques S Jean ». Si un couple vérifie R, le couple obtenu en intervertissant ses éléments ne vérifie pas R. En revanche si un couple vérifie S, son transposé vérifie aussi S. S est une relation **symétrique.**
- « André R Bob » et « Bob R Luc » entraînent « André R Luc ». De même : « Jean S Jacques » et « Jacques S Jules » entraînent « Jean S Jules ». Ces 2 relations sont dites **transitives.**

Une relation T est dite transitive si aTb et bTc $\Rightarrow$ aTc.

La relation D « est née une année différente de » n'est pas transitive car, si on a Jean D Jacques et Jacques D Luc, on ne peut conclure à coup sûr que Jean D Luc, car Jean et Luc peuvent être nés la même année mais une année différente de celle de Jacques.

- Supposons que, dans l'ensemble E, il n'y ait pas 2 garçons nés le même jour et considérons la relation V : « est au moins aussi âgé que ».

Si on a : « aVb » et « bVa » à la fois, a et b représentent nécessairement le même garçon. aVb et bVa $\Rightarrow$ a = b.

V est dite relation **antisymétrique.**

Relation d'équivalence. Relation à la fois réflexive, symétrique et transitive.

R n'est pas une relation d'équivalence (car non réflexive et non symétrique).

S est une relation d'équivalence.

Classe d'équivalence. Considérons l'ensemble E et la relation d'équivalence S. On peut grouper les éléments de E liés 2 à 2 par S. {Jean, Jacques, Jules} est un sous-ensemble de E appelé classe d'équivalence. {Bob, Bernard} est aussi une classe d'équivalence.

{André} est une classe d'équivalence comportant un seul élément, {Luc} aussi.

Relation d'ordre. *D'ordre large :* relation à la fois réflexive, antisymétrique et transitive (ex. : la relation V). *L'ordre strict :* relation non réflexive, non symétrique, mais transitive (ex. : la relation P « est plus petit que »).

Représentation sagittale d'une relation entre les éléments d'un ensemble (du latin *sagitta,* « flèche »). Prenons l'ensemble des nombres : {21, 22, 34, 43, 51}. On peut représenter graphiquement la relation « a même chiffre des unités que » de la façon suivante :

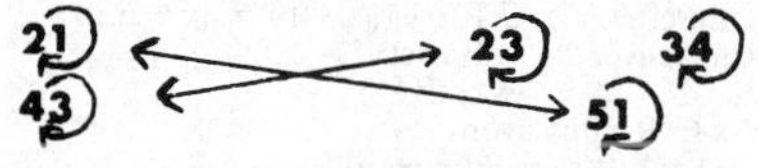

Nota. – La relation étant réflexive, chaque élément est en relation avec lui-même.

Relation entre les éléments de 2 ensembles

Considérons les ensembles A : {Chien, Merlan, Boa, Aigle} et B : {Quadrupède, Mammifère, Poisson, Reptile}.

Il existe une relation entre les éléments de ces 2 ensembles qu'on peut représenter par un diagramme sagittal.

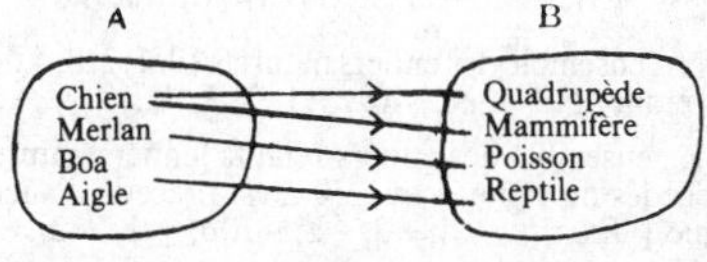

Appelons A ensemble de départ, B ensemble d'arrivée. Nous avons une *relation de A vers B* au sens le plus général du terme. De certains éléments de A partent plusieurs flèches (ex. : Chien), d'autres éléments part une seule flèche (Merlan, Boa) de certains éléments de A ne part aucune flèche (Aigle). On dit que Poisson est « image » de Merlan ou que Merlan est un « antécédent » de poisson. Chien a deux images. Aigle n'en a aucune.

Parties d'un ensemble

$(\forall\ x)\ (x \in A \Rightarrow x \in B)$ s'écrit $A \subset B$

$A \subset B$ et $B \subset C \Rightarrow A \subset C$

$A = B \Leftrightarrow A \subset B$ et $B \subset A$.

$C_E X = \{x \in E / x \in X\}$ = complémentaire de X dans E.

Lois de composition interne sur £ (E) ; réunion de deux ensembles :

$X \cup Y = \{x \in E / x \in X$ *ou* $x \in Y\}$
$X \cup Y = Y \cup X$
$(X \cup Y) \cup Z = X \cup (Y \cup Z)$
$X \cup \varnothing = \varnothing \cup X = X$

Intersection de deux ensembles :

$X \cap Y = \{x \in E / x \in X$ *et* $x \in Y\}$
$X \cap Y = Y \cap X$
$(X \cap Y) \cap Z = X \cap (Y \cap Z)$
$X \cap E = E \cap X = X$

Distributivité d'une loi par rapport à l'autre :

$X \cup (Y \cap Z) = (X \cup Y) \cap (X \cup Z)$
$X \cap (Y \cup Z) = (X \cap Y) \cup (X \cap Z)$
non répétition : $X \cup X = X$
$X \cap X = X$

$$\left\{\begin{array}{l} X \cup Y = E \\ X \cap Y = \varnothing \end{array}\right. \Leftrightarrow Y = C_E X$$

$X \cup E = E$
$X \cap \varnothing = \varnothing$

Lois de Morgan : $\left\{\begin{array}{l} C(X \cup Y) = (CX) \cap CY \\ C(X \cap Y) = (CX) \cup CY \end{array}\right.$

Cas particulier de relation. Fonction. De tout élément de l'ensemble A de départ part au plus une flèche (zéro ou une flèche), mais jamais plus d'une flèche. Une telle relation binaire s'appelle une fonction de A (ensemble de départ) vers B (ensemble d'arrivée). Remarquons qu'on ne se soucie pas du nombre de flèches aboutissant en des éléments de B.

On établit une fonction d'un ensemble A vers un ensemble B lorsque tout élément de A est en relation avec zéro ou un élément de B, ou lorsque tout élément de A a au plus une image.

- **Cas particuliers d'application. 1) Surjection.** Conservons l'ensemble A' et l'ensemble B' obtenu en supprimant l'élément Suisse de B : {France, Angleterre, Italie}.

Le diagramme sagittal devient :

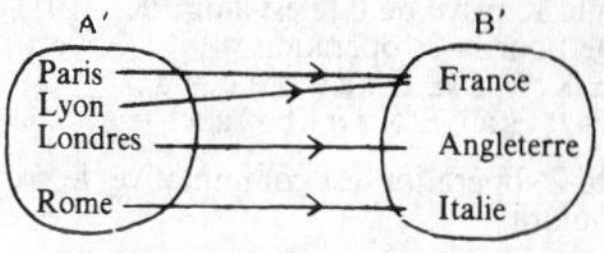

On a une application de A' dans B', mais ici tout élément de B' a au moins un antécédent (Suisse n'en avait pas dans l'exemple précédent). Ce type d'application s'appelle une *surjection de* A' *vers* B', ou *application surjective de* A' *sur* B'.

On a une surjection d'un ensemble A (de départ) vers un ensemble B (d'arrivée) lorsque tout élément de l'ensemble de départ a une seule image dans B et tout élément de B a, *au moins,* un antécédent dans A.

2) Injection. Considérons les ensembles :

C = {Paris, Londres, Rome, Amsterdam} ;

D = {France, Angleterre, Italie, Hollande, Espagne}.

On a le diagramme sagittal toujours avec la même relation « est situé en » :

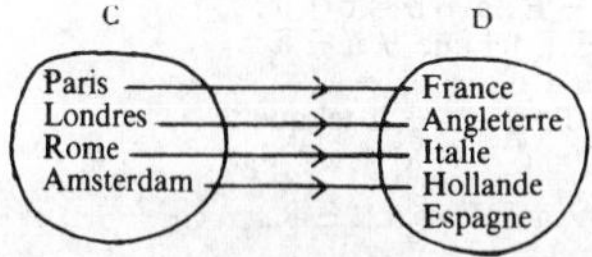

On a encore une application de C dans D (car tout élément de C a une image), mais il n'existe plus d'élément de l'ensemble d'arrivée possédant plus d'un antécédent (zéro ou un antécédent). Autrement dit, 2 éléments distincts de l'ensemble de départ ont toujours 2 images distinctes (ce qui n'était pas le cas de Lyon et Paris dans l'exemple précédent).

On dit qu'on a une *application injective de C vers* D.

Une « injection » d'un ensemble A dans un ensemble B est une application de A dans B telle que 2 éléments distincts de A ne peuvent avoir la même image.

3) Bijection. Conservons l'ensemble C et considérons l'ensemble D' obtenu en supprimant Espagne de D :

D' = {France, Angleterre, Italie, Hollande}.

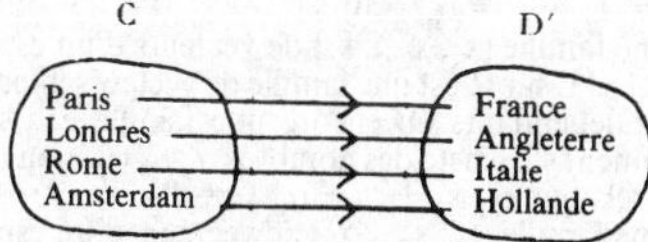

Les propriétés conjuguées de l'injection et de la surjection sont alors vérifiées. On dit qu'on a une *bijection de C sur* D'.

Une application d'un ensemble A dans un ensemble B est *une bijection de* A *sur* B *si elle est à la fois injective et surjective.*

Tout élément de l'ensemble de départ a exactement une image dans l'ensemble d'arrivée et tout élément de l'ensemble d'arrivée a exactement un antécédent dans l'ensemble de départ.

Structures

- **Groupes.** Soit l'ensemble Z muni d'une opération (notée +). *Propriétés* du doublet (Z, +) : + est une *loi de composition interne dans Z ; + est associative dans Z ; + a un élément neutre* 0 *qui appartient à* Z ; tout élément de Z a un symétrique dans Z pour la loi +. Ces 4 propriétés réunies confèrent à (Z, +) une structure de *groupe ;* en outre, + est commutatif. Le groupe est alors dit *commutatif* ou *abélien.*

(N, +) n'est pas un groupe (3 n'a pas de symétrie pour la loi + dans N). (Q, ×) n'est pas un groupe (0 n'a pas de symétrique pour la loi ×) mais (Q *, ×) est un groupe et même un groupe abélien.

• Anneau. Soit l'ensemble Z muni d'une 1re opération (notée +) et d'une 2e (notée ×). *Propriétés :* Z est un groupe abélien pour la 1re opération. La 2e opération est associative et distributive par rapport à la 1re : ∀ a, b, c ∈ Z :
(a.b) c = a. (b.c.) (associativité)
a.(b + c) = a.b + a.c
(b + c).a = b.a + c.a (distributivité)
L'ensemble de ces propriétés confère au groupe une structure d'anneau.

Si la 2e opération est commutative, l'anneau est commutatif ; si elle admet un élément neutre e, l'anneau est unitaire (e est l'unité).

• Corps. C'est un ensemble K muni de 2 opérations internes satisfaisant aux axiomes suivants : K est un anneau ; K privé de 0 (c'est-à-dire K – {0}) est un groupe pour la 2e opération :
∃ e ∈ K, ∀ a ∈ K : e.a = a.e = a ;
∀ a ≠ 0 ∃ a^{-1} ∈ K : a^{-1}.1 = a.a^{-1} = e.

Si la 2e opération est commutative, le corps est commutatif.

Exemples. On définit une addition et une multiplication internes dans chacun des ensembles suivants : l'ensemble des entiers relatifs (Z) est un anneau commutatif unitaire ; l'e. des nombres rationnels (Q) est un corps commutatif ; l'e. des nombres réels (R) est un corps commutatif ; l'e. des nombres complexes (C) est un corps commutatif.

• Espace vectoriel. Soit un ensemble E muni d'une loi interne appelée addition dans E et notée +, et d'une loi externe appelée multiplication associant à tout couple (α, a) de R × E un élément de E noté α. a. (E, +) est un espace vectoriel sur R si et seulement si les propriétés suivantes sont vérifiées :

1°) (E, +) est un groupe commutatif :
∀ a,b,c, ∈ E : (a + b) + c = a + (b + c) ;
∀ a,b ∈ E : a + b = b + a ;
∃ 0_E ∈ E tel que ∀ a ∈ E :
0_E + a = a + 0_E = a ;
∀ a ∈ E, ∃ – a ∈ E tel que :
a + (– a) = (– a) + a = 0_E.

2°) ∀ a ∈ E et α,β ∈ R :
1 . a = a ;
α . (β . a) = (αβ) . a ;
(α + β) . a = (α . a) + (β . a) ;
α . (a + b) = (α . a) + (α . b).

Bases d'un espace vectoriel sur R. Une famille (e_1, ..., e_n) d'éléments d'un espace vectoriel E sur R est une base de E si et seulement si, pour tout vecteur x de E, il existe un n-uplet unique (α_1, ..., α_n) de nombres réels tels que : x = $\alpha_1 e_1 + ... + \alpha_n e_n$. Pour tout i de {1, ..., n} le nombre réel α_i est appelé la coordonnée de x relative au vecteur e_i de la base (e_1, ..., e_n).

Une famille (x_1, x_2..., x_p) de vecteurs d'un espace vectoriel E sur R est une famille de vecteurs linéairement indépendants ou encore est une famille libre de E, si et seulement si, quels que soient les réels α_1, α_2 ..., α_p on a :
($\alpha_1 x_1 + \alpha_2 x_2 + ... + \alpha_p x_p = O_E$) ⇒
($\alpha_1 = \alpha_2 = ... = \alpha_p = 0$).

Une famille (x_1, x_2..., x_p) de vecteurs d'un espace vectoriel E sur R est une famille de vecteurs linéairement dépendants ou encore une famille liée si et seulement s'il existe des nombres α_1 ..., α_p, non tous nuls tels que $\alpha_1 x_1 + ... + \alpha_p x_p = 0_E$.

Une famille (x_1, x_2..., x_p) de vecteurs d'un espace vectoriel E sur R est une famille génératrice si ∀ v ∈ E, ∃ (α_1, α_2..., α_p) ∈ R tels que v = $\alpha_1 x_1 + ... + \alpha_p x_p$.

Toute famille (e_1, e_2..., e_n) de vecteurs de E est une base de E si et seulement si elle est à la fois génératrice de E et libre. Étant donné un espace vectoriel E sur R de dimension *n*, toute famille libre de *n* éléments de E est une base de E.

Application linéaire. Étant donné 2 espaces vectoriels E et E′ sur R, on appelle application linéaire ou homomorphisme de l'espace vectoriel E vers l'espace vectoriel E′ toute application f de E vers E′ telle que l'on ait :
∀ x ∈ E, ∀ y ∈ E, f(x + y) = f (x) + f (y) et ∀ z ∈ ℝ, ∀ x ∈ E f (αx) = α f (x).

L'application de E dans E′, x → $0_{E'}$, est appelée application nulle. Pour toute application linéaire f de E dans E′ :
f (0_E) = $0_{E'}$,
∀ x ∈ E on a : f (–x) = – f (x).

Le noyau d'une application linéaire f de E dans E′ est l'ensemble des éléments de E, espace vectoriel de départ de f dont l'image est $0_{E'}$, élément zéro de l'espace vectoriel d'arrivée de f :
N = {x ∈ E | f (x) = $0_{E'}$}.

Isomorphisme. L'application f est un isomorphisme de E sur E′ si elle est linéaire et bijective. La bijection réciproque f^{-1} est une application linéaire bijective de E′ sur E.

Tout espace vectoriel E de dimension *n* sur R est isomorphe à l'espace vectoriel R^n sur R.

Espace vectoriel Hom_k (E, F). Soient E et F deux espaces vectoriels sur K. Considérons l'ensemble des applications de E dans F [noté Hom_k (E, F)].

C'est un *espace vectoriel* pour l'*addition* (u, v) → u + v et la *multiplication* par un scalaire (λ, u) → λ u.

L'ensemble Hom_k (E, F) des *endomorphismes* de E se note End_k (E).

Cet ensemble muni de l'*addition* (f, g) → f + g et de la *multiplication* (f, g) → *fog* est un anneau. La propriété qui relie la structure d'anneau de End_k (E) à sa structure d'espace vectoriel s'exprime en disant que End_k (E) est une ALGÈBRE DE K.

L'espace vectoriel Hom_k (E, K) (ensemble des formes linéaires sur E) s'appelle le DUAL de E et on le note E *. De la même façon on définit le BIDUAL de E comme étant le dual de E * et on le note E **.

Ensembles souvent utilisés

N. : ensemble des entiers naturels {0, 1, 2, 3, 4...} ; (N étoile) N * = N – {0} : {1, 2, 3, 4...}.

Z : ensemble des entiers relatifs [entiers naturels précédés du signe + ou – (0 n'est précédé d'aucun signe)]. Ex. : {... – 4, – 3, – 2, – 1, 0, + 1, + 2, + 3, + 4...}.
Z * = Z – {0} = {... – 2, – 1, + 1, + 2, + 3...}.

Q : ensemble des nombres rationnels (nombre rationnel : rapport d'un élément de Z et d'un élément de Z *).

$$\text{Ex.} : -\frac{3}{2} = -\frac{-3}{+2} ; -4 = \frac{-4}{+1} ; +1{,}34 = \frac{+134}{+100}.$$

R : ensemble des nombres réels (nombres qui peuvent être rationnels ou non, comme π ou le nombre e, base des logarithmes népériens).
R * = R – {0}.
On a la relation N ⊂ Z ⊂ Q ⊂ R.

Loi de composition interne dans un ensemble

Considérons l'ensemble N des entiers naturels. Si l'on fait la somme ou le produit de 2 entiers naturels quelconques, on obtient un entier naturel : Ex. : 3 ∈ N ; 4 ∈ N ; 3 + 4 = 7 ; 7 ∈ N ; 3 × 4 = 12 ; 12 ∈ N. Nous disons que l'addition et la multiplication sont des lois de composition internes pour N.

En revanche, la différence de deux entiers naturels n'est pas toujours un entier naturel. 7 – 4 différence de deux entiers naturels est bien un entier naturel ; mais si on se limite à N, 4 – 7 n'est pas défini. La soustraction n'est pas une loi de composition interne dans N. (Il faut que le résultat existe et appartienne à N quels que soient les nombres choisis et l'ordre dans lequel on les prend : un seul contre-exemple suffit pour que la loi ne soit pas de composition interne.)

4 : 3 n'est pas un entier naturel. La division n'est pas une loi de composition interne pour N.

La différence *a* – *b* de deux éléments de Z existe et appartient à Z quels que soient *a* et *b*.
Ex. : (– 7) – (– 2) = – 5 ; – 5 ∈ Z.

La soustraction est une loi de composition interne pour Z. La division ne l'est pas. Le rapport des nombres + 5 et – 3 n'est pas un élément de Z. Le rapport des nombres – 2 ∈ Z et 0 ∈ Z n'existe pas.

La division n'est pas une loi de composition interne pour Q (car + $\frac{3}{5}$: 0 n'existe pas), mais on montre que c'est une loi de composition interne pour Q * = Q – {0}.

• Propriétés possibles d'une loi de composition interne. 1er) **Commutativité.** Quels que soient a ∈ N et b ∈ N, on a :
a + b = b + a et a × b = b × a.
Addition et multiplication sont des lois de composition internes commutatives dans N. La soustraction est une loi de composition interne dans Z.
(+ 3) – (+ 2) = + 1 ; (+ 2) – (+ 3) = – 1.
Ce seul contre-exemple nous permet d'affirmer que la soustraction n'est pas commutative dans Z.

* étant une loi de composition interne dans un ensemble E (dans nos exemples, * était représentée par +, ×, –, et peut être remplacée par d'autres opérations moins courantes), nous dirons que l'opération interne est commutative si :
∀ a ∈ E et b ∈ E, a * b = b * a
(rappel ∀ : quel que soit).

2e) **Associativité.** Prenons des éléments de N :
(3 × 4) × 5 = 12 × 5 = 60
(2 + 3) + 9 = 5 + 9 = 14
3 × (4 × 5) = 3 × 20 = 60
2 + (3 + 9) = 2 + 12 = 14

Nous savons que, *quels que soient* a ∈ N, b ∈ N, c ∈ N, (a + b) + c = a + (b + c) et (a × b) × c = a × (b × c), + et × sont des opérations internes associatives dans N.

Prenons des éléments de Z (ensemble des entiers relatifs), par exemple + 10, + 5, + 2 que nous écrirons simplement 10, 5, 2. Nous avons vu que – est une loi de composition interne dans Z :

(10 – 5) – 2 = 5 – 2 = 3 | résultats
10 – (5 – 2) = 10 – 3 = 7 | différents

La soustraction n'est pas associative dans Z. Une opération interne dans un ensemble E est associative dans E si ∀ a ∈ E, b ∈ E, c ∈ E. (a * b) * c = a * (b * c).

3e) **Élément neutre d'une loi de composition interne.** Considérons l'ensemble N et plus particulièrement 0 :
3 + 0 = 0 + 3 = 3 ;
∀ a ∈ N, a + 0 = 0 + a = a.

On dit que 0 est élément neutre pour l'addition dans N.

Considérons dans N l'élément 1 :
5 × 1 = 1 × 5 = 5 ;
∀ a ∈ N, a × 1 = 1 × a = a.
1 est élément neutre pour la multiplication dans N.

Nota. – Prenons l'ensemble Z :
(+ 3) – 0 = 3, mais 0 – (+ 3) = – 3,
0 n'est pas neutre pour la soustraction dans Z.

4e) **Élément symétrique d'un élément d'un ensemble par rapport à une loi de composition interne possédant un élément neutre.** Prenons l'ensemble N et la loi interne + possédant dans N l'élément neutre 0.

Problème : Je prends 3 ∈ N. Existe-t-il un entier naturel a′ tel que :
3 + a′ = a′ + 3 = 0 ?

La réponse est non, 3 n'a pas de symétrique par rapport à + dans N.

Reprenons le problème avec Z muni de + d'élément neutre 0 ∈ Z.

Problème : + 5 ∈ Z. Existe-t-il un élément a′ ∈ Z 0 ?
Il faut prendre a′ = – 5, et c'est la seule solution. – 5 est dit symétrique de + 5 par rapport à + dans Z.

Prenons N, loi interne, × l'élément a′ de N tel que :
6 × a′ = a′ × 6 = 1. Il faudrait prendre :

$$a' = \frac{1}{6} \text{ mais } \frac{1}{6} \notin N.$$

6 n'a pas de symétrique pour la loi × dans N.

E étant un ensemble muni d'une loi de composition interne * ; a étant un élément de E, nous dirons que a′ est symétrique de a pour la loi * d'élément neutre e si a * a′ = a′ * a = e.

Loi de composition externe dans un ensemble

Considérons la fonction affine définie ∀ x ∈ R par f (x) = ax + b avec a et b ∈R.

Désignons par B l'ensemble des fonctions f. B muni de l'opération + est un groupe commutatif.

On appelle produit de f par un réel α la fonction notée α.f définie ∀ x ∈ R par : (α.f) x = α (ax + b) = (αa) x + αb.

Le produit d'une fonction affine par α est une fonction affine. A tout couple (α,f) élément de R × B nous associons donc α.f, élément de B. Nous avons défini l'application : R × B → B
(α,f) → α . f

Une telle application est une loi de composition externe, car on compose α ∈ R avec f ∈ B pour obtenir α . f ∈ B. α est l'opérateur qui permet de passer de f à α . f, tous deux éléments de B.

Propriétés. *Élément neutre :* 1 . f = f.
En effet ∀ x ∈ R : 1 (ax + b) = ax + b.
Associativité : f′ = β. f et f″ = α.f′
= α (β.f).
∀ x ∈ R nous avons :
f′ (x) = β f (x) = β (ax + b),
f″ (x) = αf′ (x) = α [β (ax + b)]
= (αβ) (ax + b), donc f″ = (αβ) . f.

Par conséquent : $\alpha . (\beta.f) = (\alpha\beta) . f$.
Distributivité par rapport à l'addition dans R : $\forall (\alpha,\beta) \in R \times R$, $\forall f \in B$ nous avons : $(\alpha + \beta) . f = \alpha . f + \beta . f$.
Distributivité par rapport à l'addition dans B : $\forall \alpha \in R$, $\forall (f, g) \in B \times B$ nous avons : $\alpha (f + g) = \alpha . f + \alpha . g$.

Exemple. Addition et multiplication des réels. A tout couple (x, y) de réels, l'addition associe le réel $x + y$, somme des termes x et y.

A tout couple (x, y) de réels, la multiplication associe le réel xy, produit des facteurs x et y.

L'*addition* des réels possède les propriétés suivantes :

A_1 Elle est *associative :* quels que soient les réels x, y, z on a : $(x + y) + z = x + (y + z)$.
A_2 Elle est *commutative :* quels que soient les réels x et y, on a : $x + y = y + x$.
A_3 Elle possède *l'élément neutre zéro :* quel que soit x on a : $x + 0 = 0 + x = x$.
A_4 Quel que soit le réel x, il existe un réel noté $-x$, appelé *opposé* de x tel que : $x + (-x) = (-x) + x = 0$.

La multiplication des réels possède les propriétés suivantes :

M_1 Elle est *associative :* quels que soient les réels x, y, z on a : $x(yz) = (xy)z$.
M_2 Elle est *commutative :* quels que soient les réels x et y, on a : $xy = yx$.
M_3 Elle possède *l'élément neutre un :* quel que soit le réel x, on a : $x \times 1 = 1 \times x = x$.
M_4 Quel que soit le réel $x \neq 0$, il existe un réel noté $\frac{1}{x}$, appelé *inverse* de x tel que :
$x \times \frac{1}{x} = \frac{1}{x} \times x = 1$.

Analyse

Coordonnées cartésiennes

Dans le plan

• **Repère cartésien.** Couple de 2 axes non parallèles, chacun étant muni d'une unité de longueur.

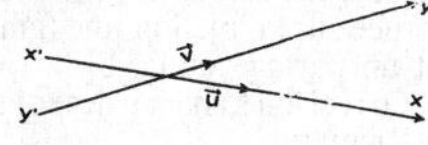

$\vec{u}$ et $\vec{v}$ sont des vecteurs unitaires de chacun des 2 axes (pas forcément de même longueur).

Le point de rencontre O des 2 axes est l'origine du repère cartésien.

Un repère cartésien d'un plan P est aussi défini par le triplet $(O, \vec{u}\ \vec{v})$, O étant un point de P et $(\vec{u}\ \vec{v})$ une base de l'espace vectoriel associé à P.

• **Repère cartésien normé.** Chacun des 2 axes est muni de la même unité de longueur (ex. : 1 cm). $\vec{u}$ et $\vec{v}$ ont même longueur.

Coordonnées d'un point A choisi dans un plan muni d'un repère. Par le point A, on mène des droites parallèles aux axes. Le point O d'intersection des 2 axes, appelé « origine des coordonnées », sert à définir :

abscisse (mesure algébrique du vecteur $\overrightarrow{OA'}$ notée $\overline{OA'}$) ;

ordonnée (mesure algébrique du vecteur $\overrightarrow{OA''}$ notée $\overline{OA''}$).

Abscisse de A se représente souvent par x_A qu'on lit « x indice A » ; ordonnée de A s'écrit y_A (y indice A).

Ex. : le point A a pour abscisse $x_A = +3$ et pour ordonnée $y_A = -2$.

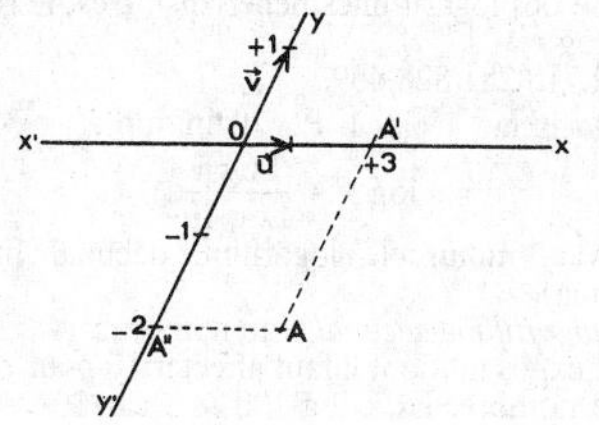

Coordonnées de $\overrightarrow{AB}$ dans la base $(\vec{u}, \vec{v})$: $x_B - x_A$, $y_B - y_A$.

Coordonnées du milieu M d'un segment AB (dans un repère orthonormé) :

$$x_M = \frac{x_A + x_B}{2}. \qquad y_M = \frac{y_A + y_B}{2}.$$

Distance de 2 points A et B :

Longueur $AB = \sqrt{(x_B - x_A)^2 + (y_B - y_A)^2}$.

Changement d'une des coordonnées. *Translation de l'origine.* Soit un repère cartésien orthonormé x'x, y'y. Prenons un nouveau système d'axes X'X, Y'Y se coupant en O' et parallèles à x'x et y'y. Soit a et b les coordonnées de O' dans le 1er repère. Les nouvelles coordonnées X, Y d'un point M par rapport aux anciennes x, y sont :

$$X = x - a,\ Y = y - b.$$

Rotation des axes de coordonnées d'un angle α autour de l'origine :

$X = x \cos\alpha + y \sin\alpha$; $Y = -x \sin\alpha + y \cos\alpha$.

Coordonnées polaires. Un point M est déterminé par son rayon vecteur $\rho = OM$ (distance au pôle O) et par l'angle α que forme le rayon vecteur avec un axe fixe Ox.

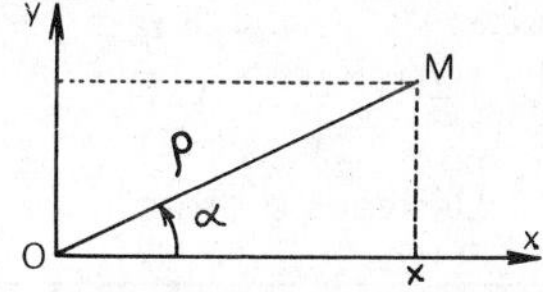

Passage des coordonnées rectangulaires aux coordonnées polaires et vice versa :

$x = \rho \cos\alpha$; $y = \rho \sin\alpha$. $\rho = \sqrt{x^2 + y^2}$; $\operatorname{tg}\alpha = \frac{y}{x}$.

Dans l'espace

• **Repère cartésien orthonormé.** Repère à la fois orthogonal et normé (le plus utilisé). 3 vecteurs unitaires perpendiculaires et de même longueur : $\vec{u}$, $\vec{v}$ et $\vec{w}$.

Coordonnées d'un point A. Par le point A on mène des droites parallèles et orthogonales à l'axe Oz. Le point d'intersection avec Oz détermine la cote z de M. La projection orthogonale M' de M sur le plan xOy permet de déterminer l'abscisse x et l'ordonnée y de M.

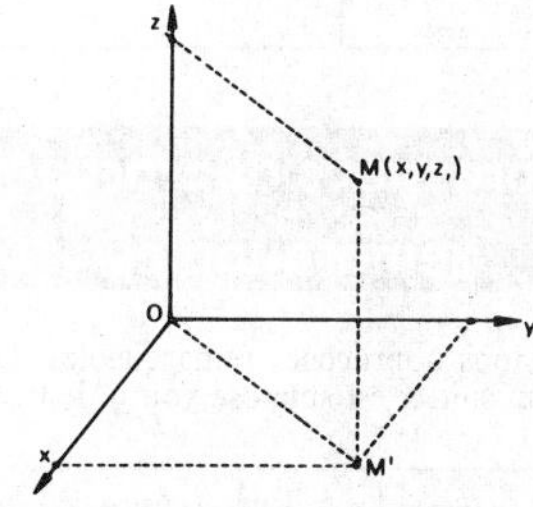

Coordonnées sphériques. Les coordonnées d'un point M sont : le rayon vecteur $\rho = \overline{OM}$; la longitude, angle $\varphi = \widehat{xOM'}$; la colatitude, angle $\theta = \widehat{zOM}$.

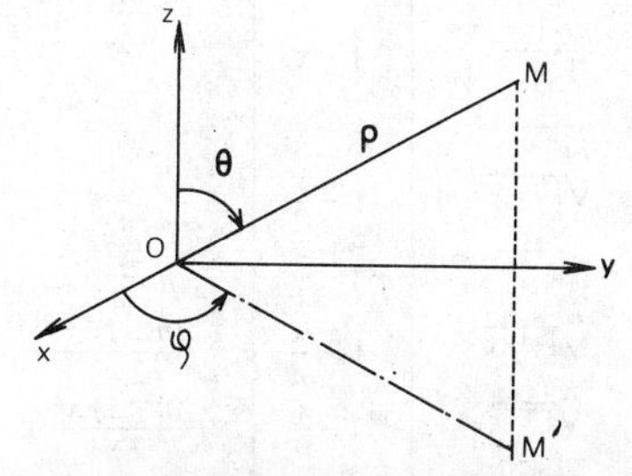

Fonctions numériques à variable réelle

• **Définition.** Fonction pour laquelle les ensembles de départ A et d'arrivée B sont des sous-ensembles de R (souvent R lui-même).

• **Fonction linéaire.** a et b étant des nombres réels fixes, c'est une fonction définie par $x \to y = ax + b$.

Si $a > 0$ elle est strictement croissante, $a < 0$ strictement décroissante, $a = 0$ elle est constante.

1° Domaine de définition : R.

2° Courbe représentative : droite qui passe par le point $x = 0$, $y = b$. Sa direction est celle du vecteur V $(1, a)$.

• **Fonction trinôme du 2e degré.** a, b et c étant 3 nombres réels fixés ($a \neq 0$), c'est une fonction définie par $x \to y = ax^2 + bx + c$ avec R pour ensemble de départ.

Ex. : $x \to x^2 - 5x + 6$. Image de (-2) :
$(-2)^2 - 5(-2) + 6 = 4 + 10 + 6 = 20$.

1° Domaine de définition : R.

2° Tableau de variation (2 cas)

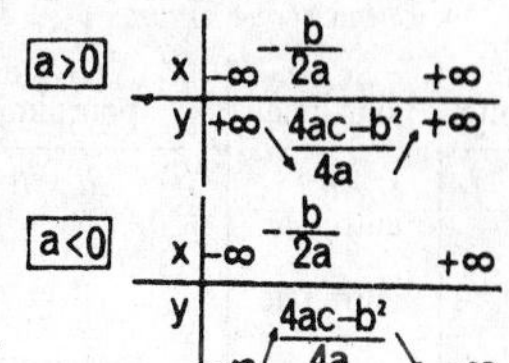

3° Courbe représentative : parabole dont la concavité est tournée vers les « y positifs si a est positif », vers les « y négatifs si a est négatif ».

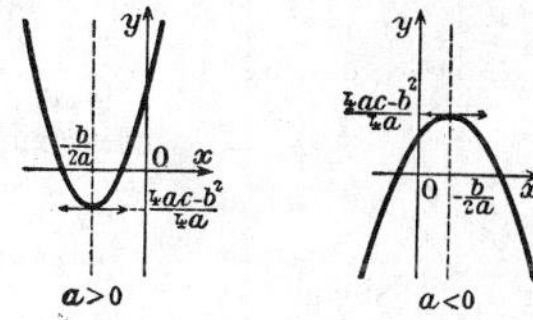

Le point S de coordonnées $x_S = -\frac{b}{2a}$ et $y_S = \frac{4ac - b^2}{4a}$ est le sommet de la parabole.

La droite (T) d'équation $y = \frac{4ac - b^2}{4a}$ est la tangente au sommet.

La droite (A) d'équation $x = -\frac{b}{2a}$ est l'axe de symétrie de la parabole.

Nota. – Cas particulier important : $a \neq 0$ mais $b = c = 0$, on a $y = ax^2$.

Le sommet est alors l'origine O des coordonnées, la tangente au sommet est l'axe $x'x$, l'axe de symétrie est l'axe $y'y$.

• **Fonction homographique.** a, b, c et d étant 4 nombres réels finis et tels que $ad - bc \neq 0$ et $c \neq 0$, on appelle fonction homographique une fonction définie par :

$$x \to y = \frac{ax + b}{cx + d}. \qquad \text{Ex. : } y = \frac{2x + 3}{5x - 2}.$$

1° Domaine de définition : $R - \{-\frac{d}{c}\}$ car le dénominateur ne doit pas être nul.

2° Tableau de variation :

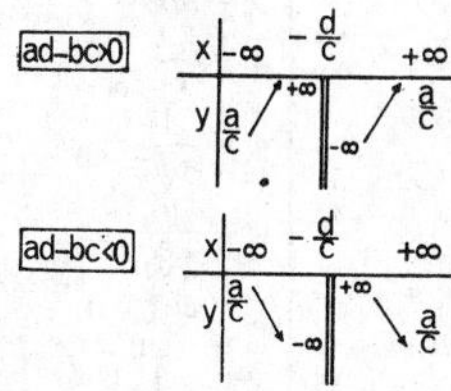

3° Courbe représentative : hyperbole dont le point de coordonnées

$x = -\frac{d}{c}$, $y = \frac{a}{c}$ est le centre de symétrie et dont les droites D' (d'équation $x = -\frac{d}{c}$) et D (d'équation $y = \frac{a}{c}$) sont les *asymptotes.* Une droite D est *asymptote* à une courbe lorsque la distance MH d'un point M de la courbe à la droite devient infiniment petite quand le point M s'éloigne indéfiniment sur la courbe.

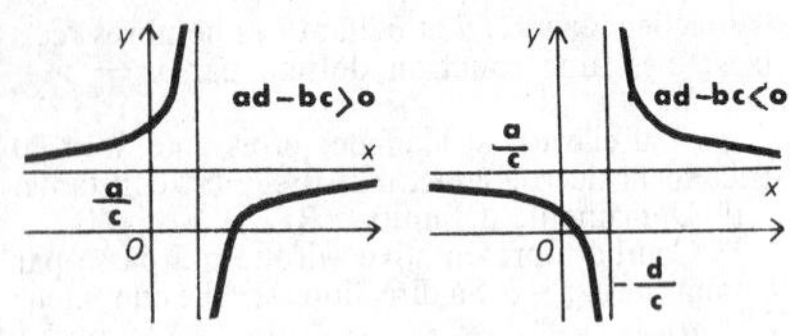

Nota. – Cas particulier important :

$$a = 0,\ c = 1,\ d = 0.\ \text{On a alors } y = \frac{b}{x}.$$

Le centre de symétrie est alors en 0, les asymptotes sont les 2 axes de coordonnées.

Théorèmes sur les limites

Limite d'une somme

Si f a pour limite	Si g a pour limite	$f + g$ a pour limite
a	b	$a + b$
$+\infty$	autre que $-\infty$	$+\infty$
$-\infty$	autre que $+\infty$	$-\infty$
$+\infty$	$-\infty$	indéterminé
$-\infty$	$+\infty$	indéterminé

Limite d'un produit

Si f a pour limite	Si g a pour limite	$f \times g$ a pour limite
a	a'	$a\,a'$
$+\infty$	a	$\pm\infty$
$-\infty$	a	$\pm\infty$
0	∞	indéterminé

Limite d'un quotient

Si f a pour limite	Si g a pour limite	$\frac{f}{g}$ a pour limite
a 0	0	∞
a	∞	0
∞	∞	indéterminé
0	0	indéterminé

Dérivées

Fonction	Dérivée
$y = c$	$y' = 0$
$y = u + v + w$	$y' = u' + v' + w'$
$y = uv$	$y' = u'v + uv'$
$y = \frac{u}{v}$	$y' = \frac{u'v - uv'}{v^2}$
$y = \frac{1}{u}$	$y' = -\frac{u'}{u^2}$
$y = u^m$	$y' = mu^{m-1}u'$
$y = \sqrt[q]{u^p} = u^{\frac{p}{q}}$	$y' = \frac{p}{q}u^{\frac{p-1}{q}}u'$
$y = f(u)$	$y' = f'(u)u'$
$y = uvw$	$y' = \Sigma u'vw$
$y = Af(x)$	$y' = Af'(x)$
$y = x^m$	$y' = mx^{m-1}$
$y = \frac{1}{x}$	$y' = \frac{-1}{x^2}$
$y = \sqrt{x}$	$y' = \frac{1}{2\sqrt{x}}$
$y = \sqrt{u}$	$y' = \frac{u'}{2\sqrt{u}}$
$y = \sin x$ (1)	$y' = \cos x$ (1)
$y = \cos x$ (1)	$y' = -\sin x$ (1)
$y = \text{tg}\, x$ (1)	$y' = \frac{1}{\cos^2 x} = 1 + \text{tg}^2 x$ (1)
$y = \text{cotg}\, x$ (1)	$y' = \frac{-1}{\sin^2 x} = -(1 + \text{cotg}^2 x)$ (1)
$y = \sin(ax + b)$ (1)	$y' = a\cos(ax + b)$ (1)
$y = \cos(ax + b)$ (1)	$y' = -a\sin(ax + b)$ (1)
$y = \text{Log}\, x$	$y' = \frac{1}{x}$
$y = \exp(x) = e^x$	$y' = \exp(x) = e^x$

Nota. – (1) x étant exprimé en radians.

• **Nombre-dérivée.** Une fonction d'équation $y = f(x)$ (lire y égale f de x) étant définie et continue sur un segment $[a, b]$, on appelle nombre-dérivée de la fonction f pour une valeur $x_0 \in [a, b]$ la limite, si elle existe, du rapport :

$$\frac{f(x_1) - f(x_0)}{x_1 - x_0},$$

lorsque x_1, tend vers x_0 ($x_0 \in]a, b[$).

• **Fonction dérivée.** Si la fonction f est dérivable en toute valeur d'un intervalle I, elle est dite dérivable sur I et la fonction qui associe à toute valeur $x_0 \in$ I le nombre-dérivée de f pour x_0 s'appelle fonction dérivée de f sur I.

La fonction dérivée de f se note f'.

Dérivée logarithmique d'une fonction.

$$\frac{y'}{y} = \frac{f'(x)}{f(x)}.$$

Différentielle. En tout point x où la fonction $y = f(x)$ est dérivable, on appelle différentielle de cette fonction l'application de R dans R :

$$h \mid\rightarrow f'(x)\,h$$

que l'on note :

$$dx \mid\rightarrow dy = f'(x)\,dx.$$

Dérivées d'ordre n

Fonction	Dérivée
x^m (m rationnel)	$m(m-1)\ldots(m-n+1)\,x^{m-n}$
$\frac{1}{1+x}$	$\frac{(-1)^n.n!}{(1+x)^{n+1}}$
$\frac{1}{1-x}$	$\frac{n!}{(1-x)^{n+1}}$
a^x	$a^x(\text{Log}\, a)^n$
e^x	e^x
$\sin x$	$\sin = \left(x + n\frac{\pi}{2}\right)$
$\cos x$	$\cos = \left(x + n\frac{\pi}{2}\right)$
$\sin(ax + b)$	$a^n \sin\left(ax + b + n\frac{\pi}{2}\right)$
$\cos(ax + b)$	$a^n \cos\left(ax + b + n\frac{\pi}{2}\right)$

Expressions approchées remarquables

• Expressions approchées remarquables. Dans le tableau qui suit, x est supposé voisin de 0 :

Expression	*Valeur approchée*	*Ordre de grandeur de l'erreur*
$(1 + x)^2$	$1 + 2x$	x^2
$(1 - x)^2$	$1 - 2x$	x^2
$(1 + x)^n$	$1 + nx$	$\frac{n(n-1)x^2}{2}$
$(1 - x)^n$	$1 - nx$	$\frac{n(n-1)x^2}{2}$
$\frac{1}{1+x}$	$1 - x$	x^2
$\frac{1}{1-x}$	$1 + x$	x^2
$\sqrt{1+x}$	$1 + \frac{x}{2}$	$\frac{x^2}{8}$
$\sqrt{1-x}$	$1 - \frac{x}{2}$	$\frac{x^2}{8}$
$\sqrt[n]{1+x}$	$1 + \frac{x}{n}$	$\frac{(n-1)x^2}{2n^2}$
$\sqrt[n]{1-x}$	$1 - \frac{x}{n}$	$\frac{(n-1)x^3}{2n^3}$
$\sin x$ (x en rd)	x	$\frac{x^2}{6}$
$\text{tg}\, x$ (x en rd)	x	$\frac{x^2}{3}$
$\cos x$ (x en rd)	$1 - \frac{x^2}{2}$	$\frac{x^4}{24}$
$\text{Log}(1 + x)$	x	$\frac{x^2}{2}$

Calcul intégral

Fonction primitive ou Primitive

Fonction	Primitive
$y = 0$	$y = k$ (k constante)
$y = a$	$y = ax + k$
$y = x^n$ ($n \in Q - \{-1\}$)	$y = \frac{x^{n+1}}{n+1} + k$
$y = \frac{1}{\sqrt{x}}$	$y = 2\sqrt{x} + k$
$y = \cos x$ (1)	$y = \sin x + k$ (1)
$y = \sin x$ (1)	$y = -\cos x + k$ (1)
$y = \frac{1}{\cos^2 x} = 1 + \text{tg}^2 x$ (1)	$y = tg\, x + k$ (1)
$y = \frac{1}{\sin^2 x} = 1 + \text{cotg}^2 x$ (1)	$y = -\text{cotg}\, x + k$ (1)
$y = \frac{1}{x}$	$y = \text{Log}\lvert x\rvert + k$
$y = \exp(x) = e^x$	$y = \exp(x) + k = e^x + k$
$y = \cos(ax + b)$ (1)	$y = \frac{1}{a}\sin(ax + b) + k$ (1)
$y = \sin(ax + b)$ (1)	$y = -\frac{1}{a}\cos(ax + b) + k$ (1)

Nota. – (1) x étant exprimé en radians.

Définition d'une fonction primitive F. F fonction numérique dans un champ C qui admet pour dérivée f $\Rightarrow$ F est fonction primitive de f dans C.

F est dérivable dans C $\Rightarrow$ F est continue dans C.

Si f admet une primitive F dans C $\Rightarrow$ f admet une infinité de primitives G = F + k.

Mais la définition d'une primitive ne permet pas d'établir l'existence de cette primitive ni le moyen de la construire.

Existence d'un lien entre les notions de primitives et d'aires planes. Notion d'aires planes. Intégrale de Riemann d'une fonction en escalier.

Propriétés. Intégration d'une fonction en escalier f dans C est une *application linéaire* (de l'espace vectoriel des fonctions en escalier dans C – vers l'ensemble ℝ).

Sommes de Riemann. Soit une fonction numérique définie et bornée sur [a, b]. Soit une famille de réels x_i effectuant un partage de [a, b] $\forall\, i \in [l, n]$ $x_{i-1} < x_i$. Soit λ_i, un réel dans chacun des sous-segments : Sommes de Riemann

$$\Gamma_p = \sum_{i=1}^{n} f(x_i)(x_i - x_{i-1})$$

$= f(x_1)(x_1 - x_0) + f(x_2)(x_2 - x_1) + \ldots f(x_n)(x_n - x_{n-1})$.

Fonctions intégrales Riemann. Définition : f est intégrale Riemann si :

$$\begin{cases} .\ f \text{ est bornée} \\ .\ \forall\, \varepsilon > 0\ \exists\, I \in \mathbb{R} \text{ tel que : } \lvert \Gamma_p - I \rvert < \varepsilon \text{ si} \end{cases}$$

$x_i - x_{i-1} \rightarrow 0$

Conséquence : on représente la limite par : I = $\int_a^b f(x)\,dx$ I indépendante du partage de [a, b].

Logarithmes

• **Logarithme népérien.** On appelle fonction *logarithme népérien* de x (pour $x > 0$) la primitive de la fonction :

$x \mid\rightarrow \frac{1}{x}$ qui s'annule pour $x = 1$.

$y = x \Rightarrow y' = \frac{1}{x}$.

e : base des logarithmes népériens : c'est le réel tel que Log e = 1.

$e \simeq 2{,}718\ 281\ 828\ 459$.

• **Logarithme décimal.** Par définition :

$$\log x = \frac{\text{Log}\, x}{\text{Log}\, 10}$$

(log avec 1 minuscule : logarithme décimal ; ln : log. népérien).

Le *logarithme décimal* d'un nombre x ($x > 0$) est aussi l'exposant dont il faut affecter 10 pour retrouver ce nombre. Ex. : log 100 = 2 car $10^2 = 100$;

$$\log 3{,}16227 \simeq \frac{1}{2} \text{ car } 3{,}16227 \simeq \sqrt{10} = 10^{\frac{1}{2}}.$$

Fonction logarithme : $y = \log_a x$.

Quels que soient $a > 0$ et $\neq 1$, base du logarithme, on a les propriétés suivantes :

$$\log_a x = \frac{\text{Log } x}{\text{Log } a} ;$$
$$\log_a 1 = 0 ; \log_a a = 1 ;$$
$$\log_a b \times \log_b a = 1 ;$$
$$\log_a uv = \log_a u + \log_a v ;$$
$$\log_a u^m = m \log_a u ;$$
$$\log_a \frac{u}{v} = \log_a u - \log_a v.$$

Changement de base : $\log_a x = \log_b x \times \log_a b$.

Variations de $y = \log_a x$.

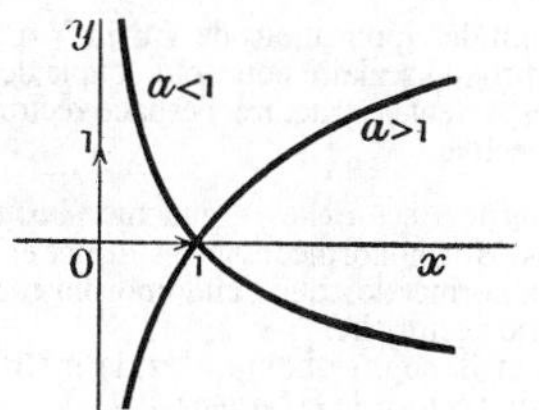

$a > 1$

x	0		1		$+\infty$
$\log_a x$	$-\infty$	↗	0	↗	$+\infty$

$0 < a < 1$

x	0		1		$+\infty$
$\log_a x$	$+\infty$	↘	0	↘	$-\infty$

Caractéristiques et mantisse de log N. Tout logarithme log N s'écrit sous la forme c + m où c est la caractéristique, c'est-à-dire l'entier immédiatement inférieur à log N ; m est la mantisse, c'est-à-dire la partie décimale comprise entre 0 et 1.

Calcul de la caractéristique. La fonction log x étant croissante, on déduit de ce tableau que : 1) si N > 1, la caractéristique de log N s'obtient en retranchant 1 au nombre de chiffres de la partie entière de N. 2) Si N < 1, la caractéristique de log N est négative ; sa valeur absolue est égale au rang du premier chiffre significatif de N après la virgule.

Calcul d'un cologarithme. On a :

$$\log \frac{1}{a} = -\log a$$

que l'on note cologa (cologarithme de a) ;

Le cologarithme d'un nombre est le logarithme de l'inverse de ce nombre.

Fonction exponentielle. Fonction réciproque de la fonction logarithme népérien.

$$y = \exp(x) \Leftrightarrow x = \text{Log } y.$$

On écrit aussi $[y = e^x]$.

Propriétés : $\dfrac{e^x \times e^y}{e^z} = e^{x+y-z}$; $(e^x)^y = e^{xy}$.

Généralisation : $y = a^x$.

Propriétés fondamentales : $a^0 = 1$, $a^1 = a$,

$$a^u . a^v = a^{u+v}, \ (a^u)^v = a^{uv}, \ \frac{a^u}{a^v} = a^{u-v}.$$

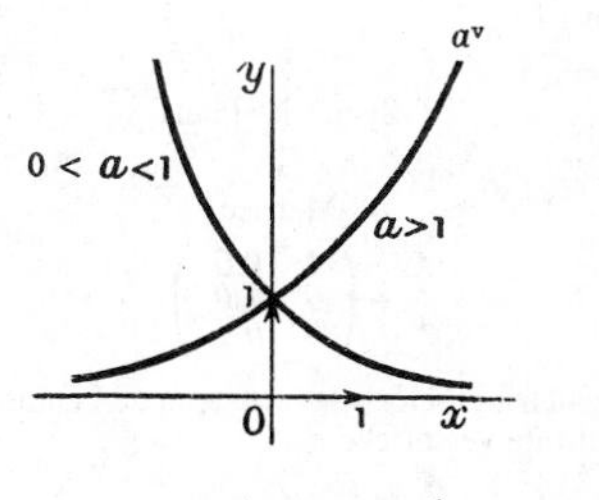

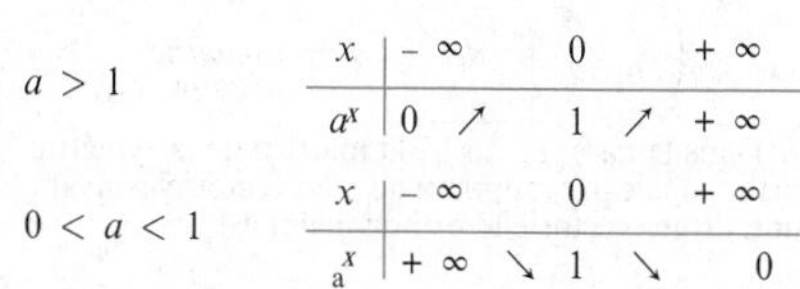

$a > 1$

x	$-\infty$		0		$+\infty$
a^x	0	↗	1	↗	$+\infty$

$0 < a < 1$

x	$-\infty$		0		$+\infty$
a^x	$+\infty$	↘	1	↘	0

Remarque. – Si $aa' = 1$ les courbes $y = a^x$ et $y = a'^x$ sont symétriques par rapport à Oy.

Limites :

pour $a > 1$ $\begin{cases} x \to -\infty, \ xa^x \to 0 \text{ et } \dfrac{a^x}{x} \to 0, \\ x \to +\infty, \ xa^x \to +\infty \text{ et } \dfrac{a^x}{x} \to +\infty. \end{cases}$

pour $a < 1$ $\begin{cases} x \to -\infty, \ xa^x \to -\infty \text{ et } \dfrac{a^x}{x} \to -\infty, \\ x \to +\infty, \ xa^x \to 0 \text{ et } \dfrac{a^x}{x} \to 0. \end{cases}$

Extension de l'exponentielle

$$\cos x + i \sin x = e^{ix}$$
$$\frac{e^{ix} + e^{-ix}}{2} = \cos x$$
$$\frac{e^{ix} - e^{-ix}}{2i} = \sin x$$

Fonctions exponentielles

$y = \exp_a x \leftarrow$	$\rightarrow x = \log_a y$
$-\infty < x < +\infty$ ↑	$0 < y < +\infty$
$x = a^x$	$x = \log_a y$
$-\infty < x < +\infty \leftarrow$	$\rightarrow 0 < y < +\infty$
$y = a^x \leftarrow$	$\rightarrow y' = a^x \log a$
$y = e^x \leftarrow$	$\rightarrow y' = e^x$

La fonction exponentielle népérienne est la fonction réciproque du logarithme. Définie sur $\mathbb{R}$ c'est la bijection de $\mathbb{R} \to \mathbb{R}^*+$ c'est un isomorphisme du groupe additif $(\mathbb{R}, +)$ sur le groupe multiplicatif $(\mathbb{R}^{*+}, x)$.

Probabilités

Exemple. On jette un dé.

E = {1, 2, 3, 4, 5, 6,}. « Il sort un 3 » est une éventualité. « Le nombre est pair » est l'événement correspondant au sous-ensemble {2, 4, 6}. « Le nombre est impair » (A = {1, 3, 5}) et « le nombre est 2 ou 4 » (B = {2, 4}) sont des événements incompatibles.

« Le nombre est inférieur ou égal à 9 » (E = C) est un événement certain. « Le nombre est 8 » (D = ∅) est un événement impossible.

Les événements F : « le nombre est strictement inférieur à 3 » (F = {1, 2}) et « le nombre est au moins égal à 3 » (G = {3, 4, 5, 6}) sont contraires.

E étant l'univers, on désigne par (E) l'ensemble des sous-ensembles de E, c.-à-d. l'ensemble des événements. Si, à tout événement A, on associe un nombre réel P(A) satisfaisant aux axiomes suivants :

O ⩽ P(A) ⩽ 1 ; P(A ou B) = P(A) + P(B) si A et B sont deux événements quelconques incompatibles. P(E) = 1 (on dit qu'on définit une probabilité relative à E).

Ex. : reprenons l'exemple précédent et décidons d'associer à tout sous-ensemble de E le 6e du nombre de ses éléments : les 3 axiomes sont vérifiés :

$$P(A) = \frac{3}{6} = \frac{1}{2} \qquad P(B) = \frac{1}{3}$$
$$P(E) = 1 = P(C) \qquad P(D) = 0$$

Le dé dans ce cas est dit « dé parfait ».

Propriétés. On montre que :

$$P(\varnothing) = 0 \qquad P(A) + P(\bar{A}) = 1$$
$$P(A \text{ ou } B) = P(A) + P(B) - P(A \text{ et } B).$$

La probabilité de tous les événements est déterminée dès que l'on se donne les probabilités des événements élémentaires.

Ex. $E = \{e_1, e_2, \dots e_n\}$;
$A = \{e_1, e_2, e_3\}$;
alors $P(A) = P(e_1) + P(e_2) + P(e_3)$.

Cas particuliers d'événements élémentaires équiprobables. Dans la plupart des cas, on attribue à tous les événements élémentaires la même probabilité (soit $\frac{1}{n}$ si n est le nombre d'éléments de E). Si A est un événement correspondant à un sous-ensemble de p éléments (appelés « cas favorables à l'événement A »), on a :

$$P(A) = \frac{p}{n} \text{ c'est-à-dire :}$$

$$\frac{\text{nombre de cas favorables à l'événement A}}{\text{nombre de cas possibles}}.$$

L'exemple du « dé parfait » est un cas d'événements élémentaires équiprobables.

Probabilité conditionnelle. A et B étant 2 événements (A ≠ ∅), on appelle probabilité de A, sachant que B est réalisé, la quantité notée P (A/B)

$$P(A/B) = \frac{P(A \cap B)}{P(B)} = \frac{P(B/A) \times P(A)}{P(B)}.$$

P (A/B) se lit « P de A si B » ou « probabilité de A si B ».

Événements indépendants. Ce sont 2 événements tels que $P(A \cap B) = P(A) \times P(B)$. On tire une carte d'un jeu de 52 cartes. Les événements A (la carte est un roi) et B (la carte est un cœur) sont-ils indépendants ?

$P(A \cap B) = P$ (la carte est le roi de cœur) $=$

$$\frac{1}{52} ; P(A) = \frac{4}{52} = \frac{1}{13} ; P(B) = \frac{1}{4}.$$

$P(A) \times P(B) = P(A \cap B)$. Les événements sont indépendants.

C : « la carte est un as ou un roi ou une dame ou un valet ». A et C sont-ils indépendants ?

$$P(A) = \frac{1}{13} ; P(C) = \frac{16}{52} = \frac{4}{13} ;$$

$$P(A) \times P(C) = \frac{4}{169} ; P(A \cap C) = \frac{1}{13}.$$

Les événements A et C ne sont pas indépendants.

Espérance mathématique. Jeu équitable. 2 joueurs A et B conviennent du jeu suivant. A donne à B une somme a francs. On lance un dé parfait. S'il sort 5 ou 6, B donne 12 F à A et lui rend sa mise. Si un autre nombre sort, B garde les a francs.

Faisons $a = 3$. A a une chance sur 3 de gagner 12 F. Il a 2 chances sur 3 de perdre 3 F (ou de gagner – 3 F).

L'espérance mathématique de A sera :

$$\frac{2}{3} \times (-3) + \frac{1}{3} \times 12 = -2 + 4 = +2 \text{ F},$$

ce qui signifie que sur un très grand nombre de coups, A gagne en moyenne 2 F.

L'espérance mathématique de B sera :

$$\frac{2}{3} \times (+3) + \frac{1}{3}(-12) = -2 \text{ F}.$$

A est avantagé dans ce jeu, car son espérance mathématique est supérieure à celle de B. En revanche, si A donne $a = 6$ F au départ à B (au lieu de 3 F), son espérance devient :

$$\frac{2}{3}(-6) + \frac{1}{3}(12) = 0 \text{ F},$$

$$\text{celle de B} : \frac{2}{3}(6) + \frac{1}{3}(-12) = 0 \text{ F}.$$

Le jeu est équitable.

Définition : l'espérance mathém. ou valeur moyenne d'1 variable aléatoire est E(x) définie par :

1°) $E(x) = \sum_{i \in I} x_i p_i$ pour 1 var. discrète.

2°) $E(x) = \int_{-\infty}^{+\infty} xp(x)\,dx$ pour 1 var. continue.

p_i est la probabilité d'apparition de x_i, p(x) la densité de probabilité, I est une partie de N. La suite 1° (quand I est infinie) et l'intégrale 2° doivent être convergentes.

Inégalité de Bienaymé et Tchebycheff :

$$Pr(|X - E(X)| \geqslant \epsilon) \leqslant \frac{V^2}{\epsilon^2} \text{ si } t = \frac{\epsilon}{V}$$

$$Pr(|X - E(X)| \geqslant \epsilon) \leqslant \frac{1}{t^2}$$

Statistique

• **Soit un caractère statistique X prenant les valeurs** $x_l \dots, x_i \dots, x_p$, les effectifs de ces valeurs étant $n_l \dots, n_i \dots, n_p$. L'effectif total est $N = n_l + \dots + n_i + \dots + n_p$.

Fréquence. La fréquence de x_i est :

$$f_i = \frac{n_i}{N}.$$

Mode (on dit : le *mode* ou encore la *dominante*). Valeur du caractère ayant le plus grand effectif.

Médiane. Si on classe les observations par ordre de valeurs croissantes, la médiane est la valeur de caractère qui partage l'ensemble en deux sous-ensembles de même effectif.

Moyenne. C'est le nombre

$$\frac{1}{N}\sum_{i=1}^{p} n_i x_i = \sum_{i=1}^{p} f_i x_i$$

que l'on note m ou $\bar{x}$ ou E(x) (espérance de x).

Variance. $V(x) = \sum_{i=1}^{p} f_i (x_i - \bar{x})^2$.

Écart-type. $\sigma(x) = \sqrt{V(x)}$.

• **Soit un caractère statistique X prenant des valeurs réparties en classes** (exemple : on répartit des voitures suivant leur kilométrage en milliers de km), les classes sont [0,20[, [20,40[, ...

Classe modale (ou classe dominante). Classe ayant le plus grand effectif. **Médiane.** Même définition que précédemment (la répartition étant supposée uniforme dans chaque classe).

Moyenne, variance, écart-type. Se calculent comme précédemment, x_i étant le centre de la classe.

Relation entre probabilités et ensembles.
La théorie des probabilités et celle des ensembles utilisent les mêmes notions avec des termes qui leur sont propres.

Ensembles

E ensemble référentiel
$a \in E$
$A \subset E$
$A = \varnothing$
$A = E$
$U = A \cup B$ (avec $A \subset E$ et $B \subset E$)
$I = A \cap B$
$A = C_E B$ (A est noté $\bar{B}$)
$A \cap B = \varnothing$
A est un singleton (possède 1 seul élément)

Probabilités

E est l'univers des éventualités
a est une éventualité
A est un événement
A est un événement impossible
A est un événement certain
U est l'événement : « A ou B »
I est l'événement : « A et B »
A est l'événement contraire de B
A et B sont des événements incompatibles
A est un événement élémentaire.

Vecteurs

Bipoint. C'est un couple de points du plan (ou de l'espace). A est l'origine et B l'extrémité du bipoint (A, B).

Bipoints équipollents. Les bipoints (A, B) et (C, D) sont dits équipollents si (A, D) et (B, C) ont même milieu. Ce qui est équivalent à : (A, B, D, C) est un parallélogramme (aplati ou non).

Vecteur du plan (ou de l'espace). On démontre que la relation d'équipollence précédente est une relation d'équivalence. Un vecteur est une classe de bipoints équipollents. On note $\overrightarrow{AB}$ le vecteur dont un représentant (élément de la classe) est (A, B). On a :
$F \Leftrightarrow$ (A, B) et (C, D) équipollents
$\Leftrightarrow \overrightarrow{DB} = \overrightarrow{CA} \Leftrightarrow \overrightarrow{AC} = \overrightarrow{BD}$

Norme de AB (ou module ou longueur). C'est la distance des points A et B. On la note $\|\overrightarrow{AB}\|$ ou d (A, B) ou AB.

Vecteur nul. Vecteur dont un représentant est (A, A). On le note $\vec{0}$.

Direction d'un vecteur non nul. Si $A \neq B$, la direction de $\overrightarrow{AB}$ est celle de la droite (AB).

Vecteurs opposés. Ce sont deux vecteurs ayant des représentants de la forme (A, B) et (B, A).

Vecteurs colinéaires. Ce sont des vecteurs nuls ou de même direction.

Vecteurs coplanaires. Ce sont des vecteurs nuls ou de directions parallèles à un même plan.

Espace vectoriel. L'ensemble des vecteurs munis des 2 lois suivantes possède la structure d'espace vectoriel :

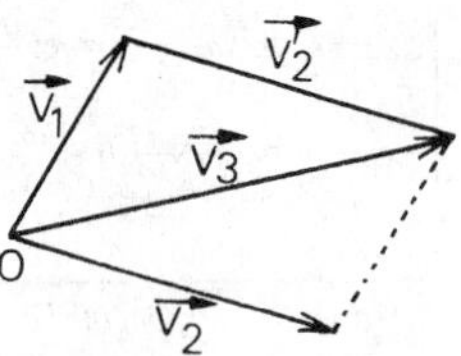

1) *Somme de deux vecteurs :* c'est le vecteur $\vec{V}_3$, représenté par la diagonale du parallélogramme des côtés $\vec{V}_1$ et $\vec{V}_2$ et d'origine O.
La somme de 2 vecteurs est une opération interne ; elle est associative ; elle admet un élément neutre $\vec{0}$; chaque élément admet un opposé.
Cela confère à l'ensemble des vecteurs une structure de groupe. De plus, la loi est commutative. L'espace a donc une structure de groupe commutatif.

2) *Produit d'un vecteur par un nombre réel :* multiplier un vecteur par 4 consistera à le transformer en un vecteur de même support que lui, de même direction et 4 fois plus long.
La multiplication d'un vecteur par un nombre réel est : distributive par rapport à l'addition des vecteurs $\alpha(\vec{V}_1 + \vec{V}_2) = \alpha\vec{V}_1 + \alpha\vec{V}_2$; distributive par rapport à l'addition des nombres réels $(\alpha_1 + \alpha_2)\vec{V} = \alpha_1\vec{V} + \alpha_2\vec{V}$; associative pour la multiplication des nombres réels ; l'élément neutre pour la multiplication des nombres réels est aussi élément neutre pour la multiplication des vecteurs par un nombre réel.

Produit scalaire de 2 vecteurs $\overrightarrow{OA}$ et $\overrightarrow{OB}$ $\overrightarrow{OA}.\overrightarrow{OB} = OA.OB\cos\Theta$, avec $\Theta = (\overrightarrow{OA}, \overrightarrow{OB})$. En particulier, si $\overrightarrow{OA}$ et $\overrightarrow{OB}$ sont colinéaires, $\overrightarrow{OA}.\overrightarrow{OB} = \overline{OA}.\overline{OB}$.
Si H est la projection de B sur le support de $\overrightarrow{OA}$, $\overrightarrow{OA}.\overrightarrow{OB} = \overline{OA}.\overline{OH}$.

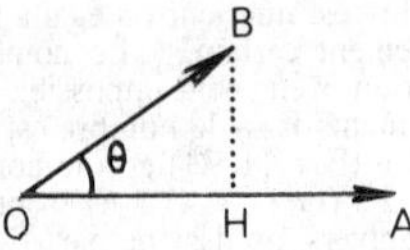

Produit vectoriel. Si $\vec{u}$ et $\vec{v}$ sont 2 vecteurs de composantes respectives *(x, y, z)* et *(x′, y′, z′)*, le produit vectoriel de ces 2 vecteurs est le vecteur dont les composantes sont : $X = yz' - y'z$; $Y = zx' - z'x$; $Z = xy' - x'y$. On le note $\vec{u} \wedge \vec{v}$. Si l'un des 2 vecteurs $\vec{u}$ et $\vec{v}$ est nul ou colinéaire à l'autre, le produit vectoriel $\vec{u} \wedge \vec{v}$ est nul. Sinon, c'est un vecteur perpendiculaire au plan des deux vecteurs $\vec{u}$ et $\vec{v}$ tel que le trièdre $(\vec{u}, \vec{v}, \vec{u} \wedge \vec{v})$ soit de sens direct ; sa longueur est égale au produit des longueurs de $\vec{u}$ et de $\vec{v}$ par la valeur absolue du sinus de l'angle des 2 vecteurs $\vec{u}$ et $\vec{v}$.

Propriétés : $\vec{u} \wedge \vec{v}$ *ce produit est distributif par rapport à la somme :* $\vec{u} \wedge (\vec{v} + \vec{w}) = F\rightarrow \wedge \vec{w}$.

Construction de $\vec{u} \wedge \vec{v}$ dans le cas où u et v sont perpendiculaires et de longueurs respectives 1 et 2.

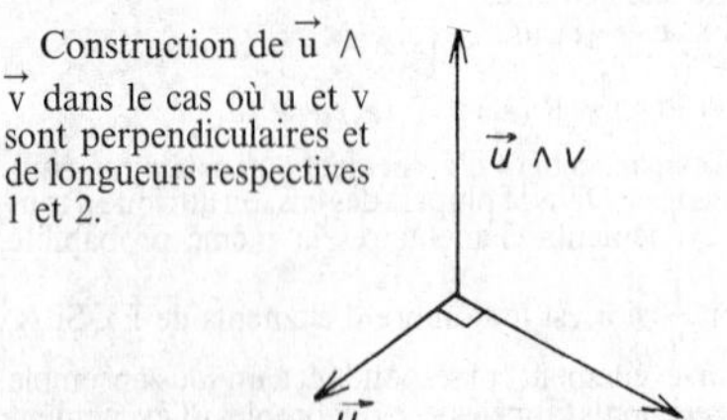

Homothétie. Soient O un point du plan (ou de l'espace) et k un nombre réel non nul : l'homothétie de centre O et de rapport k est la transformation qui à chaque point M du plan (ou de l'espace) associe le point M′ tel que le vecteur $\overrightarrow{OM'}$ soit égal au produit par k du vecteur $\overrightarrow{OM}$:

$$\overrightarrow{OM'} = k.\overrightarrow{OM}$$

Composition d'applications linéaires.
Soient $f : E \to F$ et $g : F \to G$, 2 applications linéaires ;
$\Rightarrow gof : E \to G$ est aussi linéaire.

Soient $f, f' \in Hom_k(E, F)$ et g, $g' \in Hom_k(F, G)$; on montre que :

$$\begin{cases} go(f + f') = gof + gof' \\ (g + g')of = gof + g'of \end{cases}$$

et $go(\lambda f) = (\lambda g)of = \lambda(gof)$.

Isométries vectorielles

Ce sont des applications de V dans V qui conservent le produit scalaire pour tout couple de vecteur. Elles respectent la structure d'espace vectoriel. Elles sont bijectives.

Isométries vectorielles = endomorphismes de V. Une base B orthonormée est transformée en une base B′ orthonormée lorsque l'endomorphisme est une isométrie vectorielle.
Si B et B′ sont orthonormées, la matrice d'une isométrie vectorielle est *orthogonale.*

Rappel : une matrice carrée dont l'inverse est égale à la transposée est *orthogonale, son déterminant est* ± 1.
Isométrie vectorielle : positive si déterminant = 1, négative si déterminant = - 1.

Isométries vectorielles du plan vectoriel. Si l'ensemble des vecteurs invariants est $\{\vec{0}\}$

⇓

Rotations vectorielles

⇓

Matrices orthogonales

$$A = \begin{pmatrix} a & -b \\ b & a \end{pmatrix} \text{ avec } a^2 + b^2 = 1.$$

Si l'ensemble des vecteurs invariants est une droite vectorielle

⇓

Symétries droites

⇓

Matrices orthogonales

$$\bar{A} = \begin{pmatrix} a & b \\ b & -a \end{pmatrix} \text{ avec } a^2 + b^2 = 1.$$

Isométries vectorielles de l'espace. Si l'ensemble des vecteurs invariants est une droite vectorielle

⇓

Rotations vectorielles d'axe D

⇓

Matrice

$$\bar{A} = \begin{pmatrix} a \\ b \\ l \end{pmatrix} \text{ avec } a^2 + b^2 = 1. \quad a \neq \pm 1, \quad b \neq 0.$$

Si l'ensemble des vecteurs invariants est un plan vectoriel

⇓

Symétries-Plans

⇓

Matrice

$$\bar{A} = \begin{pmatrix} 1 & 0 & 0 \\ 0 & 1 & 0 \\ 0 & -0 & 1 \end{pmatrix}.$$

Symétries vectorielles orthogonales. Dans la base une droite vectorielle est :

$$\begin{pmatrix} 1 & 0 \\ 0 & -1 \end{pmatrix}, \ det = -1 \Rightarrow \text{isométrie négative.}$$

Dans la base $\vec{i}, \vec{j}, \vec{k}$, la matrice de la symétrie orthogonale par rapport à un plan vectoriel (suivant une droite vectorielle orthogonale) est :

$$\begin{pmatrix} 1 \\ 0 \\ 0 \end{pmatrix} \ det = -1 \Rightarrow \text{isométrie négative.}$$

Dans la base $\vec{i}, \vec{j}, \vec{k}$, la matrice de la symétrie orthogonale par rapport à un plan vectoriel (suivant une droite vectorielle orthogonale) est :

$$\begin{pmatrix} -1 & 0 & 0 \\ 0 & -1 & 0 \\ 0 & 0 & 1 \end{pmatrix} \ det = 1 \Rightarrow \text{isométrie positive.}$$

Représentation matricielle d'une application linéaire

Application f de $\vec{E}_2$ dans $\vec{F}_2$. Soit : $(\vec{i}, \vec{j})$ une base de $\vec{E}_2$, $(\vec{I}, \vec{J})$ une base de $\vec{F}_2$ et f une application linéaire de $\vec{E}_2$ dans $\vec{F}_2$, définie par les images dans $\vec{F}_2$:

$$\begin{cases} f(\vec{i}) = a\vec{I} + b\vec{J}, \\ f(\vec{j}) = c\vec{I} + d\vec{J}, \end{cases}$$

$$\begin{cases} X = ax + cy, \\ Y = bx + dy, \end{cases}$$

$$\begin{bmatrix} X \\ Y \end{bmatrix} = \begin{bmatrix} a & c \\ b & d \end{bmatrix} \cdot \begin{bmatrix} x \\ y \end{bmatrix}.$$

Matrices carrées. *Addition dans $\mathcal{M}2$.* On désigne par $\overrightarrow{(E2)}$ l'ensemble des endomorphismes de $\vec{E2}$, par $\mathcal{M}2$ l'ensemble des matrices carrées d'ordre 2.

A tout endomorphisme, f, de $\vec{E2}$ défini par :

$$f(\vec{i}) = a\vec{i} + b\vec{j},$$
$$f(\vec{j}) = c\vec{i} + d\vec{j},$$

est associé une matrice carrée d'ordre 2 :

$$\text{la matrice } M = \begin{bmatrix} a & c \\ b & d \end{bmatrix}$$

$$\text{soit } M = \begin{bmatrix} a & c \\ b & d \end{bmatrix}, \; M' = \begin{bmatrix} a' & c' \\ b' & d' \end{bmatrix}$$

$$\text{on a : } \begin{bmatrix} a & c \\ b & d \end{bmatrix} + \begin{bmatrix} a' & c' \\ b' & d' \end{bmatrix} = \begin{bmatrix} a + a' & c + c' \\ b + b' & d + d' \end{bmatrix}.$$

L'addition est commutative et associative, elle admet pour élément neutre la matrice $\begin{bmatrix} 0 & 0 \\ 0 & 0 \end{bmatrix}$, $M = \begin{bmatrix} a & c \\ b & d \end{bmatrix}$ admet pour symétrique la matrice $\begin{bmatrix} -a & -c \\ -b & -d \end{bmatrix}$, matrice que l'on note $-$ M.

Multiplication d'un élément de $\mathcal{M}2$ par un réel λ.

$$\lambda \begin{bmatrix} a & c \\ b & d \end{bmatrix} = \begin{bmatrix} \lambda a & \lambda c \\ \lambda b & \lambda d \end{bmatrix}.$$

Les propriétés précédentes confèrent à $\mathcal{M}2$ une structure d'espace vectoriel sur R.

Multiplication dans $\mathcal{M}2$.

$$\begin{bmatrix} a & c \\ b & d \end{bmatrix} \times \begin{bmatrix} a' & c' \\ b' & d' \end{bmatrix} = \begin{bmatrix} aa' + cb' & ac' + cd' \\ ba' + db' & bc' + dd' \end{bmatrix}.$$

Cette opération est associative. Elle admet pour élément neutre la matrice $I = \begin{bmatrix} 1 & 0 \\ 0 & 1 \end{bmatrix}$.

La multiplication est distributive pour l'addition, associative pour la multiplication par un réel.

Il résulte de ces propriétés que ($\mathcal{M}2$, +, $\times$) est un anneau unitaire non commutatif.

Déterminant d'une matrice M :

$$\det M = \begin{vmatrix} a & c \\ b & d \end{vmatrix} = ad - bc.$$

Invasion des matrices. Soit $I = \begin{bmatrix} 1 & 0 \\ 0 & 1 \end{bmatrix}$ la matrice unité.

$A = \begin{bmatrix} a & c \\ b & d \end{bmatrix}$ régulière $\Leftrightarrow$ det A = $\Delta \neq 0$ et A^{-1} =

$$\frac{1}{\Delta} \begin{bmatrix} d & -c \\ -b & a \end{bmatrix}.$$

Association de l'espace vectoriel V à l'espace affine

Soit V espace vectoriel, U sous-espace de $V \Rightarrow U$ sous-groupe de $(V, +)$.

On associe à U une relation d'équivalence $\Rightarrow$ les classes d'équivalence sont les images de U par translation vectorielle $\Rightarrow$ *variétés linéaires.*

ζ espace affine. On associe une relation d'équivalence à tout U sous-espace de $V \Rightarrow$ les classes d'équivalence sont des *variétés affines.*

Dim variété affine = *dim* du sous-espace vectoriel U qui fait sa direction.

Représentation paramétrique des droites :

$$x = x_0 + \lambda a$$
$$y = y_0 + \lambda b$$
$$z = z_0 + \lambda c$$

Représentation paramétrique des plans :

$$x = x_0 + \lambda a + u a'$$
$$y = y_0 + \lambda b + u b'$$
$$z = z_0 + \lambda c + u c'$$

plan passant par A

$$\begin{vmatrix} x_0 \\ y_0 \\ z_0 \end{vmatrix} \text{ et contenant les 2 vecteurs } \vec{V} \begin{vmatrix} a \\ b \\ c \end{vmatrix} \quad \vec{V^1} \begin{vmatrix} a' \\ b' \\ c' \end{vmatrix}$$

Nota. – Sur l'espace vectoriel ont été définies 2 lois de composition interne. Sur l'espace affine, on ne définit pas la somme de 2 points ou le produit d'un point par un nombre.

Définition. On appelle *application affine* d'un espace affine *(E)* dans un espace affine *(E')* une application dans laquelle, des repères quelconques étant choisis dans ces 2 espaces, les coordonnées du transformé M' d'un point M ont pour expression des polynomes du 1er degré par rapport à l'ensemble des coord. de M.

Soit $\vec{V} \begin{pmatrix} X \\ Y \end{pmatrix} \in (U)$

$A_1 \in (E) \Rightarrow \exists A_2$ défini par $\overrightarrow{A_1A_2} = \vec{V}$

↓

image de A_1A_2 par $\mathcal{T}$: $\overrightarrow{A_1A_2} \Rightarrow \exists V' \in (U')$

↓

indépendant de A_1

dépendant de $\vec{V}$

Les composants X', Y' définissent une transformation vectorielle appelée : application de *(U)* dans *(U')* induite par $\mathcal{T}$.

Transformée par transformation affine d'une droite passant par A et de vecteur directeur $\vec{V}$ donne : la droite passant par $A' = \mathcal{T}(A)$ de v. directeur $\vec{V}$.

Produit scalaire

Soit V espace vectoriel. La multiplication scalaire est une application de $V \times V$ dans $\mathbb{R}$ qui satisfait aux axiomes suivants :

$\vec{V_1}\,\vec{V_2} = \vec{V_2}.\vec{V_1}$

$\vec{V_1}(\vec{V_2} + \vec{V_3}) = \vec{V_1}\,\vec{V_2} + \vec{V_1}\,\vec{V_3}$

$\lambda \in \mathbb{R} \quad (\lambda\,\vec{V_1})\,\vec{V_2} = \lambda\,(\vec{V_1}\,\vec{V_2})$

$\mu \in \mathbb{R} \quad (\lambda\,\vec{V_1})\,(\mu\,\vec{V_2}) = \lambda\mu\,(\vec{V_1}\,\vec{V_2})$

$\vec{O}.\vec{V} = 0 : \vec{V} \neq \vec{O}\,\vec{V}.\vec{V} > 0$

Inégalité de Schwarz. $(\vec{V_1}\,\vec{V_2})^2 < \vec{V_1}.\vec{V_2}$

Norme = longueur d'un vecteur =

$$|\;| = \sqrt{\vec{V}.\vec{V}}$$

$$|\vec{V_1} + \vec{V_2}| \leqslant |\vec{V_1}| + |\vec{V_2}|$$

Une base de V est orthogonale si les vecteurs qui la constituent sont orthogonaux.

Deux sous-espaces vectoriels de V sont dits orthogonaux si tout vecteur de l'un est orthogonal à tout vecteur de l'autre.

Expression du produit scalaire dans une base orthogonale :

$$\vec{V}.\vec{V'} = XX' + YY' + ZZ'$$

avec

$$|\vec{V}| = \sqrt{\vec{V}^2} = \sqrt{X^2 + Y^2 + Z^2}.$$

Un espace ponctuel affine E est dit euclidien si l'espace vectoriel a une multiplication scalaire.

Inégalité triangulaire.

$$d\,(A, B) \leqslant d\,(A, C) + d\,(C, B).$$

Résultats analytiques. *Droites d'un plan :*

Parallélisme $\vec{V}\begin{pmatrix} X \\ Y \end{pmatrix} \;//\; \vec{V'}\begin{pmatrix} X' \\ Y' \end{pmatrix}$

Si $XY' - X'Y = 0$.

Équation cartésienne $ax + by + c = 0$, vecteur directeur $\begin{pmatrix} -b \\ a \end{pmatrix}$.

Points communs : $\begin{cases} ax + by + c = 0 \\ a'x + b'y + c' = 0 \end{cases}$

si $\Delta = \begin{vmatrix} a & b \\ a' & b' \end{vmatrix} \neq 0$

$$\Rightarrow x = \frac{\begin{vmatrix} -c & b \\ -c' & b' \end{vmatrix}}{\Delta} \quad \text{et } y = \frac{\begin{vmatrix} a & -c \\ a' & -c' \end{vmatrix}}{\Delta}.$$

Droites de l'espace :

Parallélisme $\vec{V}\begin{pmatrix} X \\ Y \\ Z \end{pmatrix} \;//\; \vec{V}\begin{pmatrix} X' \\ Y' \\ Z' \end{pmatrix}$

si $\dfrac{X}{X'} = \dfrac{Y}{Y'} = \dfrac{Z}{Z'}$

2 équations cartésiennes :

$$\frac{x - x_0}{a} = \frac{y - y_0}{b} = \frac{z - z_0}{c}$$

Points communs : pas de solution en général car résolution de 4 équations à 3 inconnues.

Plan de l'espace :

Équation cartésienne : $ax + by + cz + d = 0$.

Plans parallèles $\begin{cases} ax + by + cz + d = 0 \\ a'x + b'y + c'z + d' = 0 \end{cases}$

si $\dfrac{a}{a'} = \dfrac{b}{b'} = \dfrac{c}{c'}$.

Barycentre.

$f(\vec{M}) = a_1\,\overrightarrow{MA_1} + a_2\,\overrightarrow{MA_2} + ...\, a_n\,\overrightarrow{MA_n}$

Si $a_1 + a_2 + ... + a_n = 0$, $f(\vec{M}$ est indépendant de M.

Si $a_1 + a_2 + ... + a_n \neq 0$, $f(\vec{M} = \vec{0}$ possède une solution.

$a_1\,\overrightarrow{GA_1} + a_2\overrightarrow{GA_2} + ... a_n\overrightarrow{GA_n} = \vec{0}$ avec une origine 0 choisie dans (E).

$$\overrightarrow{OG} = \frac{a_1\,\overrightarrow{OA_1} + a_2\,\overrightarrow{OA_2} + ... + a_n\,\overrightarrow{OA_n}}{a_1 + a_2 + ... + a_n}.$$

Isométries affines

Dans un espace affine relativement à un espace vectoriel, une isométrie est une application de l'espace affine dans lui-même, qui conserve la distance de tout couple de points.

Toute isométrie d'un espace affine est une bijection affine.

Isométrie de la droite :

translation — symétrie de centre O

isométrie positive — isométrie négative

Isométrie du plan :

rotation de centre O = isométrie positive

matrice $\begin{pmatrix} a & -b \\ b & a \end{pmatrix}$

symétrie droite = isométrie négative.

Toute isométrie positive est : *une translation, une rotation.*

Composée d'une rotation autour d'un axe O_z par une translation de vecteur appartenant à l'axe de rotation, c'est un *déplacement hélicoïdal ou vissage.*

Composée des symétries par rapport à 2 plans parallèles : *translation.*

Composée des symétries par rapport à 2 plans sécants : *rotation autour de la droite d'intersection.*

La symétrie par rapport à un point est la composée de 3 symétries par rapport à des plans : passant par O, orthogonaux 2 à 2.

Géométrie-Trigonométrie

Géométrie

Polygones réguliers de 3 à 12 côtés.

Triangle : $\frac{1}{4} C^2 \sqrt{3}$. *Carré :* C^2.

Pentagone : $\frac{1}{4} C^2 \sqrt{25 + 10\sqrt{5}}$.

Hexagone : $\frac{3}{2} C^2 \sqrt{3}$.

Heptagone : $\frac{7}{4} C^2 \text{cotg} \left(\frac{180}{7}\right)^\circ$.

Octogone : $2 C^2 (\sqrt{2} + 1)$.

Noctogone : $\frac{9}{4} C^2 \text{cotg } 20^\circ$.

Décagone : $\frac{5}{2} C^2 \sqrt{5 + 2\sqrt{5}}$.

Andodécagone : $\frac{11}{4} C^2 \text{cotg} \left(\frac{180}{11}\right)^\circ$.

Dodécagone : $3 C^2 (2 + \sqrt{3})$.

Les cinq polyèdres réguliers. *Tétraèdre :* $\frac{1}{2} C^3 \sqrt{2}$. *Cube :* C^3. *Octaèdre :* $\frac{1}{3} C^3 \sqrt{2}$.

Dodécaèdre : $\frac{1}{4} C^3 (15 + 7\sqrt{5})$.

Icosaèdre : $\frac{5}{12} C^3 (3 + \sqrt{5})$.

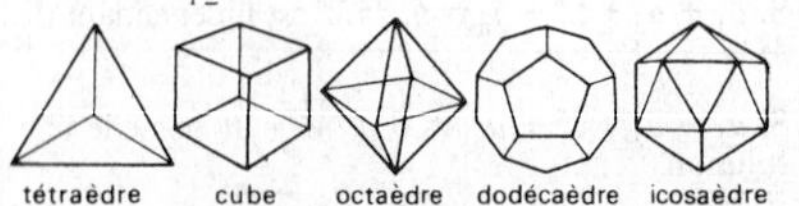

Triangle

Définition. Polygone de 3 angles et 3 côtés.

Médiane. Droite qui part d'un sommet et aboutit au milieu du côté opposé.

Les 3 médianes d'un triangle sont concourantes en un même point situé au tiers de chacune d'elles à partir de la base. Ce point est le centre de gravité du triangle.

Médiatrice. Droite menée par le milieu d'un segment perpendiculairement à celui-ci. Tout point de la médiatrice est équidistant des extrémités du segment.

Les médiatrices des 3 côtés d'un triangle se coupent en un même point qui est le centre du cercle circonscrit au triangle.

Hauteur. Perpendiculaire abaissée d'un sommet sur le côté opposé. Les 3 hauteurs sont concourantes en un point appelé orthocentre.

Relations métriques :

- Si on appelle R le rayon du cercle circonscrit et p le ½ périmètre, on a :

$$AB.AC = 2R.AH.$$

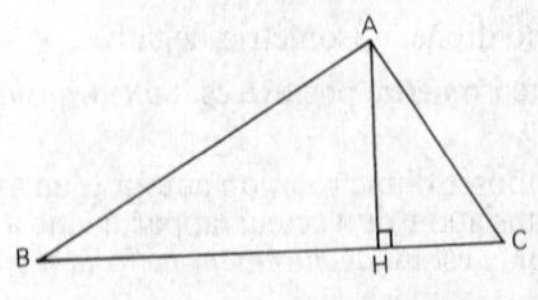

- $AH = \frac{2}{BC} \sqrt{p\,(p\text{-}BC)\,(p\text{-}AC)\,(p\text{-}AB)}$.

Bissectrice. Demi-droite issue du sommet du triangle et qui divise l'angle en 2 angles égaux. Les bissectrices de 2 angles adjacents supplémentaires sont perpendiculaires :

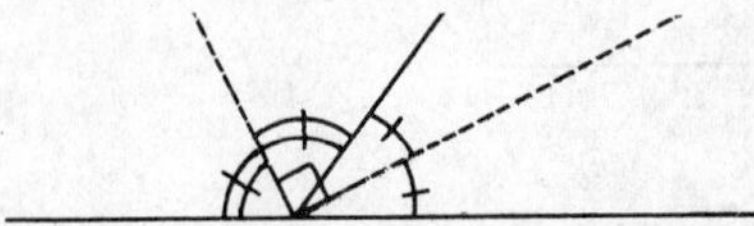

Tout point de la bissectrice d'un angle est équidistant des 2 côtés de l'angle :

$$AH = AK.$$

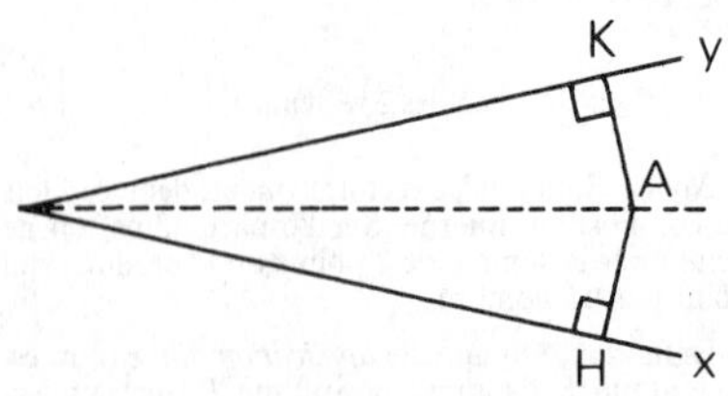

Les 3 bissectrices intérieures d'un triangle sont concourantes en 1 point qui est le centre du cercle inscrit dans le triangle.

Les bissectrices extérieures de 2 angles d'un triangle et la bissectrice intérieure du 3e sont concourantes en un point qui est le centre du cercle exinscrit au 3e angle.

Inégalités dans le triangle. La longueur de chaque côté est inférieure à la somme des 2 autres et supérieure à la différence.

Dans un triangle, à l'angle ayant la plus grande mesure est opposé le côté ayant la plus grande longueur.

Relations métriques dans le triangle quelconque.

- $AB^2 = AC^2 + BC^2 - 2\,\overline{CB}.\overline{CH}$.

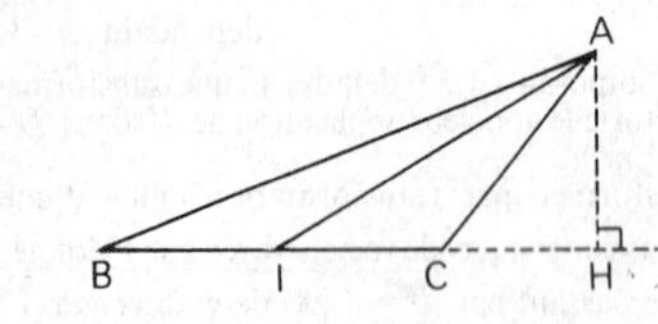

- $AB^2 + AC^2 = 2\,AI^2 + \frac{BC^2}{2}$.
- $AC^2 - AB^2 = 2\,\overline{CB}.\overline{IH}$.

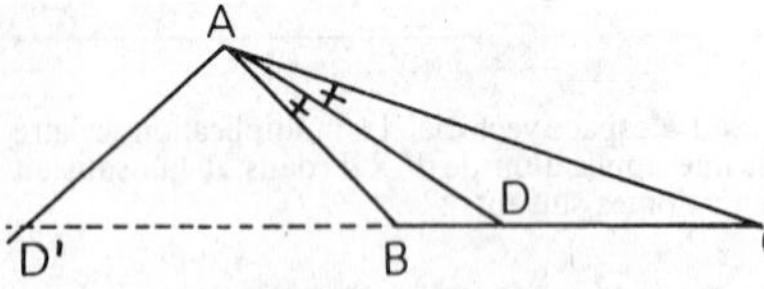

Si on appelle D et D' les pieds respectivement de la bissectrice intérieure et de la bissectrice extérieure de l'angle de sommet A sur le côté opposé :

- $AB.AC = AD^2 + DB.DC$.
- $AB.AC = D'B.D'C - AD'^2$.

Triangle rectangle. A un angle droit, c.-à-d. valant 90° (ou $\frac{\pi}{2}$ radians).

Hypoténuse : côté du triangle rectangle opposé à l'angle droit.

L'hypoténuse est diamètre du cercle circonscrit au triangle. Son milieu est centre de ce cercle. L'hypoténuse est double de la médiane issue du sommet de l'angle droit.

Relations métriques :

- $AB^2 = \overline{BH}.\overline{BC}$.
- $AC^2 = \overline{CH}.\overline{CB}$.

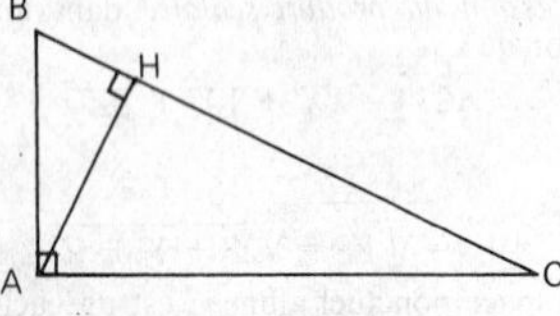

- $AH^2 = \overline{BH}.\overline{HC}$.
- Théorème de Pythagore : $AB^2 + AC^2 = BC^2$.
- $\frac{AB^2}{AC^2} = \frac{BH}{HC}$.

- $AB.AC = AH.BC$.
- $\frac{1}{AH^2} = \frac{1}{AB^2} + \frac{1}{AC^2}$

Réciproques :

Si dans un triangle ABC de hauteur AH, on a l'une des relations :

$AB^2 = \overline{BH}.\overline{BC}$

$AH^2 = \overline{BH}.\overline{HC}$

$AB^2 + AC^2 = BC^2$

le triangle est rectangle en A.

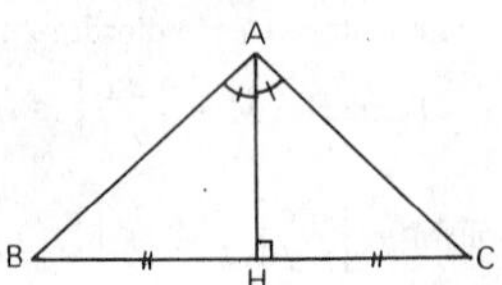

Triangle isocèle. A 2 côtés de même longueur. Le sommet commun à ces 2 côtés est le sommet du triangle.

La bissectrice relative à la base est aussi hauteur, médiane, médiatrice, axe de symétrie.

Triangle équilatéral. A ses 3 côtés de même longueur *a*. Ses angles ont même mesure et valent 60° (ou $\frac{\pi}{3}$ radian). Les hauteur, bissectrice, médiane issues de chaque sommet se confondent avec la médiatrice du côté opposé.

Le cercle circonscrit et le cercle inscrit au triangle équilatéral ont même centre confondu avec l'orthocentre et le centre de gravité.

Relations métriques :

La hauteur AH mesure : $h = \frac{a\sqrt{3}}{2}$.

Le rayon r du cercle inscrit mesure :

$$r = \frac{a\sqrt{3}}{6}.$$

Le rayon R du cercle circonscrit mesure :

$$R = \frac{a\sqrt{3}}{3}.$$

De plus, $r = \frac{R}{2}$ et $a = R\sqrt{3}$.

La surface S du triangle mesure : $S = \frac{a^2\sqrt{3}}{4}$.

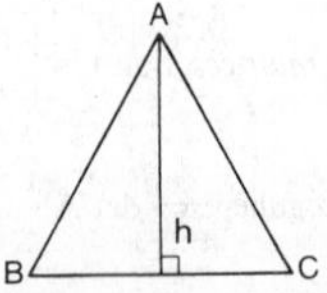

Équation du cercle

$(x - a)^2 + (y - b)^2 = R^2$

ayant pour centre w $\begin{vmatrix} a \\ b \end{vmatrix}$ et pour rayon *R*.

Rappel :

a) Soient :
- *(C)* : $(x - a)^2 + (y - b)^2 = R^2$
- une droite *(D)* passant par *O* et coupant *(C)* en *M* et *M'*

$\overline{OM} \times \overline{OM'} = \overline{Ow^2} - R^2$ = puissance du point *O* par rapport au cercle *(C)*.

b) Soient :
- $(C_1) : (x - a_1)^2 + (y - b_1)^2 = R^2$
- $(C_2) : (x - a_2)^2 + (y - b_2)^2 = R^2$

Le lieu des points ayant même puissance par rapport aux deux cercles est l'axe radical.

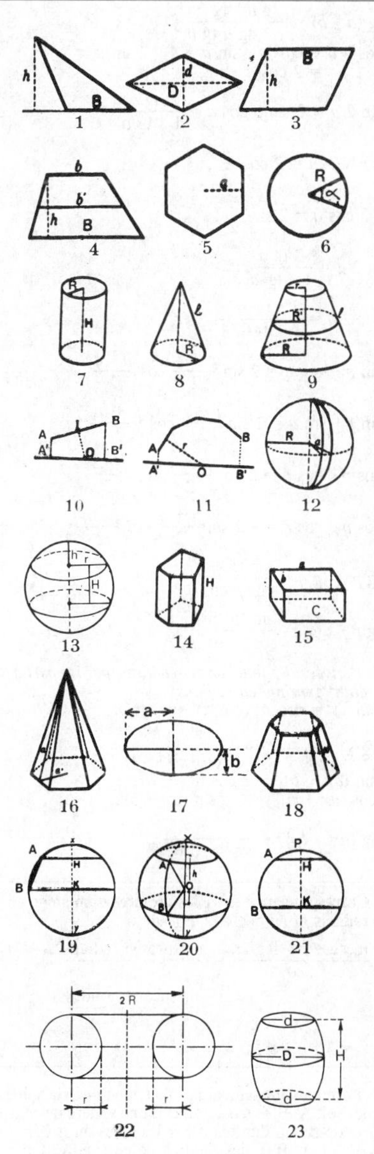

Périmètres

Cercle : $l = 2\pi$ R (π = 3,1416 ; R : longueur d'un rayon).

Polygone : somme des longueurs des côtés.

Aires

Entre parenthèses n° de la figure correspondante. Voir croquis ci-dessus.

Aire. *Engendrée par un segment de droite* tournant autour d'un axe situé dans le même plan que lui mais ne le traversant pas (10) : 2π A'B'.IO.

Par une ligne polygonale régulière tournant autour d'un diamètre du cercle inscrit qui ne la traverse pas (11) : 2π r.A'B'.

Calotte sphérique (13). *S. latérale :* 2π Rh ; *S. totale :* $2\pi \text{Rh} + \pi r^2$.

Carré. (Longueur d'un côté)^2.

Cercle (6). πR^2 (R est le rayon).

Coin sphérique (12). $\frac{4}{3}\pi R^3 \times \frac{\alpha}{360}$ (en degrés).

Cône droit *(à base circulaire). Surf. lat.* (8) : π R $\times$ l ; *totale :* π R (R + *l*).

Couronne circulaire. $\pi(R^2 - r^2)$ [R rayon du cercle extérieur, r du cercle intérieur].

Cube (arête *a*). $6a^2$.

Cylindre droit. *Surf. lat.* (7) : 2π RH ; *surf. totale :* $2\pi R \times (R + H)$.

Ellipse (17). $\pi a \times b$.

Fuseau sphérique (12). $\frac{\pi R^2 a}{90}$ (en degrés).

Losange (2). $\frac{\text{Produit des diagonales}}{2} = \frac{D \times d}{2}$.

Parallélépipède rectangle (*a, b, c :* arêtes) (15). $2(ab + bc + ca)$.

Parallélogramme (3). Base × hauteur = B × *h*.

Polygone quelconque. Doit être décomposé en surfaces simples dont on additionne les aires.

Polygone régulier (5).

$$\frac{\text{Apothème} \times \text{périmètre}}{2} = \frac{a \times p}{2}.$$

Prisme droit. *Surf. lat.* (14) : p × H (périmètre de base × hauteur).

– **oblique** (p : périmètre de section droite). p × a.

Pyramide quelconque. Somme des surfaces des triangles constituant les faces.

– **régulière** (p : périmètre de base, a et a' : apothèmes).

Surf. totale (16) : $\frac{P(a + a')}{2}$;

lat. : $\frac{p \times a}{2}$.

Rectangle. Longueur × largeur = L × *l*.

Secteur circulaire *d'un angle* α (en degrés) de rayon R (6) : $\frac{\pi R^2 \alpha}{360}$.

Sphère. $4\pi R^2$.

Trapèze (4).

$\frac{\text{Somme des bases} \times \text{hauteur}}{2} = \frac{(B + b) \times h}{2}$ ou *b'* (base moyenne) × *h*.

Triangle (1). $\frac{\text{Base} \times \text{hauteur}}{2} = \frac{B \times h}{2}$.

– **équilatéral** (côté a). $\frac{a^2\sqrt{3}}{4}$.

Tronc de cône droit *(id.). Surf. lat.* (9) : π (R + *r*) × l ou 2π R'*l* avec base moyenne ; *surf. totale :* π R (R + *l*) + π *r* (*r* + *l*).

T. de pyramide quelconque. *Surf. lat. :* différence des surf. lat. des pyr. ayant pour bases celles du tronc. *Régulier* (périmètre de base p et p') (18).

$$\frac{a(p + p')}{2}.$$

Zone sphérique (13). *S. latérale :* 2π RH.

Valeur approchée de π à 3 chiffres significatifs :

$\frac{600}{191}$ = 3,14136 ; $\frac{355}{113}$ = 3,14159.

Fractal

Du latin *frangere :* briser et *fractus :* irrégulier, morcelé. Figure géométrique de forme irrégulière, voire fragmentée, quelle que soit l'échelle. Elle possède des éléments spécifiques et ses parties ont la même structure que le tout. Étudiés entre 1965 et 1975 par Benoît Mandelbrot (Français d'origine polonaise, n. 1924), les objets fractals sont à l'origine d'une nouvelle géométrie décrivant mieux la nature que ne le faisait la géométrie traditionnelle. Le calcul des fractals s'applique aux transmissions téléphoniques, à l'astronomie, météorologie, à la hydrographie, à la médecine. Leur domaine fut d'abord celui des turbulences (fusée, avion, automobile) et fut illustré par la carte des côtes de Bretagne.

Volumes

Anneau sphérique (19). $\frac{1}{6}\pi AB^2.HK$.

Cône droit ou oblique. $\frac{1}{3}$ base × hauteur :

$$\frac{1}{3}\pi R^2 h.$$

– **tronqué** (9). $\pi\frac{H}{3}(R^2 + r^2 + Rr)$.

Cube (arête a). a^3.

Cylindre (droit ou oblique). Base × hauteur : $\pi R^2 h$. Volume compris entre 2 cylindres de rayons R et *r :*

π H (R – *r*) (R + *r*)

Parallélépipède (15). Surface de la base × hauteur.

Prisme (droit ou oblique). Base × hauteur.

– **tronqué.** Base $\left(\frac{\text{total des 3 hauteurs}}{3}\right)$.

Pyramide (16). $\frac{1}{3}$ base × hauteur.

– **tronquée** (B : surface de la grande base ; *b :* surface de la petite base) (18).

$$\frac{H}{3}\left(B + b + \sqrt{Bb}\right).$$

Secteur sphérique (20). $\frac{2}{3}\pi R^2 h$.

Segment sphérique (21).

$$\frac{\pi HK}{6}(HK^2 + 3AH^2 + 3BK^2).$$

Sphère (12). $\frac{4}{3}\pi R^3$.

Tonneau. (23) $\frac{\pi H(2D-d)^2}{6}$.

Tore (22). 19,736 R. r^2.

Zone sphérique. Entre 2 cercles de rayons a et b :

$\frac{1}{6}\pi H(3a^2 + 3b^2 + H^2)$.

Volume compris entre 2 sphères de rayons R et *r :* $\frac{4}{3}\pi(R^3 - r^3)$.

π, utilisé déjà par les Hébreux et les Babyloniens, est un nombre et non pas la mesure d'une grandeur. Sa valeur approximative apparaît dans le papyrus Rhind (2000 av. J.-C.). Ptolémée (IIe s.) donne à π la valeur :

$$3 + \frac{8}{60} + \frac{30}{60^2} = 3{,}14166.$$

La notation π est due à Adrien Romain (XVIe s.). C'est la 1re lettre de περιφερεια (« circonférence » en grec). Adriaensz Metius (XVIIe s.) obtint la valeur très précise : $\frac{355}{113}$.

La valeur des 31 premiers chiffres de π, soit 3,141592653589793238462643383279, peut se retenir par ce quatrain (le nombre de lettres des mots indique un chiffre) :

Que j'aime à faire apprendre un nombre utile aux sages
3 1 4 1 5 9 2 6 5 3 5

Immortel Archimède, artiste, ingénieux
8 9 7 9

Qui de ton jugement peut priser la valeur ?
3 2 3 8 4 6 2 6

Pour moi, ton problème eut de pareils avantages.
4 3 3 8 3 2 7 9

Le record de calcul de π a été établi par Gregory et David Chudnovsky (U.S.A.) en juin 1989 : 3 suivi de 1 011 196 691 chiffres. Auparavant, Yasumara Kaneta (Japon) avait atteint 536 870 000 décimales.

Trigonométrie

Définitions

Cercle trigonométrique. C, dont le rayon est l'unité de longueur et sur lequel un point origine est choisi. Sur ce cercle, un sens de parcours est choisi et appelé sens trigonométrique *direct* (ou positif). L'autre sens est le sens *rétrograde* ou négatif.

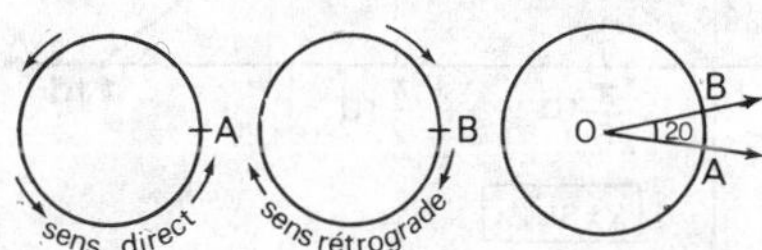

Radian (unité fondamentale et légale de mesure des angles ; symbole rd). Mesure d'un angle défini par 2 rayons d'un cercle interceptant sur ce cercle un arc de longueur égale au rayon. Ex. : le cercle a pour mesure 2π radians, car sa longueur est 2π. Un demi-cercle a pour mesure π radians et un quart de cercle $\frac{\pi}{2}$ radian.

Si x est la mesure en radians d'un angle au centre, la longueur de l'arc intercepté est AM = Rx.

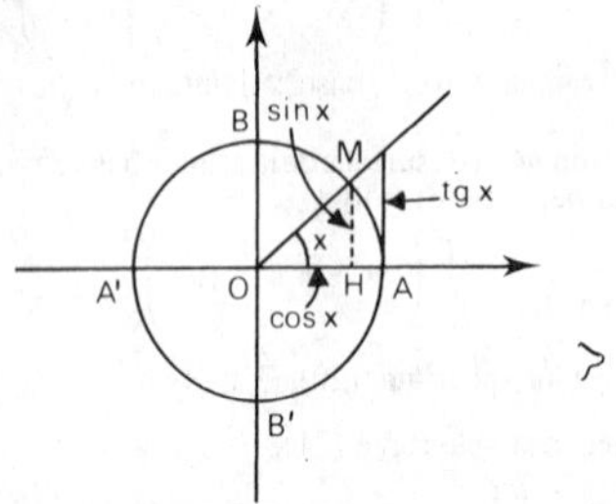

Par définition on pose :
(lire cosinus x) $\cos x$ = abscisse de M.

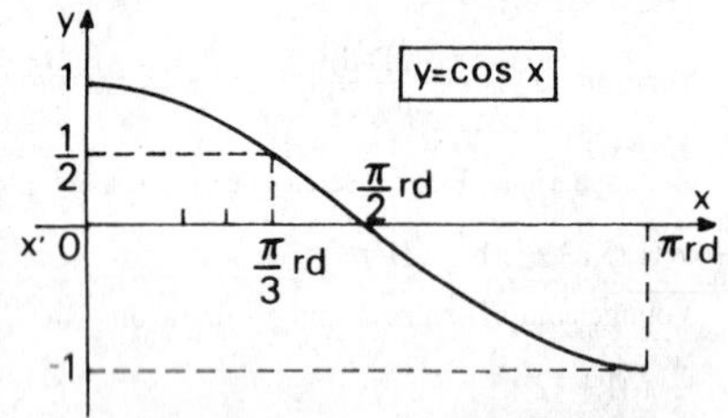

Arc orienté ; angle orienté. Partant de A pour aller vers B en conservant le même sens de parcours sur le cercle, on peut parcourir par exemple un arc de 20° dans le sens positif (on dit + 20°), mais si, parti de A, on parcourt + 380° (20° + 360°), on se retrouve encore en B. De même, si on parcourt 740° (= 20° + 360° + 360°), etc.

On peut aussi, pour atteindre B, parcourir le cercle dans le sens négatif en effectuant 340° (nous notons − 340°) ou, toujours dans le sens négatif, 340° + 360°, soit 700° (on note − 700°), ou 340° + 360° + 360° (soit − 1 060°).

On peut dire que l'arc orienté AB (chemin algébrique pour aller de A vers B) a une infinité de mesures possibles qui peuvent s'écrire :
AB = 20° + k 360° (K ∈ Z ensemble des nombres entiers relatifs).

Pour k = + 2 on retrouve + 740°, pour k = 1 : + 380°, pour k = − 2 : − 700°.

Il en est de même pour l'angle orienté (noté $(\overrightarrow{OA}, \overrightarrow{OB})$), qui a une infinité de mesures possibles.

On associe au cercle le *repère orthonormé* tel que le point origine A ait pour coordonnées dans ce repère (1 ; 0).

Fonctions circulaires

A tout nombre réel x correspond sur le cercle trigonométrique un point M, extrémité de l'arc $\overset{\frown}{AM}$ dont x est une détermination avec le radian pour unité.

Ex. : à 0 correspond A, à $\pm\pi$: A' ;
à + 1 correspond N (AN = + 1 radian) ;
à $-\frac{\pi}{2}$: B', etc. ; à + 2π correspond A, etc.

De même : (lire sinus x) $\sin x$ = ordonnée de M.

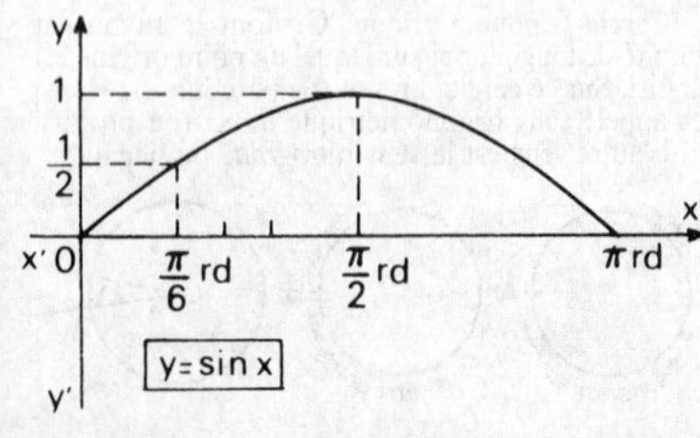

(lire tangente x) $\operatorname{tg} x = \dfrac{\sin x}{\cos x}$;
si $\cos x \neq 0$
($x \neq \frac{\pi}{2} + k\pi$ avec $k \in$ Z).

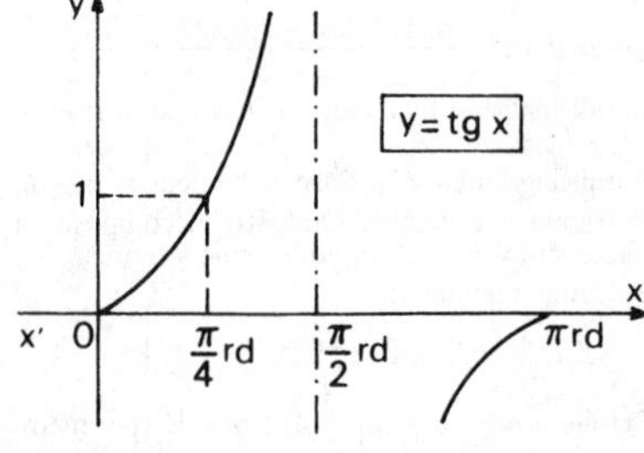

(lire cotangente x) $\operatorname{cotg} x = \dfrac{\cos x}{\sin x}$;
si $\sin x \neq 0$ ($x \neq k\pi$ avec $k \in$ Z).

Relations dans 1 triangle rectangle.

$$\cos \text{d'1 angle aigu} = \frac{\text{long. du côté adjacent}}{\text{long. de l'hypoténuse}}$$

$$\sin \text{d'1 angle aigu} = \frac{\text{long. du côté opposé}}{\text{long. de l'hypoténuse}}$$

$$\operatorname{tg} \text{d'1 angle aigu} = \frac{\text{long. du côté opposé}}{\text{long. du côté adjacent}}$$

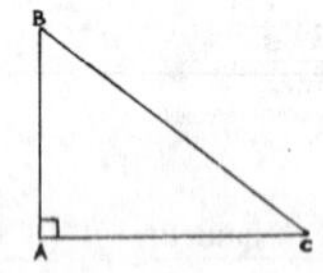

Relations dans 1 triangle quelconque.
A + B + C = π,

$$\frac{a}{\sin A} = \frac{b}{\sin B} = \frac{c}{\sin C} = 2R.$$

$a^2 = b^2 + c^2 - 2bc \cos A$,
$b^2 = c^2 + a^2 - 2ca \cos B$,
$c^2 = a^2 + b^2 - 2ab \cos C$.
$a = b \cos C + c \cos B$,
$b = c \cos A + a \cos C$,
$c = a \cos B + b \cos A$.

Formulaire trigonométrique

Relations fondamentales.
$\sin^2 a + \cos^2 a = 1$.

$\operatorname{tg} a = \dfrac{\sin a}{\cos a}$. $\operatorname{cotg} a = \dfrac{1}{\operatorname{tg} a} = \dfrac{\cos a}{\sin a}$.

$1 + \operatorname{tg}^2 a = \dfrac{1}{\cos^2 a}$.

$1 + \operatorname{cotg}^2 a = \dfrac{1}{\sin^2 a}$.

$\sin^2 a = \dfrac{\operatorname{tg}^2 a}{\sqrt{1 + \operatorname{tg}^2 a}}$. $\cos^2 a = \dfrac{1}{\sqrt{1 + \operatorname{tg}^2 a}}$.

Arcs associés.
$\sin(-a) = -\sin a$, $\cos(-a) = \cos a$,
$\operatorname{tg}(-a) = -\operatorname{tg} a$,
$\sin(\pi - a) = \sin a$, $\cos(\pi - a) = -\cos a$,
$\operatorname{tg}(\pi - a) = -\operatorname{tg} a$,
$\sin\left(\frac{\pi}{2} - a\right) = \cos a$, $\cos\left(\frac{\pi}{2} - a\right) = \sin a$,
$\operatorname{tg}\left(\frac{\pi}{2} - a\right) = \operatorname{cotg} a$,
$\sin(\pi + a) = -\sin a$, $\cos(\pi + a) = -\cos a$,
$\operatorname{tg}(\pi + a) = \operatorname{tg} a$.
$\sin\left(\frac{\pi}{2} + a\right) = \cos a$, $\cos\left(\frac{\pi}{2} + a\right) = -\sin a$,
$\operatorname{tg}\left(\frac{\pi}{2} + a\right) = -\operatorname{cotg} a$,

Formules de transformation.
$\cos(a + b) = \cos a \cos b - \sin a \sin b$;
$\sin(a + b) = \sin a \cos b + \sin b \cos a$;
$\operatorname{tg}(a + b) = \dfrac{\operatorname{tg}a + \operatorname{tg}b}{1 - \operatorname{tg}a \operatorname{tg}b}$;
$\cos(a - b) = \cos a \cos b + \sin a \sin b$;
$\sin(a - b) = \sin a \cos b - \sin b \cos a$;
$\operatorname{tg}(a - b) = \dfrac{\operatorname{tg} a - \operatorname{tg} b}{1 + \operatorname{tg} a \operatorname{tg} b}$;
$\cos 2a = \cos^2 a - \sin^2 a = 1 - 2\sin^2 a$
$= 2\cos^2 a - 1$;
$\sin 2a = 2 \sin a \cos a = \dfrac{2 \operatorname{tg} a}{1 + \operatorname{tg}^2 a}$;
$1 + \cos a = 2\cos^2 \dfrac{a}{2}$;
$1 - \cos a = 2\sin^2 \dfrac{a}{2}$;
$\operatorname{tg} 2a = \dfrac{2 \operatorname{tg} a}{1 - \operatorname{tg}^2 a}$;
$\cos 2a = \dfrac{1 - \operatorname{tg}^2 a}{1 + \operatorname{tg}^2 a}$;
$\sin p + \sin q = 2 \sin \dfrac{p + q}{2} \cos \dfrac{p - q}{2}$;
$\sin p - \sin q = 2 \sin \dfrac{p - q}{2} \cos \dfrac{p + q}{2}$;
$\cos p - \cos q = 2 \cos \dfrac{p + q}{2} \cos \dfrac{p - q}{2}$;
$\cos p - \cos q = -2 \sin \dfrac{p + q}{2} \sin \dfrac{p - q}{2}$;
$\operatorname{tg} p + \operatorname{tg} q = \dfrac{\sin(p + q)}{\cos p \cos q}$;
$\operatorname{tg} p - \operatorname{tg} q = \dfrac{\sin(p - q)}{\cos p \cos q}$;

Dérivées des fonctions circulaires (par rapport à x, x étant exprimé en radians) :
$(\sin x)' = \cos x$; $(\cos x)' = -\sin x$;
$(\operatorname{tg} x)' = 1 + \operatorname{tg}^2 x = \dfrac{1}{\cos^2 x}$;
$[\sin(ax + b)]' = a\cos(ax + b)$;
$[\cos(ax + b)]' = -a \sin(ax + b)$;
$[\operatorname{tg}(ax + b)]' = \dfrac{a}{\cos^2(ax + b)}$.

Correspondance entre les mesures d'un angle en radians et en degrés ou grades.

$$\frac{\text{mesure en degrés}}{180} = \frac{\text{mesure en radians}}{\pi} = \frac{\text{mesure en grades}}{200}$$

1' = 3.10^{-4} rd.

Formules fondamentales de trigonométrie sphérique. Soit A, B, C trois points d'une sphère de centre O et de rayon l'unité, a, b, c les faces du trièdre O, ABC et A, B, C les dièdres de ce trièdre. On a :
$\cos a = \cos b \cos c + \sin b \sin c \cos A$
et $\dfrac{\sin a}{\sin A} = \dfrac{\sin b}{\sin B} = \dfrac{\sin c}{\sin C}$

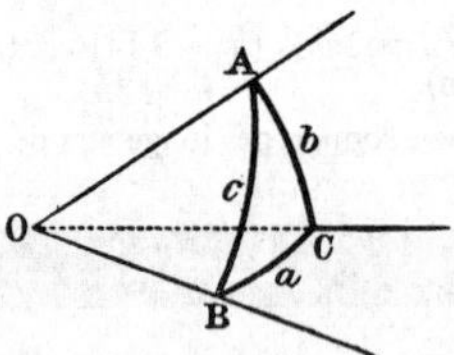

Fonctions circulaires d'arcs particuliers

	0°	30°	45°	60°	90°
sin α	$\frac{\sqrt{0}}{2}$ soit O	$\frac{\sqrt{1}}{2}$ soit $\frac{1}{2}$	$\frac{\sqrt{2}}{2}$	$\frac{\sqrt{3}}{2}$	$\frac{\sqrt{4}}{2}$ soit 1
cos α	$\frac{\sqrt{4}}{2}$ soit 1	$\frac{\sqrt{3}}{2}$	$\frac{\sqrt{2}}{2}$	$\frac{\sqrt{1}}{2}$ soit $\frac{1}{2}$	$\frac{\sqrt{0}}{2}$ soit O
tg α	0	$\frac{\sqrt{3}}{3}$	1	$\sqrt{3}$	infini
cotg α	infini	$\sqrt{3}$	1	$\frac{\sqrt{3}}{3}$	0

Fonctions vectorielles d'une variable réelle

Définition. Une fonction vectorielle d'une variable réelle est une application d'une partie de ℝ vers un espace vectoriel *V*. Si on définit l'espace vectoriel sur ℝ, on peut associer à la loi de composition externe la multiplication d'une fonction vectorielle par une fonction numérique.

Équations différentielles

1) *Soit* Φ *une fonction de* $\mathbb{R}^{n+2} \rightarrow \mathbb{R}$
$y = f(x)$.
$\Phi(x, y, y', y'', ..., y^{(n)}) = 0$ est une relation qui définit une équation différentielle.

Elle est d'ordre *n* si la relation comporte la dérivée d'ordre *n*.

2) *Équation différentielle définie par* $y' = ay$.

$$\frac{y'}{y} = a \Rightarrow \text{Log } |y| = ax + c$$
$$\Downarrow$$
$$|\varphi(x)| = |y| = e^{ax+c}$$
$$y = Ke^{ax}$$

3) *Équation différentielle définie par* $y'' + \omega^2 y = 0$.

a) L'ensemble des solutions est un sous-espace vectoriel de l'espace vectoriel $\mathcal{C}$ des fonctions réelles d'une variable réelle.

b) Dimension de l'espace vectoriel : 2.

c) Deux solutions linéairement indépendantes *f* et *g*.
$\Rightarrow y = A f(x) + B g(x)$
A et *B* sont deux constantes.

d) Solution générale :
$y = A \cos \omega x + B \sin \omega x = K \cos(\omega x + \Theta)$
avec $K = \sqrt{A^2 + B^2}$,

$$\sin \Theta = \frac{A}{\sqrt{A^2 + B^2}},$$

$$\cos \Theta = \frac{B}{\sqrt{A^2 + B^2}},$$

Cercle

Définition. Courbe plane fermée dont tous les points sont à la même distance (rayon) d'un point fixe (centre).

C'est l'ensemble des points d'un plan situés à une distance donnée d'un point fixe.

Relations métriques :

• Si on mène par un point fixe M une sécante coupant un cercle en A et B, le produit des mesures des vecteurs $\overrightarrow{MA}.\overrightarrow{MB}$ est constant quand la sécante tourne autour de M (positifs si M est extérieur, négatif si M est intérieur).

Cette valeur constante est la puissance de M par rapport au cercle. $\overline{MA}.\overline{MB} = \overline{MA'}.\overline{MB'} = \overline{MC}.\overline{MD} = d^2 - R^2$, d étant la distance de M au centre et R le rayon.

Réciproque : Si 2 droites AB et CD se coupent en un point M tel qu'il existe la relation algébrique :

$$\overline{MA}.\overline{MB} = \overline{MC}.\overline{MD},$$

les 4 points A, B, C et D sont situés sur un même cercle.

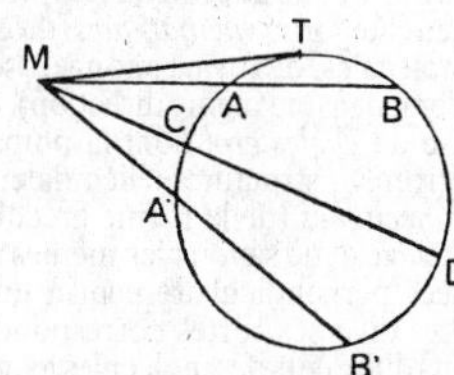

• Si d'un point M extérieur on mène à un cercle une tangente MT et une sécante MAB, il existe entre les mesures des vecteurs $\overrightarrow{MT}$, $\overrightarrow{MA}$, $\overrightarrow{MB}$ la relation algébrique :

$$\overline{MT}^2 = \overline{MA}.\overline{MB} = d^2 - R^2$$

Réciproque : Si 2 droites menées par un point M portent, l'une un point T, l'autre 2 points A, B tels qu'il existe la relation algébrique :

$$\overline{MT}^2 = \overline{MA}.\overline{MB}$$

Table trigonométrique

Elle utilise la propriété des angles complémentaires (V. plus haut « Relations fondamentales »). Les 2 angles d'une même ligne sont complémentaires. Ex. : à la 5ᵉ ligne, 4° + 86° = 90°.
La table se lit ainsi : si $x < 45°$ les colonnes de nombres correspondent ainsi aux lignes trigonométriques désignées en haut ; si $x > 45°$ aux lignes trigonométriques désignées en bas. Ex. : sin 4° = cos 86° ; 0,0698 ; cos 4° = sin 86° : 0,9976 ; tg 4° = 86° : 0,0699.

Deg.	Sin.	d.t.	d.t.	Cos.	
0°	0,000			1,000	90°
		9	0		
0°30'	0,009			1,000	89°30'
		8	0		
1°	0,017			1,000	89°
		9	0		
1°30'	0,026			1,000	88°30'
		9	1		
2°	0,035			0,999	88°
		9	0		
2°30'	0,044			0,999	87°30'
		8	0		
3°	0,052			0,999	87°
		9	1		
3°30'	0,061			0,998	86°30'
		9	0		
4°	0,070			0,998	86°
		8	1		
4°30'	0,078			0,997	85°30'
		9	1		
5°	0,087			0,996	85°
		9	1		
5°30'	0,096			0,995	84°30'
		9	0		
6°	0,105			0,995	84°
		8	1		
6°30'	0,113			0,994	83°30'
		9	1		
7°	0,122			0,993	83°
		9	2		
7°30'	0,131			0,991	82°30'
		8	1		
8°	0,139			0,990	82°
		9	1		
8°30'	0,148			0,989	81°30'
		8	1		
9°	0,156			0,988	81°
		9	2		
9°30'	0,165			0,986	80°30'
		9	1		
10°	0,174			0,985	80°
		8	2		
10°30'	0,182			0,983	79°30'
		9	1		
11°	0,191			0,982	79°
		8	2		
11°30'	0,199			0,980	78°30'
		9	2		
12°	0,208			0,978	78°
		8	2		
12°30'	0,216			0,976	77°30'
		9	2		
13°	0,225			0,974	77°
		8	2		
13°30'	0,233			0,972	76°30'
		9	2		
14°	0,242			0,970	76°
		8	2		
14°30'	0,250			0,968	75°30'
		9	2		
15°	0,259			0,966	75°
		8	2		
15°30'	0,267			0,964	74°30'
		9	3		
16°	0,276			0,961	74°
		8	2		
16°30'	0,284			0,959	73°30'
		8	3		
17°	0,292			0,956	73°
		9	2		
17°30'	0,301			0,954	72°30'
		8	3		
18°	0,309			0,951	72°
		8	3		
18°30'	0,317			0,948	71°30'
		9	2		
19°	0,326			0,946	71°
		8	3		
19°30'	0,334			0,943	70°30'
		8	3		
20°	0,342			0,940	70°
		8	3		
20°30'	0,350			0,937	69°30'
		8	3		
21°	0,358			0,934	69°
		9	4		
21°30'	0,367			0,930	68°30'
		8	3		
22°	0,375			0,927	68°
		8	3		
22°30'	0,383			0,924	67°30'
	Cos.	d.t.	d.t.	Sin.	Deg.

Deg.	Sin.	d.t.	d.t.	Cos.	
22°30'	0,383			0,924	67°30
		8	3		
23°	0,391			0,921	67°
		8	4		
23°30'	0,399			0,917	66°30
		8	3		
24°	0,407			0,914	66°
		8	4		
24°30'	0,415			0,910	65°30'
		8	4		
25°	0,423			0,906	65°
		8	3		
25°30'	0,431			0,903	64°30'
		7	4		
26°	0,438			0,899	64°
		8	4		
26°30'	0,446			0,895	63°30'
		8	4		
27°	0,454			0,891	63°
		8	4		
27°30'	0,462			0,887	62°30'
		7	4		
28°	0,469			0,883	62°
		8	4		
28°30'	0,477			0,879	61°30'
		8	4		
29°	0,485			0,875	61°
		7	5		
29°30'	0,492			0,870	60°30'
		8	4		
30°	0,500			0,866	60°
		8	4		
30°30'	0,508			0,862	59°30'
		7	5		
31°	0,515			0,857	59°
		8	4		
31°30'	0,523			0,853	58°30'
		7	5		
32°	0,530			0,848	58°
		7	5		
32°30'	0,537			0,843	57°30'
		8	4		
33°	0,545			0,839	57°
		7	5		
33°30'	0,552			0,834	56°30'
		7	5		
34°	0,559			0,829	56°
		7	5		
34°30'	0,566			0,824	55°30'
		8	5		
35°	0,574			0,819	55°
		7	5		
35°30'	0,581			0,814	54°30'
		7	5		
36°	0,588			0,809	54°
		7	5		
36°30'	0,595			0,804	53°30'
		7	5		
37°	0,602			0,799	53°
		7	6		
37°30'	0,609			0,793	52°30'
		7	5		
38°	0,616			0,788	52°
		7	5		
38°30'	0,623			0,783	51°30'
		6	6		
39°	0,629			0,777	51°
		7	5		
39°30'	0,636			0,772	50°30
		7	6		
40°	0,643			0,766	50°
		6	6		
40°30'	0,649			0,760	49°30'
		7	5		
41°	0,656			0,755	49°
		7	6		
41°30'	0,663			0,749	48°30'
		6	6		
42°	0,669			0,743	48°
		7	6		
42°30'	0,676			0,737	47°30
		6	6		
43°	0,682			0,731	47°
		6	6		
43°30'	0,688			0,725	46°30'
		7	6		
44°	0,695			0,719	46°
		6	6		
44°30'	0,701			0,713	45°30
		6	6		
45°	0,707			0,707	45°
	Cos.	d.t.	d.t.	Sin.	Deg.

Deg.	Tang.	d.t.	d.t.	Cotg.	
0°	0,000			infini	90°
		9			
0°30'	0,009			114,6	89°30'
		8			
1°	0,017			57,29	89°
		9			
1°30'	0,026			38,19	88°30'
		9			
2°	0,035			28,64	88°
		9			
2°30'	0,044			22,90	87°30'
		8			
3°	0,052			19,08	87°
		9			
3°30'	0,061			16,35	86°30'
		9			
4°	0,070			14,30	86°
		9			
4°30'	0,079			12,71	85°30'
		8			
5°	0,087			11,43	85°
		9			
5°30'	0,096			10,38	84°30'
		9			
6°	0,105			9,514	84°
		9	737		
6°30'	0,114			8,777	83°30'
		9	633		
7°	0,123			8,144	83°
		9	548		
7°30	0,132			7,596	82°30'
		9	481		
8°	0,141			7,115	82°
		8	424		
8°30	0,149			6,691	81°30'
		9	377		
9°	0,158			6,314	81°
		9	338		
9°30'	0,167			5,976	80°30'
		9	305		
10°	0,176			5,671	80°
		9	275		
10°30'	0,185			5,396	79°30'
		9	251		
11°	0,194			5,145	79°
		9	230		
11°30'	0,203			4,915	78°30'
		10	210		
12°	0,213			4,705	78°
		9	194		
12°30'	0,222			4,511	77°30'
		9	180		
13°	0,231			4,331	77°
		9	166		
13°30'	0,240			4,165	76°30'
		9	154		
14°	0,249			4,011	76°
		9	144		
14°30'	0,258			3,867	75°30'
		10	135		
15°	0,268			3,732	75°
		9	126		
15°30'	0,277			3,606	74°30'
		10	119		
16°	0,287			3,487	74°
		9	111		
16°30'	0,296			3,376	73°30'
		10	105		
17°	0,306			3,271	73°
		9	99		
17°30'	0,315			3,172	72°30'
		10	94		
18°	0,325			3,078	72°
		10	89		
18°30'	0,335			2,989	71°30'
		9	85		
19°	0,344			2,904	71°
		10	80		
19°30'	0,354			2,824	70°30
		10	77		
20°	0,364			2,747	70°
		10	72		
20°30'	0,374			2,675	69°30'
		10	70		
21°	0,384			2,605	69°
		10	66		
21°30'	0,394			2,539	68°30'
		10	64		
22°	0,404			2,475	68°
		10	61		
22°30'	0,414			2,414	67°30'
	Cotg.	d.t.	d.t.	Tang.	Deg.

Deg.	Tang.	d.t.	d.t.	Cotg.	
22°30'	0,414			2,414	67°30'
		10	58		
23°	0,424			2,356	67°
		11	56		
23°30'	0,435			2,300	66°30'
		10	54		
24°	0,445			2,246	66°
		11	52		
24°30'	0,456			2,194	65°30'
		10	49		
25°	0,466			2,145	65°
		11	48		
25°30'	0,477			2,097	64°30'
		11	47		
26°	0,488			2,050	64°
		11	44		
26°30'	0,499			2,006	63°30'
		11	43		
27°	0,510			1,963	63°
		11	42		
27°30'	0,521			1,921	62°30'
		11	40		
28°	0,532			1,881	62°
		11	39		
28°30'	0,543			1,842	61°30'
		11	38		
29°	0,554			1,804	61°
		12	37		
29°30'	0,566			1,767	60°30'
		11	35		
30°	0,577			1,732	60°
		12	34		
30°30'	0,589			1,698	59°30'
		12	34		
31°	0,601			1,664	59°
		12	32		
31°30'	0,613			1,632	58°30'
		12	32		
32°	0,625			1,600	58°
		12	30		
32°30'	0,637			1,570	57°30'
		12	30		
33°	0,649			1,540	57°
		13	29		
33°30'	0,662			1,511	56°30'
		13	28		
34°	0,675			1,483	56°
		12	28		
34°30'	0,687			1,455	55°30'
		13	27		
35°	0,700			1,428	55°
		13	26		
35°30'	0,713			1,402	54°30'
		14	26		
36°	0,727			1,376	54°
		13	25		
36°30'	0,740			1,351	53°30'
		14	24		
37°	0,754			1,327	53°
		13	24		
37°30'	0,767			1,303	52°30'
		14	23		
38°	0,781			1,280	52°
		14	23		
38°30'	0,795			1,257	51°30'
		15	22		
39°	0,810			1,235	51°
		14	22		
39°30'	0,824			1,213	50°30'
		15	21		
40°	0,839			1,192	50°
		15	21		
40°30'	0,854			1,171	49°30'
		15	21		
41°	0,869			1,150	49°
		16	20		
41°30'	0,885			1,130	48°30
		15	19		
42°	0,900			1,111	48°
		16	20		
42°30'	0,916			1,091	47°30'
		17	19		
43°	0,933			1,072	47°
		16	18		
43°30'	0,949			1,054	46°30'
		17	18		
44°	0,966			1,036	46°
		17	18		
44°30'	0,983			1,018	45°30'
		17	18		
45°	1,000			1,000	45°
	Cotg.	d.t.	d.t.	Tang.	Deg.

la droite MT est tangente au cercle circonscrit au triangle TAB.

Fonctions particulières

Le plan d'équation $ax + by + cz + d = 0$ est orthogonal au vecteur $\overrightarrow{V}\begin{pmatrix} a \\ b \\ c \end{pmatrix}$.

Deux plans $\begin{cases} ax + by + cz + d = 0 \\ a'x + b'y + c'z + d' = 0 \end{cases}$

sont orthogonaux si et seulement si :

$$aa' + bb' + cc' = 0.$$

Distance d'un point M (X_o, Y_o, Z_o) à un plan $ax + by + cz + d = 0$.

$$d(P, M) = \frac{|ax_o + by_o + cz_o + d|}{\sqrt{a^2 + b^2 + c^2}}.$$

Équation de la sphère de centre $w\begin{pmatrix} a \\ b \\ c \end{pmatrix}$ et rayon *R*.

$x^2 + y^2 + z^2 - 2\,ax - 2\,by - 2\,cz + d = 0$
avec $d = a^2 + b^2 + c^2 - R^2$.

Cylindre de révolution d'axe *Oz*.

$$x^2 + y^2 - R^2 = 0$$
$$z = 0$$

Cône de révolution d'axe *Oz*.
$x^2 + y^2 - k^2 z^2 = 0$ avec $k \in \mathbb{R}^{*+}$

Les coniques

1) *Équation de la forme :*
$ax^2 + by^2 + 2\,cx + 2\,dy + e = 0$

2) *Plusieurs cas :*
ab = 0 la courbe est *parabole*.
ab > 0 la courbe est *ellipse*.
ab < 0 la courbe est *hyperbole*.

3) *Équation générale de la parabole :*

$y^2 = 2\,px$; *de l'ellipse :* $\frac{x^2}{a^2} + \frac{y^2}{b^2} = 1$; *de l'hyperbole :* $\frac{x^2}{a^2} - \frac{y^2}{b^2} = 1$. Hyperbole rapportée à ses asymptotes : $XY =$ *constante*.

4) *La parabole admet un axe de symétrie* mais aucun centre. L'ellipse et l'hyperbole admettent 2 axes de symétrie et 2 centres.

5) $ax^2 + 2\,bxy + cy^2 + dx + ey + f = 0$.
Si $b^2 - ac > 0 \Rightarrow$ hyperbole
Si $b^2 - ac < 0 \Rightarrow$ ellipse
Si $b^2 - ac = 0 \Rightarrow$ parabole

Soit *e* le rapport des distances d'un point *M* appartenant à un ensemble *E*, à un point *F* et à une droite donnée :

a) Si *e = 1*, l'ensemble *E* est une *parabole* de foyer *E*, de directrice *D*.

b) Si *e > 1*, l'ensemble *E* est une *ellipse*.

e) Si *0 < e < 1*, l'ensemble *E* est une *hyperbole*, *e* est appelé excentricité.

Définition bifocale des coniques.

a) La somme des distances d'un point d'une *ellipse* aux 2 foyers de celle-ci est constante :

$$MF + MF' = 2a.$$

b) La valeur absolue de la différence des distances d'un point d'une *hyperbole* à 2 foyers est constante :

$$|MF - MF'| = 2a.$$

Courbes d'équation $y^2 = ax^2 + bx + c$ avec $a > 0$.

Après une translation d'axes on obtient :

$$Y^2 = a\,X^2 + \frac{4ac - b^2}{4\,a}$$

1) Si $4\,ac - b^2 = 0$. L'équation se réduit à $Y^2 = aX^2 \Leftrightarrow Y = \pm \sqrt{a} \times X \Rightarrow$ 2 droites passant par 0.

2) Si $4\,ac - b^2 < 0$.

avec $\alpha = \dfrac{\sqrt{b^2 - 4\,ac}}{2\,a}$.

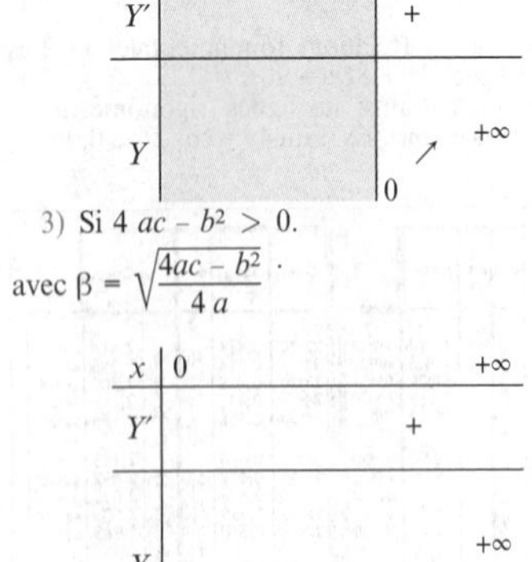

3) Si $4\,ac - b^2 > 0$.

avec $\beta = \sqrt{\dfrac{4ac - b^2}{4\,a}}$.

x	0		$+\infty$
Y'		+	
Y	β	↗	$+\infty$

Étude générale des courbes d'équation $y^2 = ax^2 + bx + c$.

1) Si $a = 0$ $\quad b \neq 0 \Rightarrow$ parabole

2) Si $a \neq 0$, on pose :

$$X = x + \frac{b}{2a}\ ;\ Y = y$$

$$\Rightarrow aX^2 - Y^2 + \frac{4ac - b^2}{4\,a} = 0$$

α) $4ac - b^2 = 0$ $\begin{cases} a < 0 \text{ on obtient le point } 0 \\ a > 0 \text{ on obtient 2 droites} \\ y = \pm\sqrt{a}. \end{cases}$

β) $4ac - b^2 \neq 0$ $\begin{cases} a > 0 \begin{cases} b^2 - 4ac > 0 \text{ hyperbole d'axe focal } Ox \\ b^2 - 4ac < 0 \text{ hyperbole d'axe focal } Oy \end{cases} \\ a < 0 \begin{cases} b^2 - 4ac > 0 \text{ ellipse} \\ b^2 - 4ac < 0 \text{ équation impossible} \end{cases} \end{cases}$

Propriétés des tangentes. *Soit la parabole (P)* $y^2 = 2\,px$, dans le repère $(O, \vec{i}, \vec{j})$ F le foyer. $\forall M \in (P)$, la tangente en M à (P) est la bissectrice des 2 demi-droites d'origine M, qui ont respectivement pour vecteurs directeurs $\overrightarrow{FM}$ et $\vec{i}$.

Soit l'ellipse (E) de foyers F et F'.
M $\in$ *(E)*, la tangente en *M* à *(E)* est la bissectrice des 2 demi-droites d'origine *M* qui ont respectivement pour vecteurs directeurs $\overrightarrow{FM}$ et $\overrightarrow{MF'}$.

Soit l'hyperbole (H) de foyers *F* et *F'*.
M $\in$ *(H)*, la tangente en *M* a *(H)* est la bissectrice des 2 demi-droites d'origine *M*, qui ont respectivement pour vecteurs directeurs $\overrightarrow{FM}$ et $\overrightarrow{F'M}$

Relations métriques (rappel).
$BC^2 = AB^2 + AC^2 - 2\,\overrightarrow{AB}.\overrightarrow{AC}$
Si O est le milieu de BC :

$$\begin{cases} AB^2 + AC^2 = 2\,OA^2 + \dfrac{BC^2}{2} \\ \boxed{AB^2 - AC^2 = 2\,\overrightarrow{BC}.\overrightarrow{OA}} \end{cases}$$

Si H est la projection de A sur BC :
$AB^2 - AC^2 = 2\,\overline{BC}.\overline{OH}$.

Relation d'Euler :
$\overrightarrow{MA}.\overrightarrow{BC} + \overrightarrow{MB}.\overrightarrow{CA} + \overrightarrow{MC}.\overrightarrow{AB} = 0$

Puissance d'un point M par rapport à un cercle : $d^2 - R^2$.

Similitudes

1) Toute similitude vectorielle est un automorphisme de l'espace vectoriel euclidien.

2) Si l'automorphisme est positif, la similitude vectorielle est directe. S'il est négatif, elle est indirecte.

3) L'ensemble des similitudes vectorielles, muni de la loi *o*, a une structure de groupe.

4) Similitude vectorielle directe : rotation vectorielle *o* homothétie vectorielle.

5) Similitude vectorielle indirecte : homothétie vectorielle *o* symétrie.

6) Dans l'espace affine, on a une similitude si, dans l'espace vectoriel, on a une similitude vectorielle de rapport *k*.

7) La translation / La rotation } est une similitude de rapport 1.

L'homothétie est une similitude de rapport $|k|$.

Transformations géométriques attachées aux opérateurs complexes

1/ $a \in \mathbb{R} - \{1\}$.
$z' = az + b \rightarrow$ Homothétie (Ω, a)
Ω d'affixe ω tel que : $b = \omega\,(1 - a)$.

2/ $a = 1$:

$z' = z + b \rightarrow$ Translation de vecteur $\left|\begin{matrix}\alpha \\ \beta\end{matrix}\right.$ avec $\vec{V}$

$b = \alpha + i\beta$.

3/ $a\ /\ \mathbb{C}$ et $|a| = 1$
$z' = az + b \rightarrow$ Rotation (Ω, Θ)
Ω d'affixe ω $Arg\ a = \Theta$ et $b = \omega\,(1 - a)$.

4/ $a \in \mathbb{C}$ et $|a| \neq 1$
$z' = az + b \rightarrow$ Similitude (Ω, k, Θ)
Ω d'affixe ω avec $a = k\,(\cos\Theta + i \sin\Theta)$
$b = \omega\,(1 - a)$.

Rotation

$$\mathcal{R}\,(\Omega, \Theta) \begin{cases} \widehat{\overrightarrow{\Omega M}, \overrightarrow{\Omega M'}} = \Theta \\ \Omega M = \Omega M' \end{cases}$$

La matrice d'une rotation vectorielle est de la forme : $\begin{pmatrix} a & -b \\ b & a \end{pmatrix}$ avec $a^2 + b^2 = 1$.

On en déduit les coordonnées du transformé $M' \left|\begin{matrix} x' \\ y' \end{matrix}\right.$ d'un point $M \left|\begin{matrix} x \\ y \end{matrix}\right.$ par $\mathcal{R}$.

$$\begin{cases} x' = ax - by \\ y' = bx + ay \end{cases}$$

Si on considère le point $\Omega\,(\alpha, \beta)$ comme centre de la rotation, les relations ci-dessus deviennent :

$$\begin{cases} x' = a\,(x - \alpha) - b\,(y - \beta) + \alpha \\ y' = b\,(x - \alpha) + a\,(y - \beta) + \beta \end{cases}$$

On peut remarquer que la matrice $\begin{pmatrix} a & -b \\ b & a \end{pmatrix}$ avec $a^2 + b^2 = 1$ peut s'écrire :

$$\left[\begin{pmatrix} \cos\Theta & -\sin\Theta \\ \sin\Theta & \cos\Theta \end{pmatrix}\right]$$

Θ sera l'angle de la rotation.
$M\,(z) \rightarrow M'\,(z')$
$(x + iy) \rightarrow (x' + iy')$.

Jeux

• *Quel est le plus grand nombre qu'on puisse écrire avec 3 chiffres ?*

Un nombre composé de trois 9 écrits de la manière suivante : $(9^9)^9$ qui s'énonce 9 puissance 9 puissance 9 et signifie 9 multiplié 387 420 489 fois par lui-même. Ce nombre comporte 369 693 101 chiffres ; les 7 premiers chiffres de ce nombre sont 9 431 549, le dernier chiffre est un 9.

• **Devinez 2 dés sans les voir.** Faites jeter deux dés et priez la personne qui les a jetés de doubler le nombre des points de l'un d'eux, puis d'ajouter 5, de multiplier la somme produite par 5 et d'ajouter au produit le nombre des points de l'autre dé. Faites-vous alors indiquer le montant, dont vous retrancherez 25, le reste sera un nombre de 2 chiffres dont le 1er à gauche représente les points du 1er dé et le 2e le nombre des points du 2e dé.

Soit a et b les points du 1er et du 2e dé ; on a :
2a
2a + 5
(2a + 5)5 = 10a + 25
10a + 25 + b
10a + 25 + b - 25 = 10a + b

Soit 4 le nombre des points du 1er et 6 celui du 2e. On aura :
8
8 + 5
(8 + 5)5 = 40 + 25
40 + 25 + 6
40 + 25 + 6 -25 = 46

L'introduction du chiffre 5 a eu tout simplement pour effet de détourner l'attention de l'interlocuteur.

En réalité on s'est borné à le forcer à constituer avec les 2 points amenés un nombre de 2 chiffres dans lequel le point du 1er représente les dizaines et celui du 2e les unités.

Physique et Chimie

I – Physique atomique Matière et antimatière

☞ Voir Mesures p. 244.

Matière

Définition. Par matière, on entend tout ce qui est localisable et possède une masse.

Matière au sens général. La matière est composée de *particules* « élémentaires » (neutron, proton, électron, etc.) qui peuvent s'associer d'une manière stable ou instable. En fait, les *théories de la relativité* et des **quanta** indiquent qu'à toute particule doit correspondre une **antiparticule** ayant exactement la même masse ; en revanche, toute grandeur intrinsèque pourvue d'un signe a des signes opposés pour la particule et l'antiparticule : charge électrique, moment magnétique propre, etc. Si ces grandeurs sont toutes nulles pour une particule (dite alors *absolument neutre*), celle-ci est identique à son antiparticule ; c'est le cas du *photon*, particule du champ électromagnétique (ondes hertziennes, lumière, rayons ultraviolets, X et γ). L'expérience a confirmé l'existence des antiparticules : le **positon** ou électron positif, découvert en 1932 ; l'**antiproton** et l'**antineutron,** obtenus à Berkeley en 1955. On appelle usuellement *matière* la matière dont notre monde est formé, *antimatière* celle du signe opposé.

Matière (au sens restreint). Elle peut, dans notre environnement, se présenter au moins sous 3 états différents : *gazeux, liquide, solide.* Mais d'autres formes se rencontrent dans l'Univers : *plasmas, états superdenses,* etc. La classification des états de la matière en solides, liquides et gaz est insuffisante car les cristaux de plusieurs milliers de produits chimiques ne conduisent pas, par fusion, directement à l'état liquide mais à des états intermédiaires entre le solide et le liquide. La matière présente alors des propriétés des liquides (la fluidité) et des pr. rappelant celles des solides (en particulier pour le comportement vis-à-vis de la lumière). Ces états intermédiaires *(mésophases)* sont classés en catégories : *nématiques* (du grec *nêma,* « fil » : les molécules, de forme allongée, sont disposées parallèlement à une même direction), *cholestériques* (à cause du *cholestérol* dont la plupart de ces produits dérivent) : structure hélicoïdale et texture lamellaire, *smectiques* (de la racine grecque *smêkh,* idée de nettoyage et de savon : les mêmes molécules sont disposées perpendiculairement à une surface parallèle). Les diverses sortes correspondent à des arrangements différents des molécules les unes à côté des autres (c.-à-d. à des structures variées).

Le plasma des espaces interstellaires est un milieu gazeux ionisé de telle manière que la charge spatiale est pratiquement nulle.

Les particules élémentaires stables sont associées dans 110 *éléments* différents qui peuvent se trouver à l'état pur (on les appelle alors corps simples) ou combinés chimiquement entre eux (corps composés) ou bien mélangés. Voir liste p. 239.

L'atome est la plus petite partie d'un corps simple susceptible d'entrer dans une combinaison chimique.

Les atomes peuvent se grouper en **molécules.** On appelle molécule la plus petite quantité de matière pouvant exister à l'état libre.

Dans un *corps composé,* la *molécule* peut, suivant les corps, contenir de 2 atomes à des milliers d'atomes. Toutes les molécules comprennent les mêmes éléments de base et toujours dans les mêmes proportions ; ainsi toutes les molécules d'eau comprennent 2 atomes d'hydrogène et 1 atome d'oxygène, ce qui s'écrit H_2O.

Les molécules peuvent être « cassées », libérant alors les éléments de base ; ainsi, l'on peut casser une molécule d'eau par électrolyse et l'on obtiendra 2 atomes d'hydrogène et 1 d'oxygène pour chaque molécule cassée.

Les atomes libérés se recombinent en engendrant des molécules d'hydrogène (H_2) et d'oxygène (O_2).

Dans un **mélange,** toutes les molécules ne sont pas identiques, les composants peuvent être mélangés en proportion variable (ex. le pétrole brut).

Antimatière

L'antimatière est constituée d'antineutrons, antiprotons et électrons positifs de la même manière que la matière est constituée de neutrons, protons et électrons négatifs. Matière et antimatière ne peuvent voisiner : des masses égales de ces deux espèces s'« annihileraient » très rapidement en particules très légères (finalement en photons, électrons et neutrinos) qui emporteraient toute l'énergie correspondant à la destruction de ces masses. Certains théoriciens ont supposé qu'il pouvait exister des galaxies faites de matière et d'autres d'antimatière, ou même que les 2 variétés pouvaient coexister dans une même galaxie. Mais l'absence d'antinoyaux dans les rayons cosmiques primaires infirme cette dernière hypothèse pour notre Galaxie et même notre amas galactique ; aussi croit-on généralement que l'Univers est fait actuellement de matière, l'antimatière ne pouvant se trouver que localement et d'une manière transitoire. Cependant, aux énormes températures du début de l'Univers (théorie du big-bang), de l'antimatière a pu exister et s'« annihiler » ensuite avec une partie de la matière. La prédominance de la matière reste alors à expliquer, ce que certains théoriciens tentent de faire. Mais des objets stellaires, en général très éloignés les uns des autres, peuvent être faits de matière ou d'antimatière.

A l'inverse de l'annihilation, une paire particule + antiparticule peut être créée aux dépens de l'énergie cinétique au cours de collisions de particules. En plus de l'antiproton et de l'antineutron, des antinoyaux légers ont été obtenus ainsi : antideutérium à Berkeley (U.S.A.) en 1968 ; antihélium 3 à Serpoukhov (U.R.S.S.) en 1970 (Pr Prokochkine). *En juillet 1978,* des physiciens du CERN (Centre européen de recherche nucléaire) ont « stocké » pendant 85 h plusieurs centaines d'antiprotons, mais la production d'antimatière pour des applications industrielles ou militaires semble hors de portée (pour certains, il faudrait au CERN « un million d'années pour en produire 1 seul mg »).

Quelles sont les forces fondamentales ?

Il y a peu encore, on parlait de 4 forces fondamentales (ou interactions) : *l'interaction gravitationnelle* (dite plus couramment *la gravitation*) : force attractive s'exerçant entre toutes les particules de l'univers ; *l'interaction électromagnétique* (qui lie les électrons au noyau des atomes) ; *l'interaction forte* (à laquelle on doit la cohésion de ce noyau) et *l'interaction faible* [principalement responsable de la désintégration de certaines particules (radioactivité)].

En janv. 1986, Ephraïm Fischbach [prof. à l'université de Washington (Indiana, U.S.A.)] publie un article précisant l'existence d'une 5e force analogue à la gravitation, mais de faible portée (de 10 m à 1 000 m) et de nature répulsive, dont l'action serait fonction du nombre des protons et des neutrons contenus dans le noyau des atomes. Depuis, de nombreuses expériences ont été faites pour déceler cette 5e force (notamment au Groenland : mesure de l'intensité de la profondeur par l'équipage de Mark Ander jusqu'à 1 700 m dans un puits).

Si cette force existe, il faudrait réviser les données scientifiques : définition mathématique de la gravitation, valeur de la constante de gravitation, définition du kilogramme, masse et densité des objets célestes, âge et théories sur la formation de l'Univers. Elle rendrait difficile la recherche de la « grande unification » de toutes les forces fondamentales. Les théoriciens pensent qu'à la naissance de l'Univers, les 4 forces n'en faisaient qu'une et se sont progressivement séparées et figées à mesure que l'énergie (la température) a baissé. Une théorie fait, depuis, de la force électromagnétique et de la force faible, une seule et même entité. D'autres physiciens du laboratoire de géophysique de la base de Hanscom, dépendant de l'US Air Force, ont parlé d'une 6e force.

Atome et particules

Atome

• Composition. L'atome comprend :

1. Un noyau (99,95 % de la masse de l'atome) formé de *protons* chargés positivement et de *neutrons* non chargés.

Protons et neutrons sont appelés *nucléons.* Ils ont des masses sensiblement égales, un **moment magnétique** et un **spin** (mouvement de rotation sur soi-même). Ils s'attirent mutuellement **(force nucléaire).**

La force nucléaire n'a pas de caractère électrique. Elle résulte de l'échange de pions entre nucléons. Dans la plupart des cas, le noyau est stable : protons et neutrons sont si bien « liés » ensemble qu'aucun n'échappe. Par contre, dans les éléments dont le noyau comporte trop de neutrons et de protons, ou si ceux-ci se trouvent trop en disproportion les uns par rapport aux autres, le noyau est instable ; des protons ou des neutrons peuvent s'échapper ou se transformer l'un en l'autre. Ces éléments sont dits **radioactifs** ou encore appelés **radioéléments.** On connaît environ 60 radioéléments naturels (existant dans la nature et subissant des mutations spontanées). 3 familles aboutissent au plomb : uranium, thorium, actinium ; 1 au bismuth : neptunium.

2. Des électrons qui gravitent autour du noyau sur une ou plusieurs couches. La 1re peut avoir 2 électrons ; la 2e 8 ; la 3e 16 ; la 4e 32 ; etc. Les éléments **transuraniens** pourraient avoir plus de 7 couches mais les éléments actuellement connus n'en ont pas plus de 7. Chaque couche est divisée en sous-couches. Ainsi les 8 électrons de la 2e couche sont répartis en 2 sous-couches de 2 et 6 électrons. La 3e couche est divisée en 3 sous-couches de 2, 6 et 10 électrons.

Les électrons sont chargés négativement et ont un **moment magnétique** et un **spin.** C'est-à-dire que par sa rotation (spin) l'électron acquiert les propriétés d'un aimant (les aimants sont caractérisés par une valeur de *moment magnétique* $\mathcal{M}$).

L'atome est un système électriquement neutre (la charge des protons positifs étant équilibrée par celle des électrons négatifs).

• Nombre atomique. Le nombre de protons, de neutrons et d'électrons varie suivant les corps, mais dans chaque atome neutre d'un corps déterminé il y a autant de protons que d'électrons. Ce nombre de protons (ou d'électrons) est appelé *nombre atomique.* Le total des protons et des neutrons est égal au **nombre de masse.** Pour connaître le nombre de neutrons d'un atome (ex. : le fer), il suffit donc de retrancher de son nombre de masse (ici 56) le nombre atomique (ici 26, d'où le résultat 30).

• Masse atomique (dite aussi poids atomique). Masse de l'atome en prenant celle du carbone [poids 12 u.m.a. (unités de masse atomique)] comme référence. Elle est rarement un nombre entier en raison des pertes de masse correspondant aux énergies de liaison des neutrons et des protons.

• Atome-gramme. Quantité exprimée en g qui correspond à la masse atomique du corps (ex. : 12 g pour le carbone). Il contient $6{,}022 \times 10^{23}$ atomes du corps **(nombre d'Avogadro).** On peut avoir une idée du poids d'un atome en divisant la masse atomique (ex. : 12 g pour le carbone) par le nombre d'Avogadro.

• Isotope. Un élément, caractérisé par son numéro atomique, peut se présenter avec des noyaux n'ayant pas le même nombre de neutrons. Ex. : dans la nature, la plupart des atomes de fer contiennent 30 neutrons, mais certains 28, 31 ou 32 ; $^{238}_{92}$U représente un isotope de l'uranium dont le noyau comprend 92 protons ; $^{235}_{92}$U ne comporte que 143 neutrons. De tels atomes sont appelés *isotopes ;* leurs masses atomiques sont différentes.

• Dimensions. Il existe un grand vide dans l'atome. Si, pour représenter l'atome, on donnait au noyau la taille d'une boule de billard, on devrait placer ses électrons à plus d'1 km. Si cet espace n'existait pas dans l'atome, une tête d'épingle pèserait 100 000 t.

• Masse en grammes. Électron $9{,}1 \times 10^{-28}$. Atome d'hydrogène $1{,}67 \times 10^{-24}$; d'oxygène 26×10^{-24}.

• Diamètre en millimètres

Molécule	0,000 000 1 et plus.
Atome lourd (uranium)	0,000 000 4.
Atome léger (hydrogène)	0,000 000 1.
Noyau d'uranium 238	0,000 000 000 016.
Proton	0,000 000 000 002.

Électron : ponctuel (à l'échelle des dimensions jusqu'ici accessibles) : < 10^{-14}.

Entre ces 2 barres : | | distantes de 1 mm, on pourrait mettre en ligne de 2 à 5 millions d'atomes. En 1974, la combinaison de plusieurs méthodes d'agrandissement a permis d'obtenir les images des atomes de néon et d'argon.

• Charge électrique. Électron $1{,}6 \times 10^{-19}$ coulombs. La charge totale de l'atome est nulle.

• Énergie. Électron-volt (eV) représente le travail accompli par un électron quand il subit une variation de potentiel de 1 volt. 1 eV = $1{,}6 \times 10^{-19}$ joules.

Particules

Comportement

• Électrons. L'équilibre électrique (noyau positif et électron négatif) d'un atome est plus ou moins stable suivant les éléments. Ainsi l'électron de l'hydrogène se détache facilement et le noyau restant se combine avec d'autres éléments. L'hélium se combine très difficilement, ses électrons « ne le quittent pas ».

Si un atome perd un ou plusieurs électrons, il devient chargé positivement ; on l'appelle **ion positif** ou **cation.** S'il accepte un ou plusieurs électrons en plus de son nombre normal, il devient chargé négativement : c'est un **ion négatif** ou **anion.**

Si un atome reçoit de l'énergie en excès (entraînant par exemple un ou plusieurs électrons à changer de couche et de niveau d'énergie), les électrons dérangés reprendront leur état normal en relâchant cette énergie supplémentaire sous forme de lumière à la couleur caractéristique (ex. : les gaz rares contenus dans les **tubes fluorescents** excités par la décharge électrique). Si un électron **(négaton)** rencontre un positon, les deux s'annihilent en produisant des photons γ (à moins de former pendant un temps très court, 10^{-8} s, le *positonium).*

• Protons. On les a longtemps considérés comme éléments stables. En fait, ils vivent quelques milliards d'années avant de se désintégrer.

• Antiprotons. Particule équivalente des protons, mais de charge négative. Mises en présence l'une de l'autre, ces 2 particules s'annihilent instantanément. Cette réaction a été observée pour la 1re fois à Berkeley (1955) par O. Chamberlain, E. Segré, E. Wiegand et T. Ypsilantis. Des antiprotons naturels ont été découverts en 1979 par des ballons stratosphériques américains, à 36 000 m d'altitude.

• Neutrons. Ils se désintègrent spontanément après 17 mn en moyenne, dès qu'ils sont libérés, et donnent un proton, un électron négatif et un antineutrino. Ils traversent facilement la matière car ils sont neutres.

• Photons. Ce sont des quantités *(quanta)* de radiation électromagnétique. Leur énergie est égale au produit de la fréquence de la radiation par la constante de Planck *h* (voir p. 212 le tableau des constantes).

• Particules instables. **Muon :** se désintègre en neutrino, autineutrino et positon (s'il est positif) ou négaton (s'il est négatif).

Diproton : découvert en 1978 au laboratoire d'Argonne (Michigan, U.S.A.). Formé de la collision de 2 protons. Existence très brève. Moment cinétique : spin 3. Énergie : 2 260 millions d'électrons-volts.

Méson π (pion chargé) : se décompose généralement en un neutrino et un muon.

Pion neutre : se décompose en 2 rayons γ qui donnent naissance à 1 ou 2 paires d'électrons-positons.

Méson K (kaon) : se décompose de différentes façons, donnant des électrons, des neutrinos et des mésons π.

Hypéron : a une vie courte et une masse comparable à celle des nucléons.

Leptons : dépourvus d'interactions fortes.

Hadrons : particules ayant des interactions fortes (comparables aux forces nucléaires très grandes mais de courte portée 10^{-13} cm) : comprennent baryons

Constantes physiques

Vitesse de la lumière dans le vide : c = 299 792 458 m/s.
Nombre d'Avogadro : N = (6,022 17 ± 0,000 4) × 10^{23}.
Charge de l'électron : e = (1,602 192 ± 0,000 007) × 10^{-19} coulombs.
Masse de l'électron au repos : m_e = (9,109 56 ± 0,000 05) × 10^{-31} kg.
Masse du neutron au repos : m_a = (1,674 92 ± 0,000 01) × 10^{-27} kg.
Masse du proton au repos : m_p = (1,672 61 ± 0,000 01) × 10^{-27} kg.
Facteur de conversion de la masse en énergie : 1 g = (5,610 000 ± 0,000 11) 10^{26} MeV.
Constante de Planck : h = (6,626 19 ± 0,000 06) × 10^{-34} joules × seconde.
Constante de Boltzmann : k = 1,380 54 × 10^{-23} joules/degré absolu.

Tableau des particules « presque stables »

NOM	SYMBOLE (AVEC CHARGES)	MASSE (MEV)	ISO-SPIN	VIE MOYENNE (SECONDES)
		Bosons lourds (mésons)		
Pion	π^0	135	1	0,8 × 10^{-16}
	$\pi\pm$	139,6		2,6 × 10^{-8}
Kaon	K^0_s	497,8	1/2	0,86 × 10^{-10}
	K^0_l	497,8		5,17 × 10^{-8}
	$K\pm$	493,8		1,24 × 10^{-8}
		Fermions lourds (baryons)		
Nucléon N ..	Proton p^+	938,3	1/2	Stable (2 × 10^{28}a.)
	neutron n^0	939,6		0,93 × 10^3
Hypéron Λ^0 .	Λ^0	1 115,6	0	2,52 × 10^{-10}
Hypéron Σ ..	Σ^+	1 189,4	1	0,80 × 10^{-10}
	Σ^o	1 192,5		< 10^{-14}
	Σ^-	1 197,3		1,48 × 10^{-10}
Hypéron Ξ ..	Ξ^-	1 314	1/2	3 × 10^{-10}
	Ξ^o	1 321		1,66 × 10^{-10}
Hypéron Ω ..	Ω^-	1 672	0	1,3 × 10^{-10}
		Fermions légers (leptons)		
Neutrino	νe, νμ	0		Stable
Électron	$e\pm$	0,511		Stable (> 2 × 10^{21}a.)
Muon	$\mu\pm$	105,66		2,19 × 10^{-6}
		Bosons légers		
Photon	γ	0		Stable

Nota. – Ce tableau ne comprend pas les résonances de vie moyenne < 10^{-20} s et, pour les baryons, il ne comprend que les « particules » à l'exclusion de leurs antiparticules. Il existe des bosons intermédiaires (bosons vectoriels faibles) W+ W– (chargés) et Z° (neutres) (vie moyenne 10^{-20} secondes, masse 80 Gev). Des bosons W ont été découverts en 1983.

Le nombre indiqué dans la colonne Isospin est associé à un « multiplet » de charges différentes : le nombre des particules dans le multiplet est 2 I + 1.

---

et mésons et plus d'une centaine de résonances très instables de vie moyenne ⩽ 10^{-20} s. Selon le physicien américain Muray Gellmann (n. 1929), tous ces hadrons seraient constitués par 3 particules fondamentales qu'il a baptisées **quarks,** dont les charges seraient fractionnaires par rapport à celle du proton $\left(\frac{2}{3} \text{ et } -\frac{1}{3}\right)$. Le mot *quark* a été forgé par le romancier irlandais James Joyce, qui lui donne à peu près le sens d'« ordure ».

Les **baryons** seraient les états fondamentaux ou excités d'un ensemble très lié des 3 quarks, les *mésons* d'un ensemble quark + antiquark.

En 1974, des expériences faites à Brookhaven (U.S.A.), utilisant un accélérateur à protons, et à Stanford (U.S.A.), utilisant un anneau de collisions e^-e^+, ont montré des résonances mésoniques lourdes (3,1 et 3,7 GeV) relativement stables (10^{-19} s) impliquant l'existence d'un 4ᵉ quark plus lourd dit *charme* ou quark charmé, prévu par certaines théories. Ceci a été confirmé en 1976 par l'observation de résonances mésoniques « charmées » (qui seraient formées d'un quark charmé et d'un quark ordinaire). Une nouvelle résonance mésonique très lourde (9,5 GeV) et relativement stable découverte en 1977 impliquerait l'existence d'un 5ᵉ quark encore plus lourd. Un 6ᵉ quark est attendu, car il y a des raisons théoriques pour que le nombre des quarks soit pair.

Cependant, tous les efforts expérimentaux pour découvrir les quarks isolés ont échoué jusqu'ici, et la plupart des théoriciens admettent maintenant qu'ils sont nécessairement toujours liés par 3 ou par paires quark + antiquark. Le « liant universel » groupant les quarks est le **champ gluonique** dont les particules associées (quanta de ce champ) sont appelées **gluons ;** comme les quarks, elles sont « confinées » dans les hadrons. Mais une expérience faite en 1979 apporte la confirmation indirecte de leur existence.

Théorie de la chromodynamique quantique. On explique que les états à 3 quarks (ou quark + antiquark) existent seuls en leur attribuant 3 « couleurs » quelle que soit par ailleurs leur « saveur » (charge, isospin, etc.). Les seuls états observés de baryons sont « blancs » (1 bleu + 1 jaune + 1 rouge) ; il en est de même pour les états de mésons : 1 bleu + 1 bleu par exemple où bleu = jaune + rouge. La chromodynamique quantique a servi de base pour tenter d'unifier toutes les interactions autres que la gravitation (théories unifiées), l'objectif final étant de les unifier toutes suivant l'espoir qu'avait exprimé Einstein en son temps.

Z°. Particule médiatrice (ou vecteur) de l'interaction faible. On l'obtient en projetant l'une contre l'autre 2 particules très fortement accélérées. Le Z° se désintègre après 10^{-27} secondes et engendre toutes les particules qui composent la matière dans les mêmes proportions. Découvert en 1983 dans le supersynchrotron à protons (SPS), le Z-zéro a été produit pour la première fois le 13-8-1989 par le LEP (accélérateur géant de particules à électrons-positons du C.E.R.N., en Suisse). Ce boson intermédiaire permettrait l'élaboration de la théorie unifiée des diverses forces élémentaires.

Niveaux d'énergie

1) Il se produit des échanges d'énergie entre la matière et le rayonnement mais d'une manière discontinue par « quanta ». La quantité d'énergie de chaque quantum est donnée par : E = hν, sachant que h = 6,62 × 10^{-34} joule-seconde (h est la constante de Planck, ν est la fréquence de la longueur d'onde).

2) La masse du photon est nulle. La charge électrique du photon est nulle. Par contre il a une quantité de mouvement et une énergie telles que : E = p c. La vitesse du photon est : 3 × 10^8 m/s. On peut exprimer la quantité de mouvement du photon en fonction de la fréquence de la lumière :

$$p = \frac{h\nu}{c}, \text{ or } \lambda = \frac{c}{\nu}, \text{ donc } p = \frac{h}{\lambda}.$$

3) Il peut y avoir diffusion de photons avec perte d'énergie ; c'est l'effet Compton qui confirme l'hypothèse de la nature corpusculaire de la lumière.

4) Il y a donc deux concepts, d'onde ou de particule, pour un même phénomène physique. La relation fondamentale de la mécanique ondulatoire $\lambda = \frac{h}{p}$ exprime que l'on attribue à toute particule de quantité de mouvement p une onde associée de longueur d'onde : λ.

En général les longueurs d'onde associées sont de l'ordre des rayons X. Un électron accéléré sous une tension de 100 V a une quantité de mouvement de l'ordre de 10^4 eV et une énergie cinétique de 100 eV. On peut donc calculer la longueur d'onde : λ = 0,124 nm. On peut faire des réactions sur noyau, de l'ordre de 10 fm de diamètre ; pour cela on utilise des projectiles qui auront une quantité d'énergie de l'ordre de 120 MeV.

5) On peut quantifier les niveaux d'énergie. Un système lié s'obtient grâce à un groupement de particules. Les particules forment un ensemble de cohésion assurée par une énergie potentielle de liaison. Par exemple un proton et un électron placés à 100 pm l'un de l'autre forment un système lié. Par contre un proton et un neutron placés à la même distance ne forment pas un système lié. Pour qu'ils forment un système lié, éventuellement un noyau de deutérium, il faudrait que la distance soit de l'ordre de 2 × 10^{-15} m.

6) L'onde associée à une particule se comporte de la même façon que dans les ondes stationnaires.

Rappel : la longueur d'une corde dans l'expérience de Melde : $L = n\frac{\lambda}{2}$.

Pour les particules il faut quantifier :

$\lambda = \frac{h}{p}$ où $p = \sqrt{2mEc}$, donc

$$\lambda = \frac{h}{\sqrt{2mEc}}.$$

On peut donc calculer l'énergie cinétique d'un nucléon : $Ec = \frac{n^2 h^2}{8\, ma^2}$ (a représente le diamètre du noyau).

Cette énergie cinétique est une des composantes de l'énergie d'un nucléon, les autres énergies étant l'énergie de liaison nucléaire et l'énergie potentielle.

7) Estimation des niveaux d'énergie dans un atome d'hydrogène. Suivant les valeurs de n sachant que :

$$\lambda = \frac{h}{p} \text{ et } a = \frac{\lambda}{2}.$$

n	1	2	3	4	5
En eV	13,6	3,4	1,6	0,84	0,54

On ne calcule les niveaux d'énergie qu'à l'échelle atomique. Dans les autres cas l'énergie cinétique est une variable continue.

8) L'accélérateur du C.E.R.N. à Genève peut communiquer à des photons une énergie de 450 GeV. La longueur d'onde dans ce cas est d'env. 2,8 × 10^{-18} m.

– Un proton de longueur d'onde associée 0,1 p m aura une énergie cinétique de 82 keV.

– Un proton de longueur d'onde du même ordre de grandeur que la particule, soit 10^{-15} m, aura une énergie cinétique de 620 MeV.

$$1 \text{ fm} = \frac{1}{10^{15}} \text{ m}.$$

$$1 \text{ fm} = 10^{-15} \text{ m}.$$

Radioactivité

☞ Voir Index : Radioactivité.

• **Types de radiations.** On en distingue plusieurs dont :

a) **Radiation alpha** (α). La particule α comprend 2 protons et 2 neutrons liés. Énergie 4 à 9 MeV. Elle est identique au noyau de l'atome d'hélium. Vitesse : environ 10 000 km/s. Portée dans l'air : 2,5 à 8,5 cm ; dans des solides : 10 à 100 microns (une feuille de papier l'arrête).

b) **Radiation bêta** (β). La particule β est soit un électron (chargé négativement et appelé *négaton*), soit un électron positif (appelé *positon*). Énergie maximale : de quelques centaines d'eV à quelques MeV. Vitesse : 0 à 300 000 km/s. Portée dans l'air : quelques m ; dans les solides : quelques mm (100 feuilles de papier l'arrêtent).

Les émissions α et β changent le nombre atomique du noyau. Un corps nouveau apparaît qui, s'il n'est pas stable, continuera à émettre des radiations, changeant de nature à son tour jusqu'à ce qu'il devienne un corps stable. De l'uranium donnera ainsi finalement du plomb.

c) **Radiation gamma** (γ). Onde électromagnétique très courte, non chargée électriquement, voyageant à la vitesse de la lumière et transportant de l'énergie. Portée : très pénétrante. Énergie : jusqu'à plusieurs MeV.

• **Radiations associées.** Un même corps émet très rarement à la fois des particules α et des β, mais fréquemment les radiations γ accompagnent des radiations α ou β.

En même temps que la particule β, le noyau émet une autre particule non chargée que l'on suppose sans masse au repos et qui peut traverser toute matière sans laisser de trace (de rares traces dans des expériences à haut flux de neutrinos).

Si la particule β est un électron positif, c'est un **neutrino.** Si la particule β est un électron négatif, c'est un **antineutrino.**

L'intensité des radiations diminue de moitié par **période.** La période est le temps nécessaire pour que la moitié de la masse d'un corps radioactif se décompose en un corps différent. Elle varie suivant les corps (ex. : un isotope du polonium a une période

Accélérateurs

Définition. Appareils accroissant la vitesse des particules chargées électriquement (protons, deutons, particules alpha, électrons, etc.) qui servent de projectiles pour produire des réactions. On distingue :

1) a. **électrostatiques** qui permettent d'atteindre une dizaine de MeV (million d'électrons-volts) pour les particules lourdes (protons, deutons, alpha). Ex. : le multiplicateur de tension de Cockroft et Walton, le générateur électrostatique de Van de Graaf.

2) a. **circulaires** qui dérivent tous du cyclotron. **Cyclotron.** Les ions animés au départ d'une vitesse assez faible parcourant, sous l'action d'un champ magnétique de guidage fixe, une orbite en spirale : à chaque demi-tour, une différence de potentiel est appliquée à la particule par des électrodes, augmentant ainsi graduellement son énergie cinétique. Le cyclotron est utilisable seulement pour des énergies où la dynamique est non relativiste (petites devant Mc^2, M étant la masse au repos de la particule). Ex. : petites devant 1 GeV (1 giga électrons-volts soit 1 milliard d'électrons-volts) pour le proton. Au-delà, on doit utiliser le synchrocyclotron puis le synchrotron.

Synchrocyclotron. Cyclotron dans lequel le champ électrique accélérateur a une fréquence variable. *Synchrotron :* cyclotron dont le champ magnétique de guidage est variable pour maintenir la particule toujours sur la même orbite au cours de son accélération. Le bêtatron est un a. circulaire type synchrotron accélérant des électrons.

Synchrotrons à protons les plus grands : supraconducteurs 512 Ge V : Fermi National Laboratory à Batavia (Illinois) (installé dans un tunnel annulaire long de 6,4 km ; les protons sont maintenus sur leur orbite par + de 1 000 aimants, chacun long de 7 m, refroidis à quelques degrés au-dessus du 0 absolu, soit moins de 273,15 degrés Celsius, par de l'hélium liquide. A cette basse température, le métal qui constitue le bobinage des aimants devient supraconducteur. On peut donc faire passer des courants beaucoup plus intenses que dans un conducteur normal et créer ainsi des champs magnétiques plus forts permettant finalement de donner aux particules des énergies plus élevées) ; 400 GeV au C.E.R.N. (Genève). *Génération précédente :* 76 GeV à Serpoukhov (U.R.S.S.) ; 30 GeV à Brookhaven (U.S.A.) ; 28 GeV au C.E.R.N. (anneau souterrain de 27 km). *Projet (U.S.A.) :* Superconducting Super Collider (S.S.C.) long de 83 km.

En France, Saturne (Saclay) de 3 GeV a été adapté pour accélérer des deutons (noyau d'hydrogène lourd formé d'un proton et d'un neutron).

3) a. **linéaires,** surtout utilisés pour les *électrons* (dont le rayonnement électromagnétique devient trop considérable aux énergies élevées dans les accélérateurs circulaires). On y utilise seulement un champ électrique accélérateur qui est appliqué à des électrodes échelonnées le long de la trajectoire rectiligne du faisceau de particules et « suit » leur mouvement. *Les plus grands :* Stanford (U.S.A.) : 33 GeV ; *France,* Orsay : 2,5 GeV. Ils sont souvent associés à des « anneaux de stockage » qui maintiennent sur des trajectoires circulaires les électrons accélérés, réalisant finalement des « anneaux de collisions » où 2 faisceaux tournent en sens inverse. *Ganil* (Grand accélérateur national à ions lourds) de Caen permet de bombarder les « cibles » avec des ions « lourds », c.-à-d. des atomes lourds séparés de leurs électrons par un passage dans 3 cyclotrons successifs. *E.R.S.F.* (European Synchrotron Radiation Facility), Grenoble, utilisable dès 1994, la fin de sa construction est prévue pour 1998 (anneau de 850 m de diamètre). *Suisse,* Genève : le L.E.P. (Large Electron Positron Ring) du C.E.R.N., anneau de 27 km de circonférence, son énergie égale à 2 × 50 GeV atteindra 2 × 100 GeV. Produit plusieurs milliers de Z-zéro par jour et servira à la recherche du boson de Higgs, qui donnerait une masse aux particules. Coût : 4,7 milliards de F. *États-Unis,* Waxahachie (Texas) : SSC (Superconducting Super Collider) en projet (85 km de circonférence). Coût : 4 milliards de $.

de 0,3 × 10^{-6} s ; le radium 228, une période de 1 670 ans ; et l'uranium 238, de 4,4 milliards d'années).

On suppose qu'au début de la Terre, il existait beaucoup de noyaux instables qui se seraient transformés ensuite.

• **Radioactivité provoquée.** Nous pouvons provoquer la radioactivité de corps stables en bombardant leurs noyaux avec des protons (dans un accélérateur de particules), des neutrons (dans un réacteur atomique) ou des particules α émises par un autre corps radioactif (ou un accélérateur).

L'équilibre « neutrons-protons » du noyau stable ainsi bombardé est rompu : il devient instable et se désintègre en émettant un rayonnement β.

• **Réactions en chaîne.** L'uranium 235, dont le noyau comprend 143 neutrons et 92 protons, est très instable. Si on le bombarde avec des neutrons, les noyaux qui auront reçu un neutron supplémentaire deviendront encore plus instables et se casseront (fission) en 2 parties à peu près égales, libérant en outre 2 ou 3 neutrons qui, allant bombarder des noyaux voisins, provoqueront une réaction semblable, amorçant ainsi une réaction en chaîne. La masse des produits de fission obtenus sera moindre que la masse initiale, la différence s'étant transformée en énergie.

II – Mécanique

Cinématique

Étude des mouvements indépendamment des causes qui les produisent.

Généralités

La position du mobile sur une trajectoire quelconque est définie en fonction du temps compté à partir d'une date origine, soit par ses coordonnées dans un repère Oxyz :

$$x = f(t),\ y = g(t),\ z = h(t),$$

soit par son **abscisse curviligne** s = f(t) comptée à partir d'une origine O sur la trajectoire orientée.

Si A et A' **sont les positions du mobile aux instants t et t'**, le vecteur vitesse $\vec{V}$ à l'instant t est défini par :

$$\vec{V} = \Delta t \to O \lim \frac{\overrightarrow{AA'}}{t'-t} = \frac{d\overrightarrow{OA}}{dt}.$$

Il est porté par la tangente à la trajectoire au point A et a pour mesure :

$$v = \frac{ds}{dt} = s'(t).$$

Le vecteur accélération $\vec{G}$ est défini par :

$$\vec{G} = \Delta t \to O \lim \frac{\vec{V'} - \vec{V}}{t'-t}.$$

$\vec{G}$ est la résultante de 2 vecteurs :

$\vec{G}_T$, accélération tangentielle, portée par la tangente : $|\vec{G}_T| = \frac{dv}{dt} = s''(t)$;

$\vec{G}_N$, accélération normale à la trajectoire dirigée vers la concavité : $|\vec{G}_N| = \frac{v^2}{R}$.

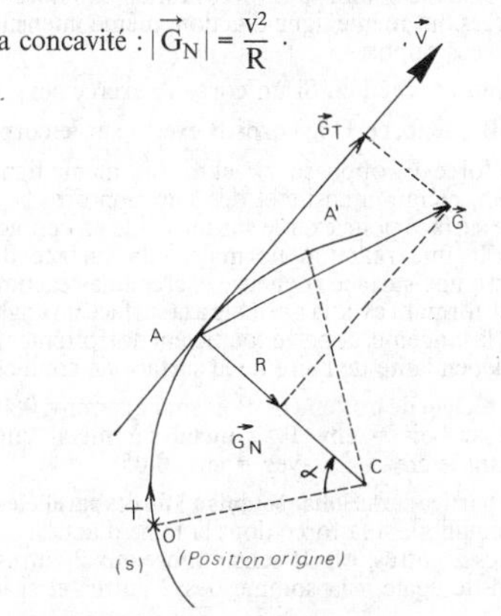

R rayon de courbure de la trajectoire en A. Le mouvement est uniforme si la vitesse est constante ; alors l'accélération tangentielle est nulle.

Les projections sur les axes d'un repère Oxyz de la vitesse et de l'accélération d'un mobile sont :

$$Vx = x't,\ Vy = y't,\ Vz = z't,$$
$$gx = x''t,\ gy = y''t,\ gz = z''t.$$

Ce sont les vitesses et accélérations des projections du mobile.

Cas particuliers

1. Mouvement rectiligne. La position du mobile est repérée par son abscisse x = f(t) sur un axe porté par la trajectoire. La vitesse moyenne entre 2 instants, t et t', correspondant respectivement aux positions A et A' du mobile, a pour expression : $Vm = \frac{\overline{AA'}}{t'-t} = \frac{\Delta x}{\Delta t}$.

La vitesse à l'instant t est la limite de Vm quand Δt tend vers zéro : $v = \frac{dx}{dt} = x'$; c'est la dérivée de l'abscisse par rapport au temps.

Le vecteur vitesse $\vec{V}$ à l'instant t est porté par l'axe, il a pour origine le point A ; sa mesure algébrique sur l'axe est v, son sens est celui du mouvement.

L'**accélération moyenne** est mesurée par la variation moyenne de la vitesse entre les instants t et t' :

$$gm = \frac{v' - v}{t - t'} = \frac{\Delta v}{\Delta t}.$$

L'*accélération instantanée* est la limite de gm quand Δt tend vers zéro :

$$g = \frac{dv}{dt} = \frac{d^2x}{dt^2} = x''.$$

Le **vecteur accélération** $\vec{G}$ est un vecteur porté par l'axe ; sa mesure algébrique sur cet axe est g.

2. Mouvement rectiligne uniforme. Cas particulier où le mobile se déplace à vitesse constante v_o.

L'*accélération* est nulle, l'abscisse est une primitive de v_o :

$$x = v_o t + x_o,$$

x_o étant l'abscisse à l'instant origine.

3. Mouvement uniformément varié. L'*accélération* est constante : g = v't = k.

La *vitesse* est : $v = gt + v_o$, v_o étant la vitesse à l'instant initial. L'*équation horaire* a pour expression :

$$x = \frac{1}{2} gt^2 + v_o t + x_o.$$

Si v_o et g sont de signes contraires, la vitesse s'annule à un instant donné : le mobile rebrousse chemin. Le mouvement est accéléré quand la vitesse croît en valeur absolue, donc quand $vg > 0$. Il est retardé quand $vg < 0$. Si on élimine t entre les équations :

$$x - x_o = \frac{1}{2} gt^2 + v_o t \text{ et } v - v_o = gt,$$

il vient : $v^2 - v_o^2 = 2\, g\, (x - x_o)$.

4. Mouvement sinusoïdal. L'*abscisse* du mobile sur l'axe est $x = a \sin(\omega t + \varphi)$ où a est l'*amplitude* du mouvement, ω sa pulsation, φ la phase (ou angle à l'origine). Le mouvement est limité aux points d'ordonnée + ou − a. Le mouvement a pour période $T = 2\pi/\omega$. La *vitesse* est nulle lorsque l'élongation est maximale ou minimale.

L'accélération est :

$$g = x''t = -a\omega^2 \sin(\omega t + \varphi) = -\omega^2 x.$$

Réciproquement, si à chaque instant l'accélération est, au coefficient ω^2 près, opposée à l'élongation, on a affaire à un mouvement sinusoïdal de pulsation ω.

5. Mouvement circulaire. Le mobile peut être repéré par son abscisse curviligne $\overline{OA}$ = s ou par l'angle $\alpha = (\overrightarrow{CO}, \overrightarrow{CA}) = f(t)$, avec $s = R\alpha$. La vitesse a pour mesure : $V = R\alpha'(t)$; $\alpha'(t)$ est la vitesse angulaire. L'**accélération tangentielle** est : $g_t = R\alpha''(t)$, et l'**accélération normale** $g_n = R\alpha'^2(t) = \frac{v^2}{R}$.

Dans un mouvement circulaire uniforme, α' est constante ; le vecteur accélération est centripète et de module constant :

$$g = R\alpha'^2 = \frac{v^2}{R}.$$

Changement de repère. Connaissant le mouvement d'un mobile A dans le repère Oxyz, animé lui-même d'un mouvement d'entraînement par rapport à un repère fixe $O'x_oy_oz_o$, on peut connaître le mouvement absolu de A dans le repère fixe. La relation $\overline{O'A} = \overline{O'O} + \overline{OA}$ donne :

$$Va = \frac{d\overline{O'A}}{dt} = \frac{d\overline{O'O}}{dt} + \frac{d\overline{OA}}{dt} \text{ ou}$$

$\overline{Va} = \overline{Ve} + \overline{Vr}$, Vr étant la vitesse relative de A dans Oxyz et Ve la vitesse d'entraînement, vitesse dans

$O'x_oy_oz_o$ du point de Oxyz coïncidant avec A à l'instant t.

La vitesse absolue Va est la résultante de la *vitesse relative* et de la *vitesse d'entraînement.*

Si le mouvement d'entraînement est une translation, il existe une relation analogue entre ces accélérations : $\vec{Ga} = \vec{Ge} + \vec{Gr}$. Dans le cas général : $\vec{Ga} = \vec{Ge} + \vec{Gr} + \vec{Gc}$, Gc est l'**accélération de Coriolis** [1]. En particulier, si Oxyz est animé autour de l'axe O'z d'un mouvement de rotation de vitesse angulaire ω, l'accélération complémentaire a pour expression : $\vec{Gc} = 2\vec{\omega} \wedge \vec{Vr}$, ω désignant un vecteur de module ω porté par O'z.

Nota. – (1) Définie par Gaspard Coriolis (1792-1843).

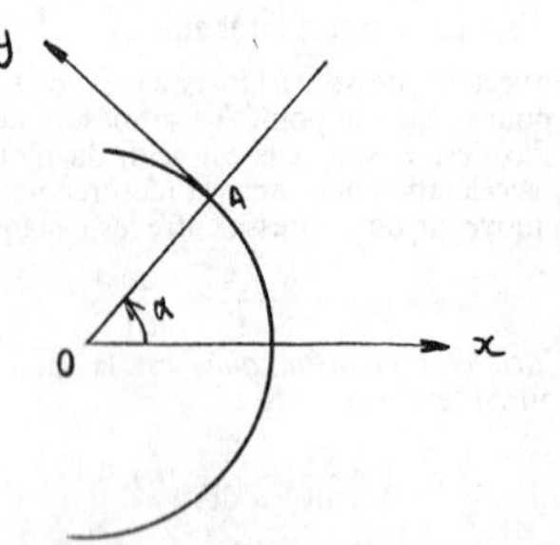

Vitesse en coordonnées polaires. Si la trajectoire est plane, la position du mobile est définie par le vecteur $\vec{OA}$ et par l'angle $\alpha = (\vec{Ox}, \vec{OA})$. Le mouvement est la somme d'un mouvement relatif sur OX, de vitesse $\vec{Vr} = \frac{d\vec{OA}}{dt}$, et d'un mouvement d'entraînement, rotation de $\vec{OA}$ autour de O, de vitesse $\vec{Ve} = r\alpha'$, portée par l'axe Ay. $V^2 = Vr^2 + Ve^2$.

Cinématique du corps solide

Translation. Les trajectoires des divers points se déduisent les unes des autres par translation. Les vitesses et les accélérations sont des vecteurs équipollents en tous les points.

Rotation autour d'un axe. Les trajectoires des divers points sont des cercles normaux à cet axe et centrés sur lui. A un instant donné, les vitesses angulaires des divers points sont égales.

Statique

Définition. Étude de l'équilibre des corps. Force exercée par un fluide en équilibre sur une portion de paroi.

Par définition, la pression en un point d'un fluide en équilibre, dans une direction donnée, est la pression qui s'exercerait sur une face d'une très petite paroi plane normale à cette direction et centrée sur le point.

En un point d'un liquide, la pression conserve une valeur constante, indépendante de l'orientation de l'élément de surface centré sur le point considéré. Conclusion : en un point d'un fluide en équilibre, la pression est la même dans toutes les directions.

1) Pression moyenne sur une portion de paroi plane d'aire S. Cette surface est soumise à des forces pressantes, f, qui lui sont perpendiculaires. Il existe une résultante, F, perpendiculaire à la portion de paroi et appliquée en un centre de poussée. La pression moyenne est :

$$p_m = \frac{F}{S}.$$

2) Pression autour d'un point M. Soit f la résultante des poussées qui s'exercent sur s. La force f est normale à l'élément de surface. La pression au point M est :

$$p = \frac{f}{s}.$$

3) Paroi courbe. Un très petit élément d'aire s est très peu différent d'un élément plan. On peut admettre qu'il se confond avec un élément du plan tangent en M à la paroi : $p = \frac{f}{s}$.

Généralités

Force. Ensemble des causes capables de déformer un corps ainsi que de produire ou de modifier le mouvement d'un corps. Les forces sont : *de contact* (interaction de 2 corps en tout point de leur surface de contact), *à distance* (interaction de 2 corps électrisés ou aimantés, forces de gravitation). En particulier, le poids d'un corps est la force d'attraction que la Terre exerce sur lui. On la mesure avec une balance. On caractérise une force par sa *ligne d'action,* son *sens,* son *intensité,* son *point d'application.* On la représente par un *vecteur.* Lorsque la force est appliquée à un système indéformable, son effet est le même quand on la déplace sur sa ligne d'action.

Mesure d'une force. On mesure une force par la déformation qu'elle fait subir à un ressort ; l'instrument utilisé est le **dynamomètre.** 2 forces sont égales si elles produisent la même déformation. La force est liée à l'allongement Δl du ressort à spires par la relation F = kΔl, k étant la raideur du ressort.

Moment d'une force par rapport à un point O. C'est un vecteur défini par :

$$\vec{\mathcal{M}} = \vec{OH} \wedge \vec{F}$$

Il est normal au plan déterminé par le point O et la force, et son module vaut OH × F.

Le moment d'une force par rapport à un axe Δ est un **scalaire** ayant pour mesure la valeur algébrique de la projection sur l'axe du moment de la force par rapport à un point quelconque de Δ.

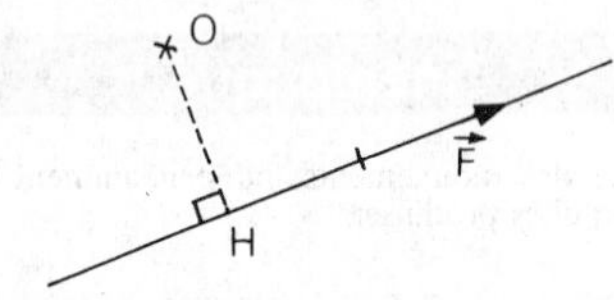

Couple. C'est un ensemble de 2 forces parallèles de sens opposés et de même intensité. Il tend à faire tourner le système auquel il est appliqué. Son effet est d'autant plus grand que son moment, vecteur normal au plan des 2 forces et d'intensité M = F × d (d = distance des 2 forces ou bras de levier du couple), est plus grand. Le système est en équilibre lorsque la rotation a amené les 2 forces à avoir une même ligne d'action.

Un fil tordu tend à revenir à sa position initiale en exerçant un couple de torsion dont le moment est proportionnel à l'angle de torsion M = Cα, C étant la constante de torsion du fil.

Équilibre d'un solide

Condition. Il faut et il suffit que la somme géométrique des forces appliquées et la somme des moments de ces forces par rapport à un point quelconque soient nulles.

La 1re condition exprime que la figure formée en portant à la suite les uns des autres les vecteurs équipollents représentant les diverses forces soit un polygone fermé.

Si cette relation est vérifiée, il suffit que la somme des moments par rapport à un point particulier soit nulle pour que la 2e condition soit vérifiée pour tous les points.

Un système soumis à 2 forces est en équilibre si ces forces ont même ligne d'action, même intensité et des sens opposés.

Action et réaction. Si un corps A exerce sur un corps B une force $\vec{F}$ le corps B exerce sur le corps A une force $\vec{F'}$ opposée : $\vec{F}$ et $\vec{F'}$ ont même ligne d'action, même intensité et des sens opposés.

Une surface polie exerce sur un solide en contact avec elle une réaction normale à la surface de contact ; une surface rugueuse exerce une réaction oblique formant avec la normale à la surface un angle φ dont la tangente, appelée coefficient de frottement, est indépendante de l'aire de la surface de contact.

Coefficient de frottement. Bois sur bois = env. 0,4 ; métal sur bois = env. 0,5 ; métal sur métal sans lubrifiant = env. 0,2 ; avec = env. 0,05.

Cas particuliers. Solide soumis à 3 forces parallèles. Il y a équilibre si la force dont la ligne d'action est entre les 2 autres, est de sens opposé aux 2 autres, d'intensité égale à la somme des 2 autres et si la somme des moments de $\vec{F1}$ et $\vec{F2}$ par rapport à un point de $\vec{F3}$ est nulle : F1 d1 = F2 d2.

Ensemble de forces parallèles et de même sens. Elles sont équivalentes à une force unique dont l'intensité est égale à la somme des intensités de chacune des forces et dont la ligne d'action passe par le centre des forces parallèles G tel que : F × OG = F1 × OA + F2 × OB + F3 × OC... O étant un point quelconque et A, B, C étant les points d'application des diverses forces.

Si ces forces sont les poids des différents éléments d'un système, G est le centre de gravité ou centre d'inertie.

Solide mobile autour d'un axe. La somme géométrique des réactions de l'axe est égale et opposée à la somme des forces agissantes puisque le solide ne subit pas de translation. Comme le moment de ces réactions par rapport à l'axe est nul, la condition d'équilibre est que la somme algébrique des moments par rapport à l'axe des forces appliquées soit nulle.

Quantité de mouvement

Une masse ponctuelle m animée d'une vitesse $\vec{v}$ possède une quantité de mouvement $\vec{p} = m\vec{v}$ dont le module s'exprime dans le système SI en kilogramme-mètre par seconde. La quantité de mouvement d'un ensemble de points matériels : $\vec{p} = \Sigma m\vec{v}$ est égale à celle de son centre de gravité considéré comme un point matériel de masse égale à la somme des masses $\vec{p} = M\vec{v}_G$. Si la somme des forces appliquées au système est nulle, la quantité de mouvement se conserve.

Exemples. Fusée. Soit, aux dates t et t + dt, respectivement les masses M et M – dM de la fusée, V et V + dV ses vitesses comptées dans le sens du mouvement ; $q = \frac{dM}{dt}$, le débit par seconde des gaz éjectés ; u la vitesse d'éjection des gaz par rapport à la fusée et V – u leur vitesse réelle ; ΣF la force (poids, résistance de l'air) appliquée au système. La variation de la quantité de mouvement du système entre t et t + dt obéit à la relation "soit, au 2e ordre près" :

$$(MdV - udM) = \Sigma F dt ;$$

soit : $M \frac{dv}{dt} = uq + \Sigma F.$

L'accélération est donc la même que si la fusée avait une masse constante et était soumise, outre les forces extérieures, à la poussée uq.

Satellite artificiel. Le mobile lancé décrit une orbite ; celle-ci a, généralement, la forme d'une ellipse dont le centre de la Terre est un foyer. L'action de la force de propulsion doit cesser au-delà des limites de l'atmosphère dense. La direction de la vitesse finale doit être perpendiculaire à la direction satellite-Terre. Cette vitesse est alors dite « horizontale ». Pour une altitude déterminée, il existe une valeur de cette vitesse « vitesse circulaire » (V_o) qui a pour valeur :

$$(V_o)^2 = \frac{GM}{\Delta_o} ;$$

G est la constante de la gravitation universelle, M la masse de la Terre, Δo la distance du point initial au centre de la Terre. Pour une altitude de 1 000 km, on obtient (Vo) = 7 349 m/s.

La durée de révolution To est égale à

$$T_o = \frac{2\pi\Delta_o}{(V_o)}.$$

Pour une altitude de 1 000 km, T_o = 6 283 s, soit 104 mn 43 s. *Pour une vitesse inférieure à (Vo),* le satellite se rapproche de la Terre ; *supérieure,* le point de lancement est son périgée. *Pour une valeur déterminée de la vitesse* V_o, la trajectoire, au lieu d'être elliptique, devient parabolique. Dans une telle trajectoire, le satellite s'éloigne indéfiniment de la Terre. La valeur particulière (Vo) p de la vitesse parabolique est donnée par la formule :

$$(V_o)^2\, p = \frac{2GM}{\Delta_o} = 2\,(V_o)^2.$$

Ainsi, à 1 000 km d'altitude, on aurait (V_o) p = $(V_o) \times \sqrt{2}$ = 10 395 m/s. Pour avoir la vitesse du projectile par rapport au Soleil, il faut composer la vitesse restante par rapport à la Terre avec la valeur qu'avait cette dernière par rapport au Soleil au moment du lancement (environ 30 000 m/s).

Pour déterminer la vitesse relative par rapport à la Terre, on doit tenir compte de la vitesse de rotation de la Terre sur elle-même. Suivant que le lancement est fait vers l'E. ou vers l'O., la rotation de la Terre introduit un appoint positif ou négatif à la vitesse de lancement. Cet appoint, non négligeable, est de : 450 × cos φ m/s, φ étant la latitude du lieu de lancement.

La masse volumique d'une substance est le quotient de la masse d'un échantillon de cette substance par le volume qu'il occupe :

$$\mu = \frac{m}{V}.$$

La densité par rapport à l'eau est :

$$d = \frac{\mu}{\mu^e},$$

μ est la masse volumique du solide ; $\mu^e = 10^3$ kg/m^3 ; d s'exprime sans unité.

Centre d'inertie d'un solide. Loi de l'inertie : lorsqu'un solide est soumis à des actions qui se compensent, il existe un point G, unique, lié à ce solide. G a un mouvement rectiligne et uniforme, par rapport à la Terre. *G est appelé le centre d'inertie.*

Le centre d'inertie est un barycentre, quelles que soient les masses m_A et m_B de ses deux parties A et B.

$\overrightarrow{GG_A}$ et $\overrightarrow{GG_B}$ sont colinéaires ;

$m_A . \overrightarrow{GG_A} + m_B . \overrightarrow{GG_B} = \overrightarrow{0}$; finalement :

$$\overrightarrow{OG} = \frac{m_A . \overrightarrow{OG_A} + m_B . \overrightarrow{OG_B}}{m_A + m_B}.$$

G est aussi appelé centre de masse.

III – Dynamique

Étude des relations entre les forces et les mouvements qu'elles produisent.

Généralités

Dans un référentiel galiléen, un point matériel soumis à aucune force est soit immobile, soit animé d'un mouvement rectiligne uniforme. **Le repère de Copernic,** centré au centre de gravité du système solaire, et dont les axes passent par 3 étoiles fixes, et tout autre repère animé, par rapport au repère de Copernic, d'un mouvement de translation rectiligne et uniforme sont des repères galiléens. Un repère terrestre n'est pas galiléen puisque la Terre tourne sur elle-même et autour du Soleil. Mais, comme les mouvements sont lents, tout repère terrestre peut être considéré comme galiléen.

Masse. Principe fondamental de la dynamique. Dans un repère galiléen, une force F appliquée à un point matériel lui communique une accélération de même support et de même sens : $\overrightarrow{F} = m\overrightarrow{\gamma} = m\frac{d\overrightarrow{V}}{dt}$.

Cette relation définit la masse inerte du point matériel.

2 points matériels distants de d et de masse gravitationnelle m_1 et m_2 exercent l'un sur l'autre une force attractive portée par la droite qui les joint et d'intensité

$$F = \varepsilon \frac{m_1 \times m_2}{d_2}.$$

$\varepsilon = 6{,}67 \times 10^{-11}$ dans le système S.I.

Masse gravitationnelle et masse inerte sont égales. C'est le **principe d'équivalence d'Einstein,** base de la relativité générale.

En mécanique classique, la **masse d'un corps** est égale à la somme des masses des diverses parties qui le constituent. La **masse volumique** d'un corps homogène est la masse de l'unité de volume $\rho = \frac{m}{V}$.

La densité est le rapport de la masse d'un certain volume d'un corps à la masse du même volume du corps de référence.

Densité (par rapport à l'eau)

Liquides

Eau de mer	1,03	Huile d'olive	0,92
Lait	1,03	Pétrole	0,80
Vin	0,99		

Bois

Chêne rouge d'Australie	1,32	Noyer	0,80
		Érable	0,70
If	1	Cerisier	0,70
Amandier	0,99	Mûrier	0,70
Abricotier	0,89	Hêtre	0,65
Pommier	0,88	Peuplier	0,45
Chêne-liège	0,86	Tilleul	0,45
Chêne d'Europe	0,80	Balsa	0,10-0,16

Métaux et alliages

Iridium	22,64	Plomb	11,34
Osmium	22,59	Argent[1]	10,49
Platine	21,40	Cuivre	8,94
Rhénium	21,00	Bronze	8,40-9,20
Plutonium	19,70	Fer électr.	7,90
Or	19,30	Acier	7,80
Tungstène	19,10	Fonte blanche	7,40
Uranium	18,70	Laiton	7,30-8,40
Mercure	13,59	Étain blanc	7,30

Substances diverses

Diamant	3,51	Sucre	1,60
Cristal ord.	3,35	Corps hum.	1,07
Verre à vitre	2,53	Graisse	0,94

Nota. – (1) Comprimé après fusion.

Le poids est proportionnel à la masse ; on compare les masses de 2 corps en comparant leurs poids.

A la surface de la Terre, l'intensité de la pesanteur, variable avec le lieu, est voisine de 9,8 m/s^2 (surface de la Lune : 1,65).

Dynamique des systèmes matériels

Le centre de gravité (ou d'inertie) d'un système a même mouvement qu'un point matériel de masse égale à la masse totale du système, et auquel seraient appliquées toutes les forces extérieures agissant sur le système.

Chute des corps dans le vide. Ils ne sont soumis qu'à la pesanteur supposée constante sur toute la trajectoire. La trajectoire est verticale. La relation fondamentale de la dynamique s'écrit mz" = mg. Le mouvement, indépendant de la masse du corps, est uniformément varié et de loi :

$$z = \frac{1}{2}gt^2 + v_o t + z_o, \; v = gt + v_o$$

(v_o et z_o : vitesse et position initiales).

Si $v_o = 0$ (chute libre) et $z_o = 0$, le mouvement est uniformément accéléré :

$$z = \frac{1}{2}gt^2, \; v = gt, \; v = \sqrt{2\,gz}.$$

Si le mobile est lancé vers le haut, il s'élève suivant un mouvement uniformément retardé ($v < 0$ et $g > 0$) jusqu'au moment où sa vitesse s'annule, puis il descend suivant un mouvement accéléré.

Mouvements des projectiles. La résistance de l'air et les variations de l'intensité sont négligées. Dans un repère Oxyz, O étant le point de lancement et V_o étant la vitesse initiale faisant avec Ox un angle Θ, on écrit :

$$x'' = 0, \; y'' = 0, \; z'' = -g.$$

D'où $x = V_o \cos \Theta$.

La vitesse horizontale se conserve :

$$y = 0 ;$$

$$z = \frac{1}{2}gt^2 + v_o \sin \Theta \; t.$$

L'équation de la trajectoire s'obtient en éliminant t entre ces relations :

$$z = \frac{-g\,x^2}{2\,v_o^2 \cos 2\,\Theta} + x \operatorname{tg} \Theta.$$

C'est une parabole.

La portée OM = $\frac{V_o^2 \sin 2\,\Theta}{g}$ est maximale pour $\Theta = 45°$; elle est la même pour 2 inclinaisons complémentaires Θ et $\frac{\pi}{2} - \Theta$.

Si l'accélération d'un mobile dans un repère non galiléen est $\overrightarrow{g_r}$ et si $\overrightarrow{g_e}$ et $\overrightarrow{g_c}$ sont l'accélération d'entraînement et de Coriolis de ce repère par rapport à un repère galiléen, la relation fondamentale de la dynamique s'exprime par :

$$\overrightarrow{F} = m(\overrightarrow{g_r} + \overrightarrow{g_e} + \overrightarrow{g_c}),$$

$$\text{soit : } m\,\overrightarrow{g_r} = \overrightarrow{F} - m\,(\overrightarrow{g_e} + \overrightarrow{g_c}) ;$$

g_r s'obtient donc en ajoutant à la force réelle $\overrightarrow{F}$ une force d'inertie $- m\,(\overrightarrow{g_e} + \overrightarrow{g_c})$.

Nota. – $\overrightarrow{g_c} = 2\,\overrightarrow{V}e \wedge \overrightarrow{r}$.

Mouvement circulaire uniforme. Il ne peut se produire que sous l'action d'une force centripète $F = m\frac{v^2}{r} = m\omega^2 r$.

Nota. – ω est la vitesse angulaire de rotation (en radians/seconde), $\omega = 2\,\pi$ f. f : fréquence de rotation (en tours/s).

Le point paraît immobile pour un observateur situé dans un repère tournant avec lui autour de l'axe du cercle ($\overrightarrow{g_r} = 0$, $\overrightarrow{g_c} = 0$) ; la relation fondamentale de la dynamique s'écrit alors $\overrightarrow{F} = m\overrightarrow{g_e} = \overrightarrow{0}$.

Le point est donc en équilibre relatif sous l'influence de la force réelle $\overrightarrow{F}$ et de la force d'inertie centrifuge $F = m\omega^2 r$.

Le **poids d'un corps** est la résultante de l'attraction newtonienne dirigée vers le centre de la Terre et de la force d'inertie centrifuge due à la rotation de la Terre.

Application. Satellites artificiels. Soit 1 satellite de masse m décrivant autour de la Terre, à la vitesse v, une orbite circulaire à l'altitude h ; la force centripète produisant le mouvement est la force de gravitation

$$f = mg_o \frac{R^2}{(R + h)^2},$$

g_o désignant l'intensité de la pesanteur au sol et R le rayon de la Terre.

Cette force est égale à

$$f = m \frac{v^2}{R + h}.$$

La vitesse v a donc pour valeur

$$v = R\sqrt{\frac{g_o}{R + h}}.$$

Elle est d'autant plus faible que l'altitude est plus grande. La période

$$T = 2\,\pi \frac{R + h}{v} = 2\,\pi \frac{R + h}{R}\sqrt{\frac{R + h}{g_o}}$$

croît avec l'altitude. Soumis à la force gravitationnelle et à la force centrifuge opposée, les cosmonautes ont un poids apparent nul ; ils sont en état d'apesanteur.

Vitesse de libération. Pour qu'un projectile lancé du sol ne retombe pas sur terre, sa vitesse initiale doit être supérieure à la vitesse de libération $Ve = \sqrt{2\,g_o R}$ soit 11,2 km/s.

Résistance des fluides au mouvement

Un fluide (ex. l'air) exerce sur un corps en mouvement des forces de frottement (viscosité) et de pression (surpression à l'avant, dépression à l'arrière). Si le solide a un axe de symétrie, elles se réduisent à une force unique R, en sens inverse de la vitesse et dont l'intensité est fonction du nombre de Mach,

$M = \frac{V}{V_o}$, rapport de la vitesse du mobile à la vitesse du son dans le fluide.

Pour $M < 0{,}15$, R est proportionnel à la vitesse ; dans le cas d'une sphère de rayon r, $R = 6\,\pi\,\eta r V$, η étant le coefficient de viscosité du fluide (formule de Stokes). Pour $0{,}15 < M < 0{,}8$, $R = CaSV^2$; C constante liée à la forme du corps ; a masse volumique du fluide ; S maître couple, aire de la projection du corps sur un plan normal à la direction du mouvement. Lorsque le mobile franchit le mur du son, il apparaît une onde de choc. Pour $M > 1{,}2$ (vitesses hypersoniques), il se produit 2 ondes de choc, l'une à l'avant du mobile, l'autre à l'arrière, qui forment le « double bang ».

Au cours de la chute d'un mobile, la vitesse, d'abord croissante, atteint une valeur limite lorsque la résistance du fluide devient égale au poids ; à partir de ce moment, le mouvement est uniforme, de vitesse

$$v = \sqrt{\frac{mg}{CaS}}.$$

Rotation d'un solide autour d'un axe fixe

Définitions. Soit un élément de solide de masse m, décrivant un cercle de rayon r à la vitesse angulaire α'. Le moment par rapport à l'axe de la force qui le sollicite est :

$$\mathcal{M}\,\overrightarrow{F} = \mathcal{M} m \gamma.$$

Or γ a une composante radiale (dont le moment est nul puisqu'elle rencontre l'axe) et une composante tangentielle $r\alpha''$. D'où :

$$\mathcal{M}\,\overrightarrow{F} = m.r.r\alpha'' = mr^2\alpha''.$$

Tous les éléments du solide ayant même vitesse et même accélération angulaires,

$$\Sigma.\mathcal{M}\,\overrightarrow{F} = \alpha''\Sigma mr^2.$$

$J = \Sigma mr^2$ est appelé **moment d'inertie** du solide par rapport à l'axe de rotation.

Le **moment cinétique** d'un élément par rapport à l'axe, moment de sa quantité de mouvement, est $mr\alpha'$. Le moment cinétique du solide est :

$$\sigma = \Sigma\, mr^2\alpha' = J\alpha' ;$$

$$\text{d'où } J\alpha'' = \frac{d\sigma}{dt} = \sum \mathcal{M}\,\vec{F}.$$

La dérivée par rapport au temps du moment cinétique du solide par rapport à l'axe est égale au moment des forces agissantes. Si ce moment est nul (force nulle ou rencontrant l'axe), il y a conservation du moment cinétique : le solide est au repos ou en rotation uniforme.

Principaux moments d'inertie. *Circonférence pesante* par rapport à son axe : $J = mR^2$, par rapport à un diamètre : $J = \frac{1}{2}mR^2$. *Disque circulaire* par rapport à son axe : $J = \frac{1}{2}mR^2$, par rapport à un diamètre : $J = \frac{1}{4}mR^2$. *Cylindre de révolution* par rapport à son axe : $J = \frac{1}{2}mR^2$. *Sphère* par rapport à un diamètre : $J = 2/5\ mR^2$. *Tige rectiligne* par rapport à un axe perpendiculaire à la tige en son milieu : $J = 1/12\ M.L.^2$.

Théorème de Huyghens. Le moment d'inertie d'un solide par rapport à un axe quelconque Δ' est égal à son moment d'inertie par rapport à un axe Δ, parallèle à Δ' et passant par le centre de gravité, augmenté du produit de la masse du solide par le carré de la distance des deux axes :

$$J(\Delta') = J(\Delta) + md^2.$$

Application : le pendule

Pendule de torsion. Un fil de constante de torsion C fixé à une de ses extrémités supporte un solide de moment d'inertie J par rapport au fil. Si l'on tord cette dernière extrémité d'un angle a à partir de la position d'équilibre, le solide est soumis à un couple de rappel $-C\alpha$. Le mouvement du système est $J\alpha'' = -C\alpha$, équation différentielle dont la solution est le mouvement sinusoïdal de pulsation :

$$\omega = \sqrt{\frac{C}{J}}\text{, et de période } T = 2\pi\sqrt{\frac{J}{C}}.$$

Pendule pesant. Solide mobile autour d'un axe horizontal soumis à la réaction de l'axe et à son poids Mg dont le moment, pour une élongation α, est $-$ Mg a sin α en posant OG = a.

Pour des oscillations de faible amplitude, l'équation du mouvement est :

$$J\alpha'' \simeq -Mga\alpha.$$

Dans ces conditions, le mouvement est sinusoïdal, de période $T = 2\pi\sqrt{\frac{J}{Mga}}$.

Pendule simple. Constitué par une masse ponctuelle, suspendue à un axe horizontal par un fil inextensible, sans masse, de longueur l ; $J = ml^2$; $a = 1$.

La période $T = 2\pi\sqrt{\frac{l}{g}}$ est indépendante de la masse du pendule et de sa nature.

Pour une petite sphère de rayon r, suspendue à un fil, et dont le centre est à la distance l de l'axe,

$$J = ml^2 + \frac{2}{5}mr^2.$$

La période est $T = 2\pi\sqrt{\dfrac{1 + \dfrac{2r^2}{5l}}{g}}$.

L'ensemble est assimilable à un pendule simple avec une erreur relative sur la période $\frac{\Delta T}{T} = \frac{r^2}{5l^2}$.

Mouvement perpétuel. Un volant parfaitement équilibré, tournant dans le vide sans aucun frottement, conserverait son énergie sous forme cinétique et ne s'arrêterait jamais de tourner. Mais cette rotation perpétuelle est irréalisable en pratique : les frottements existent, si faibles soient-ils, et l'énergie cinétique du volant se dissipera peu à peu en chaleur équivalente. Il faudra donc un apport d'énergie extérieur pour maintenir la rotation.

Résistance de l'air

La résistance de l'air est proportionnelle au carré de la vitesse initiale, dans le cas des faibles vitesses.

La résistance que l'air oppose au mouvement d'un projectile peut être représentée par la formule :

$$R = \frac{ia^2}{p} \times \Delta\, f(v),$$

dans laquelle i est l'indice de forme, a le calibre, Δ la densité balistique de l'air, p le poids du projectile, f (v) une fonction de la vitesse :

$\frac{p}{ia^2} = c$ est le coefficient balistique du projectile f (v) est proportionnelle à une certaine puissance de la vitesse initiale, la résistance de l'air étant inversement proportionnelle à c, les projectiles doivent avoir un coefficient balistique aussi grand que possible.

IV – Hydrostatique, hydrodynamique

Hydrostatique

Pression en un point d'un liquide. Toute surface au sein d'un fluide est soumise à une force normale, dirigée vers la surface du liquide. La pression est :

$$p = \frac{F}{S}.$$

Relation fondamentale de l'hydrostatique. La différence de pression entre 2 points d'un même fluide en équilibre est égale au poids d'une colonne de liquide, de section unité et de hauteur égale à la dénivellation *h* entre les deux points : $p' - p = h\rho g$, ρ étant la masse volumique du liquide et *g* l'intensité de la pesanteur.

Transmission des pressions par un liquide. Alors qu'un solide transmet les forces, un liquide fluide incompressible transmet intégralement et dans toutes les directions les variations de pression qu'on lui fait subir.

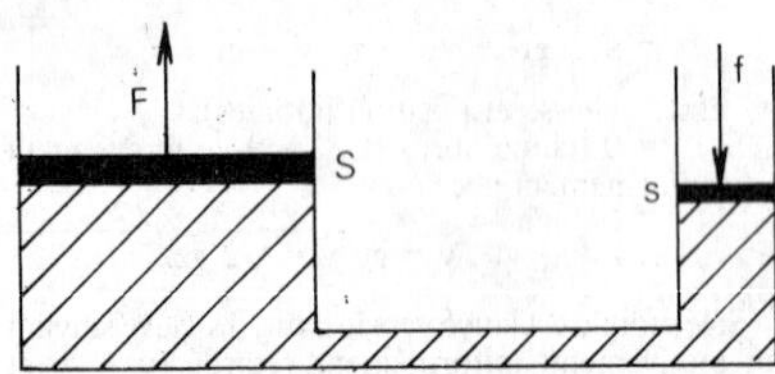

Applications : la presse hydraulique, système de vases communicants : si, sur un piston à la surface *s* de l'un d'eux, on exerce une force *f*, un piston à la surface S de l'autre permet d'obtenir une force F telle que $\frac{F}{S} = \frac{f}{s}$ ou $F = f\,\frac{S}{s}$.

Le système de freinage des automobiles utilise ce procédé.

Mesure de la pression. Dans un gaz de faible volume, la pression est la même en tous les points. On la mesure à l'aide de **manomètres :** le plus souvent ils sont constitués par des tubes en U contenant un liquide (eau ou mercure) ; une des branches est reliée à l'enceinte contenant le gaz, l'autre est reliée à une enceinte de référence (atmosphère ou vide). La dénivellation mesure la différence de pression entre les 2 enceintes.

Principe d'Archimède. Un fluide exerce sur un solide immergé des forces pressantes, qui se réduisent à une force unique ascendante portée par la verticale du centre de gravité du fluide déplacé. Son intensité est égale au poids du fluide déplacé. Si le solide est entouré par 2 fluides superposés, la poussée qu'il subit est la résultante des poussées que subirait chaque partie du solide entièrement plongée dans le fluide. Si un corps flotte à la surface d'un liquide, le poids de l'air déplacé est négligeable vis-à-vis de celui du liquide déplacé, qui représente pratiquement la poussée totale.

Hydrodynamique

Théorème de Bernoulli. Si un liquide non visqueux, de masse volumique φ, s'écoule en régime permanent dans un tuyau épousant la forme d'une veine de courant, il n'existe pas de remous ; les seules forces intervenant sont la force de pesanteur et les forces pressantes à l'amont et à l'aval.

L'application du théorème de l'énergie cinétique à une tranche de la veine comprise entre une section S de cote z, où la pression est p et la vitesse v, et une autre section S' de cote z', où la pression est p' et la vitesse v', conduit à la relation :

$$p + \rho g z + \tfrac{1}{2}\rho v^2 = \text{constante}.$$

Théorème de Torricelli. La vitesse d'écoulement à travers un orifice étroit d'un liquide contenu dans un récipient de large section est obtenue par application du théor. de Bernoulli. La vitesse d'écoulement au niveau supérieur étant négligeable, si H désigne la pression atmosphérique, il vient :

$$H + \rho g z + O = H + \rho g z' + \tfrac{1}{2}\rho v^2,$$

d'où $v = \sqrt{2g\,(z - z')} = \sqrt{2gh}$,

h étant la hauteur de chute.

Le liquide sort avec la même vitesse que s'il était tombé en chute libre. Cette vitesse, et par conséquent le temps de vidange, est indépendante de la masse volumique du liquide, pourvu que la viscosité soit négligeable.

Fluide visqueux ; loi de Poiseuille. En raison du frottement du liquide sur les parois et entre les diverses couches, il existe dans un tube horizontal une chute progressive de pression (perte de charge). Dans un tube capillaire de longueur *l* et de rayon *r*, le débit par seconde a pour expression

$q = \frac{\pi r^4 P}{8\eta l}$, P étant la différence des pressions aux extrémités et η le coefficient de viscosité.

Diffusion d'un gaz à travers une paroi poreuse. La vitesse de diffusion est inversement proportionnelle à la densité du gaz :

$$v = \frac{k}{\sqrt{d}}.$$

V – Chaleur et thermodynamique

Thermométrie

• **Repère de la température.** A partir des variations au chaud et au froid d'une grandeur physique d'un corps (longueur, volume, pression). La mesure de cette grandeur et la température sont liées linéairement :

$l = at + b.$

Pour déterminer a et b, on choisit 2 points fixes : fusion de la glace et ébullition de l'eau sous pression de 760 mm de mercure. A ces points fixes, on attribue les températures de 0° et 100° dans l'échelle Celsius, 0° et 80° dans l'échelle Réaumur, 32° et 212° dans l'échelle Fahrenheit. Dans une enceinte protégée de toute action extérieure, le thermomètre se met en équilibre thermique avec les corps placés dans l'enceinte dont il indique ainsi la température.

Dans l'échelle légale, le phénomène utilisé est la variation de pression d'un gaz à volume constant. Si p_o est la pression à 0 °C et p_1 celle à 100 °C, la relation thermométrique est : $\frac{p - p_o}{t - o} = \frac{p_1 - p_o}{100 - o}$,

ou $p = p_o\left[1 + t\,\frac{p_1 - p_o}{100\ p_o}\right] = p_o\,(1 + \beta t)$.

Si on utilise un gaz sous faible pression initiale, le coefficient thermométrique β est indépendant de la nature du gaz (le gaz est dit « parfait ») :

$$\beta = \frac{1}{273{,}15}.$$

On définit ainsi l'échelle légale ou échelle du thermomètre à gaz parfait. La pression d'un gaz ne peut devenir nulle : la plus faible température théoriquement réalisable est :

$$t = -\frac{1}{\beta} = -273{,}15\ °C \text{ (zéro absolu).}$$

La temp. thermodynamique qui seule a une valeur physique est $T_k = t + 273{,}15$ (échelle Kelvin).

• **Thermomètres liquides.** On repère la température à partir de la dilatation apparente d'un liquide dans un tube de verre comprenant un réservoir et une tige graduée. Le *th. à mercure* est utilisable entre $-$ 30 °C et + 600 °C ; *à alcool* jusqu'à $-$ 100 °C et le th. *à pentane* jusqu'à $-$ 200 °C. Dans le *thermomètre médical*, un étranglement du tube à la sortie du réservoir empêche le mercure de rétrograder quand il a atteint son niveau supérieur. On ramène le mercure dans le réservoir en secouant l'appareil.

Autres thermomètres. *A variation de la résistance* d'un fil de platine ou *à variation de la f.e.m. de contact* entre 2 métaux (couples thermoélectriques) ; ou encore *à rayonnement lumineux* (pyromètres optiques).

Dilatation

• **Dilatation des solides.** Une tige de longueur lo à 0 °C a, à t °C, la longueur l = lo (1 + λt). Le coefficient de dilatation linéaire λ est d'env. 10^{-5} pour la plupart des métaux (10^{-6} pour l'invar, alliage Cu + Ni).

Un corps plein se dilate dans toutes ses dimensions ; si vo est son volume à 0 °C, à t °C il est : v = vo (1 + kt), k est le coefficient de dilatation cubique. Un cube d'arête a, à 0 °C, occupe à t °C le volume :

$$v = a^3 (1 + \lambda t)^3 = a^3 (1 + kt),$$

d'où : k = 3λ,

en négligeant les termes petits en $\lambda^2 t^2$ et $\lambda^3 t^3$.

Application : un bilame est formé de 2 bandes de métaux de coefficient de dilatation différent, soudés sur leur longueur ; il s'incurve quand on le chauffe. Utilisé comme thermomètre ou appareil de sécurité sur un chauffe-eau à gaz : quand on allume la veilleuse, il se dilate et ouvre la soupape d'arrivée du gaz ; si la veilleuse s'éteint, il se refroidit et la soupape se ferme.

Masse volumique et température. Un corps chauffé conserve sa masse. Si ρ_o et ρ désignent les masses volumiques à 0 °C et à t °C, m = ρ_o v_o = ρv_o (1 + kt), d'où : $\rho_o = \rho (1 + kt)$.

• **Dilatation des gaz. Loi de Mariotte.** Pour une masse donnée de gaz à température constante, la pression et le volume sont inversement proportionnels.

$p = \frac{A}{v}$ ou pv = A, A constante dépendant de la température, de la masse et de la nature du gaz.

Dilatation sous pression constante (loi de Gay-Lussac). Entre le volume v à t °C d'une masse gazeuse, dont la pression reste constante, et le volume vo à 0 °C, existe la relation $v = v_o (1 + \alpha t)$. Le coefficient de dilatation α est indépendant de la température, de la pression et de la nature du gaz,

$$\alpha = \frac{1}{273,15}.$$

Augmentation de pression à volume constant (loi de Charles). La pression p à t °C d'un gaz dont le volume reste constant est liée à la pression à 0 °C par la relation $p = p_o (1 + \beta t)$; β, coefficient d'augmentation de pression à volume constant, est indépendant de la température, de la pression et de la nature du gaz.

$$\beta = \alpha = \frac{1}{273,15}.$$

Nota. – Ces lois sont des lois limites qui ne sont qu'approximativement vérifiées. Elles le sont d'autant mieux que le gaz est plus éloigné de ses conditions de liquéfaction (température élevée, pression faible). Le gaz obéit rigoureusement à ces lois.

Équation d'état d'un gaz parfait. C'est la relation entre la pression p, le volume v, la température t d'une masse donnée de gaz (état 2) et la pression p_o, le volume v_o à 0 °C (état 1). On peut passer d'un état à l'autre, d'abord par dilatation sous pression constante jusqu'à t °C [état défini par p_o, $v_o (1 + \alpha t)$], puis par compression isotherme à t °C, il vient :

$$\frac{pV}{1 + \alpha t} = C^{te}$$

(T = température Kelvin). Si la masse de gaz correspond à une mole,

$$pV = p_o V_o \frac{T}{T_o} = RT ;$$

V_o étant une constante (22,4 litres dans les conditions normales) ; R est une constante universelle égale à 8,32 unités SI.

Pour N moles, l'équation devient :

$$pv = N RT.$$

Mélange de gaz parfaits. Si $p_1 v_1 T_1$, $p_2 v_2 T_2$, etc., sont les caractéristiques initiales des gaz pvT, celles du mélange sont :

$$\frac{pv}{T} = \frac{p_1 v_1}{T_1} + \frac{p_2 v_2}{T_2} + ...$$

La *densité* d'un gaz (d) est le rapport de la masse d'un certain volume de ce gaz à la masse du même volume d'air dans les mêmes conditions.

Si v est le volume du gaz, vo son volume (ou celui de l'air) dans les conditions normales, ao la masse volumique de l'air dans ces conditions, on a :

$$m_{air} = a_o v_o = a_o \frac{p}{p_o} v \frac{T_o}{T} ; \text{d'où :}$$

$$m = a_o d \frac{p}{p_o} \frac{T}{T_o} = a_o d \frac{P}{76} \frac{1}{1 + \alpha t},$$

p étant le pression du gaz en cm de mercure.

Extension aux gaz du théorème fondamental de l'hydrostatique qui peut s'écrire :

$$F_B - F_A - P = O,$$
$$(p_B - p_A) S = P.$$

Mais le poids volumique ω d'un liquide, incompressible, est invariable dans tout le volume, tandis que celui d'un gaz, compressible, varie d'un point à l'autre dans le même sens que la pression. On ne peut pas appliquer aux gaz la formule $p_B - p_A$ = ωh.

La différence de pression entre deux points d'un fluide en équilibre est numériquement égale au poids d'une colonne verticale de ce fluide, de section horizontale égale à l'unité d'aire et de hauteur égale à la différence des niveaux entre les deux points. Par exemple : la différence de pression $p_1 - p_2$ entre la base et la partie supérieure d'un récipient haut de 1 mètre, contenant de l'air de poids volumique moyen 1,3 kgf/m3 et dont la pression à la partie inférieure est $p_1 = 10^5$ Pa. L'unité de surface est 1 m², la différence de pression $p_1 - p_2$ est exprimée par le même nombre que le poids de 1 m² × 1 m = 1 m³ d'air, soit 1,3 kgf, ou 9,8 × 1,3 = 12,74 N. Donc $p_1 - p_2$ = 12,74 N/m², ou Pa.

Les gaz sont très compressibles. A température constante, les volumes occupés par une masse gazeuse varient en raison inverse de la pression. C'est la loi de Mariotte (1676) : le produit des nombres mesurant la pression et le volume d'une masse gazeuse, à température constante, est constant. Ce n'est qu'une loi limite, applicable à l'état gazeux parfait. Elle n'est à peu près exacte que pour les gaz difficilement liquéfiables et au voisinage de la pression atmosphérique. Sous 3 000 atmosphères, la compressibilité de l'oxygène est à peu près celle de l'alcool, et sa densité un peu supérieure à celle de l'eau.

• **Transmission des pressions dans les liquides. Théorème de Pascal.** Considérons un récipient fermé, rempli d'un liquide en équilibre, de poids volumique ω. La différence de pression entre deux points A et B, séparés par la distance verticale h, est $p_B - p_A$ = ωh. Supposons que la pression p_A augmente et devienne $p'_A = p_A + a$. Le liquide est incompressible, par conséquent son poids volumique ne varie pas et la différence entre les nouvelles pressions p'_B et p'_A est encore ωh ; $p'_B - p'_A = p_B - p_A$, d'où $p'_B - p_B = p'_A - p_A = a$.

Toute variation de pression en un point d'un liquide en équilibre est transmise intégralement à tous les autres points du liquide.

Manomètres. A liquides : à air libre, barométrique. Fidèles, fragiles, encombrants et difficiles à transporter. **Métalliques :** anéroïdes ou de Vidi, de Bourdon. Robustes, peu encombrants, peuvent être montés en instruments enregistreurs, ne sont pas fidèles.

Calorimétrie

Principe. Si un corps reçoit de la chaleur, sa température s'élève ou il change d'état physique. La quantité de chaleur qui fait passer M grammes d'eau de t1 à t2 est Q = M (t2 – t1). Q est mesuré en calories. L'unité de quantité de chaleur employée par les physiciens est le *joule :* 1 calorie = 4,18 joules.

Si un corps subit 2 transformations inverses, la quantité de chaleur qu'il reçoit dans l'une est égale à celle qu'il cède dans l'autre.

Lorsqu'il y a uniquement échange de chaleur entre 2 corps, la quantité de chaleur cédée par le plus chaud est égale à celle gagnée par le plus froid.

Mesure d'une quantité de chaleur. On la fait dégager dans une masse connue M d'eau, dont on mesure l'élévation de température. On utilise un calorimètre, protégé contre tout échange avec l'extérieur.

Chaleur massique. C'est la quantité de chaleur nécessaire pour élever de 1 °C la température de 1 g du corps. Pour l'eau, c = 1 cal/g. Pour élever de t1 à t2 la température de mg du corps, il faut fournir Q = mc (t2 – t1) ; mc est la *capacité calorifique.*

Loi de Dulong et Petit. La capacité calorifique atomique Ac d'un corps simple solide est voisine de 6,4.

☞ Voir également p. 249 les unités calorifiques.

Cryoscopie, ébullioscopie

Solution. Mélange homogène d'un corps dit « soluté » dans un liquide solvant. A une température donnée, la dissolution n'est plus possible dès que la concentration $s = \frac{m''}{m}$ (rapport de la masse du soluté à la masse du solvant) atteint une certaine valeur appelée « solubilité ». Il y a alors en présence le soluté solide et la solution dite « saturée ».

La température de congélation commençante d'une solution est inférieure à la temp. de congélation du solvant pur. Pour une solution étendue non électrolysable, Raoult a montré que l'abaissement de cette temp. est proportionnel à la concentration et inversement proportionnel à la masse molaire du soluté :

$$\Delta\Theta = K \frac{s}{M}$$

(K, **constante cryoscopique,** ne dépend que du solvant ; pour l'eau, K = 1 850).

De même, la température d'ébullition commençante d'une solution d'un soluté non volatil est supérieure à la température d'ébullition du solvant pur. Pour une solution étendue non électrolysable, l'élévation est proportionnelle à la concentration et inversement proportionnelle à la masse molaire du soluté :

$$\Delta\Theta = K' \frac{s}{M}$$

(K', **constante ébullioscopique,** ne dépend que du solvant ; pour l'eau, K' = 520).

Les lois de Raoult permettent de déterminer la masse molaire approximative d'un soluté.

Thermodynamique

Étude des relations entre les phénomènes thermiques et les phénomènes mécaniques.

Chaleur-travail : équivalence. *Un corps chaud fournit spontanément de la chaleur à un corps froid.* C'est ainsi que peuvent se produire l'égalisation des températures de 2 corps en présence ou le changement d'état physique d'un des 2 corps (vaporisation d'un liquide, fusion ou sublimation d'un solide).

Les frottements mécaniques entre solides, ou entre un solide et un fluide (résistance de l'air) peuvent provoquer une élévation de température ou un changement d'état. Dans ce cas, *le travail des forces de frottement a été tranformé en chaleur.*

Les moteurs thermiques (machine à vapeur, moteur à explosion) utilisent la chaleur dégagée par la combustion du charbon, du mazout ou de l'essence pour fournir un travail. *Ils transforment la chaleur en travail mécanique.*

Premier principe de la thermodynamique. Le plus souvent, une transformation amenant un système d'un état initial à un état final s'effectue par échange de chaleur et de travail.

Dans toutes les transformations qui, par échanges de chaleur et de travail avec le milieu extérieur, font passer un système déterminé d'un état initial à un état final fixe, la somme algébrique W + Q est constante, indépendante de la transformation envisagée. C'est le principe de l'état initial et de l'état final.

Cas particulier d'un cycle : lorsqu'un système qui n'échange avec le milieu extérieur que de la chaleur et du travail décrit un cycle, c'est-à-dire lorsque son état final est en tous points identique à son état initial, *l'énergie totale échangée avec le milieu extérieur est nulle :* W + Q = 0. Donc lorsqu'un système subit une suite fermée de transformations en n'échangeant avec le milieu que de la chaleur et du travail : 1) s'il reçoit du travail, il fournit de la chaleur ; 2) s'il reçoit de la chaleur, il fournit du travail ; 3) les valeurs numériques des quantités de chaleur et de travail, exprimées avec les mêmes unités, sont égales.

Énergie interne : soit un système qui n'échange avec le milieu extérieur que de la chaleur et du travail. S'il subit une transformation l'amenant d'un état initial A à un état final B, son énergie interne a augmenté de la quantité : Δ U = W + Q. U est analogue à une énergie potentielle dont on ne peut calculer que les variations. $U_B - U_A = W + Q$.

Deuxième principe de thermodynamique ou principe de Carnot. Une machine thermique ne peut, au cours d'un cycle, fournir de travail que si elle emprunte une quantité de chaleur ($Q_1 > 0$) à une source chaude et si elle en restitue une partie ($Q_2 < 0$) à une source froide. Le travail qu'elle fournit a pour valeur algébrique $W = Q_1 - Q_2$ ($W < 0$).

Rendement d'un moteur thermique. C'est le taux de convertibilité de la chaleur en travail ;

$$r = \frac{|W|}{Q_1}.$$

Rendement thermique maximal, théorème de Carnot (Nicolas Lazare Sadi Carnot, 1796-1832 ; fils de Lazare Carnot). Le rapport des quantités de chaleur échangées avec les 2 sources, dans les conditions optimales de fonctionnement d'un moteur thermique, est indépendant de l'agent thermique utilisé ; sa valeur absolue est égale au rapport des températures absolues des 2 sources correspondantes :

$$\frac{Q_1}{Q_2} = \frac{T_1}{T_2} \quad \text{(T = température absolue).}$$

L'expression pratique est : $r = 1 - \frac{T_2}{T_1}$.

• **Froid. Zéro absolu :** 0° Kelvin (soit −273,15 °C ou 459,6 °F). Il n'existe pas à l'état naturel (noyau du Soleil 15 millions de °C) ; l'espace interstellaire est à + 3°K. *Température la plus basse obtenue :* 1,1 micro Kelvin (millionième de degré), à l'université de Colorado en août 1990 (record précédent : 2,5 à l'École normale supérieure à Paris). *Température la plus basse utilisée dans les applications pratiques :* celle de l'hydrogène liquide servant pour la propulsion des fusées (− 253 °C). On utilise fréquemment l'hélium liquide (− 271,6 °C) pour les supraconducteurs (aimants très puissants, projet d'ordinateur supracond. chez IBM). *Chaleur maximale obtenue :* en nov. 1986, on a porté pendant une demi-seconde un plasma à 140 millions de degrés dans le Joint European Torus (JET), installé à Culham (G.-B.).

Applications. Principe des réfrigérateurs : Une *machine frigorifique* est un moteur thermique fonctionnant en sens inverse : on lui fournit du travail et il fait passer de la chaleur d'une source froide sur une source chaude. Le moteur reçoit de l'extérieur une énergie W (W > 0) (on le branche sur une prise de courant). Une quantité de chaleur Q sera extraite de la source froide : « freezer » ($Q_2 > 0$). La quantité de chaleur Q_1 sera envoyée à la source chaude ($Q_1 < 0$).

$$Q_2 = \frac{WT_2}{T_1 - T_2}$$

Un réfrigérateur sera d'autant plus avantageux que les températures T_1 et T_2 seront plus voisines, car à une consommation minime d'énergie W correspondra une grande valeur de Q_2.

L'expression $\frac{Q_1}{Q_2} = -\frac{T_1}{T_2}$ n'a plus de sens si on y fait $T_2 = 0$. Donc une machine thermique ne permet pas d'obtenir le zéro absolu.

Une **thermopompe** est analogue à un réfrigérateur, mais on utilise la quantité de chaleur |Q1| pour le chauffage.

$$Q_1 = \frac{-WT_1}{T_1 - T_2} \text{ ou } |Q_1| = \frac{WT_1}{T_1 - T_2}.$$

La mise au point industrielle de ce procédé est assez récente : la source froide est l'eau d'une rivière ou d'un lac ; la source chaude est l'eau du radiateur de chaleur qui se trouve ainsi chauffée et peut par thermosiphon circuler dans les radiateurs d'un chauffage central. Le système est très intéressant quand il combine une patinoire (source froide) et une installation de chauffage (source chaude).

VI – Énergie et travail

Généralités

Un système possède de l'énergie quand il est susceptible de produire du travail. L'énergie existe sous diverses formes : mécanique (cinétique et potentielle), calorifique, électrique, chimique, rayonnante, nucléaire, etc., qui peuvent se transformer les unes en les autres.

Principe de la conservation. L'énergie totale d'un système isolé (n'échangeant rien avec l'extérieur) reste constante ; les éventuels échanges internes se compensent exactement.

Travail d'une force F qui effectue un déplacement infiniment petit dl. C'est le produit scalaire :

$$\vec{F} \cdot \vec{dl} = F.\ dl.\ \cos \alpha,$$

α étant l'angle de la force et du déplacement. Pour un déplacement fini,

$$T = \int F dl \cos \alpha.$$

Le travail d'une force est la somme des travaux de ses composantes.

Travail de la pesanteur. Quand un corps se déplace entre 2 points d'altitude Z1 et Z2, le travail de son poids est :

$$T = mg \int \cos \alpha\ dz = mg\ (z1 - z2)\ ;$$

il ne dépend que de la différence d'altitude.

Travail d'un couple. Il est égal au produit du moment du couple par l'angle de rotation évalué en radians :

$$T = \mathcal{M}\ \alpha.$$

Énergie cinétique. Pour un point matériel de masse m animé d'une vitesse v, elle est :

$$E_c = ½\ mv^2.$$

Pour un ensemble de masses, on aura :

$$E_c = \Sigma\ ½\ mv^2.$$

Si un solide de masse M est en translation, tous les points, en particulier le centre de gravité, ont la même vitesse, $E_c = ½\ Mv^2$. Si le solide est animé d'un mouvement de rotation autour d'un axe, tous ses points ont même vitesse angulaire ; l'énergie cinétique est :

$$E_c = ½\ J\alpha'^2,$$

J étant le moment d'inertie autour de l'axe de rotation.

Un mouvement quelconque est la résultante d'une translation du centre de gravité avec la vitesse v de ce point et d'une rotation autour d'un axe de direction fixe, passant par ce centre de gravité ; l'énergie cinétique est :

$$E_c = ½\ MV_G^2 + ½\ J_G\ \alpha'^2.$$

Théorème de l'énergie cinétique. La variation de l'énergie cinétique d'un système entre 2 instants est égale à la somme des travaux, entre ces 2 instants, de toutes les forces, intérieures et extérieures, agissant sur les diverses parties du système : $T = E_c2 - E_c1$. Si le solide est indéformable, le travail des forces intérieures est nul ; seules interviennent les forces extérieures. L'énergie cinétique s'évalue en joules.

Exemple. Pour arrêter, après N tours, un volant de moment d'inertie J tournant à la vitesse angulaire α', il faut lui appliquer un couple de moment M tel que :

$$½\ J\alpha'^2 = \mathcal{M}\ \alpha = \mathcal{M}\ \alpha 2\pi N.$$

Énergie potentielle. Si on peut faire agir les forces intérieures d'un système, on récupère un travail qui est égal à la diminution ΔE_p de l'énergie potentielle du système. L'énergie potentielle E_p est définie à une constante près.

Exemples : a) Énergie potentielle de pesanteur : pour le système formé par la Terre et un corps, le poids du corps est une force intérieure qui fournit le travail $T = Mg\ (z1 - z2) = \Delta E_p$ au cours du passage de l'altitude z1 à l'altitude z2. L'énergie potentielle du système Terre-corps est $E_p = Mgz$.

b) Énergie potentielle d'un ressort : la force qui tend à ramener le ressort tendu de raideur k et allongé de x est F = kx. Son travail est :

$$T = \Delta E_p = \int_x^o - Kxdx = ½\ kx^2.$$

c) Énergie potentielle d'un fil de torsion : le travail du couple de torsion de moment Cα, dans le retour à la position d'équilibre, est :

$$\int_\alpha^o - C\alpha d\alpha.$$

L'énergie potentielle du fil tordu est : − Cαdα.
L'énergie potentielle du fil tordu est :

$$E_p = ½\ C\alpha^2.$$

Énergie mécanique totale. C'est la somme des énergies potentielle et cinétique : $E_t = E_p + E_c$. Dans un système isolé (qui ne subit aucune action extérieure) où les frottements sont négligeables, l'énergie mécanique totale reste constante. S'il existe des frottements, une partie de l'énergie mécanique se transforme en chaleur. Pour un système isolé :

$$E_p + E_c + Q = \text{constante}.$$

Pour un satellite, à une distance r du centre de la Terre, l'énergie potentielle de pesanteur est :

$$E_p = -\frac{\varepsilon Mm}{r}.$$

Son énergie totale est : $E_t = ½\ mv^2 - \frac{\varepsilon Mm}{r}$.

Pour que le satellite lancé en un point de la Terre (de rayon R) s'éloigne indéfiniment, il faut que son énergie totale soit positive ; la vitesse minimale de lancement, ou vitesse de libération, est telle que :

$$½\ v^2m - \frac{\varepsilon Mm}{R} > 0.$$

On trouve v = 11,2 km/s.

Mécanique quantique

Contrairement à la mécanique classique, les échanges d'énergie (émission ou absorption) ne peuvent s'effectuer que d'une manière discontinue, par sauts brusques, multiples entiers d'un quantum représentant l'**unité élémentaire d'énergie :** E = hv [v : fréquence du rayonnement ; $h = (6{,}626\ 19 \pm 0{,}000\ 06) \times 10^{-34}$ joules × seconde], constante de Planck.

Cette hypothèse permet d'expliquer :

1) Les lois expérimentales du rayonnement du **corps noir,** corps idéal qui absorbe toutes les radiations qu'il reçoit et qui peut être approximativement réalisé par une enceinte fermée, à température constante, munie d'une petite ouverture.

2) Les variations avec la température de la chaleur massique des solides.

3) L'effet photoélectrique (voir p. 230).

4) Les lois de l'émission des **raies spectrales.** Un électron gravitant autour du noyau est assimilable à un courant électrique ; il doit donc rayonner de l'énergie, et, de ce fait, il devrait se rapprocher du noyau et finir par tomber sur lui. Bohr admet qu'il existe des orbites particulières, correspondant à des états stationnaires de l'atome, pour lesquelles il n'y a pas d'énergie rayonnée ; elles sont telles que le moment cinétique mvr de l'électron est un multiple entier de $\frac{h}{2\pi}$ = h, soit mvr = nh.

Il n'y a émission de lumière que lorsque l'électron passe d'une orbite à une autre, l'atome passant d'un état d'énergie E2 à un état d'énergie E1 inférieur à E2, la fréquence de la lumière émise étant telle que hv = E2 − E1.

Mécanique ondulatoire

Définition. Élaborée par Louis de Broglie, entre 1911 et 1929, pour concilier l'aspect ondulatoire et l'aspect corpusculaire de la lumière. Tout corpuscule de quantité de mouvement p est guidé par une onde associée de longueur d'onde

$$\lambda = \frac{h}{p} = \frac{h}{mv}.$$

La trajectoire d'un électron dans l'atome étant fermée, le mouvement ne pourra se maintenir que si l'onde est stationnaire, c'est-à-dire si on peut placer un nombre entier de longueurs d'onde sur l'orbite de Bohr : $2\pi r = n\lambda = n\frac{h}{mv}$.

Les propriétés ondulatoires de l'électron ont été vérifiées par Davisson et Germer ; en envoyant un faisceau d'électrons sur un cristal de nickel, ils obtinrent des phénomènes de diffraction analogues à ceux obtenus avec des rayons X et vérifièrent quantitativement la formule de Louis de Broglie.

Les ondes associées aux particules matérielles en mouvement étant de plus grande fréquence que les ondes lumineuses, on a pu réaliser des microscopes électroniques ou protoniques ayant de meilleures limites de résolution que les microscopes ordinaires.

L'aspect corpusculaire et l'aspect ondulatoire du rayonnement ne sont pas contradictoires, mais complémentaires. Les 2 aspects ne peuvent se manifester simultanément. On peut observer l'effet corpusculaire lorsque l'on peut attribuer une position définie au corpuscule ; dans le cas contraire, il se comporte comme une onde de longueur d'onde définie.

Relation d'incertitude. En mécanique classique, l'état d'une particule est défini par sa position et sa vitesse. En mécanique ondulatoire, il est impossible de déterminer rigoureusement, au même instant, ces 2 grandeurs, donc de définir exactement la trajectoire de la particule. Cela parce que l'instrument qui permet de mesurer le phénomène perturbe la mesure. L'incertitude Δx sur la position est liée à l'incertitude Δp sur la quantité de mouvement par la formule de Heisenberg :

$$\Delta x\ .\ \Delta p \geqslant h.$$

On peut seulement faire correspondre à chaque état d'une particule une fonction d'onde Ψ, fonction du temps et de paramètres géométriques, et telle que la probabilité de trouver la particule dans un volume dv autour d'un point M(x,y,z) est :

$$dP = \bar{\psi}\ (x,y,z,t)\ .\ \psi\ (x,y,z,t)\ dv,$$

$\bar{\psi}$ étant la fonction imaginaire conjuguée de ψ. A la notion d'orbite d'un électron dans un atome doit être substituée celle de zone de probabilité de présence ou de nuage électronique.

L'équation d'évolution qui remplace la relation $F = \frac{dp}{dt}$ de la mécanique classique est l'équation de Schrödinger :

$$\frac{d^2\psi}{dx^2} + \frac{d^2\psi}{dy^2} + \frac{d^2\psi}{dz^2} + \frac{2m}{h^2}(E - Ep)\ \psi = 0.$$

Mécanique quantique et mécanique ondulatoire se réduisent à la mécanique classique quand les échanges d'action sont des multiples très élevés de la constante de Planck.

La relativité

Elle a permis de répondre au problème soulevé par l'expérience de l'Américain Albert Michelson (1852-1931) en 1887 : la vitesse de la lumière reste la même pour tous les référentiels galiléens (animés d'un mouvement rectiligne et uniforme les uns par rapport aux autres), que la source lumineuse soit fixe ou mobile par rapport à l'observateur. Cette expérience a été faite à l'aide d'un *interféromètre stellaire,* projetant successivement 2 rayons lumineux, l'un en direction du mouvement terrestre, l'autre perpendiculairement à ce mouvement.

• **Relativité restreinte. Principe.** Les lois physiques sont les mêmes dans tous les repères galiléens. L'application de ce principe aux lois de l'électromagnétisme a conduit Lorentz à établir de nouvelles formules de changement de coordonnées : la relation de mécanique classique Va = Vr + Ve, entre la vitesse absolue Va, la vitesse relative Vr et la vitesse d'entraînement Ve, devient :

$$Va = \frac{Vr + Ve}{1 + \frac{VrVe}{c^2}}$$

Contraction des longueurs. Soit une règle de longueur l pour un observateur A qui lui est lié ; pour un observateur B, animé par rapport à A d'une vitesse relative V, la longueur de la règle, supposée parallèle à la direction du mouvement, est :

$$l' = l\left(1 - \frac{v^2}{c^2}\right)^{½}.$$

Dilatation des temps. Pour un observateur animé de la vitesse V, le temps n'a pas même mesure que pour un observateur au repos ; il est multiplié par :

$$\left(1 - \frac{v^2}{c^2}\right)^{-½}.$$

Une horloge dans un système en mouvement ralentit par rapport aux horloges extérieures. Les mésons μ qui, dans un système au repos, ont une durée de vie de 2 μs, leur permettant de parcourir au maximum 600 m, peuvent atteindre la Terre alors qu'ils ont été produits à une altitude de 10 km.

Ainsi le temps et l'espace sont liés : nous évoluons dans un espace-temps.

Relation entre la masse et la vitesse. La masse d'une particule évoluant à la vitesse v est liée à la masse au repos m_o par la formule :

$$m = m_o\left(1 - \frac{v^2}{c^2}\right)^{-½}.$$

La variation de masse n'est appréciable que pour des particules dont la vitesse est proche de celle de la lumière.

La quantité $\left(1 - \frac{v^2}{c^2}\right)^{-½}$ ne peut exister que si v < c : la vitesse de la lumière apparaît donc comme une limite qui ne peut être dépassée.

Cela interdit l'instantanéité des actions à distance.

La relation fondamentale de la dynamique est :

$$\vec{F} = \frac{d\,(\vec{mv})}{dt} = \frac{\vec{dp}}{dt}$$

et non : $\vec{F} = m\,\frac{\vec{dv}}{dt}$.

Équivalence de la masse et de l'énergie. Une masse m est équivalente à une énergie $E = mc^2$. Le principe de conservation de l'énergie de la mécanique classique reste valable si l'on tient compte de cette relation due à Einstein.

Énergie cinétique. Différence entre l'énergie d'un mobile de vitesse v et son énergie au repos : $Ec = mc^2 - m_oc^2$, soit :

$$Ec = m_oc^2\left[(1 - \frac{v^2}{c^2})^{-½} - 1\right].$$

Aux faibles vitesses,

$$Ec = m_oc^2\left[1 + ½\,\frac{v^2}{c^2} - 1\right] = ½\,m_ov^2,$$

on retrouve l'expression utilisée en mécanique classique.

• **Relativité générale.** Fondée sur le principe d'équivalence de la masse inerte $m = \frac{F}{g}$ et de la masse pesante $m' = \frac{F}{g}$, établi par Einstein, qui avait noté que les effets de la gravitation sont comparables à ceux d'une force d'inertie ; c'est-à-dire que le champ de gravitation est équivalent à un champ de forces créé par 1 système accéléré et qu'il est impossible de les distinguer.

Par ailleurs, un rayon lumineux possédant une énergie, donc une masse, doit être courbé dans un champ de gravitation intense. On constate en effet que les étoiles, situées dans la direction du Soleil et que l'on peut observer au cours des éclipses, paraissent déplacées en position. Ce déplacement et celui du périhélie de Mercure, dont la valeur observée est voisine de la valeur prévue, constituent un début de vérification du principe de la relativité générale. En raison de la courbure de l'espace-temps, il peut être énoncé ainsi : les lois de la physique sont les mêmes dans tous les repères, quel que soit leur mouvement.

Toute source d'énergie sur Terre provient directement ou indirectement du Soleil ou des réactions de fission des atomes des éléments radioactifs existant dans la masse de la Terre.

Conservation de la masse et de l'énergie. Dans un système isolé, la somme de l'énergie et du produit m c^2, où m est la masse totale et c la vitesse de la lumière dans le vide, reste constante, quelles que soient les transformations que subit le système.

En mécanique newtonienne, lorsque les vitesses restent petites par rapport à celle de la lumière, l'énergie et la masse restent toutes deux constantes.

Conservation de l'énergie mécanique. Soit un système formé d'une bille de masse M, de poids p et de la Terre, entre lesquelles n'agit d'autre force que la pesanteur. L'énergie potentielle de la bille est le travail qu'accomplirait la pesanteur en transportant la bille au centre de la Terre. Cette bille, tombant d'une hauteur h, acquiert une vitesse v, et son énergie cinétique :

$$\frac{1}{2}\,Mv^2 = \frac{1}{2}\,M\left(\sqrt{2gh}\right)^2 = Mgh = ph.$$

Mais elle a perdu en énergie potentielle ph ; énergie cinétique acquise = énergie potentielle dépensée.

Le principe de la conservation de l'énergie est général, et la quantité totale d'énergie d'un système isolé est constante, quelles que soient les transformations de cette énergie à l'intérieur du système.

L'énergie totale utilisée est généralement exprimée en « tonnes de houille équivalence » obtenues en multipliant les quantités d'énergie de natures diverses par des coefficients de conversion. Une tonne de lignite = 0,3 t de houille ; une tonne de pétrole brut = 1,3 tonne de houille ; une tonne de produits pétroliers raffinés = 1,5 t de houille ; 1 000 m3 de gaz naturel = 1,33 t de houille ; 1 000 kilowatts-heure d'électricité = 0,6 t de houille.

On distingue l'*énergie calorifique* (ou thermique), l'*énergie mécanique* et l'*énergie chimique.* Ces énergies se transforment l'une dans l'autre ; on transforme la chaleur en travail mécanique, et réciproquement. Cependant, le travail mécanique est une énergie plus « noble » que la chaleur, car si l'on peut transformer intégralement un travail en chaleur, la réciproque n'est pas vraie : la chaleur, pour se transformer en travail, laisse un résidu de chaleur à plus basse température. De même, la fission de l'atome d'uranium, qui dégage de la chaleur, n'est pas réversible. Dans l'ensemble de l'univers, il y a dégradation de l'énergie.

VII – Mouvements vibratoires

Généralités

Un phénomène est périodique s'il se reproduit, identique à lui-même, à des intervalles de temps égaux appelés **période** T. L'inverse de la période est la **fréquence :**

$$N = \frac{1}{T} \text{ évaluée en hertz (Hz).}$$

La vibration sinusoïdale est la plus courante. L'élongation y est définie en fonction du temps t par la relation :

$$y = a \sin(\omega t + \varphi),$$

a étant l'amplitude, ω la pulsation et $\omega t + \varphi$ la phase.

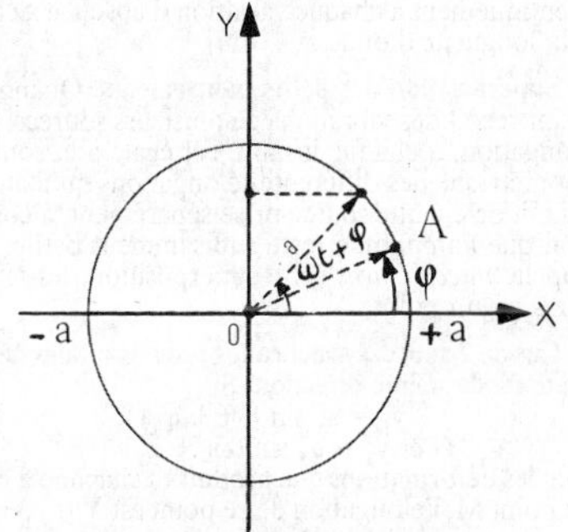

Théorème de Fourier. Une fonction périodique de fréquence N peut toujours se décomposer d'une seule façon en une somme de fonctions sinusoïdales de fréquence N, 2N..., kN. Le terme de fréquence N est le *fondamental,* les autres sont les *harmoniques.*

L'étude d'un phénomène périodique peut être faite : par enregistrement graphique (cylindre enregistreur), par balayage optique, par *stroboscopie.* On éclaire le système vibrant, de fréquence N, par des éclairs de fréquence N' : si N = N' ou N = kN' (k entier), le système paraît immobile ; si N ≠ N', le système a un mouvement périodique apparent de fréquence v = N – N' de même sens que le mouvement réel si N > N', de sens inverse si N < N'.

Quand un milieu élastique subit une déformation locale, cette déformation se propage avec une célérité V constante, qui dépend du milieu. La vibration est transversale si la déformation est normale à la direction de propagation (vibrations d'une corde) ; elle est longitudinale si la matière vibre dans la direction de propagation (compression et dilatation d'un ressort). Les solides permettent la propagation des 2 types de vibrations ; les fluides ne transmettent à leur intérieur que des vibrations longitudinales ; mais la surface d'un liquide qui se comporte comme une membrane peut transmettre des vibrations transversales (rides à la surface de l'eau).

La longueur d'onde est la distance parcourue par la vibration pendant une période, $\lambda = VT = V/N$.

Onde progressive. Si le mouvement de la source, en O, est $y = a \sin \omega t$, le mouvement d'un point M à la distance x est celui qu'avait la source, $\frac{x}{V}$ secondes auparavant :

$$y = a \sin \omega\left(t - \frac{x}{v}\right) = a \sin 2\pi\left(\frac{t}{T} - \frac{x}{\lambda}\right).$$

2 points distants de kλ (k entier) sont en phase ;

2 points distants de $(2k + 1)\frac{\lambda}{2}$ sont en opposition de phase. Tous les points du milieu reproduisent à des instants différents le mouvement de la source. La propagation d'une vibration correspond à un transport de matière ; les frottements absorbant de l'énergie, l'amplitude diminue au fur et à mesure de la propagation : il y a amortissement.

Les phénomènes vibratoires entretenus peuvent être de nature très diverse : phénomènes vibratoires mécaniques, acoustiques, électriques (la tension du secteur), magnétiques... La période T est la durée d'une oscillation.

1) Soit une corde élastique AB, très longue, dont l'extrémité A est animée d'un mouvement vibratoire entretenu de période T et dont l'extrémité B est liée à un support fixe.

Tout point M de la corde atteint par l'onde progressive est animé d'un mouvement vibratoire de même période T que la source de vibrations A.

Le mouvement vibratoire du point M s'effectue avec un retard horaire $\Theta = \frac{d(A,M)}{c}$,

par rapport à celui du point source A, c étant la célérité du signal.

2) Pour que deux points M_1 et M_2 d'un milieu propagateur unidirectionnel soumis à une onde progressive vibrent en concordance, il faut et il suffit que leur distance soit égale à un nombre entier de longueurs d'onde.

a) Périodicité dans le temps : chaque point M du milieu propagateur est animé d'un mouvement vibratoire de période T.

b) Périodicité dans l'espace : à chaque date t, le fil présente une succession de « motifs » identiques de longueur égale à la longueur d'onde λ.

Conclusion : à toute date t fixée, la grandeur u, caractéristique de l'onde progressive, se renouvelle identiquement à chaque variation d'abscisse x égale à la longueur d'onde λ.

Superposition des petits mouvements. Quand un point reçoit des vibrations de plusieurs sources, son élongation, à chaque instant, est égale à la somme géométrique des différentes élongations qu'il aurait du fait de chaque source prise séparément, à condition que l'amplitude reste suffisamment petite. On appelle *interférences* cette superposition des vibrations en un point.

Cas de 2 sources synchrones produisant des déformations de même direction. Si

$$y_1 = a_1 \sin(\omega t + \varphi_1)$$
$$\text{et } y_2 = a_2 \sin(\omega t + \varphi_2)$$

sont les déformations que produirait chacune d'elles au point M, l'élongation de ce point est $Y = y_1 + y_2$, fonction sinusoïdale de même période, donc de même pulsation, $Y = A \sin(\omega t + \varphi)$.

Construction de Fresnel [1]. Soit un axe OX de référence fixe. Représentons la vibration

$$s = a \cos(\omega t + \varphi)$$

par un vecteur $\overrightarrow{OA}$ de longueur a et faisant avec l'axe l'angle $\omega t + \varphi$. φ est l'angle du vecteur $\overrightarrow{OA}$ avec l'axe origine des angles, à l'origine des temps. ω est la pulsation, c'est-à-dire l'angle décrit, à partir de sa position d'origine, par $\overrightarrow{OA}$ pendant l'unité de temps.

Représentons de même le mouvement

$$s' = a' (\omega t + \varphi')$$

par le vecteur $\overrightarrow{OA'}$.

Construisons la résultante $\overrightarrow{OR}$: sa projection OS sur OX représente bien l'élongation S résultant de la superposition des mouvements s et s', puisque :

proj. $\overrightarrow{OR}$ = proj. $\overrightarrow{OA}$ + proj. $\overrightarrow{AR}$

soit : $\overline{OS} = a \cos(\omega t + \varphi) + a' \cos(\omega t + \varphi')$.

Les vecteurs $\overrightarrow{AR}$ et $\overrightarrow{OA}$ étant équipollents, le vecteur $\overrightarrow{OR}$ représente le mouvement cherché.

En pratique, le parallélogramme de composition des vecteurs étant indéformable, il est inutile de faire figurer l'angle vt dans la construction.

2 mouvements vibratoires de même période ont pour résultante un mouvement qui a cette même période.

L'amplitude r du mouvement résultant vaut : $r^2 = a^2 + a'^2 + 2aa' \cos(\varphi + \varphi')$. Si les vibrations arrivent en phase au point M, $\varphi - \varphi' = 2k\pi$ (k entier), l'amplitude résultante est : A = a1 + a2 ; si elles sont en opposition de phase, $\varphi - \varphi' = (2k + 1)\pi$, l'amplitude est minimale : A = a1 – a2 ; elle est nulle si a1 = a2.

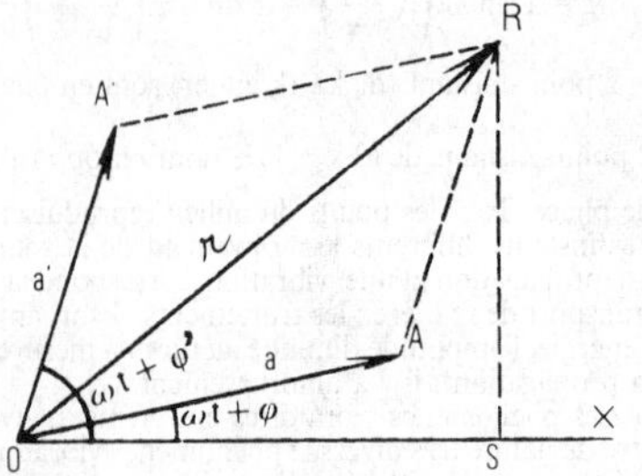

Nota. – (1) Représentation pratique élaborée par Augustin Fresnel (1788-1827) lors de l'étude des interférences lumineuses.

Battements. Lorsque 2 vibrations de pulsations voisines ω et $\omega' = \omega + \varepsilon$ se superposent, les 2 vecteurs associés ne tournent pas à la même vitesse ; le parallélogramme de Fresnel se déforme. L'amplitude de la vibration résultante varie périodiquement ; elle est maximale lorsque les vecteurs sont colinéaires et de même sens : l'un a fait un tour de plus que l'autre ; elle est minimale lorsqu'ils sont colinéaires et de sens opposé. La vibration est donc intense à intervalles de temps égaux Θ tels que :

$$\omega'\Theta - \omega\Theta = 2\pi \text{ soit } \Theta = \frac{2\pi}{\omega' - \omega}.$$

La fréquence des battements est donc :

$$v = \frac{1}{\Theta} = N' - N.$$

Réflexions des ondes. Ondes stationnaires. Lorsqu'une onde arrive à l'extrémité d'un milieu élastique, elle se réfléchit et repart en sens inverse avec la même célérité. Si l'extrémité est fixe (cas d'une corde attachée à un mur), la vibration résultante en ce point est nulle : cela exige que l'élongation change de signe à la réflexion (le mouvement subit un retard de phase de π). Si l'extrémité est libre (cas d'une onde sonore dans un tuyau ouvert), la réflexion se fait sans changement de signe.

Extrémité libre : soit $y = a \sin 2\pi \frac{t}{T}$; la vibration de la source S. En un point M, à la distance x de O' : l'onde incidente qui a parcouru 1 – x est :

$$y_1 = a \sin 2\pi \left(\frac{t}{T} - \frac{1-x}{\lambda}\right) ;$$

l'onde réfléchie qui a parcouru 1 + x est :

$$y_2 = a \sin 2\pi \left(\frac{t}{T} - \frac{1+x}{\lambda}\right) ;$$

L'amplitude de l'onde résultante $Y = y_1 + y_2$ est :

$$r = 2a \cos \frac{\Delta\varphi}{2} = \cos 2\pi \frac{x}{\lambda}.$$

Elle est à tout instant : maximale en des points appelés *ventres*, d'abscisse $x = k \frac{\lambda}{2}$; nulle en des points appelés *nœuds*, d'abscisse :

$$x = k \frac{\lambda}{2} + \frac{\lambda}{4}.$$

Extrémité fixe : en raison du retard de π subi par l'onde réfléchie, dont l'élongation en M est :

$$y_2 = a \sin \left[2\pi \left(\frac{t}{T} - \frac{1+x}{\lambda}\right) + \pi\right]$$

$$A = 2a \cos \frac{\Delta\varphi}{2} = 2a \sin \frac{2\pi x}{\lambda}.$$

Les abscisses des nœuds sont $x = k \frac{\lambda}{2}$; celles des ventres sont $x = k \frac{\lambda}{2} + \frac{\lambda}{4}$. Dans les 2 cas, 2 nœuds (ou 2 ventres) consécutifs sont distants de $\frac{\lambda}{2}$; un ventre est distant de $\frac{\lambda}{4}$ des 2 nœuds qui l'encadrent. Il y a un nœud à l'extrémité si elle est fixe, et un ventre dans le cas contraire.

De part et d'autre d'un nœud, la tension (ou la compression) est maximale ; en un ventre, la tension est nulle ; les nœuds de mouvement sont des ventres de tension, les ventres de mouvement sont des nœuds de tension.

Les ondes stationnaires ne se propagent pas : tous les points situés entre 2 nœuds consécutifs vibrent en phase ; les points situés de part et d'autre d'un nœud vibrent en opposition de phase.

Les ondes réfléchies se réfléchissent de nouveau sur la source S, puis de nouveau à l'extrémité, etc. Un régime stable ne s'établit que si la longueur SO' vaut : $\frac{k\lambda}{2}$ si l'extrémité est fixe, $k\frac{\lambda}{2} + \frac{\lambda}{4}$ si l'extrémité est libre. Dans ce cas, il y a *résonance ;* l'amplitude aux ventres est alors très grande.

Résonateurs. Soit un pendule élastique vertical constitué par un cylindre d'acier suspendu à l'extrémité d'un ressort à boudin. En tirant le cyclindre vers le bas, on provoque des oscillations. Si, de plus, on plonge le cylindre dans une éprouvette remplie d'eau, ces oscillations seront plus ou moins amorties.

Soit ω_o la pulsion propre de ce pendule élastique ; un moteur électrique communiqué à un dispositif relié à l'extrémité supérieure du ressort un mouvement de fréquence N. Ce dispositif est le dispositif excitateur. Quand le résonateur est très amorti, l'excitateur lui impose sa fréquence N et lui fait accomplir des vibrations forcées. Lorsque l'amortissement du résonateur est faible, l'amplitude de ses vibrations croît brutalement lorsque la fréquence excitatrice tend vers $N_o = \frac{1}{\omega_o}$. La sonance est alors aiguë.

En résumé : tout système qui peut vibrer avec une fréquence déterminée oscille avec une amplitude qui peut être très grande quand on lui communique des impulsions périodiques dont la fréquence est voisine de celle du système.

1) En électroacoustique, le phénomène de résonance trouve de nombreuses applications : haut-parleur, micro, écouteur téléphonique. Le tympan de l'oreille humaine est un résonateur amorti sensible aux excitations de 20 Hz à 20 000 Hz.

2) En mécanique, si la fréquence de l'excitation est proche de la fréquence propre du résonateur et si l'amortissement de ce dernier est faible, l'amplitude de ses oscillations peut devenir très importante. A Angers, en 1850, un pont a été mis en résonance par le pas cadencé d'une troupe et s'est rompu.

3) En radiotechnique, le phénomène de résonance est utilisé grâce aux circuits résonants composés d'une self-induction et d'une capacité reliées soit en série, soit en dérivation.

Dans un tel circuit, l'intensité de courant atteint la valeur maximale quand la fréquence des tensions appliquées est :

$$N = \frac{1}{2\pi}\sqrt{\frac{1}{LC} - \frac{R^2}{4L^2}}.$$

L est la self-induction (henrys), C est la capacité (farads), R est la résistance (ohms).

Ondes électromagnétiques

Oscillations électriques

Soit un circuit formé d'un condensateur C, d'une bobine d'inductance L de résistance *r très faible* et d'un interrupteur. On relie les bornes de l'inductance aux bornes A et B d'un oscillographe. On charge le condensateur, puis on ferme l'interrupteur K. L'oscillographe indique que le circuit est le siège d'un courant sinusoïdal. Le condensateur se décharge à travers l'inductance, puis se charge en sens inverse, et ainsi de suite. Ce phénomène est une oscillation électrique, et le circuit est un circuit oscillant.

Si la charge du condensateur à l'instant t est q, la différence de potentiel entre ses armatures est :

$$v = q/C.$$

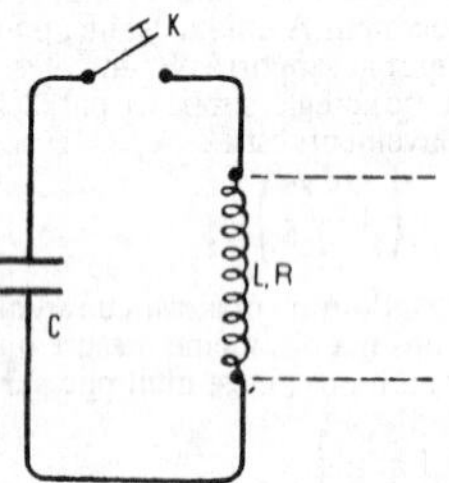

Oscillateur sinusoïdal

Il apparaît aux bornes de la bobine L une force électromotrice d'auto-induction :

$$v = -L\, di/dt.$$

Or : $q/C = -L\, di/dt$ et : $i = dq/dt$.

En dérivant une fois la relation précédente, on obtient :

$$\frac{i}{C} = -L\frac{d^2i}{dt^2} \text{ ; soit : } \frac{d^2i}{dt^2} + \frac{1}{LC}\, i = 0.$$

La solution de cette équation est une fonction sinusoïdale :

$$i = I_m \sin \omega t,$$

de pulsation : $\omega = 1/\sqrt{LC}$

et de période : $T = 2\pi\sqrt{LC}$ (formule de Thomson). Cette période est la période propre du circuit oscillant.

Si la résistance R de la bobine est notable, supérieure à la valeur critique, $2\sqrt{(L/C)}$, les oscillations disparaissent ; la décharge est apériodique.

Dans un circuit oscillant, l'énergie électrique (1/2) Cv^2 du condensateur (potentielle) se transforme en énergie magnétique d'inductance (1/2) Li^2 (cinétique), laquelle recharge à nouveau le condensateur dans l'autre sens, et ainsi de suite. Pour obtenir des oscillations permanentes, il faudra coupler le circuit oscillant à un dispositif d'entretien qui fournira l'énergie nécessaire pour compenser les pertes par effet Joule dans la résistance R.

Propriétés des courants H.F.

Antenne. Le courant électrique est dû à la circulation d'électrons dans les conducteurs. Lorsqu'il s'agit d'un courant périodique de fréquence F, à cette propagation correspond une longueur d'onde λ[1] = V/F avec F = 1/T, où V est la vitesse de propagation de l'onde.

Dans une antenne verticale liée au sol et dans laquelle on produit par induction des oscillations de haute fréquence, il s'établit un système d'ondes stationnaires si sa longueur est (2 k + 1) λ/4.

– *A extrémité libre :* un nœud d'intensité (le courant ne passe pas) et un ventre de potentiel (le potentiel peut varier librement) ;

– *Au point de contact avec le sol :* un ventre d'intensité (le courant passe librement) et un nœud de potentiel (le potentiel du sol est constant).

Nota. – (1) Voir champ électromagnétique.

Impédance. La *pulsation* d'un courant de haute fréquence, par convention $\omega = 2\pi F$, étant très grande, la réactance d'inductance $L\omega$ est également très élevée, et une bobine contenant du fer interdit le passage d'un courant de haute fréquence.

Au contraire, un condensateur a une réactance de capacité $1/C\omega$ d'autant plus faible que la fréquence du courant est plus élevée ; il a pour effet d'avancer le courant d'un quart de période sur la tension à ses bornes.

Effets d'induction. Un conducteur parcouru par un courant de haute fréquence crée dans l'espace un champ magnétique alternatif de même fréquence, et, si l'on place dans son voisinage un circuit fermé normal au champ magnétique, celui-ci sera traversé par un flux alternatif $\Phi = \Phi_m \sin \omega t$; il sera donc le siège d'une force électromotrice induite :

$$e = d\Phi/dt = \omega\Phi_m \cos \omega t,$$

d'autant plus grande que la fréquence du courant sera plus élevée, puisque $\omega = 2\pi F$. On utilise ces effets d'induction pour produire des courants de haute fréquence dans des circuits voisins réglés à la résonance sur le circuit émetteur.

Effets physiologiques. L'établissement ou la variation de courant à travers le corps humain se traduisent par des sensations de douleur et des contractions musculaires qui se font sentir très peu de temps après la variation de courant. Dans le cas des basses fréquences, comme les 50 Hz du réseau de distribution d'E.D.F., les variations répétées de courant peuvent provoquer des contractions dangereuses allant jusqu'à la tétanisation musculaire. Les courants de haute fréquence ne peuvent pas provoquer ces sensations douloureuses ou ces contractions musculaires, car l'organisme a une inertie. Leur passage à travers l'organisme se manifeste par un dégagement de chaleur utilisé en diathermie (élévation provoquée de température interne sans brûlure superficielle). On utilise l'effet congestif qui en résulte dans le traitement des rhumatismes, névralgies. Autres applications : le bistouri électrique qui provoque une destruction et une coagulation des cellules par élévation de température très localisée sans hémorragie ; le four à micro-ondes (E = 2250 MH_2).

Propagation des ondes électromagnétiques

Champ électromagnétique. Soit un oscillateur linéaire, ou antenne, dans lequel s'est établi un système d'ondes stationnaires de haute fréquence. Ses extrémités présentent des nœuds de courant, donc des ventres de potentiel ; en ces ventres, distants de $\lambda/2$, les vibrations sont en opposition de phase et il existe une différence de potentiel sinusoïdale entre les extrémités de l'antenne. Cette différence de potentiel crée, en chaque point de l'espace, un champ électrique $\vec{E}$. En un point M sur la médiatrice de l'antenne, ce champ est parallèle à l'antenne. Le courant oscillant dans l'antenne crée également en un point M' de l'espace une induction sinusoïdale $\vec{B}$, normale au plan défini par M et l'antenne. L'ensemble des 2 champs oscillants rectangulaires $\vec{E}$ et $\vec{B}$ constitue le champ électromagnétique produit dans l'espace par l'antenne.

A une distance assez grande de la source émettrice, on peut considérer que les ondes $\vec{E}$ et $\vec{B}$ sont planes. En chaque point existent alors une induction magnétique et un champ électrique alternatifs rectangulaires, normaux à la direction de propagation : l'onde est transversale. Ces 2 champs sont en phase. Une telle onde est polarisée rectilignement puisque le support des vecteurs-champs a une direction fixe. Au contraire, à petite distance, $d < \lambda' \pm 2\pi$, le champ est pratiquement statique, E celui d'un dipôle électrique, B celui d'un dipôle magnétique.

Propriétés des ondes électromagnétiques. Semblables à celles des ondes lumineuses :

1) Elles se propagent à la vitesse de la lumière dans le vide et dans les isolants dits parfaits, mais un écran métallique les arrête.

2) Elles peuvent se réfléchir sur une plaque ou un grillage métalliques. Ces phénomènes de réflexion sont utilisés pour l'obtention de faisceaux dirigés, par exemple au moyen de miroirs paraboliques, ou de cornets dans le radar. Les ondes émises se réfléchissent lorsqu'elles rencontrent un obstacle (avion, bateau, rochers...) ; la réception de l'écho permet de déceler l'obstacle et de calculer sa distance.

3) Elles peuvent donner naissance à des ondes stationnaires.

4) Elles peuvent se réfracter en passant d'un milieu transparent à un autre, différent.

Dans ce cas, les nœuds du champ électrique sont les ventres du champ magnétique, et inversement ; en chaque point $\vec{E}$ et $\vec{B}$ sont en quadrature.

La mesure de la distance entre 2 nœuds permet de déterminer la longueur d'onde λ ; si on connaît la fréquence F, on en déduit la célérité $c = \lambda F$.

Ondes radioélectriques. Utilisées dans les radiocommunications : radiotélégraphie, radiotéléphonie, radiodiffusion, télévision, radionavigation, radar, télécommande, etc. ; elles ont également des applications thermiques (fours à haute fréquence, fours à micro-ondes, traitements des métaux et des plastiques, collage des bas, séchage des poudres, du sucre par exemple, etc.), thérapeutiques (diathermie, etc.).

Elles sont caractérisées par leur fréquence ou par leur longueur d'onde et l'énergie qu'elles transportent à travers une surface donnée proportionnelle au produit $|E| \times |H|$; l'énergie présente dans un élément de volume dv en régime permanent, autrement dit « entretenu », est $\varepsilon r\ \varepsilon o\ \mu r\ \mu o$ E.B dv.

Fréquence	*Longueur d'onde*
3 à 30 kHz	myriamétriques
30 à 300 kHz	kilométriques
300 à 3 000 kHz	hectométriques
3 à 30 MHz	décamétriques
30 à 300 MHz	métriques
300 à 3 000 MHz	décimétriques
3 à 30 GHz	centimétriques
30 à 300 GHz	millimétriques

Nota. – kHz : kilohertz. MHz : mégahertz. GHz : gigahertz. THz : térahertz. m/s : mètres/seconde. k = x 1 000 ; M = x 10^6 ; G = x 10^9 ; T = x 10^{12}.

On entend, par **audiofréquences,** les fréquences audibles (jusqu'à 15 kHz env.) ; **radiofréquences,** celles qui permettent le rayonnement à grande distance (15 kHz env. à 30 MHz) ; **hyperfréquences,** celles au-delà de 3 000 MHz, correspondant aux micro-ondes.

Les ondes myriamétriques (avec des puissances d'émission élevées) et les ondes décamétriques ont une portée qui atteint les antipodes et peut faire 1, 2 ou 3 tours de la Terre. Le **radar** utilise des ondes centimétriques ou millimétriques souvent émises par impulsions périodiques de très courte durée ; la puissance instantanée peut ainsi atteindre plusieurs mégawatts. Les *communications spatiales* utilisent des ondes centimétriques pour traverser la couche ionisée de l'ionosphère ou couche de Kemly-Heaviside. Radio-communications et radar emploieront prochainement des ondes beaucoup plus courtes, dans le domaine de l'infrarouge et au-delà, grâce aux lasers, générateurs de lumière parallèle, cohérente dans le temps et l'espace, et puissante. Le **laser** fonctionne avec des ondes électromagnétiques dont les longueurs d'ondes se situent dans la partie visible et infrarouge du spectre de la lumière, alors que le **maser** travaille sur des ondes de longueurs plus grandes, du domaine des micro-ondes : d'où l'apparition de *microwave* (micro-onde) dans le mot maser, et de *light* (lumière) dans le laser. Le laser a permis de raccorder les hyperfréquences avec la lumière infrarouge maintenant visible. La fréquence d'un laser se mesure en térahertz. En mesurant sa longueur d'onde, on obtient une détermination très précise de la vitesse des ondes électromagnétiques (officiellement : 299 792 458 m/s).

Les *ondes entretenues* permettent plus aisément que les ondes amorties la transmission de l'information (sons, images ou autres). A cet effet, elles sont modulées, un de leurs paramètres étant modifié par le courant ou la tension qui traduit l'information. Ainsi, les ondes porteuses peuvent être modulées en amplitude, en fréquence ou en phase. Selon leur mode de propagation, on peut distinguer l'*onde directe* ou *onde de surface,* qui, en allant de l'émetteur au récepteur, suit la surface du globe, et l'*onde indirecte,* ou *onde réfléchie,* ou encore *onde d'espace,* qui, entre émetteur et récepteur, a subi zéro, une ou plusieurs réflexions contre la couche ionosphérique et la Terre ou l'Océan.

Vitesse. Ondes électromagnétiques, radioélectriques, lumineuses se propagent dans le vide ou l'air sec à une vitesse de 299 792 458 m/s proche de 3×10^8 m/s.

Propagation d'une onde plane électromagnétique polarisée

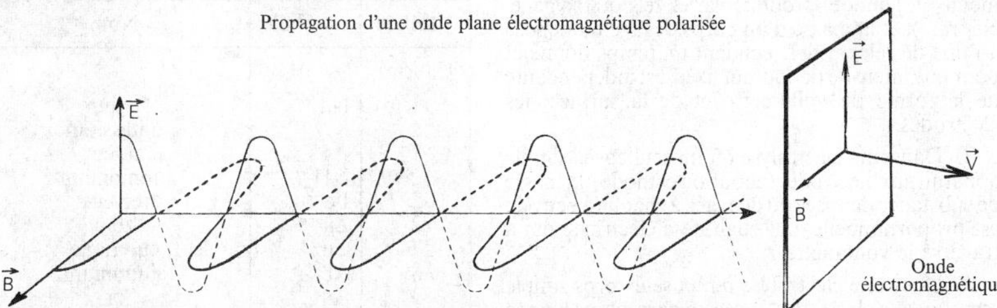

Ondes de radio	*Longueur d'onde*	*Fréquence*
Ondes de radio	supérieure à 1 mm	Inférieure à 3 $\times 10^{11}$ Hz
Infrarouge	1 mm à 0,8 μ	3 $\times 10^{11}$ à 4 $\times 10^{14}$ Hz
Spectre visible	0,8 μ à 0,4 μ	3,7 $\times 10^{14}$ à 7,5 $\times 10^{14}$ Hz
Ultraviolet	0,4 μ à 500 Å	7,5 $\times 10^{14}$ à 6 $\times 10^{15}$ Hz
Rayons X	500 Å à 1/100 Å	6 $\times 10^{15}$ à 3 $\times 10^{20}$ Hz
Rayons γ	inférieure à 1/100 Å	supérieure à 3 $\times 10^{20}$ Hz

Nota. – μ : abréviation de μm, micromètre ou 10^{-6} m = 10^{-3} mm. Å = o.1 nm = 10^{-10} m.

Ondes lumineuses

Théories. Depuis la découverte de l'effet photoélectrique, il faut admettre que la lumière est formée d'ondes et de corpuscules qui constituent comme deux aspects complémentaires de la réalité.

Louis de Broglie a proposé en 1924 que les corpuscules de matière sont eux aussi accompagnés d'une onde. La longueur d'onde dans le vide caractérise les radiations lumineuses. Si l'on pratique dans le volet d'une chambre noire une petite ouverture par laquelle on laisse pénétrer les rayons solaires et qu'on les reçoive sur une des faces d'un prisme, ces rayons seront non seulement déviés de leur direction naturelle, mais décomposés en un **spectre** coloré dans lequel 7 couleurs élémentaires se présentent dans l'ordre suivant : violet, indigo, bleu, vert, jaune, orangé, rouge. La différence entre les indices de réfraction des rayons violets et des rayons rouges est appelée **coefficient de dispersion.** La dispersion des verres est d'autant plus importante qu'ils sont plus denses (flint opposé au crown, léger) mais ils sont absorbants dans l'ultraviolet.

Inversement, on peut recomposer la lumière blanche par la superposition des diverses radiations du spectre ; en particulier, si l'on fait tourner un disque de carton divisé en secteurs colorés convenables (disque de Newton), on obtient à l'œil la sensation de la lumière blanche à cause de la persistance des impressions lumineuses sur la rétine. Au-delà du violet visible s'étend une zone d'activité chimique : les radiations qui la provoquent sont dites **« ultraviolettes »** ; au-delà du rouge se trouvent également des radiations invisibles à propriétés calorifiques ; on les appelle **« infrarouges ».** L'indice de réfraction étant décroissant lorsque la longueur d'onde du rayon considéré croît, l'étude des spectres permet de déterminer la nature d'un rayonnement donné.

Un **spectre** est dit normal lorsque la distance des raies sur l'écran est proportionnelle à l'écart de longueur d'onde des rayons correspondants. Ce spectre est obtenu directement par diffraction de la lumière sur les réseaux. La position des raies est déterminée par une échelle micrométrique projetée sur l'écran parallèlement au spectre à étudier.

Fibres de verre. Nouveau moyen de transmission par la lumière rouge et très proche infrarouge, distances intraville et intervilles.

Laser. Source de lumière parallèle cohérente (dans le temps et l'espace). Les distances intercontinentales sont déjà accessibles pour les communications, des relais optiques étant insérés tous les 50 km environ pour restaurer la forme et l'amplitude des impulsions élémentaires du signal.

VIII – Électrostatique

Champ électrique. L'électricité, comme la matière, a une structure discontinue ou granulaire. L'électron est le plus petit grain d'électricité négative. Tous les électrons sont identiques.

Un corps sera d'autant plus électrisé qu'il aura cédé ou gagné plus ou moins d'électrons ; c'est-à-dire qu'il portera une charge électrique plus ou moins grande.

Les forces d'attraction ou de répulsion s'exerçant entre 2 charges ponctuelles sont inversement proportionnelles au carré de la distance. Le module de chacune de ces forces peut se calculer par la relation suivante : $f = 9.10^9 \frac{qq'}{r^2}$; f : force exprimée en newtons (N), q et q' : charges exprimées en coulombs (C), r : distance des charges exprimée en mètres (m).

Lorsqu'on place une charge électrique en un point de l'espace, les propriétés de cet espace sont modifiées tout autour de la charge et jusqu'à de très grandes distances. L'espace modifié est le siège d'un **champ électrique** qui apparaît comme un vecteur caractérisant chaque point de l'espace.

Une charge électrique quelconque q placée en un point quelconque subit une force $\vec{f}$ telle que : $\vec{f} = q\vec{E}$.

Si la charge q est positive, $\vec{f}$ a le sens de $\vec{E}$; si la charge q est négative, $\vec{f}$ a le sens contraire à $\vec{E}$. Les champs électriques se composent vectoriellement.

Une **ligne de champ** est une courbe de l'espace telle qu'en chacun de ses points le champ électrique lui soit tangent ; on l'oriente par continuité dans le sens du champ. Généralisation : chaque fois qu'il y a force à distance, on peut parler de champ : ch. newtonien de l'attraction universelle, ch. magnétique.

Travail, potentiel. Lorsqu'une charge q placée dans un champ électrique se déplace d'un point A à un point B, le travail de la force électrique appliquée à cette charge est proportionnel à la charge q et indépendant du chemin suivi par la charge entre A et B ; il ne dépend que des positions de A et de B : W × a (a : projection de AB sur la direction des lignes de champs).

La relation s'écrit : $W = q(V_A - V_B)$.

On dit que la charge q passant de A en B subit une **chute de potentiel** de $(V_A - V_B)$ volts.

Longueur d'ondes. On a réparti en 2 classes les émissions radioélectriques : classe A, émission d'ondes entretenues, c'est-à-dire dont les oscillations successives sont identiques en régime permanent ; classe B, émission d'ondes amorties, ondes composées de trains successifs dans lesquels l'amplitude des oscillations, après avoir atteint un maximum, décroît graduellement par suite de la discontinuité de la décharge et des pertes d'énergie dans les circuits.

Les ondes électriques, radioélectriques ou hertziennes ne diffèrent des ondes lumineuses que par leur longueur de quelques millimètres à 30 000 m, tandis que celle des ondes lumineuses s'échelonne entre 0,75 μ (micron) soit 0,00075 mm pour les rayons rouges, 0,65 μ (orange), 0,55 μ (jaune), 0,51 μ (vert), 0,47 μ (bleu), 0,44 μ (indigo), 0,42 μ (violet). Les rayons infrarouges peuvent atteindre 1 m.

Pour la radiodiffusion, on utilise des longueurs d'onde situées dans les gammes des **grandes ondes** (ou ondes longues), comprises entre 1 000 et 2 000 m, dans celles des **petites ondes** (ou ondes moyennes), entre 200 et 600 m et dans celles des **ondes courtes**, entre 10 et 100 m. *En modulation de fréquence*, on emploie des ondes métriques. *En télévision*, les émissions sont effectuées sur des longueurs d'onde de quelques mètres ou même inférieures au mètre.

L'émission lumineuse est généralement discontinue, et rarement monochromatique.

Pour obtenir des interférences, il faut dédoubler une source unique en 2 sources de lumière cohérente. Ce dédoublement n'est plus nécessaire dans le cas des oscillations électriques.

Le laser a permis d'obtenir des sources de lumière monochromatique et cohérente sur une surface de l'ordre de 1 cm², ce qui facilite l'obtention des interférences.

Lumière la plus vive. Les rayons laser ont une luminosité plus de 1 000 fois supérieure à celle du Soleil, qui atteint déjà 500 candelas/cm². **Source de lumière la plus puissante.** Lampe à arc à xénon sous haute pression de 200 kW qui produit une lumière de 600 000 bougies. **Rayon lumineux le plus puissant.** Radiation synchrotonique émise par une fente de 100 × 2,5 mm au bout de l'accélérateur linéaire de Standford (Californie, U.S.A.).

IX – Électrocinétique

Courant électrique

Effets. Le passage d'un courant dans un circuit se manifeste par 3 effets : chimique, calorifique, magnétique.

Sens du courant. Choisi arbitrairement va, dans une cuve à électrolyse contenant de l'eau acidulée, de l'électrode d'où se dégage l'oxygène à celle d'où se dégage l'hydrogène. Ce choix implique que, dans le circuit extérieur au générateur, le courant va du pôle positif au pôle négatif. Le courant électrique réel est un courant d'électrons qui circulent dans le métal en sens inverse du sens conventionnel du courant.

La vitesse de déplacement de l'ensemble des électrons dans un métal est faible (env. 0,1 millimètre par seconde). Cependant, les effets du courant se manifestent instantanément d'un bout à l'autre du circuit : c'est que le champ électrique qui commande le mouvement d'ensemble des électrons se propage le long du fil électrique de façon quasi instantanée.

En chaque point d'un conducteur parcouru par un courant, il existe un champ électrique $\vec{E}$, dirigé dans le sens du courant. Entre deux points quelconques, A et B, du circuit extérieur au générateur, il existe une différence de potentiel. De façon précise, si une quantité d'électricité q traverse une section du conducteur pendant le temps t, on définit l'intensité I du courant par le rapport : $I = \frac{q}{t}$.

Intensité d'un courant. Elle est à chaque instant la même en tous points d'un circuit unique. Cela signifie que le débit d'électrons est le même partout, qu'il n'y a pas accumulation d'électrons en un point quelconque. Mais ce débit d'électrons peut être variable au cours du temps ; c'est ce qui se produit lorsque l'on charge un conducteur au moyen d'un générateur ; le courant, d'abord intense, diminue progressivement d'intensité, pour s'annuler lorsque le conducteur est complètement chargé. Un tel courant est appelé *courant variable*. Si, au contraire, l'intensité reste constante au cours du temps, nous avons un *courant continu*.

Électrolyse. Lorsqu'un courant électrique traverse un électrolyte (solution d'acides, de bases, de sels, ou des bases ou des sels fondus), son passage s'accompagne de l'apparition aux électrodes de produits chimiques.

La **cathode** est l'électrode de sortie du courant (du grec *cathodos*, « en bas du chemin ») et l'**anode** (*anodos*, « en haut du chemin ») l'électrode d'entrée du courant. La cuve où se produit l'électrolyse est appelée un **voltamètre.**

Lois de Faraday. 1) Au cours d'une électrolyse, les produits libérés n'apparaissent qu'aux électrodes (à la cathode, dégagement d'hydrogène ou dépôt de métal ; à l'anode, produits variés tels qu'oxygène, chlore...), et la masse d'un corps dégagé ou déposé à l'une des électrodes, pendant un temps donné et pour une intensité de courant fixée, est indépendante de la forme du voltamètre et de la surface des électrodes.

2) Dans une électrolyse où un seul corps simple apparaît aux électrodes (anode ou cathode), la masse de substance déposée ou dégagée à chaque électrode est proportionnelle à la quantité d'électricité qui a traversé le voltamètre.

3) Dans une électrolyse où un seul corps simple apparaît aux électrodes, la masse de ce corps libérée en un temps donné est proportionnelle à sa masse atomique A et inversement proportionnelle à sa valence n :

$$m = \frac{1}{96500} \frac{A}{n} It$$

d'où 96 500 coulombs libèrent 1 valence-gramme $\frac{A}{n}$.

1 faraday F vaut 96 500 coulombs. C'est la charge électrique portée par une mole (molécule-gramme). Ces ions existent dans les solutions d'électrolyte, indépendamment du passage du courant. Ils sont constitués d'un ou plusieurs atomes réels ayant perdu ou gagné un ou plusieurs électrons.

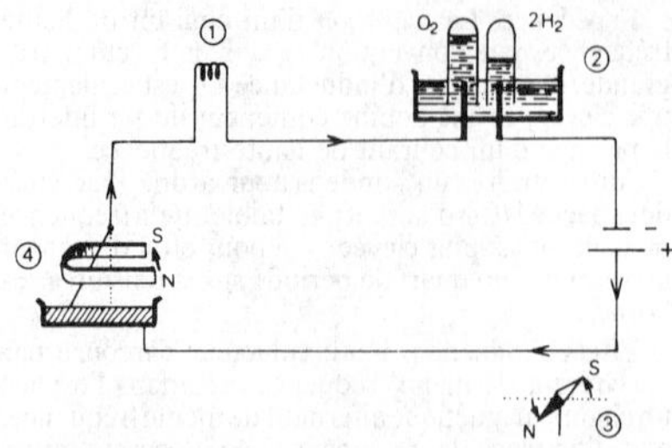

Légende. – Effets du courant : (1) échauffement du filament ; (2) électrolyse de l'eau additionnée de SO_4H_2 ; dégagement d'oxygène et d'hydrogène ; (3) action du courant sur un aimant (déviation de la boussole) ; (4) action d'un aimant sur un courant (déplacement du fil conducteur).

Si nous ouvrons l'interrupteur, nous « coupons » le courant, tous ces effets cessent.

Les ions négatifs sont appelés anions, les ions positifs, cations. Les ions sont des individus chimiques stables en solution.

Lorsque les 2 électrodes d'un voltamètre sont réunies aux pôles d'un générateur, il s'établit une différence de potentiel entre les électrodes, qui crée un champ électrique $\vec{E}$ dans l'électrolyte.

De ce fait, les ions positifs sont soumis à des forces qui s'exercent dans le sens du champ, de l'anode vers la cathode : ils se dirigent vers la cathode. Les ions négatifs, soumis à des forces opposées aux précédentes, vont à l'anode.

Au contact des électrodes, les ions *échangent des électrons* avec le courant qui circule dans le conducteur reliant les électrodes au générateur.

Les anions sont oxydés à l'anode, c'est-à-dire qu'ils perdent des électrons.

Les cations sont réduits à la cathode, ils gagnent des électrons.

Le nombre d'atomes contenu dans une mole d'atomes est $N = 6{,}02 \times 10^{23}$. C'est le *nombre d'Avogadro*. L'apparition d'un atome réel sur l'une des électrodes met en jeu une quantité d'électricité :

$q = \frac{nF}{N} = ne$, en posant $e = \frac{F}{N}$. Il y a donc au niveau des atomes échange de grains d'électricité de charge e.

$e = \frac{96\,500}{6{,}02 \times 10^{23}}\ 1{,}6 \times 10^{-19}$ coulombs, valeur absolue de la charge de l'électron.

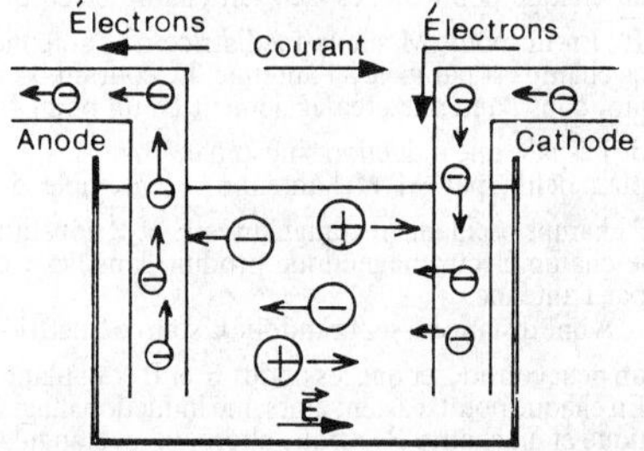

Valence	Symbole	Nom
Cations		
1	Na^+	sodium
1	K^+	potassium
1	Ag^+	argent
1	NH_4^+	ammonium
2	Fe^{++}	ferreux
2	Zn^{++}	zinc
2	Cu^{++}	cuivrique
3	Al^{+++}	aluminium
3	Au^{+++}	or
3	Fe^{+++}	ferrique
Anions		
1	Cl^-	chlorure
1	OH^-	oxhydryle
1	MnO_4^-	permanganate
1	NO_3^-	nitrate
2	SO_4^{--}	sulfate
2	CO_3^{--}	carbonate
2	$Cr_2O_7^{--}$	bichromate
3	PO_4^{---}	phosphate

Applications. *Électrochimie* qui englobe les procédés de préparation de certains corps simples et de raffinage de certains métaux (chlore, hydrogène, oxygène, aluminium).

Raffinage électrolytique des métaux, utilisé pour préparer le cuivre très pur (électro), le fer « électro », l'or « fin », l'argent « vierge »...

Galvanoplastie : réalisation d'un dépôt métallique sur un autre métal ou sur un moule ; utilisée pour la reproduction de médailles, monnaies, clichés typographiques, l'argenture des couverts, la dorure de pièces décoratives, le chromage et le nickelage destinés à la protection des métaux contre la corrosion.

Énergie électrique

Transformation. Toutes les applications du courant sont des transformations d'énergie électrique en énergie thermique, mécanique ou chimique.

Générateur. Appareil transformant en énergie électrique d'autres formes d'énergie.

Différence de potentiel. Soit 2 points d'un circuit ne comportant pas de générateur entre ces 2 points : le passage du courant entre ces points se traduit par le transport d'une charge q et par une apparition d'énergie calorifique, mécanique ou chimique entre ces points. Les forces appliquées à la charge q effectuent lors de son déplacement un travail W_{AB} qui permet de définir la différence de potentiel entre ces points :

$$W_{AB} = q\,(V_A - V_B).$$

Ce travail représente l'*énergie électrique consommée* entre les deux points A et B :

$$W_{AB} = (V_A - V_B)\,I.t,$$

I étant l'intensité du courant et t la durée de son passage.

Loi de Joule. La quantité de chaleur dégagée par le passage d'un courant électrique dans un conducteur est proportionnelle à la durée de passage du courant ; est proportionnelle au carré de l'intensité ; dépend du conducteur :

$$W = RI^2t,$$

où W désigne la quantité de chaleur dégagée pendant un temps t par un courant d'intensité I. R est la résistance que le conducteur oppose au passage du courant ; plus elle est grande, plus les électrons éprouvent de difficulté à se déplacer et plus important est le dégagement de chaleur. En même temps, le conducteur cède de la chaleur au milieu ambiant, surtout par rayonnement. La température du fil parcouru par un courant va donc croître lentement jusqu'au moment où il rayonnera toute la chaleur apparue par effet Joule ; la température du fil n'augmente plus, c'est sa température d'équilibre.

Si le courant est plus intense que prévu, on peut atteindre la température de fusion du conducteur ; c'est le principe des **coupe-circuit** ou **fusibles** calibrés de façon à fondre pour une intensité supérieure à 5 ampères, 10 ampères...

Résistance des conducteurs

Importance. La résistance d'un conducteur cylindrique de nature donnée est proportionnelle à sa longueur l et inversement proportionnelle à sa section S :

$R = \rho\,\frac{l}{S}$, ρ étant la résistivité du conducteur.

Plus le degré de pureté d'un métal est grand, plus faible est sa résistivité. La résistance du métal pur croît proportionnellement à la température absolue :

$$\rho = AT.$$

En pratique : $\rho = \rho_0\,(1 + at)$;

a est le coefficient de température :

$a = 4.10^{-3}$ pour un cristal unique parfait, 0,02 pour les électrolytes.

En refroidissant les métaux, on les rend plus conducteurs. En refroidissant l'aluminium à 17 °K, le sodium à 8 °K par cette technique appelée *cryogénique,* on réduit de 10 % les pertes par effet Joule.

Conducteurs placés en série. Leurs résistances s'ajoutent.

Supraconducteurs. Si l'on refroidit davantage encore certains métaux (étain, plomb) ou certains alliages comme le niobium-étain ou le niobium-zirconium, pour une température T, caractéristique de chaque matériau, la résistivité tombe brusquement et n'est plus mesurable. C'est la supraconductivité. La température la moins basse correspondant à l'existence de ce phénomène est actuellement égale à 125 °K, température de l'oxyde $Tl_2\,Ba_2\,Ca_2\,Cu_3\,O_{10}$.

Résistivité à 15 °C en ohms-mètres (Ω.m)		
Métaux :		
Argent		$1{,}5.10^{-8}$
Cuivre		$1{,}6.10^{-8}$
Aluminium		$2{,}5.10^{-8}$
Zinc		6.10^{-8}
Tungstène		$5{,}33.10^{-8}$
Fer		10.10^{-8}
Nickel		12.10^{-8}
Plomb		20.10^{-8}
Mercure		95.10^{-8}
Alliages :		
Maillechort [1]		10^{-8}
Manganine [2]		42.10^{-8}
Constantan [3]		49.10^{-8}
Ferronickel [4]		80.10^{-8}
Nichrome [5]		80.10^{-8}
Électrolyses :		
solution H_2SO_4	à 5 %	$4{,}8.10^{-2}$
	à 10 %	$2{,}5.10^{-2}$
	à 30 %	$1{,}35.10^{-2}$
solution $CuSO_4$	à 5 %	20.10^{-2}
	saturée	53.10^{-2}
sol. NaCl saturée		$4{,}6.10^{-2}$
sol. NaOH à 10 %		$3{,}2.10^{-2}$

Nota. – (1) 60 % Cu, 25 % Zn, 15 % Ni. (2) 85 % Cu, 11 % Mn, 4 % Ni. (3) 60 % Cu, 40 % Ni. (4) 75 % Fe, 24 % Ni, 1 % C. (5) 60 % Ni, 12 % Cr, 28 % Fe.

Métal	T_t°K
Zn	0,79
Al	1,14
Sn	3,69
Hg	412
Pb	7,26

Semi-conducteurs

Source : F. Milsant, *Cours d'électronique* (5 vol.), T. II. Éd. Eyrolles, 1984.

Semi-conducteurs intrinsèques

Les semi-conducteurs les plus utilisés sont le germanium et le silicium. Lorsqu'ils sont à l'état pur, on les appelle *intrinsèques.* L'atome de germanium (valence 4) a un noyau de 32 protons entouré de 32 électrons. Ces derniers sont répartis en 4 couches d'orbites dont la dernière a 4 électrons. Ces électrons confèrent au corps sa valence, le faisant ainsi figurer avec le silicium dans le groupe IV du tableau de Mendeleïev (voir p. 240). Si nous essayons de rassembler les atomes pour en faire un cristal, chaque atome met en commun ses électrons avec les 4 atomes les plus proches. Tous les noyaux sont alors entourés de 8 électrons périphériques, ce qui correspond à une grande stabilité.

On représente symboliquement le cristal de germanium par le dessin ci-dessous :

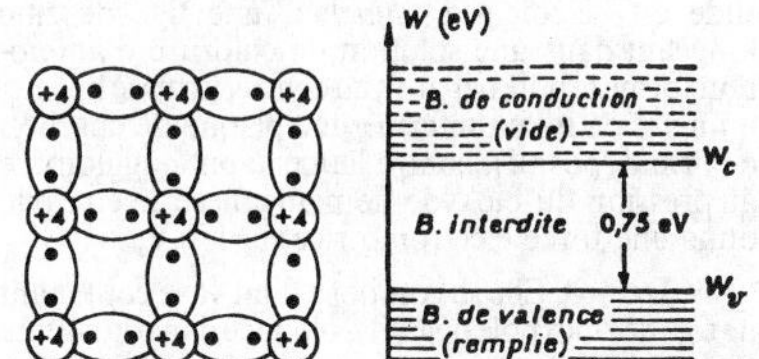

Chacun des noyaux de germanium est figuré par un cercle, il porte la charge + 4e qui équilibre les 4 électrons de valence représentés par des points ; les liaisons entre 2 atomes voisins sont figurées par 2 traits qui entourent les électrons mis en commun. Au zéro absolu (– 273,15 °C), les électrons sollicités par leurs liaisons ne peuvent s'échapper de l'atome, il n'y a donc pas d'électrons libres. Sur le plan énergétique, la bande de valence est saturée alors que la bande de conduction est totalement vide. Au zéro absolu, un semi-conducteur est un isolant parfait.

Sur le diagramme énergétique d'un semi-conducteur, la bande faible (ex. : 0,75 eV pour le germanium au zéro absolu) est très élevée pour un isolant (7 eV env.). Aussi est-il plus facile de rendre conducteur un semi-conducteur qu'un isolant, grâce à un apport d'énergie extérieur (rayonnement, chauffage...). A la température ambiante normale, l'énergie cinétique des électrons est beaucoup plus élevée qu'au zéro absolu : certaines liaisons se rompent et des porteurs de charges (électrons libres ou trous) apparaissent. Un semi-conducteur intrinsèque est alors légèrement conducteur : un électron de germanium, agité autour d'une position moyenne par effet thermique, devient libre dès que son énergie cinétique atteint l'énergie d'activation (Wa = 0,75 eV). Il passe de la bande de valence à la bande de conduction et se comporte comme électron libre d'un métal. En l'absence de champ électrique, le mouvement des électrons libres est désordonné. Si l'on crée un champ électrique en appliquant une différence de potentiel aux extrémités du semi-conducteur, les électrons libres se déplaceront en sens inverse du champ. Le vide laissé par un électron qui a rompu sa liaison est appelé trou. L'atome qui a perdu un électron est dans un état instable, aussi profitera-t-il de l'agitation thermique des électrons pour se lier à l'électron de valence d'un atome voisin. Son trou est alors bouché mais un nouveau trou apparaîtra dans l'atome voisin. Ainsi tout se passe comme si le trou se déplaçait.

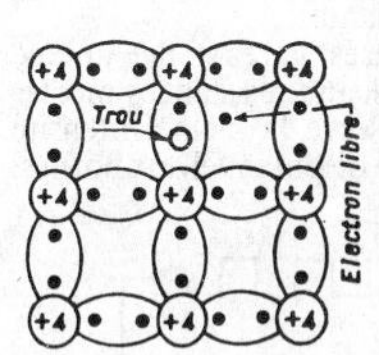

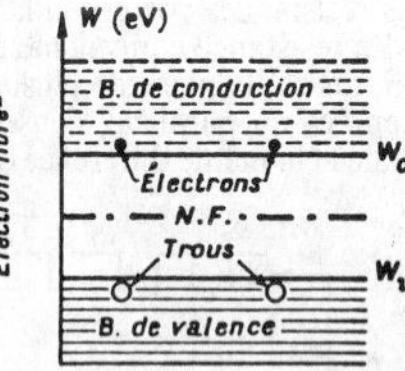

Un cristal intrinsèque a autant de trous que d'électrons libres. Le courant électrique est constitué par un double déplacement en sens inverse de ces porteurs de charges.

Semi-conducteurs extrinsèques

L'introduction, en quantité très faible, de certaines impuretés dans un semi-conducteur intrinsèque, peut augmenter dans des proportions considérables le nombre des porteurs de charges (électrons libres ou trous), et réduire la résistivité du matériau ; le cristal ainsi dopé est dit *extrinsèque.* Un g d'arsenic ajouté à 100 t de germanium pur réduit la résistivité de 50 ohms-cm à quelques ohms-cm. Les impuretés utilisées (de valence 5 ou 3) conduisent à 2 types différents de cristaux.

Germanium de type n. Introduisons dans du germanium en fusion une proportion infime d'impuretés, de valence 5 (arsenic ou antimoine). Un atome d'arsenic n'est alors entouré que par des atomes de germanium. L'atome d'arsenic peut échanger avec les atomes voisins 4 de ses 5 électrons de valence, le 5e qui n'est pas retenu aussi solidement que les autres étant plus facile à détacher de son noyau. Il suffit de fournir une énergie d'environ 0,01 eV pour rendre libre cet électron, lui permettant ainsi de participer à la conduction. Le départ de cet électron ne crée pas un trou mobile car si l'atome d'arsenic est transformé en un ion positif en raison de la perte d'un de ses électrons, cet atome qui a reçu l'énergie 0,01 eV n'a pas une énergie suffisante (0,75 eV) pour prélever un électron à un atome de germanium voisin.

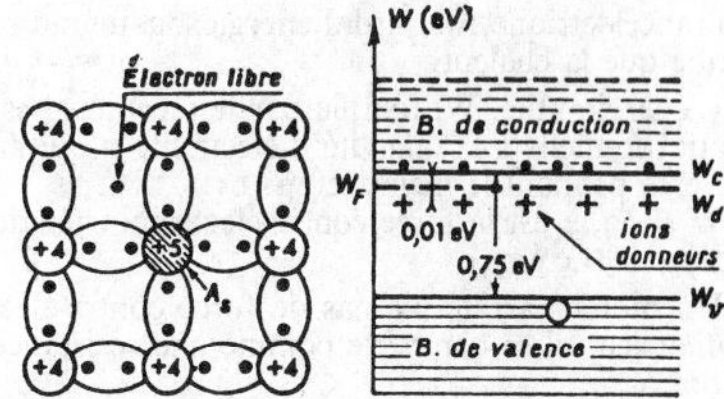

Une impureté comme l'arsenic est un élément donneur car elle fournit des électrons. Le cristal ainsi dopé est appelé *germanium type n* (n signifie que, dans ce matériau, la conduction a lieu principalement par déplacement de charges négatives). On dit encore que dans un tel cristal les électrons sont majoritaires, alors que les trous sont minoritaires.

Germanium de type p. Introduisons dans le germanium une impureté de valence 3 (ex. indium). L'atome d'indium ne peut alors assurer que 3 liaisons avec les atomes de germanium voisins. Comme il manque un électron pour réaliser la 4e liaison du réseau, tout se passe comme s'il y avait un trou. Ce trou est mobile comme le trou d'un cristal intrinsèque. En effet, l'atome d'indium profitera de l'agitation électronique pour s'approprier l'électron d'atome voisin de germanium, ce qui crée un nouveau trou qui se comblera à son tour. Quand le trou s'est ainsi éloigné de lui, l'atome d'indium, qui a récupéré un électron, est devenu un ion négatif parfaitement stable.

Loi d'Ohm

La différence de potentiel entre 2 points d'un conducteur, dans lequel l'énergie électrique est intégralement transformée en chaleur, se mesure par le produit de l'intensité du courant par la résistance du conducteur :

$V_A - V_B = RI.$

Conservation de l'intensité. Entre 2 points A et B, montons 3 résistances mortes (ou un nombre quelconque), r_1, r_2, r_3, en dérivation ou en parallèle.

La somme des intensités dans chaque dérivation est égale à l'intensité dans le circuit principal. La différence de potentiel entre A et B est la même pour toute dérivation. Dans des résistances mortes placées en dérivation, les intensités sont en raison inverse des résistances correspondantes.

La résistance équivalente est la résistance unique qui, mise à la place de plusieurs résistances mortes montées en parallèle, conserve la même intensité totale et la même différence de potentiel aux bornes.

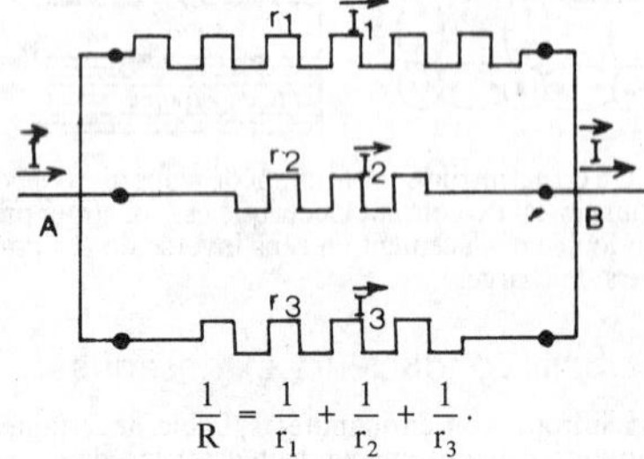

$$\frac{1}{R} = \frac{1}{r_1} + \frac{1}{r_2} + \frac{1}{r_3}.$$

Générateur. C'est un appareil qui *transforme* en énergie électrique une autre forme d'énergie. Placé dans un circuit, il produit un courant qui transporte de l'énergie.

La borne *par où sort le courant* est la *cathode* C ; c'est le pôle positif. La borne *par laquelle entre le courant* est l'*anode* A ; c'est le pôle négatif.

Pendant un certain temps t, le générateur fournit à la quantité d'électricité q qui le traverse une certaine énergie W, fonction de la nature du générateur employé et de son efficacité d'électromoteur :

W = Eq, E est la force électromotrice (f.é.m.) du générateur.

Exprimée en volts, elle est égale au quotient du nombre qui mesure la puissance totale mise en jeu par le générateur, exprimée en watts, par le nombre qui mesure l'intensité du courant, exprimé en ampères :

$$\underset{\text{watts}}{P} = \underset{\text{volts}}{E} \cdot \underset{\text{ampères}}{I}.$$

Si plusieurs générateurs sont associés en série, leurs forces électromotrices s'ajoutent.

Récepteur. C'est un système qui, parcouru par un courant électrique, fournit de l'énergie sous une autre forme que la chaleur.

L'énergie utile, W, fournie par le récepteur, est proportionnelle à la quantité d'électricité q qui l'a traversé pendant le même temps t :

W = eq, e est la force contre-électromotrice du récepteur (f.c.é.m.).

Un moteur arrêté n'a pas de force contre-électromotrice : il se comporte comme une résistance pure.

Un moteur tournant à vide n'est parcouru par aucun courant.

Différence de potentiel. Le générateur oppose une certaine résistance intérieure au passage du courant : bobinage des dynamos, liquide électrolytique.

La chute de potentiel à la traversée d'un générateur est :

$V_A - V_C = rI - E$ *dans le sens du courant.*

Il existe, entre les pôles d'un générateur en circuit ouvert, une différence de potentiel $V_C - V_A = E_s$.

Il existe donc un *champ électrostatique* $\vec{E}_s$, dirigé de C vers A. Un 2e *champ électrique,* différent du champ électrostatique, annule ce dernier en chaque point : c'est le *champ électromoteur* $\vec{E}_m$. Les charges mobiles (ions et électrons) soumises aux 2 champs ne se déplacent pas.

La différence de potentiel aux bornes d'un récepteur traversé par un courant d'intensité I est :

$V_A - V_C = rI + e$ *dans le sens du courant.*

Un générateur remonte le potentiel dans le sens du courant.

Un récepteur ne peut fonctionner que si la d.d.p. entre ses bornes est au moins égale à sa f.c.é.m.

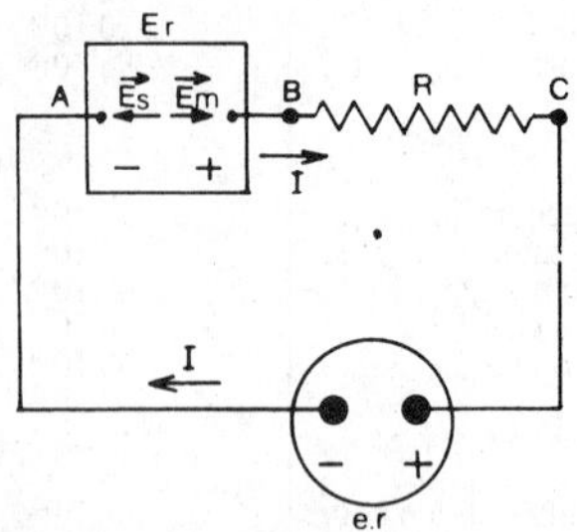

Application à un circuit fermé. Pendant le temps t, l'intensité du courant étant I, l'énergie fournie par le générateur est dépensée d'abord par effet Joule, puis en énergie utilisable par le récepteur :

$$EIt = (R + r + r')I^2t + eIt.$$

En divisant par It :

$$E - e = (R + r + r')I.$$

Cas général. Dans un circuit simple (à 1 maille) comprenant un nombre quelconque de générateurs, de récepteurs et de résistances mortes, la somme des différences de potentiel successives conduit à :

$$O = I\Sigma R - \Sigma E + \Sigma e,$$

soit : $I = \dfrac{\Sigma E - \Sigma e}{\Sigma R}$ (loi de Pouillet).

Méthode de résolution d'un circuit complexe *(ou réseau à 2 nœuds).* Résoudre un circuit, c'est trouver les valeurs des intensités des courants dans chaque branche.

On appelle *nœuds* les points communs à plusieurs dérivations. Il n'y a nulle part accumulation d'électricité ; donc, la somme des intensités des courants arrivant à un nœud est égale à la somme des intensités des courants qui en partent *(loi des nœuds* ou 1re loi de Kirchhoff). La différence de potentiel entre 2 nœuds est commune à toutes les déviations attachées à ces nœuds.

Pile de Volta. La 1re pile (1800) ; elle était composée d'une série de disques de cuivre et de zinc isolés les uns des autres par des rondelles de drap ou de carton trempées dans de l'eau acidulée ; un fil métallique, reliant le dernier disque de cuivre au dernier disque de zinc, était parcouru par un courant.

Pile au bichromate de potassium. Type classique : 2 plaques de charbon de cornue, servant de pôle positif, sont disposées de chaque côté d'une lame de zinc coulissante (négatif) ; le tout plonge dans une solution acide de bichromate de potassium. Dès l'immersion de la lame métallique, le courant se produit en vertu des réactions suivantes : un sulfate double de potassium et de chrome se forme, tandis qu'il y a dégagement d'oxygène, dont la combinaison avec l'hydrogène empêche la polarisation. Ces piles ont une force électromotrice de 2 V.

La plus pratique des piles à un seul dépolarisant solide est l'élément *Leclanché :* une tige de zinc plongeant dans une solution de chlorure d'ammonium forme le pôle négatif ; au centre, un vase poreux ou un sac de toile renferme une plaque de charbon de cornue (positif), contre laquelle on a aggloméré par pression du bioxyde de manganèse ; cette pile donne une force électromotrice de 1,5 V.

Pile Daniell. Elle se compose d'un vase contenant une tige de zinc (pôle négatif), plongée dans du sulfate de zinc. A l'intérieur, un vase poreux renferme un cylindre de cuivre (pôle positif) entouré d'une solution saturée de sulfate de cuivre. Cette pile donne une force électromotrice de 1,08 V.

La caractéristique d'un conducteur ohmique est une droite passant par l'origine. Son équation est :

$$u_{AB} = R \cdot i_{AB}$$

u en volts (V), R en ohms (Ω), i en ampères (A).

Lorsqu'un courant continu traverse un conducteur ohmique de résistance R, celui-ci reste dans le même état, en régime stationnaire ; son énergie interne reste constante. Du fait que ce conducteur ne produit aucun travail, on peut s'attendre à ce qu'il fournisse une quantité de chaleur égale au travail électrocinétique qu'il reçoit.

Classification des dipôles

Dipôles symétriques. Les pôles jouent le même rôle. Exemples : résistor, varistance (ou VDR), lampe à incandescence.

Dipôles dissymétriques. Les pôles ne jouent pas le même rôle. Exemples : pôles d'une pile (le schéma conventionnel est dissymétrique), diode.

Dipôles passifs, actifs. Si on réalise un circuit électrique avec uniquement des résistors, des lampes à incandescence, des varistances (VDR), des diodes, on constate que quelle que soit la façon de brancher ces dipôles, le circuit n'est parcouru par aucun courant électrique. Ces dipôles sont appelés des dipôles passifs. Pour qu'un circuit soit parcouru par un courant électrique, il doit contenir au moins un dipôle actif fonctionnant en générateur. Trois types de dipôles actifs : les piles, les accumulateurs et les alimentations stabilisées. La diode est un dipôle passif dissymétrique.

X – Courant alternatif

Définition

Si on fait tourner une petite bobine dans l'entrefer d'un aimant, les spires de la bobine sont traversées par un flux d'induction dû à l'aimant. Lorsque la bobine tourne, ce flux varie. La bobine est donc le siège d'une f.é.m. induite qui se manifeste par une différence de potentiel.

Si la bobine comporte N spires de surface S chacune, le flux à travers toutes les spires est : $\Phi = NSB \cos \Theta$.

Si la bobine tourne régulièrement, à raison de n tours par seconde, l'angle Θ augmente de 2 π n radians par seconde, et l'on peut écrire :

$$\Theta = 2\,\pi nt,$$

t étant le temps.

On a donc : $\Phi = NSB \cos 2\,\pi nt$.

On sait que la f.é.m. d'induction a pour valeur :

$$e : -\frac{d\Phi}{dt} = 2\,\rho nNSB \sin 2\,\pi nt,$$

relation que l'on peut écrire :

$$e = E_m \sin 2\,\pi nt,$$

avec : $E_m = 2\,\pi nNSB$.

Cette f.é.m. est *alternative.* Il en est de même pour la différence de potentiel $V_A - V_B = e$, entre les bornes A et B, le circuit étant ouvert.

On obtient le même résultat en faisant tourner un aimant devant 1 bobine fixe.

Si on établit une différence de potentiel alternative aux bornes d'une résistance R, à chaque instant t, l'intensité i du courant sera donnée par la loi d'Ohm :

$$i = \frac{v}{R} = \frac{V_m}{R} \sin 2\,\pi nt = I_m \sin 2\,\pi nt.$$

Cette intensité est celle d'un *courant alternatif.* On voit qu'elle est variable et qu'elle change de sens périodiquement. Elle atteint sa valeur maximale $|\pm I_m|$ chaque fois que sin 2 πnt prend les valeurs ± 1.

A chaque fois que le temps t augmente de $T = \dfrac{1}{n}$, l'argument 2 πnt augmente de 2 π, et le sinus, donc l'intensité, reprend la même valeur en grandeur et en signe. T est la *période* du courant.

Son inverse $n = \dfrac{1}{T}$ est la *fréquence* du courant ; on l'exprime en hertz (Hz).

Le courant alternatif industriel a une fréquence de 50 hertz. En radioélectricité, on utilise des hautes fréquences de l'ordre du milliard de hertz.

ω = 2 πn est la *pulsation ;* elle s'exprime en radians par seconde, puisque 2 π est en radians et que $n = \dfrac{1}{T}$ est l'inverse d'un temps.

Effets du courant alternatif

Effet chimique. Si on fait passer un courant alternatif dans un voltamètre à eau acidulée, pendant une alternance, l'une des électrodes est anode, l'autre est cathode ; de la première se dégage de l'oxygène, de l'autre de l'hydrogène ; pendant l'alternance suivante, le courant a changé de sens : anode et cathode ont permuté. On constate en fin d'expérience que les 2 tubes du voltamètre contiennent des mélanges détonants de même volume ; $2\ H_2 + O_2$.

Effet Joule. Il est proportionnel au carré de l'intensité et indépendant de son sens. Il varie en fonction du temps, ce qui se traduit, par exemple, par une variation de luminosité du filament d'une lampe.

Effets magnétiques. Le champ magnétique créé par un courant en un point sera alternatif et de même fréquence que le courant. Si on approche un pôle d'aimant d'une lampe à filament de carbone alimentée par le secteur, la boucle présente alternativement une face sud et une face nord devant le pôle d'aimant : il y aura une attraction et une répulsion à chaque période, et le filament se mettra à vibrer avec la fréquence du courant. Si la lampe était alimentée en courant continu, la boucle serait constamment attirée (ou repoussée, selon la position de ses faces nord et sud).

Effet Kelvin. Un courant continu se répartit également dans toute la section d'un fil conducteur. Mais un courant alternatif produit un champ magnétique variable, et un tel courant se propage surtout par la partie périphérique du conducteur : c'est l'*effet Kelvin,* ou *effet skin* (eff. de peau). Ce phénomène est d'autant plus important que le conducteur est plus gros, plus conducteur, et que la fréquence est plus élevée. Pour les hautes fréquences, le centre du conducteur ne transporte pratiquement plus de courant, et on peut remplacer, sans rien changer, un conducteur plein par un tube. L'effet Kelvin a pour conséquence d'augmenter l'effet Joule puisque le courant n'utilise qu'une section de conducteur plus petite que la section réelle, et la résistance apparente se trouve augmentée ; pour un fil de cuivre de 1 cm de diamètre, cette variation est de 1 pour 1 000 pour une fréquence de 50 hertz, et de 180 pour 1 000 pour une fréquence de 500 hertz. On peut négliger l'effet skin avec les fréquences industrielles.

Valeurs efficaces

Intensité efficace. Par suite de sa fréquence assez élevée, on observe pratiquement les *effets moyens* du courant alternatif. L'*intensité efficace* d'un courant variable i(t) est l'intensité I du courant continu qui produirait le même dégagement de chaleur que i(t), s'il passait, pendant le même intervalle de temps, dans la même résistance. Dans les calculs de l'effet Joule en courant alternatif, il suffit d'appliquer la même relation qu'en courant continu, avec l'intensité efficace : $P = RI^2$.

L'intensité efficace s'exprime en fonction de l'intensité maximale Im par :

$I = \frac{I_m}{\sqrt{2}}$; la différence de potentiel efficace par : $V = \frac{V_m}{\sqrt{2}}$; la force électromotrice efficace par : $E = \frac{E_m}{\sqrt{2}}$.

Principe des alternateurs

Les alternateurs sont des générateurs industriels de tension alternative.

Description. L'*inducteur,* ou le **rotor** de l'alternateur, entraîné par un moteur, est formé par une succession d'électroaimants, disposés à la périphérie d'un volant. Les électroaimants sont en nombre pair et présentent successivement un pôle nord, N, et un pôle sud, S. A cet effet, ils sont montés en série, mais les enroulements changent de sens quand on passe de l'un à l'autre.

Le courant d'excitation des électroaimants est un courant continu à basse tension fourni par une dynamo auxiliaire ; il arrive par 2 frotteurs sur 2 colliers, c et c', liés à l'axe de rotation, et auxquels sont soudées les extrémités du circuit d'alimentation des électroaimants.

L'*induit,* ou **stator,** est formé d'une succession de bobines, B, B', B″, disposées à l'intérieur d'une couronne fixe, en nombre égal à celui des pôles de l'inducteur.

La *couronne* est formée de tôles juxtaposées, afin d'éviter des pertes d'énergie par **courants de Foucault,** courants induits dans le métal par les lignes d'induction coupées. Toutes les bobines sont montées en série, mais, comme pour les électroaimants de l'inducteur, le sens d'enroulement change quand on passe de l'une à l'autre. Les bornes sont P_1 et P_2.

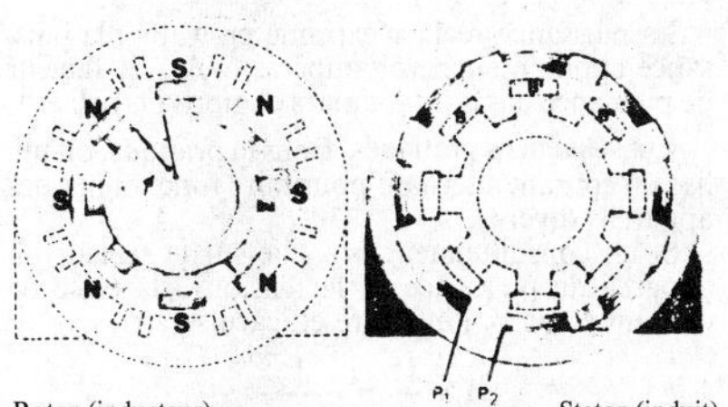

Rotor (inducteur) Stator (induit)

Fonctionnement. Lorsqu'un pôle nord, N, s'approche de la bobine B, le flux magnétique augmente dans B qui est le siège d'une force électromotrice d'induction ; il en est de même pour la bobine B″, et ainsi de suite, de 2 en 2. Mais en même temps, un pôle sud s'approche des bobines intermédiaires B', et ainsi de suite de 2 en 2 : ces bobines sont le siège d'une force électromotrice d'induction en sens contraire de celles qui apparaissent dans les bobines précédentes. Mais comme les sens des enroulements sont alternés quand on passe d'une bobine à la suivante, il en résulte que toutes les forces électromotrices s'ajoutent, et leur somme apparaît aux bornes P_1 et P_2 de l'induit. Puis ce sont des pôles sud qui s'approchent des bobines B, B″, etc., des pôles nord qui s'approchent des bobines B', etc. : tout est pareil, sauf le signe qui a changé. Enfin, on retrouvera une nouvelle période lorsque, à nouveau, un pôle nord s'approchera de B, un pôle sud de B', comme au début. L'entrefer ne dépasse pas quelques millimètres.

On dispose donc en P_1 et P_2 d'une *force électromotrice alternative.*

Principe des transformateurs. D'un emploi constant dans l'industrie, la distribution du courant et les usages domestiques (sonneries d'appartements), ils comprennent un circuit magnétique feuilleté M sur lequel sont enroulés un circuit primaire P de n_1 spires soumis à une tension alternative V_1, et un circuit secondaire S de n_2 spires aux bornes duquel on recueille la tension alternative V_2, donc un courant si le secondaire débite en circuit fermé. Le courant primaire crée dans M un flux magnétique alternatif qui induit dans S une force électromotrice.

On a la relation pratique : $\frac{V_2}{V_1} = \frac{n_2}{n_1}$.

M P S V_1 V_2

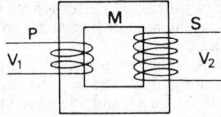

Loi d'Ohm en courant alternatif

Résistance pure. Aux bornes d'une résistance pure, c'est-à-dire ne présentant pas d'inductance :
1) le courant est toujours en phase avec la tension ;
2) on peut appliquer la loi d'Ohm du courant continu aux valeurs efficaces : $V = RI$.

Self-induction. Si la résistance présente une inductance, le rapport $\frac{V}{I}$ reste constant, mais il est supérieur à la résistance R du circuit :

$$\frac{V}{I} = Z > R, I < \frac{V}{R}.$$

Conformément à la loi de Lenz, le courant de self-induction qui s'établit dans la bobine s'oppose à la cause qui le produit et a pour effet de freiner l'établissement du courant principal : d'où une résistance apparente ou impédance Z, supérieure à la résistance ohmique. Le courant i sera en retard par rapport à celui qui passerait dans la résistance pure de même valeur, c'est-à-dire en retard de phase par rapport à la tension v appliquée.

Calcul de l'impédance : l'emploi du calcul complexe permet de trouver la somme $V_1 + V_2$ de ces 2 fonctions sinusoïdales. Un nombre complexe (V. Mathématiques) est de la forme a + jb, où le symbole j est tel que $j^2 = -1$. Dans le plan complexe le vecteur $\vec{V} = \vec{a} + \vec{jb}$ est la somme de 2 vecteurs orthogonaux : $\vec{V} = \vec{a} + \vec{b}$, le symbole j correspondant à une rotation $+\frac{\pi}{2}$, et $= \frac{1}{j}$ à une rotation de $-\frac{\pi}{2}$.

Le module de V est : $V = \sqrt{a^2 + b^2}$; c'est aussi celui du complexe a + jb ; $\operatorname{tg} \varphi = \frac{b}{a}$, φ étant l'argument du complexe.

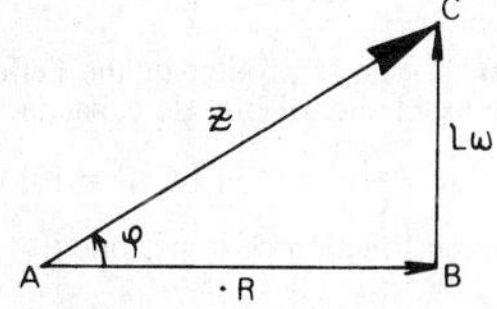

Si on applique ces résultats à la tension traversant un self, l'impédance complexe correspondant à une résistance pure se réduit à sa partie réelle : (R) = R.

Le terme Li est représenté par un vecteur colinéaire à R et de module L. Pour passer au terme $L\frac{di}{dt}$, il faut faire tourner de $+\frac{\pi}{2}$ ce vecteur, après l'avoir multiplié par ω. Donc le terme $v_2 = L\frac{di}{dt}$ est représenté par le vecteur $\vec{BC}$ de module Lω. Donc, l'impédance complexe d'une self pure est purement imaginaire : (L) = Ljω.

La tension $v_1 + v_2$ a donc pour module :

$$Z = \sqrt{R^2 + L^2\omega^2}.$$

et pour argument, c'est-à-dire avance de phase par rapport à v_1 et i : $\operatorname{tg} \varphi = \frac{L\omega}{R}$.

L'impédance Z augmente avec la résistance, le coefficient de self, mais aussi avec la fréquence du courant :

$$\cos \varphi = \frac{R}{Z}.$$

Capacité. En courant alternatif, le condensateur se charge, se décharge, se charge dans l'autre sens, et ainsi de suite, avec une fréquence égale à celle de la tension appliquée. On a l'illusion que le courant alternatif traverse le condensateur.

Calcul de l'impédance : soit v la tension appliquée à chaque instant aux armatures du condensateur de capacité C ; la charge q est à chaque instant : q = Cv.

En dérivant : $\frac{dq}{dt} = C\frac{dv}{dt}$, ou : $i = C\frac{dv}{dt}$.

Or : $\frac{dv}{dt}$ V mω sin $(\omega t + \frac{\pi}{2})$, i est en quadrature avance sur V.

Représentation complexe :

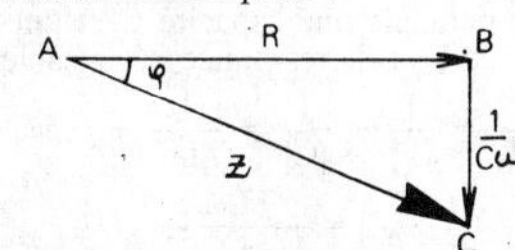

L'impédance complexe correspondant à 1 condensateur est purement imaginaire :

$$(C) = -\frac{j}{C\omega}.$$

Cas général

1) Montage en série. Si on établit une tension alternative v aux bornes d'une self, d'une résistance et d'une capacité montées en série, l'impédance complexe vaut :

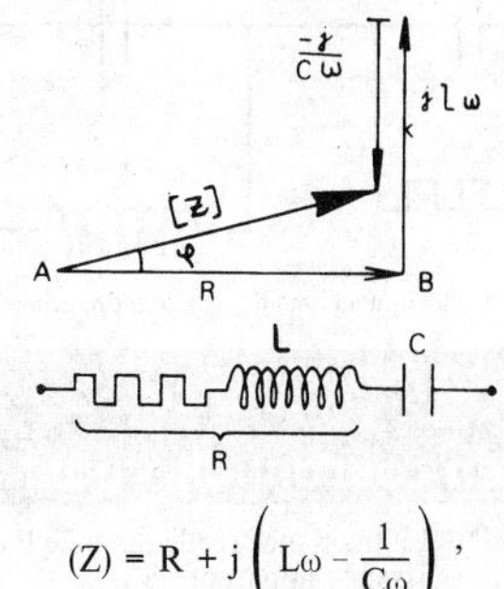

$$(Z) = R + j\left(L\omega - \frac{1}{C\omega}\right),$$

avec pour module :

$$Z = \sqrt{r^2 + \left(L\omega - \frac{1}{C\omega}\right)^2}$$

et déphasage : $\operatorname{tg} \varphi = \dfrac{L\omega - \dfrac{1}{C\omega}}{R}$.

$$\cos \varphi = \frac{R}{Z}.$$

Résonance. Elle se produit quand l'effet de self compense exactement l'effet de capacité :

$$L\omega - \frac{1}{C\omega} = 0 \text{ ou } LC\omega^2 = 1 \ ;$$

ou encore, en fonction de la période :

$$T = \frac{2\pi}{\omega}.$$

$T = 2\pi\sqrt{LC}$ (formule de Thomson).

Dans ce cas, l'impédance a pour valeur :

$$Z = \sqrt{R^2 + 0} = R \ ;$$

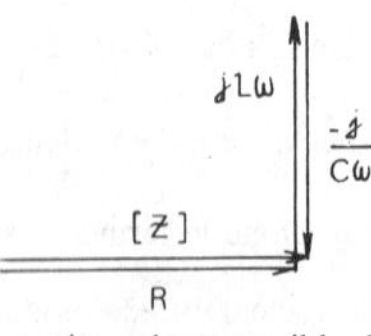

c'est sa plus petite valeur possible. Le retard du courant sur la tension est :

$$\operatorname{tg}\varphi = \frac{L\omega - \dfrac{1}{C\omega}}{R} = 0.$$

2) **Montage en parallèle.** Le théorème des conductances pour les résistances pures en courant continu s'applique au calcul complexe :

$$\frac{1}{(Z)} = \frac{1}{(Z_1)} + \frac{1}{(Z_2)}.$$

Condensateur shunté (doc. ci-dessous). On monte en parallèle une capacité C et une résistance R (en anglais, *to shunt* ; = dériver). L'impédance Z de ce montage entre A et B est telle que :

$$\frac{1}{[Z]} = \frac{1}{[R]} + \frac{1}{[C]} = \frac{1}{R} + j\,C\omega.$$

$$[Z] = \frac{R}{1 + C^2R^2\omega^2} - j\,\frac{CR^2\omega^2}{1 + C^2R^2\omega^2} \times \frac{1}{\omega}.$$

(Z) équivaut donc à une résistance :

$$R' = \frac{R}{1 + C^2R^2\omega^2R^2\omega^2}$$

et à une capacité : $C' = \dfrac{1 + C^2R^2\omega^2}{CR^2\omega^2}$

montées en série.

Circuit bouchon (voir schéma ci-dessous). On monte en parallèle une capacité C et une bobine d'inductance L et de résistance négligeable :

$$\frac{1}{[Z]} = \frac{1}{[L]} + \frac{1}{[C]} = \frac{1}{j\,L\omega} + j\,C\omega \ ;$$

$$[Z] = \frac{j\,L\omega}{1 - LC\omega^2}.$$

Le montage équivaut donc à une self unique, d'impédance :

$$Z' = \frac{L}{1 - LC\omega^2}.$$

Si la condition de résonance est satisfaite : $LC\omega^2 = 1$, alors l'impédance Z' est infinie et il ne passe aucun courant dans le circuit principal. Si le courant alternatif n'est pas sinusoïdal, ce circuit bouchon arrêtera l'harmonique de pulsation ω.

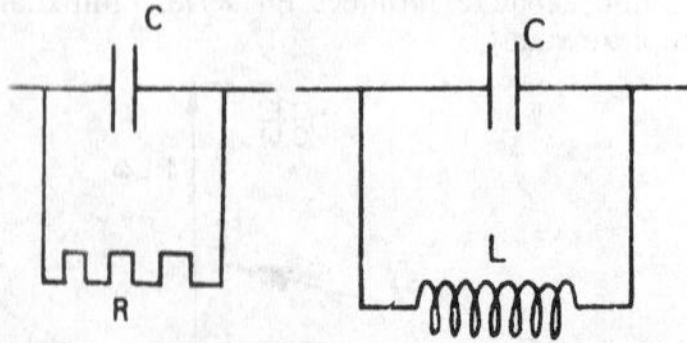

1. Condensateur shunté ; 2. Circuit bouchon.

Puissance en courant alternatif

Définition. La puissance réelle dissipée P est inférieure à la puissance apparente S :

$$S = V \times I \ ; P = kS, \text{ avec}$$

$k = \dfrac{R}{Z} = \cos \varphi$; c'est le facteur de puissance.

Donc : $P = VI \cos \varphi$.

La puissance réelle s'exprime en watts ; la puissance apparente, en voltampères (VA). Le facteur de puissance $\cos \varphi$ est toujours compris entre 0 et 1.

Conséquences pratiques. Dans la pratique, on utilise un courant alternatif pour faire fonctionner des appareils divers.

Si un consommateur branche sur le secteur un appareil de puissance P, la tension à la prise de courant étant V, l'intensité efficace sera :

$$I = \frac{P}{V} = \frac{1}{\cos \varphi}.$$

Si le facteur de puissance $\cos \varphi$ est petit, I est grand et l'E.D.F. perd de l'énergie par effet Joule dans les lignes. Aussi les installations doivent-elles avoir un facteur de puissance compris entre 0,8 et 0,9 ; en dessous de 0,8, le consommateur est pénalisé ; au-dessus de 0,9, il profite d'une remise. On peut améliorer le facteur de puissance en disposant convenablement des condensateurs qui compensent un peu les effets du self dus aux bobinages des moteurs.

Mesure de la puissance. Principe du wattmètre. Soit la puissance consommée par un appareil, par exemple un moteur M, à mesurer. Le courant traversant le moteur passe dans une bobine b montée en série avec lui ; on utilise pour cela les bornes A et B, appelées bornes du « circuit des ampères ». Une bobine b', pouvant tourner, est montée en dérivation aux bornes du moteur, en utilisant les bornes C et C' appelées bornes du « circuit des volts ».

La bobine b est ainsi parcourue par le courant i, et la bobine b' est parcourue par un courant i' proportionnel à v.

Le couple électromagnétique qui tend à faire tourner b' pour qu'elle reçoive par sa face sud un flux maximal est proportionnel à i × i', donc à p = v × i, et la puissance moyenne sera : $P = UI \cos \varphi$ que mesure le wattmètre.

XI – Électromagnétisme

Généralités

Aimants. Le magnétisme est l'ensemble des phénomènes qui se rattachent aux 2 propriétés des aimants : ils attirent des morceaux de fer (clous ou limaille) et peuvent s'orienter à la surface de la Terre lorsqu'on les rend mobiles.

Le pôle nord d'un aimant est celui des 2 pôles qui se dirige spontanément vers le nord géographique.

L'oxyde de fer Fe_3O_4 (appelé oxyde magnétique de fer) est un aimant naturel.

Lorqu'on approche 2 aimants l'un de l'autre, les pôles de même nom se repoussent ; les pôles de noms contraires s'attirent.

Champ magnétique. Les actions électromagnétiques sont des actions à distance ; on les attribue à l'existence d'un « champ » particulier, appelé champ magnétique. Une région de l'espace est le siège d'un champ magnétique si une aiguille aimantée placée en un point de cette région subit des actions qui tendent à l'orienter.

Il existe à la surface de la Terre un champ magnétique particulier (une aiguille aimantée s'oriente lorsqu'elle est au voisinage de la Terre : boussole).

Un barreau aimanté placé dans un champ magnétique uniforme est soumis à un couple. Le *moment* du couple est proportionnel à une grandeur caractéristique de l'aimant, appelée son moment magnétique, $\mathcal{M}$, représenté par un vecteur, $\vec{\mathcal{M}}$, parallèle à la ligne des pôles de l'aimant, dirigé dans le sens SN.

Champ magnétique le plus fort : 336 kilogauss (ou 33,6 teslas), obtenu au Francis Bitter National Magnet Laboratory (NML) de Cambridge, en juillet 1986 (le champ magnétique terrestre est de 0,5 gauss).

Vecteur induction magnétique. Le couple exercé par un champ uniforme sur un aimant dépend du champ ; il est proportionnel à l'intensité d'une grandeur, $\vec{B}$, appelée induction magnétique en ce point.

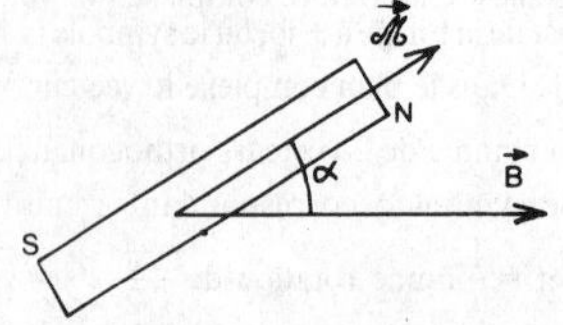

Le moment du couple exercé par un champ d'induction magnétique $\vec{B}$ sur un aimant de moment magnétique $\vec{\mathcal{M}}$ est proportionnel au sinus de l'angle que font entre eux les vecteurs $\vec{\mathcal{M}}$ et $\vec{B}$.

$T = \mathcal{M} \,.\, B \,.\, \sin \alpha$ (N × m) (A × m²) (teslas).

Une *ligne de champ* est une courbe qui est tangente au vecteur induction magnétique en chacun de ses points. On l'oriente dans le sens de l'induction. *Spectre magnétique :* ensemble de lignes de champ.

Champs magnétiques créés par les courants

Lorsqu'on fait passer un courant dans un fil conducteur, l'aiguille d'un aimant placé à proximité dévie.

Champ d'un courant rectiligne. Le pôle nord de l'aiguille aimantée dévie vers la gauche d'un observateur (bonhomme d'Ampère, ainsi appelé car il possède une gauche et une droite comme un être humain) qui, regardant l'aiguille, est couché le long du fil de façon que le courant entre par ses pieds et sorte par sa tête.

Le champ d'un courant rectiligne a pour module :

$B = \dfrac{2}{10^7}\,\dfrac{I}{a}$; a = distance OA.

Champ d'un courant circulaire. Une bobine circulaire plate possède une face nord et une face sud. La face sud d'un tel circuit est celle devant laquelle il faut se placer pour voir le courant tourner dans le sens des aiguilles d'une montre.

Au centre du cercle, l'induction est normale au plan de la spire, dirigée de la face sud vers la face nord, et a pour valeur :

$$B = \frac{2\pi}{10^7}\,\frac{NI}{R}.$$

R (rayon de la bobine) s'exprime en mètres, N est le nombre de spires.

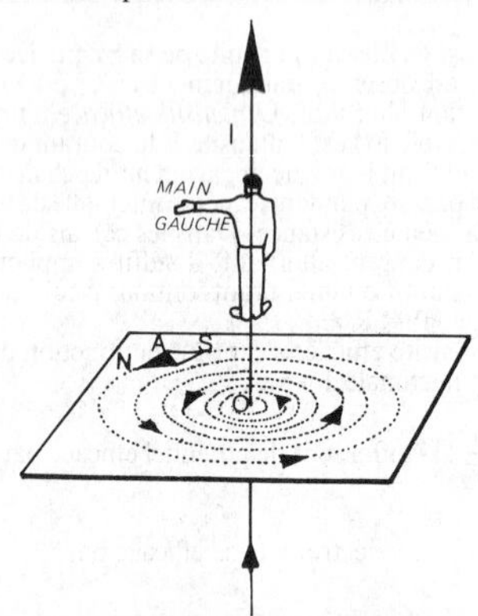

Champ d'un solénoïde. Un solénoïde est formé d'une série de spires circulaires jointives. Il possède une face nord et une face sud, comme un aimant. La face sud est celle devant laquelle il faut se placer pour voir le courant tourner dans le sens des aiguilles d'une montre. Les lignes de force pénètrent par la face sud pour sortir par la face nord.

La face nord d'un solénoïde est située à gauche d'un bonhomme d'Ampère placé le long d'un fil conducteur et regardant l'axe du solénoïde, le courant entrant par ses pieds et sortant par sa tête.

Au voisinage du centre, le champ d'induction est uniforme et a pour valeur :

$$B = \frac{4\pi}{10^7}\,\frac{N}{l}\,I.$$

N est le nombre de spires correspondant, soit au solénoïde total de longueur l, soit, s'il est infiniment long, au nombre de spires régulièrement réparties sur une portion de solénoïde de longueur l.

Le quotient $n_1 = \dfrac{N}{l}$ caractérise l'enroulement.

Le produit NI s'appelle le nombre d'ampères-tour.

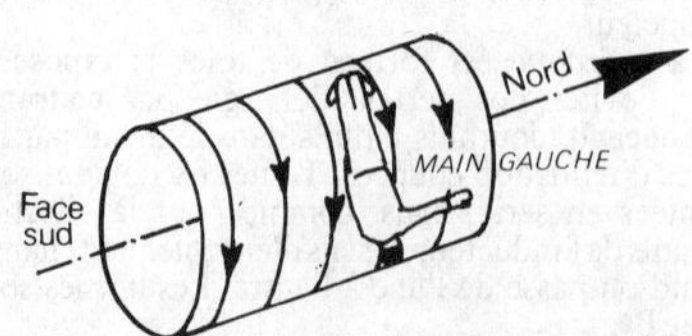

Intensité d'aimantation

Un petit volume, v, de matière aimantée, est caractérisé par un vecteur, moment magnétique. L'intensité d'aimantation de ce volume est le quotient :

$$\vec{\mathcal{J}} = \frac{\vec{\mathcal{M}}}{v}.$$

Son module, $\mathcal{J}$, s'exprime en *ampères par mètre* ($\mathcal{M}$ s'exprime en ampères × m^2 ; v en m^3).

Action d'une induction magnétique sur un courant

La force d'origine électromagnétique qui s'exerce sur une portion de circuit placée dans un champ magnétique est située dans un plan perpendiculaire aux lignes de force. Elle change de sens, soit avec le courant, soit avec l'induction.

Loi de Laplace. Une portion de conducteur l, parcourue par un courant d'intensité I, placée dans un champ d'induction magnétique $\vec{B}$ qui fait un angle α avec le conducteur, est soumise à une force perpendiculaire au plan défini par l'élément de conducteur et l'induction ; elle est dirigée vers la gauche d'un observateur d'Ampère qui regarde dans le sens du champ ; son intensité est donnée par la relation :

F = I . l . B . sin α.
(newtons) (ampères) (mètres) (teslas)

Un circuit plan, de surface S, parcouru par un courant I, placé dans un champ d'induction uniforme, est soumis à un couple identique à celui qui s'exercerait sur un aimant de moment magnétique $\vec{\mathcal{M}}$ porté par la normale au circuit, sortant par sa face nord, et de valeur $\vec{\mathcal{M}}$ = I.S.

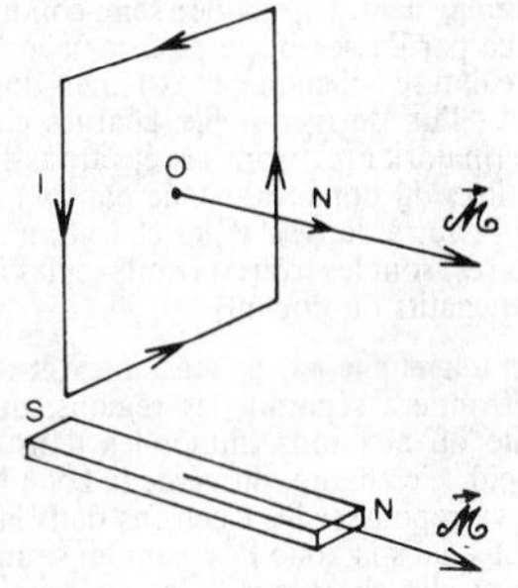

Analogie entre les courants et les aimants. Toute parcelle de matière aimantée est équivalente à un courant électrique ayant même moment magnétique que la particule. C'est l'hypothèse des courants particulaires.

Électret. Champ électrique constant entretenu par un matériau isolant (diélectrique), qui demeure électrisé après avoir été soumis à un champ temporaire (équivalent électrique de l'aimant permanent). *Applications pratiques :* microphones, relais, commutateurs optiques, boutons pressoirs de calculatrices, microphones pour acoustiques sous-marines, capteurs de pression biomédicaux.

Action mutuelle de 2 courants rectilignes parallèles. Soit 2 conducteurs parallèles indéfinis, XY, X'Y', parcourus par des courants I et I' de même sens ; le conducteur XY crée en un point A du conducteur X'Y' un champ d'induction $\vec{B}$. Sous l'action de ce champ, le conducteur X'Y' est soumis à une force $\vec{F}$ dirigée de A vers O ; c'est une force d'attraction.

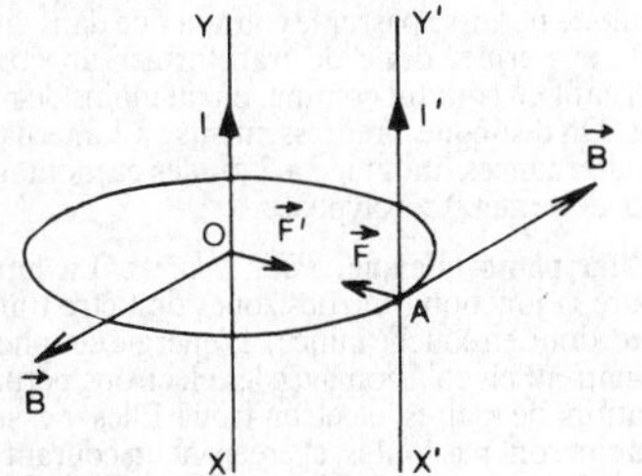

Inversement, le conducteur X'Y' crée en O une induction B' qui, agissant sur XY, provoque une force $\vec{F'}$ dirigée vers A. On a donc une attraction mutuelle des deux courants : $F = \frac{2}{10^7}\,I.I'\,\frac{1}{a}$.

Flux d'induction. Le flux d'induction magnétique ΔΦ à travers un élément de surface ΔS est le produit de ΔS par la projection du vecteur induction sur la normale à ΔS : ΔΦ = B.ΔS. cos Θ.

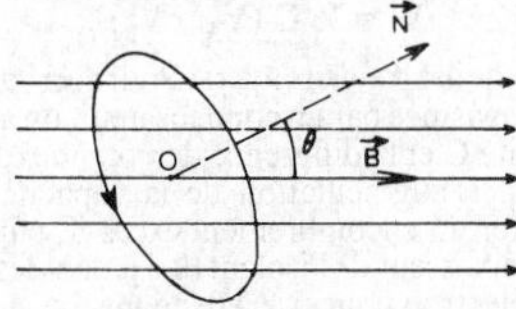

Théorème du flux coupé. Le travail des forces électromagnétiques, au cours du déplacement d'un circuit parcouru par un courant constant dans un champ d'induction indépendant du temps, est égal au produit de l'intensité du courant par la variation du flux d'induction à travers le circuit : W = I Δ Φ.

Règle du flux maximal. Lorsqu'un circuit parcouru par un courant se déplace sous l'action d'une induction magnétique, le flux entrant par sa face sud augmente. La position d'équilibre est atteinte lorsque le flux est maximal. La principale application de l'action d'un champ d'induction sur un circuit parcouru par un courant est le moteur électrique. Le travail des forces électromagnétiques est le travail fourni par le moteur, travail d'autant plus grand que l'intensité I et le flux d'induction coupé seront plus grands. Mais une augmentation de l'intensité conduit à un effet Joule important ; il est donc nécessaire d'utiliser de grands flux d'induction que l'on peut obtenir au moyen d'électroaimants.

Hystérésis

Aimantation du fer et de l'acier. Les substances ferromagnétiques (fer, cobalt, nickel et alliages) acquièrent des propriétés magnétiques dans un champ magnétisant.

Phénomène d'hystérésis. Si, après avoir fait croître la valeur du champ magnétisant B_o, on la diminue progressivement, on constate que l'intensité d'aimantation diminue, mais on ne retrouve pas la courbe de première aimantation. La désaimantation se fait avec un certain retard. La courbe obtenue montre que, si on revient à $B_o = 0$, une aimantation subsiste qui est appelée l'*aimantation rémanente.*

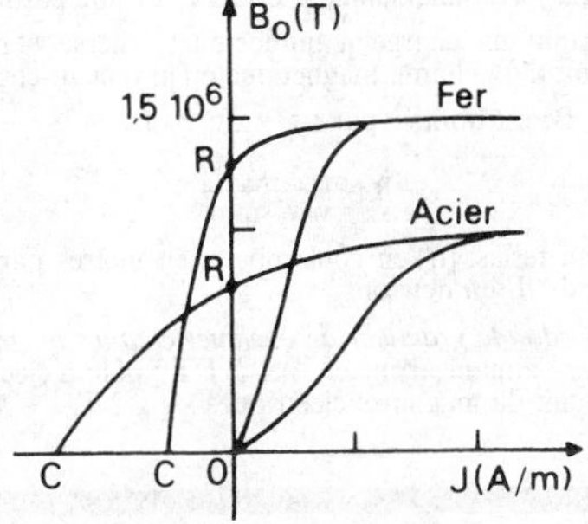

Pour annuler toute aimantation, il faut inverser le sens du courant dans le solénoïde, soumettre l'échantillon à une induction B_o négative, c'est-à-dire en sens contraire de la précédente. Au point C de la courbe, l'aimantation a disparu ; la valeur de B_o en C est appelée *champ coercitif.*

Perméabilité. Si nous plaçons un barreau de fer doux dans un champ magnétique uniforme, les lignes de champ viennent se concentrer vers les pôles S et N que ce barreau a acquis, comme si elles traversaient plus facilement le fer que l'air. Nous dirons que le fer est plus perméable que l'air.

L'induction B dans le fer doux est supérieure à celle qui existait dans le vide B_o. Le rapport $\mu = \frac{B}{B_o}$ s'appelle la perméabilité magnétique de la substance.

L'acier a une perméabilité de l'ordre de 120 au maximum, pour B de l'ordre de 10^{-2} teslas ; le fer doux de l'ordre de 16 000, pour B de l'ordre de 3.10^{-5} teslas.

Induction électromagnétique

Courant induit. 1) Une induction magnétique $\vec{B}$ crée, dans un **conducteur en mouvement** qui coupe ses lignes, une force électromotrice E.

La force électromotrice induite crée un courant I qui subit de la part du champ d'induction B une force s'opposant au déplacement.

2) Une bobine fixe traversée par un flux d'induction $\vec{B}$ variable avec le temps est le siège d'une force électromotrice qui provoque un courant induit I' si le circuit est fermé. Le flux d'induction dû au courant induit s'oppose à la variation du flux qui a produit ce courant. Lorsqu'on ferme, ou ouvre l'interrupteur M, le galvanomètre G dévie puis revient au zéro.

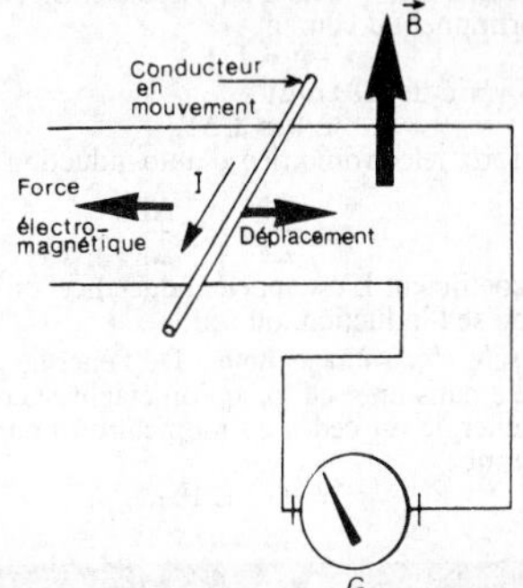

La force électromotrice induite est proportionnelle à la variation de flux d'induction qui traverse le circuit ; elle est inversement proportionnelle à la durée de cette variation : $e = -\frac{\Delta\Phi}{\Delta t}$.

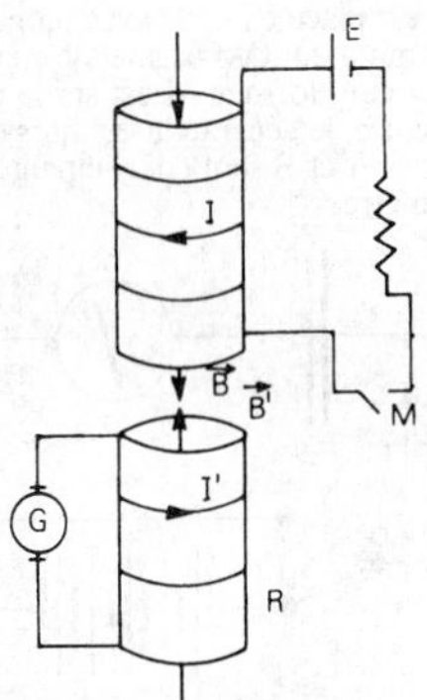

Le signe – est imposé par la **loi de Lenz.** La normale N au circuit étant orientée, il lui correspond un sens positif de circulation du courant.

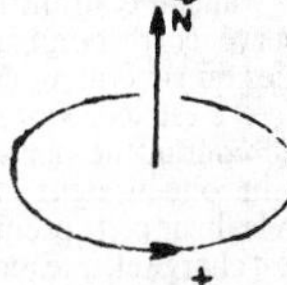

Une augmentation de flux (Δ Φ > 0) induit une force électromotrice négative qui crée un courant négatif.

La force électromotrice induite est une force contre-électromotrice (cas d'un moteur électrique).

L'énergie électrique apparue dans le circuit est : W = EI Δt = IΔΦ.

Pour produire cette énergie, il a fallu effectuer un travail moteur égal et opposé au travail résistant de la force électromotrice.

Auto-induction. Soit une bobine reliée à un générateur E par l'intermédiaire d'un interrupteur K et d'un rhéostat R. Lorsque l'interrupteur est fermé, le circuit est parcouru par un courant I qui crée un champ magnétique proportionnel à I en tout point de l'espace. La spire est traversée par un flux d'induction Φ proportionnel à I.

Si l'on fait varier l'intensité I du courant, le circuit est le siège d'une variation de flux, donc d'un *courant induit* qui, d'après la **loi de Lenz,** s'oppose à la variation de I. Il y a donc induction du courant sur lui-même ; c'est le phénomène d'auto-induction, appelé encore *self-induction.* En particulier, à la fermeture du circuit, le flux passe de 0 à Φ : le courant de self-induction est de sens contraire au courant fourni par le générateur. Il retarde donc l'établissement du courant dans le circuit. A la rupture du circuit, le flux passe de la valeur Φ à 0 ; le circuit d'auto-induction tend à prolonger le courant primitif. Il se produit une étincelle de rupture manifestant le passage de cet extra-courant. Cette étincelle peut se transformer en arc si le circuit comporte une grosse self (électroaimant).

Les phénomènes d'auto-induction, appelés **« effets de self »**, n'apparaissent qu'au moment de la variation du courant, donc à la fermeture ou à la rupture du circuit si le courant est continu ; ils sont au contraire permanents en courant alternatif.

Ces phénomènes se manifestent surtout dans les circuits comprenant des solénoïdes à noyau de fer doux.

En un point voisin d'un circuit existe un flux proportionnel au courant :

$$\Phi = L\,I.$$

Si I varie de ΔI en Δt :

$$\Delta\Phi = L\Delta I.$$

La force électromotrice d'auto-induction vaut :

$$E = -\frac{\Delta\Phi}{\Delta t} = -L\frac{\Delta I}{\Delta t}.$$

Le coefficient L est appelé inductance, ou coefficient de self-induction, ou self.

Énergie électromagnétique. De l'énergie est accumulée dans une self lorsqu'on établit le courant. Cette énergie est cédée au moment où l'on coupe le courant :

$$W = \tfrac{1}{2}\,L\,I^2.$$

Condensateurs

On appelle condensateur un ensemble de conducteurs séparés par un isolant. Chaque conducteur constitue une armature.

Charge et décharge d'un condensateur. Un condensateur AB est placé en série avec un galvanomètre G. Un commutateur OM permet de mettre un générateur en circuit, lorsque M est sur le plot a. Si M est sur le plot b, le générateur est hors circuit, mais les armatures A et B sont court-circuitées à travers le galvanomètre.

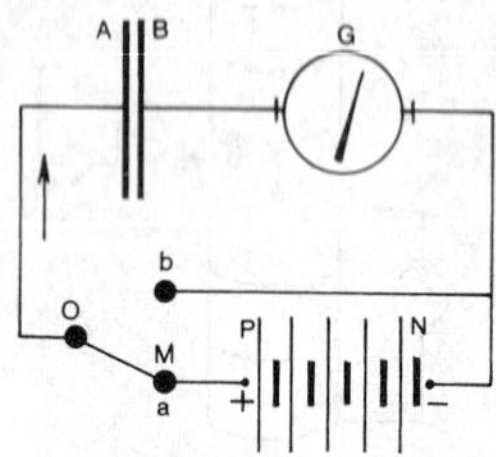

1) On établit le contact Oa. Le galvanomètre dévie et revient rapidement au 0 ; il a été traversé par un courant bref qui lui a communiqué une impulsion. On coupe le contact Oa et on le rétablit : le galvanomètre ne dévie plus ; aucun courant ne s'est produit. Le courant observé correspond au transport de charges électriques du générateur sur les armatures du condensateur : c'est le *courant de charge* du condensateur. Ce courant ne peut être permanent puisque l'isolant du condensateur constitue une coupure du circuit. A la fin de cette première expérience, le condensateur est chargé et, à ce moment, il n'existe plus de différence de potentiel ni entre P et A, ni entre B et N.

2) On établit maintenant le contact Ob. Le galvanomètre dévie en sens inverse du sens précédent, de la même quantité, puis revient au 0. Un courant de sens contraire au premier a traversé le galvanomètre pendant un temps très court. Toute nouvelle coupure de contact suivie d'un contact Ob ne décèle plus aucun courant.

Comme il existe une différence de potentiel entre A et B, un courant se produit de A vers B, mais il est très bref, car la différence de potentiel entre A et B s'annule rapidement. Ce courant est le *courant de décharge* du condensateur. Applications : temporisation des relais, filtrage d'une tension redressée.

La charge d'un condensateur est proportionnelle à la différence de potentiel de charge : $Q = C\,(V_A - V_B)$. C'est la capacité.

On utilise pratiquement le *microfarad* ($1\ \mu F = 10^{-6}F$), le *nanofarad* ($1\ nF = 10^{-9}F$) et le *picofarad* ($1\ pF = 10^{-12}F$).

La capacité d'un condensateur est proportionnelle à la surface S commune aux armatures en regard, et inversement proportionnelle à la distance des armatures :

$$C = \frac{1}{36.\,\pi.\,10^9} \cdot \frac{\varepsilon_r\,S}{e}.$$

Le coefficient ε_r dépend de la nature de l'isolant qui sépare les armatures ; c'est sa *permittivité relative* ou *pouvoir inducteur spécifique*. Dans le vide $\varepsilon_r = 1$; dans l'air 1,003 ; le papier 2 à 2,8 ; la paraffine 2,3 ; le verre 3 à 7 ; le mica 8.

L'énergie d'un condensateur chargé est mesurée par l'énergie qu'il restitue au cours de sa décharge :

$$W = \tfrac{1}{2}\,C\,(V_A - V_B)^2.$$

Claquage des condensateurs. Pour accroître l'énergie emmagasinée par un condensateur, on augmente sa capacité C et la différence de potentiel de charge $V_A - V_B$. L'augmentation de la capacité se fera, pour éviter un encombrement excessif, par diminution de l'épaisseur de l'isolant (0,5 μ dans les condensateurs électrolytiques). Cependant, on ne peut la diminuer sans inconvénient ; il existe une tension de charge au-delà de laquelle, pour une valeur de e fixée, une étincelle éclate entre les deux armatures. On dit que le condensateur est *claqué*.

Tension de claquage, pour 1 cm : 32 000 volts pour l'air ; 75 000 à 300 000 V pour le verre ; 40 000 à 100 000 V pour le papier ; 400 000 à 500 000 V pour le papier paraffiné ; 600 000 à 750 000 V pour le mica.

Groupement des condensateurs

1) En parallèle : $C = C_1 + C_2 + \ldots$ On utilise cette association pour augmenter la capacité.

2) En série : $\frac{1}{C} = \frac{1}{C_1} + \frac{1}{C_2} + \ldots$ On utilise ce mode d'association pour obtenir une batterie de condensateurs chargée sous une grande différence de potentiel.

Sonde à effet Hall. Constituée principalement d'une plaquette de corps semi-conducteur (silicium) insérée dans un circuit électrique. Un courant dont l'intensité I est de quelques dixièmes d'ampère la traverse.

Introduisons la plaquette dans un champ magnétique. Disposons la plaquette de sorte que le vecteur $\vec{B}$ lui soit perpendiculaire. Chaque charge est alors soumise à une force électromagnétique dont le sens est donné par la règle de la main droite. Les trajectoires des charges sont déviées vers le haut. Il apparaît un excès de charges positives et, par conséquent, un excès de charges négatives entre les 2 faces ; il y a donc apparition d'un champ électrique et création d'une différence de potentiel, dite tension de Hall, U_h.

La tension de Hall est proportionnelle au courant I et au module B du vecteur-champ magnétique :

$$U_h = KIB.$$

La force magnétique $\vec{f}$ exercée sur une particule portant une charge q, animée d'une vitesse $\vec{v}$ en un point d'un champ magnétique où le vecteur-champ est $\vec{B}$, est donnée par : $\vec{f} = q\vec{v} \wedge \vec{B}$.

$$B = \frac{f}{v\,|q.\sin\alpha|}.$$

B en teslas, $|q|$ en coulombs, v en mètres par seconde, F en newtons.

Ordre de grandeur de quelques champs magnétiques : aimant artificiel : 0,1 à 1 T ; pôle d'électro-aimant de machines électriques : 1 à 2 T.

XII — Électronique

Effet thermoélectronique

Lampe diode. C'est une ampoule à vide très poussé (un millionième de mm de mercure), contenant un filament de tungstène qui peut être porté à une température très élevée (2 000 °C) grâce au courant produit par une batterie de piles ou d'accumulateurs.

Autour du filament, on dispose un cylindre métallique, ou « plaque », destiné à capter les corpuscules électrisés émis par le filament. Le filament de la diode émet des électrons lorsqu'il est porté à une température suffisante. Ces électrons sont soumis à l'action du champ électrique $\vec{E}$ qui va de la plaque au filament ; ils se déplacent en sens inverse du champ électrique $\vec{E}$: il s'établit ainsi un courant d'électrons du filament vers la plaque, équivalant à un courant de charges positives allant de la plaque au filament. Si la différence de potentiel Vp est suffisante, tous les électrons émis par le filament sont captés par la plaque : nous obtenons ainsi le courant de saturation Ig.

Si Vp est négatif, le champ électrique $\vec{E}$ est dirigé du filament vers la plaque, et les électrons émis sont ramenés vers le filament : aucun courant ne peut s'établir entre la plaque et le filament.

Les électrons d'un métal qui participent au passage du courant dans ce métal, électrons dits de conductivité, ne peuvent pas sortir du métal s'ils n'ont pas une énergie suffisante. Par élévation de température, leur vitesse d'agitation augmente, donc leur énergie croît, ce qui permet à certains de s'échapper du métal.

Triode. Lee De Forest perfectionna la diode en introduisant une 3e électrode, la grille, située entre la plaque et le filament. La grille contrôle le flux d'électrons émis par le filament. La triode joue le rôle d'amplificateur. Elle n'est plus utilisée que pour les applications haute fréquence de grande puissance, comme les émetteurs de radiodiffusion.

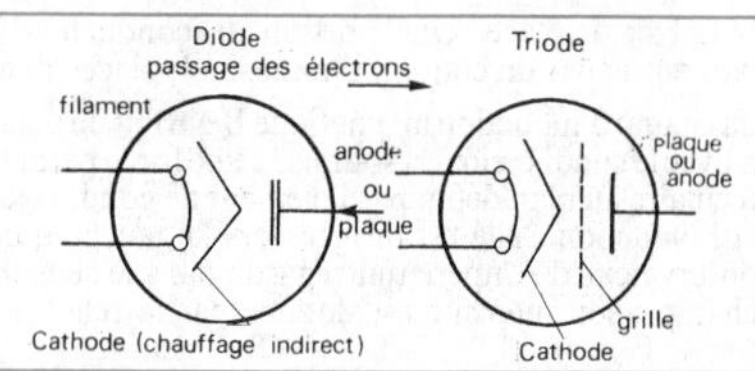

Semi-conducteurs

Diode à semi-conducteur

Fonctionnement. Une diode à semi-conducteur est constituée par l'assemblage de 2 semi-conducteurs de même nature (silicium par ex.), mais dopés différemment : l'un de *type N* [les charges électriques mobiles (majoritaires) sont les électrons ; les fixes sont les ions du dopant (arsenic par ex.), qui sont positifs] ; l'autre de *type P* [les charges mobiles (et majoritaires) sont les trous (positifs) et les fixes sont les ions négatifs du dopant].

Si l'on n'applique pas de tension extérieure : il y a, à la frontière séparant les régions, un champ électrique dû aux ions immobiles dans le semi-conducteur. Ce champ, dirigé de la zone N vers la zone P, va repousser les électrons dans la zone N et les trous dans la zone P, créant ainsi une région désertée par les charges mobiles majoritaires (voir croquis p. 229).

En appliquant une tension extérieure inverse : on augmente le champ électrique à la frontière des régions P et N, donc on chasse encore plus loin les charges mobiles ; la zone désertée s'élargit, le courant ne peut pas passer, la diode est non passante ou bloquée (il ne subsiste qu'un très faible courant de fuite dû aux porteurs minoritaires : trous de la région N qui rencontrent les électrons de la région P ; ils sont des milliards de fois moins nombreux que les porteurs majoritaires).

En appliquant une tension extérieure directe suffisante (0,2 V pour le germanium, et 0,7 V pour le silicium) : on annule le champ électrique de la zone frontière et les électrons de la région iront à la rencontre des trous de la région P (ce sont les porteurs majoritaires, et ils sont très nombreux), donc le courant passera. A la frontière, un électron comble un trou, il y a de très nombreuses recombinaisons de paires électron-trou.

• **Applications. Redressement du courant alternatif.** La diode ne laisse passer le courant que dans un seul sens, et permet donc de transformer un courant alternatif en courant continu, ou du moins de même sens. On distingue 3 redressements : à 1 alternance ; à 2 alternances (montage à 2 diodes et montage en pont de Graëtz) ; polyphasé.

Effet photovoltaïque. *Piles solaires.* La lumière éclaire la jonction (une des zones doit être transparente, donc en couche mince). L'énergie des photons qui entrent en collision avec les électrons permet la création de paires électron-trou. Elles ne se recombineront pas toutes, et créeront un courant électrique dans le circuit extérieur de la jonction. On aura donc un générateur d'électricité. Une photopile au silicium de 55 mm de diamètre, placée au Soleil,

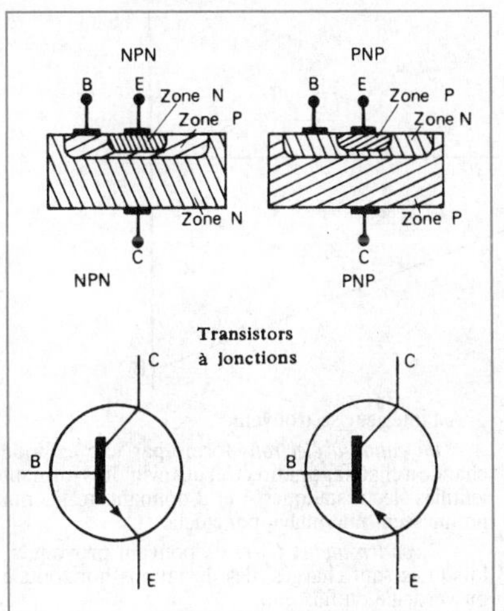

Transistors à jonctions

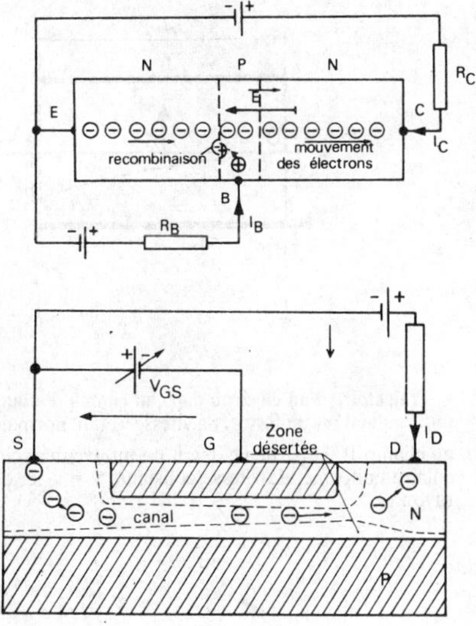

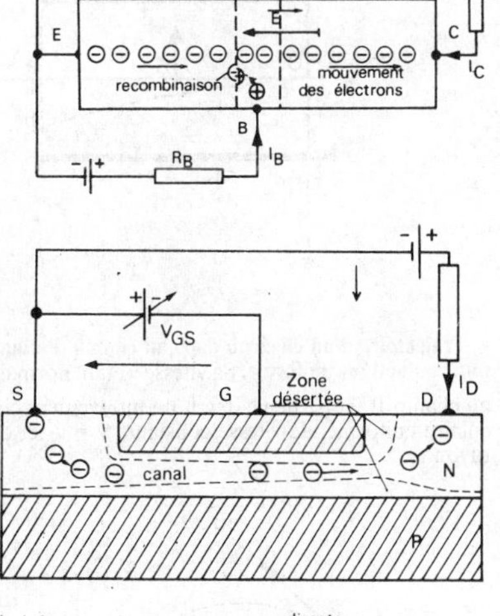

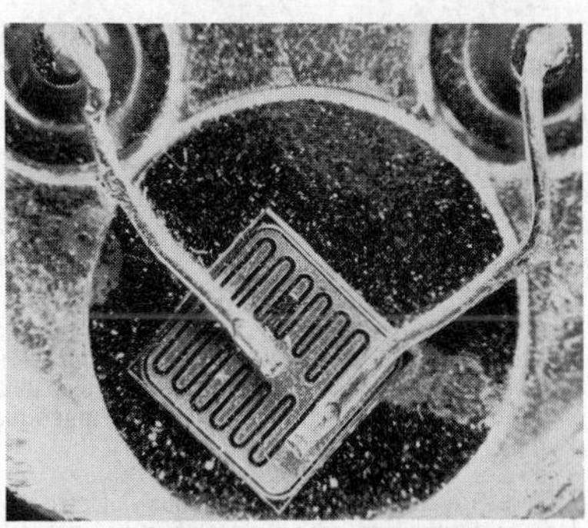

Legende : transistor de puissance : à l'intérieur d'un boîtier de transistor de puissance (quelques dizaines de watts), on voit la pastille de silicium, un carré de 3 mm de côté. L'électrode centrale, en forme de peigne, est l'émetteur (reliée à la borne en haut à gauche) ; l'autre électrode qui l'entoure est la base (reliée à la borne de droite). Le collecteur est relié au boîtier par le dessous de la pastille de silicium, ce qui favorise aussi l'évacuation de la chaleur.

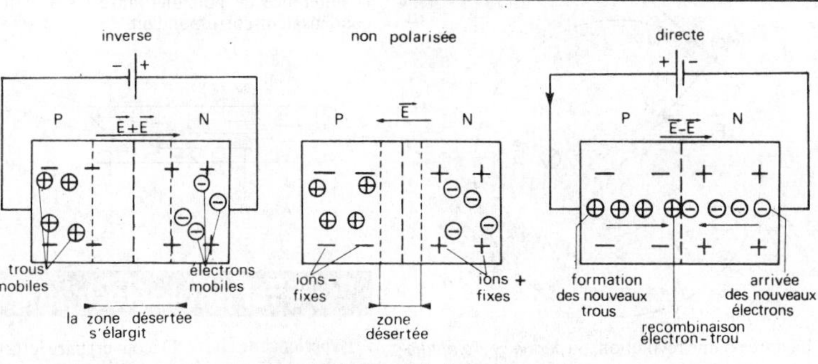

Polarisations de la diode

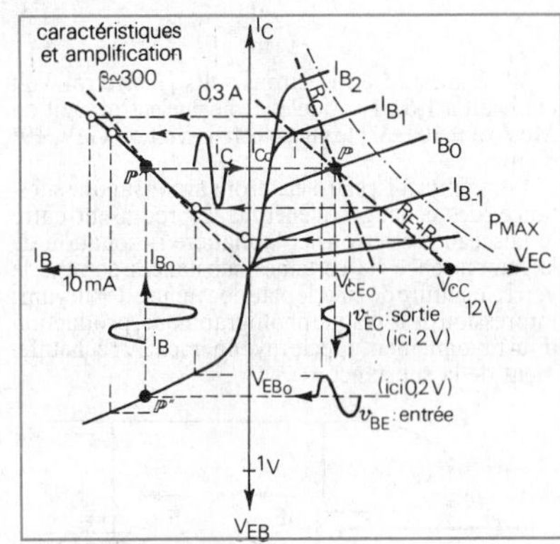

produit un courant de 0,5 A sous une tension de 0,45 V. Le rendement ne dépasse guère 15 %, mais on espère l'améliorer.

Diode électroluminescente. C'est le phénomène inverse du précédent : l'énergie de recombinaison d'un électron et d'un trou est transformée en énergie lumineuse. *Applications :* voyants de contrôle, chiffres des calculatrices, transmissions de signaux lumineux à faible puissance (ex. : transmission infrarouge dans une pièce, pour un casque d'écoute haute-fidélité sans fil, télécommande de télévision).

Diode à capacité variable. La zone désertée constitue l'isolant d'un condensateur. Son épaisseur, donc sa capacité, varie avec la tension inverse appliquée à la diode. *Applications :* commande de l'accord d'un circuit haute fréquence par une tension continue, dans les récepteurs de modulation de fréquence et de télévision.

• **Diode Zener.** Diode utilisée en inverse. Son dopage est calculé pour obtenir une avalanche du courant inverse à partir d'une tension donnée. *Utilisation :* stabilisation de tension.

monoalternance

bialternances

pont de Graëtz

pont triphasé

montage : alimentation, transistor (NPN), tension d'entrée, tension de sortie

Transistor bipolaire (ou à jonctions) (abréviation de l'américain : *transfer resistor*)

Constitué de 2 jonctions P-N, très proches. *2 types :* transistors N-P-N, et P-N-P ; le transistor est formé de 3 zones, reliées à 3 électrodes : l'émetteur, la base et le collecteur. La base est très mince (quelques microns) ; les performances du transistor dépendront de son épaisseur et de la géométrie des jonctions.

Circuits intégrés. Formés de milliers de transistors gravés sur la même plaquette de silicium et interconnectés.

Principes du transistor de type N-P-N. (Pour un transistor de type P-N-P, il suffit d'inverser le sens des courants et des tensions.)

Effet transistor : en fonctionnement « normal », la jonction E-B est polarisée dans le sens passant, et la jonction B-C est bloquée. Les électrons, majoritaires dans l'émetteur (de type N), vont, en partie, diffuser dans la base (de type P), car la jonction E-B est parcourue par un courant direct. Quelques-uns se recombineront avec les trous de la base (c'est le courant direct, le courant de la base IB), mais la majorité sera attirée vers le collecteur (type N) par le très fort champ électrique créé par la polarisation inverse de la jonction B-C (voir diode). Il y aura donc un important collecteur IC.

Ce courant collecteur IC est à peu près proportionnel au courant direct dans la base I_B :

$$I_c = \beta . I_B$$ propriété fondamentale

β est le gain en courant du transistor (de 10 à 1 000 selon le type de transistor). Ce gain dépend beaucoup de l'épaisseur de la base, et varie pour un même type de transistor (même immatriculation du fabricant) d'un échantillon à l'autre.

Transistor à effet de champ

Constitué d'une couche de semi-conducteurs N, où passe le courant, prise entre 2 régions P laissant subsister un canal étroit.

Fonctionnement. La polarisation inverse de la jonction P-N (entre source et porte) détermine la largeur de la zone désertée, et donc la section du canal qui reste disponible pour le passage des électrons. Si cette polarisation est grande, il y a pincement et le transistor est bloqué. La tension négative entre la source S et la porte G (de l'anglais *gate*, « porte ») commande le courant entre la somme S et le drain D.

De par leur commande en tension (qui peut même se faire électrostatiquement dans les transistors à « porte isolée »), ces transistors à effet de champ rappellent le fonctionnement des tubes triodes. Dans l'état actuel de la technologie, ils ne sont utilisables que pour des puissances ne dépassant guère le watt. (Voir schéma ci-dessus.)

Dynamique des électrons

Accélération par un champ électrique. Soit une cathode chaude (à chauffage indirect) qui émet des électrons. Cette cathode est reliée à l'armature négative d'un condensateur plan dont l'armature positive est percée d'un orifice étroit qui laisse passer un pinceau d'électrons parallèles de même vitesse (faisceau homocinétique).

Entre les armatures du condensateur, il existe un champ uniforme électrique E ; un électron est donc soumis à une force :

$$F = -eE,$$

constante en grandeur et direction.

Soit m la masse de l'électron. Le mouvement de l'électron sera uniformément accéléré ; accélération :

$$\gamma = \frac{\vec{F}}{m} = -\frac{e\vec{E}}{m}.$$

Vitesse d'un électron qui passe par l'orifice (en supposant négligeable sa vitesse d'émission par la cathode chaude) : le théorème de l'énergie cinétique donne :

$$\frac{1}{2}mv^2 - O = W$$

(W : le travail de la force F lorsque l'électron se déplace d'une armature à l'autre). Soit l la distance de ces deux armatures,

$$W = F.l = eE.l.$$

Or E.l est la différence de potentiel entre les 2 armatures, donc :

$$\frac{1}{2}mv^2 = eU.$$

La valeur de la vitesse est donc :

$$v = \sqrt{\frac{2eU}{m}}.$$

W se mesure en électrons-volts [1 électron-volt équivaut à 1,6 . 10^{19} joule (1 méga-électron-volt ou MeV vaut 10^6 eV ; le giga-électron-volt ou GeV, 10^9 eV)].

Lorsqu'un faisceau d'électrons arrive sur une substance, des échanges d'énergie se produisent entre le faisceau d'électrons et la matière : excitation de la fluorescence de certaines substances comme le verre, le sulfure de zinc, le platinocyanure de baryum ; impression de la plaque photographique, production d'un rayonnement appelé rayonnement X ; échauffement de la substance.

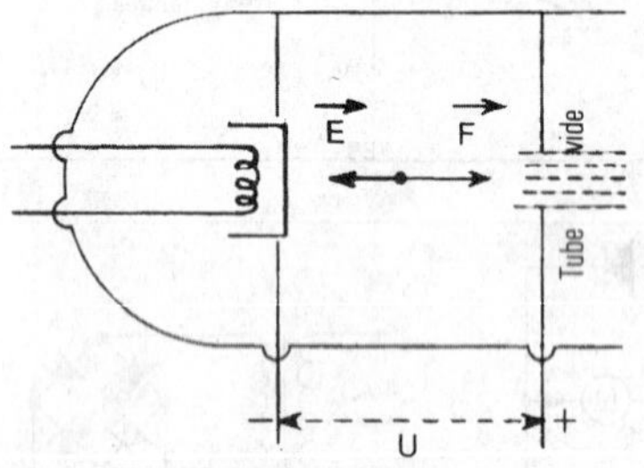

Déviation par un champ électrique uniforme. On fait passer le pinceau électronique sortant du canon à électrons entre les plateaux d'un condensateur plan, et parallèlement aux plateaux. Lorsque le condensateur est chargé, il s'établit entre les plateaux un champ uniforme $\vec{E}$. L'électron est soumis à une force, dirigée vers l'armature positive :

$$\vec{F} = e\vec{E}$$

(le poids de l'électron est négligeable devant cette force). V. schéma ci-dessus.

Soit $\vec{V}o$ la vitesse d'un électron lorsqu'il pénètre dans le champ électrique uniforme. Prenons comme axe de coordonnées l'axe Ox, dirigé selon OA, et l'axe Oy perpendiculaire.

Soit m la masse de l'électron, la relation fondamentale de la dynamique s'écrit :

$$\vec{F} = m\vec{\gamma}$$

(F est parallèle à Oy).

Sa projection sur Ox est nulle :

$$0 = m\gamma_x, \quad \text{d'où} : \gamma_x = 0$$

et v_x = Cte = v_o, x = v_ot (pour t = 0, x = 0).

La projection sur Ox est soumise à un mouvement rectiligne et uniforme.

Sa projection sur l'axe Oy vaut :

$$eE = m\gamma_y, \quad \text{d'où} : \gamma_y = \frac{eE}{m}.$$

La projection sur Oy est soumise à un mouvement rectiligne uniformément accéléré.

Éliminons la trajectoire de l'électron dans le condensateur : $y = \frac{1}{2}\frac{eE}{m}\frac{l^2}{v_o^2}$.

L'électron sort du champ électrique pour x = 1.

La déviation est donc : $ab = \frac{1}{2}\frac{eE}{m}\frac{x^2}{v_o^2}$.

Après le point b, l'électron n'est plus soumis à aucune force : il décrit la droite bB (principe de l'inertie) tangente à la parabole en b, et arrive sur l'écran en B.

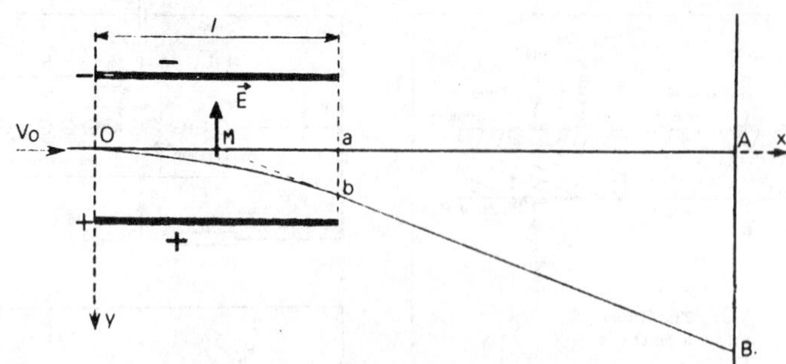

Trajectoire d'un électron dans un champ d'induction magnétique uniforme. Sa vitesse v étant normale au champ $\vec{B}$, la particule décrit un mouvement circulaire uniforme, de vitesse constante v = v_o et de rayon :

$$R = \frac{mv_o}{eB}.$$

M(e)
v
R
F
B
O

La durée d'une révolution, ou *période gyromagnétique,* est : $T = \frac{2\pi R}{v_o} = \frac{2\pi m}{eB}$ (indépendante du rayon de la trajectoire et de la vitesse de l'électron).

Déviation par un champ magnétique. Soit un champ d'induction magnétique B qui n'agit que sur une petite partie de la trajectoire électronique ; le faisceau cathodique décrit un petit arc de cercle puis sort du champ en ligne droite ; il subit ainsi une déviation angulaire :

$$\alpha = \frac{\text{arc } AB}{r}, \text{ ou sensiblement :}$$

$$\alpha = \frac{d}{r}.$$

Sachant que $r = \frac{mv_o}{Be}$, on obtient :

$$\alpha = \frac{lBe}{mv_o}.$$

La déviation du spot sur un écran lumineux assez éloigné de la zone de champ vaudra sensiblement :

$$EE' = D.\alpha = IDB\frac{e}{mv_o}.$$

Application : balayage de l'écran de T.V.

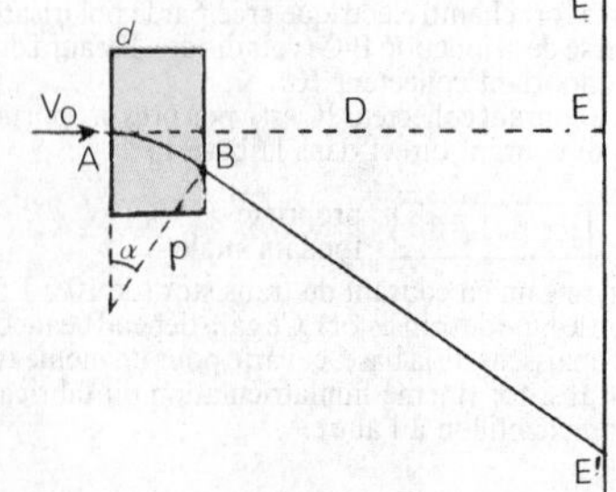

Oscilloscope cathodique

Un oscilloscope cathodique est constitué essentiellement d'un tube à vide dont une partie évasée est fermée par un écran luminescent.

A l'intérieur se trouvent :

– *un canon à électrons* formé par une cathode chaude à chauffage indirect, et des cylindres formant lentilles électrostatiques A et B donnant sur l'écran luminescent une image ponctuelle ;

– *2 condensateurs C_1 et C_2* pouvant provoquer, lorsqu'ils sont chargés, des déviations horizontale ou verticale du faisceau.

Chacune de ces déviations est proportionnelle à la différence de potentiel entre les armatures du condensateur correspondant.

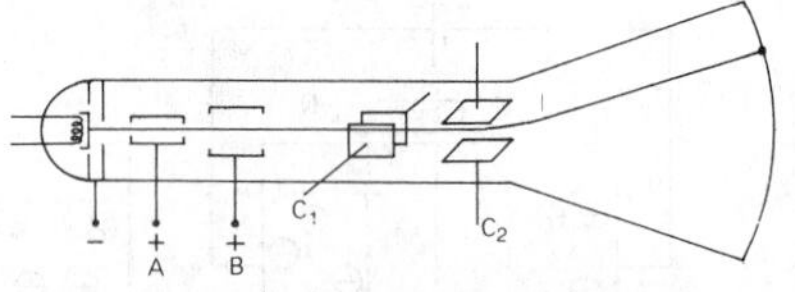

Effet photoélectrique

Expérience de Hertz. Découvert par Hertz (1887), cet effet consiste en l'*émission d'électrons par un métal sous l'action de la lumière.*

Le métal pur (métal alcalin, en général) est disposé en couche mince à l'intérieur d'une ampoule de verre transparent à l'ultraviolet, et absolument vide ; une autre « électrode » métallique, en forme de tige ou d'anneau, est placée dans l'ampoule.

L'ensemble constitue une *cellule photoélectrique.*

La couche de métal constitue la *cathode ;* l'électrode en tige constitue l'*anode,* reliée au pôle positif d'un générateur par l'intermédiaire d'un microampèremètre ; la cathode est reliée au pôle négatif du générateur.

Un voltmètre V mesure la différence de potentiel aux bornes de la cellule.

On éclaire la cellule par une lumière monochromatique (de longueur d'onde λ). L'ampèremètre ne dévie pas si l est supérieur à une certaine valeur λ_o caractéristique du métal, appelée seuil de longueur d'onde (quelle que soit la puissance transportée par ce faisceau). Si v est la fréquence correspondante, il faut : $v > v_o$; v_o est le *seuil de fréquence.*

Seuil photoélectrique pour quelques métaux purs λ_o en μm. Radiations visibles : Cs 0,65 ; K 0,54 ; Na 0,52 ; Ba 0,50. *Radiations ultraviolettes :* Zn 0,37 ; Mo 0,30 ; Cu 0,29 ; W 0,27.

Si la condition précédente est réalisée, un courant s'établit.

Pour une puissance constante du faisceau monochromatique, l'intensité du courant augmente

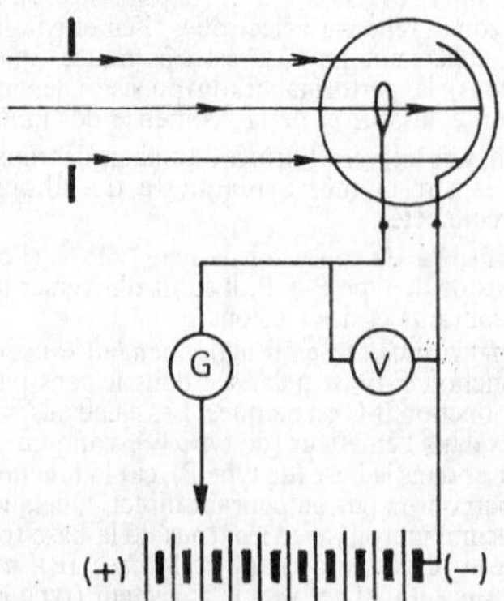

avec V et tend vers un courant de saturation i_s. Si V = 0, l'intensité n'est pas nulle ; si on change la puissance transportée par le faisceau, i_s varie proportionnellement.

Pour annuler le courant photoélectrique, il faut repousser les électrons émis par la cathode en portant l'anode à un potentiel négatif (potentiel d'arrêt) qui ne dépend pas de l'intensité du faisceau monochromatique, mais de la fréquence ν de la radiation éclairante. V_o est fonction croissante de ν.

L'énergie cinétique maximale des électrons émis par la cathode est indépendante de la puissance du faisceau monochromatique reçu par la cathode, mais croît avec la fréquence ν de la lumière monochromatique incidente.

Mécanisme de l'effet photoélectrique. Ce mécanisme a été mis en évidence par Einstein (1905) (et lui a valu le prix Nobel en 1921). Pour extraire un électron d'un métal pur, il faut communiquer à cet électron une énergie W supérieure à l'énergie d'extraction W_o. L'excédent d'énergie constitue alors l'énergie cinétique de l'électron : $W - W_o = \frac{1}{2} mv^2$.

L'effet photoélectrique se manifeste même en lumière de très faible intensité. L'énergie lumineuse se répartit uniformément sur toute la surface réceptrice ; l'énergie reçue par un atome est nettement inférieure à l'énergie W_o nécessaire à l'extraction d'un électron. Einstein en a déduit que l'énergie lumineuse était localisée en certains points, c'est-à-dire que la lumière se propageait par grains d'énergie (photons).

Chaque photon correspond à une radiation monochromatique de fréquence n et possède une énergie : W = hν, relation où h est une constante universelle, appelée *constante de Planck :*
$h = 6{,}62.10^{-34}$ S.I. (joule × seconde).

Lorsqu'un faisceau lumineux arrive sur un métal, un grand nombre n de photons viennent frapper sa surface par unité de temps, et pénètrent plus ou moins dans le métal ; certains d'entre eux seulement, soit n', rencontrent des électrons de valence. Si l'énergie hν d'un photon actif est inférieure à l'énergie W_o d'extraction de l'électron, aucun électron ne peut sortir. Si cette condition est réalisée, le nombre d'électrons éjectés par unité de temps et correspondant au courant de saturation i_s est alors proportionnel, pour une cellule donnée, à la puissance totale du faisceau incident : P = nhν.

La différence d'énergie : $h - W_o$ représente l'énergie cinétique maximale qu'un électron peut avoir en sortant du métal :

$$\frac{1}{2} mv^2 = h\nu - W_o = h(\nu - \nu_o).$$

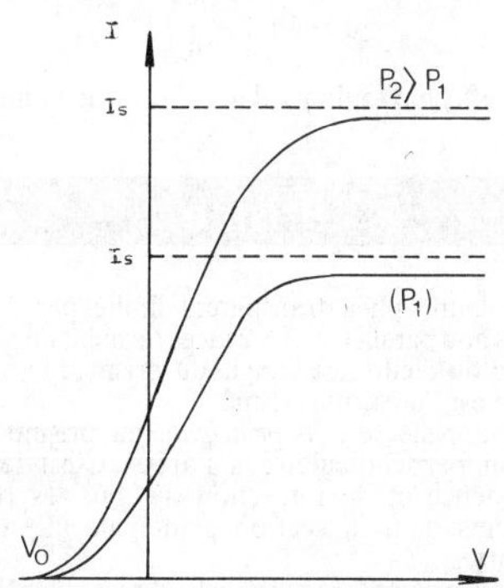

Applications de l'effet photoélectrique. Mesure des intensités lumineuses en photométrie, comptage d'objets opaques passant devant la cellule (visiteurs d'une exposition, par exemple), mise en marche de dispositifs mécaniques tels qu'escaliers, ouverture des portes de garage, avertisseurs d'incendie et mise en marche d'extincteurs, prise de son du cinéma parlant, caméras de prises de vue pour la télévision.

Effet photovoltaïque (photopile). Un couple photovoltaïque ou photopile (ou encore *cellule à couche d'arrêt*) comprend un matériau semi-conducteur (couche de sélénium gris déposée sur du fer, ou silicium) ; la face exposée à la lumière présente une mince couche transparente d'or ou de platine. L'action de la lumière sur le sélénium a pour effet de libérer des électrons, ce qui, dans ce semi-conducteur, crée aussi des trous positifs ; le sélénium (comme l'électrolyte d'une pile) contient alors des charges mobiles, et si on relie les deux pôles or et fer par un circuit extérieur, ce circuit est parcouru par un courant. Les photons créent des charges mobiles qui sont « mises en route » par un champ électromoteur « voltaïque » (différence de potentiel au contact de 2 métaux).

Rayons X

Découverts par Röentgen (1895). Max von Laue détermina en 1912 la nature du rayonnement X : *radiations électromagnétiques de très courte longueur d'onde* (10^{-4} μ).

Tube de Coolidge. Il est constitué par une ampoule sous vide. Il comporte une cathode (filament de tungstène chauffé) et une anode, formée par un bloc de métal peu fusible et assez épais, placé au centre du miroir concave formé par la cathode. Le faisceau d'électrons émis par la cathode est accéléré par une haute tension. Un rhéostat permet de régler le chauffage du filament de tungstène, donc de modifier le nombre d'électrons émis par la cathode, et par suite l'intensité des rayons X. La tension anode-cathode va de quelques dizaines de milliers de volts à plusieurs centaines de milliers dans les appareils industriels.

Propriétés fondamentales. Les rayons X provoquent la fluorescence du sulfure de zinc, du platinocyanure de baryum (lumière verte), du tungstène de cadmium (lumière bleue). Ils impressionnent les émulsions photographiques. Ils provoquent l'ionisation des gaz (ils arrachent des électrons aux molécules des gaz, créant ainsi des ions positifs et négatifs).

L'unité d'intensité de rayonnement X est le *roentgen* [quantité de rayonnement X qui provoque dans 1,293 mg d'air (1 cm³ dans les conditions normales) une ionisation correspondant au transport, par les ions négatifs et positifs, d'une quantité d'électricité égale à $\frac{1}{3.10^9}$ coulomb].

Les rayons X se propagent en ligne droite, en traversant de nombreuses substances et en subissant une absorption qui dépend : de *l'épaisseur de la substance ;* des *atomes,* et non des édifices atomiques (ions ou molécules) constituant la substance. L'absorption est une *propriété atomique :* elle augmente beaucoup avec le *numéro atomique* Z de l'atome et la *longueur d'onde* des rayons X utilisés.

Dans les cristaux, les atomes ou les ions sont disposés régulièrement aux sommets des mailles du réseau cristallin. On peut alors définir dans le cristal des plans parallèles et équidistants passant par ces atomes ; ce sont des plans réticulaires. Un faisceau de rayons X pénétrant à l'intérieur du cristal subit une diffraction analogue à celle d'un faisceau lumineux tombant sur une série de fentes parallèles et équidistantes. Les angles de diffraction dépendent de la longueur d'onde du faisceau X et de l'équidistance des plans réticulaires. Si l'on connaît l'une de ces grandeurs, on peut déduire l'autre.

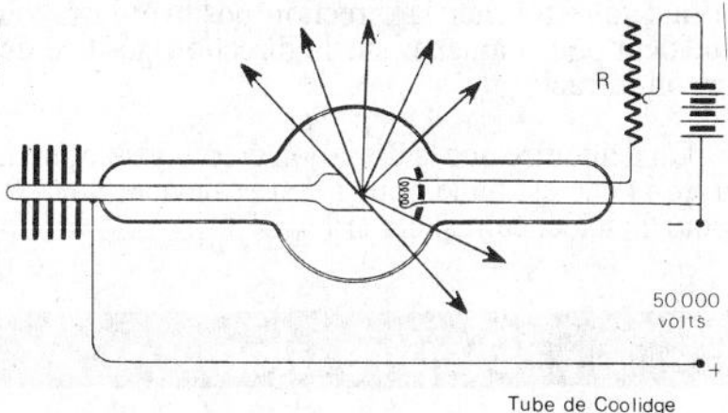

Tube de Coolidge

Nature des rayons X. Ce sont des photons X. Dans le tube de Coolidge, les électrons arrivent sur l'anticathode avec une certaine énergie cinétique. Pour certains d'entre eux, la totalité de cette énergie se transforme en énergie rayonnante en donnant un photon de fréquence γ_o. Si seulement une partie de l'énergie W est transformée, les photons X produits auront une fréquence γ telle que : $h\gamma < W$.

Comme $v < c$, il vient : $\lambda > \frac{hc}{W}$.

On observe donc toutes les longueurs d'onde possibles supérieures à :

$$\lambda_o = \frac{hc}{W}, \text{ soit } \lambda \geqslant \lambda_o.$$

En augmentant la tension, le seuil d'émission diminue ; on obtient des rayons plus durs sous haute tension.

En revanche, l'intensité du rayonnement, caractérisé par le nombre de photons émis, croît avec le nombre d'électrons émis par le filament, donc avec la température du filament.

XIII – Optique géométrique

Généralités

L'optique étudie des phénomènes lumineux, c'est-à-dire qui impressionnent l'œil.

On distingue des *objets lumineux par eux-mêmes* (soleil, lampes à incandescence), et des *objets éclairés* qui diffusent la lumière qu'ils reçoivent d'une source (tout objet visible).

Certaines substances, telles que l'eau, le verre, se laissent traverser par la lumière. Elles sont *transparentes.* En fait, une partie seulement de la lumière les traverse ; elles sont plus ou moins absorbantes.

D'autres arrêtent complètement la lumière : ce sont des corps *opaques.* Enfin, certains corps laissent passer la lumière mais ne permettent pas de distinguer la forme des corps placés derrière eux ; ce sont des corps *translucides.*

Principe fondamental. Dans un milieu transparent homogène, la lumière se propage en ligne droite.

On appelle **rayon lumineux** tout trajet rectiligne suivi par la lumière. Cette définition est purement géométrique, car on ne peut isoler un rayon.

Un **faisceau lumineux** est un ensemble de rayons. Tous les rayons issus d'un point forment un faisceau divergent ; tous les rayons aboutissant à un point forment un faisceau convergent.

Le diamètre apparent d'un objet est l'angle des 2 rayons issus des extrémités de l'objet et pénétrant dans l'œil.

L'œil voit, en moyenne, comme un point, tout objet dont le diamètre apparent est inférieur à une minute sexagésimale, soit à environ $\frac{3}{10\,000}$ radian.

Lois de la réflexion

• **Miroir plan.** Un miroir plan donne d'un objet B une image B', symétrique par rapport au plan du miroir. L'image a la même dimension que l'objet.

1re loi. Le rayon incident, la normale au point d'incidence et le rayon réfléchi sont dans un même plan.

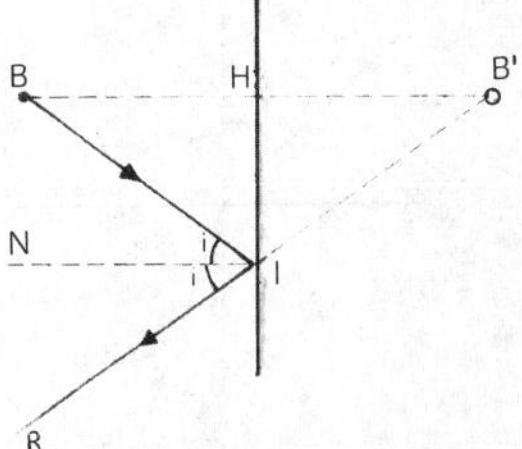

2e loi. L'angle de réflexion est égal à l'angle d'incidence.

Si un rayon lumineux BI pénètre dans un système optique quelconque pour en ressortir suivant IR, inversement un rayon lumineux entrant dans le système suivant RI ressortira suivant IB.

• **Objets ou images réels ou virtuels.** Un appareil optique donne des images d'objets. A l'entrée de l'appareil se trouve le domaine de l'objet, ou *espace objet ;* à sa sortie, se trouve le domaine de l'image, ou *espace image.* Dans l'espace objet, si le faisceau tombant sur l'appareil est divergent, il émanera d'un point *objet réel,* c'est-à-dire réellement situé en avant du système. Si, au contraire, le faisceau incident est convergent, son point de convergence, A, situé en arrière de la face d'entrée, sera appelé point *objet virtuel.* Dans le cas intermédiaire d'un faisceau incident parallèle, on dit simplement que l'objet est à l'infini.

Les définitions sont exactement inverses pour le milieu image. Si le faisceau sortant de l'appareil converge en un point A′, on dit que A′ est une *image réelle :* une telle image peut se recevoir sur un écran.

Si le faisceau diverge, ses rayons semblent provenir d'un point A′ situé avant la sortie de l'appareil ; A′ *est alors une image virtuelle.* On ne peut pas observer cette image sur un écran ; il faut regarder dans l'appareil.

• **Miroirs sphériques.** Un miroir sphérique *concave* est réfléchissant par sa face creuse. Un rayon incident parallèle à l'axe se réfléchit en passant par le foyer F, à égale distance du sommet S et du centre C de la sphère originelle. Un tel miroir donne toujours une image réelle (télescope) sauf quand l'objet réel est entre le sommet S et le foyer F (miroir grossissant).

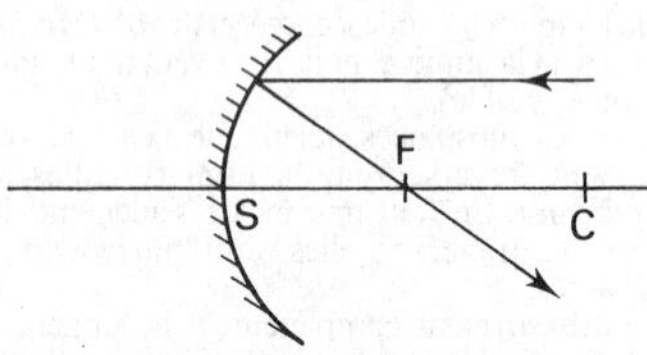

Un miroir sphérique *convexe* est réfléchissant par sa face bombée. Un rayon incident parallèle à l'axe se réfléchit comme s'il provenait du foyer F (virtuel) équidistant de C et de S. Un tel miroir donne toujours une image virtuelle (rétroviseur) sauf quand l'objet virtuel est situé entre le sommet S et le foyer F.

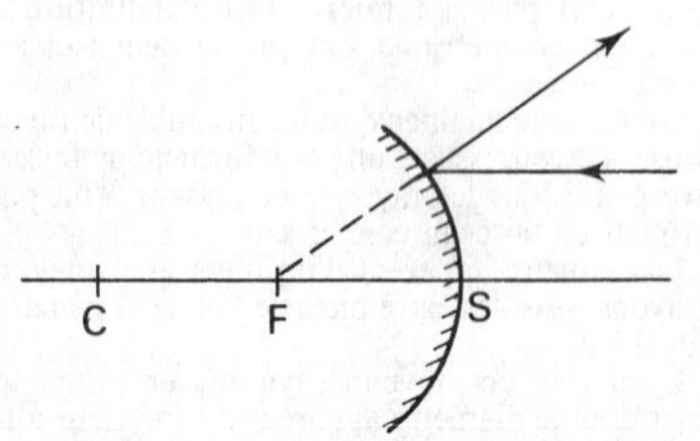

Lois de la réfraction

Il y a réfraction lorsqu'un faisceau lumineux se propageant dans un milieu optique passe dans un autre en changeant de direction.

1re loi. Le rayon incident, la normale au point d'incidence et le rayon réfracté sont dans un même plan.

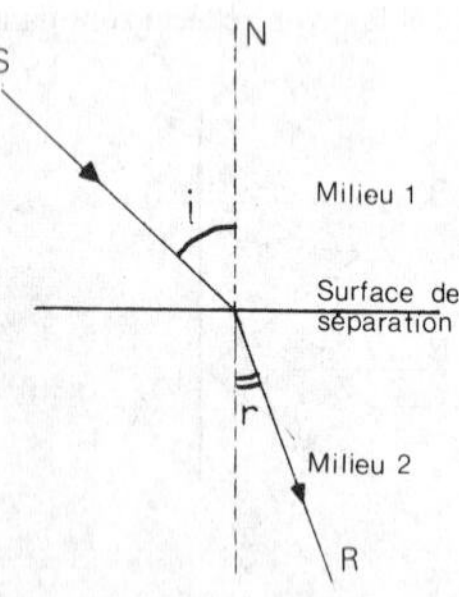

2e loi. Le sinus de l'angle d'incidence est dans un rapport constant avec le sinus de l'angle de réfraction :

$$\sin i = n \sin r,$$

n s'appelle l'*indice de réfraction* du second milieu par rapport au premier.

Indices de réfraction. Absolus. Si le 1er milieu est le vide, l'indice de réfraction s'appelle l'*indice* absolu N.

Si c = 300 000 km/s est la vitesse de la lumière dans le vide, sa vitesse v dans le milieu considéré est telle que :

$$N = \frac{c}{v}.$$

La vitesse de la lumière dans un milieu transparent est toujours inférieure à la vitesse de la lumière dans le vide : $v < c$. L'indice absolu N est donc toujours supérieur à l'unité.

Indices absolus. *Solides :* verre ordinaire 1,52 ; verre baryté 1,57 ; cristal 1,60 ; cristal lourd 1,96 ; diamant 2,42.

Liquides : eau 1,33 ; alcool 1,36 ; glycérine 1,47 ; benzine 1,50 ; sulfure de carbone 1,63.

Indices relatifs. Si le 1er milieu n'est pas le vide, mais par exemple l'air, l'eau, le verre... l'indice n sera :

$$n = \frac{v_1}{v_2} \text{ ou } n = \frac{N_2}{N_1}.$$

La 2e loi de la réfraction peut donc aussi se formuler, avec les indices absolus :

$$\sin i_1 = \frac{N_2}{N_1} \sin i_2,$$

ou : $N_1 \sin i_1 = N_2 \sin i_2$.

La symétrie de cette relation exprime le principe du retour inverse.

Discussion. 1) *La lumière passe d'un milieu moins réfringent dans un milieu plus réfringent :*

$$\sin i = n \sin r, \text{ avec } n = \frac{N_2}{N_1} > 1,$$

r existe toujours puisque $\frac{\sin i}{n} < 1$.

Il en résulte que $r < i$, et le réfracté se rapproche de la normale.

Un rayon d'incidence rasante ($i = 90°$) se rapproche de la normale et fait avec celle-ci l'*angle de réfraction limite :* $\lambda < 90°$.

Il ne peut pas y avoir d'angles de réfraction supérieurs à l'angle limite :

$$\sin \lambda = \frac{1}{n}.$$

(Ex. de l'air dans l'eau : $\lambda = 48°36'$.)

2) *La lumière passe d'un milieu plus réfringent dans un milieu moins réfringent : réflexion totale.* Pour qu'un rayon puisse pénétrer dans le 2e milieu, il faut que l'angle d'incidence soit inférieur ou égal à l'angle de réfraction limite.

Pour les rayons dont l'incidence est supérieure à l'angle limite et qui ne peuvent se réfracter, toute la lumière incidente est réfléchie. On dit qu'il y a *réflexion totale.*

Si l'angle d'incidence est inférieur à l'angle limite, il y a toujours un rayon réfléchi (réflexion dite *vitreuse*), mais la plus grande partie de la lumière passe dans le rayon réfracté ; on dit qu'il y a *réflexion partielle.*

Une application pratique se rencontre dans le prisme à réflexion totale. La lumière arrivant du verre sur l'air avec une incidence de 45° doit se réfléchir totalement, puisque l'angle de réfraction limite est $41°29' < 45°$. De tels prismes sont utilisés dans les jumelles à prismes et dans les périscopes.

Déviation du rayon lumineux. C'est l'angle dont il faut faire tourner la direction positive du rayon incident pour l'amener sur la direction positive du rayon réfracté :

$$D = i - r.$$

On démontre que la déviation croît constamment avec i ; elle est nulle pour i = 0 et devient $90° - \lambda$ pour l'incidence rasante si $N_2 > N_1$.

Dioptre plan

C'est l'ensemble de 2 milieux inégalement réfringents, séparés par une surface plane.

Il n'y a pas d'image de A_1 pour une incidence quelconque, mais, pour des rayons peu inclinés sur la normale (approximation de Gauss), le dioptre plan donne d'un point objet réel une image virtuelle située sur la même normale au dioptre, telle que :

$$\frac{n_1}{p_1} = \frac{n_2}{p_2}.$$

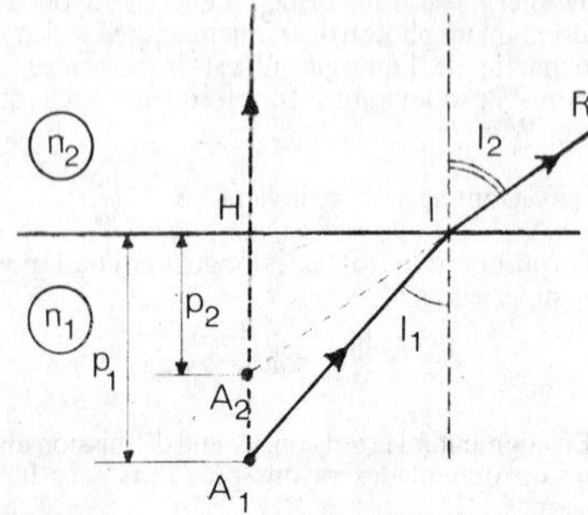

Le dioptre plan donne d'un objet réel une image virtuelle, et d'un objet virtuel une image réelle. Ces images sont droites, égales à l'objet, et leur position par rapport au dioptre est donnée par la formule :

$$\frac{n_1}{p_1} = \frac{n_2}{p_2}.$$

Lame à faces parallèles

Elle est constituée par 2 dioptres plans parallèles séparant un milieu transparent de 2 autres milieux transparents.

Lorsqu'une lame à faces parallèles sépare 2 milieux d'indices différents, les relations entre les angles d'incidence et d'émergence sont les mêmes que si la lame n'existait pas :

$$n_1 \sin i_1 = n \sin r \text{ (à l'entrée)},$$
$$n \sin r = n_2 \sin i_2 \text{ (à la sortie)},$$
$$n_1 \sin i_1 = n_2 \sin i_2.$$

Une lame à faces parallèles donne d'un objet plan et parallèle à la lame une image droite et égale à l'objet. Les images ne seront donc acceptables que dans l'approximation de Gauss.

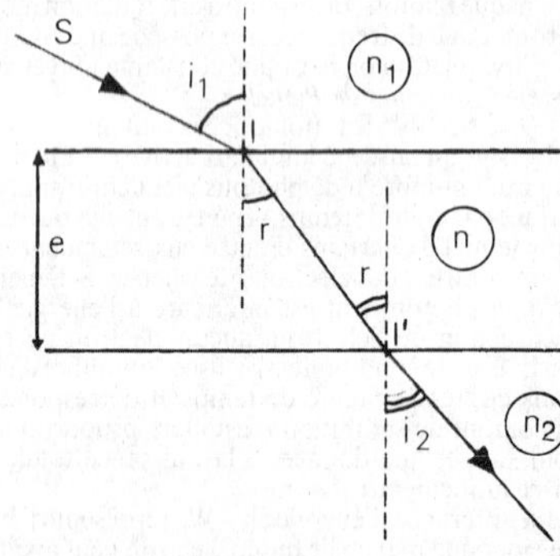

Lorsque les milieux extrêmes sont identiques, le déplacement $d = A_1A_3$ vaut :

$$d = e\left(1 - \frac{1}{n}\right).$$

Il s'effectue toujours dans le sens de la lumière.

Prisme

C'est un milieu transparent limité par 2 faces planes non parallèles. Ces 2 faces forment un dièdre ; l'angle du dièdre est l'angle du prisme ; l'arête du dièdre est l'arête du prisme.

On appelle *section principale* du prisme toute section perpendiculaire à l'arête. C'est le plan d'incidence et de réfraction de tous les rayons contenus dans la section principale (1re loi de Descartes).

Éclairons une fente par de la lumière blanche, et, à l'aide d'une lentille convergente, formons une image réelle F′ de F. Interposons après la lentille un prisme A d'arête parallèle à la fente F. Il n'y a plus d'image en F′, mais sur l'écran E nous obtenons une infinité d'images.

Si nous envoyons sur un prisme un faisceau de lumière blanche, il se produit à la fois une *déviation* du faisceau et une décomposition *(dispersion)* de la lumière blanche. La déviation est plus importante pour le violet que pour le rouge.

Toute lumière qui n'est pas dispersée par le prisme est appelée une lumière monochromatique.

Formules du prisme.

$$\sin i = n \sin r,$$
$$\sin i' = n \sin r',$$
$$A = r + r',$$
$$D = i + i' - A.$$

La déviation augmente avec l'angle du prisme, avec l'indice du prisme. Quand l'angle d'incidence varie, la déviation passe par un minimum ; à ce moment, $i = i'$, et le trajet de la lumière est symétrique par rapport au prisme.

Si l'angle du prisme est faible, la déviation est égale à :

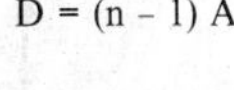

$$D = (n - 1)\,A.$$

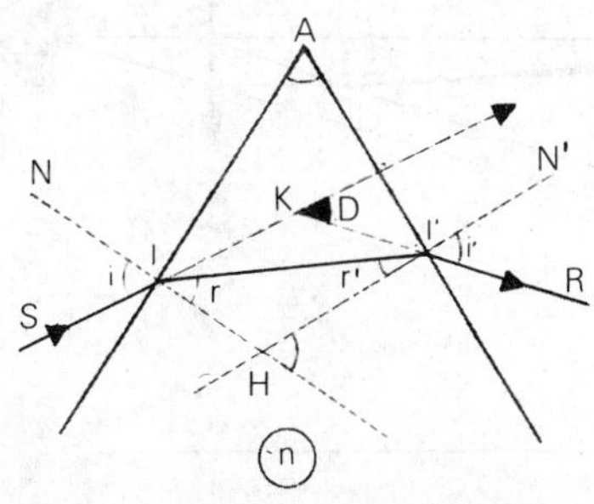

Lentilles sphériques minces

Définitions

Une lentille sphérique est un milieu transparent, en général du verre, limité par 2 calottes sphériques ou une calotte sphérique et un plan. Les lentilles minces sont celles dont l'épaisseur est négligeable par rapport à toute autre dimension, telle que le rayon des sphères, la distance de l'objet à la lentille.

On appelle *axe principal* la droite joignant les 2 centres des faces sphériques, ou la droite passant par le centre de la face sphérique et perpendiculaire à la face plane.

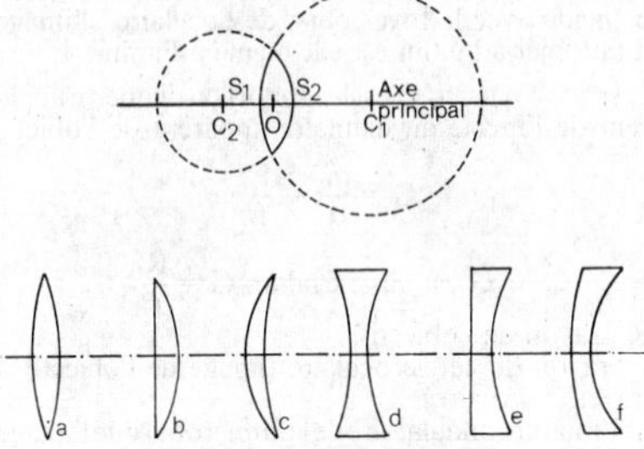

Le *centre optique*. O est le point de rencontre de l'axe principal avec les 2 dioptres limitant la lentille, l'épaisseur étant négligeable.

On classe les lentilles en 2 catégories :

- **Lentilles convergentes,** à bord mince : biconvexe (a), plan convexe (b), ménisque (c). Elles transforment un faisceau incident parallèle en faisceau convergent.

- **Lentilles divergentes,** à bord épais : biconcave (d), plan concave (e), ménisque (f). Elles transforment un faisceau incident parallèle en faisceau divergent.

Lentille convergente

Une lentille convergente ne donne d'images nettes que : si elle est diaphragmée (rayons traversant la lentille à une petite distance de l'axe) ; si l'objet est petit et se trouve au voisinage de l'axe (rayons peu inclinés sur l'axe).

Tout rayon lumineux passant par le centre optique d'une lentille ne subit aucune déviation en traversant la lentille.

Un rayon lumineux incliné sur l'axe principal et passant par le centre optique définit la direction d'un axe secondaire.

Foyer image et plan focal image. La lentille transforme un faisceau parallèle à l'axe principal en un faisceau convergent passant par un point F' de l'axe, appelé *foyer image.* La distance OF' est la **distance focale image f**. Le foyer image est donc l'image du point à l'infini situé sur l'axe principal. Tout point lumineux à l'infini a son image dans le plan focal image.

Foyer objet et plan focal objet. Tout rayon incident passant par le foyer objet donne naissance à un rayon émergent parallèle à l'axe. Le foyer objet est donc le point de l'axe dont l'image est rejetée à l'infini.

Tout point lumineux S du plan focal objet a son image rejetée à l'infini dans la direction SO. Les 2 plans focaux, objet et image, sont symétriques par rapport à la lentille.

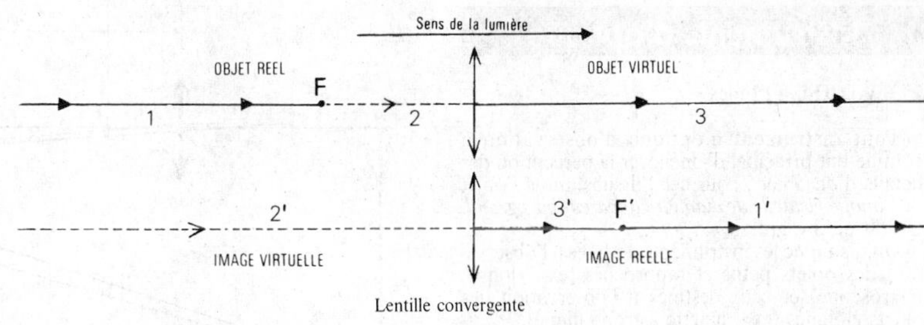

Lentille convergente

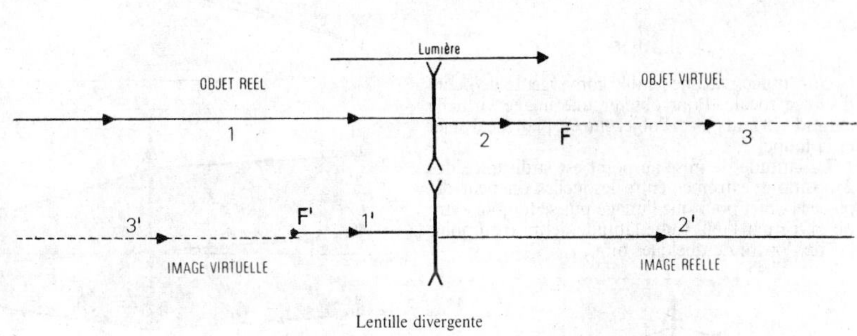

Lentille divergente

Relations. *Conjugaison image-objet :*

$$\frac{1}{p} + \frac{1}{p'} = \frac{1}{f} \text{ (formule de Descartes).}$$

Cette formule est valable dans tous les cas de figure, à condition de compter : p positif si l'objet est réel et négatif s'il est virtuel ; p' positif si l'image est réelle et négatif si elle est virtuelle.

Grandissement : $y = \frac{I}{O} = -\frac{p'}{p}$,

y positif si l'image est droite par rapport à l'objet, négatif si elle est renversée.

Dans une lentille, l'objet et l'image se déplacent toujours dans le même sens.

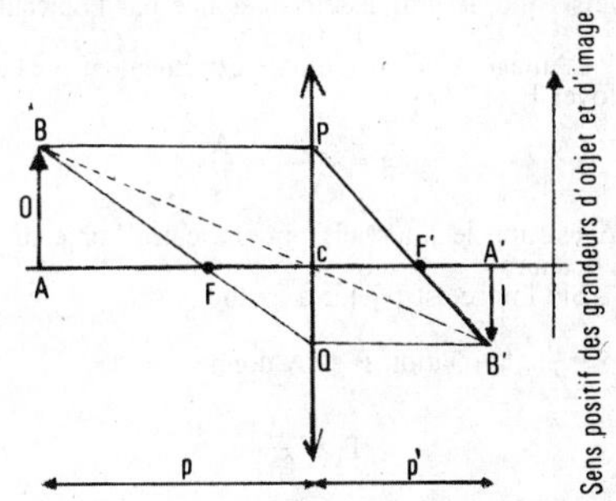

Une lentille convergente donne toujours une image réelle sauf quand l'objet réel est situé entre le foyer objet et la lentille.

Lentille divergente

Tout rayon incident parallèle à l'axe émerge en semblant venir du foyer virtuel image. Tout rayon se dirigeant sur le foyer virtuel objet émerge parallèlement à l'axe. Quelle que soit la forme de la lentille, les foyers virtuels objet et image sont symétriques par rapport au centre optique.

Relations de conjugaison et de grandissement. Les formules des lentilles convergentes s'appliquent, à condition d'y faire entrer f, avec le signe négatif.

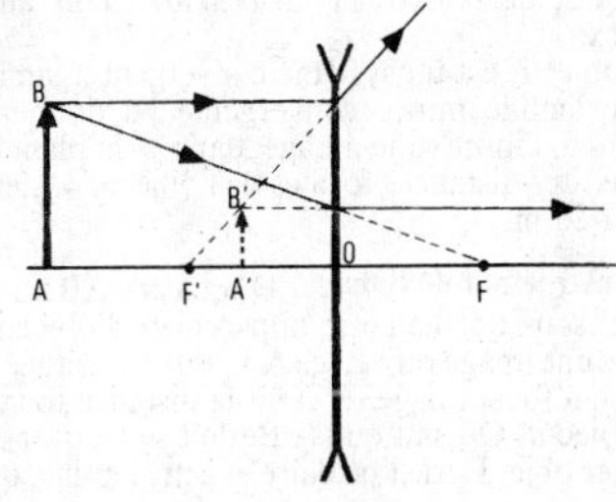

$$\frac{1}{p} + \frac{1}{p'} = \frac{1}{f}\,.$$

$$y = -\frac{p'}{p}$$

Positions relatives de l'image et de l'objet : une lentille divergente ne donne jamais d'image réelle, sauf quand l'objet virtuel est situé entre la lentille et son foyer objet.

Convergence d'une lentille

Une lentille à bord mince a tendance à faire converger la lumière qu'elle reçoit.

Une lentille à bord épais a tendance à faire diverger la lumière qu'elle reçoit.

$$C_{\text{dioptries}} = \frac{1}{f_{\text{mètres}}}\,.$$

Cette formule s'applique aussi aux lentilles divergentes, en convenant de compter une divergence comme une convergence négative ; il suffit d'employer la formule en y comptant f négativement.

Plusieurs lentilles minces accolées équivalent à une lentille unique dont la convergence est égale à la somme algébrique des convergences de chaque lentille.

$$C = c_1 + c_2 + c_3 + \text{etc.}$$

Valeur de la convergence d'une lentille

Dans cette relation :
- n est l'indice de la lentille ;
- R_1 est le rayon de courbure (rayon de la sphère) de la face d'entrée ;
- R_2 est le rayon de courbure de la face de sortie :

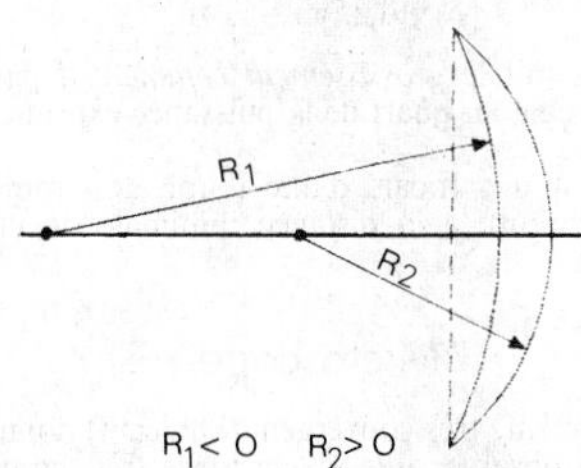

$$\frac{1}{f} = (n - 1)\left(\frac{1}{R_1} - \frac{1}{R_2}\right).$$

– R_1 et R_2 sont comptés positivement si la face correspondante est bombée, négativement si la face est creuse.

L'indice n étant toujours supérieur à 1, le terme (n − 1) est toujours positif. Le signe de la convergence sera donc déterminé d'après les signes de R_1 et de R_2. Dans le cas d'une face plane, R est infini.

Instruments d'optique

☞ Voir Œil à l'Index.

Tout instrument d'optique d'observation a comme but principal d'améliorer la perception des détails d'un objet ; pour cela, il substitue à l'objet une *image virtuelle de diamètre apparent plus grand.* On dit qu'il « grossit ».

On distingue les instruments destinés à l'observation des objets petits et rapprochés (ex. : loupe, microscope) et ceux destinés à l'observation des objets éloignés (ex. : lunette astronomique).

Loupe

Constituée par une lentille convergente de petite distance focale. Pour obtenir une image virtuelle agrandie, il faut placer l'objet entre le plan focal objet et la loupe.

La latitude de mise au point est la distance des 2 positions extrêmes entre lesquelles on peut déplacer l'objet pour que l'image puisse toujours être observée par l'œil. Cette latitude de mise au point est de l'ordre de quelques mm.

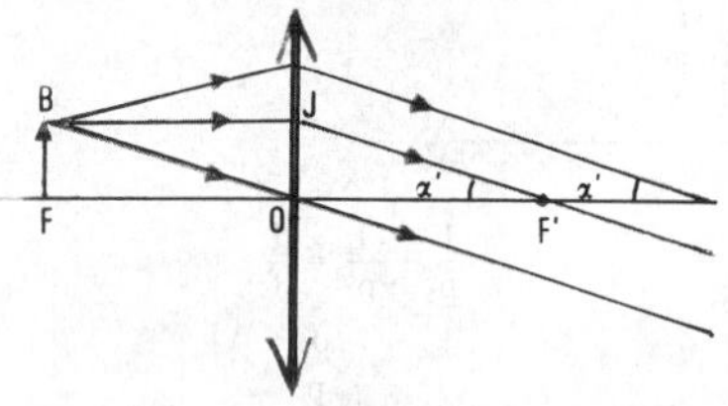

La puissance est mesurée par le rapport de l'angle α' exprimé en radians à la longueur AB de l'objet :

$$P = \frac{\alpha'}{AB}.$$

Puissance. S'exprime en *dioptries* si AB est exprimé en *mètres* et α' *en radians.*

Si l'image est rejetée à l'infini, la puissance d'une loupe est égale à sa convergence ; c'est sa puissance intrinsèque $P = \frac{1}{f}$: elle est pratiquement comprise entre 5 et 100 dioptries.

Le grossissement G est égal au rapport du diamètre apparent α' de l'image au diamètre apparent α de l'objet vu à l'œil nu dans les meilleures conditions, c'est-à-dire lorsque l'objet est à la distance minimale de vision distincte : $G = \frac{\alpha'}{\alpha}$.

On peut écrire :

$$G = \frac{\alpha'}{\alpha} = \frac{\alpha'}{AB} \times \frac{AB}{\alpha}, \; G = P \times \delta,$$

P en dioptries,
δ = distance minimale de vision distincte en mètres.

Comme δ varie avec l'observateur, on convient, dans le commerce, pour pouvoir cataloguer les loupes, de choisir :

$$\delta = 0{,}25 \text{ m} = \frac{1}{4} \text{ m}.$$

On définit le *grossissement commercial* par un nombre égal au quart de la puissance exprimée en dioptries.

La distance focale d'une loupe doit toujours être inférieure à la distance minimale de vision distincte.

Microscope

Un système très convergent (l'objectif) donne de l'objet à observer une image réelle très agrandie, que l'on examine à travers un oculaire jouant le rôle de loupe.

Construction de l'image. D'un petit objet AB, l'objectif O_1 de distance focale f_1 donne une image réelle et renversée A'B', y fois plus grande que l'objet AB. Cette image intermédiaire sert d'objet pour l'oculaire O_2, de distance focale f_2, fonctionnant comme loupe ; elle est placée entre le foyer objet F_2 de l'oculaire et la lentille ; l'oculaire en donne une image virtuelle définitive A''B'', droite par rapport à A'B', mais renversée par rapport à l'objet initial AB.

Le microscope renverse les images.

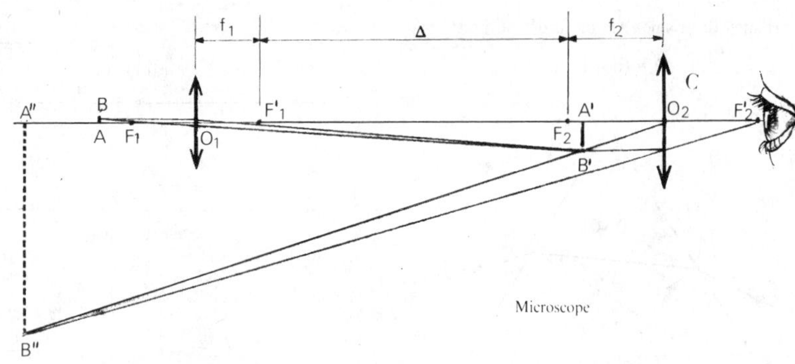

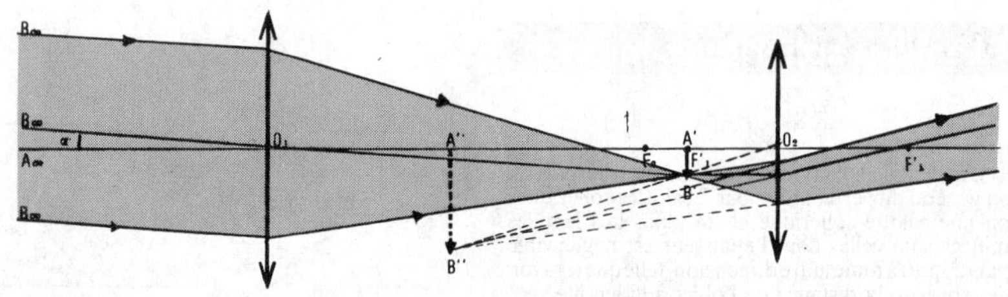

Microscope le plus puissant. Université du Michigan (U.S.A.). Inauguré en 1974. Image amplifiée 260 millions de fois grâce à un laser optique. **Le microscope électronique le plus puissant de France** se trouve à Grenoble. Il a une résolution de 1,6 angström.

Puissance

$$P = \frac{\alpha'}{AB} = \frac{\alpha'}{A'B'} \times \frac{A'B'}{AB}.$$

Le 1er rapport exprime la puissance p de l'oculaire ; le second, le grandissement donné par l'objectif :

$$P = p \times y.$$

L'image A'B' est toujours extrêmement près du foyer F_2 :

$$y = \frac{A'B'}{AB} = \frac{\Delta}{f_1},$$

Δ est appelé intervalle optique entre l'objectif et l'oculaire.

Si l'image est rejetée à l'infini :

$p = \frac{1}{f_2}$, la relation P = py donne :

$$P_i = \frac{\Delta}{f_1 f_2}.$$

La puissance varie ordinairement de 100 à 2 500 dioptries (dans certains cas particuliers 5 000 dioptries).

Grossissement

$G = \frac{\alpha'}{\alpha}$. Il vaut : $G = P \times \delta$,

P en dioptries, δ en mètres.

Grossissement commercial : $G_c = \frac{P}{4}$.

Lunette astronomique

La lunette astronomique se compose de 2 systèmes optiques, un *objectif* et un *oculaire.* Voir aussi à l'Index.

L'objectif est un système convergent assimilable à une lentille mince convergente ; il donnera de l'objet à l'infini une image dans son plan focal image. Les distances focales de l'objectif varient de 1 m à 20 m.

Construction de l'image. D'un astre AB vu de la Terre, sous un diamètre apparent α, l'objectif O_1 donne une image renversée $A'B' = F \times \alpha$, située dans son plan focal image, F étant la distance focale de cet objectif. On sait que A'B' doit se trouver entre le foyer objet F_2 de l'oculaire et cette lentille, qui en donne l'image finale A''B'', virtuelle, droite par rapport à A'B', mais renversée par rapport à AB.

La lunette astronomique renverse les images. La l. est dite *afocale* lorsque le foyer image de l'objectif coïncide avec le foyer objet de l'oculaire ; l'image d'un objet à l'infini est elle-même à l'infini.

Grossissement. C'est le rapport du diamètre apparent de l'image au diamètre apparent de l'objet :

$$G = \frac{\alpha'}{\alpha} = \frac{F}{f}.$$

G est aussi égal à : $G = \frac{R}{r}$,

R : rayon de l'objectif,
r : rayon du cercle oculaire (image de l'objectif à travers l'oculaire).

La nature ondulatoire de la lumière fait que l'image donnée par l'objectif ne peut être parfaitement fine. Si on appelle α' le diamètre apparent sous lequel l'œil voit 2 points de l'image qu'il peut tout juste distinguer, et R le rayon de l'objectif, cet angle α' est donné par la règle de Foucault :

$$\alpha_{\text{minutes}} = \frac{1}{R_{\text{mm}}}.$$

Un objectif de 12 (c'est-à-dire de 12 cm de diamètre) sépare la seconde.

Dans la lunette de *Galilée,* l'oculaire est une lentille divergente (dispositif des jumelles de théâtre).

XIV – Optique physique

Théorie

Une lumière monochromatique est une onde vibratoire sinusoïdale de période T ; sa fréquence est

$$\nu = \frac{1}{T}.$$

Dans le vide, toutes les radiations monochromatiques se propagent avec une célérité c indépendante de la fréquence et de la direction de propagation. Les *surfaces d'onde* correspondant à une source ponctuelle S sont les ensembles des points atteints par la lumière au même instant t. Ce sont des sphères de centre S. En tous les points d'une surface d'onde de rayon R, les vibrations lumineuses sont en phase et présentent avec la source un retard de phase :

$$\varphi = 2\pi \frac{R}{ct}.$$

On représente la vibration à la source S par :

$y = a \sin 2\pi \frac{t}{T}$ et, en un point de la surface d'onde, par :

$$y = a \sin 2\pi \left(\frac{t}{P} - \frac{R}{ct} \right).$$

La longueur d'onde dans le vide de la radiation lumineuse vaut :

$$\lambda_o = cT = \frac{c}{v} .$$

Dans un milieu transparent, d'indice n pour la radiation considérée, la célérité de la lumière pour cette radiation est :

$$v = \frac{c}{n}$$

Le milieu est dit isotrope si cette célérité est indépendante de la direction de propagation. Dans un tel milieu, la longueur d'onde λ est toujours inférieure à la longueur d'onde λ_o dans le vide :

$$\lambda = vT = \frac{cT}{n} ; \lambda = \frac{\lambda_o}{n} .$$

L'indice de l'air pour les radiations lumineuses vaut sensiblement n = 1,0003.

Interférences

Miroirs de Fresnel. Soit 2 miroirs plans, M_1 et M_2, faisant entre eux un très petit angle α et éclairés par une source ponctuelle S de lumière monochromatique (lumière jaune d'une lampe au sodium, lumière d'un arc électrique « filtrée » par un verre rouge). Les miroirs donnent de la source S 2 images virtuelles, S_1 et S_2, d'où proviennent 2 faisceaux réfléchis, l'un de sommet S_1 s'appuyant sur le miroir M_1 (de trace OM_1 sur la figure), l'autre de sommet S_2 s'appuyant sur le miroir M_2 (de trace OM_2). Ces 2 faisceaux réfléchis se superposent sur une partie commune A_1OA_2.

En coupant les faisceaux réfléchis par un écran E, on observe dans la partie A_1A_2 des raies alternativement brillantes et obscures, appelées franges. Ces franges existent dans toute la partie commune aux 2 faisceaux, quelle que soit la position de l'écran. Elles ne sont donc pas localisées.

En un point A arrivent 2 rayons lumineux réfléchis, SIA et SJA. S_1 et S étant symétriques par rapport au miroir M_1, le trajet SIA est égal au trajet S_1IA ; de même, SJA = S_2JA.

La différence de phase des vibrations lumineuses arrivant en A provient de la différence des chemins parcourus :

$$d_1 = S_1IA \text{ et } d_2 = S_2JA.$$

Nous pouvons donc remplacer la source S par ses 2 images S_1 et S_2 qui sont synchrones (de même période) et en phase l'une par rapport à l'autre.

1) Si en A la différence des chemins parcourus :

$$d_2 - d_1 = S_2A - S_1A$$

est un nombre entier de longueurs d'onde,

$$d_2 - d_1 = k\lambda,$$

les vibrations sont en phase et il y a un maximum de lumière.

Le lieu des points brillants est une série d'hyperboloïdes de révolution autour de S_1 S_2 dont les méridiennes sont des hyperboles de foyer S_1S_2. Les franges brillantes sont formées par l'intersection de ces surfaces et de l'écran d'observation.

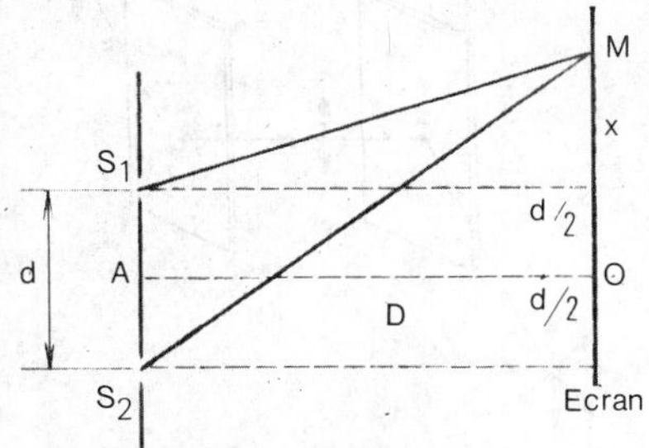

2) Si en un point A', la différence des chemins parcourus est un nombre impair de demi-longueurs d'onde,

$$d_2 - d_1 = (2k + 1) \frac{\lambda}{2} ,$$

les vibrations en A', en opposition de phase, se détruisent : il y a obscurité.

Le lieu des points A' est une autre série d'hyperboloïdes de révolution autour de S_1S_2, qui s'intercalent entre les premiers ; sur un écran, on observe une alternance de franges brillantes et obscures.

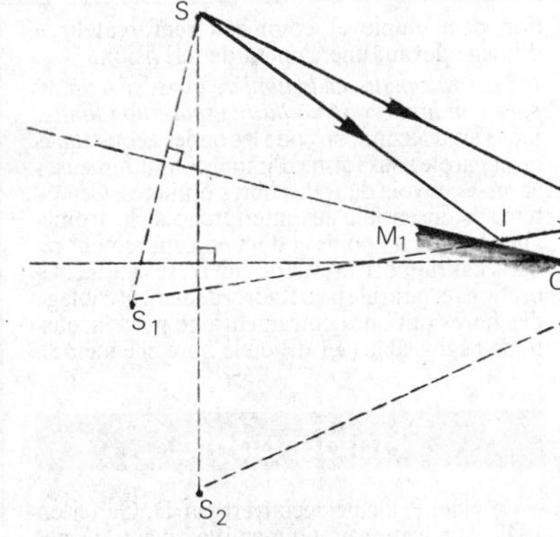

La différence des chemins parcourus par 2 rayons lumineux arrivant en M est :

$$l = S_2M - S_1M.$$

Soit OM = x ; S_1S_2 = d ; AO = D :

$$\overline{S_1M^2} = D^2 + \left(x - \frac{d}{2}\right)^2 .$$

$$S_1M = \sqrt{D^2 + \left(x - \frac{d}{2}\right)^2} = D\sqrt{1 + \frac{\left(x - \frac{d}{2}\right)^2}{D^2}}$$

Or x et d sont toujours petits vis-à-vis de D :

$$S_1M = D \left| 1 + \frac{\left(x - \frac{d}{2}\right)^2}{2 D^2} \right|$$

De même :

$$S_2M = D \left| 1 + \frac{\left(x + \frac{d}{2}\right)^2}{2 D^2} \right| .$$

La différence des chemins parcourus est donc :

$$l = S_2M - S_1M = \frac{1}{2 D} \left| \left(x + \frac{d}{2}\right)^2 - \left(x - \frac{d}{2}\right)^2 \right|$$

$$l = \frac{1}{2 D} 2 dx,$$

$$\text{ou } l = \frac{dx}{D}$$

Pour les franges brillantes :
l = kλ (k étant un nombre entier),

$$\text{soit : } x = k \frac{\lambda D}{d} .$$

On observera donc une frange centrale brillante en O (k = 0).

2 franges brillantes consécutives correspondant à 2 valeurs entières consécutives de k sont distantes de :

$$i = (k + 1) \frac{\lambda D}{d} - k \frac{\lambda D}{d} = \frac{\lambda D}{d} .$$

On voit que toutes les franges brillantes sont équidistantes.

Cette équidistance s'appelle l'*interfrange* i ;

$$i = \frac{\lambda D}{d} .$$

On observe des franges obscures si :

$$l = \frac{dx}{D} = (2 k + 1) \frac{\lambda}{2}$$

et leur interfrange est la même.

L'*ordre d'interférence* est :

$$p = \frac{l}{\lambda} .$$

Si p = k (nombre entier), on obtient des franges brillantes ; si p = k + ½, on obtient des franges obscures.

Les longueurs d'onde des radiations lumineuses varient entre 0,4 micromètre (10^{-3} mm) pour la radiation violette et 0,75 micromètre pour la radiation rouge extrême.

Les fréquences correspondantes sont : $7,5.10^{14}$ hertz et 4.10^{14} hertz.

Interférences polychromatiques. Si la fente S est éclairée par la lumière d'une ampoule électrique constituée par un mélange de radiations monochromatiques, on observe une frange centrale blanche et, de part et d'autre, des franges brillantes irisées ; ces irisations sont symétriques par rapport à la frange centrale qui est alors aisément repérable. De plus, le champ d'observation devient rapidement blanc.

Au centre du champ, la différence de chemin étant nulle pour toutes les radiations, chacune donne en ce point une frange brillante ; la superposition de ces franges brillantes donne une frange centrale blanche. En s'éloignant de la frange centrale, on ne trouve plus de frange tout à fait noire, car les franges noires correspondant à une certaine longueur d'onde se trouvent éclairées par les franges brillantes des autres radiations ; la première frange noire de la radiation rouge coïncide à peu près avec la première frange brillante de la radiation violette.

Par interférence, on peut atténuer les reflets sur les faces des lentilles des objectifs photographiques ou des jumelles, afin de réduire la lumière parasite qui nuit aux contrastes des images. On dépose sur la surface des lentilles une couche mince dont l'indice de réfraction et l'épaisseur sont calculés de façon que les rayons réfléchis par les deux faces de la couche aient la même intensité et une différence de marche $\lambda/2$: l'interférence de ces deux rayons est destructive et la réflexion parasite est supprimée pour la longueur d'onde λ qui est choisie dans le jaune ; elle n'est qu'atténuée pour le violet et le rouge, d'où l'aspect bleuté ou pourpre des lentilles ainsi traitées. Un phénomène semblable explique les couleurs irisées des couches d'huile sur l'eau. Les couleurs de certains coléoptères et de certains papillons sont produites par interférence sur une fine cuticule transparente.

Interféromètre de Michelson

Un rayon provenant d'une source lumineuse monochromatique L est divisé en 2 rayons partiels, l'un réfléchi, l'autre transmis par un miroir semi-transparent (la séparatrice S).

Après réflexion normale sur 2 miroirs plans M_1 et M_2, ces rayons partiels se superposent : on observe des interférences au moyen du récepteur R. Chaque fois que la différence de trajet 2 SM_2 – 2 SM_1 des rayons partiels est kλ (k entier, λ longueur d'onde), on a un maximum de lumière sur R.

Application : mesure d'une longueur (la longueur du déplacement d de M_1 en M'_1) en fonction de la longueur d'onde préalablement connue émise par une source étalon (lampe à krypton 86, laser He-Ne). C'est la méthode la plus précise de mesure de longueur au laboratoire : 2d est égal à λ multiplié par la variation de k (nombre de maximums observés pendant le déplacement de M_1 en M'_1).

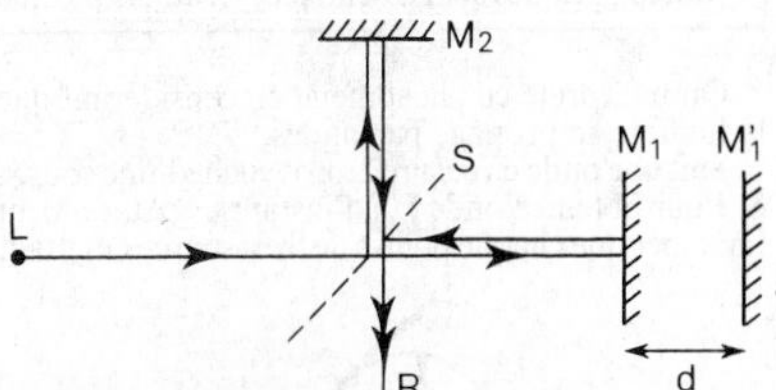

Diffraction

Une expérience simple de diffraction met en défaut le principe de la propagation rectiligne de la lumière. Prenons une source lumineuse fine (fente fortement éclairée), et intercalons entre cette source et l'écran un diaphragme de largeur variable ; nous observons sur l'écran une tache lumineuse conforme au principe de propagation rectiligne, homothétique de l'ouverture du diaphragme.

Diminuons l'ouverture du diaphragme. Lorsque celle-ci devient de l'ordre de 0,2 mm, nous commençons à constater que la tache sur l'écran s'élargit de plus en plus ; la lumière s'est propagée en dehors du cône d'ombre géométrique.

Fibres optiques

Définition. Tubes capillaires de faible diamètre composés de 2 types de matériaux naturels ou synthétiques. Ils transmettent la lumière le long d'un trajet rectiligne ou incurvé suivant le principe de réflexion interne. Ils possèdent un cœur central et en général une seule couche de revêtement externe (gaine).

• **Principe.** Un rayon lumineux pénètre dans la fibre sous un angle faible. L'aptitude d'une fibre à recevoir de la lumière est déterminée par son ouverture numérique donnée par la relation : O.N. = $n_0 \sin\alpha_0 = (n_1^2 - n_2^2)^{0,5}$ (n_0 = indice de réfraction de l'air, α_0 = angle sous lequel le rayon lumineux atteint l'interface entre le cœur et le revêtement, n_1 = indice de réfraction du cœur, n_2 = indice de réfraction du revêtement). Jusqu'à ce qu'il rencontre l'interface entre le cœur et le revêtement, le rayon se propage linéairement. A l'interface, le rayon est réfléchi et suit la courbure du cœur de la fibre. Une réflexion interne se produit à l'interface car l'indice de réfraction du revêtement est supérieur à celui de l'air mais inférieur à celui du cœur ($n_I > 1{,}4$).

• **Propriétés.** a) *Optiques :* Un certain nombre délimité de longueurs lumineuses peuvent transmettre la lumière et sous un certain angle. b) *Thermiques :* utilisation entre - 40 + 80 °C. c) *Électriques :* ne conduisent pas l'électricité. d) *Acoustiques :* le transport des ondes acoustiques sous forme d'ondes lumineuses entraîne une perte acoustique de quelques dB/km due à la réflexion du rayon lumineux. e) *Mécaniques :* faible diamètre, fragile et flexible.

Différentes sortes. 1) *Fibres monomodes :* Elles ont une bande passante (taux de transmission des informations) élevée (plusieurs GHz.km), un cœur de diamètre de l'ordre du micromètre et pas de revêtement.

2) *Fibres multimodes :* a) *à gradient d'indice.* Diamètre du cœur, 50 micromètres, revêtement 120 micromètres. Leur faible atténuation acoustique (3 dB.km) et leur bande passante de l'ordre de 400 MHz.km permettent leur utilisation dans la télédistribution et les liaisons informatiques à haut débit. b) *à saut d'indice :* dimensions du cœur et du revêtement, de l'ordre du mm. Surtout utilisées pour des liaisons industrielles et militaires. Bande passante, quelques dizaines de MHz.km.

• **Applications.** 1) *Transmission et transport de la lumière d'un espace limité vers un espace non limité :* ex. : lampe décorative constituée de fibres optiques diffusant de la lumière d'une ampoule située à l'extrémité inférieure des fibres.

2) *D'un espace non limité vers un espace limité :* ex. : pour examiner les petits objets d'habitude inaccessibles. a) Microscopes et projecteurs de profil. *Endoscopes souples :* la lumière envoyée est renvoyée avec son image réelle. b) Pour la recherche sur le cerveau et le cœur on utilise des filaments de fibre sans revêtement. L'image est visualisée sur un écran de télévision. c) De courtes fibres optiques sont assemblées en un disque que l'on peut employer comme « renforçateur » d'image devant une caméra de télévision.

3) *Transmettre de la lumière invisible d'un espace non limité vers un autre espace non limité.* Dans les télécom., on code les ondes acoustiques de la parole sous forme d'impulsions lumineuses et on les envoie dans des fibres optiques. Ce système est insensible aux interférences électromagnétiques, d'un poids et d'un encombrement réduits par rapport aux fils de cuivre, résiste aux vibrations et ne brûle pas. Raccordement et câblage des fibres optiques entraînent une perte acoustique négligeable (0,1 dB ou la fibre elle-même).

Holographie

• **Origine.** Principe découvert par D. Gabor en 1947. Application pratique en 1962 avec la découverte du laser. Donne un double parfait en 3 dimensions de l'objet enregistré grâce à un codage de la lumière par un système d'interférence de 2 faisceaux issus d'une même source. On distingue 2 étapes dans la formation d'une image holographique :

a) *L'hologramme.* La lumière monochromatique et cohérente d'un laser traverse une glace semi-transparente où elle se scinde en 2 faisceaux amplifiés avec une lentille divergente, le f. de référence R étant dirigé par l'intermédiaire d'un miroir vers une plaque photosensible, le dévié (D) vers l'objet à holographier. L'objet émet alors une lumière modulée qui vient frapper la plaque photosensible. La rencontre des 2 faisceaux (R) et (D) forme sur la plaque un système d'interférences qui contient l'état lumineux de l'objet. Le développement de la plaque photosensible permet l'obtention d'un hologramme.

b) *Formation de l'image holographique.* Après développement, le faisceau (R) éclaire la plaque photosensible impressionnée et restitue le front d'ondes lumineuses contenues dans l'objet [faisceau (D)]. L'observateur voit ainsi l'objet en relief reconstitué au $^1/_{10}$ de micromètre près.

• **Applications.** *Le procédé Bonnet* donne en même temps plusieurs vues d'un même objet sous des angles différents grâce à un film gaufré plaqué par émulsion photographique.

Le procédé Multiplex composé d'un ensemble d'environ un millier d'hologrammes. Chaque hologramme représente une vue d'un film décrivant un cercle autour du sujet. Un observateur déplacé latéralement voit défiler une suite de vues réalisant une scène animée.

La représentation d'un objet imaginaire (prototype d'une voiture) peut se faire avec un hologramme calculé, qui est inscrit sur une plaque sensible par l'intermédiaire d'un ordinateur.

Le *conoscope* (ENST) utilise un cristal biréfringent qui sépare en deux tout rayon venant d'une source lumineuse banale. Un équipement vidéo couplé à un micro-ordinateur peut remplacer la pellicule. Le conoscope permettra le guidage de robot, la reconnaissance de forme, le calcul des coordonnées des points d'une maquette d'automobile ou d'avion qu'on pourra introduire dans un système CAO, et le cinéma en relief.

On interprète ce phénomène en considérant que la lumière se propage par ondes.

Soit une onde circulaire Σ provenant d'une source S. Pour obtenir l'onde Σ' à l'instant t + Δt, on peut imaginer que chaque point s de S est source émettant une onde circulaire ; tous ces points vibrent en phase, et à l'instant t + Δt, chaque onde élémentaire est une circonférence de rayon vΔt.

L'onde Σ' est l'onde-enveloppe de ces circonférences.

Réseau. C'est un ensemble de fines fentes parallèles équidistantes, situées dans un même plan. Le pas est la distance d entre 2 fentes consécutives. Un faisceau de lumière monochromatique frappant le réseau sous l'angle d'incidence i est diffracté. Un rayon diffracté dans une direction faisant l'angle Θ avec la normale au réseau présente avec le rayon incident une différence de marche :

$$\delta = MJ - IN = d(\sin i - \sin \Theta).$$

Tous les rayons diffractés dans la direction Θ sont en phase si $\delta = k\lambda$ (k entier). On a alors un maximum de lumière. Dans toute autre direction, les vibrations s'annulent. Si le faisceau incident est en lumière blanche, à chaque radiation correspond une direction d'intensité maximale d'autant plus écartée de la normale que λ est plus grand (le rouge est plus dévié que le bleu). Le réseau peut être utilisé par réflexion.

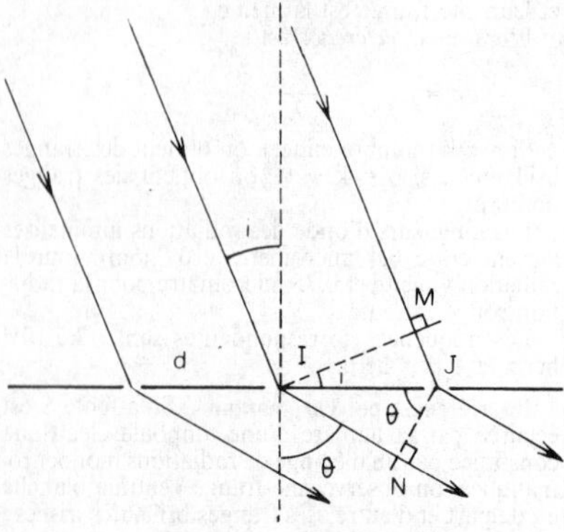

Spectroscope. Cet appareil se compose d'un prisme ou d'un réseau sur lequel on fait tomber un faisceau de lumière parallèle. Par réfraction ou réflexion, ce faisceau donne autant de faisceaux parallèles qu'il y a de radiations dans la lumière.

Dans le plan focal image de l'objectif d'une lunette placée à la suite, on obtient autant d'images de la fente qu'il y a de radiations.

Polarisation

A chaque train d'ondes émis par un atome correspond un vecteur vibrant normal au rayon. Les trains successifs étant répartis au hasard, les vecteurs vibrants d'une lumière naturelle ont toutes les directions dans le plan normal au rayon. Si la lumière naturelle tombe sur un miroir à l'incidence brewstérienne [1], i, telle que tg i = n (n, indice du milieu sur lequel se produit la réflexion), seul est réfléchi le vecteur vibrant normal au plan d'incidence qui est dit plan de polarisation. La lumière est polarisée.

Pour une incidence i différente, la lumière est partiellement polarisée.

Lorsque le rayon polarisé tombe sur un 2e miroir tel que le plan d'incidence fasse un angle Θ avec le plan de polarisation, l'intensité de la lumière réfléchie est :

$$I = I_0 \cos^2 \Theta \text{ (loi de Malus).}$$

Si Θ = 90°, le rayon réfléchi est éteint.

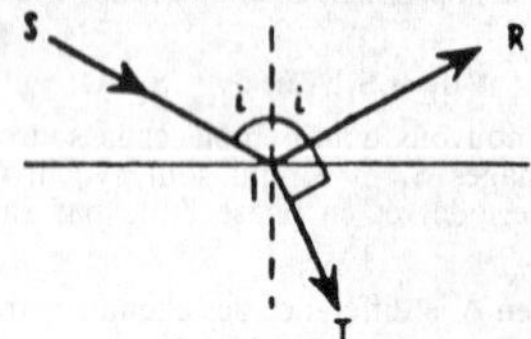

SI rayon incident. IR rayon réfléchi. IT rayon réfracté. Incidence brewstérienne (angle i).

Nota. – (1) L'incidence brewstérienne [définie en 1815 par le physicien écossais David Brewster (1781-1868)] indique la valeur particulière de l'angle d'incidence d'un rayon lumineux, telle que le rayon réfléchi soit entièrement polarisé (verre ordinaire : 55°).

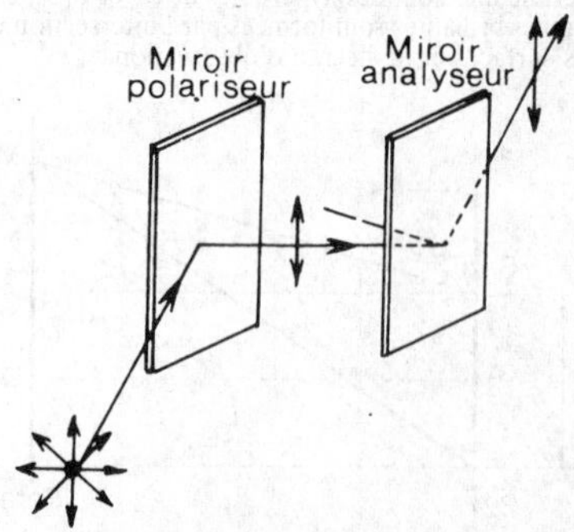

De nombreux cristaux présentent le phénomène de double réfraction. Il est très net avec le spath d'Islande, variété pure de carbonate de calcium. Si l'on pose une lame de spath convenablement taillée sur un objet, on aperçoit 2 images de cet objet. Il y a donc 2 rayons sortants pour 1 seul rayon incident ; ces 2 rayons sont polarisés dans des plans rectangulaires. La *tourmaline* (borosilicate naturel d'alumine) présente à la fois une double réfraction et une absorption inégale des 2 rayons réfractés. Une lame de tourmaline de 1 mm d'épaisseur et convenablement taillée absorbe complètement l'un des rayons polarisés.

On construit, depuis 1934, des lames polarisantes appelées **Polaroïds.** La polarisation est produite par des cristaux microscopiques de substances synthétiques (iodure de quinine) qui absorbent l'un des rayons. Il faut que tous ces cristaux soient orientés de la même façon : cette orientation se fait spontanément sur la couche de gélatine d'un film ordinaire.

La lumière peut être polarisée d'une façon circulaire. Elle est alors caractérisée par un vecteur vibration de module constant mais tournant d'un mouvement uniforme autour de la direction de propagation.

XV – Acoustique

☞ Voir aussi à l'Index : bruit, son.

Données générales

• **Définition.** Bien qu'étymologiquement l'acoustique soit l'étude des phénomènes concernant l'ouïe, elle constitue en fait la partie de la physique qui traite des propriétés des sons (production, propagation, réception) et des techniques qui font intervenir ces phénomènes dans les applications pratiques. Déjà, dans l'Antiquité, Pythagore, Aristote et Ptolémée ont étudié les relations mathématiques entre les différents intervalles musicaux. Vitruve a posé les premières bases de l'acoustique architecturale.

L'acoustique moderne et l'électroacoustique datent d'une centaine d'années (travaux des physiciens lord Rayleigh, Helmholtz et Sabine, ou des inventeurs Bell, Cros, Edison, Poulsen...), mais depuis une trentaine d'années l'évolution est spectaculaire : télécommunications, enregistrement des sons et haute fidélité ; et par suite du développement des sources sonores (usines, circulation, trafic aérien).

• **Phénomènes vibratoires.** A l'origine de toute sensation sonore il y a un système qui vibre et constitue une *source sonore.* Ce système peut être solide (lame vibrante, corde de violon, membrane de haut-parleur), liquide, ou même gazeux (colonne d'air d'un tuyau d'orgue ou de clarinette). La vibration ainsi produite est un phénomène alternatif souvent complexe, mais que nous supposerons périodique pour simplifier (on suppose qu'il se reproduit identiquement à lui-même à des intervalles de temps égaux appelés **périodes**). Cette vibration est caractérisée par 3 paramètres : *amplitude, fréquence* [inverse de la période et mesurée en nombre de périodes par seconde ou *hertz* (Hz)], et *forme* du signal vibratoire.

Lorsque la source sonore est placée au sein d'un milieu élastique (généralement l'air), mais qui peut être aussi liquide ou solide, la vibration produit dans ce milieu une perturbation se propageant sous la forme d'une **onde sonore,** qui parvient finalement à l'oreille où elle provoque une *sensation sonore,* caractérisée : 1°) par la *hauteur* du son (sa **tonie**), qui dépend essentiellement de la fréquence de la vibration et qui permet de distinguer un son grave d'un son aigu ; 2°) par son *intensité physiologique* (ou **sonie**), qui est fonction de l'amplitude de la vibration ; 3°) par son **timbre,** qui est lié à la forme de la vibration et permet de différencier le son d'un violon de celui d'un hautbois.

Seuls les phénomènes vibratoires dont la fréquence est comprise entre 20 et 20 000 hertz env. produisent une sensation sonore. Ils constituent les **sons audibles.** Les sons dont la fréquence est inférieure à 20 hertz sont appelés **infrasons,** ceux dont la fréquence dépasse 15 000 ou 20 000 hertz sont les **ultrasons.** Ces derniers sont entendus par certains animaux (ex. : chat : 40 000 hertz, chien : 80 000 hertz, chauve-souris : 120 000 hertz).

• **Propagation des ondes sonores. Dans un fluide gazeux.** La perturbation du milieu se traduit par une modification de l'état du gaz (notamment par une variation de sa pression) et par un déplacement alternatif des particules de gaz autour d'une position d'équilibre (les particules ne suivent pas la propagation de l'onde). En fait, la perturbation est très faible : pour un son relativement intense, la variation de pression [dénommée *pression acoustique* et mesurée en *pascals* (Pa)], est d'environ 1 millionième de la pression statique. Des sons correspondant à une variation du milliardième de cette pression peuvent être perçus par l'oreille. De même les déplacements des particules se chiffrent en micromètres, c'est-à-dire en millièmes de millimètres.

La perturbation se déplace au sein du milieu en donnant lieu à une *onde longitudinale* (particules se déplaçant suivant la direction de propagation de l'onde), avec une vitesse appelée **célérité.** La célérité est d'autant plus grande que le gaz est plus léger. Elle croît avec la température, mais elle est pratiquement indépendante de la pression statique du gaz. Dans l'air elle est de 343 m/s à 20 °C, et de 331,29 m/s à 0 °C. Dans l'hydrogène, de 1 270 m/s, dans le gaz carbonique (gaz relativement lourd), de 258 m/s. Le son ne peut évidemment pas se propager dans le vide.

Pour un gaz sensiblement parfait, la célérité C est donnée par la formule de Laplace :

$$C = \sqrt{\frac{\gamma p}{\rho}} = \sqrt{\frac{\gamma RT}{M}}$$

en désignant par γ le rapport des chaleurs massiques à pression et à volume constants, par p la pression statique du gaz, par ρ sa masse volumique, par T sa température thermodynamique, par M sa masse molaire, et par R la constante molaire des gaz. La distance parcourue par une onde pendant la durée d'une période vibratoire est appelée *longueur d'onde.* Celle-ci ne dépend pas de l'amplitude de la vibration, mais est inversement proportionnelle à la fréquence. Dans l'air, la longueur d'onde varie entre 15 m env. pour les sons les plus graves et quelques cm pour les sons les plus aigus.

Dans les liquides. Les célérités sont en général nettement plus grandes : dans l'eau, 1 450 m/s, dans l'alcool éthylique, 1 170 m/s.

Dans les solides. Les phénomènes de propagation sont plus complexes. A côté des ondes longitudinales analogues à celles qui se propagent dans les fluides, on trouve des *ondes transversales* (les particules se déplacent perpendiculairement à la direction de propagation des ondes), et des *ondes superficielles* qui prennent naissance à la surface des solides. Les célérités de ces différentes ondes ne sont pas identiques.

Célérités (en m/s) : aluminium 5 200, acier 5 050, plomb 1 250, bois 1 000 à 4 000 selon la dureté, verre 3 500 à 5 000 selon la composition.

• **Notation en décibels. Niveaux.** Les amplitudes de vibrations et les pressions acoustiques rencontrées dans la pratique varient beaucoup. Ainsi le rapport des amplitudes de vibration (ou des pressions acoustiques) correspondant à un bruit de réacteur d'avion et au seuil d'audibilité (c'est-à-dire au plus faible son qu'une oreille est susceptible de percevoir) est de l'ordre de 10^7, soit dix millions. Par ailleurs la sensation auditive, obéissant à la loi de Fechner, est proportionnelle au logarithme de l'excitation. Autrement dit, l'augmentation de l'intensité subjective est la même quand la pression acoustique varie entre 1 et 2 pascals ou bien entre 0,01 et 0,02 pascal. Aussi utilise-t-on en acoustique, pour caractériser une amplitude vibratoire ou une intensité subjective, une notation logarithmique, le *décibel* (dB). Introduit à l'origine pour caractériser un rapport de 2 énergies ou de 2 puissances, le décibel est maintenant utilisé pour toutes sortes de grandeurs, et l'on adopte 2 définitions, selon que l'on considère une grandeur « de puissance » (proportionnelle à une puissance) ou une grandeur « de champ » (proportionnelle à la racine carrée d'une puissance). En acoustique, pression acoustique, amplitude vibratoire et vitesse des particules constituent des grandeurs de champ. Le rapport de 2 grandeurs de puissance, exprimé en décibels, est égal à 10 fois le logarithme décimal de ce rapport ; s'il s'agit de 2 grandeurs de champ, on prend 20 fois le logarithme décimal du rapport. Quand on compare 2 états vibratoires, le nombre de décibels est le même, quelle que soit la grandeur considérée pour caractériser ces 2 états.

Le rapport d'une grandeur à une grandeur de même espèce prise comme référence définit le *niveau* de cette grandeur, exprimé en décibels. Ainsi, si l'on choisit comme pression acoustique de référence $p_0 = 2.10^{-5}$ pascals, ce qui correspond sensiblement à la plus faible pression acoustique perceptible par une oreille humaine, on définit le niveau de pression acoustique L correspondant à une pression p par l'expression :

$$L = 20 \lg \frac{p}{p_0}.$$

Voir à l'index « Ouïe » quelques niveaux de pression acoustique exprimés en décibels.

Tableau de conversion de rapport de grandeurs de champ en décibels (valeurs arrondies)

Rapport des grandeurs de champ	dB	Rapport des grandeurs de champ	dB
1	0	10	20
1,1	0,8	12	21,6
1,2	1,6	15	23,5
1,5	3,5	20	26
2	6	30	29,5
3	9,5	50	34
4	12	100	40
5	14	1 000	60
6	15,6	10 000	80
8	18		

Ex. : niveau de pression acoustique d'un avion quadriréacteur à 100 m : env. 120 dB.

• **Effet Doppler.** Cet effet apparaît sous la forme d'une altération apparente de la fréquence du son lorsque la source et l'observateur sont en mouvement relatif (exemple : le passage d'un véhicule devant un piéton se traduit par une variation de la hauteur du son suivant que le véhicule s'approche ou s'éloigne).

• **Rayonnement des sources sonores.** La propagation d'une onde sonore correspond à une propagation de l'énergie acoustique produite par la source. On peut donc caractériser le rayonnement d'une source sonore par sa *puissance acoustique.* Le rayonnement dépend du rapport entre les dimensions de la source sonore et la longueur d'onde du son émis. Si ce rapport est petit, le rayonnement est faible ; si ce rapport devient très supérieur à 1, le rayonnement devient important, mais se complique d'un phénomène de *directivité* (la source rayonne suivant des directions privilégiées). Ainsi, pour que des sons graves rayonnent au moyen d'un haut-parleur, il faut des membranes de grand diamètre animées de mouvements de grande amplitude. Par contre, un *tweeter* de quelques cm de diamètre suffit pour qu'un son aigu intense rayonne, mais ce rayonnement est localisé au voisinage de l'axe du *tweeter.* (En pratique, cet effet directif est masqué par les réflexions des ondes sur les parois de la salle d'écoute.)

Les puissances acoustiques mises en jeu sont en général très faibles, de l'ordre du milliwatt ou du microwatt. Cependant, en raison du faible rendement des sources (env. 1 % pour un haut-parleur), il faut utiliser des amplificateurs de plusieurs dizaines de watts pour les chaînes à haute fidélité.

• **Transmission des sons.** Lorsqu'une onde sonore frappe une paroi, la variation de pression ainsi créée entraîne la vibration de celle-ci, qui rayonne un son. Le son ainsi transmis est d'autant plus intense que la paroi est plus légère et que la fréquence est plus basse.

Dans la pratique, on caractérise acoustiquement un mur ou une cloison par son *indice d'isolement acoustique*, qui est le rapport, exprimé en décibels, entre l'énergie reçue par la paroi et l'énergie transmise.

Les parois et notamment les planchers peuvent également être caractérisés par leur propriété de transmission des « bruits d'impact » (bruits de pas, chute d'objets).

• **Ultrasons.** Ils sont dirigés plus facilement que les sons audibles ; 90 % de l'énergie est contenue dans un cône de demi-angle au sommet α, tel que $\sin \alpha = \frac{\lambda}{d}$, d étant le diamètre de la source et λ la longueur d'onde.

Ils sont utilisés pour les sondages sous-marins, par détermination de la durée d'écho sur un obstacle. Par contre, dans l'air, ils s'amortissent rapidement.

• **Cordes vibrantes.** Une corde de longueur *l,* tendue entre deux points, vibre si on la frappe avec un marteau (piano), si on la pince (harpe), si on la frotte avec un archet (violon). Elle est le siège d'ondes stationnaires de grande amplitude si elle contient un nombre entier de fuseaux, $l = k\frac{\lambda}{2}$. La célérité des ondes ayant pour expression $V = \sqrt{\frac{F}{\mu}}$, F étant la tension de la corde (en newtons) et m la masse linéique (en kg/m), les lois des cordes vibrantes sont contenues dans la formule $N = \frac{k}{2l}\sqrt{\frac{F}{\mu}}$ où N est la fréquence du son émis. Le son fondamental correspond à $k = 1$, les harmoniques aux valeurs entières de *k : une corde peut émettre tous les harmoniques du son fondamental.*

• **Électroacoustique.** Les signaux acoustiques sont transformés en signaux électriques au moyen de *transducteurs électroacoustiques* appelés *microphones.*

Microphone électrodynamique *à bobine mobile :* il comporte une bobine, solidaire d'un diaphragme et qui se déplace dans l'entrefer d'un aimant. Sous l'action des ondes sonores, le diaphragme et la bobine sont soumis à un mouvement alternatif qui crée par effet électromagnétique une tension électrique aux bornes de la bobine.

Microphone électrostatique *à condensateur :* il repose sur les variations de capacité d'un condensateur électrique constitué par une membrane qui vibre sous l'action des ondes sonores et par une plaque fixe située à très faible distance. Le condensateur est polarisé par une tension continue à travers une résistance de forte valeur. Les mouvements de la membrane se traduisent par une variation de capacité qui entraîne une variation de tension aux bornes du condensateur.

Microphone à électrets : il conserve, grâce à un traitement spécial d'une des électrodes, une polarisation permanente. Ainsi, la tension de polarisation extérieure n'est plus nécessaire.

Autres types de microphones : piézoélectriques, à ruban, à charbon, électromagnétiques, etc.

Selon leur principe de fonctionnement et leur construction, les microphones sont conçus pour être *directionnels,* c'est-à-dire pour être plus sensibles à des ondes se propageant dans une ou plusieurs directions privilégiées, ou au contraire *omnidirectionnels.*

Haut-parleurs (conçus pour rayonner directement dans l'espace) et **écouteurs** (destinés à être couplés directement à l'oreille) : le h.-p. le plus couramment utilisé est le *h.-p. électrodynamique à bobine mobile,* constitué par une membrane conique solidaire d'une bobine qui se déplace dans l'entrefer d'un aimant. Lorsque la bobine est parcourue par un courant alternatif (fourni par un amplificateur par exemple), il se produit des forces électromagnétiques qui mettent la membrane en vibration. Celle-ci rayonne alors une onde acoustique dans l'espace environnant.

• **Enregistrement et reproduction du son.** Les systèmes d'enregistrement du son sont destinés à « mettre en conserve » les signaux acoustiques, de façon à pouvoir ensuite les restituer à volonté. Ils utilisent un *support* qui défile devant un dispositif d'enregistrement auquel sont appliquées, sous forme de signaux électriques, provenant par exemple d'un microphone, les informations à conserver et qui sont ainsi fixées sur ce support. Lors de la lecture, on fait défiler le support devant un dispositif de lecture qui transforme l'information enregistrée en signaux électriques. Ceux-ci sont amplifiés et transformés en ondes acoustiques au moyen d'un haut-parleur par exemple.

Enregistrement sur disques. Voir Index.

Enregistrement magnétique. Le support est une *bande magnétique* formée d'un ruban plastique recouvert d'une couche ferromagnétique. Le dispositif d'enregistrement est constitué par une *tête d'enregistrement* qui produit dans la bande un champ d'induction variable et modifie son état magnétique. A la lecture, les variations de flux magnétique créées par le défilement de la bande devant une *tête de lecture* produisent par induction une tension électrique aux bornes de la tête. On peut, après utilisation, effacer l'information enregistrée sur la bande avec une *tête d'effacement.* Les bandes ont en général 2 ou 4 pistes, pour permettre un enregistrement stéréophonique. En retournant la bande, on peut doubler la durée de l'enregistrement. Pour des usages professionnels, on utilise des bandes larges qui peuvent contenir jusqu'à 30 pistes. Pour le cinéma sonore, on a longtemps utilisé un enregistrement photographique sur une piste située sur le film cinématographique et modulée en amplitude ou en opacité. On obtient de meilleurs enregistrements en disposant sur le bord du film une piste magnétique que l'on enregistre selon le procédé habituel.

Chimie

Corps simples et corps composés

La **chimie minérale** (« chimie inorganique ») étudie les corps simples et leurs composés, sauf les composés du carbone qui sont à la base des matières végétales et animales et qu'étudie la **chimie organique.**

Représentation des corps

• **Éléments.** Au nombre d'une centaine, les *éléments* sont les constituants de la matière, en principe immuables dans les transformations dites chimiques ; certains d'entre eux peuvent subir des transmutations dites radiochimiques engendrant d'autres éléments.

Chaque élément est représenté par un symbole (O représente l'élément oxygène, Cl représente le chlore, H l'hydrogène).

Les éléments naturels peuvent être des individus uniques, mais la plupart d'entre eux sont des mélanges d'*isotopes.*

• **Corps composés.** Ils comprennent plusieurs éléments. 1° **Composés gazeux** (en majorité). Formés de particules toutes semblables, qu'on appelle *molécules.* Ainsi, l'oxygène est formé de molécules renfermant 2 atomes et est représenté par la formule O_2. L'eau *gazeuse* est formée de molécules associant 2 atomes d'hydrogène à 1 atome d'oxygène ; on la représente par la formule H_2O.

2° **Composés non gazeux. A l'état liquide,** les molécules d'eau ne sont plus indépendantes, elles sont dites associées, c'est-à-dire faiblement attachées les unes aux autres ; on conserve cependant la formule H_2O. D'autres liquides, comme le sulfure de carbone CS_2, sont peu associés.

A l'état solide. Cas plus complexe. Si le camphre solide est constitué de molécules $C_{10}H_{16}O$ à peu près indépendantes, il n'en est pas de même de la plupart des composés solides de nature minérale. Un cristal de diamant C est une gigantesque molécule formée exclusivement de carbone ; un cristal de chlorure de sodium est un agrégat gigantesque d'*ions* Cl^- (atome de chlore ayant accepté 1 électron) et d'*ions* Na^+ (atome de sodium ayant perdu 1 électron). On le représente néanmoins par la formule NaCl, qui ne signale pas la positivité et la négativité mais indique seulement la proportion des composants [**stœchiométrie** (du grec *stoikheion,* « élément »)]. La même remarque s'applique à tous les sels : la formule du sulfate de sodium Na_2SO_4 rappelle l'égalité électrique entre les ions SO_4^{--} et les ions Na^+.

Molécule-gramme ou **mole :** la mole d'eau (18 g) renferme $6{,}02.10^{23}$ molécules élémentaires. La mole de chlorure de sodium (58,5 g) renferme $6{,}02.10^{23}$ ions Cl^- et $6{,}02.10^{23}$ ions Na^+.

Il existe enfin des composés minéraux *non stœchiométriques* [c.-à-d. en contradiction avec la loi de Proust (Joseph-Louis, 1754-1826) ou *Loi des proportions définies,* selon laquelle les éléments s'unissent entre eux selon des proportions invariables] et des **macromolécules.** Celles-ci, d'origine naturelle (amidon, cellulose) ou synthétique, constituent l'ensemble des résines synthétiques ; leur masse moléculaire est généralement très élevée mais variable. Ex. : le polythène, résine provenant de la polymérisation de l'éthylène, est représenté par la formule $(-CH_2-CH_2-)_n$.

Classification

Éléments (ou corps simples)

I – Métaux. Ils sont solides à la température ordinaire (sauf le mercure). La plupart ont, quand ils sont polis, un éclat métallique. Ils sont en général bons conducteurs de l'électricité et de la chaleur : malléables, ductiles (étirables), tenaces (résistants à la rupture), durs. Ils se combinent avec l'oxygène, donnant un ou plusieurs **oxydes** basiques. Certains se combinent avec l'hydrogène, donnant des **hydrures.**

Métaux nobles. Métaux qui ne s'oxydent ni à l'air ni dans l'eau. Les acides les attaquent difficilement. Ex. : or, platine.

Métaux alcalins et alcalino-terreux. Ces métaux s'oxydent facilement. Ex. : lithium, sodium, potassium, rubidium, calcium, baryum.

II – Non-métaux (terme remplaçant officiellement celui de **métalloïde**). Ils ne possèdent pas, généralement, les qualités des métaux. Ils sont sans éclat, mauvais conducteurs, non malléables, non étirables, peu résistants, peu durs, sauf le bore et le carbone sous forme de diamant. Tous leurs composés oxygénés sont neutres ou acides, jamais basiques. Ils se combinent avec l'hydrogène. Voir liste des éléments p. suivante.

> *Élément métallique le moins dense :* lithium (0,5334 g/cm³). *Le plus dense :* iridium (22,64 g/cm³). *Le plus ductile :* or (1 g/2,4 km). *La plus grande résistance à la traction :* bore (26,8 GPa). *Le plus bas point de fusion/d'ébullition :* hélium (– 272,375 °C sous une pression de 24,985 atmosphères et – 268,928 °C). *Le plus haut point d'ébullition/de fusion :* tungstène (3 422 °C et 5 730 °C). *Le plus dilatable (dilatation négative) :* plutonium (– 5,8 × 10^{-5} cm/cm/ °C entre 450 et 480 °C (allotrope delta prime découvert en 1953).

Suivant leurs propriétés, on peut les classer en 5 groupes : **1°** halogènes (c.-à-d. donnant des composés binaires non oxygénés avec un métal) : fluor, chlore, brome, iode, astate ; **2°** oxygène, soufre, sélénium, tellure ; **3°** azote, phosphore, arsenic ; **4°** carbone, silicium (bore apparenté) ; **5°** hydrogène.

III – Gaz rares. Gazeux à la température ordinaire. Ce sont : *hélium, néon, argon, krypton, xénon.* Jusqu'en 1962, on a cru qu'ils ne pouvaient pas se combiner avec un autre corps, mais qu'ils pouvaient seulement entrer dans des mélanges (ex. : dans l'air). Depuis, des combinaisons avec le fluor ont été obtenues (XeF_2 ; XeF_4...) sauf pour He, Ne et A.

Composés définis (ou stœchiométriques)

Les éléments se combinent dans des proportions qui varient suivant leur *valence.* Celle-ci dépend du nombre d'électrons situés sur la couche extérieure de l'atome. Ce nombre n'est pas toujours constant dans certains corps qui peuvent ainsi avoir plusieurs valences.

Dans un composé binaire, les éléments s'unissent en proportions telles que les valences de chacun d'eux s'équilibrent.

Ex. : Al (valence 3) + O (valence 2) donne Al_2O_3.

En se combinant, les corps composés peuvent en donner d'autres ou libérer des corps simples.

Principaux types de composés

• **Composés oxygénés. Oxyde.** Un corps en se combinant avec l'oxygène peut donner un ou plusieurs oxydes. S'il n'en donne qu'un, on appelle l'oxyde du nom du corps (ex. : oxyde de zinc). S'il en donne 2, on utilise 2 terminaisons (ex. : oxyde *ferrique* pour le plus oxygéné Fe_2O_3, *ferreux* pour le moins oxygéné FeO).

• **Anhydride.** Oxyde qui, en se combinant avec l'eau, donne un ou plusieurs acides. Si le corps donne un seul anhydride, on utilise la terminaison *ique* (ex. : anhydride carbonique). S'il en donne 2, on utilise 2 terminaisons (ex. : anhydride *nitrique* pour le plus oxygéné N_2O_5, *nitreux* pour le moins oxygéné N_2O_3).

• **Composés binaires non oxygénés.** Souvent combinaison d'un métal et d'un non-métal. On les appelle *chlorure, bromure, iodure, sulfure, carbure.* Si le métal donne une combinaison, on dira par ex. : chlorure de sodium. S'il en donne 2, on dira chlorure *mercureux* pour le moins chloré, *mercurique* pour le plus chloré.

• **Autres composés ternaires, quaternaires, etc.** Corps à base de 3, 4, etc., éléments qui peuvent revêtir de nombreux aspects. Parmi ceux-ci, on distingue notamment les *hydroxydes métalliques* (ou *bases*), oxydes qui se sont combinés avec de l'eau. Ex. : hydroxyde de calcium $Ca(OH)_2$.

• **Acide – Base.** Selon la théorie de Brönsted (ou d'Arrhenius), un acide est un composé AH qui, dans l'eau, est capable de céder des protons solvatés H_3O^+ (souvent notés H^+) selon : $AH = H^+ + A^-$. A^- est appelé *base conjuguée de l'acide AH.* Inversement, une base est capable de fixer des protons. AH/A^-

Liste des éléments

Élément et date de découverte	Symb.	Masse atomique	Nombre atomique	Tempér. en °C Fusion ou Ébull.		Valence	Masse volumique (g/cm3)	Structure électronique
Actinium (1899)	Ac	227	89	1050	3200	3	10,1	$(Rn)6d^{1}7s^{2}$
Aluminium (1827)	Al	26,981 5	13	660,3	2467	3	2,7	$(Ne)3s^{2}3p^{1}$
Américium [1] (1945)	Am	243	95	994	2607	2, 3, 4, 5, 6, 7	13,7	$(Rn)5f^{7}6d^{0}7s^{2}$
Antimoine (1450)	Sb	121,75	51	630,7	1750	3, 5	6,69	$(Kr)4d^{10}5s^{2}5p^{3}$
Argent (av. J.-C.)	Ag	107,87	47	961,9	2212	1	10,5	$(Kr)4d^{10}5s^{1}$
Argon [3] (1894)	Ar	39,948	18	– 189,2	– 185,7	n.c.	1,4	$(Ne)3s^{2}3p^{0}$
Arsenic [4] (XIIIe s.)	As	74,921 6	33	817*(a)*	613*(b)*	3,5	5,72	$(A.)3d^{10}4s^{2}4p^{3}$
Astate [4] (1940)	At	210	85	302	337	1, 3, 5, 7	—	$(Xe)4f^{14}5d^{10}$
Azote [4] (1772)	N	14,006 7	7	– 209,9	– 195,8	3 ou 5	0,81	$1s^{2}2s^{2}2p^{3}$
Baryum (1808)	Ba	137,34	56	725	1640	2	3,5	$(Xe)6s^{2}$
Berkélium [2] (1949)	Bk	247	97	n.c.	n.c.	3, 4	—	$(Rn)5f^{0}6d^{0}7s^{2}$
Béryllium [6] (1798)	Be	9,012	4	1278	2970	2	1,85	$1s^{2}2s^{2}$
Bismuth (XVIe s.)	Bi	208,98	83	271,3	1560	3, 5	9,8	$(Xe)4f^{14}5d^{10}6s^{2}6p^{3}$
Bore [4] (1808)	B	10,811	5	2300	2550	3	2,34	$1s^{2}2s^{2}2p^{1}$
Brome [4] (1826)	Br	79,904	35	– 7,2	58,78	1, 3, 5	3,12	$(A)3d^{10}4s^{2}4p^{5}$
Cadmium (1817)	Cd	112,40	48	320,9	765	2	8,65	$(Kr)4d^{10}5s^{2}$
Calcium (1808)	Ca	40,08	20	839	1484	2	1,55	$(A)4s^{2}$
Californium [2] (1950)	Cf	251	98	n.c.	n.c.	2, 3, 4	—	$(Rn)5f^{10}6d^{6}7s^{2}$
Carbone [4] (av. J.-C.)	C	12,011	6	3550	4827	2, 3 ou 4	2,26	$1s^{2}2s^{2}2p^{2}$
Cérium [5] (1803)	Ce	140,12	58	799	3426	3, 4	6,67	$(Xe)4f^{2}5d^{0}6s^{2}$
Césium (1860)	Cs	132,905	55	28,4	678,4	1	1,87	$(Xe)6s^{1}$
Chlore [4] (1774)	Cl	35,453	17	– 100,98	– 34,6	2, 3, 5, 7	1,56	$(Ne)3s^{2}3p^{5}$
Chrome (1797)	Cr	51,996	24	1857	2672	2, 3, 6	7,19	$(A)3d^{5}4s^{1}$
Cobalt (1756)	Co	58,933 2	27	1495	2870	2, 3	8,9	$(A)3d^{7}4s^{2}$
Cuivre (av. J.-C.)	Cu	63,54	29	1083,4	2567	1, 2	8,96	$(A)3d^{10}4s^{1}$
Curium [2] (1945)	Cm	247	96	1340	n.c.	3, 4	13,5	$(Rn)5f^{7}6d^{1}7s^{2}$
Dysprosium [5] (1886)	Dy	162,50	66	1412	2562	3	8,54	$(Xe)4f^{10}5d^{0}6s^{2}$
Einsteinium [2] (1955)	Es	254	99	n.c.	n.c.	2,3	—	$(Rn)5f^{11}6d^{0}7s^{2}$
Élément 106 (1974)	Unh	263	106	n.c.	n.c.	n.c.		
Élément 107 (1976)	Uns	261	107	n.c.	n.c.	n.c.		
Élément 108 (1984)	Uno	265	108					
Élément 109 (1982)	Une	266	109					
Erbium [4] (1843)	Er	167,26	68	1529	2863	3	9,05	$(Xe)4f^{12}5d^{0}6s^{2}$
Étain (av. J.-C.)	Sn	118,69	50	231,96	2270	2,4	7,3	$(Kr)4d^{10}5s^{2}5p^{2}$
Europium [4] (1901)	Eu	151,96	63	822	1597	2,3	5,26	$(Xe)4f^{7}5d^{0}6s^{2}$
Fer (av. J.-C.)	Fe	55,847	26	1535	2750	2, 3, 6	7,87	$(A.)3d^{6}4s^{2}$
Fermium [2] (1953)	Fm	257	100	n.c.	n.c.	2, 3	—	$(Rn)5f^{12}6d^{0}7s^{1}$
Fluor [4] (1886)	F	18,998 4	9	– 219,62	– 188,14	1	1,11	$1s^{2}2s^{2}2p^{2}$
Francium [1] (1939)	Fr	223	87	27	677	1	—	$(Rn)7s^{1}$
Gadolinium [3] (1886)	Gd	157,25	64	1313	3266	3	7,89	$(Xe)4f^{7}5d^{1}6s^{2}$
Gallium (1875)	Ga	69,72	31	29,78	2403	2, 3	5,91	$(A)j3d^{10}4s^{2}4p^{1}$
Germanium (1885)	Ge	72,59	32	937,4	2834	4	5,32	$(A)3d^{10}4s^{2}4p^{2}$
Hafnium (1923)	Hf	178,49	72	2231	4602	4	13,3	$(Xe)4f^{14}5d^{2}6s^{2}$
Hahnium (1967-70)[8]	Ha	262	105	n.c.	n.c.	5 (?)		
Hélium [3] (1895)	He	4,002 6	2	– 269,7*(c)*	– 268,93	n.c.	0,126	$1s^{2}$
Holmium [5] (1879)	Ho	164,93	67	1474	2695	3	8,8	$(Xe)4f^{11}5d^{0}6s^{2}$
Hydrogène [4] (1766)	H	1,007 97	1	– 259,14	– 252,87	1	0,071	$1s^{1}$
Indium (1863)	In	114,82	49	156,6	2080	1, 3, 4	7,31	$(Kr)4d^{10}5s^{2}5p^{1}$
Iode [4] (1811)	I	126,904 5	53	113,5	184,35	1, 3, 5, 7	4,94	$(Kr)4d^{10}5s^{2}5p^{5}$
Iridium (1803)	Ir	192,2	77	2443	4428	3, 4, 2, 2	22,5	$(Xe)4f^{14}5d^{7}6s^{2}$
Krypton [3] (1898)	Kr	83,8	36	– 156,6	– 152,3	2	2,6	$(A)3d^{10}4s^{2}4p^{6}$
Lanthane [5] (1839)	La	138,91	57	921	3457	3	6,14	$(Xe)5d^{1}6s^{2}$
Lawrencium [2] (1961)	Lr	257	103	n.c.	n.c.	3	—	$(Rn)5f^{14}6d^{1}7s^{2}$
Lithium (1817)	Li	6,941	3	180,5	1347	1	0,53	$1s^{2}2s^{1}$
Lutécium (1907)	Lu	174,97	71	1663	3395	3, 4	9,84	$(Xe)4f^{14}5d^{1}6s^{2}$
Magnésium (1829)	Mg	24,305	12	648,8	1090	2	1,74	$(Ne)3s^{2}$
Manganèse (1774)	Mn	54,938 0	25	1244	1962	2, 3, 4, 6, 7,	7,43	$(A)3d^{5}4s^{2}$
Mendélévium [2] (1957)	Md	258	101	n.c.	n.c.	1, 2, 3	—	$(Rn)5f^{13}6d^{0}7s^{2}$
Mercure (av. J.-C.)	Hg	200,59	80	– 38,87	356,6	1, 2	13,6	$(Xe)4f^{14}5d^{10}6s^{2}$
Molybdène (1782)	Mo	95,94	42	2617	4612	2, 3, 4, 5, 6	10,2	$(Kr)4d^{5}5s^{1}$
Néodyme [5] (1885)	Nd	144,24	60	1016	3068	3	7,0	$(Xe)4f^{4}5d^{0}6s^{2}$
Néon [3] (1898)	Ne	20,179	10	– 248,7	– 246	n.c.	1,21	$1s^{2}2s^{2}2p^{6}$
Neptunium [1] (1940)	Np	237	93	640	3902	3, 4, 5, 6, 7	20,2	$(Rn)5f^{4}6d^{1}7s^{2}$
Nickel (1751)	Ni	58,71	28	1453	2732	n.c.	8,9	$(A)3d^{8}4s^{2}$
Niobium [7] (1802)	Nb	92,906 4	41	2468	4742	3, 5	8,4	$(Kr)4d^{4}5s^{1}$
Nobelium [2] (1957)	No	254	102	n.c.	n.c.	2, 3	—	$(Rn)5f^{14}6d^{0}7f^{2}$
Or (av. J.-C.)	Au	196,967	79	1064,4	2807	1, 3	19,3	$(Xe)4f^{14}5d^{10}6s^{1}$
Osmium (1803)	Os	190,2	76	3045	5027	2, 3, 4, 6, 8	22,6	$(Xe)4f^{14}5d^{6}6s^{2}$
Oxygène [4] (1772)	O	15,999 4	8	– 218,4	– 182,96	2	1,14	$1s^{2}2s^{2}2p^{4}$
Palladium (1803)	Pd	106,4	46	1552	3140	2, 4	12,0	$(Kr)4d^{10}5s^{0}$
Phosphore [4] (1669)	P	30,973 8	15	44,1	280	3, 5	1,82	$(Ne)3s^{2}3p^{3}$
Platine (1735)	Pt	195,09	78	1772	3830	2, 4	21,4	$(Xe)4f^{14}5d^{9}6s^{1}$
Plomb (av. J.-C.)	Pb	207,19	82	327,5	1620	2, 4	11,4	$(Xe)4f^{14}5d^{10}6s^{2}6p^{2}$
Plutonium [1] (1940)	Pu	244	94	641	3232	3, 4, 5, 6, 7	—	$(Rn)5f^{6}6^{10}7s^{2}$
Polonium [1] (1898)	Po	210	84	254	962	2, 4, 6	9,3	$(Xe)4f^{14}5d^{10}6s^{2}6p^{2}$
Potassium (1807)	K	39,102	19	63,65	770	1	0,86	$(A)4s^{1}$
Praséodyme [5] (1885)	Pr	140,907	59	931	3512	3, 4, 6	6,77	$(Xe)4f^{3}5d^{0}6s^{2}$
Prométhéum [5] (1926)	Pm	145	61	1080	2460	3	7,2	$(Xe)4f^{5}5d^{0}6s^{2}$
Protactinium [1] (1918)	Pa	231,03	91	1600	n.c.	3, 4, 5	15,4	$(Rn)5f^{2}6d^{1}7s^{2}$
Radium [1] (1898)	Ra	226,03	88	700	(1140)	2	5,0	$(Rn)7s^{2}$
Radon [1] (1900)	Rn	222	86	– 71	– 62	6	—	$(Xe)4f^{14}5d^{10}6s^{2}6p^{6}$
Rhénium (1925)	Re	186,2	75	3180	5596	3, 4	21,0	$(Xe)4f^{14}5d^{5}6s^{2}$
Rhodium (1803)	Rh	102,905 5	45	1960	3730	1, 3	12,4	$(Kr)4d^{8}6s^{1}$
Rubidium (1861)	Rb	85,47	37	39	688	1	1,53	$(Kr)5s^{1}$
Ruthénium (1843)	Ru	101,07	44	2250	4150	3, 4, 6, 8	12,4	$(Kr)4d^{7}5s^{1}$
Rutherfordium (1969) [9]	Rf	257	104	n.c.	n.c.	4		(Xe)4f
Samarium [5] (1878)	Sm	150,35	62	1077	1791	2, 3	7,54	$(Xe)4f^{8}d^{0}6s^{2}$
Scandium (1879)	Sc	44,956	21	1541	2831	3	3,0	$(A)3d^{1}4s^{2}$
Sélénium [4] (1817)	Se	78,96	34	217	685	2, 4, 6	4,79	$(A)3d^{10}4s^{2}4p^{4}$
Silicium [4] (1823)	Si	28,086	14	1410	2355	4	2,33	$(Ne)3s^{2}3p^{2}$
Sodium (1807)	Na	22,989 8	11	97,81	882,9	1	0,97	$(Ne)3s^{1}$
Soufre [4] (av. J.-C.)	S	32,064	16	112,8	444,67	2, 4, 6	2,07	$(Ne)3s^{2}3p^{4}$
Strontium (1790)	Sr	87,62	38	769	1381	2	2,54	$(Kr)5s^{2}$
Tantale (1802)	Ta	180,948	73	2985	5425	3, 5	16,65	$(Xe)4f^{14}5d^{3}6s^{2}$
Technétium (1937)	Tc	98,91	43	2172	4877	2, 4, 5, 6, 7	11,5	$(Kr)4d^{3}5s^{2}$
Tellure [4] (1782)	Te	127,60	52	449,5	989,4	2, 4, 6	6,24	$(Kr)4d^{10}5s^{2}5p^{4}$
Terbium [5] (1843)	Tb	158,925 4	65	1356	3123	3, 4	8,23	$(Xe)4f^{9}5d^{0}6s^{2}$
Thallium (1861)	Tl	204,3	81	303,5	1457	1, 3	11,85	$(Xe)4f^{14}5d^{10}5s^{2}6p^{1}$
Thorium (1828)	Th	232,038 1	90	1750	4790	3, 4	11,7	$(Rn)5f^{0}6d^{2}7s^{2}$
Thulium [5] (1878)	Tm	168,934 2	69	1545	1947	2, 3	9,33	$(Xe)4f^{13}5d^{0}6s^{2}$
Titane (1783)	Ti	47,90	22	1660	3287	3, 4	4,54	$(A)3d^{3}4s^{2}$
Tungstène (1761)	W	183,85	74	3410	5660	2, 4, 5, 6	19,3	$(Xe)4f^{14}5d^{4}6s^{2}$
Uranium [1] (1789)	U	238,03	92	1132,3	3818	2, 3, 4, 5, 6	19,07	$(Rn)5f^{3}6d^{1}7s^{2}$
Vanadium [3] (1801)	V	50,941 4	23	1890	3380	2, 3, 4, 5	6,1	$(A)3d^{3}4s^{2}$
Xénon (1898)	Xe	131,3	54	– 111,9	– 107,1	2, 4, 6	3,06	$(Kr)4d^{10}5s^{2}5p^{6}$
Ytterbium [5] (1878)	Yb	173,04	70	819	1194	2, 3	6,98	$(Xe)4f^{14}5d^{0}6s^{2}$
Yttrium (1794)	Y	88,905 9	39	1522	3338	3	4,47	$(Kr)4d^{1}5s^{2}$
Zinc (av. J.-C.)	Zn	65,37	30	419,58	907	2	7,14	$(A)3d^{10}4s^{2}$
Zirconium (1789)	Zr	91,22	40	1852	4377	4	6,50	$(Kr)4d^{2}5s^{2}$

◄ Il existe plusieurs autres classifications, en particulier celle de Francis Perrin (1974). Elles ne modifient pas les connaissances de l'atome.

Légendes : *(a)* A 36 atmosphères. *(b)* Tempér. de sublimation. *(c)* A 43 atmosphères. (1) Uranide. (2) Curide (radioélément ou actinide). (3) Gaz rare. (4) Non-métal. (5) Terre rare (ou lanthanide). (6) D'abord appelé glucinium (Gl). (7) D'abord appelé columbium (Cb). (8) Appelé aussi nielsbohrium. (9) Appelé aussi kourchatovium, il aurait été découvert en 1965.

On ne trouve sur la Terre que 89 éléments (les 92 premiers moins 3 éléments naturellement radioactifs qui sont éteints : technétium, prométhéum, francium). Les autres éléments n'existent pas dans l'écorce terrestre, car ils se désintègrent spontanément en des temps très inférieurs à l'âge de la Terre et aboutissent tous à la forme plomb ou bismuth. Ainsi le *plutonium 239* s'éteint de moitié en env. 24 000 ans. Dans 1 million d'années, les tonnes de plutonium synthétisées depuis 20 ans et entreposées seront transformées en *uranium 235* par le jeu des transmutations spontanées. On a pu synthétiser les éléments *transuraniens* en faibles quantités : quelques t pour le plutonium, quelques kg pour l'américium et le curium, quelques g pour le berkélium et le californium, des millionièmes de g et même seulement quelques atomes pour les autres.

---

constitue un couple acide/base. Si l'équilibre ci-dessus est totalement déplacé vers la droite, AH est un acide fort (ex. : HNO_3) et sa base conjuguée (NO^{-3}) est infiniment faible. À un acide faible (acide acétique), caractérisé par une constante d'acidité K_a = (H^+)(A^-)/(AH) correspond une base conjuguée faible (ion acétate). Il existe aussi des bases fortes (ex. : OH^-). L'ancienne définition de la base, selon Arrhenius (composé qui contient OH^-), est insuffisante car elle ne rend pas compte de la basicité de composés tels que l'ammoniac NH_3.

L'électrolyse d'un acide libère de l'hydrogène à la cathode. Donne avec une base : eau + sel + chaleur ; avec certains métaux, sel + hydrogène sauf exception (acide nitrique). L'électrolyse d'une base peut libérer le métal à la cathode. Si ce n'est pas le cas, il se dégage de l'hydrogène et des ions OH^- sont créés (ex. : électrolyse d'une solution de soude). Avec un acide, donne eau + sel + chaleur.

• **Sel.** Composé résultant de l'action d'un acide sur un métal ou une base, et d'écriture générale : A_aC_c, dans laquelle A est l'anion (ion négatif, de charge $z_a < 0$) et C le cation (ion positif, de charge z_c). Le sel est électriquement neutre : a z_a + c z_c = 0. Une solution saline peut être soit acide, soit neutre (pH=7), soit basique.

• **pH** *(potentiel hydrogène).* Le pH d'une solution est égal au cologarithme de la concentration en ions H^+ (notée [H^+]) dans ce milieu. En solvant aqueux, l'échelle des pH est comprise entre 0 et 14. La solution est dite acide si son pH est inférieur à 7. La valeur 7 correspond à la « neutralité ». Ex. : monoacide fort à la concentration M/1 000 : [H^+] = 10^{-3}M ; pH = 3. Le pH d'une solution se détermine à l'aide d'un « pH-mètre » (voltmètre qui mesure la différence de potentiel entre une électrode de verre et une électrode de référence ; la ddp est une fonction affine du pH). Plus simplement, on évalue le pH à l'aide d'un indicateur coloré [solution diluée d'un acide faible AH et de sa base conjuguée A^- (constante d'acidité = k_a ; $pK_a = -\log K_a$)]. AH et A^- étant de couleur différente, si pH < pKa, AH est l'espèce majoritaire et impose sa couleur à la solution. Si pH > pK_a, A^- est majoritaire. Aux pH voisins de pK_a, AH et A^- sont en quantités comparables ; on observe une couleur intermédiaire. Ex : Le bleu de bromothymol est jaune à pH acide et bleu en milieu basique. Domaine de virage : 6,0 < pH < 7,6 (couleur verte).

Il existe des « indicateurs universels » constitués d'un mélange d'indicateurs colorés possédant des domaines de virage suffisamment distincts et des espèces chimiques de colorations différentes. Une solution dans laquelle on introduit quelques gouttes d'indicateur universel prend une couleur caractéristique permettant un repérage semi-quantitatif de son pH. Les bandelettes de « papier pH » sont imprégnées d'un indicateur universel.

Chimie minérale

Composés minéraux

• **Composés binaires.** Les composés formés par l'union de deux métaux se nomment alliages ; les alliages de mercure sont les amalgames. Pour les composés formés de l'union d'un métalloïde et d'un métal, ou de deux métalloïdes, on nomme en premier l'élément le plus électronégatif, terminé par la désinence *-ure*, et on fait suivre ce terme du nom de l'élément le plus électropositif (chlorure d'argent AgCl, chlorure de soufre S_2Cl_2, sulfure de carbone CS_2, fluorure d'oxygène OF_2). L'oxygène est, après le fluor, le plus électronégatif des éléments ; par exception Cl_2O est un oxyde de chlore, N_2O un oxyde d'azote, MnO un oxyde de manganèse. Ex. : chlorure ferreux $FeCl_2$, chlorure ferrique $FeCl_3$; sulfure

Tableau périodique des éléments

États des corps chimiques dans des conditions ordinaires de température et de pression (le sodium Na peut être fondu et vaporisé) : • solide, gaz, liquide "blanc", •• obtenu par synthèse.

Non-métaux : à droite du trait gras *plein* « escalier ».

Eléments de transition

GROUPE IA	IIA	IIIB	IVB	VB	VIB	VIIB	VIII	VIII	VIII	IB	IIB	IIIA	IVA	VA	VIA	VIIA	VIIIA
1 H Hydrogène																	2 He Hélium
3 • Li Lithium	4 • Be Beryllium											5 • B Bore	6 • C Carbone	7 N Azote	8 O Oxygène	9 F Fluor	10 Ne Néon
11 • Na Sodium	12 • Mg Magnésium											13 • Al Aluminium	14 • Si Silicium	15 • P Phosphore	16 • S Soufre	17 Cl Chlore	18 Ar Argon
19 • K Potassium	20 • Ca Calcium	21 • Sc Scandium	22 • Ti Titane	23 • V Vanadium	24 • Cr Chrome	25 • Mn Manganèse	26 • Fe Fer	27 • Co Cobalt	28 • Ni Nickel	29 • Cu Cuivre	30 • Zn Zinc	31 Ga Gallium	32 • Ge Germanium	33 • As Arsenic	34 • Se Sélénium	35 Br Brome	36 Kr Krypton
37 • Rb Rubidium	38 • Sr Strontium	39 • Y Yttrium	40 • Zr Zirconium	41 • Nb Niobium	42 • Mo Molybdène	43 • Tc Technètium	44 • Ru Ruthénium	45 • Rh Rhodium	46 • Pd Palladium	47 • Ag Argent	48 • Cd Cadmium	49 • In Indium	50 • Sn Etain	51 • Sb Antimoine	52 • Te Tellure	53 • I Iode	54 Xe Xénon
55 Cs Cesium	56 • Ba Baryum	57 • La* Lanthane	72 • Hf Hafnium	73 • Ta Tantale	74 • W Tungstène	75 • Re Rhénium	76 • Os Osmium	77 • Ir Iridium	78 • Pt Platine	79 • Au Or	80 Hg Mercure	81 • Tl Thallium	82 • Pb Plomb	83 • Bi Bismuth	84 • Po Polonium	85 • At Astate	86 Rn Radon
87 Fr Francium	88 • Ra Radium	89 • Ac** Actinium	104 •														

58 • Ce Cérium	59 • Pr Praséodyme	60 • Nd Néodyme	61 •• Pm Promethium	62 • Sm Samarium	63 • Eu Europium	64 • Gd Gadolinium	65 • Tb Terbium	66 • Dy Dysprosium	67 • Ho Holmium	68 • Er Erbium	69 • Tm Thulium	70 • Yb Ytterbium	71 • Lu Lutétium
90 • Th Thorium	91 • Pa Protactinium	92 • U Uranium	93 •• Np Neptunium	94 •• Pu Plutonium	95 •• Am Américium	96 •• Cm Curium	97 •• Bk Berkelium	98 •• Cf Californium	99 •• Es Einsteinium	100 •• Fm Fermium	101 •• Md Mendélévium	102 •• No Nobélium	103 •• Lw Lawrencium

Les propriétés chimiques de l'élément sont déterminées par la couche périphérique d'électrons qui gravite autour de l'atome. Considérons le tableau de Mendeleïev (1834-1907) établi en 1869.

Si l'on dispose les éléments par masse atomique croissante en plaçant dans une même colonne verticale les corps qui ont des propriétés identiques, on constate que le nombre atomique (nombre total d'électrons) croît d'une unité en suivant les lignes. De plus, les éléments d'une même colonne ont le même nombre d'électrons périphériques. Ainsi les métaux alcalins (ex. : sodium) n'en ont qu'un seul, les halogènes (ex. : fluor) en ont 7. Les corps, tel le néon, dont la dernière couche est complète sont parfaitement stables (ils s'allieront difficilement à d'autres corps). Par contre, si la dernière couche est incomplète, les corps sont actifs du point de vue chimique : le sodium, qui possède un seul électron sur la dernière couche, alors que la couche précédente est complète, tend à perdre cet électron pour devenir stable. Il s'allie en particulier très bien avec le fluor, qui cherche un électron pour compléter sa couche extérieure. L'électron périphérique du sodium va permuter entre les 2 éléments pour donner 2 édifices parfaitement stables.

stanneux SnS, sulfure stannique SnS_2 ; oxyde azoteux ou nitreux N_2O, oxyde azotique ou nitrique NO (les composés en *-eux* sont ceux dans lesquels la valence de l'élément électropositif est la plus faible).

Les **oxydes** sont très nombreux : anhydride sulfureux SO_2, anhydride sulfurique SO_3, anhydride nitreux N_2O_3, anhydride nitrique N_2O_5 ; anhydride permanganique Mn_2O_7.

Les composés binaires que l'hydrogène donne avec les métaux sont les **hydrures ;** on appelle carbure d'hydrogène un composé de carbone et d'hydrogène. Le cas des composés de l'hydrogène avec les halogènes et le soufre est particulier : acide chlorhydrique, acide sulfhydrique, dont les sels sont les chlorures, sulfures des divers métaux ; quant aux composés binaires eux-mêmes, HCl, H_2S, on doit les nommer chlorure, sulfure d'hydrogène.

• **Composés ternaires.** *1) Acides :* ce sont les oxacides ou oxyacides. Les acides se nomment de même, en *-eux* pour le moins oxygéné, en *-ique* pour le plus oxygéné (acide sulfureux H_2SO_3, acide sulfurique H_2SO_4). Il y a cependant des cas plus complexes : on fait alors usage des préfixes *hypo-, per-,* pour distinguer les divers acides ; ainsi anhydride et acide hypochloreux Cl_2O et HClO ; acide chloreux $HClO_2$; acide chlorique $HClO_3$; anhydride et acide perchlorique Cl_2O_7 et $HClO_4$.

2) Bases : soude, potasse, ammoniaque, chaux. Le nom générique est hydroxyde, suivi du nom du métal ; hydroxyde ferreux $Fe(OH)_2$, hydroxyde ferrique $Fe(OH)_3$.

3) Sels : les acides en *-hydrique* donnent des sels en *-ure :* acide chlorhydrique HCl, chlorure de sodium NaCl ; les acides en *-eux* donnent des sels en *-ite :* acide nitreux HNO_2, nitrite de sodium $NaNO_2$; les acides en *-ique* donnent des sels en *-ate :* acide nitrique HNO_3, nitrate de sodium $NaNO_3$. Les polyacides et les polybases donnent plusieurs sels. Si le métal a plusieurs valences, il peut donner plusieurs sels avec un acide : sulfate ferreux $FeSO_4$ ou sulfate de fer II ; sulfate ferrique $Fe_2(SO_4)_3$ ou sulfate de fer III. La formule de nombreux sels fait intervenir des molécules d'eau ; ces sels sont dits hydratés.

Chimie organique

Principaux groupements fonctionnels

• **Définitions. Substances organiques :** substances contenant du *carbone,* un élément dont les atomes peuvent se souder en *chaînes.* Ces enchaînements peuvent être courts ou longs, linéaires ou ramifiés, acycliques ou cycliques. Les hydrocarbures **saturés** sont exclusivement formés de carbone quadrivalent et d'hydrogène. Si dans la formule d'un carbure saturé on retire 2 atomes d'hydrogène pris à des carbones voisins, on dit que ces carbones sont doublement liés ; si on en retire 4, ils sont dits triplement liés.

Mais les *fonctions* proprement dites résultent de la substitution, dans 1 hydrocarbure, de 1 hétéroatome (atome différent de C et de H) à 1 ou à plusieurs atomes d'hydrogène liés à 1 même carbone. Si certaines fonctions (la fonction acide carboxylique par exemple) sont caractérisées par la présence d'un *groupe fonctionnel* unique $- CO_2H -$, à d'autres fonctions (la fonction amine par exemple) correspondent de très nombreux groupes fonctionnels.

Une même molécule peut porter de nombreuses fonctions identiques ou différentes ; mais la substitution, sur un même carbone, de plusieurs hétéroatomes crée, non pas deux fonctions, mais une seule autre fonction ; ainsi, si sur un groupe CH_2, on substitue O à 2 H et Cl à 1 H, on n'obtient pas un aldéhyde chloré, mais un chlorure d'acide R COCl.

On appelle **isomères** des composés ayant même formule brute, mais dans lesquels les atomes sont diversement associés ; **homologues** des composés dont la chaîne carbonée est de longueur différente, mais qui portent les mêmes fonctions.

Le nombre de substances organiques rencontrées dans la nature ou obtenues artificiellement est immense ; en 1960, leur nombre dépassait déjà nettement le million ; chaque année, il en naît plusieurs dizaines de mille, mais on peut, théoriquement, évaluer à des milliards le nombre des composés possibles renfermant moins de 25 atomes de carbone.

• **Hydrocarbures. Saturés :** méthane CH_4, éthane C_2H_6 ; généralement C_nH_{2n+2}. **Éthyléniques :** éthylène $CH_2 = CH_2$, généralement C_nH_{2n}. **Acétyléniques :** acétylène $CH \equiv CH$, généralement C_nH_{2n-2}. **Cyclaniques :** cyclohexane C_6H_{12}. **Aromatiques :** benzène C_6H_6, plus complexes, ex. : naphtalène $C_{10}H_8$, etc. **Organométalliques :** ex. : bromure d'éthylmagnésium $CH_3 - CH_2MgBr$, phényllithium C_6H_5Li, etc.

Nota. – Le double tiret dans la formule de l'éthylène indique qu'il y a double liaison (par électron) entre les groupements CH_2 ; le triple tiret (acétylène) indique une triple liaison.

• **Fonctions univalentes** (RH représentant un hydrocarbure).

Halogénures d'alkyle. RCl, RBr, RI. Ex. : bromoéthane ou bromure d'éthyle $CH_3 - CH_2Br$.

Alcools. ROH. Ex. : méthanol CH_3OH, éthanol $CH_3 - CH_2OH$.

Éthers oxydes. Ex. : oxyde d'éthyle ou éther ordinaire $CH_3 - CH_2 - O - CH_2 - CH_3$.

Amines. $R - NH_2$, $R - NH - R'$, $R - N R' - R''$. Ex. : méthylamine CH_3NH_2, diméthylamine $(CH_3)_2NH$, triméthylamine $(CH_3)_3N$.

Dérivés nitrés. Nitrométhane $CH_3 - NO_2$.

• **Fonctions bivalentes. Aldéhydes :** formique HCHO ; acétique $CH_3 - CHO$.

Cétones : acétone $CH_3 - CO - CH_3$, généralement $R - CO - R'$.

• **Fonctions trivalentes. Acides carboxyliques :** formique HCO_2H ; acétique $CH_3 - CO_2H$. Généralement $R - CO_2H$.

• **Fonctions dérivées.** Chlorure d'acide $R - COCl$. Anhydride $(R - CO)_2O$. Ester $R - COOR'$. Amide $R - CONR'R''$. Nitrile $R - C \equiv N$.

• **Fonctions quadrivalentes.** Ex. : phosgène $COCl_2$, urée $CO(NH_2)_2$.

• **Fonctions sur les noyaux aromatiques.** Phénol C_6H_5OH. Aniline $C_6H_5NH_2$.

• **Composés à fonction multiple.** Ex. : glycol $CH_2OH - CH_2OH$ (2 fois alcool), glycérol (glycérine) $CH_2OH - CHOH - CH_2OH$ (3 fois alcool), etc.

Acide succinique $HOCO(CH_2)_2COOH$ (2 fois acide), etc.

• **Composés à fonction mixte.** Acide lactique (acide alcool) $CH_3 - CHOH - CO_2H$.

Alanine (acide aminé) $CH_3 - CH(NH_2) - COOH$.

Acide pyruvique (acide cétonique) $CH_3 - CO - COOH$, etc.

Principaux composés naturels

• **Composés simples.** Carbures (pétroles). Alcools (fermentation, huiles essentielles). Aldéhydes, cétones, esters (huiles essentielles). Acides (très répandus, libres ou sous forme de sels ou d'esters).

• **Lipides.** Principalement constitués par des triesters du glycérol (huiles et graisses végétales et animales).

• **Glucides.** Leurs noms sont terminés par le suffixe *ose* quand ils sont simples ou non hydrolysables ; par *oside* quand ils ne sont pas simples. *Oses :* polyalcools, en outre aldéhydes ou cétones (aldoses ou cétoses). Ex. : glucose $C_6H_{12}O_6$ (aldose), fructose $C_6H_{12}O_6$ (cétose). *Holosides :* anhydrides entre plusieurs oses. Ex. : saccharose $C_{12}H_{22}O_{11}$ (anhydride entre glucose et fructose). *Polyosides :* osides très condensés. Ex. : amidon, cellulose $(C_6H_{10}O_5)n$, H_2O (anhydrisation entre *n* molécules de glucose). *Hétérosides :* anhydrisation entre un ose et autre chose. Ex. : amygdaloside, digitaloside, etc.

• **Protides.** Principalement constitués par l'anhydrisation entre *n* acides aminés : albumine, caséine, gélatine, etc.

• **Alcaloïdes.** Composés basiques renfermant au moins un atome d'azote. Ex. : atropine, quinine, cocaïne, etc.

• **Vitamines.** Constitutions très diverses. Ex. : acide ascorbique, calciférol, etc.

• **Hormones.** Constitutions très diverses. Ex. : équilénine, androstérone, etc.

• **Antibiotiques.** Constitutions très diverses. Ex. : pénicilline, streptomycine, etc.

Chaîne carbonée des alcanes

1) Molécule de méthane.

```
     H
     |
 H - C - H        ou        ou CH4
     |
     H
formule développée plane        formule brute
```

Le méthane est une molécule tétraédrique.

2) Molécule d'éthane.

```
    H   H
    |   |
 H- C - C -H      ou       C2H6
    |   |
    H   H
Formule développée plane      formule brute
```

3) Propanes et butanes.

Formules brutes : propane $CH_3 - CH_2 - CH_3$; butanes C_4H_{10}.

```
   H   H   H
   |   |   |
H- C - C - C - H   ou CH3 - CH2 - CH3
   |   |   |
   H   H   H
formule développée        formule semi-
                          développée
CH3 - CH2 - CH2 - CH3 et CH3 - CH - CH3
                               |
                              CH3
   butane normal            isobutane
   (ou n-butane)           (ou méthyl-2
                             propane)
```

Remarques : 1°) L'isobutane a la même formule brute que le butane mais une formule développée différente : le butane a 2 isomères. 2°) Le cyclopropane, de formule brute C_3H_6, est un cyclane et non un alcane ; sa réactivité est plus grande que celle du propane. Il a pour formule développée :

```
   H   H
   |   |
H- C - C - H        ou      CH2 - CH2
    \ /                        \   /
     C                          CH2
    / \
   H   H
```

4) Généralisation. Les alcanes

C_5H_{12}	C_6H_{14}	C_7H_{16}	C_8H_{18}	C_9H_{20}	$C_{10}H_{22}$...
pentane	hexane	heptane	octane	nonane	décane...

répondent à la formule générale :

$$C_nH_{2n+2}.$$

Le cycle aromatique.

Substitutions avec le brome : les atomes d'hydrogène dans HBr proviennent du benzène, car il s'agit d'une réaction de substitution entre le benzène et le brome.

$$C_6H_6 + Br_2 \rightarrow \underset{\text{bromobenzène}}{C_6H_5Br} + HBr.$$

Substitution avec l'acide nitrique : la réaction de nitration s'écrit :

$$C_6H_6 + HNO_3 \rightarrow C_6H_5NO_2 + H_2O.$$

Addition de chlore :

$$C_6H_6 + 3\ Cl_2 \rightarrow C_6H_6Cl_6.$$

(L'hexachlorocyclohexane est employé comme insecticide.)

Quelques groupes fonctionnels azotés

Amines. Composés organiques azotés. 3 classes : primaires $R - NH_2$, secondaires $R - NHR'$, tertiaires $R - NR'R''$.

Amides. Formule générale : $R - \underset{\underset{O}{\|}}{C} - NR'R''$.

ex. acétamide : $CH_3 - \underset{\underset{O}{\|}}{C} - NH_2$.

Groupement peptidique, *a) Les acides aminés ou aminoacides :*

```
       H
       |
H2N -  C - CO2H.
       |
       R
```

b) La liaison peptidique :

```
         R
         |
H - N - CH - C - [OH H] - N - CH - C  - OH
    |        ||           |    |   ||
    H        O            H    R   O
         R
         |
NH2 - CH - C - N - CH - C - OH + H2O.
           ||  |    |   ||
           O   H    R   O
          liaison peptidique
```

Oxydation de l'éthanol.

```
       H
       |
CH3 -  C - H + ½ O2 → H2O + CH3 - C - H
       |                          ||
       O - H                      O
      éthanol                   éthanal
```

Oxydation de l'éthanal.

```
CH3 - C - H + ½ O2 →  CH3 - C - OH.
      ||                    ||
      O                     O
    éthanal             acide acétique
```

Obtention d'un ester.

```
               estérification
R - C - OH + R' OH → R - C - OR' + H2O.
    ||                   ||
    O                    O
 acide + alcool        ester + eau
```

Réaction d'oxydoréduction en solution aqueuse

Une oxydation est une perte d'électrons. Une réduction est un gain d'électrons. Un oxydant est capable de gagner des électrons. Un réducteur est capable de céder des électrons.

Couple rédox : généralisation : On note *ox* l'oxydant et *réd* le réducteur associé. Si n est le nombre d'électrons mis en jeu :

$$ox + n\ e \underset{2}{\overset{1}{\rightleftharpoons}} réd.$$

On peut faire figurer les quatre termes : oxydant, réducteur, oxydation et réduction :

$$ox + ne^- \underset{\text{oxydation}}{\overset{\text{réduction}}{\rightleftharpoons}} réd.$$

Réaction rédox :

$Zn \rightarrow Zn_2^+ + 2e^-$ — oxydation

$Cu_2^+ + 2e^- \rightarrow Cu$ — réduction

$Zn + Cu_2^+ \rightarrow Zn_2^+ + Cu$ — oxydoréduction

Le bilan global de la réaction rédox s'écrit :

$$n_1\ ox_2 + n_2\ réd._1 \rightarrow n_1\ réd._2 + n_2\ ox_1.$$

Réaction chimique

Définition

Modification de la nature chimique d'un ensemble de composés définis en engendrant un autre.

Ainsi l'hydrogène H_2 et le chlore Cl_2 réagissent l'un sur l'autre en formant le chlorure d'hydrogène (ou gaz chlorhydrique) ; cette réaction se symbolise ainsi :

$$H_2 + Cl_2 = 2\ HCl.$$

Une réaction peut être quasiment totale (ou *irréversible*) : c'est le cas de l'exemple choisi et l'on tend de plus en plus à écrire :

$$H_2 + Cl_2 \rightarrow 2\ HCl.$$

Mais d'autres réactions peuvent être réversibles, c'est-à-dire s'exercer dans l'un ou l'autre sens. Vers 350 °C, un mélange d'oxygène O_2 et d'anhydride sulfureux SO_2 engendre partiellement l'anhydride sulfurique SO_3 ; mais, à partir de ce dernier et à la même température, il y a régénération partielle de O_2 et de SO_2. La réaction est réversible et on écrit :

$$SO_2 + \tfrac{1}{2}\ O_2 \rightleftharpoons SO_3.$$

Le résultat est le même si l'on part des composés du 1er membre ou du composé du 2e membre ; on dit qu'il y a *équilibre chimique.*

Les réactions peuvent être très rapides (quasiment instantanées) ; c'est le cas pour la réaction $H_2 + Cl_2 \rightarrow 2\ HCl$ lorsqu'on enflamme le mélange. C'est une réaction explosive, dégageant lumière et chaleur.

Réactions non instantanées. Certaines réactions, qui dégagent au total des quantités de lumière et de chaleur équivalant à celles des réactions explosives, sont si lentes que ces dégagements paraissent très faibles ou même sont totalement imperceptibles. *Ex. :* l'oxydation du fer par l'air humidifié (chaleur importante mais dégagée en plusieurs mois).

La vitesse d'une réaction augmente généralement lorsque la température croît, mais, à température constante, elle peut être augmentée par la présence d'une substance ne participant pas, définitivement du moins, à la réaction. Cette substance est appelée *catalyseur.* Sa présence est si efficace qu'il permet la réalisation rapide d'une réaction pratiquement insensible en son absence. Il peut aussi déclencher une réaction explosive.

A l'obscurité, Cl_2 et H_2 ne réagissent pratiquement pas à la température ambiante, mais l'introduction dans leur mélange de mousse de platine déclenche une réaction exothermique qui élève la température du mélange jusqu'à en provoquer l'explosion. Sur ce même exemple, une vive lumière provoque le même phénomène, mais il est incorrect de dire que la lumière est un catalyseur.

Constance des masses. Après une *réaction,* la masse des produits obtenus sera égale à la masse des produits d'origine.

Exemple : (acide sulfurique) + (zinc) → (sulfate de zinc) + (hydrogène).

$$H_2SO_4 + Zn \rightarrow ZnSO_4 + H_2.$$

H_2	=	2 (2 × 1, masse d'un atome de H).
S	=	32 (masse d'un atome de S).
O_4	=	64 (4 × 16, masse d'un atome d'O).
Zn	=	65 (masse d'un atome de Zn).
Total :		*163 (masse des corps en présence).*

S	=	32 (masse d'un atome de S).
O_4	=	64 (4 × 16, masse d'un atome d'O).
Zn	=	65 (masse d'un atome de Zn).
H_2	=	2 (2 × 1, masse d'un atome de H)
Total :		*163 (masse des corps obtenus).*

Industrialisation des réactions. Pour passer de la réaction de laboratoire à l'échelon industriel, il faut tenir compte de nombreux facteurs : thermodynamique de la (ou des) réaction(s), conservation de l'énergie, pressions et températures, etc., qui imposent des conditions technologiques complexes.

Principaux types de réaction

Réactions d'oxydoréduction

Les réactions d'oxydoréduction sont des réactions d'échange d'électrons faisant intervenir des « couples oxydant-réducteur ». Elles peuvent avoir lieu en solution ou en phase sèche.

L'ancienne définition d'un oxydant (composé qui cède facilement de l'oxygène qu'il contient ou qui enlève facilement l'hydrogène) est insuffisante ou incorrecte (ex. : en chimie des solutions). La définition correcte stipule qu'un oxydant (Ox) accepte des électrons et qu'un réducteur (Red) cède des électrons. Un couple rédox associe une espèce Ox et une espèce Red, qui peuvent s'échanger un ou plusieurs électrons.

Une réaction d'oxydation est toujours couplée à une réaction de réduction faisant intervenir un autre couple rédox. La superposition de 2 demi-équations rédox constitue une réaction d'oxydoréduction, au cours de laquelle l'oxydant le plus fort des 2 couples mis en jeu réagit sur le réducteur le plus fort (appartenant à l'autre couple) :

1er couple : $Ox_1 + n_1e^- = Red_1$

2e couple : $Ox_2 + n_2e^- = Red_2$

La réaction globale équilibrée ne doit plus faire intervenir d'électrons :

$n_2\ Ox_1 + n_1\ Red_2 \rightarrow n_2\ Red_1 + n_1\ Ox_2$

Ox_1 est réduit à l'état Red_1 tandis que Red_2 est oxydé en Ox_2.

Exemples d'oxydoréduction en solution aqueuse. Soient les 2 couples rédox Fe_3^+/Fe_2^+ et MnO_4^-/Mn_2^+, intervenant dans les demi-équations :

$$Fe_3^+ + e^- = Fe_2^+$$

$$MnO_4^- + 8H^+ + 5\ e^- = Mn_2^+ + 4\ H_2O$$

Fe_3^+ (ion ferrique) et MnO_4^-(ion permanganate) sont des oxydants tandis que Fe_2^+ (ion ferreux) et Mn_2^+ (ion manganeux) sont des réducteurs.

Dans certains cas, les ions H^+ et/ou l'eau interviennent dans les demi-équations et/ou dans la réaction globale équilibrée. Exemple de l'oxydation du sulfate ferreux par le permaganate de potassium acidifié :

$MnO_4^- + 8H^+ + 5\ Fe_2^+ \rightarrow Mn_2^+ + 4\ H_2O + 5\ Fe_3^+$

ou :

$$2\ KMnO_4 + 8\ H_2SO_4 + 10\ FeSO_4 \rightarrow 2\ MnSO_4 + 8\ H_2O + 5\ Fe_2(SO_4)_3 + K_2SO_4$$

Exemples d'oxydoréduction en phase sèche. a) Dans ce groupe, les **oxydations** jouent un grand rôle ; elles peuvent être fortement exothermiques, comme la combinaison de Mg à O_2 : $Mg + ½\ O_2 \rightarrow MgO$, ou de O_2 à H_2 : $H_2 + ½\ O_2 \rightarrow H_2O$; on les appelle *combustions.* On peut ranger parmi les combustions les oxydations de composés déjà partiellement oxydés ; ex. le monoxyde de carbone :

$$CO + ½\ O_2 \rightarrow CO_2$$

ou celle de composés éminemment combustibles comme le méthane CH_4 : $CH_4 + 2\ O_2 \rightarrow 2\ H_2O + CO_2$. La réaction inverse de l'oxydation est la dissociation d'un oxyde : à 350 °C, l'oxyde mercurique HgO se dissocie :

$$HgO \rightarrow Hg + ½\ O_2.$$

Nota. – La réaction du chlore sur le magnésium est un autre exemple de réaction d'oxydation de ce métal : le chlore joue le rôle d'oxydant en captant 2 électrons au magnésium :

$$Mg + Cl_2 \rightarrow Mg_2^+ + 2Cl^-$$

Ici, le réducteur Mg est oxydé en ions Mg_2^+ et l'oxydant Cl_2 est réduit à l'état d'ions chlorures.

b) **Réduction.** *Exemples :* retrait d'O_2 à un oxyde sous l'action d'un composé avide d'O_2 (réducteur). L'un d'eux est H_2. Vers 400 °C, H_2 réduit l'oxyde cuivrique : $CuO + H_2 \rightarrow H_2O + Cu$. En métallurgie le carbone est un réducteur très important ; réduction de l'oxyde de zinc :

$$ZnO + C \rightarrow CO + Zn.$$

Parfois beaucoup plus complexes, les réactions d'*oxydoréduction* ont un rôle fondamental tant en chimie minérale qu'en chimie organique.

Électrolyse. Dans une électrolyse, de l'énergie électrique est convertie en énergie chimique ; la réaction d'oxydoréduction a lieu dans le sens inverse du processus spontané. Par exemple, le courant électrique décompose l'eau rendue conductrice par de la soude : on recueille à la cathode 2 volumes d'hydrogène contre 1 volume d'oxygène à l'anode : $2\ H_2O \rightarrow 2\ H_2 + O_2$. La réaction spontanée est l'oxydation de H_2 par O_2 pour former de l'eau.

De même, le courant électrique décompose le chlorure de sodium fondu : le sodium apparaît à la cathode et le chlore se dégage à l'anode.

Piles et accumulateurs. Dans une pile ou un accumulateur a lieu le processus inverse d'une électrolyse : l'énergie chimique libérée par une réaction d'oxydoréduction spontanée est convertie en énergie électrique.

Exemple de la pile saline type Leclanché :

$Zn + 2\ Mn(IV) \rightarrow Zn_2 + 2\ Mn(III)$

Une batterie d'accumulateurs peut se recharger, contrairement à une pile. Exemple de l'accumulateur au plomb :

$Pb + Pb(IV) \rightarrow 2\ Pb(II)$ pendant la décharge

$2\ Pb(II) \rightarrow Pb + Pb(IV)$ pendant la charge.

(Les chiffres romains entre parenthèses indiquent le degré d'oxydation des éléments.)

Réactions ioniques

Ces réactions font intervenir des ions (entités électriquement chargées). On peut distinguer les *réactions acide-base* (don d'un proton H^+ d'un acide à une base), les *réactions de complexation* (formation d'un complexe) et les *réactions de précipitation* (formation d'un composé insoluble en solution).

En solution les espèces ioniques sont dissociées. Par ex., un mélange équimolaire de chlorure de sodium et de bromure de potassium est en fait une solution contenant des ions Na^+, K^+, Cl^-, Br^-. La même solution peut être obtenue en mélangeant les quantités identiques de chlorure de potassium et de bromure de sodium.

La réalisation d'un mélange de ce type ne correspond pas à une réaction chimique. On peut effectivement parler de réaction chimique lorsque l'on engendre des molécules d'eau (réaction acide-base), ou une espèce qui disparaît de la phase liquide par dégagement gazeux (HCl) ou précipitation [$Fe(OH)_3$; AgCl]. Dans les exemples ci-dessous, on peut omettre l'écriture des ions spectateurs.

1 acide fort et 1 base forte engendrent 1 sel avec élimination d'eau :

$$HCl + NaOH \rightarrow H_2O + NaCl.$$

Cette réaction s'écrit plus simplement :

$$H^+ + OH^- \rightarrow H_2O.$$

1 acide peut réagir sur 1 sel en donnant 1 nouvel acide volatil (HCl) et 1 nouveau sel :

H_2SO_4 (à 300 °C) + $NaCl \rightarrow HNaSO_4 + HCl$.

De même, 1 base peut agir sur 1 sel en libérant 1 nouvelle base insoluble, $Fe(OH)_3$, et 1 nouveau sel ; action de la soude sur le chlorure ferrique : $FeCl_3 + 3NaOH \rightarrow Fe(OH)_3 + 3\ NaCl$.

Enfin, 1 sel peut réagir sur 1 autre sel pour former 2 nouveaux sels dont l'un est insoluble : le nitrate d'argent et le chlorure de sodium engendrent le nitrate de sodium et le chlorure d'argent : $AgNO_3 + NaCl \rightarrow NaNO_3 + \underline{AgCl}$. Cette réaction s'écrit aussi :

$$Ag^+ + Cl^- \rightarrow \underline{AgCl}.$$

Ces réactions sont pratiquement quantitatives si l'un des 4 sels (ici AgCl) est insoluble, alors que les 3 autres sont solubles dans l'eau.

Chimie organique

Les types de réaction sont beaucoup plus nombreux.

Addition. Il s'agit de la fusion de 2 molécules en 1 ; le chlore s'unit à l'éthylène pour former le chlorure d'éthylène (ou dichloro-1-2 éthane) :

$$Cl_2 + CH_2 = CH_2 \rightarrow CH_2Cl - CH_2Cl.$$

Élimination. C'est la réaction inverse. Sur alumine vers 400 °C, l'alcool éthylique (éthanol) se déshydrate en éthylène :

$$CH_3 - CH_2OH \rightarrow H_2O + CH_2 = CH_2.$$

Élimination d'eau entre 2 molécules avec soudure des restes. C'est le cas de l'*estérification,* ou action d'un acide organique sur un alcool (aboutissant à un ester).

L'éthanol C_2H_5OH et l'acide acétique CH_3-COOH engendrent ainsi, avec équilibre, l'acétate d'éthyle CH_3-$COOC_2H_5$.

Substitution. La subst. de Cl à H est réalisable en présence de lumière ; le méthane se chlore progressivement 4 fois :

$$CH_4 + Cl_2 \rightarrow HCl + CH_3Cl$$

$$CH_3Cl + Cl_2 \rightarrow HCl + CH_2Cl_2, \text{ etc.}$$

Les halogènes liés au carbone sont remplaçables par des radicaux organiques : le bromure de méthyle réagit sur le méthylate de sodium CH_3ONa pour former l'éther méthylique :

$$CH_3Br + CH_3ONa \rightarrow NaBr + CH_3 - O - CH_3.$$

Oxydation et réduction. Très fréquentes ; l'*oxydation* d'un alcool primaire conduit à un aldéhyde puis à un acide :

$CH_3 - CH_2OH + [O] \rightarrow CH_3 - CHO$ (aldéhyde) $+ H_2O$

$CH_3 - CHO + [O] \rightarrow CH_3 - COOH$ (acide).

[O] désignant un oxydant (exemple : oxygène, permanganate de potassium $KMnO_4$).

La réduction d'une cétone engendre un alcool secondaire : $CH_3 - CO - CH_3$ (acétone) $+ H_2 \rightarrow CH_3 - CHOH - CH_3$.

Polycondensation. Un acide et une amine engendrent un amide :

$CH_3 - COOH + CH_3 - NH_2$ (amine) $\rightarrow H_2O + CH_3 - CO - NH - CH_3$.

Un composé à la fois acide et amine subit une polycondensation par action réciproque des fonctions, d'où un superpolyamide (ex. : le textile appelé *rilsan*) : $n\ NH_2 - (CH_2)_{10} - CO_2H \rightarrow (n - 1)\ H_2O + NH_2 - (CH_2)_{10} - CO - [NH - (CH_2)_{10} - CO]_{n-2} - NH - (CH_2)_{10} - CO_2H$.

Polymérisation. De nombreux composés non saturés se polymérisent indéfiniment. Sous l'action d'organoaluminiques (catalyseur), n molécules d'éthylène se condensent en polythène : $n(CH_2 = CH_2) \rightarrow CH_3 - CH_2\ (CH_2 - CH_2)_{n-2} - CH = CH_2$ (polythène).

Polycondensation et polymérisation conduisent à des textiles, verres, élastomères, résines synthétiques.

On utilise aussi l'acide phosphorique comme catalyseur pour polymériser l'éthylène et le propylène, ainsi que l'acide sulfurique pour l'isobutylène. Autres polymérisations courantes : celles des amines, des esters, des glycols.

Composés définis

États des composés

Quand on parle de solide, de liquide ou de gaz, on désigne généralement des corps ayant cet état à la température ordinaire (le fer est ainsi un solide, l'eau un liquide, l'oxygène un gaz). Cependant beaucoup de corps peuvent se présenter alternativement sous l'état solide, liquide ou gazeux suivant la température. Ex. : l'eau, solide au-dessous de zéro (glace), gazeuse au-dessus de 100 °C (vapeur), liquide entre 0 et 100 °C à pression normale (sous pression plus forte, la glace fond au-dessous de 0 °C et l'eau reste liquide au-dessus de 100 °C).

1. État gazeux. *Pression :* les gaz n'ont ni forme ni volume propres ; ils ont tendance à occuper tout l'espace qui leur est offert. Ils sont constitués par des molécules se déplaçant à peu près librement et animées d'un mouvement incessant d'autant plus important que la température est plus élevée. Cette agitation se manifeste par la pression exercée sur les parois des récipients qui les contiennent (ex. : l'air dans une chambre à air). Les actions intermoléculaires, en général faibles, sont négligeables dans le cas d'un **gaz parfait** (système idéal). Des volumes égaux de gaz parfait pris dans les mêmes conditions de température et de pression renferment le même nombre de molécules : 22,4 litres d'un gaz parfait dans les conditions normales (température 0 °C, pression 760 mm de mercure) contiennent N = $6{,}022.10^{23}$ molécules *(nombre d'Avogadro).*

Les *manomètres* mesurent la pression des gaz.

Pression atmosphérique : l'air de l'atmosphère exerce de même une pression sur tous les objets qui sont autant de parois s'opposant à son expansion. V. Pression atmosphérique à l'Index. Les *baromètres* mesurent la pression atmosphérique.

Masse des gaz : les gaz sont pesants (ex. : 1 l d'air à 0 °C sous une pression de 760 mm de mercure pèse 1,293 g).

Le **principe d'Archimède** peut être appliqué aux gaz : tout corps plongé dans un gaz subit une poussée verticale égale au poids du volume du gaz déplacé. Si le corps a une densité moins grande que celle du gaz déplacé, il « flotte » (cas des ballons plus légers que l'air).

2. État liquide. Les molécules d'un liquide sont « attachées » ensemble par les forces de Van der Waals (qui assurent au liquide un volume bien défini), mais elles n'ont pas perdu leurs mouvements ; elles peuvent se chevaucher, s'écouler. Les liquides n'ont pas de forme propre, ils prennent la forme du récipient qui les contient. Sous un faible volume, laissés à eux-mêmes, ils forment des boules *(gouttes).* Beaucoup moins compressibles que les gaz, ils sont dans la pratique considérés comme incompressibles.

Principe d'Archimède. Un corps plongé dans un liquide subit une poussée verticale, de bas en haut, égale au poids du liquide déplacé et appliquée au centre de gravité de ce liquide déplacé. Si la densité du corps est supérieure à celle du liquide déplacé, le corps coule. Si elle est égale, le corps reste en équilibre. Si elle est inférieure, le corps flotte.

3. État solide. Les molécules ont perdu leurs mouvements. L'état solide parfait est l'**état cristallin** où les éléments constituants (molécules, atomes, ions) sont disposés régulièrement dans des plans réticulaires. On distingue des cristaux ioniques (chlorure de sodium), moléculaires (iode, naphtaline), atomiques (carbone diamant). Les particules du réseau peuvent se déplacer un peu de part et d'autre de leur position moyenne ; l'amplitude des vibrations croît avec la température. Dans tous les cas, l'état cristallin est un état anisotrope.

Passage d'un état à l'autre

Sous pression constante, le changement d'état d'un corps pur se fait à température fixe (caractéristique du corps ; elle varie en général avec la pression). Un changement d'état s'accompagne d'un changement de volume et met en jeu de la chaleur : la **chaleur latente** est la quantité de chaleur que doit absorber sans changement de température 1 g de corps solide pour passer à l'état liquide ou 1 g de corps liquide pour passer à l'état gazeux. (Respectivement chaleurs latentes de fusion et de vaporisation.)

• De l'état gazeux à l'état liquide. *Par compression :* les molécules rapprochées s'attachent. *Par refroidissement :* les mouvements des molécules se ralentissent et les molécules ont tendance à se rapprocher au-dessous du point de condensation.

• De l'état liquide à l'état solide. *Par refroidissement :* le mouvement des molécules se ralentit au point qu'elles ne peuvent plus se chevaucher à partir du point de solidification. En se solidifiant, les corps diminuent en général de volume, sauf l'eau qui augmente d'environ 9 % (d'où l'éclatement des radiateurs gelés).

Un liquide refroidi peut subsister à l'état liquide à une température inférieure à celle de fusion. On fait cesser la surfusion en mettant un cristal du corps au contact du liquide surfondu. Si la surfusion est trop forte, la viscosité empêche la cristallisation (verre).

Par compression : en avr. 1979, Jean-Michel Besson et Jean-Pierre Pinceaux ont obtenu de l'hélium solide à température ambiante, sous une pression de 115 000 atmosphères (utilisation de l'enclume-diamant).

• De l'état solide à l'état liquide. *Par réchauffement :* les molécules reprennent leurs mouvements au point de fusion. En général, un corps augmente de volume en fondant. L'eau fait exception. La chaleur de fusion de la glace est 80 cal/g. La température de fusion dépend peu de la pression ; dans le cas de l'eau, elle décroît quand la pression croît.

• De l'état liquide à l'état gazeux. *Par évaporation.* Un corps reste liquide si la pression exercée sur lui est suffisante, mais si l'on remplit à moitié un récipient dans lequel on a fait le vide (il n'y a plus de pression de l'air), une partie du liquide se vaporise instantanément. Cette vaporisation s'arrêtera cependant à un certain moment dit **point de saturation** (ou **point de vapeur saturante**). A ce point, la pression exercée sur le liquide par la vapeur évaporée est trop forte pour que l'évaporation continue.

Le point de saturation varie selon la température et s'élève avec elle (plus le récipient sera chaud et plus le liquide pourra s'évaporer).

L'absorption de calories au cours de la vaporisation de gaz liquéfiés (ammoniac, gaz sulfureux, Fréon C F2 Cl2) est utilisée dans les machines frigorifiques.

Les liquides s'évaporent également *dans l'atmosphère,* mais plus lentement. Cette évaporation dépend de l'agitation de l'air (vent), de la température, l'air ambiant étant saturé alors plus ou moins tôt, et surtout du degré hygrométrique quand il s'agit de l'eau.

Pression de vapeur (à 20 °C en mm de mercure) : éther 440, acétone 185, chloroforme 161, tétrachlorure de carbone 91, benzène 74,6, alcool 44,5, eau 17,5, mercure 0,0013. Les corps à pression de vapeur élevée (ex. : l'éther) sont dits *volatils.*

Ébullition. Un liquide est en ébullition quand il se vaporise dans sa masse (et pas seulement en surface comme dans le cas de l'évaporation). Cette ébullition se produit quand la pression de vapeur égale la pression atmosphérique.

L'eau bout à :	Altitude en mètres	Pression atm. en mm de merc.
100°	0	760
99°	300	732
98°	590	706
97°	865	682
96°	1 150	658
95°	1 450	634
90°	2 100	526
80°	6 080	355

Dans les récipients fermés, les liquides ne bouillent pas et conservent l'état liquide au-dessus de leur point d'ébullition (ex. : l'eau dans un *autoclave*). Pour vaporiser 1 g d'eau à 100 °C, il faut fournir 540 calories. L'alcool bout à 78 °C.

• De l'état solide à l'état gazeux. *Par sublimation,* sans passer par l'état liquide. Ainsi, à la pression atmosphérique, l'anhydride carbonique solide *(neige carbonique)* prend l'état gazeux dès que la température dépasse – 93 °C. Mais en vase clos il se liquéfie à – 80 °C, et sous une pression voisine de 20 atmosphères il passe de l'état liquide à l'état gazeux vers 0 °C. De même, mais cette fois par évaporation, le linge gelé sèche à l'air libre à – 5 °C sans passage par l'état liquide.

États particuliers

États vitreux. Les verres sont des liquides surfondus. Au cours du refroidissement, la cristallisation ne s'est pas produite : la viscosité empêche le mouvement des molécules qui sont disposées au hasard. Tout en ayant les propriétés mécaniques des solides, les verres sont donc **isotropes,** c.-à-d. que la lumière s'y propage de la même manière dans toutes les directions.

État colloïdal. Les colloïdes sont formés de **micelles,** assemblages de molécules souvent visibles à l'ultramicroscope, qui ne traversent pas les membranes de parchemin. Les solutions colloïdales, ou *sols,* peuvent donner des gels par *floculation* (coagulation sous forme de flocons).

États mésomorphes et plasmas. Voir p. 210.

Classification des systèmes dispersés

phase dispersante φ_1	corps dispersé φ_2	diamètre approximatif des particules dispersées (1 mμ = 1 nm = 10^{-9}m)	nom du système dispersé
gaz	liquide solide	10 à 100 μ 10 à 100 μ	brouillards poussières
liquide	gaz liquide solide	très variable ordre de 0,1 μ 10 à 0,2 μ 0,2 μ à 2 mμ inférieur à 2 mμ	mousses émulsion suspension sol solution vraie

Thèmes d'application

Élaboration de l'aluminium

Principe. *Fabrication de l'alumine* à partir de la bauxite : l'aluminate de sodium est, par suite de réactions, traité jusqu'à obtention de l'alumine (Al_2O_3) pure.

Fabrication de l'aluminium à partir de l'alumine par une méthode de réduction électrochimique : le passage de Al_2O_3 à Al est une réduction. L'aluminium étant un métal très réducteur, l'alumine Al_2O_3 est un oxyde très stable.

On obtient un alliage en fondant ensemble deux ou plusieurs métaux, ou en incorporant à un métal de petites quantités d'éléments non métalliques.

Alliages légers. **Duralumin** contenant 94 % d'aluminium, 4 % de cuivre, du magnésium. **Alpax** 87 % d'aluminium et 13 % de silicium. **Almelec** 98,5 % d'aluminium et moins de 1 % de magnésium, silicium, fer.

Transformation du soufre

Du soufre au dioxyde de soufre. Le passage de S à SO_2 est une oxydation, il suffit de faire brûler du soufre dans de l'air : $S + O_2 \rightarrow SO_2$. La réaction libère 296 kJ par mole de soufre brûlé : le gaz sortant contient environ 10 % de SO_2. L'industrie prépare aussi le dioxyde de soufre à partir des pyrites.

$$2\,FeS_2 + \frac{11}{2}\,O_2 \rightarrow Fe_2O_3 + 4\,SO_2.$$

pyrite — oxyde ferrique

Du dioxyde de soufre au trioxyde de soufre

$$SO_2 + \frac{1}{2}\,O_2 \rightarrow SO_3.$$

On opère à la température de 450 °C sous la pression atmosphérique normale en présence d'un catalyseur à base d'oxyde de vanadium (procédé de contact). Dans ces conditions, rendement de 97 %.

Passage à H_2SO_4. Il s'agit d'une réaction d'hydratation qui s'écrit :

$$SO_3 + H_2O \rightarrow H_2SO_4.$$

Le trioxyde de soufre étant difficilement soluble dans l'eau, on le fait réagir sur une solution diluée d'acide sulfurique. Quand il ne reste plus d'eau, on obtient l'acide sulfurique pur. Si on continue à ajouter du trioxyde de soufre, on obtient un oléum. On donne le nom d'oléum à tous les acides sulfuriques contenant plus d'anhydride SO_3 que l'acide normal H_2SO_4.

On obtient ces acides fumants en faisant absorber l'anhydride par un acide concentré, et l'on peut arriver jusqu'à l'oléum à 80 % (80 g de SO_3 pour 100 g de H_2SO_4). Les oléums servent dans les réactions de sulfonation et de nitration (industries des matières colorantes, des explosifs, des plastiques, etc.).

Soufre de Lacq. Le gaz de Lacq, composé principalement de méthane, contient en outre 15 % de H_2S et 10 % de CO_2 ; ces deux produits, en présence de vapeur d'eau, agissent sur l'acier en le rendant très fragile. 31 millions de m³ de gaz sont traités chaque jour. La désulfuration du gaz consiste à éliminer H_2S et CO_2 : on fait passer le gaz dans une solution d'amines qui est basique. Cette solution absorbe H_2S et CO_2. Un chauffage ultérieur libère H_2S. L'hydrogène sulfuré est ensuite envoyé dans un four à 1 200 °C où il subit une combustion incomplète :

$$2\,H_2S + 2\,O_2 \rightarrow SO_2 + S + 2\,H_2O.$$

On obtient du soufre et du dioxyde de soufre. Ce dernier est mélangé à de l'hydrogène sulfuré, puis envoyé dans un four :

$$SO_2 + 2\,H_2S \rightarrow 3S + 2\,H_2O.$$

Le soufre récupéré est pratiquement pur : le rendement de l'opération est de 95 %.

Les usages du soufre sont nombreux. Une grande partie sert à la fabrication du gaz sulfureux, de l'acide sulfurique, du sulfure de carbone, des hyposulfites.

Engrais

Eau. Considérée comme « engrais » dans la mesure où elle contient des sels en solution.

Carbone. Non puisé dans le sol.

Azote. Entre dans la constitution des albumines ou protéines, substances fondamentales de la cellule vivante. L'azote à l'état gazeux doit d'abord être capté par les micro-organismes du sol, qui le transforment en sels ammoniacaux et en nitrates. C'est également sous ces formes qu'on trouve l'azote dans les engrais, sauf en ce qui concerne les engrais dits organiques (fumier).

Phosphore. Exprimé en P_2O_5, il règle la nutrition et la reproduction des plantes, il est indispensable à la fécondation, à la fructification, à la maturation et à la mise en réserve des sucres. Il favorise la vie microbienne dans le sol. Le superphosphate résulte de l'action de l'acide sulfurique sur le phosphate. Le phosphate d'ammoniaque est maintenant très utilisé.

Potassium. Exprimé en K_2O. Base capable de former des sels avec les acides organiques produits par les tissus végétaux. Ces sels sont solubles, ce qui facilite leur migration et les transformations qui en résultent.

Autres éléments. Utilisés à doses moindres, calcium, magnésium, soufre, sodium, silicium et chlore (éléments secondaires), fer, manganèse, zinc, cuivre, bore et molybdène (éléments rares ou oligoéléments).

Chimie du fluor

L'élément fluor (F) se trouve à l'état naturel principalement dans 3 minéraux : *cryolithe* Na_3AlF_6, utilisée dans la préparation de l'aluminium ; *fluorine* CaF_2, nécessaire à la préparation de l'acide fluorhydrique ; *fluoroapatite.*

L'acide fluorhydrique HF est souvent employé : dépolissage du verre, décapage des métaux, préparation d'autres dérivés fluorés minéraux ou organiques (utilisés pour médicaments, substituts du sang, agents propulseurs d'aérosols, polymères, fluoration de l'eau potable par un fluorure alcalin, fluorophosphates inclus dans les dentifrices).

Le fluor est le plus électronégatif et le plus réactif de tous les éléments ; le gaz F_2 est très corrosif, il réagit pratiquement avec toutes les substances, sauf 3 gaz rares (hélium, néon, argon), quelques polymères organiques fluorés et certains alliages spéciaux. Aussi n'a-t-il été isolé qu'en 1886 par H. Moissan (1852-1907), prix Nobel de Chimie en 1906.

Dérivés benzéniques

Carbures ou composés à fonctions diverses, se déduisant du benzène par remplacement d'un au moins des atomes d'hydrogène par un radical quelconque.

Les dérivés du benzène participent, en principe, aux propriétés du noyau et à celles des fonctions ou des chaînes carbonées substituées ; cependant, les chaînes ou fonctions substituées modifient plus ou moins profondément les propriétés du noyau, et réciproquement. Une fonction est dite *nucléaire* si elle est portée directement par un carbone du noyau : les **phénols** sont des dérivés hydroxylés nucléaires. Si, par sa nature, une fonction ne peut être portée par un carbone du noyau, elle est encore dite nucléaire, si elle est aussi près que possible du noyau : l'*acide benzoïque* est un acide nucléaire.

Cas contraire, la fonction est dite *extra-nucléaire : l'acide phénylacétique* est un acide extra-nucléaire. Ces définitions s'appliquent aux dérivés des carbures à noyaux polycondensés.

Matières plastiques

☞ Se reporter également au chap. « Principaux secteurs économiques ».

Obtenues par *polymérisation* ou par *polycondensation.*

1) Polymérisation. *a) Polythène :* (CH_2)n. Usage : objets ménagers, isolation électrique.

b) Polytétrafluoroéthylène (Téflon) : $(-CF_2-CF_2-)_n$. Usage : isolation électrique, « fartage » des skis.

c) Polystyrène : $(C_6H_5-CH-CH_2)$n ;

Usage : revêtement de meubles.

d) Chlorure de polyvinyle : (CH_2-CHCl)n.

Usage : objets ménagers.

e) Acétate de polyvinyle :

$(CH_3-CO-CH-CH_2)$n. Usage : vernis.

f) Polyméthylacrylate de méthyle (Plexiglas) :

$$(CH_2-\overset{CH_3}{\overset{|}{C}}-\underset{O}{\underset{||}{C}}-OCH_3)n.$$

g) Caoutchoucs synthétiques. Le constituant essentiel en est le butadiène :

$$CH_2 = CH - CH = CH_2.$$

h) Silicones. Les silicones sont du type :

$$(-O-\overset{R}{\overset{|}{\underset{R}{\underset{|}{Si}}}}-)\ n.$$

Usages : vernis, cires, etc.

2) Polycondensation. *a) Résines formol-urée.* Usages : verres organiques. *b) Polyesters :* le Glyptal est une résine glycérophtalique obtenue par polycondensation du glycérol CH_2OH-CHOH-CH_2OH et de l'anhydride phtalique. *Résines alkyds.* Usages : matières plastiques très résistantes. *c) Phénoplastes.* On obtient la *Bakélite.* Usages : vernis durcissables.

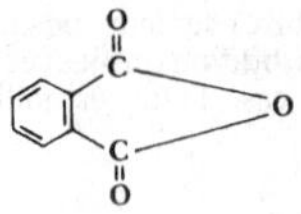

Parfums

Les parfums synthétiques proviennent des produits chimiques extraits du goudron de houille. L'acétate de benzyle a une odeur qui rappelle le jasmin. Le musc cétone rappelle la fleur d'oranger.

Explosifs

Il existe plusieurs sortes de substances explosives :

1) La dynamite qui est à base de nitroglycérine dont la teneur varie de 15 à 95 % ; on y trouve d'autre part de la nitrocellulose, des nitrates de potassium, de sodium et d'ammonium, ainsi que des matières combustibles telles que la poudre d'aluminium et du dinitrotoluène. *2) Les explosifs chloratés* qui sont à base de perchlorate d'ammonium. *3) Les explosifs nitratés* qui sont à base de nitrate d'ammonium. *4) Les explosifs nitrés* qui sont des esters nitriques et des dérivés nitrés.

Unités de mesure

Systèmes anciens

Antiquité

Les unités de longueur choisies par les Anciens (Grecs, Latins, Celtes) se rapportaient en général aux dimensions du corps de l'homme ou à la mesure de ses activités physiques : le *pouce* ou le *doigt* (en largeur), le *palme* ou l'*empan,* la *coudée* (avant-bras), le *bras* (un bras étendu), les 2 bras étendus (brasse) ; le *pas,* le double pas, le millier de pas, l'*heure de marche* (lieue). Les unités de surface et de volume étaient souvent les mêmes unités mises au carré ou au cube (exception : la *boisse* celtique était la capacité des 2 mains creuses). Les unités de poids dérivaient le plus souvent des unités de capacité (tel volume de certains corps, p. ex. : l'argent).

Grèce (système attique)

• **Longueur.** *Doigt* (largeur du doigt) : env. 2 cm. *Pied :* 30,8 cm. *Coudée :* 0,48 m. *Pas :* 0,74 m. *Brasse* (orguia, 4 coudées) : 1,96 m. *Acène* (*akaina,* « aiguillon ») : 2,96 m. *Plèthre :* 29,60 m. *Stade :* 177,60 m (240 pas).

• **Poids.** *Obole :* 0,72 g. *Drachme :* 4,32 g (6 oboles). *Mine :* 432 g (100 drachmes). *Talent :* 25,920 kg (60 mines).

• **Superficie.** *Plèthre carré :* 10 000 pieds c. (870 m²).

• **Volume. Solides :** *Cotyle :* 0,27 L. *Chénix :* 4 cotyles (1,08 L). *Hecteus* (setier : 1/6 de médimne) : 32 cotyles (8,64 L). *Médimne :* 192 cotyles (51,84 L). **Liquides :** *Cotyle :* 0,27 L. *Conge (khous) :* 12 cot. (3,24 L). *Amphore ou métrète italique :* 19,44 L. *Métrète :* 144 cot. (38,38 L).

Rome

• **Longueur.** *Digitus* (doigt ou pouce) : 0,0184 m. *Palmus* (palme ou empan = 4 doigts) : 0,0736 m. *Pes* (pied = 4 palmes) : 0,2944 m. *Palmipes* (= 1 pied + 1 palme = 20 doigts) : 0,3680 m. *Cubitus* (coudée = 1 pied + 2 palmes = 24 doigts) : 0,4416 m. *Gradus* (pas simple = 2 pieds + 2 palmes) : 0,736 m. *Passus* (pas double = 5 pieds) : 1,472 m. *Milia passuum* (mille = 1 000 pas) : 1,472 m.

• **Poids.** *Uncia* (once = 1/2 livre) : 27,25 g [sous-multiples : semuncia 1/2 once ; scripulum 1/24 once ; multiples : quincunx (5) ; septunx (7) ; bes (8) ; dodrans (9) ; dextans (10) ; deunx (11)]. *Libra* ou *as* (livre = 12 onces) : 327 g [sous-multiples : semis (1/2 = 6 onces = 163,5 g) ; triens (1/3 = 4 onces) ; quadrans (1/4 = 3 onces) ; sextans (1/6 = 2 onces)].

Nota. – Sicles bibliques. Or : s. du sanctuaire (déposé par Moïse dans le Tabernacle) 8,41 g. Argent : s. vulgaire (phénicien) = 14,92 g.

• **Superficie.** *Quadratus pes* (1 pied carré) : 0,086 m². *Decempeda quadrata* (= 10 p × 10 p = 100 p²) : 8,66 m². *Jugerum* (arpent = 240 p × 120 p = 28 800 p²) : 25 ares. *Heredium* (= 2 jugères) : 50 ares. *Centuria* (= 100 heredia) : 50 ha. *Saltus* (= 4 centuries) : 200 ha.

• **Volume. Liquides :** *Sextarius* (setier = 1/48 quadrantal) : 0,547 L. *Congius* (conge grec = 1/8 Q) : 3,283 L. *Urna* (urne = 1/2 Q) : 13,132 L. *Quadrantal* (ou amphora ou métrète italique ou 1 pied cubique) : 26,364 L. *Culleus* (tonneau = 20 Q) ; 527,28 L.

Corps secs : *Hemina* (hémine = 1/32 modius) : 0,274 L. *Sextarius* (setier = 1/16 modius) : 0,548 L. *Semodius* (demi-muid = 1/2 modius) : 4,394 L. *Modius* (muid = 1/3 quadrantal) : 8,788 L.

France (Ancien Régime)

• **Caractéristiques.** Les unités, les valeurs, les affectations sont différentes (par ex. : « pied de terre » et « pied de vitrier ») ; leurs divisions sont irrégulières (un pied peut avoir 10 ou 12 pouces selon les régions ; une livre peut compter 12, 14 ou 15 onces selon les villes et même les quartiers urbains). *Dans le Toulousain (H^te^-Garonne actuelle) :* il y a 16 mesures pour le vin (5 noms différents : pot, quart, juste, pinte, méga ; chacun de ces noms désigne 3 ou 4 mesures différentes) ; elles sont divisées chacune de 4 façons différentes : uchau (8e), pouchou, mesure, petit. L'uchau varie de 0,364 L à 0,60 L en Toulousain ; de 0,406 L à 1,060 L dans le comté de Foix ; de 0,771 L à 1,582 L en Béarn.

• **Capacité : liquides.** *Roquille* (contenu d'une écorce d'orange appelée « roquille ») : 0,030 L. *Demi-posson* (2 roquilles) : 0,060 L. *Posson* (doublet de potion, « coup à boire ») (4 roquilles) : 0,119 L. *Demi-setier* (2 possons) : 0,238 L. *Chopine* (primitivement mesure germanique de la bière, env. 0,33 litre) ou *setier* (du latin *sextarius,* « sixième ») : 0,476 L. *Pinte de Paris* (2 chopines) : environ 0,93 L ou 48 pouces cubes. *Pot ou quade* (autre orthographe de *cade*) (2 pintes). *Velte* (du latin médiéval *gualguita,* « petite jauge ») (8 pintes) : 7,62 L. *Quartaut* (9 Veltes) : 68,5 L. *Feuillette* (tonneau marqué d'une feuillure, « entaille de jauge ») (2 quartauts) : 137 L. *Muid* (du latin modius, « mesure ») (288 pintes) : 274 L. *Muid de Bourgogne* (2 feuillettes) : 268 L.

Matières sèches (à Paris). *Litron :* 0,79 L. *Boisseau* [dérivé de *boisse,* bas-latin *bostia,* gaulois *bosta,* « creux de la main » (16 litrons)] : 12,7 L (utilisé pour blé, avoine, sel, charbon de terre, charbon de bois). *Setier* (12 boisseaux) : 152 L. *Minot* (diminutif de mine : altération du gréco-latin *hemina,* « mesure de 28 cl ») (6 boisseaux pour l'avoine et le charbon de terre ; 4 pour le sel ; 3 pour le blé ; 2 pour le charbon de bois). *Double minot* (la mine) : *muid* [(moitié d'un setier ; mais le « demi-setier » est un 32e du setier) valant pour le charbon de bois 20 mines (client) ou 16 (commerçant), de terre 7 mines ½; le plâtre 72 boisseaux (ou 36 sacs) ; l'avoine 288 boisseaux ; le sel 192 ; le blé 144]. En outre, chaque boisseau change de valeur selon les façons (fixées par l'usage) de le remplir : bon poids ou poids courant ; comble ou ras, etc.

• **Longueur.** *Point :* 0,188 mm. *Ligne* (12 points) : 0,226 cm. *Pouce* (12 lignes) : 2,707 cm. *Pied du roi* [censé être celui de Charlemagne] (12 pouces) : 0,325 m. *Toise* [du latin *(ex) tensa,* « étendue »] (6 pieds) : 1,949 m. *Pas :* 0,624 m. *Perche de Paris* (18 pieds) : 5,847 m ; *ordinaire* (20 pieds) : 6,496 m ; *des Eaux et Forêts* (22 pieds) : 7,146 m. *Lieue de poste* (du gaulois *leuca,* « distance entre 2 pierres »). *Lieue de Paris :* jusqu'en 1674 : considérée comme valant 1 666 toises ; *1674 à 1737 :* 2 000 (3,898 km) ; *1737 :* 2 400 pour les tarifs du transport de grains, 2 000 pour les Ponts et Chaussées, 2 200 pour les Postes.

En fait, le nombre de lieues d'une ville à l'autre est fixé traditionnellement et la valeur de la lieue change pour que ce nombre reste constant malgré les variations des itinéraires.

Nota. – De 1812 à 1840 : toise métrique : 2 m ; pied métrique : 0,33 m ; pouce métrique : 0,0275 m ; ligne : 0,0023 m.

Étoffes. *Aune de Paris* [du francique *elina* (latin *ulna*), « avant-bras » ; 4 pieds romains] : 1,188 m [fixée officiellement en 1540 par François Ier (3 pieds, 7 pouces, 8 lignes) ; chiffres confirmés en 1554, 1557, 1714, 1736 ; en 1745, cette longueur est oubliée, une 6e ordonnance est nécessaire].

Marine. *Brasse* (longueur de corde entre les bras étendus) (5 pieds) : 1,624 m. *Encâblure* (1/10 mille) : 185,2 m (ou 194,9). *Lieue marine* de 20 au degré (3 milles marins) : 5 556 m.

• **Masse.** *Grain* : 53 mg. *Denier* (24 grains) : 1,275 g. *Gros* (3 deniers) : 3,824 g. *Once* (8 gros) : 30,59 g. *Quarteron* (1/4 de livre ou 4 onces) : 122,4 g. *Marc* (unité allemande dont les poids étaient importés de Nuremberg : du goth. marka, « demi-livre ») (8 onces) : 244,75 g. *Livre* (latin *libra*) (16 onces) : 489,5 g. *Quintal* (100 livres) : 48,95 kg. *Millier* (1 000 livres) : 489,5 kg. *Tonneau de mer* (primitivement, mesure de capacité) (2 000 livres) : 979 kg.

Nota. – La *pile* dite de Charlemagne était l'étalon officiel de poids (masse). Elle était faite de 13 poids-godets creux, de plus en plus petits, empilés les uns dans les autres.

• **Superficie.** Toutes les mesures de longueur citées ci-dessus au carré et en outre : *Arpent des Eaux et Forêts* (du gaulois *arepenn*, « portée de flèche ») : 100 perches de 22 pieds, soit 48 400 pieds carrés (5 107,2 m²) ; *ordinaire* : 4 221 m² ; *Paris* : 3 418,87 m², 32 400 pieds carrés, 900 toises carrées. *Journal*, variant suivant les provinces, correspondait à la surface labourable par un homme en une journée. *Perche des eaux et forêts* 22 pieds de côté soit 484 pieds carrés (51,062 m²). *De Paris* : 18 pieds de côté soit 324 pieds carrés (34,182 m²). *Verge* [terme sans doute preceltique *vège* (espagnol *vega*, « champ plat »), contaminé par *vergée*, « terrain mesuré à la verge »] (1/4 arpent) : 1 276 m².

• **Volume.** Les mesures de longueur au cube et pour le bois : *Voie de Paris* (voie = voyage, c.à-d. charretée) : 1,920 m³.

• **Projets d'unification.** De nombreuses tentatives se sont heurtées aux résistances locales. *Exemples pour Paris* : **1668** création au Châtelet de la toise de 6 « pieds de roi » ; **1669** définition de l'arpent de Paris (calculé en pieds de roi) ; **1670** définition du boisseau de Paris ; **1735** création de la toise-étalon, elle eut *2 copies* : *1o* – l'une dite *du Pérou* ou *de l'Équateur*, emportée au Pérou de 1735 à 1748 pour servir à la mesure de la courbure de la Terre près de l'équateur. Elle revint intacte en 1748 ; l'Académie des sciences refusa d'en faire un étalon officiel, mais plus tard, elle servit à définir le mètre révolutionnaire. *2e* – la *toise du Nord*, qui servit aux mêmes travaux en Suède, mais revint endommagée. **1742** définition de la pinte de Paris. Quant à l'unité de poids parisienne, son étalon est la « pile de Charlemagne » (livre **poids de marc** et ses subdivisions), conservée à l'hôtel des Monnaies (voir ci-dessous). *Royaume* : projets de Charles le Chauve, Louis le Hutin, Philippe le Long. Édits de François Ier sur l'aunage (1540-45), d'Henri II (1557-58). Suppliques des états généraux (1560, 76, 1614). Projet d'Henri IV, puis de Colbert. Tentatives de Laverdy en 1764 puis de Trudaine de Marigny en 1766 : 80 copies de la « toise du Pérou » sont envoyées dans les différentes provinces. En 1788, dans les cahiers de doléances, le principe : « Un roi, une loi, un poids et une mesure » est fréquemment rappelé.

Principales collections de mesures anciennes. Musées : Angers, Albi, Vieux-Lyon, Paris (musée national des Techniques).

Autres pays

Quelques unités anciennes, conservées localement (n.s. nouveau système ; v.s. vieux système).

Afrique du Sud. Livre hollandaise 494 g. Pied du Cap 31,5 cm. Balli 46 L. Gantang 9,2 L. Mud 109,1 L. Morgen 0,857 ha.

Allemagne. Zoll (pouce) 0,026 15 m. Fuss (pied) 0,313 85 m. Rute (verge) 3,776 m. Meile (mille) 7,532 5 km. Morgen (demi-arpent) 25,532 a. Pfund (livre) 0,5 kg. Zentner (demi-quintal) 50 kg. Doppelzentner (quintal) 100 kg. *Mesures non légales* : Kilopond (kp) : kilogramme-force. Pond (p) : gramme-force.

Autriche. Mile 7,586 km.

Bulgarie. Dékare 1 000 m², untzia (cocon) 30 g.

Cambodge. Hat 50 cm. Phyéam 2 m. Sen 40 m. Yoch 16 km. Kantang 7,5 L. Tao 15 L. Thang 30 L. Lin 3,75 cg. Hun 3,75 dg. Chin 3,75 g. Tael 37,5 g. Néal 600 g. Chong 30 kg. Hap ou picul 60 kg.

Canada. *Longueur* : point typographique 4,089 4 mm, arpent 58,46 m. *Surface* : arpent (Québec) 0,342 ha, section (Manitoba, Alberta, Saskatchewan) 259 ha. *Capacité* : minot 38,91 hl. *Masse* : hundredweight 45,359 2 kg, ton 907,185 kg.

Chine. *Longueur* : Chang 3,34 cm. Ch'ih 91 cm (v.s.) 33,27 cm (n.s.). Fen 0,33 cm. Li 645-681 m (v.s.) 500 m (n.s.) Ts'un 3,58 cm (v.s.) 13,34 cm (n.v.). *Surface* : Ch'ing (n.s.) 6,66 ha. Maw 0,65 ha. Mou 0,065 ha. *Masse* : Catty (ou Chang, Chin, Kan, Kati, Kon) 0,603 kg (v.s.) 0,5 kg (n.s.). Candareen (ou Fen) 0,378 g (v.s.) 0,283 g (n.s.). Fan 0,378 g (v.s.) 0,311 g (n.s.). Liang (ou Tael) 37,8 g (v.s.) 31,18 g (n.s.). Mace 3,78 g (v.s.) 3,11 g (n.s.). Picul (ou tam) 60,48 kg (v.s.) 50 kg (n.s.). Tan 60,48 kg (v.s.) 50 kg (n.s.).

Danemark. Tomme 2,615 cm. Mile 7,532 km. Tondeland 55,162 a. Pund 500 g. Centner 50 kg.

Égypte. Diraa Baladi 0,58 m. Kasaba (pluriel : *kesabag*) 3,55 m. Feddan 4 200 m². Kirat (1/24 de feddan) 175 m². Ardab 198 L. Qantar 44,9 kg.

Espagne et pays sud-américains. Unités anciennes espagnoles, transportées en Amérique par les colons et pouvant varier notablement. Ex. : Chili : Vara 83,59 cm. Braza 1,672 m². Cuadra 125,49 m. Legua 4,514 km. Cuadra ² 1,572 5 ha. Onza 28,75 g. Libra 460 g. Arroba 35,5 ou 40 L, 11,5 kg.

Éthiopie. Metir ou netir 453,59 g. Senzer 23,144 cm. Cabaho 5,91 L. Kuma 5 L. Messe 1,477 L. Gasha 40 ha.

Grèce. Stremma 10 a.

Inde. *Longueur* : Coss 1 920,2 m. Danda 1,83 m. Gudge 91,44 cm au Bengale, 68,58 cm à Bombay, 83,82 cm à Madras. Hath 45,72 cm. Ungul 1,9 cm. *Capacité* : Ser 1 L. *Surface* : Bigha 0,253 ha. Cawny 0,534 ha. *Masse* : Candy 254 kg à Bombay, 226,8 kg à Madras. Chittak 57,5 g. Maund officiel 37,29 kg, 12,7 kg à Bombay, 11,34 kg à Madras. Pa 235 g. Picul (outam) 60,48 kg. Seer officiel 0,93 kg, 0,28 kg à Madras, 0,33 kg à Bombay. Tola 11,66 g. Visham 1,36 kg.

Indonésie. *Longueur* : Tjengkal 15-20 cm. El 68,8 cm. *Surface* : Bahungkal 0,709 ha. Paal 227,08 ha. *Masse* : Kati 0,617 kg. Picul 61,76 kg.

Iran. Bahar 3,25 cm. Gireh 6,5 cm. Ourob 13 cm. Charac 26 cm. Zar ou gaz 1,04 m (ou 1 m). Farsakh ou farsang 6,24 km (ou 10 km), kafiz 1 a. Jerib 1 ha.

Islande. Tomma ou thumlungur 2,54 cm. Sjomila 1,855 km. Enjgateigur 0,319 ha. Sildartunna 118-120 L. Sildarmal 150 L.

Italie. Anciennes unités variables selon les États.

Japon. *Longueur* : Cho 109,12 cm. Hiro 1,516 m. Jo 3,032 m. Ken 1,82 m. Ri 3,926 km. Shaku 30,3 cm. Sun 3,02 cm. *Capacité* : Go 0,17 L. Koku 180,38 L. Shaku 0,017 L. Sho 1,8 L. *Surface* : Bu 3,3 m². Cho 1 ha. Se 48 m². Tan 0,1 ha. Tsubo 3,3 m². *Masse* : Catty 0,6 kg. Hyaku-mé 374,85 g. Kwan 3,749 kg. Me 3,78 g. Momme 3,78 g. Nijo 15,02 g. Picul (ou Tam) 60 kg.

Liban. Kirat 2,83 cm (textiles), 3,16 (agriculture). Drah ou zirah ou pic 68 et 75,8 cm. Dönüm 919 m². Kadine 23-35 a. Dirham 3,205 g. Okiya 213 g. Oke 1,282 kg. Ratl 2,564 kg. Kantar 256,4 kg.

Maroc. Kala 50 cm. Tamna 225 m². Courd (moud, rabia ou tarabiït) 450 m². Aftari (saa ou tmen) 900 m². Khedem 10 a. Abraa (izenbi ou sdal) 18 a. Tarialte 36 a. Gouffa 50 a. Kard 10 L. Kharrouba 40 L. Oukeia 125 g. Rabâa 250 g. Ratl 500 g. Kantar 100 kg.

Maurice. Pied français 32,5 cm. Corde 3,584 m³.

Norvège. Fot 0,313 7 m. Mile 11,299 km.

Pays-Bas. Ure 5,565 km.

Philippines. *Longueur* : Pulgada 2,31 cm. *Capacité* : Cavan 75 L. Chupa 0,37 L. Ganta 3 L. *Masse* : Arroba 11,5 kg. Quintal 46 kg.

Russie (ancienne). *Longueur* : Verste (500 sagènes) 1 066,78 m. Sagène (3 archines) 2,134 m. Archine (16 verchoks) 0,711 9 m. Verchok 0,044 m. *Superficie* : Deciatine (240 sagènes) 109,25 ares. *Masse* : Poud 16,38 kg. *Liquides* : Vedro 12,299 41 L (= 3 ankers, 10 krouckkas, 100 tcharkas). *Matières sèches* : Garnetz 3,298 42 L (= 2 polougarnetz, 8 tchetveriks, 32 tcheverkas ou osminas, 64 tchetverts).

Soudan. Busa 2,54 cm. Kadam 30,48 cm. Ardeb 198,024 L. Kadah 2,063 L. Keila 16,502 L. Ratl 0,568 L. Feddan 4,201 m².

Sri Lanka. Candy (pour le coprah) 254 kg.

Suède. Fot 0,296 9 m. Mil 10 689 m.

Suisse. Stunde : 4,808 km. Lägel 40 ou 50 L.

Turquie. Archine (ou pic, card, guz) 0,64 à 0,76 m. Kilé 32 à 43 L.

Yougoslavie. Hvat 1,896 m. Hvat ² 3,597 m². Hvat ³ 6,821 m³. Jutro (1 600 hvats²) 5 755 m². Lanac (2 000 hvats²) 7 192 m². Dulum 1 000 m².

Le système métrique

☞ *Bibliographie* : le Système métrique, H. Moreau (éd. Chiron).

Origine

Avant 1789

Projet de l'abbé Gabriel Mouton (1670) : choisir une unité de longueur égale au 1/1 000 du mille marin (une minute sexagésimale du méridien) ; mais cette unité (environ 1,80 m) est beaucoup trop longue pour être pratique. *Projet de l'abbé Jean Picard* (1620-82) dans *la Mesure de la Terre* (1671), puis *projet du Hollandais Christiaan Huygens* (1629-95) (1673) : choisir la longueur d'un pendule battant la seconde (ce qui aurait unifié les notions de longueur et de temps). Défenseurs du projet « pendule » au XVIIIe s. : La Condamine (Charles Marie de) (France, 1701-74), John Riggs-Miller (G.-B., 1744-98), Thomas Jefferson (U.S.A., 1743-1826). Principale difficulté rencontrée : le choix du point où doivent être mesurés les battements du pendule (inégaux selon l'attraction terrestre). 2 thèses s'affrontent, ce qui fera échouer finalement le projet, soit l'Équateur (Quito), soit le 45e parallèle (Bordeaux). En 1775, Turgot adopte le projet « Bordeaux » mais il est disgracié avant de l'avoir réalisé. Pour unifier les 2 notions de longueur et de poids (masse), le principe de peser un volume d'eau défini par des unités de longueur était retenu depuis 1758 (*Observations sur les principes métaphysiques de la géométrie* de Louis Dupuy, 1709-95). Jefferson avait par ailleurs calculé que le pied cubique d'eau pesait exactement 1 000 onces, ce qui aurait prouvé que la relation poids-longueur existait dans la « Nature ».

Travaux après 1789

Le *8-5-1790*, sur proposition de Talleyrand, l'Assemblée nationale constituante se prononça pour la création d'un système de mesure stable, uniforme et simple. L'unité de base choisie est le pendule battant la seconde. Des délégués sont envoyés en Espagne, Angleterre, États-Unis (où le Pt Jefferson se montre très favorable).

Le *26-3-1791*, sur proposition de l'Académie des sciences, la Constituante abandonne le projet « pendule » et adopte le principe « méridien » : le mètre sera la 10 millionième partie de la distance comprise depuis le pôle jusqu'à l'équateur ; elle désigne Delambre et Méchain pour la mesurer. Les pays étrangers refusent dès lors leur collaboration.

Charles de Borda
(un des créateurs du système métrique décimal)

Le choix du nom **mètre** est attribué à Charles de Borda (1733-89). Ce mot avait déjà été proposé en 1675 par l'Italien Tito Livio Burattini, pour désigner la longueur du pendule battant la seconde (≃ 0,994 m). En mai 1790, Auguste-Savinien Leblond (1760-1811) le proposait aussi pour le pied astronomique (1 degré de grand cercle = 345 600 pieds astronomiques).

Le *décret du 1-8-1793* institua un système de mesures décimales provisoires : unités de *longueur,* fondées sur des calculs géodésiques de l'abbé Louis de Lacaille, remontant à 1740 (qui avait évalué le 1/4 de méridien à 5 132 430 toises de Paris) : quart de méridien, grade (du latin *gradus,* « pas simple ») ou degré décimal (100 000 m), millaire [de l'adj. latin *milliarius* désignant les bornes placées tous les mille pas (1 000 m)], mètre (du grec *metron,* « mesure » : le premier étalon métrique légal est exécuté par le constructeur Lenoir, le 9-6-1795), décimètre, centimètre, millimètre. Il prévoyait comme mesures : **de superficie,** l'*are* (du fém. latin *area,* « surface », mis au masculin) avec des sous-multiples, déciare et centiare ; **de volume,** le *cade* (du grec *kados,* « baril » ; mesure utilisée par les sauliers provençaux, 1 m³), décicade, centicade, pinte [du vieux fr. *pinte,* « peinte », car la marque de contrôle était peinte sur le récipient ; appelée *cadil* (diminutif de *cade*) le 19-1-1794, puis *litre* (du fém. gréco-latin *litra,* « poids de 12 onces », mis au masculin) le 18 germinal an III] ; **de poids,** le *bar* (abréviation du grec *barus,* « lourd ») ou millier, décibar, centibar, *grave* (du latin *gravis,* « lourd »), décigrave, centigrave, gravet, décigravet, centigravet, milligravet, finalement (en avril 1795) *gramme* (du grec *gramma,* « marque écrite », désignant 1/24 d'once) ; **de monnaie,** le *franc* d'argent.

1re définition du mètre. La *loi du 18 germinal an III* (7-4-1795) constitua la loi organique du système métrique, fixa la nomenclature des unités (telle qu'elle existe encore actuellement) et donna la 1re définition du mètre : fraction du méridien terrestre mesuré par la Commission Delambre-Méchain sur l'axe Dunkerque-Barcelone (5 130 740 toises de Paris ; différence avec le chiffre de Lacaille : 1 690 toises).

La *Constitution du Directoire* (5 fructidor an III, 22-8-1795) consacra 2 paragraphes aux nouvelles unités de mesure. En prairial an VI (mai-juin 1798), les contacts furent pris avec Espagne, Danemark, Sardaigne, Républiques batave, cisalpine, helvétique, ligurienne, romaine, toscane. Les rapports définitifs sur les unités de longueur (mètre) et de poids (dm³ d'eau) furent signés par un Hollandais (Van Swinden) et un Suisse (Trallès). Les prototypes du mètre et du kilogramme définitifs, en platine, furent déposés aux Archives le 22-6-1799.

2e définition. La *loi du 19 frimaire an VIII* (10-12-1799) fixa les étalons définitifs et donna la 2e définition du mètre : mesure de l'étalon des Archives, soit 3 pieds et 11,296 lignes de la toise de Paris (raccourcie de 0,144 ligne par rapport au mètre provisoire de Lacaille, mais sans référence au méridien). Elle rendit obligatoire le système métrique, mais il se répandit lentement. La principale difficulté venait du système décimal : les illettrés savaient tous diviser les longueurs par 2, par 4 et par 8, en pliant 1 fois, 2 fois ou 3 fois une ficelle ou un mouchoir. Ils ne savaient pas diviser par 10. En 1812, l'utilisation de mesures transitoires dites usuelles (ex. : toise de 2 m, aune de 1,20 m, boisseau de 1/8 d'hectolitre) fut autorisée. La loi du 4-7-1837, tenant compte des progrès de l'enseignement primaire, rendit le syst. métr. définitivement obligatoire à partir du 1-1-1840.

3e définition. Le Bureau international des poids et mesures [créé à Paris (Sèvres) en 1875] donna la 3e définition du mètre. Le mètre n'est plus défini par rapport à la longueur du méridien, que des progrès dans la géodésie permettaient de mieux calculer, mais comme la distance, à la température de 0 °C, des axes des 2 traits médians tracés sur le prototype en platine iridié (dit Mètre international), sanctionné par la Conférence générale (internationale) des poids et mesures, tenue en 1889 à Paris. Pour déposer ce prototype international, la France a remis au Comité international des poids et mesures, le 22-4-1876, le domaine du pavillon de Breteuil, à Sèvres (Hauts-de-Seine). D'une superficie de 25 153 m², portée à 43 517 m² en 1964, ce domaine est une enclave internationale jouissant du privilège d'exterritorialité. Il n'a pas été occupé par les Allemands en 1940-44. L'étalon légal pour la France fut la copie n° 8 de ce prototype, conservée au Laboratoire national d'essais, 1, rue Gaston-Boissier, 75015 Paris.

4e définition. Adoptée le 14-10-1960. Le mètre est égal à 1 650 763,73 longueurs d'onde dans le vide de la radiation orangée du krypton 86, le krypton de masse atomique 86 étant l'un des 6 isotopes du krypton naturel. Cet étalon optique est 100 fois plus précis que l'étalon de 1889.

5e définition. Adoptée le 20-10-1983 par la 17e Conférence générale des poids et mesures. Elle s'appuie sur une constante physique universelle, la vitesse de la lumière dans le vide (299 792 458 m/s). En France, décret du 30-12-1985.

Dates d'adoption du système métrique

Légende : entre parenthèses, date d'entrée en vigueur de la décision officielle ou mise en application définitive. (1) pays métrique pour lequel la date d'adoption n'a pu être connue. (2) pays où la conversion métrique est en cours ou décidée. (3) adoption à titre facultatif. (4) pays non métrique.

Açores 1852. Afghanistan 1926. Afr. du Sud 1922 [3] ; 1967 (1974). Albanie 1951. Algérie 1843. Allemagne (Rép. dém. et Rép. féd.) 1871 (1872). Andorre [1]. Angleterre : voir Royaume-Uni. Angola 1905 (1910). Antilles néerlandaises 1875 (1876). Arabie Saoudite 1962 (1964). Argentine 1863 (1887). Australie 1961 [3] ; 1970. Autriche 1871 (1876). Bahamas [2]. Bahrein (1977-80). Bangladesh [4]. Barbade 1977. Belgique 1816 (1820). Bélize [2]. Bénin 1884-91. Bermudes 1971. Bhoutan [2]. Birmanie 1920 [3]. Bolivie 1868 (1871). Botswana 1969-70 (1973). Brésil 1862 (1874). Brunei (1986-91). Bulgarie 1888 (1892). Burkina 1884-1907. Burundi [1]. Cambodge 1914. Cameroun 1894. Canada 1871 [3] ; 1970. Cap-Vert (Iles du) 1891. Centrafricaine (Rép.) 1884-1907. Chili 1848 (1865). Chine (Rép. pop.) 1929 (1930-59). Chypre 1972-74. Colombie 1853. Comores 1914. Congo (Rép. pop.) 1884-1907. Cook (Iles) [2]. Corée (Rép.) 1949. Corée (Rép. dém.) 1947. Costa Rica 1881 (1912). Côte-d'Ivoire 1884-90. Cuba 1882 (1960). Danemark 1907 (1912). Djibouti 1898. Dominicaine (Rép.) 1849 (1942-55). Égypte 1939 (1951-61). El Salvador : voir Salvador. Émirats Arabes Unis [2]. Équateur 1865-71. Espagne (et Possessions) 1849 (1871). États-Unis 1866 [3]. Éthiopie 1963. Fidji 1972. Finlande 1886 (1892). France 1795 (1840) (Guadeloupe 1844, Guyane 1840, Martinique 1844, Réunion 1839, Nlle-Calédonie 1862, Polynésie 1847, St-Pierre-et-Miquelon 1824-39). Gabon 1884-1907. Gambie 1979. Ghana 1972 (1975). Gibraltar 1970. Gilbert et Ellice (Iles) [2]. Grèce 1836 [2] (1959). Guatemala 1910 (1912). Guinée 1901-06. Guinée-Bissau 1905 (1910). Guinée-Équatoriale [1]. Guyane (Rép.) 1977. Haïti 1920 (1922). Honduras 1910 (1912). Hong Kong [2]. Hongrie 1874 (1876). Inde 1920 [3] ; 1956. Indonésie 1923 (1938). Irak 1931 [3] ; 1960. Iran 1933 (1935-49). Irlande 1897 [3] ; 1968-69. Islande 1907. Israël 1947 (1954). Italie 1861 (1863). Jamaïque 1973. Japon 1893 [3] ; 1951 (1959-66). Jordanie 1953 (1954). Kenya 1951 [3] ; 1967-68. Koweït 1961 (1964). Laos (fin XIXe s.). Lesotho 1970. Liban 1935. Liberia [4]. Libye 1927. Liechtenstein 1875 (1876). Luxembourg 1816 (1820). Macao 1957. Madagascar 1897. Madère 1852. Malaisie 1971-72. Malawi [2] 1979. Maldives [3] (Rép.). Mali 1884-1907. Malte 1910 (1921). Maroc 1923. Maurice 1876 (1878). Mauritanie 1884-1907. Mexique 1857 (1896). Monaco 1854. Mongolie [1]. Mozambique 1905 (1910). Namibie 1967. Nauru (Ile) 1973-80. Népal 1963 (1966-71). Nicaragua 1910 (1912). Niger 1884-1907. Nigeria 1971-76. Niue (Ile) [2]. Norvège 1875 (1882). Nlle-Zélande 1925 [3] ; 1969-79. Oman [2]. Ouganda 1950 [3] ; 1967-69. Pakistan 1967-72. Panamá 1916. Papouasie-Nlle-Guinée 1970. Paraguay 1899. Pays-Bas 1816 (1832). Pérou 1862 (1869). Philippines 1906 (1973-75). Pologne 1919. Puerto Rico 1849. Portugal 1852 (1872). Qatar [2]. Roumanie 1864 (1884). Royaume-Uni 1897 [3] (1965). Rwanda [1]. St-Marin 1907. Salomon britanniques (Iles) 1970. Salvador 1910 (1912). Samoa occidentales (Iles). São Tomé et Príncipe 1891. Sénégal 1840. Seychelles (Iles) 1880. Sierra Leone [2]. Singapour 1968-70. Somalie 1950 [2] (1973). Soudan 1955. Sri Lanka 1970 (1974). Suède 1878 (1889). Suisse 1868 (1877). Surinam 1871 (1916). Swaziland 1969 (1973). Syrie 1935. T'ai-wan 1954. Tanzanie 1967-69. Tchad 1884-1907. Tchécoslovaquie 1871 (1876). Thaïlande 1923 (1936). Timor 1957. Togo 1924. Tokelau (Iles) [2]. Tonga (Iles) 1975. Trinité et Tobago 1970-71. Tunisie 1895. Turquie 1869 ; 1931 (1933). U.R.S.S. 1899 [3] ; 1918 (1927). Uruguay 1862 (1894). Venezuela 1857 (1912-14). Viêt-nam 1911. Yémen (Rép. arabe). Yémen (Rép. dém.). Yougoslavie 1873 (1883). Zaïre 1910. Zambie 1937 [3] ; 1970. Zimbabwe 1969.

Nota. – Le *23-12-1975* a été promulguée aux États-Unis la loi (Metric Conversion Act) qui vise à accélérer une conversion métrique volontaire aux États-Unis. *1978-82* mise en pratique par le Bureau métrique (U.S. Metric Board) et depuis oct. 82 par le ministère du Commerce. Un amendement au Metric Conversion Act de 1975, voté en 88, prévoit que les agences gouvernementales doivent se convertir au système métrique d'ici à 1992. Le programme de conversion métrique est pratiquement achevé en Australie, Canada et Nlle-Zélande, mais les anciennes unités sont encore d'un usage courant.

Unités de base internationales

• Système international d'unités (SI). Système métrique redéfini par la XIe Conférence gén. des poids et mesures (1960). Il comprend actuellement 7 unités de base et des unités supplémentaires et dérivées. Il autorise l'emploi de certaines unités hors système. C'est le seul système légal en France depuis le 1-1-1962. *Décrets relatifs aux unités légales en France :* décret n° 61-501 du 3 mai 1961 modifié par les décrets n° 66-16 du 5 janvier 1966, 75-1200 du 4 décembre 1975, 82-203 du 26 février 1982 et 85-1500 du 30 déc. 1985.

Unités de base : le *mètre* (longueur) ; le *kilogramme* (masse) ; la *seconde* (temps) ; l'*ampère* [du nom du physicien français André-Marie Ampère, 1775-1836 (intensité de courant électrique)] ; le *kelvin* [du nom du physicien anglais William Thomson, lord Kelvin, 1824-1907 (température thermodynamique)] ; la *mole* [abréviation de molécule-gramme (quantité de matière)] ; la *candela* [mot latin, « chandelle » (intensité lumineuse)].

• Systèmes utilisés temporairement. **C.G.S.** (centimètre, gramme, seconde), créé par lord Kelvin en 1873, adopté en 1881 par le 1er Congrès intern. d'électricité. **M.T.S.,** légal en France de 1919 à 1961, codifié par la loi du 2-4-1919 et le décret du 26-7-1919, les unités C.G.S. ayant été reconnues trop faibles. Unités principales : mètre, tonne, seconde, ohm, ampère, degré centésimal, bougie décimale. **M.K.S.** (mètre, kilogramme, seconde), variante du précédent. **M.Kf.S.** (mètre, kilogramme-force, seconde), remplace le kilogramme-masse du système précédent par le kilogramme-force (tenant compte de l'attraction terrestre) ; abandonné à cause des variations de la force d'attraction selon les points du globe. **M.K.S.A.** (mètre, kilogramme-masse, seconde, ampère), créé par l'ingénieur italien Giorgi (1871-1950) en 1901 ; adopté par la Commission électrotechnique internationale en 1935-50. Tous ces systèmes ont cessé d'être légaux en France le 1-1-1962.

Extrait du décret du 26-2-1982 sur les unités de mesure

« Il est interdit, sous réserve des nécessités du commerce international hors de la Communauté économique européenne et des dérogations prévues aux articles 8 et 13 d'employer des unités de mesure autres que les unités légales mentionnées au décret du 26-2-1982 et dans son annexe, pour la mesure des grandeurs dans les domaines de l'économie, de la santé et de la sécurité publique ainsi que dans les opérations à caractère administratif. Toutefois, sans préjudice des dispositions de l'article 12, les indications exprimées en d'autres unités peuvent être ajoutées à l'indication en unité de mesure légale, à condition qu'elles soient exprimées en caractères de dimensions au plus égales à l'indication exprimée dans l'unité de mesure légale. Les dispositions de l'article 8 ne mettent pas obstacle à l'impression et à l'emploi de tables de concordance entre les unités. »

Formation des multiples et sous-multiples de l'unité

Facteur par lequel est multipliée l'unité. Préfixe à mettre avant le nom de l'unité et symbole à mettre avant celui de l'unité.

Multiples

10^{24}	1 000 000 000 000 000 000 000 000	(yotta ; Y), *
10^{21}	1 000 000 000 000 000 000 000	(zetta ; Z), *
10^{18}	1 000 000 000 000 000 000	(exa ; E),
10^{15}	1 000 000 000 000 000	(peta ; P),
10^{12}	1 000 000 000 000	(téra ; T),
10^{9}	1 000 000 000	(giga ; G),
10^{6}	1 000 000	(méga ; M),
10^{3}	1 000	(kilo ; k),
10^{2}	100	(hecto ; h),
10^{1}	10	(déca ; da).

Sous-multiples

10^{-1}	0,1	(déci ; d),
10^{-2}	0,01	(centi ; c),
10^{-3}	0,001	(milli ; m),
10^{-6}	0,000 001	(micro ; μ),
10^{-9}	0,000 000 001	(nano ; n),
10^{-12}	0,000 000 000 001	(pico ; p),
10^{-15}	0,000 000 000 000 001	(femto ; f),
10^{-18}	0,000 000 000 000 000 001	(atto ; a),
10^{-21}	0,000 000 000 000 000 000 001	(zepto ; z), *
10^{-24}	0,000 000 000 000 000 000 000 001	(yocto ; y). *

Exemple : 10^3 mètres équivalent à 1 kilomètre, dont le symbole est km.

Nota. – * Préfixes proposés par le Comité international des poids et mesures en sept. 1990 pour être soumis à l'approbation de la 19e Conférence générale des poids et mesures en oct. 1991.

☞ En France, on ne doit plus mettre de points pour séparer les tranches de 3 chiffres ; pour faciliter la lecture, les nombres peuvent être partagés en tranches de 3 chiffres par un petit espace. La virgule n'est utilisée que pour séparer la partie entière des nombres de leur partie décimale. Cette règle résulte d'une résolution de la 9e Conf. gén. des poids et mesures (1948). Elle a été incorporée dès 1950 dans les normes de l'AFNOR et figure pour la 1re fois dans le décret sur les unités de mesure de déc. 1975 (certains pays ont gardé l'usage britannique de mettre le point avant les décimales). Dans quelques pays (Inde et Pakistan), les nombres entiers sont séparés par paires, sauf les 3 premiers (10,00,000 = 1 000 000).

Énoncé des grands nombres

Selon la règle (N) légale en France depuis le 3-5-1961, et utilisée en Allemagne, au Royaume-Uni et dans d'autres pays, on a les équivalences : 10^6 million, 10^{12} billion, 10^{18} trillion, 10^{24} quatrillion, 10^{30} quintillion, 10^{36} sextillion, etc.

Selon la règle (n – 1) dite **règle latine,** utilisée précédemment en France (et encore maintenant aux U.S.A., en Italie et dans d'autres pays), les équivalences sont : 10^6 million, 10^9 billion, 10^{12} trillion, 10^{15} quatrillion, 10^{18} quintillion, 10^{21} sextillion, etc.

Le **milliard** (10^9), qui vaut 1 000 millions, n'a pas d'« existence légale ». Le mot sert néanmoins pour traduire le mot **billion** dans son acception américaine et italienne.

> Un milliard de francs en billets de 100 F mis les uns sur les autres formerait une tour haute de 1 km. Un milliard de secondes correspond à 31 ans 8 mois et demi.
>
> Pour transporter 1 milliard de grammes, il faudrait un train de 40 wagons de 25 t chacun ; le train aurait 470 m de long.

Incertitude des mesures

Les mesures physiques sont toujours entachées d'une incertitude : défaillance ou erreur systématique des appareils, insuffisance de l'expérimentation. Il faut indiquer une valeur maximale et une valeur minimale entre lesquelles se trouve probablement le résultat de la mesure.

Incertitude sur 2 facteurs indépendants : x et y connus à Δx et Δy près en plus ou en moins, avec $\Delta x > 0$ et $\Delta y > 0$. *Somme :* la valeur exacte $S = x + y$ appartient à l'intervalle $[S - \Delta S, S + \Delta S]$ avec une incertitude absolue $\Delta S = \Delta x + \Delta y$. *Différence :* $D = x - y$; $\Delta D = \Delta x + \Delta y$. *Produit :* $P = xy$; on mesure l'incertitude absolue

$\Delta P = x\Delta y + y\Delta x$ et l'incertitude relative

$$\frac{\Delta P}{P} = \frac{\Delta x}{x} + \frac{\Delta y}{y}.$$

$$\textit{Quotient} = Q = \frac{x}{y} ; \frac{\Delta Q}{Q} = \frac{\Delta x}{x} + \frac{\Delta y}{y}.$$

Unités géométriques

En gras, unité de base ou unité exprimée à partir des unités de base.

• **Longueur (L) : mètre :** (du grec *metron,* mesure) longueur du trajet parcouru dans le vide par la lumière pendant une durée de 1/299 792 458 de seconde.
mégamètre (Mm) : 1 000 000 m.
kilomètre (km) : 1 000 m.
hectomètre (hm) : 100 m.
décamètre (dam) : 10 m.
mètre (m) : 1 m ou 100 cm.
décimètre (dm) : 0,1 m ou 10 cm.
centimètre (cm) : 0,01 m ou 10 mm.
millimètre (mm) : 0,001 m.
micromètre (μm) : 0,000 001 m [dit avant 1967 micron (μ)].
nanomètre (nm) : 0,000 000 001 m.

Nota. – Le *mille marin* est égal à un arc de 1 minute compté sur le méridien, soit 1 852 m.

Nombre d'ondes : 1 par mètre (m^{-1}). Nombre d'ondes d'une radiation monochromatique dont la longueur d'onde est égale à 1 mètre.

☞ *Unités à ne plus employer.* Le *micron* (μ) valant un micromètre. *L'angström* (Å) (du nom du physicien suédois Anders Angström, 1814-74) : 0,000 000 000 1 m. Le *myriamètre* (10 000 m).

Mesures utilisées en astronomie : *Année de lumière :* distance parcourue en un an par la lumière = 9 461 milliards de km ou 63 300 UA ou 0,307 parsec.

Unité astronomique (UA) : longueur du rayon de l'orbite circulaire non perturbée d'un corps de masse négligeable en mouvement autour du Soleil avec une vitesse angulaire sidérale de 0,017 202 radian par jour de 86 400 secondes des éphémérides. On admet 1 UA ≈ 149 600 000 km ; 0,000 015 8 année de lumière ; 4,848 14 × 10^{-6} parsec. L'unité astronomique est très voisine de la distance moyenne de la Terre au Soleil.

Parsec (pc) (abréviation de *parallaxe-seconde*) : distance à laquelle une unité astronomique soustend un angle de 1 seconde d'arc = 30 857 milliards de km, 3,26 années de lumière, 206 265 UA.

Mesure des longueurs d'onde des rayons X : *unité X* = 1,002 × 10^{-4}nm.

• **Aire ou superficie (L^2). Mètre carré :** carré de 1 m de côté.
kilomètre carré (km^2) : 1 000 000 m^2.
hectomètre carré (hm^2) : 10 000 m^2.
décamètre carré (dam^2) : 100 m^2.
mètre carré (m^2) : 1 m^2 ou 10 000 cm^2.
décimètre carré (dm^2) : 0,01 m^2.
centimètre carré (cm^2) : 0,000 1 m^2.
millimètre carré (mm^2) : 0,000 001 m^2.

Mesures des surfaces agraires :
hectare (ha) : 100 ares (10 000 m^2).
are (a) : 1 a ou 100 centiares (100 m^2).
centiare (ca) : 0,01 are (1 m^2).

☞ *Unité à ne plus employer. Mesure de la physique nucléaire : barn* (b) [de l'anglais *barn,* « grange », par antiphrase humoristique : on dit « vaste comme une grange » (= 10^{-28} m^2 ou 10^{-24} cm^2)], unité de section efficace de choc entre les noyaux d'atomes.

• **Angle plan : radian (rad)** (dérivé du latin *radius,* « rayon ») : angle qui, ayant son sommet au centre d'un cercle, intercepte, sur la circonférence de ce cercle, un arc d'une longueur égale à celle du rayon du cercle.

1 rad = 180°/π, soit 57°17′44″, ou 63,662 gons.

angle droit (D) : 100 grades ou 90 degrés.
grade ou gon (gon) (du grec *gônia,* « angle ») : 0,01 D ou (π/200) rad.
décigrade (dgon) : 0,001 D.
centigrade (cgon) : 0,0001 D.
milligrade (mgon) : 0,000 01 D.
degré (°) : 1/90 de D ou 60 minutes ou (π/180) rad.
minute (du latin *minuta,* « menue ») *d'angle* (′) : 1/60 de degré ou (π/10 800) rad.
seconde [du latin *secunda,* « deuxième » (sous-entendu : subdivision)] *d'angle* (″) : 1/3 600 de degré ou (π/648 000) rad.
tour (tr) : 4D ou 2 π rad.

Mesures utilisées en astronomie et en navigation :

L'*heure d'angle* vaut $\frac{2\pi}{24}$ radian, soit 15 degrés.

Le *degré géographique* vaut la 1/360 partie du méridien terrestre (= 360°), en moyenne 111,11111 km. Il varie suivant la latitude (à l'équateur : 111,307 km).

• **Angle solide : stéradian** (sr) (la syllabe *ste* vient de l'adj. grec *stereos,* « solide ») : angle solide qui, ayant son sommet au centre d'une sphère, découpe sur la surface de celle-ci une aire équivalant à celle d'un carré dont le côté est égal au rayon de la sphère.

• **Capacité : litre :** défini en 1901 comme étant le volume occupé par 1 kg d'eau pure à la température de 4 °C et sous la pression de 760 mm de mercure. On avait la relation : 1 L = 1,000 028 dm^3. Définition abrogée en 1964.

Le mot litre peut être utilisé comme un nom spécial donné au dm^3.
hectolitre (hl) : 100 L ou 100 dm^3.
décalitre (dal) : 10 L ou 10 dm^3.
litre (l ou L) : 1 L ou 1 dm^3.
décilitre (dl) : 0,1 L ou 100 cm^3.
centilitre (cl) : 0,01 L ou 10 cm^3.
millilitre (ml) : 0,001 L ou 1 cm^3.

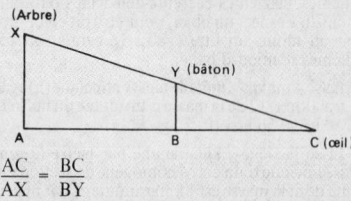

> **Pour trouver la hauteur d'un arbre,** il faut compter au pas une certaine distance, par ex. 50 m à partir de son pied, et à ce point planter un bâton. Se mettre ensuite à plat sur le sol et placer son œil de façon que le haut du bâton soit aligné sur le sommet de l'arbre :
> AC est à AX comme BC à la hauteur du bâton.
>
> (Arbre) X — Y (bâton) — A — B — C (œil)
>
> $$\frac{AC}{AX} = \frac{BC}{BY}$$
>
> **Évaluation d'une distance.** Le son parcourt 340 m par seconde, une multiplication donne la distance du fusil. A 50 m, on voit clairement les yeux et la bouche d'une personne. A 100 m, les yeux comme des points. A 200 m, les détails de vêtement. A 300 m le visage. A 400 m, le mouvement des jambes. A 500 m, par bon éclairage, la couleur du vêtement.
>
> Par *temps brumeux,* les distances paraissent plus grandes. Par *temps clair,* elles paraissent plus courtes. Lorsque de nombreux objets nous séparent d'un point, celui-ci paraît plus éloigné.

• **Volume (L^3) : mètre cube :** cube de 1 m de côté.
kilomètre cube (km^3) : 1 000 000 000 m^3.
mètre cube (m^3) 1 m^3 ou 1 000 dm^3 ou 1 000 000 cm^3 ou 1 000 litres.
décimètre cube (dm^3 ou litre) : 0,001 m^3 ou 1 000 cm^3.
centimètre cube (cm^3) : 0,000 001 m^3 ou 1 000 mm^3.
millimètre cube (mm^3) : 0,000 000 001 m^3.

Unités de masse

• **Masse (M) : kilogramme :** définition historique : poids d'un décimètre cube (litre) d'eau. Actuellement, masse du prototype en platine iridié, sanctionné par la Conférence générale des poids et mesures en 1889 et déposé au Bureau international des poids et mesures.

Pour la France, l'étalon du kg est la copie n° 35 du kg prototype international.
tonne (t) : 1 000 kg.
quintal (q) : 100 kg (n'est plus légal en France).
kilogramme (kg) : 1 kg ou 1 000 g.
hectogramme (hg) : 0,1 kg ou 100 g.
décagramme (dag) : 0,01 kg ou 10 g.
gramme (g) : 0,001 kg ou 10 dg.
décigramme (dg) : 0,0001 kg ou 10 cg.
centigramme (cg) : 0,000 01 kg ou 10 mg.
milligramme (mg) : 0,000 001 kg ou 1 000 μg.
microgramme (μg) [dit aussi autrefois gamma (γ)] : 0,000 000 001 kg.

• **Concentration : kilogramme par mètre cube** (kg/m^3). Concentration d'un échantillon homogène contenant 1 kilogramme du corps considéré dans un volume total de 1 mètre cube.

L'emploi d'appellations telles que degré Baumé, degré Brix, etc., pour désigner des concentrations, densités ou titres est interdit.

La mole par mètre cube (mol/m³) est la concentration d'un échantillon homogène contenant 1 mole du corps considéré dans 1 volume total de 1 m³.

Nota. – Le *titre,* en un corps donné, d'un échantillon homogène est le rapport, exprimé en nombre décimal, de la mesure, relative à ce corps, d'une grandeur déterminée et de la mesure, relative à la totalité de l'échantillon, de la même grandeur. Le mot titre doit être accompagné d'un qualificatif tel que « massique » ou « volumique » : à défaut de qualificatif, titre doit s'entendre comme titre massique.

Le *titre alcoométrique* d'un mélange d'eau et d'alcool est le rapport entre le volume d'alcool absolu, à la température de 15 degrés Celsius, contenu dans ce mélange, et le volume total de celui-ci à la température de 15 degrés Celsius. Il s'exprime en % vol.

☞ *Unité à ne plus employer.* Le *degré alcoométrique* (°GL), degré de l'échelle centésimale de Gay-Lussac, dans laquelle le titre alcoométrique de l'eau pure est 0 et celui de l'alcool absolu 100, est remplacé par le kilogramme par m³.

• Masse des diamants, perles fines, pierres précieuses : **carat** (arabe *qirat,* venu du grec *keration,* « gousse » ou « 1/24 d'obole ») métrique (0,2 g). Avant 1912, le carat équivalait à 0,205 5 g. Ce carat ne doit pas être confondu avec *le carat utilisé pour l'or.* Un lingot d'or comprenait 24 parties égales appelées carats et, suivant qu'il contenait 18, 20, 22 ou 23 parties d'or pur, on disait qu'il était à 18, 20, 22 ou 23 carats. Ce carat se divisait en demis, quarts, huitièmes, seizièmes et trente-deuxièmes ou grains de fin. En France, un objet, pour être dit en or, doit avoir au moins un titre égal à 18 carats soit 750 millièmes d'aujourd'hui.

• Masse atomique : **unité de masse atomique** (u) égale à la fraction 1/12 de la masse d'un atome du nucléide ^{12}C = 1,660 565 × 10^{-27} kg.

• Masse linéique : **kilogramme par mètre** (kg/m). Masse linéique d'un corps homogène de section uniforme dont la masse est 1 kilogramme et la longueur 1 mètre. *tex :* employé dans le commerce des fibres textiles et des fils (1 tex = 10^{-6} kg/m = 1 g/km).

• Masse surfacique : **kilogramme par mètre carré** (kg/m²). Masse surfacique d'un corps homogène d'épaisseur uniforme dont la masse est 1 kilogramme et la surface 1 mètre carré.

• Volume massique : **mètre cube par kilogramme** (m³/kg). Volume massique d'un corps homogène dont le volume est 1 mètre cube et la masse 1 kilogramme.

• Masse volumique (ML^{-3}) : **kilogramme par m³** (kg/m³) : masse volumique d'un corps homogène dont la masse est 1 kg et le volume 1 m³. gramme par cm³ (g/cm³) : 0,001 kg/cm³, ou 1 kg/dm³.

Unités de quantité de matière

• Quantité de matière : **mole** (mol). Quantité de matière d'un système contenant autant d'entités élémentaires qu'il y a d'atomes dans 0,012 kilogramme de carbone 12. Quand on emploie la mole, les entités élémentaires doivent être spécifiées et peuvent être des atomes, des molécules, des ions, des électrons, d'autres particules ou des groupements spécifiés de telles particules.

• Concentration molaire : mole par m³ (mol/m³).

• Molalité : mole par kilogramme (mol/kg).

• Volume molaire : mètre cube par mole (m³/mol).

Unités de temps

• Temps (T) : **seconde :** durée de 9 192 631 770 périodes de la radiation correspondant à la transition entre les deux niveaux hyperfins de l'état fondamental de l'atome de césium 133 (décret du 4-12-1975).

La seconde avait été définie comme la fraction 1/86 400 du jour solaire moyen (seconde de temps moyen) jusqu'en 1960, puis comme la fraction 1/31 556 925,974 7 de l'année tropique au 1-1-1900, à 12 h de temps des éphémérides. Les définitions successives de la seconde ont été choisies de façon que les durées correspondantes soient égales dans la limite de l'imprécision des mesures.
minute (min ou m s'il n'y a pas ambiguïté) : 60 s.
heure (h) : 3 600 s ou 60 min.
jour (j ou d) : 86 400 s ou 1 440 min ou 24 h.

• Fréquence (T^{-1}) : **hertz** (Hz) (du nom du physicien allemand Heinrich Hertz, 1857-94 ; appelé parfois aussi cycle par seconde) : fréquence d'un phénomène périodique dont la période est une seconde.
kilohertz (kHz) : 1 000 Hz.
mégahertz (MHz) : 1 000 000 Hz.

Unités mécaniques

Nota. – (1) Emploi non autorisé dep. 1-1-1986.

• Accélération angulaire (T^{-2}) : **radian par seconde par seconde** (rd/s²). Accélération angulaire d'un corps qui est animé d'une rotation uniformément variée autour d'un axe fixe et dont la vitesse angulaire varie, en 1 seconde, de 1 radian par seconde.

• Accélération linéaire (LT^{-2}) : **mètre par seconde par seconde** (m/s²). Accélération d'un mobile animé d'un mouvement uniformément varié, dont la vitesse varie, en 1 s, de 1 m/s.

Gal (du nom de Galilée, 1564-1647) : unité spéciale employée en géodésie et en géophysique pour exprimer l'accélération due à la pesanteur = 0,01 m/s².

• Chaleur (quantité de) (ML^2T^{-2}). On utilise le **joule** (J) [nom du physicien anglais James Joule, 1818-89], unité d'énergie.

☞ *Unités à ne plus employer.* [*Calorie :* quantité de chaleur nécessaire pour élever de 1 °C la température de 1 gramme d'un corps dont la chaleur massique est égale à celle de l'eau à 15 °C sous la pression atmosphérique normale (101 325 pascals)]. *Thermie* (th) ou mégacalorie (Mcal) : 4,185 5 × 10^6 J ou 10^6 calories. *Millithermie* (mth) ou kilocalorie (kcal) ou grande calorie : 0,001 th. *Microthermie* (µth) : 0,000 001 th ou 4,185 5 J ou 1 calorie (cal).

Officiellement la calorie, la thermie et la frigorie ont disparu depuis le 1-1-1978.

• Contrainte et pression ($ML^{-1}T^{-2}$) : **pascal** (Pa) (nom du physicien français Blaise Pascal, 1623-62) : contrainte qui, agissant sur une surface plane de 1 m², exerce sur elle une force totale de 1 newton.

Pression uniforme qui, agissant sur une surface plane de 1 mètre carré, exerce perpendiculairement à cette surface une force totale de 1 newton. La contrainte s'exerçant sur un élément de surface est le quotient, par l'aire de cet élément, de la force qui lui est appliquée. C'est un vecteur dirigé comme la force. Ce vecteur peut être oblique : s'il est normal, on le nomme pression ; s'il est tangentiel, on le nomme cission. La notion de contrainte intervient surtout dans l'étude de la résistance des matériaux. Le *bar* (bar) [dit autrefois hectopièze (hpz)] : 100 000 Pa ou 100 pz ou 0,98 atmosphère.
centibar (cbar) ou pièze (pz) : 1 000 Pa.
millibar (mbar) ou décipièze (dpz) : 100 Pa.
centipièze (cpz) : 10 Pa.
pascal (Pa) ou newton par m² (N/m²) [dit autrefois millipièze (mpz)] : 10 baryes.
microbar (µbar) [dit autrefois *barye*] : 0,1 Pa.
kilogramme force par cm² (kgf/cm²) : 0,98 bar ou 9,8 × 10^4 Pa.

La *pression atmosphérique* normale est par définition 101 325 pascals. Elle est égale à la pression exercée par une colonne de mercure de 0,76 m de hauteur à 0 °C, et sous l'accélération normale de la pesanteur : 9,806 65 m/s². Elle est exprimée en millibars ou en millimètres de mercure (mmHg).

Le *millimètre de mercure* est une unité de pression sanguine : 1 mm Hg = 133,322 Pa.

☞ *Unités à ne plus employer.* La *pièze* (du grec *piezein,* « comprimer ») : pression produite par une force de 1 sthène sur une surface de 1 m². Le *barye* (du grec *barus,* « lourd ») : pression produite par une force de 1 dyne sur une surface de 1 cm². Le *torr* (du nom de l'Italien Evangelista Torricelli, 1608-47) : la pression exercée par une colonne de mercure à 0 °C ayant une hauteur de 1 mm.

• Force (MLT^{-2}). Le **newton** (N) (du nom de l'astronome anglais Isaac Newton, 1642-1727) est la force qui communique à un corps ayant une masse de 1 kg une accélération de 1 m par seconde.

☞ *Unités à ne plus employer. Tonne poids* (tp) ou *tonne force* (tf) [9,806 65 sn (sthène : du grec *shténos* « robuste » : 1 000 N)]. *Kilogramme poids* (kgp) ou *kilogramme force* (kgf) [9,81 N]. *Gramme poids* (gp) ou *gramme force* (gf) [981 dyn (dyne : du grec *dunamis,* « force » : 0,000 01 N)] (il mesure la *pesanteur* à Paris : c'est la force avec laquelle une masse de 1 g y est attirée par la Terre). *Milligramme poids* (mgp) ou *milligramme force* (mgf) [0,981 dyn].

• Intensité énergétique : **watt par stéradian** (W/sr).

• Moment d'une force : **newton-mètre** (N.m).

• Puissance, flux énergétique, flux thermique (ML^2T^{-3}). Le **watt** (W) (du nom du physicien anglais James Watt, 1736-1819). C'est la puissance d'un système énergétique dans lequel est transférée uniformément une énergie de 1 joule pendant 1 seconde (ou 0,1019 kgm/s). Noms spéciaux du watt : le nom *voltampère,* symbole « VA », est utilisé pour le mesurage de la puissance apparente de courant électrique alternatif, et le nom *var,* symbole « var », pour le mesurage de la puissance électrique réactive.
kilowatt (kW) : 1 000 W.
microwatt (µW) : 0,000 001 W.

☞ *Unités à ne plus employer. Cheval vapeur* (ch) : 735,5 W ou 75 kgm/s. Unité créée en 1784 par James Watt lors de l'obtention de la 1re patente de ses machines à vapeur. Il avait calculé que les plus forts chevaux de brasseurs de Londres pouvaient fournir un travail de 33 000 livres élevées à 1 pied par minute. La livre étant de 0,4536 kg et le pied de 0,3048 m, cela représente 76,04 kgm/s (chiffre arrondi à 75). Le *cheval nominal* (défini également par Watt) est la puissance d'une machine corrigée par le coefficient de rendement.
Erg par seconde (erg/s) : 10^{-7} W.

• Tension capillaire. **Newton par mètre** (N/m).

• Travail et énergie. **Quantité de chaleur (ML^2T^{-2}).** Le *joule* (J) est le travail produit par une force de 1 newton dont le point d'application se déplace de 1 m dans la direction de la force : 10 000 000 ergs ou 0,101 972 kgm.
Le *wattheure* (Wh) est le travail effectué pendant 1 h par une machine dont la puissance est de 1 watt ; 3 600 J ou 860 cal.
mégajoule (MJ) : 1 000 000 J.
kilojoule (kJ) : 1 000 J.
kilowattheure (kWh) : 3,6 MJ ou 367 098 kgm.

☞ *Unités à ne plus employer. Erg* (du grec *ergon,* « travail ») : travail de 1 dyne dont le point d'application se déplace de 1 cm : 0,000 000 1 J. *Kilogrammètre* (kgm) : travail de 1 kg force dont le point d'application se déplace de 1 m : 9,81 J.

L'énergie électrique se mesure en wattheure (énergie fournie en 1 h par une puissance de 1 W).

Mesure de l'énergie des particules : l'électronvolt (eV) : énergie cinétique acquise par un électron accéléré sous une différence de potentiel de 1 V : 1,60219 × 10^{-19} J.
gigaélectronvolt (GeV) : 10^9 eV ou 1,6 × 10^{-10} J.
mégaélectronvolt (MeV) : 10^6 eV ou 1,6 × 10^{-13} J.

• Viscosité cinématique (L^2T^{-1}). **L'unité de viscosité cinématique** (m²/s) est la viscosité cinématique d'un fluide dont la viscosité dynamique est de 1 pascal-seconde et la masse volumique de 1 kg par m³ : 10 000 St.

☞ *Unité à ne plus employer. Stokes* [1] (St) (du mathématicien irlandais Gabriel Stokes, 1819-1903) : 0,0001 m²/s (système C.G.S.).

• Viscosité dynamique ($ML^{-1}T^{-1}$). **Le pascal-seconde** est la visc. dyn. d'un fluide dans lequel le mouvement rectiligne et uniforme, dans son plan, d'une surface plane, solide, indéfinie, donne lieu à une force retardatrice de 1 newton par m² de la surface en contact avec le fluide homogène et isotherme en écoulement relatif devenu permanent, lorsque le gradient de la vitesse du fluide, à la surface du solide et par mètre d'écartement normal à ladite surface, est de 1 m/s : *pascal-seconde* (Pa.s) ou 10 P.

☞ *Unités à ne plus employer. Poise* [1] (P) (du nom du médecin et physiologiste français Jean Poiseuille, 1799-1869) : 1 P = 0,1 Pa.s. *Sthène seconde par m²* (sn.s/m²) : 10 000 P.

• Vitesse angulaire (T^{-1}). **Radian par seconde** (rad/s). Voir ci-dessus, unités géométriques.
tour par minute (tr/min) : (π/30) rad/s.

• Vitesse linéaire (LT^{-1}). Le **mètre par seconde** est la vitesse d'un mobile qui, animé d'un mouvement uniforme, parcourt une distance de 1 m en 1 seconde.

kilomètre par heure (km/h) : $\frac{1}{3,6}$ m/s.

Nota. – Le *nœud* 0,514 m/s (soit 1 852 m/h) est la vitesse uniforme qui correspond à 1 mille par heure. Son emploi est autorisé seulement en navigation (maritime ou aérienne).

Unités électriques

• Capacité électrique ($M^{-1}L^{-2}T^4I^2$). Le **farad** (F) (abréviation du nom du chimiste anglais Michael Faraday, 1791-1867) est la capacité d'un condensa-

teur électrique entre les armatures duquel apparaît une différence de potentiel de 1 volt lorsqu'il est chargé d'une quantité d'électricité égale à 1 coulomb.
microfarad (μF) : 0,000 001 F.
picofarad (pF) ; 0,000 000 000 001 F.

• Champ magnétique (IL^{-1}) : **ampère par mètre** (A/m).

☞ *Unité à ne plus employer. Œrsted* (Oe) (du chimiste danois Christian Œrsted, 1777-1851) : $\frac{10^3}{4}$ A/m (syst. C.G.S.).

• Conductance électrique ($M^{-1}L^{-2}T^3I^2$). Le **siemens** (S) (nom de l'ingénieur allemand Werner von Siemens, 1816-92 ; l'unité a été appelée jusqu'en 1919 *Mho,* anagramme de *Ohm*) est la conductance d'un conducteur dont la résistance est égale à 1 ohm : $1\Omega^{-1}$.

• Densité de courant (IL^{-2}) : **ampère par m².**

• Flux d'induction magnétique ($ML^2T^{-2}I^{-1}$). Le **weber** (Wb) (nom du physicien allemand Wilhelm Weber, 1804-91) est le flux magnétique qui, traversant un circuit d'une seule spire, y produit une force électromotrice de 1 volt si on l'amène à zéro en une seconde par décroissance uniforme.

☞ *Unité à ne plus employer. Maxwell* (Mx) (du physicien anglais James Maxwell, 1831-79) : 0,000 000 01 Wb (système C.G.S.).

• Force électromotrice et différence de potentiel (ou tension) ($ML^2T^{-3}I^{-1}$). Le **volt** (V) (abréviation du nom du physicien italien Alessandro Volta, 1745-1827) est la différence de potentiel qui existe entre 2 points d'un fil conducteur parcouru par un courant constant de 1 ampère, lorsque la puissance dissipée entre ces points est égale à 1 watt.
mégavolt (MV) : 1 000 000 V.
kilovolt (kV) : 1 000 V.
millivolt (mV) : 0,001 V.
microvolt (μV) : 0,000 001 V.

• Force magnétomotrice : **ampère (A).** Force magnétomotrice produite le long d'une courbe fermée quelconque qui entoure une seule fois un conducteur parcouru par un courant électrique de 1 ampère.

• Inductance électrique, perméance ($ML^2T^{-2}I^{-2}$). Appelée autrefois *coefficient de self-induction.* Le **henry** (H) (nom du physicien américain Joseph Henry, 1797-1878) est l'inductance électrique d'un circuit fermé dans lequel une force électromotrice de 1 volt est produite, lorsque le courant électrique qui parcourt le circuit varie uniformément à raison de 1 ampère par seconde.
millihenry (mH) : 0,001 H.
microhenry (μH) : 0,000 001 H.

• Induction magnétique ($MT^{-2}I^{-1}$). Le **tesla** (T) (nom de l'ingénieur yougoslave Nikola Tesla, 1856-1943), ou weber par m², est l'induction magnétique uniforme qui, répartie normalement sur une surface de 1 m², produit à travers cette surface un flux magnétique total de 1 weber.

☞ *Unité à ne plus employer. Gauss* (G) (de l'astronome allemand Carl Gauss, 1777-1855) : 0,0001 T (système C.G.S.).

• Intensité de champ électrique ($MLT^{-3}I^{-1}$). Le **volt par mètre** (V/m) est l'intensité d'un champ électrique exerçant une force de 1 newton sur un corps chargé d'une quantité d'électricité de 1 coulomb.

• Intensité de courant électrique (I). **L'ampère** (A) (nom du physicien français André-Marie Ampère, 1775-1836) est l'intensité d'un courant électrique constant qui, maintenu dans 2 conducteurs parallèles, rectilignes, de longueur infinie, de section circulaire négligeable, et placés à une distance de 1 m l'un de l'autre dans le vide, produirait entre ces conducteurs une force de 2×10^{-7} newton par m de longueur.
kiloampère (kA) : 1 000 A.
décaampère (daA) : 10 A.
milliampère (mA) : 0,001 A.
microampère (μA) : 0,000 001 A.

☞ *Unité à ne plus employer. Biot* (Bi) (du physicien français Jean-Baptiste Biot, 1774-1862) : 10 A (syst. C.G.S.).

• Permittivité : **farad par mètre** (F/m).

• Puissance (ML^2T^{-3}). Le **watt** (W) : 1 J/s ou 1 VA (voir unités mécaniques).
kilowatt (kW) : 1 000 W. *Puissance apparente* (VA) voltampère. *Puissance réactive* (var) var.

• Quantité d'électricité, charge électrique (IT). Le **coulomb** (C) (nom du physicien français Charles de Coulomb, 1736-1806) est la quantité d'électr. transportée en 1 seconde par un courant de 1 ampère.
kilocoulomb (kC) : 1 000 C.
millicoulomb (mC) : 0,001 C.
ampère-heure (Ah) : 3 600 C.
Constante de Faraday (F) : 96 500 C par mole.

☞ *Unité à ne plus employer. Franklin* (Fr) (du physicien américain Benjamin Franklin, 1706-90) : $0{,}3336 \times 10^{-9}$ C (syst. C.G.S.).

• Réluctance : **henry à la puissance moins un (H^{-1}).**

• Résistance électrique, impédance, réactance ($ML^2T^{-3}I^{-2}$). L'**ohm** (Ω) (nom du physicien allemand Georg Ohm, 1787-1854) est la résistance électrique qui existe entre deux points d'un fil conducteur lorsqu'une différence de potentiel de 1 volt, appliquée entre ces 2 points, produit dans ce conducteur un courant de 1 ampère, ledit conducteur n'étant le siège d'aucune force électromotrice.
mégohm (MΩ) : 1 000 000 Ω.
microhm ($\mu\Omega$) : 0,000 001 Ω.

Unités calorifiques

☞ Chaleur (quantité de). Voir Unités mécaniques, p. 248.

Chaleur massique, entropie massique : **joule par kilogramme-kelvin** [J/ (kg. K)]. Chaleur massique d'un corps homogène de masse 1 kilogramme dans lequel l'apport d'une quantité de chaleur de 1 joule produit une élévation de température thermodynamique de 1 kelvin.

Capacité thermique, entropie : joule par kelvin (J/K). Augmentation de l'entropie d'un système recevant une quantité de chaleur de 1 joule à la température thermodynamique constante de 1 kelvin, pourvu qu'aucun changement irréversible n'ait lieu dans le système.

Conductivité thermique : watt par mètre-kelvin [W/ (m.K)]. Conductivité thermique d'un corps homogène isotrope dans lequel une différence de température de 1 kelvin produit entre deux plans parallèles, ayant une aire de 1 mètre carré et distants de 1 mètre, un flux thermique de 1 watt.

• Température (Θ). **Celsius** (dite centésimale avant 1948) : attribuée au Suédois Anders Celsius (1701-44) ; utilisée légalement en France et dans les pays ayant adopté le système métrique. 1 °C (degré Celsius, dit avant 1948 Centigrade) = 1 K ou 1,8 °F. Zéro absolu : – 273,15 °C ; gel : 0 °C ; température du corps humain : 37 °C ; ébullition de l'eau : 100 °C.

Kelvin : inventée par l'Anglais Lord Kelvin (1824-1907). Le **kelvin** (K) est la fraction 1/273,16 de la température thermodynamique du point triple [1] de l'eau. 1 K = 1 °C ou 1,8 °F. Zéro absolu : 0 K ; gel : 273,15 K ; ébullition de l'eau : 373,15 K.

Nota. – (1) Le point triple appartient en même temps aux 3 courbes de transformation : solide-liquide, liquide-gaz, solide-gaz.

☞ *Unités à ne plus employer. Fahrenheit :* inventée par le Prussien Gabriel-Daniel Fahrenheit (1686-1736) ; utilisée légalement aux U.S.A., en G.-B. et dans les pays anglo-saxons. 1 °F = 0,56 K ou 0,56 °C. Zéro absolu : – 459,67 °F ; 0° F correspondrait à une température très basse observée à Dantzig en 1709, considérée probablement comme le froid extrême ; gel : 32 °F ; température du corps humain : 98,4 °F ; ébullition de l'eau : 212 °F. *Rankine :* inventée par l'Écossais William Rankine (1820-1872). Zéro absolu : 0 °R ; gel : 491,67 °R ; ébullition de l'eau : 671,67 °R. *Réaumur :* inventée par le Français René Antoine Ferchault de Réaumur (1683-1757). Gel : 0° ; ébullition de l'eau : 80°.

Le contrôle des instruments de mesure est exercé en France par : *1°) la sous-direction de la métrologie* 30-32, rue Guersant, 75840 Paris Cedex 17. Rattaché au ministère de l'Industrie, des P.T.T. et du Tourisme. *Mission :* élaboration de la législation et de la réglementation sur la métrologie légale et les unités de mesure, définition et mise en œuvre de la politique relative à la métrologie légale et industrielle ; *2°) les subdivisions de métrologie* sous l'autorité des directeurs régionaux de l'industrie et de la recherche.

Métrologie légale. Garantie de l'exactitude et de l'usage loyal des instruments de mesure intervenant dans commerce, expertise judiciaire ou fixation de salaire [balances du commerce de détail, distributeurs routiers de carburant, compteurs domestiques (eau, électricité, gaz), compteurs de fuel et de propane ou butane liquides, taximètres, cinémomètres radars de la police, chronotachygraphes des transporteurs routiers, appareils de mesure des oxydes de carbone contenus dans les gaz d'échappement des véhicules), ou dans des échanges entre professionnels (saccharimètres, humidimètres, réfractomètres servant à des transactions agricoles, jaugeage des pétroliers et des bacs de stockage d'hydrocarbures, etc.)].

Unités optiques

☞ Éclairement (ΦL^{-2}). Le lux (lx) (mot latin, « lumière ») est l'éclairement d'une surface qui reçoit, d'une manière uniformément répartie, un flux lumineux de 1 lumen par mètre carré : 1 lm/m².

☞ *Unité à ne plus employer. Phot* (ph) (du radical grec *photo,* « lumière ») : 10 000 lx (syst. C.G.S.).

• Exitance : **lumen par m² (lm/m²).**

• Flux lumineux (Φ). Le **lumen** (lm) (mot latin, « lumière ») est le flux lumineux émis dans 1 stéradian par une source ponctuelle uniforme placée au sommet de l'angle solide et ayant une intensité lumineuse de 1 candela.

• Intensité lumineuse (I). La **candela** (cd) est l'intensité lumineuse dans une direction donnée d'une source qui émet un rayonnement monochromatique de fréquence 540×10^{12} hertz, et dont l'intensité énergétique dans cette direction est de 1/683 watt par stéradian.

☞ *Unités à ne plus employer.* La *bougie décimale :* utilisée jusqu'en 1948, égale au 1/20 de l'étalon Violle [établi en 1884 par le Fr. Jules Violle (1841-1923) : lumière émise par 1 cm² de platine en fusion]. *Luminance* du radiateur intégral (corps noir) à la température de congélation du platine, utilisée de 1948 à 1980. Le *carcel* [de l'inventeur de la *lampe Carcel* (lampe à huile avec mouvement d'horlogerie), Bertrand Carcel (1750-1812)], qui était la luminosité d'une lampe à huile dont la mèche avait 7 mm de diamètre et qui brûlait 42 g d'huile de colza à l'heure.

• Luminance lumineuse (IL^{-2}). **candela par m²** (cd/m²).

☞ *Unités à ne plus employer. Nit* (nt) (nom déconseillé). *Lambert* (L) (du mathématicien français Jean Henri Lambert, 1728-77) : $\frac{10^4}{\pi}$ cd/m² = 3 183 cd/m². *Stilb* (sb) (du grec *stilbein,* « briller ») : 10 000 cd/m² (syst. C.G.S.).

• Vergence des systèmes optiques (L^{-1}). La **dioptrie** (δ) est la vergence d'un système optique ayant un mètre de distance focale dans un milieu dont l'indice de réfraction est 1.

Nota. – La *convergence* est la vergence positive ; la *divergence,* la vergence négative.

Unités des rayonnements ionisants

Nota. – (1) Emploi non autorisé dep. 1-1-1986.

• Activité nucléaire : **becquerel** (Bq) (s^{-1}) (nom du physicien français Henri Becquerel, 1852-1908) : activité d'une quantité de nucléide radioactif pour laquelle le nombre moyen de transitions nucléaires spontanées par seconde est égal à 1.

☞ *Unité à ne plus employer. Curie*[1] (Ci) [nom du couple de physiciens français Pierre (1859-1906) et Marie (1867-1934) Curie] : 1 Ci = $3{,}7 \times 10^{10}$ Bq.

• Dose absorbée : **gray** (Gy) (nom du physicien anglais Louis Harold Gray, 1905-65) (J/kg) : dose absorbée dans une masse de matière de 1 kg à laquelle les rayonnements ionisants communiquent en moyenne de façon uniforme une énergie de 1 joule.

☞ *Unité à ne plus employer. Rad*[1] (rad ou rd) : 1 rad = 0,01 Gy.

• Énergie communiquée massique : **gray** (Gy) énergie communiquée massique telle que l'énergie communiquée par les rayonnements ionisants à une masse de matière de 1 kg est égale à 1 joule.

• Kerma [de l'anglais « Kinetic Energy Released in Matter » (énergie cinétique libérée dans la matière)] : gray (Gy) : kerma dans une masse de matière de 1 kg dans laquelle sont libérées des particules ionisantes non chargées, la somme des énergies cinétiques initiales des particules ionisantes chargées étant en moyenne égale à 1 joule.

• Équivalent de dose : **sievert** (Sv) (nom du physicien suédois Rolf Sievert, 1896-1966). 1 Sv = 1 J/kg.

☞ *Unité à ne plus employer. Rem*[1] (Röntgen Equivalent Man) : dose de rayonnement qui produit les mêmes effets biologiques qu'un rad de rayons X, 1 rem = 0,01 Sv.

• Exposition : **coulomb par kg** (C/kg) : exposition telle que la charge de tous les ions d'un même signe produits dans l'air, lorsque les électrons (négatifs et positifs) libérés par les photons de façon uniforme dans une masse d'air égale à 1 kilogramme sont complètement arrêtés dans l'air, est égale en valeur absolue à 1 coulomb.

☞ *Unité à ne plus employer. Röntgen*[1] : (R) (nom du physicien allemand Wilhelm Röntgen, 1845-1923) : 1 R = 2,58 × 10^{-4} C/kg.

Quantum d'action : **joule-seconde** (Js).

Unités de mesure diverses non légales

bel (B) (abréviation du nom de l'inventeur américain Graham Bell, 1847-1922) : en acoustique et en radioélectricité, sert à mesurer une amplification d'énergie. Si, en mettant à l'entrée d'un appareil une énergie W_1, on retrouve à la sortie une énergie W_2, l'amplification d'énergie est mesurée en bels par $\log_{10}$ (W_2/W_1). Pratiquement, on emploie toujours le « *décibel* » (dB) en définissant l'amplification en décibels par 10 $\log_{10}$ (W_2/W_1).

debye (nom du chimiste hollandais Petrus Debye, 1884-1966) : couramment employé par les physiciens, mesure le moment dipolaire électrique des molécules. Il vaut 10^{-18} unités CGS es, l'unité électrostatique de moment dipolaire électrique étant le moment dipolaire $e \times l$ de 2 charges électriques $+e$ et $-e$ de signes contraires, égales en valeur absolue à 1 unité CGS es et distantes de l = 1 centimètre.

Point typographique : voir Point à l'index.

Unités étrangères

Unités anglo-saxonnes

☞ (1) Mesures non utilisées.

Origine commune. Les unités de mesure anglaises, plus homogènes que celles du royaume de France, ont été communes à la Grande-Bretagne et à ses colonies d'Amérique jusqu'à la révolution américaine. Des étalons, plus ou moins fidèles, de la livre et du yard avaient été transportés outre-Atlantique par les colons. Jusqu'en 1824, les différences entre mesures américaines et anglaises n'étaient pas plus considérables que celles qui pouvaient exister entre différentes mesures régionales anglaises.

Système impérial britannique et système coutumier américain. En 1824, l'Angleterre adopta pour elle et pour ses colonies un système standardisé, que les États-Unis ne reconnurent pas. Il en résulta des divergences pour la plupart minimes, mais considérables pour le *gallon*, et pour les subdivisions des mesures de capacité. Néanmoins, les 2 systèmes restent liés, les mesures américaines (système coutumier américain) étant définies par rapport aux mesures impériales britanniques.

Définitions métriques américaines (1893). Le 28-7-1866, les États-Unis admirent légalement l'usage parallèle du système métrique, alors qu'en Grande-Bretagne il ne fut toléré qu'en 1864 puis légalement autorisé en 1897. Le 5-4-1893, les États-Unis, par l'ordonnance Mendenhall, décidèrent de définir toutes les mesures par rapport aux unités du système métrique, coupant tous les liens de leur système coutumier avec le système impérial britannique.

Accord international anglo-saxon de 1959. Le 1-1-1959, le Royaume-Uni, le Canada, l'Australie, l'Afrique du Sud et la Nouvelle-Zélande s'alignèrent sur les États-Unis, signèrent un accord définissant, sur le plan international, leurs mesures de longueur et de masse par rapport au système métrique. Toutefois, le service géodésique américain (US Coast and Geodetic Survey) continue à employer la relation fixée en 1893 : 1 survey foot = 1 200/3 937 m = 0,304 800 6 m.

Acte britannique du 30-10-1987. Comme dans l'acte du 31-7-1963 qu'il remplace, la définition des mesures britanniques en termes du système métrique international est adoptée pour l'intérieur du Royaume-Uni : le mètre et le kilogramme sont définis comme unités de référence pour les autres unités de mesure, au même titre que le yard et la livre *(pound)* dite *avoirdupois* (mot français médiéval désignant toutes les unités légales de masse dans le système traditionnel britannique).

Le *yard* vaut 0,9144 m (il était réputé mesurer la longueur du bras de Henri Ier), et le *pound* 0,453 592 37 kg exactement. L'étalon primaire du yard est représenté par la distance à 62 °F (16 2/3 °C) de 2 traits gravés sur des pastilles d'or portées par une barre en bronze. L'étalon primaire de la livre « avoirdupois » est la masse d'un étalon en platine.

Le Comité de « métrication ». Avec son entrée dans le Marché commun européen, le Royaume-Uni semble s'acheminer vers l'adoption pure et simple du système métrique.

De 1969 à 1980, un office de « métrication » (Metrication Board) a été créé à Londres pour planifier et coordonner cette conversion, effective déjà dans de nombreux domaines.

• Capacité. **Mesures britanniques.** Unité minimale des liquides ou goutte [*fluid minim* ou *drop* (min ou m) [a]] : 0,059 millilitre. Drachme liquide ou petit verre [*fluid drachm* ou *dram* (fl drm) [a]] : 3,552 ml (60 minims).Once liquide [*fluid ounce* (fl.oz)] : 28,413 ml (8 fl drm). Quart de pinte [*gill* (gi)] : 0,142 07 L (5 fl. oz). Pinte [*pint* (pt)] : 0,568 26 L (4 gills). Quart de gallon [*quart* (qt) : 1,136 5 L (2 pints). Gallon (gal) : 4,54 609 L (4 quarts ou 277, 42 cu in). Double gallon [*peck* (pk) [a]] : 9,092 L (2 gallons). Boisseau [*bushel* (bush ou bu) [a]] : 36,368 7 L (4 pecks). Quartaut *(quarter)* : 290,949 64 L (8 bushels).

Nota. – (a) L'usage de ces unités est illégal pour le commerce.

Mesures américaines. *Liquides.* Minim : 0,061 611 5 millilitre. Liquid dram (liq dr) : 3,696 69 millilitres (60 minims). Liquid ounce (liq oz) : 29,573 5 millilitres (8 liquid drams). Quart de pinte [*gill* (gi)] : 0,118 294 L. Pinte liquide [*liquid pint* (pt)] : 0,473 176 L (4 gills). Quart de gallon liquide [*liquid gallon* (qt)] : 0,946 353 L (2 pints). U.S. gallon (gal) : 3,785 4 L (4 quarts ou 231 cu in). Baril [*barrel* (bbl)] : 117,35 à 158, 99 L [1].

Nota. – (1) Le baril américain vaut de 31 à 42 gallons suivant les États.

Le baril mesurant les produits pétroliers vaut 42 gallons américains, soit 35 gallons anglais. Suivant la densité, 1 tonne métrique de pétrole comprend de 7 à 7,7 barils.

Matières sèches. Pinte sèche *(dry pint)* : 0,550 6 L. Quart de gallon sec *(dry quart)* : 1,101 221 L (2 pints). Double gallon *(peck)* : 8,809 77 L (8 quarts). Boisseau [*bushel* (bu)] : 35,239 07 L (4 pecks).

• Chaleur (quantité de). British Thermal Unit (B.T.U.) : 1 055,06 joules.

• Consommation de carburant. En général indiquée en miles par gallon : 10 miles par gallon britannique correspondent à 28,247 litres pour 100 km, 10 miles par gallon U.S. à 23,521 litres. 10 litres pour 100 km correspondent à 28,247 miles par gallon britannique, 23,521 miles par gallon U.S.

• Contrainte, pression. Livre par pouce carré [*pound per square inch* (lbf/in² ou psi)] : 6,894 8.10³ pascals. Tonne longue par pouce carré [*long ton per square inch* (ton/in²)] : 1,544.10⁷ pascals.

• Éclairement. *Footcandle* : 10,764 lux.

• Énergie. *Foot pound-force* (ft. lbf) : 1,355 8 joule. *Foot poundal* (ft. pdl) : 0,042 14 joule.

• Force. *Poundal* (pdl) : 0,138 25 newton. Livre poids (lbf), *pound-force* : 4,448 2 newtons. Tonne-poids longue, *long ton-force* : 9 964,02 newtons ; courte, *short ton-force* : 8 896,44 newtons.

• Longueur. Ligne, *line* : 2,117 mm. *Mil* (ou « thou », 0,001 inch) : 0,025 4 mm. Pouce (in ou "), *inch* : 25,4 mm (12 lines). Main, *hand* : 10,16 cm. Pied (ft ou '), *foot* (pluriel *feet*) : 30,48 cm (12 inches). *Yard* (yd) : 0,914 4 m (3 feet). Perche (po), *pole, perch* ou *rod* : 5,029 2 m (5,5 yards) [1]. Huitième de mile (fur), *furlong* : 201,168 m (40 poles). Mile (st mi), *statute mile* : 1 609,344 m (1 760 yards ou 5 280 feet). Lieue terrestre [1], *land league* : 4 828,032 m (3 miles).

La marine utilise : Brasse (fath), *fathom* : 1,828 8 m (6 feet). Encablure, *cable length* : 219,456 m (120 fathoms ou 720 feet). Nœud, *knot* : 1 852 m/h. Mille marin, *nautical mile* : 1 852 m [ancienne valeur du mille marin en G.-B. : 1 853,184 m (6 080 ft)]. Lieue marine, *nautical league* : 5 556 m.

Les arpenteurs utilisent : le Gunter's surveyors system *(a)* et l'Engineer's system *(b)* ; maillon (li) [1], *link* : 0,201 m *(a)* ; 0,305 *(b)*. Chaîne (chn), *chain* : 20,116 8 m *(a)* ; 30,480 m *(b)*.

• Luminance. Candela par pouce carré. *Candela per square inch* : 1 550 candelas/m² ; par pied carré, *per square foot* : 10,764 cd/m². *Foot-lambert* : 3,426 cd/m².

• Masse. **Système avoirdupois** (G.-B. et U.S.A.). *Grain* (gr) : 0,064 8 g. *Dram* (dr) : 1,771 8 g (27,34 grains). *Once* (oz), *ounce* : 28,349 5 g (16 drams). Livre (lb), *pound* : 0,453 6 kg (16 ounces). Unité des turfistes (st), *stone* : 6,350 3 kg (14 pounds). Quartaut (qr), *quarter* : 12,700 6 kg (2 stones). Quintal court, *cental (short hundredweight)* : 45,359 kg (100 pounds). Quintal long (cwt), *hundredweight* : 50,802 3 kg (4 quarters ou 8 stones, ou 112 pounds). Tonne courte (US ton), *short ton* : 907,184 7 kg (2 000 pounds). Tonne longue (ton) *long ton* : 1 016,046 9 kg (20 hundredweights ou 2 240 pounds).

Systèmes troy (du nom de la ville de Troyes, en Champagne). *Grain* (gr) : 0,064 8 g. *Carat* [1] : 0,259 2 g (4 grains). Denier de 24 grains (dwt) [1], *pennyweight* : 1,555 2 g ou 6 carats (24 gr). Once (oz t) [1], *ounce* : 31,103 5 g (20 dwt). Livre (lb t), *pound* : 373,242 g (12 ounces).

Système d'apothicaire. *Grain* (gr) : 0,064 8 g. Scriplum (scr) [1], *scruple* : 1,296 g (20 grains). Drachme (drm) [1], *drachm* : 3,887 9 g (3 scruples). Once (ap oz) [1], *ounce* : 31,103 5 g (8 drachmes). Livre (lb) [1], *pound* : 373,2 g (12 ounces).

• Puissance. Livre poids-pied par seconde (ft lbf/s), *foot pound-force per second* : 1,355 8 watt. Poundal-pied par seconde (ft pdl/s), *foot poundal per second* : 0,042 14 watt. Cheval-vapeur brit. (hp), *horse-power* : 745,699 watts.

• Superficie. Pouce carré (sq in ou in²), *square inch* : 6,451 6 cm². Pied carré (sq ft ou ft ²), *square foot* : 929,030 4 cm² (144 sq in). Yard carré (sq yd ou yd²), *square yard* : 0,836 127 36 m² (9 square feet ou 1 296 sq in). Perche carrée (sq po) [1], *square pole* : 25,293 m² (30,25 sq yd). Quart d'acre ou vergée, *rood* : 1 011,718 m² (40 sq po, ou 1 210 sq yd, ou 10 890 sq ft). *Acre* (ac) : 4 046,873 m² ; 0,404 7 ha (4 square roods ou 4 840 sq yd). Mile carré (sq. mi. ou mi²), *square mile* : 2,589 988 km² ; 258,999 ha (640 acres).

• Température. Degré Fahrenheit. Formules permettant les conversions :

$$1)\ \text{de °F en °C} : t_C = \frac{5}{9}(t_F - 32)\ ;$$

$$2)\ \text{de °C en °F} : t_F = \left[\frac{9}{5}(t°C)\right] + 32.$$

Tableau de conversion

Exemple : – 50 °C valent – 58 °F. – 50 °F valent – 45,6 °C.

En °C	°C ou °F	En °F	En °C	°C ou °F	En °F
– 45,6	– 50	– 58	26,7	80	176
– 40,0	– 40	– 40	29,4	85	185
– 34,4	– 30	– 22	32,2	90	194
– 28,9	– 20	– 4	35,0	95	203
– 23,3	– 10	+ 14	37,8	100	212
– 17,8	0	+ 32	48,9	120	248
– 15,0	+ 5	41	60,0	140	284
– 12,2	+ 10	50	71,1	160	320
– 9,4	15	59	82,2	180	356
– 6,6	20	68	93,3	200	392
– 3,9	25	77	121	250	482
– 1,1	30	86	149	300	572
+ 1,7	35	95	177	350	662
+ 4,4	40	104	204	400	752
7,2	45	113	232	450	842
10,0	50	122	260	500	932
12,8	55	131	315	600	1 112
15,6	60	140	371	700	1 292
18,3	65	149	426	800	1 472
21,1	70	158	482	900	1 652
23,9	75	167	538	1 000	1 832

• Volume. Pouce cubique (cu in ou in³), *cubic inch* : 16,387 cm³. Pied cubique (cu ft ou ft³), *cubic foot* : 28,317 dm³ (1 728 cubic inches). Yard cubique (cu yd ou yd³), *cubic yard* : 764,555 dm³ (27 cubic feet). Tonneau anglais, *shipping ton* : 1,132 674 m³ (40 cubic feet). Tonneau de jauge international (rt), *register ton* : 2,831 685 m³ (100 cubic feet).

Mesure du temps

Histoire

☞ **De l'Antiquité à la Renaissance.** On ne dispose que d'objets de fouilles, de restes archéologiques ou de quelques textes difficiles à interpréter [le mot latin *horologium* recouvre indifféremment tout instrument susceptible de « dire l'heure » : indicateurs solaires, clepsydres ou horloges à eau (au Moyen Age, chandelles horaires, récitations de psaumes, premières horloges à échappement)].

Observation de l'ombre

Constructions architecturales. Reposent sur des observations astronomiques définissant des longues durées. Ex. : dolmens de Locmariaquer (Fr.) ; alignements de Stonehenge (G.-B., v. 1400 av. J.-C.), Carnac (Fr.).

Gnomon. Bâton ou objet vertical. On mesure la longueur de son ombre pour déterminer les saisons puis étudier les mouvements apparents du Soleil. En notant les longueurs de l'ombre au long de la journée, on dispose d'un 1er cadran solaire dont le gnomon est l'homme. Le cadran fut ensuite un objet creux muni d'un style vertical puis horizontal (polos, scaphe) avant de devenir une surface plane. Nombreux exemplaires des 2 types dans tout le monde gréco-romain, construits entre le IVe s. av. J.-C. et le IIIe s. apr. J.-C. ; longtemps utilisés, ces cadrans indiqueront les moments de la journée, les offices, les heures inégales (cadrans monastiques).

Cadran solaire de direction. VIIIe-XVe s. : l'Occident redécouvre les Anciens : 1°/ *cadran à heures égales* (décrit par Bède) ; 2°/*cadrans hyperboliques* à heures temporaires ; 3°/*cadrans à style axe,* indiquant les heures modernes « égales » (leur style, visant le nord, est parallèle à l'axe de la Terre). Lorsque des cadrans portatifs seront réalisés, l'inclinaison du style sera réglable en fonction de la latitude du lieu.

Observation des astres

Astrolabe. Inventé par Hipparque, décrit par Synesios puis Philopon au VIe s., il est utilisé principalement par les Arabes, puis les Espagnols, enfin les astrologues et les marins. Il sert notamment à déterminer la hauteur du Soleil, donc le moment de la journée correspondant, grâce aux tables astronomiques, et à déterminer la position des étoiles à une date donnée.

Instruments divers. Quart de cercle, bâton de Jacob, triquetum, torquetum, lunettes astronomiques.

Écoulement d'un fluide

Clepsydre (du grec *klepto,* « je dissimule » et *hudor,* « eau »). Très ancienne. Percé, ou non, à sa base, un récipient se vide ou se remplit en un temps déterminé à l'avance. Il y a au musée du Caire une clepsydre datant de 1530 av. J.-C.

Horloge à eau. V. le IIe ou le IIIe s. av. J.-C. apparaissent les premières h. ; la variation de hauteur du niveau d'eau est utilisée pour commander certains mécanismes. Un flotteur, posé sur un réservoir d'eau dont le niveau monte ou descend régulièrement, anime un mécanisme qui va du simple axe tournant faisant évoluer un index à un ensemble complexe pouvant comporter des automates. *Antiquité :* h. de la tour des Vents d'Athènes. *Moyen Age : 511,* Théodoric offre une h. à Gondebaud ; *807,* Haroun al-Rachid en offre une à Charlemagne ; *1206,* h. de Bagdad décrite par Al Gazari ; *1308,* h. à automates de Tlemcen ; *1357,* celle de Fez. En Chine, dès *90,* Chang Heng parle d'un moyen de faire tourner une sphère armillaire avec l'eau d'une clepsydre (tentative notée en 682-727) de I-Hsing ; en *1090,* l'h. astronomique de Su Song comprend un régulateur qualifié d'échappement.

Le temps est fractionné en heures temporaires pour les besoins courants. Le *nycthémère* est partagé en heures de nuit, du coucher au lever du soleil, et en heures de jour, du lever au coucher du soleil, de durée variable suivant la saison. Avec les *horomètres* à fonctionnement indépendant du soleil, principalement les horloges mécaniques, l'usage des heures égales va se généraliser progressivement.

Horloge mécanique

Débuts. Mal connus. Les éléments nécessaires existent mais ne sont pas encore réunis ; les engrenages sont grossiers ; le contrepoids deviendra moteur au XIIe s. à la cour de France, puis avec l'horloge à mercure d'Alphonse le Sage et la clepsydre de Drover (1270) ; les systèmes de régulation sont avant tout des ralentisseurs de la chute du poids moteur, d'abord sous forme de flotteur d'un vase horaire, puis de tambour hydraulique compartimenté.

Horloges à échappement. Implicitement évoquées en *1300* dans les *Comptes du Roi de France* (Pipelard), le *Roman de la Rose* de Jean de Meung (vers 1305), *la Divine Comédie* (1314-18) de Dante, puis de façon explicite par Froissart (*li Orologe amoureus,* 1360). En *1335,* à Milan, l'horloge de St-Gothard est admirée de tous. En *1344,* Jacopo Dondi construit une horloge pour Padoue. En *1364* l'horloge de Pavie est terminée par son fils, Giovanni Dondi, « en laiton et en cuivre ». Pour rendre les horloges mobiles, le remplacement des poids moteurs est assuré par le ressort. L'irrégularité de la force restituée nécessite un système de compensation. En France, un mulet portant une horloge accompagne Louis XI en voyage.

Jacquemarts. Automates « marteleurs » actionnés par un mécanisme relié à une horloge, frappant une cloche. **Origine.** Orient (époque des croisades). *Après le XVIIIe s. :* déclin devant horloges publiques (cadran visible de loin) et pendules d'intérieur. *Nombre en France :* env. 20. Personnages généralement en bois de chêne, polychrome, parfois recouvert de fer-blanc, certains en cuivre (Dijon) ou en bronze (mince paroi, Cambrai). *Taille :* en général humaine, (à Romans-sur-Isère 2,60 m, Cambrai 2,50 m, Thann 1,18 m, Auffay 1 m, Lyon 40 cm). *Nombre de statuettes :* à Auffay, Feurs, Molsheim, Thann, Cambrai : 2 ; Aigueperse, Clermont-Ferrand, Compiègne, Montbard, Benfeld 3 ; Avignon, Lambesc, Lyon, Montdidier, Moulins, Dijon 4. *Types :* Avignon, Beaumont-le-Roger, Benfeld, Besançon, Dijon, Lavaur, Moulins etc.. : « homme d'armes » ; Molsheim : « épouse et enfant angelot » ; Lyon : « Guignol et Gnafron » ; Clermont-Ferrand : « mars », « temps », « faune » ; Cambrai : « maure » ; Benfeld, Thann : « la mort ».

Fusée. Une arbalète, citée par Keyser dans *Bellifortis,* montre ce dispositif, repris par Taccola, ami de Brunelleschi (1377-1446). La Volpaille combine, plus tard, la fusée et un ressort hélicoïdal travaillant longitudinalement. La fusée est un égalisateur de force intercalé entre le ressort et le rouage du mouvement horloger ; c'est un tronc de cône sur lequel s'enroule la corde à boyau accrochée au ressort (à l'armage maximum correspond le rayon le plus petit de la fusée). Brunelleschi, le 1er, « aurait utilisé » un ressort moteur spiral associé à une fusée.

Montres. En *1488,* Ludovic Sforza aurait remplacé un bouton de costume par une petite horloge ou « montre ». Le ressort moteur est enroulé dans une boîte ou barillet tirant, en se désarmant, la corde à boyau enroulée préalablement sur la fusée. En Allemagne, dès 1500, l'évêque de Cologne possède une canne avec une montre dans son pommeau. En France, en 1518, le roi a deux dagues ainsi équipées. Dans les montres et les horloges d'appartement, le laiton tend à remplacer le fer qui continuera à être employé jusqu'au XIXe s., surtout dans les horloges rustiques ou de clocher.

XVIe s. Les vis commencent à remplacer les goupilles au milieu du XVIe s. ; un dispositif égalisateur de force, associé à un ressort spiral libre, apparaît en Allemagne (Stackfreed), réduisant l'encombrement de la partie motrice. Il s'effacera devant la fusée, de meilleur rendement. L'échappement à verge, dit

Montres à quartz

Cristal de quartz. Est « piézoélectrique » : quand une plaquette de ce cristal est stimulée par un circuit oscillant alimenté par une pile, elle est animée de vibrations mécaniques. Ces vibrations de haute fréquence (8 000 à 4 000 000 d'oscillations par seconde) imposent leur rythme aux vibrations électriques. Un diviseur de fréquences reçoit ces vibrations électriques très régulières et les transforme en vibrations plus lentes, d'une à quelques vibrations par seconde, mais tout aussi stables. (Ces derniers signaux peuvent exciter un micromoteur électrique actionnant des aiguilles, ou bien modifier l'état électrique d'un registre à mémoire qui commande à son tour un affichage numérique, tel qu'un module à cristaux liquides ou à diodes luminescentes.) Affichage électronique pseudo-analogique : mode d'indication simulant par un moyen électronique (en général avec des cristaux liquides) l'apparence d'aiguilles se déplaçant de façon presque continue sur un cadran circulaire ; appliqué sur certaines montres à quartz : Texas Instruments 1978.

Diode luminescente (LED, « light emitting diode »). Est formée d'un cristal semi-conducteur (arséniure ou phosphure de gallium, etc.) qui émet une lumière le plus souvent rouge quand il est traversé par un courant. Par un arrangement de petits rectangles lumineux en groupes de 7 « segments », comme ceux des cristaux liquides, on peut dessiner n'importe quel chiffre et afficher, en juxtaposant plusieurs de ces groupes, l'indication des heures, minutes, secondes et dates. Cette indication est visible dans l'obscurité, mais la puissance électrique utilisée (quelques dizaines de milliwatts) est telle que l'affichage ne doit être provoqué que sur demande par action sur un contact à pression afin d'économiser les piles. Pratiquement abandonnée.

Cristal liquide (LCD, « liquid cristal display »). Alors que dans un cristal solide les molécules sont toutes orientées de façon régulière, dans un cristal liquide (corps se présentant à la température ordinaire dans un état *mésomorphe* intermédiaire entre les états *solide cristallisé* et *liquide amorphe*), elles peuvent changer d'orientation ou la perdre dans certaines circonstances. Parmi les états mésomorphes, on distingue l'état *nématique* dans lequel les molécules allongées demeurent toutes parallèles à une même direction en l'absence d'influence extérieure, même quand ces molécules se déplacent les unes par rapport aux autres ; mais elles peuvent basculer sous l'effet d'un champ électrique, ou s'orienter selon les rayures d'une paroi au voisinage de celle-ci. La transparence optique est très différente selon l'orientation des molécules.

Exemples de corps présentant l'état nématique : méthoxybenzilidène-butyl-aniline (MBBA) stable de 21 à 47 °C ; éthoxybenzilidène-butyl-aniline (EBBA) stable de 32 à 68 °C. On peut former des mélanges de ces corps dont l'état nématique est stable de 0 à 60 °C, ce qui permet de les utiliser aux températures ambiantes usuelles. En excitant électriquement une région d'un cristal liquide nématique compris entre 2 lames de verre, on peut modifier la transparence de cette région et la faire apparaître plus sombre ou plus claire que les régions voisines. En dessinant par exemple des régions rectangulaires ou « segments » grâce à des électrodes transparentes, on peut faire apparaître des symboles : sept segments groupés suffisent pour définir à tour de rôle n'importe quel chiffre. En juxtaposant plusieurs groupes, on forme de 4 à 6 chiffres (heures, minutes, éventuellement secondes ou dates). Il suffit de quelques microwatts pour les rendre visibles à la lumière ambiante, ce qui permet un affichage permanent sans consommation exagérée de piles.

Autres méthodes d'affichage en développement : électrophorèse-électrochromie-ferroélectrique.

à roue de rencontre, comprend un foliot droit, remplacé par un balancier.

XVIIe s. *1657;* poursuivant les travaux de Galilée, le mathématicien hollandais Christiaan Huygens (1629-95) applique aux horloges un pendule chargé de régulariser leur marche. Il charge Salomon Coster de construire la 1re horloge de ce type qui, bientôt, portera le nom de *pendule*. En *1664*, Gruet remplace la corde à boyau par une chaînette, plus sûre. *1675*, Huygens fait exécuter par Isaac Thuret († 1706) la 1re montre à ressort spiral réglant (progrès décisif vers la précision, invention contestée notamment par Hooke). *Fin XVIIe s.*, l'Anglais Daniel Quare (1649-1724) adapte l'aiguille des min. au centre de la montre.

1700-50. *V. 1700*, utilisation, en Angleterre, de pierres percées comme coussinet de pivotement, pour les balanciers d'abord. Progrès considérable vers la longévité des montres. *1714*, avec d'autres États, le Parlement anglais met au concours « toute méthode capable de déterminer la longitude en mer » avec une prime de 10 000 livres pour un résultat n'excédant pas 1 degré d'erreur, de 15 000 livres pour 40 minutes et 20 000 livres pour 1/2 degré et moins. L'Angleterre était atterrée par les nombreux désastres subis par sa flotte, dus à des erreurs de longitude, ex. : la perte de l'escadre de sir Cloudesley Shovel qui se jeta sur les îles Scilly (ou Sorlingues) alors qu'il croyait entrer dans la Manche (1707). *1718*, l'Anglais George Graham (1673-1751) améliore sensiblement l'échappement en « auge de cochon » (échappement à cylindre), inventé par Thomas Tompion (1639-1713), Booth (Edward Barlow *dit*, 1639-1719) et Houghton. *1725*, l'Anglais John Harrisson (1693-1776) invente le pendule compensateur, composé de 2 métaux différents par leur coefficient de dilatation ; appelé *gridiron*, ce pendule rend l'horloge insensible aux changements de température. *1748 et 1754*, le Français Pierre Le Roy (1717-1785) applique, le 1er, l'échappement à détente.

1750-1800. *1751*, John Harrisson (1693-1776) obtient la 1re partie de la prime offerte par le Parlement anglais, après son 4e chronomètre, et en *1773* la 2e moitié après son 5e chronomètre. *1767-1769*, F. Berthoud (Fr. d'orig. Suisse, 1727-1807), mécanicien de la Marine, construit des montres marines, tandis que Pierre Le Roy obtient les 2 prix successivement offerts par l'Académie des sciences pour « la meilleure manière de mesurer le temps en mer ». *1771*, Louis Abraham Breguet (Fr. d'or. suisse, 1747-1823) invente un système de remontoir et de mise à l'heure « au pendant ». Un certain nombre d'horlogers prennent des brevets à ce sujet tout au long du XIXe s. Cependant, ce système de remontage ne s'impose définitivement qu'à la fin du siècle et la fabrication des montres à clef ne s'arrêtera que vers 1890-1900. *1790*, Genève : 1er concours de précision entre chronomètres. Leur degré de perfection est apprécié par un système de points définitivement fixé en 1879 par Émile Plantamour, directeur de l'Observatoire de Genève. [Autres concours : Kew et Teddington (G.-B.), 1884 ; Besançon (France), 1885.] *1793 (5-10)*, la Convention décrète la décimalisation du temps (échec). *1795 (7-4)*, décret suspendant son application pour une durée indéterminée.

XIXe s. Nombreux progrès : précision et régularité. Nombreux brevets (Europe, Amérique). *1840*, 1re horloge électrique (Alexandre Bain, Anglais, né vers 1811, † 1877). *1868*, la « montre à 20 F », de Georges-Frédéric Roskopf (Suisse, 1813-89), 1re montre fiable d'usage courant. *1873 (1-1)*, le Japon abandonne les heures temporaires et adopte le système européen des heures équinoxiales. Marque le début de l'industrie horlogère japonaise. *1876*, 1re montre antimagnétique (Paillard, All., installé en Suisse). *1896*, la marine allemande adopte, pour ses officiers, des montres retenues au poignet par une chaînette.

XXe s. Vers *1910*, on porte au poignet les premières montres de sautoir, dans un bracelet adapté ; des anses de fil ayant été ajoutées, la montre est directement maintenue par un bracelet du type courroie. *1926*, pendule Atmos, à balancier atmosphérique, mise au point par Jean-Léon Reutter, prévue pour marcher 600 ans (sans intervention humaine) ; se remonte grâce à un mélange gazeux (chlorure d'éthyle) contenu dans une capsule qui se rétracte et se dilate à chaque variation de température [une variation d'un degré assure une autonomie de 48 h (1 journée d'une saison normale donne 1 année de réserve], n'oscille que 2 fois par minute (au lieu de 300 fois pour une montre-bracelet classique. *1928*, remontage automatique. *1933*, 1re horloge à quartz oscillant (16 384 alternances par seconde). *1949*, 1re horloge moléculaire à ammoniac. *1952*, montre électrique. *1954*, 1re horloge atomique. *1959*, montre électronique. *V. 1968*, montre à quartz analogique. *1970*, montre à quartz numérique, à diodes luminescentes, puis à cristaux liquides. *1975*, montre calculatrice. *1979*, montre-réveil multiprogrammable. *1983*, montre parlante puis réceptrice FM. *1984*, montre ordinateur. La montre à affichage numérique recule devant l'aff. analogique. *1988*, horloge commerciale, radio électrique. *1990*, montre bracelet, radio-électrique.

Horloge atomique à césium. Repose sur le fait que les propriétés atomiques sont immuables, notamment les *fréquences* des radiations correspondant aux transitions entre niveaux d'énergie. L'étalon atomique comprend un résonateur atomique qui fournit la référence ultime, et une partie électronique générant, à partir d'un oscillateur à quartz à 5 MHz, un signal d'excitation vers 9,191 GHz. L'interaction de ce dernier avec le jet atomique fournit un signal d'erreur qui vient corriger en permanence la fréquence de l'oscillateur à quartz.

Les atomes de césium 133 sont stables (l'étalon « atomique » n'utilise en rien la radioactivité). Les meilleures horloges à césium ont une exactitude proche de 1×10^{-14} (une seconde au bout de 3 millions d'années).

Les appareils commerciaux pèsent env. 30 kg avec des charges de césium pouvant fonctionner continuellement pendant 5 à 10 ans.

Autres types d'horloges atomiques moins exactes que celles à césium : masers à hydrogène (les plus stables jusqu'à 1 jour), à rubidium (les moins chères), à ions de mercure confinés (stables à long terme mais en cours d'expérimentation).

Horloge parlante. Inventée par Ernest Esclangon, directeur de l'Observatoire de Paris, qui la présente à l'Académie des sciences, le 14-3-1932. Mise en service le 14-2-1933 (il y aura 140 000 appels dont 20 000 seront satisfaits). La 1re voix utilisée fut celle d'un animateur radio, Marcel Laporte, dit Radiolo. En 1965, les bandes étant usées, on la remplace par celle d'Henri Thiollière (postier, membre de la troupe des comédiens des P.T.T.). Les phrases annonçant l'heure sont stockées optiquement sur des bandes-son identiques disposées sur des cylindres, et sont lues par une tête de lecture optique. 3 horloges indépendantes reliées à des oscillateurs atomiques sont utilisées pour donner le top. Si l'une diverge par rapport aux 2 autres, elle est mise hors circuit provisoirement. En raison du temps de transmission de l'heure sur le réseau (à Nice par ex.), l'heure peut arriver avec un retard d'env. 20 millisecondes. *Nombre d'appels* : + de 140 millions par an. Une nouvelle horloge parlante entièrement électronique où les phrases sont enregistrées numériquement a été mise en service en 1991. **Heure de France Inter :** dep. 1982, diffuse une heure plus précise avec le signal de son émetteur grandes ondes à Allouis (Cher) qui émet 2 MW le jour, 1 MW la nuit, 24 h sur 24 en modulation d'amplitude sur 162 KHz. Le CNET emprunte ce signal pour émettre, sans perturber les programmes de France Inter, une fréquence étalon et des signaux de temps codés. La fréquence diffusée par France Inter est comparée en permanence à l'étalon français élaboré par le Laboratoire primaire du temps et des fréquences (LPTF) de l'Observatoire de Paris. Pour capter l'heure qui se glisse dans le signal de la station de radio, il faut un récepteur décodeur (coût : env. 10 000 F). Pour avoir la même heure partout, les récepteurs sont étalonnés en fonction du lieu où ils sont implantés, permettant de recevoir l'heure avec une précision de la milliseconde. *Récepteurs en service en France* : 5 000 à 6 000 [notamment pour contrôler le trafic routier : récepteurs installés sur des feux rouges pour synchronisation des radars, pompiers, P et T, qui synchronisent les horloges, déclenchant les changements de tarifs téléphoniques (heures rouges, blanches, bleues...)].

Notion de temps

Temps universel (UT). Fourni par la rotation de la Terre. Il correspond au *temps solaire moyen de Greenwich* (c'est-à-dire au méridien origine des longitudes) ; mais il est calculé sur minuit (c.-à-d. le temps du passage inférieur du Soleil). Le G.M.T. (Greenwich Mean Time) est une mesure astronomique, qui est calculée sur midi (c.-à-d. le temps du passage supérieur du Soleil). C'est donc à tort qu'on emploie l'expression G.M.T. pour désigner l'heure à laquelle se produit un événement dans le système du UT. Dans les travaux de précision, on applique au UT des corrections pour tenir compte des petits mouvements quasi périodiques des pôles terrestres par rapport au sol (mouvements d'une dizaine de mètres d'amplitude), et l'on désigne par UT1 le UT ainsi corrigé.

Jusqu'à la fin du siècle dernier on a pensé que le UT1 était pratiquement uniforme. Puis on a découvert les irrégularités de la rotation terrestre. Ces irrégularités peuvent apporter au UT 1 des avances ou retards de quelques secondes par an par rapport au temps uniforme. Elles sont dues pour l'essentiel aux mouvements atmosphériques et océaniques ainsi qu'aux mouvements du noyau fluide de la Terre ; elles restent imprévisibles, de sorte que l'unité de temps liée au UT 1, la seconde de temps moyen, subissait des fluctuations relatives de l'ordre 10^{-7} ; elle n'avait qu'une médiocre valeur métrologique. C'est pourquoi la seconde a été redéfinie, d'abord en 1960 comme une fraction de l'année (l'année est plus régulière que le jour), puis en 1967 à partir d'une transition atomique du césium.

Cependant, le UT1 reste nécessaire pour connaître la position angulaire de la Terre autour de son axe dans les travaux de géophysique, d'astronomie, de recherche spatiale, et l'on continue à le mesurer avec toute la précision possible, par l'interférométrie sur radiosources extragalactiques et par la télémétrie par laser appliquée à des satellites artificiels (LAGEOS notamment), ou des panneaux réflecteurs posés sur la Lune par U.S.A. et U.R.S.S. Le Service International de la Rotation Terrestre (IERS), dont le bureau central est à l'Observatoire de Paris, centralise toutes les mesures du UT1 et publie les écarts entre le UT1 et l'UTC, diffusé par les signaux horaires. La précision actuellement obtenue est de l'ordre de 0,0001 seconde.

Le Bureau international de l'heure (B.I.H.) a été créé le 26-7-1919 (siège : Observatoire de Paris), et était chargé dep. le 1-1-1920 de centraliser (grâce à la réception mutuelle de tous les signaux horaires) les déterminations de l'heure faites dans le monde, de les analyser et d'en déduire l'échelle de *Temps universel* (sous la forme de corrections aux signaux horaires ou aux observations analysées). Le 1-1-1988, les activités du Bureau international de l'heure ont été confiées à 2 organismes : la section Temps du *Bureau International des Poids et Mesures* qui a la responsabilité d'établir la référence de temps scientifique appelée Temps Atomique International (TAI) ; le *Service International de la Rotation Terrestre*, situé à l'Observatoire de Paris, qui est responsable des paramètres de rotation de la terre.

Temps atomique international (TAI). Le premier étalon atomique à jet de césium considéré comme étalon de temps a été mis en service régulier en 1955 au National Physical Laboratory, Teddington, Middlesex (G.-B.). Depuis, de nombreux étalons atomiques de temps ont été construits. Diverses méthodes permettent de comparer en permanence ces étalons à des distances intercontinentales, avec des incertitudes de quelques dizaines de nanosecondes, la plus employée étant la réception simultanée des signaux émis par le système de positionnement par satellites GPS (appelés également NAVSTAR). On peut ainsi calculer une moyenne qui constitue le temps atomique international TAI. On se garantit donc contre les risques d'arrêt.

En 1991, le TAI repose sur près de 200 étalons de temps. Sa stabilité est telle qu'il ne peut prendre une avance ou un retard de plus de 1 microseconde par an par rapport à un temps strictement uniforme (il est un million de fois plus uniforme que le Temps universel). Le BIPM publie le retard ou l'avance de chacune des horloges qui ont servi à établir le TAI. Par convention on a fait coïncider TAI et UT1 le 1-1-1958. Depuis, UT1 a pris du retard par rapport à TAI, la différence TAI-UT1 atteignant 26 s en 1991. L'écart continue à s'accroître au rythme approximatif de 0,7 s par an.

Le TAI, qui fournit la meilleure mesure du temps uniforme, n'est cependant pas directement diffusé. Il est réservé aux usages scientifiques et, notamment, à l'interprétation dynamique des mouvements des corps célestes naturels et artificiels. L'exactitude et la stabilité des étalons atomiques de temps sont telles qu'il est maintenant nécessaire de prendre en compte les effets relativistes dans leurs applications les plus précises, par ex., dans les systèmes de positionnement par satellites.

Temps universel coordonné (UTC). Il y aurait eu de nombreux avantages à régler toutes les activités humaines sur le TAI (après application du système des fuseaux horaires), mais on n'a pu le faire : la détermination du point astronomique à la mer requiert, en effet, la connaissance immédiate du UT1. Cependant, comme une imprécision d'env. 1 seconde n'apporte pas de gêne à la navigation, on a adopté, le 1-1-1972, un compromis entre le TAI et le UT1, appelé Temps universel coordonné (UTC).

L'UTC diffère du TAI d'un nombre entier de secondes choisi de sorte que l'écart entre UTC et UT1 reste inférieur à 0,9 s ; il peut donc y avoir, de temps en temps (à la fin d'un mois), des sauts d'une seconde exactement, afin de tenir compte des irrégularités de la rotation terrestre. De 1972 à 1991 on a introduit 16 secondes intercalaires au rythme de 1 par an à 1 tous les 2 ans. A partir de l'UTC, les utilisateurs scientifiques n'ont aucune peine à rétablir le TAI.

L'UTC est l'échelle de temps commune à toutes les diffusions de fuseaux horaires. Il est la base du temps en usage dans la plupart des pays. Les horloges maîtresses des laboratoires horaires réalisent pratiquement l'UTC à quelques microsecondes près. *L'UTC est, en France, la base du temps légal* (décret du 9-8-1978) ; les horloges publiques, l'horloge parlante, TDF diffusent UTC + 1 h (h d'hiver), ou UTC + 2 h (h d'été).

Temps Atomique Français [TA (F)]. En France, le « Laboratoire primaire du temps et des fréquences » situé à l'Observatoire de Paris, a reçu pour mission de la part du Bureau national de métrologie, d'établir, de maintenir et d'améliorer les références françaises du temps et des fréquences. Il établit, d'une part, le TA (F) en utilisant les données de ses étalons à césium et d'autres étalons de divers laboratoires nationaux ; d'autre part, il maintient une horloge maîtresse fournissant la version française de l'UTC, appelée UTC (OP), l'écart avec UTC ne dépassant pas 2 µs. Il diffuse l'heure nationale, déduite de l'UTC (OP) par l'horloge parlante et par des lignes directes. Il fournit aussi la référence à divers systèmes de diffusion publique du temps et des fréquences, notamment par l'intermédiaire de la fréquence porteuse de France Inter (stabilisation en fréquence et signaux horaires codés transmis par modulation de phase).

☞ Les *horloges atomiques les plus exactes* utilisent la transition du césium 133. Elles sont situées au Physikalisch-Technische Bundesanstalt (Allemagne) (marge d'erreur : 1 seconde en 3 millions d'années). Des horloges de types nouveaux, meilleures, sont à l'étude.

Division du temps

En principe, le temps devrait être divisé en prenant pour base la seconde (Voir unités de temps p. 248). Cependant, l'on a conservé d'autres divisions :

La plus grande mesure du temps est le **Kalpa**, notion philosophique des hindous, correspondant à 4 320 millions d'années ; la plus petite mesurable est la picoseconde : $1{,}0 \times 10^{-12}$ s.

• **Ère** (*aeris*, génitif de *aes*, « airain »). **A Rome**, après un événement mémorable, le grand prêtre chargé du calendrier enfonçait un clou d'airain dans le mur du temple, indiquant ainsi qu'une série d'années commençait. On appelle donc *ère* en chronologie un fait culminant servant de point de départ au calcul des années. Chaque peuple a souvent choisi plusieurs ères au cours de son histoire. *Ère* (vocable étranger) a aussi pu être employé par les mercenaires pour désigner les années. Ils auraient pris la forme plurielle *aera* pour un féminin singulier, ce qui expliquerait la forme moderne de ce mot. L'ère de Rome était l'ère de fondation de la ville [A.U.C. – Anno Urbis Conditae – : 753 av. J.-C. (21 avril)].

Grèce. Ère olympique 1-7-776 av. J.-C.

Ère de Nabonassar (dont s'est servi Ptolémée). 26-2-746 av. J.-C.

Ère du monde. Utilisée par les chrétiens en calculant la date de la création du monde par l'étude de la Bible. **Ère alexandrine** 5500 av. J.-C. Établie par Jules Africain en 221, réformée fin 284 de l'ère chrétienne : on retrancha 10 ans de manière que la fin de notre année 284 (pour eux l'an 287 de J.-C.) et l'an du monde 5787, devinrent l'an 277 de J.-C. et l'an du monde 5777. **Ère d'Antioche** 5493. Le moine égyptien Panodore retrancha 10 ans aux calculs de Jules Africain. Comme en 284 les Alexandrins avaient aussi retranché 10 ans, les deux ères se confondent à cette époque, mais la 1re année de l'ère chrétienne concorde avec la fin de l'année 5493 et le commencement de l'année 5494, tandis que depuis la réforme des calculs de Jules Africain la 1re année de notre ère correspond à la 2e partie de l'année 5490 et à la 1re de l'année 5491 de l'ère mondaine d'Alexandrie. **Ère de Constantinople** 5509. La 1re année de l'Incarnation correspond aux 8 derniers mois de l'an du monde 5509. En usage à Constantinople avant le milieu du VIIe s., ensuite suivie par l'Église grecque et pratiquée en Russie jusqu'à Pierre le Grand. L'année ecclésiastique commença tantôt le 21 mars, tantôt le 1er avril, et l'année civile commença le 1er septembre et peut-être aussi le 1er janvier. Plus tard, Joseph-Juste Scaliger, philosophe protestant (1540-1609) indiqua 3950 ; le père Paul Pezron, cistercien (1639-1707), 5873 ; James Usher (1581-1656) 4004 (date retenue par Bossuet dans son *Histoire universelle*).

Cycle julien de Joseph-Juste Scaliger : créa un cycle de 7 980 années (produit des nombres 28, 19 et 15 : durée des cycles solaire, lunaire et d'indiction). Il lui donna pour origine l'an 3950 av. J.-C. (année qui était en même temps l'origine des 3 cycles considérés). Le système permet par simple addition ou soustraction de passer d'une ère à l'autre : pour l'ère chrétienne, ajouter 3 950 ; pour l'ère de Constantinople, ajouter 475 ; pour l'ère d'Isdegerde, ajouter 632, etc. Il a été utilisé par les historiens de l'Antiquité

Les fuseaux horaires

Tableau donné sous toutes réserves, il n'existe pas de source officielle centralisant ces renseignements.

Il existe une heure différente en chaque point de la Terre puisque, tout en tournant autour du Soleil, la Terre tourne sur elle-même. On ne retient cependant – par commodité – que les heures de certains méridiens. La Terre a été divisée ainsi (depuis 1887) en 24 fuseaux horaires dont l'heure est celle du méridien passant par leur milieu.

Le méridien origine passe au voisinage de Greenwich (Angleterre). L'heure du méridien origine est le temps universel (UT) (appelé à tort autrefois G.M.T. : Greenwich Mean Time).

La *ligne* de changement de date suit en gros le méridien antipode de Greenwich (dans le Pacifique entre l'Amérique et l'Asie). Si l'on voyage vers l'est, on a « gagné », au retour, un jour et, si l'on voyage vers l'ouest, on en a « perdu » un.

☞ En 1634, Louis XIII définit le méridien réglementé en France pour le partage des terres découvertes. Il passait aux îles Canaries par le sommet du pic le plus occidental de l'île de Fer. Ensuite, ce fut le méridien de Paris, à l'emplacement de la lunette méridienne de l'Observatoire, jusqu'en 1911, puis la France adopta le méridien de Greenwich.

Pays	Correction
Europe	
Albanie*	+ 1
Allemagne*	+ 1
Andorre*	+ 1
Autriche*	+ 1
Belgique*	+ 1
Bulgarie*	+ 2
Danemark*	+ 1
Espagne*	+ 1
Féroé (îles)*	0
Finlande*	+ 2
France*	+ 1
Gibraltar*	+ 1
G.-Bretagne*	0
Grèce*	+ 2
Hongrie*	+ 1
Irlande*	0
Islande	0
Italie*	+ 1
Liechtenstein	+ 1
Luxembourg*	+ 1
Malte*	+ 1
Monaco*	+ 1
Norvège*	+ 1
Pays-Bas*	+ 1
Pologne*	+ 1
Portugal*	0
Roumanie*	+ 2
Saint-Marin	+ 1
Spitzberg	+ 1
Suède*	+ 1
Suisse*	+ 1
Tchécoslov.*	+ 1
Turquie (Eur. et Asie)*	+ 2
Vatican*	+ 1
Yougoslavie*	+ 1
Désignations usuelles.	
H. de l'Eur. occid. ou Tps univ. (UT)	0
H. de l'Eur. centrale	+ 1
H. de l'Eur. orientale	+ 2
U.R.S.S.*	
Riga, Leningrad, Odessa, Arkhangelsk, Kiev, Moscou	+ 3
Batoumi, Volgograd, Tiflis	+ 4
Ashkabad, Sverdlovsk	+ 5
Tashkent, Alma-Ata, Karaganda, Omsk	+ 6
Novosibirsk, Krasnoyarsk	+ 7
Irkoutsk	+ 8
Yakoutsk, Tiksi	+ 9
Okhotsk, Vladivostok, Khabarovsk	+ 10
Magadan, îles Sakhalines	+ 11
Petropavlovsk	+ 12
Asie	
Afghanistan	+ 4.30
Arabie Saoud.	+ 3
Bahrein	+ 3
Bangladesh	+ 6
Birmanie	+ 6.30
Brunei	+ 8
Chine*	+ 8
Christmas (oc. Indien)	+ 7
Chypre Nord*	+ 2
Chypre Sud*	+ 2
Corée du N.	+ 9
Corée du S.	+ 9
Émirats Ar. U.	+ 4
Hong Kong	+ 8
Inde	+ 5.30
Indonésie : Bali, Java, Madura, Sumatra	+ 7
Bornéo (Kal.), Célèbes (Sulawesi), Sumba, Loro Sae	+ 8
Moluques	+ 9
Irak*	+ 3
Iran	+ 3.30
Israël*	+ 2
Japon sauf Og.	+ 9
Japon Ogasawara (Bonin)	+ 10
Jordanie*	+ 2
Kampuchea	+ 7
Koweït	+ 3
Laos	+ 7
Liban*	+ 2
Malaysia	+ 8
Népal	+ 5.45
Oman	+ 4
Pakistan	+ 5
Philippines	+ 8
Qatar	+ 3
Singapour	+ 8
Sri Lanka	+ 5.30
Syrie*	+ 2
T'ai-wan	+ 8
Thaïlande	+ 7
Viêt-nam	+ 7
Wrangel	+ 13
Yémen	+ 3
Désignations usuelles.	
H. d'Aden	+ 3
H. de l'Inde	+ 5.30
Afrique	
Açores*	− 1
Afrique du S.	+ 2
Algérie	+ 1
Angola	+ 1
Bénin	+ 1
Botswana	+ 2
Burundi	+ 2
Burkina-Faso	0
Cameroun	+ 1
Canaries*	0
Cap-Vert	− 1
Centrafricaine	+ 1
Comores	+ 3
Congo	+ 1
Côte-d'Ivoire	0
Djibouti	+ 3
Égypte	+ 2
Éthiopie	+ 3
Gabon	+ 1
Ghana	0
Guinée	0
Guinée-Bissau	0
Guinée-Équat.	+ 1
Kenya	+ 3
Kerguelen (îles)	+ 5
Lesotho	+ 2
Liberia	0
Libye*	+ 1
Madagascar	+ 3
Madère*	0
Malawi	+ 2
Mali	0
Maroc*	0
Maurice (île)	+ 4
Mauritanie	0
Mozambique	+ 2
Namibie (S.-O. afr.)	+ 2
Niger	+ 1
Nigeria	+ 1
Ouganda	+ 3
Réunion	+ 4
Rwanda	+ 2
Sainte-Hélène	0
São Tomé et Principe	0
Sénégambie	0
Seychelles	+ 4
Sierra Leone	0
Somalie	+ 3
Soudan	+ 2
Swaziland	+ 2
Tanzanie	+ 3
Tchad	+ 1
Togo	0
Tunisie	+ 1
Zaïre	+ 1
occid.	+ 2
Zambie	+ 2
Zimbabwe	+ 2
Amérique du Nord	
Canada*	− 4
T.-Neuve*	− 3.30
Labrador*	− 4
Nouv.-Brunswick, Nlle-Écosse, île du Pce-Édouard, Québec à l'E. de 63° O.	− 4
Terr. du N.-O. (est), Ontario, Québec à l'ouest de 63° O. (Montréal, Québec, Ottawa)	− 5
Terr. du N.-O. (centre), Manitoba	− 6
Saskatchewan	− 7
Terr. du N.-O. (Mountain), Alberta	− 7
Terr. du N.-O. (ouest), Colombie brit.	− 8
Yukon	− 8
États-Unis* Côte Est, New York, Washington	− 5
Nlle-Orléans, Houston, Chicago	− 6
Denver	− 7
Côte Ouest	− 8
Groenland* de 0 à	− 4
Mexique or. Côte E., E. par 92° 5′ O. (dt Acapulco)	− 6
Côte E., O. par 92° 5′ et côte O., S. par 20° 7′ N. (dt Mexico)	− 6
Côte O., N. par 20° 7′ N. sauf Basse-Calif. N. par 28° N.	− 7
Basse-Calif. N. par 28° N.	− 8
St-Pierre-et-Miquelon *	− 3
Désignations usuelles.	
Northern Stand. Time (N.S.T.)	− 3.30
Atlantic ou intercolonial St.T. (I.S.T.)	− 4
Eastern St.T. (E.S.T.)	− 5
Central St.T. (C.S.T.)	− 6
Mountain St.T. (M.S.T.)	− 7
Pacific St.T. (P.S.T.)	− 8
Alaska St.T.	− 10
Amérique centrale	
Bahamas*, Caïques, Turques*	− 5
Belize	− 6
Bermudes*	− 4
Caïmans	− 5
Costa Rica	− 6
Cuba*	− 5
Dominicaine (Rép.)	− 4
Guatemala*	− 6
Haïti*	− 5
Honduras	− 6
Jamaïque	− 5
Nicaragua	− 6
Panama	− 5
Puerto Rico	− 4
Salvador	− 6
Iles Sous-le-Vent (Leeward)[1]	− 4
Iles du Vent (Windward)[2]	− 4
Amérique du Sud	
Argentine	− 3
Bolivie	− 4
Brésil* oriental (Rio)	− 3
– central	− 4
– occidental	− 5
Chili*	− 4
Colombie	− 5
Équateur	− 5
Guyana	− 3
Guyane fr.	− 3
Pâques (île de)*	− 6
Paraguay*	− 4
Pérou*	− 5
Surinam	− 3
Trinidad* (Atl. Sud)	− 2
Tristan da Cunha	0
Uruguay	− 3
Venezuela	− 4
Désignations usuelles.	
H. de l'Atl. S.	− 2
H. de Paramaribo	− 3.30
H. du Venezuela	− 4
Océanie	
Australie* (sauf Queensland et Terr. du N.) (occ.), Perth	+ 8
Broken Hill	+ 9.30
Terr. du N., Austr. Mér.	+ 9.30
Sydney, Canberra, Melbourne	+ 10
Tasmanie	+ 10
Carolines ouest Pala	+ 9
Yap, Truk	+ 10
Ponapel	+ 11
Pingelap, Kusaie	+ 12
Chatham*	+ 12.45
Christmas (oc. Pacifique)	− 10
Cook*	− 10
Fanning	− 10
Fidji	+ 12
Hawaii	− 10
Irian	+ 9
Kiribati	+ 12
Banaba	+ 11.30
Mariannes	+ 10
Marshall	+ 12
Enewatuk, Kwajalein	− 12
Midway	− 11
Nlle-Calédonie Loyauté	+ 11
Nlle-Zélande*	+ 12
Papouasie-Nlle Guinée	+ 10
Polynésie fr.	− 10
– sauf Gambier	− 9
– et Marquises	− 9.30
Salomon	+ 11
Samoa	− 11
Tonga	+ 13
Tuvalu	+ 12
Vanuatu*	+ 11
Wallis-et-Futuna	+ 12
Désignations usuelles.	
H. de l'Austr. mérid.	+ 9.30
H. de la Nlle-Zélande	+ 12
H. des îles Fidji	+ 12
H. des îles Samoa	− 11
Antarctique	
Terre Adélie	+ 9
Terre de Graham	− 3

Correction en h et min. Pour les pays marqués d'un astérisque, il faut ajouter une correction supplémentaire (en général 1 heure) pendant une partie de l'année (période des jours longs). Exemple : s'il est midi à Paris, quelle heure est-il à New York ? La France étant en hiver en avance de 1 h sur le UT, il est 11 h en UT, et New York étant en retard de 5 h sur le UT, il est 11 – 5 = 6 h du matin à New York. Source : Bureau des longitudes.

En 1981, les pays d'Europe de l'Ouest ont adopté les mêmes heures d'été, de fin mars à fin septembre (Grande-Bretagne au jour suivant le 4e dimanche d'octobre).

Nota. – (1) St-Martin, Antigua et Barbuda, St-Christophe, Guadeloupe, Dominique. (2) Martinique, Ste-Lucie, St-Vincent, Barbade, Grenade.

pendant quelques générations, avant la naissance de l'histoire antique.

Ère de Sähivähä (Inde) 78 av. J.-C., etc.

Ère chrétienne, dite aussi **ère vulgaire, ère de l'Incarnation, ère de la Rédemption.** Année de la naissance du Christ (supposée en l'an 753 de Rome), date calculée par un moine scythe, Denys le Petit.

Ère évangélique. 5 av. J.-C. (en considérant que J.-C. était né 5 ans plus tôt, en 748 de Rome).

Ère de Dioclétien (ère des martyrs). Ses années étant réglées sur le calendrier égyptien, l'année se composait de 12 mois de 30 jours chacun, à la fin desquels on ajoutait 5 jours intercalaires nommés épagomènes.

Ère des astronomes. Elle a une année 0, qui est l'an 1 av. J.-C. Les années 2, 3, 4, 5, etc. av. J.-C. sont appelées – 1, – 2, – 3, – 4, etc.

Ère mahométane (ou hégire) 622 apr. J.-C.

Ère républicaine. *Ère de la liberté :* 1-1-1789. Décret de l'Assemblée législative du 2-1-1792. *Ère de l'Égalité :* an I en 1792. Mentionnée par *le Moniteur* du 21-8-1792. *Ère française :* 22-9-1792 (j de fondation de la République), Constitution du 3 vendémiaire an IV (25-9-1795), art. 373.

Ère luni-solaire de Cassini. Durée 11 600 ans. Créée par Jean-Dominique Cassini (1625-1713), astronome de Louis XIV. Période au bout de laquelle les cycles lunaires se reproduisent exactement aux mêmes dates par rapport aux cycles solaires.

Ère espagnole. Débute le 1er janvier de l'an de Rome 716, en 38 av. J.-C. L'an 1 de l'ère chrétienne coïncide avec l'an 39 de l'ère d'Espagne. Il s'agit peut-être d'une ère provinciale du monde romain, ayant pour point de départ la date de la réduction du pays en province romaine, ou d'une ère ecclésiastique liée aux tables de Pâques en vigueur au Ve s. et marquant le commencement d'un cycle pascal. Les royaumes de Castille et de León l'ont employée officiellement jusqu'en 1383. Le Portugal, indép. dep. 1139, l'utilisa jusqu'en 1422 ; le 22-8, dom João Ier substitua à l'« ère de César » le compte des années à partir de la naissance du Christ.

Période sothiaque ou Grande Année. Cycle de 1 460 ans, lié aux révolutions de Sirius (astronomie égyptienne). Le « lever héliaque » de Sirius ne se reproduit aux mêmes dates solaires qu'après un cycle de 1 460 ans. Le Grec Aristote (384-322 av. J.-C.), qui avait hérité la notion traditionnelle de Grande Année sans la comprendre, la définissait comme le cycle au bout duquel toutes les planètes se retrouvaient ensemble à une position de départ.

• Siècle. Durée de 100 années. D'après les *libri rituales* des aruspices toscans, chaque siècle avait pour terme la mort de celui des citoyens qui existait déjà à l'ouverture de la période et qui vivait le plus longtemps ; cette durée dépendait de 2 événements impossibles à constater ; les dieux envoyaient des prodiges exceptionnels qui en marquaient l'échéance. Les 4 1ers siècles étrusques eurent ainsi 100 ans, le 5e : 123, les 6e et 7e : 118. Puis les Romains adoptèrent le siècle invariable de 100 ans. Pour Hésiode (Grec, VIIIe s. av. J.-C.), la durée de vie humaine est de 96 ans. Les astronomes utilisent le *siècle julien* de 36 525 j. exactement.

Année de début des siècles : pour les historiens, l'année qui précède l'an 1 est comptée pour la 1re avant J.-C. (1 av. J.-C.) ; elle fut bissextile ; mais dep. Cassini (1770), les astronomes comptent autrement les années antérieures à l'an 1 : ils qualifient d'année zéro celle qui précède l'an 1 et comptent négativement les suivantes. Par ex., l'an 46 av. J.-C. des historiens correspond à l'an – 45 des astronomes (la notation – 46 av. J.-C. est un non-sens) ; jusqu'en 1800, on considérait que les siècles commençaient dès que les 2 premiers chiffres changeaient : 1600, 1700, 1800. Le Bureau des longitudes a décidé que la 1re année du 1er siècle d'une ère serait l'an 1 et non l'an 0 ; le 31-12 de cette année, c.-à-d. le 31-12-1, il y a une année écoulée, et le 31-12-100, il y en a cent ou un siècle : donc le IIe s. a commencé le 1-1-101, le XXe s. le 1-1-1901 ; il se terminera le 31-12-2000 et le XXIe s. commencera le 1-1-2001.

• Année. Origine du nom : de la même racine que *anus,* « anneau » : suggère le retour cyclique des saisons et des mois. On suppose que les hommes préhistoriques des zones tempérées (pasteurs et chasseurs) avaient une conscience aiguë de l'alternance des périodes de froid et de chaleur.

1. **Année anomalistique.** Temps écoulé entre 2 passages du Soleil au même point de son orbite apparente : 365 j 6 h 13 m 52,53 s en temps atomique en 2000 (31 558 432,53 s).

2. **Année civile.** Temps moyen mis par la Terre à tourner autour du Soleil.

3. **Année draconitique.** Intervalle de temps qui sépare 2 passages consécutifs du soleil par le nœud ascendant de l'orbite lunaire sur l'écliptique : 346,6 j. C'est la 19e partie du *saros,* période qui règle approximativement le retour des éclipses.

4. **Année sidérale.** Temps écoulé entre 2 passages du Soleil en un point donné du ciel : 365 j 6 h 9 m 9,77 s, en temps atomique, en 2000.

5. **Année tropique** (ou équinoxiale). Temps mis par la Terre à tourner autour du Soleil entre 2 équinoxes de printemps : 365 j 5 h 48 m 45,183 s, en temps atomique, en 2000.

Les Romains estimaient l'année tropique à 365 j 1/4 (365,25 j). Pourtant, Hipparque (IIe s. av. J.-C.) avait déjà atteint une précision supérieure : 365 j 5 h 55 m (au lieu de 49 m). Si ces chiffres avaient été adoptés lors de la réforme césarienne (voir p. 257), le retard pris par le calendrier julien en 1582 (réforme grégorienne) n'aurait été que de 6 j au lieu de 10. C'est l'année tropique qui règle le retour des saisons.

6. **Année cosmique.** Période de rotation du Soleil autour du centre de la galaxie de la Voie lactée : 225 millions d'années. L'*année de lumière* n'est pas une mesure de temps, mais de distance (9 461 milliards de km), celle parcourue en 1 année par la lumière.

• Mois lunaire (ou *lunaison*). En anglais, les mots *moon* « lune » et *month* « mois » ont la même racine. Valeur moyenne de l'intervalle de temps écoulé entre 2 conjonctions successives de la Lune et du Soleil (nouvelles lunes) : 29 j 12 h 44 m 2,8 s (la durée varie de 29 j 12 h à 29 j 20 h). Le calendrier moderne, bien que divisé en mois primitivement lunaires, ne tient plus compte des lunaisons.

Certains calendriers sont restés purement lunaires, par exemple chez les Indiens d'Amérique et les Tahitiens, qui ignorent l'année solaire. Les musulmans connaissent l'année solaire, mais donnent priorité aux lunaisons, la date du début de chaque année étant variable, et dépendant des phases de la Lune.

• Semaine. Durée de 7 j. Utilisée chez les Hébreux. Employée en Occident à partir du IIIe s. de notre ère. Sa durée correspond à peu près aux phases de la Lune (7 j 1/4). Les noms des 5 planètes connues de l'Antiquité (+ Lune et Soleil) ont été donnés aux 7 j de la semaine par les Égyptiens, à cause de la coïncidence 7 et 7. L'explication donnée par les Hébreux (6 j de travail, 1 j de repos) a été reprise par la tradition chrétienne, assurant que c'était le rythme « naturel » du travail humain (chiffres admis actuellement : 5 et 2). L'Occident (Grecs d'Alexandrie) n'a adopté la semaine de 7 j qu'au IIIe s. apr. J.-C.

• Décade. Adoptée par décret de l'Assemblée nationale du 4 frimaire an II. L'après-midi des quintidis étant repos ainsi que les décadis. Abandonnée 1806.

• Jour. *Étymologie :* ancien adjectif : *diurnus,* « diurne » ; en vieux français : *jorn.*

Jour civil. Nom donné par les Romains à une durée de 24 h (1 j + 1 nuit) par opposition au *jour naturel,* du lever au coucher du soleil. Ils le comptaient de minuit à minuit (1/2 nuit + 1 j + 1/2 nuit), à la différence des Grecs, des Gaulois et des Germains, qui comptaient par *nuit* (d'un coucher de soleil à l'autre, c.-à-d. jamais exactement 24 h).

Jour sidéral. Durée d'une rotation complète de la Terre par rapport au 1er point vernal (point d'intersection de l'écliptique et de l'équateur) : 23 h 56 min 4,09 s.

Jour solaire. Temps écoulé entre 2 passages du Soleil au méridien. Il est plus long que le jour sidéral, car la Terre change sa position par rapport au Soleil, alors que cette position ne change pas par rapport aux étoiles considérées à l'infini. Le **jour solaire vrai** n'est pas constant, car la translation de la Terre sur son orbite se fait à une vitesse angulaire inégale et l'orbite ne coïncide pas avec le plan équatorial. Aussi parle-t-on souvent de **jour solaire moyen.**

L'équation du temps est la différence entre le jour solaire moyen et le jour solaire vrai : elle est maximale en février (+ 14 min) et en novembre (– 16 min), et nulle 4 j seulement par an (v. les 15-4, 14-6, 1-9, 25-12). Le jour civil et le jour solaire moyen sont égaux, mais ce dernier est compté de midi à midi.

• Heure. La division du jour en heures est probablement d'origine chaldéenne. Les Babyloniens comptaient par couples d'heures, appelés *Kaspar* (12 Kaspar par jour). En Chine, le jour est divisé en 12 Tokis. **Heure civile :** 24e partie du jour. **Heure sidérale :** 24e partie du jour sidéral ; plus courte que l'heure civile. **Heure solaire vraie :** 24e partie du jour solaire vrai.

L'heure en France. Le 15-3-1891, on introduisit dans toute la France l'heure de Paris. Jusque-là, chaque ville avait son heure particulière ; ainsi, quand il était midi à Paris, il était midi 19 min 46 s à Nice et 11 h 42 min à Brest. Le 11-3-1911 appliquant la loi du 9-3, la France s'aligna sur l'heure de Greenwich (Temps universel). Les pendules de tout le territoire français furent retardées de 9 min 21 s. L'abandon du méridien de Paris fut considéré à l'époque comme une « capitulation ». Le député nationaliste Grandmaison demanda à la Chambre d'adopter au moins la formule « méridien de Saumur », le méridien de Greenwich passant tout près de cette ville. On a proposé aussi le « méridien d'Argentan ». On aurait pu proposer La Flèche où il passe (il y a une stèle). En 1912, on adopta pour les usages de la vie civile le décompte des heures de 0 à 24. Jusqu'en 1911, l'heure intérieure des gares retardait de 5 min sur l'heure extérieure.

De 1916 à 1940, on adopta pendant 6 mois de l'année l'*heure d'été* (en avance de 1 h sur l'heure normale de notre fuseau horaire). De 1941 à 1945, l'heure d'été fut en avance de 2 h sur l'heure du fuseau et l'heure d'hiver en avance de 1 h, sauf dans les territoires occupés par les Allemands, où l'heure fut en avance de 2 h du 9-5-1940 au 2-11-1942.

De 1946 à 1976, on a conservé une avance permanente de 1 h sur l'heure du fuseau. Cette mesure permettait des économies de lumière et une meilleure unification de l'heure en Europe.

A partir de 1976, on est revenu au système de l'heure d'été avancée de 1 h sur l'heure d'hiver (soit 2 h d'avance sur l'heure du fuseau). La 5e directive du Conseil de l'Europe du 21-12-1988 fixe pour 1990, 1991 et 1992 les dates de la période d'été : début 25-3-90, 31-3-91, 29-3-92 ; fin 30-9-90, 29-9-91, 27-9-92. Elle introduit une date et une heure commune dans la C.E.E. sauf pour Irlande et G.-B., pour lesquels la période d'été s'achève fin oct. La C.E.E. est sur 3 fuseaux horaires : Angleterre, Irlande, Portugal (G.M.T.) ; Belgique, Danemark, Espagne, France, Italie, Luxembourg, P.-Bas, All. féd. (G.M.T. + 1) ; Grèce (G.M.T. + 2). L'emploi de l'heure d'été devait permettre d'économiser 150 000 à 300 000 t d'équivalent pétrole par an sur la consommation des particuliers (soit pendant 1 semaine la consommation totale du parc auto français). Si elle suscite des déplacements le soir entraînant une surconsommation, en revanche on regarde moins la télévision.

Des études du C.N.R.S. montrent que l'action des ultraviolets d'origine solaire sur les oxydes d'azote et des hydrocarbures (polluants surtout produits par la circulation routière) favorise la production d'ozone dans les basses couches de l'atmosphère (l'heure d'été l'augmenterait de 15 %). Or à basse altitude l'ozone est une substance oxydante qui tend à dégrader les matériaux et à attaquer les végétaux.

Les « Heures » dans la mythologie grecque. Déesses appelées *Hôrai* (transcription latine : *horae,* d'où « heures »). *Avant le Xe s. :* personnifications des phénomènes naturels : rosée, brumes, chaleurs fertilisantes. *Temps homériques IXe s. :* divinités mineures, mais bienfaisantes, compagnes des Nymphes et des Grâces ; suivantes des dieux et déesses comme Apollon, Déméter, Aphrodite. *IVe s. :* elles sont 4, personnifiant les saisons de l'année. *IIIe s. :* à Alexandrie, puis à Rome : elles sont 12, compagnes de la déesse Aurore *(Eôs).* Celle-ci les place chaque jour dans le ciel à des intervalles réguliers, pour qu'elles guident le char du dieu Soleil.

A Rome. Durée variable : la 12e partie du temps compris entre le lever et le coucher du soleil (plus courtes en hiver qu'en été). Ex. : 23 déc. : 44 min 30 s (jour à Rome : 8 h 54 min) ; – 25 juin : 75 min 30 s (15 h 6 m).

Au début, horaires approximatifs : la mi-journée était proclamée (midi officiel) par le consul quand le soleil passait entre les Rostres et le Graecostasis ; la 1re h *(prime)* au lever du soleil ; la 3e h *(tierce)* entre 8 h 15 et 10 h de nos heures ; la 9e h *(none)* entre 14 h et 15 h 45.

En France, jusqu'en 1918. On partait de minuit et, arrivé à midi, on recommençait la numérotation, 1, 2, 3, etc. Après 1918, on adopta la numérotation de 1 à 24. En Italie, on partait de 6 h du soir, 7 h du matin était ainsi la 13e h et 6 h du soir la 24e.

• Minute. 60e partie de l'heure.

• Seconde. 60e partie de la minute, la 86 400e partie du jour ; unité adoptée par les Grecs et les Romains, utilisée universellement et devenue unité de base du système international d'unités, pour le temps. Définie en 1967 comme la durée de 9 192 631 770 périodes de la radiation correspondant à la transition entre les 2 niveaux hyperfins de l'état fondamental de l'atome de césium 133 (seconde atomique). Le seul système de mesure du temps ayant écarté la division sexagésimale a été le système républicain (1791-1804), avec 10 heures de 100 minutes (système horaire décimal).

• **Heure républicaine.** Du 24-11-1793 au 7-4-1795 (décret du 18 germinal an III suspendant son application). Nychtéinère partagé en 10 h (qui valaient chacune 2 h 24 min anciennes), en 100 centi-jours (valant 14,4 min anciennes).

Calendriers

Définition

• **Étymologie.** **Calendrier** contient la racine *calendes* (mot étrusque, désignant le 1er du mois chez les Romains). Le *calendarium* des Romains était un livre de comptes, car on payait les factures en début de mois.

• **Autres noms des calendriers.** **Parapegme** (grec) : sortes d'agendas indiquant les jours fastes et défavorables.

Almanach (de l'article arabe *al* et de la racine grecque arabisée *méné* désignant la lunaison) : calendrier lunaire. A pris ultérieurement le sens de « livre de prévision astrologique ».

Notre calendrier

Origine

• **Ère chrétienne.** En 532, sur une proposition du moine scythe Denys le Petit, l'Église décida de compter les années à partir du 1er janvier qui suivit la naissance de Jésus (le 25 décembre), c'est-à-dire que le 1er janvier de l'an de Rome 754 devint rétrospectivement le 1er janvier de l'an 1 de l'ère chrétienne. On aurait dû appeler l'année de la naissance du Christ l'année 0. Or, on saute de l'an 1 av. J.-C. à l'an 1 de l'ère chrétienne. La France adopta cette manière de compter vers le VIIIe s.

Début de l'année. Le jour à partir duquel on change le millésime de l'année a été fixé en France de 9 façons différentes depuis l'adoption de l'ère chrétienne : 1) au 1er mars (tradition romaine ancienne) ; 2) au 1er janvier [tradition romaine dep. le règne de Numa Pompilius (715-672 av. J.-C.)] ; 3) 25 décembre (naissance du Christ) ; 4) 25 mars (Incarnation du Christ ; le plus fréquent, d'où l'expression « An de l'Incarnation » pour désigner les années de l'ère chrétienne) ; 5) 25 mars, avec 1 an de retard ; 6) Pâques ; 7) Pâques, avec un an de retard ; 8) 1er janvier avec un an de retard (très petite minorité). Le choix définitif et obligatoire du 1er janvier sans année de retard date du règne de Charles IX [édit de Roussillon (9-8-1564)].

Nota. – L'année *1561* dura du samedi soir 5-4 au samedi 28-3 ; *1562:* du sam. 28-3 au sam. 10-4 ; *1563:* du sam. 10-4 au sam. 1-4 ; *1564:* du sam. 1-4 au 31-12 (elle n'eut donc que 9 mois).

Poissons d'avril. On a dit qu'à l'origine ils étaient des pseudo-cadeaux que l'on se faisait par plaisanterie après la suppression du Nouvel An du 1er avril. Mais la coutume serait plutôt liée à la fermeture de la pêche, généralisée en France au 1er avril, depuis des siècles, à cause du frai. Pour taquiner les pêcheurs en eau douce, privés de poissons, on leur envoyait des harengs.

Vendredis 13. *Nombre :* par an de 1 à 3. *Symboles :* lors de la Cène, les apôtres étaient 13 dont Judas (qui allait trahir le Christ). Le chiffre 13 est devenu fatidique. Aux États-Unis, on passe souvent directement du 12e au 14e étage dans les hôtels, il n'y a pas de rangée 13 en avion. A Paris, dans beaucoup de rues, un 11 bis remplace le 13.

• **Calendrier grégorien.** Le pape Grégoire XIII décida en 1582 de réformer le *calendrier julien* en raison du retard qui s'était accumulé depuis son adoption en 45 av. J.-C. Ce retard (de 11 min 14 s par an, soit 18 h 40 min par siècle) atteignait 10 j. Il y avait déjà eu de vaines tentatives de réforme, en 1414 (card. Pierre d'Ailly) et en 1545 (concile de Trente).

Le jeudi 4-10-1582 fut suivi du vendredi 15-10, la succession des jours de la semaine étant respectée (en France, il fallut attendre l'ordonnance royale de novembre 1582 : le lundi 10-12 devint le 20-12). L'année resta de 365 j, mais certaines années *bissextiles* furent supprimées. Désormais sont bissextiles les années divisibles par 4 sans obtenir de reste, à l'exception des années terminées par 2 zéros (ex. : 1900) qui ne sont pas divisibles par 400, l'année 2 000 sera donc bissextile. Cette année réformée est encore trop longue de 25 s (le retard atteindra 1 j en 4317).

Inexactitude du calendrier grégorien. 1) L'année grégorienne a été calculée avec une précision insuffisante ; elle est trop longue de 0,0003 j, c.-à-d. 3 jours de trop en 10 000 ans. 2) Il ne tient pas compte de l'allongement de l'année, dû au ralentissement de la rotation terrestre (0,60 s au bout de 1 siècle).

Date d'adoption dans quelques pays. 1582 : Italie, Espagne, Portugal, *France,* Pays-Bas catholiques. 1584 : Autriche, Allemagne catholique, Suisse catholique. 1586 : Pologne. 1587 : Hongrie. 1610 : Prusse. 1700 : Allemagne protestante, Pays-Bas protestants, Danemark, Norvège. 1752 : Grande-Bretagne, Suède. 1753 : Suisse protestante. 1873 : Japon. 1911 : Chine. 1917 : Bulgarie. 1919 : Roumanie, Yougoslavie. 1923 : U.R.S.S. (les journées d'octobre 1917, qui marquent le début de la révolution russe, sont ainsi depuis 1923 commémorées en novembre), Grèce. 1926 : Turquie.

Ces pays avaient tous le calendrier julien, sauf le Japon et la Chine (calendrier national), et la Turquie (calendrier musulman). Pendant une longue période transitoire, pour préciser une date, on écrivait par ex. le 10/23 janvier 1920 (10 vieux style, 23 nouveau style ou grégorien).

En Europe occidentale, les *pays protestants* furent parmi les derniers à s'incliner. « Les protestants, disait Kepler, aiment mieux être en désaccord avec le Soleil que d'accord avec le pape. » La décision de 1752, en Angleterre, provoqua des émeutes : le peuple estimait qu'on lui avait volé 3 mois (du 1er janvier au 25 mars). Les *orthodoxes* orientaux ont rejeté la réforme pour des raisons dogmatiques : l'ordre des jours de la semaine a été créé par Dieu. Il est impie d'y toucher.

• **Jours juliens.** On désigne souvent en astronomie une date par le nombre de jours écoulés depuis le commencement de la *période julienne,* qui est situé à 12 h de Temps universel le 1er janvier de l'année – 4712 (ou 4713 avant J.-C.). Par exemple, le numéro du jour julien qui commence à 12 h UT le 1-1-1990 est 2 447 893. Par extension, on emploie la *date julienne* qui comprend une fraction décimale du jour comptée depuis 12 h UT et qui peut servir à fixer l'instant d'un événement dans un système purement décimal.

Dans de nombreuses applications scientifiques, on préfère la *date julienne modifiée,* MJD, obtenue en retranchant 2 400 000,5 à la date jul. Le jour de MJD commence donc en même temps que le jour à UT (MJD = 46 796,00 le 1-1-1987 à 0 h UT). Bien que le système de datation se rapporte en principe à UT, il est courant, dans des applications demandant une grande précision, de spécifier la date MJD dans l'échelle du Temps atomique international.

Projets de réforme

• **Défauts du système actuel.** 1) Les mois étant de longueur variable, le nombre des j ouvrables mensuels subit des variations allant jusqu'à 12 %, ce qui perturbe les statistiques économiques. 2) La mobilité de certaines fêtes chômées (lundis de Pâques et de Pentecôte, Ascension), la coïncidence possible d'un jour férié et d'un dimanche (1er mai, 15 août) compliquent les plannings mensuels.

• **Principaux types de projets.** 1) **4 trimestres de 91 jours** *avec des mois de 30 et 31 j.* Prototypes : le *calendrier universel,* élaboré en 1887 par Armelin et Hanin ; adopté en 1901, publié en 1912, par Camille Flammarion (1842-1925). Chaque mois porte le nom d'un concept philosophique. L'année comprend 364 j comptés (12 mois et 52 semaines), plus 1 j supplémentaire, stabilisateur, férié et non daté (le jour blanc) à la fin de décembre. Le jour bissextile est le samedi *bis* 31 juin. Chaque date correspond à un jour de la semaine bien déterminé : le calendrier est perpétuel. Désavantage : le mois n'est pas multiple de la semaine ; des mois légèrement inégaux (31 j) sont conservés. Avantage : 26 j ouvrables chaque mois, trimestres identiques (91 j : 31 + 30 + 30), facilitant les comparaisons.

Le *calendrier mondial* de l'Allemande Elisabeth Achelis (1931) est soumis depuis 1947 à l'O.N.U., en vue de son adoption par l'ensemble des Nations unies : 4 trimestres avec des mois de 31, 30, 30 j, soit 364 j. Tous les ans un jour W supplémentaire (*World Day,* « jour mondial ») ; tous les 4 ans, un jour W bissextile. Toutes les années et tous les trimestres commenceraient par un dimanche. Tous les 1ers mois de 30 j par un mercredi ; les 2es par un vendredi.

Autres projets de ce type : abbé Mastrofini (Italien) 1837 (j. bissextile : mardi *bis* 29 fév.), Grosclaude 1900, Alexander Philips (Angl.) 1900, Carlos de la Plaza (Esp.) 1911, Gabriel Nahapetian [moine arménien (mékhithariste) de Venise] 1911-15, Arnaud Baar (Belge) 1912.

2) **13 mois de 28 jours.** Prototype : le *calendrier fixe* d'Auguste Comte (1798-1847), publié en 1849, nommé en 1911 par l'Américain Eastman. Chaque mois porte le nom d'un grand homme. Un nouveau mois, « sol », s'intercalerait entre juin et juillet. Le jour de l'an, le 29 décembre, ne ferait partie d'aucune semaine et serait férié. Il en serait de même pour le jour bissextile, placé le 29 juin tous les 4 ans. Autres projets de ce type : Moses Cotsworth (Canadien) 1914, Robert Heinicke (Allemand), Paul Delaporte (Français) 1916.

3) **4 trimestres avec 2 mois de 28 jours** (4 semaines) **et 1 mois de 35 j** (5 semaines). John Robertson (Écossais), Arnold Kampe (All.), Henry Dalziel.

4) **53e semaine ajoutée** *à certaines années.* Frédéric Black (Angl.) : années de 364 j, puis 1 année de 371 j tous les 5 ou 6 ans. Variante : P. Searle (Amér.), Alsa Koopman (Holl.).

5) **Régulation des bissextiles.** Projet russe (Madler, Glasenapp), repris par Lord Grinthorp (Angl.), Ghazi Moukhtar Jacha (Turc) : supprimer un jour tous les 128 ans, ce qui permet aux années de commencer toujours par le même jour de la semaine.

6) **Projet décimal.** Inspiré par celui de la Révolution française. *Unité :* l'heure. 1 j : 1 décaheure ; 10 j : 1 hectoheure ; 100 j : 1 kiloheure, etc.

☞ En 1924, la S.D.N. a établi un Comité spécial d'étude de la réforme du calendrier. Les nombreux calendriers proposés étaient parents, soit de celui d'Auguste Comte, soit de celui de Flammarion. Mais aucune suite ne fut donnée.

Calendrier ecclésiastique

Généralités

Il est à la fois lunaire et solaire. Certaines fêtes (ex. *Noël* ou l'*Assomption*) sont fixes par rapport à notre cal. civil, qui est solaire. D'autres (*Pâques* et fêtes qui s'y rattachent) sont mobiles par rapport à notre cal., mais fixes par rapport au cal. lunaire (Pâques étant fixé à la 1re nuit de samedi à dimanche après la pleine lune de printemps, laquelle a lieu soit le jour de l'équinoxe, le 21 mars, soit après).

• **Date de Pâques.** *Jusqu'au concile de Nicée* (325), chaque Eglise chrétienne eut sa façon particulière de calculer Pâques : certaines (par ex. Antioche) se référaient purement et simplement à la Pâque juive ; on laissait les juifs calculer leur Pâque et on prenait le dimanche suivant. La plupart se référaient à l'anniversaire de la mort de Jésus, en ne prenant pas le jour anniversaire lui-même, mais la pleine lune qui le suivait. Dans ce système, 2 sources de divergences : 1° les Églises *quatuordécimantes* mettaient leur Pâque au 14e j, qu'il soit un dimanche ou non, alors que Rome et Alexandrie choisissaient toujours le dimanche ; 2° la date de la résurrection du Christ n'est pas fixée de façon uniforme, car on choisit pour sa mort les années 29, 30, 31, 32 ou 33 ; elle varie ainsi du 3 au 17 avril.

Depuis le concile de Nicée (325), la date de Pâques est fixée au dimanche qui suit le 14e jour de la Lune, qui atteint cet âge au 21 mars ou immédiatement après. Cette décision a été acceptée avec de nombreuses réticences (notamment l'Église d'Irlande, au bord d'un schisme d'origine « pascale » jusqu'au VIIIe s.). *Recul de Pâques jusqu'en 1532.* Le retard de l'année julienne sur le calendrier réel a eu pour conséquence de retarder considérablement la fête de Pâques jusqu'en 1523. En effet, l'équinoxe se produisant avant le 21 mars, la lune prise en considération pour le calcul de Pâques était toujours celle d'avril-mai, et Pâques tombait parfois à la mi-juin.

Il y a désaccord sur la *date réelle* de l'anniversaire de la *Résurrection* de Jésus-Christ qu'on célèbre le 3e jour après sa mort.

Nombre de jours avant et après Pâques : Mercredi des Cendres 46 [comme il est interdit de jeûner les dimanches, pour obtenir 40 j de jeûne (ce qui a été la durée de jeûne de Jésus dans le désert), en comptant Vendredi et Samedi Saints, en soustrayant les 6 dimanches, le début du jeûne fut avancé de 4 j]. Quadragésime 42. Reminiscere 35. Oculi 28. Laetare 21. Passion 14. Rameaux 7. *Pâques.* Quasimodo 7. Ascension 39. Pentecôte 49. Trinité 56. Fête-Dieu 60.

Calendrier républicain

ÈRE RÉPUBLICAINE		I	II	III	IV	V	VI	VII	VIII	IX	X	XI	XII	XIII	XIV
ÈRE GRÉGORIENNE		1792	1793	1794	1795	1796	1797	1798	1799	1800	1801	1802	1803	1804	1805
1er *Vendémiaire*	Septembre	22	22	22	23	22	22	22	23	23	23	23	24	23	23
1er *Brumaire*	Octobre	22	22	22	23	22	22	22	23	23	23	23	24	23	23
1er *Frimaire*	Novembre	21	21	21	22	21	21	21	22	22	22	22	23	22	22
1er *Nivôse*	Décembre	21	21	21	22	21	21	21	22	22	22	22	23	22	22
ÈRE GRÉGORIENNE		1793	1794	1795	1796	1797	1798	1799	1800	1801	1802	1803	1804	1805	
1er *Pluviôse*	Janvier	20	20	20	21	20	20	20	21	21	21	21	22	21	
1er *Ventôse*	Février	19	19	19	20	19	19	19	20	20	20	20	21	20	
1er *Germinal*	Mars	21	21	21	21	21	21	21	22	22	22	22	22	22	
1er *Floréal*	Avril	20	20	20	20	20	20	20	21	21	21	21	21	21	
1er *Prairial*	Mai	20	20	20	20	20	20	20	21	21	21	21	21	21	
1er *Messidor*	Juin	19	19	19	19	19	19	19	20	20	20	20	20	20	
1er *Thermidor*	Juillet	19	19	19	19	19	19	19	20	20	20	20	20	20	
1er *Fructidor*	Août	18	18	18	18	18	18	18	19	19	19	19	19	19	

Origine. A partir de 1790, sans décision législative, l'usage s'établit de désigner l'année sous le nom d'*an II de la Liberté* (le « Moniteur » du 14-7-1790 est pour la 1re fois daté du 1er jour de l'an II de la Liberté). Une confusion s'ensuit : les uns prenant pour point de départ de l'ère nouvelle le 14-7-1789, date de l'an II jusqu'en juillet 1791 ; d'autres, comptant 1789 pour une année entière, commencent à dater de l'an III en janvier 1791. Amenée à trancher, l'Assemblée législative décrète, le 2-1-1792, que tous les actes publics, civils et judiciaires, portent désormais la mention de l'ère de la Liberté, et que l'an IV de la Liberté a commencé le 1-1-1792. Le « Moniteur » appliquera ce décret à partir de son numéro du 5-1-1792 daté de l'an IV, alors que son numéro du 4 était daté de l'an III. Après le 10-8, on ajoute l'an de l'Égalité (à partir du 21-8-1792, le « Moniteur » porte la mention : L'an IV de la Liberté et le I de l'Égalité).

Sous la Convention. Dès sa 1re séance, après avoir aboli la Monarchie, elle décrète, le 22-9-1792, sur la proposition de Billaud-Varenne, que ce jour ouvre l'ère de la République et que tous les actes seront désormais datés de l'an I de la République. « Le même jour à 9 h 18 min 30 s du matin (pour l'Observatoire de Paris), le Soleil est arrivé à l'équinoxe vrai, en entrant dans le signe de la Balance. L'égalité des jours égaux aux nuits était marquée dans le ciel, au moment même où l'égalité civile et morale était proclamée par les représentants du peuple français comme le fondement sacré de son nouveau gouvernement ». Pour mettre les années de l'ère nouvelle en concordance avec le calendrier en usage, la Convention décrète le 2-1-1793 que l'an II commencerait le 1-1-1793, mais bientôt elle songe à remanier tout le calendrier. Le Comité d'instruction publique charge une commission présidée par Romme (condamné et suicidé 17-6-1795) comprenant : Lagrange, Monge, Lalande, Guyton, Pingré, Dupuis, etc., de préparer un projet. Sur la proposition de cette Commission, la Convention décrète le 5-10-1793 (an II) que le point de départ de l'ère républicaine et le commencement de l'an I sont fixés à la date de la proclamation de la République, qui se trouve coïncider avec l'équinoxe vrai d'automne au 22-9-1792. Le décret qui fixait le commencement de la 2e année au 1er janvier 1793, est rapporté. Tous les actes datés l'an II de la République, passés dans le courant du 1-1 au 22-9 exclusivement, sont regardés comme appartenant à la 1re année de la République. Le même décret établit un calendrier révolutionnaire. Le 18-10-1793, la Convention charge David, Chénier, Fabre d'Églantine et Romme de lui présenter une nouvelle nomenclature. Celle-ci est adoptée le 24-10-1793 (3 brumaire an II) et elle est promulguée par décret du 4 frimaire an II (24-11-1793). Ce calendrier demeura en vigueur jusqu'au 1-1-1806.

Organisation du calendrier. Le commencement de l'année est fixé « à minuit avec le jour où tombe l'équinoxe vrai d'automne pour l'Observatoire de Paris » (décret du 4 frimaire an II, art. 3). Les astronomes doivent déterminer pour chaque année le moment exact du passage du Soleil par le plan de l'équateur, et un décret spécial fixera ensuite le commencement de l'année. Les années commencent ainsi tantôt le 22, le 23 ou le 24 septembre. Si le passage du Soleil au point équinoxial a lieu vers minuit, les calculateurs peuvent être embarrassés pour fixer avant ou après l'heure exacte de minuit et par conséquent décider si l'année doit commencer un jour ou l'autre.

Divisions de l'année. L'année, de 365 j, est divisée en 12 *mois* de 3 *décades* de 10 j, pour se conformer aux règles du système métrique [primidi (d'abord orthographié primdi, puis officiellement prime-di), duodi, tridi, quartidi, quintidi, sextidi, septidi, octidi, nonidi, décadi], et se termine par *5 j supplémentaires* [dits sans-culottides du 24-11-1793 (décret du 4 frimaire an II) au 24-8-1794 (décret du 7 fructidor an III) : fête 1°) de la vertu, 2°) du génie, 3°) du travail, 4°) de l'opinion, 5°) des récompenses].

En mémoire de la Révolution qui, après 4 ans, a conduit la France au gouvernement républicain, la période bissextile de 4 ans est appelée la *Franciade* et le jour intercalaire qui doit la terminer *« jour de la Révolution »*. Le jour, de minuit à minuit, est divisé en 10 parties, chaque partie en 10 autres, ainsi de suite jusqu'à la plus petite portion commensurable de la durée. Cet article ne sera de rigueur pour les actes publics qu'à compter du 1er du premier mois de la 3e année de la République. Le nom des mois a été établi par le poète Fabre d'Églantine, qui leur a donné des terminaisons semblables pour chaque saison : automne : -aire ; hiver : -ôse ; printemps : -al ; été : -or. (Thermidor fut d'abord appelé Fervidor, de Fervidus : brûlant). Chaque jour recevait le nom d'une production végétale (ex. raisin, safran, châtaigne, potiron) ; ou, pour le quintidi, animale (ex. cheval, oie, dindon, faisan). Le décadi était appelé du nom d'un instrument rural (ex. cuve, pressoir, tonneau).

Ce calendrier qui prétendait être universel, était trop exclusivement français : le nom des mois, notamment, correspondant au climat de la France, il était déjà absurde dans les territoires français d'outre-mer.

Correspondance. Ex. : A quelle date correspond le 18 brumaire de l'an VIII ? *Le 1er brumaire correspondant au 23 octobre 1799, le 18 brumaire correspondra au 23 + 17* (le chiffre à ajouter est diminué d'une unité pour ne pas avoir à compter le jour même du départ du mois) = *40 octobre, c'est-à-dire au 9 novembre 1799.*

Usage. Sous la Révolution et l'Empire [du 24-11-1793 au 1-1-1806 (11 nivose an XIV)]. Le 23-9-1990 correspond au 1er vendémiaire 199, et le 23-9-1991 au 1er vendémiaire 200.

☞ Entre le 1-1 et le 21-9-1793, les documents ont été datés de l'an II alors que, d'après le calendrier décrété le 5-10 suivant, ils appartiennent à l'an I. Du 5-10 au 24-12-1793 (4 frimaire an II), on a désigné les mois et les jours par des numéros d'ordre. A la fin de la Révolution, le calendrier républicain était depuis plusieurs années largement tombé en désuétude dans l'usage ordinaire, et n'était plus employé que dans les documents officiels. Selon l'arrêté des consuls du 7 thermidor an VIII, l'observation du décadi n'était plus obligatoire que pour les autorités constituées et les fonctionnaires. Après le Concordat, cet arrêté fut même abrogé. Il fallait que les fonctionnaires puissent aller à la messe. La loi relative à l'organisation des cultes du 18 germinal an X (8-4-1802), spécifia dans l'article 57 : le repos des fonctionnaires est fixé au dimanche. Un arrêté des consuls du 13 floréal an X (3-5-1802) prescrivit que désormais la publication de mariage ne pourrait avoir lieu que le dimanche.

Sous la commune. La Commune utilise le calendrier républicain en 1871, de façon non systématique : le *Journal officiel* emploie le calendrier grégorien, mais certaines mesures sont datées suivant le calendrier révolutionnaire. Ainsi le *J.O.* du *29 mars publie :* « Les citoyens membres de la Commune de Paris sont convoqués pour aujourd'hui 8 germinal à 1 heure très précise à l'Hôtel de Ville. » *Le 6 mai,* le *J.O.* publie l'arrêté du Comité de salut public du 16 floréal, an 79 prescrivant la démolition de la Chapelle expiatoire. *Le 10 mai,* le Comité de salut public prescrit la démolition de la maison de Thiers (21 floréal an 79). *Le 24 mai,* la Commune de Paris publie un appel aux soldats de Versailles (du 3 prairial an 79) et le Comité de salut public un appel aux bons citoyens (du 3 prairial). *Le 25 mai* le Comité central de la Fédération républicaine de la garde nationale publie un texte du 4 prairial an 79.

Dates de Pâques de 1900 à 2049

☞ Chiffres en romain : il s'agit du mois d'avril ; en italique : il s'agit du mois de mars.

Années	0	1	2	3	4	5	6	7	8	9
1900	15	7	*30*	12	3	23	15	*31*	19	11
1910	*27*	16	7	*23*	12	4	23	8	*31*	20
1920	4	*27*	16	1	20	12	4	17	8	*31*
1930	20	5	*27*	16	1	21	12	*28*	17	9
1940	*24*	13	5	25	9	1	21	6	*28*	17
1950	9	*25*	13	5	18	10	1	21	6	*29*
1960	17	2	22	14	*29*	18	10	*26*	14	6
1970	*29*	11	2	22	14	*30*	18	10	*26*	15
1980	6	19	11	3	22	7	*30*	19	3	*26*
1990	15	*31*	19	11	3	16	7	*30*	12	4
2000	23	15	*31*	20	11	*27*	16	8	*23*	12
2010	4	24	8	*31*	20	5	*27*	16	1	21
2020	12	4	17	9	*31*	20	5	*28*	16	1
2030	21	13	*28*	17	9	*25*	13	5	25	10
2040	1	21	6	*29*	17	9	*25*	14	5	18

Nota. – Limites extrêmes : *Pâques* 22 mars-25 avril ; *Pentecôte* 10 mai-13 juin. Les termes *septuagésime* (63 j avant Pâques), *sexagésime* (56), *quinquagésime* (49) ne sont plus utilisés depuis le 1-1-1971, la période liturgique correspondante (servant de préface au Carême) ayant été supprimée.

• **Noël.** A vu le jour à Rome vers 330 et s'est imposé en Orient 1 siècle plus tard [Palestine 2 siècles (570)]. En effet, les Orientaux célébrant la naissance du Christ le 6 janv., en même temps que l'adoration des mages, la circoncision et le baptême, l'*Épiphanie* est restée pour eux la fête majeure.

Dates des fêtes mobiles

	Cendres	Pâques	Ascens.	Pent.	Avent
1990	28-2	15-4	24-5	3-6	2-12
1991	13-2	31-3	9-5	19-5	1-12
1992	4-3	19-4	28-5	7-6	29-11
1993	24-2	11-4	20-5	30-5	28-11

Comput ecclésiastique

• Ensemble d'opérations permettant de calculer chaque année les dates des fêtes religieuses mobiles et particulièrement celle de Pâques, le comput ne tient pas compte des inégalités du mouvement de la Lune, et parfois les indications du calendrier ecclésiastique sont en désaccord son mouvement réel.

• **Éléments du comput. Nombre d'or.** Nombre compris entre 1 et 19 qui indique le rang d'une année donnée dans un cycle de 19 ans, au bout duquel les phases de la Lune se reproduisent aux mêmes dates. L'astronome grec Méton aurait découvert en 432 av. J.-C. que 19 années valent 235 lunaisons.

Épacte. Nombre qui indique l'âge de la Lune à la veille du 1er janvier en convenant de désigner par 0 son âge le jour où elle est nouvelle. Comme une lunaison compte 29 j et quelques h, l'épacte peut varier de 0 à 29. De la valeur de l'épacte, on déduit la date de la pleine lune (le 21 mars ou immédiatement après). Puis, par la lettre dominicale, on obtient la date du dimanche suivant : le jour de Pâques.

Lettre dominicale, Indique les dimanches d'une année avec la convention suivante : on désigne à partir du 1er janvier les jours successifs de l'année par A,B,C,D,E,F,G, en recommençant la série des 7 lettres quand elle est épuisée. Les jours de même nom sont donc désignés par la même lettre. Si le 1er janvier est un lundi, A désigne les lundis, B, les mardis, ..., G les dimanches : alors G est la lettre dominicale de l'année. Dans les années bissextiles, le 29 février usurpe la lettre qui devrait revenir au 1er mars. Il faut donc indiquer, pour les 10 derniers mois de l'année, une 2e lettre dominicale qui eût été normalement celle de l'année suivante.

Cycle dominical (ou, improprement, **cycle solaire**). 28 ans, au bout desquels reviennent les mêmes lettres dominicales. Chaque année peut être caractérisée par son rang (entre 1 et 28) dans ce cycle.

Indiction romaine. Période de 15 années, conventionnelle, n'ayant aucune signification astronomique. Les papes, depuis Grégoire VIII, ont fait commencer l'indiction au 1-1-313. Depuis, les années portent un numéro compris entre 1 et 15, qui porte aussi le nom de l'indiction romaine.

Exemple : *année 1992.* Nombre d'or : 17. Épacte : 25. Lettre dominicale : ED. Cycle solaire : 13. Indiction romaine : 15.

Calendrier romain

• **A l'origine. Calendrier lunaire.** Années de 304 j divisées en 10 mois, comptées de la date de la fondation de Rome (en 753 av. J.-C. sous Romulus).

Lustre. A l'origine, fête expiatoire instituée par Servius Tullius, puis période de 4 années (dite Olympiade chez les Grecs) puis de 5 années.

Nom des mois. Ils furent désignés d'abord par des adjectifs numéraux, terminés en ilis : aprilis (2e), quintilis (5e), sextilis (6e), ou en ber : september (7e, septem ab imbre : le 7e après les neiges), october (8e), november (9e), december (10e). Puis, on en dédia à des divinités : le 1er, martius, à Mars, dieu de la guerre ; le 3e, maïus, à Maïus ou Maïa, divinités préromaines ; le 4e, junius, à Junon, épouse de Jupiter. On ajoutait, après le dernier mois, le nombre de j nécessaires pour égaler l'année solaire ; ces j n'eurent d'abord pas de nom. Puis on en fit 2 mois, placés, après décembre, à la fin de l'année. L'un fut ensuite placé avant martius et appelé januarius (il était consacré à Janus, ou Dianus, divinité préromaine). L'autre, februarius, resta d'abord après décembre. Les mois eurent un nombre de j impairs (les Romains croyaient que le nombre impair portait bonheur). Le total donnait 354 j ; pour avoir un nombre impair on donna à l'année 355 j en ajoutant 1 jour au dernier mois qui, de 27 j, passa à 28 j. Ce nombre pair, en faisant un mois néfaste, fut consacré à des cérémonies expiatoires, d'où son nom de februarius (*februare,* verbe archaïque d'origine sabine, signifie : purifier). Vers l'an 400 de Rome, februarius fut déplacé entre januarius et martius, et devint le 2e mois.

L'année, qui débutait vers l'équinoxe de printemps, commença alors vers le solstice d'hiver. Comme elle était plus courte que l'année solaire, on essaya (Numa ou les décemvirs) de la faire coïncider avec les saisons en établissant un cycle de 4 ans, au cours duquel on ajouta, de 2 en 2 ans, un 13e mois (appelé *mercedonius* parce que les mercenaires étaient payés à ce moment) tantôt de 23 j, placés entre le 24 et 25 février, tantôt de 22 j, entre le 23 et 24. Dans ce cycle, la 1re année avait 355 j, la 2e 355 + 22 = 377 ; la 3e 355 et la 4e 355 + 23 = 378. *Total* 1 465 j pour 4 ans (au lieu de 1 461).

Pour remédier à cet excès de 4 j, les décemvirs adoptèrent, en 450 av. J.-C., l'**octaétéride** de Cléostrate de Tenedos, période de 8 ans : pendant 3 octaétérides, on devait intercaler 5 mois (au lieu de 6) de 22 j. Comme il restait encore 2 j en plus, les pontifes furent chargés d'assigner au mois mercedonius le nombre de j requis pour maintenir la concordance entre année civile et année vraie, mais ils le firent d'une façon arbitraire ; le désordre augmenta : en 46 av. J.-C., l'équinoxe civile différait de l'astronomique d'env. 3 mois.

• **Réforme julienne. Date.** Sous Jules César, 708 de Rome, 46 av. J.-C. ; à partir du 1er janv. (jusque-là, l'année changeait de chiffre seulement le 1er mars). **Motif.** Mettre fin au pouvoir abusif des autorités religieuses (les pontifes) en matière de calendrier civil. Il arrivait qu'un pontife raccourcisse une année pour faire sortir de charge un ennemi. **Principe astronomique.** César, conseillé par l'Egyptien Sosigènes, commença par ajouter à l'année courante, en plus du mois de 23 j intercalé cette année-là, 2 autres mois de 33 et 34 j, entre novembre et décembre, pour regagner le retard. Cette année de 455 j est connue sous le nom d'**année de confusion.** Puis il déclara que l'année, désormais réglée principalement sur le cours du Soleil, aurait 365 j ; en raison de l'excédent évalué à 6 h (soit 24 h en 4 ans), on ajouterait 1 j chaque 4e année. Placé après le 24 février (appelé *sexto ante calendas martii*), ce j fut nommé *bis sexto ante calendas martii,* d'où son nom de jour **bissextile,** l'année qui le contient étant une année bissextile. Les 10 j supplémentaires furent distribués parmi les mois qui eurent alors 30 ou 31 j alternativement, sauf février qui, de 30 les années bissextiles, n'en eut que 29 les années ordinaires. En 716 de Rome, sur la proposition d'Antoine, le mois quintilis (c.-à-d. cinquième) fut appelé julius en hommage à Jules César.

Pour trouver le jour correspondant à une date

Exemple : quel était le jour de la délivrance d'Orléans par Jeanne d'Arc, le 8-5-1429 ?

Regardons d'abord le tableau I. A l'intersection de la colonne verticale où se trouve le nombre 29 sur le tableau des années et de la ligne horizontale où se trouve le nombre 14 sur le tableau des siècles, correspond le chiffre 0.

Ce 0 reporté dans la première colonne du tableau II des mois donne 1 dans la colonne mai.

Passant au tableau III des quantièmes à l'intersection de ce chiffre 1 (1re colonne du tableau III) et du quantième 8, nous lisons D.

Le 8-5-1429 était donc un dimanche.

***Nota.* — Pour les années bissextiles on utilise les mois de janvier et de février suivis de la lettre (B).**

ANNÉES

00	01	02	03	—	04	05
06	07	—	08	09	10	11
—	12	13	14	15	—	16
17	18	19	—	20	21	22
23	—	24	25	26	27	—
28	29	30	31	—	32	33
34	35	—	36	37	38	39
—	40	41	42	43	—	44
45	46	47	—	48	49	50
51	—	52	53	54	55	—
56	57	58	59	—	60	61
62	63	—	64	65	66	67
—	68	69	70	71	—	72
73	74	75	—	76	77	78
79	—	80	81	82	83	—
84	85	86	87	—	88	89
90	91	—	92	93	94	95
—	96	97	98	99	—	—

TABLEAU I — SIÈCLES

JULIENS Jusqu'au 4 octobre 1582			GRÉGORIENS Depuis le 15 octobre 1582										
0	7	14	—	17	21	25	6	0	1	2	3	4	5
1	8	15	—	—	—	—	5	6	0	1	2	3	4
2	9	—	—	18	22	26	4	5	6	0	1	2	3
3	10	—	—	—	—	—	3	4	5	6	0	1	2
4	11	—	15	19	23	27	2	3	4	5	6	0	1
5	12	—	16	20	24	28	1	2	3	4	5	6	0
6	13	—	—	—	—	—	0	1	2	3	4	5	6

TABLEAU II

	Mai	Août Fév. (B)	Fév. Mars Nov.	Juin	Sept. Déc.	Avr. Juill. Janv. (B)	Janv. Oct.
1	2	3	4	5	6	0	1
2	3	4	5	6	0	1	2
3	4	5	6	0	1	2	3
4	5	6	0	1	2	3	4
5	6	0	1	2	3	4	5
6	0	1	2	3	4	5	6
0	1	2	3	4	5	6	0

TABLEAU III

	1	2	3	4	5	6	7
	8	9	10	11	12	13	14
	15	16	17	18	19	20	21
	22	23	24	25	26	27	28
	29	30	31	—	—	—	—
1	D.	L.	m.	M.	J.	V.	S.
2	L.	m.	M.	J.	V.	S.	D.
3	m.	M.	J.	V.	S.	D.	L.
4	M.	J.	V.	S.	D.	L.	m.
5	J.	V.	S.	D.	L.	m.	M.
6	V.	S.	D.	L.	m.	M.	J.
0	S.	D.	L.	m.	M.	J.	V.

La réforme julienne fut d'abord mal appliquée. Les pontifes intercalèrent une année bissextile tous les 3 ans. Au bout de 36 ans, on avait intercalé 12 années bissextiles au lieu de 9. Auguste ordonna alors que pendant 12 ans on ne fît aucune année bissextile. La réforme julienne reprit sa justesse. En récompense, le Sénat romain décréta, en 746 de Rome (8 av. J.-C.), qu'on donnerait à sextilis (sixième mois) le nom d'augustus. Auguste n'étant en rien inférieur à César, on enleva donc à février un jour (il n'eut plus alors que 28 j ou 29 j les années bissextiles). Pour qu'il n'y eût pas à la suite 3 mois de 31 j, on donna le 31 de septembre à octobre et le 31 de novembre à décembre.

Division du mois. En 3 parties inégales, dont les noms sont d'origine étrusque : les **calendes** désignaient le 1er jour du mois, elles n'existaient pas chez les Grecs : d'où l'expression « renvoyer aux calendes grecques » pour dire renvoyer *sine die,* les **nones** le 5e j (ou le 7e pour mars, mai, juillet, oct.), les **ides** le 13e (ou le 15e pour mars, mai, juillet, oct.). Les jours se comptaient en rétrogradant à partir de ces dates. Cette division remonte à l'époque où les habitants du Latium avaient établi une concordance entre les cycles de la Lune et les jours du mois. Les calendes correspondaient au 1er jour de la nouvelle lune, les ides à la pleine lune et les nones au 9e jour avant les ides. Les noms des jours, les mêmes que ceux des 7 astres connus des Chaldéo-Assyriens, se retrouvent dans plusieurs langues modernes : Solis dies (sunday, anglais), Lunae dies (lundi), Martis dies (mardi), Mercurii dies (mercredi), Jovis dies (jeudi), Veneris dies (vendredi), Saturni dies (saturday, anglais). Dimanche tire son origine du latin ecclésiastique dies dominica (j du seigneur), ainsi que samedi de sabbati dies (j du sabbat).

Retard du calendrier julien

Jours	Date julienne	Date grégor.
10	5 oct. 1582	15 oct. 1582
11	1er mars 1700	12 mars 1700
12	1er mars 1800	13 mars 1800
13	1er mars 1900	14 mars 1900
14	1er mars 2100	15 mars 2100

Heures. La journée se divise en 12 h de jour (comptées du lever du soleil à son coucher) et 12 h de nuit. Aussi la durée des h varie-t-elle selon la saison. Elles ne sont pas égales qu'aux équinoxes. La journée est divisée jusqu'au IVe s. av. J.-C. en *ante meridiem* et *de meridie,* au IIIe on dit *mane* (le matin) et *suprema* (le soir) ; les différents moments de la journée (approximatifs) portent des noms particuliers : diluculum (point du jour), mane (le matin), ad meridiem (vers midi), meridies (milieu du jour), de meridie (après midi), suprema (le coucher du soleil), vespera (le soir), crepusculum (le crépuscule), prima fax (première torche), concubium (nuit avancée), intempesta nox (nuit profonde), media nox (milieu de la nuit), gallicinium (chant du coq).

• **Usage actuel du calendrier julien.** L'Église orthodoxe russe conserve le calendrier julien (elle fête Noël le 7 janvier). D'autres orthodoxes, les patriarcats de Constantinople et d'Antioche, les Églises de Grèce et de Finlande, célèbrent Noël le 25 déc., mais gardent le calendrier julien pour fixer la date de Pâques.

A Paris, la cathédrale orthodoxe (rue Daru) célèbre 2 fois Noël : en français le 25 décembre, en russe le 7 janvier. La cathédrale ukrainienne (rue des Saints-Pères), unie à Rome, célèbre Noël le 7 janvier « pour être aux côtés des fidèles restés en U.R.S.S. ».

Concordance pour 1992

Calendrier julien 1-1 (14-1 du calendrier grégorien). **Musulman** *1412* 25 Djoumada-t-Tania (1-1 du cal. grégorien), 1 Radjab (6-1), 1 Cha'ban (5-2), 1 Ramadan (5-3), 1 Chaououal (4-4), 1 Dou-l-Qa'da (3-5), 30 Dou-l-Qa'da (1-6), 1 Dou-l-Hidjja (2-6). *1413* 1 Mourharram (1-7), 1 Safar (8-8), 1 Rabi'-oul-Aououal (30-8), 1 Rabi'-out-Tani (29-9), 1 Djoumada-1-Oula (28-10), 1 Djoumada-t-Tania (27-11). **Copte** *1708* 22 Keihak (1-1), 1 Toubah (10-1), 1 Amchir (9-2), 1 Barmahat (1-3), 1 Barmoudah (9-4), 1 Bachnas (9-5), 1 Bou'nah (8-6), 24 Bou'nah (1-7), 1 Abib (8-7), 1 Masari (7-8), 1 J. Epag (6-9), *1708* 1 Tout (11-9), 1 Babah (11-10), 1 Hâtour (10-11), 1 Keihak (10-12).

Calendriers divers

• **Aztèques.** *Calendrier civil.* 18 mois de 20 jours, soit 360 j, plus 5 jours néfastes *(nemontemi),* qui n'ont pas de signes. Siècle de 52 ans *(xiuhmolpilli).* Chaque année a un des quatre signes suivants : roseau *(acatl),* couteau sacrificiel *(tecpatl),* maison *(calli),* lapin *(tochtli). C. religieux.* Année divinatoire *(tonalpohualli)* de 260 j. Chaque jour a un signe (série de 20 signes) et un nombre (1-13). *C. vénusien.* Année de 584 j solaires. Au bout de 56 années vénusiennes (104 années solaires, soit 2 siècles), les 3 calendriers retrouvent la même date.

• **Bahà'i.** L'ère bahà'ie commence le 21-3-1844. Année solaire de 19 mois de 19 j, plus 4 j intercalaires (5 les années bissextiles) commençant à l'équinoxe de printemps (21-3). Chaque mois est nommé d'après les attributs de Dieu : Splendeur, Gloire, etc. Les jours commencent au coucher du soleil. *Fêtes :* v. Index.

• **Cambodge et Laos.** *Calendrier d'origine indienne :* luni-solaire (année solaire de 365 ou 366 j ; mois lunaires de 29 ou 30 j). 1 mois intercalaire est ajouté tous les 3 ou 4 ans et 1 j tous les 5 ou 6 ans. Cycle de 60 années combinant un cycle duodécennal avec un cycle décennal. 2 ères sont employées :

1° La *petite ère* (tiounla-sakaraj), d'origine birmane, commençant le 21-3-638 après J.-C. et commémorant un événement mal connu. L'an 1 correspond à 639. Elle sert en astronomie.

2° L'*ère bouddhique* (budha-sakaraj), commençant au jour de la pleine lune du mois de Vissakha (ou 6e mois) 544 av. J.-C., année de la mort de Bouddha d'après la tradition cinghalaise. L'an 1 correspond à 543. Cette ère n'est plus employée au Laos que par le clergé bouddhique, mais elle est devenue depuis 1913 l'ère officielle thaïlandaise. La *grande ère* (maha-sakaraj, datant de 78 apr. J.-C.) n'est plus utilisée.

• **Chine.** *Calendrier luni-solaire :* comprenant des années courtes de 354 ou 355 j et des années longues de 383 et 384 j. En vigueur jusqu'en 1911. Néanmoins, la numérotation des années lunaires à partir du début de l'ère chinoise ne s'est pas perdue, et chaque année continue à recevoir un nom symbolique. Ex. *1978* (4676) Cheval, *1979* (4677) Mouton, *1980* (4678) Singe, *1981* (4679) Coq, *1982* (4680)

Chien, *1983* (4681) Porc (ou Sanglier), *1984* (4682) Rat, *1985* (4683) Bœuf, *1986* (4684) Tigre, *1987* (4685) Lapin, *1988* (4686) Dragon, *1989* (4687) Serpent, *1990* (4688) Cheval, *1991* (4689) Chèvre.

• Égypte. *Calendrier vague* ou civil à partir du 5e millénaire avant notre ère. 365 j. Ne tient pas compte des saisons, mais est fondé sur l'apparition de Sirius (lever héliaque) dans le ciel : le 19 juillet, qui est choisi comme 1er jour de l'année solaire. Estimation assez précise de la durée de l'année : 365,25 j, 12 mois de 30 j (3 décades), plus 5 j intercalaires (épagomènes ; 6 tous les 4 ans lorsque le millésime de l'année suivante est multiplié par 4). 3 saisons (inondation, végétation, récoltes). L'an 1 copte correspond à l'an Julien 284. A servi de modèle au calendrier républicain de 1793, qui s'est contenté de lui apporter la correction des années sextiles.

• Éthiopie. *Calendrier copte* inspiré du calendrier égyptien ancien (calendrier vague) ; luni-solaire : 12 mois de 30 j suivis par 5 j complémentaires formant un mois *épagomène,* devenant un mois de 6 j les années bissextiles. Année bissextile tous les 4 ans. Date origine : naissance du Christ, selon le comput de l'ère alexandrine mineure fixée en l'an 5493 de la création du monde.

• Grèce ancienne. *Calendrier lunaire* avec cycle de 4 ans correspondant aux jeux Olympiques. Les villes possédaient des calendriers particuliers. *Athènes :* année lunaire de 12 mois alternativement de 29 et de 30 j. Tous les 2 ans, on intercalait 1 mois supplémentaire (second Poséidon) alternativement de 22 et 23 j.

• Inde. *Calendrier grégorien* pour les usages officiels et *calendrier national* fondé sur l'*ère saka* (adoptée à partir du 22-3-1957). Année de 365 j. Longtemps coexistèrent les 2 types de calendriers : les lunaires (354 j), dont les mois correspondaient soit aux phases de la Lune, soit au passage de la Lune dans les signes du zodiaque ; et les solaires (365 j + une fraction de j différente selon les régions), dont les mois correspondaient au passage du Soleil dans les signes du zodiaque. Puis les mois lunaires ont été confondus avec les mois solaires. Le 1 Chaitra (1er mois) correspond au 22 mars une année ordinaire (21 mars une année bissextile). Point de départ : 3-3-78 apr. J.-C. *1987* correspond donc à *Saka* 1909.

Il y eut de nombreuses ères, dont : l'*ère samvat* ou *vikramâditya* (ou *vikramâjit*), prédominante dans le N. de l'Inde. Début 23-2-57 av. J.-C. *1981* correspond donc à *Samvat* 2037-39. Elle continue à être utilisée pour les almanachs et utilise les mois lunaires, commençant à la pleine ou nouvelle Lune, selon les régions.

• Iran. *Nouvel An,* le 21 mars, 1er jour de l'an [Now Rouz (nouveau jour)], 1er jour du printemps. Les iraniens s'assemblent autour de la nappe du « Halt Sin » sur laquelle se trouvent 7 produits commençant par « S » : Sib (pomme), Senjed (olive de Bohême), Somaq (Sumac), Sir (ail), Sabzeh (grains de blé ou de lentille germés dans une assiette), Serkeh (vinaigre), Sekkeh (pièces de monnaie). On croit que le moment précis de l'entrée du soleil dans le signe zodiacal du bélier est indiqué par un petit mouvement d'une feuille qui flotte dans un bol. On échange alors des cadeaux, souvent des pièces d'or.

• Israélite. *Calendrier luni-solaire* adopté au IVe s. après J.-C. après réforme du calendrier ancien, et fondé sur les lunaisons et l'année tropique. Le calendrier ancien (1re mention au début du 1er millénaire av. J.-C.) fixait déjà les règles du calcul de la **Pâque juive** : 14e jour de la lunaison de Nissan, qui avait été celle de l'équinoxe du printemps, l'année de l'Exode. Cette date subissait des déplacements considérables, du fait du désaccord entre 2 cycles de la Lune et du Soleil : *le cycle lunaire* (de 19 ans) comprend *12 années communes* de 12 mois (alternativement de 30 ou 29 j), soit 354 j, mais parfois 353 ou 355 suivant le jour où tombe le 1er j de l'année, et *7 années embolismiques* (les 3e, 6e, 8e, 11e, 14e, 17e, 19e) de 13 mois (alternativement de 30 ou 29 j), soit 384 j, mais parfois 383 ou 385 suivant le jour où tombe le 1er j de l'année. Le 13e mois (Véadar) est intercalé entre Adar et Nissan. La date de la Pâque avance donc chaque année de 11 j par rapport à l'année solaire, puis recule de 30 jours aux années embolismiques. La fête de Shavouot – Pentecôte – se situe après les 49 j de la période de l'Omer qui commence le 2e soir de Pessah (Pâque juive). La sem. de 7 j commence le 1er j après le **Sabbat,** correspondant au dimanche chrétien. Le jour commence au coucher du soleil et finit à la tombée de la nuit suivante. Il est divisé en 1 080 parties de 76 instants. Le j origine correspond au 7 octobre 3761 av. J.-C., date présumée de la Création. *Fêtes :* voir à l'Index. **Année 5751.** 15 Tébeth 1-1-1991, 1er Shébat 16-1, 1er Adar 15-2, 1er Nissan 16-3, 1er Iyar 15-4, 1er Sivan 25-5, 21 Sivan 3-6, 1er Tamouz 13-6, 1er Ab 12-7, 1er Elloul 11-8. **5752** 1er Tisseri 9-9, 1er Hesvan 9-10, 1er Kislev 8-11, 1er Tébeth 8-12.

• Japon. *Calendrier grégorien* assorti de divisions correspondant aux règnes de l'Empereur. Les 3 dernières époques sont : *Meiji :* 13-10-1868, 29-7-1912 (Mutsuhito) ; *Taisho :* 30-7-1912, 24-12-1926 (Yoshihito) ; *Showa :* 25-12-1926 (Hirohito), 7-1-1989. *Heisei* 8-1-1989.

• Mayas. *Calendrier civil.* 18 mois de 20 j, plus 5 j néfastes (« uayeb »). *C. religieux.* Année divinatoire de 260 j, chaque jour ayant un signe (série de 20 signes) et un nombre (1 à 13). *COMPTE LONG.* Succession de périodes dont l'unité est le kin (jour) : uinal (20 j), tun (18 uinales = 360 j), katun (20 tunes = 7 200 j), baktun (20 katunes = 144 000 j). Moins employées sont les périodes plus grandes : pictun, calabtun, kinchiltun, alautun (représentant environ 63 millions d'années). *C. lunaire.* 2 semestres où alternent les mois de 30 et de 29 j. *C. vénusien.* Année de 584 j solaires. *CYCLE ÉSOTÉRIQUE. 9 signes* correspondant à 9 divinités accompagnatrices (nocturnes) ; *de 819 j :* résultat de la combinaison de 7 divinités terrestres, 9 du monde inférieur et 13 des cieux.

• Musulman. *Calendrier lunaire* adopté vers 632 après J.-C. par les musulmans. Le 1er j de l'an I de l'ère musulmane (dit **hégire**) correspond au 16-7-622, jour où Mahomet quitta La Mecque pour Médine.

Année de 12 mois (ou lunaisons) ayant alternativement 29 et 30 j (comptés à partir du coucher du soleil du j civil précédent). Une année normale est ainsi de 354 j. Pour corriger, 11 années sur 30 sont augmentées de 1 j *(années abondantes)* au dernier mois (années 2, 5, 7, 10, 13, 16, 18, 21, 24, 26 et 29 d'un cycle de 30 ans). *Fêtes :* voir à l'Index. **Concordance du 1er jour de l'année musulmane avec le calendrier grégorien.** *1406* = 1985, 16 oct. ; *1407* = 1986, 6 oct. ; *1408* = 1987, 26 sept. ; *1409* = 1988, 15 sept. ; *1410* = 1989, 15 sept. ; *1411* = 1990, 25 août ; *1412* = 1991, 15 août ; *1413* = 1992, 5 août.

• Viêt-nam. *Calendrier chinois.* Calendrier lunaire (année de 12 mois complets de 30 j ou incomplets de 29 j avec tous les 2 ou 3 ans 1 mois embolismique variable). Cycle de 60 ans et période arbitraire. La fête du Têt (Nouvel An lunaire) a lieu fin janvier et début février ; fête du Nouvel An : 1-1 ; fête du Travail : 1-5 ; fête nationale : 2-9. Pour la dernière dynastie, celle des Nguyen, l'usage identifiait la période au règne : périodes *Gia-Long* (1802-20), *Minh-Mang* (1820-41), *Thiêu-Tri* (1841-47), etc., jusqu'à *Bao-Daï* (1er an : 1926). Le calendrier traditionnel est toujours suivi dans l'observation des coutumes et la célébration des anciennes fêtes ; pour les actes officiels le calendrier grégorien est adopté.

Adjectifs exprimant la périodicité et la durée. *Qui dure 1 an ou qui revient 1 fois par an :* annuel ; *qui dure 2 ans ou qui revient 1 fois tous les 2 ans :* biennal ; *3 ans :* triennal ; *4 ans :* quadriennal ; *5 ans :* quinquennal ; *6 ans :* sexennal ; *7 ans :* septennal ; *8 ans :* octennal ; *9 ans :* novennal ; *10 ans :* décennal ; *11 ans :* undécennal ; *12 ans :* duodécennal ; *15 ans :* quindécennal ; *16 ans :* sexdécennal ; *17 ans :* septemdécennal ; *18 ans :* octodécennal ; *19 ans :* novodécennal ; *20 ans :* vicennal ; *30 ans :* tricennal ; *40 ans :* quadragennal ; *50 ans :* quinquagennal ; *60 ans :* sexagennal ; *70 ans :* septuagennal ; *80 ans :* octogennal ; *90 ans :* nonagennal.

Adjectifs exprimant seulement la périodicité. *Bihebdomadaire* (2 fois par semaine), *bimensuel* (2 fois par mois), *bimestriel* (1 f. tous les 2 mois), *biquotidien* (2 f. par jour), *bisannuel* (1 f. tous les 2 ans) [*synonyme :* biennal], *hebdomadaire* (1 f. par semaine), *mensuel* (1 f. par mois), *quotidien* (1 f. par jour), *séculaire* (1 f. tous les 100 ans), *semestriel* (1 f. tous les 6 mois), *trihebdomadaire* (3 f. par semaine), *trimensuel* (3 f. par mois), *trimestriel* (1 f. tous les 3 mois), *trisannuel* (1 f. tous les 3 ans) [*synonyme :* triennal].

Grands savants

Légende. **Nationalité indiquée par pays :** *All. :* Allemagne. *Ar. :* Arabe. *Autr. :* Autriche. *Belg. :* Belgique. *Can. :* Canada. *Cu. :* Cuba. *Dan. :* Danemark. *Éc. :* Écosse. *Ég. :* Égypte. *Fl. :* Flamand. *Fr. :* France. *G.-B. :* Grande-Bretagne. *Gr. :* Grèce. *Ho. :* Hongrie. *Irl. :* Irlande. *It. :* Italie. *Jap. :* Japon. *Lat. :* Latin. *Mex. :* Mexique. *P.-B. :* Pays-Bas. *Pol. :* Pologne. *Port. :* Portugal. *R. :* Russie. *Suè. :* Suède. *Sui. :* Suisse. *Tchéc. :* Tchécoslovaquie. *Youg. :* Yougoslavie.

Profession : (1) Agronome. (2) Alchimiste. (3) Anatomiste. (4) Anthropologue. (5) Architecte. (6) Astronome. (7) Bactériologiste. (8) Biochimiste. (9) Biologiste. (10) Botaniste. (11) Cardinal. (12) Cardiologue. (13) Chimiste. (14) Chirurgien. (15) Dentiste. (16) Écrivain. (17) Évêque. (18) Égyptologue. (19) Entomologiste. (20) Ethnologue. (21) Explorateur. (22) Général. (23) Généticien. (24) Géographe. (25) Géologue. (26) Gynécologue. (27) Historien. (28) Homme d'état. (29) Imprimeur. (30) Ingénieur. (31) Ingénieur électricien. (32) Ingénieur mécanicien. (33) Ingénieur métallurgiste. (34) Inventeur. (35) Laryngologiste. (36) Logicien. (37) Marin. (38) Mathématicien. (39) Médecin. (40) Microbiologiste. (41) Minéralogiste. (42) Naturaliste. (43) Neurologue. (44) Neuropsychologue. (45) Obstétricien. (46) Officier. (47) Paléontologue. (48) Pathologiste. (49) Peintre. (50) Pharmacien. (51) Philologue. (52) Philosophe. (53) Photographe. (54) Physicien. (55) Physiologiste. (56) Physicien biologiste. (57) Psychologue. (58) Radioastronome. (59) Savant. (60) Sculpteur. (61) Sismologue. (62) Théologien. (63) Vétérinaire.

Nés avant J.-C.

ALCMÉON DE CROTONE (VIe s.), Gr. [39]
ANAXAGORE DE CLAZOMÈNES (v. 500-428), Gr. [52]
ANAXIMANDRE DE MILET (v. 610-v. 547), Gr. [38, 52]
ANTISTHÈNE (v. 444-365), Gr. [52]
APOLLONIOS DE PERGA (v. 262-v. 180), Gr. [38]
ARCHIMÈDE (287-212), Gr. [38, 54]
ARISTARQUE DE SAMOS (310-230), Gr. [6]
ARISTIPPE (Ve s.), Gr. [52]
ARISTOTE (384-322), Gr. [52, 59]
CONFUCIUS (551-479), Chine [52]
DÉMOCRITE (v. 460-v. 370), Gr. [52, 59]
DIOGÈNE le Cynique (413-327), Gr. [52]
EMPÉDOCLE (490-430), Gr. [52, 59]
ÉPICURE (341-270), Gr. [52, 59]
ÉRASISTRATE († v. 280), Gr. [3]
ÉRATOSTHÈNE (276-196), Gr. [38]
EUCLIDE (IVe-IIIe s.), Gr. [38]
HÉRACLITE (v. 540-v. 480), Gr. [52, 59]
HIPPARQUE DE NICÉE (IIe s.), Gr. [6]
HIPPOCRATE DE COS (v. 460-v. 337), Gr. [39]
MÉTRODORE DE CHIO (IVe s.), Gr. [39, 52]
PARMÉNIDE (540/510-450/440), Gr. [52, 59]
PHILON DE BYZANCE (IIIe s.), Gr. [38, 54]
PLATON (428-348/7), Gr. [52]
PYTHAGORE DE SAMOS (VIe s.), (v. 560-480), Gr. [38, 52]
SOCRATE (v. 470-399), Gr. [52]
THALÈS DE MILET (VIe s.), (v. 625 – v. 550), Gr. [38, 52]
THÉOPHRASTE (v. 372-v. 287), Gr. [10, 52, 57]
VARRON (116-27), Lat. [59]
VITRUVE (Ier s.), Lat. [5, 30]
ZÉNON D'ÉLÉE (né v. 490-485), Gr. [52]

Nés entre l'an 1 et 1000 apr. J.-C.

AL BATTANI (v. 900), Ar. [6]
AL BIRUNI (973-1050), Ar. [6, 27, 38]
ALCUIN (v. 735-804), orig. anglo-sax. [57, 59]
AL HAZIN (965-1039), Ég. [38, 54]
AUGUSTIN, Saint (354-430), Lat. [62]
AVICENNE (IBN SINA) (980-1037), Ar. [52, 39]
GALIEN, Claude (v. 131-v. 201), Gr. [39]
GERBERT D'AURILLAC (Xe s.) (Pape Sylvestre II : 999), Fr. [6, 38]
GRÉGOIRE de Nazianze, Saint (330-390), Gr. [62]
HÉRON (Ier s.), Gr. [38, 54]
ISIDORE de Séville (v. 560-636), [59]
JÉRÔME, Saint (v. 347-420), Lat. [52, 62]
PLINE L'ANCIEN (23/24-79), Lat. [59]
PTOLÉMÉE, Claude (IIe s.), (v. 90-170), Gr. [6, 24]

Nés de 1000 à 1500

ABÉLARD, Pierre (1079-1142), Fr. [52, 62]
ABULCASIS (Xe s.), Ar. [15]
ALBERT LE GRAND (v. 1200-1280), All. [52]
AL-GAZAL (1058-1111), Ar. [62]

AVERROÈS (1126-98), Ar. [52, 59]
BACON, Roger (1214-94), G.-B. [52, 59]
BONAVENTURE, Saint (1221-74), It. [52, 62]
CHUQUET, Nicolas (1445-1500), Fr. [38]
COPERNIC, Nicolas (1473-1543), Pol. [6]
CUSA, Nicolas de (1401-64), All. [11, 54]
ECKHART, Johann, dit Maître (v. 1260-1327), All. [62]
ÉRASME (1467-1536), P.-Bas [52, 59]
FERNEL, Jean (1497-1558), Fr. [6, 38, 39]
FIBONACCI, Leonardo (v. 1175-apr. 1240), It. [38]
GUTENBERG, Johannes Gensfleisch dit (v. 1394/99-1468), All. [29]
LULLE, Raymond, dit l'Illuminé catalan (v. 1235-1315) [2, 17]
LUTHER, Martin (1483-1546), All. [62]
MAIMONIDE (1135-1204), Juif catalan [2, 39, 52]
MICHEL-ANGE, Michelangelo Buonarroti, dit (1475-1564), It. [5, 49]
ORESME, Nicole d' (v. 1325-82), Normand [17, 38]
PARACELSE, Theophrastus von Hohenheim dit (1493?-1541), Sui. [39]
THOMAS D'AQUIN, Saint (1225-74), It. [52, 62]
VINCI, Léonard de (1452-1519), It. [5, 30, 49, 59, 60]

Nés de 1500 à 1600

BACON, Francis (1561-1626), G.-B. [52]
BRAHÉ, Tycho (1546-1601), Dan. [6]
BRUNO, Giordano (1548-1600), It. [6]
CALVIN, Jean (1509-64), Fr. [62]
CARDAN, Jérôme (1501-76), It. [38, 38, 52]
DESARGUES, Gérard (1593-1662), Fr. [38]
DESCARTES, René (1596-1650), Fr. [38, 52, 52]
GALILÉE, Galileo Galilei dit (1564-1642), It. [6, 38, 54]
GASSENDI, Pierre Gassend dit (1592-1655), Fr. [38, 52]
HARVEY, William (1578-1657), G.-B. [39]
HELMONT, J.B. van (1577-1644), Flam. [13, 39]
JUNG, Joachim (1587-1657), All. [42, 38]
KEPLER, Johannes (1571-1630), All. [6]
MERCATOR, Gerhard Kremer dit (1512-94), Flam. [24, 38]
NEPER ou NAPIER, John, Bon de Merchiston (1550-1617), Écos. [38]
PARÉ, Ambroise (v. 1509-90), Fr. [14]
SERVET, Michel (1511-53), Esp. [39]
TARTAGLIA, Niccolo Fontana dit. (v. 1499-1557), It. [38]
UBALDI, Guido (XVIe), It. [38]
VÉSALE, André (1514-64), Flam. [3]
VIÈTE, François (1540-1603), Fr. [38]

Nés de 1600 à 1700

BAYLE, Pierre (1647-1706), Fr. [16]
BERKELEY, George (1685-1753), G.-B. [38]
BERNOULLI, Jacques (1654-1705), Sui. [38]
BERNOULLI, Jean (1667-1748), Sui. [38]
BOYLE, Robert (1627-91), Irl. [13, 54]
BRADLEY, James (1693-1762), G.-B. [6]
BROWNE, Thomas (1605-82), G.-B. [5, 39]
CASSINI, Giovanni (1625-1712), Fr. [6]
DELISLE, Joseph (1688-1768), Fr. [6]
FARENHEIT, Gabriel (1686-1736), All. [52]
FAUCHARD, Pierre (1678-1763), Fr. [15]
FERMAT, Pierre de (1601-65), Fr. [38]
FONTENELLE, Bernard Le Bovier de (1657-1757), Fr. [52, 59]
GRAAF, Reinier de (1641-73), P.-B. [39, 55]
GUERICKE, Otto von (1602-86), All. [54]
HALLEY, Edmond (1656-1742), G.-B. [6]
HUYGENS, Christiaan (1629-95), P.-B. [6, 54]
JUSSIEU, Antoine de (1686-1758), Fr. [39]
LEEUWENHOEK, Antonie Van (1632-1723), P.-B. [3]
LEIBNIZ, Gottfried Wilhelm (1646-1716), All. [38, 52]
LÉMERY, Nicolas (1645-1715), Fr. [13]
MALPIGHI, Marcello (1628-94), It. [3]
MARIOTTE, Abbé Edme (v. 1620-84), Fr. [54]
MAUPERTUIS, Pierre (1698-1759), Fr. [38]
MERCATOR, Nicolaus Kaufmann (v. 1620-87), All. [6, 38]
MOIVRE, Abraham de (1667-1754), Fr. [38]
MORGAGNI, Giambatt. (1682-1771), It. [3]
NEWCOMEN, Thomas (1663-1729), G.-B. [32]
NEWTON, Sir Isaac (1642-1727), G.-B. [6, 38, 52, 54]
PAPIN, Denis (1647-1714), Fr. [34]
PASCAL, Blaise (1623-62), Fr. [38, 52, 54]
PÉRIER, Florin (1605-72), Fr. [54]
PICARD, Jean (1620-82), Fr. [6]
RÉAUMUR, René Antoine Ferchault de (1683-1757), Fr. [42, 54]
ROBERVAL, Gilles Personier de (ou Personne) (1602-75), Fr. [38, 54]
RÖMER, Olaüs (1644-1710), Dan. [6]
STAHL, Georg Ernst (1660-1734), All. [39]
STENON, Nicolas (1638-86), Dan. [3, 25]
SYDENHAM, Thomas (1624-89), G.-B. [39]
TORRICELLI, Evangelista (1608-47), It. [54]

Nés de 1700 à 1800

ADDISON, Thomas (1793-1860), G.-B. [39]
ALEMBERT, Jean le Rond d' (1717-83), Fr. [16, 38]
AMPÈRE, André (1775-1836), Fr. [38, 54]
APPERT, Nicolas (1749-1841), Fr. [34]
ARAGO, François (1786-1853), Fr. [6, 54]
ATWOOD, George (1746-1807), G.-B. [54]
AUGENBRUGGER, Léopold (1722-1809), Autr. [39]
AVOGADRO, Cte Amedeo di Quaregna (1776-1856), It. [54]
BAUDELOCQUE, Jean-Louis (1746-1810), Fr. [14, 45]
BAUMÉ, Ant. (1728-1804), Fr. [50]
BECQUEREL, Antoine (1788-1878), Fr. [54]
BERNOULLI, Daniel (1700-82), Sui. [54]
BERTHOLLET, Claude (1748-1822), Fr. [13]
BERZELIUS, Bon Jacob (1779-1848), Suè. [13]
BESSEL, Friedrich (1784-1846), All. [6]
BICHAT, Xavier (1771-1802), Fr. [3, 55]
BIOT, Jean-Baptiste (1774-1862), Fr. [54]
BODE, Jean-Elert (1747-1826), All. [6]
BORDA, Charles de (1733-99), Fr. [37, 38, 54]
BOUCHER DE CRÈVECŒUR DE PERTHES, Jacques (1788-1868), Fr. [47]
BREWSTER, Sir David (1781-1868), Écos. [54]
BRONGNIART, Alexandre (1770-1847), Fr. [25, 41]
BROUSSAIS, François (1772-1838), Fr. [39]
BROWN, Robert (1773-1858), G.-B. [10]
BUFFON, Georges Louis Leclerc Cte de (1707-88), Fr. [42]
CARNOT, Lazare (1753-1823), Fr. [22, 28, 38]
CARNOT, Nicolas Sadi (1796-1832), Fr. [58]
CAUCHY, Auguste-Louis (1789-1857), Fr. [38]
CAVENDISH, Henry (1731-1810), G.-B. [13, 54]
CELSIUS, Anders (1701-44), Suè. [54]
CHAMPOLLION, Jean-François (1790-1832), Fr. [18]
CHAPPE, Claude (1763-1805), Fr. [30]
CHAPTAL, Jean Cte de Chanteloup (1756-1832), Fr. [13]
CHARLES, Jacques (1746-1823), Fr. [54]
CHASLES, Michel (1793-1880), Fr. [38]
CHEVREUL, Eugène (1786-1889), Fr. [13]
CLAPEYRON, Émile (1799-1864), Fr. [54]
CONDORCET, Antoine Caritat, Mis de (1743-94), Fr. [38, 52]
CORIOLIS, Gaspard (1792-1843), Fr. [38]
COULOMB, Charles de (1736-1806), Fr. [54]
COURTOIS, Bernard (1777-1838), Fr. [13, 50]
CUVIER, Bon Georges (1769-1832), Fr. [42]
DALTON, John (1766-1844), G.-B. [13, 54]
DAUBENTON, Louis (1716-1800), Fr. [42]
DAVY, Sir Humphry (1778-1829), G.-B. [13]
DELESSERT, Étienne (1735-1816), Fr. [1]
DÉSAULT, Pierre-Joseph (1744-95), Fr. [14]
DIDEROT, Denis (1713-84), Fr. [52]
DUPUYTREN, Guill. (1777-1835), Fr. [14]
EULER, Leonhard (1707-83), Sui. [38]
FARADAY, Michael (1791-1867), G.-B. [54]
FLOURENS, Pierre (1794-1867), Fr. [55]
FOURCROY, Antoine, Cte de (1755-1809), Fr. [13]
FOURIER, Jos., Bon (1768-1830), Fr. [38]
FRANKLIN, Benjamin (1706-90), U.S.A. [28, 52, 54]
FRESNEL, Augustin (1788-1827), Fr. [54]
GALL, Franz Josef (1758-1828), All. [39]
GALVANI, Luigi (1737-98), It. [39, 54]
GAUSS, Carl Friedrich (1777-1855), All. [6, 38, 54]
GAY-LUSSAC, Louis Joseph (1778-1850), Fr. [13, 54]
GEOFFROY ST-HILAIRE, Étienne (1772-1844), Fr. [42]
GUETTARD, J.-Étienne (1715-86), Fr. [42]
HAÜY, René-Just (1743-1822), Abbé, Fr. [41]
HENDERSON, Thomas (1798-1844), Écos. [6]
HERSCHEL, Sir John (1792-1871), G.-B. [6]
HERSCHEL, Sir William (1738-1822), G.-B. (or. all.) [6]
HUMBOLDT, Alexander, Bon de (1769-1859), All. [24, 25, 42]
HUTTON, James (1726-97), G.-B. [13, 25]
JACQUARD, Joseph-Marie (1752-1834), Fr. [32]
JENNER, Edward (1749-1823), G.-B. [39]
JUSSIEU, Antoine-Laurent de (1748-1836), Fr. [10]
LACÉPÈDE, Ét., Cte de (1756-1825), Fr. [42]
LAENNEC, René (1781-1826), Fr. [39]
LAGRANGE, Cte Louis de (1736-1813), Fr. [6, 38]
LAMARCK, Jean-Baptiste de Monet de (1744-1829), Fr. [42]
LAMBERT, Jean Henri (1728-77), Fr. [38]
LAPLACE, Pierre, Mis de (1749-1827), Fr. [6, 38, 54]
LAVOISIER, Antoine Laurent (1743-94), Fr. [13]
LEGENTIL DE LA GALAISIÈRE, Guillaume (1725-92), Fr. [6]
LICHTENBERG, Georg Christoph (1742-99), All. [54]
LINNÉ, Carl von (1707-78), Suè. [42]
LOBATCHEVSKI, Nicolaï Ivanovitch (1792-1856), R. [38]
LOMONOSSOV, Mikhaïl (1711-65), R. [54]
MAGENDIE, François (1783-1855), Fr. [43, 55]
MALUS, Étienne Louis (1775-1812), Fr. [54]
MESSIER, Charles (1730-1817), Fr. [6]
MINCKELEERS, Jean-Pierre (1748-1824), Belg. [54]
MÖBIUS, August (1790-1868), All. [38]
MONGE, Gaspard, Cte de Péluse (1746-1818), Fr. [38]
MORIN, Arthur (1795-1880), Fr. [54]
MORSE, Samuel (1791-1872), U.S.A. [49, 54]
NICOL, William (v. 1768-1851), G.-B. [54]
NIEPCE, Nicéphore (1765-1833), Fr. [54]
OERSTED, Christian (1777-1851), Dan. [54]
OHM, Georg (1789-1854), All. [54]
POISEUILLE, Jean (1799-1869), Fr. [54]
POISSON, Denis (1781-1840), Fr. [38]
PONCELET, Jean Victor (1788-1867), Fr. [22, 38]
PRÉVOST, Constant (1787-1856), Fr. [25]
PRIESTLEY, Joseph (1733-1804), G.-B. [13, 62]
PRONY, Marie RICHE, Bon de (1755-1839), Fr. [30]
PROUST, Louis (1754-1826), Fr. [13]
RASPAIL, François (1794-1878), Fr. [13]
RICHTER, Jeremias (1762-1807), All. [54]
RUMFORD, Benjamin, Cte (1753-1814), U.S.A. [54]
RUSH, Benjamin (1745-1813), U.S.A. [39]
SAUSSURE, Horace Bénédict de (1740-99), Sui. [42, 54]
SCHEELE, Carl Wilhelm (1742-86), Suè. [13]
SEGUIN, Armand (1767-1835), Fr. [30]
SEGUIN, Marc (1786-1875), Fr. [30]
SIMPSON, Thomas (1710-61), G.-B. [38]
SPALLANZANI, Lazaro (1729-99), It. [9]
STEPHENSON, George (1781-1848), G.-B. [30]
STRUVE, Wilhelm (1793-1864), R. [6]
THÉNARD, Louis-Jacques (1777-1857), Fr. [13]
TITIUS, Johann (1729-96), All. [38]
VAUCANSON, Jacques de (1709-82), Fr. [32]
VAUQUELIN, Nicolas Louis (1763-1829), Fr. [13]
VOLTA, Alessandro, Cte (1745-1827), It. [54]
WATT, James (1736-1819), Écos. [32]
WEBER, Ernst (1795-1878), All. [3, 55]
YOUNG, Arthur (1741-1820), G.-B. [1]
YOUNG, Thomas (1773-1829), G.-B. [39, 54]

Nés de 1800 à 1900

ABBE, Cleveland (1838-1916), U.S.A. [54]
ADLER, Alfred (1870-1937), Autr. [57]
AGRAMONTE, Aristides (1869-1931), Cub. [39]
ALBEE, F. H. (1876-1945), U.S.A. [14]
ANGSTROM, Anders Jonas (1814-74), Suè. [54]
ARRHENIUS, Svante (1859-1927), Suè. [54]
ARSONVAL, Arsène d' (1851-1940), Fr. [54]
AUER, Carl, Bon von Welsbach (1858-1929), Autr. [13]
BAADE, Walter (1893-1960), U.S.A. [6]
BANTING, Sir Frederick (1891-1941), Can. [39, 54]
BEAU DE ROCHAS, Alphonse (1815-1893), Fr. [30]
BECQUEREL, Edmond (1820-91), Fr. [54]
BECQUEREL, Henri (1852-1908), Fr. [54]
BECQUEREL, Jean (1878-1953), Fr. [54]
BEHRING, Emil von (1854-1917), All. [7, 39]
BELIN, Édouard (1876-1963), Fr. [53]
BELL, Alexander Graham (1847-1922), U.S.A. [54]
BERNARD, Claude (1813-78), Fr. [55]
BERT, Paul (1833-86), Fr. [55]
BERTHELOT, Marcelin (1827-1907), Fr. [13, 28]
BERTRAND, Gabriel (1878-1953), Fr. [9, 13]
BESSEMER, Sir Henry (1813-98), G.-B. [30]
BEST, Charles H. (1899-1978), Can. [39, 54]
BLALOCK, Alfred (1899-1964), U.S.A. [14]
BLONDEL, André (1863-1938), Fr. [54]
BOHR, Niels (1885-1962), Dan. [54]
BOOLE, George (1815-64), G.-B. [38]
BOLTZMANN, Ludwig (1844-1906), Autr. [54]
BOREL, Émile (1871-1956), Fr. [38]
BOUSSINESQ, Joseph (1842-1929), Fr. [38, 54]
BOUSSINGAULT, J.-Bapt. (1802-87), Fr. [13]
BRANLY, Édouard (1844-1940), Fr. [54]
BREUIL, Abbé (1877-1961), Fr. [47]
BROCA, Paul (1824-80), Fr. [4, 14]
BROGLIE, Louis, Duc de (1892-1987), Fr. [54]
BROGLIE, Maurice de (1875-1960), Fr. [38]
BROWN-SÉQUARD, Édouard (1817-94), Fr. [39, 55]
BUNSEN, Robert (1811-99), All. [13, 54]
BURGER, Hans (1873-1941), All. [44]
CALMETTE, Albert (1863-1933), Fr. [7]
CANNIZZARO, Stanislas (1826-1910), It. [13]
CANTOR, Georg (1845-1918), All. [38]
CARREL, Alexis (1873-1944), Fr. [14, 55]
CARTAN, Élie (1869-1951), Fr. [38]
CHADWICK, Sir James (1891-1974), G.-B. [54]
CHANCOURTOIS, Alexandre Émile Béguyer de (1820-86), Fr. [13, 25]
CHARCOT, Jean (1867-1936 en mer sur le « Pourquoi-pas »), Fr. [21, 39]
CHARCOT, Jean-Martin (1825-93), Fr. [39, 43]
CLAUDE, Georges (1870-1960), Fr. [13, 54]
CLAUSIUS, Rudolph (1822-88), All. [54]
COCKCROFT, Sir John Douglas (1897-1967), G.-B. [54]
COOLIDGE, William David (1873-1975), U.S.A. [54]
COTTON, Émile (1872-1950), Fr. [54]
COUDER, André (1897-1979), Fr. [6]

CURIE, Pierre (1859-1906) et Marie CURIE née SKLODOWSKA (1867-1934), Fr. [54]
CUSHING, Harvey (1869-1939), U.S.A. [14]
DANJON, André (1890-1967), Fr. [6]
DARWIN, Charles (1809-82), G.-B. [42, 9]
DAVIS, John Staige (1872-1946), U.S.A. [14]
DESLANDES, Henri (1853-1948), Fr. [6]
DICK, George (1881-1967) et Gladys (1881-1963), U.S.A. [39]
DOMAGK, Gerhard (1895-1964), All. [9]
DOPPLER, Christian (1803-53), Autr. [54]
DREYER, Jules (1852-1926), Irl. [6]
DUBOS, René (1901-82), Fr. [39]
DUMAS, Jean-Baptiste (1800-84), Fr. [13]
EDDINGTON, Sir Arthur Stanley (1882-1944), G.-B. [6, 54]
EDISON, Thomas (1847-1931), U.S.A. [54]
EHRLICH, Paul (1854-1915), All. [39]
EINSTEIN, Albert (1879-1955), All. [54]
EINTHOVEN, Willem (1860-1927), P.-B. [55]
EOTVOS, Lorant von (1848-1919), Ho. [54]
ESNAULT-PELTERIE, Robert (1881-1957), Fr. [30]
FABRE, Jean Henri (1823-1915), Fr. [19]
FABRY, Charles (1867-1945), Fr. [54]
FINLAY, Carlos Juan (1833-1915), Cub. [39]
FISCHER, Emil (1852-1919), All. [13]
FIZEAU, Armand (1819-96), Fr. [54]
FLAMMARION, Camille (1842-1925), Fr. [6]
FLEMING, Sir Alexander (1881-1955), G.-B. [39]
FLEMING, Sir John Ambrose (1849-1945), G.-B. [31]
FOREL, François Alphonse (1841-1912), Sui. [24]
FOUCAULT, Léon (1819-68), Fr. [54]
FRÉMY, Edmond (1814-94), Fr. [16]
FREUD, Sigmund (1856-1939), Autr. [57]
GALOIS, Évariste (1811-32), Fr. [38]
GEIGER, Hans (1882-1945), All. [54]
GIBBS, Josiah Willard (1839-1903), U.S.A. [54]
GODDARD, Robert Hutchings (1882-1945), U.S.A. [30]
GOLDSTEIN, Eugen (1850-1930), All. [54]
GRAMME, Zénobe (1826-1901), Belg. [31]
GUÉRIN, Camille (1872-1961), Fr. [63]
HADAMARD, Jacques (1865-1963), Fr. [38]
HAECKEL, Ernst (1834-1919), All. [9]
HAHN, Otto (1879-1968), All. [54]
HALDANE, John Scott (1860-1936), G.-B. [55, 57]
HELMHOLTZ, Hermann von (1821-94), All. [54, 55]
HENRY, Paul (1848-1905), Fr. [6]
HERMITE, Charles (1822-1901), Fr. [38]
HÉROULT, Paul (1863-1914), Fr. [33]
HERTZ, Heinrich (1857-94), All. [54]
HERTZPRUNG, Ejnar (1873-1967), Dan. [6]
HILBERT, David (1862-1943), All. [38]
HOFF, Jacobus Henricus van't (1852-1911), P.-B. [13, 54]
HOPKINS, Sir Frederick (1861-1947), G.-B. [13, 55]
HUBBLE, Edwin Powell (1889-1953), U.S.A. [6]
HUMASON, Milson La Salle (1891-1973), U.S.A. [6]
HUXLEY, Sir Julian (1887-1975), G.-B. [9, 28]
HUXLEY, Thomas (1825-95), G.-B. [42]
JACKSON, Chevalier (1865-1953), U.S.A. [35]
JAMOT, Eugène (1879-1937), Fr. [39]
JEANS, James Hopwood (1877-1946), G.-B. [6]
JOLIOT-CURIE, Irène (1897-1956), Fr. [54]
JOULE, James (1818-89), G.-B. [54]
JOY, Alfred (1882-1973), U.S.A. [6]
JUNG, Carl Gustav (1875-1961), Sui. [57]
KAPITSA, Piotr (1895-1984), R. [54]
KÁRMÁN, Theodor von (1881-1963), H., U.S.A. [54]
KEKULE, August (1829-96), All. [13]
KELVIN, Sir William Thomson, Lord (1824-1907), G.-B. [54]
KENDALL, Ed. Calvin (1886-1972), U.S.A. [8]
KIRCHOFF, Gustav (1824-87), All. [54]
KITASATO, Shibasaburo (1852-1931), Jap. [39]
KLEBS, Edwin (1834-1913), All. [39]
KOCH, Robert (1843-1910), All. [7]
KOENIG, Karl Rudolf (1832-1901), Fr. (or. all.) [54]
KUNDT, August (1839-94), All. [54]
LACROIX, Alfred (1863-1948), Fr. [41]
LANDSTEINER, Karl (1868-1943), Autr. [9]
LANGEVIN, Paul (1872-1946), Fr. [54]
LARTET, Edouard (1801-71), Fr. [47]
LECOMTE DU NOUY, Pierre (1883-1947), Fr. [9]
LENOIR, Étienne (1822-1900), Belg. [54]
LENZ, Heinrich (1804-65), Balte [54]
LE VERRIER, Urbain (1811-77), Fr. [6]
LIEBIG, Justus, B^on^ von (1803-73), All. [13]
LIOUVILLE, Joseph (1809-82), Fr. [38]
LISTER, Joseph (1827-1912), G.-B. [14]
LORENTZ, Hendrik Antoon (1853-1928), P.-B. [54]
LUMIÈRE, Auguste (1862-1954), Fr. [9]
LUMIÈRE, Louis (1864-1948), Fr. [13]
LUNDMAN, Knut (1889-1958), Suè. [6]
LUYTEN, Willem Jacob (1899), U.S.A. [6]
LYSSENKO, Trophim (1898-1976), R. [9]
MACH, Ernst (1838-1916), Autr. [54]
MACLEOD, John J.R. (1876-1935), Écos. [39]
MARCONI, Guglielmo (1874-1937), It. [54]
MAREY, Étienne Jules (1830-1904), Fr. [39, 55]
MAXWELL, James Clerk (1831-79), Écos. [54]
MAYO, William James (1861-1939) et Charles Horace (1865-1939), U.S.A. [14]
MEITNER, Lise (1878-1968), Autr. [54]
MELDE, Franz (1832-1901), All. [54]
MENDEL, Johann Gregor, moine, (1822-84), Autr. [10]
MENDELEIEV, Dimitri (1834-1907), R. [13]
MENNINGER, Karl Augustus (1893) et William Claire (1899-1966), U.S.A. [57]
METCHNIKOFF, Élie (1845-1916), R. (nat. Fr.)[9]
MICHELSON, Albert (1852-1931), U.S.A. [54]
MILNE, John (1850-1913), G.-B. [61]
MILNE-EDWARDS, Henri (1800-85), Fr. [42, 55]
MINKOWSKI, Rudolph (1895-1976), U.S.A. [6]
MITCHOURINE, Ivan (1855-1935), R. [1]
MOISSAN, Henri (1852-1907), Fr. [13]
MONZ, Egas (1874-1955), Port. [43]
MORGAN, Thomas Hunt (1866-1945), U.S.A. [9]
MORTON, William T.G. (1819-68), U.S.A. [15, 39]
MOSELEY, Henry Gwyn-Jeffreys (1887-1915), G.-B. [54]
MÜLLER, Johannes Peter (1801-58), All. [55]
NÉLATON, Auguste (1807-73), Fr. [14]
NICOLLE, Charles (1866-1936), Fr. [7]
NIPKOV, Paul (1860-1940), All. [54]
NOBEL, Alfred (1833-96), Suè. [13]
NOGUCHI, Hideyo (1876-1928), Jap. [7]
OSTWALD, Wilhelm (1853-1932), All. [13]
PACINOTTI, Antonio (1841-1912), It. [54]
PAINLEVÉ, Paul (1863-1933), Fr. [28, 38]
PAPANICOLAOU, George Nicolas (1883-1962), U.S.A. [39, 55]
PASTEUR, Louis (1822-95), Fr. [9, 13]
PAULI, Karl (1839-1901), All. [55]
PAVLOV, Ivan (1849-1936), R. [55]
PELOUZE, Jules (1807-67), Fr. [13]
PERRIN, Jean (1870-1942), Fr. [54]
PICARD, Émile (1856-1941), Fr. [38]
PLANCK, Max (1858-1947), All. [54]
PLANTÉ, Gaston (1834-89), Fr. [54]
PLATEAU, Joseph (1801-83), Belg. [54]
PLÜCKER, Julius (1801-68), All. [38, 54]
POINCARÉ, Henri (1854-1912), Fr. [38]
RABI, Isaac Isidor (1898-1988), U.S.A. [54]
RAMANUJAN, Srinivasa (1887-1920), Inde [38]
RANKINE, William (1820-72), Écos. [30]
RAYLEIGH, John Strutt (1842-1919), G.-B. [54]
REED, Walter (1851-1902), U.S.A. [39]
REGNAULT, Henri-Victor (1810-78), Fr. [54]
RICHET, Charles (1850-1935), Fr. [55]
RICKETTS, Howard Taylor (1871-1910), U.S.A. [47]
RIEMANN, Bernhard (1826-66), All. [38]
RÖNTGEN, Wilhelm Conrad (1845-1923), All. [54]
ROSS, Sir Ronald (1857-1932), G.-B. [39]
ROSTAND, Jean (1894-1977), Fr. [9]
ROUX, Émile (1853-1933), Fr. [9]
RUSSELL, Sir Bertrand (1872-1970), G.-B. [38, 52]
RUSSELL, Henry Norris (1877-1957), U.S.A. [6]
RUTHERFORD, Lord Ernest (1871-1937), G.-B. [54]
SAINTE-CLAIRE DEVILLE, Henri (1818-81), Fr. [13]
SCHICK, Béla (1877-1967), Ho. [39]
SCHMIDT, Otto (1892-1956), R. [38]
SCHWANN, Theodor (1810-82), All. [9]
SCHWEITZER, Albert (1875-1965), Fr. [39, 52]
SECCHI, Angelo (1818-78), It. [6]
SEMMELWEIS, Ignác Fülöp (1818-65), Ho. [39]
SIEMENS, Werner von (1816-92), All. [30]
SIMS, James (1813-83), U.S.A. [26]
SNOW, John (1813-58), G.-B. [39]
STEFAN, Joseph (1835-93), Autr. [54]
STOKES, Sir George (1819-1903), Irl. [38, 54]
SULLIVAN, Harry Stack (1892-1942), U.S.A. [57]
SZILARD, Léo (1898-1964), U.S.A. (or. Ho.), [54]
TEILHARD DE CHARDIN, Pierre (Jésuite) (1881-1955), Fr. [47, 52]
TEISSERENC de BORT, Léon (1855-1913), Fr. [54]
TELLIER, Charles (1828-1913), Fr. [30]
TESLA, Nikola (1856-1943), Youg. [54]
THOMSON, Sir Joseph John (1856-1940), G.-B. [54]
TRUMPLER, Robert (1886), U.S.A. [6]
TYNDALL, John (1820-93), Irl. [54]
UREY, Harold (1893-1981), U.S.A. [13]
VIRCHOW, Rudolf (1821-1902), All. [39]
VRIES, Hugo de (1848-1935), P.-B. [10]
WAKSMAN, Selman A. (1888-1973), U.S.A. [40]
WALLACE, Alfred (1823-1913), G.-B. [42]
WASSERMANN, Aug. von (1866-1925), All. [39]
WEISS, Pierre (1865-1940), Fr. [54]
WHEATSTONE, Sir Ch. (1802-75), G.-B. [54]
WHITEHEAD, Alfred North (1861-1947), G.-B. [36, 38]
WIDAL, Fernand (1862-1929), Fr. [39]
WIENER, Norbert (1894-1964), U.S.A. [38]
WILSON, Charles Thomson Rees (1869-1959), Écos. [54]
WÖHLER, Friedrich (1800-82), All. [13]
WOOD, Robert Williams (1868-1955), U.S.A. [54]
YERSIN, Alexandre (1863-1943), Fr. [39]
YOUNG, James (1811-83), Écos. [14]
ZWICKY, Fritz (1898), Sui. [6]

Nés depuis 1900

ABRAGAM, Anatole (1914), Fr. (nat. R.) [54]
ALFEN, Hannes (1908), Suè. [54]
AMBARTSUMIAN, Victor (1908), R. [54]
ANDERSON, Carl (1905), U.S.A. [54]
BARDEEN, John (1908-91), U.S.A. [54]
BETHE, Hans (1906), U.S.A. [54]
BOURBAKI, Nicolas. Pseudonyme collectif de math. fr. créé vers 1934, (voir p. 262 c).
BRAUN, Wernher von (1912-77), All. (nat. amér.) [30].
CAMERON, Donald (1912), U.S.A. [6]
CHAIN, Ernest B. (1906-79), G.-B. [8]
CHANDRASEKHOR, Subrahmanyan (1910), Ind. [6]
CRICK, Francis H.C. (1916), G.-B. [9]
CRITHFIELD, Charles (1910), U.S.A. [6]
DIRAC, Paul (1902-84), G.-B. [54]
DOBHANSKY, Theodosius (1900-75), U.S.A. [23]
DUCHESNE, Maurice (1913), Fr. [6]
FERMI, Enrico (1901-54), It. [54]
GLASER, Donald Arthur (1926), U.S.A. [54]
GÖDEL Kurt (1906-78), Autr. [38]
GOLLEN, Frank (1910-88), Tchéc. [39]
HARO, Guillermo (1913, Mex. [6]
HAWKING, Stephen (1942), G.-B. [54] atteint d'une sclérose amyotrophique latérale, ne marche pas, ne parle pas, communique par l'intermédiaire d'un ordinateur (10 à 15 mots/minute), marié, père de 3 enfants.
HEISENBERG Werner (1901-76), All. [54]
HERBIG, George Havard (1920), U.S.A. [6]
HOYLE, Fred (1915), G.-B. [6]
HUGGINS, Charles (1901), U.S.A. [13, 39]
JACOB, François (1920), Fr. [8]
JENSEN, Hans (1907-73), All. [54]
JOLIOT-CURIE, Frédéric (1900-58), Fr. [54]
KASTLER, Alfred (1902-84), Fr. [54]
KOLMOGOROV, Andreï (1902-87), R. [38]
KOWARSKI, Lew (1907), Fr. (orig. R.) [54]
KUIPER, Gerard (1905-73), U.S.A. [6]
LALLEMAND, André (1904-78), Fr. [6]
LANDAU, Lev (1908-68), R. [54]
LAWRENCE, Ernest O. (1901-58), U.S.A. [54]
LEAKEY Louis (1903-72), G.-B. [47]
LEE, Tsung Dao (1926), Sino-U.S.A. [54]
LÉPINE, Pierre (1901-89), Fr. [38]
LÉVI-STRAUSS, Claude (1908), Fr. [20]
LORENZ, Konrad (1903-89), Autr. [39]
LWOFF, André (1902), Fr. [9]
MONOD, Jacques (1910-76), Fr. [8]
NÉEL, Louis (1904), Fr. [54]
OORT, Jan Hendrik (1900), P.-B. [6]
OPPENHEIMER, Robert (1904-67), U.S.A. [54]
PARENAGO, Paul (1906), R. [6]
PAULI, Wolfgang (1900-58), Autr. [54]
PAULING, Linus Carl (1901), U.S.A. [13]
RUSK, Howard (1901), U.S.A. [39]
RYLE, Martin, Sir (1918-84), G.-B. [6]
SABIN, Albert (1906), U.S.A. [39]
SAKHAROV, Andreï (1921-89), R. [54]
SALK, Jonas (1914), U.S.A. [7]
SCHWARTZ, Laurent (1915), Fr. [38]
SHATZMANN, Evry (1920), Fr. [6]
SHKLOVSKY, Joseph (1916), R. [6]
STANLEY, Wendell M. (1904-71), U.S.A. [8]
TOWNES, Charles Hard (1915), U.S.A. [54]
VAN DE HULST, Hendrik (1918), P.-B. [58]
WALKER, Merle (1926), U.S.A. [6]
WATSON, James Dewey (1928), U.S.A. [9]
WEIZSÄCKER, Carl von (1912), All. [54]
WIGNER, Eugène (1902), U.S.A. [54]
WILKINS, Maurice H.F. (1916), G.-B. [9]
YUKAWA, Hideki (1907-81), Jap. [54]

Nota. – Voir aussi Prix Nobel et Académie des Sciences.

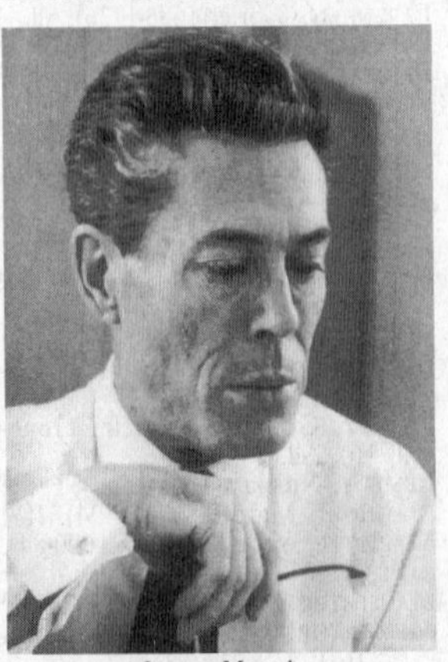
Jacques Monod

Grandes inventions

☞ Il est souvent difficile de fixer avec certitude l'origine d'une invention ou d'une découverte. Beaucoup ont lieu simultanément dans de nombreux pays, ou plusieurs personnes trouvent des aspects différents et complémentaires d'une même invention. Sont indiqués ci-après le sujet ou le nom de la découverte, sa date, le nom de l'inventeur, son pays d'origine.

Accumulateur électr. (1860), Planté, Fr.
Acétylène (1836), F. Davy, G.-B.
Aérosol (1948), J. Estignard, Fr.
Air, densité (v. 1600), Galilée, It. ; *composit.* (1770), Lavoisier, Fr. ; (1783), Cavendish, G.-B.
Air liquide (1895), K. von Linde, All. ; (1902), G. Claude, Fr.
Allumette chimique (1805), Chancel, Fr. ; *à friction* (1831), C. Sauria, Fr. ; *de sûreté* (1852), Lundström, Suède ; *de ménage* (1864), Lemoine, Fr.
Aluminium, prép. (1854), Ste-Claire Deville, Fr.
Ammoniac (1908), F. Haber, All.
Anémomètre (1910), capitaine Etévé, Fr. ; R. Badin, Fr. ; *à palette* (1644), R. Hooke, G.-B. ; *à pression* (1775), J. Lind, Irl. ; *à coupelles* (1846), T. R. Robinson, Irl.
Anesthésie (1799), Davy, G.-B.
Antibiotiques (1889), Vuillemin, Fr. ; *chloramphénicol* (1947), J. Ehrlich, P. Burkhoder et D. Gottlieb ; *auréomycine* (1948), H. Duggar ; *terramycine* (1950), G. Findlay.
Arracheuse de betteraves (1886), A. Bajac, Fr.
Ascenseur à vapeur (1857), Otis, U.S.A. [réal. pratique (1867), Édoux, Fr.] ; *électr.* (1880), Werner von Siemens, All.
Aspirateur (1869), Mac Gaffey, U.S.A. ; (1901), J. Spangler.
Aspirine (1853), Gerhardt, Fr.
Astrolabe (IIe s. av. J.-C.), Hipparque, Grèce.
Atome, théorie (1803), Dalton, G.-B. ; (1858), Cannizzaro, It. ; *structure* (1911), Rutherford, G.-B. ; (1913), Bohr, Dan.
Attraction univ. (1687), Newton, G.-B.
Autochromes (1903), L. et A. Lumière, Fr.
Automobile (v. aussi Moteur) (V. Index).
Aviation (V. Index).
Bactéries (1681), Leeuwenhoek, P.-Bas.
Bakélite (1906), Baekeland, Belg.
Balance à 2 fléaux (1670), Roberval, Fr.
Balle dum-dum (1897), G.-B.
Bande magnétique (1928), F. Pfleumer, All.
Baromètre (1643), Torricelli, It.
Bas Nylon (1938), W. Carothers, U.S.A.
Bateau (V. Index).
B.C.G. (1906-1923), Calmette, Guérin, Fr.
Béchamel (1700), L. de Béchameil, Fr.
Bélier hydraulique (1796), J. et E. de Montgolfier, Fr.
Bicross (1972), U.S.A.
Bicyclette. Vélocipède (1816), Drais, All. *Pédalier* (1842), MacMillan, Écos. *Entraînement direct* (1861), Michaux, Fr. *Transmission par chaîne* (1879), Lawson, G.-B.
Billard électrique (1938), S. Gensberg, U.S.A.
Boîte de conserve (1795), N. Appert, Fr. ; *en fer blanc* (1810), P. Durand, Fr. ; (1812), B. Donkin et J. Hall, G.-B.
Braille (alphabet) (1829), Braille, Fr. ; *écriture en* (1786), *relief* Valentin Haüy (1745-1822), Fr.
Briquet à gaz (1777), Volta (1745-1827), It. *Pierre à briquet,* K. Auer (1858-1929), Autr.
Brouette (XIIe s. ; sur vitrail de Chartres).
Brûleur à gaz (1855), Bunsen, All.
Cadran solaire (550 av. J.C.), Anaximandre, Grec.
Calcul différentiel (1660), Leibniz, All. ; (1665), Newton, G.-B. *Calculatrice électronique de poche* (1972), J.S. Kilby, J. D. Merryman et J. H. Van Tassel, U.S.A. ; *des probabilités* (1656), C. Huygens, Holl.
Calorimètre (1783), Lavoisier, P.S. Laplace, Fr.
Calotype (1840), H.F. Talbot, Fr.
Camescope (1983), Sanyo, Japon.
Canon (XIVe s.), arabe, apparaît en Occ. en 1346 (Crécy) ; *antichar* (1944) ; *sans recul* (1910), Davis, U.S.A.
Caoutchouc synth. (1879), Bouchardat, Fr.
Carburateur à ess. (1876), Daimler, All.
Carte à mémoire (1974), R. Moréno, Fr. ; *de crédit* (1950), R. Scheider, U.S.A. ; *du monde* (1538), Mercator, Flandres.
Cartouches (1832), C. Lefaucheux, Fr.
Ceinture de sauvetage (1769), abbé de Lachapelle, Fr.
Cellophane (1892), C.F. Cross (1855-1935) ; E.J. Bevan (1856-1921), G.-B. ; *prod. ind.* (1911), J. Brandenberger, Suisse.
Cellule photoélectrique (1895), J. Elster et H. F. Geitel, All. ; *photovoltaïque* (1839), A. Becquerel, Fr.
Celluloïd (1865), Parkes, G.-B. *Réal. industr.* (1869), Frères Hyatt, U.S.A.
Cerveau électronique (1931), Bush, U.S.A.
Chalumeau oxhydrique (1801), R. Hare ; *c. à hydrogène atomique* (4 200 oC) (1920), I. Langmuir, U.S.A. ; *c. à plasma* (20 000 oC) (1951), Maecker.
Chargeur de foin (1874).
Chasse d'eau (1595), J. Harington, G.-B. ; (1775), A. Cunnings, G.-B. ; (1778), J. Bramah, G.-B.
Chatterton (1860), Chatterton (G.-B.)
Chewing-gum (1872), T. Adams, U.S.A.
Chloroforme (1831), S. Guthrie, U.S.A.
Chronomètre de marine (1776), J. Harrison, G.-B.
Chute des corps (loi) (1602), Galilée, It.
Cinéma (V. Index).
Circuits intégrés (v. 1929), Texas instrument, U.S.A.
Circul. du sang (1628), W. Harvey, G.-B.
Cocotte-Minute (1680), D. Papin, Fr. ; (1927), Hautier, Fr. ; (1953), F., J. et H. Lescure, Fr.
Coke (sidérurgie) (1735), Darby, G.-B.
Comptabilité en partie double-contrôle des comptes (XVe s.). L. Paciolo, It.
Concasseur (1858), E. Whitney, U.S.A.
Conserves (1795), Appert, Fr.
Cortisone (1937), Kendall, U.S.A.
Coton parcheminé (1833), Swan, G.-B. (traité à l'acide sulfurique).
Coton-Poudre (1847), C. Schonbein, All.
Coussin d'air (1961), L. Duthion, Fr.
Couveuse artificielle (n.c.), J.F. Braille ; *électrique* (1881), P. Cornu, Fr.
Cuir synthétique (1942), Sté Dupont de Nemours, U.S.A.
Cybernétique (1947), Wiener, U.S.A.
Cyclotron (v. 1934), Lawrence, U.S.A.
D.D.T. synthèse (1874), Seidler, All. ; *propriétés* (1939), Müller, Suisse ; *fabrication ind.* (1942), Frey, Suisse.
Diapason (1711), J. Shore, G.-B.
Diesel (moteur) (1893), Diesel, All.
Différentiel (1827), O. Pecqueur, Fr.
Diode (1905), Sir J. A. Fleming, G.-B.
Dirigeable rigide (1900), von Zeppelin, All.
Disque (Voir index).
Distributeur d'engrais centrifuge (1908), Severin, Fr.
Dolby (1967), R. Dolby, U.S.A.
Dynamite (1866), Nobel, Suède.
Dynamo (1871), Gramme, Belg.
Eau (composition) (1804), Gay-Lussac, Fr., et Humbolt, All. ; *de Javel* (1789), C. Berthollet, Fr. ; *oxygénée* (1818), L.J. Thénard, Fr.
Ébonite (1840), Th. Hancock, G.-B.
Électromagnétisme (1819-1820), Oersted, Dan., Ampère, Fr.
Électron (1881), Helmholtz, All.
Électroscope (1747), C.F. Du Fay.
Enzyme (synthèse) (1969), Univ. de Rockfeller et Laboratoires Merck.
Épandeur de fumier (1865).
Épingle de sûreté (XIXe s.), Rollin White, U.S.A.
Équation du 3e degré (solution) (1545), Cardan, It.
Escalier roulant (1892), J. Reno, U.S.A.
Étoile (nature) (1915), P. Langevin et J. Perrin, Fr.
Faucheuse à foin mécanique (1822), U.S.A.
Fer à repasser (IVe s.), Chine ; *électrique* (1882), H. W. Seely, U.S.A. ; *sans fil* (1978), H. O. Freckleton et J. S. Bird, G.-B.
Fermeture Éclair (1890), W. Judson, U.S.A.
Feu d'artifice (VIIe s.), Chine.
Fibre de verre (1836), I. Dubus-Bonnel, Fr. ; *optique* (1955), N. Kapany, G.-B.
Fil de fer barbelé (1874), J. Farewell, Glidden, U.S.A.
Forceps (XVIIIe s.), A. Levet, Fr.
Four à micro-ondes (1945), P. le baron Spencer, U.S.A. ; *solaire* (1952), Félix Trombe, Fr.
Frein à air comprimé (1868), Westinghouse, U.S.A. ; *à disque* (1902), Lanchester, G.-B.
Frigidaire (1913), U.S.A.
Funiculaire (1879), Egben, Suisse.
Fusée-missile (1232), Chine ; *f. à carburant liquide* (1903), U.R.S.S. ; *f. à étages* (1936), L. Damblanc, Fr. ; *f. sol-air* (1916), France ; *à liquide (lancée)* (1926), T. Goddard, U.S.A. ; *f. postale* (1931), F. Schmiedl, Autr. ; *missile air-mer* (1940), All. ; *f. à étages* (1948), U.S.A.
Fusil Chassepot (1866), A. Alphonse, Fr. ; *à répétition* (1866), N. Lebel, Fr. ; *antichar* (1918), All. ; *à laser* (1964), U.S.A. ; *à tirer dans les coins* (XIXe s.), Fr.
Galvanisation (1786), Galvani, It.
Galvanomètre (1808), Jean Salomon Schweigger (1779-1857), All.
Gaz d'éclairage (1783), J.-P. Minckeleers, Belg. ; (1787), Ph. Lebon, Fr. ; (1792), Murdoch ; *exploitation* (1805), Winzler, G.-B.
Gazogène (1883), E. Dowson, G.-B.
Géode (1985), A. Fainsilber et Chamayou, Fr.
Géométrie anal. (1637), Descartes, Fr. *Non euclidienne* (1826), Lobatchevski, Russie.
Glace (fabrication) (1857), Carré, Fr.
Glycérine (1779), Scheele, Suède.
Groupes sang. (1901), Landsteiner, Autr.
Gyrocompas (1911), Sperry, U.S.A.
Gyroscope (1852), Foucault, Fr.
Hélice marine (1827) Jos. Ressel, Autr. (1837), Sauvage, Fr. ; *nav.* (1839), Smith, G.-B.
Hibernation artif. (1905), Simsom, G.-B.
Hologramme (1948), D. Gabor, G.-B. ; *matricé* (1975), Japon ; *« alcôve »* (1986), S. Benton et le M.I.T., U.S.A.
Homéopathie (1789), S. Hahnemann, All.
Horloge électrique (1839), C. von Steinhell, All. ; *à quartz* (1929), W. Marrison, A. Scheibe, V. Adelsberger ; *atomique* (1949), U.S.A.
Houille blanche (1867), Bergès, Fr.
Hovercraft (V. Index).
Hygromètre, N. de Cusa (1401-1464), All. ; *à cheveu* (1783), Saussure, Fr.
Imperméable caout. (1819), MacIntosh, Éc.
Imprim. car. mob. (v. 1436), Gutenberg, All.
Induction magnétique (1831), Faraday, G.-B.
Informatique. Voir index.
Insuline (1921), Paulesco, Roumanie ; (1922), Frederic Banting, Canada ; et Charles Herbert Best, U.S.A.
Iode (1811), B. Courtois, Fr.
Jumelles à lentille divergente (v. 1600), Galilée ; *à prismes* (1850), I. Porro, It.
Kaléidoscope (1817), Brewster, Écos.
Kinétoscope (1887), Edison, U.S.A.
Lampe à arc (1879), Brush, U.S.A. ; *à incand.* (1878), Edison, U.S.A. ; *à vapeur de mercure* (1901), Hewitt, U.S.A. ; *au néon* (1910), G. Claude, Fr. ; *à filament de tungstène* (1906), Coolidge, U.S.A.
Laser (1958), Gordon Gould, puis Townes et Schawlow, U.S.A.
Lave-vaisselle (1850-65), U.S.A.
Linoléum (v. 1860), Walton, G.-B.
Linotype (1884), Mergenthaler, All.
Liquéfaction des gaz (1833), Faraday, G.-B.
Lithographie (1796), Senefelder, Autriche.
Locomotive (V. Index).
Logarithmes (1614), Napier ou Neper, G.-B.
Lunettes correctr. (1315), Salvino Degli Armati, It.
Machine à calculer (1639), Pascal, Fr. *A coudre* (1830) Thimonnier, Fr. ; (1846) Howe, U.S.A. ; (1851) Singer, U.S.A. *A écrire* (1714), H. Mill ; typographe (1828), W. Austin Burt ; frappe radiale (1843) Thurber, G.-B., Guillemot, Fr. (1859) ; production en série (1867), Sholes, U.S.A. ; à boule imprimante (1878), Danemark ; portative (1906) ; électrique (1914), J. Field Smather. *A laver le linge,* manuelle (1851), J. King ; électr. (1907), Alva Fisher, U.S.A. *A vapeur.* V. *moteur à vapeur, pompe à feu.*
Magnétomètre (n.c.), Carl Gauss (1777-1855), All.
Magnétoscope (1954), RCA, U.S.A. ; Ampex (1953), C. P. Ginsburg, U.S.A. ; *Bande magnétique vidéo* (1956), M. Sater et J. Mazzitello, U.S.A. ; *couleurs* (1958), U.S.A. ; *à cassette* (1970), Sony, JVC et Matsushita, Japon ; Betamax (1975), Sony, Japon, VHS (1975), JVC, Japon ; *hi-fi* (1983), Sony, Japon ; *numérique* (1985), Sony, Japon ; *ponctuels* (1985), Blaupunkt, All. ; *à fenêtres* (1987), Japon et U.S.A.
Manomètre (n.c.), P. Vargnon (1654-1722) ; *manoscope* (v. 1650), Otto von Guericke, All. ; *métallique* (1849), E. Bourdon, Fr.
Margarine (1869), H. Mège-Mouriès, Fr.
Marteau pneumatique (1871), S. Ingersoll, U.S.A.
Maser (1951), Townes, U.S.A., Bassov et Prokhorov, U.R.S.S.
Massicot (1844), G. Massicot (ou Massiquot), France
Mécanique ondul. (1924), L. de Broglie, Fr.
Mélinite ou poudre à obus (n.c.), H. Sprengel (1834-1906).
Métier à filer (1768), Hargreaves, G.-B. *A peigner* (1790), Cartwright, G.-B. *A tisser* (1745), Vaucanson, Fr. ; (1790), Jacquard, Fr. ; (1790), Whittemore, G.-B.
Microbes anaérobies (1862), Pasteur, Fr.
Microphone (1877), D. Hughes, E. Gray et G. Bell, U.S.A.
Microscope (1604), Jansen, Holl. ; (1610), Drebbel ; (1663), Hudde, Holl. ; *électronique* (1932), M. Knoll, Ruska, All.
Microsillon. Voir index.
Mini-ordinateur de poignet (1977), Sté Hewlett-Packard, U.S.A.
Mitrailleuse (1860), Gatling, U.S.A. *Perfect.* (1872), Hotchkiss, U.S.A. *Automat. à canon unique* (1833), Maxim, U.S.A.

Moissonneuse à barre de coupe (1831), Cyrus Hall McCormick, U.S.A. ; (1853), Patrick Bell, Éc. *Moissonneuse-batteuse* (1828), U.S.A. ; *batteuse simple* (1790), Andrew Meikle Éc. ; *lieuse* (1890), Cyrus Hall McCormick, U.S.A.
Molécule (1811), Avogadro, It.
Monotype (1887), Lanston, U.S.A.
Morphine (1811), B. Courtois, Fr.
Morse (1840), Morse, U.S.A.
Moteur à explosion (1862), Beau de Rochas, Fr. [cycle à 4 temps (non réalisé)] ; *d'auto* (1886), Benz, All. ; *à électro-aimants* (1833), Moritz Jacobi, All. ; *à essence* (1870), S. Marcus (Autr.) (1872), Brayton, U.S.A. ; (1887), Daimler, All. : (1891), Levassor, Fr. ; *à gaz de charbon* (1860), Lenoir, Belg. (moteur industriel) ; (1867), Otto, All. (moteur de Lenoir sur véhicule) ; *à vapeur* (v. 1625), Salomon de Caus parle d'une machine à vapeur ; (1705), les Anglais Savery et Newcomen réalisent la 1re machine à vapeur ; (1707), Denis Papin (publie les résultats de ses expériences) ; (1769), Watt (leur apporte des améliorations), G.-B. ; (1781), Hornblower, G.-B. ; *électrique* (1860), A. Pacinotti, It. (publ. 1865) ; (1873), Gramme, Belg. (réversion de sa *dynamo*).
Neutron (1932), Chadwick, G.-B.
Nitroglycérine (1847), Sobrero, It.
Nylon (1938), W. Carothers (Lab. Dupont de Nemours), U.S.A.
Offset (1904), W. Rubel, U.S.A.
Oncogènes (1981), R. Weinberg, G. Cooper, M. Wigler, U.S.A.
Ondes électriques (1887), Hertz, All. *Électromagnétiques* (1887), Hertz, All.
Oxygénée (eau) (1818), Baron Thénard, Fr.
Parachute (1783), Lenormand, Fr. ; (1785), Blanchard, Fr. ; (1797), Garnerin, Fr.
Paratonnerre (1752), Franklin, U.S.A.
Parcmètre (1935), C. Magee, U.S.A.
Pasteurisation (1865), Pasteur, Fr.
Patins à roulettes (1863), J. Plimpton, U.S.A.
Pendule (1657), Huyghens, P.-Bas.
Pénicilline (1928), Alexandre Fleming, G.-B.
Périscope (1893), Tony Garnier, Fr.
Phonographe (Voir Phonogramme à l'Index).
Photographie (1827), voir Index.
Photon (1900), Planck, All.
Piano (1711), Cristofori, It.
Pile atomique (1942), Fermi, It. ; *à combustible* (1839), W.R. Grove ; *hydro-électrique* (1800), Volta, It. ; (1868), Leclanché, Fr. [Pile sèche (1890), Palmiers, It.].
Pilote automatique (1913), Elmer Sperry.
Pneu bicyclette (1887), Dunlop, Irl.
Poêle Téfal (1954), M. Grégoire, Fr.
Polarimètre (1828), William Nicol, G.-B. ; (1830), Lüdwig Seebeck, All.
Polaroïd (1947), Ed. Land, U.S.A.
Pompe à feu (1688), Denis Papin, France ; (1698), Savery, G.-B. ; (1705), Newcomen, G.-B. ; *à vide* (1654), Otto von Guericke, All. ; *solaire* (1615), S. de Caus.
Positon (1932), C.D. Anderson, U.S.A.
Poubelle (1884), E. Poubelle, Fr.
Poudre (v. 1000 av. J.-C.), Chinois [composition révélée (1248) par R. Bacon] ; *sans fumée* (1863), Schultze, All. ; (1884), Vieille, Fr.
Poumon d'acier (1876), Eug. Woillez, Fr. *(« spirophore »)* ; (1928), Drinken, Slaw, U.S.A.
Presse à foin (1853), U.S.A. ; *à poste fixe* (1872).
Presse rotative (1847), Marinoni, Fr.
Pression atmosphérique (1648), Pascal, Fr.
Proton (1916), J.J. Thomson, G.-B.
Protozoaires (1715), Van Leeuwenhoek, Holl.
Pulvérisateur (1884), V. Vermorel, Fr.
Pyromètre (n.c.), J. Wedgwood (1730-1795), G.-B.
Quanta (1900), Planck, All.
Quinine (1820), Pelletier, Caventou, Fr. ; (1853), Pasteur, Fr.
Radar (1904), Hulfsmeyer, All. ; (1922), Taylor, Young, U.S.A. ; (1934), P. David, Gutton, Ponte, Fr. ; Watson Watt, G.-B.
Radioactivité (1896), Becquerel, Fr. ; *artificielle* (1934), F. et I. Joliot-Curie, Fr.
Radiodiffusion (1890), Branly *(cohéreur)*, France ; (1893), Popov *(antenne)*, U.R.S.S. ; (1896), Marconi, Italie.
Radiothérapie (1899), T. Stenbeck.
Radium (1898), P. et M. Curie, Fr.
Ramasseuse-presse (1932), U.S.A.
Rasoir de sûreté (1895), Gillette, U.S.A. ; *électrique* (1931), Schick, U.S.A.
Rayonne (1884), Hilaire Bernigaud de Chardonnet, Fr. (nommé par lui *« soie artificielle »*).
Rayons X (1895), Röntgen, All. ; *cathodiques* (1850), H. Geissler, All. ; (1879), Sir W. Crookes, G.-B. ; (1895), J. Perrin, Fr.
Réacteur (V. Index).
Réfrigérateur (1834) J. Perkins, U.S.A.
Règle à calcul (1620), E. Gunter, G.-B. ; *à réglette coulissante* (1750), Leadbetter, G.-B.
Relativité restreinte (1905), *universelle* (1912-17), Einstein, All.
Revolver (1815), Lenormand, Fr. ; (1835), Colt, U.S.A.
Rhéostat (1879), L. Clerc, Fr.
Rhésus (1941), Landsteiner (Autr.), Wiener, U.S.A.
R.M.N. (1946), F. Bloch et E. Mills Purcell, U.S.A.
Rouleau compresseur (n.c.), L. Cessart (1719-1806).
Rubis synthétique (1860), Frémy, Fr. ; (1892), Verneuil, Fr.
Saxophone (1842), A. Sax, Fr.
Scalpel cryogénique (1962), U.S.A. ; *à plasma* (1965), C. Sheer, U.S.A.
Scanner (1971), G.-N. Hounstfield, G.-B., A. MacLeold Cormack, U.S.A.
Scooter (1902), G. Gauthier, Fr.
Semi-conducteur (1929), F. Bloch, U.S.A.
Serrure de précision (1829), A. Fichet, Fr. ; *à combinaison* (1846), A. Fichet.
Sérum physiologique (1879), Kronecker, All.
Sextant (1730), Hadley, G.-B.
Siège éjectable (1944), James Martin, Irl.
Sifflet à ultrasons (1883), F. Galton, G.-B.
Soude (prép. à l'ammo.) (1863), Solvay, Bel.
Sous-marin (1776), Bushnell, U.S.A. ; (1885), Nordenfelt, Suè. ; (1887), Zédé, Fr. ; (1899), Laubœuf, Fr.
Spectroscope (1859), Kirchoff, Bunsen, All.
Spirographe (1925), De Benedict.
Stéthoscope (1815), Laennec, Fr.
Streptomycine (1945), Waksman, U.S.A.
Stylo (1864), Mallat, Fr. ; (1884), Waterman, U.S.A. *A bille* (1888), Loud, U.S.A. [*réalisé* (1938), Ladislas Biro, Hongr.].
Sulfamide (1935), Domagk, All. ; Tréfouël, Fourneau, Fr.
Supraconductivité (1911), Kamerlingh Onnes, P.-Bas.
Surgélation (1929), Birdseye, U.S.A.
Tank (1914), Swinton, G.-B. ; (1915), Estienne, Fr.
Téflon (1938), R. J. Plunkett, U.S.A.
Télécommande (ou *radiocommande*) (1924), E. Fiamma, It.
Télégraphe aérien (1793), Chappe, Fr. *Électrique* (1820), Ampère, Fr. ; (1838), Wheatstone, G.-B. ; (1843), Morse, U.S.A.
Téléphone (1854), Bourseul, Fr. ; (1861), Reiss, All. ; (1876), Bell, U.S.A.
Télescope (1608), Lippershey, Holl. ; (1609), Galilée, It. *Astronomique* (1611), Kepler, All. *A miroir* (1671), Newton, G.-B.
Télétype (1928), Morkrum, Kleinschmidt, U.S.A.
Télévision (1884), P. Nipkow, All. ; (1926), J.-L. Baird, Écos. ; (1907), B. Rosing, U.R.S.S., V. Zworykin, U.R.S.S.
Tension artérielle (appareil de prise) (1880), P. Potain, France ; *brassard pneumatique* (1890), Rocci, Italie.
Test (d'intelligence) (1905), Alfred Binet, Théodore Simon (Fr.).
Théodolite (n.c.), J. Ramsden (1735-1800), G.-B.
Thermodynamique (1730), D. Bernoulli, Fr., Mariotte, Fr., Boyle, G.-B. ; (1824), Carnot, Fr. ; (1845), Joule, G.-B. ; Maxwell, G.-B. ; (1877), Boltzmann, Autr. ; Gibbs, U.S.A.
Thermomètre (av. 1597), Galilée, It.
Tondeuse à gazon (1829), Budding, G.-B.
Tout-à-l'égout (n.c.), E. Belgrand (1810-1878), France.
Tracteur (1849), P. Barat, Fr. ; *à moteur à pétrole* (1894) ; *à chenilles* (1904), B. Holt, U.S.A. ; *diesel* (1929).
Transistor (1948), Bardeen, Brattain et Shockley, U.S.A.
Trombone (attaches) (1900), J. Waler, Norv.
Turbine à gaz (1899), Curtis, U.S.A. *Hydraulique* (1849), Francis, U.S.A. ; (1824), Bourdin, Fr. ; (1827), Fourneyron ; (1873), Fontaine, Fr. *A vapeur* (1884) Charles Parson, G.-B. ; (1898) Aug. Rateau. Fr.
Turboréacteur (1930), F. Whittle, G.-B.
Ultracentrifugeuse (1923), T. Svedberg, Suède.
Vaccin anticoqueluche (1931), Leslie, Gardner. *Antipolio.* (1955), Salk, U.S.A. ; (1960), Lépine, Fr. *Antirabique* (1885), Pasteur, Fr. *Antityphique* (1889), Chantemesse et Widal, Fr. *Antivariolique* (1794), Rabaud-Pommier, Fr. (1796), Jenner, G.-B.
Velcro (bande) (1954), Georges de Mestral, Suisse.
Velpeau (bande) (1860), Alfred-Marie Velpeau, France.
Vitamines (1901), Wildiers, Belg. ; (1906), Hopkins, G.-B. ; (1910), Funk.
Vulcanisation caoutchouc (1839), Goodyear, U.S.A.

Associations

Groupe Bourbaki

Origine. *Fondé* vers 1934 à Paris par des mathématiciens français, anciens élèves de l'École normale sup., dont Henri Cartan (1904), Claude Chevalley (1909-84), Jean Delsarte (1903-68), Jean Dieudonné (1906), André Weil (1906). Leur nom collectif rappelle leur origine normalienne [allusion à un « canular » célèbre dans la tradition de l'E.N.S. (Éc. normale sup.) : vers 1880, un élève déguisé en général s'était présenté au directeur de l'école comme étant le Gal Claude Bourbaki et avait eu droit à la visite commentée de tout l'établissement]. **Recrutement.** Par cooptation, parmi les jeunes mathématiciens, normaliens ou non. Démission obligatoire à 50 ans. **Objectif primitif.** Refaire l'exposé de toutes les mathématiques, en les prenant à leur point de départ logique, selon la pensée de l'All. David Hilbert (1862-1943). **Publications.** 45 monographies (6 000 pages) toutes signées d'un nom collectif : Nicolas Bourbaki, qui constituent le début d'un traité [*Éléments de mathématiques* (1939), *Éléments d'histoire des mathématiques* (1960)].

Mouvement Pugwash

Origine. Fondé en 1957 à Pugwash, Nouvelle-Écosse (Canada) par Bertrand Russell et Albert Einstein. **Objectif.** Organiser la paix grâce à des échanges de vue réguliers entre des savants et des universitaires venus de l'Est et de l'Ouest. **Activités.** Conférences (40 depuis la fondation) ; dernière en date : Eghan (G.-B.) 15/20-9-1990.

Prix

Grand prix de l'Académie des Sciences

Total des prix attribués pour 1990 : 2 445 500 F pour 13 grands prix. **Lauréats. 1990.** *Prix Mergier-Bourdeix* (300 000 F) : Thibault DAMOUR ; *Charles-Léopold Mayer* (250 000 F) : Marc VAN MONTAGU et Jeff SCHELL ; *Ampère de l'électricité de France* (200 000 F) : Jean-Michel BISMUT; *du commissariat à l'énergie atomique* (200 000 F) : Pierre FROMAGEOT et Jean COURSAGET ; *du gaz de France* (200 000 F) : Pierre HABIB ; *aluminium Péchiney* (100 000 F) : Yves BRECHET et Christophe MENNETRIER ; *de l'information scientifique* (60 000 F) : Yvonne REBEYROL et Joël DE ROSNAY ; *Joannides* (50 000 F) : Jacques-Louis BINET ; *Jaffe* (50 000 F) : Margaret BUCKINGHAM ; *fondé par l'État* (50 000 F) : Jean-Pierre HANSEN ; *Kodak-Pathé-Landucci* (40 000 F) : Jacques LEWINER ; *Lamb* (40 000 F) : Jean LACHKAR ; *Richard Lounsbery* (50 000 $) : Jean ROSA.

Prix Balzan

• **Fondé** en 1956, par Angela Lina Balzan († 1957), en mémoire de son père Eugénio Balzan, admin. du « Corriere della Sera » (journal de Milan). 1 à 4 prix annuels de 350 000 FS chacun [sauf : Humanité, paix et fraternité entre les peuples 700 000 FS].

• **Lauréats. Humanité, paix et fraternité entre les peuples.** *61 :* Fondation Nobel. *62 :* Jean XXIII. (1881-1963, It.) *78 :* Mère Teresa de Calcutta (n. 1910, Agnès Gonxha Bojaxhiu, Youg. d'orig. albanaise). *86 :* Haut Commissariat des Nations unies pour les réfugiés.

Sciences de l'antiquité [1], sciences orientales [2], philologie, critique littéraire [3] et d'art [4], littérature comparée [5]. *80 [3] :* Jorge Luis Borgès (1899-1986, Arg.). *82 [2] :* Massimo Pallotino (1909, Ital.). *83 [2] :* Francesco Gabrieli (1904, It.). *84 [3] :* Jean Starobinski (1920, Suisse). *85 [4] :* Ernst Hans Josef Gombrich (1909, G.-B., d'orig. autr.). *88 [5] :* René Etiemble (1909, Fr.). *90 [1] :* Walter Burkert (1931, All.).

Philosophie [1], sciences sociales et politiques [2], sociologie [3]. *79 [2] :* Jean Piaget (1896-1980, Suisse).

81 [1] *:* Josef Pieper (1904, All.). *82* [2] *:* Jean-Baptiste Duroselle (1917, Fr.). *83* [3] *:* Edward Shils (1910, U.S.A.). *88* [3] *:* Shmuel Noah Eisenstadt (1923, Israël). *89* [1] *:* Emmanuel Lévinas (1905, Fr., d'orig. lituanienne).

Histoire. *62 :* Samuel Eliot Morison (1887-† ? U.S.A.). *79 :* Ernest Labrousse (1895-1988, Fr.). Giuseppe Tucci (1894-1984, Ital.). *87 :* Sir Richard Southern (1912, G.-B.).

Histoire de la science. *86 :* Otto Neugebauer (1899, U.S.A.).

Musique. *62 :* Paul Hindemith (1895-1963, All.).

Architecture, urbanisme. *80 :* Hassan Fathy (1900-89, Égypte).

Biologie [1], **botanique** [2], **géologie et géophysique** [3], **zoologie** [4], **génétique** [5], **océanographie-climatologie** [6], **psychologie humaine** [7], **anthropologie physique** [8], **éthologie** [9]. *62* [1] *:* Karl von Frisch (1886-1982, All.). *79* [1] *:* Torbjörn Caspersson (1910, Suède). *81* [3] *:* Dan Peter McKenzie (1942, G.-B.), Drummond Hoyle Matthews (1931, G.-B.), Frederick John Vine (1939, G.-B.). *82* [2] *:* Kenneth Vivian Thimann (1904, U.S.A.). *83* [4] *:* Ernst Mayr (1904, All.). *84* [5] *:* Sewall Wright (1889-1988, U.S.A.). *86* [6] *:* Roger Revelle (1909, U.S.A.). *87 :* Jérôme Seymour Bruner (1915, U.S.A.) [7], Phillip V. Tobias (1925, Afr. du S.) [8]. *88* [2] *:* Michael Evenari (1904-89, Israël) et Otto Ludwig Lange (1927, All. féd.). *89* [9] *:* Leo Pardi (1915, Ital.). *90* [3] *:* James Freeman Gilbert (1931, U.S.A.).

Mathématiques. *62 :* Andrej Kolmogorov (1903-87, U.R.S.S.). *80 :* Enrico Bombieri (1940, It.). *85 :* Jean-Pierre Serre (1926, Fr.).

Astrophysique. *84 :* Jan Hendrik Oort (1900, P.-Bas). *89 :* Martin John Rees (1942, G.-B.).

Droit international public. *81 :* Paul Reuter (1911-90, Fr.) **Droit international privé.** *90 :* Pierre Lalive d'Épinay (1923, Suisse). **Droits fondamentaux de la personne.** *86 :* Jean Rivero (1910, Fr.).

Concours Lépine

Créé en 1901 par le préfet de police Louis Lépine (1846-1933). Se déroule dans le cadre de la Foire de Paris (surface : 4 000 m²). **Durée :** 12 j début mai. **Droits de participation** (frais du salon) env. 2 000 F par stand et non par invention. **But :** offrir, pour une somme raisonnable, à des inventeurs et fabricants l'occasion leur permettant de se faire connaître et d'étudier des débouchés commerciaux. **Organisateur :** Association des inventeurs et fabricants français, 79, rue du Temple, 75003 Paris. *Créé 1902. Pt :* Georges Lavergne. *Jury :* 50 membres. **Récompenses :** Grand Prix du Pt de la Rép. (en général vase de Sèvres), Grand Prix de l'A.I.F.F. Coupes et médailles offertes par l'A.I.F.F., ministères et organismes publics ou privés, médailles de l'Association des inventeurs, prix en espèces. *Nombre des primés :* env. 100 par an. **Revue :** Invention-magazine.

Prix Kalinga

Créé en 1951 par la fondation indienne Kalinga, prix de vulgarisation scientifique (1 000 £) attribué chaque année dep. 1952 (sauf 1973 et 1975). Sur 36 lauréats au 1-1-1985, 9 Britanniques, 8 Américains, 5 Français, 3 Soviét., 2 Brésiliens, 2 Vénézuéliens.

Lauréats. 1984 Yves Coppens (Fr.), Igor Petryanov-Sokolov (U.R.S.S.). **85** Peter Medawar (G.-B.). **86** Nicolas G. Basov (U.R.S.S.), David Suzuki (Can.). **87** Marcel Roche (Venezuela). **88** Bgörn Kurten (Finl.). **89** Saad Ahmed-Shabaan (Égypte). **90**

Prix Lasker

Fondé par Mrs Mary Lasker en souvenir de son mari. Délivré annuellement dep. 1946 avec la coopération de l'American Public Health Association. Chaque année, 6 à 12 lauréats. Beaucoup ont reçu plus tard le prix Nobel de Médecine. Prix individuel : une réduction de la Victoire de Samothrace dorée, un diplôme + une somme : *1946 :* 1 000 $, *1957 :* 2 500, *1984 :* 15 000. **1ers Français lauréats, en 1957 :** P. Deniker et H. Laborit.

Lauréats. En 1986, Luc Montagnier (Institut Pasteur, Paris) et Robert Gallo (Inst. nat. amér. du cancer) l'ont eu pour leurs travaux sur l'identification du virus responsable du SIDA. **89** *« Recherche médicale clinique » :* Étienne-Émile Beaulieu (France) pour le RU 486. *« Recherche fondamentale » :* Michael J. Berridge (G.-B.), Alfred G. Gilman (U.S.A.), Edwin G. Krebs (U.S.A.), Yasutomi Nishizuka (Japon). *« Service public » :* Lewis Thomas (U.S.A.). **90** non attribué.

Japan Prize

Créé 1983 par Konosuke Matsushita. Décerné par la Fondation du Japon pour la science et la technologie. **Montant :** 50 millions de yens par lauréat (env. 1,8 millions de F).

Lauréats. 1985 John R. Pierce (1910, U.S.A.), Ephraïm Katzir (1916, Israël). **86** David Turnbull (1915, U.S.A.), William J. Kolff (1911, U.S.A.). **87** Henry M. Beachell (U.S.A.), Gurdev S. Khush (Inde), Theodor H. Malman. **88** Georges Vendryes (Fr.), Donald A. Henderson (1928, U.S.A.), Iero Arita (Jap.), Frank Fenner (1914, Austr.), Luc Montagnier (1932, Fr.), Robert C. Gallo (1937, U.S.A.). **89** Frank Sherwood Rowland (1927, U.S.A.), Elias James Corey (1928, U.S.A.). **90** Marvin Minsky (1927 U.S.A.), William Jason Morgan (1935, U.S.A.), Dan Peter McKenzie (1942, G.-B.), Xavier Le Pichon (1937, Fr.). **91** Jacques Louis Lions (1928, Fr.) math., Julian Wild (U.S.A.) méd.

Médaille Fields

Créée en 1936 [fonds résultant du bilan positif du financement du Congrès de Toronto, de 1924, présidé par le Pr John Charles Fields (1863-1932), Canadien, et du Congrès de Vancouver, de 1974]. 2 à 4 médailles, décernées, au plus tous les 4 ans, à de jeunes mathématiciens, au cours du Congrès international de mathématiciens, par un comité intern. émanant de l'Union mathématique intern. (*Pt :* Pr J.-L. Lion ; *secr. gén. :* Pr J. Palis). Montant du prix, max. 10 500 F par lauréat.

Lauréats. 1936 Lars Ahlfors (1907, Finl.), Jesse Douglas (1897, U.S.A.). **50** Laurent Schwartz (1915, France), Atle Selberg (1917, Norv.). **54** Kunihiko Kodaira (1903, Japon), Jean-Pierre Serre (1926, France). **58** Klaus Friedrich Roth (1925, G.-B.), René Thom (1923, France). **62** Lars Hörmander (1931, Suède), John Milnor (1931, U.S.A.). **66** Michael F. Atiyah (1929, G.-B.), Paul J. Cohen (1934, U.S.A.), Alexandre Grothendieck (1928, France), Stephen Smale (1930, U.S.A.). **70** Alan Baker (1939, G.-B.), Heisuke Hironaka (1931, U.S.A., or. Jap.), S. Novikov (1938, U.R.S.S.), John C. Thompson (G.-B.). **74** Enrico Bombieri (1940, Ital.), David Mumford (1937, U.S.A.). **78** Pierre Deligne (1944, Belg.), Charles Fefferman (1949, U.S.A.) et Daniel Quillen (1940, U.S.A.), Grigory Alexandre Margoulis (1946, U.R.S.S.). **82** Alain Connes (1947, France), William P. Thurston (1946, U.S.A.), Shing Tung-Yau (1949, U.S.A.). **86** Simon Donaldson (1957, G.-B.), Gerd Faltings (1954, R.F.A.), Michael Freedman (1951, U.S.A.). **90** V.G. Drienfeld (1954, U.R.S.S.), Vaughan F.R Jones (1952, U.S.A.), Shigefumi Mori (Japon), Edward Witten (1951, U.S.A.).

Prix Rolf Nevanlinna (science de l'information)

Créé en 1982 par l'Union mathématique internationale. *Nom* donné en mémoire du Pr finlandais Rolf Nevanlinna (1895-1980), ancien Pt de l'Union. *Doté* comme la Médaille Fields, mais par l'Université d'Helsinki (Finlande). Attribué au plus tous les 4 ans dans les mêmes conditions d'âge et de mérite à un jeune mathématicien pour les aspects mathématiques des sciences de l'information.

Lauréats. 1982 Robert E. Tarjan (U.S.A.). **86** Leslie Valiant (1949, G.-B.). **90** A.A. Razborov (U.R.S.S.).

Prix Nobel

Origine. Institués par le savant suédois Alfred Bernhard Nobel (Stockholm, 1833 – San Remo, 1896). Nobel passa son enfance à Stockholm et fit ses études à St-Pétersbourg (où son père avait une usine de mécanique). En 1864, il installa à Helenеborg, à Stockholm (Suède), une petite usine de nitroglycérine, elle sauta, causant plusieurs morts dont son plus jeune frère. Il vécut en Allemagne et voyagea beaucoup avant de s'établir à Paris de 1873 à 1891, puis à San Remo (Italie) ; pensant revenir en Suède, il avait acheté en 1893-94 les aciéries Bofors. En 1866, il inventa la dynamite [1 part de nitroglycérine pour 4 de kiselguhr (terre contenant de la silice)], moins dangereuse que la nitroglycérine ; elle obtint aussitôt un très grand succès (construction de tunnels, canaux, ports, exploitation des minéraux).

Nobel fonda de nombreuses usines de dynamite dans le monde. En 1886, il avait 60 Cies qu'il rassembla dans 2 trusts. L'un, le Latin trust (sous l'égide de la Cie française), l'autre, comprenant les Cies anglaises, allemandes et est-européennes. En 1875, il inventa la gélatine explosive (combinaison de nitroglycérine et nitrocellulose) et en 1885, la poudre sans fumée qui révolutionna l'industrie des munitions. En 1894, il déposa des brevets pour des matériaux artificiels tirés de la nitrocellulose (caoutchouc et cuir synthétiques, cire artificielle, laques, vernis). Peu avant sa mort, il avait envisagé de développer ceux-ci sur une large échelle. En tout, dans des pays variés il avait déposé env. 350 brevets représentant 150 inventions.

Chimiste, pionnier des trusts industriels, grand voyageur et idéaliste, il rêvait de découvrir une substance ou une « machine » dont les effets seraient si destructeurs que la guerre en deviendrait impossible. Il écrivait des poèmes. Il avait proposé au préfet de Paris de créer un hôtel des suicidés où les « hôtes » pourraient trouver un bon repas, passer une bonne soirée puis mourir d'une façon rapide et indolore. Possesseur d'une fortune importante, provenant pour plus de 90 % de la création d'explosifs à usage civil (mines, routes, tunnels) et pour 1/7 des actions possédées par la famille Nobel dans les pétroles de Bakou, il laissait à sa mort une fondation d'environ 40 millions de francs-or.

« Tout le reste de la fortune réalisable (à l'époque 33 millions de couronnes) que je laisserai en mourant sera employé de la manière suivante : le capital, placé en valeurs mobilières sûres par mes exécuteurs testamentaires, constituera un fonds dont les revenus seront distribués chaque année à titre de récompense aux personnes qui, au cours de l'année écoulée, auront rendu à l'humanité les plus grands services. Ces revenus seront divisés en cinq parties égales. La première sera attribuée à l'auteur de la découverte ou de l'invention la plus importante dans le domaine de la physique ; la seconde à l'auteur de la découverte ou de l'invention la plus importante en chimie ; la troisième à l'auteur de la découverte la plus importante en physiologie ou en médecine ; la quatrième à l'auteur de l'ouvrage littéraire le plus remarquable d'inspiration idéaliste ; la cinquième à la personnalité qui aura le plus ou le mieux contribué au rapprochement des peuples, à la suppression ou à la réduction des armées permanentes, à la réunion et à la propagation des congrès pacifistes... Je désire expressément que les prix soient attribués aux plus dignes, scandinaves ou non. »

Il faudra 4 ans pour résoudre les problèmes posés par l'ouverture de son testament. Les biens de Nobel étaient dispersés à travers l'Europe. Ce n'est qu'en 1900 que le roi Oscar II de Suède promulgua les statuts du nouveau légataire, la Fondation Nobel. Les 1ers prix furent accordés en 1901.

Attribution (le 10 décembre : anniversaire de la mort de Nobel). *Prix de Physique et de Chimie :* décernés par l'Académie royale des Sciences de Suède. *Physiologie ou Médecine :* par l'Assemblée Nobel de l'Institut Carolin (f. 1810). *Littéraire :* par l'Académie suédoise. *Paix :* Comité Nobel norvégien. *Sciences économiques* (institué en 1968 par la Banque de Suède lors de son tricentenaire, à la mémoire d'Alfred Nobel), attribué et distribué par l'Académie royale des Sciences de Suède. **Montant** pour chaque prix. *1901 :* 150 000 couronnes (soit env. 4 millions de F 1990), *1990 :* 3 500 000 F.

☞ **Le plus jeune prix Nobel :** l'Anglais Sir William Lawrence Bragg (1890-1971), prix de Physique à 25 ans, en 1915, avec son père Sir William Henry Bragg (1862-1942). En littérature, ce fut l'Anglais Kipling (1865-1936) à 41 ans, en 1907. **Les plus âgés :** l'Américain Francis Peyton Rous (1879-1970) en 1966, et l'Allemand Karl von Frisch (1886-1982), prix de Médecine en 1973 (tous les 2 à 87 ans). **Ont reçu 3 fois le prix :** Comité international de la Croix-Rouge de Genève (1917, 44, 63 avec la Ligue internationale des Stés de Croix-Rouge). **2 fois :** la Française Marie Curie : Physique (1903) (partagé avec son mari Pierre Curie et Henri Becquerel), Chimie (seule, 1911). L'Américain Linus Pauling : Chimie (1954), Paix (1962). L'Américain John Bardeen : Physique (1956 et 1972), les 2 fois, prix partagé. L'Anglais Frederick Sanger : Chimie [1958 (seul), 1980 (partagé)]. **1er ouvrier à avoir reçu le prix de la Paix :** Lech Walesa (1983). **Ont**

refusé le prix : le Russe Pasternak (Littérature, 1958) a refusé le prix sous la pression du gouvernement soviétique. Jean-Paul Sartre (Littérature, 1964) et le Vietnamien Le Duc Tho (Paix, 1973) l'ont refusé d'eux-mêmes.

☞ **Profession des pères des prix Nobel** (en %, nés avant 1880 et, entre parenthèses nés après 1910) : Ouvrier 1 (4). Artisan 6 (6). Employé, fonctionnaire 7 (7). Petit commerce 4 (8). Librairie 4 (0). Artiste 3 (2). Instituteur 3 (7). Clergé 8 (3). Professeur 9 (16). Médecin, vétérinaire ou pharmacien 12 (7). Négoce 10 (10). Avocat, juge, etc. 6 (2). Ingénieur 3 (10). Industriel 4 (5). Banquier, agent de change, notaire 3 (3). Politique, diplomate 2 (0). Exploitant agricole 5 (5). Officier, armée 5 (0). Propriétaire 6 (2).

Lauréats

Chimie

01 Jacobus van't Hoff (1852-1911) (P.-B.).
02 Emil Fischer (1852-1919) (All.).
03 Svante Arrhenius (1859-1927) (Suè.).
04 Sir William Ramsay (1852-1916) (G.-B.).
05 Adolf von Baeyer (1835-1917) (All.).
06 Henri Moissan (1852-1907) (Fr.).
07 Eduard Buchner (1860-1917) (All.).
08 Lord Ernest Rutherford (1871-1937) (G.-B.).
09 Wilhelm Ostwald (1853-1932) (All.).
10 Otto Wallach (1847-1931) (All.).
11 Marie Curie (1867-1934) (Fr., d'orig. polon.).
12 Victor Grignard (1871-1935), Paul Sabatier (1854-1941) (Fr.).
13 Alfred Werner (1866-1919) (Sui., d'orig. all.).
14 Theodore Richards (1868-1928) (U.S.A.).
15 Richard Willstätter (1872-1942) (All.).
16-17 *Non décerné.*
18 Fritz Haber (1868-1934) (All.).
19 *Non décerné.*
20 Walther Nernst (1864-1941) (All.).
21 Frederick Soddy (1877-1956) (G.-B.).
22 Francis Aston (1877-1945) (G.-B.).
23 Fritz Pregl (1869-1930) (Autr.).
24 *Non décerné.*
25 Richard Zsigmondy (1865-1929) (Autr.).
26 Theodor Svedberg (1884-1971) (Suède).
27 Heinrich Wieland (1877-1957) (All.).
28 Adolf Windaus (1876-1959) (All.).
29 Sir Arthur Harden (1865-1940) (G.-B.). Hans von Euler-Chelpin (1873-1964) (Suède, d'orig. all.).
30 Hans Fischer (1881-1945) (All.).
31 Carl Bosch (1874-1940) (All.), Friedrich Berguis (1884-1949) (All.).
32 Irving Langmuir (1881-1957) (U.S.A.).
33 *Non décerné.*
34 Harold Urey (1893-1981) (U.S.A.).
35 Frédéric (1900-58) et Irène Joliot-Curie (1897-1956) (Fr.).
36 Peter Debye (1884-1966) (P.-Bas).
37 Sir Walter Haworth (1883-1950) (G.-B.)., Paul Karrer (1889-1971) (Sui., d'orig. autr.).
38 Richard Kuhn (1900-67) (Autr.).
39 Adolf-Friedrich Johann Butenandt (1903) (All.), Léopold Ruzicka (1887-1976) (Suisse, d'orig. autr.).
40-42 *Non décerné.*
43 George de Hevesy (1885-1966) (Hong.).
44 Otto Hahn (1879-1968) (All.).
45 Arturi Ilmari Virtanen (1895-1973) (Fin.).
46 James Summer (1887-1955), John Northrop (1891-1987), Wendell Stanley (1904-71) (U.S.A.).
47 Sir Robert Robinson (1886-1975) (G.-B.).
48 Arne Tiselius (1902-71) (Suède).
49 William Francis Giauque (1895-1982) (U.S.A.).
50 Otto Diels (1876-1954), Kurt Alder (1902-58) (All. féd.).
51 Glenn Seaborg (1912), Edwin McMillan (1907) (U.S.A.).
52 Archer Martin (1910), Richard Synge (1914) (G.-B.).
53 Hermann Staudinger (1881-1965) (All. féd.).
54 Linus Pauling (1901) (U.S.A.).
55 Vincent du Vigneaud (1901-78) (U.S.A.).
56 Sir Cyril Hinshelwood (1897-1967) (G.-B.), Nicolaï Semenov (1896-1986) (U.R.S.S.).
57 Lord Alexander Todd (1907) (G.-B.).
58 Frederik Sanger (1918) (G.-B.).
59 Jaroslav Heyrovsky (1890-1967) (Tchéc.).
60 Willard Libby (1908-80) (U.S.A.).
61 Melvin Calvin (1911) (U.S.A.).
62 Sir John C. Kendrew (1917) (G.-B.), Max F. Perutz (1914) (G.-B., d'orig. autr.).
63 Karl Ziegler (1898-1973) (All. féd.), Giulio Natta (1903-79) (It.).
64 Dorothy Crowfoot Hodgkin (1910) (G.-B.).
65 Robert Burns Woodward (1917-79) (U.S.A.).
66 Robert S. Mulliken (1896-1986) (U.S.A.).
67 Manfred Eigen (1927) (All. féd.), Ronald George Wreyford Norrish (1897-1978) et Sir George Porter (1920) (G.-B.).
68 Lars Onsager (1903-76) (U.S.A., d'orig. norv.).
69 Sir Derek Harold Barton (1918) (G.-B.), Odd Hassel (1897-1981) (Norv.).
70 Luis F. Leloir (1906-87) (Argentine).
71 Gerhard Herzberg (1904) (Canada, d'orig. all.).
72 Christian Anfinsen (1916), Stanford Moore (1913-82), Wil. H. Stein (1911-80) (U.S.A.).
73 Ernst Otto Fischer (1918) (All. féd.). Geoffrey Wilkinson (1921) (G.-B.).
74 Paul John Flory (1910-85) (U.S.A.).
75 Vladimir Prelog (1906) (Suisse, d'orig. youg.), John Cornforth (1917) (G.-B.).
76 William N. Lipscomb (1919) (U.S.A.).
77 Ilya Prigogine (1917) (Belg., d'orig. russe).
78 Peter Mitchell (1920) (G.-B.).
79 Herbert C. Brown (1912) (U.S.A.), Georg Wittig (1897-1987) (All. féd.).
80 Paul Berg (1926) (U.S.A.), Walter Gilbert (1932) (U.S.A.), Frederick Sanger (1918) (G.-B.).
81 Kenichi Fukui (1920) (Jap.), Roald Hoffmann (1937) (U.S.A., or. polon.).
82 Aaron Klug (1926) (G.-B.).
83 Henry Taube (1915) (U.S.A., d'orig. can.).
84 Bruce Merrifield (1921) (U.S.A.).
85 Herbert A. Hauptman (1917) (U.S.A.), Jérôme Karle (1918) (U.S.A.).
86 Dudley R. Herschbach (1932) (U.S.A.), Yuan Lee (1936) (U.S.A.), John Polanyi (1929) (Canada).
87 Cram Donald (1919) (U.S.A.), Lehn Jean-Marie (1939) (Fr.), Pedersen Charles J. (1904) (U.S.A.).
88 Johann Deisenhofer (1943) (All.), Robert Hubert (1937) (All.), Hartmut Michel (1948) (All.).
89 Altman Sidney (1939) (U.S.A.), Cech Thomas (1947) (U.S.A.).
90 Elias J. Corey (1928) (U.S.A.).

Littérature

01 Sully Prudhomme (1839-1907) (Fr.).
02 Theodor Mommsen (1817-1903) (All.).
03 Bjornstjerne Bjornson (1832-1910) (Norv.).
04 Frédéric Mistral (1830-1916) (Fr.), José Echegaray (1833-1916) (Esp.).
05 Henryk Sienkiewicz (1846-1916) (Pol.).
06 Giosue Carducci (1835-1907) (It.).
07 Rudyard Kipling (1865-1936) (G.-B.).
08 Rudolf Eucken (1846-1926) (All.).
09 Selma Lagerlöf (1858-1940) (Suède).
10 Paul Heyse (1830-1914) (All.).
11 Comte Maurice Maeterlinck (1862-1949) (Belg.).
12 Gerhart Hauptmann (1862-1946) (All.).
13 Rabindranath Tagore (1861-1941) (Inde).
14 *Non décerné.*
15 Romain Rolland (1866-1944) (Fr.).
16 Verner von Heidenstam (1859-1940) (Suède).
17 Karl Gjellerup (1857-1919) (Dan.), Henrik Pontoppidan (1857-1943) (Dan.).
18 *Non décerné.*
19 Carl Spitteler (1845-1924) (Suisse).
20 Knut Hamsun (1859-1952) (Norv.).
21 Anatole France (1844-1924) (Fr.).
22 Jacinto Benavente (1866-1954) (Esp.).
23 William Butler Yeats (1865-1939) (Irl.).
24 Wladyslaw Reymont (1868-1925) (Pol.).
25 George B. Shaw (1856-1950) (G.-B.).
26 Grazia Deledda (1871-1936) (It.).
27 Henri Bergson (1859-1941) (Fr.).
28 Sigrid Undset (1882-1949) (Norv.).
29 Thomas Mann (1875-1955) (U.S.A.).
30 Sinclair Lewis (1885-1951) (U.S.A.).
31 Erik Axel Karlfeldt (1864-1931) (Suède).
32 John Galsworthy (1867-1933) (G.-B.).
33 Ivan Bounine (1870-1953) (Russe, apatr.).
34 Luigi Pirandello (1867-1936) (It.).
35 *Non décerné.*
36 Eugène O'Neill (1888-1953) (U.S.A.).
37 Roger Martin du Gard (1881-1958) (Fr.).
38 Pearl Buck (1892-1973) (U.S.A.).
39 Frans Eemil Sillanpää (1888-1964) (Finl.).
40-43 *Non décerné.*
44 Johannes Jensen (1873-1950) (Dan.).
45 Gabriela Mistral (1889-1957) (Chili).
46 Hermann Hesse (1877-1962) (Suisse, d'orig. all.).
47 André Gide (1869-1951) (Fr.).
48 Thomas Stearns Eliot (1888-1965) (G.-B.).
49 William Faulkner (1897-1962) (U.S.A.).
50 Earl Bertrand Russell (1872-1970) (G.-B.).
51 Pär Lagerkvist (1891-1974) (Suède).
52 François Mauriac (1885-1970) (Fr.).
53 Winston Churchill (1874-1965) (G.-B.).
54 Ernest Hemingway (1898-1961) (U.S.A.).
55 Halldór Kiljan Laxness (1902) (Islande).
56 Juan Ramón Jiménez (1881-1958) (Esp.).
57 Albert Camus (1913-60) (Fr.).
58 Boris Pasternak (1890-1960) (U.R.S.S.) (refusé).
59 Salvatore Quasimodo (1901-68) (It.).
60 St-John Perse (Alexis Léger) (1887-1975) (Fr.).
61 Yvo Andric (1891-1975) (Youg.).
62 John Steinbeck (1902-68) (U.S.A.).
63 Giorgos Seferis (1900-71) (Gr.).
64 Jean-Paul Sartre (1905-80) (Fr.) (prix refusé).
65 Mikhaïl Cholokhov (1905-84) (U.R.S.S.).
66 Samuel Jos. Agnon (1888-1970) (Isr.), Nelly Sachs (1891-1970) (All.).
67 Miguel Angel Asturias (1899-1974) (Guat.).
68 Yasunari Kawabata (1899-1972) (Japon).
69 Samuel Beckett (1906-89) (Irlande).
70 Alexandre Soljenitsyne (1918) (U.R.S.S.).
71 Pablo Neruda (Neftali Reyes Bascalto) (1904-73) (Chili).
72 Heinrich Böll (1917-85) (All. féd.).
73 Patrick White (1912) (Australie).
74 Eyvind Johnson (1900-76) (Suède), Harry Martinson (1904-78) (Suède).
75 Eugenio Montale (1896-1981) (It.).
76 Saul Bellow (1915) (U.S.A.).
77 Vicente Alexandre (1898-1984) (Esp.).
78 Isaac Bashevis Singer (1904) (U.S.A.).
79 Odysseus Alepoudhelis, dit Elytis (1911) (Gr.).
80 Czeslaw Milosz (1911) (Pol. et U.S.A.).
81 Elias Canetti (1906) (G.-B., d'orig. bulg.).
82 Gabriel Garcia Marquez (1928) (Colombie).
83 William Golding (1911) (G.-B.).
84 Jaroslav Seifert (1901-86) (Tchéc.).
85 Claude Simon (1913) (Fr.).
86 Wole Soyinka (1934) (Nigeria).
87 Brodsky Joseph (1940) (U.S.A., orig. U.R.S.S.).
88 Naguib Mahfouz (1911) (Égypte).
89 Camilo José Cela (1916) (Esp.).
90 Octavio Paz (1914) (Mex.).

Paix

01 Henri Dunant (1828-1910) (Suisse), Frédéric Passy (1822-1912) (Fr.).
02 Elie Ducommun (1833-1906), Albert Gobat (1843-1914) (Suisse).
03 Sir William Cremer (1838-1908) (G.-B.).
04 Inst. de droit intern., Gand (1873) (Belg.).
05 Bertha von Suttner (1843-1914) (Autr.).
06 Theodore Roosevelt (1858-1919) (U.S.A.).
07 Ernesto Moneta (1833-1918) (It.), Louis Renault (1843-1918) (Fr.).
08 Klas Arnoldson (1844-1916) (Suède), Fredrik Bajer (1837-1922) (Dan.).
09 Auguste Beernaert (1829-1912) (Belg.), Paul d'Estournelles de Constant (1852-1924) (Fr.).
10 Bureau international permanent de la paix, Berne (1891) (Suisse).
11 Tobias Asser (1838-1913) (P.-Bas), Alfred Fried (1864-1921) (Autr.).
12 Elihu Root (1845-1937) (U.S.A.).
13 Henri La Fontaine (1854-1943) (Belg.).
14-16 *Non décerné.*
17 Croix-Rouge internationale (1863).
18 *Non décerné.*
19 Th. Woodrow Wilson (1856-1924) (U.S.A.).
20 Léon Bourgeois (1851-1925) (Fr.).
21 Hjalmar Branting (1860-1925) (Suède), Christian Lange (1869-1938) (Norv.).
22 Fridtjof Nansen (1861-1930) (Norv.).
23-24 *Non décerné.*
25 Sir Austen Chamberlain (1863-1937) (G.-B.), Charles Dawes (1865-1951) (U.S.A.).
26 Aristide Briand (1862-1932) (Fr.), Gustav Stresemann (1878-1929) (All.).
27 Ferdinand Buisson (1841-1932) (Fr.), Ludwig Quidde (1858-1941) (All.).
28 *Non décerné.*
29 Frank Billings Kellogg (1856-1937) (U.S.A.).
30 Nathan N. Söderblom (1866-1931) (S.).
31 Jane Addams (1860-1935), Nicholas Murray Butler (1862-1947) (U.S.A.).
32 *Non décerné.*
33 Sir Norman Angell (1874-1967) (G.-B.).
34 Arthur Henderson (1863-1935) (G.-B.).
35 Karl von Ossietzky (1889-1938) (All.).
36 C. Saavedra Lamas (1878-1959) (Arg.).
37 Lord Cecil of Chelwood (1864-1958) (G.-B.).
38 Office intern. Nansen pour les réfugiés (1921) (Suisse).
39-43 *Non décerné.*
44 Croix-Rouge internationale.
45 Cordell Hull (1871-1955) (U.S.A.).
46 Emily Balch (1867-1961) et John R. Mott (1865-1955) (U.S.A.).
47 Am. Friend's Serv. Com. (U.S.A.), Br. Soc. of Friend's Serv. Coun. (G.-B.).
48 *Non décerné.*
49 Lord John B. Orr of Brechin (1880-1971) (G.-B.).

50 Ralph Bunche (1904-71) (U.S.A.).
51 Léon Jouhaux (1879-1954) (Fr.).
52 Albert Schweitzer (1875-1965) (Fr./All.).
53 George Marshall (1880-1959) (U.S.A.).
54 Haut Commissariat de l'O.N.U. pour réfugiés.
55-56 *Non décerné.*
57 Lester Pearson (1897-1972) (Canada).
58 Rév. D. G. Henri Pire (1910-69) (Belg.).
59 Philip John Noel-Baker (1889-1982) (G.-B.).
60 Albert-John Lutuli (1898-1967) (Afr. du Sud). Prix décerné en 1961.
61 Dag Hammarskjöld (1905-61) (Suède).
62 Linus Pauling (1901) (U.S.A.).
63 Croix-Rouge internationale et Ligue des Soc. de Croix-Rouge.
64 Martin Luther King (1929-68) (U.S.A.).
65 F.I.S.E. (U.N.I.E.F.).
66-67 *Non décerné.*
68 René Cassin (1887-1976), Pt de la Cour européenne des droits de l'homme (Fr.).
69 Organisation internationale du travail.
70 Norman E. Borlaug (1914) (U.S.A.).
71 Willy Brandt (1913) (All. féd.).
72 *Non décerné.*
73 Henry A. Kissinger (1923) (U.S.A.), Le Duc Tho (1911-90) (Viêt-nam N.) qui le refuse.
74 Eisaku Sato (1901-75) (Jap.), Sean Mac Bride (1904-88) (Irl.).
75 Andréi Sakharov (1921-89) (U.R.S.S.).
76 Mairead Corrigan (1944) (Irl. du N., G.-B.), Betty Williams (1943) (Irl. du N., G.-B.).
77 Amnesty International.
78 Anouar el-Sadate (1918-81) (Égypte). Menahem Begin (1913) (Israël, d'orig. polon.).
79 Mère Teresa (Inde) (n. 1910 en Youg.).
80 Adolfo Perez Esquivel (1931) (Arg.).
81 Haut Commissariat de l'ONU pour Réfugiés.
82 Alva Myrdal (1902-86) (Suède), Alfonso Garcia Robles (1911) (Mexique).
83 Lech Walesa (1943) (Pologne).
84 Desmond Tutu (1901) (Afr. du Sud).
85 Internationale des médecins contre la guerre nucléaire.
86 Elie Wiesel (1928) (U.S.A.).
87 Arias-Sanchez Oscar (1941) (Costa Rica).
88 Forces des Nations unies, gardiennes de la paix.
89 Dalaï Lama (Tenzin Gyatso, 1935) (Tibet).
90 Mikhaïl Gorbatchev (1931) (U.R.S.S.).

Physiologie ou médecine

01 Emil von Behring (1854-1917) (All.).
02 Sir Ronald Ross (1857-1932) (G.-B.).
03 Niels Finsen (1860-1904) (Dan.).
04 Ivan Pavlov (1849-1936) (Russie).
05 Robert Koch (1843-1910) (All.).
06 Camillo Golgi (1843-1926) (It.), Santiago Ramon y Cajal (1852-1934) (Esp.).
07 Charles Laveran (1845-1922) (Fr.).
08 Paul Ehrlich (1854-1915) (All.), Elie Metchnikoff (1845-1916) (Russie).
09 Theodor Kocher (1841-1917) (Suisse).
10 Albrecht Kossel (1853-1927) (All.).
11 Allvar Gullstrand (1862-1930) (Suède).
12 Alexis Carrel (1873-1944) (Fr.).
13 Charles Richet (1850-1935) (Fr.).
14 Robert Bárány (1876-1936) (Autr.).
15-18 *Non décerné.*
19 Jules Bordet (1870-1961) (Belg.).
20 August Krogh (1874-1949) (Dan.).
21 *Non décerné.*
22 Sir Archibald Hill (1886-1977) (G.-B.), Otto Meyerhof (1884-1951) (All.).
23 Sir Frederick G. Banting (1891-1941), John J.R. MacLeod (1876-1935) (Canada).
24 Willem Einthoven (1860-1927) (P.-Bas).
25 *Non décerné.*
26 Johannes Fibiger (1867-1928) (Dan.).
27 Julius Wagner-Jauregg (1857-1940) (Au.).
28 Charles Nicolle (1866-1936) (Fr.).
29 Charles Eijkman (1858-1930) (P.-Bas), Sir Frédérick Hopkins (1861-1947) (G.-B.).
30 Karl Landsteiner (1868-1943) (Autr.).
31 Otto Warburg (1883-1970) (All.).
32 Sir Charles Sherrington (1857-1952), Lord Edgar Adrian (1889-1977) (G.-B.).
33 Thomas Morgan (1866-1945) (U.S.A.).
34 George Whipple (1878-1976), G. Minot (1885-1950), W. Murphy (1892) (U.S.A.).
35 Hans Spemann (1869-1941) (All.).
36 Sir Henry Dale (1875-1968) (G.-B.)., Otto Lœwi (1873-1961) (Autr., d'orig. all.).
37 Albert Szent-Györgyi von Nagyrapolt (1893-1987) (Hong.).
38 Corneille Heymans (1892-1968) (Belg.).
39 Gerhard Domagk (1895-1964) (All.).
40-42 *Non décerné.*
43 Henrik Dam (1895-1976) (Dan.), Edward Doisy (1893) (U.S.A.).
44 Joseph Erlanger (1874-1965), Herbert Spencer Gasser (1888-1963) (U.S.A.).
45 Sir Alexander Fleming (1881-1955), Sir Ernst Boris Chain (1906-79), Lord Howard Florey (1898-1968) (G.-B.).
46 Hermann Muller (1890-1967) (U.S.A.).
47 Carl (1896-1984) et Gerty Cori (1896-1957) (U.S.A., d'orig. autr.), Bernardo Houssay (1887-1971) (Arg.).
48 Paul Müller (1899-1965) (Suisse).
49 Walter Hess (1881-1973) (Suisse), Antonio de Abreu Freire Egas Moniz (1874-1955) (Port.).
50 Philip Hench (1896-1965), Edward Kendall (1886-1972) (U.S.A.), Tadeus Reichstein (1897) (Suisse, d'orig. polon.).
51 Max Theiler (1899-1972) (Afr. du S.).
52 Selman Waksman (1888-1973) (U.S.A., d'orig. russe).
53 Fritz Lipmann (1899-1986) (U.S.A., d'orig. all.), Sir Hans Krebs (1900-81) (G.-B., d'orig. all.).
54 John Enders (1897-1985) Thomas Weller (1915), Fréd. Robbins (1916) (U.S.A.).
55 Hugo Theorell (1903-82) (Suède).
56 Dickinson Richards (1895-1973) (U.S.A.), Werner Forssmann (1904-79) (All. féd.), André Cournand (1895-1988) (U.S.A., d'orig. franç.).
57 Daniel Bovet (1907) (It.).
58 Joshua Lederberg (1925), George Beadle (1903-89), Edward Tatum (1909-75) (U.S.A.).
59 Severd Ochoa (1905) (U.S.A., d'orig. espagn.), Arthur Kornberg (1918) (U.S.A.).
60 Sir Frank Macfarlane Burnet (1899-1985) (Austr.), Sir Peter Brian Medawar (1915-87) (G.-B.).
61 Georg von Bekesy (1899-1972) (U.S.A., d'orig. hongroise).
62 James Dewey Watson (1928) (U.S.A.), Francis Harry Compton Crick (1916), Maurice Hugues Fréd. Wilkins (1916) (G.-B.).
63 Sir John Carew Eccles (1902) (Austr.), Sir Alan Lloyd Hodgkin (1914), Sir Andrew Fielding Huxley (1917) (G.-B.).
64 Konrad Bloch (1912) (U.S.A., d'orig. all.), Feodor Lynen (1911-79) (All. féd.).
65 François Jacob (1920), André Lwoff (1902), Jacques Monod (1910-76) (Fr.).
66 Charles B. Huggins (1901) et Francis Peyton Rous (1879-1970) (U.S.A.).
67 Ragnar Granit (1900) (Suède), Haldan Keffer Hartline (1903-83) (U.S.A.) et George Wald (1906) (U.S.A.).
68 Robert Holley (1922), Har Gobind Khorana (1922), Marshall Nirenberg (1927) (U.S.A.).
69 Max Delbrück (1906-81) (U.S.A., d'orig. all.), Alfred Hershey (1908), Salvador Luria (It., 1912) (U.S.A.).
70 Sir Bernard Katz (1911) (G.-B.), Ulf von Euler (1905-83) (Suède), Julius Axelrod (1912) (U.S.A.).
71 Earl Sutherland (1915-74) (U.S.A.).
72 Gerald Edelman (1929), Rodney Robert Porter (1917-85) (G.-B.).
73 Karl von Frisch (1886-1982) (Autriche), Konrad Lorenz (1903-89) (Autriche), Nikolas Tinbergen (1907-88) (G.-B., d'orig. néerl.).
74 Albert Claude (1899-1983) (Belg.), Christian de Duve (1917) (Belg.), George Emil Palade (1912) (U.S.A., d'orig. roum.).
75 Howard Martin Temin (1934) (U.S.A.), Renato Dulbecco (1914) (U.S.A., d'orig. it.), David Baltimore (1938) (U.S.A.).
76 Baruch S. Blumberg (1925) (U.S.A.), D. Carleton Gajdusek (1923) (U.S.A.).
77 Rosalyn Yalow (1921) (U.S.A.), Roger Guillemin (1924) (U.S.A., d'orig. franç.), Andrew Schally (1926) (U.S.A., d'orig. pol.).
78 Werner Arber (1929) (Suisse), Daniel Nathans (1928) (U.S.A.), Hamilton Smith (1931) (U.S.A.).
79 Allan Cormack (1924) (U.S.A.), Godfrey N. Hounsfield (1919) (G.-B.).
80 Baruj Benacerraf (1920) (U.S.A.), Jean Dausset (1916) (France), George D. Snell (1903) (U.S.A.).
81 Roger W. Sperry (1913) (U.S.A.), David H. Hubel (1926) (U.S.A., d'orig. can.), Torsten N. Wiesel (1924) (U.S.A., d'orig. suéd.).
82 Sune Bergström (1916) (Suède), Bengt I. Samuelson (1934) (Suède), Sir John R. Vane (1927) (G.-B.).
83 Barbara McClintock (1902) (U.S.A.).
84 Niels Jerne (1911) (Dan.), Georges Köhler (1946) (All. féd.), Cesar Milstein (1927) (G.-B., d'orig. argentine).
85 Michael Brown (1941) (U.S.A.), Joseph Goldstein (1940) (U.S.A.).
86 Stanley Cohen (1922) (U.S.A.), Rita Levi-Montalcini (1909) (It./U.S.A.).
87 Tonegawa Susumu (1939) (Jap.).
88 Sir James Black (1924) (G.-B.), Gertrude B. Elion (1918) (U.S.A.), George H. Hitchings (1906) (U.S.A.).
89 J. Michael Bishop (1936) (U.S.A.), Harold E. Varmus (1939) (U.S.A.). De nombreux savants français ont regretté que Dominique Stehelin (qui a découvert le 1er oncogène alors qu'il n'était que stagiaire post-doctoral en 1976 dans le laboratoire de Bishop et Varmus, à l'Université de Californie à San Francisco) n'ait pas été appelé à partager ce Prix.
90 Joseph E. Murray (1919) (U.S.A.). E. Donnall Thomas (1920) (U.S.A.).

Physique

01 Wilhelm Rœntgen (1845-1923) (All.).
02 Hendrik Lorentz (1853-1928) et Pieter Zeeman (1865-1943) (P.-Bas).
03 Henri Becquerel (1852-1908), Pierre (1859-1906) et M. Curie (1867-1934) (Fr., d'orig. pol.).
04 John Strutt (Lord Rayleigh) (1842-1919) (G.-B.).
05 Philipp von Lenard (1862-1947) (All.).
06 Sir Joseph Thomson (1856-1940) (G.-B.).
07 Albert Michelson (1852-1931) (U.S.A., d'orig. allemande).
08 Gabriel Lippmann (1845-1921) (Fr.).
09 Guglielmo Marconi (1874-1937) (It.), Ferdinand Braun (1850-1918) (All.).
10 Joh. D. van der Waals (1837-1923) (P.-B.).
11 Wilhelm Wien (1864-1928) (All.).
12 Gustaf Dalén (1869-1937) (Suède).
13 Heike Kamerlingh-Onnes (1853-1926) (P.-Bas).
14 Max von Laue (1879-1960) (All.).
15 Sir William Henry Bragg (1862-1942), Sir William L. Bragg (1890-1971) (G.-B.).
16 *Non décerné.*
17 Charles Barkla (1877-1944) (G.-B.).
18 Max Planck (1858-1947) (All.).
19 Johannes Stark (1874-1957) (All.).
20 Charles-Éd. Guillaume (1861-1938) (Sui.).
21 Albert Einstein (1879-1955) (All./Suisse).
22 Niels Bohr (1885-1962) (Dan.).
23 Robert Millikan (1868-1953) (U.S.A.).
24 Karl Siegbahn (1886-1978) (Suède).
25 James Franck (1882-1964), Gustav Hertz (1887-1975) (All.).
26 Jean Perrin (1870-1942) (Fr.).
27 Arthur Compton (1892-1962) (U.S.A.), Charles Wilson (1869-1959) (G.-B.).
28 Sir Owen Richardson (1879-1959) (G.-B.).
29 Prince Louis-Victor de Broglie (1892-1987) (Fr.).
30 Sir Chandrasekhara Venkata Raman (1888-1970) (Inde).
31 *Non décerné.*
32 Werner Heisenberg (1901-76) (All.).
33 Erwin Schrœdinger (1887-1961) (Autr.), Paul Dirac (1902-84) (G.-B.).
34 *Non décerné.*
35 Sir James Chadwick (1891-1974) (G.-B.).
36 Victor Hess (1883-1964) (Autr.), Carl Anderson (1905) (U.S.A.).
37 Clinton Davisson (1881-1958) (U.S.A.), Sir George Thomson (1892-1975) (G.-B.).
38 Enrico Fermi (1901-54) (It.).
39 Ernest O. Lawrence (1901-58) (U.S.A.).
40-42 *Non décerné.*
43 Otto Stern (1888-1969) (U.S.A., d'orig. all.).
44 Isidore Isaac Rabi (1898-1988) (U.S.A., d'orig. autrichienne).
45 Wolfgang Pauli (1900-58) (Autr.).
46 Perey W. Bridgman (1882-1961) (U.S.A.).
47 Sir Edward Appleton (1892-1965) (G.-B.).
48 Lord Patrick Blackett (1897-1974) (G.-B.).
49 Hideki Yukawa (1907-81) (Japon).
50 Cecil Franck Powell (1903-69) (G.-B.).
51 Sir John Douglas Cockcroft (1897-1967) (G.-B.), Ernest Walton (1903) (Irl.).
52 Edward Mills Purcell (1912), Félix Bloch (1905-83) (U.S.A., d'orig. suisse).
53 Fritz Zernike (1888-1966) (P.-Bas).
54 Max Born (1882-1970) (G.-B., d'orig. all.), Walther Bothe (1891-1957) (All. féd.).
55 Polykarp Kusch (1911) (U.S.A., d'orig. all.), Willis Lamb (1913) (U.S.A.).
56 William Shockley (1910-89) (U.S.A., d'orig. G.-B.), Walter Brattain (1902-87), John Bardeen (1908-91) (U.S.A.).
57 Tsung Dao Lee (1926), Chen Ning Yang (1922) (Chine).
58 Pavel Tcherenkov (1904), Ilia Michajlovic Frank (1908-90), Igor Tamm (1895-1971) (U.R.S.S.).
59 Emilio Segrè (1905-89) (U.S.A., d'orig. it.), Owen Chamberlain (1920) (U.S.A.).
60 Donald Glaser (1926) (U.S.A.).
61 Robert Hofstadter (1915) (U.S.A.), Rudolf Mössbauer (1929) (All. féd.).

62 Lev Landau (1908-68) (U.R.S.S.).
63 Eugen Wigner (1902) (U.S.A., d'orig. hongr.), Maria Goeppert-Mayer (1906-72) (U.S.A., d'or. all.), Hans Jensen (1907-73) (All. féd.).
64 Charles Hard Townes (1915) (U.S.A.), l'autre moitié : Nikolai Basov (1922) et Aleksandr Prokhorov (1916) (U.R.S.S.).
65 Richard P. Feynman (1918-88) (U.S.A.), Julian Schwinger (1918) (U.S.A.), Sinitiro Tomonaga (1906-79) (Japon).
66 Alfred Kastler (1902-84) (Fr.).
67 Hans A. Bethe (1906) (U.S.A., d'orig. all.).
68 Luis W. Alvarez (1911-88) (U.S.A.).
69 Murray Gell-Mann (1929) (U.S.A.).
70 Hannes Alfvén (1908) (Suède), Louis Neel (1904) (France).
71 Dennis Gabor (1900-79) (G.-B., d'orig. hongr.).
72 John Bardeen (1908-91), Léon N. Cooper (1930), John R. Schrieffer (1931) (U.S.A.).
73 Léo Esaki (1925) (Japon), Ivar Giaever (1929) (U.S.A., d'orig. norv.), Brian D. Josephsón (1940) (G.-B.).
74 Sir Martin Ryle (1918-84) (G.-B.), Sir Antony Hewish (1924) (G.-B.).
75 Aage Bohr (1922) (Dan.), Ben Mottelson (1926) (Dan., d'orig. U.S.A.), James Rainwater (1917) (U.S.A.).
76 Burton Richter (1931) (U.S.A.), Samuel C.C., Ting (1936) (U.S.A.).
77 Philip Anderson (1923) (U.S.A.), Sir Nevill Mott (1905) (G.-B.), J.-H. Van Vleck (1899-1980) (U.S.A.).
78 Piotr L. Kapitza (1894-1984) (U.R.S.S.), Arno Penzias (1933) (U.S.A., d'orig. all.), Robert Wilson (1926) (U.S.A.).
79 Sheldon L. Glashow (1932) (U.S.A.), Abdus Salam (1926) (Pak.), Steven Weinberg (1933) (USA).
80 James W. Cronin (1931) (U.S.A.), Val L. Fitch (1923) (U.S.A.).
81 Nicolaas Bloembergen (1920) (U.S.A., or. néerl.), Arthur L. Schawlow (1921) (U.S.A.), Kai M. Siegbahn (1918) (Suède).
82 Kenneth G. Wilson (1936) (U.S.A.).
83 Subrahmanyan Chandrasekhar (1910) (U.S.A., d'orig. ind.), William A. Fowler (1911) (G.-B.).
84 Carlo Rubbia (1934) (It.), Simon Van der Meer (1925) (P.-Bas).
85 Klaus von Klitzing (1943) (All. féd.).
86 Ernst Ruska (1906) (All. féd.), Gerd Binnig (1947) (Suisse), Heinrich Rohrer (1933) (Suisse).
87 Bednorz J. Georg (1950) (All. féd.), Müller K. Alexander (1927) (Suisse).
88 Leon Lederman (1922) (U.S.A.), Melvin Schwartz (1932) (U.S.A.), Jack Steinberger (1921) (U.S.A.).
89 Norman M. Ramsey (1915) (U.S.A.), Hans G. Dehmelt (1922) (U.S.A.).
90 Jerome I. Friedman (1930) (U.S.A.), Henry W. Kendall (1926) (U.S.A.), Richard E. Taylor (1929) (U.S.A., d'orig. can.).

Sciences économiques

69 Ragnar Frisch (1895-1973) (Norv.), Jan Tinbergen (1903) (P.-Bas).
70 Paul A. Samuelson (1915) (U.S.A.).
71 Simon Kuznets (1901-85) (U.S.A.).
72 Sir John R. Hicks (1904) (G.-B.), Kenneth J. Arrow (1921) (U.S.A.).
73 Wassily Leontieff (1906) (U.S.A., d'orig. U.R.S.S.).
74 Gunnar Myrdal (1898-1987) (Suède), Friedrich von Hayek (1899) (G.-B., d'orig. autr.).
75 Tjalling Charles Koopmans (1910) (U.S.A., d'orig. néerl.), Léonide Kantorovitch (1912-86) (U.R.S.S.).
76 Milton Friedman (1912) (U.S.A.).
77 Bertil Ohlin (1899-1979) (Suède), James Meade (1907) (G.-B.).
78 Herbert Simon (1916) (U.S.A.).
79 Theodore W. Schultz (1902) (U.S.A.), Sir Arthur Lewis (1915) (G.-B., d'orig. Ind. occ.).
80 Lawrence R. Klein (1920) (U.S.A.).
81 James Tobin (1918) (U.S.A.).
82 George J. Stigler (1911) (U.S.A.).
83 Gérard Debreu (1921) (U.S.A., d'orig. fr.).
84 Richard Stone (1913) (G.-B.).
85 Franco Modigliani (1918) (U.S.A., d'orig. ital.).
86 James Buchanan (1919) (U.S.A.).
87 Solow Robert M. (1924) (U.S.A.).
88 Maurice Allais (1911) (Fr.).
89 Trygve Haavelmo (1911) (Norv.).
90 Harry M. Markowitz (1927) (U.S.A.), Merton H. Miller (1923) (U.S.A.), William F. Sharpe (1934) (U.S.A.).

Distribution par pays

Chimie. U.S.A. 34, Allem. 28, G.-B. 22, *France 7.* Autr., Suède, Suisse 3. Canada, P.-Bas 2. Argent., Austr., Belg., Finl., Hongrie, It., Japon, Norv., Tchéc., U.R.S.S. 1.

Littérature. *France 12.* U.S.A. 9, Allem., G.-B. 8. Suède 6. It. 5. U.R.S.S., Esp. 5. Norv., Dan., Pol. 3. Suisse, Chili, Austr., Grèce, Irl. 2. Belg., Colombie, Égypte, Finl., Guatemala, Inde, Islande, Japon, Nigeria, Tchéc., Youg. Mex. 1.

Médecine. U.S.A. 65. G.-B. 24. Allem. 8. *France 6.* Suède 6. Suisse, Autr. 5. Dan. 5. Belg., Hongrie, Italie 3. Afr. du S., P.-Bas, U.R.S.S. 2. Argent., Austr., Canada, Esp., Port. 1, Japon 1.

Paix. U.S.A. 17. *France 9.* G.-B. 7. Suède 5. Allem. 4. Suisse, Belg. 3. U.R.S.S. 2. Norv., Égypte, Irl., Israël, It., Japon, Mexique, P.-Bas, Pologne, Viêtnam, Afr. du S., Youg., Costa Rica, Tibet, 1. Institutions 14 (dont la Croix Rouge 3, O.N.U. 1). 20 fois non décerné.

Physique. U.S.A. 51. G.-B. 21. Allem. 17. *France 9.* U.R.S.S. 7. P.-Bas 6. Suède 4. Autr., Japon, Dan., It. 3. Chine, Suisse 3. Inde, Irl., Pakistan 1.

Sciences économiques. U.S.A. 15. G.-B. 5. Norvège, Suède 2. *France,* P.-Bas, Autr., U.R.S.S. 1.

Total. U.S.A. 194. G.-B. 86. Allem. 63. *France 44.* Suède 26. U.R.S.S. 17. Suisse 16. Italie 14. Dan., Institutions 14. Autr. 14. P.-Bas 12. Belg., Norv., Esp., 8. Japon 7. S.-Afr. 5. Argent., Austr., Hongrie, Irl., Pol. 4. Nigeria, Tchéc., Costa Rica, Tibet, Mex. 1. *Non décernés :* Chimie 3 fois. Littérature 7. Paix 20. Physiol. méd. 9. Physique 6.

☞ Une conférence a réuni du 18 au 21-1-1988, à Paris, à l'initiative du P[t] Mitterrand et d'Elie Wiesel (prix Nobel de la paix) 75 lauréats du prix Nobel. *Thème :* « menaces et promesses à l'aube du XXIe s. ». Elle émit 16 conclusions dont celles-ci : *1)* Toutes les formes de vie doivent être considérées comme un patrimoine essentiel de l'humanité. Endommager l'équilibre écologique est donc un crime contre l'avenir. *2)* L'espèce humaine est une, et chaque individu qui la compose a les mêmes droits à la liberté, l'égalité et la fraternité. *3)* La richesse de l'humanité est aussi dans sa diversité. Elle doit être protégée dans tous ses aspects, culturel, biologique, philosophique, spirituel. Pour cela, la tolérance, l'écoute de l'autre, le refus des vérités définitives, doivent être sans cesse rappelés. *7)* L'éducation doit devenir la priorité absolue de tous les budgets et doit aider à valoriser tous les aspects de la créativité humaine. *9)* Si la télévision et les nouveaux médias constituent un moyen essentiel d'éducation pour l'avenir, l'éducation doit aider à développer l'esprit critique face à ce que diffusent ces médias.

Comment se nomment les habitants de ?

☞ Suite de la page 102.

Le Chesnay Chenaysiens
Chevilly-Larue Chevillais
Chiavari Chiavarins
Chilly-Mazarin Chiroquois
Choisy-le-Roi Choisyens
Cingal Cinglais
Ciotat (La) Ciotadens
Cîteaux Cisterciens
Clamart Clamartois, Clamariots
Clamecy Clamecycois
Les Clayes-sous-Bois Claysiens
Clermont-de-l'Oise Clermontois
Clermont-Ferrand Clermontois
Clermont-l'Hérault Clermontais
Clichy Clichiens
Clichy-sous-Bois Clichois
Cluny Clunysois
Cluses Clusiens
Cognac Cognaçais
Collioure Colliourenchs
Colomiers Columérins
Colmar Colmariens
Colombey-les-Deux-Églises Colombéiens
Combles Comblais
Combourg Combournais, Combourgeois
Combs-la-Ville Comblavillais
Commentry Commentryens
Commercy Commerciens
Compiègne Compiègnois
Concarneau Concarnois
Condé-sur-Noireau Condéens
Condom Condomois
Conflans-Sainte-Honorine Conflanais
Conflent Conflentans
Confolens Confolentais
Corbeil Corbeillois, Corbeillais
Corbeil-Essonnes Corbeillessonnois
Cordes Cordois, Cordais
Cormeilles-en-Parisis Cormeillais
Corté Corténais, Cortinais
Cosnes Cosnois
Corseul Curiosolites
Cusset Cussetois
Coudray Coudrions
Coulommiers Columériens
Courbevoie Courbevoisiens
Courneuve (La) Courneuviens
Courtenay Courtiniens
Courville Courvillains
Coutances Coutançais
Crach Craquois
Craon Craonnais
Crécy-sur-Morin Crixiens, Créçois
Creil Creillois
Crépy-en-Valois Crépynois
Créquy Créquois
Crest Crestois, Crétois
Créteil Cristoliens
Creusot (Le) Creusotins
Cricquebœuf Cricquebouviens
Criquetot-Lesneval Criquetotois
Crocq Croquants
Croisic (Le) Croisicais
Croissy-sur-Seine Croissillons
Croix Croisiens
Croix-Rousse (La) Croix-Roussiens
Cubzac Cusaguais
Cuigny Caniaus
Dammarie-les-Lys Dammariens
Dangeau Dangeotins
Daoulas Daoulasiens
Darney Darnéens
Daumazan-sur-Larize Dalmazanais
Dax Dacquois, Vascons
Denain Denaisiens
Déols Déolois
Deuil-la-Barre Deuillois
Die Diois
Digne Dignois
Digoin Digoinais
Dinan Dinannais
Dol-de-Bretagne Dolois
Dole Dolois
Dorat Dorachons
Douai Douaisiens
Douarnenez Douarnenistes, Douarnesiens
Doullens Doullennais
Dourdan Dourdannais
Draguignan Draguignanais, Dracéniens, Dracenois
Drancy Drancéens
Dreux Drouais, Durocasses
Druy-Parigny Druydes
Ducey Ducéens
Dunois Dunoisons
Dun-sur-Meuse Duniens
Eauze Élusates
Écorches Écorchois
Écouché Écubéens, Écouchois
Écully Écullois
Elbeuf Elbeuviens
Elne Illibériens
Épernay Sparnaciens
Épernon Sparnoniens, Épernoniens
Épinal Spinaliens
Épinay-sous-Sénart Spinoliens
Épinay-sur-Seine Spinassiens
Erquy Régineens
Espalion Espalionnais
Essai Essuins
Étables-sur-Mer Tagarins
Étampes Étampois
Étretat Étretatais
Eu Eudois
Évreux Ébroïciens
Évry Évryens
Èze Ézasques
Feillens Feillendits
Fère-Champenoise Féretons
Fère-en-Tardennais (La) Laférois
Ferté-Bernard (La) Fertois
Ferté-Langeron (La) Langeronnais
Ferté-Milon (La) Fertois
Feurs Foréziens
Firminy Appelous
Flèche (La) Fléchois
Flers Flériens
Fleurance Fleurantins
Fleury-les-Aubrais Fleuryssois
Foix Fuxéens
Fontainebleau Bellifontains
Fontaine-en-Beauce Fontainiers
Fontenay-aux-Roses Fontenaisiens
Fontenay-le-Comte Fontenaisiens
Fontevrault Fontevristes
Fontpétrouse Fontpétrousats
Forcalquier Forcalquiérens, Folcalquiérais
Forges-les-Eaux Forgions
Fougères Fougerais
Fouras Fourasins, Fourasiens
Fourmies Fourmisiens, Fourmiesiens
Fours Fouriens, Fournipolitains
Fréjus Fréjussiens
Fronsac Fronsadais
Fumay Fumaciens
Gacilly (La) Gacelins
Gagny Gabiniens
Gap Gapençais, Gapençois
Garches Garchois
La Garenne-Colombes Garennois
Gavray Gavrayens, Gavrians
Génis Genissois
Gentilly Gentilliens
Gérardmer Géromois
Germigny-l'Évêque Germignois
Gex Gessiens
Gien Giennois
Gisors Gisorciens (nes)
Givet Givetois, Givetains
Givors Givordins
Glandièves Glanatiniens
Grandhoux Grandhoudistes
Granville Granvillais
Grasse Grassois
Grevilly Grevillons
Grigny Grignerot, Grignois
Groix (Ile de) Groisillons
Guéret Guéretois, Guéretais
Haguenau Haguenoviens
Ham Hamois
Hambye Hambions
Harfleur Harfleurais, Harfleurtois
Le Havre Havrais
Havre-de-Grace (Le) Havrais
L'Haÿ-les-Roses Layssiens
Les Herbiers Herbretais
Houdan Houdanais
Houilles Ovillois
Hyères Hyérois
Ile-Saint-Denis Dionisîliens
Ile-de-France Franciliens
Illiers Islériens
L'Isle-Adam Adamois
Isle-sur-la-Sorgue (L') Islois
Issoudun Issoldunois
Issy-les-Moulineaux Isséens
Ivry-sur-Seine Ivryens
Jœuf Joviciens
Joigny Joviniens
Joué-lès-Tours Jacondiens
Jouy-en-Josas Jovaciens, Jouysotiers
Juilly Juliaciens
Juvigny-sur-Loisou Juvignasiens
Le Kremlin-Bicêtre Kremlinois
Lagny Laniaques, Latignaciens
L'Aigle Aiglons
Landerneau Landernéens
Landivisiau Landivisiens
Langeac Langadais
Laon Laonnais, Laudunois, Laonnois
Lapalisse Palissois
Laval Lavallois
Lavandou (Le) Lavandourains
Lavaur Vauréens
Lavelanet Lavelanétiens, Lavelatiens
La Ville-aux-Dames Gynépolitains
Lens Lensois
Lesparre-Médoc Lesparrains
Le Tour Turzerins
Lèves Levriers, Lévois
Liévin Liévinois
Liffol-le-Petit Liffoux, Liffoliens
Lilas (Les) Lilasiens
Limeil-Brévannes Brévannais
Limoges Limougeauds, Limogeots, Limogiens
Limoux Limousans, Limousins, Limouxins
Lisieux Lexoviens
Lison Lisonais
Locminé Locminois
Longjumeau Longjumellois
Longwy Longoviciens
Lons-le-Saunier Lédoniens
Loupe (La) Loupiots, Loupéens
Lourdes Lourdais, Lourdois
Louveciennes Louveciennois, Luciennois

☞ Suite page 490.

Les Lettres

Principaux auteurs et principales œuvres

☞ Pour plus de renseignements, consulter *Le Dictionnaire des œuvres.* Collection Bouquins – Éditions Robert Laffont.

Liste des abréviations

Académie Fr. : 🌿					
Biologiste : Bio	Écrivain : E	Historien : H	Mémorialiste : Mém	Politique (écr.) : Pol	Prosateur : Pros
Chansonnier : Chan	Encyclopédiste : Ency	Humoriste : Hum	Moraliste : Mor	Prédicateur : Préd	Psychologue : Psycho
Chroniqueur : Chr	Entomologiste : Ento	Journaliste : J	Nouvelliste : Nouv.	Prix Fémina : F	Rhétoricien : Rhé
Critique : Cr	Érudit : Eru	Jurisconsulte : Jur	Orateur : Or	Prix Goncourt : G	Romancier : R
– d'art : Cr. d'a	Essayiste : Es	Linguiste : Ling	Philosophe : Ph	Prix Interallié : I	Savant : Sav
Dialoguiste : Dia	Ethnologue : Ethn	Livre : L	Physiologiste : Phy	Prix Médicis : M	Sociologue : Soc
Dramaturge : D	Fabuliste : Fab	Mathématicien : Math	Poète : P	Prix Nobel : N	Théâtre : Th
Économiste : Ec	Grammairien : Gram	Médecin : Méd	Polémiste : Polé	Prix Renaudot : Ren	Théologien : Théo

Quelques dates. (Avant J.-C.). Vers 35000 apparition des images et du langage chez l'Homo sapiens. **30000** peintures pariétales en Europe ; entailles sur os (moyens mnémotechniques). **15000** peintures des grottes de Lascaux et d'Altamira. **9000** galets peints de la culture azilienne. **3300** invention de l'écriture pictographique en basse Mésopotamie (Uruk IV b). **3100** début de l'écriture hiéroglyphique égyptienne. **2800-2600** l'écriture sumérienne devient cunéiforme. **2500** le cunéiforme commence à se répandre dans tout le Proche-Orient. **2300** écriture originale non déchiffrée des peuples de la vallée de l'Indus. **1800** l'akkadien devient la langue diplomatique internationale de tout le Proche-Orient. **1500** invention du système hiéroglyphique hittite. Ecriture alphabétique au Sinaï ; chinoise idéographique sur vases de bronze et os oraculaires ; minoenne dite « linéaire B » en Crète. **1400** alphabet cunéiforme consonantique, sémitique utilisé à Ugant. **1100** inscriptions connues en alphabet linéaire phénicien. **900** les Phéniciens répandent leur alphabet consonantique, précurseur de notre alphabet, à travers la Méditerranée. **800** les Grecs inventent l'alphabet moderne avec voyelles.

Littérature allemande

☞ Voir p. 278 littérature autrichienne.

XIIIe-XIVe siècle

Nibelungenlied. Poèmes épiques nationaux, dans la lignée des sagas scandinaves. Le sentiment religieux n'est pas chrétien, il est celui du Destin nordique. Auteurs anonymes.

Minnesang (« amours », c.-à-d. poésie lyrique amoureuse). Chante l'amour courtois des sociétés aristocratiques, comme les troubadours provençaux. Heinrich von Morungen (v. 1200), Walther von der Vogelweide (1170-1228).

XVIIe-XVIIIe-XIXe siècle

École baroque. Poésies mystiques et piétistes à l'imitation des lyriques religieux espagnols. Martin Opitz (1597-1639), Paul Fleming (1609-40), Jean-Christian Günther (1695-1723).

Sturm und Drang (« Tempête et Passion »). Titre d'un drame de Friedrich Klinger (1752-1831), utilisé pour désigner la littérature de toute une génération. Poésies imprégnées de sensibilisme anglais, mais utilisant les procédés de style des classiques attardés français. Friedrich Klopstock (1724-1803), Christof Wieland (1733-1813). Théoricien et prosateur : Gottfried Herder (1744-1803).

Classicisme. Regroupe les 2 principaux écrivains de la fin du XVIIIe s. : Johann Wolfgang von Goethe (1749-1832) et Friedrich Schiller (1759-1805). Ils ont fait partie du Sturm und Drang et ont influencé le romantisme. Mais leur personnalité les met au-dessus des écoles littéraires de l'époque : ils ont atteint la dimension de classiques universels.

Romantisme. Créé par 2 critiques littéraires philosophes, les frères Schlegel : August (1767-1845) et Friedrich (1772-1829). Veulent imprégner de « poésie », c.-à-d. de lyrisme exprimant les grandes émotions personnelles ou collectives, toute la littérature, du théâtre à la philosophie. Nicolas Lenau (1802-50), Novalis [Friedrich von Hardenberg (1722-1801)], Ernst Theodor Amadeus Hoffmann (1776-1882), Achim von Arnim (1781-1831).

XXe siècle

Expressionnisme. Antinaturalisme sans idéologie précise où chaque écrivain s'intéresse surtout à réaliser son *moi* et à décrire son univers intérieur. Ni les poètes ni les prosateurs ne se préoccupent de porter des messages, l'écriture est pour eux un moyen de conjurer leurs fantasmes. Rainer Maria Rilke (1875-1926) : obsession de la mort, impuissance à être. Franz Kafka (1883-1924) : angoisse de l'individu devant la force d'agression des autres.

Renouveau épique populaire. Se manifeste surtout chez Bertolt Brecht (1898-1956) dont l'idéologie a évolué vers le marxisme mais qui reste un classique du théâtre dans la lignée de Shakespeare. Ernst Toller (1895-1939) : même goût pour les sujets épiques mais plus proche des expressionnistes.

Nés avant 1600

Anonymes : Chant de Hildebrand (820), Heliand (830), Roman de Renart (v. 1180), Chant des Nibelungen (v. 1200), Gudrun (v. 1230), Till l'Espiègle (1480), Histoire de Faust (1587).

Albert le Grand (Saint) [Ph, Théo] (v. 1193-1280).

Böhme, Jakob [Ph] (1575-1624).

Brant, Sebastian [P] (1458-1521) : la Nef des fous.

Eckhart, Heinrich, dit le Maître [Théo] (v. 1260-v. 1327) : le Livre de la consolation divine, Sermons, Traités.

Gottfried de Strasbourg [P] (début XIIIe s.) : Tristan.

Gottschalk [Théo] (v. 805-v. 868).

Hartmann von Aue [P] (v. 1165-v. 1215) : Erec, Iwein, le Pauvre Henri.

Konrad de Wurtzbourg [P] (v. 1220-1287).

Luther, Martin [Théo] (1483-1546) : Trad. de la Bible, Commentaires, Lettres. Voir Index.

Maximilien, l'Empereur (1459-1519) : Teuerdank.

Melanchthon (Philipp Schwarzerd) [Théo] (1497-1560) : le Livre de l'Âme.

Neidhart von Reuenthal (1re moitié du XIIIe) : Chansons courtoises paysannes.

Nicolas de Cues [Ph] (1401-64) : De docta ignorantia.

Opitz, Martin [P] (1597-1639) : le Livre de la Poésie allemande.

Oswald von Wolkenstein [P] (1377-1445).

Otfried de Wissembourg [P] (v. 875) : le Livre des Evangiles.

Reuchlin, Johannes [E] (1445-1522) : Traductions du grec et de l'hébreu.

Sachs, Hans [P] (1494-1576) : le Rossignol de Wittenberg, Théâtre, Dialogues.

Suso, Heinrich [Théo] (v. 1296-1366) : l'Exemplaire, l'Horloge de Sapience, Lettres.

Tauler, Johann [Théo] (v. 1300-1361) : Sermons mystiques.

Walther von der Vogelweide [P] (v. 1170-v. 1228).

Wolfram d'Eschenbach [P] (v. 1170-v. 1220) : Parzival.

Nés entre 1600 et 1700

Gerhardt, Paul [Théo, P] (1607-1676).

Grimmelshausen, Christoffel von [R] (v. 1622-1676) : Simplicius Simplicissimus.

Günther, Johann Christian [P] (1695-1723).

Leibniz, Gottfried Wilhelm [Ph, Sav] (1646-1716) : Nouveaux Essais sur l'entendement humain (1704), Théodicée (1710), la Monadologie (1714). – *Biogr. :* fils d'un Tchèque, prof. de philos. à Leipzig. Orphelin de père à 6 ans, élevé par sa mère, fille d'un savant, qui lui enseigne latin et grec. *1658-61* entre 12 et 15 ans, lit la bibliothèque de son père. *1663* bachelier en philosophie ancienne. *1666* docteur en droit à Nuremberg ; initié à la secte des Rose-Croix. *1672-76* séjour à Paris. *1676* bibliothécaire des ducs de Hanovre, demeurera 40 ans à la cour, admiré par toute l'Europe.

Moscherosch, Michael [E] (1601-1669) : les Visions de Philander von Sittenwald.

Wolff, Christian, B^on^ von [Ph] (1679-1754).

Nés entre 1700 et 1800

Adelung, Johann Christopher [Ency] (1732-1806).

Arndt, Ernst Moritz [P] (1769-1860) : Chants de guerre, l'Esprit du temps.

Arnim, Achim von [P, R] (1781-1831) : Contes fantastiques.

Brentano, Clemens [P, R] (1778-1842) : Godwi, le Cor merveilleux de l'enfant.

Bürger, Gottfried August [P] (1747-94) : Ballades (Lénore), le Baron de Crack (1786).

Carus, Carl Gustav [Sav] (1789-1811) : Psyché.

Chamisso, Adalbert von (or. franç.) [E] (1781-1838) : Peter Schlemihl (1814).

Clausewitz, Karl von [H] (1780-1831) : De la guerre (1816-30).

Droste-Hülshoff, Annette, B^onne^ von [P] (1797-1848) : Dons suprêmes, l'Année spirituelle.

Eichendorff, Josef, B^on^ von [P] (1788-1857) : Scènes de la vie d'un propre à rien (1826), Poèmes.

Fichte, Johann Gottlieb [Ph] (1762-1814) : Discours à la nation allemande (1807-08).

Goethe, Johann Wolfgang von [P, R, D] (1749-1832) : *Théâtre :* Goetz von Berlichingen (1774), Iphigénie en Tauride (1779), Egmont (1787), Torquato Tasso (1789), Faust (1808), Second Faust (1833). *Roman et autobiogr. :* Werther (1774), Wilhelm Meister (1796), les Affinités électives (1809), Poésie et Vérité (1811-33), Voyage en Italie (1816-29), Campagne de France (1817). *Poésie :* Élégies (1793-98), Hermann et Dorothée (1797), l'Apprenti sorcier (1797), la Fiancée de Corinthe (1797), Divan occidental et oriental (1819), Élégie à Marienbad (1823). – *Biogr.* : famille bourgeoise (père conseiller de Francfort, grand-père maternel échevin), éducation française et italienne. *1765-68* étudiant en droit à Leipzig. *1770-72* à Strasbourg (rencontre avec Herder ; idylle avec Frédérique Brion). *1772* reçu docteur ; rentre à Francfort ; magistrat à Wetzlar, *1773* débuts en littérature. *1775* attaché à la cour ducale de Weimar. *1782* liaison avec Charlotte von Stein. *1786* pour s'éloigner de Charlotte, s'enfuit en Italie. *1788* retour à Weimar ; nommé ministre du duc ; vit maritalement avec Christiane Vulpius (1765-1816, épousée 1807). *1791* directeur du Théâtre ducal de Weimar (jusqu'en 1817). *1792* suit la Campagne de France (Valmy). *1794* début de l'amitié avec Schiller (mort 1805). *1808* rencontre Napoléon à Erfurt (décoré de la Légion d'honneur). *1814-19* passion pour Marianne von Willemer. *1822* demande en mariage Ulrike von Levetzow (16 ans) ; échec. Termine sa vie comme un personnage célèbre et admiré (surnommé le « Sage de Weimar »).

Görres, Josef von [H] (1776-1848).

Gottsched, Johann Christof [E] (1700-66).

Grimm, Jacob [E] (1785-1863) : en collab. avec Wilhelm Grimm : Contes populaires.

Grimm, Wilhelm [E] (1786-1859) : Dictionnaire allemand (avec Jacob Grimm).

Günderode, Karoline von [P] (1780-1806).

Hamann, Johann Georg [Ph] (1730-88).

Hebel, Johann Peter [Chr] (1760-1826).

Hegel, Friedrich [Ph] (1770-1831) : la Phénoménologie de l'esprit (1807), Encycl. des Sciences philosophiques (1817), Leçons sur la philosophie de l'histoire (1837-40), Logique (1840). – *Biogr.* : fils d'un fonctionnaire du duc de Wurtemberg. *1788-93* étudiant en théologie à Tübingen. *1793-96* préceptorat en Suisse. *1797-1800* à Francfort. *1801* professeur de philo. à Iéna (influence de Schelling). *1808-16* directeur de lycée à Nuremberg. *1816-18* prof. à Heidelberg. *1818-31* à Berlin.

Heine, Heinrich [P] (1797-1856) : les Deux Grenadiers, la Lorelei, Livre des chants (1827-44), Images de voyages, Romanzero (1851).

Herder, Johann Gottfried [Ph] (1744-1803) : Phil. de l'hist. de l'humanité.

Hoffmann, Ernst Theodor Amadeus [E] (1776-1822) : *Nouvelles :* Fantaisies à la manière de Callot (1814-15), les Frères Sérapion (1819-21). *Roman :* les Élixirs du Diable (1815-16).

Hölderlin, Friedrich [P] (1770-1843) : Hymnes, Hyperion (1797-99).

Humboldt, Wilhelm, B^{on} von [Ph, Ling, Cr] (1767-1835).

Jean-Paul (Friedrich Richter dit) [R] (1763-1825) : la Loge invisible (1793), Hesperus (1795), Siebenkäs (1796), Titan (1800-04).

Kant, Emmanuel [Ph] (1724-1804) : Critique de la raison pure (1781), Fondement de la métaphysique des mœurs (1785), Cr. de la raison pratique (1788), Cr. du jugement (1790), Vers la paix perpétuelle (1795). – *Biogr.* : fils d'un sellier de Königsberg (Prusse) ; 4e d'une famille de 11 (mesure 1,50 m). Études au collège piétiste. *1740* étudiant en théologie. *V. 1742* renonce au pastorat, suit des cours de philo. et de math. *1746-55* précepteur de familles nobles en Prusse. *1755* maître de conférences à la fac. de philo. de Königsberg. *1770* prof. titulaire (logique et métaphysique). *1781 Critique de la raison pure :* célébrité. *1794-97* le roi de Prusse, Frédéric-Guillaume II, lui interdit d'écrire sur la religion. *1797* à la mort du roi, reprend sa liberté (mais démissionne de sa chaire, pour raisons de santé). *1800* sénile (ses œuvres sont publiées par des disciples).

Kleist, Heinrich von [D, P] (1777-1811) : la Cruche cassée (1803), Penthésilée (1808), la Bataille d'Arminius (1808), le Prince de Hombourg (1810), la Marquise d'O (1810), Michael Kohlhaas (1810).

Klinger, Friedrich Maximilian von [P] (1752-1831) : Sturm und Drang (Tempête et Passion, 1776).

Klopstock, Friedrich [P] (1724-1803) : la Messiade, Odes.

Körner, Theodor [P] (1791-1813) : Chants de guerre.

Kotzebue, August von [E] (1761-1819) : Misanthropie et Repentir, l'Ane hyperboréen. *Th.* : 26 pièces.

La Motte-Fouqué, Friedrich, B^{on} de [E] (1777-1843) : le Héros du Nord, Ondine.

Lessing, Gotthold Ephraïm [E, D] (1729-81) : Dramaturgie de Hambourg, Minna von Barnhelm (1767), Emilia Galotti, Nathan le Sage (1779), Éducation du genre humain (1780). – *Biogr.* : fils d'un pasteur de Lusace (aîné de 10 garçons) ; études au séminaire protestant de Meissen (Afraneum). *1746* théologie à Leipzig. *1747* quitte la théologie pour la médecine ; vit chez son cousin Mylius, auteur comique. *1748* débute au théâtre avec lui. *1751* philologie à Wittemberg. *1752* maîtrise de lettres ; commence à vivre de sa plume. *1756-58* préceptorat ; voyage en Angleterre. *1767* directeur du théâtre de Hambourg. *1769* bibliothécaire du duc de Brunswick à Wolfenbüttel. *1776* mariage avec Eva König, qui meurt en couches en 1778. *1778-81* dépressif.

Lichtenberg, Georg Christoph [E, S] (1742-99) : Aphorismes (1800-06).

Novalis, Friedrich (B^{on} von Hardenberg dit) [P] (1772-1801) : Hymnes à la nuit (1797), Fragments (1798), Henri d'Ofterdingen (1802).

Platen, August von [P] (1796-1835) : la Pantoufle de verre.

Ranke, Leopold von [H] (1795-1886) : Hist. des papes.

Rückert, Friedrich [P] (1788-1866).

Schelling, Friedrich Wilhelm [Ph] (1775-1854) : Système de l'idéalisme transcendantal (1800), Philosophie et Religion (1804), Philosophie de la Révélation (1856).

Schiller, Friedrich von [R, D, S] (1759-1805) : *Théâtre :* les Brigands (1782), Don Carlos (1787), Wallenstein (1796), Marie Stuart (1799), la Pucelle d'Orléans (1801), la Fiancée de Messine (1803), Guillaume Tell (1804). *Histoire :* Hist. de la guerre de Trente Ans (1791-93). *Essai :* la Grâce et la Dignité (1793-94). *Poésie :* Poèmes philosophiques, Hymne à la joie (1785). – *Biogr.* : fils d'un chirurgien aux armées wurtembergeois. *1773-80* cadet de l'académie militaire de Stuttgart. *1780* médecin militaire. *1782* fait jouer sa 1re pièce sans autorisation, et déserte. *1783* recueilli en Thuringe par la famille Wolzogen. *1784* auteur attitré du théâtre de Mannheim. *1785* contrat rompu. *1785-87* recueilli par des admirateurs à Leipzig, puis à Dresde. *1788* prof. d'histoire sans traitement à l'université d'Iéna (existence précaire). *1790* épouse Charlotte von Lengefeld. *1791* pensionné par le prince Frédéric-Christian d'Augustenbourg. *1794* ami de Goethe qui le pousse vers le journalisme satirique. *1799* se fixe à Weimar, près de Goethe ; tuberculeux, meurt à 46 ans.

Schlegel, Friedrich von [P] (1772-1829).

Schlegel, Wilhelm von [E] (1767-1845).

Schleiermacher, Friedrich [Ph] (1768-1834) : De la religion.

Schopenhauer, Arthur [Ph] (1788-1860) : le Monde comme volonté et représentation (1818). – *Biogr.* : fils d'un riche commerçant (républicain) de Dantzig, voyage en Europe (1800-05). *1805* son père meurt, sa mère ouvre un salon littéraire à Weimar et écrit des romans. *1809* médecine à Göttingen. *1810* étudiant en philosophie. *1813* docteur. *1814-18* brouillé avec sa mère, vit seul à Dresde, lisant et écrivant. *1820* maître de conférences à Berlin (démissionne après 6 mois). *1825* vit de ses rentes. *1833* à Francfort.

Tieck, Ludwig [R] (1773-1853) : le Blond Eckbert, le Monde à l'envers, Contes.

Uhland, Ludwig [P] (1787-1862) : Ballades.

Voss, Johann Heinrich [P] (1751-1826) : Louise, Traductions d'Homère.

Wackenroder, Wilhelm Heinrich [E] (1773-98) : Épanchements d'un moine ami des arts.

Wagner, Heinrich Leopold [D] (1747-79) : l'Infanticide.

Werner, Zacharias [Ec] (1768-1823) : *Théâtre :* le Fils de la vallée (1803), la Croix sur la Baltique (1806), le Vingt-Quatre Février (1810), la Mère des Macchabées (1820).

Wieland, Christof Martin [R, P] (1733-1813) : *Romans :* Agathon, Musarion, les Abdéritains. *Poésie :* Obéron.

Winckelmann, Johann Joachim [H] (1717-68) : Hist. de l'art chez les Anciens.

Nés entre 1800 et 1900

Becher, Johannes [P] (1891-1958) : De Profundis Domine (1913), A l'Europe, A la Fraternité (1916), Poèmes de l'Exil (1933-45).

Beer-Hofmann, Richard [E] (1866-1945) : la Mort de Georges (1900).

Benjamin, Walter [Es, Pros] (1892-1940) : Passage de W. Benjamin, Journal de Moscou, l'Œuvre des passages, Rastelli raconte... et autres récits (suivi de le Narrateur).

Benn, Gottfried [P] (1886-1956) : Morgue (1912), Double Vie (1950), Poèmes.

Bergengruen, Werner [R] (1892-1964) : la Rose du sultan (1946), le Dernier Capitaine de cavalerie (1952), l'Arbre merveilleux.

Bloch, Ernst [Ph] (1885-1977) : l'Esprit de l'utopie (1918), Thomas Münzer, théologien de la Révolution (1921), le Principe Espérance (1949-59).

Brecht, Bertolt [D] (1898-1956) : *Théâtre :* Tambours dans la nuit, l'Opéra de quat'sous (1928), Maître Puntila et son valet Matti (1940), la Résistible Ascension d'Arturo Ui (1941), Mère Courage (1941), Galileo Galilei (1943), le Cercle de craie caucasien (1945). *Poésie :* les Sermons domestiques (1927). – *Biogr.* : famille bavaroise modeste, études secondaires à Augsbourg. *1917-19* médecine à Munich. *1919-28* fréquente les milieux littéraires anarchistes. *1924* avec l'actrice Hélène Weigel, rejoint à Berlin le Deutsches Theater de Reinhardt, qui monte ses pièces. *1928* épouse Hélène, devient marxiste. *1933-40* exilé au Danemark. *1940-41* en Finlande, puis en Russie. *1941-47* en Californie. *1949* avec sa femme, fonde à Berlin-Est le Berliner Ensemble, crée le « Théâtre épique », d'inspiration marxiste.

Büchner, Georg [D, P] (1813-37) : la Mort de Danton (1835), Woyzeck (1836), Léonce et Léna (1836).

Bultmann, Rudolf [Théo] (1884-1976).

Burckhard, Karl Jacob [Es, H] (1891-1974) : Souvenirs sur Hofmannsthal, Biographies, Figures et Pouvoirs (1941).

Carossa, Hans [R] (1878-1956) : Poésies (1910), le Docteur Gion (1931), Mondes inégaux (1951).

Curtius, Ernst Robert [Ph, Cr] (1886-1956).

Dehmel, Richard [P] (1863-1920) : la Femme et le Monde (1896).

Dilthey, Wilhelm (1833-1911).

Döblin, Alfred [R] (1878-1957) : Berlin Alexanderplatz (1929), Voyage babylonien (1934), Pas de quartier (1935), le Tigre bleu, Bourgeois et Soldats, Novembre 1918.

Élias, Norbert [Soc] (1897-1990) : la Civilisation des mœurs et la Dynamique de l'Occident (1939).

Engels, Friedrich [Ph, Pol] (1820-95) : Manif. du parti com. (avec Marx) (1848).

Ernst, Paul [R, D] (1866-1933) : l'Étroite Voie du bonheur (1904), Demetrios (1905), Canossa (1908).

Eucken, Rudolf [Théo] (1846-1926) : [N. 1908].

Fallada, Hans (Rudolf Ditzen dit) [R] (1893-1947) : Et puis après (1932), Nous avions un enfant (1934), Vieux Cœur en voyage (1936), Loup parmi les loups (1937), Seul dans Berlin.

Fechner, Gustav Theodor [Ph] (1801-87).

Feuchtwanger, Lion [R] (nat. américain) (1884-1958) : le Juif Süss (1925).

Feuerbach, Ludwig [Ph] (1804-72) : Essence du christianisme (1851).

Fontane, Theodor [P, R] (1819-98) : Journal de captivité (1870), l'Adultère, Errements et Tourments (1888), Effi Briest (1895), Stechlin (1899).

Freiligrath, Ferdinand [P] (1810-76) : Profession de foi (1844), Nouvelles Poésies polit. et sociales (1849).

Freytag, Gustav [E] (1816-95) : Doit et Avoir (1855), les Ancêtres (1873-81).

George, Stefan [P] (1868-1933) : le Septième Anneau (1907), l'Étoile d'alliance (1914).

Grabbe, Christian-Dietrich [D] (1801-36) : le Duc Théodore de Gotland (1827), Don Juan et Faust (1829), Henri VI (1830), Napoléon (1831).

Groth, Klaus [P] (1819-99).

Guardini, Romano [Ph] (1895-1968) : le Seigneur, Pascal, la Fin des temps modernes, Méditations, le Dieu vivant, Liberté, Grâce et Destinée.

Gutzkow, Karl [R, D, E] (1811-78) : Wally la sceptique (1835), Perruque et Épée (1844).

Haecker, Theodore [J et Polé] (1879-1945) : Qu'est-ce que l'homme ?, le Livre des jours et des nuits.

Hartmann, Eduard von [Ph] (1842-1906).

Hauptmann, Gerhart [D] (1862-1946) : *Drames :* Avant l'aube (1889), Âmes solitaires (1891), les Tisserands (1892), Florian Geyer (1896), le Voiturier Henschel (1898), Pauvre Fille, Rose Bernd (1903). *Com. :* la Pelisse de castor (1893) [N. 1912].

Hebbel, Friedrich [D, P] (1813-63) : Marie-Madeleine (1844), les Nibelungen (1862).

Heidegger, Martin [Ph] (1889-1976) : l'Être et le Temps (1927), Qu'est-ce que la métaphysique ? (1929), De l'essence de la vérité (1943), Acheminement vers la parole, le Principe de la raison, Qu'appelle-t-on penser ? (1954), Qu'est-ce que la philosophie ?

Hesse, Hermann [P, R] (naturalisé suisse 1923) (1877-1962) : *Romans et nouvelles :* Fiançailles (1903-12), l'Ornière (1905), Gertrude (1910), Demian (1919), le Dernier Été de Klingsor (1920), Siddhartha (1922), le Loup des steppes (1927), Narcisse et Goldmund (1930), le Voyage en Orient (1932), le Jeu des perles de verre (1943) [N. 1946].

Heyse, Paul von [P, D, R] (1830-1914) : *Drames :* Hans Lange et Colberg. *Romans :* les Enfants du Monde, Au Paradis, Merlin (1880) [N. 1910].

Holz, Arno [E] (1863-1929) : la Famille Selicke (avec J. Schlaf) (1890), Phantasus (1898 sq.), Poèmes.

Horkheimer, Max [Ph] (1895-1973).

Huch, Ricarda [E] (1864-1947) : Poèmes (1891), les Romantiques allemands (1908), Histoire de l'Allemagne au XIXe s.

Husserl, Edmund [Ph] (1859-1938) : Intr. gén. à la phénoménologie pure (1913).

Jahnn, Hans Henny [R] (1894-1959) : Perrudja (1929), le Fleuve sans rives (1949-61), la Nuit de plomb (1956), Perrudja II.

Jaspers, Karl [Ph] (nat. américain) (1883-1969) : Phil. de l'existence (1938), Raison et déraison de notre temps (1950), Introduction à la philosophie (1951), Origine et Sens de l'histoire (1954).

Jünger, Ernst [R, E] (1895) : Orages d'acier (1920), Jeux africains (1936), Sur les falaises de marbre (1939), les Jardins et les Routes (1942), Héliopolis (1949), Visite à Godenholm (1952), les Abeilles de verre (1957), le Mur du temps [Journal (1959)], Chasses subtiles (1967), le Lance-Pierres (1973), le Contemplateur solitaire, Eumeswil (1977), l'Auteur et l'écriture, Une dangereuse rencontre (1985).

Kasack, Hermann [R] (1896-1966) : la Ville au-delà du fleuve (1947), le Grand Filet (1952).

Kästner, Erich [E] (1899-1974) : Émile et les Détectives (1929), la Classe volante (1933).

Keyserling, Hermann von [E] (1880-1946) : Système du monde (1906), Journal d'un philosophe, Analyse spectrale de l'Europe (1928), Méditation sud-américaine.

Kolb, Annette [E] (1875-1967).

Langbehn, August [Cr. d'a] (1851-1907).

Lange, Friedrich Albert [Ph] (1828-75) : Histoire du matérialisme.

Langgässer, Elisabeth [R] (1899-1950) : le Sceau indélébile (1946), les Argonautes de Brandebourg (1950, posth.).

Lasker-Schüler, Else [P, D] (1876-1945) : Die Wupper (1909), Mon piano bleu (1943).

Lassalle, Ferdinand [Pol] (1825-64) : la Guerre d'Italie et la mission de la Prusse (1859), Capital et Travail (1862).

Le Fort, Gertrud von [P, R] (1876-1971) : Hymnes à l'Église (1924), le Voile de Véronique (1928-46), la Dernière à l'échafaud (1931), la Couronne des anges (1946), la Fille de Farinata, l'Enfant étranger (1961).

Liliencron, Detlev von [P] (1844-1909) : Nouvelles de guerre (1885), Poèmes (1889).

Ludwig, Emil (Cohn) [H] (1881-1948) : Goethe (1920), Napoléon (1925), Bismarck (1926).

Ludwig, Otto [E] (1813-65) : le Forestier héréditaire (1853), Entre ciel et terre (1856).

Mann, Heinrich [R] (1871-1950) : les Déesses ou les Trois Romans de la duchesse d'Assy (1903), Professeur Unrat (1905), la Petite Ville (1909), les Pauvres (1917), le Sujet de l'Empereur (1918), le Guerrier pacifique (1938).

Mann, Thomas [R] (nat. américain) (1875-1955) : les Buddenbrook (1901), Tristan (1903), la Mort à Venise (1912), Tonio Kröger (1914), la Montagne magique (1924), Histoires de Jacob, le Jeune Joseph (1934), Joseph en Égypte (1936), Charlotte à Weimar (1939), Docteur Faustus (1947), l'Élu (1951), les Confessions du chevalier d'industrie Félix Krull (1954). – *Biogr. :* fils d'un négociant en grains de Lübeck, sénateur de la ville ; mère sud-américaine ; frère de Heinrich (v. ci-dessus). *1891* son père mort, sa famille va vivre à Munich. *1905* épouse une Munichoise, Katja Pringsheim (vivra à Munich jusqu'en 1933, et aura 6 enfants). *1929* prix Nobel de littérature. *1933-38* exil en Suisse. *1938* professeur à Princeton (U.S.A.) *1941-52* réside en Californie. *1952* naturalisé américain, se retire en Suisse.

Marx, Karl [Ph, Ec] (1818-83) : le Manifeste du parti communiste (avec Engels) (1848), le Capital (1867).

Mommsen, Theodor [H] (1817-1903) : Histoire romaine (1856) [N. 1902].

Morgenstern, Christian [P] (1871-1914) : Chants du gibet (1905).

Mörike, Eduard [P] (1804-75) : Poésies (1838), le Voyage de Mozart à Prague (1856).

Natorp, Paul [Ph] (1854-1924) : les Fondements logiques de la science exacte (1910).

Nietzsche, Friedrich [Ph] (1844-1900) : Ainsi parlait Zarathoustra (1883-91), Par-delà le bien et le mal (1886). – *Biogr. :* famille de pasteurs luthériens ; orphelin de père à 4 ans. *1856* séminariste luthérien à Pforta. *1861* étudiant à Bonn. *1867* élève-officier, réformé après une chute de cheval. *1868* prof. de grec à Bâle. *1869* démissionne pour raisons de santé (syphilis) ; vit en Italie (hivers à Nice). *1889* ramollissement cérébral ; interné à Iéna jusqu'à sa mort.

Panofsky, Erwin [H d'art] (1892-1968).

Plievier, Theodor [R] (1892-1955) : Stalingrad (1945), Moscou (1952), Berlin (1954).

Raabe, Wilhelm [R] (1831-1910) : le Pasteur de la faim (1857), la Chronique de la Rue aux moineaux (1864), publiée sous le pseudo. de Jacob Corvinus.

Reichenbach, Hans [Ph] (1891-1953).

Remarque, Erich Maria [R] (1898-1970) (nat. américain) : À l'ouest rien de nouveau (1928), Arc de triomphe (1938), les Camarades (1946).

Reuter, Fritz [R] (1810-74) : Drôleries et Rimailleries (1853-58), Sans maison (1858).

Röpke, Wilhelm [Ec] (1899-1966) : Explication écon. du monde moderne, Gegen die Brandung.

Sachs, Nelly [P] (1891-1970) : Brasier d'énigmes (1963), Présence de la nuit, Juifs en errance [N. 1966].

Scheler, Max [Ph] (1874-1928) : L'Éternel dans l'homme (1921), Mort et Survie.

Seidel, Ina [P, R] (1885-1974) : le Labyrinthe (1922), l'Enfant du destin (1930), Lennacker (1938).

Sieburg, Friedrich [Es] (1893-1964) : Dieu est-il français ? (1929), Napoléon (1956), Chateaubriand. Romantisme et politique (1959).

Simmel, Georg [Ph, Soc] (1858-1918].

Sombart, Werner [H] (1863-1941).

Spengler, Oswald [Ph, H] (1880-1936) : le Déclin de l'Occident (1918-22).

Sternheim, Carl [D, R] (1878-1942) : le Snob (1914), le Contemporain déchaîné (1920).

Storm, Theodor [R] (1817-88) : Immensee (1852), l'Homme au cheval blanc (1888).

Strauss, Emil [R] (1866-1960) : l'Ami Hein (1902), le Jouet des géants (1934).

Sudermann, Hermann [R, D] (1857-1928) : l'Honneur (1890), la Fin de Sodome (1891).

Tucholsky, Kurt [P] (1890-1935) : Un livre des Pyrénées (1930-83), Apprendre à vivre sans pleurer (1931), Un été en Suède (1931), Chroniques allemandes 1918-35, Bonsoir révolution allemande.

Unruh, Fritz von [P] (1885-1970) : le Sacrifice (Verdun) (1916), Ce n'est pas encore la fin (1947).

Wassermann, Jakob [R] (1873-1934) : les Juifs de Zirndorf (1897), Gaspard Hauser ou la Paresse du cœur (1908), l'Affaire Maurizius (1928), Etzel Andergast (1930), la Vie de Stanley (1932).

Weber, Max [Soc, Ec] (1864-1920) : Philosophie de l'histoire, Économie et Société.

Wedekind, Frank [D] (1864-1918) : l'Éveil du printemps (1891), la Boîte de Pandore (1904), Un mauvais démon.

Weiss, Ernst [R] (Moravie 1882-suicidé 1940) : la Galère (1913), la Lutte (1916), l'Aristocrate (1928), le Séducteur (1938), Témoin oculaire (1940).

Wertheimer, Max [Ph] (1880-1943).

Wiechert, Ernst [R] (1887-1950) : l'Enfant élu (1929), la Grande Permission (1931), la Vie simple (1939), le Bois des morts (1945), les Enfants Jéromine (1945), Missa sine nomine (1950).

Wölfflin, Heinrich [H d'art] (1864-1945).

Wundt, Wilhelm [Ph, Psycho] (1832-1920) : Logique (1880-83), Psychologie des peuples (1900-20).

Zuckmayer, Carl [E] (1896-1977) : le Général du diable (1946), le Chant dans la fournaise (1950), Meurtre au Carnaval (1959).

Zweig, Arnold [R] (1887-1968) : le Cas du sergent Grischa (1927), l'Éducation héroïque devant Verdun (1935), la Hache de Wandsbek (1947).

Nés depuis 1900

Achternbusch, Herbert [R, Pros] (1938) : le Jour viendra (1973), l'Heure de la mort (1975), Ella, Susn, Gust.

Adorno, Theodor W. [Ph] (1903-69) : Philosophie de la nouvelle musique (1949-58), Minima moralia (1951), Mahler, une physionomie musicale (1960), Dialectique négative (1966).

Andersch, Alfred [R] (1914-80, naturalisé suisse) : les Cerises de la liberté (1952), Un amateur de demi-teintes (1953), Zanzibar (1957), le Voyage d'Italie (1961), Ephraim (1967), Winterspelt (1974).

Andres, Stefan [R] (1906-70) : Utopia (1943), le Chevalier de justice (1948).

Arendt, Hannah [H] (1906-75) : la Vie de l'esprit, Penser l'événement, les Origines du totalitarisme (1951), la Nature du totalitarisme.

Augustin, Ernst [R] (1927) : la Tête (1962), Évelyne ou le Voyage autour de la folie (1976).

Becker, Jurek [R] (1937) : Jakob le menteur, Histoire de Gregor Bienek, l'Heure du réveil, les Enfants Bronstein.

Becker, Thorsten [R] (1960) : la Caution.

Becker, Ulrik [R] (1910) : l'Heure juste, la Chasse à la marmotte, l'Ex.-Casino Hôtel.

Bense, Max [Ph] (1910).

Bieler, Manfred [E] (1934) : Boniface ou le Matelot dans la bouteille (1963), Maria Morzeck ou le Lapin c'est moi (1969).

Bienek, Horst [E] (1930-90) : Bakunin (1970), la Première Polka (1975), Lumière de septembre.

Bobrowski, Johannes [P, R] (1917-65).

Böll, Heinrich [R] (1917-85) : Le train était à l'heure (1949), Rentrez chez vous Bogner (1953), les Enfants des morts (1954), le Pain des jeunes années (1955), les Deux Sacrements (1959), la Grimace (1963), Fin de mission (1966), Portrait de groupe avec dame (1971), Kolossal, l'Honneur perdu de Katharina Blum (1974), Protection encombrante, Femmes devant un paysage fluvial (1985). *Souvenirs :* Journal irlandais (1937) [N. 1972].

Borchert, Wolfgang [E] (1921-47) : Dehors, devant la porte, Nouvelles (1947).

Born, Nicolas [E] (1937-79) : la Face cachée de l'histoire (1976), la Falsification (1979), Esquisse d'un malfaiteur (1983).

Brasch, Thomas [D, Pros] (1945) : Les fils meurent avant les pères (1977), Mercedes.

Braun, Volker [P] (1939) : le Roman de Hinze et Kunze.

Breitbach, Joseph [R] (1903-80) : le Liftier amoureux, Rival et Rivale, Clément (1937-38), Rapports sur Bruno (1962). *Théâtre :* la Jubilaire.

Brinkmann, Rolf Dieter [E] (1940-75).

Bruyn, Günter de [R] (1926).

Buber-Neumann, Margarete [E] (1901-89) : Prisonnière de Staline et d'Hitler (2 vol.), De Potsdam à Moscou (1957), les Champs de bataille de la Révolution (1967), l'Underground communiste (1970), Milena.

Buch, Hans Christopher [R] (n.c.) : Haïti chérie, le Mariage de Port-au-Prince.

Canetti, Elias : voir p. 280 b.

Domin, Hilde [P] (1912).

Dorst, Tankred [D] (1925) : Excursion d'automne (1959), Grande Imprécation devant les murs de la ville (1961), Toller (1968).

Eich, Günther [P] (1907-72) : Jeux radiophoniques, Poèmes.

Elsner, Gisela [R] (1937) : les Nains géants (1964), Vainqueur aux points (1977).

Enzensberger, Hans Magnus [P] (1929) : *Poésies :* Parler allemand. *Essais :* Culture ou Mise en condition ? (1962), Allemagne, Allemagne entre autres (1967), les Épopées germaniques, le Bref Été de l'anarchie (1972), le Naufrage du Titanic (1978), Mausolée.

Fassbinder, Rainer Werner [D] (1946-82) : les Larmes amères de Petra von Kant (1971), l'Ordure, la Ville et la Mort (1975), l'Anarchie de l'imagination.

Fichte, Hubert [E] (1935) : l'Orphelinat (1965), la Palette (1968), Puberté (1974).

Goes, Albrecht [R] (1908) : Jusqu'à l'aube (1950), la Flamme du sacrifice (1961).

Goetz, Reinald [D, R] (1954) : *Romans :* Chez les fous (1983), Contrôlé (1988). *Théâtre :* Guerre.

Grass, Günter [R, D] (1927) : *Théâtre :* la Crue, les Méchants Cuisiniers (1957), Les plébéiens répètent l'insurrection (1966). *Romans :* le Tambour (1959), le Chat et la Souris (1961), les Années de chien (1963), Anesthésie locale (1969), Journal d'un escargot (1972), le Turbot (1978). Une rencontre en Westphalie (1980), la Rate. *Essais :* Évidences politiques (1968), Lettres par-dessus la frontière (1969), Propos d'un sans-patrie.

Habermas, Jürgen [Ph, Soc] (1929) : la Technique et la science comme idéologie (1968), Raison et légitimité, Profils philosophiques et politiques (1970/84), Connaissances et intérêt (1973), Morale et communication (1983).

Hacks, Peter [D] (1928).

Härtling, Peter [R] (1933) : Janek (1966), Niembsch ou l'Immobilité (1964), Une femme (1974).

Hein, Christoph [R] (1944) : Invitation au lever bourgeois, la Fin de Ende, le Joueur de tango.

Heissenbüttel, Helmut [E] (1921) : la Fin d'Alembert (1970).

Herburger, Günter [Pros] (1932) : la Prise de la citadelle (1972).

Hermlin, Stephan [Pros, R] (1915) : Crépuscule (1979).

Heym, Stefan [R] (1913) : les Croisés, les Yeux de la raison, l'Âge cosmique, Une semaine en juin, Berlin 1953.

Hildesheimer, Wolfgang [E, D] (1916) : le Retard (1961), Mozart (1977).

Hochhuth, Rolf [D] (1931) : le Vicaire (1963), Soldats, Nécrologie pour Genève, Lysistrate (1974).

Hofmann, Gert [R] (1932) : le Cheval de Balzac (1983), Juste avant les pluies (1990).

Huchel, Peter [P] (1903-81) : Poèmes.

Jens, Walter [R, Es] (1923) : le Monde des accusés (1950), l'Aveugle (1951), Visages oubliés (1952).

Jeremias, Joachim [Théo] (1900-79).

Johnson, Uwe [R] (1934-84) : la Frontière (1959), Deux Points de vue (1965), l'Impossible Biographie, Une année dans la vie de Gesine Cresspahl.

Kaschnitz, Marie-Louise [P] (1901-74).

Kempowski, Walter [R] (1929) : Tadellöser et Wolff (1971).

Quelques personnages de la littérature allemande

Abbé de Calemberg : héros de vieux contes allemands (à l'origine du mot calembour).
Gudrun : épopée anonyme des Nibelungen (la princesse de légende).
Parsifal : épopée de même titre (1200-16) par Wolfram d'Eschenbach (le chevalier errant).
Till l'Espiègle : légende anonyme (v. 1483) (mystificateur).
Hanswurst (« Jean Saucisse ») : théâtre populaire (XIVe s.) (bouffon cynique et maladroit).
Simplicius Simplicissimus : roman de même titre (1669) par Christoffel von Grimmelshausen (reître à l'âme candide).
La Mère Courage : roman de Grimmelshausen (1670), puis drame de Bertolt Brecht (1941) (fille à soldats et vagabonde).
Minna de Barnhelm : drame de même titre (1767) par Ephraïm Lessing (la dame noble et généreuse).
Lénore : ballade de même titre (1770) par Gottfried Bürger (l'amoureuse romantique que sa passion mène à la mort).
Le Baron de Crack (de Münchhausen) : récit de même titre (1786) par Gottfried Bürger (le joyeux conteur d'aventures imaginaires).
Goetz de Berlichingen : drame de même titre (1773) par W. Goethe (guerrier impitoyable).
Werther : les Souffrances du jeune W. (roman, 1774) par W. Goethe (amoureux romantique et désespéré).
Le Roi de Thulé : poème de même titre (1774) par W. Goethe (l'amant éternellement fidèle).
L'Apprenti sorcier : poème de même titre (1797) par Goethe (jeune présomptueux ; fauteur de catastrophe).
Faust : les 3 drames de ce titre (1806-32) par Goethe (le surhomme pétri d'orgueil).
Méphistophélès : personnage du drame de W. Goethe (le Tentateur).
Marguerite : personnage du drame de W. Goethe (pitoyable victime des corrupteurs).
Ondine : ballade de même titre (1811) par Friedrich La Motte-Fouqué (l'adolescente envahie par l'amour).
Blanche Neige : conte de même titre (1812) par les frères Grimm (jeune fille au cœur pur).
Hansel et Gretel : conte de même titre, par les frères Grimm ; repris en 1893 dans un opéra de Humperdinck (enfants aux prises avec le merveilleux).
Zarathoustra : Ainsi parlait Z. (essai philosophique, 1883) par Friedrich Nietzsche (le surhomme impitoyable).

Kesten, Hermann [Es] (1900) : Ferdinand et Isabelle (1936), Philippe II, le démon de l'Escurial (1938-50), les Enfants de Guernica (1939).
Keun, Irmgard [E] (1910-82) : Gilgi, jeune fille des années 30 (1931), Après minuit (1937).
Kipphardt, Heinar [D] (1922-82) : le Chien du général (1962), le Dossier J. Robert Oppenheimer (1964), Joël Brand, histoire d'une affaire (1964-65).
Kirsch, Sarah [P] (1935).
Kirst, Hans Hellmut [R] (1914) : 08/15 (1954-55), Dieu dort en Mazurie (1956), les Loups de Maulen (1967), Condamné à la vérité (1972).
Koepf, Gerhard [R] (1948) : le Chemin (1985), la Communauté des héritiers (1987).
Koeppen, Wolfgang [R] (1906) : Un amour malheureux (1934), Pigeons sur l'herbe (1951), la Mort à Rome (1954), Jeunesse (1976).
Kreuder, Ernst [R, P] (1903-72) : la Société du grenier (1946), les Introuvables (1948).
Krolow, Karl [P] (1915) : Corps étranger (1959), Rien d'autre que vivre (1970).
Kühn, Dieter [E] (1935).
Kunert, Günter [P] (1929).
Kunze, Reiner [P] (1933) : les Années merveilleuses (1976).
Lange, Hartmut [D] (1937) : Trotski in Coyoacan (1973), Staschek oder das Leben des Ovid (1973), le Récital, la Sonate « Waldstein », la Promenade sur la grève (1990).
Lenz, Siegfried [E] (1926) : la Nuit des otages, la Leçon d'allemand (1968), Musée de la patrie (1978), le Bateau-Phare.
Lettau, Reinhard [E] (1929) : Promenade en carrosse (1960), Propos de petit déjeuner à Miami (1977).
Loest, Erich [R] (1926).
Maron, Monika [R] (1941) : le Transfuge, le Malentendu.
Moltmann, Jürgen [Théo] (1926).
Müller, Heiner [D] (1929) : Zement (1973), Herakles (1974), Avis de décès, la Comédie des femmes, Germania mort à Berlin (1977), Hamlet-machine, le Briseur de salaires.
Müller, Herta [E] (Roumaine, 1953) : Basses Terres (1984), L'homme est un grand faisan sur terre (1986), Février aux pieds nus (1988).
Nossack, Hans Erich [R] (1901-77) : *Romans :* la Dérive (1955), Spirales, Roman d'une nuit d'insomnie (1956), le Frère cadet (1958), Avant la dernière révolte (1961). *Récits :* Nekya, Récit d'un survivant (1947), Interview avec la mort (1948).
Noth, Ernst Erich [R] (nat. américain) (1909) : l'Enfant écartelé, Un homme à part, la Voie barrée, Mémoires d'un Allemand.
Novak, Helga M. [P, Pros, R] (1935).
Pausewang, Gudrun [R] (1928) : Plaza Fortuna (1966), Mariage bolivien (1968), l'Enlèvement de Doña Agata (1971).
Peyinghaus, Marianne [E] (n.c.) : Années paisibles à Gertlauken.
Plenzdorff, Ulrich [D, R] (1934).
Plessen, Elisabeth [R] (1944) : Lettre ouverte à la noblesse (1976).
Rahner, Karl [Théo] (1904-84).
Richter, Hans Werner [R] (1908) : les Vaincus (1949), Tombés de la main de Dieu (1951), Empreintes sur le sable (1953), Tu ne tueras point (1955).
Rinser, Luise [R] (1911) : les Anneaux transparents (1940), Jean Lobel de Varsovie (1948), Histoire d'amour (1950), Pars si tu peux, la Joie parfaite, Je suis Tobias (1966), Chantier, l'Ane noir (1974).
Roth, Friederike [D, E] (1948) : Tollkirschenhochzeit (1978), Ritt auf die Wartburg.
Rühmkorf, Peter [P] (1929).
Salomon, Ernst von [R] (1902-72) : les Réprouvés (1930), les Cadets (1933), le Questionnaire (1951), la Chaîne des mille hérons, Histoire proche.
Schmidt, Arno [R] (1914-79) : Scènes de la vie d'un faune (1953), la République des savants (1957), Zettels Traum (1970).
Schneider, Peter [E] (1940) : Lenz (1973), Te voilà un ennemi de la Constitution (1975), le Couteau dans la tête (1979), le Sauteur de mur (1982).
Seghers, Anna [R] (1900-83) : la Septième Croix (1942), Transit, Légendes d'Artémis, la Force des faibles (1945), Les morts restent jeunes (1949).
Strauss, Botho [D, Pros] (1944) : la Dédicace (1977), Grand et Petit (1978), Raffut (1980), Couples, passants (1981), Kalldewey Farce (1983), le Jeune Homme (1984), Personne d'autre (1989).
Süskind, Patrik [R] (1949) : le Parfum, le Pigeon.
Theobaldy, Jürgen [P, R] (1944) : Cinéma le dimanche (1978).
Walser, Martin [R, D] (1927) : *Romans et nouvelles :* Quadrille à Philippsbourg (1957), Histoires pour mentir (1964), la Licorne (1966), Je ne sens pas bon (1972), Au-delà de l'amour (1976), Un cheval qui fuit (1978), Fiction, Travail d'âme, la Maison des cygnes (1980), la Lettre à Lord Liszt (1982), Ressac (1988), Wolf et Doris (1990). *Théâtre :* Chêne et lapins angoras, le Cygne noir (1964).
Weisenborn, Günther [R, D] (1902-69) : *Romans :* Furies tropicales (1937), l'Exécuteur (1961). *Théâtre :* U-Boot (1928), la Mère (d'après Gorki) (1931). *Essai :* Mémorial.
Weiss, Peter [D, R] (1916-82) : Point de fuite (1962), la Persécution et l'Assassinat de Jean-Paul Marat représentés par le groupe théâtral de l'hospice de Charenton sous la direction de Monsieur Sade (1964), l'Instruction (1965), le Chant du fantoche lusitanien (1967).
Wellershoff, Dieter [Es, E] (1925) : Un beau jour, Chasse à l'homme dans la campagne tranquille.
Wohmann, Gabriele [E] (1932) : Abschied für Länger (1965), Ernste Absicht (1970), Schönes Gehege, Excursion avec la mère (1976), Pas de deux (1979), le Cas de Marlène Z. (1980).
Wolf, Christa [E] (1929) : Trame d'enfance (1975), Aucun lieu, nulle part, Cassandre (1980), Ce qui dérange, Ce qui reste (1979, remanié 1989).

Littérature américaine

Nés avant 1800

Audubon, John James [E] (1785-1851) : Journal du Missouri (1929).
Barlow, Joël [P] (1754-1812) : la Colombiade (1807).
Bradford, William [H] (1590-1657) : Histoire de la plantation de Plymouth.
Bradstreet, Anne Dudley [P] (1612-72) : la 10e Muse apparue récemment en Amérique.
Brown, Charles Brockden [R] (1771-1810) : Wieland (1798), Edgar Huntly.
Bryant, William Cullen [P] (1794-1878) : Thanatopsis (1817).
Cooper, James Fenimore [R] (1789-1851) : l'Espion (1821), le Dernier des Mohicans (1826), la Prairie (1827).
Crèvecœur, Michel-Guillaume de [Chr] (Franç. 1735-1813).
Edwards, Jonathan [Théo] (1703-58).
Franklin, Benjamin [Pol] (1706-90) : la Science du bonhomme Richard (1732), Autobiographie (1792).
Irving, Washington [R, H] (1783-1859) : Rip Van Winkle, Vie de Washington.
Mather, Cotton [Théo] (1663-1728) : Magnalia Christi Americana.
Otis, James [Pol] (1725-83).
Paine, Thomas [Polé] (1737-1809) (nat. franç.) : le Siècle de raison (1795).
Prescott, William [H] (1796-1859).
Taylor, Edward [P] (1642-1729) : Méditations sacramentelles.
Tyler, Roynll [Polé] (1757-1826).
Williams, Roger [E] (v. 1603-83).

Nés entre 1800 et 1900

Adams, Henry (Brooks) [H] (1838-1918) : Démocratie (1879), Histoire des États-Unis de 1801 à 1817 (9 vol., 1889-91), Mémoires d'Arii Taimai (1893), Mon éducation (1918).
Aiken, Conrad (Potter) [P, R] (1889-1973) : Voyage bleu, le Grand Cercle, Ouessant (1952), Chant matinal de Lord Zéro (1963).
Alcott, Louisa May [R] (1832-88) : les 4 Filles du Dr March (1867).
Anderson, Maxwell [D] (1888-1959) : Elizabeth Reine, Jeanne la Lorraine.
Anderson, Sherwood [R] (1876-1941) : Winesburgen, Ohio 1919, Pauvre Blanc (1920).
Bancroft, George [H] (1800-91) : Histoire des États-Unis (1834-76).
Beecher Stowe, Harriet [R] (1811-96) : la Case de l'oncle Tom (1852).
Benedict, Ruth [Ant.] (1887-1948) : le Chrysanthème et le sabre (1946).
Benet, Stephen Vincent [P] (1898-1943) : John Brown's Body.
Bierce, Ambrose [E] (1842-1913) : Au cœur de la vie, le Dictionnaire du Diable.
Biggers, Earl Derr [R, D] (1884-1933) : Charlie Chan à Honolulu.
Bromfield, Louis [R] (1896-1956) : Emprise, Précoce Automne, Vingt-Quatre Heures, Un héros moderne, la Mousson (1937), Mrs. Parkington (1942), la Folie Mac Leod (1948). – *Biogr. :* fils d'un agriculteur de l'Ohio ; études à Colombia. *1916-18* ambulancier sur le front français. *1923* critique littéraire de *Time,* en France jusqu'en 1939. *1940* retourne aux U.S.A., achetant un domaine agricole dans l'Ohio.
Buck, Pearl (Joan Sedges) [R] (1892-1973) : Vent d'Est vent d'Ouest (1930), la Terre chinoise (1931), Fils de Dragon, la Mère (1934), Pavillon de femmes (1946), Pivoine, le Sari vert, le Pain des hommes [N. 1938]. Voir p. 340. – *Biogr. :* fille d'un missionnaire presbytérien, le rév. Sydenstricker, née en Virginie occidentale, élevée en Chine, études secondaires à Shanghai, supérieures en Virginie. *1914* retourne en Chine ; prof. à Nankin. *1917* épouse un missionnaire en Chine, John Buck. *1923* publie des nouvelles dans les journaux. *1932* célèbre ; la *Terre chinoise* a le prix Pulitzer. *1934* divorce. *1935* épouse l'éditeur newyorkais Richard J. Walsh et se fixe aux U.S.A.
Burke, Kenneth [E, Cr] (1897).
Burnett, William Riley [R] (1899-1982) : le Petit César (1948).
Cabell, James Branch [R] (1879-1958) : Jurgen (1919), Figurines (1921).
Cain, James [R] (1892-1977) : Le facteur sonne toujours deux fois (1936), la Belle de La Nouvelle-Orléans, Mildred Pierce (1950).
Carnap, Rudolf [Ph, logicien] (or. all. 1891-1970) : la Syntaxe logique de la langue.
Cather, Willa [R] (1873-1947) : Un des nôtres (1922), Une dame perdue (1923), la Mort de l'archevêque (1927), Ombres sur le rocher (1931).
Chandler, Raymond [R] (1888-1959) : le Grand Sommeil (1939), la Dame du lac (1943).
Cowley, Malcolm [E] (1898-1989).
Crane, Hart [P] (1899-1932).
Crane, Stephen [R] (1871-1900) : Maggie (1893), la Conquête du courage (1895).
Crawford, Francis Marion [R] (1854-1909).
Cummings, Edward Estlin [P] (1894-1962).

Dana, Richard Henry [R] (1815-82) : Deux années sur le gaillard d'avant (1840).

Deutsch, Babette [P, Cr] (1895-1982) : Un feu dans la nuit, Poésie contemporaine.

Dewey, John [Ph, Psycho] (1859-1952).

Dickinson, Emily [P] (1830-86).

Dodge, Mary Mapes [R] (1831-1905) : Hans Brinker (1865).

Dos Passos, John Roderigo [R] (1896-1970) : Trois Soldats (1921), Manhattan Transfer (1925), U.S.A. [trilogie : le 42e Parallèle (1930), 1919 (1932), la Grosse Galette (1936)], Aventures d'un jeune homme (1939), Bilan d'une nation (1951). – *Biogr.* : né à Chicago d'un immigrant portugais devenu avocat ; études à Harvard. *1916* séjour en Espagne pour étudier l'architecture. *1917-18* volontaire de la Croix-Rouge sur le front français. *1919-20* vit à Montparnasse. *1920-27* reporter (Espagne, Mexique, France, Moyen-Orient). *1927* prend parti pour Sacco et Vanzetti, collabore à *New Masses,* revue communiste. *1938* rompt avec la gauche, devient nationaliste. *1964* soutient Goldwater aux élections présidentielles.

Dreiser, Theodore [R] (1871-1945) : Sister Carrie, Jennie Gerhardt, le Financier, le Titan, Une tragédie américaine.

Dunbar, Paul Laurence [P] (1872-1906).

Eliot, T.S. [P] (1888-1965) : v. Angleterre.

Emerson, Ralph Waldo [Es, Ph] (1803-82) : la Nature, l'Intellectuel américain (1837), l'Ame anglaise.

Faulkner, William (Falkner, dit) [R] (1897-1962) : Monnaie de singe (1926), le Bruit et la Fureur (1927), Sartoris (1929), Sanctuaire (1931), Lumière d'août (1932), Absalon ! Absalon ! (1936), le Hameau (1940), Requiem pour une nonne (1951), la Ville (1957), le Domaine (1959), les Larrons (1962). – *Biogr.* : famille d'industriels sudistes, ruinés et devenus quincailliers au Tennessee. *1918* élève-pilote au Canada. *1919-21* étudiant en français à l'univ. du Mississippi. *1921* études inachevées ; employé de chemin de fer. *1925* voyage en Europe. *1926-31* peintre et charpentier ; dans la gêne à Oxford (Mississippi). *1931* célèbre grâce à *Sanctuaire ;* s'achète la villa Rowanoak à Oxford. *1949* prix Nobel.

Ferber, Edna [R] (1887-1968) : Show Boat (1926), Saratoga (1941).

Field, Eugene [P] (1850-1895).

Fitzgerald, Francis Scott [R] (1896-1940) : l'Envers du paradis (1920), les Heureux et les Damnés (1922), Gatsby le Magnifique (1925), Tendre est la nuit (1934), Un diamant gros comme le Ritz (1935), le Dernier Nabab (1941), la Fêlure (1945). – *Biogr.* : fils d'un représentant de commerce irlandais de St Paul (Minnesota) ; études à Princeton (échec ; en *1917,* sans diplôme, s'engage). *1918* démobilisé comme sous-lieutenant, employé dans la publicité. Commence à boire. *1920* 1er succès littéraire *(l'Envers du paradis) ;* épouse Zelda Sayre, fille d'un sénateur. *1920-29* vie élégante (*1921,* rejoint Hemingway à Paris ; sombre dans l'alcoolisme). *1929* pauvreté. *1930* Zelda internée dans un asile. *1931-40* misère, crise de delirium (tente 2 fois de se suicider). *1948* Zelda meurt dans l'incendie de son asile.

Fletcher, John Gould [P] (1886-1950).

Frost, Robert Lee [P] (1874-1963) : Testament d'un garçon (1913), Un masque de pitié (1947).

Fuller, Margaret [Cr] (1810-50) : Littérature et Art (1846).

Gallico, Paul [R] (1897-1976) : Jennie, l'Aventure du Poséidon, l'Oie des neiges (1941).

Gardner, Dora [E] (1889).

Gardner, Erle Stanley [R] (1889-1970) : romans policiers.

Garland, Hamlin [R] (1860-1940) : les Routes à gros trafic, Vu de ma terrasse, Dix degrés au nord de Frederick.

Glasgow, Ellen [R] (1874-1945) : Dans un corps pur, la Vie oubliée (1941).

Grey, Zane [P] (1875-1939) : les Cavaliers de la sauge violette (1912).

Hammet, Samuel Dashiell [R] (1894-1961) : la Moisson rouge (1929), le Faucon maltais (1930), la Clé de verre.

Harris, Joel Chandler [R] (1848-1908) : l'Oncle Remus (1881-1906).

Hart, France Noyes [R] (1890-1943) : le Procès Bellamy.

Harte, Francis Bret [R] (1836-1902) : la Chance de Roaring Camp (1870).

Hawthorne, Nathaniel [R] (1804-64) : la Lettre écarlate (1850), le Faune de marbre (1860).

Hemingway, Ernest [R] (1898-1961) : Le soleil se lève aussi (1926), l'Adieu aux armes (1929), Mort dans l'après-midi (1932), les Neiges du Kilimandjaro (1935), En avoir ou pas (1937), Paradis perdu, Pour qui sonne le glas (1940), le Vieil Homme et la mer (1952), Paris est une fête (1964) [N. 1954]. Voir p. 342. – *Biogr.* : fils d'un médecin de l'Illinois, passionné de pêche et de chasse ; études secondaires en France (bilingue franco-anglais). *1914* reporter à Kansas City (16 ans). *1918* volontaire à la guerre, blessé sur le front italien. *1921* vit à Montparnasse dans la bohème américaine (principaux compagnons : Sherwood Anderson, Ezra Pound, Gertrude Stein). *1926* succès littéraire et fortune, grâce à *Le soleil se lève aussi. 1927-36* vit en Floride et à Cuba. *1936-38* correspondant de guerre en Espagne. *1961* se suicide d'une balle dans la tête.

Heyward, Du Bosc [R] (1885-1940) : Porgy (1925).

Holmes, Olivier Wendell [E] (1809-94) : le Poète et l'Autocrate à table.

Howe, Julia [P] (1819-1910) : les Passiflores (1854).

Howells, William Dean [R] (1837-1920) : Une rencontre (1873), la Fortune de Silas Lapham (1885).

James, Henry [R] (nat. angl.) (1843-1916) : Roderick Hudson (1876), les Européens (1878), Daisy Miller (1879), Washington Square (1881), Un portrait de femme (1881), les Bostoniennes (1886), Reverberator, les Dépouilles de Poynton (1897), Ce que savait Maisie (1897), le Tour d'écrou (1898), les Ailes de la colombe (1902), les Ambassadeurs (1903), la Coupe d'or (1904), les Papiers de Jeffrey Aspern. – *Biogr.* : fils de l'écrivain Henry James (1811-82) et frère cadet du philosophe William James (ci-après) ; famille riche, éducation distinguée ; adolescence en Europe avec son précepteur. *1862* études à Harvard ; commence à écrire. *1864* à Cambridge (Massachussetts), près de Harvard. *1869-70* et *1872-74* séjours en Italie. *1876* à Paris, mais réside fréquemment à Londres. *1881* et *1904-05* visites aux U.S.A. *1905* élu à l'American Academy. *1915* naturalisé anglais.

James, William [Ph] (1842-1910).

Jeffers, Robinson [P] (1887-1962).

Johnson, James Weldon [P] (1871-1938) : les Trombones de Dieu (1927).

Kaufman, Georges [D] (1889-1961).

Kelly, George [D] (1887-1974) : le Vantard (1924), la Femme de Craig, Faiblesse.

Keyes, Frances Parkinson [R] (1885-1970) : l'Ambassadrice, le Dîner chez Antoine.

Kilmer, Joyce [P] (1896-1918) : les Arbres.

Koffka, Kurt [Ph, psycho] (or. all. 1886-1941) : Principes de la psychologie de la forme (1938).

Lanier, Sidney [P] (1842-81) : la Science des vers anglais (1880), le Roman anglais.

Lardner, Ringgold [Hum] (1885-1933) : les Ballades de Bib (1915), Perds avec le sourire (1933).

Lazarus, Emma [P] (1849-87) : Danse macabre [N. 1936].

Lewis, Sinclair [R] (1885-1951) : Main Street (1920), Babbitt (1922), Elmer Gantry, Arrowsmith Dodsworth, De sang royal, Notre monde immense [N. 1930]. – *Biogr.* : fils d'un médecin du Minnesota. *1906* interrompt ses études à Yale pour entrer au phalanstère d'Upton Sinclair (New Jersey), Helicon Home. *1907* incendie du Helicon ; vie difficile comme journaliste. *1920* succès et fortune grâce à *Main Street. 1930* 1er Américain prix Nobel de Littérature. *1950* retiré en Italie, à Florence.

Lindsay, Nicholas Vachel [P] (1879-1931) : le Congo et autres poésies (1914).

London, Jack (John Griffith) [R] (1876-1916) : l'Appel de la forêt (1903), le Loup des mers (1906), Croc-Blanc (1907), Martin Eden (1909), le Peuple de l'abîme (1913). – *Biogr.* : enfant naturel (père astrologue, mère spirite), abandonné ; enfance misérable à San Francisco. *1891* écumeur des parcs à huîtres. *1892-93* chasseur de phoques au Japon. *1897* chercheur d'or en Alaska. *1898* journaliste pigiste, racontant ses aventures. *1900* succès et fortune avec *Croc-Blanc. 1910* millionnaire (écrivain le mieux payé du monde) ; sombre dans l'alcoolisme. *1916* suicide.

Longfellow, Henry Wadsworth [P] (1807-82) : les Voix de la nuit, Ballades et autres poèmes, Evangéline (1847), Hiawatha (1855), Miles Standish (1858).

Lovecraft, Howard [R] (1890-1937) : Dans l'abîme du temps (1936).

Lowell, Amy [P] (1874-1925).

Lowell, James Russell [E] (1819-91) : les Carnets de Biglow (1867).

Mac Coy, Horace [R] (1897-1955) : On achève bien les chevaux (1935), Un linceul n'a pas de poches (1946), Adieu la vie, Adieu l'amour (1949).

Mac Leish, Archibald [P] (1892-1963) : Conquistador (1932).

Marcuse, Herbert [Ph] (Berlin, 1898-1979, Américain dep. 1940) : Eros et Civilisation (1955), le Marxisme soviétique (1958), l'Homme unidimensionnel (1964), la Fin de l'utopie (1967). – *Biogr.* : famille israélite ; études à Berlin et à Fribourg. *1934* exilé aux U.S.A. ; attaché à l'Institut de recherches sociales de Colombia (jusqu'en 1940). *1941-50* mobilisé et affecté au Bureau des services stratégiques, puis au Département d'État. *1951-53* prof. à Harvard. *1954-65* à l'univ. de San Diego (Californie).

Marquand, John Phillips [R] (1893-1960) : Feu George Apley, le Vice-Président (1949).

Masters, Edgar Lee [P] (1868-1950) : l'Anthologie de Spoon River (1915).

Mayo, Elton [Soc] (1880-1949).

Mead, George Herbert [Soc] (1863-1931).

Melville, Herman [R, C] (1819-91) : Typee (1846), Moby Dick (1851), Billy Budd, gabier de misaine (posth. 1924).

Mencken, Henry Louis [Es] (1880-1956) : Préjudices (1919-27).

Millay, Edna St Vincent [P] (1892-1950).

Miller, Henry [R] (1891-1980) : Tropique du Cancer (1934), Max et les Phagocytes (1938), Tropique du Capricorne (1939), le Cauchemar climatisé (1945), Crucifixion en rose [trilogie : Sexus (1940), Plexus (1953), Nexus (1960)], le Temps des assassins (1956), Un diable au paradis (1956), J'suis pas plus con qu'un autre (1977). – *Biogr.* : fils d'un tailleur new-yorkais, immigrant allemand récent (germanophone) ; enfance miséreuse à Brooklyn. *1920-24* fréquente les milieux anarchistes. *1924* se marie ; prend un poste à la Compagnie du téléphone, mais abandonne femme et fils pour vivre avec une entraîneuse, Mona. *1930* abandonne Mona, se fixe à Paris ; journaliste au *Phœnix. 1938-39* séjour à Athènes. *1940* revient aux U.S.A. ; s'installe en Californie avec sa 4e femme et ses enfants. *1967* 5e mariage avec une Japonaise.

Miller, Joaquin [P] (1841-1913) : Chants des sierras, Lumière.

Moore, Marianne Craig [P] (1887-1972).

Motley, John Lothrop [H] (1814-77).

Mumford, Lewis [Soc] (1895-1990) : Technique et civilisation, la Cité à travers l'histoire, le Déclin des villes, le Mythe de la machine. *Autobiographie :* Sketches from life.

Nabokov, Vladimir [R, P] (1899-1977) : Machenka (1926), la Défense Loujine (1929), le Guetteur (1930), Chambre obscure (1932), l'Exploit, la Méprise, le Don, Invitation au supplice (1935), la Vraie Vie de Sébastian Knight (1941), Brisure à senestre, Lolita (1955), Pnine (1957), Feu pâle (1962), Autres Rivages (1967), Ada ou l'Ardeur (1969), la Transparence des choses (1972), l'Extermination des tyrans (1975), Regarde, regarde, les Arlequins ! (1975), l'Enchanteur, la Vénitienne. – *Biogr.* : famille russe noble de St-Pétersbourg. *1917* exil à Berlin. *1939* à Paris (fuit le nazisme : femme d'origine juive). *1940* aux USA, professeur (littér., russe, ethnologue). *1955* Lolita (histoire d'une nymphette : scandale). *1960-77* à Montreux (Suisse). Après quelques nouvelles en russe, écrit en anglais.

Nasby, Petroleum (David Rose Locke) [R] (1833-1888) : le Démagogue (1891).

Norris, Frank [R] (1870-1902) : la Pieuvre (1901), la Fosse (1903).

O'Hara, Mary [R] (1885-1980) : Mon amie Flicka (1941).

O'Henry (William Sydney Porter dit) [R] (1862-1910) : les Quatre Millions.

O'Neill, Eugene [D] (1888-1953) : l'Empereur Jones, Par-delà l'horizon (1920), Anna Christie (1921), le Désir sous les ormes, Le deuil sied à Electre (1931), Long Voyage dans la nuit (1940) [N. 1936].

Park, Robert Ezra [Soc] (1864-1944).

Parsons, Talcott [Soc] (1902-1979).

Parkman, Francis [H] (1823-93) : Pionniers français du Nouveau Monde (1865).

Peirce, Charles Sanders [Ph] (1839-1914) : Œuvres posthumes (1931-51).

Poe, Edgar Allan [R, P] (1809-49) : Annabel Lee, Aventures d'Arthur Gordon Pym (1838), la Chute de la maison Usher (1839), Contes et Hist. fantastiques (1845, dont : le Double Assassinat de la rue Morgue, la Lettre volée), le Corbeau (1845). – *Biogr.* : fils de comédiens ambulants (père alcoolique, meurt en 1810) ; sa mère l'emmène dans le Sud, meurt en 1811 dans un incendie. *1812* recueilli par un négociant, Richard Allan (à Richmond). *1815-20* études secondaires en G.-B. *1820* retour à Richmond ; adolescence dissipée (études à l'univ. de Virginie). *1827* alcoolique ; chassé par les Allan. *1827-31* engagé volontaire. *1831* exclu de l'armée pour ivrognerie, se réfugie chez une sœur de son vrai père, Maria Clemm. *1833* succès littéraire à Richmond. *1836* épouse sa cousine, Virginie Clemm ; vit pauvrement à Baltimore. *1837* crise d'éthylisme ; s'enfuit à New York. *1841-42* directeur littéraire du *Graham's Magazine* ; vie aisée. *1845* propriétaire du *Broadway Journal. 1846* Virginie meurt de tuberculose ; tente de se suicider ; retombe dans l'alcoolisme. *1849* retour à Richmond ; fiancé à sa voisine, il meurt d'une crise de delirium à Baltimore, quelques jours avant le mariage.

Porter, Katherine Anne [R] (1890-1980) : l'Arbre de Judée (1930), Hacienda (1934), le Vin de midi (1937), la Tour penchée (1944), la Nef des fous (1962).

Pound, Ezra [P] (1885-1972) : Hugh Selwyn Mauberley Cantos (1920), Je rassemble les membres d'Osiris.

Rawlings, Marjorie Kinnan [R] (1896-1953) : le Yearling (1938).

Riley, James Whitcomb [P] (1849-1916).

Robinson, Edwin Arlington [P] (1869-1935) : les Enfants de la nuit, Merlin, Lancelot, Tristram (1927).

Rölvaag, Ole [R] (1876-1931) : les Géants de la terre (I. Pierre le vainqueur, II. le Jour béni).

Runyon, Damon [Hum] (1885-1946).

Sandburg, Carl [P] (1878-1967) : Chicago, Abraham Lincoln, le Peuple, Oui.

Santayana, George [Ph] (Esp. 1863-1952) : le Dernier Puritain.

Schumpeter, Joseph. Voir p. 280 a.

Sherwood, Robert [D] (1896-1955) : Abraham Lincoln en Illinois (1938).

Sinclair, Upton [R] (1878-1968) : la Jungle, le Roi Charbon, le Pétrole (1927), les Griffes du dragon, Paméla.

Stein, Gertrude [R] (1874-1946) : Trois Vies (1909), Breswie et Willie. *Mémoires:* Autobiographie de tout le monde (1937), Guerres que j'ai vues (1945).

Stevens, Wallace [P] (1879-1955).

Stout, Rex [R] (1886-1975) : Graines au vent, Feu de forêt.

Tarkington, Booth [R] (1869-1946) : Penrod.

Tate, Allen [R, P] (1899-1979) : les Ancêtres (1938), le Démon sans espoir (1953).

Teasdale, Sara [P] (1884-1933) : Sonnets à Dase, les Fleuves de la mer.

Thoreau, Henry David [E] (1817-62) : Walden ou la Vie dans les bois (1854), Journal.

Thurber, James [Hum] (1894-1961).

Twain, Mark (Samuel Langhorne Clemens dit) [Hum] (1835-1910) : Tom Sawyer (1876), Huckleberry Finn (1884), Un Yankee à la cour du roi Arthur (1889), le Soliloque du roi Léopold (1905), le Mystérieux Étranger (1908). – *Biogr. :* fils d'un épicier du Mississippi ; enfance pauvre, éducation puritaine. *1847-52* apprenti typographe. *1852-54* imprimeur ambulant en N.-Angleterre. *1854-61* batelier (mark twain, « profond de 2 brasses », vient du vocabulaire des mariniers). *1861-65* chercheur d'or dans l'Ouest. *1865* journaliste à New York. *1869* reporter en Europe. *1870* épouse une riche bourgeoise new-yorkaise, Olivia Langdon. *1875* se fait bâtir un château à Redding (Connecticut). *1884* monte sa maison d'édition. *1894* faillite. *1895-97* conférences en Europe : refait fortune. *1898-1910* sa femme et 2 de ses filles meurent ; dépression ; meurt solitaire à Redding.

Untermeyer, Louis [P] (1885-1977) : Du rôti de Léviathan (1923), le Buisson ardent (1928).

Van Doren, Mark [Cr] (1894-1972) : le Critique heureux.

Wallace, Lewis [R] (1827-1905) : le Vrai Dieu, Histoire de la conquête du Mexique (1873), Ben Hur (1880), le Prince des Indes (1893).

Ward, Artemus [R] (1834-67).

Watson, John, Broadus [Ph, Psycho] (1878-1958) : A l'origine du béhaviorisme.

Wharton, Edith [R] (1862-1937) : le Fruit de l'arbre (1907), Ethan Frome (1911), l'Age de l'innocence (1920).

White, Elwyn Brooks [E, Es, P] (1899-1985).

Whitman, Walt [P, E] (1819-92) : les Feuilles d'herbe (1855), Jours exemplaires (1882).

Whittier, John Greenleaf [P] (1807-92) : Mogg Megone, les Voix de la liberté.

Wilder, Thornton [R, D] (1897-1975) : *Rom. :* le Pont de San Luis Rey (1927). *Th. :* Notre petite ville (1938), la Peau de nos dents (1943), les Ides de Mars (1948), Hello, Dolly ! (1963).

Williams, William Carlos [P] (1883-1963).

Willis, Nathaniel Parker [P] (1806-67).

Wilson, Edmund [Cr] (1895-1972) : Essais de critique et d'économie (1950).

Woollcott, Alexandre [Cr] (1887-1943) : Histoire d'Irving Berlin (1925).

Nés depuis 1900

Abish, Walter [E] (Vienne, 1931). Alphabetical Africa (1974), Allemand, dites-vous ? (1980).

Albee, Edward [D] (1928) : Zoo Story, la Mort de Bessie Smith, Qui a peur de Virginia Woolf ? (1962), Délicate Balance (1966), Tout dans le jardin (1972).

Algren, Nelson [R] (1909-81) : le Matin se fait attendre (1942), l'Homme au bras d'or (1949), la Rue chaude (1956), le Désert du néon (1962).

Ashbery, John [P] (1927).

Asimov, Isaac [Sav, E] (1920) : Vie et Énergie, les Origines de la vie, Voir science-fiction p. 278.

Auster, Paul [P, R] (1946) : la Cité de verre, l'Invention de la solitude, la Chambre dérobée, Revenants, le Voyage d'Anna Blume, Moon Palace.

Baldwin, James [P, R, E] (Noir, 1924-87) : les Élus du Seigneur, Va le clamer sur la montagne (1953), Encore un coup ça flambe, Si Beale Street pouvait parler, Personne ne sait mon nom (1961), Face à l'homme blanc (1965), Chassés de la lumière (1972), le Jour où j'étais perdu, Meurtres à Atlanta, Harlem Quartet (1979).

Ball, John (1911-88) : Dans la chaleur de la nuit, la Fourgonnette (1989).

Banks, Russell [R] (1940), Terminus Floride (1985), Affliction (1989).

Baraka, Imamu Amiri [R, P, D] (1934) : le Métro fantôme (1964), l'Esclave (1964).

Barth, John [R] (1930) : l'Opéra flottant, l'Enfant bouc (1970), Chimère (1972), Lettres (1979).

Barthelme, Donald [R] (1933-89) : Blanche-Neige, Pratiques innommables, La ville est triste.

Bellow, Saul [R] (1915) : la Victime, les Aventures d'Augie March (1943), l'Homme de Buridan (1944), Au jour le jour, le Faiseur de pluie, Herzog, Retour de Jérusalem (1976), l'Hiver du doyen, La journée s'est-elle bien passée ? (1985), la Bellarosa Connection, Un larcin [N. 1976].

Berryman, John [P] (1914-72).

Bettelheim, Bruno [Es, Soc] (1903-suicidé 1990) : Dialogue avec les mères (1973), Un lieu où renaître (1975), Psychanalyse des contes de fées, Survivre (1979), la Lecture et l'enfant, Pour être des parents acceptables, le Poids d'une vie (1991).

Bishop, Elizabeth [P] (1911-79).

Blatty, P. William [R] (1928) : l'Exorciste, l'Esprit du Mal.

Bowles, Paul [E] (1910) : Des airs du temps (1982).

Boyle, T.C. [E] (1948) : Water Music (1981).

Bradbury, Ray [R] (1920) : Chroniques martiennes (1950), l'Homme illustré, Bien après minuit (nouvelles), Fahrenheit 451 (1951).

Bradley, David [R] (1950) : South Street (1975), l'Incident (1982).

Brautigan, Richard [R] (1935-suicidé 1984) : Un général sudiste de Big Sur (1964), la Pêche à la truite en Amérique (1967), Retombées de sombrero (1976), Tokyo-Montana Express (1980).

Brodkey, Harold [Nouv] (1930) : Premier amour et autres chagrins (1957), A Party of Animals.

Brooks, Gwendolyn [P] (1917).

Bukowski, Charles [P, R] (1920) : Women, Au sud de nulle part, Souvenirs d'un pas grand-chose.

Burnham, James [Soc] (1905) : l'Ère des managers.

Burns, John Horne [R] (1916-53) : On meurt toujours seul, le Diable au collège.

Burroughs, William S. [R] (1914) : le Festin nu, la Machine molle, Apomorphine, Parages des voies mortes, Cités de la nuit écarlate, les Terres occidentales.

Caldwell, Erskine (Preston) [R] (1903-87) : *Romans :* le Bâtard (1929), le Petit Arpent du Bon Dieu (1933), Un p'tit gars de Géorgie (1943), la Dame du Sud (1947), le Quartier de Medora (1949). *Théâtre :* la Route au tabac (1932). – *Biogr. :* fils d'un pasteur presbytérien de Géorgie ; enfance et jeunesse errante dans le Sud (à cause des déplacements du père). *1925* passe un an à l'univ. de Virginie. *1926* reporter dans le Maine. *1930-34* scénariste à Hollywood. *1933* succès grâce au prix littéraire de la *Yale Review*. *1938-39* grand reporter en Tchécoslovaquie, Espagne, Mexique. *1941-44* sur le front russe. *1942-43* à Hollywood ; dirige jusqu'en 1955 la revue *American Folkways*.

Capote, Truman (Truman Persons, dit) [R] (1924-84) : les Domaines hantés (1948), Un arbre de nuit (1949), Les muses parlent (1956), De sang-froid (1966), Petit Déjeuner chez Tiffany (1958), Les chiens aboient (1973), Musique pour caméléons (1981), Un Noël (1983), Prières exaucées (1987).

Carson, Rachel [Sav] (1907-64) : la Mer qui les entoure.

Carver, Ray [Nouv] (1938-88) : Parlez-moi d'amour, Vitamines du bonheur.

Charteris, Leslie (Leslie Charles Bowyer Yin, dit) [R] (1907) : série du Saint.

Charyn, Jerome [R] (1937) : Frog, Movieland.

Chase-Riboud, Barbara [R] (n.c.) : le Nègre de l'Amistad.

Cheever, John [R] (1912-82).

Cleaver, Eldridge [Es] (1936) : Des âmes sur la glace.

Collins, Larry [R] (1930) : Fortitude, Dédale (1989).

Commager, Henry Steele [H] (1902) : l'Esprit américain (1965).

Connell, Evan S. Jr [Nouv, R] (1924) : Mrs Bridge (1959), Mr Bridge (1969).

Conroy, Pat [R] (1945) : Un cri dans le désert (1967), le Prince des marées (1988).

Coover, Robert [R] (1932) : Origin of the Brunists (1966), la Flûte de Pan (1969), le Bûcher de Times Square (1977), Au lit un soir (1983), Une éducation en Illinois (1987).

Cozzens, James Gould [R] (1903-78) : le San Pedro (1931), la Garde d'honneur, Saisi par l'amour.

Crumley, James [R] (1939) : le Dernier Baiser (1978).

Cullen, Countee [P] (1903-46).

Davenport, Guy [Es, Nouv] (1927).

De Vries, Peter [E] (1910).

Delillo, Don [R] (1936) : les Noms (1982), Bruits de fond (1984).

Dick, Philip K. [R] (1928-82) : Ubik (1970).

Dickey, James [P, R] (1923) : Délivrance.

Didion, Joan [R] (1935) : Maria avec ou sans rien, The Book of Common Prayer (1977).

Dillard, Annie [P, R] (1945) : Pèlerinage à Tinker Creek (1974).

Discon, Stephen [Nouv, R] (1936).

Doctorow, Edgar L. [R] (1931) : Big as Life (1966), le Livre de Daniel (1971), Ragtime (1975), Billy Bathgate (1989).

Donleavy, James Patrick [R] (1926) : Homme de gingembre, Barbe-Rousse (1955).

Eberhart, Richard [P] (1904).

Elegant, Robert S. [R, Es] (1929) : Dynastie (1977).

Ellis, Bret Easton [R] (1964) : Moins que zéro (1985), Lois de l'attraction (1987).

Ellison, Ralph [R] (1914) : l'Homme invisible (1952).

Ellroy, James [E] (n.c.) : le Grand Nulle Part.

Erdrich, Louise [Nouv, P, R] (1954) : l'Amour sorcier, la Branche cassée, la Forêt suspendue.

Fante, John [R] (1909-83) : Bandini, Demande à la poussière, l'Orgie, le Vin de la jeunesse, Plein de vie, Rêves de Bunker Hill (1982), la Route de Los Angeles (1985).

Farmer, Philip José [R] (1918).

Farrell, James (Thomas) [R] (1904-79) : le Petit Lonigan (1932), Un monde que je n'ai jamais fait (1936), le Jugement dernier.

Fast, Howard [R] (1914) : les Deux Vallées, l'Invincible, Spartacus, les Bâtisseurs (1977), Seconde Génération (1979).

Ferlinghetti, Lawrence [P] (1919) : la Quatrième Personne du singulier (1961).

Ford, Richard [R] (1944) : The Sportswriter (1986).

Forsythe, Frederick [J, R] (1938) : Chacal, l'Alternative du diable (1980), le Quatrième Protocole, le Négociateur (1989).

Friedman, Milton [Ec] (1912) : Capitalisme et liberté, Histoire monétaire des États-Unis.

Gaddis, William [R] (1922) : les Reconnaissances (1955), Gothique Charpentier (1985).

Gaines, Ernst [R] (1933) : l'Autobiographie de Miss Jane Pitman (1971), Colère en Louisiane (1984).

Gaitskill, Mary [E] (1958) : Mauvaise Conduite (1988).

Galbraith, John Kenneth [Éc, Soc] (1908) : l'Ère de l'opulence (1961), les Conditions actuelles du développement économique (1962), l'Heure des libéraux (1963), le Capitalisme américain (1966), le Nouvel État industriel (1968), le Triomphe (1969), Voyage en Chine (1973), l'Argent (1977), le Temps des incertitudes (1978), Une vie dans son siècle, Anatomie du pouvoir (1985).

Gangemi, Kenneth [R] (1937) : Lydia (1970).

Gardner, John [R] (1933-1982) : la Symphonie des spectres, On Moral Fiction.

Gibbons, Kaye [E] (1960) : Ellen Forster (1988).

Gilchrist, Ellen [E] (1935) : Un air de vérité (1988).

Ginsberg, Allen [P] (1926) : Hurlement (1956), Miroir vide, Sandwichs à la réalité.

Goodis, David [R] (1918-67) : Cauchemar, Tirez sur le pianiste, la Lune dans le caniveau.

Goyen, William [Nouv, R] (1915-83) : la Maison d'haleine (1950), Arcadio (1983), Une forme sur la ville.

Green, Gerald [R] (1922) : Holocauste (1978), les Enfants d'Hippocrate (1979).

Haley, Alex [Ec] (1921) : Racines (1977), le Cavalier blanc (1988).

Harrison, Jim [R] (1937) : Sorcier, Un beau jour pour mourir, Faux soleil, Dalva, Légendes d'automne.

Hart, Moss [D] (1904-61) (coauteur avec Kaufman) : Une fois dans la vie (1930), L'homme qui vient dîner.

Hawkes, John [R] (1925) : le Cannibale (1949), la Patte du scarabée (1951), le Gluau, les Oranges de sang (1973), Aventures dans le commerce des peaux en Alaska (M. étr. 1986).

Heller, Joseph [R] (1923) : Catch 22, Panique (1974), Dieu Sait (1984), (M. étr. 1985).

Hellman, Lillian [D] (1905-84) : l'Heure enfantine (1934), la Garde sur le Rhin (1941).

Helprin, Mark [R] (1947) : Ellis Island (1981), Conte d'hiver (1983).

Hersey, John [R] (1914) : le Mur, Une cloche pour Adamo.

Highsmith, Patricia [R] (1921) : l'Inconnu du Nord-Express, le Journal d'Edith, Sur les pas de Ripley, Les gens qui frappent à la porte, Une créature de rêve, Catastrophe (1988).

Himes, Chester [R] (1909-84) : la Reine des pommes (1958).

Hite, Shere [Es] (1943) : le Rapport Hite, les Femmes et l'amour (1988).

Hopkins, John [R] (1922) : l'Arpenteur (1967), les Mouches de Tanger, le Vol du pélican (1983).

Horgan, Paul [R, H] (1903) : Loin de Cibola, le Rio Grande, les Conquistadors dans l'hist. nord-américaine.

Hughes, Langston [P] (1902-67).

Inge, William [D] (1913-73).

Irish, William (George Hopley-Woolrich) [R] (1903-68). J'ai épousé une ombre (1949), la Sirène du Mississippi (1950), La mariée était en noir, Concerto pour l'étrangleur, Irish Cocktail.

Irving, John [R] (1942) : le Monde selon Garp, Hôtel New Hampshire, Un mariage poids moyen, l'Œuvre de Dieu, la part du Diable, l'Épopée du buveur d'eau, Une prière pour Owen (1988).

Isherwood, Christopher [R, D] (Angl. naturalisé, 1904-86) : *Romans :* Tous les conspirateurs (1928), le Mémorial (1932), M. Norris change de train, Adieux à Berlin (1939), le Lion et son ombre, la Violette du Prater, l'Ami de passage, Octobre.

Jarrel, Randall [P] (1914-65).

Johnson, Denys [P, R] (1949) : la Débâcle des anges (1983), Fiskadoro (1985).

Jones, James [R] (1921-77) : Tant qu'il y aura des hommes (1951), le Retour (1982).

Jong, Erica [R] (1942) : le Complexe d'Icare, la Planche de salut, Fanny, les Parachutes d'Icare, Nana Blues.

Kaufman, Bob [P] (1925-86).

Kennan, George F. [H] (1904).

Kennedy, William [R] (1926) : l'Herbe de fer, Billy Phelan, Jack Legs Diamond.

Kerouac, Jack [R, P] (1922-69) : Avant la route (1950), Sur la route (1957), les Clochards célestes, le Vagabond solitaire (1963), Visions de Gérard (1963), les Anges vagabonds (1965). *Poésie :* Mexico City Blues (1959), Rimbaud (1960), Satori à Paris, Tristessa (1982).

Kesey, Ken [R] (1935) : Vol au-dessus d'un nid de coucou (1962), Demon Box (1986).

King, Stephen [R] (1947) : Carrie (1973), Dead Zone (1975), l'Accident, Misery (1989), la Part des ténèbres.

Kingsley, Sidney [D] (1906) : Des hommes en blanc (1933), les Patriotes, Histoire de détective.

Kohan, Rhéa [R] (n.c.) : la Célibataire (1982).

Korda, Michael [R] (1933) : l'Héritage, la Succession Bannerman (1989).

Krantz, Judith [R] (1928) : Scrupules (1978), Princesse Daisy (1980), l'Amour en héritage (1983).

Kunitz, Stanley [E, P] (1905).

Laurents, Arthur [D] (1918) : West Side Story (1957).

Lazarsfeld, Paul Felix [Soc] (1901-76).

Leavitt, David [Nouv, R] (1961).

Personnages de la littérature américaine

Rip Van Winckle : Conte (1819) de Washington Irving (garçon qui s'endort pour 20 ans au milieu des montagnes d'Amérique du Nord).

Œil-de-Faucon (Natty Bumppo) : récits des Bas-de-cuir (1823-41) par John Fenimore Cooper (aventurier blanc dans l'Ouest).

L'Oncle Tom : la Case de l'O.T. (roman, 1851) par Harriet Beecher Stowe (l'esclave au grand cœur).

Tom Sawyer : les Aventures de T. S. (1876) par Mark Twain (gamin ingénieux et hardi).

Ben Hur : roman du même titre (1880) par Lewis Wallace (un redresseur de torts).

Le Capitaine Achab : Moby Dick (roman, 1891) par Herman Melville (esprit aventureux, obsédé par une idée fixe).

Babbitt : roman (1922) par Sinclair Lewis (homme d'affaires à la fois réaliste et naïf).

Scarlett : Autant en emporte le vent (roman, 1936) par Margaret Mitchell (héroïne sudiste).

Lolita : roman (1955) par Vladimir Nabokov (nymphette aimée d'un homme mûr).

Lee, Harper [R] (1926) : Mort d'une pie moqueuse.

Lowell, Robert [P] (1917-77) : le Château de Lord Weary (1947), Benito Cereno (1967), Prometheus Bound (1971).

Lowery, Bruce [R] (1931).

Ludlum, Robert [R] (1927) : l'Héritage Scarlatti (1970), la Mémoire dans la peau, la Mort dans la peau, la Route de Gondolfo, l'Agenda Icare (1989), l'Échange Rhinemann, la Vengeance dans la peau (1990).

Lurie, Alison [R] (1926) : Liaisons étrangères (1987), la Vérité sur Lorin Jones.

McCarthy, Mary [R] (1912-89) : Dis-moi qui tu hantes (1942), A contre-courant (1963), les Bosquets d'Académe, le Groupe (1963), le Procès du capitaine Medina (1973), les Oiseaux d'Amérique, Cannibales et missionnaires (1981).

McCullers, Carson [R, D] (1917-67) : Le cœur est un chasseur solitaire, Reflets dans un œil d'or, Frankie Adams, la Ballade du café triste, le Cœur hypothéqué, l'Horloge sans aiguille.

McElroy, Joseph [R] (1930) : A Smuggler's Bible (1966), Hind's Kidnap (1969), Ancient History (1971), Women and Men (1987).

McGuane, Thomas [R] (1939) : 33° à l'ombre, Comment plumer un pigeon, l'Homme qui avait perdu son nom.

McMurtry, Larry [R] (1936) : la Dernière séance (1966), Anything for Billy (1988).

Mailer, Norman [R] (1923) : les Nus et les Morts (1948), le Parc aux cerfs (1955), Un rêve américain (1965), Pourquoi sommes-nous au Viêt-nam ? (1967), les Armées de la nuit, Mémoires imaginaires de Marilyn (1973), le Chant du bourreau (1979), Nuits des temps (1983), Les vrais durs ne dansent pas, Morceaux de bravoure.

Malamud, Bernard [R] (1914-86) : le Commis, les Idiots d'abord (1965), l'Homme de Kiev (1967), Portrait de Fidelman (1969), les Locataires (1971), Dubin's Live (1979), la Grâce de Dieu (1983).

Malcolm X (Malcolm Little) [Pol] (1925-65) : Autobiographie (1965).

Manchester, William [R] (1922) : Mort d'un président, les Armes des Krupp, la Splendeur et le rêve, Winston Churchill (2 vol.) 1990.

Mayer, Arno [H] (n.c.) : la « Solution finale » dans l'histoire (1988).

Mead, Margaret [Soc] (1901).

Michener, James A. [R] (1907) : Pacifique-Sud (1947), Chesapeake (1979), Alaska (1989).

Miller, Arthur [D, R] (1915) : Ils étaient tous mes fils (1947), la Mort d'un commis voyageur (1949), les Sorcières de Salem (1953), Vu du pont, les Désaxés (1961), Après la chute (1964), le Prix (1968). *Autobiogr. :* Au fil du temps (1988). – *Biogr. :* famille d'industriels, ruinés par la crise de 1929 ; travaille pour payer ses études à l'univ. de Michigan, *1931* encore étudiant, reçoit un prix pour sa pièce *L'herbe pousse encore. 1938* diplômé de l'univ. de Michigan, tente de créer un théâtre fédéral américain (échec). *1938-44* journaliste (critique dramatique). *1947* 1er succès au théâtre : *Ils étaient tous mes fils. 1949* prix Pulitzer. *1956* épouse l'actrice Marilyn Monroe (son 3e mariage ; div. 1961). *1959* American Academy.

Millet, Kate [R] (1936) : En vol, la Politique du mâle, Sita.

Mills, Charles Wright [Soc] (1916-62) : l'Élite du pouvoir (1956).

Mitchell, Margaret (Munnerlyn ; Mme John R. Marsh) [R] (1900-49) : Autant en emporte le vent (1936).

Moore, Lorrie [E] (1957) : Histoires pour rien (1985), Anagrammes (1986).

Morrison, Toni [R] (1931) : l'Œil le plus bleu (1970), la Chanson de Salomon (1977), Beloved (1987).

Nash, Ogden [Hum] (1902-71) : le Parc animalier (1965).

Nemerov, Howard [Es, P] (1920).

Nin, Anaïs [R] (1903-77) : les Miroirs dans le jardin, Collages, la Séduction du Minotaure, Journal, Être une femme, Un hiver d'artifice, les Cités intérieures, les Petits Oiseaux, Vénus Erotica, Ce que je voulais vous dire, Cahiers secrets, Correspondance passionnée (1989).

Oates, Joyce Carol [R] (1938) : Eux (1969), Mariages et infidélités (1980), Bellefleur (1981), Amours profanes (1982), Une éducation sentimentale (1983), la Légende Bloodsmoor (1985), L'homme que les femmes adoraient (1986), les Mystères de Winterthurn (1987), Marya, Ailes de corbeau (1989), Souvenez-vous de ces années-là.

O'Connor, Flannery [R] (1925-64) : la Sagesse dans le sang (1952), Les braves gens ne courent pas les rues (nouvelles, 1955), Et ce sont les violents qui l'emportent, Mon mal vient de plus loin, Pourquoi ces nations en tumulte ?, le Mystère et les mœurs, l'Habitude d'être (1979).

Odets, Clifford [D] (1906-63) : le Grand Couteau (1957).

O'Hara, John H. [R] (1905-70) : Rendez-vous à Samarra (1934), Ourselves to Know (1960), Le cheval connaît la route (1961).

Olson, Charles [P, Es] (1910-70).

Paley, Grace [R] (1925) : les Petits Riens de la vie, Plus tard le même jour.

Percy, Walker [R] (1916-90) : le Cinéphile (1961), le Syndrôme de Thanatos (1987).

Potok, Chaim [R] (1929) : le Livre des lumières (1981).

Prokosch, Frederic [R] (1908-89) : les Asiatiques, Sept Fugitifs, Voix dans la nuit.

Purdy, James [R] (1923) : Malcolm (1959), le Neveu (1960), le Satyre (1964).

Puzo, Mario [R] (1920) : le Parrain (1969), C'est idiot de mourir (1978), le Sicilien (1985).

Pynchon, Thomas [R] (1937) : V (1963), Vente à la criée du lot 49 (1966), l'Arc-en-ciel de la gravité, L'homme qui apprenait lentement, Vineland (1990).

Queen, Ellery (Frederic Dannay et Manfred Lee) [R] (1905) : le Mystère des frères siamois.

Roethke, Theodore [P] (1908-63).

Rostow, Walt Whitman [Ec] (1916) : les Étapes de la croissance économique (1952), les Étapes du développement politique (1974), Comment tout a commencé : origines de l'économie moderne (1975).

Roth, Philip [R] (1933) : Goodbye, Columbus (1959), Portnoy et son complexe (1969), l'Écrivain des ombres (1979), la Leçon d'anatomie (1982), la Contrevie (1986), Conversation à Prague.

Salinger, Jerome David [R] (1919) : l'Attrape-cœur (1951), Franny et Zooey (1961).

Salinger, Pierre [R] (1925) : le Scoop (1985), le Nid du faucon (1988).

Samuelson, Paul Anthony [Ec] (1915).

Saroyan, William [R, D] (1908-81) : Nouvelles, le Temps de notre vie, Maman je t'adore, Papa tu es fou. *Théâtre :* Mon cœur est dans les Highlands.

Schaefer, Jack [R] (1907-91).

Schlesinger, Arthur, Jr. [E] (1917) : Un héritage amer : le Viêt-nam (1967), la Crise de confiance, Kennedy et son temps (1979).

Schulberg, Budd [R] (1914) : Qu'est-ce qui fait courir Sammy ?, le Désenchanté (1951).

Segal, Erich [R] (1937) : Love Story (1970), Oliver's Story (1976), Un homme, une femme, un enfant (1980), la Classe (1986). Voir best-sellers p. 343.

Selby, Hubert [R] (1928) : Dernière sortie pour Brooklyn (1964), la Geôle (1971), Retour à Brooklyn (1978).

Shapiro, Karl [P] (1913) : Lettres d'un vainqueur et autres poèmes (1944).

Shaw, Irwin [R] (1913-84) : le Bal des maudits (1948), Entrez dans la danse, le Riche et le Pauvre, le Mendiant et le Voleur, la Croisée des pistes (1980).

Shepard, Sam [D] (1943).

Simon, Neil [D] (1927) : Pieds nus dans le parc, le Bon Docteur.

Singer, Isaac Bashevis [R] (1904) : la Famille Moskat (1950), le Magicien de Lublin (1960), Old Love (1979), le Pénitent (1984) [N. 1978].

Slaughter, Franck [R] (1908) : Afin que nul ne meure (1941), la Divine Maîtresse (1949).

Sorrentino, Gilbert [P, R] (1929).

Spillane, Mickey (Frank Morrison) [R] (1918) : le Dogue, Mike Hammer.

Steinbeck, John [R, D] (1902-68) : *Romans :* Tortilla Flat (1935), En un combat douteux (1936), Des souris et des hommes (1937), les Raisins de la colère (1939), la Mer de Cortez (1941), Rue de la Sardine (1945), la Perle (1948), A l'est d'Eden (1952) [N. 1962]. – *Biogr. :* famille germano-irlandaise immigrée en Californie ; enfance à Salinas, études à Stanford, puis retour à Salinas (travailleur agricole). *1930* sans travail (crise), se tourne vers le socialisme. *1936* succès du roman communisant : *En un combat douteux. 1940* prix Pulitzer pour *les Raisins de la colère.* Après *1952* abandonné par son public, écrit plusieurs livres réactionnaires (dont un pamphlet antifrançais : *le Règne éphémère de Pépin IV).*

Stone, Irving [R] (1903-89).

Styron, William [R] (1925) : Un lit de ténèbres, la Marche de nuit (1952), la Proie des flammes, les Confessions de Nat Turner (1967), le Choix de Sophie (1979), Cette paisible poussière et autres écrits, Face aux ténèbres.

Sukenick, Ronald [R] (1932) : Up (1968), The Death of the Novel and Other Stories (1969), Out (1973), Blow Away (1986).

Susann, Jacqueline [R] (1921-74) : la Vallée des poupées, Love Machine, Une fois ne suffit pas.

Swados, Harvey [P] (1920-78) : Célébration.

Taylor, Peter [Nouv, R] (1917).

Theroux, Paul [R] (1944) : Railway Bazaar (1975), le Royaume des moustiques (1982), la Double Vie de Lauren S. (1984), Patagonie Express (1988), Mon Histoire secrète (1991).

Toffler, Alvin [E] : le Choc du futur (1974), la Troisième Vague (1982), les Nouveaux Pouvoirs.

Toole, John Kennedy [R] (1938-69, suicidé) : la Conjuration des imbéciles (1981), la Bible de néon (1989).

Triffin, Robert [Ec] (Belgique, 1911).

Trumbo, Dalton [J] (1905-76) : Johnny s'en va-t-en guerre (1939).

Tuchman, Barbara W. [E, R] (1912-89).

Tyler, Anne [R] (1941) : Toujours partir, A la recherche de Caleb, le Déjeuner de la nostalgie, le Voyageur malgré lui.

Updike, John [R] (1932) : Cœur de lièvre (1960), le Centaure (1963), la Ferme, Couples (1968), Bech voyage (1970), Rabbit rattrapé (1971), Épouse-moi (1976), Un mois de dimanches (1977), le Putsch (1978), Bech est de retour, Ce que pensait Roger (1987), la Déprime, Confiance, confiance.

Uris, Léon [R] (1924) : Exodus, Trinité, Topaze, Hadj (1985).

Van Vogt, Alfred [R] (1908) : le Monde des A, Créateur d'univers, la Faune de l'espace, l'Homme multiplié.

Vidal, Gore [R, D] (1925) : Julien (1964), Burr (1973), les Faits et la fiction (1980), Messiah (1965), Création (1981), Empire (1987).

Vonnegut, Kurt [R] (1922) : Player Piano (1957), Jailbird (1979), le Berceau du chat, Gibier de potence.

Walker, Alice [R] (1944) : La Couleur pourpre (1982), Cher Bon Dieu (1988).

Wallace, Irving [R] (1916-90) : le Signe du Poisson, le Club (1977).

Warren, Robert Penn [R, P] (1905-89) : le Cavalier de la nuit (1939), Aux portes du ciel (1943), les Fous du roi (1946), le Grand Souffle (1950), la Caverne (1959), les Eaux montent (1964), Un endroit où aller (1977).

Welty, Eudora [R] (1909) : Mariage au Delta (1945), The Golden Apples (1949), The Ponder Heart (1954), Losing Battles (1970).

West, Nathanael (Weinstein) [R] (1904-40) : Courrier du cœur (1933), Un million tout rond, l'Incendie de Los Angeles (1939).

White, Edmund [R] (1940) : Forgetting Elena (1973), Un jeune Américain (1982), le Héros effarouché, l'Écharde (1987), la Tendresse sur la peau (1988).

Wilbur, Richard [P] (1921).

Williams, Charles [R] (1909-75) : la Mare aux diams (1956), Fantasia chez les ploucs (1957).

Williams, Tennessee (Thomas Lanier) [D] (1914-83) : la Ménagerie de verre (1945), Un tramway nommé Désir (1947), la Rose tatouée, la Chatte sur un toit brûlant (1955), Baby Doll (1957), Soudain l'été dernier, la Nuit de l'iguane. *Roman, nouvelle :* la Statue mutilée (1948), la Quête du chevalier (1966). – *Biogr. :* fils d'un commis voyageur sudiste ; enfance pauvre (né dans le Mississippi, élevé à St Louis à partir de 1923). *1929* à l'univ. du Missouri. *1930* dans l'indigence. *1930-33* ouvrier (chaussures). *1933* entre à l'univ. de l'Iowa, puis à celle de St Louis. *1939* 1re pièce. *1940* boursier de la Fondation Rockfeller. *1940-44* scénariste à Hollywood. *1945* succès de *la Ménagerie de verre. 1948* prix Pulitzer. *V. 1950* proche de Simone de Beauvoir. *1955* 2e prix Pulitzer.

Wolfe, Thomas [R] (1900-38) : Aux sources du fleuve (1929), Au fil du temps (1935), la Toile et le Roc (1939), l'Impossible Retour (1940).

Wolfe, Tom [Cr, R] (1931) : l'Étoffe des héros (1979), le Bûcher des vanités (1987).

Woolf, Douglas [R] (1922) : les Croulants (1959), D'un mur à l'autre (1962).

Wouk, Herman [R] (1915) : Ouragan sur le Caine (1951), le Souffle de la guerre, les Orages de la guerre.

Wright, Richard [R] (1908-60) : les Enfants de l'oncle Tom (1938), Un enfant du pays (1940), Black Boy (1945).

Wurlitzer, Rudolph [R] (1938) : Nog (1969), Flats (1970), Quelle secousse ! (1972), Slow Fade (1984).

Yates, Richard [R] (1926) : Revolutionary Road (1961), Fauteur de troubles (1975).

Littérature anglaise

Nés avant 1500

Écrivains de langue latine

Alcuin [Sav] (v. 735-804).

Bacon, Roger, dit le Docteur admirable, moine [Ph, Théo] (1214-94).

Bède le Vénérable [Eru, H] (673-735).

Duns Scot, John, dit le Docteur subtil [Ph, Théo] (Écos.) (v. 1266-1308) : Traité du principe de toutes choses, Livre des sentences.

Geoffroi, de Monmouth [H] (1100-54) : Histoire des rois de Bretagne.

Grosseteste, Robert [Ph] (1175-1253).

Guillaume, d'Ockham [Ph] (1290-1349).

More, ou **Morus,** Sir Thomas [Ph, Pol] (1478-1535) : l'Utopie (1516). A écrit aussi en anglais.

Scot Érigène, Jean [Ph, Théo] (Écos. ou Irl.) (IXe siècle).

Écrivains de langue saxonne ou anglaise

Anonymes : Beowulf (v. 1000), Sire Gauvain et le Chevalier vert (XIVe s.), Robin des Bois (v. 1340).

Aelfric [Préd, Mor] (v. 995-v. 1020).

Alfred, roi du Wessex [H, Ph] (849-901) : traduction d'ouvrages latins.

Caedmon [P] (v. 680) : Poèmes « caedmoniens » (apocryphes).

Chaucer, Geoffrey [P] (v. 1340-1400) : Troïlus et Cressida (1380), Contes de Cantorbéry (1387-1400).

Cynewulf [P] (v. 750-v. 800) : Hélène.

Dunbar, William [P] (v. 1465-v. 1520) : le Chardon et la Rose.

Gower, John [P] (v. 1330-1408). Écrit également en latin et en français.

Henryson, Robert [Fab] (Ecos.) (v. 1425-1500).

Heywood, John [D, P] (1497-1580) : Interludes.

Langland, William [P] (v. 1330-v. 1400) : la Vision de Pierre le Laboureur.

Layamon [P] (?-1205).

Lydgate, John [P] (v. 1370-v. 1451) : le Livre de Troie (v. 1420).

Malory, Sir Thomas [P] (v. 1408-71) : la Mort d'Arthur (1469).

Occleve, Thomas [P] (v. 1368-v. 1450).

Skelton, John [P] (v. 1460-1529) : Satires, Élégie sur Philippe le Moineau, la Guirlande de laurier (1523).

Tyndale, William [Théo, Pol] (v. 1477-1536) : De l'obéissance du chrétien (1528).

Wulfstan [Préd] (1023) : Sermons.

Wyclif, John [Théo] (v. 1320-84) : traduction de textes bibliques.

Nés entre 1500 et 1600

Ascham, Roger [Eru] (1515-68) : le Maître d'école.

Bacon, Sir Francis [Es, Ph] (1561-1626) : Essais, Novum Organum (1620).

Burton (Robert) [E] (1577-1640) : l'Anatomie de la mélancolie.

Campion, Thomas [P] (1567-1620).

Dekker, Thomas [D] (v. 1572-v. 1632) : l'Honnête Courtisane, le Diable du village.

Donne, John [P] (1572-1631) : Satires.

Fletcher, John [D] (1579-1625) et **Beaumont,** Francis (1554-1616) : le Chevalier de l'ardent pilon (1607), le Misogyne (1607), Philaster (1610), Tragédie de la jeune fille.

Ford, John [D] (1586-apr. 1639) ; Dommage qu'elle soit une putain, le Cœur brisé.

Greene, Robert [D, R] (v. 1558-92).

Herbert, George [P] (1593-1633) : le Temple.

Herrick, Robert [P] (1591-1674).

Heywood, Thomas [D] (v. 1574-1641).

Hobbes, Thomas [Ph] (1588-1679) : le Citoyen (1649), Léviathan (1651).

Jonson, Ben [D] (1572-1637) : Chacun dans son caractère, Chacun hors de son caractère, Catilina, Volpone (1606), Le Diable est un sot (1616).

Kyd, Thomas [D] (v. 1558-94) : Arden de Feversham (1586), Tragédie espagnole.

Lodge, Thomas [P] (1558-1625) : Rosalinde.

Lyly, John [D, Nouv] (v. 1553-1606) : Euphues (1578).

Marlowe, Christopher [D] (1564-93) : la Vie et la mort du docteur Faust (1588), Edouard II (1592). *Voir* Shakespeare.

Massinger, Philip [D] (1583-1648.)

Middleton, Thomas [D] (1580-1627) : Que les femmes se défient des femmes.

Nashe, Thomas [Polé, R] (1567-1601) : le Voyageur infortuné (1594).

Norton, Thomas [D] (1532-84) : Gorboduc (1561) (écr. avec Sackville).

Peele, George [D, P] (v. 1558-97).

Sackville, Thomas, Bon (v. Norton) [D, P] (1536-1608).

Shakespeare, William [D, P] (1564-1616) : *Sonnets* (1600-09). *Théâtre :* Henri VI (1590-92), la Mégère apprivoisée (1594), Roméo et Juliette (1595), le Songe d'une nuit d'été (1595), Richard II (1597), Richard III (1597), Henri IV (1597-98), les Joyeuses Commères de Windsor (1598), Jules César (1599), le Marchand de Venise (1600), Henri V (1600), Beaucoup de bruit pour rien (1600-23), la Nuit des rois (1600), Hamlet (1602), Troïlus et Cressida (1602), Tout est bien qui finit bien (1602-03), Othello (1604), Mesure pour mesure (1604), Macbeth (1605), Antoine et Cléopâtre (v. 1607), Timon d'Athènes (1608), le Roi Lear (1608), Coriolan (1608-23), la Tempête (1611), Henri VIII (1612), Comme il vous plaira (1623). – *Controverses :* sauf quelques poèmes, Sh. n'a rien publié de son vivant et l'on ne connaît aucun manuscrit de lui. Simple acteur, il n'eut guère l'occasion de voyager. Certains ont estimé qu'il n'aurait jamais pu écrire des pièces se déroulant dans des régions et à des époques très variées. On a ainsi vu « sous le masque de Sh. » le philosophe Francis Bacon ; Édouard de Ver, 17e comte d'Oxford ; Roger Manners, comte de Rutland ; William Stanley, 6e comte de Derby ; Christopher Marlowe [poète aventurier, agent secret, compromis pour athéisme, il aurait jugé prudent de « disparaître » en 1593, faisant croire à sa mort dans une rixe au cabaret ; caché chez un protecteur (peut-être chez le comte d'Oxford), il aurait ensuite écrit les drames « shakespeariens »].

Shirley, James [D, P] (1596-1666) : le Mariage, le Cardinal.

Sidney, Sir Philip [R, P] (1554-86) : l'Arcadie, Astrophel et Stella.

Spenser, Edmund [P] (1552-99) : le Calendrier du berger, la Reine des fées (1579), l'Allégorie, Épithalame. (Créateur de la strophe spensérienne.)

Surrey, Henry Howard, comte de [P] (1517-47) : Sonnets.

Walton, Izaak [Chr] (1593-1683) : le Parfait Pêcheur à la ligne.

Watson, Thomas [P] (v. 1557-v. 1592) : Sonnets.

Webster, John [D, E] (1578-1632) : le Démon blanc, la Duchesse de Malfi.

Wyatt, Sir Thomas [P] (v. 1503-42) : Sonnets.

Nés entre 1600 et 1700

Addison, Joseph [E, P] (1672-1719) : fonda avec Steele le journal « The Spectator » ; Caton (1713).

Arbuthnot, John [Polé] (1667-1735) : Histoire de John Bull (1712).

Bentley, Richard [Cr] (1662-1742).

Berkeley, George [Ph] (Irl.) (1685-1753) : Nouvelle Théorie de la vision (1709), Siris.

Browne, Sir Thomas [Es] (1605-82).

Bunyan, John [R] (1628-88) : le Voyage du pèlerin (1678-84).

Butler, Samuel [P] (1612-80) : Hudibras.

Chesterfield, Philip Stanhope, Lord [E] (1694-1773) : Lettres à mon fils (1774).

Congreve, William [D] (1670-1729) : Amour pour amour (1695), Ainsi va le monde (1700).

Cowley, Abraham [P] (1618-76).

Crashaw, Richard [P] (v. 1613-49) : les Marches du temple (1646).

Defoe, Daniel [R] (v. 1660-1731) : Robinson Crusoé (1719), le Capitaine Singleton (1720), Moll Flanders (1722), Journal de l'année de la peste, les Chemins de fortune.

Denham, John [P] (1615-69) : la Colline de Cooper.

Dryden, John [D, P] (1631-1700) : Essai sur la poésie dramatique (1667).

Etherege, Sir George [D] (v. 1634-91) : l'Homme à la mode (1675).

Farquhar, George [D] (Irl.) (1678-1707) : Stratagèmes des petits-maîtres (1707), Modeste Proposition (1729).

Gay, John [D] (1685-1732) : l'Opéra des gueux (1728).

Locke, John [Ph] (1632-1704) : Essai sur l'entendement humain (1690), Traités du gouvernement civil (1690).

Lovelace, Richard [P] (1618-58).

Marvell, Andrew [P] (1621-78) : Poèmes choisis.

Milton, John [E, P] (1608-74) : Défense du peuple anglais (1651), le Paradis perdu (1667), Samson combattant (1671), le Paradis reconquis (1671). – *Biogr. :* fils d'un notaire puritain ; commence à écrire à 10 ans ; destiné à la prêtrise, études à Oxford. *1630* refuse les ordres (méprise le clergé). *1630-38* vit chez son père près de Windsor. *1638-39* voyage France et Italie. *1639-42* vit à Londres, précepteur de ses neveux. *1643* se marie (4 enfants de 1646 à 52). *1643-48* partisan de Cromwell ; écrit un traité justifiant l'exécution du roi. *1649* secrétaire latin du Conseil d'Etat. *V. 1650* perd la vue. *1656* veuf, se remarie. *1657* redevient veuf. *1660* épuré à la Restauration, puis gracié. *1662* perd ses biens (faillite de son notaire). *1663* épouse Elizabeth Minshull

(17 ans), qui se dévoue pour lui jusqu'à sa mort (attaque de goutte).

Newton, Sir Isaac [Sav] (1642-1727).

Otway, Thomas [D] (1652-85) : Don Carlos, l'Orpheline ou le Mariage malheureux (1680), Venise sauvée (1682).

Pepys, Samuel [E] (1633-1703) : Journal.

Pope, Alexander [P, Ph] (1688-1744) : Essai sur l'homme, Épîtres, Satires.

Richardson, Samuel [R] (1689-1761) : Pamela (1740), Clarisse Harlowe (1747-48), l'Hist. de Sir Charles Grandison (1754).

Shaftesbury, Anthony, comte de [Ph] (1671-1713) : Traits caractéristiques des hommes, des coutumes, des opinions et des temps.

Steele, Sir Richard [D] (Irl.) (1672-1729).

Suckling, Sir John [D, P] (1609-42).

Swift, Jonathan [R] (Irl.) (1667-1745) : Conte du tonneau (1704), Voyages de Gulliver (1726).

Vanbrugh, Sir John [D] (1664-1726).

Vaughan, Henry [P] (1622-95).

Wycherley, William [D] (v. 1640-1716) : l'Épouse campagnarde (1673).

Young, Edward [P] (1683-1765) : Nuits (1742-45).

Nés entre 1700 et 1800

Austen, Jane [R] (1775-1817) : Orgueil et Préjugé (1813), Persuasion (1818).

Bentham, Jeremy [Ph, Jur] (1748-1832).

Blake, William [P] (1757-1827) : Chants d'innocence (1789), Jérusalem (1804-20).

Boswell, James [E] (1740-95) : Vie de S. Johnson.

Burke, Edmund [Es, Pol] (1729-97) : Réflexions sur la Révol. française (1790).

Burney, Frances (Madame d'Arbley) [Nouv, R] (1752-1840) : Evelina (1778), Cecilia (1782), Journal.

Burns, Robert [P] (Écos.) (1759-96) : Chansons populaires d'Écosse (1786).

Byron, George Gordon, Lord [P] (1788-1824) : le Chevalier Harold (1812), la Fiancée d'Abydos (1813), le Corsaire (1814), Lara (1814), le Siège de Corinthe (1816), le Prisonnier de Chillon (1816), Manfred (1817), Mazeppa (1819), Don Juan (1819-24). – *Biogr. :* noblesse écossaise sans fortune. Pied-bot. *1798* hérite (de son oncle, Lord Byron). *1801-05* études à Harrow ; sportif malgré son infirmité. *1805-08* études à Cambridge. *1808* prend possession de son domaine de Newstead et siège à la Chambre des Lords. *1810* croisière en Méditerranée. *1813* liaison incestueuse avec sa sœur Augusta. *1815-16* épouse Annabella Milbanke (la chasse pour reprendre Augusta). *1816-24* séjour en Italie ; fréquente les carbonari. *1824* rejoint les insurgés grecs à Missolonghi ; meurt de maladie au bout de 3 mois.

Carlyle, Thomas [Es, Cr] (1795-1881) : Sartor Resartus (1833), Frédéric le Grand (1858-65).

Chatterton, Thomas [P] (1752-70).

Coleridge, Samuel Taylor [P] (1772-1834) : Ballades lyriques (dont le Vieux Marin) (1798), Christabel, Kubla Khan.

Collins, William [P] (1721-59) : Odes.

Cowper, William [P] (1731-1800) : la Tâche, Lettres.

Fielding, Henry [R] (1707-54) : Joseph Andrew (1742), Tom Jones (1749), Amelia (1751).

Gibbon, Edward [H] (1737-94) : Hist. de la décadence et de la chute de l'Empire romain (1776-88).

Godwin, William [R] (1756-1836) : les Aventures de Caleb Williams.

Goldsmith, Oliver [E, Nouv, P] (1728-74) : le Vicaire de Wakefield (1766), le Village abandonné (1770), Elle s'abaisse pour vaincre (1773).

Graves, Richard [R] (1715-1804) : le Don Quichotte.

Gray, Thomas [P] (1716-71) : Élégie écrite dans un cimetière de campagne (1751).

Hamilton, Sir William [Ph] (Écos.) (1788-1856), la Philosophie de l'inconditionnel (1829).

Hazlitt, William [Cr, Es] (1778-1830) : Panorama du théâtre anglais (1818).

Hume, David [E, Ph] (1711-76) : Essais sur l'entendement humain (1748).

Johnson, Samuel [E] (1709-84) : Dictionnaire, Vie des poètes anglais (1779-81).

Keats, John [P] (1795-1821) : Endymion (1818), Odes [à un rossignol, à l'automne (1819-20)], la Vigile de sainte Agnès (1820), la Belle Dame sans merci (1820).

Lamb, Charles (1775-1834) et Mary (1764-1847) [E] : Contes tirés de Shakespeare (1807), Essais d'Elia.

Landor, Walter Savage [P, Pros] (1775-1864).

Lewis, Matthew Gregory [R] (1775-1819) : le Moine (1796).

Mackenzie, Henry [Nouv] (1745-1831) : Julia de Roubigné (1777).

Macpherson, James [P] (Écos.) (1736-96) : Poèmes « d'Ossian » (1760), Fingal (1761), Temora (1763).

Malthus, Thomas Robert [Ec] (1766-1834) : Essai sur le principe de population (1798), Principes d'économie politique (1819).

Mill, James [Ph, H, Ec] (1773-1836).

Moore, Thomas [P] (Irl.) (1779-1852) : Mélodies irlandaises (1807-34), Lalla Rookh (1817).

Peacock, Thomas Love [Hum] (1785-1866).

Percy, Thomas [Eru] (1729-1811).

Quincey, Thomas de [E] (1785-1859) : Confessions d'un mangeur d'opium (1821), De l'assassinat considéré comme un des beaux-arts (1827), les Derniers Jours d'Emmanuel Kant, Judas Iscariote.

Radcliffe, Ann [R] (1764-1823) : les Mystères d'Udolphe (1794).

Reid, Thomas [Ph] (1710-96).

Ricardo, David [Ec] (1771-1823) : les Principes de l'économie politique et de l'impôt (1817).

Scott, Sir Walter [P, R] (Écos. 1771-1832) : Rob Roy (1818), la Fiancée de Lammermoor (1819), Ivanhoé (1820), Kenilworth (1821), Quentin Durward (1823). – *Biogr. :* noblesse écossaise (père attorney, à Édimbourg), maladif. *1787* à 16 ans, secrétaire au tribunal de son père. *1792* avocat. *1799* shérif du Selkirkshire. *1806-31* greffier au Parlement d'Édimbourg. *1808* dans les affaires (imprimerie, maison d'édition, théâtre, etc.), se ruine. *1814* romans historiques (anonymes) pour payer ses dettes. *1820* baronet. *1824* reconstruit son château d'Abbotsford (acheté 1810). *1825* faillite (130 000 livres de dettes). *1828* à force de travail, rembourse 40 000 livres. *1830* surmené, paralysé, meurt.

Shelley, Percy Bysshe [P] (1792-1822) : Alastor, la Sensitive, Ode au vent d'ouest, Ode à l'alouette, Adonaïs. – *Biogr. :* fils d'un gentilhomme campagnard ; éduqué à Eton (souffre-douleur de ses camarades), puis Oxford (chassé pour athéisme). *1811* enlève Harriet Westbrook (16 ans) et l'épouse. *1813* naissance de sa fille Ianthe. *1814* s'enfuit sur le continent avec Mary Godwin. *1815* hérite de sa grand-mère : aisance. *1816* a un fils (William) de Mary : Harriet se suicide ; Sh. épouse Mary et va avec elle en Italie. *1820* à Pise. *1822* se noie au large de La Spezia ; incinéré en présence de Byron.

Sheridan, Richard Brinsley Butler [D] (1751-1816) : les Rivaux (1775), l'École de la médisance (1777).

Smith, Adam [Ec] (Écos.) (1723-90) : Recherches sur la nature et les causes de la richesse des nations (1776).

Smollett, Tobias George [E] (Écos.) (1721-71) : Roderick Random (1748), Peregrine Pickle (1751), les Aventures de Ferdinand comte Fathom (1753), Voyage de Humphry Clinker (1771).

Southey, Robert [P] (1774-1843) : la Vie de Nelson (1813), Vie des amiraux anglais (1834).

Sterne, Laurence [R] (1713-68) : Tristram Shandy (1760-67), le Voyage sentimental (1768).

Stewart, Dugald [Ph] (Écos.) (1753-1828).

Thomson, James [P] (Écos.) (1700-48) : les Saisons (1726-30).

Walpole, Horace, Cte d'Orford [R] (1717-97) : le Château d'Otrante (1764).

Warton, Thomas [P, Cr] (1728-90) : Histoire de la poésie anglaise (1774-81).

Wordsworth, William [P] (1770-1850) ; Ballades lyriques (1798), l'Excursion (1814). – *Biogr. :* fils d'un magistrat ; perd sa mère à 7 ans, son père à 13 ans. Élevé à Cambridge. *1791* en France, devient républicain (il a un enfant naturel, né à Blois, qu'il reconnaît). *1793* poursuivi comme girondin, s'enfuit en Angleterre. *1795* petit héritage, vit avec sa sœur à Racedown ; rencontre Coleridge, se consacre à la poésie. *1799* se fixe avec sa sœur à Dove Cottage (Lake District). *1800* Lord Lonsdale lui lègue une petite pension. *1802* épouse sa cousine, Mary Hutchinson. *1822* nouvelle pension (de Sir George Beaumont) qui lui permet de voyager en Europe. *1842* poète lauréat. *1843* pension royale de 3 000 livres.

Nés entre 1800 et 1900

Aldington, Richard [R, P] (1892-1962) : Mort d'un héros (1929), la Fille du colonel, Sept contre Reeves.

Arnold, Matthew [P, Cr] (1822-88) : Culture et Anarchie (1869).

Bain, Alexander [Ph] (Écos.) (1818-1903) : Science de l'éducation.

Baring, Maurice [R] (1874-1945) : Daphne Adeane (1926), Pastels, le Prince noir, Jeux du berceau, Souvenirs pénibles.

Quelques personnages de la littérature anglaise

Les Chevaliers de la Table Ronde : épopées anonymes du « cycle breton » (XIe-XIVe siècle) (les héros mystiques et chevaleresques).

Robin des Bois : récits anonymes (v. 1340) (le redresseur de torts).

La Mégère apprivoisée (comédie, 1594) de Shakespeare (jeune mariée capricieuse et têtue).

Roméo et Juliette (drame, 1597) de Shakespeare (couple idéal de jeunes amoureux).

Falstaff [Henri IV et Henri V, drames, les Commères de Windsor, comédie, 1598] de Shakespeare (brigand truculent, vantard et lâche).

Hamlet (drame, 1600-01) de Shakespeare (le velléitaire désespéré).

Othello (drame le More de Venise, 1604) de Shakespeare (le jaloux tragique).

Lady Macbeth (drame Macbeth, 1606) de Shakespeare (ambitieuse criminelle).

Caliban (drame La Tempête, 1611) de Shakespeare (monstre borné et naïf).

Volpone (comédie, 1607) de Ben Jonson (financier cupide et sans scrupules).

John Bull (histoire de J.B., pamphlet, 1712) d'Arbuthnot (le peuple anglais réaliste et brutal).

Robinson Crusoé (1719), roman de Daniel Defoe (naufragé colonisateur d'une île déserte).

Gulliver (les Voyages de G., 1727), roman de J. Swift (observateur impitoyable mais humoriste des vices humains).

Lilliputien, même ouvrage (habitant de Lilliput, haut de 6 pouces).

Pamela (roman, 1741), de S. Richardson (l'innocence persécutée).

Lovelace (roman Clarissa Harlowe, 1748) de S. Richardson (pervertisseur cruel).

Childe Harold (1812-18, poème) de Lord Byron (misanthrope épris de voyages).

Manfred (1817, drame) de Lord Byron (romantique au destin maudit).

Ivanhoé (1819, roman) de Walter Scott (héros de la résistance saxonne contre les Normands).

Pickwick (les Papiers posthumes du Pickwick Club, 1837), roman de Ch. Dickens (jobard mythomane et mégalomane).

Oliver Twist (1838), roman de Ch. Dickens (enfant dans les bas-fonds de Londres).

Docteur Jekyll et Mr Hyde (1855), roman de Stevenson (les 2 tendances – bonne et mauvaise – de l'âme humaine).

Enoch Arden (1864), poème d'Alfred Tennyson (romantique vertueux qui se sacrifie par amour).

Alice au pays des merveilles (1865), conte de Lewis Carroll (petite fille voyageant dans l'univers des rêves).

Sherlock Holmes (1891-1927), romans de Conan Doyle (détective lucide et méthodique).

Mowgli (Livre de la Jungle, 1894), de Kipling (petit garçon vivant parmi les bêtes).

Kim (1901), roman de Kipling (jeune Anglais à la vocation colonisatrice).

L'Homme invisible (1897), roman de Wells (être fantastique allant à sa propre destruction).

Lady Chatterley (l'Amant de Lady Chatterley, 1928), roman de David H. Lawrence (femme décidée à conquérir son bonheur).

James Bond (1959-64), série romanesque de Ian Fleming (agent secret redresseur de torts).

Barrie, Sir James [D, R] (Écos.) (1860-1937) : Peter Pan (1904). *Théâtre :* l'Admirable Crichton.

Belloc, Hilaire [P, R, Cr] (or. franç. 1870-1953) : Sur rien, Emmanuel Burden.

Bennett, Enoch Arnold [R] (1867-1931) : Histoire de vieilles femmes (1908), Chayanger (1910).

Beresford, John Davys [R] (1873-1947).

Beveridge, Lord William Henry [Ec, Soc] (1879-1963) : Du travail pour tous dans une société libre (1944).

Blyton, Enid [R] (1897-1968) : les Caprices du fauteuil magique (1937).

Boole, George [Math, Ph] (1815-64).

Borrow, George [Ling, Nouv] (1803-81) : Isopel, la Bible en Espagne (1843).

Bowen, Elizabeth (Dorothea Cole) [R] (1899-1973) : la Maison à Paris (1935), les Cœurs détruits (1938), Emmeline (1941), Pacte avec le diable (1947), Un monde d'amour (1955).

Bradbury, Malcolm [R] (1932).

Bradley, Francis Herbert [Ph] (1846-1924).

Brainbridge, Beryl [R] (1934) : The Bottle Factory Outing (1974), Winter Garden (1980), Filthy Lucre (1986).

Bridges, Robert [P, Cr] (1844-1930).

Brontë, Anne [R] (1820-49) : Agnes Grey (1847), le Fermier de Wildfell Hall (1848).

Brontë, Charlotte [R] (1816-55) : le Professeur (1846), Jane Eyre (1847), Shirley (1849), Villette (1853).

Brontë, Emily [R] (1818-48) : les Hauts de Hurlevent (1847).

Brooke, Rupert [P] (1887-1915) : le Soldat.

Browning, Elizabeth Barrett [P] (1806-61) : Sonnets, Aurora Leigh (1855).

Browning, Robert (son mari) [P] (1812-89) : Hommes et Femmes (1855), l'Anneau et le Livre (1868-69).

Buchan, John [R] (1875-1940) : les 39 Marches (1915).

Bulwer, Edward, Lord Lytton [R] (1803-73) : les Derniers Jours de Pompéi (1834).

Butler, Samuel [R, Ph] (1835-1902) : Erewhon, Ainsi va toute chair.

Carroll, Lewis (Charles Lutwidge Dodgson) [R] (1832-98) : Alice au pays des merveilles (1865), A travers le miroir (1871), Sylvie et Bruno (1889).

Cary, Arthur Joyce (Lunel) [R] (1888-1957) : Missié Johnson (1939), Sara (1941), la Bouche du cheval (1944), Une joie terrible (1949), la Gracieuse Prisonnière (posth. ; 1959).

Chesterton, Gilbert Keith [E] (1874-1936) : *Romans, nouvelles :* le Napoléon de Notting Hill (1912), le Nommé Jeudi, Hérétique (1930), la Clairvoyance du père Brown (1936), Orthodoxe, la Sphère et la croix. *Essais :* la Vie de Robert Browning, Dickens, Ce qui cloche dans le monde, le Crime de l'Angleterre. *Théâtre :* Magie. – *Biogr. :* fils d'un agent immobilier londonien ; études au collège St-Paul. *1891* dessinateur, illustre les romans d'Hilaire Belloc. *1900* journaliste au *Speaker* et au *Daily News. 1901* épouse France Blogg Battersea. *1903* s'impose comme critique littéraire. *1910* se fixe définitivement à Beaconsfield. *1922* se convertit au catholicisme.

Cheyney, Peter (Reginald E. Peter Southhouse-Cheyney, dit) (1896-1951) : Cet homme est dangereux (1936), la Môme vert-de-gris (1945), Monsieur Callaghan, Les femmes s'en balancent (1945).

Christie, Agatha (Agatha Mary Clarissa Miller) [R] (1891-1976) : le Crime de l'Orient-Express, Dix Petits Nègres. Voir p. 341 c. *Théâtre :* la Souricière.

Churchill, Sir Winston Spencer [Pol] (1874-1965) : la Crise mondiale, Mémoires [N. 1953].

Clarke, Marcus [R] (1846-81).

Clough, Arthur Hugh [P] (1819-61) : Amours de voyage (1849).

Collins, William dit Wilkie [R] (1824-89) : la Dame en blanc (1860), la Pierre de lune (1868).

Compton-Burnett, Ivy [R] (1892-1969) : Des hommes et des femmes (1931), les Ponsonby, les Vertueux Aînés, la Chute des puissants (1961).

Conrad, Joseph (J.T. Konrad Nałęcz Korzeniowski, dit) [R] (1857-1924) : la Folie Almayer (1895), Un paria des îles (1896), le Nègre du « Narcisse » (1897), Lord Jim (1900), Typhon (1902), Nostromo (1904), le Miroir de la mer (1906), l'Agent secret (1907), Sous les yeux de l'Occident (1911). – *Biogr. :* né en Podolie (Ukraine) de parents polonais, propriétaires terriens. *1861* indépendantistes, ses parents sont exilés en Russie du Nord, où ils meurent. *1867-74* recueilli par un oncle ; études à Cracovie. *1874* s'enfuit à Marseille, se fait matelot et contrebandier. *1876* combattant carliste en Espagne. *1878* rejoint l'Angleterre ; matelot sur les lignes d'Australie et de l'océan Indien. *1886* naturalisé anglais, officier de la marine marchande. *1893* se met à écrire. *1896* épouse Jessie George et touche une pension de retraité. *1913* succès de *Chance ;* renonce à sa pension ; finit sa vie paralysé (rhumatismes).

Coward, Noel [D] (1899-1973) : les Amants terribles, L'esprit s'amuse (1941).

Cronin, Archibald Joseph [R] (1896-1981) : le Chapelier et son château (1930), la Citadelle (1937), les Vertes Années (1937), les Clefs du royaume (1941), le Destin de Robert Shannon (1948), le Jardinier espagnol (1950). Voir p. 341 c. – *Biogr. :* né dans le Dumbartonshire ; études médicales à Glasgow. *1917* médecin. *1921-30* à Londres avec sa femme, Mary Gibson, épousée 1921. *1930* congé de maladie, écrit *le Chapelier et son château :* succès foudroyant ; abandonne la médecine ; riche, passe sa vie à voyager.

Darwin, Charles [Nat] (1809-82) : De l'origine des espèces (1859).

Davies, William Henry [P] (1871-1940).

De la Mare, Walter [P, R] (1873-1956).

Dickens, Charles [R] (1812-70) : les Aventures de M. Pickwick (1836-37), Oliver Twist (1838), Nicolas Nickleby (1838-39), le Magasin d'antiquités (1840-41), Martin Chuzzlewit (1843-44), Un chant de Noël (1843), le Grillon du foyer (1845), David Copperfield (1849-50), De grandes espérances (1860-61). – *Biogr. :* né à Portsmouth, 2e de 8 enfants, son père (petit fonctionnaire de la Marine) est mis en prison pour dettes en 1824 ; enfance miséreuse, perpétuels déménagements, pas de scolarité. *1826* son père hérite et envoie Charles à Londres, apprendre la sténo. *1828-35* sténographe aux Communes. *1835* journaliste au *Morning Chronicle. 1836* épouse la fille d'un confrère, Catherine Hogarth. *1837* succès des *Aventures de M. Pickwick. 1841* citoyen d'honneur d'Édimbourg. *1846* fonde le *Daily News. 1850* fonde *Household Words. 1858* divorce. *1859* fonde *All the Year Round* (conférences richement payées). *1868* tournée aux U.S.A. pour 20 000 livres ; surmené, meurt d'apoplexie.

Disraeli, Benjamin [H, R] (1804-81) : Vivian Grey (1826), Endymion (1880).

Doyle, Sir Arthur Conan [R] (1859-1930) : Une étude en rouge, les Aventures de Sherlock Holmes, le Chien des Baskerville, le Signe des quatre.

Drinkwater, John [D, P] (1882-1937).

Edwards, G.B. [R] (1889-1976) : Sarnia (1983).

Eliot, George (Mary Ann Evans, dite) [E] (1819-80) : Adam Bede (1859), le Moulin sur la Floss (1860), Silas Marner (1861). – *Biogr. :* fille du régisseur (château d'Arbury) d'un baronet du Warwickshire, Francis Newdigate. *1841* va avec son père à Coventry ; renonce au christianisme, sous l'influence du philosophe Charles Hennell. *1849* mort de son père ; voyage en Europe. *1851* directrice adjointe de la *Westminster Review,* se fixe à Londres ; en ménage avec le philosophe George Henry Lewes (1817-78), ouvre un salon littéraire. *1859* succès d'*Adam Bede. 1863* s'installe avec Lewes à Regent's Park ; *1876* à Witley (Lewes y meurt en 1878). *1880* épouse un banquier américain, J.Walter Cross.

Eliot, Thomas Stearns [D, P] (or. am.) (1888-1965) : *Théâtre :* Meurtre dans la cathédrale (1905), la Réunion de famille, la Cocktail party (1950), le Secrétaire particulier, Fin de carrière. *Poésie :* The Waste Land (1922), Ash Wednesday (1930) [N. 1948].

Flecker, James Elory [P] (1884-1915).

Forester, Cecil Scott [R] (1899-1966) : Paiement différé (1926), le Canon, le Navire, série des Capitaine Hornblower, Un vaisseau de ligne, le Commodore (1944), Hornblower et l'Atropos (1953).

Forster, Edward Morgan [R] (1879-1970) : le Plus Long des Voyages (1907), Avec vue sur l'Arno (1908), le Legs de Mrs Wilcox (1911), Monteriano, Maurice (1914, publié 1971), la Route des Indes (1924), le Retour à Penge.

Frazer, Sir James George [Mor, Sav] (1854-1941) : le Rameau d'or (11 vol. 1890-1915).

Galsworthy, John [R] (1867-1933) : la Saga des Forsyte [3 trilogies : I (sans titre) (le Propriétaire 1906, Aux aguets 1920, A louer 1921) ; II Comédie moderne (le Singe blanc 1924, la Cuillère d'argent 1926, le Chant du cygne 1928) ; III la Fin du chapitre (Dinny 1931, Floraison 1932, Sur l'autre rive 1933)], Fraternité [N. 1932]. – *Biogr. :* fils d'un riche avoué du Surrey ; éducation à Harrow et Oxford (droit). *1890* au barreau, mais part pour l'Extrême-Orient, se liant avec Joseph Conrad. *1897* débuts en littérature. *1906* au théâtre. *1920* succès avec *les Forsyte.*

Gaskell, Elizabeth Cleghorn [R] (1810-65) : Ruth (1853).

Granville-Barker, Harley [D] (1877-1946) : l'Héritage des Voysey, Gaspillage, la Maison de Madras.

Graves, Robert [P, R] (1895-1985) : Moi, Claude (1934), la Déesse blanche (1948), les Mythes grecs (1955).

Hardy, Thomas [R, P, Ph] (1840-1928) : *Romans :* Remèdes désespérés (1871), le Retour au pays natal (1878), le Trompette-Major (1880), les Forestiers (1887), Tess d'Urberville (1891), Jude l'obscur (1896). *Poésie :* The Dynasts (1904-08). – *Biogr. :* du Dorset. *1856-62* travaille chez un architecte de Dorchester qui restaure les églises. *1862-63* assistant de l'architecte Arthur Blomfield ; médaille d'architecture. *1867* 1er essai, manuscrit refusé. *1874* triomphe du feuilleton, *Loin de la foule,* paru sans signature et attribué par le public à George Eliot. *1912* veuf (marié dep. 1874) ; se remarie avec Florence Dugdale, romancière pour enfants ; se retire près de Dorchester.

Hartley, Leslie Poles [P, E] (1895-1972) : la Crevette et l'Anémone, Elle et le Diable, le Messager (1953), Chassé-croisé, Le chauffeur est à vos ordres (1957).

Hopkins, Gerard Manley (Jésuite) [P] (1844-89) : Windhover (1918).

Housman, Alfred [P] (1859-1936) : Un gars du Shropshire (1896).

Huxley, Aldous [R] (1894-1963) : Contrepoint (1928), le Meilleur des mondes (1932), l'Éternité retrouvée, Temps futurs (1948), les Diables de Loudun (1952), le Génie et la Déesse, le Plus Sot Animal, Jouvence, Marina di Vezza. – *Biogr. :* petit-fils du biologiste Thomas Henry Huxley ; éducation à Eton puis Balliol ; commence des études médicales, mais perd la vue plusieurs années. *1914-15* études littéraires à Oxford. *1919* épouse une réfugiée belge, Maria Nys ; collabore à *Athenaeum. 1923-30* en Italie. *1937* en Californie ; redevient aveugle, adepte du mysticisme oriental.

Jerome, Jerome Klapka [R] (1859-1927) : Trois Hommes dans un bateau (1899).

Joyce, James [R] (Irl.) (1882-1941) : Gens de Dublin (1914), Dedalus (1916), Ulysse (1922), Finnegan's Wake (1939), Stephen le Héros (posth. 1944). – *Biogr. :* famille catholique bohème ; études chez les jésuites de Dublin. *1900* quitte Trinity College avec la haine du catholicisme, fréquente les milieux naturalistes de Paris. *1904* se marie, quitte l'Irlande avec sa femme. *1904-14* prof. d'angl. (Italie, Suisse). *1914* rompt avec la bourgeoisie dublinoise (publication des *Gens de Dublin*). *1920* à Paris, fréquente Montparnasse. *1922* succès d'*Ulysse ;* pauvre, le livre étant interdit aux U.S.A. jusqu'en 1933. *1922-40* alcoolique, aidé par des amis français. *1940* malade, se réfugie en Suisse, où il meurt.

Kennedy, Margaret [R] (1896-1967) : Tessa, la nymphe au cœur fidèle (1926), l'Idiot de la famille (1930), Femmes (1941).

Keynes, John Maynard, Lord [Ec] (1883-1946) : Théorie générale de l'emploi, de l'intérêt et de la monnaie (1936).

Kipling, Rudyard [R, P] (1865-1936) : *Essai :* l'Égypte des magiciens. *Romans, nouvelles :* Simples Contes des collines (1888), le Livre de la jungle (1894), Capitaine courageux (1897), Kim (1901), Histoires comme ça (1902), Puck (1906) [N. 1907]. – *Biogr. :* né à Bombay ; fils d'un pasteur méthodiste, conservateur du musée de Lahore (Inde) ; élevé en Angleterre. *1882* revient aux Indes, collabore à la *Civil and Military Gazette. 1887* publie un recueil de ses articles. *1887-89* courts romans imprimés à Allahabad, et vendus une roupie ; notoriété aux Indes. *1889* atteint le public anglais. *1892* épouse une Américaine, Caroline Balestier ; vit dans le Vermont, se lance dans la poésie (succès). *1894* fortune grâce au *Livre de la jungle. 1895* élu poète lauréat, refuse. *1902* fixé à Burwash, Sussex, passe l'hiver en Afr. du Sud. *1927* fonde la Kipling Society (patriotique et impériale). *1937* enseveli à Westminster.

Lawrence, David Herbert [R] (1885-1930) : le Paon blanc (1911), l'Arc-en-ciel (1915), Femmes amoureuses (1920), Ile, mon île (1922), le Serpent à plumes (1926), l'Amant de Lady Chatterley (1928), L'homme qui était mort (1929), Jack dans la brousse, Mr Noon. – *Biogr. :* fils d'un mineur du Nottinghamshire et d'une institutrice ; études à Nottingham. *1903-11* instituteur à Croydon. *1911* quitte l'enseignement, vit de sa plume. *1912* s'enfuit en Italie avec la femme (allemande) d'un prof. de faculté ; l'épouse en 1914, après son divorce. *1914-18* retour en G.-B. *1919-22* en Italie. *1924-28* au N.-Mexique, un ami lui a donné un ranch. *1928* chassé de G.-B. et des U.S.A. à cause de *l'Amant de Lady Chatterley,* jugé immoral ; meurt tuberculeux, à Vence.

Lawrence, Thomas Edward (Lawrence d'Arabie) [R] (1888-1935) : les Sept Piliers de la sagesse (1926), la Matrice. – *Biogr. :* famille distinguée du Leicestershire, éduqué à Oxford ; homosexuel. *1912-14* assistant de l'égyptologue Flinders Price ; en Égypte. *1914-18* agent de l'Intelligence Service au Moyen-Orient ; commande des guérilleros arabes. *1919-21 fellow* d'All Souls College à Oxford. *1921* responsable des affaires arabes au Colonial Office. *1922* mécanicien de la Royal Air Force. *1925* affecté en Inde. *1927* se fait appeler Shaw. *1928* rappelé en G.-B. *1935* se tue dans un accident de moto.

Leacock, Stephan [Hum] (1869-1944).

Lewis, Wyndham [R, Es] (1884-1957).

Macaulay, Rose [P, R] (1881-1958).

Macaulay, Thomas Babington, Lord [P, H] (1800-59) : Histoire d'Angleterre (1848).

Mackenzie, Sir Compton [R] (1883-1972) : l'Impasse (1913-14), Carnaval, Whisky à gogo (1947).

Mc Diarmid, Hugh (Christopher Munay Grieve) [P] (1892-1978).

Mansfield, Katherine (Kathleen Beauchamp) [R] (N.-Zélande 1888-1923) : Félicité, la Garden Party (1923), Journal, Lettres.

Marshall, Alfred [Ec] (1842-1924) : Principes d'économie (1890), Industrie et commerce, Monnaie, Crédit et commerce (1923).

Masefield, John [R, D, P] (1878-1967).

Maugham, Somerset [R, D] (1874-1965) : *Romans :* Liza (1897), Servitude humaine (1915), la Lune et six pence (1919), la Passe dangereuse (1925), la Ronde de l'amour (1930), le Fil du rasoir (1944). *Théâtre :* Lady Frederick (1921), le Cercle, Nos chefs (1923). – *Biogr. :* né à Paris (père diplomate), francophone ; orphelin à 9 ans, élevé par un oncle clergyman dans le Kent, apprend l'anglais ; séminaire anglican

Quelques mouvements littéraires

• XIVe-XVe s. **Chaucériens.** Imitateurs des littératures continentales : Roman de la Rose (poésie) et Décaméron de Boccace (prose). Geoffrey Chaucer (v. 1340-1400), William Langland (v. 1300-v. 1400), William Dunbar (v. 1465-v. 1520).

• XVIe-XVIIe s. **Renaissance anglaise.** Retour de la beauté du monde extérieur (naturalisme) et de la culture classique, mais contrairement à la Pléiade française, elle ne rompt pas avec le Moyen Age. John Lyly (v. 1553-1606), Philippe Sydney (1554-86), Edmund Spenser (1552-99). Surtout en latin : Thomas Morus (1478-1535).

Théâtre élisabéthain. Tendance au scepticisme : insignifiance de l'homme, vanité des actions terrestres, universalité de la bêtise. Coupure avec le réalisme, la vérité étant recherchée à travers des mensonges qui font choc. William Shakespeare (1564-1616), Christopher Marlowe (1564-93), Ben Jonson (1572-1637).

Biblicisme. En réaction contre la culture païenne de la Renaissance, s'inspire de la piété puritaine. Représenté principalement par John Milton (1608-74), isolé par sa cécité.

• XVIIIe s. **Classicisme.** Sous l'influence française, attache plus d'importance à la forme (style noble, versification stricte, tendance rhétorique de la prose). La culture classique est un moyen d'aborder les problèmes contemporains, politiques, sociaux, économiques. Généralisation de l'humour et de l'ironie, utilisant largement la parodie et le pastiche. John Dryden, *précurseur* (1631-1700), Jonathan Swift (1667-1745), Alexander Pope (1688-1744), John Gay (1685-1732), Daniel Defoe (1660-1731), Samuel Johnson (1709-84). Un réalisme bourgeois, qui influencera le théâtre français, se manifeste chez Joseph Addison (1672-1719), Henry Fielding (1707-54), George Smollett (1721-71).

Sensibilisme. Réaction contre la sécheresse et le matérialisme des satiriques classiques. Les poètes retrouvent les grands thèmes de l'inspiration lyrique ; les romanciers et moralistes, la beauté des sentiments pieux. *Poètes :* Edward Young (1683-1765), Thomas Gray (1716-71). *Prosateurs :* Samuel Richardson (1689-1761). Lawrence Sterne (1713-68), Oliver Goldsmith (1728-74).

Préromantisme. Retrouve les sujets médiévaux qui avaient inspiré Chaucer, et les traite généralement sur le ton sensible. *Prose :* Horace Walpole (1717-97), Ann Radcliffe (1764-1823). *Poésie :* James Macpherson, dit Ossian (1736-96).

• XIXe s. **Lakistes.** Surnom donné aux romantiques de la 1re génération qui chantent les lacs d'Écosse *(lake poets).* Samuel Coleridge (1772-1834), William Wordsworth (1770-1850).

Poètes maudits. Surnom donné aux romantiques de la 2e génération qui cherchent à s'affirmer contre la société. George Byron (1788-1824), Percy Shelley (1792-1822), John Keats (1795-1821). Prosateurs de la même inspiration : Walter Scott (1799-1861), Mary Shelley (1797-1851), Emily Brontë (1818-48).

Préraphaélites et victoriens. Romantiques embourgeoisés qui ont le goût de l'art primitif italien, du carbonarisme ou de l'irlandisme. Oscar Wilde est un romantique épicurien recherche la beauté pour ce qu'elle a de sensuel. *Poètes :* Alfred Tennyson (1809-92), Robert Browning (1812-89), Christina Rossetti (1830-94). *Prosateurs :* George Meredith (1828-1909), Thomas Hardy (1840-1928), Robert Stevenson (1850-94).

Réalistes. Ont des préoccupations sociales comme Charles Dickens (1812-70), ou le simple goût du roman-reportage comme William Thackeray (1811-63), George Eliot (1819-80).

Impérialistes. Tirent leur inspiration de la grandeur et du dynamisme de la civilisation angl., sans jamais se départir de leur humour. Bernard Shaw (1856-1950), Rudyard Kipling (1865-1936), H.G. Wells (1866-1946), Gilbert Chesterton (1874-1936), Joseph Conrad (1857-1924).

• XXe s. **Romanciers du courant de conscience.** Chef de file : James Joyce [(1882-1941) : le romancier ne raconte pas une seule histoire, mais il écrit un texte dont les éléments sont à interpréter simultanément, selon différentes grilles, qu'il ne révèle pas forcément à son lecteur (ainsi Ulysse est à la fois le roman de l'Odyssée, de la société dublinoise et de Joyce lui-même)]. Virginia Woolf (1882-1941), Aldous Huxley (1894-1928), Malcolm Lowry (1909-57).

de Cantorbéry, puis fac. de théologie de Heidelberg. *1896* abandonne la théologie pour la médecine. *1902* reçu docteur, ne peut exercer (tuberculose) ; à Paris, vit dans la gêne. *1912* succès grâce à *Lady Frederick*. *1914-18* agent du service de renseignements (se marie en 1915 avec une aristocrate Lady Wellcome ; divorcera 1927). *1930* achète une villa au cap Ferrat et s'y retire jusqu'à sa mort (91 ans).

Meredith, George [R, P] (1828-1909) : *Poésie :* Amour moderne (1862). *Romans :* Rhoda Fleming (1865), l'Égoïste (1879).

Meynell, Alice [P] (1847-1922).

Mill, John Stuart [Ph, Ec] (1806-73) : Logique inductive et déductive.

Monro, Harold [P] (1879-1932).

Moore, George [E] (Irl.) (1852-1933) : Confessions d'un jeune homme (1888), Héloïse et Abélard (1921).

Morgan, Charles [R, D] (1894-1958) : Portrait dans un miroir (1929), Fontaine (1932), Sparkenbroke (1936), le Fleuve étincelant (1938).

Morris, William [P] (1834-96) : le Paradis terrestre (1868-70), Sigurd le Volsung (1876), Poèmes sur le chemin, Nouvelles de nulle part.

Newman, John Henry [Théo] (1801-90) : Apologia pro vita sua, Grammaire de l'assentiment (1870).

Noyes, Alfred [P, C] (1880-1958).

O'Casey, Sean [D] (Irl.) (1883-1964) : Junon et le Paon, la Charrue et les Étoiles, Roses rouges pour moi (1943), Coquin de coq, On attend un évêque.

O'Flaherty, Liam [R] (Irl.) (1897-1984) : le Mouchard (1926), le Martyr (1927), l'Assassin (1928), Skerret (1932), Famine (1937), Insurrection (1950).

Owen, Wilfred [P] (1893-1918).

Pater, Walter [E] (1839-94) : la Renaissance (1873), Marius l'épicurien (1885).

Patmore, Coventry [P] (1823-96) : Amelia (1878).

Powys, John Cowper [R, P] (1872-1963) : Wolf Solent (1929), les Enchantements de Glastonbury (1932), le Testament, la Crucifixion, le Miracle, le Déluge, les Sables de la mer (1934), Camp retranché (1936), Morwyn (1937), la Fosse aux chiens (1952).

Priestley, John Boynton [R, D, Cr] (1894-1984) : les Bons Compagnons (1929), Virage dangereux (1932), Un héros (1933), Jours ardents (1946), la Littérature et l'homme occidental (1960), le Trente et Un Juin (1961).

Pusey, Edward Bouveric [Préd, Théo] (1800-82).

Read, Herbert [P] (1893-1968) : Églogues.

Reade, Charles [R,D] (1814-84) : Argent comptant (1863), Tentation terrible.

Richardson, Dorothy [R] (1873-1957) : *Roman-fleuve :* Pèlerinage [(1915-38) Toits pointus (1915), Backwater (1916), Honeycomb (1917), le Tunnel (1919), Interim (1919), Deadlock (1921), Revolving Lights (1923), The Trap (1925), Oberland (1927), la Main gauche de l'aurore (1931), Clear Horizon (1935), le Col des Fossets (4 vol.), (1938)].

Rossetti, Dante [P] (1828-82) : la Demoiselle élue (1847).

Ruskin, John [Cr. d'a] (1819-1900) : les Sources de Wandel (1885).

Russell, Sir Bertrand [Math, Ph, Soc] (1872-1970) : Principia mathematica (1910) [N. 1950].

Sackville-West, Vita [R] (1892-1962) : l'Héritier (1919), Pepita, les Édouardiens, Toute passion bue.

Sassoon, Siegfried [P] (Irl.) (1886-1967).

Sayers, Dorothy [R] (1893-1957) : Lord Peter et l'inconnu.

Shaw, George Bernard [D] (1856-1950) : l'Homme aimé des femmes (1893), la Profession de Mrs Warren (1893), le Héros et le Soldat (1894), Candida (1895), l'Homme du destin (1895), On ne peut jamais dire (1896), César et Cléopâtre (1899), Androclès et le Lion (1912), Pygmalion (1912), Sainte Jeanne (1924). – *Biogr. :* fils de bourgeois dublinois (protestants), sans fortune ; formation musicale (mère professeur de musique). *1871-76 :* employé de banque. *1876-85* à Londres, pauvre (*1883 :* militant socialiste). *1885* critique dramatique à la *Saturday Review*. *1892* auteur de théâtre d'avant-garde. *1894* succès. *1898* se marie, renonce au militantisme politique. *1925* Nobel (littérature). *1949* dernière œuvre (à 93 ans).

Shute, Nevil [R] (Nor.) (1899-1960) : le Testament (1939).

Sinclair, May [E] (1870-1946) : Audrey Craven, le Feu divin, les Trois Sœurs.

Sitwell, Edith [P] (1887-1964).

Spencer, Herbert [Ph] (1820-1903) : Principes de socialisme, De l'éducation.

Standish, Robert [R] (1898-1981) : les Trois Bambous (1940), la Piste des éléphants (1947).

Stephens, James [P] (Irl.) (1882-1950).

Stevenson, Robert Louis (Balfour) [P, R] (1850-94) : l'Ile au trésor (1883), Enlevé (1886), l'Étrange Cas du Dr Jekyll et de Mr Hyde (1886).

Strachey, Lytton [E] (1880-1932).

Swinburne, Algernon Charles [P] (1837-1909) : Atalante en Calydon, Maud, Poésies et Ballades, Chants d'avant l'aube.

Synge, John Millington [D] (Irl.) (1871-1909) : la Fontaine aux saints, le Baladin du monde occidental.

Tennyson, Alfred, Lord [P] (1809-92) : la Femme et le diable, In memoriam (1850), Idylles du roi (1859), Enoch Arden (1864).

Thackeray, William [R] (1811-63) : Mémoires d'un valet de pied (1836), Barry Lyndon (1844), le Livre des snobs (1846-47), la Foire aux vanités (1847-48), Henry Esmond (1852), les Virginiens (1857-59).

Thompson, Francis [P] (1859-1907) : Poèmes (1897).

Thomson, James [P] (Écos.) (1834-82).

Toynbee, Arnold [H] (1889-1975) : l'Histoire (1934-61), Un essai d'interprétation (1946), la Civilisation à l'épreuve (1948), la Religion vue par un historien, le Changement et la tradition, le Défi de notre temps (1966).

Trollope, Anthony [Chr] (1815-82) : la Dernière Chronique de Barset (1867).

Wallace, Edgar [R] (1875-1932) : le Cercle rouge.

Walpole, Sir Hugh [R] (1884-1941).

Walsh, Maurice [R] (Irl.) (1879-1964) : l'Homme tranquille (1952).

Webb, Mary [R] (1881-1927) : la Renarde (1917), Sarn (1924).

Wells, Herbert George [R] (1866-1946) : la Machine à explorer le temps (1895), l'Ile du docteur Moreau (1896), l'Homme invisible (1897), la Guerre des mondes (1898), Anne Véronique (1909), Tono-Bongay (1909), Mariage. *Essai :* Esquisse de l'Histoire universelle (1912). – *Biogr. :* né dans le Kent (mère domestique ; père sportif professionnel, puis boutiquier) ; études primaires à Midhurst, puis commis drapier et aide-pharmacien. *1884* à 18 ans reçu au concours des bourses de l'institut de biologie de South Kensington ; y a pour maître Huxley. *1888* licencié en biologie, vit pauvrement dans l'enseignement primaire. *1891* épouse sa cousine Isabelle Wells, qu'il abandonne en 1893 pour vivre avec une femme de lettres, Any Robbins (épousée plus tard). *1895* succès de *la Machine à explorer le temps*. *1922* au Parti travailliste, rencontre Lénine et Staline en U.R.S.S. *1927* veuf, se retire sur la côte d'Azur. *1940* en G.-B.

West, Rebecca (Isabel Fairfield) [R] (1892-1983) : le Retour du soldat (1918), le Juge (1922), la Voix rauque (1936), la Famille Aubrey (1957), la Cour et le château (1958).

Wilde, Oscar (Fingall O'Flahertie Wills) [R,D,P] (1854-1900) : *Théâtre :* le Crime de Lord Arthur Saville (1891), l'Éventail de Lady Windermere (1892), Une femme sans importance (1893), Un mari idéal (1895), De l'importance d'être constant (1895). *Romans et autobiogr. :* le Portrait de Dorian Gray (1891), De profundis (publ. 1905). *Poésie :* Ballade de la geôle de Reading (1898). – *Biogr. :* père chirurgien de Dublin ; études (Dublin, puis Oxford). *1878* prix Newdigate (poème sur Ravenne) ; fonde le mouv. de l'Art pour l'Art ; persécuté à Oxford : jeté dans la Cherwell. *1882* conférences aux U.S.A. *1884* se marie. *1893* sa pièce *Salomé* est interdite à Londres ; la traduit et la fait jouer à Paris par Sarah Bernhardt. *1895* liaison homosexuelle avec Alfred Douglas ; insulté par le père de celui-ci (Mis de Queensberry), il l'attaque en diffamation, perd, est emprisonné 2 ans à Reading. *1897* libéré, se réfugie en France sous le nom de Sébastien Melmoth ; converti au catholicisme avant sa mort (à Paris).

Williamson, Henry [R] (1896-1977) : Une chronique de l'ancienne lumière du soleil (1951-69), Tarka la loutre, Salar le saumon.

Wiseman, Étienne [R, Théo] (1802-65) : Fabiola.

Wodehouse, Pelham Grenville [R] (1881-1975) : S.O.S. Jeeves, Une pluie de dollars.

Woolf, Virginia [R] (1882-1941) : la Traversée des apparences (1915), Mrs Dalloway (1925), Orlando (1928), les Vagues (1931), Flush (1933), Entre les actes (1941), Journal d'un écrivain (1953), la Fascination de l'étang, Entre les livres.

Yeats, William Butler [D, P] (Irl.) (1865-1939) : la Comtesse Cathleen, l'Escalier tournant, Deirdre (1907), l'Unique Rivale d'Emer, les Mots sur la vitre (1930) [N. 1923].

Quelques auteurs de science-fiction

Débuts

180 (env.) *Histoire véritable* : Lucien de Samosate (Gr., 125-185). **1516** *La Description de l'île d'Utopie* : Thomas Morus (Angl., 1478-1535). **1532** *Pantagruel.* **1534** *Gargantua* : François Rabelais (Fr., v. 1494-1553). **1626** *La Nouvelle Atlantide* : Francis Bacon (Angl., 1561-1626). *Histoire comique de Francion* : Charles Sorel (Fr., 1602-74). **1634** *Somnium* : Johannes Kepler (All., 1571-1630). **1657** *Les États et Empires de la Lune* : Savinien Cyrano de Bergerac (Fr., 1619-55).

1726 *Voyages de Gulliver* : Jonathan Swift (Irl., 1667-1745). **1741** *Voyage de Nicolas Klim dans le monde souterrain* : Louis de Holberg (Dan., 1684-1754). **1752** *Micromégas* : Voltaire (Fr., 1694-1778). **1771** *L'An deux mille quatre cent quarante* : Louis-Sébastien Mercier (Fr., 1740-1814). **1781** *La Découverte australe par un homme volant* : Restif de La Bretonne (Fr., 1734-1806).

1818 *Frankenstein* : Mary Shelley (Angl., 1797-1851). **1837** *Les Aventures d'Arthur Gordon Pym* : Edgar Allan Poe (Amér., 1809-49). **1845-46** *Le Monde tel qu'il sera* : Émile Souvestre (Fr., 1805-54). **1865** *De la Terre à la Lune* : Jules Verne (Fr., 1828-1905). **1872** *Récits de l'infini [Lumen]* : Camille Flammarion (Fr., 1842-1925). **1882-83** *Le Vingtième Siècle* : Albert Robida (Fr., 1848-1926). **1886** *Docteur Jekyll et M. Hyde* : Robert Louis Stevenson (Angl., 1850-94). **1887** *Les Xipéhuz* : J.H. Rosny aîné (Fr., 1856-1940). **1888** *Cent ans après* : Edward Bellamy (Amér., 1850-98). **1888-96** *Les Aventures extraordinaires d'un savant russe* : Henry de Graffigny (Fr., 1863-1942) et Georges Lefaure (Fr., 1858-1953). **1895** *La Machine à explorer le temps.* **1898** *La Guerre des mondes* : H.G. Wells (Angl., 1866-1946).

1906 *Miss Mousqueterr* : Paul d'Ivoi (Fr., 1856-1915). **1907** *Le Talon de fer* : Jack London (Amér., 1876-1916). **1908** *Le Prisonnier de la planète Mars* : Gustave Le Rouge (Fr., 1867-1938). **1910** *Le Péril bleu* : Maurice Renard (Fr., 1875-1939). *La Mort de la Terre* : J.H. Rosny aîné (Fr., 1856-1940). **1911** *Ralph 124C 41 +* : Hugo Gernsback (Amér., 1884-1967). **1912** *Le Monde perdu* : sir Arthur Conan Doyle (Angl., 1859-1930). *Le Conquérant de la planète Mars* : Edgar Rice Burroughs (Amér., 1875-1950). **1919** *Le Gouffre de la Lune* : Abraham Merritt (Amér., 1884-1943). **1920** *R.U.R.* : Karel Capek (Tchéc., 1898-1938). *Nous autres* : Eugène Zamiatine (Russe, 1884-1937). **1927-36** *La Couleur tombée du ciel* : H.P. Lovecraft (Amér., 1890-1937). **1932** *Le Meilleur des Mondes* : Aldous Huxley (1894-1963). **1937** *La Cité des asphyxiés* : Régis Messac (Fr., 1893-1943?). *Créateur d'étoiles* : Olaf Stapledon (Angl., 1886-1950). **1938** *La Guerre des mouches* : Jacques Spitz (Fr., 1896-1963).

De 1939 à nos jours

Aldiss, Brian (1925, Angl.) : *Croisière sans escale* (1956), cycle d'*Helliconia* (1982-85), **Anderson,** Poul (1926, Amér.) : *la Patrouille du temps* (1955-60). **Andrevon,** Jean-Pierre (1937, Fr.) : *le Désert du monde* (1977), *Šukran* (1989). **Asimov,** Isaac (1920, Amér.) : cycle de *Fondation* et des *Robots* (1940-87).

Ballard, J.G. (1930, Angl.) : *Vermilion Sands* (1957-70), *Crash!* (1973). **Barjavel,** René (1911-85, Fr.) : *Ravage* (1943). **Benford,** Gregory (1941, Amér.) : *Un paysage du temps* (1980). **Bester,** Alfred (1913-87, Amér.) : *l'Homme démoli* (1952). **Bishop,** Michael (1945, Amér.) : *le Bassin des cœurs indigo* (1975). **Bioy Casares,** Adolfo (1914, Arg.) : *l'Invention de Morel* (1940). **Blish,** James (1921-75, Amér.) : *Un cas de conscience* (1958). **Borges,** Jorge Luis (1899-1986, Arg.) : *Fictions* (1944). **Brackett,** Leigh (1915-78, Amér.) : *le Livre de Mars* (1948-64). **Bradbury,** Ray (1920, Amér.) : *Chroniques martiennes* (1946-50), *Fahrenheit 451* (1953), *A l'ouest d'octobre* (1990). **Brown,** Fredric (1906-72, Amér.) : *Martiens, go home* (1954). **Brunner,** John (1934, Angl.) : *Tous à Zanzibar* (1968). **Brussolo,** Serge (1951, Fr.) : *Sommeil de sang* (1981), *le Château d'encre* (1987). **Burgess,** Anthony (1917, Angl.) : *l'Orange mécanique* (1962). **Burroughs,** William S. (1914, Amér.) : *les Garçons sauvages* (1971).

Card, Orson Scott (1951, Amér.) : *les Maîtres chanteurs* (1980). **Clarke,** Arthur (1917, Angl.) : *2001, l'Odyssée de l'espace* (1968). **Coney,** Michael (n.c., Amér.) : le Roi de l'île au sceptre. **Curval,** Philippe (1929, Fr.) : *Cette chère humanité* (1976).

Delany, Samuel R. (1942, Amér.) : *Nova* (1968). **Dick,** Philip K. (1928-82, Amér.) : *Ubik* (1969). **Disch,** Thomas M. (1940, Amér.) : *Camp de concentration* (1968). **Drode,** Daniel (1932-84, Fr.) : *Surface de la planète* (1959).

Ellison, Harlan (1934, Amér.) : *la Bête qui criait amour au cœur du monde* (1957-69).

Farmer, Philip José (1918, Amér.) : *les Amants étrangers* (1961). Cycle du *Fleuve de l'éternité* (1965-80).

Galouye, Daniel (1920-76) : *Simulacron 3* (1964). **Grimwood,** Ken (n.c., Amér.) : *Replay* (1986). **Gibson,** William (1948, Amér.) : *Neuromancien* (1985).

Haldeman, Joe (1943, Amér.) : *la Guerre éternelle* (1974). **Heinlein,** Robert (1907-88, Amér.) : *Histoire du futur (1939-50). En terre étrangère* (1961). **Herbert,** Frank (1920-86, Amér.) : cycle de *Dune* (1965-85), *le Facteur ascension* (1988). **Houssin,** Joël (1953, Fr.) : *les Vautours* (1985), *Argentine* (1989).

Jeury, Michel (1934, Fr.) : *les Yeux géants* (1980). **Jouanne,** Emmanuel (1960, Fr.) : *Nuage* (1983), *le Rêveur de chats* (1988).

Keyes, Daniel (1927, Amér.) : *Des fleurs pour Algernon* (1966). **Klein,** Gérard (1937, Fr.) : *les Seigneurs de la guerre* (1971). **Knight,** Damon (1922, Amér.) : *les Univers* (1951-65).

Le Guin, Ursula K. (1929, Amér.) : *les Dépossédés* (1974). **Leiber,** Fritz (1910, Amér.) : *le Cycle des épées* (1939-77), *le Vagabond* (1964). **Lem,** Stanislaw (1921, Pol.) : *Solaris* (1961). **Limite** (groupe littéraire Fr., 1986-87) : *Malgré le monde* (1987).

McIntyre, Vonda (1948, Amér.) : *le Serpent du rêve* (1978). **Merle,** Robert (1908, Fr.) : *Malevil* (1972). **Miller,** Walter (1922, Amér.) : *Un cantique pour Leibowitz* (1960). **Moorcock,** Michael (1939, Angl.) : saga d'*Elric le Nécromancien* (1955-77). *Voici l'homme* (1969). **Murphy,** Pat (n.c., Amér.) : la Cité des ombres.

Orwell, George (1903-50, Angl.) : *1984* (1949).

Pelot, Pierre (1945, Fr.) : *Delirium circus* (1977). **Pohl,** Frederik (1919, Amér.) : *la Grande Porte* (1977). **Priest,** Christopher (1943, Angl.) : *le Monde inverti* (1974).

Roberts, Keith (1935, Angl.) : *Pavane* (1968). **Robinson,** Spider (1948, Amér.), avec sa femme, Jeanne : *la Danse des étoiles* (1978). **Ruellan,** André (1922, Fr.) : *Tunnel* (1973). **Russ,** Joanna (1937, Amér.) : *l'Autre Moitié de l'homme* (1975).

Shaw, Bob (1931) : *les Yeux du temps* (1972). **Sheckley,** Robert (1928, Amér.) : *les Univers* (1952-65). **Silverberg,** Robert (1936, Amér.) : *les Monades urbaines* (1971), *l'Oreille interne* (1972), *Compagnons secrets* (1989). **Simak,** Clifford D. (1904-88, Amér.) : *Demain les chiens* (1944-73). **Sladek,** John (1937, Amér.) : *Mécasme* (1968), *Tik-Tok* (1986). **Smith,** Cordwainer (1913-66, Amér.) : *les Seigneurs de l'instrumentalité* (1950-66). **Spinrad,** Norman (1940, Amér.) : *Jack Barron et l'éternité* (1969), *les Années fléaux* (1990). **Strougatski,** Arkasi et Boris (1925 et 1923, Russes) : *Il est difficile d'être un dieu.* **Sturgeon,** Theodore (1918-85, Amér.) : *les Plus qu'Humains* (1953).

Tiptree jr., James (1915-87, Amér.) : *Par-delà les murs du monde* (1978). **Trout,** Kilgore (1907, Amér.) : *les Aimants étranglés* (1961).

Vance, Jack (1920, Amér.) : cycle de *Tschaï* (1968-70). **Van Vogt,** A.E. (1912, Amér.) : cycle du *non-A* (1945-84). **Varley,** John (1947, Amér.) : *Persistance de la vision* (1978). **Vonnegut jr.,** Kurt (1922, Amér.) : *Abattoir 5* (1969).

Waldrop, Horace (n.c., Amér.) : Ces Chers Vieux Monstres. **Watson,** Ian (1943, Angl.) : *l'Enchâssement* (1973). **Wilhelm,** Kate (1928, Amér.) : *Hier, les oiseaux* (1976). **Wolfe,** Bernard (1915-85, Amér.) : *Limbo* (1952). **Wolfe,** Gene (1931, Amér.) : *la Cinquième Tête de Cerbère* (1972), cycle du *Livre du nouveau soleil* (1981-89, 5 vol.).

Zelazny, Roger (Amér.) : *l'Ile des morts* (1969), *Princes d'ambre* (1972, 8 vol.).

Nés depuis 1900

Achebe, Chinua [R] (voir Nigeria p. 318).
Acton, Harold [E] (1903) : Pivoines et poneys.
Amis, Kingsley [R] (1922) : Jim la Chance (1954), J'en ai envie tout de suite, Une fille comme toi, Un Anglais bien en chair, l'Homme vert (1969).
Anand, Malk Raj [R] (1905) : Death of Hero (1963), Morning Face (1968).
Arden, John [D] (1930) : la Danse du sergent Musgrave (1959).
Auden, Wystan Hugh [P, D] (1907-73).
Ayer, Alfred, Jules [Ph] (1910-89).
Balchin, Nigel [R] (1908-70) : la Petite Chambre (1943), la Mort apprivoisée, Anatomie de la vilenie, A travers bois, la Chute d'un moineau (1955).
Barnes, Julian [R] (1946) : le Perroquet de Flaubert, le Soleil en face (1987), Une histoire du monde en 10 chapitres 1/2, Avant moi.
Bates, Herbert [R] (1905-74) : Amour pour Lydia.
Behan, Brendan [D] (Irl.) (1923-64) : *Théâtre* : le Client du matin, Deux Otages. *Récits* : l'Escarpeur, Un peuple partisan, Confessions d'un rebelle irlandais (1986).
Benchley, Peter [R] (1940) : les Dents de la mer, les Chiens de mer (1978).
Behr, Edward [J, R] (1926) : Y a-t-il ici quelqu'un qui a été violé et qui parle anglais (1979), la Transfuge, Pu-yi le dernier empereur (1987).
Betjeman, John [P] (1906-84).
Bolt, Robert [D] (1924) : Un homme pour l'éternité (1960).
Boyd, William [R] (1952) : un Anglais sous les tropiques (1984), Comme neige au soleil (1985), la Croix et la bannière, les Nouvelles Confessions (1988), la Chasse au lézard, Brazzaville Beach.
Braine, John [R] (1922) : Une pièce au soleil.
Brookner, Anita [R] (1928) : Regardez-moi (1986).
Burgess, Anthony (John Burgers Wilson, dit) [R et Bio] (1917) : Un temps pour un tigre, l'Extérieur d'Enderley, Un agent qui vous veut du bien, Orange mécanique (1962), le Testament de l'orange, la Symphonie Napoléon, l'Homme de Nazareth (1977), Du miel pour les ours (1980), la Puissance des ténèbres, le Royaume des mécréants (1985), Pianistes (1986), D. H. Lawrence.
Canetti, Elias : voir p. 280 b.
Cartland, Barbara [R] (1901) : Jigsaw (1923), Idylle à Calcutta. A publié 450 romans roses.
Cato, Nancy (Australie) [R, P] (1917).
Chase, James Hadley (René Raymond) [R] (1906-85) : Pas d'orchidées pour Miss Blandish (1948), Ern, Douze Chinetoques et une souris, l'Abominable Pardessus (1951), Traquenards (1954).
Clavell, James [R] (1925) : Taïpan, Shôgun, Un caïd, Noble Maison, Ouragan.
Crichton, Michael [R] (1942) : Un train d'or pour la Crimée.
Dahl, Roald [E] (1916-90) : Sales bêtes (1984).
Delanay, Shelagh [D] (1939) : Un goût de miel.
Dennis, Nigel (Forbes) [D, R] (1912) : Cartes d'identité (1956).
Drabble, Margaret [R] (1939) : Jerusalem the Golden, The Needle's Eye, l'Âge d'or d'une femme, la Cascade, le Poing de glace, le Milieu de la vie.
Du Maurier, Daphne [R] (1907-89) : l'Auberge de la Jamaïque (1936), Rebecca (1938), le Général du roi, Ma cousine Rachel (1951), les Souffleurs de verre (1963), le Vol du faucon.
Durrell, Lawrence [R] (1912-90) : Justine (1957), Citrons acides, Balthazar, Mountolive, Clea, Cefalu, Tunc, Nunquam, Monsieur ou le Prince des ténèbres, Livia ou l'Enterrée Vive, Constance ou les Pratiques solitaires, Actée la princesse barbare, Quinte ou la Version de Landru, le Carrousel sicilien, le Grand Suppositoire. – *Biogr.* : né aux Indes, parents irlandais, missionnaires anglicans ; études primaires à Darjeeling, secondaires au séminaire anglican de Cantorbéry. *1930* à Londres, pianiste de jazz et poète. *1936* à Corfou. *1940-45* mobilisé au Caire, à l'ambassade. *1946-52* prof. de littérature angl. au British Council. *1952-57* chargé des relations publiques du gouv. chypriote. *1957* succès du *Quatuor d'Alexandrie. 1970* retiré à Nîmes.
Fleming, Ian [R] (1908-65) : Casino Royal (1954), Moonraker (1955), Goldfinger (1959), Au service de Sa Majesté (1963).
Follett, Ken [R] (1949) : l'Arme à l'œil (1979), Triangle (1980), le Code Rebecca (1981), l'Homme de St-Pétersbourg, Comme un vol d'aigles, les Lions du Panshir, les Piliers de la terre.
Foote, Shelby [P, H, R] (1916) : la Guerre de Sécession, l'Amour en saison sèche, l'Enfant de la fièvre, Tourbillon.

Fowles, John [R] (1926) : l'Amateur (1963), le Mage (1966), Sarah et le Lieutenant français (1969), la Tour d'ébène, Daniel Martin (1976), la Créature.
Francis, Dick [R] (1920) : Appellation contrôlée.
Frayn, Michael [R] (1933) : l'Interprète russe, Une vie très privée.
Fry, Christopher (Christopher Harris, dit) [D] (1907) : La dame ne brûlera pas (1949), Vénus au zénith, le Faux Jour (1954), le Songe du prisonnier.
Fugard, Athol [D] (1932) : The Blood Knot, Sizwe Bansi is Dead (1973), The Island (1973).
Golding, William [R, N] (1911) : Sa Majesté des mouches (1954), les Héritiers, Chris Martin, Chute libre, la Nef, la Pyramide, Parades sauvages (1979), Rites de passages (1980) [N 1983].
Goudge, Elizabeth [R] (1900-70) : le Pays du dauphin vert, l'Arche dans la tempête, la Cité des cloches.
Green, Henry (H. Yorke) [R] (1905-73) : Amour, Conclusion, Rien.
Greene, Graham [R] (1904-91) : *Romans :* le Rocher de Brighton (1938), la Puissance et la Gloire (1940), le Fond du problème (1948), le Troisième Homme (1950), la Fin d'une liaison (1951), Un Américain bien tranquille (1955), la Saison des pluies (1961), les Comédiens (1966), Voyage avec ma tante (1969), le Consul honoraire, le Facteur humain (1978), Dr. Fisher de Genève (1980), J'accuse, Monseigneur Quichotte (1982), le Dixième Homme. Voir p. 341 b. *Mémoires :* Une sorte de vie (1971) t. 1, (1982) t. 2. *Théâtre :* Living-room (1953), l'Amant complaisant (1959), le Capitaine et l'ennemi.
Hampton, Christopher [D] (1946) : Total Eclipse (1968), the Philanthropist (1970), Sauvages (1973).
Heaney, Seamus [P] (Irl. 1939).
Henriquès, Robert [R] (1905-67) : Sans arme ni armure.
Hoyle, Fred [R, Sav] (1915) : la Nuée de l'Apocalypse, A comme Andromède.
Hughes, Ted [P] (1930).
Illich, Ivan [E, H] (1926) : le Travail fantôme (1981).
James, P.-D. [R] (1920) : l'Ile des morts, Un certain goût pour la mort.
Jellicoe, Ann [D] (1928) : The Knack (1961).
Johnson, Pamela Hansford [E] (1912-81).
Johnston, Jennifer [R] (Irl., 1930), le Sanctuaire des fous.
Kavanagh, Patrick [R, Es, P] (1905-67) : De tels hommes sont dangereux.
King, Francis [E] (1923).
Koestler, Arthur [R] (Hongrie, 1905-83) (natur. Anglais) : le Testament espagnol (1938), Spartacus (1939), le Zéro et l'Infini (1941), Croisade sans croix (1943), la Tour d'Ezra (1946), les Call-Girls (1972), la Quête de l'absolu. – *Biogr. :* père industriel israélite de Budapest ; études à l'inst. polytechnique de Vienne (trilingue hongrois, allemand, anglais). *1926* reporter de la Vossische Zeitung de Berlin (Moyen-Orient, Paris). *1930-32* adhère au parti communiste, aux éditions Ullstein à Berlin. *1932-33* journaliste en URSS. *1932-33* rompt avec le P.C. ; pigiste à Zurich et Paris. *1936-39* correspondant de guerre (anglais) du *News Chronicle* en Espagne ; capturé par les franquistes, condamné à mort, évadé. *1940-41* interné au Vernet (P.-O.). *1941-45* combattant dans l'armée brit. *1946* naturalisé Anglais ; gros succès entre U.S.A., G.-B. et France. *1983* suicide avec sa femme.
Laing, Ronald D. [Psy] (1927-89).
Larkin, Philip [P] (1922-85).
Le Carré, John (David Cornwell, dit) [R] (1932) : l'Espion qui venait du froid (1964), la Taupe (1974), Comme un collégien, les Gens de Smiley, la Petite Fille au tambour, Un pur espion (1986), la Maison Russie (1989), le Voyageur secret (1990).
Lehmann, Rosamond [R] (1903-90) : Poussière (1927), l'Invitation à la valse (1932), Intempéries (1936), le Jour enseveli (1967).
Lessing, Doris [R] (1919) : Nouvelles africaines, Un homme et deux femmes, les Enfants de la violence (1952-69), le Carnet d'or (1962), Journal d'une voisine, la Terroriste (1986).
Lloyd, G.E.R. [H] (n.c.) : Magie, raison et expérience (1979).
Lowry, Malcolm [R] (1909-57) : Au-dessous du volcan (1946), Écoute notre voix ô Seigneur, Sombre comme la tombe où repose mon ami.
Macbeth, George (Mann) [P] (1932).
Mac Innes, John [R] (1914) : les Blancs-Becs.
Mac Lennan, Hugh [R] (1907) : Deux Solitudes.
Mac Neice, Louis [P] (1907-63).
Mc Cullough, Colleen [R] (Australie) (1937) : Les oiseaux se cachent pour mourir (1977), la Passion du docteur Christian, l'Amour et le Pouvoir.
Mc Gahern, John [R] (1934) : la Caserne (1963), le Pornographe, l'Obscur (1965).
Mitford, Nancy [R] (1904-73) : la Poursuite de l'amour, l'Amour dans un pays froid, Pas un mot à l'ambassadeur.
Monsarrat, Nicholas [R] (1910-79) : Mer cruelle.
Mortimer, John [D] (1923-83) : Que dirons-nous à Caroline ?
Murdoch, Iris [R] (Irl.) (1919) : Dans le filet (1954), le Séducteur quitté, les Eaux du péché, les Cloches, Une tête coupée (1961), le Château de la licorne, les Angéliques, les Demi-Justes, le Rêve de Bruno, Une défaite assez honorable (1970), l'Homme à catastrophes, Henry et Caton (1976), la Mer, la mer (1978), les Soldats et les nonnes (1980), l'Élève du philosophe (1983).
Naipaul, Vidiadhr Surajprasad [R] (n. Trinité, or. indienne, 1932) : Une maison pour M. Biswas (1961), Dis-moi qui tuer, Guerilleros (1975), A la courbe du fleuve, Sacrifices (1984), Une virée dans le Sud, les Hommes de paille, l'Énigme de l'arrivée.
Narayan, Rasipuram Krishnaswami [R] (1906) : le Mangeur d'hommes.
Niven, David [Hum.] (1910-83) : Décrocher la lune, Étoiles filantes.
Nolan, Christopher [P, R] (Irl.) (n.c.) : Sous l'œil de l'horloge.
O'Brien, Edna [R] (1932) : la Jeune Irlandaise.
O'Brien, Flann [R, J] (1912-66) : Kermesse irlandaise, Une vie de chien.
O'Connor, Frank (Michael O'Donovan) [E] (Irl. 1903-66).
Orwell, George (Eric Arthur Blair) [R] (1903-50) : Et vive l'aspidistra (1936), 1984 (1949).
Osborne, John [D] (1929) : la Paix du dimanche, Jeune Homme en colère (1962), Luther, Inadmissible Évidence.
Pinter, Harold [D] (1930) : le Gardien, la Collection, l'Amant (1963), C'était hier.
Popper, Karl [Ph] (or. autr., 1902).
Powell, Anthony [Nouv, R] (1905) : la Ronde de la musique du temps [1951-75, 12 vol. dont : Une question d'éducation (1951), les Mouvements du cœur (1952), l'Acceptation (1955)], le Roi pêcheur (1986).
Pym, Barbara [R] (1913-80).
Raine, Kathleen (Jesse) [P] (1908).
Rao, Raja [R] (1909).
Rattigan, Terence [D] (1911-77) : Tables séparées, l'Écurie Watson, Lawrence d'Arabie (1960).
Rendell, Ruth [R] (1930) : Un enfant pour un autre, Véra va mourir.
Sampson, Anthony (1923) : Anatomie de l'Angleterre, la Foire aux armes, les Banquiers dans un monde dangereux (1982).
Sansom, William [R] (1912-76) : Son corps.
Saul, John [R] (1947) : Mort d'un général, l'Ennemi du bien (1986), Paradis Blues.
Saunders, James [D] (1925).
Shaffer, Peter [D] (1925) : la Chasse royale du Soleil (1964), Comédie noire (1965), Equus.
Sillitoe, Alan [R] (1928) : Samedi soir, dimanche matin (1958), la Solitude du coureur de fond (1959), Nottinghamshire, les Aventuriers de l'Aldebaran.
Simpson, Norman Frederick [D] (1919) : Balancier sans retour.
Snow, Lord Charles [E] (1905-81) : le Temps de l'espoir (1949), les Hommes nouveaux (1954).
Soyinka, Wole [P, R, E] (Nigeria, Yoruba 1934) : les Interprètes (1965), Cet homme est mort (1972), Ake les années d'enfance (1981), Une saison d'anomie. *Poésie :* Idanre. *Théâtre* [N. 1986].
Spark, Muriel (Sarah) [R] (1918) : Memento mori, les Demoiselles de petite fortune, le Pisseur de copie, Mary Shelley, la Mère de Frankenstein.
Spender, Stephen [P] (1909) : Centre immobile, Monde dans le monde (1952).
Stoppard, Tom [D] (1937) : Rosencrantz et Guildenstern sont morts, les Travestis.
Storey, David [R] (1933) : Radcliffe (1965).
Swift, Graham [R] (1949) : le Pays des eaux.
Thiong'o, Ngugi Wa (Kenya) [R] (1938) : Devil on the Cross, Pétales de sang.
Thomas, Dylan [P] (1914-53) : 18 Poèmes (1934), Recueil de poèmes (1934-1952). *Autobiographie :* Portrait de l'artiste en jeune chien.
Thomas, Hugh (1933) : la Guerre d'Espagne, Cuba, Histoire inachevée du monde (1979).
Trevor, William [R] (Irl., 1931) : les Splendeurs de l'Alexandra.
Tyler, Anne [R] (1940) : le Voyageur malgré lui.
Tynan, Kenneth [Cr, D] (1927-80) : O Calcutta ! (1970), Show People (1980).
Uhlman, Fred [R] (1901-85) (origine all., réfugié en Angl. 1938) : l'Ami retrouvé (1978), Il fait beau à Paris aujourd'hui (1985), Lettre de Conrad, Sous la lune et les étoiles.
Ustinov, Peter [D, R] (1921) : l'Amour des quatre colonels, Krumnagel, Cher moi, le Désinformateur.
Wain, John (Barrington) [R] (1925) : les Diplômés de la vie (1953), Vivre au présent (1955), Et frappe à mort le père (1962), les Rivaux (1982).
Waugh, Evelyn [R] (1903-66) : Diableries, Une poignée de cendre, Hissez le grand pavois, Retour à Brideshead, Officiers et Gentlemen (1955), la Capitulation (1961), Un peu de savoir (1964).
Wesker, Arnold [D] (1932) : Trilogie, Soupe de poulet à l'orge, Racines, Je parle de Jérusalem, la Cuisine.
West, Morris [R] (Austr. 1916) : l'Avocat du diable, les Souliers de saint Pierre, la Vallée des maléfices, la Seconde Victoire, le Loup rouge, l'Ambassadeur, la Salamandre, Arlequin, Kaloni le navigateur, Lazare.
West, Paul [E] (nat. Amér., 1930) : le Médecin de Lord Byron.
White, Kenneth [P, R] (1936, double nat. Fr.-Angl.) : les Limbes incandescents, la Route bleue, En toute candeur (1989).
White, Patrick [R] (1912-90) (vivait en Australie) : Edenville (1952), Voss (1957), le Char des élus (1965), Voss, les Échaudés (1969), le Mystérieux Mandola (1970), le Vivisecteur (1970), l'Œil du cyclone (1973), les Incarnations d'Eddie Twynborn (1979), Des morts et des vivants [N. 1973].
Whiting, John [D] (1917-63) : Marching Song.
Wilson, Angus [R] (1913) : Attitudes anglo-saxonnes, les 40 Ans de Mrs Eliot, la Girafe et les Vieillards, En jouant le jeu, l'Appel du soir, Saturnales, Embraser le monde (1980).
Wilson, Colin [E] (1931) : l'Homme en dehors.
Wyndham, John (J.B. Harris) [R] (1903).

Littérature autrichienne

Nés avant 1800

☞ **En latin. Anonymes :** « Théâtre des Jésuites » 9 000 pièces de 1570 à 1760. **Avancinus,** Nicolas [H, P, D] (1611-86) : Poesis dramatica 1675-79.

En allemand

Alxinger, Jean-Baptiste [P] (1755-97).
Beer, Johann [R] (1655-1700).
Blumauer, Aloïs [P] (1755-98) : l'Énéide travestie.
Collin, Matthieu von [D] (1779-1828).
Grillparzer, Franz [D, P] (1791-1872) : l'Aïeule, Sapho, la Toison d'or, Médée, les Vagues de la mer et de l'amour (1831), Ottokar, Malheur à qui ment.
Hafner, Philippe [D] (1731-64).
Kringsteiner, Joseph-Ferdinand [D] (1775-1810).
Raimund, Ferdinand [D] (1790-1836).
Sealsfield, Charles (Karl Postl) [R] (1793-1864) : le Vice-Roi et les Aristocrates (1835), la Prairie du Jacinto (1861).
Steigentesch, Auguste von [D] (1774-1826).
Stranitzky, Joseph-Antoine [D] (1676-1726) : Théâtre de Hanswurst.
Zedlitz, Josef von [P] (1790-1862).

Nés entre 1800 et 1900

Adler, Alfred [Ph] (1870-1937).
Auersperg, Cte Antoine-Alexandre [P] (1806-76) : Promenades d'un poète viennois.
Bauernfeld, Edouard [D] (1802-90) : Aveux (1834), Bourgeois et Romantique (1835).
Baum, Vicki [R] (1888-1960) : Grand Hôtel, Lac aux dames (1932), Prenez garde aux biches.
Broch, Hermann [R] (1886-1951) : les Somnambules (1930-31), la Mort de Virgile (1947).
Brod, Max [D, Es, R] (1884-1968 ; ami de Kafka, il a publié ses œuvres) : la Formation de l'Hétaïre (1909), Juives, la Voie de Tycho Brahe vers Dieu (1916), Vivre avec une déesse, le Faussaire, Lord Byron n'a plus cours (1929), poèmes.
Bronnen, Arnolt [D, R] (1895-1959).
Doderer, Heimito von [R] (1896-1966) : Ruelles et paysages (1923), le Cas Gütersloh (1930), le Sursis (1940), les Fenêtres éclairées (1950), l'Escalier du Strudlhof (1951), les Démons (1956), les Chutes de Slunj (1963), la Forêt frontalière (1967).
Ebner-Eschenbach, Marie von [R] (1830-1916) : Nouvelles du village et du château (1884), l'Enfant assisté (1887).
Freud, Sigmund [Psycho] (1856-1939) : Intr. à la psychanalyse (1916). – *Biogr. :* fils d'un commerçant israélite de Moravie. *1856* ses parents (pauvres) se fixent à Vienne. *1876* assistant dans un laboratoire de neurologie. *1881* diplômé de neurologie. *1885* agrégé ; stage à la Salpêtrière de Paris (Charcot). *1886-96* associé à Vienne du psychiatre Joseph Breuer (1842-1925). *1897* commence son autopsychanalyse. *1905* réunit quelques disciples. *1907*

rencontre Jung à Zürich et le prend pour assistant. *1909* part avec lui pour les U.S.A. *1910* fonde avec lui l'Association psychanalytique internationale. *1912* s'en sépare. *1920* prof. à Vienne. *1938* chassé par les Nazis, réfugié à Londres.

Hayek, Friedrich August (von) [Ec, Ph] (Autr. 1899-1974) : Prix et Production (1931), Nationalisme monétaire et stabilité internationale (1937), la Route de la servitude (1944), Droit, législation et liberté (1973), l'Ordre politique d'un peuple libre (1979).

Hofmannsthal, Hugo von [D] (1874-1929).

Kafka, Franz [R] (1883-1924) : la Métamorphose (1915), le Procès (1925), le Château (1926), l'Amérique (1927). *Nouvelles :* la Colonie pénitentiaire (1919), la Muraille de Chine (1931). Journal intime (1948), Lettres. – *Biogr. :* fils d'un commerçant juif de Prague. Études de droit. *1908* rédacteur dans une compagnie d'assurances. *1912-17* longues fiançailles, plusieurs fois interrompues, avec une Berlinoise, Félicie Bauer. *1917* tuberculeux. *1919* démissionne ; entre en sanatorium. *1923* liaison à Berlin avec Dora Dymant ; finit sa vie dans un sanatorium près de Vienne, assisté par Dora. Son exécuteur testamentaire, Max Brod, publiera ses œuvres.

Kolbenheyer, Erwin Guido [R] (1878-1962).

Kraus, Karl [E] (1874-1936) : les Derniers Jours de l'humanité (1919).

Leitgeb, Joseph [P] (1897-1952).

Lenau, Nikolaus (Nikolaus, Franz Niembsch, Edler von Strehlenau, dit) [P, D] (1802-50) : Faust (1836), les Albigeois (1842), Don Juan (1851), Poèmes lyriques.

Meyrink, Gustav [R] (1868-1932) : le Golem (1915), le Visage vert, la Nuit de Walpurgis (1917).

Musil, Robert [R] (1880-1942) : Les Désarrois de l'élève Törless (1906), l'Homme sans qualités (1930-43), Journaux (1976-83), Essais (1978).

Nestroy, Johann Nepomuk [D] (1801-62).

Rilke, Rainer Maria [P] (1875-1926) : les Cahiers de Malte Laurids Brigge (1910), Élégies de Duino (1912-23), Sonnets à Orphée (1923), Lettres à un jeune poète (1929).

Rosegger, Peter [R] (1843-1918) : Dans ma forêt, les Sapins du maître d'école (1875).

Roth, Josef [R] (1894-1939) : Hôtel Savoy (1924), la Fuite sans fin (1927), la Marche de Radetzky (1932), le Roman des Cent-Jours (1935), le Poids de la grâce, la Crypte des capucins (1938), le Prophète muet (1966).

Sacher-Masoch, Leopold von [R] (1836-95) : Récits galiciens (1858), Contes juifs (1878), les Messalines de Vienne, la Vénus à la fourrure. (Le terme masochisme fut forgé vers 1880).

Saiko, George [R] (1892-1962).

Schnitzler, Arthur [R] (1862-1931) : la Ronde (1900), Vienne au crépuscule, Mourir, Une jeunesse viennoise.

Schumpeter, Joseph Alois [Ec] (1883-1950) : Capitalisme, socialisme et démocratie (1942), Histoire de l'analyse économique (1954).

Stifter, Adalbert [R] (1805-68) : Brigitta (1943), l'Homme sans postérité (1845), Pierres multicolores (1852), l'Été de la Saint-Martin (1857), Witiko (1865-67), les Cartons de mon arrière-grand-père.

Trakl, Georg [P] (1887-1914) : Révélation et destruction (1947).

Ungar, Hermann [R] (1893-1943) : l'Assassinat du capitaine Hanika (1924).

Werfel, Franz [R] (1890-1945) : la Mort du petit-bourgeois (1927), les 40 Jours de Musa Dagh, le Voleur du ciel, le Chant de Bernadette, l'Étoile de ceux qui ne sont pas nés (1944), Une écriture bleu pâle. *Théâtre :* l'Homme dans le miroir (1920).

Wildgans, Anton [P, D] (1881-1932).

Wittgenstein, Ludwig Joseph [Ph, logicien] (Autr.) (1889-1951) : Tractatus logico-philosophicus (1921).

Zweig, Stefan [R, H] (1881-1942) : la Peur (1920), Amok (1922), la Confusion des sentiments (1926), Bâtisseurs du monde (1936), la Pitié dangereuse (1938), le Monde d'hier (1942), le Joueur d'échecs, Ivresse de la métamorphose, l'Amour d'Erika Ewald, Journaux (1912-40).

Nés après 1900

Aichinger, Ilse [R] (1921) : le Grand Espoir.

Artmann, Hans Carl [E] (1921).

Bachmann, Ingeborg [P, R] (1926-73) : la Trentième Année (1961), Un lieu de hasards (1965), Poésie lyrique, Malina (1971), Requiem pour Fanny Goldmann, Un roman inachevé (1987).

Bauer, Wolfgang [D] (1941) : Magic Afternoon.

Bernhard, Thomas [D, R] (1931-89) : Gel (1963), Perturbation (1967), la Plâtrière (1973), Corrections, Oui, l'Imitateur (1978), le Neveu de Wittgenstein, le Naufragé, Des arbres à abattre, Maîtres anciens, Les apparences sont trompeuses. *Autobiographie :* l'Origine (1975), la Cave, le Souffle, le Froid, Un enfant. *Théâtre :* le Président, le Faiseur de théâtre, Minetti, Heldenplatz.

Canetti, Elias [E] (1905 né Bulgarie, nat. brit.) : Autodafé (roman 1931), les Domaines hantés (1936), Masse et Puissance (1960), les Voix de Marrakech (1968), l'Autre Procès (1969), le Territoire de l'homme (1978), la Conscience des mots (1984), le Témoin auriculaire, le Secret de l'horloge. *Autobiographie :* la Langue sauvée (1977), le Flambeau dans l'oreille, Jeux de regards. *Théâtre :* Noces (1932), la Comédie des vanités (1933-34), les Sursitaires. – *Biogr.* famille juive sépharade parlant le « ladino ». Etudes à Francfort et Vienne. A partir des années 30, écrit en allemand. *1938* émigre à Paris. *1939* (janv.) à Londres. *1981* prix Nobel.

Celan, Paul [P] (1920-70) : Pavot et Mémoire (1952), la Rose de personne (1963).

Fried, Erich [P] (1921-88) : le Soldat et la fille (1960), les Enfants et les fous (1965), la Démesure des choses (1982).

Handke, Peter [D, E] (1942) : le Colporteur, Bienvenue au conseil d'administration (1967), Kaspar (1968), l'Angoisse du gardien de but au moment du penalty (1970), les Frelons, Courte Lettre pour un long adieu (1972), l'Heure de la sensation vraie (1975), la Femme gauchère (1977), Le pupille veut être tuteur, Après-midi d'un écrivain (1988). *Théâtre:* Outrage au public et autres pièces (1966), la Chevauchée sur le lac de Constance (1972).

Haushofer, Marlen [R] (1920-70) : Nous avons tué Stella, le Mur invisible, Dans la mansarde.

Hochwälder, Fritz [D] (1911-86) : l'Expérience sacrée (1947), l'Accusateur public (1954).

Horvath, Ödön von [D] (1901-38). Histoires de la forêt viennoise (1931), la Nuit italienne (1931), Don Juan revient de guerre (1937), Jeunesse sans Dieu (1938).

Jandl, Ernst [P] (1925).

Jelinek, Elfriede [R] (1946) : la Pianiste, les Exclus.

Lavant, Christine [P] (1915-73).

Mayröcker, Friedericke [P] (1924).

Popper, Karl [Ph] (nat. G.-B., 1902) : la Logique de la découverte scientifique (1934), Misère de l'historicisme (1944), la Société ouverte et ses ennemis (1945), la Connaissance objective (1972), L'avenir est ouvert, la Quête inachevée.

Ransmayr, Christoph [R] (1954) : les Effrois de la glace et des ténèbres, le Dernier des mondes (1988).

Rezzori, Gregor von [R] (1914) : Œdipe à Stalingrad, Mémoires d'un antisémite.

Sperber, Manès [E] (1905-84, réfugié en Fr. 1933) : Et le buisson devint cendre (1949), Plus profond que l'abîme (1950), la Baie perdue (1952), Qu'une larme dans l'océan, le Talon d'Achille, Ces temps-là (4 t., 1975-79), les Visages de l'histoire.

Wiesenthal, Simon [E] (1908).

Littérature belge

De langue française

Nés avant 1800

Chastellain, Georges [Chr, P] (1405-75) : Chronique, Recollection des merveilles advenues de mon temps.

Hemricourt, Jacques de [Chr] (1333-1403) : Miroir des nobles de Hesbaye, le Patron de la temporalité.

Le Bel, Jean (Jehan) [Chr] (1292-1370) : les Vraies Chroniques de Messire Jehan le Bel.

Ligne, Charles Joseph (prince de) [Mém] (1735-1814) : Mes écarts ou Ma tête en liberté, Lettres et Pensées (1809), Mémoires et Mélanges historiques.

Marche, Olivier de la [Chr, E] (1425-1502) : Mémoires.

Marnix, Jean de [P] (1580-1631) : les Représentations.

Outremeuse, Jean d' [Chr] (1338-1400) : Geste de Liège, le Miroir des histoires, les Voyages de Sir John Mandeville.

Ste-Aldegonde, Marnix de [Pol] (1540-98) : Tableau des différends de la religion.

Sigebert de Gembloux [Chr] (1030-1112) : Des hommes illustres, Chronique universelle, Lettre apologétique.

Walef, Blaise Henri de Corte, B[on] de [E] (1661-1734) : le Combat des échasses, Rues de Madrid.

Nés entre 1800 et 1900

Adine, France (Mme Coucke, née Cécile Van Dromme) [R] (1890-1977) : la Cité sur l'Arno.

Avermaete, Roger [Es, R] (1893-1988) : Rubens et son temps, James Ensor.

Ayguesparse, Albert [R, P] (1900) : Simon la bonté, la Mer à boire, le Vin noir de Cahors, les Malpensants.

Baie, Eugène [Es] (1874-1963) : le Siècle des gueux.

Baillon, André [R] (1875-1932) : Histoire d'une Marie, le Perce-Oreilles du Luxembourg (1928).

Braun, Thomas [P] (1876-1961) : Passion de l'Ardenne.

Burniaux, Constant [R] (1892-1975) : Une petite vie (1929), les Temps inquiets, la Vie plurielle.

Carême, Maurice [P] (1899-1978) : Mère, la Lanterne magique, la Passagère invisible, Brabant.

Courouble, Léopold [R] (1861-1937) : la Famille Kaekebroek.

Crommelynck, Fernand [D] (1888-1970) : le Cocu magnifique (1921), Chaud et Froid.

De Bock, Aloïse [D, Es, R] (1898-1986) : le Sucre filé (souvenirs), Terres basses, les Mains dans le vide.

De Coster, Charles [E] (1827-1879) : Ulenspiegel.

Delattre, Louis [Es, R] (1870-1938) : Carnets d'un médecin de campagne, Légendes des pays wallons.

Desonay, Fernand [Es] (1899-1973) : les Littératures étrangères du XXe siècle.

Destrée, Jules [Pol] (1863-1936) : le Socialisme en Belgique (avec E. Vandervelde), Wallons et Flamands.

Eekhoud, Georges [R] (1854-1927) : Kees Doorik, le Cycle patibulaire, Libertins d'Anvers (1912).

Elskamp, Max [P] (1862-1931) : Dominical, Six Chansons de pauvre homme.

Fontainas, André [E] (1865-1948) : les Vergers illusoires.

Gevers, Marie [R] (1883-1975) : Comtesse des digues, Château de l'Ouest, Guldentop, Vie et mort d'un étang.

Ghelderode, Michel de [D] (1898-1962) : Don Juan, Hop Signor (1942), Fastes d'enfer, les Bouffons.

Ghil, René [P] (1862-1925) : Légendes d'armes et de sang (1885).

Gilbert, Oscar, Paul [E] (1898-1972) : Pilote de ligne, l'Horizon de minuit.

Gilkin, Iwan [P] (1858-1924) : la Nuit.

Giraud, Albert (Émile Albert Kayenberg) [P] (1860-1929) : Hors du siècle.

Goffin, Robert [P, Es, R] (1898-1984) : la Proie pour l'ombre, le Voleur de feu, les Filles de l'onde, Sablier pour une cosmogonie, Faits divers, Souvenirs avant l'adieu.

Grevisse, Maurice [Gram] (1895-1980) : le Bon Usage (1936).

Hellens, Franz [E] (1881-1972) : Une femme partagée, le Naïf, Mélusine, Réalités fantastiques, le Jeune Homme, Hannibal.

Krains, Hubert [R] (1862-1934) : le Pain noir (1904), Mes amis (1921).

Lemonnier, Camille [R] (1844-1913) : les Charniers, Un mâle, le Mort (1881), la Belgique (1883), Happe-Chair (1886), Comme va le ruisseau (1903).

Libbrecht, Géo [P] (1891-1976) : Livres cachés.

Linze, Georges [P] (1900) : Poèmes.

Maeterlinck, Maurice [P, D] (1862-1949) : Serres chaudes (1889), Pelléas et Mélisande (1893), Monna Vanna, l'Oiseau bleu (1909), le Trésor des humbles, la Vie des abeilles, la Vie des termites [N. 1911].

Man, Henri de [E, Pol] (1885-1953) : Au-delà du marxisme (1929).

Mockel, Albert [P] (1866-1945) : Propos de littérature, Clartés (1902), la Flamme immortelle.

Mœrman, Ernst [P] (1896-1944) : Fantomas 33, Vie imaginaire de Jésus-Christ.

Norge (Georges Mogin) [P] (1898-90) : les Râpes, Famines, la Langue verte, les Oignons.

Nothomb, Pierre [R, P] (1887-1966) : la Dame du Pont d'Oye, Norménil.

Nougé, Paul [P, E] (1895-1967) : Histoire de ne pas rire, l'Expérience continue.

Noulet, Émilie [Cr] (1892-1978) : Paul Valéry.

Ombiaux, Maurice des [R] (1868-1943) : le Joyau de la mitre.

Picard, Edmond [Jur.] (1836-1924) : Scènes de la vie judiciaire.

Pirenne, Henri [H] (1862-1935) : Histoire de Belgique.

Pirmez, Octave [Es] (1832-84) : Jours de solitude, Heures de philosophie.

Plisnier, Charles [P, R] (1896-1952) : Faux Passeports (1937), Meurtres, Mariages.

Ray, Jean (Cremer, Jean-Raymond de) [R] (1887-1964) : la Cité de l'indicible peur, les Contes du Whisky, Harry Dickson.

Rodenbach, Georges [P, R] (1855-98) : Bruges-la-Morte, le Carillonneur, le Règne du silence.
Ruet, Noël [P] (1898-1965) : Château d'enfance, Ma blessure chante.
Séverin, Fernand [P] (1867-1931) : la Source au fond des bois.
Thiry, Marcel [P, R] (1897-1977) : Échec au temps, Nouvelles du Grand Possible, Statue de la fatigue, la Mer de la Tranquillité, Toi qui pâlis au nom de Vancouver, l'Ego des neiges.
Tousseul, Jean (Olivier Degée) [R] (1890-1944) : la Légende des dogues, l'Epine blanche.
t'Serstevens, Albert [P, Es, R] (1885-1974) : l'Or du Cristobal.
Van Hasselt, André [P] (1806-74) : Études rythmiques, Quatre Incarnations du Christ, le Livre des ballades romantiques.
Van Lerberghe, Charles [P] (1861-1907) : la Chanson d'Ève.
Vanzype, Gustave [D] (1869-1955) : le Patrimoine, les Autres.
Verboom, René [P] (1892-1955) : la Courbe ardente.
Verhaeren, Émile [P] (1855-1916) : les Villes tentaculaires, les Campagnes hallucinées, les Forces tumultueuses (1902), la Multiple Splendeur (1906), les Rythmes souverains (1910), Toute la Flandre (1904-11).
Virrès (H. Briers de Lunay, dit Georges) [R] (1869-1946) : la Glèbe héroïque, la Bruyère ardente.
Vivier, Robert [P, Cr] (1894-1989) : la Route incertaine (1921), le Ménestrier (1924), Délivrez-nous du mal (1936), Mesures pour rien (1947), le Calendrier du distrait (1961), Broussailles de l'espace (1974), le Train sous les étoiles, S'étonner d'être (1977).
Waller, Max (Maurice Warlomont) [P, C, R] (1860-89) : le Naturalisme littéraire, la Flûte à Siebel, Daisy.

Nés après 1900

Bal, Willy [Es] (1916) : Henry Pourrat, Dialectologie.
Baronian, Jean-Baptiste [R] (1940) : le Diable Vauvert (1979), la Vie continue (1989).
Bauchau, Henry [R] (1913) : le Régiment noir.
Beck, Béatrice [R] (1914) : Léon Morin prêtre (G. 1952), Cou coupé court toujours, la Décharge, Noli, José dite Nancy, la Mer intérieure, l'Enfant chat, Un(e) (1989), Recensement (1991).
Bernier, Armand [P] (1902-69) : le Monde transparent, le Sorcier triste.
Bertin, Charles [R, P, D] (1919) : Don Juan, Christophe Colomb, Journal d'un crime, le Bel Age, Psaumes sans la grâce, Chant noir, les Jardins du désert.
Bodart, Roger [P, Es] (1910-73) : Office des ténèbres, les Dialogues européens de Montaigne à Sartre, la Littérature en Belgique, la Tapisserie de Pénélope, la Route du sel.
Bronne, Carlo [E] (1901-87) : Esquisses au crayon tendre, Léopold Ier et son temps.
Brucher, Roger [P, Es] (1930) : Bibliographie des écrivains de Belgique de 1881 à 1960, Chair de l'hiver, Anthologie des poètes français du Luxembourg.
Chavée, Achille [P] (1906-69) : Décoction II.
Cliff, William [P] (1940) : Marcher au charbon, En Orient (1986).
Closson, Herman [R, D] (1901-82) : le Jeu des quatre fils Aymon.
Compère, Gaston [P, R] (1924) : Géométrie de l'absence, Portrait d'un roi dépossédé.
Cornélus, Henri [P] (1913-83) : le Vin de rage, Belzébuth.
Curvers, Alexis [P, R] (1906) : Tempo di Roma (1957), Pie XII, le Pape outragé (1964).
Daubier, Louis [P] (1924) : Rêver d'une eau si pure, La nuit veille, Qui tait la vaste parole.
Delaby, Philippe [P] (1914).
Delépinne, Berthe [P, R, E] (1902) : Ce mal d'être deux, Érasme, la Beauté des choses.
Desnoues, Lucienne [P] (1921) : la Fraîche, le Jardin délivré, la Plume d'oie.
Doppagne, Albert [Es] (1912) : Chasse aux belgicismes, Esprits et génies du terroir, le Roseau vert, Chronique de langage.
Dubrau, Louis (Louise Scheidt) [P, R] (1904) : l'An Quarante, le Cabinet chinois, A la poursuite de Sandra, A part entière.
Dumont, Georges-Henri [H, Es] (1920).
Foulon, Roger [P, Es, R] (1923) : l'Envers du décor, le Dénombrement des choses, Un été dans la fagne, Naissance du monde.
Frère, Maud [R] (1923-79) : Mon herbe à moi, les Jumeaux millénaires, le Délice, l'Ange aveugle.
Gascht, André [P, Cr] (1921) : le Royaume de Danemark.
Gillès, Daniel (Daniel Gillès de Pélichy) [R, E] (1917-81) : les Brouillards de Bruges, Tolstoï, la Rouille, le Festival de Salzbourg.
Goosse, André [Ph] (1926) : Nouvelle Grammaire française, le Bon Usage.
Haulot, Arthur [P] (1913) : Matins du monde, Espace, Dérives.
Haumont, Thierry [R] (1949) : les Petits Prophètes du Nord, le Conservateur des ombres.
Izoard, Jacques [P] (1936) : Un chemin de sel pur, Poulpes, Papiers.
Jones, Philippe (P. Robert-Jones) [P] (1924) : Amours et Autres Visages, Être selon, Racine ouverte.
Juin, Hubert (Hubert Loescher) [R, P, Cr] (1926-87) : cycle romantique : les Hameaux.
Kalisky, René [D] (1936-81) : le Pique-Nique de Claretta, Pierre-Paolo Pasolini.
Kegels, Anne-Marie [P] (1912) : Chants de la sourde joie, les Doigts verts.
Kinds, Edmond [P, B, Cr] (1907) : le Volet des songes, les Ornières de l'été, Jean Tardieu ou l'Énigme d'exister, le Point mort, le Temps des apôtres.
Lacour, José-André [R, D] (1919) : l'Année du bac, la Mort en ce jardin.
Leys, Simon (Pierre Rickmans) [E] (1935) : Ombres chinoises (1974), Images brisées, la Forêt en feu (1983), l'Humeur, l'honneur, l'horreur (1991).
Lilar, Suzanne [E, Dr] (1901) : le Burlador, le Malentendu du deuxième sexe, le Couple, Une enfance gantoise.
Linze, Jacques-Gérard [P, R] (1925) : la Conquête de Prague, l'Étang-Cœur, la Fabulation, Danger de mort, Manifestes poétiques, Poèmes de bonheurs insolites.
Lobet, Marcel [Es] (1907) : Écrivains en aveux, la Ceinture de feuillage, l'Abécédaire du meunier, le Fils du temple.
Magnes, Claire Anne [P] (1937) : Un grand soleil tremblant, les Enclos.
Mallet-Joris, Françoise (Mme J. Delfau née Fr. Lilar) [R] (1930) : le Rempart des Béguines (1952), l'Empire céleste (F. 1958), les Personnages (1960), Marie Mancini (1961), Lettre à moi-même, les Signes et les prodiges (1966), la Maison de papier (1970), Allegra (1976), Jeanne Guyon, Dickie Roi, Un chagrin d'amour et d'ailleurs (1981), le Clin d'œil de l'ange (nouvelles 1983), le Rire de Laura (1985), la Tristesse du cerf-volant, Adriana Sposa (1989).
Marceau, Félicien. Voir p. 306 b.
Masoni, Carlo [P, Th] (1921) : les Mains de cendre, Vous serez mes juges.
Mertens, Pierre [R, Es] (1945) : l'Inde ou l'Amérique, la Fête des anciens, les Bons Offices, les Éblouissements (M 1987).
Michaux, Henri [R] (1899-1984) : Un barbare en Asie, Ailleurs.
Miguel, André [P] (1920) : Toisons (1959), Fables de nuit (1966), Fleuve-forêt (1968), Boule androgyne (1972), Ovales naturels précédé de Onoo (1979).
Mogin, Jean [D, P] (1921-86) : A chacun selon sa faim, le Rempart de coton, Un mystère, la Reine des neuf jours.
Moreau, Marcel [R, Es] (1933) : Suintes, Bannières de Bave, A dos de Dieu.
Moulin, Jeanine [P, Cr] (1912) : Manuel poétique d'Apollinaire, Rue Chair et Pain, les Mains nues.
Muno, Jean (Robert Burniaux) [R] (1924-88) : le Joker, la Brèche, Ripple-Marks, Histoires singulières.
Nelod, Gilles [R] (1922-89) : les Poings, Des conquistadores de la liberté.
Nicolaï, Marie [R] (1923) : Où reposer la tête, la Gagnante, Des vieux jours.
Orbaix, Marie-Claire d' [P] (1920-90).
Owen, Thomas (Gérald Bertot) [E, R] (1910) : Hôtel meublé, Pitié pour les ombres et autres contes fantastiques.
Paron, Charles [L] (1914) : Zdravko, Marche-Avant.
Périer, Odilon-Jean [P, R] (1901-28) : le Citadin, le Promeneur, le Passager des anges.
Piron, Maurice [Es, Ph] (1914-86) : G. Apollinaire et l'Ardenne, Aspects et profil de la culture romane en Belgique.
Pirotte, Jean-Claude [R] (1939) : la Pluie à Rethel, Un été dans la combe.
Poulet, Georges [Cr, Ph] (1902) : l'Espace proustien, Études sur le temps humain.
Quinot, Raymond [P] (1920).
Radzitzky, Carlos de [P] (1915-85) : Dormeuse, Ophélie, le Commun des mortels.
Rolin, Dominique [R, P] (1913) : le Souffle (1952), le Lit (1960), le For intérieur (1963), la Forêt (1965), Deux (1975), la Voyageuse, l'Enfant-Roi (1986), Vingt chambres d'hôtel (1990).
Savitzkaya, Eugène [R, P] (1955) : la Traversée de l'Afrique, le Cœur de schiste, Plaisirs solitaires, Un jeune homme trop gros.
Scheinert, David [L, R, P] (1916) : le Flamand aux longues oreilles, la Contre-Saison.
Schmitz, André [P] (1929) : Pour l'amour du feu, Soleils rauques, Une poignée de jours, Oiseaux, éclairs et autres instants.
Scutenaire, Louis [P, E] (1905-87) : les Vacances d'un enfant (1947), Mes inscriptions, les Jours dangereux (1972).
Seuphor, Michel [R, Es] (1901) : l'Art abstrait.
Simenon, Georges [R] (1903-89) : la Mort de Belle, le Relais d'Alsace (1930), le Testament Donnadieu (1937), les Sœurs Lacroix (1938), Touriste de bananes (1938), les Inconnus dans la maison (1940), Feux rouges, le Blanc à lunettes, le Pendu de St-Pholien, La neige était sale, En cas de malheur, série des Maigret [(créée dep. 1929, inaugurée 1931 par Fayard avec Pietr le Letton), œuvres complètes 330 titres, 72 vol. (1967-73)], le Président (1958), Lettres à ma mère (1974), Un homme comme un autre (1975), Des traces de pas (1976), Vent du nord, vent du sud (1976), Mémoires intimes (1981). 218 romans sous son nom dont 80 Maigret, 300 sous pseudonymes (17 pseudonymes enregistrés). Tirage total 500 millions d'ex. Diffusion 1 million d'ex. par an. Adaptations : 52 cinématographiques, 211 à la télévision. 22 acteurs ont interprété Maigret (12 à la télévision, 10 au cinéma).
Sion, Georges [D, Es] (1913) : le Voyageur de Forceloup, la Malle de Paméla, Bruxelles ou les Contes des mille et un ans.
Sodenkamp, Andrée [P] (1906) : Femmes des longs matins, la Fête debout.
Steeman, Stanislas-André [R] (1907-70) : l'Assassin habite au 21.
Sternberg, Jacques [R] (1923) : Lettre ouverte aux Terriens, le Cœur froid, Sophie, la mer et la nuit.
Thinès, Georges [R] (1923) : le Tramway des officiers.
Tordeur, Jean [P] (1920) : le Vif, Conservateur des charges.
Trousson, Raymond [Ph, Es.] (n.c.) : Voyages au pays de nulle part, le Soleil des morts.
Vandegans, André [Es] (1921) : Anatole France, les Années de formation, la Jeunesse littéraire d'A. Malraux, A. Malraux et l'obsession de la transcendance.
Vandercammen, Edmond [P, Es] (1901-80) : l'Innocence des solitudes, les Abeilles de septembre, le Sang partagé, Horizon de la vigie.
Vandromme, Pol [E] (1927) : l'Eté acide.
Verhesen, Fernand [P, Es] (1913) : les Clartés mitoyennes, Voies et voix de la poésie française.
Walder, Francis [R] (1906) : la Paix de Saint-Germain ou la Négociation. (G 58).
Weyergans, François [R] (1941) : le Pitre, Macaire le copte, Rire et pleurer (1990).
Weyergans, Franz [R, Es] (1912-74) : l'Opération.
Willems, Paul [D] (1912) : la Ville à voile, les Miroirs d'Ostende.
Wouters, Liliane [P] (1930) : la Marche forcée, le Bois sec, le Gel.

De langue néerlandaise

Anonymes : *Karel ende Elegast* (cycle Charlemagne) XIIIe s. ; *Van den Vos Reinaerde* (Roman de Renart) XIIIe s. ; *Elckerlyc* (Moralité) XIVe s.
Bijns, Anna [Pol] (1493-1575).
Boon, Louis, Paul [R] (1912-79) : le Faubourg s'étend, Menuet.
Claus, Hugo [D, R] (1929) : Sucre, la Fiancée du matin, Vendredi, A propos de Dédée.
Conscience, Hendrik [E] (1812-83) : Lion de Flandre.
Daisne, Johan (Herman Thiery) [P, R, D, Cr] (1912-78) : *Romans :* l'Homme au crâne rasé (1947), les Dentelles de Montmirail (1964).
Elsschot, Willem (A. de Ridder) [R] (1882-1960) : le Feu follet, Villa des roses (1913).
Geeraerts, Jef [R] (1930) : Gangrène, Chasser.
Gezelle, Guido [P] (1830-90) : Chansons et prières.
Gijsen, Marnix (J.A. Goris) [R] (1899-1984) : le Livre de Joachim de Babylone (1947).
Hadewych [P] : Poèmes strophiques (XIVe s.).
Lampo, Hubert [R] (1920) : la Venue de Joachim Stiller (1960).
Raes, Hugo [E] (1929) : les Rois fainéants (1961).
Roelants, Maurice [R] (1895-1966).
Ruysbroek, l'Admirable [Théo] (1293-1381) : Écrits mystiques.
Ruyslinck, Ward [R] (1929) : les Dormeurs dégénérés (1957).

Schillebeeckx, Edward [Théo] (1914).
Streuvels, Stijn [E] (1871-1969).
Teirlinck, Herman [D] (1879-1967).
Timmermans, Félix [E] (1886-1947).
Van Aken, Piet [E] (1920) : Klinkaart (1954).
Van Assenede, Diederik [D] : « Beatrijs ».
Vandeloo, Jos [R] (1925) : le Danger.
Van de Woestijne, Karel [P] (1878-1929).
Van Maerlant, Jacob [Ency] (v. 1225-apr. 1321).
Van Ostaijen, Paul [P] (1896-1928) : Ville occupée, le Premier Livre de Schmoll.
Van Veldeke, Hendrik [P] († av. 1200) : Énéide, Chanson.
Vermeylen, August [E] (1872-1945) : le Juif errant.
Walschap, Gérard [R] (1898) : Houtekiet, Sœur Virgilia, Noir et Blanc, Un homme de bonne volonté, le Nouveau Deps.

Littérature canadienne

De langue française

Nés avant 1900

Barbeau, Marius [Es] (1883-1969) : Fameux Peaux-Rouges d'Amérique du Nord-Est (1966), le Saguenay légendaire (1967), Louis Jobin statuaire (1968).
Barbeau, Victor [Es] (1896) : Il était une fois (1935), la Face et l'envers (1966), Dictionnaire bibliographique du Canada français (1974).
Beauchemin, Nérée [P] (1850-1931) : les Floraisons matutinales (1897), Patrie intime (1928).
Bégon, Élisabeth [E] (1696-1755) : Lettres au cher fils [correspondance avec son gendre (1748-53)].
Boucher, Pierre [Nat] (1622-1717) : Histoire véritable et naturelle des mœurs et production du pays de la Nouvelle-France (1664).
Buies, Arthur [Es] (1840-1901) : Chroniques canadiennes (1873), la Lanterne d'Arthur Bules (1964), Lettres sur le Canada (1978).
Casgrain, Henri [P] (l'abbé) [Es] (1831-1904) : les Miettes ; distractions poétiques (1869), Une excursion à l'île aux Coudres (1885).
Charbonneau, Jean [P] (1875-1960) : les Blessures (1912), l'Age du sang (1921), Tel qu'en sa solitude (1940), Sur la borne pensive (1952).
Conan, Laure [R] (1845-1924) : Angéline de Montbrun (1884), A l'œuvre et à l'épreuve (1891), l'Obscure Souffrance (1919).
Cremazie, Octave [P] (1827-79).
Évanturel, Eudore [P] (1852-1919) : Premières Poésies (1876-78).
Fréchette, Louis Honoré [P, E] (1839-1908) : Pêle-mêle (1881), la Légende d'un peuple (1887), Feuilles volantes (1891), Originaux et détraqués (1892).
Garneau, François-Xavier [H] (1809-66) : Histoire du Canada.
Gaspé, Philippe Aubert de [R] (1786-1871) : Anciens Canadiens.
Grignon, Claude, Henri [R] (1894-1976) : les Vivants et les autres (1922), Un homme et son péché, le Déserteur et autres récits de la terre (1978).
Groulx, Lionel (l'abbé) [H] (1878-1967) : les Rapaillages (1916), Histoire du Canada français depuis la découverte (1951), Mes mémoires (1970-74).
Guèvremont, Germaine [E] (1893-1968) : En pleine terre (1942), le Survenant, Marie-Didace (1956).
Hémon, Louis [R] (1880-1913) : Maria Chapdelaine (1916), la Belle que voilà (1923), Colin-Maillard (1924), M. Ripois et la Némésis (publ. 1950), Lettres à sa famille (1968).
Morin, Paul [P] (1889-1963) : le Paon d'émail (1911), Poèmes de cendre et d'or (1922), Géronte et son miroir (1960).
Nelligan, Émile [P] (1879-1941).
Ringuet, Philippe Panneton dit, [R] (1895-1960) : Trente Arpents (1938), l'Héritage et autres contes.
Roquebrune, Robert de [R] (1889-1978): les Habits rouges (1948), Testament de mon enfance, la Seigneuresse, Cherchant mes souvenirs (1968).
Rumilly, Robert [H] (1897-1983) : Histoire de la province de Québec (1940-69).
Savard, Félix-Antoine [R] (1896-1982), la Minuit (1948), Menaud, maître draveur, le Bouxeuil.
Sulte, Benjamin [J] (1841-1923) : Mélanges historiques (1918-34).

Nés après 1900

Aquin, Hubert [R] (1929-77) : Prochain épisode (1965), Neige noire (1974), l'Antiphonaire.
Barbeau, Jean [D] (1945) : Ben Ur (1971), Émile et une nuit.
Beauchemin, Yves [R] (1941) : l'Enfirouapé (1974), le Matou (1981).
Beaulieu, Victor Lévy [R] (1945) : Race de monde (1969), Monsieur Melville (1978), Satan Belhumeur (1981), les Grands-Pères.
Benoît, Jacques [R] (1941) : Jos Carbone.
Bergeron, Léandre [H] (1933) : Petit manuel d'histoire du Québec (1970), Dictionnaire de la langue québécoise (1980).
Bersianik, Louky [R] (1930) : l'Eugélionne (1976), Maternative : les pré-Ancyls (1980).
Bessette, Gérard [R] (1920) : le Libraire (1960), l'Incubation (1965), les Anthropoïdes (1977), Mes romans et moi (1979).
Blais, Marie-Claire [R] (Québec, 1939) : la Belle Bête (1954), Une saison dans la vie d'Emmanuel (M. 1966), le Loup (1972), A cœur joual (1974), les Nuits de l'underground (1978), le Sourd dans la ville (1979), Visions d'Anna ou le Vertige (1982).
Bosco, Monique [R] (1927) : Charles Lévy, m.d., Schabbat, 70-77 (1978), la Femme de Loth.
Boucher, Denise [R] (1935) : les Fées ont soif.
Bourassa, André G. (1936) : Surréalisme et littérature québécoise (1977).
Brault, Jacques [P] (1933).
Brossard, Nicole [P] (1943).
Caron, Louis [R] (1942) : les Fils de la liberté, le Bonhomme sept heures.
Carrier, Roch [R, D] (1937) : *Romans :* la Guerre, yes Sir ! (1968), Floralie (1974), le Jardin des délices (1975). *Théâtre :* la Céleste Bicyclette (1980), Les fleurs vivent-elles ailleurs que sur la Terre ? (1980), la Dame qui avait des chaînes aux chevilles (1981), le Cirque noir (1982).
Chamberland, Paul [P] (1939).
Choquette, Gilbert [P, R] (1929) : Au loin l'espoir (1959), Interrogation (1962), l'Honneur de vivre (1964), Apprentissage (1966), la Défaillance (1969), la Mort au verger, Un tourment extrême (1979).
Choquette, Robert [P] (1905).
Cousture, Arlette : les Filles de Caleb (1986).
Dansereau, Pierre [R] (1911) : le Futur d'un Québec au conditionnel.
Daveluy, Paule [R] (1919) : l'Été enchanté (1958).
Desbiens, Jean-Paul [E] (1927) : les Insolences du frère Untel (1962), Sous le soleil de la pitié (1973).
Desrochers, Alfred [P] (1901-78).
Dion, Léon [Soc] (1922) : la Prochaine Révolution (1973), le Québec et le Canada.
Dubé, Marcel [D] (1930) : Un simple soldat (1967), les Beaux Dimanches (1968), le Réformiste (1977), Entre midi et soir, Octobre (1977).
Ducharme, Réjean [Hum] (1941) : les Enfantômes, Ha ha !, l'Avalée des avalés, Dévadé (1990).
Dumont, Fernand [E] (1927) : Idéologies au Canada français (4 t. en 6 v.).
Ferron, Jacques [R] (1921-85) : la Nuit (1965), le Ciel de Québec (1969), Dr Cotnoir (1973), l'Amélanchier (1977), les Confitures de coing (1977), Rosaire (1981).
Folch-Ribas, Jacques [R] (1928) : l'Aurore boréale, la Chaire de Pierre (1989).
Garneau, Hector, De Saint Denis [P] (1912-43).
Garneau, Michel [D] (1925-1971) : les Célébrations, Moments (1973), Quatre à quatre (1974).
Gauvreau, Claude [D] (1925-71) : Refus global (1948), Œuvres créatrices complètes (1977), Entrails (1981).
Gelinas, Gratien [D] (1909) : Ti-Coq (1950), Bousille et les Justes (1960), Hier, les enfants dansaient.
Germain, Jean-Claude [D] (1939) : Un pays dont la devise est je m'oublie (1976), l'École des rêves (1979), Mamours et conjuguat (1979).
Giguère, Diane [R] (1937) : le Temps des jeux, l'Eau est profonde, Dans les ailes du vent.
Giguère, Roland [R] (1929) : l'Age de la parole, la Main au feu.
Godbout, Jacques [R] (1933) : l'Aquarium (1962), Salut Galarneau ! (1967), l'Isle au dragon (1976), les Têtes à Papineau (1981).
Granbois, Alain [P] (1900-75).
Grand'maison, Jacques [E] (1931) : Vers un nouveau pouvoir.
Gurik, Robert [D] (1932) : Hamlet, prince du Québec (1977).
Hamel, Réginald (1931) : Dictionnaire pratique des auteurs québécois (1976).
Hébert, Anne [P, R] (1916) : les Songes en équilibre (1942), le Torrent (1950), le Tombeau des rois (1953), les Chambres de bois (1958), Mystère de la parole (1960), le Temps sauvage (1967), Kamouraska, les Enfants du Sabbat, Héloïse, les Fous de Bassan (1982).
Hérault, Gilles [R] (1920) : Sémaphore (1962), Signaux pour les voyants.
Jasmin, Claude [E] (1930) : la Petite Patrie (1972), la Sablière, le Veau dort (1979), les Contes du Sommet bleu (1980), Délivrez-nous du mal (1981).
Laberge, Marie [D] (1929) : C'était avant la guerre à l'Anse-à-Gilles (1981), l'Homme gris.
Langevin, André [R] (1927) : l'Élan d'Amérique, Une chaîne dans le parc, le Fou solidaire, Poussière sur la ville.
Langevin, Gilbert [P] (1938).
Languirand, Jacques [R] (1931) : les Insolites.
Lapointe, Gatien [P] (1931).
Lapointe, Paul-Marie [R] (1929) : le Vierge incendié, le Réel absolu.
Lasnier, Rina [P] (1915).
Lebel, Maurice : Regards sur la Grèce d'hier et d'aujourd'hui (1977).
Leclerc, Félix [Chan, R] (1914) : Allégro (1945), Pieds nus dans l'aube (1947).
Lemelin, Roger [R] (1919) : Au pied de la pente douce (1944), les Plouffe (1948), Pierre le magnifique (1952), la Culotte en or (1980).
Loranger, Françoise [D] (1913) : Double Jeu (1969), Jour après jour, Un si bel automne (1971).
Maillet, Antonine [R] (1930) : Évangéline Deusse (1975), Mariaagélas (1975), la Sagouine (1976), Corde de bois (1977), Pélagie la charrette [G. 1979], la Gribouille, Crache-à-pic (1984).
Major, André [E] (1942) : l'Épouvantail (1974), les Rescapés, l'Épidémie (1977).
Malency, Pierre [P] (1942).
Marcotte, Gilles [R] (1925) : le Poids de Dieu (1962), le Roman à l'imparfait (1976), Anthologie de la littérature québécoise (1978).
Martel, Suzanne [P] (n.c.) : A la découverte du Gotal (1979), Montcorbier (1980).
Martin, Claire [R] (1914) : Dans un gant de fer (1965), Markoosie (1971), La petite fille lit (1973).
Mertens, Pierre [R] (1939) : les Bons Offices (1974), la Fête des anciens (1983), les Éblouissements [M 1987].
Miron, Gaston [P] (1928).
Monière, Denis [E] (1947) : le Développement des idéologies au Québec.
Ouellette, Fernand [R] (1930) : Edgar Varise, les Actes retrouvés, Poésie.
Ouvrard, Hélène [R] (1938) : le Corps étranger (1973), la Noyante, l'Herbe et le varech (1980).
Paradis, Suzanne [P] (1936).
Parizeau, Alice : Les lilas fleurissent à Varsovie (1985).
Perrault, Pierre [P] (1927).
Pilou, Jean-Guy [P] (1930).
Poulain, Jacques [R] (1938) : Faites de beaux rêves, les Grandes Marées, Volkswagen Blues.
Robert, Guy [E] (1933) : Art actuel au Québec depuis 1970 (1983).
Roy, Gabrielle [R] (1909-83) : Bonheur d'occasion (F. 1947), la Petite Poule d'eau, Rue Deschambault, Alexandre Chênevert, la Montagne secrète, la Route d'Altamont, Ces enfants de ma vie, Cet été qui chantait, la Détresse de l'enchantement.
Selye, Hans [M] (1907-82) : Stress sans détresse.
Soucy, Jean-Yves [R] (1945) : Un Dieu chasseur (1978), les Chevaliers de la nuit (1980), l'Étranger au ballon rouge (1981).
Thériault, Yves [R] (1915-83) : Aaron (1954), Agaguk (1958), le Dernier Havre, la Fille laide (1970), Moi, Pierre Humeau, les Aventures d'Ori, le Dompteur d'ours, Tayaout, fils d'Agaguk (1981).
Tremblay, Michel [R, D] (1943) : les Belles Sœurs (1968), La grosse femme d'à-côté est enceinte (1979), l'Impromptu d'Outremont (1980), les Chroniques du plateau Mont-Royal.
Trudel, Marcel [H] (1917) : Histoire de la Nouvelle-France, Montréal, la formation d'une société.
Uguay, Marie [P] (1955-1981).
Vadeboncœur, Pierre [Es] (1920) : Indépendance (1972), l'Autorité du peuple (1977), les Deux Royaumes (1978), To be or not to be (1980).
Vallières, Pierre [Pol] (1938) : Nègres blancs d'Amérique (1968).
Vigneault, Gilles [Chan] (1928).
Wyczynski, Paul [E] (1921).

De langue anglaise

Nés avant 1900

Brooke, Frances (Moore) [R] (1724-1789) : The History of Emily Montague (1769).
Campbell, Wilfred [P] (1861-1918).

Carr, Emily (Artiste) (1871-1945) : Klee Wyck (1942).
Connor, Ralph (Rev. Charles William Gordon, dit) [R] (1860-1937) : The Man from Glengarry (1901), Glengarry School Days (1902).
De la Roche, Mazo [R] (1885-1961) : Jalna (15 romans).
Grove, Frederick Philip [E] (1871-1948) : Settlers of the Marsh (1925).
Haliburton, Thomas Chandler [Hum] (1796-1865) : Sam Slick the Clockmaker (1823).
Jenness, Diamond [Ethn] (1886-1969) : The Indians of Canada (1963).
Kirby, William [R] (1817-1906) : The Golden Dog : le Chien d'or (1884).
Lampman, Archibald [P] (1861-1899).
Leacock, Stephen Butler [Hum] (1869-1944) : Literary Lapses (1910), Sunshine Sketches of a Little Town (1912).
Montgomery, Lucy Maud [R] (1874-1942) : Anne of Green Gables (1908).
Moodie, Susanna (Strickland) [Pros] (1803-1885) : Roughing It in the Bush, or Life in Canada (1852).
Parker, Gilbert [R] (1862-1932) : The Seats of the Mighty (1896).
Pratt, E.J. [P] (1883-1964).
Richardson, John [R] (1796-1852) : Wacousta or the Prophecy, A Tale of the Canadas (1832).
Roberts, Charles G.D. [P] (1860-1943).
Sangster, Charles [P] (1822-93).
Scott, Duncan Campbell [P] (1862-1947).
Scott, Francis Reginald [P, Pol] (1899-1985) : Essays on the Constitution (1977).
Service, Robert William [P] (1874-1958).
Seton, Ernst Thompson [Nat, R] (1860-1946).
Traill, Catharine Parr [Pros] (1802-99) : The Backwoods of Canada (1836).
Wilson, Ethel Davis [R] (1890-1980) : Swamp Angel (1954).

Nés après 1900

Acorn, Milton [P] (1923).
Atwood, Margaret [P, R] (1939) : Lady Oracle, la Servante écarlate (1986), Œil-de-Chat (1989).
Berton, Pierre [H] (1920) : The Promise Land, The Mysterious North (1956), The National Dream (1970), The Last Spike (1971), Klondike (1972), The Arctic Grail (1988).
Birney, Earle [P, R] (1904) : Turvey, Fall by Fury (1978).
Bissett, Bill [P] (1939).
Bissoondath, Neil (1955) : Digging up the Mountains (1986), A Casual Brutality (1988).
Bolt, Carol [D] (1941) : Red Emma : Queen of the Anarchists (1973).
Bowering, George [P, R] (1935) : En eaux troubles, West Window, Kerrisdale Elegies.
Buckler, Ernest [R] (1908) : The Mountain and the Valley (1952), Whirligig.
Callaghan, Morley [R] (1903) : Telle est ma bien-aimée (1934), More Joy in Heaven (1937), The Loved and the Lost (1951), Cet été là à Paris (1963), The Energy of Slaves (1972), Death of a Lady's Man (1977), The Many Coloured Coat (1988).
Cohen, Leonard [P] (1934).
Cohen, Matt [R] (1942) : The Disinherited (1974), Flowers of Darkness (1981), le Médecin de Tolède (1982).
Coleman, Victor [P] (1944).
Coles, Don (n.c.) : Sometimes All Over, The Prinzhorn Collection, K. in Love (1987).
Creighton, Donald Grant [H] (1907-79) : John A. MacDonald (1955), Dominion of the North (1957), The Forked Road (1976).
Davies, Robertson [R, D] (1913-85) : Cinquième Emploi (1970), le Manticore, l'Objet du scandale, le Monde des merveilles, What's Bred is the Bone (1985), The Lyre of Orpheus (1988).
Engel, Marian [R] (1933-85) : Bear (1976), The Glassy Sea, Lunatic Villas.
Findley, Timothy [R] (1930) : The Wars (1977), Famous Last Words (1981), le Grand Élysium hôtel (1984), Stones (1988).
Freeman, David [D] (1945) : Creeps (1972).
Frye, Northrop [Cr] (1912) : Shakespeare et son théâtre, le Siècle de l'innovation (1968).
Gallant, Mavis [R] (1922) : Home Truths (1981), les Quatre Saisons, Rue de Lille (1986), l'Été d'un célibataire (1989).
Glassco, John [E] (1909-81) : Memoirs of Montparnasse (1970).
Gray, John [D] (1946) : Billy Bishop Goes to War, Rock and Roll (1982).
Gwyn, Richard [J] (1934) : The Northern Magus : Pierre Trudeau and Canadians (1979).
Harlow, Robert [R] (1923) : Scann (1972), Paul Nolan (1983), The Saxophone Winter (1988).
Herbert, John [D] (1926) : Aux yeux des hommes (1967), Some Angry Summer Songs (1976).
Hodgins', Jack [R] (1938) : Spit Delaney's Island, the Resurrection of Joseph Bourne, The Honourary Patron (1988).
Kinsella, W.P. [R] (1935) : Dance Me Outside (1977), Shoeless Joe Jackson Comes to Iowa (1980), Shoeless Joe (1982).
Klein, A.M. [P, R] (1909) : The Second Scroll (1951).
Kroetsch, Robert [R] (1927) : The Studhorse Man (1969), Alibi, Advice to my Friends.
Laurence, Margaret [R] (1926-87) : l'Ange de pierre (1964), les Gracles, Ta maison est en feu (1971).
Layton, Irving [P] (1912).
Lee, Dennis [P] (1939).
Livesay, Dorothy [P] (1909).
MacLennan, Hugh [R] (1907) : Two Solitudes (1945), The Watch that Ends the Night (1958), Voices in Time (1980).
McCall-Newman, Christina [J, H] (1936), Grits : an Intimate Portrait of the Liberal Party (1982).
McLuhan, Marshall [Soc] (1911-80) : la Galaxie Gutenberg (1962), Pour comprendre les médias (1964).
Maillard, Keth [R] (1942) : The Knife in my Hands (1981), Cutting Through (1982).
Mitchell, W.O. [R] (1914) : Qui a vu le vent (1947), Ladybug (1988).
Moore, Brian [R] (1921) : The Luck of Ginger Coffey (1960), Robe noire.
Mowat, Farley [R, Ethn, Polé] (1921) : People of the Deer (1952), Mes amis les loups (1963), Ouragan aux Bermudes (1979), Virunga (1987).
Munro, Alice [R] (1931) : Lives of Girls and Women (1971), Who do You Think You Are ? (1978), les Lunes de Jupiter (1982).
Newlove, John [P] (1938).
Newman, Peter C. [J] (1929) : The Canadian Establishment (1975), the Establishment Man (1982).
Nowlan, Alden [P] (1933-83).
O'Hagan, Howard [R] (1902) : Tay John (1939).
Ondaatje, Michael [P, R] (1943) : The Collected Works of Billy the Kid (1970), There's a Trick with a Knife I'm Learning to Do (1979), Running in the Family (1982), Secular Love (1984), la Peau du lion (1987).
Ormsby, Margaret A. [H] (1909) : British Columbia : a History (1959).
Page, P.K. [P] (1916).
Reaney, James [P] (1926).
Richler, Mordecai [R] (1931) : Apprentissage de Duddy Kravitz, le Choix des ennemis.
Ritchie, Charles [Pol] (1906) : The Siren Years, Storn Signals (1983).
Rooke, Leon [R] (1934) : Fat Woman (1980), Shakespeare's Dog (1983).
Ross, James-Sinclair [R] (1908) : As for Me and My House (1941), The Race and Other Stories.
Saul, John [R] (1947) : l'Ennemi du bien (1986), Paradis Blues (1988).
Simpson, Jeffrey Carl [H] (1949) : Discipline of Power (1980).
Skelton, Robin [P] (1925).
Smart, Elizabeth [R] (1913) : By Grand Central Station I Sat Down and Wept (1945).
Stewart, Roderick [B] (1934) : Norman Bethune.
Suknaski, Andrew [P] (1942).
Vanderhaege, Guy [R] (1951) : Man Descending : Selected Stories (1982).
Wade, Mason [H] (1913) : Encyclopédie du Canada français (1968).
Watkins, Mel [Soc, Pol] (1932) : The Dene Nation : Colony Within (1977).
Watson, Sheila [R] (1909) : The Double Hook (1959).
Webb, Phyllis [P] (1927).
Wiseman, Adele [R] (1928) : The Sacrifice (1956), Crackpot, Letter to the Past : an Autobiography.
Woodcock, George [H, P, R] (1912) : Gabriel Dumont, Faces from History.

Littérature espagnole

XIIe au XVe siècle

Lyrisme catalan. Troubadours occitans. Vivace à Barcelone, puis à Valence ; pratique en outre l'allégorisme des poètes français d'oïl. Raymond Lulle (1235-1315), Ausias March (1397-1459), Jaume Roïg (1409-78).

Poèmes chevaleresques. *Romanceros :* recueils de récits chevaleresques (versifiés), du type des poèmes épiques français. Au XVe s., Garcia Rodríguez de Montalvo crée dans leur tradition le roman de chevalerie : Amadis de Gaule, modèle de la littérature romanesque entre 1650 et 1750.

XVIe-XVIIe siècle

Gongorisme (ou cultéranisme). Expression littéraire recherchée de sentiments raffinés. Dans la tradition des troubadours occitans du Moyen Age espagnol, celle du *trobar clus* (poésie hermétique). Luis de Gongora (1561-1627), les frères Argensola : Bartolomé (1562-1631), Lupercio (1559-1613).

Picarisme. Roman de l'antihéros. Par opposition aux personnages idéalisés de l'Amadis de Gaule, se crée une école réaliste, satirique et sarcastique, dont les personnages sont des coquins et des antisociaux. Miguel de Cervantès [1547-1616, Sancho Pança appartient au type picaresque (et Don Quichotte est un Amadis ridiculisé)] ; Mateo Alemán (1547?-1614), Vicente Espinel (1550-1624), Lazarillo de Tormès (1554, anonyme), Francisco Lopez de Ubeda (1558-80).

Mystiques. Écrivains spirituels ayant exercé une influence capitale sur la littérature religieuse européenne. Sainte Thérèse d'Avila (1515-82), saint Jean de la Croix (1542-91).

XIXe-XXe siècle

Génération de 1898. Réaction contre la tendance à la rhétorique qui a caractérisé la littérature espagnole du XVIIe au XIXe s. Cherche à exprimer en langage dépouillé les sentiments profonds du peuple espagnol : sens moral chrétien et inquiétude patriotique. Miguel de Unamuno (1864-1936), Jacinto Benavente (1866-1954), Pio Baroja (1872-1956), Azorin (1874-1967), Antonio Machado (1875-1939), Ramiro de Maeztu (1875-1936).

Génération de 1927. Alberti, D. Alonso, V. Aleixandre, Altolaguirre, Bergamin, Buñuel, J. Guillèn, Lorca.

Nés entre 1100 et 1400

Anonymes : Le Poème du Cid (Cantar de mio Cid) (vers 1140), Roncevaux, les Sept Enfants de Lara, la Grande Conquête d'outre-mer (XIIIe s.), les Enfances du Cid, Danses de la mort (XIVe s.).
Alphonse X le Savant [P, H, E] (1221-84) (roi de Castille et empereur d'Allemagne) : Cantiques de sainte Marie, Première Chronique générale.
Avicébron (Salomon ibn Gabirol) [Ph] (juif esp. v. 1020-v. 1058) : la Source de vie.
Berceo, Gonzalo de [E] (v. 1198-apr. 1264) : les Miracles de Notre-Dame.
Juan Manuel, l'Infant [Mor] (1282-1348) : Livre de Petronio ou le comte Lucanor.
López de Ayala, Pedro [H] (1332-1407) : Rimado de Palacio.
Lulle Raymond (bienheureux) surnommé le Docteur illuminé [Ph, alchimiste] (v. 1235-1315) : Ars magna.
Maimonide, Moïse [Médecin, Théo, Ph] (juif esp. 1135-1204) : le Guide des égarés.
Mendoza, Iñigo López de (Mis de Santillana) [P] (1398-1458) : Sonnets.
Pérez de Guzmán, Hernán [P, H, E] (v. 1376-v. 1458).
Ruiz, Juan (archiprêtre de Hita) [P] (v. 1285-v. 1350) : le Livre de bon amour.
Sem Tob, le rabbi [Mor] (v. 1300-v. 1370) : Proverbes moraux.

Nés entre 1400 et 1500

Boscán, Juan [P] (v. 1495-1542).
Castillejo, Cristóbal de [P] (v. 1490-1550).
Cortés, Hernán [H] (1485-1547) : Lettres sur la conquête du Mexique.
Diaz del Castillo, Bernal [Chr] (1492-1581 ?) : Véritable Histoire de la conquête de la Nouvelle-Espagne (posth. 1632).
Encina, Juan del [D, P] (1468-v. 1529) : Églogues : Cristino et Febea (1509).
Guevara, Fray Antonio de [E, H] (1480-1545) : l'Horloge des princes, Epîtres familières.
Las Casas, Fray Bartolomé de [H] (1474-1566) : Histoire générale des Indes (1552).
Manrique, Gómez [P] (1413-v. 1491).
Manrique, Jorge [P] (v. 1440-78) : Stances sur la mort de son père.

Mena, Juan de [P] (1411-56) : Labyrinthe de fortune ou les trois contes.
Padilla, Juan de [P] (1468-1521).
Rojas, Fernando de [D] (1465-1541) : la Célestine (1499).
Torres Naharo, Bartolomé de [D] (1480-v. 1531) : Hyménée (v. 1515), Propalladia.
Vives, Juan Luis [Ph] (1492-1540).

Nés entre 1500 et 1600

Anonyme : le Romancero (recueil de poésies).
Alcazar, Baltasar de [P] (1530-1606).
Alemán, Mateo [R] (1547-1614) : Vie et Aventures de Guzmán de Alfarache (1599).
Argensola, Bartolomé Léonardo de [P, H] (1562-1631). **Lupercio** L. de [P] (1559-1613).
Balbuena, Bernardo de [P, H] (1568-1627).
Castillo y Solórzano, Alonso de [R] (1584-1647) : Hist. et Av. de Doña Rufina.
Castro y Belluis, Guillén de [D] (1569-1631) : les Enfances du Cid (1618).
Cervantes Saavedra, Miguel de [R] (1547-1616) : Don Quichotte de la Manche (1605-16), Nouvelles exemplaires (1613). – *Biogr. :* famille noble et pauvre de Alcalá de Henares (N.-Castille) ; études à l'université. *1569* cherche fortune en Italie. *1570* s'engage. *1571* à Lépante, perd la main gauche. *1573-75* combat en Afrique du N. *1575-80* prisonnier des Barbaresques ; racheté 500 écus. *1581-83* combat aux Açores et en Algérie. *1584* épouse Catalina de Palacios et s'installe à Esquivias, près de Madrid. *1588-1603* commissaire aux vivres de la flotte d'Amérique (séjourne surtout en Andalousie). *1603* près de la Cour, vit mal de ses livres et comédies à Valladolid (1603-06), puis à Madrid.
Céspedes y Meneses, Gonzalo de [P, R] (v. 1585-1638).
Ercilla y Zuñiga, Alonso de [P, H] (1533-94) : l'Araucana (1569-89).
Espinel, Vicente [R] (1550-1624) : Vie de l'écuyer Marcos de Obregón.
Garcilaso de la Vega [P] (1501-36) : Églogues, Élégies.
Góngora y Argote, Luis de [P] (1561-1627) : Sonnets, Romances, Polyphème, les Solitudes.
Herrera, Fernando de [P] (1534-97).
Hurtado de Mendoza, Diego [P, H] (1503-75) : on lui attribue « la Vie de Lazarillo de Tormes » (v. 1526 ; publ. 1554).
Jean de La Croix, saint [P] (1542-91) : Cantique spirituel, Ascension du mont Carmel, Nuit obscure de l'âme.
Lope de Vega, Félix [R, D, P] (1562-1635) : Dorothée (1596), Arcadie (1598), l'Étranger dans sa patrie (1604), Odes (1609), Découverte du Nouveau Monde (1614), Peribañez et le Commandeur Ocaña, Font-aux-Cabres, le Chien du jardinier (1618), Aimer sans savoir qui (1630), Le meilleur alcade, c'est le roi (1635). – *Biogr. :* noblesse asturienne, fixée à Madrid ; études chez les Théatins de Madrid, puis à l'université de Alcalá. *1582* participe à l'expédition des Açores. *1583-87* secrétaire du Mis de las Navas. *1588* enlève et épouse Isabel de Urbina, s'engage dans l'Invincible Armada. *1588-95* fait partie de la maison du duc d'Albe, puis du Mis d'Alpica. *1598* veuf, se remarie (2 enfants). *1605* célèbre, est pris en charge par le duc de Sessa. *1614* veuf (2e fois) se fait prêtre (chapelain du duc de Sessa jusqu'à sa mort). *1627* le pape Urbain VIII le nomme docteur du Collegium Sapientiae et membre de l'ordre de St-Jean (on l'appelle dès lors Fray Lope).
Luis de Granada, Fray (Or, Théo) (1504-88) : Guide des pécheurs (1556).
Luís de León, Fray [P] (v. 1527-91) : les Noms du Christ (posth. 1631).
Mariana, Juan de [H] (1536-1624) : Histoire d'Espagne.
Montemayor, Jorge de [R, P] (v. 1520-61) : Cancionero (1554), la Diane (1559).
Pérez de Hita, Ginés [H] (v. 1544-v. 1619) : Guerres civiles de Grenade (1595).
Quevedo y Villegas, Francisco Gómez de [E] (1580-1645) : les Songes, Histoire de la vie du Buscón, Sonnets.
Rueda, Lope de [D] (v. 1510-65).
Ruiz de Alarcón, Juan [D] (v. 1580-1639) : l'Examen des maris, la Vérité suspecte (1630), le Tisserand de Ségovie.
Suarez, Francisco (jés.) [Ph, Théo] (1548-1617) : Défense de la foi.
Suarez de Figueroa, Cristobal [Mor, P] (1571-1645?) : le Passager (1617).
Thérèse d'Avila, sainte (de Cepeda y Ahumada ; en religion : Th. de Jésus) [Théo] (1515-82) : Autobiographie (1565), Chemin de la perfection (publ. 1585), Fondations, Château intérieur (1577).
Tirso de Molina (Fray Gabriel Téllez, dit) [D, R] (v. 1584-1648) : le Timide à la cour (1624), les Jardins de Tolède (1624-31), le Séducteur de Séville (1630), les Amants de Teruel (1635).
Valdés, Juan de [E] (v. 1501-41) : Dialogue sur le langage.
Vélez de Guevara, Luis [D, H] (1579-1644) : le Diable boiteux, la Reine morte, Théâtre.
Virués, Cristóbal de [P] (1550-apr. 1610).

Nés entre 1600 et 1800

Bretón de los Herreros, Manuel [E] (1796-1873) : Marcelle, Descendre de son alpage, Meurs et tu verras, l'École du mariage (1852).
Caballero, Fernán (Cecilia Böhl de Faber) [H] (1796-1877) : Clemencia, la Famille Alvareda, la Mouette.
Cadalso, José [D, P] (1741-82) : Lettres marocaines (1789), Nuits lugubres.
Calderón de La Barca, Pedro [E, D] (1600-81) : La vie est un songe (1631), la Dévotion à la Croix (1634), l'Alcade de Zalamea (1636), le Médecin de son honneur (1637), la Fille séduite par Gomez Arias (1672).
Feijóo, Benito [E] (1676-1764) : Théâtre critique, Lettres érudites et curieuses.
Fernández de Moratín, Leandro [D] (1760-1828) : le Oui des jeunes filles (1805), la Comédie nouvelle (posth. 1838).
Gracián y Morales, Balthasar [D, E] (1601-58) : le Héros, l'Homme de cour, Finesse et art du bel esprit, Criticón.
Iriarte, Tomás de [D, P] (1750-91) : Fables.
Isla, Padre Francisco de [E] (1703-81) : Hist. du fumeur prédicateur Frère Gerundio de Campazas alias Zotes (1758).
Jovellanos, Gaspar Melchior de [E] (1744-1811) : le Délinquant honnête (1774), Rapport sur la loi agraire.
La Cruz Cano, Ramón de [H] (1731-94).
Luzán y Claramunt, Ignacio de [P] (1702-54).
Meléndez Valdés, Juan [P] (1754-1817).
Moreto y Cabaña, Agustín [D] (1618-69) : Dédain pour dédain.
Quintana, Manuel José [EP] (1772-1857). Vies des Espagnols célèbres, Poésies.
Rivas, Angel de Saavedra, duc de [P] (1791-1865) : Romances historiques, la Force du destin.
Rojas Zorrilla, Francisco de [D] (1607-48) : Garcia del Castañar.
Samaniego, Félix Maria [P] (1745-1801) : Fables morales (1781).
Solis, Antonio de [H] (1610-86) : Hist. de la conquête du Mexique.

Nés entre 1800 et 1900

Alarcón, Pedro Antonio de [R] (1833-91) : le Scandale, Journal d'un témoin de la guerre d'Afrique, le Tricorne.
Aleixandre y Merlo, Vicente [P] (1898-1984) : Des épées comme des lèvres (1932), la Destruction de l'amour (1934), Ombre du paradis (1944), Histoire du cœur (1954) [N 1977].
Alonso, Dámaso [P, Es] (1898).
Azorin (José Martinez Ruiz, dit) [E, R] (1874-1967) : la Volonté (1902), Sur la route de Don Quichotte, Castille, Doña Inés.
Barea, Arturo [R] (1897-1957) : la Forge d'un rebelle (1951), la Route.
Baroja, Pío [R] (1872-1956) : la Maison Aizgorri, Zalacaín l'aventurier, Chemin de perfection, Paradox roi.
Bécquer, Gustavo Adolfo [P] (1836-70) : Poésies, Légendes espagnoles.
Benavente y Martinez, Jacinto [D] (1866-1954) : le Nid d'autrui (1894), les Intérêts créés (1907), la Mal-Aimée (1913) [N. 1922].
Bergamin, José [E, P, D, Es] (1894-1983).
Blasco Ibanez, Vicente [R] (1867-1928) : Terres maudites (1899), Boue et Roseaux (1902), la Cathédrale (1907), Arènes sanglantes (1908), les Quatre Cavaliers de l'Apocalypse (1916).
Campoamor, Ramón de [P] (1817-1901).
Carner, Josep [P, E, R] (1884-1970) : Paliers (1950), Nabi (1959), l'Ébouriffé [1963].
Casona, Alejandro (Rodriguez Alvarez) [D] (1903-65) : Notre Natacha, Les arbres meurent debout, la Dame de l'aube (1963).
Castro, Américo [PH, Es] (1885-1972).
Clarín (Leopoldo Alas, dit) [R, Cr] (1852-1901) : la Régenta (1884), Essais critiques, Contes.
Coloma, Luis [R] (1851-1914) : Bagatelles.
Diego, Gerardo [P] (1896).
Echegaray, José [D] (1832-1916) : le Grand Galeoto, le Fils de Don Juan [N. 1904].
Espina, Concha [E] (1877-1955) : la Petite Fille de Luzmela (1910), le Sphinx Maragata (1914).
Espronceda, José de [P] (1808-42) : l'Etudiant de Salamanque, le Diable-Monde.
Felipe, Léon (Felipe Camino Galicia) [P] (1884-1968).
Foix, Josep Vicenç [R] (1893) : Diari 1918, Gertrudis (1927), Krtu (1932).
Ganívet, Angel [R, Cr] (1865-98) : Idearium español, Grenade-la-Belle.
García Lorca, Federico [D, P] (1899-1936) : Romancero gitan (1928), le Public (1930, publ. 1978), Noces de sang (1933), Yerma (1934), la Maison de Bernarda Alba (1936). – *Biogr. :* riche famille de terriens andalous libéraux ; école primaire à Fuentevaqueros puis au Sacré-Cœur de Grenade. *1915-23* licence de droit à Grenade ; pratique surtout musique (piano) et dessin. *1918-27* à Madrid, donne des récitals (poésie et piano). *1928-30* en Amérique ; s'initie au jazz. *1931* République : nommé directeur du Théâtre universitaire et populaire (itinérant). *1933* tournée théâtrale et conférences en Argentine. *1936* dénoncé aux franquistes par un homosexuel grenadin (vengeance personnelle) ; fusillé le 19-8.
Gómez de La Serna, Ramón [P] (1888-1963) : Greguerías, Gustave l'incongru.
Guillén, Jorge [P] (1893-1984) : Cantique (1928).
Hartzenbusch, Juan Eugenio [D] (or. all. 1806-80) : les Amants de Teruel (1837).
Jiménez, Juan Ramón [P] (1881-1958) : Chansons tristes (1903), Platero et moi (1914), Journal d'un poète nouveau marié (1916), Éternités (1918) [N. 1956].
Larra, Mariano José de [P, E] (1809-37) : Articles de mœurs.
La Torre, Claudio de [R] (1896-1973) : Hôtel Terminus.
Machado, Antonio [P] (1875-1939) : Solitudes et Galeries, Paysages de Castille (1912), Pages choisies (1917), Poésies complètes (1917).
Machado, Manuel [P] (son frère) (1874-1947), Julianillo Valcárcel (1926).
Madariaga, Salvador de [Pol] (1886-1978) : Anglais, Français, Espagnols (1929), l'Espagne, Essai d'histoire contemporaine (1978).
Maeztu, Ramiro de [Es] (1875-1936) : la Crise de l'humanisme.
Marañon, Gregorio [H] (1887-1960) : Don Juan (1939).
Marquina, Eduardo [P, R, D] (1879-1946) : Coucher de soleil en Flandre.
Martinez Sierra, Gregorio [E] (1881-1947) : Drames, Printemps en automne.
Menéndez Pidal, Ramón [H] (1869-1968) : l'Espagne du Cid (1929 et 1947).
Menéndez y Pelayo, Marcelino [H, Cr] (1856-1912) : Histoire des hétérodoxes espagnols.
Miró, Gabriel [R] (1879-1930) : Notre Père San Daniel, l'Évêque lépreux.
Nuñez de Arce, Gaspar [D, P] (1834-1903).
Ors y Rovira, Eugenio d' [Es] (1882-1954) : la Civilisation dans l'histoire.
Ortega y Gasset, José [Ph, Es] (1883-1955) : l'Espagne invertébrée, Thèmes de notre temps (1923), la Révolte des masses (1930), le Spectateur tenté.
Palacio Valdés, Armando [R] (1853-1938) ; José (1885), Riverita (1886), le Quatrième Pouvoir (1888), le Village perdu (1911).
Pardo Bazán, Emilia [R] (1851-1921) : le Château d'Ulloa (1886).
Pereda y Porrúa, José Maria de [R] (1833-1906) : Sotileza (1893), Sur les hauteurs.
Pérez de Ayala, Ramón [R] (1881-1962) : Apollonius et Bellarmin (1921), Juan le tigre (1926).
Pérez Galdós, Benito [R, D] (1843-1920) : Épisodes nationaux, Doña Perfecta (1887), l'Interdit (1884), Fortunata y Jacinta (1887), Angel Guerra, Nazarín (1895), Miséricorde (1897).
Rueda Santos, Salvador [P] (1857-1933) : Chants de Castille.
Salinas, Pedro [P] (1891-1951) : la Voix qui t'est due (1933), Raison d'amour (1936).
Unamuno, Miguel de [P, Ph] (1864-1936) : *Essais :* l'Essence de l'Espagne (1895-1902), le Sentiment tragique de la vie (1913), Brouillard (1914). *Poésie :* Cancionero (posth. 1953). *Journal.*
Valera, Juan [E, P] (1824-1905) : Pepita Jimeñez, la Grande Jeannette, Doña Luz.
Valle-Inclán, Ramón del [D, R, P] (1870-1936) : *Théâtre :* Comédies barbares (1907-22), Divines Paroles (1920), Lumières de Bohême (1924). *Romans :*

Quelques personnages de la littérature espagnole

Le Cid : « romancero » anonyme (xve siècle) (héros chevaleresque).

La Célestine : la tragi-comédie Calixte et Melibée (1499) attribuée à Fernando de Rojas (une entremetteuse).

Lazarillo de Tormes : roman anonyme de même titre (1554) (jeune aventurier picaresque).

Matamore : dans les comédies populaires (xvie siècle, ex. France, Italie) (un fanfaron vantard et peureux). Employé par Agrippa d'Aubigné (1578), repris par Corneille (l'Illusion comique, 1636), Scarron (1645) et Théophile Gautier.

Don Quichotte : le récit en prose Don Quichotte de la Manche (1605) par Miguel de Cervantes (héros chevaleresque caricaturé). *1631* cité par Saint-Amand, *1878* entré dans le dictionnaire de l'Académie.

Dulcinéa de Toboso : même ouvrage (la femme idéale).

Sancho Pança : même ouvrage (le bonhomme terre à terre).

Don Juan : tragi-comédie le Séducteur de Séville (1630) par Tirso de Molina (grand seigneur impie et débauché). Origine : au xvie s., Don Juan Tenorio avait tué, à Séville, le commandeur Ulloa dont il avait enlevé la fille. Repris par Dorimond et Uilliers : *le Festin de pierre ;* Molière : *Don Juan ou le festin de pierre* (1659).

Sonates (1902-05), Jardin ombreux (1905), Fleur de sainteté (1907), la Guerre carliste.

Zorrilla y Moral, José [D, P] (1817-93) : Don Juan Tenorio (1844).

Nés depuis 1900

Alberti, Rafael [D, P] (1902) : le Marin à terre, Sur les anges, Élégie civique, le Repoussoir.

Aub, Max [R] (1903-72) : le Labyrinthe magique, Jusep Torres Campalans, les Bonnes Intentions.

Azua, Felix de [E, R] (1944) : les Leçons de Jéna, le Paradoxe du primitif.

Benet, Juan [R] (1927) : Tu reviendras au pays, Baalbec, Une tache (1958), Tu reviendras à Région (1969), l'Autre Maison de Mazon (1973).

Caballero Bonald, José Maria [R, P] (1926) : Deux Jours de septembre.

Cela, Camilo José [R] (1916) : San Camilo (1936), la Famille de Pascal Duarte (1942), Pavillon de repos (1943), Nouvelles Aventures et mésaventures de Lazarillo de Tormes (1944), Voyage en Alcarria (1948), la Ruche (1951), Mrs. Caldwell parle à son fils (1953), la Catira (1955), l'Office des ténèbres (1973), Mazurka pour deux morts (1983), le Joli Crime du carabinier, [N. 1989].

Celaya, Gabriel [P] (1911) : l'Irréductible Diamant (1957), l'Espagne en marche.

Cernuda, Luis [P] (1904-63) : la Réalité et le désir (1936).

Corrales Egea, José [R] (1919) : l'Autre Face (1960), Semaine de passion (1976).

Delibes, Miguel [R] (1920) : le Chemin (1950), la Feuille rouge (1959).

Espriu, Salvador [P] (1913-85) : la Peau de taureau.

Fernandez de La Reguera, Ricardo [R] (1914) : Quand vient la mort, le Poids des armes (1954).

Fernandez Santos, Jesus [R] (1926-88) : les Fiers (1954), Extramuros.

Ferrater, Gabriel [Ling] (1922-72) : Théorie des corps.

García Hortelano, Juan [R] (1928) : Orage d'été (1962).

García Pavón, Francisco [R] (1919) : les Sœurs rouquines, le Rapt des Sabines, Nouvelles Histoires de Pline.

Gimferrer, Pere [P] (1945) : Mer embrasée, Giorgio De Chirico.

Gironella, José Maria [R] (1917) : les Cyprès croient en Dieu, Un million de morts, Un homme.

Goytisolo, Juan [R] (1931) : Jeux de mains, Deuil au paradis, le Ressac, Pièces d'identité, Don Julian, Juan sans terre (1977), la Isla, Makbara, Chroniques sarrasines, Chasse gardée, En los reinos de taifa.

Goytisolo-Gay, Luis [R] (1935) : Du côté de Barcelone.

Grosso, Alfonso [R] (1928) : la Procession.

Hernández, Miguel [P] (1910-42) : l'Enfant laboureur (1953).

Herrera Petere, José [P] (1910) : Arbre sans terre, Dimanche vers le sud.

Juan-Arbó, Sebastian [R, Es] (1902) : l'Inutile Combat, Terres de l'Èbre, Sous les pierres grises.

Laforet, Carmen [R] (1921) : Nada (Rien).

Lera, Angel Maria de [R] (1912) : les Trompettes de la peur, la Noce, les Derniers Étendards.

López Pacheco, Jesus [P, R] (1930) : Centrale électrique, Je jure sur l'Espagne.

López Salinas, Armando [R] (1925) : la Mine, Chaque jour compte en Espagne.

March, Susana [E] (1918) : les Ruines et les jours.

Marsé, Juan [P, R] (1933) : Dernières Soirées avec Thérèse (1965), Boulevard du Guinardo (1984).

Martín Gaite, Carmen [E] (1925) : A travers les persiennes (1958).

Martín Santos, Luis [R] (1924-64) : les Demeures du silence.

Matute, Ana María [R] (1926) : le Temps, Plaignez les loups, les Brûlures du matin, les Soldats pleurent la nuit, la Trappe, la Tour de guet.

Mendoza, Eduardo [R] (1943) : la Vérité sur l'affaire Savolta (1987), la Ville des prodiges (1988).

Moix, Terenci [R] (1945) : le Jour où est morte Marilyn (1987).

Otero, Blas de [P] (1916-79) : Je demande la paix et la parole, Parler clair.

Porcel, Baltasar [R] (1937) : les Frères Tambourini (1977), Galop vers les ténèbres (1990).

Quiroga, Elena [R] (1921) : la Sève et le sang.

Rios, Julian [E] (1941), Larva (1980).

Romero, Luís [R] (1916) : la Noria, les Autres.

Sánchez Ferlosio, Rafael [R] (1927) : Inventions et pérégrinations d'Alfanhui, les Eaux du Jarama.

Sastre, Alfonso [D] (1926) : l'Escouade marche à la mort, Ana Kleiber, Guillaume Tell a l'air triste, le Corbeau.

Semprun, Jorge [R], (1923) : le Grand Voyage (1963), La guerre est finie (1966), l'Évanouissement (1967) ; écrit en français : la Deuxième Mort de Ramón Mercader (F. 1969), Quel beau dimanche, Netchaiev est de retour (1987) (ministre de la Culture, 1988-mars 91).

Sender, Ramón [R] (1902) : Contre-Attaque en Espagne, Noces rouges, le Roi et la Reine, la Sphère, le Bourreau affable.

Serrano Plaja, Arturo [P] (1910) : Ombre indécise (1934), Exil éternel (1936).

Torrente Ballester, Gonzalo [R] (1910).

Vazquez Montalban, Manuel [E, J, R] (1939) : le Pianiste, la Rose d'Alexandrie, Happy End.

Littérature hispano-américaine

Acuña, Manuel (Mexique) [P] (1849-73, suicidé).

Alcorta, Gloria (Argentine) [E] (1915) : l'Hôtel de la Lune (1957), En la Casa muerta (1966), l'Oreiller noir (1978).

Alegría, Ciro (Pérou) [P, R] (1909-67) : Vaste est le monde (1941).

Amorím, Enrique (Uruguay) [R, P] (1900-60) : la Roulotte (1932).

Arenas, Reinaldo (Cuba) [R] (1943-90) : le Monde hallucinant, le Puits, le Palais des très blanches mouffettes.

Arguedas, Alcides (Bolivie) [H, R] (1879-1946) : Race de bronze.

Arguedas, José Maria (Pérou) [E] (1914-69) : les Fleuves profonds, Tous sangs mêlés.

Arreola, Juan José (Mexique) [R] (1925) : Confabulario, la Foire.

Arrufat, Anton (Cuba) [P, R] (1938).

Asturias, Miguel Angel (Guatemala) [P, R] (1899-1974) : *Romans :* Légendes du Guatemala, Monsieur le Président (1946), Hommes de maïs (1949), l'Ouragan, le Pape vert, les Yeux des enterrés, Une certaine mulâtresse, le Miroir de Lida Sal, le Larron qui ne croyait pas au ciel, Trois des quatre soleils, Vendredi des douleurs (1972). *Poésies :* Messages indiens, Claire Veillée de printemps [N. 1967].

Azuela, Mariano (Mexique) [R, E] (1873-1952) : Mauvaise Graine, Ceux d'en bas.

Barnet, Miguel (Cuba) [E] (1940) : Esclave à Cuba (1966).

Barreiro-Saguier, Rubén (Paraguay) (1930) : Pacte du sang (1971).

Barrios, Eduardo (Chili) [R] (1884-1950) : Frère Ane (1923).

Bello, Andrés (Venezuela) [P] (1781-1864).

Benedetti, Mario (Uruguay) [E] (1920) : Avec et sans nostalgie (1978), la Trêve.

Bianciotti, Hector (Argentine) [R] (1930) : les Déserts dorés (1967), Celle qui voyage la nuit (1969), Ce moment qui s'achève (1972), Traité des saisons (1977). Sans la miséricorde du Christ (écrit en français, [F] 1986), Seules les larmes seront comptées (1988).

Bioy Casares, Adolfo (Argentine) [R] (1914) : l'Invention de Morel, le Songe des héros, Journal de la guerre au cochon, Plan d'évasion, Dormir au soleil (1975), le Héros des femmes (1982). *Avec Jorge Luis Borges :* Nouveaux Contes de Bustos Domecq (1984).

Blest, Alberto (Chili) [R] (1830-1920) : Martín Rivas.

Blest Gana, Guillermo (Chili) [P] (1829-1905) : Durant la reconquête.

Borges, Jorge Luis (Argentine) [E] (1899-1986) : Histoire de l'infamie, Fictions, l'Aleph, Enquêtes, Evaristo Carriego, le Livre de sable, Neuf essais sur Dante, les Conjurés, le Chiffre (1988).

Britto-Garcia, Luis (Venezuela) [D, E] (1940).

Bryce Echenique, Alfredo (Pérou) [R] (1939) : Julius, Si souvent Pedro, Je suis le roi (1980), la Passion selon Pedro Balbuena (1980).

Cabrera Infante, Guillermo (Cuba) [R] (1929) : Trois Tristes Tigres (1967), Havane pour une infante défunte (1979).

Calveyra, Arnaldo (Arg.) [P] (1930).

Cardenal, Ernesto (Nicaragua) [P] (1925).

Carpentier, Alejo (Cuba) [R] (1904-80) : le Royaume de ce monde (1949), le Partage des eaux (1953), Guerre du temps (1958), le Siècle des lumières (1962), Concert baroque (1974), le Recours de la méthode (1975), la Harpe et l'ombre (1979), la Danse sacrale, Ekoué-Yamba-O, Histoires de lunes.

Carrera Andrade, Jorge (Équateur) [P, Es] (1902-78) : le Temps manuel (1935), Biographie à l'usage des oiseaux (1937), Inventaire du monde (1940), Dicté par l'eau (1953), Famille de la nuit (1954), l'Homme planétaire (1959).

Casaccia, Gabriel (Paraguay) [R] (1907) : la Limace.

Castellanos, Rosario (Mexique) [R] (1925-74) : les Étoiles d'herbe, le Christ des ténèbres.

Cortázar, Julio (Argentine) [R] (1914-84) : les Armes secrètes, Histoires de Cronope et Fameux, Marelle (1963), Tous les feux, le Feu, le Livre de Manuel (1974), Façons de perdre (1977), Nous l'aimons tant, Glenda, Prose de l'observatoire.

Dalton, Roque (Salvador) [P] (1935-75) : les Morts sont de jour en jour plus indociles.

Darío, Rubén (Felix Ruben Garcia-Sarmiento, dit) (Nicaragua) [P] (1867-1916) : Proses profanes, Azul (1888), l'Espagne contemporaine (1901), les Chants de vie et d'espérance (1905), Terres solaires.

Del Paso, Fernando (Mexique) [R] (1935) : Palinure de Mexico, Des nouvelles de l'Empire.

Denevi, Marco (Argentine) [R] (1922) : Josaura vient à dix heures.

Donoso, José (Chili) [R] (1924) : l'Obscène Oiseau de nuit (1970), Ce lieu sans limites.

Droguett, Carlos (Chili) [R] (1912) : Eloy, Pattes de chien.

Dujovne Ortiz, Alicia (Argentine) [R] (1940) : la Bonne Pauline (1980).

Edwards, Jorge (Chili) [R] (1931) : le Poids de la nuit (1964), les Invités de pierre (1978).

Eielsón, J.E. (Pérou) [R, P] (1924) : le Corps de Giulia-non (1971).

Elizondo, Salvador (Mexique) [R] (1932) : Farabeuf, l'Hypogée secret.

Estrazulas, Enrique (Uruguay) : le Feu du paradis (1980).

Fernández de Lizardi, José Joaquín, dit « le Penseur mexicain » (Mexique) [Polé] (1776-1827) : Periquillo Sarmiento (1816).

Fuentes, Carlos (Mexique) [R] (1928) : la Plus Limpide Région, la Mort d'Artemio Cruz (1962), Chant des aveugles, Zone sacrée, Peau neuve, la Tête de l'hydre, Terra nostra (1979), le Vieux Gringo.

Galeano, Eduardo (Uruguay) [R, Cr] (1940) : la Chanson que nous chantons, Jours et Nuits d'amour et de guerre.

Gallegos, Rómulo (Venezuela) [R] (1884-1969) : Doña Bárbara (1929), Cantaclaro, Canaima.

Galván, Manuel de Jesus (Saint-Domingue) [R] (1834-1910) : Enriquillo.

Gálvez, Manuel (Argentine) [R] (1882-1962) : l'Ombre du cloître.

García Calderón, Ventura (Pérou) [E] (1886-1959) : la Vengeance du condor, le Sang plus vite, Amour indien.

García Márquez, Gabriel (Colombie) [R] (1928) : les Etrangers de la banane (1955), Pas de lettre pour le colonel (1961), les Funérailles de la grande mémé (1962), la Mauvaise Heure (1962), Cent ans de solitude (1967), la Candide Erendira et sa grand-mère diabolique (1972), l'Automne du patriarche (1975), Chronique d'une mort avancée (1982), l'Amour au

temps du choléra (1987), le Général dans son labyrinthe. [N. 1982].
Garcilaso de la Vega, dit l'Inca (Pérou) [H] (1549-1616) : Histoire des Incas.
Garibay, Ricardo (Mexique) [R, P] (1923) : La maison qui brûle la nuit.
Gavidia, Francisco (Salvador) [D, P] (1863-1955).
Gerbasi, Vicente (Venezuela) [P] (1913) : Mon père l'émigrant, les Espaces chauds.
Giardinelli, Mempo (Argentine) [R] (1947) : la Révolution à bicyclette (1980), la Lune ardente (1983).
Glanz, Margo (Mexique) [R] (1945).
Gomez de Avellenada, Gertrudis (Cuba) [P, R, D] (1814-75) : la Croix, Guatimozín, le Prince de Viana.
Gonzales y Contreras, Gilberto (Salvador) [Es, P, Cr) (1904-54).
Gonzalez Prada, Manuel (Pérou) [Polé] (1848-1918).
Guido, Beatriz (Argentine) [R] (n.c.) : la Maison de l'Ange (1955), la Chute (1985).
Guillén, Nicolás (Cuba) [P] (1902-89) : Chansons cubaines, Élégies antillaises.
Gutierrez, Gustavo (Pérou) [Théo] (1928).
Guzmán, Martin Luis (Mexique) [R] (1887-1976) : l'Aigle et le Serpent.
Hernández, Felisberto (Uruguay) [E] (1902-64) : les Hortenses (1975 pour l'éd. fr.).
Hernández, José (Argentine) [P] (1834-86) : Martín Fierro (1872-79).
Huidobro, Vicente (Chili) [P] (1893-1948) : Vents contraires (1926).
Ibarbourou, Juana de (Uruguay) [P] (1895) : Langues de diamant.
Icaza, Jorge (Équateur) [R] (1906-78) : la Fosse aux Indiens, Cholos.
Isaacs, Jorge (Colombie) [P, R] (1837-95) : Maria (1867).
Juarroz, Roberto (Argentine) [P] (1926).
Latorre, Mariano (Chili) [R] (1886-1955) : l'Ile aux oiseaux.
Lezama Lima, José (Cuba) [P, R] (1912-76) : Paradis (1960).
Liscano, Juan (Venezuela) [P] (1916) : Poèmes.
Lugones, Leopoldo (Argentine) [P, Pol] (1874-1938) : les Montagnes de l'or (1897), les Odes séculaires (1910), la Grande Argentine (1931).
Lynch, Marta (Argentine) [E] (1930).
Mallea, Eduardo (Argentine) [E] (1903) : Chaves, la Barque de glace.
Manet, Eduardo (Cuba) [R, D] (1927) : les Nonnes.
Manzur, Gregorio (Argentine) [D, P, R] (1936) : Solstice du jaguar, la Gorge de l'aigle (1978).
Marechal, Leopoldo (Argentine) [P] (1900-70) : Adan Buenos Ayres.
Marmól, José (Argentine) [P, R] (1817 ?-71) : le Pèlerin (1846), Amalia (1851-55).
Martí, José (Cuba) [P] (1853-95).
Masferrer, Alberto (Salvador) [E] (1868-1932).
Mistral, Gabriela (Chili) [P] (1899-1957) : Cordillère, Poèmes, Désolation [N. 1945].
Montalvo, Juan (Équateur) [E] (v. 1833-89).
Mujica Lainez, Manuel (Argentine) [R] (1910-84) : Bomarzo.
Mutis, Alvaro (Colombie) [P] (1923).
Neruda, Pablo (Neftali Reyes) (Chili) [P] (1904-73) : Résidence sur la terre (1933-47), le Chant général (1950), Odes élémentaires, Vaguedivague, la Centaine d'amour, Mémorial de l'Ile-Noire, l'Épée de flammes (1970), les Pierres du ciel/les Pierres du Chili (1972), J'avoue que j'ai vécu (mémoires) [N. 1971].
Ocampo, Victoria (Argentine) [Es] (1891-1979).
Olmedo, José Joaquin (Équateur) [P] (1780-1847) : Ode à la victoire de Janin.
Onetti, Juan Carlos (Uruguay) [R] (1909) : le Puits (1939), la Vie brève (1950), le Chantier, Tombe anonyme, Trousse-Vioques (trilogie 1961-64), Ramasse-Vioques, les Bas-Fonds du rêve.
Orgambide, Pedro (Argentine) [Es, P, R] (1929) : Mémoires d'un honnête homme (1964), le Désert, Hôtel Familias (1972).
Ortíz, Adalberto (Éq.) [R] (1914) : Juyungo.
Padilla, Heberto (Cuba) [P] (1932) : Hors jeu.
Palma, Ricardo (Pérou) [Pros] (1833-1919).
Paz, Octavio (Mexique) [P, Es] (1914) : Liberté sur parole, le Labyrinthe de la solitude, Aigle ou Soleil ?, l'Arc et la lyre, Pierre de soleil, la Fille de Rappaccini, Conjonctions et disjonctions, Courant alternatif, Mise au net, Sor Juana Inez de la Cruz, L'arbre parle. [N. 1990].
Puig, Manuel (Argentine) [R] (1932-90) : le Baiser de la femme araignée.
Quiroga, Horacio (Uruguay) [R] (1878-1937).
Rama, Angel (Urug.) [Cr] (1926).
Reyes, Alfonso (Mexique) [E] (1889-1959).
Ribeyro, Julio Ramón (Pérou) [R] (1929) : Charognards sans plumes, Chronique de San Gabriel.
Rivera, José Eustasio (Colombie) [P, R] (1889-1928) : la Voragine (1924).
Roa Bastos, Augusto (Paraguay) [E] (1917) : le Feu et la lèpre, Moi, le Suprême (1974), Mourance (1980).
Rodó, José Enrique (Uruguay) [Pros] (1871-1917) : Variations sur Protée.
Rodriguez Monegal, Emir (Uruguay) [Cr] (1921) : Neruda, le Voyageur immobile.
Romero de Nohra, Flor (Colombie) [R] (1933) : Crépitant Tropique (1978).
Rulfo, Jean (Mexique) [R] (1918-86) : le Llano en flammes, Pedro Páramo (1955).
Sabato, Ernesto (Argentine) [R] (1911) : le Tunnel (1948), Alejandra (1961), l'Ange des ténèbres (1974).
Saer, Juan Jose (Argentine) [P, R] (1938) : Nadie, Nunca Nada (1979), les Grands Paradis, l'Ancêtre (1987).
Sánchez, Nestor (Argentine) [R] (1935) : Nous deux, Pitre de la langue.
Sanchez Juliao, David (Colombie) [E] (1945).
Sarduy, Severo (Cuba) [R] (1937) : Gestes, Écrit en dansant, Cobra, Colibri.
Sarmiento, Domingo Faustino (Argentine) [R] (1811-83) : Facundo (1845), Souvenirs de province.
Scorza, Manuel (Pérou) [R] (1928) : Roulement de tambours pour Rancas, Garabombo l'invisible.
Silva, Miguel Otero (Venezuela) [R] (1908) : Maisons mortes, Et retenez vos larmes.
Skarmeta, Antonio (Chili) (1940) : Beaux enfants, vous perdez la plus belle rose (1979).
Solarte, Tristán (Panamá) [R] (1924) : le Noyé.
Soriano, Osualdo (Argentine) [R] (1943) : Quartiers d'hiver.
Sosa, Roberto (Honduras) [P] (1930) : les Pauvres, Un monde divisé pour tous.
Spota, Luis (Mexique) [R] (1925) : C'est l'heure, matador.
Tejera, Nivaria (Cuba) [R, P] (1930) : le Ravin, Somnambule du soleil.
Torre, Javier (Arg.) [R] (1950) : Rubita (1975), Quemar las naves (1983).
Torres Bodet, Jaime (Mexique) [P, Es] (1902-74) : Civilisation, l'Education sentimentale.
Triana, José (Cuba) [D] (1931) : la Nuit des assassins.
Uribe, Armando (Chili) [F] (1933) : Ces messieurs du Chili (1979).
Uslar Pietri, Arturo (Venezuela) [R, E] (1905) : les Lances rouges (1931), le Chemin de El Dorado (1947), Office des morts (1976).
Valladares, Armando (Cuba) [P] (1937).
Vallejo, César (Pérou) [P] (1892-1938) : les Hérauts noirs, Trilce, Poèmes humains, Espagne écarte de moi ce calice.
Vargas Llosa, Mario (Pérou) [R] (1936) : la Ville et les chiens, la Maison verte (1966), Conversation à la cathédrale, Pantaléon et les visiteuses, l'Orgie perpétuelle (1975), la Guerre de la fin du monde, la Tante Julia et le scribouillard, l'Homme qui parle, Contre vents et marées, Éloge de la marâtre, Sur la vie et la politique.
Viglietti, Daniel [F] (1939) : Chansons pour notre Amérique (1975).
Yañez, Agustín (Mexique) [R] (1904) : Demain la tempête.
Yurkievich, Saúl (Argentine) [Cr., P] (1931).
Zalamea, Jorge (Colombie) [P] (1905-69) : le Grand Burundun-Burunda est mort (1952).
Zorrilla San Martin, José (Urug.) [P] (1855-1931) : Tabaré.

Littérature française

☞ Le Petit Larousse définit 45 000 mots de la langue française. Le Grand Larousse de la langue française en 7 volumes en définit 75 600 (en laissant de côté certains domaines spécialisés).

Quelques mouvements littéraires

XVIe siècle

La Pléiade. Appelée la « Brigade », puis la « Pléiade » (1556), du nom de la constellation de 6 (7 pour les Grecs anciens) étoiles (filles d'Atlas et de Pléione) donné déjà à une réunion de poètes dans la Grèce antique : rejette la poésie à forme fixe héritée du Moyen Age, et vise à recréer le « grand lyrisme » imité de l'Antiquité (notamment les Odes). Pierre de Ronsard (1524-85), Joachim Du Bellay (1522-60), Jean-Antoine de Baïf (1532-89), Pontus de Tyard (1521-1605), Étienne Jodelle (1532-73), Rémy Belleau (1528-77), Jacques Peletier du Mans (1517-82) [Jean Dorat (1508-88) lui fut substitué dans la liste].

Humanisme. Né au XVe s. en Italie, épanouissement en Europe au XVIe ; influencé par l'Antiquité gréco-latine. Jacques Lefèvre d'Étaples (1450-1537), théol. ; Guillaume Budé (1467-1540), philologue ; Rabelais (v. 1494-1553) ; Amyot (1513-93).

XVIIe siècle

Préciosité. Style littéraire importé d'Espagne [gongorisme, créé par Luis Gongora (1561-1627)]. Recherche l'expression originale et compliquée de sentiments raffinés. Madeleine de Scudéry (1607-1701), d'Urfé (1567-1625), Voiture (1598-1648).

A créé des expressions nouvelles (volontairement originales et recherchées). Beaucoup ont passé de mode, ex. : *Achever :* rendre complet ; *Aimer :* avoir un furieux tendre pour ; *Balai :* l'instrument de la propreté ; *Chandelle :* supplément du soleil ; *Chapeau :* l'affronteur des temps ; *Cheminée :* empire de Vulcain ; *Chemise :* compagne perpétuelle des morts et des vivants ; *Chenets :* les bras de Vulcain ; *Chien qui fait sa crotte :* chien qui s'ouvre furieusement ; *Dents :* ameublement de la bouche ; *Eau (verre d') :* bain intérieur ; *Joues :* les trônes de la pudeur ; *Larmes :* les perles d'Iris ; *Main :* la belle mouvante ; *Se marier :* donner dans l'amour permis ; *Miroir :* le conseiller des grâces, le peintre de la dernière fidélité, le singe de la nature, le caméléon ; *Nez :* la porte du cerveau, les écluses du cerveau ; *Peigner (se) :* se délabyrinther les cheveux ; *Perruque :* jeunesse des vieillards ; *Pieds :* les chers souffrants ; *Il pleut :* le troisième élément tombe ; *Poissons :* habitants du royaume de Neptune ; *Sièges :* les commodités de la conversation.

Certaines sont devenues courantes, ex. : avoir bel *air,* un *ajustement,* avoir l'*âme* sombre, être aux *antipodes* de..., *avantageux,* les *bras* m'en tombent, le *centre* du bon goût, *conditionné,* les derniers *confins,* avoir une *conversation* avec quelqu'un, terme de *corps de garde, dauber, demeurée* (l'intelligence), être du *dernier* bourgeois, *donner* dans le vrai, *donner* à la nature son tribut, une taille *élégante,* l'*élément* liquide, une intelligence *épaisse, façonnée,* des baisers *fades,* faire *figure, flatterie,* la *force* des mots, les *incertitudes, incongru, indu,* les *insultes* du temps, être l'*interprète* de, les *inutilités, laisser mourir* la conversation, les *lumières* d'un esprit, *lustré, se lustrer,* un *mouchard, perdre* son sérieux, une *petite* vertu, bien *planté,* à *pleine* bouche, la *portée* de la voix, un *procédé, proprement,* de *qualité, remplir* une solitude, *selon* moi, une vertu *sévère, spirituel,* le *superflu,* le *surcroît, terriblement, tout, uni.*

Quelques phrases : *Inutile, ôtez le superflu de cet ardent,* pour « Laquais, mouchez la chandelle » ; *être de la petite portion* pour « avoir peu de biens » ; *vous m'encendrez et m'encapucinez le cœur* pour « vous me témoignez une grande affection » ; *Portez les miroirs de l'âme sur le conseiller des grâces* pour « Portez les yeux sur ce miroir ».

Burlesque. Réaction contre la préciosité. Exprime des sentiments triviaux dans une langue truculente. D'Assoucy (1605-75), Scarron (1610-60).

Classicisme (règne de Louis XIV). Caractérisé par l'admiration des Anciens, le goût de la rigueur et de la mesure [impose notamment pour la tragédie règle des 3 unités : un seul fait accompli (pas d'intrigues multiples), un seul jour, un seul lieu (pas de changement de décors) ; *Le Cid* de Corneille, défini comme une tragi-comédie, ne respectait pas ces règles], la recherche de la pureté et de la clarté du style. La Fontaine (1621-95), Molière (1622-73), Pascal (1623-62), Bossuet (1627-1704), Boileau (1636-1711), Racine (1639-99), La Bruyère (1645-96). *Prédécesseurs :* Malherbe (1555-1628), Descartes (1596-1650), Corneille (1606-84) ; au XVIIIe s., Voltaire s'en réclame.

HÉROS CORNÉLIEN : il croit la volonté humaine plus forte que les impulsions de la sensibilité. Cette volonté est au service d'une morale (créant des devoirs : service du prince, respect d'une foi religieuse, honneur, loyauté envers un proche). Elle entre en conflit dans des situations dites cornéliennes avec le désir de vivre et l'amour individuel. Le héros choisit généralement de sacrifier sa vie et son amour à son devoir, parce que : *1°)* son amour de la vie est en grande partie commandé par la morale (une vie déshonorée est sans valeur) ; *2°)* son amour pour les êtres humains repose avant tout sur l'*estime :* on n'aime pas une personne sans vertu ; on n'a aucune chance d'être aimé si on est déshonoré. Le héros se sacrifie en sachant qu'il n'a rien de valable à perdre.

PRINCIPALES SITUATIONS CORNÉLIENNES : Chimène (dans *le Cid*) demande la mort de son fiancé, pour venger son père : Rodrigue avait renoncé à son amour pour Chimène, en tuant (par devoir) le père de celle-ci. Auguste *(Cinna)* doit compromettre son autorité pour épargner le conspirateur Cinna, qu'il aime tendrement. Le vieil Horace doit sacrifier son seul fils survivant à la gloire de Rome. Polyeucte veut sacrifier sa vie à la gloire du christianisme ; sa femme Pauline sacrifie son amour toujours vivant pour Sévère à son honneur de veuve de martyr. Eurydice *(Suréna)* sacrifie son amour pour Suréna aux intérêts du royaume d'Arménie, etc.

HÉROS RACINIEN : fataliste, il sait la volonté humaine impuissante en face des pulsions de la sensibilité qui dépendent du Destin (le *Fatum* des Antiques). Cette volonté s'attache surtout à atteindre les objectifs des passions : passion amoureuse (Phèdre), avec comme conséquence le désir de vengeance (Hermione, dans *Andromaque*), jalousie (Roxane, dans *Bajazet,* Néron dans *Britannicus*) ; goût du pouvoir (Néron, Mithridate), fanatisme religieux (Athalie), ambition politique (le G[d] vizir Acomat, dans *Bajazet*), amour pour un peuple (Esther), amour maternel (Andromaque), paternel (Agamemnon, dans *Iphigénie*). Souvent la volonté s'avoue trop faible pour résister à l'épreuve imposée par les circonstances : Agamemnon, placé dans une situation cornélienne (son devoir lui impose de sacrifier sa fille), écoute son cœur ; il tâche de faire évader Iphigénie. Bajazet choisit par amour sa propre mort plutôt que celle d'Atalide. Titus et Bérénice capitulent devant le Destin : il n'y a plus de tragédie, mais seulement élégie (lamentation sur la tristesse de la vie).

Jansénisme. Expression littéraire de la doctrine attribuée à Jansénius (1585-1638), représentant une conception religieuse restrictive de la liberté humaine par rapport à Dieu. Défendu par Pascal.

XVIIIe siècle

Encyclopédistes. « Philosophes » subissant l'influence anglaise, rationalistes, anticatholiques, combattant pour la tolérance religieuse et les libertés politiques. Influents, ils occupent vers 1770 les sièges de l'Académie française. Avec les rousseauistes, maîtres à penser des révolutionnaires. Voltaire (1697-1778), Diderot (1713-84), d'Alembert (1717-83).

Rousseauistes et préromantiques. Font passer le sentiment avant la raison, sous l'influence de J.-J. Rousseau (1712-78) : Bernardin de Saint-Pierre (1737-1814), Chateaubriand (1768-1848).

XIXe siècle

Romantiques. Poussent le rousseauisme à l'extrême, et recherchent l'infini dans l'exercice des émotions humaines, sous l'influence allemande : Mme de Staël (1766-1817), Benjamin Constant (1767-1830), Lamartine (1790-1869). En littérature, réaction contre l'idéal classique (véhémence au lieu de mesure) : Hugo (1802-85), Vigny (1797-1863), Stendhal (1783-1842), Balzac (1799-1850), George Sand (1804-76), Musset (1810-57), Alexandre Dumas (1802-70). *Jusqu'à 1830 :* individualiste (exaltation de la sensibilité, imagination ; culte du moi ; goût du pittoresque, de l'exotisme, de la couleur locale). *Après 1830 :* social [exaltation des grandes idées (humanitarisme, vertus civiques, paix universelle)].

HÉROS ROMANTIQUE : *1°) avant 1830,* personnage aristocratique, individualiste, dédaigneux. Il éprouve le dégoût de la vie (René, de Chateaubriand) ou la tentation de la révolte (Manfred, de Byron), aspire à la solitude, au rêve, à l'amour sans espoir (« ver de terre amoureux d'une étoile »), à l'infini (sentiment religieux, sans appartenance à une religion) ; il comprend les voix secrètes de la nature, mais ne s'engage pas dans l'action par crainte de la malchance (il porte malheur à tout ce qui l'entoure).

2°) après 1830, lancé dans le grand public, le héros romantique parle au peuple (et même parlera pour le peuple ; il deviendra un « mage ») ; enflammé il fait des prophéties sur l'avenir social, de l'apostolat humanitariste, prône l'émancipation des Nations (Pologne, Italie, Grèce) ; il met la poésie et l'histoire au service de l'action ; ses espérances sont infinies (bonheur éternel des peuples par la République universelle). L'individualisme du héros aristocratique a pris la forme d'un attachement passionné à la liberté (qui aboutira plus tard au nihilisme et à l'anarchisme).

PRINCIPAUX HÉROS ROMANTIQUES FRANÇAIS : *Corinne* (Mme de Staël), *Adolphe* (Benjamin Constant), *Jocelyn* (Lamartine), *Hernani, Quasimodo, Jean Valjean* (Hugo), *Rastignac* (Balzac), *Lélia* (Sand), *Lorenzaccio, Mardoche, Cœlio* (Musset), *Antony* (Dumas).

Réalisme. En réaction contre le romantisme. Recherche de la précision dans l'observation et l'analyse. Influencé par le développement des sciences biologiques, imprégné de philosophie positiviste : Auguste Comte (1798-1857), Taine (1828-93). En littérature, « école de la sincérité dans l'art » : Champfleury (1821-89), Duranty (1833-80), Flaubert (1821-80).

Naturalisme. Évolution du réalisme. École littéraire constituée entre *1860* et *80,* groupée autour de Zola, fondant la vérité du roman sur l'observation scrupuleuse de la réalité, même dans ses aspects les plus vulgaires, et sur l'expérimentation : (1840-1902), Maupassant (1850-93), les Goncourt (1830-70 et 1822-96), Céard (1851-1924), Paul Alexis (1847-1901), Huysmans (1848-1907). S'y rattachèrent : Alphonse Daudet (1840-97), Mirbeau (1848-1917), Jules Renard (1864-1910), Vallès (1832-85), Rosny (1856-1940), Paul et Victor Margueritte (1860-1918 et 1866-1942). Théâtre : Becque (1837-99).

Parnasse. École poétique (à partir de 1852), condamnant le lyrisme personnel et recherchant une forme impeccable ; 3 recueils collectifs « le Parnasse contemporain » (1866, 71, 76) sont à l'origine du nom (le Parnasse est une montagne de Grèce, siège du dieu Apollon : il symbolise la poésie classique) : Théophile Gautier (1811-72), Leconte de Lisle (1818-94), Banville (1823-91), Hérédia (1842-1905), Sully Prudhomme (1839-1907), Coppée (1842-1908), Dierx (1832-1912), Verlaine (1844-96) et Mallarmé (1842-98), accueillis dans les 2 premiers fascicules, furent exclus du 3e. Baudelaire (1821-67), qui y figure, n'est pas considéré comme parnassien. *Principaux thèmes :* histoire (tableaux pittoresques, scènes tragiques) ; géographie (paysages exotiques) ; vie sociale (ton parfois moralisateur).

Décadents. Nom donné primitivement (1885) aux futurs symbolistes, par Gabriel Vicaire (1848-1900) et Henri Beauclair (1860-1919), dans leur satire *les Déliquescences,* poèmes décadents d'Adoré Floupette. Ils visaient les disciples de Verlaine, notamment Moréas (1856-1910) qui adoptera cette définition, créant deux revues éphémères : *la Décadence* puis *le Décadent* (1886).

Symbolisme. École poétique et dramatique composée surtout de disciples de Verlaine, se réclamant aussi de Baudelaire (qui a répandu la notion de « symbole »). Un poète doit s'efforcer, non de copier la nature, mais d'exprimer ce qu'elle a d'« ineffable », en l'évoquant au moyen d'images symboliques : par exemple, le cygne (très utilisé) est le symbole de la pureté du poète. *Principaux poètes symbolistes :* Verlaine, Mallarmé, Moréas, Vielé-Griffin (1863-1937), Régnier (1864-1936), Dujardin (1861-1949). *Principal dramaturge :* Maeterlinck (Belge) [1862-1949].

XXe siècle

Unanimisme (1906). Doctrine littéraire créée en 1906 par Jules Romains (1885-1972) et Georges Chennevière (1884-1927), selon laquelle les groupes sociaux connaissent une vie psychique propre au même titre que les individus qui les composent. *Principaux romans : les Copains* (1913), *les Hommes de bonne volonté* (1932-1946) de Jules Romains ; *poésie : la Vie unanime* (1908) de Jules Romains et *le Printemps* (1911) de Georges Chennevière ; *théâtre : Knock* (1923) de Jules Romains. *Écrivain proche :* Charles Vildrac.

Surréalisme. Doctrine littéraire et artistique précisée dans le *Manifeste du surréalisme* d'André Breton (1924), mais déjà pratiquée depuis 1917 par les dadaïstes. Cherche à reconstituer l'univers du rêve : subjectivité de l'inspiration, automatisme dans l'enchaînement des idées, pluriréalité des choses (et des mots). Apollinaire (1880-1918), Breton (1896-1966), Aragon (1897-1983), Éluard (1895-1952), Desnos (1900-45), Prévert (1900-77), Char (1907-77), Artaud (1896-1948), Queneau (1908-76). Renouveau en 1971 avec la **Poésie électrique** (Manifeste électrique aux paupières de jupes, signé par 16 jeunes poètes, dont Belteau, Matthieu, Messagier, Alain Jouffroy).

Existentialisme. Mouvement philosophique (le Danois Sören Kierkegaard, 1813-55) animant au XXe s. de nombreuses œuvres (romans, drames, essais) : l'homme arrive à concevoir l'être, mais n'arrive pas à se concevoir comme un être. Il a conscience d'exister, mais son existence lui semble « absurde » et il se sent destiné au Néant (sentiment de l'Angoisse). *Principaux auteurs français :* Gabriel Marcel (1889-1973), Sartre (1905-80), Camus (1913-60), Simone de Beauvoir (1908-86). Leurs personnages cherchent à échapper à l'angoisse en s'engageant dans l'action.

Nouveau Roman. Application, au roman naturaliste, des techniques surréalistes permettant de reconstituer l'atmosphère des rêves : subjectivité (l'auteur brode autour d'un thème qu'il connaît sans le communiquer au lecteur), enchaînement « autistique » des faits (l'histoire ne se déroule ni chronologiquement ni logiquement ; chaque détail du décor peut amener un développement indépendant de l'action), pluriréalité des événements (chaque épisode peut signifier plusieurs choses simultanément). Depuis *1971* (colloque de Cerisy-la-Salle), seuls 7 écrivains auteurs de « nouveaux romans » ont droit au titre de « nouveaux romanciers » : Butor (1926), Ollier (1923), Pinget (1919), Robbe-Grillet (1922), Nathalie Sarraute (1902), Claude Simon (1913) et Ricardou (auteur du manuel *le Nouveau Roman,* 1973).

PRINCIPAUX AUTEURS AUX TECHNIQUES ANALOGUES : Claude Mauriac (1914), Le Clézio (1943), Pascal Lainé (1942), Jean-Loup Trassard (1912), Henri Thomas (1912). *Précurseurs* (vers 1950) : Beckett (1906-89), Cayrol (1911), Marguerite Duras (1914).

Théâtre de l'absurde. Genre comprenant aussi essais ou romans, et nommé parfois **Littérature de dérision.** Ne cherche pas à échapper à l'angoisse des existentialistes mais préfère l'assumer, généralement sur le mode bouffon : Beckett, Adamov, Ionesco, Billetdoux, Obaldia, Marguerite Duras (créatrice du roman-dialogue et du roman-poème).

Tel Quel. Groupe d'essayistes décidés à créer un « structuralisme littéraire », et souvent proches des analyses marxistes [précurseur : Roland Barthes (1915-80)]. La revue *Tel quel* a été fondée en mars *1960* par Philippe Sollers (1936), Jean-Edern Hallier (1936) et 4 autres écrivains. Littéraire, devient en 1966 philosophique et politique ; elle recrute notamment Marcelin Pleynet (1933), Denis Roche (1937), Jean-Pierre Faye (1925, démissionnaire en *1967,* et fondateur de *Change*). Alors que *Change* abandonne la *structuration* pour la *créativité,* Sollers et les téliquéliens restent fidèles à l'écriture « percurrente » « hallucination réglée », décrite dans le manifeste *Paradis* (1977).

Littérature « populiste » et « prolétarienne » (on dit *populiste* avant *1940 ; prolétarienne* après *1945*). Romans, récits, mémoires, poésies, dont les auteurs, autodidactes, parlent des problèmes professionnels et quotidiens des travailleurs. *Précurseurs :* Agricol Perdiguier (1805-75), Marguerite Audoux (1863-1937), Charles-Louis Philippe (1874-1909). *Principaux « populistes » :* Pierre Hamp (1876-1962), Henry Poulaille (1896-1980), Eugène Dabit (1898-1936). *Principaux « prolétariens » :* Bernard Clavel (1925), Michel Ragon (1924).

Poésie froide. Créée en *1973,* en réaction contre le surréalisme, par 4 marxistes, auteurs du *Manifeste froid :* Jean-Christophe Bailly, Serge Sautreau, Yves Buni, André Velter. Préconise une poésie mettant la réalité à nu, avec une rigueur glacée. Choisit ses sujets dans l'actualité politique.

Littérature au magnétophone. Autobiographies, souvenirs, témoignages recueillis par un interviewer (généralement un prosateur professionnel). L'interviewer met en forme littéraire les textes obtenus. Souvent, l'ouvrage ne porte que la signature de l'interviewé, l'interviewer se contentant de signer un avant-propos ou une postface ; il peut également présenter le récit sous forme d'une conversation où il prend part (comme poseur de questions), ou, parfois, se faire nommer par le personnage principal.

Nouveaux philosophes. Groupe d'écrivains politiques, appelés aussi les postmarxistes, qui réexaminent les conceptions marxistes de l'État, à la lumière d'autres philosophies : trotskisme (Nikos Poulantzas), freudisme [Foucault (1926-84)], nietzschéisme [Deleuze (1925), Jean-François Lyotard (1924)], situationnisme [Jean Baudrillard (1929)] et surtout rousseauisme [Jean-Marie Benoist (1942-90), Bernard-Henri Lévy (1948), André Glucksman (1937), Jean-Paul Dollé (1939)].

Auteurs nés avant 1100

Anonymes. *Glossaire de Reichenau* (VIIe s.) (Dictionnaire latin-roman). *Serments de Strasbourg* (842) : prononcés par Charles le Chauve et Louis le Germanique s'alliant contre leur frère Lothaire [le texte du serment de Charles, où les mots d'origine latine ont perdu leurs finales non accentuées, est considéré comme le 1er texte écrit de langue fr. (appelée « romane » à l'époque)]. *Cantilène de sainte Eulalie* (apr. 882) : 29 vers assonancés (1er texte poétique de langue « romane » : les a postoniques latins sont tous passés à e muet). *Vie de saint Léger* (fin Xe s.) : 240 vers assonancés. *Vie de saint Alexis* (1040) : 625 vers assonancés (de Thibaud de Vernon ? : forte influence littéraire pendant 5 siècles). *Chanson de Roland* (v. 1100), attribuée à Turold (voir Index).

Abélard ou Abailard, Pierre [Théo, Ph] (1079-1142). – *Biogr. :* noblesse d'épée ; renonce à son héritage pour l'étude. *V. 1090* vient à Paris, élève de Guillaume de Champeaux. *1094* ouvre une école de philosophie sur la montagne Ste-Geneviève. *V. 1100* étudie la théologie à Laon, près d'Anselme, puis reprend ses cours à Paris (devient riche et célèbre). *V. 1112* chargé par le chanoine Fulbert de l'éducation de sa nièce Héloïse (1101-64). *V. 1114* Héloïse est enceinte ; le mariage est célébré. *1118* Fulbert fait châtrer Abélard (sans doute par erreur : Héloïse s'était retirée au couvent d'Argenteuil et Fulbert la croyait répudiée). *1119* Héloïse fait ses vœux de religion ; Abélard également. *1120* ouvre une école de théologie au prieuré de Maisoncelle, en Champagne. *1121* déclaré hérétique au concile de Soissons ; se soumet. *1122* élu abbé de St-Gildas, près de Rhuys, en Bretagne ; construit un nouveau monastère, le Paraclet, où il fait venir, en *1129,* Héloïse et les religieuses d'Argenteuil. *V. 1130* les moines de St-Gildas tentent de l'égorger ; se réfugie au Paraclet. *1136* reprend ses cours à Paris. *1140* déclaré hérétique (concile de Sens) ; ne se soumet pas. *1141* condamné à se retirer au couvent clunisien de St-Marcel, près de Chalon-sur-Saône, où il meurt. *Influence :* créateur, en logique, de la doctrine « anti-réaliste » (les concepts sont les mots), et, en morale, de la notion d'intention.

Bernard de Clairvaux, saint [Théo, Ph] (1099-1153) : l'Amour de Dieu (1125), la Grâce et le Libre Arbitre (1128). – *Biogr. :* noblesse militaire bourguignonne (famille des sires de Montbard). *1112* entrée au noviciat de Clairvaux. *1115* abbé de Clairvaux. *1128* secrétaire du concile de Troyes. *1130* arbitre en faveur d'Innocent II la querelle de l'élection papale (contre l'antipape Anaclet II). *1138* à la mort d'Anaclet, met fin au schisme (persuade l'antipape Victor IV d'abdiquer). *1140* fait condamner Abélard au concile de Sens. *1146* prêche la croisade à Vézelay. *1148* fait condamner Gilbert de la Porrée. *1153* mort à Clairvaux. *1173* canonisé. *1830* proclamé docteur de l'Église. *Influence :* créateur de la « Théologie mystique » : la science doit mener à la contemplation. Surnommé la « Colonne de l'Église ».

Gilbert de la Porrée [Ph] (1075-1154) : commentaires de Boèce, des Psaumes, des épîtres de saint Paul.

Guillaume IX, duc d'Aquitaine [P] (1071-1127) : vers occitans. – *Biogr. :* le plus grand feudataire du royaume (également comte du Poitou). Mauvais chrétien, prend part malgré lui à la 1re Croisade (1101-02). Revenu à Poitiers, vie très libre, créant la mystique amoureuse (la femme, objet d'un culte).

Guillaume de Champeaux [Ph] († 1121). Sentences, Commentaires moraux sur Job. – *Biogr. :* Chanoine régulier à St-Victor de Paris. *1113 :* év. de Châlons. *1119 :* envoyé par le pape Calixte II auprès de l'emp. Henri V (querelle des Investitures).

Roscelin [Ph] (XIe s.), fondateur du nominalisme. Prof. de philosophie à Tours, puis chanoine de Compiègne. Condamné par le concile de Soissons en 1102 (pour sa doctrine sur la Trinité). Exilé en Angleterre. Puis réconcilié et nommé chanoine de Besançon. Son œuvre se réduit à des fragments.

Nés entre 1100 et 1200

Anonymes. *Folies Tristan* (d'Oxford et de Berne). *Aucassin et Nicolette* [1re moitié du XIIIe s. ; appelé « chantefable », comporte des strophes chantées : 2 adolescents, le noble Aucassin et l'esclave sarrasine Nicolette, connaissent mille aventures, mais finissent par se retrouver (parodie des poèmes courtois)]. *Le Roman de Renart* [certains auteurs connus dont Pierre de Saint-Cloud (1174-1250). *Sujet :* parodie des chansons de geste. Les animaux tiennent le rôle des chevaliers : le « goupil » s'appelle Renart (nom devenu commun) ; le loup, Ysengrin ; le lion, Noble, etc.].

Benoît de Sainte-Maure [P, H] (XIIe s.) : les Arts d'aimer, la Canso de la Crozada (2e partie), Floire et Blancheflor (1162), le Roman de Troie (1165), Chronique des ducs de Normandie (v. 1170).

Béroul [P] (XIIe s.) : Tristan et Iseut (entre 1170 et 1191).

Bodel, Jean [P] (v. 1170-v. 1210) : le Jeu de saint Nicolas.

Brienne, Jean (de) [P] (1148-1237).

Chrétien de Troyes [P] (v. 1135-v. 1183) : Érec et Énible, Yvain ou le Chevalier au Lion, Cligès, Lancelot, Perceval ou le Conte du Graal. – *Biogr. :* poète vivant à la cour de Marie, Ctesse de Champagne, puis de Philippe, comte de Flandres. Devenu célèbre, tombe dans la dépression, et laisse Geoffroy de Lagny terminer ses derniers poèmes.

Marcabru [P] (XIIe s.).

Marie de France [P] (2e moitié XIIe s.) : Lais [Yonec (l'Oiseau bleu), le Laostic]. – *Biogr. :* inconnue, a vécu en Angleterre à la cour d'Henri II Plantagenêt. Originaire d'Ile-de-France.

Rudel, Jaufré [P] (XIIe s.) : la Princesse lointaine.

Thomas [P] (XIIe s.) : Tristan (v. 1158-v. 1180).

Ventadour, Bernard (de) [P] (XIIe s.).

Villehardouin, Geoffroy de [H] (v. 1150-v. 1218) : la Conquête de Constantinople (1204). – *Biogr. :* haute noblesse champenoise. *1185* maréchal de Champagne (conseiller de Thibaud III). *1199* croisé avec Thibaud. *1200* négocie traité entre Croisés et Venise. *1204* ambassadeur à Rome de l'emp. Baudouin. *1205-12* maréchal de Romanie (commande les troupes de l'empire latin). *1212-18* on perd sa trace († sans doute en Orient).

Wace [P, H] (v. 1100-75) : Histoire des Normands.

Nés entre 1200 et 1300

Anonymes. *Les Fabliaux* (contes). *Richard de Lison.*

Adam de la Halle, Adam le Bossu dit [D] (v. 1240-v. 1285) : le Jeu de la feuillée, le Jeu de Robin et de Marion.

Adenet le Roi [P] (v. 1240-1300) : Berthe aux grands pieds (v. 1275).

Buridan, Jean [Théo, Ph] (v. 1290-apr. 1358).

Guillaume de Lorris [P] (v. 1200-v. 1240) : Roman de la Rose (1re partie).

Joinville, Jean de [Chr] (1225-1317) : Mémoires (1309). – *Biogr. :* haute noblesse champenoise (sénéchaux héréditaires des comtes de Champagne). *1248* prend part à la 7e croisade ; prête, à Chypre, l'hommage lige à St Louis. *1254* rentré de la croisade, reste conseiller de St Louis à Paris ; intermédiaire entre les cours de Paris et de Troyes. *1270* refuse de prendre part à la 8e croisade où meurt St Louis. *1300-09* à la demande de Jeanne de Navarre, écrit une vie de St Louis. *1314* prend part à une ligue féodale contre la centralisation monarchique de Philippe le Bel.

Lancastre, Henri, duc de (Angl.) [Es] (1299-1361) : le Livre des saintes médecines (1354).

Meung, Jean Clopinel ou Chopinel dit Jean de [E] (1240?-1305?) : Roman de la Rose (suite, 1275-80).

Pierre Oriol ou d'Auriole [Théo] (?-1321).

Rutebeuf [E, D, P] (v. 1230-v. 1285) : le Miracle de Théophile, le Dict. de l'herberie. – *Biogr. :* jongleur parisien ; vie errante, réclame l'aide de protecteurs (Louis IX, Alphonse de Poitiers). Mariage malheureux, (décrit : le *Mariage Rutebeuf*).

Nés entre 1300 et 1400

Ailly, Pierre d' [Prélat, Théo, Ph] (1350-1420).

Chartier, Alain [P, Pol] (v. 1385-1433) : la Belle Dame sans merci, le Quadrilogue invectif.

Deschamps, Eustache (P) (v. 1346-v. 1406) : Ballades, Lais, Rondeaux.

Froissart, Jean [Chr] (1333 ou 1337-v. 1410) : Chroniques. – *Biogr. :* originaire du Hainaut ; clerc, ordonné prêtre tard (date inconnue). *1361* secrétaire de Philippine de Hainaut, devenue reine d'Angl. *1369* à la mort de celle-ci, au service de Wenceslas de Luxembourg. *V. 1380* chapelain de Guy de Châtillon, comte de Blois, époux de la comtesse de Namur. *1388-89* dans le Midi français. *1394-95* séjour à la cour de Richard II d'Angl. On perd sa trace alors ; finit chanoine de Chimay.

Gerson, Jean Charlier dit de [Th, Ph] (1363-1429).

Guillaume de Machault [P] (v. 1300-1377) : Confort d'ami.

La Sale, Antoine de [Mor] (v. 1385-1461) : la Salade.

Mandeville, Jean de [Pros] (v. 1300-72) : Voyage d'outre-mer (1356).

Orléans, Charles d' [P] (1391-1465) : Ballades, Rondeaux. – *Biogr. :* petit-fils de Charles VI, père de Louis XII. *1410* chef des Armagnacs, contre les Bourguignons (il est le gendre de Bernard d'Armagnac). *1415* blessé et prisonnier à Azincourt. *1415-40* captif en Angleterre ; y écrit des vers. *1447* ne peut conquérir sur les Sforza le duché de Milan, dont il est l'héritier (par sa mère, Valentine Visconti). *1448* se retire dans son château de Blois, entouré de poètes, dont Villon. Son œuvre ne sera découverte qu'au XIXe s., par Lanson, Faguet, Gaston Paris.

Pisan, Christine de [P] (v. 1364-v. 1430) : Ballades, Livre des faits et des bonnes mœurs du roi Charles V.

Nés entre 1400 et 1500

Anonymes. *La Farce de maître Pathelin* (v. 1464), *les Quinze Joyes de mariage* (déb. XVe s.).

Bouchet, Jean [H, P] (1476-1550) : Annales d'Aquitaine (1524), les Renards traversants.

Budé, Guillaume [Éru] (1467-1540).

Bueil, Jean de [Pros] (1405-77) : le Jouvenel (1453).

Chastellain, Georges. Voir Belgique p. 280 b.

Commynes, Philippe de [Chr] (v. 1447-1511) : Mémoires (posth. 1524-28). – *Biogr. :* noblesse de robe artésienne (fonctionnaires de l'État bourguignon). *1464* écuyer du Cte de Charolais. *1465* conseiller de Philippe le Bon. *1468* à l'entrevue de Péronne, se laisse acheter par Louis XI. *1470-71* ambassadeur de Charles le Téméraire en Bretagne, Angl., Esp. *1472* se rallie à Louis XI. *1473* nommé prince de Talmont et conseiller du roi. *1475* négocie le tr. de Picquigny. *1483* mort de Louis XI, doit restituer Talmont aux La Trémoille. *1487* emprisonné par Charles VIII. *1489* exilé à Dreux. *1494-95* rentrée provisoire en grâce. *1495* disgrâce définitive.

Gréban, Arnoul [D] (v. 1420-v. 1471) : Mystère de la Passion (v. 1450).

Lemaire de Belges, Jean [P, E] (1473-apr. 1520) : la Légende des Vénitiens.

Marot, Clément [P] (1496-1544) : Épîtres, Épigrammes, Ballades, Élégies. – *Biogr. :* originaire du Quercy, fils d'un poète de cour. *V. 1510* clerc à la chancellerie. *1518* valet de chambre de Marguerite d'Angoulême. *1521* fréquente les « bibliens » parisiens (protestants). *1526* dénoncé et emprisonné au Châtelet, pendant la captivité de François Ier. *1527* libéré et nommé valet de chambre du roi. *1534* compromis dans l'affaire des Placards (protestantisme), s'enfuit à la cour de Nérac, puis à Ferrare où il devient le secrétaire de la princesse Renée de France. *1535* rencontre Calvin à Ferrare et devient ouvertement protestant. *1536* abjure et revient à la cour de Paris. *1542* poursuivi par la Sorbonne pour la parution de ses *Psaumes* en français ; se réfugie à Genève. *1543* brouillé avec Calvin, s'enfuit de Genève et meurt obscurément en Savoie.

Meschinot, Jean [P] (1421-91) : les Lunettes des Princes.

Molinet, Jean [Chr] (1435-1507).

Navarre, Marguerite d'Angoulême, reine de [Pros] (1492-1549) : l'Heptaméron (posth. 1559).

Rabelais, François [E] (v. 1494-1553) : Pantagruel (1532), Gargantua (1534). – *Biogr. :* de petite bourgeoisie rurale (Chinon) ; études chez les bénédictins. *1520* religieux franciscain à Fontenay-le-Comte, puis (1524) bénédictin (Ligugé). *1530* médecine à Montpellier. *1532* médecin à Lyon. *1534* médecin du cardinal du Bellay, diplomate ; séjours en Italie. *1541* condamné par la Sorbonne (comme humaniste et pamphlétaire) ; se cache plusieurs années en Touraine et sans doute en Italie. *1545* protégé par François Ier, revient d'exil ; nommé curé de Meudon. *1546-48* réfugié à Metz après la parution du *Tiers Livre. 1552* condamné par la Sorbonne pour le *Quart Livre ;* perd sa cure de Meudon.

Saint-Gelais, Mellin de [P, D] (1491-1558) : Sophonisbe.

Villon, François (F. de Montcorbier, dit) [P] (1431-apr. 1463) : le Lais, le Testament, Ballade des pendus. – *Biogr. :* origine sans doute assez humble, s'appelait Fr. des Loges, ou de Montcorbier. Élevé par Guillaume de Villon, chapelain de St-Benoît, dont il prit le nom. *1452* reçu maître ès arts à la Sorbonne. *1455* tue un prêtre au cours d'une rixe et quitte Paris. *1456* impliqué dans le vol du collège de Navarre, quitte Paris à nouveau. On le retrouve à Bourges, à Blois (auprès de Ch. d'Orléans). *1461* emprisonné à Meung, gracié par Louis XI. *1462* emprisonné à Paris, libéré, puis condamné à mort à la suite d'une nouvelle rixe. Il fait appel : le Parlement annule la sentence et l'exile pour 10 ans. *1463,* on perd sa trace.

Nés entre 1500 et 1600

Anonymes. *Les Amadis* (12 vol. 1540-66), *les Contredits de Songe-Creux* (1530), *la Satire Ménippée* (1593).

Amyot, Jacques [Mém] (1513-93) : Traductions d'Héliodore (les Amours de Théagène et de Chariclée) ; Vie des hommes illustres, de Plutarque.

Aubigné, Agrippa d' [P, H] (1552-1630) : les Tragiques (1616), Hist. universelle. – *Biogr. :* famille de hobereaux saintongeais, protestants ; précoce, lit le grec à 9 ans. *1570* combat au siège d'Orléans. *1572* séjour à Genève, chez Théodore de Bèze. *1574* officier de l'armée d'Henri IV. *1585* prisonnier des catholiques, condamné à mort, puis gracié. *1589* se sépare d'Henri IV après l'abjuration et se retire sur ses terres. *1620* condamné à mort par le Parlement après la publication de l'*Histoire universelle,* se réfugie à Genève. *1624* s'y remarie avec une riche veuve.

Baïf, Jean-Antoine de [P] (1532-89) : les Passe-Temps (1573). *Poèmes :* Amours de Méline (1552).

Balzac, Jean-Louis Guez de 🌿 [Pros, Es] (1597-1654) : le Prince (1631), les Entretiens (posth. 1657), l'Aristippe (posth. 1658).

Belleau, Rémy [P] (1528-77) : Petites Inventions (1556), la Bergerie (1565).

Bèze, Théodore de [Théo, D] (1519-1605) : Abraham sacrifiant (1552).

Bodin, Jean [Ec, E] (1530-96) : De la République (1576).

Bouchet, Guillaume [Hum] (1514-94) : les Sérées (posth. 1608).

Brantôme, Pierre de Bourdeille, abbé de [Mém] (1540-1614) : Vie des dames galantes (posth. 1666). – *Biogr. :* haute noblesse périgourdine. *1553 :* abbé commendataire de Brantôme (ordres mineurs, célibat). *1557-73 :* combattant (Turcs et Huguenots). *1584 :* chute de cheval ; paralysé ; se retire dans son abbaye, écrivant ses mémoires.

Calvin, Jean Cauvin dit [Théo] (1509-64) : l'Institution de la religion chrétienne (1536).

Champlain, Samuel de (1570-1635) : Voyages.

Charron, Pierre [Mor] (1541-1603) : les Trois Vérités (1594), Traité de la sagesse (1601).

Crenne, Hélisenne de (Marguerite Briet) [Pros] (v. 1510-v. 1555) : Épîtres familières (1539), les Angoisses douloureuses qui procèdent d'amours (1541), le Songe de madame Hélisenne (1543).

Daurat ou Dorat (Jean Dinemandi) [Éru] (1508-88) : Poematia (1586).

Descartes, René [Ph, Math] (1596-1650) : Discours de la méthode (1637), Méditations métaphysiques (1641), Principes de la philosophie (1644-47), Traité des passions (1649). – *Biogr. :* noblesse de robe tourangelle. Orphelin de mère, élevé par sa grand-mère à la campagne. *1604-14* interne au collège jésuite de La Flèche. *1616* officier de Maurice de Nassau, en Hollande. *1618* rencontre à Breda le physicien holl. Beekman. *1620* prend part à la bataille de la Montagne Blanche comme officier holl. *1622-23* en France. *1623-24* voyage en Italie. *1626-27* travaux de maths et physique à Paris. *1628* s'établit définitivement en Hollande. *1642* célèbre, protégé par la princesse palatine Elisabeth, à qui il enseigne philosophie et physique. *1649* brouillé avec Hollandais qui l'accusent de pélagianisme, se réfugie à Stockholm. Meurt d'une pneumonie contractée en allant voir la reine Christine.

Des Périers, Bonaventure [Pros] (v. 1510-suicidé 1544) : Cymbalum Mundi (1537), Nouvelles Récréations et Joyeux Devis (posth. 1558).

Desportes, Philippe [P] (1546-1606) : Stances et Élégies (1573), les Amours d'Hippolyte.

Du Bartas, Guillaume [P] (1544-90) : la Semaine (1573).

Du Bellay, Joachim [P] (1522-60) : Défense et Illustration de la langue française (1549), les Antiquités de Rome, les Regrets (1558). – *Biogr. :* illustre famille de soldats et de diplomates angevins. Droit à Poitiers. *1547* rencontre Ronsard qu'il suit à Paris, comme interne au collège Coqueret (recteur : Jean Dorat). *1549* prend part à la fondation de la Brigade, future Pléiade. *1553* à Rome, comme secrétaire de son oncle, le cardinal Jean Du Bellay. *1557* en revient malade, sans doute phtisique. Meurt à 37 ans.

Fauchet, Claude [H] (1530-1602) : Antiquités gauloises et françaises (1579-1602).

François de Sales, saint [Théo] (1567-1622) : Introduction à la vie dévote (1608-09), Traité de l'amour de Dieu.

Garnier, Robert [D] (1544-90) : Bradamante (1582), les Juives (1583).

Gassendi, (abbé Pierre Gassend dit) [Math, Ph] (1592-1655) : De la vie et des mœurs d'Épicure.

Guillet, Pernette du [P] (1520-45) : Rymes.

Hardy, Alexandre [D] (1570-1632) : Didon se sacrifiant (1603), Marianne (1610).

Jodelle, Étienne [P, D] (1532-73) : Cléopâtre captive (1553), Didon se sacrifiant. *Théâtre :* Eugène ou la Rencontre (1552).

Labé, Louise (L. Charly, dite) [P] (v. 1524-66) : Œuvres (1555).

La Boétie, Étienne de [Es] (1530-63) : Discours de la servitude volontaire (1574).

La Mothe le Vayer, François de 🌿 [Mor] (1588-1672) : De la vertu des païens (1642).

Larivey, Pierre Giunto [D] (v. 1540-v. 1619) : les Esprits (1579), les Écoliers (1579).

L'Estoile, Pierre de [Chr] (1540-1611) : Journal d'un bourgeois de Paris.

Loyal Serviteur [Le] (Jacques de Mesmes) : Histoire de Bayard (1527).

Magny, Olivier (de) [P] (1529-61).

Malherbe, François de [P] (1555-1628) : Odes, stances et sonnets (posth. 1630). – *Biogr. :* noblesse de robe normande protestante (mais il reste catholique). Études à Bâle, puis Heidelberg. *1576* secrétaire d'Henri d'Angoulême, gouverneur de Provence, à Aix. *1581* épouse Madeleine de Corioli, fille du président du Parlement d'Aix. *1586* assassinat d'Henri d'Ang. *1587-95* dans sa famille, à Caen (élu échevin en *1594*) ; gloire littéraire. *1595-98* et *1599-1605* séjours à Aix-en-Pr. ; protégé du cardinal Du Perron. *1605* poète de la cour à Paris ; richement pensionné, vit entouré de jeunes poètes. *1620* trésorier de France. *1624* son fils est tué en duel. *1624-28* atteint d'idée fixe (faire exécuter le meurtrier de son fils), se brouille avec le roi et Richelieu ; mort de chagrin dans sa maison près de Caen.

Maynard, François 🌿 [P] (1582-1646) : Philandre (1619), Épigrammes (1646).

Monluc, M[al] Blaise de [Mém] (1502-77) : Lettres choisies, Commentaires et lettres (posth. 1592).

Montaigne, Michel Eyquem de [Es] (1533-92) : les Essais (1re édition en 1580). – *Biogr. :* d'une riche famille de « Portugais » (juifs proscrits du Portugal en 1498 et réfugiés à Bordeaux). Éduqué au château paternel de Montaigne (Périgord). Lit le latin à 6 ans, le grec à 10. *1554* conseiller à la Cour des Aides de Périgueux (amitié avec La Boétie). *1565* riche mariage (Françoise de Chassagne). *1568* hérite de Montaigne ; y vit entouré de livres. *1577* gentilhomme de la Chambre d'Henri de Navarre, renonce à ce poste pour raisons de santé. *1579-81* voyage à cheval en Allemagne et Italie. *1581* élu maire de Bordeaux. *1585* quitte sa mairie pendant l'épidémie de peste. *1588* Mlle de Gournay se fait sa « fille d'alliance », elle collabore à l'édition de ses œuvres et préfacera les *Essais* en 1595. *1590* refuse le poste de conseiller auprès d'Henri IV. Meurt à Bordeaux, laissant près de 100 000 livres.

Montchrestien, Antoine de [Ec, D] (v. 1575-1621) : Sophonisbe (1596), l'Écossaise (1601), Économie politique (1615).

Nostradamus, Michel de Nostre-Dame dit [P] (1503-66) : Centuries (1555). Nommé astrologue de la cour par Charles IX (il avait prédit la mort d'Henri II tué en 1559 à la suite d'un tournoi). Ses partisans considèrent qu'il a prédit la mort d'Elizabeth Tudor en 1605 à 70 ans, l'exécution de Charles Ier d'Angleterre, l'incendie de Londres en 1666, la Révolution française (exécution de Louis XVI, persécution religieuse) et la dictature d'Hitler (nommé Hister).

Palissy, Bernard [Es, Sav] (v. 1500-89) : le Moyen de devenir riche (1563).

Racan, Honorat de Bueil, seigneur de 🌿 [P] (1589-1670) : Bergeries (1619), Odes sacrées (1651), Poésies chrétiennes (1660).

Ramus, Pierre la Ramée, dit Pierre [Ph] (1515-assass. 1572) : Defensio pro Aristotele (1571).

Régnier, Mathurin [P] (1573-1613) : Satires (1608).

Ronsard, Pierre de [P] (1524-85) : Odes, les Amours (1552-55), Hymnes (1555-56), Élégies, la Franciade (1572). – *Biogr. :* famille de hobereaux vendômois (d'origine roumaine selon lui). *1536* page chez Madeleine de France qu'il suit en Écosse, quand elle y devient reine. *1537* sourd, tonsure (ordres mineurs lui permettant d'avoir des bénéfices ecclésiastiques). *1540* secrétaire de Lazare de Baïf, à Paris. *1543-49* élève de Dorat au collège Coqueret à Paris. *1545* passion pour Cassandre Salviati, fille d'un banquier florentin. *1548* fonde la Brigade, future Pléiade. *1555-56* liaison avec une paysanne angevine de 15 ans, Marie Dupin. *V. 1560* prieur de Croix-Val, Montoire-en-Vendômois, St-Cosme-lez-Tours. Y vit largement, entouré de poètes et d'écrivains. *1574* poète célèbre, essaie de séduire Hélène de Surgères, dame d'honneur de Catherine de Médicis (échec). Meurt désenchanté à St-Cosme.

Saint-Amant, Marc Antoine de [P] (1594-1661) : la Lune parlante (1661).

Scève, Maurice [P] (v. 1501-64) : Délie (1544), Microcosme (1562).

Sponde, Jean de [P] (1557-95) : Sonnets.

Thou, Jacques de [P] (1553-1617) : Historia Thuana (1609-14).

Tyard, Pontus de [P] (1521-1605) : les Erreurs amoureuses (1549-55).

Urfé, Honoré d' [R] (1567-1625) : l'Astrée (1607-19).

Vair, Guillaume du [Or, Ph] (1556-1621) : De la constance et consolations ès calamités publiques (1590), De la philo morale des stoïques (1592-1603).

Vaugelas, Claude de 🌿 [Gram] (1585-1650) : Remarques sur la langue française (1647). – *Biogr. :* noblesse de robe savoyarde ; fils de l'érudit Anthoyne Favre. Secrétaire du duc de Nemours-Savoie à Turin, puis à Paris. *1615* introduit à l'Hôtel de Rambouillet. *V. 1630* gentilhomme de Gaston d'Orléans, touche irrégulièrement une maigre pension et meurt insolvable. *1636* académicien : responsable du dictionnaire.

Viau, Théophile de [P, D] (1590-1626) : Pyrame et Thisbé (1621), Ode à la solitude.

Voiture, Vincent [Pros, P] (1598-1648) : Lettres, Sonnets (1650).

Nés entre 1600 et 1700

Arnauld, Antoine dit le Grand Arnauld [Théo] (1612-1694) : De la fréquente communion (1643).

Aulnoy, Marie-Catherine, B[onne] d' [E] (v. 1650-1705) : Contes de fées, l'Oiseau bleu, la Biche au bois (1698).

Bayle, Pierre [Cr, Ph] (1647-1706) : Dictionnaire, hist. et critique (1696-97).

Benserade, Isaac de [P] 🌿 (1613-91) : Sonnet de Job (1636).

Boileau, Nicolas 🌿 [P, Cr] (1636-1711) : Satires (1666), Épîtres (1669-98), Art poétique (1674), le Lutrin (1683), Réflexions sur Longin (1693). – *Biogr. :* noblesse de robe parisienne. Victime d'un accident dès le berceau (châtré par un dindon), renonce à toute carrière et vit des rentes familiales. *1677* historiographe du roi (pension de 6 000 livres) ; s'achète une maison à Auteuil (actuellement rue Boileau) ; reçoit les auteurs les plus connus (ami de Racine). Considéré comme le maître de l'école classique, et comblé d'égards par Louis XIV (2 fois académicien : Ac. française et Ac. des inscriptions).

Bossuet, Jacques Bénigne. 🌿 [Évêque, Préd, E] (1627-1704) : Oraisons funèbres, Discours sur l'hist. universelle (1681), la Politique tirée de l'Écriture sainte (1709), Traité de la concupiscence. – *Biogr. :* noblesse de robe bourguignonne ; fils d'un conseiller au Parlement de Metz transféré à Toul. Tonsuré à 8 ans. Chanoine de Metz à 13 ans. Élevé chez les jésuites. Travailleur acharné, surnommé *Bos suetus aratro,* le « bœuf habitué à la charrue ». *1642* philosophie au collège de Navarre. *1652* prêtre. *1652-59* chanoine à Metz. *1659* prédicateur à Paris. *1669* évêque de Condom. *1670-80* précepteur du Dauphin. *1681* év. de Meaux ; prêche avec éloquence (surnommé l'« Aigle de Meaux »). *1682* prend parti pour le gallicanisme à l'Ass. du clergé, ce qui le disqualifie pour le cardinalat. *1697* conseiller d'État. *1704* essaie de faire passer son diocèse à son neveu Jacques Bénigne qui sera év. de Troyes.

Bourdaloue, Louis [Préd] (1632-1704) : Sermons et Œuvres diverses.

Bussy-Rabutin, Roger Cte de 🌿 [Chr] (1618-93) : Histoire amoureuse des Gaules (1665), Mémoires.

Caylus, Marthe de Murçay, Ctesse de [Mém] (1673-1729) : Anecdotes sur Versailles (publiées par Voltaire sous le titre : Souvenirs 1770).

Corneille, Pierre 🌿 [D] (1606-84) : Mélite (1629), Clitandre (1631), la Veuve (1632), la Galerie du palais (1633), la Suivante (1634), la Place royale (1634), l'Illusion comique (1636), le Cid (1636 ou 2-1-1637), Médée (1639), Horace (1640), Cinna (1640), Polyeucte (1641-42), la Mort de Pompée (1642-43), le Menteur (1643), la Suite du Menteur (1644), Rodogune (1644-45), Théodore (1645), Héraclius (1647), les Triomphes de Louis le Juste (1649), Andromède (1650), Don Sanche d'Aragon (1650), Nicomède (1651), Pertharite (1652), Œdipe (1659), la Toison d'or (1661), Sertorius (1662), Sophonisbe (1663), Agésilas (1666), Attila (1667), Tite et Bérénice (1670), Psyché (1671), Pulchérie (1672), Suréna (1674). – *Biogr. :* bourgeoisie de robe ; fils d'un enquêteur des Eaux et Forêts. Habitera sa maison natale jusqu'à 56 ans (rue de la Pie à Rouen). Études chez les jésuites de Maulévrier. *1628* avocat du roi, pour les Eaux et Forêts et pour l'Amirauté, devant le parlement de Rouen (charge résiliée en 1650). *1636* ses pièces triomphent à Paris, mais déplaisent à Richelieu. *1642* protection de Mazarin. *1650* procureur des États de Normandie, poste dû à sa loyauté pendant la Fronde. *1651* écrit *Nicomède,* favorable au prince de Condé ; perd poste et pensions. *1659* protégé par Fouquet qui paie largement *Œdipe. 1662* se fixe à Paris avec son frère Thomas (les 2 frères ont épousé les 2 sœurs). *1663* pensions. *1674* perd son fils à la guerre ; renonce à la littérature ; pauvre, (pension non versée 7 ans). *1681* hémiplégie, vit 3 ans impotent, soigné par sa fille.

Corneille, Thomas [P, D] (1625-1709) : Camma (1661), Ariane (1672), le Comte d'Essex (1679).

Cosnard, Marthe [D] (1614-59) : les Chastes Martyrs.

Crébillon, (père) Prosper Jolyot de [D] (1674-1762) : Électre, Rhadamiste et Zénobie.

Cyrano de Bergerac, Savinien de [Hum] (1619-55) : Histoire comique des États et Empires de la Lune (publ. 1657).

Dancourt, Florent Carton dit [D] (1661-1725) : le Chevalier à la mode (1687), les Bourgeoises de qualité (1700).

Destouches, Philippe (P. Nicolas Néricault, dit) [D] (1680-1754) : le Philosophe marié (1727), le Glorieux (1732), l'Homme singulier.

Du Cange, Charles [Éru] (1610-88) : Glossaire du latin médiéval (1733-36).

Fénelon, François de Salignac de La Mothe (évêque) [E] (1651-1715) : Traité de l'éducation des filles, Télémaque (1699), Dialogues des morts (1701). – *Biogr. :* noblesse périgourdine. *V. 1675* prêtre de St-Sulpice. *1678-88* aumônier des Nouvelles Catholiques (jeunes protestantes récemment converties). *1689* précepteur du duc de Bourgogne. *1691* suspect de quiétisme (sa disciple, Mme Guyon, est condamnée). *1694* archevêque de Cambrai (150 000 livres de revenus). *1699* condamné comme quiétiste, sur intervention de Bossuet, pour son livre *Explication des maximes des saints ;* se consacre jusqu'à sa mort à l'administration de son diocèse.

Fléchier, Valentin Esprit (Évêque) [Préd] (1632-1710) : Oraisons funèbres, Mémoires sur les grands jours d'Auvergne.

Fontenelle, Bernard de [Es] (1657-1757 à 99 ans 10 mois 15 jours) : Entretiens sur la pluralité des mondes (1686), Histoire des oracles (1687). – *Biogr. :* noblesse de robe ; neveu de Corneille par sa mère. *V. 1670* avocat à Rouen, renonce au barreau dès son 1er procès, vit sur sa fortune personnelle. *1679-87* essaie de devenir auteur dramatique (échec). *1687* à Paris ; apprécié dans les salons, notamment celui de Mme de La Sablière. *1688* prend parti pour les *Modernes* contre les *Anciens. 1697* secrétaire perpétuel de l'Académie des sciences, vit centenaire.

Furetière, (abbé) Antoine [R] (1619-88) : le Roman bourgeois (1666), Dictionnaire universel (1690 ; rééd. par Alain Rey en 1978).

Gomberville, Marin Le Roy de [R] (1600-74) : Polexandre (1629).

Graffigny, Françoise de [E] (1695-1758) : *Roman :* Lettres d'une Péruvienne (1747). *Théâtre :* Cénie (1750), la Fille d'Aristide (1758).

Hamilton, Anthony (Irlandais) (1646-1720) : Mémoires du comte de Gramont (1660-65).

Labat, (Père René) (1663-1758) : Voyage aux îles d'Amérique (1722), Relation sur l'Afrique occidentale (1728).

La Bruyère, Jean de [Mor] (1645-96) : les Caractères (1688-96).

La Fayette (Ctesse de) [R] (1634-93) : la Princesse de Clèves (1678), Mémoires.

La Fontaine, Jean de [P, Fab] (1621-95) : Élégie aux nymphes de Vaux (1662), Contes (1665-74), le Songe de Vaux (fragments, 1665-1729), Fables (1668-94), Psyché (1669). – *Biogr. :* petite noblesse champenoise ; fils d'un maître des Eaux et Forêts de Château-Thierry. *1641* novice à l'Oratoire. *1642* renonce à l'Église. *1646* vie dissipée à Paris, fréquentant notamment Tallemant des Réaux. *1647* épouse Marie Héricard [(14 ans), séparés de biens en 1659, de corps en 1672]. *1652* achète une charge de maître des Forêts. *1657* hérite des 2 charges de son père. *1659-61* protégé par Fouquet, vit à sa cour à Vaux. *1664* protégé par le duc de Bouillon (seigneur de Château-Thierry), devient gentilhomme de Marguerite de Lorraine, au palais du Luxembourg à Paris. *1672* à la mort de celle-ci, va chez Mme de La Sablière, rue Neuve-des-Petits-Champs. *1683* élu à l'Académie (reçu avec 2 ans de retard à cause de sa réputation de libertin et de son amitié pour Fouquet). *1693* mort de Mme de La Sablière, va chez le banquier d'Hervart. Malade, promet à son confesseur de ne plus écrire que des textes religieux (notamment, la paraphrase du *Dies irae*).

La Rochefoucauld, François, duc de [Mor] (1613-80) : Maximes (1664).

Lesage, Alain René [R, D] (1668-1747) : le Diable boiteux (1707), Turcaret ou le financier (1708), Histoire de Gil Blas de Santillane (1715-35).

Mabillon, Dom Jean [Éru] (1632-1707) : De re diplomatica libri (1681).

Malebranche, Nicolas de [Ph] (1638-1715) : Recherche de la Vérité (1674-75). – *Biogr. :* noblesse de robe parisienne. *1660* religieux de l'Oratoire. *1664* prêtre ; vit à l'Oratoire de Paris, ayant peu de relations, sauf avec les princes de Condé qui le reçoivent à Chantilly. *1680* querelle avec Bossuet qui lui reproche son nationalisme. *1697* réconciliation avec Bossuet qu'il soutient contre Fénelon.

Marivaux, Pierre Carlet dit de [D, R] (1688-1763) : *Comédies :* la Surprise de l'amour (1722), la Double Inconstance (1723), la Seconde Surprise de l'amour, le Jeu de l'amour et du hasard (1730), le Legs, les Fausses Confidences (1737), l'Épreuve. *Romans :* la Vie de Marianne (1731 à 1745), le Paysan parvenu (1735-36). – *Biogr. :* petite noblesse de robe parisienne. Enfance à Limoges où son père a une charge administrative. *V. 1708* orphelin, monte à Paris. *1710* reçu dans le salon de la marquise de Lambert. *1717* épouse une bourgeoise riche, Colombe Bologne († 1723). *1720* ruiné (faillite de Law). *1740* sa fille unique entre au couvent. *1744* vit avec Angélique de La Chapelle St-Jean (scandale).

Massillon, Jean-Baptiste [Préd] (1663-1742) : le Grand et le Petit Carême.

Ménage, Gilles [Gram] (1613-92) : Observations sur la langue française.

Molière, J.-B. Poquelin dit [D] (1622-73) : l'Étourdi (1655), le Dépit amoureux (1656), les Précieuses ridicules (1659), Sganarelle, l'École des maris (1661), les Fâcheux (1661), l'École des femmes (1662), Tartuffe (1664), Dom Juan (1665), l'Amour médecin (1665), le Misanthrope (1666), le Médecin malgré lui (1666), George Dandin (1666), l'Avare (1668), Amphitryon (1669), M. de Pourceaugnac, le Bourgeois gentilhomme (1670), les Fourberies de Scapin, les Femmes savantes (1672), le Malade imaginaire (1673). – *Biogr. :* fils d'un artisan parisien, « tapissier du Roi » (charge anoblissante). Orphelin de mère à 10 ans, études au collège de Clermont (jésuite, actuel lycée Louis-le-Grand à Paris, le quitte en *1639*). *1643* rompt avec son milieu, se fait comédien à l'« illustre Théâtre » (liaison avec l'actrice Madeleine Béjart). *1644-58* acteur ambulant en province. *1650* dirige la troupe. *Oct. 1658* s'installe à Paris salle du Petit-Bourbon (dépendance du Louvre), avec la protection du roi. *1659 les Précieuses ridicules. 1662* épouse Armande Béjart (fille de Madeleine) 15 ans (il est accusé d'avoir épousé sa propre fille). *1663* 1res représentations à Versailles *(Impromptu de Versailles),* y séjourne chaque année avec sa troupe jusqu'en 1673. *1664-69* lutte contre le « parti des dévôts » qui fait interdire *Tartuffe. 1672* perd la faveur de Louis XIV. *17-2-1673* meurt sur scène, en jouant *le Malade imaginaire.* Certains ont prétendu que Molière n'était pas l'auteur de ses pièces mais que c'était l'« homme au masque de fer » (Anonyme, 1893), Louis XIV (Maurice Garçon, 1914), Corneille (Henri Poulaille et Pierre Louys).

Montesquieu, Charles de Secondat, Bon de La Brède et de [Mor, Ph] (1689-1755) : Lettres persanes (1721), Considérations sur les causes de la grandeur des Romains et de leur décadence (1734), l'Esprit des lois (1748). – *Biogr. :* vieille noblesse de robe bordelaise. Enfance au château de la Brède (pratiquera toute sa vie l'occitan). *1714* conseiller au parlement de Bordeaux. *1715* épouse une huguenote, Jeanne de Lartigue (100 000 livres de rentes). *1716* président à mortier du Parlement de Bordeaux (héritage de son oncle). *1721-25* succès des *Lettres persanes* et vie mondaine à Paris. *1728-32* voyage en Europe et séjourne en Angleterre. *V. 1750* après le succès de *l'Esprit des lois,* considéré comme un maître à penser par Frédéric II, Catherine de Russie, les parlementaires anglais. Finit sa vie presque aveugle.

Nivelle de La Chaussée [D] (1692-1754) : le Préjugé à la mode (1735), l'École des mères (1744).

Pascal, Blaise [Math, Ph, E] (1623-62) : les Provinciales (1656-57), Pensées (1670). – *Biogr. :* bourgeoisie de robe auvergnate ; fils d'un président de la cour des aides de Clermont. Perd sa mère à 3 ans. *1627* se révèle enfant prodige. *1631* son père vend sa charge et vient vivre à Paris pour pousser son éducation (latin et grec à 9 ans ; retrouve les principes de la géométrie euclidienne à 12 ans ; écrit *l'Essai sur les coniques* à 16 ans). *1642* célèbre (à 19 ans) en inventant une machine à calculer. *1646* premiers contacts avec le jansénisme. *1647* découvre au Puy-de-Dôme le principe de la pression atmosphérique. *1648* à Paris, lié avec le duc de Roannez (amour platonique pour la sœur du duc, de trop haute naissance pour lui). *1656* conversion définitive (mysticisme janséniste). *1659* dépression nerveuse (surmenage). *1660* projet d'une compagnie de transports en commun (carrosses à 5 sols ; lettres patentes en 1662). *1661* mort de sa sœur Jacqueline ; se retire du monde. *1662* abjure le jansénisme, enterré catholiquement.

Patin, Gui [méd] (1601-72) : Lettres.

Perrault, Charles [E] (1628-1703) : Parallèles des Anciens et des Modernes (1688-97), Contes de ma mère l'Oye [(1697), signés par son fils Pierre (1678-1700) dont : la Belle au bois dormant, le Petit Chaperon rouge, Barbe-Bleue, le Chat botté, Cendrillon, Riquet à la houppe, le Petit Poucet].

Piron, Alexis [P, D] (1689-1773) : Gustave Vasa, la Métromanie (*comédie,* 1738).

Pradon, Jacques [D, P] (1644-98) : Pyrame et Thisbé (1676), Phèdre (1677).

Prévost d'Exiles (abbé) [R] (1697-1763) : Manon Lescaut (1731), Cleveland (1732-39).

Quesnay, François [Ec] (1694-1774) : Tableau économique de la France (1748), la Physiocratie (1768-69).

Quinault, Philippe [P, D] (1635-88) : Astrate (1664), la Mère coquette, Roland.

Racine, Jean [D] (1639-99) : *Théâtre :* la Thébaïde (1664), Alexandre (1665), Andromaque (1667), les Plaideurs (*comédie,* 1668), Britannicus (1669), Bérénice (1670), Bajazet (1672), Mithridate (1673), Iphigénie (1674), Phèdre (1677), Esther (1689), Athalie (1691). *Poésies :* Hymnes du Bréviaire (v. 1680), Cantiques spirituels (1694), Épigrammes (posth. 1722). *Histoire :* le Siège de Namur (1692), Précis historique des campagnes de Louis XIV (1730), Abrégé de l'histoire de Port-Royal (1742-67). *Polémique :* Lettre à l'auteur des Hérésies imaginaires (1666). *Correspondance :* Lettres (posth. 1747). – *Biogr. :* noblesse de robe d'Ile-de-France ; fils d'un fonctionnaire de La Ferté-Milon. Orphelin de mère à 13 mois ; de père à 3 ans. Élevé par sa grand-mère. *1655* pensionnaire chez les Solitaires (jansénistes) de Port-Royal. *1660* homme de lettres à Paris, sans ressources. *1664* pensionné par le roi pour une ode sur sa convalescence (2 000 livres annuelles pour toute sa vie). *1667* liaison avec la tragédienne Thérèse du Parc (1633-68). *1668* avec sa rivale, Marie Champmeslé (1642-1701) ; la mort suspecte de la du Parc le fait soupçonner d'empoisonnement. *1673* trésorier de France à Moulins (charge fictive, mais bien payée). *1677* historiographe du roi ; épouse Catherine de Romanet, de fortune moyenne. Abandonne les milieux théâtraux et vit dans l'intimité de Louis XIV, lui faisant la lecture en particulier. *1690* renoue avec Port-Royal et s'éloigne de la Cour. Meurt d'un abcès au foie.

Regnard, Jean-François [D] (1655-1709) : le Joueur, le Légataire universel (1708).

Retz, Paul de Gondi, cardinal de [Mém] (1613-79) : Mémoires (posth. 1717).

Rotrou, Jean de [D] (1609-50) : Bélisaire (1643), Saint Genest (1646), Venceslas (1648).

Rousseau, Jean-Baptiste [P] (1671-1741) : Odes, Cantates.

Saint-Évremond, Charles de [Polé, Cr] (v. 1614-1703) : Pamphlets (1670).

Saint-Simon, Louis, duc de [Mém] (1675-1755) : Mémoires (1694-1723). – *Biogr. :* haute noblesse chartraine (pair de France, sera Grand d'Espagne). Fils de parents âgés ; souffreteux, presque nain. *1692-1702* aux armées ; démissionne (n'a pas été nommé maréchal de camp). *1702-12* attaché au duc de Bourgogne. *1712* s'attache au neveu du roi, le duc d'Orléans qui, Régent (1715), le prend pour principal conseiller. *1718* démissionne. *1721-23* ambassadeur en Espagne. *1723-55* se retire dans son château de La Ferté-Vidame, fréquentant assidûment le monastère de la Grande Trappe.

Scarron, Paul [Hum] (1610-60) : le Virgile travesti (1648-52), le Roman comique (1651-57).

Scudéry, Georges de (1601-67) et sa sœur Madeleine (1607-1701) [R] : le Grand Cyrus (1649-53), Clélie (1654-60).

Sévigné, Marie de Rabutin-Chantal, dame de Sévigné, dite la marquise de [E] (1626-96) : Lettres (publiées 1726).

Sorel, Charles [R] (v. 1600-74) : la Vraie Histoire comique de Francion (1622).

Tallemant des Réaux, Gédéon [Mém] (1619-90) : Historiettes (publiées 1835).

Tillemont, Sébastien Le Nain de [H] (1637-98) : Hist. ecclésiast. des six premiers siècles (1690-1738).

Voltaire, François-Marie Arouet dit, [E, R] (1694-1778) : *Tragédies :* Mahomet (1731), Zaïre (1732), Mérope (1743). *Histoire :* Hist. de Charles XII (1741), Essai sur les mœurs (1756), le Siècle de Louis XIV (1761). *Philos. et Polémique :* Lettres phil. (1734), Traité sur la tolérance (1763), Dictionnaire phil. (1764). *Contes :* Zadig (1748), Micromégas (1752), Candide (1759), l'Ingénu (1751-68). *Poésies :* la Henriade (1727-28), Épîtres ou Satires : 117 pièces, le Mondain (1736). *Correspondance :* 18 000 lettres. – *Biogr. :* fils d'un notaire parisien, homme d'affaires des ducs de Richelieu et de Saint-Simon (héritera du cabinet d'affaires de son père et brassera toute sa vie beaucoup d'argent). Études chez les jésuites de Louis-le-Grand à Paris. *1714* admis au « souper du Temple », chez le grand prieur de Vendôme, lieu de débauche aristocratique. *1716* exilé à Sully-sur-Loire. *1717* embastillé 1 an. *1723* introduit à la Cour à cause de ses succès littéraires. *1726* exilé en Angleterre pour avoir provoqué en duel (1725) un fils de duc, le chevalier de Rohan. *1729* retour en France.

1730-34 liaison avec Mme de Besnières (à Rouen). *1734* avec la Mise du Châtelet, née de Breteuil (1706-49). *1736* écarté de la Cour pour ses écrits anti-religieux, s'installe avec la Mise et son mari à Cirey, arrière-fief du duc de Bar-Lorraine, enclavé en Champagne (le Mis, seigneur lorrain, y a les pouvoirs de police). *1743* protégé par le Mis d'Argenson et par la Mise de Pompadour, revient à Versailles. Liaison quasi conjugale avec sa nièce, Mme Denis (n'interrompt pas la liaison avec la Mise du Châtelet qui durera jusqu'à la mort de celle-ci). *1750-53* séjour à Potsdam (avec Mme Denis) à la cour de Frédéric II de Prusse. *1753-54* brouillé avec Frédéric II, se réfugie à Colmar. *1754-59* à Prangins, puis aux Délices, près de Genève. *1759* retraite définitive (avec Mme Denis) à Ferney, à cheval sur la frontière franco-suisse ; y acquiert un riche domaine et y construit un château ; grand prestige littéraire en Europe (surnommé le « roi Voltaire »). *1765* obtient la réhabilitation de Jean Calas (1698-1762), condamné à tort comme assassin de son fils. *1773* commence une campagne pour la réhabilitation de Lally-Tolendal, condamné à mort pour avoir capitulé à Pondichéry (sans résultats). *1778* séjour à Paris ; invité par l'Académie franç., est l'objet de manifestations triomphales et meurt épuisé après 8 j. Enterré quasi clandestinement à l'abbaye de Scellières par son neveu, l'abbé Mignot. *1791* au Panthéon.

Nés entre 1700 et 1800

Alembert, Jean Le Rond d' ❦ [Math, Ph] (1717-83) : Discours préliminaire de l'Encyclopédie (1751).

Argens, Jean-Baptiste, marquis d' [Polé] (1704-71) : Mémoires secrets de la République des lettres (1737).

Ballanche, [E] (1776-1847). Célèbre pour son amitié amoureuse avec Mme Récamier. – Du sentiment considéré dans ses rapports avec la littérature et les arts (1801).

Balzac, Honoré de [R] (1799-1850) : les Chouans (1829), la Femme de 30 ans (1831), la Peau de chagrin (1831), Louis Lambert (1832), le Médecin de campagne (1833), Eugénie Grandet (1834), la Duchesse de Langeais (1834), la Recherche de l'absolu (1834), le Père Goriot (1834-35), le Lys dans la vallée (1835), les Illusions perdues (1837-43), la Rabouilleuse (1841), la Cousine Bette (1846), le Cousin Pons (1847) ; la Comédie humaine regroupe 65 titres (1re éd. 1842, puis 1975). – *Biogr. :* bourgeoisie parisienne fixée en Touraine ; détesté par sa mère qui le met tout jeune en pension à Vendôme. *1814-19* études à Paris. *1820* liaison avec Laure de Berny ; de 22 ans plus âgée, elle le protégera jusqu'à sa mort (1836). *1821-26* feuilletoniste, sous différents pseudonymes. *1826-29* fonde une imprimerie, fait faillite, lourdes dettes. *1830* gros droits d'auteur mais dépense sans compter. *1833* liaison avec Éveline Hanska (1800-82), comtesse ukrainienne. *1836* vie clandestine (crainte des créanciers). *1843* voyage à St-Pétersbourg auprès d'Éveline (veuve dep. 1841). *1846* naissance d'un fils mort-né, Victor-Honoré (inconsolable) ; achat et décoration ruineuse d'un hôtel, rue Fortunée (aujourd'hui rue Balzac). *1847-48*, puis *1850* séjours en Ukraine ; *14-3-1850* épouse Éveline en Ukraine ; *juin* revient avec elle, épuisé, rue Fortunée, y meurt 18-8-1850.

Barante, Prosper, baron de ❦ [H] (1782-1866) : Histoire des ducs de Bourgogne (1821-24).

Barthélemy, abbé Jean-Jacques ❦ [Éru] (1716-95) : Voyage du jeune Anacharsis en Grèce (1788).

Beaumarchais, Pierre Caron de [D] (1732-1799) : le Barbier de Séville (1775), le Mariage de Figaro (1784), La Mère coupable (1792). – *Biogr. :* fils d'un horloger parisien. *1752* invente un système d'échappement pour les montres, que l'horloger Lepaute cherche à s'approprier. *1754* gagne son procès contre Lepaute. *1755* horloger du roi. *1756* clerc de la maison du roi ; prend le nom de Beaumarchais, terre appartenant à sa femme (épousée 1756, morte 1757 ; il est soupçonné de l'avoir fait mourir). *1757* professeur de harpe des filles de Louis XV. *1758-64* associé du financier Paris-Duverney ; achète une charge de secrétaire du roi (qui l'anoblit). *1762-82* lieutenant-général des chasses ; spéculations. *1770* à la mort de Paris-Duverney, est accusé de fraude par les héritiers (procès gagné au bout de 8 ans). *1771* mort de sa 2e femme et procès en détournement d'héritage avec sa belle-famille. *1774* 3e mariage avec une riche héritière, Thérèse de Villermawlaz. Mission secrète à Londres (faire détruire un pamphlet contre Mme du Barry) ; mis en prison à Vienne (affaire de chantage). *1776* arme une flotte privée pour soutenir les insurgés américains. *1777* fonde la Sté des auteurs dramatiques. *1784* succès du *Mariage de Figaro ;* s'enrichit. *1790* rallié à la Révolution. *1792* monte une affaire d'achat d'armes en Hollande ; suspect à la Convention. *1793-96* exilé à Hambourg. *1796-99* rentre à Paris, écrit ses mémoires. Meurt d'apoplexie.

Béranger, Pierre-Jean de [Chans] (1780-1857] : le Roi d'Yvetot (1813), 6 recueils de chansons.

Bernardin de St-Pierre, Henri ❦ [E] (1737-1814) : Paul et Virginie (1787), la Chaumière indienne (1790). – *Biogr. :* famille bourgeoise. *1758* ingénieur des Ponts et Ch. *1763* cherche fortune en Russie, puis en Prusse. *1767* en poste à l'île Maurice. *1771* démissionne ; misère à Paris ; disciple de Rousseau. *1787* fait fortune avec *Paul et Virginie. 1795* membre de l'Inst. *1799* pensionné par le 1er Consul.

Boigne, Louise d'Osmond, Ctesse de [Mém] (1781-1866) : Récits d'une tante (publiés 1907).

Bonald, Louis, Vte de ❦ [Es] (1754-1840) : Théorie du pouvoir politique et religieux (1796).

Brillat-Savarin, Anthelme [Es] (1755-1826) : la Physiologie du goût (1825).

Brosses, (président) Charles de [Pros] (1709-77) : Lettres familières (1739-40), Lettres d'Italie (1740).

Buffon, Georges Louis Leclerc, Cte de ❦ [Nat] (1707-88) : Histoire naturelle (36 vol.). – *Biogr. :* noblesse terrienne bourguignonne. Études chez les jésuites de Dijon. *1730* lié avec le duc anglais de Kingston, voyage avec lui en Italie ; séjourne souvent en Angleterre. *1733* membre adjoint de l'Académie des sciences, pour des travaux de physique. *1735* transforme sa propriété de Montbard en parc expérimental botanique. *1739* intendant du *Jardin du roi* (actuel J. des Plantes). *1744* réunit une équipe scientifique, dont le médecin Louis Daubenton (1716-99). Il passe 8 mois à Montbard et 4 mois à Paris, travaillant à son *Histoire naturelle* (renommée internationale). *1777* fait comte. *1779* condamné par la Sorbonne, sauvé par le veto royal.

Cabanis, Georges ❦ [Ph, Sav] (1757-1808) : Lettres sur les causes premières (publ. 1824).

Caigniez, Louis [D] (1762-1842) : la Pie voleuse (1815).

Casanova de Seingalt, Jacques [Mém] (Venise, 1725-98) : Mémoires (posth. 1822-28). – *Biogr. :* fils d'acteurs. Études de droit, intrigues amoureuses à scandale. Après un 1er séjour en prison, secrétaire du cardinal Acquaviva. Nouveaux scandales, s'engage dans l'armée. Voyage à Paris (crée la 1re loterie publique française). Agent secret, puis bibliothécaire du Cte Waldstein, seigneur de Bohême. *1798* meurt à Dux (Bohême).

Chamfort, Nicolas-Sébastien Roch dit de ❦ [Mor] (1740-94) : Pensées, Maximes et Anecdotes (1796).

Chateaubriand, François-René, Vte de [E] (1768-1848) : Atala (1801), le Génie du christianisme (1802), René (1802), les Martyrs (1809), l'Itinéraire de Paris à Jérusalem (1811), les Natchez (1815-26), les Aventures du dernier Abencérage (1826), Vie de Rancé (1844), Mémoires d'outre-tombe (1848-50). – *Biogr. :* famille noble bretonne (château de Combourg) ; collèges de Dol puis de Rennes. *1786* sous-lieutenant au régiment de Navarre. *1791-92* voyage aux États-Unis. *1792* épouse Céleste Buisson de La Vigne ; rejoint les émigrés à Coblence. *1793-1800* à Londres. *1800* retour à Paris, liaison avec Pauline de Beaumont (1768-1803). *1801* succès d'*Atala. 1803-04* diplomate en Italie, démissionne après l'exécution du duc d'Enghien. *1806-07* voyage en Orient. *1807-15* 1re personnalité littéraire du pays ; chef de l'opposition antibonapartiste. Nombreuses liaisons (dont Mme de Custine depuis 1802, duchesse de Duras de 1809 à 28). *1815* chef du parti ultra (pair de France, ministre d'État, min. des Affaires étrangères 1821-24). *1818* liaison avec Juliette Récamier [Julie Bernard (1777-1849), adorée pour sa beauté par de nombreuses célébrités ; elle n'aurait eu qu'un amant, Chateaubriand, et leur amour se changea vite en affection platonique, qui dura jusqu'à la mort]. *1822* (du 5-4 au 30-8) ambassadeur à Londres. *1830* chef du parti légitimiste (opposé à Louis-Philippe : une arrestation en 1832, plusieurs missions auprès de Charles X en exil). *Après 1844* pauvre, vit d'avances sur ses *Mémoires d'outre-tombe* (Émile de Girardin achète le droit de les publier en feuilleton dans *La Presse,* malgré ses protestations). *1847* dépose ses *Mémoires* chez un notaire. *1848,* 19-7 inhumé (îlot du Grand-Bé, face à St-Malo), début du feuilleton dans *La Presse.*

Chénier, André de [P] (1762-94) : Bucoliques (la Jeune Tarentine), Idylles, Élégies, Iambes (la Jeune Captive), Hermès.

Chénier, Marie-Joseph de [D, P] (1764-1811) : Charles IX (1796), le Chant du départ (paroles).

Comte, Auguste [Ph] (1798-1857) : Plan des travaux scientifiques pour réorganiser la société (1822), Cours de philosophie positive (1830-42). – *Biogr. :* bourgeoisie de Montpellier (monarchiste et catholique). D'une mémoire extraordinaire, mais atteint de troubles psychologiques. *1814* reçu à Polytechnique (16 ans). *1816* école fermée (causes pol.) : vit comme professeur de maths. *1816* secrétaire de Saint-Simon. *1822* rupture avec Saint-Simon, qui désapprouve le *Plan. 1825* mariage avec une prostituée. *1826* interné pour troubles mentaux. *1829* fonde une école privée de philosophie. *1832* répétiteur à Polytechnique. *1844* liaison avec Clotilde de Vaux (1815-46). *1848* fonde la religion de l'Humanité (positivisme) dont Clotilde est la divinité centrale. *1852* dans la misère jusqu'à sa mort (d'un cancer).

Condillac, Étienne de ❦ [Ph] (1714-80) : Traité des sensations (1754). Logique.

Condorcet, marquis de ❦ [Math, Ph] (1743-94) : Esquisse d'un tableau historique des progrès de l'esprit humain (publ. 1795).

Constant de Rebecque, Benjamin. Voir Suisse, p. 317 c.

Courier de Méré, Paul-Louis [E, Pol] (1772-assass. 1825) : Pamphlets, Lettres.

Cousin, Victor ❦ [Ph] (1792-1867) : Du vrai, du beau, du bien (1837).

Crébillon, (fils) Claude de [R] (1707-77) : Lettres de la Marquise de M*** au Comte de R*** (1732), les Égarements du cœur et de l'esprit (1736), le Sopha (1742).

Custine, Astolphe, Mis de [E] (1790-1875) : l'Espagne sous Ferdinand VII (1838), la Russie en 1839.

Delavigne, Casimir ❦ [P, D] (1793-1843) : les Messéniennes, les Vêpres siciliennes.

Delille, Jacques Fontanier, dit abbé ❦ [P] (1738-1813) : les Jardins ; traductions (Virgile, Milton).

Desbordes-Valmore, Marceline [P] (1785-1859) : Élégies (1818-25), les Pleurs.

Destutt de Tracy, Antoine ❦ [Ph] (1754-1836) : Éléments d'idéologie (1811-15).

Diderot, Denis [Ph, Encycl] (1713-84) : Pensées phil. (1746), les Bijoux indiscrets (1747), l'Encyclopédie (1751), le Fils naturel (1757), Lettres à d'Alembert, la Religieuse (publ. 1796), le Neveu de Rameau (publ. 1821), Jacques le fataliste (posth. 1796), Paradoxe sur le comédien (publ. 1830), les Salons (1759-81, publ. 1812). – *Biogr. :* fils d'un coutelier langrois. Études au collège des jésuites de Langres (1723-28 ; tonsuré 1726) puis à Paris (1728-32). Jusqu'en *1742,* on perd sa trace (sans doute clerc et précepteur). *1743* épouse secrètement Anne-Antoinette Champion. *1744-48* rédacteur au Dictionnaire de Médecine. *1746* obtient le privilège de l'*Encyclopédie ;* il y travaillera jusqu'en 1759 (gains modestes). *1755* liaison avec Sophie Volland (jusqu'à la mort de celle-ci en 1783). *1765* sauvé de la misère par Catherine II de Russie qui lui achète (fictivement) sa bibliothèque pour 150 000 livres et l'en nomme bibliothécaire pour 300 pistoles par an. *1773-74* visite à St-Pétersbourg. *1784* s'installe dans un appartement payé par Catherine II, rue Richelieu, et y meurt.

Florian, Jean-Pierre de ❦ [Fab] (1755-94) : 5 livres de Fables (1792).

Fourier, Charles [Ph, Éco], (1772-1837) : Théorie de l'Unité universelle.

Fréron, Élie [J] (1718-76) : l'Année littéraire (1754-76).

Genlis, Stéphanie Félicité du Crest, Ctesse de [E] (1746-1830).

Gresset, Louis ❦ [P, D] (1709-77) : Vert-Vert (1734), le Méchant (1747).

Grimm, Melchior, Bon de [E] (All., 1723-1807) : Contes, Correspondance (publ. 1812).

Guizot, François ❦ [H, Pol] (1787-1874). Voir Index.

Helvétius, Claude-Adrien [Ph, Encycl] (1715-1771) : De l'esprit (1758).

Holbach, Paul, Bon d' [Ph, Encycl] (Allem., 1723-89) : le Système de la nature (1770).

Joubert, Joseph [Mor] (1754-1824) : Carnets de J. Joubert (publ. 1836).

Jouffroy, Théodore [Ph] (1796-1842).

Krudener, Julie de Wietinghoff, Bonne de [R] (Russe, 1764-1824) : Valérie (1804).

Laclos, Pierre Choderlos de [R] (1741-1803) : les Liaisons dangereuses (1782).

La Harpe, Jean-François Delharpe, dit Fr. de ❦ [Cr] (1739-1803) : Cours de littér. ancienne et moderne (1799), Une soirée chez Cazotte (publ. 1806).

Lamartine, Alphonse de ❦ [P, H, Pros] (1790-1869) : *Poésies :* Méditations poétiques (1820), les Harmonies poétiques et religieuses (1830), Jocelyn (1836), la Chute d'un ange (1838), Recueillements poétiques (1839). *Histoire :* Hist. des Girondins (1847). *Prose :* Raphaël (1849), Confidences (1849), Graziella (1852). – *Biogr. :* noblesse terrienne mâconnaise ; études à Milly, instruit par des précepteurs. *1801-08* interne à Lyon, puis à Belley. *1811-12* voyage en Italie (1res amours à Naples avec Antoniella, intendante de son oncle). *1816-17* liaison avec Julie Charles (Elvire), femme d'un physicien (phtisique, elle meurt en déc. 1817). *1818* mariage avec une Anglaise, Marianne Elisa Birch. *1820-30* diplomate en Italie. *1830* démissionne et tente d'être élu député

Principaux personnages de la littérature française

☞ *Légende :* en petites capitales : l'auteur ; en minuscules grasses : œuvre littéraire ; en italique : personnage ; entre parenthèses : symbolique du personnage.

ANONYMES. **Chanson de Roland** (XIIe s.) : *Roland et Olivier* (amis chevaleresques) ; *Ganelon* (le traître). **Le cycle de Tristan** (XIIe s.) : *Tristan et Iseult* (amants prédestinés). **Roman de Renart** (XIIe-XIIIe s.) : *Renart* (aventurier matois et sans scrupules). **La Farce de Maître Pathelin** (XVe s.) : *Maître Pathelin* (avocat roublard).

ALAIN-FOURNIER. **Le Grand Meaulnes :** *Augustin* (adolescent croyant à la réalité du monde subjectif) ; *Yvonne de Galais.*

ARAGON. **Aurélien :** *Aurélien Leurtillois.* **Les Cloches de Bâle :** *Diane de Nettencourt ; Catherine Simonidzé.*

AUDIBERTI (J.). **L'Effet Glapion** (comédie) : *Émile Glapion* (magicien transformant les vies tristes en fantasias).

AYMÉ (M.). **Clérambard** (original tyrannique et illuminé). **La Vouivre** (créature mythologique, reine des serpents).

BALZAC (H.). **La Comédie humaine :** *le Père Goriot* (martyr de l'amour paternel) ; *la Rabouilleuse* (ambitieuse vulgaire et sans scrupules) ; *Rastignac* (ambitieux distingué et sans scrupules) ; *Vautrin* (forçat génial devenu redresseur de torts) ; *Nucingen* (boursier véreux) ; *Lucien de Rubempré* (ambitieux échouant par faiblesse de caractère) ; *Madame de Mortsauf* (caractère noble jusqu'à l'héroïsme) ; *Ursule Mirouet* (l'innocence persécutée).

BARBEY D'AUREVILLY (J.). **Les Diaboliques :** *la duchesse de Sierra Leone* (orgueilleuse et vindicative jusqu'au diabolisme). **Le Chevalier des Touches. Un prêtre marié :** *Jean Gourgue.*

BARRÈS (M.). **Colette Baudoche** (patriote fidèle malgré l'annexion).

BEAUMARCHAIS (P.C.). **Le Mariage de Figaro :** *Chérubin* (adolescent s'éveillant aux amours) ; *Bridoison* (juge stupide) ; *Figaro ; Almaviva.*

BEAUVOIR (S. de). **L'Invitée :** *Françoise Miquel.* **Les Mandarins :** *Anne Dubreuil, Henri Perron ; Robert Dubreuil.*

BECKETT (S.). **En attendant Godot :** *Vladimir* (Didi) (métaphysicien désenchanté) ; *Estragon* (gogo désenchanté incapable de métaphysique) ; *Godot* (l'espérance humaine, toujours décevante) ; *Kiki* (sous-homme robotisé). **Molloy** (égoïste déshumanisé par son manque d'humanité).

BENOIT (P.). **L'Atlantide :** *Antinéa* (femme divinisée incarnant amour et mort). **Koenigsmark :** *la princesse Aurore* (la femme-reine, inaccessible).

BERNANOS (G.). **Sous le soleil de Satan** et **Nouvelle histoire de Mouchette :** *Mouchette* (adolescente naïve mais désespérée). **La Joie :** *Chantal de Clergerie.*

CAMUS (A.). **L'Étranger :** *Meursault* (homme étranger à lui-même). **Le Mythe de Sisyphe :** *Sisyphe* (désespéré optimiste). **La Chute :** *Clarence* (désespéré amer et sarcastique). **La Peste :** *Bernard Rieux.*

CÉLINE (L.F.). **Mort à crédit** et **Voyage au bout de la nuit :** *Ferdinand Bardamu* (désespéré sans pudeur et pourtant humaniste).

CENDRARS (B.). **Moravagine** (la malfaisance du « grand fauve » humain).

CHATEAUBRIAND (F.R.). **Les Natchez :** *Chactas* (le bon sauvage devenu romantique). **René :** *la Sylphide* (idéal féminin n'existant qu'en rêveries). **Les Martyrs :** *Velléda* (l'amour païen, ignorant toute contrainte).

CHOLIÈRES (N. de). *Jocrisse* (benêt) repris par DORVIGNY (**le Désespoir de Jocrisse**), dans le dictionnaire en 1718.

CHRÉTIEN DE TROYES. **La légende du roi Arthur :** *Gringalet* (cheval du chevalier Gauvain).

COCTEAU (J.). **Opéra :** *l'Ange Heurtebise* (la crise de conscience purificatrice). **Thomas l'imposteur :** *Thomas Guillaume* (mythomane pris à son piège). **Les Enfants terribles :** *Élisabeth ; Paul.*

COLETTE (S.G.). Série des **« Claudine » :** *Claudine* (ingénue coquette et fantaisiste). **Maugis** (esprit critique jusqu'à la férocité). **Chéri** et **la Fin de Chéri :** *Léa* (quinquagénaire amoureuse d'un adolescent).

CONSTANT (B.). **Adolphe :** *Ellénore* (amoureuse vieillissante et despotique).

CORNEILLE (P.). **Le Cid :** *Chimène* (amoureuse dominant sa passion par devoir) ; *Rodrigue* (stoïcien de cape et d'épée) ; *Don Diègue ; Don Gormas.*

COURTELINE (G.). **Les Gaietés de l'escadron :** *l'adjudant Flick* (militaire aigri).

DAUDET (A.). **Aventures prodigieuses de Tartarin de Tarascon** (appelé d'abord Barbarin, mais un habitant de Tarascon protesta), **Tartarin sur les Alpes, Port-Tarascon :** *Tartarin* [fanfaron douillet, mais bon cœur (mot commun dérivé : tartarinade)]. **Le Petit Chose :** *Daniel Eyssette,* portant ce surnom (jeune pion persécuté). **Les Lettres de mon moulin :** *l'Arlésienne* (femme inspirant un amour tragique) ; *la chèvre de Monsieur Seguin* (jeunesse préférant ses chimères à la vie) ; *le curé de Cucugnan* (prêtre réaliste et truculent) ; *maître Cornille* (le cœur simple obstinément fidèle à un idéal) ; *le père Gaucher* (moine pieux mais buveur) ; *le sous-préfet aux champs* (rigide administrateur sujet à des faiblesses). **Jack :** *Jack de Barancy.* **Numa Roumestan.**

DEKOBRA (M.). **La Madone des sleepings :** *Diana Wynham* (aristocrate riche et fantasque).

DRIEU LA ROCHELLE (P.). **Gilles :** *Gilles Jambier* (« l'homme couvert de femmes »).

DUMAS, père (A.). **Le Comte de Monte-Cristo :** *Edmond Dantès* (vengeur impitoyable). **La Tour de Nesle :** *la reine Marguerite* (reine débauchée et meurtrière). **Les Trois Mousquetaires :** *d'Artagnan* (héros de cape et d'épée) ; *Aramis* (René d'Herblay) ; *Athos* (de La Fère) ; *Porthos* (du Vallon de Bracieux de Pierrefonds) ; *Milady* (Anne de Winter) [aventurière perverse].

DUMAS, fils (A.). **La Dame aux camélias :** *Marguerite Gautier* (courtisane au grand cœur) ; *Armand Duval.*

ERCKMANN-CHATRIAN. **Les romans nationaux :** *Madame Thérèse* (une vivandière) ; *le fou Yegof* (agent ennemi bien camouflé). **L'Ami Fritz :** *Fritz Kobus* (vieux garçon touché par l'amour).

FÉVAL (P.). **Le Bossu :** *Lagardère* (héros bon et généreux) ; *Passepoil* (un soudard).

FEUILLADE (L.). **Fantômas** (criminel génial et misanthrope).

FLAUBERT (G.). **Bouvard et Pécuchet** (utopistes pédants et ignorants). **Madame Bovary :** *Emma Bovary* (petite bourgeoise romantique) ; *Homais* (humaniste pédant et ignorant). **L'Éducation sentimentale :** *Frédéric Moreau : Marie Arnoux.*

FRANCE (A.). **Le Crime de Sylvestre Bonnard** *Sylvestre Bonnard* (l'intellectuel coupé du monde réel). **Crainquebille** (brave prolétaire anarchisant). **Thaïs** (femme d'une beauté fatale).

FROMENTIN (E.). **Dominique :** *Dominique de Bray.*

GAUTIER (T.). **Le Capitaine Fracasse :** *le baron de Sigognac* (héros de cape et d'épée). **Mademoiselle de Maupin :** *Camille de Maupin* (héroïne de cape et d'épée, séductrice d'hommes et de femmes).

GENEVOIX (M.). **Raboliot :** *Raboliot* (braconnier).

GIDE (A.). **Les Caves du Vatican :** *Lafcadio* (amateur d'actes gratuits). **L'Immoraliste** et **les Nourritures terrestres :** *Michel* (le philosophe de la ferveur). **Les Faux-Monnayeurs :** *Édouard ; Olivier Molinier ; Bernard Profitendieu.* **La Symphonie pastorale :** *Gertrude.*

GIONO (J.). **Angelo, le Bonheur fou, le Hussard sur le toit :** *Angelo Pardi* (héros de cape et d'épée mais lucide et raisonnable). *Jean le Bleu* (jeune rural à l'âme panthéiste). **Regain :** *Panturle* (montagnard attaché à sa terre) ; *la Mamèche* (vieille campagnarde un peu sorcière). **Colline :** *le père Janet* (vieux sorcier misanthrope) ; *le Gagou* (simple d'esprit, vivant une vie instinctive).

GIRAUDOUX (J.). **Siegfried et le Limousin :** *Siegfried* (le provincial français attaché à son terroir). **Suzanne et le Pacifique :** *Suzanne* (gentillesse et dignité des jeunes provinciales). **La Guerre de Troie n'aura pas lieu :** *Démokos* (le belliciste borné). **Ondine** (divinité incapable de bonheur humain).

GRACQ (J.). **Le Rivage des Syrtes :** *Aldo.*

GREEN (J.). **Moïra :** *Joseph Day.*

GUITRY (S.). **Mémoires d'un tricheur :** anonyme (ex-tricheur ruiné par le jeu).

HUGO (V.). **Les Misérables :** *Fantine* (prostituée au cœur maternel) ; *Javert* (policier rigide) ; *le ménage Thénardier* (êtres bas et immoraux) ; *Cosette* (enfant martyr) ; *Gavroche* (gamin héroïque) ; *Jean Valjean* (ancien criminel devenu philanthrope). **Notre-Dame de Paris :** *Quasimodo* (monstre de laideur à l'âme bonne) ; *Claude Frollo* (religieux satanique) ; *Esmeralda* (jeune beauté vouée au malheur). **Bug-Jargal** (esclave révolté). **Claude Gueux.**

HUYSMANS (J.-K.). **A rebours :** *Des Esseintes* (esthète perverti).

JARRY (A.). **Ubu roi :** *le père Ubu* (fantoche cynique et lâche) ; *la mère Ubu* (fantoche cynique et immoral).

KOCK (P. de). **La famille Gogo :** *Gogo* (bourgeois peu éclairé, dans le dictionnaire de l'Académie en 1932).

LA FONTAINE (J.). **Fables :** *Perrette* (rêveuse emportée par son imagination) ; *la Chauve-souris* (personnage habile à changer de camp) ; *la Mouche du coche* [bon à rien donneur de conseils (expression passée dans la langue)] ; *le Roseau* (personnage souple et résistant).

LEBLANC (M.). **Les Aventures d'Arsène Lupin :** *Arsène Lupin* (« gentleman cambrioleur »). Origine du personnage : Georgiu Mercadente Manulescu (1871-?   ), alias prince Lahovany, duc d'Otrante Georges Mercadente etc.

LOTI (P.). **Madame Chrysanthème** (devenue Madame Butterfly dans l'opéra de Puccini) (amours exotiques d'un marin). **Mon frère Yves :** *Yves* (marin breton simple et bon). **Pêcheur d'Islande :** *Gaud* (Bretonne de la côte, à l'âme noble). **Ramuntcho** (contrebandier basque, hardi et croyant).

LOUŸS (P.). **Les Aventures du roi Pausole :** *Pausole* (souverain paillard et débonnaire).

MALOT (H.). **Sans famille :** *Vitalis* (artiste déchu, resté digne) ; *Rémi* (orphelin courageux).

MARTIN DU GARD (R.). **Les Thibault :** *Meynestrel* (militant pacifiste) ; *Jenny de Fontanin* (noble jeune femme aux idées émancipées) ; *Oscar Thibault* (bourgeois conservateur et impitoyable).

MAUPASSANT (G.). **Bel-Ami :** *Georges Duroy* (arriviste sans scrupules). **Nouvelles :** *Boule-de-suif* (la prostituée bonne fille) ; *le Horla* (être imaginaire acharné à détruire ses victimes).

MAURIAC (F.). **Genitrix :** *Félicité Cazenave* (la mère abusive). **Thérèse Desqueyroux** (épouse indifférente devenue haineuse). **Asmodée :** *Monsieur Couture* (misogyne convoitant sournoisement les femmes).

MÉRIMÉE (P.). **Carmen** (popularisé par l'opéra de Bizet) (« si je t'aime, prends garde à toi »).

MOLIÈRE. **Le Cocu imaginaire :** *Sganarelle* (un mari trompé). **L'École des femmes :** *Agnès* (ingénue délurée). **Le Tartuffe** (bigot hypocrite inspiré par Tartufo, « la Truffe », personnage de la Commedia dell'arte). **Le Misanthrope :** *Célimène* (coquette éternellement jeune) ; *Alceste* (esprit sincère, dégoûté de l'humanité) ; *Philinte* (humoriste sceptique sur la vertu des hommes). **L'Avare :** *Harpagon* (grippe-sous, entré au dictionnaire de l'Académie en 1878). **Le Malade imaginaire :** *Diafoirus* (médecin ignare). **George Dandin** (maladroit, cause de ses propres ennuis). **Les Femmes savantes :** *Philaminte* (la pédante) ; *Chrysale* (le bourgeois terre à terre).

MONTHERLANT (H. de). **La Reine morte :** *le roi Ferrante* (serviteur cynique de la raison d'État). **Les Jeunes filles :** *Pierre Costals ; Solange Dandillot ; Andrée Hacquebaut.*

MORAND (P.). **Lewis et Irène :** *Lewis.*

MURGER (H.). **Scènes de la vie de Bohème :** *Musette* (parisienne de vie légère et de cœur innocent).

MUSSET (A. de). **Mimi Pinson** (ouvrière parisienne honnête et délurée). **Lorenzaccio** (drame) (héros avili par le rôle qu'il doit jouer). **Rolla** (romantique pessimiste). **Les Caprices de Marianne :** *Marianne* (coquette impitoyable) ; *Cœlio* (romantique sincère et triste) ; *Octave* (romantique pessimiste et faussement gai). **Confessions d'un enfant du siècle :** *Octave de T...*

NIMIER (R.). **Les Épées :** *François Sanders.*

NIZAN (P.). **Antoine Bloyé.**

PAGNOL (M.). **Topaze** (homme d'affaires véreux). **César** (Méridional pittoresque mais digne) ; *Panisse* (Méridional véhément mais estimable) ; *Marius ; Monsieur Brun ; Fanny.*

PERRAULT (C.). **Contes du temps passé :** *Barbe-Bleue* (ogre tueur de dames) ; *Cendrillon* (la petite sœur brimée) ; *le marquis de Carabas* (seigneur richissime) ; *le Petit Chaperon rouge* (innocente entourée de périls) ; *le Petit Poucet* (petit futé qui triomphe des grands) ; *la Belle au bois dormant* (personne de haute valeur, inutilisée) ; *le Chat botté* (le bluff créateur).

PERRET (J.). **Le Caporal épinglé** (le prisonnier demeuré rebelle).

PONSON DU TERRAIL (P.). **Les Drames de Paris :** *Rocambole* [aventurier d'une habileté géniale (le mot rocambolesque est passé dans la langue)].

PRÉVOST (l'abbé). **Manon Lescaut** (aventurière aimante et digne d'être aimée).

PROUST (M.). **A la recherche du temps perdu :** *le baron de Charlus* (homosexuel antipathique) ; *Odette de Crécy* (« mademoiselle Sacripant » : demi-mondaine féroce) ; *Oriane de Guermantes* (grande dame sympathique) ; *Sidonie Verdurin* (dame bas bleu antipathique) ; *Robert de St-Loup* (homosexuel sympathique) ; *Albertine Simonet* (homosexuelle coureuse) ; *Charles Swann* (grand bourgeois israélite) ; *Gilberte Swann* (nouvelle riche, snob) ; *marquise de Villeparisis* (vieille aristocrate aux idées très larges).

QUENEAU (R.). **Zazie dans le métro :** *Zazie Lalochère* (gamine délurée).

RABELAIS (F.). **Gargantua** et **Pantagruel :** *Gargantua* (géant énorme et débonnaire) ; *Pantagruel* (géant doué d'un appétit monstrueux) ; *Panurge* (aventurier canaille et mystificateur) ; *Frère Jean des Entommeures* (moine paillard et bagarreur) ; *Picrochole* (souverain mégalomane et poltron). *Raminagrobis* (juge habile et matois).

RACINE (J.). **Les Plaideurs :** *Madame de Pimbêche* (femme agressive et chicanière) ; *Chicaneau* (plaideur acharné). **Athalie :** *Jézabel* (fantôme effrayant). **Phèdre** (la « proie » de Vénus). **Esther :** *Assuérus* (majesté redoutable).

RADIGUET (R.). **Le Bal du comte d'Orgel :** *Mahaut d'Orgel ; François de Seryeuse.* **Le Diable au corps :** *Marthe Grangier, épouse Lacombe ; XXXX,* le narrateur anonyme.

RENARD (J.). **Poil de Carotte** (enfant haï par sa mère).

SAND (G.). **La Petite Fadette :** *Fanchon Fadet,* surnommé *Fadette* (petite paysanne charmante par son innocence). *François le Champi* (enfant trouvé aimé d'une riche meunière). **Consuelo.**

SARTRE (J.-P.). **Les Chemins de la liberté :** *Ivich* (immigrée russe, victime d'un monde absurde). **La Nausée :** *Roquentin* (écrivain conscient de l'absurdité du monde). **Les Mains sales :** *Hugo* (militant politique affronté à l'absurde).

SCRIBE (E.). **Le Soldat laboureur :** *Nicolas Chauvin* (soldat de Napoléon, blessé 17 fois). Personnage également créé par Charles Cogniard.

SÉGUR (Ctesse de). **L'Auberge de l'ange gardien :** *le général Dourakine* (grand seigneur russe coléreux mais bon). **Un bon petit diable :** *Madame Macmiche* (bigote tortionnaire). **La Sœur de Gribouille :** *Gribouille* (brave garçon un peu simple d'esprit). **Les Deux Nigauds :** *Madame Bonbeck* (femme bon cœur et bourrue). **Les Petites Filles modèles :** *Sophie* (fillette étourdie). **Pauvre Blaise :** *Blaise Anfry* (paysan pieux et honnête).

SIMENON (G.). **Les Enquêtes du commissaire Maigret :** *Jules Maigret* (policier psychologue et humain). **La Veuve Couderc :** *Tatie Couderc* (femme du peuple, laborieuse et méfiante).

STAËL (G. de). **Corinne ou l'Italie :** *Corinne* (belle âme éprise d'esthétique).

STENDHAL. **Le Rouge et le Noir :** *Julien Sorel* (jeune arriviste plutôt mal doué) ; *Mathilde de La Mole* (jeune aristocrate orgueilleuse et naïve) ; *Madame de Rénal* (vertueuse provinciale vaincue par la passion). **La Chartreuse de Parme :** *Fabrice del Dongo* (carbonaro à la fois héroïque et veule) : *la Sanseverina* (tendresse passionnée d'une tante pour son neveu). **Lucien Leuwen** (un « égotiste » ayant réussi).

SUE (E.). **Les Mystères de Paris :** *M. Pipelet* (concierge parisien).

TOURNIER (M.). **Le Roi des Aulnes :** *Abel Tiffauges* (anarchiste resté sentimentalement un enfant).

VAILLAND (R.). **Drôle de jeu :** *François Lamballe, alias Marat.* **La Loi :** *Don Cesare.* **Les Mauvais coups :** *Milan.*

VALÉRY (P.). **Monsieur Teste** (l'intelligence pure).

VALLÈS (J.). **Jacques Vingtras** (intellectuel de gauche).

VERNE (J.). **Le Tour du monde en quatre-vingts jours :** *Phileas Fogg* (riche Anglais flegmatique) ; *Passepartout* (valet de chambre fidèle et débrouillard). **Michel Strogoff** (officier hardi et dévoué). **Vingt Mille Lieues sous les mers :** *le capitaine Nemo* (inventeur génial à la fois humanitariste et misanthrope). **Robur le Conquérant :** *Robur.* **De la Terre à la Lune :** *Michel Ardan.*

VOLTAIRE. **Candide :** *Pangloss* (optimiste béat). **Mahomet :** *Séid* (esclave affranchi pour son dévouement aveugle).

ZOLA (E.). **Les Rougon-Macquart :** *Nana* (courtisane ambitieuse) ; *Gervaise* (femme du peuple, guettée par la déchéance) ; *Coupeau* (ouvrier tombé dans l'alcoolisme) : *Lantier* (une « bête humaine », homicide) ; *Octave Mouret.*

(échec). *1833* voyage en Orient. *1839-48* député de Bergues (Nord) : non inscrit jusqu'en 1838, opposition libérale de 1838 à 48. *1848* prend part à la Révolution de février ; min. des Affaires étrangères. *1849* candidat à la présidence de la République (échec, 17 910 voix). Difficultés financières (ses propriétés du Mâconnais lui coûtent cher) ; se condamne aux « travaux forcés littéraires ». *1861* vend son château de Milly. *1867* veuf, se remarie secrètement avec sa nièce Valentine (qui était sa fille adoptive). *1869* meurt, oublié, dans une villa que la ville de Paris a mise à sa disposition.

Lamennais, Félicité de [Ph] (1782-1854). – *Biogr. :* fils d'un propriétaire terrien breton, anobli en 1782. Élevé dans la maison paternelle, La Chesnaie. *1808* reçoit les ordres mineurs. *1816* ordonné prêtre. *1817* célébrité littéraire avec son *Essai sur l'indifférence. 1830* fonde le journal catholique libéral *l'Avenir* (condamné par Rome en 1831). *1834* les *Paroles d'un croyant,* réponse à la condamnation, sont condamnées à leur tour. *1836* rupture avec Rome. *1840* un an de prison pour des écrits républicains. *1848* député ; fonde le journal *le Peuple constituant* qui disparaît au bout de 5 mois. Se retire de la vie publique et meurt sans l'assistance d'un prêtre.

La Mettrie, Julien Offroy de [Méd, Ph] [1709-51) : l'Homme-machine (1747).

Maine de Biran, François-Pierre Gonthier de Biran, dit [Ph] (1766-1824) : Journal intime (1927).

Maistre, Joseph, Cte de [Es, Ph] (1753-1821) : Considérations sur la France (1796), Du pape (1819), Soirées de St-Pétersbourg (1821).

Maistre, Xavier, Cte de [Es] (1763-1852) : Voyage autour de ma chambre (1795).

Marmontel, Jean-François 🌿 [Mor] (1723-99) : Contes moraux (1767-77), Mémoires (1800-05).

Mercier, Louis-Sébastien 🌿 [Pros, D] (1740-1814) : le Tableau de Paris, la Brouette du vinaigrier (1775).

Michelet, Jules [H, Es] (1798-1874) : Histoire de France (1833-67), Histoire de la Révolution française (1847-53). – *Biogr. :* fils d'un artisan parisien (imprimeur) ; enfance pauvre. *1819* docteur ès lettres. *1821* agrégé, prof. à Ste-Barbe. *1824* épouse sa maîtresse, Pauline Rousseau (1791-1839), alcoolique et tuberculeuse. *1827* prof. à l'École normale. *1834* à la Sorbonne. *1838* au Collège de France. *1839-42* liaison avec une grande malade, Mme Dumesnil, mère de son gendre. *1848* liaison avec Athénaïs Mialaret (épousée 1849 ; sera sa collaboratrice). *1852* révoqué du Collège de France par Napoléon III (refus du serment).

Mignet, François 🌿 [H] (1796-1884) : Marie Stuart (1851).

Millevoye, Charles [P] (1782-1816) : la Chute des feuilles (1812).

Mirabeau, Victor Riqueti, Mis de [Ec] (1715-89) : l'Ami des hommes (1757). Voir Index.

Nodier, Charles 🌿 [R, P) (1780-1844) : Contes (Trilby, la Fée aux miettes, etc.).

Parny, Évariste, Vte de 🌿 [P] (1753-1814) : Poésies érotiques, la Guerre des dieux.

Pigault-Lebrun, Guillaume (Antoine de L'Épiney) [D, R] (1753-1835).

Pixérécourt, René Guilbert de [D] (1773-1844) : Victor ou l'Enfant de la forêt (1798), Cœlina ou l'enfant du mystère (1800), Robinson Crusoé (1809), les Ruines de Babylone (1810).

Pompignan, Jacques Le Franc, Mis de 🌿 [D, P] (1709-84) : Didon, Poésies sacrées.

Raban, Louis-François [R] (1795-1870) : l'Auberge des Adrets.

Raynal, abbé (1713-96) : Mémoires politiques de l'Europe, Histoire philosophique et politique des établissements et du commerce des Européens dans les deux Indes (1772).

Restif de La Bretonne, Nicolas [R, Mém] (1734-1806) : la Famille vertueuse (1767), le Pornographe (1769), le Paysan perverti (1774), la Vie de mon père (1778), la Paysanne pervertie (1780), la Découverte australe (1781), les Nuits de Paris (1788), Monsieur Nicolas (1795-97).

Rivarol, Antoine de Rivaroli, dit le Cte de [Polé] (1753-1801) : Discours sur l'universalité de la langue française (1784).

Rousseau, Jean-Jacques. Voir Suisse, p. 318 a.

Royer-Collard, Pierre-Paul 🌿 [Or] (1763-1845).

Sade, Donatien, Mis de [R, Ph] (1740-1814) : Justine (1791), la Philosophie dans le boudoir (1795), la Nouvelle Justine, suivie de l'Histoire de Juliette, sa sœur (10 vol. 1797), Oxtiern (1799), les Crimes de l'amour (1800), Dorcé (posth. 1881), Historiettes, contes et fabliaux (posth, 1926), les 120 Journées de Sodome (post. 1931-32), Cahiers personnels (posth, 1953), Monsieur le 6 (posth. 1954), 111 notes pour la Nouvelle Justine (posth. 1956). – *Biogr. :* vieille noblesse provençale ; élevé au château de Saumane, par son oncle, l'abbé de Sade d'Ébreuil, historien. *1750-55* collège d'Harcourt (jésuite) à Paris. *1755* sous-lieutenant d'infanterie. *1757-63* combat à la g. de Sept Ans. *1763* se marie. *1772-73* condamné à mort pour violences sexuelles, incarcéré en Savoie, évadé. *1774-77* séjour au château de la Coste ; nouvelles affaires de mœurs. *1778-84* captivité à Vincennes. *1784-89* embastillé, déplacé à Charenton peu avant le 14-7-89. *1790,* 2-4 libéré grâce au décret sur les lettres de cachet. *1790-93* membre de la section révolutionnaire des Piques. *1794* condamné à mort, échappe à la guillotine, parce qu'on ne sait plus dans quelle prison il se trouve. *1794-1801* en liberté, écrit de nombreux romans scandaleux. *1801* emprisonné. *1803-14* Napoléon le fait transférer à l'hospice de Charenton, y vit en ménage avec Marie-Constance Quesnet jusqu'à sa mort. A partir de 1836 on appela sadisme la « perversion sexuelle dans laquelle le plaisir érotique dépend de la souffrance infligée à autrui ».

Saint-Martin, Louis-Claude de [Ph, Théo] (1743-1803), dit le Philosophe inconnu [pseud. adopté pour le livre des Erreurs et de la Vérité (1775)] : l'Homme de désir (1790), le Nouvel Homme (1792), Ecce Homo (1792), le Ministère de l'homme d'esprit (1802).

Saint-Simon, Claude Henri de Rouvroy, Cte de [Eco, Ph] (1760-1825) : Lettres d'un habitant de Genève (1802), Mémoire sur la science de l'homme (inach., 1813).

Say, Jean-Baptiste [Ec] (1767-1832).

Scribe, Eugène 🌿 [D] (1791-1861) : 350 comédies [dont l'Ours et le Pacha (1820), Michel et Christine (1821), Bertrand et Raton (1833), la Camaraderie (1836), le Verre d'eau (1840)], vaudevilles, livrets d'opéras.

Sedaine, Michel-Jean 🌿 [D] (1719-97) : le Philosophe sans le savoir (1765).

Ségur, Sophie Rostopchine, Ctesse de [R] (1799-1874) : les Petites Filles modèles (1858), les Vacances (1859), Mémoires d'un âne (1860), les Deux Nigauds (1862), l'Auberge de l'ange gardien (1863), les Malheurs de Sophie (1864), Un bon petit diable (1865), le Général Dourakine (1866).

Senancour, Étienne de [E] (1770-1846) : Obermann (1804).

Staël, Bonne de. Voir Suisse, p. 318 a.

Stendhal, Marie-Henri Beyle, dit [R] (1783-1842) : De l'amour (1822), Armance (1827), le Rouge et le Noir (1830), Souvenirs d'égotisme (1832, publ. 1897-1927), Vie de Henry Brulard (1835-36), Lucien Leuwen (1834, publ. 1894-1927), la Chartreuse de Parme (1839), l'Abbesse de Castro (1839), Lamiel (inach., publ. 1889). – *Biogr. :* bourgeoisie grenobloise, fils d'un magistrat. Perd sa mère à 7 ans. *1796-99* École centrale d'ingénieurs à Grenoble. *1800* sous-lieutenant de cavalerie (démissionnaire 1801). *1805* liaison, à Marseille, avec l'actrice Mélanie Guilbert, *1806-10* intendant militaire en Allemagne, protégé par son cousin, le comte Daru. *1810* auditeur au Conseil d'État. *1811-14* liaison avec Angéline Bereyter. *1812* prend part à la campagne de Russie. *1814-21* séjour à Milan ; amour malheureux pour Métilde Dembowski. *1821* expulsé par Autrichiens (pour carbonarisme), se fixe à Paris. *1823-26* liaison avec la Ctesse Curial ; correspondant à Paris des journaux anglais. *1827* sans ressources. *1830-37* consul à Civitavecchia (Italie). *1837-38* en congé à Paris ; brille dans les salons littéraires. *1839-41* en poste à Civitavecchia. *1841-42* en congé de santé à Paris. Candidat à l'Académie française. Meurt d'apoplexie en pleine rue.

Thierry, Augustin [H] (1795-1856] : Histoire de la conquête de l'Angleterre (1825), Récits des temps mérovingiens (1835-40).

Thiers, Adolphe 🌿 [H] (1797-1877) : V. Index.

Vauvenargues, Luc de Clapiers, Mis de [Mor] (1715-47) : Maximes (1746).

Vigny, Alfred, Cte de 🌿 [P] (1797-1863) : *Poésies :* Eloa (1824), Poèmes antiques et modernes (1826), les Destinées (1864). *Romans :* Cinq-Mars (1826), Stello, Servitude et Grandeur militaires (1835). *Drame :* Chatterton (1835). – *Biogr. :* vieille noblesse militaire, ruinée par la Révolution. Interne à la pension Hix (cours au lycée Bonaparte). *1814* sous-lieutenant aux Mousquetaires-Rouges du Roi. *1823* capitaine d'inf. à Strasbourg. *1825* en garnison à Pau, épouse une Anglaise, Lydia Bunburry. *1827* démissionne de l'armée ; à Paris, fréquente milieux littéraires. *1831-38* liaison avec l'actrice Marie Dorval (1798-1849). *1835-43* dans sa propriété du Maine-Giraud en Charente. *1845* élu à l'Académie fr. ; reçu avec insolence par le Cte Molé, se brouille avec ses confrères. *1846-63* longs séjours au Maine-Giraud. *1863 (19-9)* meurt à Paris.

Villemain, Abel 🌿 [Cr] (1790-1870) : Cours de littérature française (1829).

Nés entre 1800 et 1900

About, Edmond 🌿 [R] (1828-85) : le Roi des montagnes (1857), l'Homme à l'oreille cassée (1862).

Achard, Marcel (Marcel Augustin Ferréol) 🌿 [D] (1899-1974) : Voulez-vous jouer avec moâ ? (1923), Jean de la Lune (1929), Nous irons à Valparaiso, Patate (1957), l'Idiote (1961).

Acremant, Germaine [R] (1889-1986) : Ces dames aux chapeaux verts (1921), Gai ! Marions-nous (1969).

Adam, Paul [R] (1862-1920) : la Force.

Agraives, Jean d' (Frédéric Causse) [R] (1892-1951).

Aicard, Jean 🌿 [P, D, R] (1848-1921) : Poésies, le Père Lebonnard, Maurin des Maures (1908).

Alain, Émile Chartier dit [Ph] (1868-1951) : Propos (1908-19), Éléments d'une doctrine radicale, Histoire de mes pensées.

Alain-Fournier, Henri Fournier, dit [E] (1886-1914) : le Grand Meaulnes (1913), Correspondance avec J. Rivière (publ. 1926-28), Colombe Blanchet (publ. 1990).

Allain, Marcel (1885-1969). Voir policier p. 294.

Allais, Alphonse [Hum] (1855-1905) : A se tordre (1891), le Parapluie de l'escouade (1894), Deux et deux font cinq (1895), On n'est pas des bœufs (1896), Amours, Délices et Orgues (1898), le Captain Cap (1902).

Apollinaire, Guillaume (Wilhelm de Kostrowitzky, dit) [P, R] (1880-1918) : *Contes et récits :* l'Hérésiarque et Cie (1910), le Poète assassiné (1916). *Poésie :* le Bestiaire (1908-10), Calligrammes (1912-17), Alcools (1913). *Théâtre :* les Mamelles de Tirésias (1917). – *Biogr. :* fils naturel d'un officier italien, élevé par sa mère à Monaco. *1899* à Paris. *1900* secrétaire d'une officine financière. *1901* précepteur en Allemagne ; amoureux d'une gouvernante anglaise, Annie Playden. *1902* août à Paris, employé de banque, collabore à des revues. *1904* rédacteur en chef du Guide des rentiers. *1905* employé de banque. *1907* publie sous le manteau 2 romans érotiques (les Onze Mille Verges, Mémoires d'un jeune Don Juan). *Mai* rencontre Marie Laurencin. *1911* emprisonné pour complicité du vol de *La Jaconde* au Louvre (non-lieu). *1914* engagé volontaire. Liaison avec « Lou » (Louise de Coligny-Châtillon). *1915* fiancé à Madeleine Pagès. *1916 9-3* naturalisé français. *17-3* blessé à la tempe. *9-5* trépané. *1917 25-6* affecté à la censure. *1918 janvier* congestion pulmonaire. *2-5* épouse Jacqueline Kolb. *28-7* lieutenant à titre provisoire. *9-11* meurt de la grippe espagnole.

Aragon, Louis (L. Andrieux) [Es, H, P, R] (1897-1982) : *Romans :* Anicet ou le Panorama (1920), les Cloches de Bâle, le Paysan de Paris (1926), les Beaux Quartiers (Ren. 1936), les Voyageurs de l'impériale, Aurélien, les Communistes (1949-51), la Semaine sainte (1958), Blanche ou l'Oubli (1967), la Défense de l'infini (1986 ; inédits de 1923-27). *Poésies :* le Crève-cœur (1941), les Yeux d'Elsa (1942), la Diane française. – *Biogr. :* enfant naturel d'une Parisienne, gérante d'une pension de famille. *1916-18* mobilisé. *1919* fréquente les dadaïstes, puis les surréalistes. *1933* membre du Parti communiste. *1939* épouse Elsa Triolet (1896-1970), belle-sœur du poète soviétique Maïakowski. *1942-44* dans la clandestinité. *1944* fondateur et directeur des *Lettres Françaises. 1945-60* vice-président du Comité central du Parti comm. *1967-68* de l'Académie Goncourt (démissionne).

Arland, Marcel 🌿 [Cr, R] (1899-1986) : l'Ordre (G. 1929), les Vivants, la Grâce, Attendez l'aube, Lumière du soir (1983).

Arnoux, Alexandre [E] (1884-1973) : le Cabaret, Écoute s'il pleut, Paris-sur-Seine.

Aron, Robert 🌿 [H] (1898-1975) : Histoire de Vichy ; de la Libération ; de l'Épuration (1967-68), Dossiers de l'histoire contemporaine, Lettre ouverte à l'Église de France.

Artaud, Antonin [Es, D, P] (1896-1948) : le Pèse-Nerfs, le Théâtre et son double, Tric-Trac du ciel, Lettres de Rodez (1946), les Cenci, l'Ombilic des limbes.

Arvers, Félix [P, D] (1806-50) : Mes heures perdues (1833) [contenant « Sonnet imité de l'italien » écrit en hommage à Marie Nodier, fille du poète ? 1er vers : Mon âme a son secret, ma vie a son mystère].

Aubry, Octave 🌿 [H] (1881-1946) : le Roi de Rome, la Révolution française.

Audiberti, Jacques [P, D] (1899-1965) : *Poésies :* l'Empire de la Trappe, Race des hommes. *Romans :* Abraxas, Marie Dubois, la Poupée. *Théâtre :* Le mal court, l'Effet Glapion (1959), l'Opéra du monde, Quoat-Quoat.

Audoux, Marguerite [R] (1863-1937) : Marie-Claire (F. 1910), l'Atelier de Marie-Claire (1926).

Augier, Émile 🌿 [D] (1820-89) : Ceinture dorée, le Gendre de M. Poirier (1854).

Bachelard, Gaston [Ph] (1884-1962).

Bainville, Jacques (Stadt) 🌿 [H] (1879-1936) : Histoire de France, Napoléon, Lectures.

Banville, Théodore de [P] (1823-1891) : Odes funambulesques (1857), Gringoire, Améthystes (1862), Rimes dorées (1875). *Contes :* Contes pour les femmes (1881), Contes bourgeois (1885), le Forgeron (1887). Mes souvenirs (1882).

Barbey d'Aurevilly, Jules [Polé, Cr, R] (1808-89) : *Romans :* l'Amour impossible (1841), Une vieille maîtresse (1851), l'Ensorcelée (1852), le Chevalier des Touches (1864), Un prêtre marié (1881), Une histoire sans nom (1882). *Nouvelles :* les Diaboliques (1874). *Critique :* les Œuvres et les hommes (15 vol.).

Barbier, Auguste 🌿 [P] (1805-82) : Iambes.

Barbusse, Henri [J, R] (1873-1935) : l'Enfer (1908), le Feu (G. 1916).

Barrès, Maurice 🌿 [Polé, Es, R] (1862-1923) : le Culte du moi [Sous l'œil des Barbares (1888), Un homme libre (1889), le Jardin de Bérénice (1891)], Du sang, de la volupté et de la mort (1894), le Roman de l'énergie nationale [les Déracinés (1897), l'Appel du soldat (1900), Leurs figures (1902)], Colette Baudoche (1909), la Colline inspirée (1913). – *Biogr. :* riche famille bourgeoise de Lorraine ; lycée de Nancy. *1883* à Paris. *1889* député nationaliste de Nancy ; un des leaders du boulangisme. *1896* chef des antidreyfusards. *1904* patronne l'*Action française. 1914-18* propagandiste en faveur de l'effort de guerre. *1920* perd son influence sur la jeunesse ; sa mort est l'occasion d'une mascarade surréaliste.

Bashkirtseff, Marie (Russe) [Mém] (1858-84) : Journal (1887), Cahiers intimes.

Bastiat, Frédéric [Ec]. (1801-50) : Harmonies économiques (inachevé).

Bastide, Roger [Ethn] (1898-1974).

Bataille, Georges [R, Ph] (1897-1962) : l'Expérience intérieure, le Bleu du ciel, l'Érotisme, la Part maudite (1949).

Bataille, Henry [P, D] (1872-1922) : Maman Colibri, la Marche nuptiale.

Baudelaire, Charles [P, Cr] (1821-67) : *Poèmes :* les Fleurs du mal (1857), le Spleen de Paris (1864). *Essais :* les Paradis artificiels (1860), l'Art romantique (1868). – *Biogr. :* fils d'un prêtre sécularisé à la Révolution, mort en 1827. *1828* sa mère se remarie avec le général Jacques Aupick (Baudelaire en est traumatisé). Études à Louis-le-Grand, puis faculté de Droit. *1840* liaison avec Sarah (surnommée Louchette). *1841* son beau-père l'expédie à l'île Maurice. *1842* à Paris, vit en dandy dans les milieux littéraires, dépensant l'héritage paternel reçu à sa majorité (75 000 F). *1843* liaison avec une Antillaise, Jeanne Duval, qui le rend syphilitique (ne l'abandonnera jamais). *1844* un conseil judiciaire lui mesure ses ressources jusqu'à sa mort. *1848* prend part en amateur à la Révolution. *1852* liaison avec Anne Sabatier, dite la Présidente. *1855* critique d'art au *Pays. 1857* condamné à 300 F d'amende pour l'immoralité des *Fleurs du Mal. 1864* exil volontaire en Belgique. *1866* fait une chute à Namur. *1867* meurt de paralysie générale, après avoir demandé les sacrements.

Bauër, Gérard (pseudonyme : Guermantes, fils naturel de A. Dumas fils) [Chr] (1888-1967).

Bazin, René 🌿 [R] (1853-1932) : la Terre qui meurt (1899), les Oberlé (1901), le Blé qui lève (1907).

Beaumont, Germaine (Battendier) [E] (1890-1983) : Piègre (Ren. 1930), Silsauve (1952), Un chien dans l'arbre (1975).

Becque, Henry [D] (1837-99) : les Corbeaux (1882), la Parisienne (1885).

Bedel, Maurice [R] (1883-1954) : Jérôme, 60e latitude nord (G. 1927).

Bédier, Joseph 🌿 [Eru] (1864-1938) : Légendes épiques (1908-13).

Béhaine, René [R] (1880-1966) : Histoire d'une société (17 vol. 1928-63).

Benda, Julien [Ph, R] (1867-1956) : Belphégor, la Trahison des clercs (1927), la Fin de l'éternel.

Benjamin, René [R, Cr] (1885-1948) : Gaspard (G. 1915), Balzac, l'Enfant tué (1946).

Benoit, Pierre 🌿 [R] (1886-1962) : Kœnigsmark (1918), l'Atlantide (1919), le Lac salé, Mlle de La Ferté, Axelle (1928), le Désert de Gobi, Montsalvat, Monsieur de La Ferté. Voir Best-sellers p. 340 a.

Béraud, Henri [R, Polé] (1885-1958) : le Martyre de l'obèse (G. 1922), le Vitriol de lune (1922), la Croisade des longues figures (1924), la Gerbe d'or (1928), Ciel de suie (1933), Qu'as-tu fait de ta jeunesse ? (1943), les Derniers Beaux Jours (1953). – *Biogr. :* fils d'un boulanger lyonnais, abandonne ses études avant le bac ; employé de bureau, polémiste local. *1914-18* artillerie. *Après la guerre :* journaliste à *l'Œuvre,* au *Canard enchaîné,* au *Crapouillot,* au *Petit Parisien ;* devient anticommuniste, préconise une politique d'entente avec Mussolini. *1934* collabore à *Gringoire ;* xénophobe, opte pour Pétain. *1944* (24-8) arrêté et condamné à mort. *1945* gracié par de Gaulle sur l'intervention de Mauriac et Churchill. *1950* hémiplégique, quitte le pénitencier de St-Martin-de-Ré ; meurt d'une crise d'hémiplégie.

Berdiaev, Nikolaï [Ph] (Russe, 1874-1948) : la Philosophie de la liberté, le Sens créateur, Royaume de César et Royaume de l'esprit, Esprit et Liberté.

Berger, Gaston [Ph] (1896-1960).

Bergson, Henri 🌿 [Ph] (1859-1941) : Essai sur les données immédiates de la conscience (1889), Matière et Mémoire, le Rire (1900), l'Évolution créatrice (1907), Durée et Simultanéité, les Deux Sources de la morale et de la religion (1932) [N. 1927].

Berl, Emmanuel [Es, R] (1892-1976) : Sylvia (1951), la France irréelle, A contretemps, Mort de la pensée bourgeoise, Essais.

Bernanos, Georges [R, Polé, D] (1888-1948) : *Romans :* Sous le soleil de Satan (1926), l'Imposture (1928), la Joie (F. 1929), Un crime (1935), le Journal d'un curé de campagne (1936), Nouvelle Hist. de Mouchette (1937), Monsieur Ouine (1943). *Pamphlets :* la Grande Peur des bien-pensants (1931), les Grands Cimetières sous la lune (1938), les Enfants humiliés (posth. 1949). *Théâtre :* Dialogue des carmélites (1949). – *Biogr. :* fils d'un artisan lorrain. Études (Droit). *1913-14* journaliste (monarchiste) à Rouen. *1914-18* combattant ; blessé. *1919-34* marié et père de 6 enfants, vit pauvrement de sa plume. *1934-37* à Majorque. *1938* brouillé avec les franquistes, revient en France. *1938-45* réfugié en Amérique du S., se rallie à la France libre. *1946-48* en Tunisie ; meurt d'un cancer à 60 ans.

Bernard, Claude 🌿 [Ph, Sav] (1813-78) : Introduction à l'étude de la médecine expérimentale (1865).

Bernard, Paul, dit Tristan [Hum, R, D] (1866-1947) : l'Anglais tel qu'on le parle (1889), Triplepatte (1905).

Bernède, Arthur [R] (1871-1937) : Judex (1917), Belphégor (1927), Poker d'As (1928).

Bernstein, Henry [D] (1876-1953) : la Rafale, le Voleur (1907), Espoir, Samson, la Soif (1949).

Berr, Henri [H] (1863-1954).

Bertrand, Louis, dit Aloysius [P] (1807-41) : Gaspard de la nuit (posth. 1842).

Bertrand, Louis [E] (1866-1941).

Billy, André [Cr, R] (1882-1971) : l'Approbaniste, le Narthex, Vie de Balzac.

Bloch, Jean-Richard [Polé] (1884-1947) : Sur un cargo (1924), la Nuit kurde (1925), Cacaouètes et Bananes (1929), Destin du siècle (1931).

Bloch, Marc [H] (1886-1944) : les Rois thaumaturges (1924), la Société féodale (1939).

Blondel, Maurice [Ph] (1861-1949) : l'Action (1893).

Bloy, Léon [Polé] (1846-1917) : le Désespéré (1886), la Femme pauvre (1897).

Blum, Léon [Ph, Pol] (1872-1950) : Du mariage (1907), A l'échelle humaine (1945). Voir Index.

Le roman policier

Grands ancêtres. France Émile Gaboriau (1832-73). Maurice Leblanc (1864-1941). Gaston Leroux (1868-1927). Pierre Souvestre (1874-1914) et Marcel Allain (1885-1969) : *Fantômas* (32 vol. + 10 par Allain seul). **G.-B.** Conan Doyle (1859-1930). **U.S.A.** Edgar Poe (1809-49).

Age classique. Belgique Georges Simenon (1903-1989). **France** Jacques Decrest (J.N. Faure-Biguet, 1893-1954). Pierre Véry (1900-60). **G.-B.** Desmond Bagley (1924-83). John Buchan (1875-1940). John Dickson Carr (1905). Gilbert Keith Chesterton (1874-1936). Agatha Christie (1891-1976). Graham Greene (1904). Francis Iles. Dorothy Sayers (1893-1957). Edgar Wallace (1875-1932). **U.S.A.** Earl Derr Biggers (1884-1933). Vera Caspary (1908). Leslie Charteris (Leslie Charles Bowyer Yin, 1907). Frances Noyes Hart (1890-1943). Ellery Queen [Frederic Dannay (1905) et Manfred Lee]. S.S. Van Dine (Willard Huntington Wright, 1889-1939).

Roman noir. France A.D.G. [Alain Camille (1947)]. Jean Amila [Meckert (1910)], Auguste Le Breton (1913). Léo Malet (1909). Jean-Patrick Manchette (1942). Albert Simonin (1905-80). Pierre Siniac (1928). Tito Topin (1932). **G.-B.** Peter Cheyney (1896-1951). John Wainwright (1921). **U.S.A.** Marvin Albert (1924). Lawrence Block (1938). William Riley Burnett (1899-1982). James Cain (1892-1977). Raymond Chandler (1888-1959). James Hadley Chase (René Raymond, 1910-85). D. Henderson Clarke (1887-1958). Max Allan Collins (1948). Dashiell Hammet (1894-1961). Chester Himes (1909-84). Horace Mac Coy (1897-1955). Charles Williams (1909-75).

Roman moderne. Australie Carter Brown (Alan G. Yates, 1923-85). **Canada** David Morrell (1943). **France** G.-J. Arnaud (1918-87). Joseph Bialot (1923). Tonino Benacquista (1961). Pierre Boileau (1906-89) et Thomas Narcejac (Pierre Ayraud, 1908). Philippe Conil (1955). Didier Daeninckx (1949). Frédéric Dard (1921) : *San Antonio* (série). Gérard Delteil (1939). Alain Demouzon (1945). Jean-Paul Demure (1941). Charles Exbrayat (Charles Durivaux, 1906-89). Sébastien Japrisot (J.-B. Rossi, 1931). Thierry Jonquet (1952). Michel Lebrun (1930). Hubert Monteilhet (1928). Patrick Mosconi (1950). Brice Pelman (Pierre Ponsart, 1924). Daniel Pennac (Pennachioni, 1944). Georges Pierquin (1922). Jean-Bernard Pouy (1946). Cécil St-Laurent (J. Laurent, 1919). Jean Vautrin (Herman, 1933). Marc Villard (1947). **G.-B. :** Robin Cook (1933). **U.S.A.** Loren D. Estleman (1952). Joseph Hansen (1923). Patricia Highsmith (1921). William Irish (Cornell George Hopley-Woolrish, 1903-68). Stuart M. Kaminski (1934). Herbert Lieberman (1943). Bill Pronzini (1943). Donald E. Westlake (pseud. Richard Stark, 1933).

Roman d'espionnage. France Jean Bommart (1894-1979). Jean Bruce (1921-63). Antoine Dominique (Dominique Ponchardier, 1917-86). Paul Kenny. Pierre Nord (Colonel André Brouillard, 1900-85). Rémy (1904-85). Gabriel Véraldi (1926). Gérard de Villiers (1929) : *S.A.S.* (série). **G.-B.** Peter Cheyney (1896-1951). Ian Fleming (1908-64). John Le Carré (David Cornwell, 1932).

Quelques auteurs et leurs héros. *Bernède (Arthur) :* Judex, Belphégor. *Bruce (Jean) :* O.S.S. 117 (Hubert Bonisseur de La Bath). *Carr (John Dickson) :* Dr Gideon Fell. *Chandler (Raymond) :* Philip Marlowe. *Charteris (Leslie) :* le Saint. *Cheyney (Peter) :* Lemmy Caution, Callaghan. *Christie (Agatha) :* Hercule Poirot, Miss Marple, Parker Pyne. *Colombo (Jacques) :* Don. *Dard (Frédéric) :* San Antonio. *Decrest (Jacques) :* Commissaire Gilles. *Dominique (A.) :* le Gorille. *Doyle (Conan) :* Sherlock Holmes. *Gould (Chester) :* Dick Tracy. *Fleming (Ian) :* James Bond. *Gardner (Erle Stanley) :* l'avocat Perry Masson (pseud. A.A. Fair) ; Bertha Cool, Donald Lam. *Hammett (Dashiell) :* Sam Spade, Nick Charles. *Highsmith (Patricia) :* Mr Ripley. *Houssin (Joël) :* le Dobermann. *Jacquemard (Serge) :* Flic de choc, le commissaire Jacques Beauclair. *Kaminsky (Stuart) :* Toby Peters. *Kane (Henry) :* Pete Chambers, Peter Guma. *Kenny (Paul) :* Coplan. *Leblanc (Maurice) :* Arsène Lupin. *Leroux Gaston) :* Rouletabille. *Malet (Léo) :* Nestor Burma. *Parker (Robert B.) :* Spenser. *Pronzini (Bill) :* le privé sans nom. *Queen (Ellery)* (Frederic Dannay and Manfred Lee) : Ellery Queen. *Rémy :* le Monocle. *Robeson (Kenneth) :* Doc Savage. *Sayers (Dorothy) :* Peter Wimsey (lord Peter Bredon Wimsey). *Simenon (Georges) :* Commissaire Maigret. *Spillane (Mickey) :* Mike Hammer. *Stark (Richard) :* Parker. *Steeman (S.-A.) :* Inspecteur Wens. *Stout (Rex) :* Nero Wolfe. *Van Dine (S.S.) (Willard Huntington Wright) :* Philo Vance. *Villiers (G. de) :* S.A.S.

☞ A part quelques titres célèbres (par ex. : *Réglez-lui son compte* de Frédéric Dard, le 1er San Antonio, atteint 2 000 F) et quelques anciens, les exemplaires d'occasion dépassent rarement 50 F.

Bonnard, Abel [E] (1883-1968).

Bordeaux, Henry ✻ [R] (1870-1963) : les Roquevillard, la Robe de laine, l'Intruse.

Borel d'Hauterive, Pierre, dit Petrus [P, R] (1809-59) : Rhapsodies (1832), Champavert, contes immoraux (1833), Madame Putiphar (1839).

Bornier, Henri, Vte de ✻ [D] (1825-1901) : la Fille de Roland (1875).

Bosco, Henri [R, P] (1888-1976) : le Mas Théotime (1945), Malicroix (1948), Sabinus (1957), Tante Martine.

Botrel, Théodore [Chan] (1868-1925).

Boulard, Fernand [Soc] (1897-1977).

Bourdet, Édouard [D] (1887-1945) : la Prisonnière (1926), le Sexe faible (1931), les Temps difficiles (1934).

Bourges, Élémir [R, D] (1852-1925) : le Crépuscule des dieux (1884), la Nef.

Bourget, Paul ✻ [R, Cr] (1852-1935) : *Romans :* Cruelle Énigme, Cosmopolis, l'Émigré, le Disciple (1889), l'Étape, Un divorce (1904), le Démon de midi (1914). *Critique :* Essais de psychologie contemporaine (1883), Nouveaux Essais (1885).

Bourget-Pailleron, Robert [R] (1897-1970) : l'Homme du Brésil (I. 1933).

Bousquet, Joë [P] (1897-1950) : Traduit du silence (1941), la Connaissance du soir (1946).

Boutroux, Émile ✻ [Ph] (1845-1921) : De la contingence des lois de la nature (1874).

Boylesve, René Tardivaux, dit ✻ [R] (1867-1926) : la Becquée (1901), la Leçon d'amour dans un parc (1902).

Bréhier, Émile [Ph] (1876-1952) : Hist. de la philosophie (1926-32).

Brémond, Henri ✻ [Cr, H] (1865-1933) : l'Inquiétude religieuse (1901-09), l'Abbé Tempête (1929), Hist. litt. du sentiment reli. en Fr. (1916-32).

Breton, André [P] (1896-1966) : les Champs magnétiques (1920), Manifeste du surréalisme, les Pas perdus (1924), Nadja (1928), l'Amour fou (1937).

Brieux, Eugène ✻ [D] (1858-1932).

Brion, Marcel ✻ [Cr, R] (1895-1984) : l'Allemagne romantique (1962-77), Histoire de la littérature allemande (1968), la Ville de sable, Château d'ombres, le Journal du visiteur (1980).

Brisson, Pierre [Cr, J] (1896-1964).

Brizeux, Auguste [P] (1803-58) : Marie (1830), la Fleur d'or (1841), les Bretons (1843).

Broglie, Louis, duc de ✻ [Sav. Ph] (1892).

Bruant, Armand dit Aristide [Chan] (1851-1925).

Brunetière, Ferdinand ✻ [Cr] (1849-1906).

Bruno, G. (Augustine Tuillerie, Mme Alfred Fouillée) [R] (1823-1923) : le Tour de France par deux enfants (1877).

Brunschvicg, Léon [Ph] (1869-1944).

Cahuet, Albéric [R] (1877-1942).

Capus, Alfred [D] (1857-1922) : la Veine (1901), les Deux Écoles (1902), l'Adversaire (1903).

Carco, Francis (François M. Alexandre Carcopino-Tussoli, dit) [P, R] (1886-1958) : Jésus la Caille, Brumes, Mortefontaine, l'Homme traqué (1922).

Carcopino, Jérôme ✻ [H] (1881-1970).

Carrel, Alexis [Phy] (1873-1944) : l'Homme, cet inconnu (1936).

Cassou, Jean [Cr] (1897-1986) : la Clef des songes (1929), Pour la poésie (1935), le Bel Automne, le Centre du monde (1945).

Céline, Louis-Ferdinand Destouches, dit [R, Polé] (médecin) (1894-1961) : Voyage au bout de la nuit (Ren. 1932), l'Église (1933), Mort à crédit (1936), Vie et Œuvre de Semmelweiss (1936), Mea Culpa (1936), Bagatelles pour un massacre (1937), l'École des cadavres (1938), les Beaux Draps (1941), Guignol's Band I (1944), Casse-pipe (1952), Féerie pour une autre fois I et II (sous le titre Normance) (1952-54), D'un château l'autre (1957), Ballets sans musique, sans rien (1959), Nord (1960), le Pont de Londres (posth. 1964), Rigodon (posth. 1969). – *Biogr. :* origine prolétarienne. *1914* combattant (décoré, blessé : bachelier pendant sa convalescence). *1918-24* médecine. *1924-32* médecin de marine. *1932* célèbre, grâce au *Voyage au bout de la nuit. 1944-45* en All. nazie. *1945-51* au Danemark. *1951* rentré en Fr., jugé (1 an de prison avec sursis). Retiré à Meudon jusqu'à sa mort.

Cendrars, Blaise. Voir Suisse, p. 317 c.

Chack, Paul [E] (1876-1945).

Chadourne, Marc [R] (1895-1975) : Vasco (1927), Cécile de la Folie (F. 1930), la Clé perdue (1947).

Chaigne, Louis [Cr] (1899-1973).

Champfleury, Jules Husson, dit [R] (1821-89) : Confessions de Sylvius (1845), Chien-Caillou (1847), les Aventures de Mlle Mariette (1853), les Bourgeois de Malinchart (1854).

Chardonne, Jacques Boutelleau, dit [E] (1884-1968) : l'Épithalame, Claire, le Bonheur de Barbezieux, Vivre à Madère, Matinales, Demi-jour.

Chastenet, Jacques [H, J] (1893-1978) : Hist. de la IIIe République (1952-63).

Châteaubriant, Alphonse de [R] (1877-1951) : M. des Lourdines (G. 1911), la Brière (1923), la Meute (1927), la Réponse du Seigneur (1933).

Chavette, Eugène (Vachette) [R] (1827-1902) : le Procès Pictompin (1853), le Guillotiné par la persuasion, Aimé de son concierge, la Chambre du crime (1875).

Chenu, Marie-Dominique (Marcel-Léon) [Théo] (1895-1990).

Chérau, Gaston [R] (1872-1937).

Chevallier, Gabriel [Hum] (1895-1969) : Clochemerle (1934), Sainte-Colline, Petite Histoire de la langue française.

Christophe, Georges Colomb, dit [Hum] (1856-1945) : la Famille Fenouillard (1889-1895), les Facéties du sapeur Camember (1896), l'Idée fixe du savant Cosinus (1900), les Malices de Plick et Plock (1904).

Claretie, Jules ✻ [H, JR] (1840-1913) : *Romans :* Une drôlesse (1862), les Victimes de Paris (1864), la Maîtresse (1880), Monsieur le ministre (1881).

Claudel, Paul ✻ [D, P] (1868-1955) : *Poésies :* Cinq Grandes Odes (1910), le Cantique du Rhône (1911). *Prose :* Connaissance de l'Est (1900), la Sagesse (1939), Job (1946). *Théâtre :* Tête d'or (1889), la Jeune Fille Violaine (1892), l'Échange (1901), Partage de midi (1906), l'Annonce faite à Marie (1912), l'Otage (1914), le Soulier de satin (1924, jouée 1943), le Père humilié (1920), Christophe Colomb (1931). – *Biogr. :* petite bourgeoisie champenoise. *1882-86* Paris (lycée Louis-le-Grand, puis Sciences Pol.), *1886* converti au catholicisme. *1890-94* consul aux États-Unis. *1894-1905* en Chine. *1905* se marie. *1906-09* poste en Chine. *1910-17* consul à Prague, Hambourg, Rome. *1917* ministre plén. (1917 Brésil, 1919 Danemark). *1921* ambassadeur (1921 Japon, 1924 États-Unis, 1935 Bruxelles). *1927* achète le château de Brangues (Isère), s'y retirera en 1935.

Clouard, Henri [Es] (1889-1972).

Cocteau, Jean ✻ [E, P] (1889-1963) : *Poésie :* Opéra (1927). *Romans :* le Potomak (1919), Thomas l'Imposteur (1928), les Enfants terribles (1929). *Théâtre :* les Mariés de la tour Eiffel (1924), les Parents terribles (1938), l'Aigle à deux têtes (1946), Bacchus (1951). – *Biogr. :* bourgeoisie d'affaires parisienne. Fréquente salons littéraires dès 14 ans. *1918* mobilisé, non-combattant. *1919-39* fréquente le « Tout-Paris », ne cachant pas ses goûts homosexuels (notamment sa liaison avec Radiguet, de 1920 à 22). *1940-44* cinéaste [acteur favori Jean Marais (n. 1913)]. *Après 1945* peintre et décorateur.

Cohen, Albert. Voir Suisse, p. 317 c.

Colet, Louise [P, R] (1810-76) : les Fleurs du Midi (1836).

Colette, Sidonie-Gabrielle [Pros] (1873-1954) : Claudine [4 romans (1900-03) publ. sous le nom de Willy (H. Gauthier-Villars), son mari], l'Ingénue libertine (1909), la Vagabonde (1910), Chéri (1920), le Blé en herbe (1923), la Seconde, Sido (1930), la Naissance du jour, Julie de Carneilhan, Gigi (1944), la Chatte, le Fanal bleu (1949). – *Biogr. :* bourgeoisie rurale bourguignonne. Études primaires sup. à Auxerre. *1893* épouse le critique d'art Willy, de 25 ans plus âgé. *1906* divorce et vit avec la M[ise] de Morny. *1912-24* remariée à Henry de Jouvenel (une fille, Bel Gazou, en 1913 ; divorce 1924). *1935* remariée avec Maurice Goudeket. *1945* Ac. Goncourt (P[te] à partir de 1949). *1948-54* impotente (arthrose), vit au Palais-Royal, entourée d'amis et d'animaux. *1954* funérailles nationales.

Considérant, Victor [Ph, Ec] (1808-93).

Constantin-Weyer, Maurice [R] (1881-1964) : Manitoba (1924), la Bourrasque (1925), Un homme se penche sur son passé [G. 1928].

Coolus, Romain (René Weill) [D] (1868-1952) : l'Enfant chérie (1906), les Enfants de Sazy (1907), l'Éternel masculin (1920).

Coppée, Francis dit François [P, D] (1842-1908) : le Passant (1869), les Humbles (1872), le Cahier rouge (1874), la Bonne Souffrance (1898).

Corbière, Tristan (Édouard Joachim) [P] (1845-75) : Amours jaunes (1873).

Corthis, André (Mme Raymond Lécuyer) [R] (1885-1952).

Courteline (Georges Moinaux) [D] (1858-1929) : les Gaietés de l'escadron, le Train de 8 h 47 (1888), Lidoire (1891), Boubouroche (1893), Messieurs les ronds-de-cuir, la Paix chez soi (1903).

Croisset, Francis de (Franz Wiener) [D, R] (1877-1937) : la Féerie cinghalaise.

Crommelynck, Fernand, Voir Belgique p. 280 c.

Cros, Charles [P, Hum, Sav] (1842-88) : le Coffret de Santal (1873), le Hareng-saur.

Curel, François de [D] (1854-1928) : la Nouvelle Idole, la Fille sauvage.

Dabit, Eugène [R] (1898-1936) : Hôtel du Nord (1929), Journal intime.

Darien, Georges (Adrien) [Polé, R] (1862-1921) : Biribi (1890), le Voleur (1898).

Dash, vicomtesse de Poilloüe de Saint-Mars, dite comtesse [R] (1804-72).

Daudet, Alphonse [R] (1840-97) : Lettres de mon moulin (1866), le Petit Chose (1868), Tartarin de Tarascon (1872), l'Arlésienne, Contes du lundi (1873), le Nabab, Jack (1876), Numa Roumestan, Sapho (1884), l'Immortel (1888).

Daudet, Léon [Polé] (1867-1942) : les Morticoles, le Stupide XIXe Siècle.

David-Neel, Alexandra [Es] (1868-1969) : la Puissance du néant, Voyage d'une Parisienne à Lhassa.

Dekobra, Maurice (Tessier) [R] (1885-1973) : la Madone des sleepings (1925).

Delarue-Mardrus, Lucie [P] (1880-1945).

Delly, Frédéric Petitjean de La Rosière (1876-1949), et sa sœur Jeanne-Marie (1875-1947) [R] : Esclave ou Reine (1909), Magali (1910), Entre deux âmes (1915), l'Infidèle (1921), la Lune d'or.

Delteil, Joseph [Hum] (1894-1978) : Jeanne d'Arc (F. 1925), Jésus II (1947), la Delteillerie.

Demaison, André [R] (1893-1956) : Diato, le Livre des bêtes qu'on appelle sauvages.

Derême, Tristan (Philippe Huc, dit) [P] (1889-1942) : la Verdure dorée (1922), la Tortue indigo (1937).

Déroulède, Paul [P] (1846-1914) : Chants du soldat (1872).

Descaves, Lucien [D, R] (1861-1949) : les Sous-offs (1889), Souvenir d'un ours (1946).

Detœuf, Auguste [Ec] (1883-1947) : Propos de O.L. Baranton confiseur (1954).

Deval, Jacques (Boularan) [D, R] (1890-1972) : *Théâtre :* Une faible femme (1920), Tovaritch (1935), Mademoiselle, Ce soir à Samarcande (1950), Et l'enfer, Isabelle ? *Roman :* les Voyageurs (1964).

Donnay, Maurice [D] (1859-1945) : Amants (1895), l'Autre Danger (1902).

Dorgelès, Roland (Lécavelé) [R] (1885-1973) : les Croix de bois (F. 1919), le Cabaret de la belle femme, Saint Magloire.

Drieu La Rochelle, Pierre [R, Es] (1893-1945) : Mesure de la France, Plainte contre inconnu, l'Homme couvert de femmes (1924), le Feu follet (1931), la Comédie de Charleroi (1934), Rêveuse Bourgeoisie (1937), Gilles (1939), l'Homme à cheval (1943). Journal de guerre (1991). – *Biogr. :* grande bourgeoisie parisienne. *1914-18* combattant, blessé et décoré. *1919-28* vie mondaine à Paris, nombreuses liaisons féminines. *1928* pacifiste. *1934* converti au fascisme. *1936* adhère au parti doriotiste. *1941-43* directeur de la N.R.F., collaborationniste. *1943* rompt avec la N.R.F. *Août 1944/mars 1945* recherché par les épurateurs, se cache à Paris. *16-3-1945* se suicide (3e tentative).

Drumont, Édouard [E] (1844-1917) : la France juive (1886).

Du Bos, Charles [Cr] (1882-1939) : Journal.

Du Camp, Maxime [Mém] (1822-94) : Mémoires d'un suicidé (1853), les Chants modernes (1855), Paris, ses organes, ses fonctions et sa vie (1869-75), les Convulsions de Paris (1878-79), Souvenirs littéraires (1882).

Ducasse, André [H] (1894).

Duhamel, Georges (Denis Thévenin) [E] (1884-1966) : Civilisation (G. 1918), la Possession du monde (1922), Vie et Aventures de Salavin (5 vol., 1920-32), la Chronique des Pasquier (10 vol., 1933-44), la Pierre d'Horeb, le Livre de l'amertume, le Voyage de Patrice Périot.

Dumas père, Alexandre [R, D] (1802-70) : *Théâtre:* Henri III et sa Cour (1829), Antony (1831), la Tour de Nesle (1832), Kean (1836). *Romans :* les Trois Mousquetaires (1844) [Athos, Porthos, Aramis, d'Artagnan], Vingt Ans après (1845), la Reine Margot (1845), la Dame de Monsoreau (1846), le Chevalier de Maison-Rouge (1846), le Comte de Monte-Cristo (1846), les Quarante-Cinq (1848), le Vicomte de Bragelonne (1850). – *Biogr. :* fils d'un général républicain, dont le père était un noble antillais, marié à une Noire. Orphelin de père à 4 ans ; élevé pauvrement par sa mère, ne fait pas d'études. *1823* employé aux écritures chez le duc d'Orléans. *1829* triomphe au théâtre avec *Henri III,* gros droits d'auteur (il gagnera et dilapidera 18 millions-or). *1847-51* ruiné dans la construction d'un théâtre historique. *1851-53* poursuivi par ses créanciers, s'exile en Belgique. *1853-57* fonde plusieurs journaux-feuilletons. *1860-64* collaborateur de Garibaldi à Naples. *1864-70* à Paris, entretenu par son fils et sa fille.

Dumas fils, Alexandre [D] (1824-95) : *Théâtre :* la Dame aux camélias (1852), le Demi-Monde (1855), la Question d'argent (1857), l'Étrangère (1876), Francillon (1887).

Dumas, Georges [Psychol, Ph] (1866-1946) : Traité de psychologie.

Dumézil, Georges [H] (1898-1986) : Naissance de Rome (1944), l'Héritage indo-européen à Rome (1949), la Courtisane et les seigneurs colorés.

Dupanloup, Mgr, Félix [E] (1802-78).

Du Plessys, Maurice [P] (1864-1924).

Duranty, Louis-Edmond [R] (1833-80) : le Malheur d'Henriette Gérard.

Durkheim, Émile [Socio, Ph] (1858-1917) : Règles de la méthode sociol. (1894), Sur le totémisme (1901).

Duvernois, (Henri Schwabacher, dit) [E] (1875-1937) : Crapotte (1901), A l'ombre d'une femme (1933).

Eberhardt, Isabelle [E] (1877-1904) : Écrits sur le sable.

Éluard, Paul (Eugène Grindel) [P] (1895-1952) : Capitale de la douleur, les Yeux fertiles, Donner à voir (1939), Poésie et Vérité, Dignes de vivre, Poésie ininterrompue, le Phénix (1951).

Erckmann-Chatrian, Émile Erckmann (1822-99) et Alexandre Chatrian (1826-90) [R] : l'Invasion (1862), l'Ami Fritz (1864).

Esme, Jean d' (Vte Jean d'Esmenard) [R] (1894-1966) : Thiba fille d'Annam (1920), l'Empereur de Madagascar (1929), l'Homme des sables (1930), Bournazel (1952).

Estaunié, Édouard [R] (1862-1942) : l'Empreinte, l'Épave, Les choses voient, la Vie secrète (F. 1908).

Fabre, Émile [D] (1869-1955) : l'Argent (1895), les Ventres dorés (1905).

Fabre, Jean-Henri [Ento] (1823-1915) : Souvenirs entomologiques (1919-25).

Fabre, Lucien [R] (1889-1952) : Rabevel ou le Mal des ardents (G. 1923).

Fabre-Luce, Alfred [Polé] (1899-1983) : Journal de la France, Haute Cour (1962), le Couronnement du Prince (1964), l'Histoire démaquillée (1967), La parole est aux fantômes (1980), Journal (1981).

Faguet, Émile [Cr] (1847-1916).

Fagus, Georges (Faillet) [P] (1872-1933) : la Danse macabre, Clavecin.

Fargue, Léon-Paul [P, Chr] (1876-1947) : le Piéton de Paris (1939), la Lanterne magique.

Farrère, Claude (Frédéric Bargone) [R] (1876-1957) : les Civilisés (G. 1905), l'Homme qui assassina (1907), la Bataille (1909).

Faure, Élie [Es] (1873-1937) : Histoire de l'Art (1909-21), l'Esprit des formes (1927).

Fay, Bernard [H] (1893-1979).

Febvre, Lucien [H] (1878-1956) : Philippe II et la Franche-Comté (1912), Un destin, Martin Luther (1928), Au cœur religieux du XVIe.

Feuillet, Octave [R] (1821-90) : le Roman d'un jeune homme pauvre (1857), M. de Camors (1867), Julia de Trécœur (1872).

Féval, Paul [R] (1817-87) : le Club des phoques, les Mystères de Londres, le Bossu (1858).

Feydeau, Ernest [R] (1821-73) : Fanny (1858), Daniel (1859), Sylvie (1861), Monsieur de Saint-Bertrand, le Mari de la danseuse (1863), la Comtesse de Chalis (1867), le Lion devenu vieux (1872).

Feydeau, Georges [D] (1862-1921) : Champignol malgré lui (1892), Un fil à la patte (1894), l'Hôtel du libre-échange (1894), le Dindon (1896), la Dame de chez Maxim's (1899), La main passe (1907), la Puce à l'oreille (1907), Occupe-toi d'Amélie (1908), Feu la mère de Madame (1908), On purge Bébé (1910), Mais n'te promène donc pas toute nue (1912).

Flaubert, Gustave [R] (1821-80) : Madame Bovary (1857), Salammbô (1862), l'Éducation sentimentale (1869), la Tentation de saint Antoine (1874), Trois Contes (1877), Bouvard et Pécuchet (1881), Diction. des idées reçues (publié 1913), Carnets de travail (1987), Correspondance (3 vol.). – *Biogr. :* père médecin ; grandit à l'Hôtel-Dieu de Rouen. Études contrariées par des ennuis de santé (épilepsie). *1836* amour pour Élisa Schlesinger (plus âgée de 11 ans ; sa maîtresse en 1842). *1846-56* liaison avec Louise Colet (1810-76), demi-mondaine et femme de lettres. *1856* se retire auprès de sa mère, dans sa maison de Croisset, près de Rouen, veillant à l'éducation de sa nièce. *1857* procès en correctionnelle pour l'immoralité de *Madame Bovary* (acquitté). *1875* se dépouille pour sauver le mari de sa nièce de la faillite. *1880* meurt salué comme un maître par l'école naturaliste.

Fleg, Edmond (Flegenheimer) [P] (1874-1963) : Écoute Israël (1913-21), Anthologie de la pensée juive.

Flers, Robert, Mis de [D] (1872-1927) : *Avec A. de Caillavet* (1869-1915) : Miquette et sa mère, le Roi (1908), le Bois sacré, Primerose, l'Habit vert (1913). *Avec F. de Croisset :* les Vignes du Seigneur (1923), Ciboulette (*opérette,* mus. de Hahn).

Focillon, Henri [Cr d'art] (1881-1943) : la Vie des formes (1939).

Fort, Paul [P] (1872-1960) : Ballades françaises (17 vol., 1922-58).

Foucauld, Charles de (1858-1916) : Reconnaissance au Maroc (1888), Écrits spirituels (1924).

Foudras, marquis de [E, P] (1800-72) : les Gentilhommes chasseurs, Pauvre défunt, M. le curé de Chapaize.

Fouillée, Alfred [Ph] (1838-1912) : l'Évolutionnisme des idées-forces (1890).

Fourest, Georges [Hum] (1864-1945) : la Négresse blonde (1909), le Géranium ovipare (1935).

France, Anatole-François Thibault, dit [E] (1844-1924) : le Crime de Sylvestre Bonnard (1881), le Livre de mon ami (1885), la Rôtisserie de la reine Pédauque (1893), Crainquebille (1901), l'Ile des pingouins (1908), Les dieux ont soif (1912) [N. 1921]. – *Biogr. :* fils d'un libraire parisien (cathol., conservateur) ; études : Stanislas, École des chartes. *1865* lecteur chez Lemerre ; opposant à l'Empire. *1886* critique littéraire au *Temps. 1891* liaison avec Léontine de Caillavet. *1893* quitte le *Temps ;* vit de sa plume. *1898* leader des dreyfusards. *1910* mort de Léontine ; se retire dans sa propriété de La Béchellerie, près de Tours. *1920* ép. sa domestique, Emma Laprévotte. *1921* prix Nobel. *1924* incidents des surréalistes lors de ses funérailles (nationales).

Franc-Nohain (Maurice-Étienne Legrand) [Fab] (1873-1934) : le Kiosque à musique, Fables.

Frapié, Léon [R] (1863-1949) : la Maternelle (G. 1904), l'Écolière (1905).

Fromentin, Eugène [R, Cr] (1820-76) : Un été dans le Sahara (1857), Dominique (1863), les Maîtres d'autrefois (1876).

Fumet, Stanislas [Es] (1896-1983) : Notre Baudelaire (1926), Mission de Léon Bloy (1935), la Ligne de vie (publ. 1945), Paul Claudel (1961), l'Histoire de Dieu dans ma vie.

Funck-Brentano, Frantz [H] (Lux., 1862-1947) : l'Ancien Régime, la Monarchie française.

Fustel de Coulanges, Numa-Denis [H] (1830-89) : la Cité antique (1864), Histoire des institutions politiques de l'ancienne France (1875-92).

Gaboriau, Émile [R] (1832-73) : le Crime d'Orcival (1867), le Dossier no 113 (1867), l'Affaire Lerouge (1868), Monsieur Lecoq (1869).

Galtier-Boissière, Jean [J, Polé] (1891-1966) : fonde *le Crapouillot* (1915).

Galzy, Jeanne [R] (1883-1977).

Gandon, Yves [Cr] (1899-1975) : le Pré aux dames (12 vol., 1942-73).

Garçon, Maurice [Avoc, H, Es] (1889-1967).

Gaulle, Charles de [E] (1890-1970). Voir p. 342 a.

Gautier, Théophile [P, Cr, R] (1811-72) : Mademoiselle de Maupin (1835), les Grotesques (1844), Émaux et Camées (1852), le Roman de la momie (1858), le Capitaine Fracasse (1863).

Gaxotte, Pierre [H] (1895-1982) : la Révolution française (1928), le Siècle de Louis XV (1933), la France de Louis XIV (1946), Histoire des Français (1951), Histoire de l'Allemagne (1963).

Genevoix, Maurice [Chr, R] (1890-1980) : Ceux de 14 (5 vol., 1916-23), les Éparges (1923), Raboliot (G. 1925), la Dernière Harde, la Forêt perdue (1967), le Roman de Renard, Jardins sans murs, Contes espagnols, Tendre Bestiaire, Bestiaire sans oubli, la Perpétuité, Vaincre à Olympie, Lorelei, la Motte-Rouge, le Jardin dans l'île, Derrière les collines. *Autobiogr. :* Un jour (1976), 30 000 Jours (1980).

Géraldy, Paul (Lefèvre) [P] (1885-1983) : Toi et Moi (1913), l'Homme de joie.

Gérard, Rosemonde (Mme E. Rostand) [P] (1871-1953) : les Pipeaux (1889).

Ghéon, Henri (Vangeon) [D, R] (1875-1944) : le Pain, le Pauvre sous l'escalier (1911), le Noël sur la place (1935), Marie mère de Dieu (1939).

Gide, André [R, Es] (1869-1951) : les Cahiers d'André Walter (1891), la Tentative amoureuse (1893), les Nourritures terrestres (1897), l'Immoraliste (1902), la Porte étroite (1909), Corydon (1911), Isabelle (1911), les Caves du Vatican (1914), la Symphonie pastorale (1919), Si le grain ne meurt (1920-

24), les Faux-Monnayeurs (1925), Journal (1939-50). – *Biogr. :* grande bourgeoisie protestante ; neveu de Charles (qui suit). Études à l'École alsacienne à Paris. *1893* tuberculeux. *1893-94* convalescence en Algérie ; y devient homosexuel. *1895* épouse sa cousine germaine, Madeleine Rondeaux (mariage blanc). *1926* anticolonialiste. *1935* inscrit au Parti communiste. *1936* rompt avec le parti après un voyage en U.R.S.S. *1942* réfugié en Tunisie. *1947* prix Nobel de litt. *1951* meurt d'une crise cardiaque.

Gide, Charles [Ec] (1847-1932) : Histoire des doctrines économiques (avec Charles Rist, 1874-1955).

Gillet, Louis 🌿 [H, Cr d'art] (1876-1943).

Gilson, Étienne 🌿 [Ph] (1884-1978) : le Thomisme (1919), la Philosophie de St Bonaventure (1924), la Philosophie au Moyen Age (1925), Introduction à l'étude de St Augustin (1929), la Théologie mystique de St Bernard (1934), Jean Duns Scot.

Giono, Jean [R] (1895-1970) : Colline (1929), Un de Baumugnes (1929), Regain (1930), Jean le Bleu (1933), le Chant du monde (1934), Que ma joie demeure (1935), l'Eau vive (1943), Un roi sans divertissement (1947), le Hussard sur le toit (1951), le Moulin de Pologne (1952), le Bonheur fou (1957), Angelo (1958), l'Iris de Suse, Récits de la demi-brigade, le Déserteur et autres récits (1967), Ennemonde (1968), Faust au village (posth. 1978). – *Biogr. :* fils d'un cordonnier italien immigré à Manosque (idées anarchisantes). *1912* employé de banque. *1915-18* combattant dans l'infanterie alpine. *1925* à Manosque, vit de sa plume. *1935* réunit des groupes anarchisants, épris de vie naturelle. *1939* apôtre du « retour à la terre », emprisonné pour pacifisme. *1944* emprisonné pour sympathie avec Vichy. *1947* reconquiert la gloire littéraire par des romans.

Girardin, Émile de [J, Mém] (1806-81).

Giraudoux, Jean [R, D] (1882-1944) : *Romans :* Simon le Pathétique (1918), Elpénor (1919), Suzanne et le Pacifique (1921), Siegfried et le Limousin (1922), Juliette au pays des hommes (1924), Bella (1926), Aventures de Jérôme Bardini (1930), Combat avec l'ange (1934), Choix des élues (1938), la Menteuse (publ. en 1968). *Théâtre :* Siegfried (1928), Amphitryon 38 (1928), Intermezzo (1933), La guerre de Troie n'aura pas lieu (1935), Électre (1937), Ondine (1939), la Folle de Chaillot (1945), Pour Lucrèce (1953). *Essais :* Pleins Pouvoirs (1939), Sans pouvoirs (1945). – *Biogr. :* petite bourgeoisie limousine. *1903* École Normale Sup. ; échoue à l'agrégation d'allemand. *1910* entre au min. des Affaires étrangères. *1924* chef du service de presse. *1930* inspecteur des postes diplomatiques. *1939-40* commissaire à l'Information. *1944* meurt d'urémie.

Gobineau, Arthur, Cte de [Es] (1816-82) : Mlle Irnois (1847), De l'inégalité des races humaines (1853-55), les Pléiades (1874), Nouvelles asiatiques (1876), Adélaïde (1913).

Goll, Yvan (Isaac Lang) [R, D, P] (1891-1950) : le Nouvel Orphée, les Cercles magiques (également poète allemand).

Goncourt, Edmond (1822-96) et Jules de (1830-70) [R] : Journal (1851-1896), Renée Mauperin (1864), Germinie Lacerteux (1864), Manette Salomon, Madame Gervaisais. *Edmond seul :* la Fille Élisa (1877), les Frères Zemganno (1879).

Gouhier, Henri 🌿 [Ph] (1898).

Gourmont, Rémy de [Cr, P, R] (1858-1915) : Fondateur du *Mercure de France.* Sixtine, roman de la vie cérébrale (1890), le Joujou patriotique (1891), l'Idéalisme (1893), les Chevaux de Diomède (1897), D'un pays lointain (1898), le Songe d'une femme (1899), la Culture des idées (1900), Un cœur virginal (1907), Promenades littéraires, le Livre des masques, Lettres à l'Amazone (1914).

Gozlan, Léon [R] (1803-66) : le Notaire de Chantilly (1836), le Médecin du Pecq (1839), les Nuits du Père-Lachaise (1845), les Maîtresses à Paris (1852), le Vampire du Val-de-Grâce (1861).

Gregh, Fernand 🌿 [P] (1873-1960) : la Maison de l'enfance, Clartés humaines.

Grousset, René 🌿 [H] (1885-1952) : Histoire de l'Asie, Histoire des croisades (1934-36), Bilan de l'histoire (1946).

Guéhenno, Jean 🌿 (M. Marcel) [Cr, Polé] (1890-1978) : Journal d'un homme de 40 ans, Jean-Jacques Rousseau, Mort des autres.

Guenon, René [Ph] (1886-1951) : la Crise du monde moderne.

Guérin, Charles [P] (1873-1907) : Fleurs de neige, le Sang des crépuscules.

Guérin, Eugénie de [Mém] (1805-48) : Journal, Lettres.

Guérin, Maurice de [P] (1810-39) : le Centaure, la Bacchante, Journal, Lettres, le Cahier vert (1883).

Guéroult, Martial (1891-1976) [Ph].

Guilloux, Louis [R] (1899-1980) : la Maison du peuple (1927), Dossier confidentiel (1930), Hyménée (1932), Angelina (1934), le Sang noir (1935), le Jeu de patience (1949), Absent de Paris (1952), Parpagnacco ou la Conjuration (1954), les Batailles perdues, la Confrontation (1968), Coco perdu (1978).

Guitry, Sacha [D, Hum] (1885-1957) : le Veilleur de nuit (1911), la Prise de Berg-op-Zoom (1913), Faisons un rêve, Mon père avait raison (1916), Mozart, le Mot de Cambronne (1936). Voir Index.

Gurdjieff (Georges) [Ph] (Russie 1877 – Paris 1949) : Récits de Belzébuth à son petit-fils.

Gyp (Sibylle Riqueti de Mirabeau, Ctesse de Martel) [R] (1850-1932) : le Mariage de Chiffon (1894).

Halbwachs, Maurice [Ph, Sociol] (1877-1945) : Morphologie sociale (1938).

Halévy, Daniel [H, Es] (1872-1962) : la Fin des notables (1930), la République des ducs (1937), Essai sur l'accélération de l'Histoire (1948).

Halévy, Ludovic 🌿 [R, D] (1834-1908) : *Romans :* les Petites Cardinal (1880), l'Abbé Constantin (1882). *Livrets d'opéras :* la Belle Hélène (1864), la Grande-Duchesse de Gerolstein (1867), la Périchole (1868), Carmen (1875).

Hamelin, Octave [Ph] (1856-1907).

Hamp, Pierre (Henri Bourillon) [R] (1876-1962) : la Peine des hommes.

Hanotaux, Gabriel [H] (1853-1944).

Harcourt, Cte Robert d' 🌿 [Cr] (1881-1965).

Hazard, Paul 🌿 [Cr] (1878-1944) : la Crise de la conscience européenne (1935).

Henriot, Émile (Paul Maigrot) 🌿 [Cr] (1889-1961) : Aricie Brun, les Plaisirs imaginaires.

Hérédia, José Maria de 🌿 [P] (1842-1905) : les Trophées (1893).

Hériat, Philippe (Raymond Payelle) [R, D] (1898-1971) : *Romans :* l'Innocent (Ren. 1931), les Enfants gâtés (G. 1939), la Famille Boussardel (1946), les Grilles d'or (1957), le Temps d'aimer (1968). *Théâtre :* l'Immaculée (1950), Belles de jour (1950), les Noces de deuil (1953).

Hermant, Abel 🌿 [E] (1862-1950) : les Transatlantiques (1897), Mémoires.

Herriot, Édouard 🌿 [E, Pol, H] (1872-1957) : Lyon n'est plus (1939-40).

Hervieu, Paul 🌿 [R, D] (1857-1915) : Peints par eux-mêmes (1893), l'Énigme (1901).

Houssaye, Arsène (A. Housset) [P] (1815-96).

Houville, Gérard d' [P, R] (1875-1963), (Marie de Hérédia, fille de José ; ép. d'Henri de Régnier dep. 1895) : l'Inconstante (1903) raconte ses liaisons avec Jean de Tinan (1897-1901) et Pierre Louÿs devenu son beau-frère.

Hugo, Victor 🌿 [P, R, D] (1802-85) : *Poésies :* Odes et Poésies diverses (1822), Nouvelles Odes (1824), Odes et Ballades (1826), les Orientales (1829), les Feuilles d'automne (1831), les Chants du crépuscule (1835), les Voix intérieures (1837), les Rayons et les Ombres (1840), les Châtiments (1853), les Contemplations (1856), la Légende des siècles (1859-83), les Chansons des rues et des bois (1865), l'Année terrible (1872), les Années funestes (1872), le Pape (1878), la Pitié suprême (1879), Religions et Religion (1880), les Quatre Vents de l'esprit (1881), Toute la lyre (posth. 1888-93), Dieu (posth. 1891). *Romans :* Han d'Islande (1823), Bug Jargal (1826), N.-D. de Paris (1831), Claude Gueux (1834), les Misérables (1862), les Travailleurs de la mer (1866), l'Homme qui rit (1869), Quatre-vingt-treize (1874). *Théâtre :* Amy Robsart (1826), Cromwell (1827), Hernani (1830), Marion Delorme (1831), Le roi s'amuse (1832), Lucrèce Borgia (1833), Marie Tudor (1833), Angelo (1835), Esmeralda (1836), Ruy Blas (1838), les Burgraves (1843), Torquemada (1882), Théâtre en liberté (posth. 1886), les Jumeaux (posth. 1889). *Divers écrits en prose :* le Dernier Jour d'un condamné (1829), Littérature et Philosophie (1834), le Rhin (1842), Napoléon le Petit (1853), Victor Hugo raconté (1863), Actes et Paroles (1875), Histoire d'un crime (1877), Choses vues (posth. 1887-99), Alpes et Pyrénées (posth. 1890), Correspondance (posth. 1896-98), Journal (1830-48) (posth. 1951), Carnets intimes (1870-81) (posth. 1953), Journal de ce que j'apprends chaque jour (1846-48) (posth. 1965), Boîte aux lettres (posth. 1965), Épîtres (posth. 1966). – *Biogr. :* père Léopold, général, comte (du roi d'Espagne, Joseph Bonaparte) ; mère née Sophie Trébuchet ; enfance loin de son père (sauf 1811, à Madrid) au jardin des Feuillantines où sa mère vit avec son amant, le Gal Victor de La Horie (peut-être son vrai père). *1819* couronné par les Jeux floraux. *1820* pensionné de Louis XVIII ; poète officiel du légitimisme. *1823* épouse Adèle Foucher (1803-68), amie d'enfance. *1829* succès affirmé, vit dans l'aisance ; chef des romantiques. *1832* liaison de sa femme avec Sainte-Beuve. *1833* liaison avec l'actrice Juliette Drouet (1806-83) qui durera 50 ans. *1843* noyade à Villequier (S.-M.) de sa fille Léopoldine (inconsolable) et de son gendre Charles Vacquerie. *1845* pair de France. *1848* député de droite à la chambre. *1849* se rallie à la gauche. *1852-70* exilé à Bruxelles, Jersey, puis Guernesey. *1870-71* garde national. *1876* sénateur (de gauche). Très riche (droits d'auteur), mène en secret une vie débauchée. *Depuis 1873,* privé de tous ses enfants, élève ses 2 petits-enfants, Georges et Jeanne. *1881* hommage solennel de la République pour ses 80 ans. *1885, 1-6* funérailles nationales, porté de l'Arc de triomphe au Panthéon, selon ses vœux, sur le char des pauvres.

Huysmans, Joris-Karl [E] (1848-1907) : En ménage (1881), A vau-l'eau (1882), l'Art moderne (1883), A rebours (1884), Là-bas (1891), En route (1895), la Cathédrale (1898), Ste Lydwine de Schiedam (1901), l'Oblat, les Foules de Lourdes (1905).

Isaac, Jules [H] (1877-1963).

Istrati, Panaït [R] (Roumain, 1884-1935) : Kyra Kyralina (1892), Oncle Anghel, la Maison Thüringer, Passé et Avenir (1925).

Ivoi, Paul d' (P. Deleutre) [R] (1856-1915) : les Cinq Sous de Lavarède (1894), Corsaire Triplex.

Jacob, Max [Pros, P] (1876-1944) : le Cornet à dés (1917), le Phanérogame (1918), le Cabinet noir, le Christ à Montparnasse, Défense de Tartuffe (1919), le Laboratoire central (1921), Derniers poèmes (1945), Méditations religieuses (1947). – *Biogr. :* Baptisé à 40 ans, considéré comme juif par les Allemands, meurt au camp de Drancy.

Jaloux, Edmond 🌿 [R, Cr] (1878-1949) : l'Esprit des livres (1924-40), la Balance faussée (1932), le Reste et le Silence (F. 1909), Fumées dans la campagne, D'Eschyle à Giraudoux, Essences.

Jammes, Francis [P, Pros] (1868-1938) : De l'angélus de l'aube à l'angélus du soir (1898), Clara d'Ellébeuse (1899), Clairières dans le ciel (1906), les Géorgiques chrétiennes (1912), le Livre de saint Joseph (1933).

Janet, Paul [Ph] (1823-99).

Janet, Pierre [Ph, Psych] (1859-1947).

Jarry, Alfred [D] (1873-1907) : Ubu Roi (rep. 1896), Ubu enchaîné, le Surmâle (1902).

Jouhandeau, Marcel [Es, Chr] (1888-1979) : les Pincengrain (1924), Monsieur Godeau intime (1926), M. Godeau marié (1933), Chaminadour (1934-41), Algèbre des valeurs morales (1935), le Péril juif (1936), Chroniques maritales (1938), De l'abjection (1939), l'Oncle Henri (1943), Don Juan (1947), les Funérailles d'Adonis (1949), Mémorial (1950-72), la Mort d'Élise (1978), Nunc Dimittis (1978).

Jouve, Pierre-Jean [P, R] (1887-1976) se convertit au catholicisme en 1924 : Paulina 1880 (1925), Paradis perdu (1927), Sueur de sang (1933), Matière céleste (1937).

Jullian, Camille [H] (1859-1930) : Histoire de la Gaule (1908-26, 8 vol.).

Karr, Alphonse [Hum] (1808-90) : *les Guêpes* (revue satirique qu'il dirige seul, 1839-46), les Nouvelles Guêpes (1853-55), Agathe et Cécile (1853).

Kemp, Robert 🌿 [Cr] (1879-1959).

Kessel, Joseph 🌿 [R] (1898-1979) : l'Équipage (1923), Nuits de princes (1928), l'Armée des ombres (1946), le Tour du malheur (1950), les Temps sauvages (4 vol., 1950-51), le Lion (1958), Tous n'étaient pas des anges (1963), les Cavaliers (1967), Des hommes (1972), la Vallée des rubis (1973).

Laberthonnière, Lucien [Théo] (1860-1932).

Labiche, Eugène 🌿 [D] (1815-88) : Un chapeau de paille d'Italie (1851), le Voyage de Monsieur Perrichon (1860), les Deux Timides (1860), la Poudre aux yeux (1861), la Cagnotte (1864), les Trente Millions de Gladiator (1875), la Main leste.

Labrousse, Ernest [H] (1895-1988).

Lachelier, Jules [Ph] (1832-1918) : Du fondement de l'induction (1896).

Lacordaire (père Henri) 🌿 [E, Préd] (1802-61). Disciple de La Mennais, collabore à l'Avenir, prédicateur (carêmes 1835-36 à N.D. de Paris), dominicain (rétablit l'Ordre en France), député (1848) : Conférences, Lettres.

Lacretelle, Jacques de 🌿 [E] (1888-1985) : la Vie inquiète de Jean Hermelin (1920), Silbermann (F. 1922), la Bonifas (1925), les Hauts Ponts (4 vol.).

La Force (duc de) 🌿 [H] (1878-1961).

Laforgue, Jules [P] (1860-87) : les Complaintes, les Moralités légendaires (1887).

Lagneau, Jules [Ph] (1851-94).

La Gorce, Pierre de 🌿 [H] (1846-1934) : Histoire de la Seconde République (1887), Histoire du Second Empire (1894-1906).

Lalande, André [Ph] (1867-1963) : Vocabulaire de la philosophie (1925).

Lalou, René [Cr, Es] (1889-1960).

Laprade, Victor Richard de 🌿 [P] (1812-83) : Poèmes évangéliques.

Larbaud, Valery [E] (1881-1957) : les Poésies de A.O. Barnabooth (1908-23), Fermina Marquez (1911), Amants, heureux amants (1923), Journal.

Larguier, Léo [Chr, P] (1878-1950).

La Rochefoucauld, Edmée, D^{esse} de (pseud. Gilbert Mauge) [Cr] (1895) : Plus loin que Bételgeuse, Pluralité de l'être, Flashes, En lisant les cahiers de P. Valéry.

Larousse, Pierre [Ency] (1817-75) : Grammaire élémentaire (1849), Nouveau Dictionnaire de la langue française (1856), Grand Dictionnaire univ. du XIXe s. (1866-76) (15 tomes : 483 millions de signes, 22 500 pages de 21 500 signes) + 2 suppléments (1878, 1890), Petit Larousse illustré (1906).

Laufenburger, Henri [Ec] (1867-1965).

Lautréamont, Isidore Ducasse, dit le Cte de [P] (1846-70) : Chants de Maldoror (1869). – *Biogr. :* né à Montevideo. *1860* vient à Paris préparer Polytechnique. *1867* se fixe à Paris.

Lauwick, Hervé [Hum] (1891-1975).

La Varende, Jean Mallard, Vte de [R] (1887-1959) : Nez de cuir (1937), le Centaure de Dieu, les Manants du roi (1938), Man d'Arc (1942), l'Homme aux gants de toile (1943), Pays d'Ouche (1946).

Lavedan, Henri * [D] (1859-1940).

Lavelle, Louis [Ph] (1883-1951).

Lavisse, Ernest * [H] (1842-1922).

Léautaud, Paul [Cr, Chr] (1872-1956) : Journal, le Théâtre de Maurice Boissard, le Pierrot noir.

Leblanc, Maurice [R] (1864-1941) : les Aventures extraordinaires d'Arsène Lupin [20 vol., 1908-29, notamment : A.L. contre Herlock Sholmes (1908), l'Aiguille creuse (1909), 813 (1910), A.L. gentleman cambrioleur (1914), l'Ile aux 30 cercueils]. *Science-fiction :* les Trois Yeux (1919).

Le Bon, Gustave [Soc] (1841-1931) : la Psychologie des Foules (1895).

Le Bras, Gabriel [H] (1891-1970).

Le Braz, Anatole [Chr] (1859-1926) : la Légende de la mort en basse Bretagne.

Lebret, Louis [Théo] (1897-1966).

Le Cardonnel, Louis [P] (1862-1936), ordonné prêtre en 1894.

Lecomte, Georges * [R] (1867-1958).

Lecomte du Noüy, Pierre [Bio, Ph] (1883-1947) : l'Homme et sa destinée (1948).

Leconte de Lisle, Charles (Leconte) [P] (1818-94) : Poèmes antiques (1852), barbares (1862), tragiques (1886).

Lefebvre, Georges [H] (1874-1959) : les Paysans du Nord, Napoléon, Études sur la résistance française.

Le Goffic, Charles * [R] (1863-1932).

Lemaître, Jules * [E] (1853-1914) : les Contemporains (7 vol., 1885-99), Impressions de théâtre (1888-98), Théories et Impressions (1904).

Lenéru, Marie [D] (1875-1918) : les Affranchis (1911), Journal (1922).

Lenormand, Henri-René [D] (1882-1951) : les Ratés (1918), Le temps est un songe (1919).

Lenotre, G. (Théodore Gosselin) * [H] (1857-1935) : les Quartiers de Paris pendant la Révolution (1896), Georges Cadoudal (1929).

Le Rouge, Gustave [E] (1867-1938) : le Mystérieux Dr Cornélius (série) (1899).

Leroux, Gaston [R] (1868-1927) : cycle des Rouletabille [le Mystère de la chambre jaune (1907), le Parfum de la dame en noir (1909), Rouletabille chez le czar, Chéri-Bibi (1921-22)].

Le Roy, Édouard * [Ph] (1870-1954).

Le Roy, Eugène [R] (1837-1907) : le Moulin de Frau (1895), Jacquou le Croquant (1899).

Leroy-Beaulieu, Paul [Ec] (1843-1916).

Le Senne, René [Ph] (1882-1954).

Lévis-Mirepoix, Ant., duc de * [H] (1884-1981).

Lévy-Bruhl, Lucien [Ph] (1857-1939) : la Mentalité primitive (1922).

Littré, Émile * [Ph, Ency, Méd] (1801-1881) : Dictionnaire de la langue franç. (1863-72), 85 000 mots.

Lorrain, Jean (Paul Duval) [R] (1855-1906) : Modernités (1883), Viviane (1885), Très russe (1886), M. de Bougrelon (1897), M. de Phocas (1901), la Maison Philibert (1904).

Loti, Pierre (Julien Viaud) * [R] (1850-1923) : Azyadé (anonyme, 1879), le Mariage de Loti (1882), Mon frère Yves (1883), Pêcheur d'Islande (1886), Madame Chrysanthème (1887), Ramuntcho (1897), les Désenchantées (1906). – *Biogr. :* ancienne bourgeoisie charentaise (protestante). *1867* École navale. *1869-98* officier de marine ; *1898* lieutenant de vaisseau. Mis à la retraite d'office (pour des articles sur la stratégie navale), gagne un procès en Conseil d'État. *1899-1910* réintégré, termine capitaine de vaisseau. *1914-18* combattant comme colonel d'artillerie. *1919* se retire à Hendaye. *1923* funérailles nationales (enterré à Oléron).

Louÿs, Pierre (Pierre Louis) [P, R] (1870-1925) : *Poèmes :* les Chansons de Bilitis (1894) présentées comme une trad. de poèmes grecs. *Romans :* Aphrodite (1896), la Femme et le Pantin (1898), les Aventures du roi Pausole (1901). – *Biogr. :* noblesse d'Empire ; élevé par son demi-fr., ambassadeur de Fr. *1888* ami d'André Gide. *1891* d'Oscar Wilde (il corrige « Salomé » écrit en fr.). *1896* célèbre grâce à « Aphrodite ». *1899* ép. la fille du poète Hérédia (Louise de Hérédia, div. 1912). *1914* vit à Auteuil retiré et presque aveugle. *1919* soutient que Corneille a écrit les pièces de Molière.

Lubac, le P. Henri Sonier de [Théo] (1896-1989) : Catholicisme, les aspects sociaux du dogme (1938), Corpus mysticum, l'eucharistie et l'Église du Moyen Âge (1944), Surnaturel, études historiques (1946), Méditation sur l'Église (1953).

Lunel, Armand [R, H, P, Es] (1892-1977) : l'Imagerie du Cordier, Nicolo Peccavi (Ren. 1926), Lettres.

Mac Orlan, Pierre (Dumarchey) (P, R, J] (1882-1970) : le Chant de l'équipage (1918), la Cavalière Elsa (1921), Marguerite de la Nuit, la Vénus internationale (1925), le Quai des Brumes (1927), la Bandera (1931), l'Ancre de Miséricorde (1941).

Madaule, Jacques [Es] (1898).

Madelin, Louis * [H] (1871-1956) : Fouché, Histoire du Consulat et de l'Empire.

Magre, Maurice [P] (1877-1942) : les Belles de nuit.

Maindron, Maurice [R] (1857-1919).

Mâle, Émile * [H d'art] (1862-1954).

Malègue, Joseph [R] (1876-1940) : Augustin ou le maître est là (1933).

Mallarmé, Stéphane [P] (1842-98) : l'Après-midi d'un faune (1876), Poésies complètes (1887), Un coup de dé jamais n'abolira le hasard (1897). – *Biogr. :* famille de petits fonctionnaires parisiens. *1860* surnuméraire de l'Enregistrement. *1862* séjour linguistique à Londres, liaison avec Mary (Marie Gerhart). *1863* prof. d'angl. au collège de Tournon. *1866* muté à Besançon. *1867* à Avignon. *1871* à Paris (lycée Fontanes = Condorcet). *1874* début des réceptions littéraires chez lui rue de Rome (les « mardis »). *1884* révélé au grand public. *1893* retraite pour travailler à une œuvre unique, le « Livre » et qu'il n'écrira jamais. *1898* meurt d'un spasme du larynx, demandant qu'on détruise ses brouillons.

Malot, Hector [R] (1830-1907) : Sans famille (1878), En famille (1893).

Malraux, Clara [R] (1897-1982).

Marcel, Gabriel [Ph, D] (1889-1973) : *Essais :* Journal métaphysique (1927), Être et Avoir (1935), Homo viator (1944), le Mystère de l'être (1951-52), l'Homme problématique (1955), En chemin vers quel éveil, Percée vers un ailleurs (1973). *Théâtre :* Un homme de Dieu (1925), Rome n'est plus dans Rome (1951), Le secret est dans les îles.

Mardrus, Joseph [Eru] (1868-1949) : trad. du Livre des Mille et Une Nuits (1898-1904), Du Coran (1925).

Margueritte, Paul [E] (1860-1918) : Jours d'épreuve (1889), la Force des choses (1891), la Flamme (1909), Juin (1918), le Désastre (1901, avec Victor).

Margueritte, Victor [E] (1866-1942) : Jeunes Filles (1908), l'Or (1909), la Garçonne (1922).

Maritain, Jacques [Ph] (1882-1973) : collabore à la Revue universelle de Jacques Bainville (s'en sépare en 1927, après la condamnation de l'Action française par Rome). Art et scolastique (1918), Réflexions sur l'intelligence (1924), Distinguer pour unir ou les degrés du savoir (1932), Humanisme intégral (1936), Court traité de l'existence et de l'existant (1947).

Maritain, Raïssa (or. russe) [P] (1883-1960), femme de Jacques, convertie au catholicisme en même temps que lui : la Vie donnée, les Grandes Amitiés.

Martin-Chauffier, Louis [R, Es] (1894-1980) : Chateaubriand, l'Homme et la Bête (1948).

Martin du Gard, Roger [R] (1881-1958) : Jean Barois (1913), les Thibault (8 parties, 1922-40), le Lieutenant-Colonel de Maumort (1983) [N. 1937].

Massignon, Louis [H] (1883-1962).

Massis, Henri * [Es] (1886-1970) : les Jeunes gens d'aujourd'hui (1910), Défense de l'Occident (1927), Maurras et notre temps (1961).

Maupassant, Guy de [R] (1850-93) : *Contes* dont Boule de suif (1880). *Romans :* Une vie (1883), Bel-Ami (1885), Mont-Oriol (1887), Pierre et Jean (1888), Fort comme la mort (1889). – *Biogr. :* noblesse rurale normande (son père abandonne sa famille en 1857 ; sa mère, Laure Le Poittevin, est très liée avec Flaubert, dont M. est peut-être le fils). Études à Yvetot, puis Rouen. *1870-71* militaire. *1873-80* fonctionnaire (Marine puis l'Instruction publique) ; pratique le canotage. *1880* lancé dans les milieux littéraires par Flaubert. *1881* enrichi (droits d'auteur) achète un yacht. *1885* premiers troubles cérébraux, d'origine syphilitique. *1889* manie de la persécution. *1892* tentative de suicide ; interné chez le Dr Blanche.

Mauriac, François * [R, D] (1885-1970) : *Romans :* la Robe prétexte (1914), le Baiser au lépreux (1922), Genitrix (1923), le Désert de l'amour (1925), Thérèse Desqueyroux (1927), le Nœud de vipères (1932), le Mystère Frontenac (1933), l'Agneau (1954), Un adolescent d'autrefois (1969). *Mémoires intérieurs. Bloc-notes. Théâtre :* Asmodée (1938), les Mal Aimés, Passage du malin, le Feu sur la terre. – *Biogr. :* bourgeoisie terrienne du Bordelais. Orphelin de père à 20 mois. Études à Grand-Lebrun (Bordeaux). *1911* abandonne l'école des Chartes. Homme de lettres. *1914-18* mobilisé. *1922* succès du *Baiser au lépreux. 1943* collabore à la presse clandestine. *1945* journaliste au *Figaro* puis à *l'Express. 1952* Prix Nobel. *1958* se rallie à la Ve Rép., polémiste du régime.

Maurois, André (Émile-Salomon-Wilhelm Herzog ; pseud. devenu nom légal) * [E, R, H] (1885-1967) : les Silences du colonel Bramble (1918), les Discours du Dr O'Grady (1922), Ariel ou la vie de Shelley (1923), Bernard Quesnay (1928), Climats (1928), Hist. d'Angleterre (1937), Don Juan ou la Vie de Byron (1952), le Cercle de famille, Prométhée ou la Vie de Balzac (1965), Un art de vivre.

Maurras, Charles * [E, Pol] (1868-1952) : l'Avenir de l'intelligence (1900), Anthinéa (1901), Enquête sur la monarchie (1900-09). *Poésies :* la Musique intérieure (1925), les Vergers sur la mer. – *Biogr. :* fils d'un percepteur provençal. Études chez les Frères d'Aix-en-Pr. *1881* sourd. *1890* journaliste à Paris. *1895* chef des antidreyfusards. *1904* fonde avec Léon Daudet *l'Action française* (monarchiste et nationaliste), en restera directeur jusqu'en 1944. *1926* condamné par Pie XI (interdit levé le 1-7-1939 par Pie XII). *1944* prison perpétuelle pour son attitude pendant l'Occupation. *1952* meurt dans une clinique de Tours des suites de son incarcération.

Mendès, Catulle [P, R] (1841-1909) : la Première Maîtresse (1887). *Poésie :* Philomena (1864), Contes épiques (1872), Soins moroses (1876). *Théâtre :* le Roman d'une nuit (1883).

Mérimée, Prosper * [E] (1803-70) : Théâtre de Clara Gazul (1825), Mateo Falcone, Chronique du règne de Charles IX (1829), Colomba (1840), Carmen (1845). – *Biogr. :* fils d'un peintre parisien. Études au lycée Henri-IV. *1824* fonctionnaire au ministère du Commerce, fréquente les salons littéraires. *1830* chef de cabinet ministériel. Voyage en Espagne, devient l'intime de la Ctesse de Montijo, mère de la future impératrice Eugénie. *1833* inspecteur général des monuments historiques. *1854* intime de la famille impériale (il a rang de sénateur). *A partir de 1856,* atteint d'asthme, séjourne à Cannes. Il y meurt de chagrin à la nouvelle du désastre de Sedan.

Michaux, Henri [P] (Belge nat. Fr., 1899-1984) : Qui je fus (1927), Mes propriétés (1929), Un certain Plume (1930), la Grande Garabagne (1936), le Lointain intérieur (1938), Misérable Miracle (1956), l'Infini turbulent (1957), Connaissance par les gouffres (1961), Poteaux d'angle (1971), Coup d'arrêt (1975), Affrontements (1986). – *Biogr. :* famille bourgeoise de Namur. *1919* abandonne ses études ; simple matelot. *1920-24* vie de bohème à Bruxelles. *1924-27* fréquente surréalistes à Paris. *1927-37* voyages. *1937* peinture non figurative. *1954* naturalisé Fr. *1955-60* expérimente L.S.D. *1965* refuse Grand Prix nat. des Lettres.

Mille, Pierre [J, R] (1864-1941).

Milosz (Oscar Vladislas de Lubicz) [P] (Lituan., 1877-1939) : Symphonies, l'Amoureuse Initiation (1910), Miguel Mañara (1912).

Miomandre, Francis de (F. Durand) [R] (1880-1959) : Écrit sur de l'eau (G. 1908), l'Ingénu, l'Aventure de Thérèse Beauchamps (1914), Samsara (1931), l'Ane de Buridan (1946).

Mirbeau, Octave [R, D] (1848-1917) : le Jardin des supplices (1899), Journal d'une femme de chambre (1900), Les affaires sont les affaires (1903).

Mistler, Jean * [Cr, R, E] (1897-1988) : Ethelka (1929), la Maison du Dr Clifton (1932), le Bout du monde, le Naufrage du Monte-Cristo, l'Ami des pauvres, le Jeune Homme qui rôde partout, Gaspard Hauser (1974).

Mistral, Frédéric [P] (1830-1914) : Mireille (1859), Calendal (1867), les Iles d'or (1876) Écrit en provençal, [N. 1904].

Mondor, Henri * [E, Méd] (1885-1962) : Vie de Mallarmé (1944), Pasteur (1945).

Monfreid, Henri de [R] (1879-1974) : les Secrets de la mer Rouge, la Croisière du haschich (1937).

Monnier, Henri [Hum] (1805-77) : Mémoires de Joseph Prudhomme (1857).

Monod, Gabriel [H] (1844-1912).

Montépin, Xavier de [R] (1823-1902).

Montherlant, Henry Millon de * [E, D] (1895-1972) : *Essais. Romans :* le Songe (1922), les Bestiaires (1926), Aux fontaines du désir (1927), la Petite Infante de Castille (1929), Moustique (1929, publ. 1986), les Célibataires (1934), les Jeunes Filles, Pitié pour les femmes (1936), le Démon du bien (1937), les Lépreuses (1939), la Rose de sable (1951), les Garçons (1969), Un assassin est mon maître (1971). *Théâtre :* la Reine morte (1942), Fils de personne (1943), le Maître de Santiago, Malatesta (1948), la Ville dont le prince est un enfant (1951), Port-Royal (1954), le Cardinal d'Espagne (1960). *Poésies :* Thrasylle (1916), les Olympiques (1924), Pasiphaé [p.

Dictée de Mérimée

Créée par Mérimée en 1857 à la demande de l'impératrice Eugénie pour distraire la Cour. D'après les « Souvenirs » de la P^cesse de Metternich, Napoléon III aurait fait 75 fautes, l'impératrice 62, Alexandre Dumas 24, Octave Feuillet 19, Metternich (ambassadeur d'Autriche) 3.

« Pour parler sans ambiguïté, ce dîner à Sainte-Adresse, près du Havre, malgré les effluves embaumés de la mer, malgré les vins de très bons crus, les cuisseaux de veau et les cuissots de chevreuil prodigués par l'amphitryon, fut un vrai guêpier. Quelles que soient, quelque exiguës qu'aient pu paraître, à côté de la somme due, les arrhes qu'étaient censés avoir données la douairière et le marguillier, il était infâme d'en vouloir, pour cela, à ces fusiliers jumeaux et mal bâtis, et de leur infliger une raclée, alors qu'ils ne songeaient qu'à prendre des rafraîchissements avec leurs coreligionnaires. Quoi qu'il en soit, c'est bien à tort que la douairière, par un contre-sens exorbitant, s'est laissé entraîner à prendre un râteau et qu'elle s'est crue obligée de frapper l'exigeant marguillier sur son omoplate vieillie. Deux alvéoles furent brisés ; une dysenterie se déclara suivie d'une phtisie et l'imbécillité du malheureux s'accrut. – Par saint Hippolyte, quelle hémorragie ! s'écria ce bélître. A cet événement, saisissant son goupillon, ridicule excédent de bagage, il la poursuit dans l'église tout entière. »

Nota. – Il existe quelques variantes, ex. pour la deuxième phrase : « Quelles que soient, quelque exiguës que t'aient paru les arrhes qu'étaient censés avoir données à maints et maints fusiliers subtils [ou : *maint et maint fusilier subtil* (les deux sont corrects)], la douairière et le marguillier bien que lui ou elle soit censé les leur avoir refusées et s'en soit repenti, va-t'en les réclamer de table en table, bru jolie, quoiqu'il ne te siée pas de dire qu'on les leur aurait supplées par quelque autre motif. »

dramatique (1936)]. – *Biogr. :* riche bourgeoisie rurale. Études chez les jésuites. *1914-18* combattant, blessé. *1920-26* pratique les sports, notamment la tauromachie. *1926-39* voyages autour du monde. *1944* passe en justice à la Libération, acquitté. *1945-72* perd peu à peu la vue, vit en solitaire. *1972* se suicide d'un coup de feu. Incinéré ; ses cendres sont dispersées à Rome sur le Forum, et en Grèce.

Morand, Paul ✱ [E] (1888-1976) : les Extravagants (1910, publ. 1986), Magie noire (1928), Ouvert la nuit (1932), Fermé la nuit, Lewis et Irène, l'Europe galante, Londres, Fouquet, Tais-toi, Venises, Magie noire, l'Homme pressé, le Flagellant de Séville, Monplaisir, Fin de siècle, Bains de mer. – *Biogr. :* fils d'un homme de lettres parisien ; camarade d'études de Giraudoux. *1913* diplomate à Londres, Rome, Madrid, Bangkok. *1938* en Roumanie (commission du Danube). *1939-40* Londres. *1943* amb. de Vichy à Bucarest. *1944* Berne (à la Libération, révoqué sans traitement). *1953* réintégré dans ses droits, mis à la retraite. *1958* candidat à l'Ac. fr. ; veto de De Gaulle. *1969* élu à l'Ac. fr.

Moréas, Jean (Papadiamantopoulos) [P] (1856-1910) : Stances.

Moreau, Hégésippe (Pierre-Jacques Roulliot) [P] (1810-38) : le Myosotis (posth. 1838).

Morgan, Claude (fils de Georges Lecomte) [R, Cr] (1898-1980).

Murger, Henri [R] (1822-61) : Scènes de la vie de bohème (1848).

Musset, Alfred de ✱ [D, P, R] (1810-57) : *Théâtre :* la Coupe et les Lèvres (1829), A quoi rêvent les jeunes filles (1833), les Caprices de Marianne (1833), Fantasio, On ne badine pas avec l'amour, Lorenzaccio (1834), le Chandelier, Barberine (1835), Il ne faut jurer de rien (1836), Un caprice (1837), Il faut qu'une porte soit ouverte ou fermée (1845). *Poésies :* Namouna, Rolla (1833), les Nuits (1835-37). *Romans :* la Confession d'un enfant du siècle (1835), 15 contes (1840-54, dont Mimi Pinson 1852). – *Biogr. :* noblesse vendômoise fixée à Paris. Éducation raffinée (musique, peinture, poésie). Fréquente les cénacles littéraires dès 18 ans. Liaisons avec : George Sand *(1834-35)* (suivie d'une dépression nerveuse), Rachel tragédienne *(1839),* Louise Allan actrice *(1840),* Louise Colet femme de lettres *(1852). 1853* essaie de vivre de sa plume, mais tombe dans l'alcoolisme. Meurt usé par les excès.

Nabert, Jean [Ph] (1881-1962) : Essai sur le mal (1955).

Nadaud, Gustave [Chan] (1820-93) : les Deux Gendarmes (1849).

Nerval, Gérard de (G. Labrunie, dit) [P, Pros] (1808-55) : *Poésies :* Élégies nationales (1827), Poésies complètes (posth. 1877), les Chimères (1890). *Prose :* les Illuminés (1852), Lorelei : souvenir d'Allemagne (1852), les Filles du feu (1854), Sylvie (1854), Promenade autour de Paris (1855), Aurélia ou le Rêve et la Vie (1855), Voyage en Orient (posth. 1856). – *Biogr. :* fils d'un médecin militaire : orphelin de mère à 2 ans. *1832* étudiant en médecine. *1834* fait un héritage qu'il perd aussitôt dans la faillite de la revue *le Monde dramatique. 1834-38* fréquente la « bohème littéraire » ; passion malheureuse pour l'actrice Jenny Colon. *1838-40* séjours en Allemagne. *1841* 1re crise de folie (abus d'absinthe). *1842* mort de Jenny Colon ; vagabonde à travers Orient, Égypte, Europe centrale, Angleterre. *1851* interné à la clinique du docteur Blanche. *1854* voyage en Allemagne. *1855* vit dans le dénuement ; se pend dans une rue.

Noailles, Anna, Ctesse de (née P^cesse Brancovan) [P] (1876-1933) : le Cœur innombrable (1901), l'Ombre des jours (1902), le Visage émerveillé (1904).

Noël, Marie (Rouget) [P] (1883-1967) : les Chansons et les heures (1920), le Rosaire des joies (1930), les Chants de la merci, le Voyage de Noël, Chants d'arrière-saison.

Nouveau, Germain [P] (1851-1920) : la Doctrine de l'amour (1904), Calepin du mendiant (1922).

Obey, André [R, D] (1892-1975) : Noé (1931), le Viol de Lucrèce, l'Homme de cendre, Lazare, le Joueur de triangle (Ren. 1928).

Ohnet, Georges (G. Hénot) [R, D] (1848-1918) : le Maître de forges (1882), la Comtesse Sarah, Un brasseur d'affaires.

Ormesson, Wladimir, Cte d' ✱ [H] (1888-1973).

Pagnol, Marcel ✱ [D] (1895-1974) : Topaze (1928), Marius (1931), Fanny (1932), Jean de Florette, César (scénario, 1937). *Mémoires :* la Gloire de mon père, le Château de ma mère, le Temps des secrets, le Temps des amours. – *Biogr. :* fils d'un instituteur provençal (enfance à Marseille, avec vacances près d'Aubagne). *1915* non mobilisé, entre dans l'enseignement. *1920-22* prof. d'anglais à Marseille ; fonde la revue *Fortunio* (devenue en 1935 les *Cahiers du Sud*). *1922* muté à Paris. *1926* quitte l'enseignement, vit de sa plume. *1928* succès de Topaze. *1933* fonde une sté de production de films (gros gains).

Parain, Brice [E] (1897-1971) : Sur la dialectique (1953), Joseph (1964), De fil en aiguille.

Passeur, Stève (Étienne Morin) [D] (1899-1966) : Je vivrai un grand amour (1939).

Paulhan, Jean ✱ [R, Cr, Es] (1884-1968) : le Guerrier appliqué (1915), les Fleurs de Tarbes (1941), Clef de la poésie (1946), La vie est pleine de choses redoutables.

Péguy, Charles [Pros, P] (1873-1914) : *Poésies :* Jeanne d'Arc, le Porche du mystère de la charité de Jeanne d'Arc (1910), le Porche du mystère de la deuxième vertu (1911), le Mystère des Saints Innocents (1912), la Tapisserie de Sainte Geneviève et de Jeanne d'Arc (1912), la Tapisserie de N.-Dame (1913), Ève. *Prose :* Notre Patrie (1905), Clio (1909-12), l'Argent. – *Biogr. :* fils d'artisans orléanais. Orphelin de père dès le berceau. Mère rempailleuse de chaises. *1894-97* École normale supérieure ; ne se présente pas à l'agrégation ; épouse (civilement) la sœur de son camarade au collège Sainte-Barbe, Marcel Baudoin, il a perdu la foi et devient socialiste, prend parti pour Dreyfus (1894-1906). *1898* investit la dot de sa femme dans une librairie socialiste. *1900* se brouille avec ses associés et fonde les *Cahiers de la quinzaine ;* père de 4 enfants, vit dans la pauvreté. *1905* anti-allemand après l'affaire de Tanger. *1908* retrouve la foi chrétienne, sans pouvoir la pratiquer (à cause de son mariage civil). *1914* lieutenant, tué à la Marne.

Peisson, Édouard [R] (1896-1963) : Hans le marin, le Voyage d'Edgar, le Sel de la mer.

Péladan, Joseph dit Joséphin ou le Sâr [R] (1859-1918) : le Vice suprême (1884), Curieuse, l'Androgyne (1891).

Péret, Benjamin [P] (1899-1963) : le Passager du transatlantique (1921), Feu central (1947).

Pergaud, Louis [R] (1882-1915) : De Goupil à Margot (G. 1910), la Guerre des boutons (1912).

Perochon, Ernest [R] (1885-1942) : Nêne (G. 1920).

Pesquidoux, Joseph Dubosc de ✱ [R] (1869-1946) : Chez nous, la Glèbe, le Livre de raison, la Harde.

Peyré, Joseph [R] (1892-1968) : l'Escadron blanc (1931), Sang et Lumières (G. 1935).

Philippe, Charles-Louis [R] (1874-1909) : Bubu de Montparnasse (1901), le Père Perdrix (1902), Marie Donadieu (1904).

Picabia, Francis [P] (1879-1953) : Cinquante-deux Miroirs, Pensées sans langage (1919), Unique Eunuque (1920).

Piéron, Henri [Ph, Psycho] (1881-1964).

Pierre-Dominique (Pierre Lucchini) [R, Es] (1891-1973).

Pierre L'Ermite (Mgr Edmond Loutil) [R] (1863-1959) : la Grande Amie, Comment j'ai tué mon enfant, la Femme aux yeux fermés.

Pillement, Georges [Chr] (1898-1984) : Paris inconnu (1965).

Poincaré, Henri ✱ [Math, Ph] (1854-1912) : la Valeur de la science (1905).

Ponchon, Raoul (Pouchon) [P] (1848-1937) : la Muse au cabaret (1920), la Muse gaillarde (1941), (il aurait écrit 150 000 vers).

Ponge, Francis [P] (1899-1988) : Douze Petits Écrits (1926), le Parti pris des choses (1942), le Grand Recueil (1961), le Savon (1967), la Table.

Ponsard, François ✱ [D] (1814-67) : Lucrèce (1843), Charlotte Corday (1850).

Ponson du Terrail, Pierre [R] (1829-71) : les Drames de Paris (1859-84), les Exploits de Rocambole (1859).

Porto-Riche, Georges de ✱ [D] (1849-1930) : Amoureuse (1891), les Malefilâtre (1904).

Poulaille, Henri [R] (1897-1980) : Ils étaient quatre (1925), le Pain quotidien (1930), les Damnés de la terre (1935), Pain de soldat, Un train fou.

Pourrat, Henri [E] (1887-1959) : Gaspard des montagnes (1922-31), Vent de mars (G. 1941), le Trésor des contes (1948-62), le Bestiaire.

Pozzi, Cath. [P] (1882-1934) : Agnès (1927), Journal (1987).

Pradines, Maurice [Ph] (1874-1958).

Prévost, Marcel ✱ [R] (1862-1941) : les Demi-Vierges (1894), les Vierges fortes (1900).

Prévost-Paradol, Lucien [E] (1829-70).

Proudhon, Pierre-Joseph [Éco, Pol] (1809-65) : Qu'est-ce que la propriété ? (1840).

Proust, Marcel [R] (1871-1922) : Jean Santeuil (écrit 1896, publ. 1952), Pastiches et Mélanges (1908), A la recherche du temps perdu (1913-27) [Du côté de chez Swann (1913), A l'ombre des jeunes filles en fleurs (G. 1919), le Côté de Guermantes (1922), Sodome et Gomorrhe (1922), la Prisonnière (1923), Albertine disparue (ou la Fugitive) (1925), le Temps retrouvé (1927)], Chroniques (1927), Contre Sainte-Beuve (publ. 1954). – *Biogr. :* père médecin (originaire d'Illiers, E.-et-L.) et mère israélite alsacienne. Enfance à Paris (Auteuil), fréquents séjours à Illiers. Crises d'asthme. *1890-92* Droit et Sciences pol. Renonce à toute carrière ; vit de ses revenus et mène la vie de salons. *1896* duel au pistolet avec le critique Jean Lorrain (qui a fait des allusions à son homosexualité). *1905* mort de sa mère. Vit isolé ; liaison avec son secrétaire, Alfred Agostinelli. *1914* mort accidentelle d'Agostinelli ; vit enfermé dans sa chambre, travaillant à ses romans malgré ses crises d'asthme ; ne sort que la nuit. *1919* Prix Goncourt. *1922* meurt de pneumonie.

Psichari, Ernest [E] (1883-1914), petit-fils de Renan, converti au catholicisme en 1912 : l'Appel des armes (1913), le Voyage du centurion (1914).

Pyat, Félix [J, Pol, D] (1810-89). *Théâtre :* Ango, Diogène, le Chiffonnier de Paris.

Quinet, Edgar [Pol] (1803-1875).

Rachilde, (Marguerite Vallette) ✱ [R] (1882-1953) : Monsieur Vénus, Déracinés.

Ramuz, Charles-Ferdinand. Voir Suisse, p. 318 a.

Ravaisson-Mollien, Félix [Ph] (1813-1900) : l'Habitude (1838).

Rebell, Hugues (Georges Grassal) [P, R] (1867-1905) : la Câlineuse, les Nuits chaudes du Cap français.

Régnier, Henri de ✱ [P, R] (1864-1936) : *Poésies :* la Double Maîtresse (1901), la Cité des eaux (1902), le Miroir des eaux (1906).

Renan, Ernest ✱ [E, Ph] (1823-92) : la Vie de Jésus (1863), la Réforme intellectuelle et morale (1871), l'Antéchrist (1873), l'Avenir de la science (1890).

Renard, Jules [Hum] (1864-1910) : l'Écornifleur, Poil de Carotte (1894), Journal (5 vol., posth. 1925).

Renouvier, Charles [Ph] (1815-1903) : les Derniers entretiens (5 vol., posth. 1925).

Renouvin, Pierre [H] (1893-1975).

Reverdy, Pierre [P] (1889-1960) : la Lucarne ovale (1916), le Gant de crin (1927), le Chant des morts (1948).

Révillon, Antoine, dit Tony [R] (1832-98) : la Bourgogne pervertie.

Ribot, Théodule [Ph] (1839-1916).

Richepin, Jean ✱ [P] (1849-1926) : la Chanson des gueux [1876 (500 F d'amende pour outrage aux bonnes mœurs)], le Chemineau.

Rictus, Jehan (Gabriel Randon de St-Amand) [P, Polé] (1867-1933) : les Soliloques du pauvre (1895), Fils de fer (1906, roman).

Rimbaud, Arthur [P] (1854-91) : Poésies (1869-73) dont le Bateau ivre (1871), Illuminations (1871), Une saison en enfer (1872). – *Biogr. :* fils d'une propriétaire terrienne ardennaise mariée à un officier. *1860* séparation de ses parents ; vit avec sa mère à Charleville. *1870* fugue à Paris, puis en Belgique. *1871* fugue à Paris. *1871-73* liaison homosexuelle avec Verlaine. *1872-73* fugue avec Verlaine en Belgique et en Angleterre (mai, rupture : Verlaine blesse Rimbaud d'un coup de revolver). *1874* Angleterre. *1875* Allemagne ; Italie (frappé d'insolation à Brindisi, est rapatrié par le consul de France). *1876* s'engage dans l'armée coloniale hollandaise, mais déserte dès qu'il a touché la prime. *1877* interprète de cirque en Scandinavie. *1878* vagabondage en Europe centrale et orientale. *1879* chef de chantier à Chypre ; rapatrié après maladie. *1880-91* (marchand d'armes et d'ivoire) en Afrique orientale. *1891* (mai) rapatrié (tumeur au genou). Amputé, meurt chrétiennement à l'hôpital de Marseille.

Riquet, Michel [Théo] (1898).

Rivière, Jacques [E] (1886-1925) : l'Allemand (1918), Aimée (1922), Correspondance avec Alain-Fournier (1926-28), Florence (inachevé).

Rochefort, Henri, Mis de [Polé] (1831-1913) : la Lanterne (*brochures,* 1868-70).

Rolland, Romain [E] (1866-1944) : Jean-Christophe (1903-12, F. 1905), Colas Breugnon (1918), Clérambault (1920), l'Ame enchantée (1922-33). – *Biogr. :* bourgeoisie protestante et rép. de Vézelay. *1880* études à Paris. *1886* École normale sup. *1889-91* École fr. de Rome. *1898* aux *Cahiers de la quinzaine,* de Charles Péguy. *1914* surpris par la guerre en Suisse (neutraliste). *1915* prix Nobel. *1922* fonde la revue *Europe. 1939* retiré à Vézelay.

Rollinat, Maurice [P] (1846-1903) : Dans les brandes (1877), les Névroses (1883).

Romains, Jules (Louis Farigoule ; son pseud. est dev. nom légal) 🌿 [R, D] (1885-1972) : *Romans :* les Copains, Psyché, les Hommes de bonne volonté (27 vol., 1932-47, notamment : Éros de Paris, Recherche d'une Église, Prélude à Verdun, Verdun, Cette grande lueur à l'est), Une femme singulière (3 vol., 1957). *Théâtre :* Amédée ou les Messieurs en rang, Knock (1923), Donogoo-Tonka. – *Biogr. :* fils d'instituteur d'origine auvergnate. Études à Paris. *1906* École normale sup. *1909* agrégé de philo ; prof. à Brest, Laon, Nice. *1919* quitte l'université, vit de sa plume. *1923* succès de *Knock* (conférences autour du monde). *1940-45* réfugié au Mexique et aux États-Unis. *1945* fixé à St-Avertin (I.-et-L.).

Romier, Lucien [Es] (1885-1944) : l'Homme nouveau (1928), Qui sera le maître, Europe ou Amérique ?

Rosny, J.H. (Joseph Henri Boex) : **Rosny** aîné (1856-1940) ; son frère Séraphin Justin : **Rosny** jeune (1859-1948) (nés en Belg.) [R] : les Xipéhuz, Vamireh (ensemble), la Guerre du feu (1911) (**Rosny** aîné), Sépulcres blanchis (1913) (**Rosny** jeune).

Rostand, Edmond 🌿 [D] (1868-1918) : les Romanesques (1894), la Princesse lointaine (1895), Cyrano de Bergerac (1897), l'Aiglon (1900), Chantecler (1910).

Rostand, Jean 🌿 [Bio] (1894-1977).

Rostand, Maurice [P] (1891-1968).

Roussel, Raymond [P, D] (1877-1933) : Impressions d'Afrique (1910), Locus Solus (1914).

Sainte-Beuve, Charles 🌿 [Cr, E] (1804-69) : Volupté (1834), Port-Royal (1840-67), Causeries du lundi (1851-75). – *Biogr. :* noblesse picarde, ayant abandonné la particule à la Révolution. Orphelin de père dès sa naissance. *1823* étudiant en médecine, adopte la philosophie matérialiste. *1825-33* fréquente les romantiques. *1832-36* liaison avec Adèle Hugo, femme de Victor. *1837-38* prof. de litt. fr. à Lausanne. *1840-48* conservateur de la Mazarine. *1848-49* prof. de litt. fr. à Liège. *1849,* critique au *Constitutionnel ;* puis au *Moniteur* (rallié à l'Empire). *1857-61* prof. à l'Éc. normale sup. *1865* sénateur.

Sainte-Soline, Claire (Nelly Fouillet) [R] (1891-1967) : Journée, Noémie Strauss.

Saint-Georges de Bouhélier (Stéphane-Georges de B., dit) [D] (1876-1947) : le Carnaval des enfants, Jeanne d'Arc.

Saint-John Perse (Alexis Saint-Léger Léger) [P] (1887-1975) : Éloges (1911), Anabase (1924), Exil (1942), Pluies, Neiges, Vents (1945), Amers (1957), Chant pour un équinoxe. – *Biogr. :* se faisait appeler Saint-Léger Léger, famille de planteurs guadeloupéens. Études à Pointe-à-Pitre, puis Bordeaux. *1914* aux Affaires étrangères. *1925-32* dir. de cabinet d'Aristide Briand. *1933-40* secr. gén. des Aff. étr. *1941* réfugié aux États-Unis, publie ses 1res poésies. *1941-46* bibliothécaire du Congrès à Washington. *1946* en France, se consacre à la littérature. [N. 1960.]

Saint-Pol Roux (Paul Roux) [P] (1861-1940) : les Reposoirs de la procession.

Salacrou, Armand [D] (1899-1989) : *Théâtre :* Une femme libre (1934), l'Inconnue d'Arras (1935), Un homme comme les autres (1936), la Terre est ronde (1938), Histoire de rêve (1939), les Fiancés du Havre (1944), l'Archipel Lenoir (1947), Boulevard Durand (1960), la Rue noire (1967), les Amours. *Mémoires :* Dans la salle des pas perdus (1974-76).

Salmon, André [P, R, Es] (1881-1969).

Samain, Albert [P] (1858-1900) : Au jardin de l'infante (1893), Aux flancs du vase (1898).

Sand, George (Aurore Dupin, B[onne] Dudevant) [R] (1804-76) : Indiana (1832), Lélia (1833), Mauprat (1836), Consuelo (8 vol., 1842-43), la Mare au diable (1846), François le Champi (1848), la Petite Fadette (1849), les Maîtres sonneurs (4 vol., 1853), Elle et Lui (1859). – *Biogr. :* fille d'officier ; orpheline de père à 4 ans. Élevée par sa grand-mère maternelle (fille naturelle du maréchal de Saxe), au château de Nohant (Indre). *1817-20* pensionnaire à Paris. *1822* mariée au baron Dudevant (séparée au bout de 2 ans). *1831* à Paris, avec son fils et sa fille, fréquente la bohème littéraire. *1832-34* liaison avec Jules Sandeau. *1834-35* avec Musset ; vit de ses droits d'auteur. *1837-47* avec Chopin (long séjour aux Baléares). *1848* se rallie à la Révolution, puis, effrayée par les massacres de juin, se réfugie à Nohant. *1849-76* « bonne dame de Nohant », vie patriarcale, en liaison quasi conjugale avec son intendant.

Sandeau, Jules 🌿 [R] (1811-83) : Mlle de La Seiglière (1848), la Roche aux mouettes (1871).

Sardou, Victorien 🌿 [D] (1831-1908) : la Tosca, Thermidor (1891), Madame Sans-Gêne (1893).

Sarment, Jean (Jean Bellemère) [D] (1897).

Saulcy, Félix de [Eru, H] (1807-79) : Voyage en Terre Sainte, Hist. d'Hérode, Hist. des Macchabées.

Schlumberger, Jean [E] (1877-1968) : Un homme heureux, Saint-Saturnin.

Scholl, Aurélien [Hum, J] (1833-1902).

Schwob, Marcel [E] (1867-1905) : Contes.

Sée, Henri [Ec] (1864-1936).

Ségalen, Victor [P] (1878-1919) : *Poèmes :* Stèles. *Romans :* les Immémoriaux, René Leys.

Seignobos, Charles [H] (1854-1942).

Sertillanges, le P. Antonin [Théo] (1863-1948).

Siegfried, André 🌿 [Ec] (1875-1959) : Géographie politique des cinq continents.

Simiand, François [Ec] (1873-1935).

Simone (Pauline Porché, née Benda) [R, D] (1877-1985) : Jours de colère.

Sorel, Georges [E, Pol] (1847-1922) : Réflexions sur la violence (1908).

Soupault, Philippe [P] (1897-1990) : Aquarium, Rose des vents, le Nègre.

Souriau, Étienne [Ph] (1892-1979).

Souvestre, Pierre [E] (1874-1914) avec Marcel **Allain** (1883-1964) : Fantômas (32 vol.).

Stern, Daniel (Marie de Flavigny, comtesse d'Agoult) [E] (1805-76) : Nélida (1846), Lettres républicaines (1848), Hist. de la révolution de 1848 (1851-53), Trois journées de la vie de Marie Stuart (1856). – *Biogr. :* tient un salon libéral sous le Second Empire. Liaison avec Liszt : 2 filles (Mme Émile Ollivier, Mme Richard Wagner).

Suarès, Isaac-Félix, dit André [E] (1868-1948) : Voyage du condottiere, Voici l'homme (1948).

Sue, Eugène [R] (1804-57) : Atar-Gul (1831), Plick et Plock (1831), la Salamandre (1832), la Cucaratcha (1832-34), la Vigie de Koaten (1833), les Mystères de Paris (1842-43), le Juif errant (1844-45).

Sully Prudhomme (Armand Prudhomme, dit) 🌿 [P] (1839-1907) : Solitudes, Vaines Tendresses [N. 1901].

Supervielle, Jules [P] (1884-1960) : Gravitations (1925), le Voleur d'enfants, la Fable du monde (1938), Oublieuse Mémoire (1949).

Tailhade, Laurent [Polé] (1854-1919) : le Jardin des rêves (1880), Poèmes aristophanesques (1904).

Taine, Hippolyte 🌿 [Ph, H] (1828-93) : Phil. de l'art (1865), De l'intelligence (1870), Origines de la France contemporaine (1875-93).

Teilhard de Chardin, R.P. Pierre [Ph, Sav] (1881-1955) : le Phénomène humain (1955), le Groupe zoologique humain (1956), le Milieu divin (1957), l'Avenir de l'homme (1959).

Tharaud, Jérôme (🌿 1938) (1874-1953) et Jean (🌿 1946) (1877-1952) [R] : Dingley l'illustre écrivain (G. 1906), la Maîtresse servante (1911), A l'ombre de la croix (1917).

Thérive, André (Roger Puthoste) [R, Cr] (1891-1967) : Noir et Or (1930).

Theuriet, André 🌿 [R] (1833-1907) : Mademoiselle Guignon (1874), Madame Heurteloup (1882).

Thibaudet, Albert [Cr] (1874-1936) : la République des professeurs (1927), Réflexions sur la littérature (1938).

Thyde-Monnier (Mathilde Monnier, dite) [R] (1887-1967) : les Desmichels (7 vol.), Moi (4 vol., 1957).

Tillier, Claude [R] (1801-44) : Mon oncle Benjamin (1841).

Tinayre, Marcelle [R] (1872-1948) : la Rebelle (1905).

Tocqueville, Alexis de 🌿 [H] (1805-59) : De la démocratie en Amérique (1835), l'Ancien Régime et la Révolution (1850). – *Biogr. :* ancienne noblesse de robe. *1827* magistrat à Versailles. *1830* en mission aux États-Unis. *1832* démissionne ; journaliste politique. *1840* député de la Manche (libéral). *1849* min. des Affaires étrangères. *1852* exilé après le coup d'État bonapartiste. *1854* revient en France, renonçant à la politique.

Toulet, Paul-Jean [R, P] (1867-1920) : Mon amie Nane (1905), Contrerimes (1921).

Triolet, (Elsa Kagan, puis Mme Louis Aragon) [R] (or. russe 1896-1970) : le Cheval blanc (1942), Le 1er accroc coûte 200 F (G. 1944), l'Age de nylon, Écoutez-voir, Le rossignol se tait à l'aube, le Monument.

Truc, Gonzague [Cr] (1877-1972).

Tzara, Tristan (Samuel Rosenstock) [P] (Roumain, 1896-1963) : l'Homme approximatif (1930), Terre sur terre (1946).

Valéry, Paul 🌿 [P, E] (1871-1945) : la Soirée avec M. Teste (1895), Album de vers anciens (1900), la Jeune Parque (1917), l'Ame et la Danse (1921), Charmes (le Cimetière marin) (1922), Eupalinos ou l'Architecte, Variétés (1924-44), Analecta (1928), l'Idée fixe (1932), Tel quel (1941-43), Mon Faust (1941), Cahiers (1957). – *Biogr. :* fils d'un douanier corse et d'une Italienne. Études à Montpellier. *1897* rédacteur au min. de la Guerre. Fréquente le salon de Mallarmé. *1900* secrétaire à l'Agence Havas. *1919-34* vit pauvrement, de conférences et d'articles. *1936* prof. de « poétique » au Collège de France. *1937* rédige les inscriptions du Palais de Chaillot. *1945* funérailles nationales : enseveli au « Cimetière marin » de Sète.

Vallery-Radot, Robert [P, R] (1886-1970) : Grains de Myrrhe, l'Homme de désir (1913). Entré à la Trappe en 1945.

Vallès, Jules [Polé] (1832-85) : Jacques Vingtras (l'Enfant 1879, le Bachelier 1881, l'Insurgé 1886).

Van der Meer De Walcheren, Pierre [E] (Pays-Bas, 1880) : Journal d'un converti (1921), Paradis blanc (1939), Rencontres (1961).

Vaudoyer, Jean-Louis 🌿 [E] (1883-1963).

Vautel, Clément (C. Vaulet) [E] (1876-1954).

Vercel, Roger (R. Cretin, son pseud. est devenu nom légal) [R] (1894-1957) : Jean Villemeur (1930), Capitaine Conan (G. 1934), Remorques (1935).

Verlaine, Paul [P] (1844-96) : Poèmes saturniens (1866), Fêtes galantes (1869), la Bonne Chanson (1870), Romances sans paroles (1874), Sagesse (1881), Jadis et Naguère (1884), Parallèlement (1889). *Prose :* les Poètes maudits (1884), Mémoires d'un veuf (1886), Mes hôpitaux (1891), Mes prisons (1893), Confessions (1895). – *Biogr. :* fils d'un capitaine ardennais, démissionnaire et vivant à Paris. Études à Paris (lycée Condorcet, Droit). *1863-66* fréquente les milieux littéraires. *1870* épouse Mathilde Mauté, qu'il chante dans la Bonne chanson (1870), garde national. *1871-73* liaison homosexuelle avec Rimbaud qu'il suit en Angleterre et en Belgique (Romance sans paroles, 1874). *1873-75* emprisonné à Mons pour avoir tiré sur Rimbaud lors de leur rupture, se convertit et écrit *Sagesse. 1874* sa femme obtient la séparation de corps. *1875-80* prof. en Angl., puis en France. Liaison avec un élève, Lucien Létinois. *1880-81* tentative de retour à la terre (avec Létinois † 1883). *1884* succès des *Poètes Maudits. 1885* 3 mois de prison à Vouziers (violences envers sa mère). Syphilitique, séjours à l'hôpital. Vit en marginal, jusqu'à sa mort, avec 2 maîtresses, Eugénie Krantz et Philomène Boudin. *1892* tournées en Hollande, Belgique, Angl. *1894* élu prince des poètes. *1896* meurt (misère, alcoolisme).

Verne, Jules [R] (1828-1905) : 5 Semaines en ballon (1863), Voyage au centre de la Terre (1864), De la Terre à la Lune (1865), les Enfants du capitaine Grant (1867-68), Vingt Mille Lieues sous les mers (1870), le Tour du monde en 80 jours (1873), l'Ile mystérieuse (1874), Michel Strogoff (1876), Un capitaine de 15 ans (1878), les 500 Millions de la Bégum (1879), Nord contre Sud (1887), l'Ile à hélice (1895). [En tout : 64 voyages extraordinaires, 31 romans conjecturaux, 20 pièces (adaptations des romans).] – *Biogr. :* fils d'un avoué nantais. *1848-51* doctorat en droit à Paris, fréquente les milieux littéraires. *1851-57* refuse le notariat ; auteur dramatique à Paris. *1857-63* marié ; courtier à la Bourse. *1863* contrat d'exclusivité avec l'éditeur Hetzel : gros droits d'auteur. *1864-71* vit surtout au Crotoy ; nombreuses croisières. *Après 1872* à Amiens ; renommée (auteur français le plus souvent traduit).

Vialar, Paul [R] (1898) : la Rose de la mer (F. 1939), la Grande Meute (1943), La mort est un commencement (8 vol., 1946-51), Chronique franç. du XXe s. (10 vol., 1955-61), la Croule, la Chasse de décembre (1979).

Vielé-Griffin, Francis [P] (U.S.A., 1864-1937) : Feuille d'avril (1886), les Cygnes (1887), Joies (1889).

Vildrac (Charles Messager) [D, P] (1882-1971) : le Paquebot Tenacity (1920), la Brouille.

Villiers de L'Isle-Adam, Auguste [P, R] (1838-89) : Axel (1872), Contes cruels (1883), l'Ève future (1886), les Nouveaux Contes cruels (1888), Tribulat Bonhomet. – *Biogr.* : ancienne noblesse bretonne, appauvrie par la Révolution. *1855* déception sentimentale. *1857* sa famille vient avec lui à Paris, pour lui ouvrir une carrière littéraire. *1859* ruiné, retourne en Bretagne. *1863* revendique le trône de Grèce, en vertu de sa prétendue parenté avec les L'Isle-Adam. *1867* rédacteur en chef de la *Revue des Lettres et des Arts. 1876* liaison avec une servante (qu'il épousera sur son lit de mort). *1883-89* vit d'aides, notamment de Mallarmé et d'Huysmans.

Vitrac, Roger [P, D] (1899-1952) : Victor ou les Enfants au pouvoir (1928), le Loup-garou (1939).

Vivien, Renée (Pauline Tarn, dite) [P, E] (1877-1909) : Cendres et Poussières, Évocations.

Vogüé, Eugène Melchior, Vte de ✝ [E] (1848-1910) : le Roman russe (1886), Jean d'Agrève.

Wahl, Jean [Ph, P] (1888-1974).

Wallon, Henri [Ph] (1879-1962).

Weiss, Louise [R] (1893-1983) : la Marseillaise, Sabine Legrand, Mémoires d'une Européenne.

Wurmser, André [J] (1899-1984) : l'Enfant enchaîné, la Comédie inhumaine, Une fille trouvée.

Zévaco, Michel [R] (1860-1918) : le Pont des soupirs (1901), Borgia (1906), le Capitan (1907), les Pardaillan (1907), Triboulet (1910), la Cour des Miracles (1910), Buridan (1911).

Zimmer, Bernard [D] (1893-1964).

Zola, Émile [R] (1840-1902) : Thérèse Raquin (1867), les Rougon-Macquart (1871-93) [20 vol. : la Fortune des Rougon (1871), la Curée (1871), le Ventre de Paris (1873), la Conquête de Plassans (1874), la Faute de l'abbé Mouret (1875), Son Excellence Eugène Rougon (1876), l'Assommoir (1877), Une page d'amour (1878), Nana (1880), Pot-Bouille (1882), Au bonheur des dames (1883), la Joie de vivre (1884), Germinal (1885), l'Œuvre (1886), la Terre (1887), le Rêve (1888), la Bête humaine (1890), l'Argent (1891), la Débâcle (1892), le Docteur Pascal (1893)], les Trois Villes (3 vol., 1894-98), les Quatre Évangiles (3 vol., 1899-1903, inachevé). – *Biogr.* : fils d'un ingénieur italien, travaillant à Aix-en-Prov. Orphelin de père à 7 ans. Études au collège d'Aix. *1868* vient à Paris avec sa mère (très pauvre). Échoue au bac. *1862* employé chez Hachette ; naturalisé français. *1871-76* succès avec 6 romans. *1877-80* réunit ses disciples dans sa villa de Médan (groupe des naturalistes ou Soirées de Médan). *1888* prend une maîtresse (Jeanne Rozerot, 20 ans) pour procréer (à la mort de Zola, sa femme adoptera les enfants de Jeanne). *1897* prend parti pour Dreyfus. *1898* condamné à 1 an de prison pour son article *J'accuse* (le titre est de Clemenceau), s'enfuit en Angleterre. *1902* meurt asphyxié par son feu de cheminée. *1908* inhumé au Panthéon.

Nés après 1900

Aba, Noureddine [P, D] (1921).

Abellio, Raymond (Georges Soulès) [R, Es] (1907-86) : Heureux les pacifiques, Les yeux d'Ézéchiel sont ouverts, la Fosse de Babel, Assomption de l'Europe, Ma dernière mémoire [I. Un faubourg de Toulouse (1972) ; II. les Militants (1975)], Sol invidus, Visages immobiles.

Abirached, Robert [Cr, Es, R] (1930) : Casanova ou la dissipation (1961), l'Émerveillée, Tu connais la musique (1971), la Crise du personnage dans le théâtre moderne (1977), l'Amour dans l'âme (1979).

Absire, Alain [R] (1950) : Lazare ou le grand sommeil, l'Égal de Dieu (F. 1987).

Adamov, Arthur (M. Adamian) [D] (or. russo-arménienne, en France à 16 ans, 1908-70) : l'Invasion (1950), Ping-pong (1955), Paolo Paoli (1957), Printemps 71 (1961), Offlimits (1969).

Ajar, Émile (Paul Pavlowitch, 1949). Voir **Gary.**

Albérès, René-Marill [Es, R] (1921-1982) : la Révolte des écrivains d'aujourd'hui, l'Aventure intellectuelle du XXe siècle, Velléda, le Livre du silence.

Allais, Maurice [Ec] (1911) : A la recherche d'une discipline économique (1943), Économie et intérêt (1947), Théorie générale des surplus (1981).

Alleg, Henri [Es, J] (1921) : la Question (1958), la Guerre d'Algérie, Croissant vert et Étoile rouge.

Almira, Jacques [R] (1950) : le Voyage à Naucratis (M. 1975), le Bal de la guerre.

Alquié, Ferdinand [Ph] (1906-85).

Althusser, Louis [Ph] (1918-90) : Pour Marx (1965).

Alyn, Marc (Fécherolle) [Cr, P] (1937) : le Chemin a la parole (1954), Demain l'amour.

Amade, Louis [P] (1915).

Amadou, Jean [Hum] (1929).

Amadou, Robert [Es] (1924).

Ambrière, Francis (Charles Letellier) [Cr, R] (1907) : les Grandes Vacances (1940).

Amette, Jacques-Pierre [Cr, R] (1943).

Amouroux, Henri [J, E] (1920) : Une fille de Tel-Aviv, la Vie des Français sous l'Occupation (1961), la Grande Histoire des Français sous l'Occupation [I. le Peuple du désastre (1976), II. Quarante millions de pétainistes, III. les Beaux Jours des collabos, IV. le Peuple réveillé, V. les Passions et les haines, VI. l'Impitoyable Guerre civile, VII. Un printemps de mort et d'espoir, VIII. Joies et douleurs du peuple libéré], Monsieur Barre (1986).

André, Robert [R, Es] (1921) : Un combat opiniâtre (1961), le Regard de l'Égyptienne (1965), l'Enfant miroir (1978).

Andreu, Pierre [Es] (1909).

Anouilh, Jean [D] (1910-87) : *Théâtre :* 8 recueils (1942-1960) : *Pièces noires* (1942) : l'Hermine (1932), le Voyageur sans bagage (1937), la Sauvage (1938) ; *P. roses* (1942) : le Bal des voleurs (1938), le Rendez-vous de Senlis (1942) ; *P. brillantes* (1951) : l'Invitation au château (1947), la Répétition ou l'Amour puni (1950) ; *P. grinçantes* (1956) : la Valse des toréadors (1952), Ornifle ou le Courant d'air (1955), Pauvre Bitos ou le Dîner de têtes (1956) ; *Nouvelles P. noires* (1958) : Antigone (1944), Roméo et Jeannette (1947), Médée (1953) ; *P. costumées* (1960) : l'Alouette (1953), Becket ou l'Honneur de Dieu (1959), la Foire d'empoigne (1960) ; *Nouvelles P. grinçantes* (1970) : l'Hurluberlu (1959), la Grotte (1961), l'Orchestre (1962), le Boulanger, la Boulangère et le Petit Mitron (1968), les Poissons rouges (1970) ; *P. baroques* (1974) : Cher Antoine (1969), Ne réveillez pas Madame (1970), le Directeur de l'Opéra (1971) ; *Hors recueil:* Chers Zoiseaux (1976), Vive Henri IV (1977), la Culotte (1978), le Nombril (1981). *En collab. avec Robert Piétri* : le Scénario (1976). *Autobiogr.* : la Vicomtesse d'Éristal n'a pas reçu son balai mécanique (1987). – *Biogr.* : fils d'un tailleur bordelais. *1928* dans la publicité à Paris. *1930* secr. de Jouvet, à l'Athénée ; écrit. *1937* succès du *Voyageur sans bagage* (Pitoëff). *1965* metteur en scène.

Antier, Jean-Jacques [H, R] (1928).

Arban, Dominique [E] (n.c.) : Je me retournerai souvent.

Arcangues, Guy d' [J, P, R] (1924).

Ariès, Philippe [H] (1914-84) : Hist. des populations françaises et de leurs attitudes devant la vie depuis le début du XVIIIe s. (1948), Temps de l'histoire (1954), l'Homme devant la mort (1977).

Armand, Louis ✝ [Es] (1905-71).

Arnaud, Georges (Henri Girard) [R] (1918-87) : le Salaire de la peur (1949), le Voyage du mauvais larron, la Plus Grande Pente.

Arnothy, Christine (Mme Cl. Bellanger) [R, D] (Budapest, 1930) : *Romans :* J'ai 15 ans et je ne veux pas mourir, le Cardinal prisonnier, Toutes les chances plus une (I. 1980), Un paradis sur mesure, l'Ami de la famille, les Trouble-fête, Vent africain (1989), Une affaire d'héritage (1991). *Théâtre :* la Peau de singe (1961).

Aron, Jean-Paul [Ph, H] (1925-88).

Aron, Raymond [Es] (1905-83) : Introduction à la philosophie de l'Histoire (1938), l'Homme contre les tyrans (1944), le Grand Schisme (1948), l'Opium des intellectuels (1955), Dimensions de la conscience historique (1960), Paix et Guerre entre les nations (1962), la Lutte des classes (1964), Penser la guerre (1976), Plaidoyer pour l'Europe décadente (1977), la Nouvelle Censure, le Spectateur engagé (1981), Mémoires (1983), Leçons sur l'histoire (1989).

Arrabal, Fernando [D, P, R] (Esp., 1932). *Romans :* Baal Babylone (1959), la Vierge rouge (1986), la Fille de King-Kong (1988). *Théâtre :* Pique-nique en campagne (1959), le Tricycle (1961), le Grand Cérémonial, le Couronnement (1965), l'Architecte et l'Empereur d'Assyrie, le Jardin des délices (1969), Bella Ciao (1972), Sur le fil (1975), la Tour de Babel (1976), Théâtre Bouffe (1978).

Arsan, Emmanuelle [R] (1938) : la Leçon d'homme (1973), l'Anti-Vierge (1974), les Enfants d'Emmanuelle (1976).

Assouline, Pierre [J] (1953), Jean Jardin, Gaston Gallimard, Marcel Dassault, Kahnweiler : l'Homme de l'art, Albert Londres.

Auclair, Georges [R] (1920).

Audisio, Gabriel [P, Pros] (1900-78) : *Poésies :* l'Homme au soleil (1923), Ici-bas (1927). *Essais :* Misères de notre poésie (1943), Ulysse ou l'Intelligence (1945). *Romans :* les Augures (1932), les Compagnons de l'Ergador (1940).

Audouard, Yvan [Hum] (1914) : A Catherine pour la vie (1953), Brune hors série, les Secrets de leur réussite (1969), Lettre ouverte aux cons (1974).

Audry, Colette [R] (1906) : Derrière la baignoire (M. 1962), Léon Blum, ou la politique du juste (1970), l'Autre planète (1972), l'Héritage (1984).

Aury, Dominique (Anne Desclos) [Cr] (1907).

Autin, Jean [H] (1921-91).

Aveline, Claude (Eugen Avtsine) [E, P, R] (1901) : la Vie de Philippe Denis, l'Œil de chat.

Avril, Nicole [R] (1939) : les Gens de Misar, les Remparts d'Adrien, le Jardin des absents, la Disgrâce, Mon père, mon amour, Sur la peau du diable, Dans les jardins de mon père (1989).

Aymé, Marcel [D, R] (1902-67) : la Table aux crevés (Ren. 1929), la Jument verte (1933), Travelingue (1941), le Passe-Muraille (1950), la Vouivre (1952), Contes du chat perché (3 v., 1954-58). *Théâtre :* Clérambard (1950), la Tête des autres (1952).

Azéma, Jean-Pierre [H] (1937).

Badinter, Élisabeth [Ph] (1944).

Balandier, Georges [Soc] (1920).

Bancquart, Marie-Claire [P] (1932).

Barbier, Élisabeth [R] (1920) : les Gens de Mogador (1947-61), Mon père, ce héros (1958), Serres paradis (1968), Ni le jour ni l'heure (1969).

Bardèche, Maurice [Es, J] (1909) : Balzac, Stendhal, Marcel Proust, Histoire du cinéma (1935), Histoire des femmes (1968), Céline (1986).

Barillet, Pierre (1923) et **Grédy,** Jean-Pierre (1920) [D] : le Don d'Adèle, la Plume (1956), Au revoir Charlie (1964), Quarante Carats, Folle Amanda (1971), le Préféré (1978), Potiche (1980).

Barjavel, René [J, R] (1911-85) : Ravage (1943), Tarendol (1944), la Nuit des temps (1968), les Chemins de Katmandou (1969), le Grand Secret, les Dames à la licorne (1974), la Charrette bleue (1980), la Tempête (1982), l'Enchanteur.

Barthes, Roland [Es] (1915-80) : le Degré zéro de l'écriture (1953), Mythologies, Sur Racine, Critique et Vérité (1966), S/Z (essai sur la Sarrazine de Balzac, 1970), Sade, Fourier, Loyola (1971), Fragments d'un discours amoureux (1977), le Grain de la voix (1981), Incidents (1986).

Bartillat, Christian de [R] (1930) : Christophe ou la Traversée, Flash-back, les Flammes de la Saint-Jean (1982), Clara Malraux (1986).

Basile, Jean (Jean-Basile Bezroudnoff) [J] (Canadien, 1932).

Bastide, François-Régis [Cr, D, R] (1926) : la Première Personne (1949), Saint-Simon par lui-même, les Adieux (F. 1956), Flora d'Amsterdam, Zodiaque, la Palmeraie, la Forêt noire, la Fantaisie du voyageur, l'Enchanteur et nous.

Bataille, Michel [R] (1926) : l'Arbre de Noël, Une colère blanche, le Cri dans le mur, les Jours meilleurs, Soleil secret.

Baudrillard, Jean [Pol] (1929) : les Allemands (1963), le Système des objets (1968), Pour une critique de l'économie politique et du signe (1972), le Miroir de la production, la Société de consommation (1974), l'Archange symbolique et la mort (1976).

Bazin, Hervé (J.P. Hervé-Bazin) [R] (1911) : Vipère au poing (1948), la Mort du petit cheval, Lève-toi et marche, l'Huile sur le feu, Qui j'ose aimer, Au nom du Fils, le Matrimoine, les Bienheureux de la Désolation, Cri de la chouette, Madame Ex (1975), Un feu dévore un autre feu (1978), Abécédaire, l'Église verte, le Démon de minuit (1988).

Béalu, Marcel [P] (1908) : l'Araignée d'eau (1948), Enfance et Apprentissage (1980), Porte ouverte sur la rue (1981), l'Expérience de la nuit.

Béarn, Pierre (Louis Besnard) [R, P] (1902) : Dialogues de mon amour, Passantes. *Revue :* « la Passerelle » (qu'il écrit seul).

Beauvoir, Simone de [E] (1908-86) : l'Invitée (1943), le Deuxième Sexe (1949), les Mandarins (G. 1954), Mémoires d'une jeune fille rangée (1958), la Force des choses (1963), Une mort très douce (1964), les Belles Images (1966), la Femme rompue (1967), la Vieillesse (1970), Tout compte fait (1972), Primauté du spirituel (1979), la Cérémonie des adieux (1981). – *Biogr.* : fille d'un avocat parisien. *1929* agrégée de philo ; compagne de Jean-Paul Sartre. *1931-43* prof. de philo. *1943* quitte l'enseignement après le succès de *l'Invitée. 1970-71* directrice des revues *l'Idiot international* et *l'Idiot liberté. 1974* Pte de la Ligue du droit des femmes.

Becker, Lucien [P] (1911).

Beckett, Samuel [D, R] (Irl., 1906-89) : *Romans :* Murphy (1938), Watt (1944), Molloy (1951), Malone meurt (1952), Comment c'est (1961), Soubresauts (1989). *Théâtre :* En attendant Godot (1952), Fin de partie (1957), la Dernière Bande (1958), Oh ! les beaux jours (1965), Mal vu, mal dit. *Essai :* Proust (1931). – *Biogr.* : fils d'un métreur irlandais ; études à Dublin. *1926* 1er séjour en France. *1928-30* lecteur d'anglais à Normale Sup. *1930-32* assistant de français à Dublin. *1933-37* vit pauvrement à Londres.

1937 à Paris (homme de lettres). *1942-45* réfugié à Roussillon (Vaucluse). *1945-52* à Paris (trad. d'anglais). *1952* succès de *Godot ;* vie retirée. *1969* Nobel.

Bédarida, François [H] (1926).

Beer, Jean [D, Es] (1911).

Belaval, Yvon [Ph] (1908-88).

Bellettot, René [R] (n.c.) : le Revenant, l'Enfer, la Machine (1990).

Bénézet, Mathieu [Es, P] (1946).

Bénichou, Paul [Es] : les Mages romantiques (1988).

Ben Jelloun, Tahar [P, R, Es] (Maroc, 1944) : Cicatrices du soleil (1972), Harrouda, la Révolution solitaire, Moha le fou Moha le sage, l'Enfant de sable (1985), la Nuit sacrée (G. 1987), Jour de silence à Tanger (1989), les Yeux baissés (1991).

Benoist, Alain de [Es] (1943) : Anthologie critique des idées contemporaines (1977), Vu de droite.

Benoist, Jean-Marie [Pol] (1942-90) : Marx est mort (1970), Tyrannie du Logos, la Révolution structurale (1975), Pavane pour une Europe défunte, les Nouveaux Primaires, Dans l'œil du dragon, Un singulier programme, le Devoir d'opposition (1982), les Outils de la liberté (1986).

Benoist-Méchin, Jacques [H] (1901-83) : Histoire de l'armée allemande, 60 jours qui ébranlèrent l'Occident, Fayçal d'Arabie, Alexandre le Grand, Frédéric de Hohenstaufen.

Benoziglio, Jean-Luc [R] (1941) : Tableaux d'une ex (1989).

Benzoni, Juliette [R] (1920) : les Reines tragiques (1962), Belle Catherine, Jean de la nuit (1985).

Berger, Yves [R] (1934) : Sud (F. 1962), le Fou d'Amérique, les Matins du nouveau monde, la Pierre et le Saguaro.

Bergounioux, Pierre [R] : Catherine (1983), la Bête faramineuse (1986), la Maison rose (1988).

Bérimont, Luc (André Leclercq) [P, R] (1915-83) : *Poésies :* l'Herbe à tonnerre, les Accrus. *Roman :* le Bois Castiau.

Bernard, Jean [Méd] (1907) : De la biologie à l'éthique (1990).

Bernard, Marc [R] (1900-83) : Zig-zag (1927), Anny (1934), les Marionnettes (1977).

Bernard, Michel [R] (1934) : la Plage, la Négresse muette, la Jeune Sorcière, Une amoureuse, le Cœur du paysage.

Bernardi, Gil [R, J] (1952) : Ormuz.

Berstein, Serge [H] (1934).

Bertin, Célia [H] (1921) : Mayerling, la Dernière Bonaparte, la Dernière innocence (Ren. 1953).

Besançon, Alain [H] (1932) : une Génération (1987).

Besson, Patrick [R] (1956) : Dara (1985), les Petits Maux d'amour, Lettres à un ami perdu, la Statue du commandeur (1988), la Paresseuse (1990).

Bésus, Roger [R] (1915) : Cet homme qui vous aimait, Paris le monde, la Couleur du gris, le Maître, Pourquoi pas ?

Beuve-Méry, Hubert (pseud. : Sirius) [J] (1902-89) : le Suicide de la IVe République (1958).

Billetdoux, François [R, D] (1927) : l'Animal, Tchin-Tchin (1959), Va donc chez Törpe (1961), Il faut passer par les nuages (1964), Rintru pa trou tar, hin ! (1971), la Nostalgie, camarade (1974).

Billetdoux, Raphaëlle [R] (1951) : Prends garde à la douceur des choses (I. 1976), Mes nuits sont plus belles que vos jours (Ren. 1985).

Blanchot, Maurice [E] (1907) : Aminadab, le Très-Haut, Thomas l'Obscur (1950), le Dernier Homme, l'Espace littéraire (1955).

Blancpain, Marc (Bénoni) [R] (1909) : le Solitaire, Arthur et la Planète, Ces demoiselles de Flanfolie, La femme d'Arnaud vient de mourir, l'Estaminet des cœurs sensibles, la Saga des amants séparés, le Sentier de la douane, Monsieur le Prince.

Blanzat, Jean [R] (1906-77) : Septembre, l'Orage du matin (1942), le Faussaire (F. 1964).

Blier, Bertrand [R] (1939) : les Valseuses (1972), Beau-Père (1981).

Blond, Georges [J, H] (1906-89) : le Survivant du Pacifique, Verdun (1961), la Marne (1962), Pétain, Rien n'a pu les abattre, la Grande Armée (1979), l'Invincible Armada (1988).

Blondin, Antoine [R] (1922-91) : les Enfants du Bon Dieu (1952), l'Europe buissonnière (1953), l'Humeur vagabonde (1955), Un singe en hiver (I. 1959), Monsieur Jadis ou l'École du soir (1970), Quat'Saisons (1975), Certificats d'études (1977), Sur le tour de France (1979), le P.C. des maréchaux.

Bluche, François [H] (1925) : Louis XIV.

Bodard, Lucien [J, R] (1914) : la Guerre d'Indochine (5 vol., 1963-69), la Chine de Tseu-Hi à Mao, M. le consul (I. 1973), le Fils du consul (1975), la Vallée des roses (1977), la Duchesse (1979), Anne-Marie (G. 1981), la Chasse à l'ours (1985), les Grandes murailles (1987).

Boisdeffre, Pierre de [Cr, R] (1924) : les Fins dernières, Une histoire vivante de la littérature d'aujourd'hui, Anthologie vivante de la litt. d'auj., les Écrivains de la nuit. *Romans :* l'Amour et l'Ennui (1959). *Nouvelles :* les Nuits (1980). *Essais :* l'Ile aux livres, De Gaulle malgré lui, Gœthe m'a dit.

Bon, François [R] (n.c.) : Calvaire de chiens, la Folie Rabelais (1990).

Bonheur, Gaston (Tesseyre) [J, R] (1913-80) : Qui a cassé le vase de Soissons ? (1964), la République nous appelle, la Croix de ma mère, le Soleil oblique.

Bonnefoy, Yves [Cr, Es, P] (1923) : Hier régnant désert, Pierre écrite, la Seconde Simplicité (1961), l'Obstacle, le Nuage rouge, Rue Traversière (1977).

Bordes, Gilbert [J, R] (1948) : l'Angélus de minuit (1989), le Roi en son moulin (1990).

Bordier, Roger [Cr d'a, R] (1923) : les Blés (Ren. 1961), le Tour de ville, les Éventails, l'Océan, Meeting, l'Objet contre l'art, les Temps heureux (1984).

Bordonove, Georges [H, R] (1920) : la Caste (1952), Chien de feu, les Atlantes, les Rois qui ont fait la France.

Borel, Jacques [Cr, R] (1925) : l'Adoration (G. 1965), le Retour, la Dépossession, la Fuite au cœur.

Borne, Alain [P] (1915-63) : Cicatrices, Orties, La nuit me parle de toi.

Bory, Jean-Louis [R, Cr] (1919-79 suicidé) : Mon village à l'heure allemande (G. 1945), Chère Aglaé, la Sourde Oreille, Usé par la mer (1959), l'Odeur de l'herbe, Eugène Sue, Des yeux pour voir, Ma moitié d'orange, Tous nés d'une femme, le Pied, les Cinq Girouettes, Tout feu, tout flamme, Cambacérès, Ma moitié d'orange.

Bosquet, Alain (Anatole Bisk) [P, R, Es] (1919). *Poésie :* Premier Testament (1957), Maître objet, Verbe et Vertige. *Romans :* la Confession mexicaine (I. 1965), les Tigres de papier, l'Amour à deux têtes, les Bonnes Intentions, Une mère russe, Ni Guerre ni Paix, l'Enfant que tu étais, les Fêtes cruelles, Lettre à mon père qui aurait eu 100 ans, Colette comme les autres (1991).

Bost, Pierre [R, D] (1901-75) : le Scandale, Monsieur Ladmiral va bientôt mourir.

Bott, François [J] (1935) : la Femme insoupçonnée.

Bouchet, André du [P] (1925) : Dans la chaleur vacante (1962).

Boudard, Alphonse [R] (1925) : la Métamorphose des cloportes (1962), la Cerise (1963), l'Hôpital, Cinoche, les Combattants du petit bonheur (Ren. 1977), le Corbillard de Jules, le Banquet des léopards, le Café du pauvre, la Fermeture, l'Éducation d'Alphonse (1987). *Nouvelles :* Enfants de chœur (1982).

Boudjedra, Rachid (Algérie) [R] (1941) : la Répudiation (1969), l'Insolation, le Démantèlement.

Boulanger, Daniel [D, P, R] (1922) : l'Ombre, les Noces du merle, la Nacelle, Fouette, cocher ! (G, 1974), l'Été des femmes, A la belle étoile, Jules Bouc, Mes coquins, la Confession d'Omer.

Boulle, Pierre [E] (1912) : le Pont de la rivière Kwaï (1952), $E = MC^2$ (1957), la Planète des singes, Histoires charitables, Quia absurdum, les Oreilles de jungle, les Vertus de l'enfer, la Baleine des Malouines, le Professeur Mortimer, le Malheur des uns.

Bouraoui, Hedi (Tunisien) [E] (1932).

Bourbon-Busset, Jacques, Cte de ⸙ [R, Es] (1912) : *Romans :* le Silence et la Joie (1957), les Aveux infidèles (1968), le Berger des nuages (1983). *Essais :* Moi César, Le lion bat la campagne, Lettre à Laurence (1986). *Journal :* 10 vol. (1966-85).

Bourdet, Claude [J] (1909).

Bourdieu, Pierre [Soc] (1930) : la Distinction (1979), l'Ontologie de Martin Heidegger (1988).

Bourin, André [Cr, Es] (1918) : Dict. de la litt. franç.

Bourin, Jeanne [R] (1922) : Le bonheur est une femme (1963), Très Sage Héloïse (1966), la Dame de beauté (1970), la Chambre des dames (1979), le Jeu de la tentation (1981), le Grand Feu (1985), les Amours blessées (1987), les Pérégines (1989).

Bourniquel, Camille [R] (1918) : le Lac, Sélinonte ou la Chambre impériale (M. 1970), l'Enfant dans la cité des ombres (1973), la Constellation des lévriers, Tempo, l'Empire Sarkis (1981), le Dieu crétois (1982), le Jugement dernier.

Boutang, Pierre [Polé, Es] (1916) : la Politique, les Abeilles de Delphes, Apocalypse du désir, Maurras, la destinée et l'œuvre (1984).

Bouvard, Philippe [J, E] (1929) : Carnets mondains, Un oursin dans le caviar (1973), la Cuisse de Jupiter (1974), « Impair et passe », Du vinaigre sur les huiles, Et si je disais tout, Tous des hypocrites sauf vous et moi, Un oursin chez les crabes (1981), les Fous rires des grosses têtes, Contribuables, mes frères.

Brasillach, Robert [E, R] (1909-45) : l'Enfant de la nuit (1934), Comme le temps passe (1937), les Sept Couleurs (1937), Notre avant-guerre (1941), la Conquérante (1943), les Quatre Jeudis (1944), Écrit à Fresnes (*poèmes,* 1944), les Captifs, la Reine de Césarée *(théâtre)* (monté en 1957). – *Biogr. :* fils d'un officier tué au Maroc en 1914. Élevé par sa mère à Paris. *1928* École normale sup. *1930* critique à l'*Action Française. 1937-43* rédacteur en chef de *Je suis partout* (extrême droite, ralliée aux nazis en 1940). *1944* condamné à mort ; *1945* De Gaulle refuse sa grâce ; fusillé.

Braudel, Fernand ⸙ [Ec, H] (1902-1985) : la Méditerranée et le Monde méditerranéen à l'époque de Philippe II (1949), Civilisation matérielle, Économie et Capitalisme XVe-XVIIIe s. (3 vol., 1967-79), Écrits sur l'histoire (1969), Hist. écon. et sociale de la France de 1450 à 1980 (avec E. Labrousse, 4 vol., 1980), la Dynamique du capitalisme (1985), l'Identité de la France (1986), le Modèle italien (1989).

Bredin, Jean-Denis ⸙ [E] (1929) : Joseph Caillaux (1980), l'Affaire, l'Absence, la Tâche, Sieyes (1988).

Brenner, Jacques (J. Meynard) [R] (1922) : les Petites Filles de Courbelles (1955), Journal de la vie littéraire, Une femme d'aujourd'hui (1966), Une humeur de chien (1985).

Bretagne, Christian [J, R] (1928-84) : les Enfants de la patrie (1981).

Breton, Guy [Chr] (1919) : Histoires d'amour de l'histoire de France.

Brincourt, André [J, R] (1920).

Brochier, Jean-Jacques [R] (1937) : l'Hallali.

Bruce, Jean (J. Brochet) [R] (1921-63), à partir de 1963, Josette Bruce (J. Przybyl) : série O.S.S. 117.

Brulé, Claude [D] (1925) : les Grosses Têtes (1969), l'Homme qui dérange (1985), le Plaisir de dire non.

Burdeau, Georges [Ph] (1905-88).

Butor, Michel [Cr, R] (1926) : *Romans :* l'Emploi du temps (1956), la Modification (Ren. 1957), Degrés, Mobile, Portrait de l'artiste en jeune singe (1967), Boomerang (1978), le Quadruple Fond. *Essais :* Répertoire I (1960), II (1964), III (1968), IV (1974), Essai sur les essais (1968).

Cabanis, José ⸙ [R] (1922) : l'Âge ingrat (1952), le Bonheur du jour, les Cartes du temps (1962), la Bataille de Toulouse (Ren. 1966), les Profondes Années (1976), le Crime de Torcy (1990).

Cadou, René-Guy [P] (1920-51) : la Vie rêvée (1944), Pleine Poitrine (1946), Hélène ou le Règne végétal (posth. 1952).

Caillois, Roger ⸙ [Es] (1913-78) : le Mythe et l'Homme (1938), l'Homme et le Sacré (1939), les Jeux et les Hommes (1958), Ponce Pilate, Pierres (1966), la Pieuvre, la Dissymétrie (1973), Approches de l'imaginaire, Rencontres, le Fleuve Alphée (1978).

Calaferte, Louis [R] (1925) : Requiem des innocents, No man's land, Rosa mystica, Portrait de l'enfant, le Chemin de Sion, Londoniennes (1985), Promenade dans un parc, Septentrion (1987), Haïkaï du jardin (1991).

Calet, Henri [Hum] (1903-56) : la Belle Lurette, les Murs de Fresnes.

Camoletti, Marc [D] (1923) : Boeing-Boeing (1961), Secretissimo (1965), Duo sur canapé, Happy Birthday (1976), le Bluffeur (1985).

Camus, Albert [Ph, E, D] (1913-60 accident de voiture) : *Théâtre :* le Malentendu (1945), Caligula (1945), l'État de siège (1948), les Justes (1949). *Essais :* Noces (1938), le Mythe de Sisyphe (1942), Actuelles (3 vol., 1950-58), l'Homme révolté (1951), l'Été (1954). *Romans :* l'Étranger (1942), la Peste (1947), la Chute (1956), la Mort heureuse (1971). *Nouvelles :* l'Exil et le Royaume (1957). – *Biogr. :* fils d'un ouvrier français d'Algérie, tué en 1914. Élevé par sa mère. *1932* 1 an de sana. *1933-37* acteur et directeur de troupe à Alger. *1937-39* journaliste à Paris. *1940-43* en zone libre. *1943-44* lecteur chez Gallimard, à Paris. *1945* journaliste à *Combat. 1947* succès de *la Peste. 1948* polémique avec Sartre sur l'engagement avec le communisme. *1957* Nobel.

Caratini, Roger [Ency] (1924) : Encyclopédie Bordas, Philosophie.

Cardinal, Marie [R] (1920) : Écoutez la mer (1962), la Clef sur la porte, les Mots pour le dire, Une vie pour deux, le Passé empiété, la Philosophie, les Grands Désordres, Comme si de rien était (1990).

Carré, Ambroise-Marie [Théo] (1908).

Carrère, Emmanuel [R] (1957) : Hors d'atteinte (1988).

Carrère d'Encausse, Hélène ⸙ [E] (1929) : l'Empire éclaté (1979), le Grand Frère (1983), Ni paix, ni guerre (1986), le Malheur russe (1988), la Gloire des nations (1990).

Carrière, Jean [R, Cr] (1932) : Retour à Uzès (1967), l'Épervier de Maheux (G. 1972), la Caverne des pestiférés [I. Lazare (1978) ; II. les Aires de Comeizas (1979)], les Années sauvages (1987).

Cars, Guy des [R, D] (1911). Voir p. 341 b.

Cars, Jean des [E, H] (1943) : Louis II de Bavière, Haussmann, Élisabeth d'Autriche, Sleeping Story.

Cartano, Tony [R] (n.c.) : le Danseur mondain, Bocanégra, le Souffle de Satan (1991).

Cartier, Raymond [J] (1904-75) : les 48 Amériques, les 19 Europes, la Seconde Guerre mondiale, l'Après-Guerre.

Castans, Raymond [Cr, D] (1920) : Marcel Pagnol m'a raconté (1974). *Théâtre :* le Pirate, Auguste, Libres sont les papillons, Rendez-vous au Plaza, le Grand Standing, Rendez-vous à Hollywood, les Meilleurs Amis du monde.

Castelot, André (Storms) [H] (1911) : Marie-Antoinette, l'Aiglon, Joséphine, Napoléon Bonaparte (10 vol., 1969-70), Maximilien et Charlotte, Talleyrand (1980), François Ier (1983), Henri IV, Madame du Barry (1989).

Castillo, Michel del [R] (Esp., 1933) : Tanguy, le Colleur d'affiches, le Manège espagnol, le Vent de la nuit, Gérardo Lain, le Silence des pierres, Les cyprès meurent en Italie, la Nuit du décret (Ren. 1981), la Gloire de Dina, le Démon de l'oubli (1987), Mort d'un poète (1989).

Castillou, Henri [R] (1921) : Cortiz s'est révolté (I. 1948), Soleil d'orage, Intercontinental Petroleum, Frontière sans retour (1967), la Victorieuse (1968), l'Orage de juillet (1968), le Vertige de midi (1969), Lumière violente (1970).

Castoriadis, Cornelius [Ph] (1922) : les Carrefours du labyrinthe (1981).

Castries, R. duc de Castries [H] (1908-86) : Mirabeau, Mme du Barry, la Fin des rois, Chateaubriand, la Pompadour, Monsieur Thiers (1983), la Reine Hortense (1984), Julie de Lespinasse (1985).

Cau, Jean (P, R] (1923) : la Pitié de Dieu (G. 1961), Pauvre France (1972), le Traité de morale (1974), les Otages (1976), la Conquête de Zanzibar (1980), l'Innocent (1982), Une rose à la mer (1983), Croquis de mémoire (1985), Mon lieutenant (1985), les Culottes courtes (1988), la Grande Maison.

Cauvin, Patrick : voir **Klotz.**

Cavanna, François [R, Hum] (1926) : les Aventures de Dieu (1971), Et le singe devint con (1972), les Ritals (1978), les Russkoffs (I. 1979), Bête et Méchant, les Écritures, les Yeux plus grands que le ventre (1983), Maria (1985), Je l'ai pas lu je l'ai pas vu mais j'en ai entendu causer, l'Œil du lapin.

Cayrol, Jean [P, R] (1911) : le Hollandais volant (1936), Je vivrai l'amour des autres (Ren. 1947), La vie répond, Je l'entends encore, N'oubliez pas que nous nous aimons, De l'espace humain (1968), Histoire de la mer, les Enfants pillards, l'Homme dans le rétroviseur (1981), Poèmes clefs (1983).

Cazeneuve, Jean [Soc] (1915) : l'Ethnologie (1967), l'Homme téléspectateur (1974), la Raison d'être (1981), le Mot pour rire (1984), les Hasards d'une vie (1989), Et si plus rien n'était sacré...

Cerf, Muriel [R] (1951) : le Diable vert, Hiéroglyphes de mes fins dernières, le Lignage du serpent, les Seigneurs du Ponant (1979), Une passion (1981), Maria Tiefenthaler, Une pâle beauté (1984), Dramma per musica (1986).

Certeau, Père Michel de [Anthro, H] (1925-86).

Césaire, Aimé [P] (Martinique, 1913) : Soleil cou coupé, Cadastre, le Roi Christophe, Une saison au Congo, Moi laminaire (1982).

Cesbron, Gilbert [R, Es] (1913-79) : *Romans :* Notre prison est un royaume (1948), Les saints vont en enfer (1952), Chiens perdus sans collier (1954), Il est plus tard que tu ne penses (1958), Une abeille contre la vitre (1964), C'est Mozart qu'on assassine (1966), Voici le temps des imposteurs, Don Juan en automne, Mais moi, je vous aime (1977). *Essais :* Ce siècle appelle au secours (1955), Huit Paroles pour l'éternité (1978). *Théâtre :* Il est minuit, docteur Schweitzer (1952). Voir p. 341 b.

Chabannes, Jacques [Chr] (1900).

Chabrol, Jean-Pierre [R] (1925) : les Fous de Dieu, Fleur d'épine (1957), la Dernière Cartouche, Un homme de trop, les Rebelles, la Gueuse, l'Embellie, Contes d'outre-temps, le Canon Fraternité, Les chevaux l'aimaient, le Bouc du désert, Vladimir et les Jacques (1980), Le lion est mort ce soir (1982).

Chabrun, Jean-François [P, Cr d'art, J] (1920) : Vingt et un grammes de plus.

Chalon, Jean [Cr, H] (1935) : Chère Marie-Antoinette (1988).

Champion, Jeanne [R] (1931) : les Gisants.

Chamson, André [E] (1900-83) : le Crime des justes, la Suite cévenole (1948), la Neige et la Fleur, le Chiffre de nos jours, Comme une pierre qui tombe, la Superbe, Suite pathétique (1969), la Tour de Constance (1970), la Reconquête.

Chancel, Jacques (Joseph Crampes) [J] (1928) : Radioscopie (6 vol.), le Temps d'un regard (1978).

Chandernagor, Françoise [E] (1945) : l'Allée du Roi (1981), la Sans-pareille (1988), l'Archange de Vienne, l'Enfant aux loups.

Changeux, Jean-Pierre [Méd] (1936) : l'Homme neuronal (1983).

Chapsal, Madeleine [E, J] (1925) : Grands Cris dans la nuit du couple (1966), la Jalousie, Une femme en exil, Envoyez la petite musique, Un flingue sous les roses (Théâtre, 1985), la Maison de Jade, Adieu l'amour, Une saison de feuilles (1988), la Chair de la robe, Si aimée, si seule, le Retour du bonheur.

Char, René [P] (1907-88) : le Marteau sans maître (1934), les Matinaux, A une sérénité crispée, Aromates chasseurs (1976), les Voisinages de Van Gogh (1985), Éloge d'une soupçonnée (1988).

Charles-Roux, Edmonde (Mme Gaston Defferre) [R] (1920) : Oublier Palerme (G, 1966), Elle Adrienne, l'Irrégulière, Une enfance sicilienne (1981), Un désir d'Orient (1988).

Charrière, Christian (1939) : les Vergers du ciel, le Simorg (1977), la Forêt d'Issambre (1979).

Chatté, Robert [P] (1901-57).

Chauffin, Yvonne [R] (1905) : les Rambourt (4 vol., 1925-55), la Brûlure, le Séminariste, la Cellule, les Amours difficiles.

Chaunu, Pierre [H, R] (1923) : Séville et l'Atlantique, l'Espagne de Charles Quint, le Temps des Réformes, la Mémoire de l'éternité, la Mort à Paris (du XVIe au XVIIe s.), la Mémoire et le Sacré (1978), la Peste blanche (avec G. Suffert), Histoire quantitative, Histoire sérielle, le Sursis, la France, Pour l'histoire, le Grand Déclassement (1989).

Chawaf, Chantal [R] (1948) : Blé de semences, le Soleil de la terre, Crépusculaires.

Chazal, Malcolm de [E, P] (Mauricien, 1902-81).

Chedid, Andrée [P] (Liban., 1921) : le Sixième Jour, Visage premier, Nefertiti, le Soleil délivré, Cérémonial de la violence, le Corps et le Temps, la Maison sans racines, l'Enfant multiple (1989).

Chessex, Jacques [R]. Voir Suisse, p. 317 c.

Chiappe, Jean-François (J, H] (1931).

Cholodenko, Marc [R, P] (1950) : les États du désert (M. 1976), les Pleurs ou le Grand Œuvre d'Andréa Bajarsky (1979). *Poèmes :* Deux odes (1981), Tentation du trajet de Rimbaud (1981).

Chraïbi, Driss [R] (Marocain, 1926) : le Passé simple (1954), les Boucs, l'Ane, la Mère du printemps (1982), Enquête au pays.

Christophe, Robert [H] (1907-83) : Danton (1964), les Flammes du purgatoire (1979).

Cioran, E.M. [Es] (Roumain, 1911) : Sur les cimes du désespoir, Précis de décomposition (1949), la Chute dans le temps (1964), De l'inconvénient d'être né (1973), Exercice d'admiration, Aveux et anathèmes (1986), Des larmes et des saints.

Cixous, Hélène [R] (1937) : Dedans (M. 1969), le Troisième Corps, les Commencements, Portrait du soleil, Souffles (1975), Angst ou l'Art de l'innocence. *Théâtre :* l'Indiade.

Clancier, Georges-Em. [P, Cr, R] (1914) : Une voix (poèmes, 1956), Terres de mémoire, le Pain noir, la Fabrique du Roi, l'Éternité plus un jour, les Incertains, Oscillantes Paroles, l'Enfant double (1984).

Clavel, Bernard [R] (1923) : l'Ouvrier de la nuit, l'Espagnol, la Grande Patience, les Fruits de l'hiver (G. 1968), le Tambour du bief, le Massacre des innocents, le Seigneur du fleuve, le Silence des armes, les Colonnes du Ciel [I. la Saison des loups (1976), II. la Lumière du lac (1977), III. la Femme de guerre (1978)], Marie Bon Pain (1980), les Compagnons du Nouveau Monde, Harricana : 2 vol. : le Royaume du Nord (1983) et l'Or de la terre (1984), Miserere, Amarok (1987), l'Angélus du soir (1988), Maudits Sauvages (1989), Quand j'étais capitaine.

Clavel, Maurice [D, Es, R] (1920-79) : *Théâtre :* les Incendiaires. – *Romans :* St-Euloge de Cordoue, Une fille pour l'été, la Pourpre de Judée, le Tiers des étoiles (M. 1972), le Mur et les Hommes, Irène ou la Résurrection, l'Angélus du soir. *Essais :* Ce que je crois, les Paroissiens de Palente (1974), Dieu est Dieu, nom de Dieu ! (1976), Nous l'avons tous tué ce juif de Socrate, Deux Siècles chez Lucifer.

Closets, François de [J, Es] (1933) : le Bonheur en plus, la France et ses Mensonges, Scénarios du futur, le Système EPM (1980), Toujours plus (1982), Tous ensemble (1985), la Grande Manip (1990).

Cluny, Claude-Michel [P] (1930).

Collange, Christiane (Servan-Schreiber) [J, E] (1930) : Madame et le Bonheur, Ça va les hommes ? (1981), Moi ta mère, Chers enfants, Moi, ta fille.

Combaz, Christian [R] (1954) : Éloge de l'âge, cher Cyprien.

Conchon, Georges [R] (1925-90) : l'État sauvage (G. 1964), l'Amour en face (1972), le Sucre (1977), Sept morts sur ordonnance (1975), Judith Therpauve (1978), le Bel Avenir (1983), Colette Stern (1987).

Congar, Père Yves [Es, Tého] (1904).

Conte, Arthur (Es, H, R] (1920) : les Étonnements de Mister Newton, la Vigne sous le rempart, Yalta, Bandoung, Sire ils ont voté la mort, l'Aventure européenne, l'Après Yalta, les Dictateurs du XXe s., les Présidents de la Ve République, Verdun (1987), le 1er Janvier 1789 (1988), Billaud-Varenne (1989).

Conty, Jean-Pierre (Jean Walrafen) [R] (1917) : Série des Suzuki.

Corbin, Alain [H] (1936) : le Miasme et la Jonquille (1982), l'Odorat et l'imaginaire social aux XVIIIe et XIXe s., le Territoire du vide, l'Occident et le désir du rivage 1750-1840, le Village des cannibales (1990).

Corbin, Henri [Ph] (n.c.) : l'Iran et la philosophie, Daryush Shayegan.

Cornevin, Robert [H] (1919-88) : Hist. de l'Afr.

Couffon, Claude [Cr] (1926).

Coulonges, Henri (Marc-Antoine de Dampierre) [R] (1936) : les Rives de l'Irrawady (1975), l'Adieu à la femme sauvage (1979), À l'approche d'un soir du monde (1983), les Frères moraves (1986), la Lettre à Kirilenko (1989).

Cousteau, Jacques-Yves [Sav] (1910) : le Monde du silence.

Couteaux, André [R] (1930-85) : l'Enfant à femmes, Un homme aujourd'hui, Don Juan est mort.

Crevel, René [P, R, Es] (1900-35) : la Mort difficile, les Pieds dans le plat, Mon corps et Moi.

Criel, Gaston [P, R] (1913-90) : la Grande Foutaise (1952), l'Os quotidien (1987).

Curtis, Jean-Louis (Louis Laffitte) [E] (1917) : les Forêts de la nuit (G. 1947), les Justes Causes (1954), Un jeune couple (1967), le Thé sous les cyprès, le Roseau pensant, l'Étage noble, l'Horizon dérobé (1979-81), le Battement de mon cœur (1981), le Mauvais Choix (1984), Une éducation d'écrivain, Un saint au néon, les Mœurs des grands fauves, le Temple de l'amour (1990).

Daix, Pierre [R] (1922) : la Dernière Forteresse (1949), Un tueur (1954), Maria (1962), l'Accident (1965), les Chemins du printemps (1979), la Porte du temps (1984), l'Ordre et l'aventure (1984).

Damas, Léon-Gontran (Guyane) [E] (1912-78).

Daniel, Jean (Bensaïd) [J, E] (1920) : le Temps qui reste, l'Ère des ruptures, l'Erreur (1954), le Refuge et la source (1977), les Religions d'un président.

Daniélou, Cardinal Jean [Théo] (1905-74) : Platonisme et Théologie mystique (1944).

Daniel-Rops (Henri Petiot) [R, J, Es] (1901-65) : l'Âme obscure, Mort où est ta victoire ?, Hist. de l'Église du Christ (7 vol., 1948-66).

Daninos, Pierre [Hum] (1913) : Sonia, les Autres et Moi, les Carnets du Bon Dieu (I. 1947), les Carnets du major Thompson (1954), Un certain M. Blot, le Jacassin, Snobissimo, le 36e Dessous, le Pyjama, les Touristocrates, la Première Planète à droite en sortant par la Voie lactée, Made in France, la Composition d'histoire, le Veuf joyeux (1981), la Galerie des glaces ou les Caractères de notre temps, Auto-mémoires (1984), la France dans tous ses états (1985).

Dansette, Adrien [H] (1901-76) : Histoire religieuse de la France contemporaine (1948-51).

Dard, Frédéric [R] (1921). Voir R. policiers : San Antonio. Voir San Antonio p. 343 b.

Darnar, Pierre (Laurent) [J] (1901).

Daumal, René [Es, P] (1908-44) : le Mont analogue (1952).

Debray, Régis [J, R] (1941) : l'Indésirable, La neige brûle (F. 1977), le Scribe (1980), la Puissance et les rêves, les Empires contre l'Europe, l'Europe des masques (1987), Que vive la République (1988), Tous azimuts (1989), A demain de Gaulle (1990).

Debray-Ritzen, Pierre (P. Debray) [E, R] (1922) : Jusqu'à la corde (1989).

Decaunes, Luc [Es, P] (1913) : A l'œil nu, Air natal.

Decaux, Alain [H] (1925) : la Castiglione (1953), le Prince impérial (1957), les Grands Mystères du passé (1964), Dossiers secrets de l'Histoire (1966), Nouveaux Dossiers secrets (1967), Histoire des Françaises (2 vol., 1972-74), Alain Decaux raconte, Victor Hugo (1984).

Decoin, Didier [R] (1945) : Un policeman, Dans ses trois milliards de voyages, Abraham de Brooklyn, Il fait Dieu (1975), John l'enfer [G 77], la Dernière Nuit (1977), la Sainte Vierge a les yeux bleus (1984), Elisabeth ou Dieu seul le sait, l'Enfant de la mer de Chine, Il était une joie... Andersen, Béatrice en enfer, Autopsie d'une étoile, Meurtre à l'anglaise, la Femme de chambre du Titanic (1991).

Dédeyan, Christian [P, R] (1910) : le Carnaval en deuil.

Deforges, Régine [R] (1935) : Blanche et Lucie, le Cahier volé, Lola et quelques autres, Contes pervers, la Bicyclette bleue (1981), 101 avenue Henri-Martin (1983), le Diable en rit encore (1985), Sur les bords de la Gartempe (1985), Pour l'amour de Marie Salat, Sous le ciel de Novgorod.

Deguy, Michel [P] (1930) : Fragments du cadastre, Ouï-dire, Reliefs, Jumelages, Made in U.S.A, le Livre des gisants (1983).

Delavouet, Max-Philippe [P] (1920) : Poèmes provençaux (1971 et 77).

Delay, Florence [Es] (1941) : l'Insuccès de la fête, Riche et légère (F. 1983), Extemendi.

Delay, Jean [Sav, Es] (1907-87) : Avant Mémoires (4 vol.).

Deleuze, Gilles [Ph] (1925) : Nietzsche, Empirisme et subjectivité, Proust et les signes, la Logique du sens, l'Anti-Œdipe, Rhizome, Spinoza, Cinéma I (l'image mouvement), Foucault, Pourparlers.

Delumeau, Jean [H] (1923) : le Christianisme va-t-il mourir ? (1977), la Peur en Occident (1978), Histoire vécue du peuple chrétien, le Péché et la Peur.

Déméron, Pierre [J, Cr] (1932).

Demouzon, Alain [R] (1945) : Mouche (1976), le Premier-Né d'Égypte, Un coup pour rien, la Pêche au vif, Mes crimes imparfaits, Adieu La Jolla, Paquebot (1983), la Perdriolle.

Deniau, Jean-François [Pol, R] (1928) : Un héros très discret (1989), la Désirade, l'Empire nocturne.

Denuzière, Maurice [J, R] (1926) : Lettres de l'étranger (1975), Comme un hibou au soleil (1976), Louisiane (1977), Fausse Rivière (1979), Un chien de saison (1979), Bagatelle (1981), C'est pour amuser les coccinelles (1982), Une tombe en Toscane, les Trois chênes (1985), l'Adieu au Sud, l'Amour flou (1988).

Déon, Michel [R] (1919) : Je ne veux jamais l'oublier, la Carotte et le Bâton, le Balcon de Spetsaï (1961), les Poneys sauvages (I. 1970), Un taxi mauve (1973), le Jeune Homme vert, Thomas et l'Infini (1977), Mes arches de Noé (1978), Un déjeuner de soleil (1981), Je vous écris d'Italie..., la Montée du soir (1987), les Trompeuses Espérances (1990).

Depestre, René (Haïtien) [E] (1926) : Hadriana dans tous mes rêves.

Derogy, Jacques [J] (1925).

Derrida, Jacques [Ph.] (1930) : De la grammatologie (1967), Psyché (1987), Limited Inc (1990), l'Autre Cap (1991).

Desanti, Jean-Toussaint [H] (1914) : les Idéalités mathématiques, Un destin philosophique (1984).

Deschamps, Fanny [R] (n.c.) : la Bougainvillée (1982), Louison ou l'heure exquise (1987), Louison dans la douceur perdue (1989).

Deschodt, Éric [J, R] (1937) : les Demoiselles sauvages, le Royaume d'Arles (1988).

Desnos, Robert [P] (1900-45) : Corps et Biens (1930), Fortunes (1942).

Detrez, Conrad [R] (1937-85) : Ludo (1974), l'Herbe à brûler (Ren. 1978), la Lutte finale, la Ceinture du feu.

Devay, Jean-François [J] (1925-71).

Dhôtel, André [R] (1900) : le Pays où l'on n'arrive jamais (F. 1955), la Maison du bout du monde, l'Honorable M. Jacques, le Soleil du désert, le Couvent des pinsons, le Train du matin, le Plateau de Mazagran, le Mont Damion, la Tribu Bécaille, Bonne nuit Barbara (1978), Je ne suis pas d'ici (1981), le Ciel du faubourg, Histoire d'un fonctionnaire.

Dib, Mohammed [P, R] (Alg., 1920) : la Grande Maison (1952), Un été africain (1959), Dieu en Barbarie, Habel (1977), les Terrasses d'Orsol (1985).

Diesbach, Ghislain de [H, R] (1931) : Hist. de l'Émigration, Necker, Mme de Staël, la Princesse Bibesco.

Dietrich, Luc [P, Pros] (1912-44) : le Bonheur des tristes, l'Injuste Grandeur (posth. 1951).

Diwo, Jean [R] (1914) : les Dames du Faubourg, le Lit d'Acajou, le Génie de la Bastille (1988).

Djaout, Tahar (Algérie) [R] (1954) : l'Invention du désert, les Chercheurs d'os (1984).

Djebar, Assia (Fatma Zohra Malayenne dite) [R] (Alg. 1936) : la Soif (1957), Femmes d'Alger dans leur appartement, l'Amour la fantasia (1985).

Dollé, Jean-Paul [Ph] (1939) : le Désir de révolution (1972), Voie d'accès au plaisir (1974), le Myope (1975), la Haine de la pensée (1976).

Dolto, Françoise [Psycho] (1909-88) : Psychanalyse et pédiatrie (1939), le Cas Dominique (1971), Lorsque l'enfant paraît (1977-79), la Cause des enfants (1985), la Cause des adolescents, Autoportrait d'une psychanalyste, Solitude.

Dominique, Antoine (Dominique Ponchardier) [R] (1917) : R. policier : le Gorille.

Dorin, Françoise [D, R] (1928) : *Romans :* Virginie et Paul, la Seconde dans Rome, Va voir maman, papa travaille, les Lits à une place (1980), les Jupes-culottes (1984). *Théâtre :* la Facture (1968), Un sale égoïste, les Bonshommes, le Tournant (1973), le Tube, le Tout pour le tout (1978), l'Intoxe (1980), l'Autre Valse, Si t'es beau t'es con (1976), l'Étiquette, les Cahiers Tango, les Corbeaux et les renardes (1988). *Comédie musicale :* la Valise en carton (1986).

Dormann, Geneviève [R] (1933) : la Première Pierre, la Fanfaronne (1959), le Chemin des Dames, le Bateau du courrier, Mickey l'ange, Fleur de péché (1980), le Roman de Sophie Trébuchet (1982), Amoureuse Colette, le Bal du dodo (1989).

Doubrowsky, Serge [R] (1928) : le Livre brisé (1989).

Droit, Michel [R, Es, J] (1923) : Plus rien au monde, Pueblo, le Retour, les Compagnons de la Forêt-Noire, l'Orient perdu, La coupe est pleine, les Feux du crépuscule, les Clartés du jour, le Lion et le Marabout, Une fois la nuit est venue... (1984), la Ville blanche.

Drouet, Minou [P] (1947) : Arbre mon ami (1956), Du brouillard dans les yeux.

Druon, Maurice [R, D] (1918) : les Grandes Familles (G. 1948), la Chute des corps (1950), Rendez-vous aux Enfers (1951), les Rois maudits (7 vol., 1955-77), les Mémoires de Zeus (1963-68), le Pouvoir (maximes, 1965), la Parole et le Pouvoir (1974), Réformer la démocratie (1982). *Théâtre :* Mégarée (1942), le Voyageur (1954), la Contessa (1961). – *Biogr. :* auteur avec son oncle J. Kessel du Chant des partisans (1941). Min. des Aff. culturelles (1973-74) ; député de Paris (1978-81) ; représentant à l'Assemblée européenne (1979, démissionne 1980) ; secrétaire perpétuel de l'Académie fr.

Dubillard, Roland [D, Hum] (1923) : Naïves Hirondelles (1962), la Maison d'os (1964), Diablogues (1976), le Bain de vapeur (1977).

Duby, Georges [H] (1919) : le Temps des cathédrales (1976), Saint-Bernard (1976), les Trois Ordres ou l'Imaginaire du féodalisme (1978), Histoire de la France rurale (1975-77), Histoire de la France urbaine (1980-83), Guillaume le Maréchal (1984), Amour, Famille et Société au Moyen Age.

Duché, Jean [E, Hum] (1915) : Elle et Lui, l'Hist. de France racontée à Juliette, Hist. du monde, le Premier Sexe, l'Enlèvement de M. Rémi-Potel, le Bouclier d'Athéna, Pour l'amour d'Aimée, la Gloire de Laviolette (1991).

Ducreux, Louis [D] (1911) : Un souvenir d'Italie, Le roi est mort.

Duhamel, Alain (1940) : le Complexe d'Astérix (1985), les Habits neufs de la politique (1989), De Gaulle-Mitterrand.

Dumitriu, Petru (Roumain, 1924) : le Beau Voyage, la Liberté, Mon semblable mon frère (1983).

Dumur, Guy [R, Cr] (1921) : Dix ans de littérature en France (1959).

Dupré, Guy [R] (1928) : les Fiancées sont froides (1953), les Manœuvres d'automne (1989).

Duquesne, Jacques [R, J] (1930) : Une voix la nuit (1979), Maria Vandamme (1983), Au début d'un bel été (1988), Catherine Courage.

Durand, Loup [R] (1933) : Daddy (1987), le Jaguar (1989).

Duras, Marguerite (Donnadieu) [R, D] (1914) : *Romans :* Un barrage contre le Pacifique (1950), le Marin de Gibraltar (1952), Moderato cantabile (1958), le Ravissement de Lol V. Stein (1964), Détruire, dit-elle (1969), l'Amour (1972), Agatha et outside, la Maladie de la mort, l'Amant (G. 1984), la Douleur (1985), les Yeux bleus, cheveux noirs (1986), la Vie matérielle, Emily L. *Théâtre :* le Square (1955), l'Amante anglaise, les Viaducs de Seine-et-Oise, Des journées entières dans les arbres (1966), The Lovers of Viorne (1971), Suzanna Andler (1971), Éden-Cinéma, la Maladie de la mort, Savannah Bay, la Musica Deuxième (1985). *Films :* Hiroshima mon amour (1960), India Song, Nathalie Granger (1973), la Femme du Gange (1974), le Camion, la Pluie d'été (1989). *Chronique :* l'Été 80. – *Biogr. :* née en Indochine, parents enseignants. *1932* droit à Paris. *1935-41* fonctionnaire au min. des Colonies. *1943* démissionne et vit de sa plume à Paris. *1970* réalisatrice de films. *1980* candidate à l'Acad.

Duroselle, Jean-Baptiste [H] (1917).

Dutourd, Jean [R, Polé] (1920) : Au bon beurre (I. 1952), Doucin, les Taxis de la Marne, l'Ame sensible, les Horreurs de l'amour, 2024, Mascareigne, le Printemps de la vie (1972), Mémoires de Mary Watson (1980), Un ami qui vous veut du bien, Henri ou l'Éducation nationale, le Septennat des vaches maigres (1984), la Gauche la plus bête du monde (1985), le Spectre de la rose, Contre les dégoûts de la vie (1986), le Séminaire de Bordeaux, Ça bouge dans le prêt-à-porter (1989). *Chroniques :* De la France considérée comme une maladie.

Duverger, Maurice [E, Jur, J, Pol] (1917) : les Institutions françaises, la Démocratie sans le peuple.

Duvignaud, Jean [Ph] (1921) : Sociologie du théâtre (1965), Sociologie de l'art, le Langage perdu, le Favori du désir.

Eaubonne, Françoise d' (Mme Jean Lakanal) [R] (1920) : Comme un vol de gerfauts (1947), Jusqu'à la gauche (1963), les Monstres de l'été (1966), On vous appelait terroristes.

Échenoz, Jean [R] (1947) : le Méridien de Greenwich (1979), Cherokee (1983), l'Équipée malaise (1987), Lac (1989).

Eliade, Mircea [Ph, R] (Roumain, 1907-86 ; à Paris, après 1945, naturalisé Français) : *romans :* la Nuit Bengali (1923), les Hooligans (1935). *Essais :* le Mythe de l'éternel retour (1949), le Sacré et le profane (1956), Mademoiselle Christine (1978), l'Histoire des croyances et des idées religieuses (1976-83), la Nostalgie des origines, l'Épreuve du labyrinthe (1985).

El Maleh, Edmond Amran [R] (1917) : Parcours immobile (1980), Aïlen ou la nuit du récit, Mille Ans, un jour, le Retour d'Abou El Haki.

Elleinstein, Jean [H] (1927) : Histoire du phénomène stalinien, Histoire de la France contemporaine, Marx, Staline.

Ellul, Jacques [H, Ph] (1912) : Histoire des institutions, la Parole humiliée (1981).

Emmanuel, Pierre (Noël Mathieu) [P, R] (1916-84) : Tombeau d'Orphée, Sodome, Qui est cet homme ? (1948), Évangéliane (1961), la Nouvelle Naissance (1963), Babel, Jacob, Tu (1978), Una ou la Mort la vie (1978), Duel (1979).

Erlanger, Philippe [H] (1903-87) : Cinq-Mars, Louis XIV, Richelieu.

Ernaux, Annie [R] (1940) : la Place, Une femme.

Escarpit, Robert [Hum] (1918) : les Dieux du Patamba, le Littératron, les Somnambidules (1971), Appelez-moi Thérèse.

Estang, Luc (Lucien Bastard) [P, R] (1911) : Charges d'âmes [I. les Stigmates (1949), II. Cherchant qui dévorer (1951)], Que ces mots répondent, l'Apostat (1964), la Fille à l'oursin, Il était un p'tit homme, Boislevent, les Déicides (1980), Corps à cœur, les Femmes de M. Legouvé, le Démon de pitié.

Etchart, Salvat [R] (1927) : Une bonne à six, le Monde tel qu'il est (Ren. 1967).

Etcherelli, Claire [R] (1934) : Élise ou la Vraie Vie (F. 1967), Un arbre voyageur.

Étiemble, René [R, Cr, Es] (1909) : l'Enfant de chœur, Parlez-vous franglais ?, le Meurtre du petit père, Lignes de vie, Blason d'un corps.

Exbrayat, Charles (Durivaux) [R] (1906-89) : Une ravissante idiote, Jules Matrat (1975).

Fabrègues, Jean de [J] (1906-83).

Fallet, René [R, P] (1927-83) : Carnets de jeunesse, Banlieue sud-est, Paris au mois d'août (I. 1964), le Braconnier de Dieu, Ersatz, Dix-Neuf Poèmes pour Cerise (1969), Le beaujolais nouveau est arrivé, Y a-t-il un docteur dans la salle ?, les Yeux dans les yeux, la Soupe aux choux (1979), l'Angevine (1982).

Fanon, Frantz (Psycho) (1925-61) : Peau noire masques blancs (1952), les Damnés de la terre (1961).

Faraggi, Claude [R] (1942) : les Dieux de sable (1965), le Maître d'heure (F. 1975), le Jeu du labyrinthe (1978), le Passage de l'ombre (1981), la Saison des oracles (1988).

Farès, Nabil (Algérie) [R, P] (1940) : Yahia pas de chance, Découverte du Nouveau Monde.

Fasquelle, Solange (de La Rochefoucauld) [E] (1933) : le Congrès d'Aix (1961), l'Air de Venise (1966), les Amants de Kalyros (1971), l'Été dernier (1975), les Falaises d'Ischia (1978), les Chemins de Bourges, les Routes de Rome (1985).

Faure, Edgar [E] (1908-88) : Voir Index.

Faure, Lucie [J, R] (1908-77) : Journal d'un voyage en Chine (1958), les Passions indécises (1961), Filles du calvaire, l'Autre Personne (1968), les Bons Enfants, Mardi à l'aube, Un crime si juste (1976).

Fauvet, Jacques [J, E, Pol] (1914) : la IVe République, Hist. du Parti communiste français.

Favier, Jean [H] (1932) : Philippe le Bel, la Guerre de Cent Ans, François Villon, le Temps des principautés, De l'or et des épices, les Grandes Découvertes.

Fayard, Jean [J, R] (1902-78) : Mal d'amour (G. 1931), Chasse aux rêves.

Faye, Jean-Pierre [Ph, P] (1925) : Langage totalitaire, Théorie du récit, la Critique du langage et son économie, les Grandes Journées du père Duchesne, l'Écluse (Ren. 1964), l'Hexagramme. Fonde la revue *Change* 1964.

Feraoun, Mouloud [R] (Algérien, 1913-62) : le Fils du pauvre (1950), Journal (posth. 1962).

Féret, Henri-Marie [Théo] (1904) : Mort et Résurrection du Christ d'après les Évangiles et le linceul de Turin (1980).

Fernandez, Dominique [Cr, R] (1929) : Mère Méditerranée, l'Échec de Pavèse, Eisenstein, Naples (M. 1974), Dans la main de l'ange (G. 1982), l'Amour, la Gloire du paria, le Radeau de la Gorgone, le Rapt de Ganymède, l'École du Sud.

Ferniot, Jean [J, É] (1918) : l'Ombre portée (I. 1961), Pierrot et Aline, les Vaches maigres, les Honnêtes Gens, Saint Judas, Soleil orange (1987).

Ferro, Marc (1924) [H] : Pétain (1987).

Finkielkraut, Alain [Ph, Es] (1949) : la Sagesse de l'amour (1985), la Défaite de la pensée (1987), la Mémoire vaine (1989).

Fisson, Pierre [R] (1918) : Voyage aux horizons.

Follain, Jean [P, Es] (1903-71) : Chants terrestres, Appareil de la terre, D'après tout, Espaces d'instants.

3es championnats du monde d'orthographe

176 finalistes le 24-11-1990. **Prix :** séjour de 5 jours à New York ou Djakarta.

Juniors. *Français :* Nicolas Dejenne (Nantes). *Francophones :* Pascale Lefrançois (Québec). *Non francophones :* Christophe Popov (Bulgarie).

Seniors. *Français amateurs :* Lionel Lépicier (Paris), *professionnels :* Philippe Girard (Caen). *Francophones amateurs :* Jules Manise (Belgique), *professionnels :* Jean Richir (Belgique). *Non francophones :* Haydée Silva (Mexique). *Prix spécial « couple » :* Catherine et Marc Faner (Marseille).

Texte de la dictée. *Les mots ayant occasionné le plus de fautes sont indiqués en gras.*

UNE DICTÉE AU SÉNAT

En cet hémicycle sacro-saint où jadis furent votés des **sénatus-consultes** et où tant d'orateurs ont harangué leurs pairs, Mérimée n'aurait pas blêmi s'il avait vu un jour s'y dérouler une dictée.

Métamorphosé en phalanstère des finalistes, ce **haut lieu** nous avait accueillis pour la gloire de notre langue. **Dès potron-minet,** les appariteurs, à l'entrée, malgré des laissez-passer en règle, s'étaient montrés intraitables afin que l'épreuve eût lieu sans aucune échauffourée.

Sur les **écritoires vernissées** des concurrents, on voyait une kyrielle de feutres indigo et jaune citron, que côtoyaient çà et là les porte-bonheur des superstitieux. Des novices astucieux, vite repérés, **s'étaient vu confisquer** des aide-mémoire chiffonnés. *[Fin juniors]*

On lut la dictée. Diverses réactions émanaient de l'auditoire tout ouïe. Une jeunotte mafflue semblait dessaisie de ses moyens ; des jumelles **hétérozygotes,** vêtues comme pour **carême-prenant** de corsages aux bigarrures versicolores, et qui s'étaient épiées sans relâche, **bayaient aux corneilles.** Une aïeule hiératique, un affiquet agrafé à son bibi tomenteux, **anhélait** en calligraphiant un mot difficile. Ses souliers délacés, un puits de science, censé pourtant ne rien ignorer, séchait sur l'orthographe d'un nom composé que, d'un trait de plume, on **lie** très bien.

Tous s'étaient appliqués, relus, corrigés, s'étaient souri aussi, puis s'étaient laissé entraîner dans les **syllepses** et les **catachrèses** emberlificotées de notre langue bien-aimée.

Fombeure, Maurice [P, D] (1906-81) : les Moulins de la parole (1938), Une forêt de charme (1958), Sous les tambours du ciel. *Théâtre :* Orion le tueur (1946).

Fontaine, André [J] (1921) : Hist. de la guerre froide, Un seul lit pour deux rêves (1981), Sortir de l'hexagonie (1984).

Foucault, Michel [Ph, Es] (1926-84) : Histoire de la folie à l'âge classique (1961), Naissance de la clinique (1964), les Mots et les choses (1966), l'Archéologie du savoir (1969), Histoire de la sexualité [t. I : la Volonté de savoir (1976) ; t. II : l'Usage des plaisirs (1984) ; t. III : le Souci de soi (1984)].

Fouchet, Max-Pol [Ethn, J, P, Es] (1913-80) : *Poésies :* Demeure le secret (1961). *Essais :* les Peuples nus, Anthol. thématique de la poésie française, les Évidences secrètes, la Nuit de Santa-Cruz.

Fourastié, Jean [Ec] (1907-90) : le Grand Espoir du XXe s. (1949), Machinisme et bien-être (1952), les 40 000 Heures, les Conditions de l'esprit scientifique, Essais de morale prospective, les Trente Glorieuses (1979), le Jardin du voisin (1980), Ce que je crois (1981).

Fraigneau, André [R, Es] (1907) : Journal de raison d'un roi fou, Julien l'Apostat, l'Amour vagabond, Jean Cocteau par lui-même, les Étonnements de Guillaume Francœur, les Enfants de Venise.

Frain, Irène [R] (1950) : le Nabab (1982), Modern Style, Désirs, Secret de famille, Histoire de Lou.

Francastel, Pierre [H] (1900-70) : Peinture et société, la Réalité figurative.

Frank, Bernard [R, Es] (1929) : la Géographie universelle, les Rats, Un siècle débordé, Solde (1980).

Frémont, André (n.c.) : France, géographie d'une société.

Frénaud, André [P] (1907) : les Rois mages (1943), les Paysans, la Sorcière de Rome, Nul ne s'égare.

Freustié, Jean (Pierre Teurlé) [R] (1914-83) : Marthe, la Passerelle, Isabelle ou l'Arrière-saison (Ren. 1970), Harmonie ou les Horreurs de la guerre, Loin du paradis, Aventure familiale, Proche est la mer, le Médecin imaginaire, l'Héritage du vent.

Frison-Roche, Roger (1906) : Premier de cordée, l'Appel du Hoggar (1965), Djebel Amour (1978), le Versant du soleil (1981).

Frossard, André [D] (1915) : Dieu existe, je l'ai rencontré (1968), Il y a un autre monde (1978), N'ayez pas peur ! (1982), l'Évangile selon Ravenne (1984), Portrait de Jean-Paul II, Dieu en questions.

Furet, François [H] (1927) : la Révolution française (avec D. Richet), Lire et écrire, Penser la Révolution française (1978), Terrorisme et Démocratie (1985), Hist. de France, la Révolution (1988).

Gabriel-Robinet, Louis [J] (1909-75).

Gadenne, Paul [R] (1907-56) : Siloé (1941), le Vent noir (1947), la Rue profonde, Baleine (1949), la Plage de Scheveningen (1952), l'Invitation chez les Stirl (1955), les Hauts-Quartiers (posth. 1973).

Gaillard, Robert [R] (1909-75) : les Liens de chaîne (Ren. 1942), l'Homme de la Jamaïque, Marie des îles, la Volupté de la haine, Moissons charnelles.

Galey, Matthieu [Cr] (1934-86) : Journal.

Gallo, Max [J, H, R] (1932) : le Cortège des vainqueurs, Un pas vers la mer, l'Oiseau des origines, la Baie des Anges (1975), le Palais des fêtes, la Promenade des Anglais, Que sont les siècles pour la mer, Les hommes naissent tous le même jour, Une affaire intime, France, Un crime très ordinaire, Garibaldi (1982), la Demeure des puissants, le Grand Jaurès, la Troisième Alliance, les Idées décident de tout, Beau Rivage (1985), Que passe la justice du roi, Jules Vallès, Tout a commencé par un instant de plaisir (1989), la Gauche est morte. Vive la gauche ! (1990), le Regard des femmes (1991).

Gallois, Claire [R] (1938) : A mon seul désir, Des roses plein les bras, Une fille cousue de fil blanc, Jérémie la nuit, La vie n'est pas un roman, le Cœur en quatre, l'Homme de peine (1989).

Ganne, Gilbert [R, J] (1924) : les Plages de l'hiver, les Chevaliers servants, les Hauts Cris, Saint-Aviste, Comme les roses de Jéricho.

Garaudy, Roger [Ph, Es, R] (1913) : l'Affaire Israël (1983), Hegel, Mon tour du siècle en solitaire (1988).

Gardel, Louis [R] (1939) : l'Été fracassé (1973), Couteau de chaleur (1976), Fort Saganne (1980), le Beau Rôle.

Garreta, Anne [R] (1962) : Sphinx, Ciels liquides (1990).

Gary, Romain (Kacew) [R] (1914-80 suicidé) : l'Éducation européenne (1945), les Racines du ciel [G. 1956], la Promesse de l'aube, Lady L (1963), la Danse de Gengis Cohn (1967), Chien blanc, les Enchanteurs, les Têtes de Stéphanie, La nuit sera calme, Au-delà de cette limite votre ticket n'est plus valable, Clair de femme, les Clowns lyriques (1979), les Cerfs-volants (1980). *Sous le nom d'Émile Ajar* (son neveu) : Gros Câlin, la Vie devant soi (G. 1975), Pseudo (1976), l'Angoisse du roi Salomon (1979). – *Biogr. :* Israélite, citoyen soviétique. *1942* aviateur, *1945* naturalisé français, diplomate (1956-60 : consul de Fr. à Los Angeles). *1963* ép. l'actrice Jean Seberg (div. 1972). *1967* fonct. du ministère de l'Information. *1975* supercherie (obtient un 2e prix Goncourt sous le nom d'Ajar). *1979* suicide de Jean Seberg.

Gascar, Pierre (Fournier) [J, R] (1916) : les Bêtes, le temps des morts (G. 1953), les Chimères, l'Homme et l'Animal, Voyage chez les vivants, le Fortin.

Gatti, Armand [D] (1924) : le Crapaud-buffle (1959), l'Éboueur Auguste Geai (1962), Chronique d'une planète provisoire, Chant public devant deux chaises électriques, la Passion du général Franco.

Gauchet, Marcel [Ph] (1946).

Gautier, Jean-Jacques ⚜ [R, Cr] (1908-86) : Histoire d'un fait divers (G. 1946), la Chambre du fond (1970), Cher Untel (1974), Face trois quarts profils (1980), Une amitié tenace (1982).

Gay-Lussac, Bruno [R] (1918) : Une gorgée de poison, le Salon bleu, Introduction à la vie profane, Dialogue avec une ombre, l'Homme violet, la Chambre d'instance, l'Heure, l'Arbre éclaté, le Voyage enchanté, l'Autre Versant, l'Ane savant, les Anges fous, la Clé de l'abîme (1991).

Genet, Jean [R, D] (1910-86) : Journal du voleur. *Théâtre :* Querelle de Brest (1944), Notre-Dame des Fleurs, Miracle de la rose, les Bonnes (1946), Haute Surveillance (1949), les Nègres (1959), le Balcon (1960), les Paravents (1961), Elle (posth.). *Divers :* le Captif amoureux (1986).

Gennari, Geneviève [R, Es] (Italienne, 1920) : les Cousins Muller, Journal d'une bourgeoise, J'avais vingt ans, la Fugue irlandaise, Un mois d'août à Paris, la Robe rouge, la Neuvième Vague.

Gerber, Alain [R] (1943) : le Plaisir des sens (1977), le Faubourg des Coups-de-Trique (1979), Une sorte de bleu (1980), le Jade et l'Obsidienne (1981), Des jours de vin et de roses, Une rumeur d'éléphant, les Heureux Jours de M. Gichka (1986), le Verger du Diable (1989). *Nouvelles :* le Lapin de lune (1984), la Trace aux esclaves (1987).

Germain, Sylvie [R] (1954) : le Livre des nuits, Nuit-d'ambre, Jours de colère, l'Enfant méduse.

Gheorghiu, Virgil [R] (Évêque orthodoxe, Roumain, 1916) : la 25e Heure (1949), la Seconde Chance (1952), la Tunique de peau (1960), la Condottiera (1964), l'Espionne (1971), le Grand Exterminateur (1978), Dieu à Paris (1980).

Gibeau, Yves [R] (1916) : Allons z'enfants ! (1952), Gros Sous, Mourir idiot (1987).

Giesbert, Franz-Olivier [J] (1949) : Monsieur Adrien (1981), le Président (1990).

Gilson, Paul [P, D] (1904-63) : Ballades pour fantômes (1951), le Grand Dérangement (1954).

Girard, René [Es] (1923) : Mensonge romantique et Vérité romanesque (1961), la Violence et le Sacré (1972), le Bouc-émissaire (1982), la Route antique des hommes pervers (1985).

Giroud, Françoise (Gourdji) [J, E, R] (1916) : le Tout-Paris, la Nouvelle Vague, Si je mens (1972), la Comédie du pouvoir, Une femme honorable (1981), le Bon Plaisir (1982), Alma Mahler (1987), Leçons particulières (1990).

Giudicelli, Christian [J] (1942) : Station balnéaire.

Glissant, Édouard [P, R] (1928) : la Terre inquiète, la Lézarde (Ren. 1958), l'Intention poétique (1969), Malemort (1975), le Discours antillais (1981).

Glucksmann, André [Ph] (1937) : le Discours de la guerre (1968), Stratégie et Révolution en France (1968), la Cuisinière et le Mangeur d'hommes (1975), les Maîtres penseurs (1977), Cynisme et Passion, la Force du vertige (1983), la Bêtise (1985), Descartes c'est la France (1987).

Goldmann, Lucien [Soc] (1913-70) : le Dieu caché (1956).

Goubert, Pierre [H] (1915) : Les Français ont la parole (1965), l'Ancien Régime, Louis XIV et 20 millions de Français (1966), Clio parmi les hommes (1976), la Vie quot. des paysans au XVIIe s., Initiation à l'histoire de la France (1984), Mazarin.

Gougaud, Henri [Hum] (1936) : le Grand Partir.

Gracq, Julien (Louis Poirier) [R] (1910) : Au château d'Argol (1938), le Rivage des Syrtes (G. 1951, refusé), Un balcon en forêt (1958), la Presqu'île (1970), les Eaux étroites (1976), la Forme d'une ville (1985). Autour des sept collines (1988). *Essai :* Lettrines (1967-74), En lisant, en écrivant.

Grainville, Patrick [R] (1947) : les Flamboyants (G. 1976), le Dernier Viking, les Forteresses noires, la Caverne céleste, le Paradis des orages, les Greniers de Sienne, l'Atelier du peintre, l'Orgie, la Neige, la Lisière (1990).

Grall, Xavier [E, P] (1930-81).

Green, Julien ⚜ (Julian Hartridge Green) [D, E] (1900) : *Romans :* Mont-Cinère, Adrienne Mesurat (1927), Léviathan (1929), le Visionnaire, Minuit (1936), Moïra (1950), Chaque homme dans sa nuit (1960), l'Autre, Liberté, le Mauvais Lieu, Frère François (1983), le Langage et son double (1985), les Pays lointains (1987), Étoiles du sud (1989). *Théâtre :* Sud (1953), l'Ennemi, l'Ombre. *Autobiographie :* Partir avant le jour, Terre lointaine. *Journal :* 10 tomes (1928-76).

Grégoire, Ménie [J, R] (1919) : le Métier de femme (1964), Femmes (1966), la Belle Arsène, Passeport du couple, Ménie Grégoire raconte..., les Contes de Ménie Grégoire (1978), Des passions et des rêves (1981), Tournelune, Nous aurons le temps de vivre.

Grenier, Roger [R] (1919) : le Palais d'hiver (1965), Avant une guerre (1971), Ciné-Roman (F. 1972), le Miroir des eaux (1975), la Salle de rédaction (1977), Un air de famille, la Follia (1980), la Fiancée de Fragonard (1982), Il te faudra quitter Florence (1985), Albert Camus, la Mare d'Auteuil (1987), Partita (1991).

Grimal, Pierre [E] (1912) : Virgile, les Erreurs de la liberté (1989).

Gripari, Pierre [E] (1925-90) : Pierrot-la-lune (1963), Gueule d'Aminche (1973), Contes d'ailleurs et d'autre part.

Grosser, Alfred [H] (1925).

Groult, Benoîte [R] (1920) : la Part des choses, Ainsi soit-elle, le Féminisme au masculin, les Trois Quarts du temps (1983), les Vaisseaux du cœur (1988), Pauline Roland (1991). Flora [R] (1924) : Maxime ou la Déchirure, Un seul ennui, les jours raccourcissent (1977), Ni tout à fait la même, ni tout à fait une autre (1979), le Passé infini, Belle Ombre. *Signé des deux :* Journal à 4 mains, le Féminin pluriel, Il était 2 fois.

Groussard, Serge [R, J] (1921) : Pogrom, la Femme sans passé (F. 1950), Taxi de nuit (1971).

Guérin, Daniel [E, H] (1904-88).

Guérin, Raymond [R] (1905-54) : Quand vient la fin, les Poulpes.

Guillemin, Henri [H] (1903) : Histoire littéraire, Pas à pas, Jeanne dite Jeanne d'Arc, l'Avènement de M. Thiers, la Liaison Musset-Sand, Regards sur Bernanos (1976), Une histoire de l'autre monde, Par notre faute, Cette nuit-là, Précisions, Sulivan ou la Parole libératrice, l'Affaire Jésus, Robespierre, la Cause de Dieu (1990).

Guillevic, Eugène [P] (1907) : Exécutoire, Sphère, Euclidiennes, Encoches (1971), Trouées (1981).

Guimard, Paul [R, J] (1921) : les Faux Frères, Rue du Havre (I. 1957), l'Ironie du sort, les Choses de la vie (1967), le Mauvais Temps (1976), Giraudoux ?... Tiens ! (1988), Un concours de circonstances (1990).

Guitton, Jean [E, Ph] (1901) : la Pensée moderne et le Catholicisme, Dialogues avec M. Pouget (1954), le Christ écartelé, Siloé, Journal [t. I (1966), t. II (1968)], la Dernière Heure, Césarine ou le Soupçon, Portrait de Marthe Robin (1985), Un siècle, une vie (1988), Essai sur l'amour humain, l'Existence temporelle, le Problème de Jésus, Difficultés de croire, le Travail intellectuel.

Guth, Paul [Pros] (1910) : *Série* du Naïf, *Série* de Jeanne la Mince, Quarante contre un, Hist. de la littérature française, Hist. de la douce France, le Chat beauté, Moi Joséphine impératrice, le Retour de Barbe-Bleue (1990).

Guyotat, Pierre [Pros] (1940) : Eden, Eden, Eden.

Haedens, Kléber [Cr, R] (1913-76) : Une histoire de la littérature française (1970). *Romans :* Salut au Kentucky, Adieu à la rose, L'été finit sous les tilleuls (I. 1966), Adios (1974).

Haedrich, Marcel [R, J] (1913) : la Rose et les Soldats (1961), le Patron (1964).

Hallier, Jean-Edern [E, R] (1936) : le Grand Écrivain (1967), la Cause des peuples (1972), la Liste noire, Chagrin d'amour (1973), Le premier qui dort réveille l'autre, Chaque matin qui se lève est une leçon de courage (1978), Lettre ouverte au colin froid (1979), Fin de siècle (1980), l'Évangile du fou, Carnets impudiques (1988).

Halter, Marek [R] (Pol., 1936) : la Mémoire d'Abraham (1983), les Fils d'Abraham (1989), Un homme, un cri.

Hamburger, Jean [Méd] (1909) : la Puissance et la fragilité (1972), l'Homme et les hommes (1976), Demain, les autres (1979), Un jour, un homme... (1981), le Journal d'Harvey (1983), la Raison et la passion (1984). Monsieur Littré (1988). *Théâtre :* le Dieu foudroyé (1985).

Haumont, Marie-Louise [R] (1929) : le Trajet (F. 1976), l'Éponge (1981).

Hébrard, Frédérique (Chamson) [R] (1927) : La vie reprend au printemps, la Citoyenne (1985), le Harem (1987).

Helias, Pierre-Jakez [R] (1914) : le Cheval d'orgueil, l'Herbe d'or, Compère Jackou (1979), Contes du vrai et du semblant (1984), Vent de soleil (1988), le Quêteur de mémoire.

Henry, Michel [Ph, R] (1922) : l'Essence de la manifestation (1963), Marx (1976), l'Amour les yeux fermés (Ren. 1976), Généalogie de la psychanalyse (1983), l'Éloge des intellectuels.

Hocquenghem, Guy [E, R] (1946-88) : les Amours entre relief (1982), la Colère de l'agneau (1985), Ève (1987), l'Amour en relief, les Voyages et aventures extraordinaires du frère Angelo (1988).

Host, Michel [R] (1937) : Valet de nuit (G. 1986).

Hougron, Jean [R] (1923) : Tu récolteras la tempête (1950), Rage blanche, Soleil au ventre, Mort en fraude (1953), les Asiates (1954), Histoire de Georges Guersant (1964), les Humiliés, l'Homme de proie, l'Anti-jeu (1977), la Chambre (1982), Coup de Soleil (1984).

Hue, Jean-Louis [R] (1949) : le Chat dans tous ses états, Dernières Nouvelles du père Noël.

Huguenin, Jean-René [R] (1936-62) : la Côte sauvage (1960), Journal (1964), Une autre jeunesse (1965).

Humbert, Marie-Thérèse [R] (1940) : A l'autre bout de moi (1979), le Volkameria (1984).

Huser, France [R] (1940) : la Chambre ouverte.

Husson, Albert [D] (1912-78) : la Cuisine des anges (1952), le Système Fabrizzi.

Huyghe, René [Cr] (1906) : Dialogue avec le visible, l'Art et l'Homme, la Nuit appelle l'aurore, Eugène Delacroix (1990).

Ikor, Roger [R, Es] (1912-86) : les Grands Moyens (1951), les Eaux mêlées (G. 1955), Si le temps... (6 vol., 1960-64), le Cas de conscience du professeur, Frères humains, le Tourniquet des innocents, le Cœur à rire, l'Éternité dernière, les Fleurs du soir.

Illich, Ivan [Pol, Es] (Autrichien, 1926) : Libérer l'école, Une société sans école (1971), Libérer l'avenir, Énergie et Équité (1973), la Convivialité (1973), Némésis médicale (1975).

Ionesco, Eugène [D] (or. roum., 1912) : la Cantatrice chauve (1950), la Leçon, les Chaises, Amédée ou Comment s'en débarrasser, le Nouveau Locataire, Rhinocéros (1960), Le roi se meurt, la Soif et la Faim (1966), Jeux de massacre (1970), Macbett, l'Homme aux valises (1975), Rions jusqu'à la mort. *Roman :* le Solitaire (1973). *Cr. litt. :* Notes et contre-notes (1962). – *Biogr. :* fils d'un avocat roumain et d'une Française. *1913-25* en France. *1925-34* études à Bucarest. *1934-38* prof. de français au lycée de Bucarest. *1938* en Fr. (thèse sur Baudelaire). *1940-45* à Marseille, rédacteur aux *Cahiers du Sud. 1945* correcteur d'imprimerie à Paris. *1950* succès de *la Cantatrice chauve. 1970* Acad. fr. Également peintre.

Isorni, Jacques [E, H] (1911) : Témoignages pour un temps passé (1950), Compte-rendu (1965), l'Humeur du jour (1965), le Vrai Procès de Jésus (1967), Hist. de la Grande Guerre (1969), Mémoires (1984).

Isou, Isidore (Goldstein) [P, D] (Roumain, 1925) : Introduction à une nouvelle poésie, le Lettrisme, et à une nouvelle musique.

Jabès, Edmond [P] (1912-91).

Jacob, François [Bio] (1920) : la Logique du vivant (1970), Sciences de la vie (avec F. Gros et P. Royer, 1980), la Statue intérieure [N. méd. 1965].

Jacquemart, Simone [P, R] (1924) : le Veilleur de nuit (Ren. 1962), l'Éruption du Krakatoa, la Thessalienne (1973), le Mariage berbère (1975).

Jambet, Christian [R] (1950) : l'Ange (avec G. Lardreau) (1976).

Jankélévitch, Vladimir [Ph] (1903-1985).

Japrisot, Sébastien (J.-B. Rossi) [R] (1931) : Compartiments tueurs, l'Été meurtrier, la Passion des femmes, Visages de l'amour et de la haine.

Jardin, Alexandre [R] (1965) : Bille en tête, le Zèbre (1988), Fanfan.

Jardin, Pascal [R] (1934-80) : la Guerre à neuf ans (1971), Toupie la rage (1972), le Nain jaune (1978), la Bête à Bon Dieu.

Jean, Raymond [R] (1925) : les Grilles (1963), la Vive (1968), l'Or et la soie (1983).

Jean-Charles [Hum] (1922) : la Foire aux cancres (1962), Le Rire c'est la santé, l'Amour en perles, la Foire aux ronds-de-cuir.

Jeanneney, Jean-Noël [H] (1942).

Jeanson, Francis [E, Ph] (1922).

Joffo, Joseph [R] (1931) : Un sac de billes, Anna et son orchestre, Baby-Foot, la Vieille Dame de Djerba, Simon et l'enfant.

Josselin, Jean-François [R, J] (1939) : Quelques jours avec moi (1980), l'Enfer et compagnie (M. 1982), la Mer au large (1987).

Joubert, Jean [P, R] (1938) : l'Homme des sables (Ren. 1975).

Jouffroy, Alain : le Roman vécu (1978), l'Indiscrétion faite à Charlotte, la Vie réinventée (1982).

Jouvenel des Ursins, Bertrand de [E] (1903-87) : Du pouvoir (1945-72), l'Art de la Conjecture (1964), Un voyageur dans le siècle (1980).

Juin, Hubert (Loescher) [Cr, P, R] (1926-87) : les Bavards (1956), les Sangliers (1958), la Cimenterie, le Chaperon rouge, les Hameaux, les Guerriers du Chalco (1976), les Visages du fleuve (1984).

Jullian, Marcel [J, Dia, R] (1922) : la Bataille d'Angleterre, le Maître de Hongrie (1980).

July, Serge [Es] (1942) : le Salon des artistes (1989).

Kahn, Jean-François [J, E] (1938) : Esquisse d'une philosophie du mensonge (1989).

Kanters, Robert [Cr] (Belge 1910-85).

Kenny, Paul [Gaston Vandenpanhuyse (1913) et Jean Libert (1913)] : *série* des Coplan.

Kern, Alfred [R] (1919) : le Clown, le Bonheur fragile (Ren. 1960), le Viol.

Khaïr-Eddine, Mohamed (Marocain) [P, R] (1941) : Agadir (1967), le Déterreur, Légende et vie d'Agoun'chich.

Khatibi, Abdelkebir (Marocain) [D, R, Soc] (1938) : le Livre du sang (1979).

Klossowski, Pierre [R, peintre] (1903) : la Révocation de l'édit de Nantes, Roberte ce soir, le Baphomet.

Klotz, Claude [R] (1932) : Paris Vampire (1974), Achète-moi les Amériques (1975), Darakan (1978). *Écrit sous le nom de* Patrick **Cauvin** : l'Amour aveugle (1974), Monsieur Papa (1976), E = MC^2 mon amour (1977), Huit Jours en été (1979), les Appelés (1982), Laura Brams, Rue des bons-enfants.

Kojève, Alexandre (Aleksandr Kojevnikov) [Ph] (Or. russe, 1902-68).

Labro, Philippe [R, J, cinéaste] (1936) : Un Américain peu tranquille (1960), Des feux mal éteints (1960), l'Étudiant étranger (Interallié, 1986), Un été dans l'Ouest (1988), le Petit Garçon (1990).

Lacan, Jacques [Méd, Ph] (1901-81) : Écrits (1966), les Écrits techniques de Freud (1975), Encore (1975), le Moi dans la théorie de Freud et la Technique de la psychanalyse (1978), les Psychoses (1981).

Lacouture, Jean [J, Es] (1921) : le Poids du tiers monde (1962), De Gaulle (1965), Hô-Chi-Minh (1967), André Malraux (1974), Un sang d'encre (1974), Léon Blum (1977), Survive le peuple cambodgien ! (1978), Mauriac, Pierre Mendès France (1981), De Gaulle (3 v.), Champollion (1988).

La Gorce, Paul-Marie de [E, H] (1928) : De Gaulle entre deux mondes, Clausewitz, la France pauvre, Naissance de la France moderne, la Prise du pouvoir par Hitler, l'État de jungle, la Guerre et l'atome.

Lainé, Pascal [R] (1942) : l'Irrévolution (M. 1971), la Dentellière (G. 1974), Si on partait, Tendres Cousines, l'Eau du miroir, Terre des ombres, Flics et voyous, les Petites Égarées, Élena (1989).

Lamour, Philippe [F] (1903) : le Cadran solaire (1980), les Quatre Vérités (1981).

Lanoux, Armand [R] (1913-83) : la Nef des fous (1947), le Commandant Watrin (I. 1956), le Rendez-vous de Bruges, Quand la mer se retire (G. 1963), le Berger des abeilles, l'Or et la Neige.

Lanza del Vasto (L. di Trabia-Branciforte), Joseph [P, Ph] (Italie, 1901-81) : le Chiffre des choses (1942), le Pèlerinage aux sources (1944), Principes et préceptes du retour à l'évidence (1945), Commentaires sur l'évangile (1951). *Théâtre :* Noé (1965). – *Biogr. :* père sicilien, gros propriétaire terrien, mère belge. Études de philosophie. Voyages (Inde 1936, rencontre Gandhi). *1939* se fixe à Paris, succès du *Pèlerinage aux sources. 1948* crée la communauté de l'Arche (Charente) (1954 Vaucluse, 1963 Hérault) prônant le retour à la vie naturelle.

Lanzmann, Jacques [R] (1927) : Cuir de Russie (1957), Viva Castro, Qui vive, les Nouveaux Territoires, le Têtard, les Transsibériennes, l'Age d'amour (pseudonyme : *Michaël Sanders*), Rue des Mamours, la Baleine blanche (1982), le Lama bleu (1983), le Septième ciel, Fou de la marche, le Jacquiot, Café crime (1987), les Guérillans, Hôtel Sahara.

Lapierre, Dominique [R] (1931) : Un dollar les 1 000 km, Lune de miel autour de la Terre, la Cité de la joie (1985), les Héros de la cité de la joie (1986), Plus grands que l'amour (1990). *Avec* **Larry Collins :** Paris brûle-t-il ? (1964), ...Ou tu porteras mon deuil (1967), O Jérusalem ! (1971), Cette nuit, la liberté (1975), le Cinquième Cavalier.

Lapouge, Gilles [R] (1923) : Utopie et civilisation, un Soldat en déroute, la Bataille de Wagram (1986), les Folies Kœnigsmark (1989).

Lardreau, Guy [E] (1947) : le Singe d'or (1974) (avec C. Jambet).

Lartéguy, Jean (Osty) [J, R] (1920) : Ces voix qui nous viennent de la mer (1956), les Centurions (1959), les Mercenaires (1960), les Prétoriens (1961), le Mal jaune (1962), les Chimères noires, les Tambours de bronze, les Guérilleros, les Murailles d'Israël, Tout homme est une guerre civile, les Naufragés du Soleil, le Cheval de feu, Marco Polo, l'Or de Baal, l'Ombre de la guerre (1989).

Las Vergnas, Raymond [Cr, R] (1902) : les Rois mendiants, l'Adieu à Saigon.

La Tour du Pin, Patrice, Cte de [P] (1911-75) : la Quête de joie (1933), Une somme de poésie (1946), le Second Jeu (1959), En ce temps-ci, Une lutte pour la vie (1970), Psaumes de tous mes temps (1974).

Latreille, André [H] (1910-83) : l'Église catholique et la Révolution française (1946-50), Hist. du catholicisme en France (1957-62).

Laurent, Jacques (Laurent-Cély) [R] (1919) : les Corps tranquilles, le Petit Canard, la Fin de Lamiel (1966), les Bêtises (G. 1971), les Sous-Ensembles flous (1981), les Dimanches de mademoiselle Beaunon, Stendhal comme Stendhal (1984), le Dormeur debout (1986), le Miroir aux tiroirs (1990). *Essais :* Roman du roman, le Français en cage (1988). *Sous le nom de Cécil Saint-Laurent :* Caroline chérie (1947), Clotilde (série), Hortense (série), les Agités d'Alger, les Petites Filles et les Guerriers, la Bourgeoise (1975), la Mutante (1978), l'Erreur (1986), *d'Albéric Varenne :* ouvrages historiques.

Lauzier, Gérard [Hum] (1932) : la Course du rat.

Le Breton, Auguste (Monfort) [R] (1913) : Du rififi chez les hommes (1953), le Clan des Siciliens.

Le Clézio, Jean-Marie Gustave [R, Es] (1940) : le Procès-Verbal (Ren. 1963), la Fièvre, le Déluge, le Livre des fuites, la Guerre, les Géants, Voyage de l'autre côté, l'Inconnu sur terre, Mondo et autres histoires, Trois Villes saintes, Désert, le Chercheur d'or (1985), le Rêve mexicain (1988), Printemps et autres saisons, Onitsha (1991).

Leduc, Violette [R] (1913-72) : l'Asphyxie (1946), Trésors à prendre (1960), la Bâtarde (1964), Thérèse et Isabelle (1966), la Chasse à l'amour (1973).

Lefebvre, Henri [Ph] (1905).

Lefort, Claude [Ph] (1924) : le Travail de l'œuvre : Machiavel (1972), l'Invention démocratique (1981).

Légaut, Marcel [Ph] (1900-90).

Léger, Jack-Alain [R] (1949) : Mon premier amour (1973), Un ciel si fragile, Monsignore I, II (1976-81), Capriccio, l'Heure du tigre, Océan boulevard, Pacific Palisade, Wanderweg (1986).

Le Hardouin, Maria (Sabine Vialla) [R, Es] (Suisse, 1912-67) : la Voile noire, la Dame de cœur (F. 1949).

Leiris, Michel [P, Es] (1901-90) : *Poésie :* Haut Mal (1943), Nuits sans nuit (1961). *Autobiogr. :* l'Age d'homme [I. la Règle du jeu (1946) ; II. Biffures (1948) ; III. Fourbis (1955) ; IV. Fibrilles (1966)], Frêle Bruit (1976), Langage tangage ou ce que les mots me disent (1985), A cor et à cri (1988).

Lemarchand, Jacques [R, Cr] (1908-74) : R.N. 234, Parenthèse, Geneviève.

Lentz, Serge [R] (1934) : les Années sandwiches, Vladimir Roubaïev (I. 1985), la Stratégie du bouffon (1990).

Le Porrier, Herbert [R] (1913-77) : la Rouille (1954), la Demoiselle de Chartres (1968), le Médecin de Cordoue (1974).

Leprince-Ringuet, Louis [Sav, Es] (1901) : Des atomes et des hommes (1958), le Bonheur de chercher, le Grand Merdier, les Pieds dans le plat (1985).

Leroi-Gourhan, André [Ph] (1911-86) : l'Homme et la Matière (1943), Milieu et Techniques (1945), le Geste et la parole (1964), le Fil du temps (1983), Mécanique vivante (1983).

Le Roy-Ladurie, Emmanuel [H] (1929) : Territoire de l'historien (1973), Montaillou, village occitan de 1294 à 1324 (1975), le Carnaval de Romans (1979), la Sorcière de jasmin (1983).

Lesort, Paul-André [R] (1915) : les Reins et les Cœurs (1947), le Fil de la vie (1951), G.B.K. (1960), Vie de Guillaume Périer, Après le déluge (1977).

Lestienne, Voldémar [R] (1932) : l'Amant de poche (I. 1975).

Lévi-Strauss, Claude [Ph, Ethn] (1908) : les Structures élémentaires de la parenté (1949), Tristes Tropiques (1955), l'Anthropologie structurale (1958), la Pensée sauvage (1962), Mythologiques (t. I, le Cru et le Cuit 1964), le Regard éloigné (1983), Paroles données, la Potière jalouse (1985), De près et de loin (1988).

Lévy, Bernard-Henri [Es] (1948) : la Barbarie à visage humain (1977), le Testament de Dieu, l'Idéologie française (1981), le Diable en tête (M. 1984), les Derniers jours de Charles Baudelaire (I 1988), les Aventures de la Liberté (1991).

Lhote, Henri [E] (1903) : le Tassili.

Ligneris, Françoise de [R] (1913) : Fort Frederick, Psyché 58, la Septième Rose.

Loesch, Anne [R] (1941) : la Valise et le Cercueil, le Tombeau de la chrétienne, Une toute petite santé, la Grande Fugue, la Bête à chagrin, Le vent est un méchant, les Couleurs d'Odessa (1979).

Lombard, Maurice [H] (1904-64).

Lyotard, Jean-François [Ph] (1924) : la Condition postmoderne (1979), Heidegger et les Juifs (1988).

Maalouf, Amin [R] (Libanais, 1949) : Léon l'Africain (1986), Samarcande (1988), les Jardins de lumières (1991).

Macaigne, Pierre [J] (1920).

Maine, René (Boyer) [H, J] (1907).

Malet, Léo [P, R] (1909) : 120, rue de la Gare (1943), l'Ours et la Calotte (1955), Pas de bavards à la Muette, les Eaux troubles de Javel, Mic Mac Moche au Boul'Mich (1958).

Mallet, Robert [R] : Ellynn (1986).

Mallet-Joris, Françoise. Voir Belgique p. 281 b.

Malraux, André [R, E] (1901-76) : la Tentation de l'Occident (1926), les Conquérants (1928), le Royaume farfelu (1928), la Voie royale (I. 1930), la Condition humaine (G. 1933), le Temps du mépris (1935), l'Espoir (1937), les Noyers de l'Altenburg (1943), Psychologie de l'art [I. le Musée imaginaire (1947) ; II. la Création artistique (1948) ; III. la Monnaie de l'absolu (1949)], Saturne (1950), les Voix du silence (1951), le Musée imaginaire (2e formule 1952-57), Métamorphose des dieux (1957), Antimémoires (1967), les Chênes qu'on abat (1970), Oraisons funèbres (1971), la Tête d'obsidienne, Lazare (1974), Hôtes de passage, l'Homme précaire et la Littérature, l'Intemporel, le Surnaturel. Voir p. 342 c. – *Biogr. :* famille bourgeoise parisienne (parents divorcés). *1919* éditeur de livres d'art. *1921* épouse Clara Goldschmidt, qui restera « Clara Malraux » après leur divorce. *1923* en Indochine ; condamné à 3 ans de prison pour vol de bas-reliefs khmers. *1925* fonde le mouvement nationaliste indochinois (anti-français). *1927* rédacteur à la NRF. *1933* Prix Goncourt pour *la Condition humaine. 1936-37* combattant républicain en Espagne (aviateur). *1939-40* combattant. *1943-44* résistant (colonel Berger). *1944-45* colonel de la Brigade Alsace-Lorraine. *1945-46* min. de l'Information. *1947* au R.P.F. *1959-69* min. des Aff. culturelles. Proche de Louise de Vilmorin.

Mammeri, Mouloud [R] (Algérien, 1917-89) : la Colline oubliée (1952), le Sommeil du juste (1955), l'Opium et le Bâton (1965), la Traversée (1982).

Manceron, Claude [E] (1923) : les Hommes de la liberté (les Vingt Ans du Roi, le Vent d'Amérique, le Bon Plaisir, la Révolution qui lève, le Sang de la Bastille).

Marceau, Félicien (Louis Carette) [R, D] (Belge, nat. Fr. 1913) : Bergère légère (1953), les Élans du cœur (I. 1955), Creezy (G. 1969), le Corps de mon ennemi, Émeline et son cirque, les Passions partagées, Un oiseau dans le ciel. *Théâtre :* l'Œuf (1956), la Bonne Soupe, la Preuve par quatre, l'Homme en question, l'Ami du président.

Margerie, Diane de [Cr, R] (1927) : l'Empereur Ming vous attend.

Margerit, Robert [R] (1910) : le Dieu nu (Ren. 1951), la Terre aux loups, la Révolution.

Marion, Jean-Luc [Ph] (1946) : l'Idole et la distance, Sur la théologie blanche de Descartes (1981).

Marrou, Henri-Irénée, [H] (1904-77) : St Augustin et la fin de la culture antique (1937), Histoire de l'éducation dans l'Antiquité (1948).

Martinet, André [Ling] (1908).

Massip, Renée [J, R] (1907) : la Régente, la Bête quaternaire (I. 1963), le Rire de Sara (1966), Douce lumière (1985).

Masson, Loys [P, R] (île Maurice, 1915-69) : *Poésie :* les Vignes de septembre. *Romans :* l'Étoile et la Clé, les Tortues, la Douve, le Notaire des Noirs, les Anges noirs du trône.

Matzneff (Gabriel) [R] (1936) : Ivre du vin perdu, Nous n'irons plus au Luxembourg, le Sabre de Didi, Harrison Plaza (1988), Mes amours décomposés.

Maulnier, Thierry (Jacques Talagrand) [D, Es] (1909-89) : Introduction à la poésie française, la Maison de la nuit (1953), les Vaches sacrées (1977), l'Étrangeté d'être (1982), le Dieu masqué (1985).

Maunick, Édouard (Mauricien) [E] (1931).

Mauriac, Claude [Cr, R] (1914) : l'Alittérature contemporaine, le Dîner en ville (M. 1959), La marquise sortit à 5 h, l'Oubli, Une amitié contrariée, le Temps immobile (8 tomes, 1974-85), Et comme l'espérance est violente, la Terrasse de Malagar. *Théâtre :* la Conversation, Ici maintenant, Le Bouddha s'est mis à trembler, Maurice et fils, l'Oncle Marcel (1987), Trans-Amour-Étoiles (1989).

Mazars, Pierre [Cr, E] (1921-85).

Meddeb, Abdelwahab [R] (1946) : Phantasia.

Mégret, Christian [R] (1904) : En ce temps-là (1944), le Carrefour des solitudes (F. 1957), J'ai perdu mon ombre (1974), la Croix du Sud (1984).

Melchior-Bonnet, Christian [H] (1904).

Memmi, Albert [R] (Tunisien nat. Fr. 1920) : *Romans :* la Statue de sel (1953), Agar, le Scorpion, le Désert, le Pharaon (1988). *Essais :* Portrait du colonisé, l'Homme dominé, la Dépendance.

Merle, Robert [R] (1908) : Week-end à Zuydcoote (G. 1949), La mort est mon métier, l'Ile, Un animal doué de raison, Derrière la vitre, Malevil (1972), les Hommes protégés, Madrapour, Fortune de France, En nos vertes années (1979), Paris ma bonne ville, le Prince que voilà, la Violente amour (1983), la Pique du jour, le Jour ne se lève pas pour nous, l'Idole (1987), le Propre de l'homme (1989).

Merleau-Ponty, Maurice [Ph] (1908-61) : Phénoménologie de la perception, Humanisme et Terreur, les Aventures de la dialectique.

Meschonnic, Henri [P] (1932).

Messadié, Gérald [R] (1931) : l'Homme qui devint Dieu (1988).

Métral, Maurice [R] (Suisse, 1929) : l'Avalanche (1966), les Hauts Cimetières (1970), l'Enfant refusé (1972), l'Appel du soir, les Loups parmi nous (1980).

Mettelus, Jean [E] (1937) : Jacmel au crépuscule, Une eau-forte.

Michelet, Claude [R] (1938) : la Grande Muraille, Des grives aux loups (1979), les Palombes ne passeront plus, les Promesses du ciel et de la terre, Pour un arpent de terre, le Grand Sillon (1988), l'Appel des engoulevents (1990).

Mille, Raoul [R] (1941) : Léa ou l'Opéra sauvage, les Amants du paradis (1987).

Milza, Pierre [H] (1932).

Mimouni, Rachid [R] (Algérie, 1945) : le Fleuve détourné, Tombeza (1984), l'Honneur de la tribu.

Minc, Alain [Es, Pol] (1949) : la Machine égalitaire, la Grande Illusion, l'Argent fou (1990), la Vengeance des nations (1991).

Miquel, Pierre [H] (1930) : Histoire de France, les Guerres de religion, la Grande Guerre, l'Antiquité, la Seconde Guerre mondiale (1986), la Troisième République (1989).

Mithois, Marcel [Hum] (1922) : Croque-Monsieur, Passez, muscade, les Folies du samedi soir.

Mitterrand, François [Pol, Chr] (1916) : la Paille et le Grain (1975), l'Abeille et l'Architecte (1978).

Modiano, Patrick [R] (1947) : la Place de l'Étoile (1968), la Ronde de nuit (1969), les Boulevards de ceinture, Villa triste, Livret de famille (1977), Rue des boutiques obscures (G. 1978), Une jeunesse (1981), De si braves garçons (1982), Poupée blonde (Théâtre, 1983), Quartier perdu (1985), Un dimanche d'août (1986), Remise de peine (1987), Vestiaire de l'enfance (1988), Voyage de noces (1990), Fleurs de ruine (1991).

Mohrt, Michel [R, Es] (1914) : Mon royaume pour un cheval (1949), les Nomades, la Prison maritime (1961), la Campagne d'Italie, Deux Indiennes à Paris, les Moyens du bord, la Maison du père (1979), la Guerre civile (1986), Vers l'Ouest, l'Air du large, le Télésiège, Un soir à Londres (1991).

Moinot, Pierre [R] (1920) : Armes et Bagages, la Chasse royale, le Sable vif, le Guetteur d'ombres (F. 1979), Jeanne d'Arc (1988).

Mongrédien, Georges [H] (1901).

Monnerot, Jules [Soc] (1909) : Sociologie du communisme, Sociologie de la Révolution.

Monod, Jacques [Bio] (1910-76) : le Hasard et la Nécessité (1970), [N. médecine 1965].

Monteilhet, Hubert [R] (1928) : les Mantes religieuses (1960), le Retour des cendres (1961), Retour à zéro (1978), les Queues de Kallinaos (1981), Neropolis (1984), la Pucelle (1988).

Morin, Edgar [Ph] (1921) : l'Homme et la Mort (1951), les Stars (1957), Autocritique (1959), l'Esprit du temps (1962), Introduction à une politique de l'homme (1965), Mai 68 : la brèche, Journal de Californie, le Paradigme perdu : la nature humaine, l'Unité de l'homme, Pour sortir du XXe s. (1981), Sociologie, New York, Vidal Nahum (1989).

Morvan-Lebesque [D, J, R] (1911-70) : Soldats sans espoir, l'Amour parmi nous.

Mossé, Robert [Ec] (1906) : l'Économie socialiste, Perspectives de l'an 2000.

Mounier, Emmanuel [Ph] (1905-1950) : Introduction aux existentialismes, Manifeste au service du personnalisme (1936), Traité du caractère (1946), le Personnalisme (1949). Fonda en 1932 avec Paul Flamand la revue *Esprit* (publiée par le Seuil).

Mourad, Kénizé [R] (1939) : De la part de la princesse morte (1987).

Mourgue, Gérard [E] (1925).

Mourre, Michel [H] (1928-77) : Charles Maurras (1953), Dictionnaire d'histoire universelle (8 vol.).

Mousset, Paul [R] (1907) : Quand le temps travaillait pour nous (Ren. 1941), Neige sur un amour nippon (1954).

Moustiers, Pierre [R] (1924) : la Paroi (1969), l'Hiver d'un gentilhomme (1976), l'Eclat (1990), Un crime de notre temps.

Murciaux, Christian (Muracciole) [R] (1915) : les Fruits de Canaan, N.-D. des Désemparés, Pedro de Luna.

Nadeau, Maurice [Es, Cr] (1911).

Navarre, Yves [R, D] (1940) : Évolène (1972), les Loukoums (1973), le Cœur qui cogne (1974), Niagarak (1976), le Temps voulu (1979), le Petit Galopin de nos corps, le Jardin d'acclimatation [G 1980], Biographie, Premières Pages, l'Espérance de beaux voyages, été/automne, Louise, Une vie de chat (1986), Romans un roman, Hôtel Styx (1988).

Navel, Georges [R] (1904) : Travaux (1947), Sable et limon (1989).

Nay, Catherine [J] (1944) : la Double Méprise (1980), le Noir et le Rouge, les Sept Mitterrand.

Négroni, François de [E] (1943) : les Colonies de vacances.

Nels, Jacques [J, E] (1901) : Fragments détachés de l'oubli (1989).

Nemirovsky, Irène [R] (1903-42) : David Golder (1929), le Vin de solitude (1935), Jézabel (1936).

Némo, Philippe [E] (1949) : l'Homme surnaturel.

Neuhoff, Éric [R] (1957) : Précautions d'usage, Un triomphe, les Hanches de Laetitia.

Neveux, Georges [D, P] (1900) : la Beauté du diable, le Voyage de Thésée.

Nimier, Roger (de La Perrière) [R, Polé] (1925-62) : les Épées, le Hussard bleu (1950), les Enfants tristes, Histoire d'un amour. *Pamphlet :* le Grand d'Espagne.

Nizan, Paul [R, Polé] (1905-40) : *Romans :* Antoine Bloyé (1933), la Conspiration (I. 1938). *Pamphlets :* Aden Arabie (1931), les Chiens de garde (1932), Chronique de septembre.

Noël, Bernard [P, R] (1930) : Extraits du corps, le Château de Cène (1971), la Chute d'Icare, les Premiers Mots, Treize Cases du je.

Nord, Pierre (André Brouillard) [R] (1900-85) : Mes camarades sont morts (1947), Terre d'angoisse, Chroniques de la guerre subversive, Double Crime sur la ligne Maginot.

Nourissier, François [R, Es] (1927) : l'Eau grise, le Corps de Diane, Un malaise général [I. Bleu comme la nuit (1958), II. Un petit bourgeois (1964), III. Une histoire française (1966)], le Maître de maison, la Crève (F. 1970), Allemande, Lettre à mon chien, Musée de l'Homme, l'Empire des nuages (1981), la Fête des pères (1986), En avant, calme et droit (1987), Bratislava (1990).

Nucera, Louis [R] (1928) : la Kermesse aux idoles (1977), le Chemin de la lanterne (1981), le Roi René, le Ruban rouge.

Obaldia, René de [P, R, D] (1918) : *Poésie :* les Richesses naturelles (1952), Innocentines (1969).

Romans : Tamerlan des cœurs (1955), le Centenaire (1959). *Théâtre :* Génousie (1960), le Satyre de la Villette (1963), Du vent dans les branches de sassafras (1966), Sept impromptus à loisir (1976), la Babby-sitter (1971), Monsieur Klebs et Rosalie (1975), les Bons Bourgeois (1980).

Oldenbourg, Zoé [R] (or. russe, 1916) : Argile et cendre (1946), la Pierre angulaire (F. 1953), le Bûcher de Montségur (1959), la Joie des pauvres, les Cités charnelles (1961), Visages d'un autoportrait, Déguisements (1989).

Olivier-Lacamp, Max [J, R] (1914-83), les Feux de la colère (Ren. 1969).

Ollier, Claude [R] (1923) : la Mise en scène (M. 1958), l'Échec de Nolan, Our ou Vingt Ans après, Une histoire illisible, De connexion (1988), les Liens d'espace (1989).

Ollivier, Éric [R] (1927) : Une femme raisonnable, Panne sèche, Le temps me dure un peu (1980), l'Orphelin de mer (I. 1982), l'Arrière-saison (1985), le Faux pas (1987), la Loi d'exil (1990).

Oraison, Marc [Théo] (1914-79) : Une morale pour notre temps, le Couple en question.

Orieux, Jean [R, Es] (1907-90) : Fontagre (1946), le Lit des autres (1964), l'Étoile et le Chaos, Souvenirs de campagne, Voltaire (1966), Talleyrand (1970), La Fontaine (1976), Catherine de Médicis (1986).

Orizet, Jean [P] (1937).

Ormesson, Jean, Cte d' ⚘ [E, R] (1925) : L'amour est un plaisir (1956), les Illusions de la mer, la Gloire de l'Empire (1971), Au plaisir de Dieu (1974), le Vagabond qui passe sous une ombrelle trouée (1978), Dieu, sa vie, son œuvre (1981), Mon dernier rêve sera pour vous (1982), Jean qui grogne et Jean qui rit (1984), le Vent du soir (1985), Tous les hommes en sont fous (1986), le Bonheur à San Miniato (1987), Histoire du Juif errant (1991).

Orsenna, Erik (Arnoult) [R] (1948) : Loyola's blues (1974), la Vie comme à Lausanne (1976), Une comédie française, l'Exposition coloniale (G. 1988).

Paillat, Claude [J, H] (1924) : Dossiers secrets de la France contemporaine (7 vol.).

Parmelin, Hélène (Jungelson) [R] (1915) : la Montée au mur, le Soldat connu, la Gadgeture, la Manière noire, le Perroquet manchot, la Femme écarlate, la Désinvolture (1983).

Parturier, Françoise [R] (1919) : Les lions sont lâchés, Le plaisir donne sur la cour, Lettre ouverte aux femmes (1974), Calamité, mon amour (1978), les Hauts de Ramatuelle.

Pauwels, Louis [E] (or. belge, 1920) : l'Amour monstre (1955), le Matin des magiciens (avec **Jacques Bergier**, 1961), Lettre ouverte aux gens heureux et qui ont bien raison de l'être (1971), Blumroch l'admirable, l'Apprentissage de la sérénité (1977), Comment devient-on ce qu'on est ? (1978), Dix ans de silence (1989).

Paysan, Catherine (Annie Roulette) [R] (1926) : les Feux de la Chandeleur (1966), l'Empire du taureau, le Clown de la rue Montorgueil.

Perec, Georges [R] (1936-82) : les Choses (Ren. 1965), Un homme qui dort (1967), la Boutique obscure (1973), Alphabets (1975), la Vie mode d'emploi (M. 1978), 53 jours (1989). *Théâtre :* l'Augmentation (1981), la Poche Parmentier (1981).

Pernoud, Régine [H] (1909) : Vie et Mort de Jeanne d'Arc (1953), Hist. de la bourgeoisie en France (1960-62), Pour en finir avec le Moyen Age, la Femme au temps des cathédrales, le Tour de France médiéval (avec **Georges Pernoud**), la Reine blanche.

Perrault, Gilles [R] (1931) : l'Orchestre rouge, la Longue Traque (1975), le Pull-over rouge (1978), Un homme à part, Notre ami le roi (1990).

Perret, Jacques [R] (1901) : le Caporal épinglé (1947), Bande à part (I. 1951), Rue du Dragon. *Théâtre :* Mutinerie à bord.

Perros, Georges [P] (1923-78) : Papiers collés.

Perroux, François [Ec, Soc] (1903-87).

Perruchot, Henri [Cr d'art, H] (1917-67).

Perry, Jacques (Touchard) [R] (1921) : l'Amour de rien (Ren. 1951), Vie d'un païen, la Beauté à genoux, la Peau dure, le Ravenala ou l'Arbre du voyageur, Alcool vert (1988).

Peuchmaurd, Jacques [R] (1923) : le Plein Été, le Soleil de Palicorna, la Nuit allemande.

Peyramaure, Michel [R] (1922) : le Bal des Ribauds (1955), la Passion cathare (1977), l'Orange de Noël (1982), le Printemps des pierres (1983), les Dames de Marsanges (1988), Napoléon (1991).

Peyrefitte, Alain ⚘ [Pol] (1925) : Quand la Chine s'éveillera... (1973), le Mal français (1976), les Chevaux du lac Ladoga, Quand la rose se fanera (1983), l'Empire immobile ou le choc des mondes (1989), la Tragédie chinoise (1990).

Peyrefitte, Roger [R, Es] (1907) : les Amitiés particulières (Ren. 1944), la Mort d'une mère (1950), les Ambassades (1951), les Clés de saint Pierre (1955), Chevaliers de Malte, les Fils de la lumière (1961), les Juifs (1965), les Américains, Des Français, la Coloquinte, Manouche (1972), l'Oracle, Propos secrets (2 vol.), Tableaux de chasse (1976), la Jeunesse d'Alexandre (1977), l'Enfant de cœur (1978), les Conquêtes d'Alexandre (1979), Alexandre le Grand, Propos secrets, la Soutane rouge, Voltaire, sa jeunesse et son temps (1986), l'Innominato (1989). – *Biogr. :* fils d'un propriétaire terrien de Castres ; interne à Toulouse, puis Foix ; licence de lettres à Toulouse. *1928* Sciences po. à Paris. *1931* 1er au concours du quai d'Orsay. *1933-38* secrétaire d'ambassade à Athènes. *1938-40* rappelé au Quai. *1944* les Amitiés particulières (sujet homosexuel), succès de scandale. *1945* révoqué du Quai. *1945-78* action juridique pour faire annuler cette révocation. *1978* est réintégré et mis à la retraite.

Philipe, Anne [R] (1917-90) : le Temps d'un soupir, les Rendez-vous de la colline, Ici, là-bas, ailleurs, Un été près de la mer, les Résonances de l'amour.

Pichette, Henri [P, D] (1924) : Apoèmes, les Épiphanies. *Théâtre :* les Revendications, Nucléa.

Picon, Gaétan [Es] (1915-76).

Pierrard, Pierre [H] (1920).

Piettre, André [Ec] (1906) : les Trois Ages de l'économie.

Pieyre de Mandiargues, André [P, R] (1909) : le Musée noir, Soleil des loups, le Lis de mer, l'Age de craie, la Motocyclette (1963), la Marge (G. 1967), Marbres ou les Mystères d'Italie (1985), Tout disparaîtra (1987), les Portes de corail.

Pilhes, René-Victor [R] (1934) : la Rhubarbe (M. 1965), le Loum, l'Imprécateur (F. 1974), la Bête, la Pompéi, l'Hitlérien, la Médiatrice (1989).

Pingaud, Bernard [R, Cr] (1923) : l'Amour triste (1950), Mme de La Fayette (1959), la Scène primitive, l'Étranger, l'Imparfait, la Voix de son maître (1973), l'Expérience romanesque (1983).

Pisar, Samuel [Pol] (1929) : le Sang de l'espoir, les Armes de la paix, la Ressource humaine (1983).

Pivot, Bernard [R] (1935) : l'Amour en vogue, le Football en vert (1980), le Métier de lire (1990).

Poirot-Delpech, Bertrand [R, Cr] (1929) : le Grand Dadais (I. 1958), l'Envers de l'eau (1963), Finie la comédie (1969), la Folle de Lituanie, les Grands de ce monde (1976), Saïd et Moi (1980), la Légende du siècle (1981), le Couloir du dancing (1982), l'Été 36 (1984), le Golfe de Gascogne (1988), Traversées (1989). *Sous la signature Hasard d'Estin :* Tout fout le camp (1976).

Poivre d'Arvor, Patrick [J] (1947) : Mai 68, mai 78 (1978), les Enfants de l'aube (1982), Deux amants (1984), le Roman de Virginie (1985), la Traversée du miroir (1985), les Derniers Trains de rêve (1985), Rencontres (1987), les Femmes de ma vie (1988).

Politzer, Georges [Ph] (1903-42) : Critique des fondements de la psychologie (1928), le Bergsonisme, mystification politique (posth. 1945).

Pons, Anne [Cr, R] (1934) : les Sentiments irréguliers (1988), Dark Rosaleen (1991).

Pons, Maurice [R] (1925) : Métrobate (1951), Virginales, les Saisons, Rosa, Mademoiselle B, la Maison des brasseurs (1978), Douce - amère (1985).

Poulet, Georges. Voir Belgique, p. 281 b.

Pozner, Vladimir [R] : Cuisine bourgeoise (1988).

Prassinos, Gisèle [P, R] (1920) : la Sauterelle arthritique (1935), le Rêve, Le temps n'est rien, le Grand Repas, la Vie, la Voix (1971), Brelin le Frou, Mon cœur les écoute (1982).

Prévert, Jacques [P] (1900-77) : Paroles (1945), Histoires (1948), Spectacle, la Pluie et le Beau Temps (1955), la Cinquième Saison. – *Biogr. :* fils d'un employé de la mairie de Neuilly, famille nombreuse (enfance dans la gêne). *1920-26* avec son frère Pierre (1906-88, cinéaste), fréquente les surréalistes. *1926* écrit des scénarios pour son frère. *1932-37* troupe théâtrale Octobre (auteur de sketches politiques de gauche). *1937* succès du scénario de *Quai des Brumes*. *1946* ses amis publient ses poésies qui circulaient en feuilles et ronéotypées depuis 1931. *1975* avec Pierre, grand prix national du cinéma.

Prévost, Françoise [R] (1929) : Ma vie en plus, l'Amour nu (1981), les Nuages de septembre (1985).

Prévost, Jean [R, Es] (1901-44) : Brûleurs de la prière, les Frères Bouquinquant (1930), le Sel sur la plaie, la Chasse du matin (1937).

Prost, Antoine [H] (1934).

Prou, Suzanne [R] (1920) : les Pataphoris (1966), l'Été jaune, Méchamment les oiseaux, la Terrasse des Bernardini (Ren. 73), les Femmes de la pluie, Jeanne, l'hiver (1982), le Pré aux narcisses, les Amies de cœur, le Dit de Marguerite, la Petite Tonkinoise, la Fontaine aux innocents (1988).

Puget, Claude-André [D] (1910-75) : Échec à Don Juan, la Peine capitale.

Queffélec, Henri [R] (1910) : Un recteur de l'île de Sein (1944), la Fin du manoir, Solitudes, Trois Jours à terre, la Voile tendue, A fonds perdus, le Phare, le Grand Départ, Un Breton bien tranquille (1978), François d'Assise.

Queffélec, Yann [J, R] (1949) : le Charme noir (1983), les Noces barbares (G. 1985), la Femme sous l'horizon (1988), le Maître des chimères.

Queneau, Raymond [P, R, Hum] (1903-76) : *Poésies :* l'Instant fatal (1948), Petite Cosmogonie portative (1950), Si tu t'imagines (1952), le Chien à la mandoline (1958), Cent Mille Milliards de poèmes (1961), Battre la campagne (1968), Morale élémentaire (posth. 1975). *Romans :* le Chiendent (1933), Pierrot mon ami (1942), On est toujours trop bon avec les femmes, Par Sally Mara (1947), Journal intime de Sally Mara (1951), le Dimanche de la vie (1952), Zazie dans le métro (1959), Sally plus intime (1962), les Fleurs bleues (1965), le Vol d'Icare (1968). *Essais :* Exercices de style (1947), De quelques langages animaux imaginaires (1971).

Quignard, Pascal [R] (1948) : le Lecteur (1976), Carus, les Tablettes de buis, A pronemia Avitia, le Voleur du silence, le Salon de Wurtemberg (1986), les Escaliers de Chambord (1989).

Rabéarivelo, Jean-Joseph (Malgache) [E] (1903-37).

Rabiniaux, Roger (Bellion) [P, R] (1914-86) : l'Honneur de Pédonzigue (1950), les Enragées de Cornebourg (1957), le Soleil des dortoirs (1965), la Grande Réception (1981).

Radiguet, Raymond [R] (1903-23) : le Diable au corps (1923), le Bal du comte d'Orgel (publ. 1924).

Ragueneau, Philippe [R] (1917) : les Marloupins du roi (1989).

Ragon, Michel [Cr, R] (1924) : Naissance d'un art nouveau, Trompe-l'œil, les Mouchoirs rouges de Cholet, le Marin des Sables, la Mémoire des vaincus.

Rank, Claude [R] (1925).

Raspail, Jean [R] (1925) : le Jeu du roi (1976), le Camp des saints, Moi, Antoine de Tounens, roi de Patagonie (1981), les Yeux d'Irène, Qui se souvient des hommes, l'Île bleue, Pêcheur de lunes.

Réage, Pauline (pseud. d'un auteur non identifié) [R] : Histoire d'O (1955), Retour à Roissy, Une fille amoureuse.

Rebatet, Lucien [Polé, R] (1903-72) : les Décombres (1942), les Deux Étendards (1952).

Reda, Jacques [P] (1929) : Retour au calme (1989), le Sens de la marche.

Rémond, René [H] (1918).

Rémy (colonel) (Gilbert Renault) [Chr] (1904-84) : Mémoires d'un agent secret de la France libre (1946, 21 vol.), la Ligne de démarcation, Le Monocle rit jaune (roman d'esp.).

Rémy, Pierre-Jean (Jean-Pierre Angremy) ⚘ [R] (1937) : le Sac du palais d'été (Ren. 1971), Mémoires secrets pour servir à l'histoire de ce siècle, Rêver la vie, les Nouvelles Aventures du chevalier de La Barre (1978), Orient-Express, Cordélia ou l'Angleterre (1979), Salue pour moi le monde (1980), Pandora (1980), Un voyage d'hiver, le Dernier Été, Orient-express t. 2, la Vie d'un héros, Une ville immortelle (1986), Des châteaux en Allemagne, Annette ou l'éducation des filles (1988), Toscanes (1989), Chine (1991).

Renard, Jean-Claude [P] (1922).

Revel, Jean-François (Ricard) [Cr, Pol] (1924) : Pourquoi des philosophes (1957), Ni Marx ni Jésus (1970), la Tentation totalitaire (1976), la Nouvelle Censure (1977), la Grâce de l'État (1981), Comment les démocraties finissent (1983), le Rejet de l'État (1984), Une anthologie de la poésie française, la Connaissance inutile (1988).

Reverzy, Jean [R] (1905-59) : le Passage (1954), le Corridor (1958).

Rey, Henri-François [R] (1919-87) : les Pianos mécaniques (I. 1962), le Rachdingue, le Barbare (1972), le Sacre de la putain (1983), la Jeune Fille nue (1986).

Rey, Pierre [R] (1930) : le Grec, Sunsett, Une saison chez Lacan, Bleu Ritz.

Rezvani, Serge [D, R] (1928) : *Théâtre :* le Rémora (1971). *Romans :* les Années lumière (1967), les Années Lula, Foukouli, la Table d'asphalte, le Testament amoureux, le Huitième Fléau (1989), Phénix (1990).

Rheims, Maurice ⚘ [Cr. d'art, R] (1910) : la Main (1960), l'Art 1900 (1964), le Saint-Office (1983), les Greniers de Sienne (1988).

Ribaud, André (Rog. Fressoz) [J] (1921).

Ricaumont, Jacques de [Cr] (1913).

Richaud, André de [P, R, D] (1909) : la Création du monde (1930), le Droit d'asile.

Ricœur, Paul [Ph] (1913) : Philosophie de la volonté (1950-61), Histoire et vérité (1955), Platon et Aristote (1960), De l'interprétation, essai sur Freud (1965), le Conflit des interprétations (1969), la Métaphore vive (1975), la Sémantique à l'action (1975), Temps et récit (1983-85).

Rihoit, Catherine [R] (1950) : Rougeâtre, le Bal des débutantes, les Petites Annonces, la Favorite, le Triomphe de l'amour, Retour à Cythère.

Rinaldi, Angelo [Cr, R] (1940) : la Loge du gouverneur (1969), la Maison des Atlantes (F. 1971), les Dames de France, la Dernière Fête de l'Empire, les Jardins du consulat, les Roses de Pline, la Confession dans les collines.

Rioux, Jean-Pierre [H] (1939).

Rivoyre, Christine de [R] (1921) : la Mandarine (1957), les Sultans (1964), le Petit Matin (I. 1968), Fleur d'agonie, Boy (1973), le Voyage à l'envers, Belle Alliance, la Reine-Mère (1985), Crépuscule, taille unique (1989).

Robbe-Grillet, Alain [R] (1922) : les Gommes (1953), le Voyeur (1955), la Jalousie (1957), Dans le labyrinthe (1959), la Maison de rendez-vous (1965), Projet pour une révolution à New York (1970), Topologie d'une cité fantôme (1976), Un régicide, le Triangle d'or, Djinn (1981). *Critique :* Pour un nouveau roman (1963). *Mém. :* le Miroir qui revient, Angélique ou l'enchantement (1987).

Robert, Paul [Ency] (1910-80) : Dictionnaire alphabétique et analogique de la langue française (7 vol., 1950-70), Petit Robert (1967), Micro-Robert (1971), Dict. universel des noms propres (4 vol. 1974), le Petit Robert II des noms propres (1974).

Roberts, Jean-Marc [R] (1954) : Samedi dimanche et fêtes (1972), Affaires étrangères, l'Ami de Vincent, Mon père américain, l'Angoisse du tigre.

Robida, Michel [R, Es] (1909) : le Temple de la longue patience (F. 1946), les Bourgeois de Paris, Sourires siciliens, Un monde englouti.

Roblès, Emmanuel [R, D] (1914) : les Hauteurs de la ville (F. 1948), Cela s'appelle l'aurore, la Remontée du fleuve, la Croisière, la Chasse à la licorne, Norma ou l'exil infini (1987). *Théâtre :* Montserrat, La vérité est morte, l'Horloge, les Sirènes.

Roche, Denis [R] (1937) : la Louve basse (1976).

Rochefort, Christiane [R] (1917) : le Repos du guerrier (1958), les Stances à Sophie, Une rose pour Morrison, Printemps au parking, C'est bizarre l'écriture, Archaos ou le Jardin étincelant, Encore heureux qu'on va vers l'été, les Enfants d'abord, Quand tu vas chez les femmes, la Porte du fond (1988).

Romilly, Jacqueline de 🌿 [H, E] (1913) : la Modernité d'Euripide, les Problèmes de la démocratie grecque, Histoire et raison chez Thucydide, les Grands Sophistes dans l'Athènes de Périclès, la Grèce antique à la découverte de la liberté (1989), l'Enseignement en détresse, Ouverture à cœur, la Construction de la vérité chez Thucydide.

Rosnay, Joël de [Sav] (1937) : le Macroscope (1975), l'Aventure du vivant (1988).

Rouart, Jean-Marie [R] (1943) : la Fuite en Pologne, les Feux du pouvoir (I. 1977), Avant-guerre (Ren. 1983), Ils ont choisi la nuit, le Cavalier blessé, la Femme de proie (1989), le Voleur de jeunesse.

Rousselot, Jean [P, R] (1913) : Le Goût du pain, Une fleur de sang, le Luxe des pauvres, Agrégation du temps, Un train en cache un autre, Hors d'eau, Il y aura une fois (1984).

Rousset, David [J, Es] (1912) : l'Univers concentrationnaire (Ren. 1946), les Jours de notre mort.

Roussin, André [D] 🌿 (1911-87) : Am Stram Gram (1944), Une grande fille toute simple (1945), la Petite Hutte (1947), Nina (1949), les Œufs de l'autruche, Bobosse, Lorsque l'enfant paraît (1951), Hélène ou la joie de vivre (1952), la Mamma (1957), les Glorieuses, la Voyante (1963), On ne sait jamais (1969), la Claque (1972), la Vie est trop courte (1981), le Rideau rouge, Rideau gris et habit vert (1983).

Roux, Dominique Cte de [Polé] (1935-77) : la Mort de L.-F. Céline, Maison jaune, la France de Jean Yanne, le 5e Empire, la Jeune Fille au ballon rouge.

Roy, Claude (Orland) [P, R] (1915) : l'Enfance de l'art, le Soleil sur la terre, la Traversée du pont des Arts, Sais-tu si nous sommes encore loin de la mer ?, l'Ami lointain, la Fleur du temps (1988), le Noir de l'aube, le Voleur de poèmes. *Autobiogr. :* Moi je (1969), Nous (1972), Somme toute, l'Étonnement du voyageur (1987-89).

Roy, Jules [R] (1907) : *Romans :* la Vallée heureuse (Ren. 1946), la Mort de Mao (1969). *Fresque algérienne :* I. les Chevaux du soleil (1968) ; Une femme au nom d'étoile ; les Cerises d'Icherridène ; le Maître de la Mitidja ; les Armes interdites ; le Tonnerre et les Anges. *Essais :* le Métier des armes (1957), la Guerre d'Algérie (1960), l'Amour fauve (1971), la Saison des Za, Étranger mon ami (1982), les Fleurs du temps (1988), les Mémoires barbares.

Rudel, Yves-Marie (Rémi Menoret) [R, H] (1907) : le Roman d'Anne de Bretagne.

Ruyer, Raymond [Ph] (1902) : la Conscience et le corps (1937), Paradoxe de la conscience et limites de l'automatisme (1966).

Sabatier, Robert [P, Es, R] (1923), *Poésies :* les Fêtes solaires (1961), Poisons délectables (1965), les Châteaux des millions d'années (1968). *Essais :* l'État princier (1961), Dictionnaire de la Mort (1967), Histoire de la Poésie française (1975-76-88). *Romans :* Alain et le Nègre (1953), Canard au sang (1958), la Mort du figuier (1962), le Chinois d'Afrique (1966), Trilogie [les Allumettes suédoises (1969) ; Trois Sucettes à la menthe (1972) ; les Noisettes sauvages (1974)], les Enfants de l'été (1977), les Fillettes chantantes (1980), la Poésie du XXe siècle, les Années secrètes de la vie d'un homme (1984), David et Olivier, la Souris verte (1990).

Sachs, Maurice (Jean-Maurice Ettinghausen) [Chr] (1906-45) : le Sabbat (publ. 1946), la Chasse à courre, Abracadabra.

Sagan, Françoise (Quoirez) [R, D] (1935) : *Romans :* Bonjour Tristesse (1954), Un certain sourire, Dans un mois dans un an, Aimez-vous Brahms ?..., les Merveilleux Nuages, la Chamade, le Garde du cœur, Un profil perdu, le Lit défait, la Femme fardée, le Chien couchant (1980), Un orage immobile, De guerre lasse (1985), Sarah Bernhardt (1987), la Laisse (1989), les Faux-Fuyants (1991). *Théâtre :* Un château en Suède (1959), la Robe mauve de Valentine, les Violons parfois, le Cheval évanoui, le Piano dans l'herbe, Un sang d'aquarelle (1987). *Nouvelles :* Des yeux de soie. *Autobiogr. :* Des bleus à l'âme (1972), Réponses, Avec mon meilleur souvenir (1984).

Saint-Bris, Gonzague [Cr] (1948) : le Romantisme absolu, Qui est snob ? (1973), Athanase ou la Manière bleue (1976), la Nostalgie camarades !

Saint-Exupéry, Antoine de [E] (1900-44) : Courrier Sud (1929), Vol de nuit (F. 1931), Terre des hommes (1939), Pilote de guerre (1942), Lettre à un otage (1943), le Petit Prince (1943), Citadelle (posth., 1948). – *Biogr. :* ancienne noblesse, sans fortune ; orphelin de père à 4 ans. *1919* échoue à l'École navale. *1920-21* service militaire dans l'aviation. *1926* pilote chez Latécoère, à Toulouse. *1927* chef d'escale à Cap Juby. *1931* mariage. *1934* pilote à Air France. *1937* paralysé partiel après un 5e accident aérien (Mexique). *1940* combattant (aviation). *1942* réfugié aux U.S.A. *1944* pilote de guerre en Corse ; abattu en vol.

Saint-Laurent, Cécil : Voir **Laurent,** Jacques.

Saint-Paulien (Maurice Yvan Sicard) [R, Es] (1900) : le Soleil des morts, Double Cœur, les Maudits, Histoire de la collaboration.

Saint-Phalle, Thérèse de (B[onne] J. de Drouas) [R, Cr] (1930) : la Mendigote (1966), la Chandelle, le Tournesol, le Souverain, la Clairière, le Métronome, le Programme (1985), l'Odeur de la poudre (1988).

Saint-Pierre, Michel, Mis de [R] (1916-87) : la Mer à boire, les Aristocrates (1954), les Écrivains, la Nouvelle Race, les Nouveaux Prêtres (1964), le Drame des Romanov, le Milliardaire, l'Accusée, Je reviendrai sur les ailes de l'aigle, les Passions de l'abbé Delance (1978), Laurent (1980), Docteur Ericson (1982), le Double Crime de l'impasse Salomon (1984), les Cavaliers du Veld (1986).

Saint-Robert, Philippe de [E] (1934) : Montherlant le séparé, la Même Douleur démente, les Septennats interrompus, Discours aux chiens endormis, Midi en cendres.

Sallenave, Danièle [R] (1940) : Paysage de ruines avec personnages, les Portes de Gubbio, la Vie fantôme, le Don des morts (1991). *Théâtre :* Conversations conjugales.

San-Antonio : Voir **Dard** p. 303 c.

Sarraute, Claude [J] (1927) : Allô Lolotte c'est coco ! Maman Coq.

Sarraute, Nathalie (Tcherniak) [R, Es] (Russie 1900) : le Planétarium (1959), les Fruits d'or, Entre la vie et la mort, Vous les entendez ? (1972), Disent les imbéciles, l'Usage de la parole (1980), Enfance, Tu ne t'aimes pas (1989).

Sarrazin, Albertine [R] (1937-67) : la Cavale (1965), l'Astragale (1965).

Sartin, Pierrette [P, R] (1911).

Sartre, Jean-Paul [Ph, R, D, Pol] (1905-80) : *Théâtre :* les Mouches (1943), Huis clos (1944), la P... respectueuse (1946), les Mains sales (1948), le Diable et le Bon Dieu (1951), les Séquestrés d'Altona (1960). *Romans :* la Nausée (1938), le Mur (1939), les Chemins de la liberté [l'Age de raison (1945), le Sursis (1945), la Mort dans l'âme (1949)], les Carnets de la drôle de guerre. *Philosophie :* l'Imagination (1936), Esquisse d'une théorie des émotions (1939), l'Imaginaire (1940), l'Être et le Néant (1943), L'existentialisme est un humanisme (1946), Critique de la raison dialectique (1959), Vérité et existence (1989). *Crit. litt. :* Situations (9 vol., 1947-72). *Autobiogr. :* les Mots (1964), Écrits de jeunesse (1990). *Corresp.* Lettres au Castor (1983). – *Biogr. :* bourgeoisie périgourdine (attaches protestantes, cousin du Dr Schweitzer). Orphelin de père à 2 ans. *1916* remariage de sa mère ; à Paris (études à Henri-IV, puis Louis-le-Grand). *1924* École normale sup. *1929* agrégé de philo. Compagnon de Simone de Beauvoir. *1931-45* prof. de philo. dans plusieurs lycées (Condorcet 1942-45). *1945* quitte l'enseignement ; fonde les *Temps Modernes. 1964* prix Nobel (refusé). *1966* membre du « Tribunal » Russel. *1970* dir. de *la Cause du Peuple. 1975* perd la vue.

Sauvy, Alfred [Ec] (1902-90) : Richesse et Population (1943), la Montée des jeunes (1959-69), Croissance zéro ?, la Fin des riches (1975), la Vie en plus (1981).

Schéhadé, Georges [P, D] (Libanais, 1910-89) : *Poèmes :* Étincelle (1928), Poésies I (1938), l'Écolier sultan (1948), Poésies II (1949), le Nageur d'un seul amour (1985). *Théâtre :* Monsieur Bob'le (1951), la Soirée des proverbes (1954), Histoire de Vasco (1956), les Violettes (1960), le Voyage (1961), l'Émigré de Brisbane (1965), L'habit fait le prince (1973).

Schneider, Marcel [R] (1913) : la Première Île (1951), l'Enfant du dimanche (1953), le Jeu de l'Oie (1960), le Prince de la terre (1980), les Deux Miroirs (1989). *Mémoires :* l'Éternité fragile (t. 1, 1989), Innocence et vérité (t. 2, 1991).

Schneidre (Schneider), Dominique [R] (1942) : Atteinte à la mémoire des morts, les Chagrins d'éternité (1988), la Capitane.

Schoendoerffer, Pierre [R] (1928) : l'Adieu au roi (I. 1969), le Crabe-tambour (1976), Là-haut (1981), l'Honneur d'un capitaine (1982).

Schulz, Bruno [R] (1941) : le Sanatorium au croquemort.

Sédouy, Cte Alain de [Pol] (1935).

Seghers, Pierre [P] (1906-87) : Chansons et Complaintes, Inferno, Visions.

Senart, Philippe [Cr].

Sénac, Jean (Algérien) [E] (1926-73).

Senghor, Léopold Sédar 🌿 [P] (Sénégalais, 1906) : *Poésies :* Chants d'ombre (1945), Hosties noires (1948), Éthiopiques (1956), Nocturnes (1961), les Élégies des alizés (1969), Lettres d'hivernage (1973). *Essais :* Liberté [I (1964) ; II (1971) : III (1977)].

Serres, Michel 🌿 [Ph] (1929) : Hermès (5 vol.), la Parasite, les Cinq Sens (M. essai 1985), Statues, l'Hermaphrodite, le Contrat naturel (1990), le Tiers-instruit, Jouvences sur Jules Verne (1991).

Servan-Schreiber, Jean-Jacques [Es, J] (1924) : Lieutenant en Algérie, le Défi américain (1967), Ciel et Terre (1970), le Défi mondial (1980), le Retour du courage, le Métier de patron, Passions (1991).

Sigaux, Gilbert [Cr, Es, J, R] (1918-82) : les Grands Intérêts (1946), Terre lointaine (1947), Chiens enragés (I. 1949), Fin (1951).

Signol, Christian [R] (1947) : les Cailloux bleus, les Amandiers fleurissaient rouge (1988), la Rivière Espérance (1990).

Silvain, Pierre [R] (1927) : la Chair et l'Ombre (1963), la Dame d'Elche (1965), Zacharie Blue, la Promenade en barque.

Simiot, Bernard [R] (1906) : Rendez-vous à la Malouinière (1989), Paradis perdu.

Simon, Claude [R] (1913) : le Tricheur (1945), la Corde raide (1947), le Sacre du printemps (1954), le Vent, l'Herbe, la Route des Flandres, Histoire (M. 1967), la Bataille de Pharsale, Triptyque, Leçon de choses, les Géorgiques (1981), la Chevelure de Bérénice (1984), l'Invitation (1987), l'Acacia (1989) [N. 1985].

Simon, Pierre-Henri 🌿 [Mor] (1903-72) : les Raisins verts, Elsinfor, l'Homme de Cordouan, Histoire d'un bonheur, les Corps conducteurs, la Sagesse du soir, l'Homme en procès (1950).

Simonin, Albert [R] (1905-80) : Touchez pas au grisbi (1953), Le cave se rebiffe (1954).

Sipriot, Pierre [J, Es] (1921) : Montherlant sans masque (1982), le Tombeau de Pétrone (1984).

Sloves, Henri [Es] (1905-88) : l'État Juif d'Union Soviétique (1982).

Sollers, Philippe (Joyaux) [R] (1936) : Une curieuse solitude (1958), le Parc (M. 1961), l'Intermédiaire, Drame, Nombres, Logiques (1968), Lois (1972), H (1973), Sur le matérialisme (1974), Paradis (1981), Femmes (1982), Portrait du joueur, le Cœur absolu, les Surprises de Fragonard, les Folies françaises (1988), le Lys d'or, la Fête à Venise (1991).

Sorman, Guy [É] (1944) : la Révolution conservatrice américaine (1983), la Solution libérale (1984), l'État minimum (1985), la Nouvelle Richesse des nations (1987), les Vrais Penseurs de notre temps (1989), Sortir du socialisme (1990).

Soubiran, André [R] (1910) : J'étais médecin avec les chars (Ren. 1943), les Hommes en blanc (1947-58), Journal d'une femme en blanc.

Soustelle, Jacques 🌿 [Ethn] (1904-90). V. Index.

Spens, Willy de [R, Mém] (1911-89).

Steeman, Stanislas-André. Voir Belgique, p. 281 c.

Stil, André [R] (1921) : le Premier Choc, Viens danser, Violine, André, Romansonge, l'Ami dans le miroir, Dieu est un enfant (1979), les Berlines fleuries, les Quartiers d'été (1984), Soixante-Quatre Coquelicots (1984).

Suffert, Georges [J] (1927) : le Cadavre de Dieu bouge encore, la Peste blanche (avec P. Chaunu), Quand l'Occident s'éveillera (1979), Un royaume pour une tombe, le Tocsin.

Sulitzer, Paul-Loup [R] (1946) : Money (1980), Cash, Fortune, le Roi vert, Hannah (1985), l'Impératrice (1986), la Femme pressée (1987), Kate (1988), Sur les routes de Pékin (1989), Cartel (1990), Tantz or (1991).

Sulivan, Jean [R] (1913-80) : Mais il y a la mer (1964), Devance tout adieu, Bonheur des rebelles.

Sullerot, Évelyne [Es] (1924) : le Fait féminin, Pour le meilleur et sans le pire, l'Enveloppe.

Susini, Marie [R] (1916) : Plein Soleil (1953), l'Ile sans rivages (1989).

Tapié, Victor-Lucien [H] (1900-74).

Tardieu, Jean [P, Es, D] (1903) : Accents, Jours pétrifiés, Poèmes à jouer, Margeries (1986).

Tavernier, René [Cr, P] (1915-89).

Thibon, Gustave [Ph] (1903) : l'Échelle de Jacob (1942), Notre regard qui manque à la lumière.

Thomas, Henri [P, R] (1912) : John Perkins (M 1960), le Promontoire (F 1961).

Tillard, Paul [R] (1914-1966) : le Montreur de marionnettes (1956), l'Outrage (1958).

Tillinac, Denis [R] (1948) : Maisons de famille, Un léger malentendu (1988), la Corrèze et le Zambèze (1990).

Tlili, Mustapha (Tunisie) [R] (1937) : la Rage aux tripes (1975), Bruit qui dort, Gloire des Sables (1982).

Todd, Emmanuel [Es] (1951) : la Chute finale, la Nouvelle France.

Todd, Olivier [J, R] (1929) : l'Année du crabe, les Canards de Ca Mao, la Marelle de Giscard, Un fils rebelle, Un cannibale très convenable, Une légère gueule de bois, Jacques Brel, une vie (1984), la Ballade du chômeur (1986), la Négociation (1988).

Toesca, Maurice (Royat) [R] (1904) : le Soleil noir (1946), le Singe bleu, Un héros de notre temps (1978).

Tortel, Jean [P] (1904).

Touchard, Pierre-Aimé [Cr, Es] (1903).

Touraine, Alain [Es, Soc] (1925) : Production de la société (1973), le Retour de l'acteur (1984).

Tournier, Michel [R] (1924) : Vendredi ou les Limbes du Pacifique (1967), le Roi des Aulnes (G. 1970), les Météores (1975), le Vent Paraclet, le Coq de bruyère, Gaspard, Melchior et Balthazar (1980), le Vol du vampire (1981), Gilles et Jeanne (1983), le Vagabond immobile (1984), la Goutte d'Or (1985), le Médianoche amoureux (1989).

Tournoux, Jean-Raymond [Chr, J, Pol] (1914-84) : Pétain et de Gaulle, la Tragédie du général, Jamais dit, Journal secret, le Feu et la Cendre.

Tristan, Frédérick (Jean-Paul Baron) [R] (1931) : les Égarés (G. 1983), le Fils de Babel (1986), l'Ange dans la machine, le Retournement du gant (1990).

Troyat, Henri (Lev Tarassov) [R, D] (1911) : Faux Jour (1935), l'Araigne (G. 1938), le Vivier, Grandeur nature, la Clef de voûte, Tant que la terre durera, le Sac et la Cendre, Étrangers sur la Terre, les Semailles et les Moissons (1953-1958), la Lumière des Justes (1959-1963), les Eygletière (1965-1967), les Héritiers de l'avenir, la Pierre, la Feuille et les Ciseaux, Anne Prédaille, le Moscovite (1974-1975), Grimbosq, le Front dans les nuages, Un si long chemin, le Prisonnier nº 1, Catherine la Grande, Pierre le Grand (1979), Viou, Alexandre Ier, Ivan le Terrible, le Pain de l'étranger, la Dérision, Marie Karpovna (1983), Tchekhov (1984), le Bruit solitaire du cœur (1985), A demain Sylvie, Tourgueniev, le Troisième Bonheur, Toute ma vie sera mensonge (1987), Flaubert (1988), la Gouvernante française, Maupassant, la Femme de David (1990), Aliocha (1991).

Tulard, Jean [H] (1933) : le Mythe de Napoléon, Napoléon, Dictionnaire du cinéma, la Contre-Révolution.

Vailland, Roger [R, Es] (1907-65) : Drôle de jeu (I. 1945), les Mauvais Coups, 325 000 Francs, la Loi (G. 1957), la Fête, la Truite (1964).

Van Cauwelaert, Didier [R, D] (1960) : Vingt ans et des poussières, Poisson d'amour, les Vacances du fantôme, l'Orange amère (1988). *Théâtre :* l'Astronome (1982).

Van der Meersch, Maxence [R] (1907-51) : Invasion 14 (1935), l'Empreinte du Dieu (G. 1936), Pêcheurs d'hommes (1938), Corps et Ames (1943), la Fille pauvre (3 vol., 1948-53).

Vanoyeke, Violaine [P] (1956).

Vauthier, Jean [D] (1910) : Capitaine Bada, le Personnage combattant, le Sang, les Prodiges.

Vautrin, Jean (J. Herman) [R] (1933) : A bulletins rouges (1973), Billy-Ze-Kick, Mister Love, Bloody Mary, Groom, Canicule (1982), la Vie Ripolin, Un grand pas vers le Bon Dieu (G. 1989), Dix-Huit Tentatives pour devenir un saint.

Véraldi, Gabriel [R] (1926) : A la mémoire d'un ange, le Chasseur captif, les Espions de bonne volonté.

Vercors (Jean Bruller) [E] (1902) : le Silence de la mer (1942), Ce jour-là (1943), la Marche à l'étoile, Sylva, la Bataille du silence, le Radeau de la Méduse, Comme un frère, les Chevaux du temps (1977).

Véry, Pierre [R] (1900-60) : Moi Aristide Briand, l'Assassinat du Père Noël (1934), les Disparus de St-Agil (1935).

Veyne, Paul [H] (1930).

Vialatte, Alexandre [Hum] (1901-71) : le Fidèle Berger, les Fruits du Congo, Dernières Nouvelles de l'homme, L'éléphant est irréfutable (1980), le Fluide rouge (1991).

Vian, Boris (et pseud. Vernon Sullivan) [R, Hum, D] (1920-59) : J'irai cracher sur vos tombes (1946), l'Écume des jours (1947), Et on tuera tous les affreux, l'Automne à Pékin, l'Herbe rouge, l'Arrache-cœur. *Théâtre :* les Bâtisseurs d'empire, le Goûter des généraux (posth. 1965). – *Biogr. :* fils d'un riche industriel. *1938* reçu à l'École centrale. *1942-46* ingénieur à l'AFNOR. *1947* trompettiste de jazz à St-Germain-des-Prés. *1948* vit avec Ursula Kübler (Suissesse, épousée 1954) ; travail de traductions. *1955-59* compositeur, interprète de chansons (meurt d'un infarctus).

Viansson-Ponté, Pierre [J] (1920-79).

Vidalie, Albert [R, D] (1913-71) : les Bijoutiers du clair de lune (1954), la Bonne Ferte, les Verdures de l'Ouest (1964).

Vigo, René [R, Cr] (1914) : les Hommes en noir, Tragédie à Clairveaux (1975).

Villalonga, José-Luis de [R] (1920) : Les Ramblas finissent à la mer (1952), les Gens de bien, Visa sans retour, Gold Gotha, A pleines dents, Furia, Femmes, Fiesta, le Prince, Ma vie est une fête.

Villiers, Gérard Adam de [R] (1929) : série des S.A.S.

Vilmorin, Louise Lévêque de (Ctesse Paul Palffy) [R, P] (1902-69) : le Lit à colonnes (1941), Julietta (1951), Madame de... (1951), l'Heure maliciôse (1967).

Vincenot, Henri [Es, R] (1912-1985) : le Pape des escargots, le Sang de l'Atlas (1974), la Billebaude (1978), les Étoiles de Compostelle (1982).

Vincent, Raymonde [R] (1908-83) : Campagne (F. 1937).

Vivet, Jean-Pierre [J, R] (1920) : la Maison à travers la grille (1991).

Volkoff, Vladimir [R] (1932) : le Retournement (1979), les Humeurs de la mer [Olduvaï, la Leçon d'anatomie, Intersection, les Maîtres du temps], le Montage, Lawrence le Magnifique (1984), Lecture de l'Évangile selon St Matthieu (1985), le Professeur d'histoire (1985), les Hommes du Tsar (1988), le Bouclage, la Trinité du mal (1991).

Voronga, Ilarie [P] (Roumanie, 1903-46, suicidé) : La joie est pour l'homme.

Vrigny, Roger [R] (1920) : la Nuit de Mougins (F. 1963), la Vie brève (1972), Un ange passe (1979), le Bonhomme d'Ampère, le Voyage de noces (1990).

Walter, Georges [J, R] (n.c.) : les Vols de Vanessa (I. 1972), Edgar Allan Poe (1991).

Weil, Simone [E, Ph] (1909-43) : la Pesanteur et la Grâce (1947), Attente de Dieu (1950), l'Enracinement, la Condition ouvrière (1951).

Weingarten, Romain [D] (1926) : Akar (1948), l'Été (1966), Alice dans les jardins du Luxembourg (1970), les Nourrices.

Wiesel, Élie [R] (Transylvanie, Hongrie 1928, aux U.S.A. dep. 1956, naturalisé américain en 1963) : la Nuit (1960), l'Aube, le Jour, le Mendiant de Jérusalem (M. 1968), Entre deux soleils, le Serment de Kolvillag, le Cinquième Fils (1983), le Crépuscule au loin (1987), l'Oublié (1989). [N paix 1986].

Winock, Michel [H] (1937).

Wittig, Monique [R] (1935) : l'Opoponax (M. 1964), le Corps lesbien.

Wolfromm, Jean-Didier [Cr, R] (1941) : Lueur de plomb (1963), Diane Lanster (I. 1978), la Leçon inaugurale.

Xenakis, Françoise [R, J] (1930) : Zut, on a encore oublié Madame Freud, Mouche-toi Cléopâtre, la Vie exemplaire de Rita Capuchon (1988).

Yacine, Kateb [R, D, P] (Algérien, 1929-89) : *Poésie :* Soliloques (1946), Poèmes de l'Algérie opprimée (1948). *Roman :* Nedjma (1956). *Théâtre :* le Cadavre encerclé (1955), la Femme sauvage, Mohammed, prends ta valise, Saw Emnisa, la Voix des femmes ou la Guerre de deux mille ans (1970), le Cercle des représailles (1976), l'Homme aux sandales de caoutchouc (1978), Palestine trahie.

Yourcenar, Marguerite [Marguerite de Crayencour (dont Yourcenar est l'anagramme)] [E] (1903-87) : Mémoires d'Hadrien, Denier du rêve, l'Œuvre au noir (F. 1968), le Coup de grâce, Souvenirs pieux, Archives du Nord, Sous bénéfice d'inventaire, la Couronne et la Lyre, Mishima ou la Passion du vide, le Temps, ce grand sculpteur (1983), Dans le marécage (1987), Quoi ? l'Éternité, En pèlerin et en étranger (1989). – *Biogr. :* famille aristocratique française, fixée en Belgique ; études avec précepteurs particuliers ; célibataire, vit au château de ses parents. *1929* commence à écrire. *1940* en Amérique, achète le domaine de Petite Plaisance, dans le Maine. *1947* naturalisée américaine. *1970* membre étranger de l'Acad. royale de Belgique. *1972* prix Pierre de Monaco. *1977* grand prix de littérature de l'Académie fr. *1979* reprend la nationalité fr. pour entrer à l'Académie (1re femme, reçue 22-1-1981).

Zéraffa, Michel [R, Es] (1918-1984) : le Temps des rencontres, l'Histoire.

Littérature italienne

Nés avant 1500

Alberti, Leon Battista [E] (1407-72) : De la famille.

Aretino, Pietro (Bacci) (l'Arétin) [D, P] (1492-1556) : Ragionamenti (1534), Lettres volantes. – *Biogr. :* fils d'un cordonnier d'Arezzo (*Aretinus* signifie « d'Arezzo »). *1508* peintre à Pérouse. *1512* secrétaire du banquier romain Agostino Chigi. *1514* fonctionnaire pontifical ; se fait des ennemis par ses épigrammes. *1524* rejoint le camp des Bandes noires, et se réfugie à Venise, protégé par le doge Andréa Gritti. Y vit dans la débauche, respecté par tous les souverains d'Europe, notamment François Ier.

Ariosto, Ludovico (l'Arioste) [P] (1474-1533) : Roland furieux (1516-32). – *Biogr. :* fils d'un courtisan de Ferrare. *1494* échec au doctorat en droit, se tourne vers les « humanités ». *1503-17* gentilhomme de chambre du duc de Ferrare, chargé de missions diplomatiques. *1518* le duc Alphonse Ier le pensionne sans lui imposer de fonctions à la cour. *1524* achète une villa à Ferrare, y vit noblement jusqu'à sa mort.

Bandello, Matteo [E] (v. 1485-1561) : Nouvelles, Prose della vulgar lingua (1525).

Bembo, Pietro [P] (1470-1547) : Hist. de Venise.

Bibbiena (card. Bernardo Dovizi dit le) [D] (1470-1520) : la Calandria (1515).

Boccaccio, Giovanni (Boccace) [P] (1313-75) : le Décaméron (1353). – *Biogr. :* fils illégitime d'un marchand toscan et d'une noble française. S'adonne au commerce (Naples 1330) puis au droit, enfin à la littérature, à la cour du roi Robert. « Fiammetta », fille naturelle du roi, fut son héroïne.

Boiardo, Matteo Maria [P] (1434-94) : Roland amoureux (1476).

Castiglione, Baldassare [P, Es] (1478-1529) : le Courtisan (1528).

Catherine de Sienne (sainte) [Théo] (1347-80) : De la Trinité (1378).

Cavalcanti, Guido [P] (v. 1255-1300).

Colonna, Vittoria [P] (1492-1547) : Sonnets.

Dante Alighieri [P] (1265-1321) : Vita nuova, la Divine Comédie (1307-21), il Convivio. – *Biogr. :* petite noblesse florentine, rattachée à l'illustre famille des Élisés. *1287* étudiant à Bologne. *1288-90* amour pour Béatrice (fille de Folco Portinari, épouse de Simone de Bardi, morte 1290). *1289* combattant dans l'armée florentine (guelfe) contre les Gibelins de Toscane. *1289* épouse Gemma di Manetto Donati. *1295-1301* carrière politique à Florence (admis au Conseil des Prieurs le 15-6-1300), parti des « Blancs ». *1301* coup d'État des « Noirs ». *1302* condamné à mort par contumace. *1304* les « Blancs » sont écrasés à La Lastra (refuse de participer à la bataille). *1305-18* vie errante (Vérone, Lucques, Padoue, etc.). *1310* théologie à Paris. *1318* à Ravenne près de Guido Novello da Polenta.

Ficino, Marsilio [Ph] (1433-99).

François d'Assise (saint) (v. 1182-1226) : Cantique du Soleil (1226), Fioretti (apocryphes, apr. 1350).

Guicciardini, Francesco [H] (1483-1540) : Hist. de Florence, Hist. d'Italie.

Guinizelli, Guido [P] (v. 1235-76).

Machiavelli, Niccolò (Machiavel) [Pol, D] (1469-1527) : le Prince (1513, publ. 1531), l'Art de la guerre, Hist. de Florence, la Mandragore (1520). – *Biogr. :* ancienne noblesse florentine. *1498* secrétaire de la chancellerie de Florence. *1499-1512* missions diplomatiques (auprès de Louis XII, de l'emp. Maximilien Ier). *1512* chassé de Florence par les Esp. qui rétablissent les Médicis [vit dans sa terre de Saint-Andrea (Toscane)]. *1515* rentre en grâce auprès des Médicis : les rép. le déchoient de ses droits civiques ; meurt pauvre.

Médicis, Lorenzo de [Pol] (1449-92).

Quelques mouvements

• **XIIIe s. École sicilienne.** Poètes et intellectuels groupés autour des rois de Sicile Frédéric II et Manfred Ier. S'efforcent de créer une langue littéraire, pour imiter les troubadours provençaux, et d'adapter les œuvres des helléno-arabes. Giacomo da Lentinis, le roi Enzo (1224-72).

Dolce stil novo (« doux style nouveau »). Surnom donné à l'école toscane avant Dante : culte de la femme érigé en philosophie amoureuse (analyse psychologique du sentiment amoureux). Guido Guinizelli (v. 1235-76).

Classicisme florentin. Renoue avec les grandes traditions, en les christianisant : la morale est théologique, non plus mythologique chez Dante Alighieri (1265-1321) ; elle reste païenne chez Pétrarque (1304-74), de morale épicurienne réaliste chez Boccace (1313-75).

• **XVe s. École pastorale.** Prosateurs et versificateurs traitent le thème de la « Bergerie », amours fades souvent déçues, entre des bergers vivant en Arcadie. Influence considérable sur la littérature européenne. Jacopo Sannazzaro (1456-1530).

• **XVIe s. Rinascimento.** Siècle d'or de l'humanisme. Découverte enthousiaste de la culture classique. Synthèse philosophique et scientifique. Machiavel (1469-1527), L'Arioste (1474-1533), Michel-Ange (1475-1564), Le Tasse (1544-95).

• **XVIIe-XVIIIe s. Commedia dell'arte.** Genre théâtral (pas de textes écrits), mais ayant une profonde influence sur la littérature théâtrale : réalisme caricatural, création de personnages typiques (Arlequin, Scapin, Polichinelle, Pantalon, etc.). *Classiques :* Goldoni [comédies (1707-93)], Alfieri [trag. (1749-1803)].

• **XIXe s. Risorgimento** (« renaissance nationale »). Forme politique du romantisme. Inspire les écrivains engagés dans la lutte pour l'unité italienne. Alessandro Manzoni (1785-1873), Silvio Pellico (1789-1854), Ippolito Nievo (1831-61).

Vérisme. Réalisme antihumaniste et anticlassique. Souvent caricatural (scapigliatura, c.-à-d. vie de bohème). Alberto Cantoni (1841-1904). Le vérisme positiviste est à l'imitation des Français : Giovani Verga (1840-1922).

• **XXe s. Antivérisme.** Réaction antiréaliste appelée parfois novécentisme (« école du XXe s. »). Veut mêler les idéologies à la littérature : Gabriele d'Annunzio (1863-1938), Curzio Malaparte (1898-1957), Vasco Pratolini (n. 1913).

Théâtre de l'Absurde. Créé par Luigi Pirandello (1867-1936). Centré sur le problème de l'identité des individus : suis-je quelque chose ou rien ? Le ton est un mélange d'humour et de lyrisme. La technique théâtrale emprunte beaucoup au symbolisme français. Ugo Betti (1892-1953).

Michel-Ange Buonarroti [P, Peintre, Sculp., Arch.] (1475-1564) : Sonnets.

Petrarca, Francesco (Pétrarque) [P] (1304-74) : Sonnets (1342-47), Églogues (en latin, 1346-57), l'Africa (1339). – *Biogr. :* fils d'un notaire florentin, exilé politique à Arezzo. *1312* sa famille se réfugie à Avignon. *1316* études à Montpellier. *1320* à Bologne. *1326* retenu à Avignon, à la mort de son père ; fonctionnaire à la cour des Papes jusqu'en *1353*. *1327* rencontre Laure (amour platonique). *1337* mission en Italie ; achète le domaine de Vaucluse (Comtat Venaissin). *1353-61* à Milan, au service des Visconti. *1361-67* à Padoue ; à Venise. *1368* à Arquà, Vénétie.

Pic de la Mirandole, Jean [Sav, Ph] (1463-94) : Conclusions (1486).

Politien, Agnolo Ambrogini, dit le [P] (1454-94) : la Fable d'Orphée (1480), la Joute.

Savonarole, Girolamo [Or] (1452-98) : Sermons (1483-98). – *Biogr. :* fils d'un médecin de Ferrare. *1475* dominicain à Bologne. *1489* prédicateur célèbre. *1492* appelé au chevet de Laurent de Médicis mourant (à Florence), se fixe là. *1495* chasse les Médicis et proclame Jésus-Christ « roi du peuple florentin » (exerce une dictature théocratique). *1498* excommunié par le pape Alexandre VI, résiste par les armes ; puis il accepte, et enfin refuse l'ordalie par le feu ; arrêté, il est condamné à mort et exécuté.

Thomas d'Aquin, saint [Ph, Théo] (1225-74) : Somme théologique (1266-74).

Todi, Iacopone Benedetti da [E] (1230-1306) : Laudi.

Vinci, Léonard de [Peintre, Sav.] (1452-1519) : Cahiers (22 vol., publ. 1901).

Voragine, le Bienheureux Jacques de (J. de Varazze) [E] (v. 1228-98) : la Légende dorée (en latin, v. 1250).

Nés entre 1500 et 1700

Bruno, Giordano [Ph] (1548-1600) : Sonnets, Dialogues.

Campanella, Tommaso [Ph, P] (1568-1639) : la Cité du soleil (1623).

Cellini, Benvenuto [P, Mém, Sculpteur] (1500-71) : Ma vie (1558-66 ; publ. 1728), Canzoni.

Chiabrera, Gabriello [P] (1552-1638).

Maffei, Scipione [Cr, D] (1675-1755) : Mérope (1713).

Marino, Giambattista (Cavalier Marin) [P] (1569-1625) : Adonis (1623).

Metastase (Pietro Trapassi) [P] (1698-1782) : Didon abandonnée, l'Olympiade, la Clémence de Titus, Thémistocle.

Muratori, Ludovico Antonio [Eru] (1672-1750) : Rerum italicarum scriptores (1723-38), Antiquitates italicae Medii Aevi (1738-43), Annali d'Italia.

Tasso, Torquato (Le Tasse) [P] (1544-95) : Aminta, Jérusalem délivrée (1575-80).

Tassoni, Alessandro [P] (1565-1635) : le Vol d'un seau d'eau (1622).

Vasari, Giorgio [H] (1511-74) : Vies des plus célèbres peintres, sculp., architectes.

Vico, Giambattista [H, Ph] (1668-1744) : Principes d'une science nouvelle (1725), Autobiographie.

Nés entre 1700 et 1800

Alfieri, Cte Vittorio [P, D] (1749-1803) : *Tragédies :* Mérope, Saül (1782), Philippe, Antigone, Virginie (1783), Marie Stuart. *Satires* (1786-97). – *Biogr. :* études au collège militaire de Turin. *1767-72* parcourt l'Europe. Belliqueux. Admirateur de Rousseau, Voltaire et Montesquieu. Vécut avec la Ctesse d'Albany, son inspiratrice (à Paris jusqu'à la Révolution).

Algarotti, Francesco [P, Cr] (1712-64).

Azeglio, Massimo, Mis d' [E] (1798-1866) : Ettore Fieramosca, Niccoló dei Lapi.

Baretti, Giuseppe [Cr] (1719-89) : le Fouet littéraire (1763-65).

Beccaria, Cesare, Mis de [Jur] (1738-94) : Des délits et des peines (1754).

Berchet, Giovanni [P] (1783-1851) : Lettera semiseria di Grisastomo.

Foscolo, Ugo [P, R] (1778-1827) : Lettres de Jacques Ortis, les Tombeaux (1807). – *Biogr. :* père vénitien, mère grecque. *1792-97* à Venise. A 19 ans, publie une tragédie, *Tieste,* inspirée d'Alfieri. A Milan, rencontre Parini et Monti. Vie politique intense. Combat dans la Légion cisalpine et la Division italienne aux côtés de l'Armée française. Retour à Milan puis Brescia. Meurt près de Londres.

Goldoni, Carlo [D] (1707-93) : le Café (1750), le Menteur (1750), les Curieuses (1751), la Locandiera (1753), la Villégiature (trilogie 1754-55), les Querelles de Chioggia (1762), l'Éventail (1765), le Bourru bienfaisant (en français, 1771). – *Biogr. :* fils d'un médecin vénitien. *1720* étudiant en philosophie à Rimini, s'enfuit avec des comédiens. *1728* tonsuré, juge ecclésiastique à Pavie, puis Feltre. *1731* docteur en droit à Padoue, prof. à Venise. *1734* triomphe comme dramaturge. *1734-44* comédien ambulant. *1744-48* avocat à Florence. *1748-62* auteur du théâtre San Angelo à Venise. *1762* à Paris, auteur de la Comédie ital.

Gozzi, Carlo [D] (1720-1806) : Turandot, le Roi cerf, l'Oiseau vert, l'Amour des trois oranges.

Gozzi, Gasparo [J, P] (1713-86) : la Gazette vénitienne (1761-62), l'Observateur vénitien (1767-68), Sermons, Lettres.

Leopardi, Giacomo, comte [P] (1798-1837) : Chants (Amour et Mort, le Genêt, le Passereau solitaire, Consalvo). – *Biogr. :* famille noble, études de philo. classique, vie familiale austère, poète de la mélancolie et de la douleur.

Manzoni, Alessandro [P, R, D] (1785-1873) : Hymnes sacrés, le Cinq Mai, les Fiancés (1825-27), Adelchi, le Comte de Carmagnole. – *Biogr. :* famille noble ; sa mère, fille de Cesare Beccaria. *1805* à Paris se lie avec Fauriel. *1808* voltairien, se convertit. Sénateur à Milan : sa sincérité et son amour de la patrie lui confèrent l'estime générale.

Monti, Vincenzo [P, D] (1754-1828) : Prosopopée de Périclès (1779), la Bassvilliana (1794), la Féroniade.

Parini, Giuseppe [P] (1729-99) : Odes, le Jour (1763-1801).

Pellico, Silvio [E] (1789-1854) : Francesca da Rimini (1815), Mes prisons (1832). – *Biogr. :* patriote, condamné à mort, mais par la grâce impériale, enfermé 8 ans à Spielberg.

Nés entre 1800 et 1900

Alvaro, Corrado [R, J] (1895-1956) : l'Homme dans le labyrinthe (1926), Gens d'Aspromonte, L'Homme est fort (1938), Terreur sur la ville, la Brève Enfance (1946), Mastrangélina (1961), Tout est arrivé (1962). *Journal* (2 vol.) : Presque une vie (1927-47), Dernier Journal (1948-56).

Amicis, Edmondo de [E] (1846-1908) : Grands Cœurs, Sur l'Océan, Nouvelles, Amour et Gymnastique (1892).

Annunzio, Gabriele d' (Gaetano Rampagnetto, dit) [P, R, D] (1863-1938) : l'Enfant de volupté (1889), le Triomphe de la mort (1894), les Vierges aux rochers (1896), le Feu (1899), Forse che si, forse che no, le Martyre de saint Sébastien (en français, 1911). *Tragédies :* la Ville morte, la Léda sans cygne (1916), Francesca de Rimini. – *Biogr. :* famille bourgeoise des Abruzzes (Pescara). *1879* 1er livre poétique (16 ans). *1881* se fixe à Rome, fréquentant les milieux littéraires. *1897* député (extrême droite). *1909* rupture avec l'actrice Eleonora Duse (1858-1924). *1910* poursuivi par des créanciers, se réfugie en France. *1915* revient en Italie, chef du parti interventionniste. *1916-18* aviateur (perd l'œil gauche ; nombreuses décorations). *1919* enlève la ville de Fiume aux Yougoslaves. *1922* brouille avec Mussolini. *1923* créé par le roi prince de Monte Nevoso reçoit le domaine de Vittoriale, près du lac de Garde. *1925* réconciliation avec Mussolini. *1937* Pt de l'Académie nationale.

Bacchelli, Riccardo [R] (1891) : le Diable à Portelungo, les Moulins sur le Pô, la Folie Bakounine, les Trois Esclaves de Jules César (1962).

Baldini, Antonio [E] (1889-1962) : Michelaccio (1924), Rugantino (1942), Melafumo (1950), Doppio Melafumo (1955).

Banti, Anna [R] (1895) : Alarme sur le lac, Je vous écris d'un pays lointain.

Betocchi, Carlo [P] (1899).

Betti, Ugo [D, R] (1892-1953) : Pas d'amour, l'Ile aux chèvres (1950), Haute Pierre, Un beau dimanche de septembre.

Bontempelli, Massimo [R] (1878-1960) : Des gens dans le temps.

Campana, Dino [P] (1885-1932) : Chants orphiques.

Capuana, Luigi [E] (1839-1915) : le Marquis de Roccaverdina (1901).

Cardarelli, Vincenzo (Nazareno Caldarelli) [P] (1887-1959).

Carducci, Giosue [P, Cr] (1835-1907) : professeur de litt. it. à Bologne de *1860* à *1904*. Ses écrits sont tous un hommage à la perpétuité du génie latin. Odes barbares, Iambes et Épodes [N. 1906].

Cecchi, Emilio [E] (1884-1966) : Poissons rouges (1920), l'Auberge du mauvais temps (1927), America

Quelques personnages de la littérature italienne

Béatrice : la Divine Comédie (1472) de Dante Alighieri (protectrice et inspiratrice des poètes).

Sacripant : dans les poèmes chevaleresques [Roland amoureux (1486) de Boiardo (ardent guerrier sarrasin), le Roland furieux (1532) de l'Arioste] ; v. 1600 synonyme de bandit, vaurien.

Laure : Pétrarque (beauté, esprit, vertu).

Commedia dell'arte (XVIe siècle) : *Arlequin* (bouffon cynique et poltron), *Scapin* (canaille astucieuse), *Polichinelle* (ivrogne querelleur et glouton), *Pierrot (Pedrolino)* (nigaud sentimental), *Colombine* (soubrette frétillante).

Pinocchio : les Aventures de P. (1878) par Collodi (gamin insouciant et espiègle).

Don Camillo : série de romans (1948-68) par Guareschi (curé humoriste et violent).

Peppone : même ouvrage (communiste en principe antireligieux).

Don Abbondio : Manzoni (curé poltron).

amara (1940), Courses au trot, Vieilles Nouvelles (1941), Notes pour le périple de l'Afrique (1954).

Chiarelli, Luigi [D] (1884-1947) : Masques et Visages, Feux d'artifice.

Collodi, Carlo (Carlo Lorenzini) [Cr, J, R] (1826-90) : les Aventures de Pinocchio (1880-83).

Comisso, Giovanni [E] (1895-1965) : Gens de mer (1929), Voyages heureux, Caprices italiens (1952).

Croce, Benedetto [Ph, Cr] (1866-1952) : Bréviaire d'esthétique (1913), la Poésie antique et moderne (1941).

De Filipo, Eduardo [D] (1900-80).

Deledda, Grazia [R] (1871-1936) : Elias Portolu (1903), Cendres (1904), Roseaux sous le vent (1913) [N. 1926].

De Roberto, Frédérico [R] (1861-1927) : les Vice-Rois (1894).

Ferrero, Guglielmo [H, Soc] (1871-1943) : Grandeur et Décadence de Rome (1901-07), Aventure, Bonaparte en Italie.

Fogazzaro, Antonio [P, R] (1842-1911) : Malombra, Danièle Cortis, Petit Monde d'autrefois (1895), Petit Monde d'aujourd'hui (1901), le Saint.

Fucini, Renato [R] (1843-1921) : les Veillées de Néri (1889).

Gadda, Carlo Emilio [Hum] (1893-1973) : l'Adalgisa, Nouvelles, l'Affreux Pastis de la rue des Merles (1957), la Connaissance de la douleur (1963).

Gentile, Giovanni [Ph, Pol] (1875-1944) : Théorie générale de l'esprit.

Gioberti, Vincenzo [Ph, Pol] (1801-52).

Gozzano, Guido [P] (1883-1916) : le Chemin du refuge (1907), Colloques (1911).

Gramsci, Antonio [Pol] (1891-1937) : Lettres de la prison (1947), Écrits politiques (posth. 1947-55).

Lampedusa, Giuseppe Tomasi di [R] (1897-1957) : le Guépard (posth. 1958), le Professeur et la Sirène.

Malaparte, Curzio (Kurt Suckert) [R] (1898-1957) : Technique du coup d'État (en français, 1931), Kaputt (1944), la Peau (en français, 1948), Ces sacrés Toscans, Ces chers Italiens (posth. 1975).

Manzini, Gianna [E] (1896-1974) : l'Épervière, Temps d'amour (1928).

Mazzini, Giuseppe [E, Pol] (1805-72).

Michels, Robert [Soc] (or. All. 1876-1936).

Montale, Eugenio [P] (1896-1981) : Os de seiche (1925), la Maison aux deux palmiers [N. 1975].

Moretti, Marino [P, R] (1895-1976) : Andreana (1935), Anne et les éléphants, la Veuve Fioravanti (1940), les Époux Allori, la Chambre des époux.

Mosca, Gaetano [Soc] (1858-1941).

Niccodemi, Dario [D] (1877-1934) : Scampolo.

Nievo, Ippolito [R] (1831-61) : les Confessions d'un octogénaire (posth. 1867, appelées ensuite : Confessions d'un Italien).

Oriani, Alfredo [R] (1852-1909) : Au-delà (1877), Jalousie (1894), la Défaite, Tourbillon (1899).

Palazzeschi, Aldo (Giurlani) [P, R] (1885-1974) : les Sœurs Materassi, les Frères Cuccoli, Bêtes de notre temps, le Doge.

Panzini, Alfredo, [R] (1863-1939) : la Lanterne de Diogène, Xanthippe.

Papini, Giovanni [E] (1881-1956) : Un homme fini (1912), Histoire du Christ (1921), Figures humaines, Michel-Ange (1949), le Diable (1953).

Pareto, Vilfredo [Soc, Éc] (1848-1923) : Cours d'économie pol. (1896-97), Traité de sociologie générale (1916).

Pascoli, Giovanni [P] (1855-1912) : Myricae, le Petit Enfant, Odes.

Pirandello, Luigi [R, D] (1867-1936) : Nouvelles pour une année (1894-1919), Feu Mathias Pascal (1904), Chacun sa vérité (1916), la Volupté de l'honneur (1917), Six Personnages en quête d'auteur (1921), Henri IV (1922), Vêtir ceux qui sont nus (1922), la Vie que je t'ai donnée (1923), Comme ci comme ça (1925), Ce soir on improvise (1930), l'Amie de leurs femmes. – *Biogr. :* fils d'un Sicilien, exploitant une mine de soufre près d'Agrigente. *1889-91* lecteur d'italien à Bonn (Allemagne). *1893* se fixe à Rome. *1894* épouse Antonietta Portulano (folle en 1903). *1897-1922* prof. à l'Institut sup. de Rome. *1903* famille ruinée (éboulement dans la soufrière). *1919* Antonietta internée. *1923* triomphe à Paris des *Six Personnages*. *1924* s'inscrit au parti fasciste. *1929* membre de l'Académie nat. [N. 1934].

Pizzuto, Antonio [R] (1890-1976) : Signorina Rosina (1916), On répare les poupées (1960).

Raimondi, Giuseppe [E] (1898-1985) : Giuseppe in Italia (1949), Journal.

Rosso di San Secondo, Pier Maria [D] (1887-1956) : Un passionné de marionnettes (1918).

Saba, Umberto [P] (1883-1957) : Oiseaux (1950).

Sanctis, Francesco de [E] (1817-83) : Hist. de la littérature italienne.

Savinio, Alberto (Andrea de Chirico) [Hum] (1891-1952) : Toute la vie (1946), Maupassant et l'autre.

Serao, Matilde [R] (1856-1927) : la Ballerine, Petites Âmes, le Ventre de Naples, il Paese di cuccagna.

Sraffa, Piero [Ec] (1898-1983).

Svevo, Italo [R] (Ettore Schmitz) (1861-1928) : Une vie, Sénilité, la Conscience de Zeno (1923), Court Voyage sentimental (1979), le Destin des souvenirs.

Tecchi, Bonaventura [R] (1896-1968) : I Villateuri (1937), Valentina Velier (1950), les Égoïstes (1959).

Tozzi, Federico [R] (1883-1920) : le Domaine, les Trois Croix.

Ungaretti, Giuseppe [P] (1888-1970) : le Port enseveli (1916), les Cinq Livres, Vie d'un homme.

Verga, Giovanni [R, D] (1840-1922) : les Vaincus (1881) [I. les Malavoglia ; II. Maître Don Gesualdo], Nouvelles siciliennes. *Théâtre :* Cavaleria Rusticana (1884).

Vogolo, Giorgio [P] (1894-1978).

Nés après 1900

Arpino, Giovanni [E] (1927) : Serena, Un délit d'honneur, le Bonheur.

Balestrini, Nanni [P, R] (1935) : Nous voulons tout (1971), Prenons tout (1972).

Bassani, Giorgio [R] (1916) : le Jardin des Finzi-Contini, Derrière la porte, le Héron.

Bene, Carmelo [D] (1937) : Cristo 63, Notre-Dame des Turcs, S.A.D.E.

Berto, Giuseppe [R] (1914-77) : la Cose buffe (1960), le Mal obscur, Le Ciel est rouge (1969).

Bevilacqua, Alberto [R] (1934) : la Califfa, Cet amour qui fut le nôtre, le Voyage mystérieux, Aventure humaine, Attention au bouffon, Une ville amoureuse, les Grands Comiques.

Bianciardi, Luciano [R] (1922-71) : l'Intégration (1960), la Vie aigre (1962).

Bonaviri, Giuseppe [E] (1924) : Martedina (1960), le Fleuve de pierre (1964), Nouvelles sarrasines (1980).

Brancati, Vitaliano [Hum] (1907-54) : Don Juan en Sicile (1942), le Bel Antonio (1949), les Ardeurs de Paolo (1955).

Busi, Aldo [R] (1948).

Buzzati, Dino [R] (1906-72) : Barnabo des montagnes (1933), le Désert des Tartares (1940), les Sept Messagers (1942), l'Invasion des ours en Sicile (1945), Un cas intéressant (1953), l'Écroulement de la Baliverna (1954), l'Image de pierre (1959), Un amour (1963), A ce moment précis (1963), le K (1966), le Rêve de l'escalier (1973), Nous sommes au regret de... (1982), Mystères à l'italienne (1983), le Régiment part à l'aube, Lettres à Brambilla, Panique à la Scala (1988), Nouvelles (1990).

Calvino, Italo [R] (1923-85) : le Baron perché, le Vicomte pourfendu, Temps zéro, les Villes invisibles, le Château des destins croisés (1976), Si par une nuit d'hiver un voyageur (1979), Palomar (1985), Leçons américaines, Sous le soleil jaguar, la Spéculation immobilière.

Camon, Ferdinando [R] (1935) : Apothéose (1981).

Campanile, Achile [D] (1900-76) : l'Inventeur du cheval, les Asperges et l'immortalité de l'âme.

Caproni, Giorgio [P] (1912-90).

Cassola, Carlo [R] (1917-87) : la Coupe de bois, Fausto et Anna (1952), la Fiancée de Bube, Un cœur aride (1961), Fiorella, le Chasseur, Une liaison, Anna de Volterra, Mario, la Maison de la rue Valadur, Peur et Tristesse, l'Homme et le Chien, l'Antagoniste, Temps mémorables, Chemin de fer local (1968).

Castellaneta, Carlo [R] (1930) : Voyage avec mon père, la Dolce Campagna, la Paloma, Tante Storie.

Ceronetti, Guido [P] (1927) : Silence du corps (1985), le Lorgnon mélancolique.

Cespedes, Alba de [R] (1911) : Elles (1949), le Cahier interdit (1952), le Remords (1964), la Bambolona, Sans autre bien que la nuit (en français) (1974).

Chiara, Pietro [R] (1913) : il Piatto Piange (1962), la Spartizione (1964), l'Uovo al cianuro (1969), la Stanza del vescovo (1970).

Coccioli, Carlo [R] (1920) : la Mariée en ville (1939), la Difficile Espérance (1947) (en français, 1955), le Ciel et la Terre (1950), la Ville et le Sang, la Petite Vallée du Bon Dieu, le Bal des égarés, Ambroise, le Feu (1952), le Caillou blanc, Manuel le Mexicain, Découverte de la Sardaigne, David.

Consolo, Vincenzo [R] (1933) : la Blessure d'avril (1963), le Sourire du marin inconnu (1976), Lunaria (1985), le Retable (1987), les Pierres de Pantalica.

Cordelli, Franco [P, R] (n. 1943).

De Carlo, Andrea [R] (1952) : Chantilly Express, Macno, Paese d'ombre (1972).

Del Giudice, Danièle [R] (1949) : le Stade de Wimbledon (1983), l'Atlas occidental.

Dessi, Giuseppe [R] (1909-77) : San Silvano (1939), la Justice (1959), le Déserteur, les Moineaux, la Danseuse de papier, le Choix (1978).

Eco, Umberto [Es] (1932) : l'Œuvre ouverte (1962), la Structure absente (1968), Lector in fabula (1979), le Nom de la rose (1980), Sept Années de désir, la Guerre des faux (1986), le Pendule de Foucault (1988), la Bombe du général, les Trois Cosmonautes, Sémiotique et philosophie du langage.

Fabbri, Diego [D] (1911-80) : Procès à Jésus, le Séducteur, Procès de famille (1955), Inquisition (1957), le Signe du feu (1961).

Fenoglio, Beppe [R] (1922-63) : les Vingt-Trois Jours de la ville d'Albe (1952), Une affaire personnelle, la Guerre sur les collines, le Mauvais Sort, le Printemps du guerrier, Une affaire personnelle (1988).

Flaiano, Ennio [R, D, J] (1910-72) : Journal nocturne.

Fo, Dario [D] (1926).

Fruttero, Carlo et **Lucentini,** Franco [R] : la Femme du dimanche, la Nuit du grand boss.

Gatto, Alfonso [P] (1909-76).

Ginzburg, Natalia [R] (1916) : les Voix du soir, les Petites Vertus, les Mots de la tribu, Je t'écris pour te dire (1975), Bourgeoisies (1980).

Giovene, Andrea [R] (1904) : l'Autobiographie de Giulano di Sansevero (5 vol.).

Guareschi, Giovanni [Hum] (1908-68) : le Mari au collège, Don Camillo (6 vol., 1948-68).

Jovine, Francesco [R] (1902-50) : les Terres du Saint-Sacrement.

Landolfi, Tommaso [R] (1908-79) : la Pierre de lune (1939), les Deux Vieilles Filles, la Bière du pêcheur, Un amour de notre pays.

Levi, Carlo [R] (1902-75) : Le Christ s'est arrêté à Eboli (1945), la Peur de la liberté, la Montre (1950).

Levi, Primo [R] (1913-89) : Maintenant ou jamais, Si c'est un homme, la Trêve.

Lombardi, Franco [Ph] († 1989) : Idéalisme et réalisme (1932), Naissance du monde moderne, l'Origine de la philosophie européenne dans le monde grec (1954), Philosophie et civilisation de l'Europe.

Luzi, Mario [P] (1914) : Cahier gothique, Tout en question (1965).

Macchia, Giovanni [Es] (1912) : Baudelaire critique (1939), le Paradis de la raison, Vie, Aventures et mort de Don Juan, Paris en ruines (1988), le Prince de Palagonia (1988).

Marmori, Giancarlo [R] (1925-82) : l'Enlèvement de Vénus, le Vergini funeste, la Parlerie (1962), Cérémonie d'un corps (1965).

Marotta, Giuseppe [Hum, D] (1902-63) : l'Or de Naples (1947), A Milan il ne fait pas froid (1949), les Élèves du soleil (1952).

Morante, Elsa [R] (1918-85) : Mensonge et Sortilège (1948), l'Ile d'Arturo (1957), le Châle andalou (1963), la Storia (1974), Aracoeli (1982).

Moravia, Alberto (Pincherle) [R, D] (1907-90) : *Romans :* les Indifférents (1929), les Ambitions déçues (1935), Agostino (1944), la Belle Romaine (1947), la Désobéissance (1948), le Conformiste (1951), le Mépris (1954), la Ciociara (1957), Nouvelles romaines, Autres Nouvelles romaines (1959), l'Ennui (1960), l'Attention (1965), Une chose est une chose (1967), Lui et Moi (1971), Une autre vie (1975), Desideria, 1934 (1983), l'Ange de l'information. *Nouvelles* (1976). *Théâtre :* Le Monde est ce qu'il est. *Essai :* A quelle tribu appartiens-tu ? (1974).

Parise, Goffredo [R] (1934-82) : En odeur de sainteté, les Fiançailles, le Patron, l'Absolu naturel, le Diable se peigne, l'Enfant mort et les comètes (1951), Abécédaire (1972), Arsenic.

Pasinetti, Pier Maria [R] (1911) : Rouge vénitien, le Sourire du lion, le Pont de l'Académie.

Pasolini, Pier Paolo [Ciné, R] (1922-75) : les Ragazzi, Une vie violente, le Rêve d'une chose.

Pavese, Cesare [R, P] (1908-50) : *Romans :* Par chez toi (1941), la Plage (1942), Vacances d'août (1946), le Compagnon, Dialogues avec Leuco (1947), Avant que le coq chante, le Bel Été (1949), la Lune et les Feux (1950). *Poésie :* Travailler fatigue (1936), la Maison sur la colline, la Prison (1949), Viendra la mort et elle aura tes yeux (1950). *Journal :* le Métier de vivre (1952), Salut Masino (1974).

Penna, Sandro [P] (1906-77).

Petroni, Guglielmo (1911) : Le Monde est une prison (1949), la Couleur de la terre (1964), la Mort de la rivière (1974).

Piovene, Guido [R] (1907-74) : la Novice, Pitié contre pitié, Voyage en Italie, les Étoiles froides, Paris cette inconnue, les Furies.

Pomilio, Mario [R] (1921-90) : la Compromission (1965), le Cimetière chinois, le 5e Évangile (1975).

Pontiggia, Guiseppe [R] (1934) : le Joueur invisible (1978), le Rayon d'ombre (1983).

Porta, Antonio [P] (1935).

Pratolini, Vasco [R] (1913-91) : le Quartier, Chronique des pauvres amants (1947), le Gâchis, Un héros de notre temps (1949), Metello (1955), les Filles de Sanfrediano, Chronique familiale, la Constance de la raison (1963).
Prisco, Michele [R] (1920) : Fils difficiles, la Dame de Naples, les Héritiers du vent, Jeux de brouillards, les Ciels du soir.
Quarantotti-Gambini, Pier Antonio [R] (1910-65) : les Régates de San Francisco, la Rose rouge.
Quasimodo, Salvatore [P] (1901-68) : La Vie n'est pas un songe, la Terre incomparable (1958) [N. 1959].
Rea, Domenico [R] (1921) : Enfants de Naples.
Samona, Carmelo) [R] (1926-90) : Fratelli (1978), Il Custode (1983).
Sanguineti, Edoardo [E] (1930) : Caprice italien (1963), le Noble Jeu de l'Oye (1967).
Santucci, Luigi [R] (1918) : Orphée au Paradis.
Satta, Giovanni Salvatore [R] (1902-75) : le Jour du jugement.
Sciascia, Leonardo [R] (1920-89) : les Oncles de Sicile (1958), le Jour de la chouette, la Mort de l'inquisiteur, A chacun son dû (1966), la Mer couleur de vin, les Poignardeurs, l'Affaire Moro (1978), Candido ou un rêve fait en Sicile (1978), la Sicile comme métaphore (1979), le Chevalier et la Mort.
Sereni, Vittorio [P] (1913) : Diario d'Algeria, Un posto di vacanza (1973).
Severino, Emanuele [Phil.] (1929) : Struttura originaria (1958), Essenza del nichilismo (1977), Destino della necessità (1980).
Silone, Ignazio (Secondo Tranquili) [R] (1900-78) : Fontamara (1930), le Pain et le Vin (1937), le Grain sous la neige (1940), Une poignée de mûres (1952), le Secret de Luc (1956), le Renard et les Camélias, Sortie de secours (1965), l'Aventure d'un pauvre chrétien (1968). *Essais :* Der Faschismus (1935), l'École des dictateurs (1939).
Soldati, Mario [R] (1906) : la Vérité sur l'affaire Motta, le Vrai Silvestre (1957), l'Enveloppe orange, Raconte carabinier, le Dernier Rôle, l'Émeraude, l'Épouse américaine (1979).
Tabucchi, Antonio [R] (1943) : Femme de Porto, Pim et autres histoires, Nocturne indien, Petits Malentendus sans importance.
Testori, Giovanni [R, D] (1923) : *Romans :* la Ghisolfa (1958), les Amants ennemis (1961). *Théâtre :* l'Arialda (1961).
Tobino, Mario [R, P] (1910) : le Libere donne di Magliano (1953), Per le antiche scale (1972), il Perduto Amore (1979), le Désert de Libye (1990).
Tondelli, Pier-Vittorio [R] (1955) : Pao-Pao.
Vittorini, Elio [R] (1908-66) : Conversation en Sicile (1941), les Hommes et les Autres (1945), Le Simplon fait un clin d'œil au Fréjus (1947), l'Œillet rouge (éd. compl., 1948), les Femmes de Messine (1949), Erica (1954), Journal en public (1957, éd. déf. 1970), J'étais un homme, la Trêve, les Deux Tensions (1967), les Villes du monde (posth. 1969).
Volponi, Paolo [R] (1924) : Pauvre Albino (1962), Memoriale (1962), la Macchina mondiale.
Zanzotto, Andrea [R] (1921) : la Beauté (1968), le Galateo dans le bois (1979).

Littérature portugaise

Nés avant 1600

Anonymes : Cancioneiros de Ajuda, de la Vaticane, Colocci Brancuti (XIIIe s.) ; Cronica geral (1344) ; Livres de Linhagens (XIVe s.) ; Chronique du Connétable du Portugal (v. 1440) ; Cancioneiro de Baena (1445). *Collectives :* Cancioneiro geral ou de Resende (1516).
Anchieta, José de [P, D] (1534-97).
Barros, João de [H] (1496-1570) : Décades.
Bernardes, Diogo [P] (1530-1605) : Bucoliques.
Caminha, Pêro de Andrade [P] (1520-89). Poésias.
Camõens, Luis de [P] (1525-80) : les Lusiades (1572), Redondilhas.
Chiado, Antonio Ribeiro († 1591) : Auto da Natural Invenção, Auto da regateiras, Pratica dos compadres, Pratica de 8 Figuras (1542-1572).
Couto, Diogo do (1524-1616). Décadas, Soldado Prático.
Ferreira, António [D] (1528-69) : la Castro (1587).
Gois, Damião de [H] (1502-72) : Chronique du Prince João (1567).
Holanda, Francisco de (1517-84) : Da Pintura Antigua (1548).
Lobo, Francisco Rodrigues (1573-1622) : Eclogas (1605), Corte na Aldeia e Noites de Inverno (1619).
Lopes, Fernão [H] (v. 1385-v. 1460) : Chronique générale du royaume de Portugal.
Lopes de Castanheda, Fernão [H] (1500-59) : Histoire de la découverte et de la conquête de l'Inde (1551-61).
Mendes Pinto, Fernão [Chr] (1510?-83) : Pérégrination (1614).
Pina, Rui de [H] (1440-1522) : Chronique du roi Duarte.
Resende, André Falcão de [P] (1527-99) : Microcosmographies.
Resende, Garcia de [H] (1470-1536) : Chronique du roi João II, Cancioneiro.
Ribeiro, Bernardim [P, D] (v. 1482-1552) : Menina e moça (1554).
Sà de Miranda, Francisco de [P, D] (1485-1558) : les Étrangers (1528), Lettres.
Vasconcelos, Jorge Ferreira de [D] (v. 1515-1585) : Euphrosine (1555).
Vicente, Gil [D] (v. 1470-1536) : *Théâtre :* Auto das Barcas (1517-18), Auto da Alma (1518), l'Inde, Inês Pereira (1523).
Zurara, Gomes Eanes de [H] (v. 1420-v. 1500) : Prise du Ceuta (1450).

Nés entre 1600 et 1800

Almeida Garrett, João Baptista de [P, H, D] (1799-1854) : Frei Luis de Sousa (1843), Voyages dans mon pays (1846), Feuilles tombées (1853).
Alorna, Marquesa de (1750-1839) : Obras poéticas de D. Leonor de Almeida, Conhecida entre os poetas portugueses pelo nome de Alcipe (1844).
Barbosa du Bocage, Manuel Maria [P] (1765-1805) : Rimes (5 vol., 1806-14).
Bernardes, Padre Manuel (1644-1710) : Exercicios Espirituais (1710).
Caldas Barbosa (Brés.) [P] (1740-1800).
Costa, Manuel da (Brés.) [P] (1729-89).
Cruz e Silva, António Dinis da [P] (1731-99) : le Goupillon (1802).
Cunha, José Anastacio da [P] (1744-87).
Elísio, Filintô (Francisco Manuel de Nascimento) (1734-1819) : Obras completas (1817-19).
Garção, Correia [P, D] (1724-77) : la Assembleia da Partida (1770).
Gonzaga, Tomás António [P] (1744-1810) : Marilia de Dirceu (1792-1800).
Jazente, Abade de (1720-89) : Cartas familiares (1741-42), Poesias de Paulino Cabral de Vasconcelos, Abade de Jazente (1786-87).
Macedo, José Agostinho de [Polé] (1761-1831) : Ânes.
Matos Guerra (Brés.) [P] (1633-96).
Melo, D. Francisco Manuel de [Mor, H] (1608-66) : Guide pour les gens mariés (1665).
Nascimento, Francisco Manuel do (ou Filinto Elisio) [P] (1734-1819).
Oliveira, Cavaleiro de (1702-83) : Mémórias das Viagens (1714), Ultimos Fins do Homen (1728).
Santa Rita Durão, José de (Brés.) [P] (1722-84).
Silva, António José da (ou le Juif) [D] (1705-39, brûlé) : Vie de Don Quichotte, Amphitryon, les Guerres du romarin et de la marjolaine, les Changements de Protée (1737), la Chute de Phaéton (1738).
Silva Alvarenga, Manuel Inacio da (Brés.) [P] (1749-1814) : le Déserteur, Glaura.
Tolentino de Almeida (Nicolau) [P] (1740-1811) : le Billard (1779).
Verney, Luis António [E] (1713-92) : Véritable méthode d'apprentissage (1746).
Vieira, Père António [Or] (1608-97) : Sermons.

Nés entre 1800 et 1900

Abreu, Casimiro de (Brés.) [P] (1839-60) : les Printemps (1859).
Alencar, José de (Brés.) [R] (1829-77) : le Guarani, Iracema, le Gaucho.
Almeida, Manuel António de (Brés.) [R] (1831-61).
Almada Negreiros, José de [P, R, Es] (1893-1970) : la Repasseuse (1917), Nome de guerra (1938).
Andrade, Mário de (Brés.) [P] (1893-1945) : la Ville hallucinée, Macounaima.
Azevedo, Aluizio (Brés.) [R] (1857-1913) : le Mulâtre (1881), la Ruche (1890), Pension de famille.
Bandeira, Manuel (Brés.) [P] (1886-1968) : Carnaval (1919), Chroniques du Brésil (1936).
Barreto, Alfonso Lima (Brés.) [R, J] (1881-1922) : Histoires et Songes.
Braga, Teófilo [P, E] (1843-1924).
Brandão, Raúl [R, D] (1867-1930) : Humus (1917), Os pobres (1906), Teatro (1923).
Caminha, Adolfo (Brés.) [P, R] (1867-97) : la Normalienne (1893), le Bon Créole (1895).
Castelo Branco, Camilo [R] (1825-90) : Amor de Perdição (1862).
Castilho, António Feliciano de [P, D] (1842-75) : la Nuit au château.
Castro, Eugénio de [P] (1869-1944) : Heures (1891), Interlune (1894), l'Ombre du cadran (1906).
Castro Alves, António de (Brés.) [P] (1847-71) : la Chanson de l'Africain (1863).
Coelho Neto, Henrique (Brés.) [R] (1864-1934) : le Mirage (1895).
Cortesão, Jaime [H] (1884-1960).
Cunha, Euclides da (Brés.) [Es] (1866-1909) : En marge de l'Histoire (1909), les Terres de Canudos.
Dinis, Julio [R] (1839-71) : Uma Familia Inglesa, A Morgadinha de Canaviais (1868).
Eça de Queirós, José Maria [R] (1845-1900) : la Faute du P. Amaro (1875), le Mandarin, le Cousin Basile (1878), la Relique (1887), Une famille portugaise (Os Maias) (1888), Contes.
Espanca, Florabela da Conceição [P] (1894-1930) : Livro de Magoas (1919), Soror Saudade (1923).
Ferreira de Castro, José Maria [R] (1898-1974) : Émigrants (1928), Forêt vierge (1930), Terre froide (1934).
Gonçalves Dias, António (Brés.) [P] (1823-64) : Cantos.
Guimarães, Bernardo (Brés.) [R] (1825-84) : le Chercheur d'or (1872), l'Esclave Isaure (1875).
Herculano, Alexandre [P, H, R] (1810-77) : Eurico (1844), Hist. du Portugal (1846-53), Hist. des origines de l'Inquisition (1854-59).
Junqueira Freire, Luis José (Brés.) [P] (1832-55) : Inspirations du cloître.
Junqueiro, Abilio Guerra [Or, P] (1850-1923) : la Vieillesse du Père Éternel (1885), Patrie (1896).
Leal, António Duarte Gomes [P] (1848-1919) : Clarté du midi (1875), l'Antéchrist (1878).
Lobato, J. B. Monteiro (Brés.) [R] (1882-1948) : Urupès (1918), la Vengeance de l'arbre et autres contes.
Macedo, Joaquim Manuel de (Brés.) [R] (1820-82) : la Négrillonne (1844).
Machado de Assis, Joaquim Maria (Brés.) [R] (1837-1908) : Quincas Borba (1891), Dom Casmurro, Esaü et Jacob (1904).
Magalhães, Goncalves de (Brés.) [P] (1811-82).
Martins, Joaquim Oliveira [Pol] (1845-94).
Nobre, Antonio (1867-1900) : So' (1982), Despedidas (1902).
Passos, Antonio Augusto Soares de (1826-60) : Poesias (1856).
Patrício, Antonio (1878-1930) : Serão Inquieto (1910), Pedro o Cru (1918), de Poesias (1940).
Peixoto, Afrânio (Brés.) [R] (1876-1947).
Pessanha, Camilo [P] (1871-1926) : Clepsydre.
Pessoa, Fernando [P] (43 hétéronymes dont Alberto Caeiro, Alvaro de Campos, Ricardo Reis) (1888-1935) : Message, le Livre de l'intranquillité, Cancioneiro, le Marin, Poèmes ésotériques, Lettres à la fiancée, l'Heure du diable.
Pompeia, Raoul (Brés.) [R] (1863-95) : l'Athénée.
Quental, Antero de [P, Ph] (1842-91) : Sonnets, Odes modernes (1865).
Ramos, Graciliano (Brés.) [R] (1892-1953) : Enfance (1947), Sécheresse.
Régio, José [P, R] (1899-1971) : les Carrefours de Dieu, Jacob et l'Ange.
Ribeiro, Aquilino [R] (1883-1963) : la Voie sinueuse (1918), Quand hurlent les loups (1958).
Sá-Carneiro, Mario de [P, R] (1890-1915) : la Confession de Lucio (1914), Poésies complètes (1946).
Sardinha, António [E] (1888-1925).
Sergio, Antonio [E] (1883-1969).
Teixeira de Pascoaes [P] (1878-1952) : les Ombres, Marânus (1911), O Doido e a Morte (1913).
Varela, Nicolau Fagundes (Brés.) [P] (1841-75) : Nocturnes, Chants et Fantaisies.
Verde, Cesário [P] (1855-86).

Nés après 1900

Amado, Jorge (Brés.) [R] (1912) : le Pays du Carnaval, Cacao (1933), Bahia de tous les saints, Moisson rouge (1948), Capitaines des sables, les Souterrains de la liberté (1954), Gabriela girofle et cannelle (1958), les Deux Morts de Quinquin-la-flotte, les Pâtres de la nuit, Tereza Batista, Dona Flor et ses deux maris, le Vieux Marin, Tiesta d'Agreste, la Bataille du Petit Trianon (1980), Tocaïa Grande, Yansan des orages (1989), Conversations avec Alice Raillard.
Andrade, Eugénio de [P] (1923) : Blanc sur blanc (1985).

Bessa Luis, Augustina [R] (1922) : la Sibylle (1982), Fanny Owen (1979).
Braganca, Nuno [R] (1929-85) : A Noite e o Riso.
Breyner, Sophia de Mello [P] (1919) : Livro Sexto, Dual.
Brito, Casimiro de [P, R] (1938) : Labyrinthus.
Callado, António (Brés.) [R] (1917) : Mon pays en croix.
Campos de Carvalho, Walter (Brés. ; n.c.) [R] : la Lune vient d'Asie, la Vache au nez subtil, la Pluie immobile.
Cardoso Pires, José [R] (1925) : l'Invité de Job (1963), le Dauphin, la Ballade de la plage aux chiens (1982).
Carvalho, José Candidado de (Brés.) [R] (1914-89) : le Colonel et le Loup-garou.
Carvalho, Maria Judite (de) [R] (1921) : Tous ces gens Mariana (1959), Ces mots que l'on retient (1961), Paysage sans bateaux (1988), Anica au temps jadis (1988).
Castro, Josué de (Brés.) [Pol, Méd] (1908-73) : Géographie de la faim (1949-53), le Livre noir de la faim.
Centeno, Ivete Kace [R, P] (1940) : Pas seulement la haine (1966).
Costa, Orlando da [R, P] (1929) : O Signo da ira (1961), Canto Civil (1979).
Costa, Maria Velho da [R] (1938) : Casas Pardas.
Correia, Natália [P, R, Es] (1923).
Dioníso, Mario [P, R, Es] (1916) : le Feu qui dort.
Dourado, Autran (Brés.) [R] (1926) : l'Opéra des morts.
Drummond de Andrade, Carlos (Brés.) [P] (1902).
Escobar, Ruth (Port. et Brés.) [Pol., E] (n.c.) : les Cheveux du serpent.
Faria, Almeida [R] (1943) : la Passion (1965), Déchirures (1978).
Ferreira, David Mourão [P, R, Es] (1927).
Ferreira, José Gomes [P] (1900-85) : le Poète militant.
Ferreira, Manuel [R, Es] (1917) : le Pain de l'exode (1962), Noa, Reino de Caliban.
Ferreira, Vergilio [R] (1916) : Pour toujours (1983).
Figueiredo, Tomás de [R] (1904-70) : la Tanière du loup (1947).
Fonseca, Manuel da [P, R] (1911) : Cerromaior.
Fonseca, Rubem (Brés.) [R] (1925) : le Grand Art.
Freyre, Gilberto (Brés.) [R] (1900) : Maîtres et esclaves (1933), Terre du sucre (1956).
Gedeão, António [P] (1906).
Gomes, Sœiro Pereira [R] (1909-49) : Esteiros.
Guimarães Rosa, João (Brés.) [R] (1908-67) : Buriti, Diadorim, Hautes Plaines, les Nuits du Sertão (1956), Premières Histoires (1962).
Hélder, Herberto [P] (1930) : Poesia toda.
Lacerda, Alberto (1928) : Poemas (1951), Palácio (1962), Exilio (1963).
Lins, Osman (Brés.) [R] (1924-78) : Retable de Sainte Joana Caroline, La Reine des prisons de Grèce.
Lins do Rego, José (Brés.) [R] (1901-57) : l'Enfant de la plantation.
Lispector, Clarisse (Brés.) [R] (1925-78) : Près du cœur sauvage, le Bâtisseur de ruines.
Lobo Antunes, Antonio [R] (1942) : le Cul de Judas (1979), le Retour des caravelles.
Lourenço, Eduardo [E, Cri] (1923) : le Labyrinthe de la saudade (1988).
Marques Rebelo (Brés.) [R] (1907).
Meireles, Cecília (Brés.) [P] (1901-64) : Mer absolue.
Mello Breyner, Sophia de [P] (1919) : Contes exemplaires (1962), Navigations.
Mello Mourão, Gerardo (Brés.) [P, R] (1917) : le Valet de pique.
Melo e Castro, Ernesto M. [P, Es] (1932) : Antologia da Poesia Portuguesa I e II (1979-80), Corpos Radiantes (1982).
Mendes, Murilo (Brés.) [P] (1901-75) : les Métamorphoses, Offices humains.
Miguéis, José Rodrigues [R] (1901-80) : Léah.
Moraes, Vinícius de (Brés.) [P] (1913-80) : Cinq Élégies (1943), Patria Minha (1949).
Namora, Fernando [R] (1919-89) : le Bon Grain et l'Ivraie (1954), l'Homme au masque (1957), Fleuve triste (1982).
Nassar, Raduan (Brés.) [R] (n.c.) : Labeur archaïque (1975), Un verre de colère.
Nemésio, Vitorino [R, P] (1901-78) : Gros Temps sur l'archipel (1944).
Neto, Agostinho (Angolais) [P] (1922-79) : Espérance sacrée (1974).
Neto, João Cabral de Melo (Brés.) [D] (1920) : Morte e Vida Severina.
Oliveira, Carlos de [P, R] (1921-81) : Finisterra (1979).
Paço d'Arcos, Joaquim [R, D] (1908-79) : Journal d'un émigrant (1938-56), Cellule 27 (1965).
Pedro, Antonio, (1909-66) : A peine un récit (1942).
Pepetela, (Arthur Pestana) [R] (1941) : Mayombe.
Queiroz, Raquel de (Brés.) [R] (1910) : l'Année de la grande sécheresse (1930), Dora, Doralina.
Rebelo, Luis Francisco [D] (1924) : le Lendemain.
Redol, Alves [R, D] (1911-69) : Gaibéus, Barranco de Legos.
Régio, José (1899-1969) : Poemas de Deus e do Diabo (1925), Jacobe o Anjo (1941).
Ribeiro, João Ubaldo (Brés.) [R] (1941) : Sergent Gétúlio, Vila Real.
Rosa, António Ramos [P] (1924).
Santareno, Bernardo [D] (1924) : le Juif.
Saramago, José [P, R] (1922) : Terre de péché (1947), Soulevé de la terre (1980), le Dieu manchot (1982), l'Année de la mort de Ricardo Reis (1984), le Radeau de pierre (1986), Historia do Cerco de Lisboa (1989).
Sena, Jorge de [P, Es] (1919-78) : le Physicien prodigieux, Signes de feu.
Soromenho, Castro [R] (1910-68) : Camaxilo (1949), Virage (1957).
Suassuna, Ariano (Brés.) [D] (1927) : le Testament du chien.
Tavares Rodrigues, Urbano (1923) : Bâtards du soleil (1959), Estorias alentejanas (1977), A Vaga de Calor (1986).
Torres, Antonio (Brés.) [R] (1940) : Cette terre.
Torga, Miguel [E, P, R] (1907) : la Création du Monde, Rua, Portugal.
Vasconcelo, Mário Cesariny [Es] (1923) : Corpo Visivel (1950), Discurso sobre a rebilitação de real quotidiano (1952).
Verìssimo, Erico (Brés.) [R, Soc] (1905-75) : Monsieur l'Ambassadeur, le Temps et le Vent.
Vieira, Luandino (Angolais) [R] (1935) : Luuanda.

Nota. – Les « Lettres portugaises » (1669) prétendument adressées par la religieuse Mariana Alcoforado au Français le Cte de Chamilly ont été écrites en français par Gabriel de Guilleragues (1628-1685).

Littérature russe

Nés avant 1700

Anonymes : Annales des temps passés (v. 1115), Dit de la campagne d'Igor (XIIe s.).
Avvakoum (archiprêtre) [E] (v. 1620-81) : Autobiographie.
Feofan Prokopovitch [Préd] (1681-1736).
Iavoski, Stéphane [Théo] (1658-1722) : la Pierre de la foi.
Ivan le Terrible (tsar) [E] (1530-84) : Correspondance.
Kourbski, prince André [E] (1528-83) : Histoire du grand-duché de Moscou.
Macaire (métropolite) [E] (v. 1482-v. 1563) : Grande Vie des saints (Tchetii Minéï), Encycl. hist.
Monomaque, Vladimir II [Mor] (1053-1126) : Instruction à mes fils (1096).
Polotski, Siméon [P, Th, D] (1629-80).

Nés entre 1700 et 1800

Ablessimov, Alexandre [D] (1742-83) : le Meunier sorcier (1782).
Aksakov, Serge [E] (1791-1859) : Chronique de famille, les Années d'enfance du petit-fils Bagrov.
Batiouchkov, Constantin [P] (1787-1855) : Le Tasse mourant, A l'ombre d'un ami, l'Espoir (1803).
Bestoujev, Alexandre (pseud. : Marlinski) [R] (1797-1837).
Bogdanovitch, Hippolyte [P] (1743-1803) : l'Amour et Psyché (1783).
Boulgarine, Thaddée [J] (1789-1859) : l'Abeille du Nord.
Chakhovskoï, prince Alexandre [D] (1777-1846) : l'École des coquettes (1815).
Chichkov, Alexandre [Gram, Cr] (1754-1843).
Delvig, Antoine [P] (1798-1831).
Derjavine, Gabriel [P] (1743-1816) : *Odes :* Felitsa, Sur la mort du prince Mechtcherski, la Cascade, le Grand Seigneur.
Dmitriev, Ivan [P] (1760-1837).
Fonvizine, Denis [D] (1745-92) : le Brigadier (1766), le Mineur (1782).
Glinka, Théodore [E, P] (1788-1880) : Lettres d'un officier russe (1808), la Carélie ou la Captivité de Martha Johannowna (1830).
Gneditch, Nicolas [P] (1784-1833).
Griboïedov, Alexandre [D] (1795-1829) : le Malheur d'avoir trop d'esprit (1824).
Joukovski, Basile [P] (1783-1852) : le Cimetière du village, Lioudmilla, le Prisonnier de Chillon, Lalla, Rouk, l'Odyssée, la Pucelle d'Orléans.
Kantemir, Antiochus [P] (1708-44) : Contre les dénigreurs de la culture, Contre l'envie et l'orgueil des méchants nobles.
Kapnist, Basile [D, P] (1757-1823) : la Chicane.
Karamzine, Nicolas [E, H] (1766-1826) : Lettres d'un voyageur russe, la Pauvre Lise, Histoire de l'empire russe.
Khemnitzer, Ivan [Fab] (1745-84).
Kheraskov, Michel [P] (1733-1807).
Kioukhelbeker, Guillaume [P] (1797-1846) : Prophétie, la Mort de Byron.
Kniajnine, Jacques [D] (1742-91) : Roslav, le Fanfaron.
Kozlov, Ivan Ivanovitch [P] (1779-1840) : le Moine, la Princesse Nathalie Dolgorouki, la Jeune Folle.
Krylov, Ivan [Fab] (1769-1844) : Fables.
Lomonossov, Michel [P, Gram] (1711-65) : Grammaire russe, Rhétorique, Ode sur la prise de Khotine, Pierre le Grand, Livre saint.
Loukine, Vladimir [D] (1737-94).
Maïkov, Basile [P] (1728-78).
Novikov, Ivan [J] (1744-1818) : le Bourdon.
Petrov, Basile [P] (1736-99).
Polevoï, Nicolas [R, H, Cr] (1796-1846) : Histoire du peuple russe.
Pouchkine, Alexandre [P, R] (1799-1837) : le Prisonnier du Caucase (1822), Poltava (1828), Eugène Onéguine (1828-30), Doubrovski (1829), Récits de Bielkine (1830), Boris Godounov (1831), la Dame de pique (1833), la Fille du capitaine (1836), le Cavalier d'airain (1837). – *Biogr. :* fils d'un membre de la haute noblesse et d'une Éthiopienne descendante d'otages rachetés aux Turcs par Pierre le Grand (type mulâtre) ; élevé à la française. *1811* lycée noble de Tsarskoïe-Selo. *1817* fréquente le milieu mondain et littéraire de Moscou et de St-Pétersbourg. *1820* exilé en Bessarabie (pour ses idées libérales). *1823-26* à Odessa. *1826* gracié, rentre à Moscou. *1829* combattant volontaire au Caucase. *1831* épouse Natalie Gontcharova. *1834* « gentilhomme de la chambre », a 60 000 roubles de dettes. *1836* fonde la revue littéraire *le Contemporain. 1837* tué en duel par un Français, Georges d'Anthès, qui courtisait sa femme.
Radichtchev, Alexandre [E, P] (1749-1802) : A la liberté, Voyage de Pétersbourg à Moscou.
Ryleïev, Conrad [P] (1795-1826) : Voïnarovski.
Soumarokov, Alexandre [D, P] (1718-77) : Khorev.
Tchaadaïev, Pierre [Ph] (1794-1856). A écrit en français.
Tchoulkov, Michel [R] (1743-92) : Dictionnaire des superstitions russes (1782).
Trediakovski, Basile [P, D] (1703-69) : Traduction de Télémaque.
Viazemski, prince Pierre [P] (1792-1878).

Nés entre 1800 et 1900

Akhmatova, Anna [P] (1889-1966) : Soir, le Rosaire, Volée blanche (1917), le Plantain (1921), Anno Domini, le Poème sans héros (1940-42).
Aksakov, Ivan [P] (1823-86).
Alexandrovski, Basile [P] (1897-1934).
Andreïev, Léonide [D, R] (1871-1919) : le Gouffre, l'Épouvante, le Rire rouge (1904), le Récit des sept pendus. *Théâtre :* la Vie d'un homme (1906), Jours de notre vie (1908).
Annenski, Innocent [P] (1856-1909) : le Coffret de cyprès, Chants à voix basse.
Antokolski, Paul [P] (1896-1978) : le Fils.
Apoukhtine, Alexis [P] (1841-93).
Asseiev, Nicolas [P] (1889-1963) : Poème antigénial.
Babel, Isaac [R] (1894-1941) : Cavalerie rouge (1926), Contes d'Odessa (1931), Premier Amour.
Bagritski, Édouard [P] (1896-1934) : la Mort de la pionnière (1932).
Bakounine, Michel [Pol] (1814-76) : Fédéralisme, socialisme et antithéologisme (1872), le Plan de fédération internationale (1884).
Balmont, Constantin [P] (1867-1942) : Visions solaires (1903), la Liturgie de la beauté (1905).
Baratynski, Eugène [P] (1800-44) : Eda, le Bal, la Tzigane, le Crépuscule.

Bedny, Demiane (Euthyme Pridvorov) [P] (1883-1945) : Héros de l'Antiquité (1936).

Bielinski, Bessarion [Ph, Cr] (1811-48) : Rêveries littéraires (1834).

Biely, André [P, R] (1880-1934) : Symphonies, Moscou, Pétersbourg, Kotik, Letaiev, les Cendres, Or dans l'azur.

Blok, Alexandre [P] (1880-1921) : Vers sur la belle dame, le Masque de neige, les Douze, les Scythes.

Boulgakov, Michel [E, D] (1891-1940) : *Romans :* la Garde blanche, le Roman théâtral, Cœur de chien (1925), le Roman de Monsieur Molière, le Maître et la Marguerite (1928-40). *Théâtre :* les Journées des Tourbine (1926), la Fuite (1926-28), l'Ile pourpre (1927), la Cabale des Dévots (1929-36).

Bounine, Ivan [P, R] (1870-1953) : le Village, le Vallon desséché, A la source des jours (1930), Elle (1939) [N. 1933].

Brioussov, Valéry [P] (1873-1924) : Urbi et Orbi, En ces jours.

Chaginian, Marietta [P, R] (1888-1982) : Laurie Lane métallurgiste, la Station hydroélectrique (1931).

Chestov, Léon [Ph] (1866-1938).

Chklovski, Victor [Es, R] (1893-1984) : le Voyage sentimental, l'Art de la prose, Zoo, le Voyage de Marco Polo, l'Énergie de l'erreur, la Marche du cheval.

Dahl, Vladimir [Gram] (1801-72) : Dictionnaire de la langue russe (1861-68).

Dobrolioubov, Alexandre [Ph, P] (1876-1918) : Du livre invisible.

Dobrolioubov, Nicolas [Ph, Cr] (1836-61) : Chroniques du *Contemporain* (1855-61).

Dostoïevski, Théodore [R] (1821-81) : les Pauvres Gens (1844), Humiliés et Offensés (1861), Souvenirs de la maison des morts (1862), Mémoires écrits dans un souterrain (1864), Crime et Châtiment (1866), le Joueur, l'Idiot (1868), l'Éternel Mari (1869), les Possédés (1870), Journal d'un écrivain (3 vol., 1873-80), l'Adolescent (1875), les Frères Karamazov (1879-80). – *Biogr. :* fils d'un médecin moscovite. *1828* 1re crise d'épilepsie. *1830* son père achète un domaine, Darovoïe ; sa mère, phtisique, s'y retire. *1837* mort de sa mère ; interne à l'école des ingénieurs. *1839* père assassiné par des moujiks ; vit pauvrement à St-Pétersbourg, fréquentant les milieux libéraux. *1849* emprisonné ; condamné à mort, gracié sur le terrain d'exécution. *1850-53* travaux forcés en Sibérie. *1854-59* soldat en Sibérie (se marie, mais une épilepsie l'empêche de consommer le mariage). *1860* revient à St-Pétersbourg ; vit de sa plume. *1864* veuf, couvert de dettes. *1866* s'engage par contrat à écrire un roman tous les 4 mois ; remariage avec Anna Grigorievna. *1867* s'enfuit à l'étranger. *1871* revient à St-Pétersbourg, après le succès des *Possédés ;* gloire littéraire et fortune dans ses dernières années.

Ehrenbourg, Ilya [R, P] (1891-1967) : les Aventures extraordinaires de Julio Jurenito, Rapace, le Deuxième Jour de la création (1933), Sans reprendre haleine, la Chute de Paris, la Tempête, le Neuvième Flot, le Dégel (1954), les Années et les Hommes.

Essenine, Serge [P] (1895-1925) : Transfiguration, l'Accordéon, Pougatchev, Confession d'un voyou (1921), l'Homme noir (1925).

Fédine, Constantin [R] (1892-1977) : le Terrain vague (1923), les Villes et les Années (1924), l'Enlèvement d'Europe (1933-35), les Frères, les Premières Joies, Un été extraordinaire (1945), le Bûcher (1961-67).

Fet, Athanase [P] (1820-92) : Feux du soir.

Forch, Olga [H] (1873-1961) : Radichtchev (1934-39).

Fourmanov, Dimitri [E] (1891-1926) : Tchapaev.

Garchine, Vsevolod [R] (1855-88) : les Quatre Jours, la Fleur rouge.

Gladkov, Théodore [R] (1883-1958) : le Ciment, l'Énergie, le Soleil ivre.

Gogol, Nicolas [R, D] (1809-52) : Veillées à la ferme de Dikanka (1831-32), Mirgorod (contenant Tarass Boulba) (1835), Arabesques (contenant le Portrait), la Perspective Nevski, le Journal d'un fou (1835), le Manteau (1842), les Ames mortes (1842). *Théâtre :* le Revizor (1836). – *Biogr. :* noblesse militaire ukrainienne (cosaques) ; élevé au lycée de Niéjine. *1830* fonctionnaire au ministère des Apanages à St-Pétersbourg, démissionne au bout d'un an ; fréquente les milieux littéraires (notamment Pouchkine et Joukovsky). *1831-34* prof. d'histoire à l'Institut patriotique. *1834-36* à l'université de St-Pétersbourg. *1846* persécuté par l'administration après la représentation du *Revizor,* va vivre en Italie. *1848* pèlerinage de Jérusalem ; tombe dans le mysticisme et détruit une partie de ses manuscrits sur les conseils d'un illuminé, le P. Matthieu Konstantinovski. Meurt dans un état de quasi-démence.

Quelques mouvements

XIXe siècle

Réalisme poétique. « Roman en vers », naturaliste, engagé politiquement, style poétique mi-romantique mi-classique (le lyrisme de Byron s'accommodant avec le didactisme des versificateurs du XVIIIe s.). Pouchkine, Tioutchev, Lermontov.

Classicisme national. *Traits communs :* tendresse pour le peuple russe, préoccupation pour son avenir, mélange de tristesse et de fantaisie truculente. Gogol, Tchekhov, Tourgueniev, etc. L'écrivain français qu'ils admirent le plus est George Sand (romantisme social et réalisme populiste).

XXe siècle

Proletkult (abréviation de « culture prolétarienne »). Littérature orientée cherchant à exalter le travail collectif. Alexei Tolstoï, Ilya Ehrenbourg.

Groupe des Frères Sérapion. Tire son nom d'un héros de l'écrivain romantique allemand Hoffmann. Affirme la liberté et l'indépendance de l'écrivain. Maxime Gorki, dans la ligne des grands classiques nationaux, devenu écrivain officiel, les a protégés. Vladimir Maïakovski, Boris Pasternak, classé comme « imaginiste » car il est en réaction contre le réalisme de la Proletkult.

Gontcharov, Ivan [R] (1812-91) : Simple Histoire, Oblomov (1859), le Précipice.

Gorki, Maxime (Aleksei Pechkov) [R, D] (1868-1936) : *Romans :* les Vagabonds (1892-97), Thomas Gordeïev (1899), la Mère (1908), les Petits Bourgeois, la Maison Artamonov (1925), Vie de Klim Samguine (1927). *Théâtre :* les Bas-Fonds (1902). *Récits autobiographiques :* Enfance (1913-14), En gagnant mon pain (1918), Souvenirs sur Tolstoï (1919), Mes universités (1923). – *Biogr. :* fils d'un tapissier de Nijni-Novgorod ; enfance pauvre à Astrakhan. *1875* garçon de courses (8 ans). *1887* tentative de suicide, revient à Nijni-Novgorod. *1892* écrit dans les journaux locaux. *1895* succès d'*Esquisses et récits. 1901* succès comme dramaturge ; se lie aux marxistes de St-Pétersbourg. *1902* académicien. *1905* arrêté pour sa participation aux émeutes. *1906* se fixe à Capri (Italie). *1913* amnistié, rentre en Russie. *1917* fonde le journal marxiste *Vie nouvelle* (interdit par Lénine en juillet 1918). *1912-22* se rallie à Lénine ; directeur des éditions d'État. *1922-28* vit à l'étranger, sous prétexte de santé. *1928* revient en U.R.S.S. ; personnage officiel du régime (1934, Pt de l'Union des écrivains sov.).

Goumiliov, Nicolas [P] (1886-fusillé 1921) : le Carquois, la Colonne de feu, Vers l'étoile bleue.

Grigoriev, Apollon [Cr, P] (1822-64) : De la vérité dans l'art.

Grigorovitch, Dimitri [R] (1822-99) : le Village, les Quatre Saisons, les Émigrants.

Grine, Alexandre [R] (1880-1932) : le Chemin qui ne mène nulle part (1929).

Guerassimov, Michel [P] (1889-1939).

Herzen, Alexandre [Ph, Cr] (1812-70) : Qui est coupable ?, Lettres de France et d'Italie, Passé et Pensées.

Hippius, Zénaïde [P] (1869-1945).

Iazikov, Nicolas [P] (1803-46) : Épître à Arina Rodionovna (1833).

Inber, Véra [P] (1890-1972) : le Méridien de Poulkovo, les Enfants de Leningrad.

Ivanov, Viatcheslav [P, Ph] (1866-1949).

Ivanov, Vsevolod [R] (1895-1963) : les Partisans, Train blindé no 1 469, Nous allons en Inde.

Karavaeva, Anne [R] (1893) : la Patrie (1943-50).

Kataïev, Valentin [R, D] (1897-1986) : les Concussionnaires, le Fils du régiment, la Quadrature du cercle (1928), Au loin une voile (1936), le Puits sacré, l'Herbe de l'oubli (1967).

Khlebnikov, Vélémir [P] (1885-1922) : Incantation par le rire (1909), la Guerre dans la souricière (1915-17).

Khodasievitch, Ladislas [P] (1886-1939) : Jeunesse (1908), la Lyre lourde (1922).

Khomiakov, Alexis [P, D, Th] (1804-60).

Klioulev, Nicolaï [P] (1885-1937).

Klytchkov, Serge [R, P] (1889-1940) : En visite chez les grues.

Koltsov, Alexis [P] (1809-42).

Korolenko, Vladimir [E] (1853-1921) : le Songe de Makar, le Musicien aveugle, Hist. de mon contemporain.

Kouprine, Alexandre [R] (1870-1938) : Moloch, le Duel, la Fosse.

Kourotchkine, Basile [P, Polé] (1831-75).

Kouzmine, Michel [P] (1875-1935).

Kropotkine, prince Pierre [E, Pol] (1842-1921) : Paroles d'un révolté, Autour d'une vie.

Lavreniev, Boris [P, R] (1891-1959) : le Graveur sur bois (1929).

Leonov, Léonide [E] (1899) : les Blaireaux, le Voleur, l'Invasion, la Forêt russe.

Leontiev, Constantin [R, Cr] (1831-91) : la Colombe d'Égypte.

Lermontov, Michel [P, R, D] (1814-41) : le Boyard Orcha, la Mort du poète, le Chant du marchand Kalschinikov (1837), le Démon (1838-41), le Novice (1839), Un héros de notre temps (roman 1840). *Drames :* les Espagnols, l'Homme étrange.

Leskov, Nicolas [E, R] (1831-95) : Gens d'Église (1872), l'Ange scellé (1873).

Lounacharsi, Anatole [Gr] (1875-1933).

Maïakovski, Vladimir [P, D] (1893-suicidé 1930) : 150 Millions, Octobre, Moi (1913), la Punaise (1929), les Bains publics, Bien !, Pour cela.

Maïkov, Apollon [P] (1821-97).

Makarenko, Antoine [E] (1888-1939) : Poème pédagogique, les Drapeaux sur les tours (1938).

Mamine le Sibérien, Dimitri [R] (1852-1912) : les Frères Gordeïev (1891), le Pain (1895).

Mandelstam, Joseph [P] (1891-1938) : la Pierre (1913), Tristia (1922), Cahiers de poésies (1935-37).

Marchak, Samuel [P] (1887-1964) : les Douze Mois (1925), les Enfants en cage, la Poste (1943).

Melnikov-Petcherski, Paul [R] (1819-83) : le Grand-Père Polikarp (1875).

Merejkovski, Démétrius [D, R] (1865-1941) : le Christ et l'Antéchrist [Trilogie : Julien l'Apostat (1896), les Dieux ressuscités (1902), Pierre et Alexis (1905)].

Mikhailovski, Nicolas [Pol] (1842-1904).

Nekrassov, Nicolas [P] (1821-77) : Physiologie de Saint-Pétersbourg, le Gel au nez rouge (1863), Femmes russes, Qui peut vivre heureux en Russie ? (1863-70), Derniers Chants.

Nikiforov, Georges [E] (1884-1944).

Nikitine, Ivan [P] (1824-61) : le Koulak (1857), la Ligne de feu, Contes d'Obojansk.

Nikitine, Nicolas [R, D] (1897-1963).

Odoïevski, prince Vladimir [R] (1803-69) : l'Asile d'aliénés, la Princesse Zizi.

Olecha, Jules [R, D] (1899-1960) : les Trois Méchants Gros (1928).

Ostrovski, Alexandre [D] (1823-86) : Entre amis on s'arrange, Une place lucrative (1857), l'Orage (1860).

Ouspenki, Nicolas [Hum] (1837-89).

Panfiorov, Théodore [R] (1896-1960) : la Vie aux champs, les Fils de la terre, la Révolte de la terre.

Paoustovski, Constantin [R] (1892-1968) : Kara-Bougaz (1932), la Colchide (1934), le Récit des forêts (1948), la Naissance de la mer, la Rose d'or, Histoire d'une vie (6 vol.).

Pasternak, Boris [P, R] (1890-1960) : Ma sœur la vie (1922), les Voies aériennes (1924), l'Enfance de Luvers, le Trait d'Apelle, Lettres de Toula, l'An 1905 (1926), l'Enseigne de vaisseau Schmidt (1927), la Seconde Naissance (1930-31), Sauf-Conduit, Docteur Jivago (1955), Beauté aveugle (inachevé). – *Biogr. :* fils d'un peintre ; école des Beaux-Arts. *1909* étudiant en philo. *1912 :* université de Marburg (Allem.). *1913* fréquente les poètes « centrifuges ». *1923* attiré par Maïakovski, adhère au LEF (Front de gauche des écrivains) ; s'en sépare rapidement, classé jusqu'en 1934 parmi les « compagnons de route ». *1934-36* se rallie à l'Union des écrivains. *1936-41* condamné au silence. *1941-46* poète de la résistance nationale. *1946-54* écrit dans la clandestinité *le Docteur Jivago* (publié Italie 1957). *1958* prix Nobel ; obligé de le refuser ; exclu de l'Union des écrivains.

Pilniak, Boris (Vogau) [R] (1894-1937) : l'Année nue (1922), la Volga se jette dans la Caspienne (1930), le Grenier à sel (1936-37).

Pissarev, Démétrius [E, Cr] (1840-68).

Pissemski, Alexis [R] (1820-81) : Tioufak, Mille Ames (1858), Amères Destinées (1859).

Platonov, André [R, P] (1889-1951) : les Herbes folles de Tchevengour (1926-29), la Famille d'Ivanov (1946).

Plekanov, Georges [Es, Ph] (1875-1918).

Polonski, Jacques [P] (1819-98) : les Gammes (1844), le Grillon musicien (1859), Au déclin du jour (1881).

Pomialovski, Nicolas [R] (1835-63) : Bonheur bourgeois (1861), Scènes de la vie du séminaire (1862-63).

Prichvine, Michel [E] (1873-1954).

Remizov, Alexis [R] (1877-1957) : l'Étang, les Sœurs en croix.

Rojdestvenski, Vsevolod [P] (1895-1977).
Romanov, Panteléemon [R] (1884-1938).
Rozanov, Basile [Cr, Es] (1856-1919) : l'Apocalypse de notre temps.
Saltykov, Michel (pseud. : Chtchedrine) [E] (1826-89) : la Famille Golovlev.
Selvinski, Élie [P] (1899-1968) : Records, Pao Pao, Oulialaievchtchina.
Serafimovitch, Alexandre (Popov) [R] (1863-1949) : le Torrent de fer (1924).
Sieverianine, Igor [P] (1887-1943).
Sloutchevski, Constantin [P] (1837-1904).
Sologoub, Théodore (Teternikov) [P, R] (1863-1927) : le Cercle de feu, le Démon mesquin, la Charmeuse de serpents.
Sologoub, Vladimir [E] (1813-82).
Soloviev, Vladimir [Ph] (1853-1900) : la Justification du bien.
Soukhovo-Kobiline, Alexandre [D] (1817-1903) : le Mariage de Krechinski (1855), la Mort de Tarelkine (1869).
Sourikov, Ivan [P] (1841-80) : le Sorbier, le Rossignol dans le vert jardin.
Sourkov, Alexis [P] (1899-1983) : Décembre devant Moscou (1842).
Stanislavski, Constantin (Alexeiev) [Cr] (1863-1938) : les Carnets d'art.
Tchekhov, Anton [R, D] (1860-1904) : *Romans :* la Steppe (1888), la Salle 6 (1892), la Dame au petit chien (1899). *Théâtre :* la Mouette (1896), Oncle Vania (1899), les Trois Sœurs (1901), la Cerisaie (1904). – *Biogr. :* fils d'un épicier pauvre (famille nombreuse). *1874* répétiteur dans une famille bourgeoise. *1876* misère (père ruiné et en fuite ; famille réfugiée à Moscou). *1879* rejoint sa famille ; commence sa médecine. *1881* gagne sa vie comme journaliste. *1884* médecin d'hôpital. *1886* lancé par Grigorovitch qui a lu un de ses contes. *1888* succès (prix Pouchkine). *1889* volontaire pour être médecin à Sakhaline. *1892* achète la cerisaie de Mélikhovo. *1898* liaison avec Olga Knipper, interprète de *la Mouette* (mariage 1901). *1904* tuberculeux, soigné à Badenweiler (All.) ; y meurt.
Tchernychevsky, Nicolas [H, Cr] (1828-89) : Que faire ?
Tikhonov, Nicolas [P, R] (1896-1973) : les Nomades, Kirov avec nous.
Tioutchev, Théodore [P] (1803-73) : Uranie.
Tolstoï, Alexis [R] (1883-1945) : le Chemin des tourments, Pierre le Grand.
Tolstoï, Alexis Konstantinovitch, comte [P, D, R] (1817-1875) : le Prince Serebriany (1862), la Mort d'Ivan le Terrible (1866).
Tolstoï, Léon, comte [R] (1828-1910) : Enfance, Adolescence, Jeunesse (1852), les Cosaques (1863), Guerre et Paix (1865-69), Anna Karenine (1875-77), la Puissance des ténèbres (1886), la Sonate à Kreutzer (1889), Résurrection (1899). *Essai :* Qu'est-ce que l'art ? (1898). – *Biogr. :* vieille noblesse terrienne. *1830* mort de sa mère (élevé au domaine de Yasnaïa Poliana, près de Toula, par sa tante Tatiana). *1837* à Moscou ; mort de son père (élevé à Kazan avec ses frères et sœurs par d'autres tantes). *1844-47* étudiant à Kazan. *1847* hérite de Yasnaïa et s'y installe. *1851-55* officier volontaire au Caucase et en Crimée. *1856* succès des *Récits de Sébastopol ;* démissionne de l'armée. *1859* vit dans son domaine, travaillant à l'amélioration du sort des moujiks. *1862* épouse Sophie Bers. *1881* retour à Moscou pour l'éducation de ses enfants. *1891* organise des actions philanthropiques (tolstoïsme). *1901* excommunié par l'Église russe. *1910* s'enfuit de Yasnaïa, pour se retirer du monde ; meurt de pneumonie dans la gare d'Astapovo.
Tourgueniev, Ivan [R] (1818-83) : Récits d'un chasseur (1852), Dimitri Roudine (1856), Journal d'un homme de trop, Une nichée de gentilshommes (1859), Premier Amour (1862), Fumée (1867), Terres vierges (1877), Poèmes en prose (1882). – *Biogr. :* fils d'un officier presque toujours absent ; vit avec sa mère dans son domaine rural près d'Orel. *1833* interne à Moscou, puis étudiant en lettres à St-Pétersbourg. *1838-41* philo à Berlin. *1842* naissance de Pélagie [sa fille qu'il eut d'une serve russe et qui sera, à partir de 7 ans, élevée en France par le ménage Viardot (Louis Viardot, journaliste, 1800-83, marié à la cantatrice Pauline Garcia, dont un fils, le violoniste Paul Viardot) ; T. a connu les Viardot en 1843 et aurait eu une liaison avec Pauline]. *1847* sa mère (scandalisée par sa passion pour une actrice) lui coupe les vivres ; vie de bohème à l'étranger, notamment en France, chez les Viardot. *1850* retour en Russie (mort de sa mère) ; exilé à Spaskoïé-Loutovinovo, pour un article élogieux sur Gogol. *1853-56* séjour à St-Pétersbourg. Succès des *Récits d'un chasseur. 1856* voyages en Occident, entrecoupés de voyages en Russie (séjours fréquents chez Pauline Viardot, où il meurt d'un cancer).
Trefolev, Léonide [P] (1839-1905).
Treniev, Constantin [D] (1876-1945) : Lioubov Yarovaya (1926).
Tsvetaïeva, Marina [P] (1892-1941) : la Jouvencelle-Tsar (1922), la Séparation, Psyché, Prose.
Tyniahov, Jules [E] (1894-1943) : la Mort de Vazir Moukhtar (1929), le Lieutenant Kijé, Kiouchlia, Pouchkine (inach. 1936).
Venevitinov, Démétrius [P] (1805-27) : la Vie.
Veressaiev, Vincent [R] (1867-1945) : Récits de guerre (1906), Souvenirs (1936).
Vinogradov, Anatole [Es] (1888-1946) : le Gant perdu, le Consul noir, Trois Couleurs du temps.
Volochine, Maximilien [P] (1878-1932) : les Faces de la création (1914), Tverni (1918), Poèmes sur la terreur (1923), les Voies de Caïn (1926).
Voronski, Alexandre [Cr] (1884-1937 ?).
Zaïtsev, Boris [R] (1881-1972).
Zamiatine, Eugène [R] (1884-1937) : Choses de province (1913), Au diable vauvert (1914), le Nord, l'Arpenteur, Au bout du monde, Nous autres (1920).
Zlatovratski, Nicolas [R] (1845-1911) : les Fondations (1878-83).
Zochtchenko, Michel [E] (1895-1958) : les Contes de Nazar Ilitch, Avant le lever du Soleil (1943).

Nés après 1900

Abramov, Théodore [R] (1920-83) : les Priasline.
Aitmatov, Tchinguiz [E] (1928) : Djamila.
Ajaïev, Basile [R] (1915-68) : Loin de Moscou.
Akhmadoulina, Bella [E] (1937) : le Magnétophone, Ma généalogie.
Aksionov, Vassili [R] (1932) : Confrères, Surplus en stock-futaille, Billet pour les étoiles, les Oranges du Maroc, Un petit sourire, s'il vous plaît.
Aliguère, Marguerite [P] (1915) : Zoïa.
Amalrik, André [H] (1938-80) : Voyage involontaire en Sibérie (1965), L'URSS survivra-t-elle en 1984 ?, le Journal d'un provocateur (1980).
Antonov, Serge [R] (1915) : Léna.
Arbouzov, Alexis [D] (1908-86) : Une histoire d'Irkoutsk (1959).
Astafiev, Victor [R] (1924) : le Polar triste.
Babaievski, Siméon [R] (1909).
Baklanov, Grégoire [R] (1923) : Tête de pont, Les canons tirent à l'aube, Juillet 41.
Baranskaia, Nathalie [R] (1909) : Une semaine comme une autre.
Bek, Alexandre [R] (1903-90) : la Chaussée de Volokolamsk (1945), Quelques Jours (1950), la Réserve du général Panfilov (1960).
Berberova, Nina [R] (1901) : le Roseau révolté, Histoire de la baronne Boudberg, C'est moi qui souligne, Boradine, le Mal noir, les Francs-maçons russes du XXe s.
Bielov, Vassili [R] (1933) : Affaire d'habitude.
Bondarev, Jules [R] (1924) : le Calme (1962), la Panique.
Boukovsky, Vladimir [R] (n.c.) : Et le vent reprend ses tours, Cette lancinante douleur de la liberté.
Brodsky, Joseph [P] (1940, vit aux U.S.A.) : la Halte dans le désert, Poèmes 1961-87 [N. 1987], Loin de Byzance (1988).
Bykov, Vassil [E] (1924) : Dans le brouillard.
Chalamov, Varlam [R] (1907-82) : Récits de Kolyma.
Cholokhov, Michel [R] (1905-84) : le Don paisible, les Terres défrichées, Ils ont combattu pour la patrie, le Destin d'un homme (1957), les Défricheurs [N. 1965].
Choukchine, Basile [R] (1929-74) : l'Envie de vivre.
Daniel, Iouli [Hum] (1925-89) : Ici Moscou.
Dombrovski, Iouri [R] (1909-78) : Un singe à la recherche de son crâne (1959), le Conservateur des antiquités (1964), la Faculté de l'inutile (1979).
Doroch, Euthyme (1908-72) : Pluie et Soleil, Méditation à Zagorsk.
Doudintsev, Vladimir [R] (1918) : L'homme ne vit pas seulement de pain (1956), les Robes blanches (1990).
Erofeiev, Venedict [R] (1940-90) : Moscou sur Vodka.
Evtouchenko, Eugène [P, R] (1933) : la Station Zima (1956), Autobiographie précoce (1956), Trois Minutes de vérité, la Vedette de liaison (1966).
Fadeïev, Alexandre [R] (1901-56) : la Débâcle (1927), le Dernier des Oudégués (inach.), la Jeune Garde (1945).
Galitch, Alexandre (Guinzbourg) [P] (1919-77).
Gladiline, Anatole [Chr] (1935) : Chronique des temps de Victor Padgourski.
Gorenstein, Friedrich [R] (1932).
Granine, Daniel [R] (1919) : les Chercheurs, Je vais au-devant de l'orage.
Grossman, Vassili [E] (1905-83) : Vie et Destin, Tout passe.
Iourienen, Serge [R] (1948).
Issakovski, Michel [P] (1900-73) : Quatre Souhaits, Enfance, le Matin.
Kaverine, Benjamin [R] (1902-89) : Deux capitaines (1944), la Pluie oblique (1962), l'Interlocuteur (1973).
Kazakevitch, Emmanuel [E] (1913-62) : l'Étoile, le Cahier bleu.
Kazakov, Iouri [E] (1928-82) : la Petite Gare, la Belle Vie, Ce Nord maudit.
Kirsanov, Siméon [P] (1906-72) : le Plan quinquennal, la Parole de Foma Smyslov (1945).
Konetski, Victor [R] (1929) : l'Inconnue d'Arkhangelsk, Du givre sur les fils.
Kopelev, Lev [R] (n.c.).
Kouchner, Alexandre [P] (1936).
Kouznetsov, Anatole [R] (1929) : la Vérité des pionniers, Suite d'une légende, Baby Yar, Jeunes Filles.
Koznilov, Wladimir [R].
Kross, Jaan [R] (1920) : le Fou du tsar, le Départ du Pr Martens (1990).
Latsis, Wilis [R, D] (1904-66) : la Bête libérée, la Tempête (1948), la Victoire, Après le grain (1963).
Limonov, Edward [R] (1943) : Oscar et les femmes.
Lougovskoï, Vladimir [P] (1901-57) : Éclairs, les Souffrances de mes amis.
Martinov, Léonide [P] (1905-80).
Maximov, Vladimir [R] (1932).
Mojaiev, Boris [R] (1923) : Dans la vie de Fédor Kouzkine.
Naguibine, Jules [R] (1920).
Nekrassov, Victor (déchu de la nat. soviétique en 1979) [R] (1911) : la Ville natale, Kira Gueorguievna, Des deux côtés de l'Océan, Carnets d'un badaud.
Nikolaïeva, Galina [R] (1914-63) : la Moisson, l'Ingénieur Bakhirev.
Okoudjava, Boulat [R] (1924) : Pauvre Abrossimov.
Oleskowski, Iouz [R].
Ostrovski, Nicolas [R] (1904-36) : Et l'acier fut trempé (1934), Enfantés par la tempête (1936).
Ovietchkine, Valentin [E] (1904) : Des visiteurs au hameau de Stoukatchi.
Panova, Vera [R] (1905-73) : Compagnons de voyage (1946), Clair Rivage (1948), les Saisons (1953), le Roman sentimental (1958), Valia (1960).
Pliouchtch, Léonide [Es] (1939) : Dans le carnaval de l'Histoire.
Pogodine, Michel [D] (1900-62) : le Temps, Mon ami, le Carillon du Kremlin.
Polevoï, Boris [R] (1908-81) : Un homme véritable, Nous autres Soviétiques.
Pomerantsev, Vladimir [Cr] (1907) : De la sincérité en littérature.
Pristavkine, Anatoly [R] (1931) : Un nuage d'or sur le Caucase, les Petits Coucous (1990).
Prokoviev, Alexandre [P] (1900-71) : Russie.
Raspoutine, Valentin [R] (1937) : Vis et n'oublie pas.
Rojdestvenski, Robert [P] (1932).
Rozov, Victor [D] (1913) : A la recherche du bonheur, la Lutte inégale.
Rybakov, Anatoli [R] (1908) : les Enfants de l'Arbat.
Sakharov, André [Sav] (1921-89) : Mon pays et le Monde.
Salynski, Athanase [D] (1920) : la Tambourine.
Simonov, Constantin [P, R, D] (1915-79) : Compagnons d'armes, Attends-moi, les Jours et les Nuits, Gens de Russie, les Vivants et les Morts, Personne ne naît soldat, Dernier Été, Vingt Jours sans guerre.
Siniavski, André (Abraham Tertz) [E] (1925) : le Verglas, Lioubimov ville aimée (1964), Pensées impromptues, la Voix hors du chœur, Bonne nuit.

Quelques personnages de la littérature russe

Boris Godounov : tragédie (1831) d'A. Pouchkine ; opéra (1869) de Moussorgski (usurpateur).
Mazeppa : Poltava, poème (1828) d'A. Pouchkine (héros épris de liberté).
Eugène Onéguine : poème (1833) d'A. Pouchkine (mondain sceptique et immoral).
Tarass Boulba : roman (1835) de Nicolas Gogol (féroce guerrier des luttes religieuses).
Oblomov : roman (1858) d'Ivan Gontcharov (paresseux).
Porphyre Golovlev (le « Petit Judas ») : roman de la famille Golovlev (1873-74) de Saltykov-Chtchedrine (être cupide et sans cœur).
Anna Karenine : roman (1875-77) de Tolstoï (grande dame victime d'une passion amoureuse).
Le Docteur Jivago : roman (1957) de Boris Pasternak (idéaliste pris dans la Révolution).

Écrivains russes de langue française

Marie BASHKIRTSEFF (1864-84) : p. 293. Alexandre Mikhaïlovitch BELOSELSKI (1752-1809) : Épîtres aux Français, Épîtres aux Anglais, Dialogue sur la mort et la vie. Nikolaï BERDIAEV (1874-1948) : p. 293. CATHERINE II, impératrice (1729-96) : 27 pièces de théâtre [11 comédies, 7 opéras, 9 proverbes], dont Oleg, le Chevalier de malheur, le Charlatan de Sibérie, Ô Temps, Mémoires (posthume 1859), Lettres à Grimm. Le PRINCE ÉLIM (Élim Pétrovitch Mestcherski) (1808-44) : 3 recueils de poésies : les Boréales, les Roses noires, les Poètes russes. Romain GARY (Kacew) (1914-80) : p. 305. Georges GURVITCH (1894-1965) : philosophe. Raïssa MARITAIN (Oumansoff) (1883-1960). Vsevolod ROMANOVSKY (1912). Nathalie SARRAUTE (Tcherniak) (1900) : p. 333. COMTESSE DE SÉGUR (Sophie Rostopchine, 1799-1874) : p. 293. Madame SWETCHINE (Anne Sophie Soymonor, 1787-1857). Elsa TRIOLET (E. Kagan, 1896-1970) : p. 299. Henri TROYAT (Lev Tarassov) (1911) : p. 310.

Smirnov, Serge [P] (1913-76) : De ce qui est le plus intime (1950), Conversation sincère (1951).
Sneguirev, Élie [J, Chr] (1928-79) : Ma mère Maman.
Soljenitsyne, Alexandre [R] (1918) : Une journée d'Ivan Denissovitch (publ. en 1962), la Maison de Matriona (1963), l'Inconnu de Krétchétovka (1963), le Premier Cercle (1968), le Pavillon des cancéreux (1968), la Main droite (1968), la Procession pascale (1969), Août 14 (1971), l'Archipel du Goulag, Des voix sous les décombres, le Chêne et le Veau, Lénine à Zurich, Flamme au vent, l'Erreur de l'Occident (1981), le Premier Cercle [nouvelle version (1982)], Nos pluralistes (1983), la Roue rouge [nouv. vers. d'Août 14, 1er t. (1983)], Octobre 16 [2e t. d'Août 14 (1984)]. – *Biogr. :* fils d'un étudiant et d'une employée. Études à Rostov-sur-le-Don (math. et physique). *1939* à l'école d'artillerie. *1941-45* combattant (décoré, promu capitaine). *1945* condamné à 8 ans de détention pour avoir critiqué le régime dans une lettre (4 ans dans un camp spécial d'intellectuels ; 4 ans en régime « moyen », comme fondeur et maçon). *1953* cancer ; opéré, relégué au Kazakhstan. *1956* réhabilité ; enseignant à Riazan (avec sa femme, épousée en 1939). *1965* suspect à cause d'un manuscrit découvert chez lui (un drame, *le Festin des vainqueurs,* écrit en camp de concentration, 1950). *1968* édition pirate, à l'étranger, de 2 romans : *le Premier Cercle, le Pavillon des cancéreux :* exclu de l'Union des écrivains sov. *1970* prix Nobel ; invité à s'exiler, refuse, et ne reçoit pas son prix. *1971* interdit de séjour à Moscou. *1974* déchu de la nationalité sov., expulsé ; vit dans le Vermont (U.S.A.). *1990* Comment réaménager notre Russie ? publié en U.R.S.S.
Solooukhine, Vladimir [R] (1924) : Une goutte de rosée, Lettres du Musée russe.
Svetlov, Michel [P] (1903-64) : les Roues (1922).
Tendriakov, Vladimir [R] (1923-84) : Fondrières.
Trifonov, Youri [R] (1922-81) : les Étudiants, l'Apaisement de la soif, la Maison sur le quai, la Disparition, la Maison disparue.
Tvardovski, Alexandre [P] (1910-71) : Vassili Terkine (1942-45), le Matin à Moscou.
Vampilov, Alexandre [D] (1937-72).
Vichnevski, Vsevolod [D] (1900-51) : Inoubliable 1919 (1949).
Vladimov, Georgi [R] (1931).
Voïnovitch, Vladimir [E] (1932) : les Aventures singulières du soldat Ivan Tchonkine.
Voznessenski, André [R] (1933) : la Poire triangulaire.
Zabolotski, Nicolas [P] (1903-58).
Zalyguine, Serge [R] (1913) : Au bord de l'Irtych.
Zinik, Zinovi [R] (1945) : Une niche au Panthéon.
Zinoviev, Alexandre [E] (1922) : les Hauteurs béantes, l'Avenir radieux, Nous et l'Occident, Communisme comme réalité, le Héros de notre jeunesse.

Littérature suisse

De langue allemande

Barth, Karl [Théo] (1886-1968) : Dogmatique (1927-51).
Bichsel, Peter [Pros] (1935) : le Laitier.
Bonjour, Edgar [His] (1898-†) : Histoire de la mobilité suisse.
Bonstetten, Charles-Victor de [Ph] (1745-1832). Bilingue, voir ci-après : langue fr.
Bräcker, Ulrich [R] (1735-98) : le Pauvre Homme du Toggen Burg.
Burckhardt, Carl Jacob [H] (1891-1974) : Ma mission à Dantzig, Richelieu.
Burckhardt, Jacob [H] (1818-97) : la Civilisation de l'Italie au temps de la Renaissance (1860), Considérations sur l'histoire universelle (publié 1905).
Burger, Hermann [R] (1942-89 suicidé) : Diabelli (1980), la Mère artificielle (1985), Blankenburg (1990).
Dürrenmatt, Friedrich [R, D, Es] (1921-90) : *Romans :* le Juge et son bourreau (1952), la Ville (1952), le Soupçon (1953), Grec cherche Grecque (1955), la Panne (1956), la Promesse. *Théâtre :* le Mariage de M. Mississippi (1952), Hercule et les Écuries d'Augias (1954), la Visite de la vieille dame (1956), les Physiciens (1962), Romulus le Grand (1964), le Météore (1966), Play Strindberg (1969). *Essais :* Sur Israël (1976), la Mise en œuvre (1981), Justice.
Frisch, Max [R, D] (1911) : J'adore ce qui me brûle (1943), Cte Oederland (1951), Stiller (1954), Homo Faber (1957), Montauk (1975), L'homme apparaît au quaternaire (1979). *Théâtre :* Don Juan et la Géométrie (1953), Biedermann et les Incendiaires (1956), la Grande Muraille, Andorra (1962), Triptyque (1978).
Glauser, Friedrich [R] (1896-1938) : Gourrama (1929).
Gotthelf, Jeremias (Albert Bitzius) [R, Théo] (1797-1854) : le Miroir des paysans (1837), Uli le fermier (1846), l'Ame et l'Argent (1844).
Hohl, Ludwig [Es] (1904-80) : les Notices ou la Réconciliation sans précipitation (1944-54), Nuances et Détails, Tous les hommes presque toujours s'imaginent (1967-71), Une ascension (1972).
Inglin, Meinrad [R] (1893-1971) : Der Schweizerspiegel (1938).
Jung, Carl Gustav [Psycho] (1875-1961) : les Types psychologiques (1921), Réalité de l'âme (1934), la Psychologie du transfert (1946), Psychologie et Éducation, Formes de l'inconscient, Réponse à Job (1952).
Keller, Gottfried [P, R] (1819-90) : Henri le Vert (1854), les Gens de Seldwyla (1856), Sept Légendes (1872), Nouvelles zurichoises (1878).
Küng, Hans [Théo] (1928) : l'Église (1967), Infaillible (?), Une interpellation (1970), Être chrétien (1974), l'Église maintenue dans la vérité (1979).
Lavater, Jean-Gaspard [Ph] (1741-1801) : Essai sur la physiognomonie, Confessions.
Meier, Herbert [R, D] (1928) : Fin septembre (1959).
Métral, Maurice [R] (1929).
Meyer, Conrad-Ferdinand [P, R] (1825-98) : Derniers Jours de Hutten (1871), Jürg Jenatsch (1876), le Coup de feu en chaire (1877).
Müller, Johannes von [H] (1752-1809) : Histoire de la Confédération suisse (1780-86).
Muschg, Adolf [E] (1934) : l'Été du lièvre (1965), l'Impossible Enquête (1974).
Pestalozzi, Jean-Henri [Ph, Éducateur] (1746-1827) : Léonard et Gertrude (1787).
Späth, Gerold [R] (1939) : Unschlecht (1970).
Spitteler, Carl [P] (1845-1924) : Prométhée et Épiméthée, Printemps olympien [N. 1919].
Urs von Balthasar, Hans [Ph, Théo] (1905).
Walser, Robert [R, P] (1878-1956) : l'Homme à tout faire (1908), les Enfants Tanner, l'Institut Benjamenta (1909), la Rose (1925).
Walter, Otto [R] (1928) : le Muet.
Wyss, Jean-David [R] (1743-1818) : le Robinson suisse.
Zollinger, Albin [P, R] (1895-1941) : Pfannenstiel (1940).
Zorn, Fritz [Es] (1944-76) : Mars.

De langue française

Amiel, Henri-Frédéric [P, Mém] (1821-81) : Journal intime (publ. 1923).
Aubert, Claude [P] (1915-1972) : l'Unique Belladone (1968).
Barbey, Bernard [R] (1900-70) : la Maladère, P.C. du général.
Barilier, Étienne [R, Es] (1947) : le Chien Tristan (1977), Pic de la Mirandole.
Béguin, Albert [C] (1901-57) : l'Ame romantique et le rêve (1963).
Benoziglio, Jean-Luc [R, Es] (1941).
Bille, Corinna [P, R] (1912-79) : la Fraise noire (1968), Théoda (1978).
Bonnet, Charles [Ph] (1720-93) : Essai sur les facultés de l'âme, Palingénésie philosophique.
Bonstetten, Charles-Victor de [Es] (1745-1832) : Recherches sur la Nature et les lois de l'imagination, Études de l'Homme, l'Homme du Midi et l'Homme du Nord (en fr.) ; Mélanges (en allem.).
Borgeaud, Georges [R] (1914) : le Préau (1952), le Voyage à l'étranger.
Bopp, Léon [Cr, R] (1899-1977) : Ciel et Terre (1962), Psychologie des Fleurs du mal (1966).
Bouvier, Nicolas [Pros] (1929) : l'Usage du monde.
Budry, Paul [Cr. d'art] (1883-1949).
Buenzod, Emmanuel [R] (1893-1971) : Sœur Anne, Gens de rencontre.
Cendrars, Frédéric Sauser Hall, dit Blaise (nat. fr.) [P, R] (1887-1961) : *Poésie :* la Prose du transsibérien, Pâques à New York. *Prose :* l'Or (1925), Moravagine (1926), Trop c'est trop (1927), l'Homme foudroyé (1945), Bourlinguer (1948).
Chappaz, Maurice [Pros] (1914) : les Grandes Journées de printemps (1944), le Testament du Haut-Rhône (1953), Portrait des Valaisans en légende et en vérité (1965), le Livre de C. (1986).
Charrière, Isabelle de [R] (1740-1805) : Caliste.
Chavannes, Fernand [D] (1868-1936) : Guillaume le Fou.
Chenevière, Jacques [R] (1886-1976) : les Captives (1943), Retours et Images (1966), Daphné (1969).
Chessex, Jacques [P, A] (1934) : Batailles dans l'air (1959), Portrait des Vaudois (1969), les Saintes Écritures (1970), Carabas (1971), l'Ogre (G. 1973), l'Ardent Royaume.
Cingria, Charles-Albert [P, Es] (1883-1954) : *Poésies :* Stalactites, Enveloppes. *Critique :* Pétrarque.
Clerc, Charly [P, D] (1882-1958) : *Poésie :* les Chemins et les Demeures. *Théâtre :* la Bonne Aventure.
Cohen, Albert [E] (1895-1981) : le Livre de ma mère (1954), Belle du Seigneur (1968), Ô vous frères humains (1972).
Colomb, Catherine [R] (1899-1965) : Châteaux en enfance (1945), les Esprits de la terre (1953).
Constant de Rebecque, Benjamin [R, Pol] (1767-1830) : Adolphe (1816), De la religion (1824-31), le Cahier rouge (publ. 1907), Cécile (p. 1951). – *Biogr. :* noblesse terrienne vaudoise (protestante), d'origine picarde. Élevé par son père, officier suisse aux Pays-Bas. Études à Oxford puis à Paris. *1785-87* nombreuses aventures féminines. *1787-94* chambellan du duc de Brunswick. *1794-95* mariage avec Wilhelmine von Gramm et divorce presque immédiat. *1796-1810* liaison avec Mme de Staël qui réside surtout en Suisse. *1808* épouse Charlotte de Hardenberg. *1814* revendique la nationalité fr. *1815* Cent-Jours : chargé par Napoléon de rédiger l'Acte additionnel à la Constitution. *1816* directeur du *Mercure de France,* organe des libéraux ; joueur, lourdes dettes. *1819* député de la Sarthe. *1830* se rallie à Louis-Philippe qui paie ses dettes. Meurt d'une blessure à la jambe, conséquence d'une chute. Funérailles nationales.
Crisinel, Edmond-Henri [P] (1897-1948) : Alectone.
Cuttat, Jean [P] (1916) : Chansons du mal au cœur (1942), les Couplets de l'oiseleur (1967).
Dumont, Étienne [Ph] (1759-1829) : Théorie des peines et des récompenses.
Dumur, Louis [R] (1863-1933) : Nach Paris (1919), le Boucher de Verdun (1921), les Défaitistes (1923).
Eigeldinger, Marc [P] (1917) : Prémices de la parole.
Francillon, Clarisse [R] (1899-1976) : les Fantômes, Festival, le Frère, le Carnet à lucarnes.
Gaulis, Louis [D] (1932-78) : Capitaine Karagheuz.
Gilliard, Edmond [P, Es] (1875-1969) : Hymne terrestre, la Dramatique du moi.
Girard, Pierre [P, R] (1892-1956) : la Flamme au soleil, Philippe et l'Amiral, Monsieur Stark, Othon et les Sirènes.
Godel, Vahé [P] (1931).
Godet, Philippe [Cr] (1850-1922).
Haldas, Georges [P, Chr] (1917) : la Peine capitale (1957), Corps mutilé (1962), Boulevard des philosophes (1966), la Maison en Calabre (1970).
Jaccottet, Philippe [P] (1925) : l'Effraie (1953), la Semaison (1971), Pensées sous les nuages (1983).
Jeanneret, Edmond [P] (1914) : Matin du Monde, Rideaux d'environ.
Jomini, baron Henri [Écr. militaire] (1779-1869).
Landry, Charles-François [R] (1909-73) : la Devinaize, les Étés courts.
Liègme, Bernard [D] (1927) : Tandem (1976).
Lossier, Jean-Georges [P] (1911) : le Long Voyage (1979).
Marsaux, Lucien (Marcel Hofer) [P, R] (1896) : le Chant du cygne noir (1947).
Marteau, Jean [R] (1903-70) la Main morte (1939), Monsieur Napoléon (1941), Crève-cœur (1945).
Matthey, Pierre-Louis [P] (1893-1970) : Seize à vingt (1914), Triade (1953).

Mercanton, Jacques [R] (1910) : Thomas l'incrédule, l'Été des sept-dormants (1974).
Micheloud, Pierrette [P] (1920).
Monnier, Jean-Pierre [R] (1920) : la Clarté de la nuit (1956).
Morax, René [D] (1873-1963) : le Roi David, Judith, la Belle de Moudon.
Olivier, Juste [P, R, Es] (1807-70) : les Chansons lointaines, Luze Léonard, le Canton de Vaud, Études d'histoire nationale.
Pache, Jean [P] (1933) : Baroques (1983).
Perrier, Anne [P] (1922) : Selon la Nuit (1952).
Perrochon, Henri [E] († 1990).
Piaget, Jean [Ph] (1896-1980) : Sagesse et Illusion de la philosophie, la Naissance de l'intelligence (1947), la Formation du symbole, la Psychologie de l'intelligence.
Piachaud, René-Louis [P, D] (1896-1941) : Coriolan, Psaumes de David, le Poème paternel.
Pinget, Robert [D, R] (Suisse, 1920) : *Théâtre :* l'Hypothèse (1961), Abel et Bela (1971). *Romans :* le Fiston (1959), l'Inquisition, Quelqu'un (F. 1965), le Libera, Passacaille, Cette voix, l'Apocryphe, Monsieur Songe (1982), le Harnais, la Manivelle (1986).
Pourtalès, Guy de [R, Es] (1884-1941) : la Pêche miraculeuse, Louis II de Bavière, Berlioz, Wagner.
Ramuz, Charles-Ferdinand [R, Es] (1878-1947) : Aline (1905), Jean-Luc persécuté (1909), Histoire du soldat (1920), la Grande Peur dans la montagne (1926), Taille de l'homme (1933), Derborence (1934), Si le soleil ne revenait pas (1937).
Raymond, Marcel [Cr] (1897-1981) : De Baudelaire au surréalisme (1933), le Sel et la Cendre.
Renfer, Werner [P, Es] (1898-1936).
Reynold, Gonzague de [H] (1880-1970) : la France classique et l'Europe baroque (1962).
Rist, Charles [Ec] (1874-1955).
Rivoz, Alice [R, Es] (1901) : Comptez vos jours (1966).
Rod, Édouard [R] (1857-1910) : la Course à la mort.
Rossel, Virgile [Cr] (1858-1933) : Histoire de la litt. fr. hors de France (1895).
Roud, Gustave [P] (1897-1976) : Requiem (1967).
Rougemont, Denis de [Cr, Ph] (1906-85) : Penser avec les mains (1936), l'Amour et l'Occident (1939), L'avenir est notre affaire (1977).
Rousseau, Jean-Jacques [Ph, E, R] (1712-78) : Discours sur les sciences et les arts (1750), Sur l'origine de l'inégalité (1755), Lettre à d'Alembert sur les spectacles (1758), Julie ou la Nouvelle Héloïse (1761), l'Émile (1762), Du contrat social (1767), Rêveries du promeneur solitaire (1782), Confessions (1782-89). – *Biogr. :* fils d'un horloger genevois (protestant) ; orphelin de mère dès sa naissance. Éducation négligée. *1728* se réfugie en Savoie, pris en main par les organismes de conversion au catholicisme, confié à Mme de Warens [Louise-Éléonore de Latour du Pil, B[onne] de (1700-62), agent secret du gouvernement savoyard, chargée de la surveillance des Genevois] dont il devient l'amant. *1729-30* musicien à la cathédrale d'Annecy. *1730-42* en ménage aux Charmettes, avec Mme de Warens et ses amants, dont Claude Anet et Wintzenried, mais en part souvent (notamment 1738, précepteur à Lyon). *1741* présente à Paris, à l'Académie, un nouveau système de notation musicale (échec). *1742-43* secrétaire de l'ambassadeur de France à Venise, M. de Montaigu. *1743* à Paris ; liaison avec une blanchisseuse, Thérèse Levasseur (les 5 enfants qu'elle prétendra avoir remis à l'Assistance publique ne sont pas de Rousseau). *1750* succès de l'opéra *le Devin de village,* refuse d'être présenté à Louis XV. *1751* reprend la citoyenneté genevoise et la religion protestante. Vit chez Mme d'Épinay (1726-83), à l'Ermitage, près de Montmorency. *1757* rupture. S'installe à Montlouis, près de l'Ermitage. *1761* publie *la Nouvelle Héloïse* [inspirée par sa passion malheureuse pour la Ctesse d'Houdetot (1730-1813)]. *1762* condamné par la Sorbonne pour *l'Émile,* s'enfuit en Suisse puis en Angleterre. *1767* en France, dans la clandestinité. *1768* épouse Thérèse. *1770* à Paris, vivant de copie de musique. *1776* renversé par un chien, est recueilli à Ermenonville, chez le Mis de Girardin. Meurt d'apoplexie ; enseveli dans une île du lac (au Panthéon, 1794).
Saint-Hélier (Monique) (Berthe Briod) [R] (1894-1955) : la Cage aux rêves (1932), Bois-Mort.
Savary, Léon [R, Es] (1895-1968) : le Cordon d'argent, Lettres à Suzanne.
Sismondi, Jean-Charles Simonde de [H] (1778-1842) : Histoire des Républiques italiennes, la Littérature du midi de l'Europe.
Staël, Germaine Necker, B[onne] de [R, Es] (1766-1817) : *Essais :* De la littérature (1800), De l'Allemagne (1810). *Romans :* Delphine (1802), Corinne (1807). – *Biogr. :* fille du banquier Necker, ministre de Louis XVI. Fréquente les salons parisiens. *1786* épouse un Suédois, le baron de Staël-Holstein, ambassadeur à Paris. *1792-94* réfugiée en Suède puis en Suisse (château des Necker à Coppet). *1794-1802* salon à Paris (libéral). Liaison avec Benjamin Constant dont elle a une fille, Albertine (née 1796). *1802* veuve. *1803* exilée par Bonaparte ; voyages en Europe. *1810* rentre clandestinement à Paris, publie *De l'Allemagne* (édition passée au pilon). *1810-12* en résidence forcée à Coppet (Suisse). *1811* remariage avec un jeune officier suisse, M. de Rocca. *1813* réfugiée en Russie, puis à Londres. *1814-16* à Paris. Meurt d'un cancer à 50 ans.
Starobinski, Jean [Cr] (1920) : J.-J. Rousseau, la transparence et l'obstacle (1958).
Töpffer, Rodolphe [Hum] (1799-1846) : Nouvelles genevoises (1841), Voyages en zigzag (1845).
Traz, Robert de [R] (1884-1951) : l'Homme dans le rang, Vivre, Fiançailles, Complices, l'Écorché, le Pouvoir des fables.
Vallotton, Benjamin [R] (1877-1962) : série des Commissaire Potterat.
Velan, Yves [R] (1925) : Je (1959).
Viala, Michel [E] (1933) : Séance (1974).
Vinet, Alexandre [Théo, Cr] (1797-1847) : Littérature française au XIXe s. (1849-51).
Voisard, Alexandre [P] (1930).
Vuilleumier, Jean [R] (1934) : la Désaffection.
Walzer, Pierre-Olivier [E] (1915).
Zermatten, Maurice [R, Es] (1910) : le Jardin des oliviers, la Montagne sans étoiles, la Fontaine d'Aréthuse.
Ziegler, Henri de [Es] (1885-1970) : Genève et l'Italie (1948).
Zimmermann, Jean-Paul [R, D] (1899-1952) : l'Étranger dans la ville, les Vieux-Prés.

Autres littératures

Littérature d'Afrique noire

De langue française

• Bénin (ex-Dahomey). **Bhely-Quénum,** Olympe (1928). **Dogbeh,** Richard. **Dramani Bazini,** Zakari (1940). **Glélé,** Maurice (1934). **Hazoumé,** Paul (1890-1980). **Joachim,** Paulin (1931). **Ologoudou,** Émile (1935). **Pliya,** Jean (1931). **Prudencio,** Eustache [P] (1924). **Tevoedjre,** Albert (1929).

• Burkina **(ex-Haute-Volta). Balima,** Albert Salfo (1930). **Boni,** Nazi (1921-69). **Coulibaly,** Augustin Sondé (1933). **Dabire,** Pierre (1935). **Dim Delobsom** (n.c.). **Ki Zerbo,** Joseph (1922). **Koulibaly,** Isaïe, Biton (1949). **Nikiema,** Roger (1935). **Ouedraogo,** Ernest N. (n.c.), **Sanou,** Bernadette D. (n.c.), **Sondé,** Augustin (1933). **Titinga,** Frédéric Pacéré (1943). **Zongo,** Daniel (1947).

• Burundi. **Mworoha,** Émile (1934).

• Cameroun. **Bebey,** Francis (1929). **Belinga,** Eno (1933). **Beti,** Mongo (1932). **Beyala,** Calixthe (n.c.). **Dakeyo,** Paul (1948). **Dooh Bunya,** Lydie (1933). **Ewandé,** Daniel (1935). **Ewembé,** François Borgia (n.c.). **Ikelle Matiba,** Jean (1936-84). **Karone,** Yodi (1954). **Kayo,** Patrice (1942). **Kayor,** Franz (ps. **Tchakoute,** Paul) (1945). **Kuma, Ndumbe III. Kuoh Mukuri,** Jacques (1909). **Kuoh Mukuri,** Thérèse. **Médou Mvono,** Rémy Albert (1938). **Mokto,** Joseph Jules (1945). **Mveng,** Engelbert (1930). **Ndedi Penda,** Patrice (1945). **Nyunaï,** Jean-Paul (1932). **Owono,** Joseph (1920). **Oyono,** Ferdinand (1929). **Oyono M'Bia,** Guillaume (1939). **Philombe,** René (ps. Philippe Louis Ombede) (1930). **Sengat Kuo,** François (ps. Francesco Nditsouna) (1931). **Towa Marcien** (1931). **Werewere,** Liking (1950). **Yanou,** Étienne (1939).

• Centrafrique. **Bamboté,** Pierre (1932). **Goyemidé,** Étienne. **Ipeko Étomane,** Faustin Albert (1930-80). **Sammy,** Pierre (1935). **Yavoucko Cyriaque,** R. (1953).

• Congo. **Bemba,** Sylvain (ps. Martial Malinda, Michel Belvain) (1934). **Biniakounou,** Ted. **Dongala,** Emmanuel (1941). **Labou Tansi,** Sony (1947). **Letembet-Ambily,** Antoine (1929). **Lopès,** Henri (1937). **Makouta Mboukou,** Jean-Pierre (1929). **Malonga,** Jean (1907-85). **Mamonsono,** Léopold-Pindy. **Menga,** Guy (1935). **M'Fouilou,** Dominique (1942). **Mouangassa,** Ferdinand (1934-1974). **Ndebeka,** Maxime (1944). **Ngoie Ngalla,** Dominique (1943). **Ngoma,** Eugène (1945). **Nzala-Backa,** Placide (1932-87). **Nziengue,** Bonard. **Obenga,** Théophile (1936). **Samba-Kifwani,** Lucien (1951). **Sianard,** Yves. **Sinda,** Martial (1935). **Tati Loutard,** J.-B. (1938). **U'Tamsi,** Tchicaya (1931-88). **Tchicaya Unti B'Kune,** Tchichelle Tchivela, François (1940). **Tsibinda,** Marie-Léontine. **Zounga-Bongolo.**

• Côte-d'Ivoire. **Adiaffi,** Jean-Marie (1941). **Amon d'Aby,** François Joseph (1913). **Anouma,** Joseph (1949). **Atta Koffi,** Raphaël (1947). **Bognini,** Joseph Miezan (1936). **Bolli,** Fatou (1956). **Dadie,** Bernard (1916). **Dem,** Tidiane (1909). **Diabaté,** Henriette (1935). **Dodo,** Jean (1919). **Kanie,** Anoma (1920). **Kaya,** Simone (1937). **Koffi Teya,** Pascal (1946). **Koné,** Amadou (1953). **Koné,** Maurice (1932-1980). **Kourouma,** Ahmadou (1927). **Loba Aké** (1926). **Nguessan,** Gbohourou Bertin (1935-1974). **Ouassenan,** Gaston (1939). **Oussou Essui,** Denis (1934). **Tiémélé,** Jean-Baptiste (1933). **Timité,** Bassori (1933). **Touré,** Kitia (1956). **Wondji,** Christophe. **Zadi,** Zaourou (1938). **Zégoua Nokan,** Charles (1936).

• Gabon. **Ambouroué,** Alvaro Joseph. **Biffot,** Laurent (1919). **Leyimangoye,** Jean-Paul (1939). **Météгué N'nah. Ndong Ndoutoune Tsira** (1928). **Ndoua Depenaud,** Pascal (1937-1977). **Nyonda,** Vincent de Paul (1918). **Okoumba,** Nkoghe. **Owondo,** Laurent (1948). **Pounah,** Paul-Vincent (1914). **Raponda-Walker,** André (1871-1969). **Rawiri,** Ndyugwelondo (1954). **Zotoumbat,** Robert (1944).

• Guinée. **Camara,** Nene Khaly (1930-1972). **Camara,** Sylvain-Soriba (1938). **Cheik Oumar Kante** (1946). **Cissé,** Émile (1930-74). **Diallo,** Amadou. **Fantouré,** Alioune (1933). **Kake,** Ibrahima (1936). **Laye,** Camara (1928-79). **Monembo,** Tierno (1947). **Sacko,** Biram (1947). **Sangare,** Ali (1949). **Sassine,** William (1944).

• Mali. **Ba,** Amadou Hampaté (1901). **Badian,** Seydou (1928). **Cissoko,** Sekené Mody (1928). **Dembélé,** Sidiki (1921). **Diabaté,** Massa Makan (1938-89). **Kaba,** Alkaly (1936). **Keita Aoua** (1912-80). **Ouane Ibrahima,** Mamadou (1907). **Ouologuem,** Yambo (1940). **Sidibé,** Mamby (1891-1977). **Sissoko,** Fily Dabo (1897-1964). **Traoré Issa,** Baba (1928).

• Mauritanie. **Ba Amadou,** Mamadou (1893-1958). **Ba Oumar** (1917). **Guèye,** Youssouf (1928). **Miské,** Ahmed Baba (1933).

• Niger. **Abdoulaye,** Mamani (n.c.). **Abdouramane,** Soli (v. 1938). **Amadou,** Diado (v. 1940). **Bouraima,** Ada (v. 1945). **Halídou,** Mahmadou (v. 1937). **Hama,** Boubou (v. 1906-82). **Hamani,** Djibo (n.c.). **Hassane,** Diallo Adamou (1927). **Ide,** Adamou (v. 1951). **Issa,** Ibrahim (v. 1930-86). **Kanta,** Abdoua (v. 1946). **Laya,** Diouldé (n.c.). **Mariko,** Keletegui A. (1921). **Moumouni,** Abdou (n.c.). **Oumarou,** Ide (v. 1937). **Ousmane,** Amadou (1949). **Salifou,** André (1942). **Say,** Bania Mahmadou (1935). **Zoumé,** Boubé (1951).

• Rwanda. **Kagame,** Alexis (1912-81). **Kalibwami,** Justus (1924). **Naigiziki,** J. Saverio (1915-84).

• Sénégal. **Antaka,** Abdou (1931). **Bâ,** Mariama (?-1981). **Ba Thierno** (n.c.). **Barry Boubakar. Boilat,** abbé David, (1814-1901). **Camara,** Camille. **Dia Amadou,** Cissé (1915). **Dia,** Malik . **Dia,** Mamadou (1910). **Diagne,** Pathé (1934). **Diakhaté,** Lamine (1927). **Diallo,** Bakary (1892-1971). **Diallo,** Nafissatou (1941-82). **Diop,** Birago (1906). **Diop,** Cheikh Anhta (1923). **Diop,** David (1927-60). **Dugué-Clédor,** Amadou (n.c.). **Fall Kiné,** Kirama (1934). **Guèye,** Lamine (1891-1968). **Kane,** Cheikh Hamidou (1928). **Kane Mohammadou. Kebe Mbaye,** Gana (1936). **Ly,** Abdoulaye (1919). **Ly Sangaré,** Moussa (1940). **Mademba,** Abd el Kade (n.c.). **Mbaye d'Erneville,** Annette (1926). **Mbengue,** Mamadou Seyni (1925). **M'Bow Amadou,** Mahtar (1921). **Modou,** Fatim (1960). **Ndao,** Cheikh (1933). **N'Diaye,** Amadou. **N'Diaye,** Jean-Pierre (1936). **N'Diaye Massata,** Abdou. **Niane,** Djibril Tamsir (1932). **Niang,** Lamine (1923). **Sadji,** Abdoulaye (1910-61). **Sall,** Ibrahima (1949). **Samb,** Amar. **Sembene,** Ousmane (1923). **Senghor,** Léopold Sédar (1906), voir p. 309 c. **Socé,** Ousmane (1911-72). **Sow Fall,** Aminata. **Thiam,** Doudou (1926). **Wade,** Abdoulaye (1926). **Wane,** Abdoul. **Willane,** Oumar (1918).

• Somalie. **Syad,** William (1930).

• Tchad. **Babikir Arbab,** Djama (n.c.). **Bangui,** Antoine (1933). **Bebnone,** Palou. **Khayar Issa,** H. (n.c.). **Moustapha,** Baba (1953-82). **Seid,** Joseph Brahim (1927-81). **Thiam,** Djibi (1934).

• Togo. **Agblemagnon,** François N'Sougan (1929). **Ajavon,** Robert (1910). **Akakpo Amouzouvi,** Maurice. **Akakpo Typam,** Paul. **Aladji,** Victor (1941). **Alemdjrodo,** Kangni (1966). **Amela,** Hilla-Laobé (n.c.). **Ananou,** David (1917). **Atsou,** Julien. **Couchoro,** Félix (1900-68). **Djagoe-Kangni,** Kangni (n.c.). **Dogbé,** Yves Emmanuel (1939). **Efoui,** Kossi (n.c.). **Ekue,** Akua Tchotcho (n.c.). **Gomez,** Koffi (n.c.). **Guenou,** Cossy (n.c.). **Inawissi,** Nayé Théophile (n.c.). **Kouassigan,** Guy Adjété (1935-81). **Kuassivi,** Sénah (n.c.). **Madjri,** John Dovi (1933). **Patokidéon Honoré,** K. (1944). **Sossah,** Kounutcho (n.c.). **Sydol,** Francis (1939-75). **Tcha-Koura,** Sadamba (n.c.). **Zinsou Senouvo Agbota** (1946).

• Zaïre. **Buabua Wa Kayembe,** Mubadiate (1950). **Buana,** Kabue (n.c.). **Bolamba,** Lokolé (Antoine Roger) (1913). **Elebe,** Lisembe (1937). **Ilunga,** Kabulu (1940). **Kabongu Bujitu. Kadima-Nzuji,** Mukala (Dieudonné) (1947). **Kalanda,** Mabika (1932). **Kamitatu,** Cléophas (1931). **Kanza,** Thomas (1934). **Kashamura,** Anicet (1928). **Lomami,** Tshibamba Paul (1914). **Lonoh Malangi Bokolenge,** Michel (1939). **Lufuluabo,** François Marie (1926). **Lumumba,** Patrice (1925-1961). **Makonga,** Bonaventure (n.c.). **Mosheje,** Luc (n.c.). **Mudimbé,** Vumbi Yoka (Yves Valentin) (1941). **Mushiété Mahamwé,** Paul (1934). **Ngal Mbwil A Mpaang,** Georges. **Ngandu Nkashama** (1946). **Ngoma,** Ferdinand (n.c.). **Ngombo,** Mbala (1931). **Nzuji,** Madiya (1944). **Sabgu Sonsa,** Ferdinand (1946). **Tshimanga wa Tshibangu** (1941). **Witahnkenge Welukumbu Bene,** Edmond. **Yamaïna,** Mandala (1949). **Zamenga Bakutezanga** (1933).

De langue anglaise

• Nigeria. **Achebe,** Chinua (1930) : le Monde s'effondre (1958), la Flèche de le Malaise (1960), la Flèche de Dieu (1964), le Démagogue (1966), les Termitières de la savane. **Anozie Sunday,** Oghonna (n.c.). **Balogun,** Ola (1945). **Ekwensi,** Cyprian (n.c.). **Iroh,** Eddie (n.c.). **Osofisan,** Femi (n.c.). **Segun,** Mabel (n.c.). **Soyinka,** Wole (1934). *Poésie :* Idanre (1986), Cycles sombres (1987). *Romans :* Ake, les années d'enfance (1984), les Interprètes (1988), Cet homme est mort (1986), Une saison d'anomie (1987). *Théâtre :* la Route (1965), le Lion et la perle (1968), la Danse de la forêt (1971), les Tribulations de frère Jero (1971), Un sang fort (1971), les Gens des marais (1971), la Mort et l'écuyer du roi (1986). [N 1986]. **Tutuola,** Amos (1920) : l'Ivrogne dans la brousse (1953), Ma vie dans la brousse des fantômes (1954). **Umezimwa Wilberforce** (n.c.).

Littérature arabe

Livre sacré : le Coran (texte établi en 651).

• Anonymes : les Mille et Une Nuits (contes, XIVe s.), les Fables de Bidpaï (Kalila et Dimna) (VIIIe s.).

• Anciens : **Abu Nuwas,** Hasan [P] (747-85) : Poèmes bachiques. **Avicenne** (Ibn Sina) [Ph] (980-1037) : la Guérison de l'erreur. **Farazdaq,** Hammâm ben Ghâlib [P] (640-733). **Ghazali** (Algazel, dit Al) [Ph] (1058-1111) : la Destruction des philosophes. **Ibn Arabi** (1165-1240). **Jahiz,** Amr ben Bahr [Hum] (776-868) : Livre des avares, Livres des animaux.

• Modernes : **Afghani,** Jamal ad-Din [Pol] (1838-97) : Réfutation des matérialistes. **Belamri,** Rabah (Alg.) [R] (1946) : Mémoires en archipel. **Choukri,** Mohamed (Maroc) [R] (1935) : le Pain nu. **Chraibi,** Driss (Maroc) [R] (1938) : le Passé simple (1954), Naissance à l'aube (1986). **Dongol,** Amal (Eg.) (1940-83). **Ghitany,** Gamal (Eg.) [R] (1945) : Zayni Barakat. **Gibran,** Khalil (Liban) [P] (1883-1931) : le Prophète. **Hakîm,** Tawfiq al (Eg.) [D] (1898) : Théâtre multicolore. **Idris,** Youssef (Eg.) [R] (1926). **Kharrat,** Édouard al- (1927) : Alexandrie, terre de safran. **Khoury,** Elias (Liban) [R] (1948) : la Petite Montagne. **Kouddous,** Ihsan Abdel [R] (1919-90) (Eg.). **Mahfouz,** Nadjib (Eg.) [R] (1912) : Khan El Khalil, le Passage des miracles (1947), Trilogie cairote (Impasse des deux palais, le Palais du désir, El-Suk-Kariyya : 1956-57), le Voleur et le chien (1962), la Voie (1964), le Mendiant, Miramar (1965), Bavardage sur le Nil (1966), Récits de notre quartier (1988) [N. 1988], le Jardin du passé, la Chanson des gueux, le Jour de l'assassinat du leader. **Massabki,** Jacqueline (Liban) (n.c.). **Mimouni,** Rachid, voir p. 307. **Mounif,** Abdul Rahman (Jordanie) [R] (1933) : A l'est de la Méditerranée. **Ouettar,** Tahar (Alg.) [R] (1936) : l'As, Noces de mulet. **Sahli,** Tayeb (Soudan) [R] (1929) : Saison de la migration vers le Nord, Bandar Chah. **Shawqi,** Ahmad [P] (1868-1932) : Divan (4 vol.). **Shumayyil,** Shibli [Sav] (1850-1911) : Force et Matière. **Takarli,** Fouad (Irak) [R] (1927) : les Voix de l'aube. **Zaydan,** Georges (Liban) [H] (1861-1914) : Hist. de la civilisation islamique.

Littérature grecque (moderne)

☞ Voir également p. 321 littérature ancienne.

Castanakis, Thrasso [R] (1901) : le Fouet et les Lustres (1930), Sept Histoires (1946).

Cavafis, Constantin [P] (1863-1933) : Poèmes (posth. 1935-48).

Élytis, Odysseus (Alipoudhelis) [P] (1911) : Chant héroïque et funèbre (1946), Six plus un remords pour le ciel (1977) [N. 1979].

Hadzis ou **Chatzis,** Dimitrios [R] (1913-81) : la Fin de notre petite ville, le Testament du professeur.

Kambanellis, Iakovos [D] (1922).

Karapanou, Margarita [R] (1946) : Cassandre et le loup (1976), le Somnambule (1988).

Karkavitsas, André [R] (1866-1922) : le Mendiant.

Kazantzakis, Nikos [R, D, Es] (1883-1957) : *Romans :* Alexis Zorba (1941-43), le Christ recrucifié (1948), la Liberté ou la Mort (1953), les Frères ennemis (1949-54). *Théâtre :* Mélissa (1939).

Kehaidis, Dimitris [D] (n.c.).

Maniotis, Yorgos [D] (n.c.).

Myrivilis, Statis [R] (1892-1969) : De profundis (1924), Notre-Dame la Sirène (1950).

Palamas, Costis [P] (1859-1943) : les Douze Paroles du Tzigane (1907), la Flûte du roi (1910).

Papadiamantis, Alexandre [R] (1851-1911) : la Tueuse.

Prévélakis, Pandélis [R] (1909) : le Crétois, le Soleil et la Mort (1959).

Ritsos, Yannis [R] (1909-90) : la Fenêtre.

Séféris, Georges [P] (1900-71) : Stances (1931), Légende (1933) [N. 1963] : Essais, l'Avion d'Ulysse.

Sikelianos, Anghélos [P, D] (1884-1951) : Mater Dei.

Solomos, Denys [P] (1798-1857) : le Dialogue (1825).

Taktis, Costas [R] (1927-assassiné 88) : le Troisième Anneau (1967), la Petite Monnaie.

Tsirkas, Stratis [R] (1911-81) : Cités à la dérive, Printemps perdu.

Vénézis, Ilias [B] (1904-73) : Sérénité.

Voutyras, Démosthène [R] (1879-1958) : Vingt Nouvelles (1910), Tempêtes (1946).

Xénopoulos, Grégoire [R] (1867-1951) : le Minotaure (1925), la Pente (1928).

Zei, Alki [R] (1927) : la Fiancée d'Achille.

Littérature hongroise

Anonymes : 1re chronique hongroise (1052), Gesta Hungarorum (1284), Chron. de Simon Kézai (XIIIe s.), Chron. illustrée de Márk Kálti (1358), Oraison funèbre (1er monument litt. en prose et en hongrois), Lamentations de Marie (1re poésie en hongrois), Chronica Hungarorum (1er livre imprimé en Hongrie, 1473).

Ady, Endre [P] (1877-1919). **Aprily,** Lajos [P] (1897-1973). **Arany,** János [P] (1817-82). **Babits,** Mihály [P, R] (1883-1941). **Balassa,** Bálint [P] (1554-94). **Bessenyei,** György (1747-1811). **Csokonaï-Vitez,** Mihály [P] (1773-1805). **Déry,** Tibor [R] (1894-1975). **Eötvös,** József [R] (1813-71). **Esterházy,** Peter [R] (1950). **Fejtö,** Francis [H] (1909). **Gárdonyi,** Géza [R, D] (1863-1922). **Illyés,** Gyula [P, R, Es] (1902-83). **Jókai,** Mór [R] (1825-1904). **József,** Attila [P] (1905-37). **Juhász,** Gyula [P] (1883-1937). **Katona,** Jozsef [tragique] (1791-1830). **Kassák,** Lajos [P] (1887-1958). **Kazinczy,** Ferenc [P, Pros, réformateur de la langue hongroise] (1759-1831). **Kölcsey,** Ferenc [P] (1790-1838) : hymne national. **Konrád,** Gyorgy [R] (1930). **Kosztolanyi,** Dezsö [P, R, Nouv] (1885-1936). **Krudy,** Gyula [R, Nouv] (1878-1933). **Lukács,** György [Ph] (1885-1972). **Madách,** Imre (1823-64). **Mándy,** Ivan [R] (1918). **Mannheim,** Karl [Soc] (1893-1947). **Mészöly,** Miklos [R] (1921). **Mikszath,** Kálmán [R] (1847-1910). **Móricz,** Zsigmond [R] (1879-1942). **Nádas,** Peter [R] (1942). **Nagy,** Lajos [Nouv, R] (1883-1954). **Nagy,** László [P] (1925-78). **Németh,** László [R, Es] (1901-74). **Ottlik,** Géza [R] (1912). **Pannonius,** Ianus [P] (1434-72). **Petöfi,** Sándor [P] (1823-49). **Pilinszky,** János [P] (1921-80). **Radnoti,** Miklós [P] (1907-44). **Somlyó,** György [P] (1920). **Szabó,** Lörinc [P] (1901-57). **Szabó,** Magda [Pros, D] (1917). **Szerb,** Antal [R] (1901-45). **Tamási,** Aron [R] (1897-1966). **Toth,** Arpád [P] (1886-1928). **Váci,** Mihály [P] (1924-70). **Vas,** István [P] (1910). **Vörösmarty,** Mihály [P, D] (1800-55). **Woeres,** Sándor [P] (1913-89). **Zilahy,** Lajos [R, D] (1891-1974). **Zrinyi,** Miklós [P épique] (1620-64).

Littérature indienne

Desai, Anita [R] (1937) : Un héritage exorbitant, le Feu sur la montagne (1986).

Rushdie, Salman [R] (1947) : les Enfants de minuit, la Honte (1984), le Sourire du jaguar, Versets sataniques (1988, pour cet ouvrage l'ayatollah Khomeyni le condamne à mort le 15-2-1989), voir Index, Haroun et la mer d'histoires (1990).

Tagore, Rabindranath [P] (1861-1941) : l'Offrande lyrique [N. 1913].

Littérature israélienne

Agnon, Samuel [R] (1888-1970) [N. 1966].

Alterman, Natan [P] (1910-70).

Amihaï, Yehuda [P] (1924).

Chouraqui, André [H] (1917) : l'Amour fort comme la mort, traduit le Coran et la Bible.

Grinberg, Uri-Zvi [P] (1894-1980).

Kenan, Amos [R] (1917).

Oz, Amos [R] (1939) : les Terres du chacal, F. étr. (1988).

Pinès, Shlomo [Ph] (1908-90).

Shabtaï, Yaakov [R] (1934-81) : l'Oncle Peretz s'envole.

Shahar, David [R] (1926), M. étr. (1984).

Tammuz, Benjamin [E] (1919-89).

Tchernichowsky, Saül [P] (1875-1943).

Yehoshua, A. B. [R] (1936).

Littérature japonaise

Abe, Kôbô [R, D] (1924) : la Femme des sables, l'Homme-boîte (1973).

Akutagawa, Ryûnosuke [R] (1892-1927, suicidé) : la Vie secrète du seigneur de Musashi.

Ariyoshi, Sawako [R] (1931-84).

Chikamatsu, Monzaemon [D] (1653-1724) : Théâtre Jôruri.

Dazai, Osamu [R] (1909-48, suicidé) : les Ailes, la Grenade, les Cheveux blancs et douze autres récits.

Deshimaru, Taisen [maître zen] (1914-82) : le Vrai Zen, la Pratique du Zen (1974), le Bol et le Bâton, le Chant de l'immédiat satori (1978).

Endô, Shûsaku [R] (1923) : Un admirable idiot.

Furui, Yoshikichi [R] (1937) : Yoko (1970).

Haniya, Yutaka [R] (1910) : l'Ame des morts.

Hikari, Agata [R] (1943) : le Lent Marathon des femmes de Tōkyō.

Ibusé, Masuji [R] (1898) : Pluie noire.

Ihara, Saikaku [R] (1642-93) : Vie de cinq femmes libertines.

Inoué, Yasushi [R] (1907-91) : le Fusil de chasse (1949), Histoire de ma mère, les Chemins du désert, Combats de taureaux, le Faussaire.

Ishikawa, Jun [R] (1899-1987) : Vent fou.

Kakinomoto-no-Hitomaro [P] (VIIe-VIIIe s.).

Kawabata, Yasunari [R] (1899-1972) : Pays de neige (1948), Nuée d'oiseaux blancs (1952), les Belles Endormies, le Grondement de la montagne [N., 1968].

Kenji, Miyazawa [P] (1896-1933).

Ki-no-Tsurayuki [P, Pros] (v. 872-945) : Journal de Tosa (935).

Kurahashi, Yumiko [R] (1935) : le Parti (1960).

Masuda, Mizuko [R] (1948) : Cellule simple.

Matsuo, Bashô [P] (1644-94) : Poèmes en 17 syllabes (Haikus).

Mishima, Yukio [R] (1925-70, suicidé) : Confession d'un masque, le Pavillon d'or, la Mer de la fertilité (Neige de printemps, Chevaux échappés, le Temple de l'aube, l'Ange en décomposition), la Mort en été, les Amours interdites.

Mori, Ôgai [R] (1862-1922) : Vita sexualis, l'Oie sauvage.

Murakami, Haruki [R] (1949) : la Fin du monde et le pays des merveilles hard-boiled.

Murakami, Ryû [R] (1952) : Bleu presque transparent.

Murasaki Shikibu [R] (v. 970-1019 ?) : le Dit du Genji (54 livres).

Nakagami, Kenji [R] (1946) : la Mer des arbres morts, le Cap, le Moment suprême à l'extrémité du monde, Mille Ans de jouissance.

Natsume, Sôseki [R, Es] (1867-1916) : le Cœur, Ombres et Lumières, Je suis un chat, le Pauvre Cœur des hommes, la Porte, Oreiller d'herbes.

Noma, Hiroshi [R] (1915-91) : Zone de vide.

Ôe, Kenzaburô [R] (1935) : le Jeu du siècle, Une affaire personnelle (1964).

Sakaguchi, Ango [R] (1906-1955).
Sei-Shonagon [Es] (fin du Xe s.) : Notes de chevet.
Shiina, Rinzô [R] (1911-73).
Shimada, Masahiko [R] (1961) : Divertissement pour un gentil gauchiste.
Takizawa, Bakin (Kyokutei) [R] (1767-1848).
Tanizaki, Junichirô [R] (1886-1965) : les Sœurs Makioka.
Tayama, Katai [R] (1872-1930) : Futon.
Tsushima, Yûko [R] (1947) : Territoire de la lune, l'Enfant de la fortune.
Ueda, Akinari [Sav, P, R] (1734-1809) : Contes de pluie et de lune.
Yamada, Eimi [R] (1959).
Yoshiiyuki, Junnosuke [R] (1924) : Ville en couleurs (1951), l'Averse (1954).
Zéami ou **Séami,** Motokiyo [D] (1363-1443) : la Tradition secrète du nô.

Littérature néerlandaise

☞ Voir également p. 280 littérature belge.

En latin

Érasme, Didier (Geert Geerts, « Gérard fils de Gérard ») [Ph, Eru] (1469-1536) : Éloge de la folie (1509-11), Essai sur le libre arbitre (1521). – *Biogr. :* fils naturel du médecin Gérard de Praet. Jamais légitimé, son père étant entré dans les ordres. Orphelin à 12 ans. *1480* séminaire de Bois-le-Duc. *1486* chanoine régulier à Gouda. *1496* études à Paris (collège Montaigu). *1497-99* pensionné par Henri VII à Londres et Oxford. *1504* précepteur du prince Alexandre d'Écosse. *1506* prof. de théologie à Bologne. *1511-13* curé à Addington (Angl.). *1521* à Bâle. *1534* nommé prieur de Deventer (1 500 ducats de revenus), ne peut quitter Bâle où il meurt de la goutte.
Grotius, Hugo (De Groot) [Pol] (1583-1645) : les Droits de la guerre et de la paix.
Huyghens, Christian [Math] (1629-95) : Traité de la lumière (1690), Horloge à balancier (1703).
Second, Jean (Everaerts) [P] (1511-36) : les Baisers.
Spinoza, Baruch [Ph] (1632-77) : Éthique (1661-77). – *Biogr. :* famille de juifs portugais, réfugiés à Amsterdam. Études à l'école talmudique (apprend le latin avec le médecin hollandais Van der Ende). *1656* considéré comme hérétique, est chassé de la communauté juive (blessé d'un coup de poignard, se réfugie à Rhinsburg, près de La Haye). *1663* accueilli par la secte des collégiants, vit à Voorburg. *1669* se fixe à La Haye, gagnant sa vie comme artisan opticien. *1673* refuse une pension de Louis XIV, proposée par Condé. *1676* refuse une chaire à Heidelberg, proposée par l'électeur palatin. Meurt tuberculeux.
Thomas a Kempis [Théo] (1380-1417) : l'Imitation de J.-C.

En néerlandais

Bredero (Gerbrend Adriaensz) [D] (1585-1618).
Couperus, Louis Marie Anne [R] (1863-1923).
Du Perron, Edgar [P, Es, R] (1899-1940) : le Pays d'origine.
Frank, Anne [Pros] (1929-45) : Journal (1947).
Haasse, Hella [E] (1918).
Heinsius (Daniel Heins) [H, P] (1580-1655) : Poèmes néerlandais (1616) ; écrit aussi en latin.
Hermans, Willem Frederik [R] (1921) : la Chambre noire de Damoclès (1958).
Huizinga, Johan [H, Es] (1872-1945) : Automne du Moyen Âge (1919).
Marsman, Hendrik [P, R, Es] (1899-1940).
Mulisch, Harry [R] (1927) : l'Attentat.
Multatuli, Édouard (Douwes Dekker) [R, Es] (1820-87) : Max Havelaar (1860), Idées (1862-77).
Noteboom, Téo [R, P] (1933).
Slauerhoff, Jan [R, P] (1898-1936).
t'Hart, Maarten (1944).
Van den Vondel, Joost [P, D] (1587-1679) : Adam en exil (1664).
Van Eeden, Frederik [E] (1860-1932) : le Petit Jean.
Van Schendel, Arthur [R] (1874-1946) : l'Homme de l'eau.
Vestdijk, Simon [Pros, P] (1898-1971) : la Mort attrapée.
Wolkers, Jan [E] (1925).

Littérature roumaine

Alecsandri, Vasile [P, D] (1821-90) : Doïnas et muguets.
Arghezi, Tudor [P] (1880-1967) : Mots assortis, Fleurs de moisissure, Cantique de l'homme.
Bacovia, Georges [P] (1881-1957) : Plomb.
Barbu, Ion [P, Math] (1895-1961) : Jeu second.
Blaga, Lucian [P, Ph] (1895-1961) : l'Éloge au sommeil, l'Espace miorithique.
Bogza, Geo [P, Pros, Es] (1908).
Breban, Nicolae [R] (1934) : l'Annonciation.
Călinescu, George [Cr, R] (1899-1965) : l'Histoire de la littérature roumaine des origines à nos jours.
Cantemir, Dimitrie [H, Ph] (1673-1723) : Descriptio Moldaviae, Chronique de l'Antiquité des Romano-Moldo-Valaques.
Caragiale, Ion Luca [D] (1852-1912) : Une lettre perdue, Une nuit orageuse, Moments et Récits.
Cioran, E. M. [Es] (1911) : Crépuscule des pensées (1940), la Tentation d'exister ; écrit aussi en français.
Costin, Miron [Chr] (1633-91).
Creangă, Ion [Pros] (1839-89) : Souvenirs d'enfance, Contes et Récits.
Dimitriu, Petru [R] (1924, écrit en français) : Incognito (1962), la Moisson (1989).
Dinescu, Mircea [P] (1950).
Doinaș, Stefan-Augustin [P, Es] (1922).
Eminescu, Mihai [P, Pros] (1850-89) : Hypérion, Glossa, le Pauvre Dionis, Epîtres, le Lac.
Goga, Octavian [P] (1881-1938).
Istrati, Panaït [R] (1884-1935) ; voir p. 297 c.
Labis, Nicolae [P] (1950).
Maiorescu, Titu [Ph, Cr] (1840-1917) : Critiques.
Minulescu, Ion [P, D] (1896-1963).
Neculce, Ion [Chr] (1672-1745).
Petrescu, Camil [D, Es, Pros] (1894-1957) : Danton, le Jeu des sylphes.
Philippide, Alexandru [P, Es] (1900-79).
Preda, Marin [Pros] (1922-80) : Les Moromete.
Rebreanu, Liviu [Pros] (1885-1944) : Ion, la Forêt des pendus, la Révolte.
Sadoveanu, Mihail [Pros] (1880-1961) : le Hachereau, le Rameau d'or.
Sebastian, Mihai [D, Es] (1907-45).
Slavici, Ioan [Pros] (1848-1925) : Mara.
Sorescu, Marin [P, D] (1936).
Stancu, Zaharia [Pros] (1902-74) : Pieds nus.
Stănescu, Nichita [P] (1933-1983).
Tanase, Virgil [E] (1945) : l'Apocalypse d'un adolescent de bonne famille (1980), l'Amour, l'amour, Roman sentimental (1982), Ils refleurissent les pommiers sauvages (1991).
Voiculescu, Vasile [P, Pros] (1864-1963) : Zahei l'aveugle.

Littérature scandinave et finlandaise

Anonymes. *Islande :* les Eddas (VIIe-XIIIe s.) [poèmes mythologiques] ; Sagas islandaises (XIe s.).
Andersen, Christian (Dan.) [Pros] (1805-75) : Contes.
Bellman, Carl Michael (Suéd.) [P] (1740-95).
Björnson, Björnstjerne (Norv.) [D] (1832-1910) [N. 1903].
Blixen, Karen (Dan.) [R] (1885-1962) : Sept Contes gothiques (1934), la Ferme africaine (1937), Contes d'hiver (1942), les Voix de la vengeance (1944), le Dîner de Babette (1958), Ombres sur la prairie (1960), Judith Thurmann.
Christensen, Inger (Dan.) [Es, P, R] (1935).
Ekelöf, Gunnar (Suéd.) [P] (1907-68).
Gjellerup, Karl (Dan.) [R] (1857-1919) [N. 1917].
Gress, Else [R] (1919-88) : le Sexe non découvert.
Gustafsson, Lars (Suéd.) [R] (1936) : la Mort d'un apiculteur (1978), Musique funèbre.
Gyllensten, Lars (Suéd.) [R] (1921) Infantilia, Senilia, Juvenilia.
Hamsun, Knut (Pedersen, Norv.) [R, D] (1859-1952) : la Faim (1890), le Cœur sauvage, Mystères, Pan, Victoria, Benoni, Auguste le marin, Femmes à la fontaine (1920), la Ville de Segelfoss, Le cercle s'est refermé (1936). [N. 1920].
Hansen, Martin Alfred (Dan.) [R, Es] (1909-55).
Heidenstam, Verner von (Suéd.) [R] (1859-1940) [N. 1916].
Ibsen, Henrik (Norv.) [D] (1828-1906) : Maison de poupée (1879), le Canard sauvage (1884), Hedda Gabler (1890).
Jensen, Johannes Vilhelm (Dan.) [R] (1873-1950) [N. 1944].
Johnson, Eyvind (Suéd.) [R] (1900-76) [N. 1974].
Karlfeldt, Erik Axel (Suéd.) [P] (1864-1931) [N. 1931].
Kierkegaard, Sœren (Dan.) [Ph] (1813-55) : le Concept d'angoisse (1844).
Kivi, Aleksis (Finl.) [R] (1834-72) : les Sept Frères.
Krusenstierna, Agnes von (Suéd.) [E] (1894-1940) : les Demoiselles de Pahlen (1930-35).
Lagerkvist, Pär (Suéd.) [P, R] (1891-1974) : le Bourreau, le Nain, Chants du cœur (1926), Barabbas, la Sibylle, la Mort d'Ahasverus, Pèlerin sur la mer, la Terre sainte [N. 1951].
Lagerlöf, Selma (Suéd.) [R] (1858-1940) : Gösta Berling, le Vieux Manoir, le Merveilleux Voyage de Nils Holgersson à travers la Suède (1906-07), la Maison de Liliecrona (1911), l'Empereur du Portugal (1914), Anna Svärd (1928) [N. 1909].
Laxness, Halldór (Isl.) [R] (1902) : la Beauté du ciel, la Cloche d'Islande (1979), Lumière du monde, le Paradis retrouvé, Salka Valka, Petite Fille d'Islande, Station atomique, Va ou chrétiens du glacier. [N. 1955].
Lindgren, Astrid (Suéd.) [R] (1907) : Fifi Brindacier (1945), Ronya, fille de brigand (1981).
Lindgren, Torgny (Suéd.) [R] (1938) : le Chemin du serpent, Bethsabée, la Lumière.
Lo-Johansson, Ivar (Suéd.) [R] (1901) : la Tombe du bœuf et Autres Récits (1936).
Madsen, Svendage (Dan.) [R] (1939).
Martinson, Harry (Suéd.) [P] (1904-78) : Les orties fleurissent (1935), Aniara (1956) [N. 1974].
Myrdal, Alva (Suéd.) [E] (1902-86) et Gunnar [Ec] (1898-1987) : la Crise de la population (1934).
Nordbrandt, Henrik (Dan.) [P] (1945).
Pontoppidan, Henrik (Dan.) [R] (1857-1943) [N. 1917].
Sandemose, Aksel (Dan.) [R] (1899-1965).
Schade, Jens August (Dan.) [P] (1903-78).
Schoultz, Solveig von (Finl., écrit en suédois) [P] (1907).
Sillanpää, Frans Emil (Finl.) [R] (1888-1964) [N. 1939].
Snorri Sturluson (Isl.) [Chr] (1179-1241) : Saga des rois de Norvège.
Sodergran, Édith (Finl.) [P] (1892-1923).
Stangerup, Henrik (Dan.) [R] (1938).
Strindberg, Auguste (Suéd.) [D] (1849-1912) : *Théâtre :* Mäster Olof (1872), Père (1887), Mademoiselle Julie (1888), Créanciers (1890), la Danse de mort (1900), le Songe (1902), la Sonate des spectres (1907). *Récits autobiographiques :* Inferno (1897), l'Abbaye (1902), Seul (1903).
Swedenborg, Emmanuel (Suéd.) [Sav, Ph] (1688-1772) : les Arcanes célestes (en latin).
Thorup, Kirsten (Dan.) [P, R] (1942).
Tranströmer, Thomas (Suéd.) [P] (1931).
Trotzig, Birgitta (Suéd.) [R] (1929).
Undset, Sigrid (Norv.) [R] (1882-1949) : Christine Lavransdatter (1920-22), Ida-Elisabeth, la Femme fidèle (1936), Madame Dorothea (1939) [N. 1928].

Littérature slave

☞ Voir également p. 314 littérature russe.
☞ L'écriture glagolitique usitée dans les premiers textes de la littérature slave (IXe s. apr. J.-C.) est rapidement sortie de l'usage ; elle ne sert plus que dans certaines paroisses catholiques de Dalmatie.

Albanie

Kadaré, Ismaïl [R] (1936) : les Tambours de la pluie (1985), le Grand Hiver, le Concert, le Palais des rêves (1990).

Bulgarie

Bagriana, Élisabeth [P] (1893).
Botev, Christo [P] (1847-76).
Daltchev, Athanas [P] (1904-78).
Damianov, Damian [P] (1935).
Dgiagarov, Gjeorghi [P] (1925).
Dimitrova, Blaga [P] (1922).
Iovkov, Iordan [E] (1880-1937).
Karaslavov, Gjeorghi (1904-80) : Gens ordinaires.
Konstantinov, Aleko (1863-1897) : Baï Canio.
Levtchev, Lubomir [E] (1935).
Mirnenski, Christo [P] (1898-1923).
Raditchkov, Yordan [R] (1929-?), les Cours obscurs.
Smirnenski, Christo [E] (1898-1923).
Stanev, Emilian [R] (1907-79) : Ivan Kondarev (1958-64). Seuls, Soirs de loup, le Voleur de pêches.
Vaptsarov, Nicolas [P] (1909-1942).
Vazov, Ivan [P, R] (1850-1921) : Sous le joug (1889-1890).

Pologne

Andrzejewski, Jerzy [R] (1909-83) : Cendres et Diamants (1948), les Portes du paradis (1960), Sautant sur les montagnes (1963), la Pulpe (1981), Personne.

Bialoszewski, Miron [P] (1922-83).
Borowski, Tadeusz [R, P] (1922-51) : le Monde de pierre (1948).
Dabrowska, Maria [R] (1859-1965) : les Nuits et les Jours (1932-34).
Dobraczynski, Jan [R] (1910) : Dans une maison détruite, les Lettres de Nikodem.
Gombrowicz, Witold [R, D] (1904-69) : *Romans :* Ferdydurke (1937), Bakakaï (1957), la Pornographie (1960), Cosmos (1965). *Théâtre :* Yvonne, princesse de Bourgogne (1935), le Mariage (1946), Opérette (1966). *Souvenirs* de Pologne.
Guzy, Piotr [R] (1922) : Vie courte d'un héros positif (1968).
Herbert, Zbigniev [R] (1924) : Rapport d'une ville assiégée.
Hesling-Grudziniski, Gustav [R] (1919).
Iwaszkiewicz, Jaroslaw [R, D, P] (1894-1980) : Mesdemoiselles de Vilko (1933), Un été à Nohant (1936), la Carte météorologique (1977), Icare.
Kantor, Tadeusz (1915-90) [D] : la Classe morte (1977), Où sont les neiges d'antan (1979), Wielopole, Wielopole (1980), les Cricotages (1982), Qu'ils crèvent les artistes (1985), Je ne reviendrai jamais (1988), O douce nuit !
Kochanowski, Jan [P] (1530-84) : les Thrènes, les Chants.
Konwicki, Tadeuz [R] (1926) : la Petite Apocalypse, Bohini un manoir en Lituanie (1990).
Korczak, Janusz [R] (1878-1942) : Colonie de vacances (1910), le Roi Mathias Ier (1923).
Krasinski, Zygmunt [P, D] (1812-59) : la Comédie non divine (1835).
Kusniewicz, Andrzej [R] (1904) : le Troisième Royaume (1975), le Roi des Deux-Siciles (1975).
Lem, Stanislaw [R] (1921).
Malewoka, Hanna [R] (1911-83).
Matkowski, Tomas (écrit en français) [E] (1952).
Mickiewicz, Adam [P] (1798-1855) : Messire Thadée (1834) ; les Aïeux.
Milosz, Czeslaw (naturalisé amér.) [P, R, Es] (1911) : *Romans :* la Prise du pouvoir, Sur les bords de l'Issa (1955). *Poèmes :* Enfant d'Europe (1980). *Essais :* la Pensée captive, la Terre d'Ulro. *Autobiographie :* Une autre Europe (1964) [N. 1980].
Mrozek, Slawomir [D] (1929) : Tango (1965), les Émigrés (1975).
Nalkowska, Zofia [P] (1884-1954) : les Médaillons (1949).
Norwid, Cyprian [P] (1821-83) : Vade-mecum, Promethidion.
Pankowski, Marian [P] (1919).
Parandowski, Jan [R] (1895-1978).
Parnicki, Teodor [R] (1908) : les Aigles d'argent.
Potocki, Jean [R] (1761-1815).
Prus, Boleslaw [R] (1847-1912) : la Poupée (1890), le Pharaon (1897).
Reymont, Wladyslaw [R] (1869-1925) : les Paysans (1904-09) [N. 1924].
Rozewicz, Tadeusz [P, D] (1921) : l'Inquiétude (1947). *Théâtre :* le Dossier (1962).
Rudniki, Adolf [R] (1911-90) : Têtes polonaises (1981).
Rymkiewicz, Jaroslaw Marek [R] (1935) : Entretiens polonais de l'été (1983), la Dernière Gare (1989).
Schulz, Bruno [R] (1892-1942) : les Boutiques de cannelle, le Sanatorium au croque-mort (1937).
Sienkiewicz, Henryk [R] (1846-1916) : Quo Vadis ? [N. 1905], le Déluge.
Slowacki, Juliusz [P] (1809-49) : Kordian (1834), Akbelli (1838). Le Roi-Esprit.
Tuwim, Julian [P] (1894-1953) : les Fleurs polonaises (1949).
Wierzynski, Kazimierz [P, R] (1894-1969) : la Liberté tragique (1936), la Vie de Chopin (1949).
Witkiewicz, Stanislas Ignacy [D, R, Es, Ph] (1885-1939) : *Romans :* l'Inassouvissement (1930). *Théâtre :* les Pragmatistes (1920), la Poule d'eau (1922), la Mère (1924), le Fou et la Nonne (1925), la Métaphysique du veau bicéphale (1928), les Cordonniers.
Wyspianski, Stanislaw [P, D] (1869-1907) : les Noces (1901).
Zagajewski, Adam [R] (1945) : Coup de crayon (1987).
Zeromski, Stefan [P] (1864-1925) : Cendres (1904), l'Aube du printemps (1924).
Zulawski, Andrzej [cinéaste, R] (1940) : Il était un verger (1987).
Zulawski, Miroslaw [E, P] (1913) : la Dernière Europe (1947), la Fuite en Afrique.

Tchécoslovaquie

• Langue tchèque. **Brezina,** Otokar (Vaclav Jebavy) [P] (1868-1929) : Vents des pôles.
Capek, Karel [R, D] (1890-1938) : *Romans :* la Fabrique d'absolu (1922), Hordubal (1933), Povetron (1934), la Guerre des salamandres (1936).
Durick, Jaroslav (n.c.).
Halas, Frantisek [P] (1901-49).
Hasek, Jaroslav [R] (1883-1923) : le Brave Soldat Chveik (1920-21).
Havel, Vaclav [R, D] (1936) Pt de la rép. (voir Index) : la Fête en plein air, la Grande Roue, Pétition.
Holan, Vladimir (1905-80) : Douleur (1964), Une nuit avec Hamlet (1962).
Hrabal, Bohumil [E] (1914) : Moi qui ai servi le roi d'Angleterre (1971), Une trop bruyante solitude (1975), Vends maison où je ne veux plus vivre (1989), les Noces dans la maison (1990).
Jirasek, Alois [R] (1851-1930).
Kral, Peter [E] (1941).
Kundera, Milan (nat. français) [R] (1929) : la Plaisanterie (1967), l'Insoutenable Légèreté de l'être, l'Art du roman (1986), l'Immortalité (1990).
Lysohorsky, Ondra [P] (1905).
Nezval, Vitezslav [P, R, D, Es] (1900-58), Valérie ou la Semaine des merveilles.
Patocka, Jan [Ph] (1907-77) : Essais hérétiques, Platon et l'Europe (1973).
Putik, Jaroslav [R] (1922) : l'Homme au rasoir (1989).
Seifert, Jaroslav [P] (1901-86) [N. 1984] : Sonnets de Prague, le Parapluie de Piccadilly.
Şkacel, Jan [P] (1922-89) : la Faute des pêches.
Škvorecky, Joseph [R] (1924) : les Lâches (1978).
Vaculik, Ludvik [R] (1926) : les Cobayes, la Clef des songes.
Vancura, Vladislav [R] (1891-1942) : le Jugement dernier (1929), la Famille Horvat, la Fin des anciens temps.

• Langue slovaque. **Hviezdoslav** (Pavel Orszagh) [P] (1849-1921) : Psaumes.
Tatarka, Dominik [E, R] (1913-89) : la République des curés (1940), le Premier et le Deuxième Coup (1950).

Yougoslavie

• Langue slovène. **Levstik,** Fran [P] (1831-87).
• Langue macédonienne. **Cingo,** Zivko [R] (1935) : la Grande Eau (1971), l'Incendie (1975).
• Langue serbo-croate. **Andrić,** Ivo [R] (1892-1975) : la Chronique de Travnik, Il est un pont sur la Drina [N. 1961].
Ćosić, Dobrica [R] (1912) : Le soleil est lointain (1951), les Racines (1954), les Partages (1961), le Temps de la mort (1975), le Temps du mal (1984).
Crnjanski, Milos [P, R, D] (1893-1977) : le Roman de Londres, le Journal de Tcharnoévitch, les Migrations.
Davico, Oscar [P, R, E] (1909-89) : Traces (1928), Anatomie (1929), la Position du surréalisme dans le processus social (1932), Poèmes (1952), le Bagne (1963-64).
Jaksic, Djura [P] (1832-78) : Au bois des tilleuls.
Kis, Danilo [R] (1935-89) : Un tombeau pour Boris Davidovitch (1979), le Cirque de famille [Tril. : Chagrins précoces ; Jardin, Cendre ; Sablier].
Mihajlovic, Dragoslav [R] (1930) : Quand les courges étaient en fleur.
Novak, Slobodan [R] (1924).
Pavic, Milorad (1929) : le Dictionnaire khazar (1988).
Popa, Vasko [P] (1922-91).
Popovic, Danko [R] (1928) : la Confession de Miloutine.
Tisma, Aleksandar [Pros, R] (1924) : l'École d'impiété, le Livre de Blam, l'Usage de l'homme.

Littérature sud-africaine

Abrahams, Peter [R] (1919) : Mine Boy (1946), Je ne suis pas un homme libre (1956), Rouge est le sang des Noirs (1960), Une nuit sans pareille (1966), Cette île entre autres (1966).
Bosman, Herman Charles [R] (1905-51) : Mafeking Road (1945), Cold Stone Jug (1949), A Cask of Jerepigo (1957).
Breytenbach, Breyten [R] (1939) : Mouroir, Confessions véridiques d'un terroriste albinos, Lotus, Voetskrif, Eklips.
Brink, André [R] (1935) : Au plus noir de la nuit (1974), Rumeurs de pluie (1978), Une saison blanche et sèche, Un turbulent silence (1982), le Mur de la peste (1984), États de siège (1988).
Campbell, Roy [P, E] (1901-57) : The Flaming Terapin (1924), Adamastor (1930), Mithraic Emblems (1936), Light on a Dark House (1951).
Coetzee, John Michael [R] (1940) : En attendant les Barbares, Michael K (1983), In the Heart of the Country.
Essop, Ahmed [R] (1931) : The Visitation, The Emperor.
Eybers, Elizabeth [P] (1915) : Die helder half Jaar (1956), Einder (1977).
Fugard, Athol [D] (1932) : Master Harold... and the Boys.
Gordimer, Nadine [R] (1932) : Fille de Burger, Ceux de July (1981).
Head, Bessie [R] (1937) : When Rain Clouds Gather (1969), Maru (1971), A Question of Power (1974).
Joubert, Elsa [R] (1922) : les Années d'errance de Poppie Nongena (1978).
Krige, Uys [P, Cr, D] (1910) : 'n Keur uit sy Gedigte.
La Guma, Alex [R] (1925) : Nuit d'errance (1962), And a Threefold Cord (1964), The Stone Country (1967), les Résistants du Cap (1972), l'Oiseau meurtrier (1979).
Leroux, Étienne [R] (1922) : Sept Jours chez les Silberstein (1962), Azazel (1964), Die dieper Reg.
Mattera, Don (1935) : Gone with the Twilight (1987).
Mphahlele, Eskia [R] (1919) : Chirundu (1979).
Mzamane, Mbuelo [E] (1948) : My Cousin Comes to Joó Burg (1980), The Children of Soweto (1982).
Nkosi, Lewis [R] (1936) : le Sable des Blancs (1986).
Opperman, D.J. [P] (1914) : Joernaal van Jorik (1949), Komas uit n-Bamboesstok (1979).
Paton, Alan [R] (1903-88) : Pleure, ô mon pays bien aimé (1948), Quand l'oiseau disparut (1953), le Bal des débutantes (1961).
Ramgobin, Mewa [E] (1932) : Quand Turban sera libre (1986).
Rive, Richard [E] (1931-89, assassiné) : Emergency (1964), Buckingham Palace, Sixième District (1986).
Sepamla, Sipho [P, R, D] : A Ride on the Whirlwind.
Serote, Wally Mongane [E] (1944) : Alexandra, mon amour, ma colère (1981).
Small, Adam [P, D] (1936) : Kitaar my kruis (1961), Kanna hy kô hystoe (1965).
Smith, Hettie [R] (1908) : Sy kom met die sekelmaan.
Tlali, Miriam [E] (1933) : Entre deux mondes (1979), Amandla (1980).
Van Wyk Louw, N.P. [P, E, D] (1906-70) : Die halwe Kring (1937), Raka (1941), Germanicus (1956).

Littérature turque

Adivar, Halide Edip [R] (1844-1964). **Abasiyanik,** Faik [R, P] (1906-54). **Ali,** Sabahattin (1906-48). **Altan,** Cetin [E] (1937). **Beyatli,** Jahya Kemal [P] (1884-1958). **Bucra,** Tarik [R, D] (1918). **Çağlar,** Behçet Kemal [R, P] (1908-69). **Cumali,** Necati [P, N, D] (1921). **Daglarca,** Fazil [P] (1914). **Dranas,** Ahmet Muhip [P] (1909). **Emre,** Yunus [P] (XIIIe s.). **Ersoy,** Mehmet Akif [P] (1873-1936). **Faik,** Saït (1906-54). **Güntekin,** Resat Nuri [E] (1888-1956). **Gürpinar,** Hüseyin Rahmi [R] (1864-1944). **Gursel,** Nedim [R] (1951), Un long été à Istanbul, la Première Femme. **Hachim,** Ahmet [P] (1884-1933). **Hikmet,** Nâzim [P, D, R] (1902-63). **Hisar,** Abdülhak Şinasi [R] (1883-1963). **Kanok,** Orhan Veli [E] (1914-50). **Karaosmanoglu,** Yakup Kadri [E] (1889-1974). **Kemal,** Yachar [E] (1923), la Légende des 1 000 taureaux, le Dernier Combat de Mèmed le Mince, Salman le Solitaire. **Kuleri,** Cahit [P] (1917). **Pamuk,** Orhan [R] (1952) : Djebet et ses fils, la Citadelle blanche, la Maison du silence (1983). **Safa,** Peyami [R, J] (1899-1961). **Seyfeddin,** Omer [R] (1884-1920). **Shah,** Idries (1924). **Taner,** Haldun [D] (1916). **Tanpinar,** Ahmet Hamdi [R, P] (1901-62). **Taranci,** Cahit Sitki [E] (1910-56). **Usakligil,** Halid Ziya [R] (1866-1945).

Littérature ancienne

Littérature grecque

Nés avant Jésus-Christ

Anacréon [P] (2e moitié VIe s.) : Poésies légères, les « Odes anacréontiques » ne sont pas de lui.

Anaxagore [Ph] (v. 500-428). **Anaximandre** [Ph] (610-547). **Anaximène** de Milet [Ph] (v. 550-480).

Antisthène [Ph] (v. 444-365). **Apollonios de Rhodes** [P] (295-v. 230) : les Argonautiques. **Arcésilas** [Ph] (316-v. 241). **Archiloque** [P] (712-v. 644) : Élégies, Hymnes. Inventeur de l'ïambe. **Aristophane** [D] (v. 445-v. 386) : 11 comédies connues, dont les Nuées, les Oiseaux, les Guêpes, les Grenouilles, la Paix, Lysistrata. **Aristote** [Ph] (384-322) : 400 ouvrages ; 47 restent dont : Éthique à Nicomaque, Logique, Physique, Métaphysique, Morale, Politique, Constitution d'Athènes, Poétique. **Callimaque** [P] (310-v. 235) : Épigrammes. **Carnéade** [Ph] (v. 215-v. 129). **Chrysippe** [Ph] (280-205). **Démocrite** [Ph] (v. 460-v. 370). **Démosthène** [Or] (384-322) : 33 plaidoyers, plusieurs civils, 2 politiques dont la Couronne ; 25 harangues politiques, dont 4 Philippiques et 3 Olynthiennes. **Diodore de Sicile** [H] (v. 90-v. 10) : Bibliothèque historique. **Diogène** le Cynique [Ph] (413-327).

Empédocle [Ph] († v. 490). **Épicure** [Ph] (341-270) : 300 volumes dont seules 3 lettres nous sont parvenues (doctrine vulgarisée par Diogène Laërce et Lucrèce). **Eschine** [Or] (v. 390-314) : Contre Timarque, Sur l'ambassade, Sur la couronne. **Eschyle** [D] (525-456) : 20 drames satiriques, 70 tragédies dont 7 sont restées : les Suppliantes, les Perses, les Sept contre Thèbes, l'Orestie (comprenant Agamemnon, les Choéphores, les Euménides), Prométhée enchaîné. **Ésope** [Fab] (VIIe-VIe s.) : fables transmises par tradition orale, reprises en recueil. **Euclide** d'Alexandrie [Ph, Math] (IIIe s.) : Les Éléments, les Données. **Euclide** de Mégare (dit le Socratique) [Ph] (v. 450-v. 380). **Euripide** [D, P] (480-406) : 92 pièces. Il reste 17 tragédies, 1 drame satirique (le Cyclope), Alceste, Médée, Hécube, Andromaque, Électre, Oreste, Hippolyte, Iphigénie à Aulis, Iphigénie en Tauride, les Bacchantes.

Gorgias [Ph] (v. 487-v. 380). **Héraclite** [Ph] (v. 540-v. 480). **Hérodote** [H] (v. 486-v. 420) : Histoire. **Hésiode** (VIIIe s.) : les Travaux et les Jours, la Théogonie. **Hippocrate** [Sav] (460-377) : Traité des airs, des eaux et des lieux, Aphorismes, Traité du pronostic. **Homère** [P] (IXe s.) : l'Iliade : 24 chants et 15 693 vers (épisode de la guerre de Troie), l'Odyssée : 24 chants (aventures d'Ulysse après la guerre de Troie). **Isée** [Or] (v. 400-v. 350). **Isocrate** [Or] (436-338) : 6 plaidoyers, 15 harangues : Panégyrique d'Athènes, A Philippe, Panathénaïque. **Leucippe** [Ph] (Ve s.). **Lysias** [Or] (440-380) : 34 discours : Contre Ératosthène, Contre Diogiton, Pour l'invalide.

Ménandre [D] (v. 342-v. 292) : 100 comédies dont sont restées : le Dyscolos (seule en entier), l'Arbitrage, la Samienne, la Femme aux cheveux coupés, etc. **Parménide** [Ph] (v. 540-v. 450) : De la nature. **Pausanias** [H] (IIe s. apr. J.-C.) : Description de la Grèce (10 livres). **Philon** d'Alexandrie (le Juif) [Ph] (v. 13 av. J.-C.-v. 54 apr. J.-C.). **Pindare** [P] (v. 518-v. 438) : Épinicies (Odes triomphales). **Platon** [Ph] (v. 428-v. 348-347) : 42 dialogues (28 authentiques) : Gorgias, le Banquet, la République, les Lois, Criton, Phédon, Phèdre ; 1 discours : l'Apologie de Socrate. **Polybe** [H] (v. 210/05-v. 125) : Histoire générale du monde de 221 à 146 : 50 L., dont il reste les 5 premiers et des fragments des autres. **Posidonios** [H, Ph] (v. 135-v. 50). **Protagoras** [Ph] (v. 485-v. 410). **Pyrrhon** [Ph] (v. 365-v. 275). **Pythagore** [Ph, Math] (v. 580-v. 500) : n'a rien écrit ; doctrine exposée par disciples.

Sapho [P] (début VIe s.) : 9 L. d'épithalames, élégies, hymnes dont il ne reste que des fragments. **Socrate** [Ph] (470-399) : n'a rien écrit ; doctrine exposée par Platon et Xénophon. **Sophocle** [D] (v. 495-v. 405) : 100 pièces : dont il reste 7 tragédies : Ajax, Antigone, Électre, Œdipe à Colone, Œdipe Roi, Philoctète, les Trachiniennes, un fragment des Limiers et un drame satirique. **Stésichore** [P] (VIe s.) : 26 L. de chants lyriques. **Strabon** [H, Géog] (v. 58-v. 21-25 apr. J.-C.) : Géographie univ., 17 L. **Thalès** de Milet [Math, Ph] (fin VIIIe-déb. VIe s.). **Théocrite** [P] (v. 315-v. 250) : 26 L. de chants lyriques. Créateur de l'idylle. **Théophraste** [Ph] (372-287) : les Caractères. **Thucydide** [H] (v. 465-v.395) : Histoire de la guerre du Péloponnèse de 431 à 411 (8 L.), inachevée. **Xénocrate** [Ph] (v. 400-314). **Xénophane** [Ph] (v. fin VIe s.) : poème : la Nature. **Xénophon** [H, Ph] (v. 430-v. 355) : 13 ouvrages : les Mémorables, la Cyropédie, l'Économique, Hiéron, l'Anabase, les Helléniques. **Zénon de Citium** [Ph] (v. 335-v. 264) : fondateur du stoïcisme. **Zénon d'Élée** [Ph] (490/485-?).

Nés après Jésus-Christ

Basile, saint (329-379) : Homélies, Panégyriques, Sermons : Hexaméron, 365 lettres. **Clément** d'Alexandrie (v. 150-211/6). **Denys l'Aréopagite** [St] (Ph] (Ier s.). **Épictète** [Ph] (v. 50-v. 125) : sa doctrine est exposée par Arrien dans les Entretiens et le Manuel. **Flavius-Josèphe** [H] (Juif) (37-100) : la Guerre juive, les Antiquités juives, Vie. **Grégoire de Nazianze,** saint [P] (v. 330-390) : 45 discours : Oraisons funèbres de saint Athanase et de saint Basile. Invectives contre Julien. 243 lettres.

Jamblique [Ph] (v. 250-v. 330). **Jean Chrysostome,** saint [E] (v. 340-407) : Éloquence, Homélies, Sermons, Traités : Sur le sacerdoce, 238 lettres. **Justin,** saint [Ph] (v. 100-v. 165). **Lucien** (v. 125-v. 191) : 80 ouvrages (50 authentiques). Dialogues moraux ; Dialogues des morts ; l'Assemblée des dieux. Dissertations, Manières d'écrire l'hist. *Roman :* l'Histoire vraie. **Marc Aurèle** [Ph, empereur] (122-80) : Pensées pour moi-même (166-80). **Origène** [Théo] (185-254) : 2 000 ouvrages : Hexaples (Bible en 6 colonnes), Commentaires et scolies sur les deux Testaments, Homélies, Lettres. **Plotin** [Ph] (v. 205-v. 270). **Plutarque** [H, M] (v. 50-v. 125) : 46 Vies parallèles comparées de deux hommes illustres, un Grec et un Latin, 80 traités de morale et de sujets divers. **Porphyre** [Ph] (234-v. 305). **Proclus** [Ph] (412-485) : Commentaire sur le Timée. **Valentin** [Ph, or. égypt.] (?-161).

Littérature latine

Nés avant Jésus-Christ

Caton l'Ancien [Or] (234-149) : Préceptes, Traité « De agricultura ». **Catulle** [P] (87-54) : 116 pièces. Noces de Thétis et de Pélée. **César,** Jules [H, hom. pol.] (101-44) : la Guerre des Gaules, 7 L. (52-51), la Guerre civile, 3 L. (49-48). **Cicéron,** Marcus Tullius [Or, hom. pol.] (106-43) : la République (6 L.), les Tusculanes, la Vieillesse, l'Amitié, les Devoirs (3 L.), Pour Quinctius, Pour Roscius, Pour Murena, Pour Archias, Pour Milon, 7 Verrines (contre Verrès), 4 Catilinaires (contre Catilina), 14 Philippiques (contre Antoine). **Cornelius Nepos** [H] (99-24) : De viris illustribus.

Ennius, Quintus [P, D] (239-169) : Poésie épique, Annales (18 L., restent 600 vers), 20 tragédies (restent 300 vers). **Horace** [P] (65-8) : 17 épodes, 18 satires, Odes (4 L.), Chant séculaire, Épîtres (2 L.), Art poétique. **Lucilius,** Caïus [P] (180-102) : poésie satirique (30 L., restent 1 200 vers). **Lucrèce** [P] (v. 98-55) : De natura rerum, poème didactique. **Ovide** [P] (43 av. J.-C.-17 apr. J.-C.) : Amours (3 L.), 21 Héroïdes, l'Art d'aimer, les Métamorphoses, Tristes, Pontiques. **Phèdre** [P] (v. 15 av. J.-C.-v. 50 apr. J.-C.) : 123 fables en 5 L. **Plaute** [D] (v. 254-184) : *Comédies :* Amphitryon, l'Aulularia ou la Comédie à la marmite, les Captifs, les Ménechmes, le Soldat fanfaron, le Câble. **Properce** [P] (v. 47-v. 15) : 92 élégies (4 L.).

Salluste [H] (86-35) : Conjuration de Catilina, Guerre de Jugurtha. **Sénèque le Philosophe** (4 av. J.-C.-65 apr. J.-C.) : la Colère, le Bonheur, la Clémence, les Bienfaits, Lettres à Lucilius, Questions naturelles. *Tragédies :* Médée, les Troyennes, Agamemnon, Phèdre. **Sénèque le Rhéteur** (v. 55 av. J.-C.-v. 39 apr. J.-C.) : Rhétorique et Critique, Controverses (10 L.). **Térence** [D] (v. 190-159) : *6 comédies :* l'Andrienne, l'Homme qui se punit lui-même, l'Hécyre, l'Eunuque, les Adelphes, le Phormion. **Tibulle** [P] (50-19 ou 18) : 18 Élégies (2 L.). **Tite-Live** [H] (64 ou 59-17 apr. J.-C.) : Hist. de Rome des origines à 9 apr. J.-C. 142 L. (35 restent). **Varron** [Érudit] (116-27) : 74 ouvrages en 620 L., dont il reste 5 L. de la Langue latine, 3 L. de l'Économie rurale. **Virgile** [P] (70-19) : 10 Bucoliques, les Géorgiques, l'Énéide (12 chants).

Origine de l'alphabet latin

Emprunté par les Latins aux Étrusques, il a passé longtemps pour un dérivé de l'alphabet grec. On estime actuellement que les Étrusques l'ont introduit directement en Italie depuis l'Asie Mineure, où ils l'avaient emprunté aux Phéniciens, en le modifiant à leur manière, qui n'était pas celle des Grecs : maintien du Q, du H, du *digamma* (F, prononcé autrement). Suppression des 3 aspirées (th, ph, kh). Vers le VIIe s. av. J.-C., les Latins ont remplacé le *zêta* par le *G,* qui est le *gamma* des Grecs, muni d'une barre de différenciation.

Nés après Jésus-Christ

Ammien Marcellin [H] (v. 330-400). **Apulée** [R] (120-v. 180) : l'Ane d'or. **Augustin,** saint [Théo, Ph] (354-430) : les Soliloques (2 L.), les Confessions (13 L.), Sermons, la Cité de Dieu, Lettres, De la grâce. **Aulu-Gelle** [E] († 163) : Nuits attiques. **Ausone** [P] (v. 310-v. 395) 286 pièces : 20 idylles (les Roses, la Moselle), etc. **Boèce** [P, Ph, homme pol.] (v. 480-524) : Consolation de la philosophie (5 L.). **Bonaventure,** saint [Ph., Théo] (1221-74). **Cassien,** Jean [Théo] (v. 360-435). **Cassiodore** [E, hom, pol.] (v. 480-575) : Encyclopédie des connaissances, De orthographia (l'Art d'écrire), De origine actibusque Getarum (chronique). **Claudien** [P] (v. 370-v. 404) : Panégyriques, Invectives. **Cyprien,** saint, évêque [Théo] (v. 200-258) : autorité théologique en Occident jusqu'à saint Augustin.

Jérôme, saint (v. 347-420) : Commentaire sur l'Écriture, traduction de la Bible (la Vulgate), Lettres. **Juvénal** [P] (v. 60-v. 140) : 16 satires. **Lucain** [P] (39-65) : Œuvre considérable dont il ne reste que l'épopée la Pharsale (10 L.). **Martial** [P] (v. 40-v. 104) : 1 500 épigrammes. **Pétrone** [R] († 65) : le Satiricon. **Pline l'Ancien** [Érudit] (23-79) : Histoire naturelle (37 L). **Pline le Jeune** [E] (62-v. 114) : 247 lettres en 9 L., 122 lettres de correspondance officielle avec l'empereur Trajan, Panégyrique de Trajan. **Prudence** [P] (348-v. 415) : 20 000 vers, Apothéose, l'Origine du péché, 12 Hymnes pour les heures du jour, 14 Odes sur les martyrs.

Quinte-Curce [H] (Ier s. apr. J.-C.) : Vie d'Alexandre. **Quintilien** [Rhéteur] (Ier s. apr. J.-C.) : l'Institution oratoire, 12 L. **Suétone** [H] (v. 69-v. 125) : Vie des 12 Césars (de César à Domitien). **Tacite** [H] (55-120) : Histoires, Annales, Dialogue des orateurs, Vie d'Agricola, la Germanie. **Tertullien** [Théo] (v. 155-220) : Aux nations, Sur les spectacles, l'Idolâtrie, la Couronne du soldat, Apologétique. **Valère Maxime** [H] (Ier s. apr. J.-C.) : Faits et Dits mémorables.

Littérature néo-latine

Du XVe au XVIIIe s., de nombreux auteurs écrivent en latin, notamment : *les Italiens* Pétrarque, Strozzi, Pontanus ; *les Hollandais* Jean Second, Érasme, Grotius, Heinsius, Spinoza ; *les Anglais* Buchanan, Bacon, Thomas More ; *le Danois* Tycho-Brahé ; *les Français* Scève, Névelet, Macrin, de Thou, Ramus, Calvin, Descartes, Moisant de Brieux, Lhomond ; *les Allemands* Brandt, Leibniz ; *le Suédois* Swedenborg.

Philosophie

☞ Pour les philosophes, voir p. 267 la liste des principaux auteurs et principales œuvres.

Quelques définitions (écoles, doctrines)

Académie. École philosophique de Platon et de ses disciples immédiats (Speusippe, Xénocrate).

Académie (nouvelle). École d'Arcésilas et de Carnéade (probabilistes).

Agnosticisme. Rejette toute métaphysique, dont les objets sont déclarés inconnaissables (Th. Huxley).

Animisme. Nom donné à certaines religions dites primitives, qui attribuent une âme humaine à certains êtres inanimés.

Associationnisme. Fait de l'association des idées la base de notre vie mentale (Hume, J.S. Mill, Taine).

Athéisme. Nie l'existence de toute divinité.

Atomisme. Considère l'univers comme constitué d'atomes assemblés par hasard et d'une manière purement mécanique (Épicure, Leucippe, Lucrèce).

Béhaviorisme (de l'anglais *behaviour*). Réduit la psychologie à l'étude du comportement (Watson).

Cartésianisme. Repose sur 4 préceptes que Descartes s'était résolu à observer constamment et qu'il expose dans le Discours de la méthode (1637) :

1° « Ne jamais recevoir aucune chose pour vraie qu'il ne la connût évidemment être telle ».

2° « Diviser chacune des difficultés qu'il examinerait en autant de parcelles qu'il se pourrait et qu'il serait requis pour les mieux résoudre ». Règle de l'analyse.

3° « Conduire par ordre ses pensées, en commençant par les objets les plus simples et les plus aisés à connaître, pour monter peu à peu comme par degrés jusques à la connaissance des plus composés, et supposant même de l'ordre entre ceux qui ne se précèdent point naturellement les uns les autres ». Règle de l'induction.

4° « Faire partout des dénombrements si entiers et des revues si générales qu'il fût assuré de ne rien omettre ». Règle de l'énumération et de la déduction : l'ignorance et l'erreur venant selon Descartes presque toujours de ce que l'on a négligé un ou plusieurs des éléments essentiels des questions que l'on étudie.

Conceptualisme. Affirme que les idées générales existent comme des conceptions de l'esprit mais ne font pas partie du monde réel (Abélard, Roscelin).

Criticisme. Système de Kant, qui essaye de déterminer le champ d'application de notre entendement humain.

Cynisme. Méprise convenances, opinions, richesses et honneurs, et affirme que seule la vertu permet de se libérer en s'affranchissant du désir (Antisthène, Diogène).

Déterminisme. Tous les événements de l'univers, et en particulier les actions humaines, sont liés d'une façon telle que les choses étant ce qu'elles sont à un moment quelconque du temps, il n'y a pour chacun des moments antérieurs, ou ultérieurs, qu'un état et un seul qui soit compatible avec le premier.

Dogmatisme. Admet que l'on peut établir des vérités définitives.

Dualisme. Admet 2 principes différents (ex. corps et âme, matière et esprit, bien et mal).

Dynamisme. Suppose que la matière et même la vie psychologique comportent des « forces » incontrôlables pour la raison.

Éclectisme. Doctrine groupant des thèses variées (école de Potamon d'Alexandrie, Victor Cousin).

Empirisme. Admet seulement l'expérience comme source de nos connaissances (Locke, Hume, J.S. Mill).

Empiriocriticisme. Repose sur l'étude des relations existant entre sciences physiques et psychologiques (Avenarius, Mach).

Épicurisme. Fait du plaisir (culture de l'esprit et pratique de la vertu) le souverain bien.

Épiphénoménisme. Théorie selon laquelle la conscience serait un simple épiphénomène, c'est-à-dire un phénomène accessoire et sans efficacité, l'élément constitutif du fait psychique étant essentiellement le processus nerveux.

Eudémonisme. Système de morale recherchant le bonheur de l'homme (Aristote).

Évolutionnisme. Doctrine philosophique et sociologique (Spencer, Teilhard de Chardin) fondée sur le transformisme des biologistes (Lamarck, Darwin).

Existentialisme. Souligne la singularité de chaque existence humaine ; avant de se concevoir comme un être, l'individu a conscience d'exister : en agissant il se crée et se choisit (Kierkegaard, Heidegger, Jaspers, G. Marcel, Sartre, Le Senne, Merleau-Ponty).

Fidéisme. Place dans une foi religieuse la connaissance des vérités premières.

Finalisme. Explique l'univers par sa finalité (but vers lequel il tend).

Formalisme. Esthétique de la « vie des formes » (Élie Faure, Focillon, Malraux).

Gestalt-Théorie. L'esprit – par ex. dans la perception – saisit d'abord les ensembles et non leurs éléments (Koffka, Köhler, Wertheimer).

Gnosticisme. Tentative d'atteindre Dieu par la connaissance intellectuelle.

Hédonisme. Doctrine faisant du plaisir immédiat le but de la vie (Aristippe, Gide).

Hégélianisme. Être et penser sont un même principe se développant en 3 phases : thèse, antithèse et synthèse (Hegel).

Humanisme. Confère à l'être humain une valeur essentielle (humanismes chrétien, marxiste, existentialiste).

Humanitarisme. Morale réglant les relations humaines à l'échelon planétaire et fondée sur le respect de l'individu.

Hylozoïsme. Doctrine selon laquelle la matière est douée de vie (Thalès).

Idéalisme. Tendance qui consiste à ramener toute réalité substantielle à la pensée, au sens le plus large du mot « pensée » (Berkeley, Hume, Fichte, Schelling, Hegel, Hamelin, Schopenhauer).

Immatérialisme. Idéalisme absolu niant l'existence de la matière (Berkeley).

Immoralisme. Propose de remplacer l'ordre des valeurs morales par celui des faits (Nietzsche).

Impératif catégorique. L'épithète utilisée par Kant *(Kategorisch)* aurait dû être traduite par « catégoriel ». La critique de la raison, entreprise par Kant, entraîne logiquement la remise en question de toutes les lois morales. Mais la morale forme une « catégorie » particulière, à laquelle Kant refuse d'appliquer sa méthode critique, et dont il admet les « impératifs ».

Instrumentalisme. Intelligence et théories sont des instruments destinés à l'action (Dewey).

Intellectualisme. Donne plus d'importance à l'entendement qu'à la raison dans les activités mentales (Kant, Hegel, Taine).

Intuitionnisme. Il existe une connaissance intuitive, opposée à la démarche discursive (Bergson, Hamilton).

Jungisme. Voir Psychologie analytique.

Logicisme. Prétend ramener toute science à la logique mathématisée (Russell).

Manichéisme. Admet 2 principes opposés, sources du devenir (le bien et le mal).

Matérialisme. La matière seule est réelle (Démocrite, Épicure, Lucrèce, Encyclopédistes, Idéologues).

Matérialisme dialectique (marxisme). La matière est indépendante de la pensée (elle-même, matière prenant conscience de soi) et se développe dans le temps par une succession d'oppositions ou de négations. Le *matérialisme historique* applique les mêmes principes à l'Histoire, considérée comme un fait matériel (le « vécu » humain) ; il conclut à la nécessité de la lutte des classes, née des contradictions existant entre les modes de production et les formes de propriété.

Mécanisme. L'ensemble des phénomènes peut être ramené à un système de déterminations « mécaniques ».

Méliorisme. Doctrine selon laquelle le monde peut être amélioré (Emerson, W. James).

Monisme. Doctrines n'admettant qu'un seul principe là où d'autres en admettent 2 ou plusieurs (ex. chez Spinoza, Dieu et la nature ne font qu'un).

Mysticisme. L'homme peut atteindre le monde surnaturel par l'extase.

Naturalisme. Les sciences naturelles sont le fondement de la morale.

Naturisme. Le culte des phénomènes naturels est à l'origine des religions (Max Muller, Steinthal, Kuhn).

Néodarwinisme. Nouvelle formulation du transformisme, expliquant la transformation des espèces (spéciation) par les mutations génétiques.

Néokantisme. Mouvement dérivé du criticisme kantien, se consacrant à des recherches philosophiques et logiques (école logistique de Marbourg) et morales (école axiologique de Bade).

Néoplatonisme. Doctrine de Platon mêlée de mysticisme (Plotin, Porphyre, Jamblique, St Augustin).

Néopythagorisme. Morale dérivée des enseignements de Pythagore tendant à l'ascétisme et la pureté (2 premiers siècles de notre ère. A Rome).

Nihilisme (philosophique). Scepticisme absolu, niant toute réalité (Gorgias le sophiste).

Nominalisme. Réduit tout concept, toute idée au signe qui l'exprime (Roscelin, Guillaume d'Occam, Hobbes, H. Poincaré, nominalisme scientifique).

Occasionnalisme. Matière et esprit ne peuvent agir l'un sans l'autre, une cause antécédente étant, en réalité, une cause occasionnelle, c.-à-d. une intervention déterminante de Dieu (Malebranche).

Optimisme. Le monde « actuel » réalise toujours de façon optimale le monde conçu par Dieu (Leibniz).

Panpsychisme. Tout ce qui existe est de nature psychique (Thalès, Plotin, Spinoza, Leibniz, Schopenhauer).

Panthéisme. Dieu s'identifie au monde (Stoïciens, Plotin, Spinoza, d'Holbach, Diderot).

Parallélisme. Faits psychiques et physiologiques sont indépendants mais correspondants (Spinoza).

Péripatéticiens. Élèves et disciples d'Aristote (de *peripatein,* se promener : Aristote enseignait en se promenant). Pour lui, la nature représente l'effort de la matière brute pour s'élever à la pensée et à l'intelligence.

Personnalisme. Système reposant sur la notion de personne humaine, valeur morale et sociale opposée à l'individualité simple (Renouvier, Mounier).

Pessimisme. Mal et douleur l'emportent, dans la matière, sur bien et plaisir (Schopenhauer).

Phénoménalisme. L'homme ne peut rien atteindre au-delà du phénomène : l'absolu est inconnaissable (Kant, A. Comte, Spencer).

Phénoménisme. Théorie selon laquelle seul ce qui est perçu par les sens ou par la conscience est réel.

Phénoménologie. Méthode philosophique visant à saisir, par-delà les êtres empiriques et individuels, les essences absolues de tout ce qui est (Husserl). La phénoménologie contemporaine donne une primauté au senti, au perçu, voire à l'imaginé (Merleau-Ponty).

Physicalisme. Doctrine de Carnap et de l'École de Vienne rejetant toute métaphysique et ramenant la philosophie à une syntaxe logique du langage.

Pluralisme. Pose une pluralité de principes irréductibles (Atomistes, Leibniz, Herbart, W. James).

Positivisme. Repose sur l'observation et l'étude expérimentale des phénomènes, en sciences humaines comme en sciences naturelles (Comte). Néopositivistes : Carnap, Reichenbach, Wittgenstein.

Pragmatisme. Seul ce qui réussit est vrai, la vérité théorique étant sans intérêt, même sur le plan moral (W. James).

Probabilisme. Système pour lequel toute opinion n'est jamais ni fausse ni vraie en totalité, et se contente de théories probables au lieu de certitudes (Arcésilas, Carnéade, A. Cournot, Reichenbach).

Psychanalyse. Méthode consistant à pratiquer l'investigation des processus psychiques profonds d'un individu, principalement appliquée au traitement de troubles mentaux et psychosomatiques (Freud).

Psychologie analytique. Étude de l'inconscient comme fonction psychique autonome, et notamment de l'inconscient collectif, créateur de mythes renaissant dans chaque structure individuelle (Jung).

Rationalisme. N'admet que la seule autorité de la raison (s'opposant à la fois à l'empirisme et à toute croyance religieuse) (Encyclopédistes du XVIIIe s.).

Réalisme. L'être existe en dehors et indépendamment de l'esprit qui le perçoit (opposé à l'idéalisme).

Relativisme. Théorie reposant sur la relativité de la connaissance (Montaigne).

Scepticisme. L'esprit humain ne peut rien connaître avec certitude, d'où suspension du jugement et doute permanent (Hume, Kant).

Scientisme. Croyance en la possibilité d'atteindre des certitudes absolues par l'expérimentation et le raisonnement scientifique (Claude Bernard, Renan).

Scolastique. Désigne les doctrines officielles enseignées au Moyen Age et jusqu'au XVIIe s. dans les universités (ex. la philosophie d'Aristote adaptée aux dogmes chrétiens).

Sémiotique. Étude systématique des signes, c.-à-d. analyse de toutes les productions humaines qui utilisent des signifiants (langues, littératures, arts, religions). Introduit la psychanalyse dans les sciences humaines (Perrie, Saussure, Barthes, Lévi-Strauss).

Sensualisme. Toutes nos connaissances viennent des sensations (Condillac).

Solipsisme. « Tout esprit est comme un monde à part se suffisant à lui-même » (Leibniz).

Sophisme. Raisonnement faux paraissant logique, reposant sur une équivoque, un énoncé incomplet, une construction grammaticale ambiguë (Protagoras, Gorgias, Calliclès).

Sophistique. Attitude éclectique et sceptique de certains penseurs grecs (Protagoras, Gorgias, Hippias, Prodicos, etc.).

Spiritualisme. Doctrine donnant à l'esprit une existence autonome par rapport à la matière (Platon, Plotin, Descartes et les cartésiens, Leibniz, Hegel).

Stoïcisme. Doctrine dont la morale commande de rester indifférent aux circonstances extérieures (plaisir, douleur, etc.) (Zénon de Citium, Cléanthe, Chrysippe, Sénèque, Épictète, Marc Aurèle).

Structuralisme. Système professant la primauté des structures par rapport aux éléments, et plus particulièrement par rapport à l'homme. Toute doctrine qui considère que le sujet humain est second par rapport à des structures écon. (marxistes ; Althusser), sociales ou ethnologiques (Lévi-Strauss), psychanalytiques (Lacan) ou linguistiques. Réaction contre les individualismes, et plus particulièrement contre l'existentialisme (M. Foucault).

Subjectivisme. Système n'admettant qu'une réalité, celle du sujet pensant.

Tautologie. Sophisme qui consiste à paraître démontrer une thèse en la répétant avec d'autres mots.

Théisme. Doctrine admettant l'existence d'un dieu personnel et créateur du monde.

Thomisme. Ensemble des doctrines de saint Thomas qui constituaient l'essentiel de l'enseignement théologique et philosophique de l'Église catholique.

Transcendantal. Contient des éléments a priori, capables d'être le fondement de principes universels.

Transcendantalisme. Mouvement mystique et panthéiste (Emerson).

Utilitarisme. Système jugeant de la valeur morale de nos actions d'après l'intérêt particulier ou général (Bentham, J.S. Mill).

Vitalisme. Admet l'existence d'un principe vital distinct de l'âme et du corps et régissant les actions organiques. *Néovitalistes :* Reinke, Driesch.

Volontarisme. Notre volonté prend part à tout jugement et peut le suspendre (Duns Scot) ; pour Schopenhauer, la volonté est l'essence même de l'univers.

Zététique. Un des aspects du scepticisme considéré comme une recherche (Sextus Empiricus).

La bande dessinée

Quelques dates

• **Préhistoire : V. 1824** Création de l'imagerie d'Épinal par les Frères Pellerin. **27** *M. Vieux Bois* par Rodolphe Töpffer (Suisse, 1799-1846). **29** Création du *Docteur Festus* par Rodolphe Töpffer. **33** *L'Histoire de M. Jabot* du même auteur. **36** *Les Cent Robert*

Macaire de Daumier. **37** *M. Crépin, les Amours de M. Vieux Bois* par Rodolphe Töpffer. **1840** *Voyages et Aventures du Dr Festus, M. Pencil* du même auteur. *Les Voyages de M. Trottman* de Cham. **45** *Monsieur Cryptogamme* et *Histoire de Jacques* par Rodolphe Töpffer. **48** *Herr Piepmeyer* d'A. Schrödter. *Vie publique et privée de Monsieur Reac* par le photographe français Nadar. **65** *Max et Moritz les insupportables garnements* par Wilhelm Busch (Allemand). **89** *(31-8 au 24-6-90) Le Petit Français Illustré* publie *la Famille Fenouillard* de Georges Colomb, dit Christophe (1856-1945). **90** *(4-1) Le Sapeur Camember* par Georges Colomb, dit Christophe. **93** *(9-12 au 25-11-99) Vie et Mésaventures du Savant Cosinus* et *(23-12 au 9-1-03) les Malices de Plick et Plock (23-12)* du même auteur. **96** *Yellow Kid* de Richard Outcault (1re apparition de la bulle).

• **1re génération : 1903** *(29-3)* Arthème Fayard publie *la Jeunesse illustrée.* **04** *(21-4)* Il publie *Belles Images. (28-4)* Jules Tallandier lance le *Jeudi de la Jeunesse.* **05** *(2-2)* Gauthier Languereau publie un hebdo. pour les filles, *la Semaine de Suzette,* où apparaît Bécassine dessinée par Pinchon (1871-1953) sur un texte de Caumery. **06** *(11-2)* La Bonne Presse lance l'*Écho de Noël* (retitré *Bayard* en 1936). (31-10) L'Illustré devient *le Petit Illustré.* **07** Un hebdo. parisien publie pour la 1re fois en France une b. d. américaine *the Newlyweds.* **08** *(9-4)* Parution de *l'Épatant* où apparaissent pour la 1re fois *(4-6)* les Pieds nickelés [Filochard (borgne), Ribouldingue (barbu), Croquignol (au long nez)] dessinés par Louis Forton († 1934, à sa mort, Pellas poursuivra son œuvre). **09** *(21-10)* Parution de *Fillette. (12)* Winsor MacCay réalise la 1re adaptation en dessins animés de sa propre bande dessinée : *Little Nemo in Slumberland.* **10** *(22-5)* Parution de *l'Intrépide.* **11** La Bonne Presse lance *le Sanctuaire. (28-2)* Parution de *Cri-Cri.* **12** *(31-3) Romans de la Jeunesse. (16-5)* de *l'Inédit. (4-7)* Albin Michel publie *le Bon Point Amusant.* **13** 1er album de *Bécassine : l'Enfance de Bécassine.* **14** La Bonne Presse lance *Bernadette:* **17** Émile Cohl réalise le 1er dessin animé français tiré *des Pieds nickelés.* **20** *(10)* Petit Écho de la Mode lance *Guignol.* **21** *(17-7)* Lance *Lisette.* **22** 1re exposition de b. d. au Waldorf Astoria à New York. **23** *(4-3)* La Bonne Presse édite *Bernadette. L'Excelsior Dimanche* (qui deviendra *le Dimanche illustré* en 1925) publie Winnie Winkle (Bicot). **24** Albin Michel édite *le Petit Robinson.* **25** *(3-5) Le Dimanche illustré* publie *Zig et Puce* d'Alain Saint-Ogan (1res bulles françaises). *(27-12)* Petit Écho de la Mode lance *Pierrot.* **29** Naissance de *Tintin* dans *le Petit Vingtième* (Bruxelles) : « Tintin au pays des Soviets ». *Juillet* Albin Michel édite *le Journal de Bébé. (14-11)* Jean Nohain lance *Benjamin. (8-12) Cœurs vaillants.* 1er album des *Pieds nickelés.* **30** *(7-10)* 1re b. d. (Mickey) dans un quotidien français : *le Petit Parisien.*

• **Âge d'or américain : 1934** *(21-10)* Paul Winckler fonde en France le *Journal de Mickey.* **35** *(5-6)* Cino del Duca fonde un des 1ers hebdo. français de b. d. : *Hurrah !* qui durera jusqu'en avril 1942. **36**-*1* La Bonne Presse édite *Bayard.* Fondation de *Futuropolis, l'Aventureux (8-3), Junior (2-4), Aventures (14-4)* et *Robinson (26-4).* **37** Création du *Journal de Toto (11-3),* de *Hop-là ! (7-12),* de *l'As (8-12).* Fleurus lance *Ames vaillantes.* **38** *(6-3)* Création de *Bilboquet* (disparaît 8-2-39). *(6-2)* Fondation à Bruxelles de l'hebdo *Spirou. (16-6) le Bon Point Amusant* devient *Francis.* **40** Disparition du *Journal de Toto,* de *Hop-là ! (16-6)* et de *l'As (23-6).* Création de *Gavroche (31-10).* **41** *Aventures. (6-12)* Del Duca lance *l'Audacieux. Fanfan la Tulipe* (pétainiste, 22-5). **42** Interdiction de publier en France des b. d. américaines. *(20-7)* Disparition de *l'Aventureux* et de *l'Audacieux.* Création du *Journal de Tati. (28-12)* Del Duca lance les *Belles Aventures* à Nice. **43** *(15-1) Le Téméraire* (pronazi).

• **3e génération : 1944** *(17-8)* Disparition des *Belles Aventures. (20-11)* Fondation de *Coq hardi* avec comme dessinateurs Marijac (les Trois Mousquetaires au maquis), Le Rallic (Poncho Libertas), Liquois (Guerre à la Terre). *(13-10)* Le P.C.F. lance *le Jeune Patriote* (devenu *Vaillant* le 1-6-45). **45** *(25-11)* Fleurus lance *Fripounet et Marisette,* lancement des édit. de Lyon (Sprint) et de Nice (Publi-Vog). **46** *(19-9)* Del Duca lance l'hebdo *Tarzan. (26-9)* fondation à Bruxelles de l'hebdo. *Tintin.* Parution de *Fantax* (1re publication des éd. Chott à Lyon, qui donna ensuite *Big Bill*). Parution de *Spirou* en France. Bernadette Ratier fonde *Mon Journal.* **47** *(23-3)* Fondation de *Donald* par Paul Winkler (remplacé le 22-3-53 par *Journal de Mickey*). **48** Parution de *Tintin* en France. **49** *(2-7)* loi considérant la b. d. comme un produit exclusivement destiné aux enfants (certains titres disparaissent). Parution des 2 1ers titres français en format de poche : *Camera 34* et *Super-Boy.* **52** *(3-5) Tarzan* est remplacé par *Hurrah ! (24-10).* Création de *Benjamin.* **56** Perlin et Pinpin.

• **2e âge d'or franco-belge : 1959** *(29-10)* 1er numéro de *Pilote* (Goscinny, Charlier, Uderzo) hebdomadaire, puis mensuel 1974, disparu oct. 1989. **60** Création de *Hara-Kiri,* 1re b. d. pour adultes. [*(4-12)* 1er no mensuel]. **62** *(29-3)* Création du « Club des bandes dessinées » (C.B.D.). Création du Centre d'études des littératures d'expression graphique (C.E.L.E.G.) qui fonde *Giff-Wiff* (disparaît en 1967). **63**-*3* Disparition de *Coq hardi. (Octobre) Ames Vaillantes* est remplacé par *J2 Magazine, Cœurs Vaillants* par *J2 Jeunes.* **64** Publication de *Barbarella* par Éric Losfeld, 1er album de luxe de b. d. Peu à peu les albums d'histoires complètes vont concurrencer les périodiques. Au sein du CELEG, naissance de la SOCERLID. Création du journal *Chouchou.* **65** 1er congrès intern. de la b. d. à Bordighera (Italie). **66** *(Oct.)* Sortie de *Phenix,* revue spécialisée (disparaît en 1977). **67** *(Avril-mai)* 1re expo. de b. d. à Paris. **69** *(1-2)* Lancement de *Charlie mensuel ;* la b. d. cherche un public adulte avec Wolinski, Cabu, Bretecher, Reiser, Pichard. *(3-3) Vaillant* devient *Pif Gadget.* 1re convention de la b. d. à Paris. **69-70** Lancement (éd. Lug de Lyon) de revues réservées aux super-héros américains *(Fantask, Strange, Marvel, Nova, Les Fantastiques...).* **70** *(Oct.-nov.)* Parution de *Charlie hebdo. J2 Jeunes* devient *Formule 1.* **71** Cours sur l'histoire et l'esthétique de la b. d. à la Sorbonne (F. Lacassin). Disparition de *Record* (successeur de *Bayard*). **72** 1er congrès de la b. d. à New York. **73**-*5* Lancement de L'*Écho des Savanes* par Mandryka, Gotlib et Bretecher. **74** *Le Canard sauvage ; le Monde* publie sa 1re b. d. : *Astérix (oct.). J2 Magazine* devient *Djin.* 1er festival de la b.d. à Angoulême. *Pilote* devient mensuel. **75** Nouveaux mensuels : *Métal hurlant, Fluide glacial* (par Gotlib), *Circus.* **77**-*3* Lancement de la revue *le Collectionneur de B.D.* Mort de René Goscinny *(5-11).* **78** Casterman lance la parution du mensuel *(A suivre)* pour adultes. **79** Le phénomène *Goldorak.* 1er catalogue de cotes des collectionneurs de b.d., 1res ventes aux enchères de b.d. de collection. **80**-*2* 1er numéro de *Captain Fulgur.* **81** *Gomme* par Glénat. -*8* *Djin* et *Formule 1* sont remplacés par *Triolo* (un seul titre). Reparution de *l'Épatant.* **82** *Charlie mensuel.* Mort d'Arnal, créateur de *Pif le chien.* **83** Lancement de *Rigolo* (disparaît 1984) et *Métal Aventures. (3-3)* Mort d'Hergé. Réédition des facsimilés des Tintin d'avant-guerre. Publication de *Épic. -12* Disparition de *Gomme.* **85**-*3* Apparition de *Vécu. 25-4* de *Corto.* Étude sur Uderzo (de Flamberge à Astérix). Lancement de magazines par Marijac *(Jeunes Frimousses).* Mort de Chester Gould *(11-5).* Frank Hampson *(8-7).* Jean Ache *(19-12).* Al Peclers *(20-12).* **86**-*1* Étude dans *Bédésup* sur Chott et Fantax. Mort de Dick Moore *(22-4).* 1er numéro de *Crampons (avr.).* Mort de Marcel *(25-6).* **87** Disparition de *Métal hurlant.* **90** mort de Georges Dargaud *(19-7).*

Bandes dessinées célèbres

1889 *La Famille Fenouillard* de St-Rémy-sur-Deule venue visiter l'Exposition Christophe (pseudo. de Georges Colomb, Français, 1856-1945 normalien, botaniste à la Sorbonne). **90** *Le Sapeur Camember* (François-Baptiste-Ephraïm, né à Gleux-lès-Lure) (id.). **92** *The Little Bears and Tigers* James Guilford Swinnerton (Amér.). **93** *Le Savant Cosinus* Christophe. **96** *The Yellow Kid* Richard Felton Outcault (Amér.). **97** *The Katzenjammer Kid,* inspiré des héros de Busch par R. Dirks (Amér.), puis *Harold Knerr* (Pim, Pam, Poum en France). **99** *Happy Hooligan* Frédéric Burr Opper (Amér.).

1902 *Buster Brown* Richard Felton Outcault (1863-1928), MacCay. **05** *Little Nemo* Windson Mac Cay (Amér.). *Bécassine* (Anaïk Labornez ; elle eut une statue de cire au Musée Grévin qui fut enlevée et brûlée à Quimper par des étudiants bretons en 1939) Joseph Porphyre-Pinchon, scénario de Jacqueline Rivière puis Caumery (Maurice Languereau). **07** *M. A. Mutt,* devenu *Mutt and Jeff* Buff Fisher (Amér.). **08** *Les Pieds nickelés* Louis Forton (1879-1934), *Lacroix* puis *Pellos* (tous 3 Fr.) : publiés à partir du 4 juillet par *l'Épatant.* **09** *Pierino* Antonio Rubino (Italien) dans le *Corriere dei Piccoli.* 1re jeune héroïne, *l'Espiègle Lili,* Jo Vale et A. Vallet (tous 2 Fr.).

1910 *The New York Journal* publie à partir du 26 juin *Krazy Kat* George Herriman. **12** *Lola et Lalla* Antonio Rubino (Ital.). **13** *Bringing up Father* George McManus (Amér.) (la *Famille Illico* en 1936 en France). **14** *The Bruin Bogs* H.S. Foxwell (Anglais). **17** *Bonaventura* Sergio Toffano (Italien). **18** *Boob MacNutt* Rube Goldberg (Amér.). **19** *Pip, Squeak and Wilfred* Austin Bowen Payne (Anglais). *Thimble Theatre* Elzie Chrisler Segar (Amér.).

1920 *Winnie Winkle* Martin Michael Branner (Amér.) (devient Bicot Président de club en janvier 1924 dans *le Dimanche illustré*). *Adamson* Oscar Jacobson (Suédois). *Félix the Cat* Pat Sullivan (Austr., 1887-1933) et Otto Messmer (Amér., 1892-1983). **23** *Gédéon le Canard* Benjamin Rabier (1869-

Tintin

Auteur. Georges Rémi dit Hergé (initiales du nom) (Belg. 1907-83).

Quelques dates. *1929 (10-1)* Tintin apparaît dans *le Petit Vingtième* (suppl. hebd. pour la jeunesse du quotidien catholique belge *le Vingtième Siècle*). *1929-30* Tintin au pays des Soviets. *1930-31* Tintin au Congo. *1931-32* Tintin en Amérique, histoires en noir et blanc, éditées par les Éditions du *Petit Vingtième* reprises par *Casterman. 1932-34* les Cigares du pharaon. *1934-35* le Lotus bleu. *1935-37* l'Oreille cassée. *1937-38* l'Ile noire. *1938-39* le Sceptre d'Ottokar. *1940-41* la guerre ayant fait disparaître *le Petit Vingtième,* Hergé publie dans *le Soir,* sous forme de strips en noir et blanc, le Crabe aux pinces d'or. *1941-42* l'Étoile mystérieuse. *1942-43* le Secret de la Licorne. *1943* le Trésor de Rackham le Rouge. *1944* les Sept Boules de cristal, interrompu par la Libération.

Années de publication, dans *Tintin* et, entre parenthèses, sous forme d'album : *1946-48* les Sept Boules de cristal (1948) [republication dans *Cœurs vaillants* (antérieure à celle de Tintin)] et le Temple du Soleil (1949). *1948-50* (1950) Tintin au pays de l'or noir. *1950-53* On a marché sur la Lune (1953) et Objectif Lune (1954). *1954-56* (1956) l'Affaire Tournesol. *1956-58* (1958) Coke en stock. *1958-59* (1960) Tintin au Tibet. *1961-62* (1963) les Bijoux de la Castafiore. *1966-67* (1968) Vol 714 pour Sydney. *1975-76* (1976) Tintin et les Picaros, (1986) Tintin et l'Alph-Art.

Adaptations cinématographiques. *Films à personnages* (par André Barret) : *1960* le Mystère de la toison d'or. *1964* les Oranges bleues. *Dessins animés* (produits par Belvision, Bruxelles) : *1969* le Temple du soleil. *1972* le Lac aux requins.

Ventes. *1988 :* près de 130 millions dont 85 en français.

Traductions. Tintin et Milou (albums traduits en plus de 41 langues ou dialectes, dont le feroïcien, asturien, romanche, espéranto, luxembourgeois...). *Afrikaans :* Kuifie, Spokie. *Allemand :* Tim, Struppi. *Anglais :* Tintin, Snowy. *Arabe :* Tin Tin, Milou. *Chinois :* Tinng, Tiung. *Danois :* Tintin, Terry. *Espagnol :* Tintin, Milú. *Finnois :* Tintti, Milou. *Grec :* Ten-Ten, Milou. *Hébreu :* Tantan. *Iranien :* Tainetaine, Milou. *Islandais :* Tinni, Tobbi. *Italien :* Tintin, Milu. *Japonais :* Tan Tan, Milo. *Néerlandais :* Kuifje, Bobble. *Norvégien :* Tintin, Terry. *Portugais :* Tintim, Milu. *Suédois :* Tintin, Milou.

Astérix

Origine. *1959* dans *Pilote,* scénario René Goscinny, dessin Albert Uderzo. Dargaud reprend *Pilote* et édite les albums. *1961* 1er album : Astérix le Gaulois (1er tirage 6 000 ex., édité par Dargaud). *1965* tirage de + de 300 000. *1967* Astérix le Gaulois, 1er dessin animé ; pour la 1re fois le tirage initial d'un album Astérix atteint 1 000 000 en France. *1977* mort de Goscinny. *1979* création des éditions Albert René à l'initiative d'Uderzo. *1980* 1er album Astérix écrit et dessiné par Uderzo seul, « Le Grand Fossé » (1 400 000 ex.). *1987* pour la 1re fois, le tirage initial d'Astérix atteint 2 000 000 d'ex. en français et 5 000 000 d'ex. sont vendus en Europe.

Bilan global (début 1991). *Albums :* 28 titres BD vendus à + de 220 millions d'ex. dans le monde et traduits en 40 langues (+ un album texte inédit de Goscinny et illustré par Uderzo, 1989). *Dernier titre paru :* « Astérix chez Rahàzade » (oct. 1987). *Prochain à paraître :* oct. 1991.

Ventes totales (en millions d'ex., déc. 1990). France 75, All. féd.-Autriche 70, P.-Bas 17, G.-B., Scandinavie (+ Finlande) 15, Belgique 13, Espagne, Suisse 7, Québec 4, Brésil 2, Portugal 1.

Films. 6 films d'animation long métrage : Astérix le Gaulois, Les Douze Travaux d'A., A. et Cléopâtre, A. et la surprise de César, A. chez les Bretons, le Coup du menhir (1989).

1939) (Fr.). **24** *The Illustrated Daily News* publie *The Little Orphan* Harold Gray ; 5 octobre *le Petit Illustré* publie *Bibi Fricotin* Louis Forton. *Pekaa Puupaa* Fogeli (Finlandaise). **25** *Zig et Puce* Alain Saint-Ogan (Fr. 1895-1974) paraît dans *le Dimanche illustré*. *Betty Boop* Fleischer (Amér.). **28** *Captain Easy* Roy Crane (Amér.). **29** *Tintin* Hergé (Georges Rémi, Belge, 1907-83). *Tarzan* inspiré des romans de E.R. Burroughs, par Harold Foster (Amér.), et Burne Hogarth (Amér.) à partir de 1937. *Popeye le mangeur d'épinards* Elzie Segar (Amér.). 1er héros de science-fiction, *Buck Rogers* Nowlan et Calkins (Amér.). *Sor Pampurio* Carlo Bisi (Italien). *Babar l'éléphant* Jean de Brunhoff (Fr.).

1930 *Mickey Mouse* Walt Disney, dessiné par U.B. Iwerks. *Little Annie Rooney* Batsford puis Darrel MacClure, d'après Brandon Walsh (tous Amér.). *Blondie* Chic Young (Amér.), record mondial des adaptations et de la diffusion. **31** Le *Chicago Tribune* publie *Dick Tracy* de Chester Gould (Amér.). *Quick et Flupke, gamins de Bruxelles* Hergé. **32** *Tim Tyler's Luck* Lyman Young (Amér.) [devient Raoul et Gaston, ou Richard le Téméraire en France]. *Connie* Frank Godwin (Amér.). *Globi* Robert Lips d'après J.K. Schiele (Suisses). *Les Nouveaux Exploits de Quick et Flupke* Hergé. **33** *Kieru Ja Kairu* Asmo Alho, scénario de Mila Waltari (Finl.). **34** *Vater und Sohn* E.D. Plawen (Allem.), *Flash Gordon* Alexander Raymond, scénario de Don Moore (Amér.) (en France Guy l'Éclair). *Jungle Jim* Alex Raymond (Amér.) (en France Jim la Jungle). *Mandrake the Magician* Phil Davis, scénario de Lee Falk (Amér.). *The Little King* Otto Soglow (Amér.) (en France Le Petit Roi). *Terry and the Pirats* Milton Caniff (Amér.). *Agent Secret X-9* Dashiell Hammett et Alex Raymond (Amér.). En France, *le Journal* publie le *Professeur Nimbus* d'André Daix et *l'Illustration*, la *Semaine comique* Cami. **35** *King of the Royal Mounted* Allen Dean, scénario de Zane Grey (Amér.). *L'Il Abner* Al Capp (Amér., 1909-79). *Brick Bradford* Clarence Gray d'après William Ritt (Amér.) (en France Luc Bradefer). *Bronc Peeler* Fred Harman (Amér.). *Garth* Steve Dowling (Angl.). **36** *The Phantom* Ray Moore, scénario de Lee Falk (en France Le Fantôme du Bengale). **37** *Prince Vaillant* Hal Foster (Amér.). *Futuropolis* René Pellos (Fr.). *Kit Carson Cavaliere del West* Rino Albertarelli (Ital.). **38** *(21-4) Spirou* publie *les Aventures de Spirou* Rob Vel (Robert Velter, Français). *Superman* Joe Schuster, scénario de Jerry Siegel (Amér.). *Red Ryder* Fred Harman (Amér.). *Dick Fulmine* Carlo Cossio, scénario d'A. Martini (Ital.). **39** *Batman* Bob Kane (Amér.).

1941 *Captain America* Jack Kirby, scénario de Joe Simon (Amér.). *The Spirit* Will Eisner (Amér.). *Sad Sack* Georges Baker. Jean Valhardi de Jijé [Joseph Gillain (1914-80, Belge)] et Jean Doisy. *Les Cahiers d'Ulysse* (Fr.). **42** *Barnaby* Crockett Johnson (Amér.). *Mole Call* Milton Caniff pour les G.I. *L'Épervier bleu de Sirius* Max Mayeu (Belge). **43** *Bravo* publie le *Rayon U* Edgar Jacobs (Belge). *Kerry Drake* Alfred Andriola (Amér.). **44** *Coq hardi* publie *Les 3 Mousquetaires au maquis* Marijac (Jacques Dumas). *La Bête est morte* Calvo (2e Guerre mondiale). **45** *Drago* Burne Hogarth (Amér.). *Vaillant* publie *les Pionniers de l'espérance* Raymond Poïvet, scénario de Roger Lécureux. **46** *Guerre à la Terre* A. Liquois (scénario Marijac). *Rip Kirby* Alex Raymond, scénario de Ward Greene (Amér.). *Pogo* Walter Kelly (Amér.). *Johnny Hazard* Frank Robbins (Amér.). *Tintin* publie *Blake et Mortimer* Edgar Pierre Jacobs (Belge, 1905-87). *Lucky Luke* Morris (Maurice de Bevere, Belge) dans *Spirou* jusqu'en 1968, puis *Pilote*. *Corentin* Paul Cuvelier (Belge) dans *Tintin*. *Fantax et Big Bill le casseur* Chott. **47** *Steve Canyon* Milton Caniff (Amér.). *Buck Danny* Jean-Michel Charlier et Victor Hubinon (Belges). *Garry* F. Molinari. **48** *Alix* Jacques Martin (Belge). *Pogo* Walt Kelly (Amér.). *Brik et Yak* J. Cézard.

1950 *Peanuts* Charles Schultz (Amér.). *Censure* b.d. pour adultes aux États-Unis. *Arabelle* Jean Ache dans *France-Soir* (jusqu'en 1962). *Le Secret de l'espadon* (Blake et Mortimer) E.P. Jacobs. **51** *Les Nouvelles Aventures de Blondin et Cirage* Hubinon. **52** Création de *MAD* aux États-Unis, 1er journal de b.d. d'humour pour adultes (influencera la transformation de *Pilote* en journal d'actualités à la fin des années 60). *Johan de Peyo* (Pierre Culliford, Belge). *Pif le chien* Claude Arnal [José Cabrero, Catalan (réfugié rép. esp.)], publié par *l'Humanité* (repris en 1952 par *Vaillant*). *Ardan, Audax Dynamic* (Artima). **53** *Juliet Jones* Stan Drake (Amér.) (en France *Juliette de mon cœur* dans *France-Soir*). *Pom et Teddy* François Craenhals (Belge). *Aventures Film Meteor* (Artima). **54** *Spirou* publie *Jerry Spring* Jijé (Voir ci-dessus, *1941* Jean Valhardi). *La Patrouille des Castors* J.-M. Charlier et Mitacq (Belges). *Chlorophylle* Raymond Macherot (Belge) et *Dan Cooper* Albert Weinberg (Belge). *Tarou* (Artima). Lancement des 1ers pockets chez Impéria à Lyon. **55** *Modeste et Pompon* André Franquin (Belge). *Ric Hochet* Tibet (Gilbert Gascar, Fr.) et André-Paul Duchâteau (Belge). *Pif le chien (Vaillant)* repris par R. Mas. **56** *Gil Jourdan* Maurice Tillieux (Belge ; † 1978) dans *Spirou*. **57** *Gaston Lagaffe* André Franquin et Jidéhem dans *Spirou*. **58** Introduction des Schtroumpfs dans Johan et Pirlouit de Peyo. *Michel Vaillant* Jean Graton (Fr.). *Oumpapah* Albert Uderzo (1927) et René Goscinny (1926-78) (Fr.). **59** *Astérix le Gaulois* Albert Uderzo et René Goscinny dans *Pilote*.

1960 *Benoît Brisefer* Peyo et Will. *Gaston* Franquin. **61** *The X Men* Jack Kirby, texte de Stann Lee (Amér.). **62** *Barbarella* Jean-Claude Forest (Fr.). Publication quasi généralisée des formats de poche. **63** *Lieutenant Blueberry* Gir (Jean Giraud), scénario de Jean-Michel Charlier dans *Pilote*. *Les Nouvelles Aventures de Zig et Puce* Michel Greg (Belge) d'après Saint-Ogan. *The Fantastic Four* Jack Kirby, texte de Stan Lee (Amér.). **64** *La Femme assise* Copi (Daniel Damonte, Fr.) dans *le Nouvel Observateur*. **65** *Valentina* Guido Crepax (Ital.). *Sibylline* Macherot (Belge). **66** *Jodelle* Guy Pellaert, scénario Pierre Bartier (Fr.). *Bernard Prince* Hermann (Belge) et Michel Greg. *Chevalier Ardent* François Craehhals. *The Silver Surfer* Jack Kirby, texte de Stan Lee (Amér.). **67** *Valerian* Jean-Claude Mézière, texte de Christin (Fr.). **68** *Lone Sloane* Philippe Druillet (Fr.). *La Rubrique-à-brac* Marcel Gotlib (Fr.) dans *Pilote*. *Les Tuniques bleues* Louis Salvérius (repris par Lambil) et Raoul Cauvin. **69** *Vaillant* (déjà nommé Journal de Pif) devient *Pif-Gadget*. *Cellulite* Claire Bretécher dans *Pilote*.

1970 *Natacha* Walthéry et Gos (Belges). *Yoko Tsuno* Roger Leloup (Belge). *Sammy* Berck et Cauvin (Belge). **71** *Archie Cash* Malik et Brouyère (Belge). **72** *Khéna et le Scrameustache* Gos (Roland Goossens, Belge). **73** *Brindavoine* Jacques Tardi (Fr.) dans *Pilote*. *Les Frustrés* Claire Bretécher. **75** *La Croisière des oubliés* Bilal (Fr.). Parution de *Circus* (mensuel). **76** *Adèle et la Bête* J. Tardi (Fr.). *Histoire de France en b.d.* (Larousse). **78** *Canardo* de B. Sokal (Belge). **79** *La Belette* Comtes (Belge). *Les Passagers du vent* de Bourgeon. Lancement des archives Fleurus. *Ricky Banlieue* Franck Margerin. *Andy Gang* Chantal Montellier. **80** *Silence* Comes (Belge).

1981 *Les Aventures d'Antoine* Ceppi (Suisse). **82** Réédition intégrale de *Buck Danny*. *La Jeunesse* Corto Maltese, *Iznogoud et les femmes*. Superdupont est porté au théâtre. *L'Incal noir* Moebius (Fr.). *Les Murailles de Samaris* Schuiten et Peeters (Belg.). **83** *L'Amour propre* Martin Veyron (Fr.). *Partie de chasse* Bilal et Christin (Fr.). *Aventures en Jaune* Yann et Conrad (Fr.). **84** Nouvelles revues : *Chic* (éd. Coba), *Zoulou* (Actuel). *Xan* J. Martin et J. Pleyers. *Le Cimetière des éléphants* Y. Chaland. *Les Pionniers de l'aventure humaine* Boucq. **85** *Maître Guillaume* (F. Bourgeon). *Johnny Focus* (Micheluzzi). *Clarke et Kubrick* (A. Font). *Le Vent des dieux* (Cothins). **86** *Valentina assassine* (G. Crépax). *Le Monde de Peyo* (Rombaldi). *L'ombre de Saïno*, rééd. (P. Forget). *Les Innommables* (Yann et Conrad). *Le Chat* Ph. Gelluk. **87** *Un été indien* H. Pratt-M. Manara (It.). *Barney et la note bleue* Loustal-Paringaux (Fr.). *Carnets d'Orient* Ferrandez (Fr.). **88** *120 rue de la Gare* J. Tardi (Fr.). *L'Arbre cœur* D. Comes (Belg.). *Le Grand Pouvoir du Scninkel* Rosiuski, Van Hamme (Belg.). *Les Helvétiques* H. Pratt (It.).

Quelques chiffres

Édition

• **Édition de b.d.** (albums de libraires). *Chiffre d'affaires : 1988 :* 359,2 millions de F. *Titres édités : 1974 :* 380, *82 :* 981, *87 :* 650, *89 :* 613 dont nouveautés 540, rééditions 73 (Casterman vend env. 5 000 000 ex. en B.D. dont 2 000 000 Tintin). *Exemplaires produits : 1987 :* 19 millions, *88 :* 18. *Tirages moyens : 1974 :* 21 266, *78 :* 34 275, *80 :* 23 173, *87 :* 14 693, *nouveautés :* 16 145, *réimpressions :* 13 864. *% de nouveautés : 1974 :* 65,7, *87 :* 39,8. *Part de production des b.d. dans l'édition (1987) :* titres 3,05 (*1980 :* 2,55), exemplaires 3,36 (*1980 :* 4,16).

Éditeurs. *Nombre de titres (1989) :* Glénat 65, Dargaud 57, Dupuis 50, Humanoïdes associés 48, Lombard 40, Comics USA 38, Albin Michel 33, Casterman 29, Futuropolis 23, Zenda 22, Magic Strip 20, Delcourt 12, Vents d'Ouest 12, Audie 10, Bayard 9.

Collectionneurs

• **Prix d'occasion (en milliers de F),** selon les titres et l'état des pièces, de 0,1 à 80.

Albums. *Tintin au Tibet* (1961, tirage de tête) : 80, *T. chez les soviets* (1930, tirage de tête) : 43, *T. au Congo* (1931, 1re éd. noir et blanc) : 17 [T. album n. et b. (avant 1943) : 2,5 à 10 ; couleur (1944 à 1968 1re éd.) : 0,5 à 14] ; *les Nouvelles Aventures de Blondin et Cirage :* 13, *Quick et Flupke, gamins de Bruxelles* (1931, 1re série) : 13 ; *Tif et Tondu contre la Main blanche* (1re éd. française) : 10 ; *le Secret de l'espadon* (Blake et Mortimer, 1950, tome 1, éd. numérotée) : 8 (réédition cartonnée de 1966 des 2 tomes en 1 vol. : 3,5) ; *Astérix le Gaulois* (1961, 1re éd.) : 7 ; *Barbe-rouge, le roi des sept mers* (1963, 1re éd.) : 5 ; *1er Gaston Lagaffe :* 4 ; *le Mystère de la clef hindoue :* 4 ; *les Pionniers de l'espérance (Vers l'ouragan mystérieux) :* 2 ; *Lucky Luke, la mine d'or de Dick Digger* (1949) : 2 ; *Tanguy et Laverdure, l'école de aigles* (1961, 1re éd.) : 2 ; *Lucky Luke, Arizona* (1951) : 1,8 ; *Blueberry, Fort Navajo* (1965, 1re éd.) : 1,5 ; *Spirou* 0,65 à 0,7 ; *Corentin :* 0,5 à 1 ; *Lucky Luke et Phil Defer* (1956) : 0,5 ; *les Pieds nickelés* (éd. de 1929 à 1941) : 0,4 à 0,8 ; *Félix, Mickey, Bécassine, Bob et Bobette, Zig et Puce :* 0,1 à 0,4.

Journaux et récits complets. *Spirou,* collection complète des recueils 1 à 200 : 100 (recueil 1 : 7) ; *Fantax,* coll. complète nos 1 à 39 : 50 (*Fantax* no 1 : 5) ; *Junior,* coll. complète 1936-42 : 35 ; *Pilote,* coll. complète recueils 1 à 71 : 20 ; *J. de Mickey,* no 296 (juin 1940) : 6 ; *Tintin,* recueil 1 : 4 ; *Métal hurlant,* coll. complète reliures 1 à 17 : 4 [quelques nos rarissimes (guerre, tirages spéciaux) : + de 1] ; têtes de série chez Artima *(Ardan, Audax, Dynamic) :* jusqu'à 0,3 ; *A suivre,* reliures 1 à 4 : 0,2 ; *Robin, l'Écureuil, Cadet journal :* 0,1 ; *Texas Boy :* 0,1 ; *Goupil* 0,05 ; *Pistolin :* 0,03.

Revues et ouvrages spécialisés : *le Collectionneur de BD :* 1 500 lecteurs (BDM tous les 2 ans).

Magasins spécialisés. *France :* 30 (dont Paris 6), fréquentés par env. 2 000 à 3 000 collectionneurs ; *Belgique :* 7 à 8 ; *Suisse :* 2.

Lieux d'achat. Librairies : + de 25 %, grandes surfaces : 20 %, FNAC : + de 7 %.

☞ **Salon international de la b.d.** *Créé* 1973, à Angoulême (annuel). *Visiteurs* (1991) : env. 95 000.

Prix de la ville d'Angoulême (1991). *Grand prix :* Marcel Gotlib. *Alph'art du meilleur album 1990 :* Hervé Baru : *le Chemin de l'Amérique*.

Musée-bibliothèque nationale de b.d. *Créé* en 1983 à Angoulême.

Salon européen de la b. d. de Grenoble. *Créé* en 1989.

Convention internationale annuelle de la b.d. Paris, automne (la Mutualité, Espace Austerlitz dep. 1984).

Académies en France

Légende : * Académie appartenant à l'Institut.

Premières académies

Origine du nom. Au XVe s., le mot italien *accademia* désignait l'école philosophique de Platon, sens que le français *Académie* (avec majuscule) conserve dans le vocabulaire philosophique. Un groupe de philosophes platoniciens, dirigés par Marsilio Ficin (1433-99), réunis à Florence par le duc Cosme de Médicis (1439-1464), avait pris le nom d'*Akademia,* qui était celui du parc athénien où Platon enseignait à ses disciples (le nom du parc signifie : Jardin d'Akadémos ou Hékademos, un héros protecteur d'Athènes qui avait légué ce terrain à la République pour que l'on y construise un gymnase. On nomma « académie » l'école de Platon et « académiciens » ses adeptes). Le groupe de savants réunis autour de Ficin devint rapidement célèbre, et toutes les sociétés savantes italiennes créées au XVe s. à l'imitation de celle de Florence prirent le nom d'*Accademia,* même si leur spécialité n'était pas la philosophie.

Académie française de poésie et de musique. *Fondée* par Charles IX en 1570. Dirigée par Antoine de Baïf. Lieux de réunion : Collège Boncourt (actuelle rue Descartes).

Académie du Palais. Remplace l'Académie précédente à la mort de Charles IX (1574). S'installe à la cour de Henri III, au Louvre. Directeur : Guy de

Pibrac (1529-84). Comprend plusieurs membres féminins, notamment la maréchale de Retz et Mme de Lignerolles. Disparaît à la mort de Henri III (1589).

Petite académie. *Fondée* 1663, origine de l'Académie des inscriptions et belles-lettres. Voir p. 327.

Académie française. *Fondée* 1635. Voir ci-dessous.

Académie des sciences. *Fondée* 1666. Voir p. 328.

L'Institut de France

Histoire. **1793** *8-8* toutes les académies royales sont supprimées par un décret de la Convention. **1795** *22-8* la Constitution de l'an III (art. 298) les remplace par un *Institut national des sciences et des arts* qui est organisé par une loi du 3 brumaire an IV (25-10-1795) ; il comprenait 144 membres à Paris (et autant d'associés dans les départements), répartis en 3 classes : *Sciences physiques et mathématiques,* 60 membres ; *Sciences morales et politiques,* 36 ; *Littérature et Beaux-Arts,* 48. *20-11* 1er tiers est nommé par un arrêté ; les 2 autres tiers sont cooptés lors de la 1re réunion. Chaque classe est divisée en sections de 6 membres chacune, 6 associés lui étant rattachés [*1re* cl. 10 sections : Math., Arts mécaniques, Astronomie, Physique expérimentale, Chimie, Histoire naturelle et Minéralogie, Botanique et Physique végétale, Anatomie et Zoologie, Médecine et Chirurgie, Économie rurale et Art vétérinaire ; *2e*, 6 sect. : Analyse des sensations et des idées, Morale, Science sociale, Économie politique, Histoire, Géographie ; *3e*, 8 sect. : Grammaire, Langues anciennes, Poésie, Antiquités et Monuments, Peinture, Sculpture, Architecture, Musique et Déclamation et recouvrait les anciens domaines de l'Ac. française, de l'Ac. royale des inscriptions et belles-lettres et des 2 académies artistiques : celle de Peinture et Sculpture et celle d'Architecture].

1803 *23-1. Sous le Consulat* (arrêté du 3 pluviôse an XI), *la 2e cl.* est supprimée et *la 3e* est divisée en 3 sections : *Langue et Littérature françaises,* rappelant l'ancienne Ac. française : 40 membres, sans associés ; *Hist. et Litt. anciennes,* correspondant à l'ancienne Ac. des inscriptions ; *Beaux-Arts.*

1816 *21-3. Sous la Restauration,* on revient au nom d'Académies et aux appellations traditionnelles : Académie française, Ac. des inscriptions et belles-lettres, Ac. des sciences, Ac. des beaux-arts. **1832** l'ancienne classe des Sciences morales et politiques est rétablie comme 5e Ac.

Costume. Connu surtout comme costume des membres de l'Académie française, il est commun (ainsi que l'épée) aux 5 Académies formant l'Institut de France. Il date du Consulat [arrêté du 23 floréal an IX (15-5-1801)]. Appelé « l'habit vert », il est noir avec des broderies vertes. Il y a le grand costume (broderies « en plein », le seul encore porté) et le petit (broderies sur les parements de manches et le collet). Ces 2 habits peuvent être ouverts sur un gilet ou fermés avec col montant. Victor Hugo (1841) adopta le premier le pantalon ; avant, culotte à la française avec bas de soie. Le peintre Édouard Detaille (1848-1912), membre de l'Institut en 1892, a créé la cape noire qui se porte actuellement plus souvent que le manteau. En 1980, un costume féminin a été créé : jupe droite noire, spencer vert.

Prix : sur mesure, de 20 000 à 58 000 F, selon les broderies. Mais il est permis de choisir un habit parmi ceux des membres décédés (on les garde au vestiaire de l'Institut).

Épée : son coût (50 000 à 300 000 F) dépend du montant de la souscription (souvent prise en charge par l'éditeur) ouverte pour offrir son épée au nouvel élu. Le droit de porter l'épée s'est maintenu jusqu'à nos jours de façon symbolique (« l'épée d'académicien » est remise à l'élu quelques jours avant sa réception) ; ce droit remonte à 1635, date où les « académistes » roturiers recevaient le privilège de l'exemption qui les assimilait à des nobles ayant droit au port d'armes (ils deviennent messires). En 1805, Napoléon, créant une nouvelle noblesse, leur donne également le droit à l'épée (à l'exception des ecclésiastiques qui, de nos jours encore, ne reçoivent pas d'épée académique lors de leur élection). L'épée du Cdt Cousteau était en cristal.

Domaines, musées, bibliothèques. **Beaulieu-sur-Mer** (A.-M.), villa Kérylos (legs Théodore Reinach). **Chaalis** (Oise), domaine et abbaye (legs Mme André, née Jacquemart). **Chantilly** (Oise), domaine légué par le duc d'Aumale (7 500 ha dont 6 500 de forêts), château contenant le musée Condé et une bibliothèque (b. Spoelberch de Lovenjoul spécialisée dans le XIXe s.), parc, grandes écuries. **Giverny** (Eure), propriété de Claude Monet. **Kérazan-en-Loctudy** (Finistère), domaine et manoir (legs Joseph Astor). **Langeais** (I.-et-L.), château. Legs de Jacques Siegfried. **Londres,** maison de l'Institut de France (donation Bon Edmond de Rothschild) ; bibl. de l'Institut (la plus riche de France en périodiques) ; bibl. Mazarine. *Appartiennent en propre à l'Académie des beaux-arts :* fondation Paul Marmottan [musée Marmottan à Paris, enrichi en 1971 par le legs Michel Monet, bibl. Marmottan à Boulogne (H.-de-S.)]. **Paris** fondation Thiers (legs Mlle Dosne), Musée napoléonien (legs Frédéric Masson), musée Jacquemart-André. **Saint-Jean-Cap-Ferrat** (A.-M.), musée « Ile-de-France » et ses jardins.

Fortune mobilière. Plusieurs milliards d'anciens F en capital. Les mieux dotées sont l'Académie française (env. 16 300 000 F) et l'Ac. des sciences (11 800 000 F). Jusqu'en 1965, les Académies ne pouvaient placer leur argent qu'en valeurs d'État. Depuis lors, elles bénéficient d'une liberté de gestion. Les portefeuilles mobiliers sont gérés à la façon des Sicav, avec un fonds d'obligations, des valeurs françaises et quelques valeurs étrangères, souvent héritées.

Chancelier. Édouard Bonnefous (n. 1907). Membre de l'Académie des sciences morales et politiques.

Académie française *

Histoire

Origine. **1635.** *Fondée* par Louis XIII à l'instigation de Richelieu (l'acte de fondation porte la date du 29-1-1635, mais il n'a été enregistré que le 10-7-1637). Un secrétaire du cardinal, l'humaniste François Le Metel, abbé de Boisrobert (1592-1662), lui avait recommandé en 1633 un groupe de grammairiens amateurs, dont il faisait partie, et qui se composait essentiellement d'habitués du salon de Rambouillet. Ce groupe s'appelait *Cercle de Conrart,* car il se réunissait habituellement chez l'érudit protestant Valentin Conrart (1603-75). Richelieu choisit d'un coup tous les membres du Cercle pour créer une compagnie officielle qu'il se proposait de patronner. Son intention (reprise après lui par Louis XIV) était d'avoir une équipe de grammairiens et de stylistes, travaillant à créer une langue utilisable à l'échelon national (et même, par la suite, international) comme outil de culture et d'administration. Conrart et ses amis acceptèrent en janvier 1634. Ils hésitèrent entre les noms d'*Académie éminente, Académie des Beaux-Esprits, Académie de l'Éloquence.* Finalement, Richelieu leur donna le nom d'Académie française et Conrart devint leur secrétaire, poste qu'il garda jusqu'à sa mort en 1675, créant la fonction de *secrétaire perpétuel.* **1793** *(8-8)* l'Ac. française est supprimée par la Convention, et remplacée au sein de l'Institut créé en 1795 par la Classe de Littérature et Beaux-Arts. **1803** *(23-1)* cette classe devient le *23-1-1803* Classe de Langue et Littérature française. **1816** *(21-3)* elle reprend son nom d'Académie française.

Protecteur. A la mort de Richelieu (1642), un des membres, le chancelier Séguier, prit le titre et les fonctions de « protecteur ». A la mort de Séguier (1672), Louis XIV devint lui-même protecteur. Ce titre passera après lui à tous les rois ou chefs de l'État.

Rôle joué. L'Ac. a mal servi les intentions de Richelieu et de Louis XIV : elle a joué surtout un rôle d'apparat et son dictionnaire a eu peu d'influence sur la langue. Le décret du 7-1-1972, relatif à la langue française, et instituant des commissions de terminologie auprès des administrations centrales, a souvent été considéré comme l'acte de fondation de « contre-académies », moins solennelles et plus efficaces.

Élections. Les premiers académiciens furent nommés par le roi sur proposition du « protecteur ». Il y avait un vote à main levée après une conversation entre le protecteur et les membres (fournée de 15 membres en 1634, 22 désignations individuelles entre 1634 et 1640). A partir de 1672, les membres élurent eux-mêmes les remplaçants des défunts. Les élections sont soumises à l'approbation du chef de l'État et se déroulent selon les « règlements ». Le chef de l'État a pu faire écarter plusieurs académiciens, par ex. : La Fontaine [réception retardée (1693)], Louis XV (1752) a écarté Piron, de Gaulle (1959) Paul Morand et Saint-John Perse.

> En 1956, l'académicien Daniel-Rops déclarait : « Immortel, on ne l'est que pour la vie » ; un pointage fait par Léon Bérard en 1955 avait révélé que sur les 500 premiers académiciens (de 1635 à 1903), seuls 31 avaient échappé à l'oubli : XVIIe s. 9, XVIIIe 7, XIXe 15.

Données diverses

Les votes se font actuellement par bulletins secrets. Le quorum est fixé à 20 pour la 1re séance, 18 pour les suivantes (qui ont lieu quand le quorum n'a pas été atteint la 1re fois). La majorité est de la moitié +1 voix. On ne compte pas dans le total les bulletins blancs, sauf s'ils sont marqués d'une croix. Un nombre important de bulletins blancs à croix suffit donc à empêcher toute élection (vote blanc).

• Élections unanimes. Elles sont rares, sauf pour les maréchaux de France (accord tacite). Voltaire a été élu à l'unanimité en 1746 (29 sur 29). Il arrive aussi que lorsqu'il y a juste le quorum (actuellement 20), les votants se mettent d'accord pour voter à l'unanimité, pour ne pas être obligés de renvoyer le vote (par ex., Camille Jullian, 1924).

Académiciens ayant eu le record des élections blanches avant d'être élu. Abel Hermant (1927) : 9 fois candidat, 6 él. bl. Victor Hugo fut élu à la 5e fois au 1er tour à 1 voix près.

• Age. **A l'élection.** LES PLUS JEUNES. *Sous l'Ancien Régime : 16 ans et demi* Armand de Coislin, petit-fils de Séguier (1652) ; *23 ans* Armand de Soubise, futur cardinal de Rohan (1740) ; *24 ans* Hubert de Cerisy (1634) ; Salomon de Virelade (1644) ; Paul Tallemant (1666) ; Mgr de Colbert (1678) ; maréchal de Richelieu (1720). *Après la Révolution : 30 ans* Abel Villemain (1821) ; *32* Casimir Delavigne (1825) ; *33* Edmond Rostand (1901) ; *35* Lucien Prévost-Paradol (1865). *Époque contemporaine : 48 ans* Henri Troyat (1959) ; Jean d'Ormesson (1973).

LES PLUS AGÉS : *82 ans* Jean-Baptiste Biot (1856) ; Fernand Gregh (1952) ; *81* Pasteur Marc Bœgner (1962) ; Henri Gouhier (1979) ; *80* Laujon (1807) ; Bon Joseph Dacier (1822) ; Bon Sellière (1946) ; Paul Morand (1968) ; Georges Dumézil (1978) ; Jean Paulhan (1963).

Age moyen. **A l'élection :** *1700 :* 40, *1800 :* 43, *1900 :* 50, *1970 :* 66, *1990 :* 63.

Age en 1991. *Les 5 plus âgés.* Henri Gouhier (5-12-1898) ; Julien Green (6-9-1900) ; Louis Leprince-Ringuet (27-3-1901) ; Jean Guitton (18-8-1901) ; Etienne Wolff (12-2-1904).

Les 5 plus jeunes. Pierre-Jean Rémy (21-3-1937) ; Jean-Denis Bredin (17-5-1929) ; Bertrand Poirot-Delpech (10-2-1929) ; Alain Peyrefitte (26-08-1925) ; Alain Decaux (23-07-1925) ; Hélène Carrère d'Encausse (6-7-1929).

Tranches d'âge (au 15-3-1991). *De 52 à 60 ans :* 2 ; *de 61 à 65 :* 7 ; *de 66 à 70 :* 3 ; *de 71 à 75 :* 6 ; *de 76 à 80 :* 10 ; *de 81 à 85 :* 5 ; *de 86 à 90 :* 4 ; *92 :* 1.

Académiciens ayant vécu le plus longtemps : *99 ans 10 mois et 15 j* Fontenelle ; *99 ans et plusieurs mois* Mis de Sainte-Aulaire ; *98 ans* Gal Weygand ; *97 ans* Mgr de Roquelaure, duc de Lévis-Mirepoix ; *96 ans* Ernest Legouvé ; *95 ans* Charles de Freycinet, amiral Lacaze, duc Pasquier, Mal Pétain.

Académiciens morts les plus jeunes : *32 ans* Philippe Habert ; *33 ans* duc de La Trémoille ; *35 ans* Montigny ; *37 ans* Montereul, Gilles Boileau ; *39 ans* cardinal de Soubise, Florian.

• Académiciens ayant occupé leur siège. Le plus longtemps : maréchal de Richelieu (élu à 24 ans) *68 ans* (de 1720 à 88) ; Bernard de Fontenelle (mort presque centenaire) *66 ans* (de 1691 à 1757). Le moins longtemps : Moléon de Granier (1635-36) *8 mois* (exclu pour vol) ; Colardeau (1776) *35 j* (séjour le plus bref).

• Académiciens morts avant d'avoir été reçus. Edmond About (1885) ; Octave Aubry (1945-46) ; card. Daniélou (1973-74) ; Robert Aron (1974-75) *14 mois* (mort entre la commission de lecture et la réception).

Edmond About, Robert Aron ont eu leur discours imprimé mais n'ont pu le prononcer car ils moururent quelques jours avant la réception.

• Origine, profession. **Devenus chefs d'État.** 3 membres de l'Académie française sont devenus présidents de la République. Adolphe Thiers (1871), Raymond Poincaré (1913), Paul Deschanel (1920). Le maréchal Pétain est devenu « chef de l'État français » en 1940.

Nota. – Raymond Poincaré est le seul chef de l'État qui, malgré sa qualité de protecteur de l'Académie, ait agi en tant qu'académicien : le 5-2-1920, revêtu de son habit vert, il reçut le Mal Foch. Il avait été élu en mars 1910, malgré l'opposition des académiciens de droite. Leur chef, le Cte d'Haussonville, avait même fait élire son cousin, le mathématicien Henri Poincaré, pensant qu'on ne prendrait pas coup sur coup 2 membres de la même famille. Mais Raymond fut quand même élu au fauteuil d'Émile Gebhart.

Fauteuils

• **Fauteuil le plus disputé.** Celui de Jean Aicard (élu en 1909, mort en 1921) ; il a été pourvu au bout de 16 scrutins, en 4 fois ; finalement, il a été attribué à l'unanimité à Camille Jullian (1924).

En principe, les vacances doivent être comblées rapidement, mais, pour cause de guerre, certaines ont duré 5 ou 6 ans.

• **Le « 41e fauteuil ».** Expression forgée par Arsène Houssaye (Arsène Housset, 1815-96 dit) en 1855 dans un essai humoristique. *Le 41e fauteuil de l'Académie française,* présentant 53 célèbres auteurs français qui, pour des raisons diverses, n'ont pas fait partie de l'Acad. En 1894, Houssaye réédita son ouvrage sous le titre *Histoire du 41e fauteuil de l'Académie française ;* donnant 51 noms, dont 47 pris dans la liste précédente.

En 1971, Maurice Genevoix a publié une nouvelle série, *le 41e fauteuil,* présentant 13 noms supplémentaires (d'écrivains modernes).

1re liste Houssaye (1855). Volontairement non candidats : Descartes, La Rochefoucauld, Pascal, Malebranche, Regnard, d'Aguesseau, Lesage, Mably, Diderot, Désaugiers. **Candidatures rejetées :** Piron (écarté par Louis XV), Beaumarchais (interdiction de poser sa candidature), Benjamin Constant (2 échecs), Balzac (4), Alexandre Dumas (4). **Carrière interrompue par la mort :** Vauvenargues (32 ans), Nicolas Gilbert (29 ans), Camille Desmoulins (34 ans, guillotiné), André Chénier (32 ans, guillotiné), Millevoye (34 ans), Hégésippe Moreau (28 ans), Paul de Saint-Victor (54 ans), Stendhal (mort à 59 ans, quelques jours après avoir posé sa candidature). **Causes diverses :** Rotrou et Molière (comédiens), Scarron (cul-de-jatte), le card. de Retz (disgracié par Louis XIV), Saint-Évremond (libertin), Bayle (huguenot exilé), Bourdaloue (jésuite), Hamilton (étranger), Dufresny (dettes), Saint-Simon (œuvres posthumes), Jean-Baptiste Rousseau (condamné de droit commun), abbé Prévôt (bénédictin), Crébillon (auteur licencieux), Jean-Jacques Rousseau (étranger : Genevois), Helvétius (provincial), Mirabeau (dettes), Xavier et Joseph de Maistre (étrangers : Savoyards), Rivarol (en exil), Paul-Louis Courier (provincial), Lamennais (défroqué), Gérard de Nerval (malade mental), Eugène Sue (exilé politique), Léon Gozlan (juif), Théophile Gautier (en concubinage notoire), George Sand (femme), Frédéric Soulié (auteur scabreux). Houssaye cite également Louis XIV et Napoléon, ce qui, historiquement, est absurde (ils étaient protecteurs).

2e liste Houssaye (1894). Il a retiré 5 noms mineurs : Nicolas Gilbert, Camille Desmoulins, Eugène Sue, Léon Gozlan, Paul de Saint-Victor, et celui de la seule femme citée en 1855 (George Sand). Il a rajouté 4 noms : Arnaud et Nicole (jansénistes), Senancour (misanthrope, non candidat), Henri Murger (mort à 39 ans).

Liste Genevoix. Volontairement non-candidats : Barbey d'Aurevilly, Flaubert, Mallarmé, Huysmans, Maupassant, Martin du Gard. **Candidatures rejetées :** Baudelaire (désisté avant le scrutin, sur les conseils de Sainte-Beuve), Émile Zola (24 échecs), Paul Verlaine (1 échec). **Carrière interrompue par la mort :** Marcel Proust (49 ans, sollicité par Maurice Barrès), Charles Péguy (41 ans, tué en 1914), Jean Giraudoux (62 ans, mort subitement). **Causes diverses :** André Gide (écrivain « immoraliste »).

Autres écrivains français non académiciens. Becque (1 échec), Bernanos, Léon Bloy, Albert Camus (mort à 47 ans), Auguste Comte, Alphonse Daudet (de l'ac. Goncourt), Fromentin, Fustel de Coulanges, Jean Giono (ac. Goncourt), Gobineau, les frères Goncourt, Abel Hermant (9 échecs), Choderlos de Laclos, Jean Moréas (étranger), Raymond Queneau (ac. Goncourt), E. Quinet, Restif de la Bretonne, Rimbaud, Saint-Exupéry (tué à la guerre), Saint-John Perse (veto de De Gaulle), Jean-Paul Sartre, Supervielle (ne voulait pas), Augustin Thierry, Louis Veuillot, Villiers de L'Isle-Adam.

Devenus 1ers ministres (ou Pts du Conseil). *XVIIIe s. :* cardinaux Fleury, Dubois, Loménie de Brienne. *XIXe s. :* Victor de Broglie, Richelieu, Thiers, Guizot, Albert de Broglie, Dufaure, Jules Simon, Freycinet. *XXe s. :* Poincaré, Ribot, Barthou, Clemenceau qui étaient 1ers min. (ou Pts du Conseil) avant d'être académiciens, 1918, Herriot (Pt du Conseil 1924-32) académicien 1946, Edgar Faure (Pt du Conseil) académicien 1978, Michel Debré (1er min. 1958-62) académicien 1988.

Cinéastes. Le 1er (1946) Marcel Pagnol, 2e René Clair.

Ducs. *Ancien Régime :* un seul a été écrivain : le duc de Nivernais (1745 ; † 1798) ; les autres (7) ont été élus à cause de leur haute naissance : 3 Coislin (le marquis, ac. 1652, créé duc 1669 ; ses 2 fils 1702 et 1710) ; 2 Saint-Aignan (1663 et 1727) ; La Trémoille 1738 ; Harcourt 1789. *Consulat et Empire :* Maret, duc de Bassano (1803-16, radié en 1816), Cambacérès, duc de Parme (1803-16, radié en 1816). *Restauration :* abbé-duc de Montesquiou (1816-22, nommé), de Lévis (1816-30, nommé), de Richelieu (1816-22, nommé), Mathieu de Montmorency (1825-26, élu). *Louis-Philippe :* Pasquier (1842-62). *IIe République :* de Noailles (1849-85). *Second Empire :* Victor de Broglie (1855-70), Albert de Broglie (1862-1901). *IIIe Rép. :* d'Aumale (1871-97), d'Audiffret-Pasquier (1878-1905), de La Force (1925-61), Maurice de Broglie (1934-60). *IVe Rép. :* Louis de Broglie (1944), de Lévis-Mirepoix (1953-81). *Ve Rép. :* de Castries (1972-86).

Maréchaux de France. *XVIIe s. :* 0. *XVIIIe :* de Villars (1714-34), d'Estrées (1715-37), de Richelieu (1720-88), de Belle-Isle (1749-61), de Beauvau (1771-93), de Duras (1775-89). *XIXe :* 0. *XXe :* Lyautey (1912-34, élu étant général, par 27 v. contre 2 à Boutroux et 1 bulletin blanc), Joffre (1918-31, élu par 22 v. sur 23 votants), Foch (1918-29, 23 v. sur 23), Pétain (1929-51, 33 v. sur 33 ; exclu en 1945), Franchet d'Esperey (1934-42, 29 v. et 1 bull. blanc), Juin (1952-67, 25 v. et 1 bull. blanc).

Pasteurs. 1er élu, 1962, Marc Boegner.

Peintres. Albert Besnard (1849-1934).

• **Candidatures. Règlements.** Les candidats envoient généralement une lettre de candidature. Mais on peut se porter candidat verbalement auprès du secrétaire, soit en personne, soit par l'intermédiaire d'un académicien. Ceux de 1675, 1701, 1752 interdisent la « brigue » (donc en principe les visites de candidature) ; celles-ci sont pourtant traditionnelles et sont assimilées à des visites de courtoisie. Un académicien n'a pas le droit d'engager sa voix avant le vote.

Nombre record de candidats pour une élection. 14 en 1901 (Edmond Rostand élu au 6e tour au fauteuil d'Henri Bornier).

Nationalité des candidats. Tout candidat doit être Français, règle fixée par Richelieu. Julien Green (élu en 1971) et Léopold Sédar Senghor (élu en 1983) ont une double nationalité.

Il y a eu 6 académiciens naturalisés français : Victor Cherbuliez, Suisse (1881) ; José Maria de Heredia, Cubain (1895) ; Henri Troyat (Tarassov), Russe (1959) ; Joseph Kessel, Russe (1962) ; Eugène Ionesco, Roumain (1970) ; Félicien Marceau, Belge (1975). Marguerite Yourcenar, naturalisée américaine en 1945, avait repris la nationalité française en janvier 1980, 1 mois avant son élection. Maurice Maeterlinck, Belge, a renoncé à l'Académie française en 1911 ainsi qu'Édouard Rod, Suisse (1857-1910), vers la même époque. Jusqu'en 1914, tous les membres devaient habiter Paris pour suivre les séances hebdomadaires du dictionnaire. Aujourd'hui, cette obligation est moins stricte.

• **Démission.** L'Académie ne connaît pas la *démission* de ses membres. Si l'un d'entre eux décide de ne plus assister aux séances, on lui en reconnaît le droit, mais il n'est pas remplacé et reste considéré comme académicien jusqu'à sa mort. 3 académiciens ont affirmé et publié dans la presse qu'ils étaient « démissionnaires » : Mgr Dupanloup (1871 ; pour protester contre l'élection de Littré, athée), Pierre Benoît (1959 ; pour protester contre le veto de De Gaulle à l'élection de Paul Morand), Pierre Emmanuel (1975 ; pour protester contre l'élection de Félicien Marceau).

• **Dictionnaire.** Sa rédaction était prévue dans les statuts de 1635. Le 28-6-1674, les privilèges obtenus par l'Académie française firent défense de « publier aucun dictionnaire français avant que le sien soit à jour ».

Sa *1re édition* (2 volumes) paraît en 1694, 59 ans après la fondation de l'Académie. Vaugelas en a été le principal rédacteur (1650). *2e éd.* 1718 ; l'ordre alphabétique a été adopté. *3e éd.* 1740. *4e éd.* 1768. *5e éd.* 1798 ; nouveau titre : *Dictionnaire de l'Académie française corrigé et augmenté par l'Académie elle-même.* Édité par Morellet, ancien secrétaire perpétuel qui avait sauvé les brouillons en août 1793. *6e éd.* 1835 ; titre : *Institut de France, Dictionnaire de l'Académie française. 7e éd.* 1878 ; Firmin-Didot éditeur. *8e éd.* 1935 ; env. 37 000 mots ; les définitions sont adoptées lors des séances du jeudi, après un travail préparatoire de la commission dite « du Dictionnaire ». La *9e éd.* (env. 41 000 mots, actuellement à la lettre E) se fera en 12 volumes et sera achevée vers l'an 2000 [*1er paru :* 1986, *2e :* 1987, *3e :* 1988 (de Chaîne à Corporellement), *4e :* 1989 (de Corps à Deutéronome) 3 264 mots dont 1 233 nouveaux (ex. : cosmos, cossard, costaud, coulommiers, créativité, cubisme, cul-bénit, dédramatiser) dont 40 d'or. étrangère (couscous, corrida, desperado, cover-girl) et env. 15 mots latins (cursus, de facto, deus ex machina), 31 mots ont disparu ; au total 13 052 mots parus dont 4 001 inédits. *5e :* 1990 (de Deux à Encyclique) 2 474 mots dont 928 nouveaux (ex : emmerdeur) et 54 mots étrangers [ex. (de l'arabe) : dînar, djebel, djellaba, djinn ; (de l'espagnol) : douro ; (de l'anglais) : docker, duffel-coat, dumping, dribble ou dribbleur, drive ; (du grec) : diaspora ; (de l'antillais) : doudou], la 8e édition pour le même fascicule n'introduisait que 16 mots étrangers.

☞ L'Académie publie, tous les 2 ans en moyenne, des mises en garde condamnant les expressions fautives.

• **Égalité des membres.** Les statuts de 1635 stipulent que tous les « académistes » sont égaux entre eux. Ni les ducs, ni les cardinaux n'ont jamais prétendu y avoir la préséance, à laquelle ils avaient droit partout ailleurs sous l'Ancien Régime (jusqu'à 1713, les cardinaux devaient s'asseoir sur des chaises, quoiqu'ils aient droit à un fauteuil ; certains évêques acad., nommés card., ayant renoncé à siéger pour cela le 4-11-1713, Louis XIV concéda le privilège du fauteuil à tous les acad.). En 1754, se posa pour la 1re fois le problème de la non-préséance d'un prince du sang : le Cte de Clermont, membre de la maison de Bourbon (petit-fils du Grand Condé), déclare accepter de devenir académicien. L'Académie statue qu'il devra siéger au même rang que ses confrères ; il y consent. Aucun autre Pce du sang ne sera académicien avant le duc d'Aumale (1871).

• **Exclusions.** Les exclusions d'académiciens (prévues par le règlement de 1635) ont été rares : 3 sous l'Ancien Régime [Granier, 1636 (il avait détourné l'argent d'un couvent), Furetière, 1684 (il avait publié un dictionnaire en utilisant les notes du dictionnaire de l'Académie) et l'abbé de Saint-Pierre, 1718 (il avait publié un pamphlet contre Louis XIV, mort 3 ans auparavant)] ; 14 membres de l'ancienne Académie supprimée en 1793 figurèrent dans la nouvelle ; 12 furent rétablis en 1803 dans la classe de langue et litt. française : Bissy, St-Lambert, Roquelaure, Delille, Suard, Boisgelin, Laharpe, Ducis, Target, Morellet, d'Aguesseau, Boufflers ; un 13e : Choiseul-Gouffier fut rétabli en 1816 ; le 14e : le cardinal Maury fut réélu en 1806 ; 11 sous la Restauration [en 1816 : Sieyès, Merlin de Douai, Lucien Bonaparte, Cambacérès, le cardinal Maury, Maret, duc de Bassano, Regnault de St-Jean-d'Angély, Arnault (réélu 1829), Garat, Roederer, Étienne (réélu 1829) (personnalités en vue des régimes républicain et bonapartiste)] : on les remplaça par 9 membres nommés par le roi : Choiseul-Gouffier, de Bausset, abbé de Montesquiou, Lainé, Lally-Tollendal, duc de Lévis, Bonald, comte Ferrand, duc de Richelieu, et par 2 élus : Laplace et Auger ; 4 sous la IVe République. Abel Bonnard (ministre pro-allemand de l'Éducation nationale sous Vichy, condamné à mort) et Abel Hermant (compromis dans la presse collaborationniste, condamné à la prison) : sièges déclarés vacants et pourvus de leur vivant par Étienne Gilson et Jules Romains en 1946. Charles Maurras (frappé d'indignité nationale, condamné à la réclusion perpétuelle, fut radié d'office, mais ses confrères refusèrent de se prononcer par un vote sur cette radiation) et le maréchal Pétain (condamné à mort en 1945 et radié) : sièges déclarés vacants, pourvus en 1952, après leurs morts, occupés par le duc de Lévis-Mirepoix et André-François Poncet.

• **Femmes à l'Académie.** D'Alembert, vers 1760, voulant faire élire Julie de Lespinasse, proposa de réserver 4 sièges sur 40 à des femmes, mais il échoua (les femmes, sous l'Ancien Régime, ne pouvaient entrer dans « les corps électifs » que si leur éligibilité était stipulée). On offrit plus tard un fauteuil à Mme de Genlis si elle renonçait à un manifeste contre les Encyclopédistes. Elle préféra renoncer à l'Ac. En 1893, Pauline Savari, féministe, auteur du roman « Sacré Cosaque », posa sa candidature au fauteuil de Renan. L'Académie refusa de la prendre en considération : « Les femmes ne sont pas éligibles, déclara le duc d'Aumale, puisqu'on n'est citoyen français que lorsqu'on a satisfait à la conscription. »

1970, Françoise Parturier se présente au fauteuil de Carcopino (le 14-1-1971, elle a 1 voix, Roger Caillois est élu). **1975,** Louise Weiss et Janine Charrat se présentent au fauteuil de Marcel Pagnol (au 1er t., elles ont 4 et 6 voix) ; le 26-6, Louise Weiss a 1 voix pour le fauteuil du card. Daniélou.

1978 (15-2), Marie-Madeleine Martin a 1 voix pour le fauteuil d'Étienne Gilson. **1980** (6-3), Marguerite Yourcenar est la 1re élue (au 1er t.) par 20 voix sur 36 (contre 12 à Jean Dorst) au fauteuil de Roger Caillois. **1982** (21-1), Katia Granoff a 1 voix pour celui de René Clair ; **1983** (2-6), la duchesse de La Rochefoucauld a 10 voix contre Léopold Sédar Senghor au fauteuil du duc de Lévis-Mirepoix. **1988** (24-11), Jacqueline de Romilly élue au 1er tour par 18 voix au fauteuil d'André Roussin. **1990** (13-12) Hélène Carrère d'Encausse élue au fauteuil de Jean Mistler.

Nota. – Créée en 1648, l'Ac. de peinture admit d'emblée 15 femmes. En 1689, Mme Deshoulières fut nommée membre d'honneur de l'Ac. d'Arles (créée en 1622).

• **Fondations et prix.** En dehors de ses dépenses de fonctionnement inscrites au budget national, l'Académie fr. gère 360 fondations. Ces biens dont elle est dépositaire viennent de dons et legs (les plus anciens remontent au XVIIIe s.) ; le plus récent et l'un des plus considérables est le legs Paul-Morand, permettant de décerner tous les 2 ans un prix de 300 000 F.

Chaque année plus de 120 prix littéraires sont décernés. Leur montant, revalorisé depuis une dizaine d'années à la faveur de donations récentes, varie entre 2 000 et 5 000 F. Les grands prix de Littérature, de Poésie, de Critique, de l'Essai, de la Nouvelle, du Roman, du Rayonnement français, de Théâtre, d'Histoire (Prix Gobert, créé 1883, qui conserve le nom de son fondateur, bien que les dévaluations aient pratiquement réduit à zéro la valeur de la fondation initiale) varient de 10 000 à 100 000 F. Il y a environ 200 prix de Vertu [dont celui de la Fondation du baron de Montyon (1733-1820) créé en 1782].

Les prix sont attribués sur proposition de commissions, qui sont renouvelées chaque année.

• **Fortune.** Gérée par le secr. perpétuel et la commission administrative de l'Académie, elle comporte un portefeuille de valeurs mobilières et plusieurs immeubles. Les revenus de ces biens sont destinés à décerner des prix littéraires, à récompenser des actes de dévouement (prix de Vertu) ou à encourager les familles méritantes (prix de Familles, prix Cognacq-Jay).

• **Grammaire.** La publication d'une grammaire était prévue par les statuts de 1635, elle ne parut qu'en 1932 sous le titre : *Grammaire de l'Académie* (chez Firmin-Didot, 254 p.). Publiée sans nom d'auteur, elle était l'œuvre d'un académicien, Abel Hermant, et d'un professeur honoraire au lycée Buffon, Camille Aymonnier, agrégé, non académicien. Très critiquée, elle fut désavouée par l'Académie.

• **Indemnités.** En 1673, Colbert, vice-protecteur, trouvant que l'assiduité aux séances du dictionnaire n'était pas suffisante, décida de distribuer à chaque séance 40 jetons, à répartir entre les seuls académiciens présents (système en vigueur dans les chapitres de chanoines). Chaque jeton valait à peu près 32 sols (il y avait 3 séances en semaine, et en général une dizaine seulement d'académiciens). Le secrétaire touchait double part ; le libraire et l'huissier touchaient 1 jeton.

En 1990, les académiciens perçoivent toujours une indemnité mensuelle de 600 F (1 200 F pour les 2 doyens d'élection et les 2 doyens d'âge).

• **Lieu de réunion.** Sous le protectorat de Richelieu, l'Académie n'a pas de siège déterminé (elle devait avoir une aile du *Palais Cardinal,* jamais construit). Sous le protectorat de Séguier, elle est installée à l'hôtel Séguier, rue de Bouloi ; de 1672 à 1805, elle occupe l'ancienne salle du Conseil du Roi, au Louvre. Depuis 1805, elle est, avec l'ensemble de l'Institut, installée dans l'ancien Collège des Quatre Nations (cardinal Mazarin).

Les séances de travail hebdomadaires se tiennent dans une salle au 2e étage, les séances solennelles ont lieu dans l'ancienne chapelle du Collège Mazarin (« sous la Coupole »).

• **Politique.** Depuis le XVIIIe s., les tendances conservatrices et progressistes s'affrontent souvent à l'Académie, notamment lors des élections. De 1750 à 1789, la gauche d'alors (philosophes et encyclopédistes) était parvenue à conquérir les 40 fauteuils. Au XIXe s., libéraux et catholiques s'opposèrent violemment. Il n'y a plus aujourd'hui à l'Académie de semblables affrontements.

• **Réception.** Tout nouveau membre est reçu solennellement en présence de ses confrères au cours d'une séance tenue « sous la Coupole ». A chaque réception, il y a environ 500 invités.

2 *discours* sont lus ; très brefs aux XVIIe et XVIIIe s., ils ont été allongés à partir de 1816, et durent actuellement une heure chacun. 1° Le récipiendaire prononce l'éloge de son prédécesseur. 2° Une réponse est lue par un confrère (le directeur en exercice à la mort de son prédécesseur).

Cas particuliers : 1803, le discours de Parny, mourant, est lu par Regnault de Saint-Jean-d'Angély. *1945,* lors du remplacement des 2 académiciens exclus pour faits de collaboration (Abel Bonnard et Abel Hermant), les récipiendaires ont été priés de faire une conférence d'une heure sur le sujet qui leur plairait. Le Pce Louis de Broglie fut reçu par son frère le duc Maurice de Broglie (fait sans précédent).

Incidents politiques : 1811 : Chateaubriand, chargé de l'éloge d'un « régicide » (Marie-Joseph Chénier), écrit un discours flétrissant le régicide ; Napoléon lui interdit de le prononcer. *1872 :* Émile Ollivier (élection 1870, réception retardée par la guerre ; voir Index). *1918 :* Clemenceau, élu, prépare un discours très polémique contre Poincaré, qui l'avait attaqué en recevant le maréchal Foch. Il renonce finalement à le lire et ne met jamais les pieds à l'Académie. *1987* (11-6) l'Ac. fr. reçoit solennellement l'Ac. du Maroc. *1991* (31-1) : réception de Michel Serres, les acad. laissent leurs épées au vestiaire en raison de la guerre du Golfe (ils ont coutume de s'abstenir du port des armes dans une église ou tout autre lieu où la présence de la mort exige quelque décence).

• **Séances** (périodicité). Les statuts de 1635 prévoyaient une réunion hebdomadaire (1635, lundi ; 1642, samedi ; vers 1650, mardi ; depuis 1816, jeudi sauf les jours de fêtes religieuses). Il y a en outre, le 25 octobre, anniversaire de la fondation de l'Institut en 1795, une séance annuelle d'ouverture groupant les 5 Académies formant l'Institut de France, et des séances solennelles de réception à chaque remplacement.

Membres au 1-5-1991 *

Légende : entre parenthèses : date de naissance ; en italique : numéro de fauteuil, puis année d'élection.

Secrétaire perpétuel.

Maurice DRUON (1918) depuis 1985.

Membres.

Jean BERNARD [Méd] (1907) *25*	1975
Jacques de BOURBON-BUSSET [Es] (1912) *34*	1981
Jean-Denis BREDIN [H, avocat] (1929) *3*	1989
José CABANIS [E] (1922) *20*	1990
Rd P. CARRÉ [Théo] (1908) *37*	1975
Hélène CARRÈRE D'ENCAUSSE [E] (1929) *14*	1990
Jacques-Yves COUSTEAU (1910) *17*	1988
Jean-Louis CURTIS [R] (1917) *38*	1986
Michel DEBRÉ [Pol] (1912) *1*	1988
Alain DECAUX [H] (1925) *9*	1979
Michel DÉON [R] (1919) *8*	1978
Michel DROIT [R] (1923) *27*	1980
Maurice DRUON [R] (1918) *30*	1966
Georges DUBY [H] (1919) *26*	1987
Jean DUTOURD [R] (1920) *31*	1978
André FROSSARD [Cr] (1915) *2*	1987
Henri GOUHIER [Ph] (1898) *23*	1979
Julien GREEN[1] [R] (1900) *22*	1971
Jean GUITTON [Ph] (1901) *10*	1961
Jean HAMBURGER [Méd] (1909) *4*	1985
René HUYGHE [H] (1906) *5*	1960
Eugène IONESCO [D] (1909) *6*	1970
Jacques LAURENT [R] (1919) *15*	1986
Louis LEPRINCE-RINGUET [Phys] (1901) *35*	1966
Claude LÉVI-STRAUSS [Ph] (1908) *29*	1973
Félicien MARCEAU [R, D] (1913) *21*	1975
Michel MOHRT [R] (1914) *33*	1985
Pierre MOINOT [R] (1920) *19*	1982
Jean d'ORMESSON [R] (1925) *12*	1973
Alain PEYREFITTE [H] (1925) *11*	1977
Bertrand POIROT-DELPECH [Cr] (1929) *39*	1986
Pierre-Jean RÉMY (1937) *40*	1988
Maurice RHEIMS [Es] (1910) *32*	1976
Jacqueline de ROMILLY (1913) *7*	1988
Maurice SCHUMANN [J] (1911) *13*	1974
Léopold Sédar SENGHOR [2] [P] (1906) *16*	1983
Michel SERRES [Ph] (1930) *18*	1990
Henri TROYAT [R] (1911) *28*	1959
Étienne WOLFF [Bio] (1904) *24*	1971

Nota. – (1) Double nationalité fr. (né à Paris, ambulancier en 1917) et amér. (2) Double nation. fr. et sénégalaise.

Le 29-3-1990, Michel Serres a été élu au 3e t. par 16 voix contre 3 à Jean Ferniot, au fauteuil d'Edgar Faure. Il y a eu une élection blanche pour la 3e fois au fauteuil de Thierry Maulnier : au 3e tour André Miquel 14 voix, Michel Ciry 3, Jean-Claude Renardo (4 au 1er tour), 14 bulletins marqués d'une croix.

Lieu de naissance. FRANCE : *Aveyron :* Alain Peyrefitte. *Charente :* Pierre-Jean Rémy. *Doubs :* André Frossard. *Eure-et-Loir :* Jacqueline de Romilly. *Gard :* Louis Leprince-Ringuet. *Haute-Garonne :* José Cabanis. *Gironde :* Jacques-Yves Cousteau. *Hérault :* Jacques Soustelle. *Loire :* Jean Guitton. *Loiret :* père Carré. *Lot-et-Garonne :* Michel Serres. *Nord :* Alain Decaux. *Pas-de-Calais :* René Huyghe. *Pyrénées-Atlantiques :* Jean-Louis Curtis. *Paris :* Jean Bernard, Jean-Denis Bredin, Hélène Carrère d'Encausse, Michel Debré, Michel Déon, Maurice Druon, Georges Duby, Jean Dutourd, Julien Green, Jacques Laurent, Jean d'Ormesson, Bertrand Poirot-Delpech, Maurice Schumann. *Deux-Sèvres :* Pierre Moinot. *Val-de-Marne :* Michel Droit. *Yonne :* Henri Gouhier, Étienne Wolff. *Yvelines :* Maurice Rheims.

PAYS ÉTRANGERS : *Belgique :* Claude Lévi-Strauss ; Félicien Marceau, naturalisé en 1959. *Roumanie :* Eugène Ionesco, naturalisé. *Russie :* Henri Troyat, nat. 13-8-1933. *Sénégal :* Léopold Sédar Senghor.

Académie des inscriptions et belles-lettres *

Histoire

Origine. **1663,** fondée sous le nom de *Petite Académie,* elle comprend 4 membres, puis 6, de l'Académie française, qui doivent composer les inscriptions et les devises destinées à figurer sur les monuments élevés et sur les médailles frappées en l'honneur du roi. **1683,** appelée Ac. des inscr. et devises (8 membres). **1701,** Ac. des inscr. et médailles (40 membres). **1716,** reformée (Ac. des inscr. et belles-lettres). **1793,** supprimée, **1803** rétablie (3e cl. de l'Institut). **1816**-*21-3* elle reprend son nom. **Aujourd'hui,** comprend 45 m., 10 m. libres, 20 associés étr., 70 corresp., dont 40 étr.

Les candidatures y sont interdites et les élections se font en comité secret.

Rôle

Conseil du gouvernement pour les questions de sa compétence sur lesquelles son avis est demandé légalement dans certains domaines. Ainsi des lois du II floréal an X (1-5-1802) et de 1809 lui ont conféré un droit de présentation aux chaires de littérature du *Collège de France* et de *l'École des langues orientales.* Associée à la création de *l'École des chartes,* conçue pour fournir des collaborateurs aux travaux de publication documentaire de cette dernière, dont les anciens élèves continuent souvent à assurer les éditions dont elle a le patronage ; elle joue un rôle important dans le fonctionnement de cette école.

Exerce sa tutelle sur les *Écoles françaises d'Athènes* (fondée 1846) et de *Rome* (fondée 1875). *L'École biblique de Jérusalem* fournit également des rapports détaillés de son directeur et de ses membres qui sont désignés par l'Académie. **Contrôle scientifique** sur *l'École française d'Extrême-Orient,* qui a pris la suite de la Mission archéologique de l'Indochine.

« Résonance » de la recherche historique et archéologique : par *les communications* (présentées chaque vendredi en séances publiques) : archéologie, philosophie et histoire ; par *le Journal des Savants* (elle en assume la charge depuis 1908), elle rend compte des ouvrages importants : par *de nombreux prix* qu'elle attribue.

Publie des instruments de travail fondamentaux : *Collection des Chartes et diplômes, Documents financiers, Pouillés, Collection de documents* fournissant la documentation de base aux historiens de l'Orient, *Histoire littéraire de la France, Recueil des bas-reliefs, statues et bustes de la Gaule romaine, Carte archéologique, Nouveau du Cange* (dictionnaire du latin médiéval), *Corpus des Inscriptions, Corpus des Vases antiques.* Soutient des ouvrages divers du même type.

Anime de nombreux chantiers de fouilles et des instituts de recherche.

Membres au 1-5-1991

Légende : entre parenthèses : date de naissance et en gras : date d'élection.

Secrétaire perpétuel. Jean LECLANT depuis 1983.

Membres ordinaires. Robert-Henri BAUTIER (1922) **74.** Raymond BLOCH (1914) **82.** Claude CAHEN (1909) **73.** Colette CAILLAT (1921) **87.** André CAQUOT (1923) **77.** François CHAMOUX (1915) **81.** Philippe CONTAMINE (1932) **90.** Jean DELUMEAU (1923) **88.** Pierre DEMARGNE (1903) **69.** Georges

DUBY (1919) **74.** Paul-Marie DUVAL (1912) **71.** Jean FAVIER (1932) **85.** Jacques FONTAINE (1922) **83.** Bernard FRANK (1927) **83.** Paul GARELLI (1924) **82.** Jacques GERNET (1921) **79.** Pierre GRIMAL (1912) **77.** Bernard GUENÉE (1927) **81.** Antoine GUILLAUMONT (1915) **83.** Jacques HEURGON (1903) **68.** Jean HUBERT (1902) **63.** Jean IRIGOIN (1920) **81.** Gilbert LAZARD (1920) **80.** Jean LECLANT (1920) **74.** Félix LECOY (1903) **66.** Michel LEJEUNE (1907) **63.** Georges LE RIDER (1928) **89.** Jean MARCADÉ (1920) **83.** Robert MARICHAL (1904) **74.** Pierre MAROT (1900) **58.** Roland MARTIN (1912) **75.** Michel MOLLAT DU JOURDIN (1911) **78.** Jacques MONFRIN (1924) **83.** Claude NICOLET (1930) **86.** Charles PELLAT (1914) **84.** Jean POUILLOUX (1917) **78.** Jacqueline de ROMILLY (1913) **75.** Francis SALET (1909) **77.** Pierre TOUBERT (1932) **86.** Robert TURCAN (1929) **90.** Jean VERCOUTTER (1911) **84.** André VERNET (1910) **80.** Raymond WEIL (1923) **85.**

Académiciens libres. Pierre AMANDRY (1912) **72.** Emmanuel LAROCHE (1914) **72.** Robert MANTRAN (1917) **90.** Henri METZGER (1912) **88.** Paul OURLIAC (1911) **70.** Jean RICHARD (1921) **87.** Jean SCHNEIDER (1903) **68.** Georges VALLET (1922) **89.** Ernest WILL (1913) **73.** Philippe WOLFF (1913) **73.**

Membres associés étrangers. Harold BAILEY (G.-B., 1899) **68.** Bernhard BISCHOFF (All., 1906) **73.** Kurt BITTEL (All., 1907) **81.** Sir John BOARDMAN (G.-B., 1927) **91.** John CHADWICK (G.-B., 1920) **85.** Carlrichard BRÜHL (All., 1925) **90.** Eugen EWIG (All., 1913) **75.** Léopold GÉNICOT (Belg., 1914) **79.** Aleksander GIEYSZTOR (Pol., 1916) **81.** Vassos KARAGEORGHIS (Chypre, 1929) **84.** Sabatino MOSCATI (Ital., 1922) **89.** Dag NORBERG (Suède, 1909) **84.** Massimo PALLOTTINO (It., 1909) **75.** Dion PIPPIDI (It., 1905) **75.** Martin de RIQUER (Esp., 1914) **90.** Denys ZAKYTHINOS (Gr., 1905) **81.**

Académie des sciences *

Histoire. *Fondée* en 1666. Réformée en 1976. 130 m. titulaires et 80 ass. étrangers au plus. 160 corresp. 2 divisions : sciences mathématiques et physiques et leurs applications (4 sections : math., physique, sc. mécaniques, sc. de l'univers) ; sc. chimiques, naturelles, biologiques et médicales et leurs applications (4 sections : sc. chimiques, biologie cellulaire et moléculaire, biologie animale et végétale, biologie humaine et sc. médicales).

Membres au 1-5-1991

Légende : Entre parenthèses : date de naissance et en gras date d'élection.

Président : Jean HAMBURGER (1909). **Vice-Pt.** Jacques FRIEDEL (1921). **Secrétaires perpétuels.** Paul GERMAIN (1920), sciences math. et physiques dep. **1975.**

• **Sciences mathématiques et physiques et leurs applications. Section de Mathématique.** Jean-Michel BISMUT (1948) **91.** Haïm BREZIS (1944) **88.** Henri CARTAN (1904) **74.** Gustave CHOQUET (1915) **76.** Alain CONNES (1947) **82.** Jean DIEUDONNÉ (1906) **68.** Michel HERMAN (1942) **91.** Pierre LELONG (1912) **85.** Bernard MALGRANGE (1928) **88.** Paul MALLIAVIN (1925) **79.** Laurent SCHWARTZ (1915) **75.** Jean-Pierre SERRE (1926) **76.** René THOM (1923) **76.** Jacques TITS (1930) **79.** André WEIL (1906) **82.**

Section de Physique. Anatole ABRAGAM (1914) **73.** Pierre AIGRAIN (1924) **88.** Pierre AUGER (1899) **77.** Félix BERTAUT (LEWY-BERTAUT) (1913) **79.** André BLANC-LAPIERRE (1915) **70.** Marie-Anne BOUCHIAT (1934) **88.** Edouard BREZIN (1938) **91.** Jean BROSSEL (1918) **77.** Raimond CASTAING (1921) **77.** Georges CHARPAK (1924) **85.** Claude COHEN-TANNOUDJI (1933) **81.** Jacques FRIEDEL (1921) **77.** Pierre-Gilles de GENNES (1932) **79.** Serge GORODETZKY (1907) **71.** Pierre GRIVET (1911) **72.** André GUINIER (1911) **71.** Pierre JACQUINOT (1910) **66.** Louis LEPRINCE-RINGUET (1901) **49.** André MARÉCHAL (1916) **81.** Louis MICHEL (1923) **79.** Louis NÉEL (1904) **53.** Philippe NOZIÈRES (1932) **81.** Francis PERRIN (1901) **53.** Yves QUÉRÉ (1931) **91.** David RUELLE (1935) **85.** Ionel SOLOMON (1929) **88.**

Section des Sciences mécaniques. Henri CABANNES (1923) **91.** Yvonne CHOQUET-BRUHAT (1923) **79.** Philippe CIARLET (1938) **91.** Robert DAUTRAY (1928). **77.** Pierre FAURRE (1942) **85.** Alexandre FAVRE (1911) **77.** Paul GERMAIN (1920) **70.** Robert LEGENDRE (1907) **68.** Jean LERAY (1906) **53.** André LICHNEROWICZ (1915) **63.** Jacques-Louis LIONS (1928) **73.** Maurice ROSEAU (1925) **82.** Jean SALENÇON (1940) **88.** Marcel-Paul SCHÜTZENBERGER (1920) **88.**

Section des Sciences de l'Univers. Jean AUBOUIN (1928) **81.** Reynold BARBIER (1913) **81.** Jacques BLAMONT (1926) **79.** Yves COPPENS (1934) **85.** Jean COULOMB (1904) **60.** Georges COURTÈS (1925) **82.** Jean-François DENISSE (1915) **67.** Jean DERCOURT (1937) **91.** Charles FEHRENBACH (1914) **68.** Jean KOVALEVSKY (1929) **88.** Henri LACOMBE (1913) **73.** Jean-Louis LE MOUËL (1938) **88.** Pierre LENA (1937) **91.** Xavier LE PICHON (1937) **85.** Georges MILLOT (1917) **77.** Jean-Claude PECKER (1923) **77.** Jacques RUFFIÉ (1921) **91.** Évry SCHATZMAN (1920) **85.** Pierre THIOLLAIS (1934) **91.** Gérard WLÉRICK (1921) **77.** Jean WYART (1902) **59.**

• **Sciences chimiques, naturelles, biologiques et médicales et leurs applications. Section des Sciences chimiques.** Henri KAGAN (1930) **91.** Gaston CHARLOT (1904) **70.** Robert CORRIU (1934) **91.** Claude FRÉJACQUES (1924) **79.** Fernand GALLAIS (1908) **73.** Alain HOREAU (1909) **77.** Marc JULIA (1922) **77.** Paul LACOMBE (1911) **81.** Jean-Marie LEHN (1939) **85.** Henri NORMANT (1907) **66.** Guy OURISSON (1926) **81.** Pierre POTIER (1934) **88.** Jean ROUXEL (1935) **88.**

Section de Biologie cellulaire et moléculaire. Pierre CHAMBON (1931) **85.** Jean-Pierre CHANGEUX (1936) **88.** René COUTEAUX (1909) **91.** Pierre DOUZOU (1926) **79.** Jean-Pierre EBEL (1920) **79.** François GROS (1925) **79.** Marianne GRUNBERG-MANAGO (1921) **82.** Claude HÉLÈNE (1938) **88.** François JACOB (1920) **76.** Pierre JOLIOT (1932) **82.** Michel LAZDUNSKI (1938) **91.** Raymond LATARJET (1911) **72.** André LWOFF (1902) **76.** François MOREL (1923) **88.** Bernard PULLMAN (1919) **79.** Piotr SLONIMSKI (1922) **85.** René WURMSER (1890) **69.**

Section de Biologie animale et végétale. Ivan ASSENMACHER (1927) **82.** Édouard BOUREAU (1913) **77.** Pierre BUSER (1921) **88.** Roger BUVAT (1914) **77.** André CAUDERON (1922) **77.** Pierre DEJOURS (1922) **91.** Jean DORST (1924) **73.** Henri DURANTON (1926) **79.** Maurice FONTAINE (1904) **57.** Roger GAUTHERET (1910) **58.** Nicole LE DOUARIN (1930) **82.** Théodore MONOD (1902) **63.** Alexis MOYSE (1912) **85.** Paul OZENDA (1920) **82.** Jean-Marie PÉRÈS (1915) **73.** Jean ROCHE (1901) **63.** Michel THELLIER (1933) **91.** André THOMAS (1905) **72.** Constantin VAGO (1921) **71.** Étienne WOLFF (1904) **63.**

Section de Biologie humaine et Sciences médicales. Jean-François BACH (1940) **85.** Étienne-Émile BEAULIEU (1926) **82.** Jean BERNARD (1907) **72.** Marcel BESSIS (1917) **79.** André CAPRON (1930) **88.** Jean DAUSSET (1916) **77.** Jean HAMBURGER (1909) **74.** Michel JOUVET (1925) **77.** Pierre KARLI (1926) **79.** Yves LAPORTE (1920) **85.** Guy LAZORTHES (1910) **75.** Paul MANDEL (1908) **82.** René TRUHAUT (1909) **68.** Maurice TUBIANA (1920) **88.** Robert de VERNEJOUL (1890) **70.**

Associés étrangers. Victor A. AMBARTSUMIAN (U.R.S.S., 1908) **78.** Vladimir ARNOL'D (U.R.S.S., 1937) **84.** Sir Michaël ATIYAH (G.-B., 1929) **78.** Georges BACKUS (U.S.A., 1930) **89.** Neil BARTLETT (G.-B., 1932) **89.** Sir Derek BARTON (G.-B., 1918) **78.** George BATCHELOR (G.-B., 1920) **84.** Paul BERG (U.S.A., 1926) **81.** Sune BERGSTRÖM (Suède, 1916) **84.** Brebis BLEANEY (G.-B., 1915) **78.** Nicolaas BLOEMBERGEN (U.S.A., 1920) **81.** Enrico BOMBIERI (Italie, 1940) **84.** Armand BOREL (U.S.A., 1923) **81.** Daniel BOVET (Italie, 1907) **64.** Denis BURKITT (G.-B., 1911) **89.** Adolf BUTENANDT (All., 1903) **74.** Alberto CALDERON (Argentine, 1920) **84.** Hendrick CASIMIR (Pays-Bas, 1909) **81.** Carlos CHAGAS (Brésil, 1910) **84.** William CHALONER (G.-B., 1928) **89.** Shiing Shen CHERN (U.S.A., 1911) **89.** Francis CRICK (U.S.A., 1916) **78.** Gérard DEBREU (U.S.A., 1921) **84.** Pierre DELIGNE (Belgique, 1944) **78.** Joseph DOOB (U.S.A., 1910) **75.** Christian R. de DUVE (Belgique, 1917) **78.** Freeman DYSON (U.S.A., 1923) **89.** Gérald M. EDELMAN (U.S.A., 1929) **78.** Bengt EDLEN (Suède, 1906) **72.** Sir Samuel EDWARDS (G.-B., 1928) **89.** Manfred EIGEN (All., 1927) **78.** Israël GELFAND (U.R.S.S., 1913) **76.** Marcel GOLAY (Suisse, 1927) **89.** Mikaël GROMOV (apatride, 1943) **89.** Roger GUILLEMIN (U.S.A., 1924) **84.** Irving Clyde GUNSALUS (U.S.A., 1912) **84.** John GURDON (G.-B., 1933) **89.** Heisuke HIRONAKA (Japon, 1931) **81.** Friedrich HIRZEBRUCH (All., 1927) **89.** Nicolas HOFF (U.S.A., 1906) **89.** Francis HOWELL (U.S.A., 1925) **89.** Kiyoshi ITÔ (Japon, 1916) **89.** Erik JARVIK (Suède, 1907) **81.** André JAUMOTTE (Belg., 1919) **89.** Niels JERNE (Danemark, 1911) **81.** Rudolf KALMAN (U.S.A., 1930) **89.** Ephraïm KATCHALSKI-KATZIR (Israël, 1916) **89.** Aaron KLUG (G.-B., 1926) **89.** Ernst KNOBIL (U.S.A., 1926) **89.** Warner KOITER (Pays-Bas, 1914) **81.** Ryogo KUBO (Japon, 1920) **84.** Peter D. LAX (U.S.A., 1926) **81.** Rita LÉVI-MONTALCINI (Italie, 1909) **89.** Sir James LIGHTHILL (G.-B., 1924) **76.** Anders LUNDBERG (Suède, 1920) **89.** Arne MAGNILI (Suède, 1914) **89.** Heinz MAIER-LEIBNITZ (All., 1911) **78.** Goury MARTCHOUK (U.R.S.S., 1925) **89.** Jean MAYER (U.S.A., 1920) **76.** Ernst MAYR (U.S.A., 1904) **89.** Georg MELCHERS (All., 1906) **84.** Matthew MESELSON (U.S.A., 1930) **84.** Jan MICHALSKI (Pologne, 1920) **84.** Peter MITCHELL (G.-B., 1920) **89.** Vernon MOUNTCASTLE (U.S.A., 1918) **89.** Ternuki MUKAIYAMA (Japon, 1927) **89.** Marcel NICOLET (Belgique, 1912) **78.** Louis NIRENBERG (U.S.A., 1925) **89.** Gustav NOSSAL (Australie, 1931) **89.** Jan Hendrik OORT (Pays-Bas, 1900) **62.** Ernst OTTEN (All., 1934) **89.** Wolfgang PANOFSKY (U.S.A., 1919) **89.** Linus PAULING (U.S.A., 1901) **66.** Sir Rudolf PEIERLS (G.-B., 1907) **84.** Max F. PERUTZ (G.-B., 1914) **76.** Robert POUND (U.S.A., 1919) **78.** Vladimir PRELOG (Suisse, 1906) **81.** Frank PRESS (U.S.A., 1924) **81.** Norman RAMSEY (U.S.A., 1915) **89.** Alexander RICH (U.S.A., 1924) **81.** Bengt SAMUELSSON (Suède, 1934) **89.** Frederick SANGER (G.-B., 1918) **81.** Knut SCHMIDT-NIELSEN (U.S.A., 1915) **78.** Leonid I. SEDOV (U.R.S.S., 1907) **78.** Eugen SEIBOLD (All., 1918) **89.** George D. SNELL (U.S.A., 1903) **78.** Henry STOMMEL (U.S.A., 1920) **84.** Gilbert STORK (U.S.A., 1921) **89.** Andrzej TARKOWSKI (Pologne, 1933) **84.** Kenneth THIMANN (U.S.A., 1904) **78.** Rudolf TRÜMPY (Suisse, 1921) **84.** Jan WALDENSTRÖM (Suède, 1906) **78.** Yu WANG (Chine, 1910) **84.** Victor WEISSKOPF (U.S.A., 1908) **78.** Ralph WYCKOFF (U.S.A., 1897) **74.**

Académie des sciences morales et politiques *

Histoire. *Fondée* en 1795, comme une division de l'Institut : « Classe des Sciences morales et politiques ». Supprimée en 1803 par Bonaparte ; rétablie avec le rang d'Académie par Louis-Philippe en 1832. 6 sections : philosophie 8 membres ; morale et sociologie 8 ; législation, droit public et jurisprudence 8 ; économie politique, statistiques et finances 8 ; histoire et géographie 8 ; section générale 10 ; 12 associés étrangers ; 60 correspondants (10 par section).

Membres au 1-5-1991

Légende : Entre parenthèses : date de naissance et en gras date d'élection.

Président. Raymond TRIBOULET (1906) **91. Secrétaire perpétuel.** Bernard CHENOT (1909) **78.**

Section I : Philosophie. Roger ARNALDEZ (1912) **86.** Raymond BOUDON (1934) **90.** R.P. BRUCKBERGER (1907) **85.** Henri GOUHIER (1898) **61.** Jean GUITTON (1901) **87.** Olivier LACOMBE (1904) **77.** René POIRIER (1900) **56.** Raymond POLIN (1910) **80.**

Section II : Morale et Sociologie. Pierre-Georges CASTEX (1915) **74.** Jean CAZENEUVE (1915) **73.** Jean IMBERT (1919) **82.** Jacob KAPLAN (1895) **67.** Jérôme LEJEUNE (1926) **82.** François LHERMITTE (1921) **75.** René POMEAU (1917) **88.**

Section III : Législation, Droit public et Jurisprudence. Suzanne BASTID (1906) **71.** Albert BRUNOIS (1911) **77.** Roland DRAGO (1923) **90.** Jean FOYER (1921) **84.** Henri MAZEAUD (1900) **69.** Alain PLANTEY (1924) **83.**

Section IV : Écon. pol., Stat. et Finances. Maurice ALLAIS (1911) **90.** Pierre de CALAN (1911) **84.** Yvon GATTAZ (1925) **89.** Henri GUITTON (1904) **71.** Émile JAMES (1899) **66.** Jean MARCHAL (1905) **80.** Gaston DEFOSSE (1908) **88.** André PIETTRE (1906) **70.**

Section V : Histoire et Géographie. Henri AMOUROUX (1920) **78.** Pierre CHAUNU (1923) **82.** Jean-Baptiste DUROSELLE (1917) **75.** Pierre GEORGE (1909) **80.** Jean LALOY (1912) **75.** Maurice LE LANNOU (1906) **75.** Roland MOUSNIER (1907) **77.** Alain PEYREFITTE (1925) **87.**

Section VI : Section générale. Édouard BONNEFOUS (1907) **58.** René BROUILLET (1909) **87.** Bernard CHENOT (1909) **76.** Oscar CULLMANN (1902) **72.** Louis JOXE (1901) **80.** Pierre-Olivier LAPIE (1901) **69.** Pierre MESSMER (1916) **89.** François PUAUX (1916) **90.** Henri SONIER DE LUBAC (cardinal) (1896) **58.** Raymond TRIBOULET (1906) **79.**

Associés étrangers. S.A.I. et R. l'archiduc Otto de HABSBOURG (Autriche, 1912) **70.** Juan CARLOS (roi d'Espagne) (1938) **88.** Javier PEREZ DE CUELLAR (Pérou, 1920) **89.** Karl POPPER (1902) **80.** Georges POULET (1902) **84.** Ronald REAGAN (U.S.A., 1911) **89.** Léopold Sédar SENGHOR (Sénégal, 1906) **69.** Carl Friedrich von WEIZSÄCKER (B[on]) (All., 1912) **74.** Jean STAROBINSKI (Suisse, 1920) **87.**

Académie des beaux-arts *

Histoire. A pris la succession de 2 académies royales, dissoutes en 1793. *Académie royale de peinture et sculpture :* fondée par Le Brun en 1648, reçoit ses lettres patentes en 1655. *Académie royale d'architecture :* fondée par Colbert en 1671. En 1795, l'Institut national, créé par la Convention, comprenait dans sa IIIe classe, Littérature et Beaux-Arts, des littérateurs et des artistes. En 1803, Bonaparte sépara en deux cette classe et les artistes composèrent seuls la IVe classe des Beaux-Arts devenue l'Ac. des beaux-arts dans la réorganisation de 1816. *Actuellement* 7 sections : peinture 11 membres ; sculpture 7 ; architecture 8 ; gravure 4 ; composition musicale 6 ; m. libres 9 ; créations artistiques dans le cinéma et l'audiovisuel 5. – 15 associés étrangers et 50 correspondants.

Membres au 1-5-1991

Légende : Entre parenthèses : date de naissance et en gras date d'élection.

Secr. perpétuel. Marcel LANDOWSKI (1915) **86.**

Section I : Peinture. Jean BERTHOLLE (1909) **83.** Bernard BUFFET (1928) **74.** Pierre CARRON (1932) **90.** Jean CARZOU (1907) **77.** Georges CHEYSSIAL (1907) **58.** Jacques DESPIERRE (1912) **69.** Jean DEWASNE (1921) **91.** Arnauld d'HAUTERIVES (1933) **84.** Georges MATHIEU (1921) **75.** Georges ROHNER (1913) **68.**

Section II : Sculpture. Jean CARDOT (1930) **83.** Albert FERAUD (1921) **89.** ÉTIENNE-MARTIN (1913) **70.** Gérard LANVIN (1923) **90.** Louis LEYGUE (1905) **69.** Raymond MARTIN (1910) **61.** Nicolas SCHÖFFER (1912) **81.**

Section III : Architecture. Henry BERNARD (1912) **68.** Jacques COUËLLE (1902) **76.** Christian LANGLOIS (1924) **77.** Maurice NOVARINA (1907) **79.** André REMONDET (1908) **79.** Marc SALTET (1906) **72.** Roger TAILLIBERT (1926) **83.** Bernard ZEHRFUSS (1911) **83.**

Section IV : Gravure. Raymond CORBIN (1907) **70.** Jean-Marie GRANIER (1922) **91.** André JACQUEMIN (1904) **81.** Pierre-Yves TRÉMOIS (1921) **78.**

Section V : Composition musicale. Raymond GALLOIS MONTBRUN (1918) **80.** Marcel LANDOWSKI (1915) **75.** DANIEL-LESUR (1908) **82.** Olivier MESSIAEN (1908) **67.** Serge NIGG (1924) **89.** Yannis XENAKIS (1922) **83.**

Section VI : Membres libres. André BETTENCOURT (1919) **88.** Michel DAVID-WEILL (1932) **82.** Pierre DEHAYE (1921) **75.** Marcel MARCEAU (1923) **91.** Louis PAUWELS (1920) **85.** Gérald VAN DER KEMP (1912) **68.** Paul-Louis WEILLER (1893) **65.** Daniel WILDENSTEIN (1917) **71.**

Section VII : Créations artistiques dans le cinéma et l'audiovisuel (créée 1985). Claude AUTANT-LARA (1901) **88.** Marcel CARNÉ (1906) **79.** René CLÉMENT (1913) **86.** Jean PRODROMIDÈS (1927) **90.** Pierre SCHOENDOERFFER (1928) **88.**

Associés étrangers. François DAULTE (Suisse, 1924) **81.** Paul DELVAUX (Belgique, 1897) **76.** Federico FELLINI (Italie, 1920) **79.** Koji KOBAYASHI (Japon, 1907) **90.** Ilias LALAOUNIS (Grèce, 1920) **90.** Witold LUTOSLAWSKI (Pologne, 1913) **79.** Yehudi MENUHIN (1916) **86.** Richard NIXON (U.S.A., 1913) **85.** S.M.I. Farah PAHLAVI (Iran, 1938) **74.** Ieho Ming PEI (Chine, 1917) **83.** Philippe ROBERTS-JONES (1924) **86.** Mstislav ROSTROPOVITCH (U.R.S.S., 1927) **87.** Kenzo TANGE (Japon, 1913) **83.** Peter USTINOV (G.-B., 1921) **87.** Andrew WYETH (U.S.A., 1917) **76.**

Académie nationale de médecine

Histoire. *Fondée* en 1820 par Louis XVIII sous le nom d'Académie royale de médecine, hérite de la plupart des prérogatives de l'Académie royale de chirurgie (1731) et de la Sté royale de médecine (1778). Conseillère du gouvernement pour les problèmes d'hygiène et de santé publique. *Séances publiques :* les mardis à 14 h 30. *Membres :* 130 titulaires en 8 sections (médecine et spécialités médicales 26 ; chirurgie et spécialités chirurgicales 22 ; hygiène et épidémiologie 9 ; sciences biologiques 20, vétérinaires 5, pharmaceutiques 9 ; section générale et membres libres 14 ; m. non résidants 25) ; 20 associés étr., 124 correspondants nationaux en 7 divisions, 100 corr. étr. en 7 divisions.

Nota. – Les membres qui ne peuvent plus prendre une part active aux travaux peuvent demander le titre de *membre émérite.*

Membres au 1-5-1991

Légende. – Date de naissance et date d'élection (en gras).

Président. René TRUHAUT (1909). **Vice-Pt** Henri BAYLON (1913). **Secr. perpétuel et annuel** A. LEMAIRE, R. BASTIN. **Trésorier.** Louis ORCEL (1922).

Section I : Médecine et spécialités médicales. Louis AUQUIER (1918) **90.** Raymond BASTIN (1914) **80.** Jean BERNARD (1907) **73.** Marc BOLGERT (1904) **75.** Pierre BOURGEOIS (1901) **79.** Yves BOUVRAIN (1910) **76.** Henri BRICAIRE (1914) **81.** Jean CIVATTE (1922) **90.** André CORNET (1911) **84.** Jean CROSNIER (1921) **83.** Jean-Luc de GENNÈS (1932) **88.** Didier-Jacques DUCHÉ (1916) **85.** Maurice GOULON (1919) **89.** Yves GROSGOGEAT (1927) **89.** Jean HAMBURGER (1909) **75.** Robert LAPLANE (1907) **78.** Claude LAROCHE (1917) **80.** Clément LAUNAY (1901) **72.** André LEMAIRE (1898) **61.** François LHERMITTE (1921) **88.** Jacques LOEPER (1913) **84.** Pierre MAURICE (1916) **84.** Pierre MOZZICONACCI (1911) **84.** Gabriel RICHET (1916) **80.** Stanislas de SÈZE (1903) **64.** André VACHERON (1933) **90.**

Section II : Chirurgie et spécialités chirurgicales. Jean-Paul BINET (1924) **84.** Maurice CARA (1917) **89.** André CAUCHOIX (1912) **83.** Jean DEBEYRE (1910) **83.** André DUFOUR (1903) **68.** Claude DUFOURMENTEL (1915) **82.** Roger HENRION (1927) **86.** Jacques HEPP (1905) **65.** Émile HERVET (1913) **86.** Raymond HOUDART (1913) **87.** René KUSS (1913) **79.** Lucien LÉGER (1912) **70.** Jean LEROUX-ROBERT (1907) **80.** Jean-Louis LORTAT-JACOB (1908) **73.** Maurice MERCADIER (1913) **86.** Philippe MONOD-BROCA (1918) **89.** Guy OFFRET (1911) **77.** Claude OLIVIER (1910) **75.** Paul PIALOUX (1914) **87.** Yves POULIQUEN (1931) **91.** Marcel ROUX (1909) [1] **75.** André SICARD (1904) **63.** Claude SUREAU (1927) **78.**

Section III : Hygiène et épidémiologie. Henri BAYLON (1913) **80.** Henri BOUR (1910) **87.** Jacques CHRÉTIEN (1922) **89.** Charles LAVERDANT (1927) **87.** Henri LESTRADET (1921) **88.** René MARTIN (1898) **62.** Pierre MERCIER (1910) **71.** Stéphane THIEFFRY (1910) **80.** Gabriel BLANCHER (1923) **86.**

Section IV : Sciences biologiques. Jean-François BACH (1940) **90.** Lucien BRUMPT (1910) **73.** Jean DAUSSET (1916) **77.** André DELMAS (1910) **72.** Henri DESGREZ (1899) **60.** Pierre DESGREZ (1909) **79.** André DJOURNO (1904) **70.** Lucien HARTMANN (1915) **85.** Paul LECHAT (1920) **80.** Jérôme LEJEUNE (1926) **84.** Léon LE MINOR (1920) **83.** Luc MONTAGNIER (1932) **89.** Louis ORCEL (1922) **84.** Jean-Louis PARROT (1908) **74.** Jacques POLONOVSKI (1920) **84.** Jean ROCHE (1901) **54.** Jean-Claude ROUCAYROL (1920) **87.** Jacques RUFFIE (1921) **82.** André SOULAIRAC (1913) **90.** Maurice TUBIANA (1920) **88.** Herbert TUCHMANN-DUPLESSIS (1911) **78.**

Section V : Sciences vétérinaires. Raymond FERRANDO (1912) **79.** Pierre GORET (1907) **65.** Paul GROULADE (1909) **88.** Jean GUILHON (1906) **77.** Charles PILET (1931) **84.** Alain RÉRAT (1926) **87.**

Section VI : Sciences pharmaceutiques. Claude BOUDENE (1924) **84.** Raymond CAVIER (1911) **82.** Pierre DELAVEAU (1921) **91.** Maurice FONTAINE (1904) **66.** Albert GERMAN (1917) **88.** Robert MOREAU (1916) **83.** Yves RAOUL (1910) **75.** René TRUHAUT (1909) **71.** Maurice VIGNERON (1904) **72.**

Section VII : Section générale et membres libres. Henri BARUK (1897) **65.** Édouard BONNEFOUS (1907) **80.** Jacques BRÉHANT (1907) **78.** Michel DECHAUME (1897) **56.** Pierre DENIKER (1917) **82.** Jean FLAHAUT (1922) **84.** Hugues GOUNELLE DE PONTANEL (1903) **62.** Maurice GUÉNIOT (1918) **82.** Pierre JUILLET (1921) **87.** Pierre PICHOT (1918) **87.** Jean-Daniel PICARD (1927) **84.** Jean-Charles SOURNIA (1917) **83.** André THOMAS (1905) **60.** Étienne WOLFF (1904) **66.**

Section VIII : Membres non résidants. Émile ARON (1907) **79.** Paul BOULANGER (1905) **68.** Pierre BOULARD (1917) **90.** Michel BOUREL (1920) **89.** André CAPRON (1930) **91.** Jacques CHARPIN (1921) **84.** Jean-François CIER (1915) **79.** Jean COTTET (1905) **73.** Georges DESBUQUOIS (1901) **78.** Guy DIRHEIMER (1931) **89.** Louis DOUSTE-BLAZY (1921) **90.** Jacques EUZÉBY (1920) **89.** Paul GUINET (1915) **85.** Henri LAFFITTE (1897) **80.** Guy LAZORTHES (1910) **70.** Marc LINQUETTE (1914) **90.** Pierre MAGNIN (1913) **90.** Paul MAILLET (1913) **90.** Paul MANDEL (1908) **84.** Jacques MIROUZE (1921) **81.** Francis TAYEAU (1913) **72.** Jean VAGUE (1911) **80.** Robert de VERNEJOUL [1] (1890) **63.** Michel VERHAEGHE (1914) **85.** Alain LARCAN (1931) **86.**

Nota. – (1) Membre émérite.

Autres académies en France

Paris

Académie d'agriculture de France. Sté royale d'agric. *fondée* 1761, devenue en 1793 Sté nat. d'agric. et, depuis 1915, Académie d'agric. *Pt d'honneur :* le ministre de l'Agric. *Membres :* 100 titulaires, 50 étrangers, 165 correspondants, et 55 étr.

Académie d'architecture. *Origine :* Sté des Architectes (1811-16), Sté centrale des architectes fondée en 1840 par J. Huyot (1780-1840), reconnue d'utilité publique en 1865 ; a pris le nom d'Académie d'architecture en 1953. *Membres :* titulaires 100, honoraires, corresp. nation. 80, corresp. étr. 60, associés non arch. 20. *Siège :* 9, place des Vosges, 75004 Paris.

Académie Balzac. *Fondée* 1978 par Jean-Marie Bernicat (Pt). *Membres :* 15. *But :* promouvoir l'œuvre de Balzac.

Académie de chirurgie. *Fondée* 1731. Ac. royale de chir. supprimée en 1793. Sté nat. de chir. en 1843. Ac. de chir. en 1935. *Membres :* 120 titulaires (80 parisiens et 40 provinciaux) ; 160 associés français (40 parisiens et 120 provinciaux), 150 associés étr., 10 m. libres, m. honoraires (anciens titulaires ou associés fr. ou étr.). *Siège :* 26, bd Raspail, 75007 Paris.

Académie nationale de chirurgie dentaire. *Fondée* 1956. *Pt d'honneur :* André Besombes. *Secr. gén. :* Louis Verchere. *Pt :* Bernard Beck. *Membres :* 90 m. titulaires, 30 m. libres, 90 m. associés nationaux, 80 m. associés étr. ; m. d'honneur et m. honoraires illimités. *Siège :* 22, rue Emile-Ménier, 75116 Paris.

Académie diplomatique internationale. Organ. intern. intergouvernementale. *Fondée* 1926. *Membres :* 91 *États.*

Académie Goncourt. Voir page 334 b.

Académie de marine. *Fondée* 1752 à Brest. Rattachée à l'Ac. royale des sciences en 1771. Disparue 1793. Rétablie 1921, statut d'établissement public 1926. *Membres :* 66 titulaires, 21 corresp., 20 associés étr. *Ministre de tutelle :* min. de la Défense.

Académie nationale de l'air et de l'espace. Voir Province.

Académie nationale de pharmacie. Sté de pharmacie *fondée* 1803, devenue Ac. de pharmacie en 1946 et Ac. nat. de ph. en 1979. *Membres :* 70 résidents, 20 non-résidents, des m. honoraires, 15 m. associés, 120 corresp. nat., 75 étr.

Académie des poètes classiques. *Fondée* 1949.

Académie des sciences commerciales. *Fondée* 1957. *Membres :* 71, correspondants français 70, étrangers 70. 5 classes et 14 sections. *Établit* le dictionnaire commercial ; décerne chaque année des prix et médailles ; oriente, coordonne, favorise le développement, aide à la diffusion de la recherche dans le domaine des sciences et techniques commerciales. *Secrétariat :* 220, bd Raspail, 75014 Paris.

Académie des sciences d'outre-mer. Académie des sciences coloniales fondée 1922, devenue en 1957 Ac. des sciences d'outre-mer, placée sous tutelle du ministère de la France d'Outre-mer. *Rattachée* au ministère de l'Éducation nationale en 1959. *Membres :* 5 sections de 20 m. titulaires et 20 m. correspondants. 25 m. libres, 50 m. associés. *Étudie* les aspects scientifiques, politiques, économiques, historiques, sociaux et culturels des questions relatives aux pays situés au-delà des mers (9 commissions de travail). Distribue 10 prix par an. *Bibliothèque :* 45 000 volumes, 1 200 publications. *Secrétariat :* 14, rue Lapérouse, 75116 Paris.

Académie des sports. *Fondée* 1905. Reconnue d'utilité publique en 1910. *Membres :* 50, associés étr. 12, hon. 15.

Académie vétérinaire de France. *Fondée* 1844. Reconnue d'utilité publique 1878. *Membres :* titulaires 44, associés nationaux 6, corr. nationaux 60 ; étrangers : associés 6, corr. 40. *Siège :* 60, bd Latour-Maubourg, 75007 Paris.

Société nationale des antiquaires de France. *Siège* au Louvre, pavillon Mollien. *Fondée* 1805 sous le nom d'Académie celtique, a pris son nom actuel en

1814. 10 m. honoraires, 45 m. résidents, 10 m. corresp. étr. honoraires, env. 300 m. corresp. nationaux, env. 50 m. corresp. étrangers. *But :* recherches d'histoire, philologie, archéol., histoire de l'art.

Province

Académie des Jeux floraux à Toulouse. *Origine : La plus ancienne société littéraire connue d'Europe* 1323, les Jeux floraux, concours poétique annuel institué par les 7 troubadours de Toulouse (Consistoire du gai savoir). *Fin XVe* restaurés selon la légende par Clémence Isaure. *XVIe s.,* la compagnie appelée Collège de rhétorique admet le français à côté de la langue d'oc, puis supprime celle-ci. *1694,* Louis XIV l'érige en académie comprenant 40 membres (les « mainteneurs »). *1895,* richement dotée par le banquier Théodore Ozenne, ami des Félibres, et sous l'influence de Frédéric Mistral, réadmet la langue d'oc à ses concours.

Membres : 40 « mainteneurs », prix distribués le 3 mai : 10 fleurs d'orfèvrerie réservées à la poésie (*or :* violette, églantine, amarante, jasmin ; *vermeil :* laurier ; *argent :* violette, souci, primevère, œillet, lys), prix résultant de fondations (Fabien-Artigue, Capus, Fontana-Bonsirven, Fayolle, Sendrail, de Gorsse, etc.), réservés à des ouvrages (imprimés) de prose et de poésie et pouvant atteindre 5 000 F. Dep. 1988, liseron en or récompensant une personnalité (même défunte) ayant honoré les traditions françaises et la pureté de la langue française et marqué notre temps.

L'académie délivre également des lettres de *« Maître-ès-jeux »* à des personnalités remarquables françaises et étrangères (Voltaire, Chateaubriand, Hugo, etc.), qui apportent leur aide aux jugements des « mainteneurs ».

Autres académies. Agen (1776), Aix (1765), Amiens (1750), Angers (1685), Angoumais (1964, 21 m.) Annecy (Ac. Florimontane, fondée 1606 par St François de Sales et le Pt Antoine Favre, réorganisée 1851 sous le nom d'Association Fl., 1862 prit le nom de Sté Fl., puis 1911 d'Ac. Fl. 60 membres effectifs, 60 associés et correspondants), Arles, Arras (1737), Auch (1891), Avignon (Ac. de Vaucluse, 1801), Besançon (1752), Béziers (1834), Bordeaux (1712), Cambrai (1804), Chambéry (de Savoie), Cholet (1881), Clermont-Ferrand (1747), Dax (Soc. de Borda, 1890), Dijon (1740), Grenoble (Ac. Delphinale, 1772), La Rochelle (1732), Limoges (1845), Lyon (1700), Mâcon (1805), Maine (1932), Marseille (1726), Metz (1760), Montpellier, Nancy (Ac. de Stanislas, 1750), Nîmes (1682), Pau (1841), Périgueux (1820), Rodez (1836), Rouen (1744), Saint-Brieuc (1861), Saintes (1957), Strasbourg (1799), Toulouse, Versailles (1798), etc.

Académie nationale de l'air et de l'espace. *Fondée* 1983. Rec. d'ut. publ. *Membres :* 60 titulaires, 30 ass. étr., 20 corr. fr., des membres d'honneur et des m. honoraires, 5 sections. *Siège :* 1, avenue Camille-Flammarion, 31500 Toulouse.

☞ Comité des travaux historiques et scientifiques. *Fondé* 1834, réorganisé 1983 au sein du min. de l'Éd. nat., organise tous les ans dep. 1861 le Congrès nat. des soc. savantes, 10 sections et commissions. *Publications :* collect. doc. inédits sur l'Hist. de Fr. (env. 140 vol. publiés) et série in-8 de 18 vol. dep. 1965 ; dictionnaire topogr. de la France par dép., etc. *Siège :* 1, rue d'Ulm, 75005 Paris.

Académies étrangères

Les plus anciennes académies

Académie Han-lin-yuan (Chine) 738. A. des Jeux floraux, Toulouse, 1323. A. des beaux-arts, Pérouse, 1546. A. della Crusca, Florence, 1582. A. royale de pharmacie, Madrid, 1589. A. nationale des Lynx, Rome, 1603. Académie française, Paris, 1635. A. Léopoldine, Halle-Saale, 1652. Société royale, Londres, 1660. A. royale des beaux-arts de Ste-Isabelle de Hongrie, Séville, 1660. A. des inscriptions et belles-lettres, Paris, 1663. A. des sciences, Paris, 1666. A. prussienne des sciences, Berlin, 1700.

Allemagne

Akademie der Künste (Berlin 1696, Preussische A.d.K.). 1954 : 255 m. (max. 300). 6 sections. **Ak. der Künste zu Berlin** (1950). **Ak. der Landwirtschaftswissenschaften zu Berlin** (Berlin 1951). **Ak. der Pädagogischen Wissenschaften zu Berlin** (Berlin 1970). **Ak. der Wissenschaften zu Berlin** (1700). **Ak. der Wissenschaften zu Göttingen** (Sciences 1751). 2 cl. 118 m. et 156 corr. **Ak. der Wissenschaften und der Literatur** (Mayence 1949). 3 cl. 86 m. 137 corr. et 1 corr. hon. **Bauakademie zu Berlin** (Berlin 1950). **Bayerische Ak. der Wissenschaften** (Munich 1759). 2 cl. 90 m., 160 corr. **Deutsche Ak. der Darstellenden Künste** (Francfort 1956). 115 m. **Deutsche Ak. für Sprache und Dichtung** (Darmstadt 1949). **Deutsche Ak. der Naturforscher Leopoldina** (Halle/Saale). **Ac. léopoldine des curieux de la nature** (1652). 35 sections, env. 1 000 m. dont 34 français. **Heidelberger Ak. der Wissenschaften** (Heidelberg 1763, réorg. 1909). 2 sections. 112 m., 100 corr. **Rheinisch-Westfälische Ak. der Wissenschaften** (Düsseldorf 1970). Remplace Arbeitsgemeinschaft für Forschung des Landes Nordrhein-Westfalen (1950). 2 cl. 144 m. et 45 corr. **Sächsische Akademie der Wissenschaften zu Leipzig** (1846). 2 cl., 65 m. et 60 corr.

Belgique

Académie royale d'archéologie de Belgique. Koninklijke Academie voor Oudheidkunde van België (Bruxelles 1842). 60 m. titulaires et 40 m. corr.

Académie royale de langue et de littérature françaises (Bruxelles 1920). 40 m. *30 Belges* (20 écrivains, 10 philologues) : Mme Louis Dubrau (19-11-1904), Mme Claudine Gothot-Mersch (14-8-1932), Bonne Suzanne Lilar (21-5-1901), Jeanine Moulin (10-4-1912), Liliane Wouters (directeur, 5-2-1930), Albert Ayguesparse (1-4-1900), Willy Ball (11-8-1916), Henri Bauchau (22-1-1913), Charles Bertin (5-10-1919), Georges-Henri Dumont (14-9-1920), André Goosse (16-4-1926), Lucien Guissard (15-10-1910), Joseph Hanse (5-10-1902), Simon Leys (28-9-1935), Jacques-Gérard Linze (10-9-1925). Marcel Lobet (28-6-1907), Pierre Mertens (9-10-1939), Roland Mortier (21-12-1920), Thomas Owen (Gérald Bertot) (22-7-1910), Louis Remacle (30-9-1910), Philippe Roberts-Jones (8-11-1924), Pierre Ruelle (10-4-1911), Georges Sion (Secr. perpétuel honoraire, 7-12-1913), Georges Thinès (10-2-1923), Jean Tordeur (Secrét. perpétuel dep. le 1-1-89, 5-9-1920), Raymond Trousson (11-6-1936), André Vandegans (21-6-1921), Fernand Verhesen (2-5-1913), Paul Willems (4-4-1912), Marc Wilmet (28-8-1938).

10 étrangers (5 littéraires, 5 philologues) : Desse Edmée de La Rochefoucauld (28-4-1895), Gérald Antoine (5-7-1915), Lloyd James Austin (4-11-1915), Alain Bosquet (28-3-1919), Georges Duby (1919), Julien Green (6-9-1900), Robert Mallet (15-3-1915), Jacques Monfrin (26-4-1924), Jean Rousset (20-2-1910), Mme Dominique Rolin (22-5-1913).

Académie royale de médecine de Belgique (Bruxelles 1841). *Fondée* par le roi Léopold Ier, 6 sections, 40 m. tit., 20 à 25 m. tit. hors cadre, 100 m. hon. (belges et étrangers), 40 corr. belges et 80 corr. étrangers. *Siège :* Palais des académies, 1000 Bruxelles.

Académie royale des sciences, des lettres et des beaux-arts de Belgique (Bruxelles 1772). *Fondée* par l'impératrice Marie-Thérèse d'Autriche. 3 cl. de 30 m., 20 corr. et 50 ass. étrangers. *Siège :* Palais des académies, 1000 Bruxelles.

Académie royale des sciences d'outre-mer. Koninklijke Academie voor Overzeese Wetenschappen (Bruxelles 1928). 3 cl. 272 m. (1 m. hon. 52 tit. hon., 48 tit., 31 ass. hon., 54 ass., 30 corr. hon., 56 corr.).

Koninklijke Academie voor Geneeskunde van België (d'expression néerlandaise) : (Bruxelles 1938). 49 tit., 10 corr. et 25 corr. étrangers ; 1 m. hon. régnicole.

Koninklijke Academie voor Nederlandse Taal en Letterkunde. Académie royale de langue et de littérature néerlandaises (Gand 1886). 30 m. ordinaires ; un certain nombre de m. hon. ; 25 m. hon. étr.

Koninklijke Academie voor Wetenschappen, Letteren en Schone Kunsten van België (Bruxelles 1938). Ac. d'expression néerlandaise, pendant de l'Ac. royale des sciences, lettres et beaux-arts de Belg. La loi du 1-7-71 place les 2 Ac. sur un pied d'égalité. 3 cl. de 30 m., 10 corr. m. hon., 50 m. ass. (étrangers) par classe.

Canada

Académie canadienne française (7-12-1944). 36 titulaires. *Pt. :* Jean-Guy Pilon, *v.-pte :* Fernande Saint-Martin, *secr. gén. :* J.-P. Duquette. *Siège :* Montréal (Québec) H4A 1R9 (5724, chemin de la Côte-Saint-Antoine).

Société des écrivains canadiens (1936). Issue de la Canadian Authors Association. Sont membres les écrivains qui ont déjà publié 1 livre. Actuellement : plus de 300 m. *Siège :* a/s de la Fondation MacDonald-Steward, 1195, rue Sherbrooke-Ouest, Montréal (Québec) Can. H3A IH9.

Espagne

Real (royale) Academia de Bellas Artes de San Fernando (1752). 4 sections : peinture, sculpture, architecture, musique. 51 m. madrilènes et un nombre illimité de correspondants espagnols et étrangers et d'académiciens honoraires. **De Ciencias Exactas, Fisicas y Naturales** (1847). 42 m., 42 corresp., étrangers en nombre illimité. **De Ciencias Morales y Politicas** (1857). 36 m., 42 corr., 4 départements : philosophie, sciences pol. et jurid., sciences sociales, sciences écon. **Española de la Lengua** (1713). 46 m., 114 corr. (58 espagnols, 6 hispano-américains, 58 étrangers), 3 m. hon. Publications : Le Dictionnaire « d'Autorités » (1726-1737) et plusieurs éditions successives du Dictionnaire abrégé, publication périodique du « Diccionario de la Lengua Española » avec mise à jour du lexique. **De la Historia** (1738). 36 m., 354 corr. espagnols, corr. étr. (nombre indéterminé). **Nacional de Medicina** (1732). 50 m., 100 corr. et 76 corr. étr.

États-Unis

American Academy of Arts and Sciences (Boston) (1780). 2 800 m. 500 m. hon. étr.

American Academy and Institute of Arts and Letters. Issu en 1976 du National Institute of Arts and Letters (1898) et de l'American Academy of Arts and Letters (1904). 250 m. américains (de naiss. ou naturalisés), renommés pour leur œuvre en art, littérature ou musique. 75 m. honor. étrangers.

American Philosophical Society (1769 Philadelphie). *Membres :* 500 Américains, 124 étr. : sc. physiques et math., sc. biologiques, sc. sociales, m. corr.

National Academy of Sciences (Washington) (1863). Organisation scientifique privée ; 1 490 m., 242 m. étr. **National Research Council** (1916). **National Academy of Engineering** (1964) ; 1 335 m., 113 m. étr. **Institute of Medicine** (1970) ; 726 m.

Grande-Bretagne

British Academy (Londres 1902). 575 m., 303 m. corresp., 17 m. honor. (au 1-12-1990), 17 sections : histoire ancienne, médiévale, études religieuses, orientales et africaines, littérature et philologie anciennes, litt. et ph. médiévales, philosophie, jurisprudence, écon. politique et hist. écon., archéologie, hist. de l'art, études sociales, hist. moderne 1500-1800, hist. moderne depuis 1800, études politiques, linguistiques, litt. moderne.

Royal. Academy of Arts (Burlington House, Londres 1768). 22 m. supérieurs, 50 m. tit. et 28 ass. (peintres, graveurs, sculpteurs, architectes). 11 m. honor. étr. **Cambrian Academy of Art** (1881). 100 m. **Institution for the Improvement of Sciences** (Londres 1799). 1 100 m. **Royal Scottish Academy of Painting, Sculpture and Architecture** (Édimbourg 1826). 42 m., 50 ass. et 24 hon. **Royal Society of Edinburgh** (1783). Env. 930 m. et 68 m. honor., pour le développement de la science et de la littérature. **Society for the Encouragement of Arts, Manufactures and Commerce** (Londres 1754). 10 374 m. **Society of London for Improving of Natural Knowledge** (Londres 1660). 700 m. et 65 étr. Décerne 9 médailles, dont la Copley Medal.

Italie

Accademia degli Arcadi. Ac. des Arcadiens (Rome 1690). Appelée aussi Ac. letteraria Arcadia. Fondée par Christine de Suède et ouverte aux poètes des 2 sexes. Devenue plus philosophique et scientifique.

Accademia della Crusca (Florence 1583). Publie le 1er dictionnaire historique de la langue italienne en 1612 (autres éd. : 1623, 1691, 1729-38, 1863-1923). 15 m. et 30 ass., 15 italiens, 15 étr.

Accademia delle Scienze (Turin 1783). *Fondée* par le roi Vittorio Amadeo III. 250 m. 2 sections : *1°)* sciences physiques, math. et nat. (145 m. dont 35 nationaux, 10 étr. et 100 corr.) ; *2°)* sc. morales, hist. et philol. (fondée par Napoléon) (105 m. dont 35 nationaux, 10 étr. et 60 corr.).

Accademia Nazionale dei Lincei. Ac. nat. des Lynx (Rome 1603). 2 cl. : *1°)* sc. physiques, math. et naturelles (270 m. dont 90 nationaux, 90 étr., 90 corr.) ; *2°)* sc. morales, hist. et philologiques (270 m. dont 90 nationaux, 90 étr., 90 corr.).

Accademia Nazionale di San Luca (Rome) (1595). 3 classes : peinture, sculpture, architecture (54 m., 90 corr. italiens ; 30 étr.).

Accademia Toscana di Scienze e Lettere « la Colombaria » (Florence) (1735). 4 classes : *1°)* Philologie et critique littéraire (15 m. effectifs et 15 corr.) ; *2°)* Sciences hist. et philos. (15 m. eff. et 15 corr.) ; *3°)* Sc. juridiques, écon. et sociales (15 m. eff. et 15 corr.) ; *4°)* Sc. physiques, math. et naturelles (15 m. eff. et 15 corr.).

SOCIÉTÉS SAVANTES : la plus importante est l'*Ateneo Veneto* fondée en 1812 par Eugène de Beauharnais. *Sté Dante Alighieri* (dans les principales villes d'Italie et d'Europe) fondée en 1889 à Rome par R. Boughi et soutenue par Foscolo, Carducci et Fogazzaro, *Pt :* Dottore Cortese.

Luxembourg

Institut Grand-Ducal. Fondé le 24-10-1868. 6 sections : histoire, médecine, sciences, linguistique, arts et littérature, sciences morales et politiques.

Portugal

Academia des Ciências de Lisboa (1779). 2 classes. *Sciences :* mathématiques, physique, chimie, sc. naturelles, médecine, sc. appliquées et hist. des sciences. *Lettres :* littérature, études littéraires et linguistiques, philosophie et pédagogie, histoire et géographie, droit et sociologie, économie politique. *Pt :* Dr José Pinto Peixoto. *Membres :* Sciences 168 (24 m. effectifs, 48 m. corresp. et associés, 96 corresp. étrangers) ; Lettres 168 (24 m. effectifs, 48 m. corr. et associés, 96 corr. étr.). Comprend aussi l'Institut des hautes études et l'Institut de lexicologie et de lexicographie de la langue portugaise. Nacional de Belas Artes (Lisbonne) (1836). 20 m. effectifs. Corresp. nat., étrangers, honoraires ; 2 m. mérite ; jubilés illimités. Academia Portuguesa da História (Lisbonne) (1720). Restaurée 1936. *Membres :* 120 dont : 40 effectifs (30 Port., 10 Brés.), 40 corr. port., 40 étr. *Bibliothèque* 82 000 titres, ouverte du 1-10 au 1-7.

Suède

Académie royale des belles-lettres, de l'histoire et des antiquités (1753). 8 m. hon. ; 62 m. suédois et 16 m. étr. (s. histoire-antiquités), 71 m. suédois et 25 m. étr. (s. philosophie-philologie). 28 corr. suédois et 10 étrangers. *Secr. gén. :* Erik Frykman. Des sciences (1739). 10 divisions, groupant env. 300 m. suédois et 161 m. étr. Décerne les prix Nobel de physique et de chimie, le prix de sciences économiques en mémoire d'Alfred Nobel, et le prix Crafoord en math., astronomie, géographie, géophysique et biologie. *Secr. gén. :* Carl-Olof Jacobson. Suédoise des sc. de l'ingénieur (**IVA** en suédois) (1919). 619 m. suédois en 12 sections et 195 m. étr. Académie suédoise. Fondée en 1786, en partie sur le modèle de l'Ac. française. 18 m. ; décerne le prix Nobel de littérature. *Secrétaire perpétuel :* Sture Allén.

Suisse

Académie rhodanienne des lettres (1950 ; franco-suisse). 40 m. *Pts,* tantôt suisses, tantôt fr. (sans qu'il y ait obligation). *Vice-pts* statutairement fr. et suisses. *Siège social :* Avignon.

Pro Helvetia (P.H. Fondation suisse pour la culture). *Fondée* en 1949. 32 m. + 1 président nommés par le Conseil fédéral suisse. *But :* maintenir l'héritage spirituel de la Suisse et promouvoir la création culturelle de la Suisse ; établir des relations culturelles avec l'étranger. *Pte :* Rosmarie Simmens ; *Dir. :* Daniel Jeannet.

U.R.S.S.

• Académie des sciences d'U.R.S.S. (Moscou) (1725). 333 m. actifs, 596 m. corr. *17 sections :* math. ; physique générale et astronomie ; physique nucléaire ; problèmes physico-techniques énergétiques ; mécanique et procédés de commande ; informatique, technique de calcul et automatisation ; chimie gén. et technique ; physico-chimie et technologie des matières inorganiques ; biochimie, biophysique et chimie des composés physiologiques actifs ; physiologie ; biologie génér. ; géologie, géophysique et géochimie ; océanologie, physique de l'atmosphère et géographie ; histoire ; philosophie et droit ; économie ; problèmes d'économie mondiale et relations internat. ; littérature et langage. Section sibérienne de l'Académie des sciences d'U.R.S.S. à Novossibirsk. Régit toute l'activité scientifique de l'U.R.S.S. Le décret présidentiel du 23-8-1990 déclare autonome l'Ac. Les programmes de recherches sont financés par un fonds de soutien de la recherche (budget provisoirement non fixé). La ville universitaire d'Akademgorodok (dans la banlieue de Novossibirsk en Sibérie occidentale) regroupe une quarantaine d'instituts, avec 100 académiciens, plus de 400 chercheurs et 10 000 techniciens (pop. totale : 30 000 hab.). Dépend en principe de l'Ac. des sciences, mais a une gestion autonome (Pt : Koptug Valentin Afanassievitch). *Créée* en principe pour étudier les problèmes du développement de la Sibérie, est devenue un centre de recherches fondamentales, notamment en physique nucléaire et en technologie des plasmas.

• Autres académies. **Agriculture.** 95 m., nombreux corr. et des m. étr. **Architecture** (1955). 39 m. **Arts** (1947). 60 corr. **Sciences médicales** (1944). 109 m. et des m. étr.

• Instituts de recherche. **Académies locales** dans les Républiques.

Vatican

Académie pontificale des sciences. **Origine :** D'abord non distincte de l'Ac. des Lynx (voir Italie ci-dessus). *1847* sous Pie IX, devient l'Ac. pontificale des Nouveaux Lynx. *1922* Pie XI l'installe dans le pavillon Pie IV des jardins du Vatican. *1936* nouveaux statuts, avec son nom actuel. **But :** favoriser la recherche. Il y a des académiciens temporaires (pendant la durée de leurs travaux) et des ac. d'honneur (bienfaiteurs). *Pt :* Carlos Chagas (biologiste brésilien n. 1910). **Membres :** 70 choisis parmi les savants les plus célèbres du monde entier, sans considération de religion (math. et sciences appl.).

Prix littéraires

En France

Statistiques

Nombre de prix. Environ 1 500 prix littéraires sont décernés par l'Institut de France, par des académies provinciales ou des jurys divers. Montant : de 0 à 300 000 F. Beaucoup sont de 50 ou 100 F.

Prix les plus connus (montant en milliers de F). *Académie française :* Grand Prix de littérature Paul-Morand (300), du roman (100), de la critique (50), de l'essai (50), de la nouvelle (50), Gobert (Histoire) (50 et 25), Pierre-Benoît (50), de la biographie (25), Roland-de-Jouvenel (20), Mottard de soutien à la création littéraire (20). *Divers :* littéraire du Levant (Conseil général du Var) (300), Marcel-Proust (250), Novembre (200), de l'Assemblée nationale (150), Grand Prix Mont-Blanc (100), Mannesman Tally (100), Grand Prix de la biographie (Le Printemps) (80), Maupassant (80), Lutèce de la littérature (Le Bon Marché) (50), Jacques-Chardonne (50), Paul-Léautaud (50), Charles-Plisnier (50), François-Mauriac (50), littéraire du Crazy Horse (50), de l'insolence (50), Chateaubriand (50), Grevisse (50), Jean-Giono (50), Antoine-Blondin (Primagaz-RMC) (30), Antigone (30), Roger-Nimier (30), des grandes écoles et universités (30).

Tirages. Les « grands prix » assurent souvent à l'auteur un tirage de best-sellers dans l'année qui suit : Goncourt (120 000 à 500 000), Femina (80 000 à 150 000), Renaudot (60 000 à 120 000), Interallié (100 000), Médicis (30 000 à 240 000), Gd Prix du roman (20 000 à 50 000). En 1908, le prix Goncourt fut tiré à 3 000 ex. ; il fallut 12 ans pour les épuiser.

Légende. – **Éditeurs :** (1) Actes Sud. (2) Albin Michel. (3) Alta. (4) Balland. (5) Le Bateau Ivre. (6) Bertil Galland. (7) Belfond. (8) Bibl. des Arts. (9) Calmann-Lévy. (10) Charlot. (11) Colbert. (12) Corréa. (13) Crès. (14) Denoël. (15) Donnat. (16) Didier. (17) Éd. du Feu. (18) Éd. de minuit. (19) Éd. du Myrte. (20) Éd. de la Plume. (21) Éd. de la Revue Fontaine. (22) Fasquelle. (23) Fayard. (24) Flammarion. (25) Flore. (26) Fontaine. (27) Grasset. (28) Hachette. (29) Henri Lefèvre. (30) Jean-Jacques Pauvert. (31) La Jeune Parque. (32) Julliard. (33) Lemerre. (34) Librairie universelle. (35) Mercure de France. (36) Nouvelle France. (37) N.R.F. (38) Ollendorf. (39) Oudin-Calmann-Lévy. (40) Pelletan. (41) Plon. (42) Plon-Perrin. (43) Presses de la Cité. (44) Ramsay. (45) Retz. (46) Rieder. (47) Robert Laffont. (48) Le Seuil. (49) Stock. (50) La Table Ronde. (51) La Vraie France. (52) Librairie Académique Perrin. (53) Gallimard. (54) Clouzot. (55) José Corti. (56) Lattès. (57) L'Age d'Homme. (58) Baudinière. (59) Milieu du Monde. (60) Vigneau. (61) Pavois. (62) Einaudi, Milan. (63) Luneau-Ascot. (64) Casterman. (65) Herscher. (66) Éd. Presses de la Renaissance. (67) Lachenal et Ritter. (68) La Colombe. (69) Phébus. (70) Skira. (71) Éd. Mazarine. (72) Éd. du Regard. (73) Solin. (74) Nadeau. (75) Olivier Orban. (76) Presses Universitaires de Nancy. (77) P.O.L. (78) Payot. (79) La Découverte. (80) P.U.F. (81) Rivages. (82) Christian Bourgois. (84) Éd. Le Chêne. (85) Arcane 17. (86) Odile Jacob. (87) Seghers. (88) Nathan. (89) Tallandier. (90) Mayer. (91) Quai Voltaire. (92) Sylvie Messinger. (93) Larousse. (94) Belin. (95) Arlea. (96) Uno Asco. (97) Le Sagittaire. (98) Maren Sell. (99) Buchet-Chastel. (100) L'Arpenteur. (101) Du Rocher. (102) Bordas. (103) Lieu commun. (104) Séguier. (105) La Différence. (106) l'Harmattan. (107) Messidor. (108) De Fallois. (109) Viviane Hamy. (110) Jean-Claude Lattès.

Principaux prix

☞ Pour le prix Nobel, Voir Index.

• Académie des sciences d'outre-mer *7 prix :* Georges BRUEL (créé 1951), Eugène ÉTIENNE (1934), Maréchal LYAUTEY (1934), M. et Mme Louis MARIN (1976), Auguste PAVIE (1982), Paul RIVET (1984), Emmanuel André YOU (1953).

• Association des écrivains de langue française (A.D.E.L.F.). **Prix 1987.** Décerne plusieurs grands prix dont : prix de l'Afrique méditerranéenne (Wadi Bouzar), p. européen (François Fejtö), p. de l'Asie (Ly Thu Ho et Michel Tauriac), grand p. de la Mer (Henry Nouillet et Jean-René Vanney), grand p. litt. de l'Afr. noire créé en 1960 (*86* Bolga Baenga, Thierno Monemembo).

• Albert-Camus. *Créé* 1987. **Montant :** 20 000 F. Lauréats : **1987** Roger GRENIER, *A. Camus soleil et ombre* [53]. **88** Bertrand VISAGE, *Angélica* [48]. **89** Christiane SINGER, *Histoire d'âme* [2]. **90** Jacques FIESCHI, *l'Homme à la mer* [110].

• Albert-Londres. *Créé* en souvenir d'Albert Londres (disparu en mer au cours du naufrage du *Georges-Philippar*) en nov. 1932, par sa fille Florise Martinet-Londres (1904-75) (interrompu de 1940 à 46). **Décerné** annuellement (vers le 16 mai) à un grand reporter de langue française de moins de 40 ans. Géré par la Société des gens de lettres. Depuis 1985, il est décerné à 2 journalistes : presse écrite, presse audiovisuelle. **Montant :** 10 000 F pour chaque lauréat. Pt : Henri Amouroux. Secr. gén. : Henri de Turenne. **Jury :** Josette Alia, Lucien Bodard, Max Clos, Yves Courrière, Thierry Desjardins, François Hauter, Katia Kaupp, Jean Lartéguy, René Mauriès, Georges Menant, Marcel Niedergang, Christophe de Ponfilly, Bernard Ullmann (+ les deux lauréats de l'année précédente). **Adresse :** Hôtel de Massa, 38, rue du Fg-St-Jacques, 75014 Paris. **Lauréats : 1933** Émile CONDROYER. **34** Stéphane FAUGIER. **35** Claude BLANCHARD. **36** Jean BOTROT. **37** Max MASSOT. **38** Jean-Gérard FLEURY. **39** Jacques ZIMMERMANN. **46** Marcel PICARD. **47** André BLANCHET et Dominique PADO. **48** Pierre VOISIN. **49** Serge BROMBERGER. **50** Alix d'UNIENVILLE. **51** Henri de TURENNE. **52** Georges MENANT. **53** Maurice CHANTELOUP. **54** Armand GATTI. **55** Jean LARTÉGUY. **56** René MAURIÈS. **57** René PUISSESSEAU. **58** Max OLIVIER-LACAMP. **59** Jean-Marc THÉOLEYRE. **60** J. JACQUET-FRANCILLON. **61** Marcel NIEDERGANG. **62** Max CLOS. **63** Victor FRANCO. **64** José HANU. **65** Michel CROCE-SPINELLI. **66** Yves COURRIÈRE. **67** Jean BERTOLINO. **68** Yves CUAU. **69** Yves-Guy BERGÈS. **70** Philippe NOURRY. **71** Jean-François DELASSUS. **72** Pierre BOIS et Jean-Claude GUILLEBAUD. **73** Jean-Claude POMENTI. **74** François MISSEN. **75** Thierry DESJARDINS. **76** Pierre VEILLETET. **77** François DEBRÉ. **78** Christian HOCHE. **79** Hervé CHABALIER. **80** Marc KRAVETZ. **81** Bernard GUETTA. **82** Christine CLERC. **83** Patrick MENEY. **84** Jean-Michel CARADEC'H. *Presse écrite :* **85** Alain LOUYOT, **86** François HAUTER. **87** Jean-Paul MARI, *(audio.)*: **85** Christophe de PONFILLY, Bertrand GALLET, **86** Philippe ROCHOT. **87** Frédéric LAFFONT. **88** Prix spécial du cinquantenaire : Sorj CHALANDON, Daniel LECOMTE, Sammy KETZ. **89** Jean ROLLIN *(écrit)*, Denis VINCENTI et Patrick SCHMIDT *(audio.)*. **90** Yves HARTE *(écrit)*, Gilles de MAISTRE *(audio)*.

• **Ambassadeurs.** *Créé* 1948 par Jean-Pierre Dorian. **But :** faire connaître la culture et la pensée françaises dans le domaine de l'histoire ou de l'histoire politique. **Jury :** *avant 1960,* 24 diplomates fr. et étrangers en poste à Paris, *dep. 1960,* 20 ambassadeurs en poste à Paris au maximum. *Pt du jury :* Christian Orsetti : ambassadeur du Pce de Monaco assisté par un comité consultatif présidé par Maurice Druon. **Lauréats :** *premiers l. :* **1948** Antoine de SAINT-EXUPÉRY, *la Citadelle* [53]. **49** Henry BOSCO, *Malicroix* [27]. **50** Simone WEIL, *L'Attente de Dieu* et l'ensemble de son œuvre [68]. *Derniers l. :* **80** Olivier GUICHARD, *Mon Général* [27]. Jean DELAY (Prix spécial). **81** Françoise CHANDERNAGOR, *L'Allée du Roi* [32]. **82** André FONTAINE, *Un seul lit pour deux rêves* [23]. **83** Jean des CARS, *Elisabeth d'Autriche ou la Fatalité* [52]. **84** Alain DECAUX, *Victor Hugo* [52]. **85** Jean LACOUTURE, *De Gaulle* [48]. **86** Pierre GRIMAL, *Cicéron* [23]. **88** Édouard BONNEFOUS, *Avant l'oubli* T. I [47], T. II [88]. **89** François FURET, *La Révolution 1770-1880* [28]. **90** Jacques-Francis ROLLAND, *L'Homme qui défia Lénine* [27].

• **Apollinaire.** *Fondé* 1941 par Henri de Lescoët (1906). **Origine :** maintenir et développer le souvenir du poète disparu et encourager notamment par l'attribution du Prix une œuvre poétique. **Décerné** en juin à un ouvrage édité depuis le 1er juin de l'année précédente, dans le salon Apollinaire, chez Drouant. Doté actuellement par Claude Douillard (Pt-dir. gén. de la S.A. DROUANT et du groupe Elitair). **Montant :** 50 F jusqu'en 1973 ; 5 000 F actuellement. **Jury.** *Pt :* Robert Mallet ; *membres* élus à vie : Marc Alyn, Jean Bancal, Hervé Bazin, Yvonne Caroutch, Andrée Chédid, Georges-Emmanuel Clancier, Bernard Delvaille, Charles Dobzynski, Jean L'Anselme, Henri de Lescoët, Robert Mallet, Rouben Melik, Robert Sabatier. **Lauréats : 1970** Pierre DALLE NOGARE. **71** Gaston BONHEUR. **72** Serge MICHENAUD. **73** Marc ALYN. **74** Léopold Sédar SENGHOR. **75** Charles LE QUINTREC. **76** Bernard NOËL. **77** Édouard J. MAUNICK. **78** J.-Cl. RENARD. **79** Jean LAUGIER. **80** Jean MAMBRINO et Vénus KHOURY-GHATA. **81** Gaston MIRON. **82** Jean ORIZET. **83** Pierre GABRIEL. **84** Pierrette MICHELOUD. **85** J.-Vincent VERDONNET. **86** Cl.-Michel CLUNY. **87** Yves BROUSSARD. **88** James SACRE. **89** Philippe DELAVEAU, *Eucharis* [53]. **90** Jacques GAUCHERON, *Entre mon ombre et la lumière* [107].

• **Aujourd'hui.** *Fondé* 1962 par un groupe de journalistes politiques. **But :** couronner un ouvrage historique ou politique sur la période contemporaine [ouvrage à caractère général (à l'exclusion des romans) : mémoires, étude, biographie...] écrit par un auteur français ou étranger, mais publié en français et en France, dans l'année qui suit l'attribution du prix précédent. **Montant :** 5 000 F. **Jury :** Roger Giron (Pt), Joseph Barsalou, Jean Boissonnat, Raymond Castans, Christine Clerc, Alain Duhamel, Albert Du Roy, Jacques Fauvet (Pt), Jean Ferniot, André Frossard, Claude Imbert, Jacques Julliard, Bernard Lefort, Catherine Nay, Pierre Rostini, Philippe Tesson. **Lauréats : 1962** Gilles PERRAULT, *Les Parachutistes* [48]. **63** J. DELARUE, *Histoire de la Gestapo* [23]. **64** Eugène MANNONI, *Moi, général De Gaulle* [48]. **65** Lucien BODARD, *L'Humiliation* [53]. **66** Pierre ROUANET, *Mendès France au pouvoir* [47]. **67** C. LEVY et P. TILLARD, *La Grande Rafle du vel d'Hiv.* [47]. **68** Claude JULIEN, *L'Empire américain* [27]. **69** Arthur LONDON, *L'Aveu* [53]. **70** Jacques DEROGY, *La Loi du retour* [23]. **71** P. VIANSSON-PONTÉ, *Histoire de la Rép. gaullienne* [23]. **72** Jean MAURIAC, *Mort du général de Gaulle* [27]. **73** Jean LACOUTURE, *Malraux* [48]. **74** Michel JOBERT, *Mémoires d'avenir* [27]. **75** Pierre-Jakez HELIAS, *Le Cheval d'orgueil* [41]. **76** Marek HALTER, *Le Fou et les Rois* [2]. **77** Franz-Olivier GIESBERT, *François Mitterrand ou la Tentation de l'histoire* [48]. **78** Hélène CARRÈRE D'ENCAUSSE, *L'Empire éclaté* [24]. **79** Jean DANIEL, *L'Ère des ruptures* [27]. **80** Maurice SCHUMANN, *Un certain 18 juin* [41]. **81** Raymond ARON, *Le Spectateur engagé* [32]. **82** Michel ALBERT, *Le Pari français* [48]. **83** Jean-François REVEL, *Comment les démocraties finissent* [27]. **84** Catherine NAY, *Le Noir et le Rouge* [27]. **85** François de CLOSETS, *Tous ensemble* [48]. **86** Robert GUILLAIN, *Orient-Extrême, une vie en Asie* [48]. **87** Alain MINC, *La Machine égalitaire* [27]. **88** Philippe ALEXANDRE, *Paysages de campagne* [27]. **89** Didier ERIBON, *Michel Foucault* [24]. **90** Georges VALANCE, *France-Allemagne : le retour de Bismarck* [24].

• **Cazes.** *Fondé* 1935 par Marcellin Cazes. **Décerné** en mars. **Jury :** Solange Fasquelle (Pte), André Bourin (Secr.), Georges-Emmanuel Clancier, Claude-Michel Cluny, Jean-Louis Curtis, Roger Giron, Michel Grisolia, Michelle Maurois, Michel Perrochon, Eric Roussel, Joël Schmidt, Olivier Séchan. **But :** destiné à couronner un roman, un essai, une biographie, des mémoires ou un recueil de nouvelles d'une excellente tenue littéraire. **Montant :** 10 000 F accompagné d'une table ouverte de 5 000 F. **Lauréats : 1935** la Compagnie théâtrale le Rideau de Paris de Marcel HERRAND et Jean MARCHAT pour ses créations du *Coup de Trafalgar* (Roger VITRAC) et de *l'Homme en blanc* (André RICHAUD). **36** Pierre-Albert BIROT, *Grabinoulor.* **37** Thyde MONNIER, *La Rue courte.* **38** Kléber HAEDENS, *L'École des parents.* **39** Marius RICHARD, *Jeanne qui s'en alla.* **40** André CAYATTE, *Le Traquenard.* **42** Albert PARAZ, *Le Roi tout nu.* **43** Jean PROAL, *Où souffle la lombarde.* **44** Pierre TISSEYRE, *Cinquante-cinq heures de guerre.* **46** Jean-Louis CURTIS, *Les Jeunes Hommes ;* Olivier SECHAN, *Les Chemins de nulle part ;* Jean PRUGNOT, *Béton armé ;* (il n'y eut pas de prix en 1941 et 45, c'est pourquoi on en a décerné 3 en 1946). **47** Florian LE ROY, *L'Oiseau volage.* **48** André FAVIER, *Confession sans grandeur ;* Pierre HUMBOURG, *Le Bar de minuit passé.* **49** François RAYNAL, *Marie des solitudes.* **50** Marcel SCHNEIDER, *Le Chasseur vert.* **51** Bertrand DEFOS, *Le Compagnon de route.* **52** Henry MULLER, *Trois pas en arrière.* **53** Ladislas DORMANDI, *Pas si fou.* **54** Hélène BESSETTE, *Lily pleure.* **55** Albert VIDALIE, *Les Bijoutiers au clair de lune.* **56** Georges BAYLE, *Le Pompiste et le chauffeur.* **57** Yves GROSRICHARD, *La Compagne de l'homme.* **58** André GUILBERT, *Deux doigts de terre.* **59** Jacques PEUCHMAURD, *Le Plein Été.* **60** Monique LANGE, *Les Platanes* [53]. **61** Solange FASQUELLE, *Le Congrès d'Aix ;* Henry DORY, *La Nuit de la Passion.* **62** Ghislain de DIESBACH, *Un joli train de vie.* **63** Francis HURE, *Le Consulat de Pacifique.* **64** Luc BÉRIMONT, *Le Bois Cattiau.* **65** René SUSSAN, *Histoire de Farezi* [14]. **66** Georges ELGOZY, *Le Paradoxe des Technocrates* [14]. **67** Marie-Claude SANDRIN, *La Forteresse de boue* [99]. **68** Walter LEWINO, *L'Éclat et la blancheur* [2]. **69** Jacques BARON, *L'An 1 du Surréalisme* [14]. **70** Michel de GRÈCE, *Ma sœur l'Histoire ne vois-tu rien venir ?* **71** José-Luis de VILLALONGA, *Fiesta.* **72** Suzanne PROU, *Méchamment les Oiseaux* [9]. **73** Claude MENUET, *Une enfance ordinaire.* **74** François de CLOSET, *Le Bonheur en plus* [14]. **75** Jean-Marie FONTENEAU, *Phénix* [27]. **76** Jean CHALON, *Portrait d'une séductrice* [49]. **77** Eric OLIVIER, *Panne sèche.* **78** Jacques d'ARRIBEHAUDE, *Adieu Néri.* **79** CAVANA, *Les Ritals* [7]. **80** Guy LAGORCE, *Les Héroïques* [32]. **81** Olivier TODD, *Le Fils rebelle* [27]. **82** Jean BLOT, *Gris du Ciel* [53]. **83** Edgar FAURE, *Avoir toujours raison... c'est un grand tort* [41]. **84** Dominique DESANTI, *Les Clés d'Elsa* [44]. **85** Jean-Paul ARON, *Les Modernes* [53]. **86** Xavier de la FOURNIÈRE, *Louise Michel* [52]. **87** Joël SCHMIDT, *Lutèce* [52]. **88** Ya DING, *Le Sorgho rouge* [45]. **89** Jean HAMBURGER, *Monsieur Littré* [24]. **90** Jean-Jacques LAFAYE, *l'Avenir de la nostalgie, une vie de Stefan Zweig.* **91** Pierre SIPRIOT, *Montherlant sans masque* [47].

• **Chardonne (Jacques).** *Fondé* en 1986. **Pt du jury :** François Nourissier. **Montant** 50 000 F (versés par le bureau du Cognac). **Lauréats : 87** Georges BORGEAUD, *Le Soleil sur Aubiac* [27]. **88** Pierre VEILLETET, *Mari-Barbola* [95]. **89** Georges-Emmanuel CLANCIER, pour son œuvre. **90** Denis TILLINAC, *la Corrèze et le Zambèze* [47].

• **Chateaubriand.** *Fondé* 1975. **Montant :** 50 000 F [décerné le 1er mardi de décembre ; fait partie des 5 prix annuels du Rayonnement français (sciences physiques et math., sc. biologiques et médicales, sc. économiques et sociales, illustration des Arts)] dotés chacun de 50 000 F par le Comité du Rayonnement français. **Jury :** Pierre de Boisdeffre (Pt), Jeanne Bourin, André Brincourt, Jean Cau, Jean Cazeneuve, François Lhermitte, Louis Pauwels, Jean Raspail, Maurice Rheims, Georges Riond, Vladimir Volkoff. **Lauréats : 1975** Michel DEL CASTILLO. *Le Silence des pierres* [32]. **76** Rév. Père BRUCKBERGER. *Traduction et Commentaire de l'Évangile* [2]. **77** Louis PAUWELS. *L'Apprentissage de la sérénité* [45]. **78** Pierre DEBRAY-RITZEN. *Lettre ouverte aux parents des petits écoliers* [2] et Jean ORIEUX. *Souvenirs de campagne* [24]. **79** Vladimir VOLKOFF. *Le Retournement* [32]. **80** Philippe BOEGNER. *L'Enchaînement* [3]. **81** Camille BOURNIQUEL. *L'Empire Sarkis* [32] et l'ensemble de son œuvre. **82** Marguerite CASTILLON DU PERRON. *Charles de Foucauld* [27]. **83** Henri AMOUROUX. *L'Impitoyable Guerre civile* [47] et l'ensemble de son œuvre. **84** Paul GUTH, *Une enfance pour la vie* [41] et l'ensemble de son œuvre. **85** Yves COURRIÈRE, *Joseph Kessel, ou la Piste du lion* [41] et l'ensemble de son œuvre. **86** Jean RASPAIL, *Qui se souvient des hommes ?* [56] et l'ensemble de son œuvre. **87** Alain BOSQUET. *Lettre ouverte à mon père qui aurait eu cent ans* [53], et l'ensemble de son œuvre. **88** Jean-François REVEL, *La Connaissance inutile* [27] et l'ensemble de son œuvre. **89** Henri COULONGES, *Lettre à Kirilenko* [49]. **90** Françoise CHANDERNAGOR, *l'Enfant aux loups* [108].

• **Cino-Del-Duca (Prix mondial).** *Créé* 1969 par Mme Simone Cino Del Duca. **But :** récompenser et faire connaître un auteur dont l'œuvre constitue sous une forme scientifique ou littéraire un message d'humanisme moderne. **Décerné** en octobre. **Montant :** 200 000 F. **Jury** *Pt :* Maurice Druon, *membres :* Pr Jean Bernard, Jean Cazeneuve, Jean Cayrol, Pr Jean-François Denisse, Marcel Jullian, Louis Leprince-Ringuet, Rév. Père Carré, Michel Mohrt, Pierre Moinot, Jean d'Ormesson, Maurice Rheims, Maurice Schumann, Étienne Wolff. **Lauréats : 1969** Konrad LORENZ. **70** Jean ANOUILH. **71** Ignazio SILONE. **72** Victor WEISSKOPF. **73** Jean GUÉHENNO. **74** Andreï SAKHAROV. **75** Alejo CARPENTIER. **76** Lewis MUMFORD. **77** Germaine TILLION. **78** Léopold Sédar SENGHOR. **79** Pr Jean HAMBURGER. **80** Jorge Luis BORGES. **81** Ernst JÜNGER. **82** Yachar KEMAL. **83** Jacques RUFFIÉ. **84** Georges DUMÉZIL. **85** William STYRON. **86** Thierry MAULNIER. **87** Docteur Denis BURKITT. **88** Henri GOUHIER. **89** Professeur Carlos CHAGAS. **90** Jorge AMADO.

Bourses littéraires Cino-del-Duca (2). *Créées* 1952 par Cino-Del-Duca. 1re : pour un écrivain ayant déjà été édité. **Montant :** 20 000 F. 2e : pour un écrivain n'ayant jamais été publié. **Montant :** 10 000 F. *Age limite :* 45 ans.

• **Critique littéraire (Grand Prix de la).** *Fondé* nov. 1948, sur une idée de R. Kemp (1879-1959) et Émile Henriot (1889-1961). **But :** encourager la création dans l'ordre de la critique et de l'histoire littéraire. **Décerné** fin mai. **Montant :** 10 000 F. **Jury :** Robert André (Pt), Hervé Bazin, Yves Broussard, Pierre Gamarra, Jérôme Garcin, Daniel Leuwers, Jean Orizet, Joël Schmidt, Jean Rousselot. **Lauréats : 1949** Antoine ADAM. **50** Pierre de BOISDEFFRE. **51** Pierre-Georges CASTEX. **52** Georges POULET. **53** François-Régis BASTIDE. **54** John L. BROWN. **55** Robert MALLET. **56** Samuel S. de SACY. **57** Jean DELAY. **58** Dominique AURY. **59** R.P. André BLANCHET. **60** Michel BUTOR. **61** Henri FLUCHÈRE. **62** Suzanne JEAN-BÉRARD. **63** Jean de BEER. **64** Pierre FREDERIX. **65** Henri GUILLEMIN. **66** Jean ORIEUX. **67** Daniel GILLES. **68** Madeleine FARGEAUD. **69** Maurice NADEAU. **70** Michel MOHRT. **71** Maurice BARDÈCHE. **72** André WURMSER. **73** Pierre BARBERIS. **74** Jean-Pierre RICHARD. **75** José CABANIS. **76** Philippe LEJEUNE. **77** Roger KEMPF. **78** Auguste ANGLES. **79** Jacques CATTEAU. **80** Bertrand d'ASTORG. **81** Marthe ROBERT. **82** ÉTIEMBLE. **83** Béatrice DIDIER. **84** Henri TROYAT, *Tchekhov* [24]. **85** Éric MARTY, *l'Écriture du jour* [48]. **86** Jean BLOT *Yvan Gontcharov ou le Réalisme impossible* [57]. **87. 88** pas décerné. **89** Gérald ANTOINE, *Paul Claudel ou l'enfer du génie* [47]. **90** Michel DROUIN, *André Suarès, Âmes et visages* [53].

• **Deux-Magots.** *Fondé* 1933 par Martine et Roger Vitrac. **But :** découvrir une œuvre originale et de qualité. **Montant :** 7 500 F depuis 1987. **Décerné** la 2e quinzaine de janvier, au café des Deux-Magots. **Jury :** Charles Bersani, Jean-Marc Campagne, Jean-Paul Caracalla, Éric Ollivier, Henri Philippon, Gabriel Picabia, Marthe de Rohan-Chabot, Jean-Marie Rouart. **1er lauréat** (1933) : Raymond Queneau *(Le Chiendent).* **Lauréats : 70** Roland TOPOR. **71** Bernard FRANCK. **72** Alain CHÉDANNE. **73** Michel DEL CAS-

TILLO. **74** André HARDELLET. **75** Geneviève DORMANN. **76** François COUPRY. **77** Inès CAGNATI. **78** Sébastien JAPRISOT. **79** Catherine RIHOIT. **80** Roger GARAUDY. **81** Raymond ABELIO. **82** Michel HAAS. **83** Jean VAUTRIN. **84** Arthur SILLENT. **86** Éric DESCHODT et Michel BREITMAN. **87** Gilles LAPOUGE. **88** Marc LAMBRON. **89** Olivier FRÉBOURG, *Roger Nimier, trafiquant d'insolence* [101]. **90** Jean-Jacques PAUVERT, *Sade vivant* [47].

• **Élie-Faure.** *Créé* 1980 par l'Institut de picturologie, décerné tous les ans à la Closerie des Lilas. **But :** récompenser par une médaille à l'effigie d'Elie Faure les auteurs d'ouvrages sur la peinture présentant « un exceptionnel intérêt méthodologique ». **Jury** *(1990) :* Pierre de Boisdeffre, Henry Bonnier, André Brincourt, R.P. Carré, Pierre Debray-Ritzen (Pt), Pierre Dehaye, René Deheuvels, Jacques Despierre, Bernard Dorival, Jean Ferré, Antonio Fontan et Louis Pauwels. **Lauréats :** *Prix 1990, peinture classique :* Alain MÉROT pour Poussin, *médiévale :* Hans VAN MIEGROET pour Gérard David, *expressionniste :* Jane KALLIR pour Egon Schiele.

• **Femina.** *Fondé* 1904 par 22 collaboratrices de la revue « Vie heureuse » (à laquelle a succédé la revue « Femina »), pour encourager les lettres et rendre plus étroites les relations de confraternité entre les femmes de lettres. En 1951 le nombre des membres a été ramené à 12. **Montant :** 5 000 F (don, depuis 1960, de la librairie Hachette). Les tirages obtenus varient de 80 000 à 200 000 (parfois supérieurs au Goncourt). **Décerné** le dernier lundi de novembre. Environ 100 à 150 romans sont sélectionnés. **Jury :** D^esse^ de La Rochefoucauld (Pte) ; Dominique Aury, Madeleine Chapsal, Régine Deforges, Claire Gallois, Benoîte Groult, Diane de Margerie, Renée Massip, Zoé Oldenbourg, Suzanne Prou, Marie Susini. *Secrétaire général :* Jacques Nels. **Lauréats : 1904** Myriam HARRY, *La Conquête de Jérusalem* [23]. **05** Romain ROLLAND, *Jean-Christophe* [2]. **06** André CORTHIS, (Mlle HUSSON), *Gemmes et Moires* [24]. **07** Colette YVER, *Princesses de Science* [9]. **08** Édouard ESTAUNIÉ, *La Vie secrète* [42]. **09** Edmond JALOUX, *Le Reste est silence* [41]. **10** Marguerite AUDOUX, *Marie-Claire* [22]. **11** Louis de ROBERT, *Le Roman du malade* [22]. **12** Jacques MOREL, (Mme Edmond Pottier), *Feuilles mortes* [28]. **13** Camille MARBO (Mme Émile Borel), *La Statue voilée* [23]. **14-16** *Pas de prix décerné.* **17** René MILAN (pseudon. : Maurice LARROUY), *L'Odyssée d'un transport torpillé* [23]. **18** Henri BACHELIN, *Le Serviteur* [24]. **19** Roland DORGELÈS, *Les Croix de bois* [2]. **20** Edmond GOJON, *Le Jardin des Dieux* [22]. **21** Raymond ESCHOLIER, *Cantegril* [2]. **22** Jacques de LACRETELLE, *Silbermann* [37]. **23** Jeanne GALZY, *Les Allongés* [46]. **24** Charles DERENNES, *Le Bestiaire sentimental* [2]. **25** Joseph DELTEIL, *Jeanne d'Arc* [27]. **26** Charles SILVESTRE, *Prodige du cœur* [41]. **27** Marie LE FRANC, *Grand-Louis l'innocent* [46]. **28** Dominique DUNOIS (Marguerite Lemesle), *Georgette Garou* [9]. **29** Georges BERNANOS, *La Joie* [41]. **30** Marc CHADOURNE, *Cécile de la Folie* [41]. **31** Antoine de SAINT-EXUPÉRY, *Vol de nuit* [37]. **32** Ramón FERNANDEZ, *Le Pari* [37]. **33** Geneviève FAUCONNIER, *Claude* [49]. **34** Robert FRANCIS, *Le Bateau-Refuge* [37]. **35** Claude SILVE (Ctesse Jules de Divonne), *Bénédiction* [27]. **36** Louise HERVIEU, *Sangs* [14]. **37** Raymonde VINCENT, *Campagne* [49]. **38** Félix de CHAZOURNES, *Caroline ou le Départ pour les îles* [37]. **39** Paul VIALAR, *La Rose de la mer* [14]. **40-43** *Pas de prix décerné.* **44** Éditions de Minuit (Collection « Sous l'oppression » inaugurée par *le Silence de la mer* de Vercors). **45** Anne-Marie MONNET, *Le Chemin du soleil* [19]. **46** Michel ROBIDA, *Le Temps de la longue patience* [32]. **47** Gabrielle ROY, *Bonheur d'occasion* [24]. **48** Emmanuel ROBLÈS, *Les Hauteurs de la ville* [10]. **49** Maria LE HARDOUIN, *La Dame de cœur* [12]. **50** Serge GROUSSARD, *La Femme sans passé* [37]. **51** Anne de TOURVILLE, *Jobadao* [49]. **52** Dominique ROLIN, *Le Souffle* [48]. **53** Zoé OLDENBOURG, *La Pierre angulaire* [37]. **54** Gabriel VERALDI, *La Machine humaine* [53]. **55** André DHOTEL, *Le Pays où l'on n'arrive jamais* [25]. **56** François-Régis BASTIDE, *Les Adieux* [53]. **57** Christian MÉGRET, *Le Carrefour des solitudes* [32]. **58** Françoise MALLET-JORIS, *L'Empire céleste* [32]. **59** Bernard PRIVAT, *Au pied du mur* [53]. **60** Louise BELLOCQ, *La Porte retombée* [53]. **61** Henri THOMAS, *Le Promontoire* [53]. **62** Yves BERGER, *Le Sud* [27]. **63** Roger VRIGNY, *La Nuit de Mougins* [53]. **64** Jean BLANZAT, *Le Faussaire* [53]. **65** Robert PINGET, *Quelqu'un* [18]. **66** Irène MONESI, *Nature morte devant la fenêtre* [35]. **67** Claire ETCHERELLI, *Élise ou la Vraie Vie* [14]. **68** Marguerite YOURCENAR, *L'Œuvre au noir* [53]. **69** Jorge SEMPRUN, *La 2e Mort de Ramón Mercader* [53]. **70** François NOURISSIER, *La Crève* [27]. **71** Angelo RINALDI, *La Maison des Atlantes* [14]. **72** Roger GRENIER, *Ciné-roman* [53]. **73** Michel DARD, *Juan Maldonne* [48]. **74** René-Victor PILHES, *L'Imprécateur* [48]. **75** Claude FARAGGI, *Le Maître d'heure* [35]. **76** Marie-Louise HAUMONT, *Le Trajet* [53]. **77** Régis DEBRAY, *La neige brûle* [27]. **78** François SONKIN, *Un amour de père* [53]. **79** Pierre MOINOT, *Le Guetteur d'ombre* [53]. **80** Jocelyne FRANÇOIS, *Joue-nous España* [35]. **81** Catherine HERMARY-VIEILLE, *Le Grand Vizir de la nuit* [53]. **82** Anne HÉBERT, *Les Fous de Bassan* [48]. **83** Florence DELAY, *Riche et légère* [52]. **84** Bertrand VISAGE, *Tous les soleils* [48]. **85** Hector BIANCIOTTI, *Sans la miséricorde du Christ* [53]. **86** René BELLETTO, *L'Enfer* [77]. **87** Alain ABSIRE, *L'Égal de Dieu* [9] (au 4e tour par 10 voix contre 4 à Chochana Boukhobza pour *Le Cri*). **88** Alexandre JARDIN, *Le Zèbre* [37]. **89** Sylvie GERMAIN, *Jours de colère* [53]. **90** Pierrette FLEUTIAUX, *Nous sommes éternels* [53].

• **Femina Étranger. 1986** Torgny LINDGREN (Suédois), *Bethsabée* [1]. **87** Susan MINOT, *Mouflets* [53]. **88** Amos OZ (Israélien), *La Boîte noire* [9]. **89** Alison LURIE (U.S.A.), *la Vérité sur Lorin Jones* [81]. **90** Vergilio FERREIRA (Portugais), *Matin perdu* [105].

• **Francophonie.** Grand prix. Créé sur l'initiative du gouvernement canadien. Décerné par l'Académie française. *Montant :* 400 000 F. **Lauréats : 1986** Georges Schéhadé (1910, Libanais). **87** Voichi Maeda (Japonais). **88** Jacques Rabemananjara (Malgache). **89** Hubert Reeves (Canadien).

• **Giono.** *Créé* en 1990 à l'occasion du 20e anniversaire de la mort de Jean Giono par Elise Giono (sa femme), Sylvie Durbet-Giono (sa fille) et Michel Albert (Pt des AGF). **Décerné** en mars au siège des AGF ou à l'agence générale des AGF à Manosque. **Montant :** 50 000 F offerts par les AGF. **But :** révéler un « roman de l'imaginaire » écrit en langue française dans l'esprit de Jean Giono. **Jury :** Pierre Bergé, Françoise Chandernagor, Jean Dutourd, Marcel Jullian, Gilles Lapouge, Patrick Modiano, Claude Mourthe, Franco-Maria Ricci, Jean-Pierre Rudin. **Lauréats : 1990** Yves BEAUCHEMIN, *Juliette Pomerleau* [108]. Michel CALONNE, *les Enfances* [109].

• **Gobert.** Grand prix d'histoire décerné par l'Académie française. **Montant :** 50 000 F. **Lauréats : 1984** Jean-Denis Bredin, *l'Affaire* [32], Pierre Miquel, *la Grande Guerre* [23], **85** Gabriel de Broglie, *Madame de Genlis* [52]. **86** Ivan Cloulas, *Henri III* [23]. **87** 1er Gr. prix (50 000 F) : Pierre Grimal, *Cicéron* [23] ; 2e Gr. prix (30 000 F) partagé entre Pierre Antonetti, *Sampiero, Soldat du Roi et rebelle corse* et Luis Eugène Mangin, *le Général Mangin.* **88** 1er Gr. prix : Ines Murat, *La Seconde République* [23] ; 2e Gr. prix : Jean-Paul Bled, *François-Joseph* [23]. **89** 1er Gr. prix : Henri-Jean Martin, *Histoire et pouvoirs de l'écrit* [52]. 2e Gr. prix : Jean-François Cirinelli, *Génération intellectuelle, khâgneux et normaliens entre les deux guerres* [23].

Edmond de Goncourt *(D.R.)*

• **Goncourt. Origine.** *Fondé* par testament par Edmond de Goncourt († 1896) en mémoire de son frère Jules († 1870). Créé le 21-12-1903. **Président** (jusqu'en 1945, le doyen d'âge) élu par l'Ass. gén. annuelle ; il a voix prépondérante. **Montant :** 50 F (à l'origine 5 000 francs-or). **Décerné** par l'Ac. Goncourt, fin novembre. **But :** destiné à un ouvrage en prose publié dans l'année, il est en fait donné presque exclusivement à un roman. Il doit récompenser en principe un jeune auteur, mais il est allé 1 fois à une septuagénaire : Marguerite Duras (1984), 1 fois à un sexagénaire : Lucien Bodard (1982) : 67 ans et 4 fois à des quinquagénaires : André Pieyre de Mandiargues (1967) : 58 ans, Félicien Marceau (1969) : 56 a., Henri Pourrat (1941) : 54 a., Jacques Laurent (1971), Frédérick Tristan (1983) : 52 a. **Lieu d'attribution :** 1903 chez Champeaux ; 1904-13 au Café de Paris ; depuis 1914, lors d'un déjeuner chez Drouant, place Gaillon (le déjeuner est offert par Drouant ; seuls les pourboires sont payés par les membres). **Membres.** *1er lauréat élu membre :* René Benjamin lauréat 1915, élu en 1938 ; *m. ayant démissionné :* Lucien Descaves (1932 ; motif : Guy Mazeline (les Loups) couronné plutôt que Céline (le Voyage au bout de la nuit). Jean de la Varende (déc. 1944 ; motif : élection d'André Billy), Sacha Guitry (1948), Louis Aragon (1968), Bernard Clavel (1977), *m. ayant demandé l'honorariat :* Armand Salacrou (1983 ; motif : son âge, il est resté m. d'honneur et a participé à l'élection de son successeur, Edmonde Charles-Roux ; *m. « épuré » :* René Benjamin (1944) ; *m. féminins :* Judith Gautier (1910-17), Colette (1945-54), Françoise Mallet-Joris (dep. 1970), Edmonde Charles-Roux (dep. 1983). *Aucun membre de l'Ac. Goncourt ne s'est présenté à l'Ac. française sauf* Jean de La Varende (après sa démission, mais il ne fut pas élu), Léopold Sédar Senghor était correspondant étranger (élu). *Correspondants étrangers.* Georges Sion (1974, Belgique), L. S. Senghor (1974, Sénégal), Valentin Kataiev (1976, U.R.S.S.), Octavio Paz (1976, Mexique), Jacques Chessex (1979, Suisse), Andrei Voznessenski (U.R.S.S.), Andrzej Kusniewicz (Pologne). *1991 :* (date de naissance entre parenthèses et date d'élection) : Daniel Boulanger (1928) 1983, Hervé Bazin (1911) (P^t^) 1958, Jean Cayrol (1911) 1973, Edmonde Charles-Roux (1920) 1983, André Stil (1921) 1977, Michel Tournier (1924) 1972, Françoise Mallet-Joris (1931) 1970, François Nourissier (1927) (secr. gén.) 1977, Emmanuel Roblès (1914) 1973, Robert Sabatier (1923) 1971.

Incidents. *1975 :* incarcération de l'écrivain Jacques Thieuloy qui avait jeté le 31-10 un cocktail Molotov dans l'immeuble de Françoise Mallet-Joris ; polémique avec Jean-Edern Hallier qui cherchait à imposer la candidature de Pierre Goldman pour *Souvenirs obscurs d'un Juif polonais né en France. 1977 :* lors de la proclamation du prix, un protestataire inconnu a écrasé une pâtisserie sur le visage d'Armand Lanoux, qui proclamait les résultats, tandis qu'un autre projetait du ketchup sur Michel Tournier, à qui on venait de remettre la Légion d'honneur. *1983 :* découverte de micros cachés sous la table.

Lauréats couronnés au 1er tour : 1914 (par contre en 1913 il avait fallu 11 tours), 1915 (R. Benjamin à l'unanimité ; c'était le seul volume reçu par le jury), 1916, 1918, 1923, 1929, 1932, 1934, 1937, 1940 (Ambrière à l'unanimité ; décerné en 1946), 1942, 1943, 1944, 1945, 1951, 1956. **1re femme couronnée :** 1944 (Elsa Triolet). **Lauréats les plus jeunes :** *26 ans* J.-L. Bory (1945) ; *27 a.* H. Troyat (1938) ; *28 a.* F. de Miomandre (1908), L. Pergaud (1910) ; *29 a.* C. Farrère (1905), M. Elder (1913), J. Fayard (1931), M. Van der Meersch (1936) ; **les plus vieux** *70 ans* M. Duras (1984), *67 a.* L. Bodard (1981). **Étrangers couronnés :** *Belges :* C. Plisnier (1937), B. Beck (1952), F. Walder (1958) ; *Canadienne :* Antonine Maillet (1979) ; *Marocain :* Tahar Ben Jelloun (1987) ; *Roumain :* V. Horia (1960) ; *Suisse :* J. Chessex (1973) ; **Prix refusé :** J. Gracq (1951) ; Émile Ajar (1975) (alias Romain Gary). **Prix annulé :** Vintila Horia (1960), pour son passé politique en Roumanie. **Lauréat dont le prix a couronné la 1re œuvre :** Paul Colin (1950, les Jeux sauvages) ; il n'a publié depuis qu'un seul livre en 1959. **1er volume de nouvelles couronné :** Faux Passeports (1937, C. Plisnier). Lauréat ayant reçu 2 fois le prix : Romain Gary sous son nom en 1956 pour *Les Racines du ciel ;* et sous le nom d'Émile Ajar en 1975 pour *La Vie devant soi.* **Titre couronné après avoir été refusé par un éditeur :** *Week-end à Zuydcoote* refusé par un lecteur de Julliard.

Lauréats. 1903 (21-12) John-Antoine NAU (Eugène TORQUET 43 ans), *Force ennemie* [20]. **04** Léon FRAPIÉ, *La Maternelle* [34]. **05** Claude FARRÈRE, *Les Civilisés* [38]. **06** Jérôme et Jean THARAUD, *Dingley, l'illustre écrivain* [40]. **07** Émile MOSELLY, *Jean des Brebis, Terres lorraines, le Rouet d'ivoire* [41]. **08** Francis de MIOMANDRE (François DURAND), *Écrit sur de l'eau* [17]. **09** Marius et Ary LEBLOND, *En France* [22]. **10** Louis PERGAUD, *De Goupil à Margot* [35]. **11** Alphonse de CHATEAUBRIANT, *Monsieur des Lourdines* [27]. **12** André SAVIGNON, *Les Filles de la pluie* [27]. **13** Marc ELDER (Tendron), *Le Peuple de la mer* [39]. **14** Adrien BERTRAND, décerné en 1916, *L'Appel du sol* [9]. **15** René BENJAMIN, *Gaspard* [23]. **16** Henri BARBUSSE, *Le Feu* [24]. **17** Henry MALHERBE, *la Flamme au poing* [2]. **18** Georges DUHAMEL, Denis THÉVENIN, *Civilisation* [35]. **19** Marcel PROUST, *A l'ombre des jeunes filles en fleurs* [53]. **20** Ernest PÉROCHON, *Nêne* [41]. **21** René MARAN, *Batouala* [2]. **22** Henri BÉRAUD, *Le Vitriol de lune et le Martyre de l'obèse* [2]. **23** Lucien FABRE, *Rabevel* [53]. **24** Thierry SANDRE, 3 livres : *le Chèvrefeuille, le Purgatoire, le Chapitre XIII* (tr.

Les 20 meilleurs livres de l'année. Parus entre déc. 1989 et déc. 1990, selon la rédaction de « Lire ». *Moon Palace* [1] (Paul Auster). *La Petite Marchande de prose* [53] (Daniel Pennac). *L'Innocence perdue* [48] (Neil Sheehan). *Correspondance de George Sand* (tome XXIV) [102] (Georges Lubien). *Extinction* [47] (Thomas Bernhard). *La Vie du cardinal de Retz* [108] (Simone Bertière). *Voyage autour de mon crâne* [109] (Frigyes Karinthy). *L'Or et le fer* [23] (Fritz Stern). *Le Chemin de l'Amérique* [2] (Baru). *Les Champs d'honneur* [18] (Jean Rouaud). *Henry James, une vie* [48] (André Müller). *La Stratégie du bouffon* [47] (Serge Lentz). *Les Confessions d'un homme en trop* [57, 75]. *Leçons particulières* [23] (Françoise Giroud). *Autos graphie Bratislava* [2, 27] (François Nourissier). *L.A. Confidential* [81] (James Ellroy). *L'Argent fou* [27] (Alain Minc). *La Première Révolution biologique* [78] (Mirko Grmek). *Première tentative* [24] (Victoria Tokareva). *Les Clandestins* [108] (François Taillandier).

d'Athénée) [53]. **25** Maurice GENEVOIX, *Raboliot* [27]. **26** Henri DEBERLY, *Le Supplice de Phèdre* [53]. **27** Maurice BEDEL, *Jérôme, 60° latitude nord* [53]. **28** Maurice CONSTANTIN-WEYER, *Un homme se penche sur son passé* [46]. **29** Marcel ARLAND, *L'Ordre* [53]. **30** Henri FAUCONNIER, *Malaisie* [49]. **31** Jean FAYARD, *Mal d'amour* [23]. **32** Guy MAZELINE, *Les Loups* [53]. **33** André MALRAUX, *La Condition humaine* [53]. **34** Roger VERCEL, *Capitaine Conan* [2]. **35** Joseph PEYRÉ, *Sang et Lumières* [27]. **36** Maxence VAN DER MEERSCH, *L'Empreinte du dieu* [2]. **37** Charles PLISNIER, *Faux Passeports* [12]. **38** Henri TROYAT (Lev TARASSOV), *L'Araigne* [41]. **39** Philippe HÉRIAT, *Les Enfants gâtés* [53]. **40** Réservé à un prisonnier. **Décerné** en 1946. Francis AMBRIÈRE, *Les Grandes Vacances* [36]. **41** Henri POURRAT, *Vent de mars* [53]. **42** Marc BERNARD, *Pareils à des enfants* [53]. **43** Marius GROUT, *Passage de l'homme* [53]. **44** Décerné en 1945, Elsa TRIOLET, *Le premier accroc coûte 200 francs* [14]. **45** Jean-Louis BORY, *Mon village à l'heure allemande* [24]. **46** Jean-Jacques GAUTIER, *Histoire d'un fait divers* [32]. **47** Jean-Louis CURTIS, *Les Forêts de la nuit* [32]. **48** Maurice DRUON, *Les Grandes Familles* [32]. **49** Robert MERLE, *Week-end à Zuydcoote* [53]. **50** Paul COLIN, *Les Jeux sauvages* [53]. **51** Julien GRACQ (Louis POIRIER), *Le Rivage des Syrtes* (Prix refusé) [55]. **52** Béatrix BECK, *Léon Morin, prêtre* [53]. **53** Pierre GASCAR (FOURNIER), *Les Bêtes, Le Temps des morts* [53]. **54** Simone de BEAUVOIR, *Les Mandarins* [53]. **55** Roger IKOR, *Les Eaux mêlées* [2]. **56** Romain GARY, *Les Racines du ciel* [53]. **57** Roger VAILLAND, *La Loi* [53]. **58** Francis WALDER, *St-Germain ou la Négociation* [53]. **59** André SCHWARZ-BART, *Le Dernier des Justes* [48]. **60** Vintila HORIA, *Dieu est né en exil* [23] (ne sera pas décerné). **61** Jean CAU, *La Pitié de Dieu* [53]. **62** Anna LANGFUS, *Les Bagages de sable* [53]. **63** Armand LANOUX, *Quand la mer se retire* [32]. **64** Georges CONCHON, *L'État sauvage* [2]. **65** Jacques BOREL, *L'Adoration* [53]. **66** Edmonde CHARLES-ROUX, *Oublier Palerme* [27]. **67** André PIEYRE de MANDIARGUES, *La Marge* [53]. **68** Bernard CLAVEL, *Les Fruits de l'hiver* [47]. **69** Félicien MARCEAU, *Creezy* [53]. **70** Michel TOURNIER, *Le Roi des aulnes* [53]. **71** Jacques LAURENT, *Les Bêtises* [27]. **72** Jean CARRIÈRE, *L'Épervier de Maheux* [30]. **73** Jacques CHESSEX, *L'Ogre* [27]. **74** Pascal LAINÉ, *La Dentellière* [53]. **75** Émile AJAR, *La Vie devant soi* [35]. **76** Patrick GRAINVILLE, *Les Flamboyants* [48]. **77** Didier DECOIN, *John l'Enfer* [48]. **78** Patrick MODIANO, *Rue des boutiques obscures* [53]. **79** Antonine MAILLET, *Pélagie la Charrette* [27]. **80** Yves NAVARRE, *Le Jardin d'acclimatation* [24]. **81** Lucien BODARD, *Anne-Marie* [27]. **82** Dominique FERNANDEZ, *Dans la main de l'ange* [27]. **83** Frédérick TRISTAN, *Les Égarés* [4]. **84** Marguerite DURAS, *L'Amant* [18]. **85** Yann QUEFFÉLEC, *les Noces barbares* [53]. **86** Michel HOST, *Valet de nuit* [27]. **87** Tahar BEN JELLOUN (Marocain), *La Nuit sacrée* [48] au 6e tour par 6 voix contre 2 à Guy Hocquenghem pour *Ève* [2] et 1 voix à Angelo RINALDI pour *Les Roses de Pline* [53] et YA DING pour *Le Sorgho rouge* [49]. **88** Erik ORSENNA, *L'Exposition coloniale* [48]. **89** Jean VAUTRIN, *Un grand pas vers le Bon Dieu* [27]. **90** Jean ROUAUD (n. 13-12-52), *Les Champs d'honneur* [18].

Best-sellers (tirages atteints) : *la Condition humaine* (Malraux) 3 072 000 ; *la Dentellière* (Lainé) 1 500 000 ; *les Noces barbares* (Y. Queffélec, 1985) 1 332 000 ; *la Vie devant soi* (Ajar) 1 190 000 ; *A l'ombre des jeunes filles en fleurs* (Proust) 956 000 ; *l'Amant* (M. Duras, 1984) 920 000 ; *l'Épervier de Maheux* (Carrière) 805 000 ; *le Dernier des Justes* (Schwarz-Bart) 620 000.

Bourses Goncourt du récit historique (créée 1974) : **74** Georges Bordonove, **75** René Vigo : *la Tragédie de Clairvaux* [24], **76** André Rosfelder : *Clipperton l'Île tragique* [2], **79** Jean-Paul Clébert : *l'Incendie du bazar de la charité* [14], **80** Barret et Gurgand : *Ils voyageaient la France,* **84** Michel Ragon : *les Mouchoirs rouges de Cholet* [2], **85** Jean Lévi : *le Grand Empereur et ses automates* [2], **86** Michel Caffier : *l'Arbre aux pendus* [76], **87** Jacques Bens : *Gaspard de Besse* [44], **88** non décerné, **89** Gilles Lapouge, *les Folies Koenigsmark* [2], **90** non décerné ; **de la nouvelle** (créée 1974) : **74** Daniel Boulanger : *Fouette cocher !* [53], **75** Corinna Bille : *la Demoiselle sauvage* [6], **76** Antoine Blondin : *Quat' Saisons* [50], **77** Henri Gougaud : *Départements et Territoires d'Outre-Mort* [32], **78** Christiane Baroche : *Chambre avec vue sur le passé* [53], **79** Andrée Chédid : *les Corps et le Temps* [24], **80** Guy Lagorce : *les Héroïques* [32], **81** Annie Saumont : *Quelquefois dans les cérémonies* [53], **82** René Depestre : *Alléluia pour une femme jardin* [53], **83** Raymond Jean : *Un fantasme de Bella B.* [1], **84** Alain Gerber : *Des jours de vin et de roses* [47], **85** Pierrette Fleutiaux : *Métamorphoses de la reine* [53], **86** Jean Vautrin : *Baby Boom* [71] ; **87** Noëlle Chatelet : *Histoires de bouche* [53], **88** Jean-Louis Hue : *Dernières Nouvelles du Père Noël* [27], **89** Paul Fournel, *les Athlètes dans leur tête* [44], **90** Jacques Bens : *Nouvelles désenchantées* [87] ; **de la biographie** (créée 1980) : **80** Jean Lacouture : *Mauriac* [48], **81** Hubert Juin : *Victor Hugo* [24], **82** Pierre Sipriot : *Montherlant sans masque* [47], **83** Ghislain de Diesbach : *Mme de Staël* [42], **84** Jeanne Champion : *Suzanne Valadon* [66], **85** Georges Poisson : *Choderlos de Laclos ou l'obstination* [27], **86** Jean Canavaggio : *Cervantes* [71], **87** Michel Surya : *Georges Bataille* [104], **88** Frédéric Vitoux : *Vie de Céline* [27], **89** Joanna Richardson, *Judith Gautier* [87], **90** Pierre Citron : *Jean Giono* [48] ; **de la poésie** (créée 1985) : **85** Claude Roy, **86** non décerné, **87** Yves Bonnefoy, **88** Eugène Guillevic, **89** Alain Bosquet. **90** Charles Le Quintrec.

Goncourt du 1er roman. *Créé* 1990 au château de Blois. **Montant :** 40 000 F (dont 15 000 donnés par l'Académie Goncourt, 25 000 par la mairie de Blois). **Lauréats : 1990** Hélène de Montferrand, *les Amies d'Héloïse* [108].

• **Gutenberg.** Décerné sur l'initiative du Grand Livre du mois. *Créé* 1985 lors du Salon du Livre. 15 catégories.

• **Hassan II des Quatre Jurys** (ex-Prix Méridien des Quatre Jurys). *Fondé* 1952 par Jean-Pierre Dorian. *Destiné* à donner une chance à un jeune écrivain ayant obtenu au moins une voix à l'un des 4 grands prix litt. de fin d'année (Goncourt...). **Décerné** en janvier à l'hôtel Méridien à Paris (décerné exceptionnellement le 8-12-86 à Fès). **Montant :** 20 000 F et 1 semaine au Maroc. **Jury :** Dr Youssef Ben Abbes (Pt d'honn.) ; Henry Bonnier, Jean-Pierre Dorian, Paul Guth, Jacques Laurent, Jacques Nels, André Soubiran, Hélène de Turckheim. **Lauréats : Méridien : 1978** Antonine MAILLET. **79** Michel AUDIARD. **80** Yves NAVARRE. **81** Jacques BENOIST-MÉCHIN. **82** Monique LANGE. **83** François WEYERGANS, *Le Radeau de la Méduse* [53]. **84** Raoul MILLE, *Léa ou l'Opéra sauvage* [2]. **85** Jacqueline JUSTIN-CHAPOT, *les Racines perdues* [2]. **Hassan II : 86** Henri COULONGES, *Les Frères Moraves* [49]. **88** René SWENNEN, *Les Trois Frères* [27].

• **Histoire (Grand prix de l').** *Créé* 1986 par Alain Chevalier (Pt de Moët-Hennessy-Louis Vuitton). **Jury :** Pt Georges Duby (Hélène Carrère d'Encausse, Françoise Chandernagor, Pierre Chaunu, Emmanuel Le Roy Ladurie, Pierre Miquel et Jean d'Ormesson). *Montant :* 100 000 F. **Lauréats : 1985** Élisabeth LABROUSSE : *la Révocation de l'édit de Nantes.* **86** François BLUCHE, *Louis XIV.* **87** Fred KUPFERMAN, *Laval* [7]. **88** André ZYSBERG : *les Galériens.* **89** suspendu.

• **Histoire (Grand prix national d').** *Fondé* 1977. Attribué par le ministre de la Culture. **Montant :** 50 000 F. **Lauréats : 1977** Jean TULARD. **78** Philippe ARIÈS. **79** Paul-Marie DUVAL. **80** Henri MICHEL. **81** Ernest LABROUSSE. **82** Pierre GOUBERT. **83** Vadim ELISSEEFF. **84** Charles-André JULIEN. **85** Michelle PERROT. **86** Jean DELUMEAU. **87** Jacques LE GOFF. **88** René RÉMOND. **89** Jean BOTTERO. **90** Maurice AGULHON.

• **Histoire de la Vallée-aux-Loups (Grand prix d').** *Créé* 1987. **Décerné** en novembre. **Montant :** 100 000 F (attribués par le conseil général des Hauts-de-Seine). **But :** récompenser un ouvrage paru en langue française, se rattachant à la vie ou à l'œuvre de Chateaubriand ou se rapportant à la période durant laquelle il a vécu, de l'Ancien Régime à 1848. **Jury :** Maurice Agulhon, Henri Amouroux, Pierre-Georges Castex, Françoise Chandernagor, Jean-Paul Clément, Michel Déon, Georges Duby, Marc Fumaroli, Jean Lacouture, Jean d'Ormesson (Pt), Jacqueline de Romilly, Jean Tulard. **Lauréats : 1987** Francis AMBRIÈRE, *le Siècle des Valmore* [48]. **88** Paul BÉNICHOU, *les Mages romantiques* [53]. **89** Jean-Claude BERCHET, édition des Mémoires d'outre-tombe de Chateaubriand [102] et Michel BEURDELEY, *l'Exode des objets d'art sous la Révolution* [89]. **90** Anne MARTIN-FUGIER, *la Vie élégante ou la formation du Tout-Paris 1815-1848.*

• **Humour noir (Grands prix de l').** *Fondés* 1954, à Dijon, par Tristan Maya (1926). **Décernés** à Paris, le dernier mardi du mois d'octobre. **Récompense :** honorifique. **Jury :** Noël Arnaud, Patrice Delbourg, Jean Fougère (Pt), Yves Frémion, Eugène Ionesco, Jean-Paul Lacroix, Jean L'Anselme, Gabrielle Marquet, Tristan Maya (secr. gén.), Yak Rivais.

Prix Xavier-Forneret (œuvre littéraire). **1954** Roger RABINIAUX. **55** Jean DUPERRAY. **56** Ambrose Gwinnett BIERCE. **57** René de OBALDIA. **58** Léo MALET. **59** Raymond QUENEAU. **60** François CARADEC. **61** Jacques STERNBERG. **62** Maurice LELONG et Gabrielle MARQUET. **63** André RUELLAN. **64** Slawomir MROZEK. **65** BOILEAU-NARCEJAC. **66** Jean FOUGÈRE. **67** Hervé BAZIN. **68** Ange BASTIANI. **69** Yolande PARIS. **70** Jean ANGLADE et François VALORBE. **71** Yak RIVAIS. **72** Joseph JOLIET. **73** Michel DANSEL. **74** Roland DUBILLARD. **75** Patricia HIGHSMITH. **76** Roald DAHL. **77** André BLAVIER. **78** Henri GOUGAUD. **79** Éric LOSFELD. **80** Paul THIERRIN. **81** Max AUB. **82** Daniel APRUZ. **83** Maurice RHEIMS. **84** Alexandro JODOROWSKY. **85** Marcel BISIAUX. **86** Tom SHARPE. **87** Maurice ROCHE. **88** Jean GUERRESCHI. **89** Hugo CLAUS. **90** Pascal SAMAIN.

Prix Grandville (dessin, peinture). **1988** PLANTU. **89** LAVILLE et WILLEM. **90** TREZ.

Prix du Spectacle. 1988 Remo FORLANI. **89** non décerné. **90** Jérome DESCHAMPS et Macha MAKEIEFF.

Prix spécial du XXXVe anniversaire. 1989 Claude PIÉPLU.

• **Interallié. Origine.** *Fondé* 3-12-1930 par env. 30 journalistes (reporters, courriéristes, photographes, estafettes, cyclistes, téléphonistes, dessinateurs, etc.) attendant en déjeunant dans un salon voisin, au cercle Interallié, les délibérations des dames du prix Fémina. Ils décidèrent d'attribuer eux aussi un prix, l'Interallié (nom donné par le journaliste et romancier Pierre Humbourg), à André Malraux pour *la Voie royale.* Le lendemain, Bernard Grasset fit imprimer le nom de l'Interallié sur une bande de papier entourant le roman. **Décerné** en novembre, de préférence à un roman de journaliste. **Montant :** néant. **Jury :** Lucien Bodard, Jean Couvreur, Jean Ferniot, Paul Guimard, Claude Martial, Jean-Marie Rouart, Éric Ollivier, Pierre Schoendoerffer ; s'y joint chaque année le lauréat de l'année précédente. En 1960, le secr. gén. du prix, Roger Giron, démissionne, le prix ayant été attribué à 2 auteurs, Jean Portel et Henri Muller, le jury étant partagé en deux camps d'un nombre égal de voix (il revint sur sa démission après que le jury lui eut promis que cela ne se reproduirait plus). **Lauréats : 1930** André MALRAUX, *La Voie royale* [27]. **31** Pierre BOST, *Le Scandale* [53]. **32** Simone RATEL, *La Maison des Bories* [41]. **33** Robert BOURGET-PAILLERON, *L'Homme du Brésil* [53]. **34** Marc BERNARD, *Anny* [53]. **35** Jacques DEBU-BRIDEL, *Jeunes Ménages* [53]. **36** René LAPORTE, *Les Chasses de novembre* [14]. **37** Romain ROUSSEL, *La Vallée sans printemps* [41]. **38** Paul NIZAN, *La Conspiration* [53]. **39** Roger de LAFFOREST, *Les Figurants de la mort* [27]. **40-44** Pas de prix décerné. **45** Roger VAILLANT, *Drôle de jeu* [12]. **46** Jacques NELS, *Poussière du temps* [5]. **47** Pierre DANINOS, *Les Carnets du Bon Dieu* [31]. **48** Henry CASTILLOU, *Cortiz s'est révolté* [23]. **49** Gilbert SIGAUX, *Les Chiens enragés* [32]. **50** Georges AUCLAIR, *Un amour allemand* [53]. **51** Jacques PERRET, *Bande à part* [53]. **52** Jean DUTOURD, *Au bon beurre* [53]. **53** Louis CHAUVET, *L'Air sur la quatrième corde* [24]. **54** Maurice BOISSAIS, *Le Goût du péché* [32]. **55** Félicien MARCEAU, *Les Élans du cœur* [53]. **56** Armand LANOUX, *Le Commandant Watrin* [32]. **57** Paul GUIMARD, *Rue du Havre* [14]. **58** Bertrand POIROT-DELPECH, *Le Grand Dadais* [14]. **59** Antoine BLONDIN, *Un singe en hiver* [50]. **60** Henry MULLER, *Clem* [50]. Jean PORTELLE *Janitzia ou la Dernière qui aima d'amour* [14]. **61** Jean FERNIOT, *L'Ombre portée* [53]. **62** Henri-François REY, *Les Pianos mécaniques* [47]. **63** Renée MASSIP, *La Bête quaternaire* [53]. **64** René FALLET, *Paris au mois d'août* [14]. **65** Alain BOSQUET, *La Confession mexicaine* [27]. **66** Kléber HAEDENS, *L'été finit sous les tilleuls* [27]. **67** Yvonne BABY, *Oui l'espoir* [27]. **68** Christine de RIVOYRE, *Le Petit Matin* [27]. **69** Pierre SCHOENDOERFFER, *L'Adieu au roi* [27]. **70** Michel DÉON, *Les Poneys sauvages* [53]. **71** Pierre ROUANET, *Castell* [27]. **72** Georges WALTER, *Des vols de Vanessa* [27]. **73** Lucien BODARD, *Monsieur le Consul* [27]. **74** René MAURIÈS,

Le Cap de la Gitane [23]. **75** Voldemar Lestienne, *L'Amant de poche* [27]. **76** Raphaële Billetdoux, *Prends garde à la douceur des choses* [48]. **77** Jean-Marie Rouart, *Les Feux du pouvoir* [27]. **78** Jean-Didier Wolfromm, *Diane Lanster* [27]. **79** François Cavanna, *Les Russkoffs* [7]. **80** Christine Arnothy, *Toutes les chances plus une* [27]. **81** Louis Nucéra, *Chemins de la Lanterne* [27]. **82** Éric Ollivier, *L'Orphelin de mer... ou Les Mémoires de monsieur Non* [14]. **83** Jacques Duquesne, *Maria Vandamme* [27]. **84** Michèle Perrein, *Les Cotonniers de Bassalane* [27]. **85** Serge Lentz, *Vladimir Roubaïev* [47]. **86** Philippe Labro, *l'Étudiant étranger* [53]. **87** Raoul Mille, *les Amants du paradis* [27]. **88** Bernard-Henri Lévy, *les Derniers Jours de Charles Baudelaire* [27]. **89** Alain Gerber, *le Verger du diable* [27]. **90** Bayon, *les Animals* [27].

• **Langue de France (prix de la).** *Créé* 1986 par la ville de Brive. **Montant :** 100 000 F. **Jury :** 12 m. **Lauréats : 1986** Jean Tardieu. **87** Jaqueline de Romilly. **88** André Lichnerowicz. **89** Michel Jobert. **90** Yves Berger.

• **Lettres (Grand Prix national des).** *Fondé* 1951 par le min. de la Culture. Destiné à couronner un écrivain d'expression française qui, par l'ensemble de son œuvre, a contribué à l'illustration des lettres françaises sans distinction de genres. **Décerné** en décembre par le min. de la Culture. **Montant :** 50 000 F. **Lauréats : 1951** Alain. **52** Valery Larbaud. **53** Henri Bosco. **54** André Billy. **55** Jean Schlumberger. **56** Alexandre Arnoux. **57** Louis Martin-Chauffier. **58** Gabriel Marcel. **59** Saint-John Perse. **60** Marcel Arland. **61** Gaston Bachelard. **62** Pierre-Jean Jouve. **63** Jacques Maritain. **64** Jacques Audiberti. **65** Henri Michaux (refusé). **66** Julien Green. **67** Louis Guilloux. **68** Jean Grenier. **69** Jules Roy. **70** Maurice Genevoix. **71** Jean Cassou. **72** Henri Petit. **73** Jacques Madaule. **74** Marguerite Yourcenar. **75** André Dhotel. **76** Armand Lunel. **77** Philippe Soupault. **78** Roger Caillois. **79** Marcel Brion. **80** Michel Leiris (refusé). **81** Pierre Klossowski. **82** Nathalie Sarraute. **83** Jean Genet. **84** Jean Cayrol. **85** André Pieyre de Mandiargues. **86** Yacine Kateb. **87** Robert Pinget. **88** Maurice Nadeau. **89** Jean-Toussaint Dessandi. **90** Louis-René des Forêts.

• **Poésie (Grand Prix national de la).** *Fondé* 1981 par le min. de la Culture. Destiné à couronner un poète d'expression française qui, par l'ensemble de son œuvre, a contribué à l'illustration des lettres françaises. **Décerné** en décembre par le min. de la Culture. **Montant :** 50 000 F. **Lauréats : 1981** Francis Ponge. **82** Aimé Césaire. **83** André du Bouchet. **84** Eugène Guillevic. **85** André Frénaud. **86** Jean Tortel. **87** Edmond Jabès. **88** Jacques Dupin. **89** Robert Mallet. **90** Michel Deguy. **91** Jacques Roubaud.

• **Liberté (Prix de la).** *Parrainé* par le Pen Club français. Attribué pour la 1re fois en 1980 pour couronner une œuvre due à un écrivain opprimé. **Jury :** Eugène Ionesco (Pt), Georges-Emmanuel Clancier, Emmanuel Le Roy Ladurie, André Lwoff, Dimitri Stolypine (fondateur) et Jean-François Revel. **Lauréats : 1980** Armando Valladares (Cuba), Lydia Tchoukovskaia (U.R.S.S.), Abdellatif Laabi (Maroc). **81** Varlam Chalamov (U.R.S.S.). **82** Adam Michnik (Pol.). **83** Léonide Borodine (U.R.S.S.), Marek Nowakowski (Pol.). **84** Jorge Valls Arango (Cuba), Viatcheslav Syssoiev (U.R.S.S.). **85** Youri Tarnopolski (U.R.S.S.). **86** Bujor Nedelcovici (Roumanie), Gustaw Herling (Pologne). **87** Elena Bonner (U.R.S.S.), Adam Zagajewski (Pologne). **88** non attribué. **89** Vaclav Havel (Tchéc.) et Duyen Anh (Viêt-nam). **90** non attribué.

• **Libraires (Prix des).** *Créé* 1955 par la Chambre syndicale des libraires de France (actuell. Fédération fr. des syndicats de libraires). **Jury :** un comité de lecture composé de libraires désignés par leurs confrères et représentant les régions syndicales. **Décerné** lors de l'Assemblée générale de la Fédération après une sélection et un vote de plus de 3 900 libraires francophones. **But :** distinguer un écrivain de langue française, le plus souvent un romancier, dont l'œuvre ne semble pas avoir reçu la consécration méritée. **Montant :** pas de prix numéraire. **Lauréats : 1955** Michel de Saint-Pierre, *Les Aristocrates* [50]. **56** Albert Vidalie, *La Bonne Ferté* [14]. **57** Françoise Mallet-Joris, *Les Mensonges* [32]. **58** Jean Bassan, *Nul ne s'évade* [41]. **59** Georges Bordenove, *Deux Cents Chevaux dorés* [32]. **60** Georges Conchon, *La Corrida de la victoire* [2]. **61** Andrée Martinerie, *Les Autres Jours* [53]. **62** Jean Anglade, *La Foi et la Montagne* [47]. **63** José Cabanis, *Les Cartes du temps* [53]. **64** Pierre Moinot, *Le Sable vif* [53]. **65** Jacques Peuchemaurd, *Le Soleil de Palicorna* [47]. **66** Jacques Perry, *La Vie d'un païen* [47]. **67** Catherine Paysan, *Les Feux de la Chandeleur* [14]. **68** Paul Guimard, *Les Choses de la vie* [14]. **69** René Barjavel, *La Nuit des temps* [43]. **70** G.-E. Clancier, *L'Éternité plus un jour* [47]. **71** Anne Hébert, *Kamouraska* [48]. **72** Didier Decoin, *Abraham de Brooklyn* [48]. **73** Michel Del Castillo, *Le Vent de la nuit* [32]. **74** Michèle Perrein, *Le Buveur de Garonne* [24]. **75** Herbert Le Porrier, *Le Médecin de Cordoue* [48]. **76** Patrick Modiano, *Villa triste* [53]. **77** Pierre Moustiers, *Un crime de notre temps* [48]. **78** Jean Noli, *La Grâce de Dieu* [32]. **79** Christiane Singer, *La Mort viennoise* [2]. **80** Claude Michelet, *Des grives aux loups* [47]. **81** Claude Brami, *Un garçon sur la colline* [14]. **82** Serge Lentz, *Les Années sandwiches* [47]. **83** Serge Bramly, *La Danse du loup* [7]. **84** Guy Lagorge, *Le Train du soir* [27]. **85** Christian Dedet, *La Mémoire du fleuve* [69]. **86** Robert Mallet, *Ellynn* [53]. **87** Jacques Almira, *La Fuite à Constantinople* [35]. **88** Yves Simon, *Le Voyageur magnifique* [27]. **89** Michel Chaillou, *La Croyance des voleurs* [48]. **90** Claude Duneton, *Rires d'homme entre deux pluies* [27]. **91** Michelle Schuller, *Une femme qui ne disait rien* [66].

• **Littérature (Grand Prix de).** *Créé* 1911 par l'Académie française, remis pour la 1re fois en 1912. **Décerné** par l'Académie française (1re quinzaine de nov., devenu biennal en 1980). **But :** récompense l'ensemble d'une œuvre littéraire. **Montant :** 300 000 F. **Lauréats : 1911** Non décerné. **12** André Lafon. **13** Romain Rolland. **14** Non décerné. **15** Émile Nolly. **16** Maurice Masson. **17** Francis Jammes. **18** Mme Gérard d'Houville. **19** Jérôme et Jean Tharaud. **20** Edmond Jaloux. **21** Anna de Noailles. **22** Pierre Lasserre. **23** François Porché. **24** Abel Bonnard. **25** Général Mangin. **26** Gilbert de Voisins. **27** Joseph de Pesquidoux. **28** Jean-Louis Vaudoyer. **29** Henri Massis. **30** M.-Louise Bourget-Pailleron. **31** Raymond Escholier. **32** Franc-Nohain. **33** Henri Duvernois. **34** Henry de Montherlant. **35** André Suarès. **36** Pierre Camo. **37** Maurice Magre. **38** Tristan Derème. **39** Jacques Boulenger. **40** Edmond Pilon. **41** Gabriel Faure. **42** Jean Schlumberger. **43** Jean Prévost. **44** André Billy. **45** Jean Paulhan. **46** Daniel-Rops. **47** Mario Meunier. **48** Gabriel Marcel. **49** Maurice Levaillant. **50** Marc Chadourne. **51** Henri Martineau. **52** Marcel Arland. **53** Marcel Brion. **54** Jean Guitton. **55** Jules Supervielle. **56** Henri Clouard. **57** Non décerné. **58** Jules Roy. **59** Thierry Maulnier. **60** Mme Simone. **61** Jacques Maritain. **62** Luc Estang. **63** Charles Vildrac. **64** Gustave Thibon. **65** Henri Petit. **66** Henri Gouhier. **67** Emmanuel Berl. **68** Henri Bosco. **69** Pierre Gascar. **70** Julien Green. **71** Georges-Emmanuel Clancier. **72** Jean-Louis Curtis. **73** Louis Guilloux. **74** André Dhotel. **75** Henri Queffélec. **76** José Cabanis. **77** Marguerite Yourcenar. **78** Paul Guth. **79** Antoine Blondin. **80** Non décerné. **81** Jacques Laurent. **82** *Non décerné.* **83** Michel Mohrt. **85** Roger Grenier [53] pour l'ensemble de son œuvre. **87** Jacques Brosse. **89** Roger Vrigny.

• **Littérature policière (Grand Prix de).** *Fondé* en 1948 par Maurice-Bernard Endrèbe. 2 fois par an, **décerné,** au printemps, à titre honorifique à un roman policier étranger ; à l'automne, à un Français. **Montant :** néant. **Jury :** Jacques Baudou, Maurice-Bernard Endrèbe, Jean Guillaume, Pierre Lebedel, Michel Lebrun, Thomas Narcejac, René Réouven, Michel Renaud, Jean-Jacques Schleret, Henri Thibault. **Lauréats : 1970** Paul Andreota. A. Samarakis (A.). **71** René Réouven. Dorothy Uhnak et Anders Bodelsen (ex aequo). **72** Gilbert Tanugi, Koenig et Dixon. **73** Jean-Patrick Manchette. E.V. Cunningham. **74** A.P. Duchateau. Stanley Ellin. **75** Yvon Toussaint. E. Boyd et R. Parkes. **76** J.F. Coatmeur. Éric Ambler. **77** Christopher Diable. Herbert Lieberman. **78** Madeleine Coudray. Ellery Queen. **79** Joseph Bialot. Stanislas Lem. **80** Dominique Roulet. Mary Higgins-Clark. **81** Pierre Siniac. Manuel V. Montalban. **82** J.-P. Cabanes. John Crosby. **83** Jean Mazarin, Frédérick Forsyth. **84** René Belletto, J.W. van de Wetering. **85** Didier Daeninckx, Peter Lovesey. **86** Gérard Delteil, Christian Gernigon, Elmore Leonard. **87** Jacques Sadoul, Tony Hillerman. **88** Jean-Paul Demure, P.D. James et Andrew Wachss. **89** Tito Topin, Bill Pronzini. **90** Michel Quint, Elizabeth George.

• **Livre Inter.** *Créé* 1975 par Paul-Louis Mignon (Pt d'honneur). **Jury :** 24 auditeurs (12 hommes et 12 femmes) et 1 Pt, écrivain de renom (Paul Guimard en 1990). **Fonctionnement :** 10 romans de langue française sont sélectionnés par les critiques littéraires de la presse écrite, de la télévision et de Radio France (38 en 1989). **Montant :** promotion assurée : émissions spéciales et spots sur France-Inter, placards de publicité dans la presse, et les libraires reçoivent une affiche éditée par Radio France et distribuée par la FFSL (Fédération française des syndicats de libraires) et l'éditeur du livre. **Lauréats : 1975** Catherine d'Etchea, *Des demeures et des gens* [50]. **76** Jacques Perry, *le Revenala ou l'arbre du voyageur* [2]. **77** Agostin Gomez Arcos, *Ana non* [49]. **78** Daniel Boulanger, *l'Enfant de Bohème* [53]. **79** Béatrix Beck, *la Décharge* [97]. **80** Élie Wiesel, *le Testament d'un poète juif assassiné* [48]. **81** Marguerite Gurgand, *les Demoiselles de Beaumoreau* [71]. **82** Marcel Schneider, *la Lumière du Nord* [27]. **83** Hortense Dufour, *le Bouchot* [27]. **84** Marek Halter, *la Mémoire d'Abraham* [47]. **85** Jean-Jacques Brochier, *Un cauchemar* [2]. **86** René Belletto, *l'Enfer* [77]. **87** Jean Raspail, *Qui se souvient des hommes ?* [47]. **88** François Salvaing, *Misayre, Mysaire* [4]. **89** Philippe Handengue, *Petite Chronique des gens de la nuit dans un port de l'Atlantique Nord* [98]. **90** Daniel Pennac, *La Petite Marchande de prose* [53].

• **Louise-Labé** (poésie). *Créé* 1964 par Édith Mora et Pierrette Micheloud. **Lauréats : 90** Kama Kamanda, *la Somme du néant* [106].

• **Louise Weiss-Bibliothèque nationale.** *Créé* par Louise Weiss (1893-1983) pour couronner une personne ayant contribué à la conservation ou au développement des arts du livre et des bibliothèques (legs fait à la Bibliothèque nat. afin d'organiser un prix annuel pendant 10 ans). **Montant :** 90 000 F. **Pt du jury :** Emmanuel Le Roy Ladurie, (adm. gl de la B.N.). **Lauréats : 1987** (1er prix décerné) Henri-Jean Martin. **88** Bernard Pivot. **89** Jean Gattegno. **90** Bibliothèque humaniste de Sélestat.

• **Maisons de la Presse (Prix des).** *Créé* en nov. 1969. 2 prix annuels (mi-mai) : romans et documents de grande diffusion. **Jury :** comité de lecture de 16 m. dépositaires et grand jury de 45 m. dépositaires de presse-libraires. **Lauréats : 1970** Jean Laborde, *L'Héritage de violence* [24], Jean Pouget, *Manifeste du camp n° 1* [23]. **71** Luc Estang, *La Fille à l'oursin* [48], Brigitte Friang, *Regarde, toi qui meurs* [47]. **72** Pierre Moustiers, *L'Hiver d'un gentilhomme* [53], R. Auboyneau et Jean Verdier, *Gamelle dans le dos* [23]. **73** René Barjavel, *Le Grand Secret* [43], Georges Bortoli, *Mort de Staline* [47]. **74** Marie Chaix, *Les Lauriers du lac de Constance* [48], Michel Bataille, *Les Jours meilleurs* [32, 35]. **75** Charles Exbrayat, *Jules Mattrat* [2], Jacques Charon, *Moi un comédien* [2]. **76** Guy Lagorce, *Ne pleure pas* [27], Jacques-Francis Rolland, *Le Grand Capitaine* [27]. **77** Maurice Denuzière, *Louisiane* [56], Patrick Segal, *L'Homme qui marchait dans sa tête* [24]. **78** André Lacaze, *Le Tunnel.* **79** Florence Trystram, *Le Procès des étoiles,* Jeanne Bourin, *la Chambre des dames* [5]. **80** Nicole Ciravegna, *Les Trois Jours du cavalier.* **81** Jacques Chancel, *Tant qu'il y aura des îles.* **82** Irène Frain, *Le Nabab* [56], Gisèle de Monfreid, *Mes Secrets de la mer Rouge.* **83** Régine Desforges, *La Bicyclette bleue* [44]. **84** Michel Déon, *« Je vous écris d'Italie... »* [53]. **85** Patrick Meney, *Niet* [71]. Éric Lipmann, *Paderewsky, l'idole des années folles* [4]. **86** André Le Gal, *Le Shangaïe* [56]. **87** Loup Durand, *Dady* [75]. **88** Amin Maalouf, *Samarcande* [56]. **89** Christine Arnothy, *Vent africain* [27]. **90** Patrick Cauvin, *Rue des bons enfants* [2], Jacqueline Massabki et François Porel, *La Mémoire des cèdres.* **91** Catherine Hermary-Vieille, *Un amour fou* [75], Noëlle Loriot, *Irène Joliot-Curie* [66].

• **Marcel-Proust.** *Fondé* en 1971. Récompense une œuvre qui, par le genre, l'esprit ou l'écriture, a un rapport avec Proust, son œuvre ou son époque. **Jury :** D^esse^ de La Rochefoucauld (Pte), Maurice Druon, Jacques de Bourbon-Busset, Robert Sabatier, Jean-Louis Curtis, Roger Grenier et Jacques de Ricaumont. **Lauréats : 1986** François-Olivier Rousseau, *Sébastien Doré* [35] (montant : 250 000 F). **87** non décerné. **88** Claude Mauriac, *L'Oncle Marcel* (100 000 F). Suspendu en 1989.

• **Max-Jacob.** Donation de Mme Marie-France Azar. *Fondé* 1951. Attribué en mars, à un poète peu connu, pour une œuvre poétique, en vers ou prose, publiée l'année précédente. **Montant :** 20 000 F. **Jury :** Vénus Khoury Ghata (secr.), Marcel Béalu, Alain Bosquet (Pt), Georges-Emmanuel Clancier, Eugène Guillevic, Daniel Leuwers, Jean Orizet, Pierre Oster, Jean-Claude Renard, Claude Esteban, Jean Rousselot. **Lauréats : 1981** Salah Stétié. **82** Jean-Michel Frank. **83** Patrice Delbourg. **84** Dominique Grandmont. **85** Jules Stefan. **86** Jean-Pierre Lemaire. **87** Jean-Michel Maulpoix. **88** Paul

LE ROUX. **89** Richard ROGNET. **90** Pierre TOREILLES. **91** François JACQMIN.

• **Médicis.** *Fondé* 1958 par Mme Gala Barbisan († 1982) et J.P. Giraudoux. *Remis* le même jour que le Femina. **But :** destiné à un roman, à un récit ou à un recueil de nouvelles édité dans les 12 mois précédents et apportant un ton ou un style nouveau. **Montant :** 4 500 F. **Jury :** Mmes Francine Mallet, Jacqueline Piatier, Christine de Rivoyre, Marthe Robert ; MM. François-Régis Bastide, Dominique Fernandez, Jean-Pierre Giraudoux, Claude Mauriac, Alain Robbe-Grillet, Denis Roche, Marcel Schneider (Pt). **Lauréats : 1958** Claude OLLIER, *La Mise en scène* [18]. **59** Claude MAURIAC, *Le Dîner en ville* [2]. **60** Henri THOMAS, *John Perkins* [53]. **61** Philippe SOLLERS, *Le Parc* [48]. **62** Colette AUDRY, *Derrière la baignoire* [53]. **63** Gérard JARLOT, *Un chat qui aboie* [53]. **64** Monique WITTIG, *L'Opoponax* [18]. **65** René-Victor PILHES, *La Rhubarbe* [48]. **66** Marie-Claire BLAIS, *Une saison dans la vie d'Emmanuel* [27]. **67** Claude SIMON, *Histoire* [18]. **68** Élie WIESEL, *Le Mendiant de Jérusalem* [48]. **69** Hélène CIXOUS, *Dedans* [27]. **70** Camille BOURNIQUEL, *Sélinonte ou la Chambre impériale* [48]. **71** Pascal LAINÉ, *L'Irrévolution* [53]. **72** Maurice CLAVEL, *Le Tiers des étoiles* [27]. **73** Tony DUVERT, *Paysage de fantaisie* [18]. **74** Dominique FERNANDEZ, *Porporino ou les Mystères de Naples* [27]. **75** Jacques ALMIRA, *Le Voyage à Naucratis* [53]. **76** Marc CHOLODENKO, *Les États du désert* [24]. **77** Michel BUTEL, *L'Autre Amour* [35]. **78** Georges PÉREC, *La Vie, mode d'emploi* [28]. **79** Claude DURAND, *La Nuit zoologique* [27]. **80** Jean-Luc BENOZIGLIO, *Cabinet-Portrait* [48], Jean LAHOUGUE, *Comptine des Height* [53] ; l'auteur refuse son prix. **81** François-Olivier ROUSSEAU, *L'Enfant d'Édouard* [35]. **82** Jean-François JOSSELIN, *L'Enfer et Cie* [27]. **83** Jean ÉCHENOZ, *Cherokee* [18]. **84** Bernard-Henry LÉVY, *Le Diable en tête* [27]. **85** Michel BRAUDEAU, *Naissance d'une passion* [48]. **86** Pierre COMBESCOT, *Les Funérailles de la Sardine* [27]. **87** Pierre MERTENS (belge), *Les Éblouissements* [48]. **88** Christiane ROCHEFORT, *La Porte du fond* [27]. **89** Serge DOUBROVSKY, *le Livre brisé* [27]. **90** Jean-Noël PANCRAZI, *les Quartiers d'hiver* [53].

• **Médicis étranger.** *Fondé* 1970 par Mme Gala Barbisan et J.P. Giraudoux. **But :** destiné à un roman étranger paru en franç. dans le courant de l'année. **Lauréats : 1970** Luigi MALERBA, *Saut de la mort* [27]. **71** James DICKEY, *Délivrance* [24]. **72** Severo SARDUY, *Cobra* [48]. **73** Milan KUNDERA (Tchéc., 1929), *La Vie est ailleurs* [53]. **74** Julio CORTAZAR (Argentine, 1914), *Livre de Manuel* [53]. **75** Steven MILLHAUSER, *La Vie trop brève d'Edwin Mulhouse* [2]. **76** Doris LESSING, *Le Carnet d'or* [2]. **77** Hector BIANCIOTTI, *Le Traité des saisons* [53]. **78** Alexandre ZINOVIEV, *L'Avenir radieux* [57]. **79** Alejo CARPENTIER, *La Harpe et l'Ombre* [53]. **80** André BRINK, *Une saison blanche et sèche* [49]. **81** David SHAHAR, *Le Jour de la comtesse* [53]. **82** Umberto ECO, *Le Nom de la rose* [27]. **83** Kenneth WHITE, *La Route bleue* [27]. **84** Elsa MORANTE, *Aracoeli* [53]. **85** Joseph HELLER, *Dieu sait* [27]. **86** John HAWKES, *Aventures dans le commerce des peaux en Alaska* [48]. **87** Antonio TABUCCHI, *Nocturne indien* [82]. **88** Thomas BERNHARDT, *Maîtres anciens* [53]. **89** Alvaro MUTIS, *la Neige de l'Amiral* [92]. **90** Amitav GOSH, *les Feux du Bengale* [48].

• **Médicis essai.** *Fondé* en 1985 pour couronner un ouvrage de recherche intellectuelle, français ou traduit en français. **Lauréats : 85** Michel SERRES, *Les Cinq Sens* [27]. **86** Julian BARNES (anglais), *Le Perroquet de Flaubert* [49]. **87** Georges BORGEAUD, *Le Soleil sur Aubiac* [27]. **88** Giovani MACCHIA, *Paris en ruines* [24]. **89** Vaclav JAMEK, *Traité des courtes merveilles* [27]. **90** René GIRARD, *Shakespeare, les Feux de l'envie* [27].

• **Montblanc de la Bibliothèque nationale (Grand Prix).** *Créé* 1989. **Montant :** 100 000 F. **Lauréat : 1989** François FURET, pour l'ensemble de son œuvre. **90** non décerné.

• **Mumm-Kléber Haedens.** *Créé* 1980. Disparu dep. 1988, voir Quid 1990, p. 315.

• **Novembre.** **Fondé** 1989 par Philippe Dennery (Pt de Cassegrain Graveur). **Jury :** Philippe Daudy, Philippe Dennery, Pierre Dumayet, Bernard Frank, Jérôme Garcin (Pt), Geneviève Guerlain, Florence Malraux, Philippe Meyer, Maurice Nadeau, Jean-François Revel, Angelo Rinaldi. **Montant :** 200 000 F. **Lauréats : 1989** Guy DUPRÉ, *les Manœuvres d'automne* [75]. **90** François MASPERO, *les Passagers du Roissy-express* [48].

• **Paul-Léautaud.** *Créé* 1986 par la Sté Primagaz. **Jury :** Alphonse Boudard, Camille Cabana, Jean-Paul Caracalla (secr. gén.), Michel Déon, Raymond Devos, Jean Gaulmier, Louis Nucéra, Jacques Petitjean et Paul Roche. **Montant :** 80 000 F (donné par Primagaz). **Lauréat : 1986** François BOTT, *Lettres à Chandler et quelques autres* [27]. **87** Georges WALTER, *Lettres à ma mère.* **88** Claude ARNAUD, *Chamfort* [47]. **89** Éric DESCHODT, *Mirabeau, roman d'une terre de France* [56]. **90** François CERESA, *la Vénus aux fleurs* [47].

• **Paul-Morand.** *Créé* 1980 [Paul Morand (1888-1976) avait légué sa fortune à l'Académie pour créer ce prix]. **Décerné** par l'Académie française, tous les 2 ans, à l'ensemble de l'œuvre d'un auteur, « d'un écrivain français auteur d'ouvrages se recommandant par leurs qualités de pensée et de style et par leur esprit d'indépendance et de liberté ». **Jury :** Maurice Druon, Henri Troyat, Jean Delay, Jean d'Ormesson, Félicien Marceau, Maurice Rheims, Alain Peyrefitte, Michel Déon, Alain Decaux, Michel Droit et Michel Mohrt. **Montant :** 300 000 F. **Lauréats : 1980** Jean-Marie LE CLÉZIO. **82** Henri POLLES. **84** Christine de RIVOYRE. **86** Jean ORIEUX. **88** Michel CIORAN (le refuse). **90** J.-F. DENIAU.

• **Pierre-Lafüe.** *Créé* 1984. **Lauréat : 1990** François FEJTÖ, *Requiem pour un empire défunt* [103].

• **Poésie (Grand Prix de).** *Créé* en 1957. *Attribué* par l'Académie française (2e quinzaine de juin). **Montant :** 100 000 F. **Lauréats : 1957** André BERRY. **58** Mme Gérard d'HOUVILLE. **59** Tristan KLINGSOR. **60** Philippe CHABANEIX. **61** Patrice de LA TOUR du PIN. **62** Marie NOEL. **63** Pierre EMMANUEL. **64** André SALMON. **65** Non décerné. **66** Pierre-Jean JOUVE. **67** Georges BRASSENS. **68** Alain BOSQUET et Jean LEBRAU. **69** Robert SABATIER. **70** Jean FOLLAIN. **71** Louis BRAUQUIER. **72** Jean TARDIEU. **73** André FRÉNAUD. **74** Philippe SOUPAULT. **75** Gabriel AUDISIO. **76** Eugène GUILLEVIC. **77** Robert MALLET et Marie-Jeanne DURRY. **78** Charles LE QUINTREC. **79** André PIEYRE de MANDIARGUES. **80** Maurice FOMBEURE. **81** Yves BONNEFOY. **82** Jean LOISY. **83** Jean GROSJEAN. **84** Francis PONGE. **85** Philippe ROBERTS-JONES. **86** Henri THOMAS. **87** René TAVERNIER. **88** Jean-Claude RENARD. **89** Claude Michel CLUNY. **90** André du BOUCHET.

• **Populiste.** *Créé* en 1929. Décerné de 1931 (Eugène Dabit : *Hôtel du Nord*) à 1977 (Claude Aubin : *le Marin de fortune*). Restauré en 1984 par Raymond La Villedieu.

Nouveau Prix populiste. 84 Daniel ZIMMERMANN, *la Légende de Mar et Jeanne* [23]. **85** Leila SEBBAR, *les Carnets de Shéhérazade* [49]. **86** ADDA, *Elle voulait voir la mer* [74]. **87** Gérard MORDILLAT, *A quoi pense Walter* [9]. **88** Éric RONDEAU, *L'Enthousiasme* [93]. **89** René FREGNI, *les Chemins noirs* [14]. **90** Didier DAENINCKX, *le Facteur fatal* [14].

• **Premier roman (Prix du).** *Créé* 1981. **Jury :** Alain Bosquet, Jean Chalon, Françoise Ducout, Jérome Garcin, Annick Geille, François Gonnet, Gérard Guillot, Jean-Claude Lamy, Josyane Savigneau, Jean-François Josselin, Françoise Xenakis. **Lauréats : 1981** Bruno RACINE. **82** Alexandre JARDIN. **83** Annick GEILLE. **84** Elvire MURAIL. **85** Jean-François MERLE. **86** Yves-Marie ERGAL. **87** Jean-Philippe ARROU-VIGNOD. **88** Nadine DIAMANT, *Désordres* [24]. **89** Pierre CARRÉ, *le Palais des nuages.* **90** Caroline TINE, *l'Immeuble* [2].

• **Prince-Pierre-de-Monaco (Prix littéraire).** *Fondé* en 1951 sous le nom « Prix litt. Rainier III » (jusqu'en 1965). **Décerné,** chaque année, à un écrivain d'expression française, pour l'ensemble de son œuvre. **Montant :** 50 000 F. **Jury :** Edmonde Charles-Roux, Jacques Chessex, Alain Decaux, Michel Déon, Maurice Druon, René Huyghe, Antonine Maillet, François Nourissier, Jean d'Ormesson, Léonce Peillard, Bertrand Poirot-Delpech, Maurice Rheims, Robert Sabatier, Maurice Schumann, Georges Sion, Michel Tournier. **Lauréats : 1951** Julien GREEN. **52** Henri TROYAT. **53** Jean GIONO. **54** Jules ROY. **55** Louise de VILMORIN. **56** Marcel BRION. **57** Hervé BAZIN. **58** Jacques PERRET. **59** Joseph KESSEL. **60** Alexis CURVERS. **61** Jean DUTOURD. **62** Gilbert CESBRON. **63** Denis de ROUGEMONT. **64** Christian MURCIAUX. **65** Françoise MALLET-JORIS. **66** Maurice DRUON. **67** Jean CASSOU. **68** Jean CAYROL. **69** Eugène IONESCO. **70** Jean-Jacques GAUTIER. **71** Antoine BLONDIN. **72** Marguerite YOURCENAR. **73** Paul GUTH. **74** Félicien MARCEAU. **75** François NOURISSIER. **76** Anne HÉBERT. **77** Léopold Sédar SENGHOR. **78** Pierre GASCAR. **79** Daniel BOULANGER. **80** Marcel SCHNEIDER. **81** Jean-Louis CURTIS. **82** Christine de RIVOYRE. **83** Jacques LAURENT. **84** Patrick MODIANO. **85** Françoise SAGAN. **86** Dominique FERNANDEZ. **87** Yves BERGER. **88** Jean STAROBINSKI. **89** Béatrix BECK. **90** Gilles LAPOUGE.

• **Prix littéraire des lectrices de Elle.** *Créé* 1970. Couronne, jusqu'en 1977, un roman ; dep. 77, un roman et un document. **Fonctionnement :** 8 comités de lecture reçoivent à tour de rôle 6 livres différents chaque mois choisis par *Elle* : 3 romans, 3 documents qu'ils doivent noter. Ainsi sont élus 8 « livres du mois/Roman » et 8 « livres du mois/Document ». Les 16 « livres du mois » sont soumis à un jury national qui couronne 2 lauréats. **Lauréats : 1970** Arlette GRÉBEL, *Ce soir ania* [53]. **71** Michèle PERREIN, *la Chineuse* [32]. **72** Elvire de BRISSAC, *Un long mois de septembre* [27]. **73** Simone SCHWARTZ-BART, *Pluie et vent sur Télumée-Miracle* [48]. **74** Max GALLO, *Un pas vers la mer* [47]. **75** Françoise LEFÈVRE, *la Première Habitude* [30]. **76** Roger BOUSSINOT, *Vie et Mort de Jean Chalosse, moutonnier des Landes* [47]. **77** Guyette LYR, *la Fuite en douce* [35] (roman), Jean-Marie PELT, *l'Homme renaturé* [48] (document). **78** Hortense DUFOUR, *la Marie-marraine* [27], Prof. TUBIANA, *le Refus du réel* [47]. **79** Jeanne BOURIN, *la Chambre des dames* [50], Ania FRANCOS, *Il était des femmes dans la Résistance* [49]. **80** Marie-Thérèse HUMBERT, *A l'autre bout de moi* [49], Barbara W. TUCHMAN, *Un lointain miroir* [23]. **81** José-André LACOUR, *le Rire de Caïn* [50], Kai HERMANN et Horst RIECK, *Moi, Christiane F., 13 ans, droguée, prostituée...* [35] (traduit de l'allemand par Léa Marcou). **82** Clarisse NICOIDSKI, *Couvre-Feux* [44], Françoise CHANDERNAGOR, *l'Allée du Roi* [32]. **83** Paul SAVATIER, *le Photographe* [53], Anne DELBÉE, *Une femme* [66], **84** Michel RAGON, *les Mouchoirs rouges de Cholet* [2], Ghislain de DIESBACH, *Madame de Staël* [52]. **85** Frédéric REY, *La Haute Saison* [24], Marie CHAIX, *Juliette, chemin des cerisiers* [48]. **86** François-Marie BANIER, *Balthazar fils de famille* [53] (roman), Claude FRANCIS et Fernande GONTIER, *Simone de Beauvoir* [42]. **87** Jack-Alain LÉGER, *Wanderweg* [53] (roman), Françoise WAGENER, *Madame Récamier* [56] (document). **88** Kenizé MOURAD, *De la part de la princesse morte* [47] (roman), Pierre ASSOULINE, *L'Homme de l'art* [4] (document). **89** Charles JULIET, *l'Année de l'éveil* [77] (roman), Jean-Louis FERRIER (sous la direction de) avec la collaboration de Yann LE PICHON, *l'Aventure de l'art au XXe siècle* [84] (document). **90** Yves BEAUCHEMIN, *Juliette Pomerleau* [108] (roman), H.C. ROBBINS LANDON, *Mozart, l'Âge d'or de la musique à Vienne (1781-1791)* [110] (document).

• **Renaissance.** *Créé* 1976. **But :** décerné à un auteur « ayant contribué à une renaissance des valeurs de notre civilisation ».

• **Roger-Nimier.** *Créé* 1963. **But :** couronner un romancier qui dès ses débuts affirme une liberté de style originale. **Jury :** François Billetdoux, Antoine Blondin, Gwenn-Aël Bolloré, Michel Déon, Jean Dutourd, André Fraigneau, Philippe Héduy, Denis Huismans (Secr. gén.), Félicien Marceau, Michel Mohrt (Pt), Jean Namur, François Nourissier, Jean d'Ormesson, Erik Orsenna, André Parinaud, Yvon Pierron, Dominique Rolin, Philippe Tesson. **Montant :** 30 000 F donnés par le Fouquet's. **Lauréats : 1963** Jean FREUSTIÉ, *la Passerelle* [27]. **64** André de RICHAUD, *Je ne suis pas mort.* **65** Clément ROUSSET, *Lettre sur les chimpanzés* [53]. **66** Eric OLLIVIER, *J'ai cru trop longtemps aux vacances* [14]. **67** Patrick MODIANO, *la Place de l'étoile* [53]. **68** Michel DOURY, *l'Indo* [32]. **69** Robert QUATREPOINT, *Mort d'un Grec* [14]. **70** François SONKIN, *les Gendres* [14]. **71** Claude BREUER, *Une journée un peu chaude.* **72** André THURION, *Révolutionnaires sans révolution* [47]. **73** Inès CAGNATI, *le Jour de congé* [14]. **74** François WEYERGANS, *le Pitre* [53]. **75** Frédéric MUSSO, *la Déesse* [50]. **76** Alexandre ASTRUC, *Ciel de cendres* [97]. **77** Émile M. CIORAN, Pour l'ensemble de son œuvre. **78** Erik ORSENNA, *la Vie comme à Lausanne* [48]. **79** Pascal SEVRAN, *le Passé supplémentaire* [75]. **80** Gérard PUSSEY, *l'Homme d'intérieur* [14]. **81** Bernard FRANK, *Solde* [24]. **82** Jean ROLIN, *Journal de Gand aux Aléoutiennes* [56]. **83** Denis TILLINAC, *l'Été anglais* [47]. **84** Didier VAN CAUWELAERT, *Poisson d'amour* [48]. **85** Antoine ROBLOT, *Un beau match* [50]. **86** Jean-Pierre AMETTE, *Confession d'un enfant gâté* [75]. **87** Alain DUGRAND, *Une certaine sympathie* [56]. **88** Jean-Claude GUILLEBAUD, *le Voyage à Kéren* [95]. **89** Frédéric BERTHET, *Daimler s'en va* [53]. **90** Eric NEUHOFF, *les Hanches de Laetitia* [2].

• **Roman de l'Académie française (Grand Prix du).** *Fondé* 19-3-1918 par l'Académie française. **But :** destiné à récompenser un jeune prosateur pour une œuvre d'imagination, d'inspiration élevée. **Montant :** 5 000 AF (en 1914), a été augmenté (ex. *1965* : 5 000 F, *1966* : 10 000 F, *1971* : 20 000 F, *1973* : 25 000 F, *1977* : 30 000 F, *1982* : 50 000 F, *1990* : 100 000 F). **Jury :** une commission du prix. Propose des noms à l'Académie qui, dans son ensemble, décerne le prix dans la 1re quinzaine de novembre. **Lauréats : 1915** Paul ACKER, Pour son œuvre [41]. **16** AVESNES, *L'Ile heureuse* [41]. **17** Charles GÉNIAUX, Pour son œuvre. **18** Camille MAYRAN, *Gotton Connixloo* [41]. **19** Pierre BENOIT, *L'Atlantide* [2].

20 André Corthis, *Pour moi seule*[2]. **21** Pierre Villetard, *Monsieur Bille dans la tourmente*[22]. **22** Francis Carco, *L'Homme traqué*[2]. **23** Alphonse de Chateaubriant, *La Brière*[27]. **24** Émile Henriot, *Aricie Brun ou les Vertus bourgeoises*[41]. **25** François Duhourcau, *L'Enfant de la victoire*[51]. **26** François Mauriac, *Le Désert de l'amour*[27]. **27** Joseph Kessel, *Les Captifs*[53]. **28** Jean Balde (Mlle Jeanne Alleman), *Reine d'Arbieu*[41]. **29** André Demaison, *Le Livre des bêtes qu'on appelle sauvages*[27]. **30** Jacques de Lacretelle, *Amour nuptial*[53]. **31** Henri Pourrat, *Gaspard des montagnes*[2]. **32** Jacques Chardonne, *Claire*[27]. **33** Roger Chauviré, *Mademoiselle de Bois-Dauphin*[24]. **34** Paule Régnier, *L'Abbaye d'Évolayne*[41]. **35** Albert Touchard, *La Guêpe*. **36** Georges Bernanos, *Journal d'un curé de campagne*[41]. **37** Guy de Pourtalès, *La Pêche miraculeuse*[53]. **38** Jean de La Varende, *Le Centaure de Dieu*[27]. **39** Antoine de Saint-Exupéry, *Terre des hommes*[53]. **40** Édouard Peisson, *Le Voyage d'Edgar*[27]. **41** Robert Bourget-Pailleron, *La Folie d'Hubert*[53]. **42** Jean Blanzat, *L'Orage du matin*[27]. **43** J. H. Louwyck, *Danse pour ton ombre*[41]. **44** Pierre de Lagarde, *Valmaurie*[58]. **45** Marc Blancpain, *Le Solitaire*[24]. **46** Jean Orieux, *Fontagre*[21]. **47** Philippe Hériat, *La Famille Boussardel*[53]. **48** Yves Gandon, *Ginèvre*[29]. **49** Yvonne Pagniez, *Évasion*[24]. **50** Joseph Jolinon, *Les Provinciaux*[59]. **51** Bernard Barbey, *Chevaux abandonnés sur le champ de bataille*[32]. **52** Henri Castillou, *Le Feu de l'Etna*[2]. **53** Jean Hougron, *Mort en fraude*[15]. **54** Pierre Moinot, *La Chasse royale*[27], Paul Mousset, *Neige sur un amour nippon*[53]. **55** Michel de Saint-Pierre, *Les Aristocrates*[50]. **56** Paul Guth, *Le Naïf locataire*[2]. **57** Jacques de Bourbon-Busset, *Le Silence et la Joie*[53]. **58** Henri Queffélec, *Un royaume sous la mer*[43]. **59** Gabriel d' Aubarède, *La Foi de notre enfance*[24]. **60** Christian Murciaux, *Notre-Dame des Désemparés*[41]. **61** Pham Van Ky, *Perdre la demeure*[53]. **62** Michel Mohrt, *La Prison maritime*[53]. **63** Robert Margerit, *La Révolution*[53]. **64** Michel Droit, *Le Retour*[32]. **65** Jean Husson, *Le Cheval d'Herbeleau*[48]. **66** François Nourissier, *Une histoire française*[27]. **67** Michel Tournier, *Vendredi ou les Limbes du Pacifique*[53]. **68** Albert Cohen, *Belle du Seigneur*[53]. **69** Pierre Moustiers, *La Paroi*[53]. **70** Bertrand Poirot-Delpech, *La Folle de Lituanie*[53]. **71** Jean d' Ormesson, *La Gloire de l'Empire*[53]. **72** Patrick Modiano[a], *Les Boulevards de ceinture*[53]. **73** Michel Déon, *Un taxi mauve*[53]. **74** Kléber Haedens, *Adios*[27]. **75** Non décerné. **76** Pierre Schoendoerffer, *Le Crabe-tambour*[27]. **77** Camille Bourniquel, *Tempo*[32]. **78** Pascal Jardin, *Le Nain jaune*[32], Alain Bosquet, *Une mère russe*[27]. **79** Henri Coulonges, *L'Adieu à la femme sauvage*[49]. **80** Louis Gardel, *Fort Saganne*[48]. **81** Jean Raspail, *Moi Antoine de Tounens, roi de Patagonie*[2]. **82** Vladimir Volkoff, *Le Montage*[32]. **83** Liliane Guignabodet, *Natalia*[2]. **84** Jacques-Francis Rolland, *Un dimanche inoubliable près des casernes*[27]. **85** Patrick Besson, *Dara*[48]. **86** Pierre-Jean Rémy, *Une ville immortelle*[2]. **87** Frédérique Hébrard, *Le Harem*[24]. **88** François-Olivier Rousseau, *La Gare de Wannsee*[27]. **89** Geneviève Dormann, *Le Bal du dodo*[2]. **90** Paule Constant, *White Spirit*[53].

Nota. – (a) Plus jeune lauréat du prix (25 ans).

• **Sainte-Beuve.** *Fondé* 1960. **Jury :** Jacqueline Capelle (Pte), André Bay, Alain Bosquet, Jacques Brenner, André Brincourt, Guy Buchet, Guy Dupré, Pierre Moinot. **Lauréats : 1986** roman Rafaël Pividal, *Grotius*[27] et Arnould de Liedekerke, *Le Talon rouge*[75]. Boris Schreiber, *La Traversée du Dimanche*. **87** Éric Ollivier, *Les Livres dans la peau*[27]. **88** Boris Schriefer, *La Traversée du dimanche*[96].

• **Théâtre (Grand Prix du).** *Créé* 1980. *Attribué* par l'Académie française. 1er en 1980. **Montant :** 50 000 F. **Lauréats : 1980** Jean Anouilh. **81** Gabriel Arout. **82** George Neveux. **83** Marguerite Duras. **84** Jean Vauthier. **85** René de Obaldia. **86** Raymond Devos. **87** Remo Forlani. **88** Loleh Bellon. **89** François Billetdoux. **90** Jean-Claude Brisville.

• **Théâtre (Grand Prix national du).** *Fondé* 1969. **Montant :** 20 000 F. **Lauréats : 1969** Eugène Ionesco. **70** Jean Dasté. **71** Jacques Lemarchand. **72** Madeleine Renaud. **73** Jean-Denis Malclès. **74** Jean-Louis Barrault. **75** Samuel Beckett. **76** Roger Blin. **77** François Périer. **78** Jacques Noël. **79** Roland Dubillard. **80** Jean Anouilh. **81** Andrée Tainsy. **82** André Acquart. **83** Denise Gence. **84** Laurent Terzieff. **85** Ariane Mnouchkine. **86** aucun lauréat. **87** Antoine Vitez. **88** Armand Gatti. **89** Pierre Dux. **90** Maria Casarès.

• **Théophraste-Renaudot.** *Fondé* 1925 par des informateurs littéraires désireux d'occuper l'attente parfois longue du prix Goncourt et avec l'intention de corriger éventuellement ses choix. **Décerné** en novembre le même jour que le Goncourt, avant un déjeuner chez Drouant, place Gaillon, à un roman français paru depuis un an, selon l'unique critère du talent et éventuellement de l'originalité. **Montant :** un déjeuner offert au lauréat l'année suivant l'attribution du prix. *Fondateur et Pt d'honneur :* Georges Charensol. **Jury** (journalistes ou critiques, par ordre d'ancienneté) : Francis Ambrière, Luc Estang, Alain Bosquet, André Bourin, Roger Vrigny, André Brincourt, Jacques Brenner, José Cabanis, Louis Gardel. **Lauréats : 1926** Armand Lunel, *Niccolo Peccavi*[53]. **27** Bernard Nabonne, *Maïtena*[13]. **28** André Obey, *Le Joueur de triangle*[27]. **29** Marcel Aymé, *La Table aux crevés*[53]. **30** Germaine Beaumont, *Piège*[33]. **31** Philippe Hériat, *L'Innocent*[14]. **32** Louis-Ferdinand Céline, *Voyage au bout de la nuit*[14]. **33** Charles Braibant, *Le Roi dort*[14]. **34** Louis Francis, *Blanc*[53]. **35** François de Roux, *Jours sans gloire*[53]. **36** Louis Aragon, *Les Beaux Quartiers*[14]. **37** Jean Rogissart, *Mervale*[14]. **38** Pierre-Jean Launay, *Léonie la bienheureuse*[14]. **39** Jean Malaquais, *Les Javanais*[14]. **40** Décerné en 1946. **41** Paul Mousset, *Quand le temps travaillait pour nous*[27]. **42** Robert Gaillard, *Les Liens de chaîne*[11]. **43** Dr André Soubiran, *J'étais médecin avec les chars*[16]. **44** Roger Peyrefitte, *Les Amitiés particulières*[50]. **45** Henri Bosco, *Le Mas Théotime*[10]. **46** Jules Roy, *La Vallée heureuse*[10], David Rousset, *L'Univers concentrationnaire* (Pavois) [prix 1940]. **47** Jean Cayrol, *Je vivrai l'amour des autres*[48]. **48** Pierre Fisson, *Voyage aux horizons*[32]. **49** Louis Guilloux, *Le Jeu de patience*[53]. **50** Pierre Molaine, *Les Orgues de l'enfer*[12]. **51** Robert Margerit, *Le Dieu nu*[53]. **52** Jacques Perry, *L'Amour de rien*[32]. **53** Célia Bertin, *La Dernière Innocence*[12]. **54** Jean Reverzy, *Le Passage*[32]. **55** Georges Govy, *Le Moissonneur d'épines*[50]. **56** André Perrin, *Le Père*[32]. **57** Michel Butor, *La Modification*[18]. **58** Édouard Glissant, *La Lézarde*[48]. **59** Albert Palle, *L'Expérience*[32]. **60** Alfred Kern, *Le Bonheur fragile*[53]. **61** Roger Bordier, *Les Blés*[9]. **62** Simone Jacquemard, *Le Veilleur de nuit*[48]. **63** Jean-Marie Le Clézio, *Le Procès-Verbal*[53]. **64** Jean-Pierre Faye, *L'Écluse*[48]. **65** Georges Perec, *Les Choses*[32]. **66** José Cabanis, *La Bataille de Toulouse*[53]. **67** Salvat Etchart, *Le Monde tel qu'il est*[35]. **68** Yambo Ouologuem (n. 1940, Mali), *Le Devoir de violence*[48]. **69** Max Olivier-Lacamp, *Les Feux de la colère*[27]. **70** Jean Freustié, *Isabelle ou l'Arrière-Saison*[50]. **71** Pierre-Jean Rémy, *Le Sac du palais d'Été*[53]. **72** Christopher Frank, *La Nuit américaine*[48]. **73** Suzanne Prou, *La Terrasse des Bernardini*[9]. **74** Georges Borgeaud, *Voyage à l'étranger*[27]. **75** Jean Joubert, *L'Homme de sable*[27]. **76** Michel Henry, *L'Amour les yeux fermés*[53]. **77** Alphonse Boudard, *Les Combattants du petit bonheur*[50]. **78** Conrad Detrez, *L'Herbe à brûler*[9]. **79** Jean-Marc Roberts, *Affaires étrangères*[48]. **80** Danièle Sallenave, *Les Portes de Gubbio*[48]. **81** Michel Del Castillo, *La Nuit du décret*[48]. **82** Georges-Olivier Chateaureynaud, *La Faculté des songes*[27]. **83** Jean-Marie Rouart, *Avant-Guerre*[27]. **84** Annie Ernaux, *La Place*[53]. **85** Raphaële Billetdoux, *Mes nuits sont plus belles que vos jours*[27]. **86** Christian Giudicelli, *Station balnéaire*[53]. **87** René-Jean Clot, *L'Enfant halluciné*[27]. **88** René Depestre, *Hadriana dans tous mes rêves*[53]. **89** Philippe Doumenc, *les Comptoirs du Sud*[48]. **90** Jean Colombier, *les Frères Romance*[9].

• **Tocqueville.** *Créé* 1979. **Décerné** tous les 2 ans. **But :** couronne l'œuvre d'un penseur libéral, dans la lignée d'Alexis de Tocqueville, en sciences humaines. **Montant :** 100 000 F. **Jury** (1988) : Alain Peyrefitte (Pt), Georges Balandier, Suzanne Berger, Raymond Boudon, Jean-Claude Casanova, Olivier Chevrillon, Michel Crozier, Jean-Marie Domenach, François Goguel, Stanley Hoffmann, André Jardin, Jesse Pitts et Laurence Wylie. **Lauréats : 1979** Raymond Aron. **81** David Riesman. **83** Alexandre Zinoviev. **85** Karl Popper. **87** Louis Dumont. **89** Octavio Paz (Mexicain). **90** François Furet.

• **Traduction (Grand Prix national de la).** *Fondé* 1985 par le min. de la Culture. Décerné en décembre. **Montant :** 50 000 F. **Jury (1985) :** Laure Bataillon, Christian Bourgois, Jean Gattegno (Pt), Michel Gresset, Bernard Lortholary, André Miquel, Claude Roy, Antoine Vitez, Céline Zins. **Lauréats : 1985** Pierre Leyris. **86** Philippe Jaccottet. **87** Nino Frank. **88** Claude Couffon. **89** Jacques Dars. **90** Alice Raillard.

• **Valéry Larbaud.** *Fondé* 1987. **Décerné** dernier samedi de mai à Vichy. **Jury :** R. Grenier (Pt), R. Sabatier, M. Déon, R. Malet, J. Blot, J.-E. Clancier, J. de Bourbon-Busset, M. Kuntz, R. Vrigny, D. Rolin, C. Giudicelli, B. Delvaille. **Lauréats : 1987** Emmanuel Carrère, *le Détroit de Behring*[77]. **88** Jean-Marie Laclavetine, *Donna fugata*[53]. **89** Jean Rolin, *la Ligne de front*[91]. **90** Frédéric-Jacques Temple, *Anthologie personnelle*[1].

• **Vasari.** *Créé* en 1986. **Grand prix 1986** *Des Barbares à l'an mil* (Mazenod). **87** *Vermeer* (Hazan). **88** François Chapon, *Le Peintre et le Livre*[24].

• **Ville de Paris (grands prix).** *Annuel :* roman ; *biennaux :* histoire, critique ou essai, poésie, littérature dramatique, litt. enfantine. **Montant :** 50 000 F chacun (sauf litt. enf. 25 000). Chacun est décerné à un auteur français ou d'expression française pour l'ensemble de son œuvre. **Jury :** maire adjoint chargé de la Culture, Pt dir. des Affaires cult., 5 conseillers de Paris désignés par l'Assemblée, 9 personnalités choisies en raison de leur compétence. Le jury peut ne pas décerner le prix. **Lauréats : 1946** Léon-Paul Fargue[e]. **47** André Suarès[d]. **48** Paul Vialar[a]. **49** Philippe Chabaneix[c]. **50** Jean Paulhan[e]. **51** Jean Rostand[d]. **52** Yves Gandon[a]. **53** Paul Fort[c]. **54** Jean Guéhenno[e]. **55** Louis Madelin[d]. **56** Francis Carco[a]. **57** Maurice Fombeure[c]. **58** Gérard Bauer[e]. **59** Daniel Halévy[d]. **60** Blaise Cendrars[a]. **61** Pascal Bonetti[c]. **62** Henri Perruchot[e]. **63** Émile Cornaert[d]. **64** Paul Guth[a]. **65** Marie Noel[c]. **66** Brice Parain[e]. **67** Gabriel Marcel[d]. **68** Bernard Clavel[a]. **69** Jean Rousselot[c]. **70** Charles Samaran[b]. **71** Jean Wahl[f]. **72** Maurice Toesca[a]. **73** Jean Grosjean[c]. **74** Jean Favier[b]. **75** Jules Roy[a]. **76** Henri Gouhier[e]. **77** Philippe Erlanger[b]. **78** Gilbert Cesbron[a]. **79** Roland Mousnier[b]. Pierre Seghers[c]. Jacques Perret[a]. François Sautereau[g]. **80** Père Bruckberger[e]. Zoé Oldenbourg[a]. **81** Jean Delumeau[b]. Jean Tardieu[c]. Geneviève Dormann[a] et Pierre Daninos[a]. Luda Schnitzer. **82** Victor-Henri Débidour[e]. Antoine Blondin[a]. **83** Élie Wiesel[a]. Jean-Pierre Babelon[b]. Jacques Réda[c]. Madeleine Gilard[g]. Louis Calaferte[h]. **84** Alain Gerber[a]. Marie-Claire Bancquart[e]. **85** Philippe Jaccottet[c]. Loleh Bellon[h]. Yvan Pommaux[h]. Henri-Jean Martin[b]. André Fraigneau[a]. **86** Henri Thomas[a]. Raoul Girardet[e]. **87** François Nourissier[a]. François Crouzet[b]. Lorand Gaspar[c]. Philippe Dumas[g]. **88** Philippe Sollers. Diane Ribardière. A. Thirion. **89** Christine de Rivoyre[a]. Michel Antoine[b]. Jean-Claude Renard et André Frenauc[c]. Pef[g]. François Billetdoux[h]. Gilles Lapouge[i]. **90** Michel Morhrt[a]. Pierre Manent[e]. Dominique Schneidre[i].

Nota. – (a) Roman. (b) Histoire. (c) Poésie. (d) Histoire-Philosophie. (e) Essais-critique. (f) Philosophie-essai-critique. (g) Litt. enfantine. (h) Litt. dramatique. (i) Sola Cabiati (roman historique).

Bilan des éditeurs d'ouvrages couronnés de l'origine à 1990	Goncourt	Interallié	Médicis		Renaudot	Femina
			Fr.	Étr.		
L'Age d'Homme				1		
Albin Michel	7		1	2		4
Christian Bourgois				1		
Calmann-Lévy	2				4	2
Denoël	1	6			7	4
Éd. de Minuit	2		5		1	1
Fayard	3	2				3
Flammarion	2	1	1	1		1
Gallimard	29	13	7	6	13	17
Hachette			1			
Mercure de France	3		2		1	2
Grasset	10	19	9	4	9	5
Fasquelle	1					3
Julliard	4	3			7	3
Robert Laffont	1	2				
J.-J. Pauvert	1					
Plon	3	2				4
Le Seuil	4	1	7	3	8	5
Stock	1			1		3
La Table Ronde		2			3	
Balland	1					
Payot	1					
Sylvie Messinger				1		

Prix littéraires dans le monde

• **Allemagne.** *Prix de litt. de l'État de Rhénanie-Nord-Westphalie pour les jeunes auteurs* (Düsseldorf), annuel, 2 prix de 6 000 DM. *P. Fontane* (Berlin), annuel, 10 000 DM. *P. Alfred Döblin* (Berlin), bisannuel, 20 000 DM. *P. Gerhart Hauptmann* (Berlin), bisannuel, 10 000 DM. *P. all. pour le livre de jeunes* (Bonn), 4 sections, annuel, 7 500 DM. *P. litt. de la ville de Brême,* annuel, 10 000 DM. *P. Georg Büchner* (Dt. Akademie für Sprache und Dichtung, Darmstadt), annuel, 20 000 DM. *P. Andreas*

Gryphius (Esslingen), annuel, 10 000 DM. *P. Rainer Maria Rilke* (Francfort), poésie, annuel, 5 000 DM. *P. Lessing* (Hambourg), tous les 4 ans, 20 000 DM. *P. Hermann Hesse* (Karlsruhe), tous les 3 ans, 10 000 DM. *P. Marie Luise Kaschnitz,* tous les 2 ans, 10 000 DM. *P. Heinrich von Kleist,* annuel, 25 000 DM. *P. Thomas Mann* (Lübeck), tous les 3 ans, 10 000 DM. *P. litt. Kogge* (Minden), annuel, 10 000 DM. *P. de litt. des Éd. Bertelsmann,* bisannuel, 50 000 DM. *P. de litt. westphalienne* (Annette von Droste Hülshoff Preis) (Münster), bisannuel, 10 000 DM. *P. Luise Rinser,* annuel, 10 000 DM. *P. de litt. Heinrich Böll* (Cologne), annuel, 25 000 DM. *P. de litt. de Marburg,* bisannuel, 12 000 DM. *P. Arno Schmidt,* tous les 2 à 3 ans, 50 000 DM. *P. Heinrich Heine* (Düsseldorf), bisannuel, 25 000 DM. *P. Schiller de l'État de Bade-Wurtemberg* (Schiller Gedächtnis Preis) (Stuttgart), tous les 3 ans, 20 000 DM. *P. Helmut M. Braem* (Stuttgart), pour les traducteurs, bisannuel, 10 000 DM. *P. Gerrit-Engelke* (Hanovre), bisannuel, 15 000 DM. *P. Gœthe* (Francfort) : créé en 1927, tous les 3 ans, 50 000 DM (**1927** Stefan George, **28** Albert Schweitzer, **29** Leopold Ziegler, **30** Sigmund Freud, **31** Ricarda Huch, **32** Gerhart Hauptmann, **33** Hermann Steht, **34** Hans Pfitzner, **35** Hermann Stegemann, **36** Georg Kolbe, **37** Guido Kolbenheyer, **38** Hans Carossa, **39** Carl Bosch, **40** Agnes Miegel, **41** Wilhelm Schäfer, **42** Richard Kuhn, **45** Max Planck, **46** Hermann Hesse, **47** Karl Jaspers, **48** Fritz von Unruh, **49** Thomas Mann, **52** Carl Zuckmayer, **55** Annette Kolb, **58** Carl Friedrich von Weizsäcker, **60** Ernst Beutler, **61** Walter Gropius, **64** Benno Reifenberg, **70** Georg Lukacs, **73** Arno Schmidt, **76** Ingmar Bergman, **79** Raymond Aron). *P. de la Paix* (décerné lors de la foire de Francfort), 25 000 DM, 2 Français l'ont eu : A. Schweitzer en 1951 et G. Marcel en 1964. **79** Yehudi Menuhin, **80** Ernesto Cardenal, **81** Lew Kopelew, **82** George F. Kennan, **83** Manès Sperber, **84** Octavio Paz, **85** Teddy Kollek, **86** Wladyslav Bartoszewski, **87** Hans Jonas, **88** Siegfried Lenz, **89** Vaclav Havel, **90** Karl Dedecius.

• **Belgique.** *P. Victor Rossel* (fondé en 1938 par le journal « Le Soir ») attribué en décembre à un roman ou un recueil de nouvelles, 200 000 FB ; considéré comme le « Goncourt » belge. **81** François Weyergans : *Macaire le Copte.* **85** Thierry Haumont : *le Conservateur des ombres.* **86** Victor Pirotte : *Un été sous la combe.* **87** René Swennen : *Les Trois Frères.* **88** Michel Lambert : *Une vie d'oiseau.* **89** Jean-Claude Bologne : *la Faute des femmes.* **90** Philippe Blasband : *De cendres et de fumées.* Divers prix décernés par l'Ass. écriv. belges [H. Krains (alternativement prose ou poésie), A. Pasquier (roman historique), Constant de Horion (essai d'histoire ou de critique littéraire), G. Nélod (récit ou conte)] par l'A.R.L.L.F.) (+ de 20 prix). Prix décernés par le ministère de la Culture française : prix quinquennal de couronnement de carrière (300 000 FB), de la critique et des essais (225 000 FB), prix annuel de littérature française (successivement : poésie, roman et conte, littérature dramatique ; 175 000 FB).

• **Canada.** *P. du Gouverneur général* (f. en 1937, annuel), 5 000 $. *Québec :* 6 prix annuels.

• **Danemark.** *Prix Sonning* décerné à une personnalité ayant servi la culture européenne, bisannuel, env. 425 000 F. *1983 :* Simone de Beauvoir. *85 :* W. Heinesen. *89 :* Ingmar Bergman.

• **Espagne.** Annuels : *Nadal* 3 000 000 pesetas (*1991 :* Alfredo Conde : *Los Otros Dias*), *Planeta* 20 000 000, *Gabriel Miró* 100 000, *Mundo* (n.c.), *National de journalisme* 500 000, *National de Littérature* 500 000, *Athénée de Séville* 1 000 000, Cervantes 10 000 000 (514 000 F).

• **États-Unis.** *P. Pulitzer* (fondés 1918, décernés par le conseil d'adm. de l'université de Columbia. 12 prix, de 500 $ chacun : services rendus à la cause publique, reportage, correspondance à Washington ou à l'étranger, article de fond, dessin humoristique, photographie, roman, théâtre, histoire, biographie, poésie, musique) *National Book Award. Prix interaméricain de litt. :* décerné pour la 1re fois le 23 août 1970 à Jorge Luis Borges (25 000 $). *Ritz-Hemingway.* Créé 1985. 50 000 $.

• **Grande-Bretagne.** *Booker Prize for Fiction* (f. en 1968, administré par la National Book League), 20 000 £ ; décerné à l'auteur du meilleur roman anglais de l'année, **1990** A.S. Byatt. *N.C.R.* (f. 1988, 25 000 £). *W.H. Smith & Son Literary Award* (f. 1959), 10 000 £ ; décerné à l'auteur anglais qui a apporté le plus à la littérature. *Whitbread Literary Award* (f. 1971) annuel, 5 catégories (roman, 1er roman, biographie, poésie et livre d'enfants), 27 500 £ au total. *James Tait Black Memorial Prizes* (f. 1918), annuel, 2 catégories (roman et biographie), 1 500 £ chacun. *W. H. Heinemann Award,* annuel, tout sujet, en anglais. *Betty Trask Award* (1er roman, auteur de - de 35 ans), 26 000 £. *Hawthornden Prize* (f. 1919), 750 £. *Somerset Maugham Awards* (f. 1947), 5 000-6 000 £.

• **Italie.** *P. Bagutta* (f. 1927, 5 000 lires et 95 000 lires d'indemnités de voyage). *P. Bancarella* (f. 1952), donné à une œuvre qui a eu un grand succès dans l'année précédente, prix : achat de 2 000 ex. au min. *P. Bancarella Sport* (f. 1964). *P. Campiello* (f. 1963), 5 lauréats, chacun 1 500 000 lires et le « supervainqueur » 2 500 000 lires. *P. Chianciano* (f. 1949), non attribué dep. 1970. *P. international Antonio Feltrinelli* 100 millions de lires décernés par l'Accademia Nazionale dei Lincei, à l'origine fondation d'Antonio Feltrinelli († en 1942) dont les revenus sont attribués au prix. *P. Libro d'oro* (f. 1957). *P. Malaparte* (f. 1983). *P. Napoli* (f. 1954), 3 prix de 5 000 000 de lires. *Prix Penna d'oro* (f. 1957). *P. Strega* (f. 1947). *P. Sila* (f. 1964). *P. Viareggio* (f. 1929), 3 prix de 5 000 000 de lires, 3 de 1 000 000 de lires, 1 prix international pour un étranger de 5 000 000 de lires.

• **Suisse.** *Grand prix de la fondation Schiller* (f. 1905, décerné 11 fois, montant variable supérieur à 10 000 F.S.). *Prix Gottfried Keller* de la fondation Martin-Bodmer (f. 1921, décerné 12 fois, 15 000 F.S.). *Grand Prix C.F. Ramuz* (f. 1951, décerné 5 fois, 10 000 F.S.). *Prix Jean-Jacques Rousseau* (50 000 FS). *Prix Colette* (35 000 FS). *Prix BP Philip-Morris* (25 000 FS).

• **U.R.S.S.** *P. Lénine de littérature* (f. en 1925, jamais décerné, remplacé par le prix Staline de 1939 à 1956, *1957-67* annuel, *dep. 1967* bisannuel). **Lauréats : 1980** E. Issaïev, N. Doumbadze. **82** V.M. Bajane. **84** M. Karim. **86** V. Bykov, I. Vassiliev. **88** non attribué. *Prix d'État* (remplace le prix Staline dep. 1957, annuel).

• **Pays nordiques** (Suède, Norvège, Danemark, Finlande et Islande). *Grand prix de littérature du Conseil nordique* (f. 1962), chaque pays propose chaque année 2 candidats (+ parfois le représentant d'une minorité ethnique : Lapons, Féringiens, Groenlandais, etc.), jury composé de 10 m. (2 par pays), 150 000 couronnes (env. 130 000 F).

Auteurs

Généralités

• **Age des écrivains.** *Parmi les plus âgés :* Alice Pollock (Angl.), *Portrait de ma jeunesse victorienne* (1971) : 102 ans. En France : Paul Géraldy et Maurice Genevoix ont écrit jusqu'à leur mort (à 98 et 90 ans). *Les plus jeunes :* Dorothy Straight (Amér.), *Comment le monde a commencé* (1962) : 5 ans. En France, Minou Drouet, *Poèmes* (1955) : 8 ans.

• **Écrivains les plus prolifiques.** L'Espagnol *Lope de Vega* (1562-1635) : 1 800 comédies (470 ont survécu à l'oubli), 400 pièces religieuses, 2 romans, beaucoup de poèmes. L'Anglais *Charles Hamilton* alias Franck Richards, auteur de bandes dessinées (1875-1961) : 80 millions de mots. Le Belge *Georges Simenon* (1903) : 212 romans sous son nom (dont plus de 80 Maigret) et env. 300 sous 17 pseudonymes. Katherine Lindsay (Afr. du Sud, 1903-73) : 904 romans. Les Français : *Voltaire :* plus de 20 000 lettres, *Victor Hugo* 153 837 vers, *Scribe* 350 œuvres, *Alexandre Dumas* 260 volumes, *Labiche* 174 pièces, *Balzac* 150 œuvres, *Marcel Jouhandeau* 129 œuvres, *Sacha Guitry* 125 pièces.

• **Écrivains les plus rapides.** L'Américain *Erle Stanley Gardner* (1889-1970) a écrit jusqu'à 7 romans à la fois et dictait jusqu'à 10 000 mots par jour. L'Anglais *John Creasey* (1908-73) a produit jusqu'à 22 livres par an. Il a écrit 2 livres en 1 semaine. Le Belge *Georges Simenon a* écrit ses romans populaires de 20 000 lignes au rythme de 80 à 100 pages par jour.

• **Nombre d'écrivains en France.** D'après le prof. E. Gaede, il y aurait eu en France, depuis l'invention de l'imprimerie, de 30 000 à 70 000 écrivains qui ont écrit en tout 500 000 livres. *Des auteurs nés avant 1900,* 1 000 seulement environ (auteurs de 5 000 livres en tout) font encore parler d'eux.

Chaque année, 7 600 titres nouveaux sont publiés. Ce qui représente en gros 6 000 à 6 500 auteurs (dont 1 500 à 2 000 de romans) : 229 bénéficiant, en 1987-88, du statut d'*écrivain professionnel* et ayant droit aux avantages sociaux qu'il procure, 346 *vivant de leur plume.* La plupart ont un métier principal (notamment les auteurs d'ouvrages d'érudition) ou annexe (journalisme, radio, télévision, etc.).

• **Œuvres les plus longues. Romans.** *Les Hommes de bonne volonté* (Jules Romains), 27 vol. *A la recherche du temps perdu* (Proust), 15 vol., env. 1 310 000 mots. *Clarisse Harlowe* (1748) (Samuel Richardson), 984 870 mots (200 000 de plus que la Bible). *Tokuga-Waleyasu* (de Sohachi Yamaoka), feuilleton japonais en cours de publication, doit remplir 40 vol. **Poème.** Les *Manas,* chants épiques kirghizes, comportent 500 000 vers. *Prométhée, dialogue des vivants et des morts,* du Canadien Roger Brien, 456 047 vers.

• **Poètes.** 200 000 env. dont 50 000 ayant déjà publié (hommes 78 %, moyenne d'âge : 28 ans, lycéens et étudiants 35 %, écrivains professionnels 29 %, enseignants 23 %, ouvriers ou employés 2 %). 240 revues de poésie sont diffusées en France (tirages : de 200 à 1 500 ex.).

• **Éditions à compte d'auteur et auto-édition.** 6 à 7 000 manuscrits env. sont refusés chaque année par les éditeurs. 1 500 écrivains financent eux-mêmes l'édition de leurs livres par le *système du compte d'auteur* s'ils recourent à des maisons spécialisées dans ce genre de contrat (de louage d'ouvrages), ou par le *système de l'auto-édition,* s'ils passent par un imprimeur et président au lancement de leurs livres sans recourir aux services d'un éditeur (ils peuvent cependant conférer leur distribution à un distributeur). *Tirages habituels :* env. 1 000 ex. Prose : 3 000 ex. (rentable à partir de 1 200 en auto-édition, 1 800 en compte d'auteur ; poésie : 500 ex. *Coût :* roman (250 p.) 72 000 F env. (y compris fabrication et publicité) ; poèmes (100 p.) 26 000 F, (48 p.) 10 000 F. *Gains de l'auteur :* en auto-édition : totalité du produit des ventes ; en compte d'auteur : prose 40 % des ventes, poésie 60 %.

Associations : *Association des auteurs auto-édités* (62, rue Blanche, 75009 Paris ; Pt d'honneur : A. Soubiran) fondée 1975 par Abel Clarté (n. 1904), groupe des auteurs auto-édités ; *Comité des auteurs en lutte contre le racket de l'édition* (BP 17, 94404 Vitry-sur-Seine Cedex) regroupe et défend les intérêts des auteurs débutants et des victimes du compte d'auteur.

☞ **Beaucoup d'écrivains commencèrent à compte d'auteur :** Bergson, Billy *(Bénoni, homme d'Église),* Céline [*la Vie de Semmelweiss* (thèse de doctorat en médecine, signée L.F. Destouches)], Drieu La Rochelle, Géraldy (*Toi et Moi :* best-seller), Gide, Giraudoux *(les Provinciales),* Gracq, Hemingway, Martin du Gard, Mauriac *(les Mains jointes),* Montherlant *(le Sage),* Paulhan *(le Guerrier appliqué),* Proust (1er tome de *A la recherche du temps perdu*). *S'auto-éditèrent :* Louÿs, Pagnol, le Dr Soubiran.

• **P.E.N. Club (Poets, Essayists, Novelists).** *Fondé* 1921 par Mrs C.A. Dawson Scott avec l'appui de John Galsworthy. **But :** rassembler les écrivains épris de paix et de liberté en vue de défendre les valeurs de l'esprit contre le racisme et le fanatisme. Échanges culturels, attachement à la libre circulation des idées et des personnes. Seule organisation mondiale d'écrivains reconnue par l'UNESCO. **Présidents** de la Fédération intern. du P.E.N. Club : John Galsworthy, H.G. Wells, Jules Romains, Maurice Maeterlinck, Benedetto Croce, Charles Morgan, André Chamson, Alberto Moravia, Arthur Miller, Heinrich Böll, sir Victor Prichett, Mario Vargas Llosa, Pär Wastberg, Francis King, René Tavernier. **Membres :** 90 centres dans le monde réunissent plus de 10 000 écrivains. Fin 1989, il y avait, selon le P.E.N. Club, 358 écrivains emprisonnés dans le monde.

• **P.E.N. Club français.** 6, rue François-Miron, 75004 Paris. **Membres :** env. 500. **Présidents :** Anatole France (1921), Paul Valéry (1924), Jules Romains (1934), Paul Valéry (1944), Jean Schlumberger (1946), André Chamson (1951), Yves Gandon (1959), Pierre Emmanuel (1973), Georges-Emmanuel Clancier (1976), René Tavernier (1979), Solange Fasquelle (1990). **Financement :** cotisations et donations. **Parraine** le *Prix de la liberté* et décerne les prix du P.E.N. Club.

Propriété littéraire

• En France. Droit de propriété. L'auteur d'une œuvre jouit d'un droit de propriété exclusif. Il peut céder par contrat, à un éditeur, l'exploitation de ses droits pour la publication d'un ouvrage pendant une durée limitée ou pour toute la durée de la protection littéraire.

Quelques organisations

Conseil permanent des écrivains : Maison des écrivains, 53, rue de Verneuil, 75007. Pt : Maurice Cury. Secr. gén. : Claude Noël. Membre associé : Académie française. Actifs : Mallarmé. *Associations des écrivains de langue française (A.D.E.L.F.),* 14, rue Broussais 75014 ; Pt : Edmond Jouve. 2 000 écrivains. 67 nationalités ; *des traducteurs littéraires de France (A.T.L.F.),* 99, rue de Vaugirard, 75006 ; *Association d'information et de défense des auteurs/Comité des auteurs en lutte contre le racket de l'édition (A.I.D.A./ C.A.L.C.R.E.) :* BP 17, 94404 Vitry-sur-Seine Cedex. *Union des écrivains,* 3, av. Joseph-Bédier, 75013, créée mai 1968. *Société des auteurs et compos. dramatiques (S.A.C.D.),* 11, rue Ballu, 75009 ; *Sté fr. des traducteurs (S.F.T.),* 22, rue des Martyrs, 75009 ; créée en 1947, membres 950 ; *Association intern. des critiques littéraires,* 38, rue du Faubourg-St-Jacques, 75014 Paris. Pt : Robert André ; *Synd. des écrivains de langue fr. (S.E.L.F.),* 18, rue Théodore-Deck, 75015 ; *Synd. prof. des écrivains (S.E.P.),* 38, rue du Fg-St-Jacques, 75014, créé 1936, réactivé 1946, membres 500 ; *Synd. nat. des auteurs et compos. (S.N.A.C.),* 80, rue Taitbout, 75442, Paris Cedex 09, créé 1946, Pt : Antoine Duhamel, membres 1988 : 1 000 ; *P.E.N. Club français,* 6, rue François-Miron, 75004.

Autres organisations. *Association des auteurs auto-édités (A.A.A.) :* 62, rue Blanche, 75009.

Ass. des écrivains catholiques : 12, rue Edmond-Valentin, 75007 ; Pt : Maurice Schumann. Secr. gén. : François Saint-Pierre.

Ass. internationale des critiques littéraires, 38, rue du Fg-St-Jacques, 75014 Paris, créée en 1969 par Yves Gandon (1898-1975). Pt : Robert André (n. 1920). 800 adh. O.N.G., affiliée U.N.E.S.C.O.

Fédération fr. des syndicats de libraires, 43, rue de Châteaudun, 75009. 20 synd. régionaux, 1 500 libraires sur 3 000.

Maison des écrivains, 53, rue de Verneuil, 75007 Paris (hôtel d'Avejean).

Sté civile des auteurs multimedia (S.C.A.M.) : 38, rue du Fbg-St-Jacques, 75014. Consacré aux droits d'auteur audiovisuels.

Sté des gens de lettres de France (S.G.D.L.) : hôtel de Massa, 38, rue du Fbg-St-Jacques, 75014.

Durée de la propriété littéraire. Déterminée par les lois des 14-7-1866, 3-2-1919, 21-9-1951 et les articles de la loi du 11-3-1957. 1°) *Œuvres publiées avant le 24-10-1920 :* application des lois de 1866, 1919, 1951 et 1957 ; protection : 64 ans et 274 j à partir de la fin de l'année civile durant laquelle l'auteur est décédé. 2°) *Du 24-10-1920 au 1-1-1948 :* 58 ans et 122 j après la fin de l'année civile durant laquelle l'auteur est décédé (lois de 1951 et 1957). 3°) *Après le 1-1-1948 :* 50 ans après la fin de l'année civile durant laquelle l'auteur est décédé (loi de 1957). Les auteurs demandent que cette durée soit prolongée. La loi du 21-9-1951 prévoit déjà une protection supplémentaire de 30 ans au profit des œuvres des auteurs morts pour la France.

Sont tombées dans le domaine public *en 1967,* les œuvres d'Émile Zola ; *1970,* Alphonse Allais, José Maria de Heredia, Jules Verne ; *1976,* Paul Arène, Edmond de Goncourt, Arsène Houssaye, Jules Simon, Paul Verlaine ; *1977,* Alphonse Daudet ; *1978,* Ferdinand Fabre, Stéphane Mallarmé ; *1979,* Henri de Lacretelle ; *1980,* Albert Samain, Frédéric Mistral ; *1982,* Paul d'Ivoi ; *1983,* Octave Mirbeau ; *1984,* Michel Zevaco ; *1987,* Marcel Proust.

• **A l'étranger.** **All. féd., Autriche :** protection pendant 80 ans (après le décès de l'auteur). **Espagne :** 70. **Grande-Bretagne :** 50 (au min. 30 après une œuvre posthume). **Belgique, Suisse, Canada, Italie** ont adhéré à la Convention de Berne et protègent les œuvres étrangères 50 ans après la mort de l'auteur + 6 ans en Italie pour les œuvres non tombées dans le domaine public au moment de l'entrée en vigueur du décret du 20-7-1945. **États-Unis,** avant 1978, les droits d'auteur sont régis par le *copyright :* la protection dure 28 ans après la 1re publication, renouvelable pour une même période si la demande est formulée par l'auteur ou ses ayants droit dans la 28e année. A partir du 1-1-1978, les œuvres se trouvant dans la 2e période bénéficient d'une durée de 47 ans, d'où une protection totale de 75 ans. Les œuvres publiées après le 1-1-1978 sont protégées durant la vie de l'auteur et 50 ans après sa mort.

Rémunération des auteurs

• Droits d'auteur. Généralement un auteur est rémunéré au % calculé sur le prix de vente (hors taxe) du livre au public. En général, ce % varie de 6 à 15 %. La rémunération forfaitaire n'est appliquée que dans certains cas expressément fixés par la loi sur la propriété littéraire et artistique. Autrefois, le système de forfait était fréquent. Ainsi la comtesse de Ségur toucha 1 000 F pour « les Mémoires d'un âne », 1 500 F pour « Pauvre Blaise ». Si l'ouvrage est relié, le % est généralement calculé après déduction forfaitaire de 25 % pour la reliure. Les romanciers « arrivés » peuvent toucher 10 % sur les 6 premiers mille, 12 % de 6 000 à 20 000, 15 % au-delà. 20 % sont très rarement atteints ou dépassés (les droits moyens sur les livres scolaires primaires sont de 5 %, secondaires 8 %). L'auteur peut obtenir une avance représentant ses droits sur la vente de 5 000 à 10 000 exemplaires, exceptionnellement 50 000.

Suivant qu'il s'agit d'un tirage en édition brochée normale ou d'un tirage en livre de poche, le revenu qu'encaisse l'auteur peut varier de 1 à 15. Si un auteur a vendu 10 000 ex. d'un roman broché vendu à 50 F (hors taxe) dans le public, il touchera env. 50 000 F moins un pourcentage retenu par l'éditeur pour couvrir la « passe » (livres défectueux) soit net 47 200 F. (La « passe » qui ne s'applique pas aux 2 000 premiers ex. vendus du tirage initial est de 8 % jusqu'à 30 000 ex., 7 % au-delà de 30 000, 6 % au-delà de 45 000, 5 % au-delà de 60 000 ex. vendus. Elle n'est plus appliquée dans les nouveaux contrats pour les ouvrages de littérature générale.) Si l'ouvrage avait été relié, il aurait touché 25 % en moins, soit 35 400 F. Or atteindre 10 000 ex. est déjà un succès (en 32 ans, de 1927 à 1959, *Thérèse Desqueyroux,* de Mauriac, avait atteint 85 000 ex. en édition normale, *les Conquérants,* de Malraux, avait atteint 55 000 ex. de 1928 à 1959).

Les Misérables (1862) ont rapporté 250 000 à 300 000 F – or à V. Hugo, *Tartarin* (1890) 100 000 à Alphonse Daudet, *La Vie de Jésus* (1863) 195 000 à Renan, *l'Histoire du siècle des Médicis* (1853) 120 000 à Lamartine.

50 % des ouvrages littéraires sont tirés à moins de 5 200 ex., 24 % de 6 000 à 12 000, 8 % de 12 000 à 18 000, 6,5 % de 18 000 à 24 000, 5 % de 24 000 à 36 000, 7,5 % au-delà.

• **Droits annexes.** *Traduction :* somme forfaitaire ou % sur les ventes versé par l'éditeur étranger et partagé avec l'éditeur français. *Représentation et adaptation théâtrale, cinématographique, télévisuelle. Merchandising :* utilisation du nom pour des produits divers (ex. James Bond, Astérix).

• **Activités annexes.** *Traductions* de 75 à 200 F la page dactylographiée de 1 500 signes. *Bande dessinée* 20 F le phylactère (bulle). *Rewriting* de 100 à 200 F le feuillet. *Article de journal,* jusqu'à 700 F la page dactylographiée (selon journal, sujet, notoriété de l'auteur). *Pièce télévisée,* jusqu'à 113 000 F par heure ; *radiophonique,* jusqu'à 19 500 F. Pour la 1re diffusion il est versé une prime d'inédit (au moins 4 000 F par h pour une dramatique).

Nota. – Deux pays compensent la perte des droits d'auteur sur les ouvrages prêtés par les bibliothèques. En *Finlande,* l'État soustrait 5 % de l'aide accordée aux bibliothèques et l'attribue à un fonds spécial « bourses-biblio » (sont attribués aux écrivains âgés 40 %, créateurs 35 %, auteurs malades ou dans une situation précaire 20 %, traducteurs 5 %). En *Suède,* une « Fondation des auteurs » gère les crédits versés par les biblio.

Best-sellers

Généralités

Best-sellers. Il est difficile de dresser une liste complète des best-sellers parus dans le monde ou même simplement en France. Les chiffres de tirages sont rarement communiqués, et quand ils le sont, ils ne sont guère vérifiables.

Best-seller mondial. *La Bible* (traduite en 310 et pour certains passages 1 597 langues). De 1815 à 1984, elle aurait été tirée à env. 2 700 millions d'exemplaires. L'United Bible Societies (couvrant 150 pays) a distribué en 1981 : 10 441 456 Bibles dans 150 pays.

Auteurs best-sellers (tirage en millions d'ex.). *Mao Tsé-toung,* de juin 1966 à nov. 1970 : + de 2 000 (dont le Petit Livre Rouge 800, les Poèmes du Pt Mao 96). *Lénine* (1870-1924) entre 1917 et 1967 : 350 (en 222 langues). *Staline* (1879-1953) : 672 (en 101 langues). *Erle Stanley Gardner* (U.S.A. 1889-1970) : 319 (en 37 langues au 1-1-84). *Georges Simenon* (1903-89) : 500 (dont 100 en France) (en 28 langues). *Agatha Christie* (1891-1976) : + de 2 000 (en 57 l.), (78 romans policiers). *Frédéric Dard* (San Antonio) (n. 1921) : env. 95. *Barbara Cartland* (n. en 1901, mère de la belle-mère de la Pcesse de Galles) : 500 (dont 25 en France) pour 493 romans (dans 27 pays.) *La Vérité qui mène à la vie éternelle* (Témoins de Jéhovah) : 106 (en 117 langues).

Romans récents aux États-Unis (tirage en millions d'ex.). *La Vallée des poupées* (1966) de Jacqueline Susan (1921-74), 28,7 (dont 6,8 les 6 premiers mois). *Autant en emporte le vent,* Margaret Mitchell + de 9,5 dans le monde (7,5 en anglais et 1,7 en français). *Love Story,* Erich Segal 15 (aux U.S.A.). *Le Petit Arpent du Bon Dieu,* Erskine Caldwell (paru en 1933), 8. *Peyton Place,* Grace Metalious (paru en 1956), 10 (dont 6 vendus les 6 premières semaines).

Ventes en France

Légende. Le 1er chiffre donne le total des ventes ; il est suivi entre parenthèses du tirage club (C) et du tirage en livre de format de poche (P), en milliers d'exemplaires. Les chiffres sont approximatifs : certains sont sans doute exagérés (de 10 à 20 %). Des titres manquent : certains éditeurs se refusent à donner toute précision à leur sujet. Le chiffre en nota indique le nom de l'éditeur.

Nota. – **Éditeurs :** (1) Plon. (2) Julliard. (3) Gallimard. (4) Grasset. (5) Albin Michel. (6) E. Belin. (7) Laffont. (8) P.U.F. (9) Flammarion. (10) Fasquelle. (11) Denoël. (12) Arthaud. (13) Casterman. (14) Le Seuil. (15) Presses de la Cité. (16) Hachette. (17) Fayard. (18) Fleuve Noir. (19) Éditions de Minuit. (20) Bonne Presse. (21) Stock. (22) Calmann-Lévy. (23) Alpha. (24) Time-Life. (25) France Empire. (26) Seghers. (27) Desclée de Brouwer. (28) Rouge et Or. (29) Gautier-Languereau. (30) Alsatia. (31) Marabout. (32) Guy Le Prat. (33) Payot. (34) Dargaud. (35) Nathan. (36) Édition collective. (37) Deux Coqs d'or. (38) Pierre Horay. (39) Mame. (40) Librairie académique Perrin. (41) Fleurus. (42) J.-J. Pauvert. (43) La Pensée moderne. (44) Pavois. (45) Garnier-Flammarion. (46) Champs-Élysées. (47) J'ai lu. (48) Le Livre de poche. (49) Presse-Pocket. (50) Éd. du Cerf. (51) U.G.E. (52) Épi. (53) J.-C. Lattès. (54) Alta. (55) La Table ronde. (56) Mercure de France. (57) Larousse. (58) Bordas. (59) Éditions de Trévise. (60) Ramsay. (61) Buchet-Chastel. (62) Éd. Radio. (63) Olivier Orban. (64) Simoen. (65) Centurion. (66) Heinneman et Zsolnay. (67) Zodiaque. (68) Réunion des musées nationaux. (69) J.-P. Faure.

Littérature générale

Acremant (G). Ces dames aux chapeaux verts (1921) [1] 719.

Ajar (E). La Vie devant soi (1975) [56] 1 190 (C. 570).

Alain. Propos sur le bonheur (1928) [3] 606 (P. 277).

Alain-Fournier. Le Grand Meaulnes (1913) [12, 17] 3 750 (P. 3 370).

Anouilh. Antigone (1946) [55] + de 1 500. Le Voyageur sans bagages (1958) [55] + de 600. La Sauvage (1958) [55] + de 400.

Apollinaire. Alcools (suivi de Bestiaire) (1921) 1 267 (C. 29, P. 895). (1913) [3] 1 175 (P. 160).

Arnaud (G.) [2, 48]. Le Salaire de la peur (1949) 1 900 (P. 1 073).

Arnothy (C.). J'ai 15 ans et je ne veux pas mourir [17] (C. 80, P. 1 055).

Arsan (E.) [51]. Emmanuelle 800.

Avril (N.). La Disgrâce [5] 1 012 (C. 636, P. 195). Jeanne (1984) [9] 643 (C. 390).

Aymé (M.). La Jument verte (1933) [3], 1 162 (C. 81, P. 834). Les Contes du chat perché (1939) [3] 2 309 (C. 20, P. 1 498). La Vouivre (1943) [3] 413. Le Passe-Muraille (1943) [3] 971 (C. 23, P. 800). La Tête des autres (P. 511) [4].

Bach (R.). Jonathan Livingstone le goéland (1973) [9] 629 (P. 306).

Bainville (J.). Hist. de France (1924) 535 (P. 182).

Balzac (H. de) [45, 48]. Le Père Goriot (P. 1 457). Eugénie Grandet (P. 994). Les Chouans (P. 634).

Barbusse (H.). Le Feu (1916) [9] 607 (P. 157).

Barjavel (R.) [11, 15, 49]. Ravage (1943) 891 (C. 145, P. 676). La Nuit des temps (1968) 460 (C. 120, P.

60). Les Chemins de Katmandou 420 (1969) (C. 120, P. 30). Le Grand Secret (1973) 500 (C. 230, P. 100).

Baudelaire. Les Fleurs du mal (1857) [45, 48] (P. 1 753).

Bazin (H.) [4, 48]. Vipère au poing (1948) 2 352 (P. 2 815). La Tête contre les murs (1949) (P. 932). La Mort du petit cheval (1950) 1 583 (P. 1450). Lève-toi et marche (1952) 931 (P. 1 010). L'Huile sur le feu (1954) 965 (P. 987). Qui j'ose aimer (1956) 1 461 (P. 1 342). Au nom du fils (1960) [14] 957 (P. 525). Chapeau bas (1963) [14] 520. Le Matrimoine (1967) [14] + de 1 295 (P. 492). Les Bienheureux de la désolation (1970) [14] 584. Madame Ex (1975) [14] 615. Un feu dévore un autre feu (1978) 433.

Béarn (G. et M.). Gaston Phoebus 400.

Beauvoir (S. de) [3]. L'Invité (1943) 686 (P. 420). Les Mandarins (1954) 510. Mém. d'une jeune fille rangée (1958) 1 129 (C. 4, P. 903). La Force de l'âge (1960) 578. Une mort très douce (1964) 447. Le Deuxième Sexe (1949) 451. Les Belles Images (1966) 404.

Beckett (S.) [19]. En attendant Godot (1952) 845.

Bellemare (P.) et **Antoine** (J.). Les Aventuriers (1978) (C. 140, P. 138). Les Dossiers extraordinaires (1976) 707 (C. 170, P. 292). Les Nouveaux Dossiers extr. (1977) 524 (C. 104, P. 224).

Benoit (P.) [5, 48]. Kœnigsmark (1918) 1 317 (C. 100, P. 856). L'Atlantide (1919) 1 661 (C. 131, P. 906). Mlle de la Ferté (1923) (P. 429). La Châtelaine du Liban (1924) 675 (P. 426).

Bernadac (Ch.) [25]. Les Médecins maudits (1967) 700. Les Médecins de l'impossible 600. Les Sorciers du ciel 500. Le Train de la mort 500. Les Mannequins nus 500. Le Camp des femmes 500. Kommandos de femmes 500. Les 186 Marches 500. Le Neuvième Cercle 500. Des jours sans fin 500.

Bernanos (G.) [1, 48]. Journal d'un curé de campagne (1936) 1 102 (P. 815).

Blier (B.). Beau-père (1981) 545 (C. 346, P. 150).

Blixen (K.) [3]. La Ferme africaine (1942) 497.

Bohringer (R.) [5]. C'est beau une ville la nuit (1988) 800.

Bonnafé (A.). Georges Brassens (1963) [26] 475.

Bordeaux (H.) [1]. La Robe de laine (1910) 597. La Neige sur les pas (1912) 727.

Borniche (R.). Flic Story (1973) 703 (C. 320, P. 212).

Bosco. L'Enfant et la rivière [3] (1953) 2 150 (P. 924). L'Ane culotte (1937) 495. Le Mas Théotime (1952) 423.

Boulle (P.) [2, 48]. Le Pont de la rivière Kwaï (1952) 763 (P. 540). La Planète des singes (P. 617).

Bourin (J.) [55]. La Chambre des dames (1979) 1 669 (C. 999, P. 180). Le Jeu de la tentation (1981) 1 817 (C. 1 385, P. 140). Très sage Héloïse (1980) 400 (C. 286).

Bourret (J.-C.). Le Nouveau Défi des O.V.N.I. (1975) S2[5] + de 400. La Nouvelle Vague des soucoupes volantes 400. La Science face aux extra-terrestres 400. O.V.N.I. : l'armée parle 400.

Bouvard (P.). Un oursin dans le caviar (1973) [21] 400 (C. 100, P. 100).

Bradbury (R.). Chroniques martiennes (1955) [11] P. 509.

Braudel (F.). L'Identité de la France (3 tomes) (1986) [12] 500.

Brète (J. de la). Mon oncle et mon curé (1919) [1] 563.

Brétecher (C.). Les Frustrés 1 000.

Breton. Nadja (1918) [3] 554.

Bromfield (L.). La Mousson (1937) [21, 48] (P. 508).

Brontë (C.). Jane Eyre [45, 48] (P. 635).

Brontë (E.). Les Hauts de Hurlevent (1847) [33, 48] (P. 1 300).

Brossard Le Grand (M.) et **de Carolis** (C.). Chienne de vie, je t'aime (1981) [65] 493 (C. 241, P. 132).

Bruce [15]. 62 millions d'ex. vendus.

Buck (Pearl Sydenstricker) [21, 48]. Vent d'est, vent d'ouest (1923) (P. 1 094). La Mère (1934) (P. 1 320). L'Exilée (1936) (P. 520). Un cœur fier (1938) (P. 578). Pavillon de femmes (1946) (P. 689). Pivoine (1948) (P. 871). Fils de dragon [47] 423. La Terre chinoise (P. 448).

Butor (M.). La Modification (1957) [19] 831 (C. 173, P. 532).

Buzzati (D.). Le Désert des Tartares (1949) [7] 830 (C. 102, P. 670). Le K [7] (P. 587).

Caldwell (E.). Le Petit Arpent du bon Dieu (1936) [3] 403. La Route du tabac (1937) 403.

Campagne (Jean-Louis et Brigitte Dubreuil, dits Claude). Adieu mes quinze ans (1960) 545 [18].

Camus (Albert) [3]. Noces (1938) *suivi de* l'Été (1950) 835 (C. 5, P. 618). Le Mythe de Sisyphe (1942) 942 (C. 5, P. 707). L'Étranger (1942) 6 199 (C. 60, P. 5 572). Caligula (1944) 1 407 (C. 5, P. 1 061). La Peste (1947) 4 987 (C. 83, P. 4 278). L'Homme révolté (1951) 639 (P. 165). La Chute (1956) 1 684 (C. 34, P. 1 172). L'Exil et le royaume (1957) 1 169 (C. 5, P. 800). Les Justes 931 (C. 5, P. 596).

Quelques tirages types

Balzac. Avant 1850, ses romans étaient tirés de 1 500 à 2 000 ex. à la 1re édition et ne dépassaient pas 20 000 ex. au total.

Baudelaire. *Les Fleurs du mal* 2 000 ex. en 1857.

Béranger. *Chansons* en 1830 16 000 ex., en 1846 80 000.

Dorgelès. *Les Croix de bois* en 1919 85 000 ex.

Dumas (Alexandre). *Les Trois Mousquetaires* 60 000 ex. en 5 ans.

Encyclopédie (l') (Diderot) 80 000 ex. entre 1751 et 1783.

Flaubert. *Mme Bovary* 30 000 ex. en 4 ans.

Gide. *Les Nourritures terrestres* 300 ex. vendus les 16 premières années.

Hugo. *Les Misérables* 130 000 ex. en 8 ans, *les Contemplations* 50 000 ex. en 2 ans (1856-58), *N.D. de Paris* 14 000 ex.

Kock (Paul de). *Le Cocu* 14 000 (1831-35).

Lamartine. *L'Histoire des Girondins* 35 000 ex. en 1 an.

Lamennais. *Les Paroles d'un croyant* 70 000 ex. de 1834 à 1840.

Mérouvel (Charles). *Chaste et flétrie* 420 000 ex. de 1889 à 1914.

Ohnet (Georges). *Serge Panine* 300 000 ex. en 1880.

Proust. *Du côté de chez Swann* 1 750 en 1913. *A l'ombre des jeunes filles en fleurs* 3 300 en 1919.

Renan. *La Vie de Jésus* 140 000 ex. en 1863-64.

Stendhal. *Le Rouge et le Noir* : les 2 premières éditions furent tirées à 750 ex., *la Chartreuse de Parme* à 1 200.

Sue (Eugène). *Les Mystères de Paris* et *le Juif errant* 60 000 ex. en 5 ans.

Zola. *L'Assommoir* 150 000 ex. de 1877 à 1902, *Une page d'amour* 150 000 ex. dans l'année dont les 2/3 le jour même.

Cardinal (M.) [4, 48]. Les Mots pour le dire (1975) (P. 722). La Clé sur la porte (1972) (P. 768).

Carell (Paul). Ils arrivent [1] (1961) 433 (C. 33, P. 539).

Carles (E.). Une soupe aux herbes sauvages (1979) [7, 48] (P. 560).

Carnegie (D.). Comment se faire des amis (1956) [16] (P. 752).

Carrel (Alexis). L'Homme, cet inconnu (1935) [1, 48] 882 (P. 430).

Carrière (Jean). L'Épervier de Maheux (1972) [42] 805 (C. 212, P. 182).

Cars (Guy des) [9, 47]. L'Impure (1946) (P. 1 762). La Corruptrice (1952) (P. 1 558). La Demoiselle d'opéra (1952) (P. 1 144). La Tricheuse (1954) (P. 1 716). L'Officier sans nom (1955) (P. 937). Le Château de la juive (1958) (P. 1 630). Les Filles de joie (1959) (P. 1 623). Cette étrange tendresse (1960) (P. 1 391). La Brute (1961) (P. 1 860). La Dame du cirque (1962) (P. 1 080). La Cathédrale de haine (1962) (P. 973). Sang d'Afrique (1963) (P. *t. I* 974 ; *t. II* 967). Les Sept Femmes (1964) (P. 1 176). L'Habitude d'amour (1966) (P. 1 170). La Maudite (1970) (P. 1 345). Le Grand Monde (P. *t. I* 766 ; *t. II* 742). La Révoltée (P. 925). Amour de ma vie (P. 727). Le Faussaire (P. 508). La Vipère (P. 472). L'Entremetteuse (P. 465). Une certaine dame 418.

Cauvin (P.) [5]. Rue des bons enfants (1990) 322 (C. 222).

Cavanna (F.). Les Ritals (P. 456).

Céline (L.-F.) [3]. Voyage au bout de la nuit (1932) 1 485 (C. 38, P. 1 137). Mort à crédit (1936) 610.

Cesbron (Gilbert) [7]. Notre prison est un royaume (1948) 1 299 (C. 100, P. 1 095). Les saints vont en enfer (1952) 1 648 (C. 184, P. 852). Il est minuit Dr Schweitzer (1952) 757 (C. 110, P. 587). Chiens perdus sans collier (1954) [47] 2 175 (C. 468, P. 1 720). Vous verrez le ciel ouvert (1956) [47] 653 (C. 50, P. 521). Il est plus tard que tu ne penses (1958) [47] 1 098 (C. 290, P. 670). Avoir été (1960) 461 (C. 35, P. 364). Entre chiens et loups (1962) 563 (C. 95, P. 356). Une abeille contre la vitre (1964) 508 (C. 96, P. 290). C'est Mozart qu'on assassine (1966) [47] 956 (C. 155, P. 689). Mais moi je vous aimais (1977) [7] 1 034 (C. 820, P. 73).

Céspedes (A. de). Le Cahier interdit [14] (1954) + de 588.

Chalais (F.). Les Chocolats de l'entracte (1972) [21] 430 (C. 180, P. 150).

Chandernagor (Françoise). L'Allée du Roi.

Charrière (H.). Papillon (1966) [7] 1 756 (C. 84, P. 630) (avec les ventes à l'étranger 11 000).

Chase-Riboud (B.). La Virginienne 532 (C. 210, P. 180).

Châteaubriant (A. de). La Brière (1923) [4] 609 (P. 156).

Chevallier (G.). Clochemerle (1934) [8, 48] 1 096 (P. 639).

Chow-Ching-Lie [7]. Le Palanquin des larmes 1 108 (C. 441, P. 393).

Christie (A.) [46, 48]. *Plus de 70 titres dépassant 400 ex. dont :* Le Meurtre de Roger Ackroyd (1927) [46] 2 279 (P. 981). Le Crime du golf (1933) 1 085. Le Crime de l'Orient-Express (1934) 1 520. Cartes sur table (1938) 1 205. Le Train bleu (1933) 930. Dix Petits Nègres (1940) 2 892 (P. 1 958). Le Vallon (1948) 1 077. Le Noël d'Hercule Poirot (1946) 1 025. Un cadavre dans la bibliothèque (1946) 913. Le Chat et les pigeons (1960) 889. Les Vacances d'Hercule Poirot (P. 447).

Clarke (A.). 2 001, l'Odyssée de l'espace [47] (1970) 424.

Clark (M.H.) [5]. La Nuit du renard (1979) 564 (P. 464).

Claudel [3]. L'Annonce faite à Marie (1912) 1 025 (C. 10, P. 604). Le Soulier de satin (1924) 535.

Clavel (B.). L'Espagnol (1959) [7] 880 (C. 202, P. 632). Les Fruits de l'hiver (1968) [7] 675 (C. 82, P. 340). Le Tonnerre de Dieu [47] (P. 508). Le Voyage du père (1965) [1] 664 (C. 123, P. 507). Malataverne (1960) [47] 1 283 (C. 15, P. 1 833). Le Seigneur du fleuve (1972) [7] 607 (C. 150, P. 333). La Saison des loups (1976) [7] 779 (C. 314, P. 185). La Lumière du lac (1977) 606 (C. 241, P. 153). Marie bon pain (1980) 532 (C. 227, P. 127). Compagnons du nouveau monde (1982) 509 (C. 220, P. 116). La Grande Patience (1962) (P. 451). La Maison des autres [47] (1962) 754 (C. 160, P. 500). Qui m'emporte (1958) [7] 638 (C. 146, P. 480). Harricana (1983) [5] 979 (C. 647, P. 141). Or de la terre (1984) [5] 805 (C. 549, P. 100). Amarok [5] 746 (C. 557). Maudits Sauvages [5] (1989) 473 (C. 358).

Closets (F. de). Toujours plus [4] 1 150.

Clostermann [9]. Le Grand Cirque (1948) 845 (P. 240). Feux du ciel (1951) 400 (P. 150).

Cocteau (J.) [48]. Thomas l'imposteur (1928) [3] 413. Les Enfants terribles (1929) [4] 1 045 (P. 944). La Machine infernale (1934) [4] (P. 640). Les Parents terribles (1938) [3] 896 (C. 21, P. 820).

Colette. L'Ingénue libertine (1909) [5] 774 (C. 63, P. 675). Chéri (1920) [16] 924 (P. 514). Le Blé en herbe (1923) [9, 47] 825 (P. 690). La Chatte (1933) (P. 713) [16]. Gigi (1943) [16] (P. 677). La Maison de Claudine (1922) [16] (P. 578). Claudine à l'école [16] 545 (C. 65, P. 491). Claudine à Paris (1901) [5] 529 (C. 55, P. 431). Claudine s'en va (1903) [5] 419 (C. 55, P. 340).

Collins (Larry) [7]. Fortitude (1985) 464 (C. 66, P. 200).

Conan Doyle [7]. Les Aventures de Sherlock Holmes 636 (C. 60, P. 433). Le Signe des quatre 517 (C. 47, P. 327). Étude en rouge 536 (C. 47, P. 346). Le Chien des Baskerville 1 380 (C. 135, P. 1 138). La Vallée de la peur 565 (C. 47, P. 436). Souvenirs de Sherlock Holmes 466 (C. 27, P. 335).

Conrad (J.). Typhon (1918) [3] 446.

Cordelier (J.). La Dérobade (1976) [16, 48] (P. 525).

Corman (A.) [7]. Kramer contre Kramer (1979) 1 482 (C. 960, P. 465).

Courtois (G.). La Plus Belle Histoire (1947) [41] 612.

Cronin (A.-J.) [5, 48]. Sous le regard des étoiles (1937) (P. 817). La Citadelle (1938) 1 139 (C. 40, P. 626). Les Clés du royaume (1941) 1 156 (C. 225, P. 1 002). Les Vertes Années (1945) (P. 686). Le Destin de R. Shannon (1949) 1 050 (C. 25, P. 855). Le Jardinier espagnol (1950) [5] (P. 540). Les Années d'illusion (1952) 1 055 (C. 171, P. 1 031). La Dame aux œillets 1 106 (C. 105, P. 886). L'Épée de justice (P. 505).

Curie. Madame Curie (1938) [3] 607.

Daniel-Rops. Mort où est ta victoire ? (1934) [48] (P. 470). Histoire sainte (1943) [17] 760 (P. 115). Jésus en son temps (1945) [17] 865 (P. 145).

Daninos (P.) [16, 48]. Les Carnets du major Thompson (1954) 1 960 (P. 1 010). Un certain monsieur Blot (1960) 472 (P. 221). Sonia (3 vol., 1956-62) 439 (P. 330). Le Jacassin 710 (P. 429). Vacances à tous prix 570 (P. 328).

Dard (F.). Voir San Antonio.

Dassault (M.). Le Talisman (1970) [47] (P. 499).

Daudet (A.) S1[0, 48]. Lettres de mon moulin (1866) (P. 2 490). Le Petit Chose (1868) (P. 1 147). Tartarin de Tarascon (P. 434). Les Contes du lundi (P. 434).

Decoin (Didier) [14]. John l'Enfer (1977) 546.

Deforges (R.). La Bicyclette bleue [60] (1982) 2 683 (C. 1 498, P. 780). 101, Avenue Henri-Martin (1983) [60] 1 419 (C. 909). Le diable en rit encore (1985) [60] 815 (C. 165).

Denuzière (M.) [53]. Louisiane (1977) 1 520 (C. 780, P. 180). Fausse Rivière (1979) 1 150 (C. 560, P. 180). Bagatelle (1981) 1 480 (C. 930, p. 180).

Déon (M.). Un taxi mauve [3] 584.

Deschamps (F.). La Bougainvillée [5] t. 1 : 1 437 285 (C. 970, P. 194), t. 2 : 704 (C. 299, P. 172). Louison ou l'Heure exquise 517 (C. 406).

Desmaret (M.-A.). Torrents (1953) [11] 2 429 (C. 1 008, P. 551).

Dhotel (A.). Le pays où l'on n'arrive jamais [38, 47] (1955) [47] 894 (C. 70, P. 856) + jeunesse 165.

Diderot. La Religieuse (1796) [45, 48] (P. 620).

Dorgelès (R.). Les Croix de bois (1919) [5] 925 (P. 470).

Dorin (F.) [9]. Les Lits à une place (1980) 1 241 (C. 736, P. 150). Les Jupes-Culottes (1984) 728 (C. 475).

Dormann (G.) [5]. Le Roman de Sophie Trébuchet (1982) 850 (C. 688). Le Bal du dodo (1989) 623 (C. 423).

Druon (M.). Les Grandes Familles (1948) [45, 48] (P. 525). Les Rois maudits [45, 48] 425.

Duchaussois (F.). Flash ou le Grand Voyage (1974) [17, 48] (P. 464).

Duché (J.). Histoire de France racontée à Juliette (1954) [9] 600.

Duchesne. Mourir d'aimer (1971) [15] 520.

Dumas Fils (A.). La Dame aux camélias (1848) [45, 48] (P. 546).

Du Maurier (D.) [5, 48]. Rébecca (1940) 1 699 (C. 180, P. 942). Le Général du roi (P. 429). L'Auberge de la Jamaïque (P. 547). Ma cousine Rachel 540 (P. 546).

Duras (M.) [19]. Moderato cantabile (1958) 710 (P. 653). L'Amant (1984) 1 637 (C. 681).

Dutourd. Au bon beurre (1952) 423.

Engel (L.). La Mer (1964) [24] 450.

Etcherelli (C.). Élise ou la Vraie Vie (1967) [11] 1 322 (C. 157, P. 990).

Exbrayat (Ch.) [46]. *Plus de 20 titres dépassant 500 000 ex.* Vous souvenez-vous de Paco ? 710. Elle avait trop de mémoire (1957) 667. Chewing-gum et spaghetti (1960) 673. Dors tranquille Katherine (1962) 659. La Nuit de Santa Cruz (1957) 643.

Fallet (R.). Paris au mois d'août (1964) [11] 465 (C. 281, P. 120). La Soupe aux choux (1980) [11] 591 (C. 272, P. 40).

Faulkner (W.). Le Bruit et la fureur (1938) [3] 423.

Flaubert (G.). Madame Bovary (1856) [45, 48] (P. 1 465).

Fontbrune (J.-C. de). Nostradamus (1981) 700 (C. 200, P. 100).

Fontgallan (Mme de). Une âme d'enfant (1927) 948.

Frain (I.). Le Nabab (1982) [53] 1 277 (C. 894, P. 133).

Frank (A.). Journal (1949) [22, 48] (P. 2 600).

Freud (Sigmund). Introduction à la psychanalyse (1916) [33] (P. 760). Trois Essais sur la théorie de la sexualité (1923) [3] 537. Le Rêve et son interprétation (1925) [3] 530. Cinq Leçons sur la psychanalyse [33] (P. 658).

Frison-Roche (R.). Premier de cordée (1941) [12, 48] 900. La Grande Crevasse (1948) [12] 708. La Piste oubliée (1949) [12] 477.

Gaillard (R.). Série « Marie des Isles » (1948) [18] (800 chaque volume).

Gallo (M.) La Baie des Anges (1975) [7] 505 (C. 212, P. 115).

Gardel (L.) [14]. Fort Saganne (1980) 420.

Gary (R.). La Promesse de l'aube (1960) [3] 444.

Gaulle (Gén. de) [1, 48]. Mémoires de guerre t. 1 (1954) 952, t. 2 (1956) 794, t. 3 (1959) 639 (P. 1 258 pour les 3 t.). Mémoires d'espoir t. 1 (1970) 821 (P. 129), t. 2 (1971) 638 (P. 129).

Gaxotte (P.). La Révolution française (1928) [17] 567 (P. 167).

Gedge (P.). La Dame du Nil (1980) 515 (C. 190, P. 150).

Genevoix (M.). Un jour (1976) [14] 461. Trente Mille Jours (1980) 844. Raboliot [4, 48] (P. 595).

Géraldy (P.). Toi et Moi (1913) 1 500 (P. 180).

Gheorghiu (C.V.). La 25e Heure (1949) [1, 48] 797 (P. 672).

Gibran (K.). Le Prophète (1956) [13] 470 (C. 20).

Gide (A.) [3]. Les Nourritures terrestres (1919) suivi de Nouvelles Nourritures 1 139 (C. 67, P. 682). L'Immoraliste (1902) (518). La Porte étroite (1909) (590). Isabelle (1911) 656 (329). Les Caves du Vatican (1914) 1 274 (C.48, P.980). La Symphonie pastorale (1919) 3 037 (C. 43 P. 2 651). Les Faux-Monnayeurs (1926) 1 293 (C. 20, P. 1 027). L'École des femmes (1929) 634 (282). Si le grain ne meurt 555.

Gilbreth (E. et F.) [38]. Treize à la douzaine (1950) [3] 1 130 (C. 30, P. 300) + jeunesse 250.

Giono (J.) [48]. Un de Baumugnes (1929) [4] (P. 559). Regain (1930) [4] (P. 1 150). Le Chant du monde (1934) [3] 804 (C. 23, P. 638). Que ma joie demeure (1935) [4] (P. 628). L'Eau vive (1943) (avec A. Aclioux) [25] + de 100. Colline [4] (P. 558). Le Moulin de Pologne (1953) [3] 465. Le Grand Troupeau (1931) [3] 433.

Giraudoux (J.) [4, 48]. La guerre de Troie n'aura pas lieu (1935) (P. 1 288). Électre (P. 578). Intermezzo (P. 442).

Giscard d'Estaing (V.). Démocratie française (1976) [17] 1 185.

Golon (A. et S.) [59]. Série des Angélique, marquise des Anges : dep. 1954. (11 vol.) 5 millions d'ex. dont la moitié en C. et P.

Gray (Martin) [7]. Au nom de tous les miens (1971) 1 788 (C. 593, P. 716). Le Livre de la vie (1973) 727 (C. 95, P. 273).

Grèce (Michel de). La Nuit du sérail (1982) [63] 3 450 (C. 800, P. 100). La Femme sacrée (1984) [63] 740 (C. 440, P. 150).

Green (Gerald). Holocauste (1978) 552 (C. 229, P. 142).

Green (J.). Moïra [1] (P. 416).

Greene (Graham) [7, 48]. La Puissance et la gloire (1948) 1 183 (C. 270, P. 684). Tueur à gages (1947) 507 (C. 95, P. 380). Le Fond du problème (1949) 533 (C. 85, P. 353). Le Troisième Homme (1950) 976 (C. 135, P. 767). La Fin d'une liaison (1951) 480 (C. 85, P. 303).

Groult (B.). Ainsi soit-elle [4, 48] (1975) (P. 487).

Guareschi (G.) [14]. Le Petit Monde de Don Camillo (1951) 544. Don Camillo et ses ouailles (1953) 550 (P. 196).

Guimard (P.). Les Choses de la vie (1967) [11] 813 (C. 363, P. 320).

Guth (P.). Le Naïf aux 40 enfants 580 (C. 55, P. 405).

Haley. Racines (1977) 1 085 (C. et P. 620) [4].

Hébrard (F.). Un mari c'est un mari (1976) [9] 1 055 (C. 630, P. 180).

Hélias (P.-J.). Le Cheval d'orgueil (1975) [1] 1 200 (C. 590).

Hemingway. Le soleil se lève aussi (1933) [3] 727 (C. 63, P. 564). L'Adieu aux armes (1932) [3] 1 148 (C. 15, P. 994). Pour qui sonne le glas (1940) (P. 1 139) [66]. Paradis perdu (1940) [3] 440. Dix Indiens (1946) 548 (P. 398). Le Vieil Homme et la mer (1952) [3] 2 816 (C. 66, P. 2 050). Les Neiges du Kilimandjaro (1946) [3] 735 (C. 59, P. 598). 50 000 Dollars [3] 446.

Hémon (L.). Maria Chapdelaine (1916) [4] 1 867 (P. 554).

Hériat (Ph.) [3]. Les Enfants gâtés (1939) 630 (P. 34). La Famille Boussardel (1946) 487.

Hermary-Vieille (C.). La Marquise des ombres (1983) [63] (ordinaire 110, C. 450).

Herzog (M.). Annapurna premier huit-mille (1952) 800 (P. 688).

Huxley (A.). Le Meilleur des mondes (1932) [1] 820 (P. 817).

Ionesco (E.). La Cantatrice chauve (1954) [3] 1 300 (P. 1 099). Rhinocéros (1959) [3] 1 376 (C. 10, P. 1 268). Le Roi se meurt (1963) P. 402.

Japrisot (S.). L'Été meurtrier (1977) [11] 730 (C. 590, P. 65).

Jardin (A.) [3]. Le Zèbre (1988) 730.

Jardin (P.) [15]. Le Nain jaune (800).

Jean-Charles. La Foire aux cancres (1962) [22] 1 218 (C. 10, P. 188). L'Amour en perles (1974) [15, 4] 483 (C. 378, P. 50).

Joffo (J.). Un sac de billes (1973) [53] 1 688 (C. 558, P. 688).

Jones (J.). Tant qu'il y aura des hommes (1951) [15] 850 (P. 200).

Kafka (F.) [3]. La Métamorphose (1938) 1 213 (C. 4, P. 1 151). Le Procès (1933) 1 041 (C. 26, P. 877).

Kehayan (N. et J.) [14]. La Rue du prolétaire rouge (1978) 404.

Kessel (J.). L'Équipage (1923) [3] 900 (C. 48, P. 677). Le Lion (1958) [3] 4 057 (C. 395, P. 2 590). Les Cavaliers (1967) [3] 645. Les Mains du miracle [3] + de 500.

Kirst (H.H.). 08/15 (3 t.) (1955) [7] 958 (C. 46, P. 720).

Knittel (J.) [5, 48]. Via Mala (1941) 854 (C. 40, P. 470). Thérèse Étienne 605 (P. 436).

Koestler (A.). Le Zéro et l'infini (1940) [22, 48] (P. 950).

Labro (Ph.) [3]. Un été dans l'Ouest (1988) 540.

Lacamp (I.) [5]. La Fille du ciel (1988) 520 (C. 350) (P. 70).

Lacaze (A.) [15]. Le Tunnel + de 1 000.

Laclos. Les Liaisons dangereuses (1782) [45, 48] (P. 707).

Lacretelle. Silberman (1922) [3] 585.

La Fayette (Mme de). La Princesse de Clèves (1678) [45, 48] (P. 965).

La Grange (F. de). Les Animaux du monde 400 [36]. Les Oiseaux du monde 400 [36].

Lainé (P.). La Dentellière (1974) [3] 963 (C. 308, P. 352).

Lampedusa (Th. di). Le Guépard (1959) [14] 1 035.

Lanoux (A.) [2]. Quand la mer se retire (1963). 553 (P. 293).

Lapierre (D.) et **Collins** (L.) [7]. Paris brûle-t-il ? (1964) 561 (C. 105, P. 195). O Jérusalem (1971) 666 (C. 87, P. 213). Cette nuit la liberté (1975) 942 (C. 335, P. 299). Le Cinquième Cavalier (1980) 1 028 (C. 237, P. 441). **Lapierre.** La Cité de la Joie (1985) 1 984 (C. 1 017, P. 497).

La Roche (Mazo de). Jalna (1927) [48] (P. 415).

Lartéguy (J.) [15, 49]. Les Centurions (1959) 1 600 (C. 380, P. 270). Les Mercenaires (1960) 680 (P. 350). Les Prétoriens (1961) 765 (P. 260). Le Mal jaune (1962) 735 (P. 200).

La Varende (J. de). Nez de cuir (1937) [1, 48] 800 (P. 553).

Lawrence. L'Amant de Lady Chatterley (1931) [3] 1 526 (C. 13, P. 179).

Leblanc (M.) [44, 45, 48]. Arsène Lupin contre Sherlock Holmes (1908) (P. 661). L'Aiguille creuse (1909) (P. 970). Arsène Lupin gentleman cambrioleur (1914) (P. 763). Les Confidences d'Arsène Lupin (1914) (P. 994).

Leduc (V.) [3]. La Bâtarde (1964) 515.

Leroux (G.) [45, 48]. Le Mystère de la chambre jaune (1908) (P. 918). Le Parfum de la dame en noir (1909) (P. 573). Le Fauteuil hanté (P. 426).

Le Roy (E.). Jacquou le croquant (1971) [45, 48] (P. 554.

Le Varlet (B.). Fontbrune (1984) [5] 736 (C. 490, P. 145).

L'Herminier (commandant). Casabianca (1949) [25] 488.

Llewellyn (R.) [45, 48]. Qu'elle était verte ma vallée (P. 490).

London (J.). Croc-blanc [5] 428.

Lowery (B.). La Cicatrice [47] (P. 907).

Mac Cullough (C.) [47]. Les oiseaux se cachent pour mourir t. 1 (P. 733), t 2 (P. 733).

Mac Orlan (P.) [3]. Quai des brumes (1927) (P. 459).

Mailer (Norman) [7]. Le Chant du bourreau (1980) 891 (C. 775, P.57).

Mallet-Joris (F.). Le Rempart des béguines (1950) [2] (P. 477). La Maison de papier (1972) [4, 48] (P. 582).

Malraux (A.). Les Conquérants (1928) [4, 48] 1 038 (P. 740). La Condition humaine (1933) [3] 3 232 (C. 74, P. 2 679). L'Espoir (1937) [3] 1 291 (C. 21, P. 968). Les Anti-Mémoires (1967) [3] 523. La Voie royale [4, 48] 1 117 (P. 708).

Marchais (G.). Le Défi démocratique [4] 700.

Margueritte (V.). La Garçonne (1922) 762 (P. 62).

Martin du Gard (R.). Jean Barois (1913) [3] 403. Les Thibault (1943) [3] 783 (C. 13, P. 546).

Marx (K.). Le Manifeste du parti communiste (1848) [51] 580.

Maupassant (G. de) [5, 48]. Boule-de-suif (1860) 761 (C. 49, P. 810). Une vie (1883) 992 (C. 49, P. 1 048). Bel-Ami (1885) 588 (C. 49, P. 734). Le Horla 775 (C. 49, P. 955). Les Contes de la Bécasse (P. 510).

Mauriac (F.) [4, 48]. Le Désert de l'amour (1925) 1 053 (P. 606). Thérèse Desqueyroux (1927) (P. 2 441). Le Nœud de vipères (1932) 1 544 (P. 1 549). Le Mystère Frontenac (1933) 941 (P. 827). La Fin de la nuit (1935) (P. 723). Les Anges noirs (1936) (P. 470). Le Baiser au lépreux (P. 529). Genitrix (P. 447).

Maurois (A.) [48]. Climats (1928) 1 262 (P. 723). Les Silences du colonel Bramble (1928) 764 (P. 267).

Mazière (Francis). Fantastique Ile de Pâques (1965) [7] 668 (C. 31, P. 344).

Mérimée (P.). Colomba et autres nouvelles [45] (P. 498).

Merle (R.). Week-end à Zuydcoote (1949) [3] 647 (P. 302). L'Ile [3] 440. La mort est mon métier (1953) [3] 438. Malevil (1972) [3] 469.

Michelet (Claude) [7]. Des grives aux loups (1979) 2 019 (C. 1 150, P. 420). Les palombes ne passeront plus (1980) 1 705 (C. 978, P. 303).

Mitchell (M.). Autant en emporte le vent (1939) [3] 1 806 (P. 862).

Modiano (P.). Rue des boutiques obscures (1978) [3] 1 978 (C. 517, P. 109).

Montépin (X. de). La Porteuse de pain (1884) 1 500.

Montherlant (H. de) [3]. Les Célibataires (1934) 470. Les Jeunes Filles (1954) 762 (C. 33, P. 651). Pitié pour les femmes (1936) 613 (P. 435). Le Démon du Bien (1937) 527 (P. 371). Les Lépreuses (1939) 552 (P. 400). La Reine morte (1942) 1 102 (C. 7, P. 884). Le Maître de Santiago (1948) 451. Port-Royal (1954) 530 (P. 266).

Moody (R.) [7]. La Vie après la vie (1977) 1 046 (C. 467, P. 120).

Morris (D.) [4, 48]. Le Singe nu (1967) + de 400.

Mourad (K.) [7]. De la part de la Princesse morte (1987) 1 099 (C. 477, P. 223).

Munthe (A.). Le Livre de San Michele (1934) [3] 538 (P. 163).

Nabokov [3]. Lolita (1958) 523.

Ockrent (C.), **Marenches** (A. de). Dans le secret des princes (1986) [21] 420 (C. 36).

Ohnet (G.). Le Maître de forges (1924) [5] 418.

Olievenstein (C.) [7]. Il n'y a pas de drogués heureux (1977) 506 (C. 80, P. 289).

Ormesson (J. d'). Au plaisir de Dieu (1974) [3] 487.

Orsenna (E.) [14]. L'Exposition coloniale (1988) 705.

Orwell (G.). 1984 (1950) [3] 1 309 (C. 42, P. 1 214).

Pagnol (M.) [45, 48]. Topaze (1928) 1 052 (P. 990). Marius (1928) 1 206 (P. 1 072). Fanny (1929) 1 132 (P. 940). César (1931) 978 (P. 834). La Femme du boulanger (P. 561). Le Château de ma mère (1960) (P. 1 080). Le Temps des secrets (1960) (P. 912). La Gloire de mon père (1964) (P. 1 715).

Parrot (L.), **Marcenac** (J.). P. Eluard (1945) [26] 500.

Pascal. Pensées (1669) [45, 48] (P. 584).

Pasternak. Le Dr Jivago (1958) [3] 1 299 (P. 801).

Paton [5, 48]. Pleure ô pays bien-aimé (1948) 908 (C. 612, P. 799).

Pauwels et Bergier [3]. Le Matin des magiciens (1960) 841 (C. 7, P. 662).

Perrault (G.). Le Pull-Over rouge (1978) [60] 800.

Perret (J.). Le Caporal épinglé (1947) [3] 483 (P. 311).

Perret (P.). Le Petit Perret illustré par l'exemple (1982) [53] 546 (C. 130, P. 120).

Peyrefitte (A.). Quand la Chine s'éveillera (1973) [17] 670. Le Mal français (1977) [1] + de 400.

Peyrefitte (R.) [9]. Les Amitiés particulières (1944) [47] 89 (P. 725). Les Ambassades (1951) 466 (P. 266). La Fin des ambassades (1953) 400 (P. 200). Les Clés de Saint-Pierre (1955) 405 (P. 235). Les Fils de la lumière (1961) [9] 405 (P. 260). Les Juifs (1965) [9] 412 (P. 172). Manouche (1972) [9] 416 (P. 132, C. 64).

Philipe (Anne) [45, 48]. Le Temps d'un soupir (P. 692). Un été près de la mer (1977) [3] 692.

Pilhes (R.V.) [14]. L'Imprécateur (1974) 701.

Pierre l'Hermite (Mgr E. Loutil) [20]. La Grande Annie 520. Comment j'ai tué mon enfant (1921) 700.

Poe (E.). Histoires extraordinaires [45] (P. 527).

Poivre-d'Arvor (Patrick). Les Enfants de l'aube (1982) [53] 1 549 (C. 1 039, P. 260).

Pompidou (G.). Anthologie de la poésie française (1968) [16] (P. 466).

Prévert (J.) [3]. Paroles (1949) 2 829 (C. 11, P. 2 581). Spectacle (1951) 719 (C. 11, P. 638). La Pluie et le Beau Temps (1955) 648. Histoires 519.

Prévost (abbé). Manon Lescaut (1731) [45, 48] (P. 669).

Proust (M.) [3]. Du côté de chez Swann (1936) 1 579 (C. 39, P. 1 072). Un amour de Swann (1951) 1 105 (C. 97, P. 1 000). A l'ombre des jeunes filles en fleurs (1941) 1 023 (C. 29, P. 559). Sodome et Gomorrhe (1921) 608. Le Côté de Guermantes (1922) 617. La Prisonnière (1924) 621. Albertine disparue (1925) 559. Le Temps retrouvé (1927) 648.

Puzo (Mario). Le Parrain (1970) [7] 784 (C. 121, P. 313).

Queffélec (Y.) [3]. Les Noces barbares (1985) 1 487 (C. 801, P. 245).

Queneau. Zazie dans le métro (1959) [3] 1 092 (P. 876).

Radiguet. Le Diable au corps (1923) [4, 48] 1 165 (P. 1 035). Le Bal du comte d'Orgel [4, 48] (P. 452).

Rampa (L.) [17]. Le 3e Œil (1962) [47] (P. 590). Les Secrets de l'Aura (1971) [47] (P. 425).

Reade (P. P.) [4]. Les Survivants + de 400.

Réage (P.) [42]. Histoire d'O (1954) 849 (C. 269, P. 200).

Remarque (E.M.). A l'ouest rien de nouveau [21, 48] (P. 1 121).

Rémy (colonel). Mém. d'un agent secret de la France libre (1946) 650.

Rémy (P.-J.). Orient-Express (1979) [5] 878 (C. 612).

Renard (J.). Poil de carotte (1894) [47] (P. 1 365).

Rey (P.). Le Grec (1973) [7] 416 (C. 105, P. 183).

Rimbaud (A.). Poèmes (1869-73) [45, 48] (P. 892).

Rivoyre (C. de). Boy [4] 477.

Roblès (E.). Cela s'appelle l'aurore [14] (1952) + de 407.

Rochefort (C. de) [4, 48]. Le Repos du guerrier (1958) 987 (P. 860). Les Petits Enfants du siècle (P. 1 236). Les Stances à Sophie (P. 559).

Rolland (R.). Colas Breugnon [5] 634 (C. 161, P. 295). Jean-Christophe [5] (P. 1 004).

Romains (J.). Les Copains (1922) [3] 913 (C. 30, P. 767). Knock (1924) [3] 2 933 (C. 15, P. 2 746).

Rosny. La Guerre du feu (1911) [28] 435.

Rostand (E.). Cyrano de Bergerac (1899) [10, 48] 1 408 (P. 876).

Rouaud (J.). Les Champs d'honneur (1990) [19] 580.

Ryan (C.). Le Jour le plus long (1960) [7] 1 207 (C. 50, P. 447).

Sabatier (R.) [5]. Les Allumettes suédoises (1969) 1 366 (C. 563, P. 558). Trois Sucettes à la menthe (1972) 973 (C. 486, P. 232). Les Noisettes sauvages (1974) 1 193 (C. 596, P. 212). Les Enfants de l'été (1978) 685 (C. 335, P. 218). Les Fillettes chantantes (1980) 1 088 (C. 683, P. 130). David et Olivier (1986) 797 (C. 445, P. 168). La Souris verte (1990) 579 (C. 379).

Sachs (M.). Chronique joyeuse et scandaleuse (1951) (P. 407).

Sade (de). Œuvres [52] 600.

Sagan (F.) [2, 48]. Bonjour tristesse (1954) 2 157 (P. 1 297). Un certain sourire (1956) 1 366 (P. 790). Dans un mois, dans un an (1957) 873 (P. 523). Aimez-vous Brahms ? (1959) 835 (P. 612). Un château en Suède (P. 451).

Saint-Alban (D.). Noëlle aux 4 vents (4 vol. 1967) [7] 2 879 (C. 308, P. 1 608).

Saint-Exupéry [3]. Courrier Sud (1929) 159 (C. 33, P. 971). Vol de nuit (1931) 3 544 (C. 413, P. 2 569). Terre des hommes (1939) 3 061 (C. 53, P. 2 211). Pilote de guerre (1942) 1 618 (C. 8, P. 1 067). Le Petit Prince (1946) 5 470 (C. 21). Citadelle (1948) 848 (C. 34, P. 307). Lettres à un otage 464.

Saint-Laurent (C.) [15]. Caroline chérie (1947) 7 120.

Saint-Pierre (M. de). Les Aristocrates [55] (1954) + de 600 (P. 514).

San Antonio [18]. L'Histoire de France (250 vendus dans les 3 mois qui ont suivi sa parution) 1 400. Le Standinge 1 050. Béru et ces dames 600. Les Vacances de Bérurier 1 000. Béru-Béru 1 000. La Sexualité + 1 000. Les Cons 420. « Y a-t-il un Français dans la salle ? » 350. *Sous le nom de Frédéric Dard :* le Monte-charge (1961) 400.

Sarrazin (A.) [42, 48]. L'Astragale (1965) 1 278 (C. 106, P. 1 253). La Cavale (1965) 780 (P. 648). La Traversière (1966) 483 (P. 390).

Sartre (J.-P.) [3]. La Nausée (1938) 2 112 (C. 34, P. 2 000). Le Mur (1939) 1 959 (C. 27, P. 1 773). Huis clos (1947) (théâtre 1) 2 488 (C. 6, P. 2 280). L'Age de raison (1945) 1 032 (C. 10, P. 868). Le Sursis (1945) 828 (C. 10, P. 676). La P. respectueuse (1947) 1 142 (C. 10, P. 926). Les Mains sales (1948) 2 324 (C. 14, P. 2 159). La Mort dans l'âme (1949) 676 (P. 338). Le Diable et le Bon Dieu (1951) 999 (P. 918). Les Mots (1964) 1 131 (C. 3, P. 810). Les Séquestrés d'Altona 441. Les Mouches 1 491. Morts sans sépulture 526.

Schwartz-Bart (A.) [14]. Le Dernier des Justes (1959) 543.

Segal (Erich) [9, 47]. Love Story (1970) 1 743 (C. 327, P. 766).

Segal (P.) [9]. L'Homme qui marchait dans sa tête (1977) 663 (C. 146, P. 230).

Seghers (P.). Le Livre d'or de la poésie française des origines à 1940 (1961) 421.

Ségur (Ctesse de). Les Malheurs de Sophie (1864) [11] 1 906.

Servan-Schreiber (J.-J.). Le Défi américain (1967) [11] 857 (P. 280). Le Défi mondial (1980) [17] 516.

Shaw (I.). Le Bal des maudits (1948) [15] 900 (P. 250).

Signoret (S.) [14]. La nostalgie n'est plus ce qu'elle était (1976) 986. Adieu Volodia (1985) [17] 1 065 (C. 715).

Sim. Elle est chouette ma gueule (1983) [9] 501 (C. 108, P. 80).

Simenon (G.) [15, 49]. Trois Chambres à Manhattan 525. La Pipe de Maigret 525. Maigret à New York 525. Lettre à mon juge 470. Le Chien jaune (1931) (P. 545). La neige était sale (1950) 470. Mon ami Maigret 600. Maigret chez le coroner 610. Maigret et la Vieille Dame 600.

Simiot (B.). Ces messieurs de Saint-Malo (1983) 466 (C. 174, P. 132). Le Temps des Carbec 541 (C. 265, P. 168).

Simonin. Touchez pas au grisbi (1953) [3] 403 (175).

Slaughter (F.-G.). Afin que nul ne meure (1941) [5, 49] 1 575 (C. 120, P. 200).

Soljenitsyne (A.). Le Pavillon des cancéreux (1968) [2] 984 (P. 765) [48]. Le Premier Cercle (1968) [7] 682 (C. 185, P. 318). L'Archipel du Goulag (1974) [14] 900.

Steinbeck. Les Raisins de la colère (1947) [3] 1 601 (C. 66, P. 1 380). Des souris et des hommes (1939) [3] 1 953 (C. 40, P. 1 852). La Perle (1950) [3] 1 123 (C. 83, P. 948). A l'est d'Eden [48] (P. 461).

Stendhal [45, 48]. Le Rouge et le Noir (1830) (P. 1 940). La Chartreuse de Parme (1839) (P. 758).

Stéphanie. Des cornichons au chocolat (1983) [53] 412 (C. 152, P. 130).

Suyin (Han) (Elizabeth Comber). Multiple Splendeur [21, 48] (P. 693).

Tolstoï (L.). Anna Karénine (1875-77) 481.

Tournier (M). Vendredi ou les Limbes du Pacifique (1967) [3] 1 045 (C. 175, P. 824). Le Roi des Aulnes (1970) [3] 530. Vendredi ou la Vie sauvage (1977) 595.

Troyat (H.) [1]. Faux Jour (1935) [48] (P. 418). L'Araigne (1938) 821 (P. 468). Tant que la Terre durera [55] (1947), Le Sac et la Cendre [55] (1948) et Étrangers sur la Terre [55] (1948) 3 530 (C 872, P. 2 512). La Neige en deuil (1952) [9, 47] (P. 1 661). Les Semailles et les moissons t. 1 (1953) 733 (P. 468), t. 2 Amélie (1955) 674 (P. 450), t. 3 La Grive (1956) 666 (P. 448), t. 4 Tendre et violente Elisabeth (1957) 588 (P. 410), t. 5 La Rencontre (1958) 605 (P. 346). La Tête sur les épaules (1958) (P. 625) [48]. Le Vivier (1959) (P. 430) [48]. La Lumière des justes [9, 47], t. 1 [3, 4, 5] Les Compagnons du Coquelicot (1959), t. 2 La Barynia (1960), t. 3 La Gloire des vaincus (1961), t. 4 Les Dames de Sibérie (1962), t. 5 Sophie ou la Fin des combats (1963). (P. env. 820 par vol.) [47]. Les Eygletière (1965-67) [9, 47] (3 vol.) [1] (P. env. 875 chacun) [47]. La Pierre, la feuille et les ciseaux (1972) [9] 400 (P. 250). Une extrême amitié (1963) [55] + de 500 (P. 290). Le Geste d'Ève (P. 403). Catherine la Grande (1977) [9] 560 (C. 290, P. 60). Viou (1980) [9] 585 (C. 237, P. 180).

Vailland (R.). La Loi (1957) [3] 686 (P. 292). 325 000 Francs [61] (P. 799).

Vallès (J.). L'Enfant [45] (P. 546).

Van der Meersch (M.). Corps et âmes (1943) [5] 1 010 (P. 210). La Maison dans la dune 574 (C. 10, P. 370).

Vasconcelos (J.M.). Mon bel oranger [21] 580.

Vautel (C.) Mon curé chez les riches (1920) [5] 1 125.

Vercors. Le Silence de la mer (1942) [15] dep. 1950 [5] 4 052 (P. 3 007). Les Animaux dénaturés [45, 48] (P. 476).

Verlaine. Poèmes saturniens (1866) [46, 48] de (P. 501).

Verne (J.) [45, 48]. Le Tour du monde en 80 jours 529. Voyage au centre de la Terre 493. Le château des Karpates 402. Vingt mille lieues sous les mers 450.

Vian (B.) [42, 48, 51]. L'Écume des jours (1947) 1 957 (C. 393, P. 1 900). L'Arrache-Cœur (1962) 1 982 (C. 95, P. 1 292) [48]. L'Herbe rouge (1962) 798 (C. 30, P. 784).

Villiers (G. de). R. policiers S.A.S. (env. 7 millions par an).

Vincenot (H.). La Billebaude (1978) [11] 1 108 (C. 581, P. 71).

Voltaire. Contes et mélanges, 2 t. (P. 676) [45, 48]. Candide [45] (P. 574).

Wagner (P.) [55]. Graine d'ortie (1971) + de 500 (C. 416).

Webb (M.). Sarn (1924) [4] 616 (P. 327).

Wells (H.G.). L'Homme invisible 680 (C. 63, P. 635).

Wilde. Le Portrait de Dorian Gray [21] 401.

Winsor (K.) [44, 48]. Ambre (1962) (P. 619).

Wright (R.). Black Boy (1947) [3] 645.

Yourcenar (M.) [3]. Mémoires d'Hadrien (1971) 651. L'Œuvre au noir (1968) 630.

Zola (E.) [10, 48]. Thérèse Raquin (1867) 1 743 (P. 1 044). L'Assommoir (1877) non com. (P. 2 390). La Bête humaine 1 639 (P. 1 179). Germinal (1885) 3 041 (P. 2 792). Nana 1 770 (P. 1 075). Le Rêve 1 573 (P. 987). La Terre (1887) (P. 823). Au bonheur des dames (P. 1 211). La Curée (P. 836). Le Ventre de Paris (P. 619). Pot-Bouille (P. 653). La Fortune des Rougon (P. 651). Une page d'amour (P. 572). La Joie de vivre (P. 495). La Débâcle (P. 453). La Faute de l'abbé Mouret (P. 731). L'Œuvre (P. 451), L'Argent (P. 473).

☞ Parmi les démarrages « foudroyants » : *le Défi américain* de J.-J. Servan-Schreiber en 1968, *Papillon* de Charrière en 1969, les *Mémoires* du Gal de Gaulle en 1970 (le 2e volume de la 2e série fut tiré d'emblée à 500 000 ex.) et *Démocratie française* de V. Giscard d'Estaing en 1976.

Encyclopédies, dictionnaires, guides

Albin Michel. Le Petit Dictionnaire des trucs (Paule Vani) 1 251 (C. 1 100, P. 101).

Alpha. (1re éd. 11-10-67, rééd. 68, 69, 71) 1 433.

Bordas. Guide des voyages : La France (P. Cabanne) (1976) 950 (C. 900). Guide de la nature en France (1980) 550 (C. 510). Comment on soigne son jardin (G. Truffaut) (1978) 472 (C. 300).

Citations. Dict. des c. du monde entier de K. Petit (1960) [21] 586.

La Faune. (1re édition 2-2-71, 2 rééditions) 738.

La Mer. (1re éd. 18-1-1972, 1 réédition) 467.

Langue. *Dictionnaire :* franç.-angl. [57] (1re éd. P. 1 967 ; 1 705) ; franç.-esp. [57] (P. 642) ; franç.-all. [57] (P. 628). *Méthode 90 :* angl. (de Berman-Savio-Marcheteau) [45] (1re éd. P. 1 969.) ; all. (de A. Jenny) [45] (P. 510) ; esp. (de J. Donvez) [45] (P. 592).

Larousse. *Petit [1] :* env. 30 000 depuis 1905. *1990 :* 1 100 (éd. noir et couleur). 83 500 entrées dont

58 000 noms communs (25 500 noms propres). Refonte ayant lieu tous les 10 ans : 5 500 mots nouveaux. *Grand en 5 vol. :* 166 collections depuis 1981. *Universel en 15 vol. :* 200 dep. 1981. *Mémo :* 300 dep. 1989. *Chroniques (du XXe s., de l'humanité, de la France et des Français, de la Révolution, de l'Amérique)* : 1 000.

☞ **Oxford English Dictionary.** *1928 :* 1re édition (12 vol.). *1972-86 :* 4 nouveaux vol. *1989 :* 2e éd. (20 vol.) : 300 000 entrées définissant + de 500 000 mots, 350 millions de caractères relus et vérifiés par 55 correcteurs, 137 000 prononciations, 249 000 étymologies, 577 000 renvois et 2,4 millions de citations.

Le Million. (1re éd. 3-2-1969, réédition 73) 617.

Michelin (*créé* 1900). Guide rouge France (1990), 630, Atlas routier 600.

Quid. Édition 1991 : 490.

Records (Livre Guiness des). Édit. 1989 : 220 (dep. la création 45 millions dans le monde en 21 langues).

Robert. Micro-Robert (1974) 800. Petit Robert (1967) 2 000. Grand Robert 160 (9 vol., 80 000 articles, 100 000 entrées, 160 000 citations, 1 million de synonymes, 180 millions de caractères).

Sélection du Reader's Digest (à fin 1989). Nouveau guide de la route (1969) 5 306. France des routes tranquilles (mai 1987) 1 778. Grand Atlas mondial (1975) 1 304. Vous et la loi (1971) 1 000. Guide des plantes médicinales (mars 1977) 624. Guide du dépannage et des réparations domestiques (1974) 600. Cuisine sans souci (1973) 600. Le Monde étrange et fascinant des animaux (1971) 589. Guide des merveilles naturelles de la France (1973) 522. Calendrier du jardinage (1977) 514. Savoir tout faire au jardin (1980) 513. Plus beaux villages de France (juillet 1975) 476. Guide des oiseaux (1971) 473. Album des châteaux de France (août 1975) 422.

Nota. – (1) Sur 75 700 articles en 1 665 pages.

Livres d'art

Classés par ordre décroissant des ventes (en milliers d'ex.). **Bourgogne romane** *(Raymond Oursel),* (1954) [67] : 98,4. **Brueghel** (1968) [9] : 86. **Égypte** *(Claudio Barocas)* [35] : 75. **Manet** *(Fr. Cachin, Ch. S. Moffett, J. Wilson-Bareau),* (1983) [68] : 74. **Auvergne romane** *(chanoine B. Craplet),* (1955) [67] : 72. **Préhistoire de l'art occidental** *(Leroi-Gourhan)* : 70. **Jérôme Bosch** (1967) [9] : 69. **Turner** *(J. Gage, E. Joll, A. Wilton),* (1983) [68] : 57,6. **Picasso** *(A. Fermigier),* (1969) [67] : 57. **Or des Scythes, trésor des musées soviétiques** *(V. Schiltz),* (1975) [68] : 53,9. **Histoire de l'art** *(E. Faure),* (1965) [69] : l'Art antique 59, l'Art moderne (t. I) 57, (t. II) 59, l'Art médiéval 56. **Centenaire de l'impressionnisme** *(A. Dayez, M. Hoog, Ch. Moffett),* (1974) [68] : 51,8. **Grèce** *(B. d'Agostino)* [35] : 50. **Botticelli** (1968) [9] : 45. **Le Louvre** (1977) [69] : 2 657.

Ouvrages pour la jeunesse

Bruno. Le Tour de France par deux enfants (1877) [6] 9 100 (C. 100).

Courtois [41] (G.). La Plus Belle Histoire (1947) 634.

Cuvillier et Dubois [41]. Les Aventures de Sylvain-Sylvette 10 700.

Dalens (Serge). Le Bracelet de vermeil (1937) [52] 1 075. Le Prince Éric (1940) [52] 1 099. La Mort d'Éric (1944) [52] 679. La Tache de vin (1946) 869.

Foncine (J.L.). La Bande des Ayacks (1938) [52] 473. Le Relais de la chance au roy (1941) [52] 527.

Gilbreth (E. et F.). Treize à la douzaine 1950 [38] 425 (C. 30, P. 275).

Goscinny et Uderzo. Astérix [34] (tous les titres) 50 952 (C. 891) ; **et Morris.** Lucky Luke (tous les titres) 18 875 (C. 584).

Gotlib. Rubrique à brac 485 (chaque titre).

Greg. Achille Talon 570 (chaque titre).

Hergé. Tintin et Milou [13] (23 albums, 1929-81) (chaque album) 1 200 ; (au total) 70 000.

Malot (H.). Sans famille (1933) [11] 1 225.

Pesch (J.-L.) puis **Claude Dubois** [41]. Aventures de Sylvain et Sylvette (1953, collection Fleurette) 11 034. **Pesch** (J.-L.) [41] (1973, coll. Seribis) 1 254.

Philippe (René). Les Aventures de Sylvie (depuis 1956) au total 5 000.

Pinchon (H.) et **Caumery** [9]. Bécassine (depuis 1905) au total plusieurs millions d'ex.

Richomme (A.) [41]. La Belle Vie de Notre-Dame (1949) 453. Sainte Thérèse de l'Enfant Jésus (1951) [41] 400.

Ségur (Ctesse de). Ensemble de l'œuvre dans la Bibliothèque rose [16] 27 500.

Sempé et Goscinny [11]. Le Petit Nicolas (1960) 1 797 (P. 1 376).

Meilleurs tirages (en milliers d'ex.)

Bouquins. *Créés* 1980 par Guy Schoeller chez Robert Laffont. De 1980 à 90 : 750 titres, tirage annuel : + de 1 million d'ex.

« 10 × 18 ». *Créé* 1962 par Plon (Christian Bourgois), *Boris Vian :* l'Écume des jours 1 900. *Marx :* Manifeste du P.C. 580. *Soljenitsyne :* Une journée d'Ivan Denissovitch 460. *Malson :* les Enfants sauvages 436. *E. Arsan :* Emmanuelle (t. 1) 420, (t. 2) 300, (t. 3) 202, (t. 4) 110.

« J'ai lu ». *Créé* 1958 par Frédéric Ditis pour Henri Flammarion. De 1958 à 90 : 3 000 titres parus en 10 collections. Vente annuelle : env. 9 millions d'ex. (Au 30-11-1990) 16 titres dépassaient 1 million d'exemplaires dont : *Guy des Cars :* 12 titres (record), la Brute 1 860. *Gilbert Cesbron :* Chiens perdus sans collier 1 720. *Henri Troyat :* la Neige en deuil 1 661. *Bernard Clavel :* Malataverne 1 833. *Jules Renard :* Poil de carotte 1 365.

☞ Premières collections « populaires » Troyes, XVIe s. : Bibliothèque bleue, Charpentier (1838, 18 × 11,5 cm, 3,50 F), Hachette (Bibl. des chemins de fer, 1852), Lévy (1855, 1 F).

Folio. *Créé* 1972 par Gallimard. De 1972 à 90 : 2 250 titres parus. Tirage annuel : + de 10 millions d'ex. *Ventes de plus de 1 million d'ex. :* (15-11-1989). *A. Camus :* l'Etranger (1942) 3 497, la Peste (1947) 2 179. *J. Romains :* Knock (1924) 1 960. *J. Kessel :* le Lion (1958) 1 883. *J. Prévert :* Paroles (1949) 1 644. *J.-P. Sartre :* Huis clos (Théâtre 1) (1947) 1 506, les Mouches (Théâtre 1) (1947) 1 505. *M. Aymé :* les Contes du chat perché (1939) 1 498. *A. Gide :* la Symphonie pastorale (1919) 1 478. *E. Hemingway :* le Vieil Homme et la mer (1952) 1 378. *A. Malraux :* la Condition humaine (1933) 1 338. *J. Steinbeck :* Des souris et des hommes (1939) 1 260. *E. Ionesco :* le Rhinocéros (Théâtre 3) (1959) 1 156. *A. de Saint-Exupéry :* Vol de nuit (1931) 1 129. *E. Ionesco :* la Cantatrice chauve (1954) 1 099. *J.-P. Sartre :* les Mains sales (1948) 1 070. *G. Orwell :* 1984 (1950) 1 037.

Le Livre de poche. *Créé* 1953, lancé par Henri Filipacchi pour Hachette. 9-2-1953 : *Pierre Benoit :* Kœnigsmark, *Cronin :* les Clefs du royaume, *St-Exupéry :* Vol de nuit. *1961* Guy Schoeller succède à Filipacchi (†), total alors publié dep. 1953 : 545 titres, 14 millions d'ex. *1971* rupture du contrat avec Gallimard et perte de 8 millions d'ex. par an. (Le nom fut déposé mais il avait déjà été utilisé par Tallandier dans les années 1930.)

• *Ventes de plus de 1 million d'ex.* (au 31-12-1989). *Alain-Fournier :* le Grand Meaulnes (1963) 3 478. *Vercors :* le Silence de la mer (1953) 3 074. *Bazin (H.) :* Vipère au poing (1954) 2 929. *Zola :* Germinal (1956) 2 887. *Daudet (A.) :* Lettres de mon moulin (1962) 2 563. *Mauriac (F.) :* Thérèse Desqueyroux (1955) 2 525. *Zola :* l'Assommoir (1955) 2 390. *Mathiot (G.) :* la Cuisine pour tous (1955) 2 166. *Stendhal :* le Rouge et le Noir (1958) 2 009. *Christie (A.) :* Dix Petits Nègres (1963) 1 958. *Baudelaire :* les Fleurs du mal (1961) 1 827. *Mauriac (F.) :* le Nœud de vipères (1957) 1 587. *Flaubert :* Madame Bovary (1961) 1 542. *Balzac (H. de) :* le Père Goriot (1961) 1 524. *Bazin (H.) :* la Mort du petit cheval (1955) 1 460. *Bazin (H.) :* Qui j'ose aimer (1960) 1 347. *Sagan (F.) :* Bonjour tristesse (1961) 1 337. *Giraudoux (J.) :* La guerre de Troie n'aura pas lieu (1963) 1 336. *Buck (P.) :* la Mère (1959) 1 331. *Brontë (E.) :* les Hauts de Hurlevent (1955) 1 313. *Rochefort (C.) :* les Petits Enfants du siècle (1969) 1 277. *Zola :* Au bonheur des dames (1957) 1 274. *Sarrazin (A.) :* l'Astragale (1968) 1 256. *Giono (J.) :* Regain (1958) 1 222. *Conan Doyle (A.) :* le Chien des Baskerville (1966) 1 221. *Zola :* la Bête humaine (1953) 1 206. *Daudet (A.) :* le Petit Chose (1962) 1 176. *Hemingway (E.) :* Pour qui sonne le glas (1953) 1 149. *Remarque (E.M.) :* A l'ouest, rien de nouveau (1956) 1 168. *Buck (P.) :* Vent d'est, vent d'ouest (1962) 1 114. *Zola :* Nana (1954) 1 110. *Arnothy (C.) :* J'ai quinze ans et je ne veux pas mourir (1969) 1 108. *Zola :* Thérèse Raquin (1953) 1 077. *Radiguet :* le Diable au corps (1955) 1 235. *Cronin (A.-J.) :* les Années d'illusion (1956) 1 039. *Bazin (H.) :* Lève-toi et marche (1958) 1 014. *Daninos (P.) :* les Carnets du major Thompson (1960) 1 018. *Cronin (A.-J.) :* les Clés du royaume (1953) 1 005.

Marabout. *Créé* 1949 par André Géraud (Belge), *Daco (Pierre) :* les Prodigieuses Victoires de la psychologie moderne (1960) 1 159. *Petit (Karl) :* Dictionnaire des citations (1960) 625. *Daco (Pierre) :* les Triomphes de la psychanalyse (1965) 582. *Favré (Henri) :* Guide Marabout de l'aquarium (1968) 547.

Pléiade. *Créée* 1931 par Henri Filipacchi et Jérôme Schiffrin chez Gallimard. Tirage annuel pour l'ensemble de la coll. (360 vol. en nov. 1989) : 400 000 ex. 12 nouveaux vol. produits par an. Meilleures ventes : Proust, Maupassant, Camus, Saint-Exupéry, Baudelaire. *1ers auteurs publiés :* Baudelaire (1931), Poe (1932). *1er auteur publié* vivant : Gide (1939, Journal).

Presses Pocket. *Créé* 1962 par Claude Nielsen.

Que sais-je ? *Créé* 1941 par Paul Angoulvent (1899-1976) aux P.U.F. Volume de 128 p. de 1941 à juin 1991 : 2 600 volumes. Diffusion : 60 millions d'ex. Best-sellers : *le Marxisme* 330 000 ex., *la Psychologie de l'enfant* 271 000 ex., *la Psychanalyse* 244 000 ex.

Vasconcelos (J.-M.). Mon bel oranger [21] (P. 412).

Verne (J.). Voyage au centre de la Terre (1864) [36] 1 014 (144) (P. 473). Ensemble de l'œuvre dans la Bibliothèque verte 11 000. Le Tour du monde en 80 jours (1966) 502. Vingt Mille Lieues sous les mers (1966) 434.

Vernes (H.). Les Aventures de Bob Morane (depuis 1953) [31] au total 16 000 d'exemplaires.

Best-sellers de la « Bibliothèque rose » Sur 116 millions d'exemplaires vendus depuis l'origine (1 024 titres parus) : *la Comtesse de Ségur :* 29 500 000 ex. depuis 1857 ; *le Club des Cinq :* 20 000 000 dep. 1958 ; *Oui-Oui :* 11 000 000 depuis 1962 ; *Fantômette :* 7 500 000 dep. 1961 ; *le Clan des Sept :* 6 000 000 dep. 1959 ; *Walt Disney :* 6 000 000 depuis 1960. **Et de la « Bibliothèque verte »** Sur 150 000 000 ex. vendus depuis l'origine 1924 (1 500 titres parus) : *Alice* (Caroline Quine) : 18 000 000 dep. 1955 ; *Jules Verne :* 12 000 000 dep. 1924 ; *les Six Compagnons* (Paul-Jacques Bonzon) : 8 000 000 dep. 1961 ; *Michel* (Georges Bayard) : 6 000 000 dep. 1958 ; *Alfred Hitchcock :* 3 500 000 dep. 1967 ; *Langelot* (Lieutenant X) : 3 000 000 dep. 1965.

Ouvrages pratiques

Aisberg (E.) [62]. La Radio ? Mais c'est très simple ! (1936) 403. **Atlas de poche** [45] (P. 1 258).

Beaumont (P. de) [39]. Les 4 Évangiles aux hommes d'aujourd'hui (1969) 1 000. Prière du temps présent, nouvel office divin (1969) 483. **Bernage** (B.) et **Corbie** (B. de). Convenances et bonnes manières [29] (1959). Le Nouveau Savoir-Vivre (1971). Savoir écrire des lettres (1965) (+ de 400). **Bible de Jérusalem** [27] (1955) 1 500. **Blouin** (Cl.-B.). Guide santé-médecine [58] (1978) 434 (C. 424). **Breuil** (E. de). Le Nouveau Secrétaire [32] (+ de 400).

Cabanne (P.) [58]. Guides des Voyages : la France (1976) 940 (C. 882). **Caramel** (Blanche) [29]. Nouveau Livre de cuisine (1948) (+ de 400). **Carnegie** (Dale). Comment se faire des amis (1936) [15, 16, 48] (P. 639).

Daco (Pierre). Les Triomphes de la psychanalyse (1958) [31] (P. 582). Les Prodigieuses Victoires de la psychologie (1960) [31] (P. 1 159). **Dalet** (R.). Supprimez vous-même vos douleurs par simple pression d'un doigt (1978) [59] 650 (C. 316, P. 100). **Delpha.** Le Nouvel Art de tirer les cartes (1946) [32] + de 400. Réussites et Jeux de patience + de 400 [32].

Dumay (R.) [21, 48] Guide du vin (P. 490).

Évangiles (École biblique de Jérusalem) (1950) [50] (P. 4 250).

Favalelli (M.) [45]. Mots croisés t. 1 (P. 422). **Favre** (H.) [31]. Le Guide Marabout de l'aquarium (1968) 547.

Gardel (J.) [45]. Le Bricolage dans votre appartement (P. 472).

Iseneuve (J. d'). Le Passé et l'Avenir dans les lignes de la main (+ de 400) [32].

Jenny. Méthode 90 allemand.

Le Rouzic (P.). Un prénom pour la vie 729 (C. 387, P. 400).

Maine (M.) [48]. Cuisine pour toute l'année (P. 426).

Mathiot (G.) [5, 48]. Je sais cuisiner (1932) 4 490 (C. 6 000, P. 2 278) (sous le titre la Cuisine pour tous). La Pâtisserie pour tous 1 009 (P. 1 350). La Cuisine de tous les pays (P. 325). **Mességué** (M.) [7]. Des hommes et des plantes (1970) 948 (C. 157, P. 289). C'est la nature qui a raison (1972) 934 (C. 104, P. 280). Mon herbier de santé (1975) 576 (C. 105, P. 167).

Norma (Mlle, pseud. de Le Normand). La Véritable Cartomancie (+ de 400) [32]. **Nouveau Missel des dimanches** (1970, 71, 72) (P. 800) [36].

Pellaprat (Henri-Paul). Cuisine familiale et pratique (1955) [2]. Près de 2 000 exemplaires. **Pernoud** (L.). J'attends un enfant (1956) 1 437 (90) [38]. J'élève mon enfant (1965) [38] 1 120 (P. 100). **Pradal** (Dr H.). Le Guide des médicaments les plus courants (1974) [14] 575.

Spock (Dr B.). Comment soigner et éduquer son enfant (1952) [31] (P. 573, paru aux U.S.A., 24 000 dans le monde).

Tarpel (C.). Les Rêves et la destinée [22] + de 400. **Téramond** (B. de) [43]. Maigrir par la méthode des basses calories (1959) 720. 300 Recettes culinaires pour maigrir (1962) 700.

Willy (Dr A.) et **Jamont** (C.). La Sexualité t. 1 (1964) [31] 545, t. 2 (1964) [31] 485.

Nota. – Coll. Marabout-Flash : Dansons (1959) 531. Je parle anglais (1960) 861. Je parle allemand (1960) 628. Je parle espagnol (1961) 611. Je parle italien (1959) 527.

Œuvres d'enseignement

Les livres scolaires dépassent souvent 400 000 ex. Exemples : **Bergamini** (D.). Les Mathématiques (1965) [24] 415 000 ou **Berman** [45]. Méthode 90 anglais (P. 1 100 000). **Bouillon** (Jacques). Histoire de la 2e à la terminale 600 000 ex. de 1970 à 82. **Cahiers de vacances Loulou et Babette** (1933, Magnard) 42 500 000 ex. **Eiller** (Robert). Cahiers d'exercices de cl. préparatoire 300 000 ex. par an dep. 1977. **Fournier** (Jean) et **Lafarge** (Alain). 8 à 10 millions d'ex. en 20 ans. **Lagarde** (André) et **Michard** (Laurent) (1er tome 1948 chez Bordas), de 1959 à 68 chacun des 6 vol. de la coll. se vendait à + de 100 000 ex. par an, actuellement 50 000 de chaque par an. **Tavernier** (Raymond). Biologie 6e-3e 500 000 ex. dep. 1977.

Édition (techniques)

Quelques dates

• **Impressions xylographiques.** *Ier-IXe s. :* en Chine et au Japon. *704-751 :* Dharani-sutra de la lumière pure, imprimé coréen (découvert en 1966 à Kyongju). *868 :* Sutra du diamant, 1er exemplaire important connu : livre bouddhique avec gravures, imprimé en Chine (British Museum).

XIVe et XVe s. Europe : D'abord sous forme de planches : *1340 :* Cartes, Venise. *1360 :* le Centurion du Calvaire (dit bois Protat, nom de celui qui l'a trouvé), planche gravée à La Ferté-sur-Crosne (France). *1423 :* St Christophe portant l'enfant Jésus, imprimé aux Pays-Bas.

Plus tard on assemble des feuilles en *anapisthographes,* petites brochures imprimées d'un seul côté. Env. 3 000 connus (*spéculums :* recueils de préceptes religieux ; *donats :* sortes de syntaxes latines ; chansons populaires) dont : *1430 :* Bréviaire (8 p. de 9 lignes), imprimé par Lorenzo Coster à Haarlem où il est conservé. Le Donat par Lorenzo Coster. *1439 : Speculum humanae salvationis* (63 p. avec 38 planches de figures ; serait à la fois imprimé en xylographie et avec des caractères mobiles). Bible des pauvres par Lorenzo Coster.

• **Impressions sur presse à caractères mobiles. Asie. Chine.** Sans doute utilisés dès le XIe s. (Pi Ching aurait eu, le 1er, recours à des poinçons pour établir des caractères mobiles en 1041). Le « Jik ji sim kyong » (1377), recueil de textes bouddhiques, serait le plus ancien livre connu imprimé en caractères mobiles métalliques. **Corée.** Les archives mentionnent l'existence, vers 1234, d'un livre imprimé à l'aide de caractères métalliques intitulé « Sangjong Yemun ». Il ne semble en subsister aucun exemplaire.

Europe. Vers 1439. 1res expériences de Johannes Gensfleisch dit Gutenberg (v. 1395-1468) à Mayence. Il mit au point un système de fabrication de caractères individuels fondus en un alliage de plomb, d'antimoine et d'étain.

1454 ou 1455 ou 1456. *Bible de Gutenberg,* en latin, non datée (peut-être imprimée par Füst et par Schoeffer). Volumes in-folio de 317 à 324 pages (30 cm × 20 cm) imprimées sur 42 lignes et 2 col. 210 ex. (30 sur parchemin avec lettres capitales peintes en or et couleurs, 180 sur papier avec capitales en rouge et bleu). Tirage : 200, dont 48 parvenus jusqu'à nous (21 complets). 12 sur parchemin. 1 ex. est conservé à la bibliothèque Mazarine (Paris), voir p. 352c. Le *missel de Constance* (192 p.) découvert à Bâle pourrait être antérieur. **1455.** *Donat.* **1456.** *Bible de 40 lignes* de Füst et Schoeffer. **1457.** *Psautier de Mayence* (livre daté et portant un nom d'imprimeur). **1458.** *2e Bible de Gutenberg* dite de 36 lignes. **1459.** *« Rationale divinorum officiorum »* de Guillaume Durand (imprimé à Mayence par Füst et Schoeffer). **1462.** *Bible de 48 lignes* de Schoeffer. **1463.** *1re page de titre* donnant le titre de l'œuvre et le nom de l'auteur dans « Bul zy Deutsch » de Pie II, imprimé à Mayence. **1465.** *1er texte littéraire.* « De officiis » de Cicéron. **1470.** *1er livre imprimé à la Sorbonne* (Paris) : Lettres de Gaspard de Bergame, in-quarto de 118 feuillets. **1472.** *1er livre avec des illustrations techniques :* Valturius, « De re militari » (Vérone). **1473.** *1re impression de musique avec des caractères mobiles* dans « Collectorium super magnificat », imprimé par Conrad Fyner à Esslingen. *1re impression d'un livre en Belgique* (à Alost). **1476.** *1er livre imprimé en français :* Les Grandes Chroniques de France 3 vol. (par Pasquier-Bonhomme à Paris). **1481.** *1er livre illustré en France :* « Missale viridunense ». **1501.** *1er caractère en italique,* utilisé dans un livre par Aldus Manutius à Venise. **1559.** Publication à Rome de « *Index* librorum prohibitorum », donnant la liste des livres que les catholiques ne pouvaient plus lire sans dispense.

1609. *1er journal, portant une date régulière de parution :* « Avisa Relation oder Zeitung », imprimé probablement à Wolfenbüttel, Allemagne. **1784.** *1er livre imprimé sur un papier sans toile coton* (mélange d'herbe, d'écorce d'arbre et d'autres fibres végétales). **1800.** *Presse d'imprimerie en fer* par Lord Stanhope. **1808.** *1re lithographie à plusieurs couleurs,* imprimée pa Strixner et Piloty de Munich. **1833.** *1re machine à composer des lignes-blocs,* inventée par Xavier Progin, Marseille. **1840.** *1re machine à composer en pratique,* brevetée par J.H. Young et A. Delcambre (Lille, d'après les projets de Henry Bessemer). **1841.** *1er livre broché* publié par Christian Bernhard Tauchnitz, à Leipzig (Allemagne). **1865.** *1re presse rotative* pour l'impression des journaux, construite par William Bullock à Philadelphie.

• **Typographie et autres procédés. 1878.** *Héliogravure* Klietsch (Hongrie). **1885.** *Impression simili* 3 couleurs (Frederick E. Ives, U.S.A.). **1887.** *Machine moderne pour imprimer* à 2 tours (Robert Miehle, U.S.A.). *Machine à composer* Monotype (Tolbert Lanston, U.S.A.) brevetée. **1904.** *Presse offset litho* (W. Rubel, New York). **1928.** 1re démonstration à Rochester (New York) du *teletypesetter* de Walter Morey (breveté par C. Meray-Horvath de Budapest en 1897). **1947-1956.** Modification des machines à composer (en plomb) pour film *(Fotosetter, Monophoto).* **1948.** 1re démonstration publique d'une *machine à photographier xérographique,* brevetée en 1938 par Chester Carlson (U.S.A.). **1949** (1re démonstration.) *Lumitype 200* inventée par les Français Higonet et Moyroud, présentée au public en 1954. **1955-65.** *Photocomposeuses électromécaniques avec ordinateurs* (Photon 200 et 500, Linofilm). **1964.** *1re photocomposeuse ultrarapide* (Photon ZIP). **1973.** Photocomposeuse à laser.

• **Plus vieux textes recueillis.** *5000 av. J.-C. :* tablettes d'argile, texte cunéiforme sumérien. *4000 av. J.-C. :* papyrus, roseau égyptien. *3000 av. J.-C. à 704 apr. J.-C. :* manuscrits sur bois, Chine. *200 apr. J.-C. :* velum (De Felsa Legatione, de Démosthène).

• **Plus vieux livres conservés.** *225 à 220 av. J.-C. : Manuscrits de la mer Morte* (bible la plus ancienne) découverts en 1947 à Qumran (Palestine). *200 apr. J.-C. : papyrus* de 108 pages numérotées, cousues en 6 fascicules. *IIIe-IVe s. : Codex Sineaticus* (Bible en grec, découverte en 1859 au monastère Ste-Catherine du Sinaï, achetée 9 000 roubles par la tsarine en 1869, vendue 100 000 £ en 1933 par l'U.R.S.S. au British Museum). *Codex Vaticanus* au Vatican, – de 350 apr. J.-C. *Ve s. : Codex Alexandrinus* au British Museum.

• **Encyclopédies. La plus ancienne.** *Speusippe* (370 av. J.-C., Athènes). **La plus grosse.** *Cang-Xi :* 22 937 volumes (chapitres indépendants reliés) publiée en Chine en 1728. Il en subsiste 370.

• **Dimensions. Le plus grand livre.** Édité à Denver (U.S.A.) en 1976 : 300 p., 2,75 m sur 4 m, 252 kg. **Les plus petits livres.** *Old King Cole* publié en mars 1985, à 85 ex. à Renfrew (Écosse) : 1 × 1 mm. *Histoire de la fourmi Ari* publié à Tōkyō en 1980 : 1,4 × 1,4 mm. *Lord's Prayer* en 7 langues, musée Gutenberg : 3,5 × 3,5 mm. *France :* livre de messe (2 × 1,2 cm), imprimé 1880.

• **Palimpseste.** Parchemin réutilisé après trempage dans l'eau, on effaçait les inscriptions avec une pierre ponce et de la craie. L'ancien texte subsistait plus pâle.

• **Incunable.** Ouvrage datant du berceau (incunabulum en latin) de l'imprimerie. On distingue les tabellaires (xylographiques) et les typographiques. Environ 40 000 éditions (en moyenne de 500 vol.) représentant 20 millions de livres sont sorties avant 1500 (45 % sont des ouvrages religieux, 10 % scientifiques, 10 % juridiques, 30 % littéraires ; 77 % sont en latin, 4 à 5 % en français). A la fin du XVe s., le nombre de livres imprimés atteignait 15 à 20 millions d'exemplaires (30 000 titres) ; au XVIe s., 200 millions d'ex. (200 000 titres).

Principales collections. Paris (Bibliothèque nationale), Munich, Londres (British Museum) [chacune comprend un ou plusieurs exemplaires de 9 000 éditions antérieures à 1500], Oxford (Bodleian Library, 5 000 éditions).

• **Colophon.** Note finale donnant le nom de l'imprimeur, le lieu de l'impression et la date d'achèvement.

Caractères

Histoire. *1ers caractères fondus : gothiques* (Gutenberg travaillait à Mayence). Puis on s'inspira de l'Antiquité et l'on créa des caractères *romains.* **1501,** un Vénitien, *Alde Manuce* [Tebaldo Manuzio (v. 1449-1515)] inventa l'*italique* (1er caractère gravé par François Guisto Raibolini dit François de Bologne). 1ers ouvrages imprimés complètement en italique : Virgile et Horace (1501), la Divine Comédie (1502). Pendant longtemps on se contenta de ces grandes familles de caractères avec 4 variantes. **1650,** un libraire-imprimeur hollandais de Leyde, *Elzévir* [Isaac Elzevier (1596-1651)], donna son nom à un nouveau caractère aux empattements triangulaires. Ce caractère, populaire en Europe, ne fut vraiment adopté en France qu'après 1850. **1775,** François-Ambroise *Didot* (1730-1804) revint au caractère romain avec des empattements rectilignes très fins.

Points typographiques. *Point Didot* [créé en 1775 par Fr.-A. Didot] = 0,3759 mm (soit 1/6 de la ligne de pied de roi ou 1/72 du pouce français). Ex. : *Cicéro* = 12 points (4,51 mm) ; *Philosophia* = 11 points ; *Petit romain* = 9 ; *Gaillarde* = 8 ; *Petit texte* = 7,5 ; *Mignonne* = 7, etc.

En G.-B. et aux U.S.A., le point mesure 0,351 mm. Depuis 1978, la norme Afnor NF Q 60-010 a défini les mesures typographiques dans le système international. Seule l'unité retenue, le millimètre, doit être utilisée dans les échanges commerciaux en attendant la généralisation de son usage.

Caractère typographique. La largeur ou *chasse* correspond à la dimension du caractère prise parallèlement à la ligne d'impression (dim. différente pour chaque lettre) ; le *corps* correspond à la dimension du caractère prise perpendiculairement à la ligne d'impression. L'*œil* reçoit l'encre, c'est l'élément imprimant ; les *talus* ou *espaces* laissés de part et d'autre de l'œil évitent le chevauchement des lettres (les *approches* désignent plus précisément les talus situés à gauche et à droite de l'œil).

Familles de caractères typographiques. *Une famille de caractères comprend :* capitales (majuscules), bas de casse (minuscules) (de l'endroit où on les range dans leur casier de rangement : la casse), supérieures, ponctuations, lettres accentuées, etc. Chaque famille existe en plusieurs tracés (gras, demi-gras, maigre, large, normal, étroit, etc.). On leur adjoint parfois : vignettes, filets, dessins, etc. La *police* de caractères comprend l'ensemble des caractères d'une même famille pour un même corps et une même graisse.

Au-delà de la distinction élémentaire entre caractères *romains* (à hampes et à jambages verticaux) et *italiques* (à hampes et jambages inclinés), les familles de caractères se distinguent par l'importance et la forme de leurs empattements (manière dont se terminent hampes ou jambages).

Classification des caractères. Il y a des dizaines de milliers de types : Baskerville, Bodoni, Caravelle, Égyptienne, Elzévir, Garalde, Garamond, Univers, etc. Des spécialistes (dont Francis Thibaudeau et Maximilien Vox) les ont classés en familles : *didots :* empattements rectilignes très fins ; *antiques :* sans emp. ; *égyptiennes :* emp. de la même force que le corps de la lettre ; *elzévirs :* emp. triangulaires (nom donné en 1858 par le fondeur Théophile Beaudoire aux anciens types employés par Nicolas Jenson, à Venise, en 1468, puis améliorés par Garamont en 1542, à Paris. En mémoire des Elzevier, établis à

Leyde en 1580). On continue à créer des caractères en utilisant les procédés photographiques et électroniques. Par ex., l'*Univers* est né en prenant la moyenne visuelle obtenue en juxtaposant les films de plusieurs autres caractères. *Créateurs réputés :* Jean Larcher, Adrien Frutiger, Ladislas Mandel et José Mendoza (créateur du Sully-Jonquières).

Impression

☞ Voir Imprimerie à l'Index.

Procédés anciens

Chromolithographie. Senefelder imprima à Paris des lithographies en plusieurs couleurs dès 1819. Le Français Godefroi Engelmann (1788-1839), en 1836, perfectionna ce procédé en inventant le cadre à repérer : il publia en 1837 un album célèbre. Apogée vers 1900, puis déclin (trop coûteux). Dès 1905, la rotocalcographie la remplaça.

Chromotypographie. Apogée vers 1880. Déclin vers 1900. La *trichromie* l'a supplantée pour les impressions de gravures. Parmi les précurseurs : Lafond, Camarsac, Goupil, à Paris ; Obernetter à Munich, Grüne à Berlin.

Chrysoglyphie. Procédé de gravure chimique, breveté en avr. 1854, par l'imprimerie Firmin Didot. Sur une planche de cuivre, revêtue du vernis des graveurs, on traçait le dessin à la pointe, puis l'on faisait mordre un acide. On enlevait le vernis et l'on dorait la planche (d'où le nom : du grec *khrusos,* « or »). On recouvrait ensuite d'un mastic inattaquable aux acides qui ne devait rester que dans les tailles. On ponçait la plaque pour enlever l'or de sa surface, afin que les tailles restent en relief. On détourait les grands blancs à la scie. Ce procédé n'a pas eu de succès.

Lithographie. Vers 1825, l'Allemand Aloïs Senefelder (1771-1834) utilise la répulsion réciproque de l'eau et des corps gras pour déterminer à la surface d'une pierre servant de forme imprimante les parties qui accepteront l'encre et celles qui la repousseront (introduit en France v. 1816 par Gabriel Engelmann et le Cte de Lasteyvrie). De cette idée naîtra l'impression offset. La lithographie, trop coûteuse, ne sert plus qu'aux éditions d'art.

Panéiconographie (gillotage). Photographie sur zinc par voie chimique. Brevet pris en 1851 par Firmin Gillot (1820-72). 2 techniques : *photogravure au trait* (les documents sont traduits par des blancs et des noirs purs) ; *à demi-teintes* ou *similigravure* (grâce à l'artifice de la trame, tous les dégradés sont reproduits, c'est le fac-similé qui sert à la copie).

Stéréotypie. Le Parisien Valleyre imprima v. 1700 un Livre d'heures d'après une matrice obtenue au moyen d'une masse d'argile dans laquelle on coulait du cuivre. Joseph Muller, à Leyde, en 1702, et l'Écossais Ged, à Londres, en 1725, employèrent un procédé analogue mais sans beaucoup de succès à cause de l'hostilité des compositeurs et des fondeurs. De Carey à Toul, en 1785, employa le 1er le terme clichage.

Taille-douce. Procédé qui consiste à graver une plaque de métal à l'aide d'un outil et à déposer l'encre dans les creux obtenus. Comme il est très difficile de n'encrer que le creux (partie imprimante), on procède à un encrage général de la plaque suivi d'un essuyage qui enlève l'encre déposée sur la surface du métal. Le papier fortement pressé contre la plaque ira chercher l'encre demeurée au fond de la taille. Jusque vers 1975, a servi en France à l'impression des timbres, des billets de banque, des chèques, de certains titres et autres documents officiels. Le talent du graveur et la difficulté à reproduire son trait apparaissant comme une garantie contre les contrefacteurs. Mais ce procédé est coûteux, la plupart de ces documents sont aujourd'hui imprimés en offset, donc reproduits par des méthodes photographiques.

Xylographie. Voir p. 345 a.

Procédés industriels modernes

Flexographie. Fait appel à des formes imprimantes souples, en relief, en caoutchouc ou en photopolymères et à des encres très fluides, essentiellement utilisées pour l'impression des sacs et emballages en matière plastique souple, des emballages en carton et des journaux.

Héliogravure. Utilisée pour des tirages élevés (300 000 ex.). Mais la gravure électromécanique des cylindres parvient à réduire les coûts et à abaisser le seuil de rentabilité des équipements. L'héliogravure sert aussi à l'impression de divers emballages sur films plastiques, l'impression se faisant alors sur une seule face du support. Occupe aujourd'hui 16 % du marché français.

Offset. Dérivé moderne de la lithographie, occupe en 1988 près de 80 % du marché. Tire son nom de l'anglais « to set off », qui implique une idée de décalque de l'image. La forme imprimante est une plaque qui a été impressionnée par un procédé photographique. Une fois encrée selon le principe de répulsion réciproque de l'eau et de l'encre grasse, elle transmet la surface à imprimer à un support intermédiaire en caoutchouc appelé blanchet, lequel, à son tour, dépose l'image sur le papier.

Sérigraphie. Procédé dans lequel l'encre doit traverser un écran aux endroits où l'on souhaite imprimer et où elle est retenue par ce même écran là où il ne doit pas y avoir d'encre. Utilisée sur des supports variés : papier, carton, métal, verre, bois, tissus, matières plastiques, ce qui la rend propre à la reproduction artistique. Sur le plan industriel, sert essentiellement à la fabrication des circuits imprimés et de tous imprimés nécessitant un encrage « couvrant ». A l'échelon artisanal, sert à la reproduction de certaines œuvres d'art. Peut reproduire demi-teintes et quadrichromies, et imprimer des feuilles allant jusqu'à 120 × 320 cm.

Typographie. Fait appel à des éléments d'impression en relief (v. « composition au plomb » et « stéréotypie ») ou à la composition artisanale à la main. Sa part du marché fr. dans l'impr. (6 %) est stable.

Procédés d'impression électronique. *Xérographie par laser* (en continu, 20 000 lignes/mn ou feuille à feuille, 120 p./mn). *Électrographie. Jet d'encre. Thermographie.* Nouvelles techniques d'impression, dites « sans impact », permettant la suppression de la forme imprimante intermédiaire entre l'original et sa reproduction, la machine étant actionnée par un ordinateur à partir d'informations numérisées. *2 méthodes :* exploitation d'une mémoire magnétique pré-enregistrée (listes d'adresses par ex.), ou par application en temps réel, l'original étant analysé par lecteur optique ou caméra vidéo. Permettent la personnalisation de l'imprimé, chaque exemplaire d'un tirage pouvant être différent des autres.

Machines à imprimer

Que l'on fasse appel à l'une ou l'autre des techniques d'impression, que les formes imprimantes soient en creux comme pour l'héliogravure, à plat comme pour l'offset ou en relief comme pour la typographie, l'impression à travers la machine se fait toujours, directement ou indirectement, par pression de la forme imprimante enduite d'encre sur le papier. Pour imprimer un tirage en couleurs, il faut plusieurs passages à travers la même machine, ou une machine comportant plusieurs groupes imprimants, chaque groupe n'imprimant qu'une seule couleur.

Une machine « en blanc » n'imprime qu'un seul côté de la feuille ; à *« retiration » :* imprime des 2 côtés de la feuille, séparément ou simultanément.

On distingue les machines *« à feuilles »* alimentées par du papier en format, et les *« rotatives »* alimentées par du papier en bobines. Presses à platine ou presses à cylindre sont encore utilisées pour les tirages en typo, la forme imprimante étant plane et la pression se trouvant exercée par la platine ou par le cyclindre, l'un et l'autre servant également de support à la feuille. En offset, toutes les machines à imprimer, alimentées par feuilles ou par bobines, fonctionnent selon le principe rotatif. Les rotatives à bobines fournissent un produit plié en « cahier » imprimé semi-fini ou fini, alors que les machines à feuilles sortent un produit à plat, qui a le plus souvent besoin d'être terminé sur une chaîne de façonnage.

Petites rotatives en continu. Elles produisent le plus souvent en offset à partir de plusieurs bobines de papier se déroulant ensemble, des liasses imprimées et perforées en continu (la bande imprimée peut aussi être réembobinée en sortie) qui sont façonnées en plis accordéon (paravents). Cette production sert à alimenter les imprimantes des ordinateurs.

Machines transformatrices. Elles impriment en mariant souvent les procédés (relief, plat, creux) sur du papier en bobines de laize variable (38 cm généralement). Utilisées le plus souvent pour des sacs de produits alimentaires et d'entretien.

Vitesse de production. Machine à feuilles : env. 14 000 feuilles à l'h. *Rotatives à bobines les plus élaborées* tournent en double laize jusqu'à 50 000 cahiers de 16 pages à l'heure pour des tirages polychromes. La moyenne de production est plus basse, en raison des calages des formes imprimantes, lavages, réglages, etc.

Papier

☞ Voir aussi Économie à l'Index.

Origine

105 inventé en Chine par T'Sai Lun (ou Lai Lun), noble de la cour des Han (province de Hunan). *750* victorieux des Chinois à Samarkand, les Arabes apprennent le secret de fabrication (entremêlement de fibres de bois de mûrier) et en fabriquent à Chirāz, Bagdad, Tripoli, Alexandrie, Fès à partir de fibres de chanvre et de lin. *Xe s.* l'introduisent en Espagne (1506 1er moulin à Jativa Valencia). *XIe s.* en Italie (1276 1er moulin à Fabriano). *XIVe s.* connu en France (1348 1er moulin à Troyes) et *1800* 1re machine à fabriquer le papier en continu, à Essones de Louis-Nicolas Robert (Fr.). *1803* Fourdrinier (G.-B.) développe son invention dans le Kent.

Papiers utilisés dans les livres anciens

Vergé. Papier de cuve obtenu dans des châssis en bois ou *formes* au fond garni d'un tamis de laiton. A base de chiffons. Le papier de forme a des bords irréguliers marqués de franges ou de *barbes,* de boursouflures, d'aspérités ; il laisse apparaître le dessin des fils de laiton ou *vergeures* placés au fond de la cuve, coupés perpendiculairement par d'autres fils plus espacés, les *pontuseaux*. Entre ces fils on peut avoir un *filigrane.* Le *filigrane,* apparu à partir du XVIIIe s., représente, en général, la marque du fabricant – monogramme, devise ou dessin – incorporée au tamis. Il a donné ses noms à quelques formats de papier : raisin (motif du dessin : grappe de raisin) et jésus (monogramme I.H.S.).

Faux Vergé. Papier fabriqué sur la machine. La pâte encore fraîche passe entre des cylindres à cannelures imitant vergeures et pontuseaux.

Vélin (1750). Inventé par l'Anglais John Baskerville (1706-75), sans grain, très uni, lisse et satiné ; possède transparence, finesse et aspect du vélin véritable venant de la peau de veaux mort-nés. Fabriqué comme le vergé mais avec un treillis métallique beaucoup plus fin.

Papier de Hollande. Invention française importée en Hollande par des protestants exilés après la révocation de l'édit de Nantes en 1685 ; grené, ferme, solide.

Papier Whatman. Inventé par l'Anglais Whatman (1770) ; ressemble au papier de Hollande mais sans vergeures.

Japon. *Impérial* vient de l'écorce d'arbrisseaux, légèrement teinté en jaune, soyeux, satiné, très souple, transparent et épais ; *ancien à la forme,* sorte de vélin très lisse, teinté bistre très clair ; *blanc supernacré,* résistant, soyeux, offrant l'aspect de paillettes de nacre accolées (Rembrandt l'utilisa le 1er en Europe pour les états définitifs de ses estampes).

Chine. Préparé en plein air avec l'écorce du bambou, gris ou jaunâtre, fabriqué à partir de manille, il est fin, doux, absorbant, adapté aux impressions délicates, doux et brillant comme la soie ; enduit sur une face d'une composition à base de glycérine ; recherché pour le tirage des gravures.

Papier de Rami ou **ortie de Chine** (cultivée dans le midi de la Fr.). Coûteux, utilisé seulement pour la confection des billets de banque.

Papier d'alfa. Souple, soyeux, résistant, produit en Tunisie, au Portugal et utilisé en Angleterre à partir de fibres d'alfa pour des éditions de grand luxe (il faut au moins 10 % d'alfa pour l'appellation « papier alfa »).

Papier indien. Très mince et très opaque, procédé détenu par l'université d'Oxford ; coûteux.

Nota. – Exemplaires dits de *petits papiers* tirés sur vélin ou sur vergé. Désignés sous les noms de papeteries qui les fabriquent : Arches, Rives, Marais (lieu-dit de Seine-et-M.), Lafuma, Montval, etc.

Dans l'édition moderne on distingue *8 catégories :* offset, bouffant, satiné, hélio, couché mat et couché brillant, papier « bible ».

Format

Les papiers sont définis par leur poids au m^2 : de 28 g (bible) à 180 g/m^2. Grammage habituel en littérature générale : 70 à 90 g/m^2.

Le papier est vendu aux 100 kg en ramettes ou en *bobine* ; 25 *feuilles* constituent une *main* et 20 mains une *rame* soit 500 feuilles. Les noms anciens des formats (cloche, pot...) viennent des dessins primitivement représentés en filigrane (voir ci-dessus).

Formats en simple (en italique, les plus courants). Cloche 30 × 40 cm. Pot 31 × 40. Tellière 34 × 44. Couronne 36 × 46. *Écu* 40 × 52. Coquille 44 × 56. Carré 45 × 56. Cavalier 46 × 62. *Raisin* 50 × 65. *Jésus* 56 × 76. Soleil 60 × 80. *Colombier* 63 × 90. Petit Aigle 70 × 94. Grand Aigle 75 × 106. Grand Monde 90 × 126. *Univers* 100 × 130.

Formats en double. Double Cloche 40 × 60 cm. Double Pot 40 × 62. Double Tellière 44 × 68. Double Couronne 46 × 72. Double Coquille 56 × 88. Double Carré 56 × 90. Double Cavalier 62 × 92. Double Raisin 65 × 100. Double Jésus 76 × 112. Double Soleil 80 × 120. Double Colombier 90 × 126. Les formats carré, raisin, jésus sont les seuls encore vendus sur catalogue. En général, l'imprimeur ou l'éditeur fait fabriquer le papier utile, en fonction des dimensions des machines à imprimer disponibles pour faire un produit étudié dans le format qui en découle : 72 × 102, 120 × 160.

Série normalisée internationale A. Chaque f. plus petit est obtenu en divisant le f. immédiatement supérieur en 2 parties égales, le rapport entre les longueurs des côtés de chaque f. étant toujours égal à $\sqrt{2}$. Le f. de base, désigné par A 0, a une surface de 1 m². Dimensions en mm :

A0	841 × 1 189	A6	105 × 148
A1	594 × 841	A7	74 × 105
A2	420 × 594	A8	52 × 74
A3	297 × 420	A9	37 × 52
A4	210 × 297	A10	26 × 37
A5	148 × 210		

Format des livres

Feuille. Ensemble des pages imprimées au recto et au verso d'une feuille de la dimension choisie. La feuille ensuite pliée à la dimension d'une *page* forme un *cahier* qui contient ainsi un certain nombre de *feuillets* ; chaque feuillet comporte deux pages. Le nombre de feuillets contenus dans une feuille détermine le *format*. On distingue ainsi :

	Feuillets	Pages
in-plano	1	2
in-folio (in-f°)	2	4
in-quarto (in-4°)	4	8
in-octavo (in-8°)	8	16
in-douze (in-12)	12	24
in-seize (in-16)	16	32
in-trente-deux (in-32)	32	64
in-quarante-huit (in-48)	48	96

Dimension du livre. Dépend de la grandeur de la feuille employée (raisin, jésus, etc.). On aura ainsi : un in-quarto raisin (250 × 325 non rogné) ; un in-octavo jésus (190 × 280) ; etc.

Vocabulaire pratique

Broché : br. *Relié* : rel. *Neuf, broché, non découpé* : n. br. nc. *Pleine reliure* : Pl. rel. *Relié de la matière principale au dos et aux coins* : Rel. 1/2 à c. *Édition originale* : Éd. or. *Sans date* : s. d. *Sans lieu, ni date* : s. l. n. d. *Couverture conservée* : couv. cons. *Reliure d'époque* : Rel. ép. *Feuillet* : f. *Plusieurs feuillets* : f.f. *Page* : p. *Plusieurs pages* : p.p. *Feuillet blanc* : f. bl.

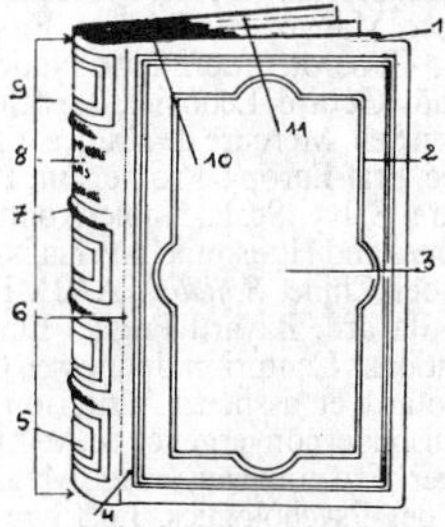

1. Gardes de couleur, 2. Filet, 3. Plat, 4. Encoche de coiffe, 5. Fers, 6. Mors, 7. Nerfs, 8. Pièce de titre, 9. Dos, 10. Tête (tranche supérieure), 11. Chasse.

Si le papier est filigrané, on peut reconnaître le format réel d'un ouvrage ancien : *folio :* pontuseaux verticaux, filigrane au centre de la page ; *in-4°* : p. horizontaux et f. vers le bord gauche de la page ; *in-8°* : p. verticaux et f. dans le coin supérieur gauche ; *in-12* : p. horizontaux et f. vers le bord droit aux $^2/_3$ de la hauteur de la page ; *in-16 :* p. horizontaux et f. dans le coin supérieur droit de la page.

Direction des vergeures (papier vergé). Permet de reconnaître les formats. *V. horizontales :* in-f°, in-8°, 18, 24, 32. *V. verticales :* in-4°, 12, 16.

Édition (statistiques)

Dans le monde

Titres publiés (1988). *(Source :* UNESCO 1990). U.R.S.S. 83 011 [1]. All. féd. 68 611. G.-B. 52 861 [3]. Corée du S. 42 842. *France 39 026.* Japon 36 646 [1]. Espagne 35 426. Italie 19 620. Colombie 15 041 [2]. Inde 14 408. P.-Bas 13 845. Suisse 12 698. Yougoslavie 12 100. Suède 11 794. Danemark 11 129. Pologne 10 728. Finlande 10 386. Tchéco. 9 558. Hongrie 8 621. Autriche 8 360. Ukraine 8 311. Portugal 7 733 [1]. Thaïlande 7 728 [2]. Australie 7 460 [2]. Belgique 7 091 [1]. Turquie 6 685 [3]. All. dém. 6 526. Roumanie 5 276 [3]. Norvège 4 894. Argentine 4 836 [1]. Mexique 4 826. Grèce 4 651 [3]. Iran 3 401. Bulgarie 4 379. Malaisie 3 397 [2]. Biélorussie 2 962. Irlande 2 679 [3]. Sri Lanka 2 368 [2]. Israël 2 214 [3]. Cuba 2 069 [3]. Indonésie 1 687. Nigeria 1 424.

Nota. – (1) 1987. (2) 1986. (3) 1985. Livres + brochures (les définitions ne sont pas homogènes, ex. : on appelle livres, les ouvrages ayant au moins 28 p. en G.-B., 32 en France, 48 en All. féd.).

☞ De 1437 à 1900, on aurait imprimé env. 10 millions d'ouvrages (*1437 :* 1 ; *1438* à *1500 :* 307 520 ; *1500* à *1600 :* 287 824 ; *1600* à *1700 :* 972 000 ; *1700* à *1800 :* 1 637 196).

Chiffre d'affaires éditorial et, entre parenthèses, **ventes de livres au détail** (en milliards de F). France 14 (17), G.-B. 16 (15), All. féd. (27), U.S.A. 62 (87).

Traductions. Ouvrages les plus traduits (en %, source UNESCO 1990, chiffres 1984). Œuvres litt. 50,4, Sc. sociales 11,1, Sc. appliquées 9,4.

Langues les plus traduites (nombre de traductions 1984). Anglais 22 724. Russe 6 230. *Français* 5 422 (Littérature 2 925, Sc. sociales 421, Hist.-géo. 411, Sc. appliquées 408, Philosophie 401, Religion 351, Beaux-arts 328, Sc. pures 133, Généralités 44). Allemand 4 311. Italien 1 544. Suédois 1 011. Espagnol 839. Danois 651. Tchèque 635. Latin 591. Arabe 536. Polonais 477. Grec classique 444. Néerlandais 416. Serbo-croate 405.

Auteurs les plus traduits dans le monde. *1961 à 1975 :* voir Quid 1982.

En 1984 : Lénine [1] 321 traductions. W. Disney Productions [5] 274. A. Christie [4] 252. J. Verne [2] 238. B. Cartland [4] 207. H.C. Andersen [7] 159. J. Grimm [3] 152. E. Blyton [4] 138. K.U. Tchernenko [1] 122. I. Asimov [5] 108. K. Marx [3] 103. F. Engels [3] 96. J. London [5] 94. Shakespeare [4] 93. A.C. Doyle [4] 91. G. Simenon [6] 90. M. Twain [5] 89. Dickens [4] 88. F.M. Dostoïevski [1] 78. C. Perrault [2] 77. L.N. Tolstoï [1] 76. R.L. Stevenson [4] 74. Goscinny [2] 73. G. Greene [4] 73. Jean-Paul II [8] 71.

Nota. – (1) U.R.S.S. *(2) France.* (3) All. (4) G.-B. (5) U.S.A. (6) Belgique. (7) Danemark. (8) Saint-Siège.

Taxes sur le livre (1991, en %). Norvège, Suisse, Canada (taxe de 7 % introduite en janv. 1991 par le gouvernement d'Ottawa sur le plan fédéral), Argentine, Pérou, G.-B., Portugal, Irlande, Islande, 0 ; Grèce 3 ; Italie 4 ; France 5,5 ; Belgique, Espagne, Luxembourg, P.-B. 6 ; All. 7 ; Autriche 10 ; Chili 16 ; Finlande 16,28 ; Danemark 22.

En France

Source : Syndicat national de l'édition.

Nombre de titres publiés. *1790 :* 2 000. *1828 :* 6 000. *1889 :* 1 500. *1913 :* 25 000. *1983 :* 27 348. *1984 :* 28 797. *1985 :* 29 068. *1986 :* 30 424. *1987 :* 30 982. *1988 :* 31 720.

Production de livres

• **Nombre édité en 1988 et,** entre parenthèses, **nouveautés. En romain nombre de titres (en unités), en italique nombre d'exemplaires (en millions). Livres scolaires :** titres 4 839 (dont 1 441 nouveautés), *67,5 millions d'exemplaires (dont 22,7 millions de nouveautés)* [dont préscolaire et primaire 1 114 (268), *14,5 (2,8)* ; secondaire 1 137 (348), *22 (8,6)* ; technique et commercial 1 057 (402), *7,8 (2)* ; parascolaire 1 531 (423), *23,1 (9,2)*]. **L. scientifiques, professionnels et techniques :** 2 280 (1 289), *7,1 (3,5)* [dont sciences pures et appliquées 1 314 (686), *3 (1,6)* ; médecine 532 (362), *1,7 (1)* ; économie d'entreprise 434 (241), *2,3 (0,8)*]. **L. de sciences humaines :** 4 001 (2 193), *18,1 (8,2)* [dont sc. humaines générales 1 753 (1 016), *6,8 (3,4)* ; sc. écon. et pol. 466 (315), *1,6 (1)* ; droit 461 (246), *2,3 (0,7)* ; religion 1 123 (567), *6,9 (2,9)* ; ésotérisme et occultisme 198 (49), *0,6 (0,2)*]. **Littérature :** 9 979 (4 662), *136,3 (61,2)* [dont romans (la somme des classiques, contemporains, policiers, de science-fiction et « sentimentaux » non ventilés) 7 350 (3 221), *115 (49,2)* ; théâtre, poésie 413 (155), *3,4 (0,3)* ; critiques, analyses, essais 525 (280), *3,6 (2)* ; histoire 920 (567), *6,5 (4,7)* ; actualités, reportages, documents 682 (395), *6,1 (4,4)* ; géographie 89 (44), *1,7 (0,5)*]. **Encyclopédies et dictionnaires :** 515 (74), *11 (2,4)* [dont encycl. et dict. traditionnels 379 (44), *10,1 (2,2)* ; encycl. en fascicules (non comprises dans le total de la production) 519 (274), *13,6 (10)* ; encycl. thématiques 136 (30), *0,9 (0,2)*]. **Beaux-Arts et beaux livres :** 1 243 (737), *8,1 (4,4)* [dont ouvrages théoriques 229 (137), *1,4 (0,6)* ; beaux livres d'art 457 (253), *2,8 (1,4)* ; autres beaux livres 557 (347), *3,9 (2,5)*]. **Livres pour la jeunesse :** 4 850 (2 098), *55,8 (28,6)* [dont albums 1 565 (636), *14,8 (6,1)* ; livres 2 694 (1 313), *30,6 (19,1)* ; bandes dessinées 591 (149), *10,5 (3,4)*. **Bandes dessinées pour les adultes :** 444 (190), *7,5 (2,9)*. **Livres pratiques :** 2 532 (1 068), *27,9 (12,2)* [dont conseils pratiques 1 935 (861), *18,8 (9,6)* ; tourisme (guides et monogr.) 597 (207), *9,2 (2,6)*]. **Ouvrages de documentation** (annuaires, répertoires, nomenclatures) 58 (22), *0,4 (0,2)*. **Cartes géographiques et atlas** 979 (65), *19,6 (1,2)*]. **Total :** 31 720 (13 839), *359,4 (147,7)*.

• **Nombre total de volumes produits. En millions (Syndicat nat. de l'éd. et France Loisirs).** *1961 :* 179. *71 :* 309. *81 :* 365. *86 :* 364. *87 :* 366. *88 :* 359,4.

Nombre de romans publiés à la rentrée d'automne (août/novembre). *1982 :* 251. *83 :* 235. *84 :* 266. *85 :* 318. *86 :* 298. *87 :* 304. *88 :* 360. *89 :* 336. *90 :* 382 (dont romans étrangers 162, 1ers romans 61).

• **Tirage moyen par branche en 1988.** *Livres scolaires :* préscolaires et primaires 13 948, secondaires 19 397, parascolaires 15 101, techniques et commerciaux 7 839. *L. scientifiques et techniques :* sciences pures 2 921, appliquées 2 141, médecine 3 211, économie d'entreprise 5 346 ; *l. de sc. humaines :* sc. éco. 3 154, sc. pol. 3 684, sc. hum. gén. 3 860, religion 6 177, ésotérisme 2 818, droit 4 924 ; *littérature :* romans 15 647 (les nouveaux auteurs, tirés à 2 000, 3 000 et 5 000, ne sont vendus fréquemment qu'à 1 000 ex. ; un roman ne commence à être « rentable » pour l'éditeur que lorsqu'il en a vendu 6 000 ex.), théâtre et poésie 8 133, histoire 7 086, géographie 19 326, actualité 8 960, critique et essais 6 798 ; *encyclopédies et dictionnaires :* de français 52 744, langues étr. 20 333, encyclopédies générales 18 463, thématiques 6 294, en fascicules 26 243 ; *beaux-arts, beaux livres :* ouvrages théoriques 6 249, beaux livres d'art 6 160, autres beaux livres 6 923 ; *l. pour la jeunesse :* albums 9 432, livres 11 352, bandes dessinées 17 723 ; *l. pratiques :* conseils pratiques 9 693, tourisme, guides et monographies 15 395 ; *ouvrages de documentation* (annuaires, répertoires, nomenclatures) : 7 310 ; *cartes géographiques et atlas :* 20 048 ; *bandes dessinées pour adultes :* 16 975.

Sur 10 titres publiés par un éditeur, 2 ou 3 se vendent passablement et 1 ou 2 seulement sont de bonne vente. En édition classique, jusqu'à 30 % du tirage est envoyé en spécimens.

• **Livres de poche. Nombre de titres :** *1980 :* 4 788 (dont policiers, espionnage 735), *81 :* 4 472 (625), *82 :* 4 801 (703), *83 :* 5 169 (734), *84 :* 5 737 (563), *85 :* 5 566 (506), *86 :* 6 015, *87 :* 6 625, *88 :* 6 567 (870). **Nombre d'ex. :** *1980 :* 129,1 millions (dont policiers, espionnage 22,7), *81 :* 112,5 (18,3), *82 :* 119,7 (17,5), *83 :* 130,3 (18,7), *84 :* 137,5 (14,6), *85 :* 124,5 (10,2), *86 :* 121,9 (22,7), *87 :* 121,4 (20,8), *88 :* 16,2 (21,1). [*Vente* en millions d'ex. en 1986 : *Livre de poche* (plus biblio et biblio-essais) 18, *J'ai Lu* 10, *Folio* 8, *Points* (toutes collections confondues) 2, *G.F. et Champs* 2, *Presses Pocket* 6 et 7, *Marabout* 3].

En 1988, les livres de poche représentent 32,3 % de la production totale en ex. (35,7 en *1983*). En littérature : 69,1 % des ventes.

En 1991, on recensait 220 collections de poche (79 éditeurs) et 21 906 titres disponibles en poche (10 503 auteurs).

• Traductions. En 1985, 2 867 traductions recensées par le Syndicat nat. de l'éd. et publiées par des éditeurs français dont de l'anglais 2 051, de l'allemand 275, de l'italien 169. 2 071 étaient des ouvrages littéraires.

Exportation des livres français

Total (en millions de F). *1984 :* 2 080, *1988 :* 2 305,5 dont Belg.-Lux. 621,8, Suisse 358,1, Canada 267,9, Italie 104,5, Arabie Saoudite 88,2. All. féd. 84,1, U.S.A. 81, Cameroun 77,7, G.-B. 67,7, Côte-d'Ivoire 66,2, Espagne 62,5, P.-Bas 45,2, Maroc 39,2, Algérie 38,3, Japon 36,5.

Prix des livres

Décomposition du prix d'un livre. *Prix public 107 F* (H.T. 100 F, T.V.A. 7 F), dont *auteur* (écrivain, illustrateur-photographe, traducteur), 10 % ; *éditeur* (comité de lecture, direction littéraire, service fabrication et maquette) 8 ; *imprimeur, façonnier* 20 ; *éditeur* (service commercial, attaché de presse relations publiques, pub., PLV-promotion, représentants) 7 ; *diffuseur* 6 ; *distributeur :* stockage-manutention 12, facturation, relais de distribution, grossistes en région 38. Point de vente détail selon le fournisseur contacté.

Décomposition du prix de fabrication **(moyen., en %).** *Ouvrage de litt. gén.* (de 290 p. tiré à 10 000 ex.). Impression 28, composition 27, papier 25, brochage 11, photogravure 4, pelliculage 2, divers 3.

Livre de classe, 4 couleurs, 352 pages, 198 000 ex., format 17 × 23 : composition 4,06 ; tirage 25,20 ; photogravure 16,61 ; pelliculage 3,03 ; papier 27,57 ; façonnage, cartonnage 24,53.

Prix de vente d'un livre. Il est souvent fixé à partir du prix technique multiplié par un coefficient de 4 à 5 selon les maisons.

Évolution du prix des livres et, entre parenthèses, indice général des prix (taux en %). *1980* + 16,5 (+ 13,6), *81* + 16,6 (+ 14), *82* + 12,3 (+ 9,7), *83* + 11,7 (+ 9,3), *84* + 5,7 (+ 6,7), *85* + 5,1 (+ 4,7), *86 (déc. 85/juil. 86)* + 3,6 (+ 1,1), *87* + 4,06 (+ 3,2).

Éditeurs

• Nombre. **Éditeurs (1987).** 10 000 (dont 5 000 ont au moins 1 titre disponible et 5 000 sont « épisodiques ou dormants »). **Entreprises d'édition** (1984). 3 742 (dont : n'ayant pas de salarié 1 839, ayant de 1 à 5 s. 1 322, de 6 à 9 s. 219, 10 à 99 s. 327, 100 s. et + 35) 400 répondant à l'enquête constituent l'essentiel de la profession et emploient env. 13 000 personnes. **Établissements** (1982). 3 923 (dont Paris 2 275, reste de l'Ile-de-France 584, Provence 229, Rhône-Alpes 169, Centre 75).

Éditeurs créés depuis 1973 (en 1988) et, entre parenthèses, disparus. 812 (352) dont *1988 :* 15 (0), *87 :* 25 (23), *86 :* 43 (31), *85 :* 35 (34).

Nombre d'entreprises créées de 1984 à 1989. 162 dont *- de 6 titres an. :* 75, *de 6 à 11 :* 41, *de 12 à 21 :* 26, *de 22 à 39 :* 13, *de 40 à 59 :* 5, *60 et + :* 2.

• Ventes de livres (au prix public HT) par circuit de distribution en 1987. 17 908 millions de F dont (en %) ventes par clubs 10,7 ; courtage 10,3 ; correspondance 9,7 ; aux grossistes détaillants 61,8 (dont non ventilés 16,2 ; librairies 34,5 ; grandes surfaces et magasins populaires 7,2 ; grossistes 3,9) ; aux collectivités et administrations 1,4 ; autres circuits 5,8 ; non ventilés 0,4.

• Statistiques des maisons les plus importantes. Le Synd. Nat. de l'Édition interroge chaque année env. 600 maisons et publie les résultats de celles dépassant 200 000 F de chiffre d'affaires, soit en 1988 : 392 maisons.

Titres déposés. En 1988 sur 392 éditeurs, 34 en ont déposé plus de 200, 15 de 150 à 199, 13 de 100 à 149, 43 de 50 à 99, 73 de 20 à 49, 70 de 10 à 19, 66 de 5 à 9, 60 de 1 à 4, 18 n'ont rien déposé.

Un éditeur reçoit de 200 à 2 000 manuscrits par an. En 1986, *Fayard* en a reçu plus de 2 000 et publié 150, *Robert Laffont* (1986) en a reçu 2 580 (sans compter les livres étrangers), et publié 177 (124 d'origine française, 53 étr. ; 3 ont dépassé 100 000 ex., 8 : 50 000, 20 : 20 000), *Flammarion* en a reçu 3 700 (220 publiés) et *Les Presses universitaires* 2 000 (300 publiés). En 1980, *Le Seuil* en a reçu plus de 3 500.

Chiffre d'affaires des 392 maisons en millions de F, H.T. (1988). **Marché intérieur et étranger.** Vente de livres 11 272, cession de droits 395 ; total 11 667 (dont étranger 1 264). **Part du chiffre d'affaires à l'exportation (en %).** *1981 :* 12,8 ; *84 :* 13,3 ; *85 :* 13,1 ; *86 :* 12,4 ; *87 :* 11,8.

Répartition des 392 maisons d'édition selon le chiffre d'affaires (1988). *100 millions de F et +* 21, *50 à - de 100* 27, *20 à - de 50* 43, *10 à - de 20* 45, *5 à - de 10* 45, *2 à - de 5* 71, *1 à - de 2* 54, *0,5 à - de 1* 42, *0,2 à - de 0,5* 44.

Variation du chiffre d'affaires (en % en F courants et entre parenthèses en F constants) par rapport à l'année précédente. *1981 :* + 8,8 (- 6,6) ; *82 :* + 13,96 (- 2) ; *83 :* + 8,3 (- 3,1) ; *84 :* + 8,1 [1] (+ 1,4) [1] ; *85 :* + 6,1 (+ 1) ; *86 :* + 4,9 (+ 0,1) ; *87 :* + 7,8 (+ 3,8) : *88 :* + 9,1 (+ 5,3).

Nota. - (1) Données corrigées (après réajustement par rapport à un taux de réponses plus faible). Ces chiffres ne comprennent pas les ventes des commissionnaires exportateurs, des diffuseurs ainsi que celles des principaux clubs français (France Loisirs, le Grand Livre du Mois).

Statistiques douanières (total des factures au niveau des commissionnaires comprenant frais de distribution et de port) : 9,5 milliards de F. En 1987, 21 maisons d'éditions ont réalisé un C.A. de 9,9 milliards de F (soit + de 4,9 %) ; 212 maisons sur 383 soit 53 % ont eu un C.A. inférieur à 5 millions de F (soit moins de 3,5 % de l'activité de l'ensemble du secteur en 1985).

Personnes travaillant dans l'édition (1988). 12 388 (direction, cadres 4 445 ; employés : 4 895 ; V.R.P. exclusifs 3 048). 18 maisons employaient plus de 100 personnes, 16 de 50 à 99, 37 de 25 à 49, 71 de 10 à 24, 71 de 5 à 9, 122 de 1 à 4, 57 n'ont rien déclaré.

Marché du livre en millions de F. Consommation des ménages (I.N.S.E.E.) : *1983 :* 12 200, *84 :* 13 000, *85 :* 14 100.

Ventes au détail par circuits en millions de F (1985) (source entre parenthèses). 9 744 dont librairies, maisons de la presse et autres points de vente au détail *(OEL)* 6 448, hypermarchés, supermarchés (SNMAS) 2 250, FNAC (FNAC) 699, grands magasins (FNECM) 314, magasins populaires (FNECM) 33.

Répartition des ventes de livres en magasins, en % (1984). Librairies traditionnelles 66, grandes surfaces (hypers et supers) 21,3, FNAC 6,9, grands magasins, mag. populaires et Stés à succursales 5,8.

Répartition des achats de livres de poche **(collections grand public).** Déclarations d'achat des consommateurs (en %). Circuit librairies 57 dont librairies spécialisées 25, librairies, papeteries, maisons de la presse 17, grands magasins 8, FNAC 5, kiosques, gares, drugstores, aéroports 2. Circuit alimentaire 24, vente par correspondance, clubs, groupements d'achat, soldeurs 19.

Principaux éditeurs de littérature générale. C.A. du secteur édition, en millions de F (1986). Hachette (branche livre France) 3 737 (1989) (avec la distribution), Presses de la Cité (Bourgois, Julliard, Le Rocher, Fleuve Noir, Plon, Olivier Orban, Presses de la Cité, France Loisirs) 2 500, Groupe Gallimard (Denoël, Mercure de France) 865 [dont Éditions Gallimard 425 (prix public HT 730) dont Folio 30 % (15 millions d'ex.), Jeunesse 28, Littérature 24, Pléiade et luxe 19], Flammarion 750, Robert Laffont (branche livre) 400, Le Seuil 250, Albin Michel 200, Belfond 106, Messidor 80, Calmann-Lévy (créée 1836) 50, Ramsay 30, Balland 25, Éditions de Minuit 20, La Découverte 20, Odile Jacob 18, Actes Sud 10, Bernard Barrault 10, Buchet-Chastel 6, Quai Voltaire 1.

• Investissements publicitaires de l'édition de livres, en millions de F (1986). Total 759 dont presse nationale 437,7, régionale 49,1, radio 228,9, affichage 21,6, TV nationale 16,5, régionale [1] 2,6, cinéma 2,3.

Nota. - (1) FR3 + RTL/TV + TMC.

Maisons d'édition dont les investissements sont supérieurs à 1 million de F **(en millions de F, 1985).** Atlas 95,3, Hachette y compris Le Chêne, Fayard, Grasset, Guides bleus, Le Livre de Poche, Marabout 85,5, Édition n° 1 38,2, Fabri éditions 30,7, Presses de la cité 30,6, Gallimard 23,5, Laffont 20,2, Flammarion 18,7, Seuil 17,5, Larousse 16,4, Nathan 9,7, Bordas 5,7, PUF 4,2, Le Robert 3,7.

Diffusion

Titres nouveaux publiés y compris principales filiales (1986). Hachette 2 600. Presses de la Cité, Robert Laffont, Larousse, Gallimard 680, Flammarion 600, Albin Michel 430, Seuil 250, Belfond 120, Ouest-France 100, Actes Sud 80, Calmann-Lévy (fondée 1836) 80, Balland 60, Éd. de Minuit 25, Fata Morgana 25, Lieu commun 25, Arléa 20, P.O.L. 15, Odile Jacob 14, Bernard Barrault 12, Éditions du Rouergue 6.

Rentabilité éditoriale 4,6 % en 1985 (moyenne pour 1 500 sociétés).

☞ Depuis *la loi Lang* (entrée en vigueur le 1-1-1982), lorsqu'un livre est réédité en vue de sa diffusion par correspondance ou par un club, son prix doit être au moins égal à celui de la première édition pendant 9 mois.

Parts du marché (en %). Hachette 28, Messageries du livre (Presses de la Cité) 22, SODIS (Gallimard) 13, Larousse 11, Inter-Forum 8, Nathan 6, Union-Diffusion (Flammarion) 6, Bordas 5, Seuil 2.

Organismes de diffusion

1°) Organismes de distribution communs (entre parenthèses principaux éditeurs qu'ils distribuent) :

Hachette-Centre de distribution du livre. Installé à Maurepas (44 000 m² pouvant abriter + de 50 millions de volumes, et servir 22 000 points de vente, v. index). *Éditeurs du groupe Hachette diffusés en exclusivité :* Hachette (créé en 1826 par Louis Hachette 1800-64), Hachette guides voyage, Hachette éducation, Hachette dictionnaires, Hachette jeunesse, Hachette littérature, Adès livres/cassettes, Le Chêne, Dupuis, Édicef, Édition n° 1, Éditions De Fallois, Fayard/Mazarine, Filipacchi/Sonodip, Flet, Grasset, Harlequin, Lattès, Librairie générale française (Livre de poche), Librairie des Champs-Élysées (Le Masque), Licet, Marabout, Média 1000, Pauvert, Stock, Techniplus, Éditions Gérard de Villiers. *Éditeurs extérieurs diffusés en exclusivité :* Acropole, Albert René (Astérix), Alpen Publishers, Auzou, Belfond, Carrère, Champerard, Éditions Compagnie 12, Éditions 1900, Éditio/Citadelles, Escaig, Éditions Fixot, Générique, Grancher, Himalaya, Humanos SA, Éditions La Manufacture, de Maule, Michel Lafon, Nepal Publishers, Nouvelle histoire de Paris, Nouvel Observateur, Novedi, Éditions NRJ, Pré aux Clercs, Presses de Lutèce, Presses de la Renaissance, Rosea Sévigny, Savoir lire, Seca Rousseau, SPE, Tallandier, TF1 Éditions, VEO Éditions, Groupe Colin. *Éditeurs « audiovisuels » distribués :* Adès, Delta Vidéo, Film Office, TF1 Vidéo... 10 centres régionaux (CRDL), 1 livre-service Paris/Vanves (LSH), 13 livres-services régionaux (LSR). 20 000 points de vente. Volumes manipulés 140 000 000. *Hachette Industrie et Services :* distribution, diffusion (Maurepas) + 10 centres régionaux de distribution du livre, 1 livre-service Hachette, 3 livres-services régionaux. Imprimeries (Brodard & Taupin, Arts Graphiques Modernes). Informatique Groupe livre. Hachette Diffusion Services. *Éditeurs extérieurs distribués :* BUEB des Reumaux, Licet, Éditions de la Seine, Auzou, Champenard, Escaig, Hermé, de Maule. 11 centres régionaux, 10 livres-services régionaux, 1 parisien. 15 000 points de vente dont plusieurs milliers uniquement desservis par ce réseau. *Volumes vendus :* 120 000 000 (littér. gén. 42 %, poche 22 %, policiers 5 %, jeunesse 16 %, classique 15 %).

Sodis. *C.A. (en milliards de F, 1990) :* 1,88 (H.T.). *Livres vendus :* 38 000 000 ex. *Éditeurs distribués en librairie au 1-1-1991. Gallimard. C.D.E. (1 et 2) :* (1) : Alésia, Alinéa, Arpenteur, Amnesty, C.F.P.J., Champ Vallon. Découverte, Deforges, Denoël, Galilée, Gonthier 5.5. Pauvert, L'Herne, Lieu Commun, A.-Marie Métailié, J.-P. de Monza, OFUP, Ramsay, Syros, Tsuru ; (2) : Boîte à documents, François Bourin, Buissonnières, Désinvolture, Dilisco Magnard, Dilisco Mango, Du Rocher, First, Fanval, Futuropolis, Gisserot, Imprimerie Nationale, Philippe Lebaud, Gérard Lebovici, Losfeld, Luneau Ascot, Maren Sell, Mercure de France, Payot Paris, Jean Picollec, Prat-Europa, Promeneur, Pygmalion, Quai Voltaire, Salvy, Scala, Table Ronde, Terrain Vague, Thames and Hudson, Universalis, Vagabondages, Wander Chine. *Sofedis :* AAJME, ARTM, Atelier BD Bayard, Bayard Presse, Elina, Centurion Co éditions, Centurion Jeunesse, Centurion, CFRT, Chotard et associés, Critérion, Éditions Walther, Liaisons et convergence de l'œil, Ouvrières, Ravensburger, Feu nouveau, Image Magie, Instant, Le Journal des Psychologues, Le Livre de la Famille, Missel du Dimanche, Nord Sud, Panorama, Payot-Lausanne, Presses Ile-de-France, SEESAM, Textes cardinaux, Ulisse Editions, Vandystadt, Philippe Viard, Vivre en harmonie, Winning International. *Messidor :* Farandole, Librairie du globe,

Répartition des achats de livres par circuits, en %, 1985 (en valeur)

	Librairies spécialisées	GMS (dont FNAC)	Courtage	VPC	Clubs	Autres lieux	Total
Littérature	42,7	17,1	1,4	5,6	28,7	4,5	100
Livres pratiques	34,6	19,6	2,8	16	21,8	9,2	100
Dictionnaires et encyclopédies	10,7	6,6	50,4	15,2	13,8	3,3	100
Beaux livres et livres d'art	34,8	12,1	19,6	11,5	9,2	12,6	100
Jeunesse (humour et BD)	39,6	34,1	0,8	7,8	11,9	5,8	100
Scolaire	66,6	6,3	0,1	0,7	0,2	28,1	100
Sciences et techniques	51,9	10,4	15	8,1	3,7	10,9	100
Autres	27,4	15,3	–	10,4	18,5	28,4	100
Total achats par circuits	**35,4**	**15,6** [1]	**13,6**	**8,7**	**21**	**5,7**	**100**

Nota. – (1) Dont FNAC : 4 %. *Source :* Panel de consommateurs.

Messidor, Sociales, Temps Actuels. *Éditions des Femmes.*

Inter Forum (*créé* 1972, fusion d'Inter f. en août 1949, Forum *fondé* août 1963). *Éditeurs diffusés :* Robert Laffont, Seghers, Quid, Albin Michel, Le Robert, Sélection du Reader's Digest, C.E.P., Berger Levrault, Ouest-France, Éd. de l'Homme, Éd. du Jour, Cercle d'art, Phébus, Favre, Arbalète, Bottin Gourmand, J. Legrand, Calmann-Lévy, Éditions de Conti, l'Age d'homme, Usborne Publishing, Le Seuil (en grande surface). *C.A. 1990 :* 786 000 000 F. *Nombre de livres vendus :* 9 000 000.

Messageries du Livre, filiale des Presses de la Cité. *Éditeurs distribués :* groupe « Les Presses de la Cité » (Pr. de la Cité, Presses Pocket, G.P. Rouge et Or, Solar, U.G.E., 10/18, Plon, Lib. Ac. Perrin, Julliard, Fleuve Noir, Ch. Bourgois, Orban, M.A. Éditions, Pélican, Collin Maillard, Garancière). *Autres éditeurs :* Albert René (Astérix), Fluide Glacial, Bretecher, Les Archers, Chasse et Sports, Graton Éditeur, Guide Susse, Usborne, Guide Figaro du C.V., Séguinière, Le Rocher-Milan, Sept Vents, Alpen Publications. *C.A. net H.T. (1987) :* 520 000 000 F. Livres vendus 26 700 000 (litt. gén. 13 %, format de poche 30 %, policiers 33 %, jeunesse 9 %, B.D. 15 %).

U.D.-Union Distribution. *Éditeurs distribués :* Actes Sud, A.M. G., Arthaud, Aubier-Montaigne, Audie/Fluide glacial, Flammarion, Flammarion médecine-sciences, Garnier-Flammarion, J'ai lu, Phaidon, Père Castor, Skira, CNAC Georges-Pompidou, La Maison rustique, Le Ballon, P.O.L., Horay, Barrault, Flamme, Vivisques. *Livres vendus :* 23 000 000.

Le Seuil. *Éditeurs diffusés et distribués :* Alternative, Autrement, Cahiers du Cinéma, José Corti, Odile Jacob, Minuit, Ministère de la Culture, Navarin, Presses de Taize, Rivages, Seuil.

2°) Maisons assumant elles-mêmes leur diffusion : P.U.F., Larousse (6 %), Calmann-Lévy, Éditions d'organisation, Éditions du Cerf [*Fondées* 1929 par les Dominicains. *1956* éd. de la *Bible de Jérusalem. 1974 Traduction œcuménique de la Bible. Titres en stock :* 3 200. *C.A. (1990) :* 70 millions de F. *Personnel :* 75. *Ouvrages vendus :* 800 000/an (sc. religieuses, philosophie, histoire) + 8 revues.], Bordas-Dunod-Gauthier-Villars, Mazenod (pour 2/3), etc.

Les livres scientifiques et techniques, édités principalement par Bordas (fusion avec Dunod/Gauthier-Villars en 1974), P.U.F., Masson, Éd. d'organisation [Créées 1952, font partie du Groupe Eyrolles depuis 1965, ayant repris en 1983 « Hommes et techniques ». Sont diffusées par un réseau relativement étroit de librairies spécialisées mais aussi par le réseau des « Librairies des entreprises » créé à leur initiative].

Librairies

• Nombre en France. *Points de vente :* 25 000. *Entreprises vendant régulièrement des livres :* 20 800 (600 librairies générales, 4 000 papeteries, 1 200 bibliothèques de gare, 15 000 divers : tabacs, kiosques, etc.). Il y aurait 10 000 points de vente du livre *stricto sensu,* soit de 600 à 700 rayons de librairie de grandes surfaces et 9 400 librairies dont 5 700 petites à choix restreint et traditionnel, 1 900 petites à choix diversifié ou spécialisées, 1 100 moyennes et importantes (dont 850 très actives et 250 employant + de 10 personnes). 30 librairies réalisent plus de 10 000 000 F de C.A. La moitié des librairies sont à Paris. 50 % des ventes de nouveautés et d'ouvrages de grande portée intellectuelle sont réalisés dans 4 arrondissements de Paris : 5e, 6e, 7e, 16e.

De nombreuses librairies vendent à côté des livres : papeterie (45 % du C.A.), journaux (15 à 30 %), objets d'art et de piété (1,5 à 4 %), dessins (1,5 à 3,5 %).

Nombre d'habitants pour 1 grande librairie : Paris (5e, 6e, 7e) 1 200 à 1 600 ; Lyon (2e) 1 500 ; Marseille (centre) 1 700 ; quartiers urbains populaires : 90 000 à 100 000.

• Titres disponibles. Env. 250 000 sur le marché. L'assortiment moyen d'une libr. générale comprend de 10 000 à 20 000 livres, un assortiment important de 20 000 à 50 000 titres (40 à 80 000 volumes).

• Librairies les plus importantes du monde. *Foyle* à Londres : vente 5 000 000 de livres par an, stock 4 millions d'ouvrages sur 27 km de rayons. A *Hay-in-Wye* (Pays de Galles) plus grande librairie d'occasion (3 millions d'ex. par an, 250 000 visiteurs).

De France. **Province :** *FNAC-Lyon :* voir ci-dessous. *Le Furet du Nord S.A. : C.A. (1989-90) :* 263,5 millions de F (T.T.C.). 260. *Surface de vente* 10 100 m² dont Lille 4 500 [f. 1959, *C.A.* (1990) 183,7 millions de F, 150 000 titres, 500 000 livres en stock, 180 employés, environ 20 000 visiteurs par jour. 1 400 000 livres vendus par an], Valenciennes 1 100 (f. 1982), Maubeuge 400 (f. 1983), Tourcoing 400 (f. 1984), Lens 900 (f. 1986), Douai 600 (f. 1988), Arras 800 (f. 1989), Boulogne-s/-Mer 600 (f. 1990), St-Quentin 800 (f. 1990).

Paris. **La FNAC (Féd. nat. d'achats).** *Créée* 1953 par 2 anciens militants trotskistes (*1977,* contrôle par le mouvement coopératif. *1985,* par la Garantie mutuelle des fonctionnaires). Débute avec la photographie ; *1974 mars,* ouvre une succursale librairie

Hachette

Capital. 51,6 % détenus par Marlis (détenu 41,7 % par Multi Media Beaujon dont le groupe J.-L. Lagardère a 38,76 %) dont Filipacchi 35, Crédit lyonnais 12, Floirat 11,3. *Pt :* J.-L. Lagardère (10-2-1928). *Dir. gén. :* Jacques Lehn (15-7-1944). *Dir. gén. groupe livre :* Lisi Machio (n. 3-6-1945). *C.A.* (en milliards de F, 1990) : 30 [dont (en %) distribution de magazines, de journaux, de tabac et d'articles détaxés 37, publications de magazines et journaux 33, édition 23, production radio, TV, cinéma 7] dont (1988) étranger 50 %, édition 5,77 (dont Hachette France 3,62 ; Grolier 2,15). Vente directe 1,2 ; littérature générale 0,419 ; grande diffusion 0,576 ; éducation 0,378. Fonds propre 2,5, endettement 10, bénéfice net 0,327 (hors plus-value 0,323). *Effectifs :* Hachette Fr. 6 056, Grolier 6 057, Salvat 3 200.

Activités au 15-5-1988. France : *Littérature générale :* Hachette littérature [1] (participations en % : Dupuis 48, J'ai Lu 35,2, De Fallois 33, Éditions de la Seine 10, La Table Ronde 10), Grasset et Fasquelle [1907, Grasset fondée par Bernard Grasset (1881-1955), 1954 filiale Hachette, 1967 fusion avec Fasquelle. C.A. : env. 100 millions de F. Pt : J.-Cl. Fasquelle (40 salariés)], Fayard, Lattès, Stock, Le Chêne, Éditions no 1. *Éducation :* Hachette Classiques [1], Hachette Édition et Diffusion Francophones [1], Edicef, Librairie Pédagogique du Centre. *Vente directe :* Livre de Paris, Rombaldi, Quillet. *Grande diffusion :* Hachette Jeunesse [1], Hachette Bandes dessinées [1], Libraire Générale Française (Livre de poche), Librairie Champs-Élysées, Média 1000, Cie Intern. du Livre, Harlequin, Gérard de Villiers (dep. 1987, avant aux Presses de la Cité), Adès.

Filiales Hachette. *Europe :* Marabout : Belgique. Diffulivre : Suisse. Grolier Hachette International : Irlande, Italie, Suisse, Turquie. Salvat : Espagne. Progress-Hachette : U.R.S.S. *Amér. du Nord :* Grolier : U.S.A., Canada. C.E.C. : Canada. *Amér. latine :* Difédi : Argentine, Chili, Colombie, Costa Rica, Équateur, Mexique, Pérou, Venezuela.

Nota. – (1) Départements de la maison mère.

C.E.P. Communication

Filiale de Havas. *Pt :* Christian Brégou (19-11-1941). *C.A. global* (en milliards de F) : *1989* 7,7. *1990 :* 8,7, *consolidé* (ne prend en compte que 50 % des activités édition) *1988 :* 4,22, *89 :* 4,85 (dont branche information 2, édition 2,85), *résultat net* consolidé *1988 :* 0,244, *89 :* 0,328, *90 :* 0,367.

• Branche édition. Groupe de la Cité. *Pt. :* Christian Brégou. *Constitué* 1988 par le rapprochement des Presses de la Cité, alors filiale de la Générale occidentale (groupe C.G.E.) qui rassemblaient plusieurs maisons d'édition dont Bordas, Plon, Perrin, Juilliard, Christian Bourgois, 10/18, Orban, Solar, Rouge et Or, etc., et du groupe Larousse-Nathan (constitué 1984 par C.E.P. Communication). *Capital :* détenu à 68 % par le holding Hoche-Friedland [(*Pt. :* Willy Stricker) possédé à 50 % par C.E.P. Communication et 50 % la Générale occidentale]. Détient à 100 % Larousse (intégré par la C.E.P. 1983), Nathan (intégré par la C.E.P. 1979), Bordas, Dalloz (formé 1845, C.A. 1988 : env. 150 millions de F), Presses de la Cité (v. ci-dessous), Le Robert, Robert Laffont (dep. 1990), et 50 % de France Loisirs. *Distribution :* Messageries du livre, Interforum (32 %). *C.A.* consolidé (millions de F.). *1989 :* 5 692 dont maisons d'édition 4 528 (dont Nathan Edition, Nathan jeux 1 540, Presses de la Cité 1 064, Larousse 1 035, Bordas 707, Dalloz 88, autres 94), France Loisirs et ses filiales (50 %) 1 469. *1990 :* 6 250. *Résultat net : 1989* 3 100, *90* 3 500. *Effectifs :* 8 000 personnes. *Titres nouveaux publiés par an :* 2 800. *Volumes produits par an :* 93 millions.

Presses de la Cité. *Créées* en 1947 par Sven Nielsen. *Pt des Presses de la Cité :* jusqu'en févr. 1988 Bruno Rohmer (1941) (avant dir. gén. de Havas, dir.-adjoint de la C.E.P., en janvier 85 dir. du groupe Larousse, mai 87 Pt du groupe de la Cité). 19 maisons d'édition. *Littérature générale :* Presses de la Cité, Plon, Bourgois, 10/18, Julliard, Perrin, Fleuve noir. *Poche :* Presses Pocket. *Scolaire, jeunesse :* Bordas [1], Rouge et Or. *Encyclopédies, ouvrages universitaires et professionnels :* Bordas (a repris les classiques Garnier), Solar, Dunod, Gauthier-Villars, etc. *Distribution :* Messageries du Livre (M.D.L.). *C.A. :* 1 milliard de F. Club France Loisirs (créé 1970), dont les Presses détiennent 50 % (Bertelsmann en détient 50 %).

Nota. – (1) **Bordas :** *1944* Pierre Bordas (né 5-7-1913) et Henri Bordas (1903-1967) créent les Éditions françaises nouvelles. *1946* deviennent Éditions Bordas. *1971* prennent le contrôle des Éditions Dunod et de ses filiales dont Gauthier-Villars. *1976,* rachètent les Éditions Pédagogie Moderne. *1981* reprennent « Technique et Vulgarisation » et le fonds Elsevier de langue française. *1985 (avril)* sous le contrôle des Presses de la Cité. *1988* acquièrent le fonds Garnier, la Sté Privat à Toulouse ; *juin* composante du Groupe de la Cité.

• Branche information. C.E.P. Communication. *Capital :* détenu par Havas 36 %, la Générale Occidentale 24 %, Suez 8 %, marché au règlement mensuel 32 %. *Créé* fin 1975. *C.A. 1989 :* 4,85 milliards de F. *Détient* à 100 % Groupe Usine Nouvelle, groupe L.S.A., Information et technologies, groupe Test, publication du Moniteur, groupe France agricole et plusieurs stés organisatrices de salons (participation minoritaire dans le Nouvel économiste). *Contrôle* env. 100 journaux spécialisés dont 70 en France et 30 étrangers.

☞ Havas. *Capital :* détenu à 45 % par un noyau dur. *Détient* 32 % de C.E.P. Communication et 30 % d'Audiofina qui détient 56 % de la C.L.T.

rue de Rennes en pratiquant le rabais systématique ; *1989,* exploite 29 librairies ; *1990,* 3 nouvelles librairies ouvertes : Tours, Toulon, St-Étienne. *En France :* 25 dont Paris 3 (Forum des Halles, Montparnasse, Étoile), banlieue 3 (Parly 2, Créteil, La Défense), province 19 (plus grande Lyon, plus petite Colmar). *Volumes vendus (1989) :* + de 18 millions. *C.A. (1989) :* 997,4 millions de F (H.T.). *En Belgique :* 4 (Bruxelles, Gand, Anvers, Liège). *C.A. (1989) :* 125 millions de F français. En 1990, ouverture de 4 nouvelles librairies : Tours, Toulon, St-Etienne, Paris (librairie internationale dans le quartier latin). *C.A. du groupe (1986) :* 3,7 milliards de F (H.T.) dont en % : électronique 37, disque 23, photo et livre 20. Déficitaires, les magasins d'articles de sport ont été vendus en 1986-87. **Principales librairies.** *Paris. Forum des Halles :* fondée 4-9-1979, surface de vente 1 850 m², titres disponibles 150 000, volumes en stock 700 000, C.A. (1989-90) 275 millions de F (H.T.). Visiteurs par j. 18 000, livres vendus par an 4 500 000. *Paris-Montparnasse :* fondée 13-3-1974, surface de vente 1 400 m², titres disponibles 120 000, volumes en stock 500 000, *C.A. (1989-90)* : 196 millions de F (H.T.). Visiteurs par j. 10 000, livres vendus par an 3 000 000. *Lyon :* 755 m², 80 000 titres. C.A. (*1989-90*) : 66 millions de F (H.T.). **Part de marché des librairies FNAC** : 9 % de la vente au détail (1er libraire de France).

Les Presses universitaires de France (49, bd St-Michel, Paris) : 60 000 000 F en 1988 (uniquement en livres). 160 000 titres. Effectif : 72 personnes. C.A. (1988) : 4 000 000 de F. Service de vente par correspondance. Pochothèque : 17, rue Soufflot, Paris.

Gibert Jeune. Un des successeurs de la Librairie Gibert, *fondée* oct. 1886 par le Pr Joseph Gibert. *Surface de vente :* 3 300 m². Titres 150 000, *livres en stock :* 900 000. *C.A. (1990) :* 210 millions de F (dont librairie 180). *Clients :* 1 500 000 par an, 5 000 par jour en moyenne, 200 000 en sept. *Livres vendus :* 2 900 000 par an, 9 500 par jour, 550 000 en sept.

• Remise aux libraires. **Avant le 1-1-1979.** % touché par le libraire sur le prix de vente conseillé par l'éditeur. Livres scolaires : 20 à 30 % ; de littérature : 33,3 % ; techniques et scient. : 10 % ; d'érudition : 10 %. Le % était souvent plus important pour les commandes importantes ou à partir d'un certain C.A. annuel. *Du 1-7-1979* (entrée en vigueur de l'arrêté Monory du 23-2-1979) *au 1-1-1982,* il n'y eut plus de prix conseillé. L'éditeur cédait au libraire le livre à un prix de base que celui-ci était libre de majorer à son gré pour la vente au public. **Depuis le 1-1-1982** (entrée en vigueur de la loi Lang du 10-8-1981 sur le prix du livre, suivie du décret du 3-12-1981 et de la circulaire du 30-12-1981) l'éditeur est tenu de fixer un prix de vente public. Il détermine à partir de ce prix la marge commerciale du libraire en calculant des remises qualitatives devant être supérieures aux remises quantitatives. Le libraire ne peut vendre de livre qu'au prix public (avec une marge de 5 % au max.) sauf s'il vend à des bibliothèques, établissements d'enseignement, de recherche et de formation profess. Il peut consentir des prix réduits sur les livres édités depuis plus de 2 ans, et dont le dernier approvisionnement remonte au moins à 6 mois. L'arrêt du 10-1-1985 de la Cour de Justice de la Commun. européenne reconnaît la compatibilité de cette loi avec les règles communautaires de la concurrence.

Commissionnaires et grossistes de livres. Remise de 40 % ou plus. *Nombre :* 2 très importants, 4 ou 5 importants, plus un nombre difficile à déterminer de moins importants dont une vingtaine en province. Certains éditeurs ont créé des agences et des dépôts régionaux pour hâter l'approvisionnement.

Vente par correspondance et par courtage

• Nombre d'adhérents des clubs de livres en millions et entre parenthèses % de la population du pays. All. féd. 6 (10), *France 5 (9),* G.-B. 2,4 (4), Italie 1,8 (3), Pays-Bas 1,5 (10), Suisse 1,5 (23), Espagne 1,2 (3), Autriche 1,1 (14), Belgique 0,8 (8), Portugal 0,4 (4).

Le groupe Bertelsmann occupe le 1er rang dans tous les pays d'Europe sauf en Italie où il est devancé par Mondadori, en Suisse après Migro, et en Scandinavie.

Principales maisons en France
(Chiffre d'affaires en millions de F)

• France Loisirs (50 % Presses de la Cité, 50 % Bertelsmann). *Fondé* en France en 1970. Distribution par correspondance et par points de vente (191 en France). Romans, récits, encyclopédies, guides pratiques, beaux livres, histoire, livres pour enfants, disques, jeux et vidéo ; catalogue trimestriel. *Statistiques 1990 :* adhérents : 4 300 000 servis chaque trim. Ventes de livres : 27 000 000 ; disques : 3 200 000 ; jeux : 750 000. *C.A. (1990 :* 2,43 milliards de F. Bénéfice net 267,4 millions de F. *Meilleurs tirages* (en milliers d'ex.) : *Larousse encyclopédique en 22 vol.* 20 500, *la Comédie humaine* (H. de Balzac, 28 vol.) 2 300, *le Royaume du Nord* (B. Clavel, 6 vol.) 2 100, *la Grande Histoire des Français sous l'Occupation* (H. Amouroux, 8 vol.) 860, *Jamais sans ma fille* (B. Mahmoody) 620, *la Gloire de mon père* (M. Pagnol) 504, *la Bonne Cuisine d'aujourd'hui* 416, *le Grand Guide touristique de la France* 415, *les Routes de Pékin* (P.L. Sulitzer) 290.

Ces livres ne paraissent que 9 mois après l'édition originale et sont vendus en moyenne 65 F (sans le port), ce qui correspond à env. 75 % du prix de l'édition ordinaire, mais ce sont des ouvrages reliés avec jaquette.

Musique. 20 disques d'or dont 3 disques classiques (100 000 ex.) pour chaque disque d'or.

• Grand Livre du Mois (Le). *Capital :* G.L.M. SA 100 %. *Adhérents : 1977 :* 220 000, *89 :* 650 000. Club de livres (actualité littéraire), ces livres paraissent en même temps que les éditions ordinaires et sont vendus au même prix mais ils sont reliés avec jaquette. *C.A. (1990) :* 560 MF H.T. ; 4 200 000 vol. expédiés (2e place en France dans la vente de livres par correspondance).

• Hachette (Rombaldi racheté le 18-3-88 à La Redoute). VPC : Astérix 130 000, l'Intégrale de Lucky Luke 115 000, Fichier animal, Œuvre intégrale d'Hergé (Tintin) 119 000, Tout Franquin (Spirou, Gaston). *C.A. (1989) :* 110,7 MF.

• Livre de Paris (Le). *Courtage :* notamment Encyclopédie générale Hachette et Tout l'univers (15 vol., 1 900 000 ex. vendus en 19 ans). *Par correspondance :* ouvrages pratiques, ouvr. pour enfants ; licencié de Walt Disney. *C.A 1989 :* 1 245 MF.

• Robert Laffont. VPC (collections à caractère encyclopédique et culturel). 900 000 ouvrages par an. Histoire : Histoire de France et des Français, Grand Dictionnaire de l'histoire de France, Les Grands Empires. Nature : Encyclopédies du commandant Cousteau. Culture : Usuels du Robert, Peuples du monde entier, Monuments et merveilles du monde entier. Nouveautés : Hauts Lieux de la spiritualité, Grand Fichier du commandant Cousteau, Les Trois Cuisines de France. *C.A. (1986) :* 85 MF.

• Sélection du Reader's Digest France. *C.A.* (de juillet 1989 à juin 90) : 907 MF.

• Time-Life (1 300 000 ex.) : C.A. 92 MF (1980, prév.).

De plus, quelques grandes maisons d'édition (l. scientif. et techn. notamment) ont, outre leur réseau traditionnel, un important service de vente par correspondance. La plupart de ces maisons sont regroupées au sein du Syndicat des entreprises de vente par correspondance.

• **Hypermarchés** (enquête réalisée sur 513 hyper. pour 1983 : sans tenir compte de la taille des magasins). *Rayon librairie.* Linéaire au sol : 45,5 m ; chiffre d'aff. : annuel (moyenne), 3 897 470 F (1,13 % du C.A. moyen de l'hyper.) ; par mètre linéaire au sol : 85 658 F ; par employé : 1 694 552 F.

Chiffre d'aff. (par catégorie de livres en %). Grande diffusion : 19,7 ; litt. générale : 19,8 ; l. pratiques : 11,5 ; l. cadeaux : 6 ; l. pour la jeunesse : 33,3 ; encycl.-diction. : l. parascolaires : 9,7.

Marché du livre en hypermarché. Nombre d'hyper. au 31-12-1983 : 513 ; chiffre d'aff. libr. (1991) : de 1 à 1,5 % du C.A. du magasin ; part des hyper. dans le marché du livre (1991) : 18 % (avec les grands magasins et les supermarchés). Titres disponibles : de 5 000 à 15 000.

• **Magasins populaires** (enquête auprès de 2 chaînes rassemblant 80 % des mag. pop., 1982). *Rayon librairie* (moyenne). Linéaire au sol : 8 m ; chiffre d'affaires annuel : 1 764 170 F (0,55 % du C.A. total) ; par m. linéaire au sol : 22 058 F, par employé : 88 235 F.

Chiffre d'aff. par catégorie de livres (en %). L. pour la jeunesse : 42,6 ; grande diffusion (poche) : 33,9 ; litt. gén. (dont best-sellers, l. pratiques et l. cadeaux) : 16,9 ; diction. : 6,6.

Marché du livre dans les magasins pop. Nombre de magasins pop. : 661 ; % des magasins pop. dans le marché du livre : 1,2 %.

Centre national des lettres

Statut. Établissement public (53, rue de Verneuil, 75007 Paris) à caractère administratif, doté de la personnalité civile et de l'autonomie financière, placé sous la tutelle du ministère de la Culture et de la Communication. *Pt de droit* le directeur du livre et de la lecture au ministère. Organisation et missions définies par la loi du 11-10-1946 modifiée et complétée par la loi du 25-2-1956 et les décrets du 14-6-1973 et du 30-1-1976.

Missions. **Favoriser la création littéraire :** aides à la création pour permettre aux auteurs qui ont publié au moins un ouvrage à compte d'éditeur de se consacrer à leur œuvre sans contrainte, au moins le temps d'une année sabbatique, d'une bourse de création ou d'encouragement de 39 000 à 100 000 F ; aides sociales aux auteurs qui rencontrent des difficultés passagères ou écrivains âgés. **Aider l'édition :** prêts aux éditeurs pour la publication d'ouvrages d'art, litt. française, étrangère, pour la jeunesse, scientifique et technique, philosophie, sc. de l'homme et de la société, bande dessinée ; subventions pour la publication de textes contemporains de théâtre ou de poésie, d'ouvrages de bibliophilie, d'actes de colloques, de revues, et pour la mise en œuvre de certains grands projets. **Faciliter la traduction d'œuvres étrangères :** aides aux traducteurs : allocations ou bourses, aux éditeurs : subventions à la traduction ou prêts pour la publication d'ouvrages traduits. **Encourager l'animation littéraire :** subventions aux manifestations et aux associations à vocation littéraire. **Développer la lecture publique :** subventions aux bibliothèques pour l'achat de livres.

Nota. – Depuis 1984, une partie de ces tâches est assurée par des Centres régionaux des lettres, ou Offices régionaux du livre, créés par certains établissements publics régionaux avec l'aide du Centre national des lettres.

Actions menées en 1990. 17 années sabbatiques (120 000 F chacune), 36 bourses de création (60 000 F chacune), 36 bourses d'encouragement (40 000 F chacune), 18 bourses de traduction, 11 bourses de créateurs-résidents, 18 bourses de préparation.

Aides en 1990 (en millions de F). Bibliothèques (crédits d'achat de livres) 69, éditeurs (prêts sans intérêts et subventions) 41, auteurs (bourses et allocations) 12, vie littéraire (animations et associations) 10.

Ressources. **Budget** (en millions de F) *1976 :* 10, *1990 :* 147 (provient essentiellement du « Fonds national du Livre » alimenté par la redevance de 2 taxes parafiscales : 0,20 % sur tous les ouvrages vendus en librairie, dont sont dispensés les petits éditeurs (20 millions de F en 1990), 3 % sur la vente de tout matériel de reprographie (102 millions de F en 1990).

Dépôt légal

Modalités. Régi par la loi du 21-6-1943 complétée par 6 décrets : 21-6-1943 (modalités d'application), 17-7-1946 et 17-6-1964 (application aux D.O.M.-T.O.M.), 21-11-1960 (délais de dépôt), 30-7-1975 (œuvres audiovisuelles), 23-5-1977 (films). Pour les médailles, loi du 28-6-1929. Y sont soumis les imprimés de toute nature (livres, périodiques, brochures, estampes, gravures, cartes postales illustrées, affiches, cartes de géographie et autres), les œuvres musicales, photographiques, cinématographiques, phonographiques mises publiquement en vente, en distribution ou en location, ou cédées pour la reproduction. Sont exclus les travaux d'impression dits de ville, dits administratifs ou de commerce.

Imprimés. Dépôt à effectuer en 6 ex., dans les services du dépôt légal dépendant de la Bibl. nat. (58, rue de Richelieu, 75084 Paris Cedex 02). 4 déposés par l'éditeur 48 h avant la mise en vente, 2 déposés par l'imprimeur dès l'achèvement du tirage (à la Bibliothèque nationale pour les ateliers de la région parisienne, ou dans une des 19 bibl. municipales habilitées en province). Tous les exemplaires du livre doivent porter la mention du nom de l'imprimeur, du lieu de sa résidence, de l'année et du mois de son édition, et les mots « Dépôt légal » suivis de l'indication de l'année et du trimestre au cours duquel le dépôt est effectué. Pour les nouveaux tirages, l'indication de l'année où ils sont réalisés est obligatoire. Le nombre d'exemplaires déposés peut être inférieur pour certaines œuvres imprimées (ouvrages de luxe, estampes au tirage peu important...).

Œuvres audiovisuelles. Dépôt de 2 ex. du producteur et de l'éditeur (ou du diffuseur), à la Bibliothèque nationale. Tous les envois sont acheminés en franchise postale et doivent être accompagnés d'une déclaration en 3 ex. sur papier libre mentionnant (pour l'éditeur) : titre de l'ouvrage, nom et adresse de l'auteur, de l'éditeur, de l'imprimeur ; date de mise en vente, prix, tirage, format et nombre de pages.

L'éditeur doit aussi déposer 1 ex. au *service du Dépôt légal du ministère de l'Intérieur* (3, rue Cambacérès, 75008 Paris) qui, avec celui de la Bibl. nat., « constitue un service commun dénommé Régie du Dépôt légal ». Les périodiques édités en dehors de Paris sont déposés à la préfecture du département. Les éditeurs de périodiques sont, en outre, astreints aux dépôts administratifs et judiciaires (loi du 29-7-1881, modifiée par la loi du 31-12-1954), et ceux de publications pour la jeunesse à un dépôt au min. de la Justice (loi du 16-7-1949).

• **Statistiques.** En 1979, le Dépôt légal a reçu 36 924 volumes, 489 287 fascicules périodiques, 3 375 feuilles et 408 volumes et notices de cartes et plans, 1 081 gravures, 1 414 photographies, 2 806 affiches, 405 médailles frappées, 62 planches de timbres, 2 536 partitions musicales, 12 546 phonogrammes, 4 438 diapositives.

En 1982, la *Bibliographie de la France* a publié 20 360 notices recensant 22 719 volumes dans la partie « Livres », et dans ses suppléments, 4 932 notices de publications en série (périodiques, annuaires, collections), 2 352 de publications off., 690 d'œuvres music., 759 d'atlas, cartes et plans. Catalogue tous les ouvrages quels qu'ils soient. Les publications décrites dans les notices de la Bibliographie de la France sont uniquement des publications françaises reçues par dépôt légal.

La différence entre le nombre d'enregistrements au Dépôt légal et le nombre des ouvrages annoncés à la Bibliographie de la France tient au fait : 1° que le Dépôt légal numérote chaque volume (unité matérielle) déposé, alors que la *Bibliographie de la France* annonce des titres d'ouvrages ; 2° que de nombreuses publications officielles des administrations et organismes publics et privés (recueils de circulaires, rapports annuels, etc.) ne sont annoncées qu'à l'occasion du dépôt du 1er numéro.

Censure

Instituée en *1741* par Louis XV, pour remplacer la censure religieuse, aux mains de la Sorbonne (voir index). Jusqu'en 1789, il y eut 79 censeurs chargés d'autoriser ou d'interdire la parution de livres, selon leur moralité (belles-lettres 35, théologie 10, jurisprudence 10, etc.). Montesquieu, Rousseau, Voltaire furent imprimés en Suisse, Hollande, Angleterre. *1789* l'Assemblée constituante abolit la censure. *1791* cette abolition est inscrite dans la Constitution. *1797* elle est rétablie par le coup d'État de Fructidor. *1801* la Constitution n'en parle pas. *1810* un censeur impérial est nommé : Royer-Collard qui prend le titre de directeur Gal de la librairie. *1814* la censure est rétablie par l'abbé de Montesquiou. *1815* elle est supprimée aux Cent-Jours. *1817* elle est rétablie. *1819* de nouveau abolie. *1820* établissement d'une commission de censure de 12 membres, jusqu'en 1822. *1827* nomination de 6 censeurs, tellement impopulaires qu'ils doivent garder l'anonymat. *1830* abolie. *1835* rétablie pour les ouvrages dramatiques. *1848* abolie, puis rétablie par Cavaignac. *1852* rétablissement de la juridiction en correctionnelle pour les auteurs d'écrits immoraux. *1881* abolition de toute censure, sauf pour les œuvres dramatiques. *1914-18* rétablie pendant la guerre (surnommée Anastasie). *1939-45* rétablie pendant la guerre.

Lecteurs

Sondage Sofres en mai 1988 (2 349 personnes interrogées de 15 ans et plus). Disent lire un livre actuellement : 35 % dont romans contemporains 36 %, « classiques » 11, histoire 10, récits autobiographiques et témoignages 10, romans policiers et d'espionnage 9 (aucun beau livre ou livre sur l'art). Disent avoir été motivés dans leur lecture par : des amis 50 %, le sujet 30, l'auteur 21, les médias 11, le libraire 1. Ont acheté leur livre : 50 % (dont 22 chez un libraire), l'ont emprunté à un ami ou une relation 22, aux bibliothèques publiques 8, familiales 8 [achat par un club de livres important chez les 21/24 ans (22 %) et les ruraux (24 %)].

Vitesse de lecture

Enfant jeune : 75 mots/mn, *lecteur moyen* : 250 à 300, *doué et entraîné* : 600, *exceptionnel* : 1 000.

La *lecture rapide* se fonde sur la saisie de groupes de mots pour reconstruire les parties logiques du raisonnement de l'auteur. Permet de lire 6 000 lettres/mn (Au Japon certains champions peuvent lire jusqu'à 100 000 lettres/mn).

Principales foires

Bologne, livre pour la jeunesse. *Fondée* 1964. En *1990* : 1 219 éditeurs (205 italiens et 1 014 étrangers), 2 944 visiteurs professionnels (66 pays), 20 352 m² d'exposition (910 stands). Prix Critici in erba (livre le mieux illustré) et Prix graphique Fiera di Bologna (livre au meilleur graphisme).

Bruxelles. *Fondée* 1969. *1990* : 15 000 m², 200 000 visiteurs, 2 500 éditeurs (25 pays). Prix point de Mire – FIL *1990* : Michel Del Castillo : *Mort d'un poète* (Mercure de France). *En 1991* : 23e foire du Livre, nouveau lieu : Palais des congrès de Bruxelles.

Francfort. *Fondée* 1949. *1990* : 131 171 m², 245 000 visiteurs, 8 492 éditeurs de 90 pays (dont All. y compris les nouveaux Länder : 2 268) présentant 381 702 titres dont 113 497 nouveautés.

Genève. *Fondée* 1987. *1989* : 32 000 m², 750 exposants, 114 000 visiteurs.

Jérusalem. *Fondée* 1961, biennale. *1989* : 7 000 m², 1 000 exposants (41 pays), 53 000 visiteurs. Prix de Jérusalem (1991 : Zbigniew Herbert). *Du 28-4 au 4-5 1991* : 15e foire.

Montréal, salon. *1973* : foire du livre. *1978 nov.* : salon. *1990* : 100 000 visiteurs, 1 000 éditeurs, 15 500 m² d'exposition, 19 pays représentés. *Prix* : Grand Prix du livre de Montréal, Canada/Suisse, Air Canada de la paix (Pen Club), du grand public, du jeune public, Fleury-Mesplet.

Paris, salon. *Fondé* 1981. *Visiteurs : Grand Palais : 1981* : 120 000, *85* : 170 000, *86* : 180 000, *87* : 209 787 ; *Porte de Versailles* : 28 000 m², *88* : 200 000, *89* : 137 000 (1 600 exposants), *90* (*Grand Palais* : 15 000 m²) : 146 000, *91* : 145 558 (4 868 bibliothécaires, 4 715 professionnels, 8 233 écoles, 2 466 librairies).

☞ **Manifestation régionale la plus importante en France** : la foire du livre de Brive (en novembre) 70 000 visiteurs en 1987.

Bibliothèques

Organisation en France

☞ **Fréquentation.** *1983* : 12,5 % des Français, *1985* : 13,8 % (dont 42 % de – de 14 ans). **Prêts.** *1983* : 74 828 000 livres, *1985* : 84 (dont 42 % de – de 20 ans).

Depuis 1981, les bibliothèques municipales, les b. centrales de prêt, la B. publique d'information et la B. nationale dépendent de la Direction du livre et de la lecture au min. de la Culture. Les b. universitaires et celles des grands établissements (Institut, b. Mazarine, Muséum national d'histoire nat., Musée de l'homme, Académie de médecine) dépendent du Service des b. au ministère de l'Éducation nationale.

Budget de la direction du livre et de la lecture (en millions de F). *1981* : 197,4. *82* : 639,91. *83* : 866,48. *84* : 925,7. *85* : 946,5. *89* : 647.

• **Bibliothèques municipales** (1989). *Nombre* 1 570. *Emprunteurs inscrits* 5,3 millions. *Livres prêtés* 110,7 millions. **Personnel** (effectifs, 1985), 10 400. **Locaux** (en m², 1985), 880 000.

Collections (en millions, 1985). *Livres* : 52,5, *disques* : 1,6. **Livres prêtés** (en millions, 1985), 74.

Dépenses totales de fonctionnement (en millions de F, 1985), 164,8.

Subventions de fonctionnement de l'État (en millions de F, 1985) 18,5, **d'équipement de l'État** 107.

Prêts à domicile *(1983). Emprunteurs* 3 733 000 (soit 13 % de la pop. des villes ayant une bibliothèque municipale), Paris 9,1 % de la pop. ; villes de – de 5 000 h. 15,2 %. *Volumes prêtés* : 81 560 000 (soit 2,75 vol. par h.), Paris 2,42 ; villes de – de 5 000 h. : 3,39.

Dépôt de livres dans les collectivités (sauf Paris) : communes 46,5 % (soit 65,7 % de la pop. correspondante) ; 1 582 400 vol. déposés (5,66 % pour 100 hab.).

Nota. – En 1985, Paris a prêté 5 329 000 livres (dont 34,4 % de livres pour enfants) et 855 000 disques.

• **Bibliothèques centrales de prêt (B.C.P.).** *Instituées* en 1945 pour desservir les zones rurales à l'échelle du département. Services décentralisés gérés par les départements, subventionnés parfois par les communes ou les régions. Dépendent dep. le 1-1-1986 des conseils gén. des départements où elles sont situées. *Nombre* : *1981* : 77, *82* : 94, *86* : 94. *Population desservie* : 20,2 millions. *Lieux de dépôts* (dans mairies, écoles, bibliothèques municipales et autres organismes culturels souvent sous la responsabilité de bénévoles) : 32 896. *Livres déposés* : 14,4 millions.

Collections (millions). *Livres 1981* : 10, *85* : 14,4 ; *disques 1981* : 0,067, *85* : 0,36.

Personnel. *1981* : 880 (dont État 786), *85 (est.)* : 1 388 (895). **Véhicules.** *1981* : 300 (dont 210 bibliobus), *85* : 478 (332).

Crédits de fonctionnement (millions de F) et entre parenthèses, **d'équipement.** *1981* : 37,9 (17,8), *82* : 94,9 (39,6), *83* : 121,2 (50), *84* : 123,6 (50,6), *85* : 139,9 (52,3).

Population desservie (millions). *1981* : 19,4, *85* : 55,3. **Livres prêtés** (millions). *1981* : 27,8, *84 (est.)* : 32, *85 (est.)* : 37,8.

• **Bibliothèques universitaires, interuniversitaires et d'université.** Organisées à la fin du XIXe s. Il y en a 62 (y compris la b. nationale et universitaire de Strasbourg) et 7 de grands établissements.

• **Bibliothèque nationale (Paris).** Voir p. 352.

• **Bibliothèques pour enfants.** En 1978, 653 b. municipales faisaient du prêt aux enfants. Existent en outre la b. pour enfants de Clamart (b. pilote), et des b. dans les établissements des 1er et 2e degrés.

« Centre d'information » : *Joie par les livres,* 8, rue St-Bon, 75004 Paris.

• **Bibliothèques privées.** B. des comités d'entreprise, Culture et B. pour tous, b. des œuvres laïques, b. d'institut, b. et centres de documentation des centres de recherche, laboratoires, sociétés...

Principales bibliothèques

Légende. – Lieu, nom, date de fondation, nombre de volumes en milliers (tous les pays n'ont pas la même définition du volume, la B.N. par ex. classe un vol. à partir de 51 pages ; la b. Lénine de Moscou : 3 p.).

Dans le monde

Les plus grandes bibliothèques

Nombre de volumes, en milliers.

• **Allemagne.** *Francfort* (1994), coût 230 millions de marks, 11 000.

• **Belgique.** *Anvers* : B. Univ. St-Ignace (1852) 400. *Bruxelles* : B. de l'Univ. libre (1846) 1 491 ; Centrale B. VUB néerlandophone (1972), 350 ; B. du Parlement (1831), 3 000 ; B. royale (1837), 3 000. B. des sc. nat. (1846) 710. *Gand* : B. de l'Univ. (1797), 1 690. *Liège* : B. de l'Univ. (1817), 2 000. *Louvain* : B. de l'Univ. francophone (1971), 1 760 ; néerlandophone (1971), 1 900 ; Centre gén. de doc. de l'Univ. cathol. (1425), 800.

• **Chine.** *Pékin* : Bibl. nationale (1912) 11 000. *Shanghai* : (1952) 6 926.

• **Égypte.** *Bibliothèque d'Alexandrie.* Antiquité, fondée sous Ptolémée Ier Sôter en 304 av. J.-C. par Demétrios de Phalère. Contenait env. 550 000 rouleaux de papyrus représentant 30 000 œuvres. *Destruction.* [Selon Abulfaradje (évêque d'Alep en 1286), la B. fut incendiée par Amr Ibn el As, général arabe qui emporta la ville une 1re fois en 642, puis en 645]. Le calife (Omar ou Othman, selon la date retenue), interrogé sur le sort qui devait être réservé aux livres, aurait répondu : « S'ils sont conformes au Coran, ils sont inutiles, s'ils sont contraires au Coran, ils sont pernicieux » [tradition aujourd'hui contestée, en réalité, la B. connut plusieurs sinistres : *47 av. J.-C.* : prise d'Alexandrie par César (en fait, des entrepôts contenant du blé et des livres destinés à l'exportation auraient seuls brûlé) ; *v. 390* attaque des chrétiens, VIe s. reconstituée en partie, puis redétruite). **Nouvelle bibliothèque.** *1988-26-6* 1re pierre posée. *1995 juill.* Ouverture prévue (architecte : cabinet norvégien : Snoketta Arkitektur Landskap et associés désigné le 24-9-1989). *Coût prévu* : 160 millions de $. *Surface* :

52 000 m² sur terrain de 40 000 m² (bâtiment circulaire, diam. : 160 m, haut. 35 m, 9 niveaux descendant jusqu'à 11 m au-dessous du niveau de la mer). *Places* : 2 000. *Volumes en 1995* : 200 000 (et 15 000 périodiques), *capacité finale* : 8 millions.

• France. *Paris* : Nationale (v. ci-dessous) + de 13 000.

• Grande-Bretagne. *Londres* : Brit. Libr. (1753), *1973* indépendante du British Museum, budget de fonctionnement : 750 millions de F par an. Nouvelle bibl. 1993/96, coût 4,5 milliards de F, architecte Colin Saint John Wilson 10 300. *Oxford* : B. bodléienne (1602) 5 000. *Édimbourg* : B. nat. d'Écosse (1682) 5 000. *Cambridge* : Univ. de Cambridge (1400) 4 200. *Winchester* : Hampshire County Libr. (1925) 3 500. *Preston* : Lancashire County Libr. (1924) 3 453. *Manchester* : John Rylands Libr. (1851) 3 350. *Maidstone* : Kent County Libr. (1921) 3 300. *Birmingham* : Birmingham Public Libr. (1861) 2 562. *Aberystwyth* : B. nat. du Pays de Galle (1861) 2 500.

• Japon. *Ōsaka* (1996) 165 000 m², 9 400. *Tōkyō* : Nationale (1948) 7 336.

• Roumanie. *Bucarest* : Acad. rép. (1867) 8 432.

• Suisse. *Bâle* : B. de l'Univ. (v. 1470), 2 460. *Berne* : B. nat. suisse (1895), 1 300 ; B. mun. et univ. (v. 1528), 1 540. *Fribourg* : B. cantonale et univ. (1848), 1 510. *Genève* : B. publique et univ. (1562), 1 675 ; B. de l'univ., 1 979. *Lausanne* : B. cant. et univ. (1537), 1 191. *Neuchâtel* : B. pub. et univ. (1788), 434. *Zurich* : B. centrale (1914), 2 217 ; B. de l'École polytechnique fédérale (1855), 3 630, dont 100 000 cartes de géographie ; 100 000 dessins et estampes.

• U.R.S.S. *Erevan* (Arménie) : État (1921) 6 700. *Kiev* : Ac. des sc. (1919) 7 756. *Leningrad* : État (1795) 21 500 (dont 400 détruits, 3 600 endommagés par l'eau et 3 400 par des moisissures). Ac. des sc. (1714) 12 789. *Minsk* : B. de la Rép. (1922) 6 000. *Moscou* : Lénine (1862) 28 216. D'État des Sc. et Tech. (1958) 10 000. Sc. sociales (1969) 7 491. Université (1755) 6 629. *Novossibirsk* (Sibérie) : Ac. des sc. (1918) 9 974. *Tbilissi* (Géorgie) : Karl-Marx (1946) 8 000.

• U.S.A. **Cambridge** (Mass.) : Univ. de Harvard (1638) 10 409. **Chicago** (1991) coût 150 millions de $, 67 000 m², 131 km² de rayonnages. **New York** : Publique (1848) 9 000. **Washington** [Congrès, 1800, or. bibl. de Thomas Jefferson, 6 500 vol. en 1814, *surface* : 360 000 m² comprenant le Thomas Jefferson Building (1897) et ses 2 annexes, le John Adams (1939) et le James Madison (1980), *budget de fonctionnement annuel* : 1 440 millions de F] 20 000.

En France

Paris

• Bibliothèque de France. *1989*-13-10 création de l'établissement public de la B. de France (dir. : Dominique Jamet). *1991* début des travaux. *1996* ouverture. *Architecte* : Dominique Perrault. *Coût prévu* : 7 milliards de F. *Contenu* : 20 millions d'ouvrages au début, puis 30 si 120 000 ouvrages entrent chaque année (en *2045* : saturation) ; imprimés (livres et périodiques) de la B.N. qui gardera ses départements spécialisés (manuscrits, estampes et photographies, cartes et plans, musique, arts du spectacle, monnaies et médailles). *Organisation* : 1 bibl. réservée aux chercheurs, 1 bibl. d'information grand public (2 millions de vol.) et 1 bibl. d'actualité. *Places* : 6 000 dont 1 200 pour chercheurs (945 à la B.N.). *Largeur* : 200 m. *Surface (m²)* : sur 180 000 donnés par la Ville de Paris : 250 000 (dont espaces verts 12 000) avec parc de stationnement et extensions. *Niveau quai/accueil* : 46 000 dont 26 000 accueil/animation, 6 000 services techniques/ateliers ; 12 000 locaux techniques/livraisons/réserves ; *mezzanines* (actualité ; son/image) : 24 000 ; *jardin* (étude, recherche) : 30 000. *Tours* (magasins, services intérieurs) : 80 000 (4 tours de 100 m de haut et de 20 niveaux chacune). *Étagères* : 400 km dont tours 250 km, sous-sol 140 km.

• Bibliothèque nationale. **Origines** : collections réunies à partir du *XIVe s.* par les rois de France. *1537* fondation du dépôt légal par François Ier. *1570* installation définitive de la Bibl. à Paris. *1692* expérience d'ouverture au public. *1720* occupation du « *quadrilatère Richelieu* ». *1789* nationalisée. *1868* ouverture de la salle de travail des Imprimés construite par Henri Labrouste. *1981* achèvement du *Catalogue général auteurs* des livres en 232 volumes. *1985* inauguration de l'annexe « Vivienne ». *1988* lancement de la base bibliographique BN-OPALE. **Organisation** (décret n° 83-226 du 22-3-1983 modifié) : établissement public national à caractère administratif avec conseil d'administration, conseil scientifique dirigé par un administrateur général, Emmanuel Leroy Ladurie (1929), assisté par : administrateur délégué (gestion administrative et financière), dir. scientifique (entrée et traitement bibliographique des documents, prêts, échanges, recherche), dir. technique (reproduction photo., conservation et restauration des collections), dir. de la valorisation et de la communication (édition, expositions, commercialisation et relations publiques). *Missions* : collecte, conservation et communication du patrimoine documentaire national ; édition de la bibliographie nat. française ; constitution de collections de doc. étrangers ; recherche ; diffusion des produits dérivés des œuvres conservées. **Équipements immobiliers** : 125 000 m² de plancher ; 7 sites principaux dont 3 à Paris (« quadrilatère Richelieu-Vivienne », palais Garnier et Arsenal) et 4 en banlieue et province (Versailles, Provins, Sablé-sur-Sarthe et Avignon).

Budget (millions de F). *Crédits d'investissements* ; *1981* : 6, *82* : 48,3, *83* : 52,6, *84* : 60, *85* : 54, *86* : 38, *87* : 18, *89* : 19, *90* : 41, *91* : 37 ; *de fonctionnement* ; *1981* : 30, *82* : 51, *83* : 64,6, *84* : 68,5, *85* : 77,7, *86* : 87,7, *87* : 93,7, *89* : 126,4 *90* : 138,7, *91* : 145,8 ; dont *acquisition* ; *84* : 14, *87* : 13,8, *89* : 13,9, *90* : 19,3, *91* : 19,7 + 83 dans le cadre de la préparation de la future Bibliothèque de France. **Effectifs** ; *1981* : 1 200, *86* : 1 261, *89* : 1 245, *90* : 1 219, *91* : 1 216.

Fonds. *Nombre de volumes, sous Charles V* : 910, *François Ier* : 1 890, *Louis XIII* : 16 746, *1684* : 50 542, *1790* : 200 000, *1983* : 10 000 000, *1988* : + de 13 000 000. *Ouvrages entrés en 1989* : français : 31 459 dont histoire-géographie 4 665 ; étrangers : 23 324 dont hist.-géo. 5 716.

Accroissement des fonds : acquisition de la production documentaire française grâce au *dépôt légal* (tout éditeur ou imprimeur de livres, de périodiques, de cartes, d'estampes ou de photographies, de partitions musicales, tout producteur d'œuvres sonores ou audiovisuelles et de médailles frappées doit en envoyer au moins un exemplaire à la BN) ; acquisition des documents non soumis au dépôt légal et des documents étrangers par *achat*, *don* (ainsi que par legs et dation en paiement) ou *échange* ; au total entrent chaque année 80 000 livres env., 40 000 périodiques (titres français ou étrangers en cours) et 120 000 autres documents.

Production et diffusion des données bibliographiques : production de la base BN-OPALE des livres et des périodiques (1 million de notices fin 1990, informatisation progressive de l'ensemble des catalogues sur fiches ou imprimés depuis l'origine, soit au terme du programme 7 millions de notices) : édition de la *Bibliographie nationale française*, diffusée sur CD-ROM ; production de la base BN-LEDA (phonogrammes, vidéogrammes et multimédias) ; production des bases OPALINE pour cartes, plans, estampes et photographies.

Consultation des fonds. 10 départements de conservation et de communication : *Livres imprimés* : 9 millions de volumes (dont 200 000 ouvrages rares ou précieux) ; *Périodiques* : 350 000 titres anciens ou en cours ; *Manuscrits* : 350 000 volumes (dont 10 000 manuscrits à peintures) ; *Estampes et photographies* : 15 millions d'images ; *Cartes et plans* : 600 000, 10 000 atlas ; *Monnaies, médailles* : 300 000 ; *Antiques* : 10 000 ; *Musique* (incluant la bibl. musée de l'Opéra au palais Garnier) : 1 500 000 partitions, manuscrits, livres ou périodiques musicaux ; *Phonothèque et audiovisuel* : 1 100 000 phonogrammes [dont env. 1 000 rouleaux de piano mécanique, 6 300 cylindres, 400 000 disques 78 tours, 370 000 disques microsillon, 42 000 disques compact en 2 exemplaires, un musée du phonographe de 600 pièces (« Collection Charles Cros ») + 16 000 vidéogrammes, 12 000 films cinématographiques] ; *Arsenal* (bibl. spécialisée dans la littérature française) 1 000 000 de livres, 15 000 manuscrits, 100 000 estampes ; *Arts du spectacle* : 3 000 000 de livres, périodiques, affiches, photos, dessins, maquettes, etc.

Préservation des fonds : « *Plan de sauvegarde* » dep. 1980 pour les documents menacés d'autodestruction (acidité du papier) : traitement des originaux (neutralisation, doublage), reproduction sur microformes à Sablé pour les livres, à Provins pour les journaux. 1 million de doc. traités, 20 millions de pages reproduites fin 1990. *Restauration* à Paris des doc. précieux par des ateliers fonctionnant aussi pour des établissements extérieurs.

Activités diverses : Musée des Monnaies, médailles et antiques ; expositions (dont expositions tournantes galerie Colbert) où sont présentées les acquisitions prestigieuses ; conférences et concerts (auditorium de la galerie Colbert, 200 places) ; vente de publications et reproductions.

Perspectives : les départements des livres imprimés, des périodiques et de la phonothèque seront transférés à « Tolbiac » où sera édifiée la Bibliothèque de France (inauguration prévue 1995).

Fréquentation. Admission des lecteurs sur critères. Information du public du lundi au samedi de 9 h à 16 h 30 (fermeture annuelle de 2 semaines à partir du 2e lundi après Pâques). 945 places assises. *1989* : 40 000 lecteurs inscrits, 400 000 entrées dans les salles de lecture, 1 400 000 communications de documents.

• Bibliothèque publique d'information/Centre national d'art et de culture Georges-Pompidou. *Créée* 1977. Ouverte à tous, tous les j. (sauf mardi) de 12 à 22 h, dim. et j. fériés de 10 à 22 h. Consultation sur place, sans prêt à l'extérieur. *Fréquentation* : env. 13 000 usagers par j. *Espace de lecture* : 14 460 m², 1 800 places, 400 000 volumes, 2 430 abonnements, 334 titres sur micro-documents, 2 260 films, 136 000 images sur 3 vidéodisques, 4 000 cartes géogr. *Labo de langues* : 62 pl., 110 langues et dialectes. *Logithèque* : (15 pl., 270 logiciels). *Salle Borgès* pour déficients visuels. *Public-info* pour la documentation spécialisée (domaine culturel). *Salles d'expositions temporaires. Salle d'actualité* : 650 m², 150 pl., nouveautés de l'édition (3 500 livres, 700 périodiques nationaux et internationaux, 1 000 documents sonores), débats hebdomadaires. *Jeunesse* : 250 m², l'actualité du livre, du disque, des revues, des logiciels pour les jeunes (mercr., sam., dim.). *Budget de fonctionnement* : 30 millions de F (1990). *Personnel* : 249 personnes (1989).

• Autres bibliothèques. **Paris** : *B. nationale* (voir **ci-contre**), *Abbaye Ste-Marie* (1893) 100, *B. des Aff. étrangères* (1815) 400, *Archiv. nat.* (1789) 1 500, *Arsenal* (1797, dépend actuellement de la B.N.) 1 500, *Art et Archéologie* (1918) 250, *Assemblée nat.* (1875) 600, *Ch. de commerce* (1821) 300 (13 000 coll. per. ; 1 500 annuaires prof.), *C.N.A.C.* (voir ci-dessus), *Études* (PP. jésuites, 1856) 100 (env. 300 pér. en cours), *histor. de la Ville de Paris* (1871) 650, *Inst. catholique* (1875) 600, *Inst. de France* (1795) 1 500, *Pédagogique* (1879) 1 000, *Mazarine* (1643) 400, *Ste-Geneviève* (1624) 1 500, *Sciences pol.* (1945) 250, *Sénat* 600, *Sté de Géogr.* (1821) 400, *Sorbonne* (1253-1762) 2 200, *Musée d'Hist. nat.* (1635) 800, *Fac. de méd.* (1733) 490, *Doc. intern. contemp.* (1914) 400, *Éc. des langues orientales* 500, *Éc. nat. sup. des Mines* 500, *min. des Relations ext.* 500.

Province

• **Aix** : B. mun. (1810), 350. **Bordeaux** : B. mun. (1736), 784. B. interuniv. (1879), 910. **Caen** : B. univ., 460. **Chantilly** : B. du centre culturel Les Fontaines (PP. jésuites, 1971), 600. **Grenoble** : B. mun. (1772), 761. **Lille** : B. des Facultés cath., 510. B. mun. (1726), 595. B. de l'Univ. (1562 et 1883), 180. **Lyon** : B. mun. (1693), 1 000 comprend depuis 1972 B. de La Part-Dieu (centrale : 27 203 m² de plancher, 90 km de rayonnages, capacité : 2 000), 1 000. B. interuniv. (1896), 80. **Marseille** : B. mun. 400. **Montpellier** : B. interuniv. (1890), 850. B. de la ville et du musée Fabre (1825), 500. **Nancy** : B. mun. (1750), 500. **Nantes** : B. mun. (1753), 350. **Nice** : B. mun. (1802), 455. **Orléans** : B. mun. (1714), 400. **Poitiers** : B. mun. (pendant la Rév.), 305. **Rennes** : B. mun. (1790), 350. B. interuniv. (1855), 550. **Rouen** : B. mun. (1791), 350. **Strasbourg** : B.N. et univ. (1871), 3 020. **Toulouse** : B. mun. (1782), 500. B. interuniv. (1879), 900. **Tours** : B. mun. (1791), 460. *Versailles* : B. mun. (1803), 450.

Cours atteints

Livres

Éléments du prix

État du livre (blancheur du papier ; absence de taches, de rousseurs, de déchirures). Qualité du tirage, des illustrations (noir profond, demi-teintes bien venues), état des gravures (présence ou non des gravures avant la lettre : tirées avant qu'on ait placé au bas l'inscription qui en indique le sujet et par conséquent avant que la planche ne soit usée par le tirage). Typographie. Reliure : matériau (exemple : plein maroquin du XVe s.), signature, ornementation, armoiries, chiffres. Provenance : dédicaces, livres « truffés » (documents joints : portraits, lettres, etc.). Intégrité : le livre doit être complet de tous ses volumes, de toutes ses pages et figures. Qualité du papier : une édition originale sur papier hollande (30 à 50 ex.) atteint env. 8 fois le prix de l'édition ordinaire (plus l'auteur est connu, plus elle a de valeur).

Éditions originales et premiers tirages
(exemples en milliers de F)

Atlas. Major (Amsterdam, 1667) de Johan Blaeu 12 vol. : 670 (1980). De Waghenaer (1592) : 1 800 (1987).

Bible de Gutenberg (1455-56) : un ex. fut vendu en privé 200 000 $ en 1954. Un ex. incomplet a été vendu en mars 1978 : 1 080 000 $, un autre ex. complet acheté 2 000 000 $ (10 000 F) le 7-4-1978 (chez Christie's à New York par le gouv. de Bade-Würtemberg) : 2 vol. in-fol. 643 ff., 2 col. 42 et 40 lignes, goth. 1re éd. de la Bible. Rel. anglaise de 1813 env., mar. brun. C'était la 1re fois en 50 ans qu'une Bible de Gutenberg passait dans une vente publique. 48 ex. sont connus (dont aux U.S.A. 13, dont 6 complets ; France 4 dont 2 complets). 22-10-1987 chez Christie's 32 millions de F.

Roman de la Rose (Guill. de Lorris et Jean de Meung) (v. 1487) : 92 (1974).

Le Songe de Poliphile (1499) de Francesco Colonna, éd. Venise 1499 (plus de 160 fig. attribuées à Mantegna ou à Bellini) : 580 (6-6-1972).

Apollinaire Alcools (1913) : 10 (1982), 36 (1990), ex. sur hollande : 60 (1977). Calligrammes : 8 (1982), 250 (1990), exemplaire unique (lithos de Chirico, reliure de P. Bonet, envoi autographe à R. Gaffé) 3 500 (1989). Le Bestiaire ou Cortège d'Orphée : 50 (1981). **Aragon** Les Cloches de Bâle : 9 (1982). Le Paysan de Paris (1926), reliure de Paul Bonet 145 (1984).

Balzac Le Père Goriot (1835) : 8 (1975) 150 (1989). 1re édition complète (20 vol. parus de 1842 à 55, Furne, Houssiaux éditeurs) : 25 à 100 ; 1re réimpression 1855 : 5 000 à 10. Le Lys dans la vallée (1835) : 91 (1981), avec dédicace 580 (1985). **Barbey d'Aurevilly** Les Diaboliques (1874) : 9 (1982) ; 1 des 20 sur hollande avec lettre de B. : 152 (1975). **Baudelaire** Les Fleurs du mal (1857) : 200 à 495, dédicacées à Delacroix 1 300 (1985). **Benoît** (P.) Koenigsmark (1918) 28 (1983). **Bernanos** Le Journal d'un curé de campagne, sur japon, reliure de P. Bonet 20 (1977), Sous le soleil de Satan, rel. Semet et Plumelle 21 (1983). **Bossuet** Oraison funèbre du prince Louis de Bourbon (1687) : 105 (1976). **Braché Tycho** (1598) : Astronome 1000 (1988). **Breton** (A.) Manifeste du surréalisme (1924) : 88 (1981). 2e Manifeste du surréalisme (1930) : 36. **Brillat-Savarin** Physiologie du goût (1826) : 6 à 10 (1982). **Buffon** Les Oiseaux (1771-86), 10 vol. : 200 (1979).

Camus L'Étranger (1942) : 5 (1982). La Peste, habillage conçu par Paul Bonet 215 (1984). **Carroll** (L.) Alice au pays des merveilles (1865) : 100 (1976). **Céline** (L.-F.) Voyage au bout de la nuit (1932) : 50 (sur arches), 15 (sur alfa) (1982). **Cendrars** (B.) la Fin du monde, illustrée par F. Léger : 26 (1981). **Cervantès** Don Quichotte (1836-37) : 9 (1976), Rinconete et Cortadillo 12,5 (1989). **Char** Poèmes, reliure Adler, 14 gravures de N. de Staël 880 (1989). **Chateaubriand** Mémoires d'outre-tombe 15, avec lettre 300 (1985). Essai historique, politique et moral sur les révolutions (1797) : 80,1 (1986). **Chaucer** (G.) Works (1896) 257 (1983). **Cocteau** Opium (avec envoi) 3 (1991). **Colette** La Treille muscate (1932) : 25 500 (1981). **Corneille** Le Cid (1637), éd. originale : 135. L'Illusion comique (1639) : 12. Cinna (1643) : 24. Polyeucte (1643) : 27. Andromède (1657), ex. ayant appartenu à Molière, avec des indications autographes : 181 (1978).

Descartes Discours de la méthode (1637) : 119 (1981). **Description générale et particulière de la France** 293 (1980). **Diderot et d'Alembert** L'Encyclopédie (1751-80), 35 vol. in-folio : 42 (1978), 55 (1981), 100 (1983). **Dostoïevski** Les Frères Karamazov (1881) 21 (1991). **Du Camp (M.)** Égypte 600 (1991). **Duhamel du Monceau** Traité des arbres et arbustes (1800), 7 vol. : 105.

Eluard Au rendez-vous allemand avec eau-forte de Picasso 260 (1989).

Flaubert Madame Bovary (1857), 5 à 60 (grand papier), exemplaire de V. Hugo avec lettre autographe 1200 (1989). L'Éducation sentimentale (1870), envoi à sa mère : 27 (1977), envoi 140 (1991).

Ganzo Orénoque avec 11 eaux-fortes et 1 gouache de Fautrier 480 (1989).

Gide Le Voyage d'Urien (1893) 45. La Porte étroite (1909) 31. Si le grain ne meurt (1920) 27. **Gracq** Le Rivage des Syrtes 70 (1991).

Heredia Les Trophées (1893 rel. de Ch. Meunier) 160.

Hugo Notre-Dame de Paris (1831) 2 vol. 7 (1972). L'Art d'être grand-père (1877) 9 (1976). Les Misérables 12 (1981). Quatre-vingt-treize 50. Chansons des rues et des bois 120, dédicacés à J. Drouet.

Jacob (M.) Le Siège de Jérusalem (1914) : 56 (1981). Le Cornet à dés (1914) : 150 (1981). **Jarry** Ubu roi (1896) : 1 (1978).

Labé (L.) Œuvres (1555) 210 (1983). **La Bruyère** Les Caractères (reliure except.) 260 (1984). **Laclos** Les Liaisons dangereuses 210 (1988). **La Fayette** (Mme de) La Princesse de Clèves (reliure except.) 300 (1984). **La Fontaine** Fables – 4 vol. (1755-59) : 81 (1981). – contenant les 273 dessins originaux de Oudry : 2 000 (1973). Fables choisies 250 (1991). Contes et Nouvelles (1762), éd. dite des Fermiers généraux : 35 à 149 (suivant reliure) édition de 1865 maroquin rouge 250. **La Pérouse** Voyage autour du monde (1797) : 29 (1978) 4 vol. + atlas. **Laplace** Voyage autour du monde (1833-39), 5 vol. + 2 atlas : 119 (1978). **Lawrence** Heureux les humbles 12 (1991). **Léautaud** Le Petit Ami, un des 6 ex., hollande, avec envoi : 22 (1977). **Loti** Aziyadé (1879) : 3 (1982). **Louÿs** (P.) Trois Filles de leur mère (1926), avec dessins originaux 420 (1981).

Mallarmé L'Après-midi d'un faune, illustré par Manet 120 (1989).

Malraux L'Espoir, ex. sur japon : 25 (1983). La Condition humaine (1933) 22 (1983). **Marx et Engels** Manifeste du P.C. (1848) : 280 (1979). Le Capital, éd. française (1872-75) : 14,8 (1986). **Maupassant** Bel Ami (1885), sur hollande : 10 (1974). **Mérimée** Carmen (1846) : 15 (1982). La Chambre bleue 250 (1989). **Molière** L'École des maris (1661) : 11 (1978). Sganarelle (1660) : 32 (1978). L'Avare (1669) : 38 (1974). L'École des femmes (1663) : 97 (1976). Le Misanthrope (1666) : 31 (1978). Œuvres illustrées par Boucher 40 à 200 (1979). Amphytrion (1668) 48 (1983). Œuvres en 8 vol. (1673) 1900 (1988). **Montaigne** Essais (1588) : 108 (1982) (relié maroquin aux armes de Mme de Montespan), 1 000 (1984). **Montesquieu** Lettres persanes (1721) : 123 (1976), dernière éd. de son vivant 1 470 (1991). **Musset** La Confession d'un enfant du siècle : 9 (1976).

Nerval Les Filles du feu (1854) : 9 (1983).

Pascal Pensées (1670), maroquin rouge époque : 43 (1973), 300 (1984). Lettres provinciales (1657) 11, idem 110 (1988). **Poe** Tamerlane (1827) : 600 (1974). **Proust** 13 vol. : A la recherche du temps perdu (1914-27) 81. Du côté de chez Swann (1914) 10 (grand papier 50 à 150) dédicacé à Anatole France 400 (1989). Le Côté de Guermantes, ex. de Léon Daudet 85 (1984).

Racine Bérénice (1671) : 12 (1974). Esther (1689) : 5 (1972), aux armes de Louis XIV 350 (1988) ; Athalie (1691) : 6 (1972) ; relié aux armes de la Maison de St-Cyr : 92 (1976). 2 vol. (10 pièces dont Phèdre) 326 (1980) ; les Plaideurs, les Cantiques spirituels (1702) : 400 (1988) ; Commentaires de Ménandre : 420 (1988) ; Esther : 350 (1988). **Radiguet** Le Diable au corps (1923) : 2 (1975). **Redouté** Les Roses (1817-24), 1re éd. in-folio, avec 169 pl. gravées en couleurs : 600 (1981). **Renan** Vie de Jésus (1863), sur hollande : 25 (1974). **Rimbaud** Une saison en enfer (1873, vendue 1 F) : 20 (1983), 3,8 (1990). Les Illuminations (1886) : 30 (1980). **Rousseau** Discours sur l'origine et les fondements de l'inégalité parmi les hommes (1755), 700 (1988). Du contrat social 900 (1988). Catalogue des plantes qui naissent dans les environs de Paris (1749) 280 (1988). **Rostand** Cyrano de Bergerac (1898) 28 (1983).

Saint-Exupéry Terre des hommes (1939, rel. P.-L. Martin) 48 (1983). **Saint-Simon** Mémoires (21 vol. 1829), annotés par Stendhal : 165 (1975). **Sand** (G.) Lelia (1833) 5 à 10 ; dédicacée à Musset 830 (1985). **Schedel** Chronique de Nuremberg (1re édition, 1943) 1 800 (1989). **Shakespeare** 1re édition in-folio (1623) : 1 550 (1980). **Spinoza** Opera posthuma : 6 (1986). **Stendhal** De l'amour (1822) 2 vol. : 15 (1975). Armance (1827) : 90 (1982). Le Rouge et le Noir (1831), 150 (1984), 200 (1989), avec envoi 102 (1990). La Chartreuse de Parme (1837) : 148 (1981), 200 (1989) ; dédicacée à Custine 410 (1985), Hist. de la peinture en Italie 575.

Taylor (Baron) Voyages pittoresques et romantiques dans l'ancienne France (1820-78) : 280 (1981). **Turgot** Plan de Paris : 25 (1982).

Valéry (P.) Le Cimetière marin : ex. sur chine : 30 (1976) ; ex. unique d'une édition abandonnée de Poésies, avec 37 aq. ou dessins originaux : 500 (1978). Charmes (1922) 65 (1983). **Verlaine** Sagesse (1881) : 52 (1976), Fêtes galantes (1869) ; 280 (1988). **Verne** (J.) Ouvrage polychrome Hetzel, dos au phare : 48, Recueil de poèmes 280 (1988). **Vigny** (A. de) La Maréchale d'Ancre (1831) : 206 (1981). Servitudes et grandeurs militaires dédicacé à Marie Dorval 320 (1989). **Villon** Les Œuvres (1532) : 79 (1976). **Voltaire** Œuvres complètes, publiées par J.-A. Naigeon, Desray et Deterville, 15 vol. (1798) : 55 (1980). Édit. de Kehl (1785-89), 70 vol. : 30 (1981).

Zola La Bête humaine, sur holl. : 8 (1979). L'Assommoir, sur holl. : 20 (1978).

Nota. – Certaines éditions originales d'auteurs contemporains gardent leur cote, comme Proust et les Surréalistes. D'autres auraient tendance à baisser, comme Gide et Claudel. Certaines montent : Saint-Exupéry, Malraux, Céline, Rimbaud. Il s'agit là d'écrivains ayant peu publié.

Livres modernes de peintres

Livres de luxe illustrés, par des peintres célèbres, de *gravures originales.* Depuis quelques années, ils sont recherchés.

• **Éléments du prix.** *Renommée du peintre, nombre des illustrations. Tirage* (300 ou 350 ex. au max.) : les exemplaires « de tête », 1ers numéros sur japon ou sur chine, sont plus recherchés que les suivants sur rives ou sur arches. *État de conservation* (primordial). *Présence de « suites »* (ensemble des planches illustrées présentées séparément) de dessins et aquarelles ayant servi à l'illustration.

• **Cours.** En milliers de F. **Bonet, Paul** (relieur) Tartarin de A. Daudet 260 (82). **Bonnard** Parallèlement (Verlaine, 1900) : 222 (1984) (lors de son lancement, l'éditeur Villard avait dû le céder au 1/3 de son prix de lancement) ; Daphnis et Chloé de Longus (1902) : 13 (1972).

Chagall Daphnis et Chloé de Longus (1961, relié par Bonet) : 215 (1979). **Chirico** Calligrammes de G. Apollinaire (1930) : 10 (1970).

Dalí (S.) Les Chants de Maldoror de Lautréamont (1934) : 8 (1968). **Delacroix** Faust de Gœthe (1828), le 1er « livre de peintre » : in-folio, env. 43 cm × 29, vignette de la couverture par Devéria : 140 (1985). **Denis** Le Voyage d'Urien de Gide relié par Pierre Legrain : 32, par Henri Mercher : 7 (1979). **Derain** Œuvres burlesques de St Matorel de Max Jacob (1912) : 35 (1979). **Dufy** Le Bestiaire d'Apollinaire (1911) : 80 (1981). **Dunoyer de Segonzac** La Treille muscate de Colette (1932) : 210 (1976) ; Bubu de Montparnasse de Charles-Louis Philippe : 200 (1982).

Ernst Maximi Lianin de Guillaume Tempel (reliure de P. Martin) : 92 (1979).

Goya La Tauromachie (1815) : 280 (1985). Les Caprices 350 (1985).

Laprade Fêtes galantes de Verlaine : 135 (1982). **Laurencin** (M.) Les Petites Filles (20 aq. + 1 aq. originale) 130. **Léger** (F.) Le Cirque (1950) : 16 (1976).

Manet Le Corbeau d'E. Poe (1875, hol. avec suite sur chine) : 36 (1976). **Man Ray** Revolving Doors, Man Ray (1916-17) : 30 (1981). **Masson** Le Con d'Irène d'Aragon : 140 (1981). **Matisse** Jazz (1947) : 509 (1984) ; Poésies de Mallarmé (1932) 710 (1938).

Picasso Le Siège de Jérusalem de Max Jacob (1914) relié par Paul Bonet : 61 (1979) ; Buffon (1942) relié par Paul Bonet : 480 (1982) ; les Métamorphoses d'Ovide (1931) relié par Paul Bonet 340 (1982). **Piranèse** Cachots 270.

Rouault Le Cirque de l'étoile filante (1933) : 310 (1982) ; la Passion de A. Suarès (1939) : 436 (1982).

De Staël Ballets minute de Pierre Lecuire : 75 (1979).

Toulouse-Lautrec Histoires naturelles de Jules Renard (1899, paru à 100 F et soldé faute d'acheteurs à 40 F) ; sur rives : 66 (1978).

Villon (J.) Les Pantalons rouges : 60 (1976).

☞ *L'Apocalypse,* éditée à 1 seul exemplaire par Joseph Foret de 1958 à 1961 (210 kg, 300 000 peaux de mouton examinées pour sélectionner 150 parchemins), illustrée par 54 peintres (Buffet, Dalí, Léonor Fini, Mathieu, Zadkine...) était estimée (v. 1970), 5 millions de F.

Reliures

Généralités

Origine. Jusqu'au XVIIIe s., les libraires vendaient des livres tout reliés. La couverture était muette. Pendant la Révolution, le prix du cuir ayant monté, on vendit des livres brochés sans couverture ou recouverts d'une feuille de papier gris ou mâché. Puis, on colla au dos des étiquettes indiquant l'auteur et le titre. La couverture imprimée apparut à la fin de l'Empire et se généralisa pendant le XIXe s.

Principaux types de reliures. *Basane* (de l'espagnol et portugais *badana,* mouton), en général fauve ou colorée. *Veau,* du brun au blond, parfois marbré, jaspé, en écaille, raciné ou coloré. *Chagrin* (de l'italien *zigrino,* chèvre d'Europe, employé depuis 1 siècle et demi). *Maroquin* (chèvre d'Afrique du Sud), le plus prisé, souvent rouge, vert, bleu nuit, jaune citron et crème (plus rare). *Peau de truie,* très employée au Moyen Age ; en faveur en Allemagne au XVIIIe s. *Cuir de Russie,* se remarque par son odeur due à la bétuline, principe actif de l'écorce de bouleau ; il trempe dans une décoction 20 j env. *Parchemin* (de Pergame en Turquie, célèbre autrefois pour sa bibliothèque), vient de la peau non tannée d'agneaux, moutons, chèvres, veaux (vélin).

Reliures pleines : ornées de fers, faites avec un seul fer de la grandeur même de l'ornement, du filet, du fleuron, etc., appelées *plein-or.* Si cette impression est faite sans dorure, avec des fers simplement chauffés, le livre est *gaufré* ou *estampé* à froid. Si les plats intérieurs sont ornés, on parle de reliure *doublée.*

Demi-reliure : le dos seul est revêtu de peau, les plats sont garnis de papier ou de toile. Si les coins sont aussi garnis de peau, si la tête est dorée et les autres tranches ébarbées, on parle de *demi-reliure à coins.*

Reliure ou cartonnage à la Bradel : nom d'un relieur français du XIXe s. ; le corps de l'ouvrage est emboîté dans une couverture cartonnée, puis fixé sur une mousseline collée, le dos étant séparé des plats par une rainure longitudinale. *Janséniste :* se dit d'une reliure pleine et sans ornement.

Prix des reliures (en F)

Reliures neuves. *Prix* (en 1990) pour un format de base in-8 carré 220 × 140 : toile ou demi-toile 170, demi-basane 235, demi-chagrin 200, demi-chagrin à coins 850, demi-maroquin ou demi-veau à coins 600, plein maroquin avec tranches dorées sur témoins et gardes soie 3 150.

Reliures anciennes. La beauté des décors de reliures signés et la provenance déterminée par les armes frappées sur les plats sont des éléments importants du prix.

Basane simple : textes religieux, auteurs démonétisés vendus comme garniture 15 à 30 le volume. **Reliure à décors :** *A filets* (2 ou 3) sur les bords 100 à 2 000 ; *à la roulette,* veau et maroquin 500 à 5 000 ; *à dentelles,* surtout sur maroquin 1 000 à 4 000 ; *à la plaque,* procédé semi-industriel (almanachs royaux) 1 500 à 6 000 ; *aux petits fers* 4 000 à 12 000. *Mosaïqués* (ou « à compartiments »), peaux découpées de différentes couleurs, dentelles aux petits fers 1 500 à 12 000 et plus. Ex. : Pièces exceptionnelles : 20 000 à 50 000.

Reliures contemporaines. Plein maroquin mosaïqué. De Pierre Legrain 20 000, Paul Bonet : Recueil unique de documents manuscrits ou imprimés (surréaliste, 1931) : 630 000 (1981). Pierre-Lucien Martin : La Peste de Camus 520 000, Texte d'Eluard 330 000, Aragon 160 000, Sartre 133 000 ; Mercher. Voir plus haut livres de peintres. Paul Bonet : calligrammes d'Apollinaire, reliure métallique (800 000 en 1986).

Relieurs célèbres

XVIe s. : Claude de Picques, E. Roffet.

XVIIe s. : Boyer, Clovis Ève, Florimond Badier, Le Gascon, Rocolet, Ruette.

XVIIIe s. : Bradel-Derôme, Derôme, Douceur, Dubuisson, Du Seuil, Fournier, Le Gascon, Le Monnier, Padeloup.

XIXe s. : Allô † 1875, Bauzonnet 1795-1886, Boutigny, Bozérian, Cambolle-Duru, Capé 1806-67, Carayon 1843-1909, Cuzin, Doll, Duplanil † 1840, Duru † 1884, Ginain, Gruel, Hardy, Hering, Lefebvre, Lortic 1852-1928, Mairet (de Dijon), Petrus (1851-1929), Purgold † 1829, Rosa 1851-1929, Ruban, Simier † 1837 (relieur de Louis-Philippe), Souze, Thouvenin 1790-1834, Trautz 1808-1879, Vogel.

XXe s. : Adler (Rose) 1890-1959, Alix, Aussourd (R.), Bonet (Paul) 1889-1971, Canape, Cretté (George) 1893-1969, Creuzevault (Henri) 1905-91, Devauchelle n. 1915, Gras (Madeleine) 1891-1958, Legrain (Pierre) 1889-1929, Marius-Michel, Martin (P.-L.) 1913-85, Mercher (Henri) 1912-76, Mercier 1885-1939, Meunier (Ch.) 1866-1948, Noulhac 1866-1931, Semet et Plumelle, Septier † 1958.

Manuscrits

Généralités

Éléments du prix. Le prix dépend de l'auteur, de la longueur du texte, de l'intérêt du sujet traité (le prix d'une lettre de simple soldat décrivant la bataille d'Austerlitz serait supérieur au prix d'une lettre sans intérêt de Napoléon), de la conservation et du fait qu'elle est entièrement autographe et signée ou simplement signée. L'usage du papier s'est développé au XVe s. Avant on utilisait du parchemin, et l'écriture se limitait aux textes religieux et aux chartes officielles (la plus ancienne connue date de 628 et porte le monogramme du roi Dagobert).

Au XVe s., on commença à écrire des lettres. Dès le siècle suivant, l'autographe devient commun. En France, Philippe de Béthune, frère de Sully, et son fils Hippolyte formèrent la 1re collection d'autographes... Roger de Gaignières fut le plus grand collectionneur du XVIIe s. Au XIXe s., l'abbé Villenave (avocat) rédigea le *1er catalogue* d'une collection d'autographes (dont la vente eut lieu à Paris le 24-5-1822). De cette époque date le commerce des autographes. 1828 : Bérard publie une isographie des hommes célèbres (4 volumes de fac-similé) ; on admet les autographes comme valeurs de placement.

Manuscrits des rois de France. Ils signaient de leur main les diplômes pendant la période mérovingienne, puis dès le VIIIe s., ils firent écrire par un scribe la formule de souscription ou leur monogramme. Le roi Jean, le premier, apposa de nouveau sa signature au bas de certains actes. On en conserve un à la Bibl. nat. Après lui, tous les rois continuèrent à signer, mais seulement les lettres missives ou les actes importants. *Le plus ancien spécimen* qui nous soit resté d'une lettre autographe d'un de nos rois est une lettre écrite et signée par Charles V en 1367.

Manuscrits du Moyen Age ornés de miniatures (en milliers de F)

Évangiles 97 680, le 6-12-1983 chez Sotheby's (G.-B.). **Évangéliaire de l'abbaye de Saint-Hubert** (v. 870), 186 feuillets, 16 259 (26-11-1985). **Codex Leicester** (de Léonard de Vinci) vendu 2 200 000 £, soit 24 000, le 12-12-1980 chez Christie's (G.-B.) à Armand Hammer, Américain. C'était le seul manuscrit de Vinci appartenant encore à un particulier. **Évangéliaire** (1515), 464 feuillets 8 802. **Manuscrit persan** du XIVe s. sur la 1re histoire du monde par Rashid al Din vendu 8 330 (juillet 1980). **Bible** (768 j 1312) 7 800 (1984). **Le Graduel et sacramentaire de l'abbaye d'Ottobeuren** (v. 1164, All. du Sud) : 7 000 (1981). **Manuscrit de l'Apocalypse** (v. 1280) 6 670, le 25-4-83, chez Sotheby's. **Roman de la Rose** (XVe s.) 4 000 le 16-9-1988 à l'Hôtel George V. **Des cas des nobles hommes et femmes** (de Boccace) de 1403, 3 800 (1980). **Sacramentaire d'Augsbourg** (XIe s.), 3 634 (1982). **Heures de la Vierge** à l'usage de Rome, en latin, ornées de bordures à chaque feuillet et de 84 miniatures, 3 145 (1976). **Histoire du monde** par Paulus Orosius, 2 596 (1982). **Grandes chroniques de France** 2 414 (1981). **Commentaire de la Mishna** par **Maïmonide,** 2 275 (1976). **Histoire ancienne** (v. 1380) 2 028 (1983). **Psautier d'Anne Boleyn,** en français (G.-B., 1529-32) 1 840 (1982). **Psautier biblique** à division fériale, peintures, 176 feuilles 8 582 (18-5-1986). **Bible hébraïque** (v. 1313) 768 p. avec enluminures, 7 800 (1985). **Évangéliaire** (v. 1515) 464 p. avec 176 miniatures, en 2 vol. avec reliure ornée de plaques ciselées, 8 000 (20-11-1985). **Évangéliaire carolingien** (v. 860/880) 15 782, le 26-11-1985 chez Sotheby's. **Tite Live** (1520) parchemin 201 feuillets, 23 peintures 3 200.

Autographes (en milliers de F), année de vente (entre parenthèses)

Légende : a. : autographe. b. : billet. l. : lettre. m.s. : manuscrit. p. : page. s. : signé.

Album romantique avec dessins et ors (**Chopin, Berlioz, Liszt,** etc.) 700 (1986). **Anne d'Autriche** 20 l. 68 (1986). **Apollinaire** brouillon 3,5, 3 poèmes 7,9 ; la Chanson du mal aimé 120 (1988), épreuves d'Alcools corrigées par A. 230 (1988). Pont Mirabeau 70 (1988). **Aragon** les Beaux Quartiers (522 p.) 54 (1979). Poème 1 (1981) 6 poèmes 12 à 120 (1988). **Artaud** l. à Pierre Laval 17 (1986).

Babeuf l. 1795 30 (1981). **Bach** m.s. cantate 21 p. 2 500 (1982) ; cantate 4 175 (1989). **Balzac** l. a.s. (4 p.) 16 (1981), l. à Berlioz 5 (1980). 68 feuillets d'épreuves corrigées du Lys dans la vallée 91 (1981) ; 1 l. (4 p.) à Stendhal 150 (1985). **Barbey d'Aurevilly** les Diaboliques 183 (1977), le Bonheur dans le crime 315 (1989). **Barras** brouillon de sa démission 6 (1982). **Bart (Jean)** 4 (1980). **Bataille (G.)** 23 p. 50. **Baudelaire** l. à sa maîtresse 250 (1984), l. à sa mère 3 à 160 (1982), poème (5 p.) 101 (1982), Paradis artificiels (annotés) 220 (1989), Mon cœur mis à nu (87 et 6 p.) 2 200 (1988), 3 autoportraits 380 à 400 (1988), Portrait de Jeanne Duval 620 (1988), Une femme pour Asselineau 650 (1988), photo par Nadar 400 (1988), notes pour sa biographie (1 ½ p.) 29 (1989). **Beaumarchais** 1 p. 5. **Beethoven** quelques lignes 25 à 40, 1 l. 37 (1979), p. Sonate « Clair de lune » 208 (1980). 4 p. concerto no 1, 3 300 (1983), 1 l. et contrat 200 (1984). **Bellini** mélodie 15 (1981). **Berlioz** 1 a.s. (8 p.) 16 (1981) ; m.s. musical d'un chœur 310 (1985). **Bloy** Sueur de sang 180 (1990), 1 l. 3 500 (1983). **Boileau** l. 5 (1980). **Bolívar** l. **Boulanger** 0,5 (1989). **Boulez** Psalmodie 16 (1983). 194 (1981). **Bonaparte** l. à Mme Tallien 83 (1980). Plan de campagne (1803) 125 (1988). l. à Emma 78 (1988). **Brantôme** m.s. (1 p.) 11 (1981). **Breton** 15 l. 51 (1986). **Breton (André)** et **Soupault (Phil.)** les Champs magnétiques 127 (1982). **Bulletin de santé de Louis XVI** et **Marie-Antoinette au Temple** 13 (1981). **Byron** poème 150 (1984) ; 1 l. a. s. (3 p.) à Stendhal 380 (1985).

Cadoudal 1 l. 26 (1987). **Camus** l'État de siège 85 (1979). La Peste 200 (1983). **Céline** Guignol's Band 130 (1979). Mort à crédit 510 (1983). L'École des cadavres 185 (1984). D'un château l'autre 210 (1983). Féerie pour une autre fois 360 (1984). **Cendrars** Fragments de Moravagine 120 (1983). **Cézanne** 1 l. de 1905 11 (1980), l. s. 6 (1980). **Chabrier** Bourrée fantasque 255 (1986). **Charles VII** signature 13 (1979). **Charles IX** 1 l. 28 (1987). **Chateaubriand** 1 l. à V. Hugo 36 (1985). **Chopin** 14 portées 85 (1983), 2 p. musique 180 (1984). **Claudel** plusieurs l. 3 000 (1983). 337 l. 210 (1983). **Coleridge** poème 17. **Cocteau** notes 3 (1989), brouillon d'une lettre à Pétain, 3,5 (1982). Opium 422 (1983), 1 l. à Proust 75 (1985), son testament 30 (1986) ; Le Mystère de Jean l'Oiseleur, 37 feuillets avec 31 dessins 111,5 (1986). **Cohen (Albert)** correspondance 16 pages 400. **Colette** 5 m.s. dont le Blé en herbe, la Seconde, Journal à rebours, Gigi, Pour un herbier 170 (1977). 337 l. 210 (1983). **Condorcet** 3 l. 11 (1979), l. à Voltaire 13 (1989). **Corneille** 1 l. 40 à 50. **Courbet** 1 l. 7 (1980). **Courteline** Boubouroche 84 p. 10. **Curie** *Marie* Carnet de laboratoire légèrement radio-actif (130 p.) 360 (1984). *Pierre* Carnet (78 p.) 55 (1984). **Custine** 1 l. à Stendhal 91 (1985).

Dalí m.s. 9 (1980). La Dame aux Camélias dossier 122 (1984). **Danton** l. 30 (1988). **Daudet** (A.) Contes du lundi 185 (1989), Jack 190 (1990). **Daumier** 1 a. s. 16 (1981) ; 18 (1989). **David** 1 l. s. 6 (1980). **Debussy** 1 l. 31 (1982), 12 p. de Pelléas et Mélisande 100. 5 poèmes de Baudelaire 100 (1988). **Degas** 1 l. 5 (1980). **Delacroix** 1 l. 10 (1982). **Descartes** 1 l. 53 (1979). **Desmoulins** (C.) 1 l. 16,5 (1983). **Dickens** 22 p. de Nicolas Nickleby 165. **Diderot** l. 6 (1981) ; 18 (1989). **Dreyfus** l. à un ministre 35 (1986). **Drouet** (Juliette) 17 l. (sur 18) à V. Hugo 255 (1969). **Dufy** Carnet de voyages 11 (1980). **Dutilleux** Métaboles 51 (1984).

Einstein m. s. (2 p.) 10 (1981) l. 19 (1986). 72 p. introduction à la relativité (1912) 7 500 (1987). **Elisabeth Ire** l. 165 (1980) ; signature 23 (1981). **Eluard** 1 poème 94 (1990). **Engels** l. 16 (1981).

Fauré mélodie 16 (1983). **Fénelon** l. s. à Bossuet 7 (1980). **Flaubert** Voyage en Orient 495 (1989), brouillon de l'Éducation sentimentale 450 (1975), m.s. sur la littérature (19 p.) 51 (1983), 1 l. à Baudelaire 216 (1984), 2 l.a. à Louise Colet 10 et 6 (1980) à Maupassant l. 190 (1985), 35 l. 155. **Foucauld** (père de) 5 l. 14 (1980). **Fouquier-Tinville** 1 l. 7. **Fourier** m.s. 53 (1985). **France (A.)** Hist. comique 43 (1991). **Franck** (A.) l. à Betty Wagner 1 000 (1989). **Franck** (C.) Ruth 45 (1982). **François II** l. de 1560 12 (1988). **Frédéric II** l. à Voltaire 10 (1981). **Freud** 1 l. 65 (1987). **Fryer,** cap. du Bounty, l. relative à un des insurgés 9 (1981, Londres).

Gauguin Noa Noa 250 (1979), 1 l. 190 (1984). **De Gaulle** l. a. 2 (1980), l. s. 27-6-1940 5 (1982). **Gautier** (Th.) poème 7 (1986). **Genet** m.s. (10 p.) 280 (1985), Journal du voleur (1551), 1 700 (1986), le Bagne 520 (1990). **Géraldy** Toi et Moi 20,1 (1982). **Gericault** l. 9 (1981). **Gide** 11 l. à Fr. Jammes 19,5. Ménalque 38 (1983). **Giono** 15 l. 35 (1980), 16 l. 7,5 (1991). **Giraudoux** Jacques l'Égoïste 60 (1983). Suzanne et le Pacifique 60 (1983). **Goethe** b. 5 (1980). **Gogol** 1 l. 86 (1990). **Goya** 1 l. 33 (1980). **Grégoire (abbé)** l. 0,2 (1988). **Guitry** Mon père avait raison (67 p.) 12,8 (1983).

Haydn partition des Londoniennes 6 000 (de gré à gré). **Heine** brouillon poème 17 (1984). **Henri II** 1 a.s. 11. (1981), brouillon de poème (1 p.) 32 (1982). **Henri IV** l. 8. **Henri VIII** 1 l. patente + sceau (28-4-1524) 1 150 (1983). **Hitler** signature 6 (1980). **Hugo** (Adèle) 798 p. sur V. Hugo 107 (1977). **Hugo** (**V.**) épreuves corrigées des Misérables 710 (1989). 1 l. moins de 0,2 à plus de 2, photogr. dédicacée à Sarah Bernhardt 16 (1982), carnet de notes et dessins 236 (1984), son journal de 1875 : 305 (1985), à 250 (1988), l. à J. Drouet 26 (1988). **Huysmans** Là-bas 59 (1977). **Ingres** l. 7 (1986).

Jacob (Max) Cornet à dés 480 (1990). **Jarnac** minutes 24 (1988). **Jarry** Messaline (219 p.) 160 (1983), le Surmâle 190 (1991). **Jaurès** m.s. 10 (1986). **Jeanne d'Arc** 17 (1961). **Jongkind** 1 l. s. 4 (1980). **Joséphine** l. à Barras 8 (1980).

Kafka m.s. du Procès (1914) 11 000 (1988). **Klee** 1 l. 5 (1980).

La Fayette (Mme de) l. 5 (1981). **Lamartine** 0,2 à plus de 2. **Lamennais** m.s. (95 p.) 13 (1981). **Landru** dessin annoté de sa cuisinière 42 (1985). **Lapérouse** m.s. de journaux de bord 195 et 260 (1985). **Largillierre** l. 8 (1980). **La Rochefoucauld** l. 10 (1981). **Lawrence** l'Enfant dans le buisson 54 (1975). **Léautaud** 33 chroniques 152 (1983). **Leibniz** l. 18 (1980). **Lincoln** 25, carte de visite 5 (1980). **Linné** 1 l. 25 (1984). **Liszt** 11 p. 23 (1979), l. 6 (1981), Marche militaire hongroise 100 (1984). **Livingstone** l. 5 j avant sa rencontre avec Stanley 35 (1981). **Louis XIV** l. 18 (1981). **Louis XVI** l. 14 (1981). **Luther** (Martin) 2 p. 4.

Magritte 1 l. 6 (1980). **Malherbe** l. 21 (1981). **Mallarmé** m.s. sur Manet 36 (1986), m.s. Poèmes autographes 17 à 110 (1988). **Manet** 1 l. 10 (1980) l. à Baudelaire 70 (1986). **Marat** 3 a. 0,35 (1988). **Marie-Antoinette** 1 l. 20 (1979). **Marx** 2 p. 8. **Maurois** (A.) le Cercle de famille 22 (1983). **Massenet** poème 97 (1974), mélodie 7. **Maupassant** Une vie 1 060 (1989), 1 l. 2. 1 l. s. 66 (1983), l. sur sa vérole avec dessins et poème 90 (1984). **Mauriac** Le Désert de l'amour 65 (1983). **Maurras** préface de la Musique intérieure 17,5 (1984), 250 p. 95 (1991). **Mazarin** 131 l. 90 (1979). **Médicis** (Cath. de) 7 l. 10 (1979), l. 7 (1981) ; (Marie) 14,5 (1984). **Mérimée** la Vénus d'Ille 330 (1989), l. à sa mère 8 à 41 (1985). **Millet** 1 l. s. 7 (1980). **Mirabeau** 1 l. 3,2 (1987). **Molière** une signature sur une quittance 165 (1978) ; on ne connaît que 5 ex. de son paraphe en dehors des archives notariales. **Monet** 1 l. 13 (1980). **Montespan** (M[ise] de) 1 l. 7,8 (1983). **Montesquieu** l. 15 (1981). **Montherlant** le Songe 88 (1979) 283 l. 100 (1985). **Mozart** 2 p. 105 ; quelques lignes 25 à 40, m. s. 149 (1983), m.s. symphonies 29 et 30 21 900 (record absolu 1987). **Musset** 4 p. 12 (1987), l. à Mme Jaubert 12 (1988). **Mussolini** m.s. (5 p.) 5 (1982).

Napoléon 1 l. 78 (1987) ; man. de la campagne d'Égypte dicté et très corrigé par Napoléon à Ste-Hélène (plus de 300 p.) 150 (1978) ; plan de campagne adressé à Ganteaume 125. **Nerval** poème 43 (1983). **Nietzsche** 1 a.s. 26 (1981). **Nijinsky** journal 430 (1979). **Nizan** le Cheval de Troie 29,5 (1983). **Nouveau (G.)** 6 sonnets 68 (1991).

Offenbach Phénice 32 (1984).

Pascal pièce signée 73,5 (1983). **Pasteur** 1 a.s. sur la rage 9 (1981) la vaccination 12,5 (1986). **Pergaud** le Roman de Miraut 40 (1983). **Philippe (Ch.-L.)** Marie Donnadieu 75 (1991). **Pierre le Grand** 1 p. 6 (1981). **Pilâtre de Rozier** l. 1,9 (1981). **Pissarro** l. 9 (1980). **Pompadour** (M[ise] de) 391. 5. **Pouchkine** poème 280 (1989). **Poulenc** mélodie 90 (1986). **Prévert** m.s. 11 p. 36 (1981). **Proust** 1 l. (16 p.) à sa mère 155 (1985) ; 9 p. de manuscrit 390 (1985). **Pierre Puget** 1 a.s. 6 (1981).

Racine 1 l. 12 à 27. **Rachel** 1 l. 9 (1987). **Radiguet** le Diable au corps (1re ébauche) 520 (1986). **Raphaël** 2 l. 8. **Raspoutine** 1 p. 18 (1990). **Ravel** l. 15 (1982). Transcription d'une œuvre de Debussy 200 (1983), Sites auriculaires 400 (1985). **Rembrandt** 80 à 120. **Reverdy (P.)** 40 l. 50 (1991). **Rigaud** l. 6 (1981). **Rimbaud** « Les Voyelles » 330 (1982). 1 l. 95 (1983), dessin 132 (1986), reçu de la douane du Harrar 75 (1990), passeport signé 235 (1990). **Robespierre** l. 33,5 (1988), l. 42 (1989). **Romains** (J.) la Vie unanime 33 (1983). **Rossini** m.s. musical (10 p.) 100 (1984). **Rouget de Lisle** La Marseillaise (réécrite en 1833) 130 (1981 achetée par Serge Gainsbourg). **J.-J. Rousseau** m.s. (21 p.) 24 (1981), 1 a. 36 (1984).

Sade 1 l. de jalousie à sa femme 16,5 (1987). **Saint-Exupéry** 1 l. (9 p.) 10 (1979). **Saint-Vincent de Paul** Correspondance 28 l.s. 361 (1989). **Sainte-Beuve** 273 l. à la P[cesse] Mathilde 145. **Sand** Consuelo 505 (1989), l. à Delacroix sur Chopin 72 (1982), Horace (304 p.) 150 (1990). **Sartre** La Mort dans l'âme 85 (1984), 37 p. de Huis-Clos 20. **Satie** Véritables préludes flasques 175 (1986), 12 l. à Cocteau 490 (1986). **Schubert** Lied 45 (1980). **Schumann** 1 a.s. 13 (1981), partition 8 565. **Soubirous (Ste Bernadette)** 1 l. 12. **Spinoza** Opera posthuma (original) 6 000 (1986). **Steinlen** (861 p.) 20 (1982) l. à sa sœur, Moscou 1812, 210 (1988). **Stendhal** testament a. 90 (1985), sa dernière lettre (21-3-1842) 28 (1985), l. 17 à 210 (1988). **Stravinsky** Sonate 11, le Sacre du printemps 360 (record pour un m.s. musical). **Surcouf** 1 a.s. réclamant la Légion d'honneur 30 (1982).

Tchaïkovsky 1 a.s. 25 (1982). **Toulouse-Lautrec** l. 7 (1981). **Tourgueniev** l. 15 (1982).

Valéry 133 Poèmes inédits 650 (1982). 11 l. 47 (1983), 35 l. 52 (1981). **Van Gogh** 1 l. l.s. 240 (1983). **Verlaine** 1 l. 12 et 32 (1982), Notes sur Rimbaud 60 (1983), poème 27 (1984), l. avec dessins 260 (1986), 17 poèmes 280 (1988), poèmes de Mallarmé retranscrits 398 (1991). **Verne (J.)** 1 l. 0,9, m.s. du Docteur Ox 180 (1985). **Vigny** 1 l. 15 (1982), 5 poèmes 305 (1989). **Voltaire** 1 l. 13,5 (1986), 1 l. 13,5 (1988).

Wagner (R.) 2 p. Tannhäuser 60 (1982), l. 185 (1982). **Washington (G.)** l. s. 92 (1981), 1 l.s. (27-5-1778) 4 730 (1983). **Wilde** a. 7,3 (1988).

Yourcenar 1 l. 10,5 (1991).

Zola à partir de 0,05, l. à son avocat Labori 48 (1983), préface, 18 feuillets en 1 volume in-8° 58 (1986). **Zweig (S.)** Carnet 73 (1987).

☞ Manuscrit d'un auteur vivant vendu le plus cher : « Passage to India, » de *E.M. Forster,* publié en 1924, vendu 90 000 F.

Prix record pour une seule lettre : 450 000 F [de Baudelaire à Mme Sabatier (31-8-1857), vendue à Drouot-Montaigne le 20-4-1989] ; 425 000 F [reçue de l'Américain Button Gurnett (1732-77) l'un des 56 signataires de la Déclaration d'indépendance], vendue le 18-10-1979 à New York.

Prix record pour une lettre vendue du vivant de l'auteur : le 22-1-1981 : 59 190 F (lettre de Ronald Reagan à Frank Sinatra).

☞ *Le manuscrit de l' « Appel à tous les Français », rédigé en juin 1940* par le *général De Gaulle,* a été vendu, en décembre 1970, 300 000 F, en privé. Le brouillon a été vendu 101 000 F, à Drouot, le 24-2-1973. *Le manuscrit de l'ordre du jour du 12-11-1918 de Philippe Pétain* a été vendu 85 000 F, à Versailles, le 26-3-1973. *Le journal de bord du C[ne] Robert Lewis, copilote de l'avion qui a largué la bombe atomique sur Hiroshima,* le 6-8-1945, rédigé à la demande de William Laurence, rédacteur scientifique du *New York Times* (qui devait prendre place à bord de l'avion mais était arrivé trop tard), a été vendu le 23-11-1971, à New York, 37 000 $ (203 500 F).

Énigmes

La première énigme est évidemment celle de l'origine de l'Univers. Voir p. 17.

Nous donnons ci-dessous une liste non exhaustive et accueillerons avec intérêt toutes les suggestions que souhaiteraient nous faire nos lecteurs.

Alchimie

Nicolas Flamel. Au XIVe s. à Paris, l'écrivain-juré et alchimiste Nicolas Flamel réalisa par des moyens inexpliqués une fortune considérable. L'étendue de ses libéralités (il dota 14 églises et hôpitaux, dont les Quinze-Vingt, et entretenait tous les pauvres de son quartier) fit croire qu'il avait trouvé le secret de la transmutation des métaux *(pierre philosophale).*

Archéologie

Continent Mu. Les géologues qui admettent la théorie de la « dérive des continents » ont longtemps cru que l'Australie et l'Antarctide étaient les deux seuls vestiges d'un continent très ancien, détaché par dérive de l'Afrique et de Madagascar. Ils pensent actuellement que ce bloc continental dérivé ne s'est pas brisé en 2 parties, mais en 3, dont l'une a occupé le Pacifique central et méridional actuel. Or, un colonel anglais, James Churchward, aurait découvert dans les archives d'un monastère tibétain le récit de la disparition (vers 12000 av. J.-C.) d'un continent pacifique, nommé continent *Mu.*

Feu grégeois. Utilisé à partir du VIIe s. par les Byzantins. La formule de sa composition était perdue après le massacre par les Turcs en 1453. A base de salpêtre et de matières bitumineuses, il brûlait même au contact de l'eau.

Miroirs d'Archimède. Selon les historiens antiques, Archimède aurait incendié à distance les navires romains qui assiégeaient Syracuse (214 av. J.-C.) en concentrant les rayons solaires avec des « miroirs ardents ». Les hommes de science (Descartes 1630) se sont montrés incrédules (il aurait fallu un miroir parabolique de dimensions exceptionnelles). Cependant, en 1973, l'ingénieur grec Sakkas incendia un modèle réduit de galère, à 50 m, en utilisant 70 « boucliers-miroirs ».

Pierres d'Ica (Pérou). Le Dr Javier Cabrera, demeurant à Ica, a recueilli dans les environs 11 000 pierres gravées, notamment à Ocucaje. Scènes, souvent à plusieurs personnages, dans lesquelles on peut reconnaître la pratique de techniques modernes (chirurgie, astronomie, entomologie). Il y a également une chasse au dinosaure (animal remontant à 140 millions d'années). Selon le Dr Cabrera, ces pierres constituent une bibliothèque conservant les connaissances scientifiques de l'humanité, depuis une époque infiniment lointaine.

☞ **Voir à l'index.** Antikythera. Atlantide. Blancs d'Amérique. Crâne de Lubaatun (Belize). Glozel. Légendes bibliques. Mammouths des grottes de Rouffignac. Pile électrique de Ctésiphon (Irak). Pistes et dessins de Nazca (Pérou). Secrets des Égyptiens. Statues de l'île de Pâques. Zimbabwe.

Assassinats

Paul-Louis Courier (10-4-1825). Retrouvé dans ses bois, tué d'un coup de feu, on crut d'abord à un assassinat politique (Courier était un pamphlétaire). Cependant, 2 valets de ferme, les Dubois (dont l'un était l'amant de Mme Courier) et le garde Frémont furent arrêtés, puis acquittés. A la suite d'un témoignage accablant, il y eut un nouveau procès. Les coupables survivants furent acquittés.

☞ **Voir à l'index.** Attentat. Henri IV.

Bilocations

Cas fameux. *St-Philippe de Liguori* (1774) : vu à la fois à son monastère d'Arienzo et à Rome. *Carl Strindberg,* écrivain suédois (1897) : vu en Scandinavie, au cours d'une maladie qui le retenait à Paris. *Padre Pio* († 1968) dont les phénomènes de bilocation ont été constatés par des journalistes. Depuis 1971, les phénomènes de bilocation sont appelés aux U.S.A. OOBE (out of body experience : c.-à-d. expériences de projections hors du corps). Ils sont étudiés au laboratoire de psychologie de l'université de Californie.

Bruits et explosions

Explosions au-dessus du Pacifique (9-4-1984). Un gigantesque nuage en forme de champignon (largeur : 320 km, hauteur : 18 000 m) apparut à 300 km du Japon et 400 km des îles Kouriles. *Hypothèse :* explosion nucléaire d'un sous-marin soviétique justifiée par la vitesse d'ascension du nuage (7 km/min, un cumulo-nimbus ne dépassant pas 2,4 km/min) mais ni ondes sous-marines, ni radioactivité ne furent détectées.

☞ **Voir à l'index.** Météorites de Toungouska.

☞ Suite p. 836.

ARTS PLASTIQUES

Architecture

Données techniques

Appareil. Façon de tailler et de disposer les matériaux. *Petit appareil* (blocs inférieurs à 0,20 m ou 0,15 m) : cubique, allongé ou en épi, selon la forme des blocs et leur disposition (dit en dépouille quand la partie visible est amincie pour être mieux saisie par le mortier). Le mortier est indispensable. *Grand et moyen :* souvent à joints vifs.

Architrave. Poutre de pierre entre 2 appuis (doivent être assez larges pour supporter la pression verticale exercée par la poutre). On l'appelle linteau quand elle couvre une baie pratiquée dans une maçonnerie pleine.

Béton armé. Principaux précurseurs : William Fairbairn (Angl. brevet 1844 ; raffinerie de 8 étages 1845), Jean-Louis Lambot (France, brevet 1885 pour un bateau-canot en ciment armé), François Coignet et Joseph Monier (horticulteurs). Entre 1860 et 1865 ils construisent dalles, tuyaux, réservoirs en ciment armé ; jusqu'en 1896, Coignet emploie le mortier de ciment, ses réalisations sont en ciment avec ossature métallique ; Monier prend les brevets pour des ponts (1873), escaliers (1875), poutres (1879), gitages en voussettes armées (1880). François Hennebique substitue le b. armé au ciment armé (1879), conçoit la 1re dalle en béton de ciment armé de fers ronds ; prend un brevet (1886) pour des poutres creuses en béton armé moulées d'avance (1892), introduit l'emploi des armatures transversales ; invente la barre relevée ; crée (1896) le pilot en béton armé (ligatures assez rapprochées). *1res applications de l'ensemble de ces procédés :* 1898 immeuble en béton armé, 1, rue Danton ; 1904 villa de Hennebique à Bourg-la-Reine (tour octogonale portée par des ressauts de 4 m) ; 1910 pilier-champignon créé à Zurich par le Suisse *Robert Maillart ;* 1913 1er ensemble monumental du Théâtre des Champs-Élysées de A. Perret ; 1923 1er pont en béton précontraint, à St-Pierre-de-Vouvray, d'Eugène Freyssinet : l'armature est soumise à une tension (déterminée) imposant au béton qui adhère à elle une forte compression (avantages : résistance aux tractions, élasticité et étanchéité accrues, économie d'acier et de cuivre).

Bois. Lamellé-collé (inventé 1906 par Otto Hetzer) : planches de 15 à 22 mm pressées à plat et collées. Portées de plus de 100 m.

Câbles à filets (ou structures suspendues ou voiles prétendus). Ex. : ponts, toits suspendus à simple courbure ou résilles de câbles à courbures inverses.

Constructions plissées. Les plis donnent de la rigidité à des voiles de béton (ex. : salle des Congrès à l'UNESCO : Paris ; N.-D. de Royan, de Gillet).

Coques. Segments de coques incurvés dans le sens de la portée (ex. : le CNIT à Paris). Coques cylindriques (ex. : stade de Hanovre). Coques de révolution, les plus répandues (ex. : Palais des sports par Nervi, à Rome). Hyperboloïde de révolution ou en selle de cheval (ex. : salle des Congrès de Berlin-Ouest). Formes libres (ex. : marché de Royan).

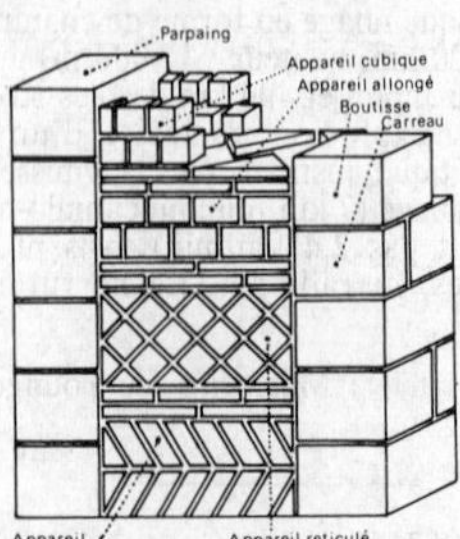

Coupoles. Quand elles sont sur un édifice carré, elles sont montées sur trompes (le carré se transforme en octogone) ou sur pendentifs (triangle concave).

Dômes. Coupoles surmontées d'une enveloppe extérieure en maçonnerie ou charpente.

Fer. *1res réalisations importantes : G.-B. :* Crystal Palace à Londres, 9 ha, par Joseph Paxton, 1851, allie le métal et le verre. *Aux États-Unis :* George W. Snow (Chicago) réalise des charpentes en fer très légères formant ossature et revêtues de bois, 1833. *En France :* combles du salon Carré, au Louvre (1778), de la Comédie-Française (1786) ; charpente métallique du dôme de la Halle au blé (1809). Bibl. Ste-Geneviève par Labrouste, piliers en fonte, voûte en fer (1843). Halles de Baltard à Paris, la brique et le fer seulement utilisés pour le remplissage (1854-56). Ponts de Clichy (1851), Asnières (1852), Bordeaux (1860). Galerie des machines (de Dutert) à Paris (1889), pour la 1re fois un espace (420 × 15 m, haut. 45 m) est franchi sans point intermédiaire.

Fonte. *1res réalisations :* pont de Coalbrookdale, G.-B., 1779 ; en France : p. des Arts à Paris, 1803. En 1840, la mode des façades en fonte se répand aux U.S.A. et en G.-B.

Gratte-ciel. Leroy S. Buffington (de Minneapolis, *1882,* U.S.A.) établit les plans d'un bâtiment de 16 étages (l'acier ne servant que de charpente). *1885 :* le 1er gratte-ciel est construit à Chicago par William Le Baron Jenney, le Home Insurance (10 étages + 2 ajoutés ensuite), dont les piliers verticaux en maçonnerie enrobent des colonnes de fer associées à des poutrelles horizontales en fer formant l'ossature portante (remplaçant le système traditionnel de maçonnerie reposant sur un mur porteur continu). Le 1er ascenseur (offrant toutes les garanties de sécurité) est présenté à New York par Elisha G. Otis (1er usage public en 1857 dans le magasin new-yorkais Haughwout). Voir dimensions par pays p. 364.

Mur. Porteur. Mur de façade, ou mur pignon, mur goutterau (perpendiculaire à la façade) ; épaisseur de 20 cm à 7,50 m (château de Coucy). **Non porteur.** Toute paroi qui ne subit pas les charges verticales (cloisons, murs, rideaux ; ex. : tour Nobel à Puteaux : tout mur non compris dans un noyau central ou dans l'ossature extérieure).

Poutre de gloire. Traverse l'*arc triomphal* qui masque à l'est l'entrée de la nef. Portait au milieu un crucifix, une Vierge, des reliquaires. A l'époque gothique, on construisit à sa place des jubés ornés de crucifix : murs transversaux portant une galerie servant aux lectures et aux chants.

Structures autostables. Réalisées en France par *Ferratex,* elles sont constituées d'une ossature métallique tubulaire (largeur 22 m ; hauteur 7,6 m ; travées 6,1 m), recouverte par une toile en textile synthétique (1 300 m² d'un seul tenant).

Structures gonflables. Un film plastique de 0,1 à 0,2 mm permet des portées de 1 à 2 m ; un film de 0,6 à 1 mm, de 5 à 10 m ; un tissu à trame de Nylon ou de Tergal, enduit de plastique assurant l'étanchéité, jusqu'à 25 m de portée. Au-delà, il faut des trames plus résistantes. *La plus grande structure du monde* (base carrée couvrant 1 ha) réalisée à Buc par la S.E.E.E. (Sté européenne d'études et d'essais d'environnement) associe une enveloppe souple (polyester à haute ténacité pesant 700 g/m²), assurant l'étanchéité, et une résille (filet de câbles en acier). Pression : 3 millibars. Le toit, fixé au sol par ancrages de béton, est maintenu gonflé par une soufflerie. Cette technique a été appliquée pour la couverture temporaire durant l'hiver de courts de tennis (2 000 m² couvrant le plus souvent 4 tennis).

Dôme aéroporté le plus grand : dôme du Pontiac Silverdome Stadium à Chicago (Michigan, U.S.A.), 159 m sur 220 m (3,4 ha), pression de l'air 34,4 kPa, couverture transparente en fibre de verre (4 ha) ; aux mesures standards : 262 m de long, 42,6 m de large et 19,8 m de haut à Lima (Ohio, U.S.A.).

Treillis spéciaux. Béton et acier (ex. : Gd Marché de Francfort-sur-le-Main, Allemagne, 1927) ; coupole en tôle d'aluminium (pavillon des U.S.A., Exposition de Montréal, 1967).

Voûte. En berceau (au XIIe s., elle devient pointue : en arc brisé, dite en ogive), d'arête, nervurée, croisée d'ogives. *Sexpartite* (6 branches d'ogive) ; en *étoile* (ne subsistent que les liernes et les tiercerons). Les *liernes,* nervures secondaires situées entre la clef d'ogives et la clef des doubleaux, renforcent la voûte. Les *tiercerons* sont des nerv. secondaires de la naissance des ogives à l'extrémité des liernes.

Earth-workers ou land art

Christo (Chr. Javacheff, Bulg., 1935) a emballé des km de côtes australiennes et, en 1985, le Pont-Neuf à Paris. *Michael Heizer* (1944) a creusé des trous gigantesques dans le désert du Nevada ou dans la neige. *Walter De Maria* (1935-78) a tracé 2 tranchées parallèles d'un demi-mile dans le désert du Nevada. *Huchkinson* a pioché sur les flancs de volcans en activité des rigoles pour orienter les coulées de lave. *Denis Oppenheim* (1938) a souligné à la charrue les courbes de niveau d'un paysage et tracé un sillon de plusieurs km pour concrétiser le méridien de Greenwich. *Keith Arnatt* a ensablé 120 personnes jusqu'au cou sur la plage de Liverpool, face à la mer. *Robert Smithson* (1938-73) a construit dans le Grand Lac Salé une digue en spirale de 450 m avec des rochers, des cristaux de sel et de la terre, a planté (1977) 400 paratonnerres à 67 m les uns des autres dans un champ de 1 km sur 1,7 km. *Uriburu* (1937) a coloré les eaux de New York, Paris, Venise et Buenos Aires.

France

Époque celtique

(900-52 av. J.-C.)

Architecture militaire

Enceintes fortifiées (ou oppidums). *Gergovie :* longtemps localisée à Merdogne (renommée Gergovie par Napoléon III) au S. de Clermont. Certains la situent actuellement au N. (côtes de Clermont, à l'E. du col de Purtol). *Guillon :* mur de 6 km [5 m de haut (150 000 m³ de pierres sèches), style protohistorique] découvert en 1975-80 [à 16 km d'Avallon (Yonne)]. Identifié par certains comme Alésia, de préférence à Alise-Ste-Reine (hypothèse de Napoléon III), grâce aux restes des 23 fortins construits par César. *Bibracte :* 5 km, 136 ha.

Art gallo-romain

(Ier s. av. J.-C.-Ve siècle apr. J.-C.)

Amphithéâtres ou arènes. *Paris* (ar. de Lutèce : 60 à 120 apr. J.-C. ; 15 000 pl.). *Arles* (ar. 80 à 90 apr.

Maison romaine. 1 atrium 2. tablinum 3. péristyle 4. triclinium 5. œcus. *D'après Guide Michelin (Provence, 23e éd.).*

J.-C. ; 136 × 107 m, 21 000 pl.). *Bordeaux :* palais Gallien (IIIe s. apr. J.-C. ; 132,3 × 110,6 m). *Fréjus* (Var ; fin Ier s. apr. J.-C. ; 113 × 85 m, 10 000 pl.). *Nîmes* (68-70 apr. J.-C. ; 131 × 104 m, 365 m de tour ext., haut. 21 m, 25 000 pl.). *Orange* (v. 120 apr. J.-C. ; long. 19,48 m, prof. 8,50 m, haut. 18,80 m).

Aqueducs. *Pont du Gard* [Ier s. av. J.-C. ; long. 273 m ; haut. totale 48,77 m (1er ét. 21,87 m, 2e ét. 19,5 m, 3e ét. 7,40 m)], sur le Gardon, commune de Vers. Le plus grand des aqueducs romains, celui de *Carthage,* en Tunisie (117-138 apr. J.-C.), parcourait 141 km (capacité 31,8 millions de l par jour).

Arcs. *Carpentras* (Ier s. apr. J.-C. ; haut. 10 m ; larg. 5,90 m ; prof. 4,54 m). *Cavaillon* (Ier s. apr. J.-C.). *Orange :* de Tibère (haut. 22,73 m ; larg. 21,45 m ; prof. 8,50 m). *St-Rémy* (B.-du-Rh. ; Ier s. av. J.-C. ; long. 12,40 m ; prof. 5,60 m ; haut. sous voûte 7,50 m).

Ponts. *De l'Argens* (Var). *Pont-Ambroix* (Hérault). *St-Chamas* (B.-du-Rh.) : pont Flavien (Ier s. apr. J.-C. ; long. 21,40 m ; larg. 6,20 m). *Sommières* (Gard). *Vaison-la-Romaine* (Vaucluse, Ier s. apr. J.-C., arche unique de 17,20 m d'ouverture).

Portes. *Autun :* p. St-André (Ier s. apr. J.-C. ; haut. 14,50 m ; larg. 20 m) et p. d'Arroux (haut. 17 m ; larg. 19 m). *Besançon :* p. Noire (haut. 10 m ; larg. 5,60 m). *Reims :* p. de Mars (haut. 13,50 m ; long. 33 m).

Temples. *Nîmes :* Maison carrée (4 apr. J.-C. ; hexastyle, pseudopériptère, long. 26,3 m, larg. 13,55 m, haut. 17 m). *Vienne :* temple d'Auguste et de Livie (27 av. J.-C. à 11 apr. J.-C.).

Théâtres. *Arles* (Ier s. av. J.-C. ; 103,8 m diam. ; 1 600 pl.). *Autun* (70-80 apr. J.-C. ; 147,80 m diam. ; 16 000 pl.). *Fréjus* (Ier s. apr. J.-C. ; 72 m diam.). *Grand* (Vosges, Ier s. apr. J.-C. ; 149,50 m diam., le plus grand théâtre de l'Antiquité). *Lyon* (Ier s. av. J.-C. ; 103 m diam. ; le plus ancien théâtre de Gaule). *Orange* (début Ier s. apr. J.-C. ; 103 m diam. ; 36 m haut. ; 40 000 pl. ; le mieux conservé). *Vaison-la-R.* (Ier s. apr. J.-C. ; 96 m diam.). *Vienne* (Ier s. av. J.-C., début Ier s. apr. J.-C. ; 103,40 m diam.).

Thermes. *Paris :* musée de Cluny (fin IIe s. apr. J.-C.). *Arles :* palais Constantin (98 × 45 m, IVe s. apr. J.-C.). *Lambesc* (B.-du-Rh.). *Nîmes :* temple de Diane (117 × 138), en ruine, fut probablement le bâtiment principal des thermes.

Tombeaux. *St-Rémy* (B.-du-Rh.) : mausolée des Jules (Ve s. apr. J.-C. ; haut. 19,30 m).

Trophées. *St-Bertrand-de-Comminges* (Hte-Gar., IIe s. apr. J.-C.). *La Turbie* (Alpes-Mar.) : trophée d'Auguste (6 av. J.-C. ; haut. 50 m, aujourd'hui 35 m ; larg. 34 m).

Époque mérovingienne
(Ve-VIIIe s.)

Architecture religieuse

Caractères. Imitation de la basilique romaine : nef séparée des bas-côtés par des colonnes, abside ornée de mosaïques, revêtements de marbre, plafond en bois sculpté relevé d'or. Influence orientale sensible : deux absides opposées, abside flanquée de deux salles carrées, tour-lanterne entre abside et nef, baptistère octogonal, avec une colonnade sur laquelle repose une coupole.

Principaux monuments. Peu de vestiges : beaucoup étaient en matériau léger. *Plan basilical :* fragments de St-Pierre de *Vienne* (Isère) ; cryptes de St-Laurent, *Grenoble ;* de St-Paul, *Jouarre* (S.-et-M.) ; *Néris* (Allier). *Plan central :* baptistères de Saint-Jean à *Poitiers, Riez* (Alpes-de-Hte-P.), *Fréjus* et *Aix ;* cathédrale de *Nevers.*

Époque carolingienne
(IXe s.)

Architecture religieuse

Caractères. Influence orientale : plan central surmonté d'une coupole, décor de feuillages, tresses, cercles. Annonce l'art roman : porche voûté surmonté d'une église antérieure (*St-Riquier,* Somme) qui se retrouve dans la tribune sur passage voûté à l'entrée des églises auvergnates et dans les clochers-porches de *St-Benoît-sur-Loire* (Loiret), *Ébreuil* (Allier). Coupoles et absides décorées de mosaïques.

Principaux monuments. Abbaye de *St-Riquier* (Somme ; détruite, reconstruite XIIIe-XVIe s.) ; *St-Philbert-de-Grand-Lieu* (L.-Atl.) ; *Germigny-des-Prés* [Loiret, sur le plan d'Etchmiadzine (Arménie)] ; *St-Germain* (C.-d'Or) ; *St-Pierre-de-Jumièges* (S.-M.) ; basse-œuvre de *Beauvais.*

Époque préromane
(Xe s.)

Architecture religieuse

Caractères. Bas-côtés séparés de la nef par des piliers. Pas de transept. Nef et bas-côtés terminés chacun par une abside. Extérieur : niches continues au sommet de l'abside et décoration en « bandes lombardes » (reliées en séries de festons).

Principaux monuments. *St-Philibert-de-Tournus* (S.-et-L.) ; *St-Guilhem-le-Désert* (Hérault) [cloître transporté au Metropolitan Museum (U.S.A.)] ; *St-Martin-d'Aime* (Savoie).

Époque romane
(fin Xe, XIe, milieu XIIe s.)

Origine du mot « roman ». Utilisé pour la 1re fois par l'archéologue Charles Duhérissier de Gerville (1769-1853) dans une lettre de 1818 à Auguste Leprévost (archéol., 1787-1859, député de Bernay). En 1823, il divise le Moyen Age en 2 périodes : le plein cintre, qu'il appelle « roman » (car il est l'héritier de la voûte romaine), et le style « ogival », auquel il réserve le nom de *gothique.*

Architecture religieuse

Normandie. Plan bénédictin sans déambulatoire avec des absides décroissantes des deux côtés de l'abside principale. Piliers alternativement forts et faibles. Collatéraux avec tribunes. Fenêtres hautes avec galerie de circulation. Nef non voûtée. Tour-lanterne (tradition mérovingienne). 2 tours encadrant la façade. Clocher de pierre. – Abbayes : aux Hommes (St-Étienne, voûte gothique), aux Dames (Trinité), à *Caen ;* de *Jumièges* (S.-M.) ; *St-Martin-de-Boscherville* (S.-M.) ; *Cerisy-la-Forêt* (Manche) ; *Lessay* (Manche) (voûte gothique).

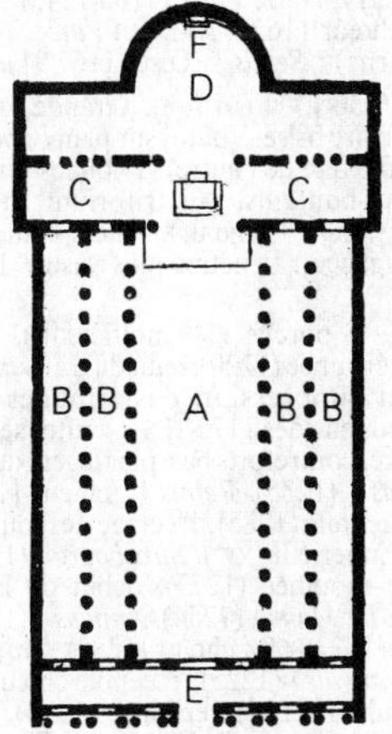

Basilique chrétienne
A nef centrale. B latérale. C chœur. D abside. E narthex. F siège de l'évêque

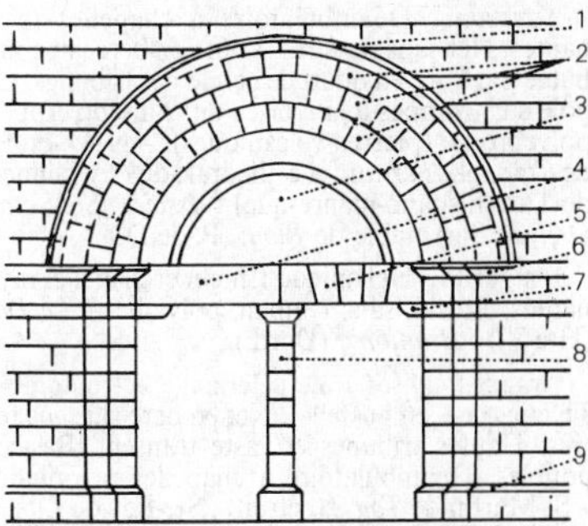

Éléments d'une porte d'église romane. *1* archivolte. *2* voussures. *3* tympan. *4* linteau. *5* linteau appareillé. *6* imposte. *7* corbeau. *8* trumeau. *9* moulure de soubassement.

Nord. Petits édifices. Voûtes rares. – *Paris :* St-Germain-des-Prés ; *Reims :* St-Remi ; *Morienval* (Oise) ; *Beauvais :* St-Étienne.

Bourgogne. *Type clunisien :* cinq nefs et deux transepts, déambulatoire, élévation intérieure : arcades, triforium, fenêtres ouvertes dans la nef, voûte en berceau brisé ; deux tours encadrant la façade. – *Cluny* (S.-et-L.), détruit de 1809 à 1823 ; *Paray-le-Monial* (S.-et-L.) ; *La Charité-sur-Loire* (Nièvre) ; Saint-Lazare d'*Autun* (S.-et-L.) ; *Semur-en-Brionnais* (S.-et-L.) ; *Beaune* (C.-d'Or) ; *Langres* (H.-M.).

Type de Vézelay : élévation à 2 étages (sans triforium) ; voûte d'arêtes séparées par des arcs doubleaux. – La Madeleine, *Vézelay* (Yonne) ; *Anzy-le-Duc* (S.-et-L.).

Type cistercien : plan : nef à bas-côtés, transept, chœur carré, flanqué de deux chapelles carrées ; élévation à deux étages. – *Fontenay* (C.-d'Or).

Poitou. Pas de tribunes. Pas de fenêtres dans la nef. Bas-côtés presque aussi hauts que la nef et percés de fenêtres. Voûte en berceau brisé. Façade très ornée en Poitou, Saintonge. Piliers se réduisant à quatre colonnes soudées ensemble et formant un trèfle à quatre feuilles. – N.-D.-la-Grande de *Poitiers ;* St-Pierre à *Chauvigny* (Vienne) ; *Civray* (Vienne) ; *St-Jouin-de-Marnes* (Deux-S.) ; *Melle* (Deux-S.) ; *Ruffec* (Ch.) ; *Aulnay* (Ch.-M.) ; *Parthenay* (Deux-S.) ; *Airvault* (Deux-S.) ; Ste-Croix de *Bordeaux.*

Périgord. Coupoles sur pendentifs (provenant de l'Orient ?) s'alignant sur une nef unique. – *Cahors* (Lot) ; *Souillac* (Lot) ; *Solignac* (Hte-V.) ; *Angoulême* (Ch.) : St-Pierre ; *Fontevraud* (M.-et-L.) ; *St-Émilion* (Gir.) ; *Périgueux :* St-Étienne, St-Front (5 coupoles sur pendentifs disposées dans une croix grecque ; exception inspirée des Sts-Apôtres de Constantinople, comme St-Marc de Venise).

Clocher roman (XIe-XIIe-XIIIe s.), St-Léonard-de-Noblat (Hte-Vienne)

Tour du XIVe s. St-Pol-de-Léon (Finistère)

Auvergne. Déambulatoire à chapelles rayonnantes. Nef sans fenêtres. Voûte en berceau contrebutée par l'arc en quart de cercle des tribunes. Coupole sur trompes à la croisée du transept. Appareil polychrome (pierres volcaniques). – N.-D.-du-Port de *Clermont-Ferrand* et cathédrale du *Puy* (influence de l'art hispano-mauresque) ; *Issoire, St-Nectaire, Orcival,* St-Amable de *Riom* (P.-de-D.).

Languedoc. Nef unique. Chœur et chapelles rayonnantes. Portail sans tympan, polylobé. – *Le Dorat* (Hte-V.) ; *Brantôme* (Dord.).

Grandes églises « de pèlerinage » (route de St-Jacques-de-Compostelle). Nef en berceau sans fenêtres. Hautes tribunes et vaste transept. Bas-côtés doubles. Déambulatoire à chapelles rayonnantes. – St-Martin de *Tours* (détruit) ; Ste-Foy de *Conques* (Av.) ; St-Sernin de *Toulouse ;* St-Martial de *Limoges* (détruit).

Provence. Nef unique ; pas de déambulatoire. Fenêtres très étroites ouvertes dans la nef. Voûte en berceau brisé. Bas-côtés en arc de cercle. – *St-Paul-Trois-Châteaux* et *St-Restitut* (Dôme) ; N.-D.-des-Doms d'*Avignon ;* St-Trophime d'*Arles ; Cavaillon ; Vaison ; St-Gilles-du-Gard ;* anciennes cathédrales de *Carpentras, Avignon, Digne.*

Architecture monastique

Cloîtres. Arcades reposant sur des colonnes jumelées. – *Montmajour* (B.-du-Rh.) ; St-Trophime d'*Arles ; Moissac* (T.-et-G.) ; *Elne* (P.-O.) ; *St-Bertrand-de-Comminges* (H.-G.) ; *Vaison* (Vaucluse) ; *St-Michel-de-Cuxa* (P.-O., transporté en partie à New York) ; *St-Martin-du-Canigou* (P.-O.).

Cuisines. *Fontevraud* (M.-et-L.).

Salles capitulaires. *Vézelay* (Yonne, en partie XIIe s.) ; *Noirlac* (Cher) ; *Frontfroide* (Aude, partie goth.).

Architecture militaire

Ne subsistent que les constructions en pierre.

Donjons. Les plus anciens subsistant : *Doué-la-Fontaine* (M.-et-L.). *Langeais* (994, I.-et-L.). *Loches* (fin XIe, I.-et-L.). *Beaugency* (fin XIe, Loiret) ; Château-Gaillard, *Les Andelys* (XIIe, Eure). *Provins* (XIIe-XIIIe, S.-et-M.).

Enceintes. *Carcassonne* (XIIe-XIIIe-XIVe) ; *krak des Chevaliers* (Syrie, par l'Ordre de l'Hôpital).

Archère. Meurtrière pour tir à l'arc, fente verticale étroite et longue [7 m à Najac (Aveyron)].

Barbacane. Châtelet disposé devant une porte principale au-delà du fossé. **Basse-cour ou bayle.** Cour au pied du château, protégée par des remparts. **Bastille.** Ouvrage temporaire placé par l'attaquant lors d'un siège. **Bélier.** Grosse poutre munie d'une tête de fer, suspendue à une charpente ou fixée sur un affût mobile pour disloquer une maçonnerie. **Bretèche.** Construction en saillie percée de mâchicoulis pour le tir plongeant, et quelquefois de meurtrières pour le tir horizontal. Assurait le plus souvent la défense d'une porte.

Canonnière. Meurtrière pour arme à feu, trou rond ou ovale. **Châteaux-cours.** XIIIe s. : plans carrés ou rectangulaires pouvant atteindre + de 70 m de côté au Louvre (disparu). *Mieux conservés :* à Dourdan, Nesles-en-Tardenois (Aisne), Thiers-sur-Thève (Oise), Montaiguillon (S.-et-M.), Mez-le-Maréchal (Loiret), Druyes-les-Belles-Fontaines (Yonne) qui doit être le plus ancien de ce type (1170), Montreuil-Bonnin (Vienne), Coudray-Salbart (Deux-S.), Semur-en-Auxois (Côte-d'Or), Mauzun (Puy-de-Dôme). *Plan triangulaire :* Gençay (Vienne), Trévoux (Ain). *Polygonal :* Boulogne (P.-de-C.), Fère-en-Tardenois (Aisne). *Coucy,* du XIIe s. (Aisne), a été remanié à la fin du XIVe s. et détruit en 1917. *Angers,* le plus vaste : enceinte de 17 tours. *Farcheville* (Essonne) avec une enceinte crénelée. **Châtelet.** Petit château fort destiné à la défense d'un pont, d'une route ou d'une voie d'accès. **Contrescarpe.** Face du fossé opposée à la place. **Courtine.** Mur généralement compris entre les tours. **Créneau.** Échancrure rectangulaire du parapet permettant le tir.

Donjon. Tour principale d'une place, la plus forte et la plus haute à l'époque romane ; y logeaient le seigneur, sa famille et ses défenseurs. *Forme quadrangulaire* (au XIe et XIIe s., plutôt barlong que carré) : les + hautes : 35 à 37 m à Loches (I.-et-L.), Beaugency (Loiret) et Nogent-le-Rotrou (E.-et-L.) ; les + vastes : 20 à 30 m de long sur 15 à 25 m de large. Murs : 1,50 à 2 m parfois. Portes : au moins à 6 m du sol, accès par échelle, passerelle escamotable ou perron en bois. *Cylindriques, ovales, polygonaux ou polylobes* (au XIIe s.) : avantages : économie de matériaux, meilleure vision, résistance renforcée, inconvénients : salles circulaires moins logeables, moins stable sur ses bases. *1er donjon cylindrique :* Fréteval (L.-et-C.) v. 1100 ; diamètre : 11 à 15 m (peut atteindre 18 m), hauteur : 20 à 30 m. *Plan : ovale* à St-Sauveur-en-Puisaye (Yonne) ou Montlandon (E.-et-L.), *polygonal* à Gisors, Châtillon-Coligny, Vievy-le-Rayé (L.-et-C.), après 1150 à Provins, *polylobé* à Lucheux, vers 1120 à Houdan (Yvelines), v. 1140 à Étampes (Essonne), vers 1190 à Ambleny (Aisne) ou à *éperon* comme à La Roche-Guyon (Val-d'Oise), Château-Gaillard (Eure) ou Issoudun (Indre). Au XIIe s., les plans deviennent géométriques : tours cylindriques, angles en saillie ou à distance (en moy. 15 à 25 m), tours surmontant les courtines. Fossé à 12 ou 20 m de large. **Donjons royaux.** *Cylindriques :* Philippe Auguste en a édifié une quinzaine. Murs : de 3,80 à 4,95 m, diam. 11,50 à 16 m, haut. 25 à 32 m. Vestiges : Dourdan, Montlhéry (Essonne), Villeneuve-sur-Yonne (Yonne), Gisors, Vernon, Verneuil (Eure), Rouen, Lillebonne (S.-M.), Falaise (Calvados), Chinon (I.-et-L.). **Donjons seigneuriaux :** Nesles-en-Tardenois (Aisne), Coucy [Aisne ; v. 1225 (hauteur 54 m avant d'être détruit en 1917)].

Échauguette. Tourelle en encorbellement pour le guet et le tir, placée sur un angle. **Enceintes castrales.** Diamètre : 10 à 100 m. Circulaire en terre : fin du IXe s., en usage jusqu'au XIIe s. Fossé de + de 3 m de profondeur. Talus de quelques mètres de haut couronné d'une palissade de pieux et fascines. **Escarpe.** Talus intérieur d'un fossé sis du côté de la place, le talus extérieur est la contrescarpe.

Glacis. Terrain aménagé en pente douce vers l'extérieur, qui obligeait l'assaillant à se présenter à découvert. **Guette.** Tourelle surmontant l'escalier d'accès au sommet d'une tour. Cylindrique ou carrée.

Herse. Grille (bois ou fer) fermant l'entrée (elle glissait de l'étage supérieur). **Hourd.** Galerie de bois établie en encorbellement à l'extérieur des murs, afin de battre le pied des défenses (remplacé par les *mâchicoulis* en pierre).

Larmier. Membre horizontal en saillie sur le nu du mur pour écarter les eaux pluviales. **Lice.** Espace entre les enceintes (7 à 10 m de large).

Mâchicoulis. Galerie de pierre accrochée en surplomb au sommet des murs et permettant de laisser tomber des projectiles (tir fichant) sur les assaillants arrivés au pied du mur. On distingue les mâchicoulis sur arc et les mâchicoulis sur corbeaux ou consoles apparus en France v. 1300. Le faux mâchicoulis ou mâchicoulis décoratif n'a pas d'ouverture pour le tir fichant. **Mantelet** (XVIIe s.). Sorte de bouclier à roulettes pour la défense et l'attaque des places fortes. **Merlon.** Partie pleine d'un parapet comprise entre 2 créneaux ; l'archer tire par les créneaux ou à travers des archères pratiquées dans les merlons. **Meurtrière.** Petite ouverture pour le tir. **Motte.** *XIe et XIIIe s. :* tertre circulaire (10 à 30 m au sommet), parfois en ovale, ou quadrangulaire (de 6 à 10 m de haut) entouré d'un fossé annulaire, le plus souvent flanqué d'une enceinte semi-circulaire formant une basse-cour (protégée de même).

Parpaing. Pierre traversant toute l'épaisseur de la maçonnerie et laissant voir ses extrémités sur les 2 parements. **Poliorcétique.** Art de conduire les sièges.

Architecture civile

Maisons. *Cluny* (S.-et-L.) ; hôtel de ville de *Saint-Antonin* (T.-et-G.).

Ponts. *Airvault* (XIIe, Deux-Sèvres) ; *Avignon,* pont Saint-Bénezet (1177-1185) construit par saint Bénezet et ses disciples. Il se composait de 2 arches (850 m env.). Les piles sont peut-être d'origine romaine. Reconstruit au XIIIe s. (après le siège de 1228), rompu depuis le XVIIe s., il subsiste 4 arches, le Châtelet (XIVe et XVe), la chapelle St-Nicolas (romane, remaniée au XIIIe s. et déb. du XVIe s.).

Époque gothique
(milieu XIIe-début XVIe s.)

Origine du mot « gothique ». Créé v. 1440 par l'Italien Lorenzo Valla pour désigner un style d'écriture (dans le sens de « médiéval », l'expression *Moyen Age* n'existant que depuis 1604). Au XVIe s., Vasari appelle *tedesco,* « tudesque » (c.-à-d. germanique), toutes les architectures médiévales, à la fois romanes et gothiques (au XVIe s., Palladio distinguait entre le plein cintre et l'ogive, mais sans les classer chronologiquement). L'adjectif latin *gothicus* (dans le sens de « médiéval ») a été créé en 1610 pour l'architecture par un jésuite français voulant traduire l'italien *tedesco ;* le 1er emploi de *gothique* en français, dans le même sens, est de 1619. Aux XVIIe et XVIIIe s., le mot prend un sens péjoratif (à la fois « médiéval » et « suranné »). Au XIXe s. les 2 mots « ogival » et *gothique* deviennent synonymes pour désigner l'architecture du XIIIe s. à la Renaissance ; *gothique* s'emploie en outre pour les autres arts.

Architecture religieuse

Légende. (1) Cathédrale.

Gothique primitif (1130-1230). Grande rose de façade comprise dans un arc en plein cintre. Voûtes sur plan carré et sexpartites. Tribunes au-dessus des bas-côtés. Alternance de piles fortes et faibles (sauf N.-D. de *Paris*). Chapiteaux à crochets. Fenêtres moins grandes. – *St-Denis* (S.-St-D., 1132-44), façade, avant-nef et déambulatoire avec chapelles rayonnantes (nef du XIIIe) ; *Noyon* [1] (Oise, 1140-86), plan roman ; *Sens* [1] (Yonne, 1130-70) ; *Laon* [1] (Aisne, 1150-1233) ; N.-D. de *Paris* (1160-1245) ; St-Remi de *Reims* (chœur 1162) ; *N.-D.-en-Vaux,* à Châlons-sur-M. (Marne) ; *Senlis* [1] (Oise, 1167-91).

Apogée (1230-1300 environ). Grande rose de façade dans un arc brisé. Voûtes sur plan *barlong* (plus long d'un côté que de l'autre). Tribunes remplacées par des arcs-boutants. Au triforium succède la clairevoie (*Amiens* [1], chœur). Piliers cantonnés de colonnes engagées. Fenêtres plus vastes. Bas-côtés très hauts.

Chartres [1] : porche (1re moitié XIIe), incendie (1194), nef terminée (1220), haut du transept (1240), dédicace et suppression des tribunes (1260). *Bourges* [1] : conçue dès 1172-1235, voûtes sexpartites sur plan carré, contreforts bas, plus légers qu'à Chartres. *Soissons* [1] (1235). *Reims* [1] : chœur (1212-41), façade occidentale (1285), 1er étage des tours (1311-XIVe), étage supérieur (XVe). *Strasbourg* [1] (1240-75) : nef romane modifiée (1277), début de la façade occidentale. *Le Mans* [1] (1254). *Amiens* [1] (1220-36) : nef terminée (1238-69), chœur (1288). *Troyes* [1] (début XIVe). *Beauvais* [1] (1225) : incendie chœur (1280), voûtes écroulées (1284), terminée (1324). *St-Denis* (S.-St-D., 1231-81) : nef. *Paris :* nef Ste-Chapelle (1245-48). *Troyes :* St-Urbain (1262-90). *Rouen* [1], très modifiée. *Sées* (Orne). *Coutances* [1] (Manche). *St-Pol-de-Léon* (Finistère) : Kreisker. *Angers :* St-Maurice, St-Serge.

Gothique rayonnant (XIVe s.). Piliers à faisceaux de colonnettes. Murs plus ajourés. Chapiteaux à bouquets de feuillages. Moulures en saillie (façade). Statues dégagées dans des niches.

Rouen : St-Ouen (chœur) ; cathédrale (portails de la Calende, 1310, et des Libraires). *Clermont-Ferrand* [1] : nef. *Limoges* [1]. *Bayonne* [1]. *Tours* [1]. *Auxerre :* St-Vincent. *Carcassonne :* St-Nazaire. *Nevers* [1] *:* chœur. *Évreux* [1] *:* chœur. *Bordeaux :* St-André. *Strasbourg* [1] *:* façade. *Lyon :* St-Jean. *Albi :* Ste-Cécile (pas d'arcs-boutants ni de bas-côtés, contreforts pénétrant à l'intérieur). *Perpignan :* St-Jean.

Gothique flamboyant (XVe s.). Piliers monocylindriques. Arcs pénétrant dans le fût. Chapiteaux disparus remplacés parfois par une bague. Voûtes à petits panneaux, à multiples nervures. Arcs en accolade et en anse de panier. Éclairage plus intense, fenêtres hautes descendant jusqu'au sommet des grandes arcades. Décor très chargé (choux, frises, etc.) ou presque absent.

Rouen : St-Maclou et St-Ouen (nef). *Vendôme* (L.-et-Ch.) : la Trinité. *Paris :* St-Séverin et St-Germain-l'Auxerrois. *Lisieux :* St-Jacques. *Dieppe :* St-Jacques. *Abbeville* (Somme) : St-Vulfran. *St-Nicolas-de-Port* (Meurthe-et-Mos.). *Metz* [1] *:* chœur.

XVIe siècle. Arcs en accolade à contre-courbes brisées. Piliers formés de colonnes soudées et raccordées entre elles (dits piliers à ondulations). Surabondance de décoration (ex. : dans les lucarnes).

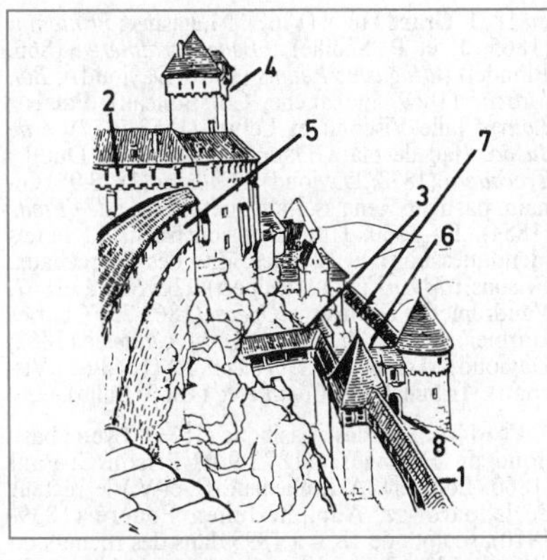

Enceinte fortifiée : 1 Hourd (galerie en bois). *2* Mâchicoulis (créneaux en encorbellement). *3* Bretèche. *4* Donjon. *5* Chemin de ronde couvert. *6* Courtine. *7* Enceinte extérieure. *8* Poterne.

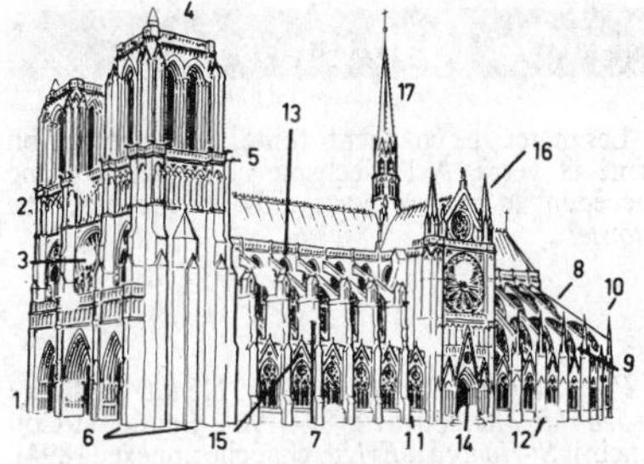

Cathédrale gothique : 1 Porche. *2* Galerie. *3* Grande rose. *4* Tour clocher parfois terminée par une flèche. *5* Gargouille servant à l'écoulement des eaux de pluie. *6* Contrefort. *7* Culée d'arc-boutant. *8* Volée d'arc-boutant. *9* Arc-boutant à double volée. *10* Pinacle. *11* Chapelle latérale. *12* Chapelle rayonnante. *13* Fenêtre haute. *14* Portail latéral. *15* Gâble. *16* Clocheton. *17* Flèche (ici, placée sur la croisée du transept).

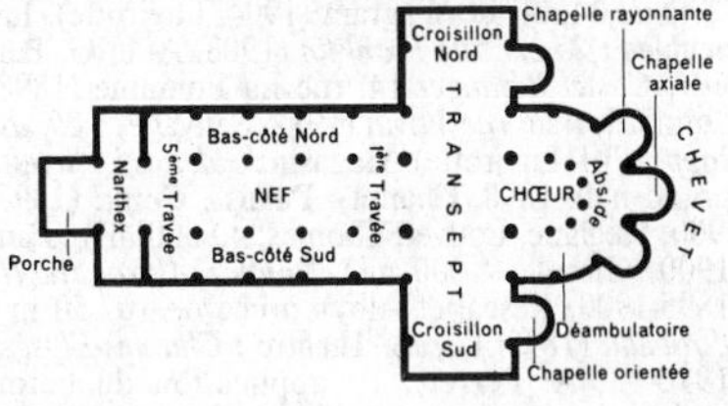

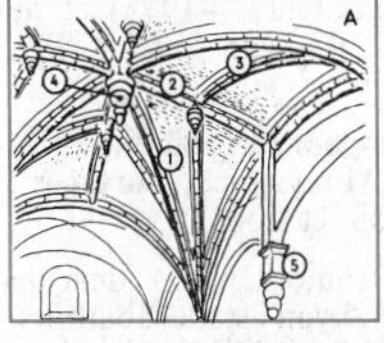

Légende. **A** *Voûte à clef pendante : 1* Croisée d'ogives. *2* Lierne. *3* Tierceron. *4* Clef pendante. *5* Cul-de-lampe.
B *Voûte à pénétration : 1* Voûte à pénétration. *2* Fenêtre à pénétration ou « lunette ». *3* Voûte en berceau.

Légende. **C** *Coupole sur trompes : 1* Coupole octogonale. *2* Trompe. *3* Arcade du carré du transept.
D *Coupole sur pendentifs : 1* Coupole circulaire. *2* Pendentif. *3* Arcade du carré du transept.

CATHÉDRALES. *Albi* (chœur), *Senlis* (transept sud), *Beauvais, Sens, Limoges* (façade latérale).

ÉGLISES. *Brou* (*Bourg-en-Bresse,* Ain), *Saint-Riquier* et *Rue* (Somme). *Montfort-l'Amaury* (Yvel.). *Compiègne* (Oise) : St-Antoine (chœur). *Paris :* St-Eustache (nef, transept et chœur). *Provins* (Seine-et-M.) : Ste-Croix (portail, déambulatoire).

Architecture monastique

Cloîtres. *Mont-Saint-Michel* (Manche, XIIIe) ; *Villefranche-de-Rouergue* (Aveyron, XVe).

Réfectoires. Abb. de *Royaumont* (V.-d'O., XIIIe) ; abb. de St-Martin-des-Champs à *Paris* (XIIIe, auj. bibl. des Arts et Métiers).

Salle synodale. *Sens* (XIIIe s.).

Architecture militaire

Aigues-Mortes (Gard), remparts (XIIIe). *Avignon,* palais des Papes (XIVe). *Carcassonne,* enceinte (XIIe, XIIIe et XIVe). *Coucy* (Aisne), donjon (XIIIe). *Pierrefonds* (Oise) (XIVe). *Lassay* (Mayenne) (XVe).

Architecture urbaine

Beffroi. Désigna d'abord les tours mobiles utilisées dans les sièges, puis la charpente soutenant les cloches à l'intérieur d'une tour, et enfin le donjon communal renfermant la cloche. *Arras* (P.-de-Calais), beffroi (XVe-XVIe s., reconstruit au XXe).

Maisons. *Cordes* (Tarn), maison du Grand Fauconnier (XIVe). *Bourges,* hôtel Jacques Cœur (XVe). *Paris,* hôtel de Cluny (XVe). *Poitiers,* palais des Comtes (XIVe). *Beaune,* hospice (XVe).

Marchés couverts. *Provins* (S.-et-M.), grange aux Dîmes (ancien ouvrage militaire, milieu XIIe).

Palais de justice. *Rouen* (Seine-Maritime, commencé en 1499).

Ponts. *Cahors* (Lot), pont Valentré (XIVe).

Renaissance
(XVIe s.)

Charles VIII (1483-98)

Château. *Amboise* (1495-98).

Louis XII (1498-1515)

Bureau des Finances. *Rouen* (Roulland Le Roux 1509).

Châteaux. *Blois,* aile Louis XII (1498-1503). *Gaillon* (Eure), 1509 (démoli, restes à l'École des Beaux-Arts à Paris). *Ussé* (I.-et-L., gothique, chapelle 1520-38). *Chaumont-sur-Loire* (L.-et-Ch., 1465-1510, gothique), *Châteaudun* (E.-et-L., aile Nord, 1470-1520). *Nancy,* palais des ducs de Lorraine (1502-44).

Églises. *Albi,* porche et jubé. *Rouen,* St-Maclou.

Hôtels. *Les Andelys* (du Grand-Cerf). *Blois* (d'Alluye, terminé en 1508). *Bourges* (Cujas et Lallemant).

Hôtels de ville. *Dreux* (1512-37).

François Ier (1515-47)

• **1515-25 (avant Pavie). Châteaux.** *Azay-le-Rideau* (1524-27). *Blois,* aile François Ier (1515), façade des Loges (1525). (Dimensions du château : 128 × 88 m, 56 m de haut au clocheton central, 28 m au niveau des terrasses. 440 pièces. 365 cheminées. 74 escaliers.) *Bury* (L.-et-C., 1514-24). *Chambord* (1519-24, puis 1526-44), plans italiens dont un de Léonard de Vinci ; maître d'œuvre Pierre Trinqueau (1 800 ouvriers pendant 15 ans) ; le plus grand château de la Renaissance, hauteur 58 m (33 m pour la lanterne), 365 cheminées, 63 escaliers. *Chenonceaux* (1515-81), galerie de Philibert Delorme. *Le Lude* (Sarthe, 1520). *Montal* (Lot, 1523).

Château de Blois. Escalier François-Ier.
D'après Guide Michelin (Ch. de la Loire, 25e éd.)

• **1525-47 (après Pavie). Châteaux.** *Paris :* ch. de Madrid (1528, détruit, A. Du Cerceau). *Ancy-le-Franc* (Yonne, 1546-90, Serlio). *Assier* (Lot, 1525-35). *Bournazel* (Aveyron, 1545). *Fontaine-Henry* (Calv. 1537). *Fontainebleau* (cour ovale, 1528-31, G. Le Breton). *Saint-Germain* (Yv., 1539, P. Chambige ; 1556-1610, Ph. Delorme, le Primatice, Androuet Du Cerceau, Métezeau). *Villers-Cotterêts* (Aisne, 1533, Le Breton).

Églises. *Paris :* St-Eustache (1532-1632), St-Étienne-du-Mont (façade et jubé Henri IV). *Caen :* St-Pierre (chevet). *Champigny-sur-Veude* (I.-et-L.) : chapelle. *Dijon :* St-Michel, St-Pantaléon et Ste-Madeleine. *Évreux :* cathédrale. *Gisors* (Eure) : St-Protais (grande partie).

Hôtels. *Angers,* h. Pincé (1532). *Besançon,* palais Granvelle (1534-40, Hugues Sambin). *Caen,* h. d'Escoville (ou de Valois, 1531-42). *Rouen,* maison de Diane de Poitiers (1510-23). *Toulouse,* h. de Buet (N. Bachelier), de Bagis, du Vieux-Raisin, Bernuy (1530, L. Privat).

Hôtels de ville. *Beaugency* (Loiret, 1525, P. Biart). *Loches* (I.-et-Loire, 1540). *Niort* (1535). *Pau* (1531, reconstruit en 1871).

Pavillon de chasse. *Moret-sur-Loing* (S.-et-M., 1527), pavillon de François Ier.

Henri II (1547-59), François II (1559-60), Charles IX (1560-74), Henri III (1574-89)

Châteaux. *Paris :* Louvre (aile de P. Lescot, 1546-59, Petite Galerie sous Charles IX), Tuileries (1564, Philibert Delorme, pour Catherine de Médicis). *Anet* (1548, Philibert Delorme, restent l'aile gauche, la chapelle et le portique de la cour). *Chantilly,* Petit Château (1563, J. Bullant). *Écouen* (V.-d'O., 1532-67, Ch. Billard puis J. Bullant). *Mesnières* (S.-M., 1545). *Pailly* (H.-M., 1564-73).

Églises. *Paris :* St-Germain-l'Auxerrois, jubé (détruit, P. Lescot). *Grand Andelys* (Eure) : égl. Ste-Clotilde. *Argentan* (Orne) : St-Germain. *Gisors* (Eure) : St-Gervais, façade. *Guimiliau, St-Thégonnec, Sizun* (Fin.).

Hôtels. *Paris :* Carnavalet (1544, P. Lescot). *Rouen :* Bourgtheroulde (1501-37). *Toulouse :* d'Assézat (1555-60) et Felzins (1556).

Hôtel de ville. *Orléans* (1549-55, agrandi 1850-54).

Fin XVIe-début XVIIe siècle

Henri IV (1589-1610), Louis XIII (1610-43), Louis XIV (de 1643 à 1660)

• **Paris. Églises.** *St-Gervais-St-Protais* (façade, 1616-25, de Brosse, Métezeau). *St-Paul-St-Louis* (1630-40, E. Martellange). *N.-D.-des-Victoires* (1629-1740). *Val-de-Grâce* (1645-65, Mansart, Lemercier, Le Muet, Le Duc). *Chap. de la Sorbonne* (1635-53, Lemercier).

Hôpital. *St-Louis* (Châtillon, 1607-11 ; ouvert en 1616).

Hôtels. *De Sully* (1624-30, Jean Ier Du Cerceau). *Lambert* (vers 1640, Le Vau). *De Lauzun* (1642-50). *De Beauvais* (1655, Lepautre).

Palais. *Louvre,* achèvement de la Petite Galerie (Métezeau et Jacques Du Cerceau), Grande Galerie du Bord-de-l'Eau (1609), pavillon de l'Horloge (1624, Lemercier). *Luxembourg* (1613-20, de Brosse).

Places. *Des Vosges* (1604-15, ancienne place Royale 140 × 140 m). *Dauphine* (construite par François Petit en 1607, en partie démolie).

Pont-Neuf (1604).

• **Province. Calvaire. Guimiliau** (Fin., 1581-88), représentant la Passion et l'Enfance de Jésus. 200 personnages.

Églises. Nevers : Visitation.

Châteaux. Balleroy (Calv., 1626-39, Mansart). **Blois :** aile Gaston-d'Orléans (1635, Mansart). **Brissac** (M.-et-L., 1606-21, Corbineau d'Angluze). **Cany-Barville** (S.-M., 1640-46). **Cheverny** (L.-et-Ch., 1634). **Cadillac** (Gironde, 1588-1600). **Effiat** (P.-de-

D., 1627). **Fontainebleau :** porte Dauphine ou du Baptistère, portail de la cour des Offices (1609), escalier du Fer-à-Cheval (1632, Jean Androuet Du Cerceau). **Maisons-Laffitte** (Yvelines, 1642-50, Mansart). **Miromesnil** (S.-M.). **Tanlay** (Yonne, 1610-42, Le Muet). **Vaux-le-Vicomte** (S.-et-M., 1656-60, Le Vau). **Versailles** (1624, façade de la cour de Marbre, centre). **Vizille** (Isère, 1611-19).

Hôtels publics. **La Rochelle :** Hôtel de ville (1544-1607). **Lille :** palais de la Bourse (1652, Julien Destré). **Rennes :** palais de justice (1618-19, S. de Brosse).

Place. **Charleville :** place Ducale (1608 Cl. Métezeau).

XVIIe-XVIIIe siècle

Louis XIV (de 1660 à 1715)

• Paris. Arcs. *Porte-St-Denis* (1672, Blondel, hauteur 24 m, largeur 23,97 m, épaisseur 4,87 m, sculptures de François et Michel Anguier, commémore les victoires de Louis XIV en Allemagne). *Porte St-Martin* (1674, Bullet, hauteur 18 m, commémore la conquête de la Franche-Comté).

Églises. *St-Jacques-du-Haut-Pas* (1675, Gittard). *St-Roch* (1736, R. et J. de Cotte). *St-Sulpice* (Le Vau, puis Gittard : chœur, transept, partie de la nef et rez-de-chaussée du portail sud ; 1670-75). *Invalides* (dôme, 1699-1706, Mansart).

Hôtels. *De Pimodan. De Soissons. De Chevreuse. D'Aumont.*

Palais. *Collège des Quatre-Nations* (Institut de France, 1633-88, Le Vau). *Louvre :* cour Carrée (1664, Le Vau), fin de l'aile sud ; aile nord, double aile sud, colonnade (v. 1675, Perrault). *Invalides :* façade sur l'Esplanade (1671-76, Bruant puis J. Hardouin-Mansart). *Observatoire* (1667-72, Perrault).

Places. *Des Victoires* (1886). *Vendôme* (1699-1706) de J. Hardouin-Mansart (213 × 124 m).

• Province. Châteaux. **Marly** (1679, J. Hardouin-Mansart). **Versailles** (1661-68, Le Vau ; 1668-1708, J. Hardouin-Mansart) : galerie des Glaces, aile sud (1678-84), aile nord (1684-89), Orangerie (1684) ; voir encadré p. 361. **Lunéville** (M.-et-M., 1702-06).

Églises. **Bordeaux.** Les Jacobins. **Caen.** La Gloriette.

Jardins de Le Nôtre. **Versailles. Vaux-le-Vicomte. Fontainebleau. St-Germain-en-Laye :** terrasse 2 400 m (1669-73). **St-Cloud.**

Portes. **Lille :** porte de Paris. **Montpellier :** porte du Peyrou (d'Orbay).

Louis XV (1715-74)

• Paris. École militaire. (1750-88, Gabriel).

Églises. *St-Sulpice* (nef d'Oppenordt, façade de Servandoni, 1733-54, tour nord reprise par Chalgrin). *St-Roch* (façade de R. et J. de Cotte). *N.-D.-des-Victoires* (façade).

Hôtels. *De Rohan-Soubise* (1704-12, décoration intérieure de Boffrand). *Matignon* (1715-20, Courtonne). *De la Monnaie* (1768-75, Antoine, néoclassique). *Peyrenc de Moras* (1729-30, J. Gabriel et Aubert). *De Toulouse* (Banque de France) (1656-1735, de Cotte, galerie Dorée). *De Beauharnais* (1714, Boffrand). *D'Évreux* (1717, Mollet et Lassurance, devenu l'Élysée).

Place. *Concorde* (1754-63, Gabriel, néoclassique). La plus vaste de Paris (259 × 259 m). Ancienne place Louis XV où était érigée une statue équestre de Louis XV (de Bouchardon, enlevée en 1790), devint place de la Révolution (l'échafaud de Louis XVI y fut dressé) puis, en 1795, place de la Concorde. En 1799, une statue de la Liberté (en plâtre) par Dumont remplaça la statue de Louis XV. En 1836, l'obélisque de Louqsor fut érigé et la place décorée de colonnes rostrales et de 8 pavillons surmontés de statues assises représentant les principales villes de France (Marseille, Lyon, Strasbourg, Lille, Rouen, Brest, Nantes, Bordeaux), de 2 fontaines et de 2 groupes (Chevaux se cabrant ou Chevaux de Marly, hauteur 4 m, par Coustou). De chaque côté de la grille des Tuileries, 2 groupes : Mercure et la Renommée, par Coysevox (originaux au Louvre).

• Province. Châteaux. **Champlâtreux** (1757, Yvelines, Chevotet). **Champs** (S.-et-M., v. 1715-20, Bullet de Chambain). **Chantilly :** Grandes Écuries (1719-35, Aubert). **Compiègne** (1750-70, Gabriel, néoclassique). **Haroué** (M.-et-M., 1720, Boffrand). **Lunéville** (1705-15, M.-et-M., Boffrand). **Strasbourg :** palais des Rohan (1736-42, R. de Cotte). **Versailles :** pavillon Français, Opéra (1753-70), aile sur la cour de Marbre (Gabriel), Petit Trianon (1762-64, Gabriel, néoclassique).

Églises. **Amiens :** St-Acheul (1752). **Avignon :** chapelle des Pénitents-Noirs (1739). **Nancy :** N.-D.-de-Bon-Secours (1738-41, Héré). **Versailles :** cath. St-Louis (1743, Mansart de Sagonne, néoclassique).

Places. **Lyon :** Bellecour (1714 ; 310 × 200 m). **Nancy :** Stanislas (1752-60, Boffrand et Héré, 124,50 × 106 m), anc. place Royale et de l'Hémicycle (Héré).

Époque néoclassique (1770-1830)

Retour à l'antique, après les découvertes d'Herculanum (1711) et de Pompéi (1748) et sous l'influence des archéologues : comte de Caylus, Winckelmann, Quatremère de Quincy.

• Paris. Églises. *Ste-Geneviève* (devenue *Panthéon,* 1764-80, Soufflot). *St-Philippe-du-Roule* (1774-84, Chalgrin). *Chap. expiatoire* à la mémoire de Louis XVI, Marie-Antoinette et des 500 morts de la Garde suisse (1815-26, plans de Fontaine). *La Madeleine* (1806-42, Vignon). *N.-D.-de-Lorette* (1823-26, Le Bas, pastiche de Ste-Marie-Majeure). *St-Vincent-de-Paul* (1824-44, Lepère et Hittorff).

Monuments civils. *École de médecine* (1775, Gondoin). *Collège de France* (1778, Chalgrin). *Odéon* (1779-82, Peyre et De Wailly, reconstruit après incendie, 1802-06, par Chalgrin). *Théâtre-Français* (1786, Louis). *Galeries du Palais-Royal* (1781, Louis). *Hôtel de Salm* (p. de la Légion-d'Honneur, 1787, Pierre Rousseau, reconstruit après son incendie sous la Commune). *Folie de Bagatelle* Ledoux (1779, Bélanger). *Pavillon d'octroi* 1786-1806 : *rotonde de la Porte de la Villette* (1789), *pavillon du parc Monceau* (1784-86). *Rue des Colonnes. Louvre* (raccord avec les Tuileries, pavillon de Marsan, dernier étage sur la cour Carrée). *Arc du Carrousel* (1806-08, Percier et Fontaine), voir p. 367 b. *Bourse* (1808-26, Brongniart), *Arc de Triomphe,* voir p. 367 a. *Colonne Vendôme* (1806-10, Lepère et Gondoin). *Palais-Bourbon* (façade 1804-07, Poyet), voir Index.

• Province. Églises. **St-Germain** (Yvelines), église (Potain). **Versailles :** chapelle du couvent des Carmes-de-la-Reine (lycée Hoche, Mique).

Monuments civils. **Amiens :** Théâtre (1778-80, Rousseau). **Bordeaux :** Grand Théâtre (à partir de 1773, Louis), Hôtel de ville et Préfecture, pont de Pierre (1813-21, long. 490 m). **Metz :** Hôtel de ville, place d'Armes (1764, Blondel). **Nevers :** ancien collège des Jésuites. **Rambouillet :** Laiterie (Mique). **Reims :** place Royale (1758, Legendre). **Versailles :** Petit Trianon (hameau, Mique et Robert ; belvédère, jardin anglais, 1781, théâtre, 1788, Mique).

Époque éclectique (1830-1880)

• Paris. **Beffroi :** place du Louvre (1860, Ballu). **Bibliothèques :** *Ste-Geneviève* (façade, 1843-50, Labrouste) ; *nationale* (salle des imprimés, 1868, Labrouste, 9 coupoles de fer, faïence et verre, portées par 16 colonnes de fonte). **Colonne :** *Bastille* (1831-40, Duc). **École.** *Des Beaux-Arts* (façade rue Bonaparte, 1833-61, Duban, Renaiss. florentine). **Églises :** *Ste-Clotilde* (1846, Gau et Ballu, gothique). *St-Eugène* (1854-55, Boileau, ossature en fer). *St-Augustin* (nef 1860-71, Baltard, romano-gothique, voûtes en fer). *La Trinité* (façade, 1861-67, Ballu, essai d'un style Napoléon III). *St-Ambroise* (1863-69, Ballu, néo-roman). *N.-D.-des-Champs* (1867-76, Ginain). *St-Pierre de Montrouge* (romano-byzantine, Vaudremer, 1870). *Sacré-Cœur de Montmartre* (1876-1919, Abadie, romano-byzantin voir p. 367 c). **Gares :** *Est* (1852, Duquesnoy) ; *Nord* (1863, Hittorff). **Halles :** en fer à toiture vitrée ; 10 pavillons construits de 1854 à 1866 (dont 6 de Baltard), 2 en 1936 ; superficie : + de 10 ha ; démolies en 1972 ; un pav. reconstruit à Nogent-sur-Marne (V.-de-M.), un autre à Yokohama (Japon). **Hôpital :** *Hôtel-Dieu* (1868-78, Gilbert et Diet). **Hôtel de Ville** (1874-82, Ballu et Deperthes), pastiche de l'H. de Ville du Boccador brûlé en 1871. **Grand Hôtel** (1867). **Magasins :** *Printemps* (1865, J. et P. Sédille) ; *Belle Jardinière* (1866, Blondel) ; *Magasins Réunis* (1867, Davioud) ; *Bon Marché* (1869, Laplanche, Ch. Boileau). **Palais :** *Louvre* [aile Visconti et Lefuel (1853-1857)] ; *de Justice* [façade place Dauphine (1857-68, Duc)] ; *Trocadéro* (1878, Davioud) ; *Galliera* (1878-98, Ginain, pastiche Renaiss. italienne). **Place :** *de l'Étoile* (1854). En 1860, Hittorff y construisit 12 hôtels identiques bordant la place, dits des Maréchaux. **Prisons :** *Mazas* (1830, Gilbert) ; *La Santé* (1867, Vaudremer). **Théâtres :** *Opéra* (1862-75, Charles Garnier) ; les 2 th. de la pl. du *Châtelet* (1862, Davioud). **Tombeau :** *Napoléon Ier* (1843-61, Visconti). **Tribunal :** *de Commerce* (1865, Ballu).

• Province. **Lourdes :** basilique (1876). **Lyon :** basilique de Fourvière (1872-94). Prison St-Paul (1860, Louvier). A **Rothéneuf,** (I.-et-V.) le recteur de la paroisse, Adolphe-Julien Fouéré (1839-1910), sculpta de 1870 à 1895 dans des rochers du littoral (723 m²) des légendes sur les habitants du pays.

De 1880 à nos jours

Les matériaux changent : fonte, fer et acier, béton armé et verre. A l'éclectisme et au rationalisme succèdent le *modern style,* puis le style moderne *cubiste.*

1880-1920

• Paris. **École :** *Sorbonne* (1901, Nénot). **Églises :** *St-Jean de Montmartre* (1894-1904, Baudot et Cottancin). *St-Honoré d'Eylau,* chapelle annexe (1894). *N.-D.-du-Travail* (1899-1901, Astruc, en fer). *St-Dominique,* rue St-Dominique (1913-21, Gaudibert, 1er édifice religieux réalisé en béton). **Galerie :** *des machines* (1889, Contamin, 420 × 115 m de long. sans tirant, détruite en 1910). **Gares :** *d'Orsay* (1898-1900, Laloux) ; *de Lyon* (1899, remaniée en 1927). **Hôtel :** *Céramic* 34, av. de Wagram (1904, Lavirotte). **Immeubles :** *25 bis, rue Franklin* (1903, A. et G. Perret) ; *Castel Béranger* 14, rue La Fontaine (1898, Guimard) ; *26, rue Vavin* (1912, Sauvage) ; *29, av. Rapp* (1901, Lavirotte). **Magasin :** *Galeries Lafayette* (grand hall, 1898, Chanut). **Palais :** *Grand* (1897-1900, Deglane, Louvet, Thomas, 40 000 m²) ; *Petit* (1900, Girault, 7 000 m²). **Ponts :** *Alexandre III* (1895-1900, Rescal et Alby), arche de 107,50 m ; *Mirabeau* (1895, Resal). **Théâtre :** *Champs-Élysées* (1910-13, A. Perret), 1re application du béton armé à l'arch. monumentale [les 1res expériences furent celles d'A. de Baudot (1834-1915) et de F. Hennebique (1842-1921)]. **Tour Eiffel** (1889, v. p. 366).

• Banlieue. **Orly :** hangars pour dirigeables (1916-24, construits en béton, E. Freyssinet). **Suresnes :** École de plein air (Beaudoin et Lods).

• Province. **Hauterives** (Drôme) : palais idéal du facteur Cheval (1879-1912). **Lyon :** stade, abattoirs, hôpital E.-Herriot (1913, 1914, 1933, Tony Garnier). **Nice :** coupole du Grand Observatoire ; diam. 84 m, le plus grand d'Europe (1885, Eiffel).

1920-1945

• Paris. **École :** *Pratique de médecine* (1937-53, Madeleine et Walter). **Églises :** *du St-Esprit* (1930-35, P. Tournon) ; *St-Pierre de Chaillot* (1933-37, E. Bois), romano-byzantin-cubiste. **Garde-Meuble :** national (1935, Perret). **Maisons :** *de Tristan Tzara* (1926, A. Loos) ; *de verre du Dr Dalsace,* rue St-Guillaume (1928-31, Chareau). **Mosquée** (1922-26, Henbès, Fairnez, Mantout), pastiche hispano-marocain. **Musées :** *d'Art moderne* (1937, Dondel, Aubert, Viart, Dastugue) ; *des Colonies* (1931, Laprade, Jaussel) ; *des Travaux publics* (1937-38, A. Perret). **Palais :** *de Chaillot* (1937, Carlu, Boileau, Azéma), 70 000 m² de musées, théâtre de 3 000 places. **Pavillon :** *suisse* (1932 ; Cité univers., Le Corbusier). **Pont :** *du Carrousel* (1935-39). **Porte :** *de St-Cloud* (fontaines par Landowski).

• Banlieue. **Bagneux :** cité du Champ des oiseaux (1931-32, Baudoin, Lods). **Le Raincy :** église (1922, Perret). **Poissy :** villa Savoye (1929, Le Corbusier).

• Province. **Bordeaux :** stade municipal (1939, J. Boistel d'Wells). **St-Tropez :** hôtel Latitude 43 (1931-33, H.G. Pingusson). **Villeurbanne** (Rhône) : ensemble des gratte-ciel (1933, T. Garnier).

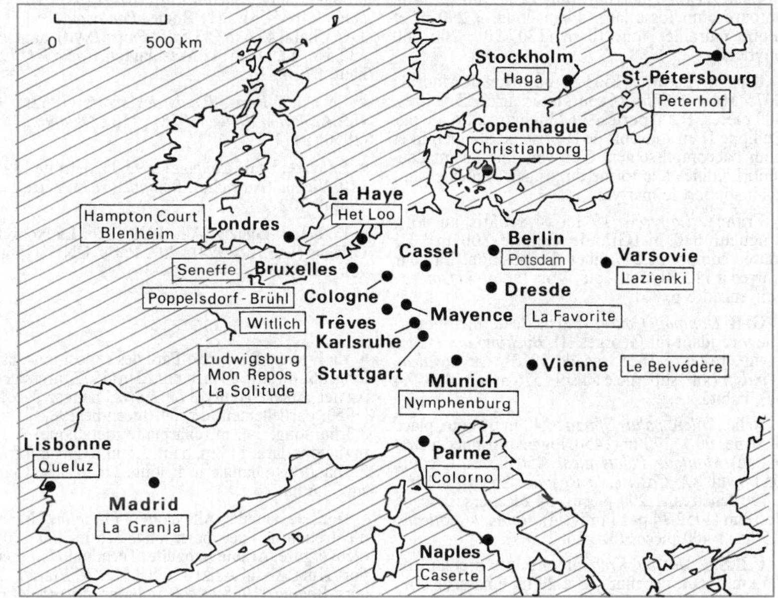

Versailles

Palais. Façade sur le parc : longueur 670 m (415 m sans les retours d'angle de l'avant-corps). Le château comprenait sous l'Ancien Régime : 1 300 pièces, 1 252 cheminées, 188 logements (outre ceux de la famille royale) ; actuellement 500 pièces, 67 escaliers, 352 cheminées, 2 143 fenêtres. *Galerie des Glaces :* 73 m × 10 m, haut. 13 m, 17 fenêtres et 17 arcades feintes revêtues de glaces. *Grande Galerie, salon de la Guerre, salon de la Paix* sont décorés de 483 glaces (chacune représentait le salaire de 5 000 h de travail d'un manœuvre). Plus de 60 variétés de marbres furent utilisées pour la décoration. *Toits :* 11 ha (surface de Versailles et des Petit et Grand Trianons).

Place d'Armes (comme la place de la Concorde) 8,48 ha. *Cour d'Honneur,* 2,86 ha (place Vendôme 2,64 ha). 3 avenues convergent vers la cour d'Honneur : av. de Paris (122,48 m de large), de Saint-Cloud (94,86 m), de Sceaux (83,75 m) (les Champs-Élysées à Paris font 66 m de large).

Domaine royal. *Jardins :* 95 ha dont le Tapis vert (335 m × 64 m), limités par le château, l'allée des Matelots, l'allée de Trianon et la route de Saint-Cyr. Il fallait 150 000 plantes pour décorer les parterres. 6 000 m³ d'eau sont nécessaires pour faire marcher les fontaines (jours de grandes eaux, 607 jets ; sous Louis XIV : 1 400). *Petit Parc,* 1 738 ha dont la pièce d'eau des Suisses (682 m × 234 m, prof. 3 m, surf. 3 ha) creusée par les gardes suisses de 1679 à 1683. *Grand Canal* (périmètre 5,670 km, 24 ha, long. 1 650 m, larg. 62 m ; le Petit Bras : 1 070 m × 80 m). *Trianon* (le Grand, 120 m de façade). *Grand Parc* 5 614 ha, utilisé pour la chasse, 43 km d'enceintes (22 portes). *Surface totale* 8 447 ha (bois de Boulogne 865, parc de Saint-Cloud 450, jardin du Luxembourg 22).

Orangerie. Elle abritait sous Louis XIV 3 000 orangers et grenadiers (actuellement 1 000 palmiers, orangers et grenadiers). Galeries voûtées 381 m (principale : 156 m × 12 m, haut. 13 m) ; côté long. 114 m. **Écuries** pouvaient abriter 2 400 chevaux, 200 carrosses.

Coût de Versailles. Les dépenses les plus considérables ont été accomplies chaque fois que la paix était proclamée : paix d'Aix-la-Chapelle en 1668, de Nimègue en 1678, trêve de Ratisbonne en 1684 (qui paraît avoir rapporté à Louis XIV 4 millions de livres).

Entre 1664 et 1680, Louis XIV consacre à Versailles près d'un million de livres par an. Bâtiments, jardins et domaines, sans compter les fêtes, ont coûté env. 80 millions de livres, dont 9 pour l'adduction des eaux de l'Eure qui devaient alimenter les fontaines des jardins. Cette somme correspondait, d'après J. Fourastié, à 1 500 millions d'heures de travail d'un manœuvre payé en moyenne 1 sou par h à l'époque (soit 1 ou 2 milliards de F en 1960). la tour Eiffel a coûté, en 1889, 7,5 millions de F (30 millions d'heures à un salaire horaire de 0,25 F), soit moins de 50 fois le prix de Versailles.

Principaux donateurs : env. 400. Depuis 1837 : roi Louis-Philippe, famille Rockefeller, M. Pierre David-Weill, Mrs Barbara Hutton, Bon de Redé, Sir Alfred et Lady Beit, M. et Mme Arturo Lopez-Willshaw, M. Rushmore Kress, C^dt Paul-Louis Weiller, famille de Rothschild, Cte et Ctesse Niel, Mis et M^ise de La Ferronays, M. Antenor Patiño, Cte et Ctesse du Boisrouvray, Ctesse Georges de Pimodan, M. et Mme Pierre Schlumberger, M. George Parker, Docteur Roudinesco, M.P. Kraemer, Duchesse de Windsor, Mme Paul Derval, Lady Michelham, Mme Charles Wrighstman, Pierre Fabre.

Visiteurs (y compris Trianons). *1960 :* 1 014 935. *1967 :* 2 050 147. *1977 :* 2 830 246. *1982 :* 3 341 111. *1985 :* 3 752 528. *1987 :* 3 227 460. *1988 :* 3 475 855. *1989 :* 4 036 241. *1990 :* 4 300 000.

Quelques dates. *1623* Louis XIII installe sur la butte de Versailles, au Val-de-Galie, un rendez-vous de chasse. *1631-43* Philibert Le Roy reconstruit le château en brique et pierre (dimensions actuelles de la cour de Marbre). *1660-62* Louis XIV commence à renouveler jardins et intérieurs. *1665* Les premières statues des parterres sont placées. *1666* Inauguration des jeux d'eau dans les jardins. *1667* On commence à creuser le Grand Canal. *1670* Création du Trianon de Porcelaine détruit en 1687. *1671* Début de la décoration des Grands Appartements sous la direction de Charles Lebrun. Le roi décide de créer une ville à Versailles. *1678* Nouveau plan de Jules Hardouin-Mansart (deux ailes supplémentaires). Construction de la galerie des Glaces. Achèvement de l'escalier des Ambassadeurs. *1682* La Cour et le Gouvernement se fixent définitivement à Versailles. *1686* Adduction des eaux de la Seine par la machine de Marly. *1687-88* Construction du Trianon de Marbre.

1710 Achèvement de la chapelle royale. *1715-1-9* Louis XIV meurt. Louis XV et la Cour quittent V. pour Paris. *1722* Retour de Louis XV et de la Cour à V. *1743* 1re pierre de la cathédrale de V. *1762-68* Construction du Petit Trianon par Gabriel, pour le roi et madame de Pompadour. *1770* Inauguration de l'Opéra de Gabriel à l'occasion du mariage du Dauphin et de Marie-Antoinette. *1771* Gabriel commence, côté cour, l'aile Louis XV. *1783* 20-1 : traité de V. qui donne naissance aux États-Unis. R. Mique commence le hameau de Trianon. *1789* 6-10 : la famille royale quitte définitivement V. pour les Tuileries. *1793-94* Vente aux enchères d'une partie du mobilier ; tableaux et antiques sont envoyés à Paris.

1814 Le pavillon Dufour commencé sous l'Empire est achevé. *1837* 10-6 : inauguration du musée de l'Histoire de France. *1871* 18-1 : proclamation de l'Empire d'All. dans la galerie des Glaces ; 12-3 l'Assemblée nationale siège à Versailles.

1919 28-6 : signature du tr. de V. dans la galerie des Glaces. *1953-58* Vote de la loi de sauvegarde de V. *1957-80* Restauration de la Chambre du Roi. *1966* du Grand Trianon. *1973-80* de la galerie des Glaces. *1975* Inauguration de la chambre de la Reine, des grands salons restaurés du Petit Trianon. *1978* 26-6 : attentat du F.L.B. (5 millions de F de dégâts).

1980 : restauration de la galerie des Glaces et de la chambre du Roi. *1986 :* ouverture des appartements du Dauphin et de la Dauphine. *1990 (févr.) :* tempête abat env. 1 500 arbres ; *(nov.) :* réception de 35 chefs d'État à l'occasion de la Conférence pour la Sécurité et la Coopération en Europe (C.S.C.E.).

De 1945 à nos jours

• **Paris. Centre national d'art et de culture G. Pompidou** [C.N.A.C. (plateau Beaubourg) 1977, Piano, Rogers, Franchini]. **Cité :** *des Sciences et de l'Industrie,* la Villette (1985, Adrien Fainsilber). **Front :** *de Seine* (Lopez, H. Pottier, M. Proux), voir Index. **Grand Louvre :** [M. Pei, M. Macary, 1988-92 ; au centre de la cour Napoléon (220 × 130 m), une grande pyramide inaugurée 14-10-1988, base 35 m de côté, haut. 21,64 m avec 85 t d'acier inoxydable et 105 t de verre feuilleté St-Gobain de 21,52 mm d'épaisseur, 603 losanges (153 × 3 = 459 et 144 × 1 = 144), 70 triangles (18 × 3 = 54 et 16 × 1 = 16), et 3 autres petites pyramides, 72 losanges (6 × 4 × 3), 48 triangles (4 × 4 × 3) ; au total, 793 losanges et triangles ; entourées de 7 bassins triangulaires de 25 m de côté]. **Institut :** *du monde arabe* (1987, J. Nouvel). **Maison :** de la Radio (1962, H.G. Bernard). **Mémorial :** *des martyrs de la déportation,* mont Valérien (1962, H.G. Pingusson). **Ministère :** *des finances* (1987, Chemetov, Huidrobo). **Palais :** *de l'UNESCO* (1958, Zehrfuss, M. Breuer, L. Nervi) ; *des Sports* (1960, P. Dufau, V. Parjadis de la Rivière ; *omnisport de Bercy* (1984, Audrau, Para, Guvan). **Restaurant :** *univ. Censier* (1965, H. Pottier, J. Tessier). **Sièges :** *du P.C.,* place du C^el-Fabien, Paris (1969-71, O. Niemeyer, J. Deroche, P. Chemetov) ; *St-Gobain* (1960, A. Aubert, P. Bouin, M. Marican). **Tour :** *Maine-Montparnasse* (1972, E. Beaudouin, J. Cassan, L. Hoyme de Marien, J. Saubot). Voir p. 367 a.

• **Banlieue. Bobigny** (S.-St-D.) : cité de l'Abreuvoir. **La Défense** (ensemble construit sur l'emplacement du monument érigé en 1883, commémorant la défense de Paris en 1870-71) repose sur une dalle en béton de 125 ha, une des plus vastes du monde et comprend le C.N.I.T. [Centre nat. des industries et techniques (8-5-1956/sept. 1958, Camelot, de Mailly, Zehrfuss)], voûte d'arête inscrite dans un triangle équilatéral de 818 m de côté, hauteur au centre 46,30 m, repose sur 3 points d'appui au sol qui supportent une couverture de 7 500 m² [développés 6 800 m² en plan, record mondial des plus grandes portées pour une structure voûtée en coque mince (206 m en façade, 238 m sur l'arête de voûte)], 22 000 m² ; la préf. des Hauts-de-Seine (1967, Wogenscky) ; le centre d'affaires, dont l'immeuble Esso (1963) sera démoli 1993 et remplacé, les tours, Aquitaine (1966), Nobel (CIMT, 1966-69, de Mailly, Dépussé) ; quartier de la Tête-Défense (voir p. 367 b). **Ivry** (v. 1991) : cathédrale (Botta). **Marly :** les Grandes Terres (Yvelines ; Lods, Beufe, Honnegger, 1960). **Pantin :** cité des Courtillières (1959, E. Aillaud). **Roissy :** aérogare (1973, Andrea). **Versailles** (Yvelines) maison particulière, 1re maison oblique (1968, C. Parent). **Vigneux** (Essonne) : tours (1966, R. Lopez).

• **Province. Assy** (Hte-S.) : église (1950, Novarina). **Caen :** Université (H. Bernard). **Chamonix** (Hte-Savoie) : complexe sportif (1974, R. Taillibert). **Firminy** (B.-du-Rh.) : maison de la Culture (1967, Le Corbusier). **Grande Motte** (Hérault) (1972, J. Balladur). **Grenoble :** maison de la Culture (1967, André Wogenscky). **Hem** (Nord) : chapelle Ste-Thérèse (1958, Herman Baur). **Le Havre :** reconstruction (1946, Perret) ; musée (1961, Lagneau, Audigier, Jankovic) ; pont de la Bourse (1970, G. Gillet). **Lourdes :** basilique souterraine (1958, Vago, Le Donne, Pinsart). **Marseille :** Cité radieuse [1947-52, Le Corbusier, haut. 50 m (16 étages), long. 137 m, larg. 24 m, 337 appartements]. **Neufchâtel-en-Bray** (S.-M.) : théâtre (1962, R. Auzelle). **Ronchamp** (H.-Saône) : église (1955, Le Corbusier). **Royan :** église (1958, G. Gillet) ; marché couvert (Simon et Morisseau). **Valence :** château d'eau (1971, Gomis-Philalaos). **Vence :** chapelle (1951, Matisse).

☞ **Coût des grands projets en millions de F.** *Arche de la Défense* n.c. (est. 1983 : 2 700). *Ministère des Finances* 2 000. *Opéra Bastille* 2 170 (est. 1982 : 2 300). *Grand Louvre* 5 500 (est. 1981 : 3 500). *Musée d'Orsay* 1 310 (est. 1976 : 214). *Palais omnisports de Bercy* (non définitif) (est. 1980 : 524). *Institut du monde arabe* 420 (est. 1975 : 150). *La Villette* (Cité des sciences) 4 450 (est. 1979 : 80), Cité de la musique 728 (1986), Grande Halle (réhabilitation) 242.

Dimensions de quelques monuments

Dimensions par types de monuments, en mètres

Aqueducs

Romains. *Carthage* (Tunisie) construit entre 117 et 138, 141 km, 344 arches en 1895 ; capacité de 31 800 000 l par jour. *Pont du Gard* (France) construit en 19 av. J.-C., voir p. 357 a.

XVIIIe s. *Aguas Livres* (Lisbonne, Portugal), construit en 1784, 14 arches (la plus haute 65 m).

Modernes. *Water Project* (Californie, U.S.A.), construit en 1974, 1 329 km dont 619 sont canalisés.

Immeuble le plus long

Du monde. *Italie,* la « barre » du Corviale (1972), 1 246 logements pour 6 000 habitants, 7 353 pièces, 1 000 m. *En projet :* université de Calabre, 1 480 m.

De France. *Nancy,* édifiés par Bernard Zehrfuss : le Cèdre bleu, 17 niveaux, et le Tilleul argenté, 15 niveaux, 300 m, 716 log.

Bureaux

États-Unis. *Pentagone* (Virginie), achevé 15-1-1943, abrite le ministère de la Guerre (périmètre 1 370 m, chaque côté 281 m, superficie totale des 5 étages 60,4 ha ; 29 000 pers. y travaillent) ; coût 415 millions de F. *World Trade Center* (New York), chaque tour a 40,6 ha, la + haute (Tour 2, anciennement B), avec antenne de télévision 521,20 m. *Sears Tower* (Chicago 1970-73) le plus haut bureau du monde (443 m, avec ses antennes 475,10 m, 110 étages, 222 500 t). 16 700 personnes utilisent 103 ascenseurs et 18 escaliers roulants. 16 000 fenêtres. *La tour de la Paix* (Los Angeles, projet) 610 m, 15 000 t d'acier, restaurant panoramique de 1 000 places, hôtel de luxe (100 appart.), 1 hôtel de 500 ch., 1 centre commercial, 1 musée de l'Espace. *Trump City Tower* (New York, achèvement prévu 1999) 560 m de haut.

France. *Tour Maine-Montparnasse* totalise 10,5 ha (2 011 m² par étage), haut. 210 m (58 étages), voir p. 367 a. *Ministère des Finances* (1985-88) site de 5 ha, superficie 225 000 m², bâtiment principal long de 375 m. Distribution du courrier par 400 wagonnets circulant sur 6 km de rails.

Japon. *Sunshine 60* (Ikebukuro, Tōkyō), 60 étages, 240 m de haut.

Canaux d'irrigation

U.R.S.S. *Karakumski* (Turkménistan), long. 850 km, 450 km de voies navigables ; en projet : 1 300 km (coût 3,7 milliards de F).

Châteaux forts et palais

• **Châteaux forts. Écosse.** *Fort George* (1748-69) à Ardersier (comté d'Inverness), 640 × 190 m, 17 ha. **Tchécoslovaquie.** *Hradčany* à Prague IXe s., polygone, 570 × 128 m, 7,29 ha. **Syrie.** *Alep,* 375 m × 236 m. **France,** hauteur de quelques donjons : *Bonaguil* (L.-et-G.), 35 m ; *Châteaudun,* 31 m, 46 avec toiture ; *Coucy* (Aisne), 54 m, détruit pendant la guerre 1914-18, circonférence 97 m, diam. 31,25 m, murs épais de 7 m ; *Crest* (Drôme), 49 m ; *Fougères,* 30 et 27 m ; *Largoët-en-Elven,* 44 m (57 m au-dessus des fossés) ; *Loches,* 37 m ; *Provins,* 45 m ; *Tarascon,* 45 m ; *Vincennes,* 52 m.

• **Palais et châteaux. Allemagne.** *Potsdam, Nouveau Palais de Sans-Souci :* long. 213 m, 322 fenêtres, 230 pilastres, 428 statues, 400 pièces (1763 par Büring-Manger-von Gontard).

Autriche. *Vienne, Schönbrunn* (1722) : 1 400 pièces (300 au château) ; bâtiments : 6,7 ha. *Ch. du Belvédère :* Belvédère supérieur (1721-23), inférieur (1714-16), Orangerie, parc (1700-25).

Brunei. *Palais Istana Nurul Iman* à Bandar Seri Begawan (1984), 1 788 pièces, 257 toilettes, coût 3 milliards de F.

Chine. *Pékin, Palais impérial :* 72 ha, 960 × 750 m, entouré d'un fossé larg. 49 m, long. 3 290 m et d'une muraille haut. 10 m (1307-20 ; 200 000 ouvriers).

Espagne. *Escurial* (1563-84) : à 48 km de Madrid ; 207 × 161 m ; 9 tours, 16 cours intérieures, 15 cloîtres, 300 pièces, 1 200 portes, 2 673 fenêtres. Fondé par Philippe II en souvenir de la prise de St-Quentin et pour l'accomplissement d'un vœu fait à saint Laurent. L'édifice a la forme du gril sur lequel le saint avait souffert le martyre.

France. *Louvre :* 19 ha (4,8 bâtis au sol), longueur 680 m (Grande Galerie 300 m). Le musée comprend 246 salles d'exposition. La cour Carrée a 112,50 m de côté. Voir Index. *Versailles :* voir encadré p. 361.

G.-B. *Hampton Court :* 13,6 ha (le dernier monarque y résidant fut Georges II). *Buckingham Palace* (XVIIIe, restauré 1825, façade 1913). *Ch. royal de Windsor* (XIIe, superficie au sol : 576 m × 164 m, 9,4 ha), habité.

Italie. *Milan, palais Sforza :* 240 m de côté, place d'Armes 90 × 170 m (1450, loggia attribuée à Bramante). *Mantoue, Palais ducal :* 450 pièces, 15 cours (XVIe-XVIIIe s.). *Caserte, la Reggia :* 253 × 202 m ; 1 790 fenêtres, 1 200 pièces, 34 escaliers, cascade de 78 m (1752-74 par Jantivelli). *Rome, le Vatican :* 5,5 ha, 1 400 pièces (325-1667).

U.R.S.S. *Moscou, Kremlin :* enceinte circulaire de 2,5 km ; haut. des murs 15 à 20 m, épaisseur 8 m, 5 portes, 18 tours (XVe s.) ; tour (XVIIe) ; Grand Palais, long. 125 m, haut. 45 m (salle Catherine 21 × 14 m, haut. 7 m ; salle St-Georges 61 × 20,3 m, haut. 17,5 m) (1753-1849).

Cheminées d'usine
(hauteur en m)

Sudbury (Ontario, Canada, 1970), 379,60. Diam. : base 35,40 m, sommet 15,8 m, 39 000 t, construite en 1970, en 60 j par Canadian Kellog, 27,5 millions de F. *Homer City* (Pennsyl., U.S.A.) 369. *Cresap* (Virg. Occ., U.S.A.) 368. *Magna* (Utah, U.S.A.) 366. *Trboulje* (Youg., 1976) 360. *Puentes* (Espagne) 350, 15 750 m³ de béton et 1 315 t d'acier pour un volume intérieur de 189 700 m³. *Meyreuil* (France) 300, diam. (sommet) 11 m. *Drax* (G.-B.) 259. *Kashira* (U.R.S.S.) 250. *Aramon* (Fr., 1975), 250. Diam. ext. : base 32 m, sommet 14 m, centrale E.D.F. *Isle of Grain* (Kent) 244. *Le Havre* (Fr., 1968), centrale E.D.F., 240. *Porcheville* (Fr., 2 ch. : 1967 et 72), 220. Diam. ext. : base 19,93 m, sommet 11,08 m, centrale E.D.F. *Madison* (Indiana, U.S.A.) 215. *Leverkusen* (All., 1964), 200. Diam. : base 15,68 m, sommet 5,38 m. *Vitry-sur-Seine* (Fr., 1968) 160.

Colonnes
(hauteur en m)

• **En France. Ajaccio.** *C. Napoléonienne* (1837) 33. **Boulogne.** *C. de la Gde-Armée* (1841) 53. **Paris.** Voir p. 366.

• **Dans le monde. Allemagne.** *Berlin,* c. de la Vict. (1873) 67. *Darmstadt,* c. de Louis-Ier (1844) 43. *Kassel,* c. d'Hercule (1745) 72. *Stuttgart,* c. du Jubilé (1841) 30. **Belgique.** *Bruxelles,* c. du Congrès (1859) 51 (fût 47 m + statue Léopold Ier 51). **Égypte.** *Alexandrie,* c. de Pompée (IIIe s.) 30. *Karnak,* c. de soutènement du temple d'Amon (1270 av. J.-C.) 21. **États-Unis.** *État de New York,* c. ornementale de l'Education Building à Albany 27,43. *San Jacinto* (Houston, Texas). Monument (1936-39), béton 31 888 t, 174, coût 1,5 million de $. **Grande-Bretagne.** *Blenheim Palace* (1705-22) 40. *Londres,* The Monument (1674) 67. **Italie.** *Rome,* c. Trajane (114) 42 ; c. de Marc Aurèle (193) 42. **U.R.S.S.** *Leningrad,* c. d'Alexandre (1829) haut. totale 46,5 m.

Dômes, coupoles et voûtes
(diamètre en m)

• **En pierre. Ctésiphon** (Irak, v. 600), *la plus haute voûte de brique connue* (larg. 27 m) : 33. **Florence,** *Ste-Marie-des-Fleurs* (1296-1461), hauteur ext. 108 m : 42. **Istanbul,** *Ste-Sophie* (532-57), haut. 55 m : 31 ; *mosquée Bleue* (1609-16) : 22. **Londres,** *British Museum* (1857) : 42 ; *St-Paul* (1710), diam. ext. 36 m (haut. ext. 110 m, int. 65,5 m, nef : long. 155 m, larg. 36 m, façade occ. 54 m) : 31. **Paris,** *Invalides* (1679-1706) : 28 ; *Panthéon* (1764) (haut. 83 m, bâti en croix grecque, long. 113 m péristyle compris, larg. 84,50 m, sommet de la Lanterne à 117,60 m au-dessus du niveau de la Seine, 143,36 m au-dessus de celui de la mer) : 20,5 ; *Val-de-Grâce* (1645-65) : 17 ; *Sacré-Cœur* (1876-1919) : 16 ; *Sorbonne* (1635-53) : 12. **Rome,** *Panthéon* (Ier s. apr. J.-C.), haut. 43,5 m : 43,5 ; *St-Pierre* (XVIe), haut. ext. 132,5 m, int. 119 m : 42. **Washington,** *Capitole* (1792), haut. 87 m : 30.

• **En acier. Paris,** *Palais des sports* (1962) : 63. **U.S.A.,** *Baton Rouge* (1958) : 113 ; *Oklahoma City* (1956) : 111.

• **En verre. Lyon,** *Coupole* (1893-94, détruite 1895) : 110. **Vienne** (Autriche), *Rotonde* (1873, détruite en 1939) : 102.

• **En béton. Leipzig** (All., 1929) : 76. **La Nouvelle-Orléans** (U.S.A., 1974) : 207. **Paris,** CNIT (1960) : voir p. 361 b.

Hangars

• **En France.** *Bordeaux,* Parc des expositions, hall ; long. 861 m, larg. 60 m, haut. 12 m (1973 ; architecte : Xavier Arsène-Henry). *Le Havre,* hangar à coton [1953, partiellement détruit (incendie 1982)] : sup. 8,3 ha, long. 546 m (charpente métallique) + 196 m (béton), larg. 113 m, haut. 5,5 m. Hangar à fruits 2,8 ha. *Roissy,* hangar n° 1 : long. 276 m, larg. 132 m, sup. 3,6 ha.

• **Dans le monde. Allemagne.** *Francfort,* hangar d'entretien de l'aéroport, long. 275 m, toit 130 m d'envergure. **Arabie Saoudite.** Terminal *Hajj* (aéroport King Abdul Aziz) 150 ha. **U.S.A.** *Everett,* ateliers Boeing (1968) : 5,6 millions de m³. *Akron* (Ohio), hangar de la Cie de caoutchouc Goodyear : long. 358 m, larg. 99 m, haut. 61 m, 3,54 ha, volume 1 600 000 m³. *Cap Canaveral,* atelier de montage : longueur 218 m, largeur 158 m, hauteur 160 m, 3,18 ha, 3 666 500 m³. *San Antonio* (Texas, 1956), hangars de la base de l'U.S. Air Force : 5,6 ha, long. 610 m, larg. 92 m, haut. 28 m, 4 portes larg. 76,2 m, haut. 18,3 m, 608 t, entouré d'un tablier de béton de 17,8 ha. *Delta Air Lines,* aéroport internat. de Hartsfield, Atlanta (Géorgie) : 56,6 ha dont 14,5 couverts.

Jets d'eau
(hauteur en m)

• **En France.** *Marly-le-Roi* (Yvelines) [1952, débit 187 m³/h, de mai à sept., de 16 h 30 à 17 h, en général le 4e dimanche du mois] 37. *Paris* (fontaine de Varsovie, jardins du Trocadéro) 55 m (jets horizontaux).

• **Dans le monde. États-Unis.** *Fountain Hills* (Arizona, soulève 8 t d'eau ; débit 441 l par s ; pression 26,3 kg ; coût 7,5 millions de F) 170. **Suisse.** *Genève* (1891, pesant 7 t ; débit 500 l par s : vitesse de l'eau à la sortie de la tuyère 200 km/h ; du jeudi de l'Ascension au 30-9) 130. **Allemagne.** *Hanovre* (1956 ; 1re construction 1720 ; haut. max. 81 m ; débit d'eau 140 l par s, 500 m³/h ; de Pâques au 30-9, 2 h 1/2/jour) 77. **Finlande.** *Lappeenranta* (1957) 35.

Mâts de télévision
(hauteur en m)

Pologne. *Konstantynov* (1974) 646,40. Poids 550 t, restaurant tournant à 347,5 m ; construction la plus haute du monde. **U.S.A.,** *Fargo* (N. Dakota, 1963) 628. *Shreveport* (Louisiane, 1959) 579. *Knoxville* (Tennessee, 1963) 533. *Columbus* (Géorgie, 1962) 533. *Cap Girardeau* (Mississippi, 1960) 510. *Portland* (Maine, 1959) 493. *Roswell* (N.-Mexique, 1958) 490. *Oklahoma* (1954) 479. **Canada.** *Toronto* (1975) 553,33. **U.R.S.S.** *Moscou* (1967) 533. *Leningrad* (1962) 325. **Chine.** *Pékin* 400. **Australie.** *N.W. Cape* (1967) 387. **Angleterre.** *Belmont* (1965) 386. *Emley Moor* (1971) 329,18 (dont 274 m en béton). **Pays-Bas.** *Lopik* (1959-60) 383. **Groenland.** *Thulé* 369. **Allemagne.** *Berlin* (1969) 360. **Japon.** *Tōkyō* (1958) 333. **Finlande,** 33 mâts T.V. (1955-77) 323. **France.** *Paris,* tour Eiffel (1889) 320,75. **Suisse.** *Beromünster* (1931) 215. *Sottens* (1948) 180.

Murailles

Chine. *Grande Muraille* (246-210 av. J.-C.) long. 3 460 km + 2 860 km de ramifications (9 980 km à un moment de son histoire), 16,50 m de haut par endroits, largeur base 8 à 9,80 m, hauteur 4,5 à 12 m, tour de garde tous les 60 m. **Grande-Bretagne.** *Mur d'Hadrien* (entre Écosse et Angleterre, de 122 à 126 apr. J.-C.) : long. 120 km, haut. 4,5 à 6 m, épaisseur 2,3 à 3 m. *Mur d'Antonin le Pieux* (Écosse) : long. 59 km. **Irak.** *Ur* (2006 av. J.-C.) : 27 m d'épaisseur.

Obélisques
(hauteur en m)

Arles (Ier s. ?) : 15. **Héliopolis** (Égypte, 1970-1936 av. J.-C.) : 21. **Istanbul** (venu d'Égypte en 390) : 58. *O. d'Assouan* (1490 av. J.-C.), 1 168 t, long. 41,75. **Karnak** (Égypte, v. 1500 av. J.-C., 320 t) : 24. **Londres,** *Cleopatra's Needle* (v. 1500 av. J.-C., ér. 1878) : 21. **New York,** *Central Park :* 21. **Paris,** voir p. 367 c. **Rome,** *place St-Jean-de-Latran,* o. d'Héliopolis (v. 1450 av. J.-C., érigé en 1588) (457 t) : 33,5 ; *o. de Karnak* (érigé en 390) : 29 ; *place St-Pierre,* o. d'Héliopolis (ér. 1586, 3,26 t) : 24 ; *o. du Champs-de-Mars :* 22. **Washington** (1878, le plus haut monument du monde avant la construct. de la tour Eiffel). Construit en souvenir du 1er président des États-Unis, 73 000 t, rythme d'enfoncement annuel 1,43 mm : 169.

Places

Esplanade de musée (France). *Paris :* cour Napoléon (Louvre), 2,8 ha. Trocadéro 1,8. Centre G. Pompidou 1. Concorde, voir p. 367 c. **Italie.** *Venise :* place St-Marc 1,5.

Ponts
(dimensions en m)

☞ Les plus anciens ponts subsistant dont la portée des voûtes est d'environ 50 m sont ceux de Tournon (XIVe s.) et du château de Vérone (reconstruit après la guerre de 1939-45 sur le modèle du XIVe s.). En général, jusqu'à la fin du XVIIIe s., la portée moyenne des grandes voûtes était de 30 m. A la fin du XIXe s., les ponts atteignent 60 m.

Ponts routiers les plus longs

Du monde. *U.S.A.,* ponts du lac Pontchartrain, Louisiane (1er terminé en 1956, 38 352 m, 2 242 tabliers de béton ; 2e parallèle, terminé en 1969, 38 422 m, 1 505 tabliers, 150 millions de F). *Japon,* p. ferroviaire et routier à 2 niveaux Seto-Ohashi (1988) 13 000 m, coût 49 milliards de F (17 tués), péage 240 F. *Brésil,* p. Rio de Janeiro-Niterói (1974), 12 103 m dont 8 900 au-dessus de l'eau ; arche centrale en acier de 300 m, hauteur 60 m ; coût 150 millions de $. **En maçonnerie.** Svinesund (*Suède-Norv.,* 1946) : 155. **En bois.** Great Salt Lake Railroad, Trestle (Utah, *U.S.A.,* 1904) avec 19 108 m (remplacé 1960 par levée de terre). **Pont couvert.** Hartland Bridge (Nouveau-Brunswick, *Canada,* 1899) : 390,80.

D'Europe. *Pont reliant l'île d'Öland à la côte de Suède* (6 070 m, 13 km avec les routes d'accès, largeur 13 m, 153 arches, béton précontraint, partie la plus haute 36 m, chaussée 7 m de larg., coût 135 millions de F, terminé 1972). *Oosterscheldebrug,* sur l'Escaut oriental (Pays-Bas, terminé en 1965, 5 022 m, repose sur 54 piles). *Ponte della Libertà* (P. Littoria) (It., 1933) de Venise à la terre ferme, 4 000 m (222 arches).

De France. *Pont de Mindin (St-Nazaire-St-Brévin)* sur la Loire, ouvert 18-10-1975, comprenant 1 pont métallique à haubans de 720 m en 3 parties dont 1 portée de 404 m au-dessus du chenal et 2 travées de rive (2 pylônes de 75 m au-dessus du pont) + 2 viaducs d'accès de 1 115,40 et 1 521 m ; longueur 3 356,40 m, tirant d'air max. 61 m ; coût : 261 000 000 de F ; le plus long pont du monde à poutres haubanées en acier. *Pont de Normandie (Honfleur, Le Havre) :* 1988-1992, long. totale 2 200 m, travée centrale 856 m à 50 m au-dessus de l'eau. Coût : 1,1 milliard de F en 1988. Trafic prévu : 1,5 million de véhicules par an (record mondial). *Pont de Tancarville* (47 m au-dessus de l'eau), ouvert 1959. Long. totale 1 410 m (2 parties : 1 pont suspendu à 3 travées : 176 m, 608 m, 176 m et 1 viaduc d'accès sur la rive gauche de la Seine, 400 m de long, 8 travées indépendantes de 50 m de portée, à pente de 6,3 % pour rattraper le niveau du terrain du marais Vernier). Haut. : tablier au-dessus de la Seine 54 m, tours au-dessus des quais 121,9 m et 123,4 m ; *largeur :* chaussée 12,50 m ; *trottoirs :* 1,25 m ; *coût :* 94 050 000 F. *Pont de l'île d'Oléron,* ouvert 1966 (2 862 m entre culées, en 46 travées, larg. 10,92 m, tirant d'air 15 à 18 m). *Pont de l'île de Ré* (1986-88). Coût prévu (1983) : 385 millions de F, y compris l'amélioration des accès à Rivedoux. 3 840 m dont 2 920 m d'ouvrages d'art avec des travées de 110 m de portée. Un tunnel aurait été plus court (2,4 km) mais aurait coûté plus cher (620 millions de F).

Ponts de chemin de fer les plus longs

Du monde. *U.S.A.* Great Salt Lake Railroad Trestle (Utah, 1904) 19 000. Huey P. Long Bridge (Louisiane, 16-12-1935), travée 241 m, 7 000. *Japon* voir ci-dessus. *Chine* Yang-tsé (Nankin, 1968), 6 772.

Ponts les plus hauts

Du monde. *Royal Gorge Bridge,* suspendu à 321 m au-dessus de l'Arkansas (Colorado, U.S.A.), construit en 1929 ; tablier central 268 m.

D'Europe. *Pont de Gueunroz,* à 186 m au-dessus du Trient (Suisse, canton du Valais).

De France. *Pont de l'Artuby,* à 180 m au-dessus des gorges du Verdon (Var), construit en 1947. *Pont de La Caille* (Savoie, 1924-1928), 147 m. *Pont de chemin de fer de Fades,* à 132,5 m au-dessus de la Sioule (Puy-de-Dôme), long. 374 m (plus longue portée 144 m), construit par Vidard (1901-09). *Viaduc de Garabit* (Cantal), à 122 m au-dessus de la Truyère, long. 564 m dont partie métallique 448 m, construit en 1882-84 par G. Eiffel. Repose sur 5 piles (la plus haute 89,64 m : en maçonnerie, 25 m de largeur, hauteur 28,90 m, et en métal 61 m). Arche principale parabolique, système Eiffel : corde 165 m, flèche moyenne 56,86 m, épaisseur à la clef 10 m (écartement des têtes 6,28 m à la partie sup., 20 m à la base). Poids total du métal 3 254 t ; coût (maçonnerie comprise) 3 137 000 F.

Ponts les plus larges du monde

Crawford Street (Providence, Rhode Island, U.S.A.) larg. 350 m. *Harbour Sydney Bridge* (Sydney, Australie), 1932, 80 m, plus grande portée 502,90 m. Supporte 2 voies ferrées électrifiées, 8 voies routières, 1 voie cycliste et 1 voie piétonnière.

Grands ponts par catégories

• **Ponts suspendus.** *1ers :* passerelles suspendues à des lianes (Amérique, Indes orientales), à des chaînes de fer (G.-B., 1808), pass. de 18 m sur la Cance (près de St-Marc, Annonay, 1822) et de 30 m sur la Galance (St-Vallier, 1823) construites par Marc Seguin. *Pont de Tain-Tournon* (achevé 22-4-1825, inauguré 25-8, Marc Seguin). *1826-50* essor en France. *1855* U.S.A. : p. de chemin de fer en aval des chutes du Niagara (250,51 m). *Niagara Falls* (386,84 m). *Cincinnati* (Ohio, 322,38 m). *Brooklyn* (inauguré 24-5-1883, 1 186 m dont 486,30 m de portée centrale, porté par 4 câbles de 0,393 m de diam., poids métal 17 754 t dont chaque câble 866 t. *Williamsburg* (inauguré 19-12-1903, travée centrale 486,40 m, tablier larg. 36 m). *Manhattan* (inauguré 31-12-1909, 2 090,77 m, ouverture centrale 446,90 m, tablier larg. 37,51 m, 4 voies ferrées et une chaussée centrale de 10,67 m à l'intérieur). *Bear Mountain* (inauguré 1925, Hudson).

Par câbles. *Akashi Kaikyo* (Japon, 1986-98). Plus grande travée 1 990 m ; long. totale des travées suspendues et des tr. latérales 3 560 m ; 2 étages (1 pour les voitures, 1 pour les trains) ; pylone 333 m ; coût env. 17,3 milliards de F. *Humber Estuary* (Angleterre, 1981) plus longue travée 1 410 m. Haut. des pylônes 162,5 m, ils s'écartent de 36 mm de la parallèle pour tenir compte de la courbure de la surface terrestre ; coût 96 millions de £. Porte les 2 parties extérieures aux pylônes 280 m au N., 530 au S. ; longueur totale 2 220 m ; tablier (trottoirs et pistes cyclables compris) 28,5 m de large ; à 30 m au-dessus de l'eau ; pylônes s'élevant à plus de 152 m au-dessus du tablier ; l'arc-boutant mesure 2 220 m. *Verrazano* (New York, 1964) 1 298. Relie Richmond (Staten Island) à Brooklyn (Long Island). 2 niveaux, 6 voies de circulation, haut. 210 m, long. totale 4 176 m ; coût 305 millions de $. *Golden Gate* (San Francisco, 1937) 1 280. Tour de 227 m, tablier à 69 m au-dessus de l'eau, larg. 27 m, 389 000 m³ de ciment, 83 000 t d'acier, 32 km de câbles suspendus. Lors de l'inauguration, 200 000 piétons avaient payé 1 nickel (5 cents) pour franchir le pont. Depuis 1937 : 712 suicides ; la chute dure 3 s, le corps entre dans l'eau à 120 km/h. *Mackinac Straits* (Michigan, 1957) 1 158. Long. avec les approches 5 853,79 m, entre les supports 2 543 m ; haut. des tours au-dessus de l'eau 168 m ; coût 500 millions de $. *Bosphore* (Istanbul, Turquie, 1973) 1 074. 1 560 m de rive à rive ; tirant d'air max. 64 m ; coût 700 millions de F. *George Washington* (New York, 1931) 1 067. *Ponte 25 de Abril* (Lisbonne, Port., 1966) 1 013. Fondation de 79,3 m ; haut. 190,5 m ; long. totale 3 223 m ; coût 75 millions de $. *Forth* (Queensferry, Écosse, 1964) 1 006. *Severn* (Beachley, Anglet., 1966) 997. *Pierre-Laporte* (Québec, Canada, 1970) 908. *Ohnaruto* (Japon, 1983) 876. *Tacoma* (Washington, 1950) 853. *Innoshima* (Japon, 1982) 770. *Angostura* (Cd. Bolívar, Venez. 1967) 712. *Kanmon* (Shimonoseki, Japon, 1973) 712. *Transbay* (San Francisco, Cal., 1936) 2 × 704. *Whitestone* (New York, 1939) 701. *Delaware I* (Wilmington, Del., 1951) 655. *Delaware II* (Wilmington, Del., 1968) 655. *Whitman* (Philadelphie, 1957) 610. *Tancarville* voir Quid 1991, p. 386 b. *Lillebaelt* (Middelfart, Dan., 1970) 600.

Pont de Bordeaux (ou pont d'Aquitaine), inauguré 6-5-1967 : travée centrale 393,75 m, partie suspendue 679,75 m, pont entre culées 1 589,95 m ; hauteur au-dessus de l'eau 53 m ; coût 118 millions de F (y compris les accès : 7,5 km).

Ponts en projet : Messine (Italie) 3 500 m, pylônes 304,8 m ; coût (est.) 100 milliards de francs. *Tōkyō* (Japon) 8 ponts géants (dont Akashi Kaiko voir + haut) pour relier les îles Honshu et Shikoku (Japon). *Gibraltar* 7 tabliers × 3 000 m.

Par chaînes (acier). *Hercilio Luz* (Florianópolis, Brésil, 1926) 339. *Elizabeth* (Budapest, Hongrie, 1903) 290. *Point* (Pittsburgh, U.S.A., 1877) 244. *Reichsbrücke* (Vienne, Autr., 1937) 241.

• **Ponts à haubans. A tablier métallique.** *Annacis* (Canada, 1983) 465. *Dao Kanong* (Bangkok, Thaïlande, 1987) 450. *St-Nazaire* (France, 1975) 404. *Rande* (Espagne, 1978) 400. *Luling* (Louisiane, U.S.A., 1981-83) 372. *Düsseldorf-Flehe* (All.) 367.

A tablier en béton. *Barrios de Launa* (Espagne, 1983) 440. *Tampa* (Sunshine Skyway Bridge, Floride, U.S.A., 1987) 367. *Posadas-Encarnación* (Argentine-Paraguay) sur la rivière Parana 330. *Brotonne* (France, 1977) 320. *Pasco-Kennewick* (État de Washington, U.S.A., 1978) 299. *Wadiel-Kuf* (Libye, 1971) 282. *Tiel* (P.-Bas, 1974) 267.

• **Ponts en treillis métallique. Cantilever.** *Québec* (Canada, 1899-1917) 549. Une partie du pont s'effondra lors de sa construction en 1907 : 87 ouvriers tués ; en 1916, accident sur la travée centrale : 13 tués ; coût 46 230 000 F. *Forth* (Queensferry, Écosse, 1890) 2 × 521. *Minato Ohashi* (Japon, 1974) 510. *Commodore Barry* (Pennsylvanie, U.S.A., 1974) 501.

Poutres continues triangulées. *Astoria* (Oregon, 1966) 376. *Francis Scott Key* (Maryland, U.S.A., 1977) 366. *Oshima* (Jap., 1976) 325. *Kuronoseto* (Jap., 1974) 300.

• **Ponts en arc. En acier.** *Fayetteville* (Virginie occidentale, U.S.A., 1977) 518. *Bayonne* (New York, 1931) 504. *Sydney* (Australie, 1932) 503. *Fremont* (Portland, Oregon, U.S.A., 1973) 383.

En béton. *Krk I* (île de Yougoslavie, 1980) 390. *Gladesville* (Sydney, Australie, 1964), longueur totale 580 m, 305. *Paraná* (Brésil/Paraguay, 1964) 290. *Arrábida* (Porto, Portugal, 1963) 270. *La Rance* (France, 1990) 260.

• **Ponts à poutres continues sous chaussée. Tabliers métalliques à platelage orthotrope.** *Rio-Niterói* (Guanabara, Brésil, 1974) 300. *Sava I* (Belgrade, Yougoslavie, 1956) 261. *Zoobrücke* (Cologne, All. 1966) 259. *Sava II* (Belgrade, Youg., 1970) 200.

Nota. – En France, *Bénodet* 200.

Tabliers en béton précontraint (construction par encorbellement). *Brisbane* (Australie, 1987) 265. *Ko-*

Ponts les plus anciens. *Nil,* 2650 av. J.-C. *Salaro* (Italie, 600 av. J.-C.) 100 ; 3 arches en plein cintre : arche centrale 21 m, les 2 autres 16,9 m. *Smyrne* (Turquie, 850 av. J.-C.) n.c.

Ponts métalliques. *1er en fonte : pont de Coalbrookdale* sur la Severn (Angl. 1775-1779), fabriqué par Abraham Darby sur les dessins de T.F. Pritchard, portée 30 m). Eiffel, entre 1870 et 1880, construisit des arcs de 160 m. A partir de 1880, le procédé d'affinage de l'acier par Thomas et Gilchrist permit des travées plus longues [pont de Forth (Queensferry, 1882-90) Angleterre-Écosse 521 m]. Le viaduc de San Francisco à Oakland (1936) a eu 2 travées de 704 m.

Ponts en béton armé. *Les premiers : pont-route de Châtellerault* [1899-1901, 3 travées (40, 50 et 40 m de portée, application du système Hennebique)] ; *passerelle Mativa* [1905 (exposition de Liège), 55 m] ; *pont Adolphe* sur la Pétrusse à Luxembourg [1904, par Séjourné qui innove en reliant 2 anneaux en maçonnerie par un tablier de béton armé (ouverture 85 m)] ; *pont du Risorgimento* sur le Tibre à Rome (portée de 100 m atteinte pour la 1re fois ; 1911, réalisé par la maison française Hennebique). *Ponts de St-Pierre-de-Vouvray* (131,80 m, 1924), *de La Caille* (1928), *de la Tournelle* (Paris, 1928, à la place du pont de 1654, arche centrale 73,30 m d'ouverture), *de Plougastel* en 1930 (880 m, 3 arches de 186 m, 2 étages : 1re voie ferrée normale, 2e route et chemin d'intérêt local). E. Freyssinet, en 1914, réalisa un pont de 98 m *en béton non armé* à Villeneuve-sur-Lot.

ror-Babelthuap (Pacific Trust Ter., U.S.A., 1977) 241. *Hamana* (Japon, 1976) 240. *Hiroshima* (Japon, 1975) 236. *Urado* (Japon, 1972) 230. *Gennevilliers* (France) 172. *Ottmarsheim* (France) 172 (record du monde en voussoirs préfabriqués).

• **Ponts flottants.** *Lake Washington II* (Wash, U.S.A., 1963, 3 839 m au total), coût 53 570 000 F, 2 291. *Lake Washington I* (Wash, 1940) 2 000. *Hood Canal* (Wash, 1961) 1 972.

• **Ponts transbordeurs.** *Le 1er :* système analogue à celui des ponts transbordeurs, celui de l'architecte Le Royer. Relia en 1870 St-Servan à St-Malo (90 m) ; il se composait d'une plate-forme supportée par 4 montants verticaux en fer reposant sur un bâti muni de 4 roues. L'ensemble roulait sur 2 rails. Il pouvait transporter 100 passagers en 90 secondes. *1er véritable pont transbordeur* (à câbles paraboliques) construit par le Français Ferdinand Arnodin (1845-1924) en 1889 à Portugualete près de Bilbao : une nacelle était suspendue à un chariot de roulement ; 2 pylônes métalliques reposant sur les fondations par des rotules d'acier supportaient par l'intermédiaire de rouleaux un tablier métallique (suspendu à des câbles paraboliques et obliques fixés aux pylônes). Ce système fut appliqué à Rouen (1897), à Martrou (1900, tablier 176 m, classé en 1976 mon. historique), à Bizerte (Tunisie), Bordeaux (1904), à Newport-Man (Pays de Galles, 1906). Arnodin inventa aussi le système à contrepoids et à articulations (utilisé à Nantes, Marseille). L'arrimage des pylônes par contrepoids prenait moins de place.

Grands ponts disparus : *Stalingrad* (U.R.S.S., 1955, 874 m) ; *Sky Ride Bridge*, Chicago (U.S.A., 1933, 564 m) ; *Newport-Man* [G.-B., 1906 ; tablier 236 m (débouché 196,5 m), hauteur 54 m au-dessus des plus hautes mers ; pylônes 73,60 m ; nacelle 10 m × 12 m (poids en surcharge 117,5 t)] ; *Marseille* [1905, détruit en 1944-45 ; réunissait le quai de la Tourette au boulevard du Pharo ; tablier 235 m (débouché 165 m), hauteur 50 m ; pylônes 84,60 m ; nacelle 10 m × 12 m (poids en surcharge 144 t)] ; *Nantes* [1903, détruit en 1958 ; tablier 191 m (débouché 140 m) ; pylônes 75,65 m ; nacelle 10 m × 12 m] ; *Rouen* [1897, détruit en 1940 ; tablier 146 m (débouché 143 m), hauteur au-dessus des plus hautes mers 51 m ; pylônes 66,35 m ; nacelle 10,14 m × 13 m (poids en surcharge 101 t)].

Transbordeurs fonctionnant régulièrement en 1986 : 2 en All. féd. (*Osten* près de Hambourg et *Rendsburg*) ; 2 en G.-B. (*Newport* et *Middlesbrough* plus 1 à *Warrington* fonctionnant épisodiquement) ; 1 en Espagne (*Bilbao).*

• **Ponts basculants.** *Le Havre* (France, 1971, écluse François-Ier) : portée record 74 m, larg. totale 16,80 m. Poids de la partie basculante 1 800 t.

• **Pont levant.** **Le plus long d'Europe,** *Brest* (Finistère) pont de Recouvrance (1950-54) à 22 m au-dessus de l'eau. Travée métallique mobile de 87 m et 530 t, peut s'élever en 150 s à 26 m.

☞ **Ponts-canaux.** Voir Index.

Salles (grandes)

États-Unis. San Francisco : hall de réception de *l'hôtel Hyatt Regency* long. 107 m, larg. 49 m, haut. 52 m.

France. Paris : *Palais de justice,* salle des Pas-perdus (1872-75, Duc et Daumet) 68 × 26,5 m (sup. 1 082 m²). *Gare St-Lazare* 210 × 18 m (sup. 3 780 m²).

Stades (voir Index)

Statues colossales

(hauteur en m)

• **Antiquité. Égypte.** *Sphinx* (long. 57 m, pierre) 21. *Abou-Simbel* (pierre) 20. *Colosses* (4) de Ramsès II 20 ; de Memnon (pierre) 18. **France.** *Puy-de-Dôme* Mercure (bronze) 35 ou 39 (détruite v. 244). **Grèce.** *Rhodes* colosse (bronze) 32 (voir encadré ci-contre). *Olympie,* Zeus (or, ivoire) 18. **Italie.** *Rome* Néron (bronze doré) 33. *Athènes* Athéna (or, ivoire) 12.

• **Époque moderne. Afghānistān.** *Bamyan* Bouddha (debout) IIIe ou IVe s. 53 ; (assis) taillé dans le roc 35. **Allemagne.** *Kassel* Hercule (1665-1745, cuivre avec l'octogone) 71. *Detmold* (Arminius, 1838-75, cuivre 16 m, plus socle) 54. *Rüdesheim* Germania (1883) 36 (socle pierre 25 m, statue bronze 10,59). *Munich* Bavaria (1850, bronze avec socle) 36. **Angleterre.** *Wilmington* en brique peinte, à flanc de coteau (époque pré-romane) 71. **Argentine.** *Col de la Cumbre ou d'Uspallata* Christ des Andes [1904, poids 7 t, bronze, à 4 200 m, 14 (statue 8, piédestal 6)]. **Autriche.** *Vienne* Impératrice Marie-Thérèse (1888), bronze, superficie du monument 632 m², poids total 44 t.

Birmanie. *Pégu* Bouddha (XVIe s., couché, long. 44 m) 14. **Brésil.** *Rio de Janeiro* Christ-Roi (béton, 1931) 82. **Canada,** *Montréal* stabile (Calder 1967, nickel) 20. **Chili.** *Île de Pâques* statues, jusqu'à 10. **Chine.** *Kiantag* Bouddha 45.

États-Unis. *S. Dakota* Crazy Horse (chef oglala sculpté, 1948-82, Korczak Ziolkowski. Long. 195 m) 171. *New York* la Liberté, île Bedloe (1886), 46 m, avec socle 71 m, env. 300 t (cuivre 80 t, fer 20 t), main 5,50 m, 40 personnes peuvent tenir dans la tête (Mme Bartholdi, mère du sculpteur, avait servi de modèle) : coût 2 250 000 F-or ; œuvre de François Bartholdi. [*1875 :* création du comité de soutien au projet de construction d'une statue à la gloire de l'indépendance américaine. *1881 :* début de l'assemblage. *1884 (4-7) :* remise officielle au gouvernement américain. *1885 (15-5) :* embarquement (210 caisses à bord du navire de guerre l'*Isère* à Rouen). *1886 (28-10) :* inauguration.] Copie à Paris offerte à la France par la colonie américaine de Paris (pont de Grenelle, 1885). Il y a 2 autres copies, à la chapelle du musée des Arts et Métiers et dans le jardin du Luxembourg, à côté de la rue Guynemer 92. *Stone Moutain* (Géorgie, 1958-70, têtes de Jefferson Davis, Robert Lee, Jonathan Jackson) 27,4. *Mont Rushmore* (Dakota du S., 1927-41, têtes de Washington, Jefferson, Th. Roosevelt et Lincoln sculptées dans le roc) 19.

France. *Mas-Rillier,* près de *Lyon,* N.-D.-du-Sacré-Cœur (1938-41, Serraz) 38, tête 4,5, main 2 m. *Paris* [la République, 1883, sculptures de Léopold Morice, statue (bronze, hauteur 9,50 m) sur piédestal entouré par 3 figures assises : la Liberté, l'Égalité, la Fraternité ; socle avec 12 hauts-reliefs de Dalou relatant les grands événements de la République, devant, un lion en bronze (hauteur 3 m)] 24. *Vienne* (Pyramide, V-IVe s.) 23. *Les Houches* (Christ-Roi, 1934, Serraz) 26. *Le Puy* (N.-D., 1860) 16 [poids 110 t (Enfant Jésus 30 t, la chevelure de la Vierge mesure 7 m, pieds 1,92 m) faite avec 213 canons pris à Sébastopol, placée sur socle de 7 m de haut, domine de 132 m la ville du Puy]. *Belfort* [Lion, 1880, symbolise la défense de Belfort en 1870 ; sculpteur : Bartholdi ; statue en grès rouge (h. 11 m, long. 22 m), copie placée (en 1880) place Denfert-Rochereau à Paris (h. 4 m, long. 7 m)] 16. *Marseille* N.-D.-de-la-Garde (1864) 10. *Baillet-en-France* (Val-d'O.) N.-D. de France de Roger de Villiers (1988) couronnait le pavillon pontifical de l'Exposition de 1937 : haut. 32 m (dont piédestal 25 m).

Inde. *Sravanabelgola* Ermite Gomateshwara (985) 19. **Italie.** *Rome* Mon. Victor-Emmanuel II (1911) 81. *Arona* St-Charles Borromée (1697) 37. *Pratolino* Jupiter Pluvius (1594) 21. **Japon.** *Nara* Bouddha de 749, 1180 incendié, 1195 reconstruit, 1567 incendié partiellement, 1691 réparé, 1709 réparations complétées. 26 m sans le piédestal, la plus grande statue en bronze, 45 t, 42. Daibutsu (745-49, bronze, mercure, or fin, 551 t, haut. actuelle 16,2 m) 25. *Ofuna* déesse Kwannon (1961, 1 915 t, haut. 25 m, larg. 18,57 m, ciment) 24. *Kamakoura* (Daibutsu, 1252, bronze, 124 t ; larg. 24 m) 11,4. **Norvège.** Fridthjof (*Sognefjord,* 1913), 14 t 12. **Portugal.** *Lisbonne* (Christ-Roi, statue 28 m avec socle béton, 1959) 110. **Suisse.** *Lucerne* (lion, 1821) 6. **Thaïlande.** *Bangkok* Bouddha de Wat Benchamaborpitr (1809-27, couché, long. 45 m) 15. Wat Po (v. 1850, couché, long. 49 m) 12. Wat Trimitr (1238-78) 2. **U.R.S.S.** *Volgograd* La Mère-Patrie (1967, en béton 82,3 m avec socle) 52.

☞ **Le plus haut totem :** 52,73 m (6-6-1973), situé à Albert Bay, Colombie Brit. (Canada). **Le plus grand mobile :** White Cascade, 31 m, 8 t, réalisé par Calder, à la Federal Reserve Bank de Philadelphie (U.S.A.). **Le plus haut minaret :** Mosquée Hassan-II à Casablanca (Maroc), 100,82 m (1981).

Les Sept Merveilles du monde

Liste fixée sous la Renaissance, mais figurant avec des variantes chez des auteurs grecs (dont Philon de Byzance v. 25 av. J.-C.) et latins.

1. Pyramides d'Égypte, v. 2580 av. J.-C. : *Chéops* (haut. 137,2 m, autrefois 148,5 m, base 5,05 ha, volume 2,5 millions de m³), *Chéphren* (haut. 136,5 m) et *Mykérinos* (haut. 66 m, comporte un bloc de calcaire de 290 t).

2. Jardins suspendus de Babylone (Irak), 604-562 av. J.-C., construits par Nabuchodonosor II, de 23 à 92 m. Détruits.

3. Temple de Diane à Éphèse (Turquie) dit Artémision, 450 av. J.-C. ; sa construction dura 120 ans. Incendié par Érostrate en 356 av. J.-C., reconstruit puis détruit au IIIe s. av. J.-C. Long. 138 m ; larg. 71,5 m ; colonnes de 19,5 m de haut. Des éléments ont été réutilisés pour l'église St-Jean à Éphèse et Ste-Sophie à Istanbul. Restes au British Museum (Londres).

4. Statue de Zeus Olympien, Olympie (Grèce), entre 456 et 447 av. J.-C., par Phidias, en or et ivoire, 18 m de hauteur. Détruite en 475 apr. J.-C. à Constantinople dans un incendie.

5. Mausolée d'Halicarnasse, Bodrum (Turquie), 377-353 av. J.-C. Élevé par Artémise, reine de Carie, pour son frère et époux le roi Mausole, 42 m de haut, 133,5 m de tour. Fragments au British Museum (Londres) et à Bodrum.

6. Colosse de Rhodes (Grèce), 292-280 av. J.-C., par Charès, 32 m de hauteur. Détruit par un tremblement de terre en 224 av. J.-C. 2 projets gréco-américains prévoient la reconstruction d'un colosse de 150 m de haut ou 75 m, en alliage d'acier inoxydable.

7. Phare d'Alexandrie (Égypte), 280 av. J.-C. Élevé par Sostrate de Cnide sous Ptolémée II Philadelphe. Détruit en 1302 par un tremblement de terre. Hauteur 134 m.

Dimensions (par pays)

(hauteur en m)

• **Afrique du Sud. Bloemfontein,** *Mémorial national aux Femmes* (1913), 36,6. **Grahamstown,** *Mon. aux Immigrants* de 1820 (1974), 26,25. **Johannesburg,** *J.G. Strijdom Post Office Tower* (1971), 269. *SABC Tower* (1969), 229. *Carlton Centre* (1972), 208. *Tour de télécommunications Lucasrand,* 177. *Ponti Flats* (1976), 162. *SANLAM Centre* (1977), 150. *SABC Head Office* (1976), 146. *Standard Bank* (1970), 135. **Pretoria,** *Union Buildings* (1913), 49,4. *Mon. aux Voortrekkers* (1949), 42,3.

• **Algérie. Alger,** *mon. des Martyrs,* 92 m. **Constantine,** *mosquée (en constr.),* 120 (2 minarets carrés de 120 m surmontés de croissants de cuivre, coupole de 65 m de haut et 24 m de circonférence, salle de prière pour 12 000 fidèles). **Oran,** *immeuble,* 66.

• **Allemagne. Augsbourg,** *Holiday Inn* (1972), 117. **Berlin,** *tour T.V.* (1969), 365. *Tour radio* (1924), 150. *H. de ville* (1865-70) reconstruit après 1945, 97. *Pte de Brandebourg* (1888-91), 26. **Charlottenburg,** *H. de ville* (1900), 88. *Europa Center* (1965), 86. **Bonn,** *building des Députés* (1970), 112. **Cologne,** *Cathédrale* (1880), 156. **Dresde,** cathédrale (1754), 85. **Düsseldorf,** *Rheinturm,* 225. *Caisse d'assur.* (1976), 120. *Maison Thyssen* (1957), 95. **Francfort,** *tour de télécomm.* (1977), 331. *Messeturm* (1991), 256, 5. *Hôtel Francfort Plaza* (1976), 161. *Tour Henninger* (1960) [1], 120. **Fribourg-en-Brisgau,** *cath. (XIVe)* [2], 116. **Hambourg,** *tour T.V.* (1968), 271. *St-Nicolas* (1846-47), 144. *St-Michel* (1906), 134. *St-Petri* (reconstr. 1842), 133. *Église St-Jacques (XIVe s.),* 124. *Hôtel Hambourg Plaza* (1973), 118. *Église Ste-Catherine* (1350), 115. *Hôtel de ville* (1897), 112. **Hanovre,** *tour de télécommunications* (1960), 141. *Hôtel de ville* (1913), 100. *Église du Marché* (1359), 95. **Kiel,** *Hôtel de ville* (1911), 106. **Leipzig,** *tour de l'Université* (1973), 142. *Monument de la bataille des Nations* (1898-1913), 91. **Leverkusen,** *usine Bayer* (1962), 122. **Lübeck,** *Notre-Dame* (1310), 125. **Ludwigshafen,** *imm. Badische Anilin* (1957), 100. **Munich,** *tour Olympique* (1968), 290. *Notre-Dame* (1525), 100. *Hôtel de ville* (1908), 85. **Nördlingen,** *St-Georges* (1508), 90. **Ottobeuren,** *église* (1766), 87. **Ratisbonne,** *cathédrale St-Pierre* (achevée 1869), 105. **Rostock,** *St-Pierre,* XIVe s., 127. Kröpeliner Tor, XIIIe s., 54. **Stuttgart,** *tour T.V.* (béton, 1956), 217. **Ulm,** *cathédrale* (achevée 1890) [3], 173. **Ventrop,** tour de réfrigération (1976) 180.

Nota. – (1) Silo de stockage de grains avec restaurant rotatif. (2) Intérieur : long. 125, larg. 30, haut. 27. (3) La plus haute égl. du monde. Intérieur : long. 124, larg. 49, haut. 42. *Longueur de la cathédrale* de Worms : 158 ; de Spire : 133 ; de Mayence : 112.

• **Australie. Melbourne,** *BHP House* (1972) [1], 153. *Centre culturel, tour métall.* (1978), 132. **Sydney,** *Tour Centrepoint* (1979) [3], 274. *MLC Centre* (1977-79), 244 (68 étages). *Australia Square* (1968) [2], 185. *Opéra* (1958-73) [4], 67.

Nota. – (1) 41 étages ; aire d'atterrissage pour hélicoptères au sommet. (2) Restaurant tournant au

47e étage, 43 m de diam., révolution en 105 mn. (3) 283,4 m avec antenne, 2 restaurants tournants. (4) Coût 650 millions de F. Salles de 2 700 pl. (concerts), 1 550 (opéra), 550, 420, 150 (studios, s. d'expositions et de conférences), 3 restaurants tournants.

• Autriche. **Linz,** *Nouvelle Cath.* (1862-1924), 135. **Melk,** *abbaye* (1746), 63. **Salzbourg,** *cath.* (1628), 72. **Stockerau.** *St-Étienne* (1725), 88. **Vienne,** *Donauturm* (1963-64) [1], 252. *St-Étienne* (1147), 137. *Centre de l'O.N.U.*[2], 120. *Hôtel de ville* (1883), 100. *Grande Roue* (1897), 64. **Zwettl,** *abbaye* (1139, rest. XVIIe-XVIIIe s.), 90.

Nota. – (1) Restaurant tournant au dernier étage. (2) 24 000 fenêtres, 6 000 portes.

• Belgique. **Anvers,** *cath.* (1530), 123. *Antwerp Tower* (1974), 87. **Bruges,** *égl. Notre-Dame* (1297), 122. *Beffroi* (1321), 83. **Bruxelles,** *Palais de Justice* (1883), 118. *Tour Martini* (1959), 117. *Tour du Midi* (1968), 110. *Tour Louise* (1968), 107. *Tour place Madou* (1965), 105. *World Trade Center* (1973), 102. *Atomium* (1958), 102. *Manhattan Center* (1973), 100. *Tour A.G.* (p. de Namur, 1961), 100. *Tour I.T.T.* (1973), 100. *Tour Saifi* (1975), 95. *Hôtel Hilton* (1967), 85. *Hôtel Westbury* (1964), 78, *St-Michel-Ste Gudule* 68. *Tour P.S.* (p. de Shaerbeek, 1961), 65. *Tour Philips* (1969), 65. *Hôtel de Ville* (1454) 63 (dont statue de St-Michel 8,02). *Centre administratif* (1970), 63. Arcade du Palais du Cinquantenaire 60. Égl. Ste-Marie (Dôme) 60. **Gand,** *beffroi* (1661), 91. **Liège,** *tour cybernétique de Schöffer* (1959), 52. **Malines,** *tour cathédrale St-Rombaut* (1520) 97,5 (achevée, elle aurait atteint 167 m ?). **Marche-en-Famenne,** *tour* (1970), 75. **Mons,** *beffroi* (1661), 87. **Ronquières,** *tour du Plan-Incliné* (1965), 150. **Strépy-Thieu,** *tour* 102. **Waterloo,** *Butte* (1823-27 avec lion angl.), 45.

• Birmanie. **Rangoon,** *Pagode Schwedagon* (XIIe-XVIe), 99.

• Brésil. **São Paulo,** *Banque d'État,* 161 (inaugurée en 1947).

• Canada. **Hamilton,** *Century* 21 : 152 (43 ét.). **Montréal,** *Bourse* (1963), 192. *Place Victoria,* 190 (47 ét.). *Banque can. imp. de com.* (1963), 189. *Place Ville-Marie* (1963), 187. *Hôtel Château-Champlain* (1967), 127,8. *Oratoire St-Joseph* (1924), 126. *Le Complexe Desjardins : tours du Sud* 151, *Est* 130, *Nord* 108, *Laurier* 129. *C.I.L. House,* 130. *Port Royal Apts,* 121. *Royal Bank Tower,* 121. **Niagara Falls,** *Skylon* (1965), 158. **Ottawa (Ontario),** *Place de Ville Tower C,* 112, *R. H. Coats Bldg,* 99. **Toronto,** *C. N. Tower* [en béton, 1973-75, ouverte au public 26-6-1976, frappée par la foudre 60 fois par an en moyenne, base à 72 m au-dessus de la mer, nacelle (7 niveaux : 1° installation hertzienne 338 m, 2° terrasse d'observation extérieure 342 m, 3° terrasse intérieure, cabaret 346 m, 4° restaurant tournant 351 m avec 416 places, tour complet en 70 à 90 min, 5° installation hyperfréquence et TV 355 m, 6° radio MF 360 m, 7° machinerie 363 m), belvédère 447 m (poste d'observation public le + haut du monde), sommet du mât d'antenne (de 102 m) 553,33 m, 4 ascenseurs jusqu'à la nacelle (capacité 1 200 personnes/heure dans une direction, vitesse 6 m/s. ; 1 de la nacelle au belvédère, le + haut du monde), escalier 2 570 marches (se monte en 40 min et se descend en 20 min)]. Visibilité jusqu'à 120 km, poids 132 080 t (ciment 106 000, acier 5 690), surface au sol 6 500 m², coût 57 millions de $.

• Chine. **Nankin,** *tour de Porcelaine* (détruite v. 1860), 100.

• Danemark. **Aarhus,** *cathédrale* (1927), 96. **Copenhague,** *H. de ville* (1905), 106. *Tour de Christiansborg* (1907-28), 106. *Tour Ronde* (1637), 36. **Frejlev,** *tour T.V.* (1956), 231.

• Égypte. **Le Caire,** *tour* (1955), 187. *Minaret mosquée du sultan Hassan (XIVe),* 84. *2 minarets mosquée Muhammad Ali (dite d'Albâtre)* (1830-48), 82. **Dahshur** *(pyramides de Snefru, 2600 av. J.-C.),* 102 et 104. **Gizeh,** *Grande Pyramide (Chéops),* 2580 av. J.-C. (voir encadré p. 364 b), 137,2. *Pyr. de Chéphren,* 136,5. *Pyr. de Mykérinos,* 66. *Sphinx,* long. 57 m (73,5, en comptant le mur anti-ensablement qui entoure la statue) hauteur 20 m (années de haut ensablement), colosse d'un animal légendaire à corps de lion et visage d'homme (serait celui du pharaon Chéphren qui fit construire la 2e pyr.). *Colosses de Memnon,* 18. **Meidum** *(pyramide, 2600 av. J.-C.),* 89. **Saqqarah** *(pyramide, 2650 av. J.-C.),* 62.

• Espagne. **Barcelone,** *Sagrada Familia* (1884), 110. **Burgos,** *cathédrale (milieu XVe),* 50 (106 × 59, 84. **Los Caidos,** *Croix* (1940), 150 (basilique souterraine de Guadarrama : 260 × 20, h. 42). **Cordoue,** *cathédrale* (1593-1664), 93. **Madrid,** *tour* (1960), 150 (37 étages). *« La Telefonica »* (1929), 90. *Tour de Valence* (1971), 82,7. **Murcie,** *cathédrale* (1521-1792), 95. **Palais de l'Escurial** (*prov. de Madrid,* 1563-84), 56. **St-Jacques-de-Compostelle,** *cath.* (1675-80), 76 (dim. intérieures : 97 × 67, h. 32). **Salamanque,** *cathédrale* (1769), 110 (dim. int. 104 × 49, h. 60). **Ségovie,** *cathédrale (XVIe),* 110 (dim. int. : 105 × 48, h. 67). **Séville,** *Giralda (fin XIIe),* 97 (dim. int. : 130 × 76, h. 40). **Tolède,** *cathédrale* (1380-1440), 90 (dim. int. : 113 × 57, h. 30).

• États-Unis. **Atlanta,** *C & S Plaza (en constr.)* 312 (55 ét.). *One Peachtree Center (en constr.)* 257 (61 ét.). *IBM Tower* (1988) 252 (52 ét.). *191 Peachtree* (1990) 234 (54 ét.). *Westin Peachtree Plaza* 220 (71 ét.). **Boston,** *John Hancock Tower* (1967), 241 (60 ét.). *Prudential Center,* 229 (52 ét.). **Chicago** (17 buildings de + de 200 m) *Sears Tower* (1973), 443,17 (110 ét.), voir p. 362 a. *Standard Oil* (1971), 346 (80 ét.). *John Hancock Center,* 343 (100 ét.). *311 S. Wacker* 296 (65 ét.). *Two Prudential Plaza* 275 (64 ét.). *AT & AT Corporate Center* (1989) 271 (60 ét.). *900 N. Michigan* 265 (66 ét.). *Water Tower Place* 262 (74 ét.). *First Nat. Bank* (1968), 259 (60 ét.). *Three First National Plaza* 236 (57 ét.). *Olympia Centre* 222 (63 ét.). *Leo Burnett Building* (1989) 213 (46 ét.). *600 N. Lakeshore Dr* 212 (75 ét.). *IBM Building* (1971), 211,8. *One Magnificent Mile* 205 (58 ét.). *Dailey Center* (1965) 201,8 (31 ét.). *1000 Lake Shore Plaza* 198 (55 ét.). *Lake Point Towers* 197. *Methodist Temple* 173. **Cleveland,** *Ameritrust Center/Hyatt Hotel* (en constr.) 280 (61 ét.). *Society Center* (en constr.) 271 (57 ét.). *Tower City* 216 (52 ét.). **Dallas,** *First Republic-Bank Plaza* 286 (73 ét.). Momentum Place *Dallas Tower* (en construction), 278. **Houston,** *Texas Building,* 305 (75 ét.). *Allied Bank* 300 (71 ét.). **Los Angeles,** *First Interstate World Center* (1989) 310 (73 ét.). *First Interstate Bank* 261 (62 ét.). *Cal Plaza 11A* (en constr.) 229 (57 ét.). *Wells Fargo Tower* 228,6 (54 ét.). *Security Pacific Plaza* 224 (55 ét.). *So. Cal. Gas Center* (1990) 223 (55 ét.). *777 Tower* (en constr.) 221 (52 ét.). *Mitsui Fudoson* (1990) 218 (52 ét.). *Atlantic Richfield Tower,* 213 (52 ét.). **Minneapolis,** *IDS Center,* 236 (57 ét.). **New York** (40 de + de 200 m), *World Trade Center* (1973), 419. Archit. Minuro Yamasaki, Emery Roth et associés. Acier lesté de béton ; 2 tours jumelles de 110 étages ; superficie : 406 000 m² ; 21 800 fenêtres ; chaînette inversée à section triangulaire de 16,5 m de côté à la base, 5,2 m au sommet. Empattement : 192 m ; doubles parois de 91 cm à 19,7 cm d'épaisseur ; poids 290 000 t (dont 12 127 de béton) ; coût : 36 500 000 $; accès au sommet par trains de 8 capsules de 5 passagers chacune (système unique au monde) ; 104 ascenseurs dans chaque tour ; musée souterrain. *Empire State* phare (1929-30), 332, avec antenne 381. *Chrysler* (1930), 319 (77 ét.). *American International (1932),* 289,6 (67 ét.). *40 Wall Tower* (1929) 283 (71 ét.). *Citicorp Center* (1977) 279 (46 ét.) *R.C.A., Rockefeller Center* (1933), 259 (70 ét.). *Chase Manhattan* (1960), 248 (60 ét.). *Pan Am* (1960-63), 246 (59 ét.). *Cityspire* (1989) 244 (72 ét.). *Eichner* (1984), 243 (70 ét.). *Woolworth* (1913), 241 (60 ét.). *One Worldwide Plaza* 237 (47 ét.). *One Penn Plaza* (1972), 233 (57 ét.). *Carnegie Tower* 230 (59 ét.). *Exxon* (1971), 228,6 (54 ét.). *Equitable Center Tower West* (1985) 227 (58 ét.). *60 Wall Street* (1989) 227 (50 ét.). *One Liberty Plaza* (1972) 226 (50 ét.). *Citibank* (1907) 226 (57 ét.). *World Financial Center, Tower C* (1988) 225 (54 ét.). *One Astor Plaza* (1969) 222 (54 ét.). *Solow Building* (1979) 221 (50 ét.). *Marine Midland* 221 (52 ét.). *Waldorf Astoria,* 190 (47 ét.). *Ritz,* 164 (41 ét.). *Hôtel Pierre,* 160 (44 ét.). *Nations unies* (1957), 154. *Cath. St-Jean* (nef : h. 89, l. 183, 11 240 m², 476 350 m³), 152. **Philadelphie,** *One Liberty Place* (1987) 288 (61 ét.). *Two Liberty Place* (1989) 247 (58 ét.). *Mellon Bank Center* (1989) 241 (53 ét.). **San Francisco,** *Transamerica Pyramid,* 260 (48 ét.). *Bank of America,* 237 (52 ét.). **Seattle,** *Columbia Seafirst Center* 291 (76 ét.). **St Louis** (Missouri), *Gateway Arch,* arche d'acier (1965), 192. **Washington,** *Obélisque* (1848-84), 169, *Capitole,* sommet 93.

• Finlande. **Helsinki,** *égl. Mikael Agricola* (1935), 103. *Cathédrale* (1830-52), 72. *Stade olympique* (1934-40), 72. **Itäkeskus,** tour Maamerkki, 82. **Kuopio,** *belvédère de Puijo* (1964), 75. **Tampere,** *belvéd. de Näsinneula* (1971), 134. **Turku,** *cathédrale* (1229), 95.

• Grande-Bretagne. **Londres,** *National Westminster Tower* (1981) 183. *London Telecom Tower* (1965) 189 (dont mât 12 m). *Blackpool Tower* (1894) 160. *St-Paul* (1315-1561) 149 [4 tours : Shakespeare (1971), Cromwell (1973), Lauderdale (1974), Barbican (1974) 128]. *Vickers House* (1963) 119. *Shell Center* (1962) 108. *Houses of Parliament : Victoria Tower* (1850-55) 104. Chaque année, le portail d'honneur est ouvert pour l'entrée du souverain qui ouvre la session du Parlement. L'Union Jack flotte sur cette tour pendant les sessions parlementaires de jour (une lanterne s'allume sur le sommet de Clock Tower pendant les sessions de nuit). *Clock Tower* (1860) 104. Contient Big Ben (13,5 t) qui doit son nom au souvenir de Sir Benjamin Hall, responsable des travaux de Westminster. Big Ben a donné son indicatif à la B.B.C. *Central Tower* (1850-55) 93. *Tower Bridge* (1894) 87. Long. 270 m (2 tabliers mobiles de 1 200 t) ; passerelle pour piétons reliant les sommets des 2 tours à 43 m au-dessus de la Tamise. Architectes : Sir Horace Jones et Sir John Wolfe Barry. *Monument* (1674) 62 (d'après les plans de Christopher Wren et de Robert Hooke, commémore l'incendie de Londres en 1666). *Nelson Monument* (1840-1844) 52. *Albert Memorial* (1876) 51. **Lincoln,** *cathédrale* (1307-1548) 160.

Nota. – La cath. de Winchester (long. 170 m) est la plus longue cath. gothique d'Europe. La cath. Church of Christ à Liverpool (1904-78) est la plus longue de G.-B. (203 m).

• Guatemala. **Tikal,** *temple* (IIIe-IXe) 70.

• Hongrie. **Budapest,** *Parlement* (1885-1906) 105. *Église Mathias* (XIIIe et 1851-1905) 103.

• Inde. **Agra,** *Taj Mahal* (1629-53) 74. *Bhubaneshwar, Chand Minar* (1435) 64. *Temple Lingaraja* (XIe) 50. **Bijapur,** *Gol Gumbaz* (XVIIe) 65. **Calcutta,** *minaret Shaheed* (1828) 50. **Delhi,** *Qutub Minar* (minaret) (1200) 72. **Hampi,** *temple de Shiva* 60. **Hyderabad,** *Char Minar* (1591) 56. **Kanchipuram,** *temple d'Ekambareshwara* (1509) 60. **Madurai,** *temple de Minakshî* (XVIIe) 60. **Tanjore,** *temp. de Brihadishwara* (XIe) 66.

• Indonésie. **Java,** *temple bouddhique de Barabudur* (VIIIe s.) 31,50.

• Irak. **Babylone,** *ziggourat* (peut-être t. de Babel ; détruite, 90 m de côté, 7 terrasses superposées) (600 av. J.-C.) 90. **Ur,** *ziggourat* (61 × 45,70 m à la base, en partie détruite) (2113-2096 av. J.-C.) 18.

• Iran. **Tchoga Zanbil,** Ziggourat (1250 av. J.-C.) 50.

• Israël. **Tel-Aviv,** *tour Shalom* (1963) 140.

• Italie. **Bologne,** *tour des Asinelli* (1119) (inclinaison 1,20 m) 97,60. *Tour Garisenda* (1109), inachevée, inclinaison 3,20 m 48. **Crémone,** *campanile* (XIVe) 111. **Florence,** *Ste-Marie-des-Fleurs* (1296-1461) 113. *Tour d'Arnolfo* (1298-1314) 94. *Campanile* (1334-59) 85. **Milan,** *imm. Pirelli* (1956-60) 127. *Cathédrale* (Duomo) (1386-1805) 108. **Modène,** t. *Ghirlandina* (1099-1323) 88. **Novare,** *St-Gaudenzio* (1878) 121. **Pavie,** *beffroi* (XIe-XVe s.) 78, effondré le 17-3-1989 (2†, 15 blessés). **Pise,** *tour* (XIIe-XIVe) 55 (côté nord 55,22 m), sud 53,52 m. Affaissement moy. 2,40 m ; inclinaison 2,26 m ; poids 14 500 t. L'inclinaison, mesurée chaque année depuis 1934, augmente d'env. 1,5 mm par an, except. 1986, 1,26 mm. A ce rythme, elle s'écroulera dans 100 ou 200 ans. Fermée le 7-1-1990 pour restauration (il y a 800 000 visiteurs par an). **Pistoia,** *tour du Podestat* (1367) 66. **Rome,** *St-Pierre* (1626) 132 [superficie : 15 160 m² (dôme de Milan : 11 700, N.-D. de Paris : 5 955) ; longueur : 187 m (211,5 avec le portique ; longueur du transept : 137,5)]. *Colisée* (72-80) 57. *Arc de Constantin* 21 (larg. 25,7 m, épais. 7,4 m. Le plus grand des arcs antiques). **Sienne,** *tour del Mangia* (1338-48) 102. **Turin,** *Mole Antonelliana* (1863) 167. *Campanile* (1470-1720) 59. **Venise,** *campanile de St-Marc* (XIIIe-XIVe, écroulé 14-7-1902, rec. 1912) 99. **Vicence,** *tour de l'Horloge* (XIIe) 82.

• Japon. **Tōkyō,** *tour T.V. métallique* (1958) 333. *Immeuble* (1974) 211.

• Koweit. *Tours* de 147 à 121 m.

• Luxembourg. **Berg,** *château* (restauré 1850) 65. **Kirchberg,** *immeuble* (1966) 82. **Luxembourg,** *cathédrale* (1621) 76. *R.T.L., villa Louvigny* (1932) 43.

• Malte. **Mosta,** *dôme* 51.

• Maroc. **Casablanca,** *le Liberté* (v. 1950), 21 ét., 55. *Tour Atlas,* 33 ét., n.c. *Préfecture* 50. *Mosquée Hassan II* (1988) 100,82. **Marrakech,** *la Koutoubia* (XIIe s.) 68. **Rabat,** *tour Hassan* (XIIe s.) 44.

• Mexique. **Chichen Itza,** *pyramide du Castillo* (XIe-XIIe) 24. **Mexico,** *hôtel* (1972) 219 (structure en béton la plus élevée du monde sur terrain séismique). *Tour de l'Am. latine* (1956) (193,50 avec mât de T.V.) 139. **Simbolo del Conjunto,** *Nonoalco-Tlatelolco* (1964) 127. **Teotihuacán,** *pyramide du Soleil* (IVe) (base 225 × 225 m) 63. *Pyr. de la Lune* (IVe) (140 × 150) 46.

• Népal. **Katmandou,** *tour de Bhimsen* (1830) 60.

• Norvège. **Trondheim,** *cathédrale* (XIIe-XIVe) 103. **Tryvann,** *tour* (1962) 118.

• Pays-Bas. **Amsterdam,** *Vieille-Égl.* (1566) 68. **Delft,** *Nouvelle-Église* (1496) 108. **Groningue,** *tour* (xve) 97. **Haarlem,** *Gde-Église St-Bavon* (1519) 80. **La Haye,** *Gde-Église* (1424) 92. *Palais de la Paix* (1907-13) 80. **Lopik,** *Gerbrandytoren, tour T.V.* (1959-60) 383. **Middelburg,** *beffroi* (XVIe) 55. **Rotterdam,** *Euromast* (1960, 104 m, surélevée en 1970) 185. *Saint-Laurent Raadhuis* (1914-20) 71. **Utrecht,** *cathédrale* (XIVe) 112.

• Pologne. **Varsovie,** *palais de la Culture* (1955) (avec mât de T.V.) 234. *Intraco II* (1978) 147. *Hôtel Marriott* (1989) 147. *Hôtel Forum* (1973) 110. *Intraco I* (1975) 105. *Tour de la place Bankowy* (1991) 100.

• Sénégal. **Dakar,** *minaret* (1964) 67. **Touba,** *minaret* (1963) 87.

• Singapour. **Raffles City,** *Hôtel Westin Stramford* (1985) 226 (73 étages).

• Suède. **Lund,** *cath.* (1145) 56. **Stockholm,** *tour T.V. de Kaknäs* (1967) 155. *Égl. de Klara* (1590 ; tour 1886) 108. *H. de ville, tour* (1923) 106. **Uppsala,** *cath.* (1435) 118.

• Suisse. **Bâle,** *immeuble Lonza* (1960) 68. *Cathédrale* (1428) 64. **Berne,** *collégiale* (1517-1893) 100. *Palais fédéral* (XIXe) 63. **Beromünster,** *tour T.V.* (1931) 215. **Däniken,** *centr. nucléaire* (1979) 150. **Fribourg,** *cathédrale* (1490) 76. **Genève,** *cath. St-Pierre* (1160-1262) 64. **Lausanne,** *cathédrale* (1150-1275) 79. **St-Gall,** *cathédrale* (1767) 68. **Schwarzenburg,** *tour radio* (1919) 120. **Soleure,** *cathédrale* (XVIIIe) 66. **Sottens,** *tour T.V.* (1948) 180. **Spreitenbach,** *immeuble locatif* (1974) 73. **Winterthur,** *immeuble Sulzer* (1964) 92.

• Syrie. **Alep,** *minaret Gde Mosquée* (XIe) 50.

• Thaïlande. **Bangkok,** *temple de l'Aurore* (1767-82) 74. **Chiang Mai,** *chédi de Wat Phra That Doi Suthep* 32. **Nakhon Si Thammarat,** *chédi de Wat Mahathat* (Xe) (flèche en or massif 400 kg) 78. **Nakhon Pathom Chedi** (1854) 115.

• Tunisie. **Tunis,** *immeuble Africa* (1970) 90.

• Turquie. **Ankara,** *mausolée d'Atatürk* (1953) 21. **Istanbul,** *tour de Galata* (relevée en 1349) 68. *Tour de Beyazit* (1623) 50. **Nemrut Dag,** *sanctuaire* (69-34 av. J.-C.) 60.

• U.R.S.S. **Leningrad,** *St-Isaac* (1818-58) 102. **Moscou,** *tour d'Ostankino* (1971) 536,75. *Université* (39 étages) (1953) 240. *Hôtel Ukrainia* (1953) 170. *Kotelnitchenkaïa* (1952) 170.

Dimensions (France)

Paris et région parisienne

Tour Eiffel

☞ Pour en savoir plus, demandez le Quid de la Tour Eiffel (Éd. Robert Laffont, 1989).

Gustave Eiffel (1832-1923). *1858,* construit son premier pont à 26 ans. *1867,* crée ses ateliers, édifie ponts (P. Maria Pia sur le Douro au Portugal), viaducs (de Garabit dans le Massif central), charpentes métalliques (Bon Marché, Crédit Lyonnais), musée Galliera, gare de Budapest, lycée Carnot, coupole de l'observatoire de Nice, ossature en fer de la statue de la Liberté (New York). *1887-89,* construit la Tour.

Origine. *1882,* Maurice Koechlin (1856-1946), chef du bureau des études de l'entreprise Eiffel, et son collègue Émile Nouguier eurent l'idée de construire une tour métallique pour l'Exposition de 1889. Ils établirent un avant-projet (calculs sommaires et croquis) et le soumirent à Gustave Eiffel, qui déclara ne pas s'y intéresser mais autorisa ses 2 ingénieurs à poursuivre l'étude. Ceux-ci firent appel à la collaboration de l'architecte Sauvestre, pour l'établissement d'un dessin à grande échelle qui fut soumis au sculpteur Bartholdi, et au commissaire général de l'Exposition des Arts décoratifs (qui devait se tenir à l'automne 1884). Ce dernier accepta d'exposer le dessin de la tour projetée. Eiffel décida alors de s'associer au projet. *1884,* il fit déposer une demande de brevet d'invention en sept. « pour une disposition nouvelle permettant de construire des piles et des pylônes métalliques d'une hauteur pouvant dépasser 300 m », et passa en déc. un contrat avec ses ingénieurs. Nouguier et Koechlin cèdèrent à Eiffel la propriété exclusive du brevet. En contrepartie, Eiffel prit en charge les frais entraînés par le brevet et s'engagea, si la tour était réalisée (même avec des modifications), à verser à chacun d'eux une « prime » de 1 % des sommes qui « lui seraient payées pour les diverses parties de la construction ». Il s'engagea enfin « à citer toujours les noms de ces messieurs chaque fois qu'il y aurait lieu de mentionner, soit le brevet, soit l'avant-projet actuel » (engagement qui ne fut pas respecté). *1886,* le projet obtint ex æquo le 1er prix du concours pour l'exposition de 1889 (18 projets avaient été retenus sur 700).

Construction. *Durée* 2 ans, 2 mois, 5 jours. *1887* 26-1, 1er coup de pioche. 30-6 fondations achevées, montage commencé le 1-7. *1888* 1-4, 2e étage terminé ; 14-8, 3e ét. ; *1889* 31-3, inauguration. Les ascenseurs ne fonctionnant pas encore (celui du 1er étage sera mis en service 2 mois après l'inauguration), le Pt du Conseil (62 ans) s'arrête au 1er étage et envoie le ministre du Commerce auprès d'Eiffel au sommet, pour lui remettre la Légion d'honneur. Il n'y avait eu aucun accident pendant la construction. Gustave Eiffel signe, avec le préfet Poubelle, une convention d'exploitation de la tour Eiffel de 20 ans au terme de laquelle la gestion de la tour devait faire retour à la Ville de Paris. 15-5, ouverture au public, la tour est illuminée par 22 000 becs de gaz. 27-5, exploitation des ascenseurs.

50 ingénieurs, dessinateurs avaient exécuté 5 300 dessins, 100 ouvriers façonné 18 000 pièces en fer, 132 ouvriers travaillé sur le chantier. La tour n'est pas montée sur des vérins hydrauliques comme on l'a souvent dit, mais, lors de sa construction, 16 vérins (ayant chacun une puissance de 800 t) furent utilisés pour soulever les arbalétriers qui constituent l'armature principale de chaque pilier. Une fois l'horizontalité de la plate-forme du 1er étage assurée, la charpente métallique fut fixée dans des fondations de maçonnerie qui, pour les 2 piles situées du côté Seine, descendent jusqu'à 14 m de profondeur, au niveau du lit du fleuve. Les vérins furent enlevés. Les fondations ont nécessité 31 000 m³ de déblais et 12 500 m³ de maçonnerie. La tour comprend 18 000 pièces percées de 7 millions de trous, 620 feuilles de 3 à 18,5 mm assemblées par 55 000 rivets (2 500 000 au total). La structure fut conçue pour recevoir, en même temps, 10 416 personnes réparties entre les 3 plates-formes.

Coût. 8 000 000 de F dont fondations, maçonnerie, soubassements 900 000 F ; montage métallique, fers, octroi pour les fers 3 800 000 F ; peinture 200 000 F ; ascenseurs et machines 1 200 000 F ; restaurants, décoration, installations diverses 400 000 F. Subvention de l'État 1 500 000 F ; terrain concédé par la Ville de Paris. La Sté de la Tour Eiffel (formée par G. Eiffel) avait un capital de 5 100 000 F (dont 100 000 F de fonds de roulement) ; pas d'émission publique ; la moitié des parts appartenaient à G. Eiffel ; l'autre, aux Stés financières faisant partie de la Sté. L'emprunt qui servit à financer cette somme fut remboursé sur les recettes de la première année.

Petite histoire. *1898* 5-11, Eugène Ducretet réussit la 1re liaison radiotélégraphique entre Tour et Panthéon (4 km). *1900,* l'éclairage devient entièrement électrique. *1901*-19-10, Santos-Dumont tourne avec un dirigeable et un coup de vent a failli le projeter sur le sommet de la tour. *1905,* la liaison radio entre la Tour et les places fortes de l'Est assurée par tous les temps. *1906,* le capitaine Férié fait parvenir à des bateaux en mer des messages parfaitement audibles. *1907-08,* liaison avec Casablanca (campagne du Maroc), la nuit, la station est relayée par le croiseur *Kléber* qui transmet directement à la tour Eiffel. *1909*-18-10, 1er survol de Paris et de la tour Eiffel en aéroplane. *1910,* la concession accordée à Eiffel prend fin, la Ville de Paris concède ses droits à une société privée. 23-5, 1er service régulier de transmission de signaux horaires (5 200 km la nuit et moitié moins le jour). *1912,* un tailleur tente un vol plané qui échoue (on sut plus tard qu'il voulait se suicider). *1913,* on parle de démolir la tour, la guerre de 1914-18 la sauvera en en faisant un centre militaire radiotélégraphique. *1920,* on pense utiliser le fer de la tour pour la reconstruction des usines dans les régions dévastées. *1921* 30-12, Sacha et Lucien Guitry réalisent la 1re émission radio en direct. *1922,* les émissions de Radio-Tour-Eiffel commencent. *1923* 2-6, un journaliste, Pierre Labric, à la suite d'un pari, descend à bicyclette l'escalier à partir du 1er étage. *1925,* 1ers essais de télévision par Édouard Belin. *1926,* Léon Coliot tente de passer en avion entre les pieds de la tour, il s'écrase, aveuglé par le soleil. *De 1925 (4-7) à 1936,* publicité lumineuse (pour Citroën) réalisée par Fernand Jacoppozi. Elle coûta 2 500 000 F de l'époque (entretien et consommation électrique 1 000 000 de F par an). Réalisée en 6 couleurs, composée de 250 000 ampoules, elle était visible à 38 km (le « N » mesurait 20,8 m de hauteur). *1935* 26-4, 1re émission de télévision. De 60 lignes au début, l'installation passe à 441 lignes en 1945. *De juin 1940 à août 1944,* occupée par les Allemands. *D'août 1944 à mars 1946,* par l'armée américaine. *1946* 1-6, réouverte au public. *1954-9-7* Alfred Thomanel (Allemand, 22 ans) l'escalade. *1957,* installation d'une plate-forme pour recevoir les paraboles de diffusion en direct des émissions des 3 chaînes de télévision et l'émetteur de radio en modulation de fréquence. *1960,* un marchand anglais prétend vendre la Tour à des ferrailleurs pour 20 centimes le kg ; une Sté hollandaise verse une avance. L'escroquerie fut découverte, le marchand fut condamné mais la Sté holl. ne récupéra pas son argent. *1964,* la tour est classée monument historique. *1980* 1-1, le maire de Paris confie la gestion de l'édifice à un nouveau concessionnaire, la Société nouvelle d'exploitation de la Tour Eiffel (S.N.T.E.), reportage en direct en Eurovision de l'ascension de la Tour par une cordée d'alpinistes. *1980-83* rénovation *1983* 25-10, montée jusqu'au 2e étage et descente en moto de trial (Charles Coutard et Joël Descuns). 1-12, vente aux enchères de l'escalier en colimaçon qui allait du 2e au 3e étage (en morceaux vendus de 50 000 à 180 000 F). *1985* 31-12, nouvelles illuminations (292 projecteurs éclairant la tour de l'intérieur). *1987* 7-5, montée au 2e étage en trial sans mettre pied à terre en 47 min. (Christophe Riondet 16 ans et Emmanuel Savatier 18 ans).

Caractéristiques. En fer. **Dilatation :** la face exposée aux rayons solaires se dilate : le sommet s'éloigne du soleil et décrit une courbe de 18 cm qui vient se refermer le soir sur son point de départ. La hauteur peut diminuer de 15 cm par grand froid. **Éclairage.** Nouvel éclairage intérieur dep. 31-12-1985. Coût annuel 600 000 F (1987) [avant (éclairage de l'extérieur) 2 500 000 F]. **Hauteur :** 312,27 m à l'origine ; 320,75 m depuis l'ajout d'une antenne TV en 1956. *Étages.* 1er : à 57,63 m au-dessus du sol (alt. + 33,50 m), 2e : à 115,73 m, 3e : à 276,13 m (plate-forme du sommet à l'origine 300,65). Les 4 piliers ont leurs centres situés suivant les sommets d'un carré de 125 m de côté. Entre les piliers, des arcs (purement décoratifs) de 74 m de diam. se développent. **Peinture :** repeinte tous les 7 ans, la tour a reçu 16 couches de peinture brune, dite *ferrubrou* (obtenue avec du jaune de chrome et de l'oxyde de fer) ; poids d'une couche : 5 t ; heures de travail : 40 000. **Poids total :** 9 700 t en 1889 (7 300 pour la partie métallique), 10 100 t en 1981, allègement de 1 343 t en 1983 (après travaux). Charge au sol 4 kg/cm ² env. (celle d'un homme moyen assis sur une chaise). **Surface au plancher :** *du 1er étage* (vides pour le passage des ascenseurs déduits) 4 200 m² ; *du 2e* 1 400 m² ; *du 3e* 350 m². Largeur à la base 127,50 m. **Vent :** par vent de 180 km/h, le plus fort jamais enregistré, le sommet oscille et décrit des ellipses (grands axes max. de 10 à 18 cm). **Ascenseurs :** 3 du sol au 2e étage ; 2 hydrauliques (1899) sont dans les piliers ouest et est. Depuis 1965, un ascenseur électrique transporte 106 personnes et fait 12 allers-retours par heure (86 et 8 avec les ascenseurs hydrauliques). **Escalier :** 1 792 marches (à l'origine 1 710). **Vue du sommet par temps clair :** au nord à 60 km, ouest 70, sud 55, est 65.

Visiteurs. *1889 :* 1 968 287 entre l'inauguration (15-5-1889) et la clôture (5-11) de l'Exposition. A la fin de 1889, la recette s'élevait à 5 919 884 francs-or couvrant les 3/4 du coût total de la construction (8 000 000 de F-or)]. *1890 :* 393 414, *1899 :* 149 580, *1900 :* 1 024 887, *1902 :* 121 144, *1913 :* 261 337, *1915 à 1918 :* 0, *1919 :* 311 714, *1920 :* 417 869, *1930 :* 580 075, *1937 :* 809 978, *1938 :* 258 306, *1939 :* 252 495, *1940 à 45 :* 0, *1947 :* 1 009 161, *1960 :* 1 735 230, *1963 :* 2 013 594 (record de 1900 battu). *1970 :* 2 757 768, *1980 :* 3 594 190, *1985 :* 4 368 573, *1988 :* 4 668 448, *1989* (centenaire) : 5 580 363, *1990 : Total cumulé au 31-12-1918 :* 8 014 704, *31-12-1945 :* 18 088 683, *31-12-1985 :* 110 148 691, *31-12-1989 :* 129 077 000. (le 25 millionième, un maçon, gagna le 31-5-1953 une berline de luxe). **Prix (1991).** *Ascenseur : 1er ét. :* 17 F, *2e :* 32 F, *3e :* 49 F. *Escalier : 1er, 2e :* 8 F.

Suicides. 369 dont 2 rescapés selon la préfecture de Police et la presse, 349 selon la Sté de la tour Eiffel (il y aurait eu plus de 2 rescapés). Le 1er suicide eut lieu le 15-7-1898 par pendaison à une poutrelle. Février 1988 : André Guittard, 49 ans, de 57 m (sa chute a été photographiée par un cameraman de la B.B.C. qui se trouvait là par hasard).

Statut. La tour appartient à la Ville de Paris. Elle en concéda l'exploitation à la *Sté de la tour Eiffel* de 1889 à 1979 ; dep. le 1-1-1980 pour 25 ans, à la S.A.G.I. (Sté anonyme de gestion immobilière), d'économie mixte, qui gère 25 000 logements sociaux et construit de nombreux logements pour la Ville. La S.A.G.I. a constitué à cette fin la Sté nouvelle d'exploitation de la tour Eiffel (S.N.T.E., Pt. : Bernard Rocher). *Capital :* 30 % Ville de Paris, 70 % S.A.G.I. (dont 40 % de son propre capital est lui-même détenu par la Ville de Paris).

Chiffre d'affaires (millions de F). *1980 :* 47 (dont 6 de redevances versées à la ville). *1985 :* 125 ; *86 :* 134 ; *87 :* 136 ; *88 :* 159 ; *89 :* 196.

Tour Maine-Montparnasse (1973)

Ensemble immobilier de plus de *300 000 m² de planchers (1er en Europe) :* 103 000 m² de bureaux, 30 000 de commerces, 16 000 d'archives et de réserves. 100 000 m² de parties communes. 21 000 m² de locaux spéciaux, 1 850 emplacements de voitures, comprenant : 1°) la *Tour. Hauteur* 210 m, 58 niveaux plus une terrasse pour hélicoptères [52 de bureaux, 3 techniques (15e, 42e, 58e), 1 de boutiques, 1 restaurant panoramique et point de vue panor. (56e) (575 000 vis. en 1981, 750 000 en 1990), 1 de télécommunications (57e)]. *Étages :* hauteur de sol à sol 3,42 m ; surface 2 011 m² dont 1 750 utiles. *Ascenseurs :* 25 (les plus rapides : jusqu'à 6 m/s ; sommet atteint en 39 s), 2 monte-charge, *6 sous-sols :* restaurant interentreprises (5 000 repas/j), locaux pour équipements informatiques, centrales techniques (transformateurs, chauffage, compresseurs frigorifiques, groupes électrogènes). *Poids total :* 120 000 t. *Fondations :* 56 pieux ancrés à 70 m au-dessous du parvis, enjambant une ligne de métro. *Fenêtres :* 7 200. *Pop. :* 7 à 8 000 pers. (100 à 140 par ét. de bureaux). 2°) le *Centre commercial* (2 grands magasins, 80 boutiques). 3°) le *Centre sportif* (3 piscines, 14 pistes d'escrime). 4°) le *Bâtiment cube* (Centre intern. du textile de 12 ét. et 200 firmes). 5° le *Bât. longitudinal* (3 ét. dont 2 de bureaux).

Autres tours et immeubles

Puteaux, 2 tours (prév. 1995) 158. *Défense, 2 000* 134 (47 étages, 370 appartements ; immeuble d'habitation le + élevé d'Europe). *Courbevoie,* tour des Poissons (1970), 128. *St-Denis,* tour Pleyel (1973), 125. *Nanterre,* préfect. des H.-de-S. (1973), 113. *Invalides* (1679-1706), 105. *Faculté des sciences* (1971), 90. *Immeuble Potin,* rue de Flandres (1963-64), 89. *Panthéon* (1764) 113 × 84,30 m, 83. *Issy-les-Moulineaux,* im. E.D.F. (1974), 80. *Tour de la Cité de l'Air,* 77. *Créteil,* Hôtel de ville (1980), 75. *Caisse centrale du Crédit hôtelier* (1972), 67. *Maison de la radio* (1962) 27 ét., 63 ; couronne extér. 900 m de circonf. 36 m de haut. *B.A.* 117, *Cité de l'Air* (1971), 61. *Immeuble,* 50, rue Corvisart (1967), 61. *Immeuble,* rue Croulebarbe (1958), 61. *Opéra* (1861-75), 54. *Centre Georges-Pompidou* (1977), 42.

Autres monuments

• **Arcs. Arc de Triomphe** (Élevé sur ordre de Napoléon Ier, à la gloire de la Grande Armée 1806-35). *Hauteur* 49,54 m, *largeur* 44,82 m, *épaiss.* 22,21 m. *Grand arc :* haut. 29,19 m, larg. 14,62 m ; *petits arcs :* haut. 16 m, larg. 8,44 m. *Hauts-reliefs :* 11,60 m (figures 5,85 m). *Fondations :* prof. 8,37 m. *Poids* 50 000 t ; 100 000 t (avec fondations), 4 408 m³ de pierre utilisés. *Coût :* 9 651 116 F dont sous l'Empire 3 200 714 F, Restauration 3 000 779 F, Louis-Philippe 3 449 623 F. *Construction : 1806-15-8* début des travaux. *1810* entrée solennelle de Napoléon et de Marie-Louise, un simulacre grandeur nature (en charpente et en toile) est élevé. *1811* mort de Chalgrin, Joust lui succède. *1813* l'arc atteint 19 m de haut. *1814* interruption des travaux. *1824* Louis XVIII, pour perpétuer le souvenir de l'armée des Pyrénées, après l'expédition d'Espagne, décide la reprise des travaux (sur les plans de Chalgrin) sous la direction de Goult et Huyot. *1833-35* Blouet les achève. *1836* inauguration de l'Arc. *Sculpteurs :* Rude sculpte *le Départ* (1792), Cortot *le Triomphe* (1810), Étex *la Résistance* (1814) et *la Paix* (1815). Lemaire 4 bas-reliefs (3,75 m × 2 m), au-dessus de ces groupes. *1836 Nomenclature :* le Gal Baron St-Cyr Nugues proposa une liste de 30 grandes batailles, 96 faits d'armes éclatants, 384 militaires. 662 noms furent retenus (il subsiste encore 3 inscriptions) : 44 maréchaux de France et d'Empire, 442 généraux de division et lieutenants-généraux, 122 gén. de brigade et maréchaux de camp, 14 colonels et officiers, 26 amiraux et contre-amiraux, 5 intendants, 3 médecins et chirurgiens. *Couronnement provisoire : 1838 (29-7),* char à 6 chevaux conduit par la France ; *1840 :* au retour des cendres de Napoléon ; *1885 :* aux funérailles de Victor Hugo. *XIXe s. :* projets divers proposés : aigles, mappemondes, couronnes et symboles divers. *Pierres des façades :* des carrières de Chérence (près de Vétheuil) pour les personnages, et de Château-Landon (Loiret) pour aplats et modénatures géométriques.

Restauration (1988-89). Coût : 36 millions de F dont 22,5 versés par le ministère de la Culture, 2,5 par la Ville de Paris, 12,9 par l'Association nationale pour la restauration de l'Arc de triomphe (Pt : V. Giscard d'Estaing), et le reste par des particuliers.

Arc du Carrousel (1806-08). 15 m. Construit en mémoire de la campagne de 1805. Au sommet, la Paix, conduite sur un char de triomphe (bronze, h. 3,50 m) par Bosio, remplace le char de Napoléon Ier tiré par les 4 chevaux en bronze doré de la basilique St-Marc de Venise (restitués en 1815). En 1987 on dégage 60 000 m² sous l'arc.

Grande Arche de la Tête-Défense. Historique. *1931 :* le département de la Seine lance un concours d'idées sur l'aménagement de l'axe allant de l'Étoile au rond-point de la Défense. *1958 :* création de l'Établissement public pour l'aménagement de la région de la Défense (E.P.A.D.), chargé de la réalisation du projet d'aménagement de la Défense. *1960 :* 1er plan massé autour d'une esplanade centrale dégagée. *1972-73 :* projet d'Émile Aillaud (2 immeubles miroirs fermant la perspective), projet de I.M. Pei (2 tours symétriques reliées par un volume parabolique libérant l'axe). *1979-80 :* projet de Jean Willerval retenu. *1981 :* reprise du projet et réalisation décidée par le Pt Mitterrand. *1982-83 :* concours international. 424 projets examinés par un jury international présidé par le directeur général de la Caisse des Dépôts, Robert Lion. Celui de l'architecte danois Johan Otto von Spreckelsen est retenu. Erik Reitzel sera l'ingénieur-conseil associé ; Paul Andreu, l'architecte de réalisation. *1984 :* création de la Sté d'économie mixte nationale Tête-Défense (*Pt :* Robert Lion, maître d'ouvrage, promoteur et constructeur). *27-2* permis de construire du « Cube » accordé. *1985 (juillet)* début des travaux. 2 000 ouvriers. *1986 (avril) :* suppression du C.I.C. (Carrefour international de la communication) ; *(juillet) :* Spreckelsen confie la poursuite des travaux à Paul Andreu ; *(décembre) :* choix du projet de Jean-Pierre Buffi pour les zones nord et sud de la Grande Arche. *1987 (16-3) :* Spreckelsen meurt. *1989 :* achèvement et mise en exploitation *(mai) ;* inauguration de la Grande Arche *(juillet)* à l'occasion du Sommet des Sept. *1990 :* des bâtiments d'acier, de verre et de granit noir contenant 50 000 m² de bureaux *des Collines* de Jean-Pierre Buffi complètent le quartier de la Tête-Défense. **Architecture.** *Structure :* organisée autour d'une « mégastructure » qui, au pas de 21 m, constitue l'ossature du bâtiment, tant dans les 2 tours de côté (110 m de hauteur, 112 m de longueur et 18,70 m de largeur, abritant chacune 43 500 m² de bureaux sur 35 étages), que dans les 2 constructions « ponts » qui les relient : le toit (largeur 70 m, longueur 112, à 100 m de hauteur) et le socle (sur la hauteur des 3 premiers étages). Le cube évidé, réalisé en un seul bloc, solidarisé par ces mégastructures, sans joint de dilatation, repose sur 12 piles de 30 m de haut (8 centrales supportant 30 000 t chacune soit 3 fois le poids de la Tour Eiffel, 4 frontales 15 000 t) prenant appui sur des joints de Néoprène (isolation des vibrations pouvant provenir de l'autoroute et des voies ferrées traversant le site). Sous le socle du Cube, entre les piles, salle de 120 m de longueur, 70 m de largeur. *Dimensions globales :* Grande Arche 5,5 ha, 40 000 m² au sol, 331 000 m² au plancher dont 55 000 m² utiles. Côté 110,6 m, profondeur 74,6 m (la flèche de Notre-Dame tiendrait à l'intérieur). Poids total 300 000 t. *Matériaux :* acier, marbres gris et blanc de Carrare, verre, aluminium. Une dalle de béton de 30 000 t a été coulée à 100 m de hauteur. **Coût :** 2,4 milliards de F (janvier 1989). **Destination :** 1 ha de salles de réunions et conférences, un belvédère en plein air. 5 000 personnes y travaillent dans 87 000 m² de bureaux, Fondation Arche de la Fraternité ; min. de l'Urbanisme et du Logement.

• **Colonnes. C. de Juillet.** Pl. de la Bastille (1831-40) 51. Commémore la révolution de 1830. 1re pierre en 1831, inauguration le 28-7-1840. Comprend 3 soubassements : le 1er avançant dans la vasque de la fontaine de l'Éléphant (projetée par Alavoine) ; le 2e a 3,80 m de haut. et 17 m de diam. ; le 3e en rectangle a 2,70 m de haut., 8,50 m de larg. *Piédestal :* rectangulaire en bronze, haut. 7 m (principale décoration : le Lion de Juillet par Barye). *Fût :* base 16 m de circonf. composé de 21 tambours d'une seule pièce en bronze. *Chapiteau :* haut. 2,80 m en bronze coulé d'un seul jet (11 t). *Lanterne :* (6,50 m de haut.) surmontée d'une sphère de 1,50 m de diam. supportant *Génie de la Liberté* en bronze doré par Dumont (haut. 4 m ; extrémité du flambeau 50 m au-dessus du sol). *Poids total de la col. :* 179 t. *Intérieur :* caveaux renfermant les restes des combattants de juillet (abriteraient aussi, selon Victorien Sardou, des restes des momies rapportées d'Égypte après l'expédition de Napoléon), escalier de 140 marches. *Coût :* 1 303 000 F dont statue 60 000 F, sculptures et modèles 63 000 F.

C. de la Grande-Armée. Pl. Vendôme (1806-10) 43. Désignée successivement colonne d'Austerlitz, c. de la Victoire, c. de la Grande-Armée. En pierre de taille (90 m au-dessus du niveau de la mer). *Soubassement* (0,48 m de haut.) sur le pilotis qui supportait la statue équestre de Louis XIV par Girardon. *Piédestal :* (5,67 m) en pierre de taille recouvert de plaques de bronze [378 pièces mobiles soutenues par 3 400 tenons, tasseaux, boulons libres (proviendraient de 1 200 pièces de canon prises à l'ennemi)]. *Fût :* (haut. 27,50 m ; diam. 3,10 m), ordre dorique, décoré d'un bas-relief divisé en 76 parties (développement 280 m) évoquant les faits d'armes de la Grande Armée (entre 1805 et 1807), repose sur une base (1,84 m) surmontée aux 4 angles d'aigles en bronze attribués au sculpteur Renaud (poids 250 kg chacun). *Chapiteau :* (haut. 1,35 m) surmonté par un stylobate ou lanterne (3,89 m) portant la dédicace. *Statues :* 1re de Napoléon Ier (1810) en bronze, de Chaudet (3,33 m), enlevée en 1814 et employée à la fonte du Henri IV placé sur le Pont-Neuf. 2e 1831, Napoléon Ier par Seurre (haut. 4 m) déposée 1863 (haut. 3,57 m, actuellement cour des Invalides). 3e de Dumont (Napoléon, vêtu à l'antique, portant une statuette de la Victoire). Renversées en 1871 (décret de la Commune), la colonne et la statue furent restaurées en 1875. (Le peintre Courbet, accusé d'être à l'origine de la destruction en 1871, fut condamné à payer la dépense, mais il se réfugia en Suisse pour échapper à la peine.) *Escalier :* 177 marches. *Poids total du bronze :* 251 ou 180 t selon certains. *Coût :* 1 983 023 F en 1810.

C. de Catherine de Médicis (v. 1575, adossée à la Bourse de Commerce) 31.

C. de la place de la Nation (1670-1843) 30,50.

• **Églises. Sacré-Cœur de Montmartre.** Montmartre (1876-1919). (102 m) en pierre blanche des carrières de Souppes (Château-Landon). *Style* romano-byzantin, architecte Abadie. *Dim.* intérieures 85 m × 35 m, longueur de la nef 60,50 m ; coupole, hauteur sous clef de voûte 55 m, diamètre 16 m, alt. de la croix du campanile 91 m. *Crypte :* hauteur 9 m, reproduit la disposition de l'église supérieure. *Fossé* largeur 4 m, profondeur 8 m entoure l'église. *Coût total* 40 millions de F (projeté 7 millions de F) couvert par les souscriptions des fidèles. *Construction : 1875* (16-5) 1re pierre posée par le Cal Guibert, *juin* fondations. *1919* (5-8) consécration définitive (prévue 17-10-1914).

Notre-Dame (XIIIe). Peut contenir 9 000 pers. dont 1 500 dans les tribunes. Tours 63 m, long. 130 m, superf. 5 955 m², haut. int. transept 48 m, nef 35 m. Flèche 81 m.

Sainte-Chapelle (XIIIe s.). 63 m.

• **Obélisque. Concorde.** Obélisque de Louqsor (250 t) ; érigé en 1836 sur l'emplacement de la statue de Louis XV ; donné par le vice-roi d'Égypte, Méhémet-Ali. Avant, il était placé à Louqsor, à l'entrée du palais de Ramsès III. Formé d'un bloc de granit rose gravé de hiéroglyphes qui racontent les règnes de Ramsès II et Ramsès III. Socle : hauteur 4 m, larg. 1,70 m : 23.

• **Portes. P. St-Denis** (1671-72), 24 m. **P. St-Martin** (1674), 18 m.

• **Divers. Cheminée** du chauffage urbain (XVe arr., 1977), haut. 134 m. **Périscope,** 83, av. d'Italie (XIIIe arr., 1969). **Rocher du zoo** de Paris (1934), haut. 70 m.

Longueurs des nefs

Lourdes, basilique St-Pie-X (1958) 201 [6 m sous terre, larg. 81 m, pouvant contenir 20 000 pers. ; la plus vaste église après St-Pierre de Rome]. **Cluny** (1088-1130) (voûte h. 38 m) 198. **Amiens** (XIIIe) 145. **Marseille** (cath. 1852-96) 139. **Reims** (fin XVe), cath. 139. **Rouen,** St-Ouen (1318-1851) 138. Cath. (XIIe-XVIe) 136. **Paris,** Notre-Dame (XIIIe) 130. **Reims,** abbatiale St-Remi (XIe-XIIe) 126. **Bourges,** (1200-1260) (haut. de la voûte 37 m) 124 (tour Sourde 58 m, de Beurre 68 m). **Vézelay** (milieu XIIe) 120. **Nantes,** cath. St-Pierre (XVe-XVIe-XVIIe) 102 (larg. 32 m, haut. 37,50 m). **Langres,** St-Mammès (XIIe s.) 91. **Bordeaux,** St-Michel (XIVe-XVe-XVIe) 72. **Dole** (XVIe) 58.

Province

(Pour les phares, voir Index.) **Ajaccio,** *tours des Salines* (1969) 64. **Amiens,** *cathédrale* (1204-60) 134 (la plus vaste égl. médiévale, long. int. 133,50 m, transept 70 m, larg. nef 14,60 m, bas-côtés 8,65 m, haut. de la nef sous clef 42,30 m, superficie 7 760 m², volume 200 000 m³, tours achevées : 1366-1402). *Tour Perret* (1952) 104. **Angers,** *tour St-Aubin* (XIIe) 54. *Cath. St-Maurice* (XIIe-XIIIe, reconstr. XVIe) 70-75. *Résidence des Hauts-d'Anjou* (1972) 48. *Immeu-*

ble (1972) 100. **Arras,** *beffroi* (XVe-XVIe, reconstr. XXe) 75. *Tours St-Jean* (1970 et 75) 52. **Bayonne,** *cath.* (XIIIe-XVe ; XIXe) 80. **Beauvais,** *St-Pierre* (1568-73) 153. **Bordeaux,** *tour St-Michel* (1492, flèche ref. 1865) 114 avec la croix. *Tour de la Cité admin.* (1968) 90. *Cath. St-André,* haut. des flèches 85 [long. ext. 149,17 m ; larg. 61,25 m au transept (int. 49,45 m) ; haut. sous voûte 37,95 m ; surface 6 650 m²]. *Clocher « tour Pey-Berland »* 48. *Colonne des Girondins* 43. *Gare St-Jean (grande marquise)* 26. *Parc des Expositions* (Hall, 861 × 60 m, 5,1 ha) 12. **Boulogne,** *N.-Dame* (1866) 86. *Colonne de la Gde-Armée* (1841) 54. *Tour H.L.M.* (1973) 50. *Beffroi* 35. **Calais,** *beffroi* de l'hôtel de ville (1923) 75. *Phare* (1848) 58. **Cambrai,** *St-Géry* (XVIIIe) 73. *Beffroi* (tour ancienne égl. St-Martin, XVIIIe) 62,5. **Chartres,** *N.-Dame* (XIIe-XIIIe) 130 [larg. 32 m au niveau des clochers, 46 m aux portes latérales, long. de la nef (du portail à la grille du chœur) 73 m, long. 16,40 m (7 travées), haut. (au transept) 36 m, transept long. 64,30 m (d'un trumeau à l'autre), chœur long. 38,34 m, roses diam. 1,336 m, superficie (intérieure) totale 5 800 m²]. Cathédrale (XVIe) 115. **Chinon,** *enceinte* E.D.F. (1956) 55. **Colombey,** *mémorial De-Gaulle* (1972) 43 (granit ; 1 500 t, envergure max. 19,16 m). **Dijon,** *cath. St-Bénigne* (XIIIe, flèche ref. 1894) 92,6. *Tour Philippe-le-Bon* (XIVe-XVe) 42,55. **Dole,** *N.-Dame* (XVIe) 74. **Grenoble,** *tours Ile-Verte* (1966) 106. *Tour Perret* (1925) 87. **Le Havre,** *chem. E.D.F.* (1958) 240. *St-Joseph* (XXe) 105. *Tour hôtel de ville* (1958) 73. **Le Mans,** *tour Émeraude* (1976, acrotère) 55,50. *Cath.* 34. **Lille,** *beffroi* (1925-33, inaug. 1932) 103,39 (mesuré par satellite le 15-5-1989). *Sacré-Cœur* (1878-98) 81. *Cité administrative* (1959) 76. *Bourse,* clocheton (v. 1900) 69. *St-Maurice* (XIVe-XIXe) 67. *Tour Marcel-Bertrand* (1963) 63. **Limoges,** *St-Michel-des-Lions* (1373) 65. *Cath.* (XIIIe-XIVe) 62. *Gare* (XIXe) 57. **Lyon,** *tour Crédit Lyonnais* (1977) 165, *panoramique* (1972) 100, *métall. de Fourvière* (1894) 80. *Centre international de recherche sur le cancer* (1972) 72. *Tour de l'U.A.P.* (1972) 71. *Cheminée usine* ordures ménagères (1962) 70. *Hôtel-Dieu* (grand dôme) (XVIIIe) 59. *Beffroi* (1702) 50. **Marseille,** *Grand Pavois* (1973) 90. *Méditerranée* (1970) 80. *Cath. de la Major* (1852-96) 80. *Imm. chemin Joseph-Aiguier* 75. *Tour parc Sévigné* (1956) 72. *Imm. Le Corbusier* (1951) 72. *N.-D.-de-la-Garde* (1864) 72. *St-Vincent-de-Paul* (Les Réformés, 1855) 71. *Super Rouvière* (1968) 60. *Tours du Roy d'Esp.* (1972) 60. *Brasilia* (1960) 55. *St-Georges* (1958) 55. *Building du Pharo* (1955) 50. *Square de la Bourse* (1958) 50. *Imm. chemin de Gibbes* 50. **Metz,** *Temple Neuf* (1880) 96,20. *Cath.* (XIIIe-XVIe, nef) 41,83. *Tour de Mutte* (beffroi XIVe) 88, *tour Ste-Barbe* (1959) 62,48, *t. rue des Marronniers* à St-Julien/Vallières (1972) 55,06, *t. Coislin* (1965) 52,70. *St-Vincent* (XIIIe) haut. tours 46. **Moulins,** *cath.* (XIXe) 95. *Tour de l'Horloge* ou Jacquemart (XVe) 45. **Mulhouse,** *tour de l'Eur.* (1972) 28 ét. 106. **Nancy,** *tour Thiers-Frantel* (1975) 90. **Nantes,** *tour Bretagne* (1975) 100. *Imm. des Aff. étrangères* (1969) 75. **Orléans,** *cath. Ste-Croix,* tours 81,64. **Reims,** *cath.* (XIIIe-XVe) 83 [long. ext. 149,17 m ; larg. 61,25 m au transept (int. 49,45 m) ; haut. sans voûte 37,95 m ; surface 6 650 m²]. **Rodez,** *cath.* (XVIe) 87 [long. 107 m, larg. 36 m, haut. (au transept) 30 m]. **Rouen,** *cath.* (XIIIe), flèche refaite en 1823 (remplaçant la tour du transept ; détruite par la foudre en 1822) 151 [tour St-Romain (gauche) 75 m, t. de Beurre (droite) 77 m ; nef : 136 m de long ; 51,60 m de larg. au transept ; 28 m de haut.]. *Tour des Archives* (1965) 85. *St-Ouen* (XIVe) 82 [nef : long. 138 m, haut. 32,50 m (42 m au transept). La tour est terminée par une plate-forme à clochetons dite la Couronne de Normandie. Portail refait XIXe s.]. **Strasbourg,** *cath.* (1420-39) 141 (nef et façade : XIe, XIIIe s.). Long. 110 m, larg. 41 m]. *Institut de chimie* (1965) 69. *Tour « Schwab »* cité de l'Ill (1961) 55. *Imm. « Porte de France »* (1972) 50. **Tours,** *basilique St-Martin* (achev. 1902), dôme 51 + statue de St-Martin (h. 4,25 m, 1 692 kg). *Cath. St-Gatien,* tours 69 et 70 m. **Troyes,** *cath.* (1208-1638) 66. **Tulle,** *tour P.L.M.* Brigouleix (1973) 101. *Cath.* (XIIe-XIVe) 71 [subsistent un porche et la nef à 6 travées (transept et chœur détruits en 1793)]. **Valenciennes,** *N.-D.-du-St-Cordon* (1852-65) 82.

Architectes et urbanistes français

Nés entre 1400 et 1700

ANDROUET DU CERCEAU, Jacques Ier (v. 1510-85). Jacques II (v. 1550-1614). Jean Ier (1585-1649).
AUBERT, Jean († 1741).
BACHELIER, Nicolas (v. 1487-1556).
BIART, Colin (1460-après 1515).
BLONDEL, Nicolas-François (1617-86).
BOFFRAND, Germain (1667-1754).
BROSSE, Salomon de (v. 1565/70-1626).
BRUANT, Libéral (v. 1635-97).
BULLANT, Jean (v. 1515-78).
BULLET, Pierre (v. 1639-1716).
CHAMBIGES, Pierre Ier († 1544).
CHÂTILLON, Claude de (1547-1615).
CONTANT D'IVRY, Pierre (1698-1777).
COQUEAU, Jacques († 1569).
COTTE, Robert de (1656-1735).
COURTONNE, Jean (1671-1739).
CUVILLIÉS, François de (1695-1768).
DELAMAIR, Pierre Alexis (1676-1745).
DELORME, Philibert (v. 1510/15-1570).
FAIN, Pierre (trav. vers 1501-08).
GABRIEL, Jacques-Ange (1698-1782).
GABRIEL, Jacques-Jules (1667-1742).
HARDOUIN-MANSART, Jules (1646-1708).
LASSURANCE, (Pierre Cailleteau, dit) (1655-1724).
LEMERCIER, Jacques (vers 1585-1654).
LE MUET, Pierre (1591-1669).
LEPAUTRE, Antoine (1621-91).
LESCOT, Pierre (1510-78).
LE VAU, Louis (1612-70).
MANSART, François (1598-1666).
MARTELLANGE, (Ange-Martel, dit), Père Étienne (1569-1661).
MÉTEZEAU, Clément I (XVIe s.). Louis (v. 1560-1615). Clément II (1581-1652).
MOLLET, Armand-Claude (1670-1742).
ORBAY, François d' (1634-97).
PERRAULT, Claude (1613-88).
SAMBIN, Hugues (1518-1601).
SERVANDONI, Jean-Jérôme (1695-1766).
SOURDEAU, Jacques († en 1524).

Nés entre 1700 et 1800

ANTOINE, Jacques-Denis (1733-1801).
BÉLANGER, François-Joseph (1745-1818).
BODIANSKY, Vladimir (1894-1966).
BOULLÉE, Étienne-Louis (1728-99).
BRONGNIART, Alexandre-Théodore (1739-1813).
CHALGRIN, Jean-François (1739-1811).
CHERPITEL, Mathurin (1736-1809).
CLÉRISSEAU, Charles-Louis (1722-1820).
DUBAN, Félix (1797-1870).
FONTAINE, Pierre-François (1762-1853).
FROELICHER, Joseph-Antoine (1790-1866).
GAU, François-Chrétien (1790-1853), or. all.
GONDOIN, Jacques (1737-1818).
GRISART, Victor (1797-1877).
HÉRÉ DE CORNY, Emmanuel (1705-63).
HITTORFF, Jacques (1792-1867).
JARDIN, Nicolas (1720-1799).
LEBAS, Hippolyte (1782-1867).
LEDOUX, Claude-Nicolas (1736-1806).
LELONG, Paul (1799-1846).
LEPÈRE, Charles (1761-1844).
LOUIS, Victor (1731-92).
MANSART DE JOUY, Jean (1706-59).
MANSART DE SAGONNE, Jacques (1709-76).
MIQUE, Richard (1728-94).
PATTE, Pierre (1723-1812).
PERCIER, Charles (1764-1838).
PEYRE, Marie-Joseph (1730-85).
POTAIN, Nicolas Marie (1719-93).
RONDELET, Jean-Baptiste (1743-1829).
ROUSSEAU, Pierre (1751-1829).
SOUFFLOT, Germain (1713-80).
TAVERNIER, Antoine (1796-1870).
VALLIN DE LA MOTHE, Jean-Baptiste (1728-1800).
VIGNON, Pierre Alexandre (1763-1828).
VISCONTI, Louis (1791-1853).
WAILLY, Charles de (1730-98).

Nés entre 1800 et 1900

ABADIE, Paul (1812-1884).
AUSCHER, Paul (1866-1932).
BALLU, Théodore (1817-1885).
BALTARD, Victor (1805-74).
BAUDOT, Anatole de (de 1834-1915).
BEAUDOIN, Eugène (1898-1983).
BINET, René (1866-1911).
BISSUEL, Édouard (1840).
BLONDEL, Henri (1821-97).
BOILEAU, Louis-Auguste (1812-1896).
BOILEAU, Louis-Charles (1837-1910).
CARLU, Jacques (1890-1976).
CHANUT, Ferdinand (1872-1948).
CHAREAU, Pierre (1883-1950).
CHEDANNE, Georges (1861-1940).
CHEVAL, Ferdinand (1836-1924).
COIGNET, Edmond (1856-1915).
DAVIOUD, Gabriel (1823-81).
DEBRIE, Georges (1856-1909).
DEGLANE, Henri (1855-1931).
DUBOIS, Henry (1882-1900).
DUC, Joseph-Louis (1802-79).
DUTERT, Ferdinand (1845-1906).
EIFFEL, Gustave (1832-1923).
ESPÉRANDIEU, Henri-Jacques (1829-74).
FAURE-DUJARRIC, Louis (1875-1943).
FREYSSINET, Eugène (1879-1962).
GARNIER, Charles (1825-99).
GARNIER, Tony (1869-1948).
GIRAULT, Charles (1851-1932).
GUADET, Jules (1834-1908).
GUIMARD, Hector (1867-1934).
GUSTAVE, P. (1876-1952).
GUTTON, Henri (1874-1963).
HAUSSMANN, Eugène, baron (1809-91).
HENNEBIQUE, François (1842-1921).
HERMANT, Jacques (1855-1930).
HOREAU, Hector (1801-72).
HORNECKER, Joseph (1873-1942).
JEANNERET, Pierre (1895-1967).
JOURDAIN, Frantz (1847-1935).
LABROUSTE, Henri (1801-75).
LALOUX, Victor (1850-1937).
LAPLANCHE, Alexandre (1839-1910).
LAPRADE, Albert (1883-1978).
LAVIROTTE, Jules (1864-1924).
LE CORBUSIER, (Charles-Édouard Jeanneret, dit) (1887-1965), orig. suisse.
LEFUEL, Hector (1810-81).
LEMARESQUIER, Charles (1870-1972).
LENOIR, Victor (1805-63).
LE RICOLAIS, Robert (1894-1977).
LODS, Marcel (1891-1978).
LURÇAT, André (1894-1970).
MALLET-STEVENS, Robert (1886-1945).
NELSON, Paul (1895-1979).
NÉNOT, Paul (1853-1934).
PATOUT, Pierre (1879-1965).
PERRET, Auguste (1874-1954).
PERRET, Claude (1880-1960).
PERRET, Gustave (1876-1952).
PINGUSSON, Henri-Georges (1894-1978).
RIVES, Gustave (1858).
ROUX-SPITZ, Michel (1888-1957).
ROY, Auguste, Léon (1873).
SAUVAGE, Henri (1873-1932).
SEDILLE, Paul (1836-1900).
SUE, Louis (1875-1968).
THIAC, Joseph-Adolphe (1800-65).
VAUDOYER, Léon (1803-72).
VAUDREMER, Joseph (1829-1914).
VIOLLET-LE-DUC, Eugène (1814-79).
WALTER, Jean (1883-1957).
WEISSENBURGER, Lucien (1860-1929).

Nés après 1900

AILLAUD, Émile (1902).
ANDRAULT, Michel (1926).
ANDREU, Paul (1938).
ARRETCHE, Louis-Gérard (1905).
AUZELLE, Robert (1913-83).
BADANI, Daniel (1914).
BALLADUR, Jean (1924).
BELMONT, Joseph (1928).
BERNARD, Henry (1912).
CALSAT, Henri (1905).
CANDILIS, Georges (Bakou, 1913).
CASTRO, Roland (1941).
CHEMETOV, Paul (1928).
CIRIANI, Henri (1936).
CONNEHAYE, Jean (1924).
COUËLLE, Jacques (1902).
DUBUISSON, Jean (1914).
DUFAU, Pierre (1908).
DUFETEL, Pierre-André (1922).
FAINSILBER, Adrien (1932).
FAUGERON, Jean (1915-83).
GAUDIN, Henri (1933).
GILLET, Guillaume (1912-87).
GIRARD, Édith (1949).
GRANDVAL, Gérard (1930).
GRUMBACH, Antoine (1942).
HOYME DE MARIEN, Louis (1920).
LABRO, Jacques (1935).
LAGNEAU, Guy (1915).
LANGLOIS, Christian (1924).
LARGE, Pierre (1929).
LOPEZ, Raymond (1904-66).
MAILLY, Jean de (1911-75).
MATHÉ, Henri (1905-79).
MAYMONT, Paul (1926).
MONGE, Jean (1916).
NOUVEL, Jean (1945).
NOVARINA, Maurice (1907).
PARAT, Pierre (1928).
PARENT, Claude (1923).
PORTZAMPARC, Christian de (1944).
POTTIER, Henry (1912).
POUILLON, Fernand (1912-86).
PROUVÉ, Jean (1901-83).
SPOERRY, François (1912).
STARKIER, Jacques (1927).
SUE, Olivier (1915).
TAILLIBERT, Roger (1926).
THURNAUER.
UTUDJIAN, Martin (1911).
VAGO, Pierre (1910), orig. hongr.
VICARIOT, Henry (1910).
VIGNERON, Jean.
WILLERVAL, Jean (1924).
WOGENSCKY, André (1916).
ZEHRFUSS, Bernard (1911).

Architectes étrangers

Nota. – (1) Italien. (2) Espagnol. (3) Anglais. (4) Allemand. (5) Autrichien. (6) Finlandais. (7) Néerlandais. (8) Belge. (9) Hongrois. (10) Suédois. (11) Russe. (12) Brésilien. (13) Américain. (14) Égyptien. (15) Danois. (16) Australien. (17) Norvégien. (18) Suisse. (19) Japonais. (20) Grec.

Nés avant 1800

BERNIN, Gian-Lorenzo Bernini, dit le (1598-1680) [1].
BORROMINI, Francesco Castelli, dit (1599-1667) [1].

BRAMANTE, Donato d'Angelo Lazarri, dit (1444-1514) [1].
BRUNELLESCHI, Filippo (1377-1446) [1].
CORTONA, Domenico da, dit le Boccador († 1549) [1].
CORTONA, Pietro Berretini da (1596-1669) [1].
FISCHER VON ERLACH, Johann-Bernhard (1656-1723) [5].
HERRERA, Juan-Bautista (1530-97) [2].
HILDEBRANDT, Johann-Lukas von (1668-1745) [4].
JONES, Inigo (1573-1652) [3].
MADERNA, Carlo (1556-1629) [1].
MICHEL-ANGE, Michelangelo Buonarroti (1475-1564) [1].
NASH, John (1752-1835) [3].
NEUMANN, Johann-Balthazar (1687-1753) [4].
PALLADIO, Andrea (1508-80) [1].
RASTRELLI, Bartolomeo (1700-71) [1].
WREN, Sir Christopher (1632-1723) [3].

Nés depuis 1800

AALTO, Alvar (1898-1976) [6].
ALBINI, Franco (1905-77) [1].
ANDO, Tadao (1941) [19].
ANDREWS, John Hamilton [16].
ARNEBERG, Arnstein (1882-1961) [17].
ASPLUND, Erik-Gunnar (1885-1940) [10].
BAKEMA, Jacob Berend (1914-81) [7].
BAKER, Herbert (1862-1946)[3] (Afrique du Sud).
BARTNING, Otto (1883-1959) [4].
BEHRENS, Peter (1868-1940) [4].
BELLUSCHI, Pietro (1899) [1].
BERG, Max (1870-1947) [4].
BERLAGE, Hendrick-Petrus (1856-1934) [7].
BLOMSTEDT, Aulis (1906-79) [6].
BOEHM, Dominikus (1880-1955) [4].
BOFILL, Ricardo (1939) [2] (Catalan).
BOHIGAS GUARDIOLA ORIOL (1925) [2].
BOTTA, Mario (1943) [1].
BOURGEOIS, Victor (1897-1962) [8].
BOYD, Robin [16].
BREUER, Marcel (1902-81) [9].
BRYGGMAN, Erik (1891-1955) [6].
CANDELA, Félix (1910) [2].
CELSING, Peter (1920-1974) [10].
CHTCHOUSSEV, Alexeï (1873-1949) [11].
CODERCH DE SENTMENAT, José A. (1913-84) [2].
COSTA, Lúcio (1902, Toulon) [12].
COX, Philip Sutton (1933) [16].
CUYPERS, P.J.H. (1827-1921) [7].
DE CARLO, Giancarlo (1919) [1].
DOMENECH I MONTANER, Luis (1850-1923) [2].
DUDOK, Willem-Marinus (1884-1974) [7].
EAMES, Charles (1907-78) [13].
EKELUND, Hilding (1893-1984) [6].
ERVI, Aarne (1910-77) [6].
FATHY, Hassan (1900) [14].
FEHN, Sverre (1924) [17].
FOSTER, Norman (n.c.) [3].
FRIEDMAN, Yona (1923) [9].
FRIIS, Knud (1926) [15].
FULLER, Richard Buckminster (1895-1983) [13] (Catalan).
GAUDI I CORNET, Antonio (1852-1926) [2].
GERBER, Adolphos (1866) [20].
GIURGOLA, Romaldo [16].
GOFF, Bruce (1904) [13].
GOWAN, James (1924) [3].
GRAVES, Michael (1934) [13].
GROPIUS, Walter (1883-1969) [4].
GROUNDS, Roy Burman (n. 1905) [16].
GULLICHSEN, Kristian (n. 1932) [6].
HANKAR, Paul (1859-1901) [8].
HARRISON, Wallace K. (1895-1981) [3].
HASEGAWA, Itsuko (1941) [19].
HOFFMANN, Josef (1870-1956) [8].
HOLLEIN, Hans (1934) [5].
HOLSCHER, Knud (1930) [15].
HORTA, Victor, baron (1861-1947) [8].
HUNT, Richard Morris (1827-95) [13].
ISOSAKI, Arata (1931) [19].
ITO, Toyo (1941) [19].
JACOBSEN, Arne (1902-71) [15].
JOHNSON, Philip (1906) [13].
KAHN, Louis (Eston, 1901-74) [13].
KAIRAMO, Erkki (1936) [6].
KONINCK, Louis-Herman De (1896) [8].
KROLL, Lucien (1927) [8].
KUROKAWA, Kisho (1934) [19].
LARSEN, Henning (1925) [15].
LEIVISKÄ, Juha (1936) [6].
LOOS, Adolf (1870-1933) [5].
LUND, Kjell (1927) [17].
LUTYENS, Sir Edwin Landseer (1869-1944) [3].
MAILLART, Robert (1872-1940) [18].
MAKI, Fumihiko (1928) [19].
MARKELIUS, Sven (1889-1972) [10].
MAYBECK, Bernard (1862-1957) [13].
MEIER, Richard (1934) [13].
MENDELSOHN, Erich (1887-1953) [4].
MICHELUCCI, Giovanni (1891-1990) [1].
MIES VAN DER ROHE, Ludwig (1886-1969) [13] (or. allemande).
MOLLER, C.-F. (1898) [15].
MOLTKE NIELSEN, Elmer (1924) [15].
MORANDI, Riccardo (1902-89) [1].
MORETTI, Luigi (1907-73) [1].
MURCUTT, Glenn Marcus (1936) [16].
NERVI, Pier Luigi (1891-1979) [1].
NEUTRA, Richard Joseph (1892-1970) [13] (or. autrichienne).
NIEMEYER, Oscar (1907) [12].
NORBERG-SCHULZ, Christian (1926) [17].
OSTBERG, Ragnar (1866-1945) [10].
OTTO, Frei (1925) [4].
OUD, Jacobus Johannes Pieter (1890-1963) [7].
PAXTON, Sir Joseph (1801-65) [3].
PEI, Ieoh Ming (1918, or. chinoise) [13].
PIANO,. Renzo (1937) [1].
PIETILA, Reima (1923) [6].
POMPE, Antoine (1873-1980) [8].
PONTI, Gio (1891-1979) [1].
POULSSON, Magnus (1881-1958) [17].
REVELL, Viljo (1910-64) [6].
RIETVELD, Gerrit-Thomas (1888-1964) [7].
ROGERS, Richard (1933).
ROOT, John Wellborn (1850-91) [13].
RUUSUVUORI, Aarno (1925) [6].
SAARINEN, Eero (1910-61) [6].
SAARINEN, Eliel (1873-1950) [6].
SANT'ELIA, Antonio (1886-1916) [1].
SCARPA, Carlo (1906-78) [1].
SCHAROUN, Hans (1893-1972) [4].
SCHWANZER, Carl (1918-75) [5].
SEIDLER, Harry (Autr., 1923) [16].
SERT, José Luis (1902-83) [2].
SIREN, Heikki (1918) [6].
SKIDMORE, Louis (1897-1962) [13].
SLAATTO, Nils (1923) [17].
SPEER, Albert (1905-81) [4].
STEIN, Clarence S. (1882-1975) [13].
STIRLING, James (1926) [3].
SULLIVAN, Louis-Henry (1856-1924) [13].
SUOMALAINEN, Timo (1928) [6].
SUOMALAINEN, Tuomo (1931-88) [6].
TANGÉ, Kenzo (1913) [19].
TATLINE, Vladimir (1885-1953) [11].
TAUT, Bruno (1880-1938) [4].
TERRAGNI, Giuseppe (1904-39) [1].
TSCHUMI, Jean (1904-62) [12].
UTZON, Jorn (1918) [15].
VAN DEN BROEK, Johannes Hendrik (1898-1978) [7].
VAN DER VLUGT, Leendert Cornelis (1894-1936) [7].
VAN DE VELDE, Henry (1863-1957) [8].
VAN EESTEREN, Cornelis (1897-1980) [7].
VAN EYCK, Aldo Ernest (1918) [7].
VAN NECK, Joseph (1880-1959) [8].
VESNINE, Alexandre (1883-1959) [11].
VESNINE, Léonid (1880-1933) [11].
VESNINE, Victor (1882-1950) [11].
VIGANO, Vittoriano (1919) [1].
WAGNER, Otto (1841-1918) [5].
WRIGHT, Frank Lloyd (1867-1959) [13].
WURSTER, William W. (1895-1973) [13].
YAMASAKI, Minoru (1912) [13].
ZEVI, Bruno (1918) [1].

Dessin, Peinture, Sculpture

Dessin

Technique

Matériaux solides

Craie. Utilisation courante au XVIe s. Généralisée au XVIIe s. Servait de rehaut aux dessins à la pierre noire ou à la sanguine. Au XVIIIe s., la mode aux *2 crayons* sur papiers teintés se répandit (noir et blanc). Puis vint la technique aux *3 crayons,* noir, blanc et sanguine (ocre rouge, oxyde de fer, cinabre) ou bistre (terre ocre, ocre jaune, suie). Ces 2 techniques furent reprises au XIXe s. et au XXe s. : Prud'hon, Chaplin, Chéret. Dès la 2e moitié du XIXe s., on employa des crayons de toutes les couleurs : Sisley, Mucha, Rouveyre, Ibels, Picasso.

Fusain (baguette de charbon de bois). Difficile à fixer. Peu d'avant le XVIIe s. bien conservés.

Mine de plomb. En réalité crayon de graphite [gisements découverts en 1654 dans le Cumberland (G.-B.)]. Remplacée fin XVIIIe s. par le crayon de plombagine artificiel [mélange d'argile et de graphite pulvérisé, créé par le Français Nicolas-Jacques Conté (1755-1805)]. En vogue au XIXe s.

Pastel. Pâte faite de terre blanche, colorants et gomme arabique diluée dans de l'eau, puis séchée. *1499* Jean Perréal, venu à Milan avec Louis XII, révèle cette technique à Léonard de Vinci. *1665* Nicolas Dumonstier donne le 1er un pastel comme morceau de réception à l'Académie. XVIIIe s., procédé de fixation mis au point par Maurice Quentin de La Tour et Loriot. Rosalba Carriera est à l'origine de la grande vogue. XIXe s., Boudin, Pissarro, Guillaumin, Mary Cassatt, Degas l'utilisèrent. Actuellement délaissé.

Pierres. *Pierre noire* ou *pierre d'Italie* (schiste argileux à grain serré) : apparaît fin XVe s. Une pierre noire « artificielle » (mélange d'argile et de noir de fumée) la remplace peu à peu au XVIIe s.

Sanguine (argile ferrugineuse, du rouge clair au rouge violacé : « sanguine brûlée ») : d'abord employée comme couleur, puis, fin XVe s., utilisée pour le tracé du trait. A la mode au XVIIIe s., délaissée début XIXe s.

Pointes de métal (or, argent, cuivre ou plomb). Le plomb fut couramment utilisé, les autres métaux beaucoup moins car ils nécessitaient une préparation spéciale du support (l'École de la Loire, au XVe s., utilisa la pointe d'argent). Remplacées au XVIe s. par la pierre d'Italie.

Matériaux liquides

Bistre (suie de cheminée broyée et dissoute dans du vinaigre, portée à ébullition puis additionnée de gomme arabique). Du brun noir au blond clair. Employé dès le XIVe s. Remplacé au XIXe s. par la sépia.

Encre de Chine (noir de fumée, gélatine et camphre). Utilisée à partir du XVIe s. pour les lavis.

Encre de noix de galle (décoction de noix de galle, de sulfate de fer, de gomme arabique ou d'huile de térébenthine). En vieillissant, tourne au brun ou au jaune et brûle le papier.

Lavis. Dilution d'encre, étalée avec un pinceau. Appelé *lavis d'encre* s'il va du noir à la sépia (couleur brune), *en camaïeu* s'il réalise toutes les tonalités et les intensités d'une autre couleur. Utilisé notamment au XVIIe s. : Adam Pyjnacker, Puget (sur vélin ou parchemin) ; au XIXe s. : Harpignies (petits paysages).

Dans le lavis, le trait est en général tracé à la plume ou au crayon et le colorant est étalé au pinceau.

Au XIXe s., les plumes de métal (dont la plume-baïonnette) remplacèrent les plumes animales et les tiges végétales (roseau, bambou).

Sépia (vessie de seiche, brun). A partir du XVIe siècle.

Supports du dessin

Les plus anciens dessins sont sur parchemin ou tablettes de buis. Le *papier* apparut au XIe s., en Espagne et en Italie. Les papiers fabriqués mécaniquement (à partir de 1798 environ) se reconnaissent par la netteté et l'absence de vergeures et de pontuseaux (lignes claires laissées dans le papier par la trame de fils de métal destinée à retenir la pâte). Certains dessins sont sur des fonds teintés, préparés spécialement (ex. : pour le tracé à la pointe d'argent) ou passés au lavis *(l'aquarelle).* Dès la fin du XVe s., on fabriqua à Venise du papier teinté dans la pâte (bleu, gris ou chamois).

☞ **Inscriptions latines :** *delineavit* « a dessiné », *pinxit* « a peint », *fec. (fecit)* « a gravé », *inv. (invenit)* « a créé », *sculpsit* « a gravé ».

Prix

Éléments du prix

En premier lieu, *qualité* du dessin et *état* de conservation (un dessin estompé ou passé perd de son intérêt) ; puis *notoriété* de l'artiste, *signature,* degré de *finition, sujet* (par ordre : scène d'extérieur à plusieurs personnages, portrait de femme, scène d'intérieur, paysages animés, portrait d'homme, dessin d'architecture, dessin préparatoire à une œuvre peinte ou gravée), *couleurs.*

Nota. – Des faussaires « corrigent » les dessins : des vieilles femmes deviennent des jeunes femmes.

Dessins les plus chers du monde

Vente de gré à gré. *La Vierge, l'Enfant avec St Jean Baptiste et Ste Anne* (139 × 101 cm), de Léonard de Vinci, vendu par la Burlington Academy, acheté par la National Gallery, en privé après souscription, 10 000 000 F (800 000 £) en 1962.

Ventes publiques. *Étude de nu, Cléopâtre,* de Rembrandt : 3 150 000 F (7-7-1981). *Tête* à la pierre noire de Raphaël : 38 000 000 F, 3-7-1984, Christie's à Londres).

Au centimètre carré. *Griffonnage* (2,5 cm²) de Léonard de Vinci 24 000 000 F (nov. 1986. New York).

Cote (en milliers de francs)

Sources : Annuaire des cotes 1991, Grand Livre des Ventes aux enchères 1990 (Drouot, Christie's, Sotheby's, Connaissance des Arts), Gazette de l'Hôtel Drouot.

Légende : aq. aquarelle.

Arpin (cavalier d') 170 (1986). *Bakst* 1,2 à 749 (1989). *Baldung Grien* 5,3 à 800 (1981). *Barbieri (G.F.)* 3 à 920,1 (1990). *Barlach (E.)* 6 à 170. *Barocci (F.F.)* 15 à 1 230 (1989). *Bartolomeo (Fra)* 300,2 (1978). *Bastien-Lepage (J.)* 0,6, pierre noire 148,2 (1985). *Baudelaire (Ch.)* 58 à 650. *Bazaine* 0,82 à 63, aq. 7,5 à 76 (1990). *Beckmann (M.)* 6 à 168. *Bellmer (Hans)* 1 à 125,9 (1989). *Bernard (E.)* 1,9 à 8 ; ex. 34 (1985), aq. 0,7 à 400. *Berthelin* projet 29 (1980), aq. 40 (1988). *Boilly (L.L.)* 2,2 à 2 101. *Bonheur (R.)* aq. 1 201,2 (1990). *Bonnard* 0,76 à 253,6, aq. 1,3 à 3 424 (1989). *Bottini* 5 à 30 ; aq. 33 (1990). *Boucher* 12 à 2 811 (1987). *Boudin (E.)* 1,5 à 143 (1989) ; aq. 12 à 350. *Bouguereau* 1,1 à 60. *Braque* 7,5 à 4 228,6 (1988) ; aq. 24 à 1 258,4 ; ex. 9 000 [fusain, papier, faux bois, journal (1990)]. *Breton (A. et F.), Tanguy (J. et Y.)* collage 60 (1985). *Bruegel le Vieux* 667,2 (1978). *Buonaccorsi* 1935 (1988). *Burne-Jones (E.C.)* 2 à 532,7 ; ex. 1 065,4 (1990). *Callot (J.)* 25,2 à 435,8 (1990). *Canaletto* 23 à 880. *Caravage (le)* 332 (1984). *Carmontelle* 70 à 865 (1989). *Carpaccio* 1 937 (1990). *Carracci (Agostino)* 4,5 à 823,2 (1990). *Carracci (Annibale)* 55 à 774,8 (1990). *Cassatt (Mary)* 4,8 à 25 860. *Castiglione (dit il Grechetto)* 3,8 à 1 925 (1982). *Cézanne* 21 à 4 945,2, ex. aq. 24 610 (1989). *Chagall* 9,7 à 1 144 (1989), aq. 1,9 à 3 011,5 (1989). *Champaigne (Ph. de)* 53. *Chardin* 1,4 à 4,7, ex. pastel 6 000 (1986). *Chase (W.-M.)* 103 à 12 680. *Chassériau* 1,1 à 3 300 (1989) ; aq. 68,6 à 700 (1989). *Chirico (G. De)* 2,5 à 2 711 (1990) aq. 32 à 320,4. *Christo* 16 à 900 (1989). *Cochin* 0,8 à 84 ; ex. 660 (1986). *Cocteau* 0,65 à 130 ; ex. 726,4 (1990). *Constable* 3 à 484,3 (1989) ; aq. 688,4 (1988). *Corot* 4,5 à 230. *Courbet* 16,4 à 268,3 (1987). *Coypel,* jusqu'à 774,8, pierre noire 920 (1987). *Cranach* aq. 1 714 (1984). *Dalí* 1,9 à 1 170 (dessin + collage), ex. 2 354 (1989) ; aq. 100 à 726,4 (1989). *Daumier* 9,7 à 726 ; ex. 2 675 (1989). *David (Jacques Louis)* 3,4 à 900. *Degas* 18 à 5 100 ; aq. 20 à 650 ; ex. pastel 45 965 (1988). *Delacroix* 0,9 à 642 ; ex. 1850 (1989) ; aq. 5,7 à 800, jusqu'à 1 550 (1989). *Delaunoy* 1 841. *Denis* 1,3 à 90 ; ex. 130 (1978). *Derain* 1,1 à 190 (1991). *Dignimont* 0,4 à 23 (1990) ; aq. 0,55 à 62. *Doré (G.)* 0,6 à 335 (1987) ; aq. 18,7 à 60 (1990). *Doyen (G.)* 4,2 à 400 (1989). *Dubuffet* 11 à 1 258,4 ; ex. 4 719 [collage (1989)]. *Dufy* 0,7 à 331,4 (1989) ; aq. 67 à 920,1 (1989). *Dunoyer de Segonzac* 1,1 à 114,1 (1989) ; aq. 4,3 à 330 (1987). *Dürer* plume 520 (1981) ; pastel 750 (1982) ; dessin rehaussé d'aq. 5 337,6 (1978) ; burin 23,5 (1986). *Eakins (T.)* aq. 18 304 (1990). *Ernst* 8,1 à 280 ; frottage jusqu'à 886,6 (1990). *Fantin-Latour* 0,98 à 80. *Feininger (L.)* 5,9 à 174,3 (1989) ; aq. 50,7 à 348,7. *Feure (G. de)* ex. 406,8 (1989) ; aq. 0,5 à 145. *Fini (L.)* 1 à 27 ; aq. 3,8 à 67,8 (1990). *Flinck* 47,1 (1988). *Flint* 1,8 à 310,3 (1989) ; aq. 9,3 à 514,8 (1990). *Forain* 0,6 à 321 (1988). *Foujita* 1,1 à 2 000 (1990) ; aq. 12 à 830 ; ex. 3 486,6 (1989). *Fragonard* (2 200 dessins connus dont 50 importants) 10,5 à 1 950 (1985) ; pierre noire 10,5 à 3 200 (1990). *Frank-Will* 2,4 à 8,5 ; aq. 1,2 à 175 (1990). *Gauguin* 1,3 à 2 950 (1988). *Gen Paul* 0,6 à 63 ; aq. 3,9 à 75. *Gérard (baron)* 2,4 à 15,5 (1989). *Gericault* 6,5 à 654 (1986), ex. aq. 4 270 (1985). *Giacometti (A.)* 31 à 500. *Giacometti (G.)* 32,3 à 80,7 ; aq. 105,3 à 159,9 (1990). *Gillot (Cl.)* 380. *Girodet-Trioson* 2,2 à 42 (1988). *Goya* 3 718 (1990). *Goyen (J. van)* 8,7 à 293,5 (1989). *Graf (Urs)* 1 017,5 (1978). *Greuze* 6,5 à 435,8 (1990). *Gris (J.)* 3 à 532,7 (1990). *Gromaire* 2,2 à 101,4 ; aq. 25 à 150. *Grosz* 3,2 à 229,7 ; aq. 8 à 869,7 (1988). *Guardi (F.)* 16 à 726,4 ; ex. 4 217 (1987). *Guirand de Scevola (L.V.)* ; 0,25 ; aq. 0,9 à 16,5 ; pastels 1 à 51 (1989). *Guys (Constantin)* 0,45 à 47. *Harpignies* 0,2 à 12,6 (1989) ; aq. 0,97 à 160 (1989). *Helleu* 1 à 477,4 (1989) ; pastel 19,4 à 800,8 (1990). *Heemskerck (Maerten van)* 263,1 à 490 (1989). *Hergé* 2,6 à 6 ; aq.

Léonard de Vinci : Étude pour Léda

3 100 (1990). *Hockney (D.)* 4,2 à 2 556,8 (1988). *Hodler (F.)* 4,3 à 60 ; ex. 629,5 (1990). *Hogarth (W.)* 170 à 280. *Homer (W.)* 12,3 à 697,4 ; aq. 120 à 3 600 (1988). *Hopper (E.)* 11 à 145,8, aq. 792,5 (1989). *Houdon* jusqu'à 50,5. *Huber (Wolf)* 2 à 957,6 (1978). *Huet (J.-B.)* 0,6 à 86. *Huet (P.)* 1,6 à 5,8 ; aq. 7,5 à 15,5. *Hugo (Victor)* 6 à 720 (1988) ; aq. 100 à 946. *Icart (L.)* 0,4 à 79,5, ex. 300 (1990). *Ingres* 1,5 à 7 000 (1989). *Isabey (E.)* 1,6 à 96,8. *Jacob (M.)* 3 à 15 (1990). *John (A.)* 2,2 à 160. *Johns (Jasper)* 5 720 (1986). *Jongkind* 1,6 à 36 ; aq. jusqu'à 220. *Jordaëns* 9 à 720 (1987). *Kandinsky* 0,79 à 460, aq. 3 718 (1990). *Khnopff (F.)* 3,2 à 1 971 (1988) ; aq. 1 598 (1989). *Kirchner* 1,5 à 475,3. *Kisling* 4,5 à 55 (1990), aq. 96 (1990). *Klee* 1,3 à 8 522 (1990). *Kokoschka (O)* 9,5 à 950,6 (1989). *Kollwitz (K.)* 8 à 86 ; ex. 565,5 (1990). *Kooning (W.C. De)* 2,9 à 855,9, ex. 10 778 (1988). *Kubin* 1,5 à 135. *Kupka* aq. 1 à 105 ; ex. 329,3 (1990). *Lagneau* 13 à 165 (1980). *Lami* jusqu'à 650 (1990). *Lancret* 3,9 à 620 (1990). *Lapicque (C.)* 15 à 50 (1990) ; aq. 70 (1989). *Larsson* 2 751. *La Tour (M.Q. de)* pastel 4 000 (1984). *Laurencin (Marie)* 0,8 à 330 ; aq. 4,8 à 972,4. *Lear (E.)* 2,1 à 256,8. *Lebourg* 0,9 à 64 ; aq. 11 à 70 (1990). *Le Brun (C.)* 6 à 155 (1990). *Le Corbusier* 9 à 369 (1988). *Léger* 2,5 à 2 300 ; ex. 49 500 (1990) ; aq. 17 à 2 500 (1989). *Léonard de Vinci* 10 000 à 35 000 (1989). *Leprince (J.-B.)* 2 à 64,2. *Le Vau* jusqu'à 355,2 (1987). *Lewis (J.F.)* 2,8 à 184 (1990). *Lewitt (Sol)* 4,9 à 457,6 (1990). *Leyde (Lucas de)* 280 (1980). *Longhi (P.)* 11 à 20,5. *Lorrain (Le),* attribué, 310 (1986). *Macke (A.)* 6,3 à 390. *Maes (N.)* 5 à 83,8. *Magritte* 1,6 à 572 (1990). *Maillol* 3,5 à 520 (1981). *Manet* 13,2 à 10 817,4 (1988). *Man Ray* 4,6 à 100,7 (1989). *Mantegna* 1 200 (1984). *Marquet* 2 à 210 (1989). *Masson (A.)* 1,5 à 585. *Matisse* 4,8 à 9 510 (1989). *Menzel (A. von)* 3,2 à 314,6 (1990). *Michaux (H.)* 2 à 290 (1990). *Michel-Ange* 350 à 1 377 (1976). *Millet (J.-F.)* 2,7 à 2 000 (1989) ; ex. 4 290 (1989). *Miró* 4,5 à 5 110 (1989) ; pastel 14 100 (1989). *Modigliani* jusqu'à 2 100 (1990). *Mondrian* 30,4 à 919,3 (1988) ; aq. 3 893,5 (1989). *Monet* 8 à 115 ; pastels jusqu'à 3 400 (1989). *Montezin* aq. 5,3 à 20 (1990). *Moore (H.)* 5 à 1 070. *Morandi (G.)* 45,8 à 1 373,1 (1989). *Moreau le Jeune* 2,6 à 650 (1986). *Morisot* 4,5 à 2 880 (1989) ; aq. 40 à 492. *Mossa (G.-A.)* jusqu'à 252. *Mucha (A.)* 0,4 à 251,8 (1990). *Münch (E.)* 6 à 230. *Natoire* 0,55 à 681 (1986). *Nicholson (B.)* 5,8 à 273 (1989). *Oldenburg (C.)* 11 à 406,6. *Oudry (J.B.)* 6,2 à 710 (1990). *Parmigianino (Il)* 100 à 680 (1982). *Parrocel (C.)* 2,7 à 230. *Pascin* 0,8 à 400,4 ; ex. 715 (1989). *Pechstein (H.M.)* 1,4 à 135,6 (1989) ; aq. jusqu'à 432,7 (1987). *Percier et Fontaine* 1,5 à 72 (1987). *Piazzetta* 2 566. *Picabia* 1,3 à 1 162,2 (1989) ; ex. 2 574 (1990). *Picasso* 2,2 à 25 168 (1989) ; ex. 80 080 (gouache-encre de chine) (N. Y. 1989). *Pillement* 0,8 à 97,2 (1990). *Pinturicchio* 592,8 (1978). *Piombo (Fra Sebastiano del)* 100 à 1 000 (1980). *Piranèse (G.B.)* 24 à 2 568. *Pissarro (C.)* 0,2 à 1 765,5 ; ex. 3 800 (1989). *Point (A.)* aq. ou pastels 1 à 37. *Portail* 3 à 250. *Prendergast (M.-B.)* 6,9 à 10 778. *Primatice (Le)* 115,6 à 2 374 (1990). *Proust (M.)* jusqu'à 10. *Prud'hon* 4 à 1 700 (1990). *Puvis de Chavannes* 0,25 à 63. *Raphaël* 38 000, record. *Redon* 6 à 6 006 (1989) ; ex. pastel 12 012 (N.-Y., 1989). *Redouté (P.J.)* crayon et aq. 76,1 à 770,4 ; aq. 1 221 (1985). *Rembrandt* 3 246 sanguine (1981) ; ex. 13 516 (1987). *Renoir* 0,4 à 5 250 ; pastel jusqu'à 10 653,5 (1990) ; ex. 16 484 (1989). *Rivera (D.)* 1,9 à 234 ; aq. 21 à 1 046,1 (1989). *Robert (Hubert)* 5,2 à 390 ; (craie rouge) 285 (1984) ; 530 (1986). *Rodchenko (A.)* 21,4 à 112,5 ; aq., crayon, plume, gouache 1 791,7 (1990). *Rodin* 1,2 à 192 (1988) ; aq. 6 à 543,4 (1989). *Romain (Jules)* 372 (1972). *Rosa (S.)* 3,2 à 143 ; ex. 435,8 (1990). *Rossetti* 43 à 951 ; aq. 1 452,8 (1989) ; pastel 2 140 (1989). *Rouault (G.)* 6,5 à 2 293. *Rousseau (T.)* 1,6 à 145 (1990). *Roux (A.)* 68,5 (1989). *Rubens* 29 055 (Londres, 1989). *Ruisdael (J. Van)* pierre noire et lavis 17,3 (1981). *Saint-Aubin (G. de)* 0,9 à 213 (1990). *Salviati* 300 (1986). *Sand (G.)* 3 à 6 ; album de 54 dessins 320 (1989). *Sandys (A.F.)* 2,4 à 125. *Schiele* 9,3 à 4 950 (1989). *Schmidt-Rottluff (K.)* 6,8 à 97 ; aq. 774,8 (1989). *Segantini (Giovanni)* 55 à 300 (1981). *Seurat* 3,3 à 5 500 (1989). *Signac* aq. 3,5 à 342,4 (1989). *Sisley* pastel 60 à 1 420 (1989). *Sonrel (E.)* aq. 1,5 à 170. *Steinlen* 0,16 à 230. *Tiepolo (G.B.)* 14 à 657,8 (1990). *Tiepolo (G.D.)* 3,8 à 829,9. *Tintoret* 14,3 à 146,5 (1989). *Tobey (M.)* aq. 5 à 317. *Touchagues (L.)* aq. 0,6 à 5,5 ; plume 1,1 à 7 (1986). *Toulouse-Lautrec* 3,2 à 5 745 (1987). *Turner (J.M.W.)* aq. 6,5 à 4 688 (1988). *Utrillo* 4,8 à 1 046,1 (1989). *Valéry (P.)* 1 à 7. *Van de Velde le Jeune (W. II)* pierre noire, lavis et bistre 1,9 à 50. *Van Dongen* 8 à 71 (1989) ; aq. 98 à 1 250 (1990). *Van Gogh* 35,2 à 41 800 (record) (1990). *Vanni (F.)* 780 (1988). *Van Loo (C.)* 21,7 à 82 (1989) ; 95 (3 dessins, 1980). *Véronèse* 144,4 (1984), 3 000 (86). *Vlaminck (M. De)* 6,1 à 2 000. *Vuillard* 3,2 à 286 ; pastel 0,4 à 2 860 (1990). *Warhol (A.)* 5,1 à 148,7 (1989). *Watteau* 4 à 5 644 (1986). *Wolfli (A.)* 7,3 à 35. *Zille (H.)* 1 à 187,3 (1988). *Zuniga (F.)* 11 à 125,8 (1990).

Mentions (lors d'une vente)

Attribué à X : doute sur l'identité, mais chances pour que le peintre soit l'auteur. *D'après X :* peut être une copie ancienne. *École de X :* tableau parfois postérieur à X, mais sensiblement de la même époque. *Genre de X :* falsification. *Pastiche :* peinture « à la manière de »... *Réplique :* répétition d'une œuvre exécutée par l'auteur ou sous sa surveillance. *Signé X :* le peintre est l'auteur. *Tableau de ou par X :* authentifie le tableau. *Une signature X :* douteuse.

Enluminures

Définition

Lettres ornées ou peintures de petites dimensions qui illustrent les feuillets d'un manuscrit. On en trouve sur papyrus (dès le IIIe millénaire av. J.-C.), vélin ou papier. Religieux jusqu'au XIIIe s., puis profane.

Les couleurs fines sont délayées à l'eau gommée. Au XIVe s., les fonds d'or cèdent la place à des fonds de couleur puis progressivement à des paysages. La grisaille apparaît.

Enluminures célèbres

IIIe-Ve s. : *Iliade* (Bibl. ambrosienne, Milan). Ve s. : *Genèse* (Vienne). VIe s. : *Évangile de St Matthieu* [1], *Virgile* [2], *Térence* [2], Ve ou VIe s. : *Dioscoride* (Vienne), *Codex Vaticanus, Œuvres de St Augustin* (Cambridge, Corpus Christi). IXe s. : *Bible de Charles le Chauve* [1], *Apocalypse de St-Sever.* 875 : *Codex Aureus* [3]. v. 1200 : *Psautier d'Ingeburge de Danemark* [4]. XIIIe s. : *Psautier de Blanche de Castille* (bibl. de l'Arsenal), *Psautier de St Louis* [1]. XIVe s. : *Décret de Gratien* par Maître Honoré (Tours), *Heures de Jeanne d'Évreux* par Jean Pucelle. v. 1415 : *Très Riches Heures du duc de Berry* par les frères de Limbourg [4]. XVe s. : *Grandes Heures de Rohan* [1], Œuvres de Jean Fouquet *(Heures d'Étienne Chevalier* [4], *Antiquités judaïques* [1], *Boccace* [3]). v. 1515 : *Heures de Maximilien Ier par Dürer (Munich, Besançon).* XVIe s. : *Très Riches Heures d'Anne de Bretagne* par Jean Bourdichon [1], *Bréviaire Grimani* (Venise). *Enluminures persanes.*

Nota. – (1) Bibliothèque nationale, Paris. (2) Vatican. (3) Munich. (4) Chantilly.

Principales collections

Paris (BN), Chantilly (m. Condé), Vatican, Munich, Vienne, Londres (British Museum), Istanbul (Topkapi).

☞ Prix. Voir Index.

Estampes et gravures

Définitions

Originaux

Chalcographie. Art de graver sur cuivre. Utilisée à partir de la fin du XVe s.

Estampe. Image imprimée, quelle que soit la technique employée. Apparaît à la fin du XIVe s. en Occident. Pour être originale, elle doit être conçue et réalisée entièrement à la main par l'artiste.

Fumé. Épreuve d'essai d'une gravure sur bois.

Gravure sur bois. *En relief* ou *en taille d'épargne* : jusqu'au XVIIIe s. dans le sens des fibres [*bois de fil* (poirier, cormier, cerisier, pommier)] ; au XIXe s. perpendiculairement aux fibres [*bois de bout* (le plus souvent en buis)] ; au XXe s. en bois de fil ou de bout.

Gravure sur métal. Au *burin* ; à la *pointe sèche* (aiguille) ; à l'*eau-forte* (plaque généralement en cuivre recouverte de vernis sur lequel on dessine à la pointe, le métal mis à nu est attaqué par l'acide et creusé) ; à la *manière noire* [*mezzo-tinto* : plaque bercée (c.-à-d. hérissée de petites « bardes » en pointe avec un berceau) puis passée au brunissoir] ; au *grain de résine* [*aquatinte* : travaillée comme l'eau-forte, mais la plaque est saupoudrée de résine (le sucre fond...) avant d'être trempée dans l'acide] ; au *vernis mou* (ou *en manière de crayon* : vernis à base de bitume et de saindoux).

Impression en taille-douce. Le papier est pressé sur la plaque dont les tailles, réservées à la pointe sèche, à l'eau-forte ou au burin (trait plus épais), sont garnies d'encre. Depuis la fin du XIXe s., les tirages sont généralement signés et numérotés (numéro d'ordre de l'épreuve suivi du chiffre du tirage ; ex. : 21/75).
Autrefois les tirages n'étaient pas limités, les 1res épreuves ou les 1ers états étant les plus recherchés (épreuves avant la lettre ou non terminées).

Lithographie. Impression sur du papier d'un dessin tracé au crayon gras sur une pierre calcaire, une plaque de zinc, ou du papier lithographique dit « papier report ». Découverte et mise au point en 1798 ou 1799 par l'Allemand Aloys Senefelder. Une lithographie originale est conçue et réalisée à la main par l'artiste. Le tirage d'une estampe peut comporter plusieurs « états » : l'artiste, assistant au tirage, modifie l'œuvre en cours, corrige un trait, accentue une teinte. Le tirage peut être limité (20 à 200 ex. en général) et chaque exemplaire est signé et numéroté par l'artiste. La pierre est grainée (effacée) après la dernière épreuve ; on supprime ainsi toute possibilité d'impression postérieure. En fait, certains artistes contemporains autorisent un artisan à exécuter le dessin sur pierre d'après une de leurs œuvres, et apposent ensuite leur signature sur ces estampes d'interprétation.
Par ailleurs, on propose aujourd'hui au public, sous le nom de lithographie, des œuvres tirées de façon mécanique et d'après des plaques de métal.

Sérigraphie. Impression à travers des écrans de soie interposés entre le papier et l'encre.

Zincographie. Lithographie sur plaque de zinc. A été utilisée pour les affiches de grand format (ex : Lautrec) ou par Gauguin et Émile Bernard.

Reproduction

Anaglyphe. Basée sur le principe de la stéréoscopie. 2 images identiques sont imprimées successivement avec un léger décalage, l'une en bleu-vert, l'autre en rouge. Ex. : avec un binocle portant 1 filtre bleu-vert d'un côté et rouge de l'autre, l'impression se présente en relief et les couleurs décalées disparaissent.

Anastatique (impression). Par décalque sur pierre lithographique, puis tirage.

Galvanoplastie. Au moyen du courant électrique, un métal préalablement dissous (à l'état de sel) dans un bain est déposé sur un autre métal, ou sur une surface quelconque préalablement métallisée. En 1849, un compositeur parisien, Coblence, appliquant un procédé qu'il appelait *électrotypie,* obtenait des galvanos, des gravures et même des pages de texte du *Magasin pittoresque.*

Héliogravure. Plaque gravée chimiquement à travers une réserve obtenue photographiquement. Mise au point en 1875 par Karl Klic (Autr., 1841-1926).

Photogravure. Gravure d'après photo. 1re exécutée par Niepce (1826). En 1845, Loire, Michelet et Quinet inventèrent la gravure chimique. En 1868, brevets pour l'utilisation d'une trame quadrillée sur bristol. En 1878, Frédéric-Eugène Ives obtient des clichés par gonflement de la gélatine. En 1880, Charles-G. Petit invente la *similigravure* et, en 1882, Meisenbach, à Munich, la similigravure avec trame lignée.

Simili (gravure en). Gravure photomécanique qui permet de reproduire les teintes du lavis.

Prix

☞ Éléments. *Rareté, qualité du tirage, netteté, papier, nombre d'ex.* connus ou restant en circulation, *sujet, épreuves* hors commerce, *couleurs,* état.
Les estampes aux marges coupées ou pliées perdent de 50 à 60 % de leur valeur.

Évolution depuis 1900. Hausse des estampes du XVe au XVIIIe s. et du XIXe s. Baisse du XVIIIe s., depuis 1940, mais reprise possible. Le XXe s. s'est vendu difficilement de 1973 à 1987 sauf pour les grands maîtres. Chute des contemporains en 1990.

Quelques exemples (en milliers de francs)

Légende : aq. : aquatinte ; e.-f. : eau-forte ; gr. : gravure ; li. : lithographie ; p.s. : pointe sèche.

• **Estampes. Anciennes.** *Audubon* aq. coloriée 671,5 (1982). *Bellange (J.)* 100 à 240 ; e.-f. 157,1. *Bonnet* 45. *Buhot (F.)* 0,7 à 51 (aq., e.-f.). *Callot (J.)* 0,35 à 157. *Cranach (L.)* 3,6 à 200 (1988). *Debucourt* 2,1 à 40. *Delacroix* 0,45 à 148 (1980). *Doré (G.)* 5 à 31,5. *Dürer* gr. 2,7 à 588,5, except. 3 056 (1987). *Fragonard (J.-H.)* 3,1 à 33,9 (1990). *Gavarni* e.-f.10 à 30. *Gericault* li. 1,5 à 600 (13 li). *Goya* e.-f. 1,4 ; 1 080 en 1984 (suite de 18 e.-f. et aq.) ; 1 200 (suite de 80 aq., 1990) ; except. li. 210 à 768. *Le Lorrain (C. Gellée dit)* e.-f. 0,5 à 33. *Leyde (L. de)* gr. 0,7 à 210. *Mantegna* gr. 300 à 3 000 (1984). *Piranèse* e.-f. 0,95 à 1 830 (suite de 14, 1989). *Rembrandt* e.-f. 2,8 à 6 300 (1984), p.s. 2 788 (1988). Schongauer (M.) gr. 21,5 à 500 (1988). *Tiepolo* e.-f. 3,5 à 162.
Parmi les graveurs, *Janinet* et *Debucourt* sont parmi les plus célèbres pour l'impression en couleurs, *Demarteau* et *Bonnet* pour l'impression en sanguine, *Cochin, Beauvarlet* et *Delaunay* pour le noir.

Modernes. *Barlach (Ernst)* gr. 0,25 à 60, li. 1,5 à 37,5. *Beckmann* e.-f. 0,76 à 429 (1990) ; li. 4,4 à 43,9 (1990) ; p.s. 466 (1989). *Benton (T.)* li. 2,3 à 44,8. *Besnard (Albert)* 0,5 à 7,5 (1984). *Bonnard* li. 0,4 à 3 780 (1985). *Braque* e.-f. 3,1 à 162 ; li. 0,4 à 228, aq. 12,2 à 158,5 (1989), p.s. 344,5 (1989) ; gr. 14,3 à 30 (1990). *Brayer* li. 0,3 à 53 (1990). *Buffet (B.)* li. 0,2 à 700 (1989). *Carzou* 2 à 4. *Cassatt (M.)* li. 1 à 1 150,4 (1987) ; p.s. 6 à 1 172,6 (1990). *Cézanne* 1,4 à 850. *Chagall* e.-f. 1,7 à 213 (1982) ; li. 0,78 à 838,5 (1990) ; paravent 5 462 (1988). *Chirico (de)* li. 1,8 à 74. *Corot (C.)* 1,3 à 221,9 (1988) ; cliché 0,9 à 11 (1990). *Dali (S.)* e.-f. 0,3 à 51,3 ; li. 0,9 à 122 (1990). *Daumier* li. 0,3 à 380,4 (1988). *Degas* e.-f. 3,8 à 3 963 (1987). *Delvaux* 6,5 à 580 (1989). *Denis* li. 1 à 29,1. *Dubuffet* 0,3 à 369 (1980). *Dunoyer de Segonzac* e.-f. 0,5 à 23,1. *Ensor (J.)* 1,5 à 152,5. *Ernst (M.)* li. 2 à 235 ; gr. 8,1 à 540 ; p.s. 400 ; tapisserie 532,7 (1990). *Escher (M.C.)* gr. 0,6 à 720, li. 5 à 184,5. *Folon (J.M.)* 0,3 à 6 (1989). *Foujita* e.-f. 1,5 à 850 (1990) ; album de 10 : 1 743,3 (1990) ; li. 0,4 à 770. *Gauguin* gr. 4,5 à 481 (1984) ; li. 1,5 à 164,6 (1989) ; e.-f. 225 (1982) monotype 2 940 (1988) ; bois, except. 1 900 (1986). *Giacometti* li. 4,2 à 51,4 ; e.-f. 1,5 à 27,6 ; gr. 33,5 (1989). *Hartung* li. 1 à 10 ; e.-f. 2,4 à 43,9 (1989). *Heckel (E.)* li. 0,7 à 76,1 ; gr. 1,2 à 726,4 (1990). *Helleu* p.s. 3,8 à 77,5 (1990). *Hockney (D.)* e.-f. 0,5 à 572 (1990) ; li. 1,4 à 743,6 (1989). *Homer (W.)* e.-f. 20 à 126. *Hopper (E.)* e.-f. 17,5 à 135. *Icart (L.)* p.s. 2,2 à 155 (1990). *Jawlensky (A. von)* li. 3,3 à 101,3 (1990). *Johns (J.)* li. 4,2 à 1 601,6 (1989). *Jongkind (J.-B.)* e.-f. 3,2 à 22,3 ; cahier de 6 : 2,8 à 60 (1988). *Kandinsky* li. 0,4 à 1 070. *Kirchner (L.)* li. 6 à gr. 600. *Klee (P.)* e.-f. 11,5 à 285 ; li. 3 à 374. *Kokoschka (O.)* li. 1 à 323. *Kollwitz (D.)* e.-f. 0,84 à 18,4 (1990) ; li. 1,1 à 266,3 ; gr. 3 à 77,2. *Laboureur (J.-E.)* 0,55 à 24 (1989). *Laurencin (M.)* e.-f. 0,5 à 60 ; li. 1,7 à 110. *Le Vau (L.)* 28. *Malevich (K.)* li 29,1 à 44,6 (1989) ; 34 dessins et li. 552 (1984). *Manet* e.-f. 0,3 à 71,5 ; li. 11,8 à 123,7 ; ex. 1 072 (1988). *Marquet* e.-f. 0,8 à 31. *Matisse* e.-f. 0,8 à 67, e.-f. (Poésie St Mallarmé) 330 ; li. 1,5 à 887,6. *Méryon (C.)* e.-f. 300 (1989). *Miró (J.)* e.-f. 5,7 à 738,5 ; li. 0,7 à 274,6 (1990) ; aq. 5,3 à 202,9. *Morandi* e.-f. 10 à 549,2 (1989). *Münch* gr. 31 à 928 ; li. 3,7 à 3 203,2 (1990). *Picasso* aq. 11,7 à 1 482 (1990) ; e.-f. 1,9 à 2 754 ; p.s. 4,5 à 1 029,6 (1990) ; li. 0,5 à 1 260 (1988) ; est. 350 (1990) ; « suite des Saltimbanques » (15 e.-f. et p.s.) 5 326,8 (1989) ; gr. sur cuivre 8 385 (1990). *Pissarro* e.-f. 0,9 à 310 ; li. 4,5 à 525. *Prud'hon* li. 7 (1984). *Redon* li. 1,8 à 869 (suite de 24). *Renoir* vernis mou 0,4 à 73 (1990) ; li. 909,5 (1989). *Rivière (H.)* gr. coul. 19,5 à 35 (1989) ; li. 1,8 à 7,5. *Robbe (M.)* 0,3 à 12. *Rops (F.)* e.-f. 0,3 à 22,4 (1988) ; gr. 17,8 (1989). *Rouault (G.)* aq. 1,5 à 317 (1988) [2 400, G.-B. (1984)] ; li. 0,8 à 117 (1984) ; aq. 1,5 à 250 (1990). *Signac* li. 2,9 à 252. *Stella (F.)* li. 0,8 à 108,7 ; sérigraphie 7,3 à 228,8, ex. 486,2 (1989) ; gr. 371,8 (1989). *Toulouse-Lautrec* li. 1,3 à 1 170 (1990). *Trémois (P.Y.)* li. 0,6 à 7. *Utrillo* 0,3 à 51,5 (1990). *Vallotton* gr. 1,3 à 95 (1989). *Van Gogh* e.-f. 49 à 570 ; li. 823,2 (1990). *Vasarely* li. 0,45 à 6,6 (1989) ; sérigraphie 0,8 à 25 (1989) ; tapisserie 215 (1989). *Villon* e.-f. 0,9 à 218,4 (1990) ; aq. 101,4 ; p.s. 1,5 à 443. *Vuillard* 0,4 à 329,3 (1989). *Warhol (A.)* sérigraphie 0,74 à 1 320 ; photogravure 2 631,2 (1989).

Japonaises. Voir art japonais, p. 392.

• **Gravures de mode.** Provenant de journaux de mode. XVIIIe s. : 400 à 800 F. Début XIXe s. : 400 F. Fin XIXe s. : 50 à 150 F. Début XXe s. : 200 à 250 F.

Affiches

Origine. En 1477, William Coxton réalisa la 1re affiche (1,3 × 0,7 m) visant à faire connaître les cures thermales de Salisbury. Pendant les guerres de religion, les affiches étaient manuscrites. L'affiche illustrée commença à paraître en 1715, mais elle ne se développa qu'avec l'invention de la lithographie.

Affichistes célèbres. Hugo d'Alési (1849-1906), Edmond Aman-Jean (Amand-Edmond Jean dit) (1858-1936), John-James Audubon (1785-1851), George Auriol (Jean-Georges Huyot dit) 1863-1938 ?), Bac (Ferdinand de Sigismond Bach dit) (1859-1952), Otto Baumberger (1899-1961), Emile Bedmans, Hippolyte Bellangé (1800-66), Bertall (Albert d'Arnoux dit) (1820-82), Maurice Biais, Pierre Bonnard (1867-1947), Firmin Bouisset (1859-1925), Louis Maurice Boutet de Monvel (1851-1913), Willy Bradley (1868-1962), Leonetto Cappiello (1875-1942), Caran d'Ache (Emmanuel Poiré dit) (1859-1909), Jean Carlu (1900-83), Carrière (1849-1906), Cassandre (Adolphe Mouron, dit) (1901-68), Cham (Amédée de Noé dit) (1818 ?-79), Jules Chéret (1836-1932), Émile Cohl (Émile Courtet dit) (1857-1938), Paul Colin (1892-1985), Crafty (Victor Geruzez dit) (1840-1906), Alfred Crowquill (Alfred H. Forrester dit) (1804-72), George Cruikshank (1792-1878), Cuzin (n.c.), Sonia Delaunay (1885-1974), Maurice Denis (1870-1943), Jean Dupas (1882-1964), Léon Dupin, Georges d'Espagnat (1870-1950), Georges de Feure (Van Sluijters, 1868-1943), Gavarni (Sulpice Hippolyte Guillaume Chevalier dit) (1804-66), André Gill (André Gosset de Guines dit) (1840-1885), James Gillray (1757-1815), Léon Gischia (1903), Gérard Grandval (1803-1847), Grandville (Jean Ignace Isidore Gérard dit) (1803-47), Eugène Grasset (1845-1917), Alfred Grévin (1827-92), Juan Gris (José V. Gonzalez dit) (1887-1927), Hansi (Jean-Jacques Waltz dit) (1873-1951), Iribe (Joseph Paul) (1883-1935), Tony Johannot (1803-52), Charles Léandre (1862-1930), Georges Lepape (1887-1971), Charles Loupot (1892-1962), Georges Mathieu (1921), Robert McClay, Adolf Menzel (1815-1905), Henri Meunier (1873-1922), Victor Mignot (1872-1944), Victor Moscoso, Alphonse Mucha (1860-1939), Bernard Naudin (1876-1946), O'Galop (Marius Rossillon dit) auteur de l'affiche Bibendum (1867-1946), Manuel Orazi (1860-1934), Pal (Jean de Paléotologu dit) (1860-1942), Peyrolle jusqu'à 26 ans, Poulbot (Francisque) (1879-1946), Privat-Livemon (1861-1936), Benjamin Rabier (1864-1939), Albert Robida (1848-1926),

Affiches de cinéma

Types. *1°)* dessinées et plus recherchées, *2°)* à base de montage photographique. *Formats* : jusqu'en 1934 : divers ; apparition des 120 × 160 et 60 × 60. Dep. 1940 : 120 × 160, 60 × 80, 40 × 60, 40 × 80 (formats « pantalons »). Affiches améric. : « three sheets », env. 60 × 160.

Affichistes. *Illustrateurs célèbres* : Dubout, Hergé, Cocteau, Maurice Toussaint, Savignac, Frank Frazetta, Philippe Druillet, B. Grinsson, Ferracci, J. Mascii, R. Soubie, R. Lefebvre, G. Allard, C. Belinsky, J. Bonneaud, Landi, J. Koutachy, Cerrutti, Bernard Lancy.

Collectionneurs. En France plus de 1 000.

Prix (en milliers de F). *Métropolis* (par Boris Bilinsky) 122, record. *L'Arroseur arrosé* : 40, *les Enfants du paradis* : 4, la trilogie *Marius, Fanny* et *César* (illustrée par Dubout) : 14, *la Grande Illusion* (par Bernard Lancy, 1936) : 13 (1986), *l'Atalante, le Silence de la mer, la Belle et la Bête* : 3 et +. Aff. courantes (120 × 160) : 0,3 à 1,5.

Georges Rochegrosse (1859-1938), Joseph Sattler (1867-1931), Raymond Savignac (1907), Bob Schnepf, Sem (Serge Goursat) (1863-1934), Severo Sepo (S. Pozzati dit, 1895), Théophile Steinlen (1859-1923), Bradbury Thompson, James Tissot (1836-1902), Henri de Toulouse-Lautrec (1864-1901), Émile Vavasseur (auteur de l'affiche Ripolin) (1863-1949), René Vincent (1879-1936), Jean d'Ylen.

Quelques exemples de cours (en milliers de F). *Auzolle* 24 (1984), l'Arroseur arrosé. *Barbier* 13,8 (1984). *Bistofli* 4 (1986). *Bonnard* 10 à 150. *Cappiello* 0,9 à 16. *Carlu* 2,8 à 14,2. *Carter (Leslie)* 25 (1985). *Casino* 52 (1984). *Cassandre* 1,8 à 180 [Dubo, Dubon, Dubonnet (1985)]. *Chéret* 0,8 à 26,4. *Chote* 7,8. *Colin (P.)* 1 à 168,2 (1988). *Dada* (salon 1921) 130. *Daumier* (n'a fait qu'une affiche) 7. *Dufrène (Maurice)* 4,8. *Falcucci* 11,4. *Forain* 0,5 à 112. *Grasset (Eugène)* 2,2 à 11. *Ham (Geo)* 5 à 13. *Lhuer (Jean)* 3,2 à 6 (1985). *Loupot (Charles)* 1,5 à 50 (1991). *Mucha* 10 à 150. *Orazi (E.J.F.)* 1,4 à 127,6. *Privat-Livemont* 5 à 39,6. *Rassenfosse* 3,8 à 12. *Savignac* jusqu'à 48. *Steinlen* 30 à 150 (1985). *Toulouse-Lautrec* 3,3 à 490 (1990).

☞ Record. *Koloman Moser* (1902) 744 (1985).

Peinture

Définitions

• Aquarelle. Les couleurs sont diluées à l'eau et étalées sur un support sec ou humide (meilleur fondu). On appelle lumières les blancs du papier laissés en réserve. S'y illustrèrent : Delacroix, Bonington, Jongkind, Boudin, Lami, Bottini, Signac, Cézanne, Vlaminck, Marquet, Dufy, Dunoyer de Segonzac, etc. Utilisée aussi par les illustrateurs (le report sur pierre ou zinc est proche de l'original à l'aquarelle).

• Anamorphose. Peinture disloquant les formes jusqu'à leur donner une apparence inintelligible : le peintre suscite la curiosité. Les motifs disloqués se reforment à partir d'un miroir cylindrique ou si on les regarde sous un certain angle. [Le tableau *les Ambassadeurs* de Holbein (1533, National Gallery, Londres) représente ainsi 2 jeunes hommes riches et beaux ; à leurs pieds une masse informe qui, si l'on se place sur le côté droit, laisse apparaître une tête de mort].

• Collage. Découpage de papiers collés sur de la toile ou du carton. Max Ernst fit sa 1re exposition de collages en 1922, son 1er roman-collage *(la Femme 100 têtes)* en 1929. Matisse l'employa à partir de 1947.

• Décalcomanie. Introduite chez les surréalistes par Oscar Dominguez en 1936 et adoptée par Max Ernst en 1938. Fait surgir des formes par la superposition et la séparation de feuilles de papier ou de toiles déjà enduites de couleurs.

• Détrempe. Désigne l'amalgame subi par toute préparation de peinture (gouache, aquarelle, huile). Par extension, a désigné le procédé de peinture à l'eau dont l'agglutinant est une colle végétale (ex. : gomme arabique pour l'aquarelle), ou animale (ex. : colle de peaux). Utilisée au XVIIIe s. et au XIXe s. pour les papiers peints originaux (très recherchés), G. Desvallières l'utilisa pour ses cartons de vitraux, Édouard Vuillard, Bonnard, Ker-Xavier Roussel (1867-1944), pour leurs maquettes.

• Fixé sous verre. Peinture exécutée au revers d'une plaque de verre. L'œuvre est regardée sur la surface non peinte du verre. Le peintre compose à l'envers : commence par les détails, finit par les fonds. France, Angleterre XVIIIe-XIXe (paysages, portraits, boîtes). Europe centrale (scènes religieuses et populaires).

• Fresque. Peinture murale exécutée avec des couleurs détrempées dans de l'eau sur une surface de mortier frais à laquelle elles s'incorporent.

• Frottage. Mis au point en 1925 par Max Ernst, il correspondait à l'écriture automatique des poètes surréalistes. L'artiste applique une feuille de papier sur un objet, puis la frotte à la mine de plomb pour faire ressortir les irrégularités qui deviennent les éléments de la composition graphique.

• Gouache. Se dilue à l'eau comme l'aquarelle (mais se présente sous forme de pâte sèche ; l'épaisseur de la pâte est obtenue au moment de la détrempe, par adjonction de gommes venant en majorité de l'acacia). Chagall, Dufy, Rouault, Pignon ont souvent utilisé gouache et aquarelle conjointement (fonds à l'aquarelle). Utilisée couramment pour les maquettes de décors et de costumes.

• Miniatures occidentales. Scènes ou surtout portraits exécutés principalement au XVIIIe s., pour des médaillons, des tabatières ou des couvercles de boîtes. Sur *ivoire :* peinture à l'huile. Sur porcelaine : peinture émaillée. *Plaque d'or* ou *de cuivre :* émail cuit, puis peint au pinceau, à l'aide de poudres sèches délayées, d'essence grasse ou demi-grasse. Séchage et cuisson entre chaque couche (jusqu'à 6).

Prix records (mondiaux). Miniature d'Isaac Oliver (1556-1617) 781 200 F au *8-6-1971 ;* m. de Nicholas Hilliard 730 000 F le *24-3-1980 ;* m. de J.-A. Laurent 1 250 000 F (1981).

Miniaturistes célèbres. François Dumont (1751-1831). Jean-Jacques Augustin (1759-1832). Jean-Baptiste Isabey (1767-1855). Jean-Urbain Guérin (1761-1836). Peter-Adolphe Hall (1739-1793), Suédois établi à Paris. Jean-Antoine Laurent (1763-1832).

• Peinture à la cire. *Origine :* haute Antiquité grecque et égyptienne ; pigment incorporé dans la cire : l'ensemble fondu et entretenu dans la cendre chaude pendant le travail de l'artiste. Henri Gros réinventa ce procédé à la fin du XIXe s.

Peinture à l'huile. Inventée par les Flamands au XVe s. Outre l'huile végétale (lin, colza, œillette), le peintre utilise séparément ou conjointement : un acide gras (essence de térébenthine), un médium composé de gommes (variables en qualité et en quantité) en suspension dans l'alcool, des vernis à retouches.

Peinture à l'œuf. Utilisée jusqu'au XVe s. (Pérugin, Raphaël). Emploi de l'œuf comme liant (blanc ou jaune ou les deux réunis mélangés aux pigments).

Peinture en trompe-l'œil. Peinture exécutée avec un tel réalisme qu'elle donne l'illusion de la réalité (illusion de relief).

Peinture polymère. *Acrylique :* acide obtenu par l'oxydation de l'acroléine (CH2-CHCHO) dont les esters se polymérisent en verres organiques. Une émulsion polymère est obtenue par la suspension dans l'eau de minuscules particules dites *monomères.* L'évaporation de l'eau provoque la polymérisation (les molécules identiques se soudent). Cette structure polymère se présente en un verre organique cohérent, solide et indélébile. Résiste au vieillissement, ne jaunit pas, ne craquèle pas, conserve son éclat, (lavable à l'eau pure). *Copolymère* s'obtient par l'addition d'une résine vinylique (obtenue à partir de l'acétylène) à une émulsion acrylique.

Peinture sur bois. Les primitifs peignaient sur bois (peuplier, tilleul, saule, cèdre, pin, chêne). Les Hollandais, Flamands, Napolitains utilisaient les bois flottés (ayant séjourné dans l'eau) qui ne subissaient plus de gauchissements. Le panneau était encollé (6 couches de colle spéciale faite avec des rognures de parchemin), puis recouvert d'une toile très fine pour recouvrir les joints et limiter les effets de la dilatation du bois, et encollé de nouveau (8 couches). Des lames croisées au revers du panneau empêchaient les planches de se disjoindre (parquetage).

• Toiles tendues sur châssis. Utilisées à partir du XVIe s. D'abord tissées de fils de chanvre ou de lin vers le milieu du XVIIIe s., puis de coton (très tirées). Parallèlement, le châssis à clef supplantait le châssis à clous. *Autres supports :* toiles tissées avec la ramie (ortie orientale) utilisées par l'école de Barbizon, soie, ivoire, cuivre, plaque de verre, carton entoilé, (peinture de fleur, d'Odilon Redon) fibrociment.

Nota. – Beaucoup de peintres depuis le XIXe s. n'ont pas su maîtriser leur *technique ;* la plupart ont utilisé, sans connaître la manière dont ils vieilliraient, de nombreux pigments, notamment du bitume qui a viré au noir fumeux en se craquelant, ce matériau ne séchant pas (Prud'hon). Watteau utilisait des huiles trop grasses qui séchaient mal. Manet utilisait trop d'huile (ses œuvres ont perdu de leur éclat). Beaucoup n'ont pas su préparer leur support, ont abusé des épaisseurs (les toiles sont des pièges à poussière).

Photomontage. Regroupant des éléments figuratifs disparates. *Ex. : l'Éléphant Célèbes, Œdipus Rex* de Max Ernst en 1921-1922.

Nettoyage des tableaux. *Superficiel :* eau tiède mélangée à du savon de Marseille sur éponge à peine humide (à utiliser avec précaution). Pomme de terre, oignon ou demi-citron ne nettoient pas et peuvent causer des dégâts supplémentaires.

Nombre d'or. Nom donné par les artistes de la Renaissance au rapport $\frac{1 + \sqrt{5}}{2}$, soit environ 1/1,618. Deux dimensions sont alors entre elles dans la même proportion que la plus grande avec leur somme. Cette proportion entre 2 grandeurs est considérée comme privilégiée par un certain nombre de penseurs et d'artistes depuis l'Antiquité. Sa formule a été utilisée en architecture (pyramide de Chéops, Parthénon), en sculpture, en peinture.

Format des tableaux

Les plus grands tableaux du monde

• Tableaux. **Exécutés avant 1860.** *Le Paradis* exécuté de 1587 à 1590 par Le Tintoret et son fils (Venise, Palais des Doges) : 22 m × 7 m. *Les Noces de Cana* de Véronèse (1528-88) (Louvre) : 6,70 m × 9,75 m.

Exécutés après 1860. *La Bataille de Gettysburg* (Caroline du N., U.S.A.) : 125 m × 21,3 m, 5,5 t, terminé en 1883 après 2 ans 1/2 de travail par Paul Philippoteaux (Français) et 16 assistants. *La Bataille d'Atlanta* (Grant Park, Atlanta, Georgie, U.S.A.) : 121,9 m × 15,24 m, 8 t ; exécuté en 1885-86 par 2 Allemands. Le *Panorama du Mississippi* (City Art Museum, St Louis, Miss., U.S.A.) : 106,7 m ; un autre *Panorama du Mississippi,* achevé en 1846 par John Banvard, mais détruit en 1891, mesurait 152,5 m × 3,65 m. *La Fée Électricité* (Paris, musée d'Art moderne de la Ville) (commandée à Raoul Dufy par la C.G.E. pour l'Exposition de 1937) : 60 m × 10 m. *La Tentation de St Antoine* (ex. à Vézelay par Claude Manesse) : 2 m de haut × 20 m de long.

• Fresque. **La plus grande.** 1 ha, décore le toit du mémorial des Vétérans à Phoenix, Arizona (U.S.A.) ; *créée* par John Glitsos (1973).

• Mosaïque. **La plus grande.** Bibliothèque de l'université de Mexico (1 203 m² sur les plus grands murs).

Mesure

Le format d'un tableau se mesure en nombre de points. Ex. : un tableau de 55 cm de long sur 33 cm de large sera appelé un 10 marine.

Points	Figure	Paysage	Marine
0	18 × 14	18 × 12	18 × 10
1	22 × 16	22 × 14	22 × 12
2	24 × 19	24 × 16	24 × 14
3	27 × 22	27 × 19	27 × 16
4	33 × 24	33 × 22	33 × 19
5	35 × 27	35 × 24	35 × 22
6	41 × 33	41 × 27	41 × 24
8	46 × 38	46 × 33	46 × 27
10	55 × 46	55 × 38	55 × 33
12	61 × 50	61 × 46	61 × 38
15	65 × 54	65 × 50	65 × 46
20	73 × 60	73 × 54	73 × 50
25	81 × 65	81 × 60	81 × 54
30	92 × 73	92 × 65	92 × 60
40	100 × 81	100 × 73	100 × 65
50	116 × 89	116 × 81	116 × 73
60	130 × 97	130 × 89	130 × 81
80	146 × 114	146 × 97	146 × 89
100	162 × 130	162 × 114	162 × 97
120	195 × 130	195 × 114	195 × 97

Authenticité

• Grands faussaires. **Pietro della Vecchia** (XVIIe s.) faux Giorgione. **Hans Hofmann** faux Dürer. **Franchard et Terenzio da Urbino** (XVIIIe s.) faux Raphaël. **Elmyr de Hory** (1905-1976) faux Dufy, Derain, Matisse, Marquet, Modigliani, Van Dongen. **Marcel Mariën** (1920), surréaliste belge, ami de *René Magritte,* vendit de 1942 à 1946 un grand nombre de dessins et tableaux attribués à Picasso, Braque et De Chirico, tous peints par Magritte. **Hans Van Meegeren** (1880-1947), Hollandais morphinomane, peignit de 1937 à 1945 de faux Vermeer. Il répandit la rumeur que Vermeer aurait peint des sujets religieux et mystifia les experts et le collectionneur Van Beuningen. Il vendit *le Christ et la femme adultère* à Goering. Accusé de collaboration avec les Allemands, il dut avouer pour se disculper. Pour prouver ses capacités, il exécuta en 8 semaines, sous surveillance, *Jésus parmi les docteurs.* Condamné à 1 an de prison le 12-11-1947. Gracié, il mourut en clinique le 30-12-1947. **Otto Wacker,** v. 1930, faux Van Gogh. **Jean-Pierre Schecroun,** 1960 à 1962, faux

Picasso, Nicolas de Staël, Hartung, Pollock, Miró, Léger, Kupka, Braque. **David Stein,** 1961 à 1966, env. 400 faux Chagall, Matisse, Picasso. **Fernand Legros** (26/1/1931-1983) a vendu au musée de Tokyo et à l'Américain Meadows environ 40 faux, la plupart peints par Real Lessard.

☞ **Dalí** avait lui-même présigné des feuilles stockées dans un garde-meuble de Genève (estim. en 1982 : 20 000), d'où de nombreux « demi-faux ».

☞ **Il y aurait en Europe env. 30 000 faux Corot.** *Les Center Art Galleries* ont vendu en 13 ans pour 2 600 millions de $ de fausses lithos achetées 50 à 100 $ aux faussaires, revendues 2 000 à 30 000 $ (Dali : fausses lithos à Honolulu, 1990).

• **Erreurs d'attribution.** 2 Watteau achetés par le Louvre 1 500 000 F en 1927 furent attribués + tard à Quillard, perdant ainsi les 9/10 de leur valeur. En 1972, on attribuait 200 à 300 peintures à Watteau ; depuis, 39 à 42. Un *Christ guérissant un aveugle,* attribué à Véronèse, fut adjugé 37 800 £ chez Christie à Londres en 1958 : 2 ans après, il fut attribué au Greco et revendu 100 000 £. La *Messe pontificale,* attribuée à Antoine Le Nain, a été auparavant attribuée à Pourbus, Champaigne, Van den Berg, Chalette et Bergaigne. Le *Concert champêtre* par Giorgione est considéré comme une œuvre de jeunesse du Titien (Louvre). Le *Philosophe,* attribué à Rembrandt, est aujourd'hui attribué à ses élèves. *Descartes* par Frans Hals (Louvre) et *St Jérôme lisant* par Georges de La Tour sont contestés. Le Centre Georges-Pompidou a failli acheter en 1981 3 tableaux de Mondrian, qui se révélèrent faux. *Les dessins de Rimbaud* avaient été décalqués sur divers livres et journaux. *Un Coucher de soleil sur l'Adriatique* signé J.R. Boronali remporta un vif succès en 1910. Son auteur était en réalité un âne (Boronali : Aliboron), à la queue duquel un pinceau avait été attaché. Ce canular était dû à de joyeux drilles montmartrois (dont Roland Dorgelès). *Diane au bain* a été attribué à Rembrandt de 1910 à 1926 ; prix (en F 1983) : *1892* 1 300 F, *1926* 340 000 F, *1983* 95 000 F. Un tableau *(Bacchanale)* acheté par le Louvre en 1968 s'est révélé être un Poussin *(Olympos et Marsyas),* après une attribution erronée à l'école des Carrache (20 ans de procédure pour le jugement et la restitution). La publication du catalogue définitif des œuvres de Rembrandt (1er vol 1982, 2e 1986, 3e 1989) est en cours. Vers 1900, on comptait 966 Rembrandt, le nombre des vrais ne serait que de 300. Un *Portrait de jeune homme barbu* de la collection Thyssen, estim. 14 millions de $ par Sotheby's, a été vendu 800 000 $ après sa désattribution.

Expositions

• **Salons.** Expositions périodiques d'œuvres d'artistes vivants. Le 1er Salon s'ouvrit à Paris en 1667, à l'instigation de Colbert. Il y eut sous Louis XV 25 expositions de 1725 à 1773. Elles s'ouvraient généralement le 25 août, jour de la St-Louis, duraient un mois et se tenaient dans le Salon Carré du Louvre (d'où vint leur nom). De 1751 à 1795, le Salon fut bisannuel. Seuls exposèrent des membres de l'Académie royale de peinture et de sculpture et des professeurs de l'école. Sous la Révolution, l'Académie fut supprimée.

La création de l'Académie des beaux-arts de France, en 1795, entraîna le retour du favoritisme et l'exclusion des artistes indépendants. De 1795 à la fin du XIXe s., la plupart des grands peintres français luttèrent ainsi contre cet arbitraire. Eugène Delacroix (1798-1863), chef des romantiques, maltraité par Jean Auguste Dominique Ingres (de l'Académie et défenseur du classicisme). En 1863, Napoléon III créa le Salon des Refusés où, devant des milliers de visiteurs, furent exposées les œuvres de Courbet, Fantin-Latour, Manet, Harpignies, Whistler et Jongkind.

• **Galeries.** Il y en a env. 400 à Paris (+ celles du plateau Beaubourg).

Prix

Éléments du prix

Notoriété de l'auteur. Authenticité du tableau. Provenance. Rareté. Qualité. Période de l'artiste. État de conservation. Dimensions. Forme (toiles ovales peu recherchées : question de mode et de cadre difficile à trouver). *Sujet : Portraits :* on préfère les fonds clairs (fonds d'or pour les primitifs italiens), une femme ou un enfant à un homme (surtout s'il s'agit d'abbés ou de gens de justice), une princesse à une bourgeoise, une personne célèbre à un inconnu. *Nus :* le féminin est plus apprécié que le masculin jugé académique (à qualité égale, 1 nu féminin de Boucher se vend 5 fois + cher qu'un masculin). *Scènes :* on préfère des scènes civiles (kermesses, intérieurs typiques, etc.) aux scènes religieuses et, pour celles-ci, les souriantes (Nativité ou Annonciation) aux douloureuses (Crucifixion ou Déposition). *Natures mortes :* on préfère les fonds clairs, les compositions aérées et harmonieuses : fleurs, tables servies, coquillages ou instruments de musique (rarissimes), vanités de belle qualité (gibiers morts ou poissons déplaisent à beaucoup). Actuellement, les natures mortes françaises sont très recherchées (Linard, Moillon). Le *pastel,* moins recherché, car fragile (craint trépidation et humidité) et difficile à restaurer, vaut 3 à 5 fois moins cher qu'une toile (exceptions : *Perronneau* qui a peint peu de toiles et *M.Q. de La Tour* aucune).

L'usage de la signature se répand au XVIIe s. et devient courant au XVIIIe s. Les tableaux non signés sont alors dépréciés par rapport aux tableaux signés. Un changement d'identité (tableau reconnu de, et non pas copie) peut multiplier ou diviser par 100 le prix d'un même tableau. Les appellations d'écoles nationales deviennent plus rares, car on s'efforce de rattacher les tableaux à des maîtres. La valeur décorative d'un tableau non signé détermine généralement son prix (très faible par rapport à un tableau signé : de 1 à 10 % suivant la qualité).

Il est difficile d'établir la cote des peintres célèbres, certains étant très rarement ou jamais cotés (ex. : Van Eyck, Roger Van der Weyden, Giotto, Raphaël, Léonard de Vinci, etc.). La cote d'un même peintre varie suivant le sujet traité (ex. : Corot), les périodes de la vie du peintre auxquelles elles se rattachent (ainsi les œuvres de la période fauve de Vlaminck se vendent 1,5 à 5 fois + cher que celles de ses autres périodes ; Picasso est préféré pour ses périodes bleue et rose, puis pour ses toiles cubistes et ses toiles classiques, et enfin pour ses toiles récentes). Les peintres modernes bénéficient souvent d'un engouement semblable à celui qu'ont connu certains peintres du XIXe s. dont les cours se sont effondrés.

Évolution

1900-30 : forte progression ; baisse après la crise de 1929-30, puis progression jusqu'en 1950 (nabis, fauves, cubistes, surréalistes, expressionnistes) ; **1950-73 :** hausse générale ; **1974-77 :** crise de la peinture contemporaine : baisse générale de la cote ; **1977-81 :** selon l'offre et la demande ; hausses sur les tableaux de qualité (impressionnistes, pompiers, orientalistes, petits-maîtres, symbolistes, préraphaélites, néoclassiques). **1982-88 :** remontée de la cote de la peinture contemporaine.

☞ *Sources.* **Bénézit** (dictionnaire des peintres, sculpteurs, dessinateurs et graveurs). *Créé* en 1911 par Emmanuel Bénézit (1854-1920). *1re édition* 1911-1923 : 3 vol. *2e éd.* 1948-1955 : 8 vol. *3e éd.* 1976 : 10 vol. (env. 8 000 pages, 200 000 entrées).

Van Wilder. Le Semestriel des Arts. 1re parution 1988. 40 000 résultats. Parution en mars et septembre chaque année. *Tirage (1990) :* 6 000 ex. de chaque édition.

Annuaire des Cotes/Art Price Annual. ADEC Productions. *Créé en* 1988. En 1991 a donné 140 000 prix pour 35 300 artistes. *Parution :* décembre. *Tirage (1991) :* 14 000 ex.

Prévisions. A long terme, les œuvres exceptionnelles des meilleurs peintres augmenteront, car les œuvres de qualité sont rares sur le marché.

Le nombre des musées s'accroît et beaucoup désirent se constituer des collections représentatives des diverses époques. Les œuvres achetées par les musées ne reviennent plus dans les ventes publiques (sauf aux U.S.A. où les musées sont privés). Ainsi malgré une baisse de la peinture abstraite, en 1962, les cours des « têtes de file » comme Mondrian, Kandinsky, Soulages, de Staël et les peintres américains ont monté. Depuis 1968, certains tableaux d'impressionnistes et de modernes ont atteint un tel prix qu'ils ne peuvent plus augmenter en F constants.

Tableaux les plus chers du monde

• **Tableaux achetés de gré à gré. Anciens. 1967.** *Ginevra dei Benci* (portrait présumé) de Léonard de Vinci, peint sur bois laqué, acheté 30 000 000 F au Pce de Liechtenstein par la National Gallery de Washington. **1972.** *Le Tricheur à l'as de carreau* de G. de La Tour, acheté par le Louvre 10 000 000 F (aidé par le Gouvernement pour 5 000 000 F). **1974.** *Le Verrou* de Fragonard, acheté 5 000 000 F par le Louvre ; attribué à un de ses élèves, il avait été adjugé 55 000 F en 1969. *La Madeleine au miroir* de G. de La Tour, acheté 12 000 000 F par la National Gallery de Washington. **1979.** *Le Mariage de Poséidon et d'Amphitrite* de L. de Vinci, acheté 50 000 000 F par un musée hollandais. **1980.** *Le Christ faisant ses adieux à sa mère* d'Albrecht Altdorfer (1er Européen ayant osé peindre des paysages véritables), acheté 60 000 000 F par la National Gallery de Londres aux héritiers de Lady Zia Wernher, belle-fille du collectionneur Sir Julius.

La Joconde (77 × 53 cm). Peinte par Léonard de Vinci, v. 1499-1512, représenterait Mona (diminutif de Madonna) Lisa Gherardini, épouse de Francesco del Giocondo, de Florence, qui, n'aimant pas le tableau, aurait refusé de le payer à Vinci. Il y eut 2 commandes : François Ier acheta celle du Louvre en 1517, 4 000 florins d'or (15 kg), soit au cours du lingot début 1989 (1 179 000 F) ; l'autre serait peut-être à Lausanne dans le coffre d'une banque, attendant toujours un certificat d'authenticité.

Modernes. 1964. *Les Grandes Baigneuses* (130 × 195 cm) de Cézanne, acheté par la National Gallery de Londres aux héritiers d'Auguste Pellerin, 7 500 000 F. **1973.** *Blue Poles* (les Mâts bleus, 2,10 × 5,90 m) de Jackson Pollock (1912-56), peint en 1953, acheté par la National Gallery d'Australie à Canberra 8 400 000 F.

• **Record absolu en ventes publiques.** (depuis 1957, en F). **1957 Gauguin,** *Nature morte aux pommes* (66 × 76 cm), 1 040 000, Paris. **1958 Cézanne,** *Le Garçon au gilet rouge* (92 × 73 cm), 2 306 000, Londres. **1959 Rubens,** *L'Adoration des Mages* (370 × 280 cm), acheté par le King's College (Cambridge, G.-B.), 3 800 000, Londres. **1961 Fragonard,** *La Liseuse* (80 × 65 cm), acheté par la National Gallery de Washington à la vente Erickson, 4 375 000, New York. **1961 Rembrandt,** *Aristote contemplant le buste d'Homère* (141 × 134 cm), acheté par le Metropolitan Museum de New York à la vente Erickson, 11 500 000, New York. **1965** (15-3) **Rembrandt,** *Titus* (60 × 65 cm), acheté par Norton Simon (U.S.A.) à la vente Francis Cook, 11 720 000, Londres. **1970** (27-10) **Vélasquez,** *« L'Esclave de Vélasquez » Juan de Pareja* (78 × 64 cm), peint en 1649, acheté par la Galerie Wildenstein (U.S.A.) à la vente Radnor (il avait été acheté 40 £ en 1801 et 151 £ en 1810 ; le Louvre avait offert jusqu'à 13 200 000 F), 30 600 000, Christie's (Londres). **1983** (6-12) **H. le Lion,** *Les Évangiles* 81 400 000, Sotheby (Londres). **1984** (5-7) **Turner,** *Folkestone,* 85 000 000. **1985** (18-4) **Mantegna,** *l'Adoration des mages* (v. 1500) 87 480 000, Christie's (Londres). (30-3) **Van Gogh,** *Les Tournesols* (huile sur toile, 1889, 92 × 73 cm) 267 300 000, Christie's (Londres). **1987** (11-11) chez Sotheby's, New York **Van Gogh,** *Les Iris* (huile sur toile, 71 × 93 cm) 323 400 000 F. L'acheteur, Alan Bond, devait encore env. 120 000 000 de F sur 162 000 000 (empruntés à Sotheby's), et a finalement revendu le tableau, début 1990, au J. Paul Getty Museum à Malibu (Californie). **1990** (16-5) chez Christie's, New York **Van Gogh,** *Portrait du docteur Gachet* 458 000 000 de F. (17-5) chez Christie's New York **Renoir,** *Le Moulin de la Galette* 450 000 000 de F. Ces deux tableaux ont été acquis par la galerie jap. Kobayashi.

• **Record à Drouot (Montaigne).** **1987** (20-11). **Modigliani,** *La Belle Romaine* (peint. 100 × 65 cm) 41 000 000 F. **1989** (30-1). **Picasso,** *Les Noces de Pierrette* peint. 300 000 000 F (acheté pour Tomonori Tsurumaki, P.-D.G. de Nippon Auto Pokis). Le Suédois Fredrick Roos avait obtenu pour ce tableau une autorisation de sortie en donnant à l'État *La Célestine* (1904, période bleue) qu'il avait acheté 100 000 000 F chez Didier Imbert qui, lui-même, l'avait acheté 25 000 000 F en 1987.

☞ Avant *1914,* plusieurs tableaux ont été payés plus de 20 millions de F *1990. Ex. : 1885 :* la *Madone Ansidei* (Raphaël) 37 504 000 F ; *1900 : Portrait d'Elena Grimaldi-Cattaneo* (Van Dyck) 51 137 280 F ; *1901 :* tableau d'autel Colonna (Raphaël) 65 148 200 F ; *1911 : Le Moulin* (Rembrandt) 34 531 200 F ; *1911 : Petite Madone* (Raphaël) 48 576 000 F ; *1914 : Madone Benois* (L. de Vinci) 12 833 900 F.

Exemples de cotes (en milliers de F)

Primitifs et XVIe s.

Les œuvres du XIIIe et XIVe s. sont rarissimes. En général, il ne se vend en France qu'env. 20 œuvres anciennes de grande qualité par an.

Allemands. *Maître de l'autel de Maikammer* [triptyque (panneau central 143 × 125 cm, volets 143 × 55 cm)] 1 210,6 (1977) ; *Atelier du Maître de Francfort* [triptyque (114 × 76,6 cm)] 829,9 (1984). *Baldung Grien* 2 234,4 (1978). *Cranach (le Vieux)* 118,8 à 4 121 (1989), ex. 42 614 (1990) ; *(le Jeune)* 65 à 360 (1980). *Dürer* 5 337,6 (1978). *Strigel (B.)* 1 094,4 (1978).

Espagnols. *Le Greco* 850,6 (1978). *Bernat Martorell* (catalan), rétable de la légende de Ste-Ursule 22 047 (1989).

Flamands et Hollandais. *Beert (Osias)* 291 à 5 198,8 (1989). *Bouts (Dieric),* Résurrection 16 320 (1980). *Bruegel (Jan* dit *de Velours)* 60 à 10 582 (1990). *Juan de Flandes* 1 220. *Maître de la Manne* 1 105 (1987). *Mostaert (G.)* 856 (1989) ; *(J.-J.-S.)* 963 (1989). *Van Stalbemt* 45,4 à 514,8 (1989). *Van Valckenborch* 49 à 1 100. *Van Veen* (dit Heemskerk) 4 403,6 (1986). *Vrancx(S.)* 972,4 (1990). *Wtewael (J.)* jusqu'à 7 922 (1988).

Français. *Corneille de Lyon* 202,9 (1989) à 1 140 (1988). *Gérard David* 7 932 (1988).

Italiens. *Altobello Melone* 392,2 (1978). *Bassano (J.)* 57,1 à 3 686 (1972). *Botticelli* 8 250 (1982). *Vincenzo Campi* jusqu'à 2 860 (1987). *Carpaccio* 1 900 (1974). *Cola da Camerino* env. 7 000 (1989). *Duccio di Buoninsegna* 8 500 (1976). *Gentile Da Fabriano* (entourage de) 3 524 (1986). *Fra Angelico* 2 800 (2 panneaux, 1972). *Ghirlandaio* 1 250,5 (1980). *Giotto* (atelier d'Ambrogio) 515 (1980). *Giovanni di Paolo* 925 à 4 560 (1978). *Lotto (L.)* 1 819 (1984). *Luca di Tommè,* 720 (1989). *Maestro del Bambino Vispo* 950 (1980). *Mantegna* 98 000 (1987). *Mazzolino L.* 1 350 (1986). *Monaco* 3 966 (1988). *Orcagna* 132 (1972). *Paggi* 840 (1989). *Il Parmigianino,* rec. 5 590 (1977). *Pier-Francesco Fiorentino* 196,7 à 547,2 (1979). *Piero della Francesca* rec. 10 000 (1978). *Piero di Cosimo* 19 500 (1989). *Pontormo* 211 200 (1989). *Raphaël* 1 131 à 3 500 (1984). *Rocco Zoppo (Giovanni M. di B.)* Pietro 44 551 (1989). *Sano di Pietro* 880 (tempera, 1990). *Sebastiano del Piombo* 3,9 à 1 000 (1977). *Taddeo di Bartolo* 245,9 à 501,6 (1978). *Tintoret* 82,4 à 3 000 (86). *Titien* 900 (1981), 15 216 (1989), la Mort d'Actéon 23 500 (rec., 1971). *Vanucci (Pietro) dit Le Pérugin* 3 002,4 (1990). *Véronèse* 15 444 (1990).

XVIIe s.

Espagnols. *Arellano (J. de)* 120 à 3 718 (1990). *Murillo* 109 à 23 740 (1990). *Ribera (J. de)* 160 à 24 212,5 (1990). *Valdès Leal (Juan de)* 11,4 à 459,7 (1989).

Flamands et Hollandais. *Avercamp* 240 à 2 360 ; ex. 6 779,5 (1990). *Bosschaert (J.)* 9,7 à 3 400 (1989). *Bruegel (P.)* 77 à 17 118 (1989). *Cuyp (A.)* 19,8 à 6 999 (1973). *Daniels (A.)* Bouquet 2 000 (1988). *Flinck* 45 à 2 345,8 (1989). *Fromantiou (Hendrich De)* 300 à 3 626. *Hals* 39,9 à 2 900 (1988). *Heda (Willem Claesz)* 78,5 à 8 436 (1988). *Heem (C. De)* 137,3 à 4 000. *Heem (J.D. De)* 400 à 36 797 (1988). *Hooch (Pieter De)* 77 à 2 468 (1987). *Jordaens* 77 à 4 280 (1989). *Lingelbach* 23,4 à 330 ; ex. 2 400 (1990). *Maes (N.)* 32 à 4 000 (1985). *Metsys* 32,3 à 127,5 (1976). *Mommers (H.)* 8,2 à 465 (1988). *Momper (J. De)* 193,7 à 5 241 (1989). *Olis (J.)* 2 367 (1989). *Potter (P.)* 45,8 à 9 682 (1988). *Rembrandt* 1 250 (1980), 16 250 (Junon, 1976), 68 099 (déc. 1986). *Rubens* 85 à 29 055 (1989). *Ruisdael* 100 à 5 400 (1983). *Savery (R.)* 23 à 4 938 (1990). *Steen (J.)* 12,5 à 17 118 (1989). *Storck (A.)* 33,6 à 555. *Suchtelen* 300 (1990). *Teniers (D. II)* 27,1 à 2 096,5 (1989). *Ter Borch* 79,9 à 1 100 (1989). *Ter Brugghen (Henrick)* 242 à 11 000 (1985). *Treeck* jusqu'à 1 087 (1987). *Uyttenbroeck* 40 à 660 (1982). *Van Barburen* jusqu'à 11 001 (1987). *Van der Ast* 200 à 6 000. *Van der Neer (A.)* 18,4 à 1 900 ; ex. 4 852,5 (1990). *Van de Velde (le Jeune)* 33 à 498 (1989). *Van de Velde (le Vieux)* 115 à 658,6 (1990). *Van Dyck (A).* 80 à 7 748 (1989). *Van Goyen* 70 à 5 000. *Van Mieris (le Vieux, Frans I)* 104,8 à 3 775,2 (1990). *Van Thielen (J.)* 52,8 à 2 200 (1989). *Uyl* 12 266 (1988). *Verelst (S.P.)* 6,5 à 2 574 (1990). *Vlieger (S. De)* 8,7 à 4 500. *Weenix (J.)* 2 802,8 (1990). *Wouwermans (P.)* 20 à 4 773 (1988).

Français. Œuvres plus rares : *Champaigne (Ph. de)* 38 à 1 300 (1985). *Dubois (Ambroise)* 70 à 260. *La Tour (G. de)* 1 000 à 10 000 (1972), tableau de l'atelier : 8 500 (3-12-1985, « ravalé par le propriétaire »). *Le Brun (C.)* 193,7 à 1 000 (1989). *Le Lorrain* 550 à 4 358,3 (1989). *Le Nain* (ou *le Maître des Jeux)* 2 101,3 (1984). *Mignard* 85,6 à 1 150 (1989). *Louise Moillon* 140 à 2 354 (1989). *Poussin (N.)* 1 600 (1983), 16 500 (1981). *Soreau (Isaac)* 4 900 (1990). *Tassel (J.)* 40 à 1 390 (1987). *Valentin de Boulogne* 2.534, ex. Les Tricheurs 22 500 (1989). *Vouet (Simon)* 198 à 3 800 (1989).

Italiens. *Carrache (Annibal)* 145,3 à 2 371,2 (1978), ex. 8 577 (1987). *Le Dominiquin,* record 1 320 (1971). *Le Guerchin* 1 001,2 (1981). *Reni* 27 000 (record 85).

XVIIIe s.

Anglais. *Constable* 78 à 105 850 (1990). *Gainsborough* 41 à 16 050 (1988). *Hogarth (W.)* 2 800 (85). *Lawrence (T.)* 87,2 à 6 420 (1988). *Reynolds (J.)* 26,4 à 3 649 (1983). *Russell (J.)* 8,2 à 280. *Stubbs (G.)* 50 à 6 292 (1990). *West (B.)* 67,8 à 17 660 (1987). *Zoffany* 40 à 27 118 (1989).

Espagnols. *Goya* 400 à 9 000 (1981).

Français. *Boucher* 42 à 13 000 (1988). *Carmontelle (L. Carrogis)* v. à dessin. *Chardin* 400 à 14 582 (1989). *Danloux (H.-P.)* 77,2 à 886,6 (1990). *David (J.L.)* 24 794 (1987). *Desportes (A.-F.)* 2 211,3 (1984). *Drouais (Fr.-H.)* 145 à 820 (1987). *Dunouy (A.-H.)* 420 (1989). *Fragonard* 168 à 8 000 (1988). *Gagneraux* 180 (1984). *Gérard (Marg.)* 1 420 (1990). *Gobert* 310 (1990). *Greuze* 36 à 2 600 (1986). *Huet (J.-B.)* 29 à 400 (1989). *Lagrenée le Jeune* 43 à 300. *Lancret* 100 à 1 327 (1987). *Largillière* 52 à 2 556,8 (1988). *Le Moyne (F.)* 7 000 (1989). *Leprince (J.B.)* 850 (1988). *Nattier* 90 à 3 500 (1988). *Oudry (J.-B.)* 68,9 à 3 600 (1990). *Pater* 25 à 820 (1988). *Perronneau* 13,9 à 1 000 (1976). *Pillement* 20 à 450 (1990). *Restout* 2 000 (1990). *Rigaud* (H.) 170 à 572 (1990). *Robert (H.)* 10 à 6 000 (1989). *Saint-Aubin (G. de)* 39 à 980, except. 3 100 (1986). *Taurel* 240 (1989). *Valade (J.)* jusqu'à 2 850. *Vernet (J.)* 26 à 5 617,3 (1989). *Vigée-Lebrun* 12 à 6 900 (1984). *Watteau* 27 à 6 258.

Italiens. *Bellotto* 80 à 10 778 (1989). *Canaletto* 179,2 à 11 622 (1989) ; ex. 57 200 (paire, 1990). *Carlone (E.I.)* 9 à 2 310 (1966). *Guardi* 40 à 94 350 (1989). *Longhi* 20,6 à 2 621 (1989). *Tiepolo (G.-D.)* 55 à 4 900. *Zuccarelli* 61,6 à 1 065,4 (1990).

Pays-Bas. *Casteels* 250 (1990). *Dumesnil* 103 (1990). *Van Kessel (J.)* 40 à 1 150 (1981). *Van Os* 55 à 820, 2 500 (1985). *Van Pol (Ch.)* 362 (1988).

Suisse. *Liotard (J.-E.)* 750 à 2 700 (1981).

XIXe s.

Divers. *Abott (J.W.)* 1 000. *Agasse (J.-L.)* 4 125,9 à 40 827 (1988). *Alken (Henry Junior)* 7 à 162. *Alken (Henry Senior)* 12,9 à 824,2. *Bingham (George Caleb)* 28 à 4 418 (1978). *Blum (R.F.)* 26 à 3 010. *Bocion (F.)* 5,9 à 570 (1989). *Boilly (J.)* 3,8 à 360 (1986). *Boilly (L.-L.)* 9,6 à 3 700 (1990). *Boldini (G.)* 500 à 9 510 (1989). *Bonheur (R.)* 3,6 à 328,9 (1990). *Bonington* 22 à 3 103. *Boutet de Monvel (L.-M.)* 2,8 à 200 (1989). *Bunny* 7,3 à 3 600 (1989). *Caminade* 260 (1989). *Carolus Duran* 2 à 350 (1989) ; ex. 2 116,4 (1989). *Carrier-Belleuse (P.)* 1,7 à 253,6. *Cassatt (Mary)* 96 à 17 152 (1989). *Catlin (G.)* 39,6 à 2 802,8 (1989). *Chaigneau (P.)* 3,8 à 205 (1990). *Chase (W.M.)* 35 à 6 340 (1989). *Chassériau (Th.)* 7 à 870. *Church (F.-E.)* 18 à 47 550 (1989). *Corot* 1,5 à 36 385 (N.Y. 1984). *Courbet* 8,6 à 8 900 (84). *Cropsey (J.)* 22 à 3 360 (81). *Danby (F.)* 2,8 à 749. *Daubigny (C.-F.)* 4,8 à 729. *Daubigny (K.)* 3,2 à 80,5. *Daumier* 11 à 5 720 (1990). *Delacroix* 22 à 9 630 (1988) ; ex. 28 600 (1989). *Demarne (J.-L.)* 13 à 480. *Detaille (E.)* 1,7 à 274,6 (1990). *Devéria (E.)* 3,8 à 130 (1990). *Diaz de la Peña (N.-V.)* 1,6 à 286 ; ex. 5 229,9 (1990). *Doré (G.)* 4,4 à 3 328 (1989). *Dreux (A. de)* 4,8 à 1 016 (1988). *Dupré (V.)* 7 à 193. *Eakins (Thomas)* 6 à 1 194,6 (1978). *Farny* 25,7 à 2 576. *Ferneley (J.)* 5,4 à 1 375 (1982). *Forain (J.-L.)* 5 à 511,4. *Friedrich (C.D.)* 1 700 (1981) ; ex. 14 000 (1987). *Galien-Laloue (E.)* 3 à 216,3. *Gavarn (G.)* 3 à 23,3. *Geoffroy (H.)* 4,3 à 315 (1990). *Gericault* 15,9 à 35 520 (1989). *Grimshaw (J.A.)* 19 à 605 (1981). *Gros (J.A.)* 4 000 (1988). *Guardi (G.)* 27 à 2 700 (1989). *Gudin (H.)* 3,4 à 55. *Gudin (J.)* 3 à 34,6. *Harpignies* 2,9 à 340. *Heade (M.J.)* 28,5 à 10 500 (1987). *Herring (J.-F. Senior)* 5,1 à 5 811 (1989). *Hodler (F.)* 78 à 2 800 (1979). *Homer (W.)* 456 à 7 480 (1980). *Hoppner (J.C.I.)* 25,5 à 1 650 (1982). *Huet (P.)* 2,8 à 54. *Hunt (W.H.)* 7,5 à 506 (1981). *Icart (L.)* 310 (1991). *Ingres (J.-D.)* 18,5 à 14 430 (1989). *Inness (G.)* 17,6 à 5 389 (1989). *Isabey (E.)* 6,3 à 280. *Jacque (C.)* 1,1 à 393,1. *Jongkind (J.-B.)* 33 à 830 ; except. 1 277,6 (1984). *Kensett (J.-F.)* 13,9 à 4 320. *Laprade* 3 à 480 (1989). *Lear (E.)* 33 à 550 ; ex. 1 162,2 (1990). *Lebourg (A.)* 17 à 955 (1990). *Leickert (C.)* 4,1 à 509 (1989). *Leighton (Lord) (F.)* 10 à 9 685 (1990). *Lepage (F.)* 688,2 (1985). *Lepoitevin (E.)* 6 à 94. *Leprin (M.)* 12 à 900 (1990). *Lewis-Brown (J.)* 2,7 à 127,6. *Maillol (A.)* 24,5 à 3 500 (1989). *Marshall (Ben)* 12,7 à 4 654,5 (1988). *Meissonier (L.-E.)* 4,7 à 174 (1987). *Millet (J.-F.)* 15 à 4 500 (85). *Miró* 187,2 à 48 620 (1989). *Monchablon (J.-F.)* 3,6 à 160,2 (1989). *Monticelli (A).* 4,4 à 2 227,6 (1990). *Moran (L.)* 12 à 126. *Munnings (Sir A.)* 9,7 à 6 600. *Olive* 430 (1990). *Pearce (C.S.)* 10,5 à 1 260. *Pollard (James)* 10,5 à 3 450 (1988). *Portaëls* 1,8 à 85,6. *Poynter* 26 à 2 000 (85), ex. 4 280 (1988). *Prendergast (M.)* 33 à 10 461 (1989). *Princeteau* 3,2 à 550 (1988). *Prud'hon (P.-P.)* 50 à 1 498,5 (1984). *Puvis de Chavannes* 17 à 1 743,3 (1990). *Raeburn (H.)* 9,8 à 1 650. *Raffaelli (J.-F.)* 7 à 581,1 (1990). *Raffet (A.)* 2 à 45. *Ranney (W.-J.)* 2 992. *Remington (F.)* 62,9 à 5 000 (1985) ; ex. 24 596 (1989). *Renaudin (A.)* 5,7 à 245 (1989). *Rochegrosse (G.)* 2,4 à 300 (1990). *Rousseau (Th.)* 8 à 2 409,2 (1989). *Salomon (A.)* 5 à 672. *Sargent (J.-S.)* 24,2 à 4 066 (1988). *Saurfelt (L.)* 2 à 37,2 (1989) ; except. 100 (1986). *Schelfhout (A.)* 6,9 à 1 257,9 (1990). *Schlesinger (F.)* 20 à 180,4. *Schwiter (L.A. de)* 641 (1983). *Sorolla y Bastida (J.)* 17 à 15 980,3 (1990). *Spohler (J.J.)* 8,6 à 285,3. *Steinlen (I.)* 5 à 825 (1989). *Stuart (G.)* 5,3 à 4 000. *Tissot (J.)* 19,8 à 7 925 (1989). *Trouillebert (P.-D.)* 7,4 à 380. *Troyon (C.)* 3 à 634 ; ex. 3 600 (1990). *Turner (J.-M.-W.)* 95 à 26 700 (Juliette et sa nurse, 1980). *Vallotton* 11 à 749 ; except. 1 300 (1987). *Van Dael* 2 050 (1991). *Vernier* 3,2 à 52. *Vincent (F.A.)* 20 à 1 549,6 (1990) ; except. 3 400 (1985). *Vollon (Ant.)* 0,2 à 242,7. *Winterhalter (F.-X.)* 7,2 à 1 819 ; ex. 9 000 (1989). *Ziem* 3,1 à 554,4 (1988).

Impressionnistes. *Boggs (F.)* 2 à 257,4 (1989). *Boudin* 21 à 82 200. *Caillebotte (G.)* 50 à 11 880. *Cézanne* 80 à 96 850 (1989). *Claus (E.)* 63 à 2 450. *Degas* 204 à 75 875 (les Blanchisseuses, 1987). *Lauvray (A.)* 4,8 à 120 (1989). *La Villéon (E. de)* 0,9 à 260. *Lebourg* 5,3 à 955. *Manet* 172,5 à 85 800 (1990) ; ex. 137 280 (Rue Mosnier, 1989). *Monet* 100 à 60 060 (1989) ; ex. 145 800 (Dans la prairie, Londres 1988). *Morisot (B.)* 26,4 à 5 706. *Pissarro (C.)* 435,8 à 22 000 (1990). *Renoir* 28,6 à 118 203 (1989) ; ex. 406 120 (Au moulin de la Galette, 1990). *Seago (E.)* 4,5 à 608,6. *Sisley* 207 à 20 922 (1988). *Thaulow (F.)* 39,3 à 774,8 (1990). *Toulouse-Lautrec* 88 à 67 496 (1990). *Van Gogh* 2 000 à 429 000 (Portrait du docteur Gachet, 1990).

Nota. – « Petits impressionnistes ». Les plus importants (ex.) : *Cazin* 1,6 à 70,8. *Charreton (V.)* 24 à 580 (1990). *Chintreuil* 2,5 à 65. *Delattre (J.-M.-L.)* 2,6 à 180. *Guillaumin (A.)* 9 à 1 380 (1987). *Lépine (S.)* 10 à 1 284. *Lhermitte (L.)* 3,7 à 2 092,2 (1989). *Montezin (P.)* 12,5 à 1 200 (1990). *Moret* 4,7 à 1 498 (1989). *Veyrassat* 4,8 à 157,3 (1987). *Vignon (V.)* 6 à 320.

Nabis. *Bonnard* 95 à 43 112 (1988). *Denis (M.)* 2,5 à 4 000 (1989). *Lacombe (G.)* 6,2 à 1 050. *Mols (F.)* jusqu'à 341. *Ranson* 3 à 1 452 (1989). *Roussel (K.-X.)* 3,4 à 131 (1989). *Schuffenecker (C.-E.)* 19 à 686,4 (1989). *Sérusier (P.)* 11 à 4 354 (1984). *Verkade (W.)* jusqu'à 130. *Vuillard* 46 à 11 440 (1989) ; ex. 40 040 (1989).

Naïf. *Rousseau (le Douanier)* 32 à 7 748 (Vue de la Bièvre-sur-Gentilly, 1990).

Néo-impressionnistes. *Angrand (C.)* 12 à 2 211,8 (1985). *Binet (G.)* 3 à 101,7. *Cross (H.-E.)* 2,8 à 4 438 (1988). *Dubois-Pillet* 9 à 1 250 (1989). *Gauguin* 120 à 64 200, ex. 145 200 (Mata Mua, 1989). *Laugé (A.)* 5,5 à 280. *Loiseau (G.)* 53,5 à 1 810 (1989). *Luce (M.)* 3,2 à 4 648,8 (1990). *Martin (H.)* 1,6 à 3 531 (1989). *Maufra* 3,8 à 791,8. *Puigaudeau (du)* 8 à 800 (1990). *Seurat* 420 à 10 000 (1990). *Signac* 30 à 14 300 (1989). *Van Rysselberghe* 6,5 à 4 004 (1989).

Orientalistes. *Berchère (N.)* 4 à 1 350. *Chataud (A.)* 3,2 à 140. *Dehodencq (A.)* 4 à 580 (1989). *Deutsch (L.)* 2,2 à 1 800. *Dinet (E.)* 4,2 à 890,3. *Dunand (J.)* 1,6 à 1 300 (1989). *Frère (C.T.)* 5 à 157,3 (1988). *Fromentin (E.)* 1,3 à 800. *Giraud (E.)* jusqu'à 1 659 (1984). *Goodall (F.)* 3,8 à 1 372 (1990). *Landelle (Ch.-Z.)* 1 à 120 (1989). *Marilhat (P.)* 5,5 à 66,3. *Philippoteaux* 1 050 (1984). *Raffaële* 660 (1984). *Schreyer (A.)* 11,2 à 855,9 (1989). *Tournemine (C. de)* 4 à 100.

Peintures 1900. *Béraud (J.)* 4,5 à 16 484 (1989). *Boldini (A.)* 17,5 à 3 900 (1988). *Chaplin (C.)* 2,4 à 371,8 (1989). *Chéret (J.)* 4,6 à 224,7. *Helleu* 1,5 à 6 937 (1988). *Henner* 6,2 à 190 (1985). *Stein (G.)* 5,2 à 100. *Stevens (A.)* 3 à 2 662,8 (1989).

Pompiers. *Alma Tadema (L.)* 9,9 à 2 905,5 (1989). *Bouguereau (W.)* 25 à 3 000 (1983). *Courtois (G.)* 8,9 à 190,2. *Dadd (R.)* jusqu'à 580 (1983). *Firmin-Girard* 4,2 à 600. *Gérôme* 4 à 5 720 (1990) ; ex. 11 440 (1990).

Préraphaélites. *Burne-Jones* 38,7 à 6 779,5 (1989). *Rossetti (D.G.)* 110 à 12 784,2 (1987).

Symbolistes. *Aman-Jean (E.-F.)* 4 à 243,1 (1990). *Carrière (E.)* 3 à 335. *Chabas (M.)* 3,1 à 128 (1989).

Fantin-Latour 13 à 18 500 (1988). *Feure (G. de)* 2,5 à 71 (1980) ; 460 (1988). *Filiger* 50 à 325 (1990). *Guirand de Scevola (L.-V.)* 3,4 à 90. *Khnopff* 242,1 à 1 350 (1987). *Lenoir (Marcel)* 20 à 193,7 (1990). *Le Sidaner* 5,5 à 6 585,8 (1990). *Lévy-Dhurmer* 0,5 en 1961 ; 3,5 à 203 (1983) ; ex. 1 372,8 (1989). *Maxence* 7 à 1 190,5. *Moreau (G.)* 22 à 5 326,8 (1989) ; ex. 14 300 (1989). *Mucha* 16 à 720 (1980). *Point (A.)* 1,3 à 600 ; 1 278,4 (1988). *Redon (O.)* 35 à 9 510 (1989). *Rops (F.-J.)* 8,8 à 1 123,5 (1989). *Venne (A. Van der)* 2,8 à 67,5 (1990).

XXe s.

Cubistes. *Braque* 65 à 61 908 (1986). *Gernez (P.-E.)* 4,8 à 365. *Gleizes* 3,6 à 3 300 (1990). *Gris (J.)* 250 à 19 000 (1990). *Hayden (H.)* 2,2 à 1 549,6 (1990). *Herbin* 10 à 2 400 (1990). *Kandinsky* 115 à 26 628 (1989) ; ex. 108 680 (1990). *Léger (F.)* 40 à 86 500 (1989). *Lempicka (T. de)* 16,5 à 7 608 (1989). *Lhote* 1,2 à 1 605. *Metzinger* 15 à 3 289 (1990). *Picasso*, record : Les Noces de Pierrette 300 000 (30-11-1989) ; Yo Picasso (9-5-1989, autoportrait) 306 200 (vendue à N.Y. en 1983, 35 000 ; 1 500 en 1970) ; Le Lapin Agile (1905, Picasso a 25 ans) 211 640 (15-11-1989) ; Maternité 148 500 (1988) ; Acrobate 227 000 (1988) ; cote de son vivant : 9 800 (les 2 Frères et l'Arlequin, 1967), 670 (Femmes dormant, 1963) ; collage (Tête d'homme) 11 200 (1988). *Villon (J.)* 13 à 3 103.

École de Paris. *Foujita* 17 à 31 460 (1990). *Kisling* 17 à 3 500 (1989). *Laurencin (M.)* 13 à 8 242 (1988). *Modigliani* 270 à 63 000 (1990). *Pascin* 20 à 2 421,3 (1990). *Soutine* 18 à 12 500 (1990).

Expressionnistes. *Alechinsky (P.)* 3,6 à 2 615 (1990). *Beckmann (M.)* 26,3 à 20 660 (1990). *Dix (O.)* 49 à 2 420. *Gen Paul* 6 à 500. *Goerg* 6,1 à 246,1. *Gromaire* 15,5 à 1 850 (1990). *Jawlensky (A. von)* 22 à 5 350 (1989). *Mueller (O.)* 150 à 3 852 (1989). *Munch (E.)* 150 à 15 440 (1990). *Rouault* 8,7 à 6 974 (1989). *Schiele* 77 à 36 047 (1984). *Tamayo (R.)* 100 à 4 004 (1990).

Fauves. *Bertram (A.)* 3,7 à 130 (1990). *Camoin (C.)* 5 à 700 (1990). *Chabaud (A.)* 4 à 180 (1990). *Derain* 5,5 à 59 920 (1989). *Dufy (R.)* 2,2 à 14 000 (1990). *Espagnat (d')* 10 à 1 029,6 (1989). *Friesz (E.-O.)* 25 à 5 600 (1989). *Kirchner (E.-L.)* 200 à 45 000 (1985). *Lebasque (H.)* 15 à 3 002,4 (1990). *Marquet (Albert)* 9,5 à 8 000 (1989). *Matisse* 42 à 64 350 (1989). *Seyssaud* 5 à 200. *Valtat* 3,6 à 2 135 (1990). *Van Dongen (K.)* 50 à 13 600 (1990). *Vlaminck* 26 à 62 000 (1990).

Hyperréalisme. *Estes (R.)* 798 (1981), 3 000 (1988), 3 106,6 (1989). *Klasen* 2,8 à 460 (1990). *Morley (M.)* 25,7 à 242 (1981). *Titus-Carmel (G.)* 3,5 à 30.

Impressionnistes. *Utrillo* 80 à 7 300 (1990).

Naïfs. *Bauchant* 3,1 à 963 (1989). *Bombois* 12,5 à 1 346 (1980).

Néo-plastique. *Domela (César)* 5 à 200 (1990). *Vivin (L.)* 3,8 à 105.

Non-figuratifs. *Bryen* 21,5 à 780 (1990). *Degottex (J.)* 5,8 à 1 100 (1989). *Dmitrienko* 18,5 à 600 (1990). *Dubuffet* 123,6 à 26 884 (1990). *Estève* 8,2 à 2 615 (1990). *Francis (S.)* 13 à 9 724 (1990). *Freundlich (O.)* 830 (1981). *Gallien (P.-A.)* 790 (rec. 1986). *Gorky (A.)* 21,5 à 5 072 (1989). *Hartung* 31,5 à 8 020 (1990). *Hofmann (H.)* 14 à 4 423,6. *Hundertwasser* 18 à 1 016,9 (1990). *Klee* 160 à 29 960 (1989). *Kline (F.)* 11,8 à 21 500 (1989). *Louis (Morris)* 19,8 à 5 861. *Magnelli* 5,3 à 4 000 (1990). *Manessier* 5,8 à 1 600 (1990). *Mathieu* 4 à 955 (1989). *Messagier (J.)* 1 à 400 (1990). *Mondrian* 50 à 58 000 (1989). *Nicholson (Ben)* 28,9 à 3 874 (1990) ex. 10 653,5 (1990). *Noland (K.)* 27 à 2 853 ; ex. 10 582 (1989). *Piaubert (J.)* 1,8 à 200 (1990). *Poliakoff (S.)* 8 à 4 842,5 (1990). *Pollock (J.)* 151 à 66 570 (1989). *Riopelle* 18 à 8 876 (1989). *Rothko (M.)* 85,8 à 29 040 (1988). *Soulages* 14 à 2 324,4 (1989). *Vasarely* 4,5 à 1 372,8 (1990). *Vieira da Silva* 6,8 à 4 358,3 (1990). *Wols* 7 à 445,5 (1990) ; ex. 5 133,1 (1989).

Nouveaux réalistes. *Arman (F.)* 3 à 2 092,2 (1989). *Christo* 20 à 1 236,3. *Hains (R.)* 4,4 à 270 (1989). *Klein (Yves)* 13,5 à 9 297,6 (1989). *Raysse (M.)* 13 à 513,6 (1988). *Rotella* 2,8 à 153,1. *Saint-Phalle (Niki de)* jusqu'à 580 (1989).

Pop Art. *Adami* 14 à 980 (1990). *Hockney (D.)* 14 à 12 680 (1989). *Johns (Jasper)* 2 974,4 à 62 920 (1989) ; 102 300 (1988), prix le plus élevé pour un artiste vivant. *Lichtenstein* 16,8 à 31 460 (1990). *Rosenquist* 74,4 à 2 173 (1989) ; ex. 14 000 [1986 : la + grande œuvre vendue aux enchères (3 × 26 m)]. *Schlösser* 3,3 à 82,4. *Warhol* 22 à 11 726 (1989) ; ex. 72 327 (1986). *Wesselman* 12,6 à 3 200 (1990).

Surréalistes. *Brauner* 30 à 2 350 (1990). *De Chirico* 45 à 8 550 ; ex. 27 456 (1989). *Dalí* 60 à 21 164 (1989). *Delvaux* 15,4 à 8 988 (1988). *Ernst (M.)* 19,8 à 11 950 (1989). *Labisse* 3 à 170. *Lam* 10 à 3 200 (1989). *Magritte* 120 à 20 880. *Man Ray* 2,6 à 3 000 (1979). *Masson (A.)* 6 à 5 400 (1989). *Matta* 20,9 à 6 006 (1990). *Miró* 85 à 56 000 (1989). *Tanguy (Y.)* 190 à 4 000 (1990).

Divers. *Andreis (A. De)* 2 à 43,6 (1989) ; except. 8 900 (1988). *Appel (Karel)* 3,8 à 1 770 (1988). *Atlan (J.-M.)* 5,1 à 4 600 (1989). *Bacon (F.)* 550 à 36 138 (1989). *Balthus* 271,2 à 10 868 (1989). *Bardone* 8,6 à 40 (1990). *Bazaine* 8 à 1 210 (1990). *Baziotes* 148,7 à 2 800 (1984). *Bernard (E.)* 3,9 à 750 ; ex. 1 487,2 (1990). *Bissière (R.)* 1,6 à 1 016,5 (1989). *Blais (J.-C.)* 28 à 745 (1990). *Bonnat (L.)* 0,49 à 120. *Botero (F.)* 42,9 à 4 550 (1989). *Boudet (P.)* 2,7 à 128 (1990). *Bradberry* 2 à 300. *Brancusi (C.)* 2 219 (1988). *Brasilier* 85 à 1 172,6 (1990). *Brayer (Y.)* 20 à 310 (1990). *Brianchon (M.)* 2,5 à 1 160. *Bruskin* jusqu'à 2 585 (1988). *Buffet (B.)* 15 à 5 500 (1990). *Burry* 473,2 à 3 341 ; ex. 16 000 (1989). *Calder (A.)* 5,5 à 2 350 (1990). *Campigli (M.)* 50 à 3 815 (1988). *Carzou (J.)* 30 à 200 (1990). *Chagall* 280 à 77 220 (1990). *Clavé (A.)* 33,8 à 1 743,3 (1989). *Combas (R.)* 6,5 à 450 (1990). *Cueco* 3,2 à 130 (1990). *Dado* 8 à 260 (1990). *Delaunay (R.)* 31 à 6 000 (1990). *Delaunay (S.)* 3,5 à 1 965,4 (1988). *Delorme* jusqu'à 346 (1987). *Delval* 5,8 à 59 (1990). *Dolla (Noël)* 1,8 à 50. *Domergue (J.-G.)* 4,2 à 500 (1989). *Dominguez (O.)* 5,7 à 2 900 (1989). *Dunoyer de Segonzac (A.)* 12 à 386,1 (1989). *Dupas (F. J.)* 1,5 à 915,2 (1990). *Duret-Dujarrie* jusqu'à 120 (1990). *Ensor (J.)* 40 à 2 150 (1981). *Epstein (H.)* 1,5 à 71. *Erró* 3,1 à 350 (1990). *Fautrier (J.)* 7,2 à 5 800 (1990), except. 16 200 (1990). *Fechin (N.)* 22 à 39 (1990). *Fini (Léonor)* 3,9 à 887,6 ; ex. 3 389,8 (1990). *Flint (Sir W. R.)* 1,6 à 481,5 (1988). *Frank-Will* 1,8 à 100. *Friesz* 2,3 à 5 600 (1990). *Garrouste* 1,6 à 150. *Genin* 2,5 à 300 (1990). *Gervex* 2 à 500 (1980). *Giacometti (Alb.)* 16,3 à 16 588 (1989). *Gilbert (V.)* 6,9 à 629,5 (1989). *Gnoli* 17,1 à 2 600 (1990). *Goetz (Henri)* 15 à 510 (1989). *Gontcharova* 4 à 1 086 (1990). *Grau-Sala (E.)* 2,7 à 610. *Gruber* jusqu'à 1 450 (1990). *Hantai* jusqu'à 1 100 (1990). *Haring (K.)* 50 à 1 800 (1989). *Hayter (S.-W.)* 5,1 à 256,8. *Heckel (E.)* 90 à 1 800. *Hopper* 12 790 (1987). *Jenkins* 300 (1990). *Jorn* 34,8 à 2 711,8 (1989). *Kokoschka (O.)* 94,6 à 5 148 (1990) ; except. 17 118 (1989). *Kooning (W. De)* 8,4 à 124 000 (1989). *Krouthen (J.)* 28,1 à 776,9 ; ex. 3 276 (1989). *Kuniyoshi* 28 à 3 360 (1987). *Kupka (F.)* 6,5 à 1 937 (1990) ; ex. 5 900 (1990). *Lanskoy (A.)* 2 à 968,5 ; ex. 12 000 (1990). *Lapicque (C.)* 1 à 650 (1990). *Léandre* 200 (1990). *Lewitt* 4,5 à 43,5 (1990). *Lindner (R.)* 1 400 (1982), 2 300 (1983), 2 409,2 (1988). *Lorjou* 3,6 à 920 (1990). *Lurçat* 1,8 à 337. *MacAvoy (E.-G.)* 1,4 à 110 (1990). *Maclet (E.J.)* 0,9 à 705 (1990). *Madrazo y Garreta (R.)* 42 à 1 605 (1989). *Mané-Katz* 3,5 à 983,4 (1987). *Marini (M.)* 4,5 à 1 601,6 (1990) ; 10 600 (rec. 1989). *Martin (Agnès)* 24,2 à 2 002 (1990). *Marval* 350 (1990). *Moholy-Nagy* 57,4 à 1 639,1 (1988). *Monory (Jacques)* 1 à 350. *Morandi* 108 à 8 238,6 (1990). *Moretti (L.-P.)* 12,5 à 180 (1990). *Motherwell* 31,5 à 5 720 (1989). *Narhol* 23 760 (1988). *Neuman (B.)* 481 à 1 100 (1980). *Nolde* 68,7 à 5 519,3 (1988). *Nowland (K.)* 182,4. *Oguiss* 140 à 3 800 (1990). *O'Keeffe (G.)* 1 058,2 à 9 510. *Oldenburg* 3 118 (1989). *Picabia* 4,2 à 2 889 (1989) ; ex. 24 000 (1990). *Pinchon (R.)* 30 à 2 020 (1989). *Pollok* 27 752 (1988). *Pougny* 2,8 à 697,3 (1990). *Quinet (A.)* 74. *Rancillac (B.)* 4,1 à 120 (1989). *Rauschenberg* 21,2 à 5 148 (1989) ; ex. 44 725,8 (1989). *Rebeyrolle* 74,4 à 660 (1990). *Reille* 0,7 à 64. *Rivera (D.)* 13,5 à 3 150 (1983). *Rodchenko* jusqu'à 3 480 (1988). *Ruscha (E.)* 3,9 à 1 544,4 (1989). *Scheeler (C.)* 22 à 12 800 (1983). *Séraphine* 15 à 235 (1990). *Soto* 9 à 371,8 (1990). *Staël (N. de)* 220 à 11 000 (1990). *Sutherland (G.)* 19,4 à 802,5 (1989). *Tal-Coat* 2,7 à 340 (1990). *Tàpies* 21 à 4 455,1 (1989). *Thébaud* 619. *Trouille* 7,8 à 140. *Twombly* 35,2 à 28 600 (1990). *Valmier (G.)* 9 à 1 650 (1990). *Wyeth (A.)* 2 580 (1981). *Zao Wou-ki* 910 (1989). *Zingg* jusqu'à 265 (1990).

Vie des peintres

• **Certains peintres consacrés eurent une existence dorée.** Ainsi, au XVIIIe s., pour un portrait, *Mme Vigée-Lebrun* demandait de 4 000 (env. 80 000 F) à 12 000 livres (env. 200 000 F), *Chardin* 2 000 livres (env. 40 000 F). En 1810, ces portraits se vendaient 12 à 50 F ; aujourd'hui, ils atteindraient 600 000 F. *Tocqué* en 1754 gagnait env. 20 000 livres par an (400 000 F). En 1805, *Gros* reçut 16 000 F pour les Pestiférés de Jaffa (450 000 F). Au XIXe s., *Flandrin* demandait 80 000 F (500 000 F actuels) pour un portrait (qui se vendrait aujourd'hui entre 5 000 et 10 000 F). Cote de *Meissonnier* de 1884 à 1890 : 100 000 à 190 000 F de l'époque (4 700 à 36 000 F).

• **Beaucoup de peintres vécurent dans la misère.** *Rembrandt,* déclaré insolvable en 1656, mourut pauvre. *Daumier* dut être enterré aux frais de l'Etat. *Van Gogh,* entretenu par son frère, ne put vendre un tableau plus de 100 F. *Gauguin* en vendit plusieurs à 160 F. *Modigliani* obtenait parfois 100 F en espèces et une bouteille d'alcool.

• **Plusieurs peintres ont laissé peu d'œuvres certaines.** L. de Vinci 15, Georges de La Tour 20, Vermeer 40, Dürer 70, Le Titien 140, Raphaël 200.

• **D'autres furent plus prolifiques.** Rembrandt 650 peintures à l'huile, 300 eaux-fortes, 2 000 dessins, Toulouse-Lautrec env. 737 peintures, 275 aquarelles, 4 790 dessins, lithos ou croquis, Van Gogh 817, Rubens 2 500 (500 peut-être non authentiques), Corot 4 000, Renoir 6 000, Picasso 13 500 tableaux et dessins, 100 000 lithos et gravures, 34 000 illustrations, 300 sculptures et céramiques.

• **Picasso** (1881-1973). Peintre le plus prolifique. voir XXe Cubistes p. 375 a. Œuvre estimé à 6 milliards de F à sa mort. L'héritage (60 000 œuvres dont env. 1 876 tableaux, 27 388 estampes, 2 880 céramiques, 11 748 dessins, 1 355 sculptures) a été évalué à 1 251 673 200 F qui ont été partagés (une fois réglés les 20 % de droits de succession pour les enfants et 40 % pour les petits-enfants) entre *6 héritiers :* sa *veuve* Jacqueline (née 1926, 2e épouse, se suicide le 15-10-1986) ; ses *enfants naturels* Maya Widmayer (1935) née de Marie-Thérèse Walter ; Claude (1947) et Paloma Picasso (1949) nés de Françoise Gilot ; ses *petits-enfants* nés de son fils Paulo († 1975, fils d'Olga Khokhlova, 1896-1935, 1re épouse) et d'Emmanuelle Lotte (épousée 1950) : Pablito († 1973) et Marina Picasso (1951) ; et de Christine Paulin (épousée 1962) : Bernard Picasso (1959). En mars 1990, l'État français accepte en dation : 49 peintures, 2 sculptures, 38 dessins, 24 carnets de dessins, 19 céramiques, 247 gravures, 7 lithos.

• **Cote des artistes peintres actuels.** De nos jours, un peintre est payé au point (débutant de 20 à 50 F, déjà célèbre 700 et plus). La cote augmente en fonction de la critique, de la demande, de la mode, du nombre des expositions, de la participation à des salons internationaux importants (Documenta de Cassel, exposition Carnegie de São Paulo et Tōkyō, triennales de Milan et de Turin), de la présence d'œuvres dans les grandes collections et des récompenses reçues (prix de Venise et São Paulo, Carnegie, Guggenheim, Marzotto et Lissone).

• **Prix Lila-Acheson Wallace de la Jeune Peinture française.** 150 000 F. *Créé* en 1986 par la « Fondation du Reader's Digest, France », en mémoire de Lila-Acheson Wallace (1889-1984) co-fondateur (avec son mari) du « Reader's Digest ».

Maladies particulières. Renoir, Rubens, Dufy souffraient de polyarthrite rhumatoïde parce qu'ils utilisaient des peintures vives contenant des sulfures toxiques de métaux lourds.

☞ Le 24-12-1888, V. Van Gogh tente de tuer Paul Gauguin. Pour lui montrer son repentir, il se coupe une oreille et la lui envoie. Son *Autoportrait à l'oreille coupée* a été peint en souvenir.

Quelques écoles et mouvements

Allemagne

École de Frankenthal (fin XVIe s.). Bavière rhénane. Gillis III Van Coninxloo, Joos Van Liere, Jan de Witte, Antoine Mirou, Pieter Schoubroek, Hendrick Van Den Borcht le Vieux, Jakob Marrel, Jean Vaillant. Influence sur Karel Van Mander, Kerstian de Keuninck, Peter Stevens II, David Vonckboons, Mattheux Molanus.

Nazaréens (XIXe s.). Groupe qui remit l'art religieux en honneur : Wackenroder, Tieck, Overbeck, Pforr, Vogel, Hottinger, Wintergerst, Sutter, Cornelius. Rejoints par Schnorr von Carolsfeld, Führich.

Biedermeier. Contraction due au poète Eichenrodt (1850). Nom de 2 bourgeois allemands (Biederman et Bummelmeier) chez Victor von Scheffel en 1848. Conception sensible de la nature, exécution précise, petits formats. *Paysagistes :* Kobell, Gensler, Waldmüller, Blechen, Gärtner). *Portraitistes ;* Krüger, Begas, Hess, Stieler, Amerling, Oldach, Wasmann. *Scènes de genre :* Schwind, Ludwig Richter, Spitzweg, Shrödter. *Histoire :* Bendemann, Rethel, Lessing.

Jugendstil (v. 1880-1900). Mouvement en liaison avec l'Art Nouveau français.

École de Düsseldorf (1828-50). Réaction contre l'art italien : Andreas Achenbach (1815-1910), Albert Bierstadt (1830-1902), Peter Hasenclever (1810-53), Wilhelm-J. Heine (1813-39) Ferdinand-Theodor Hildebrandt (1804-74), Karl Wilhelm Hübner (1814-79), Friedrich Lessing (1808-80), Karl Sohn (1805-67).

Die Brücke (Le Pont). École expressionniste (Dresde puis Berlin, 1905-13) : Bleyl, Heckel, Kirchner, Schmidt-Rottluff, Nolde, Pechstein, Mueller, Amiet (Suisse).

Der Blaue Reiter (le Cavalier Bleu). Créé à Munich, en 1911 par Kandinsky et Marc. Recherches pour l'émancipation de l'art. Rassemble jusqu'en 1913 de nombreux représentants de l'Art Moderne : Macke, Campendonk, Klee, Münter.

Nouvelle objectivité. Courant né vers 1920 en art et littérature. Retour aux faits et aux documents. Otto Dix, Georg Grosz, Karl Hubbuch, Christian Schad.

Bauhaus. École qui réunit à Weimar, de 1919 à 1933, *architectes :* Gropius, Mies Van der Rohe, Breuer ; *peintres :* Klee, Kandinsky, Moholy-Nagy (Hongrois), Feininger (Am.), Schlemmer ; *sculpteur :* Marcks.

Zéro (Düsseldorf, 1957-67). Mouvement en liaison avec l'Art Nouvelle Tendance (Heinz Mack, Otto Piene, Günther Uecker).

Belgique

École mosane (VIIIe au XVe). Orfèvrerie, sculpture.

Écoles de Bruxelles, d'Anvers, de Malines (XVe s.). Retables.

École de Tervuren (1866). Groupe de paysagistes réalistes : Boulenger, Dubois, Coosemans.

Groupe des XX. Association, créée en 1884 par Octave Maus et Verheyden, qui organisa chaque année une exposition où figuraient les peintres d'avant-garde. Dissoute en 1894, elle fut remplacée par la *Libre Esthétique.* Félicien Rops.

École symboliste (vers 1900). Fernand Khnopff, Jean Delville, William Degouve de Nuncques, Henri de Groux, Léon Frédéric.

Écoles de Laethem-Saint-Martin (Gand) (dès 1900). Peintres symbolistes, puis expressionnistes : Valerius De Saedeleer, Gustave Van de Woestijne, puis Constant Permeke, Frits Van den Berghe, Gustave De Smet, Albert Servaes.

Fauvisme brabançon. Fernand Schirren, Willem Paerels, Charles Dehoy, Jean Van den Eeckhoudt, Marcel Jefferys, Médard Maertens, Auguste Oleffe, Marthe Guillain.

Groupe surréaliste de Bruxelles (dès 1924). Mesens, Magritte, Colinet, Souris, Nougé et Lecomte. Participation wallonne à partir de 1934 *(Gr. Rupture :* Chavée, Simon et Lefranc). En 1947, le *Gr. surréaliste révolutionnaire* regroupe Wallons et Bruxellois.

Jeune peinture belge. Groupe créé en 1945 : Louis Van Lint, Anne Bonnet, Gaston Bertrand, Marc Mendelson.

Art abstrait. Groupe fondé en 1952 par Delahaut qui a créé en 1956 le groupe *Formes* avec Pol Bury et Guy Vandenbranden.

Groupe Cobra. Pierre Alechinsky, C. Dotremont.

Espagne

Dau al Set. Groupe fondé à Barcelone (1948) : Tharrats, Cuixart.

El Paso. Groupe fondé à Madrid (1956) : Canogar, Saura, Nieva, Millares, Feito.

États-Unis

Ashcan School (École de la Poubelle). Fondée en 1908 par le groupe des 8 (The Eight) à New York : Robert Henri, Arthur B. Davies, Maurice Prendergast, Everett Shinn, William Glackens, Ernest Lawson, John Sloan, George Luks.

École de New York. Groupe de peintres détachés de la peinture européenne : Pollock, De Kooning, Tobey, Kline, Still, Rothko, Francis.

Hudson River School. École (v. 1825-70) de paysagistes romantiques : Th. Cole, Asher Brown Durand, J.F. Kensett, Frederic Church, George Inness.

France

École de Tours (XVe s.). Fouquet.

École du Centre (XVe s.). Maître de Moulins.

École d'Avignon (XVe s.). Maître de la Pietà de Villeneuve-lès-Avignon, Simone Martini, Enguerrand Charonton (ou Quarton), Maître de l'Annonciation d'Aix, Nicolas Froment.

École de Fontainebleau. *1re école, vers 1530-1589 :* le Rosso, le Primatice, Nicolò dell' Abate (Italiens), François Clouet, Jean Cousin, Antoine Caron. *2e école, vers 1589-1610 :* Toussaint Dubreuil, Martin Fréminet, Ambroise Dubois (Flamand).

École française. XVIIe s., *1re moitié :* le Valentin, Jacques Callot, Georges de La Tour, Antoine, Mathieu et Louis Le Nain, Philippe de Champaigne (Flamand), Vouet, Le Sueur. *2e moitié :* Poussin, Claude Gellée dit le Lorrain, Lebrun, Mignard, Dumonstier, Nanteuil, Rigaud, Largillierre. XVIIIe s., *1re moitié :* Gillot, Watteau, Boucher, Quentin de La Tour, Perronneau, Chardin. *2e moitié :* Jean-Honoré Fragonard, Hubert Robert, Gabriel de Saint-Aubin, Jean-Baptiste Greuze, Pierre-Paul Prud'hon.

Néoclassicisme (1re moitié du XIXe s.). David, F. Gérard, Girodet-Trioson, Ingres, Th. Chassériau, Puvis de Chavannes.

Romantisme (1re moitié du XIXe s.). Baron Gros, Théodore Gericault, Eugène Delacroix.

Orientalisme. XIXe s. Peinture inspirée par l'Orient. Scènes exotiques et colorées. Ingres, Delacroix, Girodet, Guérin, Gericault, Decamps, Marilhat, Chassériau, Regnault, Benjamin-Constant, Gérôme, Deutsch, E.J.H. Vernet.

Réalisme (2e moitié du XIXe s.). Honoré Daumier, Gustave Courbet.

Art pompier. Allusion aux personnages casqués de certaines compositions. Peinture officielle de la 2e moitié du XIXe s., conventionnelle et solennelle. Bouguereau, Gérôme, Cabanel, Delaroche, Meissonier.

École de Barbizon (du village de Barbizon, S.-et-M.) (milieu et 2e moitié du XIXe s.). J.-F. Millet, Th. Rousseau, Dupré, Daubigny, Troyon, Corot, Diaz.

École de Honfleur. Née au milieu du XIXe s., prélude à l'impressionnisme : Isabey, Huet, Daubigny, Jongkind, Boudin, Monet.

Pleinarisme. Scènes d'extérieur peintes en utilisant plus ou moins les jeux de la lumière naturelle. Précurseurs paysagistes de Barbizon, puis Bastien Lepage. Mouvements comparables : Allemagne, Europe Centrale, Italie, Scandinavie, Russie, Etats-Unis.

Groupe des Batignolles. Nom donné aux impressionnistes de 1869-1875 env., à l'époque où ils fréquentaient le café Guerbois, 2, Grande Rue des Batignolles.

Impressionnisme (fin du XIXe s.). Le nom vient du tableau de Monet, *Impression, soleil levant,* exposé chez Nadar en 1874. Donne à la lumière une importance nouvelle, en juxtaposant des touches colorées qui semblent être des rayons lumineux. *Précurseurs :* Boudin, Jongkind, Lépine, sous l'impulsion de Corot ; Guigou, Bazille, sous celle de Courbet. Degas, Monet, Guillaumin, Sisley, Pissarro, Renoir, Cézanne, Manet, Morisot, Van Gogh, Toulouse-Lautrec, Cassatt, Zandomeneghi. Gauguin expose avec les impressionnistes de 1880 à 82.

École de Pont-Aven. A groupé à partir de 1886 : Gauguin, E. Bernard, Seguin, Filiger, Verkade, Sérusier, Laval.

Les Nabis (en hébreu : prophètes). Groupe créé en 1888 (1re expos. 1891) : Sérusier, Maurice Denis, Bonnard, K.-X. Roussel, Ranson, Vuillard, Verkade, Vallotton, Maillol, Lacombe.

Symbolisme. Mot officialisé en 1886 par Moréas. *Français :* G. Moreau, Puvis de Chavannes ; *Suisse :* Böcklin ; *Anglais :* Burne-Jones. De 1892 à 97, 6 salons de la Rose-Croix, organisés par Joséphin Peladan, leur furent consacrés : G. Moreau, O. Redon, F. Khnopff, Louis Chalon, Jean Delville, F. odler, Jean Toorop, Alphonse Osbert, Georges de Feure, Armand Point. *Tendances symbolistes* chez E. Carrière, Fantin-Latour, Hébert, Lévy-Dhurmer, Le Sidaner.

Néo-impressionnisme (divisionnisme, pointillisme). Utilise les couleurs pures sans les mélanger. Seurat (*Un dimanche d'été à la Grande Jatte,* 1896), Pissarro, Signac, Angrand, Dubois-Pillet, Cross, H. Van de Velde, Théo Van Rysselberghe, Luce.

Post-impressionnistes. André, d'Espagnat, Loiseau, Maufra, Moret.

Fauvisme (1905-07). Le critique Louis Vauxcelles compara à une « cage aux fauves » la salle du Salon d'Automne (1905) où exposaient Camoin, Derain, Manguin, Marquet, Matisse, Puy, Valtat, Rouault, Van Dongen, Vlaminck. Ceux-ci, rejetant perspective et valeurs de l'art classique, exaltaient la couleur.

Expressionnisme. Mouvement né en 1900. *Belgique :* Ensor ; *Norvège :* Munch ; *Allemagne :* groupe Die Brücke ; *France :* Soutine, Pascin et Chagall, Rouault, Gromaire, La Patellière ; *Hollande :* Sluyters, Charley, Toorop ; *Suisse :* Auberjonois, Hodler ; *Brésil :* Segall, Portinari.

Art abstrait (non-figuration). Origine : 1909, *Caoutchouc,* aquarelle abstraite de Picabia ; 1910, aquarelle abstraite de Kandinsky, puis tableaux de Delaunay, Kupka, Larionov, Malevitch.

Cubisme. En 1908, Matisse (ou le critique Vauxcelles ?) parla de petits cubes à propos de toiles de Braque, dont 5 sur 7 furent refusées au Salon d'Automne. *Adeptes :* Csaky, Delaunay, les frères Duchamp, Gleizes, Kupka, La Fresnaye, Le Fauconnier, Léger, Lhote, Metzinger, Reth, Villon. *Sculpteurs :* Archipenko et Brancusi.

Section d'or. Le « groupe de Puteaux » (1911) qui réunit des cubistes : Duchamp, Villon, Gleizes, Kupka, Metzinger, Picabia, Léger, organise son propre salon (1912) où figure également « la Section d'or » ; abandon de la perspective classique cubiste, répartition de l'espace à 2 dimensions selon la « Section d'or » ou « divine proportion ». M. Laurencin, Marcoussis, Lhote.

Bateau-Lavoir. Baraquement d'ateliers d'artistes édifié v. 1860 à Paris, place Ravignan (devenue Émile-Goudeau). Habité, après 1872, par des peintres dont : Picasso (1904-09) (il y peint *les Demoiselles d'Avignon,* 1906-07), K. Van Dongen, Gargallo J. Gris (1906-22), A. Modigliani, A. Herbin ; des écrivains dont P. Mac Orlan, A. Salmon, M. Jacob, P. Reverdy. Fréquenté par M. Laurencin, G. Braque, le Douanier Rousseau, H. Matisse, M. De Vlaminck, A. Derain ; le poète Apollinaire, les comédiens Harry Baur et Charles Dullin.

Orphisme. Nom donné par Apollinaire en 1912 à la peinture de Delaunay, puis étendu à toute la peinture d'avant-garde ne découlant pas du cubisme orthodoxe de Picasso. Repose sur les possibilités constructives des contrastes de couleurs. Appelé aussi « Cubisme écartelé ». Les Delaunay, Duchamp, Kandinsky, Kupka.

Dada. Mouvement intellectuel : révolte contre la société bourgeoise. Libération totale de l'individu. Terme trouvé au hasard dans le Petit Larousse le 8-6-1916, à Zurich, le jour de l'inauguration du Cabaret Voltaire où se réunissaient autour de Tzara, Hugo Ball, Hans Arp, Marcel Jenco. *Adeptes* à New York, en Allemagne (Max Ernst, Kurt Schwitters), à Paris. Disparaît en 1922.

Purisme. Mouvement cubiste rigoriste lancé par Ozenfant et Jeanneret (Le Corbusier) en 1918.

Surréalisme. Mouvement littéraire et artistique lancé par *le Manifeste du surréalisme* d'André Breton (1924). A la première exposition (1924) exposèrent : De Chirico, Arp, Man Ray, Max Ernst, Masson, Miró, Roy. Parmi les adeptes : Tanguy, Dalí, Magritte, Brauner, Delvaux.

École de Paris. Groupe de peintres expressionnistes (dep. env. 1925), dont Modigliani (It.), Soutine (Russe), Chagall (Russe), Kisling (Pol.), Pascin (Bulg.). Depuis 1945, a souvent désigné l'ensemble des artistes étrangers travaillant à Paris.

Cercle et carré. Groupe d'artistes abstraits, qui exposa pour la 1re fois en 1930 : Mondrian, Arp, Kandinsky, Pevsner, Schwitters, Léger.

Abstraction création. Créé en 1931. Perpétue l'esprit du groupe Cercle et carré, dont il rassemble des membres comme Herbin, Beothy, Valmier, Kupka, Gleizes.

Abstraction géométrique. Expression employée après 1945. Vasarely, Schöffer.

Art informel. Présenté pour la 1re fois en 1951 à l'exposition « Véhémences confrontées » (Fautrier, Dubuffet, Riopelle etc.). Refus de peindre le reflet d'une réalité.

Abstraction lyrique. Apparue en 1947 lors de l'exposition « L'Imaginaire ». Expression pure et libre qui s'oppose à l'abstraction géométrique. Se développe dans l'Art informel, la Peinture gestuelle et le Tachisme. Sam Francis, Hartung, Schneider, Soulages, Atlan, Poliakoff, de Staël, Mathieu, Bryen, Riopelle, Wols, Bazaine, Le Moal, Manessier.

Support-surface. Mouvement issu en 1970 des orientations de Buren et du groupe BMPT.

Grande-Bretagne

Préraphaélite. Mouvement formé en 1848 par 7 jeunes de la Royal Academy dont Rossetti, Millais, Holman Hunt.

New English Art Club (N.E.A.C.). Fondé 1886 par un groupe d'artistes jugeant la Royal Academy trop conventionnelle : Sargent, Sickert, Steer. Ils sont influencés par l'impressionnisme français.

Camden Town Group. Groupe postimpressionniste entre 1911 et 1913. Fondé par des peintres associés à la N.E.A.C. Sickert, Gilman, Gore, Ginner, Lucien Pissarro.

London Group. Créé en 1913 par H. Gilman et les membres du Camden Town Gr. Veut réunir toutes les tendances de l'art anglais moderne. Première exposition : 1914.

Vorticisme (de Vortex, tourbillon). Mouvement d'avant-garde lancé en 1914 par Wyndham Lewis. Exposition 1915. *Adeptes :* Etchells, Gaudier-Brzeska, Roberts, Wadsworth, E. Pound, Nevison, Epstein, Hulme Grant, Nicholson, Nash.

Euston Road Group. École fondée et dirigée de 1937 à 1939 par G. Bell, W. Coldstream, V. Pasmore, et Cl. Rogers. Peinture objective, d'après nature.

Unit One. Association de peintres, sculpteurs, et architectes. Fondée 1933 par P. Nash. *Adeptes :* B. Nicholson, H. Moore, B. Hepworth.

Hongrie

École de la plaine. 1re moitié du XXe s. Fényes, Koszta, Tornyai, Istvan Nàgy, Aba Novak, Rudnay.

Italie

Bamboccianti (XVIIe s.). Peintres de bambochades (vie populaire scènes truculentes). Vient du surnom « Bamboche » (enfant) donné à Pieter Van Laer (1599-1642) pour sa petite taille. En général panneaux de petit format. Jan Miel, Lingelbach, Helmbrecker, Cerquozzi, Karel Dujardin, Bourdon, Tassel, Sweerts.

Védutisme. (De veduta, vue). Né au XVIIe s. Principaux artistes : Caneletto, Pannini, Piranese, Bellotto, Francesco et Giovanni Guardi.

Macchiaioli (v. 1850-60). Peinture par touches, colorées (Macchia : tache). Fattori, Lega, Signorini, et un groupe de 3 Toscans (Banti, De Tivoli, Sernesi) avec un Romain, G. Costa ; puis d'Ancona, Borrani, Cabianca, Cecioni, Abbati.

Futurisme. Mouvement né du Manifeste littéraire de 1909 de F.T. Marinetti, suivi du Manifeste technique de la peinture et de la sculpture futuriste, signé des peintres Balla, Boccioni, Carra, Russolo et Severini. Exalte le « futur » et les mythes de la société moderne : la machine, la vitesse, le dynamisme. En 1912, Sant'Elia publie le manifeste de l'architecture futuriste ; adhésions de Soffici, Prampolini et Depero, puis de Bragaglia.

Metafisica. Peinture basée sur la métaphore et le rêve. Groupe né à Ferrare : Giorgio De Chirico, son frère Andrea (connu sous le nom d'Alberto Savinio), Carlo Carrà et Filippo De Pisis. Chirico peignait des œuvres métaphysiques depuis 1910. Giorgio Morandi et Mario Sironi adhérèrent au groupe quelque temps.

Novecento. Mouvement intellectuel né à Milan en 1922. 1re exposition en 1923, puis 1924 (Biennale de Venise). Théoricien : le critique Margherita Sarfatti. Aux expositions nationales de 1926 et 1929 participent Sironi, Carrà, Tosi, Morandi, Funi, Soffici, De Pisis, Campigli, De Chirico ; 2 sculpteurs : A. Martini et M. Marini.

Fronte Nuovo delle Arti. Manifeste de 1946, signé par Birolli. Animé par le critique Marchiori ; à partir de 1947 comprend le sculpteur Leonardi et des peintres abstraits (Vedova, Turcato) mais aussi réalistes, fortement influencés par la peinture cubiste, et surtout par Picasso : Guttuso, Pizzinato, Birolli, Corpora, Santomaso, Cassinari, Morlotti, C. Levi, Fazzini, Franchina.

Groupe des huit de la Biennale de Venise. A regroupé en 1952 les abstraits : Santomaso, Corpora, Morlotti, Vedova, Moreni, Afro, Turcato, Birolli.

Pays-Bas

Néoplasticisme. Fondé à Leyde en 1917 par Mondrian et Van Doesburg. Organe : la revue *De Stijl.* N'admet que des lignes horizontales et verticales, puis préconise l'aplat et limite les couleurs au bleu, jaune, rouge. 1924, dissidence de Van Doesburg qui lance l'Élémentarisme (introduction de l'angle aigu).

Cobra (de Copenhague, Bruxelles, Amsterdam). Groupe néo-expressionniste, fondé à Paris (1948-fin 1951). Membres : Pierre Alechinsky et Christian Dotremont (Belges) ; Egill Jacobsen, Asger Jorn et C.H. Pedersen (Danois) ; Cornelius Guillaume Beverloo (dit Corneille), Constant et Karel Appel (Néerl.) ; Jean-Michel Atlan et Jacques Doucet (Fr.).

Pologne

Formisme ou Expressionnisme polonais. Fondé 1917 en réaction contre l'art offlciel.

Kapisme ou Colorisme polonais. Groupe fondé 1923 par des élèves de Jozef Pankiewicz, prof. à l'académie des Beaux Arts de Cracovie, devant continuer leurs études à Paris (1924-32). Jan Cybis, Jozef Czapski, Josef Jarema, Arthur Nacht-Samborski, Piotr Potworowski, Hanna Rudzka-Cybisowa, Janusz Strzalecki, Zygmunt Waliszewski.

Unisme. Créé 1928 par le peintre polonais Wladyslaw Strzeminski. Couleurs et lignes visibles doivent créer une unité organique et homogène. Katarzyna Kobro (sculptures), J. Lewin, S. Wegner.

Russie

Rayonnisme. Lancé 1910 par Larionov et Gontcharova.

Réalisme socialiste. Des années 1932 à nos jours.

Suprématisme. Lancé 1913 à Moscou par Malevitch *(Carré noir sur fond blanc).*

Non-objectivisme. Lancé 1913 par Rodchenko.

Constructivisme. Lancé 1920, Pevsner et Gabo.

Mouvements internationaux récents

Action Painting ou expressionnisme abstrait (1952). U.S.A. Technique où le geste du peintre joue le rôle le + important. Projections ou coulées de couleur liquide (Pollock, De Kooning, Kline, Skill, Rothko, Motherwell, Baziotes).

Art cinétique (1965). Artistes intégrant dans leurs œuvres un mouvement produit par un moteur ou des variations de lumière, de pesanteur, etc. (Schöffer, Vasarely, Agem, Le Parc).

Art cybernétique (1920). Forme d'art faisant appel à l'utilisation d'ordinateurs [ex. : sculptures mobiles de Schöffer, commandées par un cerveau électronique, Gabo (*Motor* 1920), Calder (*Wind* 1932)].

Art pauvre (Gênes 1967). Italie. Matériaux bruts, terre, cordes, bois. Confrontation de formes et de matières apparemment antinomiques : Anselmo, Boetti, Fabro, Kounellis, Merz, Paolini, Pascali, Penone, Zorio, Marisa et Mario. Pistoletto. Exposition à l'ARC (musée d'Art moderne de la Ville de Paris).

Art technologique (1960). Art utilisant des moyens technologiques modernes (ex. : les ondes magnétiques de Takis, les ondes lumineuses d'Agam et les circuits vidéo de télévision de Martial Raysse).

Body Art. L'artiste se met en scène lui-même dans des actions éphémères le plus souvent filmées en vidéo : Chris Burden, G. Brus, R. Schwarzkeyler, G. Pane, Vito Acconci, Gilbert and George.

Conceptual Art (1967). U.S.A. Activité où toute pratique artistique est abandonnée au profit d'une réflexion sur l'art : Kosuth, Weiner, Huebler, Barry.

Hyperréalisme (v. 1970). Recherche la reproduction de la réalité d'après des photos, sans sentiments ni émotions. *Thème :* civilisation urbaine. Aux U.S.A. : Jack Beal (n. 1931), T. Blackwell, John Clem Clarke (n. 1937), Robert Cottingham (n. 1935), D. Eddy, R. Estes, R. Goings, D. Hanson, J. Kacere, H. Kanovitz, N. Mahaffey, Malcolm Morley (n. 1931), Joe Raffacle (n. 1933), B. Schonzeit. Évolution vers davantage de distances avec les sources photogr. ; se rattache ainsi au Pop Art.

Jeune peinture *(salon de la).* Fondé 1949 à Paris, en réaction contre toutes les avant-gardes et conformément à une doctrine inspirée du « réalisme socialiste » ; à partir de 1964, influencé par Eduardo Arroyo (n. 1937) ; fait divers emprunts au Pop Art.

Land's art. Voir encadré p. 356.

Mec'Art (Mechanical Art). Report photographique par sérigraphie employé par Andy Warhol (boîtes de Campbell Soup, portraits de Marilyn Monroe) et Rauschenberg. En Europe : Pierre Restany, Béguier, Bertini, Pol Bury, Jacquet, Nikos et Rotella.

Minimal Art (1960-65). Courant (peinture et sculpture) voulant réduire les formes à leurs éléments les plus simples : cubes, rectangles, parallélépipèdes. Mot d'ordre : *« Less is more »* (Moins, c'est davantage). F. Stella, Morris Newman, Tony Smith, Ad Reinhardt, Sol Lewitt, D. Judd, R. Serra.

Muralisme. Créé au Mexique par Diego Rivera, José Clemente Orosco, v. 1930. Fresques et décorations sur les murs des villes. Hans Hammers (Holl.), Warren Johnson (U.S.A.), Fabio Reti, Ernest Pignon (France).

Nouveau Réalisme. Courant européen (1960-63) ; fondé par le critique Pierre Restany, parallèle au Pop Art. Utilise directement l'objet (ex. : affiches découpées, accumulation de tubes de couleurs, petit déjeuner collé sur une table). Arman (1935, Fr.), César, Dufrêne, Hains, Klein (1928-62, Fr.), Raysse, Spoerri, Tinguely, Villeglé, et plus tard Niki de Saint-Phalle en 1961, Christo (1935, Bulg.), Gérard Deschamps en 1962. Sont en fait des assemblagistes (sauf Klein).

Nouvelle Figuration. Soutenue depuis 1968 par le critique Gérald Gassiot-Talabot. Mode figuratif : sujets politiques, publicité, bande dessinée, actualité (utilisés à des fins critiques). Adami, Arroyo (1937, Esp.), Erro (1932, Isl.), Fromanger, Buri, Monory, Rancillac (1931, Fr.), Recalcati, Télémaque, Klasen (1935, All.), F. Bacon (G.-B.), Giacometti (It.).

Op'Art (optical art) (1960). Création d'illusions optiques par le jeu de formes géométriques (applications : peinture, décoration et ameublement, bijoux). Kenneth Noland, Bridget Riley, Henryk Berlewi, Vasarely ; en France, cinétisme-op-Art, groupe de recherche d'art visuel de Paris (J.-R. Soto, Gyula Kosice, Agam, Bury, Calder, Duchamp, Jacobsen, Tinguely, Vasarely) ; groupe Zero (Allemagne : G. Uecker, Otto Piene, Heinz Macke) ; Josef Albers (U.S.A.) ; Schöffer, J. Le Parc, Lassus, Müller...

Peinture « fantastique » (Youg.). Djuric Dado (1933), Ljuba (1934), Yvan Towar (1942).

Precisionism (Immaculates, Cubo-Realism, Réalistes-cubistes). Né 1913 aux U.S.A. : Charles Demuth, Georgia O'Keefe, Niles Spencer, Georges Ault, Ralston Crowford, Sheeler.

Pop Art. Désigné comme tel pour la 1re fois par Rayner Banham et Leslie Fiedler en 1955, il regroupe l'ensemble des formes prises par la culture populaire diffusée par les mass media. **Pop Art I** ou proto-Pop Art, ou Pop Art assemblagiste (l'objet est intégré à l'œuvre d'art, seul ou réuni avec d'autres objets). *Précurseurs :* la *Nature morte à la chaise cannée* (1912, Picasso), les *Ready-Mades* (objets manufacturés promus objets d'art par l'artiste) de Duchamp, certaines œuvres de Picabia, les *Merzbilder* de Schitters, les *Objets surréalistes,* les *Boîtes* de Joseph Cornell. Comprend les *Combine Paintings* de Rauschenberg (1954-55), les *Happenings* [environnements composés d'épaves urbaines réelles ou simulées, traversées par des personnages (dont l'artiste) ayant un rôle défini ; ont lieu toujours devant un public] de Oldenburg et Dine (1959).

Quelques noms : Woody Van Amen (1936, P.-Bas), Arman (1928, Fr.), Enrico Baj (1924, It.), César (1921, Fr.), Gérard Deschamps (1937, Fr.), Jim Dine (1935, U.S.A.), Marcel Duchamp (1887-1968, Fr.), Jasper Johns (1930, U.S.A.), Edward Kienholz (1927, U.S.A.), Yves Klein (1928-62, Fr.), Tetsumi-Kudo (1935, Jap.), Claes Oldenburg (1929, Suède), Eduardo Paolozzi (1924, G.-B.), Robert Rauschenberg (1925, U.S.A.), Martial Raysse (1936, Fr.), Mimmo Rotella (1918, It.), Niki de Saint-Phalle (1930, Fr.), George Segal (1924, U.S.A.), Daniel Spoerri (1930, Roumanie), Jean Tinguely (1925, Suisse), Tom Wesselmann (1931, U.S.A.), George Brecht (n. 1926), Jean Follet (n. 1917), Esther Gentle (n. 1916), Gloria Graves, Johnson Kaprow (1927, U.S.A.), Robert Mallary (1917), Salvatore Meo (1920), Robert Moskowitz (1935), Samaras (1936, Grèce), Edith Schloss (1919), John Cage (1912, U.S.A.), inspirateur du néo-dada et des happenings.

Pop Art II. Apparu en 1961 à New York. Pictural et sculptural. Il s'appuie sur des supports de mass media (affiches, bandes dessinées, photographies de magazine, dessins animés, cinéma, T.V.) et se manifeste par une agressivité délibérée contre les traditions artistiques et le bon goût. Rauschenberg fixa sur ses toiles des animaux empaillés ; Jasper Johns, des lampes électriques coulées dans du bronze ; Warhol proposait des boîtes de soupe Campbell ; Lichtenstein, des agrandissements sophistiqués de comics ; Oldenburg fabriquait des w.-c. mous. *Quelques noms :* Valerio Adami (1935, It.), Allan D'Arcangelo (1930, U.S.A.) Evelyne Axell (1935-72, Belgique), Peter Blake (1932, G.-B.), Patrick Caufield (1936, G.-B.), Erró (Gudmunder Gundmunson Ferrö dit) (1932, Isl.), Öyrind Fahlström (1928, Brés.), Richard Hamilton (1922, G.-B.), David Hockney (1937, G.-B.), Allen Jones (1937, G.-B.), Ronald B. Kitaj (1932, U.S.A.), Konrad Klapeck (1935, All.), Roy Lichtenstein (1932, U.S.A.), Marisol (Marisol Escobar dite, 1930, Fr.), Jacques Monory (1934, Fr.), Mel Ramos (1935, U.S.A.), Bernard Rancillac (1931, Fr.), James Rosenquist (1933, U.S.A.), Peter Saul (1934, U.S.A.), Peter Stämpfli (1937, Suisse), Marjorie Strider (U.S.A.), Hervé Télémaque (1937, Haïti), Andy Warhol (1930-87 U.S.A.).

Post-Pop Art. Michael Campton désigne ainsi les formes bâtardes ou tardives du Pop Art : art conceptuel, Body Art, Land Art, art pauvre...

Serrafisme. Œuvre figurative donnant l'impression de relief grâce à un procédé créé en 1980 par Luc-Elysée Serraf, nécessitant le passage par 4 étapes successives avant l'achèvement de la toile.

Street Art. Peinture murale née vers 1970 aux U.S.A., utilisant techniques et formats de la publicité. *Exemples :* façades de la faculté de médecine de Montpellier : patinoire de Grenoble ; laboratoire de l'hélium à la Halle aux Vins ; immeuble de R.T.L. (décoré par Vasarely).

Supports-Surfaces. Groupe constitué autour de Nice, en 1970, par des peintres qui développaient dep. 1966 des expériences sur la matérialité de la peinture : le tableau recouvre son caractère essentiel de « support » et de « surface ». Bioulès, Cane, Devade, Dezeuze, Dolla, Jaccard, Valensi, Viallat.

Figuration libre. Mouvement lancé 1982 par des Français (H. Di Rosa, F. Boisrond, R. Blanchard, R. Combas) et des Américains (J.M. Basquiat, K. Haring, Crash, H. Sharf), s'inspire des graffitis, des bandes dessinées, du rock et de l'esprit punk. Grande rapidité d'exécution. Couleurs très vives.

Peinture cultivée. Triomphe à la biennale de Venise 1984. Retour à l'académisme. *Italiens :* C.M. Mariani, A. Abate, V. Bartoloni, G. Dicroba, S. Di Stasio ; *Français :* G. Garouste, J.M. Alberola.

Trans-Avant-Garde (fin années 70). Créé par le critique italien A. Bonito Oleva. M. Paladino (1948), F. Clemente (1952), E. Cucchi (1950), S. Chia (1946), N. De Maria (1954), Ciarli, Ventrome, Eiorite, Giordano. En France : Garrouste, Boisrond, Combas, Di Rosa, Blanchard. En Allemagne (à partir du nouvel expressionnisme).

Graffitisme. Issu des graffitis du métro de New York : Y.M. Basquiat, K. Haring, Toxic, A-one, Zéro 2 000, K. Scharf.

Bad Painting (peinture bâclée). Apparue à New York en 1978 en réaction contre le bon goût et l'intellectualisme des années 1970, développe une peinture d'apparence délibérément bâclée et médiocre. Jonathan Borofsky, Frederik Brown, Stephen Buckley, Neil Jenney, Malcolm Morley, David Salle, Julian Schnabel, Donald Sultan. « Nouveaux sauvages » pour les Allemands : P. Angerman, J. Immendorf, W. Dahn. E.-U. : J. Schnabel.

Nouvel Expressionnisme. Berlin, fin des années 60. Expression grandiloquente de l'angoisse et de la douleur. H. Middendorf, R. Fetting, M. Lüpertz, A. Kiefer, D. Hacker, G. Baselitz, P. Kirkeby, Salomé.

Zebra. Fondé 1965 à Hambourg. « Le Zèbre est notre animal parce qu'il ne s'apprivoise pas », a dit Dietmar Ullrich (1940). Dieter Asmus (1939), Peter Nagel (1941), Nikolaus Störtenbecker (1940).

Allemagne

Nés avant 1700

Altdorfer, Albrecht (av. 1480-538).
Amberger, Christoph (v. 1500-61/62).
Asam, Cosmas Damien (1686-1739).
Baldung, Hans dit Grien (v. 1480/85-1545).
Bertram, Maître (1345-v. 1415).
Bruyn, Bartholomäus (1493-1555).
Burgkmair, Hans (1473-1531) : gravures.
Cranach l'Ancien, Lucas (1472-1553). Le Jeune, Lucas (1515-86).
Dürer, Albrecht (1471-1528).
Elsheimer, Adam (1578-1610).
Grünewald, Mathis (1460/70-1528).
Holbein l'Ancien, Hans (v. 1465-1524). Le Jeune, Hans (1497-1543).
Konrad von Soest (v. 1370-v. 1422).
Kulmbach, Hans Süss von (1476-1522).
Lochner, Stephan (v. 1410-51).
Maître de Heiligenkreuz (actif v. 1395-1420) (Autr.). De St Lambert (actif en 1434) (Autr.). De Ste Véronique (v. 1420). De Trébon (Prague) (v. 1380). De Vissy Brod (Prague) (v. 1350). Francke (v. 1405-apr. 24). Théodoric (Prague) (actif 1348-68).
Moser, Lukas (actif v. 1431).
Pacher, Michael (v. 1435-98) (Autr.).
Sandrart, Joachim von (1606-88).
Schäufelein, Hans Leonhard (v. 1480-1539/40).
Schönfeld, Johann Heinrich (1609-84).
Schongauer, Martin (1453?-91).

Nés entre 1700 et 1800

Blechen, Karl (1798-1840).
Carstens, Jacob Asmus (1754-98).
Cornelius, Peter von (1783-1867).
Fohr, Carl-Philipp (1795-1818).
Friedrich, Caspar David (1774-1840).
Füger, Heinrich (1751-1818) (Autr.).
Graff Anton (1736-1813).
Hess, Heinrich Maria Von (1798-1863).
Hess, Peter von (1792-1871).
Kersting, Georg-Friedrich (1785-1847).
Kobell, Wilhelm von (1766-1853).
Mengs, Anton Raphael (1728-79).
Olivier, Ferdinand von (1785-1841).
Overbeck, Johann Friedrich (1789-1869).
Runge, Philipp-Otto (1777-1810).
Schadow, Wilhelm von (1788-1862).
Schick, Gottlieb (1776-1812).
Schnorr von Carolsfeld, Julius (1794-1872).
Tischbein, Johann Friedrich-August (1750-1812).
Veit, Philippe (1793-1877).

Nés entre 1800 et 1900

Ackermann, Max (1887-1975).
Baumeister, Willi (1889-1955).
Beckmann, Max (1884-1950).
Bissier, Julius (1893-1965).
Buchheister, Carl (1890-1964).
Busch, Wilhelm (1832-1908) : caric.
Corinth, Lovis (1858-1925).
Dix, Otto (1891-1969).
Ernst, Max (1891-1976), à Paris 1922.
Felixmüller, Conrad (1897-1977).
Feuerbach, Anselm von (1829-80).
Gilles, Werner (1894-1961).
Grosz, Georg (1893-1959).
Heckel, Erich (1883-1970).
Höch, Hannah (1889-1978).
Hölzel, Adolf (1853-1934).
Hoerle, Heinrich (1895-1936).
Hubbuch, Karl (1891-1980).
Kanoldt, Alexander (1881-1939).
Kirchner, Ernst-Ludwig (1880-1938).
Klee, Paul (1879-1940) (Suisse).
Kollwitz, Käthe (1867-1945).
Leibl, Wilhelm (1844-1900).
Lenbach, Franz von (1836-1904).
Liebermann, Max (1847-1935).
Macke, August (1887-1914).
Marc, Franz (1880-1916).
Marées, Hans von (1837-87).
Menzel, Adolf von (1815-1905).
Modersohn-Becker, Paula (1876-1907).
Mueller, Otto (1874-1930).
Münter, Gabriele (1877-1962).
Nesch, Rolf (1893-1974).
Nolde, Emil Hansen dit (1867-1956).
Pechstein, Max (1881-1955).
Purrmann, Hans (1880-1966).
Radziwill, Franz (1895-1983).
Räderscheidt, Anton (1892-1970).
Richter, Hans (1888-1976).
Rohlfs, Christian (1843-1938).
Schad, Christian (1894-1982).
Schlemmer, Oskar (1888-1943).
Schmidt-Rottluff, Karl (1884-1976).
Schreyer, Adolf (1828-99).
Schwitters, Kurt (1887-1948).
Slevogt, Max (1868-1932).
Stuck, Franz von (1863-1928).
Tappert, Georg (1880-1957).
Thoma, Hans (1839-1924).
Uhde, Fritz von (1848-1911).
Vogeler, Heinrich (1872-1942).
Vordemberge-Gildewart Friedrich (1899-1962).
Werner, Theodor (1886-1968).
Winterhalter, Franz-Xaver (1805-73).

Nés après 1900

Ackermann, Peter (1934).
Altenbourg, Gerhard (1926).
Antes, Horst (1936).
Baselitz, Georg (1938).
Bellmer, Hans (1902-75).
Beuys, Joseph (1921-86).
Buthe, Michaël (1944).
Dahmen, Karl Fred (1917-81).
Dahn, Walter (1954).
Darboven, Hanne (1941).
Fassbender, Joseph (1903).
Fetting, Rainer (1949).
Fruhtrunk, Günter (1923-82).
Geiger, Rupprecht (1908).
Girke, Raimund (1930).
Götz, Karl Otto (1914).
Graubner, Gotthard (1930).
Grützke, Johannes (1937).
Hartung, Hans (1904-89).
Heisig, Bernhard (1925).
Heldt, Werner (1904-54).
Hödicke, Karl Horst (1938).
Hoehme, Gerhard (1920-89).
Immendorff, Jorg (1945).
Janssen, Horst (1929).
Jochims, Reimer (1935).
Kalinowski, Horst Egon (1924).
Kiefer, Anselm (1945).
Klapheck, Konrad (1935).
Klasen, Peter (1935).
Lüpertz, Markus (1941).
Meistermann, Georg (1911-90).
Nay, Ernst Wilhelm (1902-68).
Oelze, Richard (1900-80).
Penck, A.R. (1939).
Polke, Sigmar (1941).
Richter, Gerhard (1939).
Schultze, Bernard (1915).
Schumacher, Emil (1912).
Sonderborg, Kurt (1923-77).
Thieler, Fred (1916).
Trökes, Heinz (1913).
Vostell, Wolf (1932).
Winter, Fritz (1905-76).
Wols, Wolfgang Schulze (1913-51).

Argentine

Nés avant 1900

Badi, Aquiles (1894).
Brughetti, Faustino (1887-1956).
Butler, Horacio (1897-1982).
Caraffa, Emilio (1862-1939).
Centurion, Emilio (1894-1970).
De La Carcova, Ernesto (1867-1927).
Del Prete, Juan (1897-?).
Fader, Fernando (1882-1935).
Guido, Alfredo (1892).
Lacamara, Fortunato (1887-1951).
Molina Campos, Florencio (1891-1959).
Pettorutti, Emilio (1892-1971).
Policastro, Enrique (1898-1971).
Pueyrredon, Prilidiano (1823-70).
Quinquela Martin, Benito (1890-1977).
Quiros, Cesareo Bernaldo de (1881-1968).
Schiaffino, Eduardo (1858-1935).
Sivori, Eduardo (1847-1918).
Spilimbergo, Lino Eneas (1896-1964).
Victorica, Miguel Carlos (1884-1955).
Vitullo, S. César (1899-1953).
Xul Solar, Alejandro (1888-1963).

Nés après 1900

Alonso, Carlos (1929).
Alonso, Raúl (1918).
Battle Planas, Juan (1911-66).
Berni, Antonio (1905-81).
Castagnino, Juan Carlos (1908-72).
Forner, Raquel (1902).
Forte, Vicente (1912-80).
Garcia Uriburu, Nicolas (1937).
Le Parc, Julio (1928).
Maccio, Romulo (1931).
Pierri, Orlando (1913).
Presas, Leopoldo (1915).
Segui, Antonio (1934).
Sessa, Aldo (1939).
Soldi, Raúl (1905).
Torrallardona, Carlos (1912).
Torres Aguero, Leopoldo (1924).
Venier, Bruno (1914).

Autriche

Altomonte, Martino (1659-1745).
Attersee, Christian Ludwig (1941).
Boeckl, Herbert (1894-1966).
Brand, Johann Christian (1722-95).
Egger-Lienz, Albin (1868-1926).
Frueauf, Rueland (le Jeune) (actif v. 1490-1520).
Frueauf, Rueland (le Vieux) (actif 1470-1507).
Füger, Friedrich Heinrich (1751-1818).
Gerstl, Richard (1883-1908).

GÖRTSCHACHER, Urban (v. 1485-v. 1530).
GRAN Daniel (1694-1757).
HAUSNER, Rudolf (1914).
HUBER, Wolf (1484-1553).
HUNDERTWASSER, Friedensreich (1928).
KLIMT, Gustav (1862-1918).
KOKOSCHKA, Oskar (1886-1980).
KUBIN, Alfred (1877-1959).
LAIB, Conrad (actif 1440-60).
MAÎTRE DE L'AUTEL D'ALBRECHT (actif 1430-40), DES ÉCOSSAIS À VIENNE (actif v. 1470). DE HEILIGENKREUZ (actif 1395-1420). DE ST-LAMBRECHT (actif v. 1430), DU CHATEAU DE LICHTENSTEIN (actif 1430-40), D'UTTENHEIM (actif 1450-80)..
MAKART, Hans (1840-84).
MAULBERTSCH, Franz Anton (1724-96).
MOSER, Koloman (1868-1918).
MULTSCHER, Hans (v. 1400-67).
PACHER, Friedrich (1430/40-1508).
PACHER, Michael (actif v. 1460-98).
PICHLER, Walter (1936).
RAINER, Arnulf (1929).
REICHLICH, Max (v. 1460-v. 1520).
ROMAKO, Anton (1832-89).
ROTTMAYR, Johann Michael (1654-1730).
SCHIELE, Egon (1890-1918).
SCHMIDT, Johann Martin (1718-1801).
SCHUCH, Carl (1846-1903).
TROGER, Paul (1698-1762).
WALDMÜLLER, Ferdinand Georg (1793-1865).
ZEILLER, Johann Jacob (1710-83).

Belgique

Nés avant 1600

BLES, Herri Met De (v. 1500-1554).
BOSCH, Jérôme, v. Pays-Bas.
BOUTS, Thierry (1415-75).
BRUEGEL le Vieux, Pierre (v. 1525-69).
CHRISTUS, Petrus (1420-73).
DAVID, Gérard (v. 1460-1523).
GOSSAERT, Jean (dit Mabuse) (1472/75-1533/36).
JORDAENS, Jacob (1599-1678).
KEMPENER, Peter de (Pedro CAMPAÑA) (1503-1580).
LIMBOURG (Pol, Hennequin et Hermann de) : voir France.
MEMLING, Hans (v. 1435-94).
METSYS, Quentin (1465/66-1530).
MORO, Antonio, ou MOR VAN DASHORT, Antonis (1517-1576).
PATENIER, Joachim (1475/80-1524).
RUBENS, Pierre-Paul (1577-1640).
SNYDERS, Frans (1579-1657).
TENIERS le Vieux, David (1582-1649).
VAN DER GOES, Hugo (v. 1440-82).
VAN DER WEYDEN, Rogier (Roger de la Pasture) (v. 1400-64).
VAN DYCK, Antoine (1599-1641).
VAN EYCK, Jan (v. 1390-1441).
VAN ORLEY, Bernard (v. 1488-1541).

Nés entre 1600 et 1700

BROUWER, Adrien (v. 1606-38).
CHAMPAIGNE, Philippe de, Voir France.
TENIERS le Jeune, David (1610-90).

Nés entre 1700 et 1800

MADOU, Jean-Baptiste (1796-1877).
NAVEZ, François-Joseph (1787-1869).
REDOUTÉ, Pierre (1759-1840).
VERHAEGEN, Pierre-Joseph (1728-1811).

Nés entre 1800 et 1900

ASSELBERG, Alphonse (1839-1916).
BOULENGER, Hippolyte (1837-74).
BRAEKELEER, Henri de (1840-88).
BRUSSELMANS, Jean (1884-1953).
CARTE, Anto (1886-1954).
CLAUS, Émile (1849-1924).
DAEYE, Hippolyte (1873-1952).
DEGOUVE DE NUNCQUES, William (1866-1935).
DELVAUX, Paul (1897).
DELVILLE, Jean (1867-1953).
ENSOR, James (1860-1949).
EVENEPOEL, Henri (1872-99).
FREDERIC, Léon (1856-1940).
GALLAIT, Louis (1810-87).
GOERG, Edouard (1893-1969).
KHNOPFF, Fernand (1858-1921).
LAERMANS, Eugène (1864-1940).
LEYS, Baron Henri (1815-69).
MAGRITTE, René (1898-1967).
MASSON, André (1896).
PAULUS, Baron Pierre (1881-1959).
PERMEKE, Constant (1886-1952).
PORTAELS, Jean (1818-95).
ROPS, Félicien (1833-98).
SAEDELEER, Valerius de (1867-1941).
SERVAES, Albert (1883-1966).
SERVRANCKX, Victor (1897-1965).
SMET, Gustave de (1877-1943).
SMITS, Jakob (1856-1928).
SPILLIAERT, Léon (1881-1946).
STEVENS, Alfred (1823-1906).
TYTGAT, Edgard (1879-1957).
VAN DEN BERGHE, Frits (1883-1939).
VAN DE VELDE, Henry (1863-1957).
VAN DE WOESTIJNE, Gustave (1881-1947).
VAN RYSSELBERGHE, Théo (1862-1926).
VERWEE, Alfred (1838-95).
WIERTZ, Antoine (1806-65).
WOUTERS, Rik (1882-1916).

Nés après 1900

ALECHINSKY, Pierre (1927).
BERTRAND, Gaston (1910).
BONNET, Anne (1908-60).
BURSSENS, Jan (1925).
CAMUS, Gustave (1914-84).
COX, Jan (1919-80).
DELAHAUT, Jo (1911).
DELMOTTE, Marcel (1901-84).
DOTREMONT, Christian (1922-79).
DUDANT, Roger (1929).
FOLON, Jean-Michel (1934).
LANDUYT, Octave (1922).
MARA, Pol (1920).
MENDELSON, Marc (1915).
MESENS, E.L.T. (1903-71).
MORTIER, Antoine (1908).
PEIRE, Luc (1916).
RAVEEL, Roger (1921).
SOMVILLE, Roger (1923).
STREBELLE, Jean-Marie (1916).
UBAC, Raoul (1910-85).
VANDERCAM, Serge (1924).
VAN LINT, Louis (1909-86).

Brésil

BANDEIRA, Antonio (1922-67).
CAMARGO, Iberê (1914).
CARVALHO, Flavio de (1899).
DA COSTA, Milton (1915).
DI CAVALCANTI, Emiliano (1897-1976).
FIGUEIREDO e NELLO, Pedro Americo (1843-1905).
GONZALEZ, Juan Francisco, (1853-1933).
MABÉ, Manabu (1924).
MALFATTI, Anita (1896-1964).
MEIRELES, Victor (1832-1903).
MOTA e SILVA, Djanina (1914-79).
PORTINARI, Candido (1903-62).
RAIMUNDO DE OLIVEIRA (1930-66).
SCLIAR, Carlos (1920).
SILVA, Presciliano (1883-1965).

Canada

BORDUAS, Paul-Émile (1905-60).
BUSH, Jack (1909-77).
CARR, Emily (1871-1945).
CHAMBERS, Jack (1931-78).
CLARK, Paraskeva (1898-1986).
COLVILLE, Alexander (1920).
COSGROVE, Stanley (1911).
CURNOE, Greg (1936).
FERRON, Marcelle (1924).
FITZGERALD, Lionel Le Moine (1890-1956).
FORTIN, Marc-Aurèle (1888-1970).
GAGNON, Clarence A. (1881-1942).
HARRIS, Lawren Stewart (1885-1970).
HEBERT, Adrien (1890-1967).
HURTUBISE, Jacques (1939).
JACKSON, Alexander Young (1882-1974).
KNOWLES, Dorothy (1927).
KURELEK, William (1927-77).
LEDUC, Fernand (1916).
LEMIEUX, Jean-Paul (1904).
MACDONALD, J.E.H. (1873-1932).
MALTAIS, Marcella (1933).
MC EWEN, Jean (1923).
MILNE, David (1882-1953).
MOLINARI, Guido (1933).
MORRICE, James Wilson (1865-1924).
NIVERVILLE, Louis de (1933).
PELLAN, Alfred (1906-88).
PRATT, Christopher (1935).
PRATT, Mary (1935).
RIOPELLE, Jean-Paul (1923).
ROBERTS, Goodridge (1904-74).
SHADBOLT, Jack (1909).
SNOW, Michaël (1929).
SUZOR-COTÉ, Aurèle de Foy (1869-1937).
THOMSON, Tom (1877-1917).
TONNANCOUR, Jacques Godefroy de (1917).
TOWN, Harold (1924).
VARLEY, Frederick (1881-1969).
WATSON, Homer (1855-1936).
WIELAND, Joyce (1931).

Chili

ALDUNATE, Cármen (1940).
ANTUNEZ, Nemesio (1918).
ARIAS, Virginio (1855-1941).
BRAVO, Claudio (1936, en Algérie).
BURCHARD, Pablo (1875-1964).
CARREÑO, Mario (1913).
CASTILLO, Sergio (1925).
CASTRO, Aura (1946).
CIENFUEGOS, Gonzalo (1949).
COLVIN, Marta (1917).
DEL CANTO, Patricia (1948).
DONOSO, Alvaro (1939).
EGENAU, Juan (1927-87).
GARAFULIC, Lily (1914).
GONZALEZ, Juan Francisco (1853-1933).
GONZALEZ, Simon (1859-1919).
LIRA, Benjamin (1950).
LIRA, Pedro (1845-1912).
MATTA, Roberto (1911, en France).
MATTE, Rebeca (1875-1929).
MORI, Camilo (1896-1973).
OPAZO, Rodolfo (1935).
PLAZA, Nicanor (1841-1918).
ROMAN, Samuel (1907).
SUTIL, Francisca (1953).
TORAL, Mario (1934).
VALDIVIESO, Raül (1931).
VALENZUELA LLANOS, Alberto (1869-1925).
VALENZUELA PUELMA, Alfredo (1856-1909).
ZAÑARTU, Enrique (1921).

Colombie

BOTERO, Fernando (1932).

Cuba

LAM, Wilfredo (1902-82).
PEDRO, Luis Martinez (1910).
PORTOCARRERO, René (1912).
RODRIGUEZ, Mariano (1912).

Danemark

ABILDGAARD, Nicolai (1743-1809).
ALFELT, Else (1910-74).
ANCHER, Anna (1859-1935).
ANCHER, Michaël (1849-1927).
ANDERSEN, Mogens (1916).
BILLE, Ejler (1910).
BIRKEMOSE, Jens (1943).
BRANDES, Peter Erling (1944).
ECKERSBERG, C.W. (1783-1853).
FREDDIE, Wilhelm (1909).
GIERSING, Harald (1881-1927).
HAMMERSHOI, Vilhelm (1864-1916).
HEERUP, Henry (1907).
HORNUNG, Preben (1919).
HOYER, Cornellius (1741-1804).
JACOBSEN, Egill (1910).
JORN, Asger (1914-73).
JUEL, Jens (1745-1802).
KIRKEBY, Par (1938).
KOEBKE, Christen (1810-48).
KROYER, Peter Severin (1851-1909).
LUNDBYE, J. Th. (1818-48).
LUNDSTROM, Vilhelm (1893-1950).
MORTENSEN, Richard (1910).
PAÙUELSEN, Erik (1749-90).
PEDERSEN, Carl Henning (1913).
PHILIPSEN, Theodor (1840-1920).
SITTER, Inger (1929).
SKOVGAARD, P.C. (1817-75).
SONDERBORG, K.R.H. (1923-77).
SÖRENSEN, Arne Haugen (1932).
TUXEN, Laurits (1853-1927).
WEIE, Edvard (1879-1943).
WILLUMSEN, Jens Ferdinand (1863-1958).

Espagne

Nés avant 1500

BASSA, Ferrer (v. 1285-1348).
BERMEJO, Bartolomé (v. 1440-après 1498).
BERRUGUETE, Alonso (v. 1490-1561).
BERRUGUETE, Pedro (v. 1450-1504).
BORRASSÁ, Luis (v. 1360-apr. 1425).
FERNÁNDEZ, Alejo (1470-1563).
GALLEGO, Fernando (v. 1440-après 1507).
GONÇALVES, Nuno († 1480) (Portugal).
HUGUET, Jaime (v. 1415-1492).
LLANOS Fernando (?-apr. 1525).
MACIP, Juan Vicente (v. 1475-1550).
MARTORELL, Bernardo (doc. à Barcelone 1427-52).
VASCO-FERNANDES (v. 1480-v. 1545).
YÁÑEZ, Fernando (v. 1459-v. 1536).

Nés entre 1500 et 1600

CARDUCHO, Vicente (1570-1638).
CÉSPEDES, Pablo de (1538-1608).
GRECO (dit el Greco), Domenicos Theotocopulos (1541-1614).
HERRERA EL VIEJO, Francisco de (1576-1656).
JUANES, Juan de (Vicente Juan Masip) (v. 1510-79).
MAINO, Juan Bautista (1578-1649).
MORALES, Luis de (dit El Divino) (v. 1519-86).
ORRENTE, Pedro (1580-1645).
PACHECO, Francisco (1564-1644).
PANTOJA DE LA CRUZ, Juan (1553-1608).
RIBALTA, Francisco (1565-1628).
RIBALTA, Juan (1596-1628).
RIBERA, Jusepe de (1591-1652).
RODRIGUEZ DE SILVA Y VELÁZQUEZ, Diego (1599-1660).
SÁNCHEZ COELLO, Alonso (v. 1531-88).
SÁNCHEZ-COTÁN, Fray Juan (1560-1627).
ZURBARÁN, Francisco (1598-1664).

Nés entre 1600 et 1700

ARELLANO, Juan de (1614-76).
CANO, Alonso (1601-67).

Carreño de Miranda, Juan (1614-85).
Cerezo, Mateo (1637-66).
Coello, Claudio (1642-93).
Espinosa, Jeronimo Jacinto (1600-67).
Herrera el Joven, Francisco (1627-85).
Mazo, Juan Bautista Martinez del (v. 1610/67).
Murillo, Bartolomé Esteban (1618-82).
Pereda, Antonio (1611-78).
Rizi, Francisco (1614-85).
Valdés Leal, Juan de (1622-90).

Nés entre 1700 et 1800

Bayeu, Francisco (1734-95).
Bayeu, Manuel (1740-1809).
Bayeu, Ramón (1746-93).
Goya, Francisco de (1746-1828).
López, Vicente (1772-1850).
Madrazo, José de (1781-1859).
Maella, Mariano Salvador (1739-1819).
Meléndez, Luis Eugenio (1716-80).
Paret, Luis (1746-99).
Vergara, José (1726-99).

Nés entre 1800 et 1900

Blanchard, Maria (1881-1932).
Echevarriá, Juan de (1875-1931).
Esquivel, Antonio Maria (1806-57).
Fortuny y Marsal, Mariano (1838-74).
Gisbert, Antonio (1835-1901).
Gris, Juan (José Victoriano Gonzalez) (1887-1927). A Paris en 1900.
Gutierrez Solana, José (1885-1945).
Hermoso, Eugenio (1883-1963).
Lucas y padilla, Eugenio (1817-70).
Madrazo y Kunz, Federico de (1815-94).
Miró, Joan (1893-1983).
Moreno, Carbonero José (1860-1942).
Nonell, Eugenio (1873-1911).
Picasso, Pablo Ruiz (1881-1973).
Regoyos, Dario de (1857-1913).
Rosales, Eduardo (1836-73).
Rusiñol, Santiago (1861-1931).
Sert, José Maria (1876-1945).
Sorolla y Bastida, Joaquin (1863-1923).
Vázquez díaz, Daniel (1882-1969).
Zuloaga, Ignacio (1870-1945).

Nés après 1900

Aguayo, Fermin (1926-77).
Arroyo, Eduardo (1937).
Barceló, Miquel (1957).
Caballero, José (1916).
Clavé, Antoni (1913).
Cordillo, Luis (1934).
Cuixart, Modesto (1925).
Dalí, Salvador (1904-89) [1].
Feito, Luis (1929).
Grau-Sala, Émile (1911-75).
Hernandez, Mariano (1938).
Lopez-Garcia, Antonio (1936).
Nieva, Francisco (1924).
Pelayo, Orlando (1920-90).
Saura, Antonio (1930).
Tàpies, Antoni (1923).

Nota. – (1) L'État espagnol est l'héritier universel (héritage estimé à env. 853 millions de F dont 700 œuvres d'art dont 250 signées).

États-Unis

Albers, Josef (All. 1888-1976).
Albright, Ivan (1897-1983).
Audubon, John James (1785-1851).
Avery, Milton (1893-1965).
Basquiat, Jean-Michel (1960-88).
Bellows, George Wesley (1882-1925).
Benton, Thomas Hart (1889-1975).
Berman, Eugène (1899-1972).
Bingham, George C. (1811-79).
Bloom, Hyman (1913).
Boggs, Frank (1855-1926).
Burchfield, Charles (1893-1967).
Cassatt, Mary (1844-1926).
Catlin, George (1796-1872).
Chase, William Merritt (1849-1916).
Church, Frederic Edwin (1826-1900).
Cole, Thomas (1801-48).
Copley, John Singleton (1738-1815) (se fixe à Londres en 1775).
Cropsey, Jasper Francis (1823-1900).
Davies, Arthur B. (1862-1928).
Davis, Gene (1920-85).
Davis, Stuart (1894-1964).
Demuth, Charles (1883-1935).
Dine, Jim (1935).
Dove, Arthur (1880-1946).
Eakins, Thomas (1844-1916).
Earl, Ralph (1751-1801).
Edmonds, Francis William (1806-63).
Estes, Richard (1936).
Evergood, Philip (1901-73).
Feininger, Lyonel (All. 1871-1956).
Field, Erastus-Salisbury (1805-1900).
Francis, Sam (1923).
Frankenthaler, Helen (1928).
Glackens, William (1870-1938).
Gorky, Arshile (1904-48).
Gottlieb, Adolph (1903-74).
Grosz, George (All. 1893-1959).
Haring, Keith (1958-1990 du sida).
Harnett, William M. (1848-92).
Hartley, Marsden (1877-1943).
Hassam, Childe (1859-1935).
Heade, Martin-Johnson (1819-1904).
Henri, Robert (1865-1929).
Hofmann, Hans (1880-1966).
Homer, Winslow (1836-1910).
Hopper, Edward (1882-1967).
Indiana, Robert (1928).
Inness, George (1825-94).
Johns, Jasper (1930).
Johnson, Joshua (actif 1796-1824).
Kelly, Ellsworth (1923).
Kienholz, Edward (1927).
Kline, Franz (1910-62).
Kooning, Willem de (Holl. 1904).
Kuhn, Walt (1877-1949).
Levine, Jack (1915).
Lewitt, Sol (1928).
Lichtenstein, Roy (1923).
Lindner, Richard (All. 1901-78).
Louis, Morris (1912-62).
Marin, John (1870-1953).
Mitchell, Joan (1926).
Moses, Grandma (1860-1961).
Motherwell, Robert (1915).
Newman, Barnett (1905-70).
Noland, Kenneth (1924).
O'Keeffe, Georgia (1887-1986).
Oldenburg, Claes (1929).
Pascin, Jules (Bulg. 1885-1930).
Peale, Charles Willson (1741-1827).
Peale, Rembrandt (1778-1860).
Phillips, Ammi (1788-1865).
Pollock, Jackson (1912-56).
Prendergast, Maurice (1859-1924).
Rauschenberg, Robert (1925).
Ray, Man (1890-1976).
Reinhardt, Ad (1913-67).
Rivers, Larry (1923).
Rosenquist, James (1933).
Rothko, Mark (Marcus Rothkovitch dit) (1903-70).
Ryder, Albert Pinkham (1847-1917).
Sargent, John Singer (1856-1925).
Segal, George (1925).
Shahn, Ben (Lituanie, 1898-1969).
Shinn, Everett (1867-1953).
Sloan, John (1871-1951).
Stella, Frank (1936).
Stella, Joseph (1877-1946).
Still, Clyfford (1904-80).
Stuart, Gilbert (1755-1828).
Sully, Thomas (1783-1872).
Tanguy, Yves (1900-55) [or. franç.].
Tanning, Dorothea (1912).
Tobey, Mark (1890-1976).
Trumbull, John (1756-1843).
Twachtman, John H. (1853-1902).
Twombly, Cy (1927).
Tworkow, Jack (1900-82).
Warhol, Andy (1928-87).
Weber, Max (1881-1961).
Wesselmann, Tom (1931).
West, Benjamin (1738-1820).
Whistler, James (1834-1903).
Wyeth, Andrew (1917).

France

Nés avant 1500

Beauneveu, André (v. 1330-v. 1410) (Franco-Flamand).
Bourdichon, Jehan (v. 1457-1521).
Broederlam, Melchior (v. 1328-apr. 1410) [Fr.-Flam.].
Clouet, Jean (v. 1475-1541).
Cousin, Jean, dit le Père (v. 1490-v. 1561).
Fouquet, Jean (v. 1420-70 ou 80).
Froment, Nicolas (v. 1435-84).
Girard d'Orléans († 1361).
Hesdin, Jacquemart de († v. 1410) (Fr.-Flam.).
Limbourg, les frères de (début xve) (Fr.-Flam.).
Maître de l'Annonciation d'Aix (xve). De Moulins (1480-v. 1500). Des Heures de Rohan (actif v. 1420-40) (Franco-Flamand) (BN).
Malouel, Jean (Mael Wael) (v. 1370-1419) (Flamand).
Pucelle, Jean (début xive s.).
Quarton, Enguerrand (1410-apr. 69).

Nés entre 1500 et 1600

Callot, Jacques (1592-1635).
Caron, Antoine (1521-99).
Clouet, François (v. 1520-72).
Corneille de Lyon (v. 1505-v. 1574) (Néerl.).
Cousin, Jean (dit le Fils) (v. 1522-v. 1594).
Dubois, Ambroise (1553-1614).
Dumonstier, Daniel (1574-1646). Pierre Ier (v. 1524-v. 1604).
École de Fontainebleau.
Fréminet, Martin (1567-1619).
La Tour, Georges de (v. 1593-1652).
Le Nain, Antoine (v. 1588-1648).
Le Nain, Louis (1593-1648).
Linard, Jacques (v. 1600-45).
Maître de St-Gilles (v. 1500)
Mellin, Charles (1597-1649).
Perrier, François (le Bourguignon) (v. 1590-1650).
Poussin, Nicolas (1594-1665).
Régnier, Nicolas (1590-1667).
Stella, Jacques de (1596-1657).
Stoskopff, Sébastien (1597-1657).
Tournier, Nic. (av. 1600-apr. 1660).
Valentin de boulogne (1594-1632).
Varin, Quentin (v. 1570-1634).
Vignon, Claude (v. 1593-1670).
Vouet, Simon (1590-1649).

Nés entre 1600 et 1700

Baugin, A. (v. 1630).
Baugin, Lubin (1610-63).
Blanchard, Jacques (1600-38).
Bosse, Abraham (1602-76).
Bourdon, Sébastien (1616-71).
Bourguignon, Jacques (Courtois dit le) (1621-76).
Champaigne, Philippe de (Bruxelles, 1602-74).
Chardin, Jean-Baptiste (1699-1779).
Coypel, Antoine (1661-1722).
Desportes, François (1661-1743).
Drouais, Hubert (1699-1767).
Dughet, Gaspard (le Guaspre Poussin) [1613-75].
Dupuis, Pierre (1610-82).
Garnier, François (actif v. 1627-58).
Gellée, Claude (dit le Lorrain) (1600-82).
Gillot, Claude (1673-1722).
Jeaurat, Étienne (1699-1789).
Jouvenet, Jean-Baptiste (1644-1717).
La Fosse, Charles de (1636-1716).
La Hyre, Laurent de (1606-56).
Lancret, Nicolas (v. 1690-1743).
Largillierre, Nicolas de (1656-1746).
Le Brun, Charles (1619-90).
Lemoyne, François (1688-1737).
Le Nain, Mathieu (1607-77).
Lesueur, Eustache (1617-55).
Mignard, Pierre (1612-95).
Moillon, Louise (1610-96).
Monnoyer, Jean-Baptiste (1634-99).
Nanteuil, Rob. (v. 1623-78).
Nattier, Jean-Marc (1685-1766).
Oudry, Jean-Baptiste (1686-1755).
Pater, Jean-Baptiste (1695-1736).
Restout, Jean (1692-1768).
Rigaud, Hyacinthe (1659-1743).
Subleyras, Pierre-Hubert (1699-1749).
Tassel, Jean (1608-67).
Tocqué, Louis (1696-1772).
Troy, François de (1645-1730).
Van Loo, Jean-Baptiste (1684-1745).
Watteau, Antoine (1684-1721).

Nés entre 1700 et 1800

Auguste, Jules-Robert (1789-1850).
Aved, Jacques-André (1702-66).
Boilly, Louis-Léopold (1761-1845).
Boucher, François (1703-70).
Carmontelle (Louis Carrogis) (1717-1806).
Champmartin, Charles (1797-1883).
Charlet, Nicolas (1792-1845).
Corot, Jean-Baptiste (1796-1875).
David, Louis (1748-1825).
Delacroix, Eugène (1798-1863).
Delaroche, Hippolyte (dit Paul) (1797-1856).
Demarne, Jean-Louis (1744-1829).
Drolling, Martin (1752-1817).
Drouais, François-Hubert (1727-75).
Ducreux, Joseph (1735-1802).
Dunouy, Alexandre-Hyacinthe (1757-1849).
Duplessis, Joseph-Siffred (1725-1802).
Fontaine, Pierre-François-Léonard (1762-1853).
Fragonard, Jean-Honoré (1732-1806).
Gérard, François, baron (1770-1837).
Géricault, Théodore (1791-1824).
Girodet-Trioson (Anne-Louis Girodet de Roucy) (1767-1824).
Granet, François-Marius (1775-1849).
Greuze, Jean-Baptiste (1725-1805).
Gros, Antoine, baron (1771-1835).
Guérin, Pierre (1774-1833).
Huet, Jean-Baptiste (1743-1811).
Ingres, Jean-Auguste Dominique (1780-1867).
Isabey, Jean-Baptiste (1767-1855).
Labille-Guiard, Adélaïde (1749-1803).
La Tour, Maurice Quentin de (1704-88).
Lemoyne, Jean-Baptiste (1704-78).
Lépicié, Nicolas (1735-84).
Mallet, Jean-Baptiste (1759-1835).
Michel, Georges (1763-1843).
Moreau l'Aîné, Louis-Gabriel (1740-1806). Le Jeune, Jean-Michel (1741-1814).
Natoire, Charles (1700-77).
Nonnotte, Donat (1708-85).
Percier, Charles (1764-1838).
Perronneau, Jean-Baptiste (1715-83).
Prud'hon, Pierre-Paul (1758-1823).
Regnault, Jean-Baptiste, baron (1754-1829).
Robert, Hubert (1733-1808).
Roux, Antoine (1765-1835) ; Antoine fils (1799-1872).
Saint-Aubin, Gabriel de (1724-80).
Scheffer, Ary (1795-1858).
Taurel, Jean-François (1757-1832).
Valade, Jean (1709-87).
Valenciennes, Pierre-Henri de (1750-1819).
Vallayer-Coster, Anne (1744-1818).

VAN LOO, Carle (Charles-André) (1705-65).
VERNET, Carle (1758-1835).
VERNET, Horace (1789-1863).
VERNET, Joseph (1714-89).
VESTIER, Antoine (1740-1824).
VIEN, Joseph-Marie (1716-1809).
VIGÉE-LEBRUN, Marie-Louise Élis. (1755-1842).

Nés entre 1800 et 1900

ABBÉMA, Louise (1858-1927).
ADLER, Jules (1865-1952).
AMAN-JEAN, Edmond (1856-1936).
ANDRÉ, Albert (1869-1954).
ANGRAND, Charles (1854-1926).
ARP, Jean ou Hans (1887-1966).
ASSELIN, Maurice (1882-1947).
ATALAYA, José (dit Enrique) (1851-1913).
BAIL, Joseph (1862-1921).
BARNOIN, Henri (1882-1925).
BASHKIRTSEFF, Marie (Russie 1859-Fr. 1884).
BAUCHANT, André (1873-1958).
BAUDRY, Paul (1828-86).
BAZILLE, Frédéric (1841-70).
BEAUDIN, André (1895-1979).
BEAUFRÈRE, Alfred (1876-1960).
BELLANGÉ, Hippolyte (1800-66).
BELLY, Léon (1827-77).
BENJAMIN-CONSTANT, Jean (1845-1902).
BÉRAUD, Jean (1849-1936).
BERCHÈRE, Narcisse (1819-91).
BERNARD, Émile (1868-1941).
BERTRAM, Abel (1871-1954).
BESNARD, Albert (1849-1934).
BISSIÈRE, Roger (1886-1964).
BLANCHE, Jacques-Émile (1861-1942).
BOMBOIS, Camille (1883-1970).
BOMPARD, Maurice (1857-1936).
BONHEUR, Rosa (1822-99).
BONNARD, Pierre (1867-1947).
BONNAT, Léon (1833-1922).
BONVIN, François (1817-87).
BORDES, Léonard (1898-1969).
BOTTINI, Georges-Alfred (1874-1907).
BOUDIN, Eugène (1824-98).
BOUGUEREAU, William (1825-1905).
BOULANGER, Louis (1806-67).
BOUSSINGAULT, Jean-Louis (1883-1943).
BOUVET, Henry (1859-1945).
BOYER, Émile (1877-1947).
BRADBERRY, Georges (1879-1955).
BRAQUAVAL, Louis (1854-1919).
BRAQUE, Georges (1882-1963).
BRIANCHON, Maurice (1899-1979).
BROWN, John Lewis (Irl. 1829-90).
BUHOT, Félix (1847-98).
BUTLER, Théodore Earl (1876-1937).
CABANEL, Alexandre (1823-89).
CAILLEBOTTE, Gustave (1848-94).
CAMI, Pierre (1884-1958).
CAMOIN, Charles (1879-1965).
CAPPIELLO, Leonetto (It. 1875-1942).
CAROLUS-DURAN, Émile (Charles Durand) (1837-1917).
CARRIER-BELLEUSE, Louis (1848-1913).
CARRIÈRE, Eugène (1849-1906).
CÉRIA, Edmond (1884-1955).
CÉZANNE, Paul (1839-1906).
CHAGALL, Marc (Russie, 1887-1985).
CHABAS, Maurice (1862-1947).
CHABAUD, Auguste (1882-1955).
CHARLEMAGNE, Paul (1892-1972).
CHARRETON, Victor (1864-1937).
CHASSÉRIAU, Théodore (1819-56).
CHASTEL, Roger (1897-1981).
CHENAVARD, Paul-Joseph (1807-95).
CHÉRET, Jules (1836-1933).
CHINTREUIL, Antoine (1816-73).
CICERI, Eugène (1813-90).
CLAIRIN, Georges (1843-1919).
COCTEAU, Jean (1889-1963).
COLIN, Paul (1892-1985).
COMERRE, Louis (1850-1916).
CORTES, Édouard (1882-1969).
COTTET, Charles (1863-1925).
COUCHAUX, Marcel (1877-1939).
COURMES, Alfred (1898).
COURBET, Gustave (1819-77).
COUSTURIER, Lucie (1870-1925).
COUTURE, Thomas (1815-79).
CREIXAMS, Pierre (1893-1965).
CROTTI, Jean (Suisse, 1878-1958).
CYR, Georges (n.c.-1964).
DAGNAN-BOUVERET, Pascal (1852-1929).
DARJOU, Alfred (1832-74).
DAUBIGNY, Charles-Franç. (1817-78).
DAUBIGNY, Karl-Pierre (1846-86).
DAUCHEZ, André (1870-1948).
DAUMIER, Honoré (1808-79).
DAUZATS, Adrien (1804-68).
DAVID, Hermine (1886-1970).
DEBAT-PONSAN, Édouard (1847-1913).
DECAMPS, Alex.-Gabriel (1803-60).
DEGAS, Edgar (1834-1917).
DEHODENCQ, Alfred (1822-82).
DELATTRE, Joseph (1858-1912).
DELAUNAY, Robert (1885-1941).
DELAUNAY, Sonia (1885-1979).
DELAVALLÉE, Henri (1862-1943).
DELPY, Camille-Hippolyte (1842-1910).
DENIS, Maurice (1870-1943).
DERAIN, André (1880-1954).
DESNOYER, François (1894-1972).
DESVALLIÈRES, Georges (1861-1950).
DETAILLE, Édouard (1848-1912).
DEUTSCH, Ludwig (Autr. 1855-1935).
DEVAMBEZ, André (1867-1943).
DEVÉRIA, Achille (1800-57).
DEVÉRIA, Eugène (1805-65).
DEZAUNAY, Émile (1854-1940).
DIAZ DE LA PEÑA, Narcisse-Virgile (1807-76).
DIGNIMONT, André (1891-1965).
DINET, Étienne (1861-1929).
DOMERGUE, Jean-Gabriel (1889-1962).
DORÉ, Gustave (1832-83).
DREUX, Alfred de (1808-60).
DUBOIS-PILLET, Albert (1845-90).
DUBREUIL, Pierre (1891-1970).
DUCHAMP, Marcel (1887-1968).
DUFRESNE, Charles (1876-1938).
DUFY, Jean (1888-1964).
DUFY, Raoul (1877-1953).
DUMONT, Pierre (1884-1936).
DUNOYER DE SEGONZAC, André (1884-1974).
DUPRÉ, Jules (1811-89).
DUPRÉ, Victor (1816-79).
ERNST, Max (All. 1891-1976).
ERNST, Rudolph (Autr. 1854-1924).
ESPAGNAT, Georges d' (1870-1950).
ESPARBÈS, Jean (d') (1898-1968).
FAIVRE, Abel (1867-1945).
FANTIN-LATOUR, Henri (1836-1904).
FAUTRIER, Jean (1898-1964).
FEURE, Georges de (1868-1943).
FILIGER, Charles (1863-1928).
FLANDRIN, Hippolyte (1809-64).
FLERS, Camille (1802-68).
FORAIN, Jean-Louis (1852-1931).
FOUJITA, Tsugouharu (1886-1968).
FRANÇAIS, François-Louis (1814-97).
FRECHON, Charles (1858-1928).
FRÈRE, Théodore (1814-88).
FRIESZ, Othon (1879-1949).
FROMENTIN, Eugène (1820-76).
GALLIEN, Pierre-Antoine (1896-1963).
GAUGUIN, Paul (1848-1903).
GAVARNI (Sulpice-Guillaume Chevalier, dit Paul) (1804-66).
GEN PAUL (Eugène Paul) (1895-1975).
GÉNIN, Lucien (1894-1958).
GERNEZ, Paul-Élie (1888-1948).
GEOFFROY, Henry (1853-1924).
GÉRÔME, Jean-Léon (1824-1904).
GERVAIS, Paul (1859-1936).
GERVEX, Henri (1852-1929).
GIGOUX, Jean-François (1806-94).
GIRARDET, Karl (1813-71).
GLEIZES, Albert (1881-1953).
GOBAUT, Gaspard (1814-82).
GOERG, Édouard (1893-1969).
GONDOUIN, Emmanuel (1883-1934).
GONTCHAROVA, Natalia (1881-1962) (or. russe).
GRANDVILLE (Isidore Gérard, dit) (1803-47).
GROMAIRE, Marcel (1892-1971).
GUDIN, Jean (1802-80).
GUÉRIN, Charles (1875-1939).
GUIGOU, Paul-Camille (1834-71).
GUILBERT, Narcisse (1878-1942).
GUILLAUMET, Gust.-Achille (1840-87).
GUILLAUMIN, Armand (1841-1927).
GUIRAND DE SCEVOLA, Victor (1871-1950).
GUYS, Constantin (1802-92).
HARPIGNIES, Henri (1819-1916).
HAYDEN, Henri (1883-1970).
HAYET, Louis (1864-1940).
HÉBERT, Ernest (1817-1908).
HELLEU, Paul (1859-1927).
HENNER, Jean-Jacques (1829-1905).
HENOCQUE, Narcisse (1879-1952).
HERBIN, Auguste (1883-1960).
HERVIEU, Louise (1878-1954).
HEUZÉ, Edmond (1884-1967).
HODÉ, Pierre (1889-1942).
HOSIASSON, Philippe (1898-1978).
HUET, Paul (1803-69).
HUGO, Valentine (1887-1968).
ICART, Louis (1888-1950).
ISABEY, Eugène (1803-86).
JOINVILLE, Antoine (1801-49).
JONAS, Lucjen (1880-1947).
JOURDAN, Émile (1860-1931).
KANDINSKY, Vassili (russe, 1866-1944).
KIKOÏNE, Michel (1892-1968) (or. russe).
KISLING, Moïse (Pol., 1891-1953 ; nat. Franç. 1924).
KREMEGNE, Pinchus (russe, 1890-1981).
LABOUREUR, Jean-Emile (1877-1943).
LA FRESNAYE, Roger de (1885-1925).
LAMBERT-RUCKI, Jean (1888-1967).
LAMI, Eugène (1800-90).
LA PATELLIÈRE, Amédée de (1890-1932).
LAPICQUE, Charles (1898-1988).
LAPRADE, Pierre (1875-1931).
LAUGÉ, Achille (1861-1944).
LAURENCIN, Marie (1885-1956).
LAURENS, Jean-Paul (1838-1921).
LAUVRAY, Abel (1870-1950).
LA VILLÉON, Emmanuel de (1858-1944).
LÉANDRE, Charles (1862-1930).
LEBAS, Hippolyte (1812-80).
LEBASQUE, Henri (1865-1937).
LEBOURG, Albert (1849-1928).
LECOMTE DU NOUY, Jean-Jules-Antoine (1842-1923).
LE CORBUSIER, Charles-Édouard Jeanneret (1877-1965) (or. suisse).
LÉGER, Fernand (1881-1955).
LEGROS, Alphonse (1837-1911).
LEGUEULT, Raymond (1891-1971).
LEMAÎTRE, Léon-Jules (1851-1905).
LENOIR, Marcel (1872-1931).
LÉPINE, Stanislas (1835-92).
LEPRIN, Marcel (1891-1933).
LE SIDANER, Henri (1862-1939).
LESSORE, Émile (1805-76).
LÉVY-DHURMER, Lucien (1865-1953).
LHOTE, André (1885-1962).
LIMOUSE, Roger (1886-1990).
LOIR, Luigi (1845-1916).
LOISEAU, Gustave (1865-1935).
LOUTREUIL, Maurice (1885-1925).
LOUVIER, Maurice (1878-1954).
LUCE, Maximilien (1858-1941).
LURÇAT, Jean (1892-1966).
MACLET, Elysée (1881-1962).
MADELINE, Hippolythe (1871-1966).
MADRASSI, Lucien (1881-1956).
MAHN, Berthold (1882-1975).
MANÉ-KATZ (Russie, 1894-1962).
MANET, Édouard (1832-83).
MANGUIN, Henri (1874-1949).
MARCOUSSIS (Louis Markous) (Pol., 1883-1941).
MARILHAT, Prosper (1811-47).
MARQUET, Pierre-Albert (1875-1947).
MARTIN, Charles (1888-1934).
MARTIN, Henri (1860-1943).
MASCART, Paul (1874-1958).
MASSON, André (1896-1987).
MATISSE, Henri (1869-1954).
MAUFRA, Maxime (1861-1918).
MAXENCE, Edgar (1871-1954).
MÉHEUT, Mathurin (1882-1958).
MEISSONIER, Ernest (1815-91).
MÉRYON, Charles (1821-68).
METIVET, Lucien (1863-1932).
METZINGER, Jean (1883-1956).
MILLET, Jean-François (1814-75).
MONET, Claude (1840-1926).
MONNIER, Henri (1805-77).
MONTÉZIN, Pierre (1874-1946).
MONTICELLI, Adolphe (1824-86).
MOREAU, Gustave (1826-98).
MORET, Henry (1856-1913).
MORISOT, Berthe (1841-95).
MOSSA, Gustave-Adolphe (1883-1971).
NANTEUIL, Célestin (1813-73).
NAUDIN, Bernard (1876-1946).
NEUVILLE, Alphonse de (1835-85).
NOËL, Jules (1815-81).
OLIVE, Jean-Baptiste (1848-1936).
OSBERT, Alphonse (1857-1939).
OUDOT, Roland (1897-1981).
OZENFANT, Amédée (1886-1966).
PASCIN, Jules (Julius Pinkas) (1885-1930) (Bulgare, nat. Américain).
PÉCRUS, Charles Fr. (1826-1907).
PÉGURIER, Michel-A. (1856-1936).
PESKE, Jean (1870-1940).
PETITJEAN, Hippolyte (1854-1929).
PICABIA, Francis (1879-1953).
PICOU, Henri Pierre (1824-95).
PINCHON, Émile (1871-1953).
PINCHON, Robert (1886-1943).
PISSARRO, Camille (1830-1903).
POINT, Armand (1860-1932).
POINTELIN, Auguste (1839-1933).
POUGNY, Jean (1894-1956) (or. russe).
POULBOT, Francisque (1879-1946).
POURTAU, Léon (1872-97).
PRAX, Valentine (1899-1981).
PRINCETEAU, René (1844-1914).
PRINS, Pierre (1838-1913).
PROUVÉ, Victor (1858-1943).
PUIGAUDEAU, Fernand de (1864-1930).
PUVIS DE CHAVANNES, Pierre (1824-98).
PUY, Jean (1876-1960).
QUIZET, Alphonse (1885-1955).
RAFFAELLI, Jean-Fr. (1850-1924).
RAFFET, Denis-Auguste (1804-60).
REDON, Odilon (1840-1916).
REGNAULT, Henri (1843-71).
REICHEL, Hans (1892-1958) (or. all.).
RENAUDIN, Alfred (1866-1944).
RENOIR, Pierre-Auguste (1841-1919).
RETH, Alfred (1884-1966).
RIBOT, Théodule (1823-91).
ROCHEGROSSE, G.-Ant. (1859-1938).
ROPS, Félicien (1833-98).
ROUAULT, Georges (1871-1958).
ROUSSEAU (Henri, dit le Douanier) (1844-1910). Théodore (1812-67).
ROUSSEL, Ker-Xavier (1867-1944).
ROUX, François (1811-82).
ROUX-CHAMPION, Joseph-Victor (Roux dit V.-J.) (1871-1953).
ROY, Pierre (1880-1950).
ROYBET, Ferdinand (1840-1920).
ROZIER, Jules (1821-82).
SCHNEIDER, Gérard (1896-1986).
SCHUFFENECKER, Claude-Emile (1851-1934).
SCHWABE, Carlos (1866-1926).
SCOTT, Georges (1873-1942).
SÉBILLE, Albert (1874-1953).
SEM (Georges Goursat) (1863-1934).
SÉRAPHINE DE SENLIS (S. Louis) (1864-1942).
SÉRUSIER, Paul (1863-1927).
SEURAT, Georges-Pierre (1859-91).
SEYSSAUD, René (1867-1952).
SIGNAC, Paul (1863-1935).
SISLEY, Alfred (1839-99).
SONREL, Élizabeth (1874-1953).
SOUTINE, Chaïm (1894-1943).
STEINLEN, Théophile-Alexandre (1859-1923) (or. suisse).
SURVAGE, (1879-1968) (or. russe).
SUZANNE, Léon (1870-1923).
TASSAERT, Octave (1800-74).
THIEULIN, Jean (1894-1960).
TIRVERT, Eugène (1881-1948).
TISSOT, James (1836-1902).
TOUCHAGUES, Louis (1893-1974).
TOULOUSE-LAUTREC, Henri de (1864-1901).

TOURNEMINE, Charles-Émile de (1812-72).
TRAVIÈS, Edouard (v. 1807-v. 1867).
TROUILLEBERT, Paul-Désiré (1829-1900).
TROYON, Constant (1810-65).
URBAIN. Alexandre (Alexandre-Urbain Koenig) (1872-1952).
UTRILLO, Maurice (1883-1955).
UTTER, André (1886-1948).
VALADON, Suzanne (1867-1938).
VALLOTTON, Félix (1865-1925).
VALTAT, Louis (1869-1952).
VAUMOUSSE, Maurice (1876-1961).
VERDILHAN, Mathieu (1875-1928).
VÉRON, Alexandre (1826-97).
VIGNON, Victor (1847-1909).
VILLON, Jacques (1875-1963).
VIVIN, Louis (1861-1936).
VLAMINCK, Maurice De (1876-1958).
VOLLON, Antoine (1833-1900).
VUILLARD, Édouard (1868-1940).
WALCH, Charles (1898-1948).
WAROQUIER, Henry de (1881-1970).
WILD, Roger (1894-1987).
WILLETTE, Adolphe (1857-1926).
WOLFF, Jacques (1896-1956).
YVON, Adolphe (1817-1893).
ZANDOMENEGHI, Federico (1841-1917).
ZIEM, Félix (1821-1911).

Nés après 1900

AILLAUD, Gilles (1928).
AÏZPIRI, Paul-Augustin (1919).
AMBROGIANI, Pierre (1907).
ANTY, Henri d' (1910).
ARMAN (1928).
ARNAL, François (1924).
ARNAL (Joseph Cabrero) (1907-82).
ATLAN, Jean-Michel (1913-60).
AUJAME, Jean (1905-65).
BALTHUS (Balthazar Klossowski de Rolla) (1908).
BARDONE, Guy (1927).
BAYRAM (Bayram Küçük) (1937) (or. turque).
BAZAINE, Jean-René (1904).
BELLEGARDE, Claude (1927).
BÉRARD, Christian (1902-49).
BETTENCOURT, Pierre (1917).
BEZOMBES, Roger (1913).
BLAIS, Jean-Charles (1956).
BOLTANSKI, Christian (1944).
BOUDET, Pierre (1925).
BRAUNER, Victor (1903-66) (or. roum.).
BRAYER, Yves (1907-90).
BRYEN, Camille (1907-77).
BUFFET, Bernard (1928).
CADIOU, Henri (1906).
CADIOU, Pierre (1928).
CANE, Louis (1943).
CARZOU, Jean (1907).
CASSANDRE (J.-M. Mouron) (1901-68).
CAVAILLÈS, Jules (1901-77).
CHAISSAC, Gaston (1910-64).
CHAPELAIN-MIDY, Roger (R. Chapelain) (1904).
CHAPOVAL, Youla (1919-51).
CHU TEH CHUN (chinois, 1920).
COMBAS, Robert (1957).
COUY, Jean (1910-83).
DADO (1933).
DEBRÉ, Olivier (1920).
DECARIS, Albert (1901).
DEGOTTEX, Jean (1918-1988).
DELPRAT, Hélène.
DESPIERRE, Jacques (1912).
DEWASNE, Jean (1921).
DEYROLLE, Jean (1911).
DOLLA, Noël (1945).
DOMINGUEZ, Oscar (1906-57) (or. esp.).
DOUCET, Jacques (1924).
DUBUFFET, Jean (1901-85).
DUPONT, Jacques (1909-78).
DURAND COUPPEL DE SAINT-FRONT.
DUVILLIER, René (1919).
EFFEL, Jean (1908-82).
ESTÈVE, Maurice (1904).
EVE, Jean (1900-68).
FICHET, Pierre (1927).
FINI, Leonor (1908) (Ital., née à Buenos Aires, fixée en France).
FONTANAROSA, Lucien (1912-75).
FOUGERON, André (1913).
FRANK-WILL (1900-51).
FROMANGER, Gérard (1939).
GALL, François (1912-87).
GAROUSTE, (1946).
GAUTHIER, Oscar (1921).
GIESS, Jules (1901-73).
GISCHIA, Léon (1903).
GOETZ, Henri (or. am. 1909-89).
GONZALES, Roberta (1909-76).
GOZLAN, Claude (1930).
GRUBER, Francis (1912-48).
HAJDU, Étienne (1907) (or. hong.).
HAMBOURG, André (1909).
HARTUNG, Hans (1904-1989) (or. all.).
HÉLION, Jean (1904-87).
HELMAN, Robert (Roum., 1910-90).
HOBI (Horst Billstein) (All. 1932).
HENRY, Pierre (1924).
HUMBLOT, Robert (1907-62).
JACQUET, Alain (1939).
JACUS, Jean-Théobald (1924).
JAMES, Louis.
KLEIN, Yves (1928-1962).
KLOSSOWSKI, Pierre (1905).
LABISSE, Félix (1904-82).
LAGAGE, Pierre-César (1911-77).
LANSKOY, André (1902-76).
LAUBIES, René (1924).
LELONG, Pierre (1908).
LE MOAL, Jean (1909).
LEPPIEN, Jean (Allemand, 1910).
LORJOU, Bernard (1908-86).
MANESSIER, Alfred (1911).
MARCHAND, André (1907).
MARIE, Marin (1901-87).
MATHIEU, Georges (1921).
MESSAGIER, Jean (1920).
MEURICE, Jean-Michel (1938).
MICHONZE, Grégoire (1902-82).
MIOTTE, Jean (1926).
MOLINIER, Pierre (1900-76).
MOLNAR, Véra (1925).
MONINOT, Bernard (1949).
MORELLET, François (1926).
MORETTI, Lucien-Philippe (1921).
MORETTI, Raymond (1931).
MULHEM, Dominique (1952).
NEUQUELMAN, Lucien (1909).
NOYER, Philippe (1917-85).
OGUISS, Takanori (jap., 1901-86).
PANDEL, Michel (1929).
PIAUBERT, Jean (1900).
PICART-LE DOUX, Jean (1902-82).
PICHETTE, James (1920).
PIGNON, Édouard (1905).
PIGNON-ERNEST, Ernest (1942).
POLIAKOFF, Serge (russe 1906-69).
PRASSINOS, Mario (1916-85) (or. grecque).
PRUNA (Pedro Pruna O'Cerans) (1904-77).
RAFFY LE PERSAN (1919).
RANCILLAC, Bernard (1931).
RAYNAUD, Jean-Pierre (1939).
RAYSSE, Martial (1936).
REBEYROLLE, Paul (1926).
RENÉ, Jean-Jacques (1943).
SAVY, Max (1918).
SCHLOSSER, Gérard (1931).
SCHURR, Claude (1921).
SÉRADOUR, Guy (1922).
SEUPHOR, Michel (1901) (or. belg.).
SOULAGES, Pierre (1919).
STAËL Nicolas de (1914-55).
TALCOAT, Pierre (1905-85).
TERECHKOVITCH, Kostia (né russe 1902-78 ; nat. franç. 1942).
THIÉRY, Gaston (1922).
TITUS-CARMEL, Gérard (1941).
TOBIASSE, Théo (1927).
TOFFOLI, Louis (1907-89).
TRÉMOIS, Pierre Yves (1921).
TYSZBLAT, Michel (1936).
VAN HECKE, Arthur, (1924).
VASARELY, Victor (1908) (or. hong.)
VIALLAT, Claude (1936).
VIEILLARD, Roger (1907-89).
VOLTI (Volti Antoniucci) (1915 ; nat. franç).
WEISBUCH, Claude (1927).
YVARAL, Jean-Pierre (1934).
ZELLER, Frédéric (1912).
ZENDEL, Gabriel (1906).

Grande-Bretagne

Nés avant 1700

COOPER, Samuel (1609-72).
DES GRANGES, David (1611/13-v. 75).
DOBSON, William (1611-46).
FERGUSON, Will. Gowe (v. 1633-95).
HIGHMORE, Joseph (1692-1780).
HILLIARD, Nicholas (v. 1547-1619).
HOGARTH, William (1697-1764).
JAMESONE, George (v. 1587-1644).
JOHNSON, Cornelius (1593-1661).
KNAPTON, George (1698-1778).
KNELLER, Sir Godfrey (v. 1646 ou 49-1723) (or. all.).
LELY, Sir Peter (1618-80) (or. holl.).
OLIVER, Isaac (1551/56/65-1617).
RICHARDSON, Jonathan (1665-1745).
RILEY, John (1646-91).
THORNHILL, Sir James (1675 ou 76-1734).
WALKER, Robert (1607-1658 ou 60).
WOOTTON, John (v. 1682-1764).
WRIGHT, John Michael (1617-1700).

Nés entre 1700 et 1800

ABBOTT, Lemuel Francis (1760-1803).
ALKEN, Henry (1785-1851).
ALLAN, David (1744-96).
BARRY, James (1741-1806).
BEECHEY, Sir William (1753-1839).
BEWICK, Thomas (1753-1828).
BLAKE, William (1757-1827).
CALVERT, Edward (1799-1883).
CONSTABLE, John (1776-1837).
COSWAY, Richard (1742-1821).
COTES, Francis (1726-70).
COTMAN, John Sell (1782-1842).
COX, David (1783-1859).
COZENS, Alexander (1717-86).
COZENS, John Robert (1752-97).
CROME, John (1768-1821).
DAYES, Edward (1763-1804).
DEVIS, Arthur (1711-87).
DE WINT, Peter (1784-1849).
DOWNMAN, John (v. 1750-1824).
ETTY, William (1787-1849).
FUSELI, Henry (1741-1825).
GAINSBOROUGH, Thomas (1727-88).
GILLRAY, James (1757-1815).
GIRTIN, Thomas (1775-1802).
HAYDON, Benjamin Robert (1786-1846).
HAYMAN, Francis (1708-76).
HOPPNER, John (1758 ?-1810).
LAWRENCE, Sir Thomas (1769-1830).
LINNELL, John (1792-1882).
MARTIN, John (1789-1854).
MORLAND, George (1763-1804).
MULREADY, William (1786-1863).
NORTHCOTE, James (1746-1831).
OPIE, John (1761-1807).
RAEBURN, Sir Henry (1756-1823).
RAMSAY, Allan (1713-84).
REYNOLDS, Sir Joshua (1723-92).
ROMNEY, George (1734-1802).
ROWLANDSON, Thomas (1757-1827).
SANDBY, Paul (1730-1809).
SCOTT, Samuel (1702-72).
STUBBS, George (1724-1806).
TOWNE, Francis (v. 1739 ou 40-1816).
TURNER, Joseph Mallord William (1775-1851).
VARLEY, Cornelius (1781-1873).
VARLEY, John (1778-1842) (TG).
WARD, James (1769-1859).
WHEATLEY, Francis (1747-1801).
WILKIE, Sir David (1785-1841).
WILSON, Richard (1713 ou 14-82).
WRIGHT, Joseph (1734-97).
ZOFFANY, Johann (All. 1733-1810).

Nés entre 1800 et 1900

ALMA-TADEMA, Sir Lawrence (1836-1912).
BEARDSLEY, Aubrey (1872-98).
BELL, Vanessa (1879-1961).
BEVAN, Robert Polhill (1865-1925).
BOMBERG, David (1890-1957).
BONINGTON, Richard Parkes (1802-28).
BROWN, Ford Madox (1821-93).
BURNE-JONES, Sir Edward (1833-98).
COLLINSON, James (1825-81).
DYCE, William (1806-64).
FRITH, William Powell (1819-1909).
FRY, Roger (1866-1934).
GERTLER, Mark (1891-1939).
GILMAN, Harold (1876-1919).
GINNER, Charles (1878-1952).
GORE, Spencer (1878-1914).
GRANT, Duncan (1885-1978).
HITCHENS, Ivon (1893-1979).
HODGKINS, Frances (1869-1947).
HUNT, William Holman (1827-1910).
INNES, James Dickson (1887-1914).
JOHN, Augustus Edwin (1878-1961).
JOHN, Gwen (1876-1939).
KOKOSCHKA, Oskar (Autr. 1886-1980).
LANDSEER, Sir Edwin (1803-73).
LEIGHTON, Frederick, Lord (1830-96).
LEWIS, Wyndham (1882-1957).
LOWRY, L.S. (1887-1976).
MILLAIS, Sir John Everett (1829-96).
MOORE, Henry (1898-1984).
MORRIS, William (1834-96).
NASH, John (1893-1977).
NASH, Paul (1889-1946).
NICHOLSON, Ben (1894-1982).
NICHOLSON, Sir William (1872-1949).
ORPEN, Sir William (1878-1931).
PALMER, Samuel (1805-81).
POYNTER, Sir E. (1836-1919).
ROBERTS, William (1895-1980).
ROSSETTI, Dante Gabriel (1828-82).
ROTHENSTEIN, Sir William (1872-1945).
SCOTT, David (1806-49).
SICKERT, Walter (1860-1942).
SMITH, Sir Matthew (1879-1959).
SPENCER, Sir Stanley (1891-1959).
STEER, Phillip Wilson (1860-1942).
STEPHENS, Frederic George (1828-82).
STEVENS, Alfred (1817-75).
VÉZELAY, Paule (1892-1984).
WADSWORTH, Edward (1889-1949).
WALKER, Dame Ethel (1861-1951).
WATTS, George Fred. (1817-1904).
WOOLNER, Thomas (1825-92).

Nés après 1900

ARDIZZONE, Edward (1900-79).
AUERBACH, Frank (1931).
AYRTON, Michael (1921-75).
BACON, Francis (1909).
BAWDEN, Edward (1903-89).
BELL, Graham (1910-43).
BLAKE, Peter (1932).
BOSHIER, Derek (1937).
BURGIN, Victor (1941).
BURRA, Edward (1905-76).
CAULFIELD, Patrick (1936).
COHEN, Bernard (1933).
COHEN, Harold (1928).
COLDSTREAM, Sir William (1908-87).
COLLINS, Cecil (1908).
CRAIG-MARTIN, Michael (1941).
CRAXTON, John (1922).
DAVIE, Alan (1920).
DENNY, Robyn (1930).
EVANS, Merlyn (1910-73).
FREEDMAN, Barnett (1901-58).
FREUD, Lucian (1922).
FROST, Terry (1915).
GREEN, Anthony (1939).
GOWING, Sir Lawrence (1918).
HAMILTON, Richard (1922).
HEATH, Adrian (1920).
HERON, Patrick (1920).
HILTON, Roger (1911-75).
HOCKNEY, David (1937).
HODGKIN, Howard (1932).
HOYLAND, John (1934).
HUXLEY, Paul (1938).
INSHAW, David (1943).
JONES, Allen (1937).
KENNA, Michael (1953).
LANCASTER, Mark (1938).
LANYON, Peter (1918-64).
LAW, Bob (1934).
MAC BRYDE, Robert (1913-66).
MOON, Jeremy (1934-73).
MOYNIHAN, Rodrigo (1910).

PASMORE, Victor (1908).
PHILLIPS, Peter (1939).
PHILLIPS, Tom (1937).
PIPER, John (1903).
RAVILIOUS, Eric (1903-42).
RICHARDS, Ceri (1903-71).
RILEY, Bridget (1931).
SCOTT, William (1913).
SMITH, Richard (1931).
STEPHENSON, Ian (1934).
STOKES, Adrian (1902-72).
SUTHERLAND, Graham, O.M. (1903-80).
TILSON, Joe (1928).
TUNNARD, John (1900-71).
UGLOW, Evan (1932).
VAUGHAN, Keith (1912-77).
WALKER, John (1939).
WEIGHT, Carel (1908).
WELLS, John (1907).
WYNTER, Bryan (1915-75).

Grèce

BOUZIANIS, Georgios (1885-1959).
GALANIS, Demetrios (1882-1966, nat. Fr.).
GHIKA, Nicolas (1906).
MORALIS, Jannis (1916).
PARTHENIS, Constantin (1878-1967).
SPYROPOULOS, Jannis (1912-90).
TAKIS, Vassilakis (1925).
THEOPHILOS, Hadjimichaël (1866-1934).
TSAROUCHIS, Jannis (1910-89).
TSINGOS, Thanos (1914-65).

Hongrie

BENCZUR, Gyula (1844-1920).
BIHARI, Sándor (1856-1906).
BORTNYIK, Sandor (1893-1977).
CSÁKY, Jozsef (1888-1971).
CSONTVARY-KOSZTKA, Tivadar (1853-1919).
CZOBEL, Béla (1883-1976).
FERENCZY, Károly (1862-1917).
GULACSY, Lajos (1882-1932).
HANTAI, Simon (1922).
HUSZAR, Vilmos (1884-1960).
LOTZ, Károly (1833-1904).
MEDNYÁNSZKY, László (1852-1919).
MESZOLY, Géza (1887-1916).
MOHOLY-NAGY, László (1895-1946).
MUNKÁCSY, Mihály (1844-1900).
PAÁL, László (1846-79).
RIPPL-RONAI, József (1861-1927).
SZABO, Akos (1935, trav. à Paris).
SZENES, Árpád (1897-1985, trav. à Paris).
TIHANYI, Lajos (1885-1939).
VASZARY, János (1867-1939).

Italie

Nés avant 1600

Rome. CAVALLINI, Pietro (1250-1330). TORRITI, Jacopo (v. 1295). ZUCCARO, Taddeo (1529-66).

Lucques (Toscane). BERLINGHIERI, Bonaventura (1re moitié du XIIIe s.) : Crucifix (1220).

Florence (Toscane). ANGELICO (FRA), Giovanni da Fiesole (1387-1455). BALDOVINETTI, Alessio (1425-99). BERRETTINI DA CORTONA, Pietro (1596-1669). BONAIUTO, Andrea di (A. de Florence) (v. 1343-77). BOTTICELLI, Sandro (Alessandro di Mariano Filipepi) (1444-1510). CASTAGNO, Andrea del (1423-57). CIMABUE, Giovanni (v. 1240-apr. 1302). COPPO DE MARCOVALDO (v. 1225-74). DADDI, Bernardo (v. 1290-1349). FRA BARTOLOMEO (1472-1517). FRA FILIPPO LIPPI (v. 1406-69). GENTILE DA FABRIANO (v. 1370-1427). GENTILESCHI, Orazio (v. 1565-1638). GHIRLANDAIO, Domenico (1449-94). GIOTTO DI BONDONE (v. 1266-1337). GOZZOLI, Benozzo (1420-97). LÉONARD DE VINCI (1452-1519). LIPPI, Filippino (v. 1457-1504). LORENZO, Monaco (v. 1370-apr. 1422). MASACCIO (Tomasso Guidi) (1401-29). MASOLINO DA PANICALE (1383-v. 1447). MICHEL-ANGE (Michelangelo Buonarroti) (1475-1564). ORCAGNA (Andrea di Cione Arcagnolo) (1308-v. 48). PIERO DI COSIMO (1462-1521). POLLAIOLO, Antonio Benci (v. 1432-98). PONTORMO (Jacopo Carruci, dit) (1494-v. 1556). RAPHAËL, Sanzio (Raffaello Santi) (1483-1520). SARTO, Andrea del (1486-1530). SPINELLO, Aretino (1347-1410). THANI, Francesco (v. 1321-44). UCCELLO (Paolo di Domo) (1397-1475). VASARI, Giorgio (1511-74). VERROCCHIO (Andrea di Cione, il) (1435-88).

Sienne (Toscane). DUCCIO DI BUONINSEGNA (v. 1260-1319). GUIDO DA SIENA (déb. XIIIe s.). LORENZETTI, Ambrogio (act. v. 1319-v. 48). LORENZETTI, Ambrogio (v. 1280-v. 1348). LORENZETTI, Pietro (v. 1280-v. 1348). MARTINI, Simone (v. 1284-1344). SASSETTA (Stefano di Giovanni) (1392-1450). SODOMA (Antonio Bazzi) (1477-1549).

Padoue (Vénétie). ALTICHIERO (1330-85) et AVANZO. MANTEGNA, Andrea (1431-1506). SQUARCIONE, Francesco (1397-1468).

Milan (Lombardie). BOLTRAFFIO, Giovanni Antoni (1467-1516). FERRARI, Gaudenzio (v. 1480-1546). FOPPA, Vincenzo (v. 1427-v. 1515). LUINI, Bernardino (v. 1480-1532). PREDIS, Ambrogio de (1472-1517).

Ferrare (Émilie-Romagne). COSSA, Francesco del (v. 1436-v. 78). COSTA, Lorenzo (v. 1450-1535). DELL'ABATE, Nicolo (v. 1509-71). DOSSI, Dosso (1479-v. 1541). ROBERTI, Ercole de' (v. 1450-96). ROMANO, Giulio (Jules Romain) (v. 1492-1546). TURA, Cosimo (v. 1425-95).

Ombrie. DOMENICO VENEZIANO (v. 1400-61). FRANCESCA, Piero della (v. 1410-92). MELOZZO DA FORLI (1438-94). PERUGINO (Pietro Vannucci) (1445-1523). PINTURICCHIO (Bernardino di Betto) (v. 1454-1513). PISANELLO (Antonio Pisano) (v. 1395-v. 1450). SIGNORELLI, Luca (v. 1445-1523).

Venise. ANTONELLO DA MESSINA (v. 1430-79). BASSANO, Jacopo da Ponte (1510/18-92). BELLINI, Gentile (v. 1429-1507), Giovanni (dit Giambellino) (v. 1429-1516), Jacopo (v. 1400-70). BORDONE, Paris (1500-71). CARPACCIO, Vittore (v. 1455-1525). CIMA DA CONEGLIANO, Giovanni Battista (v.1459-1517/18). CRIVELLI, Carlo (v. 1430-v. 1493). GIORGIONE (Giorgio da Castelfranco) (v. 1477-1510). LOTTO, Lorenzo (v. 1480-1556). MORONI, Giovanni Battista (v. 1525-78). PALMA LE JEUNE (Jacopo Negretti) (1544-1628). PALMA LE VIEUX (Jacopo Negretti) (v. 1480-1528). SEBASTIANO DEL PIOMBO (1485-1547). STROZZI, Bernardo (le Capucin) (1581-1644). TINTORET (Jacopo Robusti) (v. 1518-94). TITIEN (Tiziano Vecellio) (v. 1490-1576). VÉRONÈSE (Paolo Caliari) (1528-88). VIVARINI, Alvise (v. 1446-apr. 1503). Antonio (v. 1415-75/80). Bartolomeo (1432-99).

Bologne. ALBANE (Francesco Albani) (1578-1660). BARBIERI (Giovanni Francesco, dit le Guerchin) (1591-1666). CARACCIOLO, Giov. Battista (v. 1570-1637). CARRACHE (Carracci), Agostino (1557-1602). Annibale (1560-1609). Louis (1555-1619). FRANCIA (Francesco Raibolini, dit il) (v. 1460-1517). GUIDO, Reni (dit le Guide) (1575-1642). PRIMATICE (Francesco Primaticcio) (1504/05-70). SACCHI, Andrea (1599-1661).

Parme. BAROCCI, Federico (1528-1612). BRONZINO (Angelo di Cosimo) (1503-73). CORRÈGE (Antonio Allegri) (v. 1489-1534). PARMESAN (Francesco Mazzola, dit il Parmigianino ou le) (1503-40).

Autres régions. CARAVAGE (Michelangelo Merisi) (1573-1610) (Rome, Nap., Sic.). DOMINIQUIN (Domenico Zampieri) (1581-1641) (Bol., Rome). MANFREDI, Bartolomeo (1580-v. 1620) (Mantoue).

Nés entre 1600 et 1700

BACICCIA ou BACICCIO (Giovanni Battista Gaulli, il) (Gênes) (1639-1709).
CANALETTO (Antonio Canal, il) (1697-1768).
CARRIERA, Rosalba (1675-1757).
DE FERRARI, Lorenzo (1680-1740).
DOLCI, Carlo (1616-86).
GIORDANO, Luca (dit Luca Fa Presto) (1632-1705).
MAGNASCO, Alessandro (v. 1667-1749).
PIAZZETTA, Giov. Battista (1683-1754).
PRETI, Mattia (1613-99).
RICCI, Sebastiano (1659-1734).
ROSA, Salvatore (1615-73).
TIEPOLO, Giambattista (1696-1770).

Nés entre 1700 et 1800

APPIANI, Andrea (1754-1817).
BELLOTTO, Bernardo (1720-80).
GUARDI, Francesco (1712-93).
HAYEZ, Francesco (1791-1882).
LONGHI (Pietro, Falca, dit) (1702-85).
PIRANÈSE (Giambattista Piranesi) (1720-78).
ZUCCARELLI, Francesco (1702-88) (Flor).

Nés entre 1800 et 1900

BALLA, Giacomo (1871-1958).
BOCCIONI, Umberto (1882-1916).
BOGGIO, Emilio (1857-1920).
BOLDINI, Giovanni (1842-1931).
CAMPIGLI, Massimo (1895-1971).
CARRÀ, Carlo (1881-1966).
CASORATI, Felice (1883-1963).
COSTA, Nino (1826-1903).
DE CHIRICO, Giorgio (1888-1978).
DE PISIS, Filippo (1896-1956).
FATTORI, Giovanni (1825-1908).
FAVRETTO, Giacomo (1849-87).
FONTANA, Lucio (1899-1968).
FONTANESI, Antonio (1818-82).
GUIDI, Virgilio (1891-1984).
MAGNELLI, Alberto (1888-1971).
MANCINI, Antonio (1852-1930).
MODIGLIANI, Amedeo (1884-1920).
MORANDI, Giorgio (1890-1964).
PRAMPOLINI, Enrico (1894-1956).
REGGIANI, Mauro (1897-1980).
RUSSOLO, Luigi (1885-1947).
SAVINIO, Alberto (Chirico, Andrea de, dit) (1891-1952).
SEVERINI, Gino (1883-1966).
SIRONI, Mario (1885-1961).
SOLDATI, Atanasio (1896-1953).
SPADINI, Armando (1883-1925).
ZANDOMENEGHI, Federico (1841-1917).

Nés après 1900

ACCARDI, Carla (1924).
ADAMI, Valerio (1935).
ANNIGONI, Pietro (1910-88).
BARUCHELLO, Gianfranco (1924).
BASALDELLA, Afro (1912-76).
BERTINI, Gianni (1922).
BIROLLI, Renato (1906-59).
BURRI, Alberto (1915).
CAGLI, Corrado (1910-76).
CAPOGROSSI, Giuseppe (1900-72).
CRIPPA, Roberto (1921-72).
GNOLI, Domenico (1933-70).
GUTTUSO, Renato (1912-87).
MAFAI, Mario (1902-65).
MANZONI, Piero (1933-63).
MORENI, Mattia (1920).
MORLOTTI, Ennio (1910).
MUSIC, Antonio (1909).
NIGRO, Mario (1917).
PAOLINI, Giulio (1940).
PASCALI, Pino (1935-68).
RECALCATI, Antonio (1938).
SCIPIONE (Bonichi, Gino, dit) (1904-33).
TURCATO, Giulio (1912).
VEDOVA, Emilio (1919).

Mexique

CUEVAS, José Luis (1934).
OROZCO, José Clemente (1883-1949).
RIVERA, Diego (1886-1957).
SIQUEIROS, David Alfaro (1898-1974).
TAMAYO, Rufino (1899).

Norvège

BACKER, Harriet (1845-1932).
CAPPELEN, August (1827-52).
DAHL, Johan Christian (1788-1857).
EGEDIUS, Halfdan (1877-99).
EKELAND, Arne (1908).
ERICHSEN, Thorvald (1868-1939).
FJELL, Kai (1907-89).
GUDE, Hans (1825-1903).
GUNDERSEN, Gunnar S. (1921-83).
HERTERVIG, Lars (1830-1902).
JOHANNESSEN, Jens (1934).
KARSTEN, Ludvig (1876-1926).
KIELLAND, Kitty (1843-1914).
KROHG, Christian (1852-1925).
MUNCH, Edvard (1863-1944).
SOERENSEN, Henrik (1882-1962).
THAULOW, Frits (1847-1906).
TIDEMAND, Adolph (1814-76).
WEIDEMANN, Jakob (1923).
WERENSKIOLD, Erik (1855-1938).
WIDERBERG, Frans (1934).

Pays-Bas

Nés avant 1500

Anonymes : Maître de la Manne, de la Virgo inter Virgines, d'Alkmaar, de la Déposition Figdor, de l'autel de St-Jean.
BOSCH (Hieronymus van Aken, dit Jérôme) (v. 1450-1516).
ENGELBRECHTSZ, Cornelis (1468-1533).
GEERTGEN TOT SINT JANS (v. 1465-95).
HEEMSKERCK, Maerten Van (1498-1574).
LEYDEN, Lucas Van (?-1533).
MOSTAERT, Jan (v. 1475-1555).
VAN OOSTSANEN, Jacob Cornelisz (v. 1470-1533).
VAN OUWATER, Albert (trav. entre 1430 et 1460).
VAN SCOREL, Jan (1495-1562).

Nés entre 1500 et 1600

AERTSEN, Pieter (1508-75).
AVERCAMP, Hendrik (1585-1634).
BAMBOCCIO (Pieter Van Laer) (1592 ou 1595-1642).
BEERT, Osia, (v. 1570-1624).
BLOEMAERT, Abraham (1564-1651).
CLAESZ, Pieter (1597-1661).
ELIAS, Nicolaes (dit Pickenoy) (1590/91-1654/56).
GOLTZIUS (Hendrik Goltz) (1558-1617).
HALS, Dirk (1591-1656).
HALS, Frans (v. 1580-1666).
HEDA, Willem Claesz (1594-1680/82).
HONTHORST (Gerrit Van, dit « delle Notti ») (1590-1656).

KETEL, Cornelis (1548-1616).
KEYSER, Thomas de (1596/97-1667).
LASTMAN, Pieter (v. 1583-v. 1633).
MANDER, Karel Van (1548-1606).
MIEREVELT, Michiel Jansz Van (1567-1641).
MOR, Sir Anthonis (Antonio Moro en Espagne) (1517/21-76/77).
POELENBURGH, Cornelis Van (1586/95-1667).
PORCELLIS, Jan (v. 1587-1632).
SAENREDAM, Pieter (1597-1665).
SEGHERS, Hercules (1589/90-av. 1643).
TER BRUGGHEN, Hendrick (1588-1629).
VAN BABUREN, Dirck (v. 1590-v. 1624).
VAN DE VELDE, Esaias (v. 1590-1630).
VAN GOYEN, Jan (1596-1656).
VAN VALKENBORCH, Lucas (v. 1537-97).

Nés entre 1600 et 1700

ASSELIJN, Jan (1610-52).
BACKER, Jacob Adriaensz (1608-51).
BACKHUYSEN, Ludolf (1631-1708).
BERCHEM, Nicolaes (1620-83).
BERCKHEYDE, Gerrit (1638-98).
BOL, Ferdinand (1616-80).
BOR, Paulus (v. 1600-69).
BOTH, Jan (v. 1620-52).
CAMPHUYSEN, G.D. (1624-72).
COQUES, Gonzales (1614-84).
CUYP, Albert (1620-91).
DOU, Gérard (1613-75).
DUJARDIN, Karel (v. 1622-78).
EVERDINGEN, Allart Van (1617-78).
FABRITIUS, Carel (1622-54).
FLINCK, Govaert (1615-60).
GELDER, Aert de (1645-1727).
HEEM, Jan Davidsz de (1606-83).
HOBBEMA, Meindert (1638-1709).
HOOCH, Pieter de (1629-apr. 84).
HUYSUM, Jan Van (1682-1749).
KALF, Willem (1619-93).
KONINCK, Philips de (1619-88).
KONINCK, Salomon (1609-56).
LEYSTER, Judith (1609-60).
LIEVENS, Jan (ou Leyvens) (1607-74).
LINGELBACH, Jan (1622-74).
MAES, Nicolaas (v. 1634-93).
METSU, Gabriel (1629-67).
MOLENAER, Jan (1610-68).
NETSCHER, Caspar (1639-84).
OCHTERVELT, Jacob (v. 1632-v. 1700).
POTTER, Paulus (1625-54).
REMBRANDT, Harmensz Van Rijn (1606-69).
RUYSCH, Rachel (1664-1750).
SIBERECHTS, Jan (1627-v. 1703).
SORGH, Hendrick Maertensz (1611-70).
STEEN, Jan (1626-79).
TER BORCH, Gérard (1617-81).
TROOST, Cornelis (1697-1750).
VAN BEYEREM, Abraham (1620-90).
VAN DE CAPPELLE, Jan (v. 1625-79).
VAN DEN EECKHOUT, Gerbrandt (1621-74).
VAN DER HAGEN, Joris (v. 1615-69).
VAN DER HELST, Bartholomeus (1613-70).
VAN DER HEYDEN, Jan (1637-1712).
VAN DER NEER, Aert (1603/04-77).
VAN DER WELFF, Adrien (1659-1722).
VAN DE VELDE, Adriaen (1636-72). Willem l'Ancien (1611-93). Willem le Jeune (1663-1707).
VAN EVERDINGEN, Allart ou Allard (1617-75) ou (1621-78).
VAN OSTADE, Adriaen (1610-84).
VAN RUISDAEL, Jacob (1628/29-81/82). Salomon (1600/02-70).
VERKOLJE, Jan (1650-93).
VERMEER, Jan (1632-75).
WEENIX, Jan (1640-1719).
WIT, Jacob de (1695-1754).
WITTE, Emmanuel de (v. 1617-92).
WOUWERMANS, Johannes Philips (1619-68).
WYNANTS, Jan (v. 1630-84).

Nés après 1700

APPEL, Karel (1925).
BOHEMEN, Kees van (1928-85).
BOSBOOM, Johannes (1817-91).
BRANDS, Eugène (1913).
BREITNER, Georg-Hendrik (1857-1923).
CHABOT, Hendrik (1894-1949).
CONSTANT (1920).
DIBBETS, Jan (1941).
DOMELA-NIEUWENHUIS, César (1900).
ELK, Ger Van (1941).
EYCK, Charles-Hubert (1897-1982).
FEURE, Georges de (1868-1943).
GESTEL, Léo (1881-1941).
HEEMSKERK VAN BEEST, Jacoba (1876-1923).
HENDERIKSE, Jan (1937).
HEYDEN, Jacques Van der (1928).
ISRAELS, Isaac (1865-1934).
ISRAELS, Joseph (1824-1911).
JONGKIND, Johan Barthold (1819-91).
KOCH, Pyke (1901).
KOEKKOEK, Barend (1803-62).
KRUYDER, Hermann (1881-1935).
LATASTER, Ger (1920).
LELIE, Adrien de (1755-1820).
LUCEBERT (1924).
MANKES, Ian (1889-1920).
MARIS, Jacob (1837-99).
MAUVE, Anton (1838-88).
MESDAG, Hendrik Willem (1831-1915).
MOESMAN, Joop (1909-81).
MONDRIAN, Pieter (Cornelis) (1872-1944).
MUYS, Nicolas (1740-1808).
NANNINGA, Jaap (1904-62).
NIEUWENHUIS, Jan (1922).
OUWATER, Isaak (1850-93).
PRIKKER, J. Thorn (1868-1932).
ROELOFS, Willem (1822-97).
ROOSKENS, Anton (1906-76).
SCHELFHOUT, Andreas (1787-1870).
SCHOONHOVEN, Jan (1914).
SCHOUMAN, Aart (1710-92).
SLUYTERS, Jan (1881-1957).
SPAENDONCK, C. van (1756-1840).
STRUYCKEN, Peter (1939).
TOOROP, Charley (1891-1955).
TOOROP, Jan (1858-1928).
VAN DER LECK, Bart Anthony (1876-1958).
VAN DOESBURG, Theo (1883-1931).
VAN DONGEN, Kees (1877-1968).
VAN GOGH, Vincent (1853-90).
VAN OS, Jan (1744-1808).
VAN VELDE, Bram (1895-1981).
VAN VELDE, Geer (1898-1977).
VERKADE, Wilibrord (1868-1946).
VERSTER, Floris (1861-1927).
WAGEMAKER, Jaap (1906-73).
WEISSENBRUCH, Jan Hendrik (1824-1903).
WERKMAN, Hendrik (1882-1945).
WESTERIK, Co (1924).
WIEGERS, Jan (1893-1959).
WIEGMAN, Matthieu (1886-1971).
WILLINK, Carel (1900-83).
WOLVECAMP, Theo (1925).
ZEKVELD, Jacob (1945).

Pologne

BOZNAŃSKA, Olga (1865-1940).
BRANDT, Józef (1841-1915).
BRODOWSKI, Antoni (1784-1832).
BRZOZOWSKI, Tadeusz (1918-87).
CHELMONSKI, Józef (1849-1914).
CHODOWIECKI, Daniel (1726-1801).
CZAPSKI, Jósef (1897).
FIJALKOWSKI, Stanislaw (1922).
GIEROWSKI, Stefan (1925).
GIERYMSKI, Aleksander (1850-1901).
GIERYMSKI, Maksymilian (1846-74).
GROTTGER, Artur (1837-67).
HALICKA, Alice (1895-1975).
HAYDEN, Henri (1883-1970) (en France).
KANTOR, Tadeusz (1915-90).
KOWARSKI, Felicjan (1890-1948).
KRASINSKI, Edward (1925).
KRAWCZYK, Jerzy (1921-69).
KRZYZANOWSKI, Konrad (1872-1922).
KUCHARSKI, Aleksander (1741-1819).
LEBENSTEIN, Jan (1930).
MAKOWSKI, Tadeusz (1882-1932).
MALCZEWSKI, Jacek (1854-1929).
MATEJKO, Jan (1838-93).
MEHOFFER, Jozef (1868-1946).
MICHAŁOWSKI, Piotr (1800-55).
NOWOSIELSKI, Jerzy (1923).
OCIEPKA, Teofil (1892-1978).
OPALKA, Roman (1931).
ORLOWSKI, Alexander (1777-1832).
PANKIEWICZ, Józef (1866-1940).
PŁOŃSKI, Michal (1778-1812).
POTWOROWSKI, Piotr (1898-1962).
PRONASZKO, Zbigniew (1885-1958).
RODAKOWSKI, Henryk (1823-94).
ŖUSZCZYC, Ferdynand (1870-1936).
SLEWINSKI, Władysław (1854-1918).
SMUGLEWICZ, Franciszek (1745-1807).
STAŹEWSKI, Henryk (1894-1988).
STRZEMINSKI, Wladyslaw (1893-1952).
TARASIN, Jan (1926).
TCHÓRZEWSKI, Jerzy (1928).
WEISS, Wojciech (1875-1950).
WITKIEWICZ, Stanislaw Ignacy (dit Witkacy) (1885-1939).
WOJNIAKOWSKI, Kazimier (1772-1812).
WOJTKIEWICZ, Witold (1879-1909).
WYSPIANSKI, Stanislaw (1869-1907).
ZAK, Eugène (1884-1926).

Portugal

ALMADA NEGREIROS, José (1893-1970).
AZEVEDO, Fernando (1923).
BORDALO-PINHEIRO, Columbano (1857-1929).
DACOSTA, António (1914-90).
ELOY, Mário (1900-51).
FERNANDEZ, Vasco (v. 1475-v. 1541/42).
GONÇALVES, Nuno (XVe s.).
LANHAS, Fernando (1923).
MALHOA, José (1855-1933).
POMAR, Julio (1926).
POUSÃO, Henrique (1859-84).
RÊGO, Paula (1935).
RESENDE, Julio (1917).
SEQUEIRA, Domingos (1768-1837).
SMITH, Francisco (1881-1961).
SOUZA-CARDOSO, Amadeu (1887-1918).
VIEIRA DA SILVA, Maria Helena (1908) (nat. Franç.).

Roumanie

ALMASANU, Virgil (1916).
AMAN, Theodor (1831-91).
ANDREESCU, Ion (1850-82).
BABA, Corneliu (1906).
BRAUNER, Victor (1903-66).
BUNESCU, Marius (1880-1962).
CATARGI, Henri (1894-1976).
CIUCURENCU, Alexandru (1903-77).
CIUPE, Aurel (1900-88).
COVALIU, Bradut (1924).
DARASCU, Nicolae (1883-1959).
DUMITRESCU, Stefan (1886-1933).
GHEORGHIU (Alin), Ion (1929).
GHIATA, Dumitru (1888-1972).
GRIGORESCU, Lucian (1894-1965).
GRIGORESCU, Nicolae (1838-1907).
GRIGORESCU, Octav (1933-87).
IANCU, Marcel (1895-1984).
ISER, Iosif (1881-1958).
LUCHIAN, Stefan (1868-1916).
MARGINEAN, Viorel (1933).
MATTIS TEUTSCH, Johann (1884-1960).
MAXY, Max Herman (1895-1971).
NICODIM, Ion (1932).
PACEA, Ion (1924).
PALLADY, Theodor (1871-1956).
PETRASCU, Gheorghe (1872-1949).
RESSU, Camil (1880-1962).
SIRATO, Francise (1877-1953).
STERIADI, Jean Al. (1880-1956).
TONITZA, Nicolae (1886-1940).
TUCULESCU, Ion (1910-62).

Russie et URSS

Fresques (cath. Dormition et de Vladimir) (1408).
BAKST, Léon (1868-1924).
BENOIS, Alexandre.
BRULOV, Karl (1799-1852).
BRUSKIN, Grisha (1945).
CHARCHOUNE, Serge (1888-1975).
CHISCHKIN, Ivan (1831-98).
ERTÉ (Romain de Tirtoff) (1892-1990).
FALK, Robert (1886-1958).
GONTCHAROVA, Natalia (1881-1962).
IVANOV, Aleksandr (1806-58).
KOROVINE, Konstantin (1861-1939).
KOWALSKI, Piotr (1927).
KUZNEZOV, Pavel (1878-1968).
LARIONOV, Mikhaïl (1881-1964) (nat. franç.).
LISSITZKI, El (1890-1947).
MALEVITCH, Kasimir (1878-1935).
PETROV-VODKINE, Kiozma (1878-1939).
RÉPINE, Ilia (1844-1930).
RODCHENKO, Alexandre.
ROKOTEV, Fiodor (1738-1812).
ROUBLIOV, Andreï (1370-1430).
TATLINE, Vladimir (1885-1956).
TERECHKOVITCH, Kostia (1902-78).
VENETSIANOV, Alexis (1780-1847).
WROUBEI, Mickhaïl (1850-1910).
ZABOROV, Boris (1935).

Suède

AROSENIUS, Ivar (1878-1909).
BAERTLING, Olle (1911-81).
CARLSUND, Otto (1897-1948).
FAHLSTRÖM, Oyvind (1928-76).
GRÜNEWALD, Isaac (1889-1946).
HALL, Peter Adolf (1739-93).
HILL, Carl Fredrik (1849-1911).
JOSEPHSON, Ernst (1851-1906).
KAKS, Olle (1941).
LAFRENSEN (Lavreince), Niclas (1737-1807).
LARSSON, Carl (1853-1919).
LINDBLOM, Sivert (1931).
LUNDQUIST, Evert (1904).
LYTH, Harald (1937).
MARTIN, Elias (1739-1818).
NEMES, Endre (1909-85).
RODHE, Lennart (1916).
ROSLIN, Alexander (1718-93).
SKÖLD, Otte (1894-1958).
SVANBERG, Max Walter (1912).
ZORN, Anders (1860-1920).

Suisse

ABERLI, Johann Ludwig (1723-86).
AGASSE, Jacques-Laurent (1767-1849).
ALTHERR, Heinrich (1878-1947).
AMIET, Cuno (1868-1961).
ANKER, Albert (1831-1910).
APPIA, Adolphe (1862-1928).
ARMLEDER, John Michael (1948).
AUBERJONOIS, René (1872-1957).
BAIER, Jean (1932).
BAILLY, Alice (1872-1938).
BALMER, Wilhelm (1865-1922).
BARRAUD, Maurice (1889-1954).
BARTH, Paul Basilius (1881-1955).
BAUD-BOVI, Auguste (1848-99).
BEAUMONT, Gustave (1851-1922).
BEN (Benjamin Vautier) (1935).
BERGER, Hans (1882-1977).
BIELER, Ernest (1863-1948).
BILL, Max (1908).
BILLE, Edmond (1878-1959).
BLANCHET, Alexandre (1882-1961).
BOCION, François (1828-90).
BÖCKLIN, Arnold (1827-1901).
BODMER, Paul (1886-1983).
BRIGNONI, Serge (1903).
BRÜHLMANN, Hans (1878-1911).
BUCHET, Gustave (1888-1963).
BUCHSER, Frank (1828-90).
BURI, Max (1868-1915).
BURI, Samuel (1935).
BURNAND, Eugène (1850-1921).

CALAME, Alexandre (1810-64).
CAMENISCH, Paul (1893-1970).
CASTRES, Édouard (1838-1902).
CHIESA, Pietro (1876-1959).
CINGRIA, Alexandre (1879-1945).
CLÉMENT, Charles (1889-1972).
CLÉNIN, Walter (1897-1988).
COGHUF, Ernst (Stocker) (1905-76).
DAHM, Helen (1878-1968).
DANIOTH, Heinrich (1896-1953).
DESSOUSLAVY, Georges (1898-1952).
DIDAY, François (1802-77).
DIETRICH, Adolf (1877-1957).
DONZÉ, Numa (1885-1952).
ERNI, Hans (1909).
FEDERLE, Helmut (1944).
FISCHER, Hans dit Fis (1909-58).
FORESTIER, Henri-Cl. (1875-1922).
FÜSSLI, Johann Heinrich (1741-1825).
GERTSCH, Franz (1930).
GESSNER, Salomon (1730-88).
GIACOMETTI, Alberto (1901-66).
GIACOMETTI, Augusto (1877-1947).
GIACOMETTI, Giovanni (1868-1933).
GIAUQUE, Fernand (1895-1973).
GIMMI, Wilhelm (1886-1965).
GIRARDET, Karl (1813-95).
GLARNER, Fritz (1899-1972).
GLEYRE, Charles (1806-74).
GRAESER, Camille (1892-1980).
GRAF, Urs (1485-1527).
GUBLER, Max (1898-1973).
HEINTZ, Joseph (1564-1609).
HELBIG, Walter (1878-1968).
HODLER, Ferdinand (1853-1918).
HONEGGER, Gottfried (1917).
HUBER, Hermann (1888-1967).
ISELI, Rolf (1934).
ITTEN, Johannes (1888-1967).
KÄMPF, Max (1912-82).
KAUFFMAN, Angelika (1741-1807).
KLEE, Paul (1879-1940).
KOLLER, Rudolf (1828-1905).
KREIDOLF, Ernst (1863-1956).
KÜNDIG, Reinhold (1888-1984).
LE CORBUSIER. voir France.
LEU, Hans (1490-1531).
LEUPPI, Léo (1893-1972).
LIOTARD, Jean-Étienne (1702-89).
LOEWENSBERG, Verena (1912-86).
LOHSE, Richard Paul (1902-88).
LÜTHY, Oscar (1882-1945).
MANGOLD, Burkhard (1873-1950).
MANUEL DEUTSCH, Niklaus (1484-1530).
MENN, Barthélemy (1815-93).
MERIAN, Matthäus (1593-1650).
MEYER-AMDEN, Otto (1885-1933).
MOILLIET, Louis (1880-1962).
MOOS, Max von (1903-79).
MORACH, Otto (1887-1973).
MORGENTHALER, Ernst (1887-1962).
MOSER, Wilfried (1914).
MÜHLENEN, Max von (1903-71).
MÜLLER, Albert (1897-1926).
NEUHAUS, Werner (1897-1934).
OBRIST, Hermann (1862-1927).
OPPENHEIM, Meret (1913-85).
PATOCCHI, Aldo (1907-86).
PAULI, Fritz (1891-1968).
PELLEGRINI, Alfred H. (1881-1958).
PFISTER, Albert (1884-1978).
RAETZ, Markus (1941).
ROBERT, Léopold (1794-1835).
ROLLIER, Charles (1912-68).
ROTH, Dieter (1930) (or. all.).
SCHIESS, Ernesto (1872-1919).
SCHNYDER, Albert (1898).
SCHUMACHER, Hugo (1939).
SCHÜRCH, Robert (1895-1941).
SEGANTINI, Giovanni (1858-99).
SELIGMANN, Kurt (1900-62).
SERODINE, Giovanni (1594-1631).
SOUTTER, Louis (1871-1942).
SPOERRI, Daniel (or. roum. 1930).
STÄMPFLI, Peter (1937).
STAUFFER-BERN, Karl (1857-91).
STIMMER, Tobias (1539-84).
STŒCKLIN, Niklaus (1896-1982).
STÜCKELBERG, Ernst (1831-1903).
SURBEK, Victor (1885-1975).
TAEUBER-ARP, Sophie (1889-1943).
THOMKINS, André (1930-85).
TÖPFFER, Wolf.-Adam (1766-1847).
TRACHSEL, Albert (1863-1929).
TSCHUMI, Otto (1904-84).
VALLET, Édouard (1876-1929).
VALLOTTON, Félix (1865-1925).
VARLIN (Guggenheim, Willy) (1900-77).
WASER, Anna (1678-1714).
WEBER, Ilse (1908-84).
WELTI, Albert (1862-1912).
WERNER, Joseph (1637-1710).
WIEMKEN, Walter Kurt (1907-1940).
WITZ, Conrad (v. 1400-45).
WOLF, Caspar (1735-83).
ZÜND, Robert (1827-1909).

Tchécoslovaquie

BAUCH, Jan (1898).
BRANDL, Petr (1668-1735).
CAPEK, Josef (1887-1945).
FILLA, Emil (1882-1953).
FULLA, Ľudovít (1902-80).
GROSS, Frantisek (1909-85).
GRUND, Norbert (1717-67).
HOLLAR, Vaclav (1607-77).
KOLAR, Jirí (1914).
KUBIN, Ottakar (1883-1969).
KUBISTA, Bohumil (1884-1918).
KUPKA, Frantisek (1871-1957).
MAJERNIK, Cyprián (1909-45).
MÁNES, Josef (1820-71).
MUCHA, Alfons (1860-1939).
PREISLER, Jan (1872-1918).
PURKYNE, Karel (1834-68).
SÍMA, Josef (1891-1971).
SKRETA, Karel (1610-74).
SLAVÍCEK, Antonín (1870-1910).
SOUCEK, Karel (1915-82).
SPALA, Václav (1885-1946).
TICHY, Frantisek (1896-1961).
ZRZAVY, Jan (1890-1977).

Uruguay

ARZADUN, Carmelo de (1888-1968).
BARRADAS, Rafael (1890-1929).
BLANES, Juan Manuel (1830-1901).
BLANES VIALE, Pedro (1879-1926).
CUNEO, PERINETTI, José (1887-1977).
ECHAVE, José (1921-85).
FIGARI, Pedro (1861-1938).
GURVICH, José (1926-74).
HEQUET, Diogenes (1866-1902).
HERRERA, Carlos Maria (1875-1914).
ROSE, Manuel (1887-1961).
SAEZ, Carlo Federico (1878-1901).
SOLARI, Luis (1918).
TORRÈS GARCIA, Joaquín (1874-1949).

Yougoslavie

DADO, Miodrag Djuric dit (1933).
DIMITRIJEVIC, Braco (1948).
GENERALIC, Ivan (1914).
GENERALIC, Josip (1936).
LACKOVIC, Ivan Croata (1932).
NAUMOVSKI, Vangel (1924).
RABUZIN, Ivan (1921).
VELICKOVIC, Vladimir (1935).

Sculpture

Histoire

Préhistoire. Vers 25 à 20 000 av. J.-C., apparition de statuettes féminines [la Vénus de Brassempouy (Landes, gisement aurignacien), en ivoire, conservée au musée de St-Germain-en-Laye].

Égypte. Dès la Ire Dynastie, grande perfection qui durera 30 siècles. Personnages représentés de front, sans mouvement ; œil vu de face dans tête de profil ; torse de face posé sur jambes de profil. Œuvres gigantesques aux formes enveloppées et bien définies, dénuées de détails. Représentation de la beauté du corps humain nu, associée à la symbolique animale.

Grèce. *Période archaïque.* 2e moitié du VIIe s. au début Ve s. av. J.-C. L'art se dégage lentement de l'influence égyptienne : représentation de l'homme nu (kouros), de la femme hiératique et drapée (korê). La décoration sculptée des frises et des métopes incite l'artiste à varier les poses et l'athlète vivant remplace le kouros abstrait.

Période classique. Ve s. à fin IVe s. av. J.-C. Connue par les marbres romains, copies des bronzes originaux disparus.

Myron et Polyclète expriment l'idéal de la forme antique ; Phidias décore les métopes et la frise du Parthénon ; Scopas introduit l'expression de la passion ; Praxitèle représente le premier corps féminin nu.

L'art hellénistique. A la mort d'Alexandre (323 av. J.-C.), l'Empire grec cède, au contact de cultures étrangères, à des effets faciles de pittoresque.

Multiples reproductions des chefs-d'œuvre classiques.

Rome. Les Romains copient les sculptures grecques. Rome importe œuvres et artistes hellénistiques. Cependant, les bas-reliefs à tendance narrative et historique et les portraits sont très caractéristiques de la sculpture romaine.

Byzance. Reprend l'art romain. Querelle des iconoclastes jusqu'en 843 (régence de Théodora). L'art chrétien au contact de la Syrie et de la Mésopotamie devient uniquement décoratif. L'esprit plastique ne subsiste que dans les objets en ivoire.

Art roman. Renaissance de la sculpture à la fin du XIe s. en Languedoc et en Bourgogne, dans la décoration des églises : encadrement des portails (tympans, statues-colonnes) et chapiteaux ; représentation humaine, animale et végétale dynamique ; disproportion et déformation des personnages afin de respecter la hiérarchie spirituelle et le cadre assigné par l'architecture. Apogée de l'art roman au portail royal de la cathédrale de Chartres (1145 à 70) qui marque le passage du roman au gothique.

Art gothique. *XIIIe s.,* époque des grandes cathédrales et abbatiales, sculpture religieuse visant à instruire les fidèles. *XIVe s.,* la statuaire se détache de l'architecture, goût du réalisme, du macabre ; apparition du portrait dans les gisants ; suppression partielle du contrôle de l'Église. *Du XIIe au XIVe s.,* les sculptures sont anonymes. A la cour de Bourgogne, fin XIVe s., Claus Sluter, né en Hollande, influence et domine son époque de son art très réaliste. Au *XVe s.,* son neveu Claus de Werve et Antoine Lemoiturier suivent ses traditions : vierges, pietà, retables de la Passion, tombeaux (statues trapues, drapés aux plis mouvementés). Champagne, Ile-de-Fr., Touraine sont réfractaires à cette influence (Michel Colombe).

En Allemagne, la sculpture gothique associe les influences françaises et les particularismes locaux.

Renaissance. *En Italie,* la sculpture, qui a résisté à l'influence gothique, s'est libérée au XIIIe s. de la tutelle byzantine et, aux XVe et XVIe s., vise à magnifier la puissance et la beauté du corps humain (Jacopo della Quercia, Verrocchio, Mino da Fiesole). Apparition du premier nu masculin depuis l'Antiquité (Donatello), suprématie de Michel-Ange.

En France, sous François Ier, foyer d'italianisme à Fontainebleau ; influence durable du Primatice (Francesco Primaticcio), introduction d'originaux et de copies de marbres antiques. L'art de Fontainebleau rayonne sur l'Europe. Sous Henri II, Jean Goujon et Germain Pilon inaugurent une longue période classique.

XVIIe s. *En France,* sous Louis XIV, les sculpteurs renouent avec la plastique grecque classique en travaillant pour Versailles (Antoine Coysevox, François Girardon, les frères Coustou, Robert Le Lorrain). Pierre Puget, d'origine méridionale, se distingue par le côté baroque de son art.

En Italie, la recherche du mouvement et de l'expression aboutit à un art théâtral (le Bernin).

XVIIIe s. *En France,* sous Louis XV, « rocaille » (avec Jean-Louis Lemoyne, Sébastien Slodtz, Lambert et Nicolas Adam, Jean-Baptiste Pigalle et Étienne Falconet) ; sous Louis XVI, néoclassicisme (Jean-Antoine Houdon, Augustin Pajou, Louis-Claude Vassé). *En Italie,* néoclassicisme très strict (A. Canova) à la fin du siècle.

XIXe s. *Sous l'Empire et la Restauration,* servitude antique de la sculpture (François-Joseph Bosio, James Pradier) ; plus de personnalité chez François Rude et chez le plus grand animalier du siècle : Antoine Barye. *Animaliers :* Barye, Mène, Frémiet, Moigniez, Frates. *Autres sujets* (le plus souvent la femme) : Dalou, Rodin, H. Moreau, Raoul Larche. *IIe Empire :* Jean-Baptiste Carpeaux allie la grâce du XVIIIe s. à la vie et au mouvement ; Auguste Rodin, artiste tourmenté, attiré par la lumière et le mouvement, allie l'art romantique et l'esthétique baroque ; 3 peintres célèbres sculptent : Théodore Gericault, Honoré Daumier, Edgar Degas.

XXe s. *L'art officiel* maintient les canons du XIXe s. *Les Indépendants* donnent une image qui va de l'observation de la nature à son affranchissement en passant par des degrés intermédiaires. *Antoine Bourdelle* s'inspire des styles archaïques de la Grèce et de l'art roman. *Aristide Maillol* sculpte des volumes puissants, des nus féminins plantureux. *Charles Despiau* fait revivre la tradition française des bustes, portraits psychologiques. *École de Paris :* aux Français (Henri Laurens, Raymond Duchamp-Villon) qui, à la suite du cubisme, prennent des libertés avec le modèle, se mêlent des étrangers (Constantin Brâncusi, Ossip Zadkine, Alexandre Archipenko, Jacques Lipchitz). Les peintres poursuivent parfois leurs recherches dans la sculpture : Matisse, Braque, Picasso, Arp, Giacometti.

☞ **Sculptures lumineuses.** Designers à l'origine de ce mouvement créatif. Bowden, Marisocal, Bedin créent des lampes vedettes ; Dubuisson crée des luminaires.

Quelques définitions

Authenticité. Un bronze est authentique s'il a été fondu du vivant de l'artiste et contrôlé par lui ou ses ayants droit. Faux : (exemples) plagiats ou signatures apocryphes, tirage d'après un original en plâtre, terre ou cire, surmoulage d'un bronze original. Tirages posthumes. Ils n'ont pas la même valeur, car les moules s'abîment.

Ciselure. Art des métaux précieux, pierres dures (travail à la coquille), pierres de *camaïeu* (intaille).

Matériaux. *Bois* (quelquefois chauffé pour qu'il durcisse, laissé à l'état brut ou poli). *Cire* (modelage), *plastiline. Matériaux durs :* marbre, pierre, etc. (taille directe). *Terre argileuse* ou *terre glaise :* modelage en terre glaise à partir duquel sort un premier plâtre (plâtre original). *Bronze, plomb* (figurines), *étain* (coqs de clochers), *cuivre* revêtu d'argent, *argent massif, or, laiton, fer, zinc, aluminium. Matériaux transformés par cuisson :* terre cuite, biscuit. *Matières composites :* plâtre, chaux, ciment, béton. *Matières synthétiques :* Plexiglas, polyuréthane, mousses de polyester, matières plastiques souples.

Moulage. Objet reproduit au moyen d'un moule.

Patine. A froid ou à chaud ; avec des acides ou oxydes pour égaliser les défauts de la fonte, recouvrir les diverses colorations du métal brut et embellir l'épreuve. Patines anciennes : nuancées et profondes, ne s'écaillent pas à l'ongle, sauf celles au vernis ou laque ; modernes : foncées et uniformes. Les plus courantes pour le bronze : noire et foncée, brun soutenu au marron plus ou moins clair (dite médaille), verte et rouge (dite giroflée).

Plastique. Art de modeler.

Relief. Objet représenté en saillie sur un fond. Dans le *bas-relief :* contours et formes ne sont indiqués que par une légère saillie ; dans le *demi-relief* ou demi-bosse : les figures « sortent » à peu près de la moitié de leur épaisseur ; dans le *haut-relief :* les figures sortent presque complètement du fond.

Ronde-bosse. Sculpture indépendante, théoriquement visible sous toutes ses faces (ex. : statue).

Sculpture. Art qui consiste à créer une forme en opposant dans l'espace des volumes ou reliefs à des creux ou vides à partir d'un modèle existant : corps, visage ou animal.

Statue chryséléphantine. Statue d'or et d'ivoire, ou bronze doré et ivoire (1925-30) (ex. : Chiparus).

Cours de quelques sculptures

(en milliers de F)

☞ Voir Art nègre, Chine et Japon à l'Index.

Bois, pierre, plâtre, terre cuite

Moyen Age. Éléments du prix : *Sujet :* à qualité égale et état comparable, une Vierge à l'enfant se vend plus cher que calvaires ou pietà ; statues de saints, groupes anecdotiques plus recherchés qu'un évêque ou un apôtre barbu ; les personnages dits civils (en général, des saints patrons) et les cavaliers sont très recherchés ; les scènes dramatiques, sauf les Christs en croix, sont moins prisées. *Taille :* 20 cm à grandeur nature, rarement plus. La polychromie d'époque sur bois ou pierre est un élément recherché. Raréfaction des pièces de qualité. Art populaire : 20 à 50 ; bonne qualité : 100 à 500 ; exceptionnelle, polychromie d'époque : 900 et +. Albâtres de Nottingham (G.-B.), du XIV au XVIe s. Sujets religieux, de 50 à 390.

Renaissance. 60 à 1 000.

XVIIe et XVIIIe s. *Bernini* (marbre) buste de Grégoire XV (v. 1621) 1 200. *Bouchardon* (terre cuite) 1 320 (1987). *Corradini* (marbre) 154 (1976). *Foggini* (marbre) 3 861 (1986). *Foucou* (marbre) paire de torchères 943,5 (1985). *Houdon* (marbre) 551 (1977), buste de Voltaire 300 (1980), d'Anne Audéoud 3 400 (1987), de Thomas Jefferson (plâtre) 15 500 (1987).

XIXe s. *Carpeaux (J.-B.)* (marbre) 205 (1989). *Carrier-Belleuse* (marbre) jusqu'à 1 050. *Dalou* (marbre) 830 (1984). *Rodin* (marbre) Le Désespoir 4 147 (1990).

Modernes. *Abbal* 70,5 (1991). *Adami* 70 (1991). *Arp (J.)* (marbre) 155 à 5 148 (1990). *Burlach (E.)* 2 900 (1985). *Brancusi* (marbre) 42 900 (1989). *Bugatti (R.)* (marbre) L'Athlète 2 864 (1986). *Hepworth* (marbre) 950. *Laurens (H.)* (marbre) 3 680,3 (1989). *Roubiliac* 6 060 (1985).

Bronze

• **Composition.** Alliage de cuivre et d'étain, obtenu, dès l'époque chalcolitique, par réduction directe des minerais d'étain et de cuivre, autrefois nommé parfois *airain.*

Teneur variable selon l'usage : *bronzes ordinaires* ou *à l'étain :* 3 à 40 % d'étain (monnaies 3 à 8, cloches et cymbales 20 à 30, anciens miroirs 30 à 40) ; *bronzes spéciaux :* au zinc, au plomb, phosphoreux, au zinc et au plomb ; le *bronze parisien* (utilisé pour bijouterie, ornementation) est en réalité un laiton au plomb ; *bronzes d'art :* cuivre et étain, avec addition de plomb et zinc (statues, pendules...).

Toutes les civilisations ont pratiqué l'art du bronze : Turquie 4300 av. J.-C. ; Mésopotamie 3000 av. J.-C. ; Crète 2000 av. J.-C. ; Chine XVIe s. av. J.-C. ; Corée IIIe s. apr. J.-C. ; Japon VIe s. apr. J.-C.

Nota. – L'analyse spectrale des métaux anciens (réalisée pour la 1re fois en 1833 en Allemagne) a révélé la présence d'un fort % d'arsenic dans certains bronzes anciens [notamment en Transcaucasie (3000 av. J.-C.) ; en Arménie (4000 av. J.-C.) ; de la vallée de l'Indus aux îles Britanniques (de 4000 à 1000 av. J.-C.)]. On distinguerait maintenant 2 périodes dans l'âge du bronze : 1re période, alliage cuivre minerais d'arsenic (réalgar, orpiment) ; 2e période, cuivre étain. *Régule.* Alliage de plomb, d'étain et d'antimoine imitant le bronze.

• **Bronzes anciens** (prix en milliers de francs). **Afrique.** Voir p. 390. **Allemagne.** Cheval (30 cm), XVe s., 375 (1978). Chandelier d'autel (27 cm), XIIIe s., 1 472 (1978). Adam et Ève par Magt (v. 1520) 1 430 (1987). **Égypte.** Voir p. 392. **États-Unis.** Allégorie de l'astronomie, 23 cm (Venise fin XVIe s.) 741 (1987). **France.** Cheval écorché du XVIe s. 1 500 (1975). XVIIe et XVIIIe s., de 40 à 950. *Desjardins (M. van der Bogaert, dit),* XVIIe s., 1 200 à 1 700. *Prieur* Henri IV et Catherine de Médicis 9 435 (1986). **Grande-Bretagne.** Chevalier bronze doré (10,1 cm), XIIe s., 4 587 (1978). Cheval (attr. à l'atelier de A. Coysevox, v. 1680) 2 442 (1984). *Rysbrack* 3 200 (1986). **Iran.** Bronzes du *Louristan,* voir p. 392. **Italie.** *École de Lysippe,* IVe s. av. J.-C., 19 500 (1971). Femme nue (32 cm), XIIe s., 834 (1978). Homme nu debout, attribué à *Michel-Ange,* 1 200 (1980). Statuette (25,5 cm) XVIe s. 2 000 (1983). XVIIe *F. Tacca,* 2 860 (attrib.) (1990) ; *Susini* l'Enlèvement d'Hélène, groupe en bronze (1627), h. 70 cm, prof. 38 cm ; 3 doigts refaits à la main droite d'Hélène et 2 petits trous à la base du groupe ; 22 047 (1989), record mondial pour un objet d'art ancien. *Giambologna* Enlèvement des Sabines (1983) 24 212 (1989). **Pays-Bas.** *Adriaen De Vries* (1560-1626), cheval 9 200 (1984), Faune dansant (h. 77 cm) 62 047 (1989).

Fonte des statues en bronze

Faite soit *au sable* (le sculpteur fournit un modèle définitif dont il est pris des empreintes au sable au moyen d'un moule en 2 ou plusieurs parties par la suite rempli de bronze en fusion), soit *à la cire perdue* (le sculpteur modèle en terre sa statue ; sur ce modèle est pris un moule en « bon creux » dans lequel on applique une couche de cire qui sera, par coulée, remplacée par le bronze ; cette cire peut être remodelée pour quelques tirages).

Réglementation des tirages. Le « Ratapoil » de Daumier, tiré en 1925 en 20 ex. par Alexis Rudier. Depuis, on trouve d'autres épreuves numérotées de surmoulages, toutes posthumes (fin du XIXe de Siot-Decauville).

Une loi de 1981 définit l'originalité d'un bronze par son tirage.

Son décret d'application limite les tirages à 8 (+ 4 épreuves d'artiste numérotées de 1 à 4 et portant les initiales E.A.).

Certains bronzes de Barye ont été tirés à 120 ex. (il était son propre fondeur ; pour maintenir la qualité de ses fontes, il refaisait des modèles et des moules, d'où les différences d'une épreuve à l'autre). Tout fac-similé, surmoulage, copie et autres reproductions doivent porter d'une manière visible et indélébile la mention « reproduction » (sauf ceux exécutés avant 1981).

• **Bronzes récents. Éléments du prix.** *Notoriété du sculpteur, sujet, célèbre. Qualité de la fonte* (ex. : les bronzes de Dalou, fondus par Hébrard, valent plus cher que ceux fondus par Susse). *Tirage :* le nombre d'ex. édités et le numéro de la pièce peuvent figurer sur tout bronze original dans la partie inférieure appelée terrasse : justification du tirage avec numéro d'ordre, marque ou signature du fondeur (les premiers ex., qui passent pour les plus précis, ont le plus de valeur). Pour certains bronzes, il peut exister plusieurs tirages avec différents fondeurs (ex. : Ratapoil, de Daumier : la 1re édition Siot-Decauville a beaucoup plus de valeur que celle qui a suivi, fondue par Rudier pour Bing à 20 épreuves en 1925).

Ex. (en milliers de F). *Arman* 650 (1990). *Armitage* 9,2 à 285,3 (1989). *Arp* 5,5 à 3 432 (1989). *Barrias (E.)* 2 à 150 (1990). *Barlach (E.)* 9,2 à 968,5 (1989). *Bartholdi* 20 à 1 000. *Barye* animaux 1,1 à 319,6 ; La Duchesse d'Orléans en amazone 1 010 (1990). *Bill (M.)* 11,4 à 45,5. *Bonheur (I.)* 1,9 à 449,4. *Borglum (S.H.)* 34,3 à 634 (1988). *Botero* 228 à 3 000 (1989). *Bourdelle* 10 à 1 394,8 (1989) ; ex. 9 152 (1989). *Bugatti (Rembrandt)* 10 à 2 130,7 (1990). *Caillé (J.-M.)* 177,6. *Calder* 11 à 1 064. *Carpeaux (J.-B.)* 5,3 à 344. *Carrier-Belleuse (A.-E.)* 1,5 à 339 (1990). *Carriès (J.)* 105,7. *César* 60 à 2 670 (le Centaure, 1989). *Chadwick (L.)* 5,3 à 642. *Clara (J.)* 54 à 148 (1989). *Claudel (C.)* 285 (la Valse, 1986) ; 1 450 (l'Implorante, 1988). 2 600 (l'Abandon, 1989). *Clodion* 140 à 1900. *Cordier (C.)* 1 646,5 (1989). *Cornell (J.)* 30,8 à 448. *Couturier (R.)* 205 (1989). *Csaky (J.)* 3,2 à 460. *Dalou* 3 à 492,8. *Daumier* 15,5 à 774,8 (1990). *De Chirico (G.)* 22 à 146,5 (1989). *Degas* 50 à 58 645 (danseuse, 1988). *Despiau (C.)* 348,7 (1990). *Duchamp-Villon* 33 à 6 340 (Le Cheval Majeur, 1989). *Du Passage* 215 (1988). *Epstein (Sir J.)* 5 à 112,4. *Ernst (M.)* 13,5 à 7 900 (1935). *Fautrier (J.)* 1,2 à 420. *Fiot (A.M.)* 5 à 51. *Flavin (D.)* 18,5 à 33. *Fontana (L.)* 4,4 à 696 (1988). *Fraser (J.-E.)* 4,2 à 367. *Fratin* 2,6 à 41,2. *Frémiet* 3 à 200. *Freundlich (O.)* 253,3 (1990). *Gabo (N.)* 3 à 397. *Gargallo* 20 à 509,3. *Gaudier-Brzeska* 2,7 à 184 (1990). *Gauguin (P.)* 10 à 3 500. *Giacometti (Alberto)* 42,8 à 36 380 (l'Homme qui marche, 1988) ; *(Diego)* 3,1 à 2 402,4 (1990). *Gilioli* 1,2 à 85. *Greco (E.)* 7 à 824,2. *Guyot (G.)* 72,5. *Hepworth (B.)* 9 à 686,4 (1989). *Ipousteguy* 4,4 à 440. *Johns (Jasper)* 17,6 à 44,8 ; ex. 2 002 (1989). *Kauba (C.)* 3 à 168. *Kolbe (G.)* 16,8 à 237,7. *Kooning (W. de)* 150 à 3 432 (1990). *Lalanne (F.-X.)* 6 à 250. *Larche (R.)* 1,6 à 245. *Laurens* 20 à 2 140 (1988). *Lehmbruck* 17,5 à 292. *Lichtenstein (R.)* 3 à 1 300 ; ex. 5 720 (1989). *Lipchitz* 30 à 8 008 (1989). *Magritte* 92,5 à 538,9. *Maillol* 20 à 8 800 (1984). *Man Ray* 2,3 à 348,5. *Manship (P.H.)* 5,7 à 1 711,8 (1988). *Manzu (G.)* 3,9 à 1 077,8. *Matisse* 60 à 21 736 (Figure décorative, 1990). *Mène (P.-J.)* 1 à 170 (1989). *Meissonier* 150. *Minne (G.)* 19,4 à 1 280 (1987). *Miro* 314,6 à 2 860 (1989). *Modigliani* 23 à 980 (1989). *Moreau (H.)* 17,4 à 48,4 (1990). *Myklos (G.)* 100,2. *Orloff* 406. *Picasso* 22 à 14 300 (Tête de femme, Fernande, 1989). *Pompon* 2,3 à 190. *Preiss (F.)* 6,3 à 128. *Proctor (A.P.)* 2,8 à 206,8. *Remington (E.)* 10 à 4 550 ; ex. 15 444 (1989). *Renoir (P.-A.)* 16 à 1 029,6 (1990). *Rodin* 12 à 30 000 (La Porte de l'Enfer, 1989). *Rosso (M.)* jusqu'à 203,3. *Shrady (H.-M.)* 12,9 à 112. *Sintenis (R.)* 4,6 à 81,5. *Smith (D.)* 63,4 à 3 640. *Troubetskoï (Prince P.)* 2,1 à 290 (1990). *Vindevogel (T.).* 10 à 21,8. *Volti (A.)* 4 à 300 (1990). *Zadkine* 8,5 à 1 544,4 (1989). *Zuniga (F.)* 20 à 308.

Statues chryséléphantines (v. 1925) en bronze doré et ivoire. *Barrias* 4,5 à 80. *Bouraine (A.)* 2,7 à 229 (1989). *Chiparus* 7 à 725 (1990). *Léonard (A.)* 80 (1989). *Lipchitz* 6 à 644.

• **Bronzes contemporains. Ex.** (en milliers de F). *Agam (Yaacov)* 2,9 à 250. *André (L.)* 127,6. *Archipenko* 9,9 à 1 458,2. *Arman* 1,4 à 750. *Arp (J.)* 5,5 à 3 043. *Aslan* 3,5. *Barrias* 15 à 120. *Brancusi* 800 à 45 760 (1990). *Calder* 160 à 7 000. *César (B.)* 1,2 à 1 760 ; 2 640 (1989). *Chareau (Pierre)* 469 (1983). *Chiparus (D.)* 54 à 915,2 (1990). *Christo* 1,1 à 660. *Dali (S.)* 1,3 à 824,2 (1989). *Derain (A.)* 10 à 550. *Duchamp (M.)* 16,5 à 221,9 (1989). *Dunand* 220 (1989). *Fontana (L.)* 20,4 à 696. *Kiaphec* 79,2 (1981). *Klein (Yves)* 1,8 à 2 800 (1990). *Léger (F.)* 60 à 1 200. *Lewitt (S.)* 365 (1991). *Marini (Marino)* 23,5 à 11 400 (1990). *Martel* 72 (1989). *Moore (Henry)* 14 à 21 164 (1990). *Nevelson (Louise)* 24,2 à 1 458,2 (1989). *Rauschenberg (R.)* 100 à 1 902. *Raynaud* 0,5 à 440. *Richier* 200 à 2 860 (1990). *Saint-Phalle (N. de)* 2,2 à 475,5 (1989). *Segal (G.)* 4 à 3 000 (1989). *Surasak et Skinart* 490 (1991). *Tinguely* 5,2 à 1 141,2. *Ustinov (I.)* 15 à 81.

Sculpteurs

☞ Certains peintres, également sculpteurs, figurent dans ce chapitre.

Allemagne

Nés avant 1600

BACKOFEN, Hans († 1519).
DAUHER, Adolf (v. 1460-1523/24).
ERHART, Gregor (v. 1460-av. 1540).
GERHAERT, Nikolaus (P.-Bas, v. 1430-73).
HAGUENAU, Nicolas de (Strasbourg) (v. 1460-1538).
KRAFFT, Adam (v. 1460-v. 1509).
NOTKE, Bernt (v. 1440-1509) (trav. en Suisse).
RIEMENSCHNEIDER, Tilman (1460-1531).
STOSS, Veit (v. 1440-1533).
SYRLIN, Jörg (v. 1425-v. 1491).
VEIT, Konrad (v. 1485-v. 1544) (trav. aux P.-Bas).
VISCHER, Peter (1460-1529) et ses fils, Herman, Peter (1487-1528), Hans.

Nés entre 1600 et 1800

ASAM, Egide Quirin (1692-1750) et son frère Cosmas Damian (1686-1750).
FEUCHTMAYER, Joseph Anton (1696-1770).
GÜNTHER, Ignaz (1725-75).
PERMOSER, Baltazar (1651-1732).
RAUCH, Christian (1777-1857).
SCHADOW, Gottfried (1764-1850).
SCHLÜTER, Andreas (1664-1714).

Nés après 1800

BANDAU, Joachim (1936).
BARLACH, Ernst (1870-1938).
BEGAS, Reinhold (1831-1911).
BELLING, Rudolf (1886-1972).
BLUMENTHAL, Hermann (1905-42).
BREKER, Arno (1900-91).
CREMER, Fritz (1906).
FISCHER, Lothar (1933).
GERZ, Jochen (1940).
GIES, Ludwig (1887-1966).
HAJEK, Otto Herbert (1927).
HARTUNG, Karl (1908-67).
HAUSER, Erich (1930).
HEILIGER, Bernhard (1915).
HILDEBRAND, Adolf von (1847-1921).
HOETGER, Bernhard (1874-1949).
HORN, Rebecca (1944).
KLINGER, Max (1857-1920).
KNOEBEL, Imi (1940).
KOENIG, Fritz (1924).
KOLBE, Georg (1877-1947).
KRAMER, Harry (1925).
KRICKE, Norbert (1922-84).
LEHMANN, Kurt (1905).
LEHMBRUCK, Wilhelm (1881-1919).
LÖRCHER, Alfred (1875-1962).
LOTH, Wilhelm (1920).
LUTHER, Adolf (1912-90).
MACK, Heinz (1931).
MARCKS, Gerhard (1889-1982).
MATSCHINSKY-DENNINGHOFF, Brigitte (1923).
NIERHOFF, Ansgar (1941).
OBRIST, Hermann (1863-1927).
OPPERMANN, Anna (1940).
OTTO, Waldemar (1929).
PIENE, Otto (1928).
POHL, Uli (1940).
RINKE, Klaus (1939).
ROSENBACH, Ulrike (1943).
RUCKRIEM, Ulrich (1938).
RUTHENBECK, Reiner (1937).
SCHARFF, Edwin (1887-1955).
SCHEIBE, Richard (1879-1964).
SINTENIS, Renée (1888-1965).
STADLER, Toni (1888-1976).
UECKER, Günther (1930).
UHLMANN, Hans (1900-75).
VOTH, Hannsjörg (1940).
WALTHER, Franz Erhard (1939).
WIMMER, Hans (1907).
WINDHEIM, Dorothée von (1945).

Autriche

DONNER, Georg Raphael (1693-1741).
DORFMEISTER, Johann Georg (1736-86).
FERNKORN, Anton (1813-78).
GIULIANI, Giovanni (1663-1744).
GUGGENBICHLER, Meinrad (1649-1723).
HANAK, Anton (1875-1934).
HRDLICKA, Alfred (1928).
KLOCKER, Hans (actif 1482-1500).
LACKNER, Andreas (actif 1500-20).
MAÎTRE DE GROSSLOBMING (actif v. 1410-40). IP (actif v. 1520).
MAÎTRE DE L'AUTEL DE KEFERMARKT (actif v. 1490). DE ZNAIM (actif v. 1430).
MESSERSCHMIDT, Franz Xaver (1736-83).
MOLL, Balthasar Ferdinand (1717-85).
PACHER, Michael (v. 1435-98).
PILGRAM, Anton (1460-1515).
SCHWANTHALTER, Johann Peter (le Vieux) (1720-95).
WOTRUBA, Fritz (1907-75).
ZAUNER, Franz Anton (1746-1822).
ZÜRN, Martin (actif 1615-65).
ZÜRN, Michael (actif 1617-51).

Belgique

BLONDEEL, Lancelot (1496-1561).
BURY, Pol (1922).
CAILLE, Pierre (1911).
CANTRE, Jozef (1890-1957).
CARON, Marcel (1890-1961).
DELCOUR, Jean (1627-1707).
DELVAUX, Laurent (1696-1778).
DE MEESTER DE BETZENBRUECK Raymond (1904).
DE VRIENDT, Corneille (1514-75).
D'HAESE, Reinhoud (1928).
D'HAESE, Roel (1921).
DU QUESNOY, François (1597-1643).
FAID'HERBE, Lucas (1617-97).
GEEFS, Guillaume (1805-83).
GENTILS, Vic (1919).
GHYSELS, Jean-Pierre (1932).
GODECHARLE, Gilles-Lambert (1750-1835).
GRARD, Georges (1901-84).
GUILMOT, Jacques (1927).
IANCHELEVICI, Ibel (1909).
JESPERS, Floris (1889-1965).
JESPERS, Oscar (1887-1970).
KERRYCKX, Willem (1652-1719).
KESSELS, Mathieu (1784-1836).
LAMBEAUX, Jef (1852-1908).
LEPLAE, Charles (1903-61).
LEROY, Christian (1931).
MACKEN, Mark (1913-77).
MARTINI, Remo (1917).
MEUNIER, Constantin (1831-1905).
MICHIELS, Robert (1933).
MINNE, Georges (1866-1941).
MOESCHAL, Jacques (1913).
MONE, Jean (1485-1550).
PERMEKE, Constant (1886-1952).
POOT, Rik (1924).
QUELLIN, Artus (le Vieux) (1609-68).
ROMBAUX, Egide (1865-1942).
ROUSSEAU, Victor (1865-1954).
STIEVENART, Michel (1910).
STREBELLE, Olivier (1927-89).
UBAC, Raoul (1910-85).
VAN HOEYDONCK, Paul (1925).
VANTONGERLOO, Georges (1886-1965).
VERBRUGGEN, Hendrik (1654-1724).
VERHAEGHEN, Theodor (1701-59).
VERHULST, Rombout (1624-98).
VINCOTTE, Thomas (1850-1925).
WIJNANTS, Ernest (1878-1964).
WILLEQUET, André (1921).
WOLFERS, Philippe (1858-1929).
WOUTERS, Rik (1882-1916).

Brésil

BRECHERET, Victor (1894-1955).
CAMARGO, Sergio (1930).
CESCHIATTI, Alfredo (1928).
CRAVO junior, Mario (1923).
FIGUEIRA, Joaquim († 1943).
GIORGI, Bruno (1905).
HENRIQUE, Gastão Manuel (1933).
KRAJCBERG, Frans (1921).
MARTINS, Maria (1900-73).
TOYOTA, Yukata (1931).
WEISSMANN, Franz Josef (1914).

Danemark

BERG, Claus (v. 1470-1532).
BERGSLIEN, Brynjulf (1830-98).
BISSEN, Hermann Vilhelm (1798-1868).
BJERG, Johannes (1886-1955).
FISCHER, Adam (1888-1968).
FISCHER, Egon (1935).
FREUND, Hermann Ernst (1786-1840).
GUNNERUD, Arne Vinje (1930).
HENNING, Gerhard (Suède, 1880-1967).
JACOBSEN, Robert (1912) (trav. à Paris).
JANSON, Gunnar (1901).
JÖRGENSEN, Börge (1926).
MANCOBA, Sonja Ferlov (1911).
NIELSEN, Kai (1882-1924).
NOACK, Astrid (1888-1954).
SÖRENSEN, Eva (1940).
SÖRENSEN, Jörgen Haugen (1934).
STANLEY, Carl Frederik (1738-1813).
STANLEY, Simon Carl (1703-61).
STORM, Per Palle (1910).
SUNDBY, Nina (1944).
THOMMESEN, Erik (1916).
THORVALDSEN, Bertel (1770-1844).
WIEDEWELT, Johannes (1731-1802).
WILLY, Orskov (1922).

Espagne

Nés avant 1600

ALEMÁN, Rodrigo (1470-1542).
BEAUGRANT, Guyot de (v. 1530-1550).
BERRUGUETE, Alonso (v. 1490-1561).
BIGUERNY, Philippe (Français, actif en Esp., 1498-1542).
COLONIA, Francisco de (1470-apr. 1542).
DANCART (v. 1482-92) (Français).
FORMENT, Damian (v. 1480-1541).
GUAS, Juan († 1496).
HERNÁNDEZ, Gregorio (v. 1576-1636).
JOLY, Gabriel († 1538) (or. fr.).
JUNI, Juan de (1507-77) (or, fr.).
LA ZARZA, Vasco de († 1524).
MARTINEZ MONTAÑES, Juan (v. 1568-1649).
MESA, Juan de (1586-1627).
NUÑEZ DELGADO, Gaspar (v. 1578-v. 1605).
OLANDA, Guillen de (v. 1521-40).
ORDOÑEZ, Bartolomé (1478-1520).
PEREIRA, Manuel (1588-1683).
ROJAS, Pablo de (v. 1581-v. 1607).
SILOE, Diego de (1495-1563).
SILOE, Gil de (Flamand, † 1501).

Nota. – Florentins : D. Fancelli, P. Torrigiani, G. Moreto, etc.

Nés entre 1600 et 1700

CANO, Alonso (1601-67).
CHURRIGUERA, José (1665-1723).
DUQUE CORNEJO, Pedro (1677-1757).
MENA, Pedro de (1628-88).
MORA, Diego de (1658-1724).
MORA, José de (1642-1724).
RISUEÑO, José (1667-1721).
ROLDÁN, Luisa (1656-1704).
ROLDÁN, Pedro (1624-1700).
TOMÉ, Diego († v. 1732).
TOMÉ, Narciso (trav. 1721).
VERGARA (le Vieux) (1681-1753).
VILLABRILLE, Alonso de (début XVIIIe).

Nota. – Français : Jean Thierry, René Frémin, Jacques Bousseau, P. Pitué, A. et M. Dumandré, Michel Verdiguier.

Nés entre 1700 et 1800

ALVAREZ CUBERO, Manuel (1768-1828).
GINÉS, José (1768-1863).
GUTIERREZ, Francisco (1727-82).
PASCUAL DE MENA, Juan (1707-84).
RUIZ DEL PERAL, Luis (1708-73).
SALVADOR CARMONA, L. (1707-67).
SALZILLO, Francisco (1707-83).
VERGARA, Ignacio (1715-76).

Nés entre 1800 et 1900

ANTONIO, Julio (1889-1919).
BELLVER, Ricardo (1845-1924).
BENLLIURE Y GIL, Mariano (1862-1947).
BLAY, Miguel (1866-1936).
CASANOVAS, Enrique (1882-1948).
FENOSA, Apelles (1899).
FERRANT, Angel (1891-1961).
GARGALLO, Pablo (1881-1934) (à Paris et en Esp.).
GONZALEZ, Julio (1876-1942) (tr. Paris 1900).
HERNÁNDEZ, Mateo (1888-1949).
LLIMONA, José (1864-1934).
MANOLO (Manuel Hugue) (1872-1945) (à Paris 1900).
MARÉS, Federico (1896).
MELIDA, Arturo (1849-1902).
MIRÓ, Joan (1893-1983).
MOGROVEJO, Nemesio (1875-1910).
OMS, Manuel (1842-89).
PICASSO, Pablo Ruiz (1881-1973) (trav. en France).
PLANES, José (1893-1974).
QUEROL, Agustín (1863-1909).

Nés après 1900

CHILLIDA, Eduardo (1924).
CONDOY, Honorio Garcia (1900-53).
FERREIRA, Carlos (1914).
PEREZ MATEOS, Francisco (1904-36).
SERRANO, Pablo (1910-85).

États-Unis

BARNARD, George Grey (1863-1938).
BURTON, Scott (1939-90).
CALDER, Alexander (1898-1976) (trav. en France).
CALLERY, Mary (1903-77).
CHRISTO (Christo Javacheff, dit) (1935).
DI SUVERO, Mark (1933).
FERBER, Herbert (1906).
FLAVIN, Dan (1933).
FRENCH, Daniel Chester (1850-1931).
GABO, Naum (or. russe, 1890-1977).
GRAVES, Nancy (1940).
GREENOUGH, Horatio (1805-52).
HARE, David (1917).
JUDD, Donald (1928).
KIENHOLZ, Edward (1927).
KOONING, Willem De (1904).
KREBS, Rockne (1938).
LACHAISE, Gaston (1882-1935).
LAURENT, Robert (1890-1970).
LICHTENSTEIN, Roy (1923).
LIPTON, Seymour (1903-86).
NEVELSON, Louise (or. russe, 1900-88).
NOGUCHI, Isamu (1904).

OLDENBURG, Claes (or. suéd., 1929).
OPPENHEIM, Dennis (1938).
PURYEAR, Martin (1941).
RICKEY, George (1907).
ROSZAK, Théodore (Pol., 1907-81).
RUSH, William (1756-1833).
SAINT-GAUDENS, Augustus (1848-1907).
SAMARAS, Lucas (Grèce 1936).
SEGAL, George (1924).
SHAPIRO, Joël (1941).
SMITH, David (1906-65).
SMITH, Tony (1912-80).
STANKIEWICZ, Richard (1922-82).
TAJIRI, Shinkicki (1923).
WARD, John Quincy Adams (1830-1910).

France

Nés avant 1600

BOLOGNE, Jean de (1529-1608).
BONTEMPS, Pierre (v. 1506-v. 1570).
COLOMBE, Michel (v. 1430-v. 1513).
GOUJON, Jean (v. 1510-1564/69).
GUILLAIN, Simon (1581-1658).
LA SONNETTE, Jean-Michel et Georges de (n.c.).
LE MOITURIER, Antoine (v. 1425-1497).
PILON, Germain (v. 1537-90).
RICHIER, Ligier (v. 1500-67).
SARRAZIN, Jacques (v. 1588-1660).
SLUTER, Claus (P.-Bas v. 1350-1406)
WERVE, Claus De (actif 1396-1436).

Nés entre 1600 et 1700

ANGUIER, Michel (1612-86).
BOUCHARDON, Edme (1698-1762).
CAFFIERI, Jacques (1678-1755).
COUSTOU, Guillaume Ier (1677-1746).
COUSTOU, Nicolas (1658-1733).
COYSEVOX, Antoine (1640-1720).
GIRARDON, François (1628-1715).
GUÉRIN, Gilles (1606-78).
LE LORRAIN, Robert (1666-1743).
LEMOYNE, Jean-Louis (1665-1755).
LEPAUTRE, Pierre (1660-1744).
PRIEUR, Barthélemy.
PUGET, Pierre (1620-94).
SLODTZ, Sébastien (or. flam., 1655-1726). Séb.-Antoine (1695-1754).
TUBY, Jean-Baptiste (v. 1630-1700).
VARIN, Jean (1604-72).

Nés entre 1700 et 1800

ADAM (l'Aîné), Lambert-Sigisbert (1700-59). (Le Jeune), Nicolas (1705-78).
ALLEGRAIN, Christophe-Gabriel (1710-95).
BARYE, Antoine-Louis (1796-1875).
BOSIO, Bon Fr.-Joseph (1768-1845).
CAFFIERI, Jean-Jacques (1725-92).
CLODION, Claude Michel (1738-1814).
COUSTOU, Guillaume II (1716-77).
DANTAN, Antoine (dit l'Aîné) (1798-1878).
DAVID D'ANGERS, Pierre-Jean (1788-1856).
FALCONET, Étienne (1716-91).
HOUDON, Jean-Antoine (1741-1828).
LADATTE, François (1700-87).
LEMOYNE, Jean-Baptiste (1704-78).
PAJOU, Augustin (1730-1809).
PIGALLE, Jean-Baptiste (1714-85).
PRADIER, Jean-Jacques (dit James) (Genève, 1790-1852).
RUDE, François (1784-1855).
SALY, J.F.J. (1717-76).
SLODTZ, Michel-Ange (1705-64). Paul-Ambroise (1702-58).
VASSÉ, Louis-Claude (1716-72).

Nés entre 1800 et 1900

ARP, Hans (1887-1966).
BARRIAS, Louis-Ernest (1841-1905).
BARTHOLDI, Fréd.-Aug. (1834-1904).
BARTHOLOMÉ, Paul-A. (1848-1928).
BELMONDO, Paul (1898-1982).
BLOC, André (1896-1966).
BONHEUR, Isidore (1827-1901).
BOUCHARD, Henri (1875-1930).
BOUCHER, Jean (1876-1939).
BOURDELLE, Ém.-Ant. (1861-1929).
CAIN, Aug.-Nicolas (1821-94).
CARABIN, François Rupert (1862-1932).
CARPEAUX, Jean-Baptiste (1827-75).
CARRIER-BELLEUSE, Albert (CARRIER DE BELLEUSE, dit) (1824-87). Louis (1848-1913).
CHAPU, Henri (1833-91).
CHAUVIN, Jean (1895-1976).
CHAUVIN, Louis (1889).
CHEVAL, Ferdinand (1836-1924).
CHIPARUS, Dimitri (1888-1950).
CLAUDEL, Camille (1864-1943).
COGNÉ, François-Victor (v. 1870-v. 1945).
COLLIN, Albéric (1886-1962).
CZAKI, Joseph (1888-1971).
DALOU, Aimé-Jules (1838-1902).
DANTAN, J.-Pierre (dit le Jeune) (1800-69).
DAUMIER, Honoré (1808-79).
DEGAS, Edgar (1834-1917).
DERAIN, André (1880-1954).
DESPIAU, Charles (1874-1946).
DUCHAMP-VILLON, Raymond (1876-1918).
DURET, François-Joseph (1804-65).
ETEX, Antoine (1808-88).
FALGUIÈRE, Jean-Alex. (1831-1900).
FRATIN, Christophe (1800-64).
FRÉMIET, Emmanuel (1824-1910).
GAUDIER-BRZESKA, Henri (1891-1915).
GIMOND, Marcel (1894-1961).
HUGUES, Jean-Baptiste (1849-1930).
ICARD, Honoré (1845-1917).
JACQUEMART, Alfred (1824-96).
LAMBERT-RUCKI, Jean (1888-1932).
LANDOWSKI, Paul (1875-1961).
LAURENS, Henri (1885-1954).
LÉGER, Fernand (1881-1955).
LIPCHITZ, Jacques (Pol. 1891-1973).
MAILLOL, Aristide (1866-1944).
MALFRAY, Charles (1887-1940).
MAROCHETTI, Bon Carlo (1805-67).
MATISSE, Henri (1869-1954).
MÈNE, Pierre-Jules (1810-79).
MIKLOS, Gustave (1888-1967).
MOIGNIEZ, Jules (1835-94).
MOREAU, Mathurin (1822-1912).
NOLL, Alexandre (1890-1970).
PEYRISSAC, Jean (1895).
POMPON, François (1855-1933).
PRÉAULT, Antoine-Auguste (1809-79).
RÉAL DEL SARTE, Maxime (1888-1954).
RODIN, Auguste (1840-1917).
SARTORIO, Antoine (1885).
SAUPIQUE, Georges (1889-1961).
TOURGUENEFF, Pierre-Nicolas (1854-1912).
TRIQUETI, Henri de (1804-74).
ZADKINE, Ossip (Russie, 1890-1967) (nat. Fr. en 1921).

Nés après 1900

ADAM, Henri-Georges (1904-67).
AGAM, Yaacov (1928).
ARMAN (1928).
ASLAN (n.c.).
AURICOSTE, Emmanuel (1908).
BUREN, Daniel (1938).
CÉSAR (César Baldaccini, dit) (1921).
CIESLARCZYK, Adolphe (All., 1916) (à Paris 1922).
COUTURIER, Robert (1905).
DECARIS, Albert (1901-88).
DELAHAYE, Charles (1928).
DODEIGNE, Eugène (1923).
ÉTIENNE-MARTIN (1913).
GILIOLI, Émile (1911-77).
GIVAUDAN, Marie-Thérèse (1925).
HAJDU, Étienne (Roum., 1907).
IPOUSTÉGUY, Jean (1920).
JEANCLOS, Georges (1935).
LALANNE, François Xavier (1924).
LEYGUE, Louis (1905).
LONGUET, Karl-Jean (1904-81).
MAHLER, Anna (1904-88).
MIYAWAKI, Aiko (Jap. n.c.).
MONINOT, Robert (1922).
OUDOT, Georges (1928).
PEIDES, Patricia (1953).
POMMEREULLE, Daniel (1937).
RICHIER, Germaine (1904-59).
SAINT-MAUR, Samuel (1906).
SAINT-PHALLE, Niki de (1930).
SCHÖFFER, Nicolas (Hong., 1912).
USTINOV, Igor (1952).
VASARELY, Victor (Hong.,1908).
VISEUX, Claude (1927).
VOLTI, Antoniucci (1915-89).
ZWOBODA, Jacques (1900-67).

Grande-Bretagne

Nés avant 1800

BACON, John (1740-99).
BAILLY, Edward (1788-1867).
BANKS, Thomas (1735-1805).
BIRD, Francis (1667-1731).
CHANTREY, Sir Francis (1781-1841).
CIBBER, Caius Gabriel (1630-1700).
CRITZ, John de († apr. 1657) [Holl.].
FLAXMAN, John (1755-1826).
GIBBONS, Grinling (1648-1721).
GIBSON, John (1790-1866).
LE SUEUR, Hubert (Fr., 1610-70).
NOLLEKENS, John (1737-1823).
NOLLEKENS, Joseph (1702/1705-62).
ROUBILIAC, Louis-François (Fr., 1695-1752).
RYSBRAECK, Jan Michael (Anvers, 1693-1770).
SCHEEMAKER, Pierre (Anvers, 1691-1781).
WESTMACOTT, Richard (1775-1856).
WILTON, Joseph (1722-1803).
WYATT, Richard James (1795-1850).

Nés après 1800

ABRAHAMS, Ivor (1935).
ADAMS, Robert (1917).
ARMITAGE, Kenneth (1916).
BOYLE, Mark (1934).
BROCK, Sir Thomas (1847-1922).
BUTLER, Reg (1913-83).
CARO, Sir Anthony (1924).
CHADWICK, Lynn (1914).
DALWOOD, Hubert (1924-76).
DOBSON, Frank (1888-1963).
EPSTEIN, Sir Jacob (1880-1959).
FINLAY, Ian Hamilton (1925).
FLANAGAN, Barry (1941).
FORD, Edward Onslow (1852-1901).
FRAMPTON, Sir George (1860-1928).
FRINK, Dame Elisabeth (1930).
FULLARD, George (1923-73).
GABO, Naum (1890-1977).
GILBERT, Sir Alfred (1854-1934).
GILBERT et GEORGE (1943 et 1942).
GILL, Eric (1882-1940).
HEPWORTH, Barbara (1903-75).
HILL, Anthony (1930).
HUGHES, Malcolm (1920).
KAPOOR, Anish (1954).
KING, Phillip (1934).
LONG, Richard (1945).
MACKENNAL, Sir Bertram (Austr., 1863-1931).
MARTIN, Kenneth (1905-84).
MARTIN, Mary (1907-69).
MCWILLIAM, F. E. (1909).
MEADOWS, Bernard (1915).
MOORE, Henry (1898-1984).
PAOLOZZI, Eduardo (1924).
POPE, Nicholas (1949).
PYE, William (1938).
REYNOLDS-STEPHENS, Sir William (1862-1943).
SCOTT, Tim (1937).
STEVENS, Alfred (1817-75).
THOMAS, John (1813-62).
TUCKER, William (1935).
TURNBULL, William (1922).
WALKER, Arthur George (1861-1939).
WHEELER, Sir Charles (1892-1974).
WOOD, Francis Derwent (1871-1926).
WOOLNER, Thomas (1825-92).

Hongrie

ALEXY, Károly (1823-80).
BECK, O. Fülöp (1873-1945).
BEÖTHY, István (1897-1962) (trav. à Paris dep. 1925).
CSÁKY, József (1888-1971).
FERENCZY, Béni (1890-1973).
FERENCZY, István (1792-1856).
KEMÉNY, Zoltán (1907-65).
KOVÁCS, Margit (1902-78).
MEDGYESSY, Ferenc (1881-1958).
MELOCCO, Miklós (1935).
MOHOLY-NAGY, László (1895-1946).
REIGL, Judit (1923).
SOMOGYI, József (1916).
SZABO, László (1917) (trav. à Paris).
SZERVATIUSZ, Tibor (1930).
TELCS, Ede (1872-1948).
ZALA, György (1858-1929).

Italie

XIIIe, début XIVe siècle

École de Pise. ANTELAMI, Benedetto (v. 1150-v. 1225). BALDUCCIO, Giovanni di (XIVe). CAMBIO, Arnolfo di (v. 1240-v. 1302). ORCAGNA (Andrea di Cione Arcagnolo, dit l') (v. 1308-1369). PISANO, Andrea (A. da Pontedera) (1270-1348). PISANO, Giovanni (1245-1320). PISANO, Niccolò (v. 1220-v. 1284). PISANO, Nino († 1368).

Quattrocento (fin XIVe, XVe s.)

École de Florence. BANCO, Nanni di (1373-1421). BERTOLDO, Giovanni di (1410-91). DONATELLO (Donato di Betto Bardi, dit) (1386-1466). DUCCIO, Agostino di (1418-81). FIESOLE, Mino da (1430-84). GHIBERTI, Lorenzo (1378-1455). MAIANO, Benedetto da (1442-64). POLLAIOLO, Antonio del (1432-98). ROBBIA, Andrea della (1435-1528). ROBBIA, Luca della (1400-82). ROSSELLINO, Antonio (1427-79). ROSSELLINO, Bernardo (1409-64). SETTIGNANO, Desiderio da (1431-64). VERROCCHIO (Andrea di CIONE, dit del) (1435-88).

École de Sienne. GIORGIO MARTINI, Francesco di (1439-1502). QUERCIA, Jacopo della (v. 1375-1438). TINO DI CAMAINO (v. 1285-1337). VECCHIETTA (Lorenzo di PIETRO, dit il) (v. 1412-80).

Lombardie. AMADEO, Giovanni Antonio (1447-1522). BRIOSCO, Andrea (1470-1532). ROMANO, Cristoforo (av. 1470-1512).

Lucques. CIVITALI, Matteo (1436-1501).

Modène. BARI, Niccolò da (1440-94). MAZZONI, Guido (v. 1450-1518).

Naples, Urbin. LAURANA, Francesco († apr. 1500).

Venise. LOMBARDO, Pietro (v. 1435-1515). ROZZO, Antonio (v. 1465-98).

Renaissance (XVIe siècle)

AMMANNATI, Bartolomeo (1511-92).
CELLINI, Benvenuto (1500-71). Également orfèvre.
LEONI, Leone (v. 1509-90) (trav. en Espagne). Pompeo (1533-1608).
LE PRIMATICE (Francesco Primaticcio) (1504-70).

MICHEL-ANGE (Michelangelo Buonarroti) (1475-1564).
PORTA, Giacomo della (v. 1540-1602).
RICCIO, Andrea († 1532).
SANSOVINO (Andrea Contucci, dit) (1460-1529). (Jacopo Tatti, dit il) (1486-1570).
SUSINI, Antoine († 1624). Jean-François († 1646).
VITTORIA, Alessandro (1525-1608).

XVIIe, XVIIIe siècle

ALGARDI, Alessandro (1595-1654).
BERNIN (Gian Lorenzo Bernini, dit le Cavalier) (1598-1680).
BRACCI, Pietro (1700-73).
BUSSOLA, Dionigi (1612-87).
COLLINO, Filippo (1724-93).
CORRADINI, Antonio (1668-1752).
DELLA VALLE, Filippo (1696-1770).
FOGGINI, Giovanni Battista (1652-1725).
GUIDI, Domenico (1625-1701).
LEGROS, Pierre II (Franc. 1666-1718).
MADERNO, Carlo (1576-1638).
MAZZUOLI, Giuseppe (1644-1725).
MOCHI, Francesco (1580-1654).
MORLAITER, Gian Maria (1699-1781).
PARODI, Domenico (1668-1740).
PARODI, Filippo (1630-1702).
RAGGI, Antonio (1624-86).
RUSCONI, Carlo (1558-1626).
SAN MARTINO, Giuseppe (1720-93).
SCHIAFFINO, Francesco Maria (1691-1765).
SERPOTTA, Giacomo (1656-1732).
SPINAZZI, Innocenzo (v. 1720-95).
TACCA, Pietro (1577-1640).
TINELLI, Giuliano (1601-71).

XIXe, XXe siècle

BARTOLINI, Lorenzo (1777-1850).
BASALDELLA, Mirko (1910-69).
BISTOLFI, Leonardo (1859-1933).
BOCCIONI, Umberto (1882-1916).
BUGATTI, Rembrandt (1884-1916).
CALÒ, Aldo (1910-83).
CANOVA, Antonio (1757-1822).
CAPPELLO, Carmelo (1912).
CASCELLA, Pietro (1921-89).
CONSAGRA, Pietro (1920).
DUPRÉ, Giovanni (1817-82).
FABBRI, Agenore (1911).
FIORI, Ernesto de (1884-1945).
FONTANA, Lucio (1899-1968).
FRANCHINA, Nino (1912-87).
GERARDI, Alberto (1889-1965).
GRECO, Emilio (1913).
GUELFI, Guelfo (1895-1973).
LARDERA, Berto (1911-† Paris 1952).
LEONCILLO, Leonardi (1919-68).
LICINI, Osvaldo (1894-1958).
MANZÙ (Giacomo Manzoni, dit) (1908).
MARINI, Marino (1901-80).
MARTINI, Arturo (1889-1947).
MASCHERINI, Marcello (1906-83).
MASTROIANNI, Umberto (1910).
MELLI, Roberto (1885-1958).
MELOTTI, Fausto (1901-86).
MINGUZZI, Luciano (1911).
POMODORO, Arnaldo (1926).
POMODORO, Gio (1930).
ROSSO, Medardo (1858-1928).
TRENTACOSTE Domenico (1859-1933).
VIANI, Alberto (1906).
VOLTI, Antoniucci (1915).
WILDT, Adolfo (1868-1931).
ZANELLI, Angelo (1879-1942).

Norvège

AAS, Nils (1933).
BERG, Boge (1944).
BERG, Magnus (1666-1739).
BERGSLIEN, Brynjulf (1830-98).
BREIVIK, Bård (1948).
FREDRIKSEN, Stinius (1902-77).
HAUKELAND, Arnold (1920-83).
MICHELSEN, Hans (1789-1859).
MIDDELTHUN, Julius (1820-86).
SINDING, Stephan Abel (1846-1922).
STORM, Per Palle (1910).
VIGELAND, Gustav (1869-1943).
VIK, Ingebrigt (1867-1927).

Pays-Bas

AMEN, Woody Van (1936).
ANDRIESSEN, Mari (1897-1980).
ARMANDO (1929).
BAILLEUX, César (1937).
BALJEU, Joost (1925).
BRONNER, Jean (1881-1972).
COUZIJN, Wessel (1912).
ENGELS, Pieter (1938).
GERHARD, Jubert (v. 1550-1620).
KEYSER, Hendrick De (1565-1621).
KROP, Hildo (1884-1970).
LEESER, Titus (1903).
MENDES DA COSTA, Joseph (1863-1939).
MUNSTER, Jan Van (1939).
PALLANDT, Charlotte Van (1898).
RAEDECKER, Johan (1885-1956).
REYERS, Willem (1910-58).
ROOYACKERS, Rudi (1920).
SLUTER, Claus (1340-1405).
STRUYCKEN, Peter.
VERHULST, Rombout (1624-96).
VISSER, Carel (1928).
VOLTEN, André (1925).
VRIES, Adriaen De (1550-1626).
WERVE, Claus De (1380-1439).
WESEL, Adriaen Van (XVe siècle).
WEZELAAR, Han (1901).
WIJK, Charles Van (1875-1917).
ZIJL, Lambertus (1866-1947).

Pologne

ABAKANOWICZ, Magdalena (1930).
BEREŚ, Jerzy (1930).
BIEGAS, Boleslas (1877-1954).
DUNIKOWSKI, Xavery (1875-1964).
GUYSKI, Marceli (1832-93).
HASIOR, Wladyslaw (1928).
JARNUSZKIEWICZ, Jerzy (1919).
KARNY, Alfons (1901-89).
KOBRO, Katarzyna (1898-1951).
KONIECZNY, Marian (1930).
KRETZ, Léopold (1907) (trav. à Paris).
KUNA, Henryk (1879-1945).
KURZAWA, Antoni (1842-98).
LIPSI, Maurice (1898) (trav. à Paris).
OLESZCZYNSKI, Władysław (1807-66).
RYGIER, Theodor (1841-1913).
SLESIŃSKA, Alina (1926).
SZAPOCZNIKOW, Alina (1926-73).
SZCZEPKOWSKI, Jan (1878-1964).
WIĘCEK, Magdalena (1924).
WITTIG, Edward (1879-1941).
WOJCIESZYNSKI, Stanislas (dit Wostan, 1915, à Paris dep. 1945).
ZAMOYSKI, Auguste (1893-1970).
ZBROŻYNA, Barbara (1923).
ZEMŁA, Gustave (1931).

Portugal

CANTO DA MAYA, Ernesto (1890-1981).
CARNEIRO, Alberto (1937).
CONDUTO, Fernando (1937).
CUTILEIRO, João (1937).
FRANCO, Francisco (1885-1955).
MACEDO, Diogo de (1889-1959).
MACHADO DE CASTRO, Joaquim (1731-1822).
RODRIGUÈS, José (1936).
SOARES DOS REIS, Antonio (1847-89).
TEIXEIRA LOPES, Antonio (1866-1942).
VIEIRA, Jorge (1922).
VIRGILIO, Domingues (1932).

Nota. – Les Normands : Nicolas Chantereine, Philippe Oudart, Jean de Rouen au XVIe s.

Roumanie

ANGHEL, Gheorghe (1904-66).
APOSTU, George (1934-86).
BARASCHI, Const. (1902-66).
BRÂNCUŞI, Constantin (1876-1957).
CARAGEA, Boris (1906-82).
CODRE, Florin (1943).
CONSTANTINESCU, Mac (1900-1979).
DAMIAN, Horia (1922).
FLAMAND, Horia (1941).
GEORGESCU, Ioan (1856-98).
GRIGORESCU, Nicolae (1838-1907).
HAN, Oscar (1891-1976).
ILIESCU-CALINEŞTI, Gheorghe (1932).
IRIMESCU, Ion (1903).
JALEA, Ion (1887-1983).
LADEA, Romul (1901-70).
MAITEC, Ovidiu (1925).
MEDREA, Cornel (1888-1964).
PACIUREA, Dumitrie (1873-1932).
PETRASCU, Militza (1892-1976).
POPOVICI, Constantin (1938).
SPATARU, Mircea (1938).
STORCK, Carol (1854-1926).
STORCK, Frederic (1872-1942).
VALBUDEA-IONESCU, Stefan (1854-1926).
VIDA, Gheza (1913-80).

Russie

ANTOKOLSKI, Mark (1843-1902).
ARCHIPENKO, Aleksandr (1887-1964) (aux U.S.A. après 1919).
CHADR, Ivan (1887-1941).
CHOUBINE, Fiodor (1740-1805).
CHTCHEDRINE, Feodosy (1751-1825).
CLODT VON JURGENSBURG, Peter (1805-67).
GABO, Naum (1890-1977) (aux U.S.A. à partir de 1946).
GOLUBKINA, Anna (1864-1927).
KONENKOV, Sergheï (1874-1971).
KOZLOVSKI, Mikhaïl (1753-1802).
KRYLOV, Mikhaïl (1786-1850).
LEBEDEVA, Sarra (1892-1967).
MATVEEV, Aleksandr (1878-1960).
MUCHINA, Vera (1889-1953).
ORLOFF, Chana (1888-1968) (en Fr.).
ORLOVSKI, Boris (1796-1837).
PEVSNER, Antoine (1886-1962) (en France après 1923).
SOKOLOV, Pavel (1765-1831).
TATLINE, Vladimir (1885-1953).
TROUBETSKOÏ, Pce Paul (1866-1938).
ZACK, Léon (1892-1980).

Suède

ARLE, Asmund (1918).
ASKER, Curt (1930).
BOUCHARDON, Jacques Phil. (Fr., 1711-53).
DERKERT, Siri (1888-1973).
ERIKSSON, Liss (1919).
ELDH, Carl (1873-1954).
FRISENDAHL, Carl (1886-1948).
GRATE, Eric (1896-1983).
HJORTH, Bror (1894-1968).
LARCHEVÊQUE, Pierre-Hubert (Fr., 1721-78).
MARKLUND, Bror (1907-77).
MILLES, Carl (1875-1955).
SERGEL, Johan Tobias (1740-1814).
ULTVEDT, Per Olof (1927).

Suisse

AESCHBACHER, Hans (1906-80).
BÄNNINGER, Otto-Charles (1897-1973).
BODMER, Walter (1903-1973).
BURCKHARDT, Carl (1878-1923).
EGGENSCHWILER, Franz (1930).
FISCHLI, Hans (1909-89).
GEISER, Karl (1898-1957).
GIACOMETTI, Alberto (1901-66).
GIACOMETTI, Diego (1902-85).
HALLER, Hermann (1880-1950).
HUBACHER, Hermann (1885-1976).
JOSEPHSON, Hans (1920).
KEMENY, Zoltan (Hong., 1907-1965).
KOCH, Oedön (1906-77).
L'EPLATTENIER, Charles (1874-1946).
LINCK, Walter (1903-75).
LUGINBÜHL, Bernhard (1929).
MARCELLO, Adèle d'Affry, D^esse^ de Castiglione Colonna, dite (1836-79).
MÜLLER, Otto (1905).
MÜLLER, Robert (1920).
NIEDERHAÜSERN, Auguste von, dit Rodo (1863-1913).
PROBST, Jakob (1888-1966).
RAMSEYER, André (1914).
ROSSI, Remo (1909-82).
SCHERER, Hermann (1893-1927).
STANZANI, Emilio (1906-77).
TINGUELY, Jean (1925).
TRIPPEL, Alexander (1744-93).
VELA, Vincenzo (1822-91).
WALDBERG, Isabelle (1911-90).
WIGGLI, Oskar (1927).
ZSCHOKKE, Alexander (1894-1981).

Tchécoslovaquie

BENDL, Jan Jirí (1620-80).
BILEK, Frantisek (1872-1941).
BRAUN, Matyás Bernard (1684-1738).
BROKOF, Ferdinand Maximilian (1688-1731).
GUTFREUND, Otto (1889-1927).
LAUDA, Jan (1898-1959).
LIDICKY, Karel (1900-76).
MAKOVSKY, Vincenc (1900-66).
MYSLBEK, Josef Václav (1848-1922).
POKORNY, Karel (1891-1962).
STEFAN, Bedřich (1896-1982).
STURSA, Jan (1880-1925).
WAGNER, Josef (1901-57).
WICHTERLOVA-STEFANOVÁ, Hana (1903-90).

Uruguay

BELLONI, José (1882-1965).
BROGLIA, Enrique Fernandez (1942).
CABRERA, German (1903).
FERRARI, Juan-Manuel (1874-1916).
FREIRE, Maria (1919).
MANE, Pablo (1880-1971).
MICHELENA, Bernabé (1888-1963).
PENA, Antonio (1894-1947).
PODESTA, Octavio (1929).
POSE, Severino (1894-1962).
YEPES, Eduardo (1909-78).
ZORRILLA DE SAN MARTIN, José Luis (1891-1975).

Yougoslavie

BAKIC, Vojin (1915).
BOSKOV, Petar Hadzi (1928).
HOZIC, Arfan (1928).
KANTOCI, Ksenija (1909).
KOZARIC, Ivan (1921).
LAURANA, Francesco (v. 1420-v. 1502) (trav. en France).
LOGO, Oto (1931).
MÉSTROVIC, Ivan (1883-1962).
RADOVANI, Kosta Angeli (1916).
RICHTER, Vjenceslav (1917).
ROTAR, France (1933).
TRSAR, Drago (1927).

Arts divers

1res créations artistiques. Époque de l'*Homo sapiens* (v. 33 000 av. J.-C.) : gravure et piquetage. Ornementation des grottes-sanctuaires (peinture, sculpture, gravure), des objets d'usage (armes, outils, parures), objets d'art sans fonctions précises (galets, os gravés). Décors géométriques ou figuratifs (symboliques ?).

Art de l'Afrique noire

Certains distinguent 3 grandes zones : *soudanaise* (du Mali à la Côte-d'Ivoire), *guinéenne* et *congolaise* (entre Gabon et Angola). D'autres opposent naturalisme et abstraction (sculptures du Mali) qui subsistent parfois dans la même région.

• **Architecture.** *Pierre et terre séchée :* vestiges de cités anciennes au Soudan et au Mali (Djenne, Tombouctou), près du lac Tanganyika et en Rhodésie (Zimbabwe), au Nigeria (civilisations de Nock, 2 000 ans, et d'Ifé, Xe-XIIIe s.). *Matériaux fragiles :* constructions récentes ornées de bas-reliefs, de motifs peints et d'éléments sculptés surajoutés (Dahomey, Cameroun) ou parfois de plaques de décoration en bronze (palais au Bénin XVe au XVIIe s.).

• **Arts du corps.** Scarifications, tatouages, peintures, parures, coiffures.

• **Arts de la vie quotidienne.** Les objets usuels portent tous un élément décoratif chargé d'une signification religieuse. Généralement, les femmes pratiquent le filage et la poterie (sans four, moulage sur une forme, cuisson à feu nu) ; les hommes tissent (coton, raphia, tapas, fibres) et fabriquent des armes de jet et de combat ; sagaies, couteaux, le plus souvent ces objets sont sculptés.

• **Peinture pariétale.** Préhistorique, négro-africaine : scènes pastorales, danseurs masqués (Kalahari, Sahara, massif du Tassili).

• **Sculpture.** Toujours rituelle. *Masques* (apanage des hommes, des femmes au Liberia, des initiés et des associations secrètes) : multiplicité des formes. *Statues :* représentations religieuses ou magiques généralement petites. Proportions anatomiques non respectées, formes variant selon les tribus : raides et anguleuses (Dogon, Bambara), figées et rondes (Fang, Baluba, Baoulé), souples (Tada, Sherbro). La plupart des objets, représentant des ancêtres et servant de réceptacles à l'esprit des ancêtres, ne devaient pas être « réalistes », l'esprit ne l'étant pas. L'objet devient rituel et magique, « protecteur » pour la famille ou la tribu. Nombreux objets d'usage : poulies de métier à tisser ; petits meubles : sièges, trônes ; poids en bronze pour la poudre d'or, armes...

Matériaux. *Bois* (dans toute l'Afrique). *Pierre* (Haute-Guinée, Sierra Leone, Nigeria, Angola, Zaïre). *Ivoire* (amulettes, masques, trompes, traversières, petits objets, bijoux : Bénin, Cameroun, Congo, Côte-d'Ivoire, Gabon, Ghana). Objets assez recherchés, en hausse pour les pièces de grande qualité. *Argile* (statuettes très anciennes de Mopti, Ifé, pays Sao, Jos, Djénné). *Or* (bijoux) (pays Baoulé et Ashanti). *Bronze* (Ifé, Bénin, Nigeria, Niger). *Fer forgé* (Dogon, Bambara, Sénoufo, Fon, Dahomey : Yorouba). *Argent* (en Afr. blanche particulièrement). *Cuivre martelé et argent* (Dahomey).

Age des objets. Un objet est réputé « authentique » lorsqu'il fut fabriqué par et pour l'indigène dans un but rituel ou usuel mais non commercial (env. du VIIIe s. jusqu'à nos jours).

Cours en milliers de francs. *Record mondial :* statuette « reine » du Soudan 20 020 (1990). *Quelques exemples* (pièces exceptionnelles). **Angola :** statuette *Tschokwe,* hauteur 37,5 cm : 2 200 (1979). **Bénin :** bronzes très rares, tête *Oba* 400 à 3 000 ; plaques 51 à 5 252 (1987) ; statuettes *Babembe* 15 à 70. **Burkina** masque *Bwa* 120 à 260. **Congo :** fétiche à clous 80 à 350. Statue d'ancêtre *Teke* 320 (1987). Sculpture *Kouyou* 670 à 1 650. **Cameroun :** stat. *Bamileke* recouvertes de perles 8 à 15 ; masque *Bangwa* 1 350. Statuette *(Fang) Byeri* 290 à 19 000 (1990), [en général 45/60 cm fiché dans le couvercle de boîte cylindrique en écorce d'andrung appelée « nsekh à byeri » (plusieurs styles : ngoumba, ntoumou, mabéa)], cimier de masque 375 (1987). **Côte-d'Ivoire :** *Waka Sona* (effigie d'ancêtre *Baoulé*) 15 à 150 ; fétiches moins de 1 ; masque *Guro-Bété* 1 200, *Baoulé* 1 250, *Dan* 10 à 300, *Senoufo* 120 à 150 ; poulie de métier à tisser 0,5 à 17 ; statuette *Senoufo* 950 (1989) 1 800 (1990). **Gabon :** reliquaire *kota* 370 à 3 259 (1990) ; masques *Fang* 136 ; statuette mâle *Fang* 60 à 300, femelle 324 à 1 200, reliquaire *Fang* 1 451 (1988), *Ntoumou* 150 à 417,4 ; *Pounou* 1 à 350 ; fig. d'ancêtre 7 à 333 ; reliquaire, bois 10 à 200 ; *Ambété* 630 ; masque, bois et cuivre *Bakota* 10 à 230 ; *Betsi* 360 ; femme *Mitsogo* 71,4 ; fig. de reliquaire *Mahongwé* + de 2 000. **Ghana :** pesons (bronze ou laiton) ; objet 0,2 à 6 (équestre) ; masque *Byeri* 30 à 330 (en or) ; statuette funéraire *Ashanti* 101 (1988). **Guinée :** statues 11 à 250 ; danseuse 400 (1977), masque *Susu* 900, tambour *Baga* (à cariatide) 1 100 (1990). **Liberia :** masque *Dan* 40 à 440, tabouret *Dan* 1 000. **Mali :** ancêtre, bois 2 à 345, stat. *Dogon* à 5 têtes 380 ; coiffure rituelle *Bambara* 0,5 à 79, statuettes 900 (1990) ; *Nommo :* statue (haut. 2 m), 280 (1983). **Nigeria :** *Ibeji* (culte des jumeaux) (paire de stat. *Yoruba*) 0,8 à 4 : masques 22 à 190 ; ancêtre bois et cuivre 102. **Soudan :** stat. *Dogon* 345. **Tanzanie :** siège *Hehe* 240. **Zaïre :** statue *Yombe* 200 à 600 ; ivoire *Bakongo* 190 ; stat. magique 0,6 à 600 ; siège *Luba* 250 ; boîte anthropomorphe *Mangbetu* 500 (1988), appui-nuque en bois 1 198 (1987).

Arts d'Amérique

Art esquimau

Culture de Dorset (800 av. J.-C., Xe s. apr. J.-C.). Art magico-religieux. *Objets utilitaires :* grattoirs, manches de couteaux, têtes de bêches, racloirs à verglas, protège-poignets, pointes de harpon, objets de parure ; amulettes (animaux sculptés, souvent avec humour). Ivoire de morse, bois de caribou, pierre verte, silex, os de baleine.

Culture de Thulé (Xe s.-début du XIXe s. apr. J.-C.). Art plus fonctionnel où coexistent l'inspiration sacrée et le sens de l'observation. Au contact des explorateurs, l'art perd de son rituel.

Cours en milliers de francs. *Défense de morse,* gravée (40 cm), petits animaux, ours, baleines, poissons divers 18. *Pendentif,* ivoire, silhouette féminine et masculine (haut. 4,25 cm) 0,1 à 4. *Support de harpon,* ivoire 50. *Archet de foret* pour percer ivoire 15. *Maquettes de Kagalas* 10 à 12. *Panoplie chasseur* esquimau 11,1. *Statuette en ivoire XIXe* 23.

Art précolombien

☞ Art d'avant la conquête européenne. Époques : voir Index.

• **Objets. Amérique centrale.** Céramique à motifs zoomorphes. Or travaillé, bijoux, outils, les plus beaux étant en forme de jaguar, v. 800 apr. J.-C. *Métates* (de l'aztèque *métatl :* « meule dormante avec broyeur horizontal ou pilon ») : pierres cérémonielles pour culte funéraire, en basalte, servant à moudre ou piler le maïs, principalement au Costa Rica, Panamá (Veraguas), Nicaragua.

Antilles. CIVILISATIONS. *Des Ciboney :* surtout pêcheurs et chasseurs (les plus anciens occupants). *Des Arawaks :* venus vers le XIIe s. du continent sud-américain, ils occupaient les Antilles en 1492 (conquête), sédentaires, ils sont représentés surtout par les *Taïnos.* Objets votifs : jougs fermés en pierre, colliers, pierres à 3 pointes (zémi), travail du bois. *Des Caribes :* civilisation semblable à celle des Arawaks contre qui ils luttèrent. Céramique très fruste (période belliqueuse).

Pérou. Vases funéraires avec, le plus souvent, une anse dite « en étrier » à engobe brun-rouge-crème-noire (Nazca : peints de couleurs). Civilisations Chavin et Chimu : à engobes noires. Malgré leur nombre (des milliers), rares car retenus par le gouvernement péruvien. Civilisation Mochica : une des plus importantes et des plus variées du Pérou ; comprend 4 périodes, de 100 à 700 apr. J.-C.

• **Cours en milliers de francs. Amazonie.** Diadème *meoko* 10, *oko-oré* 80. **Antilles.** Siège en bois *Taïno* 120, petite sculpture en pierre 24. Hache (Haïti) 2, dieu Zemi en basalte 60 à 100. **États-Unis.** Périodes, voir Index. *Katchina Hopi* 0,8 à 6. Berceau *Sioux* 11,1. Bijoux *navajo* 4,7 à 20, *Zuni* 14,4 à 43,3. Ceinture et calumet de la paix 20. Vêtement en peau (plaines) 3 à 230 ; couverture *navajo* 8,6 à 260,5. Coiffure iroquoise 160. Crécelle *Haida* 19,5. Masques et totems 8 à 35. Mocassins *Sioux* (la paire) 4 à 13,9. Poteries 6,7 à 36,7. Paniers et coupes en vannerie *(Apaches et Sioux)* 2 à 70. Objets modernes env. 10. **Mexique.** Personnages debout, serpentine noire (30 cm) VI-Ier s. av. J.-C. 35 ; except. pierre 609,8 (1985). Masques pierre dure de Teotihuacán 30 à 180 ; m. pectoral à visage humain en schiste vert 30 ; jade olmèque 90 à 180 ; statuettes mayas moulées 2 à 27,8, sculptées 12 à 120 [Nayarit proto-classiques 18 à 30] : ornement pour la bouche, en or, mixtèque 1 075 (1980). Vases maya 2,9 à 19,6. **Panamá.** Vase de Veraguas 4 à 15. **Pérou.** Masques funéraires 3 à 35, or 12 à 120. *Métates* 6 à 25. Pendentif en or (aigle) 8 à 20. Disque pectoral en or 2 à 10. Momie d'enfant 7.

Colombie britannique

Objets. Rares sur le marché car systématiquement achetés par les musées et collectionneurs américains ou canadiens.

Cours en milliers de francs. Masques 28 à 110, coupe en corne de mouflon 4, grande cuillère en corne blonde 45, poteau totem 18, haut de coiffe 55, *objets d'avant 1914 :* petits totems en schiste noir poli 40, hochets de danse 30, caisses à grain en bois 50.

Art chinois

☞ **Collections à Paris.** Musée Guimet, m. des Arts décoratifs, m. d'Ennery, m. Cernuschi.

Prix records (en milliers de francs). Cheval Tang 40 018 (Londres 12-12-1989). **Vase** rituel bronze *zun* 17 920 (Sotheby's, N. York 1988). (Collections T.Y. Chao, Sotheby's, Hong Kong 18-11-1986 et 19-5-1987.) *Ming* porcelaine rouge cuivre, fin XIVe, h. 31,5 cm, 8 610. **Bassin** 17 000 (1989). **Plat** *Ming* porcelaine rouge cuivre sous couverte, diam. 47,5 cm, 8 918,5.

Céramique

☞ *A partir du XVIe s. av. J.-C.,* on désigne la céramique et les bronzes chinois par les noms des dynasties ou des empereurs les plus importants.

A partir du XIVe s., les porcelaines de Chine, sauf celles destinées à l'exportation, portent souvent des marques au revers des pièces en bleu sous couverte (4 ou 6 caractères, indiquant nom de la dynastie et titre du règne, qui se lisent de haut en bas et de droite à gauche). On trouve aussi des marques d'atelier, d'appréciation, des emblèmes, des symboles, des dédicaces. Certaines marques parmi les plus anciennes ont été parfois copiées à des époques postérieures. Elles ne peuvent donc servir à dater une pièce.

Une pièce de qualité possède un bleu idéal, ni trop clair, ni trop sombre, sans craquelures. Les copies sont revêtues d'émail bleu.

Types

• **Avant J.-C. Époque néolithique** [Vers 2500-XVIe s. (époque dite mythique)]. V. 2200 av. J.-C., vaisselle, bois laqué (laque sèche ou directe sur bois). Poteries peintes en noir extérieur et rouge intérieur (*Yang-chao, Honan, Pan-chan, Kansou,* etc.) ; noires très fines *(Long-chan).* **Age du bronze archaïque** [XVIe s. (?)-VIe s.]. *D. Chang* (v. 1521-1028 av. J.-C.). Poteries grises, blanches. 1res couvertes naturelles (glaçures minces). **Dynastie Zheou** *(Tcheou)* [1111 ou 1050 (?)-256]. Dont Royaumes Combattants (v. 453-221). Poteries grises à décor géométrique (inspirées de l'art du bronze). Céramique noire incisée. 1res couvertes feldspathiques. 1ers grès. 1res glaçures plombifères. 1res figurines funéraires.

• Après J.-C. **Dyn. Han** (206 av.-220). Poteries grises ou rougeâtres, avec ou sans glaçures. Proto-porcelaines. Grand développement des statuettes funéraires *(ming-k'i)* et des statues de guerriers grandeur nature en terre cuite [tombe de Ts'in Che Houang-Ti, empereur fondateur de la Chine (221-210 av. J.-C.)]. **Six Dyn.** (220-589). Statuettes funéraires peintes ou non. Grès de *Yue* (gris-vert). **Dyn. Sui** *(Soue)* (589-618). 1res porcelaines blanches. **Dyn. Tang** (618-907). Poteries à glaçures minces, dont « 3 couleurs » *(san-ts'ai).* Statuettes funéraires *(ming-k'i),* personnages, chevaux, chameaux, etc., avec ou sans glaçures, 20 cm de base × *40 cm de haut, très rarement 70 × 86. Proto-céladons de Yue.* Porcelaines blanches. 1ers grès noirs. **Dyn. Song** (960-1279). Porcelaines et grès monochromes : blancs *Ting* et bleutées *T'sing-p'ai ;* céladons (baptisés ainsi au XVIIe s. du nom du berger Céladon, héros de l'Astrée, roman d'H. d'Urfé, qui portait des rubans verts) de *Long-ts'iuan ;* striées de craquelures très apparentes (du gris-vert au bleu-vert) *Kouan ;* bleu lavande ou gris sale avec taches pourpres (dites clair de lune en Europe) *Kiun ;* noirs *Kien* et du *Honan ;* grès peints ou gravés *Ts'eu.* 1ers émaux de petit feu. **Dyn. Yuan** (1279-1368). Apparition du bleu de cobalt. 1ers « bleu et blanc ». Céladons. **Dyn. Ming** (1368-1644). Bleu et blanc. Rouge et blanc. Glaçures « trois couleurs » (bleu foncé, turquoise, aubergine, ou vert, jaune, aubergine). Émaux « deux couleurs ». « Cinq couleurs ». Rouge et vert. Monochromes, etc. Apparition des marques de règne. Décor cloisonné, ou ajouré.

Dyn. Qing *(Ts'ing)* (1644-1911). 3 règnes importants : *Kangxi (K'ang-hi)* (1662-1723). « Famille verte ». Biscuits (« f. noire » et « jaune »). Bleu et blanc. Monochromes : verts, rouges (« sang de bœuf », « peau de pêche »), bleu « fouetté », noir « miroir », etc. « Blancs de Chine ». Décor classique uni. *Yongzheng (Yong-tcheng)* (1723-36). Apparition d'un rose mêlé de rouge. « Coquille d'œuf », etc. Copies de pièces Song. *Qianlong (K'ien-long)* (1736-96). « Famille rose ». Décors « Mille fleurs », « graviata », etc. Imitation de bronze, bois, jade... [apparu sous le règne de Tsia Ts'ing (Kia Ts'ing) (1796-1820), école française Pin Tin].

Porcelaine « Compagnie des Indes » (en anglais : China Export) (XVIIe-XIXe). Fabriquée sur commande de marchands d'Europe, d'Amérique, du Proche et Moyen-Orient ou du Japon, et importée par les vaisseaux des différentes Cies des Indes. De 1700 à 1791, 10 millions de pièces de porcelaine de Chine ont été importées en France. Émaux polychromes de la famille rose, camaïeux bleus ou rose violine, décors en grisaille dits à l'encre de Chine rehaussée d'or (dès 1720 ; très recherché).

Nota. – Des modèles occidentaux copiant la Chine se trouvèrent à leur tour copiés par elle. Ex. : faïences de Rouen à décor chinois sur forme européenne, copiées par la Chine. « Dame au parasol », décor chinois traditionnel bleu du XVIIe s., redessiné au XVIIIe par un peintre hollandais, Cornélis Pronk, puis réorientalisé sur ces dessins par les artistes chinois. Les décors « semis de fleurs roses » (Saxe) inspirèrent le rose aux Chinois, début XVIIIe s. (commandes des Européens).

Cours en milliers de francs

Poteries. **Époque Chang :** vase *gui* 820 (1981), pot à vin *you* 800 (1980). **Han :** Ming-k'i 3 à 300, animaux 12,6 à 49,8, jarre 21,3 (1988). **Wei-Sui :** Chevaux 5 à 80. **Tang** (beaucoup de faux) : femme 2 à 2 928 (1988), homme 3 à 60, cheval avec glaçure 95 à 1 294 (1983), sans gl. 13 à 228 ; modèles « 3 couleurs » : assiette 220, amphore 1 700 (1983), pot 20,8 à 339, jarre 200 à 3 600 (1983), tripode 700 (1982), gourdes à glaçures sancai, 6 050 (1984), chameau 16,1 à 1 300 (1990). **Song :** pot en grès 3,4 à 209 (1978), vase tripode 1 110 (1982), *jianyao* 2 420 ; pot tripode 90 à 250 ; bol à thé 12,3 à 32,2. **Yuan :** jarre 120 et +, à vin 3 000 (1982), pots 5,6 à 29,8, statuette 15,2. **Liao :** bouteille 39,9 (1987). **Jin :** jarre 18,3.

Porcelaines. **Tang :** 200 à 800. **Song** (la plus cotée, surtout les céladons) : gourde céladon 460, vase 160 à 2 000 (1972), coupe 2 270 et 3 942 (22-11-80, vente Chow), plat céladon 160, bouteille *Kouan Yao* (fabrique impériale) 1 248 (1970) ; suivant les centres : *Kiun :* 20 à 350, *Ting :* assiettes 10, bol 427 (1975), *Long-Ts'iuan :* 261 (1974), *T'seu* (décor peint) : 3 à 15. **Yuan :** jarre 10, potiche 1 900 except. 6 378 (1988), gourde 2 500, plat 400 except. 6 090 (1988), vase 407. **Ming** (XIVe et XVe) : bleu et blanc surtout connues par des copies Yongzheng ; vase 10 à 12 593 (1988), coupe 16 à 4 000, bol 19,5 à 400, plat 400 except. 4 790 (1988). *Xuande* plat à sauce 1 946 (1426-35), gourde 23,4 à 814, bol à thé 370, jarre 20 à 6 400 ; bassin 17 000 (1989), chandelier 1 789 (1989) ; bol 3 460 (1980), *Chenghua* coupe 3 927. **Jiajing** (XIVe) : vase 68 à 11 301 (N.Y. 1985), plat impérial 160, brûle-parfum 88, bol 132,4. **Qing** (XVIIIe s.) : *Kangxi :* coupes à eau (« peau de pêche ») 2 à 250, à vin 371, biscuits turquoise 2 à 12, porcelaines (« blancs de Chine ») 1 à 89, plat 15 à 24, potiches (paire) 14 à 43, vase 8,3 à 10, paire 40 à 55, bouteille décor rouge et blanc 2 900 (1980), perroquets (paire) 5 à 60, garniture de cheminée 12,6 à 140, coupes à vin (paire) 21,3, bol lotus 36 (1987). **Yongzheng :** 3 à 10, bol 230 (1981), vase « famille rose » 6 caractères 75 à 360. **Qianlong** (1736-95) : 1 à 150, pièces de métal émaillé 12 à 20, aiguières 75,9 à 120, terrine 6 à 35 [paire 500 (1973)], vase 4 à 300, except. vase impérial « famille rose » (paire) 5 003,5 (1985), *guan* 19 (1981), plat 10,5, statuettes (paire) 333. **XIXe s. :** assiette à partir de 0,1, potiches montées en lampe, vases polychromes ou cloisonnés 4 à 10, jardinière polychrome 35.

Porcelaines serties de bronze. Les montures représentent 60 à 80 % de leur valeur (authenticité parfois difficile à reconnaître ; signes : dessin plus systématique, partie intérieure plus lisse, dorure englobant le dessous de la base, présence de vis de montage). *Ex. : montés en bronze Louis XIV,* vase famille verte Kangxi en bronze 600 (1981) ; v. Ming (paire) 215 (1979) (sans bronze estim. 20 à 25) ; v. Qianlong (paire) 600 (1983) ; *IIe Empire* v. Ming 40 à 50.

Porcelaines « Compagnie des Indes ». *Service complet :* blanc 266, rose (44 pièces) 80 à 1 500 (1976). *Assiettes :* roses ou vertes 2 à 3, à décor en grisaille rehaussé d'or 2 à 12, armoriées 4 à 10, aux armes des Hohenzollern pour Frédéric II 166,5 (1987), scènes eur. 2 à 18. *Bidet :* 34. *Bols à punch :* 13,6 à 36,1. *Plats :* émaux polychromes 13, en bleu, déb. XVIIIe s., 10 à 128,5 (1987). *Pot.* couvert polychr. 17. *Soupière :* polychr. 30 à 70. *Statuettes* (paire de chiens) 1 475 (1989). *Terrine :* polychr. 41 (1988).

Émaux

Émaux cloisonnés. Du XIVe au XIXe s. Au XVe s. : décor aéré, fonds nus turquoise clair, pièces petites. Au XVIe s. : fonds à petites spirales, couleurs « mélangées ». Au XVIIIe s. : grandes pièces, fonds ternes, apparition du rose.

Émaux peints. XVIIIe et XIXe s. Couleurs de « famille rose » posées sur cuivre ou sur or. Beaucoup fabriqués à Canton pour exporter vers l'Europe (dit *« émail de Canton »).* Cours de 10 000 à 500 000 F.

Estampes

A partir de l'invention de l'imprimerie xylographique à l'époque Tang, elles servent à illustrer les livres. La plus ancienne estampe conservée est de 868. *A l'époque Ming,* devant la multiplication des livres et des estampes, s'instaure la division du travail. L'illustration originale est fournie par un peintre, le graveur la transpose ensuite sur sa planche. Ouvrage le plus connu : Jin Ping Mei.

A partir du XVIIe s., livres d'estampes en couleurs reproduisant les chefs-d'œuvre de la peinture. *Publications les plus connues :* Recueils du studio des 10 bambous (1644) de Hou Tcheng-Hen, Fastes pour l'anniversaire de l'Empereur (1713), Jardin du grain de moutarde (1701).

Peinture

• Généralités. Considérée par les Chinois comme le seul art véritablement intellectuel. *Caractéristiques :* jamais de peinture à l'huile, pas de perspective suivant le critère occidental, pas d'étude du corps humain, peinture toujours exécutée en intérieur, grande virtuosité dans le maniement délicat du pinceau, jamais de cadre, le tableau peut s'enrouler verticalement ou de droite à gauche ou de haut en bas : 1) kakémono roulé en hauteur, 2) makimono roulé en largeur ; peinture en mouvement de haut en bas : c'est un paysage qui se déroule (jamais statique).

Nota. – La calligraphie a exercé une influence profonde sur les arts chinois, particulièrement sur la peinture : l'art du lavis monochrome cherchait davantage à écrire le signe des choses qu'à en décrire les apparences.

• Écoles et peintres principaux : **Primitifs.** Kou K'ai-Tche (304-406). *École T'ang.* Wou Tao-Tseu (né vers 680), fresques. Wang Wei (699-759), lavis. **Age d'or du paysage** (X[e]-XIIe s.). King Hao (actif vers 900-960). Houan T'ong. Tong Yuan (2e moitié du Xe s.). Kiu-Jan (milieu du Xe s.). Siu Tao-Ning (XIe s.). Kouo Hi (XIe s.). Li T'ang (1050-1130). Mi-Fei (1051-1107). **Peintres animaliers académiques.** Honei-Tsong (empereur de 1101 à 1125). Li Ti (1100-1197). **Peinture zen.** Mou-K'i (actif vers 1200-1250). **Lyrisme.** Ma Yuan (actif vers 1190-1224). Hia Kouei (actif vers 1180-1230).

Époque Yuan. Ts'ien Siuan (1235-1290). Kao K'o-Kong (1248-1310). Houang Kong-Wang (1269-1354). Wang Meng († 1385). Wou Tchen (1280-1394). Ni-Tsan (1301-1373). Tchao Mong-Fou (1254-1322). **Étude des Anciens.** Tan-Tsin (actif 1430-1455). Chen-Tcheou (1427-1509). T'ang Ying (1470-1523). **Orthodoxes.** Tong K'i-Tchan (1555-1636). Wang Che-Min (1592-1680). Wang Kien (1598-1677). Wang-Houei (1632-1717). Wang Yuan-Ki (1642-1715). **Individualistes.** Siu Wei (1529-1593). Bada Shanren (1625-1705). Kin Nong (1687-1764). Li Chan (1re moitié XVIIIe s.).

Temps modernes. Hiu-Kou (1824-96). Jen Po-Nien (1840-96). Houang Pin-Hong (1863-1955). Ts'i Pai-Che (1863-1957).

• Cours en milliers de francs. **XVe-XVIIe s. :** Wang-Che-Min 280. **XVIIe et XVIIIe s. :** scènes taoïstes 1 à 20. Yuan-Ki, paysage 24 à 792,3. **XIXe s. :** ancêtres, sujets féminins, intimistes, 1 à 50.

Pierres dures

• Jade. Vient de l'espagnol « piedra de ijada » (pierre des reins) car, selon la tradition, les statuettes mexicaines en jade guérissaient les maux de reins. Les Chinois ne disposèrent que de *jade-néphrite* (venant du Turkestan chinois) à partir de 7000-1600 av. J.-C. jusqu'à l'importation de *jade-jadéite* (plus dur et plus rare) de Birmanie, au XVIIIe s. Armes et objets rituels puis dragons et créatures mythiques.

Plusieurs associés acquéraient un bloc de jade et le confiaient à un sculpteur ; à mesure que le travail avançait, et selon les espoirs en la qualité du jade ou les défauts cachés de la pierre qui étaient mis au jour, la valeur des parts de l'association augmentait ou diminuait. De nos jours, il faut encore souvent plus d'un an pour sculpter un bloc de jade.

La *néphrite,* réduite en poudre, fut utilisée comme médicament en Chine (réputée donner l'immortalité), ou placée dans les tombes pour empêcher la putréfaction, puis en Europe, sous le nom de *lapis nephreticus.* Diverses pierres ornementales vertes peuvent rappeler le jade (serpentine, californite, grossulaire massif, chlorite massive, calcite, etc.). La *serpentine* vaut 5 à 8 fois moins cher que le jade. On peut faire vérifier les pierres au Service public du contrôle des diamants, perles et pierres précieuses de la Chambre de commerce, à Paris.

Éléments du prix. En France (par ordre décroissant) : jade vert émeraude dit vert impérial, blanc dit gras de mouton, vert de mer, pi-yu (vert foncé). En Angleterre, le jade « gras de mouton » prime. Authenticité, qualité de la taille, qualité de la pierre (pièces récentes), aspect onctueux ; sonore.

• Cours en milliers de francs. **Jade.** *Période des Royaumes Combattants* (475-221 av. J.-C.) : boucle de ceinture 3 000 (record, 1983). **XIIe-XIIIe s.** *av. J.-C. :* disque rituel 65 000. Petite coupe 157 (1990). **XVIIIe s. :** coupe 18, boucle de ceinture blanc céladonné 3, plaque sonore 22, groupe 4, coupe 66, bol 7,3 à 200, vase céladonné 65, flacons à tabac 1,2 à 19,3. *Qianlong* 410, bols (paire) 145,7, pots à pinceaux 24,2 à 257,1, 4 panneaux en jade impérial (61,6-34,3 cm) 588. **XIXe s. :** statuette 2 à 220, vase couvert 8 à 50, brûle-parfum 208,5 (1990).

• Quartz rose. Sans taches blanchâtres : moitié prix des jades modernes : 1 à 12. **Coraux.** 180 à 300 et + selon dimensions (les coraux sculptés au Japon valent 3 fois moins cher). **Malachite.** Déesse du printemps 20. **Turquoise.** Peu de veines noires, vase (haut. 10 cm) : à partir de 18. **Spath fluor.** Peu de veines, statuettes et vases couverts : 10 à 30.

Sculpture

Époques. 1res sculptures animales à l'époque Chang. S'épanouit au début de notre ère dans l'art funéraire, puis entre le IVe et le Xe s. sous l'égide du bouddhisme. A partir du XIIIe s. : épuisement de l'inspiration religieuse, alourdissement du style.

Cours en milliers de francs. Statues pour la plupart *Song* (960-1279), *Yuan* (1280-1368) et *Ming* (1368-1644). Sujet classique : Kouan-Yin, divinité protectrice bouddhique 10 à 650 (1986).

Beaucoup de faux (surtout s'ils ont moins de 80 cm et sont dans un bois léger).

Divers

(Cours en milliers de francs)

Bronze. Bronzes archaïques, objets rituels, ont peu évolué jusqu'au XIIIe s. Après, vases, animaux, cerfs et biches grandeur nature : 18 à 30. Quelques vases *ding* ou *gui* sans décor ou incomplets env. 10, avec décor, except. 450. Except. *zun* 1 000 (1978), *fang-yi* 1,7 (1974) ; nombreux faux. *Chang :* jue 24,4 à 104, fangding 280 à 798, jia 385 (1980) ; pot à vin 377,7 à 800 (1980), vase *tsouen* 900, *zun* 17 920 (record mondial, N. York 1988). *Tchong* (cloche rituelle) 303 (1978). *Han :* anse en forme de léopard des neiges 110, porte-bougie 188,6 (1984). *Six Dynasties :* petit dragon 700 (1974). *Tang :* reliquaire 830 (1984) ; Kouan-Yin 449,4 (1984). *Wei :* stèle 308 (1978). *Quianlang :* vase cloisonné 179,3 (1984). *XIXe s. :* nombreux bouddhas, paire de statues XVIIIe s. 70.

Ivoires. **XIIIe-XIVe s.** Kouan-Yin 154 (1979). **XVIIe s.** philosophe 7 à 10. **Ming :** Putaï 10 à 20, plaque 160, coupe libatoire 16. **XVIIIe s.** 4 à 70. **XIXe s.** défense 30 à 150 (40 à 70 cm env.), colonnes sculptées 50.

Meubles. **Époque Tang :** miroir bronze 2 à 15. **XVIe s.,** en bois de *hua-li* 2 chaises cannées 163 (1981), coffre 125, paire d'armoires 153,9 (1987). **XVIIe et XVIIIe s.,** tables basses 5 à 184, hautes et étroites (t. d'offrande) 10 à 95 (1987) ; hautes et carrées, sellettes 1 à 8 ; d'étude jusqu'à 354 ; armoires 3 à 600 (paire, 1983), coffres et cabinets 2 à 29, sièges 2 à 14, fauteuils (paire) 400. **XIXe et début XXe s.,** armoire basse ornée d'émaux de Canton 20, lit de fumeur d'opium 6, buffet 20, nécessaire de voyage 9,2 à 11,8.

Paravents. Laque de Coromandel XVIIe s. : 30 à 300 ; XVIIIe s. : 30 à 160 ; XIXe s. : 10 à 30.

Art égyptien

☞ Voir Égypte à l'Index.

Cours en milliers de francs. **Reliefs** : 8 à 300. **Chaouabtis** [ou *oushebtis* de *ousheb :* répondre ; figurines 5 à 20 cm, chargées d'exécuter dans les tombes les travaux quotidiens à la place des morts : en bois de *perséa (shaouab),* XVIIe dynastie, en offrande à Osiris, dieu des morts, puis en faïence, terre cuite ou céramique (*fritte émaillée :* mélange de sable et avec un peu d'argile pour obtenir une cuisson) à couverte bleu-vert pâle à bleu foncé intense ; à Thèbes, artisans créateurs du bleu dit de *« Deir el Bahari »* (*oushebtis* les plus recherchés), obtenu avec quelques grammes d'oxyde de cuivre]. Nouvel Empire 5 à 70. **Statues en calcaire** (3000-1500 av. J.-C.) : homme et femme debout (56 cm) 300 (1978), homme 2 982 (1980) ; **en bronze** 13 à 90, Isis tenant l'enfant Horus 11 à 240, chat (20 cm) époque Saïte 19 à 450 (1980), Amon (44,5 cm) ép. Saïte 500 (1985), Horus (faucon en bronze, 21 cm) 145 (1981), (en pierre) 380. *Buste* dame (quartzite jaune) ép. Saïte 720 (1987) ; Amon marchant ép. Saïte 117 (1986). *Osiris* bronze 27 cm 23, except. *Ouadjet* ou *Mahes* (à tête de lionne, ép. libyenne, 61 cm) 1 050 (1984). *Tête de prêtre* (diorite) 30e dynastie 939,7 (1987). **Lampes** *à huile* terre cuite 0,3 à 0,4. **Masques** *de sarcophage* (bois stuqués et peints) 2 à 80 ; copies en stuc 60 à 400 ; portraits de Fayoum 30 à 100. **Amulettes :** de collier 0,3 à 2. **Couronne** avec cornes de bélier ptolémaïque (haut. 35 cm) 20. **Modèle réduit de bateau** XXe s. av. J.-C. (49 cm) 43. **Barque funéraire** 150 à 500. **Statue** de Merenptah, granit (3 000 av. J.-C.) 2 500 (except., 1983), de la fille d'Aménophis III 2 300 en ivoire (1567-1530 av. J.-C.) 3 108. *Vase* canope (v. à viscères) albâtre 13 à 150. **Poisson en bronze** oxyrhynque 7 à 10. **Ibis** argent, bois doré (ép. ptolémaïque) 500. **Petites pièces :** 0,5 à 1.

Art islamique et du Moyen-Orient

Généralités

Période (art islamique). VIIe au XIXe s. : Golfe du Bengale, Proche-Orient (de La Mecque à Damas, du Caire à Bagdad), Turquie ottomane, Empire iranien et Inde islamisée.

Caractéristiques. Poteries de Nichapour, à glaçures, faïence d'Isnik, cuivre ou bronze (plateaux, bassins, aiguières, chandeliers), gravés, ciselés, niellés ou damasquinés, avec souvent une dédicace aux P[ces] pour lesquels ils ont été exécutés, parfois noms et signatures des artisans ; décors animaliers, de fleurs ou calligraphies (art très apprécié).

Cours (en milliers de francs)

Inde. XVIIIe s. : ép. moghole, hookah en verre à décor doré 134,9 (1984).

Irak. Cylindre d'Akkad (2340-2180 av. J.-C.), serpentine noire 32 (1981), coupe en céramique Abbasside (IXe-Xe s.) + de 20, statuette sumérienne 1 900.

Iran. **Civilisation Amlash (IIe-Ier millénaire av. J.-C.) :** bronze : pendentif 4, statuette féminine 3 à 8, masculine 90, petite chaise 13, support à décor de mouflons 350. **VIIIe-VIIe av. J.-C. :** *Louristan* mors 49 à 90, tête d'épingle en bronze 115 ; idole, Louristan 118,2 (1984). **Art sassanide** (apogée VIe apr. J.-C.) : attelage de 4 chevaux (28 cm) 220, support 2 panneaux (diam. 33 cm) 340, aiguière argent 38, brûle-parfums bronze 370, épée à fourreau d'or 250, vase argent 260, coupelle argent 50, buste royal bronze 430. **VIIIe s. :** aiguière bronze (Khorassan) 126,4. **IXe-Xe s. :** coupes (barbotine) 9 à 50, brûle encens 1,8, bols 4 à 15. **Xe-XIe s. :** aiguière bronze (Khorassan) 5,6, seau bronze gravé 16,3, lampe à huile 12,3. **XIIe s. :** *céramique :* carreau 94, plat 150 ; *cuivre :* brûle-parfums (perdrix) 40, chandelier 337, cruche 345,9 (1987), *verre soufflé* bouteille 14. **XIIIe s. :** pichet, bol 50, except. 380, aiguière argent et cuivre 950, cruche 4,6 à 310, coupe 6 à 22,3. **XIVe s. :** bassin 10. **XVIe s. :** pichet avec couvercle 213, chandelier « Chamdan » 51. **XVIIe s. :** sébille de derviche 28. **Art kadjar** (1780-1925) : *Laque :* plumier XVIIIe s. 42 (1977) ; 1804, signé d'Ismaïl 200 (1978). *Narguila* (œuf d'autruche sur trépied) 20 (1979). Aiguière *âftâbe* 46.

Syrie. **VIIe-IXe s. :** flacon (verre soufflé) 4. **XIIe s. :** grand plat Lakabi 25, bol 20. **XIIIe-XIVe s. :** gobelet émaillé 7. **XIVe-XVe s.** (Mamelouks) : boîte cuivre 30, bassin cuivre 32, bol 70, coupe 25,1. **XVIe s. :** carreaux céramique 5,3 à 7,5 (paire). **XIXe s. :** vasque cuivre 50, Kursi orné de textes religieux, 144,4. **XXe s. :** chandelier cuivre 20.

Turquie. **1er apr. J.-C.** Flacon camée (h. 7 cm) 3 664,4 (1985). **XIIIe s. :** panneau céramique, seldjoukide 155,5 (1984). **XVIe s. :** paire de carreaux 52, panneau 600, à 8 car. 62, plat 23 à 604, boucle de ceinture ivoire 74, faïence d'Isnik [ex-Nicée ; v. 1525 à 1714 ; bleue, verte, rouge (oxyde de fer associé au quartz)], plat v. 1570 (décor chintamani dit lèvres de Bouddha) 1 271 (1990), assiette 300 à 1 070. **XVIe-XVIIe s. :** plat 4 à 10, aiguière 51,4, chandelier (laiton) 14,6, plat (céramique Isnik) 1 271 (1990), ornement sphérique 1 055, pichet 301,6. **XVIIIe s. :** carreaux céramique d'Isnik 1 à 25, broderie Bohça 85 (1985), aiguière et bassin en tombak (cuivre doré) 980 (1989), except. 1 034 (1989), 8 tasses à charhat 500 (1985). **XIXe s. :** aiguière 7 à 387 (1984), narguileh 60 à 80, lampe de verre 63,7 (1988), chandelier bronze à incrustations 300 (1990).

Art japonais

☞ **Époques.** Voir Index : Japon.

Céramique

Faïence et grès

Époques. **IIIe-VIe s.** Poterie rouge *(hagi),* grise cuite *(sueki)* pour les tombes. Statuettes funéraires en poterie rouge *(haniwa).* **VIe-VIIIe s.** *Hagi* et *sueki.* Poterie à vernis plombifères 3 couleurs *(san sai).* **IXe-XIe s.** Les sueki deviennent des poteries d'usage. Certains sont revêtus d'une couverte à base de cendre et destinés à l'aristocratie de cour (*sanage* près de Nagoya).

XIIe-XIIIe s. Grès des 6 fours anciens : Seto, Tokoname près de Nagoya, Shigaraki, Bizen, Echizen (région de Fukui), Tamba : jarres à grains et à saké. **XIVe-XVe s.** Influence chinoise, vases et chandeliers pour le culte bouddhique avec couverte à base de cendres imitant le céladon, décor gravé ou estampé *(ko-seto).* **XVe-XVIe s.** Développement des grès pour la cérémonie du thé. *Seto :* imitation des Temmoku chinois (seto guro ou noir). A Bizen grès rougeâtres pour l'eau chaude du thé : *Mitzusashi.*

Fin XVIe-XVIIe s. Les types précédents. Dans la région de Minô, près de Kujiri, création des *ki-seto* (jaune rehaussé de taches vertes), des *shinô* à décor peint en brun sous couverte blanche, grise ou rougie par la flamme, et des *oribe* (vernis vert). A Kyōto création des *raku* (bols à thé) par Shôjirô ou fabriqués par un amateur tel Kôetsu (1558-1637). Au Kyûshû, nombreux potiers coréens dans la région de Fukuola (Hizen), et à Karatsu (Prov. de Saga). **XVIIe s.** (fin). Kyōto : Ninsei, jarres pour le thé et bottes à encens à décor d'émaux colorés ; Kenzan décore de brun de fer des assiettes et des plats.

XVIIIe-XIXe s. A Kyōto, Kyô Yaki s'inspire de Ninsei. Aoki Mokubei (1761-1833), Dôhachi (1783-1855) et Eiraku (1795-1855) transposent les modèles chinois en poteries et porcelaines.

Quelques définitions. **Chaïre,** petit bol à couvercle en ivoire contenant le thé vert en poudre (cérémonie du thé). **Chawan,** bol à thé (cérémonie du thé). **Hachiho,** « Huit Trésors ». Décor de monnaie, livres, perle, losange, miroir, cornes de rhinocéros, branchage et carillons. Apparaît surtout sur les porcelaines de Kutani. **Hanaike,** récipient pour des fleurs. **Koro,** brûle-parfum. **Mizukoboshi,** récipient pour l'eau qui a servi à réchauffer et rincer le bol à thé (cérémonie du thé). **Mitzusashi,** pour l'eau froide (cérémonie du thé). **Shi kunshi,** motif du pin, prunier, bambou, chrysanthème ou orchidée associés. Motif des « Quatre Amis ». **Shochikubai,** décor du pin, du prunier et du bambou associés. **Suiteki,** petite verseuse pour la préparation de l'encre. **Suzurimono,** pierre à encre. **Tsubo,** jarre avec ou sans couvercle.

Porcelaine

Époques. **XVIIe s.** Premières porcelaines. Premiers bleu et blanc à Arita et Hiradô. Émaux colorés créés par Kakiemon et ses descendants. Ils sont imités par les artisans d'Arita pour la commande hollandaise, connus en Europe sous le nom d'*imari.* Création à la fin du siècle des ateliers de Nabeshima, patronnés par les daimyo de Saga. A Kutani, région de Kanazawa, création d'ateliers pour les Maeda (daimyo). Production éphémère goût chinois.

XIXe s. Nombreux ateliers mais décadence du goût. Porcelaine pour le thé et la table.

XXe s. Grande production de porcelaines dans la région de Seto et Arita. Potiers paysans (Honda, Tamba). Retour à la tradition populaire japonaise et coréenne avec Yanagi Sôetsu, créateur du mouvement Mingei. Grands potiers : Hamada Chôjirô à Machiko, Kawai Kanjirô (décédé), Kaneshige Tôyô à Imbe (Bizen) (décédé), Arazawa Tôyôzô dans la région de Minô, Nakazatô à Karatsu...

Pièces les plus appréciées. Celles destinées à la cérémonie du thé. Également les productions contemporaines. Les porcelaines le sont moins, à l'exception des *kutani* et des *kakiemon.*

Cours en milliers de francs. *Assiette* Kakiemon 20,8. *Bol* XIIe s. 11, *à thé :* XVIIe s., période Edo 4 à 20, Momoyama jusqu'à 40. *Coupe* 420, Dai Hachi époque Geronku 1 050 (1990). *Paire de vases* Imari 69,4. *Bouteille* Imari Kinrande, polychrome, XVIIe s. 95 (1974), Kakiemon 153,3. *Timbale* Imari 7,8. *Figurines* 8,4 à 44,1. *Broc* Kakiemon 85. *Cache-pot,* XIXe s. 4. *Chaïre* (grès) 1 à 3. *Chawan* (grès) 0,4 à 5. *Chevaux* Kakiemon, fin XVIIe s. 561 (1978). *Beautés* Kakiemon 19,6 à 245,5. *Coupes* (paire) XVIIe-XVIIIe s. Kakiemon 22, Kutani polychromes 1 à 8. *Jarres* Kakiemon polychromes 400 (1983). *Plat* Kakiemon 26 à 120. *Potiches* XVIIIe s. (paire), polychromes 15 à 40. *Théière* Kakiemon 30. *Vase* 17,2 à 1 082,7 (1988).

Estampes

Origine : XIVe s., cet art se perfectionne au XVIIe s.

Technique. Sujet dessiné sur un papier transparent, puis collé à l'envers sur une planche de bois de cerisier que le graveur incise à travers le papier.

Termes. **Beni-e :** coloriée à la main en 2 ou 3 couleurs, le « beni » (pourpre). **Benizuri-e :** 1res estampes imprimées en 2 ou 3 couleurs. **Harimaze :** petites estampes groupées sur une même feuille. **Hashira-e :** format très étroit, en hauteur, 50 à 70 × 10 à 15 cm. **Ishizuri :** dessin blanc sur fond noir. **Kakemono-e :** grand format en hauteur ; 60 à 80 × 25 à 30 cm. **Nishiki-e :** polychrome imprimée à l'aide d'autant de planches que de couleurs. **Sumizuri-e :** impression en noir avec une planche unique. **Surimono :** polychrome principalement XIXe s. pour commémorer une cérémonie ou envoyer des vœux. Impression soignée avec rehauts fréquents d'or, d'argent ; accompagnée de poèmes et de signatures. Petits et carrés ou très allongés. **Tany-e :** rehaussée à la main, en rouge orangé (tan) avec parfois des touches vertes et jaunes. **Uchiwa :** en forme d'éventail. **Urushi-e :** coloriée à la main avec parties lustrées imitant la laque.

Principaux artistes. Bunchô (1725-94). Eishi (1756-1829). Goyo (n.c.). Harunobu (1724-70). Hashui (n.c.). Hiroshige I (1797-1858). Hiroshige II (1826-69) et III (1843-94). Hokusai (1760-1849). Kampo (n.c.). Kiyonaga (1752-1815). Kiyonobu (1664-1729). Koryusai (1710-71). Kuniyoshi (1791-1861). Masanobu (1625-94). Moronobu (1618-94). Sharaku (vers 1790). Shigémasa (1738-1820). Shigénaga (1697-1756). Shin-sui (n.c.). Shun-ei (1762-1819). Shun-sen (n.c.). Shunsho (1726-92). Toyoharu Utagawa (1735-1814). Toyonobu (1711-85). Utagawa Toyokuni (1769-1825). Utamaro (1754-1806). Yoshida (n.c.).

Cours en milliers de francs. *Choki :* 143 à 600 (1981). *Eishi* 4,7 à 5,6. *Goyo* 70,1 (1987). *Hashui* 6,7. *Harunobu :* 1 à 140 (1973). *Hiroshige :* 3,4 à 116. *Hokusai :* 11 à 1 595 (1979) (la Vague et 40 vues du Fuji). *Kampo :* 5,1. Kiyonaga : triptyque 187 (1980). *Kunisada :* 2,7. *Kuniyoshi :* 1,1. *Koryusai : 4,9. Masanobu :* 1 à 15. *Sharaku :* 1 à 490 (1983). *Shun-ei :* 4,3. *Shun-sen :* 2,8. *Shunsho :* 3 à 105. *Toyokuni :* 7 à 20. *Toyonobu :* 2 à 253 (1974). *Utamaro :* 6 à 2 228 (1987). *Yoshida :* 13,4.

Masques

Époques. **IXe-XVe s.** *Gigaku,* en laque sèche (Kanshitsu, technique de la période Nara) ou en bois, d'aspect grotesque, pour danses anciennes, religieuses ou militaires. **XIIe-XIIIe s.** *Bugaku,* pourvus d'yeux de verre et mâchoire articulée, pour danses.

XIVe-XVIIIe s. *Nô,* recouverts d'un enduit de blanc et de colle puis peints à l'eau, portés dans les drames lyriques.

Cours en milliers de francs. **Masques de théâtre.** *Gigaku* XIVe-XVe s. 30 à 100. *Nô* XVIIe s. 5 à 50, *féminins* 20 à 30. **M. de guerre.** *Somen,* couvrant tout le visage, en une pièce ou en 2 reliées par des crochets 20 à 50. *Mempo,* demi-masque avec nez amovible 5 à 20. *Hambo,* demi-masque sans nez 0,5 à 7.

Peinture

• Technique. En général à l'encre de Chine ou avec des couleurs liquides, ignore clair-obscur et relief. La perspective n'apparaît qu'au XVIIIe s. L'artiste ne donne que l'indispensable pour l'évocation poétique. *Fresques* religieuses. *Kakemonos* (allongés en hauteur), *e-makimonos* (en largeur) qu'on regarde en les déroulant. *Paravents. Portes à glissière. Éventails.*

• Principaux artistes et écoles. **670-710.** Peintures murales du Hôryuji, monastère près de Nara. **VIIIe s.** Peint. bouddhiques et profanes au Shôsôin du Tôdaiji (Nara) dep. 756. **IXe-XIe s.** Peint. bouddhiques ; profanes des ateliers de la cour (lignée des Kosé). Passage des sujets à la chinoise *(kara-e)* à ceux d'inspiration japonaise *(yamato-e).* **XIIe s.** Epanouissement du *yamato-e.* Rouleaux à l'encre du *Kôzanji,* faussement attribués à Toba Sôjô, moine peintre. Portraits de Fujiwara Takanobu (1145-1206) et de son fils Nobuzane.

XIIIe-XIVe s. Perpétuation du yamato-e, double influence chinoise : écoles *Takuma* et *Suibokuga* (lavis à l'encre de Chine), paysages. Wen Zhengming (XIVe) 1 777 (1984).

XIVe-XVIe s. Épanouissement du *suiboku-ga* (influence des peintures Song et Yuan) : Shûbun (1re moitié du XVe s.), Oguri Sôtan (1413-81), Sesshû (1420-1506), Nôami (1397-1471), Sôami (1450-1525), Sesson (1504-89). Atelier de la cour (lignée des Tosa) perpétue le style *yamato-e,* nuages dorés et gaufrés : Mitsonobu (1430-1521), Mitsuoki (1617-91). *École Kanô* (influence chinoise des Ming) fondée par *Kanô Masanobu* (1434-1530) et son fils Motonobu (1476-1559). Kanô Eitoku (1543-90) adopte des fonds or pour ses décors de paravents et ses décors de portes à glissière.

XVIIe s. *L'école Kanô,* école officielle jusqu'en 1868, se divise en 2 branches [Kâno Tan-nyû et ses frères vont à Edo, Kanô Sanraku (1559-1635), Sansetsu (1590-1651) restent à Kyōto]. *Décorateurs :* Kôetsu (1588-1637), Sôtatsu Kôrin (1638-1716), Hoistsu (1761-1828), Kenzan (1663-1723).

XVIIIe s. Influence chinoise : réalisme. *École Shijô :* à Kiôto, fondée par Hanabusa Itchô (1652-1724), Maruyama Okyô (1733-95) et son disciple Goshun (1752-1811). *École ukiyo-e (peinture du monde flottant) :* peinture de genre (estampes). Influence de la peinture chinoise des lettres de l'époque Yuan et Ming : Nanga (école du Sud) ou Bunjinga (école des lettrés individualistes) : Talga (1723-76), Yosa Buson (1716-83), Gyokudô (1745-1821), Aoki Mokubei (1767-1883), Tessai (1836-1924).

XIXe-XXe s. A partir de 1850, prépondérance de l'influence occidentale. Retour au *yamato-e.*

Cours en milliers de francs. **XIXe :** Shibata Zeshin 188 (1980). Toshusai Sharaku 240 (1980). Hokusaï 750 (1989).

Sculpture

Époques. **VIIe s.** Influence coréenne, nombreuses statuettes en bronze doré. Grande statuaire en bois de camphrier. **VIIIe s.** Influence chinoise T'ang. Grand Bouddha du Todai-ji de Nara. Laque sec et terre (décor polychrome) dans les monastères (Nara). **IXe-Xe s.** grande statuaire en bois (torse taillé d'un seul tenant, draperies, plusieurs bras et têtes).

XIe s. Bois laqué, doré, en plusieurs morceaux assemblés. Constitution d'ateliers. **XIIe s.** Aspect précieux. Multiplication des images. **XIIIe s.** Retour au style du VIIIe s. influencé par la Chine des Song : Unkei. Réalisme. **XIVe-XVe s.** Portraits de moines zen assis dans de hautes chaires.

XVIe-XVIIe s. Sculpture décorative dans les monastères et les résidences (décor ajouré peint et doré), se perpétue sous les Tokugawa (mausolée Niklo). **XVIIIe-XIXe s.** Nombreux *netsuké* en buis, ivoire, sculptures expressives zen *(Enku).* Bouddhas.

Nota. – La pierre a été très peu travaillée. **XIIe-XIIIe s. :** on trouve de grandes images gravées sur des pans de collines.

Divers

(Cours en milliers de F)

Armures. **XVIIIe s.** 85. **XIXe s.** 30 à 323 (1989) ; miniature laque d'or un *tanto* (petit poignard) et 3 *tachi* (sabres d'apparat) 40 à 82.

Boîtes (hako ou bako). En laque. *Kobako :* assez grande, usages variés. *Kogo :* boîte à encens. *Suzuribako :* boîte écritoire, destinée aux lettrés, contenait la pierre (suzuri) pour réduire en poudre le bâton d'encre solide, un récipient pour l'eau qui servait à la délayer, des emplacements pour l'encre et pour les pinceaux. *Prix :* 4,4 à 3 500 (de Kœtsu, record 1990).

Casques (kabuto). En fer ou fer laqué, rarement en cuir. Calotte composée de 6, 8, 12 jusqu'à 20 lamelles triangulaires rivetées entre elles, 3 formes : *bacchi* (bombe du casque), bol formé de 3 lamelles minimum ; *san-mai ; suji bacchi :* lamelles garnies de clous saillants. Autres casques en fer repoussé : *eboshi :* haute coiffure portée à partir du XVIIe s. par les nobles ; *momonari :* ressemble à un morion (arrière tourné vers l'avant). *Prix :* 6,5 à 100.

Fuchi-Kashira. Pommeaux et bagues de poignée.

Émaux. *Cloisonnés :* principalement XVIIIe et XIXe s. Employés surtout pour les gardes de sabre, souvent avec émaux translucides gravés. A la fin du XIXe s., imitation des cloisonnés chinois, à Kyōto, souvent signés.

Inrô (*« in »* cachet, *« rô »* boîte) (souvent en bois « honoki » recouvert de laque à décor et souvent incrusté). Étuis portatifs en laque (5 à 7 cm sur 10 à 12 cm). Apparaissent fin XVIe s. jusqu'en 1850. Contenaient au début le cachet (sceau) que les hauts dignitaires devaient avoir à portée de la main, suspendu à la ceinture du kimono par un cordon de soie, puis des herbes médicinales. Ils comprennent 2 ou plusieurs compartiments qui s'emboîtent. Certains demandent 8 à 10 ans de travail [séchage entre chaque couche (jusqu'à 30 pour les plus beaux)].

Éléments du prix : qualité et couleur de la laque, du décor (surtout animaux, puis paysages et personnages) ; *composition* (large et aérée de préférence aux scènes confuses et surchargées de détails) ; *état de conservation* (primordial). *Artistes :* Hon-a-mi Käyetsu (1558-1637), O-gata Kô-rin (1661-1716), Koshida, Kenzan, Yoyusaï († 1846), Shiomi, Masanari (1647-1738), Shibata, Zeshin (1807-91), dynasties Kajikawa, Koma, Shibayama (nombreux faux). *Exemples de prix :* XVIIe s. : 2 à 3. XVIIIe et XIXe s. : 2 à 550 (de Koma Kyu Haku) (1990), except. 1 500 (de Ritsuo) (Londres, 1990).

Ivoires. Statuette 2 à 224.

Kimonos. Les plus anciens datent du XVe s. Récents (1800-1950). *Prix :* 1 à 3.

Kodansus. Cabinets miniatures à tiroirs. XIXe s. *Prix :* 20 à 255,8.

Kosukas. Manches de petits couteaux portés le long du fourreau du sabre (utilisés pour manger, découper du papier...). *Prix :* 0,2 à 28.

Netsuké (prononcer *netské* « racine qui fixe ») (haut. 2 à 10 cm, moy. 5 à 6 cm, épaisseur 2 à 3 cm). Leur costume traditionnel ne comportant pas de poches, les Nippons des classes élevées suspendaient à leur ceinture différents objets, tabatières, inrô à l'aide de cordonnets de soie terminés par les netsuké, qui servaient de boutons d'arrêt. Usage répandu au XVIIe s., apogée entre 1750 et 1800 ; en bois, buis, *kinoki :* sorte de cyprès, santal, *édine,* cerisier, mais aussi, moins fréquemment : laque sur *kinoki* ou bambou, corail noir, *umoregi :* matière fossile végétale, corne de cerf ; plus modernes : jade ou pierre dure, métal. **1er type** (les plus appréciés) : *katabori :* sculptures en ronde-bosse, comportant généralement un *himotoshi :* trou pour passer la cordelette, sinon c'est un *okimono :* ornement d'alcôve sans valeur. Certains sont compacts ou très allongés et étroits *(sashi).* **2e type :** *manju,* le plus souvent circulaire, diam. 4 à 6 cm, généralement en ivoire, sculptés en bas-relief et gravés sur l'autre face. **3e type :** *kagamibuta :* souvent ronds, creusés d'une coupelle (ivoire ou corne), à bord légèrement incurvé contenant un disque ou métal (fait par les fabriquants de *tsuba :* gardes de sabres). **4e type :** *netsuké-masques :* ivoires, bois parfois laqué, peuvent être des copies en réduction de ceux des acteurs du *Nô,* des danseurs de *bugaku* ou de *gigaku,* ou des représentations de démons.

Éléments du prix. Katabori les plus appréciés : dieux et démons shintoïstes ou taoïstes, sages bouddhistes, animaux, hollandais, puis fruits et légumes ; qualité de la sculpture ; *époque* (surtout XVIIe et XVIIIe) ; *signature* [env. 3 000 signatures dont quelques dizaines renommées : ex. Tomotada (XVIIIe s.), Masanao, Okatomo Okatori, Hogen, Rantei, Kuraigyoku Masatsugu, Ikkwan, Kano Tomokazu, Osaki Kokusai, Oshimura. Shuzan (fin XVIIe) n'a rien signé et beaucoup de netsukés portent une signature apocryphe] ; *matière* (en G.-B. l'ivoire est plus apprécié que le bois).

Prix : manju 4 à 15, *kagamibuta* masques 2 à 12,3, *katabori* 4 à 190 ; *records :* cheval ivoire Okatomo 243 (1981), de Masatsugu 377 (1981), de Gechu fin XVIIIe, petite chimère 1 090 (1987), de Tomotada, cheval XVIIIe s. 1 520 (1990).

Paravents. *Matériau :* papier ; *fond :* le plus souvent en or ; *composition :* hauteur 1,20 à 1,50 m, largeur 2 à 8 feuilles 60 à 70 cm ; *dessin :* le plus souvent à « pleine surface » large 5 à 6 m. Plus ancien : IXe s.

Prix : fin XVIe-début XVIIe s., pièces de collection 30 à 1 980 (1982) ; XVIIe s. 27 à 190 ; XVIIIe-XIXe s. 3 à 490 (1980 ; 2 paravents en laque signés Hochu fin XIXe s. haut. 190 cm) ; fin XIXe s. 23 à 60.

Sabres. Les plus anciens (lame droite à double tranchant) sont antérieurs à 756. La lame est courbe depuis 900. *Époques Héian* (794-1185) : fin et peu adapté au combat ; *Kamakura* (1185-1335) : plus trapu, pointe plus longue (*tachi,* porté suspendu à 2 bélières) ; *Muromachi* (1392-1598) : période de guerres perpétuelles, par manque de chevaux, le samouraï combat à pied et raccourcit son sabre (*katana* porté sur la face droite et *wakizashi,* passé dans la ceinture, le tranchant tourné vers le ciel) pour le glisser dans la ceinture ; *Edo* (1596-1868), périodes Shinto et Shinshinto : paix relative, montures richement ornées. Le port des sabres et armures a été interdit en 1873. *Prix des lames :* 0,5 à 500.

Tabatières. XVIIIe s. 30 à 120 ; XIXe s. 5 à 30.

Tsubas. Gardes de sabre amovibles, plaques arrondies ou lobées (de 7 à 10 cm), en fer à l'origine, puis en bronze, cuivre, argent percé d'un trou [t. de tachi (sabre long)] ou de 2 ou + [t. de Uchigatana (sabre moyen)] où l'on enfilait le couteau (kozuka) et une baguette (kogaï). Apparues dès le VIIIe s., deviennent des objets d'art au XVe s. D'abord œuvres des armuriers puis, à partir du XVIe s., de dynasties d'artisans spécialisés, parfois véritables joailliers utilisant pour les décors (fleurs, arbres, oiseaux, personnages...) des techniques très variées : ajourages, ciselures, reliefs, incrustations, dorure, etc. Sont souvent signées. Au XVIIe s. : nombreuses écoles régionales (Higo, Awa, Dewa). Il y a des gardes de sabre avec des dessins chrétiens cachés. Les tsubas disparaissent à la fin du XIXe s. avec l'interdiction du port du sabre (1873). Il resterait actuellement 5 millions de tsubas dans le monde. *Prix :* XVIe au XIXe s. 0,4 à 250 (1989) pour des tsubas d'orfèvres. Tsubas en fer ciselé ou damasquinés moins prisés.

Termes : gin (argent), *kin* (or), *kinko* (orfèvre), *kinzogan* (incrustation d'or), *mei* (signature), *shakudo* (alliage cuivre et or à patine bleu-noir), *sentukodo* (cuivre, zinc, étain), *shibuichi* (alliage métallique ressemblant à de l'argent), *sentoku* (bronze jaune), *shippo* (émail), *takazogan* (relief incrusté), *tsuchime-ji* (surface martelée), *udenuki-ana* (orifice pour passer le cordon), *yamagane* (cuivre brut).

Art océanien

• Caractéristiques. Objets souvent en bois ou en fibre végétale (Mélanésie), en pierre (Polynésie, Micronésie).

Seuls sont authentiques les objets utilisés par les indigènes.

• Cours en milliers de francs. Pièces de grande qualité, rares et anciennes. *Exemples :* **Iles Marquises :** couronne en écaille 22 (1985), étrier d'échasses 70, manche d'éventail ivoire sculpté 75 (1985), tambour 25 (1989). **Ile de Pâques :** statuettes 3 à 195, mâle *Moaï Kavakava* 77, pendentif rituel ayant appartenu à Pierre Loti 40. **Ile de la Pentecôte :** masque en bois 250 à 1 500. **Iles Cook :** statue de Rarotonga, record 1 650 (1978) ; *ta iri* (éventail) 333. **Iles Salomon :** figure de proue de pirogue 240. **Vanuatu :** *muyu ne bu* (pierres à cochons, sculptées en forme de tête humaine pour le commerce des cochons) 8 à 20 ; sculpture 25 à 85, plat en bois 10, *rambaramb* (mannequin funéraire du sud de Malekula) à partir de 20, assommoir rituel à porcs 7 env. **Wallis :** *tapas* 1,5 à 4. **Hawaii** (objets les + appréciés) : *ahu'ula* (vêtement polynésien) record 1 200 (1977), sculpture « stick god » 343 à 2 200, tambour 532, instruments de torture (en dents de requin) 250 à 300, colliers *(lei niho palaoa)* 4 à 12 cm 30 à 45. **Micromésie :** plats 450. **Nouvelle-Bretagne :** crâne humain surmodelé 14, boucliers 4, masque de danse 12. **Nouv.-Calédonie :** chambranle 370 (1978) ; hache ostensoir 5 à 30 ; masque 281 (1985), sculpture bois 42. **Nouv.-Guinée :** crochet 2 à 3, gardien de case 280 (1988), tambour 8, vrombisseur 7,5, statuettes 11 à 780 (1977), masque 3 à 420 (1988), faîtage bois sculpté 19, *tapas* 5 à 10, sculpture cérémonielle 450 (1988). **Nouv.-Irlande :** *malanggan* (sculpture bois) 18 à 1 000, proues de pirogue 5 à 60, masque 26, *totok* (sculptures 1,20 m à 1,80 m plantées en terre), 25 à 90, linteaux et frises en haut-relief (0,50 à 2 m) 8 à 18, masque 15 à 45. **Nouv.-Zélande :** *tiki* (sculpture pierre) en jade (art maori) 26 à 108, boîte à trésor 7, linteau de porte maori 340, repose pied (teka) de pieu à fouir 220 (1987). **Tahiti :** tabourets de chef 70 et +, *tapas* 5 à 10. **Tubuaï :** tambour de sacrifice 1 845 (record 1980). **Divers :** ornement de canoë en bois *Taupara* 326, bol *Oko* 30, tambour bois recouvert d'une peau de requin 533. Objets moins exceptionnels mais authentiques (objets rituels, masques, statues d'ancêtre) 4 à 50.

Armes et armures

Armes à feu

• Catégories. Armes à mèche (fin XVe s.), à rouet (XVIe s.), à chenapan (fin XVIe s.), à silex (XVIIe-XVIIIe s., début XIXe), à percussion (à partir de 1825). On distingue celles qui se chargent par la bouche de celles qui se chargent par la culasse. 2 catégories d'armes : réglementaires (en usage dans les armées régulières), sobres, plus accessibles ; a. d'honneur (a. de récompense distribuées après 1796, réglementaires courantes, portant une plaque d'argent où était gravée une dédicace et l'identité du récipiendaire) : env. 2 200.

1er **pistolet réglementaire** fabriqué en série en 1713 (pistolet de cavalerie). **1er revolver dû à** Samuel Colt (1814-62), avec la mise au point du système à barillet (les r. réglementaires apparaissent en 1858). **1er brevet d'arme automatique** déposé en 1888 par Clair. **1re arme à cartouche et chargement par la culasse :** Dreyse (All., 1839), Chassepot, France, 1866. Pauly (Suisse) avait proposé le système à Napoléon en 1812 qui l'avait refusé craignant le gaspillage de munitions.

• Cours en milliers de francs. Un pistolet transformé perd 1/3 de sa valeur (les armes à pierre transformées en « armes à capsule » et à nouveau reconverties en « armes à pierre » perdent les 2/3).

XVIe s. *Pistolet à rouet* français (rarissime) 80 à 200, italien 40, paire gravée 820 (1986). *Arquebuses* (All., militaires) 50 à 179.

XVIIe s. *Pistolet à rouet :* Allemagne 65 à 820 (1987), Pologne (v. 1630-40) 30, Suisse (paire) 195 (1975), Italie 16 à 43, France : alsacien (signé Elias Gessler, v. 1600) 320 (1981), de Louis XIII (restauré) 182 (1979), de Louis XIV (paire) 234 (1975), incrustés de nacre (paire) 180 (1985) ; *à silex :* France (XVIIe s.) 115 à 850, paire signée Monlong, Londres (1690-1700), except. à 2 canons tournants, offert par L. XIV à un prince étr. 1 242 (1984). *Arquebuse à rouet :* Allemagne 23 à 69 ; Europe de l'Est (v. 1650-60), du cabinet d'armes de Louis XIII 550 (1988), de Brunswick 42 (1985) ; *à mèche :* P.-Bas, Allemagne (v. 1600-20) 36 (1976) ; *à air comprimé :* Bohême 80 (1983). *Fusil à pierre :* signé Piraube 76 (1975), du roi Louis XIII 1 375 (1972) ; *à silex :* de Louis XIV avec 2 canons tournants 300 (1985). *Mousqueton à silex* 17.

XVIIIe s. *Bonne arme à feu* (v. 1700) 3 à 80 ; paire 25 à 300. *Carabine* 11 à 75. *Canons* (paire) : Angl. 410. *Pistolets* (paire) 15 à 90.

XIXe s. *Fusil* ayant appartenu à Napoléon Ier 399 (1977) ; *à silex :* 21 ; *de chasse :* de Jérôme Bonaparte, 2 canons, 1 793 ; *d'enfant* du roi de Rome 830 (1987) ; *d'honneur :* de Boutet 70. *Mousqueton d'honneur* de Boutet 20 à 157,2. *Bonne arme à feu :* Ier Empire 4 à 13,5 ; Restauration 2 à 9. *Pistolet réglementaire* (à partir de 1763) modèles *1763, 1777, an IX, an XIII :* 4 à 50, *1816, 1822 :* 4 à 30, « à capsule » modèle *1822* transformé jusqu'en 1861 : 10 à 37,5 ; *d'officier* (paire) 5 à 30, coffret de Boutet 130, Ier Empire 250 à 300 (1988) ; *à silex* 8 à 127,5 (paire) jusqu'à 280 (1984) ; *d'arçon à silex :* France (v. 1800) 80 (1979) ; *de garde du corps du roi :* Ire Restauration 60 (1988) ; IIe Empire 3 à 45 (paire) ; *de marine* (1849) 8. *Colt :* modèles 1851 à 1865 : 10 à 70. *Carabine Winchester :* 5 à 30. *Colt* Burgess (1884) 23 ; *de chasse à silex :* de Boutet 155 (1988). *Casque cuirassier, dragon, etc.* Restauration et IIe Empire de 5 à 70 (1988). *Cassette :* pist. de duel 15 à 660 (de Boutet, 1981).

Armes de poing à système (1840-1910). *Pistolet-couteau* à percussion et platine Miquelet, Espagne 5,2. Derringer 1 à 6. *Dague-pistolet* de Dumonthier 5 ; *dolnebar* (revolver coup-de-poing-poignard, surnommé « Apache ») 3. *Revolver clic-clac* (fixé aux jarretelles des dames) env. 0,6.

XXe s. *Pistolet* 55 (Mauser de W. Churchill). *Carabine* Mauser (All. féd.) de la Wehrmacht 1. Sturmgewehr M-P 43 (fusil d'assaut) 5. Mauser courant 7. *Pistolet* Borchardt 12 (1979). *Fusils de chasse* Purdey 100 et +. *Armes d'Am. du Nord* (Winchester, Colt, Remington, Derringer) 3 à 30 (1988). *Borehardt* 30 à 40 (1988).

ACCESSOIRES D'ARMES À FEU. **XVIe-XVIIe s.** *Poires à poudre* de 0,5 à 50.

Armes blanches, défensives, d'hast, de jet

• Éléments du prix. Ancienneté, rareté (2 200 armes réglementaires, de gardes du corps du roi et d'honneur distribuées de 1796 à 1804), état de conservation, qualité du décor, signature d'un maître arquebusier [Nicolas Boutet (1761-1838), Le Page], appartenance à un personnage célèbre. Les sabres de l'époque révolutionnaire ou du Ier Empire sont plus cotés que les épées.

• Cours en milliers de F. Armes blanches, **IXe-Xe s.** *Épée viking* 16. **XIIIe s.** *Épée* 8 et +. **XIVe-XVe s.** *Épée* France (v. 1450) 45, du connétable de Montmorency 600. *Dague à rognons* Italie (1454) 73. **XVIe s.** jusqu'à 300. Épée du connétable de Montmorency 634,8 (1989). **XVIIe s.** *Épées* 2 à 360 (1983). *Dague* Italie 62. *Rapière* 42. **XVIIIe s.** *Épées* bronze ou fer ciselé 2,5 à 6,5, argent 6 à 10,4, incrustées d'or 12 à 19,5 ; *de cour* 5 à 205 (1983). *Sabre français* 3 à 234 (s. de Kellermann brandi à Valmy, le 20-9-1792, 180). *Couteaux de chasse* 3 à 13. **XIXe s.** *Glaive* destiné à l'un des 3 consuls 205 (1980) ; *sabres réglementaires* (Ier Empire) 20 à 297,5 ; *de garde* 6 à 11,3 ; *de hussard de troupe* 7 à 17 ; *de tambour-major,* modèle 1822, 32 ; *de grenadier à cheval,* **Ier Empire** 21 ; *sabre de marine* 13,5 ; *d'honneur* 50 à 60 (88) ; *d'officier* 5 à 102 (1990) ; *de luxe* (par Boutet) 135 (1985). *Épées* 0,6 à 6,8 ; Ier Empire de Cambacérès, 95 (1975) ; épée avec garde en or 227 (1984) ; **IIe Empire** 0,5 à 8,5 ; **fin XIXe**, d'Alphonse XIII 85. *Glaive de parement* (except.) 280. **Afrique :** *Récades anciennes.* Dahomey 10 à 20, *haches en fer forgé.* Gabon 10 à 20 ; *armes du Zaïre* 5 à 20. **Asie.** *Poignard* à lame courbe or et pierres précieuses 250 (1980). **Japon.** Voir p. 392.

Armes défensives. XVIe **s.** *Rondache* Italie (v. 1575-85) 5 à 20.

Armes d'hast. [Armes en fer monté sur haute (longue hampe) et armes contondantes.] **XVe, XVIe et XVIIe s.** *Hallebarde* 3 à 90. *Masse d'armes* 0,5 à 6. **Armes de jet. XVe, XVIe et XVIIe s.** *Arbalète* 12 à 190, *couteaux de jet* Gabon 5 à 20.

Armures

Types. Utilisées depuis l'Antiquité. L'armure romaine comprenait : haut de corps, casque et bouclier.

Aux XIIIe, XIVe et XVe s., l'armure se compléta et s'alourdit ; elle disparut au XVIIe s. Les plus célèbres armuriers travaillaient alors à Milan (Italie) ; Augsbourg, Nuremberg ou Landshut (Allemagne) ; Greenwich (G.-B.) ; Tours (France). Au XVe, une armure pesait de 18 à 24 kg, au XVIIe, une demi-armure (sans les défenses des jambes) 35 kg, des armures de siège parfois plus de 50 kg.

Cours (en milliers de F). **XVe s.** *Bassinet,* All. (v. 1400) except. 1 110 (1983). *1/2 armure,* All. 1 900 (1983). *Armure* (Tyrol) 1 200 (1983). **XVIe s.** *Casque* morion Angleterre 10 et +. *Bourguignotte* Allemagne (v. 1570-80) 20 à 98. *Armet français* 11 à 533 (1983). *Demi-armure* Allemagne 50. *Armure* 30 à 91 ; de Henri II (v. 1540-45) 22 325 (record, 1983). *Demi-armure* (Angl.) 180 (1982). **XVIIe s.** *Armet français* (v.1610-20) 12. *Demi-armure* Allemagne 34. *Armure* anglaise (1610-13), atelier de Greenwich, William Pickering pour le duc de Brunswick 4 485 (1981), record mondial. **XIXe s.** Cuirasse et casque d'off. de la Garde Royale (Restauration) 16, armure de style François Ier 41 (1984). *Maximilienne* (reproduction) 148 (1990). **IIe Empire.** *Cuirasse et casque, carabinier garde impériale* 35 (1988), *cuirasse et casque Cent-Gardes* 70 (1988).

Principales collections

Allemagne. *Dresde. Berlin.* **Angleterre.** *Londres :* Wallace Collection, Victoria and Albert Museum, Tour de Londres. *Windsor. Glasgow* (coll. Scott). **Autriche.** *Vienne :* Neue Hofburg (Waffensammlung). **Belgique.** *Bruxelles :* Musée de la Porte de Hal. **Espagne.** *Madrid :* Real Armeria. **États-Unis.** *New York :* Metropolitan Museum. **France.** *Besançon :* m. du Palais Granvelle. *Bordeaux :* m. de la Marine. *Gien :* m. de la Chasse. *Paris :* m. de l'Armée (Invalides) ; m. de la Marine (Chaillot) ; m. Chasseurs alpins (château Vincennes) ; maison de la Chasse et de la Nature (hôtel Guénégaud). *Salon-de-Provence :* m. de l'Empéri. *Saumur :* m. de la Cavalerie et m. des Blindés. *Senlis :* m. de la Vénerie. *Tulle :* m. du Cloître. **Italie.** *Florence* (coll. Stibert). *Naples. Rome* (coll. Odescalchi). *Turin :* Armeria Reale. **Monaco.** M. napoléonien. **Suisse.** *Berne :* M. historique. *Zurich :* M. national. *Genève :* M. historique. **U.R.S.S.** *Leningrad :* Ermitage. *Moscou :* Kremlin.

Cartes postales

Origine

Xe s. (Chine) : 1res cartes de vœux illustrées. **1855 :** Fenner Matter aurait fait à Bâle quelques tirages en lithographie. Éditions officielles : *Autriche-Hongrie* (1-10-1869), *Allemagne, Luxembourg, Angleterre* (1870), *Belgique, Canada, P.-Bas et Suisse* (1871), *Russie* (1872), *France* (loi du 20-12-1872) ; parution de 2 cartes non illustrées le 15-1-1873 (la 1re est destinée à circuler à découvert en Fr. et en Algérie dans une même ville ou dans la circonscription d'un même bureau ; à droite, cadre rectangulaire avec inscription : place pour 2 timbres à 5 c.) ; on utilisa déjà pendant la g. de 1870 des c. d'ambulances ou de secours aux blessés, c. par ballon monté ou non monté, c. réponse ; *Espagne, Japon, U.S.A.* (1873), *Italie et G.-B.* (1874). Émissions privées. *1873 :* c. publicitaires (*ex. :* Belle Jardinière). 1877 : la loi entérina cet usage. 1881 : c. p. photographiques de Dominique Piazza adressant des vues de Marseille en Argentine. 1889 : à l'Expo. une c. de la Tour Eiffel (gravée par Charles-Léon Libonis (n. 1844), 5 modèles connus, tirage initial env. 300 000, il en resterait env. 5 000) est éditée par la Sté d'exploitation de la Tour (et non par « Le Figaro », comme on l'a cru).

Quelques chiffres

Négociants en cartes. *1989 :* 565 (dont 50 en Belgique). La c. moderne est vendue en « carterie » ; elle intéresse env. 1/3 des cartophiles. *Clubs carto :* 692, bulletins 70, de négociants 2.

Collectionneurs et conservateurs de cartes. All. féd.-Autriche 2 000 (30 000), Belgique 4 000 (35 000), *France* 18 000 (200 000), G.-B. 10 000 (130 000), Italie 3 000 (100 000), Scandinavie 5 000 (100 000), Suisse 500 (4 000), U.S.A. n.c. (200 000).

Le marché de la c. postale est passé en France de 250 000 F en 1974 à 50 millions de F en 1982.

Production mondiale. Plusieurs milliards (en 1905 : 450 millions de cartes furent imprimées) ; une ville moyenne de 10 000 hab. comptait env. 2 000 c. éditées avant 1918 ; 50 000 hab. : 10 000, etc.

☞ **La plus vendue.** Tour Eiffel, + de 5 milliards d'exemplaires dep. 1889. **Tirage moyen** c. p. pittoresques jusqu'à 3 000 000 ex., à message 1 000 000 ex. **Sujet le plus apprécié :** coucher de soleil sur la mer.

Cours

• Éléments du prix. Selon rareté, état, époque, lieu concerné, thème, qualité de l'illustration, plan choisi (plus il est rapproché, plus il est coté) (un coin plié diminue d'1/4 la valeur, un coin manquant lui retire les 3/4 de sa valeur). Les plus cotées : celles des grands illustrateurs ; régionales ; à thèmes précis (petits métiers, poste, naissance de l'aviation, etc.).

D'après une étude parue dans l'*Officiel international des c. postales,* dans les ventes aux enchères, sur env. 300 000 c., 40 % se vendent moins de 1 F, 38 % de 1 à 10 F, 22 % plus de 10 F ; + de 100 F 1 carte sur 140, + de 50 F 1 sur 2 000.

• Cotations approximatives en francs. *France av. 1873 :* ambulances et croix-rouges 700 à 1 000, correspondances zones allemandes 250 à 600, c. dépêche-réponse 250 à 400, reproduction des « ballons non montés » 300 à 450 ; siège de Paris 80 à 1 000. *France officielle :* 25 à 1 900. *Étranger : antérieures à 1882,* 60 à 1 400 ; *ant. à 1889,* 50 à 1 200. *1890-1920 :* la publication atteint des centaines de millions par an (env. 20 millions sont sur le marché français en 1981-82) ; petits illustrateurs n'appartenant pas à une série ou ne se rattachant pas à une région 12 à 60, les plus recherchées 400 à 1 500 (cartes régionales, insolites ou rares). *1920-60 :* cours variables.

Enchères records. **1981 :** *Freud* (c. postales à découvert) 9 500. **1982.** *Toulouse-Lautrec* (Cinos) 6 125. **1983.** *Life boat-Saturday* 19 800. **1985.** *Kokoschka* 118 000. **1987** *Mucha* 38 000. **1990** Grilleuse de marrons à Marseille 8 000. *Kandinsky* (Bauhaus no 3) 14 000. *Schiele* (W.W.) 15 000. *Hoffmann* 15 000. *Mucha* (Jeune fille bleue) 28 000. *Klee* 30 000.

Cotes de quelques artistes (1981-90) : Sager (2e période) 20 à 130 ; Boileau 20 à 100 ; Fabiano 35 à 150 ; Wain Louis, chats 60 à 150 ; Orens numérotées 35 à 3 800 ; Boutet (bonnes c.p.) 25 à 3 200 ; Chéret 80 à 1 200 ; Nolde (Emil) 150 à 350 ; Mucha 250 à 28 000 ; Jossot, publicitaire 700 à 2 500 ; Combaz, proverbes 600 à 1 200 ; Dola jusqu'à 750 ; Rabier 35 à 500 ; Villon 1 500 à 7 000 ; Kokoschka 4 000 à 7 500 ; De Feure 800 à 6 800 ; Toulouse-Lautrec 3 500 à 7 000 ; Maria Likartz 700 à 3 000 ; Picasso 100 à 5 000 ; Signac 2 500 ; Brunelleschi 150 à 1 200 ; Steinlen 100 à 2 807 ; Laskoff 100 à 900 ; Basch Arpad 80 à 1 300 ; Christiansen Hans 600 à 2 400 ; Kirchner R. 140 à 800 ; Man Ray (U.S.A.) 310 à 600 ; Schiele Egon 500 à 15 000 ; Vallotton Félix 400 à 800 ; Privat Livemont 1 400 à 3 000 ; Balla 300 à 700 ; Berthon 250 à 1 000 ; Cassandre 140 à 5 000 ; Danniell (Eva) 600 à 800 ; Meunier (H.) 300 à 900 ; Tafuri (R.) 60 à 400 except. 2 000 ; Grasset 300 à 3 000.

Cotes de quelques thèmes (1890-1920). *Agriculture :* paysan 30 à 450, battage 250 à 600, except. 1 000, castration 3 700. *Alcool :* vendanges en Champagne 25 à 400, alambic 120 à 1 000. *Amour :* baiser 22 ; nu carte ancienne : femme 65, homme 90, exotique 35 ; duel seins nus 50 ; symbole masculin 30 à 65, féminin 35 à 70 ; travestis 200, sado-masochisme, fouets, fessée 220, eunuque 220, amoureux mièvres 1925 3 à 12. *Animaux :* chiens ordinaires 3 à 20, baleines échouées 90 à 320, ramasseurs de chiens errants 250 à 700. Montreur d'ours 472. *Attelages :* de chiens 30 à 5 560, de chevaux 20 à 2 000, chaise à porteurs thermale 30 à 200, attelage d'âne 45 à 160. *Autobus :* de grandes villes 25 à 1 586. *Automobile :* jusqu'à 130. *Aviation :* lancers de ballons localisés et datés 400 à 2 300, avions d'avant 1920 18 à 550, meetings ou raids oblitérés d'époque 30 à 400. *Bateaux :* sous-marins 60 à 250, haleurs en gros plan 160 à 400, grands voiliers 45 à 300. *Beaux-Arts :* tableaux 1 à 155. *Catastrophes :* mines de Courrières 30 à 150, inondations 1910 25 à 70 ; *Gare de ville* 10 à 350. *Tramway* 12 à 1 200. *Diligences* jusqu'à 2 195. *Édifices :* officiels 5 à 150, phares 10 à 120, scènes de construction 60 à 300. *Fêtes :* arcs de triomphe provisoires 70 à 150, visites présidentielles 40 à 180. *Folklore :* noces 35 à 200, couronnements de rosière 80 à 220. *Grande Guerre :* célébrités 16 à 200, libération de l'Alsace-Lorraine 25 à 80, théâtre aux armées 50 à 120. *Justice :* Bonnot 100 à 350, Dreyfus (procès de Rennes) 59, petites affaires locales 200 à 550, forçats 70 à 1 200. *Militaires :* casernes 4 à 80, défilés 40 à 120. *Musique et danse populaire :* chansons de Botrel 7,8 à 90, cartes-disques 25 à 320. *Nature :* rochers 2 à 35, fleuves 4 à 70. *Phénomènes* (femmes à barbe, etc.) 80 à 250. *Politique :* ministres français 20 à 120, grèves 70 à 500 (album 52 cartes, grèves de Fougères 9 000 en 1986). *Postes :* bureaux 20 à 200, facteurs 40 à 3 000 (dans attelage de chiens). *Religion :* pèlerinages 20 à 250, messes (divers) 35 à 140, inventaires 100 à 400. *Santé :* médecins 80 à 300, rebouteux 350 à 1 655. *Sciences :* physicien professeur ambulant 8 400 (1990). *Sports et loisirs :* alpinisme 6, ski 15 à 320, autocycle 80 à 200, joutes nautiques 60 à 180, scènes de casino 15 à 280. *Spectacle :* Otéro 15 à 35, Mata Hari 350 à 600. *Villes, villages :* grandes rues animées 9 à 270, petites 50 à 280.

Évolution récente : *1976 :* + 119 %, *1977 :* + 42 %, *1978 :* + 41 %, *1979 :* + 29 %, *1980 :* + 19 %, *1981 :* + 15 %. *1983-85 :* + 30 %, *1985-87 :* + 20 %. *1987-89 :* + 20 %.

☞ Bibliographie annuelle : *Officiel international des cartes postales* (Joëlle et Gérard Neudin, 20 000 ex. en 1991, 1 000 adresses, plus de 20 000 cotations). *Argus Fildier Catalogue,* tous les départements chaque année, 4, bd Morland, 75004 Paris. **Revues :** *C. postales et collections,* BP 15, 95220 Herblay. *Historique de la c. postale illustrée* (50 F), même adresse. *Cartorama,* BP 46, 77190 Dammarie.

Céramique

Techniques

Définition. Du grec *keramos,* désignait les cornes de certains animaux puis les coupes (en forme de cornes) en argile séchée. Matériaux inorganiques non métalliques dont le processus d'élaboration comporte un traitement thermique à haute température, les verres étant généralement considérés à part. Ex : tuile, brique de terre cuite, revêtement réfractaire, carreau de grès.

Le silicate d'alumine hydraté contenu dans l'argile permet, à l'état humide, le travail de la terre. On modela d'abord l'argile à partir d'une boule que l'on creusait, puis on fabriqua des *colombins* (boudins de pâte enroulés les uns au-dessus des autres, et lissés à la main). Enfin, les potiers inventèrent le tour : plateau de bois monté sur un pivot qui tourne (une boule de terre est placée sur le centre du plateau, le pivot est actionné par une pédale, la vitesse du tour donne au modelage une forme régulière).

Températures de cuisson. *Ordre de grandeur :* Copenhague (porc. dure) 1 370 °C. Sèvres (porc. dure) 1 300 °C-1 410 °C. Grès cérame 1 250 °C-1 310 °C. Angleterre (porc. tendre) 1 200 °C-1 300 °C. Sèvres (porc. tendre) 800 °C à 900 °C. Majolique 1 200 °C-1 300 °C. Poterie commune 850 °C-900 °C.

Entretien. *Faïence ancienne :* passer au pinceau du savon noir à l'ancienne, laisser sécher 5 minutes, rincer à l'eau courante, essuyer. *Détersifs ;* attaquent la dorure. *Fêlure* (cheveu), pour le déceler, ne pas se fier au son mais passer l'objet à la lampe à ultraviolets.

Différentes sortes

A pâte poreuse

• Faïence. **Commune ou stannifère.** A base d'argile, marne et sable, recouverte d'un émail à base d'étain opaque généralement blanc. Le nom vient de *Faenza* (v. d'Italie). Dans certains cas (f. de Delft) un 2e revêtement (glaçure transparente) rehausse les couleurs. **Fine.** Apparaît d'abord en G.-B. à la fin du XVIIe s., puis en France au XVIIIe s. Parfois imperméable. Recouverte d'une *glaçure* transparente, en général incolore. Suivant la pâte, on distingue : *terre de pipe* (argile, silex, craie) ; *cailloutage* (argile, silex) ; *faïence fine feldspathique* (silex, argile, kaolin et feldspath).

• Majoliques. Faïence à glaçures stannifères (à base d'étain), introduite en Italie (*maïolica*) par des artisans de Majorque, d'où son nom, mais déjà connue en Perse. Les plus belles datent de 1520-60.

• Azulejos. Carreaux de faïence émaillée à dessins bleu azur. D'origine orientale, ils furent beaucoup employés en Espagne et au Portugal.

• Terre cuite. Rougeâtre à base d'argile et de sable. Ex. : vases grecs et statuettes comme les *Tanagra,* bas-reliefs du Moyen Age, terres cuites de G. Pilon, bustes et médaillons du XVIIIe s. (Houdon, Clodion).

A pâte imperméable

• Biscuit. Porcelaine sans couverte cuite une seule fois entre 1 000 et 1 100 °C (pâte tendre ; blanc crémeux, lisse, sonorité mate) ou entre 1 300 et 1 410 °C ; blanc froid, léger grain, sonorité cristalline), sans couverte.

• Grès cérame. A pâte dure et opaque ; *grès commun :* mélange d'argiles vitrifiables ; *grès fins ou composés :* argile additionnée de feldspath.

• Porcelaine (Marco Polo découvrit la vaisselle chinoise blanche et la compara à la nacre des coquillages *porcella* qui servait d'écuelles). Pâte compacte translucide et non colorée, composée d'un matériau fusible (feldspath, fritte) soutenu par une ossature infusible (kaolin, marne). Cuite 2 fois. Après une 1re cuisson, le *dégourdi* est recouvert d'une *couverte* et recuit.

Porcelaine dure ou chinoise. Connue en Chine et au Japon aux VIe-VIIe s. ; redécouverte à Meissen, Allemagne, par Böttger en 1709 (découverte des gisements de kaolin). Fabriquée en France à Strasbourg en 1751 par Paul Hannong avec du kaolin venu d'Allemagne, puis ailleurs (Paris, Sèvres, Marseille, Niderwiller, Limoges) après la découverte de kaolin à St-Yrieix (Hte-Vienne) en 1769. Pâte fine, dure et translucide : kaolin pur ou mélangé de marne, magnésie, feldspath (petuntse). Couverte dure : feldspath quartzeux.

Porcelaine tendre artificielle ou française (obtenue à Rouen en 1673). Pâte translucide à base de craie et de fritte alcaline (mélange déjà vitrifié en partie et broyé), très peu utilisée de nos jours.

Porcelaine tendre naturelle ou anglaise (obtenue vers 1750). Pâte : argile, os calcinés, sable et feldspath. Glaçure : feldspath, silex, minium, soude. Elle ne va pas au feu.

Nota. – Chambrelan : nom donné aux peintres qui travaillaient chez eux. Ils décoraient les porcelaines blanches de diverses manufactures.

Principaux centres (quelques cours)

Les pièces du début de fabrique sont de meilleure qualité. Les décors aux paysages et oiseaux sont plus rares que les motifs floraux, ainsi que les fonds jaunes et roses. Une pièce restaurée perd env. 75 % de sa valeur.

Allemagne

• Centres. **Grès.** *Frechen, Cologne, Siegburg, Kreussen, Raeren, Meissen* (grès rouge), *Plaue, Westerwald, Sachsen, Bunzlau* [Jan Emens (1568-94), Mennicken (v. 1575-85), Böttger (1682-1719)].

• Centres. **Faïence.** *Ansbach, Bayreuth, Crailsheim, Hoechst, Francfort, Hanau, Hambourg, Künersberg, Berlin, Rheinsberg, Nuremberg, Zerbst, Erfurt, Dorotheenthal, Fulda, Kiel, Stockelsdorf*

Céramistes célèbres : Adam Friedrich Löwenfinck (1714-54), et ses frères Fulda, Haguenau, Christian Wilhelm († 1753), Karl Heinrich (1718-54) ; Maria Seraphia née Schink (1728-1805) ; famille Hess : S. Friedrich († 1698) et ses fils Ignaz, Johan Lorenz, Franz Joachim].

• Centres. **Porcelaine. Meissen** (1709). *Éléments du prix. Périodes :* de Böttger (1709-19) ; de 1720-56, la meilleure pour les pièces de service (pour les statuettes : 1731-45). *Notoriété du peintre* (exécution en principe anonyme) ; parmi les plus célèbres : Johann-Gregor Höroldt (1696-1775), Christian-Friedrich Höroldt (1700-79). A.F. Löwenfinck (1714-54), E. Städler. *Fraîcheur des couleurs. Décors :* les plus appréciés : émaux imités de la famille verte, « fleurs des Indes », scènes avec personnages chinois, sujets à la Watteau. *Fonds :* jaune, vert d'eau, mauve, etc., plus chers que le blanc. *Importance* de la pièce et *état de conservation* (peu de statuettes du XVIIIe s. intactes).

Autres centres. Vienne (Autriche, 1718-1864), Hoechst (1746-98), Fürstenberg (1747), Ludwigsbourg (1758-1824), Frankenthal (1755-99), Nymphenbourg (1747), Berlin Wegely (1751-57), Berlin Gotzkowsky (1761-63), Berlin KPM (1763-1918), Berlin Staatliche Porzellan-Manufaktur (1918).

Céramistes célèbres : Böttger (1682-1719), Johann-Joachim Kändler (1706-75), Franz-Anton Bustelli (1723-63).

• Cours en milliers de francs. **Porcelaine :** Tasse et soucoupe 2 à 10. Chocolatière 240. Théière XVIIIe 56. Œufs de Pâques 20 à 35. *Meissen :* aiguière et bassin 232 (1984), cloche de table 352 (1984), rince-doigts 33, sucrier couvert 12 théière 70, tasse et soucoupe (1985) 69, service à thé 730 (1981). Plat 95, plat à citrons 23,1. Tabatière 98,3. Vase 10 à 240 [paire (Vienne, 1983) 790]. Statuettes : XVIIIe s. 1 à 380, groupes 5 à 200 ; XIXe s. 5 à 451. Théière aux armes de Christian VI de Danemark (v. 1730) 413,6 (1986). Assiette polychrome 0,2 à 0,5. 24 ass. + terrine 230. **Faïence :** Cruche Ansbach 14. Hanap Bayreuth 9. Cruche Chambrelans 61. Terrine dindon de Hoechst 64, vanneau 63. Vase v. 1750, 44. Vase d'apparat au pied en métal doré (1832) 261 (1987). **Grès :** *Frechen* cruche : XVIe s. 38 (1982). *Kreussen :* chope 10 à 49, bouteille 40.

Angleterre

• Centres. **Grès.** Doulton.

Faïence. *Lambeth, Leeds. Céramistes célèbres :* Richard Champion, David et Philip Elers, John et Thomas Astbury, Thomas Whieldon, Ralph Wood, Josiah Wedgwood et Thomas, Bentley, Bernard Leach, **Faïence Fine.** *Leeds, Stoke-upon-Trent.*

Porcelaine. Tendre. Bow, Chelsea, Derby, Caughley, Longton Hall, Liverpool, Lowestoft, Worcester. *Céramistes célèbres :* Edward Heylin, Thomas Frye, William Duesbury, Benjamin Lund, William Cookworthy, William Littler, Dr Wall, Nicholas Sprimont, Joseph Willems. **Dure.** Plymouth, New Hall, Bristol.

• Cours en milliers de francs. **Chelsea :** vase 5 ; vases (paire) 70 à 75 ; terrine en forme de pigeon 120 ; statuette 16 ; plat à sauce 38, à asperges 49,6. **Lowestoft :** tasse bleue et blanche 5,1 à 8,1 ; cafetière 15,1 ; assiettes (paire) 7,5 ; bouteille (Richard Phillips 1740) 62. **Staffordshire :** chocolatière (Whieldon, 1745) 50 (1981) ; salière 180 ; théière jusqu'à 92, saucière 3 à 58, cruche 615 (1987), statuettes polychromes (perroquet, v. 1755) 69 ; groupe (Whieldon, v. 1740) 270. **Worcester :** assiette service du duc de Gloucester (1770-75) 105 (1987) ; assiettes à soupe (paire) 89 et plat 46 ; théière 3 à 91, cafetière 4 à 27 ; pot à moutarde 38 ; chope 3 à 10.

Belgique

Porcelaine. Bruxelles, Tournai, Andenne.

Chine

Voir Art chinois p. 390.

Danemark

• Centres. **Faïence.** *Copenhague,* Store Kongensgade (1741-71), Kastrup (1741-1800) Schleswig, Kiel, Eckernförde, Stockelsdorf (2e moitié XVIIIe s.), Kellinghusen (2e moitié XIXe s.).

Porcelaine. *Copenhague,* Manufacture royale créée 1775 ; manufacture de Bing et Groendahl (1853) ; Aluminia (1863) ; Royal Copenhagen (1985).

• Cours en milliers de francs. Vase 4 à 5. Plat creux 5 à 10. V. art nouveau (env. 1900) 4 à 63.

Espagne

• Centres. **Faïence.** PROVINCE DE VALENCE : *Paterna* (XIVe s., vert et noirâtre ; XVe s., bleu) ; *Manises* (XIVe s., vert et noirâtre de manganèse : XVe s., bleu ; XIVe-XVe s., à reflets dorés avec bleu ; XVIe à XVIIIe s., à reflets dorés sans bleu) ; *Alcora* (XVIIIe-XIXe s., bleu, jaunâtre et polychrome). CATALOGNE ; *Reus* (XVIe-XVIIe s., à reflets dorés) ; *Barcelone* (XIVe-XIXe s., bleu et pol.) ; *Manresa* (XIVe s., vert et noirâtre de manganèse). ARAGON : *Teruel* (XIIIe à XXe s., vert et noirâtre de manganèse ; XVIe à XVIIIe s., bleu et blanc ; XIXe et XXe vert et noirâtre) ; *Muel* (XVIe-XVIIe s., à reflets dorés ; XVIe à XXe s., bleu, bleu et vert, vert et noirâtre) ; *Villafeliche* (XVIIIe-XIXe s., bleu foncé, violet de manganèse) ; *Calatayud* (XIVe s., bleu et noirâtre de manganèse). ANDALOUSIE : *Malaga* (XIIIe-XIVe s., à reflets dorés avec bleu ou sans bleu) ; *Séville* (XVe à XVIIe s., pol., bleu et blanc) ; *Triana* (XVIe à XXe s., pol., bleu et blanc). CASTILLE : *Toledo* (XIIe à XXe s., pol., bleu et blanc) ; *Talavera* (XVIe à XXe s., bleu et blanc, pol.) ; *Puente del Arzobispo* (XVIe à XXe s., pol., bleu et blanc).

Porcelaine. *Alcora* (pâte tendre), *Buen Retiro* (XVIIIe, XIXe s.), *La Moncloa* (XIXe s.).

• Cours en milliers de francs. *Alcora,* plat polychrome XVIIIe s. 10 à 130, assiette pol. 8. *Buen Retiro,* XVIIIe s. 6 à 10. *Málaga,* Albarello en faïence XVe s. 430,2. *Manises,* plat à reflets dorés 30 à 97. *Talavera,* pot de pharmacie 6.

France

• Centres. **Faïence et faïence fine.** *Amiens, Aprey, Apt-en-Vaucluse, Avon, Bellevue, Chantilly, Creil, Gien, Les Islettes, Lille, Limoges, Lunéville, Manerbe, Marseille* (Étienne Héraud, Leroy, Fauchier, Vve Perrin, Honoré Savy, Gaspard Robert, Antoine Bonnefoy), *Montières, Montpellier, Montereau, Moulins, Moustiers* [famille Clérissy (1re manufacture, v. 1675 à 1783), Olérys, Fouque, Pelloquin, Féraud, Ferrat], *Nevers* (les frères Conrade, Barthélemy Boursier, Nicolas Estienne, Pierre Custode), *Niederviller* (Michel Anstett), *Nîmes* (Antoine Syjalon), *Orléans, Paris* (dont Pont-aux-Choux), *Quimper, Rennes, Roanne, Rouen* (Masseot Abaquesne, les Poterat, Guillibaud, Levavasseur), *St-Omer, St-Porchaire, Salins, Sarreguemines, Sceaux* (R. Glot, J. Chapelle), *Sinceny* (Dominique Pellevé), *Strasbourg* (les Hannong, Frédéric de Lœwenfinck), *Toul, Vallauris.*

Principaux centres ayant fait des décors de grand feu (peint sur l'émail cru et cuit en même temps que l'émail) : Marseille (Clérissy, Fauchier), Moustiers, Nevers, Rouen, St-Jean-du-Désert. *Petit feu* (peint une fois, l'émail cuit est fixé à faible température) : Marseille (Vve Perrin), Niederviller, Sceaux, Strasbourg.

Nota. – Bernard Palissy (1510-89), connu pour avoir brûlé, selon une légende, jusqu'à ses meubles pour retrouver les procédés italiens, a laissé des faïences fines ornées de figures en ronde-bosse.

Porcelaine. *Arras* 1770-90, *Boissette* 1778., *Bordeaux* (plusieurs centres) fin XVIIIe-milieu XIXe s. (Vieillard et Cie), *Bourg-la-Reine* 1773..., *Chantilly* (Cicaire, Cirou) 1725-1800, *Lille* 1711-30 + 1784-1817, *Limoges, Mennecy* (F. Barbin) 1734-65, *Niederviller* 1742..., *Orléans* 1754-1812, *Paris, Rouen* (Louis Poterat) 1673-90, *St-Amand* 1718-1880, *St-Cloud* (Chicaneau) 1693-1766, *Strasbourg* 1721-54, *Valenciennes* 1785-1810, *Vincennes* 1740-56 (les frères Dubois) puis transféré à *Sèvres.*

• Cours en milliers de francs. **Bordeaux** (XVIIIe s.). Décor bleu et blanc. *Assiettes* XVIIIe s. 2 à 5.

Chantilly (1725-1801) (Porcelaine). *Goût d'Extrême-Orient* (1725-v. 1750) : couvertes d'émail stannifère blanc opaque, puis de vernis plombifère. Pièces les plus chères : décors polychromes dits coréens. *Assiette :* porcelaine XVIIIe 1,4 à 4,2. *Cache-pot* (paire) 168. *Fontaine à parfums* sur socle bronze doré 54 (1976). *Jardinières* (les 3) 147 (1972). *Soupières* à fond vert 69 (1972). *Tasse et soucoupe* 9 (1984). *Statuettes* pol. : Chinois 112 à 1 316 (paire, except. 1973), magot 154. *Style transitoire* (v. 1745-v. 1760) : décors pol. ; en camaïeu (paysages japonais) ; imitation des blancs de Chine (pièces de forme et statuettes). *Sucriers* 9,8 et +. *Bol* 7. *Tasses, vases* Restauration porcelaine, romantique ; paire 3 à 14.

La Rochelle. *Assiette XVIIIe :* « à la tulipe », 6 « à la rose » 4,2, « tronc coupé fleuri » 4,2, à décor patronymique 8,4. *Fontaine de table* 8,4. *Saladier* pol. 14.

Les Islettes (faïence). *Assiette* simple 1,26 à 8,4. *Plat* 1,12 à 16,8, pol. 12,6 à 42.

Lille (faïence). *Fontaine* XVIIIe-XIXe s. 30,8 à 126. *Assiettes* jusqu'à 58,8. *Chandeliers* (paire) 56.

Lunéville. *Assiette* pol. 13,3 à 18,2. *Plat* polychrome 2,8 à 46,2. *Soupière* rocaille 30,8. *Tulipière* (paire) pol. 23,8.

Marseille (faïence XVIIIe). *Assiettes :* fleurs fines 1,4 à 30,8 (les plus chères : sur fond jaune de la Veuve Perrin) ; paysages 7 à 70 (décor « à la flèche »), poissons 11,2 à 150. *Écuelle à bouillon :* 56. *Plat :* camaïeu bleu 30,8 ; vert 25,2, ovale « au chinois » 30,8, décor poissons 42, V. Perrin à la double flèche 70. *Service de table* 16 p. Fauchier 390. *Soupière :* V. Perrin 22,4 à 112. *Veilleuse :* V. Perrin 35.

Mennecy (v. 1735-73) (porcelaine). *Imitations* (v. 1735-50) St-Cloud, Chantilly, Vincennes, Meissen... *Décors originaux* (v. 1750-1773) : polychromes ; camaïeu bleu ou rouge. Boîtes, couteaux (manches porcelaine) moins chers que statuettes et assiettes (surtout fleurs, oiseaux, paysages). *Assiette :* 15,4. *Boîte :* 7. *Sucrier* 4,2 à 14. *Tabatière* 4,2 à 15,4. *Appliques* (paire) 525. *Statuettes pol.* (paire) XVIIIe s. 36.

Montières. *Potiche* 32, *pot 1925* 55.

Moustiers (faïence). Manière italienne jusqu'en 1720. Puis, avec Clérissy, le motif central est entouré d'une broderie très fine ; 1ers décors : mythologie, histoire dans un camaïeu bleu (sur blanc mat), puis ornements légers, « grotesques », pièces à guirlandes et médaillons aux armoiries, au drapeau, « à la fleur de pomme de terre » (Olérys), vert émeraude, rouges profonds, fleurs, paysages, motifs « au chinois ». Influence sur Lyon, Bordeaux, Marseille (Fauchier), Montauban, Aubagne. *Assiettes :* 5,6 à 14 (camaïeu vert), 14 à 84 (camaïeu jaune et vert) ; décors classiques (fleurs, insectes, paysages) moy. 28. *Boîte à poudre* 55,3. *Cache-pot* (paire) 109. *Compotiers* à partir de 1, pol. 35 à 63. *Coupe* pol. 12,6. *Plat* 8,12 à 126, à décor grotesque 23,8 à 78,4. *Seau à bouteille* pol. 76 (1985). *Terrine couverte* 155,4 (1987).

Nevers (faïence). Manière italienne de la fin du XVIe s. à 1670. Puis thèmes et motifs originaux : fleurs et oiseaux en blanc et jaune sur fond bleu ou bleu persan ; quelquefois, fond jaune-orangé, décors en blanc et bleu. Pastiche aussi les porcelaines chinoises ou japonaises et les autres centres (Rouen, Moustiers, Meissen). A la fin du XVIIIe s., production populaire en quadrichromie (dont productions révolutionnaires). Influence sur *Ancy-le-Franc, La Rochelle, Moulins, St-Amand-les-Eaux, La Charité-sur-Loire.* « Bleu persan », décor blanc parfois rehaussé de jaune ou d'ocre. *Assiettes* décor bleu sur fond blanc 3 à 31, « révolutionnaires » 3,5 à 11 sauf décors rarissimes, pol. 4,2 (XVIIIe) à 60 (paire, XVIIe). *Bouteilles, plats* 3 à 123. *Buires* (paire, XVIIe s. décor scènes mythol.) 240 (1985). *Gourde* 6 à 238. *Pichet* à décor « au chinois » 6 à 7. *Piluliers* 6 ; (paire) XVIIe s. 71. *Pique-fleurs* 63. *Saladier* 14 à 52.

Niederviller (faïence). *Figurines (paire) de Cyfflé (1760)* 33.

Paris. *Assiettes* porcelaine décor paysage 0,4 à 1,12. *Pendule* (support) 33. *Service* à café 6 à 45. *Vases* (paires) 3 à 57 except. Empire, de Sauvage 3 500. *Tête-à-tête* 69.

Quimper (faïence). *Coupe* 30.

Rouen (faïence). **1re période (1530-60) :** *majoliques* de Masseot Abaquesne (*carrelages* d'Ecouen, *pots de pharmacie, vases*), très rares ; 138 (1984). *Albarelli*

(2) polychromes 27 cm de Masseot Abaquesne except. 170 (1987). **2e (1647-1700) :** imitation de Nevers et Delft, très rare. **3e (à partir de 1680) :** style rayonnant très recherché. *Décor bleu :* assiette 4 à 25 ; pot-pourri 155 ; *bleu et rouge :* assiette 7 à 20 ; plats 21 à 84 ; *niellé* (argent incrusté d'émail noir) sur fond ocre : assiette très rare ; plat 56 cm, 465 (1983) ; appliques (paire) 125. **4e (1700-50) :** décor polychrome goût chinois et persan : assiette 4 à 102 ; décor bleu et rouge dans l'esprit de Delft jusqu'à 70, *bannette* 62 à 24 ; coupe pol. goût chinois 99 ; fontaine d'ornement 125 ; pichet 27 à 50 ; plat faïence décoré 20 à 318 (1987) ; plaque faïence d'après Nicolas Poussin 115 (1982) ; plateau faïence 288 ; rafraîchissoirs (paire) 81, lions (paire) 135 (1987), *saladier* 97. **5e (1750-70) :** style rocaille : assiette à la corne 3 à 6, pichet env. 7, plat env. 10, soupière env. 17. **6e (1750-85) :** faïence de petit feu : rare ; assiette de l'atelier de Levavasseur 4 à 21, assiettes « révolutionnaires » 4 à 6.

Saint-Cloud (v. 1695-1766) (porcelaine). Décor polychrome de style coréen (1720-66), plus cher que le camaïeu bleu, style rouennais (v. 1695-v. 1730) (surtout les statuettes). *Boîte couverte* 179,3. *Boîte à épices* 6 à 17. *Couteaux* (14) à manche porcelaine 6. *Magot* 191. *Petit pot* 31. *Pot couvert* 85,4. *Pots à pommade* (paire) 24. *Sucrier* 3 à 17. *Saleron* 7.

Saint Porchaire (faïence). *Aiguière aux armes d'Henri II et Diane de Poitiers* 4 107, *biberon de même* 2 886.

Sceaux (1749-95) (porcelaine). Décors camaïeu bleu, camaïeu rouge, polychromes. Rares. *Assiettes* 42. *Soupière* 14 à 45. *Terrine* 48.

Sèvres. *Origine :* 1740, fondée à Vincennes par 3 artisans : Ch. Guérin et les frères Dubois. Reprise par une Sté créée en 1745, puis une autre en 1753. Transférée à Sèvres en 1756. Rachetée en 1759 par le roi. Depuis propriété de l'État. *Goût de Saxe* (1740-v. 1750) : imitation des blancs de Chine (très rares). Scènes chinoises ou fleurs des Indes. *Goût français* (v. 1750-1800) env. 5,4 à 72 : camaïeu bleu, rouge ou vert ; polychromes (fleurs, oiseaux, paysages ou scènes animées sur fond blanc) ; en réserve sur fond coloré (jaune, vert, bleu turquoise, bleu foncé, rose ; ces fonds peuvent être unis ou à motifs dorés : œil-de-perdrix, pointillé, caillouté, vermiculé, etc.) ; décor de rubans ; blanc et or ; except. naïade montée en bronze 750 (1979).

Sculptures : fleurs polychromes. Statuettes et groupes en porcelaines blanches et colorées ; statuettes et groupes en biscuit (porcelaine sans couverte). La Baigneuse (d'après Boucher) 102,9.

Porcelaines à fond blanc, à décor camaïeu ou polychrome : peu recherchées, sauf décor d'un grand nom (Aloncle, Vieillard, Taillandier, Noël, etc.). Fonds de couleurs : très prisés (par ordre : jaune ou rose, bleu turquoise, vert, bleu foncé ; les unis l'emportent sur les fonds trop agrémentés de dorures). Pièces surdécorées sont considérées comme des faux. Seul le support est bon, le décor étant rapporté après que la pièce fut sortie de la manufacture et par des décorateurs n'appartenant pas à Sèvres. Les pièces ne portent pas toutes les marques de Sèvres.

Porcelaine. Production actuelle : 5 000/7 000 pièces/an. 4 000 modèles et décors différents.

Assiettes porcelaine dure 7 à 28 ; ayant appartenu à Nap. 800 (1983) ; à décor polychrome en pâte tendre fin XVIIIe s. 0,7 ; d'un service commandé L. XV 1 100 ; L. XVI 235,2 ; *écuelle à bouillon* 35 à 672 (goût de Boucher, 1982). *Inventaire* (très rare) 199. *Milieu de table* 13 à 22. *Pot à eau et bassin* 1 300 (record). *Tête-à-tête* donné par Nap. à Caroline Murat 832 (1984). *Service à thé* XIXe s. 444 (1983). *Seaux à demi-bouteille* (paire, 1753) 100. *Statuettes* (paire) 25 ; *sucrier* pâte tendre (1768) 11 ; *tasse et soucoupe* jusqu'à 95 ; *vases* XVIIIe s. jusqu'à 796,8 except. (trois) 2 052 (paire), XIXe s. monture ou base en bronze 59 à 476 ; except. vase fuseau commandé par Nap. 1 400 (1985). *Panneau de Develly* (1783-1849) 700.

Strasbourg (XVIIIe s.). *Assiettes* fleurs fines 5,6 à 21, décor polychrome 11,2 à 56. *Compotiers* (paire) 31,5. *Pendule* Louis XVI signée Paul Hannong, à cadran tournant dans vase porcelaine et biscuit de Niederviller 52 (1974). *Plat* 8,4 à 12. *Statuettes* homme et femme 49. *Soupière* 34 à 77. *Terrine* 126 à 231. *Plat* décor chinois 46,6. *Sucrier* 26,6.

Toulouse. *Époque gallo-romaine :* céramiques utilitaires orangées, revêtues d'un engobe doré à forte teneur en mica. *XIVe et XVe s. :* poteries gris sombre ou noires concurrencées par l'émail plombifère. *XVIIe s. :* 1re faïencerie : Georges d'Olive, Guillaume Ollivier et Claude Favier. *XVIIIe s. :* fondation d'autres faïenceries. V. 1788 fabrique de faïence anglaise ou demi-porcelaine sans adjonction d'étain, pour concurrencer les produits anglais : assiettes imprimées (vues de Toulouse, histoire de la ville, cavaliers, divers personnages ou mois de l'année).

Céramique fin XIXe-début XXe s. *Alexandre Bigot* (1862-1927) 63 à 140, *René Buthaud* (1886-n.c.) vase 220, *Jean-Charles Cazin* (1841-1901), *Ernest Chaplet* (1835-1909) 1 à 56, *Albert Dammouse* (1848-1926) 3 à 11, *Théodore Deck* (1823-91) 1,5 à 14, *Émile Decœur* (1876-1953), *Louis Delachenal* (1897-1964) 1,5 à 7, *Auguste Delaherche* (1857-1940) 0,7 à 3, *Taxile Doat* (1851-1938) 8,5 à 28, *Emile Gallé* chat, chien 4 à 56, amphore dite « du Roi Salomon » 1 150 (1981), *Frédéric Kiefer* (1894-1977) 3 à 13, *Edmond Lachenal* (n. 1855) 0,3 à 1,4, *Raoul Lachenal* (1885-1956), *Émile Lenoble* (1875-1940) 1 à 28, *Clément Massier* (1845-1917) 0,4 à 1,4, *Jérôme Massier* jusqu'à 174,9 (1898), *Félix Massoul* (1872-1938), *Jean Mayodon* (1893-1967) 1,4 à 2,8, vase 205 (1989). *Jean Pointu* (1843-1925) 0,7 à 1, *Georges Serré* (1889-1956) env. 6, *Henri Simmen* (1880-1963) exc. 16 (78), *Séraphin Soudbinine* (1870-1944).

☞ Céramique de Jean Cocteau : 4,5 à 150. Cruche de Picasso 270.

Faïence de *Creil, Choisy, Montereau,* décor noir sur fond blanc ; assiette 11 à 30.

Nota. – En 1860, une pièce en faïence de St-Porchaire atteignit plus de 200 000 F-or.

Chevrettes *(cours en milliers de francs).* Pour conserver sirops et huiles XVe s. 55 (Toscane). XVIe s. 20 à 80. XVIIe s. 31 (Montpellier), XVIIIe s. 5 et +.

Grès anciens (XIXe s.). Pichet 0,3 à 0,8, saloir jusqu'à 5, fontaine 10 à 15. **Contemporains.** Pierre Bayle. Ben Lisa 2 à 3 (vases). Claude Champy 0,6 à 1. Daniel de Montmollin.

Jacquelines. A l'origine, pichets en grès utilisés dans le Nord pour conserver la bière. Ensuite en faïence [Aire-sur-la-Lys et Desvres (Nord)]. On en trouvait aussi dans les Ardennes. Hommes ou femmes vêtus de bleu, rouge, vert ou jaune, debout ou à califourchon sur des tonneaux ; XVIIIe s., nombreux militaires à tricorne. Fabriqués au XVIIIe s. en Angleterre : Jack's pot (Tobby juge ou jug) ; Espagne : Pepe Botella avec les traits du roi Joseph. *Cours en milliers de francs,* fin XVIIIe s. à 1840 : 0,4 à 40 (polichinelle, 1980).

Pots de pharmacie. XVIe s., coloris exceptionnels, brillant éclatant de l'émail. Lyon, Nîmes, Montpellier, Rouen. XVIIIe s. Lyon : style hispano-mauresque, forme de poire dont la pointe repose sur un piédouche. Nevers : fonds bleus et décor au chinois. Lunéville, Niederviller : style baroque, Montpellier : décor en relief. Paris : décor en camaïeu de rinceaux et d'arbustes fleuris. Saint-Cloud et Sceaux : décor coréen ou à la rose.

Tisanières. A partir de 1750. Marques de fabrique : Flamen, Fleury, Darte, Cassé, Maillard à Paris, Louis Flourens à Bayeux, Jacob Petit [décor rocaille (1830), initiales J.P. en bleu]. *Cours en milliers de francs :* personnages 3 à 30.

Grèce ancienne

Éléments du prix. Intérêt du décor, peintre réputé, forme du vase (amphore, lécythe et œnochos sont plus recherchés que coupes, cratères ou petits vases : skyphos, pyxis).

Cours en milliers de francs. Ve-Ier s. av. J.-C. : *amphore à col* 16 à 1 600 (peinte par Psiax, 1981) ; *coupe à pied* 100 à 240 ; *cratère* 19 à 286 ; *hydrie* 195 ; *lécythes* polychromes 6 à 45 ; *tessons* jusqu'à 50. **IVe s. av. J.-C. :** *cratère* (350-20 av. J.-C.) 46 (1975) ; d'Euphronios 5 000 000 F, acheté par le Metropolitan Museum en 1972 ; *vases* de – de 3 à 20 et +. *Objets Grande Grèce et Iles :* 0,3 à 11. *Statuettes :* Éros de Tarente 10 à 15 ; Tanagra de Béotie 15 à 60 ; petits animaux en terre cuite Chypre 3 à 8.

Italie

• **Centres. Faïence.** *Angarano* (les frères Manardi). *Cafaggiolo, Castel Durante* (Nicola Pellipario), *Castelli* (les Grue et les Gentili), *Deruta, Faenza, Florence* (Della Robbia), *Gubbio* (Maestro Giorgio Andreoli), *Naples, Sienne, Urbino* (Nicola Pellipario, Guido Fontana, Francesco Xanto Avelli). **Porcelaine. Tendre :** *Florence, Pise, Venise* (maison Vezzi et Cozzi). **Dure :** *Doccia, Le Nove, Naples* (1756), *Capodimonte.*

• **Cours en milliers de francs. Angarano.** *Assiettes* 76,9 à 81,1. **Capodimonte.** *Fontaine à vin* 170 (1987). **Majoliques.** Meilleure période : 1475 à 1550. *Style Orvieto :* très rare. *Gothico-floral :* 12 à 20. *Plats : Faenza,* bordure chimères et grotesques, 3 à 30 ; coupe 9,5 ; appliques (paire) 39 ; décor a quartieri 3 à 5 ; albarello à décor polychrome env. 1480, 80 ; pot à pharmacie 26 ; bouteille 135 (1987). *Deruta et Gubbio :* 5 à 59 ; *Caffagiole et Castel Durante* (décor à candelieri) : 5 à 45 ; coupe 805 (1990) ; plat armorié 134 (1987). *Urbino* (décor historié) : 4 à 73 et + ; plat 120 à 180, except. 1 000 (1988). *Giorgio :* except. 550 (1975). De *Florence* albarello 320 (1987), 1 bol (XVIe s.) 875 (1973). **Savone.** Fontaines de pharmacie XVIIe s. (paire) 120. **Venise.** *Albarello* (XVIe s.) 424,9. *Plat rond* polychrome XVIIIe s. 299 (1981). *Pot à pharmacie* 11. *Service de table* décor de chinois 250. *2 Vases* XVIe s. 27. **Palerme.** Albarello (fin XVIe s.) 65.

Japon

Voir Art japonais page 392.

Pays-Bas

• **Centres. Faïence.** *Amsterdam, Rotterdam, Haarlem* dès le XVIe s. prenant la relève d'*Anvers, Delft* (1854), de 1650-75 à 1725, centre le plus important d'Europe, influe sur faïenceries française, allemande et anglaise. Décadence à partir de 1750. *Arnhem* petit centre au XVIIIe s. *Frise :* Makkum surtout XIXe et XXe s. (usine Tichelaar). *Limbourg :* céramique industrielle et décorative à *Maestricht* (usines Régoût) au XIXe et au XXe s. *Hollande :* usine « de Porceleyne Fles » (Delft) reproduit des modèles anciens. **Céramistes célèbres :** Frederik Van Frytom, Abraham De Cooge, Lambert et Samuel Van Eenhoorn, Rochus Hoppesteyn, Abraham Pieterszoon Kocks.

Carreaux. Produits dès le XVIe s. à *Rotterdam, Amsterdam, Utrecht, Gouda,* et *Delft* en Hollande, *Makkum* et *Harlingen* en Frise.

Porcelaine. *Weesp, Loosdrecht* et *Ouder-Amstel* au XVIIIe s. *Nieuwer-Amstel* et *Régoût-Maestricht* au XIXe s.

Courants artistiques. XXe s. *Centres faïenciers :* art nouveau, art déco La Haye (Rozenburg) direction artistique de Colenbrander ; Purmerende (Brantjes et Haga) avec Lanooy, Arnhem (de Ram). *Années 30 et 40 :* mouvements « De Stijl », constructivisme et fonctionnalisme « Neue Sachlichkeit », (faïenceries de Sphinx) Maestricht, (de Zuid Holland) et Gouda.

• **Cours en milliers de francs. Delft.** *Faïence : assiette* XVIIIe s. 1 à 8 ; *beurrier* 9 à 13, plus si décor à fond noir ; camaïeu bleu fin XVIIIe 0,2 à 0,6 ; *cache-pot* 5 ; *panneau mural 63 car.* 240,5 ; *plaque décorative* 30 à 100 ; *plat ovale* 14 à 22, *rond* 17 à 55 ; *pot à tabac* 8 ; *potiche* 0,4 à 1 (très belle paire 31) ; *statuettes* 2,5 à 88 (paire) ; *chevaux* (paire) 22 cm : 116 ; *tulipière* 22 ; *violon* 9 à 30.

Portugal

Azulejos. Revêtement de sols, plafonds, murs, formé de petits carrés de terre cuite émaillée (dès le début du XVe s. jusqu'au XIXe s.).

Suisse

• **Centres. Porcelaine.** *Nyon, Zurich. Goût européen* (v. 1755-v. 1800) : décors polychromes sur fond blanc ou coloré (influence de Sèvres) ; en camaïeu bleu ou rouge de semis (à l'œillet, à l'épi, etc.) ou de paysages ; blanc et or ; statuettes.

• **Cours en milliers de F.** *Assiettes* 0,1 à 2. *Plat* 5. *Salières* (paire) XVIIIe s. 150. *Seaux* (paire) 30. *Statues* 8 à 40. *Tasse et soucoupe* 2 à 5.

Dinanderie

Origines. Plusieurs millénaires av. J.-C., en Égypte, Chaldée, Espagne, Hongrie, Scandinavie, France. **Nom.** De Dinant-sur-Meuse. **Principe.** Art de battre un disque de métal (cuivre, étain, argent) et de le former au marteau pour exécuter poteries et sculptures, par retreint, recuit et planage. Pièces uniques allant des calices à des sculptures monumentales comme *la Liberté éclairant le Monde* de Bartholdi. Le *poinçon* D D D (dinanderie de dinandier) indique une œuvre martelée, P M D (poterie de métal du dinandier) une pièce martelée avec soudure, brasure et manchonnage.

Principaux dinandiers. Jean Dunand, Maurice Perrier, Pierre Dunand, Mauricette Cornand, Hervé Malher, Maurice Daurat, Frédéric Barnley, Marc Vaugelade, Alain Maillet, Claudius Linossier, André Quef, Gabriel Lacroix.

Cours en milliers de francs. J. Dunand : sculpture 27 000 ; P. Dunand : grand vase : 6 000 ; M. Perrier : calice : 1 500 ; M. Cornand : coupe : 10.

Dorure

Or employé. *Épaisseur de la feuille :* 1/10 000e de millimètre. *Nombre de carats :* 22 c. (13 grammes, 1 000 feuilles), 22 c. 06, 23 c. 06 (23 g, 1 000 f).

Dorure à la feuille (sur bois). La feuille, martelée jusqu'à n'avoir plus qu'une épaisseur de 1/10 000e de millimètre, est appliquée sur la surface de l'objet à dorer. Il faut env. 3 feuilles d'or (8,4 cm × 8,4 cm) pour dorer une bande de 1 m large de 1 cm.

Dorure au mercure. Sur le cuivre ou la porcelaine notamment. L'objet est recouvert d'une mince couche de mercure, puis de la feuille d'or ; celle-ci adhère au cuivre en se combinant avec le mercure, qui est ensuite éliminé par la chaleur. Donne un format qui est légèrement en relief sur la surface de la glaçure. *Bronze doré :* recouvert d'un amalgame d'or dilué dans du mercure qui s'évapore par chauffage en laissant l'or apparaître. Des précautions sont prises pour le personnel et l'environnement.

Dorure à la détrempe (sur bois). Sur les objets de bois et de *gesso* (mélange de blanc de Troyes, de colle de parchemin et d'huile de lin), on appliquait une couche de colle, puis l'« apprêt en blanc » (colle de peau de lapin et blanc de Troyes), puis l'« assiette » (mélange où entrent surtout du bol d'Arménie et de la sanguine), enfin la feuille d'or qui était ensuite « brunie » (polie) en la frottant avec une pierre d'agate.

Dorure à l'huile (sur bois et grilles). On passe une mixtion à dorer (huile de lin sicativée) teintée en jaune et rouge et ensuite on applique la feuille d'or.

Dorure à froid. Sur les objets en métal (ex. en argent). On dissolvait l'or dans l'*eau régale* (mélange d'acide nitrique et d'acide chlorhydrique). On y trempait un morceau de chiffon et on le calcinait. Les cendres frottées sur le métal laissaient un dépôt de particules d'or finement divisées.

Dorure électro-chimique (env. 1840) : l'or est déposé sur le métal par un courant électrique.

☞ **Vermeil** argent doré (pièces en vermeil du XVIIe et XVIIIe s. : obligatoirement dorées au mercure). **Électrum :** alliage d'or et d'argent (d'habitude à 50 %) jaune pâle ressemblant à du vermeil. **L'ormulus** (terme désignant dans les pays anglo-saxons les pièces dorées au mercure) : alliage de cuivre, zinc et étain imitant l'or : ressemble au bronze doré.

Nota. – Presque toutes les appliques du XVIIIe s. étaient dorées au mercure (les appliques vernies étaient rares et généralement de faible qualité). Une applique peut être redorée au mercure pour 7 000 F, au nitrate de mercure (tons d'or différents) pour 3 000 F, ou à *l'électrolyse* (aspect rougeâtre, surface trop uniforme et brillante). Un modèle est déprécié de 50 % si sa dorure d'origine est usée, de 80 % s'il est redoré.

Émaux

Différentes espèces

L'émail est une poudre vitrifiable (issue d'oxydes de fer, cuivre, manganèse, alumine, etc., cuits dans des fours spéciaux entre 1 000 et 1 400 degrés) dont on recouvre les poteries (voir Céramique), les objets de métal ou de verre. Il peut être opaque ou transparent. On distingue :

Émaux cloisonnés. De minces lames de métal sont soudées sur une plaque de fond, dont on a relevé les bords. L'émail est vitrifié entre ces cloisons.

Émaux de plique à jour. Les lames de métal sont posées entre des cloisons soutenues par une plaquette d'argile ôtée après refroidissement.

Émaux champlevés (ou en taille d'épargne). Connus des Irlandais dès le VIe s. L'émail est vitrifié dans les alvéoles d'une plaque creusée au burin.

Émaux de basse-taille. Ils sont translucides sur métal partiellement déprimé et ciselé à des profondeurs différentes pour modeler un bas-relief subtil.

Émaux peints. Peinture à l'émail en plusieurs couches sans parois ni cloisons.

Principaux émaux

Chine Voir p. 390, **Japon** Voir p. 392. **Chypre.** XIVe s. av. J.-C. (coll. musée du Caire). **Égyptiens.** Verre incrusté à froid. **Hellénistiques.** Athènes (coll. Statathos). **Celtiques.** A partir du IIIe s. avant J.-C. Mont-Beuvray (Ardennes). **Romains et géorgiens.** Londres (British Museum).

Byzantins. Cloisonnés. Apogée vers les Xe-XIe s. Ex. : Pala d'Oro (St-Marc de Venise, panneau de 3 m × 2 m). **Carolingiens.** IXe s. Couronne de Monza, Paliotto de St-Ambroise à Milan. **Ottoniens.** Xe-XIIe s. Trésor d'Essen. **Persans.** XIIe s. Cloisonnés. Bassin d'Innsbruck (Ferdinandeum Museum).

XIIe et XIIIe s. Champlevés. *École de la Meuse* (Godefroy de Huy) *et du Rhin :* parement d'ambon de Klosterneuburg (Autriche) par Nicolas de Verdun. *École méridionale :* émail de Geoffroy Plantagenet (Le Mans), autel de Silos (musée de Burgos, Espagne). *École de Limoges :* ciboire d'Alpais (Louvre).

XIIIe-XIVe s. Translucides sur basse-taille : *Italie* (notamment Sienne ; reliquaire du Corporale à Orvieto, par Ugolino di Vieri), *Espagne, France, Rhénanie, Angleterre.* Ex. Coupe royale en or de Charles V et Jean de Berry (British Mus.).

XVe et XVIe s. Peints : *Flandres, Italie, France* [Limoges : les Pénicaud (n.c.) ont travaillé au XVIe et début XVIIe s. ; les Limosin : François (XVIe s.), Léonard I (1605-77), Jean I (1528-1605), Jean II (1516-46), Léonard II (1550-1625), III (1626-35), Jean III (1600-46), Jean Courteys (1568-n.c.), Pierre Courteys (n.c.-† 1591), Nicolas II Nouailheur dit Colin (1514-67), Jean (1521-83), et sa fille Suzanne Court (1563-1621)].

XVIIe et XVIIIe s. Peints sur cuivre : *Limoges,* les Laudin : Jacques (1627-95), Jean (1616-88), Noël dit le Vieux (1586-1681). **Sur or champlevé :** *Augsbourg. Londres.*

XVIIIe s. Miniature et bijouterie en peinture sur émail. *France (émailleurs célèbres) :* Toutin, Bordier, Petitot, Gribelin, Nouailheur (Limoges). *Angleterre :* à Battersea. Peints avec rocaille blanche en relief.

XIXe s. Émaux sur lave. *Russie* (Fabergé).

XXe s. Grisailles de *Limoges :* pièces dont les dimensions permettent la création de panneaux.

Cours des émaux

Exemples récents en milliers de francs. XIIe s. *Plaque sur coffre de bois* 1 251 (1978). *Champlevé :* armilla (bracelet) de l'empereur Barberousse (11,5 cm sur 13) 9 295 (1978), médaille attribuée à Godefroid de Claire (14,5 cm) 10 008 (1978), 3 plaques d'une cassette (16,5 cm sur 5,9) 2 169 (1978) ; colonnette sur cuivre doré, Cologne, fin XIIe s. 115 (1985) ; plaquette de coffret polychrome, Cologne, fin XIIe s. 110 (1985). **XIIIe s.** *Champlevé :* reliquaire 23 (1980) ; pyxide 10 à 50 ; plaque dorée et émaillée, la Crucifixion en applique, Limoges 195 (1982) ; Christ gravé sur croix, Limoges 73 (1985) ; châsse reliquaire, Limoges 1 750 (1985). *Cuivre et émail champlevé :* plaque de reliure d'évangéliaire, le Christ en majesté, Limoges 2 109 (1984) ; Christ d'applique en cuivre sur croix d'émail champlevé, Limoges, 125 (1985) ; châsse, Martyre de Thomas Becket, Limoges 2 450 (1986) ; Crosse, Limoges 700 (1987). **XVIe s.** Peints de Limoges, de Léonard Limosin, coupe 92 (1980) ; de Pierre Reymond, assiette 31 à 60, 2 bougeoirs 288, gourde 155, salière 31, panneaux 630 ; salerons (paire) 9 (1982) ; coffret polychrome (1982), aiguière attribuée à J. Raymond 99 (1982) ; assiettes polychromes (paire) par Suzanne de Court 30 (1982) ; plaque polychrome : la Crucifixion, atelier des Pénicaud 44 (1985) ; plaque ovale émail peint, Vierge de douleur (30 cm), Limoges 750 (1987). **XVIIe s.** Plaque de St-Jean-Baptiste de J. Laudin 7 ; bougeoirs (paire) de J. Laudin 45 (1982). Assiettes en grisaille (rare ensemble de 12), décor allégorique des 12 mois, attribuées à P. Reymond 999 (1984). **XXe s.** Panneau de 15 plaques champlevé polychrome 332,4 (1984). Vase Arts déco de Fauré 40.

Étain

• **Données générales. Origine.** L'étain se disait en grec : *cassiteros,* on le disait venir des îles Cassitérides (peut-être les îles Britanniques ou les îles Scilly). Il apparaît vers 2000-1500 av. J.-C., seul ou en alliage avec le cuivre (bronze). Jusqu'au XIIIe s., il vient en majorité d'Angleterre (Cornouailles). Ensuite, d'Allemagne (découverte de mines). En France, après la pénétration romaine, l'étain, parfois nommé *plombum album* (plomb blanc), en partie débarqué à Marseille, suivait la route de l'eau : Rhône, Saône, Loire ou Seine. Production importante dans toute l'Europe, surtout pays germaniques et nordiques.

Alliages. Étaient réglementés : *l'étain le plus pur* n'avait pas de plomb, *l'étain fin* de 2 à 8 % (souvent 7 à 8 %), *l'étain commun* de 10 à 20 %, *le « claire étoffe »* de 30 à 50 % (usage interdit pour l'alimentation).

Nettoyage. Un étain ancien patiné est très difficile à éclaircir, un étain moderne (même 1 copie dite ancienne) relativement facile. Prohiber : acides, brosses métalliques, papier de verre ou d'émeri. Employer éventuellement : des abrasifs doux (ponce soie), des produits pour argenterie, une peau de chamois.

Maladie. L'étain se détériore au froid, et peut se présenter sous une forme pulvérulente en dessous de – 13 °C (détérioration maximale v. – 40 °C). Sa maladie, appelée *peste de l'étain,* « gale » ou « maladie de musée », pourrait, dit-on, se transmettre par contact... On peut éventuellement remédier au mal par décapages dans des bains d'acides ou bases composées (usage parfois dangereux), et des rinçages chauds et froids alternés.

Poinçonnage. Les étains peuvent porter des poinçons différents, difficiles à identifier (mais ils manquent souvent, leur absence permettait d'échapper à l'impôt). *P. de maître :* en général 2 (le grand, figuré en armes parlantes et complété du nom et de la date de la maîtrise ; le petit, un marteau couronné accompagné des initiales du maître). *P. de contrôle :* pratiquement circulaire (diam. 1 cm), présente le nom de la ville et la date de l'édit d'obligation (1691 est la plus employée) ; au centre, les initiales F ou C couronnées pour l'étain fin ou le commun. L'obligation du poinçonnage fut supprimée en 1794. *P. de jaugeage :* souvent de type armorial, apposé sur les gobelets, les pichets. *P. de propriété :* souvent très grand et sans règles fixes.

• **Principaux centres (France).** Besançon, Bordeaux, Lyon, Paris, Strasbourg, Toulouse.

Objets fréquents. Vaisselle de table [l'étain ne s'oxyde pas au contact des aliments (sauf du citron et du vinaigre)], gobelets, assiettes, plats, écuelles, aiguières, pichets, etc. **Très rares :** burettes de table. Sous Louis XIV, les arrêts publiés à partir de 1689 réduisirent la production de l'orfèvrerie d'or et d'argent, qui fut alors remplacée par la vaisselle d'étain (et plus tard de faïence) dans le style de l'orfèvrerie de l'époque. **Objets en alliages** (plomb, antimoine, cuivre, zinc), pour accessoires du culte (croix, burettes, calices, ciboires, custodes, coffrets à saintes huiles), matériel d'hospitalisation et de soins aux malades. **Collections publiques :** musées des Arts décoratifs (Paris, Strasbourg).

• **Cours en milliers de francs.** Fonction de l'époque, de l'état, de la qualité, du poinçonnage. **XVIe s.** *plat « à la Renommée »,* (Nuremberg v. 1567) : 45 (1985). *Chope gravée Neisse* (All. fin XVIe) : 250 (1984). *Cimarre* [(récipient pour servir le vin d'honneur aux hôtes), Nuremberg v. 1520] : 93 (1984). **XVIe et XVIIe s.** *Patènes :* 4 à 10. **XVIIe et XVIIIe s.** *Aiguière :* 8 à 15. *Assiette :* 0,6 à 2. *Bougeoirs :* (paire) 5 à 7. *Cimarre :* 25 max. *Chope* attr. à F. Briot [Lorraine (?) v. 1600] 20 (1985). *Cruche à huile :* 8 à 12. *Écuelle :* 4 à 20. *Fontaine :* 5 à 66,9. *Pichet :* 3 à 28,4 ; du Nord, env. 2. *Plat : « à la cardinale »* 5 à 20 ; *à filets Louis XVI* 2 à 3 ; *Louis XV* 2 à 3. *Porte-dîner* (ou déjeuner de berger, gamelle) : 3 à 6. **XIXe s.** *Soldats :* Voir p. 420. *Soupière :* 5 à 15. *Théière :* boule, anse bois noir, Sheffield 0,5. *Étains médicaux :* Clystères 0,5 à 3. Vase de nuit 2. Pot à tisane 1 à 2. Boule à sangsues 2 à 3. Biberon 2 à 3. Palette à saignée 2 à 5. XVIIIe et XIXe s. *Plats gravés hébraïques* (utilisés lors des fêtes juives) : *Seder* 9 à 23. **XXe s.** *Aiguière 1900 de Jozon* 7,5, *assiette de Pâques* 5 à 63,4. *Vase* étain martelé, décor en laque par I. Dunand 555 (1984).

Nota. – Objets non poinçonnés (pièces ordinaires) : décotes de 30 à 50 %.

Les faux en étain

Surveiller : *le métal* (les productions actuelles chargées en plomb ont un reflet bleu, les anciennes un reflet jaune ; d'autre part, plus un étain est léger, plus grande est sa pureté : densité de l'étain 7,2 ; du plomb 11,3) ; *la technique* (rejeter les fontes au sable, le repoussé mécanique qui se distingue par une trace concentrique régulière à l'intérieur de la pièce, et l'embouti) ; *le style* (rejeter les décors en relief apparaissant en creux au revers, les mélanges de styles, et les objets agrémentés de reliefs en applique) ; *la patine* [chocs intentionnels et fausses réparations (l'acide laisse des marbrures noirâtres)]. *Poinçons les plus copiés* : anges, roses, fleurs de lis. Souvent : surcharge de poinçons (*ex.* : rose et couronne) ; les faux poinçons sont fondus avec la pièce (le relief faible ne permet pas toujours de les déceler). Les étains anciens ont parfois un poinçon, frappé en creux. Les faux en ont presque toujours.

Instruments scientifiques

Instruments anciens

Prix en milliers de francs

Anneau astronomique. Cadran solaire universel composé de 2 ou 3 cercles en laiton doré, cuivre ou argent. Le cercle extérieur gradué représente le méridien et l'autre l'équateur, le 3e est le plan du méridien où se trouve le Soleil. *Les plus beaux* (fin XVIIe s. et début XVIIIe s.) : signés de Culpeper, Rowley, Butterfield, Delure, Sevin et Chapotot. *Prix* : XVIIe s. 21 à 40 ; XVIIIe s. 8 à 406 (1987) ; XIXe s. 20 à 54.

Arbalestrille (« bâton de Jacob »). Bois ou ivoire, XIVe au XVIIIe s. Verge graduée (pour mesurer la hauteur des astres) sur laquelle coulissent des repères appelés « marteaux » ou « traversaires » mobiles sur une règle carrée. Remplacée par quartier de Davis.

Arithmomètre. Calculatrice inventée en 1820 par Thomas de Colmar, directeur de la Cie d'assurance *Le Soleil* ; 1re fabriquée industriellement. Entre 1823 et 1878 : env. 100 ex. mis dans le commerce chaque année, 50 000 à 70 000 F.

Astrolabe. Connu des Grecs, transmis aux Arabes, et par leur intermédiaire à l'Espagne et à l'Europe occid. Disque en cuivre ou en laiton doré, recouvert d'un treillis ajouré appelé araignée qui est la projection stéréographique de la carte du ciel. Les astrolabes syriens sont les plus anciens, les persans les plus beaux, les occidentaux (gothiques) les plus rares, les plus luxueux ceux du XVIe et XVIIe s. Au XVIe s., l'astrolabe marin est en général un cercle de bronze utilisé verticalement (au centre une traverse munie de 2 pinnules, petites plaques percées d'une fente et servant aux visées). Au XVIIe s., le cercle, réduit à 1/8 ,devient l'*octant.* Au XVIIIe s., le *sextant* mis au point mesure les angles. *Signatures recherchées* : Galterius Arsenius, Erasmus Habernnel, Thomas Gemini. Astrolabe nautique et astrolabe quadrant sont très rares. *Prix* : 10 à 1 210 (vente Linton, 9 et 10-9-1980).

Baromètre. Inventé en 1663 par l'Italien Toricelli. A l'origine, tube de verre de 90 cm contenant du mercure, se présente au XVIIIe s. sous forme d'une aiguille se déplaçant sur un cadran grâce à l'invention du piston. Bar. et therm. se combinent sous Louis XV dans la même ébénisterie. Fin XVIIIe s., les mécanismes se perfectionnent, les dimensions se réduisent. Sous l'Empire, utilisation de l'acier et de cadrans en verre églomisé (du nom de l'inventeur Glomy : feuille d'or gravée maintenue entre 2 couches de verre). 1847, Vidi et Bourdon remplacent le mercure par une boîte métallique vide d'air. Le jésuite italien Secchi met au point un baromètre à balance qui pèse la pression atmosphérique. *Prix : baromètres-thermomètres. L. XV* 15. *L. XVI* 55. XIXe s. baromètre-thermomètre (paire) faisant pendant, procédé Magny 410 (1986). *Début XIXe s.* 8. *Restauration* 11. *Baromètres. L. XIV* cartel 28. *L. XVI* 5 à 18. *De Fabergé* (XXe s.) 110.

Boussole. Probablement importée par les Arabes, mise au point par le Portugais Ferrande en 1480. *Prix* : XVIIe s. France 10 à 25 ; XVIIIe s. 2 et + ; XIXe de Lorieux 15, de mineur 2,1.

Cadran solaire. Mesure le temps par le cheminement de l'ombre portée par une pointe ou *gnomon.* En Égypte et en Grèce, obélisques et escaliers servaient de gnomon. Il existait des cadrans solaires transportables. A partir du XVe et du XVIe s., fabriqués en Europe (Nuremberg, Augsbourg, Munich), Afr. du N., Chine. Formes complexes ou associées à d'autres instruments. Apogée au XVIIIe s. *Types : cadran simple* (ou c. particulier), ne donne l'heure qu'en un point déterminé, par l'ombre projetée de son style sur les divisions du temps ; *c. universel* à style réglable, s'utilise sous toutes les latitudes ; *c. équatorial* permet, sur inclinaison donnée par rapport à l'équateur, d'avoir l'heure partout ; *c. équinoxial mécanique.* Peuvent être verticaux ou horizontaux, en laiton, bois ou ivoire. *Prix* : c. solaire XVIe s., except. 90, XVIIe 2,5 à 135, XVIIIe 3 à 330 (1989), XIXe 2 à 210.

Chadburn (télégraphe de pont). Colonne de cuivre surmontée d'un cadran ; sert à transmettre aux machines les ordres du commandant.

Compas. XVIIe s. déb. XVIIIe s., fer 5 à 7, bronze 8 à 30, de canonnier 9.

Équerre. XVIIIe s. 5 à 20.

Globe. Célestes : fabriqués par les Arabes dès le Xe s. ; métal gravé, puis bois recouvert de parchemin ou papier peint à la main ou imprimé. A partir du XVIe s. : souvent par paires. *Prix* : 8 à 70. **Terrestres :** le plus ancien, de Martin Behaim (1490, Nuremberg). Fuseaux de papier remplaçables à chaque nouvelle découverte, sur globes en papier mâché mélangé avec du plâtre. *Prix* 4 à 27, excep. 332 (1984).

Graphomètre. Inventé 1597 ; demi-cercle gradué de 0 à 180° pour levés topographiques par triangulation (en mesurant les angles horizontaux). *Prix* : 4 à 40, except. de Danfrie, v. 1600, 276.

Lunette d'approche, longue-vue, lorgnette. Inventée fin XVIe s. Vers la fin XVIIIe s. : forme actuelle, lunette binoculaire ou jumelle. *Prix* : 0,5 à 10.

Médicaux et chirurgicaux (instruments). XVIIIe s. *Clystères* laiton et ébène 0,6 à 1,6, *scie* de chirurgie 2, *trousse* pour trépanation 6,8 à 45, de médecin 8,4, *ventouses* 8,8. **XIXe s.** *Bistouri* 0,2 à 1, *encrier* avec tête de phrénologie 2, *extracteur* de polypes 1,1, de dents de lait 3,7, *forceps* 1 à 2, *perce-crâne* 1,2 à 4, *scie* rachitome 13, à amputer 5, *spéculum* 1 à 8, *stéthoscope* 0,2 à 1,5, *trépan* de chirurgie 6,9.

Microscope. XVIIe, XVIIIe s. 5 à 350 ; XIXe s. 1,5 à 46. (Microscope de Buffon 433,9).

Nécessaire astronomique. Réunit cadrans solaire, lunaire, nocturlabe, calendrier.

Nocturlabe (ou cadran aux étoiles). Permettait de connaître l'heure en observant les étoiles autour de la polaire. Inventé v. 1580. Très répandu fin XVIe et début XVIIe s. Remplacé par la montre à la fin du XVIIe s. Les n. anglais sont les plus simples. *Prix* : except. XVIe s. (Florence) 162 (1979). XVIIIe s. 8 à 30.

Planétaire. Représente le mouvement des planètes ; 1er modèle : basé sur la sphère armillaire (système ptolémaïque, boule centrale : Terre) ou copernicien (au centre le Soleil) ; 2e : à bras mobiles « Orrery » simulant le système solaire avec rotation des astres et satellites ; mis au point par John Rowley (XVIIIe s.), en bois précieux, cuivre, ivoire, métal ; 3e : boule de cristal creuse où sont gravées les étoiles. *Prix* : 8 à 44.

Sextant. *De poche* 3 et +. XVIIIe s. 8 à 17. XIXe s. 3 à 11. **Octant** fin XVIIIe s. 6 à 34 ; XIXe s. 2,5 à 6. **Quadrant.** XVIIIe s. 7 à 20.

Sphère armillaire. Composée de cercles ou armilles ; représentent équateur (écliptique et horizon), méridien, tropiques, cercles polaires. Terre et planètes sont souvent représentées. Inventée par Archimède en 1250 av. J.-C. Construite jusqu'au XVIIe s. selon le système de Ptolémée (Terre au centre), malgré la découverte de Copernic au début du XVIe s., théorie acceptée seulement au XVIIIe s. (le Soleil est au centre de l'univers). Généralement en carton recouvert de papier gravé, surtout aux XVIIIe et XIXe s., sinon en cuivre, rarement en bois peint ou doré. Pieds ouvragés. Servait à enseigner l'astronomie et à montrer la position des planètes. *Prix* : 3 à 400.

Télescopes. XVIIIe s. 9 à 16. XIXe s. 9 à 25, *de poursuite* 11.

Théodolite. Servait à mesurer les angles en altitude et azimuts. Inventé par un Anglais au XVIe s. Combine cercle d'arpentage, gradué de 0° à 360°, fixe, et demi-cercle, posé perpendiculairement au 1er, mobile autour d'un axe, les extrémités servant pour viser. Au XVIIIe s. on remplaça les pinnules de visée par des lunettes. Les th. des XVIe et XVIIe s., les plus recherchés, sont en laiton ou cuivre doré, ceux du XVIIIe s., plus utilitaires, sont en général anglais. *Prix* : XVIIIe-XIXe s. 2 à 9.

Thermomètre. Inventé en 1621 par le Hollandais Drebbel, mis à la mode aux XVIIe et XVIIIe s. *Prix : Louis XIV*, marqueterie Boulle 40. *L. XVI* 24. *Début XIXe s.* 5 à 10.

Ivoires

Données générales

Composition. Formé de fibres : plus elles sont fines et serrées, plus l'ivoire est solide et beau. Il durcit en vieillissant, et se gonfle à l'humidité. L'ivoire *vert,* recueilli sur un animal fraîchement tué, est vivant et garde ses qualités ; l'ivoire *mort,* recueilli sur des cadavres, se fendille en vieillissant et est moins solide.

Provenance de l'ivoire brut. Surtout de l'éléphant (mais aussi hippopotame, narval, sanglier, morse, baleine, cachalot, mammouths trouvés dans les glaces de Sibérie). Seuls éléphant et hippopotame ont commercialement le droit à l'appellation ivoire. On distingue l'ivoire de forêt (le meilleur), et l'ivoire de savane. Le Kenya est le principal fournisseur [ouvrages en défense ou en comportant des éléments, soumis à la convention de New York sur le commerce de la faune et de la flore sauvages menacées d'extinction et à l'art. 215 du Code des douanes fr.]. *Les plus grandes défenses connues* furent trouvées en Afrique en 1898 : la paire pesait plus de 200 kg (l'une est au Musée d'histoire naturelle de Londres, l'autre à Sheffield).

☞ Actuellement, le terme *ivoirine* (interdit par le service de la répression des fraudes) désigne des copies en matières agglomérées.

Ivoires travaillés

Époques. *Préhistoriques* (20 000 av. J.-C.). *Égyptiens, Babyloniens* et *Assyriens. Égéens. Gréco-Romains. Romains* (tête, musée de Vienne, Fr.). *Byzantins* : Alexandrie (art classique grec) ; Antioche (art syrien) ; Constantinople (nombreux diptyques consulaires représentant les consuls) ; triptyques Harbaville, feuillet de diptyque impérial, ivoire dit Barberini (Louvre) ; chaire de Maximien (VIe s., Ravenne) ; coffrets. *Carolingiens* : reliure de l'évangéliaire de Lorsch (Londres, Vict. and Albert Mus. Rome, Mus. du Vatican) ; chaire de St-Pierre (Vatican, Rome). *Ottoniens* : panneaux « de l'antependium de Magdebourg » (répartis entre plusieurs musées). *Romans. Gothiques : ex.* : la Déposition (Louvre), diptyque du trésor de Soissons (Vict. and Alb., Londres). *Renaissants.* Les objets religieux sont délaissés pour des sujets profanes : les *ivoirines* s'inspirent des grands maîtres de l'estampe. *Modernes.*

Arabes. Japonais : fin XIXe s., défenses d'éléphants sculptées, signées et datées, et statues bouddhiques rehaussées de couleurs, fabriquées pour l'exportation et vendues par des colporteurs. *Chinois. Indiens. Birmans. Indonésiens.*

Centres actuels. Actuellement, les sculpteurs sur ivoire disparaissent peu à peu. *Hong Kong* (majorité de l'ivoire vendu actuellement), *Pékin, Japon, Inde.*

Principales collections. Allemagne : *Darmstadt,* Hessisches Landesmuseum, *Munich,* Bayerisches National Museum. **Danemark :** *Copenhague,* m. des Arts décoratifs. **Égypte :** *Le Caire.* **France :** *Paris,* m. de Cluny, m. du Louvre. Dieppe (Dieppe et Paris furent, au XVIIIe s., les derniers centres importants d'Europe). **G.-B. :** *Londres* : British Museum, Victoria and Albert. **Grèce :** *Athènes.* **Italie :** *Florence,* museo del Bargello, *Milan,* Castello Sforzesco. **Japon :** *Tōkyō.* **U.R.S.S. :** *Leningrad,* Ermitage. **U.S.A. :** *Baltimore,* Walters Art Gallery. *New York,* Metropolitan. **Vatican.**

Cours en milliers de francs. IXe-VIIIe s. av. J.-C. Plaque phénicienne (Syrie, 10,1 sur 7,7 cm) 369 (1985). **Xe s.** Plaque (15,5 sur 7 cm) 3 837 (1978) ; **XIe s.** Christ (byzantin) (24,5 sur 13 cm) 5 324 (1978) ; plaque de St Luc (ottonienne, Cologne, 4,8 cm) 380 (1980), coffret Italie du N. 143 (1982). **XIVe s.** Coffret, scènes de la vie de St Eustache, I.-de-F. 5 016 (1983) ; crosse double face, France 848 (1983) ; Vierge à l'Enfant 850 (1984). **XVe s.** Coffret Italie 83 (1980) ; plaques de coffret (12 scènes), Flandre ou Nord de la France 150 (1985). **XVIe s.** Peigne double face, Italie 59 (1983) ; statuette Cosimo de Médicis (?) (29,5 cm), Italie 860 (1981). **XVIIe s.** Crucifix 3 à 75 ; Vierge à l'Enfant, attribuée à l'école de F. Duquesnoy 154 (1981) ; poire à poudre, All. 250 (1983) ; 10 plaques gravées, d'après J. Callot, « les Horreurs de la guerre » (1633, France) 200 (1985) ; poupée anatomique (All.) 19 (1986) ; couvert (All. ou Flandres) 40 (1986) ; St Sébastien par A. Quentin le Vieux, Flandres (43 cm) 550 (1987). **XVIIIe s.** Râpe à tabac, (Vénus et Cupidon), Dieppe 8,8 (1988) ; statuette de Pie VI (Rosset, à St-Claude 1776) 36 (1985) ; paire d'anges (Portugal, h. 40 cm) 89 (1985) ; coupe couverte (All.) 40 (1986). **XIXe s.** Chope : Neptune et les Nymphes, monture vermeil, Dieppe 25 (1986) ; Christ à la colonne (France) 65 (1990) ; *copies :* canne (pommeau) 0,5 à 1 ; chope sculptée 12 à 13 ; statuette de Louis XIV, Dieppe (47,5 cm) 24 (1982). **XXe s.** Coupe iv. et onyx à incrustations d'argent (1913, par Mme O'Kin Simmen) 103 (1985).

Échecs. **XVIIe s.** Allemand 1 350. **XVIIIe s.** Autrichien 60 (1970). **XIXe s.** 15 à 70. **XXe s.** Pour un roi de 15 cm : 10 et +.

Entretien

Pour éviter le dessèchement de l'ivoire, munir les radiateurs d'humidificateurs d'air, ne pas les exposer à une chaleur trop forte (ampoule de projecteur par ex.). *Nettoyage* (sauf pour les ivoires anciens) : ne jamais employer le jus de citron, mais l'eau et le savon ou la lessive St-Marc (15 g par litre d'eau tiède). *Objets usuels* (brosses, manches de couteau, touches de piano) : un peu de blanc d'Espagne mélangé à de l'alcool à brûler. *Ivoire très sculpté* incrusté de poussière : le tremper dans un bain de lait cru quelques h., le brosser avec un pinceau à poil raide, et frotter avec un chiffon sec et doux jusqu'à séchage complet. *Ivoire rayé :* le repolir avec du blanc d'Espagne dissous dans de l'eau tiède ; dès que le blanc est sec, frotter avec une peau de chamois.

Laque

Généralités

Définition. Mot féminin quand il désigne la matière, masculin pour un objet laqué. Nom de l'artiste : laqueur ou laquiste. *Asie* (ts'i chou en chinois, urushi en japonais) : revêtement solide, résistant aux intempéries, extrait de la sève d'un arbre, le « rhus vernicifera » (toxique). *Indes :* « laksha » : tirée d'une résine sécrétée par une cochenille : Coccus lacca.

Origine. Chine (dynastie des Han, 3 s. av. J.-C.), utilisée d'abord pour protéger les armes, puis des objets ménagers et meubles.

Fabrication. Sèves résineuses utilisées aussitôt après avoir été purifiées, colorées ou employées comme laque transparente brun or ; elles sèchent en formant un film insoluble et sans pores ; on doit étaler la laque en couches très minces (en Chine, jusqu'à 18 couches et + sur les objets sculptés). *1730 :* invention du vernis Martin par les frères Martin, de Paris, imitation de la laque (fragile à l'eau), à base de copal. *XIXe s. (milieu) :* imitation chimique, de meilleure qualité. *XXe s. :* emploi de la nitrocellulose et de vernis durcissant à l'air.

Provenance

• Asie. **Laques de Chine. Types.** *Laques peints* (ou *houa ts'i*) avec légers reliefs (paravents, meubles). *L. sculptés* (ou *tia ts'i*). *L. de Pékin* (vases, plateaux, fauteuils). *L. de Coromandel* (port du Bengale assurant le commerce des laques de Chine en Europe occid. ; les laques dits « de Coromandel » sont des feuilles de paravent avec des motifs) ou *l. champlevés.* Les plus connus : portent le sceau de l'empereur Kien-Long (1736-95) (décor gravé, fonds peints à la détrempe de tons vifs d'où ressortent les contours en relief). **Principaux maîtres.** Huang-Hsiao-wu (époque Song 960-1299). Chang Cheng (ép. Yuan 1280-1367). Chen-Ching (ép. Ming en 1368-1644). Lao-Wei (ép. Ts'ing 1644-1909). **Prix (en milliers de francs). XVIe s.** Bahut 13 à 17. **XVIIe s.** Armoire 17. Paravent Kien-Long 12 feuilles (50 × 200 cm) 150. **XVIIIe s.** Paravent 70. Boîte 5 à 10. **XIXe s.** Armoire 9. Vase laque de Pékin 25.

Laques du Japon. Palais, temples, inro, peignes, statues, bronzes laqués, meubles. Secret de fabrication du VIIe s. à 1878 (huiles siccatives + latex + préparations diverses). **Principaux maîtres.** *XVIIe-XVIIIe s. :* Naga-Shige (1599-1651), Kano-Nao-Nobu (1607-50) (paravents), Kaji-Kawa († 1682) laque noire, inro, Ritsuo ou O-Gawa (1663-1747) incrustations. *XIXe :* Ta-Tsuki Yei Suke, inro Bun-Sai. *XXe :* Gonroku Matsuda, Katsutaro Yamazaki, Tomio Yoshino. **Prix (en milliers de francs). XVIIe s.** Inrô 4 à 13. **XVIIIe s.** Inrô 15. **XIXe s.** Inrô 26. Paravent 30 à 490. Inrô 5 000. Vase (Meiji) 56.

Laques de Corée et du Viêt-nam. Avec incrustation de nacres.

Laques d'Iran. Objets en carton vernis à la sandaraque depuis la dynastie séfévide (1510-1737).

• Europe. Meubles vernis réalisés dès le XIIIe s. Influence : objets rapportés par Marco Polo.

Laques de France. Employées pendant la guerre de 1914-18 pour les hélices d'avion pour leur résistance. Puis par les décorateurs Art déco (même technique que celle des maîtres chinois et japonais mais la sève du « rhus vernicifera » toxique est remplacée par les laques glycérophtaliques, cellulosiques, polyuréthanes sur des supports : contre-plaqué, latté, aggloméré ou tôle d'aluminium), et portent le nom de laques modernes, même si ces compositions sont associées à de la laque de Chine, car la laque de Chine doit être pure. **Principaux laquistes.** Pierre Bodot (1902-74). Jean-Pierre Bousquet (1934). Bernard Dunand (1908). Jean Dunand (1877-1942). Andrée Gerbaud (1926). Eileen Gray (1878-1976). Katsu Hamanaka (Japon, 1895-1982). Roland Ingert (1940). André Margat (1903). Nam (1881-1974). P.-E. Sain (1904).

☞ **Prix** (en milliers de F). *J.-P. Bousquet :* panneaux 18. *J. Dunand :* paravent 14 200, bureau à coquille d'œuf 710. *B. Dunand :* paravent 250, panneaux 80. *F. Férone :* bahut 52. *A. Gerbaud :* paravent 180. *E. Gray :* chaise 105, paravent 179. *Hamanaka :* paravent 275. *Margat :* panneaux 35. *Nam :* panneaux 20. *P.-E. Sain :* panneaux 55.

• U.R.S.S. **Laques de Russie.** Sous l'influence de la Perse, depuis Pierre le Grand (boîtes, tabatières, coffrets en papier mâché imprégnés d'huile de lin cuite au four).

Mobilier

Sources : Gazette de Drouot, Connaissance des arts, le Revenu français, Cie des commissaires priseurs, Jean-Pierre Dillée, Marc Révillon d'Apreval, etc.

Le cours varie selon qualité (bois et bronze employés), exécution (finition, équilibre des formes, accord des bronzes et de la marqueterie), époque (pas nécessairement la plus ancienne), signature, rareté et mode.

Une paire de fauteuils vaut 3 ou 4 fois plus qu'un isolé, 3 fauteuils ne valent guère plus qu'une paire ; en revanche un salon complet n'est pas toujours plus cher.

☞ En 1990, baisse des prix de 20 à 30 %.

Moyen Age

Périodes. 1) *Du XIe au milieu du XIVe s.,* les meubles (armoire, coffre) sont en planches épaisses (jusqu'à 10 cm). Des pentures en fer forgé, souvent en forme de volutes, les maintiennent.

2) *Du milieu du XIVe au 1er quart du XVIe s.,* les montants sont en saillie, les panneaux reproduisent comme une fenêtre : meneaux flamboyants, roses, accolades. Les serrures sont clouées sur un carreau de velours ou de drap, en général rouge ; trop coûteuses, les vis sont en effet réservées aux armes.

Principaux meubles. *Armoire, banc* ou *archebanc* (avec dais au XVe s.), *chaire* (bras et dossier), *coffre, crédence, dressoir* (à 2, 3, 4 étagères), *faudesteuil* (jusqu'au XIVe s. ; siège à base en X), *lectrin* ou *lutrin, lit* (ciel-de-lit accroché au plafond jusqu'au XVe s., sur colonnes et sur le chevet ensuite), *table* (planche sur tréteaux).

Renaissance

Caractéristiques

Technique. Deux procédés (connus déjà au XIIe s.) permettent de cacher davantage les assemblages : *Assemblage d'onglet* qui perfectionne l'assemblage à tenon et mortaise : les pièces de bois ne sont plus disposées suivant l'horizontale et la verticale, mais suivant la diagonale ; *Ass. à queues d'aronde.* Elles pénètrent dans des encoches et sont masquées par une épaisseur de bois réservée en creusant les entailles, dites queues recouvertes ou queues perdues.

Sous Louis XII. Les meubles empruntent des motifs à la Renaissance italienne comme les *rinceaux,* et d'autres empruntent des motifs à l'époque gothique comme les *pinacles.*

Sous François Ier. La décoration est toute italienne : bustes en saillie, pilastres décorés d'arabesques ou de feuillages et de grotesques.

Sous Henri II. On utilise de grands panneaux parfois uniques, faits de plusieurs planches assemblées. La composition est de caractère architectural. Les pilastres ornés sont remplacés par des pilastres cannelés ou des colonnes unies ou cannelées. Le chêne est le plus souvent remplacé par le noyer, avec parfois des plaques en marbre (Fontainebleau).

En *Ile-de-France,* les meubles sont parfois incrustés de marbre blanc et noir et souvent sculptés en bas-relief. En *Bourgogne,* ils sont surtout sculptés en haut-relief. Hugues Sambin est maître en 1549. Dans la région d'*Ile-de-France* dominent arcade et colonnettes, c'est le style de Du Cerceau (1512-84) ; médaillon ovale et bombé : « le miroir ».

Principaux meubles. **Armoire** (en 2 parties, généralement la + haute en retrait), **Buffet. Chaire à bras** (appelée fauteuil dès le XVIIe s. ; couverte de cuir, tapisserie, vers la fin du siècle). **Chaire de salle** (réservée au chef de famille). **Crédence** (disparaît après Henri III). **Lit. Siège à bras « en façon de tallemouze »** (siège de femme), appelé caquetoire au XIXe s. **Table** (jusqu'à 88 cm de haut ; sous Henri II, toupies pendantes sous chaque angle de la ceinture, piètement en croix de Lorraine ; fin XVIe, tables à 6, 8, 9 pieds).

Cours en milliers de francs

Armoire. 40 à 60. **Bahut.** *Noyer* 130. **Buffet.** *A 2 corps* 60. *Chêne* 40 à 375. **Cabinet.** 30 à 900. **Cathèdre.** *Chêne sculpté* 40 à 80 et + ; *noyer* 30. **Chayère** (siège formant coffre) 44 à 130. **Crédence.** *Sculptée* 45 à 80 et +. **Dressoir** jusqu'à 403,9 (1990). **Table.** 20 à 60. *Noyer,* rallonges à l'italienne (v. 1550) 40 à 120 (*copies :* Henri II : buffet, desserte et 10 chaises 30 à 35).

Louis XIII

Caractéristiques

L'influence étrangère (Flandres, Allemagne, Espagne, Italie) est encore très forte. Le placage marque la naissance de l'*ébénisterie.* En 1608, on parle, pour la première fois, des menuisiers en ébène.

On utilise : *ébène :* feuilles minces, sculptées en bas-relief en applique sur le bâti ; *bois exotiques* (dits bois de violette, d'amarante, etc.) ; *bois français* (if, buis, noyer, merisier, orme) ; *incrustations :* lames de bois de couleur ou feuilles de marbre ou d'écaille collées dans des entailles ; *marqueterie :* décor en mosaïque de bois de couleur, assemblé au préalable, revêt le bâti.

• Principaux meubles. **Armoire** (influence néerlandaise). **Buffet** à 2 corps superposés, en noyer ou chêne naturel, à panneaux à losanges ou rectangulaires. **Cabinets** sculptés ou peints (entièrement, ou les façades de tiroirs au dos des portes) ou ornés de fixés sur verre (*flamands,* abondamment sculptés ; *allemands,* à 2 corps superposés, plaqués d'ambre et d'ébène ; *italiens,* peu nombreux, ornés d'agate et fil d'argent ; le cabinet du maréchal de Créqui, au musée de Cluny, est le 1er *bureau*). **Chaise** *à arcades* (infl. espagnole et mauresque), *à pieds obliques* (à partir du milieu du XVIIe s., on appelle chaise le siège dépourvu d'accotoirs). **Siège** *tendu de cuir* (venu d'Italie au milieu du XVIe s.), *canné* (remplace le *jonc* du XVIIe, innovation hollandaise). **Table, fauteuil, chaise** et **petite table** à pieds torsadés, balustrés ou « os de mouton », entretoise en H.

• Principaux ébénistes. Laurent Strabe. Jean Macé (de Blois ; 1600-72). Pierre Boulle (n. en Suisse 1580-1635). Jean Desjardins (connu v. 1636-57). Philippe Baudrillet. Jean Adam (connu v. 1657). Jean Lemaire (connu 1636-57).

• Éléments du prix. Patine d'origine (assez sombre, un peu irrégulière, très brillante). Sculpture à l'extrémité des accotoirs des fauteuils (têtes de lion, assez rares ; lions couchés ou bustes de femmes, rarissimes). Les entretoises indiquent parfois une origine nordique (Hollande, Flandres, Angleterre). Une tapisserie d'époque en bon état peut tripler le prix. Soieries et velours d'époque sont pratiquement introuvables en bon état.

Cours en milliers de Francs

Armoire 30 à 80 ; *bois fruitier* 25 à 40, *à 2 corps, bois naturel,* portes flanquées de cariatides env. 60. **Bahut** 40 à 100. **Buffet** *2 corps* 50. **Cabinet.** 40 à 180 et + (1979). **Sièges.** *Canapé* 3 à 20. *Chaise* seule, tissu moderne 2 à 5, paire 5 à 12 et +. *Fauteuil* seul 8 à 150, paire 25 à 60 et +, suite de 6, 120 (séries très rares). *Tabouret* (très rare) seul 6, paire 15 à 40. *Copies fauteuils* (paire) 3, *chaise non recouverte* 0,8 à 15, *chaise « os de mouton »* 6. Table. 15 à 80.

Louis XIV

Caractéristiques

• Technique. Placages de cuivre, d'étain et d'écaille avec des garnitures de bronze doré triomphent dans les ateliers royaux. Ailleurs, la tradition du bois massif se maintient. Meubles en bois de « rapport » avec des vases de fleurs dans le goût de Monoyer, avec des fleurs en « ivoire », en général de jasmin, d'où l'attribution à l'ébéniste Jasmin, sans doute l'un des Boulle. Une dorure d'origine est rarissime. La plupart des sièges ont été décapés ou ont été redorés au XIXe s.

Marqueterie de Boulle : André Charles Boulle (1642-1732) perfectionne le procédé de la marqueterie d'écaille, de cuivre et d'étain, venu d'Italie. Il utilise la corne (colorée), l'écaille de tortue (souvent teinte en rouge), la nacre, l'ivoire ou le cuivre et l'étain. Boulle découpait ensemble une feuille d'écaille et une feuille de cuivre ; le motif de cuivre était inséré dans le fond d'écaille et celui d'écaille dans le fond de cuivre. Le décor à fond d'écaille était dit *de partie,* celui à fond de cuivre *de contrepartie* (les meubles étaient souvent fabriqués en paire avec les motifs de matériau inversés).

Les garnitures de bronze doré (au mercure ou au vernis) et ciselé représentent des masques, mascarons, groupes d'enfants, rosaces, coquilles, feuillages. Elles avaient un but pratique : renforcer les assemblages, protéger les arêtes vives, maintenir à l'aide d'une large bordure ou d'une baguette les panneaux de marqueterie.

André Charles Boulle, 1er ébéniste du roi, donna son nom à la plupart des meubles marquetés (d'écaille rouge ou brune, et de cuivre). Fabriqués entre la 2e moitié du XVIIe s. et le milieu du XVIIIe s. [par les fils ou les élèves de Boulle], puis sous Louis XVI [Louis Delaitre (maître en 1738, disparu en 1750), Philippe-Claude Montigny (1734-1800) et Étienne Levasseur (1721-98)] (ils réparaient et copiaient des meubles de Boulle). *Bâtis :* sous Louis XIV : sapin ; Louis XVI : chêne. *Éléments du prix :* élégance, qualité, intérêt des bronzes, état de conservation.

• Principaux meubles. **Bibliothèque** (à partir de la fin du XVIIe s.). **Bureau** (dit Mazarin, à 8 pieds jumelés, disparaît après L. XIV ; *plat,* 3 tiroirs). **Cabinet. Commode** (1re v. 1700, par A.C. Boulle). **Console** (fin XVIIe s.). **Écran. Fauteuil** (remplace vers 1632 la chaise à bras), dit de commodité ou *f. en confessionnal,* **lit** (+ de 2 m × 2 m ; *à quenouilles* dans la 1re moitié du XVIIe, *en housse,* c'est-à-dire à pentes tombantes, ensuite). **Miroir. Placet** et **ployant. Table. Torchère. Gaines.**

> **Commodes régionales** (XVIIe au XIXe s.). A façade droite de style indéterminé 15 000 à 30 000 F et +, en arbalète en noyer 30 000 à 40 000, bordelaises en acajou massif 50 000 à 80 000, except. 135 (1990), provençales à sculptures ajourées 80 à 140 ; except. 200 000.

• Principaux artistes. **Ébénistes :** André Charles Boulle (1642-1732), Gaudreau (1680-1751), Gaudron († 1710), Jacques Sommer, Pierre Poitou, Louis Delaitre (voir ci-dessus), Guillemard (1644-96), Hecquet, Pierre Golle (Holl., † Paris 1634), Dominique Cucci (Ital., 1635-1705). **Ornemanistes :** Jean Bérain (1639-1711), Alexandre-Jean Oppenordt (1639-1715). **Sculpteurs sur bois :** Filippo Caffieri (1634-1716), Mathieu Lespagnandelle (1617-89). **Sculpteurs-orfèvres :** Jean Warin (1604-72), Claude Ballin (1615-78).

Cours en milliers de francs

Appliques. Jusqu'à 372,4 (la paire). **Armoire.** 30 à 80 ; *bois fruitier* 20 à 30 ; *chêne* 20 à 50 ; *noyer plaqué vallée du Rhône* 25 à 100 ; *sculpté protestant* 60 ; *placage* 120 à 300. **Bibliothèque.** 100 à 300 et + si except. (de N. Sageot 2 031, 1990). **Buffet.** *Bois naturel* mouluré et sculpté, 3 portes, dessus marbre env. 80 ; *en chêne* 50 à 80. **Bureau.** *Mazarin,* bois naturel 60 à 85, placage jusqu'à 800, marqueterie 150 à 500. *Plat* 1 051 (vte Tannouri, 1984) ; marqueterie 80 à 400, à caissons bois nat. 80 à 180, placage (cuivre, écaille, ébène, etc.) 100 à 400. De changeur 120 à 250. *Copies : bureau plat* placage de Beurdeley 160 (1979). **Cabinet.** 60 à 300, except. de Gole pour Mazarin 2 551. **Cheminée.** *Copies* 5 à 65. **Chenets.** 20 à 200. **Commode.** *Bois naturel* 40 à 60, *placage* bois de violette ou palissandre 200 à 2 650, placage ébène 430 ; *décor ébène,* filet cuivre 200 à 800 ; *ébène* ou bois de jasmin plus de 250, *marqueterie* 100 à 600 ; sur fond d'ébène avec rehauts d'ivoire 1 221 (1984) ; placage tôle laquée 4 953 (1985). *Copies* poirier, forme arbalète 15 à 30. **Console.** *Bois doré* 60 à 554 ; (paire) *ébène* 2 000 (1973). **Glace.** 20 à 150, except. verre églomisé 818,5 (1990), d'Augsburg 5 300 (1988). **Lustre.** 40 à 350. **Meubles d'appui.** *Est. Levasseur* 1700. **Sièges.** *Canapé* 15 à 40. *Chaise* (noyer tourné) 3 à 6. *Fauteuil* dossier « à la reine » (plat) avec tapisserie 25 à 752 (vente Tannouri, 1984) ; suite de 4, except., 2 150 (1988). *Tabourets :* bois tourné 3 à 5 ; sculpté 15 à 20 ; doré jusqu'à 300 la paire. *Copies* fauteuils « os de mouton cannelé » paire 4, tabouret 7,3. **Table.** 30 à 900 ; except. marqueterie d'écaille, cuivre, étain et bois 4 773 (1984). *Copies XIXe s.* 10 à 50.

Meubles Boulle. *Armoire.* 300 à 500. *Bibliothèque* 200 à 1 018 (paire, vte Tannouri, 1984), *d'entre-deux* (paire) except. 113 (1976). *Bureau plat* 150 à 600 (1983), except. 6 726 (1988). *Mazarin* 300 à 800. *Commode* 600 à 2 000. *Consoles* (paire) 110 ; except. 2 300 (1982). *Desserte* 1 700. *Gaines* (paire) 6 000 (1987), idem aux 2 bronzes de Girardon 13 600 (1987), cheval nu sur socle 470 (1987). *Meuble* 2 corps 250 ; d'appui (paire) except. 617 (1974). *Table console* marquetée 200 (1982) ; *de milieu* (marqueterie d'écaille, cuivre et étain 4 300 (1984). *Copies XIXe s. : bibliothèque* 40 à 100.

Régence

Caractéristiques

• Technique. Meubles plus légers et lignes moins rigides. Plaqués de bois satiné importé des Indes : palissandre, amarante, bois violet dit de violette, bois de rose. Une innovation : le *chantournement,* les courbes concaves alternant avec les courbes convexes, comme dans la commode dite à la Régence ou en tombeau.

• Principaux meubles. **Armoire. Bibliothèque. Bureau. Commode. Fauteuil** à garniture fixe. **Secrétaire** à abattant (inspiré de Liège). **Siège canné. Consoles et tables** en bois sculpté et doré.

• Principaux artistes. **Ébéniste :** Charles Cressent (1685-1768). Watteau lui inspire les bustes de femme souriante qu'on appelle *espagnolettes,* qu'il place aux angles des meubles ; la traverse inférieure de ses commodes a un mouvement sinueux : le profil en arbalète. **Sculpteur :** Sébastien Slodtz (1655-1726).

Cours en milliers de francs

Appliques. Paire 60 à 300, suite de 4, 150 à 600. **Armoire.** 100 à 350. **Bibliothèque.** 100 à 1 900 (1987). **Buffet.** *Deux corps* 100 à 250 et +. **Bureau.** *Plat* 96 à 2 000. *De pente* 80 à 200 et +.

Chenets. *Obélisques ou en forme de pyramides* avec feuillages 50 à 100, sujets (surtout chinois) 60 à 150 (dorure d'époque : + 50 à 80 %). **Commode.** *« En tombeau »* (3 rangs de tiroirs) bois naturel 40 à 80, placage 50 à 250, marquetée 80 à 1 000 (Doirat, 1984) ; à *« 2 tiroirs »* 60 à 300, except. de Cressent 3 000 (1987) ; provinciale bois fruitier 35 à 60. **Console.** *Bois sculpté et doré* 40 à 372,4 (1990), exception. 800 ; *naturel, sculpté* 100 à 250 (1984). **Glace.** 35 à 250. Miroir neuf et parquet refait (assemblage de bois tenant le miroir) diminuent le prix. **Lustre.** *Bronze doré* except. 2 000 (1987). **Sièges.** *Bergère* à oreilles, bois naturel sculpté 30 à 80. *Canapé* à oreilles, bois nat. 40 à 120, sculpté doré 50 à 200. *Chaise* cannée 8 à 12, paire 15 à 40, suite de six, 100 à 250. *Fauteuil* canné 20 à 60, bois nat. 12 à 53, except. à ceinture et dossier incurvé 128 (1985) ; à châssis 40 à 250, de bureau 20 à 80, de cabinet 230 (1983), dossier plat 20, except. 519,4 (paire) (1990) (si tapisserie ancienne), cabriolet bois nat. 10, (paire) 24 à 180, (suite de 4) 810. *Tabouret* (seul) à partir de 15, (paire) jusqu'à 150. *Salon* 4 fauteuils, 1 canapé 16 650 (1988). **Table.** *De salon* 60 à 300 ; à gibier 60 à 200 et + ; *à jeu* en chêne nat. ou noyer 25 à 35 (avec sculptures et plateaux circulaires en saillie 30 à 60) ; *desserte* except. 980 (1983) ; *de changeur* 80 à 180.

Copies. *Bureau plat* 20 à 40. *Commode tombeau* 20 à 35. *Fauteuil canné* 3 à 5. *Bergère* (paire) 20.

Louis XV

Caractéristiques

• Technique. Triomphe de la ligne courbe. Décor de fleurs et de rocailles ; de la fantaisie, jamais d'outrance. Des meubles nouveaux apparaissent : petits bureaux, petites tables. On fait beaucoup usage de la marqueterie et des panneaux laqués en Orient. Les frères Martin développent le vernis (décor diversifié). Le décor européen est le plus rare. Les bronzes ne doivent, en principe, jamais dissimuler les motifs de marqueterie, mais en suivre les méandres.

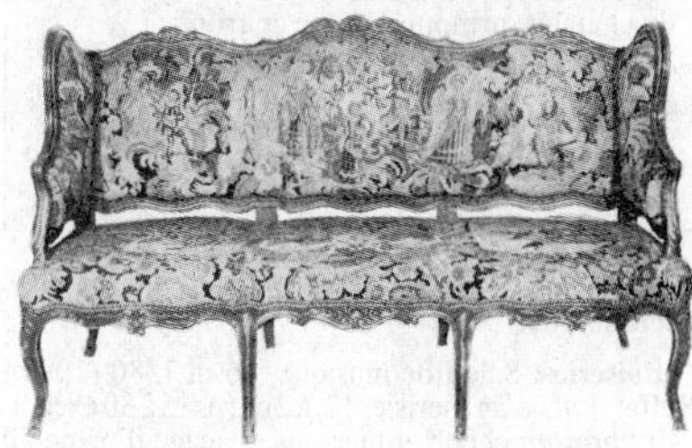

Canapé à oreilles, début de l'époque Louis XV

• Principaux meubles. **Commode. Armoire. Bergère** (fin XVIIe s.), *b. à gondole.* **Bibliothèque. Bonheur-du-jour. Bureau** à *cylindre, à dessus brisé* ou *à dos d'âne* (à double pente), dit capucin (de dame). **Chaise** *à la Reine* (à dossier violoné, puis ovale à partir de 1785 env.), *longue* dite de duchesse ou d. *à bateaux* (+ de 1,60 m et 2 dossiers) ou *brisée* (en 2 ou 3 éléments). **Chiffonnière. Commode. Encoignure. Fauteuil** *en cabriolet* (v. 1750), *de cabinet.* **Lit** (*à la française ; à la polonaise,* à 3 dossiers à partir du XVIIIe s. ; *à l'anglaise ; à la turque ; d'ange, en dôme, à l'impériale, à la duchesse,* hérités du XVIIe s. ; *à la romaine,* à baldaquin). **Marquise** (milieu XVIIIe s.). **Méridienne. Meuble d'entre-deux. Meuble à transformation** [dit « à la Bourgogne » : commandés par des mécanismes ; en 1760, Oeben avait construit pour le duc de Bourgogne (petit-fils de Louis XV), atteint de paralysie, un fauteuil à manivelle]. **Ottomane. Régulateur. Secrétaire** (apparition v. 1745). **Sofa** *bas.* **Sultane, table** *de salon, d'accouchée, de chevet, coiffeuse, de toilette.* **Turquoise** (canapé). **Veilleuse** (canapé).

• Principaux artistes. **Menuisiers :** Jean Avisse (1723-93), maître en 1745 (signe : I. Avisse). Louis Delannois (1731-92), maître en 1761. Jean Gourdin (signe : Père Gourdin, trav. v. 1737-63). Nicolas Heurtaut (1720-80?). Nicolas Quinibert-Foliot (1708-76). J.-B. Tilliard (1685-1766). J.-B. Tilliard fils, maître en 1752 († 1797) associé et successeur de son père. **Ornemaniste :** Nicolas Pineau (1684-1754). **Ébénistes :** Pierre Bernard (1715-65). BVRB (Bernard Van Risen Burgh) (v. 1740-1770). Antoine-Mathieu Criaerd (1724-87). Léonard Boudin (1735-1804). Jacques Dubois (1693-1763). Charles-Joseph Dufour (1740-82). Les Hache : Thomas (1664-1747), Pierre (1705-1776), Jean-François (1730-96), Christophe-André (1748-1831). Pierre Macret (1726-96). Nicolas Petit (1732-91). Louis Péridiez (1731-ap. 1787). Jacques Dautriche (Van Ostenryck, v. 1743-78). Louis Delanois (1731-92). Adrien Delorme, maître en 1748. Jean Dumoulin (1715-98). Charles Cressent (1685-1768). Pierre Garnier (1720-1800). Antoine-Robert Gaudreaux (1680-1751). Joseph (orig. allemande : Joseph Baumhauer) († 1772). Gilles Joubert (v. 1689-1775). La Croix (Roger Van der Cruse, dit) (1723-99). Pierre II Migeon (1701-58). Jean-François Œben (1720-63). Christophe Wolff (1720-95). Jean-Pierre Latz (n.c.). François Rubestuck (maître en 1776).

Cours en milliers de francs

Appliques (paire). 40 à 400 et +. **Armoire.** Bois fruitier 20 à 54 (noyer) ; acajou 40 à 150 (meubles

Estampilles

Premières. Elles apparaissent sous Louis XV. La Corporation des menuisiers-ébénistes de Paris les rendit obligatoires en 1744. Elles devaient s'accompagner d'un poinçon de contrôle (les 3 lettres J.M.E.) de la Jurande des menuisiers-ébénistes parisiens appliqué lors de la visite de jurés dans les ateliers. Pour ne pas régler de droit ou par négligence, quelques maîtres s'abstinrent. Certains maîtres fournissant le roi en étaient exonérés.

Mentions figurant dans les catalogues de vente : *porte une estampille X* ou *estampillé X* ou *marqué X* ne garantissent pas l'authenticité ; *estampillé de X : époque Louis...* la garantit.

Époque

Meuble. « D'époque Louis XV » : fabriqué sous Louis XV, ou peu après. **De « style Louis XV » :** fabriqué n'importe quand. **Ancien :** ayant environ 100 ans d'âge ou plus (délai donné par le Code des douanes).

Meubles des châteaux royaux. Ils portent, exécutée au fer rouge ou au pochoir sous un marbre, sur l'arrière d'un montant ou le dos, la marque du château surmontée d'une couronne : W (Versailles), F ou FN (Fontainebleau), St C (St-Cloud), CP (Compiègne), ML (Marly), CT (Petit Trianon), 2 G accolés (Tuileries). A qualité égale, la marque d'un château royal peut suffire à quintupler le prix d'un meuble.

de port) ; placage 60 à 80 ; formant secrétaire, marqueterie 686.

Boiseries. Salon de musique, 16 m 1580 (1990). **Buffet.** *Vaisselier* merisier 12, à 2 corps 15 à 30 except. 240 ; *bressan* chêne et merisier, placage d'orme 50 à 60, en acajou de Cuba 139. **Bureau.** *Bonheur-du-jour* 50 à 250. A la bourgogne (système à ressort) et placage 80 à 250 ; à manivelle et marqueterie 180 à 360 (peu copié). *A culbute (capucin),* bois nat. 18 ; placage 24 à 810 (peu copié). *A cylindre* (lamelles) placage 50 à 400 (copie XIXe s. 12 à 25). *De dame* 70 à 700. *De pente* 60 à 700 (marq. de Schwingkens), 20 à 23 (bois nat.), 500 à 1 500 (except.), 300 à 1 200 (laque). *Dos d'âne* (de Dubois) 1 230 (1991). *Plat* 120 à 2 530 (de Montigny, 1988) (copie 9 à 174), 7 000 (de Latz, 1990) ; (attribué à Dubois) 13 100. *De port,* acajou massif 30 à 60 (peu copié). *Transition* 380 (est. Boudin, 1985).

Chenets. Bronze 40 à 250, except. 4600 (signés Solon, 1990). **Chiffonnier.** 25 à 180. **Coffret.** Maroquin rouge 6 à 15. **Coiffeuse.** 20 à 80 ; en forme de cœur, marqueterie 885 (1985), à caisson, de Boudin 2 104 (1990). **Commode.** *Laque* 250 à 8 880, *marqueterie* 150 à 3 304, *bois fruitier* 20 à 50. *Tombeau* 100 à 150, de Charles Cressent 3 000, de BVRB 2 200. *En bois d'Amérique « gaïac »* 100. *Régionale* sculptée et moulurée 30 à 80. *De port* acajou massif 40 à 120 ; des Hache 50 à 200, except. 600. *Transition* 30 à 950 except. de Oeben 1 286 (1990). [*Copies :* 30 à 266,9 (par Sormani, Lincke, Beurdeley ou Durand). Il s'agit souvent de reproductions de meubles du Louvre ou de la collection Wallace à Londres.] **Console.** 35 à 341, 520 (en fer forgé), paire 60 à 500.

En-cas. 50 à 150. **Encoignure.** 25 à 50, (paire) 60 à 900. **Flambeaux.** (paire) bronze doré (except.) 2 300.

Glace. Bois doré et sculpté 10 à 350. **Lit.** *A crosse* 10 à 30, *de repos* 18 à 120 (paire), *d'alcôve,* bois nat. sculpté 10 à 50. **Meuble d'entre-deux.** 120 à 300 (except. 7 000 en 1989). **Poudreuse.** 30 à 480 (except.). **Rafraîchissoir.** (modèle de Canabas) 80. **Régulateur.** 60 à 150. Except. : de Berthoud + baromètre et thermomètre 2 322 (vente Tannouri, 1984) ; 1 700 (1986).

Secrétaire. *Bois nat.* 20 à 80 : moins chers que plaqués ou marquetés ; acajou (encore rare sous Louis XV) 40 à 80. *A abattant* plaqué et marqueté 100 à 500 (est. R.V.L.C. 1 327 en 1984). *Semainier* 40 à 100. *A doucine* marqueterie 60 à 200 (copie XIXe s. 25). *Bois laqué* 120 à 600 except. 7 458 (1990). *Transition* marqueterie 60 à 300 ; except. 1 300 (1981). **Sièges.** *Banquette,* bois nat. sculpté, 8 pieds cambrés 30. *Bergère,* bois nat., dossier violoné ou gondolé 15 à 173,9 ; plat 15 à 60, (paire) 120 à 250, except. en bois doré 1 250 (de J.-P. Tillard). *Canapé* droit canné 15 à 30 ; corbeille 65 à 140 ; à oreille 15 à 350 (de N. Heurtaut, 1983) ; à confident 480. *Chaise* 10 à 30, cannée, isolée 10 à 20, (paire) 16 à 40, (suite de 6) 140 à 540. *Cabriolet* 12 à 50, (paire) 24 à 600 (Delanois), suite de 4, 40 à 160, de 6, 80 à 200, except. de Foliot 1 021. *Chaise longue* 30 à 60. *Chaise à porteurs* 24 à 100. *Chauffeuse* sculptée, isolée 10 à 24 ; (paire) 40 et + ; longue (duchesse brisée) 40 à 299. *Fauteuil* plat 20 à 100, (paire) 50 à 300, suite de 4, 100 à 1 212 (1990) ; cannés (paire) 20 à 100 ; cabriolet 20 à 50, (paire) 40 à 100, suite de 4, 100 à 600, de 6, 200 à 800 ; paire à châssis except. de Tilliard 2 700 (1987) ; de bureau, canné 40 à 80 ; de Meunier (pied en avant) 125 (1989) ; sculptés et dorés (est. Heurtaut) 487 ; transition L. XV-L. XVI, dossier plat 7,5. *Marquise* sculptée 20 à 60, (paire) 80 à 400 (1980). *Ployants* except. (paire) 232. *Salon,* 1 canapé + 4 faut. avec tapisserie 100 à 400 ; 1 canapé + 6 faut., 200 à 1 764,5 (1988). 2 ottomanes + 12 faut. de Nadal 2 120 (1983). *Tabouret* sculpté 8 à 30 ; doré, paire 20 à 240, suite de 6 : 741 (1984) ; de pied 6 à 20.

Nota. – Les fonds de canne peints de treille (peinture d'époque) sont plus chers.

Table (marqueterie). *De chevet* 40 à 80. *Chiffonnière* 50 à 300. *A en-cas* jusqu'à 560. *A écrire* 60 à 950. *A gibier* 60 à 300. *A jeux* 80 à 300. *Liseuse* 100 à 180 (copie XIXe s. 4 à 14). *De milieu* 642,8. *A ouvrage* jusqu'à 700 (1983). *De quatuor* 686,8. *De salon* 100 à 500, except. 710 (de Grandjean, 1990). *Tambour* 50 à 350. *Trictrac* 60 à 220. Except. : *à la Bourgogne* marquetée 1 200 (1979) ; *à café,* de J.-F. Oeben ayant appartenu à Mme de Pompadour, 2 225 (1971) ; *de changeur* 200 à 250.

Nota. – Provence panetière, pétrin 15 à 50 ; *console, buffet, armoire* 40 à 100 ; *commode* 60 à 100 ; *bureau plat* 300.

Louis XVI

Caractéristiques

• **Technique.** Lignes droites, angles en pan coupé, simplicité ; marqueterie (décor géométrique), baguettes de bronze ; ronce d'acajou, bois clairs (citronnier, amarante) et placage d'acajou. Une galerie en bronze ajouré surmonte parfois les meubles.

• **Principaux meubles.** **Bibliothèque** (v. 1775). **Bonheur-du-jour** (v. 1754). **Buffet** *servante.* **Bureau** *à cylindre.* **Cabinet.** Acajou et ébène, décoré de panneaux de cire fixés sous verre, de Beneman (mobilier de Mme Adélaïde à Versailles) 15 000 (record 1984). **Chiffonnier** (v. 1750 ; à 7 tiroirs : *semainier*). **Commode. Console. Régulateurs** et **horloges. Secrétaires** *à abattant.* **Serre-bijoux. Servante. Serviteur** *muet.* **Sièges** (mêmes types que sous L. XV). **Table-***bouillotte* (table et lampe : table à jeux apparue vers 1760, au centre trou évidé où se place un bouchon de bois sur lequel s'adapte la « lampe bouillotte »), *de Brelan* (même type mais orifice central garni d'un « cassetin » ou « cordillon », en 8 cases pour recevoir les cartes), de salle à manger, de salon (apparaît v. 1780), consoles. **Trictrac.**

• **Principaux artistes.** **Menuisiers :** Jean-Baptiste Boulard (1725-89). Georges Jacob (1739-96). Lelarge (Jean-Baptiste Ier début XVIIIe s., II 1711-76, III 1743-1802). Claude Ier Séné (1724-92) et Jean-Baptiste Claude Séné (dit Séné l'Aîné, 1748-1803). **Ébénistes :** Etienne Avril (1748-91). Guillaume Beneman (maître en 1785). Martin Carlin (v. 1730-1785). Pierre Denizot (1715-82). J.-F. Leleu (1729-1807). Jean-Henri Riesener (1734-1806). David Roentgen (1743-1807). Adam Weisweiler (1744-1820, maître en 1778). **Ciseleurs :** Feuchère (plusieurs frères). Pierre-Joseph-Désiré Gouthière (1732-1813). Pierre-Philippe Thomire (1751-1843). Osmond. Pithoin, etc.

Cours en milliers de francs

Appliques. 50 à 300 (isolée : à peine le quart, 4 semblables valent + que 2 paires si très belle qualité). Celles à 3 branches sont plus recherchées, min. 100, avec oiseaux, animaux, amours chinois 50 à 450. 2 bougeoirs de Gouthière 210 (1986), 4 bougeoirs 600 (1986). **Armoire.** 10 à 30 ; chêne 34 à 60 ; petite en placage 50 à 510 (1989). **Athéniennes.** 1 580 (1990).

Bibliothèque. 30 à 150 ; except. de Levasseur 1 500 (1983) ; (paire), acajou 200. **Boiseries.** Jusqu'à 1 601 (1990). **Bonheur-du-jour.** 60 à 2 000, de Weisweiler (copie XIXe s. 30 à 50). **Buffet rustique.** 5 à 25 ; 4 portes acajou 40 à 110 ; 2 corps 57. **Bureau.** *A cylindre* (lamelles) 80 à 950 (1988) ; *en marqueterie* attr. à Roentgen 907,3 (1983). *Grand bureau à étagère,* acajou 60 à 80 ; placage 60 (peu copié). *A gradin* 180 à 670. *De pente* à vitrine, acajou 100 ; placage 72 ; laque verte 180 ; provincial, bois nat. 15 ; placage 30. *De dame* placage acajou 100. *Plat* 80 à 1 276 (C.C. Saunier, 1984), à mécanisme 2 200 (Riesener 1987), 7 187 (Cuvilier, 1983) ; avec cartonnier ébène 5 550 (Baumhauer, 1981) ; laque de Chine 1 800. *De voyage,* acajou 87. *(Copies XIXe s. : plat* goût Boulle 75 ; *célèbres* 36 à 150). **Trictrac.** Acajou et bronzes dorés (J.-F. Leleu) 260 (1986).

Cabinet. De Benneman 15 000 (record mondial, 1984) ; placage except. 2 800 (1979) ; *c.-secrétaire* de Weisweiler 10 000 (record, 1983) ; (paire) 1 800 (1983). **Candélabres.** 15 à 300. **Cheminée.** Marbre, bronze, acier, ayant appartenue à Mme du Barry 5 253 (1989). **Chenets.** 25 à 510,9. **Chiffonnier.** 60 à 100. **Clavecin.** De Roentgen 54. **Coiffeuse.** 20 à 100 ; d'homme 25 à 80. **Commode.** *Acajou* 50 à 300 [est. Benneman 3 500 (1988)], except. 1 422 (1990) ; *bois de placage* 60 à 250 ; *marquetée* 60 à 300 ; except. de Riesener 3 200 (1990). *Demi-lune* 80 à 200. *A ressaut* 80 à 200, except. de Riesener 4 183,7 (1987). *A vantaux* 300 à 1 500 (de M. Carlin). *Laquée* except. de Macret 4 500 (1985). [*Copies XIXe s.* de Dasson, Durand, Lincke, Beurdeley, Sormani.] **Console.** De Riesener pour Marie-Antoinette (1781) 16 500 (1988), 8 000 (1989). Acajou 50 à 80, (paire) 80 à 200. *Demi-lune* 10 à 529,9. *A ressaut* (paire) 50 à 250 et + si except. *(Copies XXe s. :* jusqu'à 150).

Desserte 25 à 150, (paire) 410 à 1 600 (1983), de Weisweiler, acajou avec bronzes 237 (1984). **Encoignure.** 30 à 388 (de Macret, 1984), (paire) 30 à 180. **Glace.** Cadre sculpté et doré 40 à 150.

Guéridon. 50 à 316 (de Carlin) ; de B. Molitor avec montants sculptés 765 (1984). **Liseuse.** 30 à 80. **Lit.** 10 (mouluré) à 90 (sculpté) ; de repos 15 à 50. **Meuble d'entre-deux.** 30 à 1 100 (1983). **Objets montés.** 20 à 290 et + si except. ; *torchères* (paire) de Foucou 250 (1981), 1 054,5 (1988). **Pendule** 940 (record, 1990). **Pupitre** à musique double 200 (1989). **Rafraîchissoirs.** *Acajou,* attribués à Canabas (paire) 210,7 (1984). *Bonheur-du-jour* plaques de Sèvres de Corbin 15 000 (1988).

Secrétaire. *Acajou* 60 à 180. *Marqueterie et bronzes* 498,2 (R.V.L.C., 1984). *Riesener,* 1 300. *Schlichtig, marqueterie except.* 1 300. *Placage* 80 à 600 ; except. avec bronzes dorés 480 à 6 400 (de M. Carlin, 1983). *De dame* 50 à 300. *A guillotine* 55. *A hauteur d'appui* 50 à 330. *En laque* 2 083 (1985), except. de Weisweiler 11 900 (1983). *D'enfant* 50. [*Copies XXe s. :* 30 à 50.] **Semainier.** *Placage* 60 à 100. **Sièges.** *Banquettes* 10 à 30. *Bergère* courante 20 à 40 ; except. de J.-B. Séné 260, appartenant à Mme Elisabeth, sœur de Louis XVI (1979) ; (paire) 50 à 130. *Canapé* 25 à 40. *Chaises* 12 à 30 (pièce), suite de 6, 1 002 (de G. Jacob, 1990), suite de 6 + 2 fauteuils 1 100 (1989). A qualité égale, l'acajou vaut souvent plus que le bois peint. Les sièges cannés, moins confortables, se vendent moins bien. On préfère les dossiers grand médaillon plat, puis les rectangulaires et les médaillons. Les grandes signatures (J.-B. I et II Tilliard, Follot, Heurtaut, Delanois, Jacob, Séné, Boulard) donnent une plus-value d'env. 30 % et +. Pour les dossiers ajourés, les modèles à montgolfière, « à la houlette » de Jacob, et les motifs « anglo-chinois », les gerbes 15 à 25, les lyres 15 à 30, (paire) 30 à 60, enfin les colonnettes (paire) 15 à 20. Les plus chers sont à ceinture détachée du dossier. *Chaise voyeuse* (ou *ponteuse*) (paire) 50 à 260 (de G. Jacob, 1979). *Chauffeuse.* 30 à 60. *Fauteuil.* Dossier plat et carré 15 à 210, except. 1 758 (de Dupain) (1990), (paire) 30 à 100, except. 3 000 de Jacob (1988), suite de 4, rectangulaire, 100 à 2 300 (de Séné, 1983) ; cintré (cabriolet) 20 à 40, (paire) 50 à 80 ; à coiffer de G. Jacob 95 (oct. 89, 35 en juin 89) ; médaillon 15 à 25, (paire) 12 à 30 ; de bureau 18 à 443. Avec une tapisserie en bon état (ex. fables de La Fontaine ou fleurs tissées à Aubusson) ou une « bonne estampille » et des décorations nombreuses 280 à 680. *Marquise.* Dossier rectangulaire 30 ; plat (paire) 50 à 80, de Jacob 322 ; légèrement cintré (paire) 40 à 100. *Tabourets.* Pliants (paire) 695. *Salon* simple 6 faut. 60 à 100 ; 8 f. 100 ; 10 f. 200 ; 1 canapé, faut. et chaises 100 à 400 ; except. 6 faut., 6 chaises de G. Jacob (collection L. Cartier) 1 000 (1979) ; salon de G. Jacob 2 000 (1989). *Marquise* (paire) 236 (1985). *Tabouret.* 18 à 50. *Pliants en X,* jusqu'à 220, (paire) except. jusqu'à 3 364 (1989).

Table. *Acajou* ou *placage d'acajou,* rectangulaire 20 à 220. *Bouillotte* 30 à 80. *Chiffonnière* 40 à 150. *Demi-lune* 20 à 50. *A écrire* 40 à 600. *En-cas* 50 à 200. *A jeux* 60 à 80, except. (de Riesener) 550,9. *De milieu* 110 à 1 100 (de G. Jacob). *De bibliothèque* 1 749 (prix rec. 1989). *De salle à manger* 50 à 80. *De salon* 50 à 250 ; except. par Saunier 1 000 (1986). *Tricoteuse* 50 à 150. *Trictrac* 80 à 350 (de Carlin). *Tronchin* 60 à 180. [*Copies XIXe s. :* except. en bronze doré (copie de celle exécutée par Weisweiler pour M.-Antoinette) 177,6, XXe *s. :* t. en-cas 9, en placage d'acajou 40.] **Vitrine.** *Simple* 30 à 70. [*Copies XXe s. :* 8 à 20 ; plates (paire) 9.] *Placage* 40 à 200.

Table France v. 1550

Table Henri II

Meuble bahut
à 2 corps XVIIe s.

Fauteuil
époque Henri IV

Fauteuil à torsades
Louis XIII

Tabouret Louis XIV

Canapé Louis XIV bois doré

Chaise bois doré et Fauteuil bois ciré Louis XIV

Bureau dit Mazarin (Louis XIV)

Bureau fin Louis XIV
début Régence

Fauteuil et Commode Régence

Chaise et Table Régence

Lit de repos Louis XV

Commode et Bureau dos d'âne
Louis XV

Semainier et Bureau à cylindre Louis XV

Bureau avec son cartonnier et Chaise Louis XV

Table bouillotte et Table demi-lune Louis XVI

Commode transition

Travailleuse
Louis XVI

Secrétaire et Commode acajou Louis XVI

Guéridon, Desserte et Encoignure Louis XVI

Semainier acajou et Bonheur-du-jour Louis XVI

Fauteuil dossier écusson et Bergère gondole Louis XVI

Bergère
Directoire

Fauteuil retour
d'Égypte

Fauteuil Jacob, Tabouret, Guéridon, Coiffeuse et Secrétaire Empire

☞ **Régimes de la fin 1789 à l'Empire 1806 :** gouvernement révolutionnaire (1789-95), Directoire (1795-99), Consulat (1799-1804) ; période de transition ; le genre étrusque apparaît en 1786-87 ; le style Louis XVI sera repris sous la Restauration.

☞ Mobilier étranger. Bureau-bibliothèque (amér., XVIIIe s.), 72 000 (1989), *meuble le + cher du monde.*

Directoire et Consulat

Caractéristiques

• Technique. Même type de meubles en acajou ou peints. Formes ajourées, évasées en gondole. Motifs républicains (piques, bonnets phrygiens), égyptiens ou étrusques.

• Principaux ébénistes. François-Xavier Heckel (trav. av. 1797 et après 1811). Georges Jacob (1739-1814). Bernard Molitor (All. 1730-ap. 1811). François-Ignace Papst (maître 1785, trav. encore en 1822). Jean-Baptiste Claude Séné (1748-1803). Adam Weisweiler (1744-1820).

Cours en milliers de francs

Bureau. *Plat* 135 à 160. **Candélabres** (paire) 25 à 80. **Commode.** 20 à 1 500,6 (1988). **Flambeaux.** *Bouillotte* 35. **Guéridon.** 12 à 720. **Lampe.** *Bouillotte* bronze doré 40. **Lustre.** 10 à 130. **Secrétaire.** 30 à 400 (1979). *Régional,* bois fruitier 12 à 25. **Sièges.** *Bergère* 10 à 40. *Chaises* (paire) 7 à 12. *Fauteuil* 7 à 40, (suite de 4) except. 2 100. **Table.** *A jeu* 16 à 40. *A pans coupés* 75. *Mobilier* 1 table, 2 faut., 6 chaises 75 à 180 ; (acajou, pieds griffes) 2 bergères, 6 faut., 4 chaises, 1 écran, 2 canapés 510. *Salle à manger* 16 à 45. *Tronchin* 60 à 120. *Vide-poches* 25 à 75.

Empire

Caractéristiques

• Technique. Meubles d'allure sévère, de style officiel, massifs, la plupart en acajou, et chargés de bronzes dorés.

• Principaux meubles. **Athénienne. Bureau-bibliothèque. Chiffonnier. Commode. Console. Lit** *en bateau.* **Méridienne. Paphose** [ou « ottomane » ou « canapé en gondole »] ; divan à dossier droit relié à des accotoirs dont les consoles descendent jusqu'au sol. Meuble apparu fin XVIIIe s., à la mode sous le Directoire et l'Empire. **Psyché. Secrétaire** *à abattant ou cylindre.* **Table** *guéridon.*

• Principaux artistes. **Ébénistes :** Pierre Brion (n. 1767). Jacob-Desmalter (1770-1841). Pierre Duguers de Montrozier (1758-1806). François-Xavier Heckel. Charles-Joseph Lemarchand (1759-1826). Simon Mansion (1741-1805). Pierre Marcion (1769-1840). François-Ignace Papst. **Ciseleurs :** Antoine Ravrio († 1814). Pierre-Philippe Thomire (1751-1843).

Cours en milliers de francs

☞ Peu de meubles prestigieux en vente. Presque tous sont restés en place dans les palais et Napoléon eut un règne court (10 ans) à côté de celui de Louis XV (+ de 50 ans).

Appliques. Bronze doré 10 à 45 et +. **Athénienne.** (Paire) 50 à 250. **Bibliothèque.** *Acajou* 40 à 80. *Paire* acajou et bronzes de Kolping 288. **Buffet.** *Acajou* 30 à 430 (paire, 1987). **Bureau.** *Acajou* 30 à 160. *Bonheur-du-jour* bronze doré, acajou 15 à 45 (copie XIXe s. : 10). *A cylindre :* 50. *Plat* 66 à 435 (*copie XIXe s. :* 7 à 53) ; *à caissons acajou* 460 (1988).

Candélabres. 12 à 474 (Thomire). **Chenets.** 5 à 18. **Coiffeuse.** 8 à 45. **Commode.** 20 à 250 (1989), (paire) 340 (1981). **Console.** 10 à 150, (paire) 25 à 1 050. **Feux.** (paire) de Thomire 235 (1990). **Flambeaux.** *Bronze doré* (paire) 5 et + ; *bouillotte* 10 à 60. **Guéridon.** 15 à 1 150 (except.). **Lit.** *Droit* 5 à 75 ; *bateau* 15 à 235 ; *de repos* 8 à 142. **Lustre.** 15 à 150.

Secrétaire. 20 à 225. **Sièges.** Dossiers les plus recherchés : en gondole, puis à crosse et à frontons et droits rectangulaires : accotoirs tête de sphinx, puis col de cygne et tête de dauphin ; pieds sabots et griffes. *Bergère* 15 à 80 ; *b. gondole,* acajou, de Jacob, except. 195. *Chaise* 8 à 22,5 ; acajou (paire) 12 à 37,5 (de Jacob). 4 chaises de Fontainebleau 247. *Fauteuil* isolé bois doré 5 à 10 ; de Jacob 90, de Marcin (paire) 250 ; acajou 10 à 45 ; curule 40 ; de bureau 20 à 60 ; (paire) 20 à 189 (de Jacob) ; 4 faut. 20 à 105. *Siège* en forme de char à roues (paire) 115 (1979). *Tabouret* 6 à 230 (paire de Jacob) ; des maréchaux 45. *Salon* 22 à 405 (1987). **Table.** 15 à 67,5. *A jeu* 15 à 918 (de Lannuier, 1981). *De toilette,* except. 180.

Restauration

Caractéristiques

• Technique. *Sous Louis XVIII,* le style Empire se prolonge. Le style Louis XVI, dit « deuil de la reine » (décor de filets et cannelures de cuivres), revient. *Sous Charles X :* meubles en acajou, palissandre et bois clair (citronnier, orme, érable, frêne), incrustés de bois foncé (palissandre, amarante, ébène).

• Éléments du prix. Estampille (celles de Jacob-Desmalter, Jeanselme, Bellangé donnent une plus-value de 30 % et +), dimensions, proportions, élégance, qualité du bois, marqueterie de bois clair et bois foncé, originalité du type de meuble, utilisation du verre opalin de diverses couleurs (quelquefois monté de bronze finement ciselé).

• Principaux artistes. **Ornemaniste :** Jean-Jacques Werner (1791-1849). **Ébénistes :** Famille Bellangé [Pierre-Antoine (1757-1840), Louis-François (1759-1827), Alexandre-Louis (1799-n.c.)], Jacob-Desmalter (1770-1841), Félix Remon, les Jeanselme, et les ébénistes savants du Ier Empire.

Cours en milliers de francs

Appliques. 15 et +. Bonnes copies, fin XIXe s.-début XXe s. 3 à 12. **Armoire.** Bois fruitier 8 à 12. *Louis-Philippe* 1,6 à 30. **Bibliothèque.** Érable (paire) 142. **Bureau.** *Charles X : palissandre* 40 à 60 ; *plat* 40 à 60 (copie XIXe s. : 8 à 10) ; *à cylindre,* bois contrasté 50, bois clair 80 (copie XIXe s. : 22) ; *surmonté d'une étagère* à tiroirs encadrés de consoles, acajou 50, palissandre 50, bois clair 180 (copie XIXe s. : 25) ; *placage bois clair* avec incrustations de palissandre, amarante, ébène ou acajou, ont doublé en 1986.

Coiffeuse. *Ch. X* 20 à 100. **Cheminée.** 8 à 20. **Commode.** *Ch. X* 40 à 100. *A portes :* prix maximaux. **Console.** 15 à 30. *Ch. X,* record 170 (1979). **Encrier** *Charles X* 55 (1989). **Flambeaux.** *Simples* (paire) 1,5 à 2. *Bronze* 10 à 35. *Ch. X* en opaline 8 et +. **Guéridon.** *Placage,* de Jacob 250 (1983) ; *bois clair* 62 ; *bronze doré* 500. **Lit.** *Ch. X* 7 à 44, bateau 10 à 25. **Lustre.** Peu de cristaux 35 à 80. *Ch. X* 4 à 7, cristaux de couleurs 60. **Pianoforte.** *Ch. X* 15 et +. *Harmonium* (record) 100 (1987).

Secrétaire. *Ch. X* 40 à 150. *L.-Philippe* 10 à 25. **Sièges.** *Restauration : chaise* acajou 5 à 10 ; incrustée de feuillages (paire) 30. *Fauteuil* droit acajou 4 à 8 (paire 8 à 15, except. de Jacob 393,4) ; plus-value de 50 % pour accotoirs à crosse et présence de bronzes dorés. *Salon :* 1 canapé et 6 fauteuils 161 (1984). *Ch. X : banc,* marbre blanc de Carare 902,5 (1990) ; *chaise,* bois clair, paire 6 à 33 ; *fauteuil* bois clair, seul, 8 à 15 ; acajou marqueté 25 (paire 25 à 80) ; gondole (paire) 20 à 60 ; méridienne 10,7 à 38 ; 2 faut., 4 chaises 80. *Salon* 51,2 (1985). **Table.** *A jeu* acajou 15 à 40 ; *à volets* frêne sur 6 pieds 50 ; *demi-lune* bois nat. 3 à 7 ; *de famille* (de Jacob) 498,4 ; *à la Tronchin* 50 à 60. **Travailleuse.** *Ch. X* 20 à 80.

Napoléon III et IIIe République

Caractéristiques

• Technique. L'éclectisme domine : imitation Renaissance, Louis XIII, Louis XIV, Louis XV, Louis XVI (dit Louis XVI-Impératrice).

• Principaux artistes. Louis-Auguste (1802-82) et Alfred Beurdeley fils (1847-1919). Michel-Victor (1815-après 1855) et Claude-Philippe Cruchet (1841-après 1900). Henry Dasson (1825-96). Charles-Guillaume Diehl (1855-85). Louis Durand (1752-1840). Alexandre (1799-1871) et Henri Fourdinois (1830-v. 1865). Guillaume Grohé (1808-85). Charles-Jeanselme (1856-1930). Antoine Krieger (1800-60). François Lincke (1855-1946). Claude Mercier (1803-70). Riboullier (n.c.). Auguste-Hippolyte Sauvrezy (1815-54). Paul Sormani (1817-77). Louis Soubrier (n.c.). Jean-Pierre Tahan (1813-70). Wassmus frères (n.c.). Charles Winckelsen (1812-71). Swiener (n.c.).

• Matériaux. Bois noirs décorés de motifs peints et incrustés de nacre, inspirés du XVIIIe s. Marqueterie Boulle (écaille et cuivre découpés sur fond d'ébène) ; env. le 1/10 des Boulle Louis XIV. Carton bouilli (pâte à papier et colle forte), papier mâché (pâte à papier et plâtre) souvent vernis en noir à partir de 1820. Fonte (canapés, lits, sièges) mélangée au rotin. Tissus luxueux et voyants (velours de soie, lampas, satin), rideaux lourds, perses dites indiennes.

• Principaux meubles. **Commodes, dessertes, secrétaires. Sièges** (indiscret, confident, borne, causeuse, poufs, fauteuils crapauds).

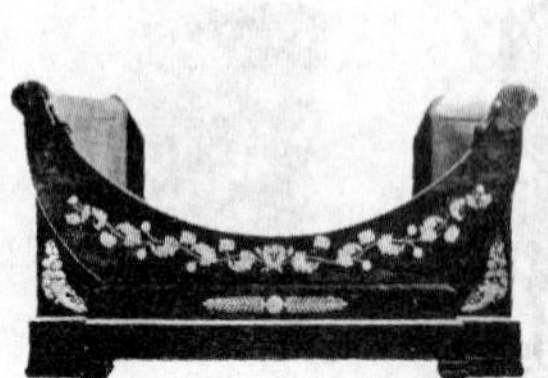

Lit, Bureau à cylindre et Commode Empire

Secrétaire et Jardinière Charles X

Secrétaire Louis-Philippe

Fauteuil début XIXe s.

Fauteuil acajou XIXe s.

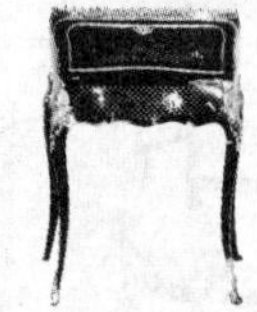

Canapé bois laqué noir (avec feuillage or, incrustation de nacre) et Bureau de dame Napoléon III

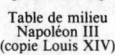

Table de milieu Napoléon III (copie Louis XIV)

Fauteuil Modern style Majorelle

Cours en milliers de francs

Meubles Boulle. *Armoire* 9 à 20. *Bonheur-du-jour* 12 à 30. *Bureau* 9 à 40. *Meuble d'appui* à une porte 10 à 30 ; *d'entre-deux* 10 à 30. *Table à jeu* 10 à 28, à écaille rouge et bronze doré 6 à 10, except. 78 ; *de milieu* 10 à 30 ; *à écrire* 12,8.

Autres meubles. Armoire. *Placage* 76. **Bibliothèque.** *Marqueterie* 10. **Billard** 25 à 180 (1989). **Buffet.** *Style Louis XVI* 60 (1979). **Bureau.** 10 à 40 ; *style Louis XV* 35,2 à 70, *Louis XVI* 60. *Bonheur-du-jour* 12 à 80. **Coiffeuse.** 19. **Commode** *amarante avec appliques de porcelaine Nap. III* 9,2 ; *style L. XV* 61,5 ; *L. XVI* 21,3 ; *rustique* 4 à 14. **Écritoire.** 3 à 5. **Guéridon.** 2 à 191. **Meuble de fumeur** 440. **Secrétaire.** 6 à 30. **Sièges.** *Canapé* style L. XVI 6 ; indiscret en bois capitonné 9. *Chaise* à dossier ajouré bois laqué noir et burgau (pièce) 0,6 à 25 ; à dossier ballon 6 ; capitonné 6 ; médaillon (paire) 12 ; poirier incrusté nacré 8 à 12. *Chauffeuses* 10 à 20. *Fauteuils* (paire) haut dossier 9. *Salon* 10 pièces palissandre 30. *Tabouret* 7. **Table.** 6 à 200, *bronze* doré et laque du Japon, de Beurdeley 200 ; *cristal* de Baccarat (12 × 58 cm) 340 (1979) ; *de salon* jusqu'à 80 ; *à écrire* 24 ; *à jeu* 5 à 15 ; *à ouvrage* 8 à 116 (1983) ; *style L. XV* de Lincke 232 (1981) ; *de toilette* 74,4 ; suite de 4 *gigognes* 32. **Torchère.** De Guillemin 172. **Travailleuse.** 0,7 à 2. **Vitrine.** 6 à 36.

Modern Style Art nouveau 1880-1914

Caractéristiques

• **Style.** Meubles aux formes végétales (style « nouille »). Motifs floraux.

• **Principaux artistes. Architecte :** Hector Guimard (1867-1934). **Bijoutier :** René Lalique (1860-1945). Henri Vever (1854-1922). **Ébénistes :** Peter Behrens (1868-1940). Henry Bellery-Desfontaines (1867-1909). Adolphe Chanaux (1887-1965). Alexandre Charpentier (1856-1909). Jules Chéret (1836-1933). Paul-Émile Colin (1867-1949). Eugène Colonna (1862-n.c.). André Fréchet (1875-1973). Eugène Gaillard (1869-1942). Émile Gallé (1846-1904). Jacques Gruber (1870-1936). Georges Hoenchel (1855-1915). Joseph Hoffmann (1870-1956). Victor Horta (1861-1947). Charles Mackintosh (1898-1928). Louis Majorelle (1859-1926). Eugène Vallin (1856-1922). Henri Van de Velde (1863-1957). **Décorateur :** Siegfried Bing (orig. All., 1838-1905). Paul Follot (1877-1941). Léon-Albert Jallot (1874-1967). Louis-Comfort Tiffany (U.S.A., 1848-1923). Henri Honoré Plé (1853-1922). **Sculpteurs :** François-Rupert Carabin (1862-1932). Raoul Larche (1860-1912). **Illustrateur-affichiste :** Eugène Grasset (1841-1917). Alphonse Mucha (1860-1939). **Verriers :** Daum : Jean (1825-85) père d'Auguste (1853-1909) et d'Antonin (1864-1940) ; Paul (1888-1944) fils d'Auguste ; Michel (n. 1900) fils d'Antonin. Émile Gallé (1846-1904).

Cours en milliers de francs

Carabin. Poirier sculpté 1 400 (1987). **Chéret.** Glaces (paire) 510. **Colin.** Coffret 235. **Gallé.** *Buffet* 1 600, aux épis de blé 466,2 ; *chaises* (paire) 6 à 12, except. paire aux ombrelles 75, libellule 1 000 ; *coiffeuse* 144 ; *étagère* 57 ; *guéridon* aux libellules 129 ; *table* 2 à 200 ; gigognes 6 à 30 ; à jeu 5,5 à 60 ; desserte 14 ; vitrine 20 à 100 except. 356,9 (1986) ; *tables gigogne* (3) 52. **Gaillard.** *Bibliothèque* 4 ; *chaises* (paire) 4, *chambre à coucher* 9 ; *guéridon* 130, *table gigogne* 146 ; *salle à manger* 50 à 80. **Gallé.** Bonheur-du-jour 185. **Guimard.** *Coiffeuse* acajou 850 (1983) ; *fauteuil* 61, except. en poirier 435,4 (1989) ; *bibliothèque écritoire* poirier sculpté 160 ; *chaise* (paire) 35, *lit* en poirier et érable moucheté 465. **Mackintosh.** *Cabinet* 720 (1979) ; *table* 300. **Lévy-Dhurmer.** *Bureau* 500 (1991). **Majorelle.** *Bibliothèque* 25 à 140 ; *buffet* 46,6 à 575 (1967) ; *bureau* 15 à 420 ; *cabinet de travail en acajou* 1 008 (1988) ; *chambre à coucher* 4 pièces 111, 5 p. 1 012 (1983) ; *desserte* 30 ; *guéridon* 15 à 130 ; *lit* 12 à 60 ; *miroir* noyer sculpté 20 ; *piano* (marqueterie Victor Prouvé) 242 ; *salle à manger* 10 p. 50, « fleurs d'artichauts » 11 p. 116, « chicorée » 16 p. 200 ; *salon* « pommes de pin » 4 p. 19, clématites 5 p. 40, aux ombrelles 46 ; *tables* 5 à 50 ; *vitrine* 75 à 1 135. **Plé.** *Miroir* 82. **Rapin.** Salle à manger 160. **Lampes** (voir verre p. 417). **Van de Velde.** Bureau et fauteuil 1 005.

Arts déco 1910-1930

Caractéristiques

• **Style.** *Formes* géométriques, lignes brisées, volumes simples. *Bois exotiques :* acajou de Cuba, bois de violette ou d'amarante, loupe d'amboine, macassar, palissandre de Rio, ébène, citronnier, ambroise clair, sycomore, palmier keekkood (Follot, Dufrêne). *Marqueteries :* ivoire, nacre, écaille, argent, plaques ou médaillons sculptés (Ruhlmann). *Galuchat* (peau de squale teintée) gainant meubles et panneaux (Ruhlmann, Groult, Chareau). *Cuir, daim, étoffes* à motifs géométriques sur les sièges. *Motifs floraux* stylisés (influence du cubisme). *Accessoires :* boutons, anneaux, filets d'ivoire de bronze. *Laques* (artistes) : Maurice Jallot, Paul Follot, Michel Dufet, Jean Dunand, André Mare et Louis Sue, Jean Puiforcat, Cartier. *Bronzes* dorés, *cuivres et argent* (poignées, serrures).

• **Principaux ébénistes et décorateurs.** Rose Adler (1892-1969). Jacques Adnet (1900). André Arbus (1903-69). Eric Bagge (1890-1978). Léon-Émile Bouchet († 1940). Edgar Brandt (1880-1960). Adolphe Chanaux (1887-1965). Pierre Chareau (1883-1950). Marcel Coard (1889-1975). Djo-Bourgeois (1898-1937). André Domin (1883-1962) et Marcel Genevrière (1885-1967). Michel Dufet (1888-1985). Maurice Dufrêne (1876-1955). Jean Dunand (orig. suisse 1877-1942). Paul Dupré-Lafont (1900-71). Georges de Feure (1868-1943). Paul Follot (1877-1941). Jean-Michel Franck (1893-1941). René Gabriel (1890-1950). Eileen Gray (Irl. 1879-1976). André Groult (1884-1967). Albert Guenot (1894). René Herbst (1891-1982). Paul Iribe Iribarnegaray (1883-1935). Léon Jallot (1874-1967). Francis Jourdain (1876-1958). Paul Kiss (1886-1962). Étienne Kohl Mann (1903). Pierre Lahalle (1877-1956). Pierre Legrain (1889-1929). Jules Leleu (1883-1961). Maurice Lucet (1877-1941). Louis Majorelle (1859-1926). André Mare (1885-1932). Robert Mallet-Stevens (1886-1945). Clément Mère (1861-n.c.). Pierre-Paul Montagnac (1883-1961). Eckart Muthésius (1909). Charlotte Perriand (1903). Pierre Petit (1900-69). Eugène Printz (1889-1948). René Prou (1899-1947). Charles Pumet (1861-1928). Henri Rapin (1873-1939). Armand-Albert Rateau (1882-1938). Clément Rousseau (1872-1950). Michel Roux-Spitz (1888-1957). Jacques-Émile Ruhlmann (1879-1933). Tony Selmersheim (1869-1941). Louis Sognot (1892-1970). Louis Sorel (1867-1933). Raymond Subes (1893-1970). Louis Sue (1875-1968).

DIM : *Décoration intérieur moderne,* fondé 1919 par René Joubert († 1931) et Georges Mouveau, *Dominique,* fondée 1922 par André Domin (1883-1962) et Marcel Genevrière (1885-1967).

Boutiques Art déco dans les grands magasins. Primavera (créé en 1912) au Printemps (Mme Chauchet-Guilleré, Louis Sognot). *La Maîtrise* (créé en 1922) aux Galeries Lafayette (Maurice Dufrêne). *Pomone* (créé en 1922) (Paul Follot) et *Studium* (créé en 1923) (Étienne Kohlmann, directeur jusqu'en 1930) au Bon Marché.

Cours en milliers de francs

Arbus (A). *Commode* 170. **Bugatti (C).** *2 chaises* 410. **Chanaux.** *Coiffeuse* (avec Frank) 7 ; *commode* 25 à 200 ; galuchat 1 100 (1984) ; *fauteuils* (paire avec Frank) 160 ; *meuble d'appui* (avec Frank) 54 à 310 ; *tabouret galuchat* (avec Frank) 107 (1984). **Chareau.** *Bureau* 160,7 ; *Bureau et fauteuil* 559 (1984) ; *console acajou* vernis 35,5 ; *salon osier* 52 ; *banquette* 76 ; *fauteuils* (paire) 450 ; *meuble arc de cercle* 35,5 ; *secrétaire* 70 ; *table* 25 ; *bureau « constructiviste »* 1 200. **Marcel Coard.** *Bureau* 22 ; *canapé gondole* 150 ; *table* 12. **Le Corbusier.** *Bureau* 22 ; *chaise longue* 5 à 148 (avec Thonet) ; *fauteuils* (paire) 32. **Dominique.** *Bureau* 43,5 ; *cabinet loupe* 60,1 ; *Meuble d'entre-deux* 135. **Jean Dunand.** *Bahut* 155. *Bibliothèque* (avec B. Lacroix) 439 (1984) ; *commode* 153 (1980) ; *bureau* 786 ; *lit* 140 ; *meuble* laque de Chine 180 ; *panneau* laqué arraché noir, rouille, ocre 340 (1984) ; *paravent* 510 ; *table* 31 à 112, basse 854,7 (1987), laquée noire 305, 6 gigognes 140 ; except. à jeux avec 4 fauteuils emboîtables 4 129 (1984). **Georges de Feure.** *Sièges laqués* (4) 505. **Jean-Michel Frank.** *Coiffeuse* 7 ; *lampe* 11 ; *lit* 30 ; *meuble d'appui* 54 ; *table* 500 (1989), basse 20 à 60, de chevet 55 ; *bureau* 850. **Eileen Gray.** *Commode* 70 ; *canapé pirogue* 600 ; *fauteuil* 8, *transat* 315, (paire) 48 ; *paravent* 110 à 170. **André Groult.** *Bureau galuchat* (avec Chanoux) 388 (1984) ; *chaise bergère* 83 à 257 (1984) ; *com. galuchat* (avec Chanoux) 1 217 (1984) ; *lit* 363 ; *petit guéridon* 28. **Paul Iribe.** *Chaises* (paire) style boudoir ; *sièges et bergères* env. 25 ; except. *bergère* 229 (1985), amarante massif 2. **Léon Jallot.** *Lit* 30 ; *meuble* 118. **Paul Kiss.** *Table salle à manger* fer forgé en marbre 330,4. **Pierre Legrain.** *Coiffeuse* galuchat 120 ; *siège* 44, s. curule 32 ; *bureaux* 345 (1984) ; *banquette* 732 (1989). **Jules Leleu.** *Buffet* 51 ; *bureau* 22 à 60 ; *commode* 22 à 225 ; *guéridon* 8 ; *lit* 32 ; *siège* curule 22 ; *coiffeuse* galuchat 104 ; meuble plaqué écaille tortue 230. **Clément Mère.** *Commode* 80 et +. **Mergier.** *Lit* de repos 19. **Mollino.** *Chaises* (paire) 60. **Muthésius.** *Fauteuils* (paire) 180 ; *secrétaire* à vitrine bois laqué 46. **Printz.** *Bahut* 265 ; *bureau* plaqué 175 à 466,9 ; *commode* 85 ; *ensemble* 4 p. 100 ; *meuble* rectangulaire 300, de rangement 410 ; *tables* à partir de 16 ; *fauteuil* (paire) 17 à 70 ; *guéridon* 25,5. **G. Pulitzer.** *Cabinet* 220. **Clément Rousseau.** *Armoires* (paire) bois de Macassar 333 ; *barbière* 265 ; *chaise* 39 ; *guéridon* 300 ; *meuble d'appui* 200 à 418 ; *table* ébène 70 ; paire de meubles (plaqués de galuchat) 1850. **Ruhlmann.** *Armoire* 121 ; *bibliothèque* (9 modules) 280 ; *bureau* 30 à 860 (avec 5 chaises, 1981) ; *cabinet* 832 ; *canapé* 83, 950 (1989) ; bergères (paire) 1 600 (1989) ; *chaises* 2 à 11, (paire) 5 à 35, 6 chaises 950 ; *chevet* (paire) 31 ; *chiffonnière* 90 à 180 ; *coiffeuse* 10 à 200, except. 1 500 (1989) ; *commode* 182 ; *salon* (canapé, 2 faut.) 231 ; *fauteuil* 3, club 200, (paire) 48 à 180, except 1 650 (1989) ; *guéridon* loupe d'amboine 4 ; *lit* 36 à 161 (« soleil », 1979) ; *meubles « caves-fuseaux »* (paire) 304 ; *« du collectionneur »* 1 632 (1989) ; *psyché* 180 ; *secrétaire* 102 à 850, cylindrique 1 300 (1989) ; *table basse* 244,8 ; japonaise palissandre 251 (1989) ; *table à jeu* 600. **Sognot et Charlotte Alix.** *Fauteuil* 31 ; *lit* 560. **Louis Sorel.** Dep. 80. **Sue et Mare.** *Commode* 75 ; *fauteuils* (paire) 55 ; *secrétaire* 90 ; *table de salon* 192 ; *salon* 2 bergères, 1 canapé 235 ; *table basse* 135 ; *bar* en noyer 270 ; *bureau plat* 223,8.

Le Kitsch

Kitschen (Allemagne du Sud) signifie « bâcler, faire du neuf avec du vieux ». Par extension *kitsch* est devenu synonyme de l'inauthentique, qui se donne pour vrai. Le style apparut v. 1860-1910 : symbolisations, ornements à outrance, couleurs pures complémentaires, et des blancs, roses bonbon, dorés. Industrie du « souvenir », imitations.

Le Design

• **Styles. Années 1950.** 2 types : 1e *dans la tradition des années 1930* (Eugène Printz, Paul Dupré Lafon, Leleu, Jansen, Herbst) avec les mêmes matériaux (bois précieux, laques, bronzes, etc.), formes moins massives. René Gabriel, Charlotte Perriand, René Prou, Jean Royer. 2e *inspiré des théories du Bauhaus :* lignes souples [Olivier Mourgue (n. 1939), Pierre Paulin (n. 1927), Jean-Pierre Garrault (n. 1942)] ou rigoureux volumes géométriques [Joseph-André Motte (n. 1925), Christian Ragot (n. 1933), Laurent Dioptaz] ; style international, « tonique, couleurs vives ». Le mobilier est là pour remplir une fonction. En Italie, Gio Ponti (n. 1891) (revue Domus), Bernini, Joë Colombo (1930-71). Aux U.S.A., Knoll (groupe allemand), fondé 1951, regroupe architectes et dessinateurs : Eero Saarinen, Marcel Breuer, Harry Bertoia. *Matières :* bois blanc (moins précieux), contre-plaqué moulé à chaud, plastiques colorés, transparents, moulés ; acier, verre, fumé ou non.

Années 1980. Robert Venturi (U.S.A. 1925), Shiro Kuromata (Jap. 1934), Philippe Starck (Fr. 1949), Ettore Stottsass (Autr. 1917), Javver Mariscal (Esp. 1950), Ron Arad (Isr. 1951). *Style High-Tech* (1980). Volumes géométriques, tons métalliques, gris ou noir.

☞ **Antidesign.** Mouvement « Memphis » (1981-88), italien. *Fondé* 1981 par Ettore Sottsass. *Principaux membres : Italie :* Michele De Luchi, Andrea Branzi, Marco Zanini ; *U.S.A. :* Michael Grave, Peter Shire : *France :* Martine Bedin, Nathalie du Pasquier ; *Japon :* Kuramata. Pièces uniques ou en séries limitées de Sandro Chia, Mimmo Paladino, Lawrence Weiner, Joseph Kosuth, Franz West.

• **Cours en milliers de francs. Exemples :** *Bureau* 3 à 300 (de Ch. Perriard, 1984) ; 50 (C. Mollino). *Canapé* 10. *Chaise* (paire, C. Mollino) 155 (1990). *Fauteuil* 90 (Breuer). *Lit* bateau 2,4. *Secrétaire* 2 à 20. *Table* 470 (F. Arman).

Meubles miniatures

Cours en milliers de francs. Armoire 8 à 20. **Commode.** *Régence :* plaquée 32 (1988). *L. XVI :* en noyer, arbalète 8. *L. XVI :* placage de loupe, signée Huret 15,5. *De style :* 3 à 5. **Lit et siège.** 1 à 6. **Secrétaire.** 6 à 12. **Table toilette.** *Napoléon III :* 3 à 4.

Musée. Château de Vendeuvre (Calvados).

Mobilier anglais

Caractéristiques

• **Époques. Architecture et meubles. Architecture :** Normand (XIIe s.), Early English (XIIIe s.), Decorated (1250-1350), Perpendiculaire (XVe s.). *Tudor* 1500-50 (gothique). Tardif sous Henri VIII (1509-47). *Elizabethan* 1558-1603 (Renaissance). *Jacobean* (Renaissance) sous Jacques Ier Stuart (1603-25), influence hispano-flamande, motifs et moulures en bois tournés. *Carolean* 1625-49 (Renaissance). Prolongement du style *jacobean* sous Charles Ier. *Cromwell* (ou Commonwealth) 1649-60 (Renaissance). *William and Mary* 1660-1702 (baroque). Influence hollandaise, sous Charles II (1660-85) et Guillaume et Marie (1689-1702). *Queen Anne* 1702-14 (baroque). *Early Georgian* 1714-40 (rococo). Style de transition sous Georges Ier (1714-27) et Georges II (1727-60). *Chippendale* 1750-70 (rococo). *Late Georgian* néo-antique des deux 1ers tiers du règne de Georges III (1760-1820) [styles *Adam :* pompéien naturalisé anglais par Robert Adam (1728-92) ; avec son frère William, il publia « Works of Architecture » (1773) ; *Hepplewhite :* version simple et élégante du style Adam, popularisé par George Hepplewhite ; et *Sheraton* (1751-1806, célèbre ornemaniste)]. *Regency* Georges IV (1790-1835) ; survivances néo-antiques, romantisme gothico-chinois. *Victorian* (1835-Fin XIXe s.) (romantique, puis éclectique). *Art nouveau.*

Bois. *Chêne* 1550-1650, *noyer* 1650-1720, *acajou* 1720-70, *satiné* 1710-1810, *acajou* 1800-1850.

• **Dessinateurs et ébénistes.** Grinling Gibbons (1648-1720). Daniel Marot (1660-1720). William Kent (1685-1748). Robert Gillow (1703-73). Thomas Chippendale (1718-79). Pierre Langlois. Thomas Chippendale le Jeune (1749-1822). Robert Adam (architecte et dessinateur, 1728-92). George Hepplewhite († 1786). Thomas Sheraton (1751-1806). Thomas Hope (1770-1831). John Channon. Welly Northmore Pugin (1812-52).

Lexique

Bachelor chest : commode-secrétaire d'étudiant. **Butler's tray :** plateau de maître d'hôtel, petite table à thé rectangulaire ou ovale bordée d'une galerie. **Canterbury :** petit casier à musique d'époque Regency. **Carlton House writing table :** bureau bonheur-du-jour en forme de D. **Cheval glass :** psyché. **Chinese lattice back :** dossier ajouré à croisillons. **Claw and ball :** griffe et boule. Type de pied, en faveur de 1720 à 1760. **Davenport :** bureau pupitre. **Drum table** (*drum :* tambour) : grande table de bibliothèque à tiroirs. **Gate-leg-table :** table ronde pliante, fin XVIIe, populaire jusqu'en 1720, chêne ou noyer. **Gesso** (plâtre en italien) : pâte à base de parchemin et plâtre, sculptée, puis peinte et dorée, servant à la décoration des lambris et des meubles (surtout 1re moitié du XVIIIe s.). **Grandfather clock** (horloge du grand-père) : h. de parquet (+ de 1,80 m). **Harlequin Pembroke table :** variante de la **Pembroke table. Holland** (Henry, 1746-1806) : créateur du style Regency. **Hope** (Thomas, 1789-1831) : architecte et collectionneur auteur d'un recueil « Household furniture and Interior Decoration » (1807). **Knee-hole desk :** bureau comportant une niche pour le passage des jambes. **Lazy Susan** (paresseuse Suzanne) : plateau tournant posé au centre des tables de salle à manger. **Military chest :** commode à poignées latérales, aux arêtes protégées par des équerres de cuivre. **Mule chest :** coffre orné de faux tiroirs (fin XVIIe). **Nests of tables** (nids de table) : tables gigognes, (ou trio ou quarteto selon le nombre d'éléments). **Oyster veneer :** placage de bois debout, généralement noyer, cytise ou olivier dont les veines concentriques ressemblent à des coquilles d'huîtres *(oyster).* Origine hollandaise, à la mode en G.-B. fin XVIIIe s. **Pembroke table :** table à volets, imaginée en 1700 par un Cte de Pembroke. **Pen work :** décor de papier découpé appliqué sur un meuble laqué, et recouvert de vernis noir, XIXe s. **Pier table :** table console en forme de demi-lune, fin XVIIIe s. **Princes of Wales motif :** 3 plumes d'autruche, symbole du P^ce de Galles, souvent utilisé par Hepplewhite et Sheraton. **Rent table :** table de bibliothèque octogonale, avec casiers entre les pieds (époque : fin XVIIIe-début XIXe s.). **Screen desk :** petit secrétaire de dame à abattant. **Sideboard :** desserte avec tiroirs et armoires pour la vaisselle et les bouteilles dans la salle à manger. **Tall boy** (grand garçon) : meuble à 2 corps constitué de 2 commodes superposées, en vogue à l'époque Queen Anne. **Tea boy :** petit guéridon tripode. **Tracery :** croisillon pour décorer et protéger les portes vitrées des bibliothèques ; époque Regency. **Trafalgar chair :** inspirée d'un modèle grec, en l'honneur de la victoire de Nelson (1805). **Tub chair :** bergère à oreilles très profondes. **Victorian :** style « Napoléon III ». **Wellington chest :** petit chiffonnier. **William Vile :** ébéniste « palladien » (2e moitié du XVIIIe s.). **What not :** petite étagère à plusieurs plateaux, ou prenant la forme d'une encoignure (Regency à 1901). **Windsor chair :** avec dossier à fuseaux, assise de bois et pieds tournés.

Cours en milliers de francs
(Exemples)

Bibliothèque. *Charles II* 480 (1981) ; *Georges III* 40 à 182 (1987) ; *Chippendale* 195 (1985) ; *Georges IV* 43 (1987) ; *Hepplewhite* 69 (1985). **Bureau.** *Georges Ier* 47 à 959, b.-bibliothèque 1 805 (1981) ; *G. II* 9 à 331 (1985) ; *G. III* 7,2 à 87,4 (1987) ; *Regency* 14 à 600 ; *XIXe s.* 6 à 200. *Copies* 10 à 30. Attribué à E. Townsend 1 032. **Casier à musique** 6 à 47. **Chiffonnier.** *Chippendale* except. 3 101 (1985). **Commode.** *G. II* 11 à 260 ; *Chippendale* jusqu'à 1 730 (1980) ; *G. III* 4 à 700, paire 125 à 1 250. *C.-bateau* 6 à 10, acajou début XIXe s. 6 à 15.

Semainier. *G. I* 23 à 50. **Sièges.** *Chaise : G. Ier* (paire) 6 à 180 ; *G. II* 12 à 800, (les 6) 75,4 ; *Chippendale* 16 000 (1987). *Fauteuil :* le plus ancien connu, acajou (fin XVIe-début XVIIe s.) 110 (1983). *G. Ier* jusqu'à 900, *G. II* 25 à 125, (paire) jusqu'à 390 ; *G. III* 5,9 à 500, (paire) 21 à 776 (1985). *Chippendale* (fabriqué U.S.A. v. 1770) a été vendu 7,19 millions de F aux U.S.A. *Salon : G. II* 1 canapé, 1 fauteuil, 1 chaise 1 642 (1981). *Tabouret : Georges Ier* 45, (paire) jusqu'à 410. **Table.** *Georges Ier* 12 à 100 ; *G. II* 15,2 à 400 ; *G. III* 9,5 à 650 ; *Regency* 10 à 260. *Chippendale* t.-secrétaire 701 ; à jeu 1 650 (1983) ; à thé 822. **Torchères.** (Paire) *G. III* 115.

☞ Les cours des meubles d'époque anglais sont 2 fois plus élevés en G.-B. qu'en France mais les copies (exécutées dep. 1850) s'y vendent moitié prix.

Le plus grand lit du monde serait le grand lit de Ware (Victoria and Albert Museum, Londres), 3,26 m de large, 3,38 m de long, 2,66 m de haut, datant d'environ 1580.

Monnaies (Numismatique)

(*Source :* J. Vinchon, expert national).

Données générales

• **Origine. Précurseurs :** *cachets* (5000 av. J.-C.) et *cylindres* (3800-3500 av. J.-C.) : minuscules objets en pierres dures ou semi-précieuses (stéatite, ivoire, hématite, lapis-lazuli, cornaline, agate, etc.), inventés par les Sumériens. Utilisés en Asie Mineure et surtout Mésopotamie, s'appliquaient ou se déroulaient sur des plaquettes d'argile ou sur les jarres (recouvertes de telle sorte que rien ne puisse être ajouté). Servaient de marques de propriété, lettres de change, traites, reçus.

Matières employées pour servir de moyen d'échange, *lorsque le troc devint insuffisant :* morue (Terre-Neuve), coquillages (Maldives), sel (Abyssinie), fourrures et cuir (Russie, jusqu'à Pierre Ier), graines de cacao et poudre d'or (Mexique), bœuf (*cf.* pécuniaire et capital, du latin *pecus :* troupeau, et *caput :* tête), etc. Puis on utilisa des barres de métal (fer ou cuivre), disques, bijoux ou lingots en métaux précieux. On a trouvé à Mohenjo-Daro (Indus) des barres de cuivre du IIIe millénaire av. J.-C. ; des lingots de fer ont servi aux Hittites (IIe millénaire av. J.-C.) et aux Doriens (Grèce, XIIe s. av. J.-C.).

Naissance de la monnaie : l'électrum (alliage d'or et d'argent) apparaît en Lydie, où coule le fleuve *Pactole* (Asie Mineure), au milieu du VIIe av. J.-C., sous le roi Ardys (652-615) : de couleur ambrée, avec *protomé* de lion à l'avers, et au revers la marque du poinçon, dans le système sexagésimal mésopotamien. *Crésus* (561-546), roi lydien, frappa le premier un double monnayage or et argent avec les *créséides,* marquées du couple oriental du lion et du taureau affrontés. Plus tard, Darius Ier, roi des Perses, reprit le système lydien : pièces d'or, *dariques,* de 8,41 g, frappées jusqu'à la conquête d'Alexandre, et marquées avec l'emblème de l'archer royal. L'usage de la monnaie se répandit ensuite très vite.

Origine du mot monnaie. La m. romaine était frappée dans le temple de Juno Moneta (de *monere :* avertir, par allusion aux oies du Capitole qui sauvèrent Rome du danger gaulois), et parfois elle portait cette épithète sous l'effigie de la déesse. Les Romains disaient *nomisma* (consacré par la loi : du grec *nomos).* Aujourd'hui, on se réfère à des métaux (allemand : *Geld,* argent) ou toute espèce en circulation (angl. : *currency)* ou au *denier* romain (it. : *denaro,* esp. : *dinero,* serbe, bulgare, arabe, etc. : *dinar).*

• **Fabrication.** Jusqu'à Louis XIII, médailles ou monnaies étaient obtenues par la fonte ou la frappe. Les *coins* servant à la frappe des monnaies étaient gravés, en taille directe, ou au *touret ;* les *flans* ou *carreaux* étaient pressés entre 2 coins puis frappés avec un marteau. Sur le revers ou *pile* était gravé l'emblème, sur l'avers ou *trousseau,* l'effigie du prince. En 1547 fut introduite en France la 1re machine à frapper les monnaies (*balancier* ou *frappe au moulin :* la force hydraulique remplaçant marteau et enclume). Le balancier, inventé par l'Allemand Bracher, fut périodiquement utilisé en France (*ex. :* Nicolas Briot en 1629, Jean Varin en 1660). Perfectionné par le Suisse Droz (1721-90), il fut délaissé pour la *presse monétaire* (inventée par l'Allemand Dietrich Ulhorn). Perfectionnée par les Français Thonnelier et Gingembre en 1811, celle-ci sera plus tard remplacée par la *presse monétaire de Munich.* Actuellement, 6 opérations principales : fonte (et coulage en *lames* et en *lingots),* laminage, découpage, cordonnage, recuit et brillantage, frappe (à la presse).

• **Métaux et alliages utilisés.** *Antiquité :* or, argent, bronze, billon (cuivre allié d'argent), étain, cuivre, nickel (en Bactriane, IIIe s. av. J.-C.), électrum (alliage naturel d'or et d'argent), potin (fort % d'étain, faible d'argent), spéculum (étain, plomb, cuivre et fer). *De nos jours :* argent, bronze, cupronickel, nickel, alliages d'aluminium (Voir Index).

• **Poids de quelques pièces en grammes.** *Drachme d'Egine :* 6,28. *Statère lydien :* 15,90 ; d'Alexandre : 8,60. *Denier carolingien :* 2 à 3. France, *20 francs argent :* 20. *100 fr.-or :* 32,258. U.S.A., *20 dollars-or :* 33,436 (double aigle). Angleterre, *5 livres-or :* 39,940 ; *demi-couronne :* 14,138 ; *florin :* 11,310. Panama, *20 balboas argent :* 129,5 (diam. 61 mm, la pièce d'argent la plus lourde du monde). Suède, *plaque de cuivre* (640 × 340 mm, 14,5 kg, la plus grande monnaie du monde) 8 Daler Silvermynt (c.-à-d. valant 8 dalers d'argent), Avesta mint (c.-à-d. frappée à Avesta, Suède), au centre (valeur) et aux 4 coins Karl Gustav de Suède (1659), découverte en 1901 ; extrêmement rare, vendue 143 913 F (1979). *Civilisations primitives :* pierres rondes trouées pesant plusieurs dizaines de kg (île de Yap, Pacifique).

Définitions

Aloi (ou titre) : proportion de métal précieux composant la monnaie. **Anépigraphes :** sans légende. **Antiques :** monnaies grecques, romaines, gauloises, byzantines. **Atelier :** lieu de monnayage, identifié par un symbole ou une lettre. **Autonomes :** monnaies

Contrefaçons

Procédés. La *frappe,* gravure séparée en relief des différentes parties du prototype, imprimées ensuite sur un « coin » d'acier qui servira de moule aux fausses pièces. Un expert peut assez facilement reconnaître une pièce fausse. *Peines encourues* (loi du 27-11-1968) : 1 à 5 ans de prison, amende de 2 000 à 200 000 F pour faux de monnaies étrangères or ou argent ayant eu cours légal. (Le faussaire n'est jamais assimilé aux faux-monnayeurs et s'expose à des peines moins lourdes.)

Pays. Surtout Liban, Turquie, Irak, Syrie (assez grossier), Grèce, Italie, Pays-Bas.

Faussaires célèbres. XVIIIe s. : Carl Wilhelm Becker (Allemand). XIXe s. : Constantin Cristodoulos (Grec), Gigal (Italie). XXe s. : Peter Rosen (N. Y.), Dr Schmidt (Bonn, All. féd.).

frappées par des villes indépendantes. **Avers** (ou **droit**) : côté de la pièce portant effigie, monogramme ou armoiries. **Billon :** alliage de cuivre et d'un peu d'argent. **Boustrophédon :** légende ou exergue (inscription) où les lettres sont placées dans l'ordre inverse. **Cannelures :** stries sur la tranche (pièces actuelles 5, 2, 1 et 1/2 F). **Champ :** espace entre le sujet et la légende. Une médaille est dite **conjuguée** quand les têtes de l'avers regardent du même côté et se couvrent en partie ; à **têtes affrontées :** 2 visages se regardant. **Coin :** outil de métal très dur sur lequel est gravée l'empreinte qui, reproduite par coups ou pression sur le flan, le transformera en monnaie. **Commémorative :** émission monétaire célébrant un événement national (souvent à faible circulation). **Contorniate :** monnaie en bronze, pourvue d'un cercle paraissant en être détaché par une rainure profonde. **Contremarque :** marque frappée postérieurement pour modifier la valeur de la pièce (le signe monétaire est la 1re marque de fabrication). **Cordon :** renforcement du rebord de la pièce la protégeant de l'usure. **Crénelée** (ou **dentelée**) : médaille découpée sur les bords.

Date : millésime de fabrication. Existe sur les pièces françaises dep. 1550 env. **Démonétisée :** monnaie dont tout pouvoir légal de paiement est retiré par décret. **Dénéral :** plaque de métal servant de modèle : diamètre et poids d'une monnaie (ou poids monétaire utilisé autrefois par les changeurs pour vérifier le poids des monnaies). **Différents :** marques du graveur ou d'atelier. **Électrum :** mélange naturel d'or et d'argent. **Encastrée :** m. à cercle ornée de moulures et placée à la suite du médaillon. **Essais** (ou « pièces d'hommage ») : projet de graveurs concevant un modèle nouveau, ou 1re frappe avec un coin nouveau, servent à la présentation du modèle aux membres du gouvernement, aux parlementaires et à certaines personnalités. Sous la monarchie, les intendants, échevins, etc., bénéficiaient de cette coutume. **Fleur de coin** *(prooflike) :* conservation exceptionnelle ; qui n'a pratiquement jamais circulé et a gardé sa fraîcheur de frappe. **Fonte originale :** meilleur exemplaire connu d'une médaille ; **de l'époque :** de l'ép. de la fonte originale ; **ancienne :** pouvant être faite 20 ans après. **Fourrée :** plaqué d'argent ou d'or sur un métal commun (en allemand : **subferraten** désigne les mélanges de cuivre ou de fer plaqués d'argent ; **subplumbaten** la plaque d'argent est posée sur du plomb). **Frappe : en médaille :** dans le même sens avers et revers ; **en monnaie :** la partie haute de l'avers correspond au bas du revers. **Inscription :** texte horizontal inscrit sur une monnaie, souvent sa valeur.

Jetons : voir tessère, méreau. *Moyen Age :* le méreau finit par se confondre avec le jeton : destinations variées (en plomb, cuivre ou étain). Jeton : au début instrument de calcul pour les comptes des particuliers ou des administrations (imitant souvent les monnaies, peuvent servir à frauder d'où l'expression « faux comme un jeton ») ; rois et princes en utilisent comme marque de reconnaissance, récompense, puis beaucoup en font graver en témoignage de leur puissance ; ils sont plus rares que la plupart des monnaies (leur frappe allait de quelques centaines à 10 000) ; on trouve peu de jetons en or (beaucoup ont été fondus pour récupérer l'or). *Prix des jetons :* argent (Henri II à Louis XVI) 500 à 5 000 F, record jeton de Jacques Charmolue (changeur du Trésor sous Louis XII et François Ier) 8 500 ; cuivre 50 à 300 F. **Légende :** inscription circulaire à l'avers ou au revers, parfois sur la tranche. **Mancoliste :** liste des monnaies recherchées ou offertes, inscrite selon une méthode abrégée.

Médaille : désignait dans l'Antiquité la monnaie (moyen d'échange) ; actuellement, pièce commémorative (ovale ou ronde), nommée **pièce de plaisir** par les anciens, sans valeur de paiement ou d'appoint. Elle montre en général à l'avers un personnage (souvent en buste) et au revers une allégorie ou symbole se rapportant à son action. Apogée à la Renaissance (Pisanello fixe en 1439 ses caractères définitifs). Les 1res méd. furent fondues d'après un modèle de cire ; au XVIIe s., la frappe au balancier fut adoptée en Fr. On distingue premières fontes et fontes anciennes (faites quelquefois 10 ans après la fonte originale). **Médaille non frappée :** morceau de métal non décoré servant de valeur d'échange ; **grenelée :** couverte de petits points ronds entourant le sujet principal (type) ou occupant le champ ; **incuse :** revers reproduisant en creux le type de l'avers ; **martelée :** revers effacé au marteau.

Méreau (en plomb, cuivre ou étain) : jeton de présence d'organismes officiels ou privés ; m. ecclésiastiques, les plus nombreux à l'heure actuelle : rétributions des religieux ou donnant droit à des dons divers pour les pauvres ; m. civils pour certaines confréries ou corporations : convocation, laissez-passer, marques d'identification, etc. **Module :** diamètre d'une médaille (*quinaire :* plus petit module ; *médaillon :* plus grand que les dimensions ordinaires). **Monogrammes :** lettres entrelacées. **Obsidionales :** monnaies émises pendant le siège des villes par assiégés et assiégeants. **Panthées :** m. à tête ornées des attributs de divinités. **Parlantes :** m. offrant des types se rapportant à la signification du nom de la localité (*ex. :* m. de Cordia, ornées d'un cœur). **Pièces de nécessité :** p. battues en certaines périodes agitées, sur autorisation de l'État par des corps constitués ou des particuliers (*ex. :* chambres de commerce, municipalités, grandes sociétés).

Piéforts : appelés « pièces d'honneur », plus épais que l'original et frappés comme modèle, ils étaient offerts par le roi aux dignitaires de son entourage (grands féodaux, prélats, etc.). A partir de la création du « Gros Tournoi » par Saint Louis, les piéforts furent frappés au format ordinaire. Actuellement la Monnaie en frappe en nombre limité pour les collectionneurs. Ex. : pièce de 50 F millésimée 1979, piéfort en platine 30 ex., en or 400 ex., dans le métal des pièces 2 250 ex. **Primitives :** monnaies rustiques utilisées dans des temps très anciens ou hors d'Europe (coquillage, frappes sur divers objets). **Saucé :** cuivre argenté ou recouvert d'une feuille d'étain (*potin :* composé de cuivre et d'argent). **Supposée :** monnaie ou méd. argentée remplaçant temporairement dans une collection certaines pièces authentiques manquantes. **Spintrienne :** jeton d'entrée dans les maisons de débauche des empereurs romains. **Symboles :** Antiquité (*tête d'éléphant :* symbole de l'Afrique ; *sistre* et *ibis :* Égypte ; *chameau :* Arabie ; *lapin* et *soldat armé d'un javelot :* Espagne). **Tessères** (petits disques ou tablettes de bois, ivoire, terre cuite ou métal) : utilisées à Rome dans les assemblées pour élire les magistrats et exprimer les suffrages ; ou distribuées au peuple pour servir de monnaie d'échange pour la nourriture, l'accès aux théâtres, cirques, lupanars ; ou signes de reconnaissance (premiers chrétiens), ou de ralliement ou d'introduction pour des réunions non publiques. **Tranche :** épaisseur du pourtour de la pièce avec parfois des inscriptions en relief ou en creux ou d'autres signes variés. **Treizains :** pièces bénies (13), versées par l'époux, dans de petites boîtes d'argent ou dans des sacs brodés le plus souvent en argent, argent doré, rarement en or. **Type :** effigie, motif ou représentation identiques sur une série de pièces (ex., type à la croix).

Principales séries

Cours en milliers de francs 1989-90

Source : Jean Vinchon (expert national).

Abréviations : a. : aureus ; d. : didrachme ; de. : décadrachme ; di. : distatère ; dr. : drachme ; é. : écu ; l. : louis ; m. : médaillon ; o. : octodrachme ; s. : statère ; se. : sesterce ; si. : silique ; so. : solidus (au pluriel : solidi) ; t. : tétradrachme ; tr. : tridrachme ; tre. : tremissis.

Principaux éléments du prix. État de conservation et rareté. Une monnaie à *« fleur de coin »* (F.D.C.) peut valoir 10 fois plus qu'une même monnaie dans un état moyen et 1 000 fois plus que les frustes, utilisées pendant un ou plusieurs siècles (jusqu'en 1856 avant le monnayage du 2e Empire). *« Superbe »* (éclat peut être terni, sans défaut), *« très beau », « T.B. », « beau »* (fruste), *« B »* (très fruste).

Monnaies les plus rares. On connaît plus de 100 pièces dont il n'existe qu'un spécimen. La plus connue est la pièce de 20 statères d'Eucratide Ier (169-159 av. J.-C.). En 1946, un dollar d'argent américain de 1804 (6 ex. connus) a été vendu 200 000 dollars. L'écu d'or de St Louis (1re pièce d'or frappée en France depuis l'époque carolingienne, 8 ex. connus) vaut env. 5 000 000 F. Décadrachme en argent de la reine Démarète env. 5 000 000 F ; d'Athènes env. 3 330 000 F ; tétradrachme de Naxos env. 1 000 000 F.

• **Monnaies protohistoriques** (et début période historique). *Cachets* 0,5 à 6. *Cylindres* 0,5 à 30.

• **Monnaies grecques.** *700-480 av. J.-C.* (époque archaïque) : Ier monnayage sous Solon (640-558), création du tétradrachme en 561 par Pisistrate (profil d'Athéna sur l'avers, chouette sur le revers). *480-415 :* diversification des monnaies (env. 1 650 types) ; chaque pièce porte une marque de la cité émettrice : *Phocée,* phoque ; *Corinthe,* poulain (Pégase) ; *Athènes,* Athéna et chouette ; *Clazomène,* Apollon ; *Égine,* tortue ; *Éphèse,* abeille ; *Syracuse,* nymphe Aréthuse et courses de chars ; *Étrurie,* Gorgone ; *Crète,* Minotaure. *415-336 :* apogée, certaines monnaies sont signées. *336-196 :* Alexandre (336-323) crée une monnaie panhellénique qui dure jusqu'en 170 av. J.-C. et frappe des pièces à son effigie. *196-27 :* conquête romaine, seules les villes ralliées aux vainqueurs battent librement leur monnaie.

Système ayant la drachme pour étalon, multiples : didrachme (2), tétradrachme (4), décadrachme (10) ; sous-multiples : hémidrachme (triobole), diobole (1/3 de drachme), obole (1/6 de drachme). *Ayant le statère,* multiples : double statère, trihémistatère ; sous-multiples : hémistatère (1/2 st.), trité (1/3), tétraté (1/4), hecté (1/6) [la pièce était si petite que les Grecs la mettaient dans la bouche pour ne pas la perdre, d'où l'expression : *avoir un bœuf sur la langue* (car la pièce représentait un bœuf)].

Cours. Électrum : *Milet (Ionie)* (VIe s. av. J.-C.) hecté (tête de lion la gueule béante) 16. *Carthage* (242-146). *Tr.* (242 av. J.-C.) s. 95. *Samos* (v. 500 av. J.-C.) hecté 3. **Or :** *Macédoine Alexandre le Grand* (336-323) di. 17,16 g, 90. *Mysie-Lampsaque* (394-350) s. 8,4 g, 112,5. *Thrace-Chersonèse-Taurique-Panticapée* (400-300) s. 9,11 g, 540 ; (450-320) s. 9,07 g, 245,6. *Thrace-Lysimaque* (323-281) s. 49 g, 78. *Tarente* (315-314) s. 8,52 g, 170. *Épire-Pyrrhus* (295-272) s. 8,57 g, 285. *Égypte-Arsinoé* (270-246) o. 27,78 g, 95. *Ptolémée IV* (221-204) o. 27,72 g, 101,5. *Bérénice II* (246-211) de. 42,75 g, 780. **Argent :** *Naxos* (461-430 av. J.-C.) t. 930. *Zengitane-Carthage* (242-146 av. J.-C.) de. 101. *Delphes* (336-334 av. J.-C.) s. 12,29 g, 465. *Attique-Athènes* (338-329) t. 17,20 g, 2,7 ; de. 575. *Parthes-Mithridate II* (123-88) t. 16,37 g, 30,5. *Sicile-Syracuse* (435-367) de. 42,13 g (grav. Kimon) 208,5. **Bronze :** *Sicile-Syracuse* (413-357) tête d'Athéna, 22,82 g., 6,2.

• **Monnaies romaines.** *IVe s. av. J.-C. :* 1ers types monétaires, d'origine étrusque : *as signatum :* grand lingot de bronze coulé représentant bétail, caducée, trident, etc. ou symbole religieux ; *as* ou *assis* (lingot d'une livre de 327 g), *quincussis* (5 as), *quadrussis* (4 as). *V. 269 av. J.-C. :* 1res monnaies d'argent plus légères, l'as descend à 109 g, puis 27 g (as oncial). *V. 280 av. J.-C. :* apparition de l'*as grave* en bronze (en 268, création d'un atelier de frappe au Capitole), *denier* (argent) de 4,30 g, valant 10 as de bronze, *demi-denier* (quinaire), *demi-quinaire* (*sesterce* en arg.). *V. 187 av. J.-C. :* naissance du système romain. *En 87 av. J.-C.,* à partir de Sylla ; *aureus, demi-aureus* (ou quinaire d'or), *denier* d'argent (et quinaire d'argent). *D'Auguste à Dioclétien :* or : *aureus* quinaire d'or (très rares à l'époque pré-impériale), 1/2 *aureus ;* argent : *denier* (1/25 aureus) et *quinaire* d'argent, 1/2 denier ; bronze ou cuivre : *sesterce* (1/4 denier) ; *dupondius* (1/8 denier) ; *as* (1/6 denier) ; *semis* (1/2 as) ; *quadrans* (1/4 as). *Au début du IIIe s.* apparaît un double denier d'argent *(antoninien)* qui se dévalue durant la 2e moitié du IIIe s. *Après Constantin,* en or : *solidus* (ou sou d'or), *semissis* (demi-sou), *tremissis* (1/3 de sou) ; en argent : *milliarense* (ou millarès), *silique* et *demi-silique.*

Cours. Or : *Titus* (79-81) a. 7,32 g, 95. *Trajan* (98-117) 7,19 g, 25. *Aelius* (136-138) a., 7,24 g, 56. *Antonin le Pieux* (138-161) a., 7,32 g, 77,2. *Marc Aurèle* (161-180) a., 7,37 g, 41. *Lucius Verus* (161-169) a., 7,30 g, 71,5 ; a. 7,24 g, 58,8. *Marc Aurèle* (140-161) a., 7,27 g, 53,5. *Commode* (180-192) a., 7,24 g, 59,5. *Septime Sévère* (193-211) a., 7,17 g, 101. *Caracalla* (212-217) a., 7,37 g, 190. *Élagabal* (205) a. 7,17 g, 96. *Geta* (209-212) a. 7,53 g, 75. *Diadumènien* (217-218) a., 7,37 g, 202. *Lélien* (268) a., 6,72 g, 380. *Probus* (276-282) a., 6,54 g, 90. *Fausta* (vers 300) m. 2 so., 8,98 g, 416. *Constantin II* (337-340) m. 1,5 so., 6,7 g, 105. *Magnence* (350-353) so., 4,50 g, 21. *Procope* (365-366) so., 4,31 g, 200. *Honorius* (395-423) so., 4,49 g, 1,6. *Eudoxie* (434-455) so., 4,44 g, 116.

Argent : *Romano-campanien* (342-317 av. J.-C.) d. ou s. 6,67 g, 28. *Octave Auguste* (63-14 av. J.-C.) denier 3,79 g, 10. *Brutus* († 42) denier, 3,98 g, 450.

Bronze : *Vespasien* (69-79) se. 25,92 g, 90. *Faustine mère* (épouse d'Antonin le Pieux, 105 apr. J.-C.) se. 21,89 g, 17. *Alexandre Sévère* (cousin d'Élagabal, 205) se. 19,67 g, 10. *Nigrinien* (fils de Carin ou d'Alexandre Tyran en Afrique, 283) petit bronze 4,16 g, 7,5. *Crispus* (fils de Constantin et Minervina, 300) petit bronze 3,61 g, 1,6. *Constance Galle* (frère de Constantin le Grand, 325) follis 4,30 g, 1,9. *Néron Drusus* (père de Claude et de Germanicus + 19) se. 30,36 g, 62. *Néron* (54-58) se. 45 g, 35,5. *Trajan*

(98-117) se. 26,96 g, 62. *Julia Domna* (ép. de Septime Sévère + 217) as bronze, 12,24 g, 18,5. *Caracalla* (198-217) se. 25,65 g, 51. *Gordien III Le Pieux* (238-244) m. ou double se., 46,55 g, 72,2. *Vétranion* (350) centenionalis ou moyen bronze, 4,65 g, 6,5.

• Monnaies byzantines (395-1453 apr. J.-C.). Style hiératique. L'effigie de l'empereur cède la place au Christ Pantocrator (Croix présente à partir du milieu du ve s.). Avec la querelle des iconoclastes (VIIIe s.), les images du Christ se font rares et réapparaissent au IXe s., associées à celle de la Vierge, parfois au Souverain. Au XIe s., les *scyphates* (plaques rondes et concaves, métal mince) portent les effigies des empereurs (Comnène, Paléologue). Cours. **Or :** *Pulcherie* (414-453) so. 4,44 g, 44. *Marcien* (450-457) so. ou sou d'or 4,44 g, 3. *Justin II* (565-578) so. 4,48 g, 4,3. *Constantin IV* et ses frères *Heraclius et Tibère* (668-685) so. 4,30 g, 2. *Justinien II* (685-695) so. 4,45 g, 8. *Léon V* (813-820) so. 4,41 g, 44.

• Monnaies gauloises. *Vers IVe av. J.-C.* : 1res monnaies gravées. Style selon régions. Figuration symbolique très stylisée (corne d'abondance, astres, lyres, silhouettes stylisées, bestiaire fabuleux). Cours. **Or :** *Aulerci cenomani* (région du Mans) s. or 7,10 g, 8. *Parisii* (Paris) s. or 122. *Helvétie* (Suisse) double s. 83,5. *Namnètes* (Nantes) s. 27,5. *Vénètes* (Vannes) s. 7,20 g, 111 ; 7,60 g, 146,6. *Aulerci Diablintes* (Jubelains) s. 7,64 g, 144,5. *Aulerci Eburovices* (Évreux) hémistatère, 3,31 g, 53,3. *Arvernes-Vercingétorix* (Clermont-Ferrand) s. en or, 7,29 g, 81. **Argent :** *Massilia* (IVe s. av. J.-C.) 4,4. *Celtes du Danube*, t. 16,91 g, 25. **Argent ou billon :** *Abrincatui* (Avranches) s. en billon, 6,71 g, 13,3. *Boiens de la Transpadane* (région du Danube) t. argent, 12,46 g, 9,5.

• Monnaies mérovingiennes et carolingiennes. Le *triens* (or) présente à l'avers l'effigie royale stylisée ; au revers, une croix avec la mention de l'atelier de frappe. Le bimétallisme (or et argent) se généralise au VIIe s. (abbayes, villes ou seigneuries battent monnaie). Charlemagne rétablit l'unité de frappe et renoue avec la tradition romaine : sur l'avers des deniers et 1/2 deniers, effigie de l'emp. à l'antique ; sur le revers, stylisation de la basilique romaine. Cours. **Or :** *Ostrogoths Athalaric* (fils d'Amalasunthe, 526-534) so. 4,35 g, 8. Aiannes (Sarthe) Triens 1,11 g, 19. Auguste dunum (Autun) Triens 1,27 g, 20. *Théodebert* : sou d'or 1re monnaie royale fr. *Dagobert* (629-639) tre. 1,34 g, 62. *Pépin le Bref* (751-768) denier 1,19 g, 14. *Charlemagne* (751-814) denier de Genève 1,24 g, 140. *Louis le Pieux* (814-840) so. 4,33 g, 144 ; denier 17 g, 44. *Benevent Grinwald et Charlemagne* (788-792) sou d'or 3,82 g, 12.

• Monnaies royales françaises. *Philippe Auguste*, avec le denier d'argent parisis et le tournois, rétablit l'unité monétaire. *St Louis* limite circulation et validité des monnaies féodales, impose la monnaie royale, s'engage en 1266, en créant l'écu d'or, à ne frapper que de la monnaie de bon aloi. *Jean le Bon* émet en 1360 : franc [à pied (roi debout sous un dais), à cheval] ; sert à payer sa rançon ; *Louis XI* : écu du soleil ; *Louis XII* : teston d'argent (buste à l'antique). *François Ier* : 1540, frappe contrôlée par un graveur général des Monnaies. *Henri II* : qualité améliorée par balancier. *Louis XIII* : 1640, restaure le système monétaire ; le double louis (Louis) d'or conservera jusqu'en 1709 poids et titre (avers : effigie du roi ; revers 8 L disposés en croix). Écu blanc en argent ; deniers, sous, liards en billon.

Cours. **Or :** *Philippe IV le Bel* (1285-1314) denier à la reine (1305 ; 4,68 g) 108. *Louis X le Hutin* (1314-16) agnel (1314 ; 4,06 g) 38, *Philippe VI* (1328-50) couronne (1340 ; 5,42 g) 480 ; *Jean II le Bon* (1350-64) écu (1351 ; 4,47 g) 1,9 ; mouton (1355 ; 4,65 g) 22,5. *Charles V le Sage* (1364-80) franc à pied (1365 ; 3,77 g) 6,8. *Charles VI* (1380-1422) salut (1421 ; 3,83 g) 73. *Henri VI* (1422-53) salut (1423 ; 3,42 g) 10. *Charles VII* (1422-61) écu au briquet du 1er type 23. *Louis XI* (1461-83) é. à la couronne (13-12-1461, 4-1-1474 ; 3,36 g) 5,6. *François Ier* (1515-47) é. au soleil, 1er type (23-1-1515 ; 3,40 g) 5 ; de Provence (21-7-1519 ; 3,36 g) 7,2. *Henri III* (1574-1589) é. au soleil (1586 ; 3,31 g) 2,7. *Louis XIII* (1610-43) é. au soleil (1624 ; 3,34 g) 4,8 ; 8 louis aux 8 L (1640 ; 53, 28 g) 450. 10 louis au b. drapé (67,17 g) 670 ; au col nu, except. (1642 ; 67,26 g) 420 ; double l. (1640 ; 13,44 g) 75 ; l. à la mèche longue (1642 ; 6,71 g) 30. *Louis XIV* (1643-1715) l. juvénile tête laurée (1668 ; 6,73 g) 19 ; l. aux 4 L (1694 ; 6,70 g) 7 ; l. aux 8 L et insignes (1701 ; 6,67 g) 13,5 ; l. aux insignes (1704 ; 6,70 g) 6,6 ; double l. au soleil (1712 ; 16,25 g) 78 ; l. au soleil (1710 ; 8,13 g) 11. *Louis XV* (1715-74) l. aux 8 L (1715 ; 8,13 g) 150 ; l. à la croix de Malte (1718 ; 9,77 g) 25,5 ; double l. de Noailles (1717 ; 12,21 g) 104 ; l. aux 2 L (1721 ; 9,76 g) 29,5 ; l. aux lunettes (1737 ; 8,09 g) 15 ; double l. au bandeau (1746 ; 16,29 g) 5,5 ; l. au bandeau (1742 ; 8,03 g) 28. *Louis XVI* (1774-93) l. aux palmes (1774 ; 8,14 g) 45 ; l. au buste habillé (1782 ; 8,12 g) 17 ; double l. au buste nu (1786 ; 15,25 g) 12,2 ; l. au buste nu (1787 ; 7,64 g) 8,5. *Constitution* (1792-1793) l. de 24 livres (1792-an IV ; 7,59 g) 68. *Convention* (1792-95) l. de 24 livres (1793-an II ; 7,67 g) 31.

Argent : *Louis IX* (1266-70 ; gros tournois de St Louis 4 g) 2,6. *Louis XII* (1498-1515 ; teston de Milan 9,95 g) 17. *Louis XIII* piéfort de l'essai du franc (1618 ; 56,10 g) 17,3 ; l. de 68 sols tournois (1642 ; 27,28 g) 25 ; franc (1638) Bordeaux 32. *Louis XIV* écu au buste juvénile (1667 ; 27,14 g) 3,2 ; é. carambole (1685 ; 37,02 g) 6,8 ; é. aux 3 couronnes (1709 ; 30,39 g) 6,4. *Louis XV* é. Vertugadin (1716 ; 30,41 g) 5,5 ; é. de France et de Navarre (1719 ; 24,35 g) 5,4 ; é. aux 8 L (1724 ; 23,54 g) 21. *Louis XVI* 1/2 é. aux lauriers (1789 ; 14,69 g) 1,9 ; é. de Calonne (1786 ; 29,17 g) 21 ; *gouvernement constitutionnel* (1789-93) essai en argent de Vasselon (1791 ; 29,36 g) 23,5 ; petit é. de 3 livres (1792 ; 14,55 g) 3,3.

• Monnaies féodales. Cours. **Or :** AQUITAINE : *Édouard III* (1317-55) Guyennois 3,84 g, 34. *Édouard* (Prince Noir 1355-75) chaise 5,48 g, 65 ; hardi 3,92 g, 116 ; pavillon 5,32 g, 22. *Charles de France* (1469-72) Fort 380 (record mondial). AVIGNON : *Clément VIII*, quadruple é. 80. BÉARN : *François Phébus* (1479-83) é. 3,42 g, 34. BOURGOGNE : *Philippe le Bon* (1419-67) cavalier 3,62 g, 25. LORRAINE : *Antoine* (1508-44) florin 6. *Charles III* (1545-1608) double pistole (1588) 5. *Léopold Joseph Ier* (1697-1729) double léopold (1726) 67. **Argent :** LORRAINE : *François II* (1625-32) é. à la vierge (1632) 65. CHATEAURENAUD : *François de Bourbon et Marguerite* é. (1614) 22. VERDUN : *Charles de Lorraine-Chaligny* (1611-22) grand é. 30. SAVOIE : *François-Hyacinthe* (1630-1678) 4 scudi en or (n.d.) 13,27 g, 92.

• Monnaies récentes. *1793* : le profil de L. XVI est remplacé par une couronne de branches de chêne, la Convention remplace le système duodécimal par le système décimal. *1795* : le franc remplace la livre-tournois ; sur les *monnaies de confiance*, apparaît le visage de la Ire Rép. *Directoire* : apparition du 5 F en argent. *Restauration* : la Monnaie Royale commence à frapper le platine (d'Am. du Sud). *1849* : 1er visage de Marianne avec la devise Liberté, Égalité, Fraternité. *1872* : la IIIe Rép. reprend les modèles de 1793 et 1848 jusqu'en 1895. *1897* : Semeuse de Roty (pièces de 50 c, 1 F, 2 F en argent jusqu'en 1928), coq de Chaplain en or, Rép. au bonnet phrygien de Dupuis en cuivre. *1914-44* : sous troués en nickel. *1940* : le mal Pétain émet des essais avec son effigie (non mis en circulation) ou la francisque (mise en circulation).

Cours. *Bonaparte* (1799-1801) 40 F an XI, 6,5. *Napoléon Ier* (1804-14) 40 F an XIV [12,87 g (Paris)] 10,7 ; an XIV [12,51 g (Lille)] 17,5 ; 1808 [12,83 g (Turin)] 24,5. 5 F an XIII (24,87 g) 6,2 ; 5 F tête laurée (1814 ; 24,88 g) 1,4. *Louis XVIII* (1815-24) 40 F [1822 ; 12,80 g (Paris)] 16,3 ; [1822 ; 12,85 g (Paris)] 23 ; 5 F au collet (1814 ; 25,03 g) 2,8. *Charles X* (1824-1830) 20 F tr-striée 9. *Louis Philippe* (1830-48) 5 F tête nue (1830 ; 24,70 g) 1,9. *Napoléon III* (1852-70) 5 F tête nue (1856 ; 24,93 g) 4,2. *Henri V* (n. 1820 † 1884, n'a pas régné) 5 F [1871 ; 25,91 g (non mise en circulation)] 24,5. *IIIe République* (1871-1940) essai bimétallique de 5 centimes par Bazor (1935 ; 13,85 g) 3,8 ; 100 F Bazor (6,54 g) 6,3.

• Monnaies étrangères. Cours. **Or.** ALLEMAGNE : *Hildesheim ville* : 5 ducats 75 (1528 ; 16,72 g) 75. BELGIQUE : *Philippe IV d'Esp.* (1621-65) : double souverain (1636 ; 10,94 g) 15. CHINE : dollar en or (1921) 29,5. ÉGYPTE : *Saladin* : dinar (1187) 280 (record, 1983). ESPAGNE : *Ferdinand II* (1452-1516) : 10 ducas (1479 ; 34,97 g) 341. *Charles III* (1759-88) : 4 escudos (1774 ; 13,47 g) 3,5. *Alphonse XIII* (1886-1931) : 100 pesetas (1897 ; 32,24 g) 18,3. G.-B. : *Édouard III* (1327-77) : noble (1356-61 ; 7,57 g) 10. *Élisabeth Ire* (1558-1603) demi-souverain (5,54 g) 28. *Georges V* couronne en or (47,73 g) 200. *Victoria* (1837-1901) 1 cour. avec lion (1839) 140. ITALIE : *Florence* (1189-1531) : florin (3,51 g) 2,9 ; *Victor-Emmanuel II* (1849-61) : 20 lires (1858) (6,42 g) 1. JAPON : *Mutsu Hito* (1867-1912) : 20 yen (1877 ; 33,3 g) 295. PAYS-BAS (Gueldre) : cavalier (1423-72 ; 3,56 g) 320. (Utrecht) : cavalier de 14 florins (1750 ; 9,68 g) 4,5. PERSE : *Nasredin* (1848-96) : 10 tomans (1880 ; 27,54 g) 19. RUSSIE : *Nicolas II* (1894-1917) rouble (1902 ; 32,2 g) 60. SUISSE (Soleure) : doublon (1787 ; 7,63 g) 15. TURQUIE : *Abdul Aziz* (1861-76) 500 piastres (1870 ; 36,03 g) 3,6. U.S.A : 20 $ St-Gaudens (1907 ; 33,35 g) 56, **Argent.** AUTRICHE (Tyrol) : *Charles VI* : thaler (1721) 3,1. G.-B. : *Victoria* (1837-1901) : couronne « gothique » (1847 ; 28,2 g) 10,65. P.-BAS (Utrecht) : ducaton ou cavalier (1786) 1,7. U.S.A. : 1/4 de $ (1806) 3,4 ; 1/2 $ (1806) 1,7. **Platine.** RUSSIE : *Nicolas Ier* (1825-55) 12 roubles (41,39 g) 42,5.

• Collections principales (nombre de pièces). ALLEMAGNE : *Berlin* : 500 000 ; *Dresde* : 30 000 ; *Munich* : 220 000. ANGLETERRE : *Cambridge*, Fitzwilliam Museum : 120 000 ; *Londres*, British Museum : 500 000 ; *Oxford*, Ashmolean Museum : 90 000. AUTRICHE : *Vienne*, Musée impérial : 500 000 ; coll. des Bénédictins. BELGIQUE : *Bruxelles* : 200 000. ESPAGNE : *Barcelone*, Cabinet numismatique : 120 000. FRANCE : *Bordeaux*, 4 000 médailles, 15 000 pièces de monnaie, jetons, minéraux, etc., av. le vol de mars 1975, 10 000 depuis ; *Lille* : 5 000 env. ; *Lyon* : 15 000, *Marseille* : 20 000 ; *Paris*, Cabinet des Médailles : 500 000 monnaies, 100 000 méd., 30 000 jetons ; Hôtel de la Monnaie. GRÈCE : *Athènes*. HOLLANDE : *La Haye* : 200 000. INDE : *Calcutta*. ITALIE : *Bologne* : 100 000 ; *Florence* ; *Milan* : 145 000 ; *Naples*, Musée civique Gaetano Filangieri : 8 500 ; Musée national ; 300 000. *Padoue* ; *Palerme* ; *Reggio di Calabria* ; *Rome* (Vatican), Cabinet numismatique : 100 000 ; *Turin* ; *Syracuse* : 5 000. TURQUIE : *Istanbul* : 500 000. U.S.A. : *New York*, American Numismatic Society : 900 000.

• **Nettoyage des monnaies. Généralités :** on ne peut pas restituer le relief d'une pièce usée. Se méfier de tous abrasifs et des procédés souvent conseillés ; dans bien des cas, se contenter d'eau et de savon. La patine doit être conservée.

Argent : nettoyer à l'alcool, à l'éther ou à la lessive Saint-Marc diluée dans de l'eau très chaude ; tremper les pièces très sales quelques secondes dans une solution de vitriol et d'eau (1/10 de vitriol versé dans l'eau).

Bronze : brosse de soie ; conserver la patine.

Or : tremper les pièces dans de l'eau savonneuse bouillante.

• **Numismates** (collectionneurs). *France* : 10 000 dont plus de 3 000 suivent les manifestations numismatiques. *U.S.A.* : 20 millions. *Allemagne* : 100 000.

• **Régime fiscal.** Taxe de vente forfaitaire due même en l'absence de plus-value. *Vente privée* : monnaies d'avant 1800 : taxe de 7 % sur le prix de vente (exonération jusqu'à 20 000 F et décote entre 20 000 et 30 000 F) ; depuis 1800 : t. de 7,5 %, sans exonération ni décote. *Vente publique* : taxe de 4,5 % sur le prix de vente (exonération jusqu'à 20 000 F, décote entre 20 000 et 30 000 F).

Mosaïque

Technique

En latin, *musivum opus* signifie : travail auquel président les Muses. Les *musea* étaient des grottes naturelles ou artificielles, des fontaines décorées de mosaïques.

Sol ou mur enduits d'un 1er ciment de marbre pilé et de chaux ; puis d'un 2e ciment plus fin (brique pilée et chaux) qui recevra les cubes taillés en biseau. Pour le 2e ciment, on étalait la surface correspondant au travail qui pouvait être exécuté immédiatement après. L'image à reproduire était peinte sur cette surface ; ensuite on enfonçait les cubes dans le ciment encore frais. Ces cubes en brique, pierre, marbre, terre cuite ou verre pouvaient être recouverts d'une mince feuille d'argent ou d'or et enrobés de verre, ou colorés par des oxydes métalliques mélangés à de la pâte de verre (ainsi qu'avec des morceaux de vaisselle cassée, des coquilles d'œufs ou des coquillages).

Principales mosaïques

• Moyen-Orient. Vestiges de mosaïques murales.

• Grecques et romaines. La plupart au sol. Au début, cailloux noirs et blancs mal égalisés ; au IIIe s. polychromes et plus fines ; cependant, les m. romaines (notamment à Pompéi) seront surtout noires et blanches. **Principales collections.** *Italie* : Naples, Rome (Thermes du Latran) ; *Tunisie* : Bardo, Sfax, El Djem, Sousse ; *G.-B.* : British Museum. **Pièces célèbres.** Vue sur le Nil (Ier s. av. J.-C., 1re m. romaine connue), palazzo Barberini (Palestrina, Italie). Bataille d'Issus, trouvée à Pompéi (musée de Naples). Colombe de la villa d'Hadrien (musée du Capitole). Virgile entre les 2 muses (de Bardo).

• Chrétiennes. **Italie.** *Rome :* mausolée de Ste-Constance, St-Jean-de-Latran, chap. de Ste-Rufine, Ste-Pudentienne (IVe s.) ; Ste-Marie-Majeure (Ve s.) ; St-Laurent-hors-les-Murs (578-80) ; Ste-Agnès-hors-les-Murs (VIIe s.).

• Byzantines. **1er Age d'or byzantin** (Ve-VIe s.). *Ravenne :* mausolée de Galla Placidia (450), baptistère des Orthodoxes (425-30), baptistère arien (520), St-Apollinaire-le-Neuf (la Vie du Christ) (520-26), St-Vital (Justinien et Théodora) (526-47), St-Apollinaire-in-Classe (535-49). *Naples :* baptistère de Sôter (470-90). *Parenzo* (530-35). *Salonique :* St-Démétrius (Ier-VIIe s.). *Mont Sinaï :* monastère de Ste-Catherine (sous Justinien). **2e** (IXe-XIIe s.). En général : *Coupole :* buste du Christ Pantocrator entouré des apôtres, des prophètes et d'archanges. *Pendentifs :* les 4 évangélistes. *Abside :* la Vierge, la communion des apôtres. *Nef* et *narthex :* vies du Christ et de la Vierge, images de saints. 2 scènes se rencontrent : l'*Hémistasis* représentant le trône vide réservé au Christ pour le Jugement dernier : l'*Anastasis* représentant la visite du Christ aux limbes.

France. *Germigny-des-Prés* (Loiret) (801-806). *Grand* (Vosges) : 14 m de côté, la plus grande trouvée en France. **Grèce.** *Daphni* (la Crucifixion) (1100). *St-Luc-de-Stiris* (XIe s.). *Nea Moni* (île de Chio, 1052-56). *St-Luc-en-Phocide.* **Italie.** *Rome :* Ste-Marie-Majeure (abside par J. Torriti, XIIIe s.), St-Jean-de-Latran (abside par Torriti, XIIIe s.), palais Stefaneschi (par Giotto), Ste-Marie-du-Transtévère (par Cavallini, XIIIe s.). *Orvieto :* cath. (refaite XVIIe et XVIIIe s.) *Venise :* St-Marc (du XIIe s. à la Renaissance). *Murano :* basil. (abside). *Torcello :* cath. (abside, XIe-XIIe s.). **Sicile.** *Palerme :* la Martorana, chap. Palatine, la Liza (1154-64). *Monreale* (1174-82). *Cefalù* (1150-75, chœur). *Messine :* St-Grégoire. **Turquie.** *Istanbul :* Ste-Sophie (jusqu'en 1204), Kahriye Djami, Fetiye Djami (XIVe s.).

• Amérique latine. Incrustées de pierres (obsidienne, grenat, quartz, béryl, malachite, etc.). On en trouve chez Mayas et Aztèques. **Pièce la plus célèbre.** Masque du British Museum à Londres. **Principales collections.** Musées : Amérique latine, New York, Mexico, Berlin, Copenhague, Londres, Rome, Vienne.

• Modernes. Décors de mosaïques : Université de *Caracas* (Venezuela) par Fernand Léger ; UNESCO et Maison de la Radio (France, *Paris*) par Bazaine ; Fondation Maeght (France, *St-Paul-de-Vence*) par Chagall ; Bibliothèque de l'université nationale de *Mexico* (la plus grande m. du monde : 1 203 m^2, évoque le passé du Mexique) par Siqueiros.

Orfèvrerie

Histoire

• Origine. Du latin *aurum* (or) et *faber* (fabricant), l'orfèvrerie est l'art de travailler l'or et l'argent. Pratiquée en Orient, en Égypte, en Grèce et à Rome, se développe surtout, en Europe, au Moyen Age. Jusqu'au XVIIIe s. (apogée de l'orfèvrerie en Fr. : 300 orfèvres à Paris), orfèvrerie, bijouterie et joaillerie n'étaient qu'un seul métier. L'orfèvre fabrique surtout des objets usuels ; le bijoutier ne fabrique que des bijoux ; le joaillier se sert des métaux précieux pour monter les pierres. Pour éviter toute fraude, les taux d'alliage ont été réglementés du Moyen Age au XVIIIe siècle. Les orfèvres étaient tenus de travailler à la vue des passants ; ils n'avaient pas le droit de travailler la nuit.

Au XVIIe s., il y avait des meubles en argent (jardinières de 150 kg, tables). Les rampes des bassins de Versailles étaient en argent (l'une pesait 2 788 kg). Cependant, la belle argenterie française est rare, beaucoup de pièces ayant été fondues entre Louis XIV [qui fit fondre 25 t d'argenterie en raison de besoins financiers (édits-confiscations de 1689 et 1709, d'où l'utilisation de la faïence et de l'étain pour la vaisselle)], la Révolution (1789-90 : 54,9 t d'argent, 187 kg d'or) et Napoléon III.

• Orfèvres français célèbres. St Éloi (VIe s.). *Abbon* (VIIe s.). *Hennequin du Vivier* (XVe s.). *Benvenuto Cellini* (Italien d'origine, 1500-71). *François Briot* (1550-déb. XVIIe s.). *Claude Ballin* (1615-78) et son neveu *Claude* (II) (1661-1754). *Thomas Germain* (1673-1748) et son fils *François-Thomas* (1726-83). *Louis Lenhendrick* (XVIIIe s.). *Nicolas Delaunay* (1647-1727), *Jacques Nicolas Roettiers* (1707-84). *Ambroise Nicolas Cousinet* (1710-88). *Robert-Joseph Auguste* (1723-95) et son fils *Henry* (1759-1816). *Antoine Boule* (XVIIIe s.). *Edme Pierre Balzac* († v. 1786). *François Joubert* (XVIIIe s.). *Nicolas Outrebon Ier et Nicolas Outrebon II* († 1779). *Charles Auguste Aubry* (v. 1730-92). *Odiot :* Jean-Baptiste Gaspard († 1767) et Henri (son frère, † 1772), Jean-Claude (fils de J.-B., † 1788), J.-Claude (1763-1850), Charles Nicolas (1789-1856), Gustave (suicidé 1912). *Biennais :* Guillaume (1764-1843), Jean-Baptiste Claude (fils de J.-C., † 1850). *Charles Christofle* (1805-63). *Henri Bouilhet* (1830-1910). *R. Boivin. Cartier. Luc Lanel. Maurice Daurat. Jean Desprès. Gaston Dubois. Christian Fjerdingstad. Georges Fouquet. Gio Ponti. Georg Jensen. Lacloche. Henri Lappara. Jean Puiforcat* (1897-1945). *Ravinet-d'Enfert. Johan Rohde. Gérard Sandoz. Jean Serrière. Tétard Frères.*

☞ *Carl Fabergé* (1846-Lausanne 1920), descendant de Huguenots, était russe.

• Collections. **Paris :** *Musée des Arts décoratifs, Petit Palais, Louvre, Camondo.* **Strasbourg :** *M. de l'œuvre Notre-Dame.* **Leningrad :** Ermitage. **Lisbonne. Londres :** *Victoria and Albert.* **New York :** *Metropolitan.*

Pièces célèbres

Pièces anciennes

• Matériaux. **Or :** Sumer (4000 av. J.-C.), Égypte (3000 av. J.-C.), Mycènes (2100-1900 av. J.-C.), Phénicie (1400 av. J.-C.), Inde (Xe s. av. J.-C.), Pérou (IXe s. av. J.-C.). **Argent :** dès le Ve s. av. J.-C.

• Quelques pièces célèbres : *Calice d'Antioche* (argent, IVe ou Ve, New York, coll. pr.). *Trésor Esquilin,* (argent, B M), *de Lampascus* (argent, B M), *de Louxor* (Ve-VIe s., L.), *de Chypre* (VIe s., B M), *Croix d'or de Justin II* (VIe s., St-Pierre, Rome). *Devant d'autel* (IXe s., St-Ambroise, Milan). *Statue de Ste Foy* (Xe s., Conques). *Codex Aureus, Ciboire de l'emp. Arnulf* (Munich). *Calice de St Remi* (Reims). *2 Vierges* (XIe s., Essen). *Croix de Laon* (v. 1200, L). *Calice de Nicolas de Verdun* (XIIIe s., Borga, Finlande). *Reliquaire de St Éleuthère* (1247, cath. Tournai). *Ciboire* (XIIIe s., Sens). *Croix* (Amiens). *Châsse de St Taurin* (XIIIe s., Évreux). *Vierge* (XIVe s., Roncevaux). *Vierge* (1339, L). *Reliquaire* (v. 1338, Orvieto, Italie). *Buste de Ste Agathe* (1376, Catane Italie). *Coupe des rois de Fr.* (1380, B M). *Coupe* (1462, Oxford, Oriel College). *Aiguière* (1581-82, L). *Bouclier d'or de Charles IX* (L). *De Benvenuto Cellini :* aiguière et salière (Vienne), coupe (v. 1540, L). *Écuelle en vermeil de Thomas Germain* (1783, L).

Nota. – L : Louvre ; B M : British Museum.

Couronnes et trésors royaux

Allemagne. *Couronne de l'Empire allemand* (1871). *C. de Saxe* (avec le diamant Dresden, voir p. 415).

Angleterre. Tour de Londres : *Couronne de St Édouard,* faite en 1661 pour remplacer l'original détruit en 1649, utilisée pour le couronnement ; refaite pour la reine Victoria, en 1838, elle serait la plus précieuse du monde : elle comprend 4 rubis dont le rubis du Prince Noir, 11 émeraudes, 16 saphirs (dont le saphir des Stuarts), 277 perles et 2 783 diamants (dont un des plus gros fragments du Star of Africa) ; la reine la porte pour l'ouverture du Parlement. *Cour. impériale des Indes,* faite pour le couronnement de Georges V aux Indes. *Cour. de la reine Marie de Modène* (épouse de Jacques II). *Cour. de la reine Mary* (ép. de Georges V), *Cour. d'Élisabeth II* (Cour. de la reine mère, portant le Koh-i-Noor). *Petite Cour. de la reine Victoria* (diamants). *Cour. d'Écosse,* pour Robert Bruce (1314).

Autriche. La Hofburg (Vienne) : *Insignes du St Empire :* cour. impériale [exécutée pour le sacre d'Othon le Grand 962 (?)], globe imp. [de résine enrobé d'or (XIIe s.)], épée imp. ou de St Maurice (entre 1198-1218), croix imp. (v. 1024), la sainte lance (avec laquelle Longin aurait percé le côté de J.-C.), sabre de Charlemagne, chape du couronnement (exécutée pour Roger II de Sicile 1133-34). *Cour. de Rodolphe II* (1602, devenue cour. imp. autr. en 1804). Les 2 *pièces héréditaires* inaliénables de la maison de Habsbourg : coupe d'agate (Trèves, IVe s., 75 cm de largeur, elle passe pour être le St-Graal), défense de licorne (corne de narval, 243 cm).

Espagne. Armería Real (Madrid) : *Cour. des rois wisigoths* (VIIe s., de Swinthila et 2 autres).

France. Musée de Cluny (Paris) : *3 cour. de rois wisigoths,* dont celle de Sonnica. Au Louvre (galerie d'Apollon) : *Épée de Charlemagne,* « La Joyeuse », IXe s. (et XIXe s.) ; *Sceptre de Charles V,* XIVe s. ; *Bague de St Louis,* XIIIe s. (ou XIVe-XVe s.) ; *Cour. de L. XV* (pierres remplacées par des verroteries) ; *Cour. de Napoléon Ier,* dite de Charlemagne, faite avec des camées anciens en 1804, servit aussi au sacre de Charles X. *Trésors :* abb. de St-Denis ; Ordre royal du St-Esprit ; gemmes et cristaux de L. XIV (galerie de minéralogie, m. d'Hist. naturelle de Paris).

Hongrie. *Cour. de St Étienne,* roi de Hongrie, Xe s. *Calvaire du roi Mathias,* XVe s.

Iran. Téhéran (à la Banque centrale) : *Cour. des Pahlavi* (1924), 2 080 g de pierres précieuses (dont 3 380 diamants, 368 perles, 5 émeraudes, 2 saphirs). *Diamant Daria-I Nour,* globe (1869) incrusté de 51 366 pierres, 3 656 g., *Trône de Nader* (début XIXe s.).

Italie. Monza : *Cour. de fer de Lombardie* VIe s. (ou IXe s.), bande de fer (clou de la vraie Croix ?) avec 6 plaques d'or serties d'émaux et de pierres précieuses. Portée entre autres par Charles Quint et Napoléon Ier comme rois d'Italie.

U.R.S.S. Moscou : *Cour. impériale,* commencée sous Catherine II et terminée pour Paul Ier (2 kg, 4 936 pierres totalisant 2 858 cts). *Sceptre,* surmonté du diamant Orloff (voir p. 415).

Métaux précieux

Titre

Définition. Quantité de métal fin (or, argent ou platine) contenue dans un ouvrage, celui-ci n'étant utilisé que sous forme d'alliage avec des métaux communs, leur malléabilité risquant d'entraîner une usure rapide et une déformation des ouvrages. Le titre (égal au poids du métal fin divisé par le poids de l'alliage) se définit en millièmes (*ex. :* 920/1000 correspondent à 920 g d'or pur pour 1 kg) ; le titre ancien de l'or se donne en carats et en 32e de carat (l'or fin valait 24 carats) ; celui de l'argent, en deniers de 12 grains [l'argent fin titrait 12 deniers (*ex. :* 11 deniers, 12 grains = 958 millièmes 333)].

Titres légaux. *Argent :* 925 et 800 millièmes (avant 1972, le 1er titre était de 950/1000). *Or :* 920, 840 et 750. *Platine :* 950. On évalue aussi le titre de pureté de l'or en carats, l'or pur étant à 24 carats ou 1 000 millièmes ; un objet à 18 cts comprend 18 cts d'or fin et 6 d'alliage (cuivre jaune ou rouge, argent ou nickel).

Le titre minimum légal représente la teneur en métal fin en dessous de laquelle le service de la Garantie n'appose pas le poinçon et ne peut être commercialisé en France. Il est en France et pour les objets importés en Fr. de : 750 millièmes ou 18 carats (or), 800 millièmes (argent), 950 millièmes (platine).

Tarifs des droits de garantie par gramme d'alliage reconnu à un des titres légaux : or 2,70 F, argent 0,13 F, platine 5,30 F.

Poinçons en France

Appliqués sur les objets d'or, argent, vermeil et non sur le métal commun. Mais des objets en plaqué du XVIIIe s., fabriqués en l'hôtel de Fère et en l'hôtel de Pomponne (manufactures royales) et exécutés par les orfèvres Tugot, Daumy et Huguet, peuvent porter des poinçons et signatures d'orfèvre tels que 1/6, 1/4 et JVH (Jean-Vincent Huguet).

Nombre de poinçons sur une pièce

• 1672-1797 (argenterie ancienne). **Poinçon du maître.** Institué en 1355. Symbole (épée couronnée, lion couronné, fleur de lys couronnée) et devise du fabricant (soleil, étoile, rose). A partir du XVIe s., pour éviter des confusions, il comprend en plus les initiales du maître.

Poinçon de communauté ou de jurande. Institué en 1375 pour l'argent et pour l'or. Apposé par les gardes des communautés d'orfèvres. Garantissait le titre et indiquait l'année du contrôle avec des lettres-dates se succédant dans l'ordre alphabétique. Reproduisait souvent les armes de la ville.

Poinçon de charge (créé en 1672). Généralement une lettre surmontée d'une couronne ou d'une fleur de lys, apposé chez les orfèvres par les commis des fermiers généraux sur les ouvrages en cours de fabrication. Garantissait le titre et indiquait que, l'ouvrage étant pris en charge par le fermier général, l'orfèvre aurait à acquitter un impôt auprès de celui-ci, une fois l'ouvrage terminé.

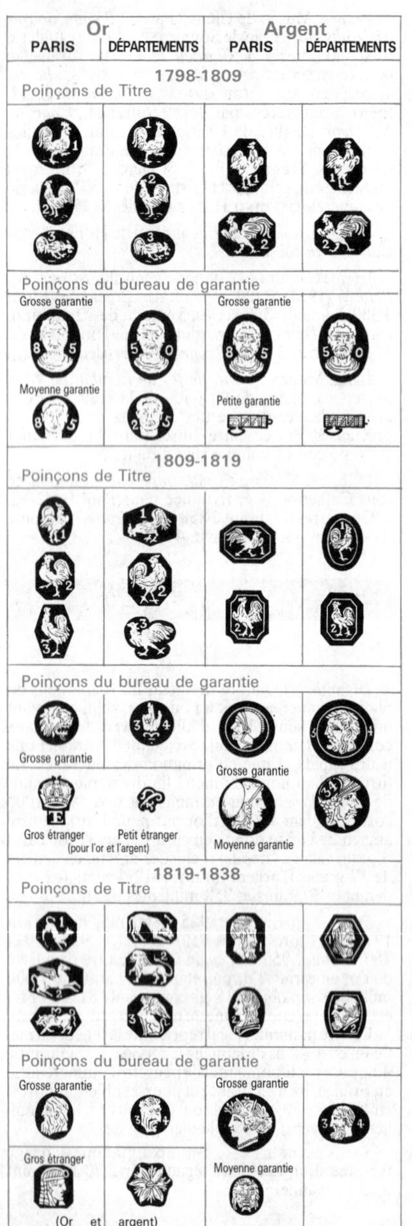

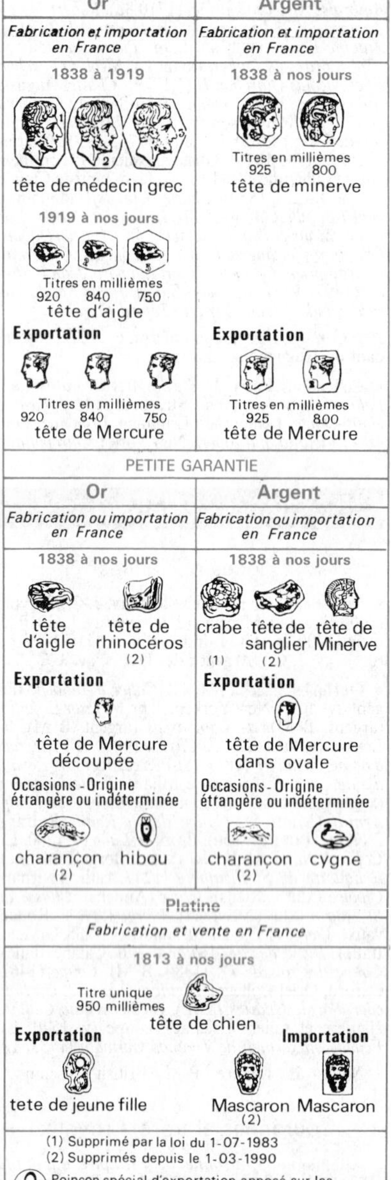

Poinçon de décharge. Plus petit, figures diverses. Appliqué lorsque l'ouvrage était terminé et l'impôt payé. Seul, avec le poinçon de recense (dans de rares cas) à attester du paiement d'un impôt. Poinçon de charge et de décharge deviennent poinçons d'État à partir de 1798.

Poinçon dit de recense. Institué en 1722 pour parer à des fraudes à la suite de contrefaçon ou de vol de poinçon. Lorsqu'une recense était prescrite, les p. anciens perdaient toute valeur et les marchands devaient porter aux bureaux de garantie tout ouvrage en métal précieux qu'ils détenaient pour qu'il soit marqué gratuitement. Les fermiers généraux l'utilisèrent aussi pour des ouvrages poinçonnés par leurs prédécesseurs. Après la Révolution, l'État l'apposera sur tous les ouvrages marqués sous l'Ancien Régime. Pour les ouvrages d'avant le 10 mai 1838, non contrôlés depuis et commercialisés, la « recense » est toujours obligatoire, sauf sur les objets en métaux précieux fabriqués jusqu'en 1798 en France et en 1799 à l'étranger.

• **1798-1838** (argenterie ancienne). Les gros ouvrages marqués au cours de la période 1798-1838 doivent porter 3 empreintes : poinçon de fabricant, p. de titre, p. du bureau de garantie. Cette période est subdivisée en 3 du fait de 2 lois de recense promulguées, l'une en 1809 et l'autre en 1819.

Poinçon de titre. D'abord pour l'argent : un coq dans un cadre rectangulaire ou ovale, puis la tête de Michel-Ange (Paris) ou d'une vieille femme (départements) (titre aux 950 millièmes) ; pour l'or : le coq, puis la levrette (Paris) ou le loup (départements) (titre aux 920 millièmes). **P. de garantie.** Têtes aux profils variés attestant le paiement des droits.

• **Depuis 1838** (argenterie moderne). **Poinçon du fabricant** (losange à filet simple).

Poinçons de garantie. P. de titre. *Or :* tête d'aigle avec mention du 1er, 2e ou 3e titre. *Argent :* tête de Minerve au 1er ou 2e titre sur les ouvrages français essayés par des méthodes exactes ; à la coupelle pour l'or et par la voie humide pour l'argent. *Platine :* tête de chien. **P. de petite garantie.** Généralement sur les ouvrages essayés par la méthode du « touchau » (réaction à l'acide) et n'assurant que le titre min. légal. Pour définir exactement le titre d'un objet en argent, on pratique la technique de la coupelle (plus complexe). Certains ouvrages (petits ou fragiles) ne reçoivent que la petite g. à cause de leur taille.

• **Depuis 1973.** Ajout d'une lettre, par ordre alphabétique tous les 10 ans, uniquement pour le poinçon tête de Minerve au 1er titre.

Autres métaux

• **Maillechort :** alliage de cuivre, de zinc et de nickel. Son nom vient de celui de ses inventeurs : Maillet et Chorier (1829).

• **Métal anglais :** alliage à base de zinc et d'antimoine. Plus spécialement utilisé par les Anglais.

• **Métal argenté :** au XVIIIe s., on utilisait le procédé du *plaqué ;* on disait aussi le *doublé* ou le *fourré* (une feuille d'argent était appliquée sur une plaque de cuivre, on soudait cette feuille en la martelant ou en la pressant à chaud avec des cylindres). Actuellement, on argente et on dore par *électrolyse,* procédé inventé en 1840 par le Français Henri de Ruolz (1811-87) et l'Anglais Henry Elkington (1801-65), vendu à Charles Christofle (1805-63) en 1842.

Réglementation en France. L'appellation *métal argenté* est réservée aux ouvrages recouverts d'argent satisfaisant aux normes AFNOR (titre minimal de 800 millièmes, couche d'argent min. selon l'usage de l'article et la qualité revendiquée). *Couverts d'usage fréquent : qualité I* 33 µm, *qualité II* 20 µm. *Occasionnels : I* 19, II 12. *Articles d'orfèvrerie au contact des aliments : I* 15, *II* 9. *Décoratifs : I* 10, *II* 6.

Poinçon : carré pour les pays de la CEE, borne pour les autres pays ; il comprend les initiales de l'orfèvre, un symbole spécifique à chaque orfèvre (il peut avoir la forme d'objets aussi divers que brin de muguet, cavalier, mésange...) et les chiffres I, II et III indiquant la qualité.

• **Tombac.** Alliage à base de cuivre (à 80 %), de zinc et autres métaux. *Origine :* Moyen-Orient.

• **Vermeil.** Argent à un titre légal (actuellement, min. 800 millièmes) recouvert d'une couche d'or à un titre légal (min. 750 millièmes) d'au moins 5 µm. Poinçonné comme l'argent (Minerve), doit comporter aussi le poinçon vermeil ou la lettre V.

• **Zamac.** Alliage à base de zinc, d'aluminium, de cuivre et de magnésium.

Ventes publiques

Ne peuvent figurer que des objets d'occasion. Ils doivent comporter : soit les poinçons légaux en vigueur (*or :* tête d'aigle ou hibou, ou charançon dans un ovale, ou tête de rhinocéros ; *argent :* minerve, crabe, cygne ou charançon dans un rectangle ; *platine :* tête de chien, mascaron découpé, masc. dans un rectangle) ; – soit le poinçon de recense de 1838 (tête de girafe ou de dogue) accolé à d'anciens poinçons ; – soit un poinçon d'exportation (« tête de Mercure » or et argent, « tête de jeune fille » pour le platine) accompagné du poinçon de retour sur le marché intérieur à « tête de lièvre ».

A défaut de poinçon de garantie, les ouvrages sont *soumis au contrôle* pour que le titre soit déterminé. *Ceux en argent :* reconnus au titre sont marqués du poinçon « crabe » ou « cygne » et petite tête de minerve ; *en or :* « hibou » ; *en platine :* mascaron dans un rectangle. Les ouvrages à bas titre doivent être brisés, sauf les anciens qui présentent un caractère d'art ou de curiosité (p. spécial dit « poinçon E.T. »). *Sont dispensés de marque :* ouvrages antiques (bijoux ou objets romains ou antérieurs) ; ouvrages antérieurs à 1798 ; pièces de monnaie ; médailles antérieures à 1832 ou revêtues du poinçon de l'Hôtel des monnaies ; ouvrages dont la ténuité ne pourrait leur faire supporter l'empreinte du poinçon sans détérioration (consulter le Service de la garantie) ; tous objets en argent de 5 g au plus et, en or de – de 0,5 g.

Cours

• **Eléments du prix.** L'argenterie Louis XIV est rare (il y eut de nombreuses fontes). L'argenterie Louis XV (l'orfèvre Thomas Germain fournissait toutes les cours d'Europe) est environ 2 fois plus chère que l'argenterie Louis XVI, puis, par ordre décroissant, Empire, Restauration, début de l'époque Louis-Philippe, et après le 9-5-1838 le poinçon Minerve. L'argenterie de Paris et celle de Strasbourg sont les plus cotées. Un même modèle peut être estimé du simple au double selon qu'il est d'un « petit » orfèvre ou d'un « grand ». Les armoiries des grandes familles ajoutent de la valeur. Les simples chiffres, surtout du XIXe s. ou modernes, en retirent. Modèles de couverts les plus recherchés : uniplat, filets, filets coquilles, modèles Arts déco, et tous décors simples dus à un phénomène de mode.

Prix du gramme. Argent (objets d'occasion). 1,5 à 6 F par g. *« Au Coq » :* couverts 6, pièces de forme 8 à 10 ; « A la tête de Michel-Ange », dite « Au vieillard » : couverts 4, except. 18,68 (1989), pièces de forme 6 à 10 ; « A la tête de Minerve » (Moderne) :

couverts 3 à 5, pièces de forme 5 à 10, except. 20 (époque Art Nouveau, 1930 ou pièces signées de grands orfèvres (Odiot, Puiforcat...) ou +. **Or** (bijou). Vente publique 80 à 100, dans le commerce 100 à 1 000, à la casse (18 carats) 40. PRIX A LA CASSE : 0,8 à 1 (suivant le cours de la Bourse des métaux).

☞ Pour les couverts, les cours de 12 s'entendent identiques et portant le même poinçon.

Prix des pièces en milliers de francs

XIVe s. *Coupe* (Suisse ou All.) avec couvercle 1 370 ; double coupe 1 450 (1983). *Flacon* 630. *Pot* 250. **XVe s.** *Cuiller* 18,8. **XVIe s.** Angleterre : *hanaps* (paire) 880, *coupe* 70 à 398, *cuiller* (12 petites) 1 200, *timbale d'Henri VIII* 1 200 (1983), *cimarre* argent (Hainaut) 796,8 (1986). **XVIIe s.** *Aiguière* (Paris 1656) 2 886 (1988). *Boîtes* paire 280, *à tabac* (Augsbourg) 152. *Bougeoir* de chevet 42 ; liturgique 55. *Calice* 33. *Cerf et chien chasseur* (37 cm) argent et vermeil 1 000. *Chope* (All.) 37 à 222. *Coupe* de baptême 63, de mariage 46 à 90 (de Heliés) ; à vin (Angl. v. 1643) 233 ; ronde 200, avec couvercle (vermeil) 648,3 ; paire en vermeil anglais 1 430. *Couverts* : 1 cuiller 6 à 25 ; 1 fourchette 18 ; 1 c. et 1 f. 20. *Écuelle* avec couvercle (Paris) jusqu'à 600. *Pichet* 1 600 (1984). *Plat* sculpté 995, except. plat de parade pontifical 4 049 (1984). *Service de toilette* (12 pièces) de Charles II (Angl.) argent doré 2 700 (1983). *Saupoudreuse* 890. *Statue équestre plomb doré* 122. *Sucrier-saupoudroir* 182. *Surtout de table* (paire, de Pacot à Lille, 1695) 7 153 (1988). *Théière* (Augsbourg) argent doré 620. *Timbale 55. Verseuses* (paire) et bassin Guillaume III de B. Pyne 2 200 (1982).

XVIIIe s. *Aiguière* (avec bassin) 40 à 4 093 (de J.F. Chevet). *Appliques* 4 à 2 480 (1987). *Assiettes,* pièce 5 à 8 ; douzaine 80 à 102,5 ; 2 douzaines (except., Angl.) 1 800 (1983). *Athéniennes* (paire) 1 500 (1990). *Barbière* 34. *Biberon de malade* 105. *Bol* à 2 anses de Wynkoop 650. *Boîte* à thé 78 (paire), except. (Angl.) 1 250 (1988). *Bougeoirs* de toilette 25 à 35 ; de chevet 15 à 45 ; de bureau 55 ; except. de Germain 1 792 (1988). *Bouillon* à anses 30 à 100. *Boules* à savon et éponge 21 à 100. *Burettes* (paire) 17. *Candélabres* (paire) 70 à 250. *Cafetière* 8 à 165. *Chandeliers,* 4 except., de R.-J. Auguste 1 300. *Chenets* except. (Angl.) 773. *Chocolatière* 10 à 160. *Chopes, hanaps, vidrecomes* (vases à boire) (All.) 10 à 70, (Angl.) 4,6 à 43. *Coquetier* 42, paire de R. Mothé 42,5 à 68. *Corbeille* vermeil 54. *Coupes,* vermeil (Strasbourg) 640 ; à vin 3 à 22 ; de mariage jusqu'à 52 ; à quêter 18,5. *Couverts* : filets 0,8 à 1,2 ; (douzaine) 20 à 75 ; à filets et coquille 1,5 à 1,8, (douzaine) 15 à 35 ; de service 16,5 ; fourchette env. 0,3 ; 1 cuillère à ragoût 2 à 10, (paire) 13,5 ; à olive 6,8 à 55 ; pelle à tarte 14,5 à 17,5. *Crémier* 25 à 52,5. *Dessous de bouteille* (Georges III) 773,4 (1987). *Écuelle* avec couvercle 20 à 350. *Flambeaux* (paire) 30 à 1 650 (de Germain, 1988). *Fontaine* 87. *Gobelet* 10 à 75,8. *Gourde* de chasse (paire) 56. *Gobelet* 10 à 53. *Huilier* 2 à 28,1. *Jardinières,* except. (paire) de T. Germain (1726-28) 3 600 (1975). *Jattes* (paire) avant 1750 (rondes et à côtes pincées) 35 à 46 ; après 1750, 15 à 220. *Légumier* 4 à 110. *Louche* env. 10. *Milieux de table* (paire) except. de Heinrich Weyhe, d'Augsbourg 1 352. *Mouchettes* (paire) 70 à 185. *Moutardiers* (crémiers) 20 à 115. *Nécessaire de voyage* vermeil 500. *Pipette à vin* 27. *Plat* 8 à 50 (copie 2) ; except. (en vermeil Augsbourg) 1 252. *Poivrier* 1 150. *Pot* à lait jusqu'à 50 ; à eau except. 235 de A. Hanappier (1985) ; à huile 25 à 1 923 (except. de J.-B. Odiot, 1982) ; à vin 7 à 24 ; et bassin except. (Angl., 1735) 1 850 (1983). *Présentoir* (Georges III 1772) 165 (1985). *Rafraîchissoirs* 142 (Reine Anne 1707). *Salières* (paire) suite de 6, 150. *Saucière* 10 à 210. *Saupoudroir* 6 à 180. *Sceaux* (paire) 58. *Service à dîner* except. Georges II 9 413 (1984) ; *de toilette* except. Reine Anne (v. 1703, G.-B.) 17 pièces, 1 720. *Sonnerie* de table 61. *Soupière* 15 à 980 (except. de J.N. Roettiers, 1770, du service Orloff) ; (paire except. de J.A. Meissonnier, 1734, 37,65 kg) 11 475 (1977). *Sucrier* 10 à 480. *Tastevin* 3 à 43. *Tasse* de chasse 15 à 209 ; à vin 7 à 37. *Terrines* (paire) 350 à 2 400 (except. de J.-B. Odiot, 1982). *Théière* 5 à 180, except. belge (1725), 620. *Timbale* « cul-rond » ou tulipe unie godronnée 5 à 35 ; pièces ciselées 10 à 41 ; couverte 68 ; à décor de lambrequins en applique Régence ou Louis XV, 40 à 170 ; d'avant 1709, 90 et + ; ornée de roseaux en applique (1755-65) 30 à 195 ; (1775-85) 12 à 33 ; à piédouche en vermeil de Strasbourg à côtes pincées, ciselées sous le col (1re moitié du XVIIIe s.) 50 à 172 (copies 0,5 à 0,8). *Tisanière* 8 cm (Marchant, 1780-89) 33. *Vases* de J.B. Loir (1701, paire) 310 ; à vin de J.B. Odiot (paire) 1 850. *Verseuses* 17 à 112.

Empire-XIXe s. *Assiettes* vermeil (12) 70. *Corbeille à pain* 13. *Coupe* ronde et sa base 90, *bronze* de Thomire (paire) 140. *Couvert* 0,7 à 2 ; (douzaine) 10 à 15. *Huilier* 3 à 5. *Lampe de bibliothèque* except. 1809, 342 (1975). *Légumier* 4 à 15. *Nécessaire de campagne* du mar. Soult offert par Napoléon 700 (1980). *Plat* ovale 3 à 40. *Saucière* 5. *Seau à rafraîchir* (paire d'Odiot) 300. *Service à entremets* vermeil de J.-B. Odiot 215 ; thé/café vermeil 35. *Soupière* 15 à 1 850, argent doré. *Terrines* argent doré, d'Odiot 4 105, paire 5 462 (1987). *Théière* 8 à 10 et +. *Vase couvert* (de Kirstein) 444,9 (1987). *Verrières* (paire, d'Odiot) 2 119 (1987). Restauration. *Aiguière* 27. *Couverts* (douzaine) 9 à 15 (dix-huit) 46. *Légumier* 8 à 30. *Plat* 5 à 7. *Porte-huilier* 15. *Soupière* 15. *Sucrier et présentoir* 10 à 15. *Timbale* 1,5 à 4 et +. Louis-Philippe. *Bougeoir* (paire) 3 à 7. *Cafetière* 1,5 à 4. *Coupe* des Vendanges (par Froment-Meurice, agate, argent, or et vermeil) 888 (1984). *Théière* « côtes de melon » manche d'ivoire 5. *Verseuse* 6. Fin XIXe s. *Centre de table* par Groham 1 122 (1989). *Bol à punch* et louche de Fabergé 60. *Bouclier d'Achille* de J. Flaxman 5 324 (1984, record). *Candélabres* (paire) 10 à 1 100 (1989). *Carrosse* (modèle) pour Louis II de Bavière 1 434,6 (1988). *Chocolatière* 4 à 70. *Coupe* de Falize 100. *Écritoire* de Boucheron 435 (1988). *Œuf* de Nicolas II, par Fabergé 1 100 (1977). *Porte-lumière* (paire) 250. *Seau à glace* (paire) plaqué 3. *Sucrier (grand)* 3 à 8.

XXe s. **Métal argenté :** prix du neuf et, entre parenthèses, occasion. *Couvert* : 0,2 à 0,4 ; (douzaine) 3 (0,5 à 1) ; 12 c. à entremets 1,3 (0,2 à 0,7) ; c. à poisson 2,5 (0,5 à 1,2) ; série de couteaux 3 à 4 ; 12 cuillers à café 0,6 (0,2). *3 plats* ovales 2 (0,4 à 0,8). *2 plats* ronds 2 (0,3 à 0,5). *Légumier* couvert 1,8 (0,3 à 0,6). 2 *saucières* 1,8 (0,4 à 0,6). *Cafetière* 2 (0,2 à 0,5). *Théière* 2,3 (0,2 à 0,5). *Sucrier* 1 (0,1 à 0,2). *Plateau* 2 (0,5 à 1). *Aiguière casque XVIIIe s.* 35. *Service de couverts* de Jean Puiforcat 42 à 132 (1989). **Argent :** *Service* de Puiforcat 158 pièces : 187 à 230. *Soupière* XVIIIe s. 250. *Théière* (de Malevitch) 200. *Timbale* 2,5. *Vase* (de Fouquet-Lapar) 156.

Styles de couverts. *Louis XIV* : décor coquille et uni-plat. *L. XV* : volutes et filets. *L. XVI* : filets et rubans. *Empire* : palmettes et feuilles d'eau. *Napoléon III* : pastiche des styles L. XV et L. XVI. *1900* : motifs floraux et gravures dans le style « Nouille ». *Arts déco* : décor géométrique, aspect fonctionnel. *Moderne et contemporain* : lignes longues et épurées, absence de décor gravé.

Pendules, montres

☞ Voir Index à Pendule, Horloge, Montre, pour l'histoire et l'industrie.

• Prix. **Quelques éléments.** *Horloges* : intérêt scientifique ou technique (mouvement, mécanisme) ou décoratif (ciselures, bronzes, ébénisterie). L'*origine* et la *matière* (métal précieux ou non, cristal de roche) ont peu d'influence, les *caractéristiques* priment. *Boîtiers* aux formes diverses, principalement aux XVIe et XVIIe s., croix, œuf, animaux, fleurs ou fruits, tête de mort, coquillage. *Cadran* le plus souvent en cuivre doré ou argent gravé. *Bonne signature* gravée sur la platine arrière. Beaucoup de faux.

Exemples (en milliers de F). **Cartels.** *Louis XIV* : 25 à 140. *Régence* : 20 à 220. *Louis XV* : 15 à 332,4. *Louis XVI* : bronze doré 10 à 80. *Record* : cartel orné de 8 Chinois et de fleurs en porcelaine de Chantilly 412. *Angl. XVIIe s.* : 62 à 210. *Ital. XVIIIe s.* 21. Un cartel dédoré perd 30 à 40 % de sa valeur, avec dorure moderne 40 %. Un redorage à l'ancienne coûte 6 000 à 12 000 F. *Copies* exécutées au XIXe s. : 3 à 20.

Horloges. XVIe s. : *astronomique* 850 (1983). **XVIIe s. :** *à poids* 20 à 82 ; *anglaise* de Th. Tompion 230 à 240 ; à *pendule*, except. anglaise ou Salomon Custer, plan de C. Huygens 720 (1985) ; *de table fer et bronze* XVIIe 420 (D. Le Roy, Tours). **XVIIIe s. :** 8 à 470 ; *régulateur,* except. de Martinot 1 700 (1986). **XIXe s. :** 5 à 20 ; *anglaise* 26.

Pendules. XVIIe s. *Louis XIV* : 21 à 290 et + [except. de Latz marqueterie Boulle 1 700 (1981)]. **XVIIIe s.** *Régence* : 50 à 105. *Louis XV* : 16 à 1 100. *Louis XVI* : portiques 5 à 80 ; à la Mongolfière 257 (1985) ; obélisques 7 à 50 ; *pyramide* 50 à 260 ; vases à cadran tournant et lyres 10 à 300 ; except. de Lepaute 465 (1986) ; cages 20 à 200 ; à musique 390 (1989) ; squelette 20 à 370 ; à sujet exotique 1 500 ; de parquet XVIIIe s. 15 à 470. **Révolution :** portique 215 ; squelette 17 à 240 ; aux quantièmes républicains de Robin 160 ; de voyage, de Robin 140. **Directoire :** au Nègre 26 à 200, (à R. Crusoé) 940 (1989) (à la balle de coton) 80, aux indiens 1 000 (1990). **Début XIXe s. :** 15 à 211 ; p. à automate 151. **Empire** jusqu'à 310. **Restauration :** tournesol Charles X 36, à la duchesse de Berry 44. **Fin XIXe s. :** grand format 2 à 450, except. de table (1900 par Fabergé) 16 438 (N.Y. 1985). **XXe s.** *1925* Cartier, except. 728 (1978), *mystérieuse 1921* 350 (1988). *Arts déco Van Cleef et Arpels,* 1926, 1 650 (1979), *portique cristal* de roche 2 200, *pendulette* Cartier 26, à répétition 1900, 300 (1988).

Montres. XVIe s. *Cristal de roche* 105. **XVIIe s.** *Montre de carrosse* 155 à 410 (m. Richelieu) ; *de puritain* v. 1640, 71 ; *astronomique* 80, *à 1 aiguille et sonnerie* 110. **XVIIIe s.** [à 1 aiguille (marquant les heures), à 2 aiguilles à partir de 1700], 10 à 100 et +. *Oignons Louis XIV* : 6 à 413 d'Abraham Cusin (1980) ; scène polissonne 85 (1986). *Ordinaires* 3 à 10 (or ciselé). *Louis XV* : 14 à 370 (1980), de F. Berthoud. *Louis XVI* : or ciselé 3 à 13, or 3 couleurs 4 à 10, or émaillé jusqu'à 130, argent 31 ; double boîtier 15 à 20 ; à répétition des quarts, calendrier et réveil 174,2 (1987) ; sonnerie 15 à 20 ; de dame à clef 25 ; avec châtelaine or 13 à 80 ; de poche à boîte ovale avec thermomètre Réaumur de Bréguet 105. *Directoire* : 28 à 40 ; de carrosse à sonnerie 155 ; émaillé de Jacquet-Droz 577. **XIXe s. :** populaires acier ou argent 1 à 6 ; à secondes 2 à 5 ; 100 à 526 except. à automates offerte à Bonaparte (1976) ; or émaillé de J.-F. Victor Dupont 300 ; or à échappement à ancre 410, à cylindre 110 (1985) ; de Bréguet 60 à 1 440 (1982) ; chronomètre de poche de J.-B. Mallat 440 ; except. de Houriet 1 159,7 (1987) ; de 1856, 797 ; de carrosse 112. **Fin XIXe-début XXe :** or, émail, perles 1 à 110, à ancre 70 (1988) ; érotiques 30 à 130 ; suisse en or 330 ; à échappement à détente en or de V. Kulberg, 440 ; argent 0,2 et + ; **fin XXe s. :** de qualité (Ph. Patek, Vacheron, Constantin, etc.) 2 à 90, except. de luxe Anthony Randall, Th. Engel, George Daniels 60 à 700 (1984), Wenger 305 (1988), Cartier 20 à 200 (1989). Rolex 105. Patek-Philippe 32. Movado 22. Swatch, de Kiki Picasso 65.

• **Principaux horlogers-penduliers.** *Français* : Balthazard (1637-95) et Gilles (1640-72) Martinot (ou Martineau). Julien (1686-1759) et Pierre (1717-85) Le Roy. Ferdinand Berthoud (n. Suisse, 1727-1807), Abraham-Louis Bréguet (n. Suisse, 1747-Paris 1823). Causard (trav. v. 1770-89). Robin (1742-1799). Lepaute (1720-87). Jean-Antoine Lépine (1720-1814). Janvier (1751-1835). *Londoniens* : Thomas Tompion (1639-1713). Daniel Quare (1649-1724). Ahasuerus et Abraham Fromanteel. John Harrison (1693-1776). Arnold (1736-99). Georges Graham (1673-1751). *Suisses* : Robert et Courvoisier (trav. v. 1790-1800). Henri Louis (1752-91). Jacquet-Droz. Jean-François Victor Dupont (1785-1863).

Renseignements. *Association nationale des collectionneurs et amateurs d'horlogerie ancienne,* 107, rue de Rivoli, 75001 Paris.

Perles

Appelées « Marguerite » dans la plus ancienne description grecque connue (Théophraste v. 300 av. J.-C.) et « Union » par les Latins. Marguerite vient sans doute du sanscrit « mrg »-rechercher, désirer, purifier, orner, prier. Le terme désigne encore les principaux mollusques perliers : *Pinctada margaritifera, Margaritana margaritifera.*

Perles fines (ou naturelles)

☞ Les termes « perle » ou « perle fine » sont réservés aux perles formées par des coquillages perliers (ex. : pentadine), sans intervention de l'homme, quelles que soient la provenance ou l'origine des perles (décret 68-1089 du 29-11-1968).

Origine. La formation des perles est restée longtemps mystérieuse : gouttes de rosée ou de pluie captées au petit jour par les « poissons à coquille » qui les métamorphosent en perles, sortes d'œuf... ; au XIXe s., on parla de « margaritose », « maladie » attribuée à une infection parasitaire. La perle est en effet le résultat d'une réaction de défense du mollusque contre, le plus souvent, un ver plat de la classe des cestodes ; lorsque ce parasite se fixe sur l'épithélium externe du manteau, celui-ci le neutralise en l'englobant dans une poche, dont les cellules sécrétent un abondant mucus calcareux. Sécrétées *soit en eau de mer :* par une aviculine *(Meleagrina)* dite « huître perlière » (golfe Persique, golfe de Manaar entre Inde et Sri Lanka, golfe de Californie et côtes pacifiques de l'Amérique centrale, côtes atlantiques vénézuéliennes et colombiennes, côte nord de l'Australie, etc.) ; *soit en eau douce :* par des unionidés (Unio, Anodonte) dites « mulettes » ou « moules perlières » (Écosse, Suède, lacs russes, Saxe, Vosges, Charentes, bassin du Mississippi, Chine, etc.).

Constitution. Couches concentriques d'aragonite disposée en épitaxie, « cimentée » par de la conchyoline (matière kératineuse) formant une sorte de « filet », ce qui assure la ténacité de la perle.

Soins à apporter. Éviter la dessiccation, le contact des acides et corps gras (parfums, crèmes de beauté), les rayures (ne pas frotter avec un chiffon sec, ne pas mélanger avec d'autres bijoux, etc.), faire réenfiler un collier au moins une fois par an.

Unité de masse (dite familièrement « poids »). Utilisée commercialement : *perles claires :* carat (0,2 g) ou grain (1/4 carat) ; *grises et noires :* carat.

Évaluation. En multipliant le carré de la masse (dite « valeur à une fois ») en grains par un coefficient dépendant de ses caractéristiques substantielles. *Exemple :* valeur à une fois d'une perle de 4 grains : 4 × 4 = 16 ; de 12 grains : 12 × 12 = 144 ; à qualités égales, une perle de 12 grains vaut 9 fois plus (144/16) qu'une de 4 grains.

Caractéristiques substantielles. Lustre : éclat lumineux de la perle. *Orient :* aspect iridescent produit par les couches concentriques d'aragonite. *Couleurs :* rosé, crème rosé, crème, blanc, vert clair à vert foncé, gris à noir. *Propreté :* absence d'amas sombre de conchyoline, de boursouflures, etc. *Formes :* ronde, bouton, poire, baroque.

Valeur. Jusqu'à la crise de 1930 (coïncidant avec la véritable commercialisation des perles de culture), les perles valaient plus cher que le diamant. Après la crise, elles avaient perdu 90 % de leur valeur. Ainsi, la firme Christie's, en 1928, adjugea un collier 45 000 livres et un Rembrandt 48 000 livres ; aujourd'hui ces perles pourraient être adjugées 600 000 F tandis que le Rembrandt ferait 10 millions ou plus.

Prix courants des colliers de perles (en milliers de francs). *Petit collier* centre 4 mm, bouts 2,5 mm 10. *Collier de jeune fille* centre 6,5 mm, bouts 3 mm 30. *Choker* (ras du cou) 6 à 6,5 mm 80. *Collier* centre 9 mm 150.

Perles les plus connues. *Perle d'Allah,* 6,370 grains, trouvée aux Philippines dans la coquille d'une palourde géante (1934), estimée à 20 000 000 F (1971), vendue au bijoutier Peter Hoffman 1 000 000 F (15-5-1980), réestimée 240 000 000 F (1982). *Perle d'Asie,* 2 300 grains (115 g). *Hope,* 1 700 grains (85 g), irrégulière. *Pellegrina,* 204 grains, régulière, vendue 185 000 F le 23-1-1968 à Elisabeth Taylor ; 2 780 000 le 23-5-1987. *Reine des Perles,* 109 1/4 grains, disparue à la Révolution (vol du garde-meuble royal en 1792). *Croix du Sud,* assemblage naturel (?) de 9 perles fines en forme de croix, 99,16 carats, trouvé en 1874 sur les côtes australiennes. *Collier de Catherine de Médicis,* acheté à bas prix par Elisabeth Ire d'Angleterre à Marie Stuart qu'elle avait emprisonnée, objet de procès entre les couronnes d'Angleterre et de Hanovre au XIXe s. *Collier de Madame Thiers,* donné au Louvre et vendu en 1924 pour 11 280 000 F (+ 13 % de frais) à Cartier.

☞ Colliers. *Chute :* la dimension des perles va croissant du fermoir au centre. *Chocker :* perles de dimension égale sur toute la longueur ou n'ayant qu'un 1/2 mm d'écart entre elles.

Perles de culture

Origine. *1787* Hunter obtient quelques perles.

Culture. **En eau de mer :** une bille « noyau » de nacre, de 2 à 9 mm de diamètre, est placée avec un morceau d'épithélium sécréteur dans la gonade d'une méléagrine : cette « greffe » réussit dans 50 % des cas ; elle est laissée en place de 10 mois à 3 ans, ce qui produit un recouvrement plus ou moins important du noyau (1/3 à 1 mm sur les côtes japonaises ; 1 à 3 mm dans les « mers du Sud », de l'Australie à la Polynésie). 30 % des perles de culture obtenues sont commercialisables (moins en cas de gros noyaux moins bien acceptés : seuls 2 à 3 % des greffées avec noyau de 9 mm de diamètre survivent à l'opération). Une méléagrine donnera 3 perles dans sa vie. **En eau douce :** un lambeau épithélial est inséré dans le manteau de l'unioïdé ; le dépôt calcaire irrégulier qui se forme est ensuite recouvert de couches perlières ; on peut provoquer la sécrétion simultanée de 40 perles de culture dans un seul unionidé, et solliciter 3 fois de suite le même mollusque (qui peut vivre 30 ans), c'est-à-dire obtenir au plus 40 × 3 = 120 perles. *Principales fermes en eau douce :* lacs Biwa et Kasumiga (Japon), lacs de Chine entre Shanghaï et Canton. **Plus grosse perle obtenue :** 40 mm de diamètre (30 g, Thaïlande 1987).

Soins à apporter. Comme pour une perle fine.

Évaluation. En fonction du diamètre et de la masse, de l'épaisseur du recouvrement du noyau, des caractéristiques de couleur, lustre, forme, propreté, et de l'orient (rayonnement par décomposition de la lumière par les cristaux d'aragonite ou « transparence »). Les perles de culture, cultivées à Tahiti, ont une couleur allant du gris au noir le plus foncé, naturellement obtenue par la sécrétion de la *Meleagrina margaritifera* locale (à la différence des perles de culture d'autres provenances). Exceptionnellement, blanches (1 à 3 pour 1 000).

Unités commerciales. **Masse :** *mommé* (18,75 carats) au Japon ; *carat.* **Diamètre :** en millimètres.

Perles d'imitation ou artificielles

Procédé ancien. Boules obtenues par agglomération de poudre de nacre, mica blanc, gypse, etc., à l'aide de résine, cire, blanc d'œuf. V. 1650, boules de verre creuses enduites intérieurement d'essence d'Orient (solution d'écaille de poissons dans une liqueur organique, exclusivité française jusqu'en 1918) et bourrées de cire. Auraient été inventées par des Français.

Procédé moderne. Bille de verre, plastique ou toute autre matière, blanc opaque, recouverte d'essence d'Orient qui est souvent remplacée par des sels métalliques d'aspect nacré, notamment les sels de bismuth ou de titane. L'utilisation de sels de plomb est interdite en France pour des raisons de santé.

Authentification des perles

A l'examen radiographique, la *perle fine* présente des couches concentriques jusqu'au centre ; la *p. de culture classique à noyau de nacre* présente un noyau entouré de couches perlières ; la *p. de culture à noyau organique,* dite « Biwa », présente une tache noire, souvent en forme de virgule, au centre ; la *p. d'imitation ancienne* est transparente, la *p. d'imitation actuelle* est opaque.

Pierres précieuses et minéraux

Généralités

☞ Les termes « diamant », « rubis », « saphir » et « émeraude » employés seuls ou suivis du qualificatif « naturel », « véritable » ou « fin » sont réservés aux diamants, rubis, saphirs et émeraudes formés dans les gîtes naturels d'où ils ont été extraits et qui n'ont subi d'autres interventions de l'homme que la taille et le polissage (décret 68-1089 du 29-11-1968).

Évaluation. Une pierre précieuse se décrit ou s'apprécie selon 4 critères de qualité indissociables, les 4 C : couleur, poids, pureté, taille (color, carat, clarity, cut). 2 types principaux d'évaluation : en valeur de remplacement (assurance), en valeur de réalisation (partage, vente).

La valeur d'un diamant de taille ancienne est celle du diamant de taille moderne obtenu après retaille et diminuée des frais de retaille. La perte de poids est compensée par l'augmentation du jeu, de l'éclat de la pierre.

Couleur. Les couleurs franches et les plus intenses possibles sont recherchées. *Différents critères : ton* (on préfèrera un rouge sang artériel pour le rubis, un bleu de France pour le saphir, etc.) ; *saturation* (on préfère une spectrale pure à une « délavée de blanc ») ; *intensité* (on préfère une couleur vive à une rabattue, tendant vers le gris-noir).

De plus, on doit rechercher si la couleur est naturelle ou non : certains lapis-lazuli sont baignés dans une teinture bleue, certaines émeraudes ou certains rubis recèlent dans leurs givres ouverts des teintures vertes ou rouges, certains diamants jaunes ont acquis ce jaune à la suite d'un traitement physique, etc.

Poids. **Masse** exprimée en carats métriques [1 ct = 0,2 g] divisés en 100 centièmes de carat ou points (terminologie anglaise) [à ne pas confondre avec le *karat,* unité tolérée de teneur pour les bijoux en or (1 *karat* = $\frac{1}{24}$)]

Propreté ou pureté. Plus une pierre est pure, plus elle est appréciée. Toute pierre peut, au cours de sa croissance, piéger de petits cristaux présents dans son milieu de formation (inclusions antégénétiques) ; des cavités peuvent se former pendant sa croissance, des cristaux peuvent croître simultanément avec elle (inclusions syngénétiques) ; enfin, des inclusions peuvent apparaître après sa formation du fait de la variation des conditions physico-chimiques (textures d'exsolution), ou par suite de fractures ressoudées in situ, comme les givres de guérison (inclusions postgénétiques ou secondaires).

Taille (proportions et formes). Rôle de la taille : utiliser au mieux la lumière et les lois de sa propagation (réflexion externe et interne, réfraction et dispersion), déterminant les proportions, pour donner feu, éclat et scintillement. Lorsque les proportions sont bonnes, la pierre précieuse posée sur le doigt ne laisse pas voir la peau sous-jacente.

Classement

Provenance du diamant **(en %).** Australie 37,5, Zaïre 20, Botswana 15,5, U.R.S.S. 12, Afr. du Sud 9, Namibie, Angola, Brésil, Guyane, Venezuela, Guinée, Sierra Leone, Liberia, Côte-d'Ivoire, Ghāna, Rép. Centrafr., Tanzanie, Chine, Indonésie, Inde.

Diamant

Carbone cristallisé dans le système cubique. C'est le plus dur de tous les minéraux naturels [il les raye tous et n'est rayable que par lui-même, mais il peut se casser sous un choc de manière conchoïdale (choc quelconque), ou selon un plan (choc porté avec une lame ou un objet similaire dans la direction d'un plan de clivage].

• Couleur. La plupart des d. sont légèrement colorés (jaune à brun), très peu sont incolores (totalement blancs). La couleur d'un d. s'apprécie en le comparant à un autre d. servant d'étalon. Des normes internationales codifient les nuances : normes C.I.B.J.O. (Confédération intern. de la bijouterie, joaillerie, orfèvrerie, diamants, perles et pierres), G.I.A. (Gemmological Institute of America). *C.I.B.J.O. et entre parenthèses, G.I.A.* Blanc exceptionnel + (D), b. except. (E), b. extra + (F), b. extra (G), blanc (H), b. nuancé (I, J), légèrement teinté (K, L), teinté (M à Z).

Nota. – Diamants de couleurs (dits couleurs fantaisies, rares) : rose bleu, bruns, verts, jaunes (canari ou jonquille), dorés.

• Pureté. La plupart des d. comportent des inclusions naturelles ou particularités de cristallisation. Leur nature, nombre, dimension et position déterminent le degré de pureté de la pierre. Elles n'altèrent pas sa beauté si elles n'affectent pas le passage de la lumière. Certaines (+/- 5 microns) ne peuvent être décelées par un professionnel qu'à la loupe grossissant 10 fois. *Classification* (selon les normes de la C.I.B.J.O.) : pur à la loupe 10 fois : absolument transparent et exempt d'inclusion sous grossissement 10 fois, en lumière normale, au moyen d'une loupe aplanétique et achromatique. *V V S 1 - V V S 2* (very very small inclusions) : minuscule(s) inclusion(s) très difficilement visible(s) à la loupe grossissant 10 fois. *V S 1 - V S 2* (very small inclusions) : très petite(s) inclusion(s) difficilement visible(s) à la loupe 10 fois. *S.I.1-S.I.2* (small inclusions) : petite(s) inclusion(s) facilement visible(s) à la loupe 10 fois, invisible(s) à l'œil nu par le côté de la couronne. *P 1* (1er piqué) : très facilement visible(s) à la loupe 10 fois, difficilement visible(s) à l'œil nu vue(s) par le côté de la couronne, et n'affectant pas la brillance. *P 2* (2e piqué) : grande(s) et/ou nombreuse(s) inclusion(s) facilement visible(s) à l'œil nu par le côté de la couronne et affectant légèrement la brillance. *P3* (3e piqué) : grande(s) et/ou nombreuse(s) inclusion(s) facilement visible(s) à l'œil nu par le côté de la couronne et affectant la brillance.

• Taille. **Historique.** *Jusqu'au XIIe s. :* simple polissage des formes naturelles. Une face naturelle est dite « naïve » (diamant « à pointes naïves » : octaèdre naturel ; d. « à pointe refaite » : pointe de l'octaèdre réparée par polissage oblique des facettes octaédriques). *XIV*[e] *s.* : les Vénitiens taillent les premiers le diamant en forme géométrique (1[eres] informations publiées par Robert de Berquen au XVIIe s.) ; *v. 1650 :* taille Mazarine, ancêtre de la taille moderne ; on retaille les 12 gros diamants de la couronne royale sur ordre du cardinal Mazarin ; mise au point de la « taille brillant ». *Jusqu'en 1914 :* on taillait plus en fonction du poids que de l'éclat. Pour donner une brillance max. de face, on a diminué peu à peu le rapport profondeur/diamètre de la pierre et supprimé ou réduit la grandeur de la *colette,* petite facette de la pointe de la *culasse,* parallèle à la *table.*

Centres de taille actuels. Par ordre d'importance relativement au nombre de meules en service : *Inde :* Bombay (350 000 ouvr.). *Belgique :* Anvers (7 000 ouvr.). *Israël :* Tel Aviv (7 000). *U.S.A. :* New York. *P.-Bas :* Amsterdam. *France* (peu important) : Paris, St-Claude. *Autres centres :* Afr. du S., G.-B., Japon, Madagascar, Philippines, Porto Rico, Portugal, T'aiwan, Thaïlande, Sri Lanka, U.R.S.S.

Différentes phases. *Fragmentation par clivage :* fend la pierre comme une bûche (dans le sens de cristallisation) ; *par sciage :* partage la pierre parallèlement aux faces cubiques avec un disque enduit de poudre de diamant tournant 4 500 à 6 500 tours/min. Il faut env. 8 h pour scier un d. brut d'1 carat. *Ébrutage :* donne à la pierre la forme voulue par frottement contre un autre diamant. *Polissage :* par frottement sur une meule en fonte enduite d'huile (d'olive en général) et de poudre de d. La facette à confectionner sur le diamant ne s'use que dans un sens correspondant à la cristallisation (dit « fil de la pierre »). A contresens, le diamant creuse la meule sans s'user. Certaines facettes sont plus longues à polir que d'autres : une facette « waas » (face de l'octaèdre) peut demander plus d'1 mois pour être polie.

Principaux types de taille. *Taille en rose (en désuétude) :* facettes triangulaires disposées symétriquement par 6, l'ensemble évoquant un bouton de rose. *Taille à facettes ou t. brillant* (la plus répandue) : 58 facettes : 1 *table,* 8 *étoiles,* 8 *coins de table* (ou *bezels*), 16 *halefis,* 16 *halefis de culasse,* 8 *coins de culasse,* 1 *colette. Poire, marquise* (ou *navette*), *ovale, cœur :* tailles brillantées dites « fantaisie ». Certaines petites pierres (0,03 carat et moins) sont taillées en 8/8, (8 facettes dessus, 8 f. dessous). *Taille à degrés :* formée de facettes parallèles, inclinées les unes sur les autres. Formes : taille « émeraude », baguette, diverses (trapèzes, triangles, etc.).

Nota. – « Brillant », si aucune confusion n'est possible dans le contexte, signifie « diamant rond taille brillant » (langage parlé).

Rubis et saphir

• **Définition.** Corindon naturel (oxyde d'aluminium cristallisé dans le système rhomboédrique). Les dénominations « rubis » (de ruber : rouge) et « saphir » (de sappir : belle chose) ne peuvent désigner que l'oxyde d'aluminium cristallisé dans la structure cristalline de l'espèce minérale naturelle « corindon » (alpha Al_2O_3). « Rubis » est réservé au corindon rouge ; « saphir » (sans indication de couleur) au c. bleu. Les c. d'une autre couleur peuvent être appelés « saphir » en indiquant immédiatement leur couleur.

• **Provenance. Rubis :** Birmanie (Mogok), Thaïlande, Tanzanie, Kenya, Ceylan, Afghanistan, Madagascar, etc. (gisements peu importants). Les plus appréciés sont rouge sang de pigeon (couleur du sang artériel). Si le rouge est plus sombre, il est décrit comme « sang de taureau ». **Saphir :** Cachemire (mines fermées), Birmanie, Ceylan, Thaïlande et Cambodge, Australie, Montana, Madagascar, Colombie, etc. (gis. peu importants), France [Expoilly (Cantal) exploité au Moyen Age]. *Les plus appréciés* sont bleu bleuet velouté (« bleu de France »).

• **Exemples de prix payés** (en milliers de F). **Rubis.** *1 ct :* 0,3 à 200 ; *3 cts :* 3 à 700 ; *4 cts :* 4 à 900 [except. 4,12 cts 1 700 (1979)]. Rubis *birmans* 100 à 150 le ct ; r. *siam* (de Thaïlande) 5 cts 41 à 60 ; 10 cts 85 env. *Synthétique :* 0,2 le carat. Except. *Rubis coussin* 4,12 cts 466 le ct (1979) ; 10,35 cts sur chevalière homme 10 000 (1988).

Saphir. *1 ct :* 0,2 à 9 ; *3 cts :* 3 à 300 ; *4 cts :* 4 à 400 ; *17,85 cts :* 535 (1977). *Saphir de Cachemire :* 1 ct env. 103 à 160 [except., 11,81 cts : 1 250 (1980)] ; *de Birmanie :* 5 cts 50 le ct, 20 cts jusqu'à 110 le ct ; *de Ceylan :* 5 cts 7 à 15 le ct ; 20 cts 55 max. le ct ; orangés ou rose vif valent env. 10 fois moins ; *de Thaïlande ou Australie :* 10 max. le ct. *Records :* saphir taillé à degrés de 66,03 cts : 5 600 (1981) ; *bague,* 9,6 cts : 1 305 (1980) (avec diamants).

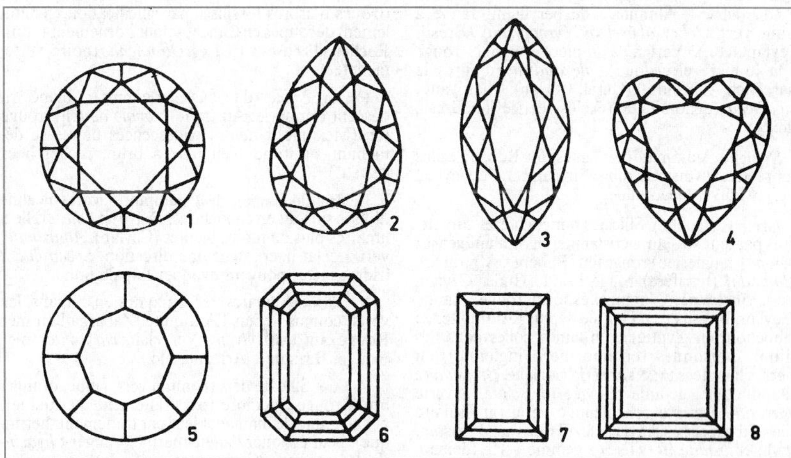

1. Rond ou « brillant ». 2. Poire. 3. Navette ou marquise. 4. Cœur. 5. 8/8. 6. Taille émeraude. 7. Baguette. 8. Carré.

Glyptique

Définition. Art de sculpter en relief *(camées)* ou graver en creux *(intailles)* sur pierres fines : cornaline, agate, améthyste, cristal de roche, etc. ; ou très rarement sur pierres précieuses : diamants, émeraudes, saphirs, rubis.

Usage. *Intailles :* sceaux ou cachets comme signature ou authentification d'un acte. *Camées :* ornement.

Époques. Depuis le IVe millénaire en Égypte, Moyen-Orient (intailles en forme de cylindres, de 1 à 6 cm env.), Grèce, Rome, Renaissance jusqu'à nos jours.

Cours. Variables selon l'époque (cours les plus élevés : grecs archaïques et étrusque), la qualité de la gravure et la nature de la pierre : 600 à 80 000 F.

Émeraude

• **Définition.** « Émeraude » ne peut désigner que le cyclosilicate de béryllium et d'aluminium de couleur verte, cristallisé dans la structure cristalline de l'espèce minérale naturelle « béryl » $[Be_3 Al_2 (Si_5 O_{18})]$ contenant divers ions alcalins dans ses canaux structuraux, et dont la coloration verte est due principalement à une faible substitution isomorphique d'ions chrome à des ions d'aluminium dans sa structure cristalline.

Les plus appréciées sont vert tendre ; certains les préfèrent avec une sous-nuance jaune (émeraudes taillées la table perpendiculaire à l'axe du prisme hexagonal du cristal brut), d'autres avec une sous-nuance bleue (émeraudes taillées, la table parallèle à l'axe du prisme hexagonal du cristal brut). Le lapidaire recherche toujours à obtenir la masse maximale à partir d'un cristal donné : un cristal allongé est toujours taillé en « émeraude bleue ». Le choix entre l'obtention d'une « émeraude bleue » et d'une « émeraude jaune » n'est effectué que si le cristal brut est sensiblement équidimensionnel.

• **Provenance.** Colombie, Brésil, Oural, Zimbabwe, Zambie, Pakistan, Madagascar, Australie, etc. Égypte, Autriche (gisements historiques sans signification commerciale actuelle).

Minéraux
Pierres fines et ornementales

Gemmes. Pierres transparentes dans lesquelles la lumière peut jouer (améthyste) ; plus souvent taillées à facettes pour magnifier leur couleur. Quelques sécrétions animales et végétales employées en bijouterie sont assimilées aux gemmes.

Pierres ornementales. Macroscopiquement opaques, la lumière joue à leur surface (quartz améthystin, calcédoine) ; souvent taillées en cabochon ou utilisées en glyptique (sceaux, camées) ou façonnées en statuettes ou objets de vitrine.

Couleur. Résulte de l'interprétation donnée par l'individu de l'interaction observée dans une ambiance lumineuse donnée de la lumière sur ces objets.

Absorption lumineuse : la pierre ne renvoie à l'observateur qu'une partie de la lumière reçue (d'où « couleur »). Vient de « centres chromogènes » résultant de la présence d'« électrons célibataires », liés à des « éléments de transition » (chrome, fer, titane, etc.) ou à des accidents structuraux (lacune structurale, dislocations du réseau, substitutions d'un élément par un élément de grosseur voisine, introduction d'éléments interstitiels dans les interstices structuraux, etc.). *Dispersion lumineuse :* la pierre transmet les diverses parties de la lumière reçue à des vitesses différentes, ce qui « disperse » la lumière blanche comme un « arc-en-ciel » (d'où « feux »). *Diffusion lumineuse :* des particules microscopiques envoient la lumière en tous sens. Selon leur forme et leur orientation, il se produit l'opalescence (particules non ordonnées), la chatoyance (particules allongées parallèles entre elles), l'astérisme (particules allongées parallèles à 2 ou plusieurs directions particulières), développé par la taille en cabochon. *Interférences lumineuses* provoquées sur une lame tel un givre sec (d'où irisations) ou sur un réseau tel l'empilement compact des microbilles siliceuses équidimensionnelles de l'opale noble (d'où iridescence).

Évaluation. Mêmes règles que pour la pierre précieuse (couleur, masse, pureté, taille).

Utilisation en bijouterie-joaillerie ou en ornementation. Doivent présenter des qualités esthétiques (couleur, texture), être suffisamment résistantes aux agents chimiques et mécaniques usuels (résistance aux acides et bases faibles, ténacité, résistance à la rayure), se rencontrer en grosseur suffisante (macroscopique) et se trouver en quantités suffisamment importantes pour couvrir une demande. Certaines pierres ne sont aussi que des « pierres de collection » mais dont les qualités esthétiques et physiques permettraient l'emploi en joaillerie ; pierres trop peu répandues (bénitoïte) ; pierres présentant des qualités esthétiques mais trop fragiles (sphalérite mielleuse).

Principales gemmes et pierres ornementales

La plupart des gemmes doivent leur couleur à des accidents structuraux et peuvent présenter toutes les teintes (gemmes allochromatiques) ; les gemmes ayant des centres chromogènes dans leur structure cristallo-chimique normale ne présentent qu'une gamme de teintes (gemmes idiochromatiques). Seules sont données ici les couleurs les plus fréquentes des diverses familles.

Chrysobéryl. Aluminate de béryllium. Jaune à jaune-vert : *chrysobéryl ou cymophane* (Brésil, Ceylan, etc.). Vert à la lumière du jour, rouge à la lumière électrique : *alexandrite* (d'après le tsarevitch Alexandre) (Oural, Ceylan). Chatoyant : *œil-de-chat* (dénomination exclusive) (Ceylan, Brésil, etc.).

Spinelle. Aluminate de magnésium. Rouge : le plus apprécié, car voisin du rubis (Birmanie, Inde, Ceylan, etc.). Mauve, bleu, jaune.

Grenats (famille). Silicates bimétallifères caractérisés par leur structure cristalline. **Série alumineuse :** *Pyrope* (magnésien) rouge feu (Bohême, Afr. du S.). *Almandin* (ferrifère) rouge brique (Inde, Ceylan, etc.). *Spessartine* (manganésifère) rouge orangé (Ceylan, Brésil, etc.). Utilisée depuis l'Antiquité, en cabochon, en glyptique, en lames polies dans des bijoux cloisonnés (époque mérovingienne), en pierres facettées (XIXe s.). **Série calcique.** *Grossulaire* (alumineux) : gemme orangée *(hessonite)* à verte *(tsavorite)* ; pierre ornementale verte (grossulaire massif d'aspect voisin du jade) (Transvaal, Pakistan, etc.). *Andradite* (ferrifère) : gemme verte (demantoïde) (Oural, Italie).

Béryls (famille des). Aluminosilicates de béryllium, différenciés par leur couleur. *Aigue-marine :* bleu clair à bleu-vert (Madagascar, Brésil, Russie, etc.), utilisée depuis l'Antiquité (ex. : Julie, fille de Titus, intaille à la Bibl. nat.). *Morganite :* rose (Madagascar, etc.) du nom du banquier américain Morgan. *Héliodore :* jaune soleil (Namibie, Brésil, etc.), nommée « don du soleil » par les colons allemands pour favoriser sa commercialisation.

Tourmalines (famille des). Borosilicates alumino-ferro-magnésiens calco-sodo-lithifères. Connue depuis le XVIIIe s. *Rubellite :* rouge à rose, peut évoquer le rubis, très prisée (Oural, Brésil, etc.). Vert à vert bouteille, peut évoquer l'émeraude (Brésil, Oural, etc.). *Indigolite :* bleu à violet, peut évoquer le saphir (Brésil, Oural, etc.). Jaune (Ceylan, Brésil, etc.). Couleur claire au centre du prisme cristallin et foncée sur l'extérieur ; généralement coupée en tranches peu épaisses d'aspect plus ou moins triangulaire : *melon d'eau* (Brésil).

Topazes. Aluminosilicates fluoro-hydroxylés. *Rose* (Oural, Brésil) ; *bleue* (idem), peut évoquer l'aigue-marine ; *jaune* avec sous-nuance rosée (jaune « chaud ») (Brésil) ; *incolore* (« goutte d'eau »), peut évoquer le diamant (Saxe, Brésil).

Silice (famille de la). **Macrocristallisée :** *Cristal de roche :* incolore, peut évoquer le diamant. Très fréquents, les minéraux silicieux ont été utilisés de tout temps en bijouterie, glyptique et décoration. *Améthyste :* violet. *Citrine :* jaune « sec », parfois madère, peut évoquer la topaze jaune. *Morion ou cairngorn ou quartz fumée :* brun clair. *Quartz rose.* **Microcristallisée massive :** *Calcédoines* (*commune :* claire ; *cornaline :* rouge ; *sardoine :* marron ; *onyx :* brun-noir ; *chrysoprase :* verte ; « agate verte » : commune teintée en vert). *Agates :* ensemble de veines de calcédoines de couleurs différentes (blanc et noir, blanc et rouge...), appréciées pour sculpter des camées, surtout lorsqu'il y a plusieurs couches. Agate mousse, a. herborisée (calcédoine commune à dendrites évoquant les mousses, les herbes...). *Jaspe :* roche siliceuse ornementale : jaspe porcelanné ; jaspe sanguin ou héliotrope (vert à ponctuations rouges) ; jaspe fleuri (à dessin de fleur). **Quartzites, minéraux silicifiés, fossiles silicifiés :** *Quartz chatoyants :* œil de faucon (bleu) ; œil de tigre (brun-jaune) ; œil de taureau (rouge) ; quartz chatoyant (vert). *Quartz aventuriné ou aventurine* (à paillettes de micas verts en tous sens), peut évoquer le jade. *Bois silicifié* (troncs d'arbres fossilisés par silicification, généralement découpés en tranches pour l'ornementation). **Roches siliceuses vitreuses.** *Obsidienne* (noire, verte, tachetée).

Couronne de l'impératrice Farah (1967) : 1 646 perles et pierres précieuses

Opale. *Noble* (dite aussi arlequine) : blanc iridescent (Hongrie, Australie) ; *opale de feu :* rouge feu (Mexique) ; *noire :* iridescences noires se détachant sur fond bleu noir à brun, recherchées (Austr.).

Feldspaths (famille des). Aluminosilicates alcalins utilisés surtout en cabochons. *Pierre de lune* à reflets lunaires plus ou moins bleutés (Ceylan). *Amazonite,* vert à éclat nacré dans une direction. *Spectrolite* à iridescences, pouvant évoquer l'opale noir.

Péridots. Silicates ferromagnésiens. Dans les verts, connus depuis l'Antiquité (Zabargad en mer Rouge), dit aussi *olivines.* Vert clair : *chrysolites* (mer Rouge, Birmanie, Arizona, etc.).

Zircon. Silicate de zirconium vert, jaune, orange, brun, rouge. Incolore (par traitement thermique), peut évoquer le diamant bleu (par traitement thermique), peut évoquer l'aigue-marine orangée : *hyacinthe* (Cambodge, Ceylan, etc.).

Jade. Ornementale, souvent verte, prisée en Orient. 2 variétés : la *néphrite,* amphibolite dans les tons verts jade, utilisée par les anciennes civilisations chinoises notamment ; la *jadéite,* pyroxénite qui peut être de toutes couleurs (vert, mauve, etc.), utilisée plutôt en cabochons, petits motifs, incrustations, notamment aux Indes.

Serpentine. Ornementale verte, évoquant le jade mais plus tendre (rayable à l'apatite), utilisée pour sculpter des statuettes communes.

Lapis-lazuli. Ornemental, bleu vif, souvent à ponctuation dorée de pyrite, nommé « saphir » dans l'Antiquité (Afghanistan, Chili).

Sodalite. Ornementale bleu-gris, pouvant évoquer le lapis-lazuli (Canada, Brésil).

Stéatite (pierre de lard, pierre de savon). Pierre tendre verdâtre, utilisée pour sculpter des bouddhas, des pagodes comme petits objets décoratifs.

Turquoise. Phosphate alumino-cuivrique bleu à bleu-vert, formant des amas. Utilisée en ornementation. De nombreuses turquoises poreuses sont durcies et colorées par plastification (Iran, U.S.A.).

Hématite. Oxyde de fer à éclat métallique (boules...) (Angleterre, Brésil).

Rhodonite. Silicate de manganèse rose, massif.

• **Matières d'origine animale.** **Corail :** exosquelette calcaire de polypiers marins, rouge, rose, blanc (Méditerranée, Japon). **Ivoire :** défense d'éléphant (Afrique). **Nacre :** coquille de mollusques (Australie). **Écaille :** carapace de tortue (océan Indien).

• **Matière d'origine végétale (ou succinite).** **Ambre :** résine fossile (Lituanie, Pologne, St-Dominique, Birmanie). *« Ambre pressé »* (morceaux agglomérés par fusion superficielle et pression), fabriqué depuis 1870. *« Fondu »* (poussière d'ambre, moulée par fusion). Imité par divers plastiques. A ne pas confondre avec *l'ambre gris,* sécrété par les baleines, utilisé dans la fabrication des parfums. **Jais :** lignite de pins fossiles [Allemagne, Angleterre, Espagne (Asturies), France (Aude), Jura souabe...].

☞ Diverses gemmes et pierres ornementales sont encore utilisées, telles que le *spodumère* (*kunzite* rose, *hiddénite* verte), la *tanzanite* (bleue), la *fluorine,* la *pyrite* (dite improprement *marcassite*), etc.

Prix des minéraux

• **Éléments du prix.** **Rareté :** gisement épuisé ou en voie de l'être, conditions d'importation. Les minéraux venant de mines épuisées ou fermées sont plus chers s'ils sont de qualité et non des résidus, ex. : *quartz* de La Gardette (massif de l'Oisans), *azurite* de Chessy, *cristaux d'argent* de Konsberg (Norvège), *stibine* de La Lucette (Mayenne). **Cristallisation :** les cristaux doivent être bien développés, régulièrement disposés, sans cassure ou fêlure ; une arête ébréchée peut diminuer la valeur d'un cristal de 75 %. Sont appréciées aussi les *géodes,* plus ou moins sphériques contenant des cristaux, les pierres sur *gangues* ou des associations de minéraux de nature différente. **Dimensions. Intégrité** de la pierre. **Couleurs :** intenses et lumineuses, doivent mettre en valeur les cristaux. **Propreté de la pierre** (qualité gemme). **Formes :** association des formes élémentaires bien développées ; faciès inhabituels sont plus recherchés.

• **Exemples de prix payés (en milliers de francs).** **Aigue-marine.** 0,5 à 5 le carat suivant poids et qualité. **Diamant.** Selon poids, couleur, taille et pureté de la pierre. *1 ct :* 7 à 90 ; *2 cts :* 12 à 125 ; *3 cts :* 20 à 200 ; *4 cts :* 30 à 210. **Émeraude.** Selon poids, taille et couleur. *1 ct :* 0,2 à 70 et + ; except. 195 le ct (1980) ; *2 cts :* 170 ; *3 cts :* 9 à 600 et + ; *Em. de Colombie* 12,6 cts 2 500 (1979).

Fluorine : de 0,05 à 3 suivant importance et qualité. **Quartz fumé et améthyste :** 0,1 à 1,5. **Paesine** (marbres ruiniformes) : 0,1 à 0,5. **Argent natif de Konsberg** (Norvège) 1 à 2,5 et +. **Pyrite de fer** cristallisée : 0,04 à 0,8. Ensemble de **quartz, wolfram et apatite** (Panasquera) : 4 à 6 ; except. ensemble de cristaux de quartz (Arkansas), 750 kg, env. 120 (1980). **Plaque de grenat** du Canada : 1. **Apophyllite verte** 0,3, **cristal d'améthyste** 0,7, **cuivre natif** 0,9, **dioptase** 1, **tectiles** (7 cm) 0,1, australiennes 1, **météorite** (Canyon Diablo, Arizona), qui contenait des poussières de matière interstellaire : 3 kg 3, 350 g 0,3 ; **aérolithe** 4 le kg (chondrites). **Rubis.** Cheval en rubis naturel avec passements de zoïsite 395 carats 460 (1989).

☞ **Records. Diamant :** 85,91 cts (poire) 51 870 (19-4-1988) ; 0,95 cts (rouge) 50 160 ; 52,59 cts (rectangulaire) 44 573 (20-4-1988) ; 64,83 cts (poire) 38 357 (21-10-1987) ; 59 cts (poire) 33 132 (19-4-1988) ; 41,28 cts (étoile polaire en coussin) 24 004 (19-11-1980) ; rose 20 cts (rectangulaire) 28 186 (19-6-1988) ; bleu 42,92 cts (poire) 39 402 (14-11-1984) ; **Rubis :** 15,97 cts 20 022 (18-10-1988).

Imitations

Divers types

Verre. La plus ancienne imitation (âge du fer, Égyptiens) des pierres précieuses. *Simili :* verre recouvert d'un enduit réflecteur doré ou argenté, imitant le diamant (verre + paillon). *Verres colorés* imitant toutes les pierres précieuses et ornementales. *Verre aventuriné* avec des paillettes de cuivre incorporées au XVIIIe s. *Strass* inventé au XVIIIe s. par Joseph Stras après la découverte du verre au plomb (flint dit cristal) par les Anglais en 1623, pour imiter le diamant (oxyde de plomb 35 % ; silice 38 ; potasse, borax et arsenic 8) ; se raye facilement.

Doublets et pierres composites. Assemblages divers.

Perles. Voir p. 411.

Cristaux artificiels. *Par fusion simple :* corindons synthétiques (imitations de rubis, saphirs, topazes, morganite, kunzites, etc.), spinelles synthétiques (imitation de l'aigue-marine, etc.), rutile synth., titanate de strontium YAG, oxyde de zirconium (imitation du diamant). *Par dissolution hydrothermale :* émeraude synthétique, améthyste synth., citrine synth. *dissolution anhydre* (dans un fondant) : émeraude synth., rubis synth., alexandrite synth.

Minéraux et roches de couleurs artificiellement modifiées. Les couleurs de certaines pierres de basse qualité peuvent être renforcées par traitement. *Pour imiter un minéral ou une roche :* jaspe teint en bleu ; *accentuer une couleur :* lapis-lazuli et turquoise baignés ; *changer la couleur :* diamants exposés à des radiations, améthystes traitées thermiquement.

Dates de commercialisation

XVe s. av. J.-C. : verres, émaux. **Ier s. av. J.-C. :** calcédoines teintes et assemblées. **XIVe s. :** doublets pierre fine-verre-pierre fine.

XVIIe s. Flint (cristal au plomb), perle d'imitation. **1800 :** doublet quartz-verre, strass. **1850 :** doublet grenat-verre, doublets 1/2 perle de culture-nacre (« mabe »), millefiori. **1885 :** « rubis de Genève », petits morceaux de rubis assemblés à chaud à l'aide de chromate de potassium utilisé comme fondant superficiel. **1890-1902 :** des artisans appliquent la découverte de Edme Frémy (« boules » de rubis synthétiques). **Début XXe s. :** le chalumeau oxhydrique de Verneuil permet la fabrication industrielle (1904) du rubis synth. et (1907) du corindon synth. bleu, coloré grâce à des traces de cobalt. **1910 :** doublet quartz-gélatine-quartz, saphirs synth. galalithe, bakélite. **1920 :** perles de culture. **1930 :** phosphates pressés imitation turquoise. Doublet quartz-émail-quartz, saphir synth. incolore, spinelle synth. incolore. **1940 :** émeraude synth., doublet béryl-émail vert-béryl. **1945 :** doublet à base d'opale. **1950 :** saphir

Quelques précisions

• **Authenticité.** Le *Service public du contrôle des diamants, perles fines et pierres précieuses* (2, place de la Bourse, 75001 Paris), géré par la Chambre de Commerce et d'Industrie de Paris, vérifie et délivre des certificats d'authenticité pour diamant, perle ou pierre précieuse, et, s'ils ne sont pas sertis, décrit les qualités substantielles des diamants (couleur, pureté, masse, taille).

• **Bourses de pierres.** La plus ancienne : Ste-Marie-aux-Mines (déb. juillet) ; Munich (oct.) ; Alès (nov.) ; Lyon (nov.) ; Millau (juillet) ; Tarbes (2e quinzaine de nov.) ; Jouy-en-Josas (nov.) ; Liège (nov.) ; Paris (déc.), PLM St-Jacques. Calendrier publié dans des revues spécialisées : *Minéraux et fossiles, Monde et minéraux.*

• **Collections de minéraux.** *Au XVIIIe s. :* on constitua des collections scientifiques (collection du prince de Condé, François Boucher et Bonnier de la Mosson). Certains minéraux étaient considérés comme des objets magiques, d'autres transformés en objets d'art.

Collections principales (France). *Paris :* école des mines (qui a racheté la coll. d'Ilia Deleff). Musée minéralogique. Muséum d'histoire naturelle, galerie de Minéralogie. Faculté des sciences (Jussieu, tour no 25), collection de minéralogie et de cristallographie. Bureau de recherches géol. et minières.

• **Fiscalité.** *T. V.A.* Pierres non montées en bijoux (depuis 1981) et montées en bijoux 22 %. La douane peut exiger le paiement de la T.V.A. (plus des pénalités) à toute personne qui ne peut produire une facture justifiant d'une importation régulière. *Taxe forfaitaire sur les plus-values* progressive en 20 000 et 30 000 F, 6 % au dessus de 30 000 F (vente publique 4 %).

• **Langage des pierres.** *Améthyste :* sincérité, dissipait les fumées du vin et donnait de l'esprit. *Bague en quartz ou cornaline :* servait d'antidote à la tristesse. *Cristal de roche :* délivrait des mauvais rêves. *Diamant :* pureté, fidélité. *Émeraude :* bonheur vertueux, faisait se sauver le diable et était le gage de la virginité. *Hématite :* délivrait de la goutte. *Rubis :* amour, pureté. *Saphir :* sagesse, rendait aimable. *Topaze :* amitié, modérait les natures bouillantes.

synth. étoilé. **1955 :** doublet spinelle synth.-émail-spinelle synth., spinelle synth. fritté, rutile synth., perles de culture à noyau organique. **1960 :** « néolite » (imitation turquoise), « béryl enrobé » Lechleitner, rubis synth. en fusion anhydre. **1960 :** quadruplets quartz-opale-agate, rubis synth. hydrothermal, « fabulite ». **1965 :** doublet émeraude-émail-émeraude YAG, quartz synth. au cobalt, doublet béryl-tourmaline « Smaryl », émeraude synth. hydrothermale Linde. **1970 :** opale synth., améthyste synth., alexandrite synth., doublet saphir-saphir synth., turquoise synth.-G.G.G., linobat, K.T.N. **1975 :** saphir synth. (dissolution anhydre), oxyde de zirconium cubique, lapis-lazuli synth., citrine synth.

Pierres célèbres

Diamants

• Diamants de la Couronne de France. **Au Louvre (à Paris). Régent** (XVIIIe s., Inde). 410 carats. Taillé 140,5 cts, forme coussin, blanc, légèrement bleuté. Un esclave le découvrit en 1701 dans une mine aux Indes. Thomas Pitt, gouverneur de Madras, l'acheta, le fit travailler et le vendit au régent Philippe d'Orléans vivement encouragé par Saint-Simon. Napoléon le fit sertir sur le pommeau de l'épée de son sacre en 1804. **Sancy** (XVIe s., Inde). 55, taillé. Trouvé, dit-on (mais c'est peu vraisemblable), sur Charles le Téméraire au moment de sa mort. Il appartint à Nicolas Harlay de Sancy (ministre d'Henri IV) ; vendu 1604 à Jacques Ier d'Angleterre, revint à Mazarin qui le légua à la couronne de Fr. Volé à la Révolution, réapparut vers 1828 (acheté par une famille russe). Depuis, acheté par William Waldorf Astor et porté par Lady Astor († 1964). Revenu au musée du Louvre en janv. 1979. **Hortentia.** Diamant rose pentagonal de 20,5 cts.

• Exposé aux États-Unis. **Hope** (XVIIe s., Inde). Bleu, 112,5 cts. Taillé 45,5 cts. A appartenu à Louis XIV ; volé en 1792 au garde-meuble national, retaillé, vendu à Sir Hope en Angleterre, acheté par Cartier (Paris), vendu à Mrs Mac Lean, acheté par Harry Winston qui le donna au Smithsonian Institute (Washington).

• Diamants de la Couronne d'Angleterre. **Cullinan** (1905, Afr. du S.). 3 106 cts avant taille. Blanc. Appelé du nom du fondateur de la mine. Acheté 1907 par le gouvernement du Transvaal qui l'offrit au roi Edouard VII pour son 66e anniversaire, et pour sceller la paix après la guerre des Boers. Le roi confia sa taille à Asscher d'Amsterdam, qui en tira 9 pierres principales dont l'*Étoile d'Afrique*, en forme de poire à 74 facettes de 530,2 cts, montée sur le sceptre de la reine d'Angleterre ; le *Cullinan II*, forme coussin (317,40 cts), sur la couronne impériale d'Angleterre. **Koh-i-Noor** (env. 1304, Inde). 186 cts. Taillé 108,93 cts, forme ovale, blanc. Saisi à Lahore par la Compagnie anglaise des Indes orientales comme « indemnité de guerre ». Orne la couronne de la reine (mère) Elisabeth, conservé à la Tour de Londres. Réclamé en sept. 1976 par le Pakistan et l'Inde.

• Diamants de la Couronne de Russie. **Orloff** (XVIIe s., Inde). Taillé 189,62 cts, demi-œuf, facetté, taille à rose sur le dessus, non facetté en dessous, blanc nuancé de jaune. Acheté par le Pce Orloff pour la Grande Catherine. Orne le sceptre impérial. Conservé au Kremlin. Serait la même pierre que le « Grand Mogol » dont Tavernier aurait mal transcrit la masse (même forme). **Shah** (1571, Inde). Taillé 88,7 cts (avant 99,52), forme prismatique ; jaunâtre, 3 faces gravées du nom de ses propriétaires indiens successifs. Offert en 1829 par le shah de Perse au tsar de Russie comme « prix du sang », pour le meurtre de l'ambassadeur Griboïedof.

• Diamant de la Couronne de Saxe. **Dresden Vert** (1743, Inde). Vert, 119,5 cts. Taillé en 41 cts (forme poire). Conservé au palais de Dresden.

• Autres diamants (poids en carats). **Arc** (1921, Afr. du S.), 381. **Baumgold** (1922, Afr. du S.), 609. Taillé en 14 pierres (les 2 + grosses, les *Baumgold Pears,* 50 chacune. **Berglen** (1924, Afr. du S.), 416,25. **Black Diamond of Bahia** (1850 ?, Brésil), 350. **Bob Grove** (1908, Afr. du S.), 337. **Broderick** (1928, Afr. du S.), 412,5. **Cartier ou Taylor-Burton** (1966, Afr. du S.), 240,80, taillé 69,42, acheté pour Elizabeth Taylor par Richard Burton 14 500 000 F, revendu à Henry L. Lambert (New York) 1979. **Catherine Bokassa** (1978, Rép. centrafricaine), 138, taillé à Paris (par les ateliers Sirakian) en forme de poire 82,15, serti sur la couronne impériale. **Corondel IV** (1941, Brésil), 400,65. **Daria-I-Nur** (Dacca), taillé 150 cts, carré, blanc ; vendu 1959 à Dacca. **Darcy Vargas** (1939, Brésil), 455 brut ; nom de la femme du Pt Vargas. Brun ; trouvé dans le district de Coromandel (Minas Gerais). **Étoile du Sud** (1853, Brésil), 261,88, ovale, blanc, taillé 128,8 ; appartiendrait à Rustomjee Gamsetjee (Bombay). **Étoile de la Paix** (1974, Centrafrique), 500, taillé 170,49 ; vendu à l'émir d'Abou Dhabi 100 000 000 F. **Étoile de Sierra Leone** (1972, Sierra Leone), 968,8 (6,5 × 4 cm) ; blanc ; évalué 59 millions de F, taillé en 11 pierres (la + grosse 143,20, retaillée en 7). **Excelsior** (1893, Afr. du S.), 995,2, taillé en 21 pierres (la + grosse 69,68, revendue 1984). **Goyaz** (1906, Brésil), 600, taillé en plusieurs pierres (la + grosse 80) ; sa trace a été perdue. **Indien.** 250, forme poire, blanc. **Jonker** (1934, Afr. du S.), 726, taillé en 13 pierres (la + grosse 125,65), taille émeraude, blanc ; appartient au roi Farouk puis au roi du Népal, revendu 2 340 000 $ à M. Takashima, Kyoto, Japon. **Jubilee** 245,35, blanc, taille coussin ; la + grosse pierre du diamant *Reitz* [1895, Afr. du S.) 650,25, taillé l'année du jubilé de la reine Victoria (1897) en 12 pierres] ; appartient à Paul-L. Weiller. **Kimberley** (début XXe s., Afr. du S.), 503, couleur champagne, taillé en 1 pierre, taille émeraude de 70, retaillé 1958 en 1 pierre de 55,9 ; vendu 1971 à un Texan. **La Lune de la Montagne** (XVIIe s. env.), 126, non taillé ; conservé parmi les joyaux de la couronne de Russie. **Lesotho** (1967, Lesotho), 601,25, brun, taillé en 70 pierres (la + grosse 70). **Light of Peace** (1969, Sierra Leone), 434, taillé 125,5, blanc ; ne sera pas vendu, mais exposé lors des campagnes en faveur de la paix ; appartient à Zale Corporation, Dallas. **Nawanager,** taillé 148, forme en rond, blanc ; à Rajmata Gulabkunverba de Nawanager. **Moon,** taillé 183, en rond, blanc jaune ; vendu chez Sotheby 20-8-1942. **Patos** (1937, Brésil), 324. **Portugais** 127,10, forme coussin, blanc ; appartient au Smithsonian Institute, Washington. **Presidente Dutra** (1746, Brésil), 409, taillé en 46 pierres (la + grosse : 9,06). **Président Vargas** (1938, Brésil), 726,6, blanc ; trouvé dans la rivière San Antonio (Coromandel, Minas Gerais) par un prospecteur et un fermier qui l'ont vendue 56 000 $; achetée 1939 par Harry Winston env. 700 000 $, taillée 1941 en 29 pierres (la + grosse 48,26). **Reine de Hollande,** 136,32, forme coussin, blanc, avec teinte bleue. Vendu par un prince hindou à Londres en 1960. **Taj-E-Mah** 115,06, taillé à rose, blanc ; joyaux de la couronne d'Iran. **Iros I** (1938, Brésil), 354. **Venter** (1951, Afr. du S.), 511,25, jaune, taillé en 32 pierres (la + grosse 18). **Victoria** (1884, Afr. du S.), 469, blanc, taillé en un brillant ovale de 184,5, et un rond de 20 ; vendu au nizam d'Hyderabad. **Victoria** (1943, Brésil), 328,34, taillé en 44 pierres (la + grosse 30,39). **Woyie** (1945, Sierra Leone), 770, blanc, taillé en 30 pierres dont une de 31,35 ; offert à la reine Élisabeth II. **X...** (1965, Lesotho), 527,25, blanc. **Géant doré** 890, taillé 407.

• Jaunes. **Tiffany :** 128,51, forme coussin, appartient à Tiffany, New York. **De Beers** (1888, Afr. du S.), 428,5, taillé 234,5, jaune ; appartient à un prince hindou. **Red Cross** (Afr. du S.), 375, taillé 205, carré, jaune canari ; offert à la Croix-Rouge anglaise et vendu aux enchères en 1918. **Iranian Yellow A :** taillé 152,16, jaune, rectangle vieille taille brillant, silver cape. **B,** 135,45, ancienne taille, brillant forme coussin, cape. **C,** 123,93, forme coussin, silver cape. **E,** 114,28, forme coussin, cape. Trésor d'Iran.

• En poire. **Noir : de Amsterdam** (Afr. du Sud) 33,74 taillé. **Earth Star** 111,59, brun, forme poire ; appartient à Baumgold Bros. Inc. New York. **Grand Chrysanthème** 105,15, couleur bronze ; New York, collection privée. **Niarchos** (Ice Queen) (1954, Afr. du S.), 426,5, taillé 128,25 (le Niarchos) ; appartient à Stavros Niarchos.

• Roses. **Grand Mogol** (v. 1650, Inde). 787,5 (estim.), taillé, 280, incolore, rose ; perdu depuis 1747 ; certains pensent que l'*Orloff* et le *Koh-i-Noor* en sont des fragments. **Premier Rose** (1978, Afr. du S.), 353,9, taillé 137,2 ; vendu 11,5 millions de $ en 1979.

• Vert. **Vert Dresden** voir ci-contre.

Autres pierres précieuses connues

Poids en carats

Émeraude. 16 300 (3,26 kg, Istanbul, Topkapi). 11 130 (U.R.S.S., 1834, musée minéralogique de Moscou). 11 000 (Transvaal, 1956). 6 225 (Brésil). 2 680 (jarre sculptée XVIIe s., Vienne). 1 384 (pierre de Devonshire venant de Colombie). 135,25 (à Moscou). Les plus célèbres viennent de Muso et Chivor (Colombie). Il y aurait une émeraude hexagonale d'env. 20 000 cts valant 500 000 000 F.

Rubis. 3 421 (U.S.A., 1961), mais il est brisé (le + gros morceau : 750). 1 184 (Birmanie). Rosser Reever Ruby 138. Delog Star 100. Rubis de la Paix (Birm., 1918).

Saphir. 100 000 (Ceylan). 63 000 (Birmanie). 2 302 (Anakie, Australie, v. 1935) dans lequel a été taillée la tête d'Abraham Lincoln (1 318, U.S.A.). 2 097, taillé 1 444, en forme de buste du Gal Eisenhower (Étoile noire, U.S.A. v. 1953-55). *Rose* 2 000 (non taillé, Caroline du Nord, U.S.A., 1961). 1 997 (taillé 1 056). 1 200 (brut, Australie 1956). 951 (Birm., trésor du roi à Ava). 563,35 (Star of India, venant de Ceylan, au Muséum de New York). 259 (Moscou). 135,80 [Ruspoli ou saphir de Louis XVI, trouvé au Bengale ; taillé en rhomboèdre (parallélépipède dont les 6 faces sont des losanges égaux) ; à Paris, Jardin des Plantes]. Spinelle. Rubis de Timour (ou Tamerlan) 361 (G.-B.). R. du Pce Noir (G.-B.). R. de Catherine II, 400 (G.-B.).

Pierres fines connues

Aigue-marine. 103,8 kg (Brésil, 1910). 61 kg (Brésil, 1955). **Ambre.** 15,25 kg (Birmanie, acheté en 1860), au Musée d'histoire naturelle de Londres. **Argent.** 1 026,5 kg (Sonora, Mexique), possédé par l'Espagne dès avant 1821.

Chrysobéryl. 171 carats (Washington Museum). 45 carats (British Mus.). **Cristal de roche.** 71 t (piézo-cristal trouvé au Kazakhstan 1958). 48 kg Warner sphere (Birmanie, Washington Museum).

Jade (néphrite). 143 t, 603 m³ (Chine, 1978). Le mausolée de Tamerlan à Samarcande est un monolithe de néphrite.

Marbre. Bloc de 90 t (Yule, Colorado, U.S.A.) dans lequel a été taillée une pierre de 45 t pour la tombe du soldat inconnu (cimetière d'Arlington, Virginie).

Opale. 22 800 cts (6,842 kg, jaune orangé, Anda Mooka, Australie, 1970), déterrée par un bulldozer, composée de 2 morceaux imbriqués l'un dans l'autre (bloc de 28 × 25 × 12,5 cm), évaluée à plus de 5 millions de F, exposée à Sidney (Australie). 77 cts (O. de Louis XVIII, Paris, Jardin des Plantes).

Painite ($Ca^4Al^2OBSiO^{38}$). Pierre la + rare (découverte en 1951, Birmanie).

Pépite d'or. Pépite d'Holtermann, 214,32 kg (Australie, 1872). *Pépite la plus pure :* Welcome Stranger (Moliagul, Austr.), 70,92 kg dont 69,92 d'or.

Spinelles. *Louvre :* Cote de Bretagne, taillé en Dragon. *Angleterre :* R. de Timourlang, R. du Prince Noir. *Russie :* R. « Lal » de Catherine la Grande.

Topaze. 1 351 500 cts (270,3 kg), 221 facettes, bleu ciel (trouvée au Brésil, au Muséum de New York). 117 kg (Brésil, au Muséum de Vienne). 60 kg (Norvège). 28,10 cts (t. de Louis XIV, 326 facettes, Paris, Jardin des Plantes). **Turquoise.** 98,8 kg (à l'origine 113,4 kg, Californie, 1975).

Tapis

Source : Berdj Achdjian, expert.

Généralités

Types de tapis

Tapis noués. *Types de nœuds : nœud symétrique* dit *Ghiordes* (ou turc ou turkbaf), employé principalement en Turquie, au Caucase, et par des nomades de l'Iran ; *nœud asymétrique* dit *Senneh* (ou persan ou farsibaf), employé par les manufactures iraniennes, en Chine et dans la plus grande partie de l'Asie centrale. Ces types de nœuds ont des variantes.

Le plus ancien tapis noué existant parvenu jusqu'à nous date du IVe ou Ve s. av. J.-C. [tapis en laine (2 × 1,90 m, exécuté au nœud symétrique, 3 600 nœuds au dm²)], dit de Pazyrik, découvert en 1949 par l'archéologue Rudenko (dans une tombe scythe des monts Altaï) et conservé au musée de l'Ermitage à Leningrad. Des tapis ou fragments de tapis des IXe et Xe, XIIIe, XIVe et XVe s. sont conservés plus particulièrement dans des musées européens et au Japon.

Tapis tissés. 2 techniques : 1) *kilim* ou tissage plat simple, les fils (trame) passant alternativement entre les fils de chaîne ; 2) *soumak* en tissage complexe plat. *Autres variantes : verneh* (en sileh), Djadjim.

Métiers. **Principaux types :** *horizontal* surtout utilisé par nomades et villageois orientaux, car il est démontable et facile à transporter, *vertical* utilisé par les villageois et les art. **Fabrication.** Dans les 2 cas, les fils de chaîne sont tendus sur le métier dans le sens de la hauteur et l'artisan débute par le tissage d'une étroite bande de kilim constituée par l'entrecroisement des fils de trame avec les fils de chaîne. Puis il noue des brins (de laine, poils de chameau, etc.) de couleurs différentes, qui forment le velours et le décor du tapis. Chaque rangée est en général maintenue et séparée de la suivante par un ou plusieurs fils de trame, puis trames et nœuds sont tassés avec un peigne. Les brins formant le velours sont coupés après 1 ou plusieurs rangées terminées. Une fois le tapis fini, le velours est égalisé. Le tapis est terminé par une partie tissée. Les franges sont constituées par les fils de chaîne.

Centres de production

2 types de production : artistique (le tapis, œuvre d'art), commerciale (objet de consommation).

• Afrique. **Algérie.** Tissages du Haut-Atlas. **Égypte.** Tissages coptes anciens, et tapis contemporains. **Tunisie. Maroc.** Rabat.

• Amérique. Tissages Navajo, précolombiens, Pérou, Guatemala.

• Asie. **Asie centrale.** Iran, Afghanistan, Turkmenistan, Ouzbékistan. Dits *Boukhara* (*ethnies :* Tekké, Yomoud, Imreli, Pendeh, Salor, Kizil Ayak, Ersari, Chodor, Saryk, Béloutches, etc.). **Cachemire, Pakistan.**

Caucase. *Tapis antiques caucasiens* (XVIe-milieu XIXe s.). Dits Koubas ou tapis arméniens. Régions de Chirvan, Karabagh, Kouba. *Anciens de villages et de nomades caucasiens* (XVIe-début XXe s.). Chirvan, Kazak, Daghestan, Kouba, Gendje, Seikhour, Khila, Karabagh, Talish, Marasali, Derbend, Akstafa, etc. Tapis *tissés :* Kilim, Soumak, Verneh, Sileh.

Chine, Est du Turkestan, Tibet. *Tapis antiques des cours impériales.* Ning-Hsia. Dits *Samarkand.* Viennent des oasis du bassin du Tarim : Yarkand Khotan, Kashgar. *Du XIXe s.* Ning-Hsia, Pao tou (et Siryan), Kansu, Pékin.

Inde. Agra, Mirzapoor, Amritsar, Lahore, Daree (tissage kilim), Namda (tapis de feutre).

Iran. *Tapis de la cour safafide* (Shah Abbas, XVIe-XVIIe s.). Ex. : tapis dit Ardébil (Victoria and Albert M., Londres). Kirman, Kechan, Herat, Djochagan. *De villages* (XVIIe-début XXe s.). Sarouk, Tabriz, Téhéran, Kechan, Khorassan, Ispahan, Kirman, Yoravan, Feraghan, Sérab, Hériz, etc. *De nomades* (jusqu'à nos jours). Afchars, Khamseh, Kurdes, Shahsawan, Kashgaï (dits *Chiraz*). Tapis tissés : Gelim, Djidjim, Verneh. *De manufactures et d'ateliers* (fin du XIXe s. à nos jours). Kirman, Ispahan, Téhéran, Khorassan, Tabriz, Bidjar, Mesched, Nain, Goum, Veramin.

Turquie. *Tapis de cour et de manufactures* (XVIe-fin XIXe s.). Ouchak, Brousse (Boursa), Héréké, Komkapi. *De villages (ruraux) ou de paysans* (XVIIe, XVIIIe, XIXe s.). Ghiordes, Koula, Ladik, Melas, Konia, Moudjour, Kirsheir, Avanos, etc. *De nomades.* Kurdes, Yürüks, nomades de la région de Bergame. *Ateliers* (XXe s.). Césarée (ou Kayseri), Koula, Melas, Avanos, Kirsheir, Maden, Megri, Moudjour, Karapinar, Nidge, Orta-Keuy, etc. Nouage moyen. *De manufactures pour l'exportation.* Smyrne, Ouchak, Borlou, Sparta, Sivas.

• Europe. **Angleterre.** Axminster (métiers industriels). **Espagne.** Fundación Franco del Pardo, Fabrica Real de Madrid, Beniarres, Burgos, Cuenca, Grenade (tapis *Alpujaras).* **France.** La Savonnerie (manufacture en 1627, réunie à celle des Gobelins en 1826), Amiens, Nîmes, Tourcoing. **Hollande.** Deventer. **Italie.** Florence, Venise, Modène, Corrège, Pérouse, Naples, Rome. **Roumanie.** Kilims anciens et tapis modernes.

Exemples de prix payés pour certains tapis (en milliers de F)

Tapis antiques et anciens. **Quelques records** (dimensions en cm) : Tabriz Djaffer (580 × 405) 316,4 (1984), tapis de mariage Salor 436 (1986). *XVIe s. :* tapis « ottoman » (121 × 173) 392,7. *XVIIe s. :* « polonais » (Iran, 110 × 385) 2 500 (1983), « de Damas » (135 × 190) 449,5 (1986), Louis XIV Savonnerie (2,93 × 2,70) 1 475 (1990). *XVIIIe s. :* tapis aux petits points George III (264 × 358) 357,5 (1986), Savonnerie : (280 × 480) 2 974 (1988), (590 × 470) 3 364 (1990), (293 × 270) 1 475 ; Beauvais (300 × 278) 2 314 (1990) ; Mortlake (306 × 356) 521,9 (1987). *Début XIXe s. :* « Ksghaï » (215 × 570) 339 (1986), « Yomoud » (130 × 76) 312 (1986), Star-Kazak (175 × 218) 925. *1809 :* Tournai au point de la Savonnerie (685 × 600) 3 049 (1989). *1810 :* Savonnerie (430 × 574) 925 (1988). *1815 :* Shirvan (135 × 109) record 280 (5-12-1988). *1821 :* « Hérizn en soie » (765 × 525) 2 200. Yomuth (51 × 102), Torba, 175. *XIXe s. :* Verneth (tissage nomade) (191 × 271) 230 (1988). *Fin XIXe s. :* « Senneh » (401 × 350) 268,3 (1984), « Téhéran » 235 (1985). « Kechan » (375 × 260) 420 (1990), Savonnerie (395 × 295) 260. *1930 :* Art Déco de Da Silva Bruhns (345 × 350) 229,7 (17-4-1988).

Tapis modernes. Ex. (en milliers de F par m² et au détail). Tapis pakistanais 1 à 2. Soviétique (Caucase) 1,8 à 3,5. Roumain 1,3 à 3. Cachemire 1 à 2. Turc en soie (Héréké) 10 à 20. Savonnerie d'Aubusson 15 à 20.

Nettoyage. *Tapis ancien :* passer (occasionnellement) l'aspirateur à l'envers et le balai-brosse sur le velours. Lavage manuel en moyenne tous les 5 ans. Éviter les nettoyages chimiques. *Neuf :* passer l'aspirateur à l'endroit et à l'envers ou le balai de paille de riz, sans excès. Lavage tous les 10 ans.

Tapisseries

Données générales

• Définitions. **Chancellerie :** tapisserie aux armes de France, donnée par les rois à leurs chanceliers, à leur entrée en fonctions. **Suite :** 1 seule pièce répétée plusieurs fois ; ex. : la Portière des Renommées (Le Brun), dont le motif est répété 72 fois.

Tapisserie aux armes. Les motifs du milieu sont des armes héraldiques. **A écriteaux** (ou t. à rouleaux). Le sujet ou le sens moral est indiqué en lettres gothiques dans des écriteaux tissés ; ex. : les Amours de Gombault et Macée. **T. mille-fleurs** (à semis ou fond de fleurs). Fond bleu-vert ou rose (la Dame à la Licorne). **Tenture.** Ensemble des tapisseries de lisse se rapportant au même sujet ; ex. : la Tenture d'Esther. **Verdure.** Paysages, arbres et animaux.

• Fabrication. **A la main.** Fils de couleur [laine, soie (or et argent ne sont plus utilisés depuis la fin du XVIIIe s.)] passés entre les fils d'une chaîne (laine ou rarement lin) tendue verticalement [tapisseries de *haute lisse* (la lisse est une cordelette qui part de la perche de lisse ; dans les métiers de haute lisse, elle est placée au-dessus de la tête du lissier)] ou horizontalement (t. de *basse lisse*). Le jeu des fils de trame forme le dessin et les coloris. La tapisserie à l'aiguille se fait sur un canevas uni (fils simples) ou sur un canevas *Pénélope* (fils doubles).

Mécanique. Machines dérivées du métier Jacquard, ne permettant le passage que de 6 ou 7 couleurs (on prévoit de nouveaux métiers autorisant l'emploi de 15 couleurs). **Semi-mécanique** (chaînes de coton actionnées mécaniquement, mais trames de laine passées à la main). Couleurs et formats (1,40 × 3 m au max.) limités. Prix : 1 400 F le m².

Mosaïque de laine. Inventée par le peintre Fabrice (Robert-Jean Fabre) en 1955. Obtenue manuellement en collant, sur un calque réalisé d'après le carton du peintre, plusieurs épaisseurs de laine superposées. On détache ensuite chacune des couches que l'on recolle définitivement sur un support de toile.

Au Moyen Age, il fallait 6 à 8 mois à un ouvrier pour tisser 1 m² (fils : 4 à 5 au mm). A partir de la Renaissance, le nombre de fils au cm fut porté à 10, l'ouvrier mettait alors 1 an pour tisser 1 m² à paysage ou verdure ; au XVIIe s., le grand nombre de personnages ralentit la vitesse : plus d'1 an pour 1 m² ; actuellement on compte à Aubusson 1 mois pour 1 m², aux Gobelins 3 mois à 1 an (fils plus fins).

Cartons. Les tapisseries sont réalisées d'après des « cartons » de peintres (au *XVIe s.* Raphaël, Van Orley ; *XVIIe s.,* Jordaens, Téniers, Oudry, Le Brun ; *XVIIIe s.,* Van Loo, Desportes, Pillement, Coypel, Vernet, Boucher, Huet ; *XIXe s.,* Goya ; *XXe s.,* Dufy, Fujita, Matisse, Dom Robert, Lurçat, Rouault, Picasso...) : modèles dessinés ou peints de la grandeur de la tapisserie ; au Moyen Age, le lissier disposait surtout d'indications écrites ; au XVIIe s., les cartons étaient faits à la sanguine, le lissier choisissait les couleurs. Ensuite on numérota les couleurs (le lissier perdit toute initiative).

Tapisseries célèbres

Le plus ancien spécimen *connu* (1483-1411 av. J.-C.) fut trouvé dans la tombe de Thoutmès IV en Égypte ; *connu en Europe :* t. de St-Géréon de Cologne, fin XIe s. (fragments conservés : Lyon au m. des Tissus, Londres, Nuremberg). La plus grande connue : le Christ de Gloire (cath. de Coventry, G.-B.) de 22,76 × 11,60 m exécutée à Aubusson (France, ateliers Felletin) sur un dessin de Graham Sutherland, achevée en février 1962, coût 274 000 F. La t. de la bataille de Roosebeck (Arras, 1387) mesurait 395 m² (disparue). L'histoire de l'Irak du youg. Franc Dedale à Bagdad (1986) mesure 1 282 m².

Tapisserie de la reine Mathilde (XIe s., 69,55 m de long sur 0,48 à 0,51 m de large en 8 morceaux) conservée à Bayeux : broderie à l'aiguille sur toile de lin avec des laines de 4 couleurs différentes en 8 teintes, au point de tige pour les tracés linéaires et au point de couchage pour les teintes plates. Réalisée selon la légende par la reine Mathilde, femme de Guillaume le Conquérant. En fait, commandée par Eudes de Contenville, évêque de Bayeux, à des brodeurs saxons. Elle représente l'histoire de la conquête de la Normandie. Comprend 72 scènes où figurent 626 personnages, 202 chevaux et mulets, 55 chiens, 505 autres animaux, 37 édifices, 41 vaisseaux et barques, 49 arbres. Robert Chenciner (G.-B.) a contesté son authenticité en 1990.

Principaux ateliers

• France. Apparue vers la fin du VIIIe s. Essor au XIVe s. (encouragé par Charles V) ; en 1379, Nicolas Bataille reçut la commande de l'Apocalypse (Angers), la plus ancienne t. française conservée. **Vallée de la Loire :** ateliers nomades suivant la cour, de château en château (vers 1500). Ont produit les *mille-fleurs* (dont la Dame à la Licorne). **Fontainebleau** (S.-et-M.) : atelier créé par François Ier, durée éphémère ; une seule t. attribuée avec certitude (la Galerie des réformés décorée par Rosso et le Primatice, ch. de Fontainebleau). **Paris :** 1ers ateliers créés au XIIIe s., XVe s., la guerre de Cent Ans et l'occupation anglaise brisent l'essor. XVIe s. de nombreux lissiers se réfugient à Paris pour échapper à des persécutions religieuses. 1551 : Henri II crée un atelier à l'hôpital de la Trinité pour enfants pauvres et orphelins. 1597 : Henri IV crée un atelier. 1601 : il interdit l'importation des t. étrangères, puis fait venir 2 teinturiers flamands (Marc de Comans et François de la Planche) auxquels il accorde en 1607 le monopole de la basse lisse. Ces t. [cartons de Henri Lerambert, Guillaume Dumée, Laurent Guyot, Simon Vouet (sous Louis XIII)] sont reconnaissables à la fleur de lys associée à la lettre P ou à 2 P. 1662, Colbert regroupe les ateliers parisiens et la manufacture de Maincy (fondée par Fouquet) et les installe dans un hôtel acheté à la famille *Gobelin* (teinturiers). XVIIIe s., style décoratif (cartons de Claude Audran) ; les couleurs se multiplient (plusieurs milliers ; en 1824 : 14 400). **Beauvais (Oise) :** fondée 1664 pour concurrencer les Flandres (cartons de Jean Berain, J.-B. Monnoyer, J.-B. Oudry, François Boucher, J.-B. Le Prince, J.-B. Huet). **Felletin et Aubusson (Creuse) :** XVIe s. lissiers flamands installés, 1665 manufacture royale, 1731-80 apogée. Basse lisse, sur chaîne en laine, plus fragile qu'en lin ou chanvre ; s'inspire aussi des Gobelins et de Beauvais. **Bellegarde** (basse lisse). **Nancy. Reims.**

● Autres pays. **Allemagne :** Berlin, Munich, Wurtzbourg, Dresde, Lauingen, Cologne. **Angleterre :** Barcheston, Mortlake, Lambeth, Hatton Garden, Soho, Chelsea. **Danemark :** Rosenborg. **Espagne :** Santa Barbara, Séville. **Flandres :** Arras (haute lisse, fin XIIIe s., rattachée au duché de Bourgogne en 1384). Tournai (propriété du domaine royal français jusqu'en 1525, apogée début du XVIe s.). Produisaient des sujets profanes et religieux se caractérisant par l'entassement de personnages (aux riches costumes), une certaine confusion dans la composition et l'absence de perspective. Valenciennes. Lille. Douai. Audenarde. Bruges. Gand. Enghien (Edingen). Grammont (Geraardsbergen). Anvers. Bruxelles. Delft. Amsterdam. **Italie :** Mantoue, Ferrare, Milan, Venise, Florence, Pérouse, Sienne, Rome, Turin, Naples. **Macao :** tapisserie sino-européenne. **Russie :** Ekaterinhof. **Suisse :** Bâle.

Couleurs

Bois de campêche (ou d'Inde, avec mordants d'alumine : gris-violet ; de fer concentré : noir intense. **Cochenille :** rouge écarlate. **Curcuma** (herbes vivaces à rhizomes) : curcumine, orange à reflets bleus (Asie orientale). **Garance** (rubia tinctorum, herbe vivace) : rouge. **Gaude :** herbe à jaunir (ou réséda), les tiges renferment un principe nommé lutéoline. **Guède** (crucifère, appelée pastel ou vonède) : bleue (Saxe, Flandres, Hollande, région de Toulouse). **Rocouyer** (arbrisseau) : fleur rouge incarnat en panicules, dont on tire le rocou (Am. centrale).

Précautions

Protéger les t. contre les mites, éviter l'exposition au soleil. Ne jamais les plier ; au besoin, les superposer sur un même mur. Renforcer par doublure ou parmentage. Faire nettoyer par un spécialiste tous les 20 ans.

Restauration

Rentrayage (ou rentraiture). Restauration d'une tapisserie : repasser des fils de chaîne dans les endroits usés. *Coût :* de 1 000 à 200 000 F selon l'état de la pièce.

☞ **Bolduc :** tissu cousu à l'envers d'une tapisserie contemporaine, avec la signature de l'auteur, le lieu de fabrication et des signes distinctifs.

Cours des tapisseries

Tapisseries anciennes

Éléments du prix. Époque : Gothique (très rare) jusqu'à 1520, Renaissance, XVIIe s. (réalisations faites en France pour la Couronne ; Aubusson), XVIIIe (Gobelins et Beauvais). **État de conservation** (des couleurs trop passées ou une pièce ravaudée font perdre 50 % de la valeur). **Dimensions** *les plus recherchées :* 2 × 3 m (2,80 × 4 m est encore un format courant). **Finesse du point :** Gobelins et Beauvais ont les points les plus fins ; Aubusson (10 à 20 % moins cher) : 3 spécialités dont l'Aubusson Royal (points les plus fins), Felletin (gros points). **Sujet :** champêtre, animaux ou rivière, chasse ou pêche, paysage avec perspective (verdures). Sujets les moins appréciés : historiques, bibliques et mythologiques à grands personnages ; médaillons ornés de petites pastorales, guirlandes de fleurs. **Composition :** un déséquilibre indique souvent que la pièce est un fragment. **Coloris :** le XVIIIe, moins sévère, est souvent plus coté (présence de rouge, clarté).

Cours (en milliers de F). *Aubusson.* XVIIe s. 13,5 à 700. XVIIIe s. 15 à 180. XIXe s. 20 à 70. *Beauvais.* XVIIe s. 50 à 255. XVIIIe s. 30 à 248, except. « l'Embarquement » et son pendant « le Prince en voyage » 1 110 (1984). *Bruxelles.* XVIe s. 45 à 1 049,7 (1987). XVIIe s. 50 à 350. XVIIIe s. 18 à 280. *Ferrare.* XVIe s. 257 (1985). *Flandres.* XVe s. except. 1 500 (1983). XVIe s. 44 à 330 (1989). XVIIe s. 24 à 161. XVIIIe s. 25 à 250 (1987). *Gobelins.* XVIIe s. 40 à 160 [except. d'après Lebrun : Le Printemps (de la tenture « Les Enfants jardiniers »)] 1370 (1990). XVIIIe s. 30 à 3 660 (except. d'après Coypel). *Lambeth.* XVIIe s. 348,5 (1987). *Lille.* XVIIIe s. 18 à 250. *Mortlake.* XVIIe s. 522 (1987). *Paris* XVIIe s. except. « La Toilette de Psyché » 1 915 (1990). *Savonnerie.* XVIIe s. jusqu'à 480. XVIIIe s. 150 à 1 400. XIXe s. 60 à 200. *Tournai.* XVe s. except. 2 000 (1983). XVIe à XVIIIe s. jusqu'à 4 500 (1990). *Atelier* (n.c.) : Tenture des Dieux d'après Boucher : 1 045 (1973) ; chasse au faucon (XVIe s.) : 1 371 (1980). *Suisse :* XVe s. : 5 500 (1981).

Tapisseries modernes

● Fabrication. **A la main.** De 15 000 à 60 000 F le m² (dont 50 % au lissier, 50 % à l'artiste et à la galerie), selon les tirages (de 1 à 8 ex.) pour les artistes vivants (*Prassinos, Gilioli, Singier, Lapicque, Lagrange, Tourlière, Wongensky, Vasarely, Jullien, Picart-Le Doux, Borderie, Calder, Fumeron, Maurice André,* etc.), 60 000 pour *Chagall* [Ex. : 3 des Gobelins pour le Parlement d'Israël (la Création, l'Exode, l'Entrée à Jérusalem) 1 200 000 (except. 1969)] ; *Lurçat* (2 × 3 m) 72 000. Pour de grands noms disparus comme *Léger, Le Corbusier, Fenaille, Picasso, Marc Saint-Saens, Gromaire, Dom Robert, Dufy, Coutaud, Braque, Adam* ou *Lurçat* 15 000 à 70 000 F. Except. La Quête du Graal (1898-99, 2,40 × 5,18 m) de *E. Burne-Jones* 900 000 (1980). *Depuis 1970 :* textiles et tapisseries architecturés en relief : *Abakanowicz, Jagoda Buic, Sheila Hicks, Gleb, Grau Garriga, Cora Paszkowski, Olga de Amaral, Vasarely,* etc. (encore en ventes publiques) : env. 5 000 F le m².

☞ Carton : parfois + cher que la tapisserie [ex. : Arts majeurs d'Alfred Janniot 1949-50 : 280 (t. du même nom : 100) en 1990].

Mécanique (sur métier Jacquard). Belles qualités (bouclé très serré ou textures épaisses comprenant jusqu'à 110 trames de laine au cm linéaire) : 4 000 à 6 000 F le m² (tirages de 1 000 à 2 000 ex.).

Mosaïque de laine. On peut réaliser 8 modèles à la fois pour env. 800 F le m², plus élaboré : 3 000-4 000 F/m². Des cartons de *Picart-Le Doux, Fumeron, Maurice André* et *Michèle Ray* ont été traduits ainsi.

● Prix à Drouot (en milliers de F). *Nov. 1988 :* Calder 40, Paul Ciriou 90, Delaunay 80, Dorny 14, Estève 108, Gilioli 50 ; *oct. 1990 :* Guillonet 90, Janniot 100, Penalba 50, Pichette 40.

Verre et Cristal

Origine

Fabrication. Procédé découvert vers 4000 av. J.-C. dans le Bassin méditerranéen. En ajoutant au bain de silice fondue (constituant essentiel) soude et chaux, on obtient du verre à vitre ou de la glace selon la technique de fabrication ; de l'oxyde de plomb, on a du cristal ; des oxydes d'éléments de transition, des verres colorés ; des fluorures ou des phosphates, des opalines. La fabrication du cristal ne diffère pas de celle du verre ordinaire (mais à plus petite échelle). A l'époque romaine, l'utilisation de la *canne à souffler* se diffusa dans l'Empire et plus tard en Orient. Murano (Italie) sera jusqu'au XVIe s. la capitale de la verrerie d'art (les Vénitiens avaient fait venir des verriers orientaux) ; malgré l'obligation du secret, la technique se répandit dans d'autres villes. Au XVIIe s., les verriers de Bohême employèrent les 1ers le quartz broyé : le verre devint beaucoup plus pur.

☞ L'irisation des verres antiques varie selon la nature du sol (calcaire, oxydes métalliques) dans lequel ils ont séjourné.

Cristal. Découvert au XVIIe s. par les Anglais : ils abaissèrent le niveau de fusion en utilisant un nouveau fondant : l'oxyde de plomb. Au XVIIIe s., avec l'amélioration du procédé, le cristal supplante le verre de Bohême (en France se développe après 1789). *Cristalleries les plus anciennes :* XVIIIe s. : Le Creusot, St-Louis, Baccarat ; XIXe s. : Choisy-le-Roi (1821), Bercy (1827), Clichy, La Guillotière (Lyon), La Villette-Pantin. *Gobeleterie fine :* Plaine-de-Walsch (demi-cristal), Portieux, Poix, Fourmies, Trélon, Le Landel.

Pâte à riz. Opaline grisâtre et translucide colorée par des oxydes métalliques.

Pâte de verre. Cristal réduit en poudre mélangée à de l'eau avec un liant pour former une matière fusible moulable à froid. Procédé connu dans l'Antiquité, remis à l'honneur par H. Cros, vers 1880. Walter et Bergé chez Daum, Décorchemont et Dammouse ont créé de nombreux objets décoratifs.

Verre églomisé. **Technique :** on fixe une mince feuille d'or ou d'argent sous une 1re plaque de verre, on dessine à la pointe sèche le sujet puis on le maintient sous une 2e plaque soudée au feu avec la première. Pratiquement seul le vernis coloré est utilisé ; s'il s'agit de peinture, on parle de « fixé sous verre ». **Origine :** Antiquité. II-IVe s. vogue à Rome (coupes ou vases). XVIIIe s. en Bohême. Un encadreur français, Jean-Baptiste Glomy (1711-86), l'utilisa pour décorer les verres servant à encadrer estampes et dessins. En 1825, le terme « églomisé » apparut.

Cours

(en milliers de francs)

● Boules presse-papiers. Appelées à tort *sulfures* (le sulfure, d'aspect argenté, n'est qu'un procédé de décor). Généralement datées et signées (B : Baccarat, SL : St-Louis, C : Clichy).

Éléments du prix : finesse et centrage du décor, fleurs ou bouquets, « overlay » (plusieurs couches de couleurs opaques retaillées en fenêtre), harmonie des couleurs [vives et franches à Baccarat (33 % de plomb), plus délicates à St-Louis, très intenses à Clichy], limpidité du cristal, volume, date de fabrication (meilleure époque 1845-95). *Ex. de prix :* modèles simples (millefiori dits aussi bonbons anglais, fleurettes) 1,6 à 10. *Clichy* décor concentrique env. 3 à 46, sur fond de *latticiono* (sorte de résille losangée) à partir de 1,5, sur mousseline 4,5 ; *Baccarat* fleurs 3 à 80, *Baccarat* mousseline 10, *Pantin* fleur 121, *St-Louis* fruits 4 à 8 ; moins courants : fleurs 3,2 à 19,6, papillons 4,5 (seuls) à 53 (butinant une clématite jaune), serpents 10 à 20, bouquet jusqu'à 125, mille-fleurs jusqu'à 43, lézards jusqu'à 25, overlay 8 à 62.

Cours except. : Baccarat double overlay à facettes 112 (1980), *St-Louis* brin de muguet 260, *Clichy* bouquet de fleurs 68, record 1990, 1 448. Baccarat et St-Louis ont produit des copies fines (prix min. 1) record 160 (1990). *Aiguière* en cristal de roche à monture d'or 6 105 (1989).

● Opalines. Apogée entre 1829 et 1870. Dès le XVIIe s., du verre additionné de plomb, étain ou magnésie imitait l'opale. *Opalines les plus recherchées :* gorge-de-pigeon, jaune (Louis-Philippe), bleue (Charles X) ; bleu céleste, lavande, rose, blanche (lampe à pétrole à partir de 1845). *Décors appréciés :* bouquets polychromes, filets d'or, arabesques, motifs gothiques, serpents enroulés, décor « overlay » (2 couches d'opaline superposées et retaillées).

Ex. de prix : coupe sur piédouche gorge-de-pigeon 25 (1979), Charles X 17 ; vases balustres Ch. X (paire) 22 (1979) ; ovoïde Restauration 15 ; flacon boule Ch. X 10 (1981) ; horloge opaline gorge-de-pigeon v. 1830, 160 (1982) ; vases décor overlay 35.

● Verre. **Avant J.-C. : XIVe-XIIIe s.** Égypte : amphoristique, verre obtenu par enduction sur noyau, 124 (1984). **IVe-IIIe s.** Tête d'homme pâte de verre Carthage 115 (1983) ; diatreton (coupe « romaine », 300 av. J.-C.), syrienne ou iranienne 5 376 (record 1979). **IIe s.** (ht 8 cm) 40. **Après J.-C. : Ier s.** Italie ou Égypte : flacon en v. rubané d'or, 939 (1984). Pixide, Sidon, atelier d'Ennion, 93,7 (1984). **IIe-Ve s.** art gallo-romain. Aiguière bleue 800 (1985), coupe bleu-vert 410

(1985), carafon 46, bocal 28. **XIVe s.** Nuppenbecher (9,8 cm) 156 (1980). **XVe s.** Fond de coupe 6 à 60 ; bouteille vénitienne émaillée 9,3 à 100 (1983). **XVIe s.** Façon de Venise 17 à 94 [except. v. à pied de Venise (1584) de Verzelini gravé par Anthony de Lysle 727 (1979)]. Coupes de Venise 10 à 62. **XVIIe s.** Façon de Venise, v. pied ouvragé 9 à 56 ; craquelé 34. *Bohême :* v. émaillé 165 ; sans pied 43 à 54. *Rhénanie :* römer (coupe à bord incurvé) 3 à 200. *G.-B. :* 10 et +. *Silésie :* except. 910 (1981). **XVIIIe s.** v. à vin à balustre jusqu'à 30, à tige spirale 1,1 à 5. *Bohême :* v. à pied 2 à 35 ; sans pied 8 à 45. *France :* gobelet 35. *G.-B. :* 10 à 186 ; v. en cristal taillé et gravé de St-Louis (1775) 10 (1980) ; v. à liqueur (1720) 6. *V. vénitienne XVIIIe et début XIXe s.* nombreux faux. Bouteilles à vin anglaises 4 à 35. **XIXe s.** carafes : 0,2 à 1. *Baccarat :* v. à pied 5. *Bohême :* v. à pied à personnages 4 à 5 [except. de H. Hackel (v. 1815) 85 (1979)] ; style Biedermeier (v. 1865) 1,2 à 25. *G.-B. :* env. 20. *Fabergé (Carl)* (1846-1920) : vase 240. **1900-25.** *Argy-Rousseau (Gabriel)* (1885-1953) : 3 à 144 (1988). *Brandt (Edgar)* (1880-1960) : lampadaire 33 à 121 (1980). *Chareau (P.)* (1883-1950) : lampadaire 469 (1983) ; lampe « religieuse » 710 (1985). *Cheuret* lampe 600. *Dammouse (Albert)* (1848-1926) : 1,5 à 93 (1985). *Daum :* 2 à 4 156 (1987), coupe 3 050 (1989), vase 50 à 600. *Décorchemont (François-Émile)* (1880-1971) technicien de l'estampage : 4 à 161 (1981). *Despret (Georges)* (1862-1952) : Cléo de Mérode 364. *Dunand* (1856-1971) 2 400 (record, 1988). *Cros (Henri)* (1840-1907) : tête de gorgone pâte de verre 220 (1980). *Gallé (Émile)* (1846-1904) : lampe 2 910 (1990) ; vase 1,6 à 7 701 (1990) « le Repos dans la Solitude » ; bouteille « Nocturne » 1 000 ; flacon « Palude » (10 cm) 1 250 ; coupe 4 à 6 150 (1988) ; amphore dite du roi Salomon 1 150 (1981) ; bouteille « parlante » 1 800 (1989) ; Gallé « industriel » (après 1890) : 0,6 à 7 ; sculptures avec applications modelées à chaud : 50 à 208 ; lampes 10 à 1 520 (1981) ; lustre 520 (1989). *Lalique (René)* (1860-1945) : 3 à 943 ; bouchon de radiateur 379 (1987) ; coffret 750 (1989) ; lampe 250. Vase 5 à 850 ; table 800 ; lustre 420 ; flacons à parfums 0,6 à 319,1. *Larche (Raoul)* (1860-1912) : lampe 53. *Marinot (Maurice)* (1882-1960) : 10 à 340 (1985). *Michel (Eugène)* (1867-1910) : jusqu'à 537 (1990). *Muthesius :* lampadaires (paire) en alpaca 150 (1980). *Schneider (Charles)* (1881-1953). *Walter (Almaric)* (1869-1959) : pâte de verre 9 à 98,3 (avec Henry Bergé). Vase non signé 895 (1989).

A l'étranger, l'Allemand *Karl Koepping* (1848-1914) : 5 à 13 et les Américains *Charles-Lewis Tiffany* (1812-1902) : lampe 3,5 à 1 200 ; vase 6 à 250 et *Frank Lloyd Wright* (1867-1959) : lampe 4 165. **1925.** *Legras* (1882-1960) : 0,2 à 2. **1950.** *Flavio Poli* vase 5 à 30. *Venini* 15 à 25, *Tapio Wirkala* 0,8 à 4,5, except. 23,1 (1984).

Verre églomisé. Vues (paire) de Monceaux-en-Brie et Chantilly (18,5 × 41,5 cm) 823,8.

Vitraux

Généralités

Définition. Le seul des arts plastiques où la lumière même construit l'œuvre selon son volume, les phénomènes météorologiques, l'alternance des jours, des saisons. Les artistes qui les créent (conception et réalisation) sont les peintres-verriers.

Technique. Compositions transparentes ou translucides, faites de pièces de verre (blanc ou teint dans la masse, fabriqué à la verrerie), serties dans un réseau de plomb qui souligne le dessin général. Choix des verres et découpe des pièces sont essentiels pour la composition du vitrail. Pour rendre les détails des formes, on modifie la transparence des pièces (mais non leur couleur) en les peignant, principalement sur leur face interne, avec de la grisaille, matière noire ou brune qu'une cuisson vitrifie à la surface du verre.

Depuis le début du XIVe s., le jaune d'argent, teinture posée à l'extérieur du verre, permet d'en modifier localement la couleur : par exemple, un visage peint sur un verre blanc peut être encadré, sans plomb supplémentaire, de cheveux blonds. Au XVe s., la sanguine, pure ou mélangée à la grisaille, donne le ton chair au verre blanc. La gamme complète des couleurs est fournie par les émaux, peintures vitrifiables qui permettent de supprimer les plombs (technique employée à partir du milieu du XVIe s. surtout dans les vitraux d'appartement, très peu dans le vitrail monumental en France).

Depuis 1930 env., on fabrique des vitraux en dalles de verre, taillées et serties dans du ciment ou des résines synthétiques.

Autres techniques : éléments verre-plomb vissés sur verre trempé (L.-R. Petit), dalle associée à la pierre, ou aluminium (C. Baillon), verres collés superposés (U. Zembok).

Conservation. Les v. du Moyen Age (à fondant potassique) sont plus sensibles à l'humidité que les v. antiques ou modernes (fondant sodique). Le *gaz carbonique* produit sur les 2 faces des v. des dépôts de carbonates ; *l'anhydride sulfureux,* associé à l'humidité, dépose des sulfates de calcium ou de potassium favorisant le maintien de l'humidité. Selon la teneur du v. en alcalins, l'altération est uniforme ou en cratères. Mousses, lichens, bactéries favorisent aussi l'humidité et peuvent être à l'origine de sécrétions acides.

Vitraux célèbres

• Vitraux anciens. **Premiers vitraux connus.** *VIIe s. :* fragments à St-Paul de Jarrow à Durham (G.-B.). *V. 1050 :* tête de Lorsch (musée de Darmstadt), tête de Christ de l'abbaye de Wissembourg, conservée au musée de l'Œuvre de N.-Dame de Strasbourg.

France. XIIe : Chartres (cath. : l'Arbre de Jessé, Enfance et Passion du Christ, Notre-Dame de la belle verrière), Angers (cath. St-Serge), Le Mans (cath.), Poitiers (cath. : Crucifixion), St-Denis, Châlons-sur-Marne, Le Champ (Isère), Strasbourg (cath.), Lyon, Vendôme, etc. **XIIIe :** Chartres, Sens, Bourges, Paris (Ste-Chapelle, roses de N.-D.), Lyon, Poitiers, Auxerre, Tours, Troyes, Soissons, Laon, Reims, Strasbourg, Amiens, Rouen, Le Mans, Clermont-Ferrand, Sées, etc. **XIVe :** Rouen, Évreux, Strasbourg, Narbonne, Fécamp, etc. **XVe :** Riom (Ste-Chapelle), Bourges, Évreux, Paris (Ste-Chapelle, St-Séverin), Strasbourg, St-Lô, Rouen, etc. **XVIe :** Auch, Chartres, Paris (St-Gervais, St-Étienne-du-Mont, Ste-Chapelle de Vincennes), Écouen, Montmorency, Troyes, Beauvais, Brou, Conches, Châlons-sur-M., Rouen, Metz, Bourges, Moulins, etc.

Suisse. XIIe : Zurich (musée : Vierge de Flums). **XIIIe :** Lausanne (le Miroir du monde). **XIVe :** Königsfelden, Zurich (musée), etc. **XVe :** Bâle, Zurich (musée), Wettingen, Berne. Musée du vitrail, Romont.

• Vitraux modernes. **France :** *Aix-en-Pr. :* égl. St-Jean-de-Malte (H. Guérin). *Angers :* Inst. St-Charles *(M. et J. Juteau). Assy* (Rouault, Bazaine). *Audincourt* (F. Léger). *Belfort,* égl. Jeanne-d'Arc (J.-L. Perrot). *Les Bréseux* (A. Manessier). *Brest :* égl. St-Louis (J. et P. Bony). *Les Cabannes (Tarn) :* égl. (J.-D. Fleury). *Cambrai :* cath. (G. Lardeur). *Charleville-Mézières :* basilique (Durrbach). *Chatou :* N.-D. (E. Chauche). *Douai :* N.-D. (S. Gaudin, J. Schreiter, G. Hermet). *Dunkerque :* chapelle des Petites Sœurs des Pauvres (G. Meliava). *Estaing (Aveyron) :* égl. (C. Baillon). *Falaise :* chœur de l'égl. St-Gervais (M. Petit). *Issy-les-Moulineaux* (L. Zack). *Metz,* cath. (Chagall, J. Villon). *Millau (Aveyron) :* égl. N.-D. (C. Baillon). *Nantes :* cath. (J. Le Moal, A. et G. Le Chevallier). *Noirlac (J.-P. Raynaud, J. Mauret). Paris :* N.-Dame (J. Le Chevallier). La Défense RER (A. Ropion), St-Pierre-du-Gros-Caillou (atelier Guevel), St-Séverin (J. Bazaine). *Reims,* cath. (Chagall, B. Simon), égl. St-Jacques (M.E. Viera da Silva), *St-Benoît-sur-Loire* (L.-R. Petit). *Varengeville* (Braque). *Vaucresson :* égl. St-Denys (J. Loire). *Vence* (H. Matisse).

G.-B. : *Blackburn,* cath. (J. Hayward), **Israël :** *Jérusalem,* synagogue de l'Hôpital universitaire (Chagall). **U.S.A. :** *Stamford,* First Presbyterian Church (G. Loire).

☞ *Centre international du vitrail :* 5, rue du Cardinal-Pie, 28000 Chartres, musée du vitrail.

☞ La France a 100 000 m² de vitraux (plus que tous les autres pays réunis), 2 600 m² se trouvent à Chartres. L'Allemagne, 25 000 m² env. (dont 3 000 m² à la cath. de Cologne).

Le plus grand vitrail du monde. *Basilique N.-D. de la paix* (Yamoussoukro, Côte-d'Ivoire) : 7 500 m² réalisés par France Vitrail International (1989).

Cours des vitraux

Prix. Selon état et ancienneté (en milliers de francs). **Anciens :** *grande verrière XIVe s.* (donateur avec leurs patrons) : 25 à 30. *Vitrail de Gruber :* 17 except. 220,2 (1987). **Modernes :** *grand vitrail de brasserie 1900 :* 30. *Attribué à Tiffany :* 28. *V. 1925* avec différents verres imprimés : 11. **Contemporains.** 7 à 25 le m² selon composition, technique employée et notoriété.

Gemmail

Imaginé en 1939 par le peintre français Jean Crotti (1878-1959) : assemblage sans plomb obtenu en juxtaposant et en superposant des morceaux de verre coloré. On peut voir des gemmaux au métro Franklin-Roosevelt (Paris) et au Musée du gemmail (Tours).

Objets divers

Prix en milliers de francs

• Ampoule. Du phare de Cordouan (de 6 000 W) 31 (1990).

• Arbres nains japonais (bonzaïs) de + de 300 ans : jusqu'à 50.

• Automates. *XVIIe s. :* 1 150 (record 1985). *XIXe s. :* 10 à 250 (dont singes musiciens de Phalibois) ; *Empire* 6 186 (1989). *Modernes :* 0,8 à 1,5.

• Avions (miniatures). 3 à 10.

• Baradelle. Écritoire de Nicolas-Éloi (fils de Jacques Baradelle, horloger parisien). Étui or, argent, pomponne ou galuchat contient un encrier où se vissent plume en métal et divers accessoires.

• Bargueño. Cabinet de voyage espagnol : façade avec abattant, tiroirs et casiers.

• Bateaux. *Maquettes. Ex-voto* (faites par les marins) 3 à 20. *De chantiers ou arsenaux :* XVIIe s. 23 à 500 ; XVIIIe s. jusqu'à 500 ; XIXe s. : 5 à 350 ; XXe s. 4 à 128 [cargo St Octave (construit 1922, 222 × 36 × 67 cm), 1990]. *D'ornement* XIXe 4 à 58. *De ponton :* XIXe s. 50 à 200. *En bouteille* 0,6 à 2. *En ivoire :* 4 à 9. *Jouets :* bateaux Carette 2 à 6, Radiguet (France) 8,5 à 40. Marklin (All.) 10 à 300. *Électriques :* Lusitania 180 (record, 1983).

• Batik. Impression au pochoir et à la cire chaude. Les plus recherchés : javanais du XVIIIe, XIXe s.

• Bâton de maréchal. Restauration 168, de Hans Model (All.) 100.

• Bijoux. *Romains* (364-378 apr. J.-C.) : 10 à 324 ; except. médaillon en or de Gordien III monté sur collier en or (242 apr. J.-C.) 1 018,7. Fibule ostrogothe du Ve s. apr. J.-C. 13 000 (1987). *Byzantins :* boucles d'oreilles 4 à 15. *Anciens,* d'occasion en or (en F/gramme) : chaînes et gourmettes 60 à 80, 300 à 400 en magasin ; chaînes de gilet et sautoirs fin XIXe début XXe s. 100 à 150 ; bijoux except. (façon et style) 200 à 300 ; très ordinaires jusqu'à 50. *XVIe s. :* camée émail et or 132. *XVIIe s. :* collier or émaillé (Prague ?) 0,4. *XVIIIe s. :* record collier diamants et émeraude 2 385 (1980). *XIXe s.* (IIe Empire) : colliers, bracelets or et grenat, corail, lapis-lazuli ou citrine 2,5 à 150, boucles d'oreilles 2 à 20. *XXe s.* Winston : collier diamant 136,14 carats, 2 500, sautoir en perles 2 200. *Art nouveau :* Lalique bague 17, bracelet jusqu'à 382, collier 85 à 420, plaque de cou 150, pendentif 80 à 490, except. 560 (1989). *Arts déco* (les plus cotés) : France (Cartier : tiare en diamant (1928) 3 000 (1989), Lacloche, Chaumet, Boucheron, Janesich), G.-B. (Black Start and Frost), U.S.A. (Tiffany), Russie (Marchack). *Bijoux 1940 :* (gros bracelets « tanks » 100 à 150 F/gramme). *Bague* platine diamant 16,36 carats 7 500.

☞ **Vente des bijoux de la duchesse de Windsor** (Genève, 23-4-1987) : except. parure de diamants et d'améthystes 3 300, bague de fiançailles émeraude 19,77 cts 2 900, bague en diamants 31,26 cts 4 300.

Vente d'objets ayant appartenu à Brigitte Bardot (17-6-1987) : son buste en Marianne, plâtre d'Aslan 35 ; dessin de Marie Laurencin la représentant à 11 ans 150 ; bonnet en perles baroques, porté par elle dans « Boulevard du Rhum » 16 ; diamant 8,76 cts offert jadis par Gunther Sachs 1 300.

• Boîtes. *Types :* cassette à bijoux ; b. à jeux ; drageoir ; écrin ; étui ; reliquaire ; tabatière, voir p. 420 ; b. à pilules, à priser, à senteur, à cure-dents, à compas, à couture, à surprise, publicitaires ; b. à musique. *Matériaux :* or, argent, *pomponne* (cuivre doublé), écaille, pierres dures. *XVIIIe s.,* b. en or 3 à 300, or et pierres précieuses 100 à 2 200, or et laque du Japon, de T. Germain 1 250, b. à miniatures XVIIIe s. 1 250 (1983), b. à musique fin XIXe s. 160, boîte lithographiée 31 (1989), b. à biscuits 0,2 à 21 (ferme, tramway), à bonbons 0,1 à 30, à thé except. les 3 XVIIIe s. 1 250 (1987).

• **Bouchon de radiateur.** Hibou de Lalique en verre blanc 340 (1987).

• **Boule de dentellière.** Verre rempli d'eau servant de loupe aux dentellières.

• **Bouteilles à sujet.** Personnages (historiques, Bacchus, sirènes, clowns, arlequins, pierrots, colombines, petits métiers), animaux, monuments, objets divers. Faites à partir de 1850 ; à l'origine, données en prime (verreries de St-Denis, de La Guillotière).

• **Boutons.** *Origine :* XIIe et XIIIe s. (?). *Matériaux :* cuivre fondu, bronze, or, ivoire, verre, étoffe (parfois or). XVIe s. souvent bronze ou plomb, décorés de scènes religieuses ; parfois, argent, rehaussés d'émail ou de fausses pierres. XVIIe s., recouverts d'étoffe (Hollande : argent, atteignent 6 cm de diam.). XVIIIe s., acier poli (parfois pierres précieuses) puis grande diversité : boutons politiques, b. consacrés à la nature, b. à glace, b. peints (fixés sous verre), b. d'équipage de chasse à courre (voir Index). *Cours :* acier (armée, livrées 0,015 à 0,030), sinon jusqu'à 4,5.

• **Cadres.** Louis XIII 7, XVIIe s. 3 à 15, XVIIIe s. 3 à 160. XIXe s. 0,6 à 7.

• **Caméra.** De Grimoin-Sanson (1896) 120 (1989).

• **Canivet.** Images encadrées de dentelles de papier. *Origine :* début XVIe s. en France, Belgique, All., P.-Bas XVIIIe s. (8 à 20 cm) 0,25 à 2 (grand format gouaché 8 à 10) ; XIXe s. (pièces machine) 0,035 à 0,2. Les + cotées : images profanes. Except. : prince de Savoie (40 × 30 cm) XVIIIe s. 25 (1988).

• **Cannes.** Bois naturel sculpté 0,8 à 3 ; décoratives 2 à 5 ; à système : cannes-épées, revolvers, montres, de voyage pliantes, de scribe avec encrier et porte-plume, « Toulouse-Lautrec » avec flacon à liqueur et verre à pied 1,4 à 17 ; musicales : flûte 19, clairon 66 ; de Louis XVIII 70 ; de Charles Chaplin 180 (avec le chapeau).

• **Carnet de bal.** XVIIIe s. Écaille ou ivoire 0,8 à 2 ; or 2,5 à 8 ; laque de Chine XVIIIe s. 21.

• **Cartes de géographie.** France, régions côtières (Normandie à Méditerranée) 1 à 1,5 ; marines jusqu'à 20 ; d'apparat pour les hauts personnages 8 à 15 et + ; du XIXe s. 0,1 à 0,5. Portulan de Vesconte de Maggiolo (1540) 680 (1990). Atlas Major de Johan Blaeu (12 vol., 1667) 670 (1982).

• **Cassone.** Coffre de mariage italien du XIVe s.

• **Chaise à porteur.** 81 (1991).

• **Châles.** Cachemire, Inde 2,5 à 10, France 1 à 68.

• **Chemin de fer (souvenirs).** *Cafetière* en forme de locomotive (v. 1850) 10 à 36. *Blagues* à tabac, *assiettes, encriers, carnets de bal* rappelant l'ouverture de la ligne Paris-St-Germain (24-8-1837) 1,2 à 2,5 ; *billets* 1re classe (1868) Paris-Compiègne 0,6 ; canadiens en cuivre (avant 1850) : env. 2.

• **Cheminées.** Louis XIII 4 (copies) à 60. Louis XV 9 et +. Louis XVI (ayant appartenu à Madame du Barry) 5 000. Restauration 6 à 9.

• **Cheveux, barbe.** Ch. au revers d'une miniature du duc d'Enghien 13 (1989), de Napoléon 2,5 (1980), poils de barbe d'Henri IV arrachés en 1793 lors de la profanation de son tombeau à St-Denis, 0,65.

• **Chevrette.** Vase d'apothicaire avec goulot, petit bec verseur et anse. Destiné aux liquides (les *Albarelli* conservent des produits secs).

• **Ciseaux.** Fer XVIe s. 0,4, argent XVIIe s. 0,4.

• **Coffres.** *Italiens XVe s., XVIe s.* 20 à 500. *Français et étrangers inspiration* gothique 25 à 70 ; *insp.* Renaissance, à médaillons 25 à 80 ; à décor géométrique 15 à 40 : XVIIIe s., de maîtrise, Alsace 170 (1990) ; Boulle 620.

• **Coffrets.** XIVe au XVIIe s., 3 à 150. Cuir ou bois : 2 à 30. De chirurgie 7 à 130.

• **Coiffures militaires.** *XVe s.* Italie 38. *Ier Empire :* casque de cuirassier 53 à 140. Chapska 32 à 40. Bonnet à poils de la Garde impériale 120 à 180. Shako 4 à 18. *Restauration :* shako 2 à 3, casque de Garde du Corps de Louis XVIII 15 à 65,2 (1990). Louis-Philippe 2,5. *IIe Empire :* off. des cuirassiers de la Garde 13 ; de colonel des Cent-Gardes 32 ; c. de pompier 0,4 ; shako 1,5. *1914-18 :* casque 0,2 à 0,6 ; képi porté par Pétain en 1919, 7 (1976) ; c. cuirassier ou dragon avec plumet 3 ; 1939-45 env. 0,12. *Casquettes :* allemandes (1939-45) 1 à 3 ; de Gal amér. 0,5 à 1, soviét. 0,5 à 2,5.

• **Compigné.** Petit tableau en étain doré ou argenté parfois rehaussé de gouache ou de vernis coloré, signé Compigné (XVIIIe s.).

• **Coquillages.** Renaissance, souvent utilisés comme coupes. XVIIIe s. tabatières ; XIXe s. bonbonnières. *Prix :* de 0,1 à 25 except. 70 (1985). *Grandes collections : Paris :* Muséum national d'histoire naturelle. *Londres :* British Museum. *Washington :* Smithsonian Institution. François Ier, Louis XIII, Louis XIV, Catherine II de Russie, Buffon, Lamarck, Guillaume II furent de grands collectionneurs de c.

• **Couperet de guillotine** qui aurait servi à décapiter Louis XVI (1967) : 3,5 (vendu en 1936 : 12,5 AF). A déclic sur lame, 1793, 15 (1981).

• **Croquis et décors de théâtre.** Étude de costumes par décorateurs de 2e plan, dep. 750, de maîtres [*jusqu'en 1920 :* Bakst, Larionov, Gontcharova ; *1925 :* Erté (music-hall) ; *1935 :* Christian Bérard] 1,5 à 169 [1981, Bakst, costume du ballet « le Train Bleu », Diaghilev (1911)].

• **Cycles.** Draisienne 1820 : 6,2 ; grand « bi » fin XIXe s., tricycle (diam. roues 100 cm) 3 à 5. Cyclecar Mors 1913 : 6.

• **Décorations.** FRANÇAISES : *collier du St-Esprit* du duc de Maillé 520 (1984). *Croix de St-Louis,* commandeur XVIIIe s. 40 ; Restauration 25 ; chevalier XVIIIe s. 8 à 10 ; Restauration 4 à 6 (avec fleurs de lys rognées au XIXe s., 50 % de moins). *Croix du Mérite militaire* commandeur XVIIIe s. 100, chevalier XVIIIe s. 30. *Médaillon de vétérance* 3 à 4, double (48 ans de service) 40. *Étoiles de la Légion d'honneur* Ier Empire : G. Aigle 100, off. 1er type 20, 2e t. 25, de chevalier 9 ; Restauration : G. Croix 25 à 30, chevalier 1,5 à 2 ; IIe Rép. : G. Croix 100, chevalier 2,5. IIe Empire : G. Aigle 20, chevalier 0,7 à 0,9. IIIe Rép. : G. Croix 10. ÉTRANGÈRES : *Ordre de la couronne d'Inde* (1883) 69. *Médailles militaires* IIe Empire 1er type 3,5, 2e t. 0,6, IIIe Rép. 3e t. 3, ensuite 0,15 à 0,6. *Ordre de François-Joseph d'Autriche* G. Croix 3,6. *Ordre de l'Épée de Suède* chevalier 1,9.

• **Dentelle ancienne.** *Éventails* Alençon 1,5 à 2, *mouchoirs* Valenciennes ou Alençon 0,25 à 0,9, de « souveraine » 0,8 à 1,2. *Nappe* (Rosaline et Milan) 7, point de Venise (Belg.) 2,4, pièce d'Alençon (13 m) 12, *rideau* (Venise et Bruges) 0,95, *couvre-lit* dentelle (Le Puy) 0,95. *Panneau* Italie (1567), La Passion 36.

• **Dé à coudre.** Record 33,6 (1975).

• **Diplôme de bachelier** de Verlaine : 4,6 (1973).

• **Disques.** Années 60 : jusqu'à 7,5.

• **Empreintes de mains.** Coco Chanel 12,6, Édith Piaf 8,5, Sacha Guitry 3, Jules Berry 2,5, André Luguet 1,8, Yvonne Printemps 1,4, Danielle Darrieux 1,3 (1985).

• **Enseignes.** XVIIIe et XIXe s. 0,7 à 26.

• **Épingle.** A chapeau, de cravate avec camée, sulfure, émail, pierre 0,8 à 3, de Lalique 17 à 200.

• **Étui. A cire.** Pomponne ou vernis Martin : 0,7 à 1 ; or : 10 à 27. **A message.** Or XVIIIe s. : 23 à 50. **E.-nécessaire.** Or XVIIIe s. 14,5 à 60.

• **Éventail. Origine :** chasse-mouches égyptien. Japon : év. plié époque Heian (IXe s) ; Moyen Age : au début attribut liturgique (év. de Monza, VIe s., flabellum de Tournus IXe s.) puis attribut royal (inventaire de Charles V, 1380), ensuite se « démocratise ». **Modèles.** *Écran :* le plus ancien, apparu au Japon au IXe s., en France avec Catherine de Médicis au XVIe s. *Plié :* sur feuille (peau, papier, soie, dentelle, etc.), sur des brins, réunis par un axe rivé (rivure). *Brisé :* sans feuille. *Pliant :* e. brisé dont les brins sont continués par des palettes ou des plumes. **Les plus recherchés :** *décor peint XVIIe s. :* 40 à 150 et + ; *XVIIIe s. :* simples 3 à 15 ; élaborés 20 à 80 et + [avec montre 500, jacobite de 1755 110 (1990)]. *XIXe s. :* Restauration (manufacturés) : 1,5 à 10 ; 2e Empire : 10 à 100 et +. *De peintres :* Degas 1 300 (1986) ; Gauguin 400 (1983) ; Klimt 720 (1984) ; Pissaro 275 (1987).

• **Face-à-main.** XVIIIe s. 1,5 à 10 ; XIXe s. 0,3 à 4.

• **Flacon à parfum.** Croisière Noire (1925) 40 (1988), Fougères 83, Pâquerette 105, Flausa 105, Arys (pot à crème de Lalique) 107,7. Pétales froissés (Jeanne Lanvin 1926) porcelaine 65 (1990).

• **Fontaines.** En cuivre XVIIe-XVIIIe s. 5, de cheminée 22, marbre Louis XIV 58, étain XVIIIe s. 8,3, grès XIXe s. 6,8 à 50.

• **Fossiles. Origine.** Affleurements de roches sédimentaires (argile, calcaire, sable, grès de falaises, carrières, sablières, mines, berges de rivières). *Fréquents :* mollusques, oursins, cnidaires et nummulites. *Rares :* vertèbres, dents de requins. **Collections.** AUTRICHE. *Vienne :* Foraminifères d'Alcide d'Orbigny. BELGIQUE. *Bruxelles :* Institut royal des sciences nat. (Iguanodons de Bernissart) ; *Tervuren :* musée d'Afr. centrale. FRANCE. *Paris :* Muséum d'hist. nat. (180 000 échantillons, notamment mollusques d'Alcide d'Orbigny, grands vertébrés dans les galeries) ; Éc. des Mines (oursins de G. Cotteaux et coll. de G.P. Deshayes) ; Sorbonne (plantes fossiles de Brongniart) ; *Lyon :* m. Guimet et Laboratoire de géologie de la fac. des sciences ; *Nancy :* Éc. de géologie ; *Dijon :* fac. des sciences ; *Marseille :* m. Longchamp ; *Rennes :* fac. des sciences ; *Nantes :* M. municipal ; *Angers :* M. mun. ; *La Rochelle :* M. mun. G.-B. *Londres :* British Museum of Natural History (Dinosaures, Archéoptéryx) ; Geological Survey Museum. SUISSE. *Genève :* Muséum nat. ; *Zurich :* Polytechnicum. **Prix.** *Coupe d'Araucaria* géant (60 cm) 7,2, (90 cm) 24 et +, chêne ou érable dep. 0,25, fougères 0,6.

• **Franc-maçonnerie.** *Tabliers :* simples 1,5 à 2, *brodés* 5 à 18. *Cordons de maître :* ordinaires 0,8 à 1,2, *except.* 3,8. *Jetons de présence* 3 à 4. *Médailles d'atelier* 0,5 à 0,8. *Bijoux de gd-maître* 11, *du conseil de l'ordre* 26. *Tapis de loge* 13. *Canne* 65.

• **Gramophones.** Jusqu'à 27,9.

• **Harnais.** Bride d'officier (Empire) 135.

• **Hitler.** Aquarelle peinte par lui 102, manuscrit 52,8, smoking 33 (Munich mai 1990).

• **Hochets.** XIXe s. Argent 1,3 à 17.

• **Icônes** (du grec image, ressemblance). *Origine :* Ve s., en mosaïque, puis peintes sur panneaux de bois, détruites au VIIIe s. à Byzance sous Constantin, 843 réhabilitées. XIIe s. : école de Novgorod, Moscou, Pskov, Tver, Rostov, Stroganov (Russie). *Prix :* les plus cotées : scènes multiples et animées sur fond d'or, couleurs fraîches et claires, modèles XIXe s. ornés d'un riza. *Crétoise* XVe s. 320 (1980), 363 (1981), XVIe s. 86 à 180, XVIIe s. 220 (1981). *Grecque* XIVe-XVe s. : 120, XVIe s. 60, XVIIe s. de T. Poulakis 165 à 420 (1981), XVIIIe s. 92. *Russe* XVe s. : 65 à 300, XVIIe s. 20 à 38, XVIIIe s. : 8 à 17, XIXe s. 1 à 100 (grand orfèvre). Il y a beaucoup de faux.

• **Images pieuses.** 0,001 à 15.

• **Jambe de bois** (dès les XVe et XVIe s. en Allemagne). XIXe s. + de 1,2 ; bras + de 2.

• **Jouets.** *Bilboquets* (de *bille* et *becquet* petit bec, ou *bocquet,* représentation d'un fer de lance) en ivoire, os ou bois : XVIe s. 12 à 20 et +. XVIIIe s. 2,5 à 60, Louis-Philippe et IIIe Rép. 2 à 8 [billes en forme de têtes (Thiers, Mac-Mahon, Louis XVIII, etc.)]. *A vapeur :* machine 1,3 à 40,5 [marques Radiguet (France), Marklin, Bing, Ernest Planck (All. féd.)] ; j. scientifiques Radiguet 1,5 à 6, canonnière et cuirassé Radiguet (30 à 78 cm) 7 à 24 (à l'époque 0,02 à 0,105). *Mécaniques* (anciens) marques Martin (France), Lehmann, Guntermann (All.), 1 à 20. Théroude (France) 5 à 20 ; George Braun, Yves, Kingsburg (U.S.A.). *Robots et de science-fiction :* 0,5 à 5.

• **Journaux.** *Époque 1900 :* hebdomadaires (Nib, Gil Blas, Le Mirliton, Le Rire avec publications de dessins originaux de Steinlen, Vallotton, Caran d'Ache, Cappiello) 0,02 à 0,25. *Journaux relatant un événement marquant* 0,03 à 0,1. *Revue Dada* (collection complète, 8 numéros, 1917-1921) 300 (1989).

• **Juke-box** : « Wurlitzer » (1943) 90, (1946) 120.

• **Lampe de mosquée.** Verre émaillé (XIVe s.) 1800.

• **Lanterne magique.** Connue dans l'Antiquité et sous la Renaissance, réinventée au XVIIe s. par le père Kircher (jésuite all.) 0,6 à 27,3 (1985). *Plaques* animées sur châssis bois 0,12 à 0,4 ; lithographiées encadrées 0,5 à 1 la série de 6 ou 12.

• **Louis XVI.** Petit reliquaire (cheveux, chemise tâchée de sang) 34,5 (1989). Fragment de cordon et cheveux de Marie-Antoinette 12,7.

• **Lunettes** d'Yves Montand dans « l'Aveu », 6,5 (1985).

• **Machine à sous** (v. 1930-50). 4 à 70. Wurlitzer 90 à 140.

• **Malle de voyage-secrétaire,** par Louis Vuitton 60.

• **Maquette. De la Bastille** (1830) 78, **de l'île de la Cité** 100.

• **Marqueterie de paille.** Dans les couvents, prisons, bagnes. Souvent petites pièces. 0,3 à 4.

• **Marteau de porte.** Fer forgé fin XVe s. 42,5.

• **Masque mortuaire.** Chopin 250.

• **Mouchoirs d'instruction militaire** (1873 à 1914). De la manufacture Ernest Renault à Rouen 0,6 à 6 ; se méfier des faux (tissu moins fin).

• **Moulin à grains.** XVIIIe jusqu'à 20.

• **Napoléon Ier (souvenirs).** Copie du testament par Vignali (aumônier à Ste-Hélène) 20 (oct. 1977), masque mortuaire 450 (1990), chemise, culotte « à pont », gilet 9, chapeau 50 à 608 (1972) (il y aurait 11 chapeaux authentiques), chaussettes portées à Ste-Hélène 5,5 (1980), redingote 165 (1980), billet à Mme Tallien 83, lettre à Joséphine (29-8-1804) 90.

• **Napoléon III (souvenirs).** Grand Cordon et plaque de l'Ordre de la Tour et de l'Épée du Port 34. O. de la Toison d'Or, 57.

• **Nazis (souvenirs).** Ventes interdites en France.

• **Nécessaires à couture.** Écaille 1,2 ; or 20 et +, **de voyage en vermeil (1736-50)** 529,9 (1989).

• **Objets à musique** (fin XVIIIe). Médaillon : 3 ; couteau : 7 ; flacons : 11 à 20.

• **Œil-de-mouche.** Apparu fin XVIIe s. Petite boîte en ivoire, écaille, bois, argent garnie d'une lentille en verre ; donnait des images déformées des objets ou des visages observés.

• **Œufs.** *Fossile :* d'Aepyornis 12 (1980), en pierre, faïence, ivoire, buis, émail, 0,12 à 44,5 ; *Orfèvrerie :* except. de Fabergé, à la pomme de pin 15 600 (1989).

• **Oiseau empaillé.** Record grand pingouin capturé en Islande en 1521 (ht 57 cm) 117.

• **Ours en peluche.** Except. 29,1.

• **Outils. XVIIIe s.-XIXe s. Bois.** *Rabot* 0,4 à 30. *Varlope* 0,5 à 2. *Guillaume* 0,3 à 1,5. *Compas de tonnelier* 5. *Fourche à 3 branches* (2 m) 0,9. *Joug de bovin* 0,3 à 3, *collier de bovin ou d'ovin* 0,3 à 2. *Rouet* 0,9 à 6. *Soufflet de forge* 2,5 à 3. *Charrue* frêne, soc en fer forgé, 2 à 3. **Métal.** *Marteaux* 0,12 à 0,3. *Faucilles* 0,06. *Rabot* 0,6, orné except. 10. *Enclume* Moyen Age 3. *Scies* 0,6 à 1,3, de serrurier ornée 3,6. *Haches* 0,36 à 2. *Tenaille* 130. *Vilebrequins* 0,6 à 10. *Tour* 115. 30 à 50 % des pièces présentées XVIIIe s. sont fausses.

• **Papier peint panoramique.** Manufacture de Joseph Dufour (Mâcon) dep. la fin du XVIIIe s. Indiens d'Amérique 280 (1982) ; Paris Londres Rome 370 (1989) ; Sauvages du Pacifique 305 (1989) ; voyages du Capitaine Cook d'après les cartons de Jean-Gabriel Charvet 1 400 (record mondial, 1989).

• **Papillons.** Collections maintenant déconseillées. Espèces en voie de disparition (chasse à outrance, insecticides, altération des milieux naturels, etc.), certaines strictement protégées. *Grandes collections : en France :* Bibliothèque municipale de St-Quentin (réunie au XIXe s. par M. Passet : 600 000 spécimens). *G.-B. :* British Museum of Natural History (coll. de Lépidoptères de Lionel Walter et de Lord Rothschild). *Prix records* 10 à 36.

• **Passeport de Rimbaud** (Le Caire 1887) 235 (1991).

• **Phénakistiscope** (du grec *phenax,* trompeur et *skopein,* voir). Inventé 1832 par le Belge Plateau 3 à 8.

• **Piano.** 5 à 20 *à queue,* 25,5 *mécanique.*

• **Pin's.** 11 pin's Adia 4,5 chamois projet pour les J.O. d'Albertville 2,6 (1991).

• **Polyorama panoptique.** Appareil permettant la vision de plusieurs tableaux pouvant se superposer et créer l'illusion du mouvement. Avec 6 vues jusqu'à 6, vues simples 0,2 à 0,8.

• **Poste de radio.** D'avant 1930 : 1 à 100.

• **Pot de chambre.** Faïence à sujet 0,2 à 2. Étain, XVIIIe s. 3,5. *Bourdaloue* (de Hannong) 11,1. De Napoléon (de Biennais), gravé à ses armes 580 (adjugé 18-6-1990 anniversaire de Waterloo) à Drouot à un Japonais.

• **Poupées.** *Antiquité :* usage funéraire [Égypte *(chaouabtis),* Pompéi, Grèce] ou religieux (Grèce) ; en terre cuite, bois, plomb, os ou ivoire (10 à 35 cm). *Moyen Age, Renaissance :* usage religieux (crèche, en Italie, Fr., All.) pour enfants (à partir de la Renaissance). *XVIIe s. :* pour enfants en All. et Fr., puis Angl. *XVIIIe s.* tête bois ou papier mâché peint, vêtements très soignés. *XXe s. :* 2 à 100 ; *1807-20* en cire. *1820* tête en papier mâché, corps en cuir, membres en bois ; *1845* 1res têtes en porcelaine (en Autriche) : corps cuir ou tissu. *1824* 1res p. qui parlent (inventées par Léonard Maelzel, avec cylindre). *1826* qui marchent et dont les yeux se ferment. *1850* et *1851* 1res p. en gutta percha (caoutchouc), 1ers bébés (Montanari). Perruques en mohair (poil de chèvre Angora), jusque-là lin, laine, cheveux naturels, fourrure d'agneau. *1858* tête pivotante (Mme Rohmer). *1862* tête piv. brevet Jumeau (d'après modèle de Carrier-Belleuse). *1869* 1res p. articulées à rotules (Bru). *1895* 1res têtes en celluloïd. *1899* 1ers cils en cheveux naturels. *XXe s.* bouches ouvertes. *1909* 1res p. de caractère (bébés). *1913* 1res p. aux yeux qui louchent (Googlies). **Principaux fabricants** (entre 1860 et 1900 : env. 200 en France) : *poupées bébés :* Jumeau (1842-99), Steiner (1855-91), Schmitt (1863-91), Armand Marseille (1865-1925), Bru (1866-99), Simon Halbig (1870-1925), Jullien (1875-99), Thuillier (1875-99), Rabéry et Delphieu (1875-99), Sté Française de fabrication de bébés et jouets (S.F.B.J.) (1899-1957). *Modèles de mode :* Huret (1850-1920), Rohmer (1857-80), Gaultier (1860-1916), Simonne (1837-79), Gesland (1865-1915), Jullien (1875-99), Thuillier (1875-99), Rabéry et Delphieu (1875-99), Bouchet (1892-99), S.F.B.J. (1899-1957).

Prix. Selon conservation, trousseau, accessoires, ancienneté, qualité de l'expression et de la porcelaine. XVIIIe s. jusqu'à 20 et +. XIXe-début XXe s. *Bouche fermée :* Émile Jumeau (yeux sulfure) 20. Huret 50 à 80. Bru jeune (1re époque) 100 à 480, « au croissant » 200, « grande taille » 150 à 200. Jumeau triste 80 à 250. François Gaultier (grande t.) 20 à 30. *Bouche ouverte* (dents en paille) : Jumeau 6 à 100. Steiner 45, S.F.B.J. 2,5 à 3, A. Marseille (All. féd.) 2,5 à 3,5, Simon Hablig (All. féd.) 2,5 à 3,5. *De caractère :* S.F.B.J. no 236, 5 à 8, Kammer et Reinhardt (All. féd.) 5 à 10, Mignonnettes 0,3 à 1,5, Bleuette (sortie en 1905 avec la semaine de Suzette ; 1er modèle tiré à 20 000 ex.) 3 à 6. *De mode :* 1 à 7,5 (Rohmer, Huret, Gaultier), × 3 ou 4 avec leur vestiaire ; 73,8 (record) tête de p. 1860 Rohmer (1989). *De bois ou de carton type Pauline* 1,5 à 22. *Tête de porcelaine,* except. (A. Thuillier) 510 (1989). *Barbie* jusqu'à 11.

Vêtements. Robe 0,5 à 1,5. Chaussures jusqu'à 1,4. Mitaines jusqu'à 2,2. *Maisons : Titania Palace* (long. 3,50 m, larg. 2,80 m, haut. 9,90 m) renfermant 4 000 meubles et un orgue (en état de marche) vendu à Londres, en 1967 : 432. *Cuisine* Nap. III 14 ; m. de 14 pièces (long. 7 m), 316 (1983). *Scènes miniatures :* salon de Mme Récamier 40, scènes du Moyen Age (salle du château) 140. Salon Empire 121.

Collections. *Paris :* musée de l'Histoire et de l'Éducation ; m. des Arts décoratifs. *Beaujeu :* m. des Traditions populaires. *Courbevoie :* m. poupée. *Fécamp :* m. de l'Enfance. *Lyon :* m. international de la Marionnette. *Poissy :* m. poupée et jouets. *Strasbourg :* m. Alsacien.

• **Praxinoscope.** Inventé 1878 par Émile Reynaud ; composé de 12 miroirs, anime des bandes chromolithographiques de 650 × 55 mm représentant 12 mouvements différents. *Prix :* 3 à 15.

• **Préhistoire.** Os gravés 0,5 à 15, pointe de lance 8, hache 5 à 15.

• **Programme de théâtre.** 0,01 à 10.

• **Pyxide.** Boîte cylindrique avec couvercle pour fards et objets de toilette. Pyxides en étain : au Moyen Age (en France) pour les hosties.

• **Râpe à tabac XVIIIe s.** Buis 6,7 ; bois sculpté 3,7 ; du XVIIIe jusqu'à 45.

• **Scrimshaws.** Objets (boîtes, étuis, manches de couteau) en ivoire de morse ou de cachalot et grosses dents de cachalot gravées à l'aiguille par les marins. Les plus anciens datent du XVIIIe s., les mieux travaillés sont du XIXe s. *Thèmes recherchés :* pêche au cachalot 10, bateaux (jusqu'à 300, except. 1983). Se méfier des faux : gravure trop épaisse, trait empâté.

• **Serrure ancienne.** 0,55 à 108 (très ouvragée) ; *clefs* isolées 0,2 à 95.

• **Soldats (petits). Origine** *Antiquité :* en bois sculpté et peint. *XVIIIe s. :* ronde-bosse en plomb. *XIXe s.* (milieu) : figurines ou *zinnfigures,* plates, gravées en creux sur une seule face, coulées en étain et peintes ; *vers 1880 :* apogée de la ronde-bosse avec Lucotte et CBG en France (alliage plomb-antimoine), puis avec Mignot (séries jouets, séries étrangères, personnages historiques, soldats de la Grande Guerre). *1895 Britain* (Angl.). 1932 *Soldats en aluminium :* 3 fabricants : Quiralu (1933 à 1961, 30 000 000 de pièces), Mignalu (CBG Mignot), L.R. (le Rapide) utilisant les déchets de leur fonderie d'aluminium. Env. 650 attitudes distinctes, 1 500 pièces différentes. 1res : figurines, ½ plates, haut. 15 cm, armée française ; 2es : env. 10 cm ; 1945, bras écartés du corps ; v. 1950-54, bras resserrés, taille plus petite (modèles recherchés). Figurine L.R. socle rectangulaire épais et sans couleur particulière. Mignalu : haut. 60 à 65 mm, 1960 : figurines en ronde bosse. *Actuellement,* acétate de cellulose, polystyrène ou plomb.

Cours : Lucotte fantassin 0,15 à 0,25, cavalier 0,3 à 0,9 ; *Mignot* fantassin 0,1 à 0,2, cavalier 0,3 à 0,6 ; *figurines modernes* 0,5 à 1,8 env. (selon l'artiste) ; *plates* (de 3 cm) d'avant 1914, 0,008 à 0,04, par série (de 20) 0,4 à 1,55, à peinture fine (série) 3 à 6,5, except. 192 sur planches 22,5 (1988) soldats d'étain, fabriqués du XIXe s. à nos jours 0,2 à 0,4.

• **Sous-bock.** 50 000 achetés par la bibl. Forney (1990) : 70.

• **Stylos.** *Avant 1945 :* stylomine 505 env. 0,24 ; 1er Waterman (1884) + de 0,6 ; Montblanc (système à piston) 0,2 ; Waterman, Parker (années 1925) 2 à 10 ; Mont-Blanc 149 (1948) 65.

• **Tabatières.** Au début du XVIIe s., on en change tous les jours (le prince de Condé en avait 800) ; mais on les cachait devant Louis XIV (il n'aimait pas le tabac). *Matières :* bois, noix de coco, ivoire, cornaline, sardoine, argent, or, porcelaine, émail, étain, écaille. *Illustration :* caricatures, sujets légers (tabatière à secret sous Louis XV), sujets politiques, portraits, légende napoléonienne (production populaire).

Prix : 0,15 à 12 sauf *pièces d'orfèvrerie* [ex. Dresde, de H. Taddel 1 400 (1982)]. Louis XV 14 à 2 000. L. XVI 38 à 1 625. (copies 10 à 95). Empire à miniature 55 à 250. All. de Frédéric le Grand, record 4 350 (1982). Russie, de J.-P. Ador (v. 1765) 1 350 (1983), de Fabergé 40 à 240. *Chinoises* (jade, opale, malachite, agate, etc.) 5 à 156.

• **Tête réduite** d'Amazonie Tzanza ou Jivaro 5 à 47 (Londres).

• **Tire-bouchon.** *XVIIe s.* jusqu'à 5. *XVIIIe s.* env. 0,9 à 3,5 et +. *XIXe s.* jusqu'à 13,2.

• **Tirelire.** Jusqu'à 24,4.

• **Trains miniatures.** 1ers plomb ou bois montés sur des socles à roulettes, puis fer-blanc peint. Fin Second Empire, moteurs à piston, à ressort et à vapeur. *Marques :* françaises Radiguet, D.S., C.R. (Charles Rossignol), L.G.-F.V. (Émile Faivre et E.F. Lefèvre successeur), J.C. (J. Caron) ; étrangères : Märklin, Bing, Carette. *Prix : locomotives écartement I :* Bing 2 à 7,5 ; Märklin 0,5 à 46 ; *II :* Bing jusqu'à 17 ; Märklin 4 à même + de 100 ; Basset-Lowke 3 à 5. *Écartement 0 :* Bing 5,6 ; Märklin 4,5 à 80 ; Basset-Lowke 1,4 à 16. *Gare électr.* Bing 10. *Wagon* métro 42.

• **Ustensiles ménagers.** *Baratte à beurre* 2 à 4,5. *Battoir à linge* jusqu'à 50. *Boîte à sel* (bois sculpté) 3,4. *Casse-noix* 0,32, buis XVIIIe s. 12. *Égouttoir à fromage* 0,1 à 0,9. *Farinière* v. 1800, 2. *Fers à calandrer* 0,8 à 7, *à repasser* fin XVe s. jusqu'à 85,5. *Gaufrier en fer forgé* fin XVIIIe s. 0,5. *Gîte à pâté* en terre XVIIIe s. 1,15. *Gril* métallique tournant XVIIIe s. 0,85. *Machine à coudre* à motifs, début XXe s. 0,6 à 1,2. *Moulin à café* jusqu'à 25 ; fin XVIIe s. 19, XVIIIe s. 1,8 à 3 (noyer et cuivre), XIXe s. 1,1 (chêne), 2,5 (chêne et laiton), Charles X 9,7 (marqueté). *Marque à beurre* XVIIIe s. 0,65 à 3,5. XIXe s. 0,9. *Moulin à farine* XIXe s. 0,6. *Pelle à écrémer* XIXe s. Savoie 0,65. *Quenouille* (bois sculpté) 2 à 4. *Rouleau à beurre* 0,2 à 0,6. *Taste-vin* 3 à 30 pour les plus recherchés. *Terrine en forme de choux* (1752) 29. *Tourne-omelette* 2,1. *Vinaigrier* (terre) 6,2.

• **Vénerie.** *Boutons* 0,05 à 0,2 ; *couteau* XVIIIe s. 1 ; *plaques* des gardes 0,3 à 0,5 ; *massacres* (bois de cerf ou chevreuil sur écusson) cerf 10 cors 1 à 5.

• **Vêtements.** *Culotte* (1925) 0,04 ; *robe de communiante* 0,3 à 0,5 ; *jupon* (1900) 0,05 à 0,7 ; *robes Louis XVI* 3,2 ; *ensemble de gendarme (maison du Roi 1914-15)* 212,6 (1990) ; *1930 avec 1 boa* 0,6 à 2 ; *de Chanel* (1957-8) r. de bal 60 (1990), de Mariano Fortuny jusqu'à 447,3 (record 1982) *de Charles James* (1948) 190 (1990) ; *de Paquin* (v. 1898) 65 (1990) ; *de Poiret* manteau de bal (1910-12) 58 (1990) ; *habit de cérémonie* du maréchal Davout 180 (1987) ; *ensemble Dior* (1949-50) 83 (1989).

• **Voitures miniatures de collection.** Marklin 1900 : 100 (1982). *U.S.A.* 1res en 1920 : *Tootsietoys* (notamment camions Mack, puis Ford, Buick, Chevrolet). *Allemagne* avant 1914, tôle peinte avec souvent des mécanismes élaborés (Märklin et Bing). 1923-30 AR et CD (Fr.) tôle et plomb Renault, Peugeot, Citroën, Delahaye, Bugatti. 1923 *1re voiture mécanisée pour enfants* (Torpédo 10 ch Citroën vendue à 15 000 ex. en 1 an), 1933 *Citroën* ouvre une usine spéciale miniatures. *Dinky Toys* de Frank Hornby, inventeur du Meccano (1907) et des trains mécaniques Hornby (1920), dont l'échelle 0 correspond au 1/43e (échelle de réduction la plus courante). **Prix :** *avant 1914 :* 5 à 100. *1920-39 :* 3 à 41. *1/43* (surtout Dinky Toys) 0,05 à 20. Maquette de Mercedes-Benz (1939) 120. Bugatti star 55 à moteur essence 4 temps pour enfant, 15. Autobus (Ch. Rossignol) 23,5.

• **W.-C. (cuvette).** Faïence de Gien fin XIXe s. 21.

• **Zootrope.** Inventé 1834 par l'Angl. Horner, 1 à 3.

• **Antiquaires et brocanteurs. Nombre :** *en France* env. 13 000 dont 25 % en région parisienne. 600 appartiennent au Syndicat national des antiquaires. 4 800 au Syndicat national du commerce, de l'antiquité et de l'occasion, 120 à la Guilde des antiquaires. *En Europe,* 40 000 antiquaires et brocanteurs.

Formation. *Cours de perfectionnement gratuits et ouverts à tous :* siège du Syndicat national du commerce de l'antiquité et de l'occasion, 18, rue de Provence, 75009 Paris. *Institut d'études supérieures des antiquités (I.E.S.A.)* 99-101, rue du Fbg-Saint-Honoré, 75008 Paris. *École de formation à la prof. d'antiquaire :* créée 1980 par le Centre d'études d'objets d'art, 10, rue Thénard, 75005 Paris. *Institut des carrières artistiques (ICART),* 61, rue Pierre-Charron, 75008 Paris. *École supérieure internationale d'Art et de Gestion* (ESIAG), 334, rue de Vaugirard, 75015 Paris.

Registre d'objets mobiliers après la loi du 30-11-1987. Impose la tenue « jour par jour, d'un registre qui contient une description des objets acquis ou détenus en vue de la vente ou de l'échange et permet l'identification desdits objets ainsi que celle des personnes qui les ont vendus ou apportés à l'échange ». Le défaut de tenue ou de présentation du registre est puni d'un emprisonnement de 15 j. à 6 mois et d'une amende de 20 000 F à 200 000 F ou de l'une de ces 2 peines. Les objets, dont la valeur unitaire d'achat n'excède pas 400 F et qui ne présentent pas un intérêt artistique ou historique, peuvent être regroupés et faire l'objet d'une mention et d'une description communes sur le registre. Regroupement acceptable seulement pour les objets constituant un lot homogène de par leur nature (ex. lot de vaisselle, de cartes postales...), ou leur origine (ex. débarras d'objets hétéroclites mais achetés à une même personne).

• **Artistes.** Env. 40 000 (avec les amateurs et les artistes à temps partiel), 12 000 ont un emploi (hommes 74 %, femmes 26 %) ; *répartition :* peintres 70 %, sculpteurs 15 %, illustrateurs et graphistes 12 %, graveurs 3 % ; 10 946 (7 979 hommes, 2 967 femmes) étaient inscrits à la Sécurité sociale des artistes au 28-12-1990 dont peintres 6 250, sculpteurs 1 416, graphistes 1 100, illustrateurs 1 001, dessinateurs 520, auteurs d'œuvres de plasticien 234, dessinateurs textiles 185, graveurs 159, céramistes 32, divers 49.

Ateliers d'artistes dont les propositions d'attribution appartiennent au ministère de la Culture : Paris 258 ; banlieue 382 ; province 100.

• **Collectionneurs. Annuaire des collectionneurs** (Who's What), créé 1972 par Jean-Claude Baudot, tirage 25 000 ex. Mise à jour-additif par Jean-Claude Gilbert (1979), tirage 6 000 ex. O.R.I.L., 8, rue du Jura, 75013 Paris. Répertorie plus de 700 thèmes, 15 000 collections, 3 000 clubs, 2 500 ouvrages. **Salon consacré aux collectionneurs.** « Les Collectionneurs, Salon de l'objet de collection », organisé par la Sté ORIL (8, rue du Jura, 75013 Paris), 24-28 oct. 1991 au CNIT, Paris.

Noms. *Actions, obligations, emprunts, titres.* Scripophile. *Allumettes* (boîtes d'). Philuméniste. *Bagues de cigares.* Vitolphiliste. *Balles de frondes.* Glandophile. *Bière* (tout ce qui s'y rapporte). Tegestophile. *Blasons.* Héraldistes. *Boutons.* Fibulanomiste. *Cartes maximum.* Maximaphile. *Cartes postales.* Cartophile. *Cartouches.* Pyrothécophile. *Chemins de fer.* Ferrovipathe. *Cigarettes* (paquets de). Nicophile. *Coquillages.* Conchyophile. *Coquilles d'œufs.* Oologiste. *Drapeaux.* Vexillologiste. *Emballages de sucre.* Glycophile. *Étiquettes de bouteilles.* Œnosémiophiliste ou éthylabélophile. *Étiquettes de fromages.* Tyrosémiophile. *Étiquettes de vins, liqueurs.* Éthylabélophile. *Fers à repasser.* Sidérophile. *Fers à repasser anciens.* Pressophile. *Jetons.* Jetonophile. *Livres.* Bibliophile. *Marques postales.* Marcophile. *Méreaux.* Mérellophile. *Minéraux.* Minéralophile. *Monnaies.* Numismate. *Papiers timbrés* (lettres ornées, décrets, etc.). Scripophile. *Plombs fiscaux, de douane, d'octroi, de contrôle divers.* Plombophile. *Porte-clés.* Copocléphile. *Pots de yaourt.* Glacophile ou Yaourtphile. *Sceaux.* Sigillophiliste. *Sous-bocks de bière.* Tégestologue. *Tabac (tout sur le).* Tabacophile. *Timbres.* Philatéliste *(poste aérienne :* aérophilatéliste). *Vignettes.* Erinnophiliste.

Pays les plus collectionneurs. Belgique, All. féd., U.S.A., G.-B., France (1 Français sur 10, soit env. 5 000 000, enfants inclus).

• **Revues d'art.** (Nombre d'exemplaires et, entre parenthèses, d'abonnés.) *ABC Décor :* 32 500 (6 300). *L'Amateur d'art :* 20 000 (3 500). *Beaux-Arts magazine :* 46 664 (19 466). *Bulletin de l'Antiquaire* (mens. du Synd. du commerce de l'antiquité) : 5 500. *Le Collectionneur français :* 18 000 (7 000). *Connaissance des Arts :* 45 000 (22 000). *L'Estampille – L'Objet d'Art :* 47 118 (22 000). *La Gazette de l'Hôtel Drouot* (hebdomadaire) : 75 000 (30 000). *L'Œil :* 35 000 (13 000). *La Revue de l'Art* (trimestrielle) (éditions du C.N.R.S.) : 2 500. *La Revue du Louvre et des musées de France* (bimestriel) : 12 000. *Trouvailles* (bimestriel) : 20 962 (3 780).

• **Guide Emer.** Créé 1947 par Marc Roy (26-7-1918). 47, rue des Tournelles, 75003 Paris. Paraît les années impaires ; env. 70 000 adresses (en Europe) d'antiquaires, brocanteurs, galeries d'art, bouquinistes, marchés aux puces, salons, foires d'antiquité et de brocante, commissaires-priseurs, experts, restaurateurs. *Tirage :* 1re édition 1947-48 : 1 200 ex., 1991-92 : 15 000.

• **Vols d'objets d'art.** Depuis 1954, 40 000 œuvres d'art auraient disparu en Italie, 12 000 en France. Près de 1 000 musées de province sont particulièrement exposés, surtout les églises et édifices culturels. En 1975, a été créé l'Office central de répression du vol d'œuvres et objets d'art (O.C.R.V.O.O.A.), dépendant de la Direction centrale de la Police judiciaire.

Œuvres célèbres volées (m. : musée). 1891 : un pastel de Manet (m. des Beaux-Arts de Lille), retrouvé à Buenos Aires 1983. **1911** *21-8 : la Joconde* (Louvre), par Vincenzo Peruggia, Italien, retrouvée 1913. **1939** *11-6 : l'Indifférent* de Watteau par Serge-Claude Boguslavsky (soi-disant pour restaurer la toile). **1960 :** des Picasso, Modigliani, Fujita, Soutine, Vlaminck et Utrillo (M. de Menton) récupérées le lendemain. **1961 :** *le Duc de Wellington,* de Goya (National Gallery de Londres) ; *15-7 :* 57 toiles dont des Bonnard, Matisse, Dufy, Vlaminck, Utrillo au m. de l'Annonciade à Saint-Tropez, retrouvées en nov. **1962** *12-8 :* 8 Cézanne, dont *le Joueur de cartes* (M. d'Aix-en-Pr.) retrouvés 9 mois plus tard. **1966** *21-4 :* 56 dessins et lavis de Boucher, Rembrandt, Véronèse, Tiepolo et Fragonard (m. de Besançon). **1970** tableau de Boldini par Charles Meril-Mount (historien d'art) ; *27-11 :* 19 toiles au m. Fabre de Montpellier (Géricault, Courbet, Corot et Millet), restituées 1 mois plus tard. **1971 :** *Lettre d'amour* de Vermeer (Bruxelles) (rançon demandée : 200 millions de F belges pour les réfugiés du Bengale) ; *4-2 :* 43 toiles au m. de Mirande ; *4-3 :* 3 Rembrandt (m. de Bayonne) retrouvés ; *23-12 : La Fuite en Égypte* de Rembrandt (m. des Beaux-Arts de Tours). **1972** *13-11 :* 15 tableaux (Renoir, Monet, Cézanne) au m. de Bagnols-sur-Cèze. **1973 :** *le Joueur de flûte* de Vermeer à Henwood House (G.-B.) ; *1-3 :* 6 tableaux (Ingres, Rubens, Corot et Dufy) au m. des Beaux-Arts de Marseille, retrouvés nov. 1974 ; *9-12 :* 11 Picasso (m. Picasso d'Antibes). **1974 :** collection de Sir Alfred Beit près de Dublin. **1975 :** *étude* de Matisse (m. d'Art moderne) ; *patère d'Ajax* (m. de Lyon). **1976** *31-1 :* 118 Picasso (Palais des Papes, en Avignon) retrouvés en oct. ; *1-2 :* partie d'un diptyque de l'école de Giotto (Louvre) ; *16-12 :* épée de parade de Charles X (Louvre). **1977 :** groupe de l'Annonciation, ivoire (XIVe s.), valeur 10 millions de F (m. du Breuil, Langres). **1978** *13-12 : l'Escamoteur* (St-Germain-en-Laye), par des militants d'extrême gauche, retrouvé depuis. **1980** *juillet :* 38 miniatures de Fragonard, estimées 5 à 10 millions de F (m. Jacquemart-André, Paris), une partie retrouvée et restituée ; 40 tapisseries d'Aubusson estim. 2 335 000 (Paris). **1981** *14-1 :* 14 tableaux (Monet, Boudin, Courbet), valeur 10 millions de F (m. de Morlaix), retrouvés juil. 1985. **1982** *12-1 :* 6 Toulouse-Lautrec (m. d'Aurillac, Albi). **1984** *19-10 :* 5 Corot (m. de Semur-en-Auxois, C.-d'Or) (4 retrouvées en nov. 1987). **1985** *27-10 :* 9 tableaux [dont 5 Monet (dont *Impression soleil levant* qui donna son nom à l'impressionnisme, estimé au moins à 80 millions de F), 2 Renoir] au m. Marmottan à Paris lors d'un hold-up, valeur 100 à 200 millions de F, retrouvés 5-12-1990 à Porto-Vecchio par l'O.C.R.V.O.O.A. et restitués ; *8-11 :* 1 Vuillard (m. d'art et d'essai du palais de Tōkyō, Paris). **1987** *sept. :* Fragonard « le Passage du Gué » (m. des Beaux-Arts de Chartres), retrouvé en Belgique en avr. 88. *Oct. :* 7 panneaux du XVIe s. peints sur bois (cath. de Troyes), retrouvés déc. 88. **1988** *mai :* quinzaine d'« incunables » (bibliothèque municipale d'Ajaccio). **1989** *1-6 :* Braque « L'Estaque ou l'Embarcadère » (Beaubourg, Paris). **1990** *19-1 :* 6 tableaux dont 3 Picasso (m. de la Vieille Charité, Marseille) ; *21-4 :* 1 Corot et 1 Géricault (m. des Beaux-Arts, Béziers) ; *17/18-3 :* vol le plus important dans musée amér. (m. Gardner, Boston), 11 toiles (5 Degas, 1 Manet, 1 Rembrandt, 1 Vermeer), valeur 200 millions de $; *25-5 :* Jongkind « Vue de Delft » (Petit Palais, Paris) ; *26-5 :* Rodin, « Portrait à son père » (m. Rodin, Paris) ; *24-6 :* Tiepolo « Martyre de saint Barthélemy » (m. Correr, Venise), retrouvé, voleur arrêté se suicide de honte ; *27/28-6 :* 3 Van Gogh (m. du Herstengebosch, P.-B.) ; *3-7 :* bijoux égyptiens (Louvre) ; *4-7 :* Renoir « Portrait de femme » (Louvre), Hébert « Monamuccia » (m. Hébert, Paris), Huet « Les Moulins de la Glacière » (m. Carnavalet), tableaux retrouvés, voleur arrêté le 22-9 (avait volé déb. sept. 1 Foscari au m. Correr à Venise) ; *16-9 :* « Gysels », petit tableau (Grand Palais, Paris).

Nota. – Les Douanes sanctionnent chaque année env. 300 à 400 affaires d'exportations illicites d'objets d'art.

☞ Un incendie au musée d'Art moderne de Rio de Janeiro (Brésil) le 8-7-1978 a fait disparaître 950 œuvres majeures sur 1 000 (Picasso, Van Gogh, Dali, Miró, Viera da Silva, etc.).

Un étudiant munichois de 23 ans, arrêté à Paris en 1989, avait volé dans les musées parisiens puis entreposé dans son studio des eaux-fortes de Dürer, 23 dessins de Daumier, 1 aquarelle de Corot, 1 portrait de madame Récamier par Ingres.

Musées et collections

Dans le monde

Données générales

Nombre. Il existerait environ 40 000 musées ou collections publiques [dont U.S.A. 4 609, All. féd. 2 185 (62 millions de vis.), U.R.S.S. 1 465 (151 millions de vis.), *France 1 400,* Italie 1 275, Canada 940 (45 millions de vis.), All. dém. 739 (47 millions de vis.), Japon 493 (98 millions de vis. en 1978), Suisse 300, Belg. 137, Turquie 93].

Musée le plus ancien. L'Ashmolean Museum (Oxford, G.-B.) fondé par Elias Ashmole en 1679.

Musées les plus grands. Musée d'Histoire naturelle de New York, créé en 1874 (9,3 ha). *France :* musée du Louvre, créé le 10-8-1793.

Principaux musées

☞ Nombre de visiteurs (dernières données communiquées 1985-90).

Musées d'art

• **Allemagne.** Musées d'Art : 2 267. **Berlin :** *Coll. des antiquités. (M. Pergame). M. du Proche-Orient. M. Islamique. Coll. de l'Extrême-Orient. M. du Folklore. M. Égyptien. Coll. de papyrus. Coll. d'art paléochrétien et byzantin. Coll. numismatique. Gal. des peintures. Coll. des sculptures. M. de la préhistoire et de la protohistoire. Gal. nationale. Cabinet des estampes. M. de l'Artisanat. M. de Charlottenburg* (pré- et protohist., antiquités gr. et rom., égyptologie) 860 000 visiteurs. *M. de Dahlem* (peintures, sculptures, art byzantin, estampes, ethnographie, art indien, extrême-oriental et islamique), 554 000. *M. de Tiergarten* (peinture et sculpture depuis 1800, arts déco.), 560 000. **Attenburg,** *Lindenaumuseum.* **Brême :** *Kunsthalle.* **Cologne :** *Kunsthalle,* 362 000. *Städtmuseum,* + de 1 300 000 vis. en 1980 pour l'exposition Toutankhamon. *M. Wallraf-Richartz* (peint., Moyen Age, Temps mod.), 270 989. *M. Schnütgen* (sculpt. et artisanat, Moyen Age). *Römisch-Germanisches M.,* 605 261. **Darmstadt. Dresde :** *Gal. de peinture des maîtres classiques. Coll. de porcelaines (Zwinger). Gal. de peintres des XIXe et XXe s. Coll. des sculptures (Albertinum). La Voûte verte. Coll. d'estampes et de dessins. Cabinet des monnaies et médailles. M. de l'Artisanat (château Pillnitz).* **Düsseldorf :** *Städtische Kunsthalle,* 75 600. *Kunstsammlungen Nordrhein-Westfalen* (peint. XXe s.). **Essen :** *M. Folkwang* (peint. XIXe et XXe s.). **Francfort :** *Städelsches Kunstinstitut* (peint. europ. XIVe-XXe s.), 183 409. *M. des arts déco.* 400 000. *Museum für moderne Kunst.* **Gotha,** *Scholssmuseum.* **Hambourg :** *Kuns-*

thalle (peint., sculpt.), 196 691. *M. des arts déco.* 161 738. **Hanovre :** *Niedersächs Landesmuseum.* **Karlsruhe. Kassel. Mayence :** *M. romain germanique.* **Mönchengladbach :** *Kunstmuseum.* **Munich :** *Ancienne Pinacothèque* (peint. europ. XIVe-XVIIIe s., Rubens, 19 salles, 35 cabinets), 343 121 (90). *Nouvelle* (créée 1853, peint. et sculpt. XVIIIe-XIXe s.), 421 423 (90). *Staatsgalerie moderner Kunst* (XXe s.), 115 811 (90). *Glyptothèque. M. national bavarois* (sculpt., arts déc. XIe-XVIIe s.). *Résidence* (chambre du Trésor). *Deutsches M.* (le + grand musée technique du monde), 1 305 140. **Nuremberg. Potsdam-Sans-Souci :** *châteaux et jardins.* **Rostock. Schwerin :** *Galerie de peintures.* **Stuttgart :** *Staatsgalerie. Württembergischer Landesmuseum,* 295 740.

• Angleterre. Voir Grande-Bretagne.

• Autriche. **Vienne :** *Kunsthistorisches Museum* (peint. esp. : Vélasquez ; ital. : Titien, Giorgione), 1 024 402. *Galerie autr. M. d'art moderne. Albertina* (arts graphiques). *M. des arts appliqués.*

• Belgique. **Anvers :** *M. royal des beaux-arts,* 185 000 (1983) (650 000 en 1977 année Rubens). *M. de la marine,* 144 000 (1987). *M. de plein air de la sculpture,* 90 000 (1987). *M. Plantin Moretus,* 122 000 (1987). *Maison de Rubens,* 185 000 (1987). **Bruges :** *M. Groeninge* (peint. flam., Van Eyck, Bosch), 126 000. **Bruxelles :** *M. royaux des beaux-arts,* 550 000 (1985). *M. d'archéologie des arts décoratifs* (m. Curtius, du verre et d'Ansemburg). *M. royal d'art moderne.* **Gand :** *M. des beaux-arts,* 84 000 (1987), *château des comtes de Flandres,* 200 000. **Genk :** *M. de plein air Bokrijk,* 272 000 (1987). **Liège :** *M. des beaux-arts* (XIXe, XXe s.). **Tervuren :** *M. royal de l'Afrique centrale,* 203 300.

• Canada. 1 800 m. **Calgary :** *Glenbow-Alberta Institute.* **Fredericton :** *Beaverbrook Art Gallery.* **Halifax :** *Nova Scotia Museum.* **Montréal :** *M. des Beaux-Arts. M. d'art contemporain.* **Ottawa :** *National Gallery of Canada (M. des Beaux-Arts du Canada)* (peint. europ., art. XVe s., art can. XVIIIe-XXe s.). **Québec :** *M. du Québec.* **Saint-John :** *Memorial University Art Gallery.* **Saskatoon :** *Gallery and Conservatory Corporation (Mendel Art Gallery).* **Toronto :** *Art Gallery of Ontario, Royal Ontario Museum.* **Vancouver :** *Art Gallery.* **Winnipeg :** *Art Gallery.*

• Corée. **Séoul :** *M. nat. de Corée* (arts, hist.). *M. du folklore. M. Kansong* (peint., livres anciens). *M. du Kimchi* (cuisine trad.). **Chinju :** *M. nat.* (objets du roy. de Kaya). **Chonju :** *M. nat.* **Kongju :** *M. nat.* (trésors du roi Muryong). **Kwach'on :** *M. nat. d'art contemporain.* **Kwangju :** *M. nat.* (céramique chinoise). **Kyongju :** *M. nat.* (art dyn. Silla). **Onyang :** *M. du folklore.* **Poun :** *M. Emille* (peint. trad., tuiles). **Puyo :** *M. nat.* (archéo. royaume de Paekche). **Yongin :** *M. Hoam* (art anc. et contemp.).

• Danemark. 50 musées d'art. **Aalborg :** *M. d'art de Nordjylland* 100 000. **Copenhague :** *M. des beaux-arts* 248 000. *Ny Carlsberg Glyptotek,* 208 000. *Château de Kronborg,* 205 000. *Louisiana,* 352 000.

• Égypte. **Le Caire :** *M. égyptien* (antiquités préh. jusqu'au VIe s. apr. J.-C.), 824 502. *M. islamique* (jusqu'en 1879), 47 238. *M. copte* (sculpt., archit., ivoire, poterie, verre), 80 184.

• Espagne. **Madrid.** *Prado* [créé 1809, Titien (31 tabl.), Rubens (76), Goya (115), Vélasquez (50), Greco, Zurbaran, primitifs flam.], 1 765 296. *Musée archéol.* L'Escurial. **Badajoz :** *M. d'art roman.* **Barcelone :** *M. d'art catalan* (Moyen Age à nos jours). *M. Picasso.* **Merida :** *M. d'art roman.* **Valence :** *M. de céramique.* **Valladolid :** *M. de sculpture.* **Vich :** *M. épiscopal* (Moyen Age).

• États-Unis. **Boston :** *M. des Beaux-Arts* (peint. amér., franç., XIXe s., Moyen Age et d'Extr.-Orient). **Brooklyn :** *M.* (art égypt., art prim. afr., océanien, amér., peint., arts déco américain, XIXe s.), 500 000 (1979 et 1980). **Chicago :** *Art Institute* (arts de toutes époques, arts graphiques, XIXe s., impressionniste, art d'Extr.-Or.), 1 737 561. **Houston :** *M. des Beaux-Arts* (peint. amér., franç. XIXe s., XXe s., Moyen Age et d'Extr.-Orient). **Los Angeles :** *County Museum of Art* (art ancien, classique, amér., eur.). 1 003 000. *Museum of Contemporary Art de* L.A. (MOCA), ouvert 1986. **New York :** *Museum of Modern Art* (MOMA), créé 1924 (1880 à nos jours. 50 salles), 1 300 000. *Metropolitan Museum of Art* (MET) (peintures toutes époques, art islamique, 13 hectares de salles), 3 800 000. *M. Guggenheim* (peint. et sculpt. mod.). *Collection Frick* (peint. XIVe s. au XIXe s., porcelaine chin., fr., meubles fr., it., bronzes it.), 267 285. *M. Whitney* (art américain, XXe s.), 500 000. **Philadelphie :** *M. d'Art* (peint. primitifs holl., céramique). **San Francisco :** *California Palace of the Legion of Honor* (art fr. M. Age au XIXe s., Rodin), 780 000. *M. H. de Young Memorial Museum* (art eur. et amér. Antiquité au XXe s., art primitif afr., océan., amér.), 1 680 000. **Washington :** *Corcoran gal.* 293 312 (1983). *M. nat. des femmes dans les Arts* (fondé 1907). *National Gallery of Art* (créé 1938, art occid. du XIIIe s. à nos jours), 4 859 172 (1984). *Coll. Phillips* (art mod. et ses sources) 100 000 (1982). *Smithsonian institution.*

• Grande-Bretagne. **Londres (1989) :** *National Gallery* (créé 1824, ouvert 1838, peint. d'Europe occ. du XIIIe au début XXe s. 46 salles), 3 368 317 (1987). *Tate Gallery* (créé 1897, peint. angl., modernes étrangers, 61 salles), 1 234 281. *British Museum* [archéol. : 1753, 80 000 m², Pierre de Rosette, sculptures du mausolée du roi Mausole à Halicarnasse, (IVe s. av. J.-C.), marbres d'Elgin, statues et frises du Parthénon (Procession des Panathénées), du temple d'Athéna Niké et de l'Erechtheion, monument des Harpyes (tombeau de style ionien découvert à Xanthos, Ve s. av. J.-C.) ; arts mineurs] 4 400 000. *M. of London* (hist. de Londres) 389 810. *Science Museum* 1 121 103. *National Maritime Museum* 423 358. *Victoria and Albert* (arts décor.) 995 986. *Wallace Coll.* (peint., arts mineurs) 129 000. – **Aberdeen :** *Art Gallery* 339 841. **Belfast :** *Ulster M.* **Birmingham :** *City M. and Art Gallery* 601 554. **Cambridge :** *Fitzwilliam M.* 222 000. **Cardiff :** *Nat. M. of Wales* 68 746. **Edimbourg :** *Nat. Gallery of Scotland* 341 337, *Scottish Nat. Gallery of Modern Art* 148 395, *Scottish Nat. Portrait Gallery* 104 350. **Glasgow :** *Coll. Burrel* 490 572. **Leeds :** *City Art Gallery* 279 857. **Liverpool :** *Gall. Walker* 222 520. *Gall. Whitworth* 135 182. **Newcastle :** *Gall. Laing* 104 229. **Nottingham :** *Castle M.* 601 983. **Oxford :** *M. Ashmolean* 175 000. **Sheffield :** *Gall. Graves* 127 095. **York :** *Art Gall.* 138 827. *National Railway Museum* 542 677.

• Grèce. 110 musées et 108 collections archéologiques. **Athènes :** *M. archéo. nat.* (préhistoire, époques géométrique, archaïque, classique, hellénistique, gréco-rom. 48 salles), 894 548 dont 243 000 non payants. *M. de l'Acropole, M. byzantin, Pinacothèque nationale, M. numismatique, M. épigraphique, M. de l'Agora ancienne, M. de Kerameikos, M. d'art populaire, M. hist. ethnologique, M. Goulandris* (*M. d'hist. naturelle,* coll. privée), *M. Kanellopoulos* (coll. privée), *M. Benaki, M. de l'art moderne* (coll. Vorres), Pinacothèque de l'art moderne (coll. privée Pierides). – **Autres villes.** *M. ethnographique et ethnologique de Macédoine* à Salonique, *M. folklore* à Nauplie, *M. archéologiques* à Cavala, Chalkis, Corfou, Corinthe, Delphes, Délos, Épidaure, Kalamata, Héraclion, Nauplie, Olympie, Patras, Pylos, Salonique, Sparte, Volos, Yannina, Rhodes, Samos, Dion, Pella, Chio, Thèbes.

• Hongrie. **Budapest :** *M. des Beaux-Arts, M. Rath, Galerie nationale.*

• Inde. **Bénarès :** *Bharatia Kala Bhavan.* **Bombay :** *Jahangir Art Gallery.* **Calcutta :** *Indian Museum* (125 000 objets). **Hyderabad :** *Salarjung Museum.* **Madras :** *Contemporary Gallery of Modern Art.* **New Delhi :** *Gallery of Contemporary Art/Lalit Kala Akademy, National Gallery of Modern Art, National Museum.*

• Irak. **Bagdad :** *M. archéologique de l'Irak.*

• Italie. **Rome :** *Gal. nat. d'art antique, Gal. nat. d'art moderne, M. du Capitole* (sculpt.), *M. du Vatican* (peint. ancienne, Renaiss.), *M. du Latran* (art ancien, chrétien, ethnol.), *gal. Borghèse* (peint.), *gal. Colonna, gal. Doria.* – **Bologne :** *M. civique, Pinacothèque.* **Florence :** *Gall. de l'Academie,* 763 273, *Les Offices* (peint, ital. XVe et XVIe s. 46 salles), 1 135 745, *Palais Pitti* (peint.), *M. national* (Bargello) (sculpt., arts min., monnaies antiques), *couvent St-Marc* (Fra Angelico). **Milan :** *Pinacothèque de Brera, M. civique, M. Poldi Pezzoli, Bibl. ambrosienne.* **Naples :** *M. national* (peint., archéol. romaine), *M. de Capodimonte.* **Venise :** *gal. de l'Académie* (peint. vénitienne XIIIe au XVIIIe s. 24 salles), 179 308, *M. d'Art oriental.* **Turin :** *Sabauda* (peint.), *M. des antiquités.*

• Japon. **Kurashiki :** *M. des Beaux-Arts O'hara.* **Kyōto :** *M. nat.* (peint. et arts déco.). *M. municipal des Beaux-Arts* (peint. moderne jap.). **Nara :** *M. nat.* (art bouddhique). **Osaka :** *M. municipal des Beaux-Arts. M. nat. d'ethnologie.* **Sakura :** *M. nat. d'archéologie et d'ethnologie.* **Tōkyō :** *M. d'art populaire jap. M. nat.* (archéologie et art extr.-or.). *M. nat. des Beaux-Arts occidentaux* (peint. et sculpt. françaises XIXe au XXe s.). *M. nat. d'art moderne.*

• Maroc. **Essaouira :** *M. Sidi Mohamed Ben Abdallah.* **Fès :** *M. du Batha, M. du Borj Nord* (armes). **Larache :** *M. de Larache.* **Marrakech :** *M. Dar Si Saïd.* **Meknès :** *M. Dar Jamaï.* **Rabat :** *M. archéologique, M. des Oudaias.* **Tanger :** *M. de la Kasbah.* **Tétouan :** *M. archéologique,* M. Bab al Okla.

• Norvège. **Bergen** (86) : *Vestlandske kunstindustrimuseum* 8 044. **Oslo** (86) : *Nasjonalgalleriet* (arts plastiques) 107 755. *Kunstindustrimuseum* (arts et métiers) 80 405. *M. Munch* 137 000. **Trondheim** *Nordenfjellske kunstindustrim* 50 210.

• Pays-Bas. env. 800 musées dont d'État env. 50, municipaux env. 130, privés env. 620. **Amsterdam :** *Rijksmuseum* [créé 1806 et 1885, peint., sculpt. du XVe au XIXe s., arts déco., asiat., hist., estampes (env. 1 million), 200 salles], 1 061 908, *Stedelijk* (art moderne), 436 000, *M. Van Gogh,* 537 217. **Haarlem :** *Frans Hals,* 173 560. **La Haye :** *Mauritshuis* (peint.), 46 803, *Gemeentemuseum,* 212 741. **Otterlo :** *Kröller Muller* (peint. mod., Van Gogh), 381 138. **Rotterdam :** *Boymans-Van Beuningen* (peint., arts mineurs), 225 000. **Utrecht :** *M. central* (peint., arts min., archéol.), 80 000.

• Portugal (1986). Env. 250 musées, env. 2 millions de vis. **Lisbonne :** *M. nat. des arts anciens, M. Gulbenkian* 105 406, *M. des azulejos, M. nat. du théâtre, Maison du Dr Gonsalves, Palais nat. d'Ajvda, M. nat. des carrosses royaux, M. de la Ville, M. d'art populaire, M. de la marine, M. du costume, M. des arts déco.* – **Amarante :** *M. Albano Sardoeira* (peintures de Souza Cardoso). **Aveiro :** *M. d'Aveiro.* **Bragança :** *M. Abade de Baçalo.* **Calda da Rainha :** *M. José Malhoa.* **Castelo Branco :** *M. Francisco Tavares Proença Junior.* **Coimbra :** *M. Machado de Castro.* **Evora. Guimarães :** *M. Alberto Sampaio.* **Lamego. Mafra :** *Palais nat.* **Porto :** *M. nat. Soares des Reis.* **Obidos.**

• Suède (1989). 199 m., 16 102 000 vis. : *M. centraux* (15), 1 849 000, *régionaux* (23), 2 584 000, *locaux* (56), 3 859 000, *autres* (102), 7 810 000. **Stockholm :** *M. nat. des beaux-arts* (National m. Asiatique et Moderne Museet 482 000). *M. nationaux des antiquités* 107 000, *M. de l'architecture* 19 000, *gal. Thielska* (peint. et sculpt.) 55 000, *Millesgården* (maison du sculpteur Carl Milles) 175 000, *Waldemarsudde* (peint. et sculpt.) 169 000.

• Suisse. *Musées :* env. 600. *Visiteurs* (1990) : env. 9 000 000. **Bâle. Berne :** *M. historique.* **Brienz :** *m. Ballenberg* (m. de l'habitat rural). **Genève :** *M. d'art et d'histoire* (f. 1910) 117 171. **Lucerne :** *Verkehrshaus der Schweiz.* **Neuchâtel :** *M. des arts et techniques.* **Winterthur :** *Technorama.* **Zurich :** *M. nat. suisse.*

• Taiwan. **Taibei :** *M. du Palais national.*

• Tchécoslovaquie. **Bratislava :** *M. nat. slovaque.* **Prague :** *M. nat. tchèque, M. de la ville.*

• Tunisie. 39 musées. **Carthage :** *M. nat.* **Djerba :** *M. de Djerba.* **El Jem :** *M. archéologique* (mosaïque). **Kairouan :** *M. nat. d'arts islamiques à Raqqada.* **Sfax :** *Palais de la municipalité.* **Sousse. Tunis :** *M. du Bardo* (archéol., mosaïque), *M. des P.T. M. d'art vivant du Belvédère. M. de l'armée. M. de la céramique islamique.*

• Turquie (1986). 138 musées. **Ankara :** *M. des civilisations anatoliennes,* 169 352. **Éphèse :** *M.,* 712 461. **Istanbul :** *M., Sainte-Sophie,* 908 355, *M. archéologique,* 128 488, *Topkapi,* 1 571 285. **Konya :** *M. Mevlâna,* 595 930. **Pergame :** *M.,* 300 858.

• U.R.S.S. **Leningrad :** *L'Ermitage* (peint., archéol. 400 salles) 4 492 369. **Moscou :** *M. des Beaux-Arts Pouchkine* (peint. europ.), *gal. Tretyakov* (art russe).

Musées historiques et ethnologiques, musées régionaux

• Allemagne. **Berlin :** *M. de l'histoire all., Märkisches. M. ethnologique* 450 000. **Bonn :** *Rheinisches Landesmuseum* 98 430. **Buchenwald. Cologne :** *Rautenstrauch-Joest-M.* 18 059, *M. romano-germanique et préhistorique* 605 261. **Cottbus :** *M. régional.* **Dresde. Francfort :** *M. ethnologique* 21 357, *M. hist.* 157 230. **Güstrow. Hambourg :** *M. des arts déco.* **Königstein. Leipzig. Magdeburg :** *M. de la Ville.* **Mayence :** *M. romain germanique* 48 711. **Meissen :** *M. de la Ville.* **Munich :** *M. nat. bavarois* 105 414, *M. ethnologique* 55 915, *M. de la Ville* 439 463, *M. de la Résidence* 130 730. **Nuremberg :** *M. germanique* 443 849. **Potsdam :** *M. de l'armée.* **Ravensbrück. Sachsenhausen. Wernigerode :** *M. féodal.*

• Autriche. **Vienne :** M. ethnologique. **Matzen.**

• Canada. **Ottawa :** *M. nat. de l'Homme.* **Hull :** *M. Can. des civilisations.* **Winnipeg :** *M. du Manitoba de l'Homme et de la Nature.*

• Danemark. 143 musées. **Copenhague :** *M. nat.* 782 000. **Aarhus :** *M. préhistorique de Moesgaard,* 112 000.

• Espagne. **Madrid :** *M. ethnologique.*

• Grande-Bretagne. **Londres :** *M. de l'Humanité* (British Museum) 290 000.

• Maroc. **Chechaouen :** *M. ethnologique.*

• Mexique. *M. nat. d'anthropologie.*

Collections zoologiques

Les plus anciennes : roi d'Égypte Ptolémée II (dont un serpent géant). XVIe s. : Aldrovandi. **XVIIe s. :** anim. indonésiens de Georg Eberhard Rumpf. **V. 1660,** en Allemagne, coll. de Göttorf, du duc de Holstein (crocodiles naturalisés, calmars). **XVIIIe s. :** France, nombreux cabinets d'hist. nat. (17 à Paris en 1742, 61 en 1780). Jenner classe les coll. rapportées par Cook en 1771. De Linné (Stockholm et Londres). Du Père David.

Principales collections au XIXe s. Berlin : *Musée zoologique Carl Illiger, Unter den Linden.* **Copenhague :** *Musée zool.,* 268 000. **Londres :** *Musée Levarianum, British Museum, Musée d'histoire naturelle.* **Leyde :** *Rijksmuseum Van Natuurlijke.* **Paris :** *Muséum d'histoire naturelle* (1 500 000 échantillons en zoologie, 36 900 en anatomie).

• Norvège (1984). – **Bergen :** *M. historique,* 38 700. **Lillehammer :** *De Sandvigske samlinger* (m. de plein air) 113 350. **Oslo :** *M. hist.* (inclus M. viking) 402 300. *Norsk Folkemuseum* (m. de plein air) 271 900. *Henie-Onstad Kunstsenter* (Centre d'Art). *Museet for Samtidskunst* (M. d'Art Moderne). **Trondheim :** *M.* 24 140. **Tromsø :** *M.* [inclus collections sami (Lapon)] 62 000. *Nordnorsk M. des Beaux-Arts.*

• Pays-Bas. **Amsterdam :** *M. historique, Tropenmuseum.* **La Haye :** *M.* **Leyde :** *M. voor Volkenkunde, M. Van Oudheden.* **Rotterdam :** *M. hist., M. voor land en Volkenkunde.*

• Portugal. **Lisbonne :** *M. nat. d'archéologie et d'ethnologie.*

• Roumanie. **Bucarest :** *M. d'art populaire, M. des collections d'art, M. d'histoire, M. du Village.* **Cluj :** *M. d'art, M. d'histoire de la Transylvanie.* **Constantza :** *M. d'archéologie.* **Iassy :** *M. d'art, M. d'hist. de la Moldavie, M. ethnographique de la Moldavie.*

• Suède. **Stockholm :** *M. nordique,* 188 000. *Skansen* (M. de plein air), 1 690 000. *M. nat. des antiquités,* 107 000. *M. ethnographique,* 32 000. *M. de la musique,* 34 000. *M. de la poste,* 77 000. *M. de la ville,* 344 000. – **Göteborg :** *M. ethnographique,* 62 000. **Lund :** *Kulturene (m. historique),* 143 000. **Malmö :** *M. de la ville.*

• Suisse. **Bâle. Neuchâtel. Zurich.**

• Tchécoslovaquie. **Prague.**

• Tunisie. **Tunis :** *M. des arts et traditions populaires.* **Sfax, Gabès, Djerba, Kef :** *M. des arts et trad. pop.*

• U.R.S.S. **Leningrad :** *M. ethnographique.* **Moscou :** *M. de la Révolution, M. historique.*

• U.S.A. **Washington :** *M. nat. d'hist. amér.* 5 369 336, *Smithsonian Institution,* 1 012 741.

Musées d'histoire naturelle

• Allemagne 54 m. 4,8 millions de vis. **Berlin-E. :** *M. für Naturkunde.* **Bonn :** *M. Alexander Koenig* 115 779. **Dresde :** Hygenie-Museum, Gotha, Görlitz : musées d'histoire naturelle, Jena : Phyletisches Museum, Stralsund Meeresmuseum. **Francfort :** *M. Senckenberg* 254 196, *M. Karlsruhe* 121 723.

• Autriche. **Vienne :** *Naturhistorisches M.* 317 717.

• Danemark. 14 musées. **Copenhague :** *M. zoologique* 166 000.

• Grande-Bretagne. **Londres :** *M. d'hist. nat.* (87 000 m²) 1 490 010. *M. des sciences* (42 873 m²).

• Monaco. *M. océanographique* et son *Aquarium* (1910) 997 595.

• Norvège (1986). **Bergen :** *M. zoologique et jardin botanique* 28 980. *M. Bryggen* (Musée du Quai Hanséatique). **Oslo :** *M. d'histoire naturelle* 140 000. *Musée historique. Vikingskiphuset* (M. des Drakkars Vikings). **Tromsø :** *M.* 69 198.

• Pays-Bas. **Amsterdam :** *M. zoologique.* **Leyde :** *Géologie, minéralogie, hist. naturelle.*

• Roumanie. **Bucarest :** *Gr. Antipa, m. géologique, m. et jardin botanique.* **Cluj :** *Jardin botanique.* **Constantza :** *aquarium.* **Tulcea :** *m. du delta du Danube.*

• Suède. **Gävle :** *Silvanum* 44 000. **Göteborg. Malmö. Stockholm** 241 000.

• Tunisie. **Carthage-Salammbô :** *Institut nat. d'océanographie et de pêche.*

• U.S.A. **Chicago. Los Angeles. Milwaukee. New York** 300 000. **Philadelphie. San Francisco. Washington :** *M. nat. d'hist. nat.* (Smithsonian Institution), 6 096 282.

Musées des sciences et des techniques

• Allemagne. **Berlin :** *M. de la poste, M. de la radio* 50 000, *M. des transports et techniques* 165 780. **Augustusburg :** *M. des motocycles.* **Bochum :** *M. des ind. minières* 429 350. **Bremerhaven :** *M. nautique national* 317 998. **Dresde. Francfort/Main :** *M. de l'architecture.* **Hettstedt :** *M. des techniques.* **Munich :** *M. allemand* 1 305 140. **Nüremberg :** *M. des transports* 448 541. **Oelsnitz. Ohrdruf. Rostock :** *M. navals.* **Schwerin. Thale.**

• Grande-Bretagne. **Londres :** *M. des sciences* 1 121 103. **Greenwich** *M. maritime* 707 399. **York** *M. des ch. de fer* 542 677.

• Japon. **Tōkyō :** *M. nat. scientifique,* 1 302 840, *M. des sciences, M. de la télécommunication.*

• Norvège. **Bergen** (1986) : *Aquarium* 162 436. **Elverum :** *M. de la sylviculture* 105 600. **Oslo :** *M. maritime* 95 986, *M. technique* 104 273.

• Roumanie. **Bucarest :** *M. technique « D. Leonida », M. des chemins de fer,* **Sibiu :** *M. des techniques pop.*

• Suède. **Göteborg :** *M. technique, Hist. de la marine et aquarium.* **Kariskrona :** *Hist. de la marine* 27 000. **Linköping :** *M. aéronautique* 90 000. **Malmö :** *Hist. de la marine et des techniques.* **Stockholm :** *M. des sciences et techniques* 240 000, *hist. de la marine* 265 000.

• Suisse. **Berne.** *M. des P.T.T.* **La Chaux de Fonds :** *M. d'horlogerie.* **Lucerne :** *M. des transports.* **Winterthur :** *Technorama.*

• Tchécoslovaquie. **Prague :** *M. pour les arts appliqués.*

• U.S.A. **Chicago :** *Museum of Science and Industry,* 4 000 000. **Philadelphie :** *Franklin Institute.* **Washington :** *M. nat. de l'air et de l'espace* (Smithsonian Institution) 14 500 000.

En France

• Origine **(organisation) :** *10-8-1793 :* inauguration au Louvre du musée de la République ; les musées de province se constituent à partir de biens saisis. *16-4-1895, 14-1-1896, 10-8-1941* et *13-7-1945 :* organisation des musées. Les m. français participent aux activités de l'I.C.O.M. (International Council of Museums), association internationale non gouvernementale. **Crédits consacrés par l'État à l'aide aux acquisitions** (1990) : 400 dont : subventions aux acquisitions (m. en région 49, m. national d'Art moderne 33), ressources propres de la réunion des m. nationaux 142, fonds du patrimoine 46, dations 228. **Direction des Musées de France.** Direction du ministère de la Culture gère les m. nationaux et assure la tutelle de l'État sur les m. classés et contrôlés. Elle a un droit de préemption en vente publique et contrôle l'exportation des œuvres d'art.

• Nombre de musées. **Publics :** 1 400 dont 1 019 relevant de la Direction des musées de France (min. de la Culture), 34 *m. nationaux* (dont Louvre et Versailles), 33 *m. classés* et env. 950 *m. contrôlés,* conservant au total plus de 20 millions d'œuvres et objets (le reste des m. publics relevant d'autres services du min. de la Culture ou d'administrations). **Privés :** env. 1 000.

• Budget des musées publics (m. nationaux, m. classés, m. contrôlés) (en millions de F, Beaubourg exclu). **Équipement,** subventions de l'État en autorisation de programme. *1980 :* 331,2. *81 :* 254,9. *82 :* 412,8. *83 :* 973,8. *84 :* 521,3. *85 :* 902,8. *86 :* 1 240,8. *87 :* 717,1. *88 :* 297,9. *89 :* 767. *90 :* 819,8. *91 :* 954,6. **Fonctionnement.** *1980 :* 148,1. *81 :* 169,4. *82 :* 317,9. *83 :* 445. *84 :* 493. *85 :* 501. *86 :* 537. *87 :* 541. *88 :* 598. *89 :* 609,5. **Budget d'acquisition.** *M. nationaux : 1981 :* 32, *84 :* 96,5, *88 :* 110,3, *89 :* 114 *90 :* 125,7 (+ 22,9 venant du Fonds du Patrimoine). *M. classés et contrôlés : 81 :* 2,1, *84 :* 30,8. *86 :* 24,9. *87 :* 26. *88 :* 28,5. *90 :* 35 (+ 13,8 du Fonds du Patrimoine).

Musées nationaux

Administrés en régie directement par l'État sauf 3 établissements publics disposant de la personnalité morale et de l'autonomie financière : m. Henner, Gustave-Moreau et Rodin (le seul à disposer de ressources propres grâce au titre des droits sur la reproduction des fontes du sculpteur).

M. classés et contrôlés, sous la *tutelle* de l'Inspection gén. des musées (Direction des m. de Fr.) ; appartiennent aux communes, aux départements, à des associations culturelles. Le personnel scientifique des m. contrôlés est composé d'agents des collectivités territoriales recrutés sur liste d'aptitude, celui des m. classés est soit fonctionnaire d'État mis à la disposition de la coll. terr. soit du corps des conservateurs de la coll. terr. recruté sur la liste d'aptitude. Certains m. contrôlés possèdent des ensembles d'objets importants (m. Dobrée à Nantes, m. des Beaux-Arts à Strasbourg). La hiérarchie entre les m. de province établie en 1945 s'est estompée avec l'apparition des m. contrôlés particulièrement actifs.

☞ Les 10 musées de la Ville de Paris bénéficient d'un régime spécial depuis le règlement du 21-08-1955 et leur organisation est calquée sur celle des musées nationaux. Des musées publics peuvent relever d'autres ministères que de celui de la Culture : Éducation nationale (200 muséums d'histoire nat., m. scientifiques et techniques ; ex. m. de l'homme), Défense (ex. m. de l'armée, m. de la marine), P.T.T., etc... ou de l'Institut (ex. m. Condé à Chantilly, m. Jacquemart-André).

Éco-musées. *Origine :* m. associant la population à la préservation, à la mise en valeur et à l'animation du patrimoine du territoire qu'il s'est donné pour cadre, parfois musée de plein air.

Réunion des musées nationaux. Établ. public institué en 1895, administré par un conseil d'adm. présidé par le Directeur des m. de France. *Ressources :* notamment droits d'entrée dans les m. nationaux et ventes des publications scient., des catalogues d'expositions, affiches, cartes postales, gravures,

Expositions les plus fréquentées en France

Légende : Nombre d'entrées, nature de l'exposition, musée (1 Orangerie, 2 Petit Palais, 3 Versailles, 4 Grand Palais, 5 Louvre, 6 Art moderne, 7 Beaubourg), et année.

1 240 975 Toutankhamon ² (1967). + *1 million* Ramsès le Grand ⁴ (1976). *840 602* Dali (1979-80, 104 j). *793 544* Renoir ⁴ (1985). *735 207* Manet ⁴ (1983). *623 000* Gauguin (1988). *603 132* Picasso ²,⁴ (1966). *600 000* Vienne ⁷ (1986). *548 496* Turner ⁴ (1983). *505 692* Centenaire de l'impressionnisme ⁴ (1974). *504 422* Monet ⁴ (1980). *494 233* Van Gogh ¹ (1972). *488 200* Bonnard ⁷ (1984, 77 j). *473 103* Paris-Paris ⁷ (1981, 137 j). *457 326* Picasso ⁴ (1979). *450 000* Watteau ⁴ (1984). *450 000* Vienne 1880-1938 ⁷ (1986, 72 j). *439 886* Degas ² (1988). *430 760* Impressionnisme ⁴ (1985). *425 013* Paris-Moscou ⁷ (1979, 136 j). *418 329* Forum ⁷ (1979-80, 97 j). *416 040* De Rembrandt à Vermeer ⁴ (1986). *396 016* Douanier Rousseau ⁴ (1984). *385 740* Cézanne ⁴ (1978). *369 462* Pissarro ² (1981). *364 287* Van Gogh ⁶ (1988). *359 596* L'Or des Scythes ⁴ (1975). *351 000* Kandinsky ⁷ (1984). *348 235* La Tour ¹ (1972). *347 612* Collection Walter ¹ (1966). *347 136* Matisse ⁴ (1970). *339 983* Chardin ⁴ (1979). *335 866* La Comédie-Française de 1680 à 1862 ³ (1962). *326 006* Fragonard ⁴ (1987). *317 702* Vermeer ¹ (1966). *311 636* Goya ¹ (1970). *296 690* Les Frères Le Nain ⁴ (1979). *289 872* Cézanne ¹ (1974). *261 135* Gainsborough ⁴ (1981). *256 168* Collection suisse ¹ (1967). *255 792* Courbet ⁴ (1978). *253 930* Chagall ⁴ (1970). *252 242* De Renoir à Matisse ⁴ (1978). *246 039* Les Fastes du gothique ⁴ (1981). *239 531* Le Brun ³ (1963). *235 503* Vienne à Versailles ³ (1964). *225 714* Peintures XVIIe s. dans les collections américaines ⁴ (1982). *220 178* Hommage à Corot ¹¹ (1975). *204 963* Bonnard ¹ (1967). *201 068* La Tapisserie du XIVe au XVIe s. ⁴ (1973).

Moyenne journalière : Centenaire de l'impressionnisme 9 199. Toutankhamon 7 342. Turner 6 943. Picasso 6 224. Vermeer 5 608. Van Gogh 5 314.

En Grande-Bretagne

1 694 117 Toutankhamon ¹ (1972).. *1 500 000* Britain can make it ² (1947). *771 466* Chine ³ (1974). *648 281* Post impressionnisme ³ (1980). *633 347* Pompéi ³ (1977). *523 005* Grand Japon ³(1982). *465 000* Les Vikings ¹ (1980). *452 885* Génie de Venise ³ (1983). *424 629* Turner ³ (1975). *365 000* Renoir ⁴ (1985). *334 354* Les Jeux Olympiques Antiques ¹ (1980). *313 615* John Constable ⁵(1976). *294 837* Trésors de la Nation ¹ (1988-89). *236 615* Salvador Dali-rétrospective ⁵ (1980). *224 659* Les Préraphaëlites ⁵ (1984). *223 370* Bouddhisme, Art et Foi ¹ (1984-85). *173 334* David Hockney-rétrospective ⁵ (1988-89). *139 457* Picasso 1953-72 ⁵ (1988).

Nota – (1) British Museum. (2) Victoria and Albert Museum. (3) Royal Academy. (4) Hayward Gallery. (5) Tate Gallery.

moulages et copies de bijoux qu'elle édite. *Dépenses :* achat d'œuvres d'art pour le compte de l'État.

Acquisitions d'œuvres d'art au bénéfice des musées nationaux gérés sous tutelle de la direction des musées de France (dépenses effectuées en millions de F). *1988 :* 114, *89 :* 143. Part des crédits consacrés par l'État à ces acquisitions *1988 :* 62 (dont 37 venant du fonds du patrimoine), *89 :* 56,6, *90 :* 59,9 (dont 22,9 du fonds du patr.). *Crédits accordés par l'État aux collectivités territoriales* pour participer à l'acquisition d'œuvres d'art pour les musées classés et contrôlés. *1988 :* 32,5 (dont 5,2 du fonds du patr.), *89 :* 31,7, *90 :* 35 (dont 13,8 du fonds du patr.).

• Œuvres étudiées par le laboratoire de recherches des musées de France. **Statistiques.** Objets archéologiques *1981 :* 1 039, *82 :* 1 176, *83 :* 1 355, *84 :* 2 937, *85 :* 962, *86 :* 1 402, *87 :* 767, *88 :* 753. Peintures *1981 :* 384, *82 :* 354, *83 :* 398, *84 :* 444, *85 :* 303, *86 :* 395, *87 :* 547, *88 :* 530.

• Restauration des peintures des musées nationaux. *1987 :* prévention (constats d'état et diagnostics) 3 565, « bichonnages » 519, *88 :* 705, *89 :* 1 000 interventions fondamentales (conservation des bois et des toiles, nettoyages, réintégrations) 556, *88 :* 722, *89 :* 750.

• Personnel. *Conservateurs (1990) :* 207 dont 13 conservateurs généraux des musées, 40 conservateurs en chef, 77 de 1re classe, 77 de 2e cl. *Personnel d'entretien* 378, *surveillance* 1 708.

Gardiens et personnel technique : selon une enquête de 1987, sur 450 m. classés et m. contrôlés de province, 75 % des m. classés ont 1 conservateur d'État, 15 % en comptent 2,3, 12 % 3 ; 75 % des m. contrôlés de 1re catégorie ont 1 conservateur, 25 % en ont au moins 2 ; Besançon, Chambéry, Grenoble en ont plusieurs, Bordeaux 5, 95 % des musées de 2e catégorie ont 1 conservateur, 1 % en ont 2.

• Fréquentation des musées nationaux. *Nombre de visiteurs* (en millions) : *1983* + de 22 (dont m. nationaux payants 5,2 ; gratuits 4,8 ; m. de province 9 ; m. modernes et Beaubourg 2 ; divers 1,6). *1986 :* 6,6 pay., 3,7 gr. *1987 :* 8,3 pay., 3,5 gr. *1988 :* 8,9 pay., 4 gr. *1989 :* 9,1 pay., 5,1 gr. *1990 :* 10,2.

Principaux musées

Paris

Légende. V. : visiteurs, p. : payant, g. : gratuit, mod. : moderne.

• Centre national d'art et de la culture Georges-Pompidou (C.N.A.C.). *Créé* 1969, ouvert 31-1-1977. **Présidents.** *1970* Robert Bordaz. *1977* Jean Millier. *1980* Jean-Claude Grohens, *1983* Jean Maheu. *1989* Hélène Ahrweiler. **Coût de la construction :** 993 millions de F. **Dimensions.** *Superficie :* au sol 1 ha (sur les 2 ha du plateau Beaubourg), 7 500 m² par étage (5) ; surfaces vitrées 11 000 m² ; ossature métallique 15 000 t. *Longueur :* 116 m. *Hauteur :* 42 m. *Largeur :* 60 m. *Volume :* 413 320 m³.

Activités. **Bibliothèque publique d'information (B.P.I.)** (Voir p. 352) : 1 800 places. *Créée* 1975-76 par Renzo-Piano, 3 étages, 250 employés ; consultation sur place, sans prêt à l'extérieur. *Fréquentation :* env. 13 000 usagers/j ; *espace de lecture :* 14 460 m², 1 800 places, 550 000 volumes, 2 355 abonnements, 2 000 films, 150 000 images fixes sur vidéodisques, 4 000 cartes géog. Labo de langues de 62 places, une salle de projection, un espace d'exposition ; *salle d'actualité :* 650 m², 150 places, 1 020 disques (dont 300 compacts-discs), 4 500 volumes, 700 périodiques ; *salle d'actualité des enfants :* 250 m², 100 pl., 3 000 livres, 60 revues, 300 films, banque d'images sur vidéodisques, 4 postes de consultation de logiciels, 500 disques ou cassettes. **Musée national d'art moderne (M.N.A.M.) :** rattaché depuis 1975 au CNAC, établ. public autonome relevant du ministre de la Culture, ses collections restant la propriété de l'État. 13 430 m², 15 000 œuvres ; un des plus grands musées d'art mod. du monde ; employés 245 dont 120 à l'accueil. Visiteurs : *1978* 1 585 915, *86* 1 063 075. **Centre de création industrielle (C.C.I.) :** architecture, urbanisme, communications visuelles ; informe le public, effectue des études pour collectivités locales et administrations. **Institut de recherches et de coordination acoustique musique (I.R.C.A.M.)** *dir. :* Pierre Boulez. *Budget 1987* (millions de F) : 32. *Subvention ministère de la Culture :* 25. *Subv. indirectes* (recherche scientifique) 5. *Recettes propres :* env. 2 venant de fondations (Paul Sacher, à Bâle), commandes (Mme Pompidou), redevances sur licences ind. et com. *Personnel :* 59, vacataires : env. 10. **Services communs :** salles de cinéma, espaces d'expositions, théâtre, danse, concerts, débats, etc. *Ouverture :* tous les j. sauf mardi de 12 h à 22 h (sam. et dim. 10 h à 22 h). Env. 1 100 pers. travaillent au Centre.

Entrées *1981 :* 8 064 000, *1984 :* 8 413 500, *1985 :* 7 366 535, *1986 :* 6 702 731 (soit 21 622 par jour) dont (en %) Paris 41, banlieue 18, province 13, étranger 28. 20 % viennent 1 fois ou + par semaine, 38 % 1 fois par mois, 77 % ont moins de 35 ans. *1988 :* 5 110 000 (14 000/j).

Budget. (en millions de F). *Dépenses 1987 :* 384,7 dont fonctionnement 266,3, équipements 36,5, recherche 4,6, acquisitions 23,9. *Recettes. Subventions de fonctionnement. 1989 :* 281,3, *1990 :* 303. Recettes propres 17,2 % des dépenses.

En % : charges salariales 40, bât., admin., équipements 30, action culturelle 30.

• Louvre. Créé le 27-7-1793, le plus grand de France [antiquités orientales, égyptiennes, grecques, romaines, sculptures, cabinet des dessins, objets d'art Moyen Age au XIXe s., peintures XVIe au XIXe s., sup. 45 000 m², 198 salles ouvertes au public (1985), env. 300 000 objets dont 23 000 exposés sur 33 000 m², 16 500 en dépôt, 15 000 tableaux inscrits à l'inventaire dont 5 600 au Louvre (2 200 exposés et 3 400 en réserve)]. La 1re collection est due à François Ier (dont la Joconde). *Visiteurs : 1970 :* 2 413 000, *1972 :* 3 000 000, *1977 :* 3 161 000, *1979 :* 3 732 170 (dont 1 881 039 payants), *1982 :* 2 545 658 (1 247 301 pay.), *1983 :* 2 877 218 (1 309 807 pay.), *1985 :* 3 210 708 (2 054 855 pay.), *1986 :* 2 702 634 (1 729 686 pay.), *1987 :* 2 797 024 (1 790 097 pay.). *1989 :* 5 500 000 (entrées sous la pyramide dont 4 500 000 dans les salles). *1990 :* 3 416 013. *Salles les plus visitées* (en 1978-79, en %) : Renaissance italienne (la Joconde) : 67 %, grande galerie 57, peint. XVIIIe et XIXe s. 52, salle Rubens 46, antiquités égypt. du rez-de-ch. 42, 1er étage 30, salles grecques 32, joyaux de la couronne 19.

• Aménagement du Grand Louvre (architecte sino-américain : Ieoh Ming Pei) décidé par le Pt Mitterrand : creusement d'un sous-sol sous la cour Napoléon avec entrée couverte d'une pyramide de verre (haut. 20 m, base 32 m). *Superficies prévues* pour les expositions permanentes (m²) : antiquités orientales 6 080 (au lieu de 4 200), égyptiennes 6 600 (4 400), grecques et romaines 10 200 (8 037), peintures 22 900 (13 000), dessins 2 192 (1 480), sculptures 9 786 (4 327), objets d'arts 7 873 (4 457). *Total du Grand Louvre :* 118 000 dont 55 000 réservés à l'accueil, aux services, au parc de stationnement, aux réserves, ateliers, laboratoires. *Coût* (en milliards de F). Prév. 5,5 dont 1re tranche achevée juillet 1989 (restauration des toitures et façades de Richelieu, édification et ouverture au public de la Grande Pyramide) 2 000 ; 2e tranche (restauration façades, toitures autour de la cour Napoléon, achèvement des fouilles archéologiques, parc de stationnement, galerie commerciale Carroussel-Louvre) 3,2. Dotation de fonctionnement. *1989 :* 0,047, *1990 :* 0,05.

• Autres musées. **Armée** (m. de l'), Invalides, 300 000 objets, 1 212 271 visiteurs. **Arts d'Afrique et d'Océanie de la Porte Dorée (MAAO)** (m. des), f. 1931, 1 850 objets, 265 440 v. (127 602 payants). **Arts décoratifs** (m. des), f. 1877, 60 000 objets, 77 730 v. (102 269 aux expos.) 1989. **Art juif de Paris** (m. d'). **Arts et mode** (m. des), f. 1978, 40 à 60 000 v. **Arts et métiers** (Conservatoire nat. des). **Arts et traditions populaires** (m. des), f. 1937 par Georges-Henri Rivière, 8 000 objets, 70 000 v. **Carnavalet** (m.), f. 1880, 12 000 m² (147 salles). Hist. de Paris. **Cernuschi** (m.), f. 1898 (legs d'Henri Cernuschi à la Ville de Paris), art asiatique. **Cinéma** (m. du), f. 1936 par Henri Langlois et Georges Franju, 35 000 v. **Cognacq-Jay** (m.), f. 1925, arts décoratifs. **Conservatoire nat. de musique** (m. instrumental) 1 000 v. **Cluny** (m. de) fondé 1843 Moyen Age et Renaissance

Musées de cire

Musée Grévin. *Inauguré* 5-6-1882 (galerie d'actualités). *Fondateur :* Arthur Meyer (1844-1924), dir. du journal « Le Gaulois ». *Financier, organisateur :* Gabriel Thomas. *Artiste metteur en scène :* Alfred Grévin (1827-92), directeur artistique avant 1900. *Adjonctions :* Cabinet fantastique (théâtre de 300 pl.) (1900), Palais des Mirages (1906) et les principaux tableaux de l'Histoire de France. 173 400 actions (86). 3 700 m². 60 tableaux présentent env. 420 personnages. *1937-38 :* création de musées aux U.S.A. et au Canada ; en France : historial de Hte-Auvergne à Aurillac, rachat du musée de Cire de Lourdes et scènes hist. du château de Breteuil. *1980 :* au Forum des Halles (130 personnages de la Belle Époque, spectacle avec animation). *1984 :* historial de Touraine au château royal de Tours. *1986 :* nouveau tableau de 50 acteurs et actrices du cinéma au musée Grévin. *1987 :* musée à la Rochelle ; au mont-St-Michel. *Févr. 1990 :* au Forum, nouvelles scènes. *Juin 1990 :* Espace Grévin Bourgogne à Dijon. *Visiteurs* (1989) : *Paris* bld Montmartre 545 000, Forum des Halles 145 000. *Lourdes :* 176 000. *Tours :* 67 000. *La Rochelle :* 51 000. *Mont-St-Michel :* 135 000. *Chiffre d'affaires prév.* (1990) : 27 millions de F (H.T.), bénéfices 2,5.

Madame Tussaud. *Créé* 1835 par Madame Tussaud [Marie Grosholtz (Strasbourg 1761-Londres 1850)]. *1795* épouse Francis Tussaud. *1802* va en Angleterre avec 30 figures de cire, héritées du docteur Curtius, organise des expo. itinérantes. *1835* se fixe à Londres. *1884* locaux actuels. *Visiteurs :* 2 000 000 par an.

Identification des œuvres d'art

• **Méthodes d'examen. Coupes minces en peinture.** L'échantillon de peinture à analyser, enrobé d'une résine polyester liquide, est débité en coupes de 45 millièmes de mm. On pratique sous microscope des tests de solubilité, chauffage, fixation de colorants spécifiques pour déterminer liants picturaux, protéines, acides gras, résine.

A partir d'une écaille de peinture, on a pu attribuer « la Pietà » de Nouans-les-Fontaines à la jeunesse de Jean Fouquet, à cause de son émulsion d'œuf et d'huile.

Radiographie. Peintures (rayons X « mous » de 15 à 80 kV), objets archéologiques (bois ou céramiques) (40 à 90 kV), métal (300 kV).

Holographie. V. Index.

• **Méthodes d'analyse. Spectrométrie de fluorescence X.** Contient une source qui émet des photons (lumière) ou des particules qui vont exciter la matière à analyser. Celle-ci émet alors un rayonnement X mesuré avec des détecteurs et dont on analyse la dispersion.

Chromatographie. Méthode de séparation des constituants d'un mélange (analyse qualitative et quantitative). On entraîne les constituants (liquide ou gaz) le long d'un support dans lequel ils sont retenus suivant leur nature, se séparant donc progressivement.

• **Méthode de datation. Carbone 14.** Toute matière vivante absorbe en permanence du carbone provenant du gaz carbonique de l'atmosphère (C14 très rare et radioactif, et ses jumeaux isotopes C12 et C13, stables). Quand l'organisme meurt, l'échange avec l'atmosphère cesse, et la radioactivité du carbone 14 décroît de moitié tous les 5 568 ans (période du C14). Cette méthode vaut jusqu'à 40 000 ans.

Préservation

Température : env. 20°, stable et sans variations brusques. **Hygrométrie** (mesure de l'humidité relative de l'air) : 45 à 55 % sans variations brusques. **Filtre à air :** parfois nécessaire pour éviter gaz sulfureux, gaz carbonique, suies, poussières. **Isolation** des vibrations aériennes (bruit) ou solides transmises par le bâtiment, pour les objets fragiles ou les peintures mal fixées sur leur support. **Rayonnement lumineux.** Entraînent les radiations ultraviolettes [réactions photochimiques invisibles, en particulier pour les œuvres contenant des matières organiques (colorants, vernis)]. On cherche à les éliminer au maximum par des filtres. Les infrarouges, venant en particulier de lampes à incandescence, peuvent entraîner un échauffement dangereux qui agit aussi sur l'hygrométrie ambiante.

Mesure de la lumière (en lux) et protection des objets. Métaux, céramiques, minéraux, bijoux, pierre : peu sensibles, 500 lux, en réduisant au maximum l'échauffement. Peinture à l'huile, bois peint, émaux : sensibles, 300 lux ; limiter les infrarouges, arrêter les ultraviolets avec des filtres contrôlés régulièrement. *Aquarelles, tissus, tapisseries, costumes, dessins, miniatures, cuirs peints, reliures, parchemins, ivoire, os, écaille, plumes, spécimens d'histoire naturelle :* très sensibles. Limiter la lumière en temps et en quantité. Filtres anti-ultraviolets, 50 lux, et si possible exposition de courte durée. Jamais de rayonnement direct sur un objet. Aucune source de lumière n'est parfaitement inoffensive.

180 000 v. **Découverte** (Palais de la) f. 1937 par F. Perrin, 590 000 v. XIXe **s. Français** (m. du) ouvert 1987 dans l'ancienne gare d'Orsay 2 092 396 v. pay. **Ennery** (m. d'). **Eugène-Delacroix** (m.) 29 574 v. (24 368 pay.). **Grand Palais** (Galeries nat. d'exposition du) f. 1964 par André Malraux. 200 expos. ; Renoir (1985) 824 688 v. (record). **Grande Galerie** (ouverte 22-7-1889, fermée 1964) abritait 1 150 000 espèces d'animaux dont 1 baleine de 32 m. **Grévin** (m.). **Guimet** (m., art asiatique, 6 000 objets) fondé 1879 et donné à l'État 1884 par Émile Guimet, industriel et savant (1836-1918) : 106 809 (63 865 pay.). **Gustave Moreau** (m.), f. 1903, 6 000 objets, 25 000 v. **Hébert** (m.), 4 866 (4 001 pay.). **Henner** (m), f. 1921, 1 520 œuvres. **Histoire de France** (m.), f. 1867 par Nap. III, 30 000 v. **Histoire naturelle** (Muséum nat. ; Jardin des Plantes). **Homme** (m. de l'), f. 1937 par Paul Rivet, + d'1 million d'objets, 225 286 v. (1990), préhist., anthropologie, ethno. **Hôpitaux de Paris** (m. des), f. 1934, 15 000 v. **Jacquemart-André** (m., Institut). **Légion d'Honneur** (m. nat.), f. 1925, 13 956 v. **Marine** (m. de la), f. 1827, 2 000 objets, 231 000 v. (1990). **Marmottan** (m.), f. 1932 (donation de Jules Marmottan à l'Institut). **Mines** (école nat. sup. des) rénovation 1987-89. **Monnaie** (m.), f. 1827 par Darcet et Collin de Sussy, 2 850 objets, 14 400 v. **Monuments français** (m. des) créé 1882, 6 000 moulages des monuments et sculptures, 5 000 m² de peintures murales : 41 545 v. (24 798 pay.). **Nissim-de-Camando** (hôtel construit 1914) donné par Moïse, son père, à l'Union des Arts décoratifs en 1935, décor XVIIIe s. 800 objets, 27 936 v. (1990). **Orangerie,** collection Walter Guillaume et Nymphéas de Monet, 144 peintures, 329 014 v. (1989). **Picasso** (m.) ouvert 1985 à l'Hôtel Salé, donation des héritiers de Picasso (200 tableaux, 1 000 dessins, 137 sculptures) 329 854 v. pay. **Rodin** (m.) f. 1916, 522 184 v. **Sciences et industries** (Cité des) 1980-87, dans les anciens abattoirs de la Villette, voir Index. **Techniques** (m. nat.) f. 1794 par l'abbé Grégoire, 150 000 v.

Région parisienne

Compiègne (m. du château de) 227 349 v. (65 031 p.). **Courbevoie** (m. Raybet-Fould) f. 1927, 25 000 v. **Écouen** (m., Renaissance) (f. 1977) 80 000 v. (13 156 p.). **Fontainebleau** (m. du château de) 502 833 v. (287 725 p.). **Port-Royal** (m. des Granges de ; Magny-les-Hameaux-Yvelines) (f. 1962) 10 000 v. **Rueil-Malmaison** [m. de Malmaison et Bois-Préau (f. 1907), annexe Bois-Préau 1958] 116 000 v. **St-Cloud** (m. historique) (f. 1975). **St-Germain-en-Laye** (m. des antiquités nat. de) (f. 1862) 200 000 v. **Sceaux** (m. Ile-de-France). **Sèvres** (m. de) céramique 34 936 v. (24 909 p.). **Versailles et Trianons** (m. du château de) voir p. 361. **Versailles** (m. du Jeu de paume) 416 703 v. **Versailles** (m. Lambinet) (f. 1932) 20 000 v. **Vincennes** (m. et Sainte-Chapelle) 50 766 v.

Province

• **Musées nationaux. Ajaccio :** *m. Bonaparte* (fondé 1927) 69 517 v. pay. **Biot :** *m. Fernand-Léger* (fondé 1960). **Les Eyzies-de-Tayac :** *m. de préhistoire.* **Blérancourt :** *m. du château* (coop. franco-amér.) (fondé 1929), 11 292 v. **Dijon :** *m. Magnin* (coll. léguée à l'État, 1937). **Ile d'Aix (l') :** *m. napoléonien et m. africain* (f. 1927-33) 57 007 v. (26 445 p.). **Limoges :** *m. Adrien-Dubouché* (f. 1845) 30 000 v. **Mouilleron-en-Pareds :** *m. des 2 Victoires Clemenceau-de Lattre* 9 262 v. (5 948 p.). **Nice :** *m. du message biblique de Marc Chagall.* **Pau :** *m. du château* (f. 1927) 135 470 v. **Vallauris :** *m. Picasso* (f. 1977) 60 000 v.

• **Musées classés et contrôlés (visiteurs). Aix-en-Provence :** *m. Granet.* **Albi :** *m. de Toulouse-Lautrec* (f. 1876) 138 220. **Amiens :** *m. de Picardie* (f. 1867) 49 731 (p.). **Angers :** *m. des Beaux-Arts, Turpin de Crissé* (f. 1889) 12 361. **Arras :** *m. des Beaux-Arts* (f. 1825) 14 423 ; *m. de la Résistance et de la Déportation.* **Avignon :** *m. Calvet* (f. 1811) 40 000 ; *m. du Petit Palais* (f. 1948) 43 749 (p.). **Besançon :** *m. des Beaux-Arts* (f. 1694, 1re collection accessible au public en France) 47 772. **Bordeaux :** *m. des Beaux-Arts* (f. 1801), 42 000 ; *m. d'Aquitaine* (f. 1987), 110 000. **Bourges :** *m. du Berry.* **Caen :** *m. de Normandie* (f. 1946), 74 351 ; *m. des Beaux-Arts* (f. 1801) 28 000. **Castres :** *m. Goya* (f. 1840), 25 209 ; *m. Jean-Jaurès.* **Chambéry :** *m. des Beaux-Arts, savoisien.* **Chantilly :** *m. Condé* (f. 1884) 270 000. **Colmar :** *m. d'Unterlinden* (f. 1849) 350 000. **Dijon :** *m. des Beaux-Arts* (f. 1787) 136 293. **Grenoble :** *m. de peinture et de sculpture* (f. 1796) 71 483 (p.). **Le Havre :** *m. des Beaux-Arts André-Malraux.* **Lille :** *m. des Beaux-Arts* (f. 1793) 100 000. **Lyon :** *m. des Beaux-Arts* (f. 1801), 150 217 ; *m. de la Chambre de Commerce* (tissus et arts décoratifs) (f. 1890), 100 000 ; *m. de la civilisation gallo-romaine* 130 151 ; *m. historique de Lyon* (f. 1921) par É. Herriot, 51 698 ; *m. de la marionnette* (Gadagne) (f. 1950). **Le Mans :** *m. de Tessé* (f. 1795), 21 585 ; *m. de la Reine Bérengère* (f. 1925), 32 884 ; *m. de la Collégiale St-Pierre-la-Cour* 14 640. **Marseille :** *m. Borély* (archéologie) (f. 1863) (fermé) ; *m. des Beaux-Arts* (f. 1869), (22 541) ; *m. Cantini ; m. de la Vieille Charité* 64 600. **Metz :** *m. d'art et d'histoire* (f. 1839) (55 119). **Montauban :** *m. Ingres* (f. 1867) 25 899. **Montargis :** *m. Girodet.* **Montpellier :** *m. Fabre* (f. 1825) 75 000. **Moulins :** *m. municipal* (f. 1910), 10 547. **Mulhouse :** *m. français du chemin de fer* (f. 1969), 175 984 ; *m. de l'impression sur étoffe* 23 000. **Nancy :** *m. des Beaux-Arts* (f. 1801), 56 110 ; *m. historique lorrain* 71 136. **Nantes :** *m. des Beaux-Arts* (f. 1801) 119 290 *m. Dobrée* (f. 1860), 44 884 ; *château de Bretagne* (f. 1924-28) 200 000. **Nemours :** *m. de préhistoire d'Ile-de-France* (f. 1981) 26 727 (p.). **Nice :** *m. municipaux* 600 000 (pour les 17 m.). **Orléans :** *m. des Beaux-Arts* (f. 1823) 35 731 ; *m. historique et archéologique de l'Orléanais* (f. 1855) 6 345. **Perpignan :** *m. Rigaud* (f. 1830) 19 000 ; *m. numismatique.* **Poitiers :** *m. municipal* (f. 1794). **Quimper :** *m. des Beaux-Arts.* **Reims :** *m. des Beaux-Arts ; m. du Palais du Tau* (f. 1972). **Rennes :** *m. des Beaux-Arts* (f. 1799) 50 000, *m. de Bretagne* (f. 1960), 42 000. **Rouen :** *m. des Beaux-Arts* (f. 1801), 98 832 ; *de la céramique* (f. 1984) 30 000 ; *m. départemental de la Seine-Maritime.* **St-Étienne :** *m. d'art moderne* (f. 1987), 80 000. **St-Paul-de-Vence :** *fondation Maeght* (f. 1964), 200 000. **St-Rémy-de-Provence** (Culture : direction du Patrimoine). **Saint-Tropez :** *m. de l'Annonciade* (f. 1955) 40 000. **Saumur :** *m. des arts décoratifs* (f. 1919) et *m. du cheval* (f. 1911), 140 000. **Senlis :** *m. Jacquemart-André, dom. de Chaalis* (f. 1912) 25 000 ; *m. de la vénerie* (f. 1934), 7 500. **Sens :** *m. municipal* (f. 1842) 27 162. **Strasbourg :** *m. archéologique* (f. 1860) 25 000 ; *m. alsacien* (f. 1907), 66 000 ; *m. d'art moderne ; m. des Beaux-Arts.* **Toulouse :** *m. des Augustins* (f. 1793). **Tours :** *m. des Beaux-Arts* (f. 1794). **Troyes :** *m. des Beaux-Arts et d'archéologie* (f. 1790) 21 136 ; *m. d'art moderne* (donation Levy) (f. 1982) 40 000 ; *m. d'histoire* (f. 1934) 17 912 ; *m. de la pharmacie* (f. 1976), 9 264. **Valenciennes :** *m. des Beaux-Arts* (f. 1795), 22 950. **Vienne :** *m. des Beaux-Arts et d'archéologie.* **Villeneuve-d'Ascq :** *m. d'art moderne du Nord* (f. 1983) 100 000. **Villeneuve-lès-Avignon :** *m. Pierre de Luxembourg* (f. 1868). **Vizille :** *m. de la Révolution française* (f. 1984) 39 800.

☞ **M. de la ville de Paris :** *M. d'art moderne de la ville de Paris* (f. 1961). Maison de Balzac. M. Carnavalet. M. Cernuschi. M. du Costume et de la Mode. M. du Petit Palais. Maison de Victor Hugo. Galerie des plans et reliefs inaugurée le 16-1-87 (195 000 v. en 1989). *M. Marmottan* (Institut fondé 1934 : Empire, impressionnistes, enluminures 60 000 v.).

☞ **Comparaisons. Subventions aux établissements publics en 1987 (en millions de F).** Opéra 363, Centre Pompidou 266, Comédie-Française 104, Bibliothèque nat. 86, Opéra de la Bastille 54, ENS des Arts décoratifs 5.

• **Foire internationale d'art contemporain (FIAC).** *Créée* 1974 par O.I.P. 62, 1er président : Daniel Gervis (1975). Existe aussi à : Los Angeles (1984), Chicago (1979), Cologne (1967), Bâle (1970), Düsseldorf (1973). Le Comité d'organisation COFIAC (62, rue de Miromesnil, 75008 Paris) définit les axes politiques et prononce l'admission des exposants.

Expertises et ventes

Quelques ventes historiques

Biens de *Nicolas Fouquet* (Paris, 1665-66) sur saisie. *Mme de Saint-Paul* veuve du directeur des domaines de Bretagne (Paris, 1749). *Duc de Choiseul* tableaux (Paris, 1772 ; en déc. 1786, son épouse dut se séparer de tout ce qui lui restait). *Paul-Louis Randon de Boisset* (Paris, 1777). *Duc d'Aumont* (Paris, 1782). *Cte d'Orsay* (Paris, 1790-91). *Cte de Choiseul-Gouffier* sculptures antiques (Paris, 1816). *Vivant-Denon* (dir. gén. du Musée central des Arts ; Paris, 1826). *Succession Courbet* (Paris, 1881 ; 33 tableaux) ; *succession Édouard Manet* (Paris, 1884). *Jacques Doucet* (Paris 1912 et 1972). *Succession André Derain* (Paris, 1955). *Raphaël Esmérian* (Paris, 6-6 et 8-12-1972, 6-6 et 11-12-1973, 18-6-1974).

Commissaires-priseurs

• **Historique** *XIIIe s.,* St Louis crée les *sergents à verge* à Paris puis les *sergents à cheval* dans les provinces. *1556,* édit d'Henri II créant des *offices de priseurs vendeurs* de meubles. *Févr. 1691,* Louis XIV crée 120 *huissiers-priseurs* à Paris et, par un édit du 16-10-1696, des *jurés-priseurs* dans les provinces. *1713,* pour la 1re fois appellation de commissaire-priseur. *Révolution,* profession supprimée. *1801,* 80 c.-priseurs rétablis à Paris. *1815,* les c.-p., établis dans une même ville, avaient versé la moitié de leurs honoraires à une « bourse » répartie entre tous les intéressés. *1816,* c.-p. en province. *1924* (20-4), loi permettant aux femmes d'être c.-p. *1945,* 2 décrets réorganisent la profession. *1949,* 1re femme c.-p. en France. *1969,* décret autorisant les c.-p. à s'associer avec des tiers. *1973,* décret sur la discipline des off. publics et ministériels. *1977,* 1re femme commissaire-p. *1985,* décret fixant le tarif des c.-p. *1989*-19-12 (loi, art. 8), « bourse commune de résidence » supprimée (elle rapportait env. 400 000 F pour chaque étude mais représentait env. 500 000 F de manque à gagner pour l'étude la plus importante).

Salles des ventes à Paris

• **Hôtel des ventes : Nouveau Drouot.** 9, rue Drouot, 75009 Paris (inauguré 13-5-1980 à l'emplacement de l'hôtel construit en 1851-52). Exposition des objets la veille de la vente, de 11 h à 18 h, et le jour même de 11 h à 12 h. *Ventes :* généralement à partir de 14 h, parfois le matin, en soirée ou le dimanche. *Objets vendus par an :* env. 350 000 en 2 000 ventes. *Visiteurs :* 7 000/j. **Drouot Nord.** 64, rue Doudeauville, 75018 Paris. Ouvert de 8 h 45 à 12 h 30. Pas d'exposition préalable. *Ventes :* le matin, du lundi au vendredi, à partir de 9 h. **Drouot Véhicules.** 17, rue de la Montjoie, 93210 La Plaine-Saint-Denis. Exposition à 12 h. *Ventes :* rue de la Montjoie le mardi à 14 h. 2, rue des Fillettes le jeudi à 14 h. **Drouot Montaigne.** 15, av. Montaigne, 75008 Paris. Env. 100 ventes par an. **Renseignements :** « La Gazette de l'Hôtel Drouot », 10, rue du Fbg Montmartre, 75009 Paris, ou Minitel 3615 code Drouot ou IVP.

• **Domaines.** Dépendant du ministère des Finances. *Vente :* biens venant du service public ; objets trouvés ; biens de personnes disparues sans héritier ; biens préemptés par l'État à la suite d'une transaction frauduleuse. *Mode d'adjudication pour biens, meubles et objets divers :* enchères verbales (l'adjudicataire est l'enchérisseur le plus offrant) ou par soumission cachetée (l'adjud. est l'auteur de l'offre écrite la plus élevée). Parfois les 2 systèmes coexistent. *Biens immobiliers :* enchères verbales et extinction des feux au profit du plus offrant. **Renseignements :** 17, rue Scribe, 75009 Paris ; « Bulletin officiel des annonces des Domaines (BOAD) ». Minitel 3615 code IVP.

• **Crédit municipal.** Établissements de prêts sur gages ; vendent des objets d'emprunteurs défaillants. *Nombre :* 21 crédits municipaux autonomes en France. *Prêts par an :* 85 000 (dont 50 % n'atteignent pas 1 000 F) sur gage de 3 750 F en moyenne. *Ventes :* env. 200 par an.

Statistiques

Nombre de commissaires-priseurs. *1990 :* 440 dont femmes 64 (Paris 91 dont 9 femmes). **Nombre d'études.** *1989 :* 339 (Paris 67).

Chiffre d'affaires de la profession (millions de F). France. *1986 :* 1 566 (dont œuvres d'art 60 %), Ader, Picard, Tajan 263, Audap, Godeau, Solanet 85, Loudmer 75, Couturier-Nicolaï 69, Laurin, Guilloux, Buffetaud, Tailleur 62, Boisgirard 58, Poulain 53, Briest 49. *1987 :* 2 223. *1989 :* 8 923 dont *Paris* 4 752 [dont Drouot Richelieu 2 235 (en 1 910 ventes), Drouot Montaigne 1 544 (en 100 ventes)] province 4 171 dont, *région parisienne* 1 115 (en 26 ventes). *1988 :* 14 700 (dont en 1 séance 1 300). *1989 :* 18 600. *1990 :* [**Sotheby's** (fondé à Londres 1744). *1988 :* 14 800. *1989 :* 18 600. *1990 :* 15 345 **Christie's** (créé par James Christie, 1re vente 5-12-1776). *1988 :* 10 500 (dont New York 5 700, Londres 3 500). *1989 :* 13 300]. *1990 :* 11 100.

Produit des ventes nationales en millions de F (1990) 9 714,4 dont Paris 5 044,9 ; province 4 669,5. 77 villes ont totalisé un produit de ventes supérieur à 15 millions de F.

Nombre d'études selon le chiffre d'affaires. *Paris : + d'1 000 MF :* 1 (Ader, Picard, Tajan 1 400 en 1989). *300 à 400 :* 3. *150 à 165 :* 4. *80 à 120 :* 8. *40 à 60 :* 10. *15 à 40 :* 20. *Région parisienne :* 2 dépassent 200 MF (Enghien, Versailles).

Enchère de + d'1 million de F à Paris. *1988 :* 264. *1989 :* 510 [dont 1 de + de 30 millions (les Noces

Mécénat

Régimes fiscaux du mécénat. Exonérations et montants déductibles.

Allemagne fédérale : 10 % du revenu, 2 ‰ du chiffre d'affaires. **Belgique :** 10 % du revenu net, 10 millions de F belges. **France :** pour des dons à des œuvres d'intérêt général, social et culturel : 1 ‰ du ch. d'aff., 2 ‰ du ch. d'aff. pour les associations ayant le double agrément du min. de l'Économie et des Finances et du ministère de la Culture à partir du 1-1-1985, 1 à 5 % du revenu imposable (pièces justificatives à fournir) dep. le 1-1-1984 ; par ailleurs, déductible du bénéfice au titre des frais généraux si la signature de l'entreprise est expressément mentionnée sur le tract ou l'affiche, etc., dep. le 12-4-1985. **Italie :** 2 % du bénéfice ou 5 ‰ de la masse des salaires. **Luxembourg :** 5 % du revenu net ou 5 millions de F lux. **Pays-Bas :** 10 % du revenu net, 3 % du bénéfice des sociétés.

Nombre de fondations. U.S.A. 30 000. G.-B. des dizaines de milliers de « charities ». All. féd. 10 000. Suisse 10 000. France 300.

Conseil supérieur du mécénat culturel. *Créé* par le min. de la Culture en février 1987. *Pt :* Michel David-Weill. *Vice-pt :* Jean Castarède.

☞ **Mécénat industriel.** *Association pour le développement du mécénat industriel et commercial.* 116, rue de La Boétie, 75008 Paris.

de Pierrette de Picasso), 3 de 20 à 30, 11 de 1 à 20, 29 de 5 à 10, 466 de 1 à 5].

Records (en millions de F, 1989). Prix atteint pour un artiste vivant : 124 (interéchange de De Kooning) ; sculpture 64,8 (bronze du XVIIIe s. d'Adrien de Vries).

Étude Ader-Picard-Tajan. Sté civile de c.-p. la + importante de Paris. Créée 1972. Chacun des associés est titulaire d'un office : Me Picard (nommé c.-p. 1964) successeur de Me Charpentier, Me Antoine Ader (1966), de Me Bizouard, Me Jacques Tajan (1971), de Me Boisnard, Me Rémy Ader (1978), de Me Étienne Ader (dont le frère Maurice avait repris l'étude de Lair-Dubreuil). Vend env. 50 000 objets par an (en 202 ventes). *Chiffres d'affaires* (en millions de F) : *1988 :* 745 ; *1989 :* brut 1 392, net 1 148 après déduction de 17 % de rachats (243) [dont en % : tableaux modernes 41, t. anciens 16, mobilier, objets d'art 16, arts déco 7, livres 4 ; divers 16].

• **Statut. Conditions d'entrée.** Le *commissaire-priseur* doit : être licencié en droit + D.E.U.G. d'hist. de l'art ou vice versa, + examen d'entrée permettant de suivre 2 ans de stage dans une étude de c.-priseur ; à la fin du stage, réussir un examen professionnel qui autorise à traiter avec un c.-priseur démissionnaire pour reprendre son office ou possibilité d'exercer la prof. sous la forme de Sté civile prof. **Nomination.** Par arrêté du ministre de la Justice. Le c.-p. prête serment et ne peut se livrer à aucun acte de commerce. Une chambre de discipline veille au respect des lois et des règlements.

• **Prisée.** Acte par lequel un commissaire-priseur fait l'inventaire d'un bien et procède à son estimation, pour une expertise, en vue d'un partage ou d'un contrat d'assurance. 1° *Si l'estimation des meubles sert de base à un partage ou à la formation de lots, sur chaque article :* 2 % de 1 à 7 500 F ; 1 % de 7 501 à 20 000 F ; 0,25 % de 20 001 à 150 000, 0,10 % au-dessus (+ 18,60 % de T.V.A.).

Le notaire ou le commissaire-priseur qui établit des actes rémunérés par des émoluments proportionnels dans lesquels sont repris les meubles soumis à la prisée ne perçoit aucun émolument sur la partie du capital correspondant à la valeur prisée desdits meubles. Il en est de même pour les déclarations de succession établies par les notaires.

2° *Autres cas, sur chaque article :* 1 % jusqu'à 3 000 F ; 0,50 % de 3 001 à 10 000 F ; 0,25 % au-dessus. Toutefois il n'est dû au c.-priseur, dans les cas prévus à l'art. 943 C. proc. civ., que des honoraires de vacation réglés comme spécifié au tarif des notaires. Si dans les 6 mois qui suivent la date de la prisée, le commissaire-priseur est requis de vendre les meubles, les émoluments prévus au présent article seront imputés sur l'émolument de vente.

☞ *Adresses :* **Compagnie des commissaires-priseurs,** 16, rue du Docteur-Lancereaux, 75008 Paris. **Christie's France,** 6, rue Paul-Baudry, 75008 Paris. **Sotheby's France,** 3, rue de Miromesnil, 75008 Paris.

Ventes publiques à Paris

• **Conditions d'achat dans une vente publique.** Versement au comptant : en espèces jusqu'à 10 000 F, par chèque certifié ou avec une lettre accréditive de la banque. En cas de chèque non certifié, le commissaire-priseur peut différer la livraison des objets jusqu'à son encaissement. **Garantie.** Les acquéreurs bénéficient d'une garantie trentenaire en matière d'objets d'art.

Frais légaux. A la charge de l'acheteur : droits d'enregistrement, honoraires des c.-p. et remboursements de frais (+ sur ces 2 derniers postes, T.V.A. de 18,60 %). *Barème par lot et par tranche en % (dont T.V.A.) : Nouveau Drouot et Drouot Nord : de 0 à 15 000 F :* 12,674 (1,674), *de 15 001 à 40 000 :* 8,226 (0,9765), *de 40 001 à 300 000 :* 6,151 (0,651), *au-dessus de 300 000 :* 4,965 (0,465), *de 15 001 à 40 000 :* 7,144 (1,9765), *de 40 001 à 300 000 :* 5,987 (0,651). *Drouot Véhicules de 0 à 15 000 :* 10,664 (1,674), *au-dessus de 300 000 :* 5,137 (0,465) + 300 F T.T.C. env. pour les voitures vendues avec un autobilan.

• **Droit de suite.** Créé par la loi du 11-3-1957 pour les *œuvres graphiques et plastiques* au profit du créateur ou de ses héritiers directs durant 50 ans (+ durée légale des 2 guerres mondiales) à 3 % du prix d'adjudication. 2 à 6 % en Belgique, inconnu en G.-B., U.S.A. et autres pays.

• **Impôts.** Exonération jusqu'à 20 000 F. Au-dessus, taux forfaitaire de 4 % pour bijoux, objets d'art, de collection ou d'antiquité, même si l'opération ne dégage pas de plus-value. Entre 20 000 et 30 000 F 4 % calculés sur le prix de vente diminué d'une somme égale à la différence entre 30 000 F et ce prix.

Experts

Nombre. Env. 400 dont 150 inscrits au Syndicat français des experts professionnels en œuvres d'art, 81, rue St-Dominique, 75007 Paris. 24 spécialités.

Statuts. N'importe quel marchand ou amateur d'art peut se déclarer expert. Le titre d'expert n'est pas reconnu mais il apparaissait dans le décret du 21-11-1956 remplacé par le décret du 29-3-1985.

L'expert (et, en cas de décès, ses héritiers) est responsable 30 ans de ses erreurs sur l'authenticité des biens expertisés (loi de la responsabilité trentenaire, en vente publique et en clientèle privée).

Honoraires d'expertise en vente publique (en % de la vente réalisée par un commissaire-priseur avec l'assistance d'un expert). Animaux vivants de race, chevaux de sang et demi-sang (3). Armes anciennes, décorations, souvenirs historiques (3). Arts précolombien, océanien, nègre (3). Autographes et livres à l'unité (6). Bijoux comportant des pierres précieuses (3). Céramiques anciennes (3). Dentelles (3). Dessins (3). Estampes (5). Extrême-Orient (5). Hte Époque, Moyen Age, Renaissance (5). Histoire naturelle (3). Instruments de musique anciens, instruments de musique à cordes de toutes époques (3). Livres (ventes sans catalogues) (5). Monnaies et médailles (5). Objets d'art, de curiosité et d'ameublement anciens des XVIIe et XVIIIe s. (3). Orfèvrerie ancienne (3). Tableaux anciens (3). Tabl. et sculptures modernes (3). Tapis d'Orient (3). Timbres-poste (6). Tissus anciens (3).

Expertise pour compte privé (succession, partage, sinistres, assurances). Barème du Synd. français des experts prof. en œuvres d'art. Env. 2 % de la valeur de l'objet + frais de déplacement (province ou étranger) + T.V.A. 18,60 %. Pas de barème imposé.

Musique

Liste des abréviations. *Ba.* ballet ; *ca.* cantate ; *ch.* chanson ; *cho.* choral ; *clar.* clarinette ; *cl.* clavecin ; *com. m.* comédie musicale ; *ct.* concerto ; *dr.* dramatique ; *ens. ins.* ensemble instrumental ; *ét.* étude ; *fa.* fantaisie ; *fl.* flûte ; *folkl.* folklore ; *fu.* fugue ; *guit.* guitare ; *h.* harpe ; *hb.* hautbois ; *li.* lied ; *lr.* lyrique ; *ma.* madrigal ; *mél.* mélodie ; *me.* messe ; *mo.* motet ; *m. con.* musique contemporaine, *m. ch.* de chambre, *élec.* électronique, *aléat.* aléatoire, *m. films* de films, *m. orc.* pour orchestre, *m. graph.* graphique, *m. sér.* sérielle, *m. concr.* concrète, *m. rel.* religieuse, *m. th.* de théâtre ; *œ. ch.* œuvre chorale, *œ. in.* instrumentale, *œ. voc.* vocale ; *O.* opéra (*O. b.* bouffe, *O. c.* comique) ; *o.* opérette ; *or.* oratorio ; *o. ch.* orchestre de chambre ; *org.* orgue ; *ouv.* ouverture ; *pa.* passion ; *pi.* piano ; *ps.* psaume ; *q.* quatuor ; *Q.* quintette ; *req.* requiem ; *rm.* romantique ; *sér. :* sérénade ; *so.* sonate ; *su.* suite ; *sy.* symphonie ; *sy. conc.* symphonie concertante ; *tr.* trio ; *val.* valse ; *var.* variation ; *vi.* violon ; *vlc.* violoncelle.

Principaux compositeurs

Afrique du Sud

VOLANS, Kevin (1949) : O., m. ch., q., m. voc.

Allemagne et Autriche

Nota : * Autrichien.

Nés avant 1600

ECCARD, Johann (1553-1611) : me., mo., près de 250 compositions polyphoniques.
FINCK, Heinrich (1445-1527) : Deutschelieder, hymnes, mo., me.
HASSLER, Hans Leo (1564-1612) : mo., me., ps., Sacri concentus vocum.
HOFHAIMER, Paul (1459-1537) : li. et mo.
ISAAC, Heinrich (v. 1450-1517 ; or. flamande) : m. re. (40 me., 50 mo.), lieder, chansons, œ. in.
LUTHER, Martin (1483-1546) : cho. (Ein feste Burg).
LES MEISTERSINGER (maîtres chanteurs) : Heinrich von MEISSEN (1250-1318), Hanz FOLZ (1450-1515), Hans SACHS (1494-1576).
NICOLAI, Philipp (1556-1608) : 2 cho.
PRAETORIUS, Hieronymus (1560-1627) : chants sacrés, 5 Magnificats, 6 me.
PRAETORIUS, Michael (1571-1621) : m. re. (+ 1 200 mo.).
SCHEIDT, Samuel (1587-1654) : œ. org., in.
SCHEIN, Johann Hermann (1586-1630) : 200 cho., mo., ma., 20 su.
SCHÜTZ, Heinrich (1585-1672) : 4 pa., or., ps., mo., symphonies sacrées.
SENFL, Ludwig (v. 1490-1542 ou 43) : me., mo., li.
WALTER, Johann (1496-1570) : 1er livre de chants protestants : Geystliche Gesangbüchlein.

Nés entre 1600 et 1700

ALBERT, Heinrich (1604-51) : li. re. et prof.
BACH, Johann Christoph (1642-1703) : ca., mo., 44 cho. org.
BACH, Johann Michael (1648-94) : mo., cho. org.
BACH, Johann Sebastian (1685-1750) : œ. org. (Livre d'orgue, cho., préludes, fu., toccatas, passacaille, 6 so.), œ. cl. (Clav. bien tempéré, inventions, préludes et fu., fa. chromatique, 6 su. franç., 6 su. angl., 6 partitas, toccatas, so.), m. re. (Magnificat, pa., me., 200 ca., 6 mo.), m. in. (6 ct. brandebourgeois, ct. divers, Art de la fugue, Offrande musicale, 6 so. vi., 6 su. vlc., so. flûte), m. orc. (ouv. ou su.).
BIBER, Heinrich von (1644-1704) : œ. vi.
BOEHM, Georg (1661-1733) : œ. cl., org., pa., ca., li.
BUXTEHUDE, Dietrich (1637-1707) : œ. org., cl., ch.
ERLEBACH, Philipp Heinrich (1657-1714) : ca., su., œ. in., O. (Singspiel), li.
FROBERGER, Johann Jakob (1616-67) : œ. org., cl.
FUX, Johann Joseph (1660-1741) : 50 me., m. re., O., or., 36 so.
HAENDEL, Georg Friedrich (1685-1759) (mort Anglais) : 40 O. (Xerxès, Jules César, Rinaldo), ca.,

ps., mo., 5 Te Deum, 28 or. (le Messie, Judas Macchabée, Israël en Égypte), 2 pa., 16 ct. org., œ. or. (Water Music, Royal Fireworks Music), nombreuses œ. in., œ. cl. (su., fu., var.).
HASSE, Johann Adolph (1699-1783) : 60 O., or., mo., me., œ. in.
KEISER, Reinhard (1674-1739) : pa., or., mo., ps., 120 O. (Basilius), m. ch.
KINDERMANN, Erasmus (1616-55) : m. re.
KUHNAU, Johann (1660-1722) : so. cl., ca.
KUSSER, Johann Sigismund (1660-1727) : 14 O. (Scipion l'Africain), su. in.
LÜBECK, Vincent (1656-1740) : 3 ca., œ. org.
MATTHESON, Johann (1681-1764) : 8 O., 24 or., pa., me., œ. in.
MUFFAT, Georg (1653-1704) : ct., su. orc., œ. cl.
PACHELBEL, Johann (1653-1706) : m. ch., œ. org., cl., ca., mo.
QUANTZ, Johann Joachim (1697-1773) : œ. fl.
REINKEN, Jan Adam (1623-1722) : or., so. org.
RICHTER, Ferdinand (1649-1711) : sér., or., œ. dr.
ROSENMÜLLER, Johann (v. 1619-84) : œ. voc., in., me., mo.
TELEMANN, Georg Philipp (1681-1767) : + 1 000 ca., 44 pa., 600 ouv., œ. or. (Tafelmusik), ct., 40 O., œ. in.

Nés entre 1700 et 1800

BACH, Carl Ph. Emmanuel (1714-88) petit-fils de J.-S. : or., 13 sy., so., fa., ct.
BACH, Johann Christian (1735-82) petit-fils de J.-S. : Req., ct., so., sy.
BACH, Johann Christoph Friedrich (1732-95) : 6 or., 14 sy., ct. grossos.
BACH, Wilhelm Friedemann (1710-84) fils de J.-S. : œ. cl. (polonaises, fa., so.), 21 ca.
BEETHOVEN, Ludwig Van (1770-1827) : 9 sy. *n° 1* en ut majeur op 21, *n° 2* en ré majeur op 36, *n° 3* en mi bémol majeur op 55 « Héroïque », *n° 4* en si bémol majeur op 60, *n° 5* en ut mineur op 67 « du Destin », *n° 6* en fa majeur op 68 « Pastorale », *n° 7* en la majeur op 92 « Apothéose de la danse », *n° 8* en fa majeur op 93, *n° 9* en ré mineur op 125 « Hymne à la joie », ouv., 5 ct. pi., 1 ct. vi., 1 triple ct., 32 so. pi., 10 so. pi. vi., 5 so. pi. vlc., trios, 16 q., Q., Missa Solemnis, li. (A la bien-aimée lointaine), 1 O. (Fidelio).
CRAMER, Johann Baptist (1771-1858) : 105 so., var. et ét. pi.
DANZI, Franz (1763-1826) : 16 O., ba., ca., or., œ. in., m. re., li.
DITTERSDORF, Karl Ditters von (1739-99) : sy., m. ch., m. re., ct., 50 O., env. 150 œ. pi.
EICHNER, Ernst (1740-77) : m. ch., 31 sy.
FILS, Anton (1730 ou 33-60) : 41 sy., œ. vlc.
GLUCK, Christoph Willibald von (1714-87) : 107 O. (Orphée et Eurydice, Iphigénie en Aulide, Iphigénie en Tauride, Alceste), ba. (Sémiramis).
GOLDBERG, Johann Gottlieb (1717-1756) : 2 ca., 2 ct. cl., œ. cl. et so.
GRAUN, Heinrich (1704-59) : 27 œ. dr., œ. re., O.
GRAUN, Johann (1703-71) : 100 sy., 1 pa., ca.
HAYDN, Franz Joseph (1732-1809)* : 104 sy. (Oxford, Militaire, Ours, Miracle, Reine, Horloge, etc.), 83 q., trios, 62 so. pi., nombreux ct. et œ. in., m. re., or. (les Saisons, la Création), O.
HAYDN, Johann Michael (1737-1806)*, frère de Joseph : m. re. (28 me.), or., ca., 30 sy.
HOFFMANN, Ernst Theodor Amadeus (1776-1822) : Contes, O. (Ondine).
HOLZBAUER, Ignaz (1711-83) : 12 O., 60 sy., me., mo., or., m. ch.
HUMMEL, Johann Nepomuk (1778-1837) : œ. pi., m. ch., ct.
KITTEL, Johann Christian (1732-1809) : œ. org., pi.
LÖWE, Karl (1796-1869) : ballades, 10 or.
MARSCHNER, Heinrich (1795-1861) : 4 œ. dr., li., œ. pl. et orc., m. ch.
MEYERBEER, Giacomo (1791-1864) : ca., or., mél., m. orc., O. (les Huguenots, Robert le Diable).
MOZART, Wolfgang Amadeus (1756/5-12-1791)* : 41 sy. (Haffner, Linz, Prague, Jupiter, etc.), 24 O. (l'Enlèvement au sérail, les Noces de Figaro, Don Juan, Cosi fan tutte, la Flûte enchantée), Requiem, me. (« du Couronnement », « des Moineaux »), œ. voc., divertissements, sérénades, 23 ct. pi., divers ct., q., Q., trios, 19 so. pi., etc.
RICHTER, Franz Xavier (1709-89) : me., mo., sy.
RIEGEL, Henri Joseph (1741-99) : or. (Prise de Jéricho, Jephté), O. c., œ. pi.
RIEPEL, Joseph (1709-82) : m. re., m. sy.
RIES, Ferdinand (1784-1838) : sy., so., ct.
SCHUBERT, Franz (1797-1828)* : + 600 li. (la Belle Meunière, le Voyage d'hiver), 10 sy. (dont « l'Inachevée »), œ. pi. (so., impromptus, moments mus.), Q., q., trios, m. re., m. de scène (Rosamonde).
SPOHR, Louis (1784-1859) : m. ch., m. orc., 10 sy., œ. v., O.
STAMITZ, Johann (1717-57) : so., ct., m. ch., 74 sy.
STAMITZ, Karl (1745-1801) : 70 sy., ct., m. ch.
WEBER, Carl Maria von (1786-1826) : O. (Freischütz, Obéron, Euryanthe), m. ch., œ. pi. (so., var., Invitation à la valse), ct., 2 sy., m. re.

Nés entre 1800 et 1900

BERG, Alban (1885-1935)* : O. (Wozzeck, Lulu), mél., so., q., Concerto à la mémoire d'un ange, suite lyrique, œ. orc., œ. pi.
BRAHMS, Johannes (1833-97) : œ. pi. (so., var., Danses hongr., intermezzi), m. ch., 4 sy., 2 ouv., 2 ct. pi., 1 ct. vi., 1 ct. vi. et vlc., li., Requiem allemand.
BRUCH, Max (1838-1920) : 3 ct. vi., 3 or.
BRUCKNER, Anton (1824-96)* : 11 sy., me., ps., ca., q. et Q.
CORNELIUS, Peter (1824-74) : O. (le Barbier de Bagdad), li.
DAVID, Johann Nepomuk (1895-1977) : œ. ch., org., m. orc.
DESSAU, Paul (1894-1979) : œ. in., O. (l'Expérience de Lucullus, Puntila, Lancelot).
EISLER, Hanns (1898-1962) : 2 sy., ch., ca., m. ch., m. orch.
FLOTOW, Friedrich von (1812-83) : O. (Alessandro Stradella, Martha).
HINDEMITH, Paul (1895-1963) : O. (Mathis le peintre), œ. in. (so. pour divers instrum., nombreux ct.), œ. orc. (Métamorphoses), li., Ludus tonalis pour pi.
HUMPERDINCK, Engelbert (1854-1921) : O. (Hänsel et Gretel), m. sy., O. c.
JARNACH, Philipp (1892-1982) : Musique en mémoire du solitaire (q. à cordes).
KÁLMAN, Emmerich (1882-1953) : o. (Princesse Czardas).
KAMINSKI, Heinrich (1886-1946) : m. polyphon.
KORNGOLD, Erich Wolfgang (1897-1957)* : 2 so. pi., ouv., m. ch., 3 O (la Ville morte).
LEHÁR, Franz (1870-1948) : O. (la Veuve joyeuse, le Pays du sourire).
LORTZING, Albert (1801-51) : 5 O. (Undine).
MAHLER, Gustav (1860-1911)* : 10 sy., li., œ. voc (le Chant de la Terre).
MARX, Josef (1882-1964)* : poèmes sy., œ. chor., m. ch., 1 ct. pi.
MENDELSSOHN-BARTHOLDY, Felix (1809-47) : m. de scène (le Songe d'une nuit d'été), 17 sy. (dont l'Écossaise, l'Italienne, la Réformation), or. (Élias), m. ch., 2 ct. pi., 2 ct. vi., œ. pi. (Romances sans paroles), œ. voc.
NICOLAÏ, Karl Otto (1810-49) : O. (les Joyeuses Commères de Windsor), li.
ORFF, Carl (1895-1982) : œ. voc. et dr. (Carmina burana, Catulli carmina).
PFITZNER, Hans (1869-1949) : œ. scène, œ. voc., m. ch., O., 2 ct.
REGER, Max (1873-1916) : m. ch., li., m. orc., œ. ch., œ. org., œ. pi. (pièces var.).
SCHMIDT, Franz (1874-1939)* : 4 sy., var., O., or.
SCHOENBERG, Arnold (1874-1951)* : m. ch., O. (Moïse et Aaron, Erwartung), œ. voc. (li., Pierrot lunaire), œ. in. (la Nuit transfigurée), œ. pi., m. orch.
SCHREKER Franz (1878-1934) : O. (Der ferne Klang), m. ch., li., Kammersymphonie.
SCHUMANN, Robert (1810-56) : œ. pi. (Papillons, Carnaval, Kreisleriana, Scènes d'enfants, et. symphoniques, fa., 3 so., etc.), 5 sy., O. (Geneviève), m. ch. (so. pi. vi., trios, q., Q.), 240 li. (les Amours du poète, l'Amour et la Vie d'une femme).
STRAUSS, Johann I (1804-49)* : 250 œ., val., marches (Marche de Radetzky).
STRAUSS, Johann II (1825-99)* : 479 val. (le Beau Danube bleu), o. (la Chauve-Souris, le Baron tzigane).
STRAUSS, Richard (1864-1949) : poèmes sy. (Till l'Espiègle, Don Juan, Mort et Transfiguration, Ainsi parlait Zarathoustra), O. (le Chevalier à la rose, Elektra, Salomé), ct., li.
SUPPÉ, Franz von (1819-95)* : ouv. (Poète et Paysan), o. (la Dame de pique, Cavalerie légère), m. re., sy., li.
TOCH, Ernst (1887-1964) : O., o., gu.
WAGNER, Richard (1813-83) : O. [le Vaisseau fantôme, Tannhäuser, Lohengrin, l'Anneau du Nibelung (l'Or du Rhin, la Walkyrie, Siegfried, le Crépuscule des dieux), Tristan et Isolde, les Maîtres chanteurs de Nuremberg, Parsifal], m. sy., œ. voc., pi.
WEBERN, Anton von (1883-1945)* : 70 œ., 50 mél., 2 ca., m. orc., œ. pi., m. ch.
WELLESZ, Egon (1885-1974)* : 4 ba., 3 sy., 7 q., ca., 6 O., mo., li., su.
WOLF, Hugo (1860-1903)* : li., O. (le Corregidor), œ. orc. (Penthésilée).
ZEMLINSKY, Alexander von (1871-1942) : O., ba., m. orc., sy. lr., m. ch.

Nés après 1900

APOSTEL, Hans-Erich (1901-1972) : m. ch.
BAUR, Jürg (1918) : ct., sy., m. or., m. ch.
BEYER, Frank Michael (1927) : m. or. (Griechenland), ct., 3 q., m. ch.
BIALAS, Günter (1907) : ct., œ. voc., O.
BLACHER, Boris (1903-75) : O., or., var. orc., sy., ct.
BORRIS, Siegfried (1906-87) : O., sy., ca.
BOSE, Hans Jürgen von (1953) : O. (Das Diplom, Blutbund), m. orc. (Morphogenesis), m. ch., sy., 3 q.
BRESGEN, Cesar (1913-88) : O., m. orc.
CERHA, Friedrich (1926)* : m. orc. (Spiegel), m. ch.
DISTLER, Hugo (1908-42) : mo., or., œ. org.
DITTRICH, Paul-Heinz (1930) : m. ins., ct., m. élec., la Métamorphose d'après Kafka.
EDER, Helmut (1916) : O., ct., orc., m. ch.
EGK, Werner (1901-83) : O. (Irische Legende, Die Verlobung in San Domingo ; Der Revisor), ba., or., m. orc.
EINEM, Gottfried von (1918)* : O. (la Mort de Danton, le Procès), m. orc.
FORTNER, Wolfgang (1907-87) : O. (Bluthochzeit, In seinem Garten liebt Don Perlimplin Belisza, Elisabeth Tudor), m. ch., ba., m. orc.
HAMEL, Michael (1947) : m, orc., m. ch.
HARTMANN, Karl A. (1905-63) : 8 sy., 2 q., O., 3 ct.
HAUBENSTOCK-RAMATI, Roman (1919) : O., m. orc., m. élec., m. in., œ. voc.
HEILLER, Anton (1923-79) : m. org., m. religieuse.
HENZE, Hans Werner (1926) : O. (Boulevard Solitude, Élégie pour de jeunes amants, le Jeune Lord), ba. (Ondine), 7 sy., ct., œ. voc., m. orc.
HÖLLER, York (1944) : O. (Der Meister und Margarita), ct. pi., m. or., m. élec.
HUBER, Nicolaus A. (1939) : m. ch.
KAGEL, Mauricio (1931) (or. argentine) : m. av. garde, th. mus., m. élec. (Ludwig Van, Passion selon saint Bach, Mare nostrum).
KILLMAYER, Wilhelm (1927) : O., ba., m. orc., m. ch., œ. voc., 3 sy.
KIRCHNER, Volker David (1942) : O. (Belshazar, Erinys), m. or., ct. vi., m. ch., m. voc.
KLEBE, Giselher (1925) : Machine à pépiements (m. orc.), O., sy., ct.
KRENEK, Ernst (1900) (nat. américain) : m. sér., O. (Johny spielt auf), ba., m. orc., 8 sy., 10 ct., 7 q., œ. ch. et voc.
LACHENMANN, Helmut (1935) : m. élec., orc., ch.
LIGETI, György (1923) (or. hongroise) : m. orc. (Atmosphères, Ramifications), m. re. (Requiem), m. ch. O. (le Grand Macabre), œ. org. (Volumina).
MATTHUS, Siegfried (1934) : O., m. orc. (la Forêt), m. élec., m. ch.
MÜLLER-SIEMENS, Detlev (1957) : O., m. orc., m. ch.
REIMANN, Aribert (1936) : m. ch., ca., O. (Troades, Lear), ct. Requiem.
RIEDL, Joseph Anton (1929) : m. élec. multi média.
RIHM, Wolfgang Michael (1952) : m. ch., 89 m. élec., m. orc., O. (Harlekin), 3 sy.
RUBIN, Marcel (1905)* : O., ba., 10 sy., mél., œ. pi.
RUZICKA, Peter (1948) : m. orc. (Torso, Versuch), m. ins.
SCHNEBEL, Dieter (1930) : m. sér. et partiellement aléatoire, collages, m. ch. (Bearbeitungen), m. voc (Missa).
SCHOLLUM, Robert (1913)* : m. sér., 5 sy., ct. vi., m. ch.
SCHÖNBACH, Dieter (1931) : m. av. g. (O. et show multimédias).
STOCKHAUSEN, Karlheinz (1928) : m. sérielle et élec., œ. pi. (Klavierstücke), œ. orc. (Gruppen für 3 Orchester, Kontrapunkte), collages musicaux [Momente II, Licht (cycle en 7 parties)].
TROJAHN, Manfred (1949) : sy., m. ch., org.
UHL, Alfred (1909) * : O., o., or., o. ch., tr.
URBANNER, Erich (1936) * : m. orc., ct., 3 q., m. ch.
WAGNER-RÉGENY, Rudolf (1903-69) : m. orc., m. ch., O. (les Bourgeois de Calais, Jeanne Balk).
WEILL, Kurt (1900-50) : 16 O. (l'Opéra de quat'sous, Mahagonny), m. th.
WIMBERGER, Gerhard (1923) : O. (Dame Kobold, Lebensregeln), m. orc., m. ch.
WITTINGER, Robert (1945) * : m. orc., ct. hb. 2, ct. or., 4 q., m. ch.
ZENDER, Hans (1936) : m. orc., m. voc., m. ch.
ZIMMERMANN, Bernd Alois (1918-70) : O. (les Soldats), ct., sy., œ. pi., m. ch., ca.
ZIMMERMANN, Udo (1943) : O. (Die weisse Rose), m. or., m. voc.

Argentine

AGUIRRE, Julián (1868-1924).
ALBERDI, Juan Bautista (1810-84) : m. rm.
ALCORTA, Amancio (1805-62) : Esnabla.
BAUTISTA, Julián, voir p. 429b.
CASTRO, Juan José (1895-1968).
FALU, Eduardo (1923).
GARCIA MORILLO, Roberto (1911).
GIACCOBBE, Juan Francisco (1911).
GIANNEO, Luis (1897-1968).
GILARDI, Gilardo (1889-1963).
GINASTERA, Alberto (1916-83) (vécut en Suisse) : O. (Don Rodrigo), m. orc. (Variations concertantes), 2 ct. vlc., 2 ct. pi., ct. h., ct. vi., œ. voc.
KRIEGER, Armando (1940) : m. ch., 2 q. m. orc. (Métamorfosis).
LÓPEZ BUCHARDO, Carlos (1881-1948).
PANIZZA, Hector (1875-1967).
PAZ, Juan Carlos (1897-1972) : m. in.
PIAZZOLLA, Astor (1921).
ROQUE-ALSINA, Carlos (1941) (vit en France) : m. in., m. ch., m. orc.
SAENG, Pedro (1915).
WILLIAMS, Alberto (1862-1952) : 9 sy., m. ch., pi.

Australie

ANTILL, John (1904-86) : ba., ch., m. ch., m. orc., œ. ch.
BANKS, Don (1923-80) : m. orc., m. ins., ct. vi., m. voc.
BROPHY, Gérard (1953) : ch., cl., ct., m. con., m. ch., m. orc., m. th., œ. ins., o. ch., pi., q., tr.
CONYNGHAM, Barry (1944) : O., m. orc., m. élec., m. in.
COWIE, Edward (1943, G.-B.) : O., m. ch., m. th.
FORMOSA, Riccardo (1954, Italie) : m. orc., m. solo, m. ch.
GLANVILLE-HICKS, Peggy (1912-90) : O., Ba., orc., m. ch., cho., vocal, solo.
GRAINGER, Percy (1882-1961) : m. ch., m. orc., œ. ch., œ. voc., pi.
HUMBLE, Keith (1927) : solo, vocal, cho., m. ch., élec., orc. O., m. re.
KOS, Bozidar (1934, Youg.) : orc., m. ch., élec., solo.
LUMSDAINE, David (1931) : vocal, cho., computer, élec., orch., m. ch., solo, brass band.
MEALE, Richard Graham (1932) : O, m. orc., m. ch.
MILLS, Richard (1949) : ba., ct., m. con., m. ch., m. orc., œ. ch.
PLUSH, Vincent (1950) : m. ch. fl., m. con., m. th., m. orc., œ ins.
SCULTHORPE, Peter (1929) : O, m. orc. (Sun Music), m. voc., m. ch. (Irlande).
SMALLEY, Roger (1943, G.-B.) : m. th., m. ch., cho., vocal, orc., élec., solo.
WERDER, Felix (1922, All.) : O., m. th., solo, m. ch., orc. élec.
WILLIAMSON, Malcom (1931) : orc., m. ch., solo, cho., m. re., m. films, m. enfants, m. th.

Belgique

☞ Voir France : École franco-flamande.
ABSIL, Jean (1893-1974) : m. de théâtre ; a abordé tous les genres.
BAERVOETS, Raymond (1930-89) : m. orc., ct., m. ch., œ. in., m. voc., ba.
BARTHOLOMÉE, Pierre (1937) : m. orc.
BENOIT, Peter (1834-1901) : or. (l'Escaut, le Rhin).
BOESMANS, Philippe (1936) : m. élec. aléat., ct. vi. et orc. O (la Passion de Gilles), m. orc., pièce pour pi., org., œ. voc.
BREWAEYS, Luc (1959) : m. con.
CHEVREUILLE, Raymond (1901-76) : 10 q., so., ca., 3 ba., 8 sy., 10 ct., O.
DEFOSSEZ, René (1905-88) : m. orc., m. ch., œ. voc., O., o., ba.
DE JONG, Marinus (1891-84) : 4 sy., m. orc., ct., m. ch., voc., ba., O., me.
DE MEESTER, Louis (1904-87) : m. orc., m. ch., élec., th.
D'HAENE, Rafaël (1943) : m. orc., m. ch.
FIOCCO, Joseph Hector (1703-41, or. it.) : m. re., cl.
FONTYN, Jacqueline (1930) : m. orc., m. ch., œ. voc.
FROIDEBISE, Pierre (1914-62) : m. ch., org.
GEVAERT, François-Auguste (1828-1908) : O., m. re. et profane.
GEYSEN, Frans (1936) : m. minimale, m. répétitive.
GILSON, Paul (1865-1942) : sy. (la Mer), ba., O.
GOETHALS, Lucien (1931) : m. ser., m. élec.
GOEYVAERTS, Karel (1923) : m. orc., m. ch., œ. in., élec., aléat.
GRÉTRY, André-Modeste (1741-1813) : O. c. (Richard Cœur de Lion, le Tableau parlant).
HUYBRECHTS, Albert (1899-1938) : orc., m. ch., ct., œ. voc.
JONGEN, Joseph (1873-1953) : m. ch., œ. voc., in., sy., org., œ. pi.
KERSTERS, Willem (1929) : 4 sy., m. orc., m. ch., œ. in., voc., ba.
LAPORTE, André (1931) : m. orc., m. ch., œ. in., voc., O. (Das Schloss).
LEDUC, Jacques (1932) : m. orc., ct., m. ch., œ. voc.
LEGLEY, Victor (1915) : 6 sy., m. orc., m. ch.
LEKEU, Guillaume (1870-94) : m. ch. (1 so. pi. vi., trio, 2 q.), œ. pi., œ. orc.
LOUËL, Jean (1914) : m. orc., m. ch., pi.
MAES, Jef (1905) : m. orc., ct., m. ch., œ. voc., ba., O.
MICHEL, Paul-Baudouin (1930) m. orc., m. ch., pi., œ. in., voc., cho., m. aléat.
OCKEGHEM, Johannes (v. 1430-97) : me., mo., ch.
PEETERS, Flor. (1903-86) : 200 ch., 5 me., 30 mo., ca., 200 œ. org.
POOT, Marcel (1901-88) : 7 sy., ct., m. orc., m. ch., ba., œ. pi.
POUSSEUR, Henri (1929) : musique sérielle, m. élec., m. aléat., orc., O. (Votre Faust).
QUINET, Marcel (1915-86) : sy., ct., m. orc., m. ch., m. pi.
ROSSEAU, Norbert (1907-75) : m. orc., m. ch., pi., vi., m. élec., m. re. (me., or.).
RYELANDT, Joseph (1870-1965) : 5 sy., m. orc., pi., m. ch., mél., cho., m. re., mo., or., me.
SIMONIS, J.-Marie (1931) : m. orc., m. ch., m. con.
SOURIS, André (1899-1970) : m. orc., m. ch., œ. voc.
STEHMAN, Jacques (1912-75) : m. orc., m. ch., ch., m. pi.
TINEL, Edgar (1854-1912) : or. (Franciscus).
VAN DER VELDEN, Renier (1910) : m. orc., ct., m. ch., œ. voc., ba.
VAN DE WOESTIJNE, David (1915-79) : m. orc., m. ch., œ. voc.
VAN ROSSUM, Fréd. (1939) : m. orc., m. ch., œ. voc.
WESTERLINCK, Wilfried (1945) : m. orc., m. ch.
YSAŸE, Eugène (1858-1931) : 1 O., 6 ct., 6 so. vi.

Brésil

ANTUNES, Jorge (1942) : m. or., m. ch.
FERNANDEZ, Oscar Lorenzo (1897-1948) : O. (Malazarte), m. sy., m. ch.
GARCIA, José Mauricio Numès (1767-1803) : m. re.
GISMONTI, Egberto (1947).
GNATALLI, Radames (1906-87).
GOMES, Carlos (1836-96) : 6 O., ca., m. sy.
GUARNIERI, Camargo (1907) : 4 sy., 2 ct., Chôro, 3 q.
KRIEGER, Edino (1928) : m. ch.
LEVY, Alexandre (1864-92) : m. sy., œ. pi.
MIGNONE, Francisco (1897-1986) : 2 O., 6 ba., œ. sy.
MORAES, Vinicius de (1914-80) : m. sy., m. films.
NEPOMUCENO, Alberto (1864-1920) : Série brasilia, œ. lr., sy., mél.
NOBRE, Marlos (1939) : m. orc., ct. pi., m. guit.
SANTORO, Claudio (1919-89) : m. orc., ba., m. ch.
VILLA-LOBOS, Heitor (1887-1959) : env. 1 000 œ., 12 sy., m. sy., 7 O ., 5 ct., 5 ba., m. ch., œ. pi.

Bulgarie

ATHANASSOV, Guéorgui (1882-1931) : O. (Guergana, Tzvéta, Kossara, Altzek), o., O. ch.
CHRISTOV, Dimitar (1933) : m. orc., m. ch., pi., O. (le Jeu).
CHRISTOV, Dobri (1875-1941) : œ. ch., ch., ouv., su.
DRAGOSTINOV, Stefan (1948) : sy., ca., ct., oe. in.
GOLEMINOV, Marine (1908) : O. (Ivaïlo, Zachari le Zographe, etc.), œ. sy., ba. (Nestinarka), m. orc., m. ch., q., ct., œ. in.
HADJIEV, Parachkev (1912) : O. (Loude Guidya, Albèna, les Maîtres, Maria Dessislav, etc.), o., ba., m. ch., œ. voc., œ. in.
ILIEV, Konstantin (1924-88) : sy., m. orc., m. ch., œ. in., O. (le Maître de Boïana, le Royaume des cerfs).
KASANDJIEV, Vassil (1934) : sy., m. orc., m. ch., œ. ch.
KOUTEV, Filip (1902-82) : sy., m. orc., œ. ch.
KYOURKTCHIISKI, Krassimir (1936) : œ. sy., m. ch., ct., œ. ch., O. (Youla), ba. (La Corne de la chèvre).
LASAR, Nikolov (1922) : sy., m. orc., m. ch., pi.
MARINOV, Ivan (1928) : m. orc., m. ch., œ. voc.
MINTCHEV, Guéorgui (1939) : m. orc., m. ch., œ. ch.
NAOUMOV, Émile (1962), fixé en Fr. : m. pi.
OBRETENOV, Svétoslav (1909-55) : œ. cho., ch., or.
PIPKOV, Lyoubomir (1904-74) : O. (les Neuf Frères de Yana, Momtchil, Anthigona'43), or. (Oratorio de notre temps), 4 sy., m. ch., q., ct., œ. voc., ch.
PIRONKOV, Siméon (1927) : m. orc., sy., m. ch., O. (le Bonhomme de Sechuan, l'Oiseau bariolé).
RAITCHEV, Alexandar (1922) : sy., m. orc., m. ch., œ. voc., 0. (le Pont, l'Alarme, Chan Asparouh), ba. (la Chanson des Haidouks).
SPASSOV, Ivan (1934) : œ. sy., œ. voc., m. ch., pi.
STAINOV, Petko (1896-1977) : 2 sy., m. orc., œ. ch., œ. voc.
STOIANOV, Vesséline (1902-69) : O. (Pierre le Malin, Salammbô, le Royaume de femmes), ba. (la Papesse Jeanne), œ. sy.
TABAKOV, Emil (1947) : 54, m. orc., m. ch.
TAPKOV, Dimitar (1929) : sy., m. orc., ca. (Cantate de la Paix), ct., m. ch., œ. voc.
TZVETANOV, Tzvetan (1931-82) : sy., m. orc., m. ch., ba. (Orpheus et Rodopa).
VLADIGEROV, Pantcho (1899-1978) : O. (Tzar Kaloïan), ba. (la Légende du lac), œ. sy., ct., m. ch., œ. in.

Canada

ARCHER, Violet (1913) : tous les genres.
BECKWITH, John (1927) : tous les genres.
BOUDREAU, Walter (1947) : tous les genres sauf O.
BROTT, Alexander (1915) : tous genres sauf O.
CHAMPAGNE, Claude (1891-1965) : m. orc., q., œ. in., folklore, œ. ch., œ. voc.
CHERNEY, Brian (1942) : tous les genres sauf O.
CONTANT, Alexis (1858-1918) : me., or., mo., mél., pi., m. ch., m. in., m. org., m. voc.
COULTHARD, Jean (1908) : tous les genres.
FREEDMAN, Harry (1922) : ba., m. de scène, m. orc., m. cho., m. voc., m. ch., q., Q., pi.
GARANT, Serge (1929-86) : œ. in., voc., pi.
HAMBRAEUS, Bengt (1928) : tous les genres.
HÉTU, Jacques (1938) : m. con., m. ch., œ. ch., m. orc., m. pi.
HOUDY, Pierick (1929).
KENINS, Talivaldis (1919) : tous les genres.
LANZA, Alcides (1929).
LAUBER, Anne (1943) : tous les genres.
LONGTIN, Michel (1946) : tous les genres.
MATHER, Bruce (1939) : m. films, m. orc., œ. ch., œ. voc., m. ch., pi., ct.
MATHIEU, Rodolphe (1890-1962) : m. orc., m. sol. et orc., m. cho. et orc., œ. ch., m. voc., m. pi.
MATTON, Roger (1929) : m. orc., œ. ch.
MERCURE, Pierre (1927-66) : m. con., orc., ch. et orc., in., voc., ch., sol. et O. ch., élec.-acous., élec., m. films, ba.
MORAWETZ, Oskar (1917) : tous les genres.
MOREL, François (1926) : m. orc., œ. voc., m. ch., perc., pi., fl., org., q., Q.
PAPINEAU-COUTURE, Jean (1916) : œ. in., pi., ct.
PENTLAND, Barbara (1912) : tous les genres.
PÉPIN, Clermont (1926) : m. orc., sy., œ. in., voc., pi.
PRÉVOST, André (1934) : œ. in., m. orc.
REA, John (1944) : tous les genres.
SAINT-MARCOUX (Micheline Coulombe) (1938-85) : m. films, m. orc., œ. ch. et in., m. voc., m. ch., pi., m. élec., q., Q.
SCHAFER, R. Murray (1933) : O., m. orc., œ. ch., voc., m. ch., q., m. élec.
SOMERS, Harry (1925) : O., m. films et télé., m. orc., œ. ch., voc., m. ch., q., Q., pi., guit., vi.
TREMBLAY, Gilles (1932) : œ. in., pi., m. orc.
VIVIER, Claude (1948-83) : m. orc., ch. O., pi., m. ch., voix et ins., q.
WEINZWEIG, John (1913) : m. orc., œ. in.
WILLAN, Healey (1880-1968) : tous les genres.

Corée

PARK, Dubeli.
YUN, Isang (1917) (nat. allemand) : O., m. orc. (Fluktuationen, Colloïdes sonores), m. ch., 2 ct. vi., fl., cl., m. org. (Tuyaux sonores), 4 sy.

Cuba

ARDÉVOL, José (1911-81) : ba., œ. ch., m. orc., 3 sy., m. ch.
BROUWER, Leo (1939) : m. guit. (sérielle, aléatoire, graphique).
GARCIA CATURLA (1906-40) : m. orc., m. in., pi.

GRAMATGES, Harold (1917).
NIN, Joaquin (1879-1949) : m. pi., m. ch.
NIN-CULMELL, Joaquin (1908) : O., ct. vlc., m. pi., vit aux U.S.A.
ROLDAN, Amadeo (1900-39) : ba., m. orc., m. in., m. voc.

Danemark

BENTZON, Niels Viggo (1919) : 2 O., 15 sy., 20 ct.
BRUHNS, Nicolaus (1665-97) : 12 ca., org.
GADE, Niels Wilhelm (1817-90) : chœurs, œ. in., 8 sy., œ. ch. et orc., m. ch., mél.
HARTMANN, Johan Peter Emilius (1805-1900) : O. (Liden Kirsten), m. orc., m. org., m. ch.
HEISE, Peter (1830-79) : chants, O., m. ch.
HOLMBOE, Vagn (1909) : 3 O., 11 sy., cts., ctinos, 13 sy. conc., 14 q., mél.
KOPPEL, Herman David (1908) : 5 sy., ct., or., m. ch., mél.
KUHLAU, Friedrich (1786-1832) : O., œ. pi., fl.
NIELSEN, Carl (1865-1931) : 6 sy., 2 O. (Mascarade, Saül et David), ct., œ. pi., m. ch., mél., m. org.
NØRGAARD, Per (1932) : 4 O., 3 ba., 4 sy., or., m. orc., m. ch., 6 o., m. pi.
RIISAGER, Knudäge (1897-1974) : ba. (Études, Quartsiluni), sy., m. ch.
WEYSE, C.E.F. (1774-1842) : O., singspiels (Sovedrikken), 6 sy., mél.

Espagne

Nés avant 1800

La « **vihuela** » (à cordes pincées de la même famille que la guitare), XVIe s. : MILAN, Luis ; MUDARRA, Alonso ; NARVAEZ, Luis ; PISADOR, Diego.
CABANILLES, Juan (1644-1712) : œ. org.
CABEZON, Antonio de (v. 1500-66) : œ. cl., org.
CASANOVAS, Narciso (1747-99) : m. re., œ. cl.
CEREROLS, Juan (1618-76) : œ. ch., villancicos.
GUERRERO, Francisco (1527-99) : m. voc., re., ma.
JUAN DEL ENCINA (1469-v. 1529) : Eglogas, chansons polyphoniques.
MORALES, Cristóbal (v. 1500-53).
VICTORIA, Tomas Luis de (v. 1549-1611) : m. re., voc.
Théoriciens. *XVIe s. :* BERMUDO, Juan ; MONTANOS, Francisco ; RAMOS PAREJA, Bartolomé ; SALINAS, Francisco. *XVIIe s. :* LORENTE, Andrés ; RUIZ DE RIBAYAZ, Lucas ; SANZ, Gaspar. *XVIIIe s. :* EXIMENO, Antonio ; NASSARE, Pablo ; RODRIGUEZ DE HITA, Antonio.
CORREA DE ARAUJO, Francisco (1583-1663) : org.
FLECHA, Mateo (1481-1553) : œ. voc., ca., ma.
ORTIZ, Diego (v. 1525-v. 1575) : œ. in., var.
Musique scénique (opéra, tonadilla) : CARNICER, Ramón (1789-1855) ; DURON, Sebastián (1645-1716) ; GARCIA, Manuel (1775-1832) ; MARTIN Y SOLER, Vicente (1756-1806) ; MISON, Luis (1720-66) ; TERRADELLAS, Domingo (1713-51).
SOLER, Antonio (1729-83) : ct., so., œ. voc.
SOR, Fernando (1778-1839) : œ. guit.

Nés entre 1800 et 1900

ALBÉNIZ, Isaac (1860-1909) : O. c. (Pepita Jiménez), œ. pi. (Chants d'Esp., Iberia, la Vega), ct., m. ch.
ARBOS, Enrique Fernandez (1863-1939) : O.c. (le Centre de la Terre), 3 trios avec pi., œ. orc. (Nuits d'Arabie).
ARRIAGA, Juan Crisóstomo de (1806-26) : sy., O., œ. ch.
BARBIERI, Francisco A. (1823-94) : zarzuela.
BRETON, Tomás (1850-1923) : o., zarzuela, m. ch., m. orc. (la Verbena de la Paloma).
CAMPO, Conrado del (1876-1953) : m. ch. et scène considérable.
CASAS, Pérez (1873-1956) : O. (Lorenzo).
ESPLA, Oscar (1886-1976) : 1 O., poèmes sy., ca., ba., m. ch.
FALLA, Manuel de (1876-1946) : O. (la Vie brève, l'Atlantide), ba. (l'Amour sorcier, le Tricorne), 1 ct. cl., Nuits dans les jardins d'Esp. (pi. et orc.), œ. pi.
GERHARD, Roberto (1896-1970, voir G.-B.).
GRANADOS, Enrique (1867-1916) : O. (Goyescas, Maria del Carmen), œ. pi. (Goyescas, Danses esp.).
MOMPOU, Federico (1893-1987) : œ. pi. (Charmes, Scènes d'enfants, Suburbis), mél.
MORENO-TORROBA, Federico (1891-1982) : zarzuelas, m. guit.
MORERA, Enrique (1865-1942) : 40 O., sardanas.
PEDRELL, Felipe (1841-1922) : 5 O., œ. orc.
SARASATE, Pablo de (1844-1908) : œ. vi.
TARREGA, Francisco (1852-1909) : m. guit.
TURINA, Joaquín (1882-1949) : œ. orc. (la Procesion del Rocio), m. de scène, O., nombreuses œ, pi. (Jardin d'enfants, Recuerdos de viaje).

Nés après 1900

BAUTISTA, Julián (1901-61) : m. ch., œ. pi., O., ba. (Juerga), m. films.
BENGUEREL, Javier (1931) : œ. voc., ct. guit., ct. org.
ENCINAR, José Ramón (1954) : O. (Figaro), m. or., m. instr., m. voc.
GUINJOAN, Joan (1931) : m. orc., m. ch., m. instr.
HALFFTER, Cristóbal (1930) : m. orc., ct. vlc., m. ch., œ. in.
HALFFTER, Ernesto (1905-89) : œ. pi., 1 q., ba., œ. orc.
HALFFTER, Rodolfo (1900-87) : ba., ct. vi., q., pi., 1 O.
LLACH, Luis (1949).
MARCO, Tomas (1942) : m. orc., m. ch., q.
MONTSALVATGE, Xavier (1911) : m. pi., m. ch., m. orc., œ. voc., O.
PABLO, Luis de (1930) : m. orc. (Éléphants ivres, Imaginario), sy., 3 ct. pi., ct. clav., m. voc. (Viatges i Flors), m. ch. (Modulos), O. (Protoccolo, Kiu, El Viajero indiscreto).
PITTALUGA, Gustavo (1906) : ba., 1 ct. vi., m. in.
RODRIGO, Joaquín (1901) : O., œ. in., œ. pi., mél., ct. (ct. d'Aranjuez pour guit.).

États-Unis

Nés entre 1800 et 1900

CADMAN, Charles (1881-1946) ; O., m. orc., m. voc.
CARPENTER, J. Alden (1876-1951) ; ct., œ. sy., œ. in.
COWELL, Henry D. (1897-1965) : sy., m. ch., œ. pi.
GERSHWIN, George (1898-1937) : ct. pi., Rhapsody in Blue, Un Américain à Paris, O. (Porgy and Bess), œ. pi. (préludes), ch.
GOTTSCHALK, Louis Moreau (1829-69) : 2 O., œ. sy., œ. pi.
HANSON, Howard (1896-1981) : O. (Merry Mount), m. orc.
HARRIS, Roy (1898-1979) : m. orc., 7 sy., ba., m. ch., œ. pi.
IVES, Charles (1874-1954) : 4 sy., m. orc., œ. pi. (Concord Sonata), mél.
MACDOWELL, Edward (1861-1908) : œ. in., ct., 3 poèmes sy., so., œ. pi.
MOORE, Douglas Stuart (1893-1969) : m. orc., sy., O.
PISTON, Walter (1894-1976) : ba. (le Flûtiste incroyable), 8 sy., 5 q., ct.
PORTER, Quincy (1897-1966) : m. orc., 2 sy., ct. (alto, 2 pi., clav.), 10 q., son.
RIEGGER, Wallingford (1885-1961) : m. orc., œ. in.
ROGERS, Bernard (1893-1968) : 1 q., 4 sy., 2 so. pi., ca., ct. vi.
RUGGLES, Carl (1876-1971) : m. orc., m. in.
SESSIONS, Roger (1896-1985) : O. (le Procès de Lucullus), 8 sy., ct., œ. in.
TCHEREPNINE, Alexandre (1898-1977) (or. russe) : O., ba., m. sy., ct., m. pi.
THOMSON, Virgil (1896-89) : O. (4 Saints en 3 Actes, Notre Mère à tous), m. sy., mél., m. ch.
TIOMKIN, Dimitri (1899-1979) : m. films.
VARÈSE, Edgar (1883-1965, voir France).

Nés après 1900

ADAMS, John (1947) : 3 O. (Nixon en Chine), m. orc. (Harmonielehre), m. pi., m. voc.
ALBRIGHT, William (1944) : m. élec., m. orc., org.
ANTHEIL, George (1900-59) : ba. mécanique, 7 sy., 3 O. (Volpone).
ARGENTO, Dominick (1927) : 10 O. (Aspern Papers), ba., m. voc., m. ch.
BABBITT, Milton Byron (1916) : œ. in., m. pi., synthétiseur, m. sérielle.
BARBER, Samuel (1910-81) : 2 O. (Vanessa, Antony and Cleopatra), ba. (Medea), m. orc., œ. in. et voc., Prayer for Kierkegaard, Adagio pour cordes.
BERNSTEIN, Leonard (1918-90) : œ., lr. (West Side Story, Candide) m. rel. (Messe).
BLITZSTEIN, Marc (1905-64) : O. (Regina), auteur de la version amér. de l'Opéra de quat'sous.
BOLCOM, William (1938) : m. ch., œ. pi.
BROWN, Earle (1926) : m. graph. et élec., m. orc.
CAGE, John (1912) : m. films, m. scène, Bacchanale, œ. pour pi. préparé (so., interludes).
CARTER, Elliott (1908) : O., or., sy., ct. pi., ct. or., ct. cl.-pi., 4 q., m. ch., m. voc.
COPLAND, Aaron (1900-90) : ba. (Appalachian Spring, Billy the Kid, Rodeo), ct. clar., ct. pi., 3 sy., m. orc. (El Salon Mexico, Connotations), m. pi., voc., m. films.
CORIGLIANO, John (1938) : m. orc., m. voc., ct. ob., ct. pi., ct. cl.
CRESTON, Paul (1906-85) : 6 sy., ct., m. org., m. ser.
CRUMB, George (1929) : m. voc. (Star-Child), m. ch., m. orc., m. pi. (Makrokosmos).
DELLO JOIO, Norman (1913) : m. orc., pi.
DEL TREDICI, David (1937) : m. voc., m. ch. (Alice in Wonderland), m. orc.
DIAMOND, David (1915) : m. orc., m. in., ct. q. et orc.
DRUCKMAN, Jacob (1928) : m. or., ct. alto, m. élec., m. ch.
EPSTEIN, David (1930) : m. orc., sy., m. ch., m. films.
FELDMAN, Morton (1926-87) : O. (Neither), m. graph., m. orc., ch., œ. voc.
FINNEY, Ross Lee (1906) : 4 sy., 2 ct. vi., 2 ct. pi., 8 q., m. voc.
FOSS, Lukas (1922) : m. orc. (Baroque Variations, sy.), ct. (vlc., perc., hb.), m. ch. (The Cave of the Winds), 3 q.
GLASS, Philip (1937) : m. minimaliste et voc., O. (Akhnaten, Einstein on the Beach, Satyagraha).
HARBISON, John (1938) : O., sy., m. orc., ct. vi.
HARRISON, Lou (1917) : m. sy., cho., ct.
HOVHANESS, Alan (1911) : O., 56 sy., 23 ct., m. ch., m. orc., m. pi., m. voc.
IMBRIE, Andrew Welsh (1921) : 1 sy., 1 O., œ. in.
KIRCHNER, Leon (1919) : O., ct. m. orc., m. ch., m. voc.
KOLB, Barbara (1939) : m. orc. (Soundings), m. ch., m. électr.
KURTZ, Eugene (1923) : m. orc., m. ch.
LADERMAN, Ezra (1924) : O., 7 sy., ct. fl., 6 Q.
MACHOVER, Tod (1953) : m. or., m. élec.
MENNIN, Peter (1923-83) : 7 sy., œ. orc., pi.
MENOTTI, Gian Carlo (1911) (or. italienne) : O. (le Consul, le Médium), ba., m. ch.
NABOKOV, Nicolas (1903-78) (or. russe) : O., ba., m. orc.
REICH, Steve (1936) : m. orc., m. ch. (m. répétitive).
RODGERS, Richard (1902-79) : com. m., m. films.
SCHULLER, Gunther (1925) : 2 O., m. orc. (Études d'après Paul Klee), c. (cor., pi., or., tr. sax., cb., contrebasson).
SCHUMAN, William (1910) : O., ba., m. orc., 10 sy., œ. voc.
SCHWANTNER, Joseph (1943) : m. orc., m. voc., m. ch.
WUORINEN, Charles (1938) : O., m. or. (Chamber Concertos), 2 ct. pi., ct. vi., or., m. ch. (Tashi), m. élec.

Finlande

AHO, Kalevi (1949) : 2 O, 7 sy., ct. vlc., ct. vi., m. ch., ct.
BERGMAN, Erik (1911) : ct. pi., fl., vlc., vi., œ. ch. et orc., œ. voc., m. orc., Ens. ins.
CRUSELL, Bernhard (1775-1838) : 3 ct. clar., ct. clar et basson.
ENGLUND, Einar (1916) : 2 ba., 7 sy., 2 ct. pi., ct. vi., vlc., m. ch., m. films.
HÄMEENNIEMI, Eero (1951) : m. orc., ct. pour guit. élec., m. ch., m. voc.
HAUTA-AHO, Teppo (1941) : m. orc., m. ch.
HEININEN, Paavo (1938) : O., 4 sy., ct., m. ch., m. élec.
HEINIÖ, Mikko (1948) : m. orc., 5 ct. pour pi., ct. basson, ct. bugle, m. ch., m. cho., m. voc.
JOHANSSON, Bengt (1914-89) : cho., m. ch., m. orc., m. élec.
JOKINEN, Erkki (1941) : ct. pour vlc., m. ch., m. voc., œ. ch.
KAIPAINEN, Jouni (1956) : m. orc., m. ch., m. voc.
KILPINEN, Yrjö (1892-1959) : 750 lieder.
KLAMI, Uuno (1900-61) : ba., m. orc., m. ch.
KOKKONEN, Joonas (1921) : O., 4 sy., m. orc., m. ch., œ. voc., m. re., ct. vlc.
KORTEKANGAS, Olli (1955) : 2 O. de ch., m. orc., m. ch., m. cho. et voc.
KOSTIAINEN, Pekka (1944) : ba., sy., ct. pour vl., ct. pour vlc., ct. pour pi., œ. ch., m. ch.
KUULA, Toivo (1883-1918) : œ. cho. et orc., m. ch.
LINDBERG, Magnus (1958) : m. dr., m. orc., m. ch.
LINJAMA, Jouko (1934) : m. orc., œ. ch., m. ch., org.
MADETOJA, Leevi (1887-1947) : 2 O., ba., 3 sy., ca., m. orc., m. ch., œ. voc., m. re.
MARTTINEN, Tauno (1912) : 13 O., 4 ba., 7 sy., m. orc., m. ch., œ. voc., 10 ct.

MERIKANTO, Aarre (1893-1958) : O., 4 ct. pour pi., 4 ct. pour vi., 2 ct. pour vlc., 3 sy., m. orc., m. ch., 2 ca., m. th.
MERILÄINEN, Usko (1930) : 4 ba., 2 ct. pour pi., ct. pour vlc., 5 sy., m. orc., m. ch.
NORDGREN, Pehr Henrik (1944) : m. orc., 3 ct. pour vi., 2 ct. pour viole, 2 ct. pour pi., m. ch.
NUMMI, Seppo (1932-81) : li., m. ch.
PALMGREN, Selim (1878-1951) : O., 5 ct. pour pi., 6 ca., m. th., m. orc., œ. pi.
PESONEN, Olavi (1909) : m. orc., œ. ch.
PYLKKÄNEN, Tauno (1918-80) : 9 O., ca., m. orc., m. ch., m. voc.
RAITIO, Pentti (1930) : m. orc., m. ch., œ. voc.
RAUTAVAARA, Einojuhani (1928) : 6 O., ba., 5 sy., ct., m. orc., m. ch., œ. voc.
RECHBERGER, Herman (1947) : O., m. con., dr., m. ch., élec.
SAARIAHO, Kaija (1952) : m. ch., m. élec., m. voc., m. orc.
SALLINEN, Aulis (1935) : 4 O. (Ratsumies), 6 sy., ct. pour vi. et vlc., m. orc. (Shadows), m. ch. (5 q.), m. voc.
SALMENHAARA, Erkki (1941) : O., 5 sy., m. orc., m. ch., œ. voc.
SALONEN, Esa-Pekka (1958) : m. orc., m. ch., élec.
SARMANTO, Heikki (1939) : m. films, jazz, m. voc.
SEGERSTAM, Leif (1944) : œ. orc., œ. ch., œ. voc.
SERMILÄ, Jarmo (1939) : m. orc., m. ch., m. voc., m. élec., jazz.
SIBELIUS, Jean (1865-1957) : O., 7 sy., ct. pour vi., m. orc., m. ch., m. voc., m. pi.
SONNINEN, Ahti (1914-84) : O., m. ch., ba., dr., œ. ch.
TIENSUU, Jukka (1948) : m. orc., m. ch., m. élec.
WESSMAN, Harri (1949) : m. orc., m. ch., œ. ch.

France

Écoles du Moyen Age

Musique monodique. Chansons populaires. Troubadours : Guillaume IX d'AQUITAINE (1076-1127), Bertrand de BORN (1140-1214), MARCABRU (1120-1140), RUDEL, Bernard de VENTADOUR (1125-95). **Trouvères :** BRULÉ (1159-1214 ?), Guy de COUCY († 1202), BLONDEL DE NESLES (1155-?), Colin MUSET (XIIIe s.). **Mus. polyphonique** jusqu'à la mort de DUFAY.

École de N.-D. de Paris (1105-1330) : Adam de LA HALLE (v. 1240-87) : Jeu de Robin et Marion, LÉONIN (XIIe s.), PÉROTIN († 1197 ou 1238).

Ars Nova : Phil. de VITRY (1290-1361), G. de MACHAUT (v. 1300-77) : lais mon., rondeaux, ballades, mo. (2, 3 ou 4 voix), me. Notre-Dame.

École franco-flamande : Gilles BINCHOIS († 1460), Antoine BUSNOIS († 1492), Guillaume DUFAY (v. 1400-74), Nicolas GRENON, Jacob OBRECHT (1450-1505, Flamand), Johannes OCKEGHEM (v. 1430-97, Flamand), Pierre de LA RUE (v. 1460-1518).

Nés avant 1600

BERTRAND, Anthoine de (?-1580) : ch., airs spirit.
CERTON, Pierre (?-1572) : me., mo., ps., ch.
COMPÈRE, Loyset (v. 1450-1518) : me., mo., Magnificat.
COSTELEY, Guillaume (v. 1531-1606) : ch., mo.
DES PRÉS, Josquin (v. 1440-v. 1521) : 129 mo., ps., 19 me., ch.
DU CAURROY, Eustache (1549-1609) : me., mo., fa. in.
ESTOCART, Paschal de (v. 1540-v. 1590) : œ. ch., ps.
FÉVIN, Antoine de (v. 1470-1511?) : m., mo.
GOMBERT, Nicolas (v. 1500-v. 1556) : me., mo., ch.
GOUDIMEL, Claude (v. 1505-72) : me., ch. re., profanes, ps.
GUÉDRON, Pierre (1565?-v. 1620) : airs.
JAMBE-DE-FER, Philibert (1520-25/1565).
JANEQUIN, Clément (v. 1480-1558) : ch. rel., profanes, descriptives (le Chant des oiseaux, la Bataille, les Cris de Paris).
LASSUS, Roland de (v. 1531-94) : 500 mo., 53 me., 4 pa., ch. poly., Stabat Mater.
LE JEUNE, Claude (v. 1530-1600) : le Printemps, Dodécacorde, Psautier de Th. de Bèze, ch. poly.
MAUDUIT, Jacques (1557-1627) : Requiem pour Ronsard, me., mo.
MOUTON, J. de Hollingue dit (v. 1470-v. 1522) : me., Magnificat, mo., ch.
SERMISY, Claudin de (v. 1490-1562) : me., mo., ch.
TITELOUZE, Johan (1563-1633) : mo., org.

Nés entre 1600 et 1700

ANGLEBERT, Jean-Henri d' (1628-1691) : œ. cl.
BERNIER, Nicolas (1664-1734) : 3 volumes de mo., 4 livres de ca., Nuits de Sceaux.
BLANCHARD, Esprit (1696-1770) : 30 mo., 1 Te Deum.
CAMPRA, André (1660-1744) : + de 200 œ., 24 O. (Iphigénie en Tauride).
CHAMPION DE CHAMBONNIÈRES, Jacques (apr. 1601-72) : œ. cl., œ. in.
CHARPENTIER, Marc Antoine (v. 1636-1704) : 500 œ. re., prof., 1 Te Deum.
COUPERIN, François, dit le Grand (1668-1733) : 4 livres cl., préludes, so. in. (l'Astrée), ct. (Concerts des goûts réunis), œ. org. (2 me.), œ. voc. (Leçons de ténèbres).
COUPERIN, Louis (v. 1626-v. 1661) : œ. cl., org.
DAQUIN, Louis (1694-1772) : Noëls pour org., œ. cl.
DELALANDE, Michel (1657-1726) : mo., ba., me.
DESMARETS, Henry (v. 1660-1741) : mo., ba., O. (Didon).
DESTOUCHES, André (1669-1749) : ba. (Omphale, les Éléments, Issé).
DORNEL, Antoine (1685-1765) : œ. org. et cl.
FRANCŒUR, François (1698-1787) : so., sy.
GAULTIER LE JEUNE, Denys dit (v. 1603-72) : la Rhétorique des dieux, pour luth seul.
GILLES, Jean (1669-1705) : m. re., in.
GRIGNY, Nicolas de (1672-1703) : livre d'orgue.
LEBÈGUE, Nicolas (1631-1702) : 2 livres cl., 3 liv. org.
LECLAIR, Jean-Marie (1697-1764) : 100 œ. vi., 12 ct. vi. et cordes.
LULLI, Jean-Baptiste (1632-87) : O. (Cadmus et Hermione, Alceste, Thésée, Amadis, Armide, Isis), m. re.
MAGE, Pierre du (1676-1751) : œ. org.
MARAIS, Marin (1656-1728) : O. (Alcyone), su. pour viole.
MARCHAND, Louis (1669-1732) : 5 livres org.
MONTÉCLAIR, Michel PIGNOLET de (1667-1737) : ca., 1 O. biblique (Jephté), ch., mo.
MOULINÉ, Étienne (1600-1669) : airs de cour, œ. re.
MOURET, Jean-Joseph (1682-1738) : 6 recueils de divertissements, O., ba., mo.
RAMEAU, Jean-Philippe (1683-1764) : O. (Hippolyte et Aricie, les Indes galantes, Castor et Pollux), œ. cl., œ. in. (concerts en sextuor), œ. voc., écrits théoriques.
ROBERDAY, François (1624-1680) : œ. org.

Nés entre 1700 et 1800

ALAYRAC, Nicolas d' (1753-1809) : 100 œ.
AUBER, Daniel (1782-1871) : O. c. (les Diamants de la couronne, la Muette de Portici), O. (Fra Diavolo).
BOËLY, Alexandre (1785-1858) : œ. org., pi.
BOIELDIEU, François-Adrien (1775-1834) : O. c. (la Dame Blanche), œ. pi., m. ch., ct.
CASSANÉA DE MONDONVILLE, Jean-Joseph (1711-72) : so., 12 mo., œ. cl., vi.
CORRETTE, Michel (1709-95) : 21 ct., m. ch.
DUNI, Egidio (1709-75) (né en Italie) : O. c. (le Peintre amoureux de son modèle).
DUPHLY, Jacques (1715-1789) : œ. cl.
GIROUST, François (1738-1799) : O. (Télèphe), 14 or., 90 motets, 11 magnificats, Messe du sacre de Louis XVI, Hymne des Versaillais.
GOSSEC, Fr.-Joseph Gossé dit (1734-1829) : me., q., 20 O. c., 30 sy.
HALÉVY, Jacques Fromental Lévy dit (1799-1862) : O. c. (la Juive, la Reine de Chypre, la Dame de pique, Manon).
HÉROLD, Louis-Ferdinand (1791-1833) : œ. lr.
LE DUC, Simon (1742-77) : 3 sy., sy. con., tr.
LESUEUR, Jean-François (1760-1837) : 33 me., œ. lr. (le Triomphe de Trajan).
MÉHUL, Étienne (Henri Nicolas) (1763-1817) : Chant du départ, ba. (la Chasse du jeune Henri), O., 4 sy., m. voc.
MONSIGNY, Pierre-Alexandre (1729-1817) : 11 O. c. (Rose et Colas), ba. (Aline, reine de Golconde).
MONTAN-BERTON, Henri (1767-1844) : 48 O.
ONSLOW, Georges (1784-1853) : O., 4 sy., m. ch., pi.
PHILIDOR, François-André (1726-95) : 20 O. c. (Blaise le Savetier, la Belle Esclave, Tom Jones).
PLEYEL, Ignace (1757-1831) : m. pi., harpe, m. ch., ct., 6 sy. conc., œ. voc.
ROUGET DE LISLE, Claude (1760-1836) : ch., la Marseillaise.
ROUSSEAU, Jean-Jacques (1712-78) : 1 O. (le Devin du village), œ. lr.
SAINT-GEORGES, Joseph Boulogne, chevalier de (1739-99) : m. pi., m. ch., sy., 10 sy. conc.

Nés entre 1800 et 1900

ADAM, Adolphe (1803-56) : O. c. (le Postillon de Longjumeau), ba. (Giselle).
ALKAN, Charles Valentin (1813-88) : œ. pour pi.
AUBERT, Louis (1877-1969) : O. (la Forêt bleue) ba., m. pi., m. orc., m. ch., œ. voc. (la Mauvaise Prière).
AUDRAN, Edmond (1842-1901) : O. c. (le Grand Mogol, la Mascotte).
AURIC, Georges (1899-1983) (1) : œ. pi., m. ch., mél., m. sy., O., ba., m. films (la Belle et la Bête, Moulin Rouge, etc.).
BERLIOZ, Hector (1803-69) : m. orc. (Sy. fantastique, Roméo et Juliette, Sy. funèbre et triomphale), O. (les Troyens), Requiem, ouv. (Carnaval romain).
BEYDTS, Louis (1895-1953) : m. de la Kermesse héroïque, O., mél.
BIZET, Georges (1838-75) : sy., O. (Carmen, les Pêcheurs de perles), m. orc. (Jeux d'enfants), sy., m. sc. (l'Arlésienne).
BONDEVILLE, Emmanuel (1898-1987) : O. (Madame Bovary, Antoine et Cléopâtre).
BOULANGER, Lily (1893-1918) : ps., Faust et Hélène, mél.
BRUNEAU, Alfred (1857-1934) : O. (le Rêve, l'Ouragan).
BÜSSER, Henri (1872-1973) : O. (Daphnis et Chloé, le Carrosse du Saint-Sacrement).
CANTELOUBE, Marie-Joseph (1879-1957) : Chants d'Auvergne et autres.
CAPLET, André (1878-1925) : mél., mus. rel. (messe, Miroir de Jésus), mus. orc. (Épiphanie), m. ch. (Conte fantastique).
CASTILLON, Alexis de (1838-73) : pi. (Pensées fugitives).
CHABRIER, Emmanuel (1841-94) : œ. pi. (Pièces pittoresques, Bourrée fantasque), œ. orc. (España, Joyeuse Marche), O. (Gwendoline), mél.
CHARPENTIER, Gustave (1860-1956) : O. c. (Louise).
CHAUSSON, Ernest (1855-99) : sy., Poème pour vi. et orc., drame lr.
CHOPIN : voir Pologne, p. 434b.
CHRISTINÉ, Henri (1867-1941) : ch., o. (Phi-Phi).
CLIQUET-PLEYEL, Henri (1894-1963) : 2 q., 2 so. vi., mél.
DEBUSSY, Claude (1862-1918) : œ. pl. (24 préludes, 12 études, Images, Children's Corner, Su. bergamasque, etc.), œ. orc. (Prélude à l'après-midi d'un faune, Nocturnes, Ibéria, Jeux, la Mer), œ. lr. (Pelléas et Mélisande, le Martyre de saint Sébastien), mél., m. ch. (q., 3 so.).
DELANNOY, Marcel (1898-1962) : O. c. (le Poirier de misère), ba., m. sy.
DELIBES, Léo (1836-91) : O. c. (Lakmé), ba. (Coppélia, Sylvia).
DELVINCOURT, Claude (1888-1954) : œ. pi. (Croquembouches), mél. (Chants de la ville et des champs), qqes œ. orc. (Radio sérénade), œ. lr.
DÉSORMIÈRE, Roger (1898-1963) : m. films.
DUKAS, Paul (1865-1935) : œ. orc. (l'Apprenti sorcier), œ. lr. (Ariane et Barbe-Bleue), œ. pi. (1 so., var. sur un th. de Rameau).
DUPARC, Henri (1848-1933) : mél. (la Vie antérieure, l'Invitation au voyage, Chanson triste).
DUPONT, Gabriel (1878-1914) : 4 O (Antar, la Farce du cuvier), m. pi. (les Heures dolentes), mél., m. ch.
DUPRÉ, Marcel (1886-1971) : œ. org.
DUREY, Louis (1888-1979) (1) : mél., q., œ. pi.
EMMANUEL, Maurice (1862-1938) : œ. in., orc., voc., O. (Prométhée enchaîné, Salamine).
ERLANGER, Camille (1863-1919) : 57 mél., 12 dr. lr. (le Juif polonais).
FAURÉ, Gabriel (1845-1924) : Requiem, m. ch. (2 so. pi. vi., 2 so. pi. vic., trio, q., Q.), mél. (la Bonne Chanson, l'Horizon chimérique), œ. pi. (13 nocturnes, 13 barcarolles, 9 préludes, Impromptus, Thème et variations), O. (Prométhée, Pénélope).
FERROUD, Pierre Octave (1900-36) : ba., m. sy., m. ch., mél.
FRANCK, César (1822-90) (or. belge) : or. (les Béatitudes), 1 sy., œ. org. (3 chorals), œ. pi. (prélude, ch. et fu.), Var. sy. (pour pi. et orc.), q., Q., 1 so. pi. vi., mél. O.
GANNE, Louis (1862-1923) : o. (les Saltimbanques, la Marche lorraine).
GEDALGE, André (1856-1926) : 4 sy., ct. pi., q., 2 so. pi. et vi., mélodies.
GODARD, Benjamin (1849-95) : O. (Jocelyn), m. orc.
GOUNOD, Charles (1818-93) : O. (Faust), O. c. (Mireille, Roméo et Juliette), mél., 13 me.
GUIRAUD, Ernest (1837-92) : O. (Frédégonde, achevé par Saint-Saëns).
HAHN, Reynaldo (1875-1947) : mél., 3 ct., œ. pi., m. ch., o. (Ciboulette).
HERVÉ, Florimond Ronger dit (1825-92) : o. (Mam'zelle Nitouche).
HONEGGER, Arthur (né en Suisse, 1892-1955) (1) : œ. lr. (les Aventures du roi Pausole, le Roi David,

Jeanne au bûcher, Antigone), 5 sy., œ. orc. (Pacific 231, Rugby), ct., m. ch., mél., Ca. de Noël, œ. pi.
IBERT, Jacques (1890-1962) : œ. pi. (Histoires), m. ch., ct., œ. lr., O. c. (le Roi d'Yvetot, Angélique), m. orc. (Divertissement, suites), m. films.
INDY, Vincent d' (1851-1931) : O. (Fervaal), Sy. sur un chant montagnard français, mél., q., so., œ. pi.
INGHELBRECHT, Désiré (1880-1965) : mél., œ. orc. (Marines), ba. (le Diable dans le beffroi).
KOECHLIN, Charles (1867-1950) : œ. sy. (le Livre de la jungle), œ. dans tous les genres, œ. théoriques.
LADMIRAULT, Paul (1877-1944) : Suite bretonne.
LALO, Édouard (1823-92) : O. (le Roi d'Ys), ba. (Namouna), sy. espagnole, Rhapsodie norvégienne, 2 ct. vi., ct. vlc.
LECOCQ, Charles (1832-1918) : o. (la Fille de Mme Angot), mél.
LE FLEM, Paul (1881-1984) : 4 sy., œ. pi., voc., O. (la Magicienne de la mer).
LOUCHEUR, Raymond (1899-1979) : 2 sy., ba., m. ch.
MAGNARD, Albéric (1865-1914) : 3 O. (Guercœur), 4 sy., 1 q., mél., œ. pi. (Promenades).
MARTELLI, Henri (1895-1980) : près de 150 œuvres dans tous les genres.
MASSÉ, Victor (1822-84) : mél., œ. lr. (les Noces de Jeannette).
MASSENET, Jules (1842-1912) : O. (Manon, Werther, Thaïs, le Jongleur de Notre-Dame, Hérodiade), or. (Ève), 1 ct. pi., su. or.
MESSAGER, André (1853-1929) : o. (Véronique, les Deux Pigeons, Monsieur Beaucaire).
MIGOT, Georges (1891-1976) : 13 sy., m. orc., m. ch., œ. in., m. pi., œ. voc., ch. org.
MIHALOVICI, Marcel (1898-1985) (or. roum). : sy., ba., m. ch., li.
MILHAUD, Darius (1892-1974) (1) : + 800 œuvres dans tous les genres ; O. (Bolivar, les Choéphores), m. ch. (18 q., 5 Q., so. diverses), m. orc. (sy. et su.), œ. pi. (Printemps, Saudades do Brazil, Scaramouche), ct. pour presque tous les instr., ba. (le Bœuf sur le toit, la Création du monde, l'Homme et son désir), ca. (le Château de feu), mél. (Catalogue de fleurs, Machines agricoles), etc.
MORETTI, Paul (1893-1954) : m. légère, o., m. films (Sous les toits de Paris).
NIEDERMEYER, Louis (1802-61) (or. suisse).
OFFENBACH, Jacques (1819-80) (né à Cologne) : O. c. (les Contes d'Hoffmann), 102 o. et O. b. (la Belle Hélène, Orphée aux Enfers, la Vie parisienne).
PIERNÉ, Gabriel (1863-1937) : ba. (Cydalise et le chèvrepied), m. ch., œ. pi., mél.
PLANQUETTE, Robert (1848-1903) : o. (les Cloches de Corneville).
POULENC, Francis (1899-1963) (1) : O. (les Mamelles de Tirésias, Dialogues des carmélites), m. re. (Stabat Mater, Gloria, Litanies à la vierge noire), m. orc. (Sinfonietta), ba. (les Biches, les Animaux modèles), m. ch. (so., trios, 1 sextuor), ct. (pour pi., pour 2 pi., pour org.), œ. pi. (Mouvements perpétuels), nombreuses mél.
RABAUD, Henri (1873-1949) : la Procession nocturne, or. (Job), m. films (le Miracle des loups), œ. lr. (Mârouf).
RAVEL, Maurice (1875-1937) : œ. pi. (Jeux d'eau, Gaspard de la nuit, Valses nobles et sentimentales, Ma mère l'Oye, Tombeau de Couperin), œ. orc. (la Valse, Boléro, Rhaps. espagnole), œ. lr. (l'Heure espagnole, l'Enfant et les sortilèges), ba. (Daphnis et Chloé), 2 ct. pi. (dont Ct. pour la main gauche), m. ch. (1 q., 1 trio, 2 so. pi. vi., so. vi. vlc.), mél. (Histoires naturelles).
REYER, Ernest (1823-1909) : O. (Sigurd, la Statue).
RIVIER, Jean (1896-1987) : œ. voc., 7 sy., qqes ct., m. re.
ROGER-DUCASSE, Jean (1873-1954) : œ. pi., mél., m. re., 2 q.
ROLAND-MANUEL (Rol. Alexis Manuel Lévy dit) (1891-1966) : m. films (les Inconnus dans la maison), O. c. (le Diable amoureux), mél., œ. orc., ba.
ROPARTZ, Guy (1864-1955) : O. (le Pays), 5 sy., m. ch.
ROUSSEL, Albert (1869-1937) : ba. (le Festin de l'araignée, Bacchus et Ariane), 4 sy., œ. pi., m. ch.
SAINT-SAËNS, Camille (1835-1921) : 3 sy. (dont *n° 3* avec orgue), 5 ct. pi., 3 ct. vi., œ. orc. (Danse macabre, Carnaval des animaux, Su. algérienne), O. (Samson et Dalila), m. ch., œ. pi. (ét.).
SAMAZEUILH, Gustave (1877-1967) : m. orc. (le Chant de la mer), q. à cordes, so.
SAMUEL-ROUSSEAU, Marcel (1882-1955) : ca. (Maïa), O. c. (Tarass Boulba).
SATIE, Erik (1866-1925) (2) : œ. pi. (Gymnopédies, Morceaux en forme de poire, Gnossiennes), ba. (Parade, Relâche), œ. lr. (Socrate).
SCHMITT, Florent (1870-1958) : ba. (la Tragédie de Salomé), œ. sy., m. ch., œ. pi. (le Petit Elfe Ferme-l'œil).
SCOTTO, Vincent (1876-1952) : m. légère (la Petite Tonkinoise, Sous les ponts de Paris), o. (Violettes impériales).
SÉVERAC, Déodat de (1872-1921) : mél., œ. pi. (En Languedoc, Cerdaña), œ. org.
TAILLEFERRE, Germaine (1892-1983) (1) : œ. voc. (Cantate du Narcisse), œ. sy. (Concerto des vaines paroles), œ. lr., ba., m. ch., œ. pi.
TANSMAN, Alexandre (1897-1986) (or. pol.) : O., 8 sy., œ sy., pi., œ. voc., ba., m. ch.
TERRASSE, Claude (1867-1923) : o. (le Sire de Vergy, Monsieur de La Palisse).
THOMAS, Ambroise (1811-96) : O. c. (Mignon, Hamlet), ba.
TOURNEMIRE, Charles (1870-1939) : 8 sy., ps., m. ch., l'Orgue mystique, O.
VARÈSE, Edgar (1883-1965) (nat. Américain en 1926) : œ orc. (Amériques, Intégrales, Déserts, Ionisation pour 40 instr.).
VELLONES, Pierre (1889-1939) : mél., m. orc., m. pi.
VIERNE, Louis (1870-1937) : 5 sy. org., 24 mél., 1 Q. pi.
WALDTEUFEL, Émile (1837-1915) : valses.
WIDOR, Charles-Marie (1844-1937) : ba. (la Korrigane), 10 sy. pour org.
WIENER, Jean (1896-1982) : œ. pi., œ. org., m. films.
YVAIN, Maurice (1891-1965) : m. légère, o. (Ta bouche), m. films (Blanche-Neige).

Nota. – (1) En 1918-20, Auric, Durey, Honegger, Milhaud, Poulenc, G. Tailleferre constituaient le *Groupe des Six* autour de Satie et de Cocteau. (2) Satie patronna l'*École d'Arcueil* avec Cliquet-Pleyel, Désormière, Jacob, Sauguet.

Nés après 1900

ALAIN, Jehan (1911-40) : œ. org., su. monodique pour pi., Prière pour nous autres charnels.
AMY, Gilbert (1936) : m. sérielle : Antiphonies, Triade, Écrits sur toile (1983), chants.
APERGHIS, Georges (1945) : m. orc., m. ch., m. voc., O. (Atem, la Tour de Babel, Jacques le Fataliste, Pandémonium).
ARRIEU, Claude (1903-90) : m. pi., m. ch., 5 ct., m. th.
AUBIN, Tony (1907-81) : 3 sy., su. danoise, la Chasse infernale, O. (Goya).
BALLIF, Claude (1924) : œ. pi., m. ch., m. sy., Requiem.
BANCQUART, Alain (1934) : 5 sy., m. orc., m. ch., m. voc.
BARRAINE, Elsa (1910) : œ. sy., Musique rituelle pour org.
BARRAQUÉ, Jean (1928-73) : œ. voc., so. pour pi.
BARRAUD, Henry (1900) : œ. lr. (Numance, Farce de Maître Pathelin), ba. (l'Astrologue dans le puits), œ. sy.
BAUDRIER, Yves (1906-88) (1) : le Raz de Sein, sy., or., m. films (la Bataille du rail, le Monde du silence).
BAYLE, François (1932) : m. électroac. (Espaces inhabitables).
BONDON, Jacques (1927) : m. sy., ct., m. ch., O. (la Nuit foudroyée).
BOUCOURECHLIEV, André (1925) : m. élec., m. de scène, Archipel I pour 2 pi., ct. pi., O.
BOULEZ, Pierre (1925) : Structures pour 2 pi., m. sér., 3 so. pi., le Marteau sans maître, Pli selon pli, Éclats, Rituel.
CAPDEVIELLE, Pierre (1906-69) : mél., so., œ. sy.
CASANOVA, André (1919) : sy., ct., m. ch., pi., li., m. lr.
CASTERÈDE, Jacques (1926) : m. ch., m. sy., œ. voc (la Chanson du mal aimé).
CHAILLEY, Jacques (1910) : 1 q., 1 sy., la Tentation de saint Antoine.
CHARPENTIER, Jacques (1933) : Études karnatiques pour pi., m. orc. org., divers ct.
CHAYNES, Charles (1925) : divers ct., sy., O. (Erzsebet).
CONSTANT, Marius (1925) : O. (Candide), ba. (Paradis perdu, Éloge de la folie), m. orc. (Nana-Symphonie), m. ch. (14 stations), m. voc.
DAMASE, Michel (1928) : O. c. (la Croqueuse de diamants), ct., m. ch., m. orc. (Silk Rhapsody), œ. pi.
DANIEL-LESUR (1908) (1) : œ. pi. et org., mél., m. ch., su. orc., 2 O. (Andrea del Sarto).
DARASSE, Xavier (1934) : m. ch., m. orgue (Organum).
DELERUE, Georges (1925) : sy., O., m. films.
DESENCLOS, Alfred (1912-71) : m. sy., m. films, Requiem.
DUFOURT, Hugues (1943) : m. orc., m. instr.
DUHAMEL, Antoine (1925) : m. th., m. films.
DURUFLÉ, Maurice (1902-86) : œ. org., 1 Requiem.
DUSAPIN, Pascal (1955) : O. (la Rivière, Roméo et Juliette), m. orc. (Tre Scalini), m. ch. (q).
DUTILLEUX, Henri (1916) : so. pi., 2 sy., q., ct. vlc., ct. vi., ba. (le Loup), m. orc. (Métaboles).
ELOY, Jean-Claude (1938) : m. élec., m. orc.
EMER, Michel (1906-84) : ch. (la Fête continue).
FERRARI, Luc (1929) : m. élec.
FLORENTZ, Jean-Louis (1947) : m. rel. (Requiem de la Vierge), 1 ct., œ. in., 1 or.
FRANÇAIX, Jean (1912) : O. (le Diable boiteux), ba. (les Malheurs de Sophie), œ. in., m. ch., ct., œ. pi. (so., danses exotiques), œ. cl. (l'Insectarium), œ. voc.
GAGNEUX, Renaud (1947) : O. (Orphée), Messe, m. élec., m. film.
GALLOIS-MONTBRUN, Raymond (1918) : Tableaux indochinois pour q. cordes, ba., ca., ct. vi.
GEOFFRAY, César (1901-72) : m. chor.
GLOBOKAR, Vinko (1934) (or. yougoslave) : O., m. orc., m. ch., œ. ch.
GRISEY, Gérard (1946) : m. orc. (Dérives, Transitoires), m. instr., m. élec.
GUÉZEC, Jean-Pierre (1934-71) : m. sér.
GUILLOU, Jean (1930) : œ. org., pi., m. ch., or.
HASQUENOPH, Pierre (1922-82) : 3 sy., ct., q., O., ba.
HENRY, Pierre (1927) : m. concr.
HERSANT, Philippe (1948) : m. ch., or.
HODEIR, André (1921) : m. dr., films.
HUGON, Georges (1904-80) : m. pi., m. ch., 3 sy., œ. voc.
JACOB, Maxime, dom Clément (1906-77) : ps., m. re.
JARRE, Jean-Michel (1948) : m. élec. (Oxygène, Equinoxe).
JARRE, Maurice (1924) : Passacaille à la mémoire d'Honegger, O., ba., m. films (Lawrence d'Arabie).
JAUBERT, Maurice (1900-40) : m. films (Drôle de drame), mél., œ. pi., œ. orc.
JOLAS, Betsy (1926) : o., ca., O. (le Pavillon au bord de la rivière), m. ch.
JOLIVET, André (1905-74) (1) : 2 so. pi., 3 sy., 12 ct. (pour o. Martenot, pour piano, pour harpe), m. ch., œ. pi. (Cinq Danses rituelles, Mana).
KIEFFER, Détlef (1944) : O., œ. re., m. orc.
KOERING, René (1940) : O. (Elseneur, la Marche de Radetzky), ct. pi., m. or., m. ch., 2 q.
KOSMA, Joseph (Hongrie, 1905-69) : m. légère, de films (les Enfants du paradis, les Portes de la nuit), ba. (l'Écuyère).
LAFARGE, Guy (1904-90) : m. légère, o., ba.
LANDOWSKI, Marcel (1915) : O. (le Fou, le Rire de Nils Halérius, Montségur), or. (Rythmes du monde), 4 sy., ct., m. ch., m. pi.
LANGLAIS, Jean (1907-91) : œ. org., 24 œ. sy., me., mo.
LEGRAND, Michel (1932) : m. films, pi., ch. (les Parapluies de Cherbourg, les Demoiselles de Rochefort).
LEMELAND, Aubert (1932) : 5 sy., m. ch., inst., 2 ct. v.
LENOT, Jacques (1945) : m. ch., m. orc. (Allégories d'exil), 3 son. pi., O.
LE ROUX, Maurice (1923) : O., sy., m. films (Crin blanc, Ballon rouge), ba. (le Petit Prince), œ. pi. orc.
LEVINAS, Michael (1949) : O. (la Conférence des oiseaux), m. orc. (Appels), 2 ct. pi., m. pi.
LITAIZE, Gaston (1909) : m. org., œ. voc
LOPEZ, Francis (1916) : m. légère, o. (la Belle de Cadix, Andalousie).
LOUIGUY (1916) : m. légère (la Vie en rose, Mademoiselle Hortensia).
MÂCHE, François-Bernard (1935) : m. élec., m. or. (la Peau du silence, Rituel d'oubli), th. mus. (les Mangeurs d'ombre), m. instr. (Solstice).
MAGNE, Michel (1930-84) : m. concr., m. films.
MALEC, Ivo (1925) : m. élec., m. orc., œ. voc.
MANOURY, Philippe (1952) : m. orc., m. instr., m. élec., Q.
MARTINET, Jean-Louis (1912) : m. sér., œ. voc., m. in., 3 mouvements sy.
MARTINON, Jean (1910-76) : 4 sy., œ. pi., ct., q., m. orc., O. (Hécube).
MÉFANO, Paul (1937) : O. (Micromégas), m. or. (Signes-oubli, Incidences), m. voc. (La Cérémonie), m. ch.
MESSIAEN, Olivier (1908) (1) : œ. pi. (20 Regards sur l'Enfant Jésus, Catalogue d'oiseaux), œ. org. (Ascension, Livre d'org.), m. orc. (Turangalila-Symphonie), m. ch. (q. pour la fin du temps), O. (St François d'Assise), mél.
MIROGLIO, Francis (1924) : m. sér.
MISRAKI, Paul (1908) : m. légère, m. films, O.
MONNOT, Marguerite (1903-61) : m. légère, m. films, o. (Irma la Douce).
MURAIL, Tristan (1947) : m. orc., m. élec.
NIGG, Serge (1924) : œ. sy., ct. bi., m. ch.
OHANA, Maurice (1914 ; or. espagnole) : œ. voc. (Cris, Syllabaire pour Phèdre), œ. in. (Signes, Pentacle, Silenciaire).

Parès, Philippe (1901-79) : m. légère et de films souvent en collaboration avec Georges Van Parys.
Pascal, Claude (1921) : ct., so., m. ch.
Petit, Pierre (1922) : o. (la Maréchale Sans-Gêne), ct. pi., org., œ. in., ba.
Philippot, Michel (1925) : m. sér. et concr.
Prey, Claude (1925) : O. (Jonas, le Cœur révélateur, la Noirceur du lait, les Liaisons dangereuses).
Prodromidès, Jean (1927) : O. (Passion selon nos doutes, H.H. Ulysse), les Perses, m. films (Danton).
Reinhardt, Django (1910-53) : jazz, guitare (Nuages, Rythmes futurs).
Rosenthal, Manuel (1904) : O. b., sy.
Saguer, Louis [All. (1907-91)] : O. (Mariana Pineda), m. orc., m. ch.
Sauguet, Henri (1901-89) : O. c. (la Voyante, les Caprices de Marianne), ba. (les Forains), m. ch., m. orc., œ. pi., mél., divers ct.
Schaeffer, Pierre (1910) : m. concr.
Scherchen-Hsiao, Tona (1938) : m. orc., instr., ch. d'inspiration chinoise.
Thiriet, Maurice (1906-72) : O. c. (le Bourgeois de Falaise), O. ba. (la Locandiera), or. (Œdipe-Roi), ct., m. ch., sy., mél., m. films (les Visiteurs du soir).
Tomasi, Henri (1901-71) : ba. (les Santons, Noces de cendre), O., O. c., m. re., m. ch., ct.
Van Parys, Georges (1902-71) : m. légère et de films.
Xenakis : Voir Grèce.

Nota. - (1) Baudrier, Jolivet, D.-Lesur, Messiaen constituèrent le groupe *Jeune-France.*

Grande-Bretagne

Nés entre 1400 et 1600

Bull, John (v. 1562 ou 63-1628) : 150 œ. org. ou virginal, 50 pour cordes.
Byrd, William (v. 1543-1623) : m. re., ayres, 130 œ. virginal.
Dowland, John (1563-1626) : œ. cl., luth, viole.
Dunstable, John († 1453) : m. re.
Farnaby, Giles (v. 1563-1640) : œ. cl., ch.
Fayrfax, Robert (1464-1521) : m. re., ch.
Gibbons, Orlando (1583-1625) : m. re., œ. in., œ. org., cl. viole.
Lawes, Henry (1596-1662) : m. re.
Merbecke, John (v. 1505 ou 10-1585) : m. re.
Morley, Thomas (v. 1557-1603) : ca., œ. voc., in., re.
Morton, Robert (v. 1430-1475) : rondeaux, ball. voc. et in.
Power, Leonel (v. 1455) : m. re.
Tallis, Thomas (1505-1585) : m. re.
Taverner, John (v. 1490-1545) : m. re.
Tomkins, Thomas (1572-1656) : madrigaux, ba., ch., m. re., m. viole, cl.
Tye, Christopher (v. 1505-v. 1572) : m. re.
Weekles, Thomas (v. 1576-1623) : ma, m. re.
Wilbye, John (1574-1638) : ma.

Nés entre 1600 et 1800

Arne, Thomas (1710-78) : 50 O., or., me., so. pi., 8 sy.
Blow, John (1649-1708) : m. re., org.
Boyce, William (1710-79) : m. re., Cathedral Music, sy.
Clarke, Jeremiah (v. 1674-1707) : m. re., m. ch., œ. pi.
Cooke, Henry (v. 1615-72) : m. re et ch.
Croft, William (1678-1727) : m. re., m. ch.
Field, John (1782-1837) (Irl.) : 12 nocturnes et œ. pi.
Haendel : voir p. 426c.
Humfrey, Pelham (1647-74) : m. re.
Lawes, William (1602-1645) : œ. voc.
Locke, Matthew (v. 1621 ou 22-77) : m. pour le Siège de Rhodes, la Tempête.
Purcell, Henry (1658-95) : O. (le Roi Arthur, Didon et Énée), Odes, so., trios, œ. in., m. re.
Simpson, Christopher (v. 1610-69) : m. viole, fa.

Nés entre 1800 et 1900

Bantock, Sir Granville (1868-1946) : O., or., sy., m. ch.
Bax, Sir Arnold (1883-1953) : 7 sy., ct. vi., ct. vlc.
Benedict, Julius (1804-85) : 2 sy., 2 ct. pi., O. (le Lys de Killarney).
Bennett, Sir William Sterndale (1816-75) : ouv., sy., m. pi., 4 ct.
Bliss, Sir Arthur (1891-1975) : ba., O. (les Olympiens), 3 œ. voc. et in., 1 ct., 1 sy.
Bridge, Frank (1879-1941) : m. orc., m. ch.
Cowen, Sir Frederick (1852-1935) : O., o., ca., or., 300 mél., 6 sy., m. ch.
Davies, Sir Peter Maxwell (1935).
Delius, Frederick (1863-1934) : 6 O., Requiem, ct., œ. ch., rhapsodies pour orc.
Elgar, Sir Edward (1857-1934) : or. (le Rêve de Gerontius), ca., m. ch. et in., m. orc. (Enigma Variations), 2 sy., O.
Gerhard, Roberto (1896-1970) (or. suisse) : or. (la Peste), collages pour bande magnétique, 4 sy.
Goossens, Eugene (1893-1962) : 2 O. (Don Juan de Mañara, Judith), 2 sy.
Grainger, Percy (1882-1961) (Austr.) : œ. orc., m. ch., m. folklorique.
Holst, Gustav (1874-1934) : cho., or., 7 O., 1 sy. avec chœurs, su. sy. (les Planètes).
Howells, Herbert (1892-1983) : cho., 2 ct., m. ch.
Ireland, John (1879-1962) : ch., ct., m. ch., m. sy.
Ketelbey, Albert W. (1875-1959).
Macfarren, Sir George Alexander (1813-87) : O., 8 sy., or. ca.
Mackenzie, Sir Alexander (1847-1935) : 7 O., or. ca., ct., œ. sy.
Parry, Sir Hubert (1848-1918) : or., œ. ch., 5 sy., 1 ct. pi.
Scott, Cyril (1879-1971) : œ. pi., mél., 3 O., œ. in., 3 sy., ct., m. ch.
Stanford, Sir Charles (1852-1924) : œ. in., 10 O., sy., 6 œ. vi. et orc., œ. org., œ. re., ct.
Sullivan, Sir Arthur (1842-1900) : ba., 1 sy., œ. pi., mél., o. (le Mikado).
Vaughan Williams, Ralph (1872-1958) : 6 O., 9 sy., ba., m. films, m. ch., ct.
Warlock, Peter (1894-1930) : ch., Capriol suite.
Wesley, Samuel Sebastian (1810-79) : m. re.

Nés après 1900

Arnold, Malcolm (1921) : m. orc., cho., m. ch., dr., sy.
Bedford, David (1937) : O. pour enfants, m. orc., m. ch.
Benjamin, George (1960) : m. orc. (At first Light), m. ch., pi., voc., élec.
Bennett, Richard Rodney (1936) : O., m. orc., cho., m. ch., dr.
Berkeley, sir Lennox (1903-89) : ch., m. orc., cho., m. ch., dr.
Berkeley, Michael (1948) : ct. ob., ct. vc., m. orc. (Gregorian Variations) ; m. ch., or.
Birtwistle, Sir Harrison (1934) : O. (le Masque d'Orphée, Punch and Judy), m. or. (The Triumph of Time), m. ch., m. voc., œ. orc
Blake, Howard (1938) : ba., m. or., ct. clar., m. voc
Britten, Benjamin (1913-76) : mél., œ. orc. (Variations sur un th. de Purcell), m. dr., œ. in., War Requiem, O. (Peter Grimes, Songe d'une nuit d'été, Mort à Venise).
Bryars, Gavin (1943) : O. (Medea), m. ch., orc., voc.
Burgon, Geoffrey (1941) : or, m. voc.
Bush, Alan (1900) : O., cho., m. orc., m. ch.
Crosse, Gordon (1937) : 2 sy., ct. (vi., vlc.), m. ch., m. voc.
Dodgson, Stephen (1924) : b.
Ferneyhough, Brian (1943) : m. ch. (Time and Motion Study, Sonates pour q.).
Finnissy, Michael (1946) : O., (The Undivine Comedy), 2 ct. pi., ca.
Finzi, Gerald (1901-56) : œ. voc., ct. clar.
Fricker, Peter Racine (1920-90) : m. orc., m. ch., 7 ct., 5 sy., œ. voc., m. ch., m. pi., org.
Gardner, John (1917) : m. orc., cho., m. ch., dr.
Goehr, Alexander (1932) : O., m. orc., cho., m. ch., dr.
Harvey, Jonathan (1939) : m. sy., œ. ch., m. ch., m. élec.
Hoddinott, Alun (1929) : m. orc., cho., m. ch., dr.
Holloway, Robin (1943) : o. (Clarissa), m. orc., m. ch., œ. voc.
Knussen, Olivier (1952) : O. (Where the Wild Things Are), 3 sy., m. ch., m. voc.
Lambert, Constant (1905-51) : m. films, ba.
Lloyd Webber, Andrew (1948) : m. orc., Requiem, Jésus-Christ Superstar, Starlight Express, Cats.
Lutyens, Elizabeth (1906-83) : m. orc., cho., m. ch., dr.
Mac Cabe, John (1939) : m. orc. (The Chagall Windows), sy., m. pi.
Macmillan, James (1959) : m. orc., cho., m. th., pi.
Maconchy, Elizabeth (1907) : ct., O.
Martland, Steve (1958) : m. orc., pi élec., m. ch.
Mathias, William (1934) : O., sy., ct. clar., ct. clav., 3 ct. pi., m. ch., m. voc. (Te Deum).
Matthews, Colin (1946) : m. or. (Landscape, Night Music), ct. vc., m. ch., 2 q., m. voc.
Matthews, David (1943) : 3 sy., m. or. (In the Dark Time), ct. vi., 5 q., m. ch.
Maw, Nicholas (1935) : m. orc., cho., m. ch., dr., 2 O. (The Rising of the Moon).
Maxwell Davies, Sir Peter (1934) : O., th. mus., ba. (Salomé), 4 sy., Strathelyde Concertos m. ch., m. voc. (Missa super, l'Homme armé, Hymnes).
Muldowney, Dominic (1952) : m. orc., ct. pi., m. ch., m. voc.
Musgrave, Thea (1928) : O., m. ch., ct., or.
Osborne, Nigel (1948) : O. (The Electrification of the Soviet Union), orc., m. ch., voc., pi.
Patterson, Paul (1947) : m. orc., ct. tr., ct. cor., ct. or., m. voc. (Requiem, Time Piece).
Rainier, Priaulx (1903-86) : or., cho., m. ch., ct. vlc.
Rands, Bernard (1935) : m. orc., m. in., m. ch., mus. élec.
Rawsthorne, Alan (1905-71) : 3 sy., ct.
Rubbra, Edmund (1901-86) : or., m. ch., cho.
Searle, Humphrey (1915-82) : m. orc., cho., m. ch., dr., ct.
Seiber, Matyas (1905-60) (Hongrois) : m. orc., cho., m. ch., dr.
Smith-Brindle, Reginald (1917).
Swayne, Giles (1946) : m. orc. (Orlando's Music), 1 sy., m. ch., 2 Q.
Tavener, John (1944) : O., œ. ch. (Celtic Requiem), m. sy., ct. pi., m. ch.
Tippett, Sir Michael (1905) : 5 O. (the Midsummer Marriage, the Knot Garden, King Priam, the Ice-Break, New Year), m. orc., 4 sy., ct. pi., so., q.
Turnage, Mark (1960) : O. (Greek), m. orc., m. ch.
Victory, Gerard (1921) : O., m. sy., m. ch.
Walton, William (1902-83) : 2 O. (Troilus and Cressida, The Bear), ba. (Façade), 2 sy., ct. vi., ct. alto, ct. vlc., œ. sy., m. ch. (Belshazzar's Feast), m. v., m. film.
Weir, Judith (1954) : 2 O. (A Night at the Chinese Opera ; The Vanishing Bridegroom), m. orc., m. ch., voc., pi.
Williamson, Malcolm (1931) : O., m. orc., m. ch.
Wood, Hugh (1932) : m. orc., cho., m. ch., dr.

Grèce

Petridis, Petro (1892-1986) : 5 sy., 3 ct., or. (St Paul), O. (Zefyra), m. re., ba.
Skalkottas, Nikos (1904-49) : m. sér., 6 ct., m. orc., m. ch., 4 q., m. pi.
Terzakis, Dimitris (1938) : O., m., sy., m. voc., m. ch.
Theodorakis, Mikis (1925) : m. orc., ba., or., m. films (Zorba le Grec).
Xenakis, Iannis (1922) : m. élec., électroacoustique et informatique, œ. sy., voc., m. ch.

Hongrie

Nés avant 1800

Bakfark, Bálint (1507-76) : mo., ch., madrigaux.
Csermák, Antal (1774-1822) : danses, romances hongr.
Pálóczi Horváth, Adám (1760-1820) : m. folkl.
Rozsavolgyi, Márk (1787-1848) : verbunkos, csárdás, danses hongr.
Tinódi, Sebestyén (1505-56) : 23 mél.

Nés après 1800

Bárdos, Lajos (1899-1986) : œ. voc., œ. ch., m. folkl., m. re.
Bartók, Béla (1881-1945) : O. (le Château de Barbe-Bleue), ba. (le Mandarin merveilleux), 3 ct. pi., 2 ct. vi., 1 ct. orc., m. ch. (6 q.), m. orc. (Musique pour cordes, percussions, célesta), œ. pi. (Mikrokosmos, so., su., danses).
Dohnányi, Ernö (1877-1960) : O., m. orc., m. ch., m. pi.
Durkó, Zsolt (1934) : m. dodécaph.
Erkel, Ferenc (1810-93) : Hymne national, O. (Bánk bán, Hunyadi László).
Farkas, Ferenc (1905) : O., ba., œ. sy., œ. in., voc.
Goldmark, Károly (1830-1915) : m. ch., O. (la Reine de Saba, Zrinyi), ct. pi. vi.
Harsányi, Tibor (1897-1954) : ba., m. sy., m. ch., œ. pi.
Hubay, Jenö (1858-1937) : œ. in. so., o. c.
Kadosa, Pál (1903-83) : ct., su., so., m. ch.
Kodály, Zoltán (1882-1967) : O. (Háry János), m. re. (Psalmus Hungaricus), ct., œ. ch., m. ch., m. orc. (Danses de Galantha, de Marosszek), mél., œ. pi.
Kurtág, György (1926) : œ. in., œ. ch.
Lajtha, László (1892-1963) : ba., œ, voc., sy., m. ch.

LÁNG, István (1933) : O. (Pathelin mester), q., var. et allegro (orc.).
LEHÁR, Franz (1870-1948) : O. (la Veuve joyeuse).
LIGETI, György (1923) : voir p. 427c.
LISZT, Franz (1811-86) : poèmes sy. (Hungaria, les Préludes, Mazeppa, Faust-sy.), 2 ct. pi., innombrables œ. pi. (Ét. transcendantes, Années de pèlerinage, Rhapsodies hongroises, so., Harmonies poétiques et rel.), m. re. (Messe de Gran, Christus, Légende de ste Élisabeth), mél., écrits litt.
PETROVICS, Emil (1930) : O., or., œ. in., ch.
SZABÓ, Ferenc (1902-69) : sy., œ. lr., or. (poèmes de Petoefi), œ. in., cho.
SZOKOLAY, Sándor (1931) : O., or., ch., cho.
SZOLLOSY, Andreas (1921) : Ct. orc., Transfiguration orc. et chœurs.
WEINER, Leo (1885-1960) : or.

Islande

HALLDÓRSSON, Skéli (1914) ; ba., m. or., m. voc.
NORDAL, Jón (1926) : m. or., m. ch.
SIGURBJÖRNSSON, Thorkell (1938) : ba., ct., m. or., m. ch.
SVEINBJÖRNSSON, Sveinbjörn (1847-1927) : compositeur de l'hymne national.

Italie

Nés entre 1300 et 1500

CARA, Marchetto (?-v. 1530) : frottole.
CASCIA, Giovanni da (ou Jean de Florence) (XIVe s.) : ma. (2 voix).
DONATUS DE FLORENTIA (XIVe s.).
FESTA, Costanzo (v. 1485-1545) : mo. et ma.
FOGLIANO, Giacomo (1468-1548) : ps., ma., canzoni, frottole, tablatures d'orgue.
FRANCESCO DA MILANO (1497-v. 1543) : œ. luth.
GHERARDELLO DA FIRENZE (?-1362/64) : ma. (2 voix), chants religieux.
JACOPO DA BOLOGNA (1300-65) : ma. (2 v.).
LANDINI, Francesco (1335-97) : ma., ballades (2 et 3 v.).
LURANO, Filippo de (fin du XVe s.) : frottole.
PESENTI, Michele (v. 1475-1521) : frottole.
PETRUCCI, Ottaviano (1466-1539) : fondateur de la 1re imprimerie musicale (1501).

Nés entre 1500 et 1600

ANERIO, Felice (v. 1560-1614) : m. re., ma.
CACCINI, Giulio (v. 1550-1618) : ma., pastorale (Euridice).
CAVALIERI, Emilio de (1550-1602) : m. re., m. th. (la Rappresentazione di Anima e di Corpo), or.
CORTECCIA, Francesco (1504-71) : madrigaux, mo.
FERRABOSCO, Alfonso I (1543-88) : m. re., ma.
FERRABOSCO, Alfonso II (1587-1628) : m. re., ma.
FERRABOSCO, Domenico Maria (1513-74) : mo. ma.
FRESCOBALDI, Girolamo (1583-1643) : mo., ma., toccatas, fu.
GABRIELI, Andrea (v. 1510-86) : m. re., œ. ch., in.
GABRIELI, Giovanni (1557-1612) : org.
GAGLIANO, Marco da (1582-1643) : ma., m. rel.
GALILEI, Vincenzo (1520-91) : Un chant de la Divine Comédie.
GERO, Jhan (Belg., 1518-83) : 3 liv. de ma.
GESUALDO DI VENOSA, Don Carlo (v. 1560-1613) : œ. voc., in.
INGEGNERI, Marc Antonio (1547-92) : ma. (4, 5, 6 v.).
MARENZIO, Luca (v. 1553-99) : ma. prof. et villanelles.
MERULO, Claudio (1533-1604) : œ. voc. et in.
MONTEVERDI, Claudio (1567-1643) : O. (Orphée, le Couronnement de Poppée), m. re. (Vêpres de la Vierge), œ. vo., ma.
PALESTRINA, Giovanni Pierluigi da (1525-94) : me. (Ecce sacerdos, Veni Creator), mo., ma.
PERI, Jacopo (1561-1633) : O. (Eudirice).
RINUCCINI, Ottavio (1563-1621).
ROSSI, Luigi (1598-1653) : or., œ. voc.
SORIANO, Francesco (1549-1620) : m. re.
TRABACI, Giovanni Maria (v. 1575-1647) : œ. org.
VECCHI, Orazio (v. 1550-1605) : divertissements.
VICENTINO, Nicola (v. 1511-75) : musicologue.
VIOLA, Alfonso della (1508-70) : intermèdes.
VIOLA, Francesco della (?-1568) : ma., mo.

Nés entre 1600 et 1700

ALBINONI, Tomaso, Giovanni (1671-1751) : plus de 50 œ., concerti grossi.
BENEVOLI, Orazio (1605-72) : m. re.
BERNABEI, Ercole (v. 1622-87) : 5 O.
BONONCINI, Giovanni (1670-1747) : O., m. re.
BONTEMPI, Giovanni (1628-1705) : O.
CALDARA, Antonio (v. 1670-1736) : 90 O., m. re., œ. in.
CARISSIMI, Giacomo (1605-74) : 16 or. (Jefte), m. re.
CAVALLI, Pietro Francesco (1602-76) : + de 40 œ.
CESTI, Marc Antonio (1623-69) : O., ca.
COLONNA, Giovanni (1637-95) : or. et O.
CORBETTA, Francesco (v. 1615-v. 81) : guitariste.
CORELLI, Arcangelo (1653-1713) : œ. in., 5 recueils de so., concerti grossi.
GABRIELLI, Domenico (v. 1659-90) : 12 O., mo.
GEMINIANI, Francesco (1687-1762) : trios, so., ct.
LOCATELLI, Pietro (1695-1764) : so., ét. vi.
MARCELLO, Benedetto (1686-1739) : or., ca., ps., œ. in.
PALLAVICINI, Carlo (v. 1630-88) : 21 O.
PASQUINI, Bernardo (1673-1710) : œ. cl., œ. ch.
ROSSI, Dom Francesco (1627-1700) : mélodrames, O., ct., m. re.
ROSSI, Emilio de (1610-51).
ROSSI, Michele Angelo (v. 1600-56) : œ. vi., org., so.
SCARLATTI, Alessandro (1660-1725) : 115 O., 600 ca., 200 me., œ. in.
SCARLATTI, Domenico (1685-1757) : Stabat Mater, + de 500 so. cl.
STEFFANI, Agostino (1654-1728) : O., so. cordes.
STRADELLA, Alessandro (1644-82) : or., O, ca., mo., œ. in.
TARTINI, Giuseppe (1692-1770) : ct., so. vi.
TORELLI, Giuseppe (1658-1709) : ct.
VERACINI, Francesco Maria (1690-1750) : so. vi., ca.
VITALI, Tommaso Antonio (1663-1745) : so., chaconne vi.
VIVALDI, Antonio (1678-1741) : plus de 500 concertos (les 4 Saisons), or. (Juditha Triumphans), m. re. (Gloria).

Nés entre 1700 et 1800

BOCCHERINI, Luigi (1743-1805) : ct. vlc., 20 sy., m. ch., O.
CHERUBINI, Luigi (1760-1842) : O. (Médée), m. ch., m. re., me. du Sacre.
CIMAROSA, Domenico (1749-1801) : O. (le Mariage secret), ct., m. ch., so. cl.
CLEMENTI, Muzio (1752-1832) : 60 so., ét. pi. (Gradus ad Parnassum), sy., m. ch.
DONIZETTI, Gaetano (1797-1848) : O. (la Fille du régiment, Don Pasquale, Lucie de Lammermoor).
FIOCCO, Joseph-Hector (1703-41) : œ. ch., or., œ. cl.
GALUPPI, Baldassare (1706-85) : O., ca., so., ct.
MERCADANTE, Saverio (1795-1870) : O., ct. fl., ct. clar.
PAER, Ferdinando (1771-1839) : O. (Leonora), m. orc., mél., m. in.
PAGANINI, Niccolo (1782-1840) : œ. vi. (6 ct., so., var.), œ. guitare.
PAISIELLO, Giovanni (1740-1846) : O. (le Barbier de Séville), 12 sy., 6 ct. pi., ca.
PERGOLESE, Giovanni Battista (1710-36) : m. re. (Stabat Mater, Salve Regina), O. (la Servante maîtresse), ct. vi., vlc.
PICCINNI, Nicola (1728-1800) : O. (Armide).
ROSSINI, Gioacchino (1792-1868) : O. (le Barbier de Séville, l'Italienne à Alger, Tancrède, Othello, Guillaume Tell), Stabat Mater, m. ch. (so. pour cordes).
SALIERI, Antonio (1750-1825) : O., m. orc., m. re., m. in.
SAMMARTINI, Giov. Battista (1701-74) : sy., so.
SPONTINI, Gaspare (1774-1851) : O. (la Vestale).
VIOTTI, Giovanni Battista (1755-1824) : 29 ct. vi., 21 q., 21 Tr., so., ct.

Nés entre 1800 et 1900

ALFANO, Franco (1876-1954) : O. (Cyrano de Bergerac), sy., mél.
BELLINI, Vincenzo (1801-35) : O. (la Norma, la Somnambule, Capulets et Montaigus).
BOITO, Arrigo (1842-1918) : O. (Mefistofele).
BUSONI, Ferruccio (1866-1924) : O. (Doktor Faust), œ. org., œ. pi., m. sy., ct., m. ch., transcriptions d'œ. de Bach.
CASELLA, Alfredo (1883-1947) : O., or., sy., m. ch., nomb. œ. pi. (so., ét., toccata).
CASTELNUOVO-TEDESCO, Mario (1895-1968) : or. (la Lune de Jonas), vi., ct. guitare, œ. voc.
CATALANI, Alfredo (1854-1893) : O. (la Wally).
CILEA, Francesco (1866-1950) : O. (Gina, Adrienne Lecouvreur).
GHEDINI, Giorgio Federico (1892-1965) : ct., O.
GIORDANO, Umberto (1867-1948) : O. (André Chénier).
LEONCAVALLO, Ruggero (1858-1919) : O. (Paillasse, la Bohème, Zazà).
LUALDI, Adriano (1887-1971) : O.
MALIPIERO, Francesco (1882-1973) : O. (Jules César), sy. du Zodiaque, m. ch., ct.
MANCINELLI, Luigi (1848-1921) : O.
MARTUCCI, Giuseppe (1856-1909) : ct. pi., sy.
MASCAGNI, Pietro (1863-1945) : O. (Cavalleria Rusticana, l'Ami Fritz, Iris).
MONTEMEZZI, Italo (1875-1952) : O. (l'Amour des trois rois).
PIZZETTI, Ildebrando (1880-1968) : O. (Deborah et Jael, Meurtre dans la cathédrale).
PONCHIELLI, Amilcare (1834-86) : O. (la Gioconda).
PUCCINI, Giacomo (1858-1924) : O. (Manon Lescaut, la Bohème, Tosca, Madame Butterfly, Turandot).
RESPIGHI, Ottorino (1879-1936) : poèmes sy. (les Oiseaux, les Pins de Rome, les Fontaines de Rome, Danses anciennes), 9 O., ct. pi.
RIETI, Vittorio (1898) : O., ba. (Barabou), 5 sy., œ. pi., 2 q., ct.
VERDI, Giuseppe (1813-1901) : O. (Rigoletto, le Trouvère, la Traviata, Don Carlos, Simon Boccanegra, la Force du destin, les Vêpres siciliennes, Un Bal masqué, Aïda, Otello, Falstaff), Requiem.
WOLF-FERRARI, Ermanno (1876-1948) : O. (l'École des pères, le Secret de Suzanne, les Bijoux de la Madone).
ZANDONAI, Riccardo (1883-1944) : O. (Roméo et Juliette, Francesca da Rimini).

Nés après 1900

ARRIGO, Girolamo (1930) : O. (Orden, Garibaldi), 2 Épigrammes, la Cantata Hurbinek.
BERIO, Luciano (1925) : O. (Passaggio, Opera),, m. orc. (Nones, Chemins), m. in. (Sequenzas), ct. 2 pi., œ. voc. (Sinfonia, Circles), m. élec. (Momenti), Omaggio a Joyce.
BUSSOTTI, Sylvano (1931) : m. dodécaphonique, Rara Requiem, O. (la Passion selon Sade, le Racine, Lorenzaccio), ba. (Bergkristall).
CAMBISSA Giorgio (1921) : ba., ca., ct., ens. ins., m. con., m. orch., o. ch., q.
CASTIGLIONI, Niccolo (1932) : m. orc., m. in.
CLEMENTI, Aldo (1925) : m. orc. (Triplum, Informel), ct. pi, ct. cb., ct. v., m. ch., o. (Es).
CORGHI, Azio (1937) : O. (Tactus, Blimunda), m. orc., m. ch.
DALLAPICCOLA, Luigi (1904-75) : O. (le Prisonnier, Job), ba. (Marsyas), ct. pi., œ. pi. (Quaderno musicale di Anna Libera), mél.
DONATONI, Franco (1927) : O. (Atem), m. or. (In Cauda), m. ch., m. in., m. élec.
FERRERO, Lorenzo (1951) : 8 O. (Rimbaud, Mare nostro, Night, Charlotte Corday), m. or. (Ombres), m. instr.
GAVAZZENI, Gianandrea (1909) : Concerto du Cinquando.
GENTILUCCI, Armando (1939-89) : O. (Moby Dick) m. or., m. voc., m. ch.
GORLI, Sandro (1948) : m. orc., m. in.
MADERNA, Bruno (1920-73) : m. th., m. orc. (Aura), ct. 2 pi., ct. pi., ct. vi., m. élec. (Musique en 2 dimensions), q., m. ch. (Aulodia), m. in. (Widmung).
MANZONI, Giacomo (1932) : O. (Atomtod, Per Massimiliano Robespierre, Doktor Faustus), m. orc. (Hölderlin, Messe), m. ch. (Parole da Beckett).
MENOTTI, Gian Carlo (1911). Voir États-Unis.
MORRICONE, Ennio (1928-90) : m. films.
NIELSEN, Riccardo (1908) : O. (l'Incube), m. ch.
NONO, Luigi (1924-90) : m. sér. et élec. : O. (Intolleranza Prometeo), m. in. (Incontri), ca.
PETRASSI, Goffredo (1904) : O. (la Morte dell'Aria), 8 ct. pour orc., œ. ch., m. instr.
ROTA, Nino (1932-79) : m. films.
SCELSI, Giacinto (1905-88) : m. orc., m. ch., 3 q., m. atonale.
SCIARRINO, Salvadore (1947) : O. (Lohengrin, Perseo e Andromeda), m. orc. (Clair de lune), m. ch., m. pi.
SINOPOLI, Giuseppe (1947) : O. (Lou Salomè).
STROPPA, Marco (1959) : m. or., m. instr., m. élec. (la Liberté, Decamerone).
TURCHI, Guido (1916) : m. orc. (Concerto breve), m. ch., m. voc.
VLAD, Roman (or. roumaine, 1919) : O., ba., m. orc., œ. voc., m. dodécaphonique.

Japon

AKUTAGAWARA, Yasushi (1925) : O., ba., m. orc., m.ch.
ISHII, Maki (1936) : m. orc. (Monoprisme), m. ch., m. trad. jap. et m. élec. (vit en R.F.A.).
MATSUDAIRA, Yori-aki (1931) : m. av.-garde.

MATSUDAIRA, Yoritsuné (1907) : m. orc. (Theme and Variations, Bugaku), m. ch., 2 q., m. voc. (Koromogae).
MAYUZUMI, Toshiro (1929) : O. (le Temple du pavillon d'or, Minoko), ba. (Bugaku), ca., m. orc., m. élec., m. films.
MIKI, Minoru (1930) : 3 sy., O. (Shunkin-Sho/Ada).
MIYOSHI, Akira (1933) m. orc., ét. (pi., vi.), m. ch., m. voc.
SHINOHARA, Makoto (1931), fixé aux Pays-Bas : m. ch., m. orc. (Visione, Égalisation), m. élec.
TAÏRA, Yoshihisa (1938) : m. orc. (Hiérophonie, Chromophonie), m. ch.
TAKAHASHI, Yuji (1938) : m. orc., m. ch. (Chromamorphe), m. pi.
TAKEMITSU, Tôru (1930) : m. orc. (Requiem, November Steps, Quatrain), m. ch. (Stanza), m. in., m. élec. (Relief statique), m. films.
TAMBA, Akira (1932).

Mexique

AYALA, Daniel (1906-75) (1) : ba., œ. sy., m. ch.
CARRILLO, Julian (1875-1965) : m. orc., œ. in.
CASTRO, Ricardo (1864-1907) : 4 O. (la Légende de Rudel), œ. pi. orc., 2 sy.
CHÁVEZ, Carlos (1899-1978) : Toccata pour percussion, 5 sy., ba., œ. pi. (Préludes).
CONTRERAS, Salvador (1912) (1).
GALINDO, Blas (1910) (1) : 7 ba., 3 sy., 2 ct. pi.
HALFFTER, Rodolfo : voir Espagne, p. 429b.
HERRERA DE LA FUENTE, L. (1916) : ba., m. re.
MONCAYO, José Pablo (1912-58) (1) : O., œ. sy. (Hommage à Cervantès), m. instr.
MORALES, Melesio (1838-1908) : 5 O., me., œ. sy. (la Locomotive).
NANCARROW, Colón (1912) : m. pi. (37 études).
PANIAGUA, Cenobio (1821-82) : m. re., voc.
PONCE, Manuel (1882-1948) : ct. vi., pi., guit.
REVUELTAS, Silvestre (1899-1940) : 7 poèmes sy., m. films.
ROLÓN, José (1883-1945) : ct.
SANCHEZ DE FUENTES, Eduardo (1874-1944) : m. orc.
TELLO, Rafael (1872-1946) : 4 O., œ. sy.

Nota. – (1) Ayala, Contreras, Galindo, Moncayo ont constitué le *groupe des Quatre* en 1934.

Norvège

BIBALO, Antonio (1922) : O. (Macbeth, The Smile at the Foot of the Ladder), ba., m. ch., m. orc.
BULL, Edvard Hagerup (1922) : O., ba., sy., m. orc., m. ch.
EGGE, Klaus (1906-79) : 5 sy., ct., m. ch.
GRIEG, Edvard (1843-1907) : ct. pi., m. orc. (Peer Gynt, Danses norv.), m. ch., œ. pi. (Pièces lyr.).
LINDEMAN, Ludvig Mathias (1812-87) : m. org., œ. voc.
MORTENSEN, Finn (1922-83) : m. sér., m. aléat., 1 sy., m. orc., m. ch., œ. pi.
NORDHEIM, Arne (1931) : m. élec., ba. (The Tempest), m. orc., m. ch., œ. voc.
SÆVERUD, Harald (1897) : sy., œ. pi., ct., m. th. (Peer Gynt).
SINDING, Christian (1856-1941) : œ. in., 1 O., 3 sy., ct., m. ch., œ. pi. (Frühlingsrauschen), 250 li.
SVENDSEN, Johan (1840-1911) : 2 sy., 4 Rhapsodies norv., ct., Carnaval à Paris.
TVEITT, Geirr (1908-81) : ba., O. ba. (Jeppe), m. orc., 3 sy., 6 ct. pi., m. ch., 36 so. pi., li., ch.
VALEN, Fartein (1887-1952) : 4 sy., m. orc., m. ch., œ. voc., œ. pi.

Paraguay

BARRIOS, Agustin P. (1885-1944) : m. guit.
GODOY, Sila (1909) : guit., mus. cont.

Pays-Bas

ANDRIESSEN, Louis (1939) : De Staat, Anachronie II.
BADINGS, Henk (1907-87) : 6 O., 15 sy., 28 ct., m. ch. et inst.
DE LEEUW, Ton (1926) : Spatial Musik.
DIEPENBROCK, Alphons (1862-1921) : Te Deum.
ESCHER, Rudolf (1912-80) : 2 sy., le Tombeau de Ravel, Musique pour l'esprit en deuil.
HEPPENER, Robert (1925) : Haec Dies.
HUYGHENS, Constantijn (1596-1687) : m. voc.
KETTING, Piet (1904-84) : m. ch, ps., Jazon en Medea.
KEURIS, Tristan (1946) : sy., ct.
LOEVENDIE, Theo (1930) : m. pi. et fl., 6 turkish folkpoems.
PIJPER, Willem (1894-1947) : m. sy., 2 O., mél.
RUYNEMAN, Daniel (1886-1963) : Hiéroglyphes.
SCHAT, Peter (1935) : O. (Labyrint, To You), 2 sy.
SWEELINCK, Jan (1562-1621) : 250 œ. re., voc., org.
VAN BAAREN, Kees (1906-70) : ct. pi.
VERMEULEN, Matthijs (1888-1967) : 7 sy., m. ch., mél.

Pologne

BACEWICZ, Grazyna (1909-1969) : 4 sy., 7 ct. vi., m. orc., œ. ch., 7 q. vi., pi., ba.
BAIRD, Tadeusz (1928-1981) : O., 3 sy., m. ch., m. orc. (Variations sans thème), œ. voc.
CHOPIN, Frédéric (1810-49, or. franç.) : œ. pi. (préludes, nocturnes, valses, polonaises, mazurkas, ballades, études, scherzos, impromptus, etc.), 2 ct. pi.
ELSNER, Józef (1769-1854) : œ. sy., m. re., O.
FITELBERG, Grzegorz (1879-1953) : 2 sy., m. orc.
FITELBERG, Jerzy (1903-51) : m. ch., m. orc.
GOMOLKA, Mikolaj (env. 1535-91) : mél. na Psalterz Polski.
GORCZYCKI, Grzegorz Gerwazy (v. 1667-1734) : m. re., œ. voc.
GÓRECKI, Henryk Mikolaj (1933) : 3 sy., œ. orc., m. voc., m. in., m. ch.
JARZEBSKI, Adam (1590-1649) : œ. in., œ. voc., in.
KAMIEŃSKI, Maciej (1734-1821) : 1er opéra polonais.
KARŁOWICZ, Mieczyslaw (1876-1909) : m. sy., m. ch. ct. vi., li.
KILAR, Wojciech (1932) : m. orc., m. ch., œ. in., m. films.
KRAUZE, Zygmunt (1938) : m. sy., m. pi., m. ch., ct. vi.
KURPIŃSKI, Karol (1785-1857) : 30 O., œ. voc., œ. in.
LUTOSŁAWSKI, Witold (1913) : 3 sy., m. orc. (Livre, Mi-parti, le Chain I, II, III), ct. vlc., m. ch., œ. voc., œ. pi., ct. pi.
MALAWSKI, Artur (1904-57) : m. orc., m. ch., œ. vi. et pi., voc. et in.
MEYER, Krzysztof (1943) : m. ch., m. in., m. orc., 6 sy.
MIELCZEWSKI, Marcin (n.c.-1651) : 50 œ. voc., in.
MONIUSZKO, Stanislaw (1819-72) : 14 O. (Halka), 300 mél., sy., œ. voc., in., m. orc., m. re.
MOSZKOWSKI, Maurycy (1854-1925) : 1 O., 1 ba. vi., m. ch., œ. pi.
PADEREWSKI, Ignacy (1860-1941) : 1 sy., 1 O., œ. pi.
PALESTER, Roman (1907-89) : ba., m. re., m. sy., in.
PANUFNIK, Andrzej (1914) (nat. G.-B.) : 10 sy. m. orc, ca., m. ch.
PENDERECKI, Krzysztof (1933) : O. (les Diables de Loudun, le Paradis perdu, le Masque noir), m. orc. (Thrène, De Natura sonoris, 2 sy.), m. re. (Passion selon St Luc), m. in., m. ch., ct. vi., ct. vlc.
PEKIEL, Bartlomiej (n.c.-v. 1670) : œ. voc. et in., m. re.
RADOM, Mikolaj de (XVe s.) : m. re., voc.
SCHAEFFER, Boguslaw (1929) : m. orc., m. ch., œ. in., m. élec., m. th.
SEROCKI, Kazimierz (1922-1981) : m. orc., m. ch., œ. voc.
SIKORSKI, Kazimierz (1895-1986) : 6 sy., œ. in., m. ch.
SZABELSKI, Boleslaw (1896-1979) : m. orc., m. ch., œ. voc., in.
SZALOWSKI, Antoni (1907-73) : ouv., q. à cordes, so. hb., ba., var. sy., m. ch.
SZYMANOWSKI, Karol (1882-1937) : 4 sy., 2 O. (le Roi Roger), 2 ct. vi., m. re. (Stabat Mater), œ. vi., œ. in., li., mél., ba.
TANSMAN, Alexandre (1897-1986) : fixé en France.
WACLAW, Szamotuly de (v. 1526-v. 1560) : œ. voc., m. re.
WIENIAWSKI, Henryk (1835-1880) : œ. vi., 2 ct. vi.

Nota. – Groupe *Jeune Pologne* : G. Fitelberg, M. Karłowicz, L. Rozycki, A. Szeluto, K. Szymanowski.

Portugal

BRAGA-SANTOS, Joly (1924) : 3 O., 5 sy.
CARNEYRO, Claudio (1895-1963) : m. orc., m. ch., 3 q.
COELHO, Manuel Rodrigues (1583-1635) : m. ch.
COELHO, Ruy (1891-1986) : 14 O., 7 ba., 2 ct. pi., m. ch., 6 sy.
CRUZ, Ivo (1901-85) : m. orc., m. ch.
FREITAS, Frederico de (1902-80) : O. ba., m. orc., Q.
FREITAS-BRANCO, Luis de (1890-1955) : poème sy. (Paraísos artificiais).
LOPES GRAÇA, Fernando (1906) : œ. pi. (Dansas breves, Preludios), ch. (Canções heroicas).
MARTINS, Maria de Lourdes (1926).
NUNES, Emanuel (1941) : m. orc. (Nachtmusik), m. instr. (Einspielung), m. voc., m. élec.
PEIXINHO, Jorge (1940) : m. orc., m. ch., m. voc., m. films.
PIRES, Filipe (1934).
SEIXAS, Carlos de (1704-42) : m. org., m. clav.
VASCONCELLOS, Jorge Croner de (1910-74).

Roumanie

ALESSANDRESCU, Alfred (1893-1959) : m. orc. (Acteon), m. ch., m. voc.
ALEXANDRA, Liana (1947) : 5 sy., m. ch., m. instr.
ANDRICU, Mihail (1894-1974) : O., 11 sy., 13 Simfonieta, m. ch., ct.
BENTOIU, Pascal (1927) : O. (Hamlet), 8 sy., m. sy., m. ch., m. voc.
BERGER, Wilhelm (1929) : m. sy., 16 sy., ct., m. ch.
BRINDUŞ, Nicolae (1935) : O. (Arşiţa), m. sy., m. ch., m. voc.
CIORTEA, Tudor (1903-82) : m. sy., m. ch., m. instr.
CONSTANTINESCU, Paul (1909-63) : 2 O., 5 ba., 2 or. (Oratorio de Noël, de Pâques), sy., ct., pi.
CUCLIN, Dimitri (1885-1978) : 20 sy., 5 O., ct.
DIMA, Gheorghe (1847-1925) : or. (la Mère d'Étienne le Grand), m. ch., m. or.
DINICU, Grigoraş (1889-1949) : pièces pour violon (Hora staccato).
DUMITRESCU, Ion (1913) : O., ba., m. or., ct., m. ch.
ENESCO, Georges (1881-1955) : O. (Œdipe), 3 sy., 2 Rhaps. roumaines pour orc., m. ch., m. pi.
FELDMAN, Ludovic (1893-1986) : m. sy., ch.
GEORGESCU, Corneliu-Dan (1938) : m. sy., m. ch.
GLODEANU, Liviu (1938-78) : m. sy., m. ch., m. instr., m. voc.
GOLESTAN, Stan (1875-1956) : m. orc. (Rhaps. roumaine), m. ch., ct. v., ct. vc.
GRIGORIU, Theodor (1926) : m. voc., m. sy., m. ch., m. films.
JORA, Mihail (1891-1971) : ba. (la Piata), m. sy., m. ch., m. voc.
LIPATTI, Dinu (1917-50) : m. sy., m. pi.
MARBE, Myriam (1931) : m. sy., m. voc., m. ch.
MIEREANU, Costin (1943) (nat. Français) : m. orc., O., m. élec.
MOLDOVAN, Mihai (1937-81) : cant., m. ch., ct.
NEGREA, Marţian Negrea (1893-1973) : m. sy. (Dans les montagnes de l'ouest, Symph. du printemps), ct., m. ch., m. chor. (Requiem).
NICHIFOR, Serban (1954) : O., 3 sy., or., m. ch., m. élec.
NICULESCU, Stefan (1927) : O., m. orc. (Ison, 2 sy.), m. ch. (Triplum), m. ch. (Aphorismes d'Héraclite).
OLAH, Tiberiu (1928) : dr., ca., or., 2 sy., œ. ch., œ. voc., m. films.
POPOVICI, Doru (1932) : O., ca., 3 sy., m. ch., œ. ch.
STROE, Aurel (1932) : O. (la Paix, l'Orestie), ca., œ. orc., m. voc.
ŢĂRANU, Cornel (1934) : m. sc., ca., m. or. (Guirlandes), 4 sy., m. voc., m. ch.
TODUŢĂ, Sigismund (1908) : ca., or., sy., m. ch., œ. voc.
VANCEA, Zeno (1900-88) : dr., sy., m. ch., œ. ch., œ. voc., ct.
VIERU, Anatol (1926) : O. (Iona) ca., or., sy., ct., m. ch., m. films.

Russie et URSS

ARENSKI, Anton, Stepanovitch (1861-1906) : ct. pi., O., ba., sy.
BALAKIREV, Mili (1837-1910) (1) : 2 sy., poème sy. (Thamara), œ. pi. (Islamey).
BORTNIANSKI, Dmitri (1751-1825) : O. (Alcide, le Faucon, le Fils rival), ct. clav.
BORODINE, Aleksandr (1833-87) (1) : O. (le Prince Igor), m. orc. (Dans les steppes de l'Asie centrale, 3 sy.), mél., m. ch., œ. pi. (Petite Suite).
CHAPORINE, Yuri (1887-1966) : O. (les Décembristes), m. scène, ca., sy.
CHOSTAKOVITCH, Dimitri (1906-75) : O. (Katerina Ismaïlova, Le Nez), ba., divers ct., m. ch., sy. (no 1, 5, 7, 11, 12, 15), œ. pi. (préludes et fu., so.).
CHTCHEDRINE, Rodion (1932) : 3 O. (les Ames mortes), ba. (Carmen, Anna Karenine), 2 sy., 3 ct. pi., m. or., m. ch., m. voc.
CUI, César (1835-1918) (1) : O. (le Prisonnier du Caucase, William Ratcliff).

DARGOMYJSKI, Aleksandr (1813-69) : O. (Ondine, le Convive de pierre, Russalka).
DENISOV, Edison (1929) : O. (Ivan le soldat, l'Écume des jours), sy., ct. (pi., vi., vlc., cl., hb., fl.), m. ch. (Requiem), œ. voc. (Chant d'automne).
ESCHPAÏ, Andreï (1925) : 2 ct. vi., 4 sy., 2 ct. pi.
FOMINE, Evstigueny (1751-1800) : O. (les Cochers au relais), dr. (Orphée).
GLAZOUNOV, Aleksandr (1865-1936) : ba., 9 sy., ct., œ. pi.
GLINKA, Mikhaïl (1804-57) : O. (Rouslan et Ludmilla, Ivan Soussanine), m. sy. (Kamarinskaïa), mél.
GRETCHANINOV, Aleksandr (1864-1956) : 4 sy., m. re., 2 O., pi., m. ch.
GUBAIDULINA, Sophia (1931) : m. sy., ct. p., vi. (Offertorium), perc., m. ch.
KABALEVSKI, Dimitri (1904-87) : O. (Colas Breugnon, la Famille de Tarass), sy., ct., œ. pi. (toccata, so.).
KANTCHELI, Giya (1935) : 6 sy., m. ch.
KARAEV, Kara (1918) : ba. (Par le sentier du tonnerre).
KARETNIKOV, Nicolaï (1930) : O. (Till Eulenspiegel, le Mystère de l'apôtre Paul), ba. (Vanina Vanini, le Petit Zachée), m. or., 4 sy., m. voc., m. films.
KHATCHATURIAN, Aram (1903-78) : ct. pi., vi., vlc., sy., ba. (Gayaneh, Spartacus).
KHRENNIKOV, Tikhon (1913) : O. (la Mère, Dans la tempête), ct. vi. et pi.
LIADOV, Anatole (1855-1914) : O. (Kikimora, le Lac enchanté), œ. pi.
LIAPOUNOV, Serge (1859-1924) : ét. pi.
MEDTNER, Nicolas (1880-1951) : mél., so., 3 ct.
MIASKOVSKI, Nicolaï (1881-1950) : sy. (nº 5, 21, 27), m. ch.
MOSSOLOV, Aleksandr (1900-73) : ba. (l'Usine), 6 sy., m. orc. (Fonderie d'acier).
MOUSSORGSKI, Modest (1839-81) (1) : O. (Boris Godounov), poème sy. (Une nuit sur le mont Chauve), œ. pi. (Tableaux d'une exposition, orc. par Ravel), mél. (Enfantines, Sans soleil).
MURADELI, Vano (1908-71) : O. (Octobre), m. or.
PÄRT, Arvo (1935) : 3 sy., et. vlc., m. voc., m. ch., m. rel. (Credo, Passion selon St Jean) (vit en All. féd.).
PROKOFIEV, Sergueï (1891-1953) : 7 sy. (dont *nº 1* « Classique »), ba. (Chout, le Pas d'acier, Roméo et Juliette), m. orc. (Pierre et le Loup), m. ch., œ. pi. (9 so., Visions fugitives), m. films, ca. (Alexandre Nevski), O. (Guerre et Paix, l'Ange de feu, l'Amour des trois oranges).
RACHMANINOV, Sergheï (1873-1943) : 4 ct. pi., 3 sy., 3 O. (Aleko, Francesca da Rimini, l'Avare), œ. pi. (préludes, études-tableaux), 79 mél.
RIMSKI-KORSAKOV, Nicolaï (1844-1908) (1) : O. (Snegourotchka, Kitège, le Coq d'or, Tsar saltan), m. sy. (Shéhérazade, Capriccio espagnol, la Grande Pâque russe).
RUBINSTEIN, Anton (1829-94) : O., sy., so., ct.
SCHNITTKE, Alfred (1934) : 4 ct. vi., ct. vlc., m. orc., 5 sy., 4 Conc. grossos, q., m. ch., œ. ch. (Requiem).

• **Musiciens les plus féconds.** *Georg Philip Telemann* (All. 1681-1767) composa 12 cycles annuels de 52 cantates, 78 cantates pour occasions particulières, 44 Passions, 40 opéras et d'innombrables œuvres de musique instrumentale dont 600 à 700 suites pour orchestre. *Johan Melchior Molter* (All., 1695-1765) composa 169 symphonies. *Joseph Haydn* (1732-1809) 108. *Darius Milhaud* (1892-1974) composa plus de 800 œuvres.

Jean-Sébastien Bach (1685-1750) laissa + de 1 000 œuvres numérotées. Il composa 295 cantates d'église, + de 300 cantates profanes. Il eut 20 enfants (avec 2 femmes).

Mozart (1756-1791) a composé 1 000 œuvres dont 70 furent éditées avant sa mort à 35 ans.

• **Œuvres les plus longues. Symphonie.** *Sy. Victory at Sea* de l'Anglais Richard Rodgers (1952) : 13 h. *Sy. nº 3 en ré mineur* de l'Autrichien Gustav Mahler (1860-1911) : 1 h 34 mn (dont 32 mn pour le 1er mouvement). *La sy. nº 8* de l'Autrichien Anton Bruckner (1824-96) : 1 h 20 mn. **Œuvre pour piano.** *Vexations* d'Erik Satie (1866-1925) : 18 h 40 mn pour 180 notes répétées 840 fois. *The Well Tuned Piano* de Monte Young à New York (1980) : 4 h 12 mn 10 s.

• **Silence.** Le plus long : 4 mn 33 s, *Totally Silent Opus* de John Cage (1912, U.S.A.).

• **Cadence.** Le ténor Crevilia a chanté pendant 25 minutes les 2 mêmes mots : *felice ognora,* en 1815 à l'opéra de Milan.

SCRIABINE, Aleksandr (1872-1915) : m. orc. (Prométhée, Poème de l'extase, 3 sy.), œ. pi. (préludes, ét., morceaux, 10 so.).
SILVESTROV, Valentin (1931) : 6 sy., m. voc. m. ch.
STRAVINSKI, Igor (1882-1971) (nat. Amér.) : ba. (l'Oiseau de feu, Petrouchka, le Sacre du printemps, les Noces, Renard), œ. in., ct., m. re. (sy. de psaumes, Messe), œ. pi. (so., Piano rag-music), œ. lr. (Œdipus Rex).
SVIRIDOV, Georgi (1915) : or. (Or. pathétique), ca., m. ch.
TCHAÏKOVSKI, Piotr Ilitch (1840-93) : ba. (le Lac des cygnes, Casse-noisette), O. (Eugène Onéguine, la Dame de pique), m. ch., 3 ct. pi., ct. vi., 6 sy., ouv. (Roméo et Juliette), œ. pi (1 so., les Quatre Saisons), mél.
TCHAIKOVSKI, Boris (1925) : 3 sy., ct. pi., ct. vc., ct. vi., m. ch. (5 Q), O. (l'Étoile).
TCHEREPNINE, Nikolaï (1873-1945) : ct. pi., poèmes sy., ba. (Pavillon d'Armide).
TITCHENKO, Boris (1939) : O., ba., 2 ct. vi., ct. p., 5 sy., m. ch.
VYCHNEGRADSKY, Ivan (1893-1979) : m. con., pi., œ. in., voc., ba. (vit en France).
WAINBERG, Moïse (1919) : 19 sy., m. ch. (15 Q.), O., m. voc.

Nota. – (1) Balakirev, Borodine, Cui, Moussorgski, Rimski-Korsakov ont constitué le *Groupe des Cinq*.

Suède

ALFVÉN, Hugo (1872-1960) : 3 Rhapsodies suédoises, 5 sy., mél.
ATTERBERG, Kurt (1887-1974) : 9 sy., ct. pi. vi. et vlc., su. pour orc.
BÄCK, Sven-Erik (1919) : m. ch., m. re., O.
BELLMAN, Carl-Michael (1740-95) : le Temple de Bacchus, ch.
BERWALD, Franz (1796-1868) : O. (Estrella de Soria, la Reine de Golconde), 4 sy. (sy. Sérieuse), ct. pi., vi., 3 q.
BLOMDAHL, Karl-Birger (1916-68) : 3 sy., O. (Aniara, Herr v. Hancken), m. de ba.
BÖRTZ, Daniel (1943) : 8 sy., m. in., ct.
ELIASSON, Anders (1947) : ct., m. orc., m. ch., 3 sy.
FRUMERIE, Gunnar de (1908-87) : O. (Singoalla), mél., 2 ct. pi.
GRIPPE, Ragnar (1951) : ba., m. films, m. élec., O.
HEMBERG, Eskil (1938) : œ. ch., O. (Love, love).
HERMANSON, Åke (1923) : 4 sy., œ. in.
HOLEWA, Hans (1905) : 6 sy., œ. in., O. (Apollos Förvandling), mus. dodécaphonique.
JOHANSSON, Sven-Eric (1919) : O., œ. pi., 8 q., 9 sy., m. ch.
KRAUS, Joseph Martin (1756-92) : O., m. pi., m. orc., m. ch.
LARSSON, Lars-Erik (1908-86) : 3 sy., O. (la Princesse de Chypre), ca. (le Dieu déguisé).
LIDHOLM, Ingvar (1921) : m. orc. (Ritornello, Riter, Poesis), m. ch., chœurs.
MELLNÄS, Arne (1933) : m. ch., m. orc., sy.
MORTHENSON, Jan W. (1940) : œ. in., ct. org.
NILSSON, Bo (1937) : m. orc., m. ch.
NYSTROEM, Gösta (1890-1966) : 5 sy., œ. voc., ct. alto.
PETERSON-BERGER, Wilhelm (1867-1942) : O. (Arnljot), mél., pi., 5 sy.
PETTERSSON, Allan (1911-80) : 16 sy., 3 ct. orc. à cordes, ct. vi., et alto.
RANGSTRÖM, Ture (1884-1947) : 4 sy., mél.
ROSENBERG, Hilding (1892-1985) : or. (Joseph et ses frères), 9 sy., 12 q., O. (Marionnettes), ct. pi., vi., vlc.
SANDSTRÖM, Sven-David (1942) : œ. in., O. (Slottet det vita, Kejsar Jones, Hasta o älskade brud.), ct. H., guit., œ. ch., m. orc., q. Requiem, Ba.
STENHAMMAR, Wilhelm (1871-1927) : 2 sy., 2 ct. pi., Sérénade p. orc., 6 q., mél.
WERLE, Lars Johan (1926) : O. (le Rêve de Thérèse, d'après Maupassant, Die Reise, Lionardo, Tintomara, En Midsommarnattsdröm, Animalen), œ. in., œ. ch.
WIRÉN, Dag (1905-86) : Sérénade, 5 sy., ct. pi. et vi., 5 q., Ba.

Suisse

BALISSAT, Jean (1936) : m. orc. (2 sy.), ct. percussion, ct. vi., or. (Fête des Vignerons, 1977).
BECK, Conrad (1901-89) : or., ca., 7 sy., m. ch.
BINET, Jean (1893-1960).
BLOCH, Ernest (1880-1959, nat. Américain) : O. (Macbeth), sy. (Israël), ct., 5 q., m. orc. (Schelomo).
BURKHARD, Willy (1900-55).
D'ALESSANDRO, Raffaelle (1911-59) : m. orc., m. ch., œ. pi.
FRITZ, Gaspard (1716-83).
GAGNEBIN, Henri (1886-1977).
GAUDIBERT, Éric (1936) : m. orc., m. ch. (q.), œ. voc., m. dr.
HOLLIGER, Heinz (1939) : O., m. orc. (Atembogen, Scardanelli-Zyklus), m. ch., q.
HONEGGER, Arthur : voir France, p. 430c.
HUBER, Hans (1852-1921) : 8 sy., 4 ct. pi., m. ch., œ. pi., mél., m. re., 4 O.
HUBER, Klaus (1924) : O., m. orc., ct. vi., m. ch., œ. voc.
JAQUES-DALCROZE, Émile (1865-1950) : O., 3 q., 2 ct. vi.
KELTERBORN, Rudolf (1931) : 2 O., m. voc., œ. in., m. orc.
LEHMANN, Hans Ulrich (1937) : m. orc., m. ch., œ. voc.
LIEBERMANN, Rolf (1910) : O. (Pénélope, l'École des femmes), m. orc. (Furioso), œ. voc.
MARESCOTTI, André-François (1902) : m. orc. (Concerts carougeois), œ. voc., mél.
MARTIN, Frank (1890-1974) : O., or. (le Vin herbé, Golgotha), œ. sy., 2 ct. pi., ct. vi., ct. cl., m. ch.
MIEG, Peter (1906-90) : ct., m. ch.
MOESCHINGER, Albert (1897-1985) : 3 sy., ct., m. ch.
MORET, Norbert (1921) : or. (Mendiant du Ciel Bleu), ca., mel., ct.
MULLER, Paul (1898) : ct., m. or.
OBOUSSIER, Robert (1900-57) : O., m. voc., ct.
PERRIN, Jean (1920-89) : m. orc., m. ch., œ. voc.
REGAMEY, Constantin (1907-82) : O., m. ch., m. or.
REICHEL, Bernard (1901) : m. orc., m. ch.
SCHIBLER, Armin (1920-86) : O., m. orc. (Passacaille), ct., m. ch.
SCHNYDER VON WARTENSEE, Xavier (1786-1868).
SCHOECK, Othmar (1886-1957) : 5 O. (Penthésilée), mél., ct., m. ch.
SUTER, Hermann (1870-1926).
SUTER, Robert (1919) : m. ch., m. orc., oe. voc., m. dr.
SUTERMEISTER, Heinrich (1910) : 11 O., ba., m. orc., 6 ct., m. ch., œ. ch.
TABACHNIK, Michel (1942) : m. orc., m. ch.
VERESS, Sándor (1907, or. hongr.) : m. re., ct., m. ch., mél., œ. pi.
VOGEL, Vladimir (1896-1984 ; All., or. russe, vécut en Suisse).
VUATAZ, Roger (1898-1988) : œ. ly., or., m. rel., instrumentation de l'Art de la fugue de J.-S. Bach.
WILDBERGER, Jacques (1922) : m. orc., m. ch.
WYTTENBACH, Jurg (1935) : m. orc., ct. pi., m. ch.
ZBINDEN, Julien-François (1917) : m. or., m. ch.

Tchécoslovaquie

BÁRTA, Lubor (1928-72) : 2 ct. v., 3 sy., m. orc., m. voc., m. ch.
BRIXI, František X. (1732-1771) : m. re., 5 ct. org.
CIKKER, Ján (1911-89) : 8 O., œ. symph.
DOBIÁŠ, Václav (1909-1978) : ch., cho., ca., m. in., nonetto « le Pays natal ».
DUSSEK, Jan Ladislav (1760-1812) : 15 ct., so. pi.
DVOŘÁK, Antonín (1841-1904) : 9 sy. (dont *nº 9* « du Nouveau Monde »), 10 O. (Russalka, le Jacobin, la Naïade), m. orc. (Danses slaves), ct., m. ch., œ. pi.
EBEN, Petr (1929) : œ. voc., in., org.
FELD, Jindřich (1925) : m. orc., ch.
FERENCZY, Oto (1921) : o., m. orc., or. voc., m. ch.
FIBICH, Zdeněk (1850-1900) : O. (la Fiancée de Messine, Blanik, Sárka), 3 sy., m. ch.
FLOSMAN, Oldřich (1925) : m. orc., ch., œ. ch., ct.
FOERSTER, Josef Bohuslav (1859-1951) : O., sy., m. ch.
HÁBA, Alois (1893-1973) : O. (la Mère), 16 q., m. de micro-intervalles.
HUSA, Karel (1921) : 2 sy., m. orc., ct., m. ch., ca.
JANÁČEK, Leoš (1854-1928) : O. (Jenůfa, Káta Kabanová, la Maison de la Mort, la Petite Renarde rusée), poèmes sy., ch. populaires, m. ch.
KABELÁČ, Miroslav (1908-79) : 8 sy., m. voc., m. ch., m. instr.
KALABIS, Viktor (1923) : 5 sy. (dont *nº 2* « Pacis »), ct., m. ch.
KARDOŠ, Dezider (1914) : 6 sy., m. orc., ch., voc.
KOHOUTEK, Ctirad (1929) : m. orc., œ. voc., m. ch.
KOPELENT, Marek (1932) : m. orc., œ. voc., m. ch., m. aléat.
KOŽELUH, Leopold Antonín (1747-1818) : O., 45 me., 300 œ. sacrées, 5 sy., 400 œ. voc. et in., œ. pi.
KROMMER-KRAMÁŘ, František (1759-1831) : 5 sy., 10 ct., m. ch.
KUBÍK, Ladislav (1946) : or., ca., m. orc., 2 ct., m. ch.

KUČERA, Václav (1929) : m. ch., élec. (Spartakus), œ. voc.
KURZ, Ivan (1947) : 3 sy., so. pi.
MARTINŮ, Bohuslav (1890-1959) : O. (Juliette ou la clé des songes, le Mariage, Mirandolina, la Passion grecque), ba., 6 sy., 5 ct. pi., m. ch., 7 q., m. voc., m. pi.
MOYZES, Alexander (1906-84) : 9 sy., m. orc., ch., voc.
MYSLIVEČEK, Josef (1737-81) : O., sy., m. ch.
NOVÁK, Jan (1921-84) : m. orc., ct., m. ch., œ. pi., fl., voc., 5 ca, 2 O., Ba.
NOVÁK, Vitězslav (1870-1949) : O., sy., m. ch.
OSTRČIL, Otakar (1879-1935) : O. (le Royaume de Jeannot), poème sy. (Chemin de croix).
PAUER, Jiři (1919) : 5 O., ct. basson, sy., 3 q.
REJCHA, Antonin (1770-1836) : 24 Q. à vent, m. re., org., œ. pi.
SMETANA, Bedřich (1824-84) : poèmes sy. (Ma patrie), 2 q., O. (Dalibor, la Fiancée vendue, Libuše).
SUCHOŇ, Eugen (1908) : O. (Krútňava), m. dr. (Svätopluk), sy.
SUK, Josef (1874-1935) : œ. sy., m. ch., œ. pi.
TAUSINGER, Jan (1921-80) : O., sy., ct. v., m. voc.
VOŘÍŠEK, Jan Vaclav (1791-1825) : sy., 12 rhap. pi.
ZELENKA, Jan Dismas (1679-1745) : m. re., or., ps.

Turquie

AKSES, Necil Kâzim (1908) : O. (Bayönder, Timur Mete), 4 sy., m. orc., m. ch., m. pop.
AKSÜT, Yusuf Sadun (1932).
ERKIN, Ulvi Cemal (1906-72) : 2 sy., ct. pi., ct. vi., m. orc., m. pop.
HRI, Mustafa (?-1712).
SARDAG, Hehmed Rüstü (1917).
SAYGUN, Ahmet Adnan (1907-91) : O. (Ozsoy, Kerem, Köroglu), 4 sy., ct. pi., ct. vi., or. de Ynus, Emre
SELCUK, Timur (1946).
TÜZÜN, Ferit (1929-77) : O., 1 sy., m. orc., ba. (Cayda Cira).
USMANBAS, Ilhan (1921) : 6 préludes pour pi. (1945), Keloglan (1949), 3 tableaux de Salvador Dali, ct. pour vi., so. pour vi., trompette, h.b., sy. pour instruments à cordes.

Venezuela

LAURO, Antonio (1913-86) : m. guit., m. orc.

Viêt-nam

DAO, Nguyen Thien (1940), fixé en France : O. (My chau Trong), m. orc. (Koskom, Giai Phong), ct. perc., m. voc.
TON-THAT-TIET (1933) : m. orc., m. ch. (Chu-Ky).

Yougoslavie

GALLUS, Iacobus Carniolus (1550-91) : Selectiores quaedam missae, Opus musicum, Harmoniae Morales, Moralia.
GOTOVAC, Jakov (1895-1982) : O. (Morana, Mila Gojsalica), œ. orc. ch., cho.
HORVAT, Stanko (1930) : 3 ct. pi., m. orc. 2 ca., O. (Trois légendes).
KELEMEN, Milko (1924-79) : m. sér., O. (l'État de siège), ba., 3 ct., m. orc., m. ch., œ. voc.
KULENOVIC, Vuk (1946) : Ba. (Kamasutra, Icarus), m. orch. (Word of Light, Quasar OH 471), org., or. ch.
MALEC, Ivo (1925) : voir France, p. 431c.
TRAJKOVIC, Vlastimir (1947) : m. orc., org., so. vi., pi.

Formations

Orchestres

Dispositions

Plusieurs possibles. Sur les partitions : *bois :* flûtes, hautbois, clarinettes (saxophones), bassons ; *cuivres :* cors, trompettes, cornets, trombones, tubas ; *harpes ;* *instruments à clavier ; instruments à percussion ; cordes :* quatuor, comprend en fait 5 parties : 1ers violons. 2es violons, altos, violoncelles, contrebasses.

Disposition moderne habituelle en France

Percussion	Timbales	Percussion
Cuivres		Cuivres
Bois		Bois
Harpes 2es violons	Altos	Contrebasses
1ers violons	Chef d'orchestre	Violoncelles

Nombre d'exécutants

Orchestre classique. 2 flûtes, 2 hautbois, 2 clarinettes, 2 bassons, 2 cors, 2 timbales, nombre varié de 1ers et 2es violons, altos, violoncelles, contrebasses (clavecin dans maints récitatifs ; trompette, trombone et contrebasson exceptionnellement).

Orchestre romantique. 1 piccolo, 2 flûtes, 2 hautbois, 2 clarinettes, 2 bassons et quelquefois 1 contrebasson, 4 cors, 2 trompettes, 3 trombones, 1 tuba, 2 ou 3 timbales, cordes.

Orchestre symphonique moyen. a) *cordes* (environ 40) : 10 à 12 1ers violons ; 8 à 10 2es violons ; 6 à 8 altos ; 6 à 8 violoncelles ; 4 ou 5 contrebasses. b) *harmonie* (par groupe de 2) : bois (flûtes, hautbois, clarinettes, bassons, etc.), cuivres (environ 10). c) timbales.

Grandes formations symphoniques. Environ une centaine d'exécutants : 18-16 1ers violons, 16-14 2es violons, 14-12 altos, 12-10 violoncelles, 10-8 contrebasses, 4 flûtes (dont 1 piccolo), 3 hautbois, 1 cor anglais, 4 clarinettes (dont 1 petite clarinette, 1 clarinette basse), 3 bassons, 1 contrebasson, 4-8 cors, 4 trompettes, 3-4 trombones, 1 tuba, timbales, percussions en nombre variable, 2 harpes, 1 clavier.

Orchestre idéal selon Berlioz *(Traité d'instrumentation) :* 467 instrumentistes (dont 120 violons, 40 altos, 45 violoncelles, 33 contrebasses à 3 et 4 cordes, 30 pianos, 30 harpes, etc.) et 360 choristes ; le Requiem demandait en outre 800 chanteurs.

Quelques records mondiaux. Le 17-6-1872, Johann Strauss a dirigé à Boston (U.S.A.) 2 000 musiciens (dont 350 violonistes) et 20 000 choristes. En août 1958 à Trondheim (Norvège), un orchestre réunit 12 600 exécutants. Entre 1958 et 1965, il y eut parfois 13 500 exécutants aux Journées de l'Orchestre de l'Université du Michigan (U.S.A.). Au festival de Tallin, la scène peut contenir 30 000 chanteurs et 20 000 danseurs.

Harmonie. Ensemble d'instruments à vent, batterie et contrebasse, harpe (de 50 à 85 exécutants).

Fanfare. Ensemble de cuivres et batterie (de 20 à 60 exécutants).

Trio. *A cordes :* violon, alto, violoncelle. *Autres :* piano, violon, violoncelle ; violon, flûte, hautbois ; piano, clarinette, violon, etc. *Trio d'anches :* hautbois, clarinette, basson.

Quintette (5 instruments). *A vent :* trompette, trombone, clarinette, saxo alto, cor ; ou : flûte, hautbois, clarinette, basson, cor. *A cordes :* 2 violons, 2 altos, violoncelle (parf. 1 alto, 2 violoncelles).

Octuor (8 instr.). *Classique :* 2 violons, 1 alto, 1 violoncelle, 1 contrebasse, 1 clarinette, 1 cor, 1 basson.

Orchestres symphoniques

Légende : O. ph. : orchestre philharmonique ; O. sy. : orchestre symphonique.

☞ *La direction d'orchestre* s'est affirmée comme discipline à part entière au début du XIXe s. lorsque l'effectif de l'orchestre standard est devenu trop important pour que la direction en soit confiée au violon solo ou au claveciniste assurant le continuo. Les compositeurs ont d'abord dirigé leurs propres œuvres avant de voir s'affirmer des personnalités comme Mendelssohn ou Spohr, en Allemagne, ou Habeneck, en France, 1ers grands chefs d'orch. de l'histoire.

Baguette du chef d'orchestre : l'Allemand L. Spohr fut le 1er à utiliser une baguette (à l'opéra de Francfort entre 1815 et 1817). Aux XVIIe et XVIIIe s. on se servait d'une canne pour marquer les temps. Lulli se blessa ainsi le pied, et mourut de la gangrène en quelques semaines.

Allemagne. O. ph. de Berlin (chef : Claudio Abbado), O. radio-sy. de Berlin (chef : Vladimir Ashkenazy), O. sy. de la radio bavaroise (chef : Colin Davis), O. ph. de Munich (chef : Sergiu Celibidache), O. du Gürzenich de Cologne (chef : James Colon), O. sy. du W.D.R. (Radio de Cologne) (chef : Hans Vonk), O. sy. du N.D.R. (Radio de Hambourg) (chef : Günter Wand), O. radio-sy. de Francfort (chef : Dmitri Kitajenko), O. sy. Bamberg (chef : Horst Stein), O. sy. du S.D.R. [Radio de Stuttgart (chef : Gianluigi Gelmetti)], O. ph. de Hambourg [chef : Gerd Albrecht], O. s. de la radio de Sarrebrück (chef : Marcello Viotti), O. de la Beethovenhalle de Bonn (chef : Dennis Russell Davies). O. du Gewandhaus de Leipzig (chef : Kurt Masur), O. de la Staatskapelle de Dresde (chef : Giuseppe Sinopoli), O. ph. de Dresde (chef : Jörg Peter Weigle), O. sy. de Berlin (chef : Claus Peter Flor).

Autriche. O. ph. de Vienne, O. sy. de Vienne (1er chef invité : Georges Prêtre). O. sy. O.R.F. (radio de Vienne, chef : Rafael Frühbeck de Burgos), O. Mozarteum de Salzbourg (chef : Hans Graf).

Belgique. O. philharmonique de Flandre (chef : Muhai Tang), O. ph. de Liège (chef : Pierre Bartholomée), O. sy. de la R.T.B.F. (chef : André Vandernoot), Philharmonisch Orkest B.R.T. (chef : Alexander Rahbari), O. national de Belgique (O.N.B.) (chef : Ronald Zollman), O. sy. de la Monnaie (chef : Sylvain Cambreling).

Canada. O. sy. de Montréal (chef : Charles Dutoit), O. sy. de Toronto (chef : Günther Herbig), O. sy. de Québec (chef : Simon Streatfield), O. du Centre national des arts d'Ottawa (chef : Gabriel Chmura), O. sy. d'Edmonton (chef : Uri Mayer), O. sy. de Vancouver (chef : Sergiu Comissiona).

Danemark. O. sy. de la radio danoise (chef : Leif Segerstam).

Espagne. O. national d'Espagne (chef : Aldo Çeccato), O. sy. de la radio espagnole (chef : Arpad Joo).

États-Unis. O. ph. de New York (chef : Kurt Masur), O. sy. de Boston (chef : Seiji Ozawa), O. de Cleveland (chef : Christoph von Dohnányi), O. sy. de Chicago (chef : Daniel Barenboïm), O. de Philadelphie (chef : Wolfgang Sawallisch), O. sy. de Pittsburgh (chef : Lorin Maazel), O. sy. de Dallas (chef : Eduardo Mata), O. sy. de Detroit, O. du Minnesota (chef : Edo De Waart), O. sy. de Los Angeles (chef : Esa Pekka Salonen), O. sy. de San Francisco (chef : Herbert Blomstedt), National Symphony Orchestra, Washington (chef : Mstislav Rostropovitch), O. sy. de Cincinnati (chef : Jesus López-Cobos), O. sy. de Houston (chef : Christophe Eschenbach), O. sy. de Saint Louis (chef : Leonard Slatkin), O. sy. de Denver, O. sy. de Rochester (chef : Mark Elder), O. sy. d'Atlanta (chef : Yoel Levi), O. ph. de La Nouvelle-Orléans (chef : Maxime Chostakovitch), O. de Louisville (chef : Lawrence Leighton-Smith). Le N.B.C. Symphony Orchestra, créé pour Toscanini, a été dissous en 1954.

France. O. de Paris [*fondé* oct. 1967 à partir de la Sté des Concerts du Conservatoire. Installé Salle Pleyel dep. 1981 ; *instrumentistes :* 120 ; *chœur :* 200 amateurs (chef : Arthur Oldham) ; *dir. artistiques :* Charles Munch (Pt fondateur) 1967-68, Herbert von Karajan (conseiller musical) 1969-72, Sir Georg Solti 1972-75, Daniel Barenboïm (1975-89), Semyon Bychkov (dep. 1989) ; *saison 1988-89 :* 76 concerts. Concerts en Europe, tournée mondiale à l'occasion du bicentenaire de la révolution française (U.S.A ; Japon, URSS). Près de 120 disques]. O. National de France (1934, 120 musiciens, dir. mus. Charles Dutoit), O. Ph. de Radio-France [138 musiciens, dir. mus. Marek Janowski ; Ancien Nouvel O. Ph., f. en 1976 par fusion de l'O. Ph. de l'O.R.T.F., f. en 1937 (O. Radio-sy.), de l'O. lyrique et de l'O. de chambre de l'O.R.T.F.], O. du Théâtre nat. de l'Opéra de Paris, O. des concerts Lamoureux [1881, président : Jean-Claude Bernède, auditeurs 1987-88 : 31 500 (total Lamoureux, Colonne, Pasdeloup 1986-87 : 113 364)], Association des concerts Colonne (1872, président : Pierre Dervaux), concerts Pasdeloup (1851-82 et 1918), O. nat. du Capitole de Toulouse (dir. : Michel Plasson, 104 instr.), O. nat. d'Ile-de-Fr. (dir. : Jacques Mercier, 70 instr.), O. phil. de Strasbourg (dir. : Theodor Guschlbauer, 108 instr.), O. nat. de Lyon (dir. : Emmanuel Krivine, 108 instr.), O. nat. de Lille (dir. : Jean-Claude Casadesus, 99 instr.), O. ph. des pays de la Loire (dir. : Marc Soustrot, 116 instr.), O. ph. de Montpellier, Languedoc-Roussillon (dir. : René Kœring, 80 instr.), O. sy. et lyrique de Nancy (dir. : Jérôme Kaltenbach, 66 instr.), O. sy. de la Garde républicaine (chef : Lt-Col. Roger Boutry), Philharmonie de Lorraine (chef : Jacques Houtmann), O. nat. de Bordeaux-Aquitaine (dir. : Alain Lombard, 95 instr.), O. ph.

de Nice (chef : Klaus Weise, 96 instr.), O. sy. du Rhin (Mulhouse, dir. : Luca Pfaff, 56 instr.). O. ph. de Marseille (chef : Andrea Giorgi).

Grande-Bretagne. O. ph. de Londres, O. sy. de Londres (chef : Franz Welser-Möst), Royal Philharmonic Orchestra (chef : Vladimir Ashkenazy), B.B.C. Symphony Or. (chef : Andrew Davis), The Philharmonia (chef : Giuseppe Sinopoli), Hallé Orchestra (Manchester, chef : Stanislaw Skrowaczewski), City of Birmingham Symphony Or. (chef : Simon Rattle), Scottish National Or., O. sy. de Bournemouth (chef : Andrew Litton), Royal Liverpool Philharmonic Orchestra (chef : Libor Pešek).

Hongrie. O. de la Philharmonie nationale hongroise (chef : Ken-Ichiro Kobayashi), O. sy. de Budapest (chef perm. : András Ligeti), O. ph. de Budapest (chef : Erich Bergel).

Israël. O. ph. d'Israël (chef : Zubin Mehta), O. sy. de Jérusalem.

Italie. O. sy. de la R.A.I., Rome (chef : Gabriele Ferro), O. de l'Académie Sainte-Cécile de Rome, O. sy. de la R.A.I., Milan (chef : Vladimir Delman), O. sy de la R.A.I. de Turin (chef : Aldo Ceccato), O. Mai musical florentin (chef : Zubin Mehta), O. ph. de la Scala de Milan (dir. : Riccardo Muti).

Japon. O. ph. de Tōkyō (chef : Tadaaki Otaka), O. de la préfecture d'Osaka (chef : Uri Segal), Tōkyō Metropolitan S.O. (chef : Hiroshi Wakasugi), O.S. de la N.H.K. (chef : Hiroyuki Iwaki), New Japan Ph. O., Yomiuri Nippon Sy. O. (chef : Heinz Rögner), O. Sy. de Kyōto (chef : Michiyoshi Inaue).

Monaco. O. ph. de Monte-Carlo (chef : Gianluigi Gelmetti).

Norvège. O. ph. d'Oslo (chef : Mariss Jansons), O. ph. de Bergen (chef : Dimitri Kitajenko).

Pays-Bas. Royal O. du Concertgebouw d'Amsterdam (chef : Riccardo Chailly), O. de la Résidence de La Haye (chef : Hans Vonk), O. ph. de Rotterdam (chef : Jeffrey Tate), O. ph. de Radio-Hilversum (chef : Edo De Waart), O. ph. néerlandais (chef : Hartmut Haenchen).

Pologne. O. ph. national de Varsovie (chef : Kazimierz Kord), O. sy. Radio-T.V. polonaise, Katowice (chef : Antoni Wit), O.P. Cracovie (dir. : Roland Bader), O.P. Katowice (dir. : Karol Stryja).

Roumanie. O. ph. de Bucarest « Georges-Enesco » (chefs : Horia Andreescu, Christian Mandeal), O. sy. de la radio-TV. roumaine (chef : Paul Popescu), O. ph. de Cluj-Napoca (chef : Emil Simon), O. ph. moldave de Iassy (chef : George Costin), O. ph. Banatul de Timisoara (chef : Remus Georgescu).

Suède. O. Ph. Stockholm (chef : Guennadi Rojdestvenski), O. sy. Radio suédoise (1er chef invité : Esa-Pekka Salonen), O. sy. Göteborg (chef : Neeme Järvi).

Suisse. O. de la Suisse romande (chef : Armin Jordan), O. de la Tonhalle de Zurich (chef : Claus-Peter Flor), O. sy. de Bâle (chef : Horst Stein), O. sy. Radio de Bâle (chef : Nello Santi), O. de la Radio suisse italienne, Lugano (chef : Marc Andreae), O. sy. de Berne (chef : Dmitri Kitajenko).

Tchécoslovaquie. O. ph. tchèque (chef : Jiří Bělohlávek), O. sy. de Prague FOK (chef : Petr Altrichter), O. sy. de la radio de Prague (chef : Vladimír Válek), O. ph. de Brno (chef : Petr Vronský), Philharmonie slovaque (chef : Aldo Ceccato), O. sy. de Radio-Bratislava (chef : Adrian Leaper).

Turquie. O. sy. de la Présidence (1826, chef : Gürer Aykal).

U.R.S.S. O. ph. Moscou (chef : Vassili Sinaiski), O. sy. d'État (chef : Evgeny Svetlanov), O. sy. de la radio (chef : Vladimir Fedosseiev), O. sy. d'État du min. de la Culture (Moscou, chef : Guennadi Rojdestvenski), O. ph. de Leningrad (chef : Yuri Temirkanov).

Orchestres de chambre

Allemagne. O. c. de Stuttgart, O. c. de Munich (chef : Martin Sieghart), Bach Collegium de Stuttgart (chef : Helmuth Rilling), O. c. de Hambourg (chef : Heribert Beissel), O. c. de Cologne (chef : Helmut Müller-Brühl), Südwestdeutsches Kammerorchester (chef : Vladislav Czarnecki), Die Deutsche Bachsolisten (chef : Helmut Winschermann), Cappella Coloniensis. O. c. de Berlin (sans chef), O. Bach du Gewandhaus de Leipzig (dir. : Christian Funke), Neue Berliner Kammerorchester, Neue Bach Collegium Musicum Leipzig (dir : Burkhard Glaetzner).

Autriche. Camerata Academica du Mozarteum de Salzbourg (chef : Sándor Végh), Concentus Musicus Vienne (chef : Nikolaus Harnoncourt), Wiener Kammerorchester (chef : Philippe Entremont).

Belgique. O. c. de Wallonie (chef : Jean-Pierre Wallez), « I Fiaminghi » (chef : Rudolf Werthen).

Bulgarie. O. c. Sofia (dir. : Emile Tabakov).

Canada. I Musici de Montréal (dir. : Yuli Turovsky), Musica Camerata (dir. : Luiz Grinhauz).

États-Unis. O. ch. de Los Angeles (chef : Iona Brown), O. ch. Saint Paul (dir. : Christopher Hogwood), Orpheus Chamber Orch. (sans chef).

France. O. c. Paul Kuentz, O. Jean-François Paillard, Ens. orch. Hte-Normandie (chef : J.-Pierre Berlingen), Ens. inst. Basse-Norm. (chef : Dominique Debart), O. c. de Toulouse (dir. : Augustin Dumay), Ens. orchestral de Paris [*fondé* 1978 par Marcel Landowski et Jean-Pierre Wallez ; *dir. artistique :* 1978-86 J.-P. Wallez. Dep. 1986, *chef invité privilégié :* Armin Jordan ; *musiciens :* 35 ; *saison 1987-88 :* Paris 41 concerts, province et étr. 20], Ens. instrumental de France (dir. : P. Bride), O. Bernard Thomas, O. Andrée Colson, Ens. instrumental de Provence, Le Sinfonietta d'Amiens (chef : Patrick Fournillier, 26 instrumentistes), Ens. Mouvement 12 (dir. : Hubert Borgel), O. de Bretagne (Rennes, dir. : Claude Schnitzler, 40 instr.), O. Provence-Alpes-Côte d'Azur (Cannes, chef : Philippe Bender, 39 instr.), Ens. instr. de Grenoble (chef : Marc Tardue, 16 instr.), O. régional d'Auvergne (chef : Jean-Jacques Kantorow, 20 instr.), O. rég. de Bayonne-Côte Basque (chef : Robert Delcroix, 22 instr.), O. des pays de Savoie (dir. : Tibor Varga, 16 instr.), Ens. instrumental La Follia (Mulhouse), O. c. de St-Denis, O. « Ad Artem » de Metz, O. c. de Versailles (chef : Bernard Wahl), Ens. Alternance, Ens. instrumental Jean Walter Audoli.

Grande-Bretagne. English Chamber Orchestra (chef : Jeffrey Tate), Academy of Saint-Martin-in-the-Fields (chefs : Iona Brown et Neville Marriner). Scottish Chamber Orchestra (dir. : Jukka Pekka Saraste), London Mozart Players (dir. : Jane Glover), Bournemouth Sinfonietta (dir. : Tamás Vasáry).

Hongrie. O. c. hongrois (chef : Vilmos Tatrai), O. c. Franz Liszt de Budapest (chef : Janos Rolla), O. c. Corelli (chef : Istvan Ella). O. Camerata Hungarica (chef : Laszló Czidra).

Israël. O. ch. d'Israël (chef : Shlomo Mintz), O. ch. de Beersheba (chef : Mendi Rodan).

Italie. I Musici, I Solisti Veneti (chef : Claudio Scimone), I Virtuosi di Milano, Nuovi Virtuosi di Roma.

Norvège. O. c. de Norvège (dir. mus. : Iona Brown).

Pays-Bas. Asko-Ens. (chef : Willem Heering). Schönberg-Ens. (chef : Reinbert de Leeuw).

Pologne. Philharmonie de chambre polonaise (dir. : Wojciech Rajski), Sinfonia Varsovia.

Portugal. O. de la Fondation Gulbenkian (chef : Muhai Tang).

Roumanie. O. c. « Bucuresti » (chef : Ion Voicu).

Suisse. O. c. de Lausanne (chef : Jesus López-Cobos), Festival Strings Lucerne (chef : Rudolf Baumgartner), O. c. de Zurich (chef : Edmond de Stoutz), Collegium Musicum de Zurich (chef : Paul Sacher), Ens. vocal et instrumental de Lausanne (chef : Michel Corboz), O. Camerata de Zurich (chef : Räto Tschupp), Camerata de Berne (chef : Thomas Fueri).

Tchécoslovaquie. O. c. de Prague (sans chef), O. c. Suk (chef : Petr Škvor), O.c. B. Martinů, Brno (sans chef), O. c. L. Janáček (sans chef), O. c. slovaque (chef : Bohdan Warchal), O. c. d'État de Žilina (chef : Ján Valta), Virtuosi di Praga (sans chef).

U.R.S.S. O. c. de Moscou (chef : Victor Tretiakov), solistes de l'O. du Bolchoï (chef : Alexandre Lazarev). O. c. de Géorgie, Tbilissi (chef : Liana Issakadze), O. c. de Leningrad (chef : Eduard Serov), O. c. Lituanie (chef : Saulius Sondeckis), Solistes de Moscou (chef : Youri Bachmet), Virtuoses de Moscou (Chef : Vladimir Spivakov).

Yougoslavie. Solistes de Zagreb.

Ensembles de musique ancienne

Allemagne. Collegium Aureum (dir. : Franzjosef Maier), Odhecaton-Ensemble für Alte Musik, Cologne, Musica Reservata, Collegium vocale, Musica Antiqua de Cologne (dir. : Reinhard Goebel), Camerata Köln, Concerto Köln, Capella Fidicinia Leipzig.

Autriche. Concentus Musicus (Nikolaus Harnoncourt), Clemencic Consort, Ensemble Musica Instrumentalis, Capella Academica Wien (dir. : Eduard Melkus), Musica antiqua de Vienne (dir. : Thomas Schmœgner), Wiener Akademie (dir. : Martin Haselböck).

Belgique. Ens. instrum. du Brabant (chef : Jean Hervé), Ens. Huelgas (chef : Paul Van Nevel), Polyphonies, Barokensemble A. Bauwens, Ensemble Musica Polyphonica (chef : Louis Devos), Collegium Vocale de Gand (Philippe Herreweghe), la Petite Bande (dir. : Sigiswald Kuijken).

Canada. Le Studio de Musique ancienne de Montréal (chef : Christopher Jackson), Ensemble Claude-Gervaise (chef : Gilles Plante), Tafelmusik (chef : Jean Lamon).

Espagne. Atrium Musicae (chef : Gregorio Paniagua), Pro Musica Antiqua (chef : Miguel Angel Tallante).

États-Unis. Camerata de Boston (chef : Joel Cohen).

France. Ensemble Guillaume Dufay, les Arts Florissants (dir. : William Chrjstie), Florilegium Musicum de Paris, la Grande Écurie et la chambre du Roy (Jean-Claude Malgoire), la Chapelle royale (chef : Philippe Herreweghe), Ensemble Ars Antiqua de Paris, Ensemble Mosaïques (dir. : Christophe Coin), la Maurache (dir. : Julien Skowron), les Musiciens du Louvre (dir. : Marc Minkowski), Ensemble « Per Cantar e sonar » (Stéphane Caillat), les Saqueboutiers de Toulouse, Ensemble baroque de Limoges (dir. : Jean-Michel Hasler).

Grande-Bretagne. Deller Consort (dir. : Mark Deller), Musica Reservata (dir. : John Beckett), The English Concert (dir. : Trevor Pinnock), The Academy of Ancient Music (dir. : Christopher Hogwood), The Consort of Musicke (dir. : Anthony Rooley), The Tallis Scholars (dir. : Peter Phillips), The Sixteen (dir. : Hary Christophers), Gothic Voices (dir. Christopher Page), London Classical Players (dir. : Roger Norrington).

Hongrie. Capella Savaria (Pal Nemeth).

Pays-Bas. Amsterdam Baroque Orchestra (chef : Toon Koopman), Amsterdam Loeki Stardust Quartet, the Locke Consort, Orchestre du XVIIIe s. (chef : Frans Brüggen).

Pologne. Capella Cracoviensis (chef : Stanislaw Galónski).

Portugal. Ensemble Segreis de Lisboa (chef : Manuel Morais).

Suède. Drottningholms Barockensemble (chef : Lars Brolin).

Suisse. Schola Cantorum Basiliensis (chef : Peter Reidemeister), Ens. Ricercare (dir. : Michel Piguet), Hesperion XX (dir. : Jordi Savall), Linde Consort (Hans Martin Linde).

Tchécoslovaquie. Madrigalistes de Prague (chef : Pavel Baxa), Ars rediviva (chef : František Sláma).

URSS. Académie de musique ancienne (Moscou, dir. : Tatiana Grindenko), Ensemble Concertino (Moscou, dir. : Andreï Korsakov).

Ensembles de musique contemporaine

Allemagne. Buccina-Ensemble, Ens. 13, Karlsruhe (chef : Manfred Reichert), Percussions ensemble Siegfried Fink, Ens. Kontraste, Ars Nova Ensemble, Nuremberg, Ens. Modern, Francfort.

Autriche. Kontrapunkte (chef : Peter Keuschnig), Die Reihe (chef : Heinz Karl Gruber).

Belgique. Ens. Musique nouvelle (chef : Georges-Élie Octors).

Canada. Sté de m. cont. du Québec (S.M.C.Q.), Sté des concerts alternatifs du Québec (S.C.A.Q.), Nouvel Ensemble moderne (N.E.M.), Ass. pour la création et la recherche électroacoustiques du Québec (A.C.R.E.Q.), Esprit Orchestra, Quatuor Morency, Array Music, Les Événements du Neuf.

Espagne. Grupo Koan (Madrid, dir. : José Ramón Encinar), Diabolus in musica (Barcelone, dir. : Joan Guinjoan).

France. 2e 2m (Paul Méfano), Itinéraire (Tristan Murail), Ars Nova (Marius Constant), Musique vivante (Diego Masson, Philippe Nahon), Percussions de Strasbourg (Georges Van Gucht), Trio Deslogères (Françoise Deslogères), Quatuor de flûtes Arcadie (P.-Y. Artaud), Atelier Musique de Ville-d'Avray (J.-L. Petit), Octuor Edgar Varèse (Victor Martin), Coll. de m. cont. de l'Essonne (Alain Savouret), Coll. de m. cont. du Languedoc-Roussillon (Jenny Szaho), Intervalles (J.-Y. Bosseur), Ensemble Intercontemporain, [*fondé* 1976. Collabore avec l'IRCAM (département musique du Centre Georges-Pompidou). *Pt.* : Pierre Boulez, *dir. musical* Peter Eötvös. 31 solistes ; *saison 1990-91* : 68 concerts à Paris, en province et à l'étranger dont une tournée au Canada, enregistrements discographiques].

Grande-Bretagne. London Sinfonietta (dir. : David Atherton), Lontano (dir. : Odaline de la Martinez), Endymion Ensemble (dir. : John Whitfield), Music-Projects/London (dir. : Richard Bernas).

Israël. Musica Nova.

Pays-Bas. Percussions d'Amsterdam. Nieuw Ensemble Amsterdam (1980). Ens. Asko, ens. Hoketus (Louis Andriessen), ens. Schoenberg (Reinbert De Leeuw), Percussions d'Amsterdam, Quatuor de saxophones néerlandais.

Roumanie. Ars Nova de Cluj (chef : Cornel Ţaranu).

Suède. Kroumata ens. (dir. : Anders Loguin), Sonanza (dir. : Jan Risberg), Kammarensemblen (dir. : Ansgar Krook).

Tchécoslovaquie. Agon (Miroslav Pudlak, Martin Smolka).

Yougoslavie. Zagreb Percussionists (Igor Lešnik).

Ensembles de musique de chambre

Trios. Ars Antiqua, Beaux-Arts Trio, Borodine, Couperin, à cordes français, à cordes de Paris, à cordes de Vienne, Debussy, Delta, Européen, Fiori Musicali, Fontenay (Hambourg), Harpe, flûte et violoncelle de Paris, Haydn de Vienne, Nordmann, Trio de Prague, Ozi, Pasquier, Ravel, Rouvier-Kantorow-Müller, Schubert de Vienne, Suk, Tchèque, de Trieste, Yuval.

Quatuors. Cherubini, Bartholdy, Brandis, Koeckert, Kreuzberger, Melos, Sonare, Westphal (All.), Alban Berg, Artis, Franz Schubert, Hagen, Musikverein de Vienne (Autr.), Kuijken (Belg.), Dimov (Bulg.), Orford (Canada), Carl Nielsen (Dan.), Arcana, Athenaeum-Enesco, Bernède, Manfred, Margand, Parisii, Parrenin, Rosamonde, Via Nova, Ysaÿe (Fr.), Allegri, Arditti, Chilingirian, Gabrieli, Lindsay, Medici, Salomon (G.-B.), Bartók, Eder, Keller, Kodály, Takacs, Tatraï, Nouveau Quat. de Budapest (Hongr.), de Tel-Aviv (Israël), Giovane Quartetto Italiano (It.), Tōkyō (Japon), Glinka, Orlando (P.-Bas), Voces (Roum.), de Berne Carmina, Sine Nomine (Suisse), Janáček, Kocian, de Prague, Stamic, Suk, Talich (Tchéc.), Anton, Beethoven, Borodine, Taneiev (U.R.S.S.), Cleveland, Emerson, Fine Arts Q., Guarneri, Juilliard, Kronos, de Manhattan, Muir, New World String Quartet, Smithson, Vermeer (U.S.A.).

Quintettes. Q. de cuivres Ars Nova (Camille Verdier), Q. à vent de Paris, Q. à vent de Prague, Q. de cuivres de Prague, Q. à vent Taffanel, Q. Moraguès, Q. à vent de Stuttgart, Ensemble Wien-Berlin, Zagreb Wind Quintet (chef : Zoran Despot).

Ensembles divers. Octuor de Vienne. Solistes de l'O. Ph. de Berlin. Centre nat. de m. de ch. d'Aquitaine (Robert Bex). Ens. à vent Maurice Bourgue. Ens. à vent de Budapest (Kálmán Berkes). Nash Ensemble (G.-B.). Nonett Tchèque.

Chorales et ensembles vocaux

Allemagne. Chœurs du festival de Bayreuth, RIAS Kammerchor Berlin (chef : Marcus Creed), C. Ph. de Berlin (chef : Uwe Gronostay), Berliner Singakademie (chef : Hans Hilsdorf), C. de la Radio de Berlin (chef : Dietrich Knothe), C. de la Radio bavaroise (Munich, chef : Hans-Peter Rauscher), C. Bach de Munich (chef : Hanns-Martin Schneidt), C. du Musikverein de Düsseldorf (chef : Hartmut Schmidt), Frankfurter Kantorei, Gächinger Kantorei, Chœurs de l'église du Souvenir de Stuttgart (pour ces 3 dernières chorales, chef : H. Rilling), C. Monteverdi de Hambourg (chef : Jürgen Jürgens), Tölzer Knabenchor (chef : Gerhard Schmidt-Gaden), Regensburger Domspatzen (chef : Georg Ratzinger), Kammerchor Stuttgart (chef : Frieder Bernius), C. de la cathédrale Ste-Hedwige (Berlin), Kolner Kammerchor (chef : Peter Neumann), Frankfurter Singakademie (chef : Karl Rarichs), C. de Ste-Croix (Dresde, chef : Martin Flämig), C. de St-Thomas (Leipzig) (chef : Hans Joachim Rotzsch), C. de la Radio de Leipzig (chef : Gert Frischmuth).

Autriche. C. des Amis de la musique à Vienne (*ou* Wiener Singverein, chef : Helmut Froschauer), Chœurs de l'Opéra de Vienne, Wiener Singakademie (Herbert Böck), Wiener Sängerknaben (chef : Uwe Christian Harrer), Arnold Schönberg-Chor. (chef : Erwin Ortner), ORF-Chor. (Radio de Vienne, chef : Erwin Ortner).

Belgique. Omrœpkoor Van de B.R.T. (chef : Vic Nees), chorale Cantores (chef : Aimé De Haene), Collegium Vocale de Gand (chef : Philippe Herreweghe), Concinite de Louvain (chef : Florian Heyerick).

Bulgarie. C. S. Obretenov (chef : Gueorgi Robev).

Canada. Petits chanteurs du Mont-Royal (chef : Gilbert Patenaude), Chœur de l'orchestre symphonique de Montréal (chef : Iwan Edwards).

Danemark. Ensemble vocal Ars Nova (dir. : Bo Holten).

Espagne. Orfeó Donostiarra (San Sebastián, chef : José Antonio Sainz), Agrupación Coral de Pamplona (chef : Luis Morondo).

États-Unis. Mormon Tabernacle Choir (chef : Jerold D. Ottley), C. Robert Shaw, C. Westminster (New York), N.E.C. Chorus du conservatoire de la Nouvelle-Angleterre (chef : Lorna Cooke De Varon).

France. *Paris et région parisienne* : C. Élisabeth Brasseur (Michel Aunay), Vittoria d'Ile-de-France (Michel Piquemal), C. de Radio-France (professionnels, 100 personnes, chef : Michel Tranchant), C. national (J. Grimbert), Ensemble choral Contrepoint (O. Schneebeli), Maîtrise de Notre-Dame (chanoine J. Revert, 40 chanteurs), de l'Oratoire du Louvre (F. Hollard), de Radio-France (créée 29-4-1946 par Henry Barraud ; 70 à 100 élèves recrutés par concours à 10 ou 11 ans ; dir. : Denis Dupays), de la cath. de Bourges (existait 1543), de la cath. de Chartres (existait 485 ; dirigée par St-Fulbert de 960 à 1028 ; dir. : Francis Bardot dep. 1980), de la cath. de Monaco (fondée 1887 ; dir. : Philippe Debat dep. 1973), des Petits Chanteurs de Lyon (fondée 1974 ; Petits Chanteurs de St-Bernard ; dir. : Jean-Fr. Duchamp, 80 chanteurs), des Hauts-de-Seine (créée 1970 à Asnières ; devient le chœur d'enfants de l'Orc. de Paris et celui de l'Opéra), Chœur de l'Orchestre de Paris (Arthur Oldham), Groupe vocal de France (John Poole), Petits Chanteurs à la Croix de Bois [Bernard Houdy, *fondée* 1907 par Paul Berthier et Pierre Martin ; a eu pour directeurs les abbés Rebufat et Fernand Maillet (1896-1963)], C. Audite Nova (Jean Sourisse), C. de l'Université Paris-Sorbonne (Jacques Grimbert), Petits Chanteurs du Marais, de Versailles (fondés 1946 par Pierre Béguigné ; dir. : Jean-François Frémont), de St-François de Versailles (fondés 1951 par Jacques Duval, 40 chanteurs), de Paris (fondés 1981), de Ste-Croix de Neuilly (dir. : Louis Prudhomme), Chanteurs de St-Eustache (Michel Plockyn), C. de la Madeleine (Joachim Havard de La Montagne), C. Justus von Websky, C. de la Chapelle Royale (Philippe Herreweghe), C. parisienne Paul Kuentz, A Sei Voci, Ens. vocal Stéphane Caillat, Ens. vocal Michel Piquemal, Ens. Organum (dir. : Marcel Perès). *Province* : C. Paul Kuentz (Brest), Groupe vocal « Arpèges » (Bordeaux), Maîtrise de la cathédrale de Dijon (J.-M. Rolland), Ens. vocal de Bourgogne (Dijon, Bernard Tétu), C. de l'O. de Lyon (Bernard Tétu), La Cigale (C. d'enfants, Lyon, Christian Wagner), Maîtrise Gabriel Fauré de Marseille (Marie-Thérèse Fizio), C. de la cathédrale de Strasbourg (Robert Pfrimmer), C. de St-Guillaume de Strasbourg (R. Matter), C. universitaire de Montpellier, Psalette d'Orléans, Ens. vocal de Toulouse (Alix Bourbon), Ens. Jean de Ockeghem (Tours).

Grande-Bretagne. *Londres* : BBC Symphony Chorus (chef : Stephen Jackson), BBC Singers (chef : Simon Joly), Ambrosian Singers (chef : John McCarthy), Pro Musica Chorus of London (chef : John McCarthy), Hilliard Ensemble (Paul Hillier), Philharmonia Chorus (Horst Neumann), Royal Choral Society (Laszlo Heltay), Bach Choir (David Willcocks), The Tallis Scholars (Peter Philips), Traverner Choir (dir. : Andrew Parrott). *Cambridge* : King's College (chef : Stephen Cleobury), St John's College (chef : George Guest). *Oxford* : New College (chef : Edward Higginbottom), Christ Church Cathedral (chef : Stephen Darlington), Magdalen College (chef : John Harper).

Concours internationaux (1989)

Alto : Boulogne (M. Vieux), Munich. **Chant :** Athènes (Callas), Montréal, Zwickau (Schumann), Rio de Janeiro, Busseto (Voci Verdiane), Helsinki (M. Helin), 's-Hertogenbosch, Genève (CIEM).

Prix de musique Mme Léonie Sonning (Danemark, montant 80 000 F). *1979* : Dame Janet Baker. *80* : Marie-Claire Alain. *81* : Mstislav Rostropovitch. *82* : Isaac Stern. *83* : Rafael Kubelik. *84* : Miles Dewey Davis. *85* : Pierre Boulez. *86* : Svjatoslav Richter. *87* : Hans Heens Hollegar. *88* : Peter Schreier. *89* : Tidonn Kaimia.

☞ **Affiliés à la Fédération des concours internationaux de musique, 12, rue de l'Hôtel-de-Ville, CH-1204, Genève (Suisse).** *Renseignements* : Association française d'action artistique, ministère des Affaires étrangères, Bureau de la musique, 45, rue Boissière, 75116 Paris.

Hongrie. Chœur de Budapest (Mátyás Antal), C. Madrigal de Budapest (Ferenc Szekeres), C. de la Radio hongroise (Ferenc Sapszon), C. de l'État hongrois (Miklós Pa'szti).

Pays-Bas. C. de chambre néerlandais (U. Gronostay), Toonkunstkoor.

Portugal. C. de la fondation Gulbenkian (M. Corboz).

Roumanie. Chœur Madrigal de Bucarest (Marin Constantin).

Suède. C. Orphei Drängar d'Uppsala (chefs : Eric Ericson, Robert Sund), C. de la Radio (chef : Gustaf Sjökvist), C. de Chambre Mikaeli Kammarkov (chef : Anders Eby), C. de chambre Eric Ericson (chef : Eric Ericson), C. de Chambre Göteborg (chef : Gunnar Eriksson), Gösta Ohlins Vokalensemble (chef : Gösta Ohlin).

Suisse. Ens. vocal de Lausanne (M. Corboz).

Tchécoslovaquie. C. des Instituteurs moraves (chef : Lubomir Mátl), C. philharmonique de Prague (Lubomír Mátl), C. de la Radio de Prague (chef : Stanislas Bogunia), C. phil. slovaque (Štefan Klimo).

U.R.S.S. C. Alexandre Yourlov (Stanislas Gousev), C. Académique de ch. de Moscou (Vladimir Minin), C. Acad. Glinka de Leningrad (Vladislav Chehuchenko), C. ch. du min. de la Culture (Valeri Polianski).

☞ **Fédération internationale des Pueri Cantores.** *Fondée* 1947 par l'abbé Fernand Maillet. 100 000 chanteurs dans plus de 100 pays. **Fédération française des Petits Chanteurs.** *Fondée* 1945.

Divers

• Musiques militaires. Les principales comportent un orchestre d'harmonie (5 flûtes, 4 hautbois, 3 bassons, 3 petites clarinettes, 22 clarinettes, 3 clarinettes-basses, 3 saxophones-altos, 3 saxophones-ténors, 2 saxophones-basses, 6 cors, 6 trompettes, 3 cornets, 6 trombones, 3 bugles, 6 saxhorns-basses, 3 saxhorns-contrebasses en si bémol, 2 contrebasses à cordes, 6 percussions) de 75 à 130 musiciens, dirigé par un chef de musique, et une batterie-fanfare (12 trompettes en mi bémol, 7 clairons en si bémol, 7 cors en mi bémol, 3 trompettes-basses en mi bémol, 3 clairons-basses en si bémol, 1 soubassophone en si bémol, 1 contrebasse en mi bémol, 1 contre-tuba, 5 percussions) de 40 musiciens ne regroupant que des instruments d'ordonnance (sans pistons), dirigée par un tambour-major.

Principales musiques militaires françaises. Musique de l'air : *créée* 1936. Orchestre d'harmonie : 90 musiciens ; batterie fanfare : 40 musiciens. Chef : François-Xavier Bailleul. **Des équipages de la flotte.** *Avant 1789*, les vaisseaux amiraux possédaient une musique composée de musiciens commissionnés pour la durée de leur embarquement, et à terre, les régiments de marine possédaient une musique qui participait aux cérémonies officielles. *13 juil. 1827* création de 2 musiques pour assurer les cérémonies militaires et former (comme un Conservatoire) des musiciens pour les vaisseaux amiraux. **De Brest :** *créée* 1827. 85 m. Chef : Christian Ognier. **De Toulon :** *créée* 1827. Chef : J.-Michel Ballada. 85 musiciens. **M. de la Garde républicaine** (*1848* fanfare de la garde de Paris, *1856* musique d'harmonie, *1871* m. de la garde rép.). 123 m. avec personnel administratif, orchestre d'harmonie + orchestre à cordes : 77 + 38 instrumentistes à cordes ; orchestre symphonique (chef : Roger Boutry, n. 1932) + une *batterie-fanfare* [*créée 1802* (tambours), *1823* (clairons), *1841* instruments d'harmonie, *1945* batterie-fanfare] de 90 m. (dir. : capitaine Dimet) et une *fanfare de cavalerie créée 1862* de 40 m. (trompette major : 1 adjudant). **M. des gardiens de la paix :** *créée* 1920 (nom actuel depuis 1929). Orchestre d'harmonie 84 m., batterie-fanfare 40 m. Chef : Claude Pichaureau dep. 1981. **Chœur de l'armée française :** *créé* 1982, 80 m. dont 20 professionnels.

M. principale de la Légion étrangère. *Créée* 1831. Chef : Lt-Col. Coudié 100 m. **M. de la Police nationale :** réorganisée 1956. 130 m. Une harmonie de chambre, une batterie-fanfare. Chef : Pierre Bigot. **M. principale des troupes de marine.** *1945* fanfare. *1947* musique. *1952* mus. princ. des troupes coloniales. *1958* nom actuel. 120 m. Chef : Armand Raucoules dep. 1987.

• **Orphéon.** Nom donné vers 1767 à une Sté pratiquant musique vocale et chant. Apogée sous le second Empire. *Origine :* Orphée (fils d'Œagre, roi de Thrace et de la muse Calliope) musicien et poète descendit aux Enfers, charma les divinités et put ramener son épouse Eurydice (morte d'une morsure de serpent) à condition de ne la regarder qu'au sortir du Tartare. Il désobéit et elle mourut une 2e fois.

Age moyen. *Grands solistes internationaux* (y compris chefs d'orchestre) : *25-40 ans :* 30 %, *40-55 a. :* 25 %, *55-70 a. :* 45 %. *Solistes de 2e plan : 25-40 a. :* 55 %, *40-50 a. :* 15 %, *50-75 a. :* 30 %. *Musiciens d'orchestre :* 40 a. (*1960 :* 50 a.).

Chefs d'orchestre restés le plus longtemps à la tête du même orchestre. *Aloys Fleischmann,* 53 ans (Cork, O. symphonique d'Irlande, 1935-88). *Willem Mengelberg,* 50 ans (Concertgebouw d'Amsterdam, 1895-1945). *Evgeny Mravinski,* 50 ans (Leningrad, 1938-88). *Ernest Ansermet,* 49 ans (orch. Suisse romande 1918-67). *Eugene Ormandy,* 44 ans (Philadelphie, 1936-80). *Volkmar Andreae,* 43 ans (Tonhalle de Zurich, 1906-49). *Bernhard Baumgartner,* 40 ans (Mozarteum de Salzbourg, 1922-38 puis 1944-69).

Divers. Le violoniste *Jascha Heifetz* était sujet à un « trac » épouvantable (il fallait littéralement le mettre sur scène pour qu'il ose y entrer).

Yehudi Menuhin jouait avec les plus grands orchestres américains à 7 ans les concertos de Mendelssohn, Beethoven, etc. A 70 ans, il refuse du monde à chacun de ses concerts.

La pianiste japonaise *Harumi Hanafusa* (28 ans) a commencé en public (à l'opéra) à 2 ans 1/2 dans le rôle d'un petit lapin spécialement écrit pour elle. A 3 ans, elle commençait le piano, et à 13 ans remportait un triomphe en jouant devant 2 000 personnes un récital consacré à Liszt.

L'organiste *Helmut Walcha,* aveugle depuis l'enfance, connaît (par cœur) toute l'œuvre d'orgue de J.-S. Bach. Il n'a pas appris avec la méthode Braille, mais son épouse lui a joué chaque voix séparée de chaque œuvre et il en faisait mentalement la synthèse avant de se mettre au clavier et d'interpréter l'œuvre dans son intégralité.

Antonio Stradivari, dit Stradivarius (Crémone 1644-1737), vécut 93 ans et produisit des instruments 71 ans. Il en reste env. 500 dans le monde.

Associations symphoniques parisiennes

Sté des Concerts du Conservatoire. *Fondée* 1828, « transformée » en Orchestre de Paris en 1967. *Siège :* Salle de l'ancien Cons. de musique et de déclamation, ancienne salle des Menus Plaisirs du roi, reconstruite par Delannoy en 1807. Depuis 1981, salle Pleyel, 252, rue du Faubourg-St-Honoré.

Orchestre Colonne. Théâtre du Châtelet. 2, rue Édouard-Colonne, 75001 Paris. *1873* Concert national fondé par l'éditeur Georges Hartmann, dirigé par Édouard Colonne (1838-1910). *Nov. 1873 à mars 1874* 9 concerts à l'Odéon puis au Th. du Châtelet. *1874 (nov.)* création et 1er concert au Th. du Châtelet de l'Assoc. artistique. *1910* création Assoc. art. des Concerts Colonne. *Chefs successifs :* Édouard Colonne, Gabriel Pierné, Paul Paray, Charles Münch, Pierre Dervaux et Philippe Entremont (a démissionné en mars 1990). *Saison symphonique :* d'oct. à mai. *Musiciens :* 80 titulaires + des supplémentaires selon œuvres jouées. *Nombre de concerts annuels :* 12 + 5 réservés aux scolaires, généralement à Paris.

Orchestre des concerts Lamoureux. 252, rue du Faubourg-St-Honoré (salle Pleyel). *Fondé* 1881 sous le nom de « Nouveaux Concerts » par Charles Lamoureux (1834-1899), se constitue en association à la mort de son fondateur. *Chefs successifs :* Camille Chevillard, Paul Paray, Albert Wolff, Eugène Bigot, Jean Martinon, Igor Markevitch, Jean-Baptiste Mari, Jean-Claude Bernède. *Saison :* octobre à mars, salle Pleyel. *Musiciens :* 96.

Concerts Pasdeloup. 18, rue de Berne, 75008 Paris. *Fondés* 1861 par Jules-Étienne Pasdeloup (1819-87). *Pt :* Jean Gagnon. *Chefs successifs :* Rhené-Bâton, Albert Wolff, Gérard Devos (1989 démissionne). *Saison :* octobre à mars, salles Gaveau, Pleyel. *Musiciens sociétaires :* 85.

Principales salles de concerts

Amsterdam : Concertgebouw (*1888*, gr. s. 2 000 pl., pt. s. 467, s. de miroirs 160). **Anvers :** De Singel (2 s.), S. Reine Élisabeth (*1960*, 2 070 pl.). **Barcelone :** Palau de la Música Catalana (*1908*, 1 980 pl.), Gran Teatre del Liceu (opéra, ballets et concerts) (*1847*, 2 700 pl.). **Bergen :** Grieg Hall. **Berlin** (Ouest) : Philharmonie (*1963*, 2 200 pl., s. de Musique de Chambre (*1988*, 1 188 pl.). Intendant : Ulrich Meyer-Schoellkopf. **Bonn :** Beethovenhalle (*1956-59*, gr. s. 1 800 pl.). **Boston :** Symphony Hall (*1900*, 2 625 pl.). **Bruxelles :** Palais des Beaux-Arts (*1972*, 2 050 pl.), S. du Conservatoire (850 pl., musique de chambre). **Bucarest :** Athénée roumain (1889, 880 pl.), Salle de concerts de la radiotélévision (1964, 1 200 pl.), Grande salle du Palais (1964, 3 000 pl.). **Budapest :** S. du conservatoire Ferenc Liszt (*1875*, 1 200 pl.), S. du Palais des Congrès (*1980*, 2 000 pl.). S. de la Redoute (*1872*, 800). **Charleroi :** Palais des Beaux-Arts (*1954-57*, 1 800 pl.). **Cologne :** Gürzenich (*1441*, transformée en 1857, rénovée 1955, gr. s. 1 287 pl.), Kölner Philharmonie (*1986*, gr. s. 2 000 pl.). **Dortmund :** Westfalenhalle (*1952*, 12 000 pl., concerts pop). **Dresde :** Kulturpalast (*1969*, Festsaal 2 433 pl. et Studiotheater 192 pl.). **Düsseldorf :** Tonhalle (*1978*, 2 salles, gr. s. 1 900 pl.) ; Philipshalle (*1971*, 3 salles, 6 200 pl.). **Francfort/Main :** Jahrhunderthalle Höchst (*1963*, 2 500 pl.). **Genève :** Victoria Hall (*1874*, 2 000 pl.). **Graz :** Musikverein für Steiermark. **Hambourg :** Musikhalle (*1908*, 2 s., gr. s. 2 014 pl.). **La Haye :** Centre des Congrès (*1969*, 7 400 pl). **Lausanne :** Théâtre de Beaulieu (*1954*, 1 800 pl.), siège de la « Compagnie Béjart Ballet Lausanne ». Théâtre municipal (*1871*, 900 pl.). **Leipzig :** Gewandhaus (*1981*, grande salle 1 903 pl., petite 493). **Lille :** Palais des Congrès ; opéra (régie municipale, lyr., concerts, récitals, 900 pl.). **Linz :** Brucknerhaus (*1970*, grande salle 1 420 pl., petite 392). **Londres :** Royal Albert Hall (*1871*, 5 606 pl.), Queen Elizabeth Hall (1 100 pl.), Wigmore Hall (542 pl.), Royal Festival Hall (*1965*, 2 909 pl. ; Recital Room 200 pl.), Barbican Center. **Los Angeles :** Music Center of Los Angeles County (3 197 pl.), Ahmanson Theatre (2 071 pl.), Mark Taper Forum (747 pl.). **Lucerne :** Kunst-und-Kongresshaus (*1933*, 1 500 pl.). **Lyon :** Auditorium Maurice Ravel (*1975*, 2 055 pl.). **Madrid :** Teatro Real (*1850*, 2 153 pl.), Teatro de la Zarzuela, Auditorium del Real Conservatorio Superior de Música. **Metz :** Arsenal (Riccardo Boffil, 1989 ; Grande salle 1 350 pl.). **Mexico :** Sala Nezahual-cóyotl (1976, 2 300 pl.), Teatro de Bellas Artes (1934, 2 000 pl.). **Munich :** Olympia Halle (*1972*, 14 000 pl., concerts pop). **New York :** Carnegie Hall (*1891*, 2 800 pl.), Avery Fisher Hall (Lincoln Center, rénové *1962*, 2 742 pl.). **Nice :** Acropolis (*1985*, gr. s., 2 400 pl.). **Oslo :** S. de Concert d'Oslo. **Ostende :** Kursaal (*1952*, 1 600 pl.). **Paris :** S. Pleyel (*1927*, rénovée *1981*), grande s. 2 300 pl. (plateau 350 à 400 m²), s. Chopin 470 pl., Debussy 100 pl. S. Gaveau [*1907*, rénovée *1982-83*, *87* (sc. mobile), 1 000 pl.], Théâtre des Champs-Elysées (*1913*, 1 901 pl.), Th. de Chaillot (gr. s., fondée en *1937* et transformée en *1975*, 1 176 pl. max.), Châtelet, Th. musical de Paris : s. du Châtelet 2 003 pl., foyer du Châtelet 250 pl., Auditorium Châtelet (Forum des Halles) 600 pl. *Saison 1989-90 :* 350 rep., Maison de Radio-France (Auditorium 104 : 928 pl., Studio 105 : 215 pl.), Th. de la Ville (constr. *1862*, rénové *1968*, 995 pl.), *saison 1988-89 :* 232 rep. fréq. moy. 85 %. Palais des Congrès de Paris (*1974*, gr. auditorium 3 700 pl.), Palais des Sports (3 900 à 5 000 pl., concerts pop), Auditorium de la Porte St-Eustache (594 pl.), Palais Garnier (*1875*), Salle Favart, Palais Omnisports Paris-Bercy (P.O.P.B.) (*1984*, différentes configurations, de 7 000 à 16 500 pl., 5 salles). **Prague :** Dvořák (*1884*, 1 100 pl.), Smetana (*1911*, 1 600 pl.), S. des Congrès (*1981*, 3 000 pl.). **Rome :** Auditorio Pio (*1969*, 1 950 pl.), Auditorium de la R.A.I. (*1938*, 850 pl.). **Rotterdam :** De Doelen (gr. s. 1 800 pl.). **Salzbourg :** Großes Festspielhaus (*1960*, gr. s. 2 164 pl., p. s. 1 379, Felsenreitschule 1 560 pl.). **Strasbourg :** Palais de la Musique et des Congrès (2 020 pl.). **Stockholm :** Berwaldhallen (1 306 pl.), Konserthuset (1 800 pl.). **Stuttgart :** Liederhalle, 3 s. (*1955-56*, 3 200 pl.). **Toulouse :** Halle aux grains modernisée *1989* (2 700 pl.). **Trondheim :** Olavshallen (*1989*). **Vienne :** Musikvereinsaal (*1869*, gr. s. 2 087 pl.), Konzerthaus (*1913*, 2 040 pl.). **Zurich :** Tonhalle, 2 s. (*1893-95*, gr. s. 1 547 pl., p. s. 636 pl.).

Virtuoses

Chefs d'orchestre

ABBADO, Claudio (1933), It.
ABENDROTH, Hermann (1883-1956), All.
AHRONOVITCH, Yuri (1932), Isr.
ALMEIDA, Antonio de (1928), Fr.
AMY, Gilbert (1936), Fr.
ANČERL, Karel (1908-73), Tchéc.
ANDRÉ, Franz (1893-1975), Belg.
ANDREESCU, Horia (1946).
ANSERMET, Ernest (1883-1969), Suis.
ARGENTA, Ataulfo (1913-58), Esp.
ASHKENAZY, Vladimir (1936), URSS (nat. isl.).
ATHERTON, David (1944), G.-B.
BARBIROLLI, Sir John (1899-1970), G.-B.
BARENBOÏM, Daniel (1942), Israël.
BARSHAI, Rudolf (1924), URSS (nat. Isr.).
BARTHOLOMÉE, Pierre (1937), Belg.
BAUDO, Serge (1927), Fr.
BAUMGARTNER, Rudolf (1917), Suisse.
BEECHAM, Sir Thomas (1879-1961), G.-B.
BEINUM, Eduard Van (1901-59), P.-B.
BELLUGI, Piero (1924), It.
BĚLOHLÁVEK, Jiří (1946), Tchéc.
BENDER, Philippe (1942), Fr.
BENZI, Roberto (1937), Fr.
BERGLUND, Paavo (1929), Finl.
BERGEL, Erich (1930) (nat. all.).
BERNSTEIN, Leonard (1918-90), USA.
BERTINI, Gary (1927), Israël.
BIGOT, Eugène (1888-1965), Fr.
BLOMSTEDT, Herbert (1927), Suède.
BÖHM, Karl (1894-1981), Autr.
BONYNGE, Richard (1930), Austr.
BOULANGER, Nadia (1887-1979), Fr.
BOULEZ, Pierre (1925), Fr.
BOULT, Sir Adrian (1889-1983), G.-B.
BOUR, Ernest (1913), Fr.
BRUCK, Charles (1911), Fr. (or. roum.).
BUSCH, Fritz (1890-1951), All.
BYCHKOV, Symeon (1952), URSS, nat. Amér.
CAMBRELING, Sylvain (1948), Fr.
CANTELLI, Guido (1920-56), It.
CAPOLONGO, Paul (1940), Fr.
CARVALHO, Eléazar de (1912), Brés.
CASADESUS, Jean-Claude (1935), Fr.
CECCATO, Aldo (1934), It.
CELIBIDACHE, Sergiù (1912), Roum.
CHAILLY, Riccardo (1953), It.
CHMURA, Gabriel (1946), Isr. (orig. all.).
CHORAFAS, Dimitri (1918), Grèce.
CHOSTAKOVITCH, Maxime (1938), URSS., vit aux USA.
CHUNG, Myung-Whun (1953), Corée (nat. Amér.).
CLUYTENS, André (1905-67), Belg. (nat. Fr.).
COLONNE, Édouard (1838-1910), Fr.
COMISSIONA, Sergiu (1928) (vit aux U.S.A.).
CONLON, James (1950), USA.
COPPOLA, Piero (1888-1971), It.
CORBOZ, Michel (1934), Suisse.
DANON, Oskar (1913), Youg.
DAVIS, Andrew (1944), G.-B.
DAVIS, Sir Colin (1927), G.-B.
DERVAUX, Pierre (1917), Fr.
DÉSORMIÈRE, Roger (1898-1963), Fr.
DEVOS, Gérard (1927), Fr.
DIEDERICH, Cyril (1945), Fr.
DOBROWEN, Issaï (1894-1953), Russie (nat., Norv.).
DOHNANYI, Christoph von (1929), All.
DORÁTI, Antal (1906-88), USA (or. hongr).
DUTOIT, Charles (1936), Suisse.
EHRLING, Sixten (1918), Suède.
EÖTVÖS, Peter (1944), Hongr. (vit à Paris).
FACCIO, Franco (1800-91), It. ¹.
FEDOSSEIEV, Vladimir (1932), URSS.
FERENCSIK, János (1907-84), Hongr.
FISCHER, Iván (1951), Hongr.
FLOR, Claus Peter (1953), All.
FOSTER, Lawrence (1941), USA.
FOURESTIER, Louis (1892-1976), Fr.
FOURNET, Jean (1913), Fr.
FREITAS-BRANCO, Pedro de (1896-1963), Port.
FRÉMAUX, Louis (1921), Fr.
FRICSAY, Ferenc (1914-63), Hongr.
FROMENT, Louis de (1921), Fr.

FRÜHBECK DE BURGOS, Rafael (1933), Esp.
FURTWÄNGLER, Wilhelm (1886-1954), All.
GALLIERA, Alceo (1910), It.
GARDELLI, Lamberto (1915), It. (nat. Suéd.).
GARDINER, John Eliot (1943), G.-B.
GAUBERT, Philippe (1879-1941), Fr.
GAVAZZENI, Gianandrea (1909), It.
GELMETTI, Gianluigi (1945), It.
GEORGESCU, Georges (1887-1964), Roum.
GIBAULT, Claire (1945), Fr.
GIELEN, Michael (1927), Argentin (nat. autr.).
GIOVANINETTI, Reynald (1932), Fr.
GIULINI, Carlo Maria (1914), It.
GOLSCHMANN, Vladimir (1893-1972), Fr. (nat. Amér.).
GRAF, Hans (1949), Autr.
GROVES, Sir Charles (1915), G.-B.
GUI, Vittorio (1885-1975), It.
GUSCHLBAUER, Theodor (1939), Autr.
HAGER, Leopold (1935), Autr.
HAITINK, Bernard (1929), P.-B.
HARNONCOURT, Nikolaus (1929), Autr.
HARTEMANN, J.-Claude (1929), Fr.
HERBIG, Günther (1931), All.
HORENSTEIN, Jasha (1898-1973), Russie (nat. Amér.).
HOUTMANN, Jacques (1935), Fr.
INBAL, Eliahu (1936), Israël et G.-B.
INGHELBRECHT, Désiré-Émile (1880-1965), Fr.
IWAKI, Hiroyuki (1932), Jap.
JACQUILLAT, J.-Pierre (1935-86), Fr.
JANOWSKI, Marek (1939), All.
JANSONS, Mariss (1944), URSS.
JÄRVI, Neeme (1937), URSS (en G.-B.).
JOCHUM, Eugen (1902-87), All.
JORDAN, Armin (1932), Suisse.
KAKHIDZE, Jansug (n.c.), URSS.
KALTENBACH, Jérôme (1946), Fr.
KAMU, Okko (1946), Finl.
KARAJAN, Herbert von (1908-89), Autr.
KAZANDJIEV, Vassil (1934), Bulg.
KEILBERTH, Joseph (1908-68), All.
KEMPE, Rudolf (1910-76), All.
KEMPEN, Paul Van (1893-1955), P.-B.
KERTÉSZ, Istvan (1929-73), Hongr. (nat. All.).
KITAJENKO, Dmitri (1940), URSS.
KLASS, Eri (1939), URSS.
KLECKI, Paul (1900-73), Pol. (nat. Suis.).
KLEIBER, Carlos (1930), Argentin (nat. All.).
KLEIBER, Erich (1890-1956), Autr. (nat. Arg.).
KLEMPERER, Otto (1885-1973), All.
KNAPPERTSBUSCH, Hans (1888-1965), All.
KOBAYASHI, Ken-Ishiro (1940), Jap.
KONDRACHINE, Kiril (1914-81), URSS.
KONWITSCHNY, Franz (1901-62), All.
KORD, Kazimierz (1930), Pol.
KORODY, Andràs (1922-86), Hongr.
KOŠLER, Zdenek (1928), Tchéc.
KOUSSEVITZKY, Serge (1874-1951), Russie (nat. Amér.).
KRAUSS, Clemens (1893-1954), Autr.
KRENZ, Jan (1926), Pol.
KRIPS, Josef (1902-74), Autr.
KRIVINE, Emmanuel (1947), Fr.
KUBELÍK, Rafael (1914), Tchéc. (nat. Suis.).
KUENTZ, Paul (1930), Fr.
KUHN, Gustav (1947), Autr.
KUIJKEN, Sigiswald (1944), Belg.
LAMOUREUX, Charles (1834-99), Fr.
LAYER, Friedemann (1941), Autr.
LAZAREV, Alexandre (1945), URSS.
LEHMANN, Fritz (1904-56), All.
LEINSDORF, Erich (1912), Autr. (nat. Amér.).
LEITNER, Ferdinand (1912), All.
LEPPARD, Raymond (1927), G.-B.
LE ROUX, Maurice (1923), Fr.
LEVINE, James (1943), USA.
LINDENBERG, Édouard, (1908-73), Roum. (nat. Fr.).
LOMBARD, Alain (1940), Fr.
LOPEZ-COBOS, Jesus (1940), Esp.
MAAG, Peter (1919), Suisse.
MAAZEL, Lorin (1930), USA.
MAĆAL, Zdeněk (1936), Tchéc.
MACKERRAS, Sir Charles (1925), Austr.
MADERNA, Bruno (1920-73), It. (nat. All.).
MAKSYMIUK, Jerzy (1936), Pol.
MALGOIRE, Jean-Claude (1940), Fr.
MANDEAL, Christian (1946), Roum.
MARKEVITCH, Igor (1912-83), Russie (nat. It. puis Fr.).
MARRINER, Sir Neville (1924), G.-B.
MARTINON, Jean (1910-76), Fr.
MARTY, Jean-Pierre (1932), Fr.
MASSON, Diego (1935), Fr.
MASUR, Kurt (1927), All.
MATA, Eduardo (1942), Mex.
MATACIC, Lovro von (1899-1985), Youg.
MEHTA, Zubin (1936), Inde.
MENGELBERG, Willem (1871-1951), P.-B.
MERCIER, Jacques (1945), Fr.
MITROPOULOS, Dimitri (1896-1960), Grèce (nat. Amér.).
MOLINARI-PRADELLI, (1911), Fr. (nat. It.).
MONTEUX, Pierre (1875-1964), Fr. (nat. Amér.).
MORALT, Rudolf (1902-58), All.
MOTTL, Felix (1856-1911), Autr.
MRAVINSKY, Eugène (1906-88), URSS.
MUCK, Karl (1859-1940), All.
MÜNCH, Charles (1891-1968), Fr.
MÜNCHINGER, Karl (1915-90), All.
MUTI, Riccardo (1941), It.
NAGANO, Kent (1951), USA.
NELSON, John (1941), USA.
NEUMANN, Václav (1920), Tchéc.
NIKISCH, Arthur (1855-1922), Hongr.
OREN, Daniel, Isr.
ORMÁNDY, Eugene (1899-1985), Hongr. (nat. Amér.).
ÖSTMAN, Arnold (1939), Suède.
OTTERLOO, Willem Van (1901-78), P.-B.
ÖTVÖS, Gábor (1936), Hongr. (vit en All.).
OZAWA, Seiji (1935), Jap.
PAILLARD, Jean-François (1928), Fr.
PAITA, Carlos (1932), Arg.
PARAY, Paul (1886-1979), Fr.
PÂRIS, Alain (1947), Fr.
PASDELOUP, Jules-Ét. (1819-87), Fr.
PATANÈ, Giuseppe (1932-89), It.
PERISSON, Jean (1924), Fr.
PERLEA, Ionel (1900-70), Roum.
PEŠEK, Libor (1933), Tch.
PIERNÉ, Gabriel (1863-1937), Fr.
PLASSON, Michel (1933), Fr.
POULET, Gaston (1892-1974), Fr.
PRÊTRE, Georges (1924), Fr.
PREVIN, André (1929), USA (or. all.).
PRITCHARD, Sir John (1921-89), G.-B.
RATTLE, Simon (1955), G.-B.
REDEL, Kurt (1918), All.
REINER, Fritz (1888-1963), Hongr. (nat. Amér.).
RENZETTI, Donato (1950), It.
RICHTER, Hans (1843-1916), Hongr.
RISTENPART, Karl (1900-1967), All.
RODZINSKI, Artur (1892-1958), Pol. (nat. Amér.).
ROJDESTVENSKI, Gennadi (1931), URSS.
ROSBAUD, Hans (1895-1962), Autr.
ROSENTHAL, Manuel (1904), Fr.
ROSTROPOVITCH, Mstislav (1927), URSS (nat. Suis.).
ROWICKI, Witold (1914-89), Pol.
RUDEL, Julius (1921), U.S.A.
RUSSELL-DAVIES, Dennis (1944), USA.
SABATA, Victor De (1892-1967), It.
SACHER, Paul (1906), Suisse.
SALONEN, Esa-Pekka (1958), Finl.
SANDERLING, Kurt (1912), All. dém.
SANTI, Nello (1931), It.
SANZOGNO, Nino (1911-83), It.
SARASTE, Jukka Pekka (1956), Finl.
SARGENT, Sir Malcolm (1895-1967), G.-B.
SAWALLISCH, Wolfgang (1923), All.
SCHERCHEN, Hermann (1891-1966), All.
SCHIPPERS, Thomas (1930-77), USA.
SCHMIDT-ISSERSTEDT, Hans (1900-73), All.
SCHØNWANDT, Michael (1953), Dan.
SCHURICHT, Carl (1880-1967), All.
SCIMONE, Claudio (1934), It.
SEBASTIAN, George (1903-89), Fr. (or. hongr.).
SEGAL, Uri (1944), Israël.
SEGESTAM, Leif (1944), Finl.
SEMKOW, Jerzy (1928), Pol.
SERAFIN, Tullio (1878-1968), It.
SHALON, David (1950), Isr.
SILVESTRI, Constantin (1913-69), Roum. (nat. Brit.).
SIMONOV, Yuri (1941), URSS.
SINOPOLI, Giuseppe (1946), It.
SKROWACZEWSKI, Stanislaw (1923), Pol. (nat. Amér.).
SMETÁČEK, Václav (1906-86). Tchéc.
SOLTI, Sir Georg (1912), Hongr. (nat. Brit.).
SOMOGYI, Laszlo (1907), Hongr.
SOUDANT, Hubert (1946), P.-B.
SOUSTROT, Marc (1949), Fr.
STEIN, Horst (1928), All.
STEINBERG, Pinchas (1945), USA.
STEINBERG, William (1899-1978), All. (nat. Amér.).
STOKOWSKI, Leopold (1882-1977), G.-B. (nat. Amér.).
STOLZ, Robert (1880-1975), Autr.
STOUTZ, Edmond de (1920), Suisse.
STRARAM, Walther (1876-1933), Fr.
SVETLANOV, Evgueni (1928), URSS.
SZELL, George (1897-1970), Hongr. (nat. Amér.).
TABACHNIK, Michel (1942), Suisse.
TABAKOV, Emil (1947), Bulg.
TALICH, Vaclav (1883-1961), Tchéc.
TALMI, Yoav (1943), Isr.
TATE, Jeffrey (1943), G.-B.
TCHAKAROV, Émile (1948), Bulg.
TEMIRKANOV, Iouri (1938), URSS.
TENNSTEDT, Klaus (1926), All.
TILSON-THOMAS, Michael (1944), USA.
TOSCANINI, Arturo (1867-1957), It.
VAJNAR, František (1930), Tchéc.
VANDERNOOT, André (1927), Belg.
VARVISO, Silvio (1924), Suisse.
VIOTTI, Marcello (1954), It.
WAART, Edo De (1941), P.-B.
WALLEZ, Jean-Pierre (1939), Fr.
WALTER, Bruno (1876-1962), All. (nat. Amér.).
WAND, Günter (1912), All.
WEIKERT, Ralf (1940), Autr.
WEINGARTNER, Felix (1863-1942), Autr. (nat. Suisse).
WELLER, Walter (1939), Autr.
WENZINGER, August (1905), Suisse.
WOLFF, Albert (1884-1970), Fr.
ZAGROSEK, Lothar (1942), Autr.
ZECCHI, Carlo (1903-84), It.
ZENDER, Hans (1936), All.

Nota. – (1) Faccio, chef d'orchestre de la Scala de Milan entre 1871 et 1889, est devenu fou en pleine représentation des *Maîtres chanteurs* à Vienne ; il est mort dans un asile.

Chefs de chœur

ALIX, René (1907-66), Fr.
ALLDIS, John (1929), G.-B.
AUNAY, Michel (1942), Fr.
BADER, Roland (1938), All.
BALATSCH, Norbert (1928), Autr.
CAILLARD, Philippe (1924), Fr.
CAILLAT, Stéphane (1928), Fr.
COURAUD, Marcel (1912-86), Fr.
ERICSON, Eric (1918), Suède.
FLÄMIG, Martin (1913), All.
FORRAY, Miklós (1913), Hongr.
GOTTWALD, Clytus (1925), All.
GRONOSTAY, Uwe (1939), All.
GROSSMANN, Ferdinand (1887-1970), Autr.
HAGEN-GROLL, Walter (1927), Autr.
HERREWEGHE, Philippe (1947), Belg.
ISELER, Elmer (1927), Canada.
JAROFF, Serge (1896-1985), USA (or. URSS).
JOUINEAU, Jacques (1924), Fr.
JÜRGENS, Jurgen (1925), All.
KÜHN, Pavel (1938), Tchéc.
LAFORGE, Jean (1925), Fr.
MARIN, Constantin (1925), Roum.
MÁTL, Lubomir (1941), Tchéc.
MAUERSBERGER, Erhard (1903-82), All.
MAUERSBERGER, Rudolf (1889-1971), All.
OLDHAM, Arthur (1926) G.-B.
ORTNER, Erwin (1947), Autr.
PIQUEMAL, Michel (1947), Fr.
PITZ Wilhelm (1887-1973), All.
POOLE, John (1934), G.-B.
RAMIN, Günther (1898-1956), All.
RICHTER, Karl (1926-81), All.
RILLING, Helmuth (1933), All.
ROTZSCH, Hans Joachim (1929), All.
SCHMIDT-GADEN, Gerhard (1937), All.
THOMAS, Kurt (1904-73), All.
TRANCHANT, Michel, Fr.
WAGNER, Roger (1914), USA, or. fr.
WERNER, Fritz (1898-1977), All.
YOURLOV, Alexandre (1927-73), URSS.

Chanteurs

☞ Voir Jazz p. 445 et **Personnalités** à l'Index.

Barytons

BACQUIER, Gabriel (1924), Fr.
BAER, Olaf (1957), All.
BAILEY, Norman (1933), G.-B.
BASTIANINI, Ettore (1922-67), It.
BATTISTINI, Mattia (1856-1928), It.
BAUGÉ, André (1892-1966), Fr.
BENOIT, Jean-Christophe (1925), Fr.
BERNAC, Pierre (Pierre Bertin, dit) (1899-1979), Fr.
BERRY, Walter (1929), Autr.
BIANCO, René (1908), Fr.
BLANC, Ernest (1923), Fr.
BOURDIN, Roger (1900-73), Fr.
BRUSCANTINI, Sesto (1919), It.
BRUSON, Renato (1936), It.
CAPECCHI, Renato (1923), It.
CAPPUCILLI, Piero (1930), It.
DENS, Michel (1914), Fr.
EDELMANN, Otto (1917), Autr.
EVANS, Geraint (1922) Gallois (G.-B.).
ENIGĂRESCU, Octav (1924), Roum.
FISCHER-DIESKAU, Dietrich (1925), All.
FONDARY, Alain (1932), Fr.
FUGÈRE, Lucien (1848-1935), Fr.
GLOSSOP, Peter (1928), G.-B.
GOBBI, Tito (1913-84), It.
GOTTLIEB, Peter (1930), Tchéc. (nat. Fr).
HAMPSON, Thomas (1955), USA.
HÜSCH, Gerhard (1901-84), All.
HUTTENLOCHER, Philippe (1942), Suisse.
JANSEN, Jacques (1913), Fr.
KRAUSE, Tom (1934), Finl.
KRUYSEN, Bernard (1933), P.-B.
KUNZ, Erich (1909), Autr.
LAFONT, Jean-Philippe (1951), Fr.
LAPLANTE, Bruno (1938), Can.
LONDON, George (1919-85), Can.
MANUGUERRA, Matteo (1924), Fr.
MASSARD, Robert (1925), Fr.
MAURANNE, Camille (1911), Fr.
MAUREL, Victor (1848-1923), Fr.
MAZOUROK, Youri (1931), URSS.
MAZURA, Franz (1924), Autr.
McINTYRE, Donald (1934), Nlle-Zél.
MERRILL, Robert (1917), USA.
MILNES, Sherrill (1935), USA.
MORRIS, James (1947), USA.
NIENSTEDT, Gerd (1932), All.
NIMSGERN, Siegmund (1940), All.
OHANESSIAN, David (1927), Roum.
PANERAI, Rolando (1924), It.
PANZÉRA, Charles (1896-1976), Fr.

PÉRIER, Jean (1869-1954), Fr.
PREY, Hermann (1929), All.
QUILICO, Louis (1929), Can.
RAIMONDI, Ruggero (1941), It.
REHFUSS, Heinz (1917-89), Suisse.
REINEMANN, Udo (1942), All.
RENAUD, Maurice (1861-1933), Fr.
RUFFO, Titta (1877-1953), It.
SAMMARCO, Mario (1867-1930), It.
SCHLUSNUS, Heinrich (1888-1952), All.
SCHOEFFLER, Paul (1897-1977), Autr.
SHIRLEY QUIRK, John (1931), G.-B.
SINGHER, Martial (1904-90), Fr.
SOUZAY, Gérard (1918), Fr.
STABILE, Mariano (1888-1968), It.
STEWART, Thomas (1928), USA.
STILWELL, Richard (1942), USA.
STRACCIARI, Riccardo (1875-1955), It.
TADDEI, Giuseppe (1916), It.
TAMBURINI, Antonio (1800-76), It.
TIBBETT, Lawrence (1896-1960), USA.
VAN DAM, José (1940), Belg.
VINAY, Ramon (1914), Chili.
WÄCHTER, Eberhard (1929), Autr.
WARREN, Leonard (1911-60), USA.
WEIKL, Bernd (1942), All.
WIXELL, Ingvar (1931), Suède.

Basses

ADAM, Theo (1926), All.
BASTIN, Jules (1934), Belg.
BJÖRLING, Sigurd (1907), Suède.
BÖHME, Kurt (1908-89), All.
BORG, Kim (1919), Finl.
BURCHULADZE, Paata (1951), URSS.
CABANEL, Paul (1891-1958), Fr.
CACHEMAILLE, Gilles (1951), Suisse.
CANGALOVIC, Miroslav (1921), Youg.
CHALIAPINE, Feodor (1873-1938), URSS.
CHRISTOFF, Boris (1914), Bulg.
CONRAD, Doda (1905), Pol. (nat. Amér.).
CORENA, Fernando (1916-84), Suisse.
CRASS, Franz (1928), All.
DEAN, Stafford (1937), G.-B.
DEPRAZ, Xavier (1926), Fr.
DE RESZKÉ, Édouard (1853-1917), Pol.
ENGEN, Kieth (1925), USA.
FRICK, Gottlob (1906), All.
FURLANETTO, Ferruccio (1949), It.
GHIAUROV, Nicolaï (1929), Bulg.
GHIUZÉLEV, Nicolaï (1936), Bulg.
GREINDL, Joseph (1912), All.
HINES, Jerome (1921), USA.
HOTTER, Hans (1909), All. (nat. Autr.).
JOURNET, Marcel (1868-1933), Fr.
KIPNIS, Alexandre (1891-1978), URSS (nat. Amér.).
LABLACHE, Luigi (1794-1858), It.
LEIFERKUS, Serguei (n.c.), URSS.
LIST, Émanuel (1890-1967), Autr. (nat. Amér.).
LLOYD, Robert (1940), G.-B.
MARCOUX, Vanni (1877-1962), Fr.
MEVEN, Peter (1929), All.
MOLL, Kurt (1938), All.
MONTARSOLO, Paolo (1923), It.
NEIDLINGER, Gustav (1910), All.
NESTERENKO, Evgeny (1938), URSS.
PASERO, Tancredi (1893-1983), It.
PERNET, André (1894-1966), Fr.
PETROV, Ivan (1920), URSS.
PINZA, Ezio (1892-1957), It.
PLANÇON, Pol (1851-1914), Fr.
RAMEY, Samuel (1942), USA.
RIDDERBUSCH, Karl (1932), All.
ROBESON, Paul (1898-1976), USA.
ROSSI-LEMENI, Nicola (1920-91), It.
ROULEAU, Joseph (1929), Can.
ROUX, Michel (1924), Fr.
SALMINEN, Matti (1944), Finl.
SCHORR, Friedrich (1888-1953), Hongr. (nat. Amér.).
SIEPI, Cesare (1923), It.
SOTIN, Hans (1939), All.
SOYER, Roger (1939), Fr.
SZÉKELY, Mihály (1901-63), Hongr.
TALVELA, Martti (1935-89), Finl.
TOMLINSON, John, G.-B.

VAN MILL, Arnold (1921), P.-B.
VEDERNIKOV, Aleksandr (1927), URSS.
VESSIÈRES, André (1918), Fr.
WEBER, Ludwig (1899-1974), Autr.
WIENER, Otto (1913), Autr.

Ténors

AHNSJÖ, Claes-Hákan (1942), Suède.
ALER, John (1949), USA.
ALVA, Luigi (1927), Pérou.
ALVAREZ, Albert-Raymond (Gourdon) (1861-1933), Fr.
ARAGALL, Giacomo (1939), Esp.
ARAIZA, Francisco (1950), Mex.
BEIRER, Hans (1911), Autr.
BERGONZI, Carlo (1924), It.
BJÖRLING, Jussi (1911-60), Suède.
BLAKE, Rockwell (1951), USA.
BONISOLLI, Franco (1938), It.
BRILIOTH, Helge (1935), Suède.
BURROWS, Stuart (1939), Gallois (G.-B.).
CARRERAS, José (1946), Esp.
CARUSO, Enrico (1873-1921), It.
CHAUVET, Guy (1933), Fr.
COLE, Vinson (n.c.), USA.
CORELLI, Franco (1921), It.
COSSUTA, Carlo (1932), It.
CUÉNOD, Hugues (1902), Suisse.
CUPIDO, Alberto (1948), It.
DAVID, Léon (1867-1962), Fr.
DEL MONACO, Mario (1915-1982), It.
DE MARCHI, Emilio (1861-1917), It.
DE RESZKÉ, Jean (1850-1925), Fr.
DERMOTA, Anton (1910-89), Autr. (or. youg).
DEVOS, Louis (1926), Belg.
DI STEFANO, Giuseppe (1921), It.
DOMINGO, Placido (1941), Esp.
DUPREZ, Gilbert (1806-96), Fr.
DVORSKY, Peter (1951), Tchéc.
EQUILUZ, Kurt (1929), All.
ERB, Karl (1877-1958), All.
GEDDA, Nicolaï (1925), Suède.
GIGLI, Beniamino (1890-1957), It.
GOLDBERG, Reiner (1939), All. dém.
GONZALEZ, Dalmacio (1946), Esp.
HOFMANN, Peter (1944), All.
HOLM, Richard (1912-88), All.
HOPF, Hans (1916), All.
JERUSALEM, Siegfried (1940), All.
JOBIN, Raoul (1906-74), Can.
JOUATTE, Georges (1892-1969), Fr.
JUNG, Manfred (1948), All.
KIEPURA, Jan (1902-66), Pol. (nat. Amér.).
KING, James (1925), USA.
KMENTT, Waldemar (1929), Autr.
KOLLO, René (1937), All.
KONYA, Sandor (1923), Hongr.
KRAUS, Alfredo (1927), Esp.
KUEN, Paul (1910), All.
LAKES, Gary (1950), USA.
LANCE, Albert (1925), Austr. (nat. Fr.).
LANGRIDGE, Philip (1939), G.-B.
LANZA, Mario (1921-59), USA.
LAURI-VOLPI, G. (1892-1979), It.
LEWIS, Richard (1914), G.-B.
LIMA, Luis (1950), Arg.
LORENZ, Max (1901-75), All.
LUCA, Libero de (1913-50), Suisse.
LUCCIONI, José (1903-78), Fr.
MARIO, Giovanni (Di Candio) (1810-83), It.
MARTINELLI, Giov. (1885-1969), It.
MASON, René (1895-1962), Belg.
MCCORMARCK, John (1884-1945), USA (or. irl.).
MELCHIOR, Lauritz (1890-1973), Dan. (nat. Amér.).
MERRITT, Chris (1952), USA.
MOLDOVEANU, Vasile (n.c.), Roum.
MURATORE, Lucien (1876-1954), Fr.
NOURRIT, Adolphe (1802-39), Fr.
NOURRIT, Louis (1780-v. 1826), Fr.
OCHMAN, Wieslaw (1937), Pol.
PAMPUCH, Helmut (1940), All.
PATAKY, Kálmán (1896-1964), Hongr.
PATZAK, Julius (1898-1974), Autr.
PAVAROTTI, Luciano (1935), It.
PEARS, Sir Peter (1910-86), G.-B.
PEERCE, Jan (1904-84), USA.

PERTILE, Aureliano (1885-1952), It.
PODESTA, Mario (Henri Lemoine, dit) (1892-1977), Fr.
PONCET, Tony (Antoine Poncé, dit) (1918-1979), Fr.
RÉTI, Jozsef (1925-73), Hongr.
RUBINI, Giovanni (1794-1854), It.
SCHIPA, Tito (1889-1965), It.
SCHOCK, Rudolf (1915-86), All.
SCHREIER, Peter (1935), All. dém.
SÉNÉCHAL, Michel (1927), Fr.
SHICOFF, Neil (1949), USA.
SIMONEAU, Léopold (1916), Can.
SLEZAK, Leo (1873-1946), Autr.
STOLZE, Gerhard (1926-79), All.
SVANHOLM, Set (1904-64), Suède.
TAMAGNO, Franc. (1850-1905), It.
TAPPY, Éric (1931), Suisse.
TAUBER, Richard (1891-1948), Autr.
TEAR, Robert (1939), Gallois (G.-B.).
THILL, Georges (1897-1984), Fr.
THOMAS, Jess (1927), USA.
TUCKER, Richard (1913-75), USA.
UHL, Fritz (1928), Autr.
UNGER, Gerhard (1916), All.
VALLETTI, Cesare (1921), It.
VAN DYCK, Ernest (1861-1923), Belg.
VANZO, Alain (1928), Fr.
VEZZANI, César (1886-1951), Fr.
VICKERS, Jon (1926), Can.
VILLABELLA, Mig. (1892-1954), Esp.
VINAY, Ramon (1914), Chili.
VOLKER, Franz (1899-1965), All.
WINBERGH, Gösta (1946), Suède.
WINDGASSEN, Wolfg. (1914-74), All.
WINKELMANN, Herm. (1849-1912), All.
WUNDERLICH, Fritz (1930-66), All.
ZANELLI, Renato (1892-1935), It.
ZEDNIK, Heinz (1940), Autr.
ZENATELLO, Giov. (1876-1949), It.
ZIMMERMANN, Erich (1892-1968), All.

Hautes-Contre et Contre-ténors

BELLIARD, Jean (1935), Fr.
BOWMAN, James Th. (1941), G.-B.
DELLER, Alfred (1912-79), G.-B.
DELLER, Mark (1938), G.-B.
ESSWOOD, Paul (1942), G.-B.
JACOBS, René (1946), Belg.
KOWALSKI, Jochen (n.c.), All.
LEDROIT, Henri (1946-88), Fr.
SAGE, Joseph (1935), Fr.
SMITH, Kevin (n.c.), G.-B.

Sopranistes

CHRISTOFELLIS, Aris (1960), Grèce.

Chanteuses

Sopranos

ACKTÉ, Aino (1876-1944), Finl.
ALARIE, Pierrette (1921), Can.
ALBANESE, Licia (1913), It. (nat. Amér.).
ALBANI, Dame Emma (1847-1930), Can.
ALLIOT-LUGAZ, Colette (1947), Fr.
ALTMEYER, Jeannine (1948), USA et Suisse.
AMELING, Elly (1934), P.-B.
ANDERSON, June (1952), USA.
ANFUSO, Nella (1942), It.
ANGELICI, Marta (1907-73), Fr.
ARMSTRONG, Karan (1941), USA.
ARMSTRONG, Sheila (1942), G.-B.
ARROYO, Martina (1935), USA.
ARUHN, Britt-Marie (1943), Suède.
AUGER, Arleen (1939), USA.
AUSTRAL, Florence (1894-1968).
BAHR-MILDENBURG, Anna (1872-1947), Autr.
BALSLEV, Lisbeth (1945), Dan.
BARBAUX, Christine (1955), Fr.
BARRIENTOS, Maria (1883-1946), Esp.
BATTLE, Kathleen (1948), USA (Noire).
BEHRENS, Hildegard (1937), All.
BENAČKOVA-ČAPOVA, Gabriella (1947), Tchéc.

BERGANZA, Teresa (1935), Esp.
BERGER, Erna (1900-90), All.
BJONER, Indrid (1927), Norv.
BLANZAT, Anne-Marie (1944), Fr.
BLEGEN, Judith (1941), USA.
BORKH, Inge (1917), Suisse.
BOUÉ, Géori (1918), Fr.
BOVI, Vina (1900-83), Belg.
BRANCHU, Caroline (1780-1850), Fr.
BRÉVAL, Lucienne (1869-1935), Fr.
BROTHIER, Yvonne (1889-1967), Fr.
BROUWENSTYN, Gré (1915), P.-B.
BRUMAIRE, Jacqueline (1921), Fr.
BRUNNER, Evelyn (1943), Suisse.
CABALLÉ, Montserrat (1933), Esp.
CALLAS, Maria (Maria Anna Sophia Kalogeropoulos) (1923-77), Grèce.
CALVÉ, Emma (1858-1942), Fr.
CANIGLIA, Maria (1906-79), It.
CARON, Rose (1857-1930), Fr.
CEBOTARI, Maria (1910-49), Autr.
CHAMONIN, Jocelyne (1938), Fr.
CHENAL, Marthe (1881-1947), Fr.
CHLOSTAWA, Danièle (1949), Fr.
COMMAND, Michèle (1946), Fr.
COTRUBAS, Ileana (1939), Roum.
CRESPIN, Régine (1927), Fr.
CUBERLI, Lella (1945), USA.
DAL MONTE, Toti (1893-1975), It.
DANCO, Suzanne (1911), Belg.
DARCLÉE, Hariclea (1860-1960), Roum.
DELLA CASA, Lisa (1919), Suisse.
DERNESCH, Helga (1939), Autr.
DESTINN, Emmy (1878-1930), Tchéc.
DEUTEKOM, Christina (1932), P.-B.
DIMITROVA, Ghena (1944), Bulg.
DONAT, Zdzistawa (1939), Pol.
DONATH, Helen (1940), USA.
DUVAL, Denise (1923), Fr.
EDA-PIERRE, Christiane (1932), Fr.
EVSTATIEVA, Stefka (1947), Bulg.
FALCON, Cornélie (1812-97), Fr.
FARRAR, Geraldine (1882-1967), USA.
FARRELL, Eileen (1920), USA.
FERNANDEZ, Wilhelmenia W. (1948), USA.
FLAGSTAD, Kirsten (1895-1962), Norv.
FLORESCU, Arta (1921), Roum.
FRENI, Mirella (1935), It.
GALLI-CURCI, Amel. (1882-1963), It.
GARCISANZ, Isabel (1934), Fr., (or. esp.).
GARDEN, Mary (1874-1967), Écos.
GASDIA, Cecilia (1960), It.
GENCER, Leyla (1928), Turquie.
GIEBEL, Agnès (1921), All.
GRISI, Giula (1811-69), It.
GRIST, Reri (1935), USA.
GRUBEROVA, Edita (1946), Tchéc.
GRÜMMER, Elisabeth (1911-86), All.
GÜDEN, Hilde (1917-88), Autr.
GUIOT, Andréa (1928), Fr.
HARPER, Heather (1930), G.-B.
HARWOOD, Elizabeth (1938-90), G.-B.
HELDY, Fanny (1888-1973), Fr.
HENDRICKS, Barbara (1948), USA (Noire).
HOLLWEG, Ilse (1922-90), All.
HUNTER, Rita (1933), G.-B.
IVOGÜN, Maria (1891-1987), All.
JANOWITZ, Gundula (1937), All.
JERITZA, Maria (1887-1982), Tchéc. (nat. Autr.).
JOACHIM, Irène (1913), Fr.
JONES, Gwyneth (1936), P. de Galles.
JURINAC, Sena (1921), Autr. (or. youg.).
KABAIVANSKA, Raïna (1934), Bulg.
KENNY, Yvonne (1950), Austr.
KIRBY, Emma (n.c.), G.-B.
KNIE, Roberta (1938), USA.
KÖTH, Erika (1927-89), All.
KURZ, Selma (1874-1933), Autr.
LAGRANGE, Michèle (1947), Fr.
LAKI, Krisztina (1944), Hongr.
LARSEN-TODSEN, Nanny (1884-1982), Suède.
LAWRENCE, Marjorie (1907-79), Austr.
LEAR, Evelyn (1928), USA.
LEBLANC, Georg. (1875-1941), Fr.
LEHMANN, Lilli (1848-1929), All.
LEHMANN, Lotte (1888-1976), All. (nat. Amér.).

LEIDER, Frida (1888-1975), All.
LEMNITZ, Tiana (1897), All.
LIGABUE, Ilva (1932), It.
LINDHOLM, Berit (1934), Suède.
LIPP, Wilma (1925), Autr.
LITVINNE, Felia (1860-1936).
LOOSE, Emmy (1914-87), Autr.
LORENGAR, Pilar (1928), Esp.
LOS ANGELES, Victoria de (1923), Esp.
LOTT, Felicity (1947), G.-B.
LUBIN, Germaine (1887-1979), Fr.
MALIBRAN (la), Maria Felicita Garcia (1808-36), Esp.
MALIPONTE, Adriana (1938), It.
MARTINELLI, Germaine (1887-1965), Fr.
MARTON, Eva (1943), Hongr.
MASTERSON, Valerie (1937), G.-B.
MATHIS, Edith (1936), Suisse.
MATTILA, Karita (1960), Finl.
MELBA, Nellie (1861-1931), Austr.
MESPLÉ, Mady (1931), Fr.
MICHEAU, Janine (1914-76), Fr.
MIGENES, Julia (1943), USA.
MIRANDA, Ana-Maria (1937), Fr. et Arg.
MÖDL, Martha (1912), All.
MOFFO, Anna (1932), USA.
MOLDOVEANU, Eugenia (1944), Roum.
MOORE, Grace (1901-47), G.-B.
MOSER, Edda (1941), All.
MÜLLER, Maria (1898-1958), Autr.
MUZIO, Claudia (1889-1936), It.
NEBLETT, Carol (1946), USA.
NELSON, Judith (1939), USA.
NESPOULOS, Marthe (1894-1962), Fr.
NILSSON, Birgit (1918), Suède.
NORMAN, Jessye (1945), USA (Noire).
OTT, Karin, Suisse.
OTTO, Lisa (1919), All.
PALIUGHI, Lina (1911-1980), It.
PALMER, Felicity (1944), G.-B.
PASTA, Giuditta (1797-1865), It.
PATTI, Adelina (1843-1919), It.
PETERS, Roberta (1930), USA.
PILARCZYK, Helga (1925), All.
PLOWRIGHT, Rosalind (1949), G.-B.
POLLET, Françoise (n.c.), Fr.
PONS, Lily (1898-1976), Fr. (nat. Amér.).
PONSELLE, Rosa (1897-1981), USA.
POPP, Lucia (1939), Tch. (nat. Autr.).
PRICE, Leontyne (1927), USA (Noire).
PRICE, Margaret (1941), P. de Galles.
RAPHANEL, Ghyslaine (1952), Fr.
REINING, Maria (1903), Autr.
RETHBERG, Elisabeth (1894-1976), All. (nat. Amér.).
RÉTHY, Eszter (1912), Hongr.
REVOIL, Fanely (1910), Fr.
RHODES, Jane (1929), Fr.
RICCIARELLI, Katia (1946), It.
RITTER-CIAMPI, Gabrielle (1886-1974), Fr.
ROBIN, Mado (1918-60), Fr.
RODDE, Anne-Marie (1943), Fr.
ROSS, Elise (1947), USA.
ROTHENBERGER, Anneliese (1924), All.
RYSANEK, Leonie (1926), Autr.
SACK, Erna (1898-1972).
SARROCA, Suzanne (1927), Fr.
SAYÃO, Bidù (1902), Brés.
SCHÖNE, Lotte (1891-1978), Autr. (nat. Fr.).
SCHRÖDER-FEINEN, Ursula (1936), All.
SCHUMANN, Elisabeth (1885-1952), All. (nat. Amér.).
SCHWARZKOPF, Elis. (1915), All.
SCIUTTI, Graziella (1932), It.
SCOTTO, Renata (1933), It.
SEEFRIED, Irmgard (1919-88), Autr. (or. all.).
SILJA, Anja (1935), All.
SILLS, Beverly (1929), USA.
SLATINARU, Maria (1938), Roum.
SÖDERSTRÖM, Elis. (1927), Suéd.
SONTAG, Henriette (1806-54), All.
SPOORENBERG, Erna (1920), P.-B.
STADER, Maria (1911), Suisse.
STAPP, Olivia (1940), USA.
STEBER, Eleanor (1916), USA.
STICH-RANDALL, Teresa (1927), USA.
STRATAS, Teresa (STRATAKI, Anastasia[1]) (1938), Can.
STREICH, Rita (1920-87), All.
STUDER, Cheryl (1955), USA.
SULIOTIS, Elena (1943), Grèce.
SUTHERLAND, Joan (1926), Austr.
TEBALDI, Renata (1922), It.
TE KANAWA, Kiri (1943), N.-Zél.
TETRAZZINI, Luisa (1871-1940), It.
TEYTE, Maggie (1888-1976), G.-B.
THORBORG, Kerstin (1896-1970).
TOMOWA-SINTOW, Anna (1943), Bulg.
TRAUBEL, Helen (1899-1972), USA.
URSULEAC, Viorica (1894-1985), Roum.
VÄLKKI, Anita (1926), Finl.
VALLIN, Ninon (1886-1961), Fr.
VANESS, Carol (1952), USA.
VARADY, Julia (1941), Roum. (nat. All.).
VARNAY, Astrid (1918), Suède (nat. Amér.).
VEJZOVIC, Dunja (1943), Youg.
VICHNIEVSKAIA, Galina (1926), URSS (nat. Suisse).
VINZING, Ute (1936), All.
WELITSCH, Ljuba (1913), Bulg.
WATSON, Claire (1927-86), USA.
YAKAR, Rachel (1936), Fr.
ZYLIS-GARA, Teresa (1935), Pol.

Mezzos

ARKHIPOVA, Irina (1925), URSS.
BAKER, Janet (1933), G.-B.
BALTSA, Agnes (1944), Grèce.
BARBIERI, Fedora (1920), It.
BARTOLI, Cecilia (1966), It.
BATHORI, Jane (1877-1970), Fr.
BERBERIAN, Cathy (1925-83), USA.
BERBIÉ, Jane (1931), Fr.
BOUVIER, Hélène (1905-78), Fr.
BRANZELL-REINSHAGEN, Karin (1891-1974), Suède.
BUMBRY, Grace (1937), USA.
CORTEZ, Viorica (1935), Roum. (nat. Fr.).
COSSOTO, Fiorenza (1935), It.
CROIZA, Claire (CONELLY[1]) (1882-1946), Fr.
DENIZE, Nadine (1943), Fr.
DUPUY, Martine (1952), Fr.
EWING, Maria (1950), USA.
FASSBAENDER, Brigitte (1939), All.
GORR, Rita (1926), Belg.
GREY, Madeleine (1896), Fr.
HESSE, Ruth (1936), All.
HÖNGEN, Elisabeth (1906), All.
HORNE, Marilyn (1934), USA.
KILLEBREW, Gwendolyn (1939), USA.
KLOSE, Margarete (1902-68), All.
KOLASSI, Irma (1918), Gr. (nat. Fr.).
LENYA, Lotte (1898-1981), Autr. (nat. Amér.).
LINDENSTRAND, Sylvia (1941), Suède.
LIPOVŠEK, Marjana (1957), Youg.
LUDWIG, Christa (1928), All.
MEÏER, Waltraud (1956), All.
MERRIMAN, Nan (1920), USA.
MEYER, Kerstin (1928), Suède.
MILTCHEVA, Alexandrina (1934), Bulg.
MINTON, Yvonne (1938), Austr.
MURRAY, Ann (1949), G.-B.
NAFE, Alicia (1947), Arg.
NIGOGHOSSIAN, Sonia (1944), Fr.
OBRAZTSOVA, Elena (1937), URSS.
PIEROTTI, Raquel (1952), Uruguay.
RANDOVA, Eva (1936), Tchéc.
SCHMIDT, Trudeliese (1941), All.
SHIRAI, Mitsuoko (1952), Jap.
SIMIONATO, Giulietta (1910), It.
SOUKUPOVA, Vera (1932), Tchéc.
STADE, Frederica von (1945), USA.
STIGNANI, Ebe (1904-74), It.
SUPERVIA, Conchita (1895-1936), Esp.
TROYANOS, Tatiana (1939), USA.
VALENTINI-TERRANI, Lucia (1946), It.
VEASEY, Josephine (1930), G.-B.
VERRETT, Shirley (1931), USA.
VIARDOT, Pauline (1821-1910), Fr.
WATKINSON, Carolyn (1949), G.-B.
ZIMMERMANN, Margarita (1942), Arg.

Altos

BUGARINOVIC, Melania (1905), Youg.
BURMEISTER, Annelies (1930-88), All.
DELNA, Marie (1875-1932), Fr.
DOMINGUEZ, Oralia (1927), Mex.
FINNILÄ, Birgit (1931), Suède.
HAMARI, Julia (1942), Hongr. (nat. All.).
HÖFFGEN, Marga (1921), All.
OTTER, Anne Sofie von (1955), Suède.
RESNIK, Regina (1922), USA.
RÖSSEL-MAJDAN, Hildegard (1921), Autr.
TAILLON, Jocelyne (1941), Fr.
TÖPPER, Herta (1924), Autr.

Contraltos

ALBONI, Marietta (1823-94), It.
ANDERSON, Marian (1902), USA.
COLLARD, Jeanine (1923), Fr.
FERRIER, Kathleen (1912-53), G.-B.
FORRESTER, Maureen (1930), Can.
HEYNIS, Aafje (1924), P.-B.
MATZENAUER, Margarete (1881-1963), Autr. (nat. Amér.).
ONEGIN, Sigrid (1889-1943), Suède.
PROCTER, Norma (1928), G.-B.
REYNOLDS, Anna (1936), G.-B.
STUTZMANN, Nathalie (1965), Fr.
WATTS, Helen (1927), G.-B.
WENKEL, Ortrun (1942), All.

Nota. – (1) Vrai nom.

Alto

ARONOWITZ, Cecil (1916-78), G.-B.
BASHMET, Youri (1953), URSS.
BIANCHI, Luigi Alb. (1945), It.
CAUSSÉ, Gérard (1948), Fr.
CHAVES, Ana Bela (1952), Port.
CHRIST, Wolfram (1955), All.
COLLOT, Serge (1923), Fr.
FUKAI, Hirofumi (1942) Jap.
GIURANNA, Bruno (1933), It.
GOLAN, Ron (1924), Suisse.
IMAI, Nobuko (1943), Jap.
KASHKASHIAN, Kim (1952), USA.
KATIMS, Milton (1909), USA.
PASQUIER, Bruno (1943), Fr.
PRIMROSE, William (1903-82), Éco.
TERTIS, Lionel (1876-1975), G.-B.
VIEUX, Maurice (1884-1951), Fr.
ZIMMERMANN, Tabea (1966), All.

Basson

ALLARD, Maurice (1923), Fr.
HONGNE, Paul (n.c.), Fr.
OUBRADOUS, Fernand (1903-86), Fr.
SENNEDAT, André (1929), Fr.
TURKOVIC, Milan (1939), Autr.

Clarinette

ARRIGNON, Michel (n.c.), Fr.
BERKES, Kálmán (1952), Hongr.
BOEYKENS, Walter (1938), Belg.
BRUNNER, Eduard (1939), Suisse.
BRYMER, Jack (1915), G.-B.
DANGAIN, Guy (1935), Fr.
DELÉCLUSE, Ulysse (1907), Fr.
DE PEYER, Gervase (1926), G.-B.
DEPLUS, Guy (1924), Fr.
DRUCKER, Stanley (1929), USA.
GLAZER, David (1913), USA.
GOODMAN, Benny (1906-1986), USA.
HACKER, Alan (1938), G.-B.
KLÖCKER, Dieter (n.c.), All.
KLOSÉ, Hyacinthe (1808-80), Fr.
KOVÁCS, Béla (1937), Hongr.
LANCELOT, Jacques (1938), Fr.
LEISTER, Karl (1937), All.
LETHIEC, Michel (1946), Fr.
MEYER, Paul (1965), Fr.
MEYER, Sabine (1959), All.
MORAGUÈS, Pascal (1963), Fr.
POPA, Aurelian Octav (1937), Roum.
PORTAL, Michel (1935), Fr.
PRINZ, Alfred (1920), Autr.
SENNEDAT, André (1929), Fr.

Clavecin

AHLGRIMM, Isolde (1914), Autr.
BOULAY, Laurence (1925), Fr.
BROSSE, Jean-Patrice (1950), Fr.
CAUMONT, Catherine (1947), Fr.
CHOJNACKA, Elis. (1939), Pol. (nat. Fr.).
CHRISTIE, William (1944), USA.
CURTIS, Alan (1934), USA.
DART, Thurston (1921-71), G.-B.
DELFOSSE, Michèle (1939), Fr.
DREYFUS, Huguette (1928), Fr.
GERLIN, Ruggero (1899-1983), It.
GILBERT, Kenneth (1932), Can.
GRÉMY-CHAULIAC, Huguette (1928), Fr.
HAUDEBOURG, Brigitte (1942), Fr.
HOGWOOD, Christopher (1941), G.-B.
KETIL, Haugsand (1947), Nor.
KIPNIS, Igor (1930), USA.
KIRKPATRICK, Ralph (1911-84), USA.
KOOPMAN, Ton (1944), Hol.
LANDOWSKA, Wanda (1879-1959), Fr. (or. pol.).
LEONHARDT, Gustav (1928), P.-Bas.
LEPPARD, Raymond (1927), G.-B.
MALCOLM, George (1917), G.-B.
MORONEY, Davitt (1950), G.-B.
NEF, Isabelle (1895-1976), Suisse.
PARROTT, Andrew (n.c.), G.-B.
PICHT-AXENFELD, Edith (1914), All.
PINNOCK, Trevor (1946), G.-B.
PISCHNER, Hans (1914), All.
PUYANA, Rafael (1931), Colombie.
ROSS, Scott (1951-89), USA.
RUZICKOVÁ, Zuzana (1927), Tchéc.
SGRIZZI, Luciano (1910), It.
STAIER, Andreas (1955), All.
TILNEY, Colin (1933), G.-B.
VAN ASPEREN, Bob (n.c.), P.-Bas.
VAN DE WIELE, Aimée (1907), Belg.
VAN IMMERSEEL, Jos (1945), Belg.
VERLET, Blandine (1942), Fr.
VEYRON-LACROIX, Robert (1922-91), Fr.

Contrebasse

KARR, Gary (1941), USA.
ROLLEZ, Jean-Marc (1931), Fr.

Cor

BARBOTEU, Georges (1924), Fr.
BAUMANN, Hermann (1934), All.
BOURGUE, Daniel (1937), Fr.
BRAIN, Dennis (1921-57), G.-B.
CIVIL, Alan (1929-89), G.-B.
DAMM, Peter (1937), All.
DEL VESCOVO, Pierre (1929), Fr.
SEIFERT, Gerd (1931), All.
TUCKWELL, Barry (1931), Austr.

Cymbalum

FÁBIÁN, Márta (1946), Hongrie.
GERENCSÉR, Ferenc (1923), Hongr.
RÁCZ, Aladár (1886-1958), Hongr.

Flûte et flûte à bec

ADORJAN, Andras (1944), Hongrie (nat. Dan.).
ARTAUD, Pierre-Yves (1946), Fr.
BAKER, Julius (1915-76), USA.
BOURDIN, Roger (1923-76), Fr.
BRÜEGEN, Frans (1934), P.-Bas.
CLEMENCIC, René (1928), Autr.
DEBOST, Michel (1934), Fr.
FUMET, Gabriel (1937), Fr.
GALLOIS, Patrick (1956), Fr.

GALWAY, James (1938), Irl.
GAUBERT, Philippe (1879-1941), Fr.
GAZZELLONI, Severino (1919), It.
GRAF, Peter-Lukas (1929), Suisse.
KUIJKEN, Barthold (1949), Belg.
LARDÉ, Christian (1930), Fr.
LARRIEU, Maxence (1934), Fr.
LINDE, Hans Martin (1930), Suisse.
MARION, Alain (1938), Fr.
MATUZ, Istvan (1947), Hongr.
MOYSE, Marcel (1889-1984), Fr.
MUNROW, David (1942-76), G.-B.
NICOLET, Aurèle (1926), Suisse.
OTTEN, Kees (1924), P.-B.
PETRI, Michala (1958), Dan.
RAMPAL, Jean-Pierre (1922), Fr.
SCHULZ, Wolfgang (1946), Autr.
SHAFFER, Elaine (1930-1973), USA.
STILZ, Manfred (1946), All.
TAFFANEL, Paul (1844-1908), Fr.
VEILHAN, Jean-Claude (1940), Fr.
ZAMFIR, Gheorghe (1941), Roum.
ZÖLLER, Karlheinz (1928), All.

Guitare

ALFONSO, Nicolas (Esp., 1913), Belg.
ANDERSON, Magnus (1956), Suède.
ANDIA, Rafaël (1942), Fr.
ANIDO, Maria-Luisa (1907), Arg.
AUSSEL Roberto (1955), Arg.
BARRUECO, Manuel (1952), Cubain (nat. Amér.).
BEHREND, Siegfried (1933-90), All.
BREAM, Julian (1933), G.-B.
BROUWER, Léo (1939), Cuba.
CACERES, Oscar (1938), Uruguay.
CHAGNOT, Tania (1963), Fr.
COTSIOLIS, Costas (1958), Grèce.
DAVEZAK, Betho (1938), Urug. (nat. Fr.).
DIAZ, Alirio (1923), Venezuela.
DINTRICH, Michel (1933), Fr.
DUMOND, Arnaud (1952), Fr.
GHIGLIA, Osacar (1936), Ital.
LAGOYA, Alexandre (1929), Égypt. (nat. Fr).
LIMON, Roberto (1956), Mex.
LOPEZ RAMOS, Manuel (1929), Arg.-Mex.
MIKULKA, Vladimir (1952), Tchéc. (nat. Fr.).
PIERRI, Alvaro (1953), Urug.
POLAŠEK, Barbara (1941), Tchéc. (vit en All.).
PONCE, Alberto (1935), Esp. (nat. Fr.).
PRESTI, Ida (1924-67), Fr.
PUJOL, Emilio (1886-1980), Esp.
RAGOSSNIG, Konrad (1933), Autr.
RAK, Stépan (1945), Tchéc.
ROMERO, Pepe (1944), Esp. (nat. Amér.).
RUSSEL, David (1953), G.-B.
SANTOS, Turibio (1943), Brésil.
SCHEIT, Karl (1909), Autr.
SEGOVIA, Andrés (1894-1987), Esp.
SOLLSCHER, Gören (1955), Suède.
SZENDREY KARPER, Làszló (1932), Hongr.
WILLIAMS, John (1942), Austr.
YAMASHITA, Kazuhito (1961), Japon.
YEPES, Narciso (1927), Esp.
ZELENKA, Milan (1939), Tchéc.

Harpe

CAMBRELING, Frédérique (1956), Fr.
CHALLAN, Annie (1940), Fr.
FLOUR, Mireille (1906-84), Fr. (nat. Belg.).
GALLAIS, Bernard (1930), Fr.
GÉLIOT, Martine (1948-88), Fr.
GRANDJANY, Marcel (1891-1975), Fr.
HOLLIGER, Ursula (1937), Suisse.
IVAN-RONCEA, Ion (1947), Roum.
JAMET, Marie-Claire (1933), Fr.
JAMET, Pierre (1893), Fr.
LASKINE, Lily (1893-1988), Fr.
MICHEL, Catherine (1948), Fr.
MILDONIAN, Susanna (1941), Arménie (nat. It. puis Belg.).
NORDMANN, Marielle (1941), Fr.
PIERRE, Francis (1931), Fr.
RENIÉ, Henriette (1875-1956), Fr.
ROBLES, M. (1937), Esp. (nat. Brit.).
ZABALETA, Nicanor (1907), Esp.

Hautbois

BOURGUE, Maurice (1939), Fr.
CRAXTON, Janet (1929), G.-B.
DEBRAY, Lucien (n.c.-1987), Fr.
GOOSSENS, Leon (1897-1988), G.-B.
HOLLIGER, Heinz (1939), Suisse.
KOCH, Lothar (1935), All.
MALGOIRE, Jean-Claude (1940), Fr.
MAUGRAS, Gaston (1938), Fr.
PIERLOT, Pierre (1921), Fr.
PIGUET, Michel (1932), Suisse.
VANDEVILLE, Jacques (1930), Fr.
WINSCHERMANN, Helmut (1920), All.

Luth et Luth oriental

BACHIR, Jamil (1925-77), Irak.
BESSON, Kléber (n.c.), Fr.
BREAM, Julian (1933), G.-B.
DUPRÉ, Desmond (1916-74), G.-B.
GERWIG, Walter (1899-1967), All.
HUELLE, Philippe (1952), Fr.
JUNGHÄNEL, Konrad (1953), All.
KIRCHHOF, Lutz (n.c.), All.
LINDBERG, Jacob (1952), Suède.
ROBERT, Guy (1943), Fr.
ROOLEY, Antony (1944), G.-B.
SMITH, Hopkinson (1946), USA.
SPENCER, Robert (1932), G.-B.
VERLE, Fabienne (1954), Fr.

Ondes Martenot

ALLART, Sylvette (n.c.), Fr.
DESLOGÈRES, Françoise (1929), Fr.
LAURENDEAU, Jean-Franç. (1938), Can.
LORIOD, Jeanne (1928), Fr.
MARTENOT, Ginette (1902), Fr.
MURAIL, Tristan (1947), Fr.
SIMONOVICH-SIBON, Arlette (n.c.), Fr.
TREMBLAY, Gilles (n.c.), Can.

Orgue

ALAIN, Marie-Claire (1926), Fr.
BAILLEUX, Odile (1939), Fr.
BAKER, George C. (1951), USA.
BATE, Jennifer (1944), G.-B.
BENBOW, Charles (1947), USA.
BONNET, Joseph (1886-1944), Fr.
BOYER, Jean (1948), Fr.
BROSSE, Jean-Patrice (1950), Fr.
CHAISEMARTIN, Suzanne (1923), Fr.
CHAPELET, Francis (1934), Fr.
CHAPUIS, Michel (1930), Fr.
CHORZEMPA, Daniel (1944), U.S.A.
COCHEREAU, Pierre (1924-84), Fr.
COMMETTE, Édou. (1883-1967), Fr.
COSTA, Jean (1924), Fr.
DARASSE, Xavier (1934), Fr.
DELVALLÉE, Georges (1937), Fr.
DEMESSIEUX, Jeanne (1921-68), Fr.
DEVERNAY, Yves (1937-90), Fr.
DUPRÉ, Marcel (1886-1971), Fr.
DURUFLÉ, Maurice (1902-86), Fr.
ERICSSON, Hans-Ola (1958), Suède.
FALCINELLI, Rolande (1920), Fr.
FLEURY, André (1903), Fr.
FOCCROULLE, Bernard (1953), Belg.
FRANCK, César (1822-90), Belg. (nat. Fr.).
GALARD, Jean (1949), Fr.
GAVOTY, Bernard (1908-81), Fr.
GIGOUT, Eugène (1844-1925), Fr.
GIL, Jean-Louis (1951), Fr.
GIROD, Marie-Louise (1915), Fr.
GRUNENWALD, J.-J. (1911-82), Fr.
GUILLOU, Jean (1930), Fr.
GUILMANT, Alexand. (1837-1911), Fr.
HÄSELBOCK, Martin (1954), Autr.
HEILLER, Anton (1923-79), Autr.
HOUBART, Franç.-Henri (1952), Fr.
ISOIR, André (1935), Fr.
KOOPMAN, Ton (1944), P.-B.
LAGACÉ, Bernard (1930), Can.
LAGACÉ, Mireille (1935), Can.
LANGLAIS, Jean (1907-91), Fr.
LATRY, Olivier (1962), Fr.
LEFEBVRE, Philippe (1949), Fr.
LEGUAY, J.-Pierre (1939), Fr.
LEHOTKA, Gabor (1934), Hongr.
LITAIZE, Gaston (1909), Fr.
MARCHAL, André (1894-1980), Fr.
MESSIAEN, Olivier (1908), Fr.
PEETERS, Flor (1903-86), Belg.
PIERRE, Odile (1932), Fr.
PUIG-ROGET, Henriette (1910), Fr.
RICHTER, Karl (1926-81), All.
ROBERT, Georges (1928), Fr.
ROBILLARD, Louis (1939), Fr.
ROGG, Lionel (1936), Suisse.
ROPEK, Jiří (1922), Tchéc.
RÖSSLER, Almut (1932), All. féd.
ROTH, Daniel (1942), Fr.
SAINT-MARTIN, Léonce de (1886-1954), Fr.
SAINT-SAËNS, Camille (1835-1921), Fr.
SAORGIN, René (1928), Fr.
SEBESTEYN, János (1931), Hongr.
STRAUBE, Karl (1873-1950), All.
TAGLIAVINI, L.F. (1929), It.
THIRY, Louis (1935), Fr.
TOURNEMIRE, Charles (1870-1939), Fr.
TRILLAT, Ennemond (1890-1980), Fr.
VIDAL, Pierre (1927), Fr.
VIDERÖ, Finn (1906), Dan.
VIERNE, Louis (1870-1937), Fr.
WALCHA, Helmut (1907), All.
WEIR, Gillian (1941), Nlle-Zél.
WELIN, Karl-Erik (1934), Suède.
WIDOR, Ch.-Marie (1844-1937), Fr.
ZACHER, Gerd (1929), All.
ZIEGLER, Klaus Martin (1929), All.

Orgue électronique, synthétiseur

A PAZ CASTILLO, José (1967), Canaries.
BATAILLE, Philipp (1949), Fr.
BENNETT, Lou (n.c.).
CHARRAIRE, Michel (1945), Fr.
DE LA MATA, Luis (1965), Esp.
DENNERLEIN, Barbara (n.c.), All. féd.
DITMAR, Ivan (n.c.).
DOGGETT, Bill (n.c.), USA.
DON BLISS (n.c.), USA.
FOUQUE, Charles (n.c.), Fr.
GAZIT, Raviv (n.c.), Isr.
GREGER, Max (n.c.), All. féd.
GROOVE HOLMES, Richard.
HEUSER, Paul (1929), All. féd.
JARRE, Jean-Michel (1948), Fr.
KAMES, Bob (n.c.), USA.
KOCH, Hubert (1946), All. féd.
LAMBERT, Franz (n.c.), All. féd.
LASKER, Alex (n.c.).
LE ROY, Gilbert (1930), Fr.
LOUISS, Eddy (1941), Fr.
MACHADO, José (1950), Port.
PADROS Y TORRA, Marta (1962), Esp.
PRICE, Alan (n.c.), G.-B.
PRINA, Curt (n.c.), Suisse.
SCOTT, Rhoda (1947), USA (nat. Fr.).
SHAKESPEARE, Mark (n.c.), G.-B.
SMITH, Jimmy (n.c.), USA.
TAN DUC HUYNH, Gabriel (Gaby Mac Coy) (1963), Fr. (or. viêt-nam.).
TORTORA, Louis (1952), Fr.
VIVIER, Guy (Van Steenlandt) (1942), Fr. (or. belg.).
WOLFF, Hady (n.c.), All. féd.
WUNDERLICH, Klaus (1937), All. féd.
ZEHNPFENNIG, Ady (1950), All. féd.

Percussion

CASKEL, Christoph (1932), All.
CHEMIRAMI (n.c.), Iran.
DROUET, Jean-Pierre (1935), Fr.
GUALDA, Sylvio (1939), Fr.
JACQUET, Alain (n.c.), Fr.

Piano

ACHOT, Tania (1937), Iran (nat. Port.).
AFANASSIEV, Valery (1947), URSS, (nat. Belge) vit en France.
AKL, Walid (1945), Liban.
ALEXEIEV, Dmitri (1947), URSS.
ANDA, Géza (1921-76), Hongr. (nat. Suis.).
ARGERICH, Martha (1941), Arg.
ARRAU, Claudio (1903-91), Chili.
ASHKENAZY, Vladimir (1936), URSS (nat. Islandais).
ASKENASE, Stefan (1896-1985), Belg.
BACKHAUS, Wilhelm (1884-1969), All.
BADURA-SKODA, Paul (1927), Autr.
BARBIZET, Pierre (1922-90), Fr.
BARENBOÏM, Daniel (Arg., 1942), Isr.
BARTO, Tzimon (1963), USA.
BENEDETTI-MICHELANGELI, Arturo (1920), It.
BERMAN, Lazar (1930), URSS.
BÉROFF, Michel (1950), Fr.
BIRET, Idil (1941), Turquie.
BISHOP-KOVACEVITCH, Stephen (1940), G.-B.
BŒGNER, Michèle (1939), Fr.
BOLET, Jorge (1914-90), Cuba (nat. Amér.).
BOSCHI, Hélène (1917-90), Fr.
BOUKOFF, Yuri (1923), Bulg. (nat. Fr.).
BOUNINE, Stanislav (1966), URSS, vit en Suisse.
BRAÏLOWSKY, Alexandre (Russie, 1896-1976), USA.
BRENDEL, Alfred (1931), Autr.
BRONFMAN, Yefim (1958), Isr.
BRUNHOFF, Thierry de (1934), Fr.
BUCHBINDER, Rudolf (1946), Autr.
CABASSO, Laurent (1961), Fr.
CASADESUS, Robert (1899-1972), Fr.
CHERKASSKY, Shura (1911), URSS (nat. Amér.).
CICCOLINI, Aldo (1925), It. (nat. Fr.).
CLIDAT, France (1932), Fr.
COLLARD, Catherine (1947), Fr.
COLLARD, Jean-Philippe (1948), Fr.
CORTOT, Alfred (1877-1962), Fr.
CURZON, Sir Cliff. (1907-82), G.-B.
CZIFFRA, Georges (1921), Hongr. (nat. Fr.).
DALBERTO, Michel (1955), Fr.
DARRÉ, Jeanne-Marie (1905), Fr.
DAVIDOVICH, Bella (1928), URSS (nat. Amér.).
DEMUS, Jörg (1928), Autr.
DEVETZI, Vasso (1927-87), Grèce.
DIKOV, Anton (1938), Bulg.
DOYEN, Jean (1907-82), Fr.
DRENIKOV, Ivan (1945), Bulg.
DUCHABLE, Franç.-René (1952), Fr.
EGOROV, Youri (1954-88), URSS.
EL-BACHA, Abdelrahman (1957), Liban.
ENGERER, Brigitte (1952), Fr.
ENTREMONT, Philippe (1934), Fr.
ESCHENBACH, Christoph (1940), All.
ESTRELLA, Mig. Angel (1936), Arg.
FÉVRIER, Jacques (1900-79), Fr.
FISCHER, Annie (1914), Hongr.
FISCHER, Edwin (1886-1960), Suisse.
FOLDES, Andor (Hongr., 1913), USA.
FRANÇOIS, Samson (1924-1970), Fr.
FRANKL, Peter (1935), Hongr. vit en Angl.
FRÉMY, Gérard (1935), Fr.
GAGE, Irwin (1939), USA.
GELBER, Bruno-Leonardo (1941), Arg.
GHEORGHIU, Valentin (1928), Roum.
GIANOLI, Reine (1915-79), Fr.
GIESEKING, Walter (1895-1956), All.
GOTHONI, Ralf (1946), Finl.
GOULD, Glenn (1932-82), Can.
GROOT, Cor de (1914), P.-Bas.
GUILELS, Emil (1916-85), URSS.
GULDA, Friedrich (1930), Autr.
HAAS, Monique (1909-87), Fr.
HAAS, Werner (1931-76), All.

HAEBLER, Ingrid (1926), Autr.
HANAFUSA, Harumi (1952), Jap.
HASKIL, Clara (1895-1960), Roum. (nat. Suis.).
HEIDSIECK, Éric (1936), Fr.
HELFFER, Claude (1922), Fr.
HENRIOT, Nicole (1925), Fr.
HOFMANN, Josef (1876-1957), Pol. (nat. Amér.).
HOROWITZ, Vlad. (1904-89), Russie (nat. Amér.).
INDJIC, Eugène (1947), USA.
ISTOMIN, Eugene (1925), USA.
ITURBI, José (1895-1980), Esp.
IVALDI, Christian (1938), Fr.
JANIS, Byron (1928), USA.
KAHN, Claude (1939), Fr.
KALICHSTEIN, Joseph (1946), Israël.
KATCHEN, Julius (1926-69), USA.
KATSARIS, Cyprien (1951), Fr.
KEMPFF, Wilhelm (1895-91), All.
KENTNER, Louis (1905-87), Hongr. (nat. Brit.).
KOCSIS, Zoltan (1952), Hongr.
KONTARSKY, Alfons (1932), All.
KONTARSKY, Aloys (1931), All.
KRAUS, Lili (1908-86), Hongr. (nat. Amér.).
LABÈQUE, Katia (1953), Fr.
LABÈQUE, Marielle (1956), Fr.
LA BRUCHOLLERIE, Monique de (1915-72), Fr.
LAFORET, Marc (1965), Fr.
LARROCHA, Alicia de (1923), Esp.
LAVAL, Danièle (1939), Fr.
LEE, Noël (1924), USA.
LEFÉBURE, Yvonne (1904-86), Fr.
LHÉVINNE, Josef (1874-1944), USA (or. russe).
LIPATTI, Dinu (1917-50), Roum.
LONG, Marguerite (1874-1966), Fr.
LORIOD, Yvonne (1924), Fr.
LUISADA, Jean-Marc (1958), Fr.
LUPU, Radu (1945), Roum.
MAGALOFF, Nikita (1912), Suisse (or. russe).
MAISENBERG, Oleg (1945), URSS, vit en Autriche.
MALCUZYNSKI, Witold (1914-77), Pol.
MALININ, Evgeni (1930), URSS.
MENUHIN, Hephzibah (1920-81), USA.
MENUHIN, Jeremy (1951), USA.
MERLET, Dominique (1938), Fr.
MOORE, Gerald (1899-1987), G.-B.
MORAVEC, Ivan (1930), Tchéc.
MUSTONEN, Olli (1967), Finl.
NAT, Yves (1890-1956), Fr.
OGDON, John (1937-89), G.-B.
OPPITZ, Gerhard (1953), All.
OSINSKA, Eva (1941), Pol.
OUSSET, Cécile (1936), Fr.
PADEREWSKI, Ignacy (1860-1941), Pol.
PALENIČEK, Josef (1914-91), Tchéc.
PEKINEL, Güher et Süher (1953), Turques (sœurs jumelles).
PENNETIER, Jean-Claude (1942), Fr.
PERAHIA, Murray (1947), USA.
PERLEMUTER, Vlado (1904), Fr. (or. pol.).
PIRES, Maria-João (1944), Port.
PLANES, Alain (1948), Fr.
PLANTÉ, Francis (1839-1934), Fr.
PLUDERMACHER, Georges (1944), Fr.
POGORELICH, Ivo (1958), Youg.
POLLINI, Maurizio (1942), It.
POMMIER, Jean-Bernard (1944), Fr.
PUGNO, Raoul (1852-1914), Fr.
QUÉFFÉLEC, Anne (1948), Fr.
RACHMANINOV, Sergueï (1873-1943), Russie.
RÁNKI, Dezsö (1951), Hongr.
REACH, Pierre (1948), Fr.
RICHTER, Sviatoslav (1914), URSS.
RICHTER-HAASER, Hans (1912-80), All.
RIGUTTO, Bruno (1945), Fr.
RINGEISSEN, Bernard (1934), Fr.
RISLER, Édouard (1873-1929), Fr.
ROGÉ, Pascal (1951), Fr.
RÖSEL, Peter (1945), All.
RUBINSTEIN, Artur (1886-1982), Pol. (nat. Amér.).
RUDY, Mikhail (1953), URSS (nat. Fr.).

SABRAN, Gersende de (1942 ; duchesse d'Orléans), Fr.
SANCAN, Pierre (1916), Fr.
SÁNDOR, György (1912), Hongr. (nat. Amér.).
SCHIFF, Andràs (1953), Hongr.
SCHNABEL, Artur (Pol. 1881-1951), Autr. (nat. Amér.).
SEQUEIRA-COSTA, José (1929), Port.
SERKIN, Rudolf (1903), Autr. (nat. Amér.).
SOLOMON, (1902-88), G.-B.
TACCHINO, Gabriel (1934), Fr.
TAGLIAFERRO, Magda (1894-1986), Fr.
TAN, Melvyn (n.c.), Chine.
THIOLLIER, François-Joël (1943), Fr.
TIPO, Maria (1931), It.
UCHIDA, Mitsuko (1948), Jap.
VAN CLIBURN (1934), USA.
VÁSÁRY, Tamás (1933), Hongr.
VIANNA DA MOTTA, José (1868-1948), Port.
VIÑES, Ricardo (1875-1943), Esp.
WEISSENBERG, Alexis (Sofia, 1929), Fr.
WITTGENSTEIN, Paul (1887-1961), Autr. (nat. Amér.).
WOODWARD, Roger (1942).
YANKOFF, Ventsislav (1926), Bulgare (nat. fr.).
YUDINA, Maria (1899-1970), URSS.
ZELTER, Mark (1947), URSS (vit aux USA).
ZILBERSTEIN, Lilya (1965), URSS.
ZIMERMAN, Krystian (1956), Pol.

Saxophone

DEFFAYET, Daniel (1922), Fr.
GORDON, Dexter (1923-90), USA.
KIENTZY, Daniel (1951), Fr.
LOCK-JAW DAVIES, Eddie (1921-86), USA.
LONDEIX, Jean-Marie (1932), Fr.
MULE, Marcel (1901), Fr.
PEPPER, Adams (1930-85), USA.

Trompette

ANDRÉ, Maurice (1933), Fr.
BERNARD, André (1946), Fr.
CALVAYRAC, Albert (1934), Fr.
DELMOTTE, Roger (1925), Fr.
DORKCHITSER, Timoteï (1921), URSS.
GÜTTLER, Ludwig (1943), All.
HARDENBERGER, Hakan (1961), Suède.
HARDY, Francis (n.c.), Fr.
MARSALIS, Wynton (1961), USA.
SCHERBAUM, Adolf (1909), All.
SOUSTROT, Bernard (1954), Fr.
TARR, Edward (1936), USA.
THIBAUD, Pierre (1929), Fr.
TOUVRON, Guy (1950), Fr.

Viole de gambe

CASADEMUNT, Sergi (n.c.), Esp.
CHARBONNIER, J.-Louis (1951), Fr.
COIN, Christophe (1958), Fr.
HARNONCOURT, Nik. (1929), Autr.
KUIJKEN, Wieland (1938), Belg.
SAVALL, Jordi (1941), Esp.
WENZINGER, August (1905), Suisse.

Violon

ACCARDO, Salvatore (1941), It.
ALTENBURGER, Christian (1957), Autr.
AMOYAL, Pierre (1949), Fr.
AUER, Leopold (1885-1930), Hongr.
BELKIN, Boris (1948), URSS (nat. Isr.).
BELL, Joshua (1967), USA.
BROWN, Iona (1941), G.-B.
BULL, Ole (1810-1880), Norv.
BUSCH, Adolf (1891-1952), All. (nat. Suis.).
CAMPOLI, Alfredo (1906-91), It.
CHARLIER, Olivier (1961), Fr.
CHUNG, Kyung-Wha (1948), Corée.
DUMAY, Augustin (1949), Fr.
ELMAN, Mischa (1891-1967), Russie (nat. Amér.).
ENESCO, Georges (1881-1955), Roum.
ERLIH, Devy (1928), Fr.
FERRAS, Christian (1933-82), Fr.
FLESCH, Carl (1873-1944), Hongr.
FONTANAROSA, Patrice (1942), Fr.
FRANCESCATTI, Zino (1905), Fr.
GERTLER, André (1907), Hongr. (nat. Belg.).
GITLIS, Ivry (1927), Israël (vit en France).
GRUMIAUX, Arthur (1921-86), Belg.
HEIFETZ, Jascha (1899-1987), Litu. (nat. Amér.).
HOELSCHER, Ulf (1942), All.
HUBERMAN, Bronislaw (1882-1947), Pol.
JARRY, Gérard (1936), Fr.
JOACHIM, Josef (1831-1907), Hongr.
KAGAN, Oleg (1946-90), URSS.
KANG, Dong Suk (1954), Corée.
KANTOROW, J.-Jacques (1945), Fr.
KAVAKOS, Léonidas (1967), Gr.
KENNEDY, Nigel (1956), G.-B.
KOGAN, Leonid (1924-82), URSS.
KOVÁCS, Dénes (1930), Hongr.
KREBBERS, Herman (1923), P.-B.
KREISLER, Fritz (1875-1962), Autr. (nat. Amér.).
KREMER, Gidon (1947), URSS, vit en All.
KUBELÍK, Jan (1880-1940), Tchéc.
KUIJKEN, Sigiswald (1944), Belg.
KULENKAMPFF, Georg (1898-1948), All.
KULKA, Konstanty Andrzej (1947), Pol.
LIN, Cho-Liang (1960), Chine (nat. Amér.).
LOEWENGUTH, Alfred (1911-83), Fr.
MELKUS, Eduard (1928), Autr.
MENUHIN, Sir Yehudi (1916), USA, G.-B. et Suisse.
MIDORI (1971), Jap.
MILANOVA, Stoïka (1945), Bulg.
MILSTEIN, Nathan (1904), USA (or. russe).
MINTCHO, Mintchev (1948), Bulg.
MINTZ, Shlomo (1957), Isr.
MULLOVA, Viktoria (1959), URSS, vit aux USA.
MUTTER, Anne-Sophie (1963), All.
NEVEU, Ginette (1919-49), Fr.
NICOLAS, Marie-Annick (1956), Fr.
OÏSTRAKH, David (1908-74), URSS.
OÏSTRAKH, Igor (1931), URSS.
OLEG, Raphaël (1959), Fr.
OLOF, Theo (1924), P.-B.
PASQUIER, Régis (1945), Fr.
PEINEMANN, Édith (1937), All.
PERLMAN, Itzhak (1945), Israël.
PIKAISEN, Viktor (1933), URSS.
RICCI, Ruggiero (1920), USA (or. it.).
ROSAND, Aaron (1927), USA.
SARASATE, Pablo de (1844-1908), Esp.
SCHNEIDER, Alexandre (1908), USA.
SCHNEIDERHAN, Wolfgang (1915), Autr.
SCHRÖDER, Jaap (1925), P.-B.
SHAHAM, Gil (1971) Isr. et USA.
SITKOVETSKI, Dmitri (1954), URSS émigré aux USA.
SPIVAKOV, Vladimir (1944), URSS.
STADLER, Sergueï (1962), URSS.
STERN, Isaac (1920), USA (or. URSS).
SUK, Josef (1929), Tchéc.
SZÉKELY, Zoltán (1903), Hongr. (nat. Amér.).
SZERYNG, Henryk (1918-88), Pol. (nat. Mex.).
SZIGETI, Joseph (1892-1973), Hongr. (nat. Amér.).
THIBAUD, Jacques (1880-1953), Fr.
TRETIAKOV, Viktor (1946), URSS.
UGHI, Uto (1944), It.
VAN KEULEN, Isab. (1966), P.-B.
VARGA, Tibor (1921), Hongr. (nat. Brit.).
VOICU, Ion (1925), Roum.
WALLEZ, Jean-Pierre (1939), Fr.
WERTHEN, Rudolf (1946), Belg.
WIENIAWSKI, Henryk (1835-80), Pol.
WILKOMIRSKA, Wanda (1929), Pol.
YORDANOFF, Luben (1926), Bulg. (nat. monégasque).
YSAŸE, Eugène (1858-1931), Belg.
ZEHETMAIR, Thomas (1961), Autr.
ZIMMERMANN, Frank-Peter (1965), All. féd.
ZUKERMAN, Pinchas (1948), Israël.

Violoncelle

BAILLIE, Alexander (1956), G.-B.
BAZELAIRE, Paul (1886-1958), Fr.
BECKER, Hugo (1863-1954), All.
BYLSMA, Anner (1934), P.-B.
CASSADÓ, Gaspar (1897-1966), Esp.
CASALS, Pablo (1876-1973), Esp.
CHIFFOLEAU, Yvan (1956), Fr.
CHUCHRO, Josef (1931), Tchéc.
CLARET, Luis (1951), Andorre.
COIN, Christophe (1958), Fr.
DU PRÉ, Jacqueline (1945-1987), G.-B.
FEUERMANN, Emanuel (1902-42), Pol. (nat. Amér.).
FLACHOT, Reine (1922), Fr.
FONTANAROSA, Renaud (1946), Fr.
FOURNIER, Pierre (1906-86), Fr.
GENDRON, Maurice (1920-90), Fr.
GERINGAS, David (1946), URSS, émigré en All. féd.
GUEORGIAN, Karine (1944), URSS.
HAIMOVITZ, Matt (1970), USA-Isr. (double nat.).
HARNOY, Ofra (1965), USA (or. isr.).
HARRELL, Lynn (1944), USA.
HELMERSON, Frans (1945), Suède.
HOFFMANN, Gary (1956), USA.
JABLONSKI, Roman (1945), Pol.
JANIGRO, Antonio (1918-89), It.
LODÉON, Frédéric (1952), Fr.
MA, Yo-yo (1955), USA (or. ch.).
MAINARDI, Enrico (1897-1976), It.
MAISKY, Mischa (1948), URSS, vit en France.
MARÉCHAL, Maurice (1892-1964), Fr.
MARKEVITCH, Dimitry (1923), USA (or. URSS).
MENESES, Antonio (1957), Brésil.
MEUNIER, Alain (1942), Fr.
NAVARRA, André (1911-88), Fr.
NORAS, Arto (1942), Finl.
PALM, Siegfried (1927), All.
PERÉNYI, Miklós (1948), Hongr.
PIATIGORSKI, Gregor (1903-76), Russie (nat. Amér.).
PIDOUX, Roland (1946), Fr.
ROSE, Leonard (1918-84), USA.
ROSTROPOVITCH, Mstislav (1927), URSS (nat. Suis.).
SÁDLO, Miloš (1912), Tchéc.
SCHIFF, Heinrich (1947), Autr.
STARKER, János (1924), Hongr. (nat. Amér.).
TORTELIER, Paul (1914-90), Fr.
WALEVSKA, Christine (1948), USA.

Listes des abréviations

Accordéon : Accor.	Guitariste : Gui.
Alto : Al.	Harmonica : H.
Banjo : Ban.	Mandoline : Man.
Batteur : Bat.	Noir : N.
Blanc : Bl.	Orgue : O.
Chanteur(se) : Ch.	Pianiste : Pian., Pi.
Chef d'orch. : C. d'or.	Saxo : S.
Clarinettiste : Cl.	Ténor : Tén.
Compositeur : Comp. Cp.	Trombone : Tb.
Contrebasse : C.	Trompettiste : Tp.
Cornettiste : Co	Vibraphoniste : Vi.
Flûte : Fl.	Violoniste : Viol.
	Washboard : Wb.

Jazz

☞ Américain, sauf indication. Voir aussi **Personnalités** à l'Index.

ADDERLEY, Julian « Cannonball » (1928-75), S.
ARMSTRONG, Louis Daniel (4-7-1900/6-7-71), Tp. Ch. Comp. C. d'or. N.
AYLER, Albert (1936-70), S. N.
BAQUET, George (1883-1949), Cl. N.
BARBIERI, Gato (1933), S. Tén. Argentin Bl.
BASIE, Count (William) (1904-84), Pian. O. C. d'or. N.
BECHET, Sidney (1897-1959), Cl. S. soprano, Comp. N.
BEIDERBECKE, Bix (Leon) (1903-31), Tp. Co. Pian. Bl.
BELLSON, Louie (6-7-1924), Bat. Bl.
BERRY, Chu (Leon) (1910-41), S. N.
BIGARD, Barney (1906-80), Cl. et S. Tén. N.
BLAKE, Eubie (1883-1983), Cp. et Pi. N.
BLAKEY, Art (1919-90), Bat. N.
BLEY, Carla (n.c.), C. d'or., Com., Bl.
BOLDEN, Buddy (1877-1931), Tp. N.
BOLLING, Claude (10-4-1930), Pi. Bl.
BRAXTON, Anthony (1945), S. N.
BROWN, Charles (1920), Gui. N.
BRUBECK, Dave (1920), Pian. Bl.
BUCKNER, Milt (1915-77), Pian. Vi. O. C. d'or. Bl.
BUNN, Teddy (1909-78), Gui. N.
BURTON, Gary (1943), Vi. Bl.
BYAS, Carlos Don (1913-72), S. N.
BYRD, Charlie (1925), Gui. Bl.
CALLOWAY, Cab. (25-12-07), Ch. C. d'or. N.
CARTER, Benny (8-8-1907), S. Al. Tp. Cl. Comp. C. d'or. N.
CATLETT, Sidney (1910-51), Bat. N.
CELESTIN, Papa (1884-1954), Tp. N.
CHARLES, Ray (23-9-1932), Ch. Pian. S. Al. O. C. d'or. N.
CHERRY, Don (Donald) (1936), Tp.
CHRISTIAN, Charlie (1919-42), Gui. N.
CLARKE, Kenny (1914-85), Bat. N.
CLAYTON, Buck (Wilber) (12-11-1911), Tp. N.
COHN, Al (1925-88), S. Tén. Bl.
COLE, Cozy (1909-81), Bat. N.
COLE, Nat King (Nathaniel) (17-3-1917/16-2-65), Pian. Ch. N.
COLEMAN, Bill (1904-81), Tp.
COLEMAN, Ornette (1930), S. Al. N.
COLLINS, Lee (1901-60), Tp. N.
COLTRANE, John (1926-67), S. Cp. N.
COMBELLE, Alix (1912-78), S. Tén. Cl. C. d'or. Bl. (Franç.).
CONDON, Eddie (1905-73), Ban. Gui. Bl.
COREA, Chick (1941), Pian. N.
DAVIS, Eddie « Lockjaw » (1922-86), S. Tén. N.
DAVIS, Miles (1926), Tp. Comp. N.
DESMOND, Paul (1924-77), Al. Bl.
DODDS, Baby (1898-1959), Bat. N.
DODDS, Johnny (1892-1940), Cl. N.
DOLPHY, Eric (1928-64), Al., Cl. N.
DOMINO, Fats (1928), Pi. Ch. C. d'or. N.
DORSEY, Jimmy (James) (1904-57), S. Al. Cl. C. d'or. Bl.
DORSEY, Tommy (1905-56), Tb. Tp. C. d'or. Bl.
ECKSTINE, Billy (W.C. Eckstein) (1914), C. d'or. Ch. N.
EDISON, Sweets (Harry) (1915), Tp. N.
ELDRIDGE, Roy (1911-89), Tp. N.
ELLINGTON, Duke (29-4-1899/24-5-1974), Pian. C. d'or. Comp. N.
EVANS, Bill (1929-80), Pian.
EVANS, Gil (1912-89), Pian. C. d'or. Bl.
FITZGERALD, Ella (25-4-1918), Ch. N.
FOSTER, Pops (George-Murphy) (1892-1969), C. N.
GARBAREK, Jan (1947), S. Bl.
GARNER, Erroll (1923-77), Pian. N.
GARROS, Christian (1920-88), Bat. Bl.
GETZ, Stan (1927), S. Tén. Bl.
GILLESPIE, Dizzy (John) (21-10-1917), Tp. C. d'or. N.
GONDA, János (1932), Hongr.
GOODMAN, Benny (1909-86), Cl. C. d'or. Bl.
GRAPPELLI, Stéphane (26-1-1908), Viol. Pian. Bl. (Français).
GREEN, Freddie (1911-87), g. N.
GUERIN, Beb (1941-80), C.
GULLIN, Lars (1928-76), S. Bl. Sué.
HAMPTON, Lionel (20-4-1913), Bat. Pian. Vi. C. d'or. N.
HARRISON, Jimmy (James Henry) (1900-1931), Tb. Ch. N.
HAWKINS, Coleman (1904-69), S. Tén. N.
HENDERSON, Fletcher (18-12-1898/29-12-1952), Pian. Comp. C. d'or. N.
HERMAN, Woody (1913-87), Cl. C. d'or. Bl.
HINES, Earl (1905-83), Pian. Comp. C. d'or. N.
HODGES, Johnny (Cornelius) (1906-70), S. Al. C. d'or. N.
HOLIDAY, Billie (1915-59), Ch., N.
HUSBY, Per (1949), Pi., Bl.
JACKSON, Chubby (Greig Stewart) (25-10-1918), C. Bl.
JACKSON, Mahalia (1911-73), Ch. N.
JACKSON, Milt (1923), Vi. N.
JACKSON, Tony (1876-1921), Pi. Ch. N.
JACQUET, Illinois (Bapt.) (1922), S. Tén. N.
JARRETT, Keith (1945), Pian. Bl.
JOHNSON, Bunk (Will.) (1879-1949), Tp. N.
JOHNSON, James P. (1894-1955), Pi. N.
JOHNSON, Jay Jay (James Louis) (1924), Tb. N.
JOHNSON, Jimmy (James P.) (1894-1955), Pian. Comp. N.
JONES, Hank (1918), Pian. N.
JONES, Jo (1911-85), Bat.
JONES, Philly Joe (1923-85), Bat. N.
JONES, Thad (1923-86), Tb. N.
JOPLIN, Scott (1868-1917), Pi. Cp. N.
KEPPARD, Freddy (1889-1933), Tp. N.
KIRK, Roland (1935-1977), S. Tén. N.
KONITZ, Lee (1927), S. Al. Bl.
KROG, Karin (1937), Ch., Bl.
KRUPA, Gene (1909-73), Bat. C. d'or. Bl.
LADNIER, Tommy (1900-39), Tp.
LAFITTE, Guy (1927), S. Tén. Cl. Bl. (Franç.).
LA ROCCA, Nick (1899-1961), Co. Comp. Bl.
LEVY, Lou (1928), Pian. N.
LEWIS, John (1920), Pi. et C. d'or. N.
LUNCEFORD, Jimmie (James Melvin) (1902-47), C. d'or. S. N.
LUTER, Claude (23-7-1923), Cl. C. d'or. Bl. (Français).
LYONS, Jimmy (1932-86), S.
MAKOWICZ, Adam (1940), Pian. Pol.
MARSALIS, Wynton (18-10-1961), Tp. N.
MCGHEE (1918-87), Tp. N.
MCLEAN, Jackie (John Lenwood) (1932), S.
MEZZROW, Milton (« Mezz ») (1899-1972), Cl. S. C. d'or. C. Bl.
MILEY, Bubber (James) (1903-32), Tp. N.
MILLER, Glenn (1904-44), Tb. C. d'or. Bl.
MINGUS, Charles (1922-79), C. N.
MONK, Thelonious (1917-82), Pi. N.
MORTON, Jelly Roll (Ferdinand Jos. La Mothe) (20-9-1885/10-7-1941), Pian. Comp. Ch. C. d'or. N.
MULLIGAN, Gerry (1927), S. baryt. Bl.
NELSON, Big Eye Louis (Louis Delisle) (1885-1949), Cl. N.
NEWBORN, Phineas (1931-89), Pi. N.
NICHOLAS, Albert (Nick) (1900-73), Cl. N.
NOONE, Jimmy (1886-1944), Cl. N.
OLIVER, Joe « King » (1885-1938), Tp. C. d'or. Comp. N.
ORY, Kid (1886-1973), Tb. C. d'or. N.
PALMER, Roy (1892-1964), Tb. N.
PARKER, Charlie (1920-55), S. Al. N.
PASS, Joe (1929), Gui, Bl.
PASTORIUS, John Francis, dit Jaco (1951-87), g. basse.
PEPPER, Art (1925-82), S. Al. Cl. Bl.
PERKINS, Carl (1928-58), Pi.
PETERSON, Oscar (15-8-1925), Pi. N.
PETTIFORD, Oscar « Opie » (1922-1960), C.
PONTY, Jean-Luc (1942), Viol Bl.
PORRET, Julien C. (1896-1979) (Fr.).
PORTAL, Michel (1935), Cl. S. Bl. (Français).
POWELL, Bud (1924-1966), Pi. N.
PRICE, Sammy (6-10-1908), Pi. N.
REINHARDT, Django (10-1-1910/16-5-53), Tzigane n. Belg., Gui. Cp. Bl.
RICH, Buddy (Bernard) (1917-87), Bat. N.
ROACH, Max (1925), Bat. N.
ROBESON, Paul (1898-1976), Ch. N.
ROGERS, Shorty (1924), Tp. Bl.
ROLLINS, Sonny (1929), S. N.
ROUSE, Charlie (1924-88), S. N.
RYPDAL, Terje (1947-89), Gui., Bl.
SARMANTO, Heikki (1939), Pian., Comp.
SHAW, Artie (Arthus Arshewsky) (23-5-1910), Cl. C. d'or. Bl.
SHEPP, Archie (1944), S. N.
SILVA, Alan (1939), C. C. d'or.
SILVER, Horace (Ward Martin Tavares) (2-9-28), Pi. S. C. d'or. N.
SIMS, Zoot (1925-85), S. Tén. Bl.
SINGLETON, Zutty (Arthur) (1898-1975), Bat. N.
SLOVACEK, Felix (1944), Cl., S., C. d'or. Bl.
SMITH, Bessie (1894-1937), Ch. N.
SMITH, Jimmy (8-12-1925), O. Pi. Ch. N.
SMITH, Willie (William Bertholoff) (1897-1973), Pi. Cp. C. d'or. N.
SOLAL, Martial (Fr., 1927), Pi. Bl.
ST CYR, John Alexander (1890-1966), Gui. Ban.
STIVIN, Jiří (1942), S., Fl., Cp., Bl.
SUN RA (Sonny Blondt) (1925), Pi. N.
SUTHERLAND, Margaret (1897-1984), Ct., m. arc., oe. ch., ins., oe. voc., Pi.
TATUM, Art (1910-56), Pi. N.
TAYLOR, Cecil (1933), Pi. N.
TEAGARDEN, Jack (1905-64), T. Ch. Bl.
THORNTON, Clifford (1936-83), Tp. N.
TONEFF, Radka (1952-82), Ch., Bl.
TRISTANO, Lennie (1919-79), Pi. Bl.
TYNER, McCoy (1938), Pian. N.
VAUGHAN, Sarah (1924-90), Ch. N.
VESALA, Edward (1945), Bat., Comp.
WALLER, Fats (1904-43), Pi. O. Ch. Comp. C. d'or.
WASHINGTON, Ernie F. (1926-79), Pi. Ch.
WEBB, Chick (William) (1907-39), Bat. C. d'or. N.
WEBSTER, Ben (1909-73), S. Tén. N.
WILLIAMS, Cootie (Charles Melvin) (1908-85), Tp. Ch. C. d'or. N.
WILLIAMS, Mary Lou (1910-81), Pian. Comp. N.
WILSON, Teddy (1912-86), Pi. C. d'or.
YOUNG, Lester « Prez » (27-8-1909/15-3-1959), S. Tén. Cl. N.

Blues

Nota. – Américain, sauf indication.

ALEXANDER, Texas (1890-1955) : Ch., Gui.
ALLISON, Luther (1939) : Ch., Gui.
ARNOLD, Kokomo (1913-1969) : Ch., Gui.
BERRY, Chuck (Charles Edward) (1931) : Gui., Ch., Bl.
BIG BILL BROONZY (1893-1958) : Ch., Gui.
BIG MACEO (1905-1953) : Ch., Pi.
BLAND, Bobby « Blue » (11-10-1919) : Ch.
BLIND, Blake (1885-1930) : Gui., Ch.
BOYD, Eddie (25-11-1914) : Pi., Ch.
BROWN, Ada (1891-1950) : Ch.
BROWN, Roy (James) (1925-81) : Ch.
CARR, Leroy (1905-35) : Ch., Pi.
CHENIER, Clifton (1925-87) : Ch., Accor.
COX, Ida (1889-1967) : Ch.
CRAYTON, Peewee (1914-85) : Ch., Guit.
CRUDUP, « Big Boy » (Arthur) (1905-74) : Ch., Gui.
DAVENPORT, Cow cow (1894-1955) : Ch., Pi.
DAVIS, Blind Gary (1896-1972) : Ch., Guit, Ban.
DAVIS, Walter (1912-64) : Ch., Pi.
DAWKINS, Jimmy « Fast Fingers » (1938) : Ch., Gui.
DIDDLEY, Bo (Ellas McDaniel) (1928).
DIXON, Willie (1915) : C., Ch.
DUPREE, Champion Jack (William Thomas) (1910) : Ch., Pi.
ESTES, John, « Sleepy John » (1900-77) : Ch., Gui.
FULLER, Jesse (1896-1976) : Ch., Gui., H.
FULSON, Lowell (1921) : Ch., Gui.
GILLUM, William « Jazz Gillum » (11-9-1904) : Ch., H.
GUY, Buddy (30-7-1936) : Ch., Gui.
HARRIS, Wynonie (1915-69) : Ch.
HOGG, Smokey (1914-60) : Ch., Gui.
HOOKER, Earl (1930-70) : Gui., Ch.
HOOKER, John Lee (22-8-1917) : Ch., Gui.
HOPKINS, « Lightnin » (1912-82) : Ch., Gui.
HOWLIN'WOLF (Chester Burnett) (1910-76), Ch. Gui. Harm.
JAMES, Elmore (1928-63) : Ch., Gui.
JAMES, « Homesick » (30-4-1910) : Gui., Ch.
JAMES, Skip (1902-69) : Ch., Gui., Pian.
JEFFERSON, « Blind Lemon » (1880-1929) : Ch., Gui.
JOHNSON, Lonnie (1894-1970) : Gui., Ch.
JOHNSON, Luther (1934-1976) : Ch., Gui.
JOHNSON Jr., Luther (1939) : Ch., Gui.
JOHNSON, Robert (1910-38) : Ch., Gui.
JONES, Curtis (1906-71) : Ch., Pi.
JONES, Johnnie « Little Johnnie » (1924-1964) : Pi., Ch.
JOSEPH, Pleasant (1907-89) : Ch., Gui.
KING, Albert (25-4-1924) : Gui., Ch.
KING « B.B. » (16-9-1925) : Ch., Gui.
KING, Freddie (1934-76) : Ch., Gui.
KORNER, Alexis (1928-84) : Gui.
LEADBELLY (1889-1949) : Ch., Gui.
LIGHTNIN'SLIM (1913-74) : Ch., Gui.
LIPSCOMB, Mance (1895-1976) : Ch., Gui.
LITTLE MILTON (1934) : Ch., Gui.
LITTLE WALTER (1930-68) : H., Ch.
LOCKWOOD, Robert Jr. (1916) : Ch., Gui.
LOUISIANA RED (1936) : Ch., Gui., H.
LUCAS, Lazy Bill (1918) : H., Pi., Gui.
MCGHEE, Brownie (1915) : Ch., Gui.
MAGIC SAM (Samuel Maghett) (1937-69) : Ch., Gui.
MARTIN, Carl (1906) : Ch., Gui., Man.
MC CLENNAN, Tommy (1908-59) : Ch., Gui.
MC COY, Joe (1900-51) : Gui., Ch.
MEMPHIS MINNIE (1900-73) : Ch., Gui.
MEMPHIS SLIM (1915-88) : Ch., Pian.
MUDDY WATERS (1915-83) : Ch., Gui.
MYERS, Louis (1929) : Gui., H., Ch.
NIGHTHAWK, Robert (1919-67) : Ch., Gui.
PATTON, Charley (1887-1934) : Ch., Gui.
PEG LEG, Sam (1911) : Ch., H.
PROFESSOR LONGHAIR (1918-80) : Ch., Pian.
RAINEY MA, Gertrude (1886-1939) : Ch.
REED, Jimmy (1925-76) : Ch., H., Gui.
ROBINSON, L.C. « Good Robin » (1915-76) : Ch., Gui., Viol.
ROGERS, Jimmy (1924) : Ch., Gui.
RUSH, Otis (1934) : Ch., Gui.

SHINES, Johnny (25-4-1915) : Ch., Gui.
SLIM, Sunnyland (1907) : Ch., Pian.
SMITH, George (1924-83) : Ch., H.
SPANN, Otis (1930-70) : Pian., Ch.
STACKHOUSE, Houston (1910) : Gui., Ch.
SUNNYLAND, Slim (5-9-1907) : Ch., Pi.
SYKES, Roosevelt (1906-83) : Ch., Pi.
TAMPA RED (1903-81) : Ch., Gui.
TAYLOR, Eddie (1923-85) : Ch., Gui.
TEMPLE, Johnny (1908-68) : Ch., Gui.
TERRY, Sonny (1911-86) : H., Ch.
THORNTON, Big Mama (1926-85) : Ch., H.
TUCKER, Tom (1933-82) : Ch., Pi., O.
TURNER, Ike (1931) : Gui., Pi., Ch.
WALKER, Aaron « T-Bone » (1909-75) : Ch., Gui.
WASHBOARD, Sam (Robert Brown) (1910-66) : Ch. Wb.
WELLS, Junior (1934) : Ch., H.
WILKINS, Joe Willie (1924) : Gui., Ch.
WILLIAMS, Big Joe (1899-1982) : Ch., Gui.
WILLIAMSON, « Sonny Boy » (1910-48) : Ch., H.
WILLIAMSON, « Sonny Boy » (IIe) (1901-65) : Ch., H.
YOUNG, Johnny (1917-74) : Ch., Man., Gui.

Genre, style et forme

Les *genres* comprennent la musique sacrée, profane, vocale, instrumentale. Le *style* caractérise plutôt une époque. La *forme* est la manière dont l'ensemble d'une œuvre est constitué.

Formes principales

Musique profane

Air de cour (XVIe-XVIIe s.), air à chanter galant et pastoral. **Aria** ou **air** (XVIIe-XIXe s.), mélodie vocale ou instrumentale. **Arioso** (XVIIe-XVIIIe s.), récitatif vocal accompagné.

Ballade (XIVe-XVe s.), chanson voc. ou instrumentale de forme fixe, dont l'élément caractéristique est le vers-refrain à la fin de chaque strophe ; (fin XVIIIe s.), mélodie vocale inspirée par un texte littéraire ; devient au XIXe s. une pièce instrumentale.

Cantate (début XVIIe s. ; puis XXe s.), composition profane ou religieuse à 1 ou plusieurs voix avec accompagnement. **Canzone** (XVIe-XVIIe s. surtout), œuvre vocale adaptée aux instruments. **Cassation** (XVIIIe s. surtout), divertissement de plein air à jouer le soir. **Chaconne,** danse instrumentale à 3 temps. **Chanson polyphonique** (XVIe s.), avec nombre de voix variable.

Concerto (d'abord dialogue des voix et des instruments). *Concerto vocal de chambre* (XVIIe s.). *Concerto grosso* (1674), dialogue entre le groupe des instruments solistes (concertino) et la masse orchestrale (ripieno ou grosso) ; il s'effacera devant la symphonie concertante (voir ci-dessous). *Concerto pour soliste* (XVIIe-XXe s.), dialogue d'un seul instrument avec l'orchestre.

Contrepoint, combinaison de différentes parties harmoniques. *Contrepoint simple :* les différentes parties s'accompagnent, soit note contre note, soit 2, soit 4 notes contre une. *C. fleuri :* les parties (sauf le chant principal) procèdent par des valeurs plus brèves et des rythmes différents. *C. double ou renversable :* combinaison où les parties peuvent se renverser du grave à l'aigu, c.-à-d. passer du dessus à la basse et inversement. *C. triple ou quadruple :* 3 ou 4 parties différentes qui peuvent se placer à l'aigu, à la basse et aux parties intermédiaires, chacune à son tour. *C. fugué :* combinaison avec les formes de la fugue. *C. libre :* autorisation de certaines libertés. *C. rigoureux ou classique :* suivant les règles tracées par les maîtres. Existent encore le *C. rétrograde,* le *C. par mouvement contraire* ou *par augmentation et par diminution,* le *C. à double-chœur* (8 voix).

Divertissement ou Divertimento (XVIIIe s., puis au XXe s.), suite libre de différents morceaux pour groupe d'instruments solistes. **Étude** (fin XVIIIe-XXe s.), pièce de structure variable dictée par la difficulté technique. **Fantaisie** (XVIe-XXe s.), au début, composition polyphonique instrumentale, puis forme librement improvisée. **Frottole** (fin XVe s., début XVIe s.), chant populaire italien à 3 ou 4 voix. **Fugue** (fin XVIIe-XXe s.), écrite à plusieurs voix ; à un sujet s'oppose une réponse. **Ground** ou **basse contrainte** (basso ostinato) (XVIe-XVIIe s.), sur une même basse qui se répète sans cesse, se développent des dessins différents.

Impromptu (surtout XIXe s.), pièce pour instrument à demi improvisée ou dans un style évoquant l'improvisation. **Intermezzo** (XVIe-XVIIIe s.), évolue du divertissement à l'opéra bouffe et au ballet-divertissement ; (XIXe s.), pièce instrumentale. **Invention** (XVIIIe s.), petite étude de style à imitations. **Lied** (Allemagne), au XVIe s., chanson polyphonique ; à partir du XVIIIe s., pièce vocale avec piano ou orchestre. **Madrigal** (XVIe s.), pièce vocale de style libre. **Masque** (XVIe-XVIIIe s.), divertissement dramatique (chant, danse et texte parlé). **Mélodie** (XIXe-XXe s., France), pièce vocale accompagnée au piano ou à l'orchestre.

Opéra, O.-comique, Opérette : V. Index. **Oratorio** (XVIIe-XXe s.), composition pour soli, chœur et orchestre ; œuvre dramatique non représentée. **Ouverture** (début du XVIIe s.), pour l'orchestre, vient en tête d'un opéra ; sa structure a varié depuis le XVIIe s. *Ouverture à la française :* forme instrumentale dans le genre de la suite. **Poème symphonique** (XIXe-XXe s.), décrit ou raconte en musique ; pas de structure précise. **Prélude** (XVIe s.), introduit une fugue ou une suite de danses ou encore se suffit à lui-même. **Quatuor,** vocal, dès le XVIe s., puis devient aussi instrumental à partir du XVIIIe s. jusqu'à nos jours ; le plus souvent : 2 violons, 1 alto, 1 violoncelle (quatuor à cordes). **Récitatif,** au XVIIe s., suit de près le rythme du langage, au XIXe s., de plus loin. **Rhapsodie** (XIXe-XXe s.), fantaisie sur des chants populaires ou des thèmes très simples, souvent folkloriques (hongrois, norvégiens). **Ricercare** (XVIe-XVIIe s.), évoluera vers la fugue. **Romance,** chant d'amour ; vocale ou instrumentale. **Rondeau** (XIIe-XVe s.), chanson vocale ou instrumentale de forme fixe (a b/a a a b/a b). **Rondo** (XVIIe-XXe s.), caractérisé par le retour d'un refrain ; constitue souvent le final d'une sonate, d'un concerto, d'une symphonie.

Scherzo (XIXe-XXe s.), pièce à 3 temps, brillante, 3e mouvement de symphonie ou sonate en remplacement du menuet. **Sérénade** (surtout au XVIIIe s.), pièce vocale, puis instrumentale. **Sinfonia** (XVIIe s.), forme mal définie, confondue (au XVIIIe s.) avec l'ouverture à l'italienne. Terme encore employé pour les ouvertures des opéras de Rossini, Donizetti, Bellini, Cherubini. **Sonate** (début XVIIe s.), œuvre instrumentale « monothématique » ; thème unique développé sur le ton principal puis sa dominante (Bach, Haendel) ; XVIIIe s. : sonate bithématique, 2 th. dév. tour à tour sur 2 tons ; fin XVIIIe s. : sonate en 3 ou 4 mouvements (allegro bithématique, mouvement lent, éventuellement menuet, final bithématique ou rondo) (C.P.E. Bach, puis Haydn, Mozart et Beethoven). **Suite** (XVIe-XVIIIe s., XXe s.), succession de mouvements de danse (ex. Ouverture – Allegro-Allemande – Courante – Sarabande – Gigue). **Symphonie** (XVIIIe-XXe s.), en général vaste composition pour orchestre, réplique de la sonate ; la plupart du temps à 4 mouvements : allegro, andante (adagio), menuet, allegro final. **Symphonie concertante** (XVIIIe s.), sorte de concerto à plusieurs solistes.

Tiento (XVIe s., espagnol), équivalent du prélude ou du ricercare. **Toccata** (de *toccare ;* toucher) (XVIe-XXe s.), pas de structure précise ; pour instruments à clavier (orgue, clavecin, piano), en général. Aux XIXe et XXe s., devient une pièce de virtuosité. **Trio** (XVIIe-XVIIIe s.), à trois voix ; il peut être à cordes ; piano, violon, violoncelle ; d'anches (hautbois, clarinette, basson) ; d'orgue ou vocal. **Variation** (XVe-XXe s.), expose un même thème sous divers aspects. **Virelai** (XIIe-XVe s.), chanson vocale ou instrumentale de forme fixe (a b b a a).

Musique religieuse

Anthem (surtout XVIe s.), texte en anglais tiré de la Bible ou la paraphrasant. **Cantate** d'église (dans les pays germaniques luthériens), prédication en musique où choral et chœur ont une place privilégiée (ne contient pas d'éléments épiques ou dramatiques comme l'oratorio). **Choral** (début XVIe-XVIIIe s., puis renouveau au XIXe-XXe s., apogée avec Bach) ; revêt diverses formes : contrapuntique, fugué, figuré, en canon, etc. **Concerto da chiesa** (XVIe s.), vocal accompagné d'instruments.

Messe, ensemble des 5 chants principaux qui constituent le *commun* ou l'*ordinaire* de la messe : Kyrie, Gloria, Credo, Sanctus, Agnus Dei. On distingue la messe : *grégorienne,* ou en plain-chant à une voix ; *polyphonique*, à plusieurs voix ; *concertante,* avec des chœurs, airs, duos, faisant souvent de chaque verset un morceau séparé. **Motet** (XVe s.), vocal polyphonique illustrant le propre d'un office ; répons, hymnes, lamentations, litanies, magnificat, etc.

Oratorio (XVIe s.), sorte de grande cantate à personnages multiples ; il comprend : aria, arioso, récitatif, duo, trio, chœurs. **Passion,** chant de la Passion du Christ, sur un récitatif plus ou moins orné, réparti entre plusieurs récitants, et parfois accompagné de chorals. **Plain-chant,** forme de musique vocale monodique en usage dans les églises, allant du grégorien aux messes de Dumont. **Psaume,** chant s'appuyant sur le texte de l'un des 150 psaumes de David ; respecte le plus souvent le découpage des versets. **Requiem,** messe funèbre comprenant Introït (Requiem), Kyrie, Graduel (Requiem), Trait (Absolve), Sequence (Dies irae), Offertoire (Domine Iesu Christe), Sanctus, Agnus Dei, Communion (Lux aeterna).

Principaux styles

• **Musique monodique.** A une seule voix, n'admettant que l'unisson ou l'octave. Elle semble avoir été la seule connue dans l'Antiquité, et est encore conservée en Orient. La musique du Moyen Age, jusque vers 1150, resta monodique (ex. chant grégorien).

• **Musique polyphonique.** A plusieurs voix. L'orgue byzantin, la jota, la chifonie pouvaient émettre simultanément 2 ou 3 sons, les 1ers essais importants datent du XIe s. On appelle *organum* les 1ers essais polyphoniques où domine une voix chantant en *plain-chant ;* dans le *déchant* (plus tard, au XIe s.), la voix principale ne dominera plus. Dans le *gymel* (Angleterre), les voix progressent par tierces ; dans le *faux-bourdon* (1re moitié du XVe s.), la voix sera accompagnée par une tierce grave émise à l'octave supérieure. Au XIIe s., Léonin et Pérotin définiront la polyphonie *(ars antiqua)* et au XIVe s., Ph. de Vitry donnera de nouvelles règles *(ars nova).*

• **Musique aléatoire** (1951, née des expériences de John Cage, Karlheinz Stockhausen, Pierre Boulez). Introduction d'éléments de hasard dans la composition ou l'interprétation.

• **Musique concrète.** Emploie systématiquement des objets sonores de toute provenance, enregistrés et transformés par des procédés électroacoustiques. *Premiers essais :* Études de bruits de Pierre Schaeffer (1948). *Premières réalisations ;* Pierre Schaeffer et Pierre Henry (studios de la R.T.F. à Paris, Symphonie pour un homme seul et Bidule en ut, en 1950). D'autres auteurs ont suivi : Ivo Malec, Luc Ferrari, Iannis Xenakis, François Bayle, Bernard Parmegiani.

• **Musique électronique.** Utilise des sons obtenus à partir de générateurs électroniques ; ces sons subissent divers traitements modifiant leur hauteur, leur volume, leur timbre. *Premières réalisations :* en 1953 en Allemagne. *Principaux représentants :* Karlheinz Stockhausen (Elektronische Studie, Gesang der Jünglinge), Bruno Maderna (Notturno, Continuo), Luciano Berio (Omaggio a Joyce), Henri Pousseur (Scambi), Pierre Boulez (Poésie pour pouvoir), Mauricio Kagel.

• **Musique atonale.** Créée par Arnold Schoenberg (1874-1951), à partir de 1908. Les 12 demi-tons de la gamme chromatique tempérée jouent un rôle égal et aucun n'exerce d'attraction sur un autre. *Œuvres :* Pierrot lunaire, Pièces pour orchestre opus 16, Erwartung, de Schoenberg (1912) ; Wozzeck, de Berg (1925) ; premières œuvres de Webern.

Musique sérielle et mus. dodécaphonique. Schoenberg, vers 1923, inventa la série dodécaphonique, se fondant sur une succession de 12 sons qui n'ont de rapport qu'entre eux. Aucune note ne doit être réentendue avant le déroulement des 11 autres afin de ne pas polariser la mélodie. *Principaux représentants en France :* Pierre Boulez (le Marteau sans maître, 1955) ; *Allemagne :* K. Stockhausen ; *Autriche :* Berg et Webern ; *Belgique :* Henri Pousseur ; *Italie :* Berio, Maderna et Nono.

Jazz

Quelques termes

Bamboula. Danse africaine des mulâtres de La Nouvelle-Orléans avant l'apparition du jazz.

Batterie. Comprend essentiellement une grosse caisse, une caisse claire, 2 caisses *(toms)* médiums, une tom basse, une cymbale high-hat, une cymbale libre, et divers accessoires de percussion.

Beat. Accentuation des temps d'une mesure. **Two beat :** rythme à 4 temps (avec accentuation 1er et 3e temps ou 2e et 4e temps). **Four beat :** les 4 sont marqués. **After beat :** accentuation des temps faibles.

Be-bop. Période du jazz liée aux années 40 et dont les chefs de file furent Charlie Parker, Dizzy Gillespie, Thelonious Monk, Kenny Clarke, Max Roach. Représente une évolution sur les plans technique et rythmique par rapport au jazz « classique ».

Big Band. Grand orchestre d'une quinzaine de musiciens surtout en vogue dans les années 30 et 40 (D. Ellington, C. Basie, J. Lunceford, B. Goodman, D. Gillespie).

Blues. La forme la plus ancienne du jazz. A l'origine, un chant de désespoir construit sur une base harmonique immuable de 12 à 16 mesures où se superposent mode majeur et mode mineur. Style perpétué sous une forme folklorique ; *représentants les plus connus :* Big Bill Bronzy, Lightnin' Hopkins, John Lee Hooker, B.B. King, Memphis Slim.

Boogie-woogie. Façon primitive de jouer le blues au piano en utilisant un tempo rapide. Les accords d'accompagnement sont décomposés note par note sur un rythme « croche pointée – double croche » et des basses « ambulantes » ; *représentants les plus connus :* Pine Top Smith, Big Maceo Merryweather, Joshua Altheimer, Memphis Slim, Jimmy Yancey, Sammy Price, Pete Johnson et Albert Ammons.

Break. Courte phrase rythmique ou mélodique pendant une pause de l'accompagnement. *Ex. :* 4 premières mesures de Bugle Call Rag et chorus de trompette de L. Armstrong dans Potato Head Blues.

Cajun. Style particulier à la Louisiane.

Chant. Celui des Noirs se distingue de celui des Blancs par le *timbre* de la voix moins métallique et claire, la *technique* plus gutturale, l'*attaque* plus soudaine et forte, le *vibrato* plus rapide et plus marqué, l'abondant emploi d'*inflexions. Chanteurs religieux* (Mahalia Jackson, Sister Rosetta Tharpe) ; *ch. de « blues rural »* (Blind Lemon Jefferson, Sleepy John Estes, Sonny Boy Williamson) ; *ch. de jazz* (Jimmy Rushing, Louis Armstrong, Billie Holiday) ou *soul* (James Brown, Ray Charles, Stevie Wonder).

Chicagoans. Musiciens blancs de Chicago, influencés dès 1918 par le jazz de La Nouvelle-Orléans (Eddie Condon, Muggsy Spanier, Mezz Mezzrow, Bix Beiderbecke).

Chorus (prendre un). Jouer en soliste pendant le nombre de mesures du thème de départ, ou, par extension, jouer un solo.

Cinquante-deuxième rue. Rue de New York entre la 5e et la 7e Avenue, où nombre de grands musiciens jouèrent dans ses petits cabarets (Famous Door, Onyx Club, Jimmy Ryan's, Three Deuces).

Coda. Fragment musical qu'un orchestre ou un soliste exécute en conclusion d'un chorus final.

Contrepoint. Juxtaposition de plusieurs lignes mélodiques indépendantes. Résulte de l'entrecroisement des 2, 3, 4 ou 5 parties mélodiques d'une improvisation collective.

Cool. « Frais ». Style formaliste qui, vers 1950, s'oppose à l'expressionnisme be-bop (Miles Davis). De nombreux musiciens blancs (Stan Getz, Gerry Mulligan, Lee Konitz) s'exprimeront dans ce style que l'on appellera aussi West-Coast.

Dirty (jouer). Jouer avec âpreté, dureté, d'une façon arrachée, « méchante », par opposition à « jouer joli ». La sonorité « growl » est l'effet « dirty » le plus employé.

Dixieland. États du sud des U.S.A. Style des orchestres de jazz blancs qui ont assimilé à leur façon le style « New Orleans » des Noirs. L'un d'eux, l'« Original Dixieland Jass Band », effectua le 1er enregistrement de musique de jazz (févr. 1917).

Drive (prononcer : *draïve*). Désigne la vigueur, la force impulsive du jeu d'un musicien (Louis Armstrong dans Sunset Cafe Stomp, Jimmy Harrisson, Coleman Hawkins).

East-Coast (ou hard bop). Réaction des musiciens noirs de New York contre le style West-Coast jugé trop mou, trop artificiel.

Fox-trot. Danse populaire de jazz. Quand le tempo est lent, c'est un *slow fox* ou *unslow.*

Free jazz. Jazz libre c.-à-d. dégagé de toute règle harmonique et métrique dans le désir de retrouver une expression totalement spontanée. John Coltrane en fut un des précurseurs (O. Coleman, A. Shepp, C. Taylor, A. Ayler, D. Cherry, Sun Ra).

Musique arabe

Généralités. Ignore la notation et la polyphonie. Fondée à l'origine sur la gamme pythagoricienne, elle s'en est ensuite écartée. Échelles modales à base de 2 tétracordes conjoints ou disjoints. Les intervalles des gammes fondamentales comportent des intervalles de 3/4 de ton formés par des 1/2 dièses ou des 1/2 bémols. La combinaison des 12 genres originaux permet d'obtenir 120 modes *(maqams)* et, dans la musique médiévale classique, env. 300 maqamats (moins dans la musique arabe d'Occident : musique « andalouse » se rattachant à un système de 24 modes d'où sortirent 24 *nûbas,* sortes de grandes suites vocales et instrumentales qui peuvent durer plusieurs heures).

Principaux instruments. *Ud* (luth à 5 ou 6 cordes), *darbouka* (tambour en gobelet à une peau), *duff* [grand tambour sur cadre à peau (de chèvre)], *gasba* (flûte de roseau plus longue que le naï), *kamandja* (vièle à 2, 3 ou 4 cordes), *kanoun* (cithare en forme de trapèze à cordes pincées), *nay* ou *naï* (flûte de roseau), *rabâb* (rebec), *santur* (cymbalum à cordes martelées), *tar* [tambour à une peau (de poisson)].

Orchestre. *Classique oriental :* plusieurs *luths,* un *santur,* un *kanoun,* une *kamandja,* un *nay,* une *darbouka. Maghrébin :* comprend en plus un *rabâb,* une *gasba.*

Instruments de musique populaire : ghaïta (musette), *qarâbeb* (crotales) chez les danseurs nègres, *bendir* (grand tambourin) chez les Berbères, *zokra* (sorte de pipeau avec bec en roseau, élargi au bout).

Musique chinoise

Gamme. *5 degrés constitutifs :* gong, shang, jiao, chi et yu (correspondent par commodité à do, ré, mi, sol, la, échelle pentatonique) et *2 degrés auxiliaires :* biangong et bianchi (si et fa ou fa dièse). Parmi les 5 gammes principales (diao), les plus utilisées ; *do, ré, mi, sol, la* et *sol, la, do, ré, mi* et *la, do, ré, mi, sol.*

Instruments traditionnels. Classés en 8 catégories : métal, pierre, soie, bambou, bois, peau, calebasse et terre. Sont encore utilisés : *Qin :* cithare sur table à 7 cordes en soie. *Zheng :* cithare à 16 ou à 21 cordes en acier, tendues sur des chevalets mobiles. *Sheng :* « orgue à bouche » à 17 tuyaux de bambou. *Pipa :* luth piriforme à 4 cordes. *Sanxian :* luth à 3 cordes. *Nanhu :* vièle à 2 cordes. *Yangqin :* cithare (en forme de trapèze) à 36 cordes minimum quadruplées et frappées à l'aide de 2 baguettes flexibles en bambou. *Xiao :* flûte droite. *Dizi :* flûte traversière. *Gu :* tambour. *Daluo :* grand gong. *Xiaoluo :* petit gong. *Po :* cymbales, etc. [cithare, luth et vièle sont des *termes génériques*].

Musique indienne

Échelle musicale. Au sein de l'intervalle d'octave divisé en 22 intervalles audibles *(sruti)* existent 7 degrés *(svara)* séparés les uns des autres par 2, 3 ou 4 sruti et désignés ainsi : sa-ri-ga-ma-pa-dha-ni.

Structure : *modale (ràga) :* l'exploitation des ressources fournies par l'emploi des différents intervalles musicaux possibles donne naissance à des modes musicaux ; *rythmique (tála) :* cycles rythmiques qui servent de cadre à l'improvisation des musiciens.

Instruments. 4 familles : *idiophones : cymbales. membranophones : pakhavaj* du Nord ou *mridangam* du Sud (gd tambour à 2 peaux frappé à main nue) ; *tablà* (couple d'instruments consistant en un tambour vertical à son sec et une timbale à son sourd). *Aérophones : conques, longues trompes métalliques, flûtes* de bambou droites ou traversières, *shàhnài* du Nord ou *nagasvaram* du Sud (hautbois. *Cordophones* [a) nudra veena, b) santur] : *vinà* (luth à 7 cordes dont le manche est muni de 2 résonateurs en calebasse) ; *sitar* (6 ou 7 cordes principales et nombre variable de cordes sympathiques) ; *sarod* (luth à 5 cordes principales et plusieurs cordes sympathiques, à table en peau) ; *surbahar* (sitar grave) ; *luth tampura* (4 cordes accordées sur « sa » tonique, la quinte du sa et l'octave du sa) ; *sarangi* et *sarinda* (sorte de vièle servant surtout à accompagner le chant).

Funk. **Funky.** Forme du style East-Coast au climat plus violent. Apparaît vers 1957 (Jazz Messengers).

Gospel song. Chant religieux des Afro-Amér.

Groove. Exprime la perfection d'un climat musical, l'inspiration dans une interprétation donnée.

Growl. Effet de grondement ou raclement (cuivres et clarinette).

Hard bop. Retour au jazz noir dans les années 60 après la période cool (Jazz Messengers, Sonny Rollins, Horse Silver).

Harlem. Actuel quartier noir de New York, capitale du jazz après Storyville, La Nouvelle-Orléans (1900-17) et Chicago (1917-28).

High hat. Double cymbale de la batterie, actionnée par une pédale (« cymbale charleston »). Honky tonk. Nom donné aux cabarets de La Nouvelle-Orléans fréquentés par les classes pauvres noires. Ils comprenaient un piano, une salle où l'on dansait et une arrière-salle ou tripot.

Hot. « Chaud ». Musique, improvisation passionnée par opposition à *straight.*

Jam session. Réunion de musiciens improvisant librement.

Jazz. Mot d'origine incertaine : musique créée au début du siècle par les Noirs des États-Unis. **Jazz At The Philharmonic.** Organisation de concerts de jazz créée par Norman Granz en 1942. Donna ses concerts au Philharmonic Auditorium de Los Angeles. **Jazz rock.** Rencontre d'une instrumentation électrique héritée du rock avec le raffinement harmonique ou la subtilité d'expression hérités du jazz : John McLaughlin, Jean-Luc Ponty, Weather Report, ou les disciples de Miles Davis : Herbie Hancock, Chick Corea.

Jive. Argot des Noirs américains.

Jug blowing. Cruchon dans lequel on souffle.

Lazy. Jouer de façon « paresseuse », détendue, sans effort apparent (*Sweet Chariot* de Duke Ellington).

Low down. Façon de jouer « méchante » et « accablée », s'appliquant au blues lent.

Mahogany Hall. Ancienne maison close de Lulu White à La Nouvelle-Orléans.

Mesure. La plupart des morceaux de jazz comptent 32, 16 ou 12 mesures et se découpent en phrases de 8 ou 4 mesures.

Minstrels. Blancs qui, au XIXe s., parcouraient le sud des U.S.A. travestis en Noirs et interprétaient des chansons folkloriques.

Negro spiritual. Psaume religieux afro-américain ayant subi l'influence du choral luthérien et du chant grégorien. Alterne en général un verset chanté en solo et un verset, toujours le même, repris en chœur. Né au cours de « Prayer meetings » (prière en commun) dès le XVIIIe s. ; codifié au XIXe s. *Principale interprète :* Mahalia Jackson.

New Orleans. Style lié aux débuts du jazz vers 1915 à La Nouvelle-Orléans. *Principaux représentants :* King Oliver, Jelly Roll Morton, Sidney Bechet, Louis Armstrong (à ses débuts).

Oua-oua (wa-wa). Genre de sourdine placée devant le pavillon d'une trompette ou d'un trombone et agitée de façon à modifier le son.

Perdido. Quartier noir de La Nouvelle-Orléans. Composition de Juan Tizol pour l'orchestre de Duke Ellington.

Ragtime. Style de piano antérieur à la naissance du jazz. Signifie : temps « déchiqueté » et indique le caractère très syncopé de cette musique comprenant 2, 3 ou 4 thèmes distincts de 16 mesures. *Thèmes les plus connus :* Maple Leaf Rag, King Porter Stomp et Carolina Shout de James P. Johnson.

Rap. Musique populaire afro-américaine apparue à la fin des années 80 aux USA (New York, Los Angeles). Voir p. 448c.

Revival. « Renaissance ». Retour au style Nouvelle-Orléans après la guerre de 1939-45.

Rhythm and Blues. Forme populaire de jazz à partir des années 50, fondée sur les harmonies du blues et l'importance du rythme. *Principaux représentants :* Louis Jordan, Erskine Hawkins, Ray Charles, James Brown, Bill Doggett, Ike et Tina Turner.

Riff. Courte phrase mélodique, répétée en général tout au long du chorus et jouée en section pour accentuer encore l'intensité rythmique.

Riverboat. Bateau fluvial du Mississippi sur lequel jouaient des orchestres noirs.

Rock and roll. Style de musique populaire américaine s'apparentant au *rhythm and blues,* reprenant le rythme du boogie-woogie et également influencé par la musique country blanche. Chez les Noirs : Chuck Berry, Little Richard, Fats Domino.

Salsa. « La Sauce ». Musique d'origine cubaine basée sur des rythmes sud-américains, autre source où le jazz a puisé. *Ex. :* Machito, Ray Barretto.

Scat. Façon de chanter : des onomatopées remplacent les mots.

Shout. « Cri ». « Interjection ». Chants improvisés des Noirs au cours de cérémonies religieuses.

Slap. Claquement de la corde contre le bois de la contrebasse jouée pizzicato (jazz ancien).

Soul music. « Musique de l'âme », musique noire des années 60, marquant un retour aux racines (gospel et blues). Par extension, musique populaire noire vocale des années 70. *Principaux représentants :* Tina Turner, Marvin Gaye, Stevie Wonder.

Stomp. Désigne une musique bien cadencée dans le jazz ancien.

Stop-chorus. La section rythmique ne scandant plus que les mesures, le soliste continue à jouer le chorus.

Straight. Joué d'après une partition. Style « droit » opposé au « hot ».

Swing. Signifie la présence d'une véritable vie rythmique dans une interprétation. Naît d'une accentuation sur les temps faibles et d'une souplesse dans le jeu, d'un naturel qui font la différence entre un exécutant au jeu mécanique et un véritable jazzman. *Ère swing (middle jazz) :* période des années 30 ; avènement des grands orchestres (Duke Ellington, Count Basie), du saxophone ténor (Coleman Hawkins, Lester Young), évolution du jazz vocal (Ella Fitzgerald, Billie Holiday). Terme générique qui désigne aussi le style de jazz qui prévalait à la fin des années 30 (l'ère swing).

Vibraphone. Composé de lamelles métalliques de longueurs différentes formant clavier, sur lesquelles on frappe à l'aide de mailloches (baguettes à tampon). V. 1930 supplanta le xylophone.

Washboard. Planche à lessiver en tôle ondulée sur laquelle on racle les doigts garnis de dés à coudre pour produire une assise rythmique dans le vieux jazz.

West-Coast. Style pratiqué en Californie par des musiciens surtout blancs (San Francisco, Los Angeles, etc.). Apparaît v. 1953. *Meilleurs représentants :* Gerry Mulligan, Stan Getz, Lee Konitz, Shelly Manne, Jimmy Giuffre, Shorty Rogers.

Work song. Chant de travail des esclaves noirs.

Revues de jazz. *Jazz Hot :* 35 000 ex. ; *Jazz Magazine :* 24 000 ex.

Pop music et rock

Origine

Noms donnés à la quasi-totalité des genres musicaux populaires anglo-américains apparus depuis 30 ans. Le rock (le terme pop music fut plutôt en faveur dans les années 60) est né d'une rencontre entre la country music blanche et le rhythm and blues noir.

V. 1940. Rhythm and blues, forme populaire de jazz représentée par Louis Jordan ou Jay McShann.

V. 1950. États-Unis. Vulgarisé sous le nom de *rock and roll*[1] avec Bill Haley (1927-81), puis Fats Domino (1928), Little Richard (1935), Elvis Presley (1935-77), Gene Vincent (1935-71), Chuck Berry (1931), Buddy Holly (1938-59), Eddie Cochran (1938-60), Jerry Lee Lewis (1926). *1955,* Alan Freed organise au « Brooklyn Paramount » de New York le 1er « Rock and Roll Show ».

1956. Angleterre. Lonnie Donnegan (musicien de Chris Barber) introduit le *skiffle.* La révolte des Teddy Boys s'accompagne bientôt d'un *rock and roll* encore plus explosif. Les 1ers chanteurs de rock se produisent en Angleterre : Tommy Steel (1936), puis Marty Wilde, Vince Taylor (1939-71), Billy Fury, Cliff Richard (1940) et les Shadows.

1958. France. 1er disque de rock (Danyel Gérard : « D'où viens-tu Billy Boy ? » – texte de Boris Vian). Le rock se développe à Paris au « Golf-Drouot ». Formations « twist » (les Chaussettes Noires, les Chats Sauvages, les Pirates, les Champions, etc.) ; vedettes *yéyé :* Johnny Hallyday, Eddy Mitchell, Dick Rivers, Richard Anthony, Sylvie Vartan, Françoise Hardy, Claude François.

Les Sixties. Après la période Elvis Presley (années 50), ère des Beatles aux mélodies raffinées et aux recherches sonores face aux Rolling Stones restés proches du blues. A côté de la « révolution pop » anglaise, les Américains se trouvent de nouveaux chefs de file, avec le « prêcheur » Bob Dylan et les chanteurs noirs Otis Redding ou James Brown. Guitariste : Jimi Hendrix.

Nota. – (1) Blues et rock and roll, étant tous deux construits sur 3 accords (mi, la, si) et 12 mesures (4/4/4), on les différenciait parfois mal.

☞ **Festivals célèbres ayant marqué le mouvement pop :** l'île de *Wight* (août 1969 et 1970, env. 400 000 pers.), *Woodstock* (août 1969, 800 000 pers.), *Hyde Park* (juillet 1969, concert gratuit des Rolling Stones), *Amougies* (oct. 1969, Belgique).

Films. Five plus One, Monterey Pop, Mad Dogs and Englishmen, Woodstock, Gimme Shelter, 200 Motels.

Quelques courants

Depuis sa naissance, le rock s'est divisé en de multiples tendances.

Country rock. Bob Dylan (n. 1941) est à l'origine du renouveau dans les années 60 des chansons style ballade d'inspiration folk (textes poétiques ou engagés). Par la suite, il deviendra plus rock. Ses héritiers : David Crosby, Stephen Stills, Graham Nash, Neil Young, Van Morrison, Leonard Cohen, Joni Mitchell, James Taylor, Emmylou Harris, Linda Ronstadt, Dire Straits, J.J. Cale, Jackson Browne, Ry Cooder, John Hiatt ou les groupes disparus : Byrds, Allman Brothers, Eagles, etc.

Disco. *Origine :* 1974-75, le « Munich sound » exploité par un Italo-Suisse, Giorgio Moroder. Fondé sur la mise en avant de la batterie. Adopté d'abord dans les discothèques et lancé par le film « la Fièvre du samedi soir » (John Travolta). A évolué vers le « funk », plutôt illustré par des groupes noirs axés sur la musique de danse (Earth, Wind and Fire).

Rock music. Au début des années 60, les Rolling Stones ont ranimé le *blues* et le *rock and roll* en mélangeant deux tendances : le *blues revival* (ou *blues blanc,* illustré par les Animals d'Éric Burdon et John Mayall, qui s'est métamorphosé en *hard rock* par l'intermédiaire des Cream et de Jimi Hendrix), et le *rock revival* (souvenir des « pionniers » comme Chuck Berry). Rock music, qui peut désigner divers courants anglo-américains, s'applique d'abord au hard rock marqué par l'utilisation des effets les plus violents : une très forte amplification des paroles provocantes, un chanteur paroxystique [les Anglais Led Zeppelin (leader Jimmy Page), Deep Purple, les Who (Pete Townshend), Status Quo, Bad Co, Black Sabbath, ou plus récemment Def Leppard, Iron Maiden ou les Américains Alice Cooper, Kiss, Ted Nugent, Blue Oyster Cult, Iggy Pop, Cheap Trick, ZZ Top, Van Halen, Bon Jovi, Guns'n'Roses, les Australiens AC/DC, INXS et les Allemands Scorpions]. On peut aussi recenser des *groupes anciens* comme les *Anglais* John Mayall, Kinks, Jethro Tull, King Crimson, Procol Harum, Fleetwood Mac et Clash, les *Américains* Creedence Clearwater Revival, Velvet Underground, Doors (Jim Morrison, mort en 1971), Beach Boys, Chicago, Santana, J. Geils Band : guitaristes Eric Clapton, Jeff Beck et Rory Gallagher (Anglais) ou Johnny Winter (Américain), proches du blues, des chanteurs comme David Bowie, Lou Reed, Rod Stewart, Joe Cocker, Bruce Springsteen, Tom Waits, Randy Newman, Mink DeVille, Boy George, Phil Collins, Sting, Bryan Ferry, Peter Gabriel, Prince ; des *chanteuses* comme Patti Smith, Pat Benatar, Marianne Faithfull ou Kim Wilde, des *groupes américains* « historiques » comme les Mothers of Invention de Frank Zappa, le Jefferson Airplane et le Grateful Dead (liés à la période hippie de San Francisco 68), des *héritiers des Beatles* comme Yes, Genesis et Supertramp (anglais), ou les *groupes plus récents* comme les Pretenders, Dire Straits, Talking Heads, Police, Cure, Simple Minds, Frankie Goes To Hollywood, Depeche Mode, U2, Eurythmics, Téléphone (gr. français, maintenant séparé). Une grande partie du rock actuel se caractérise par un retour à la *musique « fun »,* pour le plaisir ; souvent plus superficielle, aux succès éphémères, faite pour les boîtes et complétée par les vidéo-clips (Madonna, George Michael, Michael Jackson).

Disparus : Jimi Hendrix (1946-70), Janis Joplin (1943-70), Jim Morrison (1943-71), John Lennon (1940-80).

Rock progressiste (terme un peu tombé en désuétude). Recherches sonores illustrées naguère par des *groupes anglais* comme Soft Machine, Pink Floyd de Roger Waters et David Gilmour, Yes, King Crimson, des *groupes allemands* adeptes du rock « planant » (Tangerine Dream, Kraftwerk, Ash Ra Tempel, Klaus Schulze) ou *français* (Magma), des Américains comme Frank Zappa (leader naguère des Mothers of Invention) et des *personnalités* comme Eno, John McLaughlin, Robert Wyatt, Peter Gabriel, Mike Oldfield, Pat Metheny ou Jean-Michel Jarre.

Jazz rock. Proche du rock progressiste, désigna un moment un courant qui voulait amalgamer la violence et l'instrumentation du rock avec la subtilité harmonique et sonore du jazz. *Meilleurs représentants :* le guitariste John McLaughlin et le groupe Weather Report, le violoniste Jean-Luc Ponty ou le trompettiste Miles Davis.

Variété rock. Héritière de toutes les tendances, n'est pas un genre proprement dit. Plutôt une façon de gommer les effets « choquants » du rock pour n'en garder que l'aspect le plus facilement séduisant. *Artistes* d'horizons divers : Elton John, Daryl Hall et John Oates, Murray Head, Alan Parsons, Kate Bush, Kim Carnes, les Bee Gees, Donna Summer, Paul McCartney, Billy Joel, Simon et Garfunkel, Kim Wilde, Diana Ross, Lionel Ritchies, Whitney Houston, The Stanglers, etc. La musique populaire américaine se rattache à l'heure actuelle au rock (meilleure représentante : Madonna).

Reggae. Musique jamaïcaine dérivée du calypso, avec un rythme plus marqué et des accents plus rudes. *Artistes :* Bob Marley (1945-81, Jamaïcain), adepte de la secte religieuse des rastafaris, Peter Tosh († 1987), Toots and the Maytals, Jimmy Cliff, Burning Spear. Le reggae apparut naguère en Angleterre sous le nom de *blue beat* ou de *ska* (au rythme plus haché) ; le ska redevint un moment à la mode en 1980.

Punk. Années 70 : retour à des sons bruts, amplifiés au maximum, et refus d'une technologie coûteuse.

Aujourd'hui dissous, restent les Sex Pistols, ainsi qu'une mode vestimentaire : cheveux teints, vêtements de cuir, de plastique, tee-shirts déchirés.

Rap. Style vocal à mi-chemin entre le scandé et le chanté et s'appuyant sur des rythmiques fortement syncopées. To rap : frapper ; to rap out an oath : lâcher un juron ; mêle cris et jurons à la musique rock, funk, reggae, à la fin des années 70 (avant Jamaïque). *Principaux groupes :* RunDMC, Soul II Soul, Niggers with Attitude, Neneh Cherry, Sly Dunbar et Robbie Shakespeare, Grand Masterflash, Kool Moe Dee, De la Soul, Big Daddy Kane, MC Hammer (1982 : The Message).

Rai. Mouvement algérien s'appuyant sur les instruments traditionnels et la langue arabe. Traduit la mélancolie de la jeunesse algérienne d'aujourd'hui. *Principal interprète :* Chab Khaled.

Soul music (surtout lié à la période 60 et 70). Musique noire populaire américaine dérivée du rhythm and blues. *Artistes :* Stevie Wonder, Ray Charles, Otis Redding († 1967), les Temptations, Aretha Franklin, Wilson Pickett, Al Green, James Brown, Ike et Tina Turner, Sly Stone, Curtis Mayfield, Marvin Gaye († 1984), Chic. *Années 80 :* 2 stars noires : Michael Jackson, l'ancien chanteur des Jackson Brothers (album vendu à + de 30 millions d'ex. dans le monde) et Prince. Nouveau venu : Terence Trent d'Arby.

Notation musicale

Sons

Origine. Produits par la pression qu'exerce un objet oscillant sur les molécules de l'air.

Qualités du son. Hauteur : fonction du nombre de vibrations par seconde ou *fréquence* de l'émetteur. Plus la fréquence est élevée, plus le son est aigu. L'oreille n'entend que les sons entre 20 et 20 000 hertz (vibrations par s). Les instruments de musique donnent des sons de 40 à 5 000 Hz.

Intensité : fonction de la fréquence, de l'amplitude de l'objet vibrant, de la densité de l'air. L'intensité perçue par l'oreille est évaluée en *décibels.*

Timbre : caractérise chaque instrument car à la note fondamentale jouée se superposent des notes parasites, les *harmoniques.* Le *diapason* (inventé en 1711, par J. Shore, Angl.) donne un « la » pur sans harmonique : 440 Hz.

Gammes

Définition. Série de sons ascendants (du plus grave au plus aigu) ou descendants, séparés par des intervalles déterminés.

L'*octave* est l'intervalle acoustique séparant une note donnée de la note de fréquence double (ex. la_3 = 440 Hz, la_4 = 880 Hz). Le 1/2 ton est l'intervalle obtenu en divisant l'octave en 12 parties égales (le ton vaut 2 1/2 tons). On distingue :

La gamme diatonique. Intervalles composés de tons et 1/2 tons. 2 sortes :

a) *Gamme majeure :* do-ré : 1 ton ; ré-mi : 1 ton ; mi-fa : 1/2 ton ; fa-sol : 1 ; sol-la : 1 ; la-si : 1 ; si-do : 1/2 (total : 12 1/2 tons).

b) *Gamme mineure :* 1, 1/2, 1, 1, 1/2, 1 1/2, 1/2.

La gamme chromatique. Comporte 12 notes séparées d'un demi-ton.

Nom des notes. Choisi par Gui d'Arezzo (XIe siècle). Premières syllabes des hémistiches des premiers vers de l'hymne des Vêpres de l'office de St Jean Baptiste : « UT queant laxis, REsonare fibris, MIra gestorum, FAmuli tuorum, SOLve polluti, LAbii reatum, Sancte Iohannes (initiales SI). » « Afin que tes serviteurs puissent chanter, avec des voix libérées, le caractère admirable de tes actions, Ôte, saint Jean, le péché de leur lèvre souillée. » Le *si* fut ajouté à la fin du XVIe s. par Anselme de Flandres (?). Le *do* apparut en 1673 avec l'Italien Bononcini et devint synonyme d'*ut.*

Lettres représentant les notes

	A	B	C	D	E	F	G	H
Anglais :	la	si	do	ré	mi	fa	sol	
Allemand :	la	sib	do	ré	mi	fa	sol	si

Forme des notes. Indique la durée des sons : la ronde = 2 blanches, 4 noires, 8 croches, 16 doubles cr., 32 triples cr., 64 quadruples cr.

Portée. Ensemble des 5 lignes sur lesquelles on écrit les notes et des lignes supplémentaires ajoutées au-dessus ou au-dessous.

Clef. Signe placé au début de la portée, indique la position de la note à laquelle elle correspond (sol, fa, ut ou do). Cette position conditionne celle de toutes les autres notes.

Silences. Marquent l'arrêt des sons et correspondent aux valeurs des notes. *Pause :* ronde ; *demi-pause :* blanche ; *soupir :* noire ; *demi-soupir :* croche ; *quart de soupir :* double croche ; *huitième de soupir :* triple croche ; *seizième de soupir :* quadruple croche.

Altérations. Placées devant la note à altérer (alt. accidentelle) ou près de la clef (alt. permanente).

Dièse : élève la note d'1/2 ton (on multiplie par 25/24 le nombre des vibrations de la note). *Bémol :* abaisse la note d'1/2 ton (on multiplie par 24/25 le nombre des vibrations de la note). *Double dièse :* élève la note d'1 ton. *Double bémol :* abaisse la note d'1 ton. *Bécarre :* rétablit la note altérée.

Tonalité. Un morceau est écrit à l'aide d'une gamme donnée, c'est la tonalité, appelée improprement ton. Cette tonalité est définie par la tonique (note de base de la gamme utilisée) et l'armature (altération permanente).

Mesure. Divise un morceau en parties égales. Inscrite après la clef, elle comprend 2 chiffres : inférieur indique l'unité de temps suivant les conventions (2 = blanche, etc.) ; supérieur, le nombre de blanches, noires, croches par mesure ; la lettre C, une mesure à 4 temps avec la noire pour unité, soit 4/4, et la lettre ¢, une mesure à 2/2. *Métronome :* J.N. Maëlzel (1772-1832), physicien autrichien, ami de Beethoven, le fit breveter en 1816.

Instruments

Principaux instruments

Légende : * Surtout utilisé dans les ensembles de musique ancienne. b. : bémol, c. : corde.

I. Instruments à vent

• **1. A bec sifflet.** *Flûte douce* * (bois). 5 types subsistent : sopranino en fa, soprano en ut, alto en fa, ténor en ut, basse en fa.

• **2. A anche.** *a)* **Anche simple :** (lame de roseau, de plastique ou de métal vibrant sous l'action de l'air ; on appelle anches membraneuses les lèvres du souffleur).

b) **A bec et anche :** *Clarinette :* inventée par J. Chr. Denner (All.) vers 1670 ; *ancêtres :* arghoul (Égypte), aulos (Grèce), chalumeaux du XVIIe s. (la bémol aigu, mi bémol, ré, ut, si bémol, la). *Cor de basset* en fa : les plus anciens datent de 1770 et sont signés Schofflmeyer et Mayrhofer. *Clarinette alto* en mi b. : inventée par Müller ; *cl. basse* en si b ; *cl. contrebasse* en mi b, en si b. *Saxophone :* inventé vers 1840 par Adolphe Sax (7 variétés : sopranino, mi b ; soprano, si b ; alto, mi b ; ténor, si b ; baryton, mi b ; basse, si b ; contrebasse, mi b).

c) **A anche double :** *Cromorne** (de forme recourbée). *Cor anglais* (English horn). *Hautbois. Basson. Contrebasson* (le plus ancien construit en 1714 par Andreas Eichentopf). *Biniou**. *Cornemuse**. *Bombarde**. *Reita**.

d) **A anche libre :** *Harmonica**. *Harmonium**. *Accordéon**.

• **3. A embouchure.** *a)* **Flûte traversière** (bois, métal) : *Grande flûte* en ut, *petite (piccolo)* en ré b (harmonies) ou en ut (orchestres). *Flûte basse* en ut, *flûte alto* en sol. *Flûte de Boehm :* en 1832, Th. Boehm (All.) modifie la perce et conçoit un système rationnel et perfectionné des clefs. *Flûte à bec :* instrument très populaire.

b) **Cuivres :** *Clairon* (si b.). *Trompette de cavalerie* (mi b.). *Trompes de chasse** (ré pour la chasse ou tr. de piqueur, mi b. pour les fanfares). *Trompette* (plusieurs sortes, surtout en ut ou si b.). *Trompette d'harmonie* sans pistons. *Trompette* (si b., ut), à pistons. *Trombone* (5 sortes subsistent, dont le trombone à coulisse). *Cor* (French horn). *Olifant* (Moyen Age) : cor taillé dans des défenses d'éléphant ; introduit dans l'orchestre au XVIIe s. *Cor chromatique à pistons* inventé 1815 par Stoelzel (All.), ou, de nos jours, à palettes. *Cornet à pistons* (si b., ut). *Posthorn**. *Saxhorns* en laiton poli, verni, laqué ou argenté, à embouchure et à 3 pistons : petit bugle (mi b.), bugle (si b.), alto (mi b.), baryton (mi b.), basse (si b., un 4e piston derrière le pavillon) ; contrebasse (mi b. et si b. ou « bombardon »). *Tuba :* sorte de basse saxhorn en si b., orchestre symphonique. *Soubassophones :* mi b et si b (à pavillon en avant et orientable).

II. Instruments à cordes

• **1. Frottées.** *a)* **Par un archet :** modifié par les Italiens Arcangelo Corelli (1653-1713) et Giuseppe Tartini (1692-1770), l'archet actuel fut établi par F. Tourte (Fr.) v. 1775. *Violes**. *Violon* (4 cordes : mi_4, la_3, $ré_3$, sol_2) ; archet : en arc puis droit à partir de 1770 env., mesure 0,75 m et pèse de 55 à 85 g (violoncelle). La sonorité du violon et des instruments dérivés dépend des bois utilisés (épicéa pour la table, érable pour le fond, éclisses et manche), de la consistance du vernis, de la hauteur des voûtes, des épaisseurs, du modèle, etc. Silhouette géométrique en huit : les 2 anses de panier, appelées C.C., raccordées par des arcs de cercle, sont conçues pour résister au maximum aux déformations [le jeu des cordes sur les planchettes (1 à 4 mm d'épaisseur) provoque une tension de 20 kg (30 en tension normale appelée aussi « ton de l'opéra »)] ; une caisse plus épaisse devient trop rigide et susceptible de déformations interdisant toute amplitude vibratoire. Les échancrures latérales permettent le passage de l'archet et la virtuosité du jeu. Un violon sans coins ni C.C. (anses de panier) fut réalisé par Chanot (1787-1823). *Alto* (4 cordes : la_3, $ré_3$, sol_2, ut_2). Le son exceptionnel des violons fabriqués par Stradivarius et Guarneri serait dû à des moisissures qui auraient modifié les formes des cellules du bois et se seraient développées au cours du transport fluvial des troncs. Ces champignons auraient eu un double effet sur le bois en digérant, sélectivement l'hémicellulose, qui retient l'humidité, ils le rendraient plus léger et plus sec ; ils auraient facilité le décollement des parois cellulaires des fibres, augmentant la perméabilité. *Violoncelle* (4 cordes : la_2, $ré_2$, sol_1, ut_1). *Contrebasse* (4 ou 5 cordes : sol_1, $ré_1$, la_{-1}, mi_{-1}, do_{-1}, pincées parfois). *Vielles médiévales**.

b) **Par une roue :** *Chifonie**. *Vielle** (6 cordes et touches).

• **2. Pincées.** *a)* **Instruments avec manche :** *Guitare* [A. de Torres Jurado (Esp., 1817-1892) fabriqua l'archétype de la guitare moderne (1854)]. G. classique (6 cordes : mi, la, ré, sol, si, mi). G. sèche (non électrique) ou folk (6 et 12 c. de métal) ; g. électrique (caisse pleine, amplification électronique) ; steel g. ou pédale steel (amér. origine hawaïenne) : g. numérique (20 sonorités d'instruments) ; g. basse (4 c.) ; g. expérimentale de 7, 8, 10 et 11 cordes. A double manche : 6 + 10 cordes (Japon) ; g. théorbe de 17 c. (Canada). *Tercerola* (Italie, petite g. à 5 c. simples). Au XIXe s. apparurent des lyres-g., des g. doubles (accolées), des harpi-g., traits d'union entre instruments à c. avec manche et sans manche. *Luth* Renaissance (1 c. simple, 4 doubles), luth baroque [11 à 13 « chœurs » (cordes doubles)] ; l. Viola Amarantina (Portugal, 2 rosaces) ; l. Cavaquinho (Portugal, 4 c., petite g., adopté par le Brésil) ; dérivés du luth (archiluth, théorbe). *Guitar moon* (Japon). *Sitar* (Inde). *Balalaïka* (Russie, 3 c. : mi, mi, la). *Bouzouki* (Grèce). *Bandurria* (Espagne, 5 ou 6 c. doubles jouées avec plectre). *Viola braguese* (Portugal). *Timple* (Îles Canaries, guitare exiguë de 5 c. simples). *Tres* (Cuba, 3 c. doubles). *Laúd* (Cuba, 7 c. doubles). *Cuatro* (Venezuela, Porto Rico, 4 c. simples). *Requinto* (Colombie, 5 c. doubles). *Tiple* (Colombie, 4 c. triples). *Charango* (Bolivie, corps de tatou, 5 c. doubles). *Jarana* (Panamá et Mexique, 5 c. simples). *Bordonua* (Porto Rico, 5 c. doubles). *Guitare hawaiienne* (manche lisse sans barrettes). *Violao de Caipira* (Brésil, 5 c. doubles). *Mandoline* (5 ou 6 c. doubles). *Guitarron* (Mexique, grosse guitare au dos bombé, 6 cordes simples). *Bandola* (Colombie, 6 cordes doubles). *Bocona* (Panamá, 5 cordes simples). *Târ* (Iran, de 3 à 6 cordes simples), or. étymologique du mot guitare. *Banjo* (États-Unis, 5 c.). *Cavaquinho* (Brésil, Portugal, 4 c.). *Ukulele* (Hawaii, 4 c.). **Instruments disparus :** *Vihuela* (6 c. doubles, en usage en Espagne jusqu'au XVIe s.). *Guiterne* (4 chœurs, 1 c. simple, 3 doubles. Disparut vers le milieu du XVIe s. en France). *Guitare baroque* (5 c. doubles. Remplacée par la g. classique de 6 c. simples v. la fin du XVIIIe s.). *Kora* (Sénégal, Guinée, 6, 11 ou 24 c.). *Zither* (All., URSS, 31 à 42 c.).

b) **Instruments sans manche :** *Lyre* *. *Cithare* *. *Harpe* *. En vogue au Moyen Age, puis désaffection jusqu'au XVIIIe s., quand Hochbrucker (luthier all.) reprendra v. 1660 l'idée d'un artisan tyrolien de commander par pédales des crochets permettant de raccourcir les cordes. En 1786, le Français S. Érard modifie ce système et, en 1801, fabrique les harpes à double mouvement. 46 cordes couvrant 6 1/2 octaves (ut b_1 à sol b_6) et 7 pédales à 2 crans permettant de hausser d'1/2 ton ou d'1 ton chacune des notes de la gamme à toutes les octaves. *Psaltérion* *. *Épinette des Vosges* *. *Dulcimer* *. *Valiha :* sorte de harpe cylindrique sur bambou de 16 à 18 c., exclusive de Madagascar.

c) **Instruments à clavier :** *Épinette* *. *Virginal* *. *Clavecin* (le mot clavecin apparaît en 1631).

• **3. Frappées.** *a)* **Instruments à clavier** (avec des touches) : *Clavicorde* *. *Piano* [*Pianoforte* (signifiant, en italien, « doucement-fortement ») fut construit par Bartolomeo Cristofori (1655-1731) en 1720 : il avait créé en 1698 son 1er cembalo à Martelletti (clavier à petits marteaux) avec échappement, étouffoir]. Présente actuellement un clavier de 7 1/3 octaves chromatiques : 49 touches blanches, 35 noires. Forme carrée (jusqu'à la fin du XIXe s.), à pieds droits ou supportés par des X, puis à queue (issu du clavecin), et enfin, droit (« piano-buffet », créé en 1758 par Christian Ernst Friederici). Les pédales sont ajoutées par J. Stein en 1789. En 1822, S. Érard (Fr.) inventa l'échappement double qui permet une meilleure répétition des notes. **Record :** piano de concert Fazioli de 3,08 m de long.

b) **Instruments sans clavier :** *Dulcimer* *. *Cymbalum hongrois* *.

III. Instruments à percussion

• **1. Idiophones.** *a)* **Sans clavier :** *Cloches* (tubes de métal). *Xylophone** (lames en bois). *Métallophone* (lames en acier). *Vibraphone* (U.S.A. 1921) (métallophone à amplificateur). *Marimba, Glockenspiel. Triangle* (tige coudée 2 fois). *Cymbales. Crotales* ou *cymbales antiques* (petites cymbales). *Gong. Tam-tam. Wood-block. Castagnettes. Fouet. Claves.*

Accordéon

Origine. Inventé à Vienne par Cyrill Demian (1772-1847) le 6-5-1829 *(accordion)* et à Londres par Charles Wheatstone le 19-6-1829 *(concertina)* : petite boîte en bois de 21 × 9 cm et 6 cm de haut, munie d'un soufflet à 2 plis, améliorée par Marie-Candide Buffet (1796-1859) et Isoard entre 1831 et 1835. 1ers accordéons à système chromatique montés en 1910 par les établ. Hohner.

Principe. Anche libre métallique. Au XIXe s., populaire à Vienne et dans la bourgeoisie parisienne, il est fabriqué en France, en Allemagne, Irlande, Russie, Suisse et surtout en Italie. A partir de 1900, délaissé par la bourgeoisie, il est adopté par les orchestres musette. Peu avant 1939, il apparaît sur des scènes de music-hall, dans des studios d'enregistrement ; le système « basses chromatiques » qui permet de jouer intégralement des œuvres classiques est adopté après la guerre, période pendant laquelle l'accordéon aborde le jazz.

Airs les plus célèbres. Le Dénicheur, le Retour des hirondelles, les Triolets, la Valse des as, Ça gaze, la Marche des accordéonistes lyonnais, Indifférence, Swing Valse, Aubade d'oiseau, Brise napolitaine, Perle de cristal, Reine de musette, Balajo, Adios Sévilla, España cani, Coplas, le Petit Bal du samedi soir, Geraldine, Dolby Valse, Fantaisie en mi mineur, Système « A ».

Associations. U.N.A.F. (Union nationale des accordéonistes de France), 34, rue du Faubourg-St-Martin Paris 10e. A.C.F. (Accordéon Club de France). A.P.H. (Ass. des professeurs Hohner). U.F.F.A. (Union fédérale française de l'accordéon). École départementale de musique, 84250 Le Thor.

Lauréats français des coupes mondiales. *1938* Freddy Balta. *1948* Yvette Horner. *1949* Gilbert Roussel. *1951* Maurice Vittenet. *1977* Frédéric Guérouet. *1979* Max Bonnay. *1981* Alain Musichini. *1983* Jean-Luc Manca. *1985* Jean-Marc Marroni. *1987* Christine Rossi. *1988* Éric Bouvelle. *1989* Guilaine Léorie. *1990* Dominique Emorine.

Fabricants d'accordéons. 2 en France : Cavagnolo, Z.A.C. des Baterses, 01704 Beynost Cedex. Maugein, Z.A.C. de Mulatet, 19000 Tulle.

Principales firmes étrangères. *All. féd.* : Hohner. *Italie* : Crucianelli, Piermaria, Paolo Soprani, Exelsior, Dallapé, Fratelli Crosio.

Carillons

Origine. *Dans les 1ers monastères,* en général une seule cloche sonnait toutes les heures ; plus tard, une cloche plus petite fut ajoutée pour les demi-heures, puis le système se perfectionna. Un système d'avertissement ou prélude, précédant l'heure, se composait de quelques clochettes nommées « appeelkens » (néerl.) ou « appeaulx » (fr.). L'ensemble de 4 clochettes s'appelait « quadrillon », d'où le mot « carillon ».

Composition. Actuellement, les grands carillons comprennent de nombreuses cloches harmonisées (2 à 3 octaves) maniées à l'aide d'un clavier composé de bâtons en guise de touches et de pédales. Le carillon idéal possède 4 octaves (49 cloches). L'importance d'un carillon varie selon le poids de ses cloches. Sa qualité dépend de l'art du fondeur de cloches et du savoir-faire de l'installateur.

Quelques carillons célèbres. *Australie* : Sydney, Melbourne. *Belgique* : Bruges, Lokeren, Mol, Meise, Malines (cathédrale St-Rombaut, 49 cloches, bourdon 8 884 kg, total 38 000 kg ; N.-D. au-delà de la Dyle, 50 cloches, bourdon 2 217 kg, total 9 123 kg ; Busleyden, 49 cloches, bourdon 420 kg, total 2 541 kg ; possède un carillon ambulant). *Canada* : Montréal, Niagara Falls, Ottawa, Toronto. *Danemark* : Copenhague. *France* : Avesnes-sur-Helpe, Bergues, Béthune, Blois, Buglose, Cappelle-la-Grande, Carcassonne, Castres, Châlons-sur-Marne, Chambéry, Châtellerault, Dijon, Douai, Dunkerque, Le Quesnoy, Lisieux, Paris (XVIIe arr., égl. Ste-Odile), Perpignan, Rouen, St-Amand-les-Eaux, Seclin, Selongey, Tourcoing. *Nlle-Zélande* : Wellington. *Pays-Bas* : Amersfoort, Amsterdam, Delft, Rotterdam, Utrecht. *Portugal* : Mafra.

Carillons les plus étendus du monde. *U.S.A.* : Kirk-in-the-Hills (Michigan, U.S.A.) avec 77 cloches. *Europe* : Dijon avec 63 cloches, Douai 62.

Nombre de carillons à clavier. La France, avec 87 carillons (manuels ou électrifiés) est le 3e pays campanaire après les Pays-Bas et la Belgique.

Il existe aussi plusieurs carillons ambulants dont 2 en France : à Douai (49 cloches, 2 860 kg) et Béthune (48 cloches, 4 500 kg).

Fondeurs de cloches. All. féd. 12, Espagne 8, France 4, Italie 2, G.-B. 2, P.-Bas 2, Grèce 2. **Production française 1988 :** 627 cloches (115 t), poids moyen 180 kg. *Prix* : 50 à 90 F/kg. *Exportation* : 65 t (env. 50 % de la prod.).

Carillonneurs. Aux XVIIIe et XIXe s. on se désintéressa des carillons. En 1922, le Belge Jef Denyn (1862-1941) fonda l'école de carillon de Malines (depuis 1959 École royale de carillon Jef-Denyn-Institut intern. supérieur de l'art campanaire : 10 à 20 élèves y sont régulièrement inscrits). Anciens élèves fondeurs d'autres écoles : Leen't Hart (Amersfoort, Pays-Bas, 1964) ; Jacques Lannoy (Tourcoing, France, 1971). En 1978, une autre classe a été créée au Conservatoire national de région de Douai. **« Guilde des carillonneurs de France ».** *Créée* 1972, regroupe 69 carillonneurs (membre fr. de la Fédération mondiale du carillon).

Orgue

☞ Orgue est masculin dans tous les cas sauf dans l'expression « Grandes orgues ».

Disposant de plusieurs claviers, c'est le plus complet des instruments de musique. Il donne tous les sons grâce à une série de tuyaux de 2 types (à bouche et à anche), contenus dans un « buffet ». Le vent est amené dans les tuyaux par une soufflerie.

Jeu. Série de tuyaux accordés chromatiquement et donnant des sons de même caractère : indication de la longueur en pieds (33 cm) du tuyau le plus long correspondant à la note la plus basse : un tuyau ouvert de 32 pieds (10,56 m) donne la fréquence de 16 périodes, la plus basse que l'oreille puisse percevoir. *Jeux de fond* : constitués par les tuyaux ouverts (flûtes) ou fermés (bourdons) : de taille large à embouchure de flûte. Le son vient du choc de l'air passant par la lumière (entre le biseau et la lèvre inférieure) se butant sur la lèvre supérieure et formant ainsi une languette invisible qui met en vibration la colonne ou corps du tuyau. *Jeux de principaux* : développent une sonorité riche en harmoniques à cause de la faiblesse de la taille (rapport de la largeur à la longueur des tuyaux). *Jeux de mutation* : donnent quintes, tierces, septièmes ou neuvièmes en rangs séparés ou collectifs. *Anche* : languette élastique vibrante à l'embouchure du tuyau, qui produit plus de timbre et d'éclat.

Orgues les plus anciennes. 200 ans av. J.-C. Le 1er vu en France fut offert à Pépin le Bref par un empereur byzantin (757).

Orgues les plus grandes du monde. *Auditorium d'Atlantic City* (New Jersey, U.S.A.) terminé en 1930, 33 112 tuyaux de 4,70 mm à 19,50 m de long, 1 477 registres, 2 buffets (7 et 5 claviers). *Philadelphie* (Wanamaker Store, U.S.A.), 30 000 tuyaux env., 6 claviers, 451 jeux. Actuellement le plus grand orgue jouable au monde. *Passau* (All. féd.), 16 000 tuyaux, 118 registres, 5 claviers. *Temple des Mormons de Salt Lake City* (Utah) de 1863, 5 claviers, 10 814 tuyaux et 160 registres environ. *Town Hall de Sidney* (Australie), 128 registres. *Santa Maria Nuova* (Monreale, Sicile), 10 140 tuyaux, 130 registres, 6 claviers. *Riga* (U.R.S.S.), 124 reg. *Albert Hall* (Londres), 114 reg. *N.-D. de Paris*, 107 registres, plus de 7 000 tuyaux, 5 claviers (o. de chœur : 23 jeux, 2 200 tuyaux). *St-Thomas* de Leipzig (All. dém.) (Ulrich Boehme). *St-Sulpice* (Paris), 102 reg., 7 000 tuyaux, 5 claviers.

Nota. – L'orgue du cinéma parisien le Gaumont-Palace, le plus grand d'Europe continentale, installé en 1930 pour accompagner les films muets, a été reconstruit au pavillon Baltard à Nogent-sur-Marne. **Nombre d'orgues en France :** 7 000 à 7 500. *Régions ayant le plus d'orgues* : Alsace 1 350 ; *le moins* : Limousin 33 (Paris 287).

Principales orgues françaises et leurs titulaires. **Angers :** *cathédrale* (chanoine Louis Aubeux). **Auxerre** (Michel Jollivet). **Avignon :** *cath. N.-D.-des-Doms* (Lucienne Antonini). **Beauvais :** *cath.* (Jean Galard). **Belfort :** *basilique St-Christophe* (Jean-Charles Ablitzer). **Bordeaux :** *cath.* (Christian Robert), *Ste-Croix* (Michel Reverdy). **Bourges :** *cath.* (André Pagenel). **Caen :** *St-Étienne* (M. Sagot-Mauger, Alain Bouvet). **Chartres :** *cath.* (Philippe Delabre). **Dijon :** *cath.* (Maurice Clerc). **Dôle :** *collégiale* (Jacques Beraza). **Lyon :** *primatiale St-Jean* (Joseph Reveyron), *St-François-de-Sales* (Louis Robillard), *Auditorium Maurice-Ravel* et *St-Bonaventure* (Patrice Caire). **Nice :** *cath.* (Jean Wallet), *St-Jean-Baptiste* (René Saorgin). **Orléans :** *cath.* (Jacques Laboureur). **Paris :** *La Madeleine* (François-Henri Houbart), *N.-Dame-de-Paris* (Olivier Latry, Philippe Lefebvre et Jean-Pierre Leguay), *N.-D.-des-Blancs-Manteaux* (Georges Guillard), *Sacré-Cœur* (Claudine Bartel et Naji Hakim), *St-Augustin* (Suzanne Chaisemartin), *Ste-Clotilde* (Jacques Taddei et P. Cogen), *St-Étienne-du-Mont* (Marie-Madeleine Duruflé-Chevalier), *St-Eustache* (Jean Guillou et André Fleury), *St-François-Xavier* (Gaston Litaize), *St-Germain-l'Auxerrois* (Riccardo Miravet), *St-Germain-des-Prés* (André Isoir et Odile Bailleux), *St-Gervais* (Jean-Baptiste Courtois, Olivier Trachier, Aude Heurtematte), *St-Merry* (Michelle Guyard), *St-Louis-des-Invalides* (Pierre Gazin), *St-Nicolas-des-Champs* (Jean Boyer), *St-Roch* (Françoise Gangloff-Levechin), *St-Séverin* (Francis Chapelet, Michel Chapuis, Jean Boyer), *St-Sulpice* (Daniel Roth), *St-Vincent-de-Paul* (Jean Costa), *Temple de l'Oratoire* (Marie-Louise Girod-Parrot), *Trinité* (Olivier Messiaen). **Pithiviers :** *collégiale St-Salomon-St-Grégoire* (M. Aucher). **Poitiers :** *cath.* (Jean-Albert Villard). **Quimper :** *cath.* **Reims :** *cath.* (Arsène Muzerelle). **Rouen :** *cath.* (Marie-Thérèse Duthoit), *St-Ouen* (Marie-Andrée Morisset-Barlier). **St-Bertrand-de-Comminges :** *cath.* **St-Denis :** *cath.-basilique* (Pierre Pincemaille). **St-Donat :** *collégiale.* **St-Germain-en-Laye :** *St-Louis* (Marie-Claire Alain), *St-Maximin* (Pierre Bardon). **Sens :** *cath.* (Michelle Leclerc). **Soissons :** *cath.* **Souvigny** (Henri Delorme). **Strasbourg :** *cath.* (Maurice Moerlen), *St-Pierre-le-Jeune* (Marc Schaeffer), *St-Thomas.* **Thionville :** *St-Maximin* (Raphaëlle Garreau de Labarre). **Toulouse :** *St-Sernin* (M. Fonvieille). **Versailles :** *cath.* (A. Fleury et J.-P. Millioud).

Facteurs d'orgues en France. 110 inscrits aux registres des métiers. Regroupent environ 400 professionnels.

Piano

Grandes marques de piano (en 1989). *Érard* (fondé 1780), *Pleyel* (1807), *Gaveau* (1847) [France, fusion en 1960 et 1961 (et rachat par les assurances La Paternelle) ; marques concédées au facteur allemand Schimmel (1885) depuis 1971] : *1939* : 30 000, *1971* : 7 200, *1979* : 10 500, *1980* : 11 200, *1988* : 8 000 pianos droits et 1 300 à queue. *Rameau* : 3 900 dr. (1980), repris par *Piano de France,* en 1986. *1987* : 1 800 pianos produits (et vendus). *1989* : 2 500. *Yamaha* (Japon, fondé en 1887) : *1987* : env. 120 000 dr. et 12 000 à queue. *Kawai* (Japon) : 120 000 dr. et 11 000 à queue. *Young Chang* et *Samick* (Corée du Sud) : 100 000 dr. et 10 000 à queue. *Kimball* (U.S.A.) : 60 000. *Steinway* (U.S.A., fondé en 1853) : New York 3 200, Hambourg 1 800. *Bösendorfer* (Vienne, Autriche ; racheté en 1966 par Kimball) : 600. *Bechstein* (All. féd., fondé 1853) : *1987* : 1 100. *Ibach* (All. féd., fondé 1794) : *1987* : 1 000.

b) **Avec clavier :** *Célesta* (inventé par Mustel en 1886). *Glockenspiel* (à clavier).

c) **Bruits divers :** *Maracas* (calebasses séchées ou noix de coco évidées). *Crécelles. Raclettes* (guitcharo) ou *guido* (Amér. centr.). *Grelots,* etc.

• **2. Membranophones. Percussion sur peau :** *Caisse claire. Caisse roulante* (ou *caisse claire*). *Grosse caisse. Tambourin. Tambour de basque. Bongos* (tambour double africain). *Tom alto. Tom basse.*

IV. Instruments mécaniques

Carillons. Personnages de clocher (XIVe s.), pendules, horloge astronomique (St-Jean, Lyon), androïdes musiciens (XVIIIe s. par Vaucanson). *Serinettes.* Petites pièces à musique. *Orgue* (y compris de manège). *O. de Barbarie.* Réalisé par Giacomo Barberi à Modène (XVIIIe s.). Fonctionnait avec un cylindre dont les pointes ouvraient et fermaient les tuyaux, ne produisant chacun qu'un son unique. Plus tard, l'*O. mécanique* devait le remplacer : le cylindre sera remplacé par une bande perforée. *Piano* (1887, U.S.A.). *Violon.*

V. Instruments électriques

Orgue Hammond : produit des oscillations à l'aide d'alternateurs (roues phoniques) ; *Trautonium* du Dr Trautwein : produit des oscillations à l'aide de tubes au néon. *Violon électrique ;* violon électro-acoustique avec pré-ampli. *Vielle à roue* électro-acoustique.

VI. Instruments électroniques

Supplantent les instruments de musique électriques depuis plusieurs années.

Instruments monodiques (ne produisant qu'un seul son à la fois). *Theremin, Ondioline, Clavioline, Ondes Martenot* [seul ce dernier subsiste : créées par Maurice Martenot (Français, 1898-1980), présentées à l'Opéra de Paris en 1928, oscillations électroniques, par système à transistors, modulées par un clavier expressif ou un jeu à la bague sur 7 octaves, diffusées par un haut-parleur principal et 3 diffuseurs de coloration se combinant avec de nombreux jeux de timbres].

Les ondes Martenot permettent d'obtenir un vibrato reflétant les moindres gestes de l'interprète tant par sa fréquence que par son amplitude. Possèdent une *touche de nuance* qui remplace l'action de l'archet ou du souffle et une *bague* permettant une progression infinitésimale des sons qui l'apparente à l'expression vocale. Le modèle 1990, en conservant toute sa sensibilité, acquiert une fiabilité accrue par le pilotage numérique.

Instruments harmoniques (pouvant jouer les accords). Connus sous le nom d'« orgues électroniques » (inventés par le Français Givelet). Produisent des sonorités variées grâce à des micro-circuits.

Synthétiseur. Instrument électronique, modulaire (monophonique, duophonique, ou polyphonique), permettant de procéder à la synthèse du son. *1955 et 1959 :* 1res réalisations aux U.S.A. par R.C.A. ; *1964 :* conception musicale par Robert Moog ; *1968 :* l'Américain Walter Carlos réalise « Switched on Bach » chez Columbia. *Prix* (1988) : 42 000 F.

Instruments électrostatiques. Orgue Derreux [2 claviers et 1 pédalier complet reproduisant les sons enregistrés sur des or. Fées à tuyaux (31 jeux + accouplements habituels)]. N'est plus fabriqué.

VII. Instruments numériques

Le son réel est enregistré et reproduit par un procédé numérique (reflet exact des sonorités). Piano, guitare numérique, saxo digital (six sons).

Quelques chiffres

Instruments en France

Importations, et entre parenthèses **exportations en millions de F en 1988.** Pianos, clavecins et autres instruments à cordes, à claviers 375,7 (26,5). Autres instr. à cordes 46,4 (9,9). Orgues, harmoniums et instr. similaires 5,3 (8,5). Accordéons et harmonicas à bouche 20,4 (2). Autres instr. à vent 69,3 (179,2). Instr. à percussion 39,9 (5,6). Instr. électromagnétiques, électrostatiques, électroniques et similaires 377,4 (28,7). Boîtes à musiques, o. de Barbarie, oiseaux chanteurs, orchestrations 18,9 (4,7). Parties, pièces détachées et accessoires d'instr. de musique 105,6 (76,7).

Importations (en quantité) **en 1988.** Pianos, même automatiques, clavecins et autres instruments à cordes, à clavier 37 526, autres instruments à cordes 110 252, orgues à tuyaux, harmoniums et instruments similaires 18 848, harmonicas à bouche, accordéons et similaires 110 447, autres instruments à vent 352351, instr. de musique à percussion 0, instr. électromagnétiques, électroniques et similaires 380 828, boîtes à musique et similaire 0, parties, accessoires, mécanismes d'instr. 0.

Pianos neufs. *Exportations (1990) :* pianos droits 985, à queue 128. *Importations :* 28 132 pianos droits (dont Corée S. 8 187, All. dém. 4 378, All. féd. 3 498, Japon 3 169, Tchéc. 2 435, P.-Bas 1 924), à queue 1 909 (Jap. 840, All. féd. 504, Corée S. 258).

Ventes en France

Chiffre d'affaires des facteurs et importateurs d'instruments (en millions de F en 1982). 861,3 dont facteurs d'instruments 339 (à vent 248,6, à claviers 68,5, à cordes 21,9), importateurs 522,3. *Marché intérieur* 175,8, *extérieur* 163,2.

Établissements de facture instrumentale et importateurs, 1982. 70 dont facteurs d'instruments à vent 25, à claviers 15, à cordes 12 ; importateurs 18. Certaines de ces entreprises sont affiliées à la Chambre syndicale de la facture instr. (CSFI). *Effectifs :* 2 172 salariés.

Ventes en France (1981). Instr. français et étrangers. Accordéons 6 000 (1990) ; orgues électroniques d'appartement 20 000, portables 45 000 ; pianos droits 38 000, à queue 3 600 ; guitares 180 000 (dont 5 000 fabr. en France) ; harmonicas 400 000 ; flûtes (scolaires) 4 000 000.

Nota. – La France est le meilleur producteur mondial de roseaux (entre Hyères et Fréjus, Var) pour la fabrication des anches de clarinettes, hautbois, saxophones, etc. ; achetés par le fabricant d'anches Rico (U.S.A.) et les Éts Vandoren (Fr.).

Prix d'instruments de qualité

(en milliers de francs 1987-90)

Anciens (XVIIe-XIXe s.)

Éléments du prix : signature, qualité de fabrication, état de conservation, certificat d'authenticité. **Violon :** école italienne (XVIIe-XVIIIe s.) : ex. Stradivarius [Antonius Stradivari, dit Stradivarius (Crémone 1648-1737), vécut 89 ans et produisit 635 violons et 17 altos en 71 ans. Il en reste env. 500 dans le monde]. Prix 900 à 8 000, Guarnerius (1683-1745) 1 000 à 9 000, Andrea Amati (1500-1580, fondateur de la dynastie des Amati), Rogerius (1650-1730), élève d'Amati 302,5 à 700 ; école française (XIXe) ; Nicolas Lupot 400 à 700, Jean-Baptiste Vuillaume 250 à 400 *Archet* de François-Xavier Tourte (XVIIIe s.) 60 à 200, Dominique Peccatte (1810-74) 60 à 150, François Nicolas Voirin 30 à 40, Eugène Sartory (1871-1940) 30 à 40 000 (un bon archet actuel 6 à 27). **Vielle à roue :** fin XVIIIe 10 à 24, à caisse plate 73. **Violoncelle :** 22 ; Stradivarius (il en fabriqua 60) 1 584 à 8 250. **Viole d'amour :** 12. **Guitare :** XVIIe (1624) : Chittara, par Jacob Stadler 1 149 ; XVIIIe 7 à 15 ; XIXe, signée Torres ou Ramirez de 24 à 61. **Harpe :** 19 à 25. **Épinette :** de Thomas Hancock (1725) 22. **Pendule à musique :** (Janvier) 58. **Orgue :** (Cavaillé) 42, mécanique de salon (Davrainville) 69,3. **Clavecin :** 5 octaves, 2 claviers XVIIe et XVIIIe s. 73 à 387. **Piano :** droit 6 à 25, 1/2 queue 12 à 61 ; queue (Steinway, 1888) 1 727. **Pianoforte :** 11 à 328 (1987, Evrard 1806). **Mandoline :** de Marie-Antoinette 93. **Cécilium** (ancêtre de l'accordéon) : 9 et plus.

Modernes

A vent. *Accordéon* d'étude 5 à 11, professionnel 20 à 36, de concert jusqu'à 82. *Bugle* 4 à 8. *Clarinette* 2,3 à 12. *Cor d'harmonie* 4 à 28. *Cornet* 3 à 7. *Flûte douce* 41 à 1 210, *traversière* 3 à 40. *Saxophone* alto 7 à 12, ténor 7 à 13, baryton 17 à 20. *Trombone* 3 à 13. *Trompette* 2 à 11. (Prix avec étui et tous accessoires.)

A percussion. *Vibraphone* 8 à 22. *Jeu de cloches* 18. *Xylophone* 18. *Marimba* 20.

A cordes. *Alto* 3 à 10. *Guitare* classique 0,8 à 46, « western » ou « folk » 1,1 à 16, électrique plate 1,3 à 8. *Harpe* 4 à 133, celtique 6,6 à 12. *Violon* d'étude 1,8 à 3,5, de maître à partir de 30. *Violoncelle* 4,2 à 12, de maître 20 et +. Les prix des instruments d'étude comprennent étui ou housse et archet.

Claviers. *Clavecin* 26,7 à 201. *Épinette* 16 à 49. *Orgue classique :* étude 7,5, avec pédaliers de 25 notes 157. *Piano* droit 15 à 100, à queue 36 à 400 (de concert D-274 Steinway & Sons). **Claviers électroniques.** *Mini* – de 1 ; *simples* 0,8 à 3 ; *synthétiseurs* à partir de 5 ; *piano* à partir de 10 ; *orgues* à partir de 20.

Principales collections

Paris : *musée instrumental du Conservatoire nat. sup. de musique* (environ 4 000 instr., surtout européens), flûtes à bec et traversières, hautbois, bassons, cors, trompettes, cornets, guitares, luths, harpes (dont celle de Marie-Antoinette), violons (Stradivarius), violoncelles, octobasse (très rare), clavecins français et italiens (XVIIe-XVIIIe s.), clavicordes, orgue positif, percussions anciennes ; *m. de l'Homme* (instr. ethniques du monde entier, France exceptée) ; *m. des Arts et Traditions populaires* (instr. des provinces françaises). **Bruxelles :** *m. instrumental du Conservatoire royal de musique.* **La Haye :** *Gemeente Museum.* **Leipzig :** *Musik-instrumenten-Museum, Karl-Marx-Universität.* **Londres :** *Victoria and Albert Museum ; Royal College of Music ; Horniman Museum.* **Milan :** *musée des Instruments anciens, Castello Sforzesco.* **New York :** *Metropolitan Museum of Art.* **Washington :** *Smithsonian Institution.* **Stockholm :** *Musikmuseet.* **Nuremberg :** *Germanisches Nationalmuseum.* **Vienne :** *Kunsthistorisches Museum.* **Berlin :** *Staatliches Institut für Musikforschung Preussischer Kulturbesitz.*

Quelques records

• **Cloches les plus lourdes. Étranger.** U.R.S.S. : *Moscou :* « Tsar Kolokol » (reine des cloches) [au Kremlin, fondue le 25-11-1735, fêlée (un morceau de 11 t s'est détaché, 196 t, diam. 5,90 m, haut. 5,87 m, épaisseur max. 60 cm (nécessitait 24 hommes pour tirer le battant et la faire sonner) ; exposée ; 40 personnes pourraient tenir à l'intérieur ; n'a pas sonné dep. 1836]. « Trotskoi » [tour Ivan Veliki, au Kremlin (168 t, fondue 1746), la plus grosse actuellement en place]. JAPON : *Kyōto* au temple Shi-Tenno-Ji (154 t) ; *Ōsaka* (164 t) détruite 1942 ; *Chonan* (75 t). BIRMANIE : *Mandalay Mingun Bell* (88 t, diam. 4,95 m, fondue 1790, heurtoir en teck la frappant de l'extérieur). CORÉE : *Kyongju* (72 t). CHINE : *Pékin* (53 t). R.F.A. : *Cologne* « Petersglocke » (1923, cathédrale, 24 t, diam. 3,40 m). **France.** *Paris* « la Savoyarde » [au Sacré-Cœur de Montmartre (1891, 18,85 t, diam. 3,03 m, haut. 3,06 m, battant 0,85 t, note ré 2) ; « Emmanuelle » [à N.-D. de Paris (1685, 12,8 t, diam. 2,56 m, note fa 2, nommée par Louis XIV et Marie-Thérèse, refonte de « Jacqueline » (7,5 t) donnée en 1400 par Jean de Montaigu, refondue en 1430 puis en 1681]. *Rouen :* « Jeanne d'Arc » (20 t, fondue 1920, détruite 1939-45) ; cath. (« Jeanne d'Arc », cath. 1954, 9,5 t). *Strasbourg :* gros bourdon, 20 t, fêlé jour de Noël 1521, sans battant ; cath. (grande cloche 1427, 8,9 t). *Sens :* « la Savinienne » [cath. (1560, 15,6 t, diam. 2,69 m, note mi bémol 2)] ; « la Potentienne » (1860, 13,8 t, diam. 2,34 m, note fa 2). *Amiens :* 11 t. *Reims :* cath. (Charlotte, 1570, 10,435 t, diam. 2,46 m ; 2e bourdon, 7,4 t, diam. 2,32 m). *Bordeaux :* cath. St-André (1869, 11 t, diam. 2,33 m). *Marseille :* N.-D.-de-la-Garde (1845, 8,2 t, diam. 2,40 m). *Lyon :* Fourvières (1894, 7,2 t, diam. 2,50 m). *Auch :* cath. 10 t. *Metz :* cath. 9,8 t.

Les plus anciennes. *Chinoises :* 4 000 ans. *Palais babylonien de Nemrod « Tintinabulum » :* 1100 av. J.-C. (découverte en 1849). *France : Fontenailles,* 1202 (musée de Bayeux, Calv.), la + ancienne des grosses cloches (230 kg env.).

• **Instruments à cordes.** *Pantaléon,* utilisé en 1767 par George Noël (270 cordes sur une surface de 4,60 m²). *Octobasse,* construite en 1849 par J.-B. Vuillaume (1798-1875), 3,6 m (au musée du Conservatoire de Paris) (3 cordes, ut, do, ut, permettant d'atteindre la tierce majeure inférieure de la contrebasse moderne). *Guitare* construite par l'association de musique folklorique de Narrandera (Australie) (1989, 5,8 m de haut). *Contrebasse* d'Arthur Ferris (U.S.A.) (1924, 4,26 m de haut, 590 kg, caisse de résonance de 2,43 m de large nécessitant 31,7 m de cordes en cuir). **Le plus petit violoncelle** (27,8 mm de haut) a été fabriqué par Christian Urbita. **Le plus ancien piano** construit à Florence par Bartolomeo Cristofori (1720) (au Metropolitan Museum of Art à New York) ; long. 2,26 m ; larg. 0,94 m.

• **Instruments à vent.** *Tuba,* cirque d'Afr. du Sud (2 m de haut, 12 m de tuyauterie). *Cor des Alpes,* construit par Peter Wutherich (Idaho, U.S.A., nat. suisse) (haut. 47 m, 103 kg)

• **Divers.** *Tambour,* construit à Londres : diam. 3,96 m (entendu au Royal Festival Hall à Londres le 31-5-1987) ; de Disneyland 1961 (U.S.A.) : diam, 3,20 m, 204 kg ; *tambour* construit 1872 à Boston (U.S.A.) : diam. 3,65 m, 272 kg. *Componium* construit 1821 à Amsterdam par Dietrich Nicolaus Winkel : instr. mécanique à cylindres, triangle et tambour pouvant produire un thème et ses variations (il faudrait 138 trillions d'années pour les épuiser toutes, en comptant 5 mn par variation) (au musée du conservatoire de Bruxelles).

Voix humaine

Définitions

Registre. Totalité des notes émises par une voix [ou un instrument (piano 7 octaves)].

La tessiture (*tessitura*, trame) est la partie du *registre* aisément pratiqué par une voix ou caractérisant un rôle chanté. *Mado Robin* (1918-60) atteignait le *ré*$_6$ (Ré sur aigu) dans la scène de la folie de *Lucie de Lammermoor* (fréquence la plus élevée historiquement atteinte par la voix humaine) ; elle couvrait 3 octaves, sans effort ; elle avait un petit larynx et des cordes vocales épaisses (1 cm).

Tenue des sons [*durée d'un son sans inspiration* : 20-25 s (Waltraute Demmer : 55 s)]. Dépend de la capacité pulmonaire, de la pression et de la section du larynx. La *justesse* est l'exacte correspondance entre les sons et la notation dans un système de références dont la base est arbitrairement définie par un certain nombre de vibrations. Ainsi donne-t-on le *la* (actuellement 870 vibr.), le ton.

Puissance « auditive » de la voix. Pour une note donnée, dépend du « placement » de la voix (répartition de l'énergie entre les harmoniques du son, l'oreille étant 1 million de fois plus sensible à 1 000 Hz qu'à 30 Hz). Classification des voix selon la puissance maximale (recueillie de face, à un mètre du chanteur) selon Raoul Husson : *voix dites de Grand Opéra* : 120 dB (dB physiques) et plus ; *d'Opéra* : 110 à 120 dB ; *d'Opéra-comique* : 100 à 110 dB ; *d'Opérette* : 90 à 100 dB ; *de salon* : 80 à 90 dB ; *banale ou de micro* : - de 80 dB. Chanteurs de variétés de type confidentiel.

L'emploi d'une voix dépend de son intensité, de son placement *(timbre)*, de la qualité acoustique du lieu d'écoute et en particulier du volume de la salle utilisée [salle de 1re catégorie : 30 000 m^3 ou plus ; 2e : 16 000 à 30 000 m^3 ; 3e : 10 000 à 16 000 m^3, 4e : 7 000 à 10 000 m^3 ; 5e : moins de 7 000 m^3 (un 1er emploi de théâtre lyrique dans une salle de 1re catégorie ne peut être tenu que par une voix atteignant au moins 120 dB)].

Timbre des voix chantées. Défini par 5 qualités (qui différencient les voix de même nature, pour des sons de même hauteur) : *volume, épaisseur, mordant* (capacité d'attaque du son), *couleur, vibrato* (oscillation de voix de l'ordre du comma sur la note).

Une chanteuse comme l'Égyptienne *Oum Kalsoum* (1898-1975) émettait 14 000 vibrations par s (un gosier normal : 4 000).

Classification des voix

Évolution. **Avant le milieu du XVIIIe s. :** on distinguait empiriquement les voix féminines et masculines (pour l'étendue tonale) et les voix graves et aiguës à l'intérieur de ces 2 catégories. Puis on distingua pour les hommes, les *basses, barytons* et *ténors* ; pour les femmes, *altos, mezzos* et *sopranos*. **Au début du XIXe s. :** on introduisit, à l'intérieur de cette classification, des nuances de couleur de voix et de timbre [*ténors* graves, aigus, légers ; *barytons* graves, aigus, légers ; *basses* profondes, chantantes ; *sopranos* dramatiques, lyriques, légers (abusivement dits coloratures)]. **Vers le milieu du XIXe s. :** des distinctions de puissance (*baryton* d'opérette, d'opéra, d'opéra-comique...) et d'emploi (*baryton* Verdi, *ténor* wagnérien, *basse* bouffe...). **En 1953 :** la classification physiologique propose une méthode de mesure « scientifique » : l'excitabilité du nerf de la phonation (déterminant la limite supérieure d'un registre) se mesure par la chronaxie. On peut lui opposer une classification plus traditionnelle : voix classées de l'aigu au grave avec leurs principales particularités de timbre et d'aptitudes, notamment celles de colorature.

Quelques définitions

Aria : morceau écrit pour une seule voix. **Ariette :** petit air léger. **Barcarolle :** pièce vocale ou instrumentale construite sur le rythme régulier et tranquille de la barcarola des gondoliers vénitiens. **Brindisi :** chanson à boire, toast. **Cabaletta :** aria rapide, rythmée, avec reprise. **Cantabile :** passage mélodique d'une expression intense. **Cavatine :** morceau d'opéra plus court que l'aria et généralement sans reprise. **Coda :** partie terminale d'un morceau. **Fioriture :** broderie ajoutée à la note écrite. **Gruppetto :** ornementation formée de plusieurs notes autour d'une seule. **Interlude :** petite pièce instrumentale insérée entre deux scènes d'opéra. **Legato :** exécution dans laquelle les différents sons se succèdent sans interruption. **Pizzicato :** son pincé. **Récitatif :** déclamation vocale qui fait avancer l'action par opposition aux morceaux chantés plus statiques ou plus méditatifs ; remplace le parler des opéras-comiques. **Rubato :** art d'accélérer ou de ralentir le tempo afin d'obtenir des effets expressifs. **Strette :** passage d'une partie finale dans lequel les « tempi » sont accélérés en vue du point culminant. **Vocalise :** formule mélodique ornementale appliquée à une voyelle.

• Femmes. **Soprano léger** ou **Sfogato.** Voix la plus aiguë et très étendue (2 octaves et demie, Mozart écrivit jusqu'au sol$_5$). *Rôles : La Reine de la nuit* (la Flûte enchantée), *Lakmé, Lucie de Lammermoor, Gilda* (Rigoletto). **S. lyrique léger** ou **Spinto.** Intermédiaire entre le s. léger et le s. lyrique, volume plus important que celui du s. léger. *Rôles : Sophie* (le Chevalier à la rose), *Manon*. **S. lyrique, grand lyrique, dramatique.** Étendue : 2 octaves (ut$_3$, ut$_5$ = contre-ut) ; d'un type à l'autre, la tessiture s'abaisse, la puissance croît et la couleur s'assombrit. *Rôles : Lyrique : Juliette, Marguerite* (Faust), *Agathe* (Freischütz). *Grand lyrique : Mimi* (la Bohème), *Aïda, Élisabeth* (Tannhäuser). *Dramatique : Gioconda, Brünnhilde* (la Tétralogie), *Isolde*. **Intermédiaire :** mezzo-soprano, entre soprano et contralto, aigu moins étendu, grave plus riche. *Rôles* (chantés par sopranos et contraltos) : *Léonore* (Fidélio), *Marguerite* (Damnation de Faust). *Contralto*, voix longue (2 octaves et demie, du mi grave au si). *Rôles : Charlotte* (Werther), *Amnéris* (Aïda), *Ortrude* (Lohengrin), *Carmen, Dalila* (Samson et Dalila), *Ulrica* (Bal masqué), *Erda* (Tétralogie).

Coloratur. Voix capable d'exécuter brillamment les fioritures soprano, basse, contralto, mezzo apte à cette agilité. **Soprano coloratur.** *Rôles : la Reine de la Nuit* (la Flûte enchantée), *Lakmé, Lucie de Lammermoor, Gilda* (Rigoletto). **Coloratur dramatique** (ou soprano dramatique d'agilité), voix très étendue (du la grave au contre-ut dièse). *Rôles :* dans œuvres de Haendel, Mozart *(Donna Anna, Fiordiligi)*, Rossini *(Sémiramis, Armide, Otello)*, Weber (dans Obéron), Verdi (dans Ernani, la Traviata, le Trouvère). [*Dugazon*, voix légère, au timbre épais. *Rôles : Siebel* (Faust), *Stefano* (Roméo et Juliette), *Chérubin* (Noces de Figaro), *Mignon* (en général, nombreux travestis du répertoire léger). *Desclauzas*, emplois de duègne, religieuse, dame de compagnie (Mme Desclauzas, 1840-1922, créa le rôle de *Lange* dans la Fille de Mme Angot).] **Contralto-coloratur,** voix spécialisée dans les rôles à vocalises de Rossini *(Rosine, Arsace, Cendrillon...)*, Bellini, Donizetti, Meyerbeer (*Fidès* doit vocaliser du la bémol au contre-ut).

• Hommes. Sous la réserve – en principe – des tessitures, les spécificités vocales sont souvent négligées. *Trois émissions :* poitrine, mixte, tête (ou fausset). *Souffle :* le contre-ut (do 4) d'une voix légère, par ex. le ténor lyrique (Pavarotti-Rodolfo) consomme moins de souffle que le contre-ut du T. dramatique (Del Monaco, Bonisolli-Manrico). **Ténors.** Étendue normale : 2 octaves jusqu'au contre-ut, certaines voix exceptionnelles atteignant le contre-ré, parfois même le c. mib 4 ; nombreuses subdivisions. **T. trial :** voix aiguë, d'aspect comique (Carmen, Turandot) ; **t. Buffo :** mime. **T. lyrique léger :** voix souple, claire. Diverses nuances : **pratique aisée du fausset :** *G. Brown* (Dame Blanche) ; **t. « de grâce » :** agilité : *Almaviva* (Barbier de Séville) ; **médium étoffé, limité dans l'aigu :** *Gérald* (Lakmé), *Ottavio* (Don Juan) ; **qualité en style, en timbre :** *Nemorino* (L'Elixir d'amour). **T. lyrique :** voix plus large, plus étendue (Do 4, éventuellement ré bémol, Ré 4 ; **la tradition :** do 4 : Faust, Rodolfo, Alfredo ; **demi-caractère, léger :** Cavaradossi ; **élargi, appuyé :** Des Grieux, Werther, Don José, Canio (selon les capacités vocales : Don José : do 4 Georges Thill ; Duc de Mantoue ré 4 Pavarotti). **T. dramatique :** timbre incisif. Aigu élatant : *Manrico* (Trouvère), *Radamès* (Aïda), *Énée* (Les Troyens). A la manière wagnérienne, selon un registre différent, le **T. héroïque** (Helden Tenor) : *Siegfried, Tristan*. **T. Fort-ténor :** volume important ou voix très percutante : **F.T. Central :** à tessiture limitée : *Othello, Samson* ; **F.T. de vaillance :** tessiture élevée : *Arnold* (Guillaume Tell, dit « le tombeau des ténors »), *Robert le Diable, les Puritains*. **Voix graves. Baryton-martin :** claire, souple, l'aigu s'étend jusqu'au la. *Rôles : Mârouf, Pelléas, Ange Pitou* (la Fille de Mme Angot), *Danilo* (la Veuve joyeuse). **B. d'opéra-comique :** emploi avec texte parlé. Volume 100, 110 db. *Rôles : Zuniga, Lescaut, Albert.* Souvent plus puissant en raison de l'attrait de certains rôles et des capacités des interprètes : *Escamillo, Figaro.* **B. Verdi :** voix souple, 2 octaves (la grave, la bémol aigu). *Rôles : Renato, Comte di Luna, Valentin* (Faust), *Rigoletto.* **B. basse :** pas de limites précises entre les b. basses ou b. d'opéra et les basses. *Rôles : Wolfram* (Tannhäuser), *Grand-prêtre* (Samson et Dalila), *Scarpia* (La Tosca), *Wotan* (la Walkyrie). **Basse chantante :** plus lyrique que le b. basse, fa grave (fa$_3$). *Rôles : Boris Godounov, Méphisto* (Faust), *Philippe II* (Don Carlos), *Gurnemanz* (Parsifal), *Don Juan Bertram.* **Basse noble** (profonde ou Nivette) : très étendue (ut grave = ut$_1$, fa aigu = fa$_3$), fréquente dans les pays nordiques et orientaux. *Rôles : Ramfis* (Aïda), *Hunding* (Walkyrie), *Zarastro* (la Flûte enchantée).

Castrats. La castration, pratiquée vers 8 ans chez les garçons, arrête le développement du larynx et confère à la voix des qualités particulières (vélocité et tenue de souffle remarquables, étendue atteignant parfois 3 octaves). Connue dès l'Antiquité, elle fut pratiquée en Chine, dans les chœurs byzantins et en Europe (sauf en France). La plupart des castrats étaient uniquement des chanteurs d'église. Avant le XIXe s., aucune femme ne pouvait, en Italie, chanter dans les chœurs d'église. Les chœurs de la Chapelle Sixtine utilisèrent les castrats de 1588 à 1903 [l'Église néanmoins désapprouvait la castration euphonique et ne tolérait que les castrats accidentels (la castration pour hernie était une pratique courante à l'époque)]. 3 000 à 5 000 enfants de 6 à 10 ans (surtout les enfants de paysans pauvres) étaient opérés chaque année en Italie. **Castrats célèbres :** Baltasare Ferri (1610-80) ; Carlo Broschi, dit Farinelli ou « le chanteur des rois » (1705-82) ; Guadagni Capparelli ; Crescentini (enseigna le chant à Bellini) ; Alessandro Moreschi (1858-1922, enregistré en 1902) soprano roman ; Giambattista Velluti (1780-1861), dernier à paraître sur scène. [Monteverdi, Haendel, Gluck, Mozart (Lucio Silla, Idoménée, la Clémence de Titus, et des cantates) ont écrit pour des castrats.]

Un castrat contralto s'est présenté, Paolo Abel do Nascimento, à l'église Ste-Marie de Limoges le 9-2-1983.

Haute-contre. Voix très aiguë émettant des sons naturels au moyen de la « résonance de tête » ; registre couvrant partiellement celui du contralto féminin, timbre essentiellement masculin, pur, pénétrant et souple, de qualité presque instrumentale, apprécié du Moyen Age au XVIIIe s. et au XXe (le Songe d'une nuit d'été de Britten). *Rôles :* dans les œuvres de Lully, Campra, Rameau ; *l'astrologue* (le Coq d'or).

Opéras

Définitions

Opéra (opera seria). Grande tragédie ou drame mis en musique, dont les rôles sont chantés et rarement parlés. Le 1er serait : *Daphné* de Rinuccini, musique de Peri, joué en 1594 (le premier théâtre d'opéra s'ouvre en 1637 à Venise).

La structure a évolué : le type ancien *(Don Juan)* est à numéros (Introduction, Récitatif, Trio, Aria, Duo, Aria, etc.), le type moderne est à scènes et, avec Debussy, à interludes.

Opéra-ballet. Créé en 1695 par Pascal Collasse (1649-1709) : *les Saisons ; les Indes galantes* de Rameau (1735). Consiste en des entrées de danse et de chant, chaque acte formant une unité complète.

Opéra-comique (opéra bouffe). Apparaît au XVIIIe siècle comme une parodie utilisant beaucoup le parler. Depuis le XIXe s., sa forme imprécise le rapproche de l'opéra. Le premier serait *Chi saffre speci*, de Rospigliosi (musique : Marazzoli et Mazzocli).

Opérette. Genre théâtral léger, dans lequel les couplets chantés alternent avec le parler, avec parfois des fins parodiques ou satiriques. Dérivée de l'opéra bouffe, se développa au XIXe siècle avec Hervé et Offenbach.

Concours Eurovision de la Chanson. *Créé* en janv. 1955 sous le nom de « Grand Prix Eurovision de la chanson européenne ». *Jurys nationaux :* composés d'un échantillon de téléspectateurs. *Titres gagnants :* **1956** *Refrain* (Lys Assia), Suisse. **57** *Net als toen* (Carry Brokken), P.-Bas. **58** *Dors mon amour* (André Claveau), France. **59** *Een Beetje* (Teddy Scholten), P.-Bas. **60** *Tom Pillibi* (Jacqueline Boyer), France. **61** *Nous les amoureux* (J.-Claude Pascal), Luxembourg. **62** *Un premier amour* (Isabelle Aubret), France. **63** *Dansevise* (Grethe et Jørgen Ingmann), Danemark. **64** *Non ho l'età* (Gigliola Cinquetti), Italie. **65** *Poupée de cire, poupée de son* (France Gall), Luxembourg. **66** *Merci chérie* (Udo Jurgens), Autriche. **67** *Puppet on a string* (Sandy Shaw), G.-B. **68** *La la la* (Massiel), Espagne. **69** *Un jour un enfant* (Frida Boccara), France ; *Boom-Bang-A-Bang* (Lulu), G.-B. ; *Vivo cantando* (Salomé), Espagne ; *De troubadour* (Lennie Kuhr), P.-Bas. **70** *All kinds of everything* (Dana), Irlande. **71** *Un banc, un arbre, une rue* (Séverine), Monaco. **72** *Après toi* (Vicky Leandros), Luxembourg. **73** *Tu te reconnaîtras* (Anne-Marie David), Luxembourg. **74** *Waterloo* (Abba), Suède. **75** *Ding Dinge Dong* (Teach-In Group), P.-Bas. **76** *Save your kisses for me* (Brotherhood of Man), G.-B. **77** *L'Oiseau et l'Enfant* (Marie Myriam), France. **78** *A-Ba-Ni-Bi* (Izhar Cohen & The Alphabeta), Israël. **79** *Hallelujah* (Gali Atari & Milk and Honey), Israël. **80** *What's another year* (Johnny Logan), Irlande. **81** *Making your mind up* (Brucks Fizz), G.-B. **82** *Ein bisschen Frieden* (Nicole), All. féd. **83** *Si la vie est cadeau* (Corinne Hermes), Luxembourg. **84** *Diggi-Loo-Diggi-Ley* (Herrey's), Suède. **85** *La det swinge* (Bobbysocks), Norvège. **86** *J'aime la vie* (Sandra Kim) Belgique. **87** *Hold me now* (Johnny Logan) Irlande. **88** *Ne partez pas sans moi* (Céline Dion) Suisse. **89** *Rock me* (Riva) Yougoslavie. **90** *Insieme : 1992* (Toto Cutugno) Italie. **91** *Fangag av en stormvind* (Carola) Suède.

Salles d'opéras

Salles d'opéras principales

Abréviations : Chef : ch ; directeur : d ; dir. artistique : d a ; dir. musical : d m ; intendant : i ; musicien : m ; Opéra : O. ; surintendant : s ; Théâtre : Th.

Allemagne. *Bayreuth :* Festspielhaus. *Berlin :* Deutsche Oper (i : Götz Friedrich ; *Bonn :* d : Jean-Claude Riber ; Deutsche Staatsoper (i : Günter Rimkus), O.-comique (d m : Rolf Reuter). *Brême* (i : Tobias Richter, d m : Marcello Viotti). *Cologne* (i : Michael Hampe, d m : James Conlon). *Dresde* (i : Gerd Schönfelder, d m : Hams Vonk). *Düsseldorf-Duisbourg :* O. du Rhin allemand (i : Kurt Horres, d m : Hans Wallat). *Francfort* (d m : Gary Bertini). *Hambourg :* O. d'État de Hambourg (i : Peter Ruzicka, d m : Gerd Albrecht). *Hanovre* (i : Hans-Peter Lehmann, d m : Georges Alexander Albrecht). *Kassel* (i : Manfred Beilharz, Michael Leinert à partir de 1992, d m : Adam Fischer). *Leipzig* (i : Karl Kayser). *Mannheim* (i : Arnold Petersen, d m : Friedemann Layer). *Munich :* O. bavarois (i : August Everding, d m : Wolfgang Sawallisch). *Stuttgart* (i : Wolfgang Gönnenwein, d m : Luis Garcia-Navarro).

Argentine. *Buenos Aires :* Teatro Colón (3 500 pl., inaugurée le 25-5-1908) (d. : Ricardo Szwarcer, d. m. : Pedro Ignacio Calderón).

Australie. *Sydney* [1972 : 1 500 pl. (salle de concert : 2 700 pl.)]. *Melbourne* [*plus grande salle* (1982) 2 600 pl.]. *Brisbane* 2 000 pl. *Adélaïde :* 2 000 pl. *Perth :* 1 000 pl.

Autriche. *Vienne :* Wiener Staatsoper (i : Eberhard Wächter, d m : Claudio Abbado), Volksoper (i : Eberhard Wächter). *Salzbourg :* Salzburger Festspiele (i : Franz Willnauer), Landestheater Salzburg (i. : Lutz Hochstraate, d m : Hans Graf). *Linz :* Landestheater Linz (i : Roman Zeilinger, d m : Martin Sieghart). *Graz :* Vereinigte Bühnen Graz (i : Gundula Janowitz, d m : Uwe Mund). *Bregenz :* Bregenzer Festspiele (d : Alfred Wopmann).

Belgique. *Anvers :* O. de Flandre (K.V.O., d m : Rudolf Werthen). *Bruxelles :* O. national (la Monnaie) (d gén. : Gérard Mortier, Bernard Foccroule à partir de 1992, d m : Sylvain Cambreling). *Charleroi :* P. des Beaux-Arts. *Liège :* O. de Wallonie (Th. royal de Liège, d a : Raymond Rossius).

Bulgarie. *Sofia* (d m : Svetosar Donev).

Canada. *Toronto :* Canadian O. Company (O'Keefe Center, 1961, d a : Brian Dickie). Opéra de Montréal (d a : Bernard Uzan). *Vancouver.*

Danemark. *Copenhague :* Th. royal (d a : Michael Dittman) (Ballet royal danois).

Espagne. *Barcelone :* Liceo (gérant : Luis Portabella, d m : Uwe Mund). *Madrid :* Teatro Real, installé pendant les travaux de restauration dans les locaux du Teatro Lirico Nacional la Zarzuela (suri : José Antonio Campos, d m : Antoni Ros Marbá).

États-Unis. *Chicago* (d : Ardis Krainik, d m : Bruno Bartoletti). *New York Metropolitan O.* (reconstruit 1960-66) (d : Hugh Southern, d a : James Levine), *New York City O.* (NYCO, d a : Christopher Keene, d m : Sergiu Comissiona). *Dallas* (1957, d a : Plato S. Karayanis, d m : Nicola Rescigno). *Houston* (Wortham Center, 1987, d a : R. David Gockley, d m : John De Main). *Los Angeles* (Los Angeles Music Center, 1986, d : Peter Hemmings). *Philadelphie* (Pennsylvania Grand O., d gén. : Margaret Anne Everitt). *San Francisco* (d : Lofti Mansouri, d m : Donald C. Runnicles).

France. *Paris. Association des Th de l'O. de Paris (ATOP).* d : Jean-Philippe Saint-Geours (31-7-47) (d a : Georges-François Hirsch n. 1944, d m : Myung-Whun Chung). *Palais Garnier : 1862*-21-7 1re prévue (*1875*-5-1 inauguré), construit par Charles Garnier, 2 000 pl., surface 11 237 m², volume 428 666 m³, bâtiment long. 172,7 m, largeur 124,85 m, hauteur 55,97 m, façade long. 70 m, haut. 32 m, foyer long. 54 m, largeur 13 m, haut. 18 m, salle long. 20 m, prof. 30 m, hauteur 20 m, scène ouverture 16 m, hauteur 20 m, hauteur 15 m, plateau larg. 45,50 m, prof. 27 m, surface 1 200 m², hauteur 60 m. D. gén. : Jean-Albert Cartier, d a : Patrick Dupont). *O. de la Bastille :* 1989, construit par Carlos Ott, 2 700 à 4 000 pl., inauguré 17-3-1990 avec les Troyens de Berlioz. Construction : coût 2 759 millions de F ; budget (1990) 567 millions de F dont subventions 445 + équipement 6, recettes 116. *Châtelet,* transformé dep. 19-12-1978, modernisé en 1988. *Salle Favart* d : Thierry Fouquet (n. 1952). *Th des Champs-Élysées :* 1913, modernisé en 1987, d : Alain Durel. **Province.** *Angers :* Th musical (d a : Yvan Rialland, adm. : Daniel Durand). *Avignon :* O. d'Avignon et des Pays du Vaucluse (d a : Raymond Duffaut, d m : François-Xavier Bilger). *Bordeaux :* Grand Th (d a : Alain Lombard). *Lille :* O. (d gén. : Cécile Fraenkel, adm. : M. Catteau). *Lyon :* O. (d : Louis Erlo et J.-P. Brossmann, d m : Kent Nagano). *Marseille :* O. (d : Jacques Karpo). *Metz :* Th. municipal (d a : Christiane Issartel, adm. : Jean Hauswald). *Montpellier :* O. (d gén. : Henri Maier, adm. : Renée Panabière). *Nancy :* O. (d gén. : Antoine Bourseiller, adm. : S. Froment). *Nantes :* O. (d a : Philippe Godefroid, adm. : Serge Cochelin, d m : Jean Périsson). *Nice :* O. (d gén. : Lucien Salle, d a : Pierre Médecin, adm. : Louis Rossi, d m : Klaus Weise). *Strasbourg :* O. du Rhin (d gén. : Laurent Spielmann, adm. : Lucien Collinet). *Rouen :* Th. des Arts (d gén. : Marc Adam). *Toulouse :* Th. du Capitole (d a : Nicolas Joël, adm. : Robert Gouazé). *Tourcoing :* Atelier lyrique (d : J.-C. Malgoire). *Tours :* Grand Th. (d : Michel Jarry, adm. : M. Berthon).

Grande-Bretagne. *Cardiff :* Welsh National O. (d m : Charles Mackerras). *Glasgow :* Scottish O. (d m : John Mauceri). *Glyndebourne* (manoir du Sussex où se déroule dep. 1934 un festival d'O. de mai à août, salle 825 pl., d prod. : Sir Peter Hall, d m : Andrew Davis). *Kent Opera* (d a : Iván Fischer). *Leeds :* O. North. *Londres :* Royal Opera House, Covent Garden (d : Jeremy Isaacs, d m : Bernard Haitink). English National O. (d : Peter Jonas, d m : Mark Elder).

Hongrie. *Budapest :* Magyar Állami Operaház (O. d'État hongrois, d : Emil Petrovics, d m : Ervin Lukács), Erkel Színház (O.) ; sections d'O. à Debrecen, Pécs, Szeged.

Italie. *Bari :* Petruzzelli. *Bologne :* Comunale (s : Sergio Escobar, ch perm. : Riccardo Chailly). *Florence :* Comunale (s : Massimo Bogianchino). *Gênes :* Carlo Felice (en reconstruction), (s : Francesco Ernani). *Milan :* Teatro alla Scala (1778, s : Carlo Fontana, d a : Cesare Mazzonis, d m : Riccardo Muti). *Naples :* San Carlo (d : Niccolà Parente, d m : Daniel Oren). *Palerme :* Massimo (s : Ubaldo Mirabelli, d a : Girolamo Arrigo). *Rome :* Teatro dell'Opera (commissaire à la s : Ferdinando Pinto, d m : Gustav Kuhn). *Trieste :* Teatro Verdi (commissaire à la s : Giorgio Vidusso, d a : Raffaello de Banfield, chef permanent : Lu Jia). *Turin :* Regio (commissaire à la s : Elda Tessore, d a : Pietro Rattalino). *Venise :* Teatro La Fenice (d a : Gianni Tangucci). *Vérone :* Arènes de Vérone (s : Maurizio Pulica ; d a : Carlo Perucci, chef permanent : Daniel Nazareth).

Monaco. *Monte-Carlo* (d : John Mordler).

Pays-Bas. *Amsterdam :* O. néerlandais (Muziektheater, 1986. D a : Pierre Audi, d m : Hartmut Haenchen).

Pologne. *Varsovie :* Gr. Th. *Łódź :* Gr. Th (d a : Slawomin Pietras). *Wrocław :* O. (d a : Wiktor Herzig). *Poznań :* Gr. Th. Stanislas Moniuszko (d m : Mieczyslaw Dondajewski).

Roumanie. *Bucarest :* O. Romana (1885, reconstruit en 1953). *Cluj-Napoca :* O. Romana (1919). O. Maghiara (1948). *Iasi :* O. de Stat (1896). *Timisoara :* O. de Stat (1947).

Suède. *Stockholm :* Th. royal, Th. du château de Drottningholm. *Göteborg :* Gr. Th. *Malmö :* Th. municipal. *Karlstad :* Th. musical de Värmland. *Umea :* Th. de Västerbotten.

Suisse. *Bâle :* Basler Theater (d : Frank Baumbauer). *Berne :* Stadttheater (Edgar Kelling, d m : Roderich Brydon). *Genève :* Gr. Th (d : Hugues Gall). *Zurich :* Opernhaus (d : Alexander Pereira, d m : Ralf Weikert). *Lucerne :* Stadttheater (d : Horst Statkus). *St-Gall :* Stadttheater (d : Glado von May). *Lausanne* (d : Renée Auphan).

Tchécoslovaquie. *Prague :* Th. national (d a : Ivo Žídek, d m : Zdeněk Košler). *Brno. Bratislava.*

U.R.S.S. *Moscou :* Bolchoï, construit en 1824, incendié puis reconstruit en 1856, 2 000 places (d : Vladimir Kokonin, d m : Youri Simonov), Palais des Congrès (6 000 pl.). *Leningrad :* Th. Kirov (d m : Valery Guergiev). Th. Maly (d a : Stanislas Gaoudasinski). *Kiev.*

Yougoslavie. *Belgrade. Zagreb.*

Opéras les plus grands

Pour le nombre de places. Metropolitan Opera de New York (3 788 pl.), construit 1966 (scène : larg. 71 m, prof. 45 m), Scala de Milan (3 600 pl.), construite 1778, bombardée 1944-45, reconstruite.

Pour la superficie. Opéra de Paris, construit 1862-75, rénové : *1963* frontons et ravalement ; *1964* plafond de Chagall recouvrant l'ancien plafond de Lenepveu, remplacement de *la Danse* (sculptée par Carpeaux, transportée au Louvre) par une copie de Paul Belmondo ; 11 237 m². 2 156 pl. Scène prof. 23,80 m, jusqu'au foyer de la danse 50 m ; haut. sous clef 95 m, larg. 15 m (non compris les 8,50 m de coulisse de chaque côté de la scène).

Pour la hauteur. Opéra de Chicago (42 étages).

Pour le nombre de balcons. Scala de Milan et Bolchoï de Moscou (6 étages).

Théâtres lyriques en France

Théâtre national de l'Opéra

Organisation. Le décret du 7 février 1978 fixe le statut de l'établissement public. Il se compose de 2 salles, le Palais Garnier et la Salle Favart, et de deux écoles, l'École d'art lyrique et l'École de danse.

Opéra de Paris. Créé 1671 au Jeu de Paume de la Bouteille. Dans les locaux actuels depuis 1875. *Saison 1986-87 : Palais Garnier :* 9 spectacles lyriques (Don Carlos, Salomé, Wozzeck, Don Quichotte, Elektra, l'Élixir d'Amour, Montségur, le Vaisseau fantôme, Jules César) ; 6 chorégraphiques ; 5 concerts et récitals. *Salle Favart :* 7 lyriques (Cendrillon, Ariane à Naxos, Robinson Crusoé, Atys, les Puritains, Idoménée, la Clémence de Titus) ; 4 chorégraphiques ; 12 concerts. Extérieur : *Palais des Sports :* une nouvelle production (Turandot, 1985). *Théâtre des Champs-Élysées :* 3 lyriques dont 1 création (Médée) ; 3 concerts ; 1 chorégraphique. *Palais des Congrès :* 3 chorégraphiques. *Bouffes du Nord :* 1 création mondiale (la Tragédie de Carmen). *Palais de Chaillot :* 1 lyrique. *Basilique St-Denis :* 1 lyrique. *Tournées du Ballet :* Mexico, Allemagne, Madrid, Barcelone, Londres. *Tournées du G.R.C.O.P. :* 10 villes de province.

En 1986-87, l'Opéra de Paris a donné 161 représentations à Paris au Palais Garnier, dont 95 lyriques, 69 chorégraphiques, 7 concerts (246 593 spectateurs, taux de fréquentation 84 %) ; 134 représentations Salle Favart (112 059 spectateurs, fréquentation 65 %). *Extérieur :* 13 lyriques ; 48 chorégraphiques.

Budget. *Dépenses (%) :* salaires 70 % (1 183 employés) ; dépenses artistiques 17,5 %, investissements 2 %.

Ballet de l'Opéra de Paris. *Dir. de la danse :* Patrick Dupond, *administrateur de la danse :* Jean-Luc Choplin, *maîtres de ballet :* Patrice Bart, Eugène Poliakov, *régisseur gén. du ballet :* Anna Faussurier, *dir. de l'éc. de danse :* Claude Bessy.

Corps de ballet. 3 groupes : un (72) chargé des grandes productions classiques ; un (60), plus mobile, ouvert au répertoire contemporain ; un (15 volontaires), groupe de recherche chorégraphique de l'Opéra (G.R.C.O.P.), dirigé par Jacques Garnier. *Age :* 16 à 45 ans ; moy. 26 ans.

Ordre hiérarchique (dep. le 1-1-1964) : 1° Quadrilles. 2° Coryphées. 3° Sujets. 4° Premiers danseurs et danseuses. 5° Danseurs et danseuses étoiles.

Effectif : 150 danseurs dont 15 étoiles. *Danseuses étoiles :* Mlles Florence Clerc, Isabelle Guérin, Élisabeth Platel, Monique Loudières, Sylvie Guillem, Claude de Vulpian, Françoise Legrée. *Danseurs étoiles :* MM. Laurent Hilaire, Michaël Denard, Jean-Pierre Franchetti, Jean Guizerix, Charles Jude, Georges Piletta, Jean-Yves Lormeau, Patrick Dupond, Manuel Legris.

École d'art lyrique (ancien Opéra-Studio). Depuis le 8-2-1978, l'un des services de l'Opéra de Paris. *Dir. :* Michel Sénéchal (1981). *Recrutement :* par concours (hommes 20 à 26 ans, femmes 18 à 24 ans).

Enseignement : à temps complet, rémunéré ; chant, étude de rôle, solfège, formation musicale, travail scénique (durée des études : 3 ans).

Effectif (1984-85) : 18 + 2 auditeurs.

Théâtres lyriques de province

Nombre. 13 théâtres employant à l'année des personnels administratifs, techniques et artistiques (orchestre, chœur et ballet) sont subventionnés par l'État. Une vingtaine de compagnies lyriques indépendantes bénéficient de l'aide de l'État.

Réunion des Théâtres lyriques municipaux de France (R.T.L.M.F.). *Créée* 1964. Avignon (Th. des Pays de Vaucluse), Bordeaux (Grand Th.), Lyon (Op.), Marseille (Op.), Metz (Th. mun.), Montpellier (Op.), Nancy (Grand Th.), Nantes (Op. des Pays de la Loire), Nice (Op.), Rouen (Th. des Arts), Strasbourg-Mulhouse-Colmar (Op. du Rhin), Toulouse (Th. du Capitole), Tours (Grand Th.)

Théâtres et orchestres subventionnés par le Ministère de la Culture en 1990. **Opéras :** Avignon, Bordeaux, Lyon, Marseille, Metz, Montpellier, Nancy, Nantes, Nice, Rhin, Rouen, Toulouse, Tours. **Groupes vocaux :** les Arts Florissants, la Chapelle Royale, les Chœurs de Chambre de Lyon, Ens. Vocal Michel Piquemal, Groupe Vocal de France. **Orchestres Paris et assoc. symphoniques parisiennes :** Orch. de Paris, Ens. InterContemporain, Ens. orchestral de Paris, Concerts Colonne, Concerts Lamoureux, Concerts Pasdeloup. **Orchestres régionaux :** Auvergne, Bayonne, Basse-Normandie, Bordeaux-Aquitaine, Cannes, Capitole, Ile-de-France, Lille, Lorraine, Lyon, Montpellier, Mouvement 12, Nancy, Pays de Loire, Pays de Savoie, Picardie (Amiens), Poitou-Charentes, Rennes, Rhin (Mulhouse), Strasbourg, Toulouse Chambre.

Opéras et opéras-comiques célèbres

Auteur de la musique et, entre parenthèses, du livret

Adrienne Lecouvreur (1902). Francesco Cilea (liv. it. Arturo Colautti d'après Scribe et Legouvé). **Affaire Makropoulos (L')** (1925). Janáček (liv. tchèque d'après Karel Capek). **Africaine (L')** (1865). Meyerbeer (liv. fr. Scribe). **Aïda** (1871). Verdi (liv. it. A. Ghislanzoni). D'après du Locle. **Alceste** (1674). Lully (liv. fr. Quinault). **Alceste** (1776). Gluck (liv. fr. Leblanc du Rollet). Tiré d'une tragédie d'Euripide. **Amahl et les visiteurs nocturnes** (1952). Gian Carlo Menotti (liv. angl. id.). Inspiré par *l'Adoration des mages* de J. Bosch. **Amélie va au bal** (1937). Gian Carlo Menotti (liv. it.). **Amour de Danaé (L')** (1940). Richard Strauss (liv. all. Josef Gregor). **Amour des trois oranges (L')** (1921). Serge Prokofiev (liv. russe Prokofiev). Tiré d'une comédie italienne du XVIIIe s. de Carlo Gozzi. **Amour des trois rois (L')** (1913). Italo Montemezzi (liv. it. Sem Benelli). **André Chénier** (1896). Umberto Giordano (liv. it. Luigi Illica). **Ange de feu (L')** (1919-27). Prokofiev. **Angélique** (1927). Jacques Ibert (liv. fr. Nino). **Aniara** (1959). Karl Bierger Blomdahl (liv. suéd. Eric Lindegren). **Anneau des Nibelungen (L')** : *l'Or du Rhin* (1869), *la Walkyrie* (1870), *Siegfried* (1876), *le Crépuscule des Dieux* (1876). Richard Wagner (liv. all. id.). **Apothicaire (L')** (1768). Joseph Haydn (liv. it. Carlo Goldoni). **Arabella** (1933). Richard Strauss (liv. all. Hugo von Hofmannsthal). **Ariane à Naxos** (1916). Richard Strauss (liv. all. Hugo von Hofmannsthal). **Ariane et Barbe-Bleue** (1907). P. Dukas (liv. fr. Maeterlinck). **Armide** (1777). Gluck (liv. fr. Quinault). **Ascension et la chute de la ville de Mahagonny (L')** (1930). K. Weill (liv. all. Bertolt Brecht).

Opéra. D'après une enquête récente : 1,9 % des Français y avaient assisté ces dernières années et 2 % au cours des 12 derniers mois dont 1 % de l'ensemble de la population, 0,4 % 2 fois (17,3 %), 0,3 % 3 ou 4 (13,6 %), 0,2 % 5 et plus (9,4 %).

Entrées à l'opéra (1986-87). 358 652. *Palais Garnier :* 246 593, payants 234 113, tarif normal 169 594, spécial (collectivités et tarifs réduits) 15 637, galas privés 7 719, J.M.F. 10 777, payantes sans visibilité 30 386, servitudes 12 480. *Salle Favart :* 112 059, payants 69 905, spécial 9 105, J.M.F. 10 338, galas 1 084, payantes sans visibilité 13 762, servitudes 7 865.

Opérette. 5,8 % des 60-69 ans, 4 % des cadres supérieurs et professions libérales, 3,8 % des retraités y avaient assisté. 2,4 % des Français y avaient assisté au cours des 12 derniers mois dont 1,5 % de l'ensemble de la population une seule fois (soit 66 % des pratiquants), 0,4 % 2 fois (soit 18 %), 0,3 % 3 ou 4 (12,8 %).

Bal masqué (Un) (1859). Giuseppe Verdi (liv. it. Antonio Somma). Tiré de Scribe. **Barbier de Séville (Le)** (1782). Paisiello (liv. it. Petroselli d'après Beaumarchais). **Barbier de Séville (Le)** (1816). Rossini (liv. it. Cesare Sterbini). Tiré de la comédie de Beaumarchais. **Bastien et Bastienne** (1768). Mozart (liv. all. F. Weisskern). Tiré de la parodie du *Devin du village* de Rousseau. **Béatrice et Bénédict** (1862). Berlioz (liv. fr. de Berlioz d'après Shakespeare). **Benvenuto Cellini** (1838). Berlioz (liv. fr. L. de Wailly et A. Barbier). **Bijoux de la Madone (Les)** (1911). Ermanno Wolf-Ferrari (liv. it. Golisciani et Zangarini). **Bohème (La)** (1896). Puccini (liv. it. Giuseppe Giacosa et Luigi Illica). Tiré des *Scènes de la vie de Bohème* de H. Murger. **Boréades (Les)** (1764). Rameau (liv. fr. attribué à Cahusac). **Boris Godounov** (1874). Modeste Moussorgski (liv. russe id.). Tiré de Pouchkine. **Boulevard Solitude** (1951). H.W. Henze (liv. allemand G. Weil d'après W. Jöckisch).

Capriccio (1942). Richard Strauss (liv. all. Clemens Krauss et le compositeur). **Capulets et Montaigus** (1830). Bellini (liv. it. Romani d'après *Roméo et Juliette* de Shakespeare). **Cardillac** (1926-52). Hindemith (liv. allemand F. Lion d'après E.T.A. Hoffmann). **Carmen** (1875). Bizet (liv. fr. Meilhac et Halévy). Tiré de la nouvelle de Mérimée. **Castor et Pollux** (1737). Rameau (liv. fr. Gentil Bernard). **Cavalleria rusticana** (1890). Pietro Mascagni (liv. it. G. Menasci et G. Targioni-Tozzetti). Tiré de la pièce de G. Verga. **Cenerentola (La)** (Cendrillon) (1817). Rossini (liv. it. de Jacopo Ferretti). Tiré d'Étienne pour un opéra d'Isouard. **Château de Barbe-Bleue (Le)** (1918). Béla Bartók (liv. hongr. Béla Balázs). Tiré des *Contes de ma mère l'Oye.* **Chevalier à la rose (Le)** (1911). Richard Strauss (liv. all. H. von Hofmannsthal). **Clémence de Titus (La)** (1791). Mozart (liv. it. Métastase). **Combat de Tancrède et de Clorinde (Le)** (1624). Monteverdi (liv. italien d'après le Tasse). **Consul (Le)** (1950). Gian Carlo Menotti (liv. angl. id.). **Contes d'Hoffmann (Les)** (1881). Jacques Offenbach (liv. fr. Jules Barbier). Tiré de 3 histoires de E.T.A. Hoffmann. **Coq d'or (Le)** (1909). Rimski-Korsakov (liv. russe V.L. Bielski). Tiré de Pouchkine. **Cosi fan tutte** (1790). Mozart (liv. it. Lorenzo Da Ponte). **Couronnement de Poppée (Le)** (1642). Monteverdi (liv. it. Busenello). Tiré des *Annales* de Tacite. **Crépuscule des Dieux (Le)** (1876). R. Wagner (liv. all. Wagner).

Dame blanche (La) (1825). Boïeldieu (liv. fr. Scribe). **Dame de pique (La)** (1890). P.I. Tchaïkovski (liv. russe Modest Tchaïkovski). Tiré d'une nouvelle de Pouchkine. **Damnation de Faust (La)** (1846). Berlioz (liv. fr. Berlioz). Tiré de la version française de Gérard de Nerval du *Faust* de Goethe. **Daphné** (1938). Richard Strauss (liv. all. Josef Gregor). **Dardanus** (1739). Rameau (liv. fr. La Bruère). **Déserteur (Le)** (1769). Monsigny (liv. fr. Sedaine). **Destin (Osud)** (1934). Leoš Janáček (liv. tch. Janáček et Fedora Bartosova). **Devin du village (Le)** (1753). J.-J. Rousseau. **Diables de Loudun (Les)** (1969). Penderecki (liv. angl. Huxley). **Dialogues des Carmélites** (1957). Francis Poulenc (liv. fr. id.). D'après Bernanos, adapté d'une nouvelle de G. von Le Fort, d'un scénario de P. Agostini et du R.P. Bruckberger. **Didon et Énée** (1689). H. Purcell (liv. angl. Nahum Tate). Tiré du livre IV de l'*Énéide* de Virgile. **Don Carlos** (1867). G. Verdi (liv. fr. Fr. Jos. Mery et Camille du Locle). Tiré de la pièce de Schiller. **Don Juan** (1787). Mozart (liv. it. Lorenzo Da Ponte). Tiré de Molina, Molière, Goldoni... **Don Pasquale** (1843). G. Donizetti (liv. it. G. Donizetti et Cammanaro). Tiré de Ser Marc Antonio d'Anelli. **Don Quichotte** (1910). Massenet (liv. fr. Henri Caïn d'après Cervantes). **Drei Pintos (Die)** (1821-88). Weber, terminé par Mahler (liv. all. Theodor Hell d'après la nouvelle de Seidel *Der Brautkampf*). **Duègne ou la Retraite au monastère (La)** (1948). S. Prokofiev (liv. russe S. Prokofiev et Mira Mendelssohn). Tiré d'une pièce de Sheridan.

Élégie pour deux jeunes amants (1961). H.W. Henze (liv. anglais W.A. Auden et Chester Kallman). **Elektra** (1909). Richard Strauss (liv. all. Hugo von Hofmannstahl). Tiré de l'*Électre* de Sophocle. **Élixir d'amour (L')** (1832). G. Donizetti (liv. it. Felice Romani). **Enfant et les Sortilèges (L')** (1925). Ravel (liv. fr. Colette). **Enlèvement au sérail (L')** (1782). Mozart (liv. all. Gottlieb Stephanie). Tiré d'une pièce de Ch. Fr. Bretzner. **Erwartung** (écrit 1909, créé 1924). Arnold Schönberg (liv. de Marie Pappenheim). **Eugène Onéguine** (1879). Tchaïkovski (liv. russe Tchaïkovski et Shilovski). Tiré de Pouchkine. **Europe galante (L')** (1697). Campra (liv. de La Mothe). **Euryanthe** (1824). Weber (liv. all. H. von Chezy).

Falstaff (1893). Verdi (liv. it. Arrigo Boito). Tiré des *Joyeuses Commères de Windsor* et de *Henri IV* de Shakespeare. **Faust** (1859). Gounod (liv. fr. Jules Barbier et Michel Carré). Tiré de Goethe. **Fedeltà premiata (La)** (1781). Haydn (liv. it.). **Femme sans ombre (La)** (1919). Richard Strauss (liv. all. H. von Hofmannsthal). **Femme silencieuse (La)** (1932-34). R. Strauss (livret all. de Stefan Zweig d'après Ben Jonson). **Fiançailles au couvent (Les)** (1946). Prokofiev (liv. russe Serge Prokofiev et Mira Mendelson d'après *La Duègne* de Sheridan). **Fiancée vendue (La)** (1866). B. Smetana (liv. tchèque Karel Sabina). **Fidelio** (1805). Beethoven (liv. all. Joseph Sonnleithner). Tiré de J. N. Bouilly. **Fille du Far West (La)** (1910). Puccini (liv. it. Zangarini et Civinini). **Fille du régiment (La)** (1840). Donizetti (liv. fr. J. de St-Georges et J. Bayard). **Fille joyeuse (La)** (1876). Ponchielli (liv. it. A. Boito). Tiré de Victor Hugo. **Finta Giardiniera (La)** (1774). Mozart (liv. it. Petrosellini ou Calzabigi). **Flûte enchantée (La)** (1791). Mozart (liv. all. Emmanuel Schikaneder). **Force du destin (La)** (1862). Verdi (liv. it. Francesco Piave). **Freischütz (Der)** (1821). Weber (liv. all. J. Fr. Kind). **Gianni Schicchi** (1918). Puccini (liv. it. Gioacchino Forzano). **Grand Macabre (Le)** (1978). Ligeti (liv. all. M. Meschke et G. Ligeti). **Guercœur** (1900). Albéric Magnard (liv. fr. Magnard). **Guerre et paix** (1944). Prokofiev (liv. russe Serge Prokofiev et Mira Mendelson d'après Tolstoï). **Guillaume Tell** (1829). Rossini (liv. fr. H. Bis et Jouy). **Gwendoline** (1893). Chabrier (liv. fr. Catulle Mendès).

Hänsel und Gretel (1894). Engelbert Humperdinck (liv. all. Adelheid Wette). Tiré du conte de Grimm. **Hary Janos** (1926). Kodaly (liv. hongrois Bela Paulini et Zsolt Harsanyi). **Hélène d'Égypte** (1928). Richard Strauss (liv. all. Hugo von Hofmannsthal). **Hernani** (1844). G. Verdi (liv. it. Francesco Maria Piave). Tiré de V. Hugo. **Hérodiade** (1884). Massenet (liv. fr. Millet et Grémont). **Heure espagnole (L')** (1911). Ravel (liv. fr. Franc-Nohain). **Hippolyte et Aricie** (1733). Rameau. **Huguenots (Les)** (1836). Meyerbeer (liv. fr. Scribe d'après Deschamps).

Idoménée (1781). Mozart (liv. it. G. B. Varesco). **Impresario (L')** (1786). Mozart (liv. all. Stephanie Le Jeune). **Indes galantes (Les)** (1735). Rameau (liv. fr. Fuzelier). **Iphigénie en Aulide** (1774). Gluck (liv. fr. du Rollet). (1788). Cherubini (liv. it. Moretti). **Iphigénie en Tauride** (1779). Gluck (liv. fr. Guillard) (1781). Piccinni (liv. fr. A. du C. Dubreuil). Tiré d'Euripide. **Italienne à Alger (L')** (1913). Rossini (liv. it. A. Anelli). **Ivan Soussanine (la Vie pour le tsar)** (1836). Glinka (liv. russe Rosen).

Jenufa (1904). Janacek (liv. tch. inspiré de G. Preisova). **Jeune Lord (Le)** (1964). H.W. Henze (liv. all. I. Bachmann d'après W. Hauff). **Joconde (La)** (1876). Ponchielli (liv. it. Arrigo Boito). Tiré d'une pièce de V. Hugo *Angelo, tyran de Padoue.* **Jolie Fille de Perth (La)** (1867). Bizet (liv. fr. St-Georges et Adenis d'après Walter Scott). **Jour de paix** (1938). Richard Strauss (liv. all. Hugo von Hofmannsthal).

Joyeuses Commères de Windsor (Les) (1849). Nicolaï (liv. all. Mosenthal d'après Shakespeare). **Juive (La)** (1835). Halévy (liv. fr. Scribe). **Jules César** (1724). Haendel (liv. it. Nicola Haym).

Katia Kabanova (1921). Janáček (liv. tchèque Cervinka d'après *l'Orage* d'Ostrovski). **Khovanchtchina (La)** (1886). Moussorgski, achevé par Rimski-Korsakov (liv. russe Moussorgski et Vl. Stassov). **Kitège** (1907). Rimski-Korsakov (liv. russe V. Bielski).

Lady Macbeth de Mtsensk (1934). Dimitri Chostakovitch (liv. russe A. Preis et Dimitri Chostakovitch). **Lakmé** (1883). Léo Delibes (liv. fr. Gondinet et Gilles). Tiré du *Mariage de Loti* de Pierre Loti. **Lear** (1964). A Reimann (liv. all. Claus H. Henneberg d'après Shakespeare). **Lohengrin** (1850). Wagner (liv. all. Wagner). Tiré du *Chevalier au cygne* de C. von Würzburg. **Louise** (1900). Charpentier (liv. fr. Charpentier). **Lucie de Lammermoor** (1835). Donizetti (liv. it. Salvatore Cammarano). Tiré de la *Fiancée de Lammermoor* de Walter Scott. **Luisa Miller** (1849). Verdi (liv. it. Cammarano). **Lulu** (1937). Berg (liv. all. Berg). D'après *l'Esprit de la terre* et *la Boîte de Pandore* de Wedekind.

Macbeth (1847). Verdi (liv. it. Francesco Piave). Tiré de *Macbeth* de Shakespeare. **Madame Butterfly** (1904). G. Puccini (liv. it. Giuseppe Giacosa et Luigi Illica). Tiré de Belasco. **Madame Chrysanthème** (1893). Messager. **Maître de Chapelle (Le).** Paër (1821) (liv. Sophie Gay). Tiré de la comédie d'Alex Duval, *le Souper imprévu.* **Maîtres chanteurs (Les)** (1868). Wagner (liv. all. de Wagner). **Manon** (1884). Jules Massenet (liv. fr. Henri Meilhac et Philippe Gille). Tiré du roman de l'abbé Prévost. **Manon Lescaut** (1893). Giacomo Puccini (Leoncavallo, Praga, Oliva, Illica, Giacosa). **Mariage secret (Le)** (1792). Cimarosa (liv. it. Giovanni Bertati). Tiré d'une comédie anglaise de George Colman. **Mariage de Télémaque (Le)** (1910). C. Terrasse. **Marouf** (1914). Rabaud (liv. fr. Lucien Népoty d'après *Les Mille et Une Nuits*). **Martha** (1847). Friedrich von Flotow (liv. all. W. Friedrich). Tiré du ballet *Lady Henriette ou la Servante,* de Greenwich de St-George. **Mathis le peintre** (1934). Hindemith (liv. all. id.). **Médée** (1793). Cherubini (liv. fr. F.B. Hoffmann). **Médium (Le)** (1946). Menotti (liv. angl. id.). **Mefistofele** (1868). Arrigo Boito (liv. fr. d'Arrigo Boito). **Mignon** (1866). Ambroise Thomas (liv. fr. M. Carré et J. Barbier). D'après Goethe. **Midsummer Marriage (The)** (1955). Michael Tippett (liv. angl. Tippett). **Mireille** (1864). Ch. Gounod (liv. fr. inspiré de Mistral). **Mithridate, roi du Pont** (1770). Mozart (liv. it. Cigna-Santi). **Moïse et Aaron** (1957). Schönberg (liv. all. d'après *la Bible*). **Monde de la Lune (Le)** (1787). Haydn (liv. it. Carlo Goldoni). **Mort à Venise** (1973) Britten (livret angl. de Myfanwy Piper d'après Thomas Mann). **Muette de Portici (La)** (1828). Auber (liv. fr. Scribe et Delavigne).

Nabucco (1842). Verdi (liv. it. T. Solera). **Noces de Figaro (Les)** (1786). Mozart (liv. it. Lorenzo Da Ponte). Tiré du *Mariage de Figaro,* de Beaumarchais. **Norma** (1831). Bellini (liv. it. Felice Romani). Tiré de la pièce *Norma,* de Louis Soumet. **Nuit de mai (La)** (1880). Rimski-Korsakov (liv. russe d'après Gogol).

Obéron (1826). Weber (liv. angl. d'après Planché). Tiré de Wieland. **Œdipe** (1936). Enesco (liv. fr. Edmond Fleg d'après Sophocle). **Œdipus Rex** (1927). Stravinski (liv. latin de Cocteau traduit par Jean Daniélou). **Or du Rhin (L')** (1869). R. Wagner (liv. all. id.). **Orfeo** (1607). Monteverdi (liv. it. A. Striggio). **Orphée et Eurydice** (1762). Gluck (liv. it. Calzabigi). Tiré de la mythologie grecque. **Otello** (1887). Verdi (liv. it. Arrigo Boito). Tiré d'*Othello,* de Shakespeare.

Paillasse (1892). Leoncavallo (liv. it. id.). **Palestrina** (1917). Pfitzner (liv. all.). **Paradis perdu (Le)** (1978). Penderecki (liv. angl. Christopher Fry). **Parsifal** (1882). Wagner (liv. all. Wagner). Tiré de 2 légendes : *Contes du Graal* de Chrét. de Troyes, *Parsifal* de W. von Eschenbach. **Pêcheurs de perles (Les)** (1862-63). Bizet (liv. fr. Cormon et Carré). **Pelléas et Mélisande** (1902). Claude Debussy (liv. fr. M. Maeterlinck). **Pénélope** (1913). G. Fauré (liv. fr. René Fauchois). **Peter Grimes** (1945). Benjamin Britten (liv. angl. Montagu Slater). Tiré du poème *The Borough,* de G. Crabbe. **Petite Renarde rusée (La)** (1924). Leoš Janáček (liv. tch. Janáček d'après des nouvelles de Tesnohlidek). **Platée** (1749). Rameau (liv. fr. J. Autreau et A.J. Le Vallois d'Orville). **Porgy and Bess** (1935). George Gershwin (liv. angl. DuBose, Heyward et Ira Gershwin). Tiré de la pièce *Porgy,* de Dubose et D. Heyward. **Prince Igor (Le)** (1890). Borodine (liv. russe id.). Tiré de Stassov. **Prisonnier (Le)** (1948). Dallapiccola (liv. it. d'après Villiers de L'Isle-Adam et Ch. Coster). **Prophète (Le)** (1849). Meyerbeer (liv. fr. Scribe). **Puritains (Les)** (1835). Bellini (liv. it. Carlo Popoli).

Quelques records

Œuvres les plus jouées en France (représentations en 1982-83, en province). **Opéras :** Cosi Fan Tutte 30, Madame Butterfly 29, Faust 26, Roméo et Juliette 21, La Clémence de Titus 18, La Vie de bohème 18, La Petite Renarde rusée 15, Le Barbier de Séville 15. **Opérettes :** La Veuve joyeuse 60, West Side Story 60, Valses de Vienne 57, La Belle Hélène 39, Le Pays du sourire 37, L'Auberge du cheval blanc 37, Le Chanteur de Mexico 30, La Vie parisienne 29, La Belle de Cadix 26, La Mascotte 26, Balalaïka 25, La Fille du tambour-major 24.

Œuvres les plus jouées à Londres (Covent Garden). *Carmen* (27-6-1882) : 468 représentants. *La Bohème* (2-10-1897) : 462. *Aïda* (22-6-1876) : 446. *Faust* (18-7-1863) : 428. *Rigoletto* (14-5-1853) : 402. *Don Giovanni* (17-4-1834) : 365. *Norma* (12-7-1833) : 353. *La Traviata* 25-5-1858) : 339. *Tosca* (12-7-1900) : 331. *Madame Butterfly* (10-7-1905) : 325.

Opéras les plus longs. *Les Maîtres chanteurs de Nuremberg* (R. Wagner), 5 h 15 mn. *Les Hérétiques* de Gabriel von Wayditch (Hongro-Américain), orchestré pour 110 instruments, 8 h 30 mn. Le *Guillaume Tell* de Rossini durerait 7 h s'il était donné intégralement. **Plus long solo d'opéra.** Immolation de Brünnhilde dans *le Crépuscule des dieux* (R. Wagner), 15 mn. **La plus jeune chanteuse d'opéra.** Jeanette Gloria La Bianca (n. 12-5-1934) interprétait Rosine dans *le Barbier de Séville* à 15 ans et 361 jours. **Le plus âgé.** Lucien Fugère (1848-1935), baryton, créateur, à l'Opéra-Comique en 1890, du rôle du duc de Longueville dans *La Basoche* (Messager), n'abandonna ce rôle qu'à 83 ans.

Rake's Progress (The) (1951). Stravinski (liv. angl. Auder et Chester Kallman). Tiré de William Hogarth. **Richard Cœur de Lion** (1784). Grétry (liv. fr. Sedaine). **Rienzi** (1842). Wagner (liv. all. Wagner). **Rigoletto** (1851). Verdi (liv. it. Francesco Maria Piave). Tiré du *Roi s'amuse,* de V. Hugo. **Robert le Diable** (1831). Meyerbeer (liv. fr. Scribe et Delavigne). **Roi d'Ys (Le)** (1888). Lalo (liv. fr. Éd. Blau). **Roi malgré lui (Le)** (1887). Chabrier (liv. fr. Najac et Burani). **Roméo et Juliette** (1867). Gounod (liv. fr. Barbier et Carré). D'après Shakespeare. **Rondine (La)** (1917). Puccini (liv. it. Adami). **Rossignol (Le)** (1914). Stravinski (d'après Andersen). **Russalka** (1901). Antonín Dvořák (liv. J. Kvapil).

Sadko (1898). Rimski-Korsakov (liv. russe Rimski-Korsakov et Bielski). **Saint François d'Assise** (1983). Olivier Messiaen (liv. fr. Messiaen d'après saint François). **Sainte de Bleecker Street (La)** (1954). Menotti (liv. angl. Menotti). **Salamine** (1929). Emmanuel (liv. fr. Reinach). **Salomé** (1905). Richard Strauss (liv. all. H. Lachmann). Traduit d'Oscar Wilde. **Samson et Dalila** (1877). Camille Saint-Saëns (liv. fr. Ferdinand Lemaire). **Schwanda le joueur de cornemuse** (1927). Jaromir Weinberger (liv. tch. M. Kares). **Sémiramis** (1823). Rossini (liv. it. G. Rossi d'après Voltaire). **Servante maîtresse (La)** (1733). Pergolèse (liv. it. Federico). **Servante maîtresse (La)** (1781). Paisiello (liv. it. G.A. Federico). **Siegfried** (1876). Wagner (liv. all. Wagner). **Sigurd** (1884). Reyer (liv. fr. d'après des *Eddas* scandinaves). **Simon Boccanegra** (1857). Verdi (liv. it. Fr. Piave). Tiré d'une pièce de A.-G. Gutierrez. **Soldats (Les)** (1965). B.A. Zimmermann (liv. all. d'après la pièce de J.M. Lenz). **Somnambule (La)** (1831). Bellini (liv. it. Felice Romani).

Tabarro (Il) (La Houppelande, 1918). Puccini (liv. it. Adami d'après Didier Gold). **Tannhäuser** (1845). Wagner (liv. all. id.). **Tosca (La)** (1900). Puccini (liv. it. L. Illica et G. Giacosa). Tiré de V. Sardou. **Tour d'écrou (Le)** (1954). Britten (liv. anglais Myfanwy Piper d'après Henry James). **Traviata (La)** (1853). Verdi (liv. it. Fr. M. Piave). Tiré de *la Dame aux camélias,* d'A. Dumas fils. **Tristan et Isolde** (1865). Wagner (liv. all. id.). **Trouvère (Le)** (1853). Verdi (liv. it. Salvatore Cammarano). **Troyens (Les)** (1863-90). Berlioz (liv. fr. id.). Tiré de l'*Énéide* de Virgile. **Tsar Saltan (Le)** (1900). Rimski-Korsakov (liv. russe Bielski). **Turandot** (1926). Puccini (liv. it. Adami et Simoni). Tiré d'une fable de Carlo Gozzi.

Ulysse (1968). Dallapiccola (liv. it. d'après Homère).

Vaisseau fantôme (Le) (1843). Wagner (liv. all. Wagner). Tiré des *Mémoires de Herr von Schnabelewopski* de Heine. **Vanessa** (1958). Samuel Barber (liv. angl. Menotti). **Vêpres siciliennes (Les)** (1855). Verdi (liv. fr. Scribe et Duveyrier). **Vestale (La)** (1807). Spontini (liv. fr. Jouy). **Vie brève (La)** (1905). Manuel de Falla (liv. esp. Carlos Fern. Shaw). **Ville morte (La)** (1920). Korngold (liv. all. de Paul Schott). Tiré de la nouvelle de G. Rodenbach *Bruges la morte.* **Viol de Lucrèce (Le)** (1946). Britten (liv. anglais Ronald Duncan). **Vol de nuit** (1939). Dallapiccola (liv. it. d'après St-Exupéry). **Voyages de Monsieur Brouček (Les)** (1917). Leoš Janáček (liv. tch. Janáček et Procházka).

Walkyrie (La) (1870). Wagner (liv. all. id.). **Werther** (1893). Massenet (liv. fr. Blau, Millet et Hartmann). Tiré de Goethe. **Wozzeck** (1925). Alban Berg (liv. all. id.). Tiré d'une tragédie de Georg Büchner.

Yolantha (1892). Tchaïkovski (liv. russe Modeste Tchaïkovski d'après *La Fille du roi René* de Henrik Hertz).

Opérettes et comédies musicales célèbres

A la Jamaïque (1955). F. Lopez. **Amants de Venise (Les)** (1953). V. Scotto. **Amour masqué (L')** (1923). A. Messager. **Amours de Don Juan (Les)** (1955). J. Morata. **Andalousie** (1947). F. Lopez. **Annie du Far-West** (1946). I. Berlin. **Auberge du Cheval-Blanc (L')** (1930). R. Benatzky. **Au pays du soleil** (1932). V. Scotto. **Aventures du roi Pausole (Les)** (1930). A. Honegger. **Balalaïka** (1936). G. Postford, B. Grün. **Barbe-Bleue** (1866). J. Offenbach. **Baron tzigane (Le)** (1885). J. Strauss. **Barnum** (1980). C. Coleman. **Basoche (La)** (1890). A. Messager. **Belle Arabelle (La)** (1956). G. Lafarge, P. Philippe. **Belle de Cadix (La)** (1945). F. Lopez. **Belle Hélène (La)** (1864). J. Offenbach. **Boccace** (1879). F. von Suppé. **Brigands (Les)** (1869). J. Offenbach. **Brummel** (1931). R. Hahn. **Cabaret** (1966). J. Kander (Lyon, 1986 ; Paris, Th. Mogador, 1987). **Cancan** (1953). C. Porter. **Cats** [Londres, 1971 ; Paris (15-1-1989)]. Andrew Lloyd Webber. **Cent Vierges (Les)** (1872). C. Lecocq. **Chanson d'amour** (1916). F. Schubert, H. Berté. **Chansons de Bilitis (Les)** (1954). J. Kosma. **Chanson gitane** (1946). M. Yvain. **Chanteur de Mexico (Le)** (1951). F. Lopez. **Chapeau de paille d'Italie (Un)** (1966). G. Lafarge et A. Grassi. **Chaste Suzanne (La)** (1910). J. Gilbert. **Chauve-souris (La)** (1874). J. Strauss Jr (liv. all. Carl Haffner et Richard Genée). Tiré d'une comédie franç. : *le Réveillon.* **Chilpéric** (1868). Hervé. **Ciboulette** (1923). R. Hahn. **Cloches de Corneville (Les)** (1877). R. Planquette. **Comte de Luxembourg (Le)** (1909). F. Lehár. **Coups de roulis** (1928). A. Messager.

Danseuse aux étoiles (La) (1950). V. Scotto. **Dédé** (1921). H. Christiné. **Divorcée (La)** (1908). L. Fall. **Dragons de l'Impératrice (Les)** (1905). A. Messager. **Éducation manquée (Une)** (1879). E. Chabrier. **Étoile (L')** (1877). Chabrier. **Evita** (Londres, 1978, Paris, 1989). Webber. **Fanfan la Tulipe** (1882). L. Varney. **Fatinitza** (1875). F. von Suppé. **Fille de Madame Angot (La)** (1872). C. Lecocq. **Fille du tambour-major (La)** (1879). J. Offenbach. **Fortunio** (1907). A. Messager. **Fragonard** (1933). G. Pierné. **Frederique** (1928). F. Lehár. **Geisha (La)** (1896). S. Jones. **Gipsy** (1971). F. Lopez. **Giroflé-Girofla** (1874). C. Lecocq. **Gondolier (Le)** (1889). A. Sullivan. **Grand Mogol (Le)** (1877). E. Audran. **Grande-Duchesse de Gerolstein (La)** (1867). J. Offenbach. **Hair** (1969). G. Mac Dermot. **Hans, le joueur de flûte** (1906). L. Ganne. **Hello Dolly** (1964). J. Herman. **Homme de la Mancha (L')** (1968). F. Leigh. **Il faut marier maman** (1950). G. Lafarge. **Irma la douce** (1956). M. Monnot. **Jésus-Christ Super Star** (Londres, 1971 ; Paris, 1972). Webber. **Kiss me, Kate** (1948). C. Porter. **Là-haut** (1923). M. Yvain. **Lulu** (1927). P. Parès et G. Van Parys.

Malvina (1935). R. Hahn. **Mam'zelle Nitouche** (1883). Hervé. **Mascotte (La)** (1880). E. Audran. **Mayflower** (1975). E. Charden. **Méditerranée** (1955) F. Lopez. **Mélodie du bonheur (La)** (1959). R. Rodgers. **Michel Strogoff** (1964). J. Ledru. **Mikado (Le)** (1885). A. Sullivan. **Miss Helyett** (1890). E. Audran. **Mississippi** v. Show Boat. **Moineau** (1931). L. Beydts. **Monsieur Beaucaire** (1918). A. Messager. **Monsieur Carnaval** (1965). Ch. Aznavour. **Monsieur de La Palisse** (1904). C. Terrasse. **Mousquetaires au couvent (Les)** (1880). Varney. **Mozart** (1925). R. Hahn. **My Fair Lady** (1956). F. Loewe. **Naples au baiser de feu** (1957). R. Rascel. **Napoléon** (1984). Y. Gilbert. **Nina-Rosa** (1930). S. Romberg. **Nini la chance** (1976). G. Liferman. **No, no, Nanette** (1924). V. Youmans. **Nuit à Venise (Une)** (1883). J. Strauss

Jr. **Œil crevé (L')** (1867). Hervé. **Oiseleur (L')** (1891). C. Zeller. **Oklahoma** (1943). R. Rodgers. **Opéra de 4 sous (L')** (1928). Kurt Weill. **Orphée aux Enfers** (1858). J. Offenbach. **Paganini** (1925). F. Lehár. **Pas sur la bouche** (1925). M. Yvain. **Pays du sourire (Le)** (1929). F. Lehár. **Périchole (La)** (1868). J. Offenbach. **Petit Duc (Le)** (1878). C. Lecocq. **Petit Faust (Le)** (1869). Hervé. **Petites Cardinal (Les)** (1938). A. Honegger, J. Ibert. **Phi-Phi** (1918). H. Christiné. **Polka des lampions (La)** (1961). G. Calvi. **Poupée (La)** (1896). E. Audran. **Pour Don Carlos** (1950). F. Lopez. **Prince de Madrid (Le)** (1967). F. Lopez. **Princesse Csardas** (1915). E. Kalmann. **Princesse Dollar** (1907). Leo Fall. **P'tites Michu (Les)** (1897). A. Messager.

Rêve de valse (1907). O. Straus. **Révolution française (La)** (1973). C.M. Schönberg. **Rip** (1884). R. Planquette. **Rose-Marie** (1924). R. Friml et H. Stothart. **Route fleurie (La)** (1952). F. Lopez. **Saltimbanques (Les)** (1899). L. Ganne. **Show Boat** (1927). J. Kern. **Sidonie Panache** (1930). J. Szulc. **Sire de Vergy (Le)** (1903). C. Terrasse. **South Pacific** (1949). R. Rodgers. **Starmania** (Paris, 1979). Michel Berger. **Ta bouche** (1922). M. Yvain. **Timbale d'argent (La)** (1872). L. Vasseur. **Travaux d'Hercule (Les)** (1901). C. Terrasse. **Trois Jeunes Filles nues** (1925). R. Moretti. **Trois Valses** (1935). O. Straus. **Troublez-moi** (1924). R. Moretti. **Tzarevitch (Le)** (1927). F. Lehár. **Valses de Vienne** (1933). J. Strauss père et fils. **Véronique** (1898). A. Messager. **Veuve joyeuse (La)** (1905). F. Lehár (liv. all. de Viktor Léon et Léo Stein), tiré d'une comédie fr. de Meilhac : *Attaché d'ambassade* (1861). **Vienne chante et danse** (1967). J. Ledru et J. Strauss. **Vie parisienne (La)** (1866). J. Offenbach. **Violettes impériales** (1948). V. Scotto. **Violon sur le toit (Un)** (1969). J. Bock. **Voyage dans la Lune (Le)** (1875). J. Offenbach. **West Side Story** (1957). L. Bernstein.

42nd Street (1980). Harry Warren.

Quelques statistiques sur la musique en France

☞ 5 millions de Français pratiquent la musique, en chœur ou en solo (dont 50 % des 15-19 ans). Il y a environ 8 000 chorales, 5 000 fanfares et 25 000 groupes de rock. Plus de 13 500 000 instruments sont vendus chaque saison, le chiffre d'affaires global atteint 2 milliards de F, 10 000 personnes en vivent mais 80 % des ventes sont des produits importés. Notre balance commerciale est déficitaire : en 1984, la France a exporté 209 millions de F d'instruments de musique, mais en a importé pour 618 millions de F. Voir p. 451 a.

S.A.C.E.M. (Société des auteurs, compositeurs et éditeurs de musique)

Fondée 1851 par Ernest Bourget, auteur du « Sire de Framboisy » (sur une musique de Laurent de Rillé), défend les intérêts juridiques et économiques des auteurs, compositeurs et éditeurs de musique, autorise et contrôle l'utilisation de leurs œuvres en France, perçoit et répartit les droits d'auteur. Représente aussi en France le répertoire de 73 pays, avec lesquels elle a conclu des accords de réciprocité.

Statistiques (1989). **Sociétaires** 63 716. **Œuvres déposées :** 137 932 dont 70 965 françaises (15 052 éditées) et 66 967 étrangères sous-éditées. **Œuvres françaises** (1989) : 17 904 chansons (dont 7 854 éditées), 13 488 œuvres instrumentales (dont 7 709 éditées), 1 035 poèmes (dont 28 édités), 4 058 sketches et monologues (dont 478 édités), 2 655 œuvres de musique de chambre, symphoniques, électroacoustiques (dont 852 éditées), etc. **Titres gérés :** + de 6 000 000. **Œuvres utilisées en France dans le circuit de diffusion publique** (1989) : 382 984 titres différents. **Œuvres ayant fait l'objet d'une reproduction sonore ou visuelle** (1989) : 163 969. **Montant global des droits perçus par la SACEM et la S.D.R.M.** (Sté pour l'administration du droit de reproduction mécanique) (en millions de F, 1989) : 2 367. **Sommes reçues de Stés étrangères** (All. féd., Belg., Japon, Ital., U.S.A., etc.) (1989) : 306,3 ; **sommes versées à ces Stés :** 252,5 ; **sommes réparties aux comptes des sociétaires :** 1 660.

Origines des droits (1989, en millions de F) : médias audiovisuels (télévisions et radios du service public et du secteur privé) : 664,2 ; **diffusion publique de musique enregistrée** (bals avec disques, discothèques, sonorisations) : 545,4 ; **phonogrammes et vidéogrammes** (copie privée, vidéo, disques et cassettes) : 575,5 ; **étranger :** 306,3 ; **spectacle vivant** (bals avec orchestres, tournées, spectacles, concerts, galas) : 205,3 ; **cinémas :** 51,9.

Œuvres différentes exploitées env. 500 000 dont 54 % d'origine française. **Comptes crédités à la SACEM :** 25 636 sociétaires ont reçu des droits dont 18 940 auteurs et compositeurs vivants. Parmi eux : 8 à 9 % reçoivent une rémunération dépassant le seuil annuel du SMIC (pourcentage à peu près identique, en France, pour les autres catégories de créateurs d'œuvres littéraires, cinématographiques, théâtrales, graphiques et plastiques).

Fonds. Proviennent de retenues statutaires sur les droits à répartir et de la rémunération pour copie privée, assurent des fonctions d'ordre social et culturel. **Action sociale.** 2 fonds (prévoyance et solidarité) viennent en aide à 1 550 sociétaires âgés de + de 55 ans et à des auteurs malades, accidentés ou en difficulté. **Action culturelle.** 34 millions de F (1989). *Aide à la création et à la production :* 5 fonds de valorisation pour 500 créateurs et éditeurs de musique contemporaine, 100 poètes, financement d'œuvres de musique d'aujourd'hui (coll. de disques « musique française d'aujourd'hui » lancée à l'initiative du ministère de la Culture et de la SACEM, + de 100 enregistrements). *Diffusion du spectacle vivant :* soutient env. 300 festivals, associations, concours, ensembles et orchestres, organisateurs de concerts, petites salles. *Formation d'artistes :* cofinance, avec le ministère de la Culture, le Studio des Variétés (1983), soutient l'école d'Alice Dona, les réseaux du Printemps de Bourges, organisation d'ateliers (chanson, rock, travail en studio), favorise l'insertion professionnelle de jeunes artistes, attribution de bourses aux élèves de conservatoires et écoles de musique.

Centre de documentation de la musique contemporaine : créé par la SACEM, la Direction de la musique et de la danse, le ministère de la Culture et Radio France. Phonothèque, partothèque, permet la consultation de + de 3 000 œuvres, catalogues informatisés, intermédiaire entre créateurs et interprètes, facilite les rapports des musiciens avec les différents organismes producteurs ou diffuseurs de musique d'aujourd'hui.

Fondation SACEM : soutient la musique sous toutes ses formes (classique, rock, chanson, jazz, contemporaine, musique de film).

Rôle d'information : colloques, congrès, rencontres de créateurs, articles de presse, brochures [2 périodiques : Revue internationale du droit d'auteur, bulletin « Notes »]. **Adresse :** 225, av. Charles-de-Gaulle 92521 Neuilly-sur-Seine Cedex.

Nota. – Depuis 1965, la SACEM possède un dictionnaire musical (650 000 fiches, 12 000 œuvres musicales y entrent chaque année) permettant de vérifier l'originalité des œuvres déposées et de retrouver des antériorités (en cas de réclamations). On compte, pour la France, 225 chansons fr. et adaptations ayant pour titre « je t'aime » et 154 publiées sous le label « Vivre ».

Enseignement

Associations éducatives

Jeunesses musicales de France (J.M.F.). 20, rue Geoffroy-l'Asnier 75004 Paris. *Fondées* en 1941 par René Nicoly (1907-71). *Pt :* Jean-Loup Tournier, *Dr. :* Robert Berthier. *Saison 1990 :* 4 000 concerts publics et scolaires, 133 tournées, 632 animations à Paris, 498 délégations locales.

Musicoliers. 58, rue de Saussure, 75017 Paris. *Fondés* en 1966 par Philippe Gondamin et Léon Barzin. *Pt :* Denis Papee. *Dir. :* Denise Blanc, Catherine Santin. Ont instruit 25 000 enfants en 1989-90 en Ile-de-Fr. Animations en milieu scolaire, périscolaire et hospitalier.

Musigrains. 11, rue St-Louis-en-l'Ile, 75004 Paris. *Fondés* en 1939 par Germaine Arbeau-Bonnefoy. Concerts éducatifs pour jeunes de 7 à 12 ans (1 h de musique commentée et illustrée de diapos.).

Fédér. nat. des Centres musicaux ruraux. 2, place du Gal-Leclerc, 94130 Nogent-sur-Marne. *Fondée* en 1948 par Émile Demais. *Pt :* Francis Lartigau. *Pt du Directoire :* Maurice Pic. 300 éducateurs musicaux, 5 000 h. hebdo. d'ens., 24 000 journées classes Musiflore. 500 concerts, 17 000 journées vacances. 700 villes et villages adhérents. Formation professionnelle d'éducateurs musicaux.

Établissements d'enseignement musical

• **Conservatoire national supérieur de musique de Paris** (209, avenue Jean-Jaurès, 75019 Paris). *Dir. :* Alain Louvier. *Origine : 1792.* Bernard Sarrette (1765-1858) fonde l'École de musique de la garde nationale parisienne à partir du noyau de musiciens et élèves du dépôt des Gardes françaises qu'il avait réunis et armés aux Invalides le 14-7-1789. *1795,* Institut national de musique puis, par décret de la Convention du 16 thermidor, an III (3-8-1795) Conservatoire de musique avec intégration dans le corps professoral des prof. de l'École royale de chant créée par le Roi en 1784. *1816,* École royale de musique. *1831,* Conservatoire nat. de musique et de déclamation. *1909-11,* l'école quitte l'hôtel des Menus-Plaisirs du Roi, rue du Faubourg-Poissonnière (entrée actuelle : 2, rue du Conservatoire) pour des locaux plus grands mis sous séquestre de l'École St-Ignace (tenue par les Jésuites), rue de Madrid. *1946,* les classes d'art dramatique sont séparées et forment le Conservatoire nat. d'art dramatique (2, rue du Conservatoire). *1957,* Conservatoire nat. supérieur de musique de Paris. *1990* (sept.) installation à La Villette (cité de la musique). *Originalité :* établissement public d'enseignement supérieur de la musique et de la danse. *Admission :* par concours avec limites d'âge variables selon disciplines. *Disciplines enseignées :* composition, orchestration, écriture, orgue, direction de chant, accompagnement au piano, direction d'orchestre, analyse, esthétique, histoire de la musique, préparation au professorat de musique, piano, clavecin, harpe, guitare, violon, alto, violoncelle, contrebasse, flûte, hautbois, clarinette, saxophone, basson, cor, trompette, cornet, trombone, tuba-saxhorn, percussion, musique de chambre, chant, art lyrique, opérette et comédie musicale, danse classique, danse contemporaine, musique ancienne (interprétation de la musique vocale, viole de gambe, violoncelle et flûte traversière baroque), ondes Martenot, pédagogie, techniciens sup. des métiers du son. *Durée de scolarité* (minimale et, entre parenthèses, maximale en années), exemple : Fugue 1 an (3 ans). Disciplines instrumentales 3 (5). Accompagnement au piano 2 (4). Orgue exécution 3 (4), Orgue improvisation 2 (3). Direction d'orchestre 3 (5). Analyse 3. Esthétique 3 (4). Préparation au C.A. 1 (2). *Diplômes* selon les cas : Prix, Accessit. *Effectifs* (1989-90) 1 095. *Diplôme.* 1 143 (642 garçons, 501 filles). Adm. sur C. 328 sur 2 699 candidats. Inscription 300 F. Immatriculation : 600 F. S. S. 750 F.

Conservatoire national supérieur de musique de Lyon (3, quai Chauveau, 69266 Lyon Cedex 09). *Créé* 1979 par Pierre Cochereau. *Successeur :* Gilbert Amy. *Effectifs (1990-91) :* 389 étudiants [ad. sur conc. 1 126 inscrits, admis 113]. *Études :* entre 3 et 4 ans. *Disciplines enseignées :* violon, alto, violoncelle, contrebasse, flûte, hautbois, clarinette, basson, basson allemand, cor, trompette, trombone, tuba, piano, harpe, percussions, clavecin, direction de chœurs, technique musicale du XXe siècle, écriture, accompagnement vocal et instrumental, chant, direction de chant, orgue, danse, musique ancienne, électroacoustique, informatique musicale. *Diplômes :* DNÉSM (Diplôme national d'études supérieures musicales). DNESC (D. N. d'É. S. chorégraphiques). *Inscription* (concours d'entrée) : 150 F. *Droit d'immatriculation annuel :* 715 F.

Conservatoires nationaux de région. Établissements municipaux financés par les collectivités locales et par l'État. *Effectifs 1981-82 :* 44 900 élèves. Conservatoires (rentrée 1989) : 31 : Amiens, Aubervilliers, La Courneuve, Besançon, Bordeaux, Boulogne-sur-Seine, Caen, Clermont-Ferrand, Dijon, Douai, Grenoble, Lille, Limoges, Lyon, Marseille, Metz, Montpellier, Nancy, Nantes, Nice, Paris, Poitiers, Reims, Rennes, Rueil-Malmaison, Rouen, St-Maur, Strasbourg, Toulouse, Tours, Versailles.

Écoles nationales de musique. 20 ou 24 disciplines. Département traditionnel et facultativement département à horaires aménagés.

Lieux ayant une école en 1990 : 103 : Agen, Aix-en-Provence, Alençon, Alpes de Hte-Provence, Angoulême, Annecy, Arras, Aulnay-sous-Bois, Avignon, Bayonne, Beauvais, Belfort, Blanc-Mesnil, Blois, Bobigny, Boulogne-sur-Mer, Bourg-la-Reine-Sceaux, Bourges, Bourgoin-Jallieu, Brest, Brive, Cachan, Calais, Cambrai, Cergy-Pontoise, Chalon-sur-S., Chambéry, Charleville-Mézières, Chartres, Châteauroux, Châtellerault, Cholet, Colmar, Corse, Créteil, École départementale de la Creuse, Dieppe, Dole, Dordogne, Épinal, Évreux, Évry, Fresnes, Gap, Gennevilliers, Grand-Couronne, École dép. de la Haute-Loire, Issy-les-Moulineaux, L'Hay-les-Roses, La Rochelle, La Roche-sur-Yon, Landes, Le Blanc-Mesnil, Le Havre, Le Mans, Le Raincy, Limoges, Lisieux, Lorient, Mâcon, Mantes-la-Jolie, Meudon, Montauban, Montbéliard, Montluçon, Montreuil, Mulhouse, Nevers, Nîmes, N.-D.-de-Gravenchon, Nouméa, Orléans, Orsay, Oyonnax, Pantin, Papeete, Pau, Perpignan, Poitiers, Romainville, Romans, Roubaix, St-Brieuc, St-Étienne, St-Germain-en-Laye, St-Omer, St-Nazaire, St-Quentin, Tarbes, Tarn (Castres), Thiers, Toulon, Tourcoing, Troyes, Tulle, Valence, Valenciennes, Val-Maubuée, Vannes, Vichy, Ville-d'Avray, Villeurbanne, Yerres. *Effectifs 1982-83* : 65 841 élèves.

Écoles municipales agréées. Agrément après inspection d'établissement et 2 disciplines obligatoirement enseignées : formation musicale et chant choral. *Nombre en 1990* : 185. *Effectifs 82-83* : 51 834 élèves.

Classes à horaires aménagés. Fonctionnent depuis 1966 dans certains lycées ou conservatoires de région. Associent l'enseign. général et musical (primaire au 1er cycle secondaire 6 h 30 de musique par sem. ; 2e cycle secondaire au bac. 10 à 11 h). *Diplômes* : bac F 11 (technicien musical) ou bac A 6 (phys. du son en option). *Débouchés* : U.F.R. de musique des universités, conservatoires supérieurs.

Préparation au baccalauréat musical de technicien F 11 (dans les C.N.R. et certaines E.N.M.). Classes de 2e, 1re, terminale (suite des précédentes) : 10 h d'enseignement musical, 15 h d'ens. général. La section A 6 comprend 3 h de musique par semaine.

Écoles privées. École normale de musique de Paris, Schola Cantorum, École César Franck, Conservatoire Serge Rachmaninov, École de musique Paul Beuscher, Conservatoires municipaux (1 par arrondissement à Paris), École Martenot.

Prix

Grand prix national de la musique. *1988* : François-Bernard Mâche. Jean-Claude Risset. *1990* : Jean-Claude Risset.

Grand prix musical de la Ville de Paris. Doté de 40 000 F, décerné chaque année à un compositeur français (ou ayant réalisé la majeure partie de son œuvre en France). **Lauréats.** *1968* : Alain Kremsky-Petitgirard. *69* : Daniel Lesur. *70* : Jean Rivier. *71* : Jacques Boigallais. *72* : Marcel Mihalovici. *73* : Serge Nigg. *74* : Henri Dutilleux. *75* : Claude Prey. *76* : André Boucourechliev. *77* : Germaine Tailleferre. *78* : Jacques Charpentier. *79* : Antoine Tisné. *80* : Claude Ballif. *81* : Betsy Jolas. *82* : Pierre Boulez. *83* : Maurice Ohana. *84* : Marius Constant. *85* : Olivier Messiaen. *86* : Gilbert Amy. *87* : Iannis Xenakis. *88* : Georges Aperghis. *89* : Jean-Louis Florentz. *90* : Philippe Hersant.

Grand Prix de Rome. Actuellement à durée variable (2 ans max.) de 1803 à 1969, par l'Académie de Fr. à Rome, et comprenant un séjour de 40 mois, avec traitement, à la villa Médicis.

Victoires de la musique 1991. *Artiste interprète masculin* : Michel Sardou. *Féminin* : Patricia Kaas. *Chanson* (auteur, compositeur et interprète) : Fais-moi une place (Julien Clerc). *Album* : Nickel (Alain Souchon). *Groupe* : Elmer Food Beat. *Humoriste* : Les Inconnus. *Album pour enfant* : la Petite Sirène (racontée par Nathalie Baye). *Musique de film* : Jean-Claude Petit (Cyrano de Bergerac). *Révélation masculine* : Art Mengo. *Féminine* : Liane Foly. *Spectacle musical* : Johnny Hallyday à Bercy. *Vidéo-clip* : Tandem (Vanessa Paradis). *Album francophone* : Roch Voisine. *Enregistrement de musique classique française* : intégrale de l'œuvre pour orchestre de Maurice Ravel interprétée par le Cleveland Orchestra et le New York Philharmonic dir. par Pierre Boulez. *Soliste ou petite formation de musique classique* : Régis Pasquier. *Création de musique contemporaine* : Marius Constant (4 concertos pour cor, orgue de Barbarie, saxophone, trombone, Justafré, Charial, Delangle, Becquet. *Découverte lyrique* : Martine Dupuy. *Hors concours : chanson la plus exportée* : Patricia Kaas. *Spectacle ayant eu le plus grand nombre de spectateurs* : Johnny Hallyday.

Grands Prix de la SACEM 1990. *Chanson* : Renaud (auteur-compositeur-interprète), Pierre Papiamandis (compositeur). *Édition musicale* : François Derveaux (Éditions Billaudot). *Humour* : Guy Bedos. *Jazz* : Maurice Vander. *Interprétation de musique française d'aujourd'hui* : Laurent Petitgirard. *Musique symphonique* : André Boucourechliev. *Audiovisuel* : Vladimir Cosma. *Poésie* : Alain Bosquet. *Médaille d'or de la communication musicale* : Jacques Rigaud.

Diffusion

Implantation : 21 délégués régionaux à la musique, 31 conservatoires nationaux de région, 16 orchestres de région, 13 théâtres lyriques municipaux, 5 cellules de création et de recherche (Bourges, Marseille, Metz, Issy-les-Moulineaux, Grenoble).

• **1°) Orchestres permanents.** *Orchestres A*, 65 à 120 musiciens, métropoles régionales, mission symphonique, lyrique et d'animation ; *O. B*, 45 à 60 mus., villes de – de 150 000 à 250 000 h., même mission, répertoire ne nécessitant pas un effectif important ; *O. C*, 12 à 40 mus., villes de – de 150 000 h. plus particulièrement musique de chambre.

• **2°) Formations missionnées.** En 1989. 35 formations (13 de musique classique, 22 de musique contemporaine).

Musique classique : 16 orchestres de chambre : Ens. instrum. Andrée Colson, O. de ch. Paul Kuentz, O. de ch. J.-Fr. Paillard, Ens. instrum. la Follia de Mulhouse, O. de ch. du Limousin, Ens. instrum. du Mans, Ens. instrum. de Provence, O. de ch. de Rouen, Ens. ad Artem, Centre national de musique de ch. d'Aquitaine, O. de ch. Bernard Thomas, la Grande Écurie et la Chambre du Roy, O. de ch. de Versailles, Alternance, Ens. instrum. Jean Walter Audoli, O. de ch. Antiqua Musica (dir. : Jacques Roussel). **3 quatuors :** Bernède, Arcana, Via Nova. *4 trios* : à cordes de Paris, Delta, Ars Antiqua, Ravel. **1 duo :** Duo Cantais-Collard. **1 ensemble vocal :** A sei Voci.

Musique contemporaine : 15 ensembles : 2E 2M, Itinéraire, Musique vivante, Percussions de Strasbourg, Quintette de cuivres Ars Nova, Trio Deslogères, Quatuor de flûtes Arcadie, Atelier musique de Ville-d'Avray, Studio III de Strasbourg, Octuor Edgar Varèse, Pro Mamoua, Collectif de musique contemporaine de l'Essonne, du Languedoc-Roussillon, Intervalles.

• **3°) Formations conventionnées. 8 classiques.** O. de ch. de Saint-Denis, Quintette à vent de Paris, Qu. Parrenin, Trio Debussy, Trio harpe, flûte et violoncelle de Paris, Qu. de saxophones Deffayet. **1 contemporaine.** Trio G.R.M. Plus. **5 groupes vocaux subventionnés.** Groupe vocal de France (*dir.* : Guy Reibel), La Chapelle royale (*dir.* : Philippe Herreweghe), le Chœur de ch. de l'O. de Lyon (Bernard Tetu), Ensemble vocal Michel Piquemal, Ens. vocal et instrumental « Les Arts Florissants » (William Christie).

• **4°) Contrats de mission en 1983. Chanson :** Ricet Barrier, groupe Indochine, Gérard Pierron. **Jazz :** Luis Fuentes, Jef Gilson, Yves Basselmann, groupe Imbroglio, Ivan Jullien, Bernard Lubat, Marvellous Band, Dominique Piffarelly et Eddy Louis, Tony Busso et Alain Batot.

• **5°) Festivals subventionnés. Nombre** *1980* : 104, *81* : 139, *82* : 145, *83* : 150. **Spectateurs** *1981* : 1 300 000, *82* : 1 350 000, *83* : 1 600 000.

• **6°) Fédérations subventionnées et (ou) conventionnées par le min. de la Culture. Musique populaire.** 48 fédérations et 6 000 sociétés musicales (harmonies, fanfares, orchestres divers, groupes folkloriques, chorales, chorégraphies, etc.). *Conf. musicale de France (C.M.F.)*, 21, rue La Fayette, 75010 Paris. *Conf. française des batteries et fanfares* (C.F.B.F.), 7, allée des Lauriers, 92420 Vaucresson. *Union des Fanfares de France (U.F.F.)*, B.P. 164, 75634 Paris Cedex 13. **Féd. chorales.** *Mouvement A Cœur Joie*, 8, rue de la Bourse, 69289 Lyon Cedex 1. *Union féd. française de musique sacrée* (U.F.F.S.), 6, avenue Vavin, 75006 Paris. *Féd. musique et chant du protestantisme français*, 58, rue Madame, 75006 Paris. **En milieu scolaire.** *Centres musicaux ruraux (C.M.R.)*, 2, place du Général-Leclerc, 94130 Nogent-sur-M. *Féd. nationale des Associations culturelles d'expansion musicale (F.N.A.C.E.M.)*, 2, rue Rossini, 75009 Paris. *Musicoliers*, 36, avenue Théophile-Gautier, 75016 Paris. **Diffusion musicale.** *Jeunesses musicales de France (J.M.F.)*, 14, rue François-Miron, 75004 Paris. **Pratique amateur chorales et instrumentales.** *Féd. musicale populaire (F.M.P.)*, 67, rue d'Amsterdam, 75018 Paris. *Association pour l'action musicale (A.S.P.A.M.)*, 4, allée Ariane, 77100 Meaux. *Féd. nat. des activités musicales (F.N.A.M.U.)*, 41, quai de la Loire, 75019 Paris. *Féd. nat. des foyers ruraux (E.N.F.R.)*, 1, rue Ste-Lucie, 75015 Paris. *Féd. sportive et culturelle de France*, 5, rue Cernuschi, 75017 Paris. *Ligue française de l'Enseignement et de l'Éducation permanente*, 3, rue Récamier, 75341 Paris Cedex 07. *Le Mouvement d'action musicale*, 45, rue de la Glacière, 75015 Paris.

Dépenses musicales

Budget de la musique et de la danse (1991) : 1,9 milliard de F, dont en % : diffusion et insertion professionnelle 60,28 ; enseignement, formation, développement et pratiques musicales 22,45 ; danse 8,33 ; création et musiques d'aujourd'hui 5,12 ; affaires générales 2,38 ; recherche audiovisuelle et métiers de la musique 1,45.

Prix des places (en F) : O. de Paris, opéras 40 à 420, ballets 25 à 230, galas 60 à 600 (– 50 % pour collectivités) ; fest. d'Aix-en-P. 40 à 350 ; chor. d'Orange 40 à 300 ; autres scènes 6 à 250.

Coût de montage d'un opéra. Environ 700 000 à 2 000 000 de F.

Crédits des établissements publics (1991) (en millions de F) : Opéras de Paris 524,7 ; Conservatoire National de Musique de Paris 43,15 ; de Lyon 47,87 ; Opéra Bastille (établissement constructeur) 51 ; École de danse de Nanterre 15,1. **Crédits d'intervention** (1991) : (subventions hors établissements publics) : 852,1. **Crédits déconcentrés :** 271,2.

Source : ministère de la Culture, Direction de la musique et de la danse.

Représentations. Nombre en province (1982-83) : *opéras* : 638 pour 105 ouvrages ; *opérettes* : 952 pour 76 ouvrages ; *ballets* : 703. *Total* : 2 293 pour 2 194 101 spectateurs (956 par représentation).

Groupes folkloriques

Fédération nationale des groupes folkloriques originaires des provinces françaises. 8, rue Voltaire, 75011 Paris. *Fondée* 1932. *Pt.* : Michel Leclere. Groupe 100 formations. Élit chaque année sa *« Payse de France »* et organise la Ronde des Provinces françaises, le plus important festival folklorique national.

Quelques groupes. Allobroge de Savoie, Alsace musicale (fondé 1932). Les Gens de la Mauldre au Rhin, Aire de Festa (catalans), 3 groupes Basque, Blaudes et Coeffes (1931 ; Normandie), Bourrée morvandelle, Cabrettaire, Cabrissou, Cardils du Périgord, Coupo Santo (Provence), Échassiers landais, Ensoulelhada (Languedoc, Gascogne), Estrambord (Provence), Gaichons et Diaichottes de Franche-Comté, Lou Gascoun (Midi-Pyrénées), 15 groupes d'Auvergne et du Massif central, 15 gr. de Haute et Basse-Bretagne, 6 gr. des Provinces d'Outre-Mer (Martinique, Guadeloupe, Guyane, Réunion), 2 gr. d'Ile-de-France, 6 gr. Limousins, Mélusine du Poitou, Nivernais-Morvan, Pastouriaux du Berry, Ronde provençale, Rose d'Anjou (1972), Saboteux de Bourgogne, etc.

Spectacles

Théâtre

Le théâtre dans le monde

Représentations (records)

Londres. *The Mousetrap* (la Souricière) d'Agatha Christie : 15 857 au 31-12-90 dont 8 862 à l'Ambassador (453 pl.) du 25-11-1952 au 23-3-1974 puis au St Martin's Th. *No Sex, Please ; We're British* d'Antony Marriott et Alistair Foot (juin 1971) : 6 761 (Garrick Th.). *The Black and White Minstrels Show* 6 464. *Oh ! Calcutta !* 3 918. *Me and my Girl* 3 368 (au 31-3-89). **Comédies musicales.** *Jesus Superstar* de Tim Rice (musique d'Andrew Lloyd Webber) : 3 357 du 9-8-1972 au 23-8-1980. *Grease :* 3 243. *Evita* (21-6-1978) : 3 109. *Hello Dolly* : 2 844.

Los Angeles (U.S.A.). *The Drunkard* (l'Ivrogne) par W. H. Smith, créée en 1843, reprise au Théâtre Mart tous les soirs du 6-7-1933 au 6-9-1953 et, en alternance avec une nouvelle adaptation musicale, du 7-9-1953 au 17-10-1959 : 9 477 représ., 3 000 000 de spectateurs.

New York (Broadway). **Pièces.** *A Chorus Line* (25-7-1975) de Michael Bennett (1943-87) : 6 000 représ. *42nd Street :* 3 486 (8-1-1989). **Comédies musicales.** *Grease :* 3 388 (1972-80). *Fiddler on the Roof :* 3 242 (1964/2-7-1972). *Life with Father,* à l'Empire : 3 224 (1939-47). *Tobacco Road :* 3 182 (1933-41). *Hello Dolly :* 2 844 (1964-70). **Revues.** *Hellzapoppin* (1938) 1 404, *Oh ! Calcutta !* (1969) 1 314.

Paris. La plus longue série de représentations : *la Cantatrice chauve* et *la Leçon* de Ionesco à la Huchette, ininterrompue dep. la reprise du 16-2-1957 (10 858 au 1-1-1990), 800 000 spectateurs (le théâtre a 90 places). « La Cantatrice » avait été créée le 11-5-1950, au th. des Noctambules, par la Compagnie Nicolas Bataille. « La Leçon », le 20-2-1951, au th. de Poche, par la Compagnie Marcel Cuvelier. *Boeing-Boeing* à l'affiche depuis 1960, *Lorsque l'enfant paraît* d'André Roussin (1 650) et *Patate* de Marcel Achard (2 255 au théâtre St-Georges) ont battu le record de *Monsieur de Falindor. Coluche* s'est produit 418 fois de déc. 1977 à juin 1979 (recettes 20 millions de F). *Thierry Le Luron* d'oct. 79 à mai 80 : 187 fois au théâtre Marigny (187 000 spect., recettes 10 millions de F).

Allemagne. *La Passion* est jouée à Oberammergau, depuis 1634, tous les 10 ans, par les habitants du village (125 rôles parlants, plus des figurants). 1980 : 103 représ., durée 5 h 30 mn avec les entractes, 500 000 visiteurs.

Salles de théâtre (records)

Théâtre le plus vieux. **Public.** Málaga, Espagne, 1520. **Couverts.** DISPARUS : *Hôtel de Bourgogne* (Paris, 1550). *The Theatre* (Middlesex, St Leonard's Shoreditch, G.-B., 1576). CONSERVÉ : *Teatro Olimpico* [Vicence, Italie, 1584, de Palladio 1508-80].

Théâtres les plus grands. **Couverts.** *Palais des Congrès du Peuple* (Pékin, Chine, 1958-59) : 10 000 places, 5,23 ha. *Perth Entertainment Centre* (Australie, 1976) : 8 003 pl., scène de 1 148 m². *Radio City Music Hall* (Rockefeller Center, New York) : 6 200 pl., env. 8 000 000 de spectateurs par an, scène de 43,89 m de large et 20,27 m de profondeur). *Théâtre Chaplin* (nommé avant *Blanquita,* La Havane, Cuba, 1949) : 6 500 pl. *Palais des Congrès* (Paris) : 3 700 pl. *Hammersmith Odeon :* 3 483 places, non utilisé comme th. **Plein air.** *Megalopolis* (Grèce, en ruine) : 17 000 pl. *Mendoza* (Argentine) : 40 000 pl.

Scène la plus grande. *Ziegfeld Room,* Reno (Nevada, U.S.A.) : 53,60 m de large.

Décors de théâtre les plus anciens. Sebastiano Serlio dans « Le Second Livre de la perspective » (1545).

Éclairage (scène). *1er au gaz :* Lyceum (Londres 6-8-1817) ; *à l'électricité :* California (San Francisco 1879). Rideau. *1er r. de fer de sécurité :* Drury Lane (Londres 1800).

Le théâtre en France

Statistiques

• Acteurs. 500 à 1 000 jouent en moyenne à Paris (hiver 1985 : 128 spectacles offrant 369 rôles masculins, 228 féminins). *Émissions dramatiques à la TV* (1984) : 3 336 rôles mas. et 1 429 fém.

Budget. **Aide financière de l'État consentie en 1990** (en millions de francs), *Crédits de fonctionnement* 754,32 dont théâtres nationaux 345,27 [Comédie-Française 116, Caisse des retraités de la Com.-Fr., Th. de Chaillot 52,3, Th. de l'Odéon 41,8, Th. de l'Est parisien 29,7, Th. nat. de Strasbourg 32,7), décentralisation dramatique (centres dramatiques nat. 246,7, crédits de fonctionnement autres que les crédits de matériel 212,9, crédits de matériel 4,4]. Crédits d'équipement (autorisations de programme) : Th. nat. 91,2), décentralisation dramatique 9,3.

Subventions attribuées aux activités théâtrales en 1989 : 166,6 millions de F dont : Cies indépendantes conventionnées (122) : 120,9 ; jeunes Cies suivies par les Comités d'experts des 22 régions (260 env.) : 25,3 ; festivals dramatiques : 11,5 ; aides à la création et aux projets : 8,9. *90 :* 163,3 millions de F à 534 Cies.

Nota. – Les bâtiments qui abritent les théâtres dramatiques nationaux sont classés bâtiments civils ; les travaux sont financés directement par l'État (Direction de l'architecture et Direction du théâtre dépendant des Affaires culturelles).

Théâtres municipaux : les subventions d'équipement relèvent des préfets de région. Les crédits inscrits au budget du min. de la Culture leur sont délégués globalement.

Enseignement dramatique (en millions de F). Subvention de fonctionnement du Conservatoire national supérieur d'art dramatique : 2,4. Formation des professionnels du théâtre : 6,4.

Théâtre privé (en millions de F, 1990) : 21,5 (47 salles parisiennes).

Taxes que paie un spectacle dramatique, outre les impôts sur les sociétés et les charges sociales :

1° *T.V.A. :* 7 % (2,10 % pour créations et spectacles classiques jusqu'à 140 représ. ; 17,6 % en cas de vente forfaitaire d'un spectacle monté). Sont exemptés : les 30 premières d'une pièce n'ayant jamais été interprétée en France, ou dont la représentation n'a pas eu lieu depuis plus de 50 ans ; les 50 premières d'une pièce n'ayant jamais été interprétée dans sa langue originale, ni dans une adaptation dans une autre langue, en France ou à l'étranger ; les spectacles classiques – liste fixée par des arrêtés des min. de l'Économie et du Budget, du min. de la Culture et du ministre de l'Intérieur ; les œuvres françaises et les œuvres étrangères dans leur langue originale dont les auteurs sont morts depuis plus de 50 ans, et les traductions et les adaptations dont la 1re représ. date de plus de 5 ans ; certains auteurs désignés par une commission spéciale (ex. : Brecht, Garcia Lorca).

2° *Taxe additionnelle au prix des places :* de 0,20 F (places 5 F à 10 F), 0,60 F (10 F à 20 F), 1 F (plus de 20 F), utilisée par l'Association pour le soutien au théâtre privé. Sont exonérés les théâtres nationaux et municipaux et les compagnies subventionnées.

3° *Taxe d'apprentissage :* 0,5 % des salaires, *t. de formation continue :* 1 % des salaires dep. 1974, *aide à la construction :* 1 %.

Coût de la création d'un spectacle. De 0,5 à 2 millions de F env. (maintenance d'un théâtre parisien de 400 pl. : 8 000 F par jour).

• Crédits d'investissements pour l'aménagement et la création de salles de spectacles (en millions de F). *1980 :* 9,78. *81 :* 13,6. *82 :* 71,8. *83 :* 191. *84 :* 108. *85 :* 105,4. *86 :* 70. *87 :* 68,5. *88 :* 63,9. *89 :* 84,2. *90 :* 104 dont th. nationaux 20, salles de th. et de cirques fixes 44, établ. d'action culturelle 40.

• Représentations **(nombre).** *Th. nationaux : 1965 :* 990, *70 :* 943, *80 :* 1 553, *82 :* 1 753, *86 :* 1 553. C.D.N. *65 :* 2 860, *70 :* 3 578, *80 :* 3 425, *83 :* 4 525, *84 :* 4 324, *85 :* 1 578, *86 :* 1 188. *Th. privés parisiens : 1965 :* 11 500, *70 :* 12 123, *75 :* 13 150, *80 :* 9 433, *84 :* 11 092, *89 :* 12 440.

• Spectateurs **(nombre)** *Th. parisiens : 1975-76 :* 3 411 600, *80-81 :* 3 386 000, *84-85 :* 4 460 000. *Th. nationaux : 1986 :* 576 381, *87 :* 503 888.

Enquête 1987. 61 % des Français ne sont jamais allés au théâtre, 26 % en ont perdu l'habitude, 13 % ont fréquenté une salle au moins une fois entre 1983 et 1987 mais seulement 7 % de 1986 à 1987. 7 % vont au théâtre au moins une fois par an (12,1 en 1973, 10,3 % en 1981). Sur 100 spectateurs on compte 56 hommes et 44 femmes ; 53 % d'instruits et 47 % de profanes.

• Théâtres. **Nombre à Paris.** *Sous Louis XIV :* 5, *Louis XV :* 3, *Révolution :* 22. *Théâtres en activité : 1987 :* 48, offrant plus de *26 000* places. *38* sont privés, *4* municipaux [Espace Pierre-Cardin (Ambassadeurs), Marigny, Th. de la Ville, Th. musical de Paris (ex-Châtelet)], *6* nationaux [Opéra, Opéra-Comique, Comédie-Française, Th. national de l'Odéon (2 salles), Th. national de Chaillot, Théâtre de l'Est parisien]. La Ville de Paris ne gère elle-même aucun de ses 4 théâtres, mais elle subventionne le Th. de la Ville et participe à sa gestion par son conseil d'administration. *Cafés-théâtres :* env. 125 (le 1er en 1963 : la Vieille Grille où jouèrent Rufus, Higelin, Bouteille, Zouc) ; *salles à usage de spectacle :* env. 20. *Théâtres érotiques* (permanents) : Th. Saint-Denis, Th. des 2 Boules (fondé 1974).

En province. *Vers 1868-70 :* 366 th. dont Bordeaux, Lyon 6 ; Marseille, Le Havre, Nîmes 5 ; Nantes, Elbeuf, Rochefort, Rouen 4 ; Amiens, Brest, Toulouse, Versailles 3. *1987 :* environ 25 th. municipaux concédés ou exploités en régie directe consacrés en priorité à l'art lyrique. *Th. privés permanents :* Th. Molière à Bordeaux (appelé d'abord Th. de poche) et Petit Th. de Rouen. *Cafés-théâtres :* 80.

Salles parisiennes

Amandiers (*créé* à Nanterre en 1982 après dissolution de la MCN et CDN) ; *dir. :* Patrice Chéreau, subventionné par l'État et la Ville. *2 salles :* à l'italienne (scène de 22 m de large) ; polyvalente (24 m × 30 m). 2 salles de répétition, ateliers de décor. Env. 100 000 spectateurs par an.

Antoine. Bâti 1866 (salle des Menus-Plaisirs), Th.-Libre (fondé par André Antoine) 1890, Th.-Antoine 1897. Dir. Simone Berriau 1943. Depuis 1984, dir. H. Bossis et D. Darès. 875 pl. Atelier. *1822,* Th. de Montmartre (en bois) ouvert par Pierre-Jacques Sevestre, danseur. *1848,* Th. du Peuple. *1922,* Th. de l'Atelier avec Charles Dullin. *1940,* André Barsacq († 3-2-1973). *1975,* Pierre Franck, 575 pl. Athénée-Louis Jouvet. Construit 1894 par Fouquiau sous le nom de Comédie Parisienne ; 1899 Athénée. (L. Jouvet fut directeur de 1934 à 1951.) *Dir. :* Josyane Horville. Salle Louis Jouvet 687 pl., salle Christian Bérard 86 pl.

Bobino. Ouvert 1873. 1 160 pl. provisoirement à l'Eldorado (4, bd de Strasbourg, 10e) en attendant sa reconstruction. Réouverture rue de la Gaîté. Bouffes-Parisiens. Ouvert 1827 (Th. des Jeunes Acteurs), 1855 Th. des Bouffes-Par. (salle d'hiver) par Offenbach. *Dir. :* J.-C. Brialy dep. sept. 1986. 690 pl.

Carré Silvia-Monfort. 106, rue Brancion, 75015. Chapiteau 670 pl. transformé en théâtre en dur. *1991 (oct.)* th. de 415 pl. *Dir. et animatrice :* Silvia Monfort. Casino de Paris. Construit sur l'emplacement de la Folie-Richelieu (voir Folies-Bergère, ci-dessous) ; dirigé par Henri Varna 1929-69 (revue, music-hall) ; fermé 1979, réouvert 1982. *Dir. :* Luc Richard. 1 500 pl. Caveau de la République. Fondé 1901. Chansonniers. Chaillot. Voir Th. nationaux. Champs-Élysées. Grand théâtre 1 901 pl., Comédie des Champs-

Élysées 690 pl., Studio 274 pl. Construit 1913 (maîtres d'ouvrages Gabriel Astruc et Gabriel Thomas, architectes Auguste et Gustave Perret) : frises, fresques, sculptures d'Antoine Bourdelle et Maurice Denis ; classé monument historique 1957. *Dir. :* Georges-Fr. Hirsch. **Châtelet. Th. musical de Paris.** *1861-62 :* construit par Davioud. *1962* (19-8) le Cirque Olympique s'y installe et devient le th. du Châtelet. *Grands succès :* « le Tour du Monde en 80 jours », 3 007 représentations (du 3-4-1876 à 1940), Michel Strogoff, 2 443 (du 17-11-1880 à 1939). *1979 :* transformé, devient th. Musical, (2 289 pl. surface au sol 3 524 m², scène 35 m × 24 m). *1980 (nov.) :* réouverture. Subventionné par la mairie de Paris (51 millions de F en 1988). *1988 :* rénovation, reprend son nom d'origine. Dir. : Stéphane Lissner. **Cirque d'Hiver.** Construit par Hittorff sous Napoléon III. Directeurs et propriétaires : Frères Bouglione (dep. 50 ans). 1 800 pl. **Cité internationale universitaire.** Grand Th., construit en 1936 : 800 pl. La Galerie : 180 pl. La Resserre : 170 pl. Également concerts et cinéma. Centre culturel créé 1968 par André-Louis Périnetti et dirigé, dep. 1972, par Guy Caron. **Comédie Caumartin.** Créé 1901 (C. Royale) ; René Rocher lui donne son nom en 1923 (th. de boulevard). **Comédie-Française.** Voir p. 460. **Coquille.** 250 pl.

Daunou. Ouvert 1921. 448 pl. **Deux-Anes.** Créé 1921 sur l'emplacement du th. des Marionnettes par Roger Ferréol et André Dahl. S'est appelé Les Truands, L'Araignée, La Truie qui file. Seul th. de chansonniers jouant des revues satiriques. *Dir. :* Jean Herbert. *Devise :* « Bien braire et laisser dire ». 300 pl. **Édouard-VII-Sacha Guitry.** Créé 1916 par Alphonse Franck ; *dir. :* dep. août 1989, Julien Vartet. 720 pl. **Espace Pierre-Cardin** (Ambassadeurs). Ouvert 1861, reconstruit 1929. 1939-53 Henry Bernstein directeur, 1962-69 Marcel Karsenty, 1970 P. Cardin transforme la salle. 700 pl.

Folies-Bergère [*folie* désignait, depuis la fin du XVIIIe s., les *petites maisons,* créées sous la Régence par la haute noblesse, pour des fêtes nocturnes, avec concerts, spectacles et ballets (étymologies proposées : 1° caprice entraînant de folles dépenses ; 2° *foglia* (du latin *folia,* « feuilles »), car la noblesse napolitaine construisait ses retraites à la campagne)]. A Paris, les plus connues, en 1789, étaient les F. Méricourt, St-James, Genlis, Richelieu, Beaujon, Regnault (La Roquette), qui donnèrent leur nom à leur quartier. A partir de 1830, les th. parisiens adoptent souvent ce nom, en le mettant au pluriel (à cause des *Folies amoureuses,* pièce de Regnard, 1704) : Folies Dramatiques (1830), Marigny (1848), Nouvelles (1852), Saint-Antoine (1865), et enfin Bergère, spécialisées dans les variétés à grand spectacle, sur le modèle de l'Alhambra de Londres. 1 700 pl. *1869* le magasin de literie « Au sommier élastique » finance l'ouverture d'une salle de spectacle, et l'appelle du nom de la rue : « Bergère ». *1-5* ouverture. *1870* salle de réunions électorales. L'historien Michelet y parle. *1871-novembre* Léon Sarri, 1er directeur ; 1ers grands succès, inauguration du promenoir. Devient momentanément le « Concert de Paris » ; Gounod, Delibes, Saint-Saëns, Massenet... Échec. *1886-30-11* « Revue » des frères Isola et de M. et Mme Lallemand ; 1re apparition d'une troupe de girls (d'Europe centrale). *1892* Loïe Fuller lance « la Danse serpentine » et « la Danse du feu ». *1908* Colette fait partie de la revue avec Maurice Chevalier. *1912* Yvonne Printemps. *1917* Gaby Deslys présente « Jazz Band » ; c'est la 1re à descendre le célèbre « escalier », partenaire : Harry Pilcer. *1918-66* Paul Derval, directeur ; 33 revues se succédèrent avec un titre en 13 lettres comprenant le mot « Folie ». *1918* Mistinguett et Maurice Chevalier : la « Valse renversante ». *1922* « Folie sur folie » avec le comique Bach, Constant Rémy et Jenny Golder. *1924* « Cœurs en folie » avec Bach et Laverne. *1926* création d'un 2e balcon ; « la Folie du jour » avec Joséphine Baker. *1927* « Vent de folie » avec J. Baker. *1928* « la Grande Folie » avec Agnès Souret (Miss France). *1934* « Folies en folie », Mistinguett apparaît sur son escalier. *1935* « Femme en folie » avec Jean Sablon. *1937* « En super folies » avec J. Baker. *1938* « Folie en fleurs » pour Damia. *1939* « Madame la folie » avec Jeanne Aubert et le comique Dandy. *1942-44* Revue des « Quatre Millions » avec Charpini, puis Brancato, Charles Trenet, Maurice Teynac. *1946* « C'est de la folie » avec Suzy Prim et Nita Raya. *1949* J. Baker et les Peter Sisters. *1966* Mme Derval succède à son mari. *1974* Hélène Martini, directrice. *1985* cinquante millionième spectateur fêté.

Fontaine. Créé 1951 par André Puglia dans un ancien dancing, « le Chantilly ». Dirigé par Marie-Claire Valène dep. 1985. 622 pl. **Gaîté-Lyrique.** Construit par Hittorff. On y joua des opérettes (Offenbach). Fermé 1963, rouvert 1973-74 (accueillit représentations du Th. de Chaillot alors fermé, puis confié à Silvia Monfort qui y installa son école de cirque jusqu'à 1986), concédé 1986 pour un centre de jeux pour enfants, ouvert déc. 1989, a déposé son bilan en février 1990. **Gaîté-Montparnasse.** Café-concert ouvert en 1868, transformé en théâtre en 1939. 411 pl. **Gaveau.** Voir Salles de concerts, p. 439. **Gymnase Marie-Bell.** Gymnase dramatique 1820, Th. de Madame 1824, G. dram. 1830, G. Marie-Bell 1958, 783 pl.

Hébertot. *1831* (Th. des Batignolles-Monceau, en bois). Th. des Arts. *1940* Th. Hébertot (Jacques H., † 1970, dir.). *1972* Th. des Arts Hébertot. *Dir. :* Félix Ascott. Scène 7 m (prof. 9 m) 622 pl. **Huchette.** Constr. 1948 par Marcel Pinard († 1975), géré dep. 1980 par une S.A.R.L. de 22 comédiens actionnaires. *Dir. :* Jacques Legré. *Adm. :* Françoise Alessandri. Dep. 1981, spectacles de créations à 21 h 30. *Dimensions* 100 m². *Représentations (record) :* « la Cantatrice chauve » et « la Leçon » de Ionesco (voir p. 458). 90 pl.

La Bruyère. 362 pl. ; *dir. :* dep. 1982, Stephan Meldegg. **Lucernaire-Centre national d'art et essai.** 2 th. de 140 pl., 3 cinémas de 50, 55, 60 pl., 1 salle de danse, 1 galerie de peinture, 1 restaurant de 120 pl., 1 bar ; *dir. :* C. Le Guillochet et L. Berthommé.

Madeleine. Créé 1924. Dep. 1980, direction Simone Valère, Jean Desailly. 763 pl. **Marigny.** *1850* Th. des Champs-Élysées remplace le « Château d'Enfer » où se produisait un prestidigitateur. *1855* Bouffes-Parisiens avec Offenbach. *1859* Bouffes-d'Été (avec Charles Debureau puis Céleste Mogador). *1865* Folies-Marigny (démolies 1881). *1883* Panorama construit par Charles Garnier. *1885* Diorama. *1896* Music-hall. *1901* Marigny-Théâtre. *1913* Comédie-Marigny. *1925* Th. Marigny (avec Léon Volterra). *1946-60* dir. : Simone Volterra. (17-10-46 à 1956 : Cie Madeleine Renaud-J.-L. Barrault. Oct. 1956 : Cie Grenier-Hussenot). *1964* Elvire Popesco, Hubert de Malet, Robert Manuel. *1978* Jean Bodson († 1980). *1980* Christiane Porquerel et J.-J. Bricaire Gde salle, 1 000 pl. Petit Marigny 308. **Mathurins.** *Dir.* 1898 Marguerite Deval, 1906 Sacha Guitry (y crée « Nono »), plusieurs dir. dont Jules Berry 1934-39, Georges Pitoëff (45 spect. montés), 1939 Marcel Herrand et Jean Marchat, 1952 Mme Harry Baur, 1984 Gérard Caillaud et Danielle Rossi. 493 pl. **Michel.** Créé 1906 par Michel Mortier. Dir. Germaine Camoletti. 350 pl. **Michodière.** Inauguré 1925, dirigé par Victor Boucher, Yvonne Printemps et, dep. le 1-9-1981, par Jacques Crépineau. 700 pl. **Moderne.** Créé 1958. *Dir. :* Éliane Lublin. 287 pl. **Mogador.** *1919* 14 reprises 21-4-19. Construit par Bertie Crewe (Angl.). *1924* Cinéma. *1925* opérettes. *1936-39* Music-hall. *1939* (28-12) dir. Henri Varna. *1971-76* dir. Hélène Martini. *1982* restauré. *1983* rouvre, dir. Fernand Lumbroso. *Scène* ouverture 10,74 m, prof. 12,70. 1 792 pl. **Montparnasse.** Créé 1817 par Pierre-Jacques Sevestre. *Direction :* 1930 Gaston Baty, 1943 Marguerite Jamois, 1966 Lars Schmidt et Jérôme Hullot, 1984 Myriam de Colombi et Jérôme Hullot. 715 pl. + *Petit Montparnasse* créé 1979, 150 pl.

Nouveautés. Créé 1827 place de la Bourse ; Feydeau en devint l'auteur attitré en 1890 ; salle actuelle de 1921. Dir. Denise Moreau-Chantegris. 570 pl. **Odéon.** Voir p. 460, Th. nationaux. **Œuvre.** Fondé 1892 par Lugné-Poe. Dir. : Georges Herbert dep. *1960,* y a présenté de très nombreux succès : œuvres de Valéry, Montherlant, Claudel, Anouilh, Obaldia, Marceau. Dep. 1978, collaboration régulière de Georges Wilson. 380 pl. **Olympia-Bruno-Coquatrix.** 1893 inauguré par Joseph Oller, 1929 cinéma Jacques Haick, 1954 Bruno Coquatrix († 1-4-1979) Dir. music-hall : Paulette et Patricia Coquatrix. 2 033 pl. **Opéra.** Voir Th. lyriques, p. 453.

Palais-Royal. Conçu de 1781 à 1784 par Victor Louis (1731-1800). *1784* ouvert. Th. des Beaujolais. *1790* Th. Montansier. *1793* Th. du Péristyle du Jardin-Égalité. *1793* Th. de la Montagne. *1798* Th. Montansier-Variétés. *1810* Les Jeux Forains. *1812* Le Café de la Paix. *1815 à 1831* fermé. *1830* reconstruit par Guerchy. *1831* ouvre sous le nom de Th. du Palais-Royal. Mlle Montansier resta propriétaire et directrice de 1790 à 1820. Y furent créées les grandes comédies de Labiche (*La Cagnotte* 1864), Victorien Sardou, Meilhac et Halévy, Feydeau, Tristan Bernard (*Le Petit Café* 1911), Offenbach (*La Vie parisienne* 1866), Jean de Letraz, Jean Poiret (*La Cage aux folles* 1973, 1 800 repr.), Françoise Dorin. Plus de 1 500 comédies dep. 1784. *Dir. :* dep. 1989, Francis Lemonnier. 792 pl.

Paris. *1891* Ouvert (Nouveau Th.). *1906* Th. Réjane (dirigé par Mme Réjane), *1919* Th. de Paris (avec Léon Volterra). 1 050 pl., *Dir. :* Éliane Lublin dep. 1986. **Paris-Villette.** Ancienne Bourse à la criée (1867). Créé 1972 par Arlette Thomas et Pierre Peyrou (Th. Présent). Th. d'arrondissement du XIXe dep. 1979. Dir. : Patrick Gufflet. 290 pl.

Paris-Plaine. Construit 1973 par la ville de Paris (théâtre, danse, concerts, spect. pour enfants). *Dir. art. :* Régis Santon, 284 pl. **Plaisance.** Ouvert 1963. 150 pl. Recherche et création. *Dir. :* Jean-Jacques Aslanian. **Pleyel.** Voir salles de concert, p. 439. **Poche-Montparnasse.** *Créé* 1953, 112 pl. **Porte-Saint-Martin.** *1781* 1re salle, abrite la troupe de l'Opéra royal jusqu'en 1794. Dep. 1814 drames à grand spectacle (notamment *la Tour de Nesles,* 1832), *1871* incendié par la Commune, *1873* reconstruit, *1874* succès des *Deux Orphelines*. Création de *Cyrano de Bergerac 1897 (27-12)* et de *Hair 1969 (30-5). Dir.* Hélène et Bernard Régnier. 1 100 pl. **Potinière.** *Créé* 1919 par Saint-Granier et Gaston Gabaroche. *1961* Th. des 2 Masques. *1988* Th. de la Potinière. *Dir. :* Julien Vartet. 350 pl.

Renaissance. Ouvert 1873, parmi les directeurs : Sarah Bernhardt, Lucien Guitry, Henri Varna (1942), Jean Darcante (1946), Vera Korene (1956), Francis Lopez (1978-82), Niels Arestrup dep. le 7-12-1990, 707 pl. **Renaud-Barrault.** (Cie Renaud-Barrault, créée 1946). Grande salle 920 pl., petite salle 175 pl. **Richelieu.** V. Comédie-Française. **Robert-Cordier.** Créé sept. 1985 (auparavant : Marie-Stuart, créé par Sala, dir. de la Potinière). 95 pl. **Saint-Georges.** Créé 1929. Dir. France Delahalle et Marie-France Mignal. Adm. gén. : Jean V. Velter. 498 pl. **T.E.P.** Voir Th. nationaux p. 460. **Th. des Enfants.** *1931* Th. du Petit Monde. Créé par Roland Pilain sur une proposition de Lucie Delarue-Mardrus, pour donner aux enfants le goût du th. Cours d'art dramatique, les lundis, mercredis, jeudis et samedis.

Théâtre de la Ville (th. municipal populaire). Construit *1860-62* par Davioud. *1862* **Th. Lyrique** [du nom du Th. fondé par Adolphe Adam (1803-56) en 1847]. *1871* incendié pendant la Commune. *1875* restauré. Th. Historique. *1879* Th. des Nations. *1883* Th. Italien. *1885* Th. de Paris. *1887-98* héberge l'Opéra-Comique après l'incendie de la salle Favart le 25-5-87. *1898* Th. Sarah-Bernhardt. *1936* Th. du Peuple. *1941* Th. de la Cité. *1949* Th. Sarah-Bernhardt. *1957* Th. des Nations. *1968* Th. de la Ville. *1982(31-1)* incendie des installations techniques. *1983 (11-1)* réouverture. *Directeurs dep. 1898. 1898-23* Sarah Bernhardt, puis, *1925* Vincent et Émile Isola. *1936* Rognoni. *1941* Charles Dullin. *1949-65* A.-M. Jullien. *1968* Jean Mercure, *1985* Gérard Violette. *Salle.* Origine « à l'italienne », 1 284 places, après rénovation 1967-68, en amphithéâtre, 1 000 à 1 100 pl. *Programmation :* théâtre, danse contemporaine, danse-théâtre, musique, chansons, musiques du monde.

Tristan-Bernard (ex. Ch. de Rochefort). 400 pl.

Variétés. Inauguré *1807 (24-6)* (construit en 5 mois) par Mlle Montansier (Marguerite Brunet). Restauré 1975. Façade classée Monument historique. Parmi les créations : Offenbach (*la Belle Hélène* 1864, *la Périchole* 1868), Hervé (*Mam'zelle Nitouche* 1883), Hahn (*Ciboulette* 1923), Scribe (37 pièces), Meilhac et Halévy, Flers et Caillavet (*le Roi* 1908, *l'Habit vert* 1912), Pagnol (*Topaze* 1928), Sacha Guitry, Louis Verneuil, Jacques Deval, Robert Dhéry, Françoise Dorin, Jean Poiret. *Dir. :* dep. 1989, Francis Lemonnier. 924 pl.

Vieux-Colombier. Env. 300 pl. Racheté 1986 par l'État. *Projet :* école européenne d'acteurs ; dir. Giorgio Strehler.

☞ **Grandes salles. Nombre de places et,** entre parenthèses, **prix de location par soirée.** *Zénith* 6 400 pl. (85 000 à 130 000 F). *Palais des Congrès de Paris* 3 700 pl. (68 000 F). *Palais Omnisports de Paris-Bercy* 17 000 pl. (150 000 à 250 000 F). *Palais des Sports* 5 000 pl. (63 000 F).

Molières 1991

Spectacle subventionné : *la Tempête.* **Spectacle privé :** *le Souper.* **Metteur en scène :** Peter Brook *(la Tempête).* **Comédien :** Guy Tréjan *(Heldenplatz).* **Comédienne :** Dominique Valadié *(la Dame de chez Maxim's).* **Comédien dans un second rôle :** Jean-Paul Roussillon *(Zone libre).* **Comédienne dans un second rôle :** Catherine Arditi *(A croquer).*

Théâtres dramatiques nationaux

5 établissements publics, créés par décret.

• **Nombre de spectacles et,** entre parenthèses, **nombre de spectateurs par saison.** *1980-81 :* 1 555 (705 156). *81-82 :* 1 894 (809 449). *82-83 :* 1 647

(676 076). *83-84* : 1 630 (606 404). *84-85* : 1 624 (639 034). *85-86* : 1 553 (601 843).

• Comédie-Française. **Statut.** *Créée* par Louis XIV en 1680 par la jonction des troupes de l'Hôtel de Bourgogne et de l'Hôtel Guénégaud. *Salles occupées :* 1680-89, Hôtel Guénégaud ; 1689-1770, rue des Fossés-Saint-Germain-des-Prés (actuelle rue de l'Ancienne-Comédie) ; 1770-82, salle des machines du Palais des Tuileries ; 1782-93, salle devenue le Th. de l'Odéon. 1799 : après 6 ans d'interruption, la troupe occupe l'actuelle salle Richelieu, qu'elle n'a plus quittée. En 1812, Napoléon organise ses *statuts* (décret signé à Moscou le 15-10-1812). Dernière réforme : 1975. *Exploitée* par la Sté des Comédiens français, composée de sociétaires en activité et dirigée par 1 administrateur général, nommé par décret en Conseil des ministres, assisté d'un Comité d'administration de 6 sociétaires + 2 suppléants, et dont est membre de droit le *doyen,* sociétaire le plus ancien dans la société (dep. 1988 Catherine Samie). *Bénéfices* partagés en 32 parts (1 mise en réserve) : 30 réparties entre les sociétaires, de 3/12 de part pour le soc. nouvellement nommé à 1 part entière (le max.) ; la part restante peut être attribuée chaque année à titre exceptionnel, en totalité ou partie, à 1 ou 2 sociétaires à part entière, dont l'activité au cours de l'année écoulée aura été particulièrement remarquée. Les accroissements successifs de la part se font par 1/12 ou demi 1/12. *Troupe :* constituée de *sociétaires* (33 au 10-12-1990), liés au théâtre pour 10, 15, 20, 25 ou 30 ans, et de *pensionnaires* (23 au 10-12-1990), recrutés par contrat de 1 an renouvelable et pouvant être sociétaires après 1 an de présence au moins et au plus 10 ans de services ininterrompus. Les sociétaires honoraires (24 au 10-12-1990) peuvent éventuellement être appelés à jouer.

Auteurs dont le nom a paru + de 1 000 fois à l'affiche (du 25-8-1680 au 31-12-1989). *Nombre total de représentations au 31-12-1989.* Molière (1622-73) 30 928. Racine (1639-99) 9 000. Pierre Corneille (1606-84) 7 235. Musset (1810-57) 6 615. Dancourt (1661-1725) 5 696. Marivaux (1688-1763) 5 676. Regnard (1665-1709) 5 372. Voltaire (1694-1778) 3 998. Augier (1820-89) 3 238. Scribe (1791-1861) 3 081. Beaumarchais (1732-99) 2 853. Hugo (1802-85) 2 813. Le Grand (1673-1728) 2 517. Hauteroche (1617-1707) 2 474. Pailleron (1834-99) 2 275. Destouches (1680-1754) 2 130. Dumas fils (1824-95) 2 121. Brueys (1640-1723) 2 097. Thomas Corneille (1625-1709) 2 039. Dufresny (1648-1724) 2 022. Labiche (1815-88) 1 851. Alexandre Dumas (1803-70) 1 822. Sandeau (1811-83) 1 679. Champmeslé (1642-1701) 1 574. Legouvé (1807-1903) 1 535. Feydeau (1821-73) 1 405. Alexandre Duval (1767-1842) 1 400. Courteline (1858-1929) 1 347. Lesage (1668-1747) 1 280. Feuillet (1821-90) 1 261. Delavigne (1793-1843) 1 229. Palaprat (1650-1721) 1 227. Montherlant (1896-1972) 1 036. Boursault (1638-1701) 1 027.

Pièces ayant été affichées + de 700 fois (du 25-8-1680 au 31-12-1989). *Tartuffe* (Molière) 3 014. *L'Avare* (Molière) 2 447. *Le Misanthrope* (Molière) 2 161. *Le Médecin malgré lui* (Molière) 2 126. *Les Femmes savantes* (Molière) 1 969. *Le Malade imaginaire* (Molière) 1 886. *Le Cid* (P. Corneille) 1 625. *Le Jeu de l'amour et du hasard* (Marivaux) 1 612. *L'École des femmes* (Molière) 1 599. *L'École des maris* (Molière) 1 568. *Andromaque* (Racine) 1 485. *Le Bourgeois gentilhomme* (Molière) 1 429. *Phèdre* (Racine) 1 363. *Les Plaideurs* (Racine) 1 362. *Le Mariage de Figaro* (Beaumarchais) 1 343. *Les Fourberies de Scapin* (Molière) 1 340. *Les Précieuses ridicules* (Molière) 1 268. *Le Dépit amoureux* (Molière) 1 246. *Britannicus* (Racine) 1 237. *Le Barbier de Séville* (Beaumarchais) 1 184. *Le Mariage forcé* (Molière) 1 182. *Un caprice* (Musset) 1 154. *Le Légataire universel* (Regnard) 1 149. *Les Folies amoureuses* (Regnard) 1 148. *George Dandin* (Molière) 1 141. *Amphitryon* (Molière) 1 095. *Il faut qu'une porte soit ouverte ou fermée* (Musset) 1 092. *Ruy Blas* (Hugo) 1 020. *Le Monde où l'on s'ennuie* (Pailleron) 1 000. *Hernani* (Hugo) 979. *Horace* (P. Corneille) 965. *Monsieur de Pourceaugnac* (Molière) 890. *Le Menteur* (P. Corneille) 889. *L'Avocat Patelin* (Brueys) 888. *Le Joueur* (Regnard) 885. *Crispin médecin* (Hauteroche) 854. *Cyrano de Bergerac* (Rostand) 854. *Iphigénie en Aulide* (Racine) 841. *Cinna* (P. Corneille) 835. *Le Gendre de M. Poirier* (Augier et Sandeau). *L'Épreuve* (Marivaux) 772. *Polyeucte* (P. Corneille) 769. *L'Esprit de contradiction* (Dufresny) 762. *Le Legs* (Marivaux) 761. *Sganarelle* (Molière) 760. *Crispin rival de son maître* (Lesage) 745. *Le Florentin* (Champmeslé) 715.

Activités (1989-90). 750 représentations dont 400 salle Richelieu, 144 au Grand Odéon, 117 au Petit Odéon, 83 en France, 6 à l'étranger. 20 pièces présentées, 16 auteurs joués. **Radio.** 25 pièces enregistrées + textes de Jarry et Musset. **Télévision.** 1 pièce enregistrée.

État au 10-12-1990. *Administrateur général :* Jacques Lassalle (6-7-1936). *Sociétaires* (par ordre d'ancienneté) : *soc. honoraires :* Germaine ROUER, Jean MEYER, Renée FAURE, Robert MANUEL, Gisèle CASADESSUS, Lise DELAMARE, André FALCON, Louise CONTE, Micheline BOUDET, Paul-Émile DEIBER, Jean PIAT, Robert HIRSCH, Jacques EYSER, Annie DUCAUX, Jean-Paul ROUSSILLON, Michel ETCHEVERRY, Jacques TOJA, Michel DUCHAUSSOY, Yvonne GAUDEAU, Denise GENCE, Ludmila MIKAEL, François CHAUMETTE (8-9-23), Claude WINTER (18-2-31). *Sociétaires :* Catherine SAMIE (9-2-33), Michel AUMONT (15-10-36), Geneviève CASILE (15-8-37), Françoise SEIGNER (7-4-28), Paule NOELLE (30-3-42), Simon EINE (8-8-36), Bérengère DAUTUN (10-5-39), Alain PRALON (12-11-39), François BEAULIEU (30-5-43), Claire VERNET (12-8-45), Jean-Luc BOUTTÉ (1-9-47), Christine FERSEN (5-3-44), Catherine HIEGEL (10-12-46), Nicolas SILBERG (2-1-44), Catherine SALVIAT (21-1-47), Dominique ROZAN (4-9-29), Dominique CONSTANZA (20-4-48), Jacques SEREYS (1928), Catherine FERRAN (13-6-45), Gérard GIROUDON (18-8-49), Yves GASC (21-5-30), Richard FONTANA, Roland BERTIN (16-11-30), Claude MATHIEU (8-2-52), Guy MICHEL, Marcel BOZONNET, Muriel MAYETTE, Martine CHEVALLIER, Véronique VELLA, Alberte AVELINE, Jean-Yves DUBOIS, Catherine SAUVAL, Jean-Luc BIDEAU. *Pensionnaires :* Jean-François RÉMI, Louis ARBESSIER, Natalie NERVAL, Jean-Philippe PUYMARTIN, François BARBIN, Thierry HANCISSE, Marianne ÉPIN, Claude LOCHY, Roger MIRMONT, Dominique LIQUIÈRE, Bernard BELIN, Michel FAVORY, Jean-Luc BIDEAU (proposé au sociétariat à compter du jour de l'obtention de la nationalité française), Sylvia BERGÉ, Pierre VIAL, Valérie DREVILLE, Redjep MITROVITSA, Loïc BRABANT, Anne KESSLER, Jean-Pierre MICHAEL, Éric FREY, Christian BLANC, Isabelle GARDIEN, Philippe TORRETON.

Représentations (1989-90). 750 dont : Salle Richelieu et salles extérieures 661, France (Paris, province) 83, étranger 6. **Subventions** (en millions de F) : *79* 53,6 ; *80* 59,2 ; *81* 61,3 ; *82* 80 ; *85* 93 ; *88* 100,4 ; *89* 103,8. **Gestion** (en millions de F) : *Ressources propres : 88 :* 33,8 ; *89 :* 34. *Dépense de personnel : 88 :* 93 ; *89 :* 95. *– artistiques : 88 :* 34 ; *89 :* 35. *Budget total : 88 :* 134 ; *89 :* 137. **Places (nombre) :** *1799* 2 000, *avant 1976* 1 400, *1987* 892 dont 700 bonnes (29,50 % vendues à tarif préférentiel). **Saison 1990-91.** *Prix réel* des places 45 à 150 F (prix exceptionnels : 70 à 195 F). *Coefficient de remplissage 88* 77 %, *89* 81 %.

Nota. – Coût total de la rénovation de la salle Richelieu (1974-76) : 68 367 000 F.

• Théâtre national de l'Odéon. *1780-82* construit sur des plans de *Peyre* et *De Wailly,* et destiné à l'origine à la troupe de la Comédie-Française, *1782* (9-4) ouverture du *Théâtre-Français. 1789* devient *Th. de la Nation* puis *de l'Égalité, du Peuple* (1794), *de l'Odéon* (1796). *1799* incendie. *1808* rouvre sous le nom de *Th. de l'Impératrice. 1814 Th. Royal. 1818* incendie. *1819* reconstruit par Baraguey et Prévost, prend le nom d'*Odéon. 1941 Th. national de l'Odéon. 1946 Salle Luxembourg. 1958 Th. de France,* dir. Madeleine Renaud, Jean-Louis Barrault. *1968* mai, occupé par les révoltés. *1971 Th. national de l'Odéon,* dir. *1971* Pierre Dux [1], *1979* Jacques Toja [1], *1983* François Barachin, *1986* Jean Le Poulain [1], *1989* Antoine Vitez [1], *1990* Lluis Pasqual. Établissement public à caractère industriel et commercial, dep. 1971, outre qu'il accueille des spectacles de la Comédie-Française et de la décentralisation, se consacre surtout à la création contemporaine. Entre 1983 et 1990, met sa salle à la disposition du Th. de l'Europe (dir. Giorgio Strehler) de mars à juillet. *Petit Odéon* (dir. artistique Jacques Baillon) : laboratoire de textes contemporains. *1990* (1-6) devient Odéon-Théâtre de l'Europe par décret du min. de la Culture (dir. Lluis Pasqual). **Subventions** (millions de F). *90 :* 45,1. *91 :* 45,8. **Gestion** (en millions de F) : *ressources propres : 89 :* 41. *Dépenses de personnel : 89 :* 35. *Artistiques : 89 :* 21. *Budget total : 89 :* 57.

Saison (1989-90) (Grande salle et, entre parenthèses, Petit Odéon) : spectacles 7 (6) ; représentations 160 (165) ; spectateurs 77 562 (11 824). *Coefficient de remplissage : 89-90* 56 %.

Nota. – (1) Également administrateur de la Comédie-Française pendant ces mêmes périodes.

Théâtre national populaire (TNP)

Fondé 1930 à Paris (palais de Chaillot). *Du 1-11-1951 au 1-7-63* (Jean Vilar directeur, 3 382 représentations, 5 186 957 spectateurs. 29 œuvres françaises et 22 étrangères interprétées). *Records :* Molière 904 106 spectateurs (580 représ.), Shakespeare 383 366 (201), Brecht 368 152 (309), Corneille 341 241 (230). *Du 5-12-1963 au 25-3-1972,* directeur : Georges Wilson, 1 141 représ. (grande salle), 2 359 236 spect. 11 œuvres françaises et 19 étrangères créées. *Record :* Brecht 488 125 spect. (5 pièces : 227 représ.).

Depuis avril 1972, transféré à Villeurbanne (Rhône), au Th. de la Cité (créé 1959, CDN 1963). Directeurs : Roger Planchon, Robert Gilbert. Le théâtre reçoit des subventions spéciales mais *n'est pas* un établissement public.

• Théâtre national de Chaillot. 1920 (fondation) à 1972. Th. national populaire (voir T.N.P. ci-contre). 1968 établissement public subventionné par l'État. *Mission :* favoriser le renouvellement de la création théâtrale contemporaine (décret du 9-5-75). 2 salles : *s. du Grand Théâtre* (qui avait 2 700 pl.), transformée par les architectes Fabre et Perrottet et le scénographe Raffaëlli (réouverture oct. 1975). Le rapport spectacle-public varie (lieu scénique et gradins mobiles) ; *Th. Gémier* inauguré janv. 1967 (430 pl.). Dir. Jérôme Savary. **Subventions** (millions de F) : *1980 :* 12,5 ; *82 :* 38 ; *83 :* 43 ; *84 :* 45 ; *85 :* 46,8 ; *86 :* 45,8 ; *87 :* 45,8 ; *88 :* 49 ; *89 :* 52,9 ; *90 :* 51,25. **Gestion** (en millions de F) : *ressources propres : 88 :* 21, *89 :* 18. *Dépenses de personnel : 88 :* 40, *89 :* 43. *Artistiques : 88 :* 27,2, *89 :* 25. *Budget total : 88 :* 70, *89 :* 71.

Saison 1989-90 : représentations 468, spectateurs 201 499 (*1967* 400 000 ; *71 :* 175 000 ; *79 :* 90 000). *Coef. de remplissage : 89-90 :* 78,2 %. *Coût moyen par spectateur (en F) : 1971 :* 45 ; *76 :* 221 ; *82 :* 390 ; *84 :* 437 ; *85 :* 264 ; *86 :* 270 ; *87-88 :* 377 ; *88-89 :* 582 ; *90 :* 231.

• Théâtre de l'Est parisien. Ouvert oct. 1963. Th. national de 1972 à 1987. Directeur et fondateur : Guy Rétoré. Dep. le 1-7-1987 : T.E.P./SARL Guy Rétoré, th. subventionné par le ministère de la Culture. *Salle* de 397 pl., 159, avenue Gambetta, 75020 Paris. **Subventions** (en millions de F) : *89 :* 29. **Gestion** (en millions de F). *Ressources propres : 89 :* 9. *Dépenses de personnel : 89 :* 14. *Artistiques : 89 :* 23. *Budget total : 89 :* 38. **Saison** *1989-90 :* 190 représentations (8 spectacles dont 3 créations). *Coef. de remplissage : 89-90 :* 76,8 %.

• Théâtre national de Strasbourg. Ancien Centre dramatique de l'Est (1946), devenu Th. national de Strasbourg en 1968. Établ. public dep. 1-7-1972. *Dir. :* Jean-Marie Villégier (1937). Grande salle, place de la République (dep. 1957), 730 pl. Le Parterre (même adresse) (dep. 1988), 350 pl. Salle Hubert Gignoux, av. de la Marseillaise (dep. 85), 80 à 95 pl. **Subventions** (en millions de F) : *90 :* 28,4. *91 :* 29. **Gestion** (en millions de F). *Ressources propres : 89 :* 6. *Dépenses de personnel : 89 :* 20. *Artistiques : 89 :* 13. *Budget total : 89 :* 35. *Spectacles* présentés de 5 à 20 fois à Strasbourg + tournées en France et à l'étranger. *Saison 1989-90 :* à Strasbourg 155 (41 986 spectateurs), en dehors 63 (25 200) ; *remplissage : 89-90 :* 76 %. L'École sup. d'art dramatique du TNS (*dir. :* Jean-Marie Villégier, *dir. des études :* Cath. Delattres) forme comédiens, régisseurs et décorateurs.

Centres dramatiques nationaux (CDN)

Troupes privées fondées par un accord entre l'État et la ou les municipalités intéressées (1er 1946, CDN de l'Est à Colmar, puis 1954 à Strasbourg). Distinctes des *troupes permanentes* qui sont d'initiative privée. Dep. 1972, la plupart sont sous contrat triennal avec l'État (une subvention de base est versée contre l'engagement de présenter un certain nombre de spectacles nouveaux avec un nombre minimal de représentations). 5 centres furent créés entre 1947 et 1950 (le 1er, le Centre dramatique de l'Est, est devenu Th. national de Strasbourg).

Saison 1987-88. *Nombre de représentations et, entre parenthèses, nombre de spectateurs.* 6 385 (1 684 188) dont CDN 5 396 (1 520 711), CDNEJ 989 (164 188).

Dotations (1990, en millions de F). CDN (25) 220,9. C.D. pour l'enfance et la jeunesse (5) 14,6. Établissements assimilés (10) 259,9.

• Centres dramatiques nationaux (au 1-1-1989). *Saison 1987-88.* Nombre de représentations et, entre parenthèses, nombre de spectateurs. *Angers,* CDN d'Angers (Nantes créé 1957, dep. 1968 à Angers ; dir. Patrick Pelloquet) 211 (22 011). *Aubervilliers,* CDN d'Aubervilliers, Groupe TSE (CDN 1975 ; dir. Brigitte Jaques et François Regnault) 936 (107 390). *Besançon,* Nouveau Th., CDN de Franche-Comté (CDN 1972 ; dir. René Loyon) 70 (10 351). *Béthune,*

CDN du Nord-Pas-de-Calais (dir. Jean-Louis Martin-Barbaz) 186 (31 493). *Caen,* Comédie de Caen (créé 1963, CDN 1968 ; dir. Michel Dubois) 243 (53 529). *Châtenay-Malabry,* Th. du Campagnol (dir. Jean-Claude Penchenat) 90 (21 539). *Dijon,* Nouveau Th. de Bourgogne (dir. Alain Mergnat) 171 (41 163). *Gennevilliers,* Th. de Gennevilliers (dir. Bernard Sobel) 132 (13 121). *Grenoble,* CDN des Alpes (créé 1960, CDN 1971 ; dir. Bruno Boeglin) 150 (20 846). *Lille-Tourcoing,* Th. national de Région, La Salamandre (dir. Daniel Mesguisch) 192 (58 906). *Limoges,* CDN du Limousin (créé 1962 ; dir. Pierre Meyrand) 117 (37 009). *Marseille,* Th. nat. de Mars., La Criée (ex-Comédie de Provence, créé et CDN 1952 à Aix, siège à Marseille ; dir. Marcel Maréchal) 478 (154 324). *Montpellier-Béziers,* Nouveau Th. Populaire de la Méditerranée (dir. Jacques Nichet) 228 (76 592). *Nanterre,* Th. de Nanterre-Amandiers (dir. Patrice Chéreau), 239 (82 402). Voir ci-dessus. *Nice,* Nouveau Th. de Nice, CDN Nice-Côte d'Azur (créé et CDN 1969 ; dir. Jacques Weber) 205 (174 027). *Paris,* Tréteaux de France (créé 1959, CDN 1971 ; dir. Jean Danet) 236 (140 465). *Reims,* CDN de Reims (dir. Christian Schiaretti) 274 (50 271). *Rennes,* Comédie de Rennes, CDN de Bretagne (créé 1949 ; dir. Pierre Debauche) 304 (42 959). *St-Denis,* Th. Gérard-Philipe (dir. Daniel Mesguisch) 160 (6 506). *St-Étienne,* Comédie de St-Étienne (créé 1947, CDN 1956 ; dir. Daniel Benoin) 346 (130 044). *Toulouse,* Grenier de Toul (créé et CDN 1949 ; dir. Jacques Rosner) 98 (47 479). *Villeurbanne,* TNP de Vill., Cie du Th. de la Cité (dir. Roger Planchon, Robert Gilbert, G. Lavaudant) 277 (183 583).

• **Centres dramatiques nationaux pour l'enfance et la jeunesse** (au 1-1-1989). *Saison 1987-88.* Nombre de représentations et, entre parenthèses, de spectateurs. *Caen,* Th. du Gros Caillou (dir. Yves Graffey) 112 (30 637). *Lille,* Th. La Fontaine (dir. René Pillot) 330 (49 273). *Lyon,* Th. des Jeunes Années (dir. Maurice Yendt) 171 (35 465). *St-Denis,* Cie Daniel Bazilier (dir. Daniel Bazilier) 92 (23 460). *Sartrouville,* Pomme verte (dir. Françoise Pillet) 284 (25 353).

Société des auteurs et compositeurs dramatiques (S.A.C.D.)

Créée 1777 par Beaumarchais à la suite d'une révolte des auteurs. **Organisation :** Sté civile formée par une commission composée d'auteurs élus lors de l'Assemblée générale annuelle. *Pt* (élu par la commission) : Claude Santelli. *Délégué gén. :* Hubert Astier. **Membres :** 25 000 auteurs et compositeurs dramatiques français et francophones. **Répertoire :** œuvres théâtrales, audiovisuelles (films cinématographiques, téléfilms, séries d'animation, retransmission du spectacle vivant), musicales (musiques d'opéras, ballets, comédies musicales, etc...), radiophoniques, chorégraphiques. **Mission :** recueille pour chaque exploitation d'un ouvrage dramatique l'autorisation préalable de l'auteur, établit un contrat avec l'utilisateur, perçoit et répartit les droits d'auteurs (*1988 :* 420 000 000 F) en prélevant une faible « retenue statutaire », intervient directement dans les pays francophones et dans de nombreux pays étrangers. Assure protection sociale et défense morale des auteurs (permet le « dépôt du manuscrit »). Organise des lectures publiques d'œuvres de jeunes auteurs avec « la semaine des auteurs ». Participe à des actions culturelles (festival d'Avignon, festival de Cannes, aide à l'édition théâtrale...). Décerne des prix. Met à la disposition des auteurs un « club des auteurs » et une bibliothèque sur le spectacle (60 000 documents). A créé la *« Fondation Beaumarchais »* pour assurer la promotion et la diffusion du spectacle vivant.

Enseignement de l'art dramatique

Conservatoire national supérieur d'art dramatique. *Origine :* Conserv. impérial de musique et de déclamation (1808). *Création :* 1812. Établissement public d'enseignement supérieur de l'art dramatique. *But :* formation du comédien professionnel. *Admission :* sur concours annuel, en 2 parties. *1990 :* candidats 831, admis 25. *Épreuves :* 4 scènes dont 2 classiques préparées par le candidat. *Élèves :* 73 en 6 classes d'interprétation et 13 stagiaires étrangers. *Professeurs :* 19. *Dir. :* J.-P. Miquel.

Autres écoles officielles. Conserv. de province, conserv. municipaux à Paris, École nationale supérieure des arts et techniques du théâtre, École nationale de Strasbourg.

Tournées théâtrales

Nombre (1985) : 130 directeurs de tournées théâtrales membres du syndicat national, un certain nombre d'organisateurs indépendants.

Galas Karsenty-Herbert : association des Galas Karsenty et des Productions théâtrales Georges Herbert. La plus importante entreprise de tournées théâtrales européenne. Présentent en France, Belgique, Suisse, Luxembourg, Pays-Bas, 10 spectacles différents par saison. Visitent irrégulièrement Tunisie, Maroc, Allemagne, Autriche, Réunion, Madagascar, île Maurice, Antilles, Tahiti, N^lle^-Calédonie. *Représentations* 800 à 1 000 par an (la plupart en abonnement), environ 50 000 abonnés. *Places vendues* chaque saison + de 1 million.

Troupes amateurs

Nombre. Environ 5 067 associations, dont 3 620 (au 30-11-1987) appartiennent à la Féd. nat. des Cies de Th. et d'Animation 12, rue de la Chaussée-d'Antin, 75441 Paris Cedex 09. *Répartition des troupes :* indépendants 34 %, en milieu socio-éducatif 22 %, en milieu scolaire et universitaire 28 %, issues des activités de comités d'entreprises 16 %.

Festival. *National,* tous les 2 ans (années impaires), *mondial* tous les 4 ans à Monaco. *Le Masque d'Or* tous les 2 ans (années paires).

☞ **Théâtre démontable.** *VIe s. av. J.-C. :* Thespis crée le genre avec son chariot ambulant. *V. 1870-80* grande période. *Jusqu'en 1940 :* période faste, + de 200 établissements (+ petits : 15 × 6 m, + grands : 40 × 13 m avec balcon). 200 à 1 000 places. *1960 :* les derniers ont disparu à cette époque. Le genre existe encore sous chapiteau : Jean Danet, De Blasiis, les Baladins du miroir (Belgique). *Quelques grandes baraques :* Camp, Créteur, Cavalier, Delemarre-Feranti, Lamarche, Montanari. *Association :* les Amis du théâtre démontable 40, rue Blasset, 80000 Amiens. Publication trim. « La Brochure ».

Cirque

• **Origine.** Créé en G.-B. en 1769/70 par Philip Astley (8-1-1742-1814). Au début, clowns à cheval puis clowns acrobates, jongleurs, etc. Au XXe s. associés avec l'Auguste devenu le bouffon (origine possible : un certain Tom Belling aurait emprunté le costume et les facéties d'un garçon de piste maladroit du cirque Renz, prénommé Auguste).

1ers cirques fixes : Allemagne : C. de Berlin (1839) et Renz (1843). 1re direction : Dejean. **États-Unis :** Bill Ricketts (1790 env.), Adam Ringling Brothers, Forepaugh, puis Ringling Bros and Barnum Bailey. [Phineas Taylor Barnum (6-7-1810-1881), vendeur en épicerie et représentant en chapeaux, se spécialisa dans l'exhibition de phénomènes vrais ou truqués, ex. : Joice Heth (vieille Noire dont il fit la nourrice de George Washington) ; femme à barbe ; sœurs siamoises et nains, ex. : à New York, en 1851, le nain Charles Stratton (ou Gal Tom Pouce). *1871* s'associe avec Bailey]. **France :** *(Paris)* Amphithéâtre Astley (1780-1802), bd du Temple, vendu en 1795 à Antonio Franconi. C. Olympique (1807-62), C. des Champs-Élysées (C. d'été, 1841-1900), C. Napoléon (C. d'hiver, 1852), C. Fernando (Médrano puis Montmartre, 1873-1973), Nouveau Cirque (Arènes nautiques, 1875-1927) C. Métropole (C. de Paris, 1906-30), Hippodrome de la place Clichy (1900 ; plus tard Gaumont-Palace). **G.-B. :** C. Philip Astley [Astley's Riding School 1770 (1er cirque puis Royal Amphitheatre of Arts 1780) C. Royal (Royal Circus) de Hughes.

• **Cirques principaux. Étrangers. Afrique du Sud :** Boswell-Wilkie. **Allemagne :** (disparus : Renz, Carola Williams, Hagenbeck) Carl Althoff, Barum, Busch-Roland, Krône, Sarrasani. **Angleterre :** (disparus : Mills, Chipperfield, Billy Smart, David Smart) Mary Chipperfield, Tower Circus (Blackpool, c. fixe), Austen Bros, Robert Bros, Jerry Cottle, Billy Russel (Great Yarmouth, c. fixe), Billy Smart, David Smart, Hoffmann, Robert Fossett. **Australie :** Ashton. **Belgique :** (disparus : Dejonghe, Semay Piste) C. Royal de Bruxelles. **Chine :** C. d'État. **Danemark :** (disparus : Miehe, Schuman) Arena, Arli, Benneweiss, Bunger, Carneval, Vivi Roncelli. **Espagne :** Americano, Atlas, Christo, Monumental, Price, Tonetti. **États-Unis :** Clyde Beatty-Cole Bros, Hamid-Morton, Mills Bros, Polak Bros, Ringling Bros and Barnum et Bailey (le + grand cirque du monde : 2 éditions simultanées, 300 artistes par spect.), Vargas, King Bros. **Irlande :** Fossett. **Italie :** (disparus : Biasini, Travaglia) Americano (Togni), Embell-Riva, Liana et Rinaldo Orfei, Medrano, Nando et Moira Orfei, Palmiri, Darix Togni, Tribertis, Nyuman, Cesare Togni. **Norvège :** Arne Arnardo. **Pays-Bas :** (disparus : C. Carré, Strasburger) Boltini. **Suède :** Benzo, Ray Miller, Scala, Scott. **Suisse :** Knie, Nock, Olympia, Stey. **U.R.S.S. :** C. d'État.

Français. Disparus : Bureau, Loyal, Médrano (1873-1963), Radio Circus (1949-55), Grand Cirque de France (1959-65), Nouveau cirque Jean Richard (1974-76), Lamy, Francki, Pourtier, Amar. **Cirques itinérants :** Cirque Fratellini (1 200 pl., dir. Annie Fratellini-Pierre Étaix), Bouglione (Joseph B. 1904-87), Douai, Pauwells, Arizona (dir. Clément), du Puits aux Images, Grüss, Pinder, Jean Richard, Reno, Moreno, Achille Zavatta, Zavatta fils, Arlette Grüss. **Cirques fixes :** C. d'Amiens (fondé par les Rancy, 2 700 pl.), C. de Reims, Bouglione (2 cirques : Alexandre B. et Émilien B.).

• **Écoles de cirque. En France,** *École nat. du cirque* (Paris) : P^te^ : Annie Fratellini, 100 élèves chaque année à partir de 8 ans, les mercredis et samedis, 100 de + de 16 ans tous les jours. 3 ans d'études menant à un C.A.P. d'État (contrat d'association avec l'État), 2, rue de la Clôture, 75019 Paris. *École nat. supérieure des arts du cirque* (Châlons-sur-Marne) : à partir de 16 ans. **Étranger :** Moscou (dep. 1929), Budapest, Bucarest, Kiev, New York (Big Apple), Prague, Australie, Canada, Chine, Corée, Allemagne, Le Caire.

• **Clowns. Du passé :** Auriol (n. 1806, 1er clown français, il n'était pas maquillé et portait un masque qui ressemblait à celui d'Arlequin et à celui du bouffon anglais par la coiffure ornée de grelots). L'Anglais Giuseppe Grimaldi (1713-88) fut le 1er clown de scène, Billy Saunders le 1er clown de cirque (c/o Astley, 1770), Félix Adleei (1897), Alex (1897) les Andreu-Rivels (1896), Antonet (1872) et Beby (1885-1958), Belling (1er Auguste), Boboss (1945), Boulicot (1878-1958), Geronimo Médrano « Boum Boum » (1840-1912), Charlie Cairoli (1910-80), Charly (1920), Charlie Rivels (1846), les Dario-Bario (1880), Foottit (1864-1910) et Chocolat (1868-1917), les Fratellini [(Gustave (1842-1902) et ses enfants : Louis (1867-1909), Paul (1877-1940), François (1879-1951), Albert (1886-1961)], Otto Griebling (1897-1972), Grock (1880-1959), Little Tich (1868-1928), Little Walter (1879-1937), Loriot (1884-1973), Maïss (1844-1976), Manetti (1901-69), Billy Hayden, E.-P. Loyal (1896-1965), Porto (1889-1941), Gougou Loyal (1853-1925), Tony Crice, Pipo (1891-1970) et Rhum (1904-53), Léonide Enguibarov (1935-72), la famille Dourov, Baba Fratellini (1914-81), Charlie Rivels (1896-1984), Karandach, Charles Cairoli.

Contemporains : Babusio, les Bario (Nello 1918, Freddy 1922, son épouse Henny Meschi 1926), les Bento, Bocky (1929) et Randel (1921), les Chabri, les Chicky, Dimitri (1935), les Dubsky, Pierre Étaix et Annie Fratellini (1935), les Francesco (1922), Ernesto (1917), Enrico (1912), André Gruss (1919), Lou Jacob, les Rudy, Llatta, Nikouline (1921), Popov (1930), les Rastelli, Achille Zavatta (1915), Davis Shiner, Peter Shub, Petit Gougon et Eddy Sosman, Pipo et Piéric, Valérie Fratellini (1960), Tino Fratellini.

• **Statistiques** (France). **Artistes** env. 200. **Employés** env. 2 000. **Cirques** 30 [dont env. 20 petites entreprises familiales (1 000 employés) et 7 « grandes »].

Assistance. Env. 4 millions de spectateurs par an ; 10,5 % des Français sont allés au cirque ces dernières années ; 9,7 % au cours des 12 derniers mois dont 7,4 % de l'ensemble de la pop. 1 seule fois (soit 77,7 % des spectateurs), 1,4 % 2 fois (14,7), 0,4 % 3 ou 4 fois (4,1). 0,3 % y étaient allés seuls.

Subvention de l'État (en millions de F). *1983 :* 12,07. *84 :* 15,07. *85 :* 18,6. *86 :* 25,6. *88 :* 24,3 dont Assoc. nat. pour le dévelop. art. du cirque 5,6 ; Cirque Grüss 4,6 ; Fest. mond. Cirque de demain 0,5 ; École du Cirque de Châlons 13,6 ; Gd Prix nat. du Cirque 0,05.

Budget. *Frais quotidiens :* petits cirques 10 000 F, grands cirques 35 000 à 45 000 F. *Coût d'un orchestre* (5 musiciens) par soirée : 1 800 F ; *d'un bon numéro :* 800 à + de 2 000 F ; *d'une tonne de foin :* 500 à 2 000 F (un éléphant en consomme plus de 200 kg par j.) ; *d'un lion :* quelques dizaines de milliers de F (prix d'achat et dressage, consomme de 10 à 20 kg de viande par j) ; *de 1 toile de chapiteau :* 150 000 à 300 000 F (à renouveler tous les 3/4 ans). *Places :* 30 à 70 F.

• **Statut** (France). *Avant 1978,* non reconnu officiellement comme un art du spectacle. *1979,* création d'un fonds de modernisation du cirque pour 2/3 subventions du min. de la Culture, 1/3 cotisations des cirques bénéficiaires. *1980,* remplacé par l'Association pour le soutien, la promotion et l'enseignement du cirque. **Association La Piste :** aide les artistes blessés ou dans le besoin. **Revue spécialisée :** « le Cirque dans l'Univers ».

Marionnettes

• Nom. Diminutif altéré de Mariette, Marion, petite Marie, qui désignaient au Moyen Age des figurines représentant la Vierge.

• Origine. *XIXe s. av. J.-C. :* animation des statues sacrées dans les temples d'Égypte. *XIe s. av. J.-C. :* marionnettes à tige et silhouettes animées improvisent sur le thème des grandes épopées mythologiques en Inde et en Indonésie. *470 av. J.-C. :* Korokosmia en Grèce antique. *Moyen Age :* en Europe, représentations religieuses dans les églises. **Type selon l'animation.** *Inférieure,* marotte, à tige ou à gaine ; *supérieure,* à fil ou à tringle ; *postérieure* (ombres, Bunraku).

• Dans le monde. Quelques noms. **Allemagne :** Kasper. **Angleterre :** Punch. **Autriche :** Kasperl (Vienne). **Belgique :** Tchantchès (Liège). **Espagne :** Orlando, Don Cristobal Polichinela (XVIIe). **France :** Guignol (créé fin XVIIIe par Mourguet à Lyon), Lafleur (Amiens). **Grèce :** Karaghiosis. **Hollande :** Jean Pickelhoering. **Inde :** Vidouchaka. **Italie :** Pulcinello (Naples, XVIe), Girolama (fin XVIIIe, Milan), Cassandre (Rome), Pantalone (Venise). **Japon :** Kuraku-za (XVIe). **Java** *(Bali) :* les Wayangs (ombres avec silhouettes en buffle découpé). **Tchécoslovaquie :** Kasparek. **Turquie :** Karagöz. **Russie :** Petrouchka.

Musées. **Allemagne :** Dresde, Munich. **France :** Musée des arts et traditions populaires (Paris), m. Kwok On (mar. asiatiques, Paris), m. historique (Lyon). **P.-Bas :** La Haye. **Suède :** Stockholm. **Tchécosl. :** Chrudim. **U.R.S.S. :** Moscou.

Théâtres professionnels **(nombre).** U.R.S.S. 117, All. féd. 36, Roumanie 23 th. d'État, Pologne 21, Belgique 19, Yougoslavie 19, Bulgarie 14, P.-Bas 14, Tchécosl. 14, All. dém. 13, Italie 10, Autriche 7, G.-B. 7, Finlande 5, Suisse 5, Danemark 4, Norvège 4, Grèce 2, Suède 2, Espagne 1, Hongrie 1 (mais beaucoup de th. amateurs), Islande 1.

• En France. Associations. *Centre national de la marionnette* (professionnels), 5, rue des Colonnes-du-Trône, 75012 Paris. *Unima-France* 5, cité Voltaire, 75011 Paris, *Marionnette et thérapie* 14, rue St-Benoît, 75006 Paris. *S.F.A. (Branche Marionnettes)* 21 bis, rue Victor-Massé, 75009 Paris, créé 1981. *Institut intern. de la marionnette,* 7, place Winston-Churchill, 08000 Charleville-Mézières. *École nat. sup. des arts de la marionnette,* créés 1987, 7, place Winston-Churchill, 08000 Charleville-Mézières. *Assoc. nat. des amis de la mar.,* 16, rue Théophraste-Renaudot, 75015 Paris. *Sté des amis de Lyon et de Guignol.*

Bibliothèques. *Département des Arts du spectacle (Bibl. nationale)* à la bibl. de l'Arsenal, 1, rue Sully, 75004 Paris. *Médiathèque de l'Institut intern. de la Mari.,* 7, pl. Winston-Churchill, 08000 Charleville. *Centre de doc. de la mari. de la bibliothèque municipale de Roubaix,* 13, rue du Château, 59100 Roubaix.

Compagnies. 350 (dont env. 60 inscrites au Centre national de la marionnette) *du Verseau, Th. Marnaf, Cie de l'Arc en Terre, le Cirkubu, Th. de la Goutte d'Eau, Th. de l'Ombrelle, Cie François Lazaro, Th. du Fleuve, Th. Louis Richard.*

Festivals. *Ambert,* « le Terroir aux images ». *Aubenas,* « Théâtre de figures en Vivarais ». *Auxerre/Beaune,* « Biennale de la m. en Bourgogne ». *Charleville-Mézières* (tous les 3 ans), « Festival mondial des théâtres de m. ». *Épinal,* « Festival du colportage ». *Fontenay-sous-Bois,* « Voyage en m. du Val-de-Marne ». *Fos-sur-Mer,* « Festival de m. ». *Le Mayet-de-Montagne,* « Festival de la m. ». *Metz,* « Rencontres du théâtre de m. ». *Nancy,* « Nancy-Formes-Théâtre ». *Paris,* « les Semaines de la m. à Paris ». *Strasbourg,* « les Giboulées de la m. » *Toulouse,* « Marionnettissimo ». *Vitrolles,* « Midi Teatro ».

Théâtres fixes. Amiens, Beaune, Charleville-Mézières, Crosne, Épinal, Fontenay-sous-Bois, Lyon, Marseille, Metz, Nantes, Orléans, Roubaix, Vincennes, TAC-Studio, les « Guignol » des squares parisiens (celui du Jardin du Luxembourg et les M. des Champs-Élysées jouent toute l'année). Programmation saisonnière (Maisons de la Culture, C.A.C.).

Budget consacré par le min. de la Culture à l'ensemble de la profession spécialisée dans la marionnette (en millions F). *1981 :* 1,6, *82 :* 6,3, *83 :* 7,6, *84 :* 7 [1]. *89 :* 8,9 [2].

Nota. – (1) Chiffre CNM. (2) Min. de la Culture.

Principaux festivals

Légende. – (1) Musique. (2) Art dramatique. (3) Danse. (4) Folklore.

Allemagne. Ansbach (Bach, juil. août), Bad Ersfeld (id.), Berlin (sept.) [1, 2, 3], Bayreuth (Wagner, juil.-août), Bonn (Beethoven, mai-sept.), Donaueschingen (août-nov.) [1], Munich (juil.) [1, 2], Schwetzingen (avril-juin), Wiesbaden (mai), Ludwigsburg (mai-oct.) [1], Dresde, Halle (Haendel, juin), Leipzig (Bach, sept.). **Autriche.** Graz (oct.) [1, 2, 3]. Linz (sept.-oct.) [1]. Salzbourg (juil.-août) [1]. Vienne (mai-juin) [1, 2, 3]. Bregenz (juil.-août) [1]. Ossiach-Villach (juin-août). **Belgique.** Festival des Flandres (avr.-oct.) [1]. Festival de Wallonie (sept.-nov.). Liège (les Nuits de Septembre) [1]. Chimay (juin-juil.). St-Hubert (juillet). Spa (juin-août-sept.) [1, 2, 3]. Stavelot (août). **Bulgarie.** Sofia (mai, juin) [1]. Varna (juin-juil.) [1]. **Danemark.** Copenhague (mai, août-nov.) [3]. **Espagne.** Barcelone (oct. nov.) [1, 2, 4]. La Corogne (juil. à août). Cuenca (mus. relig., Pâques). Grenade (juin-juil.) [1, 3, 4]. Madrid (oct.nov.) [1]. Santander (juil.-sept.). **Finlande.** Helsinki (août-sept.) [1, 3]. Savonlinna (opéra, juin-juil.).

France. *Janvier :* Fondation Maeght [1]. *Avril :* Évian [1]. Lourdes [1]. Paris [1] (dep. 1974). Agen [1] (chorales). Strasbourg (chant choral, mars-avril). *Mai :* Bordeaux [1]. Évian [1]. Nancy [2] (créé par Jack Lang, repris par Lew Bodgen). Saintes (mai-juin) [1]. Toulon (mai-juil.) [1]. Versailles [1, 2, 3]. *Juin :* Angers [2]. Annecy (juin-août) [2]. Arras [2]. Côtes méditerranéennes [fest. méd. [1], 16 villes côtières différentes (juin-août) : classique, lyrique, folkl., jazz (créé 1976)]. Divonne (juin-juil.) [1]. La Rochelle (juin-juil.) [1, 2, 3]. Lyon [1, 2]. Mulhouse [1] (F. Bach). Nantes [2]. Paris, f. du Marais (juin-juil.) [1, 2, 3, 4] (dep. 1962, 75 000 spectateurs en 79). Strasbourg [1] (créé en 1932). Tours [1]. *Juillet :* Aix-en-Pr. (juil.-août) [1] (chant). Albi (juil.-août) [1]. Antibes [1]. Arles [1, 3, 4]. Avignon [2, 3] (juil.-août), créé 1947 par Jean Vilar ; *Entrées 1990 :* 128 000. *Budget* (1991, en millions de F) : 33,5 dont subventions 53,5, mécénat 11,9, recettes propres 34,6. Carpentras [1]. Châteauvallon (danse, juil.) Gannat [4]. Les Baux [3]. Salon-de-Provence [1]. Carcassonne [2]. Gourdon [1]. Montguyon [4]. Orange (juil.-août) [1]. Paris [1] (f. estival ; 15 juil.-21 sept.). Prades (juil.-août) [1]. St-Pierre-la-Chartreuse [1]. Nîmes [1]. Saintes [1]. Sceaux [1]. Vienne [1]. *Août :* Annecy [2] (th. rel.). Antibes-Juan-les-Pins [1]. Confolens [4] [siège social du Comité international des Organisateurs de Festivals folkloriques (C.I.O.O.F.)]. Croisière en Méditerranée [1]. Évian [2] (plein air). La Chaise-Dieu (août-sept.) [1]. Semaines musicales du Luberon [1]. Menton [1]. Vichy [1]. St-Donat [1]. Sarlat (juil.-août) [2]. *Sept. :* Ambronay [1]. Besançon [1]. Chartres [1] (sept.-oct., samedis musicaux). Parc du Haut-Languedoc [1] (f. Bach). Lyon [1] (f. Berlioz). *Oct. nov. :* Lille [1, 2, 3, 4]. *Novembre :* Bordeaux [1, 2] (Sigma). Paris (sept.-déc.) [3], dir. Michel Guy. *Décembre :* Lille [1, 2, 3, 4].

Grande-Bretagne. Aldeburgh (juin) [1]. Bath (mai-juin) [1, 2]. Brighton (mai). Cheltenham (juil.) [1]. Édimbourg (août-sept.) [1, 2, 3]. Glyndebourne (mai-août). Harrogate (août). Hereford [1], Gloucester [1], Three Choirs (août-sept.) [1], formé par roulement des chœurs de Hereford, Gloucester et Worcester. Brighton (mai) [1]. **Grèce.** Athènes (juin-sept.) [1, 2, 3]. **Hollande.** Festival (juin) [1, 2, 3]. **Hongrie.** Budapest (mars, juil.-août, sept.-oct.) [1, 4]. **Irlande.** Wexford (oct.-nov.). **Islande.** Reykjavik (juin). **Israël.** Césarée, Jérusalem (mai-juin) [1, 2, 3], Tel-Aviv (août-sept.) [1, 3, 4]. **Italie.** Boya (juil.-août). Cervo (juil.-août) [1]. Florence (avril-juillet) [1, 3]. Gênes (juil.) [3]. Martina-Franca (juil.-août) [1]. Monreale. Pérouse (sept.-oct., mus. sacrée). Ravenne (juil.). Rome (juil.). Spolète (juin-juil.) [1, 2, 3]. Stresa (août-sept.). Taormine (août). Turin (août-sept.). Venise (mus. contemp. tous les 2 ans en sept.). Vérone (juil.-sept.) [1, 3]. Brescia-Bergame (avril-mai) [1]. Pesaro (août) [2].

Japon. Osaka (avril-mai) [1, 2, 3]. **Luxembourg.** Echternach (mai-juin) [1]. **Monaco.** Monte-Carlo (avril-mai) [1, 2, 3]. **Norvège.** Bergen (mai-juin) [1, 2, 3]. **Pays-Bas.** F. de Hollande (juin-juillet) [1, 2, 3] (Amsterdam, La Haye, Rotterdam). **Pologne.** Varsovie (Automne de Vars., mus. contemp., sept.) [1, 4]. Wrocław (Breslau, sept.) [1]. **Portugal.** Estoril (juil.-août) [1, 2, 3, 4]. **Suède.** Drottningholm (mai-sept.) [1]. **Suisse.** Engadine (juil.-août). Gstaad (juil.-août). Interlaken (fin juil.). Lausanne (mai-juil.) [1, 2, 3]. Lucerne (août-sept.) [1]. Montreux-Vevey (août-oct.) [1]. Zurich (mai-juil.) [1]. Fribourg (juil.) [1]. **Tchécoslovaquie.** Brno (sept.-oct.). Prague (mai-juin) [1]. Bratislava (sept.-oct.) [1]. **Turquie.** Istanbul (juin-juil.) [1, 2, 3, 4]. **Yougoslavie.** Belgrade (oct.). Dubrovnik (juil.-août) [1, 2, 4]. Ohrid (juil.-août) [1, 2, 4]. Ljubljana (juil.-sept.) [1, 2, 3, 4]. Split (juil.-août). Zagreb (biennale, avril 89) [1].

Établissements d'action culturelle

Nombre. Au 1-1-1984 : 49 établ. reconnus par le ministère de la Culture, sous tutelle de la Direction du Théâtre et des Spectacles.

Missions. Être des lieux de production artistique ; organiser la confrontation des formes artistiques en privilégiant la création contemporaine ; constituer des lieux de référence au niveau national et international dans l'un ou l'autre domaine de la culture contemporaine (ainsi *Amiens* pour édition et recherche sur l'identité régionale, *Bourges :* théâtre avec l'Atelier théâtral national, *Créteil :* danse, *Montbéliard :* arts plastiques et vidéo, *Villeneuve-lès-Avignon :* nouvelles technologies) ; transformer les comportements à l'égard de la création artistique et participer au développement culturel de la cité.

Fonctionnement. Gérés, dans le cadre de l'entreprise privée, par des assoc. loi 1901 dont l'État et les collectivités locales qui financent sont membres de droit, minoritaires. Le directeur, nommé par le conseil d'administration avec l'agrément des tutelles, sur la base d'un projet culturel et artistique triannuel, est seul responsable devant le conseil de la gestion, du choix du personnel, de la conception et de la réalisation du projet d'activités. Les équipements appartiennent à la collectivité locale qui les met gratuitement à la disposition de l'association.

Aide financière de l'État *(1989) :* crédits de fonctionnement 199 963 000 F, d'équipements 31 000 000 F.

Maisons de la Culture

Créées à partir de 1960, dans le cadre du VIe plan, sur l'initiative d'une municipalité, en accord avec l'État. *Financement de l'équipement et du fonctionnement :* 1/2 État, 1/2 collectivités locales.

Nombre. 11. En *1991 :* Amiens (créée 1965), Bourges (1963), Chambéry (1964), Créteil (1975), Firminy (1965), Grenoble (1966), Le Havre (1961), Nevers (1970), Reims (1956), Rennes (1963), La Seine-St-Denis (1973).

Spectateurs payants. *(1982-83)* Amiens 44 855. Bourges 29 292. Chalon-sur-Saône 41 758. Chambéry 18 852. Créteil *(1988-89)* 98 000. Firminy 5 962. Grenoble 92 241. La Rochelle 88 423. Le Havre 90 877. Nevers 42 402. Reims 106 612. Rennes 97 720. Seine-St-Denis 77 626.

Nota. – Dans les maisons de la culture ayant des adhérents, la proportion de ceux-ci parmi les spectateurs est de l'ordre de 78 %.

Centres d'action culturelle

Créés à partir de 1968. *Financement : du fonctionnement* 1/3 État, 2/3 Coll. loc. ; *de l'équipement* 1/2 État, 1/2 Coll. loc.

Nombre *(1990) :* 26. Angoulême, Annecy, Avignon, Belfort, Cergy-Pontoise, Le Creusot, Douai, Évry, Freyming-Merlebach, La Guadeloupe, Istres, Mâcon, Malakoff, Marne-la-Vallée, La Martinique, Montbéliard, Mulhouse, Nantes, Orléans, Paris XIV (Carré Silvia Monfort), St-Brieuc, St-Médard-en-Jalles, St-Quentin-en-Yvelines, Sartrouville, Sceaux, Villeneuve-d'Ascq.

Nouvelles structures

Financées en partie par l'État. Reconnues en 1983. Centre de développement culturel de Calais, c. d'action culturelle de Dole et de la région jurassienne, c. de développement culturel « Le Parvis » à Ibos-Tarbes (cas particulier de financement : État-mécénat privé), association « Lieux publics » issue du c. d'action culturelle de Marne-la-Vallée.

Danse

La Danse en France

Source : Centre international de documentation pour la danse et Direction de la Musique et de la Danse.

Quelques dates

XVIe s. règne du ballet de cour. **1581** « le *ballet comique de la reine » :* synthèse des apports italien et français. **1661** fondation de l'Académie royale de danse. **XVIIe s.** Louis XIV, lui-même danseur, demande à son maître à danser, Beauchamp, de codifier les pas. **1669** création de l'Académie d'opéra. **1713** fondation de l'École de danse. Le costume de ballet se différencie du costume de cour (Marie Sallé, la 1re, paraît en costume plus léger). **XVIIIe s.** Dupré et Vestris rivalisent de virtuosité. **1760** Noverre s'élève contre *« ces pas compliqués et cabrioles » :* naissance du ballet-action ; l'usage du masque disparaît. Les frères Gardel règnent à l'Opéra jusqu'à la Restauration. **1772** le public ne s'installe plus sur la scène. **XIXe s.** Ballet romantique. Taglioni monte la 1re sur les pointes, la Grisi inspire à Théophile Gautier « Giselle », effacement des danseurs et suprématie des ballerines. **1860** triomphe du ballet académique avec Marius Petipa, émigré à St-Pétersbourg. Bournonville conserve à Copenhague le style français. **1909** ballets russes de Diaghilev à Paris. Chorégraphes : Fokine, Massine, Nijinski. Isadora Duncan prône la libération du corps. Loïe Fuller joue avec la lumière dans ses draperies. **Vers 1920,** aux U.S.A., Martha Graham invente un nouveau vocabulaire, Mary Wigman pose en Allemagne les bases de l'expressionnisme. **1930-60** Serge Lifar à l'Opéra. Après 1945, Janine Charrat et Roland Petit : lignée néoclassique comme à New York Balanchine. **1950** tournées des ballets du marquis de Cuevas.

Troupes

• **Réunion des Théâtres lyriques nationaux (R.T.L.N.). Paris :** Th. National de l'Opéra de Paris, Ballets de l'Opéra, spectacles au Palais Garnier, Salle Favart, Palais des Congrès, Th. des Champs-Élysées. Tournées en province et à l'étranger (1986 : Japon).

• **Compagnies chorégraphiques subventionnées par le min. de la Culture en 1989.** 73 au total + 19 implantations. Elles bénéficient de l'assurance d'un soutien concerté de l'État et des collectivités locales pour une durée déterminée (minimum 3 années). **Paris.** Cie Régine Chopinot. Cie Peter Goss. Kaleidanse (A. de Raucourt). Kovich et Cie. Cie Astrakan (D. Larrieu). MA danse rituel Théâtre (Hideyuki Yano). Ballets Ethery Pagava. Centre de rencontre J.-C. Ramseyer. Cie Karine Saporta. Ris et Danceries (F. Lancelot). Ballets contemporains (K. Waehner). J.-C. Ramseyer. Arcor (Witzman-Arraya). Ecchymose (P. Roger). G. Martinez. J. Gaudin. Cie la Place Blanche (J. Baiz). Lolita (D. Rebaud). Danse 80 (J. Pomarès). Cie M. Triomphus. Dunes (B. Misrahi). Çà (H. Diasnas).

Banlieue. Argenteuil : Chapiteau français de la Danse (S. Keuten). **Bagneux :** Vocalise Danse Théâtre (E. Ambash). **Créteil :** Compagnie Maguy Marin. **Vitry :** Ensemble chor. (M. Caserta).

Province. Angers : Centre national de danse contemporaine (N. Croquet). **Aix-en-Provence :** Cie la Place Blanche (J. Baiz). **Bayonne :** Etorki – Oldarra (groupes basques). **Caen :** Cie Quentin Rouillier. **Cannes :** S. Bennathan. **Darnetal :** Beau Geste (G. Priasso). Ballet de la Cité Théâtre (C. Atlani). **Dijon :** Delta Phi (Pat' o' Bin). **Grenoble :** Groupe Émile Dubois (J.-C. Gallotta). **Hédé :** Ballet Théâtre Libault-Estier. **Le Havre :** Cie de l'Esquisse (J. Bouvier-R. Obadia). **Lyon :** Adra – Maison de la Danse (G. Darmet). Cie la Traboule (H. Verrechia). Cie Hallet-Eghayan (M. Hallet). **Marseille :** Ballet national de M. (R. Petit). **Montpellier :** Centre chorégraphique régional (D. Bagouet). **Mulhouse :** Ballets du Rhin (J. Sarelli). **Nancy :** Ballet Théâtre français (J.-A. Cartier). **Nevers :** le Four solaire (A.-M. Reynaud). **Nice :** B.T. d'Eau. **Orléans :** F. Verret. **Rennes :** Théâtre chorégraphique (Gigi Caciuleanu). **Roubaix :** Centre chorégraphique national, Ballet du Nord (Alfonso Cata). **Toulouse :** Ballet Théâtre Joseph Russillo. **Tours :** Ballet de Tours (J.C. Maillot).

• **Compagnies aidées au titre de l'aide à la création. Paris-Région parisienne :** Anne Dreyfus (Villejuif), A. Preljocaj, Arcor (C. Gérard), Ariadone (C. Ikeda), Association C.A (H. Diasnas), Astrakan (D. Larrieu), Ballet Karin Waechner, Balmuz (J. Patarozzi), B3 (C. Lanselle), Cie Anonyme (S. Rochon), Cie Artefæt (J. Dumeix, M. Vinant), Cie Christine Burgos, Cie de danse populaire française (M. Blaise), Cie du Théâtre Jel (J. Nadj), Cie Fabrice Dugied, Cie Hervé Jourdet, Cie Marcadé, Cie Nadine Hermu, Cie Santiago Sempere, Contrejour (O. Duboc), Créange (Ch. Créange), DCA (Ph. Decouflé), De Hexe (J.-F. Duroure et M. Monnier), En (D. Petit), Entrepositaires en transit (B. Farges), Esméralda production (A. Witzman), Eva (B. Donneux, L. Touze), Filnalvisa (B. Jacquin), Grand Magasin (F. Hiffler et P. Martin), Grenade (I. Dubouloz et P. Doussaint), IDA (M. Tompkins), Jean Pomarès, Jeune Ballet de France (R. Berthier), J. Gaudin, Kaléidanse (A. de Raucourt), Kinema (D. Detournay), K. Saporta, La Liseuse (G. Appaix), Larsen (S. Aubin), L'Avenir (G. Martinez), Les Rixes (C. Brumachon), Lolita (Collectif), Motus (M. Robert), Non de Nom (P. Houbin), Odile Cougoule, One Step (E. Wollinston), Pierre Droule Etoknav (L. Van Kote), 1re Édition (K. Vyncke), Red Notes (A. de Groat), Ris et Danceries (F. Lancelot), Roc in Lichen (L. de Neray, B. Dizien) ; Sidonie Rochon, Sunsets (L. Green), Suzane Buirge, Studio DM (C. Diverres-B. Montet), Temps Présent (T. Malandain). Terrain Vague (Collectif), Toute une nuit (J.M. Agius), Vocalise Danse Théâtre (E. Ambash).

Province : Aix-en-Provence : Cie Bernard Menaut, Cie la Place Blanche (J. Baiz), 34 Septembre (Y. Résal). **Aubenas :** Cie Annie Delichères. **Auch :** La Boîte à dires (Clo Lestrade). **Avignon :** Mafalda (M. Fossen). **Bayonne :** Groupe Ekarle (M. Theret). **Biarritz :** Oldarra (L. Urtizbera). **Bordeaux :** Epighane (J. Masse). **Grenoble :** Le Pied à coulisse (C. Blaise). **Le Havre :** Cie du galet gris (P. Trehet). **Lyon :** Air Cie (J.-C. Carles), Cies K. Crémona (Pierre Deloche, Annie Legros). Fin de semaine (V. Ros de la Grange) Maryse Delente. Plaisir d'Offrir (M. Kelememis). **Marseille :** Atelier chorégraphique G. Sorin, Groupe Dunes (B. Misrachi et M. Chiche). **Montpellier :** Les Garagouz S. Amidi, Groupe Incliné (J. Taffanel), Mutki Danse Création (A.-M. Porras), Le Pied (J. Rochereau), Cie Olivier Farges. **Mont-Saint-Aignan :** Beau Geste (Collectif). **Nîmes :** Cie C. Marciano, Cie Art Danse Sud (R. Djaïm). **Reims :** Icosaedre (M. Breuker). **Sélestat :** Fuligule (H. Wachtel). **Strasbourg :** Cie Pookeline. **Toulouse :** Hélène Viscose (A. Abadi), K Danse (J.-M. Matos). **Tourville :** Cie Beau Geste. **Vaux-en-Velin :** Cie Maryse Delente. **Vichy :** Ballet du Centre (Deniau-Leclerc). **Vif :** Cie Bernadette Tripier.

Enseignement

1° **Établissements publics nationaux : École de danse de l'Opéra.** Dir. par Claude Bessy. Gratuite, cycle de 6 à 8 ans, de débutant à artiste professionnel (92 élèves). Admission 8 à 12 ans.

Conservatoire national supérieur de musique. 2 cl. de danse pour hommes (24 él. français, 6 él. étr.) ; 2 pour femmes (36, 8 étr.). Les 1ers prix sont admis à concourir pour l'entrée en « classe d'engagement » à l'Opéra.

2° **Établissements municipaux contrôlés par l'État : 100 conservatoires nationaux de région et écoles nationales de musique.** Classes classiques et ouverture progressive de classes de danse contemporaine.

3° **Baccalauréat de technicien option danse :** préparation depuis la rentrée *1977.*

• **Centres de formation. Agréés par la Fédération française de danse** (12, rue St-Germain-l'Auxerrois, 75001 Paris). Cycle d'études 3 ans. Sanctionné par Certificat d'aptitudes élémentaires d'enseignement de la danse. *Institut privé de formation pour l'ens. de la danse contemporaine,* 104, bd de Clichy, 75018 Paris. *Centre privé de formation aux métiers de la danse,* 40, rue de Bagnolet, 75020 Paris. *École de préparation au professorat de danse contemporaine,* 2, rue Lieutaud, 13100 Aix-en-Pr. *Danse Création,* 35, rue de l'Herrengrie, 59700 Marcq-en-Barœul.

En attente d'agrément provisoire : *Centre de formation professionnelle danse,* Cercle laïque poitevin, 18, rue de la Brouette-du-Vinaigrier, 86000 Poitiers. *Centre de formation Free Dance Song,* Petit Th. de la Maison intern., 21, bd Jourdan, 75014 Paris.

• **Principales manifestations. Biennales.** *Internationale de la Danse de Lyon* (1984, 86, 88), *Nationale du Val-de-Marne* (85, 87). **Festivals.** *International de Danse de Paris, International Montpellier Danse. Festivals de Châteauvallon, d'Avignon et d'Arles.*

Saisons de danse. *Paris :* Th. de la Ville, Th. Contemporain. *Lyon :* Maison de la Danse.

Statistiques

Budget consacré par l'État (1988). *Hors Opéra de Paris :* 74 millions de F.

Pratiquants réguliers (1985). 135 000, inscrits dans les écoles affiliées aux principales fédérations de danse. *Nombre d'écoles :* 114 (pour 10 000 élèves).

Spectacles. *1984 :* 2 000 présentés (dont 900 dans le cadre de festivals).

Spectateurs. *Selon une enquête du ministère de la Culture réalisée en 1988,* 66 % des + de 15 ans et + ne sont jamais allés voir un spectacle de danse professionnel ou amateurs, 17 % y étaient allés il y avait + de 4 mois, 9 % dans les douze derniers mois, 8 % il y avait plus de 1 an et – de 4 ans. 30 % avaient assisté au moins une fois à un spectacle de danse à la télévision (48 % à la retransmission du ch. du monde de patinage artistique).

Principaux styles

On distingue la danse expression d'un groupe ethnique (animalière, astrale, funéraire, guerrière, etc.), folklorique, de la danse théâtrale qui comprend 3 styles : d. classique née au XVIIe s., d. contemporaine née aux U.S.A. vers 1930, d. de variétés née aux U.S.A. v. 1880 (jazz, music-hall, claquettes).

Danse classique ou académique. Repose sur le principe de l'en-dehors et sur les *5 positions* traditionnelles des membres. Principes codifiés par Beauchamp (1636-1719).

Mouvements : arabesque, assemblé, attitude, développé, coupé, jeté, jeté battu, etc. ; *pirouettes :* on peut en faire 6 à la suite sur la pointe et 4 sur la demi-pointe ; *fouettés :* 32 dans *le Lac des cygnes ; entrechats* (croisé et décroisé en un seul saut) : un très bon

Concours internationaux

• **Danse classique. Helsinki :** créé 1984. **Jackson** *(U.S.A.) :* créé 1979 ; 2 sections : juniors et seniors. **Lausanne :** créé 1973 ; 16-19 ans ; prix : bourses d'études (à effectuer dans une grande école). Prix professionnel dep. 1980. **Moscou :** créé 1969 ; tous les 4 ans ; des pas de deux doivent être présentés, les prix peuvent également être donnés à des solistes. **Paris :** tous les 2 ans (1984-86) ; concours contemporain dep. 1986. **Tōkyō :** créé 1976. **Varna** (Bulgarie) : créé 1964 ; tous les 2 ans : 15-19 et 20-28 ans.

• **Chorégraphie : Bagnolet** (Fr.), **Cologne** (All.), **Nyon** (Suisse).

Troupes à l'étranger

Allemagne féd. : Ballet de l'Opéra de Stuttgart, B. de l'Opéra de Hambourg. B. de Wuppertal. **Belgique :** B. du XXe s. (dir. M. Béjart), Ballet des Flandres. **Danemark :** Royal B. **États-Unis :** New York City B., American B. Theater, Martha Graham Dance Co., Alvin Ailey Co., Joffrey Ballet, Merce Cunningham Co. **Grande-Bretagne :** Royal B., London Festival B., B. Rambert. **P.-Bas :** Nederland Dans Theater (J. Kyllian), Het National Ballet. **Suisse :** B. de Lausanne. **U.R.S.S. :** Bolchoï, Kirov, B. Moisseiev (créés 1937).

danseur en réalise de 6 à 8. Nijinsky en aurait réussi 10 ; Jean Babilée 12.

Danse moderne. Ne repose sur aucun des principes précédents, mais chaque partie du corps doit exprimer la pensée du danseur et participer à l'action aussi naturellement que possible.

Précurseurs : François Delsarte, Émile Jaque-Dalcroze, Isadora Duncan, Martha Graham. Représentée aux U.S.A. avec Ruth Saint-Denis, Doris Humphrey, Merce Cunningham, Paul Taylor ; en Allemagne avec Mary Wigman.

Ballets célèbres

Principaux ballets avec leurs auteurs ou compositeurs et, entre parenthèses, les chorégraphes.

1581 *Ballet comique de la Royne* Beaujoyeulx. **1661** *Les Fâcheux* Molière. 1er spect. interprété par des danseurs professionnels (Beauchamp). **1670** *Les Amants magnifiques* Lulli (Beauchamp). **1681** *Le Triomphe de l'Amour* Lulli. Créé le 21 janvier, avec pour la 1re fois sur une scène française une danseuse professionnelle, Mlle de La Fontaine.

1735 *Les Indes galantes* Rameau. **1739** *Les Fêtes d'Hébé* Rameau. **1749** *Platée et Zoroastre* Rameau (Lany). **1762** *Orphée et Eurydice* Gluck (Angiolini). **1778** *Les Petits Riens* Mozart (Noverre). **1786** *Caprices de Cupidon* Lolle (Galeotti). **1789** *La Fille mal gardée* Dauberval (pot-pourri).

1800 *La Dansomanie* Méhul (Gardel). **1801** *Les Créatures de Prométhée* Beethoven (Vigano). **1832** « la Sylphide », *1er ballet romantique* [Marie Taglioni est la 1re à monter sur des pointes et à porter le tutu de mousseline (inventé pour elle par le dessinateur Eugène Lami)]. **1841** *Giselle* Adam (Coralli et Perrot). **1842** *Napoli* Helsted (Bournonville). *La Jolie Fille de Gand* Adam (F. Albert). **1844** *La Esméralda* Pugni (Mazilier). **1845** *Pas de quatre* Pugni (Perrot). **1856** *Le Corsaire* Adam (Mazillier). **1860** *Le Papillon* Offenbach (Taglioni). **1864** *Don Quichotte* Minkus (Petipa). **1866** *La Source* Delibes et Minkus (Saint-Léon). **1870** *Coppélia* Delibes (Saint-Léon). **1876** *Sylvia* Delibes (Ménaute). **1877** *La Bayadère* Minkus (Petipa). **1880** *La Korrigane* Widor (Mérante). **1882** *Namouna* Lalo (Lucien Petipa). **1886** *Les Deux Pigeons* Messager (Mérante). **1890** *La Belle au bois dormant* Tchaïkovski (Petipa). **1892** *Casse-Noisette* Tchaïkovski (Ivanov). **1893** *La Maladetta* P. Vidal (J. Hansen). **1894** *Le Lac des cygnes* Tchaïkovski (Petipa et Ivanov).

1905 *Le Cygne* St-Saëns (Fokine). **1909** *Les Sylphides* Chopin (Fokine). *Danses polovtsiennes* Borodine (Fokine). **1910** *Shéhérazade* Rimski-Korsakov (Fokine). *L'Oiseau de feu* Stravinski (Fokine). *Carnaval* Schumann (Fokine). **1911** *Petrouchka* Stravinski (Fokine). *Le Spectre de la rose* Weber (Fokine). **1912** *L'Après-midi d'un faune* Debussy (Nijinsky). *Daphnis et Chloé* Ravel (Fokine). *La Péri* Dukas (Clustine). **1913** *Suite de Danses* Chopin (Clustine). *Le Festin de l'araignée* Roussel (Staats). *Le Sacre du printemps* Stravinski (Nijinsky). **1915** *L'Amour sorcier* de Falla (Imperio). **1917** *Parade* Satie (Massine). *Les Femmes de bonne humeur* Scarlatti (Massine). **1919** *La Tragédie de Salomé* Schmitt (N. Guerra). *La Boutique fantasque* Rossini-Respighi (Massine). *Le Tricorne* de Falla (Massine).

1921 *L'Homme et son désir* D. Milhaud (Borlin) ; Ballets suédois de Rolf de Maré, auxquels collabore Cocteau. **1922** *Renard* Stravinski (Nijinska). **1923** *Cydalise et le chèvrepied* Pierné (Staats). *Padmâvati* Roussel (Léo Staats). *La Création du monde* Milhaud (Borlin). *Les Noces* Stravinski (Nijinska). **1924** *Les Biches* Poulenc (Nijinska). *Beau Danube* Strauss (Massine). **1925** *Soir de Fête* Delibes (Staats). *Les Matelots* Georges Auric (Massine). *L'Enfant et les sortilèges* Ravel (Balanchine). *L'Amour sorcier* de Falla (Argentina). **1927** *La Chatte* Sauguet (Balanchine). **1928** *Apollon musagète* Stravinski (Balanchine). *Boléro* Ravel (Nijinska). **1929** *Le Fils prodigue* Prokofiev (Balanchine). *Les Créatures de Prométhée* Beethoven (Lifar). **1931** *Bacchus et Ariane* Roussel (Lifar). **1932** *La Table verte* F. Cohen (Jooss). **1933** *Jeux d'enfants* Bizet (Massine). **1934** *Sérénade* Tchaïkovski (Balanchine). **1935** *La Grisi* Metra-Tomasi (Aveline). *Icare* Szyfer (Lifar). *Prélude à l'après-midi d'un faune* Debussy (Lifar). **1936** *Symphonie fantastique* Berlioz (Massine). **1937** *Alexandre le Grand* Gaubert (Lifar). **1938** *Le Cantique des cantiques* Honegger (Lifar). *La Gaieté parisienne* Offenbach (Massine).

1940 *Roméo et Juliette* Prokofiev (Lavrovski). **1941** *Le Chevalier et la damoiselle* Gaubert (Lifar). *Sylvia* Delibes (Lifar). *Istar* d'Indy (Lifar). **1942** *Les Animaux modèles* Poulenc (Lifar). *Joan de Zarissa* Egk (Lifar). *Le Mandarin merveilleux* (H. Bartok). **1943** *L'Amour sorcier* (Lifar). *Suite en blanc* Lalo-de Falla (Lifar). **1944** *Guignol et Pandore* Jolivet (Lifar). *Appalachian Spring* Copland (Graham). Jean Babilée dans *« Le Jeune Homme et la Mort »* de Cocteau et Roland Petit. **1945** *Les Forains* Sauguet (Petit). **1946** *Quatre Tempéraments* Hindemith (Balanchine). *La Somnambule* Bellini-Rieti (Balanchine). **1947** *Errand into the Maze* Menotti (Graham). *Le Palais de cristal* Bizet (Balanchine). *Les Mirages* Sauguet (Lifar). **1948** *Orphée* Stravinski (Balanchine). **1949** *Carmen* Bizet (Petit).

1950 *Phèdre* Auric (Lifar). *La Croqueuse de diamants* Damase (Petit). **1951** *Pied Piper* Copland (Robbins). *La Cage* Stravinski (Robbins). *La Valse* Ravel (Balanchine). **1953** *Le Loup* Dutilleux (Petit). *Les Algues* Bernard (Charrat). *Afternoon of a Faun* Debussy (Robbins). **1954** *L'Oiseau de feu* Stravinski (Lifar). **1955** *Symphonie pour un homme seul* Schaeffer et Henry (Béjart). *Roméo et Juliette* Prokofiev (Lifar). **1957** *Agon* Stravinski (Balanchine). *Symphonie inachevée* Schubert (Van Dyk). *Épithalame*, 1er ballet sans musique avec Françoise et Dominique Dupuy. **1958** *Orphée* P. Henry (Béjart). *Concerto* Jolivet (Skibine). **1959** *Le Sacre du printemps* Stravinski (Béjart). *Daphnis et Chloé* Ravel (Skibine).

1960 *Le Lac des cygnes* Tchaïkovski (Bourmeister). **1961** *Boléro* Ravel (Béjart). **1962** *Maldoror* M. Jarre (Petit). *Noces* Stravinski (Béjart). *Symphonie concertante* Martinů (Descombey). **1963** *Bugaku* Toshiro Mayuzumi (Balanchine). **1964** *La 9e Symphonie* Beethoven (Béjart). *La Damnation de Faust* Berlioz (Béjart). **1965** *Notre-Dame de Paris* M. Jarre (Petit). **1966** *Webern-Opus 5* Webern (Béjart). *Roméo et Juliette* Berlioz (Béjart). **1967** *Jewels* Stravinski (Balanchine). *Messe pour le temps présent* P. Henry (Béjart). **1968** *Spartacus* Katchaturian (Grigorovitch). *Turangalila* Messiaen (Petit). **1969** *Dances at a Gathering* Chopin (Robbins).

1970 *Comme la princesse Salomé est belle ce soir !* R. Strauss et chants d'oiseaux (Béjart). *Ils dansent participer* Masson (Garnier). *L'Oiseau de feu* Stravinski (Béjart). **1971** *Nijinsky, clown de Dieu* P. Henry-Tchaïkovski (Béjart). *The Sleepers* (Falco). **1973** *Golestan* musique traditionnelle iranienne (Béjart). *Un jour ou deux* John Cage (Merce Cunningham). **1974** *I trionfi* Berio (Béjart). *Icare* Slonimsky (Vassiliev). *Cérémonie* Pierre Henry et Gary Wright (Fernand Nault). *L'Or des fous* (Carlson). *Tristan* Henze (Tetley). **1975** *3e Symphonie* Mahler (Neumeier). *Les Fous d'or* Igor Wakhevitch (Carolyn Carlson). *La Symphonie fantastique* Berlioz (Petit). *Ivan le Terrible* Prokofiev (Grigorovitch). **1976** *Un mois à la campagne* Chopin (Ashton). *Nana* Constant (Petit). *Push Comes to Shove* Haydn (Twyla Tharp). *Molière Imaginaire* Rota (Béjart). **1977** *Héliogabale* divers (Béjart). **1978** *Symphonie de psaumes* Stravinski (J. Kylian). **1979** *4 Saisons* Vivaldi (Robbins). **1982** *Passion selon saint Matthieu* Bach (Neumeier). **1983** *Messe pour le temps futur* divers (Béjart).

Chorégraphes, danseurs et danseuses célèbres

Carrière. En général de 16/20 ans à 40 ans (45 pour les hommes) à l'Opéra. Des carrières plus longues sont rares [Yvette Chauviré (1917) a dansé jusqu'en 1972]. Pas de limites pour les chorégraphes (M. Petipa travaillait encore à 85 ans ; Balanchine à 79 ans).

Nota. – (1) Administrateur. (2) Chorégraphe. (3) Danseur, danseuse. (4) Impresario. (5) Maître de ballet. (6) Professeur.

AILEY, Alvin (1931, Amér.) [2, 3].
ALBERT, F. (1789-1865, Fr.) [2, 3].
ALGAROFF, Youri (1918, Russe) [3, 1].
ALONSO, Alicia (1921, Cubaine) [3, 1].
AMAYA, Carmen (1913-63, Esp.) [3].
AMBOISE, Jacques (d') (1934, Amér.) [3].
AMIEL, Josette (1930, Fr.) [3, 6].
ANGIOLINI, Gaspero (1731-1803, Ital.) [3, 2, 5].
ANTONIO (1921, Esp.) [3].
ARAIZ, Oscar (1940, Argent.) [3, 2].
ARAUJO, Loïpa (1943, Cubaine) [3].
ARGENTINA (LA) (Antonia Mercé y Luque) (1888-1936, Esp.) [3].
ARI, Carina (1897-1970, Suéd.) [3, 2, 5].
AROVA, Sonia (1927, Angl.) [3, 5].
ASHTON, Sir Frederick (1904-88, Angl.) [3, 2].
ASSYLMOURATOVA, Altinai (Russe) [3].
ASTAIRE, Fred (1899-1987, Amér.) [3, 2].
ATANASSOFF, Cyril (1941, Fr.) [3].
AUKHTOMSKY, Wladimir (1929, Fr.) [3].
AUMER, Jean-Pierre (1774-1833, Fr.) [2, 5].
AVELINE, Albert (1883-1968, Fr.) [3, 2, 6].
BABILÉE, Jean (Gutman) (1923, Fr.) [3, 2].
BAKER, Joséphine (1906-75, Amér.) [3].
BALACHOVA, Alexandra (1887-1978, Russe) [3].
BALANCHINE, George (1904-83, Russe) [3, 2, 5].
BALON, Jean (1676-1739, Fr.) [3].
BARDIN, Micheline (1920, Fr.) [3].
BARI, Tania (1936, Holl.) [3].
BARONOVA, Irina (1919, Russe) [3].
BART, Patrice (1945, Fr.) [3].
BARYSCHNIKOFF, Mikhaïl (1948, Russe) [3, 2, 5].
BASIL, C. (de) (1881-1951, Russe) [1].
BAUSCH, Pina (1940, All.) [3, 2].
BEAUCHAMP, Charles de (1636-1705, Fr.) [3, 5].
BEAUGRAND, Léontine (1842-1925, Fr.) [3].
BEAUJOYEULX, Balthazar de (15 ?-1587 ?) [5].
BECK, Hans (1861-1952, Dan.) [3, 2, 5].
BÉJART, Maurice (Maurice-Jean Berger) (1927, Fr.) [3, 2, 5].
BELARBI, Kader (n.c.).
BESSMERTNOVA, Natalia (1941, Russe) [3].
BESSY, Claude (1932, Fr.) [3].
BIAGI, Vittorio (1941, Ital.) [2, 3, 5].
BIGOTTINI, Émilie (1784-1858, Fr.) [3].
BLASIS, Carlo (1795-1878, Ital.) [3, 2].
BLASKA, Félix (1941) [2, 3].
BLONDI, Michel (1677-1747) [5].
BLUM, René (1878-1942, Fr.) [1].
BOCCA, Julio (6-3-1967, Argent.) [3].
BOLM, Adolph (1884-1951, Russe) [3, 5, 2].
BONI, Aïda (1880-1974, Ital.) [3].
BONNEFOUS, Jean-P. (1943, Fr.) [3, 2].
BORLIN, Jean (1893-1930, Suéd.) [3, 2].
BORTOLUZZI, Paolo (1938, Ital.) [3].
BOS, Camille (n.c., Fr.) [3].
BOURGAT, Marcelle (1910-80, Fr.) [3, 6].
BOURMEISTER, Vladimir (1904-71, Russe) [5, 2].
BOURNONVILLE, Auguste (1805-79, Dan.) [3, 2, 5].
BOZZACCHI, Giuseppina (1853-70, Ital.) [3].
BRENAA, Hans (1910, Dan.) [3, 2, 5, 6].
BRIANSKY, Oleg (1929, Belge) [3].
BRIANZA, Carlotta (1867-1930, Ital.) [3].
BROWN, Trisha (1936, Amér.) [2].
BRUEL, Michel (1944, Fr.) [3].
BRUHN, Erik (1928-86, Dan.) [3, 5].
BRUMACHON, Claude (1959, Fr.) [2].
BRYANS, Rudy (1945, Fr.) [3, 6].
BUJONES, Fernando (1955, Amér.) [3].
BUTLER, John (1920, Amér.) [2].
CACIULEANU, « Gigi » (1947, Bucarest) [3, 2, 5].
CAMARGO, Marie-Anne (de Cupis) (1710-70, Fr.) [3].
CARLSON, Carolyn (1943, Amér.) [2, 3, 5].
CARON, Leslie (1931, Fr.) [3].
CASADO, Germinal (1935, Fr.) [3, 2, 5].
CECCHETTI, Enrico (1850-1928, Ital.) [3].
CERRITO, Fanny (1817-1909, Ital.) [3].
CHARRAT, Janine (1924, Fr.) [3, 2].
CHASE, Lucia (1907-86, Amér.) [3, 1].
CHAUVIRÉ, Yvette (1917, Fr.) [3, 6].
CHAZOT, Jacques (1928, Fr.) [3, 2].
CHILDS, Lucinda (1940, Amér.) [2].
CLERC, Florence (1951, Fr.) [3].
CLUSTINE, Ivan (1862-1941, Russe) [5, 3].
CORALLI, Jean (1779-1854, Ital.) [3, 5].
COULON, J.-François (1764-1836, Fr.) [3].
CRANKO, John (1927-73, Sud-Afr.) [2, 3].
CRÉANGE, Charles (1954, Fr.) [2].
CUEVAS, George de (1885-1961, Chil.) [1].
CULLBERG, Birgit (1908, Suéd.) [3, 2].
CUNNINGHAM, Merce (1919, Amér.) [3, 2].
DANDRE, Victor (1870-1944, Russe) [1].
DANILOVA, Alexandra (1904, Russe) [3].
DANTZIG, Rudi Van (1933, Holl.) [3, 2].
DARSONVAL, Lycette (1912, Fr.) [3].
DAUBERVAL, Jean (Bercher) (1742-1806, Fr.) [5].
DAYDÉ, Liane (1932, Fr.) [3, 6].
DECINA, Paco (1956, Ital.) [2].
DELSARTE, François (1811-71, Fr.) [6].
DENARD, Michaël (1944, Fr.) [3].
DENHAM, Serge (1897-1970, Russe) [4].
DEREVIANKO, Vladimir (Russe) [3].
DESCOMBEY, Michel (1930, Fr.) [3, 2, 5].
DIAGHILEV, Serge de (1872-1929, Russe) [1].
DIDELOT, Charles-Louis (1767-1837, Fr.) [3, 2, 6].
DIJK, Peter Van (1929, All.) [3, 2, 1].
DOLIN, Anton (Patrick) (1904-83, Angl.) [3, 6].
DONN, Jorge (1946, Argent.) [3].
DOUDINSKAIA, Nathalie (1912, Russe) [3, 6, 5].
DOWELL, Anthony (1943, Angl.) [3].
DUNCAN, Isadora (Irma Dorette Henrietta Ehrich Grimme) (1878-1927, Amér.) [3].
DUNHAM, Katherine (1910, Amér.) [3, 2, 6].
DUNN, Douglas (1942, Amér.) [2].
DUPOND, Patrick (1959, Fr.) [3].
DUPORT, Louis (1783-1853, Fr.) [3, 2, 5].

Dupré, Louis (1697-1774, Fr.)[3, 6].
Duroure, Jean-François (1964, Fr.)[2].
Eglevsky, André (1917-77, Russe)[3, 6].
Egorova, Lubov (1880-1972, Russe)[3].
Eifman, Boris (1946, Russe)[2].
Ek, Mats (1945, Sué.)[2].
Elssler, Fanny (1810-84, Autr.)[3].
Escudero, Vicente (1892-1982, Esp.)[3].
Evdokimova, Eva (1948, Amér.)[3].
Fadeetchev, Nikolaï (1933, Russe)[3].
Falco, Louis (1942, Amér.)[2].
Farrell, Suzanne (Roberta Sue Ficher) (1945, Amér.)[3].
Feld, Elliot (1943, Amér.)[3, 2, 1].
Feuillet, Raoul (1675-1730, Fr.)[3, 2].
Flindt, Flemming (1936, Dan.)[5, 3, 2, 1].
Fokine, Michel (1880-1942, Russe)[3, 2, 6].
Fonteyn, Margot (Peggy Hookham) (1919-91, Angl.)[3].
Forsythe, William (1949, Amér.)[3, 2].
Fracci, Carla (1936, Ital.)[3].
Franchetti, Jean-Pierre (1944, Fr.)[3].
Franchetti, Raymond (1921, Fr.)[3, 5, 6].
Fuller, Loïe (1862-1928, Amér.)[3].
Gades, Antonio (1936, Esp.)[2].
Gailhard, Pedro (1848-1918, Fr.)[1].
Galante, Maria-Grazia (Ital.)[3].
Galeotti, Vincenzo (1733-1816, Ital.)[2].
Gallotta, Jean-Claude (1950, Fr.)[2].
Ganio, Denys (1950, Fr.)[3].
Gardel, Maximilien (1741-87, Fr.)[5].
Gardel, Pierre (1758-1840, Fr.)[5].
Garnier, Jacques (1944, Fr.)[3, 2, 5].
Genee, Adeline (1878-1970, Dan.-Angl.)[3].
Gerdt, Paul (1844-1917, Russe)[3].
Gilpin, John (1930-83, Angl.)[3].
Godounov, Alexandre (1949, U.R.S.S.)[3].
Goleizovski, Kazyan (1892-1970, Russe)[3, 2, 6].
Golovine, Serge (1924, Fr.)[3, 6].
Gordeev, Viatcheslav (1948, Russe)[3].
Gore, Walter (1910-79, Angl.)[3, 2].
Graham, Martha (1893-1991, Amér.)[3, 2, 5].
Grahn, Lucile (1819-1907, Dan.)[3].
Grantzow, Adèle (1845-77, All.)[3].
Gregory, Cynthia (1947, Amér.)[3].
Grey, Beryl (1927, Angl.)[3, 1].
Grigoriev, Serge (1883-1968, Russe)[3, 5].
Grigorovitch, Youri (1927, Russe)[2, 3, 5].
Grisi, Carlotta (1819-99, Ital.)[3].
Gsovsky, Victor (1902-74, Russe)[3, 2, 6].
Guérin, Isabelle (1964, Fr.)[3].
Guerra, Nicola (1865-1942, Ital.)[3, 2].
Guillem, Sylvie (1966, Fr.)[3].
Guimard, Madeleine (1743-1816, Fr.)[3].
Guizerix, Jean (1945, Fr.)[3, 2].
Hansen, Joseph (1842-1907, Fr.)[3, 2, 6].
Hawkins, Erick (1909, Amér.)[3, 2, 6].
Haydee, Marcia (1939, Brés.)[3, 5].
Hayden, Melissa (1928, Canad.)[3, 6].
Hervé-gil, Myriam (1957, Fr.)[2].
Hightower, Rosella (1920, Amér.)[3, 2, 6].
Hijikata tatsumi (1928-86, Jap.)[2].
Hilaire, Laurent (1964, Fr.)[3].
Hilverding, Franz (1710-68, Autr.)[3, 2, 5, 6].
Hirsch, Georges-François (1944)[1].
Holm, Hanya (1898, Amér. or. all.)[2].
Horton, Lester (1906-53)[2].
Humphrey, Doris (1895-1958, Amér.)[3, 2, 5].
Hurok, Sol (1888-1974, Russo-Amér.)[4].
Istomina, Avdotia (1799-1848, Russe)[3].
Ivanov, Lev (1834-1901, Russe)[3, 2, 5, 6].
Jamison, Judith (1943, Amér.)[3].
Jeanmaire, Zizi (Renée) (1924, Fr.)[3].
Joffrey, Robert (1930, Amér.)[3, 2, 6].
Johanson, Anna (1860-1917, Suéd.)[3].
Johansson, Christian (1817-1903, Suéd.)[3, 6].
Jooss, Kurt (1901-79, All.)[3, 2, 5].
Jude, Charles (25-7-53, Fr.)[3].
Kain, Karen (1951, Canad.)[3].
Kalioujny, Alexandre (1924, Russe)[3].
Karsavina, Tamara (1885-1978, Angl. d'or. russe)[3].
Kaye, Nora (1920, Amér.)[3].
Keersmaeker, Anne-Teresa (De) (1960, Belg.)[2, 3].
Kelemenis, Michel (1961, Fr.)[2].
Kelly, Gene (1912, Amér.)[3, 2].
Khalfouni, Dominique (23-6-51, Fr.)[3].
Kirkland, Gelsey (1953, Amér.)[3].
Kirstein, Lincoln (1907, Amér.)[1].
Kniasseff, Boris (1900-75, Russe)[3, 2].
Kochno, Boris (1904-90, Russe)[1].
Kschessinskaya, Mathilde (Krassinska-Romanovska) (1872-1971, Russe)[3, 6].
Kylian, Jiri (1947, Tchéc.)[2].
Labis, Attilio (1936, Fr.)[3, 6].
Lacotte, Pierre (1932, Fr.)[3, 5, 2, 6].
La Fontaine, Mlle de (1655-1738, Fr.)[3].
Lander, Harald (1905-71, Dan.)[3, 2, 5, 6].
Lany, Jean Barthélemy (1718-86, Fr.)[5, 3, 2].
Larrieu, Daniel (1957, Fr.)[2].
Lavrovsky, Leonid (1905-67, Russe)[3, 2, 5, 6].
Lazzini, Joseph (1926, Fr.)[3, 2, 5].
Lefèvre, Brigitte (1944, Fr.)[2, 3].
Legnani, Pierina (1863-1923, Ital.)[3].
Legrée, Françoise (n.c.).
Legris, Manuel (1964, Fr.)[3].
Lehmann, Maurice (1895-1974, Fr.)[1].
Lepechinskaia, Olga (1916, Russe)[3].
Lichine, David (Liechtenstein) (1910-72, Russe)[3, 2].
Liepa, Maris (1936, Russe)[3, 5].
Lifar, Serge (1905-86, Fr. d'or. russe)[3, 2, 5].
Limon, José (1908-72, Mex.)[3, 2, 5].
Livry, Emma (1842-63, Fr.)[3].
Lopez, Pilar (1905, Esp.)[3, 2].
Lorcia, Suzanne (1902, Fr.)[3].
Loring, Eugène (1914-82, Amér.)[2].
Lormeau, Jean-Yves (n.c.).
Loudières, Monique (Fr.)[3].
Louis, Murray (1926, Amér.)[3, 2].
Luisillo (1927, Mex. d'or. esp.)[3].
Mac Bride, Patricia (1942, Amér.)[3].
Mac Millan, Kenneth (1929, Angl.)[3, 2, 1].
Makarova, Natalia (1940, Russe)[3].
Manzotti, Luigi (1835-1905, Ital.)[2].
Maré, Rolf de (1898-1964, Suéd.)[1].
Marin, Maguy (1951, Fr.)[2, 3].
Markova, Alicia (Lilian Alicia Marks) (1910, Angl.)[3].
Martins, Peter (1946, Dan.)[3, 5, 2].
Massine, Leonid (L. Fedorovich Massine) (1895-1979, Russe)[3, 2].
Maurin, Élisabeth (n.c.).
Maximova, Ekaterina (1939, Russe)[3].
Mazilier, Joseph (1801-68, Fr.)[5, 3, 2].
Merante, Louis (1828-87, Fr.)[5, 3, 2].
Messerer, Asaf (1903, Russe)[3, 6].
Mille, Agnes De (1909, Amér.)[3, 2].
Miller, Marie (Mme Gardel) (1770-1833, Fr.)[3].
Milloss, Aurel von (1906, Hongr.-Ital.)[3, 2, 5].
Milon, Louis (1766-1845, Fr.)[3, 5, 2, 6].
Miskovitch, Milorad (1928, Youg.)[3, 2].
Moisseiev, Igor (1906, Russe)[3, 2].
Monnier, Mathilde (1959, Fr.)[2].
Montessu, Pauline (1805-77, Fr.)[3].
Motte, Claire (1937-86, Fr.)[3, 6].
Muller, Jennifer (1944, Amér.)[2].
Nadj, Josef (1958, Hong.)[2].
Neumeier, John (1942, Amér.)[5, 3, 2].
Nijinska, Bronislava (1891-1972, Russe)[2, 3].
Nijinski, Vaslav (1888-1950, Russe)[3, 2].
Nikolais, Alwin (1912, Amér.)[2, 1, 6].
Noblet, Lise (1801-52, Fr.)[3].
North, Norbert (1945, Amér.)[2].
Noureev, Rudolf (1938, Russe)[3, 2, 5].
Noverre, Jean-Georges (1727-1810, Fr.)[3, 2, 5].
Oulanova, Galina (1910, Russe)[3, 5, 6].
Page, Ruth (1905-91, Amér.)[3, 2, 1].
Pavlova, Anna (1881-1931, Russe)[3].
Pavlova, Nadejda (1956, Russe)[3].
Pécour, Louis (1655-1729, Fr.)[3, 2].
Peretti, Serge (1910, Fr.)[3, 6].
Perrot, Jules (1810-92, Fr.)[3, 2, 5].
Petipa, Lucien (1815-98, Fr.)[5, 3, 2].
Petipa, Marius (1818-1910, Fr.)[3, 2].
Petit, Roland (1924, Fr.)[3, 2, 1].
Piletta, Georges (1945, Fr.)[3].
Piollet, Wilfride (1943, Fr.)[3].
Platel, Élisabeth, (1959, Fr.)[3].
Plissetskaia, Maïa (1925, Russe)[3].
Pontois, Noëlla (1943, Fr.)[3, 6].
Preljocaj, Angelim (1957, Hong.)[2].
Preobrajenska, Olga (1870-1962, Russe)[3, 6].
Prévost, Françoise (1680-1741, Fr.)[3].
Rambert, Marie (1888-1982, Pol.)[3, 6, 1].
Rayet, Jacqueline (1933, Fr.)[3, 6].
Renault, Michel (1927, Fr.)[3, 5].
Rhodes, Lawrence (1939, Amér.)[3].
Riabouchinska, Tatiana (1917, Russe)[3, 6].
Ricaux, Gustave (1884-1961, Fr.)[3, 5, 6].
Robbins, Jérôme (1918, Amér.)[3, 2, 5].
Rochon, Sidonie (1951, Fr.)[2].
Rosario (Florencia Pérez Podilla) (1918, Esp.)[3].
Rosen, Elsa Marianne von (1927, Suéd.)[3, 2, 6, 1].
Rouche, Jacques (1862-1957, Fr.)[1].
Roux, Aline (1935, Fr.)[3, 2, 6, 1].
Rouzimatov, Fasouk (Russe)[3].
Rubinstein, Ida (1885-1960, Russe)[3, 6].
Russillo, Joseph (1938, Amér.)[2, 3, 6, 1].
St-Denis, Ruth (1878 ou 80-1968, Amér.)[3, 2, 6, 1].
St-Léon, Arthur (1821-70, Fr.)[3, 2, 5, 6].
Salle, Marie (1707-56, Fr.)[3].
Sangalli, Rita (1850-1909, Ital.)[3].
Savignano, Luciana (1943, Ital.)[3].
Schanne, Margrethe (1921, Dan.)[3].
Schaufuss, Peter (1949, Dan.)[3].
Schmucki, Norbert (1940, Suisse)[5, 3, 2].
Schwarz, Solange (1910, Fr.)[3, 6]
Scouarnec, Claudette (1942, Fr.)[3, 6].
Sedova, Julie (1880-1970, Russe)[3].
Semeniaka, Ludmilla (1952, Russe)[3].
Sergueev, Nicolas (1876-1951, Russe)[3, 5, 6].
Seymour, Lynn (1939, Can.)[3].
Shawn, Ted (1891-1972, Amér.)[2, 3].
Shearer, Moïra (1926, Angl.)[3].
Sibley, Antoinette (1939, Angl.)[3].
Skibine, Georges (1920-81, Amér. d'origine russe)[3, 2, 5].
Skorik, Irène (1928, Fr.)[3].
Skouratoff, Wladimir (1925, Fr.)[3, 2, 5].
Sombert, Claire (1935, Fr.)[3, 6].
Somes, Michael (1917, Angl.)[3, 5]
Sparemblek, Milko (1928, Youg.)[3].
Spessivtseva, Olga (1895, Russe)[3].
Spoerli, Heinz (1941, Suisse)[3, 2, 5].
Staats, Léo (1877-1952, Fr.)[3, 2, 5, 6].
Subligny, Marie-Thérèse (1666-1736, Fr.)[3].
Taglioni, Filippo (1777-1871, Ital.)[3, 2].
Taglioni, Marie (1804-84, Ital.)[3].
Tallchief, Maria (1925, Amér.)[3].
Tallchief, Marjorie (1927, Amér.)[3].
Taras, John (1919, Amér.)[3, 2, 5].
Taylor, Paul (1930, Amér.)[3, 2, 5, 1].
Tcherina, Ludmilla (1924, Fr.)[3]
Tetley, Glen (1926, All.)[3, 2].
Tharp, Twyla (1942, Amér.)[3, 2].
Thesmar, Ghislaine (1943, Fr.)[3, 5].
Thibon, Nanon (1944, Fr.)[3, 6].
Thomas, Robert (1944, Fr.)[3, 2].
Tomasson, Helgi (1942, Island.)[3].
Toumanova, Tamara (1919, Russe)[3].
Trefilova, Vera (1875-1943, Russe)[3].
Tudor, Antony (1908, Angl.)[3, 2, 6, 5]
Vaganova, Agrippina (1879-1951, Russe)[3].
Valois, Ninette de (1898, Irl.)[3, 2, 1].
Van dantzig, Rudi (1933, P.-B.)[2, 3].
Van dijk, Peter (1929, All.)[2].
Vassiliev, Vladimir (1940, Russe)[3, 2].
Vaussard, Christiane (1923, Fr.)[3, 6]
Verdy, Violette (1933, Fr.)[3, 5, 6].
Véron (1798-1867, Fr.)[1].
Vestris, Auguste (1760-1842, Fr.)[3, 6].
Vestris, Gaétan (1729-1808, Ital.)[3, 2].
Vigano, Salvatore (1769-1821, Ital.)[3, 2].
Villella, Edward (1936, Amér.)[3].
Vlassi, Christiane (1938, Fr.)[3, 6].
Volinine, Alexandre (1882-1955, Russe)[3].
Volkova, Vera (1904-75, Russe)[3].
Vu An, Éric (n.c.)[3].
Vulpian, Claude de (1954, Fr.)[3].
Vyroubova, Nina (1921, Russe)[3, 6].
Weaver, John (1673-1760, Angl.)[2].
Weidmann, Charles (1901-75, Amér.)[3, 2, 6].
Wigman, Mary (1886-1973, All.)[3, 2, 6].
Woizikowsky, Léon (1899-1975, Pol.)[3].
Wright, Belinda (1929, Angl.)[3].
Youskevitch, Igor (1912, Amér. d'origine russe)[3].
Yuriko, (1920, Amér.)[3, 2, 6].
Zakharov, Rostislav (1907-84, Russe)[2].
Zambelli, Carlotta (1877-1968, Ital.)[3, 6].
Zucchi, Virginia (1847-1930, Ital.)[3, 6].
Zvereff, Nicolas (1888-1965, Russe)[3, 5, 6].

Cinéma

Principaux réalisateurs et principales œuvres

☞ Voir Personnalités à l'Index.
Légende : Les films muets sont en italique.

Algérie

Ghanem (Ali) (1943) : Mektoub (1970), l'Autre France (1975), Une femme pour mon fils (1986).

Lakhdar Hamina (Mohamed) (1934) : le Vent des Aurès (1965), Chronique des années de braise (1975), la Dernière Image (1986).

Allemagne

Adlon (Percy) (1935) : Céleste (1981), Zuckerbaby (1984), Bagdad Café (1987), Rosalie fait ses courses (1989).

Baky (Josef von) (Hongrie, 1902-66) : les Aventures fantastiques du baron de Münchhausen (1943), le Maître de poste (4ᵉ vers.), Un petit coin de paradis, Avouez, Dr Corda (1958), Stefanie.

Dudow (Slatan) (Bulgarie, 1903-63) : Ventres glacés (1932), Notre pain quotidien, Plus fort que la nuit, Capitaine de Cologne (1956).

Fassbinder (Rainer Werner) (1946-82) : le Marchand des quatre saisons (1971), les Larmes amères de Petra von Kant, Tous les autres s'appellent Ali, Effi Briest, le Droit du plus fort, Roulette chinoise, le Rôti de Satan, Despair (1977), la Troisième Génération, le Mariage de Maria Braun, Lili Marleen, Lola, une femme allemande, le Secret de Veronika Voss (1982), Querelle (posthume).

Harlan (Veit) (1899-1964) : Crépuscule, le Juif Süss (1940), le Grand Roi, la Ville dorée, Immensee, le Tigre de Colombo, le Troisième Sexe, Impudeur.

Herzog (Werner) (1942) : Signes de vie, Fata Morgana, Les nains aussi ont commencé petits, Aguirre ou la Colère de Dieu (1972), l'Énigme de Kaspar Häuser (1975), Cœur de verre, la Balade de Bruno, Woyzeck, Nosferatu, fantôme de la nuit (1978), Fitzcarraldo, le Pays où rêvent les fourmis vertes, Cobra verde (1987), Échos d'un sombre empire (1990).

Käutner (Helmut) (1908-80) : Lumière dans la nuit (1943), le Dernier Pont, Général du diable (1956), Louis II, Une jeune fille des Flandres, le Capitaine de Köpenick, Monpti, Sans tambour ni trompette, le Verre d'eau (1960), la Femme rousse.

Quelques dates

Antiquité. La lanterne magique aurait été connue en Égypte à l'époque des pharaons, et en Italie à l'époque romaine (vestiges à Herculanum). Léonard de Vinci (1452-1519) traça les dessins d'une lanterne de projections.

1646. Athanase Kircher (jésuite allemand 1601-80) construit une *lanterne magique pratique* (pouvant projeter des textes à plus de 150 m).

1823. Le Dr Pâris (Fr.) invente le *thaumatrope* : appareil composé d'un disque et de fils attachés aux extrémités de son diamètre. Sur chaque face il y a un dessin ; en faisant pivoter le disque, on voit simultanément les 2 dessins. **1829.** Joseph Plateau (Belg. 1801-83) établit scientifiquement qu'une impression lumineuse reçue sur la rétine persiste 1/10 de seconde après la disparition de l'image ; il en conclut que des images se succédant à plus de 10 par seconde donnent l'illusion du mouvement (la découverte du principe de *persistance des impressions rétiniennes* remonterait au IIᵉ s. apr. J.-C.). Différents appareils ont été construits sur la base de ce principe : le *phénakistiscope* (J. Plateau, 1829), le *stroboscope* (Simon von Stampfer, 1829), le *phantascope* (Dr Lake, 1832), le *zootrope* ou *tambour magique* (Hörner, 1833), le *stroboscope projecteur* (S. von Stampfer, 1845), le *kinétoscope* (Dr von Uchatius, 1853).

1874. Jules Janssen (astronome fr., 1824-1907) invente le *revolver photographique* pour photographier le passage de Vénus devant le Soleil. **1877.** Émile Reynaud (Fr., 1844-1916) invente le *praxinoscope*. **1882.** Étienne-Jules Marey (Fr., 1830-1904) réalise un *fusil photographique* enregistrant 12 images par seconde sur une même plaque. É. Reynaud met au point son théâtre optique. **1887.** É.-J. Marey construit le *chronophotographe* à pellicule mobile (il en avait déjà construit un à plaque fixe). **1888.** Oct. Augustin Le Prince (1842-1890) : film à 10/12 images/seconde tourné sur bandes de papier sensibilisé de 5,5 cm de largeur, à Leeds (G.-B.). **1889.** William Friese-Greene (G.-B., 1855-1921) fabrique la *1ʳᵉ caméra photoramique*. Edison (Amér., 1847-1931) : film de 35 mm. **1891.** Georges Demeny (Fr., 1850-1917) construit un *phonoscope* qui reproduit les mouvements de la parole et les jeux de physionomie. **1892.** 12 févr. : Léon Bouly brevète un « *cinématographe* ». **1892-1900.** *Théâtre optique* en France (praxinoscope amélioré de Reynaud) : 12 000 séances en 8 ans, 500 000 spect. **1894.** *Kinétoscope* de Thomas Edison. 14 avril : *1ʳᵉ projection payante* au Kinetoscope Parlor, Holland Bros., 1155 Broadway, à New York. 5 films (pour 25 cents) projetés par une double rangée de 5 kinétoscopes mis au point par William Kennedy Laurie Dickson (1860-1935), assistant d'Edison. *1ᵉʳ gros plan :* Fred Ott en train d'éternuer dans Edison Kinestoscopic Record of a Sneeze. **1895.** 22 mars : *1ʳᵉ représentation privée,* 44, rue de Rennes, à Paris. Auguste (1862-1954) et Louis (1864-1948) Lumière présentent « la Sortie des usines Lumière » (tournée en août-sept. 1894). 28 déc. : *1ʳᵉ représentation publique et payante du cinématographe* des frères Lumière à Paris, au Grand Café (la Sortie des usines Lumière, l'Arrivée d'un train en gare de La Ciotat, l'Arroseur arrosé, Querelle de bébés, le Bassin des Tuileries, le Régiment, le Maréchal-Ferrant, la Partie d'écarté, Mauvaises Herbes, le Mur, la Mer ; chaque film dure 2 minutes) : 35 personnes (ayant payé 1 F-or de droit d'entrée). **1896.** *1ᵉʳ film sonore* d'Oska Messter. A. Promio (Fr., 1870-1927) invente *panoramique* et *travelling.* Georges Méliès (Fr., 1861-1938) découvre la *surimpression* (1ʳᵉ, en 1898, dans la Caverne maudite) (le fondu en 1897) (*1ᵉʳ fondu enchaîné* dans Cendrillon en 1899). **1897.** *1ᵉʳˢ films à scénario* de Méliès. **1898.** Charles Pathé (Fr., 1863-1957) fonde avec son frère la firme mondiale *Pathé* (monopole jusqu'en 1913). Crée les *1ʳᵉˢ actualités filmées : Pathé-Journal.*

1900. *Cinéorama,* cinéma circulaire présenté à l'Exposition de Paris. George Albert Smith (G.-B., 1864-1959) utilise le gros plan. **1903.** *1ʳᵉ apparition du travelling* dans un film d'Alfred Collins (G.-B.). **1906.** *1ᵉʳ son sur pellicule* d'Eugène Stockwell. *1ᵉʳ long métrage de fiction :* The Story of the Kelly Gang (Australie). **1907.** *1ᵉʳ long métrage commercial réalisé en Europe :* l'Enfant prodigue. *1ᵉʳ opéra porté intégralement à l'écran :* Faust de Gounod, d'Arthur Gilbert. **1908.** *Film en couleurs* de G.A. Smith et Charles Urban (G.-B.) : *kinémacolor* (2 images : une rouge, une verte, se superposent sur l'écran). *1ᵉʳ flash-back* de Lubin, dans A Yiddisher Boy. *1ᵉʳ film pornographique :* A l'Écu d'or ou la Bonne Auberge (France). **1909** format 35 mm, rapport 1,33 × 1 adopté.

1910. Léon Gaumont (Fr., 1864-1946) réalise un *chronophone* permettant la sonorisation synchrone des films. Invention du *technicolor* par Herbert T. Kalmus (Amér., 1881-1963). *1ᵉʳ film fait à Hollywood :* In old California, de David Griffith (Am. 1875-1948). **1911.** *1ᵉʳ film en couleurs parlant :* Vals ur Solsträlen. **1913.** *1ʳᵉ coproduction (Autriche-France) :* Das Geheimnis der Lufte. Naissance d'une nation, de David Griffith ; *le langage cinématographique (découpage, montage, plans variés) prend naissance.* Louis Feuillade (Fr., 1873-1924), scénariste chez Gaumont, crée le *ciné-roman* avec « Fantômas ». *1ᵉʳ western de long métrage :* Arizona de Lauwrence B. McGill (U.S.A.). **1914.** *1ᵉʳ long métrage en couleurs :* The World, the Flesh and the Devil. **1915.** Courts métrages en 3 dimensions. **1919.** *1ᵉʳ long métrage de science-fiction :* A Trip to Mars (Danemark).

1921. *1ᵉʳ film de long métrage en couleurs naturelles* (procédé bichrome) : le Vagabond du désert, d'Irwing C. Willat (Amér.). *1ᵉʳ long métrage sonore :* Dream Street, de D. W. Griffith. **1922.** *1ᵉʳ film long métrage en 3 dimensions :* Power of Love de Nat Deverich. **1926.** *1ᵉʳ film sonore :* Don Juan, d'Alan Crosland (Amér., 1894-1936) [produit par la Warner Bros. Pictures Inc. suivant les procédés des ingénieurs de l'American Telephone and Telegraph Co et de la Western Electric. Interprète : John Barrymore (1882-1942) accompagné par l'orchestre philharmonique de New York]. **1927.** *1ᵉʳ film avec passages parlants ou chantants :* le Chanteur de jazz, d'Alan Crosland (produit par la Warner Bros Pictures Inc.). Napoléon, d'Abel Gance (Fr., 1889-1981), sur *triple écran* (magirama) et *1ᵉʳ film avec son stéréo.* **1928.** *1ᵉʳ film 100 % parlant :* Lights of New York, de Bryan Foy. **1930.** *Dernier film muet :* The Poor Millionaire. **1932.** Love me tonight *(1ᵉʳ zoom* de Victor Milner). **1936.** Nozze Vagabonde de Guido Brignone (Ital.) *1ᵉʳ film parlant en 3 dimensions.*

1946. *1ᵉʳ grand film français en couleurs :* le Mariage de Ramuncho (de Max de Vaucorbeil, avec André Dassary et Gaby Sylvia, en Agfacolor). **1948.** La Belle Meunière de Pagnol (*tourné en Rouxcolor,* inventé par Armand et Lucien Roux) ; le procédé demandant à la projection un appareil spécial sera utilisé pour 4 films seulement.

1952. *1ᵉʳ spectacle en Cinérama* sur écran circulaire (mais il faut plusieurs projecteurs ce qui rend l'utilisation complexe) (U.S.A.). **1953.** *1ᵉʳ film en Cinémascope* et son stéréophonique [4 pistes ; procédé du Français Henri-Jacques Chrétien (1879-1956)], Hypergonar, présenté le 30-5-1927 à l'Académie des sciences : la Tunique, d'Henry Koster (Amér.). **1955.** *1ᵉʳ film en Todd AO (Todd et American Optical Cᵒ) :* Oklahoma, de Fred Zinnemann, mis au point par l'Amér. Mike Todd ; film de 70 mm, format 2,20 × 1, une caméra et un projecteur.

1960. *Vidiréal :* procédé de cinéma en relief, inventé par Jean Bourguignon avec objectif spécial adapté à la caméra de prise de vues et un autre à la projection. **1962.** La Conquête de l'Ouest : *1ᵉʳ film à scénario en cinérama.*

1971. Orange mécanique : *1ᵉʳ film avec son Dolby.* **1977.** *1ʳᵉ démonstration réussie d'un film holographique* (durée 30 s., visible simultanément par 4 spectateurs au max.).

1985. Inauguration de la Géode, Cité des sciences et de l'industrie (Paris). La plus grande salle Omnimax du monde (écran de 1 000 m², 12 haut-parleurs d'une puissance totale de 12 000 W). Le projecteur doit utiliser une lampe de 15 kW, dix fois plus puissante que celle d'un projecteur traditionnel et doit être constamment refroidi par eau. Il diffuse l'image à travers un angle optique de 180° [supérieur à celui de la vision binoculaire humaine (120° env.)]. L'écran enveloppe donc le spectateur. La pellicule défile horizontalement 24 images de 6,9 × 4,8 cm par seconde et 102 m par minute. Il faut plus de 6 km de films pour 1 h de projection. 1,71 million de spectateurs (1990). Taux de remplissage (1990) : 80 %. *1ᵉʳ film de fiction en Omnimax :* « J'écris dans l'espace » de Pierre Étaix (histoire de Claude Chappe, inventeur du télégraphe, durée 40 min, coût 35 millions de F). **1990.** *1ʳᵉ colorisation d'un film en France :* la Vache et le prisonnier (Henri Verneuil).

Hollywood (Bois de houx), nom du ranch des Wilcox ; dite « La Mecque du cinéma ». *1877* fondée. *1903* municipalité. *1910* annexée par Los Angeles. *1911* 4 000 habitants ; *1ᵉʳ studio :* Studio Nestor (près de 30 000 films y ont été tournés). *1920* 36 000 h. *1945-50* 850 films en moy. par an. *1948-63* crise, 87 films par an. *1980* 200 000 h. *1990 Plus fameux boulevard :* Sunset Boulevard ; *quartier des grandes vedettes :* Beverley Hills (lancé par Douglas Fairbanks en 1919). Travaille aussi pour la télévision.

Lang (Fritz) (Vienne, 1890-1976) : *les 3 Lumières, Nibelungen, Metropolis (1926),* M le Maudit, le Testament du Dr Mabuse, Furie, J'ai le droit de vivre (1937), Les bourreaux meurent aussi, la Femme au portrait, le Secret derrière la porte, l'Ange des maudits, Moonfleet (1955), l'Invraisemblable Vérité (1956), le Tigre du Bengale, le Tombeau hindou, le Diabolique Dr Mabuse (1961).

Murnau (Friedrich Wilhelm) (Plumpe) (1889-1931) : *Château Vogelod, Nosferatu le Vampire (1922), le Dernier des hommes, Tartuffe, Faust, l'Aurore (1927), l'Intruse (1930), Tabou (1931).*

Pabst (Georg Wilhelm) (1885-1967) : *Rue sans joie (1925), Loulou, Crise, Trois Pages d'un journal,* Quatre de l'infanterie, l'Opéra de quat'sous (1931), l'Atlantide, Don Quichotte, Mademoiselle Docteur, Paracelse, le Procès, C'est arrivé le 20 juillet (1956), Des roses pour Bettina (1956).

Riefenstahl (Leni) (1902) : la Lumière bleue (1932), le Triomphe de la volonté (1935), les Dieux du stade (1938), Tiefland (1954).

Schlöndorff (Volker) (1939) : les Désarrois de l'élève Törless (1965), Vivre à tout prix, Michael Kolhaas le rebelle, la Soudaine Richesse des pauvres gens de Kombach, Feu de paille, l'Honneur perdu de Katarina Blum (1975), le Coup de grâce, le Tambour (1979), le Faussaire (1981), Un amour de Swann (1984), Mort d'un commis voyageur (1985), Colère en Louisiane (1987).

Staudte (Wolfgang) (1906-84) : Les assassins sont parmi nous (1946), Rotation, Pour le roi de Prusse, Rose Berndt (1957), Madeleine et le Légionnaire, Je ne voulais pas être un nazi, l'Opéra de quat'sous (2ᵉ vers.).

Thiele (Rolf) (Autriche, 1918) : Friederike von Barring, El Hakim, la Fille Rosemarie (1958), A bout de nerfs, Liebe Augustin, Loulou (2ᵉ vers.) (1962), Tonio Kröger (1964), Ondine (1976).

Ucicky (Gustav) (Vienne, 1900-1961) : l'Immortel Vagabond, la Cruche cassée, Une mère, Toute une vie, le Maître de poste (3ᵉ vers., 1940), la Jeune Fille de Moorhof.

Weidenmann (Alfred) (1916) : Amiral Canaris (1954), Kitty, Mademoiselle Scampolo, les Buddenbrook, Opération coffre-fort, Adorable Julia (1962).

Wenders (Wim) (1945) : l'Angoisse du gardien de but au moment du penalty, Alice dans les villes, Faux Mouvement (1974), Au fil du temps, l'Ami américain, Hammett, l'État des choses, Paris Texas, Tokyo-Ga (1985), les Ailes du désir (1987), Carnets de notes sur vêtements et villes (1989).

Wysbar (Frank) (Tilsitt, 1899-67) : Anna et Élisabeth (1932), Nasser Asphalt, Chiens, à vous de crever (1959), UB. 55 corsaire de l'Océan, Fabrique d'officiers S.S., Héros sans retour.

Argentine

Torre Nilsson (Leopoldo) (1924-78) : la Maison de l'ange (1957), Fin de fiesta, la Main dans le piège, Martin Fierro, Piedra libre (1976).

Puenzo (Luis) (1949) : l'Histoire officielle (1984).

Solanas (Fernando) (1936) : l'Heure des brasiers (1969), les Fils de Fierro (1978), Exil de Gardel (1985), le Sud (1988).

Australie

Beresford (Bruce) (1940) : Breaker Morant (1980), Tender Mercies (1983), Miss Daisy et son chauffeur (1989), Mister Johnson (1991).

Fairman (Peter) (n.c.) : Crocodile Dundee (1987).

Miller (George) (1945) : Mad Max (1977), Mad Max 2 (1982), Mad Max au-delà du dôme du tonnerre (1985), les Sorcières d'Eastwich (1987).

Weir (Peter) (1944) : Picnic at Hanging Rock (1975), la Dernière Vague (1980), l'Année de tous les dangers (1982), Witness (1985), Mosquito Coast (1986), le Cercle des poètes disparus (1989), Green Card (1990).

Autriche

Corti (Axel) (1933) : Welcome in Vienna (1986), la Putain du roi (1990).

Lauscher (Ernst Josef) (1947) : la Tête à l'envers (1981).

List (Niki) (1956) : Malaria (1982).

Marischka (Ernst) (1893-1963) : Sissi (1955-57).

Belgique

Akerman (Chantal) (1950) : les Rendez-Vous d'Anna (1978), Golden Eighties (1986), Histoires d'Amérique (1989).

Delvaux (André) (Delvine) (1926) : l'Homme au crâne rasé (1966), Un soir un train (1968), Rendez-Vous à Bray (1971), Femme entre chien et loup, Benvenuta, Babel Opéra (1985).

Kümel (Harry) (1940) : Monsieur Hawarden (1968), les Lèvres rouges (1971), Malpertuis (1972).

Picha (J.-P. Walravens) (1942) : Tarzoon, la Honte de la jungle (1975), le Chaînon manquant (1979), le Big Bang (1987).

Robbe de Hert (1942) : De Witte (1980), les Costauds (1984).

Brésil

Babenco (Hector) (1946) : le Baiser de la femme araignée (1984), Ironseed (1988).

Barreto (Lima) (1906-82) : O Cangaceiro (1953).

Cavalcanti (Alberto) (1897-1982) : *En rade,* Au cœur de la nuit (1945) (en coll.), le Chant de la mer, Simon le borgne, Maître Puntila et son valet Matti (1955).

Diegues (Carlos) (1940) : Xica da Silva (1976), Bye bye Brasil (1980).

Guerra (Ruy) (1931) : Os Fuzis, Tendres Chasseurs, les Dieux et les Morts (1970), Erendira (1983), la Plage du désir (1984), Mueda, Mémoire et Massacre (1985).

Rocha (Glauber) (1938-81) : Barravento, le Dieu noir et le Diable blond, Terre en transe, Antonio das Mortes (1969), Têtes coupées, le Lion à sept têtes, Fable de la belle Colombine (1989).

Bulgarie

Hristov (Hristo) (1926) : l'Iconostase (1969), le Dernier été (1973), le Certificat (1985).

Radev (Valo) (1923) : le Voleur de pêches (1964), les Anges noirs, Ames condamnées (1975).

Canada

Arcand (Denys) (1941) : le Crime d'Ovide Plouffe (1984), le Déclin de l'empire américain (1986), Jésus de Montréal (1989).

Brault (Michel) (1928) : l'Acadie, l'Acadie (1972, avec P. Perrault), les Ordres (1974), les Noces de papier (1990).

Carle (Gilles) (1929) : les Mâles, la Vraie Nature de Bernadette, la Mort d'un bûcheron, les Corps célestes, l'Ange et la Femme, Fantastica, les Plouffe, Maria Chapdelaine (1983), la Guêpe (1990).

Jutra (Claude) (1930-87) : A tout prendre, Mon oncle Antoine (1971), Kamouraska (1973), Pour le meilleur et pour le pire.

Mankiewiz (Francis) (1944) : les Bons Débarras (1985), les Portes tournantes (1988).

Perrault (Pierre) (1927) : Pour la suite du monde (coréal. : Michel Brault), le Règne du jour (1967), les Voitures d'eau, Un pays sans bon sens, l'Acadie, l'Acadie (avec M. Brault), le Goût de la farine, la Bête lumineuse (1983).

Chine

Cai Chusheng (1906) : l'Aube dans la cité (1933), le Chant des pêcheurs, Femmes nouvelles, les Larmes du Yang-tsé, les Larmes de la rivière des Perles.

Sang-Ku et **Huang-Sha** (1916) : les Amours de Liang Shan Po et Tchou Ying Tai (1953).

Sun Yu (1900) : Du sang sur le volcan (1933), la Route, la Reine du sport, la Légende de Ban (1958).

Wang-Pin (1916) et **Shui-Hua** (1916) : la Fille aux cheveux blancs (1950).

Xie Jin (1923) : Printemps au pays des eaux (1955), la Basketteuse nº 5, le Détachement féminin rouge, Sœurs de scène (1964), la Jeunesse (1977), le Gardien de chevaux.

Xie Tian (1914) : la Maison de thé (1982).

Zhang Yi-Mou (1949) : le Sorgho rouge (1987), Ju Dou (1989).

Danemark

Carlsen (Henning) (1927) : Sophie de 6 à 9 (1967), Comment faire partie de l'orchestre (1972), Un divorce heureux, Gauguin, le Loup dans le soleil (1985).

Christensen (Benjamin) (1879-1959) : *la Sorcellerie à travers les âges (1920).*

Dreyer (Carl) (1889-1968) : *le Président, le Maître du logis, la Passion de Jeanne d'Arc (1928),* Vampyr, Dies Irae (1940), Ordet, Gertrud (1964).

Égypte

Abou-Seif, (Salah) (1915) : Marie-toi et vis heureux (1990).

Chahine (Youssef) (1926) : Gare Centrale (1958), la Terre (1969), le Moineau (1972), Adieu Bonaparte (1985), le Sixième Jour (1986), Alexandrie encore et toujours (1990).

Espagne

Almodovar (Pedro) (1949) : Labyrinthe des passions (1982), Matador (1986), Femmes au bord de la crise de nerfs (1987), Attache-moi ! (1990).

Bardem (Juan Antonio) (1922) : Cómicos, Mort d'un cycliste, Grand-Rue, la Vengeance, les Pianos mécaniques, Sept Jours de janvier (1979).

Berlanga (Luis García) (1921) : Bienvenue M. Marshall, Calabuig, Placido, le Bourreau, la Carabine nationale (1980), Patrimoine national (1981).

Buñuel (Luis) (1900-83) : *Un chien andalou (1928), l'Age d'or (1930),* Terre sans pain (1932), los Olvidados (1950), Robinson Crusoé (1952), El (1952), Nazarin (1958), la Jeune Fille (1960), Viridiana (1961), l'Ange exterminateur (1962), le Journal d'une Femme de chambre (1963), Belle de jour (1966), la Voie lactée (1969), Tristana (1970), le Charme discret de la bourgeoisie (1972), le Fantôme de la liberté (1974), Cet obscur objet du désir (1977).

Saura (Carlos) (1932) : Peppermint frappé, le Jardin des délices, Anna et les loups, la Cousine Angélique, Cria Cuervos, Elisa vida mia, les Yeux bandés, Maman a 100 ans, Vivre vite, Noces de sang, Antonieta, Carmen (1983), l'Amour sorcier (1986), la Nuit obscure (1989).

États-Unis

Aldrich (Robert) (1918-83) : Bronco Apache (1954), Vera Cruz (1954), En 4ᵉ vitesse, le Grand Couteau (1955), Attaque, Tout près de Satan, Trahison à Athènes, Sodome et Gomorrhe (1962), le Vol du Phénix, Douze Salopards (1967), le Démon des femmes, Trop tard pour les héros, Pas d'orchidées pour miss Blandish (1971), Fureur apache, Plein la gueule, la Cité des dangers.

Allen (Woody) (Allen Stewart Konigsberg 1935) ; *acteur et réalisateur :* Prends l'oseille et tire-toi (1969), Bananas (1971), Tout ce que vous avez toujours voulu savoir sur le sexe... (1972), Woody et les robots (1973), Guerre et Amour (1975), Annie Hall (1977), Intérieurs (1978), Manhattan (1979), Stardust Memories (1980), Comédie érotique d'une nuit d'été (1982), Zelig (1983), Broadway Danny Rose (1984), la Rose pourpre du Caire (1985), Hannah et ses sœurs (1986), Radio Days (1987), September (1987), Une autre femme (1989), Crimes et délits (1989), Alice (1990).

Altman (Robert) (1925) : MASH (1970), Brewster McCloud (1970), John McCabe (1971), California Split (1971), Images (1972), le Privé (1973), Nashville (1975), Buffalo Bill et les Indiens (1976), 3 Femmes (1977), Secret Honor (1977), Quintet (1978), Un mariage (1978), Un couple parfait (1979), Popeye (1980), Streamers (1981), Reviens Jimmy Dean, reviens (1982), Fool for Love (1986), Secret Honor (1986), Beyond Therapy (1986).

Borzage (Frank) (1893-1961) : *l'Heure suprême, la Femme au corbeau,* l'Adieu aux armes, Ceux de la zone (1933), Comme les grands, Désir, la Grande Ville, l'Ensorceleuse, 3 Camarades, le Fils du pendu.

Brooks (Richard) (1912) : Bas les masques, le Cirque infernal, Sergent la Terreur, Graine de violence (1955), la Dernière Chasse, les Frères Karamazov (1958), la Chatte sur un toit brûlant (1958), Elmer Gantry, Doux Oiseau de jeunesse, Lord Jim (1965),

Sujets les plus souvent filmés

Anna Karénine (L. Tolstoï) : Goulding 1927 ; Brown 1935 ; Duvivier 1948 ; Zarkhi 1967. 13 films.

Arlésienne (L') (A. Daudet) : Capellani 1910 ; Antoine 1921 ; Baroncelli 1930 ; Allégret 1941.

Assommoir (L') (E. Zola) : Capellani 1909 ; Maudru 1921 ; Roudès 1933 ; Clément 1956.

Atlantide (L') (P. Benoit) : Feyder 1921 ; Pabst 1932 ; Tallas 1948 ; Ulmer 1961.

Bossu (Le) (P. Féval) : Heuzé 1914 ; Kemm 1925 ; Sti 1934 ; Delannoy 1944 ; Hunebelle 1959 ; Decourt 1968.

Brave Soldat Chveik (Le) (J. Hasek) : Lamac 1925 ; Frie 1931 ; Youtkevitch 1943 ; Trnka 1955 ; Stekly 1956 ; Ambesser 1959 ; Liebeneiner 1963.

Buffalo Bill : Ford 1924 ; Taylor 1926 ; Stevens 1935 ; De Mille 1936 ; Wellman 1944 ; B. Ray 1947 ; Sidney 1951 ; Hopper 1953 ; Altman 1975. 45 films dont 2 parodies.

Carmen (Mérimée) 52 films + 2 parodies dont : Calmettes 1909 ; Walsh 1915 ; De Mille 1915 ; Lubitsch 1918 ; Feyder 1926 ; Walsh 1928 ; Christian-Jaque 1942 ; Ch. Vidor 1952 ; Scotese 1953 ; Preminger 1954 ; Gallone 1963 ; Saura 1982 ; Brook 1983 ; Godard 1983 ; Rosi 1984.

Casanova : Volkoff 1926 ; Barberis 1933 ; Boyer 1947 ; Freda 1948 ; Steno 1954 ; Comencini 1969 ; Fellini 1975.

Catherine II : Czerepy 1920 ; Lubitsch 1925 ; Waschneck 1929 ; R. Bernard 1929 ; Czinner 1934 ; Sternberg 1934 ; Ozep 1938 ; Preminger 1945 ; Curtiz 1960 ; Lenzi 1963 ; G. Flemyng 1968.

Chasseur de chez Maxim's (Le) (Y. Mirande et G. Quinson) : Rimsky 1927 ; Anton 1932 ; Cammage 1939 ; Diamant-Berger 1953 ; Vital 1976.

Châtelaine du Liban (La) (P. Benoit) : de Gastyne 1924 ; Epstein 1933 ; Pottier 1956.

Cléopâtre : Guazzoni 1913 ; G. Edwards 1917 ; C.B. De Mille 1934 ; G. Pascal 1945 ; Mattoli 1955 ; Cottafavi 1959 ; Mankiewicz 1963 ; Tourjansky-Pierotti 1963.

Comte de Monte-Cristo (Le) (A. Dumas) 34 films dont : Pouctal 1917 ; Flynn 1921 ; Fescourt 1929 ; Lee 1934 ; Vernay 1943 et 1954 ; Autant-Lara 1962.

Crime et Châtiment (Dostoïevski) 15 films dont : Wiene 1921 ; Chenal 1934 ; Sternberg 1936 ; Lampin 1956 ; Koulidjanov 1966.

Dame aux camélias (La) (Dumas fils) 36 films dont : Pouctal 1909 ; Capellani 1915 ; Serena 1915 ; Edwards 1919 ; Smallwood 1921 ; Molander 1925 ; Niblo 1927 ; Gance 1934 ; Cukor 1936 ; R. Bernard 1951 ; M. Bolognini 1981.

Dernier des Mohicans (Le) (F. Cooper) : Tourneur 1921 ; Eason-Beebe 1932 ; Seitz 1936 ; Sherman 1947 ; Reinl 1966.

Derniers Jours de Pompéi (Les) (B. Lytton) : Maggi 1908 ; Caserini 1913 ; Vidali 1913 ; Gallone 1925 ; Schoedsack 1935 ; L'Herbier 1948 ; Bonnard 1960.

Deux Orphelines (Les) (A. d'Ennery) : Capellani 1910 ; Griffith 1921 ; Tourneur 1932 ; Gallone 1943 ; Gentilomo 1954 ; Freda 1965.

Docteur Jekyll et Mr Hyde (Stevenson) : Murnau 1919 ; Robertson 1920 ; Mamoulian 1932 ; Fleming 1941 ; Fisher 1960 ; J. Lewis 1963.

Duchesse de Langeais (La) (Balzac) : Calmettes 1910 ; Lloyd 1922 ; Czinner 1927 ; Baroncelli 1942.

Fabiola (Carl Wiseman) : Perrego 1913 ; Guazzoni 1917 ; Blasetti 1947 ; Malassoma 1960.

Fanny (M. Pagnol) : Allégret 1932 ; Almirante 1933 ; Wendhausen 1934 ; Whale 1938 ; Logan 1961.

Fantômas : Feuillade 1912 ; Féjos 1932 ; Sacha 1947 ; Vernay 1948 ; Hunebelle 1964-66.

Frères Karamazov (Les) (Dostoïevski) : Buchowietzky 1920 ; Ozep 1931 ; Brooks 1958 ; Pyriev 1968.

Hamlet (Shakespeare) : Blom 1911 ; Gade 1920 ; Olivier 1948 ; Kozintsev 1964 ; Richardson 1969 ; 42 films dont 9 parodies.

Huckleberry Finn (M. Twain) : Taylor 1919 ; Taurog 1931 ; Thorpe 1938 ; Curtiz 1960.

Jeanne d'Arc 29 films dont : Méliès 1900 ; Caserini 1908 ; Capellani 1908 ; Oxilia 1913 ; De Mille 1917 ; de Gastyne 1928 ; Dreyer 1928 ; Ucicky 1935 ; Fleming 1948 ; Delannoy 1952 ; Rossellini 1954 ; Preminger 1957 ; Bresson 1963.

Jésus-Christ : Zecca et Nonguet 1902 ; Antamoro 1914 ; Wiene 1925 ; De Mille 1927 ; Duvivier 1934 ; N. Ray 1961 ; Pasolini 1964 ; Stevens 1965 ; Jewison 1972 ; Rossellini 1976 ; Zeffirelli 1977.

Kœnigsmark (P. Benoit) : Perret 1918 ; Tourneur 1935 ; S. Terac 1953.

Lady Hamilton : Oswald 1921 ; Lloyd 1929 ; Korda 1946 ; Christian-Jaque 1968.

Louis II de Bavière : Dieterlé 1930 ; Käutner 1955 ; Visconti 1972 ; Syberberg 1972.

Lucrèce Borgia : Capellani 1909 ; Caserini 1910 ; Oswald 1921 ; Gance 1935 ; Christian-Jaque 1953 ; Grieco 1959.

Macbeth (Shakespeare) : 28 films + 1 parodie.

Madame Sans-Gêne (V. Sardou) : Calmettes 1911 ; A. Negroni 1921 ; Perret 1924 ; Richebé 1941 ; Christian-Jaque 1962.

Madame X (A. Bisson) : Savage 1916 ; Lloyd 1920 ; Barrymore 1929 ; Wood 1937 ; Rich 1966.

Maître de poste (Le) (Pouchkine) : Jeliabousky 1925 ; Tourjansky 1937 ; Ucicky 1940 ; Von Baky 1955.

Manon Lescaut (Abbé Prévost) : Capellani 1911 ; Winslow 1914 ; Crosland 1927 ; Robison 1928 ; Gallone 1940 ; Clouzot 1948 ; Costa 1954 ; Aurel 1967.

Marraine de Charley (La) (B. Thomas) : Sidney 1925 ; Christie 1930 ; Colombier 1935 ; Mayo 1941 ; Butler 1952 ; Quest 1956 ; Chevalier 1959 ; Cziffra 1963.

Mayerling : Litvak 1936 ; Delannoy 1948 ; Jugert 1958 ; Dagover 1958 ; Young 1968 ; Jancsö 1975.

Michel Strogoff (J. Verne) : Tourjansky 1926 ; Baroncelli-Eichberg 1936 ; Gallone 1956 ; Tourjansky 1961 ; E. Visconti 1970.

Misérables (Les) (V. Hugo) 36 films dont : Capellani 1913 ; Frank Lloyd 1918 ; Fescourt 1925 ; R. Bernard 1934 ; Boleslawsky 1935 ; Freda 1947 ; Milestone 1953 ; Le Chanois 1958 ; Hossein (1982).

Mystères de Paris (Les) (E. Sue) : Capellani 1912 ; Burguet 1922 ; Gandera 1935 ; Baroncelli 1944 ; Cerchio 1957 ; Hunebelle 1962.

Nana (Zola) : Renoir 1926 ; D. Arzner 1933 ; Corostiza 1943 ; Christian-Jaque 1955.

Napoléon : Gance 1927 ; Grüne 1928 ; Lupu-Pick 1929 ; Wenzler 1935 ; Brown 1937 ; Guitry 1954 ; Koster 1954 ; Gance 1960 ; Bondartchouk 1969. Son rôle a été joué dans plus de 172 films.

Notre-Dame de Paris (V. Hugo) : Capellani 1911 ; Worsley 1924 ; Dieterlé 1938 ; Delannoy 1956.

Oliver Twist (Dickens) : de Morlhon 1910 ; Lloyd 1920 ; Brennon 1932 ; Lean 1946 ; Reed 1969. 21 films.

Pêcheur d'Islande (P. Loti) : Pouctal 1914 ; Baroncelli 1924 ; Guerlais 1933 ; Schoendoerffer 1959.

Porteuse de pain (La) (X. de Montépin) : Denola 1912 ; Le Somptier 1923 ; Sti 1934 ; Cloche 1950 ; Cloche 1963.

Quatre Plumes blanches (Les) (A.E.W. Mason) : Plaissetty 1922 ; Schoedsack-Cooper 1930 ; Z. Korda 1939 ; Young-Korda 1955 ; Sharp 1977.

Quo Vadis ? (H. Sienkiewicz) : Calmettes 1910 ; Guazzoni 1912 ; Jacoby-d'Annunzio 1924 ; Le Roy 1951.

Raspoutine 27 films dont : Malikoff 1929 ; Trotz 1932 ; Boleslavsky 1933 ; L'Herbier 1938 ; Combret 1954 ; Chenal 1960 ; Sharp 1966 ; Hossein 1967.

Résurrection (L. Tolstoï) 23 films dont : Griffith 1909 ; Tchardynine 1915 ; E. José 1918 ; Carewe 1927 ; Blasetti 1931 ; Carewe 1932 ; Mamoulian 1934 ; Hansen 1958.

Robinson Crusoé (D. Defoe) : 36 films.

Rocambole (Ponson du Terrail) : Denola 1914 ; Maudru 1924 ; Rosca 1932 ; Baroncelli 1946 ; Borderie 1963.

Roger la Honte (J. Mary) : Baroncelli 1923 ; Roudès 1933, Cayatte 1946 ; Freda 1966.

Roméo et Juliette (Shakespeare) 33 films + 8 parodies dont : Caserini 1908 ; Blackton 1916 ; Cukor 1936 ; Castellani 1953 ; Zeffirelli 1968.

Saint François d'Assise : Antamoro 1926 ; Rossellini 1950 ; Curtiz 1961 ; Zeffirelli 1973 ; Cavani 1988.

Sonate à Kreützer (La) (L. Tolstoï) : Tchardynine 1911 ; Brenon 1915 ; Machaty 1926 ; Harlan 1937 ; Dréville 1938.

Topaze (M. Pagnol) : Gasnier 1933 ; d'Abbadie d'Arrast 1933 ; Pagnol 1936 ; Pagnol 1951 ; P. Sellers 1962.

Tour de Nesle (La) (A. Dumas) : Capellani 1911 ; Roudes 1937 ; Gance 1953 ; Legrand 1969.

Trois Mousquetaires (Les) (A. Dumas) 30 films + 10 variantes dont : Caserini 1909 ; Pouctal 1913 ; Niblo 1921 ; Diamant-Berger 1922 ; Dwan 1929 ; Diamant-Berger 1932 ; Lee 1935 ; Sidney 1948 ; Hunebelle 1953 ; Borderie 1961 ; Lester 1973 ; Hunebelle 1974 ; Lester 1989.

Zaza (Berton-Simon) : Porter 1915 ; Dwan 1923 ; Cukor 1939 ; Castellani 1943 ; Gaveau 1955.

Héros les plus souvent filmés

Sherlock Holmes (197 films de 1900 à 1988). Détective créé par Sir Arthur Conan Doyle (1859-1930), joué par 70 acteurs dont 1 Noir (Sam Robinson). Joué notamment par Eille Norwood (47 films) et Basil Rathbone (14). Reginald Aven fut le seul à avoir joué Sherlock Holmes et le Docteur Watson. La réplique « Élémentaire, mon cher Watson » vient de The Retum of Sherlock Holmes de Basil Dean (1929) 1er Sherlock Holmes parlant. Les dernières phrases du dialogue sont : « Amazing, Holmes ! – Elementary, my dear Watson, elementary. »

Dracula (155 films). **Jésus-Christ** (135 films). **Frankenstein** (109).

Tarzan (94 films) : le 1er avec Elmo Lincoln (2 films en 1918), parmi les 35 suivants Johnny Weissmuller (1932 à 48, 12 films), Lex Barker (1949 à 53, 5), Gordon Scott (1955 à 58, 5), Azad (Inde 1964 à 70, 13).

Lénine (72). **Cendrillon** (69 dep. 1898). **Zorro** (68). **Hopalong Cassidy** (66). **Hitler** (60). **Robin des Bois** (55). **Charlie Chan** (49). **Cléopâtre** (37). **Reine Victoria** (36). **Henri VIII** (34). **Elisabeth Ire** (32). **Staline** (26). **Churchill** (16).

Auteurs les plus souvent adaptés

William Shakespeare. 273 versions fidèles, 31 modernes. Hamlet est celle qui est le plus souvent adaptée (41).

Edgar Wallace. Ses livres et récits ont été adaptés 132 fois, ses pièces 19.

Interprètes

James Bond. Sean Connery, George Lazenby, Roger Moore, Timothy Dalton.

Le commissaire Maigret. Pierre Renoir, Abel Tarride, Harry Baur, Albert Préjean, Charles Laughton, Michel Simon, Maurice Manson, Jean Gabin, Gino Cervi, Rupert Davies, Heinz Ruhmann.

les Professionnels, De sang-froid (1967), Dollars, la Chevauchée sauvage, A la recherche de Mr Goodbar (1978), Meurtres en direct (1982).

Brown (Clarence) (1890-1987) : *la Chair et le Diable,* Anna Christie, Vol de nuit, Anna Karénine (1935), Ah ! Wilderness, Marie Walewska (1937), la Mousson (1939), l'Intrus (1949).

Capra (Frank) (Palerme, 1897) : New York-Miami (1934), l'Extravagant M. Deeds (1936), Horizons perdus, Vous ne l'emporterez pas avec vous, M. Smith au Sénat, Arsenic et vieilles dentelles (1944), Pourquoi nous combattons (1944), La vie est belle, l'Enjeu, Un trou dans la tête, Negro Soldier (1987).

Chaplin (Sir Charles Spencer) (Londres, 1889-1977) : *Charlot soldat (1918), le Kid (1921), le Pèlerin (1923), l'Opinion publique (1923), la Ruée vers l'or (1925), le Cirque (1928),* les Lumières de la ville (1930), les Temps modernes (1936), le Dictateur (1940), M. Verdoux (1947), Limelight (1952), Un roi à New York (1957), la Comtesse de Hong Kong (1966).

Coppola (Francis Ford) (1939) : Big Boy, les Gens de la pluie, le Parrain (1971), Conversation secrète (1974), le Parrain (2e partie 1975), Apocalypse now (1979), Coup de cœur, Rusty James, Cotton Club (1984), Peggy Sue s'est mariée (1987), Tucker (1988), le Parrain (3e partie 1990).

Cukor (George) (1899-1983) : Little Women, David Copperfield, le Roman de Marguerite Gautier (1936), Vacances, Femmes, Hantise, Je retourne chez maman (1951), Une femme qui s'affiche, Une étoile est née, les Girls, la Diablesse en collant rose (1959), le Milliardaire, My Fair Lady (1964), Justine, Voyages avec ma tante, l'Oiseau bleu, Riches et célèbres (1981).

Curtiz (Michael) (M. Kertesz, 1898-1962) : *l'Arche de Noé (1928),* 20 000 ans sous les verrous, Capitaine Blood, la Charge de la brigade légère (1936), Robin des Bois (1938), Anges aux figures sales, les Conquérants (1939), la Caravane héroïque (1940), le Vaisseau fantôme, Casablanca, la Femme aux chimères, les Comancheros (1961).

Dassin (Jules) (1911) : les Démons de la liberté, la Cité sans voiles (1948), les Bas-fonds de Frisco (1949), les Forbans de la nuit (1950), Du rififi chez les hommes (1954), Celui qui doit mourir, la Loi, Jamais le dimanche (1960), Phaedra (1962), Topkapi (1964), Point noir (1968), la Promesse de l'aube (1970), Cri de femmes (1978).

Daves (Delmer) (1904-77) : les Passagers de la nuit (1947), Destination Tokyo, la Flèche brisée (1950), l'Aigle solitaire, l'Homme de nulle part, la Dernière Caravane, Trois Heures dix pour Yuma (1957), Cow-boy, la Colline des potences (1959).

De Mille (Cecil B.) (1881-1959) : *Forfaiture (1915), les Dix Commandements (1re vers.) (1923), le Roi des rois (1927),* le Signe de la croix (1932), les Tuniques écarlates (1940), l'Odyssée du Dr Wassel, Samson et Dalila (1951), Sous le plus grand chapiteau du monde (1953), les Dix Commandements (2e vers., 1956).

De Palma (Brian) (1940) : Phantom of Paradise, Carrie, Obsession, les Incorruptibles, Outrages (1989), le Bûcher des vanités (1990).

Disney (Walt) (Elias) (1901-66) (dessins animés) : Blanche-Neige et les 7 nains (1937), Pinocchio (1940), Fantasia (1940), Dumbo (1941), Bambi (1942), les 3 Caballeros (1945), Cendrillon (1950), Peter Pan (1953), les 101 Dalmatiens (1961), Merlin l'Enchanteur (1963), le Livre de la jungle (1967), Basil, détective privé (1986), Oliver et compagnie (1989), la Petite Sirène (1989).

Dmytryk (Edward) (1908) : Adieu ma belle, Crossfire, Donnez-nous aujourd'hui, Ouragan sur le Caine (1954), la Lance brisée (1954), le Bal des maudits (1958), l'Homme aux colts d'or (1959), les Ambitieux, Mirage, Alvarez Kelly, la Bataille pour Anzio (1968), Barbe-Bleue, la Guerre des otages (1980).

Donen (Stanley) (1924) : Chantons sous la pluie (1952), les Sept Femmes de Barberousse, Drôle de frimousse (1957), Beau fixe sur New York, Embrasse-la pour moi, Pique-nique en pyjama, Indiscret, Chérie recommençons, Charade (1964), Arabesque, Voyage à deux, l'Escalier, le Petit Prince, Lucky Lady, Folie Folie (1978), Saturn 3 (1979), C'est la faute à Rio (1984).

Dwan (Allan) (1885-1981) : *Robin des Bois (1922),* Suez, Iwo-Jima (1949), la Belle du Montana, Quatre Étranges Cavaliers, la Reine de la prairie, le Mariage est pour demain, Deux Rouquines dans la bagarre (1956).

Ferrara (Abel) (n.c.) : the King of New York.

Flaherty (Robert) (1884-1951) : *Nanouk, Moana (1926), Tabou* (avec Murnau), l'Homme d'Aran (1932-34), Louisiana Story (1948).

Fleischer (Richard) (1916) : l'Énigme du Chicago-Express, 20 000 Lieues sous les mers (1954), les Inconnus dans la ville (1955), la Fille sur la balançoire, Bandido Caballero, le Temps de la colère, les Vikings (1958), Drame dans un miroir, l'Étrangleur de Boston, Tora-Tora-Tora, Terreur aveugle, Les flics ne dorment pas la nuit, Mandingo, Kalidor la légende du talisman (1985).

Fleming (Victor) (1883-1949) : *le Virginien (1929),* l'Ile au trésor, Imprudente Jeunesse, Capitaine courageux, Pilote d'essai, Autant en emporte le vent (1939), Tortilla Flat (1942), Jeanne d'Arc (1948).

Ford (John) (Sean O'Fearna) (1895-1973) : *le Cheval de fer (1924),* la Patrouille perdue (1934), Toute la ville en parle (1935), le Mouchard (1935), la Chevauchée fantastique (1939), Vers sa destinée (1939), les Raisins de la colère (1940), Qu'elle était verte ma vallée (1941), la Poursuite infernale (1946), Dieu est mort (1947), le Massacre de Fort-Apache (1948), la Charge héroïque (1949), l'Homme tranquille (1952), la Prisonnière du désert (1956), les Cavaliers (1959), le Sergent noir (1960), les Deux Cavaliers (1961), l'Homme qui tua Liberty Valance (1961), les Cheyennes (1964), Frontière chinoise (1966).

Fuller (Samuel) (1911) : J'ai vécu l'enfer de Corée (1950), Baïonnette au canon, le Port de la drogue, le Démon des eaux troubles, Maison de bambou, le Jugement des flèches, Verboten, les Bas-fonds newyorkais, Les maraudeurs attaquent (1962), Shock Corridor, Un pigeon mort dans Beethoven Street, The Big Red One, Dressé pour tuer, les Voleurs de la nuit (1983), Sans espoir de retour (1989).

Garnett (Tay) (1893-1977) : Voyage sans retour (1932), l'Amour en première page (1937), le Dernier Négrier (1937), Quelle joie de vivre, Bataan, Le facteur sonne toujours deux fois (1946), les Combattants de la nuit (1960).

Griffith (David W.) (1875-1948) : *Naissance d'une nation (1915), Intolérance (1916), le Lys brisé, le Pauvre Amour, A travers l'orage, les Deux Orphelines, la Nuit mystérieuse,* Abraham Lincoln (1930).

Hathaway (Henry) (1898-1985) : les 3 Lanciers du Bengale (1934), Peter Ibbetson, les Gars du large, Johnny Apollo, le Carrefour de la mort, Niagara, la Cité disparue, le Grand Sam (1961), le Dernier Safari, Cinq cartes à abattre (1968).

Hawks (Howard) (1896-1977) : Scarface (1932), l'Impossible M. Bébé, Seuls les anges ont des ailes, Sergent York, Air Force, le Port de l'angoisse, le Grand Sommeil (1946), la Rivière rouge (1948), Les hommes préfèrent les blondes (1953), Rio Bravo (1959), Hatari, El Dorado (1966), Rio Lobo (1970).

Hill (George Roy) (1926) : Deux Copines, Un séducteur, Millie, Butch Cassidy et le Kid (1970), Abattoir 5, l'Arnaque (1973), la Kermesse des aigles, I Love you, je t'aime, le Monde selon Garp, la Petite Fille au tambour (1985), Funny Farn (1988).

Hitchcock (Alfred) (1899-1980) : les 39 Marches (1935), Une femme disparaît (1938), Rebecca (1940), l'Ombre d'un doute (1943), les Enchaînés (1946), la Corde (1948), les Amants du Capricorne (1949), l'Inconnu du Nord-Express (1951), la Loi du silence (1953), Fenêtre sur cour (1954), la Main au collet (1955), l'Homme qui en savait trop (2e vers.) (1956), le Faux Coupable (1957), Vertigo (Sueurs froides) (1958), la Mort aux trousses (1959), Psychose (1960), les Oiseaux (1963), Mais qui a tué Harry ? (1966), le Rideau déchiré (1966), l'Étau (1969), Frenzy (1972), Complot de famille (1976).

Huston (John) (1906-87) : le Faucon maltais (1941), le Trésor de la Sierra Madre (1947), Key Largo, Quand la ville dort (1950), African Queen (1951), Moulin-Rouge (1952), Plus fort que le diable, Moby Dick (1956), le Vent de la plaine, les Misfits (1961), la Bible, Reflets dans un œil d'or, la Lettre du Kremlin, Promenade avec l'amour et la mort, Fat City, Juge et hors-la-loi, le Piège, l'Homme qui voulut être roi, le Malin, A nous la victoire, Annie, Au-dessous du volcan, l'Honneur des Prizzi (1985), les Morts (1987).

Kazan (Elia) (Kazanjoglous) (Istanbul, 1909) : Boomerang (1947), Panique dans la rue (1950), Un tramway nommé Désir (1951), Viva Zapata (1952), Sur les quais (1954), A l'est d'Éden (1955), Baby Doll (1956), Un homme dans la foule (1957), le Fleuve sauvage (1960), la Fièvre dans le sang (1961), America America (1964), l'Arrangement (1969), les Visiteurs (1972), le Dernier Nabab (1976).

Keaton (Buster) (Joseph Francis) (1895-1966) : *les Lois de l'hospitalité (1923), la Croisière du Navigator, Sherlock junior, Fiancées en folie, le Mécano de la « Générale » (1926), l'Opérateur, le Figurant,* le Roi de la bière (1933).

King (Henri) (1896-1982) : *Tol'able David (1921), Dans les laves du Vésuve, Romola (1925),* la Foire aux illusions, Ramona (1936), l'Incendie de Chicago, Stanley et Livingstone, le Brigand bien-aimé, le Chant de Bernadette, David et Bethsabée, Le Soleil se lève aussi, Tendre est la nuit (1961).

Kubrick (Stanley) (1928) : Ultime Razzia (1956), les Sentiers de la gloire (1957), Spartacus (1960), Lolita (1962), Docteur Folamour (1964), 2001 Odyssée de l'espace (1968), Orange mécanique (1971), Barry Lyndon (1975), The Shining (1980), Full Metal jacket (1987).

Lewis (Jerry) (Joseph Levitch) (1926) : le Dingue du palace (1960), le Tombeur de ces dames, Docteur Jerry et Mister Love, Jerry souffre-douleur, les Tontons farceurs, Trois sur un sofa, Ya Ya mon général (1970), Au boulot Jerry, T'es fou Jerry (1983).

Logan (Joshua) (1908-88) : Picnic (1956), Bus Stop (1956), Sayonara (1957), South Pacific (1958), Fanny (1961), la Kermesse de l'Ouest (1969).

Losey (Joseph) (1909-84) : Haines, le Rôdeur (1951), M. le Maudit (2e version) (1951), la Bête s'éveille (1954), Temps sans pitié (1956), l'Enquête de l'inspecteur Morgan (1959), les Criminels (1960), Eva (1962), The Servant (1963), Pour l'exemple (1964), Accident (1967), Boom (1968), Cérémonie secrète (1968), Deux Hommes en fuite (1970), le Messager (1971), l'Assassinat de Trotsky (1972), Maison de poupée (1973), Une Anglaise romantique (1975), M. Klein (1975), les Routes du Sud (1978), Don Giovanni (1978), la Truite (1982).

Lubitsch (Ernst) (Allem., 1892-1947) : *Madame du Barry (1919), l'Éventail de lady Windermere (1925), le Patriote (1928),* Parade d'amour (1929), Haute pègre (1932), Si j'avais un million (1932), Sérénade à trois (1933), la Veuve joyeuse (1934), la 8e Femme de Barbe-Bleue (1938), Ninotchka (1939), To be or not to be (1942), Le ciel peut attendre (1943), la Folle Ingénue (1946).

Lucas (George) (1944) : THX 1138, American Graffiti, la Guerre des étoiles (1977).

Lumet (Sidney) (1924) : Douze Hommes en colère (1957), Point limite, la Colline des hommes perdus, le Groupe, la Mouette, le Crime de l'Orient-Express, Serpico, Un après-midi de chien, Network, The Wiz, le Prince de New York, Piège mortel, The Verdict, Daniel, A la recherche de Garbo (1984), les Coulisses du pouvoir (1986), le Lendemain du crime (1987).

McCarey (Leo) (1898-1969) : Soupe au canard (1933), Cette sacrée vérité, Elle et Lui (1re version), la Route semée d'étoiles, les Cloches de Ste-Marie, Elle et Lui (2e version), la Brune brûlante.

Mankiewicz (Joseph L.) (1909) : Chaînes conjugales (1949), Ève (1950), l'Affaire Cicéron (1952), Jules César (1953), la Comtesse aux pieds nus (1954), Un Américain bien tranquille (1958), Soudain l'été dernier (1959), Cléopâtre (1963), le Reptile (1970), le Limier (1972).

Mann (Anthony) (1906-67) : Winchester 73, les Affameurs, l'Appât, Je suis un aventurier, l'Homme de la plaine, Cote 465, l'Homme de l'Ouest, la Charge des tuniques bleues (1959), la Ruée vers l'Ouest, le Cid.

Minnelli (Vincente) (1913-86) : Ziegfeld Follies, le Père de la mariée, Un Américain à Paris (1951), les Ensorcelés, Tous en scène, Brigadoon, la Toile d'araignée (1955), Gigi (2e version), Comme un torrent, Un numéro du tonnerre, 15 Jours ailleurs, le Chevalier des sables, Mélinda, Nina (1976).

Mulligan (Robert) (1925) : Prisonnier de la peur (1957), Du silence et des ombres, le Sillage de la violence, Daisy Clover, Escalier interdit, l'Homme sauvage, Un été 42, l'Autre, Même heure l'année prochaine (1979), Kiss Me Goodbye (1982).

Pakula (Alan-J.) (1928) : Klute (1971), A cause d'un assassinat (1974), les Hommes du Président (1976), le Choix de Sophie (1982), Dreams Lover (1986).

Peckinpah (Sam) (1926-84) : Coup de feu dans la Sierra, Major Dundee, la Horde sauvage, les Chiens de paille, le Dernier Bagarreur, Pat Garrett et Billy the Kid, Apportez-moi la tête d'Alfredo Garcia, Croix de fer, le Convoi, Osterman Week-end.

Penn (Arthur) (1922) : le Gaucher (1958), Miracle en Alabama (1962), Mickey One (1964), Bonnie and Clyde (1967), Little Big Man (1970), Missouri Breaks (1976), Target (1986), Froid comme la mort (1987).

Pollack (Sydney) (1934) : Propriété interdite, les Chasseurs de scalps, Un château en enfer, On achève bien les chevaux (1969), Jeremiah Johnson (1972), Nos plus belles années, Yakuza, les 3 Jours du Condor (1975), Bobby Deerfield, le Cavalier électrique, Absence de malice, Tootsie, Souvenirs d'Afrique, Out of Africa (1986), Havana (1990).

Preminger (Otto) (Vienne, 1906-86) : Laura, Crime passionnel, Ambre (1947), le Mystérieux Dr Korvo, Un si doux visage, Rivière sans retour, l'Homme au bras d'or (1955), Bonjour tristesse (1958), Autopsie d'un meurtre, Exodus (1961), Tempête à Washington, le Cardinal, Bunny Lake a disparu, Skidoo, Rosebud (1974).

Ray (Nicholas) (Kienzle) (1911-79) : les Amants de la nuit (1948), le Violent, les Diables de Guadalcanal, la Maison dans l'ombre, Johnny Guitare, la Fureur de vivre (1955), Amère Victoire, le Traquenard (1955), Derrière le miroir (1956), le Roi des rois, les 55 Jours de Pékin (1963).

Scorsese (Martin) (1942) : Bertha Boxcar (1972), Mean Streets, Alice n'est plus ici, Taxi Driver (1976), New York New York, The Last Walz (1978), Raging Bull, la Valse des pantins, After Hours (1985), la Couleur de l'argent (1987), la Dernière tentation du Christ (1988), New York Stories (1989), les Affranchis (1990).

Sirk (Douglas) (Detlef Sierk) (Danemark, 1900-87) : l'Aveu (1944), Des filles disparaissent, Jenny femme marquée, Tempête sur la colline, Écrit sur du vent (1956), la Ronde de l'aube, le Temps d'aimer et le temps de mourir (1959), Mirage de la vie.

Spielberg (Steven) (1947) : Duel (1971), The Sugarland Express, les Dents de la mer (1975), Rencontres du troisième type, 1941, les Aventuriers de l'Arche perdue (1981), E.T. l'extra-terrestre (1982), la Quatrième Dimension, Indiana Jones et le Temple maudit, la Couleur pourpre (1986), Histoires fantastiques (1987), Indiana Jones et la dernière croisade (1989), Always (1989).

Sternberg (Josef von) (Vienne, 1894-1969) : *les Nuits de Chicago (1927), les Damnés de l'Océan,* l'Ange bleu (1930), Cœurs brûlés, Shanghai Express (1932), l'Impératrice rouge (1934), la Femme et le Pantin (1935), Shanghai, Fièvre sur Anatahan (1953).

Stevens (George) (1904-75) : Gunga Din (1939), Une place au soleil (1951), l'Homme des vallées perdues (1953), Géant, le Journal d'Anne Frank (1959), Il était une fois l'Amérique.

Stroheim (Erich von) (Autriche, 1885-1957) : *la Loi des montagnes (1918), Folies de femmes, les Rapaces (1923), la Veuve joyeuse, Symphonie nuptiale, Queen Kelly (1928).*

Tashlin (Frank) (1913-72) : Artistes et Modèles (1955), la Blonde et moi, Un vrai cinglé du cinéma, la Blonde explosive, le Kid en kimono, l'Increvable Jerry, Jerry chez les cinoques (1964).

Tourneur (Jacques) (1904-77) : la Féline (1942), l'Homme léopard, Vaudou, Angoisse, le Passage du canyon, la Griffe du passé (1947), la Flibustière des Antilles, le Gaucho, l'Or et l'Amour, Frontière sauvage, la Nuit du démon, Tombouctou, la Bataille de Marathon (1959).

Ulmer (Edgar G.) (Vienne, 1900-72) : le Chat noir, le Démon de la chair, Carnegie Hall, l'Implacable, le Bandit (1955), l'Atlantide, Sept contre la mort.

Vidor (King) [(1894-1982), sa carrière dura 66 ans]. *la Grande Parade (1925), la Foule (1928),* Hallelujah ! (1929), Notre pain quotidien (1934), Stella Dallas, la Citadelle, le Grand Passage, Duel au soleil (1946), le Rebelle, la Furie du désir, l'Homme qui n'a pas d'étoile, Guerre et Paix (1956), Salomon et la Reine de Saba (1959).

Walsh (Raoul) (1892-1981) : *le Voleur de Bagdad (1re version, 1924),* la Charge fantastique (1941), Gentleman Jim (1942), Aventures en Birmanie, la Vallée de la peur, la Fille du désert, Un roi et quatre reines, l'Esclave libre, les Nus et les Morts (1958), Esther et le Roi, la Charge de la 8e brigade (1964).

Welles (Orson) (1915-85) : Citizen Kane (1940), la Splendeur des Amberson (1942), la Dame de Shanghai (1948), Macbeth (1948), Othello (1952), Mr Arkadine (1955), la Soif du mal (1958), le Procès (1962), Falstaff (1966), Histoire immortelle (1967), Vérités et Mensonges (1974), Filming Othello (1979).

Wellman (William) (1894-1975) : *les Mendiants de la vie (1928),* l'Ennemi public, la Joyeuse Suicidée, Une étoile est née (1937), Beau Geste (1939), la Lumière qui s'éteint, Buffalo Bill (1944), l'Étrange Incident, les Forçats de la gloire, la Ville abandonnée, le Rideau de fer, l'Allée sanglante (1955).

Wilder (Billy) (Samuel) (Vienne, 1906) : Assurance sur la mort, Le Poison (1943), Boulevard du Crépuscule (1950), le Gouffre aux chimères, Stalag 17, Sabrina (1954), Sept Ans de réflexion, Ariane, Certains l'aiment chaud (1959), la Garçonnière, Irma la Douce (1963), Embrasse-moi idiot, la Vie privée de Sherlock Holmes (1970), Avanti, Spéciale Première, Fedora (1977).

Wise (Robert) (1914) : Nous avons gagné ce soir (1949), les Rats du désert, la Tour des ambitieux, Marqué par la haine, le Coup de l'escalier, West Side Story (1961), la Mélodie du bonheur (1964), le Mystère Andromède, l'Odyssée du « Hindenburg » (1975), Star Trek (1979).

Wyler (William) (Mulhouse, 1902-81) : Rue sans issue, l'Insoumise, les Hauts de Hurlevent (1939), le Cavalier du désert, la Vipère, Mrs Minniver (1942), les Plus Belles Années de notre vie, l'Héritière, Vacances romaines (1953), la Loi du Seigneur (1956), Ben Hur (2e version, 1959), la Rumeur, l'Obsédé, Funny Girl (1968).

Zinnemann (Fred) (Vienne, 1907) : Le train sifflera trois fois (1952), Tant qu'il y aura des hommes (1953), Au risque de se perdre, Un homme pour l'éternité (1966), Chacal (1973), Julia, Cinq jours ce printemps-là.

Finlande

Blomberg (Erik) (1913) : le Renne blanc (1952).

Donner (Jörn Johan) (1933) : un Dimanche de septembre (1963), Anna (1970).

Kaurismäki (1957) : Calamori union (1985), La fille aux allumettes (1989), J'ai engagé un tueur (1990).

Mollberg (Rauni) (1929) : la Terre de nos ancêtres (1973), Milka (1980).

France

Allégret (Marc) (Bâle, 1900-73) : Voyage au Congo, Lac aux Dames (1934), Gribouille, Entrée des artistes, Félicie Nanteuil, Julietta, l'Amant de Lady Chatterley, En effeuillant la marguerite, le Bal du comte d'Orgel.

Allégret (Yves) (1907-87) : Dédée d'Anvers (1948), Une si jolie petite plage, Manèges, Les miracles n'ont lieu qu'une fois, Nez de cuir, les Orgueilleux, Germinal, Mords pas on t'aime.

Annaud (Jean-Jacques) (1943) : la Guerre du feu, le Nom de la rose (1986), l'Ours (1988).

Astruc (Alexandre) (1923) : le Rideau cramoisi, les Mauvaises Rencontres, Une vie (1958), la Proie pour l'ombre, l'Éducation sentimentale, la Longue Marche, Flammes sur l'Adriatique (1968).

Autant-Lara (Claude) (1903) : le Mariage de Chiffon (1942), Douce, le Diable au corps, le Blé en herbe, le Rouge et le Noir, la Traversée de Paris, En cas de malheur, la Jument verte, Tu ne tueras point, le Franciscain de Bourges, Gloria.

Becker (Jacques) (1906-60) : Dernier Atout, Goupi-Mains rouges (1943), Falbalas, Antoine et Antoinette, Rendez-Vous de juillet, Casque d'or (1952), Rue de l'Estrapade, Touchez pas au grisbi (1954), Montparnasse 19, le Trou (1960).

Beineix (Jean-Jacques) (1946) : Diva (1981), la Lune dans le caniveau (1983), 37,2° le Matin (1986), Roselyne et les lions (1989).

Berri (Claude) (Langmann) (1934) : le Vieil Homme et l'Enfant, le Pistonné, Un moment d'égarement, Je vous aime, le Maître d'école (1981), Tchao pantin, Jean de Florette et Manon des Sources (1986), Uranus (1990).

Besson (Luc) (1959) : le Dernier Combat (1983), Subway (1985), le Grand Bleu (1988), Nikita (1990).

Blier (Bertrand) (1939) : les Valseuses (1974), Calmos (1976), Préparez vos mouchoirs (1978), Buffet froid (1979), Beau-Père (1981), la Femme de mon pote (1983), Notre Histoire (1984), Tenue de soirée (1986), Trop belle pour toi (1989), Merci la vie (1991).

Boisset (Yves) (1939) : Cran d'arrêt (1969), Un condé, l'Attentat, R.A.S., Dupont-la-Joie (1974), le Juge Fayard dit le Shérif, Un taxi mauve (1976), la Clé sous la porte, la Femme flic, Allons z'enfants, Bleu comme l'enfer (1986), Radio-Corbeau (1989), la Tribu (1991).

Bresson (Robert) (1907) : les Anges du péché (1943), les Dames du bois de Boulogne (1944-45), le Journal d'un curé de campagne (1951), Un condamné à mort s'est échappé (1956), Pickpocket, le Procès de Jeanne d'Arc, Au hasard Balthazar, Mouchette, Une femme douce, Quatre Nuits d'un rêveur, Lancelot du Lac, le Diable probablement, l'Argent (1983).

Broca (Philippe de) (1933) : les Jeux de l'amour, le Farceur, l'Amant de 5 jours, Cartouche, l'Homme de Rio (1963), les Tribulations d'un Chinois en Chine, le Roi de cœur, le Diable par la queue (1969), la Poudre d'escampette, le Magnifique, l'Incorrigible, Julie pot de colle, Tendre Poulet, le Cavaleur, On a volé la cuisse de Jupiter, l'Africain, Louisiane, la Gitane (1986), Chouans ! (1988), les 1001 Nuits (1990).

Camus (Marcel) (1912-82) : Orfeu Negro (1959), Os Bandeirantes, le Chant du monde, le Mur de l'Atlantique, Othalia de Bahia (1975).

Carax (Leos) (1960) : Boy Meets Girl (1984), Mauvais Sang (1987).

Carné (Marcel) (1906) : Drôle de drame (1937), le Quai des Brumes (1938), Hôtel du Nord (1938), Le jour se lève (1939), les Visiteurs du soir (1942), les Enfants du paradis (1945), les Portes de la nuit (1946), les Tricheurs (1958), les Jeunes Loups (1967), les Assassins de l'ordre (1976), la Merveilleuse Visite (1973).

Cavalier (Alain) (1931) : le Combat dans l'île, l'Insoumis (1964), la Chamade (1968), un Étrange Voyage (1981), Thérèse (1986).

Cayatte (André) (Marcel Truc) (1909-89) : Pierre et Jean (1943), les Amants de Vérone (1949), Justice est faite (1950), Nous sommes tous des assassins (1952), Avant le déluge (1953), le Passage du Rhin, le Glaive et la Balance, la Vie conjugale, les Risques du métier, les Chemins de Katmandou, Mourir d'aimer, Il n'y a pas de fumée sans feu, A chacun son enfer (1971), la Raison d'Etat, l'Amour en question (1978).

Chabrol (Claude) (1930) : le Beau Serge, les Cousins (1959), A double tour, les Bonnes Femmes, Landru, la Ligne de démarcation, la Femme infidèle, Que la bête meure, le Boucher (1969), la Rupture, la Décade prodigieuse, Dr Popaul, les Noces rouges, Nada, les Innocents aux mains sales, Folies bourgeoises, Alice ou la dernière fugue, Liens de sang, Violette Nozières, le Cheval d'orgueil, les Fantômes du chapelier, le Sang des autres, Poulet au vinaigre (1985), l'Inspecteur Lavardin (1986), Masques (1987), le Cri du hibou (1987), Une affaire de femmes (1988), Docteur M., Jours tranquilles à Clichy (1990).

Christian-Jaque (Charles Maudet) (1904) : les Disparus de St-Agil, la Symphonie fantastique, Boule de Suif. Sortilèges, la Chartreuse de Parme, Fanfan la Tulipe (1952), Lucrèce Borgia, Madame du Barry, Nana (1954), les Bonnes Causes, les Pétroleuses (1971), la Vie parisienne, Carné, l'Homme à la caméra (1986).

Clair (René) (Chomette) (1898-1981) : *Entracte (1924), Un chapeau de paille d'Italie (1928),* Sous les toits de Paris (1930), le Million (1931), A nous la liberté (1932), Quatorze Juillet (1933), Fantôme à vendre (1935), Ma femme est une sorcière (1942), C'est arrivé demain (1943), Le silence est d'or (1947), les Belles de nuit (1952), les Grandes Manœuvres (1955), Porte des Lilas (1957), Tout l'or du monde (1961), les Fêtes galantes (1965).

Clément (René) (1913) : la Bataille du rail (1946), les Maudits (1946), Au-delà des grilles (1948), Jeux interdits (1951), Monsieur Ripois (1953), Gervaise (1955), Plein Soleil (1959), les Félins (1964), Paris brûle-t-il ? (1967), le Passager de la pluie (1970), la Course du lièvre à travers champs (1973), la Baby Sitter (1975).

Clouzot (Henri-Georges) (1907-77) : l'Assassin habite au 21, le Corbeau (1943), Quai des Orfèvres (1947), Manon (1949), le Salaire de la peur (1953), les Diaboliques (1954), le Mystère Picasso (1956), la Vérité (1960), la Prisonnière (1968).

Cocteau (Jean) (1889-1963) : le Sang d'un poète (1930), la Belle et la Bête (1946), l'Aigle à deux têtes (1948), les Parents terribles (1948), Orphée (1950), le Testament d'Orphée (1960).

Corneau (Alain) (1943) : France société anonyme, Police Python 357, la Menace, Série noire, le Choix des armes, Fort Saganne, le Môme (1986), Nocturne indien (1989).

Costa-Gavras (Grèce, 1933) : Compartiment tueurs, Un homme de trop, Z (1968), l'Aveu (1970), État de siège (1973), Section spéciale (1975), Clair de femme (1977), Missing (1982), Hanna K, Conseil de famille (1986), la Main droite du Diable (1988), Music Box (1990).

Daquin (Louis) (1908-80) : Nous les gosses (1941), Premier de cordée, les Frères Bouquinquant, le Point du jour, Bel-Ami.

Decoin (Henri) (1896-1969) : Battement de cœur, Premier Rendez-Vous, les Inconnus dans la maison (1942), la Fille du diable, la Vérité sur Bébé Donge, la Chatte, les Parias de la gloire.

Delannoy (Jean) (1908) : Pontcarral (1942), l'Éternel Retour (1943), la Symphonie pastorale (1946), Dieu a besoin des hommes (1950), la Princesse de Clèves (1961), les Amitiés particulières(1964), Bernadette (1988).

Delluc (Louis) (1890-1924) : *la Fête espagnole* (coréal. : Germaine Dulac), *le Silence, Fièvre, la Femme de nulle part (1922), l'Inondation (1924).*

Demy (Jacques) (1931-90) : Lola (1961), la Baie des anges (1963), les Parapluies de Cherbourg (1963), les Demoiselles de Rochefort (1967), The Model Shop, Peau d'âne, le Joueur de flûte, Lady Oscar, Une chambre en ville, Parking, Trois places pour le 26 (1988).

Deray (Jacques) (1929) : le Gigolo (1960), la Piscine, Borsalino (1969), Borsalino and Co, Flic Story (1975), le Gang, Trois Hommes à abattre (1980), le Marginal, On ne meurt que deux fois (1985), le Solitaire (1987), les Bois noirs (1989), Netchaiev est de retour (1991).

Devers (Claire) (1955) : Noir et blanc (1987).

Deville (Michel) (1931) : Ce soir ou jamais, Adorable Menteuse, A cause, à cause d'une femme, On a volé la Joconde, Benjamin (1967), Bye Bye Barbara, Raphaël ou le Débauché, la Femme en bleu, le Mouton enragé, l'Apprenti salaud, le Dossier 51, le Voyage en douce, Eaux profondes, la Petite Bande, Péril en la demeure, le Paltoquet (1986), la Lectrice (1988), Nuit d'été en ville (1990).

Doillon (Jacques) (1944) : l'An 01, les Doigts dans la tête, Un sac de billes, la Femme qui pleure, la Drôlesse, l'Homme de ma vie, la Tentation d'Isabelle (1985), la Puritaine (1986), Comédie ! (1987), la Fille de quinze ans (1989), la Vengeance d'une femme (1990), le Petit Criminel (1990).

Doniol-Valcroze (Jacques) (1920-89) : l'Eau à la bouche, le Cœur battant, la Dénonciation, le Viol, la Maison des Bories (1969), Une femme fatale (1977).

Dréville (Jean) (1906) : le Joueur d'échecs (2e vers., 1938), la Cage aux rossignols (1944), Copie conforme (1947), la Bataille de l'eau lourde (1947), les Casse-pieds (1948), la Reine Margot, Normandie-Niémen, La Fayette (1961).

Duvivier (Julien) (1896-1967) : la Bandera (1935), Pépé le Moko (1937), Un carnet de bal (1937), le Petit Monde de don Camillo (1952), Marianne de ma jeunesse (1955), Pot-Bouille (1957), Marie-Octobre (1959).

Enrico (Robert) (1931) : les Grandes Gueules (1965), Boulevard du rhum (1971), le Vieux Fusil (1975), Pile ou Face (1980), Au nom de tous les miens (1983), De guerre lasse (1987), la Révolution française : les Années Lumière (1989).

Étaix (Pierre) (1928) : le Soupirant (1962), Yoyo, le Grand Amour, l'Âge de Monsieur est avancé (1987).

Feuillade (Louis) (1874-1925) : *la Vie telle qu'elle est* (série), *Fantômas* (série), *Héliogabale* (1911), *les Vampires* (série 1915-16), *Judex* (série 1916-17), *Vendémiaire, les Deux Gamines, l'Orpheline, Parisette, Vindicta, le Stigmate (1925).*

Feyder (Jacques) (1885-1948) : *l'Atlantide (1921), l'Image, Carmen (1926), Thérèse Raquin (1928),* le Spectre vert (U.S.A.), le Grand Jeu, Pension Mimosas, la Kermesse héroïque (1936), les Gens du voyage, la Loi du Nord (1939-42).

Franju (Georges) (1912-87) : la Tête contre les murs, les Yeux sans visage, Thérèse Desqueyroux (1962), Judex, Thomas l'imposteur (1964), la Faute de l'abbé Mouret, Nuits rouges (1973).

Gance (Abel) (1889-1981) : *le Droit à la vie (1917), Mater Dolorosa, la 10e Symphonie (1918), J'accuse (1919), la Roue (1922), Napoléon (1927),* la Fin du monde (1930), Lucrèce Borgia, Un grand amour de Beethoven (1936), J'accuse (2e version, 1937), Louise, Paradis perdu, Vénus aveugle, le Capitaine Fracasse (1942), la Tour de Nesle (1954), Austerlitz (1960), Cyrano et d'Artagnan (1963).

Godard (Jean-Luc) (1930) : A bout de souffle (1959), le Petit Soldat, Une femme est une femme, Vivre sa vie, les Carabiniers, le Mépris, Bande à part, Une femme mariée, Alphaville (1965), Pierrot le fou, Masculin féminin, Made in U.S.A., 2 ou 3 choses que je sais d'elle, la Chinoise (1967), Week-End, Vent d'Est, Tout va bien, Numéro deux, Comment ça va, Sauve qui peut (la vie), Passion, Prénom Carmen (1983), Je vous salue Marie (1984), Détective, Soigne ta droite (1987), Nouvelle Vague (1990).

Granier-Deferre (Pierre) (1927) : la Veuve Couderc (1972), le Train, Adieu poulet, l'Étoile du Nord (1982), Cours privé (1986), la Couleur du vent (1988).

Grémillon (Jean) (1901-59) : Gueule d'amour, l'Étrange Monsieur Victor, Remorques (1939-41), Lumière d'été (1942), Le ciel est à vous, Pattes blanches, l'Amour d'une femme (1953).

Guitry (Sacha) (St-Pétersbourg, 1885-1957) : le Roman d'un tricheur (1936), Quadrille (1937), Désiré (1937), Ils étaient 9 célibataires (1939), le Diable boiteux (1948), la Poison (1951), la Vie d'un honnête homme (1952), Si Versailles m'était conté (1953), Napoléon (1954), Assassins et Voleurs (1956).

Hunebelle (André) (1896-1985) : Métier de fous (1948), Mission à Tanger, Méfiez-vous des blondes, les 3 Mousquetaires (1953), Cadet-Rousselle, le Bossu (1959), le Miracle des loups, les Mystères de Paris (1962), Fantômas (1964).

Kast (Pierre) (1920-84) : le Bel Age, la Morte-saison des amours (1960), Vacances portugaises, le Grain de sable, Drôle de jeu, Un animal doué de déraison, le Soleil en face, la Guerillera (1982).

Kurys (Diane) (1948) : Diabolo menthe (1977), Un homme amoureux (1986).

Lautner (Georges) (1926) : le Monocle noir (1961), les Tontons flingueurs, les Barbouzes, Laisse aller c'est une valse (1970), Il était une fois un flic, la Valise, les Seins de glace (1974), Mort d'un pourri, Flic ou voyou (1978), le Guignolo, le Professionnel, Joyeuses Pâques, le Cow-boy (1985), la Cage aux folles III (1985), la Vie dissolue de Gérard Floque (1987), la Maison assassinée (1988), l'Invité surprise (1989).

Leconte (Patrice) (1947) : les Bronzés (1978), Les bronzés font du ski (1979), Viens chez moi, j'habite chez une copine (1981), les Spécialistes (1985), Monsieur Hire (1989), le Mari de la coiffeuse (1990).

Leenhardt (Roger) (1903-85) : Naissance du cinéma, les Dernières Vacances (1947), le Rendez-Vous de minuit.

Lelouch (Claude) (1937) : le Propre de l'homme (1960), Une fille et des fusils, Un homme et une femme (1965), Vivre pour vivre, le Voyou, Smic smac smoc, L'aventure, c'est l'aventure (1972), la Bonne Année (1973), Toute une vie, Mariage, le Chat et la Souris, le Bon et les Méchants, Si c'était à refaire, Un autre homme, une autre chance, Robert et Robert, A nous deux, les Uns et les Autres (1981), Edith et Marcel, Viva la vie, Partir revenir, Vingt ans déjà, Attention bandits (1987), Itinéraire d'un enfant gâté (1988), Il y a des jours... et des lunes (1990).

L'Herbier (Marcel) (1888-1979) : *El Dorado, Don Juan et Faust, l'Inhumaine, Feu Mathias Pascal (1925), l'Argent,* le Mystère de la chambre jaune (1930), le Parfum de la dame en noir (1931), les Hommes nouveaux, la Citadelle du silence, Adrienne Lecouvreur (1938), la Comédie du bonheur, la Nuit fantastique, l'Honorable Catherine, la Vie de bohème (1943), les Derniers Jours de Pompéi (1949).

Malle (Louis) (1932) : le Monde du silence, Ascenseur pour l'échafaud (1957), les Amants (1958), Zazie dans le métro (1960), Vie privée, Feu follet, Viva Maria, le Voleur, Histoires extraordinaires, Calcutta, le Souffle au cœur (1971), Lacombe Lucien (1974), Black Moon, la Petite, Atlantic City, Crackers, Alamo Bay, God's Country (1986), Au revoir les enfants (1987), Milou en mai (1990).

Marker (Chris) (1921) : Lettre de Sibérie, Cuba si !, le Joli Mai (1963), la Spirale (collect.), Le fond de l'air est rouge (1977), Sans soleil, A.K. (1985).

Melville (Jean-Pierre) (1917-73) : le Silence de la mer (1948), les Enfants terribles (1950), Bob le flambeur, Deux hommes dans Manhattan, Léon Morin prêtre (1961), le Doulos (1962), l'Aîné des Ferchaux, le Deuxième Souffle, le Samouraï, l'Armée des ombres (1969), le Cercle rouge, Un flic.

Miller (Claude) (1942) : la Meilleure façon de marcher, Dites-lui que je l'aime, Garde à vue, Mortelle Randonnée, l'Effrontée, la Petite Voleuse (1988).

Mocky (Jean-Pierre) (1929) : les Dragueurs (1959), un Drôle de paroissien (1963), les Compagnons de la Marguerite (1967), Solo (1969), Litan (1982), A Mort l'arbitre ! (1984), le Miraculé (1987), Agent trouble (1987), les Saisons des plaisirs (1988), Une nuit à l'Assemblée nationale (1988), Divine Enfant (1988), Il gèle en enfer (1990).

Ophüls (Max) (Oppenheimer) (Sarrebruck, 1902-57) : Liebelei (1932), Divine (1935), la Tendre Ennemie, De Mayerling à Sarajevo (1940), Lettre d'une inconnue, la Ronde (1950), le Plaisir (1952), Madame de... (1953), Lola Montès (1955).

Oury (Gérard) (Houry) (1919) : le Corniaud (1964), la Grande Vadrouille (1966), le Cerveau (1968), la Folie des grandeurs (1971), les Aventures de Rabbi Jacob (1973), la Carapate (1978), le Coup du parapluie (1980), l'As des as, la Vengeance du serpent à plumes (1984), Levy et Goliath (1986), Vanille-Fraise (1989).

Pagnol (Marcel) (1895-1974) : Angèle (1934), César (1936), Regain (1937), la Femme du boulanger (1938), le Schpountz (1938), la Fille du puisatier (1940), Manon des Sources (1952), les Lettres de mon moulin (1954).

Pialat (Maurice) (1925) : l'Enfance nue (1969), Nous ne vieillirons pas ensemble, la Gueule ouverte, Passe ton bac d'abord, Loulou (1980), A nos amours, Police (1985), Sous le soleil de Satan (1987).

Prévert (Pierre) (1906-88) : L'affaire est dans le sac, Adieu Léonard, Voyage-surprise.

Renoir (Jean) (1894-1979) : *Nana (1926),* la Chienne (1931), Boudu sauvé des eaux (1932), Toni (1934), le Crime de M. Lange (1935), la Marseillaise (1937), Une partie de campagne (1937), la Grande Illusion (1937), la Règle du jeu (1939), Journal d'une femme de chambre (1946), la Femme sur la plage (1946), le Fleuve (1950), le Carrosse d'or (1952), French Cancan (1954), le Déjeuner sur l'herbe (1959), le Caporal épinglé (1962).

Resnais (Alain) (1922) : Nuit et Brouillard (1956), Hiroshima mon amour (1959), l'Année dernière à Marienbad (1961), Muriel, La guerre est finie, Je t'aime je t'aime, Stavisky, Providence, Mon oncle d'Amérique, La vie est un roman, l'Amour à mort, Mélo (1986), I Want to Go Home (1989).

Rivette (Jacques) (1928) : Paris nous appartient, la Religieuse (1965), l'Amour fou, Céline et Julie vont en bateau, Duelle, Noroît, Merry Go Round, le Pont du Nord, l'Amour par terre, Hurlevent (1986).

Robert (Yves) (1920) : la Guerre des boutons (1962), Bébert et l'omnibus (1963), les Copains (1964), Un éléphant ça trompe énormément, Nous irons tous au paradis (1977), Courage fuyons (1979), le Jumeau (1984), la Gloire de mon père – le Château de ma mère (1990).

Rohmer (Éric) (Maurice Scherer) (1920) : le Signe du Lion, Paris vu par..., la Collectionneuse (1967), Ma nuit chez Maud (1969), le Genou de Claire (1970), l'Amour l'après-midi, la Marquise d'O, Perceval le Gallois, la Femme de l'aviateur, le Beau Mariage, Pauline à la plage, les Nuits de la pleine lune, le Rayon vert (1986), les Aventures de Reinette et Mirabelle (1987), l'Ami de mon amie (1987), Conte de printemps (1990).

Rouch (Jean) (1917) : Moi un Noir (1958), la Pyramide humaine, Chronique d'un été, la Punition, Jaguar, Cocorico M. Poulet, Dionysos (1984).

Sautet (Claude) (1924) : Classe tous risques, les Choses de la vie (1969), Max et les Ferrailleurs, César et Rosalie, Vincent François Paul et les autres, Mado, Une histoire simple, Un mauvais fils, Garçon (1984), Quelques jours avec moi (1988).

Schoendoerffer (Pierre) (1928) : la Passe du Diable (coréal. : J. Dupont), Pêcheurs d'Islande (1959), la 317e Section (1964), Objectif 500 millions, le Crabe-Tambour (1977), l'Honneur d'un capitaine (1982).

Tacchella (Jean-Charles) (1925) : Voyage en grande Tartarie, Cousin cousine, le Pays bleu, Il y a longtemps que je t'aime, Croque la vie, Escalier C (1985), Travelling avant (1987), Dames galantes (1990).

Tati (Jacques) (1908-82) : Jour de fête (1947), les Vacances de M. Hulot (1953), Mon oncle (1958), Playtime (1967), Trafic (1971), Parade (1974).

Tavernier (Bertrand) (1941) : l'Horloger de Saint-Paul (1973), Que la fête commence, le Juge et l'Assassin (1975), Des enfants gâtés, la Mort en direct (1979), Une semaine de vacances, Coup de torchon, Un dimanche à la campagne, Autour de minuit, la Passion Béatrice (1987), la Vie et rien d'autre (1989), Daddy nostalgie (1990).

Téchiné (André) (1943) : Souvenirs d'en France, Barocco, les Sœurs Brontë, Hôtel des Amériques, Rendez-Vous, le Lieu du crime, les Innocents (1987).

Thomas (Pascal) (1945) : les Zozos (1972), Pleure pas la bouche pleine, le Chaud Lapin, la Surprise du chef, Confidences pour confidences, Celles qu'on n'a pas eues, les Maris les femmes les amants (1989).

Truffaut (François) (1932-84) : les 400 Coups (1959), Tirez sur le pianiste, Jules et Jim (1961), Fahrenheit 451 (1966), La mariée était en noir, Baisers volés, la Sirène du Mississippi, l'Enfant sauvage (1969), Domicile conjugal, Deux Anglaises et le continent, la Nuit américaine (1973), l'Histoire d'Adèle H, l'Argent de poche, l'Homme qui aimait les femmes, la Chambre verte, l'Amour en fuite, le Dernier Métro (1980), la Femme d'à côté, Vivement dimanche (1983).

Vadim (Roger) (Plemiannikov) (1928) : Et Dieu créa la femme (1956), Sait-on jamais ? (1956), les Liaisons dangereuses (1959), Et mourir de plaisir (1960), le Repos du guerrier, le Vice et la Vertu, Château en Suède (1963), la Curée, Barbarella (1968), la Jeune Fille assassinée, Une femme fidèle, Surprise-Partie (1983).

Varda (Agnès) (Bruxelles, 1928) : la Pointe courte, Cléo de 5 à 7 (1962), le Bonheur, les Créatures, Lions Love, l'Une chante l'autre pas, Sans toit ni loi, (1985), Jane B. par Agnès V., Kung-Fu Master (1988).

Veber (Francis) (1937) : le Jouet, la Chèvre, les Compères, les Fugitifs (1986).

Védrès (Nicole) (1911-65) : Paris 1900, la Vie commence demain (1949).

Verneuil (Henri) (Malakian) (1920, Turquie) : la Table aux crevés (1951), le Fruit défendu, Des gens sans importance, la Vache et le prisonnier, le Président, Un singe en hiver, Week-end à Zuydcoote (1964), le Clan des Siciliens (1969), Peur sur la ville, Mille milliards de dollars, les Morfalous (1984).

Vigo (Jean) (Almereyda) (1905-34) : *A propos de Nice,* Zéro de conduite (1933), l'Atalante (1934).

Zidi (Claude) (1934) : l'Aile ou la cuisse (1976), Inspecteur la bavure, les Ripoux (1984), Association de malfaiteurs (1986), Ripoux contre Ripoux (1990).

Grande-Bretagne

Asquith (Anthony) (1902-68) : Pygmalion, l'Écurie Watson, le Chemin des étoiles, l'Ombre d'un homme, Il importe d'être constant (1951), Évasion, Ordre de tuer, les Dessous de la millionnaire, 7 heures avant la frontière.

Boorman (John) (1933) : le Point de non-retour (1967), Duel dans le Pacifique, Leo the Last, Délivrance, Zardoz, l'Hérétique, Excalibur, la Forêt d'émeraude (1985), Hope and Glory (1987), Tout pour réussir (1990).

Cornelius (Henry) (Afr. du S., 1913-58) : Passeport pour Pimlico (1949), Geneviève, le Major galopant, Une fille comme ça.

Crichton (Charles) (1910) : A cor et à cri, De l'or en barres (1951), Tortillard pour Titfield, l'Habit fait le moine, la Bataille des sexes, Un poisson nommé Wanda (1988).

Dearden (Basil) (1911-71) : Frieda, la Lampe bleue, Opération Scotland Yard, Hold-Up à Londres, Scotland Yard contre X, la Victime, la Femme de paille, Khartoum (1966), Assassinats en tous genres.

Greenaway (Peter) (1942) : Meurtre dans un jardin anglais (1982), Z.O.O (1986), le Ventre de l'architecte (1987), Drowning by numbers (1987), le Cuisinier, le Voleur, sa femme et son amant (1989).

Hamer (Robert) (1911-63) : Il pleut toujours le dimanche, Noblesse oblige (1949), Détective du Bon Dieu, Deux Anglais à Paris, le Bouc émissaire, l'Académie des coquins.

Lean (David) (1908-91) : Ceux qui servent sur mer, Heureux Mortels, l'Esprit s'amuse, Brève Rencontre (1945), les Grandes Espérances (1946), Oliver Twist (1948), les Amants passionnés, Vacances à Venise, le Pont de la rivière Kwaï (1957), Lawrence d'Arabie (1963), Docteur Jivago (1966), la Fille de Ryan, la Route des Indes (1985).

Lester (Richard) (1932) : 4 Garçons dans le vent, le Knack (1964), Au secours !, Pétulia, les Trois Mousquetaires, Terreur sur le « Britannic », Royal Flash, la Rose et la Flèche, les Joyeux Débuts de Butch Cassidy et le Kid, Superman II, Cash Cash (1986).

Mackendrick (Alexander) (U.S.A., 1912) : Whisky à gogo (1948), l'Homme au complet blanc, Maggie, Tueurs de dames (1955), le Grand Chantage, Cyclone à la Jamaïque.

Olivier (Lord Laurence) (1907-89) : Henri V, Hamlet (1948), Richard III, le Prince et la Danseuse.

Powell (Michael) (1905-90) : Un de nos avions n'est pas rentré, Colonel Blimp, Je sais où je vais, Question de vie ou de mort, les Chaussons rouges (1948), les Contes d'Hoffmann, le Voyeur (1960).

Reed (Sir Carol) (1906-76) : Sous le regard des étoiles, Huit Heures de sursis, Première Désillusion, le Troisième Homme (1949), l'Homme de Berlin, Notre agent à La Havane (1959), l'Extase et l'Agonie (1965), Oliver, l'Indien, Sentimentalement vôtre.

Reisz (Karel) (Tchéc., 1926) : Samedi soir dimanche matin (1961), Morgan, Isadora, le Flambeur, la Maîtresse du lieutenant français (1981), Sweet Dreams (1986).

Richardson (Tony) (1928) : les Corps sauvages, le Cabotin, Sanctuaire, Un goût de miel, la Solitude du coureur de fond (1962), Tom Jones (1963), le Cher Disparu, Mademoiselle, le Marin de Gibraltar, la Charge de la brigade légère (nouv. version), Chambre obscure, Hamlet, Joseph Andrews, Police frontière, Hotel New Hampshire (1984).

Russell (Ken) (1927) : Love (1970), Music Lovers, les Diables, le Messie sauvage, Mahler (1974), Tommy, Lisztomania, Valentino, Au-delà du réel, les Jours et les Nuits de China Blue (1985), Gothic (1986).

Schlesinger (John) (1926) : Billy Liar, Darling, Macadam cow-boy, Un dimanche comme les autres, le Jour du fléau, Marathon Man, Yanks, le Jeu du faucon (1985), les Envoûtés (1987), Madame Souzatzka (1988), Fenêtre sur Pacifique (1990).

Grèce

Angelopoulos (Theo) (1936) : Jours de 36, le Voyage des comédiens, les Chasseurs, Alexandre le Grand, Voyage à Cythère, l'Apiculteur (1987), Paysage dans le brouillard (1988).

Cacoyannis (Michel) (1922) : Stella, la Fille en noir, Fin de crédit, Électre (1962), Zorba le Grec (1964), les Troyennes, Iphigénie (1976), Sweet Country (1987).

Kondouros (Nicos) (1926) : la Cité magique (1955), les Petites Aphrodites (1963), Cantique des cantiques (1978).

Vergitsis (Nicholas) (1947) : Revanche (1984).

Voulgaris (Pantelis) (1940) : Happy day (1975), les Années de Pierre (1985).

Hongrie

Fabri (Zoltán) (1917) : Un petit carrousel de fête (1956), le Professeur Hannibal, Match en enfer, 20 Heures (1964).

Feher (Imre) (Vienne, 1926) : Un amour du dimanche (1957).

Gothar (Peter) (1947) : Une Journée spéciale (1981), le Temps suspendu (1982).

Jancsö (Miklos) (1921) : les Sans-Espoir (1966), Rouges et Blancs, Silence et Cri, Psaume rouge, Agnus Dei, Rhapsodie hongroise (1979), l'Aube (1987).

Medzaros (Marta) (1931) : l'Adoption (1977), les Héritières (1980), Journal intime (1984).

Radványi (Géza von) (1907-86) : Quelque part en Europe (1947).

Sandor (Pal) (1939) : Daniel prend le train (1982).

Szabó (István) (1938) : Méphisto (oscar 1983), Colonel Redl (1984).

Inde

Dutt (Guru) (1925-64) : Assoiffé (1957), Fleurs de papiers (1959).

Ghose (Goutam) (1951) : Dakhal (1982), la Traversée (1984).

Kaul (Mani) (1942) : le Pain d'un jour (1970), Indécision (1973), l'Homme au-delà de la surface (1980).

Ray (Satyajit) (1921) : Pather Panchali (1955), Aparajito, le Monde d'Apu, la Pierre philosophale, la Déesse, le Salon de musique (1958), Charulata (1964), les Joueurs d'échecs (1977), Tonnerres lointains, la Maison et le monde (1984).

Sen (Mrinal) (1923) : Un jour comme les autres (1980), Affaire classée (1983), les Ruines (1984), Genesis (1986).

Italie

Antonioni (Michelangelo) (1912) : Chronique d'un amour (1950), Femmes entre elles (1955), le Cri (1957), la Dame sans camélias (1960), l'Avventura (1960), la Notte (1961), l'Éclipse (1962), le Désert rouge (1964), Blow up (1967), Zabriskie Point (1970), Profession reporter (1975), Identification d'une femme (1982).

Bertolucci (Bernardo) (1940) : Prima della Rivoluzione (1964), la Stratégie de l'araignée, le Conformiste (1970), le Dernier Tango à Paris (1972), 1900, la Luna (1978), la Tragédie d'un homme ridicule, le Dernier Empereur (1987), Un thé au Sahara (1990).

Blasetti (Alessandro) (1900-87) : *Terra madre,* Mille huit cent soixante (1932), Vieille Garde, la Couronne de fer (1940), Quatre Pas dans les nuages, Un jour dans la vie, Fabiola (1948), Heureuse Époque, Dommage que tu sois une canaille.

Bolognini (Mauro) (1923) : les Amoureux, Jeunes Maris, les Garçons, Ça s'est passé à Rome, le Bel Antonio (1960), la Viaccia (1961), Agostino, les Sorcières, Metello, la Grande Bourgeoise, Vertiges, la Dame aux camélias (1980).

Camerini (Mario) (1895-1981) : Les hommes quels mufles (1932), le Tricorne, Une romantique aventure, les Fiancés, Deux Lettres anonymes, Ulysse (1953), Chacun son alibi, les Guérilleros (1961).

Castellani (Renato) (1913-85) : Sous le soleil de Rome, Primavera (1949), Deux Sous d'espoir (1950), Roméo et Juliette, l'Enfer dans la ville (1958).

Comencini (Luigi) (1916) : Pain, amour et fantaisie (1953), Pain, amour et jalousie, la Grande Pagaille, la Ragazza, l'Incompris (1967), Casanova, un adolescent à Venise, l'Argent de la vieille, Un vrai crime d'amour, Mon Dieu comment suis-je tombée si bas ?..., la Femme du dimanche, Qui a tué le chat ?, le Grand Embouteillage, Eugenio, l'Imposteur, Cuore, la Storia (1987), Un enfant de Calabre (1987), Joyeux Noël, Bonne Année (1989).

De Santis (Giuseppe) (1917) : Chasse tragique, Riz amer (1948), Pâques sanglantes, Onze heures sonnaient, Jours d'amour, Hommes et Loups.

De Seta (Vittorio) (1923) : Bandits à Orgosolo (1961), Un homme à moitié, l'Invitée (1970).

De Sica (Vittorio) (1902-74) (naturalisé Français 1967) : Sciuscia (1946), le Voleur de bicyclette (1948), Miracle à Milan (1951), Umberto D (1952), l'Or de Naples, le Toit (1956), la Ciociara, les Séquestrés d'Altona, Mariage à l'italienne, Un monde nouveau, le Jardin des Finzi-Contini (1970), le Voyage (1974).

Fellini (Federico) (1920) : I Vitelloni (1953), la Strada (1954), Il Bidone (1955), les Nuits de Cabiria (1957), la Dolce Vita (1960), Huit et demi (1963), Juliette des Esprits (1965), Histoires extraordinaires (1968), Satyricon (1969), les Clowns (1970), Roma (1971), Amarcord (1973), Casanova (1976), Prova d'Orchestra (1978), la Cité des femmes (1980), Et vogue le navire, Ginger et Fred (1986), Intervista (1987), la Voce della Luna (1989).

Ferreri (Marco) (1928) : le Mari de la femme à barbe (1963), Break Up, Liza, la Grande Bouffe (1973), la Dernière Femme, Rêve de singe, Pipicacadodo (1979), Contes de la folie ordinaire, Histoire de Piera, le Futur est femme, I love you (1986), Y'a bon les blancs (1987).

Genina (Augusto) (1892-1957) : Prix de beauté, les Amours de minuit, l'Escadron blanc (1936), le Siège de l'Alcazar, Benghazi, la Fille des marais, Frou-Frou (1955).

Germi (Pietro) (1914-74) : Au nom de la loi, le Chemin de l'espérance, le Disque rouge, l'Homme de paille, Divorce à l'italienne (1962), Séduite et abandonnée, Signore e Signori (1966), Serafino.

Lattuada (Alberto) (1914) : le Bandit (1946), Sans pitié, le Moulin du Pô, le Manteau, la Louve, Guendalina, la Tempête, les Adolescentes, l'Imprévu, la Steppe, Mafioso, la Mandragore, Fräulein Doktor, la Bambina (1969), Cœur de chien, la Cigale, Une épine dans le cœur (1987).

Leone (Sergio) (1929-89) : Pour une poignée de dollars, le Bon, la Brute et le Truand (1966), Il était une fois dans l'Ouest (1969), Il était une fois la Révolution, Il était une fois en Amérique.

Lizzani (Carlo) (1917) : Achtung Banditi !, Chronique des pauvres amants, le Bossu de Rome (1960), Procès à Vérone, Bandits à Milan, Mussolini (1974), Fontamara, la Maison du tapis jaune (1983).

Monicelli (Mario) (1915) : Gendarmes et Voleurs (en coll. avec Steno), le Pigeon (1958), la Grande Guerre (1959), Larmes de joie, les Camarades, Nous voulons les colonels, Mes chers amis, Caro Michele, Voyage avec Anita, Rosy la Bourrasque, Chambre d'hôtel, le Marquis s'amuse, Mes chers amis II (1984), la Double Vie de Mathias Pascal (1985), Pourvu que ce soit une fille (1986), I Picarï (1987).

Morretti (Nanni) (1953) : Ecce bombo (1978), Bianca (1984), La messe est finie (1986), Palombella rossa (1989).

Olmi (Ermanno) (1931) : Le Temps s'est arrêté, l'Emploi, (1961), les Fiancés, la Circonstance, l'Arbre aux sabots (1978), A la poursuite de l'étoile (1983), Longue vie à la Signora (1987), la Légende du Saint buveur (1988).

Pasolini (Pier Paolo) (1922-75) : Accatone, l'Évangile selon St Matthieu (1964), Œdipe roi, Théorème (1968), Porcherie, Médée, le Décaméron, les Contes de Canterbury (1972), les Mille et Une Nuits, Salò ou les 120 Journées de Sodome (1975).

Risi (Dino) (1916) : Une vie difficile, le Fanfaron (1962), les Monstres (1963), Fais-moi très mal mais couvre-moi de baisers, Une poule, un train et quelques monstres, Au nom du peuple italien, Sexe fou, Rapt à l'italienne, Parfum de femme (1974), la Carrière d'une femme de chambre, Ames perdues, Dernier Amour (1978), Cher Papa, Fantôme d'amour, Dagobert, le Fou de guerre (1985).

Rosi (Francesco) (1922) : le Défi, Salvatore Giuliano (1962), Main basse sur la ville (1963), les Hommes contre, l'Affaire Mattei (1971), Lucky Luciano, Cadavres exquis, le Christ s'est arrêté à Éboli (1978), Trois Frères, Carmen, Profession Magliari (1984), Chronique d'une mort annoncée (1987), Oublier Palerme (1990).

Rossellini (Roberto) (1906-77) : le Navire blanc (1941), Rome ville ouverte (1945), Païsa (1946), Amore (1948), Stromboli (1951), Europe 51 (1952), Voyage en Italie (1953), la Peur (1954), India (1959-60), le Général della Rovere (1959), Vanina Vanini (1961), la Prise du pouvoir par Louis XIV (1966), Socrate (1970), Blaise Pascal (1972), le Messie (1976).

Scola (Ettore) (1931) : Cent millions ont disparu (1964), Belfagor le Magnifique, Drame de la jalousie, la Plus Belle Soirée de ma vie (1972), Nous nous sommes tant aimés (1974), Affreux, sales et méchants, Une journée particulière (1977), la Terrasse (1979), Passion d'amour (1981), la Nuit de Varennes, le Bal (1983), Macaroni (1986), la Famille (1987), Quelle heure est-il (1989).

Visconti (Luchino) (V. de Modrone) (1906-76) : Ossessione (1942), la Terre tremble (1948), Bellissima (1951), Senso (1954), Nuits blanches (1957), Rocco et ses frères (1960), Boccaçe 70 (1962), le Guépard (1962), Sandra (1965), l'Étranger (1967), les Damnés (1969), le Crépuscule des dieux (1969), Mort à Venise (1971), Violence et Passion (1975), l'Innocent (1976).

Zampa (Luigi) (1905) : Vivre en paix (1946), les Années difficiles (1948), la Belle Romaine (1954), la Blonde enjôleuse, Question d'honneur, les Monstresses (1980).

Zurlini (Valerio) (1926-82) : Été violent, la Fille à la valise (1961), Journal intime, Des filles pour l'armée, le Professeur, le Désert des Tartares.

Japon

Ichikawa (Kon) (1915) : la Harpe birmane (1956), Feux dans la plaine, Tokyo Olympiades, la Vengeance d'un acteur, les Quatre Sœurs (1983).

Imamura (Shôhei) (1926) : La vengeance est à moi (1982), la Ballade de Narayama (1983), Zegen (1987), Histoire du Japon (1987), Pluie noire (1989).

Kinugasa (Teinosuke) (1896-1982) : Jujiro (1928), la Porte de l'enfer (1954), le Héron blanc.

Kurosawa (Akira) (1910) : Chien enragé, Rashomon (1950), Vivre, les Sept Samouraïs (1954), la Forteresse cachée, le Château de l'araignée, Sanjuro, l'Idiot, Barberousse, Dersu Uzala, Kagemusha, Ran (1984), Rêves (1990).

Mizoguchi (Kenji) (1898-1956) : le Destin de Mme Yuki (1950), la Dame de Musashino (1951), O'haru femme galante (1952), Contes de la lune vague après la pluie (1952), l'Intendant Sansho (1954), l'Impératrice Yang Kouei-Fei, le Héros sacrilège, Rue de la Honte (1957).

Naruse (Mikio) (1905-69) : Ma femme, sois comme une rose (1935), Okasan, Nuages flottants.

Oshima (Nagisa) (1932) : Contes cruels de la jeunesse (1960), la Pendaison (1968), le Petit Garçon, la Cérémonie, l'Empire des sens (1976), l'Empire de la passion (1978), Furyo, Max mon amour (1986).

Ozu (Yasujiro) (1903-1963) : Rêves de jeunesse (1928), les Frères Toda, le Goût du riz avec le thé vert, Printemps tardif, Voyage à Tokyo (1953), Fleurs d'équinoxe, Herbes ondoyantes, Fin d'automne, Dernier caprice, le Goût du saké (1962).

Shindo (Kaneto) (1912) : les Enfants d'Hiroshima (1952), l'Ile nue (1961), Onibaba (1964).

Mexique

Alazraki (Benito) (1925) : Racines (1956).

Alcoriza (Luis) (1920) : Tarahumara (1965), los Jovenes (1960).

Quelques scandales célèbres

1921. Mort de l'actrice Virginia Rappe, après une « partie » organisée par le célèbre comique Fatty (Roscoe Arbuckle). Accusé de meurtre, puis acquitté, Fatty vit sa carrière ruinée et ne reparut plus à l'écran.

1922. Assassinat du metteur en scène W.D. Taylor. Le mystère, à base de chantage et de drogue, où fut compromise Mabel Normand, célèbre vedette des films de Charlie Chaplin, ne fut jamais éclairci.

1924. Au cours d'un dîner chez Edna Purviance (autre vedette de Chaplin), le chauffeur de Mabel Normand tue un convive d'un coup de revolver. Le scandale mit fin à la carrière de Mabel Normand qui mourut de tuberculose à l'hôpital en 1930. Elle avait 32 ans.

Mort mystérieuse du metteur en scène Thomas H. Ince (sans doute assassiné par un jaloux), sur le yacht de W.R. Hearst, magnat de la presse américaine.

1926. Mort à 26 ans de Barbara La Marr, célèbre vamp (vedette des « Trois Mousquetaires »...), victime de la drogue. Elle avait eu six maris.

1932. Suicide de Paul Bern, mari de Jean Harlow, après 2 mois de mariage (il avait été le 6e mari de Barbara La Marr).

1935. Mort mystérieuse (suicide ? assassinat ?) de la jeune vedette Thelma Todd, chez un ami metteur en scène.

1943. Procès d'Errol Flynn, accusé du viol de 2 jeunes filles de moins de 16 ans. – Procès de paternité retentissant fait à Chaplin par Miss Barry. Chaplin condamné.

1948. Robert Mitchum condamné à 60 j de prison pour usage de stupéfiants.

1949. Arrestation, puis internement en maison de santé, du jeune premier Robert Walker (« L'Inconnu du Nord-Express »), ex-mari de Jennifer Jones.

1958. Cheryl Crane, la fille de Lana Turner, poignarde le gangster Johnny Stompanato (amant de sa mère).

1959. Procès du journal à scandales *Confidential.* Mise en cause de nombreuses vedettes dont Dorothy Dandridge, Maureen O'Hara...

1968. Assassinat de Ramón Novarro, dans sa villa à Hollywood, par deux jeunes vagabonds.

1969. Assassinat de Sharon Tate par une bande de hippies drogués.

Quelques records de mariage

Anouk Aimée : D.V. Zimmermann, Niko Papadakis, Pierre Barouh, Albert Finney.

Brigitte Bardot : Roger Vadim, Jacques Charrier, Gunther Sachs.

Ingrid Bergman : Peter Lindstrom, Roberto Rossellini, Lars Schmidt.

Humphrey Bogart : Helen Mencken, Mary Phillips, Mayo Methot, Laureen Bacall.

Martine Carol : Steve Crane, Christian-Jaque, Dr Rouveix, Mike Eland.

Charlie Chaplin : Mildred Harris, Lita Grey, Paulette Goddard, Oona O'Neil.

Christian-Jaque : Germaine Spy, Simone Renant, Renée Faure, Martine Carol, Laurence Cristol.

Joan Crawford : Douglas Fairbanks Jr, Franchot Tone, Philips Terry.

Danielle Darrieux : Henri Decoin, Porfirio Rubirosa, Georges Mitsinkidès.

Bette Davis : Harmon Nelson, Andrew Farnsworth, William Grant Sherry, Gary Merrill.

Errol Flynn : Lili Damita, Nora Eddington, Patricia Wymore.

Clark Gable : Joséphine Dillon, Rhea Langham, Carole Lombard, Lady Sylvia Ashley, Kay Streckell.

Zsa Zsa Gabor : Burham Belge, Conrad Hilton, George Sanders, Herbert L. Huntner, Joshua Cosden Jr.

Ava Gardner : Mickey Rooney, Artie Shaw, Frank Sinatra.

Judy Garland : David Rose, Vincente Minnelli, Sid Luft, Mark Herron, Mickey Deans.

Paulette Goddard : E.D. James, Charlie Chaplin, Burgess Meredith, Erich-Maria Remarque.

Cary Grant : Virginia Merrill, Barbara Hutton, Betsy Drake, Dyan Cannon.

Sacha Guitry : Charlotte Lysès, Yvonne Printemps, Jacqueline Delubac, Geneviève de Séréville, Lana Marconi.

Rex Harrison : Lilli Palmer, Kay Kendall, Rachel Roberts.

Rita Hayworth : Edward Judson, Orson Welles, Ali Khan, Dick Haymes, James Hill.

Mary Marquet : Maurice Escande, Victor Francen, Marcel Journet.

Marilyn Monroe : James Dougherty, Joe Di Maggio, Arthur Miller.

François Périer : Jacqueline Porel, Marie Daems, Colette Boutoulaud.

Tyrone Power : Janet Gaynor, Annabella, Linda da Christian.

Ginger Rogers : Jack Culpepper, Lew Ayres, Jack Briggs, Jacques Bergerac, William Marshall.

Mikey Rooney : Ava Gardner, Betty Jane Rase, Martha Vickers, Elaine Mahnken, Barbara Thomason, Margaret Lane, Carolyn Hackett, Jan Chamberlain.

Jean Seberg : François Moreuil, Romain Gary, Dennis Berry.

Frank Sinatra : Ava Gardner, Mia Farrow, Hope Lange.

Gloria Swanson : Wallace Beery, Herbert K. Somborn, Henri de La Falaise, Michael Farmes, William Davey, William Dufty.

Elizabeth Taylor : Nick Hilton, Michael Wilding, Mike Todd, Eddie Fisher, Richard Burton (2 mariages, 2 divorces), John Warner.

Lana Turner : Artie Shaw, Steve Crane (2 fois), Bob Topping, Lex Barker, Fred May, Robert Eaton, Ronald Dante.

Roger Vadim : Brigitte Bardot, Annette Stroyberg, Jane Fonda, Catherine Schneider, Marie-Christine Barrault.

Marina Vlady : Robert Hossein, Jean-Claude Brouillet, Vladimir Vissotsky.

Johnny Weissmuller : Beryl Scott, Bobby Arnst, Arleen Gaetz.

Shelley Winters : M.P. Meyer, Vittorio Gassman, Anthony Franciosa.

Quelques destins hors série

Se sont suicidés : Roland Alexandre (1956). Pier Angeli (1971). Pedro Armendariz (1963). Pierre Batcheff (1932). Martine Carol (1967). Dorothy Dandrige (1965). Bella Darvi (1971). Patrick Dewaere (1982). John Garfield (1953). Nicole Ladmiral (1958). Carole Landis (1948). Raoul Lévy (1966). Max Linder (1925, avec sa femme). Simone Mareuil (1954). Marilyn Monroe (1962). Ivan Mosjoukine (1939). Marie Prévost (1935). Lya de Putti (1931). George Sanders (1972). Jean Seberg (1979), épouse de Romain Gary, qui se suicidera en 1980. Françoise Spira (1965). Lupe Velez (1944). Robert Walker (1951).

Assassinés : Ramón Novarro (1968). Pier Paolo Pasolini (1975). Sharon Tate (1969, assassinat organisé par le luciférien Charles Manson).

Morts accidentellement. Auto. James Dean (1955). Nicole Berger (1967). Françoise Dorléac (1967). Fernand Raynaud (1973), Grace Kelly (14-9-1982). **Avion.** Carole Lombard (1942). Audie Murphy (1971, c'était le soldat le plus décoré de la 2e Guerre mondiale). Will Rogers (1935, tué au Canada avec l'aviateur Wiley Post). Leslie Howard (1943, avion abattu par les Allemands dans le golfe de Gascogne). Grace Moore (1947). **Chute.** Pauline Lafont (1988). **Incendie.** Linda Darnell (1965). **Noyade.** Maria Montez (1951, dans sa baignoire). Natalie Wood (1938-81) (en nageant en pleine nuit). **Train.** Lucien Coëdel (1947, tombé du train, tunnel de Blaisy, Côte-d'Or). **Yacht.** Steve Cochran (1965, mort d'épuis. sur son yacht, dans la mer des Caraïbes).

Mort en déportation : Robert Lynen (1944).

Divers : Irène Dunne : représentante des U.S.A. à l'O.N.U. Luisa Ferida : abattue (1945) par les partisans italiens dans l'entourage de Mussolini. Georges Galli : ex-jeune premier (l'Homme à l'Hispano), devenu curé d'une paroisse du midi de la France. Grace Kelly : princesse de Monaco, par son mariage (1956) avec le prince Rainier. Robert Le Vigan : condamné pour collaboration avec l'ennemi (1946), exilé en Argentine. Ronald Reagan : élu Pt des Etats-Unis. Shirley Temple : ambassadrice des U.S.A. Rock Hudson : 1er mort célèbre du Sida (1985).

Jeunes premiers et jeunes premières (en France)

Des années 30. Jean Murat, Henri Garat, Albert Préjean, Fernand Gravey, Pierre-Richard Wilm, Pierre Blanchar, Pierre Fresnay, Raymond Rouleau, Jean Servais, Claude Dauphin, Jean-Pierre Aumont, Paul Bernard, Roger Duchesne, Bernard Lancret, Georges Grey, Annabella, Jacquel. Francell, Simone Simon, Danielle Darrieux, Michèle Morgan, Corinne Luchaire, Lisette Lanvin, Sylvia Bataille, Orane Demazis, Madeleine Ozeray, Annie Vernay, Meg Lemonnier, Danièle Parola, Monique Rolland, Jeanine Crispin.

Des années 40. Jean Marais, Gérard Philipe, Louis Jourdan, Georges Marchal, Henri Vidal, Alain Cuny, François Périer, Serge Reggiani, Michel Auclair, Jean Desailly, Jacques Dacqmine, Jacques Berthier, André Le Gall, Roger Pigaut, Frank Villard, Jean Paqui, Gilbert Gil, Jean Chevrier, René Dary, Madeleine Sologne, Micheline Presle, Odette Joyeux, Blanchette Brunoy, Michèle Alfa, Marie Déa, Gaby Sylvia, Louise Carletti, Renée Faure, Suzy Carrier, Gisèle Pascal, Jacqueline Gautier, Jeanine Darcey, Josette Day, Simone Valère, Claude Génia, Irène Corday, Lise Topart, Dany Robin.

A partir des années 50, les emplois ont cessé d'être des spécialités cataloguées. (Exceptions : Daniel Gélin, Jean-Claude Pascal, Maurice Ronet, Jacques Charrier, Alain Delon, Brigitte Bardot, Marina Vlady à leurs débuts.)

Fernandez (Emilio) (Honduras, 1904-86) : Maria Candelaria (1946), Enamorada, la Perle, Rio Escondido, la Malquerida, la Red (1953).

Leduc (Paul) (1942) : Reed Mexico insurgente (1973), Ethnocide (1977).

Pays-Bas

Ditvoorst (Adriaan) (1940) : Paranoia (1967), le Photographe aveugle (1972).

Ivens (Joris) (1898-1989) (documentaires) : Pluie, Zuyderzee, Borinage, Terre d'Espagne (1937), Indonesia Calling, les Premières Années, le Chant des fleuves, La Seine a rencontré Paris, le 17e Parallèle, Comment Yukong déplaça les montagnes (1976), Une histoire de vent (1989).

Rademakers (Lili) (1930) : Menuet (1983), Journal d'un vieux fou (1987).

Van der Keuken (1938) : le Temps (1985).

Verhoeven (Paul) (1938) : Turkish Delight (1974), la Chair et le sang (1985), Robocop (1988), Total Recall (1990).

Weiss (Frans) (1938) : Charlotte (1981).

Pologne

Ford (Aleksander) (1908-80) : La vérité n'a pas de frontière (1948), la Jeunesse de Chopin, les 5 de la rue Barska, les Chevaliers teutoniques, le Premier Cercle (1972).

Has (Wosciech) (1925) : le Manuscrit trouvé à Saragosse (1965), Diables de London (1969), la Clepsydre (1972), les Tribulations de Balthasar Kober (1988).

Kawalerowicz (Jerzy) (1922) : l'Ombre, Tout n'est pas fini, Train de nuit, Mère Jeanne des Anges (1961), Pharaon, Maddalena (1971).

Munk (Andrzej) (1921-61) : Eroïca (1957), De la veine à revendre (1961), la Passagère.

Polanski (Roman) (1933) : le Couteau dans l'eau (1962), Répulsion (1965), Cul-de-sac (1965), le Bal des vampires (1967), Rosemary's Baby (1968), Macbeth (1972), Quoi ? (1973), Chinatown (1974), le Locataire (1976), Tess (1979), Pirates (1986), Frantic (1988).

Wajda (Andrzej) (1926) : Génération, Kanal, Cendres et Diamant (1958), Lotna, les Innocents charmeurs, Samson, Tout est à vendre, Paysage après la bataille, les Noces, le Bois de bouleaux, la Terre de la grande promesse, l'Homme de marbre (1977), les Demoiselles de Wilko, Sans anesthésie, le Chef d'orchestre, l'Homme de fer (1981), Danton (1982), Un amour en Allemagne (1983), Chronique des événements amoureux (1986), Koczak (1990).

Zanussi (Krzystof) (1939) : la Structure de cristal, Illumination, Spirale, la Constante, l'Impératif, le Pouvoir du mal (1984).

Portugal

Galvoteles (Luis) (1945) : la Confédération (1976).
Macedo (Antonio de) (1931) : les Heures de Maria (1979).
Oliveira (Manoel de) (1908) : Aniki Bobó (1942), l'Acte du printemps (1962), le Passé et le Présent (1971), Amour de perdition (1978), Francisca (1981), le Soulier de satin (1986), Mon cas (1986), Non, ou la vaine gloire de commander (1990).
Rocha (Paulo) (1935) : les Vertes Années (1963), l'Ile des amours (1982).

Roumanie

Blaier (Andrei) (1933) : les Matins d'un garçon sage (1967), Des pas vers le ciel (1977), la Forêt perdue, Tout pour le football (1978), Faits divers (1984).
Ciulei (Liviru) (1923) : Éruption (1957), les Flots du Danube (1960), la Forêt des pendus (1965).
Popescu-Gopo (Ion) (1923) : Pour l'amour d'une princesse (1959), On a volé une bombe (1961), Des pas vers la Lune (1963), Pilule n°1 (1966), Trois Pommes (1979), Maria Mirabela (1981).

Suède

Bergman (Ingmar) (1918) : Prison, Jeux d'été (1950), Monika (1952), la Nuit des forains (1953), Sourires d'une nuit d'été (1955), le Septième Sceau (1956), les Fraises sauvages (1957), le Visage (1958), la Source (1959), A travers le miroir (1961), les Communiants (1962), le Silence (1963), Persona (1966), l'Heure du loup (1967), la Honte (1967), Une passion (1970), le Lien (1970), Cris et chuchotements (1972), Scènes de la vie conjugale (1973), la Flûte enchantée (1974), Face à face (1976), l'Œuf du serpent (1977), Sonate d'automne (1977), Mon île Faro, De la vie des marionnettes (1980), Fanny et Alexandre, Après la répétition (1984).
Linbdlom (Gunnel) (1931) : Paradis d'été (1977).
Mattson (Arne) (1919) : Elle n'a dansé qu'un seul été (1951), le Pain de l'amour, Salka Valka, la Charrette fantôme (3e vers. 1958), Mannequin de cire (1962), le Meurtre d'Yngsjo.
Sjöberg (Alf) (1903-80) : le Chemin du ciel, Tourments, Mademoiselle Julie (1951), Barabbas (1953).
Sjöman (Vilgot) (1924-80) : la Maîtresse, Ma sœur, mon amour, Je suis curieuse (1967), Elle veut tout savoir, Joyeuses Pâques.
Sjöström (Victor) (1879-1960) : *Les Proscrits (1917), la Montre brisée, la Charrette fantôme (1920), l'Épreuve du feu (1921), la Lettre écarlate (1926), le Vent (1928).*
Stiller (Mauritz) (1883-1928) : *le Trésor d'Arne, le Vieux Manoir, la Légende de Gösta Berling (1923), Hôtel impérial.*
Troell (Jan) (1931) : les Émigrants, le Nouveau Monde (1973), Hurricane (1979), le Vol de l'aigle (1982).
Widerberg (Bo) (1930) : Elveria Madigan (1967), Adalen 31 (1969), Un flic sur le toit (1977), Victoria (1979), le Chemin du serpent (1987).

Suisse

Goretta (Claude) (1929) : Jean-Luc persécuté, le Fou, l'Invitation, Pas si méchant que ça, la Dentellière (1977), les Chemins de l'exil, la Provinciale, la Mort de Mario Ricci, Si le Soleil ne revenait pas (1987).
Lindtberg (Léopold) (Vienne, 1902-84) : Lettre d'amour perdue (1940), Marie-Louise, la Dernière Chance, Swiss tour, Quatre dans une jeep (1951).
Lyssy (Rolf) (1936) : Eugen, Vita-Parcœur, Konfrontation, les Faiseurs de Suisses, l'Amour en vidéo, Teddy Baer.
Schmid (Daniel) (1941) : Faites tout dans les ténèbres (1970), Cette nuit ou jamais, la Paloma (1974), l'Ombre des anges, Violanta, Hécate, le Baiser de Tosca, Jenatsch (1987).
Soutter (Michel) (1932) : James ou pas (1970), les Arpenteurs, l'Escapade, Repérages, l'Amour des femmes, Signé Renard (1986).
Tanner (Alain) (1929) : Charles mort ou vif (1969), la Salamandre, le Retour d'Afrique, le Milieu du monde, Jonas, Messidor, les Années-Lumière, Dans la ville blanche, No man's land, Une flamme dans mon cœur (1986), la Vallée fantôme (1987), la Femme de Rose Hill (1989).

Tchécoslovaquie

Forman (Milos) (1932) : l'As de pique, les Amours d'une blonde (1965), Au feu les pompiers. *Aux U.S.A. :* Taking off (1971), Vol au-dessus d'un nid de coucou (1975), Hair (1979), Ragtime (1981), Amadeus (1984), Valmont (1989).
Passer (Ivan) (1933) : Éclairage intime (1965), Né pour convaincre (1971), la Loi et la pagaille (1974), Cutter's way (1981).
Trnka (Jiri) (1910-69) : *Films d'animation :* le Rossignol de l'empereur de Chine (1949), Prince Bayaya, Vieilles Légendes tchèques, le Brave Soldat Chveik (1954), Songe d'une nuit d'été (1960).
Zeman (Karel) (1910) : Monsieur Prokouk (série 1947-48), les Aventures fantastiques (1958), le Baron de Crac (1962), l'Arche de M. Servadac (1969).

Turquie

Akad (Lütfi) (1916) : Au nom de la loi (1952), Zümrüt (1958), Au Feu (1960), la Mère (1967), le Prix (1975).
Güney (Yilmaz) (1937-84) : Seyyit Han (1968), l'Espoir (1970), l'Ami (1974), le Troupeau (1978, réal. Zeki Okten), Yol (1982, réal. Serif Gören), le Mur (1983).

U.R.S.S.

Alexandrov (Grigori) (1903-83) : Joyeux Garçons (1934), Volga-Volga, Glinka.
Barnett (Boris) (1902-65) : Okraïna, Un été prodigieux, le Lutteur et le Clown.
Bondartchouk (Sergueï) (1922) : le Destin d'un homme, Guerre et Paix (1966), Waterloo (1970), Ils ont combattu pour la patrie (1975), J'ai vu naître le nouveau monde (1982), Boris Godounov (1986).
Donskoï (Mark) (1897-1981) : l'Enfance de Gorki (1938), En gagnant mon pain, Mes universités, l'Arc-en-ciel, la Mère (2e vers.) (1954), le Cheval qui pleure.
Dovjenko (Alexandre) (1894-1956) : *Zvenigora, Arsenal, la Terre (1930), Ivan, Aerograd,* Mitchourine, le Poème de la mer.
Eisenstein (Sergueï) (1898-1948) : *la Grève (1924), le Cuirassé Potemkine (1925), Octobre (1927), la Ligne générale (1929), Que viva Mexico ! (1931),* Alexandre Nevski (1938), Ivan le Terrible (1945).
Ermler (Fridrik) (1898-1967) : *Un débris de l'Empire, Contre-Plan,* les Paysans, Camarade P (1943), le Tournant décisif, le Roman inachevé, la Lettre inachevée.
Guerassimov (Sergueï) (1896-1985) : le Don paisible (1957), Filles et Mères.
Kalatozov (Mikhaïl) (1903-73) : Quand passent les cigognes (1959), la Tente rouge (1971).
Kosintzev (Grigori) (1905-73) et **Trauberg** (Leonid) (1902) : *le Manteau, la Nouvelle Babylone (1928),* la Jeunesse de Maxime, le Retour de Maxime, Maxime à Viborg, Don Quichotte, Hamlet, le Roi Lear.
Lounguine (Pavel) (1949) : Taxi Blues (1990).
Mikhalkov-Kontchalovski (Andreï) (1936) : le Premier Maître (1966), le Nid de gentilshommes, Oncle Vania (1971), la Romance des amoureux, Sibériade, Maria's Lovers (E.-U.), les Amants de Marie (1984), Runnaway Train (1986), le Bayou (1987), Duo pour une soliste (1987), Voyageurs sans permis (1989), Tango et Cash (1989).
Poudovkine (Vsevolod) (1893-1953) : *la Mère, la Fin de St-Pétersbourg, Tempête sur l'Asie (1928),* le Déserteur, Amiral Nakhimov, la Moisson (1953).
Pyriev (Ivan) (1901-68) : l'Idiot, les Nuits blanches, les Frères Karamazov (1968).
Raïzman (Iouli) (1903) : la Dernière Nuit (1937), le Communiste, Vie privée, le Temps des désirs.
Romm (Mikhaïl) (1901-71) : *Boule de suif (1933),* les Treize (1937), Lénine en 1918 (1937), Neuf Jours d'une année (1962).
Tarkovski (Andreï) (1932-86) : l'Enfance d'Ivan (1962), Andreï Roublev (1969), Solaris, le Miroir, Stalker, Nostalghia, le Sacrifice (1986).
Tchiaourelli (Mikhaïl) (1894) : le Serment, la Chute de Berlin (1949), l'Inoubliable Année 1919 (1952).
Tchoukraï (Grigori) (1921) : le Quarante et Unième, la Ballade du soldat (1960), Ciel pur.
Trauberg (Ilia) (1905-40) : *le Train mongol (1929).*
Trauberg (Leonid) (1902) : V. Kosintzev.
Vassiliev (Sergueï) (1895-1943) : Tchapaiev (1933), la Défense de Tsaritsyne (1942), les Héros de Chipka.
Vertov (Dziga) (1896-1954) : *l'Homme à la caméra,* la Symphonie du Donbass (1930), Trois Chants sur Lénine (1934).
Youtkevitch (Sergueï) (1904-85) : Ceux de la mine, Salut Moscou !, Skander Beg (1953), Othello (1956), Un amour de Tchekhov (1969).

Yougoslavie

Kusturica (Emir) (1955) : Te souviens-tu de Dolly Bell ? (1981), Papa est en voyage d'affaires (1985), le Temps des Gitans (1989).
Makavejev (Dusan) (1932) : W.R. les Mystères de l'organisme (1971), Sweet Movie (1974), les Fantasmes de Madame Jordan (1981), Coca Cola Kid.
Petrovic (Aleksandar) (1929) : J'ai même rencontré des Tziganes heureux (1967), Il pleut sur mon village (1968), le Maître et Marguerite (1972), Portrait de groupe avec dame (1977).

Principaux acteurs et actrices

☞ Principaux rôles tenus. *En italique :* films muets. Voir aussi Personnalités à l'Index.

Allemagne

Buchholz (Horst) (1932) : les Demi-Sels, Résurrection, Monpti, les Sept Mercenaires, Fanny, Cervantès, l'Astragale, le Sauveur, Raid sur Entebbe (1976), Avalanche express (1978), Crossing (1985).
Dagover (Lil) (1897-1980) : *le Cabinet du docteur Caligari (1919), les Trois Lumières, Tartuffe, Orient-Express (1927), le Diable blanc,* Le Congrès s'amuse, la Danseuse de Sans-Souci, Accord final, la Sonate à Kreützer (1937), Destin de femme, Bismarck, Friedrich Schiller (1940), Mayerling (1958), Karl May.
Ganz (Bruno) (1941) : la Marquise d'O, Lumière, l'Ami américain, la Femme gauchère, le Couteau dans la tête, Nosferatu, fantôme de la nuit, Retour à la bien-aimée, le Faussaire, Dans la ville blanche, la Main dans l'ombre, les Ailes du désir.
Hasse (Otto) (1903-78) : Amiral Canaris, Sait-on jamais ?, les Espions, Arsène Lupin, le Médecin de Stalingrad, Frau Warrens Gewerbe.
Helm (Brigitte) (1908) : *Metropolis (1927), Crise, Mandragore, l'Argent (France, 1928), l'Amour de Jeanne Ney, Manolescu roi des voleurs,* Gloria, l'Atlantide, Adieu les beaux jours, le Secret des Woronzeff, l'Étoile de Valencia, l'Or, Un mari idéal.
Jannings (Emil) (1884-1950) : *Madame du Barry (1918), Anne de Boleyn, la Femme du pharaon, Danton, Othello, les Frères Karamazov, Quo Vadis ?, Variétés, le Dernier des hommes, Tartuffe, Faust, Quand la chair succombe (U.S.A., 1927), Crépuscule de gloire, le Patriote (U.S.A., 1929),* l'Ange bleu (1930), les Deux Rois, Crépuscule, la Lutte héroïque, le Président Krüger, Jeune Fille sans famille.
Jurgens (Curd) (1912-82) : les Rats, Général du diable, Les héros sont fatigués, Et Dieu créa la femme, Michel Strogoff, Œil pour œil, Amère Victoire, Katia, Château en Suède, la Bataille d'Angleterre, l'Espion qui m'aimait.
Kinski (Nastassia) (Nastassia Nakszynski) (1961) : Tess, Coup de cœur, la Féline, La lune dans le caniveau, Paris Texas, Maria's Lovers, Harem, Révolution, Maladie d'amour (1987), les Eaux printanières (1989).
Knef (Hildegard) (1925) : Les assassins sont parmi nous, le Traître, Courrier diplomatique, l'Homme de Berlin, la Fille de Hambourg, Landru, Ballade pour un voyou, Loulou (2e version), Fedora, l'Avenir de Milie (1985).
Kruger (Hardy) (1928) : Liane la sauvageonne, Sans tambour ni trompette, l'Enquête de l'inspecteur Morgan, Hatari, les Dimanches de Ville-d'Avray, l'Espion, le Franciscain de Bourges, les Oies sauvages, Barry Lyndon (1976).
Leander (Zarah) (1907-81, Suède) : Première (1937), la Habanera, Paramatta bagne de femmes, Magda, la Belle Hongroise, Pages immortelles, Marie Stuart, le Chemin de la liberté, Un grand amour (1942), Foyer perdu, Ave Maria (1953), Comment j'ai appris à aimer les femmes (1967).

Messemer (Hannes) (1924) : Rose, le Médecin de Stalingrad, Les S.S. frappent la nuit, Babette s'en va-t-en guerre, le Général Della Rovere, les Évadés de la nuit, la Grande Vie, l'Espion.

Pulver (Liselotte) (Suisse, 1929) : Hanussen, Piroschka, Confession de Félix Krüll, Arsène Lupin, le Temps d'aimer et le Temps de mourir, le Joueur, les Buddenbrook, le Verre d'eau, Maléfices, Death Wish 3 (1985), Act of Vengeance (1986).

Schell (Maria) (1926) : le Dernier Pont, les Rats, Rose, Gervaise, Nuits blanches, Une vie, les Frères Karamazov, la Colline des potences, la Ruée vers l'Ouest, le Diable par la queue, Paulina 1880, Superman (1978).

Schneider (Romy) (Rosemarie Albach-Retty) (Autriche, 1938-82) : Sissi, Jeunes Filles en uniforme (2e vers.), Boccace 70, le Combat dans l'île, le Procès, le Cardinal, la Piscine, les Choses de la vie, Max et les ferrailleurs, César et Rosalie, le Crépuscule des dieux, le Train, le Mouton enragé, L'important c'est d'aimer, le Vieux Fusil, Une femme à sa fenêtre, Une histoire simple, Clair de femme, la Mort en direct, la Banquière, Fantôme d'amour, Garde à vue, la Passante du Sans-Souci.

Schygulla (Hanna) (1943) : le Marchand des quatre saisons (1971), les Larmes amères de Petra von Kant, Effi Briest, le Mariage de Maria Braun, Lili Marleen, Passion, la Nuit de Varennes, Antonieta, Histoire de Piera, Un amour en Allemagne, Le futur est femme, Aventure de Catherine C.

Tiller (Nadia) (1929) : El Hakim, la Fille Rosemarie, le Désordre et la nuit, Du rififi chez les femmes, les Buddenbrook, l'Affaire Nina B, la Chambre ardente, Loulou, Lady Hamilton.

Van Eyck (Peter) (1913-69) : le Salaire de la peur, la Fille Rosemarie, l'Ange sale, A bout de nerfs, la Rage de vivre, l'Espion du Caire, le Diabolique Dr Mabuse, la Fête espagnole.

Veidt (Conrad) (1893-1943) : *le Cabinet du Docteur Caligari, le Tombeau hindou, les Mains d'Orlac, le Cabinet des figures de cire, l'Étudiant de Prague, l'Homme qui rit (U.S.A.),* la Dernière Compagnie, Le Congrès s'amuse, l'Homme qui assassina, le Juif Süss, Sous la robe rouge, le Joueur d'échecs, le Voleur de Bagdad, Casablanca.

États-Unis

Astaire (Fred) (Frederick Austerlitz) (1899-1987) : Carioca (1933), la Joyeuse Divorcée, Roberta, Top Hat, Swing Time, Demoiselle en détresse, Amanda, la Grande Farandole, Broadway Melody (1940), Ô toi ma charmante, Ziegfeld Follies, Yolanda et le voleur, Parade du Printemps, Entrons dans la danse, la Belle de New York, Tous en scène, Drôle de frimousse, la Belle de Moscou (1957), la Vallée du bonheur (1968), Un taxi mauve.

Bacall (Lauren) (Betty Joan Perske) (1924) : le Port de l'angoisse, le Grand Sommeil, les Passagers de la nuit, Key Largo, la Femme aux chimères, Écrit sur du vent, la Femme modèle, le Crime de l'Orient-Express, Rendez-vous avec la Mort, Misery (1990).

Bergman (Ingrid) (Suède, 1915-82) : Pour qui sonne le glas, les Enchaînés, la Maison du Dr Edwards, Jeanne d'Arc, les Amants du Capricorne, Stromboli, Voyage en Italie, Éléna et les hommes, Anastasia, la Rancune, le Crime de l'Orient-Express, Sonate d'automne.

Bogart (Humphrey) (1899-1957) : les Anges aux figures sales, le Faucon maltais, le Port de l'angoisse, le Grand Sommeil, les Passagers de la nuit, le Trésor de la Sierra Madre, African Queen, Ouragan sur le Caine, la Comtesse aux pieds nus.

Brando (Marlon) (1924) : Un tramway nommé désir, Viva Zapata, Jules César, l'Équipée sauvage, Sur les quais, le Bal des maudits, la Vengeance aux deux visages, la Comtesse de Hong Kong, Reflets dans un œil d'or, le Parrain, le Dernier Tango à Paris, Apocalypse Now, Superman, la Formule, Une saison blanche et sèche (1989), Premiers Pas dans la Mafia.

Bronson (Charles) (Buchinski) (1920) : Vera Cruz, Mitraillette Kelly, les Sept Mercenaires, la Grande Évasion, les Douze Salopards, Il était une fois dans l'Ouest, le Passager de la pluie, Soleil rouge, les Collines de la terreur, Cosa nostra, le Cercle noir, le Justicier dans la ville, l'Évadé, le Bagarreur, Un espion de trop, Chasse à mort, le Justicier de minuit, le Justicier de New York, la Loi de Murphy (1986), Le justicier braque les dealers (1987), Kinyte – sujets tabous (1988).

Brooks (Louise) (1906-85) : *Au suivant de ces messieurs (1926), les Mendiants de la vie, Un homme en habit, Une fille dans chaque port, The Canary Murder Case, Loulou, le Journal d'une fille perdue,* Prix de beauté, Hollywood Boulevard (1937).

Brynner (Yul) (Taidje Khan, Jr) (Sibérie, 1915-85) : les Dix Commandements, le Roi et Moi, Anastasia, les Frères Karamazov, Salomon et la reine de Saba, Chérie recommençons, les Sept Mercenaires, Tarass Boulba, le Mercenaire de minuit, les Turbans rouges, Pancho Villa, le Phare du bout du monde, le Serpent.

Cagney (James) (1899-1986) : l'Ennemi public, Prologues, les Hors-la-loi, les Anges aux figures sales, A chaque aube je meurs, Du sang dans le soleil, le Bar aux illusions, A l'ombre des potences, Ragtime.

Chaplin (Sir Charles Spencer) : voir p. 468.

Charisse (Cyd) (Tulla Ellice Finklea) (1924) : Ziegfeld Follies (1945), la Danse inachevée, le Brigand amoureux, Au pays de la peur, Chantons sous la pluie, Sombrero, Tous en scène, Brigadoon, Beau fixe sur New York, la Belle de Moscou, Traquenard, Quinze Jours ailleurs, Maroc dossier no 7.

Clift (Montgomery) (1920-66) : la Rivière rouge, l'Héritière, Une place au soleil, la Loi du silence, Tant qu'il y aura des hommes, le Bal des maudits, Soudain l'été dernier, les Misfits, le Fleuve sauvage, Freud, l'Espion.

Cooper (Gary) (Frank) (1901-61) : Sérénade à trois, les Trois Lanciers du Bengale, l'Extravagant M. Deeds, Sergent York, Pour qui sonne le glas, l'Odyssée du Dr Wassel, Le train sifflera trois fois, Vera Cruz, la Loi du Seigneur, l'Homme de l'Ouest.

Cotten (Joseph) (1905) : Citizen Kane, la Splendeur des Amberson, l'Ombre d'un doute, le Troisième Homme, les Amants du Capricorne, Niagara, El Perdido, l'Argent de la vieille, la Porte du paradis.

Crawford (Joan) (Lucille Le Sueur) (1908-77) : Pluie, l'Ensorceleuse, Femmes, Suzanne et ses idées, le Roman de Mildred Pierce, Johnny Guitare, la Maison sur la plage, Feuilles d'automne.

Davis (Bette) (Ruth Elizabeth) (1908-89) : l'Emprise, Femmes marquées, l'Insoumise, Victoire sur la nuit, la Vie privée d'Élisabeth d'Angleterre, la Lettre, la Vipère, Ève, l'Argent de la vieille, les Visiteurs d'un autre monde, Mort sur le Nil, les Yeux de la forêt, les Baleines du mois d'août (1987).

Dean (James) (1931-55) : A l'est d'Éden, la Fureur de vivre, Géant.

De Carlo (Yvonne) (Peggy Yvonne Middleton) (1924) : Salomé, la Belle Esclave, les Démons de la liberté, Casbah, Pour toi j'ai tué, la Belle Espionne, Sombrero, Capitaine Paradis, la Castiglione, Tornade, les Dix Commandements, l'Esclave libre.

De Havilland (Olivia) (1916) : Capitaine Blood, Anthony Adverse, la Charge de la brigade légère, l'Aventure de minuit, les Aventures de Robin des Bois, la Bataille de l'or, les Conquérants, la Vie privée d'Élisabeth d'Angleterre, Autant en emporte le vent, Strawberry blonde, la Charge fantastique, la Vie passionnée des sœurs Brontë, la Fosse aux serpents, l'Héritière, Ma cousine Rachel, Chut chut, chère Charlotte, les Naufragés du 747, l'Inévitable Catastrophe.

De Niro (Robert) (1943) : Bloody Mama (1970), Mean Streets, le Parrain (2e partie), Taxi Driver, 1900, le Dernier Nabab, New York New York, Voyage au bout de l'enfer, Raging Bull, la Valse des pantins, Il était une fois en Amérique, Brazil, Falling in Love, les Incorruptibles, Midnight Run, Jacknife, Stanley and Iris, les Affranchis, l'Éveil.

Dietrich (Marlène) (Marie Magdalena von Losch) (Allem., 1901) : l'Ange bleu, Cœurs brûlés, Shangai-Express, Blonde Vénus, la Femme et le Pantin, la Belle Ensorceleuse, l'Ange des maudits, la Soif du mal, Jugement à Nuremberg, Just a Gigolo (1978).

Douglas (Kirk) (Issur Danielovich Demsky) (1916) : Champion, le Gouffre aux chimères, Histoire de détective, les Ensorcelés, la Vie passionnée de Vincent Van Gogh, Règlement de comptes à O.K. Corral, les Vikings, le Dernier Train de Gun Hill, Spartacus, 7 Jours en mai, la Caravane de feu, les Frères siciliens, l'Arrangement, le Reptile, la Brigade du Texas, Furie, l'Homme de la rivière d'argent (1981), Un flic aux trousses (1983), Coup double (1987).

Dunaway (Faye) (1941) : Bonnie and Clyde, Que vienne la nuit, l'Affaire Thomas Crown, l'Arrangement, Little Big Man, Portrait d'une enfant déchue, Chinatown, la Tour infernale, les 3 Jours du Condor, Network, les Yeux de Laura Mars, le Champion, Maman très chère, Supergirl (1984), Barfly (1987).

Dunne (Irene) (1898) : la Ruée vers l'Ouest (1932), Back Street, Ann Vickers, Roberta, Show Boat, le Secret magnifique, Théodora devient folle, la Furie de l'or noir, Cette sacrée vérité, Quelle joie de vivre, Elle et Lui, Veillée d'amour, Invitation au bonheur, Mon épouse favorite, la Chanson du passé, Anna et le Roi de Siam, Tendresse, le Moineau de la Tamise.

Eastwood (Clint) (1930) : Pour une poignée de dollars (1964), le Bon, la Brute et le Truand, Un shérif à New York, les Proies, l'Homme des hautes plaines, l'Inspecteur Harry, Magnum force, le Canardeur, Josey Wales hors-la-loi, l'Évadé d'Alcatraz, Firefox, l'Arme absolue, Honkytonk Man, la Corde raide, le Retour de l'inspecteur Harry, Pale Rider, Haut les flingues, le Maître de guerre, la Dernière Cible, Chasseur blanc, Cœur noir (1990).

Fairbanks (Douglas) (Douglas Elton Thomas Ulman) (1883-1939) : *le Métis (1915), l'Américain, Cauchemars et Superstitions, le Signe de Zorro, les Trois Mousquetaires (1921), Robin des Bois, le Voleur de Bagdad, le Pirate noir, le Gaucho, le Masque de fer,* la Mégère apprivoisée (+ réalis.), la Vie privée de Don Juan.

Fields (William Claude) (Dukenfield) (1879-1946) : *Sally, fille de cirque (1925),* Si j'avais un million

Acteurs

Les plus petits. *1,45 m* Linda Hunt. *1,47 m* Florence Turner et Marguerite Clark. *1,50 m* May McAvoy. *1,55 m* Janet Gaynor, Mary Pickford et Edith Roberts. *1,57 m* Max Linder. *1,60 m* Mickey Rooney, Dudley Moore. *1,68 m* Alan Ladd, Al Pacino.

Les plus grands. *2,59 m* Clifford Thompson. *2,39 m* Jack Tarver. *2,24 m* John Bloom. *2,18 m* Johan Aasen, Peter Mayhew et Richard Kiel. *2,13 m* Tex Erikson. *2,01 m* James Arness et Bruce Spence. *1,96 m* Christopher Lee.

Ayant commencé jeune. *3 ans* Shirley Temple (née 1928 : dernier film : A Kiss for Corliss 1949 à 21 ans ; devient ambassadeur au Ghana, puis chef du protocole à la Maison-Blanche), *5 a.* Brigitte Fossey (Jeux interdits), Natalie Wood, *6 a.* Jackie Coogan (The Kid), Jackie Cooper, Mickey Rooney, Mark Lester, Freddie Bartholomew, *7 a.* Jane Whiters, Mandy Miller, Peter Lawford, *8 a.* Roddy McDowall, Geraldine Chaplin, *10 a.* Elizabeth Taylor, *13 a.* Betty Grable, *14 a.* Judy Garland, Romy Schneider, Jean Simmons.

Ayant touché les plus gros cachets (en millions de F). Marlon Brando pour *Superman* 24 + 95 % sur bénéfices. Burt Reynolds 2 par j. de tournage dans *l'Équipée du Cannonball.* Richard Gere 35 pour *Cotton Club.* Sylvester Stallone 80 dans *Over the Top* et *Cobra.*

Ayant eu le plus de spectateurs. *Vers 1930 :* Clark Gable, Shirley Temple, Will Rogers, Janet Gaynor, Joan Crawford, Marie Dressler, Wallace Beery, Fred Astaire & Ginger Rogers, Mickey Rooney, Spencer Tracy. *V. 1940 :* Bing Crosby, Bob Hope, Gary Cooper, Betty Grable, Abbott et Costello, Clark Gable, Humphrey Bogart, Spencer Tracy, Mickey Rooney, Greer Garson. *V. 1950 :* John Wayne, James Stewart, Dean Martin & Jerry Lewis, Gary Cooper, Bing Crosby, William Holden, Rock Hudson, Bob Hope, Glenn Ford, Betty Grable. *V. 1960 :* John Wayne, Doris Day, Cary Grant, Rock Hudson, Elizabeth Taylor, Jack Lemmon, Julie Andrews, Paul Newman, Sean Connery, Elvis Presley. *V. 1970 :* Clint Eastwood, Burt Reynolds, Barbra Streisand, Robert Redford, Paul Newman, Steve McQueen, John Wayne, Woody Allen, Dustin Hoffman, Al Pacino.

Ayant tenu le plus grand nombre de premiers rôles. John Wayne a joué dans 153 films de 1927 à 1976, dont 142 premiers rôles.

Salaires annuels en $. *Vers 1930 :* Humphrey Bogart 39 000, Bette Davis 15 600, James Cagney 20 800. *V. 1939 :* Cary Grant 93 750. *V.* 1941-42 Bob Hope 204 166, Spencer Tracy 233 460, Judy Garland 89 666. *V.* 1943 : Joan Crawford 194 615. *V. 1955 :* Kim Novak 4 200. **Salaires actuels :** Voir Index.

• **Baiser.** *1er baiser du cinéma :* 1896 entre May Irwin et John Rice.

Film où les baisers furent les plus nombreux : Don Juan (U.S.A., 1926) 127 baisers entre John Barrymore, Mary Astor et Estelle Taylor.

Baiser le plus long : You're in the Army Now (U.S.A., 1940), 3 mn 5 s entre Regis Toomey et Jane Wyman (future Mme Reagan).

• **Nu à l'écran.** *Oct. 1916 :* 1res femmes apparaissant nues : Annette Kellerman *(Daughter of the Gods),* June Caprice *(The Ragged Princess).*

Le *Code Hays de 1934* interdit aux U.S.A. la nudité à l'écran. Sidney Lumet fut le 1er à passer outre dans *le Prêteur sur gages* (U.S.A., 1964).

(1932), Alice au pays des merveilles, International House, Mississippi, David Copperfield, Une riche affaire, le Cirque en folie, Mon petit poussin chéri, Mine de rien, Passez muscade, Hollywood Parade, Swing Circus (1945).

Flynn (Errol) (1904-59) : Capitaine Blood (1935), la Charge de la brigade légère, les Aventures de Robin des Bois, les Conquérants, la Vie privée d'Élisabeth d'Angleterre, la Caravane héroïque, l'Aigle des mers, la Piste de Santa Fé, la Charge fantastique, Gentleman Jim (1942), Aventures en Birmanie, la Rivière d'argent, Montana, Kim, le Vagabond des mers, Le soleil se lève aussi, les Racines du ciel.

Fonda (Henry) (1905-82) : J'ai le droit de vivre, l'Insoumise, Je n'ai pas tué Lincoln, les Raisins de la colère, l'Étrange Incident, la Poursuite infernale, Guerre et Paix, le Faux Coupable, Douze Hommes en colère, Tempête à Washington, Il était une fois dans l'Ouest, le Reptile, le Serpent, les Noces de cendre, Fedora, la Maison du lac.

Fonda (Jane) (1937) : Liaisons coupables, l'École des jeunes mariés, les Félins, Cat Ballou, la Curée, Que vienne la nuit, Histoires extraordinaires, On achève bien les chevaux, Klute, Maison de poupée, l'Oiseau bleu, Julia, le Cavalier électrique, la Maison du lac, Agnès de Dieu (1986), le Lendemain du crime, Old Gringo, Stanley and Iris.

Fontaine (Joan) (De Havilland) (1917) : Une demoiselle en détresse, Gunga Din (1939), Femmes, Rebecca, Soupçons, Tessa la nymphe au cœur fidèle, Jane Eyre, l'Aventure vient de la mer, la Valse de l'Empereur, Lettre d'une inconnue, Ivanhoé (1952), The Bigamist, Sérénade, l'Invraisemblable Vérité, Un certain sourire, Tendre est la nuit (1962).

Ford (Harrison) (1942) : American Graffiti, la Guerre des étoiles, Apocalypse Now, l'Empire contre-attaque, les Aventuriers de l'arche perdue, Blade Runner, le Retour du Jedi, Indiana Jones et le temple maudit, Witness, Mosquito Coast, Frantic, Working Girl, Indiana Jones et la dernière croisade, Présumé innocent (1990).

Gable (Clark) (1901-60) : New York-Miami, les Révoltés du Bounty, Pilotes d'essai, San Francisco, Autant en emporte le vent, Au-delà du Missouri, Mogambo, les Implacables, Un roi et quatre reines, l'Esclave libre, les Misfits.

Garbo (Greta) (Gustafsson) (Suède, 1905-90) : *la Légende de Gösta Berling, Rue sans joie, la Chair et le Diable,* Anna Christie, Grand Hôtel, la Reine Christine, Anna Karenine, Marie Walewska, le Roman de Marguerite Gautier, Ninotchka, la Femme aux deux visages.

Gardner (Ava) (Lucy Johnson) (1922-90) : les Tueurs, Un cadeau de Vénus, Pandora, les Neiges du Kilimandjaro, Vaquero, Mogambo, la Comtesse aux pieds nus, la Croisée des destins, Le soleil se lève aussi, l'Ange pourpre, l'Oiseau bleu, le Pont de Cassandra, la Sentinelle des maudits, Cité en feu.

Garland (Judy) (Frances Gumm) (1922-69) : le Magicien d'Oz (1939), Place au rythme, Débuts à Broadway, For Me and My Gal, Parade aux étoiles, le Chant du Missouri, The Clock, Ziegfeld Follies, le Pirate, Parade du printemps, la Jolie Fermière, Une étoile est née, Jugement à Nuremberg, Un enfant attend, l'Ombre du passé.

Gish (Lillian de Guiche) (1896). *Judith de Béthulie (1914), Naissance d'une nation, Intolérance, Cœurs du monde, Une fleur dans les ruines, le Lys brisé (1919), le Pauvre Amour, A travers l'orage, les Deux Orphelines, Dans les laves du Vésuve, Romola, Au temps de la Bohème, la Lettre rouge, le Vent (1928),* Duel au soleil (1947), la Nuit du chasseur, le Vent de la plaine (1960), les Comédiens (1967), Un mariage, les Baleines du mois d'août.

Goddard (Paulette) (Claudine Marion Levee, ép. Ch. Chaplin) (1911-90) : les Temps modernes, Femmes, le Dictateur, Journal d'une femme de chambre.

Grant (Cary) (Archibald Leach) (G.-B., 1904-86) : Cette sacrée vérité, le Couple invisible, l'Impossible M. Bébé, Vacances, Seuls les anges ont des ailes, Arsenic et Vieilles Dentelles, les Enchaînés, la Main au collet, la Mort aux trousses, Indiscrétions, Charade.

Harlow (Jean) (Harlean Carpentier) (1911-37) : Parade d'amour (1929), les Anges de l'enfer, l'Homme de fer, l'Ennemi public, Blonde platine, la Belle de Saigon, les Invités de 8 heures, Imprudente Jeunesse, la Malle de Singapour, Une fine mouche, Saratoga, Valet de cœur (1937).

Hart (William S.) (1870-1946) : *le Serment de Rio Jim (1914), la Capture de Rio Jim, le Sacrifice de Rio Jim, les Loups, Pour sauver sa race, l'Homme aux yeux clairs, la Caravane, le Vengeur, le Fils de la prairie (1925).*

Hayworth (Rita) (Margarita-Carmen Cansino) (1918-87) : Arènes sanglantes, la Reine de Broadway, Gilda, la Dame de Shanghai, l'Enfer des Tropiques, la Blonde ou la Rousse, Ceux de Cordura, Du sang en 1re page, Opération opium (1967), la Route de Salina (1970), la Colère de Dieu (1972).

Hepburn (Audrey) (Hepburn-Ruston) (Belgique, 1929) : Vacances romaines, Sabrina, Guerre et Paix, Ariane, Drôle de frimousse, Vertes Demeures, Au risque de se perdre, le Vent de la plaine, Diamants sur canapé, Charade, My Fair Lady, Voyage à deux, la Rose et la Flèche, Liés par le sang, Et tout le monde riait (1981), Always (1989).

Hepburn (Katharine) (1907) : Little Women, Marie Stuart, l'Impossible M. Bébé, Vacances, Indiscrétion, les Fils du dragon, African Queen, Vacances à Venise, Soudain l'été dernier, Devine qui vient dîner ?, le Lion en hiver, la Folle de Chaillot, Une bible et un fusil, la Maison du lac, Grace Quingley (1985).

Heston (Charlton) (1924) : Sous le plus grand chapiteau du monde, la Furie du désir, Quand la Marabunta gronde, les Dix Commandements, les Grands Espaces, la Soif du mal, les Boucaniers, Ben Hur, le Cid, les 55 Jours de Pékin, Major Dundee, Khartoum, Soleil vert, Tremblement de terre, la Bataille de Midway, la Fureur sauvage, la Fièvre de l'or, la Malédiction de la vallée des Rois.

Hoffman (Dustin) (1937) : le Lauréat, Macadam cow-boy (1969), John et Mary, Little Big Man, les Chiens de paille, Papillon, les Hommes du président, Marathon Man, Kramer contre Kramer, Tootsie, Ishtar, Rain Man (1988), Family Business (1989).

Holden (William) (William Franklin Beedle) (1918-81) : l'Esclave aux mains d'or, Boulevard du crépuscule (1950), Comment l'esprit vient aux femmes, les Amants de l'enfer, Boots Malone, le Cran d'arrêt, Stalag 17, La lune était bleue, Fort Bravo, la Tour des ambitieux, Sabrina, Picnic, le Pont de la rivière Kwaï, les Cavaliers, la Horde sauvage, Network, Fedora.

Jones (Jennifer) (Phyllis Isley) (1919) : le Chant de Bernadette, Duel au soleil, les Insurgés, Madame Bovary, la Furie du désir, Plus fort que le diable, la Colline de l'adieu, l'Adieu aux armes, Tendre est la nuit, la Tour infernale (1974).

Karloff (Boris) (William Henry Pratt) (1887-1969) : Frankenstein (1931), Scarface, la Momie, Une étrange soirée, le Masque d'or, le Chat noir, le Corbeau, la Fiancée de Frankenstein, le Rayon invisible, le Mort qui marche, le Fils de Frankenstein, la Tour de Londres, Des filles disparaissent, les Conquérants d'un nouveau monde, le Château de la Terreur, la Cible (1969).

Kaye (Danny) (David Daniel Kaminsky) (1913-87) : le Joyeux Phénomène, la Vie secrète de Walter Mitty, Vive monsieur le maire !, Hans Christian Andersen et la danseuse, le Fou du cirque, la Doublure du général.

Kelly (Gene) (1912) : Parade aux étoiles (1944), Cover girl, Escale à Hollywood, Ziegfeld Follies, le Pirate, les 3 Mousquetaires, Un jour à New York, Un Américain à Paris, Chantons sous la pluie, Brigadoon, Beau fixe sur New York, Invitation à la danse, les Girls, les Demoiselles de Rochefort, Hello Dolly, le Casse-cou, Xanadu, That's Dancing.

Lamour (Dorothy) (Kaumeyer) (1914) : Hula fille de la brousse (1937), le Dernier Train de Madrid, la Furie de l'or noir, Hurricane, Toura déesse de la jungle, les Gars du large, Chirurgiens, Johnny Apollo, En route vers Singapour, Aloma princesse des îles, Loona la sauvageonne, la Brune de mes rêves, Sous le plus grand chapiteau du monde, la Taverne de l'Irlandais.

Lancaster (Burt) (1913) : les Tueurs, les Démons de la liberté, Tant qu'il y aura des hommes, Reviens petite Sheba, Bronco-Apache, Règlement de comptes à O.K. Corral, Vera Cruz, le Vent de la plaine, Elmer Gantry, le Guépard, les Professionnels, Fureur apache, Violence et Passion, 1900, Buffalo Bill et les Indiens, Atlantic City, la Peau, Local Hero, Osterman Week-End, Coup double.

Laurel (Stan) (Arthur Stanley Jefferson) (1890-1965) et **Hardy** (Oliver) (1892-1957) : Fra Diavolo (1933), les Compagnons de la nouba, les Sans-soucis, la Bohémienne, Laurel et Hardy au Far West, les Montagnards sont là, Têtes de pioche, Laurel et Hardy conscrits, les As d'Oxford, Atoll K.

Lewis (Jerry) (1926) : voir p. 469.

Lloyd (Harold) (1893-1971) : *Marin malgré lui, Monte là-dessus, Une riche famille, Vive le sport !* Quel phénomène, A la hauteur, Silence on tourne, Patte de chat, Soupe au lait, Oh ! quel mercredi !

Lombard (Carole) (1908-42) : Boléro, Vingtième Siècle, la Joyeuse Suicidée, My Man Godfrey, la Folle Confession, la Peur du scandale, le Lien sacré, l'Autre, Mr and Mrs Smith, To Be or Not to Be.

Loy (Myrna) (Williams) (1905) : Transatlantic (1931), Arrowsmith, Aimez-moi ce soir, le Masque d'or, Vol de nuit, l'Introuvable, le Grand Ziegfeld, Une fine mouche, Nick gentleman-détective, Pilote d'essai, Un envoyé très spécial, la Mousson, les Plus Belles Années de notre vie, le Poney rouge, Du haut de la terrasse (1960), 747 en péril (1975).

Mac Donald (Jeanette) (1907-65) : Parade d'amour (1929), le Vagabond roi, Monte-Carlo, Aimez-moi ce soir, Une heure près de vous, la Veuve joyeuse, Rose-Marie, San Francisco, le Chant du printemps, l'Espionne de Castille, la Belle Cabaretière, Emporte mon cœur, l'Ile des amours.

Mac Laine (Shirley) (Beatty) (1934) : Mais qui a tué Harry ?, Artistes et modèles, le Tour du monde en 80 jours, la Vallée de la poudre, Comme un torrent, la Garçonnière, Irma la douce, Sierra torride, l'Amour à quatre mains, le Tournant de la vie, Bienvenue Mister Chance, Changement de saisons, Tendres Passions, Madame Sousatszka, Potins de femmes, Bons Baisers d'Hollywood (1990).

Mc Queen (Steve) (1930-80) : les Sept Mercenaires, la Grande Évasion, Une certaine rencontre, le Sillage de la violence, Nevada Smith, l'Affaire Thomas Crown, Bullitt, Le Mans, Guet-apens, Papillon, la Tour infernale, Tom Horn, le Chasseur.

Marvin (Lee) (1924-87) : Cat Ballou, Duel dans le Pacifique, A bout portant, l'Homme qui tua Liberty Valance, l'Équipée sauvage, Canicule, Gorky Park, Delta Force (1986).

Marx Brothers [Chico (Leonard) 1891-1961, Harpo (Adolphe puis Arthur) 1893-1964, Groucho (Julius) 1895-1977, Zeppo (Herbert) 1901-79] : *Noix de coco,* Animal Crackers, Monnaie de singe, Plumes de cheval, Soupe au canard, Une nuit à l'Opéra, Un jour aux courses, Un jour au cirque, Panique à l'hôtel, Chercheurs d'or, les Marx au grand magasin, Une nuit à Casablanca, la Pêche au trésor.

Menjou (Adolphe) (1890-1963) : *les Trois Mousquetaires (1921), l'Opinion publique, Comédiennes, Paradis défendu, Mon homme, la Grande-Duchesse et le garçon d'étage, Un homme en habit, Monsieur Albert, Sérénade, le Figurant de la gaieté,* Mon gosse de père (France, 1930), Cœurs brûlés, The Front Page, l'Adieu aux armes, la Folle Semaine, Soupe au lait, Une étoile est née (1937), Pension d'artistes, Monsieur Tout-le-monde, l'Enjeu, Au-delà du Missouri, l'Homme à l'affût (1952).

Mitchum (Robert) (1917) : Lame de fond, Macao, Crossfire, les Indomptables, Rivière sans retour, Bandido caballero, la Nuit du chasseur, l'Aventurier du Rio Grande, Celui par qui le scandale arrive, Eldorado, la Route de l'Ouest, Pancho Villa, Cinq cartes à abattre, Cérémonie secrète, la Colère de Dieu, Yakuza, le Dernier Nabab, Maria's Lovers, les Ambassadeurs, Mr. North (1989).

Monroe (Marilyn) (Norma Jean Baker) (1926-62) : Quand la ville dort, Niagara, Les hommes préfèrent les blondes, Rivière sans retour, Sept Ans de réflexion, Bus stop, Certains l'aiment chaud, le Milliardaire, les Misfits.

Nazimova (Alla) (1879-1945) : *Révélation, l'Occident, Hors de la brume, la Lanterne rouge, la Fin d'un roman, la Danseuse étoile, Maison de poupée, Salomé, la Dame aux camélias, l'Heure du danger,* Arènes sanglantes, Depuis ton départ.

Negri (Pola) (Appolonia Chalupek) (1898-1987) : *Carmen (1919), Madame du Barry, Sumurun, le Paradis défendu, Mon homme, A l'ombre des pagodes, Hôtel impérial, Confession, la Méprise,* Fanatisme (1932), Mazurka, Moscou-Shanghai, Madame Bovary (1937), la Nuit décisive.

Newman (Paul) (1925) : le Gaucher, la Chatte sur un toit brûlant, la Brune brûlante, Exodus, l'Arnaqueur, le Rideau déchiré, Butch Cassidy et le Kid, Juge et Hors-la-loi, l'Arnaque, la Tour infernale, Buffalo Bill et les Indiens, Quintet, le Policeman, Absence de malice, l'Affrontement (+ réal.), la Couleur de l'argent (1987), Blaze (1989), Mr. and Mrs. Bridge (1990).

Nicholson (Jack) (1937) : l'Ouragan de la vengeance, The Shooting, Easy Rider, Melinda, 5 Pièces faciles, Vas-y, fonce (+ réalisation), la Dernière Corvée, Chinatown, Profession reporter, Vol au-dessus d'un nid de coucou, le Dernier Nabab, The Shining, Le facteur sonne toujours deux fois, Police frontière, Reds, l'Honneur des Prizzi, la Brûlure, les Sorcières d'Eastwick, Ironweed, Batman.

Novak (Kim) (Marilyn Novak) (1933) : Du plomb pour l'inspecteur, Picnic, l'Homme au bras d'or, Un seul amour, la Blonde ou la Rousse, Vertigo, l'Adorable Voisine, Liaisons secrètes, le Démon des femmes, Embrasse-moi idiot, le Triangle du diable.

Pacino (Al) (1940) : Panique à Needle Park, le Parrain, l'Épouvantail, Serpico, le Parrain (2e partie), Un après-midi de chien, Bobby Deerfield, Scarface (2e vers.), Revolution, Mélodie pour un meurtre.

Palance (Jack) (1919) (Walter Palanvik) : Panique dans la rue, l'Homme des vallées perdues, le Grand Couteau, la Peur au ventre, Attaque, Austerlitz, les

Mongols, le Mépris, les Professionnels, Monte Walsh, les Cavaliers, Bagdad Café, Batman.

Peck (Gregory) (1916) : les Clés du royaume, Duel au soleil, le Monde lui appartient, les Neiges du Kilimandjaro, Vacances romaines, Moby Dick, Bravados, la Femme modèle, les Canons de Navarone, l'Homme sauvage, la Malédiction, MacArthur le général rebelle, les Loups de haute mer, Ces garçons qui venaient du Brésil, Old Gringo.

Perkins (Anthony) (1932) : Prisonnier de la peur, Barrage contre le Pacifique, Du sang dans le désert, Psychose, Aimez-vous Brahms ?, Phædra, le Procès, le Glaive et la Balance, le Scandale , la Décade prodigieuse, le Crime de l'Orient-Express, Psychose II, les Jours et les Nuits de China Blue, Psychose III, Dr. Jekyll et Mr. Hyde.

Pickford (Mary) (1893-1979) : *la Villa solitaire (1909), le Luthier de Crémone, Un bon petit diable, Molly, Cendrillon, Petite Princesse, Fille d'Écosse, Une pauvre petite fille riche, Papa longues jambes, Pollyanna, le Petit Lord Fauntleroy (1922), Tess au pays des haines, Rosita, Dorothy Vernon,* la Mégère apprivoisée, Kiki, Secrets (1933).

Pitts (Zasu) (1900-63) : *Maris aveugles, la Rançon, le Diable par la queue, les Rapaces, la Symphonie nuptiale, Mariage de prince,* Hello Sister, Monte-Carlo, Solitude, Dames, l'Admirable Mr Ruggles, Cette nuit ou jamais (1957), Un monde fou, fou, fou (1963).

Power (Tyrone) (1914-58) : Dortoir de jeunes filles (1936), l'Amour en première page, l'Incendie de Chicago, Marie-Antoinette, Suez, la Folle Parade, le Brigand bien-aimé, la Mousson, Johnny Apollo, le Signe de Zorro (1940), Arènes sanglantes, le Cygne noir, le Fil du rasoir, Capitaine de Castille, Tant que soufflera la tempête, Le soleil se lève aussi, Témoin à charge (1958).

Quinn (Anthony) (1915) : Viva Zapata, la Strada, N.-D. de Paris, la Vie passionnée de Vincent Van Gogh, les Boucaniers, Barabbas, les Canons de Navarone, Lawrence d'Arabie, Zorba le Grec, la Bataille de St-Sébastien, Marseille Contrat, le Message.

Redford (Robert) (1937) : Propriété interdite, Willie Boy, Butch Cassidy et le Kid, Jeremiah Johnson, Votez Mac Kay, Nos plus belles années, l'Arnaque, Gatsby le Magnifique, les 3 Jours du Condor, les Hommes du président, le Cavalier électrique, Brubaker, Des gens comme les autres (réal. seulement), le Meilleur, Out of Africa, l'Affaire Chelsea Deardon (1986), Milagro (réal. seulement) (1988), Havana (1990).

Robinson (Edward G.) (Emmanuel Goldenberg) (Bucarest, 1893-1973) : Little Caesar, Toute la ville en parle, le Mystérieux Dr Clitterhouse, Assurance sur la mort, la Femme au portrait, le Criminel, Key Largo, les Dix Commandements, Un trou dans la tête, Soleil vert.

Rogers (Ginger) (Virginia McNath) (1911) : Chercheuses d'or (1933), 42e Rue, la Joyeuse Divorcée, Roberta, le Danseur du dessus, Swing Time, Top Hat, l'Entreprenant M. Petrov, Pension d'artistes, Mariage incognito, Amanda, Mademoiselle et son bébé, la Grande Farandole, Kitty Foyle, Uniformes et jupon court, Lune de miel mouvementée, Entrons dans la danse (1949), Chérie, je me sens rajeunir, la Veuve noire (1954).

Sinatra (Frank) (1915) : Un jour à New York, Tant qu'il y aura des hommes, l'Homme au bras d'or, Johnny Concho, la Blonde ou la Rousse, Comme un torrent, Un trou dans la tête, Un crime dans la tête, Tony Rome est dangereux, le Détective.

Stanwyck (Barbara) (Ruby Stevens) (1907-90) : Liliane, la Femme en rouge (1935), la Gloire du cirque, Saint Louis Blues, Révolte à Dublin, Stella Dallas, Miss Manson est folle, Pacific Express, Lady Eve, l'Homme de la rue, Boule de feu, l'Étrangleur, Obsessions, Assurance sur la mort (1944), l'Emprise du crime, Raccrochez, c'est une erreur, les Furies, Le démon s'éveille la nuit, la Tour des ambitieux, la Reine de la prairie, Quarante Fusils (1957).

Stewart (James) (1908) : Vous ne l'emporterez pas avec vous, Monsieur Smith au Sénat, La vie est belle, la Corde, l'Appât, l'Homme de la plaine, Fenêtre sur cour, Vertigo, Autopsie d'un meurtre, les Deux Cavaliers, l'Homme qui tua Liberty Valance, Bandolero, Attaque au Cheyenne Club, le Dernier des géants (1976), le Grand Sommeil (1978).

Streep (Meryl) (1949) : Julia, Voyage au bout de l'enfer, Manhattan, Kramer contre Kramer, la Maîtresse du lieutenant français, le Choix de Sophie, Silkwood, Plenty, Out of Africa, Heartburn, Falling in Love, Ironweed, Un cri dans la nuit (1989), Bons Baisers d'Hollywood (1990).

Streisand (Barbra) (1942) : Funny Girl (1968), Hello Dolly, Melinda, la Chouette et le Pussycat, Nos plus belles années, Funny Lady, Une étoile est née (3e version), Main Event, Yentl (1983).

Swanson (Gloria) (1899-1983) : *Après la pluie, le beau temps (1919), l'Admirable Chrichton, l'Échange, le Cœur nous trompe, Zaza, Madame Sans-Gêne (1925), Faiblesse humaine, l'Intruse, Queen Kelly (1929),* Boulevard du Crépuscule (1950), 747 en péril (1975).

Taylor (Elizabeth) (Londres, 1932) : le Père de la mariée, Une place au soleil, Ivanhoé, la Chatte sur un toit brûlant, Soudain l'été dernier, Vénus au vison, Cléopâtre, le Chevalier des sables, la Mégère apprivoisée, Qui a peur de Virginia Woolf ?, Reflets dans un œil d'or, Boom, Cérémonie secrète, les Noces de cendre, l'Oiseau bleu, Le miroir se brisa, Toscanini (1988).

Taylor (Robert) (Spangler Arlington Brugh) (1911-69) : le Secret magnifique (1935), la Petite Provinciale, le Roman de Marguerite Gautier, Valet de cœur, Vivent les étudiants !, Trois Camarades, la Valse dans l'ombre, Bataan, Lame de fond, Embuscade, la Porte du diable, Quo vadis ?, Convoi de femmes, Ivanhoé, Quentin Durward, la Dernière Chasse, le Trésor du pendu, Libre comme le vent, Traquenard, les Ranchers du Wyoming (1963), le Téléphone rouge.

Tracy (Spencer) (1900-67) : Ceux de la zone, Furie, Capitaines courageux, Des hommes sont nés, le Grand Passage, Dr. Jekyll and Mr. Hyde, Tortilla Flat, 30 secondes sur Tōkyō, le Père de la mariée, Un homme est passé, Jugement à Nuremberg, Devine qui vient dîner ?

Valentino (Rudolph) (Rodolfo Guglielmi) (1895-1926) : *les Quatre Cavaliers de l'Apocalypse (1920), la Dame aux camélias, Eugénie Grandet, le Cheik, Arènes sanglantes (1922), le Droit d'aimer, Cobra, l'Hacienda rouge, Monsieur Beaucaire (1924), l'Aigle noir, le Fils du Cheik (1926).*

Wayne (John) (Marion Morrisson) (1907-79) : la Chevauchée fantastique, le Massacre de Fort-Apache, l'Homme tranquille, la Prisonnière du désert, la Cité disparue, Rio Bravo, les Cavaliers, Alamo, le Grand Sam, Hatari, l'Homme qui tua Liberty Valance, Eldorado, les Bérets verts, Rio Lobo, les Cow-boys, Une bible et un fusil, le Dernier des géants.

West (Mae) (1892-1980) : Lady Lou (1933), Je ne suis pas un ange, Ce n'est pas un péché, Klondyke Annie, Je veux être une lady, Fifi peau-de-pêche, Mon petit poussin chéri, Myra Breckinridge, Sextette.

White (Pearl) (1889-1938) : *le Foulard rouge (1911), les Exploits d'Elaine, les Mystères de New York, le Masque aux dents blanches, la Fille du fauve, Rédemptrice, Amour de sauvage, Pillage, Terreur.*

Widmark (Richard) (1914) : le Carrefour de la mort, Panique dans la rue, Coup de fouet en retour, Sainte Jeanne, l'Homme aux colts d'or, Alamo, les Deux Cavaliers, le Dernier Passage, les Cheyennes, Alvarez Kelly, la Route de l'Ouest, la Guerre des bootleggers, le Crime de l'Orient-Express, Contre toute attente, Blackout, Colère en Louisiane.

France

Adjani (Isabelle) (1955) : la Gifle, l'Histoire d'Adèle H., Barocco, les Sœurs Brontë, Nosferatu fantôme de la nuit, Possession (1981), Tout feu tout flamme, Quartet, Mortelle Randonnée, Antonieta, l'Été meurtrier, Subway, Ishtar (1987), Camille Claudel (1988).

Aimée (Anouk) (Nicole, Françoise Dreyfus) (1932) : les Amants de Vérone, le Rideau cramoisi, les Mauvaises Rencontres, Montparnasse 19, la Dolce Vita, Lola, Sodome et Gomorrhe, Huit et demi, Un homme et une femme, Justine, Si c'était à refaire, Mon premier amour, la Tragédie d'un homme ridicule, le Succès à tout prix, Partir revenir (1985), Un homme et une femme, 20 ans après.

Annabella (Suzanne Charpentier) (1909) : *Napoléon (1926), Maldone,* Deux fois vingt ans, Un soir de rafle, le Million, Paris-Méditerranée, Marie, légende hongroise, Quatorze Juillet, la Bataille, l'Équipage, la Bandera, Anne-Marie, Hôtel du Nord, la Baronne et son valet (U.S.A.), Suez, 13, rue Madeleine (U.S.A.), l'Homme qui revient de loin.

Ardant (Fanny) (1950) : la Femme d'à côté (1981), La vie est un roman, Vivement dimanche, Conseil de famille, Mélo (1986), le Paltoquet, Australia (1989), Aventure de Catherine C. (1990).

Arletty (Léonie Bathiat) (1898) : Désiré, Hôtel du Nord, Le jour se lève, Fric-frac, Mme Sans-Gêne, les Visiteurs du soir, les Enfants du paradis, l'Air de Paris, Maxime, Voyage à Biarritz, Tempo di Roma (1963).

Auteuil (Daniel) (1950) : les Sous-Doués, la Banquière, Les hommes préfèrent les grosses, Pour 100 briques t'as plus rien, Jean de Florette, Manon des Sources, le Paltoquet, Lacenaire (1990).

Azéma (Sabine) (1952) : On aura tout vu (1976), La vie est un roman, Un dimanche à la campagne, l'Amour à mort, Mélo, la Vie et rien d'autre, Vanille-Fraise (1989).

Bardot (Brigitte) (1934) : Futures Vedettes, Cette sacrée gamine, En effeuillant la marguerite, Et Dieu créa la femme, En cas de malheur, Babette s'en va-t-en guerre, la Vérité, Vie privée, le Repos du guerrier, le Mépris, Viva Maria, Shalako, l'Ours et la Poupée, Boulevard du Rhum, les Pétroleuses, Don Juan 73 (1973).

Barrault (Jean-Louis) (1910) : Sous les yeux d'Occident (1936), Jenny, Mademoiselle Docteur, Un grand amour de Beethoven, Drôle de drame, la Symphonie fantastique, le Destin fabuleux de Désirée Clary, les Enfants du paradis, D'homme à homme, la Ronde, Dialogue des Carmélites, le Testament du Dr Cordelier, La Nuit de Varennes.

Baur (Harry) (1881-1943) : *Shylock (1912), l'Ame du bronze,* David Golder, les Cinq Gentlemen maudits, Poil de Carotte, les Misérables, Golgotha, Crime et Châtiment, Tarass Boulba, Un grand amour de Beethoven, les Hommes nouveaux, Un carnet de bal, l'Homme du Niger, Volpone, l'Assassinat du père Noël, Symphonie d'une vie.

Baye (Nathalie) (1951) : la Nuit américaine (1973), l'Homme qui aimait les femmes, la Chambre verte, Une semaine de vacances, la Provinciale, Beau-Père, le Retour de Martin Guerre, la Balance, Notre histoire, Rive droite-rive gauche, Détective, le Neveu de Beethoven, Lune de miel, De guerre lasse, En toute innocence, La Baule-les-Pins, Un week-end sur deux (1990).

Belmondo (Jean-Paul) (1933) : A double tour, A bout de souffle, Classe tous risques, la Ciociara, la Viaccia, Léon Morin prêtre, Cartouche, le Doulos, l'Homme de Rio, Week-End à Zuydcoote, Pierrot le fou, le Voleur, la Sirène du Mississippi, le Cerveau, Un homme qui me plaît, Borsalino, les Mariés de l'an II, le Casse, l'Héritier, la Scoumoune, le Magnifique, Stavisky, Peur sur la ville, l'Incorrigible, l'Alpagueur, l'Animal, Flic ou Voyou, le Guignolo, le Professionnel, l'As des as, le Marginal, les Morfalous, Hold-up, le Solitaire, Itinéraire d'un enfant gâté.

Berry (Jules) (1883-1951) : *l'Argent (1928),* le Crime de M. Lange, Baccara, le Mort en fuite, Aventure à Paris, Café de Paris, Derrière la façade, Le jour se lève, les Visiteurs du soir, le Voyageur de la Toussaint, Marie-Martine, l'Homme de Londres (1943), Portrait d'un assassin (1949).

Blanc (Michel) (1952) : les Bronzés, Les bronzés font du ski, Viens chez moi, j'habite chez une copine, Marche à l'ombre, Tenue de soirée, Monsieur Hire, Uranus, Merci la vie.

Blanchar (Pierre) (1896-1963) : *Jocelyn (1921), Geneviève, le Tombeau sous l'Arc de triomphe, le Joueur d'échecs, le Capitaine Fracasse (1927),* En 1812, l'Atlantide, les Croix de bois, Au bout du monde, Turandot, Crime et Châtiment, l'Homme de nulle part, la Dame de pique, Un carnet de bal, le Joueur, l'Étrange M. Victor, Pontcarral, Un seul amour (+ réalis.), le Bossu (1944), la Symphonie pastorale, Docteur Laennec, le Monocle noir (1961).

Blier (Bernard) (1916-89) : Hôtel du Nord, Quai des Orfèvres, Dédée d'Anvers, l'École buissonnière, Manèges, les Misérables, Arrêtez les tambours, les Barbouzes, l'Étranger, le Distrait, les Chinois à Paris, Ce cher Victor, Calmos, Nuit d'or, Série noire, Buffet froid, Eugenio, Twist again à Moscou, Je hais les acteurs, Mangeclous.

Bonnaire (Sandrine) (1967) : A nos amours, Tir à vue, Blanche et Marie, Police, Sans toit ni loi, Sous le soleil de Satan, les Innocents (1987), la Puritaine, Quelques jours avec moi (1988), la Captive du désert (1990).

Bouquet (Michel) (1925) : les Amitiés particulières, La mariée était en noir, la Femme infidèle, Un condé, la Rupture, l'Attentat, la Main à couper, le Jouet, les Misérables (1982), Poulet au vinaigre.

Bourvil (André Raimbourg) (1917-70) : les 3 Mousquetaires, Cadet-Rousselle, les Hussards, la Traversée de Paris, les Misérables, la Jument verte, le Capitan, Fortunat, le Corniaud, la Grande Vadrouille, les Cracks, le Cerveau, le Cercle rouge.

Boyer (Charles) (1897-1978, nat. amér.) : *l'Homme du large (1920), le Capitaine Fracasse,* le Procès de Mary Dugan, Big House, Tumultes, IF1 ne répond plus, l'Épervier, le Bonheur, la Bataille, Liliom, Mayerling, le Jardin d'Allah, Marie Walewska, Elle et Lui, Veillée d'amour, l'Étrangère, Back Street (2e version), Obsession, Hantise, Arc de triomphe, la Première Légion, Madame de..., Nana, Une Parisienne, Maxime, les 4 Cavaliers de l'Apocalypse, Stavisky.

Brasseur (Claude) (1936) : Rue des Prairies, le Caporal épinglé, Germinal, Peau de banane, Bande à part, les Seins de glace, Un éléphant ça trompe énormément, Nous irons tous au paradis, l'État sauvage, l'Argent des autres (1978), Une histoire simple, Au revoir à lundi, la Banquière, la Boum, l'Ombre rouge, Guy de Maupassant, Légitime Violence, la Boum 2, la Crime, Palace, Détective, Souvenirs souvenirs, Taxi Boy, l'Orchestre rouge, Descente aux enfers, Dandin, Dancing Machine.

Brasseur (Pierre) (Espinasse) (1905-72) : le Quai des Brumes, Lumière d'été, les Enfants du paradis, les Amants de Vérone, la Tour de Nesle, Porte des Lilas, la Loi, les Yeux sans visage, les Bonnes Causes, la Vie de château.

Brialy (Jean-Claude) (Alg., 1933) : le Beau Serge, les Cousins, Une femme est une femme, Les lions sont lâchés, Éducation sentimentale, le Glaive et la Balance, Château en Suède, La mariée était en noir, le Bal du comte d'Orgel, le Genou de Claire, le Juge et l'Assassin, les Œufs brouillés, Barocco, l'Imprécateur, l'Œil du maître, la Nuit de Varennes, Sarah, Édith et Marcel, Un bon petit diable (réal.), Inspecteur Lavardin, le Quatrième Pouvoir, l'Effrontée, le Débutant, les Innocents, S'en fout la mort.

Carmet Jean (1920) : la Victoire en chantant, le Beaujolais nouveau est arrivé, Violette Nozière, Buffet froid, le Faussaire, la Soupe aux choux, Papy fait de la Résistance, Mon beau-frère a tué ma sœur, Miss Mona, Mangeclous, la Vouivre, Merci la vie.

Carol (Martine) (Maryse Mourer) (1922-67) : Voyage surprise, les Amants de Vérone, Caroline chérie, Belles de nuit, Lucrèce Borgia, Madame du Barry, Lola Montès, Nathalie, Le cave se rebiffe.

Casarès (Maria) (Maria C. Quiroga) (Esp., 1922) : les Enfants du paradis, les Dames du bois de Boulogne, la Chartreuse de Parme, Orphée, le Testament d'Orphée, la Lectrice (1988).

Cassel (Jean-Pierre) (Crochon) (1932) : les Jeux de l'amour, le Farceur, Candide, la Gamberge, le Caporal épinglé, Cyrano et d'Artagnan, Jeu de massacre, l'Armée des ombres, la Rupture, les 3 Mousquetaires, le Mouton enragé, le Crime de l'Orient-Express, Dr Françoise Gailland, le Soleil en face, la Truite, Mangeclous (1988).

Coluche (Michel) (Colucci) (1944-86) : la Femme de mon pote, Tchao Pantin, la Vengeance du serpent à plumes.

Constantine (Eddie) (U.S.A., 1917) : la Môme Vert-de-gris, Les femmes s'en balancent, les Truands, Me faire ça à moi, Lucky Jo, Alphaville, A tout casser, Malatesta, Flight to Berlin (1984).

Darc (Mireille) (Aigroz) (1938) : les Barbouzes, Galia, Week-end, Fantasia chez les ploucs, Il était une fois un flic, le Grand Blond avec une chaussure noire, la Valise, les Seins de glace, le Retour du grand blond, le Téléphone rose, Mort d'un pourri, la Barbare (réal. seulement) (1989).

Darrieux (Danielle) (1917) : Mayerling, Premier Rendez-vous, la Ronde, Madame de..., le Rouge et le Noir, l'Amant de Lady Chatterley, Pot-Bouille, les Yeux de l'amour, Landru, les Demoiselles de Rochefort, Divine, l'Année sainte, le Cavaleur, Une chambre en ville, En haut des marches (1983), le Lieu du crime (1986), le Jour des rois.

Delon (Alain) (1935) : Christine, Faibles Femmes, Plein Soleil, Rocco et ses frères, l'Éclipse, le Guépard, l'Insoumis, les Centurions, le Samouraï, Adieu l'ami, la Piscine, le Clan des Siciliens, Borsalino, le Cercle rouge, la Veuve Couderc, l'Assassinat de Trotsky, les Seins de glace, Borsalino and Co, Zorro, Flic Story, le Gitan, Monsieur Klein, le Gang, Armaguedon, Mort d'un pourri, Attention les enfants regardent, Airport 80, Concorde, le Toubib, Trois Hommes à abattre, Pour la peau d'un flic (+ réal.), le Choc, le Battant (+ réal.), Un amour de Swann, Notre histoire, Parole de flic, le Passage, Ne réveillez pas un flic qui dort, Nouvelle Vague, Dancing Machine.

Delorme (Danièle, Mme Yves Robert) (Gabrielle Girard) (1926) : Gigi, l'Ingénue libertine, la Jeune Folle, le Guérisseur, Dossier noir, le Temps des assassins, Mitsou, les Misérables, le 7e Juré, Marie Soleil, le Voyou, Un éléphant ça trompe énormément, Nous irons tous au paradis, la Cote d'amour.

Deneuve (Catherine) (Dorléac) (1943) : les Parapluies de Cherbourg (voix : Danièle Licari), Répulsion, la Vie de château, les Demoiselles de Rochefort (voix : Anne Germain), Benjamin, Belle de jour, la Chamade, la Sirène du Mississippi, Tristana, Peau d'âne, Liza, l'Agression, le Sauvage, Si c'était à refaire, Ames perdues, Il était une fois la Légion, l'Argent des autres, Écoute voir, A nous deux, Ils sont grands ces petits, Courage fuyons, le Dernier Métro, le Choix des armes, Hôtel des Amériques, le Choc, l'Africain, les Prédateurs, le Bon Plaisir, Fort Saganne, Paroles et musique, le Lieu du crime, Pourvu que ce soit une fille, Agent trouble, Fréquence meurtre, Drôle d'endroit pour une rencontre, la Reine blanche.

Depardieu (Gérard) (1948) : l'Affaire Dominici, Deux hommes dans la ville (1972), les Valseuses, Stavisky, Vincent, François, Paul et les autres, 1900, 7 Morts sur ordonnance, Barocco, Dites-lui que je l'aime, Préparez vos mouchoirs, Rêve de singe, le Sucre, les Chiens, Buffet froid, Mon oncle d'Amérique, Loulou, le Dernier Métro, le Choix des armes, la Femme d'à côté, la Chèvre, le Retour de Martin Guerre, Danton, la Lune dans le caniveau, les Compères, Fort Saganne, Police, Jean de Florette, Tenue de soirée, les Fugitifs, Sous le soleil de Satan, Drôle d'endroit pour une rencontre, Camille Claudel, Deux, Trop belle pour toi, I Want to Go Home, Cyrano de Bergerac, Green Card, Merci la vie.

Dewaere (Patrick) (1947-82) : les Mariés de l'an II, les Valseuses, Lily aime-moi, Adieu poulet, la Meilleure Façon de marcher, F comme Fairbanks, le Juge Fayard dit le Shérif, Préparez vos mouchoirs, la Clé sur la porte, Série noire, Coup de tête, Un mauvais fils, Plein Sud, Beau-Père, Hôtel des Amériques, Mille milliards de dollars, Paradis pour tous.

Fabian (Françoise) (1933) : les Fanatiques, Belle de jour, le Voleur, Ma nuit chez Maud, Un condé, Raphaël ou le Débauché, la Bonne Année, Projection privée, les Fougères bleues, Par les escaliers anciens, Madame Claude, Benvenuta, Partir revenir, Faubourg Saint-Martin, Trois places pour le 26 (1988).

Fernandel (Fernand Contandin) (1903-71) : Angèle, Regain, François Ier, la Fille du puisatier, l'Auberge rouge, le Petit Monde de don Camillo, Ali-Baba, Don Juan, la Vache et le prisonnier, Crésus, l'Âge ingrat, la Bourse et la vie, Heureux qui comme Ulysse... (1970).

Feuillère (Edwige) (Caroline Cunati) (1907) : Lucrèce Borgia, De Mayerling à Sarajevo, Sans lendemain, Mam'zelle Bonaparte, la Duchesse de Langeais, l'Honorable Catherine, l'Aigle à deux têtes, le Blé en herbe, En cas de malheur, la Chair de l'orchidée.

Francis (Ève) (1896-1980) : *Ames de fous, la Fête espagnole, le Silence, Fièvre, El Dorado, le Chemin d'Ernoa, Fumée noire, la Femme de nulle part, l'Inondation, Antoinette Sabrier (1927),* Forfaiture, Yamilé sous les cèdres, la Comédie du bonheur.

Fresnay (Pierre) (Laudenbach) (1897-1974) : Marius, Fanny, César, la Grande Illusion, les Trois Valses, L'assassin habite au 21, la Main du diable, le Corbeau, Monsieur Vincent, Dieu a besoin des hommes, le Défroqué, les Évadés, les Aristocrates, les Fanatiques.

Funès (Louis de) (1914-83) : les Hussards, Courte-tête, la Traversée de Paris, Ni vu ni connu, la Belle Américaine, le Gendarme de St-Tropez, le Corniaud, la Grande Vadrouille, les Grandes Vacances, Oscar, Hibernatus, la Folie des grandeurs, les Aventures de Rabbi Jacob, l'Aile ou la Cuisse, la Zizanie, l'Avare (+ réalis.), la Soupe aux choux.

Gabin (Jean) (Moncorgé) (1904-76) : la Bandera, les Bas-fonds, Pépé-le-Moko, la Grande Illusion, Quai des Brumes, la Bête humaine, Le jour se lève, Remorques, la Marie du port, Touchez pas au grisbi, French Cancan, la Traversée de Paris, les Misérables, le Tonnerre de Dieu, le Clan des Siciliens, le Chat, l'Affaire Dominici, Deux hommes dans la ville, l'Année sainte.

Gabrio (Gabriel) (1888-1946) : *la Fête espagnole (1920), les Misérables (1926), Antoinette Sabrier (1927),* la Bodega, Une belle garce, la Lettre, les Croix de bois, Lucrèce Borgia, Pépé-le-Moko, Regain, Deuxième Bureau contre Kommandantur, les Visiteurs du soir, le Val d'Enfer (1943).

Garcia (Nicole) (1946) : Que la fête commence (1975), la Question, le Cavaleur, Mon oncle d'Amérique, Beau-Père, l'Honneur d'un capitaine, Péril en la demeure, 4e pouvoir, Mort un dimanche de pluie, Ça n'arrive jamais, l'État de grâce, la Lumière du lac, Un week-end sur deux (réal. seulement).

Gélin (Daniel) (1921) : Rendez-vous de juillet, la Ronde, Édouard et Caroline, les Dents longues, Rue de l'Estrapade, Napoléon, Mort en fraude, la Proie pour l'ombre, le Souffle au cœur, Guy de Maupassant, les Enfants, La vie est un long fleuve tranquille.

Girardot (Annie) (1931) : le Désert de Pigalle, Rocco et ses frères, la Proie pour l'ombre, les Camarades, Vivre pour vivre, Érotissimo, Mourir d'aimer, la Vieille Fille, Traitement de choc, la Gifle, le Gitan, Dr Françoise Gailland, D'amour et d'eau fraîche, Tendre Poulet, la Zizanie, la Clé sur la porte, le Cavaleur, Fais-moi rêver, On a volé la cuisse de Jupiter, Une robe noire pour un tueur, la Revanche, Partir revenir, Prisonnières, Cinq jours en juin, Comédie d'amour, Merci la vie.

Giraudeau (Bernard) (1947) : Deux hommes dans la ville, le Toubib, la Boum, Passion d'amour, Croque la vie, Rue barbare, les Spécialistes, Bras de fer, les Longs Manteaux, l'Homme voilé, Vent de panique, l'Autre (réal. seulement).

Guitry (Sacha) : voir Réalisateurs, p. 471.

Hanin (Roger) (Lévy) (1925) : le Sucre, le Coup de sirocco, le Grand Pardon, le Grand Carnaval, l'Étincelle, le Dernier Été à Tanger, la Rumba.

Hériat (Philippe) (1898-1971) : *le Carnaval des vérités (1919), l'Homme du large, El Dorado, Don Juan et Faust, l'Inondation, le Miracle des Loups, Rien que les heures, Napoléon, la Jalousie du Barbouillé, En rade,* Dans une île perdue, le Sexe faible, Divine (1933), Lucrèce Borgia (1935).

Huppert (Isabelle) (1953) : Aloïse, Rosebud, la Dentellière, Les Indiens sont encore loin, Violette Nozière, les Sœurs Brontë, Sauve qui peut (la vie), Loulou, la Porte du paradis, la Dame aux camélias, les Ailes de la colombe, Coup de torchon, Eaux profondes, Passion, la Truite, Coup de foudre, Histoire de Piera, la Garce, Signé Charlotte, Sac de nœuds, Faux Témoin, Une affaire de femmes, la Vengeance d'une femme, Madame Bovary.

Jobert (Marlène) (1943) : Masculin-Féminin, Alexandre le bienheureux, l'Astragale, le Passager de la pluie, Dernier Domicile connu, les Mariés de l'an II, la Décade prodigieuse, Nous ne vieillirons pas ensemble, Pas si méchant que ça, le Bon et les Méchants, Julie pot de colle, l'Imprécateur (1977), Va voir maman..., la Guerre des polices, Une sale affaire, l'Amour nu, Effraction, les Cavaliers de l'orage, Souvenirs souvenirs, les Cigognes n'en font qu'à leur tête.

Joubé (Romuald) (1876-1949) : *Shylock, la Reine Margot, Marie Tudor, le Coupable, les Travailleurs de la mer, André Cornélis, J'accuse, Mlle de La Seiglière, Mathias Sandorff, le Miracle des loups,* les Perles de la couronne, le Brigand gentilhomme.

Jouvet (Louis) (1887-1951) : la Kermesse héroïque, les Bas-Fonds, Drôle de drame, la Marseillaise, Hôtel du Nord, Un revenant, Quai des Orfèvres, Miquette et sa mère, Lady Paname, Knock, Une histoire d'amour.

Joyeux (Odette) (1914) : Lac aux dames (1934), Entrée des artistes, Altitude 3 200, le Mariage de Chiffon (1941), le Lit à colonnes, le Baron fantôme, Lettres d'amour, Douce, les Petites du Quai-aux-Fleurs, Sylvie et le Fantôme, Pour une nuit d'amour, Orage d'été, la Ronde, Si Paris nous était conté.

Karina (Anna) (Hanne Karin Bayer) (Dan., 1940) : Une femme est une femme, Vivre sa vie, Alphaville, Pierrot le Fou, la Religieuse, Made in U.S.A., l'Etranger, Lamiel, Justine, l'Alliance, Rendez-vous à Bray, Vivre ensemble, les Œufs brouillés, Pain et chocolat, Roulette chinoise, Cayenne Palace.

Lambert (Christophe) (1957) : Asphalte, Légitime violence, Greystoke la légende de Tarzan, Subway, Highlander, I Love You, le Sicilien, Un plan d'enfer, Highlander, le retour (1991).

Lanvin (Gérard) (1950) : Extérieur nuit (1980), Une semaine de vacances, le Choix des armes, Tir groupé, Marche à l'ombre, les Spécialistes, Moi vouloir toi, Saxo, Mes meilleurs copains, Il y a des jours... et des lunes (1990).

Léotard (Philippe) (1940) : Max et les ferrailleurs, Une belle fille comme moi, la Traque, l'Ombre des châteaux, la Balance, le Choc, Tchao Pantin, Rouge-Gorge, le Paltoquet, Adieu blaireau, l'Aube, la Couleur du vent.

Le Vigan (Robert) (1900-1972) : les Cinq Gentlemen maudits, Madame Bovary, la Bandera, Golgotha, les Bas-Fonds, l'Homme de nulle part, Quai des Brumes, les Disparus de St-Agil, le Dernier Tournant, Paradis perdu, l'Assassinat du père Noël, le Mariage de Chiffon, Goupi Mains-rouges (1942).

Malavoy (Christophe) (1952) : Dossier 51, le Voyage en douce, Family Rock, la Balance, Souvenirs souvenirs, Péril en la demeure, Bras de fer, la Femme de ma vie, le Cri du hibou, De guerre lasse, Deux minutes de soleil en plus, Jean Galmot, aventurier, Madame Bovary.

Manès (Gina) (1900-89) : *la Dame de Montsoreau (1923), l'Auberge rouge, Cœur fidèle, Ame d'artiste, Napoléon, Thérèse Raquin, Nuits de prince,* le Requin, Salto mortale, Une belle garce, la Tête d'un homme, Divine, Mayerling, la Maison du Maltais, les Caves du Majestic, Rafles sur la ville.

Marais (Jean) (Villain-Marais) (1913) : l'Éternel Retour, la Belle et la Bête, l'Aigle à deux têtes, les Parents terribles, Orphée, Nez de Cuir, le Comte de Monte-Christo, Éléna et les Hommes, le Bossu, la Princesse de Clèves, les Mystères de Paris, Peau d'âne, Parking, Lien de parenté.

Marceau (Sophie) (Maupu) (1966) : la Boum, la Boum 2, Fort Saganne, Joyeuses Pâques, l'Amour braque, Police, Descente aux Enfers, Chouans !, l'Étudiante, Mes nuits sont plus belles que vos jours, Pacific Palisades, Pour Sacha, la Note bleue.

Miou-Miou (1950) (Sylvette Héry) : les Valseuses, Pas de problèmes, Lily aime-moi, F comme Fairbanks, On aura tout vu, Jonas, Dites-lui que je l'aime, les Routes du Sud, la Dérobade, la Femme-flic, Est-ce bien raisonnable ?, la Gueule du loup, Guy de Maupassant, Josepha, Coup de foudre, Canicule, le Vol du sphinx, Blanche et Marie, Tenue de soirée, la Lectrice, Milou en mai, Netchaiev est de retour.

Modot (Gaston) (1887-1970) : *le Collier vivant, Mater dolorosa, la Sultane de l'amour, la Fête espagnole, Fièvre, le Miracle des loups, la Châtelaine du Liban, Carmen, le Navire des hommes perdus,* Sous les toits de Paris, l'Age d'or, l'Opéra de quat'sous, Quatorze Juillet, Pépé-le-Moko, la Grande Illusion, la Règle du jeu, les Enfants du paradis, Casque d'or, French Cancan, le Testament du Dr Cordelier.

Montand (Yves) (Ivo Livi) (Monsummano, 1921) : les Portes de la nuit, le Salaire de la peur, Marguerite de la nuit, les Sorcières de Salem, le Milliardaire, Z, l'Aveu, le Cercle rouge, la Folie des grandeurs, Tout va bien, César et Rosalie, État de siège, le Fils, Vincent, François, Paul et les autres, le Sauvage, Police Python 357, le Grand Escogriffe, la Menace, les Routes du Sud, Clair de femme, le Choix des armes, Tout feu, tout flamme, Garçon, Jean de Florette, Manon des Sources, Trois places pour le 26, Netchaiev est de retour.

Moreau (Jeanne) (1928) : Touchez pas au grisbi, la Reine Margot, Julietta, Ascenseur pour l'échafaud, le Dos au mur, les Amants, les Liaisons dangereuses, le Dialogue des Carmélites, la Nuit, Jules et Jim, Eva, le Procès, la Baie des Anges, Peau de banane, Mata Hari, Viva Maria, La mariée était en noir, Lumière (+ réalis.), Monsieur Klein, le Dernier Nabab, l'Adolescente (réalis.), la Truite, Querelle, Sauve-toi Lola, le Miraculé.

Morgan (Michèle) (Simone Roussel) (1920) : le Quai des Brumes, Remorques, la Symphonie pastorale, Fabiola, les Orgueilleux, les Grandes Manœuvres, Marie-Antoinette, le Miroir à deux faces, Fortunat, Landru, les Centurions, Benjamin, le Chat et la Souris, Robert et Robert, Ils vont tous bien.

Morlay (Gaby) (Blanche Fumoleau) (1893-1964) : *les Epaves de l'amour, l'Agonie des aigles, les Nouveaux Messieurs (1928),* Accusée levez-vous, le Bonheur, Ariane jeune fille russe, le Roi, Quadrille, Entente cordiale, Derrière la façade, le Destin fabuleux de Désirée Clary, le Voile bleu, Un revenant, Gigi, le Plaisir, Mitsou, Fortunat.

Mosjoukine (Ivan) (1889-1939) : *la Vie pour le tzar, la Puissance des Ténèbres, Résurrection, la Dame de pique, le Père Serge, l'Enfant du carnaval, le Brasier ardent, Kean, le Lion des Mogols, Feu Mathias Pascal, Michel Strogoff, Casanova,* Sergent X, les Amours de Casanova, Nitchevo.

Musidora (Jeanne Roques) (1884-1957) : *Severo Torelli, les Vampires, Judex, la Vagabonde, Vicenta* (+ réalis.), *Pour Don Carlos* (+ réalis. *1920), Soleil et Ombre* (+ réalis. *1922*).

Noël-Noël (Lucien Noël) (1897-1989) : Adémaï aviateur, Adémaï bandit d'honneur, la Cage aux rossignols, le Père tranquille, les Casse-pieds, le Fil à la patte, Messieurs les ronds-de-cuir, les Vieux de la vieille.

Noiret (Philippe) (1930) : la Pointe courte, Zazie dans le métro, Thérèse Desqueyroux, la Vie de château, la Vieille Fille, l'Attentat, l'Horloger de St-Paul, Que la fête commence, le Vieux Fusil, le Juge et l'Assassin, le Désert des Tartares, Un taxi mauve, Tendre Poulet, On a volé la cuisse de Jupiter, Une semaine de vacances, Pile ou Face, Coup de torchon, l'Etoile du Nord, l'Africain, le Grand Carnaval, Fort Saganne, les Ripoux, le Quatrième Pouvoir, Pourvu que ce soit une fille, Twist again à Moscou, Masques, les Lunettes d'or, Noyade interdite, Chouans !, la Vie et rien d'autre, Cinéma Paradiso, Ripoux contre Ripoux, Faux et usage de faux.

Périer (François) (Pilu) (1919) : Lettres d'amour, Sylvie et le Fantôme, la Vie en rose, Le silence est d'or, Cadet-Rousselle, Gervaise, les Nuits de Cabiria, Bobosse, l'Amant de cinq jours, Orphée, le Testament d'Orphée, le Samouraï, le Cercle rouge, l'Attentat, Dr Françoise Gailland, Police Python 357, le Battant, Lacenaire.

Philipe (Gérard) (1922-59) : l'Idiot, le Diable au corps, Une si jolie petite plage, la Beauté du Diable, la Chartreuse de Parme, Fanfan la Tulipe, Belles de nuit, les Orgueilleux, Monsieur Ripois, le Rouge et le Noir, les Grandes Manœuvres, Montparnasse 19, les Liaisons dangereuses.

Piccoli (Michel) (1925) : le Doulos, le Mépris, la Curée, les Demoiselles de Rochefort, Belle de jour, Benjamin, l'Etau, les Choses de la vie, Max et les Ferrailleurs, la Poudre d'escampette, la Décade prodigieuse, l'Attentat, les Noces rouges, la Grande Bouffe, le Trio infernal, Vincent, François, Paul et les autres, 7 Morts sur ordonnance, Mado, l'Imprécateur, l'Etat sauvage, le Sucre, l'Homme de ma vie, Une étrange affaire, Espion lève-toi, la Passante du Sans-Souci, Passion, le Prix du danger, Viva la vie !, la Diagonale du fou, Péril en la demeure, Adieu Bonaparte, le Succès à tout prix, Partir revenir, Mon beau-frère a tué ma sœur, la Puritaine, l'Homme voilé, Maladie d'amour, Milou en mai.

Presle (Micheline) (Chassagne) (1922) : Paradis perdu, la Nuit fantastique, Falbalas, le Diable au corps, Guérillas, l'Amour d'une femme, Une fille pour l'été, l'Enquête de l'inspecteur Morgan, les Grandes Personnes, l'Amant de cinq jours, le Roi de cœur, la Religieuse, le Bal du comte d'Orgel, Peau d'âne, En haut des marches, Beau Temps mais orageux en fin de journée, le Chien, I Want to Go Home, Après, après demain, le Jour des rois.

Raimu (Jules) (Muraire) (1883-1946) : Marius, Fanny, César, Gribouille, la Femme du boulanger, la Fille du puisatier, les Inconnus dans la maison, le Colonel Chabert, l'Homme au chapeau rond.

Reggiani (Serge) (Italie, 1922) : Carrefour des enfants perdus, les Portes de la nuit, Manon, les Amants de Vérone, la Ronde, Casque d'or, les Misérables, le Doulos, les Aventuriers, Vincent, François, Paul et les autres, le Chat et la Souris, Une fille cousue de fil blanc, la Terrasse, Plein Fer.

Richard (Pierre) (1934) : le Distrait (+ réalis. 1970), les Malheurs d'Alfred (+ réalis.), le Grand Blond avec une chaussure noire, Je sais rien mais je dirai tout (+ réalis.), La moutarde me monte au nez, le Retour du grand blond, la Course à l'échalote, Je suis timide mais je me soigne (+ réalis.), la Carapate, C'est pas moi, c'est lui (+ réal.), le Coup du parapluie, la Chèvre, les Compères, le Jumeau, les Fugitifs, Mangeclous, On peut toujours rêver (+ réal).

Riva (Emmanuelle) (1927) : Hiroshima mon amour, Léon Morin prêtre, Climats, Thérèse Desqueyroux, Thomas l'imposteur, les Risques du métier, les Portes de feu, le Diable au cœur, les Jeux de la comtesse Dolingen de Gratz.

Robinson (Madeleine) (Svoboda) (1917) : le Mioche, Lumière d'été, Douce, Sortilèges, les Chouans, Une si jolie petite plage, Dieu a besoin des hommes, le Garçon sauvage, l'Affaire Mauritzius, les Louves, la Bonne Tisane, la Croix des vivants, le Procès, le Petit Matin, Une histoire simple, Corps à cœur, J'ai épousé une ombre, Camille Claudel.

Rochefort (Jean) (1930) : Cartouche, l'Héritier, Salut l'artiste, Que la fête commence, l'Horloger de Saint-Paul, Calmos, Un éléphant ça trompe énormément, Nous irons tous au paradis, le Crabe-Tambour, le Cavaleur, Courage fuyons, Chère Inconnue, Il faut tuer Birgitt Haas, Un dimanche de flics, Réveillon chez Bob, l'Ami de Vincent, Frankenstein 90, David, Thomas et les autres, le Moustachu, Tandem, Je suis le seigneur du château, le Mari de la coiffeuse.

Ronet (Maurice) (Robinet) (1927-83) : Rendez-vous de juillet, Ascenseur pour l'échafaud, Plein Soleil, le Feu follet, la Longue Marche, la Ligne de démarcation, le Scandale, la Piscine, Raphaël ou le Débauché, les Galets d'Etretat, Don Juan, Nuit d'or, Bartleby (réalis.), Beau-Père.

Rosay (Françoise) (Bandy de Nalèche, Mme Jacques Feyder) (1881-1974) : *Crainquebille, les Deux Timides, Madame Récamier,* le Procès de Mary Dugan, le Rosier de Mme Husson, le Grand Jeu, Pension Mimosas, la Kermesse héroïque, Jenny, Drôle de drame, Un carnet de bal, la Symphonie des brigands, Macadam, l'Auberge rouge, la Reine Margot, le Joueur.

Sanda (Dominique) (1951) : Une femme douce, le Conformiste, le Jardin des Finzi-Contini, Violence et Passion, l'Héritage, 1900, les Ailes de la colombe, Une chambre en ville, Poussière d'empire, le Matelot 512, les Mendiants.

Serrault (Michel) (1928) : les Diaboliques (1954), Assassins et Voleurs, le Roi de cœur, le Viager, la Cage aux folles, l'Argent des autres, Buffet froid, Malevil, Garde à vue, les Fantômes du chapelier, Deux heures moins le quart avant Jésus-Christ, Mortelle Randonnée, le Bon Plaisir, A mort l'arbitre, Liberté, égalité, choucroute, les Rois du gag, On ne meurt que deux fois, Mon beau-frère a tué ma sœur, le Miraculé, Ennemis intimes, En toute innocence, Ne réveillez pas un flic qui dort, Comédie d'amour, Docteur Petiot (1990).

Signoret (Gabriel) (1872-1937) : *Britannicus, Mères françaises, le Torrent, Bouclette, la Cigarette, le Silence, Pour Don Carlos, le Rêve, le Père Goriot, Jocaste,* Veillée d'armes, le Coupable, les Hommes nouveaux, Messieurs les ronds-de-cuir, la Danseuse rouge.

Signoret (Simone) (Kaminker) (All., 1921-85) : Dédée d'Anvers, Manèges, Casque d'or, Thérèse Raquin, les Diaboliques, la Mort en ce jardin, les Sorcières de Salem, les Chemins de la haute ville, le Diable à trois, l'Aveu, le Chat, la Veuve Couderc, la Chair de l'orchidée, Police Python 357, la Vie devant soi, l'Adolescente, Chère Inconnue, l'Etoile du Nord, Guy de Maupassant.

Simon (Michel) (François Simon) (Suisse, 1895-1975) : *Tire-au-flanc,* Jean de la Lune, la Chienne, Boudu sauvé des eaux, l'Atalante, Drôle de drame, Quai des Brumes, la Beauté du Diable, la Poison, Les trois font la paire, le Vieil Homme et l'Enfant (1966), Blanche (1971), la Plus Belle Soirée de ma vie (1972), le Boucher, la Star et l'Orpheline (1975), l'Ibis rouge (1975).

Simon (Simone) (1911) : Mam'zelle Nitouche, Prenez garde à la peinture, Lac aux dames, les Beaux Jours, Dortoir de jeunes filles (U.S.A.), la Bête humaine, Cavalcade d'amour, Tous les Biens de la Terre, la Féline, Mademoiselle Fifi (U.S.A.), Petrus, La Ronde, Olivia, le Plaisir, la Femme en bleu.

Trintignant (Jean-Louis) (1930) : Et Dieu créa la femme, les Liaisons dangereuses, Il Sorpasso, Un homme et une femme, Z, Ma nuit chez Maud, le Voyou, le Conformiste, Sans mobile apparent, l'Attentat, le Mouton enragé, l'Agression, Flic Story, la Femme du dimanche, le Désert des Tartares, les Passagers, Repérages, l'Argent des autres, le Maître nageur (+ réalis.), la Banquière, Malevil, Passion d'amour, Eaux profondes, Vivement dimanche !, la Crime, le Bon Plaisir, Viva la vie !, Under Fire, Partir revenir, la Femme de ma vie, Bunker Palace Hôtel, Merci la vie.

Vanel (Charles) (1892-1989) : *Jim Crow (1912), l'Atre, Pêcheur d'Islande (1924),* les Croix de bois, les Misérables (1933), le Grand Jeu, la Belle Equipe, Jenny, Courrier sud, S.O.S. Sahara, Bar du Sud, la Loi du Nord, Le ciel est à vous, le Salaire de la peur, la Mort en ce jardin, l'Aîné des Ferchaux, Ballade pour un chien, 7 Morts sur ordonnance, Cadavres exquis, Nuit d'or, le Chemin perdu, Trois Frères, les Saisons du plaisir.

Ventura (Lino) (Borrini) (1919-87) : Touchez pas au grisbi, le Chemin des écoliers, Classe tous risques, les Tontons flingueurs, les Barbouzes, le Rapace, l'Armée des ombres, Fantasia chez les ploucs, Cosa Nostra, le Silencieux, la Bonne Année, la Gifle, la Cage, Adieu poulet, Cadavres exquis, Un papillon sur l'épaule, l'Homme en colère, Garde à vue, Espion lève-toi, les Misérables, le Ruffian, la 7e Cible, Cent Jours à Palerme.

Vlady (Marina) (Poliakov) (1938) : Deux gosses en France, les Salauds vont en enfer, Crime et châtiment, Adorable menteuse, Sept Morts sur ordonnance, le Malade imaginaire, Twist again à Moscou.

Yanne (Jean) (Gouyé) (1933) : Erotissimo, Week-end, le Boucher, Que la bête meure, Nous ne vieillirons pas ensemble, l'Imprécateur, Armaguedon, la Raison d'Etat, Cayenne Palace, Fucking Fernand, Madame Bovary. *Acteur et réalisateur de :* Tout le monde il est beau, tout le monde il est gentil, Moi y'en a vouloir des sous, les Chinois à Paris, Chobizenesse, Je te tiens, tu me tiens par la barbichette, Deux Heures moins le quart avant Jésus-Christ, Liberté, égalité, choucroute.

Grande-Bretagne

Birkin (Jane) (1946) : Blow up, la Piscine, le Mouton enragé, La moutarde me monte au nez, 7 morts sur ordonnance, Je t'aime moi non plus, Mort sur le Nil, la Fille prodigue, Nestor Burma, l'Amour par terre, la Pirate, le Neveu de Beethoven, Dust, la Femme de ma vie, Comédie !, Jane B. par Agnès V., Kung-Fu Master, Daddy Nostalgie.

Bisset (Jacqueline) (1944) : Cul-de-sac, le Détective, Bullitt, Airport, Juge et Hors-la-loi, la Nuit américaine, le Magnifique, le Crime de l'Orient-Express, les Grands Fonds, l'Empire du Grec, Riches et célèbres, Au-dessous du volcan, la Maison de jade.

Bogarde (Dirk) (Derek Van den Bogaerde) (1920) : le Bal des adieux, The Servant, Pour l'exemple, Accident, Justice, les Damnés, Mort à Venise, le Serpent, Providence, Despair, Daddy Nostalgie.

Burton (Richard) (Jenkins) (1925-84) : Ma cousine Rachel, Amère Victoire, Cléopâtre, Beckett, l'Espion qui venait du froid, la Mégère apprivoisée, Boom, l'Assassinat de Trotsky, Barbe-Bleue, le Voyage, l'Homme du clan, l'Hérétique, Equus, les Oies sauvages, 1984.

Connery (Sean) (Thomas Connery) (1930) : le Jour le plus long, James Bond contre Dr No, Bons Baisers de Russie, Goldfinger, Les diamants sont éternels, Zardoz, le Crime de l'Orient-Express, Outland, Jamais plus jamais, Highlander, le Nom de la rose, les Incorruptibles, Indiana Jones et la dernière croisade, Family Business, la Maison Russie.

Greenwood (Joan) (1921-87) : Noblesse oblige, Whisky à gogo, l'Homme au complet blanc, Il importe d'être constant, Monsieur Ripois, Moonfleet, Tom Jones, Garou Garou, le Passe-Muraille (1951), Barbarella.

Guinness (Sir Alec) (1914) : Noblesse oblige, De l'or en barres, l'Homme au complet blanc, Tueurs de dames, le Pont de la rivière Kwaï, Notre agent à La Havane, les Fanfares de la gloire, Lawrence d'Arabie, Docteur Jivago, Cromwell, Un cadavre au dessert, le Petit Lord Fauntleroy, Krull, la Route des Indes.

Harrison (Rex) (Reginald Carey) (1908-90) : la Citadelle, l'Honorable M. Sans-Gêne, Infidèlement vôtre, Qu'est-ce que maman comprend à l'amour ?, My Fair Lady, la Puce à l'oreille, l'Escalier.

Howard (Trevor) (1916-88) : Brève Rencontre, le Troisième Homme, le Banni des îles, la Clé, les Racines du ciel, les Révoltés du Bounty (2e vers.), les Turbans rouges, la Bataille d'Angleterre, Superman, Gandhi.

Kerr (Deborah) (Kerr-Trimmer) (1921) : l'Étrange Aventurière, Tant qu'il y aura des hommes, Vivre un grand amour, Thé et Sympathie, Bonjour tristesse, les Innocents, la Nuit de l'iguane, l'Arrangement, The Anam Garden.

Laughton (Charles) (1899-1962) : la Vie privée d'Henri VIII, les Révoltés du Bounty, Quasimodo, le Procès Paradine, la Nuit du chasseur (réal. seulement), Témoin à charge, Spartacus, Tempête à Washington.

Leigh (Vivien) (Hartley) (Inde, 1913-67) : Autant en emporte le vent, Lady Hamilton, César et Cléopâtre, Anna Karenine, Un tramway nommé Désir, le Visage du plaisir, la Nef des fous.

Mason (James) (1909-84) : Huit Heures de sursis, Madame Bovary, l'Homme de Berlin, l'Affaire Cicéron, Une étoile est née, Derrière le miroir, la Mort aux trousses, Lolita, Georgy Girl, la Mouette, Mandingo, Jésus de Nazareth, la Partie de chasse.

Niven (David) (1909-83) : La lune était bleue, le Tour du monde en 80 jours, la Petite Hutte, Bonjour tristesse, Tables séparées, Une fille très avertie, les 55 jours de Pékin, Lady L., Prudence et la pilule, Un cadavre au dessert, Mort sur le Nil, Ménage à trois.

Olivier (Lord Laurence) (1907-89) : les Hauts de Hurlevent, Rebecca, Henry V, Hamlet, Richard III, le Prince et la Danseuse, Spartacus, le Cabotin, Bunny Lake a disparu, Khartoum, les Souliers de St Pierre, les Trois Sœurs, le Limier, Marathon Man, Jésus de Nazareth, I Love You, je t'aime, le Bounty.

Rampling (Charlotte) (1946) : les Damnés, Zardoz, Portier de nuit, la Chair de l'orchidée, Adieu ma jolie, Un taxi mauve, Orca, Stardust Memories, Viva la vie !, On ne meurt que deux fois, Max, mon amour, Mort à l'arrivée.

Redgrave (Michael) (1908-85) : Une femme disparaît, Au cœur de la nuit, le Deuil sied à Électre, l'Ombre d'un homme, Il importe d'être constant, M. Arkadin, Temps sans pitié, Un Américain bien tranquille.

Sellers (Peter) (1925-80) : Tueurs de dames, Lolita, la Panthère rose, Docteur Folamour, Quoi de neuf Pussycat ? Un cadavre au dessert, Bienvenue Mr. Chance, A la recherche de la panthère rose.

Simmons (Jean) (1929) : les Grandes Espérances, Hamlet, Un si doux visage, les Grands Espaces, Spartacus, Elmer Gantry, Ailleurs l'herbe est plus verte, Violence à Jéricho.

Ustinov (Peter) (1921) : l'Héroïque Parade, Quo Vadis ?, l'Égyptien, Lola Montès, l'Espion, Spartacus, Billy Bud (+ réalis.), les Comédiens, Un taxi mauve, Jésus de Nazareth, Mort sur le Nil, le Voleur de Bagdad, Rendez-vous avec la mort.

Irlande

O'Toole (Peter Seamus) (1932) : Lawrence d'Arabie, Becket, Lord Jim, Quoi de neuf Pussycat ?, la Bible, Comment voler un million de dollars, la Nuit des généraux, la Grande Catherine, Rosebud, Caligula, Creator, le Dernier Empereur.

Italie

Bose (Lucia) (1931) : Chronique d'un amour, Pâques sanglantes, Onze heures sonnaient, les Fiancés de Rome, la Dame sans camélias, Mort d'un cycliste, Cela s'appelle l'Aurore, Satyricon, Lumière, Metello, Vertige.

Cardinale (Claudia) (Tunisie, 1939) : le Bel Antonio, la Fille à la valise, la Viaccia, Cartouche, le Guépard, Huit et demi, les Indifférents, la Ragazza, Sandra, les Centurions, les Professionnels, Il était une fois dans l'Ouest, les Pétroleuses, l'Audience, la Peau, le Ruffian, l'Été prochain, Fitzcarraldo, Claretta, la Storia.

Cervi (Gino) (1901-74) : Quatre Pas dans les nuages, Fabiola, le Petit Monde de Don Camillo, Christ interdit, Une fille nommée Madeleine, la Dame sans camélias, Sans famille.

De Sica (Vittorio) (1901-74) : Demain il sera trop tard, Pain Amour et Fantaisie, Pain Amour et Jalousie, Heureuse Époque, le Bigame, l'Adieu aux armes, Noces vénitiennes, le Général Della Rovere, les Souliers de St Pierre.

Gassman (Vittorio) (1922) : Riz amer, Anna, Mambo, le Pigeon, la Grande Guerre, le Fanfaron, Au nom du peuple italien, Parfum de femme, Nous nous sommes tant aimés, le Désert des Tartares, Âmes perdues, Un mariage, Quintette, Cher Papa, le Petit Juge, la Terrasse, La vie est un roman, De père en fils, Benvenuta, le Pouvoir du mal, la Famille.

Lollobrigida (Gina) (1927) : Fanfan la Tulipe, la Provinciale, les Belles de nuit, la Belle Romaine, Plus fort que le diable, Notre-Dame de Paris, Trapèze, la Loi, Salomon et la Reine de Saba, la Femme de paille, Cervantès, le Cascadeur.

Loren (Sophia) (Scicolone) (1934) : l'Or de Naples, la Fille du fleuve, la Cité disparue, la Clé, la Diablesse en collant rose, la Ciociara, Boccace 70, Lady L., la Comtesse de Hong Kong, l'Homme de la Manche, Verdict, le Voyage, Une journée particulière, D'amour et de sang, l'Arme au poing (1980).

Lualdi (Antonella) (Liban, 1931) : Chronique des pauvres amants, le Rouge et le Noir, les Jeunes Maris, Une vie, A double tour, Les Garçons, Vincent, François, Paul et les autres (1974).

Magnani (Anna) (Égypte, 1908-73) : Rome ville ouverte, le Bandit, Vulcano, le Carrosse d'or, Bellissima, Car sauvage est le vent, Larmes de joie.

Mangano (Silvana) (1930-89) : Riz amer, Anna, Hommes et Loups, Barrage contre le Pacifique, la Tempête, Cinq Femmes marquées, Chacun son alibi, Procès de Vérone, Œdipe roi, les Sorcières, Théorème, Mort à Venise, Médée, le Decameron, Violence et Passion, les Yeux Noirs.

Masina (Giulietta) (1921) : la Strada, Il Bidone, les Nuits de Cabiria, Fortunella, l'Enfer dans la ville, la Grande Vie, Juliette des Esprits, Frau Holle (1985), Ginger et Fred (1986), Aujourd'hui peut-être (1991).

Mastroianni (Marcello) (1924) : Jours d'amour, le Bigame, Nuits blanches, la Loi, le Pigeon, la Dolce Vita, la Nuit, le Bel Antonio, Vie privée, Divorce à l'italienne, Huit et demi, l'Étranger, Leo the last, Drame de la jalousie, Liza, Salut l'artiste, Allonsanfan, la Femme du dimanche, Todo modo, Une journée particulière, la Cité des femmes, la Terrasse, la Peau, la Nuit de Varennes, Histoire de Piera, Ginger et Fred, Macaroni, les Yeux noirs, Miss Arizona, Splendor.

Podesta (Rossana) (Libye, 1934) : La Red, Ulysse, Hélène de Troie, Santiago, Sodome et Gomorrhe, Un prêtre à marier (1971).

Sordi (Alberto) (1920) : les Vitelloni, la Belle de Rome, Fortunella, la Grande Guerre, la Grande Pagaille, Une vie difficile, l'Argent de la vieille, Le marquis s'amuse.

Valli (Alida) (Altenburger) (Yougoslavie, 1921) : Les miracles n'ont lieu qu'une fois, le Troisième Homme, Senso, le Cri, Barrage contre le Pacifique, les Bijoutiers du clair de lune, les Yeux sans visage, le Dialogue des Carmélites, la Chair de l'orchidée, Mort à Venise, 1900, Un bourgeois tout petit petit.

Vallone (Raf) (1916) : Riz amer, le Christ interdit, Thérèse Raquin, la Pensionnaire, le Secret de sœur Angèle, Rose, la Vengeance, la Ciociara, Vu du pont, Retour à Marseille.

Vitti (Monica) (Maria Luisa Ceciarelli) (1931) : l'Avventura, la Nuit, l'Éclipse, le Désert rouge, Modesty Blaise, Drame de la jalousie, Moi la femme, le Fantôme de la liberté, Chambre d'hôtel.

Volonte (Gian Maria) (1933) : Pour une poignée de dollars, le Cercle rouge, Enquête sur un citoyen au-dessus de tout soupçon, l'Affaire Mattei, l'Attentat, Lucky Luciano, le Soupçon, Todo modo, Le Christ s'est arrêté à Eboli, la Dame aux camélias, la Mort de Mario Ricci, Chronique d'une mort annoncée, Un enfant de Calabre, l'Œuvre au noir.

Suède

Anderson (Harriet) (1932) : Monika, la Nuit des forains, Rêves de femmes, les Amoureux, Sophie de 6 à 9, Cris et Chuchotements, Fanny et Alexandre.

Andersson (Bibi) (1935) : le 7e Sceau, les Fraises sauvages, Au seuil de la vie, le Visage, Sourires d'une nuit d'été, Ma sœur mon amour, Persona, le Viol, la Lettre du Kremlin, Une passion, le Lien, Quintette, le Dernier Été (1984).

Bergman (Ingrid) (1915-82) naturalisée amér. : voir p. 475.

Björnstrand (Gunnar) (1909-86) : l'Attente des femmes, Une leçon d'amour, Rêves de femmes, Sourires d'une nuit d'été, le 7e Sceau, les Fraises sauvages, le Visage, les Communiants, les Amoureux, le Rite, Persona, Sonate d'automne, Fanny et Alexandre.

Dahlbeck (Eva) (1920) : Une leçon d'amour, Rêves de femmes, Sourires d'une nuit d'été, Au seuil de la vie.

Garbo (Greta Louisa) [Gustafsson] (1905-90) naturalisée amér. : voir p. 476.

Jacobson (Ulla) (1929-82) : Elle n'a dansé qu'un seul été, Sourires d'une nuit d'été, Crime et Châtiment, Zoulou, le Droit du plus fort.

Sydow (Max von) (1929) : le 7e Sceau, Au seuil de la vie, le Visage, la Source, les Communiants, l'Heure du loup, la Honte, Une passion, le Lien, les Émigrants, le Nouveau Monde, le Loup des steppes, l'Exorciste, Cadavres exquis, le Désert des Tartares, Cœur de chien, l'Hérétique, Hurricane, la Mort en direct, Flash Gordon, Dune, Dreamscape, Pelle le conquérant, l'Éveil.

Thulin (Ingrid) (1929) : l'Énigmatique Monsieur D., les Fraises sauvages, Au seuil de la vie, le Visage, les 4 Cavaliers de l'Apocalypse, le Silence, les Communiants, La guerre est finie, l'Heure du loup, Adélaïde, les Damnés, le Rite, Cris et Chuchotements, la Cage, le Pont de Cassandra, Un et un, Après la répétition.

Ullman (Liv) (1938, Tōkyō) : Persona, l'Heure du loup, la Honte, Une passion, Cris et Chuchotements, les Émigrants, Face à Face, l'Œuf du serpent, la Diagonale du fou, Pourvu que ce soit une fille, Un printemps sous la neige, Adieu Moscou.

Principaux films

1895. *l'Arroseur arrosé.* Louis Lumière[1].

1902. *le Voyage dans la lune.* Georges Méliès[1].

1908. *l'Assassinat du duc de Guise.* André Calmettes (Charles Le Bargy, Albert Lambert, Gabrielle Robinne)[1].

1912. *les Misérables.* Albert Capellani (Henry Kraus, Gabriel de Gravone, Marie Ventura, Mistinguett)[1]. *Quo Vadis ?* Enrico Guazzoni[2].

1913. *Protéa.* Victorin Jasset (Josette Andriot, Camille Bardou)[1]. *Cabiria.* Giovanni Pastrone (Italia Amirante Manzini, Lydia Quaranta, Bartolomeo Pagano alias Maciste, Umberto Mazzotto)[2].

1914. *Fantômas.* Louis Feuillade (René Navarre, Renée Carl, Bréon, Georges Melchior, Yvette Andreyor)[1].

1915. *les Vampires.* Louis Feuillade (Musidora, Jean Aymé, Edouard Mathé, Marcel Levesque)[1]. *Forfaiture.* Cecil B. De Mille (Fanny Ward, Sessue Hayakawa)[3]. *les Mystères de New York.* Louis Gasnier et Donald MacKenzie (Pearl White, Arnold Daly, Creighton Hale, Warner Oland)[3]. *Naissance d'une nation.* David Wark Griffith (Lillian Gish, Mae Marsh, Robert Harron, Miriam Cooper, Wallace Reid, Sam De Grasse, H.-B. Walthall)[3].

1916. *Intolérance.* David W. Griffith (Lillian Gish, Constance Talmadge, Elmer Clifton, Seena Owen, Bessie Love, Mae Marsh, Robert Harron, Sam De Grasse, Erich von Stroheim, Monte Blue)[3]. *Pour sauver sa race.* Thomas H. Ince et Reginald Barker (William S. Hart, Bessie Love)[3]. *Carmen du Klondyke.* Thomas H. Ince et Reginald Barker (William S. Hart, Dorothy Dalton)[3].

1917. *Judex.* Louis Feuillade (Musidora, René Çresté, Marcel Levesque, Yvette Andreyor, Édouard Mathé, Georges Flateau)[1]. *Mater Dolorosa.* Abel Gance (Firmin Gémier, Emmy Lynn, Armand Tallier, Gaston Modot)[1]. *les Proscrits.* Victor Sjöström (Victor Sjöström, Edith Erastoff)[4].

1918. *Charlot soldat.* Charlie Chaplin (Charlie Chaplin, Sydney Chaplin, Henry Bergman)[3]. *l'Homme aux yeux clairs.* Lambert Hillyer (William S. Hart, Maud George)[3].

1919. *la Fête espagnole.* Germaine Dulac (Ève Francis, Jean Toulout, Gaston Modot)[1]. *J'accuse.* Abel Gance (Séverin Mars, Romuald Joubé, Marise Dauvray)[1]. *Travail.* Henri Ponctal (Léon Mathot, Huguette Duflos, Raphaël Duflos, Camille Bert, Andrée Brabant)[1]. *le Cabinet du Docteur Caligari.* Robert Wiene (Werner Krauss, Lil Dagover, Conrad Veidt)[5]. *le Trésor d'Arne.* Mauritz Stiller (Mary Johnson, Richard Lund)[4]. *le Lys brisé.* David W. Griffith (Lillian Gish, Donald Crisp, Richard Barthelmess)[3].

1920. *la Charrette fantôme.* Victor Sjöström (Victor Sjöström, Hilda Borgström)[4]. *le Kid.* Charlie Chaplin (Charlie Chaplin, Jackie Coogan)[3].

1921. *l'Atlantide.* Jacques Feyder (Stacia Napierkowska, Georges Melchior, Jean Angelo, Marie-

Louise Iribe)[1]. *El Dorado.* Marcel L'Herbier (Ève Francis, Jaque-Catelain, Philippe Hériat, Marcelle Pradot)[1]. *Fièvre.* Louis Delluc (Ève Francis, Edmond Van Daele, Gaston Modot, Elena Sagrary, Footit)[1]. *la Terre.* André Antoine (René Alexandre, Jean Hervé, Berthe Bovy, Germaine Rouer)[1]. *la Femme du pharaon.* Ernst Lubitsch (Emil Jannings, Paul Wegener, Lydia Salmonowa)[5]. *les Trois Lumières.* Fritz Lang (Bernhard Goetzke, Lil Dagover, Rudolf Klein-Rogge)[5]. *le Dernier des Mohicans.* Maurice Tourneur (Wallace Beery, Lillian Hall, Barbara Bedford)[3]. *les Quatre Cavaliers de l'Apocalypse.* Rex Ingram (Rudolph Valentino, Alice Terry, Wallace Beery)[3].

1922. *la Femme de nulle part.* Louis Delluc (Ève Francis, Roger Karl, Gine Avril)[1]. *la Roue.* Abel Gance (Séverin Mars, Ivy Close, Gabriel de Gravone)[1]. *le Docteur Mabuse.* Fritz Lang (Rudolf Klein-Rogge, Alfred Abel)[5]. *Nosferatu le vampire.* Friedrich Wilhelm Murnau (Max Schreck, Alexander Granach, Greta Schroeder)[5]. *les Deux Orphelines.* David W. Griffith (Lillian et Dorothy Gish, Joseph Schildkraut, Monte Blue)[3]. *Folies de femmes.* Erich von Stroheim (Erich von Stroheim, Mae Busch, Maud George)[3]. *Nanouk l'Esquimau.* Robert Flaherty. Documentaire[3]. *Robin des Bois.* Allan Dwan (Douglas Fairbanks, Wallace Beery, Enid Bennett, Sam De Grasse)[3].

1923. *les Nibelungen* (I. *La Mort de Siegfried ;* II. *la Vengeance de Kriemhilde*). Fritz Lang (Paul Richter, Margarethe Schön, Theodor Loos, Bernhard Goetzke, Rudolf Klein-Rogge)[5]. *la Légende de Gösta Berling.* Mauritz Stiller (Lars Hanson, Greta Garbo)[4]. *l'Opinion publique.* Charlie Chaplin (Edna Purviance, Adolphe Menjou)[3]. *Salomé.* Charles Bryant (Alla Nazimova)[3].

1924. *Entracte.* René Clair (Jean Borlin, Picabia, Man Ray, Marcel Duchamp, Marcel Achard, Touchagues)[1]. *le Dernier des hommes.* Friedrich W. Murnau (Emil Jannings, Maly Delschaft)[5]. *la Croisière du Navigator.* Buster Keaton et Donald Crisp (Buster Keaton, Kathryn McGuire)[3]. *les Rapaces.* Erich von Stroheim (Zazu Pitts, Gibson Gowland, Jean Hersholt)[3]. *le Voleur de Bagdad.* Raoul Walsh (Douglas Fairbanks, Anna May Wong)[3].

1925. *Feu Mathias Pascal.* Marcel L'Herbier (Ivan Mosjoukine, Marcelle Pradot, Pierre Batcheff, Philippe Hériat, Michel Simon, Jean Hervé, Loïs Moran, Pauline Carton)[1]. *la Rue sans joie.* Georg Wilhelm Pabst (Werner Krauss, Asta Nielsen, Greta Garbo, Valeska Gert, Ivan Petrovitch)[5]. *Tartuffe.* Friedrich W. Murnau (Emil Jannings, Lil Dagover, Werner Krauss)[5]. *Variétés.* Ewald-André Dupont (Emil Jannings, Lya de Putti, Warwick Ward, les Codonas)[5]. *le Cuirassé Potemkine.* Serge Mikhaïlovitch Eisenstein (A. Antonov, G. Alexandrov, V. Barsky)[6]. *la Ruée vers l'or.* Charlie Chaplin (Charlie Chaplin, Georgia Hale, Mack Swain)[3].

1926. *Nana.* Jean Renoir (Catherine Hessling, Werner Krauss, Jean Angelo, Valeska Gert)[1]. *Faust.* Friedrich W. Murnau (Emil Jannings, Camilla Horn, Gösta Ekman, Yvette Guilbert)[5]. *Metropolis.* Fritz Lang (Brigitte Helm, Alfred Abel, Rudolf Klein-Rogge, Gustav Froelich, Heinrich George)[5]. *la Mère.* Vsevolod Poudovkine (Vera Baranowskaïa)[6]. *le Mécano de la « Générale ».* Buster Keaton et Clyde Bruckman (Buster Keaton, Jim Farley)[3]. *Ben Hur.* Fred Niblo (Ramon Novarro, May MacAvoy, Betty Bronson)[3].

1927. *Un chapeau de paille d'Italie.* René Clair (Albert Préjean, Olga Tchekowa, Alice Tissot, Jim Gérald)[1]. *Napoléon.* Abel Gance (Albert Dieudonné, Antonin Artaud, Edmond Van Daele, Philippe Hériat, Abel Gance, Gina Manès, Annabella, Damia, Eugénie Buffet, Suzanne Bianchetti)[1]. *Loulou.* Georg W. Pabst (Louise Brooks, Fritz Kortner, Franz Lederer, Gustav Diessl)[5]. *Octobre.* Serge M. Eisenstein (Nikandrov, N. Popov, B. Livanov)[6]. *l'Aurore.* Friedrich W. Murnau (Janet Gaynor, George O'Brien, Margaret Livingstone)[3]. *Symphonie nuptiale.* Erich von Stroheim (Erich von Stroheim, Fay Wray, Zasu Pitts, Maud George)[3]. *Une fille dans chaque port.* Howard Hawks (Louise Brooks, Victor MacLaglen, Robert Armstrong)[3].

1928. *la Passion de Jeanne d'Arc.* Carl Theodor Dreyer (Falconetti, Sylvain, Antonin Artaud, Michel Simon)[1]. *Tempête sur l'Asie.* Vsevolod Poudovkine (Valeri Inkijinoff, Anna Soudakevitch)[6]. *la Foule.* King Vidor (Eleanor Boardman, James Murray)[3]. *Solitude.* Paul Féjos (Glen Tryon, Barbara Kent)[3]. *le Vent.* Victor Sjöström (Lillian Gish, Lars Hanson, Dorothy Cummings)[3].

1929. *l'Argent.* Marcel L'Herbier (Brigitte Helm, Alcover, Alfred Abel, Marie Glory, Antonin Artaud, Yvette Guilbert)[1]. *le Train mongol.* Ilya Trauberg[6]. *Broadway Melody.* Harry Beaumont (Bessie Love, Anita Page, Charles King)[3]. *Hallelujah.* King Vidor (Daniel Haynes, Nina Mae McKinney)[3]. *Parade d'amour.* Ernst Lubitsch (Maurice Chevalier, Jeanette MacDonald, Lupino Lane)[3].

1930. *Sous les toits de Paris.* René Clair (Albert Préjean, Pola Illery, Gaston Modot, Aimos)[1]. *la Terre.* Alexandre Dovjenko (Julia Solntseva, Semion Svachenko)[6]. *l'Ange bleu.* Josef von Sternberg (Marlene Dietrich, Emil Jannings, Hans Albers)[5]. *Cœurs brûlés (Morocco).* Josef von Sternberg (Marlene Dietrich, Gary Cooper, Adolphe Menjou)[3]. *les Lumières de la ville.* Charlie Chaplin (Virginia Cherrill)[3].

1931. *la Chienne.* Jean Renoir (Michel Simon, Janie Marèze, Georges Flamant)[1]. *le Million.* René Clair (Annabella, René Lefèvre, Vanda Gréville)[1]. *Jeunes Filles en uniforme.* Léontine Sagan (Hertha Thiele, Dorothea Wieck)[5]. *M, le Maudit.* Fritz Lang (Peter Lorre, Gustaf Gründgens, Theo Lingen)[5]. *l'Opéra de quat'sous.* Georg W. Pabst (Albert Préjean, Florelle, Margo Lion, Antonin Artaud, Gaston Modot)[5]. *Frankenstein.* James Whale (Boris Karloff, Colin Clive)[3]. *Tabou.* Friedrich W. Murnau et Robert J. Flaherty (Anna Chevalier, Bill Bambridge)[3].

1932. *Boudu sauvé des eaux.* Jean Renoir (Michel Simon, Charles Granval, Marcelle Hainia)[1]. *la Croisière jaune.* André Sauvage. Documentaire[1]. *Zéro de conduite.* Jean Vigo (Jean Dasté, Delphin, Léon Larive)[1]. *Liebelei.* Max Ophuls (Magda Schneider, Luise Ullrich, Wolfgang Liebeneiner, Gustaf Gründgens, Olga Tchekowa)[7]. *Scarface.* Howard Hawks (Paul Muni, George Raft, Ann Dvorak, Karen Morley, Boris Karloff)[3]. *Voyage sans retour.* Tay Garnett (Kay Francis, William Powell)[3].

1933. *le Jeune Hitlérien Quex.* Hans Steinhoff (Heinrich George, Claus Clausen, Hans Deppe)[5]. *Extase.* Gustav Machaty (Heddy Kiesler : Hedy Lamarr)[8]. *l'Homme invisible.* James Whale (Claude Rains, Gloria Stuart, Una O'Connor)[3]. *Sérénade à trois.* Ernst Lubitsch (Gary Cooper, Fredric March, Miriam Hopkins)[3]. *Soupe au canard.* Leo MacCarey (les Marx Brothers, Margaret Dumont)[3].

1934. *Angèle.* Marcel Pagnol (Orane Demazis, Fernandel, Andrex, Jean Servais)[1]. *le Roman d'un tricheur.* Sacha Guitry (Sacha Guitry, Marguerite Moreno, Rosine Deréan, Pauline Carton)[1]. *l'Atalante.* Jean Vigo (Michel Simon, Dita Parlo, Jean Dasté, Gilles Margaritis)[1]. *l'Impératrice rouge.* Josef von Sternberg (Marlene Dietrich, John Lodge, Sam Jaffe)[3]. *New York-Miami.* Frank Capra (Clark Gable, Claudette Colbert)[3].

1935. *le Crime de M. Lange.* Jean Renoir (Jules Berry, Florelle, René Lefèvre, Nadia Sibirskaïa)[1]. *la Kermesse héroïque.* Jacques Feyder (Françoise Rosay, Alerme, Jean Murat, Louis Jouvet)[1]. *la Bandera.* Julien Duvivier (Jean Gabin, Annabella, Aimos, Robert Le Vigan, Pierre Renoir)[1]. *les Trente-Neuf Marches.* Alfred Hitchcock (Madeleine Carroll, Robert Donat)[9]. *Anna Karenine.* Clarence Brown (Greta Garbo, Fredric March, Basil Rathbone)[3]. *Peter Ibbetson.* Henry Hathaway (Gary Cooper, Ann Harding)[3]. *les Révoltés du Bounty.* Frank Lloyd (Charles Laughton, Clark Gable, Franchot Tone)[3]. *les Temps modernes.* Charlie Chaplin (Charlie Chaplin, Paulette Goddard)[3]. *Toute la ville en parle.* John Ford (Edward G. Robinson, Jean Arthur, Donald Meek)[3]. *les Trois Lanciers du Bengale.* Henry Hathaway (Gary Cooper, Franchot Tone, Richard Cromwell)[3].

1936. *Fantôme à vendre.* René Clair (Robert Donat, Jean Parker, Eugene Pallette)[9]. *la Charge de la brigade légère.* Michael Curtiz (Errol Flynn, Olivia De Havilland, David Niven)[3]. *le Roman de Marguerite Gautier.* George Cukor (Greta Garbo, Robert Taylor, Lionel Barrymore)[3].

1937. *la Grande Illusion.* Jean Renoir (Pierre Fresnay, Jean Gabin, Dita Parlo, Erich von Stroheim, Dalio, Carette)[1]. *Blanche-Neige et les Sept Nains.* Walt Disney. Dessin animé[3]. *Cette sacrée vérité.* Leo McCarey (Irene Dunne, Cary Grant)[3]. *Pépé-le-Moko ;* Julien Duvivier (Jean Gabin, Mireille Balin, Marcel Dalio, Charpin)[1].

1938. *la Bête humaine.* Jean Renoir (Jean Gabin, Simone Simon, Carette, Fernand Ledoux)[1]. *les Dieux du stade.* Leni Riefenstahl. Documentaire[5]. *Alexandre Nevsky.* Serge M. Eisenstein (Nicolas Tcherkassoff)[6]. *les Anges aux figures sales.* Michael Curtiz (James Cagney, Pat O'Brien, Humphrey Bogart)[3]. *l'Insoumise.* William Wyler (Bette Davis, Henry Fonda, George Brent)[3]. *le Quai des Brumes.* Marcel Carné (Jean Gabin, Michèle Morgan, Michel Simon, Pierre Brasseur, Robert Le Vigan)[1].

1939. *l'Espoir.* André Malraux (Andrés Mejuto, Nicolas Rodriguez, Julio Pena)[1]. *le Jour se lève.* Marcel Carné (Jean Gabin, Jules Berry, Arletty)[1]. *Paradis perdu.* Abel Gance (Fernand Gravey, Micheline Presle, Elvire Popesco, Robert Le Vigan)[1]. *la Règle du jeu.* Jean Renoir (Nora Grégor, Paulette Dubost, Mila Parély, Dalio, Carette, Roland Toutain, Gaston Modot, Jean Renoir)[1]. *Autant en emporte le vent.* Victor Fleming, Sam Wood et George Cukor (Vivien Leigh, Clark Gable, Leslie Howard, Olivia De Havilland)[3]. *la Chevauchée fantastique.* John Ford (John Wayne, Claire Trevor, John Carradine, Thomas Mitchell)[3]. *les Hauts de Hurlevent.* William Wyler (Laurence Olivier, Merle Oberon, David Niven)[3]. *Ninotchka.* Ernst Lubitsch (Greta Garbo, Melvyn Douglas, Bela Lugosi)[3]. *Seuls les anges ont des ailes.* Howard Hawks (Cary Grant, Jean Arthur, Richard Barthelmess, Rita Hayworth)[3].

1940. *la Fille du puisatier.* Marcel Pagnol (Raimu, Fernandel, Josette Day)[1]. *le Juif Süss.* Veit Harlan (Ferdinand Marian, Kristina Söderbaum, Werner Krauss, Heinrich George)[5]. *le Dictateur.* Charlie Chaplin (Charlie Chaplin, Paulette Goddard, Jack Oakie)[3]. *les Raisins de la colère.* John Ford (Henry Fonda, John Carradine, Jane Darwell)[3]. *Citizen Kane.* Orson Welles (Orson Welles, Joseph Cotten, Agnes Moorehead, Dorothy Comingore)[3].

1941. *le Faucon maltais.* John Huston (Humphrey Bogart, Mary Astor, Peter Lorre)[3]. *Qu'elle était verte ma vallée.* John Ford (Walter Pidgeon, Maureen O'Hara, Donald Crisp)[3]. *la Vipère.* William Wyler (Bette Davis, Herbert Marshall, Teresa Wright)[3].

1942. *Lumière d'été.* Jean Grémillon (Madeleine Renaud, Pierre Brasseur, Paul Bernard, Madeleine Robinson)[1]. *les Visiteurs du soir.* Marcel Carné (Arletty, Jules Berry, Marie Déa, Alain Cuny, Marcel Herrand)[1]. *Ossessione.* Luchino Visconti (Clara Calamai, Massimo Girotti)[2]. *Pourquoi nous combattons.* Frank Capra, Anatole Litvak, John Huston. Documentaires (série)[3]. *la Splendeur des Amberson.* Orson Welles (Joseph Cotten, Anne Baxter, Dolores Costello)[3]. *To Be or Not to Be.* Ernst Lubitsch (Carole Lombard, Jack Benny, Robert Stack)[3].

1943. *les Anges du péché.* Robert Bresson (Renée Faure, Jany Holt, Sylvie, Mila Parély)[1]. *le Corbeau.* Henri-Georges Clouzot (Pierre Fresnay, Ginette Leclerc, Pierre Larquey, Micheline Francey)[1]. *Douce.* Claude Autant-Lara (Odette Joyeux, Madeleine Robinson, Marguerite Moreno, Jean Debucourt)[1]. *Goupi Mains-rouges.* Jacques Becker (Fernand Ledoux, Blanchette Brunoy, Robert Le Vigan, Georges Rollin)[1]. *Dies irae.* Carl. Th. Dreyer (Lisbeth Movin, Thorkild Rosse)[10]. *Air Force.* Howard Hawks (John Garfield, Harry Carey)[3]. *Casablanca.* Michael Curtiz (Ingrid Bergman, Humphrey Bogart, Paul Henreid, Peter Lorre, Conrad Veidt)[3]. *l'Ombre d'un doute.* Alfred Hitchcock (Joseph Cotten, Teresa Wright)[3].

1944. *les Enfants du paradis.* Marcel Carné (Arletty, Jean-Louis Barrault, Pierre Brasseur, Maria Casarès, Marcel Herrand, Louis Salou, Pierre Renoir, Jane Marken)[1]. *Henry V.* Laurence Olivier (Laurence Olivier, Renée Asherson)[9]. *Ivan le Terrible.* Serge M. Eisenstein (Nicolas Tcherkassoff)[6]. *Assurance sur la mort.* Billy Wilder (Barbara Stanwyck, Edward G. Robinson, Fred MacMurray)[3]. *Laura.* Otto Preminger (Gene Tierney, Dana Andrews, Clifton Webb)[3].

1945. *la Bataille du rail.* René Clément (interprètes non professionnels)[1]. *les Dames du Bois de Boulogne.* Robert Bresson (Maria Casarès, Élina Labourdette, Paul Bernard, Lucienne Bogaert)[1]. *Rome ville ouverte.* Roberto Rossellini (Marcello Pagliero, Anna Magnani, Aldo Fabrizi)[2]. *Brève Rencontre.* David Lean (Trevor Howard, Celia Johnson)[9].

1946. *la Belle et la Bête.* Jean Cocteau (Jean Marais, Josette Day, Mila Parély, Michel Auclair)[1]. *Paisa.* Roberto Rossellini (interprètes non professionnels)[2]. *les Grandes Espérances.* David Lean (Valerie Hobson, Jean Simmons, John Mills, Martita Hunt)[9]. *les Plus Belles Années de notre vie.* William Wyler (Fredric March, Myrna Loy, Teresa Wright, Dana Andrews)[3]. *le Grand Sommeil.* Howard Hawks (Humphrey Bogart, Lauren Bacall, Dorothy Malone)[3].

1947. *le Diable au corps.* Claude Autant-Lara (Micheline Presle, Gérard Philipe, Jean Debucourt)[1]. *Quai des Orfèvres.* Henri-Georges Clouzot (Louis Jouvet, Suzy Delair, Bernard Blier, Simone Renant, Charles Dullin)[1]. *la Dame de Shanghai.* Orson Welles (Rita Hayworth, Orson Welles)[3]. *Monsieur Verdoux.* Charlie Chaplin (Charlie Chaplin, Martha Raye)[3].

1948. *Manon.* Henri-Georges Clouzot (Cécile Aubry, Michel Auclair, Serge Reggiani, Gabrielle Dorziat)[1]. *Riz amer.* Giuseppe De Santis (Silvana Mangano, Raf Vallone, Vittorio Gassman)[2]. *La terre tremble.* Luchino Visconti (interprètes non professionnels)[2]. *le Voleur de bicyclette.* Vittorio De Sica (interprètes non professionnels)[2]. *Hamlet.* Laurence Olivier (Laurence Olivier, Jean Simmons)[9]. *Macbeth.* Orson Welles (Orson Welles, Jeanette Nolan)[3]. *le Massacre de Fort-Apache.* John Ford (John Wayne, Henry Fonda, Shirley Temple)[3].

1949. *Orphée.* Jean Cocteau (Jean Marais, Maria Casarès, François Périer, Marie Déa)[1]. *Noblesse oblige.* Robert Hamer (Dennis Price, Valerie Hobson, Joan Greenwood, Alec Guinness)[9]. *le Troisième Homme.* Carol Reed (Joseph Cotten, Alida Valli, Trevor Howard, Orson Welles)[9].

1950. *Chronique d'un amour.* Michelangelo Antonioni (Lucia Bose, Massimo Girotti)[2]. *Jeux d'été.* Ingmar Bergman (May Britt Nilson, Birger Malmsten)[11]. *Ève.* Joseph Mankiewicz (Bette Davis, Anne Baxter, George Sanders, Marilyn Monroe)[3]. *Boulevard du Crépuscule.* Billy Wilder (Gloria Swanson, William Holden, Erich von Stroheim)[3]. *Rashomon.* Akira Kurosawa (Toshiro Mifune, Machiko Kyo)[12].

1951. *le Journal d'un curé de campagne.* Robert Bresson (Claude Laydu, Nicole Ladmiral, Nicole Maurey)[1]. *le Fleuve.* Jean Renoir (Nora Swinburne, Esmond Knight, Adrienne Corri)[3]. *l'Inconnu du Nord-Express.* Alfred Hitchcock (Farley Granger, Robert Walker, Ruth Roman)[3]. *Un Américain à Paris.* Vincente Minnelli (Gene Kelly, Leslie Caron, Georges Guétary, Oscar Levant)[3]. *Un tramway nommé Désir.* Elia Kazan (Vivien Leigh, Marlon Brando, Kim Hunter)[3]. *Une place au soleil.* George Stevens (Elizabeth Taylor, Montgomery Clift, Shelley Winters)[3].

1952. *les Belles de nuit.* René Clair (Gérard Philipe, Martine Carol, Gina Lollobrigida)[1]. *Casque d'Or.* Jacques Becker (Simone Signoret, Serge Reggiani, Claude Dauphin)[1]. *le Carrosse d'or.* Jean Renoir (Anna Magnani, Duncan Lamont, Jean Debucourt)[12]. *Madame de.* Max Ophuls (Danielle Darrieux, Charles Boyer, Vittorio De Sica)[1]. *Chantons sous la pluie.* Gene Kelly et Stanley Donen (Gene Kelly, Debbie Reynolds, Donald O'Connor, Cyd Charisse)[3]. *Othello.* Orson Welles (Orson Welles, Suzanne Cloutier, Michael MacLiammoir)[3].

1953. *les Vacances de Monsieur Hulot.* Jacques Tati (Jacques Tati, Nathalie Pacaud)[1]. *I Vitelloni.* Federico Fellini (Alberto Sordi, Franco Fabrizi, Franco Interlenghi, Leonora Ruffo)[2]. *Voyage en Italie.* Roberto Rossellini (Ingrid Bergman, George Sanders, Maria Mauban)[2]. *Jules César.* Mankiewicz (Marlon Brando, James Mason, John Gielgud, Louis Calhern, Deborah Kerr)[3]. *les Contes de la lune vague après la pluie.* Kenji Mizoguchi (Machiko Kyo)[12].

1954. *Monsieur Ripois.* René Clément (Gérard Philipe, Joan Greenwood, Valerie Hobson)[1]. *Touchez pas au grisbi.* Jacques Becker (Jean Gabin, René Dary, Jeanne Moreau, Dora Doll)[1]. *la Strada.* Federico Fellini (Giulietta Masina, Anthony Quinn, Richard Basehart)[2]. *Senso.* Luchino Visconti (Alida Valli, Farley Granger, Massimo Girotti)[2]. *la Comtesse aux pieds nus.* Joseph Mankiewicz (Ava Gardner, Humphrey Bogart, Rossano Brazzi, Bessie Love)[3]. *Johnny Guitare.* Nicholas Ray (Joan Crawford, Sterling Hayden, Ernest Borgnine, Mercedes McCambridge)[3]. *Rivière sans retour.* Otto Preminger (Marilyn Monroe, Robert Mitchum, Rory Calhoun)[3].

1955. *French Cancan.* Jean Renoir (Jean Gabin, Maria Félix, Françoise Arnoul, Gianni Esposito, Valentine Tessier, Édith Piaf)[1]. *Lola Montès.* Max Ophuls (Martine Carol, Anton Walbrook, Peter Ustinov, Oskar Werner, Ivan Desny)[1]. *Sourires d'une nuit d'été.* Ingmar Bergman (Ulla Jacobson, Harriet Andersson, Eva Dahlbeck, Gunnar Björnstrand, Bibi Andersson)[11]. *Ordet.* Carl Th. Dreyer (Henrik Malberg, Birgit Federspiel)[10]. *A l'est d'Eden.* Elia Kazan (James Dean, Julie Harris, Raymond Massey, Jo Van Fleet)[3]. *la Fureur de vivre.* Nicholas Ray (James Dean, Natalie Wood, Sal Mineo)[3]. *l'Impératrice Yang-Kwei-Fei.* Kenzi Mizoguchi (Machiko Kyo)[12].

1956. *le Septième Sceau.* Ingmar Bergman (Max von Sydow, Gunnar Björnstrand, Nils Poppe, Bibi Andersson)[11]. *Baby Doll.* Elia Kazan (Carroll Baker, Karl Malden, Eli Wallach, Mildred Dunnock)[3] . *les Dix Commandements.* Cecil B. De Mille (Charlton Heston, Yul Brynner, Anne Baxter, Yvonne De Carlo, E. G. Robinson, Debra Paget, John Derek)[3]. *Guerre et Paix.* King Vidor (Audrey Hepburn, Henry Fonda, Mel Ferrer, Vittorio Gassman, John Mills, Anna-Maria Ferrero)[3]. *la Prisonnière du désert.* John Ford (John Wayne, Jeffrey Hunter, Vera Miles, Natalie Wood)[3].

1957. *les Fraises sauvages.* Ingmar Bergman (Victor Sjöström, Gunnar Björnstrand, Ingrid Thulin, Max von Sydow)[11]. *Kanal.* Andrzej Wajda (Teresa Izewska, Tadeusz Janczar)[13]. *les Girls.* George Cukor (Gene Kelly, Mitzi Gaynor, Kay Kendall, Taïna Elg)[3].

1958. *Cendres et Diamant.* Andrzej Wajda (Zbigniew Cybulski, Ewa Krzyzanowska)[13]. *Gigi.* Vincente Minnelli (Leslie Caron, Louis Jourdan, Maurice Chevalier, Hermione Gingold, Eva Gabor)[3]. *les Nus et les Morts.* Raoul Walsh (Aldo Ray, Cliff Robertson, Raymond Massey)[3]. *la Soif du Mal.* Orson Welles (Orson Welles, Janet Leigh, Charlton Heston, Marlene Dietrich)[3]. *Vertigo.* Alfred Hitchcock (James Stewart, Kim Novak, Barbara Bel Geddes)[3].

1959. *A bout de souffle.* Jean-Luc Godard (Jean Seberg, Jean-Paul Belmondo, Daniel Boulanger, Claude Mansard)[1]. *Hiroshima, mon amour.* Alain Resnais (Emmanuelle Riva, Eiji Okada, Bernard Fresson)[1]. *les 400 Coups.* François Truffaut (Jean-Pierre Léaud, Claire Maurier, Albert Rémy)[1]. *le Testament d'Orphée.* Jean Cocteau (Jean Cocteau, Édouard Dermit, Maria Casarès, François Périer, Jean Marais, Yul Brynner, Serge Lifar)[1]. *l'Avventura.* Michelangelo Antonioni (Monica Vitti, Lea Massari, Gabriele Ferzetti)[2]. *la Dolce Vita.* Federico Fellini (Marcello Mastroianni, Anouk Aimée, Anita Ekberg, Yvonne Furneaux, Alain Cuny)[2]. *Certains l'aiment chaud.* Billy Wilder (Marilyn Monroe, Tony Curtis, Jack Lemmon)[3].

1960. *la Nuit.* Michelangelo Antonioni (Monica Vitti, Marcello Mastroianni, Jeanne Moreau)[2]. *le Fleuve sauvage.* Elia Kazan (Montgomery Clift, Lee Remick, Jo Van Fleet, Barbara Loden)[3]. *Psychose.* Alfred Hitchcock (Anthony Perkins, Janet Leigh, Vera Miles, John Gavin)[3].

1961. *l'Année dernière à Marienbad.* Alain Resnais (Delphine Seyrig, Sacha Pitoëff, Giorgio Albertazzi)[1]. *Jules et Jim.* François Truffaut (Jeanne Moreau, Oskar Werner, Henri Serre, Marie Dubois)[1]. *The Misfits.* John Huston (Marilyn Monroe, Clark Gable, Montgomery Clift, Eli Wallach, Thelma Ritter)[3]. *West Side Story.* Robert Wise et Jerome Robbins (Natalie Wood, George Chakiris, Rita Moreno, Russ Tamblyn)[3].

1962. *le Procès de Jeanne d'Arc.* Robert Bresson (Florence Delay, Jean-Claude Fourneau, Jean Gilibert)[1]. *Eva.* Joseph Losey (Jeanne Moreau, Virna Lisi, Stanley Baker)[9]. *Les maraudeurs attaquent.* Samuel Fuller (Jeff Chandler, Ty Hardin)[3]. *Tempête à Washington.* Otto Preminger (Henry Fonda, Charles Laughton, Walter Pidgeon, Gene Tierney, Franchot Tone, Peter Lawford)[3]. *Huit et demi.* Federico Fellini (Marcello Mastroianni, Anouk Aimée)[2].

1963. *le Guépard.* Luchino Visconti (Burt Lancaster, Alain Delon, Claudia Cardinale)[2]. *America America.* Elia Kazan (Stathis Giallelis, Frank Wolff, John Marley, Linda Marsh)[3]. *les Oiseaux.* Alfred Hitchcock (Rod Taylor, Tippi Hedren, Suzanne Pleshette)[3].

1964. *les Parapluies de Cherbourg.* Jacques Demy (Catherine Deneuve, Anne Vernon, Nino Castelnuovo)[1]. *My Fair Lady.* George Cukor (Audrey Hepburn, Rex Harrison, Stanley Holloway)[3].

1965. *Pierrot le fou.* Jean-Luc Godard (Jean-Paul Belmondo, Anna Karina, Raymond Devos)[1]. *la 317e Section.* Pierre Schoendoerffer (Jacques Perrin, Bruno Crémer)[1]. *l'Évangile selon saint Matthieu.* Pier Paolo Pasolini (Enrique Irazoqui, Susana Pasolini)[2]. *les Amours d'une blonde.* Milos Forman (Hana Brejchova, Vladimir Pucholt)[8].

1966. *la Grande Vadrouille*[1]. Gérard Oury (Bourvil, Louis de Funès). *Un homme et une femme*[1]. Claude Lelouch (Anouk Aimée, Jean-Louis Trintignant). *les Professionnels*[3]. Richard Brooks (Burt Lancaster, Lee Marvin, Robert Ryan, Claudia Cardinale). *Paris brûle-t-il*[1] ? René Clément (Jean-Paul Belmondo, Alain Delon, Orson Welles, Yves Montand).

1967. *la Chinoise.* Jean-Luc Godard (Anne Wiazemsky, Jean-Pierre Léaud, Juliet Berto, Francis Jeanson)[1]. *Accident.* Joseph Losey (Dirk Bogarde, Stanley Baker, Jacqueline Sassard, Michael York, Delphine Seyrig)[9]. *Reflets dans un œil d'or.* John Huston (Elizabeth Taylor, Marlon Brando, Julie Harris, Brian Keith)[3].

1968. *Les Damnés.* Luchino Visconti (Dirk Bogarde, Ingrid Thulin, Helmut Berger, Helmut Griem, Charlotte Rampling)[2]. *2001, l'Odyssée de l'espace.* Stanley Kubrick (Keir Dullea, Gary Lockwood, William Sylvester, Daniel Richter)[9].

1969. *Ma nuit chez Maud.* Eric Rohmer (Jean-Louis Trintignant, Françoise Fabian, Marie-Christine Barrault, Antoine Vitez)[1]. *Satyricon.* Federico Fellini (Martin Potter, Hiram Keller, Salvo Randone, Magali Noël, Lucia Bose, Alain Cuny)[2]. *Love.* Ken Russell (Glenda Jackson, Oliver Reed, Alan Bates)[9]. *Andreï Roublev.* Andreï Tarkowsky (A. Solonitzine, N. Sergueev)[6]. *On achève bien les chevaux.* Sydney Pollack (Jane Fonda, Michael Sarrazin, Susannah York, Red Buttons)[3].

1970. *Love Story*[3]. Arthur Hiller (Ali MacGraw, Ryan O'Neal). *les Choses de la vie*[1]. Claude Sautet (Michel Piccoli, Romy Schneider). *Patton*[3]. Franklyn J. Schaffner (George C. Scott). *l'Enfant sauvage*[1]. François Truffaut (François Truffaut). *M.A.S.H.*[3] Robert Altman (Donald Sutherland, Elliott Gould, Sally Kellerman). *l'Aveu*[1]. Costa-Gavras (Yves Montand).

1971. *le Décaméron.* Pier Paolo Pasolini (Franco Citti, Ninetto Davoli, Angela Luce, Pier Paolo Pasolini)[2]. *Mort à Venise.* Luchino Visconti (Dirk Bogarde, Silvana Mangano, Björn Andresen)[2]. *le Messager.* Joseph Losey (Julie Christie, Alan Bates, Michael Redgrave, Margaret Leighton)[9]. *Orange mécanique.* Stanley Kubrick (Malcolm McDowell, Patrick Magee, Adrienne Corri, Michael Bates, Warren Clarke)[9].

1972. *la Nuit américaine.* François Truffaut (Jacqueline Bisset, Jean-Pierre Aumont, Valentina Cortese, François Truffaut, Jean-Pierre Léaud, Nathalie Baye, Alexandra Stewart)[1]. *l'Affaire Mattei.* Francesco Rosi (Gian Maria Volonte, Peter Baldwin, Franco Graziosi)[2]. *Cabaret.* Bob Fosse (Liza Minnelli, Michael York, Helmut Griem, Marisa Berenson, Joel Grey)[3]. *Délivrance.* John Boorman (Burt Reynolds, Jon Voight, Ned Beatty, Ronny Cox)[3]. *le Parrain.* Francis Ford Coppola (Marlon Brando, Al Pacino, James Caan, Robert Duvall, Sterling Hayden, Diane Keaton)[3]. *la Vraie Nature de Bernadette.* Gilles Carle (Micheline Lanctôt, Donald Pilon), Québec.

1973. *Cris et chuchotements*[11]. Ingmar Bergman. (Harriet Andersson, Kari Sywan, Ingrid Thulin, Liv Ullmann, Erland Josephson). *les Zozos*[1]. Pascal Thomas (Frédéric Duru, Edmond Paillard, Daniel Ceccaldi). *l'Arnaque*[3]. George Roy Hill (Paul Newman, Robert Redford, Robert Shaw). *Duel*[3]. Steven Spielberg (Dennis Weaver, Jacqueline Scott, Lou Frizzell).

1974. *Amarcord*[2]. Federico Fellini (Magali Noël, Bruno Zanin, Puppella Maggio). *Lacombe Lucien*[1]. Louis Malle (Pierre Blaise, Aurore Clément, Teresa Giehse, Stéphane Bouy). *l'Horloger de Saint-Paul*[1]. Bertrand Tavernier (Philippe Noiret, Jean Rochefort, Jacques Denis). *Chinatown*[3]. Roman Polanski (Jack Nicholson, Faye Dunaway, John Huston).

1975. *l'Histoire d'Adèle H.* François Truffaut (Isabelle Adjani, Bruce Robinson, Sylvia Marriott, Ivry Gitlis)[1]. *Barry Lyndon.* Stanley Kubrick (Ryan O'Neal, Marisa Berenson, Patrick Magee, Hardy Krüger)[9]. *Nashville.* Robert Altman (Geraldine Chaplin, Keith Carradine, Lily Tomlin, Barbara Harris, Michael Murphy, Ned Beatty, Shelley Duvall)[3].

1976. *le Désert des Tartares.* Valerio Zurlini (Jacques Perrin, Vittorio Gassman, Giuliano Gemma, Helmut Griem, Fernando Rey, Jean-Louis Trintignant, Max von Sydow)[12]. *Nous nous sommes tant aimés.* Ettore Scola (Vittorio Gassman, Nino Manfredi, Stefania Sandrelli, Stefano Satta Flores)[2]. *Cria Cuervos.* Carlos Saura (Geraldine Chaplin, Ana Torent), Espagne. *le Dernier Nabab.* Elia Kazan (Robert De Niro, Tony Curtis, Robert Mitchum, Ingrid Boulting, Jeanne Moreau, Ray Milland, Dana Andrews)[3]. *Taxi Driver.* Martin Scorsese (Robert De Niro, Jodie Foster, Harvey Keitel, Cybill Shepherd)[3].

1977. *le Crabe-Tambour.* Pierre Schoendoerffer (Jean Rochefort, Jacques Perrin, Claude Rich, Odile Versois)[1]. *le Diable probablement.* Robert Bresson (Antoine Monnier, Tina Irissari, Laetitia Carcano)[1]. *Casanova.* Federico Fellini (Donald Sutherland, Tina Aumont)[2]. *Annie Hall.* Woody Allen (Woody Allen, Diane Keaton)[3]. *Rencontres du troisième type.* Steven Spielberg (Richard Dreyfuss, François Truffaut)[3].

1978. *Perceval le Gallois.* Eric Rohmer (Fabrice Luchini, André Dussolier, Clémentine Amouroux, Anne-Laure Meury, Marie-Christine Barrault)[1]. *Don Giovanni.* Joseph Losey (Ruggero Raimondi, Edda Moser, Kiri Te Kanawa)[12]. *l'Arbre aux sabots.* Ermanno Olmi (interprètes non professionnels)[2]. *Un mariage.* Robert Altman (Geraldine Chaplin, Lauren Hutton, Vittorio Gassman, Carol Burnett, Mia Farrow, Lillian Gish)[3]. *Voyage au bout de l'Enfer.* Michael Cimino (Robert De Niro, Christopher Walken, John Savage, Meryl Streep)[3].

1979. *Tess.* Roman Polanski (Nastassja Kinski, Peter Firth, Leigh Lawson)[1]. *le Christ s'est arrêté à Eboli.* Francesco Rosi (Gian Maria Volonte, Lea Massari, Alain Cuny, François Simon)[2]. *Apocalypse Now.* Francis Ford Coppola (Marlon Brando, Martin Sheen, Robert Duvall)[3]. *Manhattan.* Woody Allen (Woody Allen, Diane Keaton, Michael Murphy, Mariel Hemingway, Meryl Streep)[3]. *The Rose.* Mark Rydell (Bette Midler, Alan Bates, Frederic Forrest)[3].

1980. *le Dernier Métro.* François Truffaut (Catherine Deneuve, Gérard Depardieu, Jean Poiret, Sabine Haudepin, Paulette Dubost)[1]. *Mon oncle d'Amérique.* Alain Resnais (Gérard Depardieu, Nicole Garcia, Roger Pierre, Marie Dubois)[1]. *The Shining.* Stanley Kubrick (Jack Nicholson, Shelley Duvall, Danny Loyd)[9]. *Kagemusha.* Akira Kurosawa (Tatsuya Nakadai, Tsutomu Yamazaki)[12].

1981. *Raging Bull.* Martin Scorsese (Robert De Niro, Cathy Moriarty)[3]. *les Aventuriers de l'arche perdue.* Steven Spielberg (Harrison Ford, Karen Allen, Paul Freeman)[3]. *la Femme de l'aviateur.* Eric Rohmer (Philippe Marlaud, Marie Rivière, Anne-

Laure Meury)[1]. *Trois Frères.* Francesco Rosi (Charles Vanel, Philippe Noiret, Michele Placido)[2] *Elephant Man.* David Lynch (Anthony Hopkins, John Hurt, John Gilgud, Anne Bancroft)[3]. *Coup de torchon.* Bertrand Tavernier (Philippe Noiret, Isabelle Huppert)[1].

1982. *Reds.* Warren Beatty (Warren Beatty, Diane Keaton)[3]. *la Maîtresse du lieutenant français.* Karel Reisz (Meryl Streep, Jeremy Irons)[9]. *Missing.* Costa-Gavras (Jack Lemmon, Sissy Spacek)[3]. *E.T. l'extra-terrestre.* Steven Spielberg (Dee Wallace)[3].

1983. *la Ballade de Narayama.* Shohei Imamura (Ken Ogata)[12]. *l'Argent.* Robert Bresson (Christian Patay, Caroline Lang)[1]. *Fanny et Alexandre.* Ingmar Bergman (Pernilla Allwin. Bertil Guve)[11]. *la Traviata.* Franco Zeffirelli (Teresa Stratas, Placido Domingo)[2].

1984. *Paris, Texas*[1]. Wim Wenders (H.D. Stanton, Nastassja Kinski). *Au-dessous du volcan*[3]. John Huston (Albert Finney, Jacqueline Bisset). *Amadeus*[3]. Milos Forman. *Les Nuits de la pleine lune*[1]. Éric Rohmer (Pascale Ogier, Fabrice Luchini)[1].

1985. *la Rose pourpre du Caire*[3]. Woody Allen (W. Allen, Mia Farrow). *Ran*[12]. Akira Kurosawa. *L'Année du Dragon*[3]. Michael Cimino (Mickey Rourke). *Trois hommes et un couffin*[1]. Coline Serreau (Roland Giraud, Michel Boujenah, André Dussolier).

1986. *Jean de Florette, Manon des Sources*[1]. Claude Berri (Daniel Auteuil, Gérard Depardieu, Emmanuelle Béart, Yves Montand). *Le Nom de la rose*[1]. Jean-Jacques Annaud (Sean Connery, Michael Lonsdale). *La Couleur pourpre*[3]. Steven Spielberg (Danny Glover, Adolphe Caesar, Margaret Avery). *Out of Africa* [3]. Sydney Pollack (Robert Redford, Meryl Streep, Klaus-Maria Brandauer). *Ginger et Fred* [2]. Federico Fellini (Mastroianni, Giulietta Masina). *Pirates* [3]. Roman Polanski (Walter Matthau).

1987. *Sous le soleil de Satan* [1]. Maurice Pialat (Gérard Depardieu, Sandrine Bonnaire). *Au revoir les enfants* [1]. Louis Malle (Raphaël Fejtö, Gaspard Manesse, Francine Racette). *La Mouche* [3]. David Cronberg (Jeff Goldblum, Geena Davis, John Getz). *Angel Heart* [3]. Alan Parker. *Platoon* [3]. Oliver Stone (Tom Berenger, Willem Dafoe, Charlie Sheen). *Full Metal Jacket* [3]. Stanley Kubrick (Lee Ermey, Vincent d'Onofrio, Matthew Modine). *Le flic de Beverly Hills 2* [3]. Tony Scott (Mel Gibson, Dany Glover).

1988. *Le grand bleu* [1]. Luc Besson (Jean Réno, Jean-Marc Barr, Rosanna Arquette). *L'ours* [1]. Jean-Jacques Annaud (Tcheky Kario, Jack Wallace, André Lacombe). *Qui veut la peau de Roger Rabbit ?* [3]. Robert Zemeckis (Bob Hoskins, Christopher Lloyd). *La vie est un long fleuve tranquille* [1]. Étienne Chatiliez (Hélène Vincent, Daniel Gélin, Emmanuel Gendrier, Benoît Magimel, Valérie Lalande, Tara Romer, Jérôme Floch). *Le dernier empereur* [2]. Bernardo Bertolucci (Peter O'Toole, John Lone, Joan Chen). *Camille Claudel* [1]. Bruno Nuytten (Isabelle Adjani, Gérard Depardieu). *Cry Freedom, le cri de la liberté* [9]. Richard Attenborough (Kevin Kline, Penelope Wilton, Denzel Washington).

1989. *Rain Man*[3]. Barry Levinson (Dustin Hoffmann, Tom Cruise, Valeria Golino). *Indiana Jones et la dernière croisade*[3]. Steven Spielberg (Harrisson Ford, Michèle Pfeiffer, Sean Connery). *Un poisson nommé Wanda*[3]. Charles Crichton (Jamie Lee Curtis, John Cleese, Michael Palin). *Les Liaisons dangereuses*[3]. Stephen Frears (John Malkovich, Glenn Close, Michèle Pfeiffer). *Trop belle pour toi*[1]. Bertrand Blier (Josiane Balasko, Carole Bouquet, Gérard Depardieu). *Quand Harry rencontre Sally*[3]. Rob Reiner (Billy Crystal, Meg Ryan). *La Vie et rien d'autre*[1]. Bertrand Tavernier (Philippe Noiret, Sabine Azéma.

1990. *Cyrano de Bergerac* [1]. Jean-Paul Rappeneau (Gérard Depardieu, Anne Brochet). *Nikita* [1]. Luc Besson (Anne Parillaud). *Uranus* [1]. Claude Berri (Gérard Depardieu, Philippe Noiret, Jean-Pierre Marielle). *la Gloire de mon père/le Château de ma mère* [1]. Yves Robert (Philippe Caubère, Nathalie Roussel). *le Cercle des poètes disparus* [3]. Peter Weir (Robin Williams). *Pretty Woman* [3]. Garry Marshall (Julia Roberts, Richard Gere). *les Affranchis* [3]. Martin Scorsese (Robert De Niro). *Ghost* [3]. Jerry Zucker (Patrick Swayze).

Nota. – (1) France. (2) Italie. (3) U.S.A. (4) Suède. (5) Allemagne. (6) U.R.S.S. (7) Autriche. (8) Tchécoslovaquie. (9) Angleterre. (10) Danemark. (11) Suède. (12) Japon. (13) Pologne.

Principales comédies musicales

1929. *Broadway Melody.* Harry Beaumont (Bessie Love, Anita Page). *Parade d'amour.* Ernst Lubitsch (Maurice Chevalier, Jeanette Mac Donald).

1932. *42e Rue.* Lloyd Bacon (Bebe Daniels, George Brent, Ruby Keeler). *Prologues.* Lloyd Bacon (James Cagney, Joan Blondell, Ruby Keeler). **1933.** *Chercheuses d'or 1933.* Mervyn Le Roy (Dick Powell, Joan Blondell, Ruby Keeler, Ginger Rogers). **1934.** *La Veuve joyeuse.* Ernst Lubitsch (Maurice Chevalier, Jeanette Mac Donald). **1935.** *Top Hat.* Mark Sandrich (Fred Astaire, Ginger Rogers). *Swing Time.* George Stevens (Fred Astaire, Ginger Rogers). **1936.** *Le Grand Ziegfeld.* Robert Z. Leonard (William Powell, Mirna Loy, Luise Rainer). **1937.** *Vogues 38.* Irvings Cummings (Joan Bennett, Warner Baxter). **1938.** *Amanda.* Mark Sandrich (Fred Astaire, Ginger Rogers). **1939.** *le Magicien d'Oz.* Victor Fleming (Judy Garland).

1940. *Broadway Melody 1940.* Norman Taurog (Fred Astaire, Eleanor Powell). **1942.** *Ô toi, ma charmante.* William Seiter (Fred Astaire, Rita Hayworth). **1944.** *Le Bal des Sirènes.* George Sidney (Esther Williams, Red Skelton). *Le Chant du Missouri.* Vincente Minnelli (Judy Garland). **1948.** *Parade du printemps.* Charles Walters (Judy Garland, Fred Astaire). **1949.** *Un jour à New York.* Gene Kelly et Stanley Donen (G. Kelly, Frank Sinatra).

1950. *Un Américain à Paris.* Vincente Minnelli (G. Kelly, Leslie Caron). **1951.** *Chantons sous la pluie.* G. Kelly et Stanley Donen (G. Kelly, Debbie Reynolds). *Show-boat.* George Sidney (Kathryn Grayson, Howard Keel, Ava Gardner). **1953.** *Tous en scène.* Vincente Minnelli (Fred Astaire, Cyd Charisse). **1954.** *Les 7 Femmes de Barberousse.* Stanley Donen (Jane Powell et Howard Keel). **1957.** *Les Girls.* George Cukor (G. Kelly, Kay Kendall). *Drôle de frimousse.* Stanley Donen (Fred Astaire, Audrey Hepburn). **1958.** *Gigi.* Vincente Minnelli (Leslie Caron, Maurice Chevalier). *La Belle de Moscou.* Rouben Mamoulian (Fred Astaire, Cyd Charisse).

1961. *West Side Story.* Robert Wise (Natalie Wood, George Chakiris). **1964.** *My Fair Lady.* George Cukor (Audrey Hepburn, Rex Harrison). **1965.** *la Mélodie du bonheur.* Robert Wise (Julie Andrews). **1969.** *Hello Dolly.* G. Kelly (Barbra Streisand). *Star.* Robert Wise (Julie Andrews). *Sweet Charity.* Bob Fosse (Shirley Mc Laine). *Darling Lili.* Blake Edwards (Julie Andrews).

1974. *Il était une fois Hollywood.* Jack Haley Jr (films de montage des classiques M.G.M.). **1978.** *Grease.* Randal Kleiser (John Travolta). **1979.** *Folie folie.* Sanley Donen.

1980. *All That Jazz.* Bob Fosse (Roy Scheider). **1982.** *Coup de cœur.* Francis F. Coppola. **1983.** *Flashdance.* Adrian Lyne. **1984.** *Cotton Club.* F. Coppola (R. Gere). **1987.** *La Bamba.* Luis Valdez. **1988.** *Moonwalker.* Colin Chilvers et Jerry Kramer (Michael Jackson). *Tap Dance.* Nick Castle (Gregory Hines). *Trois places pour le 26.* Jacques Demy (Yves Montand, Mathilda May). **1990.** *Cry Baby.* John Waters (Johnny Depp).

Dessin animé

• **Technique.** Chaque 24e de s (vitesse de défilement des projecteurs) représente une phase du mouvement et nécessite un dessin distinct. On peut également animer le dessin par d'autres techniques : éléments découpés et articulés (« Le Cirque » de Jiri Trnka), éléments découpés animés par substitution (« La Planète sauvage » de René Laloux, d'après Topor), silhouettes articulées (films de Lotte Reiniger, Bruno Bottge), dessins ou peintures modifiés directement sous la caméra (films de McLaren, Robert Lapoujade), ordinateurs (« La Faim » de Peter Foldès).

• **Quelques grandes dates.** **1832.** Invention du *phénakistiscope* par le physicien belge Joseph Plateau qui réalise la 1re synthèse du mouvement. **1877.** Invention du *praxinoscope* par Émile Reynaud. **1892-1900.** Exploitation du *Théâtre optique* au musée Grévin par É. Reynaud. Les images sont peintes, une à une, directement sur la pellicule. Films : *Un bon bock (1889), Clown et ses chiens (1890), Pauvre Pierrot (1891), Rêve au coin du feu (1894), Autour d'une cabine (1894).* **1906.** Aux U.S.A., J. Stuart Blackton perfectionne la prise de vues « image par image ». 1er d. a. de l'ère cinématographique : *Humorous Phases of Funnyfaces.* **1908** (17-8). 1re projection de dessins animés *(Fantasmagorie)* d'Émile Cohl (pseudonyme d'Émile Courtet, 1857-1938), pionnier du genre. Principales œuvres : *Retapeur de cervelles, les Joyeux Microbes, le Fantoche, les Pieds Nickelés...* **1908-1923.** Emile Cohl réalise plus de 200 films d'animation en imaginant la plupart des techniques encore utilisées aujourd'hui : *les Allumettes animées* et *le Petit Soldat qui devint Dieu (1908), la Lampe qui file (1909), le Petit Chantecler (1910,* ombres animées), *le Tout Petit Faust (1910).* **1914.** Invention des « cel » (cellulo ou feuilles transparentes) par les Américains Earl Hurd et J. Randolph Bray. **1924.** Création des Studios Disney à Hollywood : passe au plan industriel. Le style en « O » régnera 20 ans. Chaque animal est étudié d'après un modèle vivant. **1926.** *Les Aventures du prince Achmed* de Lotte Reiniger et Berthold Bartosch, réalisé avec des silhouettes découpées (imitées du « théâtre d'ombres »). **1929-30.** *Les Études* d'Oskar Fishinger, 1ers d. a. abstraits. Ladislas Starewitch réalise (en France) le 1er film de marionnettes de long métrage : *le Roman de Renard.* **1930.** 1er d. a. colorié photomécaniquement : séquence d'introduction pour *King of the Jazz* (Walter Lantz). **1932.** *1er d. a. adulte : L'Idée* de Berthold Bartosch et Franz Masereel (musique d'Arthur Honegger). 1er « Oscar » du d. a. : *Flowers and Trees* (Walt Disney). **1933.** *Une nuit sur le mont Chauve* d'Alex Alexeieff et Claire Parker, en ombres portées obtenues en éclairant un écran de 500 000 épingles. **1934-37.** 1er d. a. de long métrage (environ 400 000 dessins). *Blanche-Neige et les Sept Nains* (Walt Disney). **1935.** 1er film abstrait sans caméra, par dessin direct sur la pellicule : *Colour Box* (Len Lye). 1er film de McLaren : *Camera Makes Woopee.* **1936.** Création des « Gémeaux » par Paul Grimault. **1938.** *Barbe-Bleue* de Jean Painlevé et René Bertrand (marionnettes souples en plastiline colorée). **1945.** Fondation de l'United Productions of America (UPA) par Stephen Bosustow et des dissidents de l'équipe Disney : Robert Cannon, John Hubley... L'UPA rénove le genre en intégrant les influences du graphisme et de la peinture modernes. **1947.** 1er long métrage en marionnettes de Jiri Trnka. *L'Année tchèque.* **1947-50.** 1er d. a. français de long métrage : *la Bergère et le Ramoneur,* de Paul Grimault, adaptation de Jacques Prévert (1re présentation publique en 1952 dans une version désavouée par les auteurs). Version définitive achevée en 1979 sous le titre *le Roi et l'Oiseau.* **1948.** *Le Rossignol de l'empereur de Chine* de Jiri Trnka. **1950.** 1ers films de McLaren, dessinés ou gravés directement sur la pellicule. **1952.** Films en *pixillation* (totalisation d'images instantanées) de McLaren : *Two Bagatelles* et *Aimez votre prochain.* **1957.** U.S.A., 1ers films expérimentaux de John Whitney avec dispositifs électroniques. **1982.** *Fritz the Cat* de Ralph Bakshi, d. a. « pour adultes ». *Tron* de Steven Lisberger : long métrage avec animation informatique (Prod. W. Disney). **1987.** *Fievel et le Nouveau Monde* de Don Bluth. **1988.** *Qui veut la peau de Roger Rabbit ?* de Robert Zemeckis (long métrage avec personnages réels et dessins animés). **1989.** *La Petite sirène* (prod. W. Disney).

• **Quelques héros.** *Le Fantoche* (Émile Cohl, 1908). *Félix the Cat* (Otto Messmer, 1919). *Mickey Mouse* S'appelle d'abord *Mortimer Mouse. 1928 (18-11) :* apparaît dans *Steamboat Willie* avec la voix de Walt Disney, puis celle d'Ub Werks. *1929 :* création du Journal. *1935 :* 1re apparition en couleurs dans *The Band Concert. 1928 à 53 :* 119 d. a. et 2 longs métrages. Dans le monde, son image est exploitée par 2 400 stés et rapporte 60 millions de $ par an. En France, jusqu'en 1973, diffusé en version sous-titrée, puis voix de Roger Carel, François et Vincent Violette, et Jean-Paul Audrin. *Betty Boop* (Max Fleischer, 1930). *Pluto* (1930). *Goofy-Dingo* (1932). *Popeye* (Fleischer, 1933). *Donald Duck* (Walt Disney et voix de Clarence Nash, 1934). *Daffy Duck* (Tex Avery, 1937). *Tom et Jerry* (Bill Hannah et Joe Barbera, 1939). *Bugs Bunny* (Tex Avery, Chuck Jones, 1940). *Woody Woodpecker* (Walter Lantz, 1940). *Droopy* (Tex Avery, 1943). *Road Runner-Bip-Bip* (Chuck Jones, Michael Maltese, 1948). *Mr Maggoo* (Pete Burness, 1949). *Speedy Gonzales* (1955).

Fantastique et science-fiction

1904. *Voyage à travers l'impossible.* G. Méliès[1]. **12.** *A la conquête du pôle.* G. Méliès[1]. **15.** *la Folie du Dr Tube.* A. Gance[1]. **19.** *le Cabinet du Dr Caligari.* R. Wiene[2]. **20.** *le Golem.* P. Wegener[2]. **21.** *Nosferatu le vampire.* F.W. Murnau[2]. *la Charrette fantôme.* V. Sjöström[3]. **24.** *les Nibelungen.* F. Lang[2]. *la Cité foudroyée.* L. Morat[1]. **26.** *l'Étudiant de Prague.* H. Galeen[2]. *Metropolis.* F. Lang[2]. *Faust.* F.W. Murnau[2]. **30.** *Dracula.* T. Browning[4]. **31.** *Frankenstein.* J. Whale[4]. *la Fin du monde.* A. Gance[1]. **32.** *Vampyr.* C. Th. Dreyer[9]. *la Momie.* K. Freund[4]. *le Masque d'or.* C. Brabin[4]. *Freaks.* T. Browning[4]. *Dr Jekyll and Mr Hyde.* R. Mamoulian[4]. *les Chasses du Cte Zaroff.* E.B. Schoedsack et M.C. Cooper[4]. **33.** *l'Ile du Dr Moreau.* E.C. Kenton[4]. *l'Homme invisible.* J. Whale[4]. *King Kong.* E.B. Schoedsack et M.C. Cooper[4]. **34.** *les Mains d'Orlac.* K. Freund[4]. *le Chat noir.*

E. Ulmer[4]. **35.** *la Fiancée de Frankenstein.* J. Whale[4]. *la Marque du vampire.* T. Browning[4]. **36.** *le Mort qui marche.* M. Curtiz[4]. *le Rayon invisible.* L. Hillyer[4]. **37.** *Horizons perdus.* F. Capra[4]. **39.** *le Magicien d'Oz.* V. Fleming[4]. **40.** *le Voleur de Bagdad.* L. Berger et T. Whelan[5]. **42.** *la Nuit fantastique.* M. L'Herbier[1]. *les Visiteurs du soir.* M. Carné[1]. *la Féline.* J. Tourneur[4]. **43.** *la Main du diable.* M. Tourneur[1]. *le Baron fantôme.* S. de Poligny[1]. *les Aventures fantastiques du baron de Münchhausen.* J. von Baky[2]. *Le ciel peut attendre.* E. Lubitsch[4]. **45.** *Au cœur de la nuit.* A. Cavalcanti, C. Crichton, B. Dearden et R. Hamer[5]. *le Portrait de Dorian Gray.* A Lewin[4]. **46.** *la Belle et la Bête.* J. Cocteau[1]. *la Bête aux cinq doigts.* R. Florey[4].

1950. *Orphée.* J. Cocteau[1]. **51.** *Le jour où la Terre s'arrêta.* R. Wise[4]. **52.** *la Chose d'un autre monde.* Ch. Nyby[4]. *Sadko.* A. Ptouchko[6]. **53.** *la Guerre des mondes.* B. Haskin[4]. **55.** *la Nuit du chasseur.* Ch. Laughton[4]. *Planète interdite.* F.M. Wilcox[4]. *les Survivants de l'infini.* J. Newman[4]. **56.** *la Marque.* V. Guest[5]. *le Septième Sceau.* I. Bergman[3]. **57.** *l'Homme qui rétrécit.* J. Arnold[4]. **58.** *le Cauchemar de Dracula.* T. Fisher[5]. **59.** *le Voyeur.* M. Powell[5]. *les Yeux sans visage.* G. Franju[1]. **60.** *le Testament du docteur Cordelier.* J. Renoir[1]. *le Masque du Démon.* M. Bava[7]. *la Chute de la maison Usher.* R. Corman[4]. *la Machine à explorer le temps.* G. Pal[4]. *Voyage au centre de la Terre.* H. Levin[4]. **61.** *les Damnés.* J. Losey[5]. **62.** *les Innocents.* J. Clayton[5]. *l'Effroyable Secret du Dr Hichcock.* R. Hampton[7]. **63.** *les Oiseaux.* A. Hitchcock[4]. *la Maison du diable.* R. Wise[4]. **64.** *Alphaville.* J.-L. Godard[1]. **65.** *le Masque de la mort rouge.* R. Corman[4]. **66.** *Fahrenheit 451.* F. Truffaut[1]. **67.** *les Monstres de l'espace.* R.W. Baker[5]. *la Planète des Singes.* F. Shaffner[4]. *Histoires extraordinaires.* Fellini, Louis Malle, Roger Vadim [1,7]. **68.** *2001, l'Odyssée de l'espace.* S. Kubrick[5]. *Rosemary's Baby.* R. Polanski[4]. *la Nuit des morts-vivants.* G.A. Romero[4]. *Un soir, un train.* A. Delvaux[1]. **71.** *Brewster Mac Cloud.* R. Altman[4]. **72.** *l'Abominable Dr Phibes.* R. Fuest[4]. *l'Autre.* R. Mulligan[4]. *le Maître et Marguerite.* A. Petrovic[8]. **73.** *Zardoz.* J. Boorman[4]. **74.** *Phantom of the Paradise.* B. De Palma[4]. *le Fantastique Voyage de Sindbad.* G. Hessler[5]. **77.** *la Guerre des Étoiles.* G. Lucas[4]. **78.** *Rencontres du 3e type.* S. Spielberg[4]. **79.** *Alien.* R. Scott[4].

1980. *L'Empire contre-attaque.* I. Kershner[4]. *le Trou noir.* G. Nelson[4]. **81.** *New York 1997.* J. Carpenter. *la Guerre du Feu.* J.-J. Annaud. **82.** *E.T. l'Extraterrestre.* S. Spielberg[4]. *Mad Max.* G. Miller[10]. *Stalker.* Tarkowsky[6]. **83.** *le Retour du Jedi.* R. Marquand[4]. **84.** *Gremlins.* J. Dante[4]. *Dune.* D. Lynch[4]. **85.** *Lady Hawke,* R. Donner[4]. *Retour vers le futur,* R. Zemeckis[4]. **86.** *Highlander.* Russel Mulcahy[5]. *La Mouche.* David Crovenberg[4]. **87.** *les Sorcières d'Eastwick.* George Miller[4]. *Robocop.* Paul Verhoeven[4]. **88.** *Willow.* Ron Howard[4]. *Hidden.* Jack Sholder[4]. **89.** *Batman.* Tim Burton[4]. *Abyss.* James Cameron[4]. *les Aventures du Baron Münchausen.* Terry Gillian[6]. *Baxter.* Jérôme Boivin[1]. **90.** *Chérie, j'ai rétréci les gosses.* Joe Johnston[4]. *Ghost.* Jerry Zucker[4]. *Total recall.* Paul Verhoeven[4]. *les Mille et une nuits.* Philippe de Broca[1]. *Baby blood.* Alain Robak[1].

Nota. – (1) France. (2) Allemagne. (3) Suède. (4) U.S.A. (5) G.-B. (6) U.R.S.S. (7) Italie. (8) Yougoslavie. (9) Danemark. (10) Australie.

Principaux westerns

Le western est spécifiquement américain. A part les tentatives de Joë Hamman (1885-1974) en France, au temps du muet (série *Arizona Bill*), et, les adaptations en Allemagne d'après K. May (série *Winetou*) : *westerns-spaghettis* réalisés en Italie, ex. : *El Chuncho,* de Damiano Damiani, avec Gian-Maria Volonte, ou *Colorado* de Sergio Sollima avec Lee Van Cleef ; les films de Sergio Leone : *le Bon, la Brute et le Truand,* avec Clint Eastwood, *Il était une fois dans l'Ouest,* avec Henry Fonda et Charles Bronson... Également, quelques séries purement commerciales *(Sabata, Trinita...).* Il s'agit plutôt de parodies que d'illustrations authentiques du genre. On a parlé de *western-soja* pour les films de kung-fu ou de karaté apparus vers 1970.

1894. *Sioux Indian Ghost Dance, Indian War Council et Buffalo Dance* (1ers sujets en rapport avec le western traités à l'écran) réalisés par la Edison Co de West Orange, New Jersey. *16-10 : Bucking Bronco* 1re apparition d'un cow-boy. **1904.** *le Vol du rapide.* (W.S. Porter). **14.** *le Shérif.* R Barker (W.S. Hart). **16.** *Pour sauver sa race.* W.S. Hart, supervision Th. H. Ince (W.S. Hart). **23.** *la Caravane vers l'Ouest.* J. Cruze. **24.** *le Cheval de fer.* J. Ford (G. O'Brien). **30.** *la Piste des géants.* R. Walsh (J. Wayne). **36.** *Une aventure de Buffalo Bill.* C.B. De Mille (G. Cooper). **39.** *la Chevauchée fantastique.* J. Ford (J. Wayne).

1940. *le Cavalier du désert.* W. Wyler (G. Cooper). *le Retour de Frank James.* F. Lang (H. Fonda). **41.** *la Charge fantastique.* R. Walsh (E. Flynn, O. De Havilland). **46.** *la Poursuite infernale.* J. Ford (H. Fonda, L. Darnell). **47.** *le Massacre de Fort Apache.* J. Ford (J. Wayne, H. Fonda). **48.** *Duel au soleil.* K. Vidor (G. Peck, J. Cotten et J. Jones). *la Rivière rouge,* H. Hawks (J. Wayne, M. Clift). *la Ville abandonnée.* W.A. Wellman (G. Peck, R. Widmark). **49.** *la Flèche brisée.* D. Daves (J. Stewart). *la Charge héroïque.* J. Ford (J. Wayne). **50.** *la Cible humaine.* H. King (G. Peck). **51.** *Convoi de femmes.* W.A. Wellman (R. Taylor). **52.** *l'Ange des maudits.* F. Lang (M. Dietrich, A. Kennedy). *Le train sifflera trois fois.* F. Zinnemann (G. Cooper). *l'Homme des vallées perdues.* G. Stevens (A. Ladd). **53.** *Je suis un aventurier.* A. Mann (J. Stewart). **54.** *Johnny Guitare.* N. Ray (S. Hayden). *Bronco Apache.* R. Aldrich (B. Lancaster). *Vera Cruz.* R. Aldrich (G. Cooper, B. Lancaster). *Quatre Étranges Cavaliers.* A. Dwan (J. Payne). *l'Homme de la plaine.* A. Mann (J. Stewart). *Rivière sans retour.* O. Preminger (R. Mitchum, M. Monroe). **55.** *les Implacables.* R. Walsh (C. Gable). **56.** *la Dernière Chasse.* R. Brooks (R. Taylor). *la Prisonnière du désert.* J. Ford (J. Wayne). *Sept Hommes à abattre.* B. Boetticher (R. Scott, L. Marvin). **57.** *Cow-Boy.* D. Daves (G. Ford). *3 Heures 10 pour Yuma.* D. Daves (G. Ford). *Règlement de comptes à O.K. Corral.* J. Sturges (B. Lancaster, K. Douglas). **58.** *Bravados.* H. King (G. Peck). *les Grands Espaces.* W. Wyler (G. Peck). *l'Homme de l'Ouest.* A. Mann (G. Cooper). *Rio Bravo.* H. Hawks (J. Wayne, D. Martin). **59.** *l'Aventurier du Rio Grande.* R. Parrish (R. Mitchum). *les Cavaliers.* J. Ford (J. Wayne, W. Holden). *le Dernier Train de Gun Hill.* J. Sturges (K. Douglas, A. Quinn). *l'Homme aux colts d'or.* E. Dmytryk (H. Fonda, R. Widmark, A. Quinn). *le Vent de la plaine.* J. Huston (B. Lancaster, A. Hepburn).

1960. *Alamo.* J. Wayne (J. Wayne, R. Widmark). *les Sept Mercenaires.* J. Sturges (Y. Brynner, S. McQueen). **61.** *Coups de feu dans la Sierra.* S. Peckinpah (J. McCrea, R. Scott). **62.** *l'Homme qui tua Liberty Valance.* J. Ford (J. Wayne, J. Stewart et L. Marvin). **63.** *la Conquête de l'Ouest.* J. Ford, H. Hathaway et G. Marshall (J. Wayne, H. Fonda, R. Widmark). *la Charge de la 8e brigade.* R. Walsh. **64.** *les Cheyennes.* J. Ford (R. Widmark). **65.** *les Quatre Fils de Katie Elder.* H. Hathaway (J. Wayne, D. Martin). **66.** *les Professionnels.* R. Brooks (B. Lancaster, L. Marvin). **67.** *El Dorado.* H. Hawks (J. Wayne, R. Mitchum). **68.** *Willie Boy.* A. Polonsky (R. Redford). *Butch Cassidy et le Kid.* G. Roy Hill (P. Newman, R. Redford). *Chisum.* A. McLaglen (J. Wayne). *Rio Lobo.* H. Hawks (J. Wayne).

1971. *les Cow-Boys.* M. Rydell (J. Wayne). *le Convoi sauvage.* R. Sarafian (J. Huston). *Jeremiah Johnson.* S. Pollack (R. Redford). **72.** *Fureur apache.* R. Aldrich (B. Lancaster). *l'Homme des hautes plaines.* C. Eastwood (C. Eastwood). *Juge et Hors-la-loi.* J. Huston (P. Newman). **73.** *Pat Garrett et Billy le Kid.* S. Peckinpah (J. Coburn). **74.** *la Chevauchée sauvage.* R. Brooks (G. Hackman, J. Coburn). **76.** *Josey Wales, hors-la-loi.* C. Eastwood (id.). *The Missouri Breaks.* A. Penn (J. Nicholson, M. Brando). **80.** *Bronco Billy.* C. Eastwood (id.). **85** *Silverado.* L. Kasdan (S. Glenn). *Pale Rider* (C. Eastwood). *Young Guns.* Christopher Cain. **90.** *Danse avec les loups.* Kevin Costner (id.).

☞ **Héros de l'Ouest le plus souvent incarnés à l'écran.** William Frederick Cody (Buffalo Bill, 1846-1917) : *47 films.* William Bonney (Billy The Kid, 1860-81) : *44.* Wild Bill Hickock (1837-76) : *35.* Jesse James (1847-82) : *35.* Général George Armstrong Custer (1839-76) : *30.* Wyatt Earp (1848-1929) : *21.*

Films de guerre

1930. *A l'ouest, rien de nouveau.* L. Milestone[3]. *Quatre de l'infanterie.* G.W. Pabst[2]. **32.** *les Croix de bois.* R. Bernard[1]. **37.** *la Grande Illusion.* J. Renoir[1]. **39.** *l'Espoir.* A. Malraux[1]. **40.** *le Siège de l'Alcazar.* A. Genina[6]. *SOS 103.* F. De Robertis[6]. *Victoire à l'ouest.* W. Ruttmann[2]. **41.** *Guerre à l'est.* W. Ruttmann[2]. *Stukas.* K. Ritter[2]. *le Navire blanc.* R. Rossellini[6]. *Sergent York.* H. Hawks[3]. **42.** *Ceux qui servent sur mer.* D. Lean[4]. *Plongée à l'aube.* A. Asquith[4]. *Un de nos avions n'est pas rentré.* M. Powell[4]. *la Bataille de Midway.* J. Ford[3]. *la Sentinelle du Pacifique.* J. Farrow[3]. *Les bourreaux meurent aussi.* F. Lang[3]. **43.** *Victoire du désert.* R. Boulting[4]. *Vivre libre.* J. Renoir[3]. *l'Héroïque Parade.* C. Reed[4]. *Convoi vers la Russie.* L. Bacon[3]. *Air Force.* H. Hawks[3]. *Bataan.* T. Garnett[3]. *les Anges de miséricorde.* M. Sandrich[3]. **44.** *l'Odyssée du Dr Wassell.* C.B. De Mille[3]. *Memphis Belle.* W. Wyler[3]. *les Fils du dragon.* J. Conway[3]. *Prisonniers de Satan.* L. Milestone[3]. *Destination Tokyo.* D. Daves[3]. *30 Secondes sur Tokyo.* M. Le Roy[3]. *l'Arc-en-ciel.* M. Donskoï [5]. **45.** *Commando de la mort.* L. Milestone[3]. *Retour aux Philippines.* E. Dmytryk[3]. *Aventures en Birmanie.* R. Walsh[3]. *les Forçats de la gloire.* W. Wellman[3]. *le Tournant décisif.* F. Ermler[5]. *Rome, ville ouverte.* R. Rossellini[6]. *la Bataille du rail.* R. Clément[1]. **46.** *Gung ho !* R. Enright[3]. *les 5 Secrets du désert.* B. Wilder[3]. *Païsa.* R. Rossellini[6]. **47.** *les Maudits.* R. Clément[1]. *la Bataille de l'eau lourde.* J. Dréville[1]. **49.** *Iwo Jima.* A. Dwan[3]. *Bastogne.* W. Wellman[3]. *la Bataille de Stalingrad.* V. Petrov[5]. *la Chute de Berlin.* M. Tchiaourelli[5].

1950. *Guérillas.* F. Lang[3]. **51.** *Baïonnette au canon.* S. Fuller[3]. *J'ai vécu l'enfer de Corée.* S. Fuller[3]. *Okinawa.* L. Milestone[3]. *les Diables de Guadalcanal.* N. Ray[3]. *le Renard du désert.* H. Hathaway[3]. **52.** *les Rats du désert.* R. Wise[3]. *le Cirque infernal.* R. Brooks[3]. *Commando sur St-Nazaire.* C. Besmett[4]. *Crève-cœur.* J. Dupont[1]. **53.** *Tant qu'il y aura des hommes.* F. Zinnemann[3]. *Sergent la Terreur.* R. Brooks[3]. *les Bérets rouges.* T. Young[4]. **54.** *la Patrouille infernale.* S. Heisler[3]. *la Flamme pourpre.* R. Parrish[3]. *les Briseurs de barrage.* M. Anderson[4]. *le Dernier Pont.* H. Kaütner[2]. **55.** *le Général du diable.* H. Kaütner[2]. *la Fin d'Hitler.* G.W. Pabst[2]. *la Bataille du Rio de la Plata.* M. Powell, E. Pressburger[4]. *Opération Tirpitz.* R. Thomas[4]. *le Cri de la victoire.* R. Walsh[3]. **56.** *Patrouille de choc.* C. Bernard-Aubert[1]. *l'Enfer des hommes.* J. Hibbs[3]. *le Temps de la colère.* R. Fleischer[3]. *Cote 465.* A. Mann[3]. *Attaque.* R. Aldrich[3]. *Commando dans la Gironde.* J. Ferrer[4]. **57.** *Commando sur le Yang-Tsé.* M. Anderson[4]. *le Pont de la rivière Kwaï.* D. Lean[3]. *le Temps d'aimer et le Temps de mourir.* D. Sirk[3]. *Les commandos passent à l'attaque.* W. Wellman[2]. *Kanal.* A. Wajda[7]. **58.** *Cendre et Diamant.* A. Wajda[7]. *Dunkerque.* L. Norman[4]. *le Bal des maudits.* E. Dmytryk[3]. *les Nus et les Morts.* R. Walsh[3]. *Tarawa, tête de pont.* P. Wendkos[3]. **59.** *la Bataille de la mer de Corail.* P. Wendkos[3]. *Coulez le Bismarck.* L. Gilbert[1]. *le Pont.* B. Wicki[2].

1960. *Saïpan.* Ph. Karlson[3]. *la Balade du soldat.* G. Tchoukraï[5]. **61.** *le Jour le plus long.* D.F. Zanuck[3]. *les Canons de Navarone.* J. Lee Thompson[4]. **62.** *Les maraudeurs attaquent.* S. Fuller[3]. *L'enfer est pour les héros.* D. Siegel[3]. **64.** *la Bataille de France.* J. Aurel[1]. **65.** *les Centurions.* M. Robson[3]. *Première Victoire.* O. Preminger[3]. *Paris brûle-t-il ?* R. Clément[3]. *la Bataille des Ardennes.* K. Annakin[4]. *la 317e Section.* P. Schoendoerffer[1]. **66.** *la Longue Marche.* A. Astruc[1]. **67.** *la Bataille pour Anzio.* E. Dmytryk[3]. **68.** *Duel dans le Pacifique.* J. Boorman[3]. *les Bérets verts.* J. Wayne et R. Kellog[3]. **69.** *Patton.* F. Schaffner[3]. *Hoah Binh.* R. Coutard[1]. *la Bataille d'Angleterre.* G. Hamilton[4]. *l'Armée des ombres.* J.-P. Melville[1].

1973. *le Train.* P. Granier-Deferre[1]. **74.** *Lacombe Lucien.* L. Malle[1]. **75.** *le Vieux Fusil.* R. Enrico[1]. **76.** *Un pont trop loin.* R. Attenborough[4]. **77.** *la Bataille de Midway.* J. Smight[3]. **79.** *La Légion saute sur Kolwezi.* R. Coutard[1]. *Voyage au bout de l'enfer.* M. Cimino[3]. *Apocalypse now.* F.F. Coppola[3].

1981. *la Peau.* Liliana Cavani[6]. **82.** *l'Honneur d'un capitaine.* P. Schoendoerffer[1]. **84.** *La Déchirure.* Roland Joffé[4]. **85.** *Révolution.* Hugh Hudson[5]. 86. *Platoon.* Oliver Stone[3]. **87.** *Full Metal Jacket.* S. Kubrick[4]. *Good Morning Viet-Nam.* Barry Levinson[4] **88.** *la Bête de guerre* Kevin Reynolds[4]. *Dear America, lettres du Viet-nam.* Bill Couturié[3]. **89.** *Outrages.* Brian De Palma[3]. *Né un 4 juillet.* Oliver Stone[3]. *Glory.* Edward Zwick[3]. *Cher frangin.* Gérard Mordillat[1]. **90.** *Europa Europa.* Agnieszka Holland[2]. *Memphis Belle.* Michael Caton-Jones[4]. *Air america.* Roger Spottiswoode[3].

Nota. – (1) France. (2) Allemagne. (3) U.S.A. (4) G.-B. (5) U.R.S.S. (6) Italie. (7) Pologne.

Festivals et prix

Festival de Venise

Créé en 1932. Fin août-début septembre. Sont décernés Lion d'or. Coupes Volpi (interprétation masculine et féminine). Prix de l'O.C.I.C., Prix de la FIPRESCI (Critique), Coupe Pasinetti, Prix San Giorgio.

Coupes Mussolini pour le meilleur film étranger et le meilleur film italien. **1934** L'Homme d'Aran (Robert Flaherty). Teresa Confalonieri (G. Brignone). **35** Anna Karenine (Clarence Brown). Casta Diva (Carmine Gallone). **36** L'Empereur de Californie (L. Trenker). L'Escadron blanc (A. Genina). **37** Un carnet de bal (Julien Duvivier). Scipion l'Africain (Carmine Gallone). **38** Les Dieux du stade (Leni Riefenstahl). Luciano Serra pilote (G. Alessandrini). **39** Abuna Messias (G. Alessandrini). **40** Le Maître de poste (Gustav Ucicky). Le Siège de l'Alcazar (A. Genina). **41** Le Président Kruger (H. Steinhoff). La Couronne de fer (A. Blasetti). **42** Le Grand Roi (Veit Harlan). Bengasi (Augusto Genina). **43** *Non décerné.* **46** *Non décerné.* Grand Prix international de Venise. **1947** Sirena (Karel Stekly). Lion d'Or de Saint-Marc. **1948** Hamlet (Laurence Olivier). **1949** Manon (H.-G. Clouzot). **1950** Justice est faite (André Cayatte). **51** Rashomon (Akira Kurosawa). **52** Jeux interdits (René Clément). **53** *Non décerné.* Lion d'argent : Thérèse Raquin (Marcel Carné). **54** Roméo et Juliette (R. Castellani). **55** Ordet (Carl Dreyer). **56** *Non décerné.* **57** Aparajito (Satyajit Ray). **58** L'Homme au pousse-pousse (Hiroshi Inagaki). **59** Le Général Della Rovere (R. Rossellini). La Grande Guerre (M. Monicelli). **60** Le Passage du Rhin (André Cayatte). **61** L'Année dernière à Marienbad (Alain Resnais). **62** Journal intime (V. Zurlini). L'Enfance d'Ivan (A. Tarkovski). **63** Main basse sur la ville (F. Rosi). **64** Le Désert rouge (M. Antonioni). **65** Sandra (Luchino Visconti). **66** La Bataille d'Alger (G. Pontecorvo). **67** Belle de jour (Luis Buñuel). **68** Les Artistes sous le chapiteau : perplexes (Alexander Kluge). **69 à 79** *Pas de jury, pas de prix.* **80** Gloria (J. Cassavetes). Atlantic City (Louis Malle). **81** Les Années de plomb (M. von Trotta). **82** L'État des choses (Wim Wenders). **83.** Prénom Carmen (J.-L. Godard). **84** L'Année du soleil tranquille (Krzystof Zanussi). **85** Sans toit ni loi (Agnès Varda). **86** Le Rayon vert (Eric Rohmer). **87** Au revoir les enfants (Louis Malle). **88.** La Légende du Saint Buveur (Ermanno Olmi). **89.** la Ville du chagrin (Hou Hsiao Hsien). **90.** Rosencrantz et Guildenstern sont morts (Tom Stoppard).

Festival de Cannes

Créé le 20-9-1946. A lieu en mai. Prix principaux : Palme d'Or (longs et courts métrages), Grand Prix, Prix d'interprétation masculine, Prix d'interprétation féminine, Prix de la mise en scène, Prix du Jury, Prix de la C.S.T., Prix de la FIPRESCI, Caméra d'Or.

Grands Prix. **1946** 11 décernés à 11 pays différents ; France : la Symphonie pastorale (J. Delannoy). **49** Le Troisième Homme (Carol Reed). **51** Miracle à Milan (Vittorio De Sica). Mademoiselle Julie (Alf Sjöberg). **52** Deux sous d'espoir (Renato Castellani). Othello (Orson Welles). **53** Le Salaire de la peur (H.-G. Clouzot). **54** La Porte de l'Enfer (T. Kinugasa). Palmes d'Or. **55** Marty (Delbert Mann). **56** Le Monde du silence (J.-Y. Cousteau-Louis Malle). **57** La Loi du Seigneur (William Wyler). **58** Quand passent les cigognes (Mikhaïl Kalatozov). **59** Orfeu Negro (Marcel Camus). **60** La Dolce Vita (Federico Fellini). **61** Une aussi longue absence (Henri Colpi). Viridiana (Luis Buñuel). **62** La Parole donnée (Anselmo Duarte). **63** Le Guépard (Luchino Visconti). Grands Prix. **64** Les Parapluies de Cherbourg (J. Demy). **65** The Knack (Richard Lester). **66** Un homme et une femme (C. Lelouch). Signore e Signori (P. Germi). **67** Blow up (Michelangelo Antonioni). **68** *Pas de prix* (festival interrompu). **69** If (Lindsay Anderson). **70** M.A.S.H. (Robert Altman). **71** Le Messager (Joseph Losey). **72** L'Affaire Mattei (Francesco Rosi). La classe ouvrière va au paradis (Elio Petri). **73** L'Épouvantail (Jerry Schatzberg). La Méprise (Alan Bridges). **74** La Conversation (Francis F. Coppola). Palmes d'Or. **75** Chronique des années de braise (M. Lakhdar Hamina). **76** Taxi Driver (Martin Scorsese). **77** Padre padrone (Paolo et Vittorio Taviani). **78** L'Arbre aux sabots (Ermanno Olmi). **79** Apocalypse Now (Francis Ford Coppola). Le Tambour (V. Schlöndorff). **80** Kagemusha (A. Kurosawa). Que le spectacle commence (B. Fosse). **81** L'Homme de fer (A. Wajda). **82** Yol (Yilmaz Güney) et Missing (Costa-Gavras). **83** La Balade de Narayama (Sh. Imamura). **84** Paris, Texas (Wim Wenders). **85** Papa est en voyage d'affaires (Emir Kusturica). **86** La Mission (Roland Joffé). **87** Sous le soleil de Satan (Maurice Pialat). **88** Pelle le conquérant (Bille August). **89** Sexe, mensonges et vidéo (Steven Soderbergh). **90** Sailor et Lula (David Lynch). **91** Barton Fink (Joël et Ethan Coen).

Festival de Moscou

Créé en 1959. Alterne avec le festival de Karlovy Vary et de Tachkent (1 an sur 2). Récompenses : Grand Prix, Prix spécial et autres prix. Concours de films longs métrages.

Grands Prix. **1959** Destin d'un homme (S. Bondartchouk). **61** L'Ile nue (K. Shindo). Le Ciel clair (G. Tchoukrai). **63** Huit et demi (F. Fellini). **65** Guerre et Paix (S. Bondartchouk). Vingt Heures (Z. Fabri). **67** Un journaliste (S. Gerasimov). Le Père (I. Szabo). **Prix d'or. 1969** Lucia (U. Solas). Serafino (P. Germi). Jusqu'à lundi (S. Rostotski). **71** Les Aveux d'un commissaire de police au procureur de la République (D. Damiani). Vivre aujourd'hui, mourir demain (K. Shindo). Oiseau blanc à la tache noire (Y. Ilienko). A. Wajda (Pol.) pour son œuvre. **73** Le Mot doux liberté (V. Jalakjavitchus). Oklahoma Crude (S. Kramer). L'Amour (L. Staïkov). **75** Dersu Uzala (A. Kurosawa). La Terre promise (A. Wajda). Nous nous sommes tant aimés (E. Scola). Parade (J. Tati). **77** Le 5e Sceau (Z. Fabri). Fin de semaine (J.A. Bardem). Mimino (G. Danelia). **79** Que viva Mexico (S. M. Eisenstein, E. Tissé, G. Alexandrov) (honor.) Le Christ s'est arrêté à Eboli (F. Rosi). 7 Jours en janvier (J.A. Bardem). Le Cinéphile (K. Kieslowsky). Le Chien se baladant sur le piano à queue (V. Grammatikov). **81** L'Homme pressuré (J.-B. de Andrade). Le Champ dévasté (Nguyen Hong Chan). Téhéran 43 (Naoumov et Aiov). **83** Amok (S. Ben Barka). Alcino et le Condor (N. Littin). Vassa (Gleb Panfilov). **85** Va voir (E. Klimov). L'Histoire du soldat (N. Jewison). La Fin des neuf (C. Shiapachas). **87** Intervista (F. Fellini), Prix spécial Le Messager (Gerasimov). Le Héros de l'année (Pologne). **89** le Voleur de savonnettes (M. Nichetti). Prix spécial : le Visiteur de musée (K. Kopoushanski), Come, come, come Upward (Im Kwor-Taek), Ariel (Ari Kauriomäki).

Festival international de Berlin

• Créé en 1951, international de catégorie A depuis 1956. En février-mars. Récompenses : Ours d'or berlinois, d'argent (meilleurs réalisateurs, interprétations masculine et féminine, autre mérite individuel remarquable), d'or et d'argent pour les courts métrages, prix de l'O.C.I.C., de l'UNICRIT, de la FIPRESCI, du CIDALC, de la Guilde des écrivains internationaux, du Jury évangélique du film.

• Ours d'or berlinois. **1956** Invitation à la danse (Gene Kelly). **57** Douze Hommes en colère (Sidney Lumet). **58** Les Fraises sauvages (Ingmar Bergman). **59** Les Cousins (Claude Chabrol). **60** El Lazarillo de Tormes (Cesar Ardavin). **61** La Nuit (M. Antonioni). **62** A Kind of Loving (John Schlesinger). **63** Bushido (Tadashi Imaï). Le Diable (Gian-Luigi Polidoro). **64** L'Été sans eau (Ismaïl Metin). **65** Alphaville (J.-L. Godard). **66** Cul-de-sac (R. Polanski). **67** Le Départ (Jerzy Skolimowski). **68** Ole Dole Doff (Jan Troell). **69** Rani Radovi (Zelimir Zilnik). **70** *Ours d'or non décerné.* **71** Le Jardin des Finzi-Contini (Vittorio De Sica). **72** Les Contes de Canterbury (Pier Paolo Pasolini). **73** Ashani Sanket (Satyajit Ray). **74** L'Apprentissage de Duddy Kravitz (Ted Kotcheff). **75** Adoption (Marta Meszaros). **76** Buffalo Bill et les Indiens (Robert Altman). **77** Ascension (Larissa Chepitko). **78** *Ex æquo :* las Palabras de Max (Emilio Martinez Lazaro), las Truchas (José-Luis Garcia-Sanchez). **79** David (Peter Lilienthal). **80** Heartland (Richard Pearce). Palermo ou Wolfsburg (Werner Schroeter). **81** Vivre vite (Carlos Saura). **82** Veronika Voss (R. Fassbinder). **83** Ascendancy (E. Bennett). La Colmena (la Ruche) (Mario Camus). **84** Love Streams (John Cassavetes) (o. d'argent : Sale Petite Guerre d'Hector Olivera). **85** Wetherby (David Hare) et La Femme et l'Étranger (Rainer Simon). **86** Stammheim (Reinhard Hauff). **87** Le Thème (Gleb Panfilov). **88** Le Sorgho rouge (Zhang Yimow). **89** Rain Man (Barry Levinson). **90** *Ex æquo :* Music Box (Costa-Gavras), Alouettes sur un fil (Jiri Menzel). **91** La Maison des sourires (Marco Ferreri).

Festivals divers

Annecy. Journées intern. du cinéma d'animation, *créées* en 1956 à Cannes. Depuis 1960 à Annecy. Tous les 2 ans, en juin, les années impaires, en alternance avec Zagreb (Yougoslavie) et Toronto (Canada). Parallèlement au festival, un marché international du film d'animation (MIFA) pour le cinéma et la télévision (producteurs de films et fabricants de matériel), et un salon des techniques de l'image par image sont organisés. *Grand Prix :* **83** Les Possibilités du dialogue (Jan Svankmajer). **85** Une tragédie grecque (Nicole Van Goethem). **87** L'Homme qui plantait des arbres (Frédéric Back), Un Monde pourri (Boyko Kanev).

Avoriaz. Festival intern. du film fantastique, *créé* en 1973. *Grand Prix :* **73** Duel (S. Spielberg). **74** Soleil vert (R. Fleischer). **75** Phantom of the Paradise (B. De Palma). **76** *non décerné.* **77** Carrie (B. De Palma). **78** Full Circle (R. Loncraine). **79** Patrick (R. Franklin). **80** C'était demain (N. Meyer). **81** Elephant Man (D. Lynch). **82** Mad Max 2 (G. Miller). **83** The Dark Crystal (J. Henson et F. Oz). **84** L'Ascenseur (D. Maas). **85** Terminator (J. Cameron). **86** Dream Lover (A. Pakula). **87** Blue Velvet (D. Lynch). **88** Hidden (J. Sholder). **89** Faux semblants (D. Gronenberg). **90** Lectures diaboliques (Tibor Takacs). **91** Tales from the dark side (John Harrison).

Karlovy Vary **(Tchéc.).** *Créé* en 1946 (en 1946 et 1947, a eu lieu à Marienbad). A lieu en juillet, 1 an sur 2 (alterne avec le Festival de Moscou). *Grand Prix :* Globe de cristal. **84** Léon Tolstoï (Sergei Gerasiniov). **86** A Street to Die (Bill Benett). **88** Fuzhung Cheng (Xie Jin). **90** Sommes-nous vraiment comme ça ? (Antonin Masa).

Lille-Région Nord-P.-de-C. En févr.-mars, Festival européen du film, organisé par les étudiants de l'EDHEC.

Locarno **(Suisse).** *Créé* en 1946. En août. *Prix : Léopard d'or :* **84** Stranger Than Paradise (Jim Jarmush). **86** Lac de Constance (J. Zaorki). **Nyon (Suisse).** Festival intern. de cinéma, *créé* en 1968. En oct. Films documentaires. *Sesterce d'or :* **84** The Times of Harvey Mailk (R. Epstein, R. Schmiechen). **85** Höhenfeuer (F. M. Murer). **86** Chile hasta quando (D. Bradbury). **87** O Bobo (J.A. Morais). **88** Distant Voices (T. Davis) et Schmetterlinge (W. Beckeer). **89** Pourquoi Bodhi-Dharna est-il parti vers l'Orient ? (Y. Bae). **90** Valse accidentelle (Svetlana Proskourina).

Rio **(Brésil).** *Créé* 1963. *Toucan d'or :* **1989** Green Fields (Isaac Zepel Yashurun, Isr.).

Saint-Sébastien **(Espagne).** *Créé* en 1953. En septembre. *Principal prix :* Coquille d'or. **85** Yesterday (R. Piwowarski). **86** La Moitié du Ciel (Manuel Gutierrez). **87** Noce en Galilée (Michel Khleifi). **88.** On the Black Hill (Andrew Grieve). **89** *Ex æquo :* Homer and Eddie (Andrei Konchalovski), la Nation clandestine (Jorge Sanjinés). **90** Les Lettres d'Alou (Montxo Armendáriz).

Tachkent **(U.R.S.S.).** *Créé* en 1968. Alterne tous les 2 ans avec le Festival de Moscou.

Festivals divers. Acapulco, Bergame, Biarritz (fest. du film sportif), Chalon-sur-Saône (Festival de l'image de film), Chamrousse (humour), Clermont-Ferrand (court métrage), Cognac (policier), Cork, Créteil (film de femmes), Dignes-les-Bains (cinéma au féminin), Hyères (cinéma d'aujourd'hui et cinéma différent), Knokke-le-Zoute, La Plagne (fest. du film d'aventure vécue), La Rochelle, Mannheim, Mar del Plata, Melbourne, Mexico, Montréal, Paris (fest. international du film fantastique et de science-fiction, créé en 1972), Rouen (fest. du film scandinave), San Francisco, Téhéran.

Oscars

Créés en 1927 aux U.S.A. pour améliorer « arts et techniques de la profession cinématographique », par l'Academy of Motion Picture Arts and Sciences (organisme honoraire de + de 4 600 membres de l'industrie du cinéma). Pour chaque prix, les membres de l'association concernés (acteurs pour les acteurs, scénaristes pour les scénarios, etc.) proposent un maximum de 5 noms. Vote à bulletin secret ensuite. Env. 21 oscars (statuettes d'or), 10 autres mentions sont décernées.

• Ont obtenu plusieurs Oscars. **Acteurs :** Marlon Brando (54, 72), Walter Brennan (36, 38, 40), Gary Cooper (41, 52), Jack Lemmon (55, 73), Fredric March (31-32, 46), Robert De Niro (74, 80), Anthony Quinn (52, 56), Jason Robards (76, 77), Spencer Tracy (37, 38), Peter Ustinov (60, 64)... **Actrices :** Ingrid Bergman (44, 56, 74), Bette Davis (35, 38), Jane Fonda (71, 78), Olivia De Havilland (46, 49), Helen Hayes (31-32, 70), Katharine Hepburn (32-33, 67, 68, 82), Glenda Jackson (70, 73), Vivien Leigh

(39, 51), Luise Rainer (36, 37), Maggie Smith (69, 78), Elizabeth Taylor (60, 66), Shelley Winters (59, 65)... **Metteurs en scène :** Frank Borzage (27-28, 31-32), Frank Capra (34, 36, 38), John Ford (35, 40, 41, 52), Elia Kazan (47, 54), David Lean (57, 62), Frank Lloyd (28-29, 32-33), Leo Mc Carey (37, 44), Joseph L. Mankiewicz (49, 50), Lewis Milestone (27-28, 29-30), George Stevens (51, 56), Billy Wilder (45, 60), Robert Wise (61, 65), William Wyler (42, 46, 59), Fred Zinnemann (53, 66). **Films :** Ben Hur (1959) : *11 ;* Autant en emporte le vent (1939) : *10 ;* Le Dernier Empereur (1987) : *9 ;* Out of Africa (1986) : *7 ;* West Side Story (1961) : *10 ;* Gigi (1958) : *9 ;* Gandhi (1982), Amadeus (1984) : *8 ;* All about Eve (1950) : *6 ;* Tendres Passions (1983) : *5 ;* Vol au-dessus d'un nid de coucou (1975) : *5.* Pour l'ensemble de son œuvre, Walt Disney en a obtenu 20 et 12 plaques ou certificats (certains posthumes). **Costumes.** Edith Head (1907-81) : 8 oscars.

• **Français ayant obtenu un oscar. Acteur :** Maurice Chevalier (1958, special award). **Actrices :** Claudette Colbert (1934), Simone Signoret (1960).

• **Plus jeunes acteurs ayant reçu un oscar :** Shirley Temple (1934, *5 ans*), Tatum O'Neal (1973, *9 ans*). **Les plus âgés :** George Burns (1976, *80 ans*), Jessica Tandy (1990, *80 ans*).

☞ Marlee Martlin, à 21 ans, sourde-muette, a reçu en 1987 son 1er oscar des mains de William Hurt, son partenaire à l'écran.

☞ En 1972, Charlie Chaplin a reçu un oscar pour son film Limelight sorti en 1952.

• **Membres d'une même famille ayant reçu un oscar la même année.** *Frères : 1963 :* Pour Mary Poppins : Richard M. et Robert B. Sherman (meilleure chanson : « Chim-chim, Cheer-ee »). *Frère et sœur : 1930 :* Douglas Shearer (meilleur son pour The Big House) et Norma (meilleure interprète pour The Divorcee). *Père et fils : 1947 :* Pour le Trésor de la Sierra Madre : Walter Huston (père) (meilleur acteur de composition) et John Huston (fils) (meilleur réalisateur). *1974 :* Pour Le Parrain no 2 : Carmine Coppola (père) (meilleure musique) et Francis Coppola (fils) (meilleur réalisateur).

• **Actrices ayant partagé un oscar.** *Meilleure interprète : 1968 :* Barbra Streisand (dans Funny Girl) et Katharine Hepburn (Un lion en hiver).

☞ En 1934, 2 vedettes d'un film remportèrent ensemble l'oscar du meilleur acteur (Clark Gable) et celui de la meilleure actrice (Claudette Colbert) pour It Happened One Night (New York-Miami).

• **Oscars du meilleur film. 1927-28** Les Ailes (W. Wellman). L'Aurore (F.W. Murnau). **28-29** The Broadway Melody (H. Beaumont). **29-30** A l'ouest rien de nouveau (L. Milestone). **30-31** Cimarron (W. Ruggles). **31-32** Grand Hôtel (E. Goulding). **32-33** Cavalcade (F. Lloyd). **34** New York-Miami (F. Capra). **35** Les Révoltés du Bounty (F. Lloyd). **36** The Great Ziegfeld (R.Z. Leonard). **37** La Vie d'Emile Zola (W. Dieterle). **38** Vous ne l'emporterez pas avec vous (F. Capra). **39** Autant en emporte le vent (V. Fleming). **40** Rebecca (A. Hitchcock). **41** Qu'elle était verte ma vallée (J. Ford). **42** Mrs Miniver (W. Wyler). **43** Casablanca (M. Curtiz). **44** La Route semée d'étoiles (L. McCarey). **45** Le Poison (B. Wilder). **46** Les Plus Belles Années de notre vie (W. Wyler). **47** Le Mur invisible (E. Kazan). **48** Hamlet (L. Olivier). **49** Les Fous du roi (R. Rossen). **50** Eve (J.L. Mankiewicz). **51** Un Américain à Paris (V. Minnelli). **52** Sous le plus grand chapiteau du monde (C.B. De Mille). **53** Tant qu'il y aura des hommes (F. Zinnemann). **54** Sur les quais (E. Kazan). **55** Marty (D. Mann). **56** Le Tour du monde en 80 jours (M. Anderson). **57** Le Pont de la rivière Kwaï (D. Lean). **58** Gigi (V. Minnelli). **59** Ben Hur (W. Wyler). **60** La Garçonnière (B. Wilder). **61** West Side Story (R. Wise-J. Robbins). **62** Lawrence d'Arabie (D. Lean). **63** Tom Jones (T. Richardson). **64** My Fair Lady (G. Cukor). **65** La Mélodie du bonheur (R. Wise). **66** Un homme pour l'éternité (F. Zinnemann). **67** Dans la chaleur de la nuit (N. Jewison). **68** Oliver (C. Reed). **69** Macadam Cow-Boy (J. Schlesinger). **70** Patton (F. Schaffner). **71** French Connection (W. Friedkin). **72** Le Parrain (F. Ford Coppola). **73** L'Arnaque (G.R. Hill). **74** Le Parrain (2e ép.) (F. Ford Coppola). **75** Vol au-dessus d'un nid de coucou (M. Forman). **76** Rocky (J. Avildsen). **77** Annie Hall (W. Allen). **78** Voyage au bout de l'enfer (M. Cimino). **79** Kramer contre Kramer (R. Benton). **80** Des gens comme les autres (R. Redford). **81** Les Chariots de feu (Hugh Hudson). **82** Gandhi (R. Attenborough). **83** Tendres Passions (J. Brooks). **84** Amadeus (M. Forman). **85** Out of Africa (S. Pollack). **86** Platoon (O. Stone). **87** Le Dernier Empereur (B. Bertolucci). **88** Rain Man (B. Levinson). **89** Miss Daisy et son chauffeur (B. Beresford). **90** Danse avec les loups (Kevin Costner).

Prix Louis-Delluc

Fondé en 1937 par Maurice Bessy et Marcel Idzkowski. *Décerné* en décembre en France. *Destiné* à récompenser un film français. Jury de 16 membres (J. de Baroncelli, M. Bessy, C. Beylie, M. Boujut, P. Bouteiller, G. Cravenne, G. Jacob, S. Lachize, Lo Duca, C. Mauriac, N. de Rabaudy, J. Siclier, P. Tchernia, S. Toubiana). *Pt :* Maurice Bessy, *Membres d'honneur :* G. Charensol, D. Marion, J. Vidal. **L. Delluc** (1890-1924) : 1er journaliste français spécialisé dans le cinéma ; fonda, en France, les ciné-clubs. Son meilleur film fut : La Femme de nulle part (1922).

1937 Les Bas-fonds (Jean Renoir). **38** Le Puritain (Jeff Musso). **39** Le Quai des brumes (Marcel Carné). **45** L'Espoir (André Malraux). **46** La Belle et la Bête (Jean Cocteau). **47** Paris 1900 (Nicole Védrès). **48** Les Casse-pieds (Jean Dréville). **49** Rendez-vous de juillet (J. Becker). **50** Le Journal d'un curé de campagne (Robert Bresson). **51** *Non attribué.* **52** Le Rideau cramoisi (A. Astruc). **53** Les Vacances de M. Hulot (J. Tati). **54** Les Diaboliques (H.-G. Clouzot). **55** Les Grandes Manœuvres (René Clair). **56** Le Ballon rouge (Albert Lamorisse). **57** Ascenseur pour l'échafaud (L. Malle). **58** Moi, un Noir (Jean Rouch). **59** On n'enterre pas le dimanche (M. Drach). **60** Une aussi longue absence (H. Colpi). **61** Un cœur gros comme ça (François Reichenbach). **62** L'Immortelle (Alain Robbe-Grillet) ; Le Soupirant (Pierre Étaix). **63** Les Parapluies de Cherbourg (J. Demy). **64** Le Bonheur (Agnès Varda). **65** La Vie de château (J.-P. Rappeneau). **66** La guerre est finie (Alain Resnais). **67** Benjamin (Michel Deville). **68** Baisers volés (F. Truffaut). **69** Les Choses de la vie (Cl. Sautet). **70** Le Genou de Claire (É. Rohmer). **71** Rendez-vous à Bray (A. Delvaux). **72** État de siège (Costa-Gavras). **73** L'Horloger de Saint-Paul (B. Tavernier). **74** La Gifle (Cl. Pinoteau). **75** Cousin Cousine (J.-Ch. Tachella). **76** Le Juge Fayard dit le Shérif (Yves Boisset). **77** Diabolo menthe (Diane Kurys). **78** L'Argent des autres (Christian de Chalonge). **79** Le Roi et l'Oiseau (Paul Grimault). **80** Un étrange voyage (Alain Cavalier). **81** Une étrange affaire (Pierre Granier-Deferre). **82** Danton (A. Wajda). **83** A nos amours (Maurice Pialat). **84** La Diagonale du fou (Richard Dembo). **85** L'Effrontée (Claude Miller). **86** Mauvais Sang (Leos Carax). **87** Au revoir les enfants (Louis Malle), Soigne ta droite (Jean-Luc Godard). **88** La Lectrice (Michel Deville). **89** Un monde sans pitié (Éric Rochant). **90** *ex-aequo :* Le Mari de la coiffeuse (Patrice Lecomte), Le Petit criminel (Jacques Doillon). *Delluc des Delluc (1937-89) :* Les Vacances de Monsieur Hulot (Jacques Tati).

Césars

• **Créés** en 1976 par Georges Cravenne à l'imitation des Oscars américains. 1o *Des professionnels* [acteurs, réalisateurs, scénaristes, techniciens, producteurs, distributeurs, membres de l'Académie des Arts et Techniques du Cinéma (2 500 adhérents)] désignent, sur une liste, 4 ou 5 noms dans diverses catégories d'activités françaises ainsi que 4 pour les films étrangers ; d'où la nomination des césars. 2o *vote final* de la profession déterminant le choix définitif. Remise des récompenses (statuettes sculptées par César) en mars de l'année suivante. **Récompenses :** meilleur acteur, actrice, 2e rôle masculin, féminin, jeune espoir masculin, féminin, film de l'année, 1re œuvre, scénario, dialogue ou adaptation, réalisateur, musique, photo, son, montage, film étranger, décor, court métrage, costumes.

Records. 1981 Le Dernier Métro : 10 césars sur 12 (meilleur film, réalisateur, acteur, actrice, scénario, musique, photo, son, montage, décor). **1991** Cyrano de Bergerac : 10 césars sur 13 (meilleur film, réalisateur, acteur, second rôle masculin, musique, photo, son, montage, costumes, décor).

• **Meilleur film. 1976** Le Vieux Fusil (R. Enrico). **77** Monsieur Klein (J. Losey). **78** Providence (A. Resnais). **79** L'Argent des autres (C. de Chalonge). **80** Tess (R. Polanski). **81** Le Dernier Métro (F. Truffaut). **82** La Guerre du feu (J.-J. Annaud). **83** La Balance (Bob Swaim). **84** A nos amours (Maurice Pialat), Le Bal (Ettore Scola). **85** Les Ripoux (C. Zidi). **86** Trois hommes et un couffin (C. Serreau). **87** Thérèse (A. Cavalier). **88** Au revoir les enfants (L. Malle). **89** Camille Claudel (B. Nuytten). **90** Trop belle pour toi (B. Blier). **91** Cyrano de Bergerac (J.-P. Rappeneau).

Meilleur film étranger. 1976 Parfum de femme (D. Risi). **77** Nous nous sommes tant aimés (E. Scola). **78** Une journée particulière (E. Scola). **79** L'Arbre aux sabots (E. Olmi). **80** Manhattan (W. Allen). **81** Kagemusha (A. Kurosawa). **82** Elephant Man (D. Lynch). **83** Victor Victoria (B. Edwards). **84** Fanny et Alexandre (I. Bergman). **85** Amadeus (M. Forman). **86** La Rose pourpre du Caire (W. Allen). **87** Le Nom de la rose (J.-J. Annaud). **88** Le Dernier Empereur (B. Bertolucci). **89** Bagdad Café (P. Adlon). **90** les Liaisons dangereuses (S. Frears). **91** Le Cercle des poètes disparus.

Meilleur réalisateur. 1976 Bertrand Tavernier (Le Juge et l'Assassin). **77** Joseph Losey (Monsieur Klein). **78** Alain Resnais (Providence). **79** Christian de Chalonge (L'Argent des autres). **80** Roman Polanski (Tess). **81** François Truffaut (Le Dernier Métro). **82** Jean-Jacques Annaud (La Guerre du feu). **83** Andrzej Wajda (Danton). **84** Ettore Scola (Le Bal). **85** Claude Zidi (Les Ripoux). **86** Michel Deville (Péril en la demeure). **87** Alain Cavalier (Thérèse). **88** Louis Malle (Au revoir les enfants). **89** Jean-Jacques Annaud (L'Ours). **90** Bertrand Blier (Trop belle pour toi). **91** Jean-Paul Rappeneau (Cyrano de Bergerac).

Meilleur acteur. 1976 Philippe Noiret (Le Vieux Fusil). **77** Michel Galabru (Le Juge et l'Assassin). **78** Jean Rochefort (Le Crabe-Tambour). **79** Michel Serrault (La Cage aux folles). **80** Claude Brasseur (La Guerre des Polices). **81** Gérard Depardieu (Le Dernier Métro). **82** Michel Serrault (Garde à vue). **83** Philippe Léotard (la Balance). **84** Coluche (Tchao Pantin). **85** Alain Delon (Notre histoire). **86** Christophe Lambert (Subway). **87** Daniel Auteuil (Jean de Florette, Manon des Sources). **88** Richard Bohringer (Le Grand Chemin). **89** Jean-Paul Belmondo (Itinéraire d'un enfant gâté). **90** Philippe Noiret (la Vie et rien d'autre). **91** Gérard Depardieu (Cyrano de Bergerac).

Meilleure actrice. 1976 Romy Schneider (L'important c'est d'aimer). **77** Annie Girardot (Dr Françoise Gailland). **78** Simone Signoret (La Vie devant soi). **79** Romy Schneider (Une histoire simple). **80** Miou-Miou (La Dérobade). **81** Catherine Deneuve (Le Dernier Métro). **82** Isabelle Adjani (Possession). **83** Nathalie Baye (la Balance). **84** Isabelle Adjani (L'Été meurtrier). **85** Sabine Azéma (Un dimanche à la campagne). **86** Sandrine Bonnaire (Sans toit ni loi). **87** Sabine Azéma (Mélo). **88** Anémone (Le Grand Chemin). **89** Isabelle Adjani (Camille Claudel). **90** Carole Bouquet (Trop belle pour toi). **91** Anne Parillaud (Nikita).

Meilleur second rôle masculin. 1976 Jean Rochefort (Que la fête commence). **77** Claude Brasseur (Un éléphant ça trompe énormément). **78** Jacques Dufilho (Le Crabe-Tambour). **79** Jacques Villeret (Robert et Robert). **80** Jean Bouise (Coup de tête). **81** Jacques Dufilho (Un mauvais fils). **82** Guy Marchand (Garde à vue). **83** Jean Carmet (Les Misérables). **84** Richard Anconina (Tchao Pantin). **85** Richard Bohringer (L'Addition). **86** Michel Boujenah (Trois hommes et un couffin). **87** Pierre Arditi (Mélo). **88** Jean-Claude Brialy (Les Innocents). **89** Patrick Chesnais (La Lectrice). Robert Hirsch (Hiver 54 – l'abbé Pierre). **91** Jacques Weber (Cyrano de Bergerac).

Meilleur second rôle féminin. 1976 Marie-France Pisier (Cousin Cousine, Souvenirs d'en France). **77** Marie-France Pisier (Barocco). **78** Marie Dubois (La Menace). **79** Stéphane Audran (Violette Nozière). **80** Nicole Garcia (Le Cavaleur). **81** Nathalie Baye (Sauve qui peut, la vie). **82** Nathalie Baye (Une étrange affaire). **83** Fanny Cottençon (l'Étoile du Nord). **84** Suzanne Flon (L'Été meurtrier). **85** Caroline Cellier (L'Année des méduses). **86** Bernadette Lafont (L'Effrontée). **87** Emmanuelle Béart (Jean de Florette). **88** Dominique Lavanant (Agent trouble). **89** Hélène Vincent (La Vie est un long fleuve tranquille). **90** Suzanne Flon (La Vouivre). **91** Dominique Blanc (Milou en mai).

Académie nationale du cinéma

• **Créée** 21-4-1982 à l'initiative de Charles Ford, Max Douy et Jean Dréville. **Membres.** 40 fondateurs nommés à vie : Henri Alekan, Jean-Pierre Aumont, Jean Aurenche, Maurice Bessy, Robert Bresson, Henri Calef, Marcel Carné, Robert Chazal, Pierre Chenal, Raymond Chirat, René Clément, Jean-Loup Dabadie, Jean Delannoy, Jacques Deray, Robert Dorfmann, Max Douy, Jean Dréville, Marie Epstein, Pierre Etaix, Edwige Feuillère, Daniel Gélin, Gilles Grangier, Paul Grimault, Marcel Ichac, Christian-Jaque, Michel Kelber, Jean Marais, Paul Misraki, Michèle Morgan, Fred Orain, François Périer, Raoul Ploquin, Micheline Presle, Simone Renant, Pierre Tchernia, Alexandre Trauner, Henri Verneuil, Marina Vlady, Georges Wilson. **Décerné** en décembre.

1983 L'Honneur d'un capitaine (Pierre Schloendorffer). **84** Coup de foudre (Diane Kurys). **85** Trois hommes et un couffin (Coline Serreau). **86** La Diagonale du fou (Richard Dembo). **87** Jean de Florette (Claude Berri). **88** Le Grand chemin (Jean-Loup Hubert). **89** L'Ours (Jean-Jacques Annaud). **90** Cyrano de Bergerac (Jean-Paul Rappeneau).

Autres prix

Jean Vigo, Georges Méliès, Léon Moussinac, Georges Sadoul, Georges de Beauregard, de la Nouvelle Critique, Grand Prix de l'Académie nationale du Cinéma français, Médaille d'or du Cinéma, de la critique internat. du jury œcuménique, de la commission supérieure technique, Georges Sadoul, Jean Gabin, Romy Schneider, Prix très spécial, Grand Prix du cinéma français Louis Lumière (créé 1934 par la Sté d'encouragement pour le cinéma, n'est plus attribué dep. 1986, v. Quid 1991 p. 507 b).

Statistiques

Sources : U.N.E.S.C.O., Guinness, C.N.C.

Le cinéma dans le monde

Compagnies de cinéma

Artistes associés ou **United artists.** *Fondée* 1919 par Charlie Chaplin, Douglas Fairbanks, David W. Griffith et Mary Pickford pour contrôler la commercialisation de leurs films.

Columbia. *Fondée* 1924 par les frères Harry, Jack et Joe Cohn Brandt. *Logo :* une statue de la Liberté habillée du drapeau américain. *Catalogue :* 2 700 films, 23 000 programmes de tétévision. Rachat par Sony en 1990 pour 3,4 milliards de $.

Fox. *Fondée* 1935 par un ancien teinturier, William Fox, fusionne avec la *20th Century, fondée* 1933 et devient la *20th Century-Fox. Logo :* nom monté en forme de pyramide, éclairé par un faisceau de projecteurs. Dirigée par Darryl Zanuck. Rachetée en 1987 par Rupert Murdoch.

Gaumont. *Fondée* par Léon Gaumont. *Logo :* G cerclé d'une marguerite (hommage à Marguerite Dupenloup, mère de Léon Gaumont). *C.A. (1989) :* 765 millions de F.

M.G.M. (Metro-Goldwyn-Mayer). Issue de la fusion de la *Metro Pictures* de Marcus Loew, de la *Goldwyn Pictures Corporation* fondée par Samuel Goldfish (1882-1974) et les frères Selwyn et de la *Louis B. Mayer Pictures.* En 1922, Goldfish (qui a pris le nom de Goldwyn) se retire, le studio prend alors le nom de M.G.M. *Logo :* lion rugissant. *Devise : Ars gratia artis* (l'art pour l'art). Rachetée 1 milliard de $, en mars 1989 par Quintex-OPA, lancée le 7-3 par Pathé (1,2 milliard de $). La M.G.M. a cédé ses studios à Lorrimar et vendu 3 650 films, mais possède le catalogue United Artists (1 000 titres) et distribue le catalogue Turner-M.G.M./2 950 titres).

Paramount. Issue de la fusion de la Cie de *Jesse L. Lasky* et de la *Famous Players Film Company* fondée par Adolphe Zukor. S'appelle *Paramount Lasky Corporation,* puis *Paramount Publix Corporation,* et *Paramount Pictures.* 1966 absorbée par le conglomérat Gulf and Western. *Logo :* pic montagneux auréolé d'étoiles.

Pathé-Communication. Catalogue de 500 films, 2000 actualités filmées. Gère 1000 salles en Europe.

R.K.O. (Radio Keith Orpheum). *Fondée* fin des années 1920. 1re à promouvoir le Technicolor. *Logo :* émetteur sur un globe terrestre. *Devise :* la voix d'or de l'écran d'argent.

Universal. *Fondée* 8-6-1912 par Carl Laemmle ; fusionne 1946 avec International films. *Logo :* nom tournant autour du globe terrestre.

Warner Bros. *Fondée* 1923 par Warner Brothers (frères Warner). Rachetée 14 milliards de $ juillet 1989 par le groupe Time. *Logo :* écusson avec initiales WB. Fait connaître le procédé vitaphone, lance en 1927 le parlant *(Le Chanteur de jazz).*

Nota. – On appelle *majors* les 5 plus grands studios (Paramount, M.G.M., Warner, Fox et R.K.O.), les autres compagnies étant des *minors.*

• **Films. Nombre de films produits en 1989 et,** entre parenthèses **longueur minimale en m :** Inde [1] 806 (2 000). U.S.A. 345. Japon 255 (1 600). U.R.S.S. [1] 156 (1 800). France 136 (1 600). Thaïlande [1] 134. Hong Kong [1] 130 (2 000). Italie 117 (1 600). Corée [1] 89 (2 500). Mexique [1] 82 (1 800). All. féd. 68 (1 600). Espagne 47 (1 600). Tchécoslovaquie [1] 44 (1 800). Pologne [1] 39 (2 100). G.-B. 38 (2 000). Australie [1] 34 (1 500). Suisse [1] 32 (1 600). Canada [1] 26 (2 000). Grèce [1] 22 (2 000). P.-Bas 13. Belgique [1] 12 (1 600).

Nota. – (1) 1987.

Meilleurs succès U.S.A. de tous les temps et part distributeur (en millions de $). *Batman* (P. Grubert et J. Peters, 1989) 250. *E.T. l'extraterrestre* (S. Spielberg, 1982) 228,5. *Star Wars* (la Guerre des étoiles, 1977) (George Lucas) 193,5. *Le Retour du Jedi* (R. Marquand, 1983) 168. *L'Empire contre-attaque* (I. Kirshner, 1980) 141,6. *Les Dents de la mer* (S. Spielberg, 1975) 129,5. *Ghostbusters* (S.O.S. Fantômes) (I. Reitman, 1984) 128,2. *Les Aventuriers de l'arche perdue* (S. Spielberg, 1981) 115,6. *Indiana Jones et le temple maudit* (S. Spielberg) 109. *Le Flic de Beverly Hills* (M. Brest, 1984) 108. *Retour vers le futur* (R. Zemeckis, 1985) 104,5.

Films ayant rapporté le plus aux U.S.A. (en millions de $). **Films d'avant-guerre.** Autant en emporte le vent (1939) 77,5. Blanche-Neige et les Sept Nains (1937) 62. Naissance d'une nation (1915) 10. La Grande Parade (1925) 5,5. King-Kong (1933) 5. Ben Hur (1926) 4,5. The Wizard of Oz (1939) 4,5. San Francisco (1936) 4. The Singing Fool (1928) 4. Cavalcade (1933) 3,5. Le chanteur de jazz (1927) 3,5.

Comédies. Le Flic de Beverly Hills (1984) 108. Tootsie (1982) 96,5. Three Men and a Baby (1987) 81,5. Le Flic de Beverly Hills 2 (1987) 81. The Stings (1973) 78.

Dessins animés. Qui a peur de Roger Rabbit ? (1988) 78. Blanche-Neige (1937) 62. Bambi (1942) 47,5.

Films de guerre. Platoon (1986) 69,5. Bonjour Viêtnam (1987) 58. Apocalypse Now (1979) 38. M.A.S.H. (1970) 36,5. Patton (1970) 28.

Westerns. Butch Cassidy et le Kid (1969) 46. Jeremiah Johnson (1972) 22. How the West Was Won (1962) 21. Young Guns (1988) 19,5. Little Big Man (1970) 15. Bronco Billy (1980) 15. True Grit (1969) 14,5. The Outlaw Josey Wales (1976) 13,5. Duel au soleil (1946) 11,5. Cat Ballou (1965) 9,5.

James Bond. Octopussy (1983) 34. Moonraker (1979) 34. Thunderball (1965) 29. Never Say Never Again (1983) 28. The Living Daylights (1987) 28.

Woody Allen. Anny Hall (1977) 19. Hannah et ses sœurs (1986) 18. Manhattan (1979) 17,5. Casino Royal (1967) 10. Ce que vous avez toujours voulu savoir sur le sexe sans jamais oser le demander (1972) 9.

Alfred Hitchcock. Psychose (1960) 11. Fenêtre sur cour (1954) 10. North by Northwest (1959) 6,5. Family Plot (1976) 6,5. Torn Curtain (1966) 6,5.

Coûts (en millions de $). **Les plus élevés. Films muets :** *Ben Hur* de Fred Niblo (U.S.A. 1925) 3,9 ; *Le Voleur de Bagdad* (U.S.A. 1924) 2 ; *Les 10 Commandements* (U.S.A. 1923) 1,8. **Parlants :** *Guerre et Paix* de Bondartchouk (U.R.S.S. 1963-67) 100 ; *Superman II* de Richard Lester (G.-B. 1980) 80 ; *Rambo III* (1988) 69 ; *Superman I* (1978) 55 ; *Qui a peur de Roger Rabbit ?* (1988) 53 ; *Les aventures du Baron de Münchausen* (1989) 52 ; *Voyage au bout de l'enfer* (U.S.A. 1979) 50 ; *Ishtar* (1987) 45 ; *Cotton Club* (U.S.A. 1985) 45 ; *Cléopâtre* (U.S.A. 1963) 44 ; *La Porte du Paradis* (1980) 40 ; *Greystoke* (1984) 40 ; *Les Révoltés du Bounty* (U.S.A. 1962) 19 ; *Ben Hur* (U.S.A. 1959) 15 ; *Les 10 Commandements* (U.S.A. 1956) 13,5 ; *Quo Vadis ?* (U.S.A. 1951) 8,25 ; *Duel au soleil* (U.S.A. 1946) 6 ; *Wilson* (U.S.A. 1944) 5,2.

Succès les plus rapides (en millions de F). *Goldfinger :* les 14 premières semaines, rapporta 51,5. *Love Story* (1971) aurait couvert ses frais en 2 jours ; *L'Exorciste* (1973) les aurait couverts en 2 semaines. *L'Empire contre-attaque* (1980) : en 10 semaines, 1 300. *E.T. l'extraterrestre* (1982) : (du 11-6-82 au 1-1-83) 2 250 (montant des sommes versées par les salles). *Star Trek II* (1982) : le 1er week-end de sa sortie, 100 dans 1 621 salles américaines. *Le Flic de Beverly Hills* (1985) : 2 000 en 3 semaines. *Dangereusement vôtre* (1985) : 360 en 5 j. *Le Retour du Jedi* (1983) : 64 en 1 jour.

Échecs. Pertes record en millions de $. La porte du paradis (1980) 42. Ishtar (1987) 37,5. Pirates (1986) 30. Rambo III (1988) 30. Le Titanic (1986) 29. Il était une fois l'Amérique (1984) 27,5. L'Empire du Soleil (1987) 27,5. Superman IV (1987) 22.

Film le plus long. *The Cure for Insomnia* (de John Tinmis IV, 1987) : 85 h. *The Longest Most Meaningless Movie in the World* (de Vincent Patouillard, 1970) : 48 h ; version réduite à 90 mn ; film non commercialisé. *The Loves of Ondine* de l'Américain Andy Warhol : 24 h ; version commerciale 90 mn. **Film le plus long exploité commercialement :** *The Burning of the Red Lotus Temple* (Chine, 1928-31) produit par la Star Film Company : 18 épisodes (27 h) sur une période de 3 ans. **Film le plus long exploité commercialement dans sa version intégrale :** *Berlin Alexanderplatz* (All. féd., 1983) de Rainer Werner Fassbinder : 15 h 21. *Heimat* (All. féd., 1984) : 15 h 40, mais fut en général projeté en 2 fois. **En France :** *Shoah* (Claude Lanzmann) (1984) : 9 h 30 mn ; *L'Amour fou* (Rivette) (1969) : 4 h 32 mn ; *Out 1* (J. Rivette) (1972) : durée non commerciale 12 h 40 mn, réduit à 4 h 15 mn ; *Le Chagrin et la Pitié* (Marcel Ophuls) (1971) : 4 h 10 mn.

Film le plus vu en salle. Dans le monde. *Autant en emporte le vent* (Victor Fleming, 1939) : 120 millions de spectateurs. **En France.** *La Grande Vadrouille* (Gérard Oury) voir p. 489 c.

Films ayant employé le plus de figurants. *Gandhi* (Richard Attenborough, 1982) 300 000 ; *Intolérance* (1916, D.W. Griffith) 15 à 20 000 ; *le Monstre Wang-magwi* (Corée du S., 1967) 157 000 ; *Guerre et Paix* (U.R.S.S., 1967) 120 000 ; *la Guerre de l'Indépendance* (Roum., 1912) 80 000 ; *le Tour du monde en 80 jours* (U.S.A., 1956) 68 894 ; *Dny Zrady* (Tchéc., 1972) ; *Ben Hur* (U.S.A., 1959) 50 000 ; *Exodus* (U.S.A., 1960) ; *Inchon* (Cor.-U.S.A., 1981) ; *Khan Asparouch* (Bul., 1982) ; *Metropolis* (All., 1926) 36 000 dont 1 100 chauves pour la scène de la tour de Babel ; *Michaël le brave* (Roum., 1970) 30 000.

• **Part des films américains sur le marché en 1988** (en %). G.-B. 92, P.-B. 80, Grèce 70, Danemark 60, *France 55,* All. féd. 50, Belgique 45, Italie 40.

Meilleurs clients du cinéma américain en 1988 (millions de $). Japon 102,6, *France 98,5,* Canada 96,8, All. féd. 64,7, Italie 64,6, G.-B. 51,9, Espagne 48,2, Australie 44,7.

• **Fréquentation annuelle par habitant (1987).** Chine 21 (estim.). U.R.S.S. 14,7. Hong Kong 12,3. Inde 5,9. Tchécoslovaquie 4,8 U.S.A. 4,6. Mexique 4. Canada 3. Israël 3. *France 2,5.* Suisse 2,5. Danemark 2,2. Espagne 2,2. Suède 2,2. Grèce 2. Italie 2. All. féd. 1,8. Australie 1,8. Argentine 1,7. Colombie 1,7. Portugal 1,7. Belgique 1,6. Roy.-U. 1,3. Japon 1,2. P.-Bas 1,1. Brésil 0,7.

• **Salles. Nombre de salles de cinéma de 35 mm et,** entre parenthèses, **de 16 mm** (nombre d'établissements fixes, 1987). U.R.S.S. 142 400 [1]. U.S.A. 23 555. France 5 063 (1 679) (*1989 :* 4 698). Italie 4 143. All. féd. 3 252. Bulgarie 3 028. Tchécosl. 2 634. Espagne 2 234. Japon 2 059. G.-B. 1 226. Canada 715 [2]. P.-Bas 445. Belgique 407.

Nota. – (1) Salles 16 mm comprises. (2) 1986.

Drive-in (1987). U.S.A. 2 179. Canada 183.

Salles les plus grandes. Allemagne. *Berlin* Stade olympique en plein air, 22 000 places. **France.** *Paris* Gaumont-Palace (place Clichy, ouvert 1931, rénové 1930), démoli 1973 (6 000 places, puis 3 800), écran 24 × 13 m ; Rex (bd Poissonnière) 2 800 (ouvert 1933, grande salle). **U.S.A.** Radio City (New York), *en 1932 :* 5 945, *1979 :* 5 882 ; Roxy (N. York) *1927 :* 6 214, *1957 :* 5 869 ; Fox Theater (Detroit) *1928 :* 5 041. *Drive-in* Loew's Open Air à Lynn (Massachusetts), 5 000 voitures.

☞ *Kinépolis,* Bruxelles, créé en 1988. 24 salles (6 200 fauteuils) dont 1 salle avec écran géant (projection max. 600 m²). En un an 1 million d'entrées, sur 4 millions à Bruxelles (70 cinémas).

Salles les plus anciennes. U.S.A. Atlanta (Georgie) octobre 1895. Electric Theatre (Los Angeles), chapiteau de cirque (2-4-1902). **Europe.** Biographic Cinema (Londres), en dur, 500 places (1905).

Le cinéma en France

• **Centre national de la cinématographie (C.N.C.).** 12, rue de Lubeck, 75016 Paris. Établissement public administratif (loi du 25-10-1946), sous l'autorité du ministre de la Culture et de la Communication. Chargé de la gestion du compte de soutien financier de l'État à l'industrie cinématographique et à l'industrie des programmes audiovisuels (1 460 millions de F en 1990). *1° Cinéma (832 millions de F en 1990) :* compte alimenté par : la taxe spéciale sur les billets, env. 11 % de la recette totale des salles, les contributions des télévisions (taxe de 1,5 % prélevée sur redevance, recettes de publicité et abonnements). L'aide est répartie entre les différents ayants-droit à la recette du film (producteurs, distributeurs, exploitants) en fonction de taux proportionnels à la recette réalisée par le film ou la salle, après avis de commissions spécialisées (dont la Commission d'avance sur recettes aux longs métrages). Le soutien permet également de subventionner divers organismes ou institutions qui favorisent le développement et la promotion du cinéma français. *2° L'audiovisuel (628 millions de F en 1990) :* alimenté par une taxe de 4 % prélevée sur l'ensemble des recettes des chaînes de télévision et, pour 1989, par une subvention de l'État de 100 millions de F. Répartition de l'aide : *automatique :* les producteurs d'une œuvre de fiction ou d'animation diffusée par la télévision reçoivent une subvention qu'ils doivent réinvestir dans de nouvelles productions ; *sélective :* elle est attribuée après avis d'une commission spécialisée, pour permettre le développement de producteurs d'œuvres de fiction ou d'animation qui n'ont pas eu accès au soutien automatique et le soutien de la production d'œuvres relevant d'autres genres télévisuels : documentaires, magazines culturels... **Taux de T.V.A.** appliqué au cinéma dep. le 1-1-89 : 5,5 %.

Volume des informations gérées par le C.N.C. (bilan 1990). *Profession.* 4 658 salles de cinéma standard payantes, + 103 salles substandard (16 mm) dont près de 911 Art et Essai. 1 204 points de projection (tournées). + de 1 000 producteurs de longs métrages, + de 3 000 de courts métrages. + de 1 000 réalisateurs. 300 distributeurs. 400 importateurs, exportateurs, courtiers et ind. techniques autorisées. 5 500 techniciens. *Activité annuelle (1990) :* longs métrages exploités 4 086, sortis pour la 1re fois sur le marché 370 (129 français et 241 étrangers) dont 119 recommandés « art et essai » (dont 85 à 100 %). 48 ont bénéficié d'une avance sur recettes (58 en 1988). Courts métrages français : 366 produits (dont 64 ont bénéficié d'une aide à la production). Films répertoriés par le Service des Archives du Film : 101 187. *Festivals :* 200.

☞ Ressources du plan cinéma annoncé par Jack Lang le 7-2-1989 : 207 millions de F dont *crédits ouverts en juin 1988 :* 70 ; *1989 :* 137 ; *mesures financées sur les crédits de la culture pour 1989 :* sur le budget général (crédits d'intervention) 115, (d'équipement) 6, le compte de soutien 15.

Production

• Producteur. Personne morale, société commerciale qui prend la responsabilité de la réalisation de l'œuvre, du financement du film, souvent du choix des vedettes, parfois du scénario et du réalisateur. Désigne aussi le responsable ou le fondé de pouvoirs d'entreprise (prod. délégué, exécutif, associé, etc.). Il doit apporter en principe « un capital en espèces au moins égal à... 15 % du devis du film, obligatoirement investi à titre personnel » (apport moyen, env. 30 % du coût total du film). Il reçoit une aide de l'État automatique (120 % du produit de la taxe additionnelle perçue lors de l'exploitation du film) et éventuellement sélective (avances sur recettes), remboursable, accordée par le ministre de la Culture après avis d'une commission spécialisée « en fonction des caractéristiques propres à chaque film et, notamment, de ses qualités ». *Présidents de la commission : 1987* Isabelle Adjani, *1988* Denis Chateau, *1989* Françoise Giroud, *1991* Bernard-Henri Lévy. En 1990, la commission a retenu 54 projets avant réalisation, 7 après.

Aide de l'État à la production de films de long métrage (en millions de F). Aide automatique et, en italique, aide sélective, après avis d'une commission spécialisée (avances sur recettes). **1980 :** 125,53 ; *25,87.* **83 :** 186,55 ; *51.* **84 :** 189,17 ; *53,63.* **85 :** 217,1 et *87,6.* **86 :** 162,9 ; *75.* **87 :** 157,8 ; *65,9.* **88 :** 182 ; *93,4.* **89 :** 242 ; *76,9.* **90 :** 224,2 ; *98,1.*

Plus grandes sociétés. *Gaumont* (créée en 1895 par Léon Gaumont. Pt : Nicolas Seydoux). *Ciné-Alliance* (Serge Silberman). *Ariane Films* (Alexandre Mnouchkine). *Trinacra Films* (Yves Rousset-Rouard). *Renn Productions* (Claude Berri). *Guéville* (Danièle Delorme et Yves Robert). *T Films* (Alain Terzian). *Sara Film* (Alain Sarde). *Flach Film* (Jean-François Lepetit). *Les Films Christian Fechner, MK2* (Marin Karmitz). *Partner's Production* (Ariel Zeitoun). *F.P.C.* (Philippe Diaz).

• **Censure.** *Commission de contrôle* (créée par décret du 19-7-1919). Composée de représentants de l'Administration, de la profession cinématographique, de médecins et éducateurs, tous nommés par arrêté ministériel. Propose : autorisation pour tout public, interdiction aux moins de 12 ans, au moins de 16 ans, aux mineurs (films X ou d'incitation à la violence) ou interdiction totale. Le ministre de tutelle (Information puis Culture) reste maître de la décision à prendre. Agrée en outre le matériel publicitaire du film.

• **Visas délivrés en 1990 :** Longs métrages : 129 français, 256 étrangers. Courts métrages 329 et 10. Divers : 266.

Restriction de programmation (1990). *Longs et courts métrages français et étrangers.* Interdiction aux mineurs (pornographiques) : 26, aux mineurs de 12 ans : 54, de 16 ans : 5, œuvres comportant un avertissement : 8, autorisées après coupures, modifications ou allègements 1 : 6).

Nota. – (1) A l'initiative du producteur ou du distributeur après un premier avis de la Commission.

• **Cinéma pornographique. Mesures contre.** 1re distribution mondiale : *Moi, une femme* (Suède, 1967). *Aide :* dep. le décret du 31-10-1975, les producteurs de films porno. ne bénéficient plus de l'aide automatique. Leurs films ne peuvent être projetés que dans un circuit de salles spécialisées.

Taux de TVA : dep. 1976 à 33,33 % sur recettes et ventes de droits de films porno. ou d'incitation à la violence (amendement Marette) ; superfiscalité (20 %) sur la fraction des bénéfices industriels et commerciaux réalisés à l'occasion de la production de tels films (amendement Foyer, modifié par le Sénat) ; taux de la taxe additionnelle sur les places des salles de cinéma où sont projetés ces films multiplié par 2,25.

Nombre de salles autorisées à projeter des films porno. *1976 :* 151 (53 à Paris), *77 :* 168, *79 :* 171, *80 :* 147, *81 :* 104, *87 :* 76.

Part des films classés X *dans la production française en %. 1977 :* 38, *78 :* 53, *80 :* 32, *81 :* 41, *83 :* 33,58, *84 :* 50.

Spectateurs de films X : En *1972 :* 10 % de l'ensemble du public de cinéma ; *1974 :* 14 ; *75 :* 25 ; *76 :* 5,87 ; *77 :* 5,7 ; *78 :* 5 ; *79 :* 4,4 ; *80 :* 2,6. *85 :* 0,10. *86* à *90 :* proche de 0.

• Studios. *Nombre et, en italique, coefficient d'occupation :* **1958 :** 46 (22 430 m²) *86,30 %.* **70 :** 29 (16 074 m²) *56,4.* **80 :** 12 (9 696 m²) *70,02.* **86 :** 4 (9 053 m²) *70,6* (12 films tournés en studios). **87 :** 4 (9 053 m²) *68,7.* **89 :** 7 (17 080 m²). *Effectif :* laboratoires, auditoriums, studios, pellicule. **1986 :** 1 935 env. **87 :** 1 875 env. **89 :** 21 625.

• Réalisateur. Personne qui, souvent, prend l'initiative de la réalisation d'un film, collabore à l'adaptation et au scénario, choisit tout ou partie des techniciens et artistes. En accord avec le producteur, dirige ou coordonne la préparation artistique du tournage, le tournage lui-même, les travaux de finition du film, et collabore fréquemment au lancement du film. Il est rémunéré en salaire pour une partie de son travail. Reconnu comme auteur depuis 1985, son apport artistique est rémunéré en % sur les recettes.

En 1989, sur 1 073 titulaires de la carte professionnelle, 87 ont réalisé 1 ou plusieurs films, dont 29 sur dérogation. 28 réalisateurs ont mis en scène leur premier long métrage. Par ailleurs, on comptait 1 493 titulaires de la carte de réalisateur de court métrage.

• Financement de la production. En 1989 : répartition des investissements dans la production cinématographique (en %) : apport 44,7 (dont France 32,9), Sofica 6,7, soutien financier 7,6 (dont investi 6,1, majoré 25 % 1,5), aides sélectives 5,4, TV 19,8 (dont apport 3,9, droits 15,9), participation 5, crédits 4,1, vidéo 0,4, à-valoir 6,3 (dont France 2,8).

• SOFICA (Stés de financement des ind. cinématographiques). *Créées* 1985. Un particulier peut déduire l'intégralité de ses investissements dans une SOFICA, dans la limite de 25 % de ses revenus imposables. Une entreprise soumise à l'impôt sur les Stés peut amortir dès la 1re année 50 % du montant versé. Les œuvres doivent être : réalisées dans leur version originale en français ; être de la nationalité d'un État de la CEE et être agréées par le ministre de la Culture. En sont exclus : œuvres à caractère porno ou d'incitation à la violence, œuvres utilisables à des fins publicitaires, programmes d'information, débats d'actualité, émissions sportives ou de variétés, documents et programmes audiovisuels ne comportant qu'accessoirement des éléments de création originale. Le producteur reste responsable de la production. Sa participation financière doit rester égale à 15 % du budget du film. Les sommes investies au titre de l'« abri fiscal » ne peuvent excéder 50 % du devis.

Investissement des SOFICA (en millions de F). 1985-90 : production cinématographique 758,4, audiovisuelle 202,5, capital de sociétés de production 72,4.

Nombre de films français (100 % fr. et coproductions) selon le coût de production (en 1990). *+ de 50 millions de F :* 12. *De 30 à 50 :* 20. *De 20 à 30 :* 23. *De 10 à 20 :* 56. *De 8 à 10 :* 10. *De 5 à 8 :* 12. *De 3 à 5 :* 9. *De 2 à 3 :* 2. *De 1 à 2 :* 2.

90 % des recettes des films sont réalisées durant la 1re année d'exploitation commerciale.

Postes du devis (en %, 1990). Droits artistiques 4,7, réalisateurs 1,6, techniciens 20,5, interprètes 10,8, studios 1, pellicule-labo 6, décors, costumes 9,1, transport-défraiement et régie 9,7, moyens techniques 6,8, assurances 1,9, charges sociales 11,9, divers 16.

Investissements français (en millions de F, 1990). 3 289 dont investisseurs français 2 296.

Exportations (en millions de F). **1982 :** 276. **83 :** 329,7. **84 :** 407,8. **86 :** 412,6 (export. de films fr. : 363,2, réexp. de films étr. 38,8). **88 :** 398,9. **89 :** 501,4 dont vers All. féd. 43,3, Japon 40, Italie 39,9, U.S.A. 28,1. Belgique 21,4, G.-B. 15,6.

Films

• Films produits. *Longs métrages :* **1960 :** 167 (dont 69 intégralement français). **62 :** 125 (43). **63 :** 141 (36). **64 :** 148 (45). **65 :** 142 (34). **66 :** 130 (45). **67 :** 120 (47). **68 :** 117 (49). **69 :** 154 (70). **70 :** 138 (66). **71 :** 127 (67). **72 :** 169 (71). **73 :** 181 (85). **74 :** 191 (101). **75 :** 162 (101). **76 :** 156 (112). **77 :** 144 (112). **78 :** 161 (116). **79 :** 174 (126). **80 :** 189 (144). **81 :** 231 (186). **82 :** 164 (134). **83 :** 132 (101). **84 :** 161 (120). **85 :** 151 (106). **86 :** 134 (97). **87 :** 133 (96). **88 :** 137 (93). **89 :** 136 (66). **90 :** 146 (81).

Coproductions. *Total* (1949 à 1980) : 2 045 films. **En 1981 :** 45. **82 :** 30. **83 :** 30. **84 :** 41. **85 :** 45. **86 :** 37. **87 :** 37. **88 :** 44. **89 :** 70 dont 35 majoritairement français. **90 :** 75.

Courts métrages commerciaux. **1978 :** 509. **79 :** 355. **80 :** 429. **81 :** 474. **82 :** 438. **83 :** 501. **84 :** 572. **85 :** 476. **86 :** 540. **87 :** 484. **88 :** 443. **89 :** 346. **90 :** 366.

• Coût d'un film (en 1990 en millions de F). *Médian :* 22,5.

• IFCIC (Institut pour le Financement du Cinéma et des Industries Culturelles). *Créé* 1983. 55, rue Pierre-Charron, 75008 Paris. Apporte sa garantie aux établissements financiers et aux banques. Pour le cinéma et l'audiovisuel, ses fonds sont prélevés sur le compte de soutien à l'industrie cinématographique et aux industries de programme.

• ALPA (Association de Lutte contre la Piraterie Audiovisuelle). *Créé* 1985. 9, rue de Marignan, 75008 Paris.

Distribution

Le producteur passe avec un distributeur un contrat de mandat, assorti de redevances, en principe proportionnelles aux recettes qui seront réalisées dans les salles. Avant le tournage, le distributeur donne parfois au producteur une « garantie de recettes » ou un « à-valoir ».

• Distributeur. Il tire un certain nombre de copies du film, organise publicité et promotion, loue le film à des directeurs de salles, moyennant une commission de 30 à 50 % de la recette du film, et assure la distribution physique des copies (300 000 programmes par an env.). Il se charge de réclamer auprès de l'exploitant ou d'entreprendre un recours auprès d'une commission spécialisée du C.N.C. en cas d'infraction à la montée des recettes.

Au 31-12-1990, il y avait 391 entreprises de distribution dont 162 (ayant 181 agences en France) ayant fonctionné. En 1989, 2 avaient distribué chacune + de 200 films, 12 de 100 à 200, 80 de 1 à 5.

Chiffre d'affaires (89) : 1 547,3 millions de F.

Films de long métrage. **Sortis pour la 1re fois sur les écrans français** (1990). 370 : 129 films français (dont 46 coproductions) et 241 films étrangers (138 américains, 14 polonais, 13 italiens, 12 soviétiques, 8 britanniques, 7 Hong Kong, 6 espagnols, 5 canadiens, 3 allemands, 35 divers.

Le *pourboire* n'est pas obligatoire. *Si la place attribuée ne convient pas,* on peut en exiger une autre ou se faire rembourser le prix de son billet. *Si par suite de panne ou de modification du programme, on ne peut assister à tout le programme,* on peut se faire rembourser. La loi du 11-3-1957 (art. 47) précise : « L'entrepreneur de spectacle doit assurer la représentation ou l'exécution publique dans des conditions techniques propres à garantir le respect des droits intellectuels et moraux de l'auteur. »

On peut écrire à la *Commission supérieure technique du Cinéma* (CST), 11, rue Galilée, 75016 Paris, pour signaler de mauvaises conditions de projection ou l'état défectueux d'une copie (joindre ticket d'entrée et détailler les imperfections constatées), ou aux *Raisins de la Colère,* 173, rue du Fbg-St-Antoine, 75011 Paris (association de défense du spectateur).

• **Films projetés** (total). *1971 :* 4 265. *75 :* 4 470. *76 :* 4 866 (français 1 510). *77 :* 5 064 (fr. 1 637). *78 :* 5 084 (fr. 1 701). *79 :* 5 189 (fr. 1 753). *80 :* 5 256 (fr. 1 763). *84 :* 5 028 (dont moins *d'1 an :* 424 ; *1 :* 463 ; *2 :* 418 ; *3 :* 486 ; *4 :* 382 ; *5 :* 372 ; *6 :* 308 ; *7 :* 251 ; *8 et + :* 2 844) dont *France 1 748 ;* U.S.A. 1 419 ; Italie 393 ; G.-B. 255 ; Allemagne 171 ; U.R.S.S. 122. Divers : 920. *89 :* 4 218 (fr. 1570). *90 :* 4 086 (fr. 1 074).

• **Aides sélectives à la distribution.** *1°) Pour favoriser le lancement de films français ou étrangers* répondant à certains critères de qualité, dont la sortie sur le marché cinématographique comporte des risques importants. Pte : Michèle Gendreau-Massaloux (1989). Films sélectionnés après avis d'une commission, peuvent bénéficier d'une garantie de recettes distributeur plafonnée à 500 000 F (dans la limite de 80 % des frais d'édition engagés). *1990 :* 42 films dont 23 films français en ont bénéficié (93 copies tirées : 5 850 000 F accordés). *2°) Pour soutenir les entreprises indépendantes* dont l'activité au plan de leur politique de distribution « art et essai » est un élément important de la diversification de l'offre de film en France. Ces entreprises peuvent recevoir une subvention d'exploitation après avis de la commission. *1990 :* 15 Stés de distribution ont reçu des aides : 4 250 000 F. *3°) Pour maintenir une offre de films dans petites et moyennes villes. 1990 :* 1 413 copies attribuées réparties sur 33 films. Le ministère de la Culture et le min. des Affaires étrangères accordent aussi des aides à l'acquisition de droits d'exploitation pour des œuvres peu connues en France.

Nombre moyen de séances par film *(en unités, 1984).* 840. *Français 1 138 ;* américains 1 106 ; britanniques 862 ; allemands 404 ; italiens 367.

Exploitation

• **Nombre de salles au 31-12-1990 :** *35 mm :* 4 518 représentant 1 million de fauteuils (223 fauteuils par salle). *16 mm :* 72. **Nombre de complexes :** 860 représentant 3 078 salles (soit 68,1 % du parc).

• **Programmation (1990).** 3 groupements nationaux (Gaumont, UGC, Pathé) regroupant 971 écrans (21 % du parc) et recueillant 48 % de la recette. *Pathé :* 328 écrans, *Gaumont :* 288, *UGC :* 355.

• **Soutien financier de l'État.** En 1990, 223,7 millions de F au titre de l'aide automatique, 23,9 millions au titre de l'aide sélective (dossiers instruits par l'agence pour le développement régional du cinéma).

• **Recettes (1990).** 3 827,8 millions de F (soit 31,4 F par spectateur). **Part du film français** dans la recette globale (en %). *1973 :* 61,8. *78 :* 46,5. *79 :* 51,1. *80 :* 47,7. *82 :* 53,7. *83 :* 47,01. *84 :* 49,6. *85 :* 44,6. *86 :* 43. *87 :* 35,6. *88 :* 38,5. *89 :* 34,2. *90* (prov.) : 37. **Répartition** (1988, en %). Taxe spéciale : 11 ; T.V.A. : 5,5 ; exploitation : 42,7 ; production, distribution : 38,1 ; SACEM : 1,3.

• **Ciné-Clubs. Origine.** *1919* création du mot par Louis Delluc. *1925* 1re séance organisée selon le fonctionnement actuel. **Fédérations.** *Féd. Jean Vigo : fondée* 1954 par Jean Michel, 400 ciné-clubs ; *Pt :* Bernard Nave ; cinémathèque de 150 titres. *Inter Ciné-Clubs (UNICC). UFOLEIS : fondée* 1933, 3 000 ciné-clubs, 3 cinémathèques régionales, 400 titres ; *dir. :* Luc Bonfils. *Féd. Loisirs et Culture (FLEC) :* 1 000 ciné-clubs, 800 titres ; *Pt :* Pierre Frésil. *Coopérative régionale du cinéma culturel (CRCC) : fondée* 1949 à Strasbourg, 200 associations en France ; 150 films pour enfants. **Réglementation.** En principe un ciné-club ne peut passer un film que 2 ans après sa sortie, sauf après son passage à la télévision ou dérogation (env. 60 par an).

Revues de cinéma

L'Avant-Scène Cinéma. *Créée* 1961 par Robert Chandeau. *Tirage :* 6 000 ex. *Dir. :* Jacques Leclère, *Réd. en chef :* Claude Beylie et Jacques Leclère.

Les Cahiers du cinéma. *Créée* 1951. *Tirage :* 60 000 ex. *Dir. :* Serge Toubiana.

Ciné jeunes (Revue du Comité français du cinéma pour la jeunesse). *Créée* 1955. *Tirage :* 3 000 ex. *Dir. :* Charles Dautricourt.

Cinéma 91. *Créée* 1954 par la Féd. française des ciné-clubs. *Tirage :* 25 000 ex. *Dir. :* Georges Montaron. *Réd. en chef :* Jean Rabinovici.

L'écran fantastique. *Créée* 1969 (mens.). *Tirage :* 50 000 ex. *Dir. :* Alain Sclockoff.

Filméchange. *Créé* 1978 par René Thévenet. *Tirage* 2 000 ex. *Dir. :* Jacques Leclère.

Films et documents. *Créée* 1940 par Marcel Cochin. *Tirage :* 1 000 ex. *Dir. :* Henri Vey.

Impact. *Créée* 1986 (bi-mestriel). *Tirage :* 60 000 ex. *Dir. :* Jean-Pierre Putters.

Jeune cinéma (Revue mensuelle de la Fédération Jean Vigo des ciné-clubs). *Créée* en 1964 par Jean Delmas. *Tirage :* 4 500 ex. *Dir. :* Andrée Tournès.

Mad Movies. *Créée* 1972 (bi-mestriel). *Tirage :* 80 000 ex. *Dir. :* Jean-Pierre Putters.

Positif. Revue mensuelle. *Créée* 1952 par Bernard Chardère. *Tirage :* 15 000 ex. *Dir. de la publication :* Hubert Niogret.

Première (« Le magazine du cinéma »). *Créé* 1976. *Dir. :* Ghislaine Le Leu.

Revue du Cinéma (Image et Son). *Créée* 1946. *Tirage :* 43 000 ex. *Dir. de publication et réd. en chef :* Jacques Zimmer.

Script. *Créé* 1988. *Dir. :* René Thévenet.

Studio Magazine. *Créé* en 1987. *Dir. :* Marc Esposito et Jean-Pierre Lavoignat. *Réd. en chef :* Michel Rebichon. *Tirage :* 97 000 ex.

• **Cinéma d'art et d'essai. Origine.** Association française créée 1956 par Jeander et Armand Tallier. **Subventions.** Les salles classées bénéficient d'une subvention du ministère de la Culture au titre du compte de soutien à l'industrie cinématographique. **Salles** (nombre au 1-1-1991) : 792 dont 93 en catégorie « recherche ».

• **Cinéma et vidéo** (F.F.C.V.). *Créé* 1933. Regroupe 200 clubs de cinéastes réal. non-professionnels (tous formats). *Siège :* 54, rue de Rome, 75008 Paris.

Spectateurs

• **Spectateurs. Dans les salles standard** (en millions). *1947 :* 423,7. *50 :* 370,7. *52 :* 359,6. *57 :* 411,6. *60 :* 328,3. *65 :* 259,1. *70 :* 184,4. *75 :* 180,7. *77 :* 169. *80 :* 174. *81 :* 187,6. *82 :* 200,5. *83 :* 197,1. *84 :* 187,8. *85 :* 172,2. *86 :* 163,4. *87 :* 132,5. *88 :* 122,4. *89 :* 118,9. *90* (prov.) : 121,8 dont en % : films américains 57,3, *français 37,1,* anglais 1,4, italiens 0,8, allemands 0,3.

• **Le public du cinéma. Fréquentation (en %, en 1988).** 48,9 des hommes vont au cinéma au moins une fois par an, 47,8 des femmes. 15 à 24 ans : 85,4 ; 25 à 34 : 58,7 ; 35 à 49 : 49,8 ; + de 50 : 24. Fréquentation rurale : 33,3 ; agglomération parisienne : 72,7. **Entrées (en %).** – de 35 ans : 69,4, célibataires 53,8, hommes 52,3, personnes ayant un niveau d'instruction supérieure 38.

Cinéma à la télévision

La télévision représente 4 milliards de spect. pour env. 1 360 films diffusés en 1990 toutes chaînes confondues.

• **Obligations des chaînes relatives à la diffusion de films de cinéma :** max. 192 dont 104 entre 20 h 30 et 22 h 30. Quota CEE : 60 %. Quota d'œuvres d'expression originale française : 50 %.

• **Films diffusés à la télévision française.** *Longs métrages : 1973 :* 460. *75 :* 474. *76 :* 517. *77 :* 526. *78 :* 524. *79 :* 537. *80 :* 527. *81 :* 500. *82 :* 475. *83 :* 475. *86 :* 950. *87 :* 1 288. *88 :* 1 330. *89 :* 1 289. *90 :* 1 360.

Par chaîne en 1990 et, entre parenthèses **rediffusion (1988). TF1** 170 (87). **A 2** 186 (112). **FR 3** 193 (109). **La Cinq** 192 (111). **M 6** 192 (123). **Canal +** 427.

• **Délai minimum de diffusion à l'antenne.** 36 mois après l'obtention du visa d'exploitation du film, 24 après l'obtention du visa d'exploitation si la chaîne a coproduit le film. Canal Plus : 12 mois. Dérogations possibles au vu des résultats d'exploitation en salles. **Par vidéocassettes et vidéodisques :** 1 an minimum après l'obtention du visa d'exploitation (dérogations possibles).

• **Magnétoscopes.** Selon la SIMAVELEC. *Parc* (1990) : 8,3 millions d'unités. Foyers équipés : 35 %.

• **Participation des chaînes de télévision au financement de la production** (en 1990, en millions de F). Total de la participation (dont part coproducteur et droit d'antenne). Total des chaînes : 626,7 (162,2 ; 464,5). TF1 Films 96,8 (43,1 *15 films ;* 53,7 *15 f.*). Films A 2 113 (51,1 *19 f. ;* 62,8 *21 f.*). FR 3 41,4 (20,5 *9 f. ;* 20,9 *9 f.*). La Cinq 65,6 (28,7 *14 f. :* 36,9 *15 f.*). La Sept 11,3 (8,2 *12 f. :* 3 *11 f.*). Canal Plus 275,6 (0 ; 275,6 *86 f.*). Canal Plus Production 22 (10,5 *2 f. ;* 11,5 *3 f.*).

• **Participation au Fonds de soutien du cinéma** (en 1989, en millions de F). 922.

• **Prix d'achat.** *Moyen (1990) :* 2,5 millions de F. *Max. :* 10 millions.

Protection du patrimoine

• **Service des archives du film** (78390 Bois-d'Arcy), *créé* en 1969, par décret du 19-6, à l'initiative d'André Malraux, alors min. de la Culture, a reçu en dépôts volontaires + de 95 000 titres de films (800 000 bobines). 1977, création du dépôt légal. Dep. 1977, par délégation de la Bibliothèque nationale, il conserve les films reçus au titre du dépôt légal (créé 1977) et dep. 1980 les archives de la Cinémathèque. Restaure les films anciens, en transférant progressivement sur un support de sécurité toute la production fr. (des origines à 1955 env.), établie sur nitrate de cellulose, condamnée à l'autodestruction (257 000 bobines, 64 millions de m). *Collections :* 150 000 photos de films, 1 300 affiches, 1 500 appareils de cinéma et 30 000 scénarios. *Centre de consultation et de recherche* pour les professionnels du cinéma et de l'audiovisuel. Participation à divers festivals et rétrospectives. *Budget (1991) :* 35 millions de F.

• **Cinémathèque française.** 29, rue du Colisée, 75008 Paris. *Créée* 1936 par Henri Langlois, Georges Franju et Jean Mitry. 145 000 boîtes de films dont env. 56 000 sur support nitrate transférées au service des archives (v. + haut) (25 000 titres). Restaure 80 longs métrages/an. *Bibliothèque.* Environ 10 000 ouvrages, 1 000 000 de photos recensées, 23 000 affiches, fonds d'archives, découpages de films, manuscrits ou ronéotypés, maquettes de décors et de costumes, 2 000 appareils de cinéma. *Programme* plus de 1 000 films par an dans sa salle de Chaillot. *Contribue* à de nombreux festivals et manifestations. *Musée du Cinéma Henri-Langlois* (1914-77), place du Trocadéro, 75016 Paris. 5 000 documents et pièces diverses.

• **AFICCA (Fondation internationale du cinéma et de la communication audiovisuelle).** 1 bis, av. du Roi Albert, 06400 Cannes. Centre de documentation sur l'image et le son. Accueil étudiants et chercheurs (sur demande écrite). Env. 6 000 ouvrages, 15 000 périodiques, 20 000 dossiers sur personnalités du Cinéma, films, thèmes, pays, institutions, etc. Préfiguration d'un musée du cinéma.

Films perdus en %. *Tournés entre 1895 et 1918 :* env. 85. *1919-29 :* Italie 85, U.S.A. 75, *France 70,* All. 40, U.R.S.S. 10. *1930-39 : France 50 à 55,* U.S.A. 25. *1940-49 : France 36* (1940-44), U.S.A. 10.

Nota. – Sur 12 000 films français, il en reste env. la moitié dont env. 3 800 utilisables sans travaux de restauration.

☞ **Institut Lumière.** Rue du Premier-film, Lyon-Monplaisir. *Créé* 1982. Pt. : Bertrand Tavernier. Projections, restauration et gestion des films Lumière, expositions, bibliothèque, médiathèque.

Films ayant eu le plus de succès en France en salle

Année de sortie, nationalité, *réalisateur,* interprètes principaux et nombre de spectateurs (en millions) du 1-1-1956 au 31-12-1990.

La Grande Vadrouille (1966 Fr., G.-B.) *G. Oury :* Bourvil, L. de Funès. 17,2. **Il était une fois dans l'Ouest** (1969 It.) *S. Leone ;* C. Bronson, H. Fonda, C. Cardinale. 14,8. **Les Dix Commandements** (1958

Amér.) *Cecil B. De Mille ;* C. Heston, Yull Brynner. 14,2. **Ben Hur** (1960 Amér.) *W. Wyler ;* C. Heston. 13,8. **Le Pont de la rivière Kwaï** (1957 Brit.) *D. Lean ;* Alec Guinness, W. Holden. 13,4. **Le Livre de la jungle** (1968 Amér.) *W. Reitherman ;* dessin animé. 12,5. **Le Jour le plus long** (1962 Amér.) *K. Annakin ;* A. Marton, B. Wicki. 11,9. **Le Corniaud** (1965 Fr., It.) *G. Oury ;* Bourvil, L. de Funès. 11,7. **Les 101 Dalmatiens** (1961 Amér.) *W. Disney* 11,6. **Les Aristochats** (1971 Amér.) *W. Reitherman ;* dessin animé 10,4. **Trois hommes et un couffin** (Fr.) *C. Serreau* 10,2. **Les canons de Navarone** (1961 Amér.) *J. Lee Thompson ;* G. Peck, David Niven, A. Quinn. 10,2.

Les Misérables (2 époques) (1958 Fr., It.) *J.-P. Le Chanois ;* J. Gabin, B. Blier, Bourvil. 9,9. **Docteur Jivago** (1966 Amér.) *D. Lean ;* J. Christie, O. Sharif. 9,8. **La Guerre des boutons** (1962 Fr.) *Y. Robert.* 9,7. **L'Ours** (1988, Fr.) *J.-J. Annaud* 9,1. **Le Grand bleu** (1989, Fr.) *L. Besson* 9. **E.T. l'extra terrestre** (1982, Amér. *S. Spielberg ;* Dee Wallace 8,9. **Emmanuelle** (1974 Fr.) *Just Jaeckin ;* S. Kristel. 8,9. **La Vache et le Prisonnier** (1959 Fr., It.) *H. Verneuil;* Fernandel. 8,8. **La Grande Évasion** (1963 Amér.) *J. Sturges ;* Steve McQueen. 8,7. **West Side Story** (1962 Amér.) *R. Wise, J. Robbins ;* G. Chakiris, R. Iamblyn, N. Wood. 8,7. **Le Gendarme de St-Tropez** (1964 Fr., It.) *J. Girault ;* L. de Funès. 7,8. **Les Bidasses en folie** (1971 Fr.) *C. Zidi ;* Les Charlots. 7,5. **Les Aventures de Rabbi Jacob** (1973 Fr., It.) *G. Oury ;* L. de Funès. 7,4. **Les Aventures de Bernard et Bianca** (Amér.) *L. Clemons* 7,2. **Jean de Florette (nº 1)** (1986, Fr.) *C. Berri.* D. Auteuil, Y. Montand, G. Depardieu 7,2. **Les Sept Mercenaires** (1961 Amér.) *J. Sturges ;* Y. Brynner, E. Wallach, Steve McQueen. 7. **La Chèvre** (1981 Fr., Mex.) *F. Weber ;* P. Richard, G. Depardieu. 7.

Les Grandes Vacances (1967 Fr., It.) *J. Girault ;* L. de Funès. 6,9. **Michel Strogoff** (1956 Fr., It., Yougosl.) *C. Gallone ;* C. Jurgens, G. Page. 6,9. **Le Gendarme se marie** (1968 Fr., It.) *J. Girault ;* L. de Funès. 6,8. **Rox et Rouky** (Amér.) *A. Stevens/T. Berman* 6,7. **Goldfinger** (1965 Br.) *G. Hamilton ;* S. Connery. 6,7. **Manon des Sources** (1987 Fr.) *C. Berri ;* D. Auteuil, E. Béart, Y. Montand. 6,6. **Sissi** (1956 Autr.) *F. Marischka ;* R. Schneider, K. Böhm. 6,6. **Le Cercle des poètes disparus** (1989, Amér.) *P. Weir* 6,5. **Robin des Bois** (Amér.) *W. Reitherman* 6,5. **Rain man** (1989, Amér.) *B. Levinson* 6,5. **Sissi jeune impératrice** (1957 Autr.) *F. Marischka.* 6,4. **Rain Man** (1989 Amér.) *B. Levinson.* 6,4. **La Cuisine au beurre** (1963 Fr., It.) *G. Grangier ;* Bourvil, Fernandel. 6,4. **Le Bon, la Brute et le Truand** (1968 It.) *S. Leone ;* C. Eastwood, E. Wallach, L. Van Cleef. 6,3. **Orange mécanique** (1972 Amér.) *S. Kubrick.* 6,3. **Les Aventuriers de l'arche perdue** (1981 Amér.) *S. Spielberg.* 6,3. **Les Dents de la mer** (1976 Amér.) *S. Spielberg.* 6,2. **Le Gendarme et les Extraterrestres** (1979 Fr.) *J. Girault ;* L. de Funès. 6,2. **Indiana Jones et la dernière croisade** (1989, Amér.) *S. Spielberg* 6,2. **Oscar** (1967 Fr.) *E. Molinaro ;* L. de Funès. 6,1. **Merlin l'enchanteur** (U.S.A.) *W. Reitherman* 6,1. **Marche à l'ombre** (1984 Fr.) *A. Mazars.* 6,1.

Meilleurs taux d'audience à la télévision en 1989 (en %)

Le Mur de l'Atlantique [1] 27,8. **Le Grand Chemin** [1] 27,5. **Les Rois du gag** [1] 26,8. **Papy fait de la résistance** [2] 25,8. **La Chèvre** [1] 25,3. **Vol au-dessus d'un nid de coucou** [1] 25,3. **A la poursuite du diamant vert** [1] 24,7. **La Folie des grandeurs** [2] 24,1. **Pas de problème** [1] 24. **L'As des as** [1] 23,7.

Nota. – (1) TF1. (2) A2.

Films ayant réalisé plus d'un million d'entrées en 1990 (en millions)

Le Cercle des poètes disparus (Amér.). *P. Weir* 6,5. **La Gloire de mon père** (Fr.) *Y. Robert* 5,8. **Chérie j'ai rétréci les gosses** (Amér.) *J. Johnston* 4,2. **Allo maman ici Bébé** (Amér.) *A. Heckerling* 4. **Cyrano de Bergerac** (Fr.) *J.-P. Rappeneau* 3,9. **Le Château de ma mère** (Fr.) *Y. Robert* 3,4. **Nikita** (Fr.) *L. Besson* 3,2. **Ripoux contre Ripoux** (Fr.) *C. Zidi* 2,9. **Gremlins 2 (nouvelle génération)** (Amér.) *J. Dante* 2,3. **Total Recall** (Amér.) *P. Verhoeven* 2,1. **Tatie Danielle** (Fr.) *E. Chatilliez* 2,1. **Pretty Woman** (Amér.) *G. Marshall* 2,1. **Ghost** (Amér.) *J. Zucker* 1,9. **La Petite sirène** (Amér.) *J. Musker/R. Clements* 1,9. **Retour vers le futur** (3ᵉ partie) (Amér.) *R. Zemeckis* 1,7. **Il y a des jours et des lunes** (Fr.) *C. Lelouch* 1,5. **Quarante-huit heures de plus** (Amér.) *W. Hill* 1,4. **Retour vers le futur** (2ᵉ partie) (Amér.) *R. Zemeckis* 1,4. **Milou en mai** (Fr.) *L. Malle* 1,3. **Jours de tonnerre** (Amér.) *T. Scott* 1,3. **Uranus** (Fr.) *C. Berri* 1,2. **Promotion canapé** (Fr.) *D. Kaminka* 1,2. **Full contact** (Amér.) *S. Lettich* 1,2. **A la poursuite d'octobre rouge** (Amér.) *J. Mac Tiernan* 1,1. **Touche pas à ma fille** (Amér.) *S. Dragoti* 1,1. **Oliver et compagnie** (Amér.) *G. Scribner* 1.

☞ Films ayant eu le plus de succès en France en salle, voir p. 489.

Cinéma odorant

1959-*2-12* 1er film odorant, documentaire *la Muraille de Chine* (Carlo Lizzani), durant les 97 mn de la projection les spectateurs respiraient 72 odeurs (fumées, épices, orange, jasmin etc.) diffusées par circuit d'air conditionné. **1960**-*2-12* *Une odeur de mystère* (Jack Cardiff) présenté au cinéma Cinestage de Chicago. **1981** *Polyester* (John Waters), en entrant dans la salle, les spectateurs recevaient un carton numéroté de 1 à 10. Chaque fois qu'un numéro apparaissait à l'écran, ils frottaient avec le doigt l'emplacement indiqué et libéraient ainsi une odeur : ail, essence, gaz, vieille chaussure de tennis.

Comment se nomment les habitants de ?

☞ Suite de la p. 266.

Louviers Lovériens
Lucé Lucéens
Luchon Bagnérais
Luisant Luisantois
Lunay Lunotiers
Lure Lurons, Lurois
Lusignan Mélusins
Luxeuil-les-Bains Luxoviens
Magnac-Laval Magnasais
Maisons-Alfort Maisonnais
Maisons-Laffitte Mansonniens, Maisonnais
Malakoff Malakoffiots, Malakovites
Malestroit Maltrais
Mamers Mamertins
Manou Manouiots
Mans (Le) Manceaux, Mansois
Mantes-la-Jolie Mantais
Mantes-la-Ville Mantevillois
Marans Marandais
Marcq-en-Baroeul Marcquois
Marle Marlois
Marly Marlytrons
Marly-le-Roi Marlychois
Martigues Martégal, Martigal (aux), Martegallais
Marseille Marseillais, Massiliens
Martigues Martégaux, Martegallais
Masevaux Masopolitains
Masseube Massylvains
Massy Massicois
Mauguio Melgoriens
Meaux Meldois
Melun Melunais, Mélodunois
Ménilmontant Ménilmontants
Mérignac Mérignanais
Metz Messins
Meung-sur-Loire Magdunois
Meyzieu Majolans
Mézières Macériens
Millas Millassous
Millau Millavois
Mirebeau-en-Poitou Mirebalais
Mirecourt Mirecurtiens
Mirepoix Mirapisciens, Mirepiciens
Mitry-Mory Mitryens
Moissac Moissagais
Monaco Monégasques
Moncourtour-de-Bretagne Moncontourais, Moncourtourois
Mondoubleau Mondoublotiers
Mons-en-Baroeul Monsois
Montaigu Montacutains, Montaigusiens
Montargis Montargois
Montauban Montalbanais
Montay Montagnards
Montceau-les-Mines Montcelliens
Mont-de-Marsan Montois
Montdidier Montdidériens
Montélimar Montiliens
Montereau Monterelais
Montereau-faut-Yonne Monterelais
Mont-et-Marré Mont-et-Marrois
Montferrand Ferrandois
Montfort-l'Amaury Montfortois
Montigny-en-Cambrésis Montignaciens
Montigny-le-Bretonneux Igny Montais
Montigny-le-Gannelon Montrognons
Montmorency Montmorencéens
Montmorillon Montmorillonnais
Montpellier Montpelliérains
Montreuil Montreuillois
Montrouge Montrougiens
Mont-Saint-Aignan Mont-Saint-Aignanais
Mont-Saint-Michel Montois
Morsang-sur-Orge Morsaintois
Morteau Mortuaciens
Moulins Moulinois
Les Mureaux Muriautins
Muret Muretains
Nancy Nancéiens
Nantua Nantuatiens, Nantuates
Nemours Nemouriens
Neufchâteau Néocastriens
Neuilly-Plaisance Nocéens
Neuilly-sur-Marne Nocéens
Neuilly-sur-Seine Neuilléens, Neuillistes
Nevers Neversois, Nivernais
Nice Niçois, Niçards
Niort Niortais
Nœux-les-Mines Noeuxois
Nogent-le-Rotrou Nogentais
Noisy-le-Grand Noiséens
Noisy-le-Sec Noiséens
Nuits-Saint-Georges Nuitons
Oignies Oigninois
Orange Orangeois
Orléans Orléanais
Ornans Ornachiens ou Ornanais
Orquevaux Orquevoux, Orquevons
Orsay Orcéens
Orvault Orvaltais
Ouessant Ouessantins
Oullins Oullinois
Outreau Outrelois
Paimbœuf Paimblotins, Paimblotains
Palais Palantins
Palaiseau Palaisiens
Pamiers Appaméens, Apaméens
Pantin Pantinois
Paray-le-Monial Parodiens
Patay Patichons
Pau Palois
Paulmy Palmisois
Pavillons-sous-Bois (Les) Pavillonnais
Le Pecq Alpicois
Périgueux Périgourdins, Pétrocoriens
Le Perreux-sur-Marne Perreuxiens
Le Petit-Quevilly Quevillais
Pézenas Piscénois
Pierre-Bénite Pierre-Bénitains
Pierrefitte-sur-Seine Pierrefittois
Pierres Pierrotins
Pithiviers Pithivériens, Pituérais
Pitres Pitriens
Plaisir Plaisirois
Plessis-Robinson (Le) Hibous, Robinsonnais
Le Plessis-Trévise Plesséens
Pluméliau Pluméliens
Poil Poilus
Poilcourt Poilcourtois
Poissy Pissiaçais, Poissiais, Pisciaçais
Poitiers Poitevins
Poix du Nord Podéens
Pont-à-Mousson Mussipontains
Pontarlier Pontissaliens
Pont-Audemer Pontaudemériens
Pont-Bellanger Tous-loins
Pont-de-Roide Rudipontains
Pont-de-Vaux Pontevallois
Pont Labbé-Lambour Pont-Labbistes
Pont-l'Évêque Pontépiscopiens
Pontlevoy Pontileviens
Pont-Saint-Esprit Spiripontains
Pouzauges Poudaugeois
Port-de-Bouc Port-de-Boucains
Port-sur-Saône Portusiens
Prades Pradéens
Pré-Saint-Gervais (Le) Gervaisiens
Privas Privadois
Provins Provinois
Puiseaux Puisotins, Puisatins
Puteaux Putéoliens, Putelliens
Puy (Le) Ponots, Aniciens, Podots
Quesnoy (Le) Quercitains
Quillebœuf Quillebois
Raincy (Le) Raincéens
Rambervillers Rambuvetais
Rambouillet Rambolitains
Ré (Ile de) Rhétais
Reims Rémois
Remiremont Romarimontains
Réole (La) Réolais
Ribeauvillé Ribeauvilléens, Ribeaupierrettes
La Ricamarie Ricamandois
Riez Réiens, Riézois
Rillieux-la-Pape Rilliards
Riom, Riomois
Ris-Orangis Rissois
Rive-de-Gier Ripagériens
Rocamadour Amadouriens
Rochefort Rochefortais
Rochelle (La) Rochelais
Roche-sur-Faron (La) Rochois
Roche-sur-Yon (La) Yonnais
Rodez Ruthénois, Ruthéniens
Romans Romanais
Romilly-sur-Seine Romillons
Ronchamps Ronchampois
Roscoff Roscovites, Roscoviens
Rosny-sous-Bois Rosnéens
Royan Royannais
Royat Royatois, Royatais
Roynac Régnaquains
Rueil-Malmaison Rueillois
Rumilly Rumilliens
Sables-d'Olonne (Les) Sablais, Olonnais
Sablé-sur-Sarthe Saboliens, Sablésiens
Saillans Salliniens
Saint-Acheul Acheuléens
Saint-Affrique Saint Affricains, Saint Affriquains
Saint-Aignan-sur-Cher Saint-Aignanais
Saint-Amand-les-Eaux Amandinois
Saint-Amand-de-Longpré Saint-Amandinois
Saint-Amand-de-Vendôme Saint Amandinois
Saint-Amand-les-Eaux Amandinois
Saint-Amand-Montrond Saint-Amandois
Saint-André Andrésiens
Saint-André-les-Vergers Driats
Saint-Avold Saint-Avoldiens, Nabariens
Saint-Bonnet-le-Château Saint-Bonnitains
Saint-Brévin-les-Pins Brévinois
Saint-Brieuc Briochins, Briochains
Saint-Cassien Cassianites
Saint-Chamond Saint-Chamonais, Couramiauds
Saint-Chély-d'Apcher Barrabans
Saint-Claude Sanclaudiens
Saint-Cloud Clodoaldiens
Saint-Coulomb Coulombins
Saint-Denis Dyonisiens, Saint-Dionysiens
Saint-Dié Déodatiens
Saint-Dizier Bragards
Saint-Émilion Sémélionais
Saint-Étienne Stéphanois
Saint-Étienne-du-Rouvray Stéphanais
Saint-Flour Sanflorains, Saint-Flouriens
Saint-Fons Saint-Foniards
Saint-Gaudens Saint-Gaudinois
Saint-Germain-en-Laye Saint-Germanois
Saint-Herblain Herblinois
Saint-Honoré-les-Bains Saint-Honoréens
Saint-Jacut-de-la-Mer Jaguiats
Saint-Jean-d'Angély Angériens
Saint-Jean-de-Losne Losnais
Saint-Jean-de-Luz Luziens
Saint-Jean-de-Maurienne Mauriennais, Saint-Jeanins
Saint-Jean-en-Royans Rouannais
Saint-Jean-de-la-Ruelle Stéoruellans
Saint-Julien-en-Genevois Juliénois
Saint-Junien Saint-Juniauds, Saint-Juniaux
Saint-Laurent-Blangy Imercuriens
Saint-Laurent-de-la-Salanque Laurençans
Saint-Laurent-du-Var Laurentins
Saint-Léonard Saint-Léonardiens
Saint-Lô Saint-Lois, Laudois, Laudiens, Laudiniens
Saint-Louis Ludoviciens
Saint-Loup-sur-Semouse Lupéens
Saint-Macaire Macariens
Saint-Malo Malouins
Saint-Martin Martiniens
Saint-Maur-des-Fossés Saint-Mauriens
Saint-Max Maxois
Saint-Michel-des-Déserts Désertiers
Saint-Mihiel Sammiellois
Saint-Nazaire Nazairiens
Saint-Nicaise Nicaisiens
Saint-Nicolas-de-Port Portois
Saint-Nicolas-en-Forêt Nicoforestiers
Saint-Omer Audomarois
Saint-Ouen Audoniens
Saint-Ouen-l'Aumône Saint-Ouennais
Saint-Papoul Saint-Papouliens, Saint-Papoulois
St-Paul-Trois-Châteaux Tricastinois
Saint-Péray Saint-Pérollais
Saint-Pierre-des-Corps Corpopétrussiens
Saint-Pol-de-Léon Saint-Politains, Léonais
Saint-Pol-sur-Mer Saint-Polois
Saint-Pol-sur-Ternoise Saint-Polais, Paulopolitains
Saint-Pons Saint-Ponais
Saint-Priest San-Priau (x)
Saint-Pourçain-sur-Sioule Saint-Pourcinois, Sanpourcinois
Saint-Quentin Saint-Quentinois, Quentois
Saint-Raphaël Raphaëlois
Saint-Souplet Sulpiciens
Saint-Tropez Tropéziens
Saint-Vallier Valloiriens, Saint-Valliérois
Saint-Yrieix-la-Perche Arédiens
Sainte-Foy-lès-Lyon Sainte-Foyens

☞ Suite p. 565.

Les Religions

Les religions dans le monde

Les statistiques anciennes prenaient soin de faire coïncider populations et religions, chacun étant censé appartenir à une religion. Aujourd'hui, on tend à ne compter que les adhérents explicites.

Les catholiques enregistrent les baptisés, mais, dans les pays latins, aucune statistique nationale ni même régionale ne regroupe les données locales. Dans certains pays (ex. : U.S.A.), on ne prend en compte que ceux qui fréquentent l'église. En Extrême-Orient, on peut être à la fois confucianiste, bouddhiste et taoïste et, au Japon, bouddhiste et shintoïste. Dans les pays « passés par le communisme », des statistiques fiables sont encore difficiles à obtenir. En Afrique, beaucoup d'animistes s'inscrivaient naguère à l'état civil comme chrétiens ou musulmans, alors qu'ils n'étaient ni l'un, ni l'autre. Aujourd'hui, l'animisme retrouve un regain de faveur sous l'appellation de religion traditionnelle et de culte des ancêtres.

Les chiffres ci-dessous résultant d'une analyse critique des données courantes (d'origine confessionnelle, étatique, encyclopédique) sont citées avec réserve.

Nombre en 1989 (en millions)

- **Agnostiques et athées.** 1 101,4.
- **Animistes.** 200 : Afrique 130, Asie 60, Amér. du S. et Antilles 4, Océanie 1. (A l'animisme se rattachent le shintoïsme et le confucianisme, comme interprétations de l'animation du monde.)
- **Bouddhistes.** 311,4. Asie 310, Europe 0,5, Amér. du S. 0,5, Amér. du N. 0,4, Océanie 0,02, Afrique 0,01.
- **Chrétiens** (terme venant de Christ, apparu comme sobriquet v. 40 apr. J.-C. à Antioche). 32,9 % de la pop. mondiale (1 712) [sans compter Chine, Mongolie, Corée du N., Viêt-nam, Cambodge (Kampuchea), Laos, Albanie, Bulgarie, U.R.S.S., Ukraine, Biélorussie, Estonie]. **Catholiques** (1989) : 971,7 dont Amérique 177, Europe 265,7, Asie 111, Afrique 110,3, Océanie 7,6. *Pays comptant le + de catholiques :* Brésil 121, Mexique 76, Italie 56, U.S.A. 53, *France 47,* Philippines 46, Espagne 38, Pologne 35, Argentine 29. Allemagne féd. 28, Colombie 27. **Orthodoxes :** 163,6 dont Europe 126, Afrique 26,3, Amér. du N. 5,9, Asie 3,3, Amér. du S. 1,7, Océanie 0,5. **Protestants :** 351,2 dont Amér. du N. 94,6, Europe 82,6, Afrique 77,3, Asie 73,6, Amér. du S. 15,5, Océanie 7,6.

% de chrétiens en 500 : 22,4 (dont Blancs 38,1). *1000* : 18,7 (Bl. + de 50). *XIX*e : 23,1 (Bl. 86,5). *1950* : 34,1 (Bl. 63,5). *1983* : 1,55 milliard (dont Blancs 47,4, Noirs 19,4, Métis 11,6, Mulâtres 11, Jaunes 7,2, Rouges 3,9).

Langues les plus parlées par les chrétiens : esp. 220 millions, anglais 200, portugais 140, allem., français, italien, russe, polonais, ukrainien, néerlandais.

% de croyants en Europe en 1983 : Irlande 95, Espagne 87, Italie 84, Belgique 77, G.-B. 76, All. féd. 72, P.-Bas 65, *France 62,* Danemark 58.

% de catholiques dans les pays de l'Est : Pologne 94, Tchécoslovaquie 65, Hongrie 60, Yougoslavie 26, Allemagne de l'Est 7, Roumanie 5, U.R.S.S. 4,2 (dont Lituanie 84, Biélorussie 20, Lettonie 20), Ukraine 10, Bulgarie 0,5.

- **Confucianistes.** 321 : Asie 313, Europe 0,4, Amérique du N. 0,1, du S. 0,05, Océanie (84) 0,01, Afrique (84) 0,003.
- **Hindouistes.** 686 : Asie 99 %, Afr. 0,8, Amér. du S. 0,6, Océanie 0,3, Europe 0,3, Amér. du N. 0,3.
- **Juifs.** 18,5 : Amér. du N. 8, Asie 4,4, Europe 4, Amér. du S. 0,7, Afrique 0,2, Océanie 0,07.
- **Musulmans (mahométans).** 870 : Asie 381,7, Afrique 150,3 (surtout Afr. du N. et Nigeria), Europe 20,4, Amér. du N. 1,8, Amér. du S. 0,3, Océanie 0,8.
- **Shintoïstes.** 32 : Asie 32, Amér. du N. (84) 0,07, Amér. du S. 0,04.
- **Taoïstes.** 20 : Asie 20, Amér. du N. 0,03, Amér. du S. 0,01.
- **Zoroastriens.** 0,2 : Asie 0,2.

Association internationale pour la défense de la liberté religieuse (AIDLR). *Créée* 1946 par le Dr Jean Nussbaum (1888-1967). Dotée de statut consultatif auprès du Conseil économique et social des Nations Unies (1978), du Conseil de l'Europe (1984) et de l'Unesco (1986). *But :* Soutenir le principe de l'art. 18 de la Déclaration universelle des droits de l'homme adoptée le 10-12-1948 : « Toute personne a droit à la liberté de pensée, de conscience et de religion : ce droit implique la liberté de changer de religion ou de conviction, ainsi que la liberté de manifester sa religion ou sa conviction individuellement ou collectivement, en public ou en privé, par le culte, l'enseignement, les pratiques et l'accomplissement des rites. » *Publication :* Conscience et Liberté (semestrielle), éd. en 7 langues. *Europe : Secr. général :* Dr Gianfranco Rossi, Case postale 219, 3000 Berne 32, Suisse. *France : Pt :* Maurice Verfaillie, 684, av. de la Libération, 77350 Le Mée-sur-Seine.

Animisme

- **Origine.** Nom donné aux religions traditionnelles. Il est pratiqué de façons diverses, de temps immémorial, par Océaniens, Africains et aborigènes d'Asie. D'autres noms ont été peu à peu écartés : *fétichisme, naturalisme, polythéisme, totémisme, manisme, dynamisme, vitalisme.* Le *paganisme* (mot devenu péjoratif) désigne les croyances locales, par opposition aux religions nouvelles monothéistes (judaïsme, islam et christianisme), et par assimilation aux religions grecques et romaines de l'Antiquité.
- **Principales caractéristiques.** Culte des ancêtres et des forces de la nature. Les morts sont vivants et agissants, ils peuvent être plus ou moins proches, bienfaisants ou hostiles (dans ce cas, il faut les apaiser par des rites appropriés). En général conscience d'un être suprême (Nyame, Mawu, Maangal, Neele, etc.), qu'on invoque mais auquel on ne rend pas de culte direct ; initiations (rites de passage à l'époque de la puberté) ; divinations (devins-guérisseurs, hommes-médecine) ; magie ; sociétés religieuses secrètes (la plupart, ayant surtout un rôle politique, économique, ethnique ou tribal).
- **Vaudou. Origine.** Bénin, Antilles (notamment Haïti), U.S.A. (Sud : Noirs), Brésil (sous le nom de *Macumba*).

Vaudou haïtien. Associe l'animisme africain, un rituel chrétien et des pratiques magiques [satanisme, ophiolâtrie (adoration du serpent), phallicisme]. Sectes diverses de types spontanés ; admettent en gén. un Dieu unique, le *Grand Maître,* créateur des génies, vénérant les forces qui nous entourent personnalisées sous des noms divers, ex. le baron Samedi, dieu des cimetières et souverain des Morts ; la maîtresse Erzulie, déesse de l'amour ; la plupart des saints catholiques (notamment Thérèse de Lisieux), dont les fêtes sont célébrées aux dates du calendrier romain.

Chaque vaudouiste a son génie spécial, le *loa,* « maître-tête », qui prend possession de lui, grâce à des procédés rituels (la crise de loa), consistant surtout à manger certains produits (le manger loa). Une fois possédé par son loa, le vaudouiste devient son interprète : les paroles qu'il prononce sont considérées comme celles du loa.

Organisation : chaque confrérie vaudou est dirigée par un prêtre, le *hougan* (« maître de dieu » en dahoméen), ou une prêtresse, la *mambo.* Les *hounsi,* fils et filles spirituels, partagent les tâches auxiliaires : le *chef-cambuse* garde la pièce des offrandes, et les administre ; la *confiance* seconde le hougan ; *« la place »* (« commandant général de la place ») veille au bon ordre des chœurs ; la *reine chanterelle* dirige les chœurs. *Rites :* initiation après un « coma sacré » de 7 à 11 j puis 7 mois de retraite au couvent, le corps baissé vers la terre, dans l'obscurité et le silence, puis enseignement de langues sacrées. Initiation en 3 ans. Sacrifices d'animaux (dons expiatoires), suivis de danses rituelles incantatoires.

Catholicisme

L'Église catholique est une forme de la religion chrétienne (c.-à-d. fondée par Jésus-Christ), qui se rattache à l'ensemble des religions bibliques.

Nota. – Dep. le IVe s., et à cause de St Jean Chrysostome, le mot *Bible* désigne uniquement les saintes Écritures.

Base biblique

- **Croyance en l'inspiration biblique.** L'Église catholique croit la Bible inspirée par Dieu.
- **Canon biblique.** Le mot grec *kanôn* (« règlement ») désigne la liste des textes bibliques reconnus officiellement comme inspirés.

Nota. – Les *orthodoxes* ont le même canon biblique que les catholiques. Les *protestants* reconnaissent les 24 livres de la Bible hébraïque et les livres protocanoniques du Nouveau Testament ; ils appellent « apocryphes » les livres *deutérocanoniques,* qu'ils publient parfois en annexe dans leurs éditions.

- **Ancien Testament. Fixation du canon.** Comprend la *Bible judaïque* dans son édition grecque des Septante : *1re partie : 39 livres hébraïques* (formant le 1er groupe de canons) : *Loi* 5 ; *Prophètes* 17 ; *Hagiographes* 17 ; *2o : 7 livres grecs* (2e gr. de canons) : *Hagiographes* 5 ; *Histoire* 2 (les *Macchabées).* Ce classement est légèrement différent de celui que fait le judaïsme (voir p. 547 b). Le texte officiel en latin *(Vulgate),* œuvre de St Jérôme (IVe s.), est une traduction du texte grec des Septante (voir p. 547 c).

Au IIIe s. on discuta des livres de l'Ancien Testament que l'on devait considérer comme canoniques. Origène exclut les livres grecs, tandis que certains auteurs ajoutèrent des apocryphes, comme le livre d'Hénoch, l'Ascension d'Isaïe, le IVe livre d'Esdras.

RÔLE DANS LA RELIGION CHRÉTIENNE : *1o) Autorité reconnue.* Par JÉSUS : la divinité de sa mission était prouvée par 2 « témoignages » : a) son don des miracles (témoignage du Père) ; b) le témoignage de l'Écriture (3 textes invoqués : lois de Moïse, Prophètes, Psaumes). Par le Credo : la résurrection de Jésus a eu lieu « conformément aux Écritures » *(secundum scripturas) ; 2o) Prophéties dites « messianiques ».* Voir § suivant ; *3o) Enseignement de la morale* (voir Décalogue, p. 496 c) ; *4o) Grandes vérités des récits bibliques.* Voir Judaïsme, p. 546 [l'Église catholique les interprète autrement que le judaïsme : le pape Pie X a affirmé le caractère « historique » des faits relatés par la Genèse (30-6-1909), rappelant cependant que ces faits étaient relatifs aux fondements de la religion chrétienne, ce qui leur accordait une nature différente des autres faits historiques. En 1948, dans une lettre au cardinal Suhard, archevêque de Paris, puis en 1950, dans l'Encyclique *Humani generis,* le pape Pie XII a autorisé les chercheurs catholiques à prendre les récits de la Genèse, notamment celui de la création d'Adam et d'Ève, dans un sens très large, pouvant se concilier avec la théorie de la multiplicité des premiers couples humains (considérée à l'époque comme la seule scientifiquement valable ; théorie de nouveau écartée)].

Controverse avec le judaïsme. L'Église catholique entend (depuis St Paul) démontrer que les grands dogmes chrétiens (incarnation, venue du fils de Dieu sur Terre, salut par le baptême, etc.) sont annoncés par l'Ancien Testament : Jésus est préfiguré par 2 personnages bibliques différents dont il a fait la synthèse : le *Messie* (roi glorieux) et le *Juste souffrant* (homme de douleur) ; Marie est préfigurée par la *Zéra* (descendance d'Ève) ; l'Église est le *Royaume* restauré, etc. Le judaïsme a toujours contesté ces interprétations. Il n'admet pas que Jésus ait réalisé les espérances juives (au contraire, Jérusalem a été détruite et le peuple hébreu dispersé 40 ans après sa mort). Actuellement, l'Église insiste sur le sens religieux des promesses de l'Ancien Testament : salut de l'âme, pardon des péchés.

• **Nouveau Testament. Définition.** Ensemble des textes sacrés postérieurs à la venue de Jésus au monde. Pour les Églises chrétiennes, comme pour l'islam, ils font partie de la Bible au même titre que les livres de l'Ancien Testament. Pour le judaïsme, au contraire, ils ne sont ni inspirés, ni sacrés, ni divins.

Fixation du canon. Sont déclarés *canoniques :* 1°) 20 livres *protocanoniques* (c.-à-d. formant le 1er § du canon) : les 4 *Évangiles* (St Matthieu, St Marc, St Luc, St Jean), les *Actes des Apôtres,* 15 *Épîtres :* la 1re de St Pierre, la 1re de St Jean et 13 de St Paul [réparties traditionnellement en 3 groupes : a) *grandes épîtres dogmatiques* (Romains, I et II Corinthiens, Galates) ; b) *ép. de la captivité* (Philémon et les 3 ép. « christologiques » : Éphésiens, Philippiens, Colossiens) ; c) *ép. pastorales* (I et II Timothée, Tite)]. 2°) 7 livres *deutérocanoniques* [appelés jusqu'au XVIe s. « discutés » (épithète forgée par le dominicain Sixte de Sienne)] : 6 *Épîtres :* [Hébreux (inspirée par St Paul, mais rédigée par St Barnabé, ou St Jude, ou Apollos d'Alexandrie) ; St Jacques ; II de St Pierre ; II et III de St Jean ; St Jude] l'*Apocalypse* [*révélations sur Jésus :* voir p. 494 b ; *– symbole des « 4 Cavaliers » :* 1re *conquête,* sur un cheval blanc, a un arc et une couronne, 2e *guerre,* cheval couleur de feu, a une grande épée, 3e *famine,* cheval noir, tient une balance, 4e *mort,* cheval vert jaune ; *– symbole des « 4 animaux »* (avec anges adorateurs se tenant autour du trône). 1er ressemble à un lion, 2e à un taureau, 3e à un homme, 4e à un aigle]. D'après le collectif (cath., orthodoxe, prot.) de la Traduction œcuménique de la Bible (TOB), les évangiles de Marc auraient été composés en 65-70, de Luc v. 80, de Matthieu v. 80-90, de Jean v. 90. On a longtemps admis qu'ils avaient été écrits à l'origine en araméen (et alors retraduits en grec). Or il semblerait qu'ils aient été écrits en hébreu : certains passages évangéliques (Matthieu, les 2 premiers chapitres de Luc sauf le recouvrement au Temple, Marc) se traduisent en hébreu presque au mot à mot. Du IIIe s. jusqu'au décret du pape Gélase (492-96), on hésita pour le Nouveau Testament, par suite de la parution de nombreux apocryphes et des attaques menées par des hérétiques comme Marcion (par ex., il y a eu doute sur la canonicité de l'Apocalypse).

Apocryphes. Livres non canoniques (c.-à-d. exclus du canon). ÉVANGILES : *1°) Fragmentaires :* papyrus divers (Fayoum, Egerton, Oxyrhynchos, etc.) ; Évangiles judéo-chrétiens ; des Égyptiens ; de Pierre ; des chefs de sectes (Basilide, Marcion). *2°) Entiers :* cycle de la parenté de Jésus (protévangile de Jacques, Dormition de la Mère de Dieu) ; cycle de l'Enfance (récits de Thomas, évangile arabe) ; cycle de Pilate. ACTES : *1°) Anciens :* de Jean, de Paul, de Pierre, d'André, de Thomas. *2°) Plus récents :* à 2 personnages (Pierre et Paul, André et Mathias, Pierre et André, Paul et André) : à 1 [Philippe, Barthélemy, Barnabé, Thaddée (avec la correspondance entre Jésus et Abgar)]. ÉPITRES. Paul (aux Alexandrins, aux Laodicéens, IIIe aux Corinthiens) ; Lettre des Apôtres (Jérusalem, IIe s.). APOCALYPSES : Pierre, Paul, Thomas. En 1945, à Nag Hammadi (Hte-Égypte), on a découvert des apocryphes du IIIe s., notamment l'Évangile selon Thomas ou les « Paroles de Jésus », donnant des variantes.

Versions allemandes de la Bible. *1510-22 : Luther :* traduction, condamnée en 1523 pour 1 400 erreurs de traduction et d'interprétation. La plus notable (corrigée dans les versions modernes) introduit un adjectif dans l'Épître aux Romains (III, 28) : « L'homme est justifié sans les œuvres par la foi (seule). » *1735 : J.L. Schmidt :* « rationaliste » (1735), inachevée, expliquant de façon naturelle tous les passages contenant du « merveilleux biblique ».

Symboles des Évangélistes. Tirés de l'Apocalypse de St Jean (IV, 6-7) qui reprend lui-même un passage de l'Ancien Testament, la Vision d'Ézéchiel (I, 5, 13, 14). Le trône céleste (trône de l'Agneau pour St Jean) est entouré de 4 êtres surnaturels qui ressemblent à un lion, un taureau, un homme et un aigle, dans lesquels l'Église primitive a vu les symboles des 4 évangélistes que St Jérôme et St Augustin ont ainsi répartis : *1° le lion :* Marc (son évangile commence par des scènes au Désert) ; *2° le taureau :* Luc (parle du prêtre Zacharie, membre de la tribu de Lévi dont le symbole est le taureau) ; *3° l'aigle :* Jean (le prologue de son Évangile s'élève à des hauteurs vertigineuses) ; *4° l'homme :* Matthieu (donne la généalogie humaine du Christ).

Versions françaises. *1523 : Jacques Lefèvre d'Étaples :* mise à l'index à cause de notes d'inspiration luthérienne. *1535 : Pierre Olivetan :* correction de la version de Lefèvre d'Étaples. *1555 : Sébastien Castalion :* adaptation familière et souvent triviale ; condamnée par protestants et catholiques. *1672-84 : Isaac Le Maistre de Sacy* (1613-84) : avec l'explication du sens littéral. *1894 : Louis Segond* (pasteur genevois) : 1re version protestante dont l'usage ait été autorisé canoniquement par l'Église cath.

AUTRES ÉDITIONS MODERNES : *La Bible du Centenaire* (prot.) 4 vol., Paris 1928-47 ; *Le Nouveau Testament* (1949), par le chanoine Émile Osty (1887-1981) ; *La Sainte Bible* (catholique), sous la dir. de l'École biblique de Jérusalem, 1 vol., Paris 1956 ; *La Bible, l'Ancien Testament,* E. Dhorme, La Pléiade (Paris 1956-59) ; *La Bible par les membres du Rabbinat français* (israélite) Paris 1966 ; *Traduction œcuménique,* Paris 1967 ; La Pléiade 1987.

Versions provençales. 1°) *5 chapitres de St Jean,* copiés à Limoges au XIIe s. (au British Museum) ; 2°) v. 1250-80 : le *Nouveau Testament,* traduit à l'usage des Cathares, dans l'Aude (Musée de Lyon, édité par Léon Clédat, 1888) ; 3°) *un raccourci de ce texte* (l'Év. de St Matthieu manque) *à l'usage des Vaudois* (XIVe s. ; édité par Wollemberg 1868) ; 4°) *le manuscrit de Jean de Chastel,* év. de Carcassonne († 1475), traduit sur la Vulgate.

Versions anglaises. *Bible de Matthew* (1537) : proscrite par le Parlement, imprimée clandestinement à Paris en 1538, où elle est saisie sur ordre de la Sorbonne ; ses imprimeurs transportent les plombs à Londres, où elle reçoit finalement l'approbation anglicane. *B. de Reims* (1609-10) : catholique, mal écrite, ne peut s'imposer. *B. du Roi* (1611) : officielle anglicane, langue très pure ; n'a jamais été contestée par les cath.

Histoire

Jésus

• **Noms. Josuah :** en hébreu (Dieu sauvé) ; une des transcriptions est Josué. **Jésus :** forme latinisée du grec *Iêsous* qui est une hellénisation de Josu(ah). **Christ :** qualificatif grec, ajouté par des disciples dès le début, signifie « oint », et traduit l'hébreu *hamashiah* ; *Messias :* latin « oint » (d'où le messie). Jésus lui-même n'a revendiqué ce titre qu'au moment de son procès, et a été condamné de ce fait pour blasphème. *Nazaréen* ou de *Nazareth :* indique le lieu d'origine. *Agneau :* terme souvent utilisé dans le Nouveau Testament et la liturgie. Voir p 494 b.

Fils de l'Homme (nom que Jésus se serait donné à lui-même) : mauvaise traduction de l'hébreu *Ben Adam,* « fils d'homme », c'est-à-dire « être humain ». Allusion à un passage du Prophète Daniel (VII, 13-4), disant qu'un « fils d'homme » recevra de Dieu « domination, gloire et règne » sur toutes les nations.

Les chrétiens ont appelé Jésus : *Lumière des Nations, Soleil de Justice, Soleil nouveau, Vrai Soleil et Vrai Jour.*

☞ Le *Chrisme* est le monogramme du Christ. Composé des 2 premières lettres de son nom grec (chrustos) : X (khi) et P (Rô) ; figurait sur l'étendard de l'empereur Constantin.

• **Famille. Père adoptif :** Joseph (dates inconnues), charpentier à Nazareth, descendant de David (tribu de Judas). D'après l'*Histoire de Joseph le charpentier,* texte copte du IXe s., introduit en Occident en 1522, Joseph serait mort à 111 ans, pendant le ministère de Jésus. Ses dates seraient donc : v. 80 av. J.-C.-v. 30 apr. J.-C. Ce récit, légendaire, s'inspire de plusieurs apocryphes, notamment l'*Év. syro-arabe de l'Enfance,* et le *Protévangile de Jacques.*

Mère : Marie, en hébreu Myriam [née v. 16 av. J.-C. de parents (légendaires) : Anne et Joachim. Une tradition indique qu'elle a été élevée au Temple (orpheline, de la tribu de Lévi). L'évangile la donne comme « parente » d'*Élisabeth* (dates inconnues), née dans cette tribu et épouse d'un lévite, *Zacharie.* Aucune mention de sa mort, mais de nombreux récits de son « départ » *(transitus),* sous forme de Dormition (Jérusalem) ou d'Assomption (Éphèse). Dates non mentionnées]. Sa virginité a été affirmée par St Matthieu, qui lui a appliqué une prophétie d'Isaïe : « Voici que la vierge enfantera. » Matthieu a cité le texte d'Isaïe d'après la traduction des Septante (voir p. 547 c), qui rend le terme hébraïque d'Isaïe *almah* par le grec *parthenos.* Mais le sens de ce mot a été discuté. Employé 9 fois dans la Bible, il signifie 2 fois « jolie fille » et 7 fois « femme consacrée à la divinité (dans l'ancienne religion cananéenne) ». Le nouveau testament dit que Marie était « fiancée à Joseph ». Quand l'Ange Gabriel lui annonce qu'elle a été choisie pour donner le jour au fils de Dieu (fête de *l'Annonciation*), Joseph, la voyant enceinte, envisage de la répudier en secret (car la loi mosaïque aurait assimilé la grossesse de Marie à un adultère, puni de lapidation), mais il est averti divinement de la naissance miraculeuse de Jésus, et il accepte d'être son père aux yeux des hommes. Dep. le IVe s., la tradition dit de Marie qu'elle est « toujours » vierge, et le Concile de Latran (649) « consacrera » l'expression.

Frères et sœurs : les Évangiles parlent des « sœurs » de Jésus, et nomment plusieurs « frères » : Jacques apôtre, Joseph ou José, Jude, Siméon de Jérusalem ; la tradition les considère comme ses cousins germains, *frère* ayant aussi ce sens en hébreu.

• **Enfance.** 2 Évangiles sur 4 racontent l'enfance de Jésus (Matthieu et Luc).

• **Naissance. Lieu :** à Bethléem de Judée, cité de David (le Messie devant selon les prophéties y naître). En 1986, à l'occasion du passage de la comète de Halley (assimilée à l'étoile des Mages depuis 1305), l'astronome soviétique Alexandre Reznikov a proposé un « autre » Bethléem, Zabulon, qui était au zénith de la comète en 12 av. J.-C. D'après St Luc, Joseph et Marie s'étaient rendus en Judée pour le recensement ; faute de place à l'hôtellerie, ils s'étaient logés dans une bergerie. Jésus fut couché dans une *crèche* (mangeoire d'animaux) ; la présence d'un âne et d'un bœuf mentionnée dans un apocryphe arménien, du pseudo-Matthieu [considéré comme authentique jusqu'au Concile de Trente (1553)], a fait naître la dévotion des « crèches de Noël ».

Date. *L'année* 754 de Rome a été retenue par le moine Denys le Petit (VIe s.). Dep. le XIXe s., certains historiens ont estimé plus vraisemblables 759 ou 760 (5 ou 4 apr. J.-C.), d'autres 749 ou 750 [5 ou 4 av. J.-C., à cause de la mort d'Hérode (750)] ou 745 (8 av. J.-C., à cause du recensement ordonné par l'emp. Auguste). Au XXe s., certains astronomes ont voulu déterminer la date exacte d'après celle de *l'étoile des Mages* [hypothèses : 1°) *12 av. J.-C. :* comète de Halley (voir ci-dessus) ; 2°) *7 av. J.-C. :* triple conjonction Mars-Jupiter-Saturne ; 3°) *4 av. J.-C. :* apparition de la Nova du Capricorne ; 4°) *2 av. J.-C. :* conjonction Jupiter-Vénus (17-6)]. Mais les récits évangéliques ne prétendent pas à la précision astronomique.

Le *jour* du 25 décembre a été choisi au IVe s. (1re mention : 336, adoption en 440). Il correspond à une ancienne fête païenne solaire commune à la religion romaine et au culte de Mithra [solstice d'hiver (le solstice d'été, 24 juin, a été choisi symétriquement comme jour de naissance du cousin de Jésus, Jean le Baptiste, qui avait tressailli dans le sein de sa mère Élisabeth, à l'approche de la Vierge Marie)].

☞ Les théologiens appellent *Kénose* (du grec, *Kenos* vide, dépouillé) le fait pour le Fils, qui demeure Dieu, d'avoir abandonné pour son Incarnation ses attributs de Dieu.

• **Premiers événements après la naissance.** 1°) **Circoncision puis reconnaissance comme Messie** par 2 fidèles du Temple, Anne et Siméon (date indéterminée ; normalement, la circoncision a lieu 8 j après la naissance).

2°) **Adoration des Mages :** il s'agirait d'astrologues venus d'Iran, attirés par un phénomène astronomique (voir ci-dessus), signifiant, pour eux, la naissance d'un personnage illustre. Leur nombre n'est pas donné : le chiffre 3 a été adopté v. 450 par Origène et St Léon le Grand. Le titre de *rois* leur a été donné par influence d'un passage des psaumes : « les rois de Tharsis offriront l'encens ». Une tradition remontant au VIIe s. les nomme : Melchior, Gaspard, Balthazar [déformation de *Beltshatsar,* surnom babylonien du prophète Daniel (étymologiquement Balât-Sharsur, « Baal protège la vie du roi »), rappelant le pouvoir d'interpréter les songes]. Au XVe s., on a attribué à chacun une race différente : Melchior blanc, Gaspard jaune, Balthazar noir [leur culte était devenu populaire depuis 1164, année où leurs reliques ont été déposées à Cologne, et où un prêtre rhénan, Jean de Hildesheim, a écrit leur légende. La fête de la *galette* (ronde et dorée), dont on fait attribuer les parts par un enfant caché sous la table (le petit roi ou l'Enfant-soleil), se rattacherait au culte solaire préchrétien, dont une des fêtes majeures se situait au 6 janvier, date de l'Épiphanie (en Normandie, on s'adresse à l'enfant caché sous la table en lui disant : *« Phoebe Domine »,* Seigneur Phébus)].

3°) **Massacre des Innocents :** le roi Hérode Ier (dont la famille s'appuyait sur les milieux messianistes et revendiquait pour elle les droits du Messie), cherchant à supprimer un rival éventuel, a envoyé des émissaires avec ordre de tuer tous les enfants (de 2 ans et moins) de Bethléem et des environs (144 000 d'après une tradition des Égl. éthiopiennes et du ménologue grec, née d'un texte de l'Apocalypse, XIV, 1, lu le 28-12, jour de la fête des Saints Innocents, une vingtaine selon les démographes qui considèrent la population présumée de Bethléem à l'époque).

4°) **Fuite en Égypte :** Joseph met Jésus et sa mère à l'abri des persécutions d'Hérode, jusqu'à la mort de celui-ci (épisode raconté seulement par Matthieu).

« Genre littéraire » de ces récits. *1°) Réminiscences historiques :* ils font allusion à des événements historiques plus ou moins contemporains de la naissance de Jésus : passage de la comète de Halley, règne d'un roi sanguinaire (Hérode Ier), habitude romaine de recenser les populations, existence d'un gouverneur nommé Quirinius. *2°) Inexactitude de la chronologie :* écrivant vers 90, Luc n'avait pas les moyens de vérifier les dates exactes des événements racontés. Les historiens modernes savent, au contraire, qu'ils s'échelonnent sur une vingtaine d'années : passage de la comète de Halley : 12 av. J.-C. ; mort d'Hérode Ier : 4 av. J.-C. [remplacé en Galilée par son fils Hérode Antipas (le « tétrarque », qui exécutera Jean le Baptiste et interviendra dans le procès de Jésus), et en Judée par le roi Archélaos] ; nomination de Quirinius : 10 apr. J.-C. *3°) Volonté de rester fidèle à l'Ancien Testament.* a) naissance à Bethléem (cité de David) : souligne l'appartenance de Jésus à la famille royale de David ; b) recensement romain et gouvernement de Quirinius. L'empereur « César Auguste » est mentionné (comme Cyrus dans l'Ancien Testament) pour montrer que les rois de la Terre font la volonté de Dieu, unique souverain du monde ; c) événement astronomique, venue des mages étrangers : montre la grandeur universelle de l'événement (la venue des bergers des environs rappelle aussi que la naissance de Jésus intéresse le peuple juif) ; d) persécution, exil : évocation de Moïse, qui aurait dû également périr à sa naissance sur un ordre royal, et qui a ramené le peuple élu en Terre sainte.

Jésus retrouvé au Temple. A 12 ans, Jésus, perdu par ses parents à l'occasion d'un pèlerinage à Jérusalem, est retrouvé au Temple, discutant des textes de la loi avec les scribes sacerdotaux (anecdote racontée peut-être par la Vierge Marie).

Baptême par Jean le Baptiste (28-29). Jésus (probablement à 34 ans) est baptisé par son cousin Jean (fils de Zacharie et d'Élisabeth, couple âgé et réputé stérile) au gué de Béthabarra, sur le Jourdain, après un jeûne de 40 j. Ces 2 rites sont dans la tradition initiatique des moines esséniens, nombreux dans la région du bas Jourdain (d'où l'hypothèse, non vérifiée, de l'appartenance de Jean aux sectes ess.). **29** (sans doute en août), *Hérode Antipas,* dont il avait blâmé le remariage avec Hérodiade, l'emprisonne dans l'*ergastule* (prison privée pour esclaves) de Machéronte. Ayant promis à sa belle-fille, *Salomé,* pour la récompenser d'avoir dansé devant lui, de lui accorder tout ce qu'elle demanderait ; celle-ci lui demanda, à l'instigation de sa mère, la tête de Jean, qui fut exécuté.

Portraits miraculeux de Jésus

Portraits achiropoètes (non faits de main d'homme) : origine supposée miraculeuse : **1° Image du Sauveur dite d'Édesse,** capitale du royaume syrien, dont il existe une copie à St-Sylvestre de Rome : attribuée par une légende du VIe s. à un miracle de Jésus en faveur du roi d'Édesse, Abgar, qui voulait se faire envoyer un portrait de lui (style byzantin). **2° Voile de Véronique** (Volto Santo) : voile de soie conservé au Vatican qui aurait, selon une tradition du Ve s., appartenu à Ste Véronique (biographie inconnue) ; celle-ci aurait essuyé le visage de Jésus portant sa Croix, et le voile aurait gardé miraculeusement « imprimée » la Sainte Face. L'Évangile ne parle pas de cet épisode. 4 autres voiles du même type sont conservés à Besançon, Caen, Compiègne, Milan. **3° Portrait de la Scala Santa** (chapelle de la Santa Sanctorum, près du Latran à Rome). Style byzantin. Selon la légende fut commencé par St Luc et achevé par les anges. 1re mention au VIIIe s. **4° Suaire de Turin** (voir p. 507 b).

• **Ministère public.** A partir de 29, Jésus commence à prêcher sa Bonne Nouvelle (Évangile) en Galilée, en utilisant souvent la *parabole* (genre littéraire oriental, faisant passer une idée abstraite par analogie avec des réalités concrètes). Il annonce le « Royaume des Cieux ». *1°) Doctrine spirituelle et morale* (l'amour charité devant remplacer la revendication individuelle et servir de lien entre tous les hommes, ainsi qu'entre l'homme et Dieu) ; *2°) Eschatologie* (« annonce des fins dernières »), c'est-à-dire un message de foi en un autre monde situé au-delà de celui où nous vivons et devant le remplacer ; *3°) Société humaine organisée* (le *Troupeau* ou *Église*) formée de tous les baptisés et encadrée par les apôtres.

• **Miracles de Jésus** (du latin *mirari,* s'étonner) ; événements extraordinaires où l'homme constate un pouvoir qui le dépasse. Les évangiles en citent une vingtaine, les év. synoptiques parlent des *actes de puissance* et celui de Jean de *signes :* pour eux, les miracles de Jésus manifestent sa puissance et sont le « signe qu'il est envoyé par Dieu ». Les contemporains du Christ ont parfois attribué ses miracles à l'action du démon mais ne les ont jamais niés. Ils n'ont guère convaincu les Juifs, et ont souvent eu l'effet contraire : persuader que Jésus était un imposteur dangereux, capable de séduire les foules par des actes magiques (la magie étant idolâtrique aux yeux des Juifs). *Types de miracles :* 1°) sur les choses de la nature (10) : eau changée en vin, tempête apaisée, multiplication des pains à Adjaret en Nasara ; 2°) expulsion de démons ; 3°) guérisons ; 4°) résurrections de 3 † : fils de la veuve de Naïm, fille (12 ans) de Jaïre, Lazare.

• **Lutte avec le judaïsme.** 1°) **Les Pharisiens** (hébreu : *Perushim,* les séparés), Juifs pieux, héritiers des *Hassidim.* Une doctrine relativement proche de celle de Jésus : Dieu est un être spirituel tout-puissant ; il rétribue les bons après leur mort ; il y aura une résurrection ; la présence de Dieu est partout, et pas seulement dans le Temple (de nombreux « scribes » de tendance pharisaïque se sont mis à enseigner la Loi en dehors du Temple, dans des synagogues privées) ; Jésus fait comme eux, mais il critique la soumission aveugle des scribes à la lettre de la Loi, et dénonce l'hypocrisie d'une partie des Pharisiens.

2°) **Les Sadducéens** (hébreu : *Zedukim,* c.-à-d. sans doute « disciples de Zadok », théologien juif du IIe s. avant J.-C.), groupe sacerdotal conservateur, très attaché au culte du Temple, auquel il ramène toute la religion. Ils ne croient pas à la résurrection et estiment qu'ils peuvent apporter Dieu aux hommes, selon une tradition influencée par le paganisme. Jésus les heurte en parlant de l'inutilité du Temple (qui peut être détruit) et de la nécessité d'une religion intérieure (plus importante que les pratiques rituelles) ; les marchands qu'il a chassés du Temple travaillaient pour l'aristocratie d'argent sadducéenne.

3°) **Les Esséniens (Hérodiens)** servaient le « tétrarque » Hérode dans ses palais et travaillaient au Temple de Jérusalem (qu'ils avaient aidé à construire sous Hérode le Grand). Jésus recrute de nombreux disciples parmi eux, mais s'oppose à la secte en refusant d'engager contre les Romains une lutte politique qui était la raison d'être de nombreux Esséniens appelés les *Zélotes.* Jésus est, en outre, en butte à l'hostilité d'Hérode, qu'il critique souvent (le traitant de « renard »), et qui a mis à mort son cousin Jean le Baptiste.

• **Arrestation.** Une coalition momentanée entre Hérodiens, prêtres sadducéens et scribes pharisiens se noue contre Jésus lors de la Pâque de l'année 30. *Caïphe* (grand prêtre juif 18-36 après J.-C., gendre d'Anne, réputé pour sa docilité envers les Romains) réunit les grands prêtres et les anciens dans son palais pour décider de l'arrestation de Jésus. Ils entreprennent de faire condamner Jésus par le procurateur romain *Ponce Pilate* [Pontius Pilatus, c.-à-d. « Pontius titulaire d'un javelot d'honneur » ; né v. 10 av. J.-C., procurateur de 26 à 36, mort apr. J.-C., c. 39, en exil à Vienne (Faule)]. Les conjurés bénéficient de la complicité de Judas (voir encadré), leur permettant de s'emparer de Jésus. Le prix convenu avec Judas pour la livraison de Jésus est de 30 pièces d'argent [des sicles et non des deniers comme on l'a dit souvent (somme versée normalement pour la récupération d'un esclave fugitif)]. Le mardi avant la Pâque (après avoir célébré celle-ci avec ses disciples à une date anticipée, selon le rite galiléen), Jésus passe la nuit au *Jardin des Oliviers* (oliveraie sur une colline proche de Jérusalem). Il y souffre d'une crise d'angoisse, son « agonie ». Avant l'aube, il est arrêté par des vigiles du Temple.

Rôle du « tétrarque » Hérode

Hérode Antipas (20 av. J.-C.-39 apr. J.-C.) [2e fils d'Hérode Ier le Grand (73-4 av. J.-C.)]. Il ne peut hériter du titre royal et doit se contenter de celui de « tétrarque », c.-à-d. chef d'un quart du royaume paternel. Il règne sur la Galilée, où il construit la ville de Tibériade.

Au traité de Rhodes (9 apr. J.-C.), il reçoit à titre privé le vaste domaine de Machéronte, sur le bas Jourdain, où se trouve le gué de Bethabarra. Pour les Romains, il est un *pater familias* disposant d'un pouvoir absolu sur les colons attachés à son domaine. Selon l'historien Flavius Josèphe, il aurait fait décapiter Jean le Baptiste (qu'il considère pourtant comme un prophète) pour des raisons politiques (car de nombreux zélotes, activistes antiromains, sortaient des ermitages du bas Jourdain). Politiquement, il n'avait aucun droit sur lui (Hérode régnait en Galilée, Jean était de la Judée). Pourtant son droit de vie et de mort ne lui a pas été contesté.

Droits d'Hérode sur JÉSUS : 1°) Autorité politique (Jésus est galiléen), sans droit de vie et de mort ; 2°) Droits du *pater familias* de Machéronte, à cause du baptême reçu à Bethabarra des mains de Jean [contestables ; mais Hérode les a sans doute revendiqués, ne distinguant pas entre le statut juridique des deux cousins ; il a forcé Jésus à mener une vie clandestine et à fuir à l'étranger (Tyr)]. Les vigiles qui ont arrêté Jésus dépendaient d'Hérode (serviteurs du Temple, recrutés parmi le personnel de ses palais).

Judas, synonyme de « traître »

2 apôtres s'appelaient Judas (Ioudas), mais la tradition a déformé en *Jude* le nom de Judas-Thaddée, pour le distinguer de Judas Iscariote (« homme de Kériot », c.-à-d. du « Bourg », de nombreuses localités de Palestine portant ce nom : Kériat El Hénab, etc.). Judas Iscariote trahit, a-t-on dit, par ambition politique déçue, (Jésus refusant d'entraîner le peuple contre l'occupant romain) ou par amour violent et jaloux, ou par simple maladresse (pour forcer Jésus à combattre le Sanhédrin). L'explication de l'Évangile (il était voleur) admise traditionnellement (il est toujours représenté une bourse à la main) cadre mal avec la réaction de Judas après la mort de Jésus : pris de remords, il rapporta les 30 pièces reçues pour sa trahison et alla se pendre.

« Baiser de Judas » : Judas était convenu avec les vigiles d'Hérode que « celui à qui il donnerait un baiser, serait l'homme à saisir ». Il s'agissait d'un baiser sur la main (marque ordinaire de respect du disciple à son maître). Mais l'iconographie chrétienne a toujours adopté le baiser sur la joue (anachronique).

• **Procès :** 1°) **Religieux** *(devant le Sanhédrin,* conseil de 71 membres présidé par le grand prêtre ; cour suprême, il disposait d'une police). Jésus est reconnu comme blasphémateur et destructeur du Temple (les historiens juifs estiment qu'il n'y a pas eu de convocation du Sanhédrin pour juger Jésus : les Évangiles se contredisent sur ce point) ; Jésus a été interrogé par des personnalités religieuses, presque toutes sadducéennes, réunies dans la maison du grand prêtre. A cette occasion, « Pierre » (nommé chef des disciples par Jésus) jure 3 fois qu'il ne connaît pas son maître par peur d'être arrêté avec lui.

2°) **Civil** *(devant le procurateur Ponce Pilate).* La loi romaine ne connaît pas les chefs d'accusation. Pilate pourrait relaxer Jésus. Pour des raisons politiques, il essaye d'obtenir le consentement des Juifs. La tradition permettait de gracier un accusé le jour de la Pâque. Il propose à la foule de gracier Jésus ou un condamné de droit commun, Barabbas. A son étonnement, la foule choisit ce dernier et le somme de condamner Jésus, même sans texte de la loi romaine.

Intervention d'Hérode. Hérode et Pilate sont brouillés, car Hérode l'a dénoncé à Rome pour avoir placé un bouclier votif sur la tour Antonia (geste jugé idolâtrique par les Juifs). Néanmoins, Pilate, embarrassé, envoie Jésus à Hérode (motif invoqué : Jésus est galiléen et Hérode est souverain de Galilée ; mais

Pilate avait reconnu à Hérode le droit de mettre à mort Jean, cousin de Jésus). Hérode fait revêtir Jésus d'une tunique spéciale (probablement la tenue portée par le personnel de ses palais). Pilate se trouve alors dessaisi de l'affaire, qui relève de la juridiction (privée) d'un *pater familias.* Il se lave les mains, geste rituel mettant fin aux audiences publiques.

• **Crucifixion.** Jésus est remis à des milices privées (légalisées par la présence d'une garde romaine) pour être crucifié hors de l'enceinte de Jérusalem, sur le mont du *Golgotha* (signifiant « Mont du Crâne » ou « Mont Chauve »). Il s'y rend en portant lui-même sa croix. Avec Jésus sont mis en croix 2 « larrons » (du latin *latro :* « voleur ») ; l'un d'eux reconnaît en Jésus le Messie ; l'autre (le mauvais) méprise Jésus qui, humainement parlant, est un vaincu.

• **Mort.** **Circonstances :** Jésus fut fixé sur une croix par des clous sans doute, non pas au niveau des paumes des mains (celles-ci se seraient déchirées), mais plus près du poignet, dans le carpe. Comme on l'a constaté sur des déportés exécutés à Dachau, un crucifié meurt par asphyxie due à une contraction du thorax empêchant l'évacuation de l'air. Jésus était déjà mort quand des légionnaires romains vinrent briser les jambes des condamnés. Après une agonie relativement brève (3 h), à cause de son épuisement dû à la flagellation (hémorragies), de l'eau (liquide péricardique) sortit de son côté quand le soldat Longin lui donna un coup de lance. Au moment de sa mort, à 9 h (soit 3 h de l'après-midi), se trouvaient près de lui Marie (sa mère), Marie de Magdala (Marie-Madeleine), les saintes femmes [Marie Salomé (femme de Zébédée, mère des apôtres Jacques le Majeur et de Jean), Marie (mère de Jacques le mineur)], Jean et il se produisit des prodiges : obscurcissement du Soleil, secousses sismiques dont l'une fit choir le linteau du Temple, ce qui déchira le voile du « Tabernacle » (partie la plus sacrée). Il fut mis au tombeau par Joseph d'Arimathie et Nicodème. **Date :** traditionnellement, l'Égl. a admis le vendredi 3-4-33 (jour d'une éclipse visible à Jérusalem). 2 autres ont également été retenues : les vendredis 18-3-29 et 7-4-30. En 1974, Roger Russk (Américain) a démontré que Jésus était mort un jeudi [avant la Pâque juive (14 nissan), le 6-4-30] ; ayant ressuscité le dimanche, il est bien resté 3 j. au tombeau (et non 2, comme on est forcé de conclure, quand on situe sa mort un vendredi).

Crucifix. Les plus anciennes *Croix* pectorales en orfèvrerie datent du VIIe s., les croix en bois du Xe s. *Clous :* jusqu'à la fin du XIIe s., le corps est représenté attaché à la Croix par 4 clous (1 par membre) ; puis au XIIIe s., par 3 clous. Les lettres *INRI (Iesus Nazarenus Rex Iudæorum,* « Jésus de Nazareth roi des Juifs »), « titre de la Croix », apparaissent au XIVe s., sous l'influence de Ste Brigitte († 1363). Du VIe au XIIIe s., la tête du Christ est entourée d'un nimbe ; puis d'une couronne d'épines. *Vêtements :* jusqu'au XIVe s., il apparaît vêtu d'une robe sans manches ; à partir du XVe s., un simple linge sur un corps dénudé (influence de l'académisme italien). *Crucifix dit janséniste :* répandu au XVIIe s., les bras ne sont pas écartés mais redressés au-dessus de la tête et cloués d'un seul clou [procédé bon marché (le personnage étant sculpté dans un seul os, on économisait l'ajustage des 2 bras transversaux)]. Explication théologique fournie après coup : le Christ n'ouvre pas ses bras pour accueillir *tout* le genre humain ; il rapproche ses mains pour recueillir quelques *élus.*

• **Résurrection.** Après sa résurrection, Jésus vit dans un « état glorieux » : il échappe à l'espace et au temps (apparaissant et disparaissant), tout en ayant un corps (il parle, mange, peut être touché).

Principaux témoins. *Marie-Madeleine* (assimilée par certains à Marie, sœur de Lazare) : elle découvre le tombeau de Jésus vide, le lendemain du sabbat pascal (le dimanche matin) ; les *« disciples d'Emmaüs »* (cités par St Luc) dont l'un est nommé Cléophas : cheminant sur la route de Jérusalem à Jaffa, ils sont rejoints par Jésus ressuscité qui, à Emmaüs (non localisé, à 11 km de Jérusalem), leur donne le pain consacré selon le rite eucharistique. Il apparaît plusieurs fois aux Apôtres (il reproche à Thomas son incrédulité). Au bout de 40 j, Jésus bénit ses disciples et « monte au ciel » **(Ascension) ;** 10 j après (fête juive de la **Pentecôte,** c'est-à-dire des 50 j), les Apôtres (en présence de la Vierge Marie) reçoivent le *Saint-Esprit* (des langues de feu, venues du Ciel, descendent sur leur assemblée). Ils sont chargés d'aller évangéliser tous les hommes en les baptisant. Le baptême doit être donné « au nom du Père, du Fils et de l'Esprit », 1re explicitation du dogme de la Trinité.

• **Parousie.** Du grec, *parousia,* présence, arrivée. Désignant la venue officielle d'un prince. Pour les chrétiens, ce sera le retour du Christ à la fin des temps pour rassembler les vivants et les morts.

• **Représentations du Christ.** *Poisson. Agneau.* Tenant une croix ou un étendard crucifère, un calice recueille son sang (le Christ est l'agneau de Dieu qui enlève le péché du monde ; Jésus se charge du péché des hommes ; le Christ est le véritable agneau pascal que préfigurait l'agneau immolé par les Hébreux lors de l'Exode : il rachète les hommes au prix de son sang [l'*Agnus Dei,* chant accompagnant la fraction du pain consacré et préparant l'assemblée à la communion, fut introduit dans la liturgie romaine par le pape Serge Ier (687-701)]. *Vigne* ou *grappe de raisin. Pêcheur* d'âmes. *Bon pasteur* (art primitif ou à partir du XVIe s.). *Représentation humaine* (à partir du IVe s., il porte une barbe et de longs cheveux ainsi qu'un nimbe crucifère). *Enfant Jésus* souvent associé à la Vierge ou à certains saints (Christophe). *Christ enseignant. Christ triomphant. Christ juge ou en majesté.* Voir Crucifix.

Révélations de l'Apocalypse sur Jésus

Dans l'Apocalypse de St-Jean (écrite vers la fin du Ier s.), Jésus est défini comme : le premier-né d'entre les morts, le prince des rois de la Terre ; le premier et le dernier qui fut mort et qui est vivant ; celui qui tient les clefs de la mort et des Enfers ; qui régit les nations avec un sceptre de fer ; qui conduit les bienheureux aux sources de vie. Ces textes parlent du gouvernement de la Providence, des armées d'anges et de démons, de la réalité de la vie future, de la rigueur des jugements de Dieu, de l'alternative inévitable d'un bonheur ou d'un malheur sans fin.

Les ennemis du Christ sont symbolisés : *Antéchrist* (« Bête de la Mer » et « Bête de la Terre »), cavalier semant la mort, sauterelles, dragon (image de Satan). L'Apocalypse prophétise néanmoins la victoire de l'Agneau (Jésus) et de son Église sur le Mal ; son message est donc, sous une autre forme, le même que celui de l'Évangile (« Bonne Nouvelle »).

Le personnage de Jésus pour les Juifs

Son nom n'a pas été mentionné dans le Talmud avant l'édition de Bâle de 1578-80. 1°) **Pour tous,** il est un prédicant et un thaumaturge (« faiseur de miracles »), comme le judaïsme en a produit plusieurs, à diverses époques. 2°) **Pour certains,** il se présentait comme le Messie (à une époque où les « prétendants messianiques » étaient nombreux). Quelques faits révélateurs : les 12 apôtres avaient reçu pour mission de juger les 12 tribus d'Israël, le Jour du Jugement (devenus seulement plus tard les chefs de l'Église), certains évangélistes l'ont fait systématiquement naître dans la ville messianique, Bethléem (mais St Jean l'a présenté comme galiléen, né à Nazareth), certains évangélistes ont parlé de sa conception miraculeuse et de la virginité de sa mère, qui conviennent à la dignité du Messie [mais on peut considérer que Jacques le Mineur était réellement son frère, et non son cousin (l'apôtre cousin de Jésus étant Simon le Zélote)]. Conséquence pour la condamnation : la remise aux autorités romaines d'un prétendant messianique n'avait rien d'anormal ; elle ne nécessitait pas une sentence du Sanhédrin. 3°) **Pour d'autres,** il ne se présentait pas comme le Messie. *Argument :* a) il n'a jamais employé le mot « Messie », mais l'expression *« Fils de l'Homme »* (mais ces 2 formules étaient souvent synonymes à l'époque). b) Il employait toujours cette expression à la 3e personne, ce qui signifiait qu'il prophétisait la venue d'un autre, le véritable Messie futur (mais certaines phrases deviennent incompréhensibles si Jésus ne parlait pas de lui-même à la 3e personne). c) Pour plusieurs sectes primitives (notamment Ébionites et Nazaréens), Jésus était simplement un prophète. Les Johannites, d'ailleurs, considéraient Jean le Baptiste comme un prophète de même envergure que Jésus.

Les 12 apôtres

Du grec, *apo-stello,* j'envoie. Disciples choisis par Jésus pour être ses compagnons, les témoins dans le monde, les prédicateurs de l'Évangile et les Fondateurs de l'Église.

Sous la direction de Pierre, ils formeront le *collège apostolique* auquel le Christ a confié le gouvernement de l'Église. Actuellement, les évêques, successeurs des apôtres et le Pape celui de Pierre, forment le *collège épiscopal.*

A leur tête, **Pierre** [(10-64) ; Simon renommé symboliquement Pierre (traduction de l'araméen Kepha) par Jésus], pêcheur à Capharnaüm, dit le Prince des Apôtres, crucifié la tête en bas en 64 à Rome sous le règne de Néron ; **André** (son frère), crucifié en 64 sur une croix en X à Patras (Grèce) ; il aurait évangélisé la Russie ; **Jacques le Majeur** († v. 41), fils de Zébédée, martyrisé en Palestine sur ordre d'Hérode Agrippa (autre tradition : apôtre de l'Espagne, mort à Compostelle) ; **Jean l'Évangéliste** († v. 100 dans l'île de Patmos, en mer Égée ; fr. de Jacques le Majeur) (tous 4 pêcheurs sur le lac de Génésareth) ; **Philippe** († 80), de Bethsaïde, comme Pierre et André (probablement pêcheur comme eux), martyrisé à Hiérapolis en Phrygie ; **Matthieu** († 61), « publicain » (c.-à-d. percepteur d'impôts), martyrisé en Éthiopie ; **Barthélemy** (appelé Nathanaël par St Jean), compagnon de Philippe (probablement pêcheur), martyrisé au Moyen-Orient (peut-être en Inde ?) ; **Thomas** (ou Didyme, c.-à-d. le Jumeau), pêcheur, martyrisé à Calamine (Méliapour, Inde) ; **Jacques le Mineur** († 62), cousin de Jésus, Nazaréen, probablement cultivateur, martyrisé à Jérusalem ; **Simon le Zélote,** lévite (religieux essénien), demi-frère de Jacques le Mineur et de Jude (martyrisé en Perse avec Jude) ; **Judas** († 29, 30 ou 33, suicidé, voir p. 493 c), remplacé par **Mathias** († 61 ou 64), Galiléen (membre du premier groupe des disciples, cultivateur ou pêcheur), martyrisé à Jérusalem (ou en Éthiopie ?) ; **Jude** ou **Thaddée** (frère de Jacques le Mineur), martyrisé avec son demi-frère, Simon le Lévite.

☞ **St Paul** (Saul, né à Tarse, Cilicie, entre 5 et 15, converti en 34 sur le chemin de Damas, martyr en 67 à Rome, décapité par l'épée car citoyen romain), leur est assimilé sous le nom de l'*Apôtre des Gentils,* c.-à-d. des non-Juifs.

Les débuts du christianisme

Expansion du christianisme

• **Age apostolique.** De la mort du Christ (30) à celle de St Jean (100), le dernier apôtre survivant.

1re période (30-42). *Chrétienté de Jérusalem :* formée des disciples déjà convertis par Jésus (nombre indéterminé), encadrés par les 12 apôtres et par les 7 diacres, créés v. 32. Persécutée par les Juifs (le diacre Étienne est lapidé par ordre du Sanhédrin entre 32 et 36). S'étend en Palestine : Samarie, Jaffa, Lydda, Gaza. **34** conversion de St Paul. **42** après l'exécution de Jacques le Mineur, év. de Jérusalem, les apôtres se dispersent et rejoignent les communautés juives de la diaspora, dans tout l'Empire [St Pierre fonde la chrétienté d'Antioche, puis se rend (en 42 ou 44) à Rome qui devient la capitale de la chrétienté ; il y meurt martyr en 64].

2e période (42-70). **Jusqu'en 49,** l'apostolat chrétien se poursuit dans les milieux juifs (pas de rupture avec les obligations religieuses du judaïsme : interdits alimentaires, respect du sabbat, célébration des fêtes). **49** concile de Jérusalem : Paul et Barnabé (délégués pour Antioche, mais ayant fondé aussi des Égl. à Chypre et en Asie Mineure) réclament l'évangélisation des *« Gentils »* (païens). Pierre, qui s'y oppose, est mis en minorité et cède. Paul organise alors les chrétientés d'Asie Mineure et de Grèce, à majorité non juives. [VOYAGES : **49** Phrygie, Galatie, Myrie. **50-52** Macédoine, Athènes, Corinthe, Jérusalem, Antioche. **53-57** Galatie, Phrygie, Éphèse (3 ans), Macédoine, Corinthe, Jérusalem (pour remettre l'argent des collectes). **57-59** captivité à Césarée. **59** Malte (naufrage). **60-64** Rome (semi-captivité)]. **64,** *1re persécution* (Néron, à Rome : 2 000 ou 3 000 †, dont St Pierre et St Paul) : on a dit que les Juifs non chrétiens auraient demandé l'élimination des J. chrétiens par l'intermédiaire de Poppée, maîtresse de Néron, convertie au judaïsme (selon le Talmud, Néron lui-même aurait adopté la religion juive). **70,** destruction de Jérusalem par les Romains (Titus, fils de Vespasien) : les chrétiens de la ville s'étaient repliés avant le siège et ont survécu. Les Juifs de toute la Palestine sont déportés à travers l'Empire (notamment en Espagne). Le christianisme s'implante dans leurs communautés.

3e période (70-100). Expansion et stabilisation de l'Égl. (dont les membres ne sont pas encore distingués des Juifs). La primauté de l'év. de Rome sur les autres Égl. est admise [le pape Clément Ier (90-100) agit comme supérieur de l'év. de Corinthe en 97]. Les textes sacrés (évangiles, épîtres, actes des apôtres) sont recueillis et diffusés. Les écrits des « pères apostoliques » (dont la lettre du pape Clément Ier) sont rédigés. Les prières et la liturgie sont unifiées. Les prêtres (« presbytres », traduction grecque du latin *seniores*) sont reconnus comme chefs des communautés. **95** *persécution de Domitien* (51-96, empereur 81) : peu sanglante (quelques exils, dont celui de St Jean à Patmos). Les chrétiens avaient été assimilés aux Juifs du point de vue fiscal, mais avaient refusé de payer le « didrachme » (impôt payé jadis par les Juifs au Temple, et réclamé par le fisc romain depuis 70). Considérés dès lors comme « athées », ils sont punis comme tels.

Raisons de l'expansion chrétienne. *1°) Zèle apostolique* des disciples ; *2°) Extension de la diaspora juive* (dans toutes les villes de l'Empire) ; *3°) Excellence des moyens de communications* (Saint Paul a traversé plusieurs fois la Méditerranée d'est en ouest, allant jusqu'en Espagne) ; *4°) Baisse de la religiosité traditionnelle romaine* (les religions orientales sont accueillies avec faveur à cause de leur mysticisme) ; *5°) Sympathie des femmes* pour les idées de chasteté (la dépravation de la vie sexuelle les abaissait).

Obstacles à surmonter. *1°) Rigidité de la vie sociale romaine :* le culte de la famille est lié à celui de la cité ; le culte de la cité à la vie politique et institutionnelle ; *2°) Hostilité des Juifs :* les communautés de la diaspora réagissent comme celle de Jérusalem en 30-42 : elles fournissent le noyau des premiers convertis, mais s'allient aux païens pour freiner la défection de leurs membres ; *3°) Scepticisme* des intellectuels grecs, qui, maîtres à penser de la société romaine, répugnent à toute doctrine non fondée sur le raisonnement ; *4°) Concurrence des religions à mystères.* Venues d'Asie, certaines remontant aux religions protohistoriques d'Europe, gardent de nombreux adeptes, et sont parfois en expansion (culte de Mithra).

• **Age des martyrs (112-313).** Sont appelés *martyrs* (mot grec signifiant « témoins »), les chrétiens qui ont accepté de mourir pour témoigner de leur foi, au cours de 2 siècles où a été appliquée, par 8 empereurs romains, une législation antichrétienne.

Nombre des « années de souffrances » : *IIe s. :* 86 ; *IIIe s. :* 24 ; *IVe s. (début) :* 13. Total : 123.

Rescrit de Trajan [Tertullien l'appelle par erreur *Institutum neronianum* (« décret de Néron »)]. Pris en 112 à la suite d'une demande d'instructions, présentée par Pline, gouverneur de Bithynie, il enjoint : de ne pas faire d'enquête sur les croyances ; de ne pas poursuivre d'office ; de condamner ceux qui, accusés régulièrement, se reconnaissent chrétiens ; d'acquitter ceux qui déclarent ne pas l'être ou avoir cessé de l'être (en faisant publiquement un acte religieux païen : mettre de l'encens sur l'autel de Rome).

Empereurs ayant appliqué le rescrit de 112 : Trajan (98-117), Marc Aurèle (121-180), Septime Sévère (193-211), Aurélien (270-275), Maximin (235), Decius (250), Valérien (257-261), Dioclétien (303-311). *L'emp. Hadrien (117-138),* dans un rescrit de 127, déclara caduque la législation de Trajan (« le fait d'être chrétien et de l'avouer n'entraîne pas de sanction légale »). Pourtant, le pape Télesphore, le Romain Alexandre, Ste Symphorose et ses 7 fils furent martyrisés sous son règne.

Nombre des victimes. Inconnu. En 1648, le jésuite espagnol Ildefonso de Flores (1590-1660) a parlé de 11 millions (sans preuves scientifiques). *Persécutions les plus sanglantes :* sous Septime Sévère en Afr. du N., Dioclétien, pendant 10 ans (303-313), notamment en Égypte (estimation d'Eusèbe : 10 000 †). La Gaule n'a connu qu'une seule brève persécution, Decius (250), voir p. 528 a.

Bilan de cette période. Implantation de la foi chrétienne dans tout l'Empire ; constitution d'évêchés dans les cités importantes ; primauté de l'Église de Rome (interventions contre les déviations de la doctrine ou de la pratique du culte) ; création de la littérature patristique (Justin, Ignace d'Autriche, Cyprien) ; œuvre théologique d'Origène et de Tertullien.

• **Constantin le Grand** (entre 270 et 288-337), fils de sainte Hélène, il est sentimentalement chrétien mais ne sera baptisé que sur son lit de mort. **306** empereur. **313 Édit de Milan :** liberté du culte. **324** Constantin devient empereur unique d'Occident et d'Orient, en battant Licinius (antichrétien, persécuteur), dans un combat où son armée avait pour emblème le *labarum* chrétien. Il s'affirme alors le protecteur officiel de l'Église, appliquant les décisions conciliaires, et unifiant la date de Pâques (mars). Il décide de mettre sa capitale à Constantinople, ce qui affaiblit l'Église en créant un rival du pape romain. **325 Concile de Nicée,** voir p. 521 a.

L'Église après Constantin

368 1er emploi (par l'empereur Valentinien Ier) du mot « païens » *(pagani)* pour désigner les sujets non chrétiens de l'Empire : le mot signifie *ruraux,* ce qui prouve que la conversion des cités est chose faite. **391-392** l'empereur Théodose interdit le culte des idoles et ferme les temples païens. **IVe-Ve s.** Période des grandes hérésies. Voir encadré, ci-dessous.

Évangélisation. *Allemagne :* St Boniface (v. 680-754). *Angleterre :* St Augustin de Cantorbéry († v. 605). *Danemark* et *Suède :* St Anschaire (801-865). *Écosse :* St Colomban (v. 540-615). *Espagne :* traditionnelle. : 7 év. envoyés par St Pierre, mission de l'apôtre St Jacques le Mineur ; historique : St Fructueux de Tarragone (IIIe s.). *Gaule :* voir p. 528. *Hongrie :* St Étienne (v. 939-1038). *Irlande :* St Patrick (v. 390-v. 461). *Slaves :* St Cyrille (827-869) et St Méthode (825-885) (frères).

496 Conversion de Clovis. **634-732** La moitié sud des territoires chrétiens est conquise par l'Islam. **Xe siècle** La Rome papale ressemble aux seigneuries italiennes : corruption, violences, débauches (ex. : le pape Étienne VI fait exhumer le cadavre de son prédécesseur et le traduit en justice). Cependant, à la même époque, la vie contemplative fleurit en Rhénanie [la réaction contre les potentats locaux italiens vient avec le pape français Sylvestre II (999-1003) et Grégoire VII (1073-85)].

1054 Schisme d'Orient. Constitution de l'Église orthodoxe, voir p. 535. **1184** Création de **l'Inquisition :** le pape Lucius III établit avec l'empereur Frédéric Barberousse le principe du châtiment corporel des hérétiques considérés comme coupables de haute trahison. La plupart des roy. chrétiens utiliseront cette institution pour sévir contre les adversaires de l'autorité (qui était à la fois religieuse et civile). Peines prononcées : flagellation, pèlerinages, confiscations, destitutions, destructions des maisons, prison ou exécution sur le bûcher (pour les « relaps », c'est-à-dire ceux qui retombent dans l'hérésie après l'avoir abjurée). Les juges sont des ecclésiastiques, mais, comme les juges civils de leur époque, ils considèrent qu'ils doivent défendre la cohésion et l'unité de la société, contre les Albigeois, puis les Cathares, voir p. 498 b et 528 b.

☞ **Torture :** interdite en 866 par le pape Nicolas Ier puis par le décret de Gratien en vigueur jusqu'en 1918. Au XIe s., l'université de Bologne revint au droit Romain qui prévoyait la torture pour les causes laïques : Innocent II autorisa l'Inquisition à en faire usage (bulle *Extirpanda,* 15 mai 1252) ; en 1311 Clément V en restreint l'usage par l'Inquisition.

1309-77 Séjour des papes à Avignon. Urbain VI est élu par les cardinaux, sous la pression des foules romaines qui refusent un pape français. 4 mois plus tard, 12 cardinaux s'enfuient, disant que l'élection n'était pas libre, et élisent le pape Clément VII, un Français. [Selon Pétrarque, la papauté avignonnaise était « la sentine de tous les vices et l'égout de la Terre ». En fait, les Italiens (jaloux de l'influence fr.) ont mis en avant des défauts réels, mais épisodiques et précurseurs de la Renaissance.]

1378-1417 Schisme d'Occident. Les ambitions politiques des cardinaux provoquent une rupture entre France, Castille et Portugal d'une part ; Angleterre, Saint Empire et Flandre d'autre part : chaque parti a son pape qui excommunie son rival. Le peuple chrétien, pourtant, désire un pape unique. **1409** Les 2 papes antagonistes sont déposés par le *Concile de Pise ;* un 3e pape est élu : Alexandre V, à qui succède

Pères et docteurs de l'Église

Noms des principaux maîtres de la doctrine chrétienne. Les plus anciens sont appelés *Pères ;* les plus admirés parmi les anciens, et tous les grands maîtres récents *Docteurs.*

Pères de l'Église grecque. *St Justin* (v. 100-v. 145), *Ignace d'Antioche* († v. 107, livré aux bêtes), *Basile* (329-379), *St Athanase* (v. 295-373), *Grégoire de Nysse* (v. 335-395), *Grégoire de Nazianze* (v. 330-v.390), *Jean Chrysostome* (v. 340-407), *Jean Damascène* († v. 749), le dernier.

Pères de l'Église latine. *Cyprien* (v. 200-258, martyr), *Hilaire* (v. 315-v. 367), *Ambroise* (v. 340-397), *Jérôme* (v. 347-420), *Augustin* (354-430), *Grégoire le Grand* (540-604), *Bède le Vénérable* (673-735), le dernier.

Docteurs de l'Église. L'Église romaine en reconnaît officiellement 32. Dates de naissance et de décès (entre parenthèses) ; et de reconnaissance.

Albert le Grand surnommé Doctor Universalis (1193-1280) 1931, *Alphonse de Liguori* (1696-1787) 1871, *Ambroise* (340-397) IVe s., *Anselme* (1033-1109) 1720, *Antoine de Padoue* (v. 1195-1231) 1946, *Athanase* (295-373) IVe s., *Augustin* (354-430) IVe s., *Basile de Césarée* (329-379) IVe s., *Bède le Vénérable* (673-735) 1899, *Bernard de Clairvaux,* surnommé Doctor Mellifluis (1090-1153) 1830, *Bonaventure,* surnommé Doctor Seraphicus (1221-74) 1588, *Catherine de Sienne* (seul Docteur laïc), (1347-80) 1970, *Cyrille d'Alexandrie* (380-444) 1893, *Cyrille de Jérusalem* (315-386) 1893, *Ephrem* (306-373) 1920, *François de Sales* (1567-1622), le seul docteur de langue française, 1877, *Grégoire le Grand* (540-604) IVe s., *Grégoire de Nazianze* (v. 330-v. 390) IVe s., *Hilaire* († 468) 1851, *Isidore* (550-636) 1722, *Jean Chrysostome* (v. 340-407) IVe s., *Jean de la Croix* (1542-91) 1926, *Jean Damascène* († v. 749) 1893, *Jérôme* (347-420) IVe s., *Laurent de Brindes* (1559-1620) 1959, *Léon le Grand* († v. 461) 1754, *Pierre Canisius* (1521-97) 1925, *Pierre Chrysologue* (406-450) 1729, *Pierre Damien* (1007-72) 1828, *Robert Bellarmin* (1542-1621) 1931, *Thérèse d'Avila* (1515-82) 1970, *Thomas d'Aquin,* surnommé Doctor Angelicus (1225-74) 1567.

☞ Plusieurs théologiens du Moyen Age, sans porter le titre de Docteurs de l'Église, sont parmi les grands Docteurs de la Foi : *Grégoire de Rimini* (Doctor Auctus), *Jean Gerson* (Doctor Christianissimus), *Jean Ruysbroek* (Doctor Indivicibilis), *Roger Bacon* (Doctor Admirabilis), *Duns Scot* (Doctor Subtilis). Les surnoms n'ont aucun caractère officiel.

En Espagne, *Léandre de Séville* (v. 510-98), *Ildefonse* (v. 600-67) et *Fulgence d'Écija* (v. 580-633) sont considérés comme Docteurs de l'Église.

Les églises non catholiques d'Orient ne vénèrent que Basile, Grégoire de Nazianze et Jean Chrysostome.

Conversions célèbres

Païens. *Constantin,* empereur (v. 280-370) à env. 30 ans (311). *Clovis,* roi des Francs (465-511) à env. 30 ans (496 ?). *Boris,* khan des Bulgares (852-889). *St Vladimir* de Russie (1053-1125).

Confucianistes. Les *8 martyrs,* béatifiés le 27-5-1900 : *Augustin Tchao* († 1815), *Joseph Juen* († 1817), *Paul Lieou* († 1818), *Thaddée Lieou* († 1823), *Pierre U* († 1824), *Joachim Ho* († 1839), *Laurent Pe* († 1856), *Agnès Tsao* († 1856).

Juifs. *St Paul* (v. 10 av. J.-C.-67 apr. J.-C.) à env. 45 ans (v. 36). *David Drach,* rabbin, devenu polémiste ; ses 3 fils seront prêtres (1791-1865), 34 a. *François Libermann* (1802-52), fils de rabbin, prêtre. Les frères *Ratisbonne,* banquiers strasbourgeois : Théodore (1802-44) ordonné prêtre à 28 a. ; Alphonse (1812-84), 30 ans, ordonné prêtre à 36 a. Les frères (jumeaux) *Lehmann :* Achille (1836-1909) et Édouard (1836-1914), baptisés 18 a., ord. prêtres 24 a., fondateurs de l'Alliance cath. *Max Jacob* (1876-1944), poète, peintre, 39 a. *Gustave Cohen* (1879-1958) médiéviste, fondateur des Théophiliens, 64 a. *Edith Stein* (1891-1942) philosophe, devenue carmélite (sœur Bénédicte de la Croix), morte déportée à Auschwitz, 29 a. (sa béatification, 1-5-1987, a créé un incident, car Jean-Paul II a dit : « mise à mort par haine de la foi catholique » et les Juifs estiment « par haine du judaïsme »). *Irène Nemirovsky* († 1942 Auschwitz) en 1929 romancière. *Card. Jean-Marie Lustiger* (n. 1926), archevêque de Paris en 1981, 14 a.

Musulmans. *Mgr Paul Mulla* (1882-1959), Turc crétois, disciple (puis filleul) de Maurice Blondel, baptisé 1905, ordonné 1913, prof. à l'Institut pontifical oriental. *Jean Mohammed Abd-el-Jalil* (1904-79). Marocain, 24 ans, aide de camp du maréchal Lyautey, prêtre franciscain en 1935.

Protestants. *Henri IV* (1553-1610) : 1re abjuration à 19 a., 2e, 40 a. *Christine de Suède* (1626-89), 28 a. *Maréchal de Turenne* (1611-75), 57 a. *Cardinal Henry Newman* (1801-90), clergyman anglican, 44 a. *Cardinal Henry Manning* (1808-92), clergyman angl., 42 a. *Bienheureuse Elizabeth Seton* (1774-1821), Amér., fondatrice des sœurs de la Charité de St-Joseph (béatifiée par Jean XXIII, 1963).

Incroyants ou irreligieux. DÉJÀ BAPTISÉS : *St Jérôme* (347-420) à 25 ans. *St Augustin* (354-430), 33 a. *St François d'Assise* (1182-1226), 24 a. *St Ignace de Loyola* (1491-1556), 31 a. *Armand de Rancé* (1626-1700), 34 a., abbé de la Trappe. Le père *Henri Lacordaire* (1802-61), orateur, 21 a. *Louis Veuillot* (1813-83), journaliste, 25 a. *Léon Bloy* (1846-1917), polémiste, 38 a. *Paul Claudel* (1868-1955), écrivain, 18 a. BAPTISÉS POUR LEUR CONVERSION : *Jacques Maritain* (1882-1973), philosophe, 24 a. *André Frossard* (n. 1915), journaliste, 24 a. *Thomas Merton* (1915-68), écrivain américain, prêtre trappiste, 28 a.

Jean XXIII (1er du nom). **1417** *Concile de Constance :* Jean XXIII et l'antipape Grégoire XII abdiquent. L'autre antipape est déposé. Martin V est élu pape et sera reconnu par la chrétienté.

1439 Le *Concile de Bâle* essaie en vain de déposer Eugène IV et élit un antipape, Félix V, qui abdique en 1449. **XVe-XVIe s. Renaissance** Les papes sont amis des arts, machiavéliques en politique ou (comme Jules II) de véritables *condottieri* (attitude de souverains des États de l'Église). Comme chefs religieux, ils laissent des prélats préparer les réformes (convocation du concile de Latran, 1512).

1516-17 (à partir de) Réforme protestante prêchée par : Zwingli (1484-1531, tué à la bataille de Kappel), Luther (1483-1546) et Calvin (1509-64) (voir p. 538). **1545-63 Concile de Trente :** définit les dogmes sur lesquels avaient porté la contestation prot., renforce la discipline dans l'Église cath., et organise la « **Contre-Réforme** » ou « Réforme cath. », qui se traduira jusqu'en 1648 par la reconquête de plusieurs régions prot. : Bavière, Rhénanie, Silésie, Pologne.

1616-33 *Procès de Galilée* qui s'était rallié au système de Copernic (condamné en 1616) et l'avait amélioré : obligé de se rétracter et d'affirmer que le Soleil tournait autour de la Terre (les minutes du procès, enlevées à Rome par Napoléon Ier, ont été rendues au Vatican par le gouvernement français, contre la promesse expresse que le procès serait révisé). Le 13-11-1979, le pape Jean-Paul II a annoncé cette révision, mais on doute qu'elle ait lieu : les naïvetés de Galilée y apparaîtraient avec trop d'évidence (il voulait prouver l'héliocentrisme par les marées).

1790-1815 Période révolutionnaire, voir L'Église de France, p. 528. L'Égl. cath. est bouleversée dans d'autres pays, notamment en Allemagne.

1870 Fin des États de l'Église : Victor-Emmanuel II, roi de Sardaigne, prend le titre de « roi d'Italie » et fixe sa capitale à Rome. Il est excommunié (dernier souverain régnant excommunié). Le *Concile de Vatican I* proclame le pape infaillible dans son enseignement, lorsque celui-ci est énoncé comme « de foi ». **1891** L'encyclique *Rerum Novarum* reproche à la vie économique d'être devenue « dure, implacable et cruelle ». Pour l'Église, les biens matériels sont faits pour permettre le bonheur de tous ; il est inique de les accaparer. **1929 Traité de Latran.** L'État de la Cité du Vatican remplace les États de l'Église, voir p. 514 b. **1962-65** *Concile de Vatican II* voir p. 522 b. **1985** *Synode extraordinaire des évêques* à Rome : l'accent est mis sur la nature de l'Église (un mystère religieux) plutôt que sur sa mission, voir p. 521 a.

Caractéristiques de la religion catholique

Métaphysique chrétienne

• **Attributs de Dieu. Métaphysiques.** (Dits aussi « négatifs », car ils sont des perfections excluant l'imperfection correspondante) : *1o Aséité* (du latin *a se,* « à partir de lui-même ») : Dieu tire son être de lui-même, non d'un autre être ; *2o Simplicité :* Dieu est un, non composé de parties ; *3e Immutabilité :* Dieu ne peut passer d'un état moins parfait à un état plus parfait, ni réciproquement ; *4e Éternité* (conséquence de l'*aséité* ou nécessité d'être) : l'existence de Dieu n'a pas eu de commencement et n'aura pas de fin ; *5o Immensité :* Dieu est en dehors de l'espace, comme il est en dehors du temps. **Moraux.** (Dits aussi « positifs », car ils sont des facultés que possède également l'homme, mais à un degré infime) : intelligence, volonté, amour.

• **Preuves classiques de l'existence de Dieu.** Dieu est : *1o) la cause première de tout mouvement* (« 1er moteur », Lui-même immobile parce qu'Il est en dehors de l'espace) ; *2o) le principe de toute cause* (la cause première, en lui-même : *a se*) ; *3o) l'Être nécessaire* (les autres êtres apparaissent comme contingents, c.-à-d. non éternels) ; *4o) l'Être parfait* (les autres êtres n'étant pas immuables). Il est l'intelligence parfaite que présuppose l'ordre du monde.

• **Personnalité de Dieu.** Les arguments de l'existence de Dieu sont communs aux chrétiens et aux panthéistes, pour qui Dieu ne fait qu'un avec le monde. La philosophie chrét. conclut au contraire que Dieu (créateur du monde) est une personne qui « transcende » le monde qu'il a créé (c.-à-d. qui est d'une nature différente et supérieure) ; le dieu des panthéistes, de même nature que le monde, ne peut être infini (ils confondent l'*infini* avec la *totalité*).

Notes théologiques

• **Définition.** Notifient la « vérité » des assertions en matière religieuse, en déterminant : 1o) *l'autorité* qui a donné l'enseignement ; 2o) *la qualification* propre à une doctrine ; 3o) *la certitude* avec laquelle celle-ci est proposée.

• **Les 8 degrés de la vérité religieuse.** 1o) *Vérités de « foi divine »* [contenues dans la Révélation, c.-à-d. dans la Parole de Dieu (implicitement ou explicitement)]. 2o) *De foi divine et catholique* (contenues dans la Révélation et proposées comme telles par un acte spécifique des pasteurs de l'Église). 3o) *Proches de la foi* (considérées comme telles par de nombreux pasteurs et théologiens). 4o) *De « foi ecclésiastique »* (en connexion avec une vérité révélée, par exemple, que Pie XII a été élu validement, car sinon, sa définition de l'Assomption, qui est de foi, ne serait pas non plus valide). 5o) *Théologiquement certaines et communes* (considérées par l'ensemble des théologiens comme élaborées en fidélité foncière avec la Révélation). 6o) *Théologiquement fondées* (comportant certains arguments ou certaines preuves non approuvés par tous les théologiens). 7o) *Jouissant d'une réelle probabilité* (faisant valoir un motif sérieux, mais non décisif). 8o) *Doctrines sûres* (considérées, dans l'état actuel des connaissances, comme approchant le plus sûrement de la vérité).

Mystères chrétiens

• **Définition.** Vérités religieuses dépassant les données purement philosophiques. La raison humaine ne peut prétendre découvrir ces vérités et les expliquer par elle seule ; elles supposent donc une *révélation :* le don d'une vérité fait par Dieu aux hommes.

• **Révélation.** « Par la révélation divine, Dieu a voulu se manifester lui-même et communiquer les décrets éternels de sa volonté sur le salut des hommes » (Vatican II). Cette révélation, qui atteint sa plénitude dans le Christ, s'exprime dans la Bible, dont les auteurs ont été *inspirés,* et l'Église a la charge, avec l'assistance du Saint-Esprit, de la transmettre intacte et intégrale à tous les humains.

• **Principaux mystères. Création :** la raison ne peut expliquer ni le pourquoi ni le comment de la création du monde, même si elle peut concevoir la notion d'un Dieu créateur ; la création de l'Homme, en particulier, est un mystère dépassant la raison (un mystère de l'amour divin) : Dieu, étant infini et parfait, se suffit à Lui-même ; il peut se passer d'aimer une créature et d'être aimé par elle. La raison de son acte d'amour créateur relève du mystère. **Trinité :** la raison peut expliquer que le Dieu unique peut être en 3 personnes (Père, Fils, Esprit) et qu'il doit même l'être (l'amour réciproque du Père et du Fils étant lui-même un être fécond). **Incarnation :** mystère du même ordre. Jésus a 2 natures (divine et humaine) en une seule personne. Aucun concept humain ne peut définir ou expliquer cette réalité. **Rédemption :** le sacrifice de J.-C. a permis au monde d'être sauvé, c.-à-d. de ne pas être vaincu par le Mal (la raison n'explique ni la nature du Mal, ni en quoi consiste la victoire de J.). **Corps mystique :** expression imagée servant à faire comprendre l'unité de la vie de la grâce (il n'y a de grâce que par le Christ : il est la tête d'une réalité vivante, dont l'Église est le corps). L'épithète *mystique* a le sens de « spirituel » et de « mystérieux ». L'expression *Corpus Christi* est employée déjà par St Paul pour désigner l'Église.

• **Enseignement.** Chaque mystère fait l'objet d'un dogme (du grec *dogma,* « enseignement »). Il constitue une vérité à croire par fidélité envers l'Église, et non par suite d'un raisonnement logique. Néanmoins, si les mystères chrétiens *dépassent* la raison, ils ne la *contredisent* absolument pas : ils ne sont ni irrationnels, ni antirationnels (lorsque Bossuet dit : « Tais-toi, raison imbécile », il emploie *imbécile* dans le sens de *faible :* la raison n'atteint pas le niveau du mystère révélé).

Dogmes

• **Symboles.** L'essentiel de la foi cath. est résumé dans le *Symbole des Apôtres* (orig. romaine du IIIe s., fixé au VIIIe s.) ou dans le *S. de Nicée-Constantinople* (325-381), dits l'un et l'autre *Credo* (du 1er mot latin du texte) : le s. de Nicée développe la foi en la divinité de Jésus-Christ, qui était contestée par les hérétiques ariens, et en la divinité du Saint-Esprit.

Symbole des Apôtres. Je crois en Dieu, le Père tout-puissant, créateur du ciel et de la terre.

Et en Jésus-Christ, son Fils unique, notre Seigneur, qui a été conçu du Saint-Esprit, est né de la Vierge Marie, a souffert sous Ponce Pilate, a été crucifié, est mort et a été enseveli, est descendu aux enfers, le troisième jour est ressuscité des morts, est monté aux cieux, est assis à la droite de Dieu le Père tout-puissant, d'où il viendra juger les vivants et les morts.

Je crois en l'Esprit-Saint, à la sainte Église catholique, à la communion des saints, à la rémission des péchés, à la résurrection de la chair, à la vie éternelle. – Amen.

Symbole de Nicée. Je crois en un seul Dieu, le Père tout-puissant, créateur du ciel et de la terre, de l'univers visible et invisible.

Je crois en un seul Seigneur, Jésus-Christ, le Fils unique de Dieu, né du Père avant tous les siècles : il est Dieu, né de Dieu, lumière, née de la lumière, vrai Dieu, né du vrai Dieu, engendré, non pas créé, de même nature que le Père ; et par lui tout a été fait. Pour nous les hommes, et pour notre salut, il descendit du ciel ; par l'Esprit-Saint, il a pris chair de la Vierge Marie, et s'est fait homme. Crucifié pour nous sous Ponce Pilate, il souffrit sa passion et fut mis au tombeau. Il ressuscita le 3e jour, conformément aux Écritures, et il monta au ciel ; il est assis à la droite du Père. Il reviendra dans la gloire, pour

Commandements de Dieu
(Décalogue)

Origine. Le Décalogue (ou Dix Commandements ou les Dix Paroles ou les deux Tables de la Loi) est attribué à Moïse et se trouve dans la Bible sous diverses formes.

Forme courante. 1 C'est moi ton Dieu. **2** Tu ne feras pas de dieu à ton image. **3** Tu n'abuseras pas de son nom. **4** Tu sanctifieras le jour du Seigneur. **5** Honore ton père et ta mère. **6** Tu ne tueras pas. **7** Tu ne commettras pas d'adultère. **8** Tu ne voleras pas. **9** Tu ne seras pas un faux témoin. **10** Tu ne convoiteras pas.

Forme versifiée. Le Décalogue a été mis en vers français dès 1491, pour faciliter son enseignement. Dernière version officielle (1931) :

1. Un seul Dieu tu adoreras
   Et aimeras parfaitement.
2. Dieu en vain tu ne jureras
   Ni autre chose pareillement.
3. Les dimanches tu garderas
   En servant Dieu dévotement.
4. Tes père et mère honoreras
   Afin de vivre longuement.
5. Homicide point ne seras
   De fait ni volontairement.
6. Luxurieux point ne seras
   De corps ni de consentement.
7. Le bien d'autrui tu ne prendras
   Ni retiendras à ton escient.
8. Faux témoignage ne diras
   Ni mentiras aucunement.
9. L'œuvre de chair ne désireras
   Qu'en mariage seulement.
10. Biens d'autrui ne convoiteras
    Pour les avoir injustement.

Commandements de l'Église

Rédigés aussi en vers français au XVe s., ils indiquent les principales prescriptions de la discipline ecclésiastique. Plus tard, le 4e commandement fut mis à la 2e place et un 6e fut ajouté :

1. Les dimanches messe ouïras
   et fêtes de commandement.
2. Tous tes péchés confesseras
   à tout le moins une fois l'an.
3. Et ton créateur recevras
   au moins à Pasques humblement.
4. Les fêtes sanctifieras
   qui te sont de commandement.
5. Quatre-temps, vigiles, jeûneras
   et le carême entièrement.
6. Vendredi chair ne mangeras,
   Ni le samedi mesmement.

L'*interdiction de manger de la viande* les vendredis et pendant les 40 j du Carême remonte aux premiers siècles du christianisme, et avait été rendue obligatoire sous peine d'excommunication par le *Concile de Laodicée,* entre 443 et 481 ; elle a été mitigée par la suite, et même levée pour le peuple espagnol (1570), après la bataille de Lépante gagnée sur les Turcs musulmans, en 1570, par une escadre en majorité espagnole ; le code de droit canon (1983) prescrit l'abstinence de viande tous les vendredis, mais en France (1966), ainsi qu'en de nombreux pays, le maigre du vendredi a été supprimé définitivement, sauf pendant le Carême.

juger les vivants et les morts ; et son règne n'aura pas de fin.

Je crois en l'Esprit-Saint, qui est Seigneur et qui donne la vie ; il procède du Père *et du Fils* [le « et du Fils », en latin *Filioque*, rajouté en 794 en Occident sur intervention de Charlemagne (accepté à Rome en 1014), a été en partie la cause du schisme orthodoxe)]. Avec le Père et le Fils, il reçoit même adoration et même gloire ; il a parlé par les prophètes. Je crois en l'Église, une, sainte, catholique et apostolique. Je reconnais un seul baptême pour le pardon des péchés. J'attends la résurrection des morts, et la vie du monde à venir. – Amen.

Dogmes contenus dans les 2 symboles précédents. 1° Dieu unique, le Père, créateur. 2° Dieu le Fils. 3° Son incarnation. 4° Sa mort rédemptrice. 5° Sa résurrection. 6° Le Jugement dernier. 7° Dieu Esprit Saint. 8° L'Église. 9° La Communion des saints. 10° Le baptême pour le pardon des péchés. 11° La Résurrection de la chair. 12° La Vie éternelle.

• **Dogmes définis au cours des âges.** La Vierge Marie est « Mère de Dieu » (431) ; le Christ est une seule personne en 2 natures (451) ; la nature humaine est blessée par le péché originel, la Grâce divine lui est indispensable (429-431) ; par la consécration, le pain et le vin deviennent le corps et le sang du Christ *(transsubstantiation)* (1215) ; la soumission au pontife romain est nécessaire au salut ; l'âme est immortelle, et une assertion philosophique ne peut être vraie contre une vérité de foi (1513) ; l'Écriture sainte reconnue par l'Église est inspirée (1546) ; la messe renouvelle le sacrifice du Christ (1562) ; la Vierge Marie a été conçue sans le péché originel [dogme de l'*Immaculée Conception* (1854) c'est-à-dire immaculée dès sa conception, « intouchée du diable », comme dit Mahomet dans le Coran (à ne pas confondre avec le dogme de la *conception virginale* de Jésus par Marie)] ; le *magistère* du pape est infaillible quand il définit solennellement une doctrine de foi ou de morale (1870) ; Marie a été glorifiée dans son âme et son corps [dogme de l'*Assomption* (1950)].

Croyances non dogmatiques

• **Anges.** Du grec *angelos*, messager. Créatures spirituelles innombrables, selon l'Ancien Testament : ils forment la cour céleste de Dieu et servent de messagers entre Dieu et les hommes. La Bible personnalise 3 archanges : *Michel* (le prince des armées du ciel), *Gabriel* (héros de Dieu) et *Raphaël* (Dieu guérit). Les apocryphes ont multiplié les listes des anges, leurs noms et leurs interventions. Les commentateurs bibliques depuis le Pseudo-Denys (VIe s.) ont réparti la hiérarchie céleste en 3 ordres et 9 chœurs : *Anges, Archanges* et *Principautés, Puissances, Vertus* et *Dominations, Trônes, Chérubins* et *Séraphins*. St Paul a rappelé que les anges ne font pas écran entre le Christ et les fidèles.

Anges gardiens mentionnés dans l'Ancien Testament et par Jésus (Matthieu, 18,10) comme chargés de protéger chaque être humain contre les dangers. Croyance formulée au XIIe s. par Honoré d'Autun. FÊTES : *29-9 :* Archanges Michel, Gabriel et Raphaël. *2-10 :* Anges gardiens, fête attestée à Valence en 1411, étendue à toute l'Église latine par Paul V en 1608.

Représentation : d'abord éphèbes antiques vêtus de longues robes? IVe s. : apparition du type ailé, XIIe s. : des enfants, XIIIe s. : des bébés, XVe s. : des femmes, XVe-XVIe s. : vêtus de plumages, *Renaissance :* têtes d'enfants ailées.

☞ La querelle du « sexe des anges » vient de l'Évangile (Matthieu XXII, 30 ; Marc XII, 25 ; Luc XX, 35-36). Le Christ déclare qu'après la Résurrection, les saints seront sans époux, sans épouses, et comme les anges de Dieu. À plusieurs reprises, l'Église a affirmé que ces créatures divines étaient immatérielles, incorruptibles, spirituelles, préservées de la mort et que leurs corps étaient subtils, aériens, ignés. Ce sont des esprits sans corps.

• **Démons.** Tributaire de l'imagerie du Moyen-Orient antique, la Bible parle de démons ou génies, comme d'esprits impurs, malfaisants et tentateurs. Certains ont un nom collectif (les *Seirim*) ou personnel (Lilith, Azazel, Resheph, Asmodée, Belzébul), ils sont souvent assimilés à des divinités païennes « qui ne sont rien ». En face des *Anges fidèles*, la Bible présente les *Anges rebelles* ayant à leur tête Satan, l'adversaire, le tentateur, appelé encore Lucifer (en latin : « porte-lumière »), le Diable (du grec *diabolos :* accusateur), le Serpent ou le Dragon, le Prince des ténèbres ou de ce monde, qui, depuis Adam, attire l'homme vers le mal. Le *livre de l'Apocalypse* évoque la lutte des anges rebelles contre les anges fidèles, et leur défaite face à l'archange Michel qui les chasse du ciel. L'Église croit à leur influence mauvaise, et même à des cas de possession, contre lesquels elle agit au moyen d'exorcismes ; mais elle refuse le dualisme manichéen (2 principes égaux du Bien et du Mal) et affirme que, créés bons, les démons sont devenus mauvais par leur faute et que, s'ils ont le pouvoir de tenter l'homme, ils restent soumis à la toute-puissance de Dieu.

Honorius Augustodunensis, moine irlandais auteur de l'*Elucidarium* (v. 1150), déformé plus tard en *Lucidaire*, ajoute aux données bibliques des éléments empruntés aux légendes irlandaises de la *Vision de Tungdal* (diables hideux et cruels résidant en enfer). Le *Lucidaire* inspira la *Divine Comédie* de Dante, et de nombreuses œuvres picturales du XIIIe s. Au XVe s., Denys le Chartreux (Denys Leeuwis ou Van Leeuven, né à Ryckel dans le Limbourg belge, 1402-71), auteur des *Quatre Fins de l'Homme*, commentant une vision apocryphe due à un mystique flamand ou allemand du XIVe s., répandit les concepts de la *Vision de Tungdal*, ajoutant la notion biblique de « tentateur » (le Diable, cherchant à avoir de nombreuses victimes à tourmenter pour l'éternité, s'efforce de les faire tomber en Enfer). Du XVe s. date l'expression de *« malin »*, signifiant « cruel » et « rusé ».

☞ Les *succubes* sont des tentateurs femelles venant, la nuit, rejoindre les hommes ; les *incubes* sont des tentateurs mâles allant rejoindre les femmes.

• **Miracles.** Connus dans toute religion (judaïsme, islam, christianisme...). Un chrétien, par le fait même qu'il adhère au Christ et à son Evangile, croit au pouvoir miraculeux de Dieu, forme de sa Toute-Puissance, mais n'est pas tenu de croire à tels ou tels miracles en particulier. *Miracles les plus cités ou représentés : Ancien Testament :* le passage de la mer Rouge, la manne et l'eau jaillie du rocher, le serpent de bronze, l'enlèvement d'Élie au ciel ; *Nouveau Testament :* voir Miracles de Jésus p. 493 b.

• **Eschatologie** *(Fins dernières,* c.-à-d. vérités sur l'Au-delà). 2 vérités sont « de foi » (citées dans le *Credo*) : il y a une **vie éternelle** après la mort, celle des âmes et celle des corps. Les autres croyances en l'au-delà développent ces 2 dogmes. Certaines se fondent sur l'*Évangile :* les corps ressuscités sont dans l'état « glorieux », comme le corps du Christ après la Résurrection ; les méchants iront aux « ténèbres extérieures » ; les bons se sont amassé un « trésor dans le Ciel ». D'autres croyances se fondent sur des textes de l'*Apocalypse :* combat final contre l'*Antéchrist* (personnage nommé *fils de la Perdition* par St Paul) ; il tentera de faire damner les hommes, mais sera vaincu ; **Jugement final** ou *général*, appelé aussi *Jour du Fils de l'Homme, Jour du Christ, Jour du Jugement, Jour de la Colère, Grand Jour,* etc. Cette idée existe déjà dans l'Ancien Testament : au *Jour du Seigneur,* les bons seront distingués des mauvais [le « sein d'Abraham » serait à peu près l'équivalent du Ciel ; la *Géhenne* (torrent de Jérusalem servant de tout-à-l'égout), celui de l'Enfer]. En attendant le Jour du Seigneur, les morts sont dans le *Shéol* (terme qui désigne la tombe, ou la nuit, ou la vermine).

Paradis (du vieux persan *pairé-daza,* parc). D'autres croyances sont des développements théologiques ou traditionnels de plusieurs textes : joies du Paradis, le « Ciel » étant vu comme le *Paradis terrestre* avant le péché, où Dieu est présent [synthèse de la *Genèse* (bonheur d'Adam), de l'*Évangile* (Jésus promet au Bon Larron de l'emmener au « Paradis »), des *Épîtres de St Paul* (il a été emmené au « Troisième Ciel »)].

Enfer (du latin *infernum de inferum :* qui est en bas). Il faut distinguer *« les Enfers »*, lieu des morts [nommé dans l'Évangile de St Matthieu (XVI, 18) sous son nom mythologique grec : *Hadès ;* pour les juifs : *Shéol*] où le Christ lui-même est allé (Il *« est descendu aux enfers »*, dit le Credo ; l'idée d'un séjour des morts existe dans la Bible), et *« l'Enfer »,* lieu de damnation ; la notion des *flammes de l'Enfer* est chrétienne : Matthieu parle de la *géhenne* du feu (V, 29). Elle synthétise les souffrances de ceux que Dieu a rejetés (« pleurs et grincements de dents »), la colère de Yahweh, ardente comme une flamme, le pouvoir purificateur du feu.

Purgatoire. A partir de la notion de purification par le feu *(ignis purgatorius)*, a été créée celle du lieu *Purgatoire,* considéré comme différent de l'*Enfer :* les morts ayant subi l'épreuve purificatrice ont l'espoir d'être admis en présence de Dieu ; les peines de ceux qui sont « rejetés » sont, au contraire, considérées comme éternelles. On prie *pour les âmes du Purgatoire* (liturgie des défunts, commémoration de tous les fidèles défunts le 2 novembre, intercession à chaque messe et à l'office du soir, *De profundis,* confréries du Purgatoire...) ou on leur demande (en privé seulement) leur intercession.

Limbes. L'inquiétude sur le sort des enfants morts sans baptême a conduit des théologiens à les placer dans les *limbes* (où ils bénéficient du bonheur mais non de la vision de Dieu), et a entraîné des parents vers des rites de substitution parce qu'ils craignaient que l'enfant qui ne pouvait entrer au paradis, ne revienne, en représailles, pour leur nuire. Ex. ; à Kintzheim, à la fin du XVIIIe s., des parents enterrent leur enfant mort sans baptême sous le chéneau de l'église paroissiale, espérant que l'eau de pluie le baptiserait, après avoir coulé sur le toit de l'édifice consacré. Au XIIe s., on avait aussi recours aux *sanctuaires à répit* où l'on déposait le corps. On y célébrait des messes et l'on priait. Qu'un signe apparaisse (ex. : rougeur au visage) et l'on criait au miracle, en s'empressant de baptiser l'enfant. Au XIXe s., les enfants mort-nés n'étaient pas inscrits sur les registres de catholicité.

☞ **La foi catholique n'est pas compatible avec l'astrologie.** Dieu seul connaît le futur de tout homme et celui de l'humanité ; si l'avenir était prévisible, l'homme ne serait pas maître de son destin, alors que Dieu l'a créé libre. Au Moyen Age, on a cherché à localiser l'Enfer sous terre, le Paradis dans le ciel, le Purgatoire au fond du cratère de l'Etna ou du Stromboli, ou dans une caverne d'Irlande.

Morale

• **Commandements moraux** (pratique des vertus, fuite du péché). La loi morale chrétienne n'a pas été présentée comme différente de la loi morale juive par Jésus-Christ lui-même, mais la surpassant : « Je ne suis pas venu abolir la loi, mais l'accomplir. » St Augustin (fin du IVe s.) a précisé : 1°) il est indispensable de pratiquer les préceptes du Décalogue qui constituent le minimum de la vie morale ; 2°) il est louable d'observer les conseils du Sermon sur la Montagne (morale des conseils dépassant la simple morale des préceptes).

Les violations des préceptes du Décalogue (qui sont en majorité des interdictions) constituent des péchés ; les plus graves *(mortels)* amènent la rupture de la vie de grâce avec Dieu. Leur gravité dépend de l'importance de la matière (le vol d'une grosse somme est pire qu'un petit larcin), du degré de consentement, et du degré de connaissance de la faute. Quand il y a matière légère, ignorance ou manque de consentement, le péché est dit *véniel* (du latin *venialis* « excusable »). Le manque d'accueil pour la perfection évangélique, non considéré comme un « péché », risque cependant de causer un dépérissement spirituel.

☞ **Vertus. Théologales** (ayant Dieu pour objet) : foi, espérance, charité. **Cardinales** (sur lesquelles repose la vie morale ; le latin *cardo* signifie gond) : justice, prudence, force, tempérance.

Les manquements à ces 7 vertus, définis ainsi par St Thomas d'Aquin, constituent des péchés, *contre la foi :* infidélité, hérésie, apostasie, blasphème, aveuglement spirituel, superstition, idolâtrie, prétention de tenter Dieu, parjure, sacrilège, simonie ; *l'espérance :* désespoir et présomption ; *la charité :* haine, lassitude (acédie, opposée à la joie de la charité), envie, discorde, dispute, guerre, rixes, séditions, scandale, désobéissance, ingratitude, mensonge, simulation, hypocrisie, jactance, ironie, adulation, contestation ; *la prudence :* imprudence, négligence ; *la justice :* injustice, homicide, vol, accusations injustes spécialement devant les tribunaux, outrage, injure, dénigrement, allusion perfide, fraude, usure ; *la force :* crainte, intimidation, audace excessive, présomption, ambition, gloriole, pusillanimité, médiocrité ; *la tempérance :* avarice, prodigalité, gourmandise, ivresse, luxure, manque de maîtrise de soi, irascibilité, cruauté.

• **Les 7 œuvres de miséricorde.** D'après l'enseignement de Jésus selon St Matthieu (25, 31-46) : nourrir les affamés, désaltérer les assoiffés, vêtir ceux qui sont nus, ensevelir les morts, accueillir les étrangers, visiter les malades, visiter les prisonniers.

• **Péché originel.** Tendance existant dans tout être humain, et l'incitant à commettre le mal, au lieu de rechercher le bien. Tire son nom du couple « originel » de l'humanité ; le 1er homme et la 1re femme, que la Bible (livre de la Genèse) nomme Adam et Ève. Mis en demeure par Dieu par une épreuve morale (ne pas manger du *« fruit défendu »*), ils se sont laissés aller à suivre de préférence leur instinct. La tradition populaire a présenté le « fruit défendu » comme une *pomme* (du latin *pomum,* « fruit »). D'après la Genèse, il s'agit de « *l'Arbre de la Science* du Bien et du Mal ». Cette expression désigne symboliquement la loi morale (conscience de la nécessité d'observer certains préceptes).

Péchés capitaux. Sept : orgueil, avarice, gourmandise, envie, luxure, colère, paresse. Ils ne sont pas en eux-mêmes des péchés, mais des *vices,* c.-à-d. des tendances à commettre certains péchés.

☞ Jean-Paul II a condamné explicitement divorce, contraception, sexualité hors mariage, homosexualité, avortement ; interdit le mariage des transsexuels ; exigé une rétractation de 20 religieux et religieuses américains qui avaient pris parti pour la libéralisation de l'avortement. Il a affirmé les principes moraux en matière de vie sociale, économique et politique et, en mars 1987, en matière de pratique génétique.

Catéchisme

• **Définition.** Manuel contenant les vérités essentielles de la doctrine catholique, et destiné aux enfants. Les 1ers ont été protestants (Luther 1529, Calvin 1545). Les 1ers c. catholiques sont ceux de Canisius (Allemagne 1554) et de Robert Bellarmin (Italie 1593). Le 1er c. français est une traduction de Bellarmin, publiée par François de Sales en 1601. Les plus connus sont ceux de Bossuet (1671-82). Chaque diocèse français a possédé son c., jusqu'à la publication d'un c. national (1947).

• **« Pierres Vivantes » et catéchisme national.** En 1966, les évêques français ont décidé de remplacer le catéchisme national par un « fonds commun obligatoire », à partir duquel différents manuels seraient rédigés [le 1er, en 1978, à l'assemblée de

Principales hérésies

IIIe siècle

Origénisme. Attribué à l'Alexandrin Origène (185-254), auteur du « Traité des Principes ». Idées platoniciennes sur la préexistence des âmes, déformées au VIe s., et condamnées par le concile de Constantinople II (553).

Encratites. Partisans de la continence et de l'abstinence rigoureuse : condamnent le mariage. A partir du IVe s., se diversifient : Adamites, Apostoliques ou Apotactiques.

Gnosticisme. Spéculations cosmologiques ou théosophiques refusant le Dieu de l'Ancien Testament et l'Incarnation.

Manichéisme. Dû au Persan Mani ou Manès (216 ?-273). Admet 2 principes divins : le Bon et le Mauvais. Voir Parsisme à l'Index.

Ébionites. Nient la divinité de Jésus.

Montanistes. De Montanus, IIe-IIIe s. Rejettent la hiérarchie ecclésiastique. Morale rigoriste.

Artotyrites. Célèbrent le repas eucharistique avec du pain et du fromage.

IVe-VIIe siècle

Arianisme (Arius d'Alexandrie 280-336). Nie la divinité du Christ ; le fils de Dieu, qui s'est incarné en Jésus, n'est pas éternel ni égal à Dieu le Père. Condamné à Nicée en 325.

Macédonianisme (Pneumatomaques). Dû à Macedonius († v. 370). Nie la divinité du St-Esprit. Disciples condamnés à Constantinople en 381.

Nestorianisme. Dû à Nestorius (v. 380-451), patriarche de Constantinople. Voit dans Jésus un être double : une personne humaine dans laquelle le Verbe divin habite comme dans un Temple. Rejette par conséquent la maternité divine de la Vierge. Condamné au concile d'Éphèse en 431, qui proclame Marie, mère de Dieu.

Monophysisme ou **Eutychianisme.** Dû à Eutychès (v. 378-453). Affirme que la nature divine de Jésus a absorbé sa nature humaine. Condamné à Chalcédoine en 451. Son disciple Jacques Baradaï († 578) fonde l'Église jacobite en opposition surtout au pouvoir impérial de Constantinople.

Monothélisme. Dû au patriarche Sergius (610-38), appuyé par l'empereur Héraclius. Essai de conciliation entre l'orthodoxie et le monophysisme : il y a bien 2 natures dans le Christ (la divine et l'humaine), mais une seule volonté (la divine). Condamné à Constantinople en 680-81.

Pélagianisme. Dû au moine breton Pélage (v. 360-v. 422) et à son disciple italien Celestius. Attribue un caractère tout-puissant à la volonté humaine. Croit à la perfection possible sur terre. Nie la nécessité de la grâce et le péché originel. Combattu par St Augustin. Cette question a connu un regain avec Jansénius au XVIIe s.

VIIIe-XVIIIe siècle

Iconoclastes. Léon III l'Isaurien, emp. d'Orient en 730, proscrit les images et ordonne leur destruction. En 843, le culte des images, défendu par le 2e conc. de Nicée (787), est rétabli par l'impératrice Théodora.

Prédestinationisme. Gotescal (v. 805-868) ou Gottschalk (ou Fulgence). L'homme est prédestiné avant sa naissance au salut ou à la damnation. Condamné à Mayence en 848.

Millénarisme. Croyance au retour du Christ sur terre, ou Parousie (grec *parousia,* « arrivée ») pour un règne de 1 000 ans avec ses fidèles avant le combat final contre ses adversaires, suivi de son règne éternel dans le ciel. Un nouveau millénarisme est né plus récemment en dehors du catholicisme.

Vaudois. Pierre Valdo (v. 1140-v. 1217). Promoteurs de la pauvreté, rejettent le culte des saints, le sacerdoce et la plupart des sacrements. Aujourd'hui, env. 20 000 en France et Italie.

Albigeois (ou **Cathares** = purs). Église schismatique et hérétique constituée au XIIe s. dans les régions de Carcassonne, Albi, Toulouse et Agen, et née de la rencontre de 2 éléments : 1° une population restée fidèle à l'arianisme répandu dans la région (et en Espagne où il s'est allié à l'Islam) par les Wisigoths entre VIe et IXe s. ; 2° la doctrine manichéenne encore vivace dans l'empire byzantin où elle comptait, au XIIe s., 3 évêchés « *bogomiles* » : Bulgarie, Philadelphie, Drugonthie. Des Croisés méridionaux de la IIe Croisade (1147, passée par Constantinople), répandent le manichéisme chez les nombreux « Goths » (secrètement ariens) de leur région ; en 1167, ils se réunissent en concile à St-Félix-de-Caraman avec l'évêque bulgare Niquintas, qui crée 6 diocèses (« albigeois ») en Fr., et 1 (« *patarin* », c.-à-d. chiffonnier) en Italie : Desenzano. Les Cathares occupent de nombreux « hauts-lieux », notamment les châteaux de Pieusse (Aude), Quéribus (Aude), Montségur (Ariège). Condamnent sacrements, culte extérieur, hiérarchie ecclésiastique, droit de propriété. Nient le purgatoire et la résurrection des morts. Approuvent le suicide qui libère l'âme du mal. Considèrent comme un moindre mal sexualité, mariage, procréation, sauf pour les « Parfaits ». Condamnés par les Conciles de Latran de 1179 et 1215. Exterminés après 20 ans de guerre, par une croisade décidée en 1208 par Innocent III, et menée par Simon de Montfort, puis Louis VIII. Au Camp dous Cramats, près de Montségur (1 217 m d'alt.), ont lieu chaque année des réunions célébrant la défaite et l'exécution par le feu des 205 derniers résistants cathares (1244). Jusqu'au XVIe s., de nombreux groupes de « patarins » ont subsisté en Europe centrale et méditerranéenne. Ils se sont ralliés volontiers aux Turcs osmanlis après 1453 (notamment le Bosniaque Radak, qui a livré en 1463 à Mahomet II la place forte de Yaiche). Au XVIe s., ils ont rejoint le protestantisme.

Dulcinistes ou **Apostoliques.** Gérard Segarelli (1300), Dulcin (Fra Dolcino, brûlé en 1307). Proclamaient mener la vie des 1ers apôtres, dans la pauvreté en n'ayant que Dieu pour maître.

John Wyclif (Angl. v. 1320-1384). Rejette autorité des évêques, culte des saints, cérémonies, vœux, transsubstantiation, confession.

Lollards. De « lullen » ou « lollen » (chanter) ? Adeptes de Wyclif. Mouvement populaire anticlérical répandu en Angleterre (XIVe-XVe s.), critiquant les structures ecclésiastiques.

Jan Hus (recteur de l'Université de Prague, 1369, brûlé en 1415). Reprend plusieurs thèses de Wyclif et les idées de Pélage sur la perfection. L'Église des Frères moraves ou Église évangélique tchèque (300 000 fidèles) se réclame de Jan Hus.

Taborites (Bohême). Disciples extrémistes (antipapistes) de Jan Hus, vaincus par les Calixtins unis aux catholiques. Se rallièrent en grand nombre aux Frères moraves.

Calixtins ou **Utraquistes** (Bohême). Disciples modérés (antischismatiques) de Jan Hus. Réclament la communion au calice, ou sous les deux espèces *(sub utraque specie).* Se rallièrent soit aux luthériens, soit aux Frères moraves.

Socinianisme ou **Antitrinitarisme.** Doctrine des 2 Italiens Lelio (1525-62) et Fausto Sozzini, son neveu (1539-1604), réfugiés en Pologne où ils organisèrent l'*Église des Frères Polonais.* Reconnaissent la naissance miraculeuse de Jésus, mais nient sa divinité. Leur doctrine refleurit en Angleterre au XVIIIe s., appelée *Unitarisme.*

Jansénisme. Jansénius, évêque d'Ypres, Belgique (1585-1638), expose sa doctrine dans l'*Augustinus* paru en 1640 : la grâce est nécessaire pour toute œuvre bonne, et efficace nécessairement ; Dieu la refuse à ceux qu'il n'a pas prédestinés au Ciel ; la pratique de l'Eucharistie est réservée aux âmes ferventes. Introduit en France par l'abbé de *St-Cyran* (1581-1643), adopté à Port-Royal (*Pascal,* les *Arnauld :* Angélique 1591-1661, Antoine 1612-94, Robert 1589-1674), condamné en 1713 par la bulle *Unigenitus* de Clément XI.

La résistance des jansénistes à cette Bulle se poursuivit au XVIIIe s. ; ils obtinrent la dissolution de leurs adversaires, les jésuites, en 1773. Certains jansénistes exaltés, proches des convulsionnaires de St-Médard (voir p. 528 c) ont formé des communautés dissidentes [telles que les *Flagellants* ou *Fareinistes,* fondées par les frères Claude et François Bonjour, à Fareins (Ain), à partir de 1785]. Elles subsistent encore, regroupées dans la Petite Église, l'Égl. Vieille-Catholique ou d'autres groupes « néo-gallicans » (voir p. 542 b).

Quiétisme. Idéal mystique selon lequel l'âme se tenant dans une totale quiétude passive peut se maintenir en union avec Dieu même sans pratique de dévotion. Exagéré dans son expression par le prêtre espagnol *Molinos* (1628-96), le quiétisme fut répandu en France par *Madame Guyon* (1648-1717). *Fénelon* (1651-1715) s'en fit le défenseur jusqu'en 1699.

Fébronianisme. Professé en 1763 par l'Allemand Jean-Nicolas de Hontheim (1701-90), qui écrivait sous le pseudonyme de Justin Febronius, dans son ouvrage *De Statu praesenti Ecclesiae.* Reprend les idées d'un Belge Zeger-Bernard van Espen (1646-1728), gallican et janséniste. Soutient que le pouvoir du pape est limité par les canons conciliaires et que ses décisions n'ont de valeur qu'avec l'approbation de l'épiscopat. Mis à l'index en 1764. Idées reprises par les jansénistes italiens du synode de Pistoie (1786), condamnés en 1794.

XXe siècle

Modernisme. Professé en France par l'abbé Alfred Loisy (1857-1940) ; en Allemagne par l'abbé François-Xavier Kraus (1840-1901) ; en Italie par l'abbé Romolo Murri (1870-1944) ; en Angl. par le P. Georges Tyrrel (jésuite, 1861-1909). Condamné le 8-9-1907 par le pape Pie X (encyclique *Pascendi).* Ensemble de déviations, dues au souci de ne pas couper le christianisme des découvertes modernes, et se manifestant dans de nombreux domaines : philosophie, esprit de foi, théologie, histoire, critique, apologie, discipline ecclésiastique. Les modernistes étaient surtout des admirateurs de 2 protestants libéraux : Paul Sabatier (1859-1928) et Adolf von Harnack (1851-1930) ; ils voulaient transposer leurs méthodes de travail dans le contexte catholique.

Palmaristes (Andujar, Espagne). Disciples de Clemente Dominguez Gomez, qui croient aux apparitions de Palmar de Troya. Condamnés par l'évêque de Jaén en 1970, ils ont créé l'Ordre de la Sainte-Face. Possèdent une hiérarchie épiscopale et un clergé depuis le 11-1-1976 : Pierre Martin Ngo Dinh Thuc (1897-1984), frère du Pt Diem, et ancien archev. de Hué, avait ordonné 5 prêtres et consacré 5 évêques. En juill. 1984 (4 mois avant sa mort), il envoya une circulaire au clergé palmariste, lui demandant de se rallier à Rome. Actuellement 43 évêques schismatiques. Mgr Dominguez s'est proclamé pape (Grégoire XVIII) à la mort de Paul VI (1978). Il a excommunié Jean-Paul II, et créé un Vatican dissident, près de Barcelone. Les palmaristes ont fondé en France à Andiran-le-Fréchou une communauté *(Serviteurs de N.-D.* ou *Fraternité Salve Regina),* qui a rompu avec Mgr Dominguez. Elle assure avoir eu des apparitions de la Vierge Marie, non reconnues par l'év. d'Agen.

Nota. – Il n'existe plus aucun lien direct d'ordre sociologique entre les grandes hérésies du Moyen Age et les groupes qui s'en réclament aujourd'hui. Néanmoins, des sectes actuelles reprennent souvent la notion de dualisme rencontré dans catharisme et manichéisme.

Lourdes, sous le titre : « Il est grand, le mystère de la Foi » (approuvé à Rome 1978)]. A partir de ce document, ont été publiés : des *Parcours catéchétiques* (diocésains) et un recueil *« Pierres Vivantes »,* adopté par l'assemblée plénière de Lourdes (1980). Ces publications ont déclenché des polémiques. Le synode extraordinaire des évêques (Rome, nov.-déc. 1985) a émis le vœu d'un exposé de la foi à l'usage de toute l'Église. L'épiscopat français a entrepris, en 1988, un exposé catéchétique de la foi chrétienne.

Sacrements

• **Définition.** Acte religieux, permettant d'obtenir ou d'accroître la grâce de Dieu. Le terme, employé souvent dans un sens large, a été réservé, au Concile de Florence (1439), à 7 « signes » reconnus comme institués par le Christ lui-même. Les autres « signes » ont été appelés sacramentaux. Les sacrements font appel à des réalités de la vie humaine dans l'Antiquité, reconnues comme moyens de salut dans la Bible : eau, pain, vin, huile...

☞ La *grâce* est la participation à la vie de Dieu par l'intermédiaire du Christ (elle peut être symbolisée par la sève de la vigne dont Jésus est le cep et les fidèles les sarments, cf. Jean XV). La grâce habituelle et permanente (donnée par le baptême ; redonnée, après le péché, par la pénitence) est la *grâce sanctifiante ;* les autres participations à la vie divine sont les *grâces actuelles.*

• **Baptême. Effets.** Sacrement de l'eau : 1er de tous les sacrements, introduit le fidèle dans l'Église (un chrétien est un baptisé). Il fait obtenir la *grâce sanctifiante,* que l'on ne possède pas à la naissance, tous les hommes venant au monde avec une tendance au péché, appelée *péché originel.* Dans la *1re lettre aux Corinthiens,* St Paul signale (v. l'an 56) que certains fidèles, par superstition, administraient le baptême à des morts.

Formes. Administré par *immersion totale* dans l'eau jusqu'au IVe s. en Occident (et jusqu'à nos jours dans les Églises orientales), par *immersion partielle* du Ve au XIIIe s. Le néophyte entre dans la piscine jusqu'à mi-jambes, et on lui verse de l'eau sur la tête (pratiqué après le XIIIe s. dans la liturgie mozarabe et à Bénévent). Depuis le XIIIe s. (et déjà avant pour les malades alités), on pratique le baptême par *affusion* (de l'eau est versée sur la tête). Le ministre (évêque, prêtre, diacre, ou un laïc, même non baptisé, en cas d'urgence) dit : « Je te baptise au nom du Père, et du Fils, et du Saint-Esprit. » Le baptême par *aspersion* a existé jadis pour donner le sacrement à des groupes.

Liturgie actuelle : le baptême des catéchumènes (adultes se préparant au baptême) se fait par étapes, après une préparation personnelle et communautaire approfondie, souvent plusieurs années (1972). Le baptême des petits enfants met en évidence le rôle et les devoirs des parents et des parrains (1969), et leur préparation exige un temps plus ou moins long. Le regroupement des baptêmes le dimanche est recommandé pour favoriser la participation de la communauté. En nov. 1980, une instruction romaine a admis la possibilité de différer le baptême ou même de le refuser, si les garanties d'une éducation chrétienne des nouveau-nés baptisés sont insuffisantes ou nulles.

☞ On appelait ondoiement le baptême réduit à l'affusion d'eau sans autre cérémonie. La dévotion à l'eau bénite (aspersion dominicale, signe de croix avec l'eau bénite) est un rappel du baptême.

Autres formes. *Baptême de désir :* si la personne souhaite être baptisée mais ne peut l'être (exemple : en cas de danger de mort). *Baptême de sang :* en cas de martyre pour le Christ d'un non-baptisé.

• **Confirmation. Effets :** complète (confirme) le baptême, assimile par l'onction d'huile le chrétien au Christ (*Christos :* celui qui a reçu l'onction), et le remplit de la force du St-Esprit pour affirmer sa foi, même en cas de péril. **Formes :** administrée avec de l'huile. Cette huile parfumée par l'adjonction d'un « baume » (mélange de résines et d'essences naturelles), et appelée *saint chrême* (du grec *chrisma,* « onction d'huile »), est consacrée par l'évêque une fois par an, au cours de la messe chrismale (Jeudi Saint) et rappelle l'huile dont on se servait dans l'Ancien Testament pour consacrer prêtres, prophètes et rois. *Liturgie actuelle :* donnée, après la liturgie de la Parole au cours de la messe, normalement par l'évêque qui peut s'associer des prêtres, ou parfois par un prêtre délégué (1971).

• **Eucharistie [1] (Communion). Formes :** sacrement de la nourriture (pain et vin), qui contient réellement, substantiellement, le corps et le sang du Christ sous les apparences du pain et du vin. La communion est la participation à ce sacrement, normalement à la messe, sous les 2 espèces pour le prêtre qui célèbre, habituellement sous la seule espèce du pain pour les fidèles. La pratique de la communion au vin, conservée par les Églises d'Orient, a été réintroduite dans l'Église latine, en 1965, pour les fidèles, dans certaines circonstances (par ex. messe de mariage, profession religieuse, baptême d'adulte...) et la discipline a été élargie depuis. La *Communion pascale* a été prescrite par le 4e Concile du Latran (1215) comme un minimum requis par l'Église. Pie X a recommandé la communion fréquente, et même quotidienne (1905).

Nota. – (1) Messe, Voir Liturgie.

Dans le tiers monde, certains souhaitent pouvoir consacrer la nourriture habituelle des habitants (riz, thé), en restant fidèle à l'intention de Jésus. Mais l'Église refuse de s'écarter de ce que Jésus a fait : « le pain eucharistique doit être de pur froment et confectionné récemment. Le vin doit être du vin naturel de raisin, et non corrompu » [code de droit canon (1983), canon 924]. En France, on utilise en général du vin blanc car il tache moins. Lorsqu'il n'est pas possible de se procurer du vin (pays de mission), il est toléré de faire macérer dans de l'eau des raisins secs et d'en extraire le jus.

Age. Jusqu'au XIIe s., les enfants communient (avec une goutte de vin consacré) aussitôt après leur baptême (coutume encore observée par les Églises d'Orient). On les admet après la messe à finir les pains consacrés non utilisés. Depuis le XIIIe s., l'usage, canonisé par le Concile de Trente (1562) était d'attendre l'âge de discrétion (filles : 12 ans ; garçons : 14). Pie X en 1910 a ramené cet âge à environ 7 ans.

Communion solennelle. Introduite par St Vincent de Paul (rappel vers 12 ans de l'ancienne « 1re Communion »), s'accompagne du *Renouvellement de la profession de foi du baptême.*

Viatique. Dernière communion du chrétien mourant, « nourriture pour le dernier voyage ».

Culte de l'Eucharistie : en dehors de la communion elle-même, il a été très répandu dans l'Église cath. surtout depuis le XIIIe s. (compensation de l'absence pratique de communion) ; il a été l'une des raisons de la révolte de Luther, qui reprochait aux Romains d'adorer un Dieu-Pain. Lié à la foi en la présence réelle, il comprenait notamment : la dévotion au *St Sacrement,* appelé aussi *Ste Réserve* (visite, garde nocturne, procession, génuflexions) ; la notion *d'objets consacrés* qui, par leur contact avec le Corps du Christ, méritaient un respect spécial (notion reprise de la liturgie juive du Temple où il existait un Saint et un Saint des Saints, réservés aux prêtres). Ainsi, seuls les diacres pouvaient toucher les *« Saintes Espèces »* (hosties et vin consacrés) ; seuls les sous-diacres pouvaient toucher patènes et calices venant de servir à l'Eucharistie ; seuls les clercs (et par permission spéciale, les sacristains ou sacristines) pouvaient toucher aux objets liturgiques devant servir à l'Eucharistie : linges, pales, patènes, calices. Saisir une hostie avec les doigts, sauf cas de force majeure (incendie, etc.), était un sacrilège pour un laïc. Ces exigences ont été supprimées après Vatican II.

Pain bénit. Pain sur lequel a été prononcée une formule de bénédiction (et non de consécration) au début de la messe : il est consommé à la fin de la messe et les assistants peuvent en emporter pour ceux qui étaient absents. Apparaît à l'époque carolingienne, quand la coutume de communier à la messe dominicale disparaît dans le peuple. En usage également dans l'Église orthodoxe.

• **Ordre. Effets :** donne le pouvoir d'exercer dans l'Église le ministère apostolique. Il comprend 3 degrés : épiscopat, presbytérat, diaconat. **Formes :** pour chaque degré, l'ordination, réservée à l'évêque, se fait par une imposition des mains, accompagnée d'une prière de consécration. **Liturgie actuelle (1968) :** l'ordination des évêques, prêtres et diacres se déroule selon un plan identique, au cours de la messe, après la liturgie de la Parole. Pour un évêque, tous les évêques présents lui imposent les mains ; pour un prêtre, l'évêque consécrateur et tous les prêtres présents ; pour un diacre, l'évêque seul. Un homme marié peut être ordonné diacre (1970). A côté des degrés de l'Ordre, des ministères peuvent être donnés à des laïcs au cours d'une cérémonie d'institution (1972).

• **Mariage. Effets :** sacrement du couple humain. Demande les grâces du bonheur conjugal et de la fécondité. Indissoluble, sauf par la mort d'un époux. **Formes :** le sacrement consiste dans la volonté des époux, exprimée publiquement, de s'unir pour la vie. Le Concile de Trente a exigé, sous peine d'invalidité, que les époux se marient devant leur propre curé pour éviter les mariages clandestins (1563). L'Église n'admet pas le divorce, mais reconnaît des cas de nullité. *Les divorcés :* non remariés, n'encourent aucune sanction ; remariés, ne sont pas excommuniés, mais en situation irrégulière qui les prive de la communion. En France, la loi interdit le mariage religieux avant le mariage civil. **Liturgie actuelle :** préparé par des entretiens entre les fiancés et le prêtre, le mariage est célébré après la liturgie de la Parole ou dans le cadre de la messe, avec choix possible des lectures et des prières. L'échange des consentements se fait dans un dialogue entre les fiancés (1969). La discipline est assouplie pour les mariages entre catholiques et non-catholiques (1966 et 1970).

• **Pénitence. Effets :** sacrement de la réconciliation du pécheur : le fidèle dit à un prêtre son état de pécheur et le prêtre prononce une formule d'absolution, qui notifie le pardon accordé par Dieu des péchés commis après le baptême. Procure la grâce du repentir et rend la grâce sanctifiante, c.-à-d. la participation à la vie du Christ et à la communion des saints. **Formes :** dans l'Église primitive, les fidèles reconnaissaient leur état de pécheurs de façon générale et publique. La confession privée s'est développée en Irlande à partir du VIe s., et généralisée sur le continent aux VIIIe-IXe s. Le Concile de Trente l'a rendue obligatoire pour les péchés mortels. **Liturgie actuelle (1973) :** maintient la pratique de la pénitence sacramentelle avec confession individuelle, et institue 3 autres types de rite pénitentiel : 1° non sacramentel ; 2° communautaire avec confession et absolution individuelles ; 3° communautaire avec absolution collective dans des cas exceptionnels.

• **Saintes huiles.** *Huiles des exorcismes ou des catéchumènes :* fortifient le futur baptisé dans son combat avec le péché. *Huile des infirmes ou des malades ;* (v. infra, onction des maladies). *Saint chrême :* signe de richesse et bénédiction de Dieu, sert au baptême, à la confirmation, à l'ordre, consécration des églises, autels et cloches.

• **Onction des malades. Effets :** sacrement des malades, administré avec de l'huile, pour obtenir la guérison de l'âme et du corps. L'ancienne appellation *(extrême-onction)* a été remplacée pour éviter d'y voir le sacrement des mourants. **Formes :** conférée par l'application de *l'huile des malades* (différente du saint chrême) sur le corps du malade (l'huile était utilisée dans l'Antiquité pour désinfecter les plaies) : avant 1614, onctions plus ou moins nombreuses en des endroits variables, selon rituels locaux ; après 1614, sur les organes des sens (yeux, oreilles, narines, lèvres, mains, pieds) ou seulement sur le front, dans le *rite abrégé,* lorsque la mort était proche. Depuis 1972, 2 onctions sont prévues (front et mains), et le sacrement peut être administré au cours d'une messe, dans une maison ou à l'église. Les prières sont adaptées à la situation précise du malade. Le sacrement peut être célébré de manière communautaire.

Liturgie

• **Origine du mot.** Du grec *leitourgia :* service public, culte rendu à Dieu par les assemblées de fidèles (opposé à la dévotion privée).

• **Livres.** *Bréviaire :* résumé des offices pour les moines et personnes consacrées. *Kyriale :* livre latin rassemblant les partitions des chants de l'ordinaire de la messe. *Lectionnaire :* contient les lectures liturgiques tirées de la Bible et classées pour chaque jour ou chaque fête. *Missel :* le 1er est celui du pape Gélase († 496). Missel Romain de St Pie V (1570), révisions par Clément VIII (1604), Urbain VIII (1634), Léon XIII (1884 et 1898).

• **Messe.** Encore appelée sainte cène, eucharistie, et primitivement fraction du pain, commémore le sacrifice de la croix en reproduisant les paroles et les gestes du Christ à la dernière Cène. 2 parties : la *liturgie de la Parole* [2 lectures bibliques (3 le dimanche) dont l'Évangile, avec chants, homélie et prière universelle] et *la liturgie eucharistique* (prière eucharistique, où le pain et le vin sont consacrés pour devenir corps et sang du Christ ; Notre Père ; fraction du pain ; communion).

☞ **Messe votive.** Célébrée pour une occasion particulière [pratique restreinte dans le missel de 1570 (Romain) à 16 messes]. Peut être dite chaque jour sans fête particulière. Solennelle dans certains cas (ex. : élection d'un pape).

Notre Père

Texte commun adopté depuis 1966 par les chrétiens de langue française :

« Notre Père qui es aux cieux, que ton nom soit sanctifié, que ton règne vienne, que ta volonté soit faite sur la terre comme au ciel. Donne-nous aujourd'hui notre pain de ce jour. Pardonne-nous nos offenses, comme nous pardonnons aussi à ceux qui nous ont offensés. Et ne nous soumets pas à la tentation, mais délivre-nous du Mal. »

Nota. – Le Notre Père se conclut soit par *Amen*, soit par une « doxologie » (formule de louange) : « Car c'est à toi qu'appartiennent le règne, la puissance et la gloire pour les siècles des siècles. »

La structure de la messe est demeurée identique à travers les siècles et la variété des rites orientaux (byzantin, syrien, maronite, arménien, copte...) et occidentaux (ambrosien, mozarabe, gallican, dominicain, lyonnais, parisien...).

Les rites diocésains français des XVIIe et XVIIIe s. ont disparu entre 1840 et 1875 devant le rite romain. Celui-ci, fixé après le Concile de Trente (missel de St Pie V, 1570), a été de nouveau réformé après Vatican II (missel de Paul VI, 1970). Cette réforme liturgique a été rejetée par des traditionalistes et a fait l'objet de vives polémiques. Le 15-10-1984, un indult général a permis aux évêques d'autoriser la messe en latin de St Pie V, sous 5 conditions : 1°) Aucune connivence avec les adversaires de la messe de 1970. 2°) Célébration dans des lieux de culte désignés par l'évêque. 3°) Avec le missel latin de 1962. 4°) Pas de mélange avec la liturgie de 1970. 5°) Rapport présenté au pape par les évêques au bout d'un an. La 1re messe célébrée à Paris en vertu de cette autorisation a eu lieu le 15-12-1984 à St-Étienne-du-Mont. La commission romaine *Ecclesia Dei*, instituée après le schisme de Mgr Lefèbvre (29-6-1988), peut étendre les concessions.

Liturgie actuelle : introduction du français dans lectures (16-2-1964), chants et prières (3-1 et 7-3-1965 et 30-1-1966), prière eucharistique (26-11-1967). Retour à l'usage romain ancien de célébrer face au peuple, de communier en certains cas sous les 2 espèces du pain et du vin (1965) et de recevoir la communion dans la main (1969). Répartition nouvelle des fonctions : lectures assurées par des laïcs, même des femmes (1964), communion donnée en certains cas par des laïcs (1970), concélébration de la même messe par plusieurs prêtres (1965). 3 nouvelles prières eucharistiques, nouveau missel romain et nouveau lectionnaire comprenant pour le dimanche un cycle de 3 lectures sur 3 ans (1969). Dispositions plus souples pour messes de jeunes (1968), m. dominicales dès le samedi soir (1969), m. de petits groupes (1970), 5 nouvelles prières eucharistiques (1974). L'*ordo liturgique* publié chaque année donne pour chaque jour les normes de célébration. L'*ordo administratif* explique toutes les fonctions du diocèse pour l'année.

Avant la réforme liturgique de 1969, la messe des défunts commençait par cet introït (ou prière d'introduction) : « Requiem aeternam dona eis Domine Et lux perpetua luceat eis ». (Donne-leur, Seigneur, le repos éternel et que la lumière brille sans fin pour eux) ; on appelait *Messe de Requiem* tout l'office des défunts.

Nota. – Lorsqu'il y a pénurie de prêtres, les paroisses sans prêtre sont invitées, par leur évêque, à organiser des assemblées de prière le dimanche (Directoire romain, 1988).

☞ Un prêtre n'est pas tenu de célébrer la messe tous les jours, mais le droit canon le lui recommande.

• **Liturgie des heures.** Le Bréviaire romain, fixé par St Pie V (1568), contenait 8 offices de prières (en commun ou en particulier) répartis à différentes heures de la journée : *matines, laudes, prime, tierce, sexte, none, vêpres, complies.* Depuis la réforme de Vatican II (Liturgie des heures, 1971), *matines* est devenu l'*office de lecture, prime* a été supprimé, et l'ensemble de l'office révisé.

• **Liturgie sacramentelle.** Voir Sacrements, p. 499.

• **Funérailles.** Le rite rénové (1969) manifeste le caractère pascal de la mort chrétienne et la foi en la résurrection (absoute finale remplacée par un « dernier adieu », couleur violette ou grise plutôt que noire, cierge pascal). Le rituel s'adapte aux usages locaux et aux requêtes des familles. L'enterrement religieux d'enfants qui n'auraient pas pu être baptisés est prévu, la crémation du corps est acceptée.

• **Rituels divers.** Consécration des vierges, profession religieuse, bénédiction d'un abbé ou d'une abbesse (1970), culte eucharistique (1973), admission d'un baptisé à la pleine communion catholique (1972), dédicace des églises et des autels (1977), livre des bénédictions (1984), cérémonial des évêques (1984).

• **Chant grégorien.** Répertoire de chants liturgiques latins unifié sous Pépin le Bref et Charlemagne. Ils sont groupés en 2 livres, l'*antiphonaire* de l'office, et celui de la messe (appelé aujourd'hui *graduel*). Le centre de rayonnement de ce chant, dit romain mais largement remanié, paraît être Metz (VIIIe s.). Attribué par les réformateurs carolingiens à St Grégoire le Grand (pape de 590 à 604). Restauré au XIXe s. par l'abbaye de Solesmes.

Antiennes. Textes brefs, généralement bibliques, qui encadrent la psalmodie d'un psaume, et dont la mélodie indique sur quel *ton* (ou sur quel *mode*) le psaume doit être psalmodié [il y a 8 *modes diatoniques,* utilisés par les musiciens romains, mais probablement d'origine grecque : ils consistent en une note *dominante* (ré, mi, fa, etc.), combinée obligatoirement avec 2 ou 3 autres notes pour marquer milieu et fin de chaque verset]. L'antienne peut avoir une mélodie très simple ou ornée (aux fêtes).

Caractéristique musicale des antiennes : homophoniques (pas d'harmonie) ; rythme « plain » (donnant la même valeur à toutes les notes) : *plain-chant ;* on peut chanter plusieurs notes sur chaque syllabe.

Notation musicale : les chants religieux furent d'abord transmis de mémoire. Pour éviter leur altération, on inventa la notation neumatique carrée (manuscrits du Xe s.) perfectionnée par Guy d'Arezzo († vers 1050).

Mélodies grégoriennes. *Pour l'office* (antiphonaire) : *psalmodie des psaumes ; antiennes,* chantées au début de chaque psaume et répétées à la fin ; *hymnes,* chants à strophes alternées au début de l'office, inspirés par la fête liturgique, ou par le moment de la journée ; *répons,* bref texte biblique, chanté en 2 chœurs alternés. *Pour la messe* (graduel) : *introïts,* antiennes (généralement très ornées) précédant et concluant le psaume psalmodié pendant la procession d'entrée ; chants à récitatifs plus ou moins ornés, comme le *Gloria,* le *Credo,* la *Préface ; graduels* (qui ont donné leur nom au livre) et *traits ; alléluias,* acclamations chantées, suivies d'un verset ; *Kyrie, Sanctus, Agnus ;* séquences ou proses (très nombreuses jusqu'au XVIe s., 4 en 1969).

Les musiciens religieux n'ont pas cessé de créer des airs d'inspiration grégorienne jusqu'au XIXe s. (par ex. les messes de Du Mont).

L'introduction des langues vivantes dans la liturgie, après Vatican II, n'a pas supprimé l'usage du chant grégorien, mais a entraîné l'adoption de nouvelles formes de chant.

• **Chants non liturgiques.** Appelés « cantiques en langue vulgaire », pour les distinguer des 3 « cantiques évangéliques » : *Benedictus, Magnificat, Nunc dimittis* faisant partie de la liturgie des heures (voir p. 500 a) et chantés sur un ton particulier (intonation reprise à chaque verset). Ils ont été soumis longtemps à des règles sévères (de la Sacrée Congrégation des rites), pour la mélodie, les paroles et leur emploi (interdits aux messes chantées en latin). Actuellement, il y a plus de souplesse.

A l'origine, on ne connaissait que des cantiques de Noël (appelés *noëls*), composés pour être chantés pendant les veillées avant la messe de minuit. Tels étaient : *Venez, Divin Messie ; Il est né, le Divin Enfant ; Dans cette étable* (paroles de Fléchier), qui datent du XVIIe s. ainsi que l'*Adeste fideles* (en latin) de l'anglican John Reading (harmonisation d'un chant de matelots portugais). Plus tard ont été créés : *Les Anges dans nos campagnes* et *Minuit, Chrétiens,* le plus célèbre des noëls dit noël d'Adam [composé 1847 par Placide Capeau, poète local ; mis en musique par Adolphe Adam (1803-1856), compositeur d'opérettes ; chanté pour la 1re fois à Roquemaure (Gard) le 25-12-1847 par Mme Laurey (femme de l'ingénieur construisant le pont du Rhône), à la demande du curé, l'abbé Nicolas, concurrencé par *Stille Nacht* (noël autrichien), succès international].

• **Objets liturgiques. Calice :** coupe contenant le vin consacré en Sang du Christ pendant la messe. **Ciboire :** vase sacré, en général fermé d'un couvercle, destiné à contenir les hosties consacrées. **Corporal** (du latin *corpus,* corps) : linge consacré que le prêtre place sur l'autel à l'offertoire pour y déposer la patène et le calice. **Custode** (du latin *custodia,* garde) : petite boîte ronde dans laquelle on transporte les hosties pour les malades. **Lunule** (du latin *lunula,* petite lune) : deux plaques de verre cerclées de métal doré enserrant une hostie pour la placer au centre de l'ostensoir. **Oblats** (du latin *oblatum,* offert) : nom donné au pain et au vin offerts à la messe avant la consécration. **Ostensoir** (du latin *ostensio,* mettre en avant) : apparaît au XIIIe s. pour présenter aux fidèles l'hostie consacrée. **Patène** (du latin *patena,* petit plat) : plat consacré avec du saint chrême sur lequel on dépose l'hostie pendant la messe. **Pixide** (du grec *puxis*) ; custode en bois puis en métal qui a servi longtemps à porter le St-Sacrement. **Purificatoire :** linge avec lequel le prêtre essuie ses lèvres, ses doigts, le calice après la communion. **Tabernacle** (du latin *tabernaclum,* tente) : sanctuaire portatif des Hébreux protégeant l'arche de l'Alliance ; petite armoire qui abrite les hosties consacrées.

• **Couleurs liturgiques.** Empruntées à la Bible et aux usages de la cour de l'empereur de Byzance. *Blanc :* couleur éclatante, pour les fêtes du Seigneur, de la Vierge Marie, des saints non martyrs ; couleur de Dieu, de lumière. *Violet :* couleur marquant la pénitence, utilisée en Avent et en Carême. *Rouge :* couleur du feu et du sang, pour la Pentecôte, les Apôtres et les martyrs. *Noir :* autrefois réservé aux offices pour les défunts, souvent remplacé par le violet. *Cendré :* autrefois en France pour le Carême ; on se mettait de la cendre sur la tête en signe de pénitence (mercredi des Cendres).

Droit canonique

• **Code du 20-5-1917.** Promulgué par Benoît XV (bulle *Providentissima*) ; entré en vigueur le 19-5-1918. 1re codification officielle de la législation de l'Église catholique, ne s'appliquant qu'à l'Église latine, et laissant en vigueur les dispositions concordataires, se montrant en outre très souple envers les coutumes générales et particulières. Contenait 2 414 *canons,* répartis en 5 Livres (règles générales, personnes, choses, procès, peines). **Code du 27-11-1983.** Promulgué par Jean-Paul II (Constitution apostolique *Sacrae disciplinae legis*). Remplace celui de 1917. La révision, décidée par Jean XXIII (janv. 1959), commença en 1963, dirigée surtout par le card. Périclès Felici ; 2 livres supplémentaires : le 2e (fidèles) et le 4e (sacrements). Le nombre des canons est réduit de 2 414 à 1 752 [les 2 derniers livres (procès et peines) sont très réduits]. Le nouveau code s'efforce de faire passer dans les institutions de l'Église les indications données par le concile de Vatican II. Il insiste notamment sur les droits des laïcs et le rôle des femmes.

• **Excommunication.** L'excommunié est exclu de la communauté des fidèles et ne peut recevoir ni sacrements, ni sépulture, ni obsèques religieuses. Le code de 1917 prévoyait 42 cas d'excommunication. Celui de 1983 n'en connaît plus que 7 : 1°) hérésie, apostasie, schisme ; 2°) avortement ; 3°) sacrilège contre l'Eucharistie ; 4°) violence physique contre la personne du pape ; 5°) absolution du complice (pour péché charnel ou l'avortement) ; 6°) consécration illicite d'un évêque (cas de Mgr Lefebvre en 1988) ; 7°) violation du secret de la confession.

Dévotions non liturgiques

• **Attitude pendant la prière.** Jusqu'au Moyen Age, debout les mains écartées et dressées vers le ciel (attitude de l'*orant* dans les fresques des catacombes, conservée par le prêtre pendant la messe) ; à partir du XVe s., à genoux, les mains jointes.

• **« Actes ».** 4 prières traditionnelles orientées vers des attitudes fondamentales du chrétien devant Dieu. **Acte de foi :** « Mon Dieu, je crois fermement toutes les vérités que vous nous enseignez par votre Église, parce que c'est vous, la vérité même, qui les lui avez révélées et que vous ne pouvez ni vous tromper, ni nous tromper. » **Acte d'espérance :** « Mon Dieu, j'espère avec une ferme confiance que vous me donnerez, par les mérites de Jésus-Christ, votre grâce en ce monde, et, si j'observe vos commandements, le bonheur éternel dans l'autre ; parce que vous l'avez promis, et vous êtes souverainement fidèle dans vos promesses. » **Acte de charité :** « Mon Dieu, je vous aime de tout mon cœur et par-dessus tout, parce que vous êtes infiniment bon et infiniment aimable, et j'aime mon prochain comme moi-même pour l'amour de vous. » **Acte de contrition :** « Mon Dieu, j'ai un très grand regret de vous avoir offensé, parce que vous êtes infiniment bon, infiniment aimable et que le péché vous déplaît ; je prends la ferme résolution, avec le secours de votre sainte grâce, de ne plus vous offenser et de faire pénitence. »

• **Adoration nocturne.** *1810* Créée à Rome. *1844* Introduite à Paris par François de La Bouillerie (1810-82), vicaire général. *1848* Transformée en dévotion paroissiale (N.-D.-des-Victoires) par le P. Hermann Cohen (1820-71), juif converti devenu religieux carme. *1852* Répandue par le commandant de Cuers dans 43 autres sanctuaires, dont 25 paroisses.

Perpétuelle. *Origine :* prières des Quarante heures devant le tombeau du Christ entre le soir du vendredi Saint et le matin de Pâques. *1527* Jean-Antoine Bellotti les institue en temps de guerre, chaque trimestre. St Antoine Marie Zaccarie étend cette pratique au monde entier. *Créée* en 1856 par un religieux mariste, St Julien Eymard (1811-68), pour les communautés religieuses (les adorateurs se relaient d'heure en heure, par groupe de 2) et les diocèses (chaque paroisse se charge de l'adoration de jour et de nuit à une date fixe). Encore pratiquée à la basilique du Sacré-Cœur de Montmartre à Paris.

Réparatrice. *Créée* en 1848 par Mère Marie-Thérèse Dubouché (1806-80). Adoptée par de nombreux instituts religieux et par les Confréries du St-Sacrement. *Pratique :* une visite quotidienne à l'église ou un temps déterminé d'adoration devant le St-Sacrement en réparation des blasphèmes ou des injures proférées contre le St-Sacrement.

• **Chemin de Croix.** Dévotion répandue au XVe s. par les Franciscains qui, dep. 1312, avaient obtenu des Turcs la garde des *Lieux saints,* notamment de la *Via dolorosa* (*Voie douloureuse* allant du tribunal de Pilate au Golgotha). L'occupation turque rendant difficiles les pèlerinages traditionnels, les Franciscains favorisèrent l'aménagement de « Voies douloureuses » de remplacement en plein air, ou dans les églises. Pour les jalonner, on fixait des croix, tableaux, bas-reliefs représentant les étapes (ou stations) parcourues par Jésus portant sa croix vers le Calvaire.

Nombre des stations. A varié jusqu'au XIXe s. ; mais le chiffre de 14, propagé par les Franciscains, l'a emporté : 1. Jésus est condamné à mort ; 2. J. est chargé de sa croix ; 3. J. tombe sous le poids de sa croix ; 4. J. rencontre sa mère ; 5. Simon le Cyrénéen aide J. à porter sa croix ; 6. Une femme pieuse essuie la face de J. ; 7. J. tombe pour la deuxième fois ; 8. J. console les filles d'Israël qui le suivent ; 9. J. tombe pour la 3e fois ; 10. J. est dépouillé de ses vêtements ; 11. J. est attaché à la croix ; 12. J. meurt sur la croix ; 13. J. est déposé de la croix et remis à sa mère ; 14. J. est mis dans le sépulcre. A Lourdes (dep. 1958) 15e st. « Avec Marie dans l'espérance de la résurrection du Christ ». La dévotion, organisée par Clément XII (1731) et Benoît XIV (1742), comporte, devant chaque station, des prières, des cantiques et une exhortation. **Les plus célèbres en France.** *En plein air :* Lourdes, Pontchâteau (L.-Atl.), Callac (Morbihan), calvaires historiés du Finistère (antérieurs à la dévotion au chemin de croix). *Dans les églises :* de Lambert-Rucki à Ste-Thérèse de Boulogne-Billancourt.

• **Congrès eucharistiques. Internationaux :** *créés* en 1881 en France (Lille). Initiative d'Émile Tamisier (1834-1910) et du père Antoine Chevrier (Lyon, 1826-79), fondateur de l'Institut du Prado. *Buts :* approfondir la doctrine catholique de l'Eucharistie ; rendre un hommage public et solennel au St-Sacrement. *Programme :* séances d'études, conférences, célébrations liturgiques (messe, procession du St-Sacrement, adoration). Lille 1881, Avignon 1882, Liège 1883, Fribourg 1885, Toulouse 1886, Paris 1888, Anvers 1890, Jérusalem 1893, Reims 1894, Paray-le-Monial 1897, Bruxelles 1898, Lourdes 1899, Angers 1901, Namur 1902, Angoulême 1904, Rome 1905, Tournai 1906, Metz 1907, Westminster 1908, Cologne 1909, Montréal 1910, Madrid 1911, Vienne 1912, Malte 1913, Lourdes 1914, Rome 1922, Amsterdam 1924, Chicago 1926, Sydney 1928, Carthage 1930, Dublin 1932, Buenos-Aires 1934, Manille 1936, Budapest 1938, Barcelone 1952, Rio de Janerio 1955, Munich 1960, Bombay 1964, Bogota 1968, Melbourne 1973, Philadelphie 1976, Lourdes 1981, Nairobi 1986, Séoul 1989. **Nationaux français :** Faverny 1908, Ars (1) 1911, Paray-le-Monial (7) 1921, Paris 1923, Rennes 1925, Lyon 1927, Bayonne 1929, Lille 1931, Angers 1933, Strasbourg 1935, Lisieux 1937, Alger 1939, Nantes 1947, Nancy 1949, Nîmes 1951, Rennes 1956, Lyon et Ars 1959, Bordeaux 1966.

• **Culte du Sacré-Cœur.** *Origine.* Prôné par St Jean Eudes (1601-80), célébré pour la 1re fois le 8-2-1647, demandé par Ste Marguerite-Marie Alacoque († 1690), approuvé par Clément XIII en 1765, étendu à tout le rite romain par Pie IX en 1856 (le 3e vendredi après la Pentecôte). Les *litanies du Sacré-Cœur* ont été composées en 1718 par la vénérable Anne-Madeleine de Rémusat, religieuse visitandine de Marseille (1696-1730) et approuvées par Léon XIII (1899). Juin a été considéré comme *« mois du Sacré-Cœur ».*

• **Salut du Saint-Sacrement.** Office de dévotion, suivant vêpres ou complies, répandu à partir du XVIe s. par confréries du St-Sacrement. L'hostie est déposée dans un ostensoir (qui a souvent la forme d'un soleil). Elle est encensée et montrée à la foule par un prêtre ou un diacre qui élève l'ostensoir, dans un geste de bénédiction. Le prêtre peut être revêtu de la chape et l'autel doit être décoré de cierges allumés. La seule prière prescrite jusqu'en 1973 était le *Tantum ergo* [les 2 dernières strophes de l'hymne *Pange lingua* composé par St Thomas d'Aquin (1225-74) pour l'office du St-Sacrement institué par le pape Urbain IV en 1264].

• **Scapulaire.** Primitivement, pièce de vêtement à capuchon, couvrant les épaules et attachée à la taille par une ceinture, que les moines portaient sur leur tunique. Devenu au XIIe s. l'insigne des Tiers Ordres (c'est-à-dire des laïcs cherchant à vivre la vie spirituelle des religieux, sans toutefois quitter le monde). Porté sous les vêtements, il s'est réduit finalement à un carré d'étoffe suspendu à un cordon, ou même a été remplacé par une médaille. *Scapulaire le plus connu :* celui des Carmes [dévotion instituée v. 1240 par St Simon Stock (1165-1265)].

• **Symboles chrétiens.** Agneau. Aigle. Ailes. Ange. Anneau. Arbre. Arc-en-ciel. Bélier. Bourse. Cerf. Cheval. Chien. Clefs. Clous. Colombe. Coq. Corbeau. Couronne. Couteau. Croix. Dauphin. Dragon. Enfant. Épée. Étoiles. Évangélistes (Symboles des). Feu. Feuilles. Foudre. Gril. Labyrinthe. Lampe. Lion. Lis. Livre. Manteau. Miroir. Navire. Nimbe. Œil. Oiseaux. Olivier. Pain. Palme. Paon. Pélican. Phénix. Pin. Poisson. Pomme. Prière. Raisin. Sceptre. Serpent. Soleil. Stigmates. Tables de la loi. Taureau (ou bœuf). Triangle équilatéral. Vigne. Voile.

Culte marial

• **Angélus.** Sonnerie de cloches du soir, puis du matin, enfin du midi. Généralisée en Fr. à partir de Louis XI. Rythmait la journée, surtout à la campagne (cf. le tableau de Millet, « l'Angélus »). *Prières l'accompagnant :* 3 *Ave Maria,* précédé d'une antienne, et une *oraison* commémorant l'Incarnation.

• **Années mariales.** Instituées par des papes du XXe s. pour une occasion exceptionnelle, sur le modèle de l'Année sainte. **1953-54** (du 8-12 au 8-12), proclamée par Pie XII pour le centenaire de l'Immaculée Conception. **1987-88** (du 6-6 au 15-8), ouverte par le pape Jean-Paul II à Ste-Marie-Majeure a pu être suivie par 1 milliard de téléspectateurs. *Coût de la retransmission :* 2 millions de $ pris en charge par Bic, Global Media (Brésil) et Lumen 2000 (association rel. néerl.).

• **Chapelet.** Forme de dévotion pratiquée dans l'Inde dep. le Ve s. av. J.-C. ; adoptée par les musulmans (chapelet de 3 fois 33 grains) et avant eux par les moines orientaux puis occidentaux, puis répandue avec les croisades comme prière mariale (XIe s. : partie du Rosaire). Les musulmans considèrent que la prière est dite automatiquement quand le grain de chapelet file entre les doigts (ils en font couler ainsi 6 666 ; néanmoins, ils récitent souvent une formule à chaque passage d'un grain : « Dieu est louable », « Gloire à Dieu », « Dieu est grand »). Les chrétiens disent systématiquement une prière par grain du chapelet.

Rosaire. Dévotion répandue par Alain de La Roche (fin XVe s.) ; propagée surtout par les Dominicains et vivement encouragée par Léon XIII qui fit du mois d'octobre le mois du Rosaire. Chapelet comportant 50 petites boules, séparées (de 10 en 10) par 5 grosses. Pour chaque petite, on dit un *Ave Maria ;* pour chaque grosse, un *Pater.* Le chapelet est récité 3 fois (150 *Ave*), avec chaque fois la méditation d'un « mystère » : *5 joyeux :* Annonciation, Visitation, Naissance de Jésus, Présentation au Temple, Jésus perdu et retrouvé au Temple ; *5 douloureux :* Agonie au jardin des Oliviers, Flagellation, Couronnement d'épines, Portement de Croix, Crucifixion ; *5 glorieux :* Résurrection, Ascension, Descente du St-Esprit, Assomption et Couronnement de la Vierge. Un des titres donnés à la Vierge est : N.-D. du Rosaire (fête le 7-10). La fête fut instituée par Pie V en 1573. Le mot *rosaire* vient de ce qu'on a assimilé cette prière à une guirlande de roses, dont on ornait les statues de la Vierge, de même que *chapelet* (de chapel ou chapeau).

• **Culte liturgique.** Célébration des fêtes de la Vierge. Plusieurs chants liturgiques (antiennes, hymnes, répons) sont souvent repris, en dehors de l'Office [ex. : *Ave Maris Stella, sub tuum praesidium, Salve Regina* attribué à Hermann Contract, moine de Reichenau († 1054)]. La 1re messe en l'honneur du cœur de Marie (le 8-2-1648) a été célébrée à l'initiative de St Jean Eudes (1601-80).

• **« Je vous salue Marie » (Ave Maria).** Prière composée : 1° de l'antienne *Ave Maria* (paroles de l'Ange, lors de l'Annonciation, Luc, 1, 28 et d'Élisabeth, Luc 1, 42) : « Je vous salue, Marie, pleine de grâce, le Seigneur est avec vous, vous êtes bénie entre toutes les femmes et Jésus le fruit de vos entrailles est béni » (en usage dep. le Ve s.) ; 2° d'une invocation officialisée par St Pie V, mentionnant le titre de *Théotokos* (« Mère de Dieu »), définie au concile d'Éphèse en 421 : « Sainte Marie, Mère de Dieu, priez pour nous, pauvres pécheurs, maintenant et à l'heure de notre mort. »

• **Litanies de Lorette.** D'inspiration orientale. Nombreuses versions, à partir du XIVe s. en Occident. Forme actuelle attestée à Lorette (Italie) en 1531, approuvée par Sixte Quint en 1587 et seule reconnue par Clément VIII en 1601. Série de 49 invocations à la Vierge empruntées à la Bible (ex. : Arche d'alliance), et à la littérature poétique mariale, florissante au Moyen Age (ex. : Miroir de justice, Maison d'or). De 1862 à 1980, 6 invocations ont été ajoutées (définitions dogmatiques ou dévotions nouvelles) : *Reine conçue sans faute originelle, Reine du St Rosaire, Mère du Bon Conseil, Reine de la Paix, Reine montée au Ciel, Mère de l'Église.*

• **« Madone ».** Terme italien *(mia donna :* ma Dame), utilisé hors d'Italie dep. le XVe s. pour tableaux et statues d'origine it. représentant la Vierge. Le terme Notre-Dame était apparu au XIIe s.

• **Procession du 15 août.** Dite « du vœu de Louis XIII ». Après la prise de Corbie en 1635, Louis XIII voue le royaume à Marie. Il renouvelle son vœu le 10-2-1638 et institue la procession sur l'initiative du cardinal de Richelieu et du Père Joseph. A la suite de victoires pendant la g. de Trente Ans, L. XIII promit de reconstruire le grand autel de N.-D. de Paris et d'y organiser chaque année une procession solennelle ; interdite sous la Révolution, remplacée sous l'Empire par la St-Napoléon, elle fut ensuite rétablie sous la Restauration, mais supprimée par Louis Philippe. Le 21-3-1922, Benoît XV proclama Notre-Dame de l'Assomption patronne principale de la France.

• **Représentation.** Voilée (le voile est symbole de virginité) ou couronnée, généralement portant Jésus enfant sur le bras gauche. La vierge de Pitié ou *Pieta* (portant le corps du Christ sur ses genoux après la descente de croix) apparaît au XIVe s.

Calendrier liturgique

☞ **Le nouveau calendrier romain général,** promulgué par le décret de la Congrégation des rites du 21-3-1969, est entré en vigueur le 1-1-1970.

Le jour liturgique va de minuit à minuit, mais la célébration du dimanche et des solennités commence la veille au soir avec les premières vêpres. Certaines solennités ont en outre une messe propre pour la veille au soir. Les célébrations de Pâques et Noël se poursuivent 8 j de suite. Chacune de ces octaves est régie par ses lois propres. Il y a 3 degrés de célébration : les *solennités* (10 fixes), les *fêtes* (23), et les *mémoires* (159), obligatoires (67) ou facultatives (92).

Catégories de fêtes

• **Selon leur solennité. Fêtes de précepte ou d'obligation :** *pour l'Égl. universelle* (d'après le Code de droit canon n° 1246) : tous les dimanches de l'année, Sainte Marie, Mère de Dieu (1-1), Épiphanie (6-1), St Joseph (19-3), Ascension, Fête-Dieu, St Pierre et Paul (29-6), Assomption (15-8), Toussaint (1-11), Immaculée Conception (8-12), Noël (25-12).

Ont été supprimées (après avoir été adoptées pendant plusieurs siècles) : Purification (2-2), St Mathias (24-2), Annonciation (25-3), Lundi et Mardi de Pâques, Sts Philippe et Jacques (1-5), Lundi et Mardi de la Pentecôte, St Jean Baptiste (24-6), St Jacques (25-7), Ste Anne (26-7), St Laurent (10-8), St Barthélemy (24-8), Nativité de Notre-Dame (8-9), St Mathieu (21-9), St Michel (29-9), Sts Simon et Jude (28-10), St André (30-11), St Thomas (21-12), St Étienne (26-12), St Jean (27-12), Sts Innocents (28-12), St Sylvestre (31-12).

Fêtes d'obligation en France et en Belgique en vertu du Concordat et de l'indult du 9 avril 1802 : Noël, Ascension, Assomption, Toussaint. Le jour est férié, et les fidèles sont tenus d'assister à la messe.

• **Selon l'objet de la dévotion. a) Du Seigneur :** solennités : *Noël, Épiphanie, Annonciation du Seigneur, Pâques, Ascension, Pentecôte, Trinité, St-Sacrement, Sacré-Cœur, Christ-Roi, Dédicace de l'église ;* fêtes : *Ste-Famille, Baptême du Seigneur, Présentation au Temple (Chandeleur), Transfiguration, Croix glo-*

rieuse, Dédicace du Latran. b) **De la Vierge :** solennités : *Sainte Marie, Mère de Dieu, Immaculée Conception, Assomption ;* fêtes : *Nativité, Visitation ;* mémoires : *Marie, Reine ; N.-D. des Douleurs* (15-9, lendemain de la fête de la Croix) ; *N.-D. du Rosaire, Présentation* ; facultatives : *N.-D. de Lourdes ; du Carmel; dédicace de Ste-Marie-Majeure; Cœur Immaculé de Marie* (samedi après la fête du Sacré-Cœur). c) **De St Joseph :** 19-3 (sol.) et 1-5 (facultative). d) **Des Anges :** fête des archanges *Michel, Gabriel* et *Raphaël* (29-9) et des *Anges gardiens* (2-10). e) **Des Apôtres :** *St Pierre* [*Martyre,* 29-6, *Chaire* (c.-à-d. son épiscopat à Rome) 22-2] et *St Paul* (*Martyre,* 29-6 ; *Conversion* 25-1) ont 2 fêtes, les autres en ont une. f) **Des Saints :** célébrées le jour de la mort du saint [*dies natalis* (« anniversaire de la naissance » : leur mort a été leur naiss. au Ciel)] ; certains saints sont célébrés dans l'Église universelle, les autres étant laissés au culte national, régional, diocésain ou local. 64 saints ou groupes de saints inscrits au calendrier romain général ont vécu aux 10 premiers siècles ; 81 aux 10 suivants, dont XIᵉ s. (25), XIIᵉ (12), XVIᵉ (17) et XVIIᵉ (17). 128 fêtes concernent des saints d'Europe (dont 25 romains, 37 ital., 16 fr. et 11 esp.).

Évêques, prêtres, religieux, religieuses sont majoritaires, mais il y a aussi des laïcs (ex. Justin, Monique, Louis IX, Thomas More, Maria Goretti). *Le plus ancien témoignage d'un culte rendu* à un martyr : saint Polycarpe, évêque de Smyrne († v. 156). *Dernière inscription au calendrier (1989) :* martyrs du Vietnam (1745-1802) ; *saint le plus récent (inscrit 1983) :* St Maximilien Kolbe († Auschwitz, 1941).

Déroulement

Légende.- (1) Fêtes d'obligation en France et Belgique. (2) Autres f. d'obl. pour l'Église universelle.

Octave de Noël [2]. 1er janvier. Ste Marie, mère de Dieu. La plus ancienne fête romaine de Marie (VIIᵉ s.), restaurée en 1969.

Épiphanie [2] (du grec « apparition » ou *manifestation).* Fête d'origine orientale (v. 325), fixée au 6 janvier, en France le dimanche après le 1er janvier. *L'Orient* célèbre le 6-1 à la fois la naissance de Jésus, son baptême et le miracle de Cana, les 3 premières « manifestations » (épiphanies) au monde. Le 6-1, qui se rattache aux fêtes du solstice, a pu être choisi pour se substituer à la naissance du dieu Aïon (parfois identifié avec Hélios, le soleil) enfanté d'une vierge. *En Occident,* où l'on célébrait la naissance de Jésus le 25-12 (à Rome v. 330), on fêta le 6-1 la « manifestation » (épiphanie) du Christ aux nations païennes, symbolisée par la venue des mages à Bethléem ; voir p. 492 c.

Baptême du Seigneur. Le dimanche après l'Épiphanie, en Occident.

Conversion de St Paul. 25 janvier (fin VIᵉ s. en Gaule).

Présentation du Seigneur (Chandeleur, autrefois Purification de la Vierge Marie). 2 février. Jésus est conduit au temple (40 j après sa naissance) où il est présenté à Siméon qui l'appela « Lumière pour éclairer les Nations ». Le nom populaire *Chandeleur* vient du latin *candelorum (festum),* « (fête) des chandelles » : une procession avec des cierges allumés (fin VIIᵉ s.) marque cette fête qui a peut-être pris la place des anciennes lupercales romaines où l'on s'assemblait avec des torches, et mangeait la galette de céréales en l'honneur de Proserpine : les *crêpes* de la Chandeleur pourraient venir de là.

Temps du Carême. 40 j de préparation à Pâques. Le Carême commence par 1 j de jeûne, le *mercredi des Cendres* (où le prêtre marque de cendre le front des fidèles pour leur rappeler qu'ils sont « poussière » et les inviter à la pénitence) et se termine le *Jeudi saint.* Les 1er, 2e, 3e, 4e, 5e dim. de Carême sont suivis du dim. des Rameaux.

Saint-Joseph [2]. 19 mars (dep. 1479). Après Jean Gerson (1363-1429) et St Bernardin de Sienne (1380-1444) qui ont souhaité cette fête, parmi les propagateurs de la dévotion à Saint-Joseph : Ste Thérèse d'Avila, St François de Sales, Clément XI, Benoît XIII, Pie IX (le déclare patron de l'Église), Léon XIII, Pie XII, Jean XXIII.

Annonciation du Seigneur. 25 mars (dep. le VIIᵉ s.). Annonce faite à Marie, par l'ange Gabriel, qu'elle deviendrait la mère du Messie (la fête peut être déplacée à cause de la date de Pâques).

Dimanche des Rameaux (et de la Passion du Seigneur). 7 j avant Pâques. Nommé ainsi à cause des rameaux tenus à la main au cours de la procession et rappelant les branches brandies par le peuple le jour où Jésus est entré solennellement à Jérusalem. Début de la semaine sainte.

Triduum pascal. *Début :* messe du soir le *Jeudi saint* (en mémoire de la dernière cène du Seigneur ; le matin, l'évêque qui concélèbre la messe avec ses prêtres bénit les *saintes huiles* et confectionne le *saint chrême*). *Fin :* vêpres du dimanche de *Pâques.* Traditionnellement, commencement et fin (pendant le *Gloria* de la Messe) sont marqués par une sonnerie de cloches à la volée. Entre ces 2 sonneries, l'usage des cloches est prohibé. Le *Vendredi saint,* l'après-midi, on célèbre la *Passion du Seigneur* (crucifixion et mort de Jésus sur le Calvaire ou le Golgotha). Le *Vendredi* et le *Samedi saints,* on observe le jeûne pascal.

Pâques. Entre le 22 mars et le 25 avril. Résurrection de Jésus, célébrée dans la nuit (veillée pascale) et le jour de Pâques. Le *temps pascal* va de Pâques à la Pentecôte. Les 8 premiers j constituent l'octave de Pâques. Le *cierge pascal,* béni et allumé pendant la veillée pascale, porte le millésime de l'année en cours, une croix, les lettres A et Ω, première et dernière de l'alphabet grec. Signifiant la présence vivante du Christ dans l'Église, il est placé dans le chœur de l'église jusqu'à l'Ascension et servira ensuite à éclairer chaque baptême.

Rogations (du latin *rogare,* « demander »). J. de supplication (lundi, mardi et mercredi avant l'Ascension) pour les fruits de la terre et les travaux des hommes (institués par St Mamert à Vienne v. 470).

Ascension (de Jésus au Ciel) [1]. 40 j après Pâques (toujours un jeudi). Reportée au 7e dimanche de Pâques, dans les pays où elle n'est pas un jour férié.

Pentecôte [en grec : cinquantième (jour)]. Célébrée dep. la fin du IVᵉ s. 50ᵉ j après Pâques. Descente du St-Esprit sur les Apôtres et clôture du temps de Pâques.

Trinité. Fête théologique occidentale, fixée en 1334 au 1er dimanche apr. la Pentecôte.

Fête-Dieu [2]. Fête du St-Sacrement ou du Corps du Christ célébrée à Liège dès 1247 sur les instances de Ste Julienne, moniale du Mont-Cornillon (1191-1258), instituée pour toute l'Église par le pape Urbain IV en 1264 et promulguée de nouveau par Clément V en 1312 et Jean XXII en 1317. Devenue populaire (appelée en français « la Fête-Dieu »), elle était marquée par une procession : on sortait le St-Sacrement, toutes les autorités, paroisses et corps de métier d'une ville participaient. Dans certaines régions (Anjou), on l'appelait le Grand Sacre.

Sacré-Cœur. Fête issue de la dévotion française (XVIIᵉ s.) et étendue à toute l'Église en 1856.

Visitation de la Ste Vierge (à Ste Élisabeth, sa cousine, enceinte de St Jean Baptiste). 31 mai (instituée le 2-7-1389 et fixée d'abord au 2-7).

Nativité de St Jean Baptiste. 24 juin (dès le IVᵉ s.).

Sts Pierre et Paul [2]. 29 juin (instituée en 258).

Transfiguration. 6 août. J.-C. est transfiguré, en présence de 3 apôtres, sur le mont Thabor (dès le Vᵉ s. en Orient, instituée en 1457 en Occident).

Assomption de la Ste Vierge [1]. 15 août. La Vierge monte corporellement au Ciel [fête av. 431 à Jérusalem, à la fin du VIIᵉ s. à Rome, imposée dans tout l'empire romain par l'empereur de Constantinople Maurice (582-603) ; la date commémore l'inauguration de l'église dédiée à Jérusalem à la « Dormition » de la Vierge ; dogme le 1-11-1950].

Nativité de la Ste Vierge. 8 sept. Naissance de la Vierge (fête au VIᵉ s. à Jérusalem, au VIIᵉ s. à Rome).

Exaltation de la Ste Croix. 14 sept. Rappelle la dédicace des basiliques constantiniennes du Golgotha le 13 sept. 335. A Jérusalem dès le Vᵉ s., en Occident à partir du VIIIᵉ s.

Saints Michel, Gabriel et Raphaël. Archanges. (29 sept.) (St Michel fêté dès le Vᵉ s. à Rome).

Notre-Dame du Rosaire. 7 oct. Sanctionne (dep. 1573) l'usage d'honorer la Vierge en récitant le Rosaire.

Toussaint [1]. 1er nov. Fête de tous les saints (en Angleterre, au VIIIᵉ s., à Rome au Xᵉ s.).

Commémoration de tous les fidèles défunts (Trépassés). 2 nov. Jour des Morts (fixé à ce jour à Cluny par St Odilon au XIᵉ s.).

Présentation de la Vierge au Temple. 21 nov. (au VIᵉ s. à Jérusalem, à Rome en 1372).

Christ-Roi. Fête instituée en 1925 (dernier dimanche d'octobre) et fixée depuis 1970 au dernier dimanche de l'année liturgique.

Temps de l'Avent (v. avènement). 4 semaines de préparation à Noël (période instituée au Xᵉ s.). Les dimanches s'appellent 1er, 2e, 3e et 4e dimanches de l'Avent.

Immaculée Conception [2]. 8 déc. Rappelle que la Vierge Marie a été exempte du péché originel (Voir p. 497 a) avant sa naissance (fête en Orient au XIᵉ s., à Rome en 1477 ; dogme 8-2-1854).

Noël (du latin *natale,* « jour de la naissance »). Fête établie à Rome v. 330, comme l'Épiphanie en Orient, autour du solstice d'hiver, pour célébrer la naissance du Christ, « Soleil levant ». Messe de vigile de Noël le soir du 24 déc. Le j de Noël (25 déc. voir p. 492 c), on peut selon la tradition romaine célébrer 3 messes : m. de minuit, de l'aurore et du jour. Noël est suivi de 3 fêtes : *26,* St Étienne, le 1er martyr (dès le Vᵉ s.) ; *27,* St Jean Apôtre (dès le VIᵉ s.) ; *28,* les Saints Innocents (dès le VIᵉ s.). *L'arbre de Noël :* apparu en Alsace au XVIᵉ s. ; se généralisa dans l'Europe du Nord au XIXᵉ s. L'épouse du duc d'Orléans l'introduisit en France en 1837.

Temps ordinaire. En dehors de l'Avent, Noël, Carême et Pâques, il reste env. 30 semaines qui constituent le « temps ordinaire » rythmé par le dimanche : chaque dimanche est une Pâque hebdomadaire.

Quatre-Temps. 3 jours de prière et autrefois de jeûne placés [à Rome dès le IVᵉ s. (attestés par St Jérôme)] au début de chaque saison de l'année (mercredi, vendredi, samedi d'une même semaine), pour la sanctifier (dans un cadre avant tout agricole : semailles, moissons, vendanges). *Origine :* tradition des *feriae* de la Rome païenne ou prescription biblique de l'Exode (34,24). *Évolution :* des offices liturgiques spéciaux (avec des lectures) furent créés ; le samedi était aussi consacré aux ordinations. Depuis 1970, laissés à l'initiative des épiscopats locaux.

Œcuménisme catholique

Avec les chrétiens. L'Église : *1° reconnaît* les sacrements des orthodoxes (autres confessions : cela dépend des Églises) ; *2° recommande* de prier en commun avec des frères séparés (réunions aliturgiques) ; *3° permet* d'assister à des liturgies non cath. pour une raison sociale ou d'amitié ou de rapprochement, même avec participation aux gestes, répons et chants (sauf s'ils étaient manifestement contraires à la foi cath.), cependant sans communier ; d'être lecteur dans une liturgie orthodoxe (avec accord de l'évêque) ; de recourir à la confession, la communion et l'onction des malades des orthodoxes, en cas de besoin (voyage, éloignement), si les épiscopats sont d'accord et en toute réciprocité (N.B. : en observant les usages particuliers, par exemple le jeûne eucharistique) ; d'assister occasionnellement le dimanche ou un jour de fête d'obligation à une messe de rite oriental séparé ; d'être parrain ou marraine d'un orthodoxe ou de prendre pour parrain ou marraine un orthodoxe (pourvu que l'autre soit catholique) ; d'être « témoin chrétien » pour les baptêmes des autres confessions ; d'être témoin à un mariage de non-cath. ; de prêter des objets et lieux de culte en cas de besoin avec l'accord de l'évêque. *Textes d'accord ou déclarations communes :* 21 entre l'Égl. cathol. et une autre Égl. chrétienne.

En matière d'œcuménisme, le Vatican reconnaît comme premier interlocuteur le Conseil œcuménique des Églises mais prend part aussi à d'autres conférences œcuméniques.

Avec les non-chrétiens. L'Église recommande aux catholiques de ne pas prendre part sans discernement aux actes cultuels. A la journée de prière pour la paix à Assise (27-10-1986), les représentants des religions diverses présents ont prié ensemble mais non en une prière commune.

☞ **Centres œcuméniques en France.** *ISTINA* 45, rue de la Glacière, 75013 Paris. *Unité chrétienne* 2, rue Jean Carrières, 69005 Lyon. *Centre Saint-Irénée* Revue Foyers mixtes 2, place Gailleton, 69002 Lyon. *Formation œcuménique interconfessionnelle (FOI)* cours par correspondance. *Culture loisirs œcuméniques (CLEO)* s'adresser au secrétariat national pour l'unité des chrétiens. *Institut supérieur d'études œcuménique* 21, rue d'Assas, 75270 Paris Cedex 06.

Courants d'idées

• **Catholiques traditionnels.** Rejettent l'appellation d'*intégristes* (définissant une mentalité plus qu'une doctrine), et de traditionalistes *(tradicionalistas,* désignant les Navarrais, attachés aux traditions). Affirment défendre la Tradition, un des éléments constitutifs de la doctrine chrétienne. Revendiquent le droit de célébrer la messe dans la liturgie de St Pie V.

Quelques dates : Mgr Marcel Lefebvre (29-11-1905/25-3-1991, religieux spiritain). **1929** ordonné prêtre. **1955** arch. de Dakar. **1962** *janv.,* év. de Tulle, *août* supérieur général des Spiritains. **1968**

Quelques dates œcuméniques

• **Avec les chrétiens. 1920.** Appel du patriarcat de Constantinople à une association de toutes les Églises. **1921.** Conversations de Malines entre cath. et anglicans (non officielle). **1933.** Début à Lyon de la semaine de prière pour l'unité (18-25 janv.), par le Père Couturier. **1948.** 1re assemblée gén. du Conseil œcuménique des Églises (147 Égl. représentées). **1960**-*5-6.* Création par Jean XXIII du secrétariat pour l'Unité des chrétiens. **1964** *6-1.* 1re rencontre en Terre Sainte de Paul VI et d'Athénagoras Ier patriarche œcuménique. *-21-11* Décret de Vatican II sur l'œcuménisme *(Unitatis redintegratio).* **1965** *7-12.* Paul VI annule le décret d'excommunication de 1054 ; le même jour on lit à la cath. de Phanar (Istanbul) la déclaration commune sur l'effacement des anathèmes réciproques. Levée, par Rome et Constantinople, des excommunications portées en 1054, au début du Grand Schisme. **1966** *-23-3.* Rencontre à Rome de Paul VI et du Dr Ramsey, arch. de Cantorbéry, création d'une commission anglicane-catholique. **1967.** Nouvelles rencontres Paul VI-Athénagoras à Istanbul (25-7) et à Rome (26/28-10). Directoire œcuménique (I) à Rome. **1969**-*15-6.* Paul VI est reçu à Genève, au Conseil œcuménique des Églises. **1970**-*31-3. Motu proprio* de Paul VI sur les mariages mixtes. Directoire œcuménique (II) à Rome. **1971.** 1ers accords cath.-anglicans (sur l'Eucharistie). *Oct.* Jacob III, patriarche syrien reçu à Rome. **1972.** Rapport cath.-luthériens sur Eucharistie et ministère. **1973**-*4-5.* Rencontre à Rome de Chenouda III, patriarche d'Alexandrie, chef de l'Église copte, avec Paul VI. **1976** *sept.* publication de la 1re traduction œcuménique de la Bible. **1978** Paul VI reçoit l'archev. Loggan. **1979** *nov.* Jean-Paul II rend visite à Dimitrios Ier à Istanbul. La constitution d'une commission mixte de dialogue théologique entre l'Église catholique romaine et toutes les Églises orthodoxes est annoncée officiellement. **1982.** 3 pays luthériens, Suède, Danemark, Norvège, établissent des relations dipl. avec le Vatican. Le cath. avait été hors-la-loi jusqu'en 1781 en Suède, 1849 au Danemark, 1952 en Norvège. *Janv.* document dit de Lima, du Conseil œcuménique sur Baptême, Eucharistie, Ministère. *-29-5* Jean-Paul II reçu à Cantorbéry. **1983.** Visite l'égl. luthérienne de Rome. **1984**-*16-6* Reçu au Conseil œcuménique de Genève. **1985.** Échange des lettres av. l'év. James Frumley, Pt des Égl. luthériennes d'Amérique. **1986.** *27-10* les chrétiens séparés participent, avec Jean-Paul II, à la journée inter-religions d'Assise. *-13-11* Synode général de l'Égl. anglicane (Londres) vote par 344 voix contre 137 une motion reconnaissant que le pape joue le rôle « d'un primat universel ». **1987.** Le patriarcat de Moscou renoue avec le Vatican ses relations interrompues dep. 1980. *-3/7-12* Dimitrios Ier au Vatican (6-12) à St-Pierre. Il reste à l'autel pendant la 1re partie de l'Eucharistie. L'évangile est proclamé en grec et en latin, pour signifier l'universalité de l'Église. Ensuite, lui et Jean-Paul II prononcent chacun une homélie exprimant le désir de réconciliation, récitent ensemble le *Credo* de Nicée et se donnent l'accolade. Puis Dimitrios se retire sur le côté pour assister à la liturgie sans y communier. *-17-12* création d'un Conseil des Églises chrétiennes en France. **1988** *juin* participation de l'Église catholique au millénaire du baptême de la Russie. **1989**-*15-5* création à Bâle du Rassemblement œcuménique européen groupant le conseil des conférences épiscopales d'Europe (catholiques) et le conseil des Églises chrétiennes (non cath.). *-1-6* Jean-Paul II rencontre les églises luthériennes de Scandinavie. *-29-9* rencontre à Rome le Dr Runcie, arch. anglican de Cantorbéry.

• **Avec les non-chrétiens. 1985** *août* à Casablanca, Jean-Paul II voit le roi Hassan II, chef religieux des musulmans (commandeur des croyants). **1986** *-13-4* Jean-Paul II visite la synagogue de Rome ; *22-7* les évêques polonais renoncent, à la demande des autorités juives (gd rabbin Sirat, Me Théo Klein) à construire un carmel à Auschwitz (que les juifs considèrent comme un lieu sacré de leur religion) ; *27-10* journée de prière pour la paix à Assise avec 130 représentants de toutes les communautés chrétiennes et de toutes les grandes religions non chrétiennes.

démissionne. **1969** *6-6,* Mgr Marcel Lefebvre fonde la Fraternité sacerdotale St-Pie X (dans le diocèse de Fribourg) avec l'accord (1-11-70) de l'évêque du lieu Mgr Charrière. **1971** *6-6,* pose la 1re pierre du séminaire de la Fraternité à Écône (Valais, Suisse). **1974** *21-11,* publie un manifeste attaquant Vatican II. **1975** *6-5,* Mgr Mamie (successeur de Mgr Charrière) retire (avec l'autorisation de Rome) son agrément au séminaire d'Écône. *24-5,* condamné par Paul VI Mgr Lefebvre passe outre (en juin, il ordonne 3 prêtres). **1976** *29-6,* nouvelles ordinations (15). *22-7,* Mgr Lefebvre est suspens *a divinis. 11-9,* il est reçu par Paul VI. **1977**-*27-2,* occupation de Saint-Nicolas-du-Chardonnet (Paris). **1978** *19-11,* Jean-Paul II le reçoit. **1982** confie la Fraternité au Père Franz Schmidberger (All.). **1983** *21-11,* lettre ouverte à Jean-Paul II de Mgr Lefebvre et de Castro. *Déc.* lettre ouverte à Jean-Paul II ; Mgr Lefebvre l'accuse d'être aussi porté aux réformes que son prédécesseur, de nommer des évêques « collaborateurs » dans les pays de l'Est, d'être « infecté d'humanisme » et d'avoir des « amourettes » avec les protestants. Il dénonce le gouvernement collégial et l'orientation démocratique de l'Église, condamnée par le Syllabus de Pie IX ; une fausse conception des droits naturels de l'homme qui apparaît clairement dans le document de Vatican II sur la liberté religieuse, condamnée par Quanta Cura ; une conception erronée des pouvoirs du pape ; la conception protestante du sacrifice de la messe et des sacrements condamnée par le Concile de Trente ; la libre diffusion des hérésies caractérisée par la suppression du St-Office. **1984** *3-10,* indult autorisant à certaines conditions (v. p. 500 a) l'usage de l'ancien rite. **1985** *16-1,* Mgr Lefebvre demande officiellement que la Fraternité soit considérée comme institut de droit pontifical, ce qui lui permettrait de faire exercer ses prêtres sans demander l'incardination à des évêques. **1986** *14-4,* la communauté monastique de Flavigny (75 m dont 22 prêtres), différente de la « maison Lacordaire » (voir plus loin), se réconcilie avec Rome. **1987** tentatives de rapprochement avec Rome (rapport du cardinal Gagnon). **1988** *5-5,* protocole d'accord Lefebvre-Ratzinger. *6-5,* Mgr Lefebvre retire sa signature. *2-6,* ultimatum de Mgr Lefebvre. *9-6,* refus de Jean-Paul II. *29-6,* Mgr Lefebvre ordonne 16 prêtres et le *30-6* sacre 4 évêques [Richard Williamson (G.-B., n. à Londres en 1940), Bernard Tissier de Mallerais (n. 1945), Alfonso de Galarreta (Espagnol, n. 1957) et Bernard Fellay (Suisse, n. 1958)], ce qui entraîne son excommunication immédiate ainsi que celle des 4 év. (le dernier schisme de l'Église date de 1870 ; Voir « Vieux Catholiques » p. 542 ; ils refusaient en 1870 de reconnaître l'infaillibilité du pape). *2-7,* motu proprio *Ecclesia Dei afflicta,* réconciliation des communautés Ste-Madeleine du Barroux (Vaucluse, env. 50 bénédictins) et Santa Cruz de Nova-Friburgo (Brésil, env. 18 bénédictins) avec Rome. *18-7,* fondation de la *Fraternité St-Pierre* à l'abbaye d'Hauterive (Suisse) regroupant env. 16 prêtres et 20 séminaristes qui désirent « rester unis au successeur de Pierre dans l'Église catholique tout en restant liés à la tradition latine » (siège à Wigratzbad, Bavière). *22-10,* ouverture d'un séminaire international à Wigratzbad. *28-10,* reconnaissance de la Fraternité St-Pierre. *30-11,* le prieuré St-Thomas-d'Aquin de Cheméré-le-Roi (Mayenne), fondé le 25-11-79 par le père Louis-Marie de Blignières dans la tradition dominicaine, est reconnu par le Vatican, sous le nom de *Fraternité St-Vincent-Ferrier.* La nouvelle frat. est autorisée à suivre le rituel d'avant le concile. *3-12,* 5 frères sont ordonnés prêtres à l'abbaye de Fontgombault (Indre). *10-7,* Mgr Lustiger avertit son diocèse que : « Tout fidèle catholique qui ferait un acte explicite d'adhésion au groupe "lefebvriste" se sépare de l'Église catholique, entre dans le schisme et encourt l'excommunication. » L'« acte explicite d'adhésion » au schisme serait la participation régulière à la messe ou la fréquentation de sacrements dans des lieux tenus par des prêtres suspendus ou excommuniés. **1989** *15-8,* 15 000 intégristes défilent à Paris pour rappeler les crimes de la Révolution. **1991** *25-3* Mgr Lefebvre meurt.

Maison généralice. Rickenbach, Suisse, Successeur désigné par Mgr Lefebvre : Franz Schmidberger (All. 19-10-46) ordonné 8-12-75.

Effectifs (juillet 1987) : 260 prêtres ordonnés par Mgr Lefebvre de 1971 à 87 ; grands séminaires : Suisse, All. féd., États-Unis, Arg., It., Chili, N.-Zél., Antilles fr., Inde, France ; 40 maisons en Europe et en Amérique, dont 7 résidences de « supérieurs de districts » (responsables nationaux), plusieurs monastères de frères et de religieuses. 500 lieux du culte dans 28 pays. *Prêtres :* 55 desservent env. 300 lieux de culte. 7 carmels ouverts de 1980 au 2-3-1988 par Marie-Christiane (78 ans, sœur de Mgr Lefebvre).

En France. Chef-lieu du district : maison St-Pie X, 36, rue des Carrières, 92154 Suresnes. 7 écoles libres, 1 institut univ., 1 noviciat de frères, 1 maison de retraites spirituelles, 28 prieurés (résidences d'équipes sacerdotales de 2 ou 3 prêtres missionnaires itinérants), 1 petit séminaire (St-Curé-d'Ars), dans la maison Lacordaire, à Flavigny-sur-Ozerain (C.-d'Or), dep. le 5-10-1986. 3 carmels : Bas-en-Basset (Hte-Loire), Quiévrain (Savoie), Ruffec (Indre). 7 communautés de religieuses de la Fraternité St-Pie X (fondées 1973). Noviciat à Mézières-en-Brenne (Indre). 1 abbaye de bénédictines à Uzès (Gard). 2 maisons de religieux, capucins (Morgon), dominicains (Avrillé). *Fidèles :* env. 100 000. *Messe :* dominicale à St-Nicolas-du-Chardonnet (occupée depuis févr. 1977 ; recteur dep. 1984 : abbé Laguérie) ; 5 messes + vêpres le dimanche, 2 messes en semaine. Messe le dimanche, salle Wagram, par l'abbé Serralda. *Port-Marly :* église St-Louis occupée le 28-11-1986 par des traditionalistes.

Autres mouvements anticonciliaires. Contre-Réforme catholique au XXe s. (St-Parres-lès-Vaudes, Aube) : *créée* par l'abbé Georges de Nantes, déclaré « suspens » par l'évêque de Troyes, puis désavoué publiquement par la Congrégation romaine pour la doctrine de la foi en août 1969. Veut démontrer que Vatican II, dont les « décrets de mort » ont été ratifiés par Paul VI, conduit l'Église romaine à sa perte. **Union pour la Fidélité** (13, rue d'Adéliau, Forges-les-Bains, 91470 Limours) : groupe des membres (prêtres, religieux, laïcs) qui s'opposent à la « liberté religieuse », à l'œcuménisme et au rejet de la constitution monarchique de l'Église. *Revue :* « Forts dans la Foi ». **Le Combat pour la Foi. :** *créé* par l'abbé Louis Coache. Publie un bulletin de ce nom (Moulin-du-Pin, 53290 Beaumont). 2 couvents de religieuses, à Quimperlé et à Traonfeunteuniou. **Divers.** *Noël Barbara, Michel Guérard des Lauriers* († 1988), *abbé de Blignières, abbé Lecareux.*

• **Charismatiques.** Se réfèrent à l'encyclique *Mystici Corporis* de Pie XII (1943), qui encourage les chrétiens à manifester à l'intérieur de l'Église (« corps mystique » du Christ) leurs inspirations individuelles ayant pour but l'édification et l'extension du Royaume. Les communautés nouvelles mettent l'accent sur la prière, le partage de biens et l'évangélisation. *Principales personnalités :* Dom Helder Camara (Brésil) ; le card. Suenens (Belgique) ; l'archev. Romero de San Salvador, assassiné dans sa cath. (le 24-3-1980) à cause de sa charité envers les pauvres, qui le faisait passer pour « sandiniste ».

Monde : depuis 1968, 60 millions de catholiques touchés. *France :* 150 000 à 200 000. + de 1 000 groupes de prière organisés en communions diocésaines.

Communautés du Renouveau charismatique. Chemin Neuf : 49, montée de Fourvière, 69005 Lyon. *Fondée* 1973. Sessions « Cana » rassemblent des centaines de couples. Revue « Tychique ». 2 000 membres. **L'Emmanuel :** 31, rue de l'Abbé-Grégoire, 75006 Paris. *Fondée* 1974 par Pierre Goursat, Hervé-Marie Catta, Martine Laffite [env. 3 500 m., dont 200 vivant en « maisonnées » (125 maisonnées en Fr., dont 72 en région parisienne)]. Accueil des êtres en détresse (drogués, marginaux). Conversations et prières au téléphone. Organise d'importants rassemblements notamment l'été à Paray-le-Monial. *Revue :* « Il est vivant. Vie de prière ». **La Fraternité de Jésus :** prêtres diocésains et laïcs constituent des communautés au service des paroisses. **Lion de Juda et Agneau Immolé :** Couvent Notre-Dame, 81170 Cordes. *Fondé* 1974. Vie de type monastique réunissant des couples avec leurs enfants et des hommes et femmes consacrés dans le célibat. Spiritualité marquée par St François d'Assise et Ste Thérèse de l'Enfant-Jésus. Environ 300 membres dans une vingtaine de fondations en France, Italie, Maroc, Israël, Zaïre. **Les Fondations du Monde Nouveau :** 59, rue Pierre Brossolette, 78360 Montesson. *Fondées* 1974 à Poitiers. Plus de 3 000 membres. Europe, Chili, Bénin, Burkina-Faso, Togo, Malaisie, Philippines. **Théophanie :** Abbaye Ste-Marie-d'Orbieu, 11220 Lagrasse. *Fondée* 1972 à Montpellier. **Pain de vie :** 27, rue St-Pierre-Somervieu, 14400 Bayeux. *Fondé* 1976. **Puits de Jacob :** 20 bis, rue des Glacières, 67000 Strasbourg. *Fondé* 1976. Communauté œcuménique. **Communion de Communautés Béthanie :** 3, rue d'Issy, 92170 Vanves. *Fondée* 1978. Chaque communauté s'engage selon sa vocation propre. **Le Rocher :** 70, rue Jean-Jaurès, 51000 Châlons-sur-Marne. *Fondé* 1975.

• **CIDOC** (Centre intellectuel de documentation). *Fondé* 1965 à Guernavaca (Mexique) par un prêtre d'origine yougoslave, Ivan Illich (n. 1926). Conteste le sacerdoce actuel, veut séculariser la vie religieuse et veut créer un nouvel humanisme fondé sur la liberté individuelle. Inspire la revue *Concilium* (7 éditions, 20 000 abonnés) depuis 1975.

• **École de Hans Küng.** Théologien suisse (n. 1928), prof. à la Fac. de théologie de Tübingen (Allemagne) depuis 1960, expert au concile de Vatican II. Auteur en 1957 d'une thèse sur la *Justification* (se rapproche du théologien protestant Karl Barth), et en 1962 de *Structures de l'Eglise,* où il réexamine le dogme de l'infaillibilité pontificale. Rappelé à l'ordre par le Vatican en 1967, 1970, 1973 (déclaration *Mysterium Ecclesiae),* 1975 (rapport des évêques allemands, suisses et autrichiens), 1977 (conférence épiscopale all.). Le 19-11-1979, la Congrégation pour la doctrine de la foi a déclaré qu'il « ne pouvait plus être considéré comme un théologien catholique ». Condamnation confirmée le 28-12-1979 par une délégation d'évêques all. réunis à Rome. Des cath., notamment des prof. de théologie, ont immédiatement créé un groupe pro-Küng (siège à Linz, Autriche), pour défendre ses idées. En 1985, publie un nouveau livre non orthodoxe sur la *Vie éternelle.*

Groupements français ayant donné leur adhésion à Hans Küng le 14-2-1980 : chrétiens pour le socialisme, communauté de Boquen, Commission générale d'évangélisation de l'Egl. réformée de France, Culture et Foi, Bureau nat. des Équipes enseignantes, Franciscains et socialismes, Féd. nat. des parents pour l'éducation chrétienne des élèves cath. de l'enseign. public, la Lettre, Nomades et Fidèles, Vie nouvelle, Collectif pour une Église du Peuple, Équipes nat. de la J.E.C. et M.R.J.C. (en partie). *Sympathisants nord-américains :* les théologiens se préoccupent davantage de problèmes moraux. En août 1986, le P. Charles Curran, prof. de théologie à Washington, a été révoqué.

• **Intégrisme.** Disposition d'esprit de catholiques, de protestants ou d'orthodoxes (et même aussi de certains « progressistes ») qui veulent garder intégralement un bloc doctrinal déterminé et se méfient de toute modification, même sur des points de détail (par ex., les traditionalistes rejettent les nouvelles habitudes vestimentaires du clergé ; les progressistes rejettent toute prière en latin, même sur une musique grégorienne).

• **Progressistes.** Chrétiens soucieux avant tout de *progrès social* et se déclarant prêts, pour le réaliser, à collaborer avec les partis, même marxistes.

• **Théologie de la Libération.** *Créée* 1971, en Amérique du Sud, par un prêtre péruvien, Gustavo Guttierez (n. 1928). *Principal théoricien actuel :* le franciscain brésilien Leonardo Boff (n. 1938). *Autres membres :* Joseph Combin (Belge, n. 1923), Enrique Dussel (Mexicain, n. 1934), Pablo Richard (Chilien, n. 1939), Jon Sobrino (jésuite, n. 1938, Salvador). Considèrent la pauvreté comme le problème le plus important de notre époque. L'Église doit d'abord aider les pauvres à se « libérer » de la misère. Le 20-3-1985, le livre du P. Boff, « Église, charisme et pauvres » a été condamné, mais le P. Boff a été amnistié le 29-3-1986. Le 20-1-1986, le congrès de Lima (présidé par le card. colombien Alfonso Lopez Trujillo, arch. de Medellin) a défini la th. de la L. comme une tentative de déstabilisation de l'Égl. (ex.-type : Nicaragua) et a proposé une « th. de la Réconciliation ». La Congrégation pour la doctrine de la foi est intervenue pour clarifier le débat, par 2 instructions : *sur quelques aspects de la théologie de la libération* (1984) ; *sur la liberté chrétienne et la libération* (22-3-1986).

• **Relations Église/Marxisme.** *1937* Pie XI (encycl. **Divini Redemptoris)** déclare l'athéisme marxiste « intrinsèquement mauvais » (formule reprise par Pie XII). *1949* un décret du St-Office déclare excommuniés *ipso facto* les cath. défendant et répandant la doctrine communiste. *1961* Jean XXIII admet le phénomène de « socialisation » et approuve le syndicalisme. *1971* Paul VI admet que la foi chrétienne est compatible avec des engagements pol. différents. *1972* les évêques fr., dans un document intitulé *Pour une pratique chrétienne de la politique,* admettent la formulation des idées pol. dans un vocabulaire de lutte des classes. *1977* ils précisent qu'on ne peut concilier foi chrétienne et marxisme. *1981 (juin)* le général des Jésuites, le P. Pedro Arrupe, prend parti pour le clergé sud-amér. cherchant le contact avec le marxisme. *1985 (mars)* son successeur (le P. Kolvenback) adopte la même attitude. *1989 (1-12)* Jean-Paul II reçoit au Vatican Mikail Gorbatchev.

Pèlerinages et apparitions

Généralités

• **Lieux.** Pèlerinages : lieux d'apparition de la Vierge, endroits conservant des reliques ou des centres de dévotion divers.

• **Pèlerinages en Terre Sainte.** Attestés dès le IIe s., faits volontairement, par dévotion ou *pénitentiels,* imposés par l'Eglise après un péché public, pour sortir d'excommunication, attestés dep. le VIe s. (Rome, Terre Sainte). Au XIIIe s., ils sont parfois imposés par des juridictions non ecclésiastiques (Boulogne, Compostelle, Cantorbéry, Rome).

• **Phénomènes préternaturels. Vierges qui pleurent :** *Brescia, Ancône, Pistoie (Italie), etc. ;* **saignant :** *Vierge du Kremlin, N.-D. des Miracles (Déols) ;* **donnant du lait :** *St Bernard (Châtillon-sur-Seine).* **Sang d'un martyr devenant fluide :** *St Janvier (Naples).* **Tombeaux sécrétant un liquide :** huile : *Amalfi, Arras, Eichstätt, Anaya* (Liban) ; eau [dite *« manne »* (voir p. 548 c)] : *Bari.*

• **Vierges noires. Origine.** Cultes anciens de la Déesse mère Cybèle (introduits d'Orient) ou des divinités celtiques ou préceltiques de la Terre et de l'Eau. Autre explication : les artistes ont façonné des Vierges noires à cause du verset du *Cantique des Cantiques* chanté à l'office de la Vierge : « Je suis noire, mais je suis belle, filles de Jérusalem. » **Nombre.** *En France,* 205, dont 190 existaient au XVIe s. (25 ont été détruites par les Huguenots, 46 par les Jacobins, 48 ont été remplacées par des copies). Il n'y en a que 31 au N.-O. d'une ligne Bordeaux-Nancy, et 159 au S.-E., dont 60 en Auvergne. Elles sont souvent vénérées auprès d'une grotte, dans une crypte et à proximité d'une source ou d'un puits. **Les plus célèbres.** *En France :* Chartres (E.-et-L.) ; Tournus (S.-et-L.) ; Le Puy (Hte-L) ; Rocamadour (Lot) ; St-Victor de Marseille (B.-du-R.) ; N.-D.-de-Liesse (Aisne) ; N.-D.-du-Marthuret, Riom (P.-de-D) ; N.-D.-du-Laghet (A.-M.) ; N.-D.-du-Port, Clermont-Ferrand (P.-de-D.) ; Orcival (P.-de-D.) ; Myans (Savoie). *A l'étranger :* Montserrat (Catalogne, Espagne) ; N.-D. de Lorette (Italie) ; Czestochowa (Pologne) ; Guadalupe (patronne du Mexique).

Principaux pèlerinages en France

Légende : v. = visiteurs par an.

Ablain St-Nazaire (P.-de-C.) : chapelle de N.-D. de Lorette. Construite 1727 par Florent Guillebert [ex-voto pour une guérison obtenue à Lorette (Italie, voir p. 506 c)]. Détruite 1915 pendant la bataille d'Artois (35 000 †). Reconstruite au centre du cimetière national, tour lanterne de 52 m. de haut. Pèlerinages patriotiques, dimanche des Rameaux, 11-11. Ravivage de la flamme le dim. Neuvaine fin août début sept.

Aire-sur-la-Lys (P.-de-C.) : *du dim. av. au dim. apr. le 15 août* (2 000 v.) N.-D. Panetière (« distributrice de pains »), commémore la délivrance de la ville, assiégée en 1213. Égl. collégiale du XVIe s. 3 000 v.

Amettes (P.-de-C.) : *16-4* Basilique St-Benoît-Labre, patron des Pauvres (1748-69, canonisé 8-12-1861). Neuvaine du dernier dimanche d'août au 1er dimanche de sept.

Ardres (P.-de-C.) : N.-D. de Grâce. Neuvaine se terminant le dimanche qui suit le 15-8.

Argenteuil (V.-d'O.) : depuis le XIIe s. ; Ste Tunique (voir p. 507 c). *Ostension* 1934 : 150 000 v. ; 1984 : 75 000 ; prochaine prévue : 2034.

Arles-sur-Tech (P.-O.) : sarcophage du Xe s. rempli en permanence d'eau pure, surgie on ne sait d'où. *30-7,* fête de St Abdon et St Sennen.

Arras (P.-de-C.) : neuvaine de l'Ascension à la Pentecôte, N.-D.-des-Ardents ; commémore la fin miraculeuse d'une épidémie de mal des ardents (1095) ; apparition à Pierre Norman (1105). Le cierge votif [« sainte chandelle d'Arras » ou « joyel » (enveloppé d'un étui d'argent)] avait été, disait-on, apporté par la Ste Vierge. 5 000 v. (500 par j pendant 10 j). Égl. reconstruite en 1876.

Ars (Ain) : *4-8* anniversaire de la mort de St Jean-Marie Vianney, curé d'Ars, patron des curés (1786-1859) ; canonisé (1925). Grand pèl. le *4-8.* 600 000 v. de Pâques à la Toussaint.

Bétharram (Pyr.-Atl.) : *14-5* et *14-9.* Sanctuaire marial à 15 km de Lourdes. Commémore un miracle de la Vierge Marie (XVe s.) : elle a sauvé une jeune fille tombée dans le Gave en lui tendant un « beau rameau » (béarnais : *beth arram).* Desservi depuis 1835 par les religieux bétharramites. Leur fondateur, St Michel Garicoïts, y a son tombeau. Égl. du XVIIe s., 150 000 v. en 1989-90.

Blériot-Plage (P.-de-C.) : N.-D.-de-la-Salette. *Neuvaine autour du 19-9, jour anniversaire de l'apparition de la Salette.*

Boulogne-sur-Mer (P.-de-C.) : *toute l'année* N.-D. de B. ; une statue de la Vierge serait arrivée là, sur une barque « sans rames ni matelots ». 1er sanctuaire marial de Fr. avant les apparitions de Lourdes (au XVIe s., après un pèlerinage à Boulogne-sur-Mer, des habitants des Mesnuls reproduisirent le lieu de culte dans leur paroisse qui devint Boulogne-sur-Seine). Basilique avec dôme, commencée en 1822 ; crypte du XIe au XIVe s., et XIXe s., longueur 125 m. 100 000 v. (dont du 15 au 30-8 : 20 000). *N.-D.-du-Grand-Retour :* de 1943 à 1948, 4 chars portant une reproduction de N.-D. de B. parcoururent en France 120 000 km, visitant 16 000 paroisses, provoquant un élan de prière et de conversion (100 000 personnes au stade de Colombes en 1946).

Cadouin (Dord.) : ancienne abbaye cistercienne, fondée 1115 ; pèl. au « *saint suaire* », supprimé en 1934, le suaire ayant été reconnu comme un tissu musulman du XIe s., visible au « musée du Pèlerinage » ; 40 000 v. Cloître roman (XIIe s.), ruiné par la Guerre de Cent Ans, reconstruit en gothique flamboyant (fin XVe-XVIe s.).

Capelou (près Belvès, Dord.) : N.-D.-de-Pitié. Depuis le Moyen Age. Début septembre, neuvaine de célébrations en l'honneur de la Ste Vierge, s'ouvrant par une marche-pèlerinage à Cadouin (13 km).

Chartres (E.-et-L.) : N.-D.-de-Sous-Terre XIe s. ; aux environs de 876, Charles le Chauve donne au sanctuaire le *voile de la Vierge* (que l'on crut longtemps être la Ste Chemise ; une expertise du XXe s. a prouvé que le voile fut tissé en Orient à l'époque du Christ). Au Moyen Age, pèl. le plus célèbre en France avec Le Puy. En 1975, restauration de la crypte romane (fresques). *Pèl. organisés par la cathédrale :* Ascension pèl. du diocèse ; dim. le + proche du 8-9 pèl. des mères. *Principaux pèl. extérieurs :* en *avril-mai,* pèl. des étudiants du CEP ; du Monde du Travail ; du Centre Charlier ; du Sacré-Cœur de Montmartre.

Clairmarais (P.-de-C.) : *15-8* à la grotte de N.-D. de Lourdes.

Clichy-sous-Bois (Seine-S.-D) : *semaine encadrant le 8-9* (Nativité de la Vierge), N.-D.-des-Anges. Fondée 1212, comme la « portioncule » de St François d'Assise, dont elle a pris le nom. Source miraculeuse. Vierge du XVe s. 5 000 v.

Cotignac (Var) : N.-D. de Grâce : 1519 app. à Jean de la Baume ; bûcheron.

La Délivrande (Calv.) : *jeudi après 15-8,* fête du Couronnement. 50 000 v.

Domremy (Vosges) : *mai-sept.,* maison natale et église du baptême de Jeanne d'Arc ; basilique nat. au Bois-Chenu (1881), sur l'emplacement d'un oratoire du XIVe s., dédié à la Vierge, où J. a entendu l'appel de Dieu. Une chapelle construite par un petit-neveu de Jeanne, Étienne Hordal, chanoine de Toul, avait été détruite par les Suédois au XVIIe s. Fête de J. d'Arc le 2e dim. de mai ; pèlerinage « des Voisins » fin sept. 250 000 v.

L'Épine (Marne) : v. 1405, découverte d'une statue de la Vierge dans un buisson d'épines lumineux ; fêtes de la Vierge et toute l'année ; pèl. du diocèse en mai ; basilique gothique flamboyant XVe et XVIe s. A 8 km de Châlons : 100 000 v.

Frigolet (B.-du-R.) : *15-5* fête de N.-D.-de-Bon-Remède (solennité le dimanche le plus près). Dernier dimanche de juin, fête des malades. *29-9* fête de St Michel-Archange (solennité dernier dimanche de sept.) 600 000 à 700 000 v.

Garaison (près de Lannemezan, Htes-Pyr.) : v. 1510 app. à Angèle de Sagazan (12 ans).

Honfleur (Calv.) : *lundi de Pentecôte.* Pèl. des marins ; 3e jeudi de juin, fête de N.-D.-de-Grâce 80 000 v.

Issoudun (Indre) : Basilique de N.-D.-du-Sacré-Cœur ; *fête dernier samedi de mai et 8-9* grand pèl. national. 20 000 v.

La Louvesc (Ard.) : *16-6* ou le dimanche suivant, tombeau de St François-Régis (jésuite) (1597/31-12-1640 ; canonisé 1737) (100 000 v.). *1er dimanche de sept.* tombeau de Ste Thérèse Couderc (n. 1805, † 26-9-1885 ; canonisée 1970) fondatrice de la congrégation de N.-D. du Cénacle.

La Salette (Isère) : *1846* (19-9) apparition de la Vierge à Mélanie Calvat (1831-1904) et Maximin Giraud [1856-75 (caractériel, reconnu comme instable et mythomane, il ne convainc pas le curé d'Ars en sept. 1850, séminariste de 1850 à 1858, puis mène une vie errante, servant notamment comme zouave pontifical en 1865 ; il meurt dans la misère, sans avoir démenti son récit de 1846)]. Mlle Saint-Ferréol de

Lamerlière, religieuse, demande 20 000 F de dommages-intérêts aux abbés Déléon et Cartellier qui l'avaient accusée d'avoir joué le rôle de la Ste Vierge dans l'apparition. *1851* Mgr de Bruillard, évêque de Grenoble, reconnaît l'apparition comme « indubitable et certaine ». *1872* fondation des pèl. nationaux. *1879* (21-8) couronnement de la Vierge. Le Sanctuaire est érigé en basilique. 200 000 v.

Le Laus (Htes-A.) : de 1664 à 1718 : nombreuses apparitions de la Vierge à Benoîte Rencurel (1647-1718). 1666 : église ; érigée en basilique mineure en 1893. Grands pèl. : *lundi de Pentecôte, 15-8, 8-9.* 25 000 pèlerins ; 50 000 v.

Le Puy-en-Velay (Hte-L.) : pèl. à la Vierge Noire. Grande procession le *15-8.* Grand jubilé quand le vendredi saint tombe le *25-3* (dernier 1932, prochain 2005). Statue de N.-D. de France. 140 000 v.

Liesse (Aisne) : à 15 km de Laon. Basilique N.-Dame, fondée 1134. 3 chevaliers d'Eppes, revenus de croisade grâce à Ismerie, musulmane convertie, lui offrent une statue en ébène. Le culte de la Vierge Noire se répand. Devient pèlerinage royal (Charles VI, 1414). Maître-autel noir et or, offert 1601 par Marie de Médicis pour la naissance de Louis XIII. Statue brûlée à la Rév. et reconstituée (en ébène) 1847. Sanctuaire officiel de l'Ordre de Malte. Fêtes mariales, lundi de Pentecôte. 50 000 v.

Lisieux (Calv.) : *dernier dimanche de sept.,* fête de Ste Thérèse de l'Enfant Jésus (Th. Martin, n. 1873, † 30-9-1897 ; béatifiée 1923 ; canonisée 1925). 1 500 000 v.

Lourdes (Htes-P.) : *apparitions* (1858 : 1re 11-2 ; 18e et dernière 16-7) à Bernadette Soubirous (n. 7-1-1844, † 16-4-1879 ; béatifiée 14-6-1925 ; canonisée 8-12-1933). *Principaux pèlerinages : 11-2* fête des App. ; *18-2* Ste Bernadette ; *25-3* Annonciation ; *juin* pèl. militaire international ; *16-7* anniv. de la 18e app. ; *12/16-8* pèl. nat. fr. créé 1873 par des Assomptionnistes et l'Ass. N.-D. du Salut ; *30-8/4-9* pèl. des gitans ; *oct.* pèl. fr. du Rosaire animé par les Dominicains ; *8-12* Immaculée Conception. Pèl. d'un jour, de juillet à sept. ; Festival de Pâques : art et musique sacrés ; Biennale internationale du Gemmail d'art sacré, tous les 2 ans, le lundi de Pentecôte ; Assemblée plénière de l'épiscopat, en nov.

Guérisons miraculeuses : l'Eglise, prudente, suit la codification de 1734 du cardinal Lambertini (futur Benoît XIV). Pour qu'une guérison soit retenue, il faut que l'affection guérie ait une base organique évidente et qu'elle soit grave (les guérisons de maladies mentales ou fonctionnelles ne sont pas retenues) ; que la guérison ait été spontanée, immédiate ; non précédée d'un traitement médical ; qu'elle soit définitive et qu'on puisse faire la preuve certaine de la maladie antérieure (or, souvent le médecin refuse de témoigner). Un nouvel examen d'un cas retenu a lieu pendant plusieurs années avant qu'il soit reconnu en 1re instance par le *Bureau des constats de Lourdes.* En 2e instance, le *Comité médical international* de Lourdes (30 spécialistes) reprend l'étude du cas par l'intermédiaire d'un (ou plusieurs) de ses membres. Après dépôt d'un rapport, il admet, ou non, le caractère inexplicable de la guérison.

Nombre de guérisons enregistrées : environ 12 par an entre 1858 et 1990, 65 reconnues (alors que 5 000 personnes se sont déclarées guéries après un pèl. à Lourdes). La 65e : Delizia Cirolli (n. 16-11-1964) de Paterno, Sicile, guérie d'un cancer au tibia droit le 25-12-1976, après un pèlerinage à Lourdes du 5 au 13-8 (guérison reconnue le 28-7-1980 par le Bureau des constats, et le 26-10-1982 par le Comité médical international). Dep. 1947, le Comité a déclaré « médicalement inexplicables » 29 guérisons sur 56 contrôlées et reconnues par le Bureau Médical. En 3e instance, 19 seulement ont été proclamées miraculeuses par l'évêque du diocèse où résidaient les personnes guéries, après un procès canonique en forme. En juillet 1988 la communauté charismatique du *Lion de Juda,* qui réunissait, du 25 au 30, 20 000 fidèles en pèl., a affirmé qu'une dizaine de ses membres auraient été guéris dont Marielle (Lyonnaise, 40 ans), médecin, atteinte de polyarthrite chronique, et Joseph Charpentier, paralysé par une hernie discale depuis 19 ans. Mais les responsables catholiques de Lourdes demeurent réservés.

Visiteurs : 1990 : 5 500 000 dont 667 994 participants à env. 1 000 pèl. organisés (46 240 pèlerins hospitalisés dont 41 362 arrivés par trains, 2 793 par avions, 2 085 par cars). 673 trains spéciaux pour L. *Source :* débit 17 000 à 72 000 l par j soit 10 par minute l'été et 40 l'hiver. Débit régularisé par 3 réservoirs de 24, 50 et 2 500 m³, construits depuis 1949 (source captée et mise sous plaque de verre). *Bains aux piscines : 1990 :* hommes 140 077, femmes 279 335.

Lyon (Rhône) : *15-8* et *8-9 N.-D. de Fourvière.* Statue miraculeuse : Vierge habillée à l'espagnole, XIIe s. *Quelques dates : 1638* (5-4) vœu de l'Aumône générale (hospice de la Charité) pour obtenir la guérison du scorbut ; chaque année, pèl. des hospices peu après Pâques. *1643* (12-3) vœu des Echevins pour que Lyon soit délivrée de la peste (ce qui arriva) : chaque année, le 8-9, pèl. de la municipalité. *1852* (8-12) inauguration de la Vierge dorée sur le clocher de la vieille chapelle et 1res illuminations (depuis le 8-12, les Lyonnais illuminent, notamment avec des lampions). *1872-84* construction de la basilique. *1986* (5-10) visite de Jean-Paul II. 1 200 000 v.

Magné (D.-S.) : *6-7.* Dep. le Xe s. pèl. de Ste Macrine, patronne du Marais poitevin et des moissonneurs.

Maillane (B.-du-Rh.) : délivrance du choléra 1854.

Marseille (B.-du-Rh.) : *N.-D. de la Garde* (ermitage fondé par Maître Pierre, prêtre en 1214) ; *v. 1400* nouvelle chapelle ; *1544* chap. dite « Renaissance ». *1853-64* construction de la basilique (consacrée 4-6-1864) ; statue au-dessus de la tour à 60 m du sol [cuivre fixé par galvanoplastie et recouvert de feuilles d'or ; 9,70 m, 9 796,6 kg, bénite en 1870]. *15-8* f. patronale. 1 600 000 v.

Mont Saint Aignan (S.-M.) : Chapelle Ste Marie. *7-10* pèl. de Ste Rita. *21-10* pèl. de Ste Thérèse de l'Enfant Jésus. Pèl. mensuel à la Vierge miraculeuse.

Mont-St-Michel (Manche) : lieu de culte antique, christianisé au VIe s. *709,* sur demande de l'Archange St Michel, l'év. d'Avranches Aubert construit la 1re chapelle. *966,* après les invasions normandes, les bénédictins y fondent un monastère qui se développera jusqu'au XVIe s. et se maintiendra jusqu'à la Révolution. *Xe-XIVe s.* édification de magnifiques bâtiments dont « la Merveille » avec l'église abbatiale. *Grands pèl. : début mai* (St-Michel du Printemps) ; *juil.* (à travers les grèves, à partir de Genêts) ; *29-9 et dim. le plus près du 29-9* Grande Fête St-Michel ; *16-10* (dédicace du Mont). 2 500 000 v.

Mont-Sainte-Odile (Bas-Rhin) : Ste Odile est la patronne de l'Alsace. *Fêtes principales : 13-12* (anniv. de Ste O.), *1er dim. de juil.* (translation des reliques après la Révolution et Anniversaire de l'Adoration perpétuelle). 1 000 000 de v.

Myans (Savoie) : Vierge noire. 1248 un éboulement, venu du Mt Granier, s'arrête au pied d'un oratoire de la Vierge. Pèlerinage régulier dep. le XIVe s. ; *1er dim. de juil.* (malades) ; *1er dim. de sept.* (familles) ; *7-8 :* fête patronale. 100 000 v.

Nevers (Nièvre) : *18-2* Ste Bernadette Soubirous [la voyante de Lourdes (1844-79), devenue religieuse de la congr. de Nevers en 1866 ; le corps (exhumé les 22-9-1909/3-4-1919 et 18-4-1925) s'est conservé intact. Déposé dans une châsse à St-Gildard, exposé avec une légère couche de cire sur visage et mains]. 350 000 v.

Orbey (Ht-Rhin) : *N.-D. des Trois Épis,* 1491 app. à un forgeron.

Ornans (Doubs) : *N.-D. du Chêne.* 1803 app. à Cécile Mille (13 ans).

Paray-le-Monial (S.-et-L.) : *juin,* fête du Sacré-Cœur ; juillet-août, sessions du Renouveau charismatique ; *16-10* Ste Marguerite-Marie Alacoque (n. 1647, † 17-10-1690 ; canonisée 13-5-1920) ; basil. romane du XIIe s., prieuré bénédictin (basil. du Sacré-Cœur) ; chapelle de la Visitation (châsse de Ste M.-M) ; La Colombière [châsse de Claude La Colombière, jésuite (1641-82 ; béatifié 1929), confesseur de Ste M.-M., promoteur du culte du Sacré-Cœur]. 500 000 v.

Paris : **Montmartre** (Sacré-Cœur) : basilique construite sous la direction de Paul Abadie (1812-84 ; restaurateur de St-Front de Périgueux) en exécution d'un Vœu national en l'honneur du Cœur du Christ (1870). Adoration perpétuelle du Christ dans l'Eucharistie et intercession pour la France, l'Église et le monde, de jour et de nuit : 12 000 participants. 6 000 000 de v. *Tous les 1ers vendredis à 15 h,* messe d'adoration. *Fêtes principales :* S.-C. en juin (3e jeudi, vendr. et dim. après Pentecôte, bénédiction extérieure de Paris le dim.) ; Christ-Roi (dernier dim. de nov.) ; vendredi saint et Pâques. **N.-D. des Victoires :** édifiée par Louis XIII en remerciement de sa victoire sur les protestants. **St-Étienne-du-Mont :** *du 3 au 12-1,* neuvaine de Ste Geneviève, patronne de Paris. **Médaille miraculeuse :** 2 100 000 v. en 1190 : rayonnement internat. (140, rue du Bac, Paris 7e) : *19-7* anniv. de la 1re app. de la Vierge (1830) à Ste Catherine Labouré [(1806-76 ; canonisée 1947) ; *27-11* anniv. de la 2e app. avec demande de faire frapper une médaille. (Médailles diffusées : janv. 1834 : 50 000 ; déc. 1834 : 500 000 ; 1835 : 10 millions ; 1842 : 100 millions ; 1876 : 1 milliard)]. **Ste-Rita :** *10-3* fête du pèlerinage de St-Benoît.

Pellevoisin (Indre) : 5 app. de la Vierge entre 14-2 et 19-2-1876 à Estelle Faguette, employée dans la famille La Rochefoucauld ; répandra la dévotion du scapulaire le 9-9. Guérison d'Estelle : reconnue par l'archevêque de Bourges le 4-9-1983. Puis 10 apparitions du 1-7- au 8-12-1876. *Pèlerinage : 1er week-end de sept.* 15 000 v., surtout avril-nov. Archiconfrérie N.-D. de Miséricorde érigée 1894 (approuvée par Léon XIII, 4-4-1900). Monastère de dominicaines contemplatives, construit 1893, avec le sanctuaire (chambre d'Estelle) comme chapelle.

Pontchâteau (L.-A.) : Calvaire 200 000 v. Tous les dimanches de sept. Construit 1709 par St-Louis-Marie de Montfort, détruit 1821 sur l'ordre de Louis XIV et reconstruit en 1821.

Pontmain (May.) : 17-1-1871, app. de la Vierge à Eugène Barbedette (1858-1927) 12 ans ; Joseph, son frère (1860-1930) 10 a. ; Françoise Richer (1860-1915) 11 a., et Jeanne-Marie Lebossé (1861-1933) 10 a. Un message s'inscrit dans le ciel : « Mais priez mes enfants, Dieu vous exaucera en peu de temps. Mon fils se laisse toucher. » *1872-2-2* l'év. de Laval, Mgr Wicart, a reconnu l'authenticité de l'apparition. *1873-88* sanctuaire construit. *24-7-1934* cour. de la Vierge. *Fêtes principales : 17-1* (anniv. de l'app.). *Ascension, 15 août, sept.* (pèl. des malades). *Chaque mardi juill. et août.* 300 000 v.

Rocamadour (Lot) : pèl. à la Vierge noire depuis le haut Moyen Age. *1166 :* découverte du corps intact de « l'ermite Amadour » (Zachée ?). *1172 :* le Livre des Miracles de N.-D. de Rocamadour, conservé à la B. N., mentionne des pèlerins d'Esp., d'It., d'All., d'Angl., des P.-Bas, du Proche-Orient, etc. *XIIe-XIIIe s. :* les Bénédictins construisent chapelles et monastères, organisent des étapes sur le chemin de St-Jacques ainsi qu'une rayonnante confrérie. Trouvères et troubadours chantent la Dame de Rocamadour (Durandal fichée dans le rocher rappelle la Chanson de Roland). Pèlerins attestés : St Bernard, St Dominique, St Engelbert de Cologne, Raymond Lulle, St Antoine de Padoue, Henri II Plantagenêt, Blanche de Castille, St Louis, Philippe le Bel, Louis XI, etc. *1545* Jacques Cartier invoque N.-D. de Rocamadour et implante son culte au Canada. Pèl. diocésain : semaine du *8-9.* Ascension du Grand Escalier (223 marches) et chemin de croix dans la montagne. Visiteurs : 1 000 000.

Ronchamp (Hte-Saône) : pèl. dep. Moyen Age. Église détruite 1913, rebâtie, détruite 1944 ; reconstruite par Le Corbusier 1955. 120 000 v.

St-Josse-sur-Mer (P.-de-C.) : St-Josse, *dim. de la Pentecôte au dim. de la Ste-Trinité.*

Ste-Anne-d'Auray (Morb.) : du *7-3 au 1er dim. d'oct. ;* grand pardon *26-7,* Ste Anne, mère de la Vierge et patronne de la Bret. 1623-25 apparitions de Ste Anne à Yvon Nicolazic. Le 7-3-1625 il découvre une statue de Ste A. et construit un sanctuaire (démoli 1865, remplacé par basilique 1872). Au sommet (70 m) statue de Ste Anne en bronze (6,50 m) de Bizette-Lindet (1972). Autre statue en granit (5,40 m) dans le parc. 1 000 000 v.

Ste-Baume (Var) : pèl. séculaire à Ste-Marie-Madeleine (patronne de la Provence) qui aurait séjourné à la grotte après avoir débarqué aux Stes-Maries-de-la-Mer et prêché à Marseille et à Aix-en-Pr. Ses reliques sont dans la crypte de la basilique de St-Maximin (XIIIe s.). 500 000 v. *Fêtes principales : lundi de Pentecôte, le 22-7 et Noël.*

Saintes-Maries-de-la-Mer (B.-du-Rh.) : *24/25-5* (80 000 pèlerins dont 15 000 gitans) et avant-dernier dim. d'oct. ; procession à la mer. Culte de Ste Marie Jacobé, Ste Marie Salomé (mères d'apôtres) et de Ste Sara, patronne des gitans (crypte). Église romane IXe et XIIe s. : 1 200 000 v.

St-Omer (P.-de-C.) : N.-D. des Miracles. Chapelle et statue de la Vierge à l'Enfant (XIIIe s.). *Neuvaine du 20-9 au 27-9* et pèlerinage le dernier dimanche de sept. Ostension d'un fragment du voile de la Ste Vierge le *14-7.* 10 000 v.

Sarrance (Pyr.-Atl.) : *15-8,* N.-D. de Sarrance. Ancien couvent de Prémontrés (XIVe s.). Culte marial (dévotion de Louis XI). 10 000 v.

Sion (M.-et-M.) 300 000 v.

Thierenbach (H.-Rh.) : Pèl. de Notre-Dame de l'Espérance dep. XIIe s. Toute l'année. Sanctuaire construit 1723. 300 000 v.

Tilly-sur-Seules (Calv.) : du 18-3 au 26-7-1896, apparitions aux enfants de l'école du Sacré-Cœur et aux 3 religieuses, puis nombreuses apparitions à Marie Martel († 1913) jusqu'en 1899. *Chaque diman-*

che à 15 h récitation du rosaire à la chapelle de la Reine-du-Très-Saint-Rosaire au champ des apparitions. *15-8* vœu de Louis XIII.

Tours (I.-et-L.) : *11-11 et dim. suivant :* basilique (construite 1885-1902), renferme le tombeau de St Martin († 397) (retrouvé 14-12-1860 à *Marmoutier,* à 2 km de Tours, vestiges de l'abb. fondée par St Martin).

Vieux-Marché (C.-d'Armor) : pèl. islamo-chrétien des 7 *Saints dormants d'Éphèse*, créé 1954, commémore la légende des saints endormis dans une grotte d'Éphèse sous la persécution de Dèce (250) et réveillés sous Théodose II (401-450). 5 000 v. [la grotte existe toujours à Éphèse, les musulmans ont également une légende similaire : Er Raqīm, à *El Kahf* (« la Grotte ») près d'Ammān (Jordanie)]. *Fête :* 4e dimanche de juillet.

A l'étranger

• Argentine. **Luján :** *8-5.* **Mendoza :** *8-9,* N.-D. du Carmel de Cuyo (centre marial : le *11-2,* fête l'apparition de Lourdes). **Santos Lugares :** *11-2* reproduction grotte et sanctuaires de Lourdes ; 2 000 000 v.

• Belgique. **Beauraing** (250 000 v.) : *22-8* pèl. d'été, solennité du Cœur Immaculé de Marie. Apparitions de la Vierge du 29-11-1932 au 3-1-1933. Parmi les 5 voyants, 3 sont encore en vie. Dans le voisinage, église de Foy-N.-D. (Dinant) et basiliques de N.-D. de Walcourt et de St-Hubert : pèl. séculaires. **Banneux :** 8 apparitions du 15-1 au 2-3-1933 à Mariette Beco (12 ans). Pèl. : *15-8* (600 000 v.). L'Église a reconnu l'authenticité des apparitions de Beauraing et de Banneux. **Montaigu** (1 700 000 v.).

• Bolivie. **Copacabana, Cochabamba, Potosi, Santa Cruz, Tarija.**

• Canada. **Ste-Anne-de-Beaupré** (1 500 000 pèler. de mai à oct.) : Ste Anne est la patronne du Québec. 1re chapelle érigée 1658. Basilique actuelle 1922. **N.-D. du Cap de la Madeleine** (Québec) : Madone nationale. Chapelle construite 1714, grande basilique 1964 (800 000 v.) : de mai à fin sept., 15-8 Assomption. 22-6-1888 l'animation de la statue de N.-D. du Cap. **St-Joseph-du-Mt-Royal :** oratoire St-Joseph constr. 1904, crypte 1917-18, rang de basilique mineure 1955 ; gde basilique 1924-66 [(carillon de 56 cloches) ; 2 000 000 v.].

• Colombie. **Chiquinquira :** *9-7* anniv. du couronn. et *26-12* anniv. de l'app. de N.-D.

• Espagne. **Montserrat** (950 000 v.) : *11-9.* **Saragosse :** *12-10* N.-D. du Pilar. **Guadalupe :** *8-12* (fête de la Vierge) et *12-10* (fête de « la Hispanidad »).

St-Jacques de Compostelle. *Origine :* St Jacques le Majeur (frère de St Jean) serait venu évangéliser l'Espagne, puis rentré au Moyen-Orient, aurait été martyrisé. Ses disciples auraient mis son corps dans une barque qui l'aurait conduit au rio Ulla où il aurait été vénéré jusqu'au IIIe s. puis oublié jusqu'à ce qu'on le retrouve en 814 grâce à une étoile se tenant audessus du tombeau et délimitant le *campus stellae* (champ de l'étoile = Compostelle). Les pèlerins se regroupaient dans des sanctuaires précis (St-Jacques de la Boucherie à Paris, La Madeleine à Vézelay, Soulac pour les Anglais). Le 1er qui apercevait Compostelle était appelé Roy et pouvait garder ce nom toute sa vie et le transmettre. Il était vêtu d'une pèlerine, du galerus (chapeau à larges bords), tenait un bourdon (bâton) et arborait une coquille à l'imitation des pèlerins revenant de Jérusalem, qui ornaient leur chapeau de coquilles. Les coquilles naturelles furent concurrencées par des capsules en plomb ou en étain, vendues aux pèlerins. On utilisa des capsules d'argent pour verser l'eau du baptême, on donna la forme de grandes coquilles à des bénitiers. *Visiteurs :* 500 000 par an, 2 500 000 lors des années saintes. **Palmar de Troya à Alcaparrosa :** interdit le 8-5-1970 par l'év. de Jaén.

• Irlande. **St Patrick :** *1-6/15-8* caverne de Lough Derg (Donegal) ; Croagh Patrick (comté de Mayo) ; dernier dim. d'août.

• Israël (et territoires administrés). *V. 130* JÉRUSALEM : fréquenté. *135* le Capitole (l'« Aelia Capitolina », avec autels à Jupiter Capitolin et à Vénus sur le Golgotha) couvre St-Sépulcre et Golgotha pour empêcher les chrétiens d'y aller en pèlerinage. *326* pèlerinage de Ste-Hélène, mère de l'empereur Constantin. On dira plus tard qu'elle y a retrouvé la vraie croix du Christ. Destruction du Capitole et construction d'un ensemble architectural dont la basilique de l'Anastasis, par Zénobis, architecte de Constantin. *333* 1er guide de pèlerinage écrit par un Bordelais *Itinerarium Burdigala Jerusalem usque.* *386* St Jérôme s'installe à Bethléem et y travaille jusqu'à sa mort (420). *613* Chosroes (Perse) prend Jérusalem. *614* destruction de la basilique d'Anastasis. *626* nouvelle basil., du St-Sépulcre. *636* Omar et Islam prennent la Palestine. *800* Haroun Al-Rachid cède le St-Sépulcre à Charlemagne. *1009* Hakim, « le calife fou », persécute pèlerins. *1033* 1er millénaire de la mort du Christ, foule de pèlerins. *1050* nouvelle basil. *1078* les Turcs « bloquent » les Lieux saints. *1095* Urbain II prêche la 1re croisade. *1099* Godefroy de Bouillon proclamé roi à Jérusalem. *1130* nouvelle basil. *1187* défaite des croisés à Hittin, Saladin reprend Jérusalem. *1228-29* Frédéric II rend Jér. aux Francs. *1229* Musulmans reprennent Jér. *1244* les Korasmian s'établissent à Jér. *1342* les Franciscains. *1453* les Turcs prennent Constantinople. *1536* la France protectrice des Lieux saints. *1808* incendie de la basil. du St-Sépulcre. *1810* recontruction. **Lieux saints.** *St-Sépulcre. Cénacle* (lieu de la dernière Cène, basilique du IVe s., restaurée par les Croisés, entretenue par les Franciscains dep. 1524). *Via Dolorosa* [chemin de Croix du lieu de la Flagellation au St-Sépulcre : 14 « stations » ; procession vendredi et j de grandes fêtes chrétiennes (Vendredi Saint, Rameaux, etc.) dep. 333] ; *Jardin des Oliviers* (agonie de Jésus). *Églises :* Dominus flevit, St-Pierre en Gallicante, la Dormition (basilique).

AUTRES LIEUX : **Ain Karem** (Visitation), **Tabga** (lieu de la Multiplication des pains), **Nazareth** (basilique et crypte de l'Annonciation ; maison de la Ste Famille), **Mt Carmel** (tombeau du Prophète Elie), **Mt des Béatitudes** (env. de Capharnaüm), **Mt Thabor** (Transfiguration), **Carpharnaüm** (séjour de Jésus), **Bethléem** (basilique et crypte de la Nativité, champs des Bergers), **Cana** (premier miracle de Jésus), **Magdala** (ville de Madeleine).

• Italie. **Assise :** *Basilique St-François* (patron de l'Italie) : tous les vendr. et sam. de Carême (févr.-mars), *offices des Corda Pia*, commém. de la mort de Jésus et de St Fr. *3/4-10* fête solennelle de St Fr. *Basil. Ste-Claire 22-6* et sanctuaire St-Damien, fête du miracle (libération des Sarrasins), *12-8* Ste Cl., *14-9* fête du Crucifix qui parla à St François. *Cathédrale St-Rufin :* jeudi saint, cérémonie de la Déposition (dep. XIVe s.), *11-8* St Rufin, patron de la ville. *Basil. de N.-D.-des-Anges* [à 5 km, appelée aussi *Portioncule*, « petite portion », nom d'une petite chapelle choisie par St François comme centre de la communauté franciscaine]. Fête-Dieu et octave : processions. *1/2-8* : Solennité du Pardon, instituée par St François (indulgence plénière concédée à perpétuité). *3-10 :* commémoration du « Transitus » de St François. *Égl. Ste-Marie-Majeure* (ancienne cathédr.). *15-8* Assomption.

Lorette : *7/8-9* nativité de la Vierge et *10-12* translation (1294) de la Santa Casa (maison de la Vierge à Nazareth, selon la tradition populaire, transportée par les Anges (en fait par bateau, à l'initiative de Nicephore Ange, despote de l'Épire). 3 500 000 v.

Naples : miracle de St Janvier, *19-9* (date de son martyre, v. 305) ; samedi précédant le 1er dim. de mai (translation des reliques à Naples) : la liquéfaction du sang coagulé de St Janvier se répète 8 j successifs après ces 2 dates, au cours d'une série d'« ostensions » (en moyenne 17 fois par an) face à une grande foule. *16-12,* commémor. de l'éruption du Vésuve. Ostensions aussi lors de calamités ou de visites de personnages illustres. Le sang, contenu dans 2 ampoules hermétiques disposées dans un ostensoir, se liquéfie en changeant de couleur, poids et volume (du simple au double). D'après les analyses spectrographiques de 1902 et de 1989, il s'agit bien de sang, mais l'église ne s'est pas prononcée sur le caractère miraculeux du fait. On a parlé d'une substance chimique mise au point au XIVe s., capable de se modifier en passant d'un endroit sec et obscur (niche) à un endroit illuminé, saturé de vapeur par la présence d'une foule. Mais le sang se liquéfie dans la niche, avant les ostensions. *1er miracle. 1631* (16-12) éruption du Vésuve (4 000 † mais Naples fut épargnée). *1931* (tricentenaire de l'éruption du Vésuve), durée de la liquéfaction : 1 an. *1971* (mai) : 8 j (toute l'octave). Les Napolitains comptent sur 3 liquéfactions annuelles, principalement le 16-12 (ce fut le cas en 1986).

Padoue : basilique (XIIIe s.) contenant le tombeau de St Antoine (1195-1231) et sa langue incorrompue. 3 500 000/4 000 000 de v. Dévotion centrée sur la Pénitence, l'Eucharistie, les requêtes (objets perdus, peines de cœur, réussite aux examens). Milliers d'exvoto. Mensuel *Messager de St Antoine* en 6 langues avec 1 300 000 abonnés.

Rome : catacombes, tombeau de St Pierre, Madonna del Divino Amore (env. de Rome), basiliques des Jubilés (voir plus loin).

• Jordanie (Voir partie occupée par Israël.).

• Mexique. **Guadalupe-Hidalgo :** *12-10, 9-12* anniv. de l'apparition.

• Pologne. **Czestochowa :** Yasna Gora. Vierge noire, patronne de la Pol. : icône offerte à des moines paulins (ordre de St Paul ermite), venus de Hongrie pour le Pce Ladislas Opolczyk, en 1382, qui bâtit un cloître. *1656 :* la Vierge reçoit le titre de « Reine de Pol. ». *1918 :* après le rétablissement de l'indép., env. 1 000 000 de v. par an. *1945-56 :* interdiction de tout pèlerinage. *1978 :* regain de ferveur après l'él. de Jean-Paul II (4 000 000 v. en 1989).

• Portugal. **Fatima :** *1917 :* 13-5 Lucie dos Santos, 10 ans (devenue carmélite), François Marto, 9 ans († 4-4-1919) et Jacinthe Marto, 7 ans († 20-2-1920) voient sur un chêne vert la Vierge qui leur demande de venir 5 fois, les mois suivants, à midi. 13-7 elle promet un grand miracle « pour que tout le monde croie ». 13-10 6e et dernière apparition : « danse du soleil » devant 70 000 personnes env. La Vierge parle aux enfants du retour aux Commandements de Dieu et à l'Évangile. Les justes sont invités à faire pénitence pour les pécheurs, afin de les préserver de l'enfer et d'obtenir la paix du monde et la conversion de la Russie. *1929* 13-6, la Vierge réapparaît à Lucie à Tuy (Esp.) et lui dit de demander la consécration de la Russie au Cœur immaculé de Marie. *1942* Pie XII procède à cette consécration (sans nommer la Russie, à cause de la g. germano-russe). *1982 :* 13-5 Jean-Paul II la renouvelle à Fatima et le 25-4-1984, à Rome.

• Tchécoslovaquie. **Levoca :** *4/5-7.*

• Turquie. **Ephèse :** *22-6* anniv. du Concile de 431 qui proclama Marie Mère de Dieu. Maison de la Vierge (Panaya Kapulu), découverte en 1881 à 2 lieues d'Éphèse par un prêtre français, l'abbé Gouyet, d'après les révélations de la visionnaire allemande Catherine Emmerich (1774-1824), rédigées par Clemens von Brentano (1768-1842) et publiées en 1833. Il organisa un pèl. devenu populaire malgré des objections (1° son livre est fantaisiste, 2° Marie serait morte à Jérusalem où l'on vénère son tombeau vide). Paul VI et Jean-Paul II se sont rendus à Ephèse, précisant que leur dévotion s'adressait à la ville où Marie avait été déclarée « Mère de Dieu » par l'Eglise Universelle. *Assomption :* pèl. à la Maison de la Vierge où Chrétiens et Musulmans se rejoignent pour une même vénération.

Années saintes et jubilés

Jubilé. De l'hébreu *Jobel,* corne de bélier avec laquelle on annonçait la fête. Selon la loi de Moïse, chaque cinquantième année (« 7 semaines d'années »), appelée année de rémission, était consacrée à Dieu. Chacun rentrait dans son héritage ; les dettes, fautes, peines étaient remises, les esclaves rendus à la liberté, le travail des champs suspendu et la terre laissée en repos.

Périodes d'un an, pendant lesquelles l'Église encourage les pèlerinages à Rome, en accordant une indulgence plénière aux pèlerins. En 1300 Boniface VIII institua le 1er jubilé chrétien sous forme *d'année sainte.* Ces années jubilaires devaient revenir tous les 100 ans, mais dès 1350, on décida 50 ans ; en 1389, 33 ans ; en 1470, 25 ans. Il y a donc en principe 4 *jubilés ordinaires* par siècle, aux années 00, 25, 50, 75. Les années saintes sont des *jub. extraordinaires,* proclamés en dehors du rythme des 25 ans (par ex. : 1933, 19e centenaire de la mort du Christ ; 1958, centenaire des apparitions de Lourdes ; 1983, du 25-3-1983 au 22-4-1984 pour le 1 950e anniversaire de la mort du Christ). En 1951, l'année jub. a été prolongée d'un an par Pie XII. Depuis 1500, l'indulgence plénière n'était accordée qu'aux pèlerins qui allaient prier successivement dans les 4 basiliques « majeures » de Rome : St-Pierre, St-Paul-hors-les-Murs, St-Jean-de-Latran, Ste-Marie-Majeure. Dep. 1950, on peut l'obtenir dans tous les pays, en visitant une église désignée par les évêques l'année suivant l'année sainte. En 1973 (en prévision du jubilé de 1975), il a été décidé que les indulgences plénières pourraient être obtenues loin de Rome au cours de l'année précédant le jubilé (1974). Une fois l'année sainte proclamée, toutes les indulgences se gagnent à Rome. *Dernière année sainte ordinaire :* 1975 8 700 000 v. à Rome. *Prochaine :* an 2000. *Jubilés de caractère national :* durée limitée [ex., en France, on en a connu 7 (1596, 1669, 1745, 1801 Concordat, 1896 14e centenaire du baptême de Clovis, 1938 3e centenaire du vœu de Louis XIII, 1958 centenaire des apparitions de Lourdes].

☞ *Années mariales :* Voir p. 501 b.

Apparitions récentes

☞ Selon les experts de la 42e semaine mariale (Saragosse, sept. 1986), il y a eu 21 000 apparitions de la Vierge depuis l'an 1000. 230 ont été recensées depuis 1939. De 1928 à 1971, il y eut 220 manifestations que l'Église a refusé de reconnaître. En 1940, 100 apparitions furent signalées (mais non reconnues). *Dernières apparitions reconnues par l'Église catholique :* Beauraing (Belg., 1932) reconnue 1943, Banneux (Belg., 1933) reconnue 1949, Betania (Venezuela, 1976) reconnue 21-11-1987 par Mgr Pio Bello Ricardo, évêque de Los Teques.

Principales apparitions depuis 1931

Année. Lieu. Voyants. Décision des autorités religieuses. (1 : reconnu. 2 : non reconnu. 3 : décision en suspens).

Allemagne : *Fehrbach* (1949, 1 fille 12 a.)[2] ; *Forstweiler* (1947/49, 1 fille, 8 ap.)[2] ; *Heede* (1937, 4 filles 13-14 a.) ; *Heroldsbach* (1949/50, 4 filles, puis d'autres enfants)[2] ; *Pfaffenhofen* (1946, 1 j. fille 22 a., 2 ap.)[3]. **Autriche :** *Aspang* (1948, 1 homme 61 a.)[2]. **Belgique :** *Banneux* (1933, 1 fille 12 a., 8 ap.)[1] (1949) ; *Beauraing* (1932, 2 garçons, 3 filles)[1] (1943). **Brésil :** *Urucaina* (1947/51, 1 religieuse)[3]. **Égypte :** *Zeitoun* (1968, depuis 7 mai, foule)[2]. **Espagne :** *Codosera* (1945, 1 fille 10 a., puis 100 pers.)[3] ; *Ezquioga* (1931, 2 enf., puis 150 pers.)[2] ; *Garabandal* (1965, 4 filles)[2] ; *Palmar de Troya* [1968, 3 fillettes, Josefa, Rafaela, Ana (voir p. 498 c)][2]. **États-Unis :** *Bayside* (banlieue de New York) (dep. le 18-6-1970, pendant 8 ans : Veronika Lueken, n. 1923, Portoricaine illettrée, mère de 5 enf.)[2]. **France :** *Athis-Mons* (1950, des adultes)[2] ; *Bouxières-aux-Dames* (1947, 1 prêtre et des adultes)[2] ; *Dozulé* (Madeleine Aumont aurait vu le Christ avec sa croix de 1972 à 1982) au lieudit la « Haute-Butte ». Le 19-12-1985, Mgr Badré, évêque de Bayeux et Lisieux, a conclu à l'inauthenticité et interdit tout acte cultuel[2] ; *Englancourt* (1955, 2 enfants)[2] ; *Entrevaux* (1953, public, le doigt de Ste Anne saignait : la supercherie fut ensuite reconnue)[2] ; *Ile-Bouchard* (L') (1947, plusieurs enfants)[3] ; *Kerizinen* (Fin.) (1968, 1 femme, les app. durent depuis 28 ans)[2] ; *Montpinchon* (Manche) (1984 : 2 garçons 3 a. artistes de cirque ambulant, puis 1 mère de 9 enf.)[3] ; *Rinxent* (1953, 2 garçons, 1 fille, 1 vieille dame)[2]. **Hongrie :** *Hasznos* (1949, la foule)[2]. **Italie :** *Assise* (1948, la foule : « La Vierge qui bouge »)[2] ; *Bergame* (1944, 1 fille 7 a., 12 ap)[2] ; *Gimigliano* (1948, 1 fille 13 a.)[2] ; *Roma Tre Fontane* (1947, 1 homme 34 a. et 3 enf.)[3] ; *San Damiano* [16-10-1964, 1 femme mère de 3 enf., Rosa Quatrini, née Buzzini (un poirier déjà chargé de fruits se couvre de fleurs ; la Vierge Marie y apparaît plusieurs fois) ; à sa mort (1981), Rosa laisse à l'Église un complexe hospitalier de 44 ha, valant 25 millions de F [2] ; malgré la condamnation, des milliers de pèl., surtout français ; *Pie XII* (1954, 2 ap., phénomène semblable à ceux de Fatima). **Irlande :** *Melleray* (1985)[3]. **Pays-Bas :** *Amsterdam* (1968)[2]. **Philippines :** *Lipa* (1948, 1 j. fille 19 a.)[2]. **Pologne :** *Lublin* (1949, la foule « La Vierge qui pleure »)[2] ; *Varsovie* (1959, public)[2]. **Roumanie :** *Cluj* (1948, la foule)[3]. **Rwanda :** *Kibého* (dep. 28-11-1981, 7 voyants (1 garçon et 6 filles), dont Alphonsine Mumureke 21 a., qui a revu la Vierge chaque année le 28-11, de 1982 à 1986)[3]. **Sicile :** *Acquaviva Platani* (1950, 1 fille 12 a., 7 ap.)[3]. **Tchécoslovaquie :** *Turczovka* (1958, 2 hommes)[2]. **Venezuela :** grotte de Betania *(Cua)* (dep. 25-3-1976 à Maria Esperanza Medrano Bianchini, puis à plusieurs centaines de personnes). **Yougoslavie :** *Medjugorjé* [dep. 24-6-1981, 4 filles (Vicka, Marija, Mirjana, Ivanka) et 2 garçons (Ivan, Jakov) de 10 à 16 ans, 2 autres j. filles du village disent entendre la voix de la Vierge.][2,3]. De 1981 à 1984 env. 8 millions de visiteurs. En 1988, Medjugorjé a rapporté 100 millions de $ en devises à la Youg.

Reliques

• **Origine du culte.** Né de l'habitude de célébrer la messe sur le tombeau d'un martyr (catacombes de Rome, au IIIe s.). En Afrique, dès le IVe s., les reliques des martyrs sont l'objet d'un culte privé (on les porte sur soi, dans des boîtes de fer). Au VIe s., à Rome, on prescrit d'inclure des ossements de martyrs dans les autels destinés à la célébration de la messe, pour que ces autels puissent être assimilés à un *martyrium* (en français « martroi », lieu de culte).

Malgré les critiques [notamment des protestants comme Calvin qui en 1543 dans le *Traité des Reliques* dénonça la multiplication des mêmes objets dans des endroits différents (14 clous de la Croix, 4 couronnes d'épines, etc.)], l'Église n'a pas interdit cette dévotion mais simplement édicté des règles (reprises dans le Code canonique ; can. 1281-89) et interdit le trafic des reliques (can. 2326).

• **Commerce.** Au début, les Églises comptant des martyrs envoyaient gratuitement des reliques à celles qui n'en avaient pas. Les besoins augmentant, les Églises occidentales enverront à Rome, du VIe au IXe s., des centaines de pèlerins qui achèteront les ossements (de chrétiens anonymes ou sans notoriété), retrouvés en masse dans les catacombes. Après le IXe s., on exigea de plus en plus de reliques de saints célèbres (ossements ou autres souvenirs).

Le centre du commerce passa à Constantinople, où des spécialistes fournissaient des pièces (beaucoup seront considérées plus tard comme douteuses). A l'abbaye bénédictine de *Corbie* (Somme), on trouvait ainsi des reliques de *Jésus* (sang, cheveux, morceaux de son cordon ombilical, de la crèche, de sa serviette d'enfant, de sa croix, de son tombeau et de ses vêtements, des pains multipliés au désert) ; *de la Vierge* (gouttes de son lait, cheveux, morceaux de son manteau et de son voile) ; *de St Pierre* (cheveux et barbe, fragments de sa croix, sandales, table, poussière de son tombeau) ; *de Marie-Madeleine* (cheveux et portion des parfums) ; *de Zacharie,* père de J. Baptiste (os) ; *de J. Baptiste* (vêtements) ; *de Noé* (poils de barbe).

• **Reliques encore vénérées à l'époque moderne. Christ.** *Colonne de la flagellation* à Ste-Praxède de Rome. *Couronne d'épines* venant de la Ste-Chapelle de Paris. *Fragments de la Croix :* Paris (N.-D.), Troyes, Baugé, etc. *Clou de la crucifixion* dans la « couronne de fer » des rois d'Italie à Milan (cathédrale). *Prépuce* (provenant de St-Jean de Latran à Rome) à Calcata, près de Viterbe (volé en 1983). *Autres reliques rappelant la circoncision* (et appelées « Sainte Vertu » ou « Saint Nom ») : linges maculés de sang : abbaye de Coulombs (E.-et-L.), abbaye de Charroux (Poitou : retrouvée en 1856, actuellement à la cathédrale de Poitiers), Hildesheim (All.), Anvers (Belg.). *Crèche* à Ste-Marie-Majeure (Rome). *Cruche de Cana* à St-Denis. *Larmes versées* par le Christ sur Lazare, à Vendôme.

Vierge. *Cierge* (fragments) à N.-D.-des-Ardents à Arras.

St Jean Baptiste. *Doigts* 3 à St-Jean-de-Maurienne (cathédrale). 1 à St-Jean-du-Doigt, près de Morlaix. *Tête* (fragments) à St-Jean-d'Angely (Ch.-Mme) : dans la cath. d'Amiens ; mâchoire cath. de Verdun. **Apôtres.** *St Pierre. [Chaînes* de son cachot, à St-Pierre-des-Liens, (Rome). *Reliques* à St-Sernin (Toulouse)]. *Philippe, Jacques le Majeur, Simon, Jude, Paul* à St-Sernin. **Divers.** *Écaille de la lèpre* du Lépreux à St-Denis, *ceinture de Ste Marguerite* à St-Germain-des-Prés.

• **Saint suaire. Cadouin** (Dordogne). Petite pièce d'étoffe (suaire de la tête). Rapportée de Terre Sainte par Adhémar de Montel, év. du Puy († en mer, au retour de la 1re croisade, v. *1105*). *1114* donné aux cisterciens de C., qui construisent une égl. pour l'abriter (consacrée 1154). *1345* le pape Clément VI accorde une indulgence aux pèlerins. *1935* identifié comme tissu musulman du XIe s., culte interrompu.

Turin. *Description :* toile de lin de 4,36 × 1,12 m, filée et tissée à la main en sergé à chevrons côtelé 3-1, avec 2 silhouettes d'un brun rougeâtre d'un homme vu de dos et de face, de type caucasien, mesurant 1,80 m et pesant 80 kg. L'empreinte reflète les tourments subis : couronne d'épines, flagellation du flagellum romain, blessure de lance dans la poitrine, clous dans les poignets (avec mouvement réflexe du pouce recroquevillé sous les doigts), écorchures aux genoux, clous dans les pieds, position du corps due à la crucifixion ; 16 détails concordent avec les évangiles, notamment : 1°) les jambes ne sont pas brisées ; 2°) les bords du visage ne sont pas gravés sur l'étoffe (il y avait un 2e linge autour de la mâchoire) ; 3°) le mort a eu, appliquées sur ses paupières, 2 pièces de monnaie qui y ont laissé leur empreinte ; ces monnaies sont des oboles de bronze palestiniennes datant des années 29 à 32 apr. J.-C. (procuratorat de Ponce Pilate) ; les Juifs avaient coutume de placer des monnaies dans les orbites des morts ; 4°) seule la surface de l'étoffe a été impressionnée.

Histoire : 1204 pillage de Constantinople, les templiers prennent le suaire et l'amènent en Europe (pas de certitude historique avant 1353). *1353* Geoffroy, 1er cte de Charny (neveu de Geoffroy de Charny, templier exécuté sur le bûcher), le donne aux chanoines de Lirey (près de Troyes). *1357* l'évêque de Troyes, Henri de Poitiers, conclut à un faux et ordonne d'arrêter les ostensions. *1387* Pierre d'Arcy, son successeur, demande à Clément VII d'intervenir (les ostensions ayant repris). C. VII autorise l'ostension à condition que les fidèles soient avertis qu'il s'agit d'une représentation. *1418* mis à l'abri en Savoie, pendant la g. de Cent Ans, par Marguerite de Charny (fille de Geoffroy II, et veuve du duc Humbert de Savoie), conservé à St-Hippolyte-sur-le-Doubs. *1452* 22-5 Marguerite le donne à Anne de Lusignan, héritière de la couronne de Chypre et épouse du duc Louis Ier de Savoie. *1453 à 82* déposé au château ducal de Chambéry, endommagé par un incendie, confié près d'un siècle aux clarisses de Chambéry, qui le réparent. *1578* au château ducal de Turin, chaque année le 4-5 mai, montré à la foule depuis un balcon. Les ostensions auront lieu seulement tous les 25 ou 30 ans. *1898* 28-5 photographié par Secondo Pia ; l'image positive d'un homme de 1,81 m, nu et couché (de face et de dos), au visage barbu, yeux clos, cheveux longs, apparaît sur le négatif. *1931* ostensions : 22 j., 1 million de pèlerins (Giuseppe Enrie prend 12 nouvelles photos). *1973* Max Frei (Suisse) : identifie les pollens comme venant de plantes méditerranéennes (ses conclusions seront discutées). *1977* le STURP (Shroud of Turin Research Project, U.S.A.) conclut à l'impression par suite d'un flash de nature inexpliquée. *1978* oct. : 33 membres du STURP et des collègues européens examinent le suaire 5 j et concluent à un contact entre l'étoffe et un corps ayant duré moins de 2 j. Pour Walter McCrone, chimiste, un artiste a tracé sur le tissu une image et l'a coloriée avec 2 pigments. Mais des analyses ont révélé la présence de sang contenant de la bilirubine, pigment de la bile, sécrété par le foie, en si grande quantité, en cas de souffrance, qu'il passe dans le sang. *Du 27-8 au 8-10* ostensions, 3 300 000 pèlerins. *1983* légué au Vatican par le roi exilé Humbert II d'It. († 18-3). *1986,* oct., le Vatican autorise un test au carbone 14. *1988,* 13-10, déclaration du cardinal Ballestrero, archevêque de Turin : 3 examens au carbone 14 [selon la méthode de spectrométrie de masse (A.M.S.)], effectués indépendamment à Tucson (USA), Oxford (G.-B.) et Zurich (Suisse) datent le lin du suaire des années 1260 à 1390, mais le mode de fabrication de l'image (qui n'est pas peinte) reste inconnu. Certains récusent le choix des échantillons, nient la valeur de cet examen.

Nota. – On a signalé un suaire à Compiègne (détruit à la Révolution) et un à Besançon. Le Pr Paolo Ricca a identifié 43 copies faites à partir d'un original.

• **Sainte tunique.** Portée par Jésus au Calvaire, tirée au sort entre les soldats chargés de son exécution. Mais les Juifs de l'époque portaient habituellement 2 tuniques : une légère par-dessous, et une épaisse par-dessus (la tunique du dessus était probablement celle qu'avait fournie Hérode, achetée aux soldats par les disciples de Jésus).

Premières saintes tuniques signalées : VIe s. à **Germia,** en Galatie (Asie Mineure) et à **Safed,** près du lac de Galilée (Palestine). Depuis le XIIe s., on a mentionné celle d'**Argenteuil,** désignée comme une *cappa,* « tunique de dessus », et faite d'un tissu pareil à ceux des tombes coptes du IIe s. apr. J.-C. ; possédée au VIIIe s. par Irène, imp. d'Orient, qui la donna à Charlemagne dont la fille, Théotrade, fonda le monastère d'Argenteuil et l'y déposa (dérobée le 13-12-1983, elle fut rendue intacte à un prêtre le 2-2-1984) ; et celle de **Trèves** (Allemagne), mais elle daterait du Ve ou VIe s.

• **Saintes chapelles.** Nom donné à certaines chapelles contenant des reliques particulièrement vénérables : Ste-Chapelle de Paris (couronne d'épines, fragment de la vraie croix) ; de Chambéry (saint suaire, actuellement à Turin).

Saints

Généralités

☞ V. liste de saints à l'Index (fêtes à souhaiter).

• **Définition** (du latin *sanctus,* souverainement pur, parfait). Dieu seul est absolument saint, parce qu'il est totalement amour, il invite les hommes à partager sa sainteté et le bonheur dont elle est la source ; ceux qui ont répondu à cet appel peuvent être eux-mêmes appelés saints dès lors que, dans l'autre vie, ils se trouvent effectivement associés à la sainteté divine. Chrétiens que l'Église proclame *saints* après leur mort et qu'elle honore (chez les catholiques et les orthodoxes) d'un culte public [*dulie :* celui de la Sainte Vierge étant hors pair *(hyperdulie)* ; *latrie :* culte d'adoration rendu à Dieu seul].

• **Usage du mot « saint ». Dans la bible.** *Peuple :* juifs, élu de Dieu ; *tribu :* de Lévi vouée à Dieu (lévites) ; *cité ou ville :* Jérusalem ; *terre :* Palestine ; *Saint des saints :* Dieu ; cœur du temple de Jérusalem : dans le 1er temple, construit par Salomon, là était déposée l'*Arche de l'Alliance* contenant les Tables de la loi.

Expressions. *Lieux saints :* Jérusalem et lieux où vécut Jésus. *St-Sépulcre :* tombeau de Jésus, après sa mort. *St-Père :* le Pape. *St-Siège :* gouvernement pontifical. *Cité sainte* (fig.) : la Jérusalem céleste, le paradis. *Jours saints :* j de la semaine sainte précédant Pâques. *Communion des saints :* ensemble des fidèles vivants et morts. *Saints :* nom porté par les puritains pendant la révolution anglaise de Cromwell. *Saints des derniers jours :* les Mormons.

Bienheureux. Titre attribué par décret pontifical au cours d'une liturgie solennelle présidée par le Pape. Aux yeux de l'Église, les bienheureux sont admis à partager pleinement le bonheur de Dieu.

• **Canon des saints.** Liste officielle des saints et bienheureux reconnus par l'Église.

• **Catégories :** 1°) *Les martyrs* [le martyrologe (liste des martyrs), donne dans l'ordre du calendrier, la liste des saints célébrés chaque jour de l'année] ; env. 30 000, mis à mort pour leur foi, seuls ou en groupes (ex. : dans l'Église primitive, Japon, Chine, Corée, Viêt-nam). 2°) *Les saints ou confesseurs de la foi morts en odeur de sainteté* [env. 4 000 (dont 700 femmes), 50 % canonisés par les évêques avant l'époque (XIIe s.) où le pape s'est réservé toutes les causes] ; petit nombre honoré.

☞ *Saints anargyres* (du grec *an :* sans et *argures :* argent). Médecins, soignant gratuitement les malades. Ex. : St Côme, St Damien, St Pantaléon. *Saints céphalophores* (du grec *kephalê :* tête et *phorein :* porter) ; décapités, ils auraient porté leur tête après leur décollation. Ex. : St Denis.

• **Nombre de saints (et bienheureux) canonisés individuellement.** 2 470 dont Italie 626, *France 576,* Angleterre 243, Japon 171, Espagne 157, Viêt-nam 107, Allemagne 102, Corée 90, Chine 75, Belgique 59, Portugal 58, Pologne 25, Ouganda 22, Pays-Bas 20, Tchécoslovaquie 15, Irlande 14, Hongrie 10, Autriche 8, Danemark 7, Yougoslavie 7, Écosse 7, Turquie 7, Suède 6, Suisse 6, Arménie 5, Mexique 4, U.R.S.S. 4, Syrie 4, Lituanie 4, Norvège 4, Grèce 3, Inde 3, Canada 2, Pérou 2, Paraguay 1, Roumanie 1, Éthiopie 1, Rép. Dominicaine 1, Islande 1, Canaries 1, Géorgie 1, Israël 1, Équateur 1, Liban 1 (Charbel Makhlouf, † 1898, canonisé 9-10-1977), États-Unis 1 (Ann Seton, 1774-1821, canonisée 14-9-1975). De nationalité inconnue 141.

Groupes vénérés comme martyrs (nombres les plus élevés). 1°) *Non prouvés historiquement* Cologne 11 000 Vierges [le nom d'une des martyres (en 674) : *Undecimilla* (c.-à-d. « fille d'*Undecimus* ») a été lu *undecim milla* (11 000)] ; Rome 10 203 martyrs de la Grotte-qui-coule-toujours (en 198) ; Nicomédie 10 000 (en 387) ; Mt Ararat (Arménie) 10 000 (en 381) ; Perse 9 000 Compagnons d'Ia (en 69) ; Égypte 5 000 Compagnons de Julien. 2°) *Prouvés historiquement* Afr. du N. 4 966 clercs déportés (en 483-84).

Les plus célèbres : 40 soldats martyrs de Sébaste (en 320), 25 martyrs (compagnons de Paul Miki), crucifiés à Nagasaki au Japon (en 1597), fêtés le 6 février. Parmi eux, 2 jeunes garçons de 11 et 13 ans. *France :* victimes de la Révolution (1792-96) : 16 carmélites de Compiègne, 191 prêtres réfractaires massacrés en septembre 1792, 32 religieuses d'Orange, 99 martyrs d'Angers [béatifiés 20-2-1984 ; l'abbé Noël Pineau (guillotiné revêtu de ses habits sacerdotaux, avait été béatifié dès 1926)].

• **Saints du calendrier.** Le calendrier romain général (origine 354, révisé 1969) retient le nom des saints qui ont une importance pour l'Église d'aujourd'hui et laisse à un culte local beaucoup de saints qui n'ont pas une importance particulière pour l'Église, et ceux dont l'histoire est peu assurée. Parmi ceux-ci : Alexis (10-7), Barbe (4-12), Bibiane ou Viviane (2-12), Catherine d'Alexandrie (25-11), Christophe (25-7), Cyprien et Justine (26-9), Domitille (7-5), les Douze Saints Frères (1-9), Eustache (20-9), Félix de Valois (20-11), Hippolyte (22-8), Jean et Paul du Ier s., auxquels est dédiée une basilique romaine (26-6), Marguerite d'Antioche (20-7), Martine (30-1), Modeste (15-6), Paul Ermite et Maur (15-1), Placide (5-10), Pudentienne (19-5), Respice et Nymphe (10-11), Suzanne (11-8), Symphorose (18-7), Thècle (23-9), Tryphon, Bacchus et Apulée (8-10), Ursule, ancienne patronne de l'ordre des Ursulines (21-10), Venant (18-5). Ste Cécile (22-11), patronne des musiciens, a été maintenue exceptionnellement.

• **Légende des saints** (du latin *legenda,* ce qui doit être lu). A l'office des matines, l'évocation de la vie du saint dont on célèbre la fête est lue sous forme de « leçon ».

• **Saints Innocents** (28 déc.), nouveau-nés mis à mort par Hérode le Grand qui voulait éliminer l'Enfant Jésus moins de 2 ans après sa naissance ; fêtés depuis le Ve s. sous les noms d'*infantes* (nouveau-nés) ou de *parvuli* (tout petits) dans la majorité des Églises latines ; de *nêpioi* (même sens) dans l'Égl. grecque. A Rome, Milan et Naples, on les appelait plutôt Innocents. Au Moyen Age, la messe romaine du 28 déc. a été adoptée dans toute la chrétienté et y a généralisé l'expression « les Saints Innocents ».

Auréole

(Souvent en amande), surface lumineuse figurée autour du personnage tout entier.

Nimbe

Entoure seulement la tête. Symbolise le rayonnement de la sainteté et prend l'aspect d'un nuage doré, d'un cerne plus ou moins chargé ou de traits rayonnants. **Origine** : les *imagines clipeatae* des Romains païens, « effigies sur écusson » (*clipeus* signifie « bouclier », puis « médaillon ») créées par les Grecs et répandues en Asie (hindouiste et bouddhiste) par des Grecs de Bactriane (les saints du bouddhisme chinois portent un nimbe circulaire et doré). **Évolution** : apparaît dans l'iconographie chrétienne au IVe s., mais, jusqu'au VIIIe s., est réservé aux figurations de l'agneau mystique, à la colombe du St-Esprit, et au Christ (nimbe souvent orné d'une croix pourpre ou violette). Puis l'auréole entoure la Vierge quand elle est avec l'Enfant ; et à partir du XIe s., la Vierge seule. *Saints :* dans les catacombes, tête entourée d'un disque bleu sur les bords s'éclaircissant jusqu'au blanc sur le centre, ce qui suggère un rayonnement. Au XIVe s., ils ont tous une auréole. *Nom et monogramme de Jésus :* souvent entourés d'auréoles lumineuses, ou de soleils. A partir du Moyen Age, le nimbe tend à se réduire à une ligne circulaire, souvent dorée (constellée de diamants ou d'étoiles, pour la Vierge). Le nimbe de Judas est traditionnellement noir. L'usage se perd à la Renaissance, mais est repris par les artistes chrétiens modernes.

Stigmates

☞ **Définition** (du grec *stigma,* piqûre, piqûre au fer rouge, tatouage). Plaies aux mains, aux pieds et à la poitrine correspondant aux 5 plaies du Christ sur la croix, rebelles à tout traitement. En 1858, A. Imbert-Gourbeyre (dans « la Stigmatisation ») a donné une liste de 321 stigmatisés (en majorité des femmes) dont 80 ayant été béatifiés ou canonisés. Depuis 1900, 20 cas ont été étudiés médicalement, en général des femmes. D'après le Dr Bolgert, il paraît vraisemblable qu'en raison de l'acuité de leur sentiment religieux et de leur désir extrême de s'identifier au Christ, des lésions de la peau puissent apparaître spontanément sous forme de rougeur et d'œdème. Ces lésions, d'abord intermittentes, peuvent être favorisées par des manipulations volontaires plus ou moins conscientes.

• **Stigmatisés célèbres. St François d'Assise,** du 14-9-1224 à sa mort (3-10-1226). Fait déclaré authentique par une double lettre personnelle du pape Grégoire IX, en 1237, et confirmé par env. 30 bulles de souverains pontifes. La fête de la Stigmatisation de St François a été fixée le 17-9.

Marie d'Oignie († 1213), béguine.

Dodon d'Haske († 1231), ermite.

Ste Catherine de Sienne (1347-80, canonisée 1461), stigmatisée à partir du 1-4-1375 (st. douloureux, mais invisibles, révélés à son confesseur).

Catherine Emmerich (1774-1824), de Münster, All. (marques d'épines sur le front et de blessure à la poitrine ; douleurs invisibles aux mains et aux pieds, dès 1812) ; Clément Aug. Droste-Vischering (1773-1845), futur archev. de Cologne, conclut qu'il n'y a aucune imposture, sans définir le caractère surnaturel ; en 1892, cause de béatification introduite ; sans suite.

Marie von Moerl (1812-68), de Kaltern, Autriche ; l'une des 3 « stigmatisées du Tyrol ». Stigmates à partir de 1844. Non authentifiés.

Louise Lateau (1850-83) stigmatisée à partir du 24-4-1868, à Bois d'Haine (Belg.). Enquête du card. Deschamps, archev. de Malines. Non authentifiée publiquement.

Ste Gemma Galgani (1878-1903), de Lucques, Italie, canonisée le 2-5-1940. Stigmatisée à partir du 8-6-1899 ; les stigmates cessent d'être visibles, sur demande de son confesseur, mais continuent à être douloureux ; le décret de canonisation ne se prononce pas sur leur authenticité.

Padre Pio (Francesco Forgione, 1887-1968), religieux capucin de San Giovanni Rotondo en Apulie, Italie. Stigmatisé depuis le 20-9-1918. Des millions de pèlerins ont vu ses plaies.

Thérèse Neumann (n. 8-4-1898, † 18-9-1962) ne s'était pas alimentée depuis 40 ans, dormait 2 h par nuit, travaillait le jour aux champs et revivait chaque vendredi la passion du Christ. La commission qui l'examina, en 1938, conclut à une hystérie grave avec les phénomènes inhérents (y compris simulation).

Marthe Robin (n. 13-3-1902, † 6-2-1981 à Châteauneuf-de-Galaure, Drôme), paralysée à 25 ans et stigmatisée. Le vendredi, ses pieds et ses mains saignaient, des gouttes de sang, rappelant la couronne d'épines du Christ, perlaient sur son front. Elle avait fait le vœu de ne plus s'alimenter que de l'eucharistie qu'elle recevait quotidiennement dans son lit.

Marie Rosalina Veira (Tropeco, Portugal), 18 ans en 1982, n'aurait plus rien mangé ni bu depuis ses 12 ans pour respecter la volonté du Christ.

☞ On connaît le cas d'une cinquantaine de personnes qui auraient vécu plusieurs années sans manger.

• **St Nicolas** (6 déc.), évêque de Myre (Asie Mineure) au IVe s., est le patron de la Russie, des écoliers. Sa réputation de donneur de cadeaux vient du fait qu'il aurait doté 3 jeunes filles pauvres menacées de perdre leur vertu. Il est à l'origine du personnage du Père Noël, en Amérique *Santa Claus,* « St Nicolas » [(déformation du néerlandais *Sinter Klaas*) la fête a été introduite par les Hollandais au XVIe s.]. Les *Français* ont adopté la date de Noël pour la distribution des cadeaux de St Nicolas, à cause du décalage qui a existé jusqu'au XVIIIe s. entre pays à calendrier julien et pays à c. grégorien (13 j). Les *Anglais* avaient leur St-Nicolas à peu près à la date du Noël de France. Dans l'Angl. catholique, et encore pendant un demi-siècle dans les cathédrales anglicanes, les enfants de chœur avaient St Nicolas pour patron : le 6-12, pour leur fête patronale, ils élisaient leur « évêque » (le plus sage d'entre eux), à qui on rendait les honneurs jusqu'aux Sts-Innocents (28-12 suivant). En *Belgique* et aux *Pays-Bas,* le 5 au soir, les enfants laissaient devant la cheminée des sabots de bois, remplis de foin, pour le cheval blanc du saint ; le 6 au matin, ils trouvaient leurs sabots emplis de friandises. En *Alsace,* le 5 au soir, les jeunes garçons parcourent encore les rues des villages avec des clochettes en criant « Au lit les enfants ; St Nicolas va passer ! ». En *Allemagne,* l'élection de « l'évêque des enfants » a survécu, déplacée au 12-3, fête de Grégoire le Grand, patron des étudiants en théologie.

• **Patronat sur la Mer.** En avr. 1087, des matelots italiens enlèvent à Myre les reliques de St Nicolas et les transportent à Bari, dans les Pouilles. Une basilique y est construite et St Nicolas « de Bari » est reconnu par l'Égl. comme patron des gens de mer. Les marins le surnomment « le Poséidon chrétien » (on l'invoque dans les tempêtes). *Culte :* chaque année, à Bari (du 7 au 9 mai) : sur un bateau tiré au sort, la statue fait le tour de la rade, revêtue du pallium des archevêques (vêtement huméral appelé aussi *anabolium*). St Nicolas de Bari a donc été surnommé *Il Anabolione,* dont la forme populaire est « Nabulione » (retraduite en *Napoleone,* mais utilisée telle quelle dans la famille Bonaparte).

• **Culte des saints.** Resté longtemps celui des martyrs : martyre rouge (effusion de sang), vert (pénitence), blanc (virginité et bonnes œuvres). Les bienheureux ont droit à un culte dans une église particulière ou dans une congrégation religieuse ; les saints sont l'objet d'un culte dans l'Église universelle.

• **Cultes fokloriques de Saints de « fantaisie »** (dont le nom ne figure sur aucun martyrologe, ni romain, ni diocésain mais dont la dévotion a peut-être été suggérée par le clergé, désireux de « récupérer » une pratique superstitieuse difficile à déraciner). Certaines ont été identifiées. Ex. : *St Bonnet* (déformation de Beaunet) porte le nom du dieu gaulois Bélenos (Apollon) ; *St Sylvain* [culte vivace au hameau de Loubresac (Vienne), dieu des Lupercales (c.-à-d. Pan), appelé aussi *St Birotin* (réminiscence des cultes priapiques), mais on a imaginé pour justifier ses fêtes un St Sylvain, ermite, qui aurait vécu au VIe s. dans le Maine]. Les martyrologes d'Évreux et d'Auch nomment un *St Taurin* (héritier du dieu cornu Cernunos). Les *Stes Ouenne, Eanne,* ou *Emenane* seraient des héritières de la déesse Epona. *Ste Macrine* (martyre authentique, s'est peut-être appelée primitivement Morgane, comme la « fée »), déesse

Quel est leur saint patron ?

☞ De nombreux patrons de corporations locales ou régionales sont omis. Certains patrons figurant ici sont parfois remplacés par des patrons locaux.

Métiers ou situations personnelles

Agriculteurs. Benoît 21-3 Médard 8-6.
Alpinistes. Bernard de Menthon 28-5.
Apprentis. Jean Bosco 31-1.
Archers. Sébastien 20-1.
Architectes. Benoît 21-3. Raymond Gayrard 3-7. Thomas 21-12.
Archivistes. Laurent 10-8.
Ardoisiers. Lézin 13-2.
Armuriers. Michel 29-9.
Artificiers. Barbe 4-12.
Artilleurs. Barbe 4-12.
Artistes. Fra Angelico 18-3.
Assureurs. Yves 19-5.
Aubergistes. Julien l'Hospitalier 27-1.
Aumôniers d'hôpitaux. Armel 16-8.
Aumôniers militaires. Jean de Capistran 23-10.
Automobilistes. Françoise Romaine 9-3. Christophe 25-7.
Aveugles. Clair de Vienne 2-1.
Aviateurs. Joseph de Cupertino 18-6. Vierge de Lorette.
Avocats. Yves 19-5.
Balanciers. Michel 29-9.
Banquiers. Matthieu 21-9. Michel archange 29-9.
Bateliers. Nicolas 6-12. Julien l'Hospitalier 27-1. Honorine 27-2.
Bergères. Geneviève 3-1.
Bergers. Germaine Cousin 19-1. Druon 16-5. Loup ou Leu 29-7.
Bibliothécaires. Laurent 10-8.
Bijoutiers. Éloi 1-12.
Bimbelotiers. Claude (du Jura) 6-6.
Blanchisseuses. Claire 11-8. Blanchard 10-3.
Bonnetiers. Fiacre 30-8.
Bouchers. Nicolas 6-12. Barthélémy 24-8.
Bouffons. Mathurin 1-11.
Boulangers. Honoré 16-5. Michel 29-9. Lazare 17-12.
Boursiers. Brieuc 1-5.
Brasseurs. Médard 8-6. Arnoul 14-8.
Brodeurs. Claire 12-8. Clair 16-7.
Brossiers. Barbe 4-12.
Buveurs. Chrodegang (prononcé « Godégrand ») 3-9. Bibiane 2-12.
Candidats au permis de conduire. Expédit 19-4. *Candidats aux examens.* Joseph de Copertino 18-6.
Canonniers de marine. Barbe 4-12.
Cardeurs. Blaise 3-2. Madeleine 22-7.
Carriers. Roch 16-8.
Carrossiers. Guy (d'Anderlecht) 12-9.
Cavaliers. Benoît 21-3. Georges 23-4.
Chantres. Grégoire 9-5.
Chapeliers. Jacques le Mineur 1-5.
Charbonniers. Maur 15-1. Thibaud 30-6.
Charcutiers. Antoine le Grand 17-1.
Charpentiers. Julien l'Hospitalier 29-1. Joseph 19-3.
Charretiers, Vulmar 20-7.
Charrons. Éloi 1-12.
Chasseurs. Hubert 3-11.
Chasseurs alpins. Maurice 22-9.
Chaudronniers. Maur 15-1.
Chauffeurs de taxis. Fiacre 30-8. Christophe 25-7.
Chimistes. Albert le Gd 15-11.
Chirurgiens. Côme et Damien 27-9. Luc 8-10.
Ciergiers. Geneviève 3-1.
Cloutiers. Hélène 18-8. Cloud 7-9.
Cochers. Guy (d'Anderlecht) 12-9.
Coiffeurs. Louis 25-8.
Comédiens. Genès 26-8.
Commerçants. Fr. d'Assise 4-10.
Commères. Babile 21-8.
Comptables. Matthieu 21-9.
Conduct. de machines. Benoît 21-3.
Cordiers. Paul 29-6.
Cordonniers. Crépin, Crépinien 25-10.
Couples mariés. Lien ou Lienne 14-2.
Couteliers. Jean-Baptiste 24-6.
Couvreurs. Vincent Ferrier 5-4.
Cuisiniers. Marthe 29-7. Fortunat 14-12. Laurent 10-8.
Curés et responsables de paroisses. Jean-Marie Vianney 4-8.
Déchargeurs. Christophe 25-7.
Dentellières. Anne 26-7.
Dentistes. Apolline 9-2.
Diplomates. Gabriel archange 24-3.
Doreurs. Clair 16-7.
Douaniers. Matthieu 21-9.
Écoliers. Charlemagne 23-1. Barbe 4-12. Expédit 19-4. Nicolas 6-2. *Écolières.* Sophie Barat 25-5.
Économiquement faibles. Laurent 10-8.
Écrivains. François de Sales 29-1.
Éditeurs. Jean Bosco 31-1.
Éducateurs. Jean-Baptiste de la Salle 7-4.
Électriciens. Lucie 13-12.
Éleveurs : bovins et ovins. Blaise 2-2. Marc 25-4. *Chevaux.* Alor 26-10. *Porcs.* Antoine 17-1. Epvre de Toul 15-9.
Émigrés. Françoise-Xavère Cabrini 22-12.
Employés de maison. Zita 5-7.
Enfants de chœur. Nicolas 6-12.
Enseignants. Grégoire le Gd 12-3. Jean-Baptiste de La Salle 7-4. Robert Bellarmin 17-9.
Épiciers. Nicolas 6-12.
Escrimeurs. Michel 29-9.
Étudiants. Catherine 25-11.
Exégètes. Jérôme 30-9.
Experts. Thomas apôtre 21-12.
Faïenciers. Antoine de Padoue 17-1.
Fantassins. Martin 11-11.
Femmes enceintes. Beuve 24-4. Anne 26-7. Marguerite 20-7. *En couches.* Foy 6-10. Marguerite 20-7. *De marin.* Guénolé 3-3. *Stériles.* Rita 22-5. *Veuves.* Françoise Romaine 9-3. Anne 26-7. *Vierges.* Maria Goretti 6-7.
Fermiers. Isidore le Laboureur 15-5.
Ferronniers. Éloi 1-12.
Fiancés. Valentin 14-2. *Fiancées.* Agnès 21-1.
Fonctionnaires. Matthieu 21-9.
Filles repenties. Marie-Madel. 22-7.
Fondeurs. Étienne 26-12. *F. de cloches.* Paulin de Nole 22-6.
Forestiers. Hubert 3-11.
Forgerons. Nicodème 3-8. Éloi 1-12.
Fossoyeurs. Maur 15-1.
Gantiers. Anne 26-7. Marie-Madeleine 22-7.
Gardiens de prison. Martinien 2-7. Hippolyte 13-8.
Gaufriers. Michel 29-9.
Gendarmerie. Geneviève 3-1.
Grainetiers. Marcel 16-1.
Herboristes. Marcou 1-5.
Hommes d'affaires. Expédit 19-4.
Hôpitaux. Canrille de Lellis 14-7. *Personnel.* Jean de Dieu 8-3. *Soignant.* Catherine de Sienne 30-4.
Horlogers. Éloi 1-12.
Hôteliers, Hôtesses. Marthe 29-7.
Illusionnistes. Jean Bosco 31-1.
Immigrés. Françoise-Xavier Cabrini 22-12.
Imprimeurs. Jean (Porte-Latine) 6-5. Augustin 28-8.
Infirmiers. Camille 14-7. *Infirmières.* Irène de Rome 22-1.
Ingénieurs. Dominique de La Caussade 12-5.
Instituteurs libres. Joseph Calasanz 25-8. Lô 22-9.
Intendants. Thérèse d'Avila 15-10.
Ivrognes. Urbain 25-5.
Jardiniers. Fiacre 30-8. Dorothée 6-2. Phocas 22-9.
Jeunes filles [à marier (catherinettes)]. Catherine 25-11.
Jeunesse. Louis de Gonzague 21-6. Casimir 4-3. *Abandonnée.* Jérôme-Emilien 8-2. *Agricole chrétienne féminine.* Germaine Cousin 15-6.
Jongleurs. Julien du Mans 27-1.
Journalistes. François de Sales 29-1. Bernardin de Sienne 20-5.
Juristes. Raymond de Peñafort 23-1.
Laboureurs. Isidore 10-5. Guy (d'Anderlecht) 12-9.
Lanterniers. Clair de Vienne 2-1.
Lavandières. Marthe 29-7. Claire 12-8. Jean (Porte Latine) 6-5.
Lépreux. Sylvain 23-9.
Libraires. Jean (Porte-Latine) 6-5.
Lingères. Véronique 4-3.
Lunetiers. Clair de Vienne 2-1.
Luthiers. Cécile 22-11. Grégoire (de Nazianze) 9-5.
Maçons. Thomas 21-12. Sylvestre 31-12. Pierre 29-6.
Maîtres d'école. Cassien 13-8.
Maîtresses de maison. Marthe 29-7.
Malades. Camille de Lellis 14-7. Jean de Dieu 8-3,
Maquignons. Éloi 1-12.
Maraîchers. Fiacre 30-8.
Marchands de vin. Nicolas 6-12.
Maréchaux. Martin 11-11.
Maris trompés. Gengolf 11-5.
Marine (guerre). Pierre Gonzalez 15-4. *Marins.* Nicolas (de Bari) 7-5. Erasme ou Elme 2-6.
Médecins. Côme, Damien 27-9. Luc 18-10. Pantaléon 27-7.
Ménagères. Marthe 29-7.
Mendiants. Alexis 17-7.
Menuisiers. Joseph 19-3. Anne 26-7.
Mères de famille. Angèle de Mérici 27-1. Anne 26-7.
Messagers. Adrien 8-9.
Métallurgistes. Éloi 1-12.
Meuniers. Blaise 3-2. Winnoc 6-1. Catherine 25-11.
Militaires. Maurice 22-9. Martin 11-11 (*armée fr. :* Jeanne d'Arc 8-5).
Mineurs. Barbe 4-12.
Missionnaires. Thérèse de Lisieux 3-10. François-Xavier 3-12.
Moniteurs d'équitation. Viance 2-1.
Monnayeurs. Éloi 1-12.
Moralistes. Alphonse de Liguori 2-8.
Mourants. Joseph 19-3. Catherine 25-11.
Musiciens. Blaise 3-2. Cécile 22-11. Dunstan 19-5. Grégoire le Gd 12-3. Odon de Cluny 18-11.
Mutilés de guerre. Raphaël archange 24-10.
Naturalistes. Albert le Gd 15-11.
Navigateurs. Cuthbert 20-3. Elne 2-6. Nicolas (de Bari) 7-5.
Notaires. Yves 19-5. Marc 25-4.
Nourrices. Mammès 17-8. Agathe 5-2.
Obj. perdus. Antoine de Padoue 13-6.
Œuvres de charité. Louise de Marillac 15-3. Vincent de Paul 19-7.
Orateurs chrétiens. Jean Chrysosthome 13-9.
Orfèvres. Éloi 1-12 ; *étain* Fiacre 30-8.
Organisateurs. Thomas 21-12.
Orphelins. Jérôme Émilien 8-2.
Ouvriers. Joseph 19-3.
Palefreniers. Marcel 16-1.
Parachutistes. Michel 29-9.
Parfumeurs. Marie-Madeleine 22-7.
Passementiers. Louis 25-8.
Pâtissiers. Macaire 2-1. Honoré 16-5. Michel 29-9.
Paveurs. Roch 16-8. Étienne 26-12.
Pêcheurs. Pierre 29-6. André 30-11. *D'épaves.* Budoc de Dol 6-12.
Peintres. Lazare 23-2. Luc 18-10. Fra Angelico 18-3.
Pèlerins. Jacques le Majeur 25-7.
Percepteurs. Matthieu 21-9.
Pharmaciens. Jacques le Majeur 25-7.
Philosophes. Catherine 25-11.
Photographes. Véronique 6-8.
Piétons. Martin 11-11.
Plombiers. Éloi 1-12.
Poètes. Estelle 11-5. Cécile 22-11.
Poissonniers. Pierre 29-6.
Policiers. Geneviève 3-1. Sever 25-8.
Pompiers. Laurent 10-8. Barbe 4-12.
Porteurs. Christophe 25-7.
Potiers. Bonet de Clermont 15-1.
Potiers d'étain. Fiacre 30-8.
Prédicateurs. Jean Chrysostome 13-9.
Prisonniers. Léonard de Noblat 6-11, Sébastien 20-11.
Publicité. Bernardin de Sienne 20-5.
Raccommodeurs. Catherine 25-11.
Radiodiffus. Gabriel archange 24-3.
Radiologues. Michel archange 29-9.
Réfugiés. Benoît Labre 16-4.
Relieurs. Jean de Dieu 8-3. Célestin 19-5. Barthélémy 24-8.
Rémouleurs. Jean-Baptiste 24-6.
Rôtisseurs. Laurent 10-8.
Sacristains. Guy 12-6.
Sapeurs. Barbe 4-12.
Savants. Albert le Gd 15-11.
Scieurs de long. Simon, Jude 28-10.
Scouts. Georges 23-4.
Sculpteurs. Luc 18-10.
Secrétaires. Cassien 23-7.
Semeurs. Sennen 30-7.
Sergents de ville. Sébastien 20-1.
Serruriers. Pierre 29-4. Éloi 1-12. Galmier 27-2.
Servantes. Blandine 2-6.
Service de santé. Luc 18-10.
Skieurs. Bernard de Menthon 28-5.
Soldats. Adrien 5-3. Martin 11-11. Georges 23-4. Jeanne d'Arc 30-5.
Solitaires. Antoine 17-1.
Sonneurs de cor. Blaise 3-2.
Sourds-muets. François de Sales 29-1.
Speakers. Jean Chrysostome 13-9.
Spéléologues. Benoît 21-3.
Sténographes. Genès 25-8.
Tailleurs de pierre. Blaise 3-2. Claude 6-6. Sylvestre 31-12. *D'habits.* Clair de Vienne 2-1. Casimir 4-3.
Tanneurs. Barthélemy 24-8. Crépin et Crépinien 25-10.
Tapissiers. Geneviève 3-1.
Taverniers. Vincent 28-1.
Teigneux. Aignan 17-11.
Teinturiers. Maurice 22-9.
Télévision. Gabriel archange 24-3. Claire d'Assise 12-8 (dep. 1958).
Tisserands. Blaise 3-2. Barnabé 11-6.
Tonneliers. Jean-Bapt. 24-6. Michel 29-9. Nicolas 6-12.
Touristes. Christophe 25-7.
Tourneurs. Claude (du Jura) 6-6.
Traducteurs. Jérôme 30-9.
Travailleurs. Joseph Artisan 1-5.
Tuiliers. Fiacre 30-8.
Typographes. Jean (Porte Latine) 6-5.
Universitaires. Thomas d'Aquin 28-1. (*Sorbonne :* Guillaume de Bourges 10-1).
Vanniers. Paul, ermite 25-1.
Verriers. Clair de Vienne 2-1.
Vignerons. Vincent 22-1. Werner ou Verny 19-4. Jean Porte Latine 6-5.
Vinaigriers. Vincent 28-1.
Vitriers. Luc 18-10.
Voyageurs. Julien l'Hospitalier 29-1. Christophe 25-7.
Voyagistes. François-Xavier 3-12.

Pays

Afrique (du Nord). Augustin 28-8. Cyprien 16-9.
Allemagne. Boniface 5-6.
Alsace. Odile 13-12.
Amér. latine. Foy (Santa Fe) 6-10.
Amériques. Rose de Lima 23-8.
Angleterre. Georges 23-4. Édouard le Confesseur 5-1.
Asie Mineure. Jean l'Évangél. 27-12.
Autriche. Léopold 15-11. Florian 14-12.
Belgique. Charles le Bon 2-3. Joseph 19-3.
Bretagne. Yves 19-5. Anne 26-7.
Canada. Joseph 19-3. Anne 26-7. René Goupil 18-10. (*Can. fr. :* Jean-Baptiste 24-10).
Chypre. Épiphane 12-5. Barnabé 11-6.
Corse. Julie 22-5.
Écosse. Marguerite 16-11. André 30-11.

Espagne. Ferdinand 30-5. Jacques le Majeur 25-7.
États-Unis. Marie conçue sans péché 8-12.
Europe. Benoît 11-7. Cyrille et Méthode 14-2.
France. PRINCIPAUX : *Jeanne d'Arc* (patronne et protectrice, 30-5) ; – *Vierge Marie* (Assomption 15-8) ; – *archange St Michel* (29-9) ; – *St Martin de Tours* [11-11 (316 Sabourra, Pannonie-397 Candes) converti au christianisme v. 15 ans, enrôlé dans la Garde impériale à Amiens. V. 338 ou 339, partage son manteau avec un pauvre mourant de froid. Autorisé à quitter l'armée, rejoint St Hilaire évêque de Poitiers. Fonde le 1er monastère d'Occident : « Ligugé ». 356, exilé en Orient. 373, élu évêque de Tours. V. 372, fonde un autre monastère à Marmoutier. 3 675 églises de France lui sont consacrées, 425 villages portent son nom. SECONDAIRES : *Ste Thérèse de l'Enfant Jésus* (1-10). *Ste Pétronille* (31-5).
Galles. David 1-3.
Guatemala. Jacques le Majeur 25-7.
Hongrie. Stanislas Kostka 15-8. Étienne 20-8.
Inde. François-Xavier 3-12.
Irlande. Brigitte de Kildare 1-2. Patrick 17-3. Kevin 3-6.
Islande. Olav 29-7.
Italie. Catherine de Sienne 29-4 (dep. 1939). François d'Assise 4-10.
Jordanie. Jean-Baptiste 24-6.
Lituanie. Casimir 4-3. Georges 23-4.
Luxembourg. Pierre de L. 5-7. Willibrord (patron secondaire) 7-11.
Madagascar. Vincent de Paul 19-7.
Mexique. N.-D. de Guadalupe 12-10.
Monaco. Dévote de Monaco 27-2.
Mongolie. François-Xavier 3-12.
Nicaragua. Jacques le Majeur 25-7.
Nigeria. Patrick 17-3.
Norvège. Olav 29-7.
Pakistan. François-Xavier 3-12.
Pays danubiens. Cyrille et Méthode 14-2.
Pérou. Joseph 19-3. Rose de Lima 23-8.
Philippines. Rose de Lima 23-8.
Pologne. Casimir 4-3. Stanislas 7-5.
Portugal. Antoine de Padoue 17-1.
Russie. Nicolas 6-12.
Suède. Luthériens : Brigitte de Suède 8-10. *Catholiques :* Éric 18-5.
Suisse. Gall 16-10. Nicolas de Flue 25-9.
Tchécoslovaquie. Ludmilla 16-9. Wenceslas 28-9.
Turquie. Georges 23-4. André 30-11.
Uruguay. Philippe et Jacques 1-5.
Viêt-nam. Joseph 19-3.

celto-germanique. *St Goard* et *St Genard* portent apparemment le nom du dieu forgeron Govannon. *St Genou* (invoqué en cas de rhumatismes) a certainement été nommé ainsi à cause du rôle qu'on lui attribue, un St Genou (Génuflé), à Cahors, a fourni l'occasion du jeu de mots. *St Faustin* (prononcé Foutin) a été invoqué contre l'impuissance, *St Cloud* contre les furoncles, *St Bavard* contre le mutisme, etc.

• **Vies des saints.** Premières, milieu du IVe s., en 356 : St Athanase écrit la vie de St Antoine (quelques années après sa mort).

Saints auxiliaires ou auxiliateurs ou guérisseurs

Acace : maux de tête. *Adrien :* peste. *Agathe :* allaitement des nourrissons. *Antoine :* feu de St-Antoine (inflammation). *Apolline :* maux de dents. *Barbe :* foudre et mort subite. *Blaise :* gorge. *Catherine :* protectrice des étudiants, philosophes chrétiens, orateurs, avocats. *Christophe :* orages, tempêtes, temps de peste, accidents de voyage. *Cyriaque :* yeux, possession du démon. *Denis :* possessions diaboliques. *Égide* (ou *Gilles*) : panique, mal caduc, folie, frayeurs nocturnes. *Érasme :* maux d'entrailles. *Eustache :* feu éternel ou temporel. *Georges :* maladies dartreuses. *Guy* (ou *Vite*) : danse de St-Guy, léthargie, morsure de bêtes. *Hubert :* rage. *Lucie :* maux d'yeux. *Marguerite :* maux de reins, accouchements. *Pantaléon :* maladies de consomption. *Archange Raphaël :* santé du corps et de l'âme. *Rita :* petite vérole, cas désespérés.

Quelques cas

• **Le plus jeune saint non martyr.** St Dominique Savio (de Riva, Piémont, Italie), élève de St Jean Bosco et mort à 15 ans (1842-57). Béatifié en 1950, canonisé en 1954.

• **La bienheureuse la plus récente.** Bse Marie de Jésus Duluil Martigny, Marseillaise, fondatrice des sœurs Filles du Sacré-cœur. Béatifiée le 22-10-1989.

• **La sainte la plus récente.** Marie Margherite Dufrost de Lajemmerais, veuve d'Youville, la 1re sainte née au Canada, canonisée le 9-12-1990.

• **1re sainte canonisée dont on possède la photographie.** Ste Bernadette, la voyante de Lourdes, photographiée en 1862 par l'abbé Bernadou.

• **Témoins exceptionnels. Bourreau d'une jeune martyre.** *Italie :* Ste Maria Goretti (1890-1902), tuée par Alexandre Serelli qui voulait la violer. Canonisée en 1947 (45 ans après sa mort, délai normal : 50 ans). Serelli, converti et devenu oblat capucin, a assisté aux cérémonies (1950). *Zaïre :* Sœur Marie Clémentine (Anwarite Nengapeta, 1939-64), chrétienne tuée dans les mêmes conditions, béatifiée le 15-8-1985 par Jean-Paul II (l'assassin était présent dans la foule).

• **Bénéficiaire du sacrifice.** Le P. Maximilien Kolbe, martyr d'Auschwitz, canonisé en 1987, avait sacrifié sa vie pour sauver celle d'un codétenu, le sergent polonais Franczisek Gajonownicz. Celui-ci a été reçu par Paul VI, le 11-10-1971, pour l'ouverture du procès de béatification.

• **1er journaliste béatifié.** P. Titus Brandsma, carme néerlandais, journ. au quotidien de Nimègue *De Gelderlander,* † à Dachau 26-7-1942, béatifié 3-11-1985.

• **Saint Adam** (16-5) n'est pas le premier homme mais un bénédictin italien, † en 1212 et invoqué contre l'épilepsie.

• **Sainte Ève** (14-3 ou 25-6) n'est pas la 1re femme mais une martyre (patronne de Dreux, ou une vierge de Liège † peu après 1260).

Canonisation

• **Histoire.** *1er siècle* consiste simplement en l'érection d'un autel sur la sépulture d'un martyr. *Xe-XIe s. (993)* 1er acte authentique de canonisation connu : Udalric, canonisé par Jean XV dans un concile tenu à Rome. *1042* Siméon, év. de Trèves, canonisé par Benoît VIII. *1153* Gauthier de Pontoise, dernier St canonisé par un évêque (l'archev. de Rouen).

• **Procès de béatification.** Procédure réformée par la Constitution apostolique. *Divinus perfectionis Magister* (25-1-1983). Les évêques diocésains enquêtent sur la vie, les vertus ou le martyre, etc., de ceux dont la béatification ou la canonisation est désirée. L'évêque envoie à la Congrégation pour la cause des saints les pièces de l'enquête (actes et documents). A Rome, un rapporteur *(relator)* prépare le dossier *(positio)* sur les vertus ou sur le martyre. Le dossier, qui requiert habituellement plusieurs années d'études, est ensuite jugé par des théologiens *(congressus peculiaris)*, puis par les cardinaux et évêques, membres de la Congrégation. Même procédure pour l'examen d'une guérison miraculeuse, présentée en vue de la béatification (facultative pour les martyrs) après enquête faite dans le diocèse où a lieu la guérison, étudiée par : 1°) médecins experts, 2°) théologiens consulteurs, 3°) cardinaux et évêques, membres de la Congrégation. Au cours du procès, l'avocat du diable (nom populaire du *promoteur de la foi*) analyse et critique les preuves des vertus et les miracles avancés dans la cause. **Pour la canonisation,** il est requis un miracle opéré après la béatification. *Durée d'un procès de canonisation : maximale,* 744 ans (de 1117 à 1861), St Bernard de Tiron. *Minimale :* St Antoine de Padoue (13-6-1231 au 30-5-1232), 352 j ; en moyenne : env. 50 ans. *Causes en instance* (fin 1988) : 1 530.

Nombre de canonisations. *XVIIe s. :* 11. *XVIIIe s. :* 9. *XIXe s. :* 8. *1900-1949 :* 33 (56 saints) et 34 béatifications (564 bienheureux). *1950-1988 :* 55 (367 saints) et 95 béat. (447 bienheureux).

Dep. 1588 : 11 papes ont fait 1 seule canonisation ; 12 n'en ont fait aucune. *Papes du XXe s. :* Pie X, 2 (13 béatifications) ; Benoît XV, 2 (7) ; Pie XI, 17 (45) ; Pie XII, 21 (52) ; Paul VI, 20 (30) ; Jean-Paul II, (à fin 1989) 257 saints, dont 117 martyrs du Vietnam aux XVIIIe-XIXe s. [dont 96 Vietnamiens, 14 religieuses, 11 dominicains espagnols, 10 prélats français (can. 19-6-1988)] et 103 martyrs de Corée, et 304 bienheureux dont 99 martyrs d'Angers en 1793-94 (béat. le 19-2-1984) et 85 martyrs anglais.

Lieu. *En 1981 et 84,* pour la 1re fois dep. le XIIIe s., le Pape a béatifié et canonisé hors de Rome : 18-2-1981 à Manille, 16 chrétiens martyrisés au Japon au XVIIe s. ; 6-5-1984 à Séoul, 103 chrétiens martyrisés entre 1838 et 1881. **1re béatification en France :** Lyon, le Père Chevrier (1826-79), fondateur de la Sté du Prado, par Jean-Paul II, le 4-10-1986.

• **Derniers Français béatifiés ou canonisés.** Mutien Marie Wiaux, frère des Écoles Chrétiennes † 1917 (can. 10-12-1989) ; Marthe Le Bouteiller † 1883 et Louise Thérèse Montaignac de Chauvance † 1885 (béat. 4-2-1991).

Titres et terminologie

• **Abbayes territoriales** [antérieurement *nullius (dioceseos)* (« d'aucun diocèse »), car le territoire monastique constitue un diocèse à lui seul]. Monastères dont l'abbé a territorialement les mêmes pouvoirs qu'un évêque. Directement soumis au Saint-Siège. Ex. : St-Maurice en Suisse.

• **Ablégat.** Prélat romain chargé d'aller porter la barrette à un cardinal nouvellement créé, lorsque la tradition veut qu'elle soit imposée au nouvel élu par le chef de l'État où il réside (par ex. le nonce apostolique à Paris reçoit traditionnellement la barrette des mains du Pt de la République).

• **Archevêque** (du grec *arché,* « primauté », et *episcopos,* « évêque » ; évêque métropolitain). Évêque préposé à une *métropole* dont dépendent plusieurs diocèses qui forment sa *province* (et dont les évêques sont dits suffragants du métropolitain). Il peut convoquer des conciles provinciaux et intervenir si un suffragant n'accomplit pas sa charge. *Insigne propre :* le pallium (bande de laine blanche ornée de croix noires) reçu du pape. En France, l'archiépiscopat est devenu surtout honorifique, les diocèses étant regroupés non plus en provinces ecclésiastiques, mais en « régions apostoliques » plus vastes. Marseille est archevêché sans être métropole, n'ayant pas de suffragants.

• **Archidiacre.** Titre porté jadis par le chef des diacres d'un diocèse, actuellement par un délégué épiscopal chargé des affaires administratives.

• **Archiprêtre.** Titre honorifique accordé dans certains diocèses aux curés de chefs-lieux d'arrondissement et des églises-cathédrales, ou anciennement cathédrales.

• **Bedeau** (du francique *bidal,* « huissier » ou « messager » ; anglais *beadle,* « huissier »). Officier ecclésiastique subalterne, assure l'ordre pendant les cérémonies. Le règlement du 19-5-1786 lui assigne notamment de chasser les chiens des églises. Il peut avoir un costume spécial, comportant une robe longue ; il tient à la main une baguette ou une masse, mais il est laïc et n'a pas sa place au chœur.

• **Biens ecclésiastiques.** Peuvent appartenir à l'Église romaine ou à toute autre Égl. ou à toute autre personne morale comprise dans l'Égl. universelle. En France, depuis 1924, ces personnes morales sont : 1° pour les biens des paroisses et diocèses (notamment les égl. construites après 1905 ; les édifices du culte public antérieurs à 1905 sont devenus biens communaux) : des « associations cultuelles diocésaines », présidées par l'évêque et comprenant 4 vicaires généraux et 1 chanoine (assoc. déclarées, ne pouvant recevoir ni dons ni legs) ; 2° pour les biens des monastères et des congrégations religieuses : des Stés civiles de toutes sortes, ayant souvent le statut d'un syndicat.

• **Bulle.** Document solennel du pape pour conférer les offices majeurs de l'Église, définir une vérité dogmatique, promulguer les canonisations des saints. Tire son nom du sceau en plomb qui l'authentifie. Écrite en latin. On la distingue généralement par les 2 premiers mots latins du texte.

• **Camauro.** Ancienne coiffure des papes (bonnet en velours ou satin), remise en usage par Jean XXIII, mais abandonnée par Paul VI.

• **Camerlingue.** *Du Sacré-Collège :* sorte de secrétariat, exercé chaque année à tour de rôle, par un des cardinaux, selon son rang d'ancienneté. *De l'Église romaine :* créé au XIIe s., pour remplacer l'archidiacre, c.-à-d. le responsable financier du gouvernement de l'Église. Au XVIe s., ces fonctions passent au vice-camerlingue, et le c. joue un rôle d'apparat, tant que le pape est en vie. C'est un cardinal, inamovible, nommé par le pape ; dès que le siège apostolique est vacant, il préside la chambre apostolique, et devient le représentant de l'Église universelle, battant monnaie à ses armes.

• **Cappa magna.** Tenue officielle des cardinaux.

• **Cardinal.** Voir p. 519 c.

• **Catéchistes.** Chargés de l'instruction chrétienne, sans appartenir à la hiérarchie ecclésiastique. *Nombre en 1985 :* 279 868 (dont Afr. 189 915, Amér. 21 928, Asie 61 709, Europe 281, Océanie 6 035).

• **Cathédrale.** Pour *église cathédrale,* c.-à-d. où se trouve la chaire (du grec *kathedra*) d'un évêque. Jusqu'au Xe s., on disait « égl. mère » ou « égl. majeure ». Lieu réservé pour certaines cérémonies : ordinations, consécration du chrême, bénédiction des saintes huiles. Traditionnellement, la c. était l'édifice religieux le plus imposant d'un diocèse.

Cathédrales les + étendues : New York (U.S.A., St-Jean-le-Théologien, commencée en 1892, encore inachevée : 11 240 m^2), Séville (Espagne : 10 407 m^2) [France : Amiens 7 760 m^2]. *La plus petite :* chapelle de Laguna Beach (Californie, U.S.A., 93,6 m^2).

• **Chanoine.** A l'origine, clerc assistant l'évêque et vivant en communauté avec lui. St Augustin, év. d'Hippone, fixa par écrit les règles organisant la vie « canoniale » ; au cours des siècles, beaucoup d'essais similaires s'en inspirèrent. Le clergé s'étant accru, un petit groupe seulement resta aux côtés de l'évêque, comme ses auxiliaires directs et son conseil. Mais, à diverses époques, l'idée de St Augustin fut reprise pour la création d'ordres religieux composés de prêtres *(ch. réguliers).* Ainsi, par St Norbert, qui fonda les Prémontrés. Jusqu'à la Révolution, il a existé aussi des églises *collégiales* (526 en France), dirigées par un chapitre de *ch. séculiers,* mais sans siège épiscopal (notamment les Saintes Chapelles de Paris et de Vincennes, St-Martin-de-Tours, etc.). La dignité de ch. fut alors par courtoisie décernée à des laïcs, à charge de payer un remplaçant pour dire l'office à leur place. Voir p. 531 a.

Aujourd'hui, les *ch. titulaires,* dans les cathédrales, sont les membres constitutifs du chapitre. A la mort de l'évêque, ils élisent le *vicaire capitulaire* pour l'administration intérimaire du diocèse. Ils sont tenus également de réciter l'office public au nom du diocèse, et leurs honoraires leur sont versés en fonction de leur assiduité : jusqu'à la Révolution, ils recevaient à la fin de chaque office un jeton de présence ou *méreau* qui leur permettait de se répartir à la fin de l'année, proportionnellement au nombre de leurs jetons, les revenus dont disposait le chapitre (très importants comme à Lyon ou Strasbourg). C'est pourquoi certains nobles prenaient le titre de chanoine dans un de ces chapitres, mais n'occupaient pas leur place (chanoines *forains*), et se faisaient remplacer par des ch. *coadjuteurs.* Les ch. *honoraires* d'un diocèse sont beaucoup plus nombreux, et leur titre est seulement honorifique. *Ch. honoraires de la Vaticane :* seuls les ch. de la basilique Vaticane ont le droit de vénérer de près les 3 reliques insignes de la Croix, de la Lance et de la Sainte Face, qui se conservent à part dans l'intérieur d'un pilier de la basilique. Des princes et des souverains désirant vénérer de près ces saintes reliques, on tourna la difficulté en les faisant ch. honoraires de Saint-Pierre.

• **Chapelle papale.** Messe solennelle, célébrée en présence du pape.

• **Chirographie** (du grec, acte manuscrit). Acte revêtu de la signature autographe du pape, et non de son cachet.

• **Clergé.** **Clergé séculier** (vivant dans le siècle) : archevêques, évêques, curés et vicaires. **Clergé régulier :** prêtres ou laïcs religieux constitués en ordres ou en congrégations, et vivant sous une règle.

La législation de l'Église interdit au clergé professions et occupations profanes, à moins d'utilité pastorale. Mais il y a des prêtres, surtout en mission, médecins, chirurgiens, fonctionnaires, députés, avocats, etc., avec l'accord de l'autorité compétente (évêque, supérieur).

Prêtres ouvriers (Mission ouvrière). Nés d'une initiative française, avec le dominicain Loew et le jésuite Magand, après la guerre de 1939/1945. En 1976, il y avait en France env. 1 000 pr. o. diocésains ou religieux (facteurs, camionneurs, garçons de café, en usine, en chantier, peintres en bâtiment, mariniers, balayeurs, garagistes, etc.). La majorité faisait partie de la Mission ouvrière (fondée 1954). Leur mission consiste en une évangélisation dans le cadre du travail et non pas de la paroisse.

• **Commende.** Coutume en vigueur dans l'Église de Fr. entre 1516 et 1789 : les revenus d'une abbaye étaient donnés à un personnage portant fictivement le titre d'abbé (et ne mettant pour ainsi dire jamais les pieds au monastère). L'abbaye était gouvernée par un *prieur claustral,* à qui l'abbé commendataire laissait une *portion congrue* (du latin *congrua*, suffisante ; et selon l'usage « à peine suffisante »).

• **Conseil curial.** Nom donné à des conseils de fabrique élargis qui, en plus des membres prévus par le droit canonique, comportaient un nombre important de paroissiens. Leur existence n'entraînait pas la suppression des c. de fabrique, qui jouaient le rôle de c. curiaux restreints.

• **Conseil de fabrique.** Avant 1905, comité local qui administrait les biens paroissiaux. Actuellement, il est remplacé par le *c. paroissial,* présidé par le curé.

• **Couvent.** Maison où résident des religieux non moines, tels que franciscains ou dominicains (pour les jésuites, on dit : maison).

• **Curé.** Prêtre chargé du soin *(cura)* des âmes, c.-à-d. de la responsabilité religieuse d'une *paroisse.* En France et Belgique, en vertu des articles organiques de 1803, certaines paroisses sont inamovibles, l'évêque ne peut déplacer le curé, sauf pour le bien des paroissiens. Avant (et dep. 1515), la nomination des curés dépendait de l'administration royale, et une cure était considérée comme une sorte de fief. Ainsi, en 1645, le sieur de Fiesque fit attaquer, par ses laquais et des spadassins, la cure de St-Sulpice de Paris sur laquelle il prétendait avoir des droits.

• **Diaconesses.** Dans l'église primitive, étaient chargées des œuvres charitables et aidaient à l'administration du baptême par immersion. En Bretagne, au VIe s., distribuaient la communion. Disparurent vers le XIIe s. en Occident et en Orient. Au XVIe s. les religieuses cath. passées à la Réforme ont pris le nom de « diaconesses ». Elles sont env. 40 000 dans le monde, la plupart en Allemagne ; en France, les 2 maisons les plus importantes sont celles de Strasbourg et de Paris.

• **Diacre.** 1er degré des sacrements de l'Ordre. Le d. unit « les 3 diaconies de la liturgie, de la parole et de la charité ». Il administre solennellement le baptême, conserve et distribue l'Eucharistie, est témoin au nom de l'Église dans un mariage. Il peut bénir, présider au culte et à la prière des fidèles, porter le viatique aux mourants (mais non l'extrême-onction) et présider aux rites funèbres, mais il ne peut pas confesser ni célébrer la messe. Quelqu'un peut être ordonné et rester d. toute sa vie. Les hommes mariés peuvent être ordonnés d. s'ils ont plus de 35 ans, et si leur épouse y consent. Un d. ordonné ne peut plus se marier et un d. devenu veuf se remarier. Avant oct. 1964, les séminaristes étaient ordonnés d. avant leur accession au sacerdoce, mais ils ne le restaient pas. *Nombre de diacres permanents* (1988) : monde 15 686 [dont U.S.A. 7 000 (1986) Allemagne 3 000 France 600). 90 % sont mariés.

• **Dicastère** (du grec *dikasterion,* tribunal, désigne d'abord les tribunaux de la curie romaine, puis les congrégations et les offices). Se dit, au Vatican, des grandes administrations pontificales, correspondant aux différents ministères d'un État laïc. Elles ont généralement à leur tête un cardinal.

• **Diocèse.** Dirigé par un *évêque* ou un *archevêque*, assisté éventuellement d'un ou plusieurs évêques *auxiliaires* (ayant la responsabilité d'un territoire, ou d'une catégorie de diocésains), et d'un *évêque coadjuteur* (adjoint plus jeune, ayant droit à la succession). Les *vicaires généraux* sont à la tête des administrations diocésaines. Les *curés-doyens* ont une autorité morale (surveillance et conseil) sur un groupe de curés de paroisse (un *doyenné* correspond d'habitude à un canton). Dans chaque diocèse, des *zones pastorales* peuvent regrouper plusieurs doyennés ou fractions de doyenné. Elles sont dirigées par un conseil de zone composé de prêtres, religieux, laïcs.

• **Ecclésiastiques.** Membres du clergé.

• **Église.** **Assemblée** de fidèles réunis par une même foi sous les mêmes pasteurs. L'adjectif *chrétien* englobe catholiques, orthodoxes, anglicans et protestants. L'*Égl. catholique, apostolique* et *romaine* comprend seulement les cath. reconnaissant l'autorité du pape *(cath.* signifie universel ; *apostolique* indique la tradition des apôtres, et *romaine,* la suprématie du pape, évêque de Rome). Les cath. utilisent aussi les expressions : *Égl. militante* (fidèles vivants), *souffrante* (justes souffrant dans le Purgatoire), *triomphante* (saints triomphant dans le Ciel).

Lieu consacré ou béni en vue de la prière. *Orientation :* au début, le prêtre célébrant face au public, la façade regardait vers l'orient (ex., à Rome : St-Pierre, St-Jean-de-Latran). En Gaule chrétienne, on orientait la façade vers l'occident (mais il n'y avait pas obligation). Le seul texte prescrivant cette orientation est de 1937 (décret des év. de Belgique). Actuellement, on ne se préoccupe guère d'orienter les églises.

Les plus grandes églises du monde (non cathédrales) : St-Pierre de Rome (surface au sol 15 142 m^2, longueur 186,33 m) ; Yammassoukro (Côte-d'Ivoire, voir Index). *Les plus longues :* Santa-Cruz de Valle de Los Caidos, Esp. : crypte 260 m ; égl. souterraine St-Pie X à Lourdes : 200 m.

☞ Le 5-12-1987, la *commission romaine pour le culte divin* a rappelé que les églises ne peuvent être des lieux publics disponibles pour n'importe quelle réunion. On ne peut donc y accueillir que des concerts de musique sacrée et religieuse.

• **Envoyés pontificaux.** Représentent le pape. On distingue : 1° **Les légats ordinaires** ayant une mission permanente : *Nonces :* légats détachés comme ambassadeurs auprès des gouvernements. Ils sont doyens du corps diplomatique des pays où ils sont en poste. *Pronονces :* nonces qui ne sont pas doyens du corps diplomatique. *Internonces :* envoyés ayant rang de ministres plénipotentiaires. *Délégués apostoliques :* représentants du pape auprès de l'épiscopat seulement, et sans mission diplomatique.

2° **Les légats extraordinaires** ayant une mission bien déterminée (concile, congrès, manifestation religieuse). *Légat a latere :* card. que le pape envoie comme un autre lui-même après l'avoir détaché de son côté *(a latere)*, c'est-à-dire de son conseil intime, en lui déléguant des pouvoirs.

• **Évêques** (du grec *episkopos,* surveillant). Considérés comme les successeurs des apôtres, ils sont à la tête d'une « Église », c.-à-d. d'un diocèse ; ils ordonnent prêtres, diacres, acolytes, lecteurs, bénissent le saint chrême et autres huiles employées pour certains sacrements, confirment, consacrent les églises, etc. Ils participent en outre collectivement, en union avec le pape, au gouvernement de l'Égl. univ. ; cette collectivité s'appelle le *« Collège des évêques ».* Ils sont tous égaux quant à la puissance spirituelle, mais ils sont soumis à une hiérarchie d'ordre disciplinaire (Voir Archevêque). Depuis 1966, ils sont invités à se démettre de leur charge à 75 ans. Cette démission ne peut leur être imposée. Ils sont investis par Rome et sacrés par 3 évêques (un consécrateur et 2 assistants). *Age minimal requis :* fixé à 30 ans par le concile de Latran [(1178) mais il y a des dispenses]. En *France,* jusqu'à la séparation de l'Église et de l'État (1905), le pape demandait l'avis conforme du gouvernement français pour les évêques français. Dep. le rétablissement des relations diplomatiques (1921), le St-Siège consulte le gouv. français sans être tenu par son avis (en fait, il en tient compte). Les évêques de Strasbourg et de Metz, restés sous régime concordataire lors du retour de l'Alsace et de la Moselle à la France en 1918, sont nommés par le gouv. français. En *Allemagne,* le chapitre cathédral du diocèse propose 6 noms à Rome qui en retient 3 et le chapitre choisit l'un d'eux.

Consécrations récentes illégitimes. Faites par des évêques non mandatés par le pape, et par des excommuniés. Néanmoins, la consécration reste valide, et le nouvel év. (excommunié lui aussi) garde le caractère épiscopal [*1976* (11-1), Palmar de Troya (Espagne) : Mgr Ngo-dinh-Thuc consacre 3 Espagnols et 2 Américains ; *1979*, Pékin (Chine) : Mgr Michel Fu Tie Shan, élu évêque par des « catholiques patriotiques » et consacré ; *1981,* Toulon (France) : Mgr Ngo-dinh-Thuc († 13-12-1986) consacre 1 Français (le dominicain Guérard des Lauriers) et 2 Mexicains, dont l'un a consacré ensuite évêques 2 autres Mexicains et 1 Américain] ; *1987,* Mgr Cornejo, ancien év. auxiliaire de Lima (Pérou), consacre 3 Français. *1988, 29-6* Mgr Marcel Lefebvre ordonne 16 prêtres et le *30-6* il ordonne 4 évêques (Voir p. 503 b).

Évêques titulaires (autrefois *in partibus infidelium*). N'ayant pas de diocèse à gouverner, ils portent le titre d'un évêché ancien d'Europe, d'Afrique ou d'Orient disparu après les invasions musulmanes.

Conférence épiscopale. Avant Vatican II, l'archevêque réunissait les évêques d'une province ecclésiastique au moins tous les 5 ans. Depuis Vatican II, on répartit les évêques entre des commissions épiscopales, pour étudier des problèmes qui se posent à l'échelon national (ex. : action cath., monde du travail, presse, enseignement, liturgie, etc.) ou régional.

Anciennes seigneuries épiscopales. Les évêques ont fréquemment cumulé la juridiction ecclésiastique sur le diocèse, et la suzeraineté seigneuriale sur leur évêché. *Dans le royaume de France,* on comptait 6 pairs ecclésiastiques et de nombreux évêques-comtes, archevêques-ducs [Reims et Paris (duché-pairie de St-Cloud)], évêques-ducs (Langres, Laon), comtes (Beauvais, Cahors, Lavaux, Mende, Noyon, Rodez). *Dans le St Empire,* jusqu'au recez de 1803, les évêques étaient seigneurs souverains, plusieurs portaient un titre princier (princes-évêques de Liège, Bâle, Trente, etc. ; princes-archevêques de Prague, Olmütz, Salzbourg, Göritz, Vienne, etc.) ou électoral (archevêques électeurs de Cologne, Trèves, Mayence). *En Pologne,* l'év. de Cracovie était prince, etc. De tous ces titres féodaux portés par des évêques, il n'en subsiste qu'un seul au XXe s. : l'évêque de la Seo d'Urgel, en Espagne, est co-prince d'Andorre (pouvoir partagé avec le Pt de la Rép. française).

Insignes épiscopaux. Anneau. Croix pectorale. Crosse (en latin *baculus*). Bâton de berger, symbolise l'autorité de l'évêque sur les fidèles du diocèse, et celle de l'abbé sur les moines. D'abord en bois, puis en général en métal à partir du XVe s. ; de nouveau, couramment en bois dep. 1950. Quand un évêque officie dans son diocèse ou un abbé dans son monastère, ils tiennent la volute de leur crosse tournée vers le peuple. En dehors de leur juridiction, ils la gardent tournée vers eux-mêmes. **Mitre** (du grec *mitra*, bandeau ou diadème) : dans l'Orient antique, symbole d'autorité ; portée par évêques et abbés à partir du XIIIe s. Faite d'étoffes somptueuses, ornée de broderies et de pierreries, elle a pesé jusqu'à 15 livres. Actuellement, en toile de soie montée sur carton.

Coiffure non liturgique : de moins en moins portée. Avec la soutane violette : chapeau violet avec le rond, à large bord, orné de cordons et de glands de soie ; avec la soutane noire : noir avec cordons et houppes violets. *Coiffures figurant sur les armoiries* : chapeau rouge à 30 houppes ; patriarche : vert à 30 h. ; archevêque, vert à 20 h. ; évêque, vert à 12 h. ; généraux des ordres et protonotaires, noir à 12 h. ; abbés crossés et mitrés, noir à 12 h. ; prieurs et chanoines privilégiés, noir liséré rouge à 6 h. ; chan. ordinaires, noir liséré rouge à 2 h.

Visite ad limina. Abrégé de *Ad limina apostolonna* : « aux seuils des basiliques des apôtres », autrement dit à Rome. Voyage que chaque év. est tenu de faire périodiquement pour rendre compte au pape de sa mission dans son diocèse (obligatoire tous les 5 ans pour les év. européens, tous les 10 ans pour les autres) ; pour les év. français : 1992, etc. Les év. s'y rendent par région (en France, il y a 9 régions).

☞ **Circonscriptions ecclésiastiques.** 2 519. **Évêques dans le monde.** *1986* : 4 027 (dont religieux 1 083) dont Afrique 481, Amérique 1 558 (500), Asie 560 (174), Europe 1 323 (214), Océanie (105) 40. *1990* (1-1) : 3 970 (dont 1 420 nommés par Jean-Paul II) dont 2 243 diocésains. *Âge moyen* : 50 ans.

• **Exorcistes.** Jusqu'en 1972 : clercs ayant reçu l'ordre mineur de l'exorcistat, et héritiers des fidèles chargés, dans l'Église primitive, de s'occuper des énergumènes *(possédés du démon)* ; ils ne pratiquaient jamais d'exorcismes *réels*, mais prononçaient les formules d'exorcismes *virtuels* qui s'appliquaient aux cas généraux et figuraient dans des livres liturgiques (parmi ces exorcismes, il y a des formules de malédiction contre les animaux nuisibles, tels que mulots et chenilles, ou contre des animaux atteints d'un mal les rendant dangereux, tels que porcs ou chiens ; on les a souvent nommés à tort des *excommunications*). Les exorcistes diocésains (toujours prêtres, et délégués spécialement par leur évêque) sont, depuis 1918, chargés d'administrer les exorcismes *réels* c.-à-d. d'accomplir les rites spéciaux prévus pour les cas de *possession diabolique*. Ils ne doivent prononcer les formules liturgiques que lorsqu'ils sont convaincus de ne pas avoir affaire à un trouble d'origine nerveuse ou psycho-pathologique.

Comportement du possédé : insolence, haine ; parle et comprend des langues qu'il n'a jamais apprises, discute en théologien, manifeste une force herculéenne, est sujet à des phénomènes comme la lévitation, se plaint de douleurs (différence avec les hystériques : les hystériques hurlent, s'agitent, sont conscients de leur état). En 1986, sur 5 000 cas prétendus de possession, 3 ou 4 furent identifiés comme authentiques, les autres relevant de la psychiatrie.

• **Fidei donum** (« don de la foi »). Institution tirant son nom du titre d'une encyclique de Pie XII (21-4-1957), chargée d'envoyer des prêtres dans les diocèses au clergé trop peu nombreux. *Age moyen* : 53 ans. *Durée moyenne des séjours* : Afr. noire, Dom-Tom, Afr. du S., Asie 12 ans ; Amér. latine 15 ans ; Maghreb 16 ans.

• **Glossolalie** (du grec *glôssa*, langue et *lalia*, parole). Faculté de parler sous l'inspiration du Saint-Esprit.

• **Incardination.** Du latin, *cardo* gond. Lien juridique d'un clerc ou d'une congrégation avec son diocèse.

• **Indulgences.** Pratique, remontant à l'époque où les évêques excommuniaient leurs fidèles pendant une certaine durée, pour les punir d'une faute grave. Certains actes pieux (prières, jeûnes, aumônes) pouvaient abréger leur temps d'excommunication de 10 j, 20 j, 30 j, etc. Certains pèlerinages leur valaient une « plénière », c.-à-d. la remise totale de leur peine. Quand l'excommunication a été supprimée en pratique (VIIIe s.), les expressions de « 10 j, 20 j, 30 j d'ind. » et « ind. plénière » sont demeurées pour fixer une hiérarchie de valeur entre différents actes pieux. La pratique des ind. (et surtout des « quêtes indulgenciées ») a été violemment critiquée par Luther en 1520. Le concile de Trente (1545-63) a proclamé que les ind. étaient « utiles », mais il n'a pas dit en quoi, ni ce que signifiaient des expressions telles que « 10 j » ou « plénière ». Beaucoup de catholiques, sans pouvoir s'appuyer sur aucun texte officiel de l'Église, les ont interprétées longtemps dans le sens de « réduction du temps passé au Purgatoire » (ce que dénonçaient les protestants). La pratique des actes de dévotion « indulgenciés » a presque disparu dans l'Église contemporaine, sauf celle des pèlerinages pendant les années saintes, où l'on peut obtenir une « ind. plénière » en recevant la bénédiction pontificale. Un texte leur a été consacré : la constitution apostolique « Indulgentiarum doctrina » (1-1-1967). Seule est restée la distinction entre ind. *plénière* et *partielle*, la computation des j ayant disparu. Le 14-12-1985, les évêques ont reçu le droit d'accorder l'ind. plénière (5 fois par an) aux fidèles ne pouvant aller à Rome, et suivant la bénédiction pontificale à la T.V.

• **Interdit.** Interdiction d'administrer les sacrements et de célébrer les messes dans un territoire donné (« excommunication territoriale »).

• **Missions.** Églises créées du dehors dans des pays de civilisation non chrétienne et dont les circonscriptions ecclésiastiques (921, dont 385 en Afrique) ne dépendent pas de la Congrégation des évêques, mais relèvent directement du pape par le *Dicastère de la Sacrée Congrégation pour l'évangélisation des peuples (anciennement : de la propagation de la foi)*. Au 1-9-1989, le *Dicastère* administrait 80 000 000 fidèles répartis dans 924 circonscriptions ecclésiastiques (dont 141 archidiocèses, 660 diocèses, 64 vicariats apostoliques, 3 abbayes territoriales, 49 préfectures apostoliques, 6 missions *sui juris* et 1 administration apostolique : Asie 401 (dont Chine 141), Afrique 388, Amérique 81, Océanie 42, Europe 12.

Principaux instituts missionnaires. *Masculins* : Sté des Missions étrangères de Paris, Congrégation du St-Esprit (créée 1703), Sté des missions africaines, Pères Blancs, Voir p. 525 a. *Féminins* : Congr. des sœurs missionnaires de la Sté de Marie, Salésiennes missionnaires, Sœurs de N.-D. des Apôtres, Missionnaires du St-Esprit, Sœurs missionnaires de N.-D. d'Afrique (Sœurs Blanches), St-Joseph de Cluny, Voir p. 526 c.

Personnel missionnaire fourni par les instituts : 4 491 femmes, 4 380 hommes. Afrique et océan Indien, 2 924 femmes (dont Afr. du Nord 713, Afr. subsaharienne 1 868, océan Indien 343) et 2 609 hommes : Asie 488 F., 825 H. ; Amérique latine 670 F., 614 H. ; Amér du N. 255 F., 179 H. ; Océanie 154 F., 153 H.

Nombre de missionnaires assassinés. *De 1980 au 1-1-1990* : 107 [dont 3 évêques, 73 prêtres (14 du clergé diocésain, 59 religieux), 31 frères et religieuses]. *En 1989* : 22 (dont 2 év.) dont au Salvador 6 jésuites, Mozambique 4, Colombie 3, Angola, Brésil, Philippines, Japon, Kenya, Panama, Pérou, Somalie 1.

Œuvres pontificales missionnaires (O.P.M.). 5, rue Monsieur, 75007 Paris. Institution unique avec 4 branches : *l'Œuvre de la propagation de la foi* (*fondée* 1822, Lyon, par Pauline Jaricot, 2 centres en France : 5, rue Monsieur, 75007 Paris, et 12, rue Sala 69287 Lyon Cedex 1) ; *Œuvre de St Pierre Apôtre* (*f.* 1889, Caen, par Stéphanie et Jeanne Bigard, 5, rue Monsieur, 75007 Paris) ; *Œuvre de la Sainte-Enfance ou Enfance missionnaire* (*f.* 1843 par Mgr de Forbin-Janson, évêque de Nancy, 15, rue Molitor, 75016 Paris) ; *Union pontificale missionnaire* (*f.* Italie, 1916 par le Frère Manna, 5, rue Monsieur, 75007 Paris).

Les O.P.M. existent actuellement dans + de 100 pays au monde. Le nombre des missionnaires originaires de pays non européens ne cesse de s'accroître (Indiens, Malgaches, Japonais, Brésiliens entre autres). Des instituts de missions étr. se sont ouverts au Mexique, en Colombie, en Inde, en Corée, aux Philippines, au Nigeria.

Subsides mondiaux distribués en 1988 (en millions de F) : Propagation de la foi 640, Œuvre de St Pierre Apôtre 190, Enfance missionnaire 75.

Presse : principaux titres et tirages : *Solidaires* (fusion avec *Lumière du Monde* en 1989) 120 000 ; *Peuples du Monde*, magazine de la mission universelle 32 000 ; *Terres lointaines* 80 000 ; *Pentecôte sur le Monde* 20 000 ; *Pôles et Tropiques* 20 000 ; *Mission de l'Eglise* 9 000 ; *Missi* 20 000.

• **Monseigneur.** Au XVIIe s., il était courant pour un noble de se faire appeler *monseigneur* par ses domestiques et ses fournisseurs. Les évêques français, nobles ou assimilés à des nobles par leur charge épiscopale, réclamèrent cette appellation. Pour en imposer l'usage, ils s'appelèrent entre eux « Monseigneur », ce qui les rendit ridicules aux yeux de la noblesse, car seul le dauphin de France était appelé ainsi par des nobles (avant, on avait dit : « Messire Evesque », puis « Monsieur l'Évêque » ; les prélats étaient appelés par le nom de leur charge : « Monsieur le camérier »). En 1816, les domestiques ne disaient plus à leurs maîtres « Monseigneur », mais Monsieur le comte, M. le baron, etc. L'appellation « Monseigneur » resta alors exclusivement ecclésiastique. Depuis le XIXe s., on la donna à des prélats romains tels que camériers ou protonotaires. On dit « un monseigneur » (italien : *monsignore*, espagnol : *monseñor*) pour les désigner.

• **Notaires apostoliques.** Officiers publics de la Cour de Rome chargés de dresser des actes officiels concernant le St-Siège.

• **Opus Dei** (prélature de la Ste Croix et Opus Dei). *Fondée* 2-10-1928 à Madrid par Mgr Josemaría Escrivá de Balaguer [(9-1-1902/26-6-75) (procès de béatification ouvert 12-5-1981 ; vertus héroïques proclamées par décret du 9-4-1990), auteur de *Chemin* (3 600 000 ex. en 38 langues)]. *Érigée* le 28-11-1982 en prélature personnelle (voir p. 513 a) par Jean-Paul II. *But* : diffuser un appel à la sainteté et à l'apostolat dans la vie ordinaire (travail professionnel), sous la responsabilité personnelle de chacun. *Membres* : un prélat, Mgr Alvaro del Portillo (Espagnol, n. 1914 ; ordonné év. 6-1-1991) ; + de 1 000 prêtres incardinés dans la prélature (60 nouveaux par an) ; 73 000 laïcs, hommes et femmes, célibataires et mariés (dans 87 pays), unis à l'Opus Dei par un lien contractuel, tout en restant des fidèles ordinaires dans leurs diocèses respectifs. Des coopérateurs, qui peuvent être non cath. ou non chrétiens, collaborent par prières, travail et aumônes. **Sté sacerdotale de la Ste Croix**, association de prêtres séculiers, intrinsèquement unie à la prélature. *Pt* : prélat de l'Opus Dei. **Curie** *de la prélature* : Viale Bruno Buozzi 73, 0197 Rome. **En France** : *Vicaire régional* : abbé Augustin Roméro (5, rue Dufrénoy, 75116 Paris). *Membres* : 1 315.

• **Ordinaire.** Tout supérieur ayant juridiction spirituelle sur des religieux (ordinaires simples) ou les catholiques d'un territoire ecclésiastique (ordinaires des lieux).

• **Pallium.** Dérivé de l'*omophorion* (« scapulaire ») des évêques orientaux, qui était l'ancien vêtement des pâtres anatoliens, porté symboliquement par les pasteurs d'âmes. Sorte de *poncho* de laine écrue blanche, orné de 6 croix en soie noire. Insigne de l'autorité métropolitaine, réservé aux archevêques et primats, aux patriarches et au pape. Il avait été concédé à 18 évêques dont le siège était très ancien, ou particulièrement renommé [Italie 7, Hongrie 2, Pologne 1, France 8 (Autun, Chartres, Clermont-F., Coutances, Le Puy, Soissons, Tarbes-Lourdes, Verdun)], mais un décret de Paul VI (28-5-1978) en a limité l'attribution aux seuls « métropolites » et au patriarche de Jérusalem. Depuis Jean-Paul Ier (3-9-1978), la remise du pallium au pape (primat d'Italie) remplace celle de la tiare.

• **Papabile.** Tout cardinal ayant des chances d'être élu pape (ceux qui font campagne, plus ou moins discrètement, pour être élus sont surnommés *papeggianti*).

• **Patriarcats catholiques d'Orient.** Autorités suprêmes des Églises de rite oriental, rattachées à

1ers évêques. *Chinois* Grégoire Lo-Wen-Tao (dominicain ordonné prêtre 1656, il fit quelques ordinations). 6 év. (dont Mgr Tien, 1er cardinal non européen, consacré par Pie XI le 26-10-1926). *Japonais* Mgr Hayasaka (év. de Nagasaki, 1927) ; *Indochinois* Mgr Tong (év. de Phat-Diem, 1933) ; *Noir africain* Mgr Faye (év. de Ziguinchor, Sénégal, 1939) ; *Malgache* Mgr Ramarosandratana (év. de Mianarivo, 1939).

Meurtres d'évêques. Depuis le concile de Trente (1563), sur 23 000 év., env. 50 ont été tués, en raison de leur épiscopat, d'un crime de droit commun ou d'un acte de violence ne les visant pas personnellement. La plupart dans des pays de mission (plusieurs au cours des g. de décolonisation), et en Espagne (12 tués en 1936-39, g. civile). **En France**, une douzaine d'év. ont péri pendant la Révolution, notamment les 2 martyrs des Carmes, qui ont été béatifiés. Les autres étaient membres du clergé schismatique (év. constitutionnels). 3 archevêques de Paris ont péri de mort violente au XIXe s. : *Mgr Affre* (abattu sur les barricades 25-6-1848) ; *Mgr Sibour* (poignardé 31-1-1857 par Jean Verger, prêtre dément, hostile au dogme de l'Immaculée Conception, qui l'assassina au cri « Pas de déesse ») ; *Mgr Darboy* (fusillé 24-5-1871 par les Communards).

Rome. 1° **Égl. catholiques existant à côté d'Églises orientales de même rite, séparées de Rome :** *Alexandrie, des coptes* [Sa Béatitude Stéphane II (Mgr Andreos Ghattas) dep. 1986, Le Caire, Égypte, 180 000 fidèles]. *Antioche et tout l'Orient, Alexandrie et Jérusalem, des Grecs melchites* [S.B. Maximos V (Georges Hakim n. 1908) dep. nov. 1967 ; hiver : Le Caire (Égypte), été : Damas (Syrie)]. *Antioche, des Syriens* [S.B. Ignace Hayek ; hiver : Beyrouth, été : Charfé (Liban)]. *Cilicie, des Arméniens* (S.B. Jean-Pierre XVIII Kasparian ; Beyrouth, Liban). 2° **Égl. orientales uniquement catholiques :** *Antioche, des maronites* (S.B. Nasrallah Sfeir ; hiver : Bkerké, été : Dimane, Liban). *Babylone, des Chaldéens* (S.B. Paul II Cheikho ; Bagdad, Irak) ; liturgie en araméen ; seule trace dans le catholicisme de l'ancienne église (nestorienne) dont elle est issue. 3° **Égl. latine avec juridiction :** *Jérusalem des Latins :* S.B. Michel Sabbah (n. 19-3-33), 1er patriarche palestinien (non italien), dep. près de 1 000 ans. C'est en effet, à l'époque des croisades, que fut institué un patriarcat latin à Jérusalem en 1099, tombé en désuétude puis rétabli en 1847 (65 000 fidèles dont 85 % d'origine arabe ; 78 prêtres diocésains).

Patriarcats honorifiques. *Indes orientales* (à Goa), *I. occidentales* (antérieurement à Tolède ; non conféré actuellement), *Lisbonne, Venise.* Supprimés en 1964 : *P. latin d'Alexandrie, l. de Constantinople, d'Antioche.* En France, avant la Révolution, comme il y avait 2 primats d'Aquitaine (voir ci-dessous), l'arch. de Bourges portait le titre de « primat et patriarche d'Aquitaine ».

Patriarches. Depuis 1965, ils viennent juste après les cardinaux. Les premiers furent les évêques de Rome, d'Alexandrie et d'Antioche (325), puis ceux de Constantinople (381) et Jérusalem (451). Le pape est patriarche d'Occident.

• **Préfet apostolique.** Prélat (temporaire) chargé d'un territoire missionnaire non encore érigé en diocèse.

• **Prélat.** Titre donné aux évêques, aux abbés, aux protonotaires et aux ecclésiastiques appelés « Monseigneur » à vie (ils ont droit à la soutane violette).

Prélature personnelle. Juridiction non territoriale, créée par Paul VI (1966) pour réaliser des activités pastorales ou missionnaires particulières, gouvernée par un prélat propre, ayant la même juridiction qu'un ordinaire, et nommé par le St-Siège. Peut former et incardiner des prêtres séculiers, et avoir la coopération de laïcs. (Voir Opus Dei, p. 512c).

Prélatures territoriales. Possédant un régime identique à celui des abbayes *nullius* (voir p. 510b), mais ayant à sa tête un prélat du clergé séculier. De 1970 à 1985, le mot *nullius,* supprimé pour les prélatures, fut maintenu pour les abbayes ; dep. 1985, toutes deux sont appelées « territoriales ». La plupart se trouvent dans les Églises orientales ou les pays de mission. *France :* Pontigny (détachée du diocèse d'Auxerre), l'église paroissiale est une ancienne abbatiale cistercienne, confiée à la Mission de France, (voir p. 512b) dont le supérieur est choisi par le St-Siège parmi les évêques français.

• **Prêtre. Nom :** forme latinisée du grec *presbuteros,* comparatif de *presbus,* « vieillard ». Le mot grec était la traduction du latin *senior,* comparatif de *senex,* « vieillard ». Les Grecs ont du faire un contresens sur *senior,* « chef » ou « conseiller » de la même racine que *sen-tio,* « j'ai un avis », et sans rapport avec *sen-esco,* « je vieillis » [simple homophonie : le sénat rassemble les hommes sensés (et non des séniles), qui donnent des sentences].

Formation : on devient prêtre par le sacrement de l'*Ordre* conféré par un évêque. Auparavant, après 5 années d'études (philosophie 2 ; théologie 3, passées normalement dans un séminaire), les *séminaristes* recevaient les *ordres mineurs,* désormais appelés *ministères : lecteur, acolyte (portier, exorciste* ayant été supprimés en 1972), puis les *ordres majeurs : sous-diaconat* (supprimé 1972), *diaconat et sacerdoce.*

Célibat. Si les ministres du Temple de Jérusalem devaient observer la continence avant de remplir leurs fonctions, aucune référence évangélique n'interdisait le mariage d'un évêque, d'un prêtre ou d'un diacre. La plupart des 1ers apôtres étaient d'ailleurs mariés, notamment Pierre qui fut le 1er pape. Du Ier au IIIe s., un homme n'ayant eu qu'une seule femme dans sa vie pouvait devenir évêque, mais un prêtre devenu veuf avait l'interdiction de se remarier. Au IVe s., un prêtre ne pouvait se marier avant d'être ordonné, mais un prêtre marié pouvait le rester après. Peu à peu, des décisions locales, conciles d'Elvire (300), Arles (314), Ancyre (315), Néocésarée, Antioche (341), Carthage (340), Tolède (400), pour ne citer que les plus anciens, imposèrent le célibat pour le clergé d'Occident. Elles furent reprises par les décrétales du pape St Sixte (386), les instructions d'Innocent Ier (402-417), les canons du 2e concile du Latran (1139) et du concile de Trente (1545-63). Au VIe s. (concile d'Elvire), le célibat s'imposa définitivement. Au XXe s., le code de droit canon de 1917, le concile Vatican II (1965), l'encyclique *Sacerdotalis cœlibatus* de Paul VI (1967), la lettre aux prêtres de Jean-Paul II (1979), le code de 1983 ont insisté sur ce problème du célibat.

Prêtres mariés. Églises occidentales : très peu nombreux jusqu'en 1984 [pasteurs luthériens convertis, évêque vieux-catholique (Mgr Salomeo Ferraz, Brésilien, † 9-5-1969)], en 1977, 60 prêtres « épiscopaliens » mariés (aux U.S.A.) avaient demandé en bloc leur admission dans l'Égl. catholique, pour protester contre l'ordination d'une femme. **Égl. orientales :** des hommes mariés peuvent devenir prêtres (et c'est l'usage), mais un prêtre célibataire ou veuf ne peut pas se marier, les hommes mariés ne peuvent devenir évêques. En 1899, ce régime avait été étendu aux prêtres paroissiaux des églises de rite oriental fondées en Amérique, mais le célibat y a été rendu obligatoire en 1929. Il y aurait env. 80 000 prêtres ou ex-prêtres mariés dans le monde. **Égl. anglicane :** admet pour évêques des hommes mariés. **Égl. réformée :** les pasteurs laïcs dirigeant la prière peuvent être mariés. Luther (qui avait épousé une religieuse) et Calvin ont toujours protesté contre la règle du célibat.

Femmes. Les femmes aspirant au ministère presbytéral avaient créé une amicale internationale. Lors du voyage de Jean-Paul II aux U.S.A. (10/20-9-1987), 2 manifestations féministes eurent lieu : 1° Sœur Rita Jirak, Pte de la conférence pour l'ordination des femmes, invita le pape à une veillée de prières la nuit du 2 au 3 oct. ; 2° Sœur Theresa Kane, supérieure gén. de l'Union des religieuses des U.S.A. l'exhorta à permettre aux femmes d'accéder aux ministères. Le pape répondit de prendre « Marie comme modèle de la place des femmes dans l'Église ». L'association a mis fin à ses activités. Le 30-9-1988, le pape a confirmé sa position dans une lettre apostolique *(Mulieris dignitatem).* En 1987, la *Stampa* a révélé le cas d'un prêtre transsexuel qui à 50 ans changea de sexe (selon le droit canon, il a dû cesser d'exercer son ministère). En 1990, une commission d'évêques amér. présidée par Mgr Imech (év. de Joliet, Illinois) a prôné l'accession des femmes au diaconat.

Sanctions subies. Suspense : le prêtre est privé par son évêque du droit d'exercer ses fonctions sacerdotales. Il peut, en outre, être frappé d'*interdit personnel* (sanction non réservée au clergé), qui le tient éloigné de tout acte religieux. **Retour à l'état laïque :** le prêtre est relevé de ses droits et obligations ecclésiastiques, ex. : célibat, célébration de la messe. [NOMBRE : de *1914 à 1963 :* 810 demandes ; *de 1963 à 1978 :* 32 231 (la plupart acceptées par Jean XXIII et Paul VI). Depuis Jean-Paul II, les demandes sont bloquées.] **Excommunication :** sur 7 cas d'excommunications encore prévus par le code de 1983, 2 sont réservés aux prêtres (absolutions illicites, viol du secret de confession).

Atteintes à la dignité sacerdotale. Énumérées dans le code de 1917, supprimées dans celui de 1983 (par ex. port d'armes, fréquentation des cabarets).

Vêtements non liturgiques. Soutane : en usage dep. le XIXe s., a cessé d'être obligatoire le 1-7-1962. Les pr. doivent porter un vêtement ecclésiastique choisi par les conférences épiscopales respectives (en Fr., il comporte en principe le col romain, mais la chemise blanche avec cravate noire était admise jusqu'en oct. 1984 ; après la promulgation du nouveau code de droit canonique, les év. fr. ont été invités à fixer des règles plus contraignantes. **Camail (mosette ou mozette) :** petite pèlerine courte arrivant à mi-bas portée par certains dignitaires ecclésiastiques. **Barrette :** petit chapeau autrefois porté par tous les clercs.

Vêtements liturgiques. Amict ou huméral : fin voile muni de cordons, que le prêtre porte sur les épaules pour la messe (d'origine juive, correspond à l'*éfod* des Israélites). **Aube :** ancien vêtement de dessous des Romains (descendant jusqu'aux pieds). Pendant la nuit pascale, consacrée aux baptêmes, les 1ers chrétiens romains se présentaient en aube (tenue normale pour le bain baptismal). A cause de sa couleur blanche, ce vêtement a été considéré comme un symbole de l'innocence, et son usage s'est généralisé pour toutes les liturgies. **Chasuble :** ancienne *penula* des Romains ; vêtement de dessus, en étoffe lourde. Utilisée par le prêtre pour dire la messe ; autrefois en soie, auj. souvent en laine ou lin, avec des broderies. Couleur variant (dep. le XVe s.) selon la messe célébrée : verte (dimanches ordinaires de l'année) ; blanche (fêtes des saints, du Christ et de la Vierge) ; rouge (fêtes des martyrs et du St-Esprit) ; violette (deuil et pénitence : le noir ayant remplacé le violet pour la liturgie des morts du XVIe au XXe s. ; actuellement, on revient au violet). Autrefois, elle n'était pas échancrée sous les bras et le poids de l'étoffe était pénible lors des prières dites avec les bras écartés et levés vers le Ciel. A partir du XVe s., on réduit de plus en plus la surface de l'étoffe couvrant les bras, jusqu'à réduire la chasuble à la forme d'un scapulaire, dépassant à peine les épaules. Depuis 1950 env., a retrouvé la forme romaine, couvrant les bras jusqu'aux poignets. **Dalmatique :** de même couleur et même étoffe que la chasuble : réservée aux diacres, elle possède des manches et est fendue sur les côtés. **Étole et manipule :** de même couleur et même étoffe que la chasuble. L'étole était portée par le prêtre, autour des épaules. Le manipule (supprimé en 1965) était attaché à l'avant-bras gauche. L'étole est parfois utilisée sans la chasuble, ainsi pour la communion, la confession, l'onction des malades. **Gremial :** linge en lin blanc (lacé sur les genoux de l'évêque pendant certaines cérémonies). **Surplis :** tunique blanche, de toile fine, descendant jusqu'aux genoux, sans capuchon, à larges manches, que les ecclésiastiques portent dans les cérémonies religieuses où ils n'officient pas. Ils le portaient obligatoirement sur leur soutane (qui n'était pas un vêtement liturgique). Depuis la suppression de la soutane, l'aube remplace le surplis.

☞ **Statistiques. Nombre de prêtres :** Total (religieux + diocésains) *1971 :* 420 429, *1989 :* 401 930 dont Europe 227 042, Amérique 119 403, Asie 30 768, Afrique 19 269, Océanie 5 448. **Prêtres par habitants.** Au 31-12-1989 : 401 479 et, entre parenthèses, **par catholiques :** Asie 57 195 (2 531), Afr. 31 486 (4 150), Océanie 8 773 (2 182), Amér. 5 771 (3 669), Europe 2 180 (1 221). **Pays ayant le plus de prêtres** *en 1981 :* Italie 62 861, U.S.A. 58 174, *France 33 672* (1988). Pologne 21 854 (1988). *Afrique* (entre parenthèses, proportion pour 10 000 cath.) : Zaïre 2 584 (2). Tanzanie 1 543 (4,2). Nigeria 1 350 (2,4). Afr. du Sud 1 194 (5,6). Ouganda 927 (1,7). Kenya 897 (2,7). Cameroun 862 (3,7). Madagascar 687 (3,5). Zambie 518 (3). *Asie :* Inde 12 000 (diocésains 7 058, religieux 4 943 ; évêques 146 pour 12 000 000 de cath., répartis en 5 139 paroisses). **Défections.** *Entre 1973* et *1985 :* env. 40 000. *1986 :* 1 057 (0,26 %). *1987 :* 1 000. **Taux de renouvellement.** *Normal :* 12,5 séminaristes pour 100 prêtres. *Maximal (1985) :* Pologne 38,1. *Minimal :* Belgique 3,6, France 4,1.

Séminaristes (au 1-1-1988)	Grands		Petits	
	Diocésains	Religieux	Diocésains	Religieux
Afrique	9 230	2 242	31 955	3 568
Amérique	19 531	11 064	18 674	9 633
Asie	10 885	6 883	12 667	6 266
Europe	20 073	9 670	18 317	17 200
Océanie	518	328	349	79
Total	60 237	30 187	81 962	36 746

• **Ordinations.** *1979 :* 5 765, *86 :* 7 209, *87 :* 6 739, *88 :* 7 251.

• **Primat.** Titre porté dans l'Église primitive par les archevêques des métropoles les plus importantes, qui avaient autorité sur arch. et évêques d'une région de l'Empire romain. En France, les titres primatiaux ont été supprimés au Concordat de 1801, sauf celui de Lyon (« primat des Gaules »), porté par l'oncle du 1er Consul, le card. Fesch. L'arch. de Lyon garde donc une autorité juridique sur les autres archevêques (l'officialité « primatiale » a une juridiction d'appel sur les off. métropolitaines). Les autres titres primatiaux repris par des arch. français sont purement honorifiques. **Primats français :** Arch. d'*Auch :* pr. de Novempopulanie (il a porté, avant la Révolution, un 2e titre : « pr. des 2 Navarres ») ; *Bordeaux* et *Bourges :* pr. d'Aquitaine [Bordeaux était la capitale de l'Aq. Première et Bourges de l'Aq. Seconde, le titre a été longtemps disputé entre les deux ; actuellement, employé généralement pour Bordeaux ; dans certains textes anciens, l'Église de Bourges est appelée Égl. cardinale, titre non officiel, permettant de laisser à Bordeaux le primatiat] (voir patriarcat ci-dessus) ; *Lyon :* pr. des Gaules ; *Nancy :* pr. de Lorraine, l'archevêché (français) de *Carthage* créé 1884, pr. d'Afrique ; *Reims :* pr. de la Gaule belgique (porté seulement par 2 arch. de 1822 à 1850) ; *Rouen :* pr. de Normandie ; *Sens :* pr. des Gaules et de Germanie (mauvaise traduction pour « des Gaules germaniques », c.-à-d. des 3 provinces gallo-romaines appelées « Germanie ») ; *Toulouse :*

pr. de Narbonnaise. **Étrangers :** *Malines :* province de Belgique (dep. 1560) ; *Baltimore :* pr. des États-Unis ; *Eztergom :* pr. de Hongrie ; *Tolède :* pr. d'Espagne ; *Dublin :* pr. d'Irlande (mais l'arch. d'*Armagh* a le titre de « primat de toute l'Irlande ») ; *Bahia :* pr. du Brésil, etc.

• **Protonotaires.** Prélats de la cour (ancienne Chancellerie) papale, chargés des fonctions de notaire pour les actes les plus solennels : rédaction des procès-verbaux d'intronisation des papes, transcription des délibérations et décisions des consistoires publics. Titre donné aussi honorifiquement à d'autres prélats *(pr. surnuméraires).*

• **Recteurs d'églises.** Du latin, *regere,* diriger. Dans certaines régions (notamment en Bretagne), on appelle *recteurs* les curés de paroisse. Selon le droit canon, un recteur d'égl. est un prêtre préposé à une égl. qui n'est ni paroissiale, ni capitulaire (c.-à-d. dépendant d'un chapitre de chanoines), ni annexée à une communauté religieuse. Ex. : à Paris, la basilique de Montmartre. Un recteur d'égl. n'a pas le droit de remplir les fonctions paroissiales (baptêmes, mariages, enterrements) ; mais il peut célébrer la liturgie. On appelle aussi ainsi certains directeurs d'universités, académies ou collèges.

• **Religieux.** Voir p. 522 à 526.

• **Sacristain.** Officier ecclésiastique chargé de l'entretien des lieux du culte (ornementation de l'autel, surveillance des vases sacrés, balayage de l'église). Jusqu'au VIe s., leur charge était confiée aux diacres, d'où le nom de *diakonikon,* donné par les Grecs à la sacristie. Au VIe s., on les appelait *mansionnaires,* et à partir du XIe s., *bedeaux,* car on ne les distinguait pas de ceux-ci. Souvent la charge était confiée à un jeune prêtre, vicaire du curé. En 1809, un règlement définit les fonctions de sacristain prêtre. A la fin du XIXe s., les prêtres confient le plus souvent la charge de sacristain au bedeau de la paroisse. Au XXe s., les 2 fonctions furent confondues, les bedeaux étant appelés sacristains.

• **Simonie.** Trafic des choses saintes (notamment indulgences). Vient du nom de Simon le Magicien, prestidigitateur juif qui voulut acheter à Pierre et Paul leurs dons pour faire des miracles.

• **Sonneur.** Officier ecclésiastique subalterne, chargé des sonneries de cloches, et généralement de l'entretien des cloches et des cordes. En France, il y a 2 sortes de sonneurs : civils (communaux) et religieux (paroissiaux). Si les 2 charges sont exercées par le même homme, il touche 2 rétributions.

• **Suburbicaire.** Diocèse situé dans les environs de Rome. Voir Cardinaux p. 519c.

• **Suisses.** Nom donné, à partir du XVIIIe s., aux *bedeaux,* chargés de la surveillance des églises (au XVIIe s., les maisons de la noblesse et de la haute bourgeoisie avaient des portiers armés, généralement recrutés en Suisse ; peu à peu, l'usage s'établit de les habiller à la façon des gardes suisses de la Maison du Roi ; les riches paroisses parisiennes, puis toutes les églises paroissiales du royaume, ont suivi la coutume des bonnes maisons).

• **Suspense.** Voir Prêtre, p. 513a.

• **Tonsure.** Coutume ecclésiastique en vigueur depuis le concile d'Agde (506) jusqu'en 1972 (réforme des ordres mineurs *Ministeria quaedam* de Paul VI) : dès qu'un clerc recevait le 1er degré des ordres (l'*acolytat*), on lui coupait les cheveux d'une façon spéciale pour le distinguer des autres membres du corps chrétien. Formes de t. : *romaine,* en cercle sur le sommet du crâne (plus la dignité était élevée, plus la surface tondue était large : l'évêque de Rome portait donc la « couronne de St Pierre » qui lui laissait juste une mince frange de cheveux) ; *irlandaise,* dégarnit une bande de quelques cm au-dessus du front ; *de St Paul,* rase le crâne par-devant jusqu'au sommet de la tête.

• **Vicaire.** Auxiliaire du curé dans une paroisse. *V. général :* aide l'évêque pour administrer son diocèse. *V. aux armées :* év. chef de l'aumônerie milit. *V. apostolique :* év. chargé par le pape de gouverner un territoire (de mission) non diocésain.

Statistiques mondiales

Au 31-12-1989, il y avait, selon l'*Annuario Pontificio :* **Sièges résidentiels** 2 478, 13 patriarcats, 454 métropolitains, 69 archiépiscopaux, 1 942 épiscopaux ; *titulaires* 2 015 (évêchés fictifs : 91 métropolitains, 91 archiépiscopaux, 1 833 épiscopaux). **Prélatures territoriales** 63. **Abbayes territoriales** 16. **Administrations apostoliques** 5. **Exarchats** *et ordinariats apost.* 19. **Vicariats** *apost.* 75. **Préfectures** apost. 46. **Vicaires aux armées** 29. **Conférences épiscopales** 102. **Nonciatures** [1] 97. **Délégations apost.** [1] 27. **Missions sui juris** (ne relevant pas d'un évêque local) 6. **Synodes patriarcaux** (rite oriental) 13. **Réunions internationales** de conférences épiscopales 12. **Représentations auprès d'organismes internationaux** [1] 10. **Ambassades auprès du Vatican** [1] 104. **Presse catholique** [1] : 4 669 périodiques, avec un tirage de 1 milliard 860 millions d'exemplaires.

Nota. – (1) Au 31-12-1984.

Le Vatican

Généralités

• **Situation.** État souverain (reconnu par l'ensemble des États même s'ils n'ont pas de relations diplomatiques avec) inclus dans Rome [*superf. :* 0,44 km² (le plus petit État du monde) ; inscrit dans le patrimoine artistique mondial le 21-9-1984, par un vote unanime du comité du patrimoine mondial (UNESCO : 83 États signataires), n'impliquant aucune subvention ; *frontières :* 4 070 m (les plus courtes du monde)]. **Nom officiel :** État de la Cité du Vatican. *Vatican* (nom d'une des 7 collines de Rome), désigne le St-Siège (gouvernement de l'Église), les bâtiments et l'État souverain (aussi appelé Cité du Vatican). **Langue officielle :** italien (et non le latin, langue de l'Église).

Nota. – St-Siège : vient du latin *sedere :* s'assoir. Le siège d'où l'évêque préside les cérémonies est le symbole de sa mission et de son pouvoir. Le siège de l'év. de Rome est le même que celui du chef de l'Église universelle (aussi appelé *siège ou trône de St-Pierre*). Le St-Siège désigne donc le Pape et ceux qui l'assistent dans sa mission. Les ambassadeurs sont nommés près du *St-Siège.* A la mort d'un Pape, on parle de *sede vacante.*

• **Population.** 738 h. (507 hommes, 231 femmes ; non Italiens 60 %, Italiens 40 %) dont 383 sont citoyens [la citoyenneté est temporaire et correspond à l'exercice d'une fonction : cardinaux 29, diplomates 173, prélats ou ecclésiastiques 34, religieux 4, gardes suisses 100 [simples soldats, célib. ; gradés après 4 a. de service, autorisés à se marier, laïcs (seuls autorisés à avoir des enfants)]. A cause de la présence du St-Siège, il y a à Rome 86 évêques, 36 cardinaux et 5 000 prêtres en résidence permanente, mais le clergé paroissial est insuffisant (1 045 pour 310 paroisses et 604 autres lieux de culte) ; 5 paroisses comptent plus de 40 000 hab. (total de la pop. : 2 781 956 hab.).

• **Domaines de l'Église. Acquisition : 313** les papes acquièrent le domaine des *Laterani* (le Latran), où ils auront leur résidence principale jusqu'en 1309. **751** ils possèdent de grands biens fonciers dans le Latium (patrimoine de St Pierre), et exercent les fonctions de duc de Rome. **754** 22 cités de l'exarchat byzantin de Ravenne reprises aux Lombards sont cédées par Pépin le Bref au p. Étienne II dont : Ferrare, Conacchio, la Romagne (Ravenne, Bologne, Rimini, Pesaro), Urbino, les marches d'Ancône (Ancône, Camerino). **774** Charlemagne confirme cette possession. **781-87** il y rajoute Viterbe, Piombino, la Sabine (Farfa). **Agrandissements : 1053** Bénévent. **1213** duché de Spolète (Grégoire IX). **1229** comtat Venaissin [entrée en possession 1274 ; agrandissements successifs (par achat) : 1317 Valréas, Vinsobres ; 1325 St-Saturnin d'Apt ; 1342 Monteux ; 1344 Visan ; 1354 Avignon (non rattachée au comtat, demeurée ville libre) ; 1338 Grillon]. **1278** fraction de la « succession mathildique ». [Orvieto (bien allodial), Pérouse, Castro et Ferrare (anciens fiefs ecclésiastiques tenus par Mathilde) : accord résolvant, après 160 ans de querelles entre papes et emp., les problèmes nés du legs (invalide en droit féodal) fait aux papes par la comtesse Mathilde de Canossa, marquise de Toscane (1046-1115)]. **1511** Modène (confisquée par Jules II à Alphonse Ier d'Este, restituée 1527) ; Parme et Plaisance (cédées par Milan à Jules II). *Féodalisation :* une partie importante des terres du domaine papal ont été données en fief à des familles aristocratiques italiennes, et sont devenues autonomes, à l'intérieur des États de l'Église, par ex. Bologne (récupérée 1512), Ferrare (réc. 1598), Urbino (réc. 1631), Castro et Ronciglione (réc. 1649). **Pertes : 1545** Parme et Plaisance, érigées en duché souverain (non vassal du St-Siège) par Paul III pour son fils naturel Pierre-Louis Farnèse. **1791** comtat Venaissin et Avignon. **1797** Romagne. **1808** Marches. **1809** Rome et Ombrie.

De 1814 à 1871 : 1814 Restauration de l'État pontifical (67 759 km²), sauf comtat et Avignon rattachés à la Fr., et rive g. du Pô, rattachée à l'Autr. **1849**-*9-2* proclamation de la Rép. ; le pape, réfugié à Gaète, est rétabli par une intervention franç. conduite par Oudinot contre Mazzini et Garibaldi. **1859** perte de la Romagne. **1860**-*8-9* des Marches et de l'Ombrie ; *-18-9* défaite de Castelfidardo. Les *Zouaves pontificaux* [originaires de France et de Belgique, enrôlés sans autorisation préalable de leur gouvernement (ce qui était interdit pour toute armée étrangère) ; effectifs : 6 000 h.] et les *Savoyards* (18 000) sont battus par les Ital. Les troupes françaises de Rome, en garnison dep. 1848 pour soutenir l'armée pontificale [18 000 h. dont + de 7 000 étrangers (Allemands, Américains, Autrichiens, Belges, Suisses, etc.), ne sont pas intervenues (renforcées après la bataille, 29-9)]. **1867** les Français (gal de Failly) battent les Garibaldiens à Mentana. **1870**-*20-9* les garibaldiens prennent Rome. **1871**-*13-5* l'Italie abroge le pouvoir temporel du pape.

• **Traité du Latran (11-2-1929).** Institue l'État du Vatican. L'Italie verse au St-Siège 750 millions de lires et des titres à 5 % d'une valeur nominale d'un milliard de lires pour la perte des anciens États pontificaux et des biens ecclésiastiques. Le roi d'Italie était disposé à donner au Vatican 15 à 20 km² d'un seul tenant (comprenant notamment le Borgo, le Janicule et le palais St-Calixte-du-Trastévère), mais Mussolini se montra intransigeant : rien en dehors du Vatican. Pie XI, qui avait espéré obtenir au moins la Villa Doria Pamphili (env. 5 km²) pour y construire les ambassades, dut renoncer à posséder + de 0,44 km² d'un seul tenant (motifs de son renoncement : 1° Mussolini offrait en contrepartie un concordat et le versement immédiat de 750 millions de lires ; or Pie XI était au bord de la banqueroute ; 2° crainte d'avoir à administrer des populations réticentes ; 3° respect de Pie XI, patriote italien, pour la mystique de « l'Unità »).

• **Concordat du 18-2-1984.** Remplace les accords du Latran (séparation de fait entre l'Église et l'État italien).

Tombeau de saint Pierre

Une tradition remontant au début du christianisme voulait que saint Pierre fût enterré au Vatican (ancien cimetière). Au IVe s., l'empereur Constantin y avait édifié une basilique, à demi effondrée au XVe s., et remplacée aux XVIe-XVIIe s. par la basilique actuelle, la plus grande église du monde (inaugurée 18-11-1626 par Urbain VIII). En 1953, après une vingtaine d'années de fouilles, on découvrit des tombeaux remontant au règne de Vespasien, et une inscription datant de 180 avec une invocation à saint Pierre. Le 26-6-1968, Paul VI annonce que les reliques de St Pierre avaient été retrouvées à la suite des travaux de Margherita Guarducci.

Gouvernement

• **Gouvernement de l'Église universelle.** Assuré par le pape, évêque de Rome, archevêque et métropolitain de la Province romaine, primat d'Italie, « patriarche d'Occident », vicaire de J.-C., successeur du Prince (c.-à-d. « premier ») des Apôtres (l'apôtre St Pierre), pontife suprême de l'Égl. universelle en tant qu'évêque de Rome (et non l'inverse), souverain de l'État de la Cité du Vatican.

Depuis 1870 (concile de Vatican I), son infaillibilité en matière de dogme (mais non de décisions conciliaires ni d'encycliques, sauf si c'est précisé officiellement) est reconnue, à condition qu'il y engage expressément sa suprême autorité.

Sa souveraineté sur l'Église universelle repose sur 2 faits : Rome a été la capitale de l'Empire romain, et saint Pierre, chef des apôtres, a été 1er évêque de Rome. Les 1res preuves de son autorité sur les autres Églises remontent à Clément (88-101). En 330, le transfert de la capitale de l'Empire romain à Constantinople a accru l'importance des papes, seule autorité stable de l'Occident (latinophone). En 381, le concile de Constantinople a reconnu explicitement que le siège épiscopal de Rome était le 1er de la chrétienté [étant le 2e à Constantinople, Alexandrie a rejeté cette définition et, à partir de 451, s'est considérée comme la 1re Église de la chrétienté ; son patriarche (dissident) porte le titre de « pape des coptes »].

Innocent Ier (401-17), puis Léon Ier (440-60) revendiquèrent la souveraineté sur toutes les Églises d'Occident ; Grégoire le Grand (590-604) la fit reconnaître définitivement.

• **Gouvernement des États de l'Église.** Jusqu'en 1567 (décret de Pie V), les territoires pontificaux étaient fréquemment donnés, à titre de fiefs, à des familles nobles italiennes. Depuis, ils furent seulement divisés en 7 provinces, chacune administrée par un cardinal. Les ressources, surtout agricoles, servaient à faire vivre la cour romaine. Les fonctionnaires, presque tous ecclésiastiques, terminaient souvent leur carrière comme cardinal. Il y avait 2 ministres principaux : le *secr. d'État* (affaires étr. et armée), le *camerlingue* (justice et finances). La *noblesse* (jusqu'au XVIe s., hobereaux turbulents) vivait à la cour pontificale, s'y partageant des charges honorifiques largement rétribuées.

• **Gouvernorat de la cité du Vatican.** Depuis 1929, le gouvernement de l'« État » vaticanais est distingué de celui de l'Église universelle ; avant, le pape ne gouvernait pas un État, mais gérait un patrimoine.

Constitution du 7-6-1929 : le pape gouverne en souverain absolu. Les services administratifs, judiciaires, économiques, sont placés sous l'autorité d'un gouverneur. Depuis le 10-4-1984, le card. secr. d'État a reçu un « mandat spécial pour représenter le pape » dans le gouvernement civil de l'État pontifical. Le V. a sa monnaie, sa police, sa station de radio, son système postal (1er téléphone automatique du monde, 1886), son héliport (pour les relations avec Castel Gandolfo). Le *motu proprio* du 28-3-1968 a institué une commission pour l'État de la Cité du V. (24 m. nommés pour 5 ans. *Pt :* card. Baggio ; le *pro-pt* Mgr Marcinkus, a démissionné le 30-10-1990).

Pouvoir législatif : assuré, au nom du pape, par la *Commission pontificale pour l'État de la Cité du Vatican* composée de cardinaux, présidé par le secrétaire d'État. **Pouvoir exécutif :** exercé par un délégué spécial, assisté d'un conseil de 24 laïcs romains et 6 étrangers, et d'un secrétaire général. A en charge finances de la Cité (qui a son budget propre, avec des ressources, une trésorerie, une administration financière propres), gestion du personnel, services sanitaires, communications postales et téléphoniques, émission des timbres, monnaies, médailles, entretien des bâtiments, conservation des musées, recherches archéologiques, radio, observatoire... **Pouvoir judiciaire :** exercé au nom du pape par un tribunal de 1re instance, une cour d'appel, une cour de cassation ; ces tribunaux sont indépendants des tribunaux ecclésiastiques fonctionnant au sein de la Curie romaine. **Organisation religieuse :** *vicaire général* (dont la juridiction n'inclut pas la basilique St-Pierre). **Église paroissiale :** Ste-Anne.

Représentation diplomatique du Vatican : *du XIe au XIVe s. :* les papes étaient représentés auprès des rois par des légats (souvent cardinaux) ; *au XVIe s. :* par des nonces non permanents ; *à partir du XVIe s. :* par des nonces permanents ; *actuellement :* le St-Siège a 1 représentant dans 126 pays, et auprès de la Communauté européenne. Dans les pays qui lui accordent le titre de doyen du corps diplomatique, il porte le titre de nonce. Quand il n'est pas doyen, il est pro-nonce. Les « *délégués apostoliques* » sont des représentants officiels sans statut de diplomate. Plusieurs nonciatures sont en cours d'institution dans les pays de l'Est.

Régime économique actuel. Tout appartient à l'État, biens, meubles compris. Pas d'impôts (directs ou indirects). Commerce nationalisé. Au supermarché (l'Annone), les Vaticanais peuvent en principe acheter à des prix hors taxe. Des irrégularités signalées en 1969 donnèrent à penser que le Vatican revendait à Rome des produits importés hors taxe, notamment du beurre.

☞ La Secrétairerie d'État, la Bibliothèque vaticane, les Archives secrètes du Vatican, les services économiques et financiers, quelques commissions, la filmothèque sont les seules services vaticanais demeurant au Vatican. Les autres administrations sont hébergées dans Rome.

• **Aide financière de l'Église universelle.** Jusqu'en 1870, les revenus des États de l'Église auraient dû suffire à faire vivre l'administration pontificale de Rome, mais, mal gérés, ils rapportaient peu, et les papes (avec leur curie et leur cour) vivaient surtout des impôts prélevés sur les biens ecclésiastiques situés dans les pays catholiques (*annates*). En 1870, le roi d'Italie, qui s'était emparé des territoires pontificaux, proposa à Pie IX de lui verser chaque année 3 250 000 lires (–or) pour compenser la perte des revenus patrimoniaux. Pie IX refusa, et institua progressivement le **Denier de St-Pierre** (créé à Lyon en 1860 par Mgr de Bonald), collecte auprès des catholiques du monde entier. Après 1918, les fonds perçus ainsi devinrent très insuffisants, et Pie XI dut accepter les accords du Latran (1929) (voir p. 514c). Les sommes reçues alors de l'Italie ont été investies en majorité dans des travaux exécutés au Vatican, pour diminuer la dépendance technique par rapport à l'administration italienne, et sont actuellement insuffisantes. La situation créée au IXe s. s'est donc inversée. Primitivement, le « patrimoine de St-Pierre » devait faire vivre l'Église ; actuellement, l'Église fait vivre l'État du Vatican, héritier de ce patrimoine. Actuellement, quête annuelle le 29-6 jour de la St-Pierre. *Montant (millions de F). 1988 :* 360, *89 :* 290.

• **Budget. Bilan d'ensemble du St-Siège** (services du siège apostolique de Rome s'occupant de 2 159 circonscriptions ecclésiastiques dans le monde, dont 923 dépendant du dicastère pour les maisons). *Déficit* (millions de $). *1985 :* 39,1. *86 :* 56. *87 :* 68, 8. *88:* 43,5 (revenus 74,4, dépenses 117,9). *89:* 80. *1990:* 100. Les déficits sont couverts par le Denier de St-Pierre (montant *1988 :* 5,3, *1989 :* 48,4).

Bilan de l'État de la Cité du Vatican. *1988* (millions de $) : *revenus* 83,6, *dépenses* 70,4, *bénéfice* 50 % utilisé pour le St-Siège, et 50 % pour l'État de la Cité du Vatican.

La Congrégation pour l'évangélisation des peuples a un budget propre. *1985 :* 31 millions de $. Elle répartit les fonds recueillis dans le monde entier par les Œuvres pontificales missionnaires, auxquelles l'Allemagne contribue généreusement.

• **Drapeau.** Ancien drapeau des États de l'Église, créé le 17-9-1825 par le cardinal Gatoffi, camerlingue : 2 bandes verticales, 1 jaune près de la hampe, 1 blanche portant la tiare pontificale en or, avec les rubans rouges et les clefs de St-Pierre (voir encadré p. 516). Le blanc et le jaune étaient, dep. 1808, les couleurs de la cocarde de la gendarmerie pontificale (avant, elle était rouge et jaune, mais Napoléon l'ayant laissée aux anciens gendarmes pontificaux servant dans son armée, Pie VII avait créé une cocarde blanche et jaune pour les troupes qui lui étaient restées fidèles).

• **Hymne pontifical.** *De 1857 à 1949 : la Musica Festiva,* composée pour un voyage du pape Pie IX à Bologne (août 1857), par un compositeur autrichien peu connu, Hallmayr. *1949 oct. :* à l'occasion de l'année sainte 1950, Pie XII le remplace par *la Marche pontificale,* ayant un caractère plus religieux, composée en 1869 pour l'anniversaire de Pie IX par Charles Gounod (Fr. 1818-93). Jusqu'à Pie VI, une 2e marche officielle, dite « *des trompettes d'argent* », composée en 1846 par un garde noble, le marquis Giovannilonghi, était exécutée pour l'entrée du pape à St-Pierre. L'usage des *trompettes d'argent* remonte au XIVe s. Sous Innocent VIII, le privilège de la sonnerie d'entrée a été accordé aux gardes nobles (dissous en 1970), mais leurs instruments n'étaient pas en argent [3 trompettes de cuivre, 2 cors, 2 trombones, 1 bombardon (fanfare et sonneries supprimées 1970)]. Leur nom venait d'une sorte de jeu de mot : la marche triomphale qu'ils exécutaient était l'œuvre d'un compositeur nommé *Silveri.*

• **Institut pour les œuvres de religion (I.O.R.).** *Création :* par Pie XII en 1942, sur les conseils de la mère Pascalina Lehnert (elle voulait implanter, à Rome, une banque aux mains de l'Égl., comparable à celle de Mgr Spellman, à New York, l'Archidiocesan Reciprocal Loan Fund, devenue l'une des plus importantes des E.-U.). *Dir. : 1971* Mgr Paul Marcinkus. *1989* Mgr Donato De Bonis. *Conseil de surveillance :* 5 experts nommés par le pape (Pt en 1989, Angelo Caloia), contrôlé par une commission de cardinaux. *Activités :* succède à la Commission *ad pias causas* (1887), puis à la Commission pour les œuvres de religion dite « Banque vaticane ». Détenant 15 % du capital de la Banca Unione (devenue Banca Privata Italiana), elle a perdu, en 1974, 250 millions de F dans *l'« affaire Sindona »* (Michele Sindona, banquier sicilien, homme de confiance du Vatican, s'est suicidé en 1986). En 1984, 2e faillite bancaire : Roberto Calvi [directeur de Banco Ambrosiano de Milan s'enfuit à Londres et on le retrouve pendu sous un pont de la Tamise le 13-6 (il gérait des investissements de l'I.O.R. qui a remboursé 241 millions de $ aux créanciers)]. Le 26-2-1987, le juge d'instruction milanais enquêtant sur la faillite Calvi a cité à comparaître Mgr Marcinkus. Le St-Siège contestant cette citation, les tribunaux suprêmes italiens l'ont annulée, Mgr Marcinkus agissant pour le compte d'un organisme du St-Siège, domicilié dans l'État du Vatican (art. 10 du traité du Latran du 11-2-1929).

• **Monnaie.** Valeur exprimée en lires. Parité avec la lire italienne.

• **Patrimoine immobilier. Total :** 6 km², le St-Siège est propriétaire de tous les immeubles. **Jouissent du privilège d'extraterritorialité :** *Dans Rome* (2,33 km²) : basiliques St-Jean-du-Latran, Ste-Marie-Majeure (appelée aussi bas. libérienne, car construite par le pape Libère 352-61) et St-Paul-Hors-les-Murs (construite 326-90, incendiée 1823, rebâtie 1854), palais de la Daterie, de la Chancellerie, de la Propagation de la Foi [dep. 1957, Congrégation pour l'Évangélisation des Peuples, place d'Espagne (palais du XVIIe s.)] ; de St-Calixte-du-Transtévère, de la Congr. pour l'Église orientale, de la Congr. pour la doctrine de la Foi, de l'ancien vicariat de Rome, à la via della Pigna, et du collège de la Propagande, sur le Janicule. *Hors de Rome :* villa pontificale de Castel Gandolfo (0,55 km²), résidence d'été des papes (à 25 km de Rome), sanctuaires d'Assise (St François), Padoue (St Antoine), Lorette, Pompéi, terrain de Santa Maria di Galeria (3 km²) pour Radio Vatican (2 000 kw) acquis 1951. *En partie sur Rome, en partie hors :* Catacombes. **Immeubles qui, sans être extraterritorialisés, sont exempts d'expropriations et d'impôts :** Université grégorienne, Institut biblique, palais des 12 Apôtres et palais annexes aux églises San Andrea della Valle et San Carlo ai Catinari, Instituts archéologique et oriental, Collèges lombard et russe, palais de St-Apollinaire, et maison d'exercices pour le clergé Sts-Jean-et-Paul.

☞ On attribue par erreur au Vatican la propriété de biens immeubles appartenant à des instituts religieux (indépendants financièrement). Ces biens atteignent en Italie 250 000 ha (dont 3 000 à Rome).

• **Patrimoine mobilier. Actions :** dans diverses sociétés italiennes et étrangères. *Origine :* capital versé par l'It. en 1929 et placé. **Musées** (collections parmi les plus riches du monde [le traité du Latran (art. 18) en a confié la garde au St-Siège sous réserve que l'on puisse le visiter]) : m. Grégorien profane, m. Pio Cristiano, m. Égyptien, m. Étrusque, m. Pio Clementino [antiquités grecques et romaines (parmi les plus célèbres : le torse du Belvédère, le groupe de Laocoon, l'Apollon du Belvédère, l'Athlète)], m. Chiaramonti, salle de la Bigue (char antique à timon), galerie des Candélabres, m. Sacré et Profane, Pinacothèque, m. Ethnologique, m. Historique, m. Sacré contemporain, m. Paul-VI (collections, antérieurement au Latran). **Bibliothèque,** 2 millions de volumes.

• **Personnel. Employés :** du St-Siège et de la Cité du Vatican : 3 476 personnes (dont Vatican 1 195), pour la plupart prêtres et religieuses, retraités 1 454 [dont Vatican 529, St-Siège 925 (un cardinal touchait en 1984 env. 10 000 F par mois plus des indemnités s'il n'était pas logé, un fonctionnaire touchait de 4 000 à 9 000 F). La grève est pratiquement interdite. Un office du travail est chargé de régler les conflits.

• **Famille pontificale.** Dep. la réforme de Paul VI en 1968, moyen d'honorer des personnalités. Comprend la *famille ecclésiastique* (titulaires de fonction, auprès du St-Siège, ecclésiastiques portant les titres de protonotaires apostoliques, prélats d'honneur de Sa Sainteté, chapelains de Sa Sainteté) et la *famille laïque* (personnes exerçant des fonctions auprès du St-Siège ou de la cité du Vatican ou gentilshommes de Sa Sainteté, titres non héréditaires accordés par exemple aux camériers de cape et d'épée).

Garde noble. *Fondée* 1801. Supprimée 1970. Comprenait environ 75 membres it. devant justifier de plus d'un siècle de noblesse.

Garde palatine. *Fondée* 1850. *Supprimée* 1970. Comprenait 500 volontaires en 2 bataillons.

Garde suisse. *Fondée* 1480 par Sixte IV, constituée officiellement en 1506. *Effectifs :* 100 hommes, 3 officiers, 1 sergent-major, 3 sergents, 8 caporaux, 6 appointés, 51 hallebardiers (sous Jules II, 200 h. ; sous Pie XI, 131) recrutés en Suisse parmi les catholiques ; *âge :* moins de 25 ans ; *taille :* en principe, plus de 1,74 m. *Tenue de cérémonie :* dessinée par Michel-Ange, elle avait évolué ; redessinée en 1915 par le colonel Jules Repond (1853-1933). *Armement :* le 2-2-1944, les gardes suisses et 3 autres corps (gendarmes, gardes, nobles, gardes palatins) avaient été équipés de mitraillettes, en prévision d'un coup de force nazi contre le Vatican. *Engagement :* 2 ans min.

Service d'ordre civil. Remplace l'ancienne *gendarmerie pontificale* supprimée par Paul VI le 15-9-1970 [créée 1816, comprenait 113 gendarmes et 37 sous-off. commandés par un colonel, son état-major faisait partie de la famille pontificale, uniforme de grenadiers de l'Empire]. Env. 100 membres. Chargé, avec la Garde suisse, de surveiller les entrées dans la Cité du Vatican, les jardins et les palais. La police de la place St-Pierre est assurée par la *pol. d'État ital.* (ainsi, Mehmet Agça, qui a tiré sur le pape place St-Pierre, le 13-5-1981, a été arrêté par la police it. et jugé par un tribunal it.).

• **Presse.** *L'Osservatore Romano,* créé 1-7-1861 par Pie IX, interrompu du 20-9 au 16-10-1870 (prise de Rome par Piémontais). Édition hebdo. en fr., angl., esp., port., all. et it. ; mensuelle en polonais (80 000 ex.).

• Radio Vatican. *Inaugurée* 12-2-1931 par Pie XI, devenue 1984 Radio-télévision (studios sur 3 étages, via delle Conciliazzione) ; *emploie :* 350 personnes dont 35 prêtres et 100 journalistes ; *coût :* 10 à 50 millions de $ par an, pas de ressources publicitaires. *Émissions de Santa Maria di Galeria* (à 18 km de Rome) en 34 langues.

• Timbres. Pour le courrier expédié du Vatican. Recherchés par les collectionneurs.

Papes

☞ Voir la liste officielle des papes, p. 518.

• Actes du Pape. **Bulle :** lettre rédigée en forme solennelle. Scellée d'une boule de métal (origine du mot bulle) ou d'un cachet de cire. **Bref apostolique :** lettre de moindre importance scellée de l'anneau du pêcheur. **Constitution apostolique :** décisions les plus importantes concernant la foi, les mœurs, l'administration de l'Église. Souvent sous forme de bulles. **Encyclique :** voir ci-contre. **Exhortation apostolique :** proche de l'encyclique, mais plus pressante. **Lettre apostolique :** adressée à un responsable pour développer un point précis. **Indult** (du latin *indulgere,* permettre) : acte administratif d'une autorité ecclésiastique par lequel elle accorde un privilège ou une dérogation. L'induit apostolique émane du St-Siège (ex. pour autoriser un religieux ou une religieuse ayant fait profession de vœux perpétuels à quitter la vie religieuse). **Motu proprio :** acte législatif pris et promulgué par le pape de son propre mouvement (et non pour répondre à une sollicitation) : l'équivalent d'un décret. **Rescrit :** acte administratif donné par écrit, par une autorité ecclésiastique (pape, Congrégation romaine, évêque, vicaire général ou épiscopal) dans le domaine de sa compétence juridique propre sous forme de réponse à une demande effectuée par une personne physique ou juridique (personne morale de droit canonique). Cet acte accorde un privilège ou une dispense. Il faut, par exemple, un rescrit du Siège apostolique pour autoriser un prêtre à quitter l'état clérical.

• Appellation. **Titre. Pape** (en grec *pappas :* « révérend père ») était donné à tous les évêques jusqu'au IXe s. Il est réservé à l'évêque de Rome dep. Jean VIII (872-82). **Périphrases désignant ;** *la fonction :* Chaire de St-Pierre ; la Première des Églises ; Siège apostolique (suprême) ; chaire apostolique, tête de toutes les Églises ; dignité apostolique : siège romain ; *la personne :* Évêque de la Sainte Égl. catholique ; Très Saint Patriarche ; Bienheureux Patriarche ; Patriarche universel ; Tête de l'Égl. universelle ; Très Saint Père ; Saint Père ; Bienheureux Père ; Père des Pères *(pater patrum) ;* Pontife suprême ; Souverain Prêtre (*Summus Saderdos,* titre porté par le grand prêtre du Temple de Jérusalem) ; Premier des prêtres ; Souverain pontife *(Summus Pontifex) ;* Vicaire de Dieu, Vicaire du Christ ; Successeur de Pierre ; Pontife suprême (*Pontifex maximus,* titre porté par le plus haut personnage de la religion romaine) ; Pape et Seigneur *(Dominus Pappa) ;* Vicaire apostolique ; évêque du siège apostolique ; Pape de l'Église universelle ; Évêque de l'Église catholique ; Pontife romain ; évêque de Rome (ou archev. de Rome ou patriarche de Rome). **Usages :** aucune de ces formules n'est officielle, bien que des actes officiels utilisent pour le pape *Pontifex maximus* (Souverain Pontife), et pour la fonction *Sedes apostolica* (Siège apostolique). L'expression « Saint-Siège » n'est pas utilisée par la Curie. Dans ses bulles, le pape s'intitule « Serviteur des Serviteurs de Dieu », et « pape ». On s'adresse à lui en lui disant « Très Saint Père ». A la troisième personne, on a utilisé jusqu'au XIIe s. l'expression « Votre Béatitude » (comme à tous les évêques, réservée actuellement aux patriarches). Depuis le XIIe s., on dit « Votre Sainteté ».

• Décès. **Age.** *Les + âgés à leur mort :* Léon XIII (93 ans 140 j) après avoir régné 25 ans. Agathon (pape de 678 à 681), aurait, selon certains, été centenaire. Clément XII (89), Clément X et Pie IX (86), Innocent XII (85), Pie VI (82). **Circonstances.** *Mort violente :* 44 (17 %), dont martyrs attestés 22, présumés 9 (+ 6 honorés à cause de leurs souffrances), assassinés 6 [Jean VIII (882), Théodore II (897), Jean X (928), Jean XII battu à mort par un mari jaloux, Benoît VI (974), Jean XIV (984), Grégoire V (999)] ; tué par la chute d'un plafond : Jean XXI (1277). *Mort naturelle :* 214 (83 %).

Ancien rite funèbre. De la mort de Paul IV (1559) à celle de Léon XIII (1903), on embauma les papes défunts après avoir prélevé leur cœur [que l'on déposait dans une urne scellée dans le chœur de l'église Saints-Vincent-et-Anastase]. Ce prélèvement a été supprimé à partir de 1903, mais l'embaumement est toujours pratiqué, car la dépouille mortelle des papes (avec mitre, chasuble rouge et pallium) reste exposée plusieurs jours sur un catalfalque.

• Démission (le pape, n'ayant pas de supérieur hiérarchique, peut démissionner comme il l'entend). *Benoît IX* au XIe s., démissionnaire réélu 1045 et 1047. *Grégoire VI* (successeur de Benoît IX, 1-5-1045), obligé par l'emp. Henri III de démissionner 20-12-1046, pour céder la place à *Clément II* (mort l'année suivante, et remplacé par *Benoît IX,* pape pour la

Encycliques

• Définition. Lettres envoyées par le pape aux évêques et destinées à l'ensemble du peuple chrétien (dep. Jean XXIII, s'adressent même aux non-chrétiens). Désignées par leurs 2 ou 3 premiers mots. La 1re lettre est de Benoît XIV (1740), mais l'usage n'est devenu fréquent qu'à partir de Grégoire XVI. **Nombre.** Env. 100 dont 34 de Pie XII et 29 de Pie XI.

Principales questions traitées. *Doctrinales* (précisent la doctrine de l'Église, condamnant notamment certaines erreurs). *Exhortatives* (les plus nombreuses : demandent des prières publiques ou recommandent certaines dévotions, comme le rosaire). *Commémoratives* (par ex., *Fulgens Radiatur* de Pie XII, 21-3-1947, sur St Benoît).

• Principales encycliques depuis 1800. Pie VII. *Diu satis* Unité de l'Église menacée (1800).

Grégoire XVI. *Mirari vos* Contre l'indifférentisme (1832).

Pie IX. *Nostris et nobiscum* Contre le socialisme et le communisme (1849). *Jamdudum cernimus* Contre les doctrines politiques modernes (1861). *Quanto conficiamur* Sur le pouvoir temporel (1863). *Quanta cura* Contenant en annexe le syllabus (« recueil ») énumérant les théories modernes condamnées (8-12-1864). *Quod nunquam* Contre le Kulturkampf allemand (1875).

Léon XIII. *Aeterni Patris* Condamne la critique rationaliste des savants (1879). *Immortale Dei* Sur la démocratie et l'autorité de l'Église. *Libertas* Sur la légitimité de la liberté personnelle (1888). *Rerum novarum* Sur la condition des ouvriers (1891). *Providentissimus Deus* Sur l'enseign. de la Bible et le rapprochement des Égl. (1893). *Satis cognitum* Sur le rapprochement des Égl. (1896).

Pie X. *Gravissimo officii* Contre la séparation de l'Église et de l'État en France (1906). *Pascendi dominici gregis* Contre les modernistes (1907).

Benoît XV. *Ad beatissimi* Sur la Paix (1914). *Spiritus Paraclitus* Sur la Bible (1920).

Pie XI. *Maximum gravissimumque* Sur les associations diocésaines (1924). *Divini illius magistri* Sur l'éducation chrétienne (1929). *Casti connubii* Sur le mariage chrétien (1930). *Quadragesimo anno* Sur la doctrine sociale de l'Église (1931). *Mit brennender Sorge (« Dans ma poignante inquiétude »)* Sur le nazisme (1937). *Divini Redemptoris* Sur le communisme athée (1937). *Non abbiamo bisogno* Contre le fascisme (1937).

Pie XII. *Summi Pontificatus* Contre les principes totalitaires. *Mystici Corporis* Sur l'Église, « corps mystique » du Christ (1943). *Summi maeroris* Contre la guerre (1950). *Humani generis* Contre certaines thèses anthropologiques (1950). *Evangelii praecones* Sur les missions (1951). *Sempiternus Rex* Commémore le Conc. de Chalcédoine (1951). *Ingruentium malorum* Recommandant la récitation du rosaire (1951). *Fulgens corona* Annonce l'année mariale (1954).

Jean XXIII. *Ad Petri Cathedram* Inaugurant le pontificat (1959). *Sacerdotii nostri primordia* Sur le curé d'Ars (1959). *Grata Recordatio* Sur le rosaire (1959). *Princeps pastorum* Sur les missions (1959). *Inde a Primis* Sur le Précieux Sang (1960). *Aeterna Dei sapientia* Sur le pape St Léon le Grand (1961). *Mater et Magistra* Sur les problèmes sociaux [la plus longue, 25 000 mots (1961)]. *Paenitentiam facere* Préparation du Concile (1962). *Pacem in terris* Sur la Paix (1963).

Paul VI. *Ecclesiam suam* Sur l'Église (1964). *Mense Maio* Sur la Vierge (1965). *Mysterium fidei* Sur l'Eucharistie (1965). *Populorum progressio* Sur le développement des pays (1967). *Sacerdotalis celibatus* Sur le célibat des prêtres (1967). *Humanae vitae* Sur la régulation des naissances (1968).

Jean-Paul II. *Redemptor hominis* Sur la dignité de l'Homme (4-3-1979). *Dives in misericordia* Sur la miséricorde de Dieu (30-11-1980). *Laborem exercens* Sur les travailleurs et le syndicalisme (14-9-1981). *Slavorum Apostoli* Sur l'évangélisation des Slaves par St Cyrille et St Méthode (2-6-1985). *Dominum et vivificantem* Sur le Saint-Esprit (18-5-1986). *Redemptoris Mater* Sur la Sainte Vierge à l'occasion de l'année mariale (25-3-1987). *Sollicitudo rei socialis* Sur les questions sociales (30-12-1987). *Redemptoris missio* Sur la valeur permanente du précepte missionnaire (22-1-1991).

Nota. – La Constitution du concile Vatican II, le 7-12-1965, *Gaudium et Spes* (« Joie et espérance », connue sous son second titre, « l'Église dans le monde contemporain »), constitue aujourd'hui le texte de référence pour la politique sociale de l'Église.

Insignes de la papauté

Anneau du pêcheur. Porté à la main droite, à l'origine était le sceau du pape. A la mort de chaque pape, l'anneau est brisé publiquement, avec un marteau et une enclume en or, par le cardinal camerlingue.

Clefs de saint Pierre. 1 d'or et 1 d'argent. Figurent sur les armes propres de l'Égl. romaine, le blason et le sceau de l'État pontifical et le drapeau du Vatican ; symbolisent le pouvoir spirituel (or) et le p. temporel (argent) des papes [et non les 2 pouvoirs de « lier » et de « délier » (c.-à-d. de « tout faire ») accordés à St Pierre]. Sur les armes d'Avignon figure une 3e clef, symbolisant le pouvoir du cardinal-légat.

Flabellum. Chasse-mouches à long manche, en plumes d'autruche, que l'on portait près du pape pendant les processions solennelles. Supprimé par Paul VI.

Sedia gestatoria. Fauteuil monté sur un brancard à 4 bras, porté par 16 officiers (les palefreniers). Utilisé par les papes au cours des cérémonies solennelles à St-Pierre. Remonte à la « chaise curule » des consuls de Rome (on conserve un fauteuil en bois recouvert de nacre qui servit, dit-on, à St Pierre). En 1978, Jean-Paul Ier y renonça par humilité : il se rendit à la cérémonie du couronnement à pied, entouré du Sacré Collège. La foule a protesté car elle ne distinguait plus le pape : Jean-Paul Ier est donc monté sur la sedia gestatoria à l'audience publique du 13-9-1978. Sur la place St-Pierre, Jean-Paul II utilise une voiture découverte, la « papamobile ».

Soutane blanche. Devenue de règle à partir de saint Pie V (1566-1572) : dominicain, il avait gardé la soutane blanche de son ordre (auparavant les papes portaient la soutane rouge des cardinaux).

Tiare pontificale. Coiffure traditionnelle des papes, elle n'est pas un insigne liturgique (la seule coiffure liturgique des papes est la mitre). Dérive du bonnet phrygien *(frigium* ou *camelaucum),* porté par les rois de l'Orient antique. En 1130, on lui adjoignit une couronne, symbole de la souveraineté sur les États de l'Église. Boniface VIII (v. 1300) ajouta une 2e couronne, pour symboliser son autorité spirituelle sur les âmes, et Benoît XII (v. 1340) une 3e pour symboliser son autorité morale sur les rois. Devenue l'emblème du St-Siège, la tiare est remise au pape lors de son couronnement, avec cette formule : « Sachez que vous êtes le père, le prince et le roi. »

Paul VI n'a porté qu'une fois la tiare (le j de son couronnement) ; il en possédait 4 (en métal précieux), et il en a vendu une (à un musée new-yorkais) pour faire un don en argent aux pauvres. Jean-Paul Ier et Jean-Paul II ont refusé de porter la tiare, même le jour de leur intronisation, par souci de ne pas se présenter comme des monarques absolus.

☞ Une tiare à 3 couronnes a été portée au XVe s. par l'archev. de Bénévent, et à partir de 1716, par le patriarche de Lisbonne (de nos jours, il n'en a plus, même dans ses armoiries). Des mitres épiscopales, surmontées de couronnes comtales, ressemblant à des tiares, ont parfois été portées par des évêques-comtes, notamment par les év. de Mende, Ctes de Gévaudan (XIVe-XVIe s.).

3e fois). *Célestin V* [Pierre de Morrone (1215-96), élu 5-7-1294] : bénédictin, vivant en ermite, il se révéla incapable, se laissant duper, notamment par le roi de Naples, Charles II. Sur les conseils de nombreux cardinaux (qui regrettaient leur choix), il démissionna le 12-12-1294. Enfermé par Boniface VIII dans une forteresse, il y mourut le 12-5-1296 et fut canonisé en 1313. Dans la *Divine Comédie* de Dante (v. 1310), il est placé en Enfer. *Grégoire XII* (élu 1406), déposé à Pise en 1409, démissionna le 4-7-1415 à Constance ; *Jean XXIII*, élu 1410, avait démissionné le 29-5-1419. Rayé de la liste officielle des papes, il est pourtant considéré comme pape authentique par beaucoup, sinon le concile de Constance, qu'il avait convoqué, n'aurait pas été considéré comme œcuménique.

Lors de ses 80 ans (26-9-77), Paul VI avait voulu démissionner, se sentant surmené. Les cardinaux l'en dissuadèrent.

• **Déplacements des papes.** *Paul VI* fut le 1er pape, depuis 1814, à sortir d'Italie. Les 2 derniers avaient été *Pie VI* (1775-99), [il alla à Vienne en 1782. Le 27-3-1799, les Français l'enlèvent de la Chartreuse de Florence (où il s'était réfugié après avoir été chassé de Rome par les Français et la révolution romaine), le conduisent à Valence où il mourra d'épuisement le 29-8-1799.] et *Pie VII* (1800-23) [en France pour le sacre de Napoléon, exilé 1809 à Grenoble, 1812 à Fontainebleau.]. *Jean-Paul II* (au 31-12-1990 : 94 pays visités) : *1979 :* Mexique, Pologne, Irlande, U.S.A., Turquie [1] ; *1980 :* Afrique, France, Brésil, Allemagne ; *1981 :* Philippines, Japon [1], Alaska ; *1982:* Afrique, Portugal [1], G.-B., Argentine, Genève, Saint-Marin, Espagne, Sicile ; *1983:* Amér. centrale, Lombardie, Pologne, Lourdes, Autriche ; *1984 :* Corée, Papouasie, Thaïlande, Suisse, Canada, Espagne, St-Domingue, Porto Rico, ; *1985:* Venezuela, Équateur, Pérou, Trinité, P.-Bas, Luxembourg, Belgique, Afr. noire, Maroc, Liechtenstein ; *1986:* Inde, Colombie, Sardaigne, France, Asie et Océanie [1] ; *1987:* Amér. du S., Allem., Pologne, U.S.A. ; *1988:* Uruguay, Bolivie, Pérou, Paraguay, Autriche, Zimbabwe, Botswana (*14-9*, escale de l'avion à Johannesburg due au mauvais temps, et parcours en voiture jusqu'à Maseru au Lesotho), Lesotho, Swaziland, Mozambique, France (Strasbourg : Institutions européennes le *8-10*) ; *1989 :* Madagascar, Réunion, Zambie, Malawi, Islande, Finlande, Danemark, Suède ; *1990 :* Cap-Vert, Guinée-Bissau, Mali, Burkina-Faso, Tchad ; *Avril :* Tchécoslovaquie ; *Sept. :* Burundi, C.-d'Ivoire (inauguration de la basilique de Yamoussoukro), Rwanda, Tanzanie.

Nota. – (1) Tentative d'assassinat.

Légende de la papesse Jeanne

Une femme déguisée en homme depuis son enfance, et entrée dans les ordres sous le nom de Johannes Anglicus (Jean Langlois) de Mayence, aurait été élue pape en 855, après Léon IV. Son sexe aurait été reconnu après 2 ans, 7 mois et 4 j, alors qu'elle accouchait en public, ou pendant qu'elle était sur une chaise percée. Condamnée à mort, traînée par un cheval, elle serait morte à 2 km de Rome, et enterrée sur place.

La légende est née d'une inscription sur une statue de Junon allaitant Hercule : P.P.P.P.P.P. [pour : *Papirius Patri Patrum Propria Pecunia Posuit:* « Papirius l'a érigée de ses propres deniers pour le Père des Pères » (c.-à-d. pour le grand prêtre de Mithra)] ; Jean de Mailly, v. 1250, avait adopté une autre interprétation : *Papa, Pater Patrum, Partu Papissa Proditus :* « Le Pape, Père des Pères, révélé comme papesse par son accouchement. » La légende fut répandue par Boccace, v. 1350. Des personnalités célèbres y ont cru, notamment Jan Hus, Guillaume d'Occam, Gerson. En 1561, le protestant Théodore de Bèze fit de l'existence de la papesse un argument contre la légitimité de la papauté romaine. La polémique a duré jusqu'en 1685 [*Préjugés légitimes contre le papisme,* par le pasteur Jurieu (1637-1713)].

• **Déposition.** Un pape peut être déposé pour hérésie, par un concile général de l'Église, mais le cas ne s'est jamais produit. Les p. qui ont dû quitter la tiare ont été considérés ensuite comme des « antipapes », (c.-à-d. non régulièrement intronisés).

• **Élection. Conditions pour être élu.** En principe, tout baptisé de sexe masculin, même marié, pouvait être élu. En fait, jusqu'en 1378, ce fut le plus souvent un prêtre du clergé de Rome, ou un évêque de la province de Rome. *Exceptions: 996* Grégoire V (clerc attaché à la cour de l'emp. Otton) ; *996* Sylvestre II (Gerbert, abbé de Bobbio) ; *1046* Clément II (év. de Bamberg) ; *1048* Damase II (év. de Brixen) ; *1049* St Léon IX (év. de Toul). *1055* Victor II (év. d'Eichstaedt) ; *1058* Nicolas II (év. de Florence), *1091* Alexandre II (év. de Lucques) ; *1119* Calixte II (arch. de Vienne), *1261* Urbain IV (patr. de Jérusalem) ; Bienheureux Grégoire X (archidiacre de Liège) ; *1294* Célestin V (religieux) ; *1305* Clément V, pape d'Avignon (arch. de Bordeaux) ; *1362* Urbain V (abbé de St-Victor de Marseille) ; *1378* Urbain VI [(év. de Bari) ; son élection déclenche le grand schisme d'Occident et occasionne la loi exigeant que, pour être élu, un pape doit être cardinal].

Age : *élus les plus jeunes :* Benoît IX (1032) : 12 ans ; Jean XII (955) : 18 ; Grégoire V (996) : 23 ; Innocent III (1179) : 37. *Les plus âgés :* Agathon (678) : 103 ans (douteux). Honorius III (1216) : 90 ; Célestin III (1191) : 86 ; Grégoire IX (1227) : 82 ou 84 ; Calixte III (1455) : 77.

Age d'élection dep. le milieu du XIXe s. : Pie IX : 54 ; Léon XIII : 68 ; Pie X : 68 ; Benoît XV : 59 ans 11 mois ; Pie XI : 65 ; Pie XII : 64 ; Jean XXIII : 76 ; Paul VI : 66 ; J.-Paul Ier : 66 ; J.-Paul II : 58.

Élus sans être prêtres : laïc : Jean XIX (1024) ; clerc : Grégoire V (996) ; diacres : Pie III (1503), Léon X (1513).

Élus, mais non devenus papes : 1° *ayant renoncé volontairement:* Hugues Roger, card. de Tulle (1362 ; remplacé par Urbain V) ; 2° *frappés d'une exclusive :* card. Paolucci (1721 ; par l'Autriche) ; Imperiali (1724, 1730 ; par l'Autr. et par l'Esp.) ; Cavalchini (1758 ; par la France) ; Severini (1823 ; non révélé) ; Giustiniani (1830 ; non révélé) ; Rampolla [1903 ; par l'Autr. (sans doute à cause de son attitude lors de l'affaire de Mayerling) remplacé par Pie X qui abolit le droit d'exclusive.

• **Mode d'élection. Origine.** Évêque de Rome, le pape fut jusqu'au XIe s. élu par les fidèles du diocèse, puis par les autres évêques de la province romaine. Actuellement, il est élu par le collège des cardinaux réunis en conclave. A partir du 1-1-1971, les cardinaux âgés de 80 ans et plus ont été privés du droit d'élire le pape *(motu proprio : In gravescentem aetatem).* **Conclave.** En 1274, pour éviter des élections interminables (la sienne avait duré 2 ans 9 mois), Grégoire X décida « la réclusion dans un local fermé ». Ainsi naquirent les *conclaves* [du latin *conclave* (chambre fermée à clef)]. Le *conclave* n'est pas tenu d'élire un de ses membres (même si cela ne s'est pas produit depuis le Moyen Age). L'élu n'est pas désigné comme représentant des divers pays catholiques ou des évêques, mais comme évêque de Rome, et à ce titre jouit de la primauté.

Campagne électorale. En principe, la *brigue* est interdite, et une élection serait annulée si l'on prouvait qu'un cardinal avait été élu contre des promesses engageant son futur pontificat. Néanmoins, on cite des cas fréquents de marchandages. Ainsi en 1721, Innocent XIII fut élu, grâce à l'appui des card. et diplomates français, après avoir promis le cardinalat à l'abbé Dubois, ministre des Affaires étrangères. En 1769, Clément XIV dut s'engager, pour être élu, à supprimer l'ordre des Jésuites. En 1939, Pie XII fut élu grâce à sa promesse de prendre comme secrétaire d'État son principal compétiteur, le card. Maglione. En oct. 1975, Paul VI a interdit, sous peine d'excommunication, toute concertation pour l'élection d'un pape, du vivant de son prédécesseur.

Date du conclave. Fixée par le card. camerlingue. Pie XI avait permis de retarder le conclave jusqu'à 18 j après la mort du pape, pour permettre aux card. américains d'arriver à temps. Depuis les voyages en avion, ce délai est plus court (le 1er membre d'un conclave arrivé par avion a été le card. Cerejeira, arch. de Lisbonne, en 1939).

Durée des conclaves depuis 1800. *1799-1800* à Venise : 3 mois 1/2 (Pie VII). *1823* à Rome : 26 j (Léon XII). *1829 :* 1 mois (Pie VIII). *1831 :* 54 j (Grégoire XVI). *1846 :* 2 j (Pie IX). *1878 :* 1 j 1/2 (Léon XIII). *1903 :* 4 j (Pie X). *1914 :* 3 j (Benoît XV). *1922 :* 4 j (Pie XI). *1939 :* 1 j (Pie XII). *1958 :* 3 j (Jean XXIII). *1963 :* 3 j (Paul VI). *1978 :* 1 j (Jean-Paul Ier) ; 2 j (Jean-Paul II).

Scrutin. Théoriquement, les cardinaux peuvent élire le pape par : 1°) *acclamation* s'ils se sont mis d'accord à l'unanimité sur le choix de l'élu ; 2°) (procédé normal) : *scrutin* au 2/3 des suffrages exprimés plus 1 (voix supplémentaire exigée depuis 1946, par Pie XII) ; 3°) (en cas de blocage du conclave) : *compromis* lorsque l'ensemble des card. chargent du vote au moins 3 et au plus 7 d'entre eux (système adopté 2 fois au XIVe s. et 1 fois en 1410, pour élire l'antipape Jean XXIII).

Il y a en principe 4 scrutins par j : 2 le matin et 2 le soir. A l'issue de chaque séance de vote, les bulletins, anonymes, sont transpercés à l'endroit où se trouve le mot *eligo* et réunis par un cordon de soie ; le tout est jeté au feu. Originairement, on les brûlait dans la chapelle Sixtine, mais on remarqua que les fumées détérioraient les fresques de Michel-Ange, aussi les brûle-t-on, dep. le XIXe s., dans un poêle, dont la cheminée extérieure est visible de la place St-Pierre. Un vote positif donne une fumée blanche, négatif une fumée noire. Jusqu'à l'élection de Paul VI (1963), la fumée noire était produite par de la mousse humide mêlée aux papiers, la fumée blanche par les papiers seuls. Mais le procédé était rudimentaire, et souvent la fumée sortait grise dans les 2 cas. Dep. sept. 1978 (él. de Jean-Paul Ier), on ajoute aux bulletins un produit chimique fumigène, noir ou blanc.

• **Mariages. Papes mariés :** les 37 premiers auraient pu se marier. On sait qu'Hormidas (514-23) fut le père de Silverius (536-37). **Dernier pape marié :** Adrien II (867-72). Plus tard, des veufs furent plusieurs fois élus. Alexandre VI (Rodrigue Borgia), élu 1492, avait eu 6 enfants (sans avoir été marié) avant son élection.

• **Nombre de papes par siècle.** *Ier s. :* 5. *IIe :* 10. *IIIe :* 15. *IVe :* 11. *Ve :* 12. *VIe :* 13. *VIIe :* 13. *VIIIe :* 13. *IXe :* 21. *Xe :* 26. *XIe :* 19. *XIIe :* 16. *XIIIe :* 17. *XIVe :* 10. *XVe :* 13. *XVIe :* 1. *XVIIe :* 12. *XVIIIe :* 8. *XIXe :* 6. *XXe :* 8.

• **Parenté proche entre papes. Fils :** St Silvère *536* f. de Hormidas ; St Grégoire Ier *590* a. pt-f. de Félix III. **Frères :** St Paul Ier *757* fr. d'Étienne Ier ; Romain *897* fr. de Constantin (lui-même fr. de Martin II) ; Jean XIX *1024* fr. de Benoît VIII ; **Neveux :** Benoît IX *1033* n. des 2 précédents ; Alexandre IV *1254* « proche parent » (non défini) d'Innocent III et Grégoire IX ; Célestin IV *1241* n. d'Urbain III ; Adrien V *1276* n. d'Innocent IV ; Grégoire XI *1370* n. de Clément VI ; Eugène IV n. de Grégoire XII ; Paul II *1464* n. d'Eugène IV ; Alexandre VI *1492* n. de Caliste III ; Pie III *1503* n. de Pie II ; Jules II *1503* n. de Sixte IV ; Clément IX *1523* n. de Léon X.

• **Nationalité.** Sur 264 papes, 208 furent italiens, dont 112 romains (proportion due au mode d'élection des papes aux 1ers siècles de l'Église : vote du peuple et du clergé de Rome). 56 furent des étrangers, dont : 15 Grecs, 15 Français (en comptant ceux d'Avignon), 6 Allemands [17 Français et 4 Allemands, si l'on tient compte des frontières actuelles : St Léon IX (1049-54) étant alsacien, et Étienne IX (1057-58) lorrain], 6 Syriens, 2 originaires de l'actuel État d'Israël (St Pierre, Galiléen ; Théodore Ier, Grec de Jérusalem), 3 Africains (St Victor Ier, St Miltiade ou Melchiade, St Gélase Ier). 1 Polonais (Jean-Paul II). **Dernier pape non italien,** avant le pape actuel (polonais), le Hollandais Adrien VI (1522-23). **Dernier pape français,** Grégoire XI (1370-78). Maumont (Corrèze) a vu naître 2 papes : Clément VI et son neveu Grégoire XI.

• **Noms.** Les papes ont commencé à changer de nom lors de leur élection à partir de Jean XII (955, baptisé Octavien). Avant, ils avaient gardé leur nom de baptême, sauf Jean II (533-35) qui portait un prénom païen : Mercure. Entre 956 et 996, sur 7 papes, 2 (Jean XIII et Jean XV) ont gardé leur nom de baptême, et 2 autres, suppose-t-on, (Benoît VI et Benoît VII) ont fait de même (mais leur nom de baptême n'est pas connu de façon certaine). Après 996, le changement de nom devient normal : en 1009, Serge IV, qui s'appelait Pierre, change de nom par respect pour le 1er chef de l'Église, ne voulant pas qu'il y eût un Pierre II. L'usage de mettre un chiffre après le nom du pape date de 1221 (Urbain V). Adrien VI (1522) et Marcel II (1555) sont les seuls papes des temps modernes à avoir gardé leur nom de baptême. Jean-Paul Ier (1978) fut le 1er à choisir un nom double.

Noms les plus choisis. Jean (22). [Il n'y a pas eu de Jean XX, et Jean XVI (997-98) a été radié de la liste officielle ; mais il y a eu 2 Jean XXIII dont le 1er Baltazar Cossa (1370-1419) élu 1410 démissionna le 29-5-1419 et fut rayé officiellement de la liste], Grégoire (16), Benoît (15), Clément (14), Innocent et Léon (13), Pie (12).

• **Pontificats (durée du règne). Moyenne :** 7 ans 11 mois 16 j [VIIe s. : 20 papes (49 mois en moyenne) ; XIXe s. : 6 papes (17 ans)].

Les plus longs (+ de 20 ans). *St Pierre* (30-64) : 34 ans ; *Pie IX* (1846-78) : 31 a 7 m ; *Léon XIII* (1878-1903) : 25 a 5 m ; *Pie VI* (1775-99) : 24 a 6 m 2 sem ; *Adrien Ier* (772-95) : 23 a 11 m ; *Pie VII* (1800-23) : 23 a 5 m 1 sem ; *Alexandre III* (1159-91) : 21 a 11m 1 sem ; *St Sylvestre* (314-35) : 21 a 11 m ; *Urbain VIII* (1623-44) : 21 a ; *St Léon III* (795-816) :

Liste chronologique

Adoptée officiellement en 1947. *Source:* Annuario pontificio (🌿 : martyr ; 🌿 p : martyr présumé ; 🌿 h : honoré comme martyr à cause de ses souffrances). En italique : *antipapes* (élus irrégulièrement, non reconnus par l'Église ; 35 du IIIe au XVe s.).

1 33 St Pierre (🌿 64 Galiléen).
2 67 St Lin (Toscan 🌿 p).
3 76 St Clet ou Anaclet 🌿 (Romain).
4 88 St Clément Ier 🌿 (Rom.).
5 97 St Évariste 🌿 (Grec).
6 105 Alexandre Ier 🌿 (Romain).
7 115 St Sixte Ier 🌿 (Romain).
8 125 St Télesphore 🌿 (Grec).
9 136 St Hygin 🌿 p (Grec).
10 140 St Pie Ier 🌿 p (It., Aquilée).
11 155 St Anicet 🌿 († 166 Syrien).
12 166 St Soter 🌿 p (Campanien).
13 175 St Éleuthère 🌿 p (Grec).
14 189 St Victor Ier 🌿 (Africain).
15 199 St Zéphyrin 🌿 p (Rom.).
16 217 St Calixte Ier 🌿 (né v. 155 Romain).
17 222 St Urbain Ier 🌿 (Romain).
227-235 St Hippolyte (né v. 170 Romain).
18 230 St Pontien 🌿 h (né fin IIe s. Romain).
19 235 St Anthère 🌿 p (Grec).
20 236 St Fabien 🌿 († 250 Rom.).
21 251 St Corneille 🌿 (Romain).
251 Novatien (Romain).
22 253 St Lucius Ier 🌿 (Romain).
23 254 St Étienne Ier 🌿 (Romain).
24 257 St Sixte II (🌿 258 Grec).
25 259 St Denys 🌿 p (nat. inconnue).
26 269 St Félix Ier (🌿 274 Rom.).
27 275 St Eutychien ou Eutychianus 🌿 (220 Toscan, Luni).
28 283 St Caïus ou Gaïus 🌿 (Dalmate).
29 296 St Marcellin (🌿 304 Rom.).
30 308 St Marcel Ier 🌿 h (Rom.).
31 309 St Eusèbe 🌿 h († 310 or. grecque, né en Sicile).
32 311 St Miltiade ou Melchiade p (Africain).
33 314 St Sylvestre Ier († 335 Romain).
34 336 St Marc (Romain).
35 337 St Jules Ier (né v. 280 Rom.).
36 352 Libère (Romain).
355-365 Félix II (Romain).
37 366 St Damase Ier (Espagnol).
366-367 Ursinus.
38 384 St Sirice (né v. 320 Rom.).
39 399 St Anastase Ier (Romain).
40 401 St Innocent Ier (Latium).
41 417 St Zosime (Grec).
42 418 St Boniface Ier (Romain).
418-419 Eulalius (v. 380-v. 450).
43 422 St Célestin Ier (Campanien).
44 432 St Sixte III (Romain).
45 440 St Léon Ier le Grand (Toscan).
46 461 St Hilaire (Sarde).
47 468 St Simplice (Tivoli).
48 483 St Félix III (Romain).
49 492 St Gélase Ier (Africain).
50 496 Anastase II (Romain).
51 498 St Symmaque (Sarde).
498-505 Laurent.
52 514 St Hormisdas (Latium).
53 523 St Jean Ier 🌿 h (né v. 470 Toscan).
54 526 St Félix IV (It. Samnium), désigné par Théodoric.
55 530 Boniface II (orig. goth., Romain).
530 Dioscore (Alexandrie).
56 533 Jean II, Mercure (v. 470, Romain).
57 535 St Agapet Ier (Romain).
58 536 St Silvère (fils du pape Hormisdas) 🌿 h (Campanien).
59 537 Vigile (né fin Ve s. Rom.).
60 556 Pélage Ier (né v. 500 Rom.).
61 561 Jean III Catelinus († 574 Romain).
62 575 Benoît Ier dit Bonose (Romain).
63 579 Pélage II (né 520 Romain).
64 590 St Grégoire Ier le Grand (né v. 540 Romain).
65 604 Sabinien (Toscan, Blera).
66 607 Boniface III (Romain).
67 608 St Boniface IV (Italien, Avezzano).
68 615 St Dieudonné Ier ou Adéodat Ier (Romain).
69 619 Boniface V (Naples).
70 625 Honorius Ier (Campanien).
71 640 Séverin (Romain).
72 640 Jean IV (né 580 ? Dalmate).
73 642 Théodore Ier (Grec né à Jérusalem).
74 649 St Martin Ier 🌿 h (né v. 590 ; Italien, Todi).
75 654 St Eugène Ier (Romain).
76 657 St Vitalien (né v . 600 ; Italien, Segni).
77 672 Adéodat II ou Dieudonné II (Romain).
78 676 Donus (Romain).
79 678 St Agathon (Sicilien).
80 682 St Léon II († 683 Sicilien).
81 684 St Benoît II (Romain).
82 685 Jean V (Syrien).
83 686 Conon (nat. inconnue).
84 687 St Serge Ier (Syrien).
687 Théodore, puis *Pascal* (687-692).
85 701 Jean VI (Grec).
86 705 Jean VII († 707 Grec).
87 708 Sisinnius (Syrien).
88 708 Constantin (Syrien).
89 715 St Grégoire II (né 669 Romain).
90 731 St Grégoire III (Syrien).
91 741 St Zacharie (Grec).
752 Étienne, non consacré (Italien).
92 752 Étienne II (Romain).
93 757 St Paul Ier (Romain).
767-769 Constantin (Ital., Nepi) (eut les yeux arrachés).
768 Philippe (nat. inconnue).
94 768 St Étienne III (né v. 720 Sicilien).
95 772 Adrien Ier (Romain).
96 795 St Léon III (né 750 Romain).
97 816 Étienne IV (Romain).
98 817 St Pascal Ier (Romain).
99 824 Eugène II (Romain).
100 827 Valentin (Romain).
101 827 Grégoire IV (Romain).
102 844 Serge II (Romain).
844 Jean (nat. inconnue).
103 847 St Léon IV (Romain).
104 855 Benoît III (Romain).
855 Anastase (v. 815-880), Italien, sans doute apocryphe, la « papesse Jeanne »).
105 858 St Nicolas Ier le Grand (né v. 800 Romain).
106 867 Adrien II (792 Romain).
107 872 Jean VIII (820 ? Romain).
108 882 Marin Ier (Martin II) (Latium, Gallese).
109 884 St Adrien III (Romain).
110 885 Étienne V (Romain).
111 891 Formose (Latium).
112 896 Boniface VI (Romain).
113 896 Étienne VI (Romain) (étranglé).
114 897 Romain (début IXe s. Latium, Gallese).
115 897 Théodore II (840 Rom.).
116 898 Jean IX (né 840, Tivoli).
117 900 Benoît IV (Romain).
118 903 Léon V (Italien).
903-904 Christophore (déposé) († 906 Romain).
119 904 Serge III des Ctes de Tusculum (Romain, père de Jean XI).
120 911 Anastase III (Romain).
121 913 Landon (Samnium).
122 914 Jean X (860 Italien).
123 928 Léon VI (Romain).
124 928 Étienne VII (Romain).
125 931 Jean XI des Ctes de Tusculum (906-35 Romain).
126 936 Léon VII (Romain).
127 939 Étienne VIII (Romain).
128 942 Marin II (Martin III) (Romain).
129 946 Agapit II (Romain).
130 955 Jean XII des Ctes de Tusculum (937-64 Romain).
131 963 Léon VIII (Romain, laïc, élu pape).
132 964 Benoît V dit le Grammairien (Romain ; rival de Léon VIII et parfois considéré comme antipape).
133 965 Jean XIII († 972 Romain).
134 973 Benoît VI (Romain, † étranglé).
135 974 Benoît VII des Ctes de Tusculum (Romain).
974 Boniface VII (Romain).
136 983 Jean XIV, Pierre Canepanova (Italien, Pavie).
984 Boniface VII pour la 2e fois.
137 985 Jean XV (Romain, fils d'un prêtre).
138 996 Grégoire V, Brunon de Carinthie (né 973 Saxon).
997 Jean XVI († v. 1013) (Jean Filagato, It. Rossano).
139 999 Sylvestre II (l'érudit Gerbert, né 938 Fr.).
140 1003 Jean XVII, Siccone (Romain).
141 1004 Jean XVIII Fasano (Romain).
142 1009 Serge IV (Romain).
143 1012 Benoît VIII des Ctes de Tusculum (Italien).
1012 Grégoire.
144 1024 Jean XIX des Ctes de Tusculum, laïc (Romain).
145 1032 Benoît IX, Théophylacte des Ctes de Tusculum († 1055 Italien).
146 1045 Sylvestre III Jean (v. 1000 Romain).
147 1045 Benoît IX pour la 2e fois *(déposé).*
148 1045 Grégoire VI, Jean Gratien (Rom.), *abdique* († 1048).
149 1046 Clément II, Suidger, Cte de Morsleben et Homburg (Saxon).
150 1047 Benoît IX, pour la 3e fois.
151 1048 Damase II († 1048), Cte Poppon (Bavarois).
152 1049 St Léon IX, Bruno, Cte d'Éguisheim-Dagsbourg (1002-54 Alsacien).
153 1055 Victor II, Gebhard, Cte de Dollenstein-Hirschberg (Allemand).
154 1057 Étienne IX, Frédéric de Lorraine (Lorrain).
1058 Benoît X, Jean, Cte de Tusculum (Jean Mincius) (Romain).
155 1059 Nicolas II, Gérard de Bourgogne (né v. 980 Fr.).
156 1061 Alexandre II, Anselme de Baggio (Milan).
1061-1072 Honorius II (v. 1009) (germanique, Vérone). (1476 Naples).
157 1073 St Grégoire VII, Hildebrand de Soana (v. 1015/1020 Toscan).
1080-1100 Clément III, Guibert de Parme (1023 Italien).
158 1086 Bx Victor III, Didier de Montecassino Pce de Bénévent (v. 1027-87 Italien).
159 1088 Bx Urbain II, Odon de Lagery (né v. 1042 France).
160 1099 Pascal II, Rainier de Bieda (né v. 1050 Italie).
1100 Théodoric évêque de Ste Rufine.
1102 Albert, évêque de Sabine.
1105-1111 Sylvestre IV, Maginulfe (v. 1050 Romain).
161 1118 Gélase II, Jean de Gaëte (né v. 1058 Italie).
1118-1121 Grégoire VIII, Maurice Bourdin († 1126 Français).
162 1119 Calixte II, Guy de Bourgogne (né v. 1060 Fr.).
1124 Célestin II, Tebalde Buccapeco (Romain).
163 1124 Honorius II, Lambert de Fagnano (Italien).
164 1130 Innocent II, Grégoire Papareschi (Italien).
1130-1138 Anaclet II, Pierre Pierleoni (Romain).
1138 Victor IV, Grégoire.
165 1143 Célestin II, Guy (Italien, Castello).
166 1144 Lucius II, Gérard Caccianemici (Italien).
167 1145 Bx Eugène III, Bernard Paganelli de Montemagno (Pisan).
168 1153 Anastase IV, Conrad de Suburra (Romain).
169 1154 Adrien IV, Nicolas Breakspeare (v. 1100 Anglais).
170 1159 Alexandre III, Roland Bandinelli (Sienne).
1159-1164 Victor IV, Octavien de Monticello (Italien).
1164-1168 Pascal III, Guy de Crema (v. 1100 Italien).
1168-1178 Calixte III, Jean abbé de Struma (Arezzo).
1179-1180 Innocent III, Lando (Italien Sezze).
171 1181 Lucius III, Ubaldo Allucingoli (Italien).
172 1185 Urbain III, Hubert Crivelli (né v. 1120 Milanais).
173 1187 Grégoire VIII, Albert de Morra (Italien).
174 1187 Clément III, Paulin Scolari (Romain).
175 1191 Célestin III, Hyacinthe de Bobone (Romain).
176 1198 Innocent III, Lothaire, Cte de Segni (1160 Romain).
177 1216 Honorius III, Cencio Savelli (Romain).
178 1227 Grégoire IX, Ugolin, comte de Segni (v. 1145 It.).
179 1241 Célestin IV, Geoffroi Castiglioni (Milanais).
180 1243 Innocent IV, Sinibaldo Fieschi (Génois).
181 1254 Alexandre IV, Renaud de Segni (Romain).
182 1261 Urbain IV, Jacques de Pantaléon (v. 1200-64 Fr.).
183 1265 Clément IV, Gui Foulques (fin XIIe-1268 France).
184 1271 Bx Grégoire X, Théobald Visconti (1210 Italie)
185 1276 Bx Innocent V, Pierre de Tarentaise (né v. 1225 Savoie).
186 1276 Adrien V, Ottobon Fieschi (Génois).
187 1276 Jean XXI, Pierre « fils de Julien » (né v. 1220 Portugais).
188 1277 Nicolas III, Jean Gaétan Orsini (v. 1210/20 Rom.).
189 1281 Martin IV, Simon de Brion (Français).
190 1285 Honorius IV, Jacques Savelli (1210 Romain).
191 1288 Nicolas IV, Girolame Masci (né v. 1230 It., Ascoli).
192 1294 St Célestin V, Pierre Angeliner de Morron (v. 1215-96 Italien), *abdique.*
193 1294 Boniface VIII, Benoît Caetani (1235 ? It., Anagni).
194 1303 Benoît XI, Nicolas Boccasini (1240-1304, Italien, Trévise).
195 1305 Clément V, Bertrand de Got († 1314 France).
196 1316 Jean XXII, Jacques Duèse (1245, France, Cahors).
1328-1330 Nicolas V, Pierre Rainallucci (v. 1260-1333 It.).
197 1334 Benoît XII, Jacques Fournier (Français).
198 1342 Clément VI, Pierre Roger de Beaufort (1291 Fr.).
199 1352 Innocent VI, Étienne Aubert (Français).
200 1362 Bx Urbain V, Guillaume de Grimoard (v. 1310 Fr.).

201 1370 Grégoire XI, Pierre Roger de Beaufort II (n. 1331) *(dernier pape français).*
202 1378 Urbain VI, Barthélemy Prignano (v. 1318-89 Naples).
1378-1394 Clément VII, Robert, comte de Genève (1342-94).
203 1389 Boniface IX, Pierre Tomaselli (1389-1404 Naples).
1394-1423 Benoît XIII, Pierre Martin de Luna (v. 1324 Espagne).
204 1404 Innocent VII, Cosme Migliorati (1336-1406 Sulmona).
205 1406 Grégoire XII, Angelo Correr (né v. 1325 Venise).
1409-1410 Alexandre V, Pierre Filargo (1340-1410 Crétois).
1410-1415 Jean XXIII, Balthazar Cossa (v. 1370-1419 Pise).
206 1417 Martin V, Oddone Colonna (Romain).
1423-1429 Clément VIII (Gil Sanchez Munoz) (v. 1380-1447 Espagne).
1425-1430 Benoît XIV Bernard Garnier, (Fr., élu par un seul cardinal, *idem* pour Jean Garnier, et Benoît XIV).
207 1431 Eugène IV, Gabriel Gondulmer (1383,Venise).
1439-1449 Félix V, duc Amédée VIII de Savoie (1383-1451).
208 1447 Nicolas V, Thomas Parentucelli (v. 1398 Sarzana).
209 1455 Calixte III, Alphonse Borgia (1378-1458 Espagne).
210 1458 Pie II, Énéas Sylvius Piccolomini (1405-64 Sienne).
211 1464 Paul II, Pierre Barbo (1417 Venise).
212 1471 Sixte IV, François della Rovere (1414-84 Savone).
213 1484 Innocent VIII, Jean-Baptiste Cybo (1432-92 Gênes).
214 1492 Alexandre VI, Rodrigue Borgia (1431-1503 Esp.).
215 1503 Pie III, François Todeschini-Piccolomini (1439-1503 Sienne).
216 1503 Jules II, Julien della Rovere (1443-1513 Savone).
217 1513 Léon X, Jean de Médicis (1475-1521 Florence).
218 1522 Adrien VI, Adrien Florensz (1459 P.-Bas).
219 1523 Clément VII, Jules de Médicis (1478-1534 Florence).
220 1534 Paul III, Alexandre Farnèse (1468 Romain).
221 1550 Jules III, Jean-Marie Ciocchi del Monte (1487-1555 Romain).
222 1555 Marcel II, Marcel Cervini (1501-55, Montepulciano).
223 1555 Paul IV, Jean-Pierre Carafa (1476-1559, Sant' Angelo della Scala).
224 1559 Pie IV, Jean-Ange de Médicis (1499-1565 Milan).
225 1566 St Pie V Antoine-Michel Ghislieri (1504-72 It.).
226 1572 Grégoire XIII, Hugo Buoncompagni (1502 Bologne).
227 1585 Sixte-Quint, Félix Peretti (1520-90 Italien).
228 1590 Urbain VII, Jean-Baptiste Castagna (v. 1521-90 Romain).
229 1590 Grégoire XIV, Nicolas Sfondrati (1535, Cremone).
230 1591 Innocent IX, Jean-Antoine Facchinetti (1519-91 Bologne).
231 1592 Clément VIII, Hippolyte Aldobrandini (1536-1605 Florence).
232 1605 Léon XI, Alexandre Ottaviano de Médicis (1535 Florence).
233 1605 Paul V, Camille Borghèse (1552 Romain).
234 1621 Grégoire XV, Alexandre Ludovisi (1554, Bologne).
235 1623 Urbain VIII, Maffeo Barberini (1568 Florence).
236 1644 Innocent X, Jean-Baptiste Pamfili (1574 Romain).
237 1655 Alexandre VII, Fabio Chigi (1599 Sienne).
238 1667 Clément IX, Jules Rospigliosi (1600-69, Pistoie).
239 1670 Clément X, Émile Altieri (1590 Romain).
240 1676 Bx Innocent XI, Benoît Odescalchi (1611 Côme).
241 1689 Alexandre VIII, Pierre Ottoboni (1610 Venise).
242 1691 Innocent XII, Antoine Pignatelli (1615 Italien).
243 1700 Clément XI, Jean-François Albani (1649 Urbino).
244 1721 Innocent XIII, Michel-Ange Conti (1655 Rom.).
245 1724 Benoît XIII, Pierre-François Orsini (1649 Italien).
246 1730 Clément XII, Laurent Corsini (1652 Florence).
247 1740 Benoît XIV, Prosper Lambertini (1675 Bologne).
248 1758 Clément XIII, Charles Rezzonico (1693 Venise).
249 1769 Clément XIV, Laurent Jean Vincent Ganganelli (1705-74 Rimini).
250 1775 Pie VI, Jean Angelo Braschi (1717-99 Cesena).
251 1800 Pie VII, Barnabé Chiaramonti (1742 Cesena).
252 1823 Léon XII, Hannibal Sermattei della Genga (1760 Italien).
253 1829 Pie VIII, François-Xavier Castiglioni (1761-1830 It.).
254 1831 Grégoire XVI, Bartolomé Alberto Cappeliari (1765 Dolomites).
255 1846 Pie IX, Jean-Marie Mastaï Ferretti (1792 Italien).
256 1878 Léon XIII, Vincent Joachim Pecci (1810, Anagni).
257 1903 St Pie X, Joseph Sarto (1835, Trévise).
258 1914 Benoît XV, Jacques della Chiesa (1854 Gênes).
259 1922 Pie XI, Achille Ratti (1857 Milan).
260 1939 Pie XII, Eugène Pacelli (1876 Romain).
261 1958 Jean XXIII, Ange-Joseph Roncalli (1881 Bergame).
262 1963 Paul VI, Jean-Baptiste Montini (1897 Brescia).
263 1978 Jean-Paul Ier, Albino Luciani (1912 Dolomites, serait mort d'une embolie pulmonaire mal soignée).
264 1978 Jean-Paul II, Karol Wojtyla (18-5-1920 Polonais).

Nota. – Étienne (752) étant mort avant la consécration qui marque le véritable début du pontificat, son nom n'est plus enregistré sur la liste officielle ; Jean-Paul II est ainsi officiellement le 264e pape et non le 265e. Les listes non officielles donnent généralement 260 papes, en comptant pour 1 les 3 pontificats de Benoît IX (145e, 147, 150), et en écartant comme antipapes Léon VIII (131e) et Benoît V (132e). Des spécialistes rejettent Lin (2e), prédécesseur de Clet (3e), les 2 noms devant plus vraisemblablement être lus ensemble *Anaclet.* Il y a eu 2 antipapes Victor IV : en 1132 (2 mois) et en 1159.

20 a 5 m g ; *Clément XI* (1700-21) : 20 a 4 m ; *St Léon le Grand* (440-61) : 20 a 6 sem.

Les plus courts : *Étienne II* (752) 4 j ; *Urbain VII* (1590) 13 j ; *Célestin IV* (1241) 14 j ; *Sisinnius* (708) 17 j ; *Léon XI* (1605) 18 j ; *Théodore II* (897) 20 j ; *Damase II* (1048) 23 j ; *Marcel II* (1555) 23 j ; *Pie III* (1503) 26 j ; *Jean-Paul Ier* (1978) 33 j. On cite également 2 règnes de 1 j : *1124* Célestin II [Tébalde Buccapeco (écarté de la liste officielle des papes)] élu le matin, abdique le soir et est remplacé par Honorius II ; *1276* (sources incertaines) le card. Vicedomini (franciscain) élu, meurt le jour même, et est remplacé par Jean XXI.

• **Années où il y eut le plus de papes.** *De façon douteuse (chronologies embrouillées) :* 6 : *897* (Formose, Boniface VI, Étienne VI, Romain, Théodore II et Jean IX). *De façon certaine :* 3 : *1276 ; 827, 1555, 1605, 1978* (Paul VI, Jean-Paul Ier, Jean-Paul II).

• **Prophétie de St Malachie.** Série de définitions en latin, résumant chacune en quelques mots la personnalité d'un pape ou l'histoire de son règne, et publiée par le bénédictin Arnold de Wion dans *Lignum vitae,* ouvrage consacré aux év. issus de l'Ordre bénédictin (Venise 1595). L'éditeur les attribue à St Malachie, évêque d'Armagh en Irlande (1094-1148), célèbre par ses connaissances héraldiques et astrologiques. Mais certains estiment qu'il s'agissait d'un trucage réalisé en 1590 par un dominicain esp., Alonso Chacón (en latin : Ciaconius, 1540-99), et destiné à favoriser, lors du conclave ayant suivi la mort d'Urbain VII, la candidature du card. Jérôme Simoncelli, évêque d'Orvieto (Orvieto se dit en latin *urbs vetus* « ville vieille », et la devise attribuée au successeur d'Urbain VII était *De antiquitate urbis* « De l'antiquité de la ville »). Les 36 papes qui devaient suivre le successeur d'Urbain VII auraient reçu des devises fabriquées au hasard, pour faire plus vraisemblable. Certaines formules tombant assez juste, on eut du mal à croire à un simple hasard. L'Église ne s'est pas prononcée sur l'authenticité de ces prophéties, et ne les a pas condamnées. Officieusement, elles ont été utilisées à la louange d'un pape.

Exemples de formules bien adaptées : **Pie VI** (1775-99) : *Peregrinus apostolicus,* « le Voyageur apostolique », étant allé à Vienne en 1782, pour négocier avec l'emp. Joseph II, et étant mort à Valence, déporté par les Révolutionnaires français [sa décision d'aller à Vienne (combattue par les cardinaux, car contraire aux traditions) a été prise *à cause* de la prophétie à laquelle Pie VI croyait]. **Pie VII** (1800-23) : *Aquila rapax,* « l'Aigle ravisseur », dépouillé de ses États par l'Aigle impérial (Napoléon). **Grégoire XVI** (1830-46) : *De balneis etruriae,* « De Balnès en Étrurie », religieux camaldule dont la maison mère était à Balnès. **Pie IX** (1846-78) : *Crux de Cruce,* « Une croix venant de la Croix », chassé de ses États par la Maison de Savoie, dont les armes portent la « Croix de Savoie ». **Benoît XV** (1914-21) : *Religio depopulata,* « La religion décimée », a régné pendant la 1re G. mondiale. **Jean-Paul Ier** (1978) : *De medietate lunae,* « De la moitié d'une lunaison », n'a passé qu'un demi-mois sur le trône, entre son couronnement et sa mort.

La devise appliquée au pape actuel, Jean-Paul II, *De labore solis,* « Des souffrances causées par le Soleil », fait penser à la sécheresse en Afrique (1972-85). Après lui, la prophétie ne désigne que 2 papes : *Gloria olivae,* « La gloire de l'olivier », et *Petrus Romanus,* « Pierre le Romain », sous le règne duquel Rome sera détruite et l'humanité paraîtra devant son juge. Une meilleure lecture du texte imprimé donne *in prosecutione* au lieu de *in persecutione :* l'auteur ne situe pas le règne de Pierre le Romain au sein de la « persécution », mais au début de la « suite du temps ».

• **Saints et bienheureux.** 85 papes (env. 1/3) dont 78 canonisés et 7 béatifiés. Tous les p. antérieurs à Boniface II (530-32) sont appelés saints, sauf Libère (352-66) et Anastase II (496-98). Dep. St Grégoire le Grand (590-604), époque dep. laquelle on dispose de documents certains, il y a eu 24 saints et 7 bienheureux. Dep. la fin du Moyen Age (1453), il y eut *2 canonisations :* Pie V (1566-72 ; canonisé 1712), Pie X (1903-14 ; can. 1954) ; *1 béatification :* Innocent XI (1676-79 ; béat. 1956). Entre 1713 et 1893 il y eut 6 confirmations de béatification (Grégoire X en 1713, Urbain V, Innocent V, Victor III, Urbain II, Eugène III), 1 canonisation confirmée (Adrien III).

• **Vacance. Maximale.** Entre Clément IV, mort le 20-11-1268, et Grégoire X, élu le 1-9-1271 (alors qu'il était en Syrie), et intronisé le 10-2-1272. A cette occasion le Conclave fut institué. *Temps modernes :* élection de Pie VIII (1829) : 50 j ; Grégoire XVI (1831) : 65 j ; Pie VII (1799-1800) : 206 j. **Minimale.** Entre Jean XXIII et Paul VI (1963) : 18 j (même durée entre Jean-Paul Ier et Jean-Paul II). **Nombre de vacances, selon leur durée :** *1 semaine :* 46. *10 j :* 10. *1 mois :* 52. *+ de 1 mois :* 28. *+ de 2 mois :* 17. *de 3 à 6 mois :* 17. *de 6 mois à 1 an :* 22.

Cardinaux

• **Age. Le plus vieux cardinal :** Georges da Costa (1406-1508), Portugais, mort à 102 ans. **Le plus jeune :** Louis-Antoine de Bourbon, le 19-12-1735, 8 ans et 147 j. Son fils fut c. à 23 a. [la nomination de cardinaux (qui étaient de rang princier) dans les familles souveraines, était traditionnelle].

Au 1-1-1991 : le + vieux : 96 ans, Mgr de Lubac (France). *Le + jeune :* 57 ans, Alfonso Lopez Trujillo (Colombie).

Cardinalat le plus long : Jacques d'York, dernier prétendant Stuart, fut cardinal du 3-7-1747 au 13-7-1807 (60 ans 10 j).

• **Appellation.** *Autrefois :* Illustrissime et Révérendissime. *Dep. le 20-1-1630 :* Éminence.

• **Blason (ornement).** Timbre ecclésiastique remontant au XIVe s., mais fixé officiellement en 1833 : chapeau rouge, cordons terminés par 30 houppes, soit 15 de chaque côté de l'écu, en 5 rangs de 1, 2, 3, 4 et 5 houppes ; au-dessus, passée en pal derrière l'écu, une croix d'or tréflée, à longue hampe.

• **Cardinal-doyen.** Président du Sacré Collège (et devenant le 1er personnage de l'Église à la mort du pape), il n'est pas forcément le plus âgé des c., étant désigné à vie par le pape, ainsi que le vice-doyen. Dep. février 1965, tous deux sont élus par les cardinaux évêques suburbicaires et parmi eux, sans limite dans le temps.

• **Consistoire.** Réunion de cardinaux présents à Rome, sous la présidence du pape. Il peut être secret ou ordinaire (les c. sont alors seuls admis), semi-public (les évêques sont admis) ou public (solennel). Le « consistoire consultatif » des 5/8-11-1979 a réuni tous les cardinaux.

• **Droit canonique.** Les cardinaux se divisent en 4 *ordres : 1°) cardinaux-prêtres* (les curés de 25 églises romaines en 499, 28 au XIIe s., 107 en 1980) ;

2°) c.-diacres, au IIe s. : administrateurs des diaconies, c.-à-d. des régions de Rome qui servaient d'unité territoriale pour les œuvres charitables (on disait un « diacre régionaire ») ; en 795, ils devinrent tous curés d'une paroisse au centre de Rome et n'ayant pas de « titre », c.-à-d. n'étant pas dirigé par un prêtre cardinal (leur nombre, 16, n'a pas varié) ; *3°) c.-évêques :* à partir du VIIIe s., les papes incardinent à la cour pontificale les évêques des 8 cités voisines de Rome (appelées *suburbicaires,* c.-à-d. « proches de la ville ») : Porto, Ste-Rufine, Ostie, Albano, Velletri, Palestrina, Sabine, Tusculum (ou Frascati). Ces 8 titres se sont conservés mais il n'y a plus que 6 c.-évêques, car les titres de Ste-Rufine et de Porto ont fusionné, et le titre d'Ostie est toujours donné en supplément à celui des 6 c.-évêques qui est doyen du Sacré Collège ; *4°) c.-non prêtres :* une bulle de Sixte Quint, *Immensa aeternis Dei* (1588), exigeait seulement que pour être c., on soit dans les ordres mineurs depuis au moins un an. Le 19-5-1918, le Code de droit canonique (du pape Benoît XV) promulgué exigeait que tout c. soit au moins prêtre. Depuis le 15-4-1962 (*motu proprio « Cum Gravissima »,* de Jean XXIII), il doit être au moins évêque ; il est consacré év. titulaire avant de recevoir le chapeau (voir p. 541b).

Cardinaux pris en dehors du clergé romain. Dès le Xe s., les c. issus du clergé romain furent absorbés par leur travail administratif auprès du pape et laissèrent à des vicaires leurs responsabilités paroissiales ou épiscopales pour vivre en permanence à la Curie. Cela facilita la « création » de c. non romains à partir du XIIe s., à qui le pape donna fictivement une paroisse romaine, laissée aux soins d'un prêtre local. Le c. n'y paraît que rarement et n'y tient qu'un rôle d'apparat. La *Trinité-des-Monts,* église française du couvent du Sacré-Cœur, sur le mont Pincio, est traditionnellement la « paroisse romaine » de l'archevêque de Lyon, primat des Gaules ; *St-Louis-des-Français* est devenu titre cardinalice avec le c. Veuillot. Le c. Marty conserve ce titre actuellement.

1er cardinal étranger. *Français,* Humbert de Bourgogne (bénédictin) ; *américain :* Mgr MacCloskey, 1875 ; *Asie :* Mgr Hassoun, 1880 ; *Afrique, blanc :* Mgr Lavigerie, 1882 ; *noir :* Mgr Bukoba (Tanganyika, 1960).

• **Étymologie.** Adjectif dérivé du latin *cardo,* « gond ». Ce sens est resté dans le verbe *incardiner,* signifiant « attacher définitivement » un curé à une paroisse ou un clerc à un diocèse : l'image est celle d'une porte fixée définitivement à son montant par un gond (opposée au panneau amovible). *Cardinal* signifie donc *inamovible.*

Étaient *cardinaux* certains curés de paroisses de la ville épiscopale servant de conseil à l'évêque. Avant 1567, il y avait des c. (prêtres ou diacres) dans d'autres églises que celles de Rome : Milan, Ravenne, Paris (au XIIe s. les curés de St-Paul, St-Martin-des-Champs, St-Jacques, St-Séverin, St-Benoît, Charonne, St-Étienne-des-Grès, St-Gervais, St-Julien-le-Pauvre, St-Merri, St-Laurent, St-Jean-en-Grève), Lyon, etc. Depuis, tout c. appartient, fictivement ou non, au clergé de Rome.

• **Fonctions.** L'ensemble des cardinaux, ou *Sacré Collège* [terme datant de Nicolas II (1059-61), qui érigea le groupe des cardinaux en un collège chargé d'élire le pape, et qui en a l'exclusivité dep. 1179], est défini par le canon 349 comme le « Sénat du Pontife romain ». Il lui fournit ses conseillers et les chefs de son administration. Néanmoins, il faut distinguer entre les *c. de Curie,* qui résident à Rome et sont constamment à la disposition du pape, et les *c.-évêques résidentiels,* pour qui la dignité cardinalice était jadis surtout honorifique. Actuellement, la facilité des transports aidant, il est courant qu'un évêque résidentiel ait la présidence d'une « commission » pontificale à Rome, ou prenne part aux travaux d'un ou de plusieurs organismes de la curie.

• **Nombre.** *Jusque v. 1200 :* moins de 20. *1352 :* fixé à 20 max. *XVe s. :* largement dépassé ; les conciles ont demandé qu'on ramène le nombre à 20. *1517 :* Léon X nomma 31 cardinaux d'un coup. *1555 :* nombre fixé à 40. *1577 :* à 65. *1586 :* à 70 (par analogie avec les 70 vieillards d'Israël). *1958 :* à 75. *1960 :* à 86. *1962 :* à 90 (dont 3 *in petto*). *1970 (21-11) :* Paul VI a fixé le chiffre maximal des cardinaux électeurs (- de 80 ans) à 120 (chiffre atteint par Jean-Paul II le 5-1-83). *1988 (29-5) :* 161 (dont 120 de - de 80 ans et électeurs). *1989 (21-1) :* 157 (38). *1991 (1-4) :* 141 [dont 102 de - de 80 ans et électeurs (dont 45 Européens dont 9 de l'Est)].

Pays représentés. *1903 :* 12, *1914 :* 15, *1922 :* 16, *1958 :* 23, *1963 :* 31, *1987 :* 57, *1988 :* 60.

Nationalité. *1910 :* 41 (Italie 31, autres pays européens 9, reste du monde 1). *1939 :* 62 (It. 33, Europe 22, autres 7). *1958 :* 52 (It. 17, Europe 17, autres 18). *1963 :* 82 (It. 29, Europe 26, autres 27). *1973 :* 145 dont 117 électeurs (It. 29, Europe 29, autres 59). *1987-1-4 :* 135 (97 él.) [Europe 71, dont Italie 48 (20 él.), France 8 (5 él.)]. *Amér. du N :* 13 (9 él.). *Latine* 21 (16 él.). *Afrique* 15 (13 él.). *Asie* 12 (9 él.). *Océanie* 3 (2 él.).

• **Nomination** (on dit « création »). Réservée au pape qui fait son choix parmi les hommes (au moins prêtres) qu'il estime remarquables « par leur doctrine, piété, prudence en affaires ». Jusqu'en 1917, il n'était pas nécessaire d'avoir reçu la prêtrise pour être nommé. Dep. le 15-4-1962 tous les c. doivent être ou devenir évêques (on leur donne un titre archiépiscopal). Création et publication se font au cours d'un *consistoire.* Un c. *in petto* est nommé en secret par le pape ; son nom n'est pas divulgué. Le 1er fut Louis d'Aragon en 1493. Depuis 1900, 10 ont été nommés (Benoît XV : 2 ; Pie XI : 1 ; Jean XXIII : 3 ; Paul VI : 4).

Scandales. Pendant la Renaissance, les nominations de c. firent parfois scandale, le pape agissant souvent en Pce italien pour qui le cardinalat était une dignité nobiliaire, sans relation avec la *doctrine* ou la *piété.* Les créations les plus scandaleuses ont été celles de 2 débauchés : Bernardo Bibbiena et Innocenzo Cibo (1513) par Léon X, et celle d'un montreur de singes de 14 ans, Innocenzo Del Monte (1551), par Jules III. Les papes ont souvent (jusqu'en 1876) nommé c. leurs neveux, ex. Calixte III (1455-58), Innocent VII [(1484-92) ; son neveu avait 14 ans]. En 1513, Léon X créa officiellement la fonction de *cardinal-neveu* qui ne fut supprimée qu'en 1676 à la mort de Clément X (son neveu, le cardinal Altieri, s'étant rendu odieux, le secrétaire d'État le remplaça dans ses fonctions). Ils ont aussi nommé à titre honorifique des membres des familles régnantes jusqu'au XIXe s. [ex. : Clément XII nomme Louis de Bourbon (fils de Philippe V, roi d'Espagne) card.-archev. de Tolède à 8 ans (1735)].

• **Privilèges diplomatiques.** Les c. sont *princes de l'Église* et réputés les égaux des rois et chefs d'État.

• **Protocole et cérémonial.** Dans tous les diocèses, on leur doit les mêmes honneurs que s'ils étaient évêques diocésains.

• **Réunions plénières.** Organisées par Jean-Paul II pour régler de grands problèmes de l'Église.

• **Tenue officielle. Chapeau rouge** (en italien *galero*) : date de Noël 1244 (concession d'Innocent IV), orné de 30 houppes rouges ; emblème de leur promptitude à verser leur sang pour la foi catholique ; devenu le symbole du cardinalat, il n'est plus imposé solennellement dep. 1967. Selon une coutume datant du XVe s., à la mort d'un cardinal év. d'un diocèse, son chapeau était suspendu aux voûtes de sa cathédrale, jusqu'à ce qu'il tombe en poussière. **Soutane rouge :** date de 1303. **Barrette rouge :** date de 1464. **Le manteau de cérémonie :** n'est plus porté devant le pape, mais seulement dans des circonstances exceptionnelles. **Cappa magna :** prohibée à Rome. **Mozette** de couleur (violette ou écarlate) : portée à l'office sur le rochet de lin. En dehors, chaque intéressé juge s'il doit ou non la porter dans des « circonstances tout à fait extraordinaires ».

Dep. 1969, le costume de c. ne diffère plus de celui des évêques que par la couleur. Sont exclus, notamment, les accessoires vestimentaires, tels que manteau, chapeau et souliers rouges. Le port de l'hermine est prohibé ; le port de la *manteletta,* sorte de manteau sans manches, est supprimé.

Le Sacré Collège

État au 1-4-1991. *Légende :* Entre parenthèses, nationalité et date de naissance, puis date de nomination. Les cardinaux de 80 ans et +, n'étant plus électeurs du pape, sont précédés d'un astérisque :

Doyen : Card. Agnelo Rossi, dep. 19-12-1986.

* ANTONELLI, Ferdinando Giuseppe, Franciscain (It. 14-7-1896) 73².
APONTE MARTINEZ, Luis (Porto Rico 4-8-22) 73.
ARAMBURU, Carlos (Arg. 11-2-12) 76.
ARINZE, Francis (Nigeria 1-11-32) 85².
ARNS, Paulo Evaristo (Brés. 14-9-21) 73.
* BAFILE, Corrado (It. 4-7-03) 76².
BAGGIO, Sebastiano (It. 16-5-13) 69¹, ⁷.
BALLESTRERO, Anastasio, Carme (It. 3-10-13) 79.
BAUM, William Wakefield (U.S.A. 21-11-26) 76.
BERNARDIN, Joseph (U.S.A. 2-4-28) 83.
* BERTOLI, Paolo (It. 1-2-08) 69¹.
BIFFI, Giacomo (It. 13-7-28) 85.
CANESTRI, Giovanni (Italie 30-9-18) 88.
CAPRIO, Giuseppe (It. 15-11-14) 79².
* CARBERRY, John Joseph (U.S.A. 31-7-04) 69.
* CARPINO, Francesco (It. 18-5-05) 67¹.
CARTER, Gerald Emmett (Can. 1-3-12) 79.
CASAROLI, Agostino (It. 24-11-14) 79¹
* CASORIA, Giuseppe (It. 1-10-08) 83².
CASTILLO LARA, Rosalio, Salésien (Venez. 4-9-22) 85².
CÉ, Marco (It. 8-7-25) 79.
* CIAPPI, Luigi, Dominicain (It. 6-10-09) 77².
CLANCY, Edward Bede (Australie 13-12-23) 88.
* COLOMBO, Giovanni (It. 6-12-02) 65.
CORDEIRO, Joseph (Pakist. 19-1-18) 73.
CORRIPIO AHUMADA, Ernesto (Mex. 29-6-19) 79.
DANNEELS, Godfried (Belg. 4-6-33) 83.
DARMOJUWONO, Justinus (Indonésie 2-11-14) 67.
DECOURTRAY, Albert (Fr. 20-4-23) 85.
DESKUR, André (Pol. 20-3-24) 85².
DO NASCIMENTO, Alexandre (Angola 1-3-25) 83.
DOS SANTOS, Alexandre, OFM (Mozambique 18-3-24) 88.
* DUVAL, Léon (Algérie 9-11-03) 65.
EKANDEM, Dominic (Nigeria 1917) 76.
* ENRIQUE Y TARANCÓN, Vicente (Esp. 14-5-07) 69.
ETCHEGARAY, Roger (Fr. 25-9-22) 79.
FELICI, Angelo (It. 26-6-19) 88.
FRESNO LARRAIN, Juan (Chili 26-7-14) 85.
GAGNON, Édouard, Sulpicien (Can. 15-1-18) 85.
GANTIN, Bernardin (Bénin 8-5-22) 77.
* GARRONE, Gabriel (Fr. 12-10-01) 67².
GIORDANO, Michele (It. 26-9-30).
GLEMP, Joseph (Pol. 18-12-29) 83.
GONZÁLEZ, Martin Marcelo (Esp. 16-1-18) 73.
* GOUYON, Paul (Fr. Bordeaux 24-10-10) 69.
* GRAY, Gordon J. (G.-B. 10-8-10) 69.
GRÉGOIRE, Paul (Can. 24-10-11) 88.
GROER, Hans Hermann, OSB (Autr. 13-10-19) 88.
* GUERRI, Sergio (It. 25-12-05) 69².
GULBINOWICZ, Henri (Pol. 17-10-28) 85.
HAMER, Jean-Jérôme, Dominicain (Belg. 1-6-16) 85².
* HENGSBACH, Franz (All. Féd. 10-9-10) 88.
HICKEY, James (U.S.A. 11-10-20) 88.
HUME, Basil, Bénédictin (G.-B. 2-3-23) 76.
INNOCENTI, Antonio (It. 23-8-15) 85²
JAVIERE ORTAS, Antonio Maria, SDB (Esp. 21-3-21) 88.
JUBANY ARNAU, Narciso (Esp. 12-8-13) 73.
* KHORAICHE, Antoine-Pierre (Lib. 20-9-07) 83⁵.
KIM, Étienne Sou Hwan (Corée S. 8-5-22) 69.
KITBUNCHU, Michel Michai (Thaïl. 25-1-29) 83.
* KOENIG, Franz (Autr. 3-8-05) 58.
* KROL, John-Joseph (U.S.A. 26-10-10) 67.
KUHARIC, Franjo (Youg. 15-4-19) 83.
LANDAZURI RICKETTS, Juan, Franciscain (Pérou 19-12-13) 62.
LAW, Bernard (U.S.A. 4-11-31) 85.
LEBRUN MORATINOS, José Ali (Ven. 19-3-19) 83.
* LÉGER, P.-É., Sulpicien (Can. 26-4-04) 53.
LOPEZ TRUJILLO, Alfonso (Col. 8-11-35) 83³.
LORSCHEIDER, Aloysius, Franciscain (Brés. 8-10-24) 76.
LOURDUSAMY, Simon (Inde 5-2-24) 85².
LUBAC, Henri de, Jésuite (Fr. 20-2-1896) 83.
LUBACHIVSKY, Miroslav (U.R.S.S. 24-6-14) 85.
LUSTIGER, Jean-Marie (Fr. 16-9-26) 83.
MACHARSKI, Franciszek (Pol. 20-5-27) 79.
MALULA, Joseph (Zaïre 17-12-17) 69.
MARGÉOT, Jean (Ile Maurice 3-2-16) 88.
* MARTIN, Jacques (Fr. 26-8-08) 88.
MARTINEZ SOMALO, Eduardo (Esp. 31-3-27) 88.
MARTINI, Carlo-Maria, Jésuite (It. 15-2-27) 83.
* MARTY, François (Fr. 18-5-04) 69.
* MAYER, Augustin, Bénédictin (All. 23-5-11) 85².
* MC CANN, Owen (Afr. Sud 29-6-07) 65.
MEISNER, Joachim (All. 25-12-33) 83.
* MUNOZ VEGA, Paolo, Jés. (Eq. 23-5-03) 69.
NSUBUGA, Emmanuel (Ouganda 5-11-14) 76.
OBANDO BRAVO, Miguel, Salésien (Nicar. 2-2-26) 85.
O'CONNOR, John (U.S.A. 15-1-20) 85.
* ODDI, Silvio (It. 14-11-10) 69².
OTUNGA, Maurice (Kenya 1-23) 73.
PADIYARA, Anthony (Inde 11-2-21) 88.
PALAZZINI, Pietro (It. 19-5-12) 73².
PAPPALARDO, Salvatore (It. 23-9-18) 73.
PASKAI, Laszlo, OFM (Hongrie 8-3-27) 88.
* PAUPINI, Giuseppe (It. 25-2-07) 69.
* PAVAN, Pietro (It. 30-8-1903) 85².
PICASKY, Lawrence Trevor, Jés. (Inde 7-8-16) 76.
PIMENTA, Simon Ignatius (Inde 1-3-20) 88.
PIOVANELLI, Silvano (Ital. 21-2-24) 85.
* PIRONIO, Edouard (Arg. 3-12-20) 76².
POLETTI, Ugo (It. 19-4-14) 73⁴.
POUPARD, Paul (Fr. 30-8-30) 85².
PRIMATESTA, Raoul, Fr. (Argentine 14-4-19) 73.
RATZINGER, Joseph (All. 16-4-27) 77.
RAZAFIMAHATRATRA, Victor, Jés. (Mad. 8-9-21) 76.
REVOLLO BRAVO, Mario (Colombie 15-6-19) 88.
RIBEIRO, Antonio (Port. 21-5-28) 73.
* RIGHI-LAMBERTINI, Egano (It. 22-2-06) 79².

ROSSI, Agnelo (Brés. 4-5-13) 65[1].
* ROSSI, Opilio (It. 14-5-10) 76[1].
RUGAMBWA, Laurian (Tanz. 12-7-12) 60.
SABATTANI, Aurelio (It. 18-10-12) 83[2].
* SALAZAR LOPEZ, José (Mex. 12-1-10) 73.
SALES, Eugenio de Araujo (Brés. 8-11-20) 69.
* SATOWAKI, Joseph (Japon 1-2-04) 79.
* SCHERER, Alfredo Vicente (Brésil 5-2-03) 69.
* SENSI, Giuseppe Maria (It. 27-5-07) 76[2].
* SILVA HENRIQUEZ, Raul, Salésien (Chili 27-9-07) 62.
SILVESTRINI, Achille (It. 25-10-23) 88.
SIMONIS, Adrien (P.-B. 26-11-31) 85.
SIN, Jaime L. (Philippines 31-8-28) 76.
SLADKEVICIUS, Vincentas (Lituanie 20-8-20) 88.
* STICKLER, Alfons, Salésien (Autr. 23-8-10) 85[2].
* SUENENS, Leo (Belg. 16-7-04) 62.
SUQUIA GOICOECHEA, Angel (Esp. 2-10-16) 85.
SZOKA, Edmund Casimir (U.S.A. 14-9-27) 88.
TAOFINIU'U, Pïo, Mariste (Samoa 9-12-23) 73.
THIANDOUM, Hyacinthe (Sén. 2-2-21) 76.
* TOMAŠEK, František (Tchéc. 3-6-1899) 77.
TOMKO, Joseph (Tchéc. 11-3-24) 85[2].
TUMI, Christian Wiyghan (Cameroun 15-10-30) 88.
TZADUA, Paul (Éthiopie 25-8-21) 85.
* URSI, Corrado (It. 26-7-08) 67.
VACHON, Louis-Albert (Can. 4-2-12) 85.
VIDAL, Ricardo (Philipp. 6-2-31) 85.
WETTER, Friedrich (All. 20-2-28) 85.
* WILLEBRANDS, Jan (P.-Bas 4-9-09) 69[2].
WILLIAMS, Thomas Stafford (N.-Zél. 20-3-30) 83.
WU CHENG-CHUNG, John Baptist (Hong Kong 6-3-25) 88.
YAGO, Bernard (Côte-d'Iv. juillet 1916) 83.
ZOUNGRANA, Paul, P. blanc (Burkina 3-9-17) 65.

Nota. – (1) Cardinaux-évêques. (2) Cardinaux-diacres (les autres sont cardinaux-prêtres). (3) Mgr Alfonso LOPEZ-TRUJILLO est le plus jeune cardinal. (4) Cardinal-vicaire de Rome. (5) Patriarches de rites orientaux.

Conciles œcuméniques

Ils représentent l'Église universelle (grec : *oikouménikos* = universel). Tous les évêques y sont conviés par le pape. Les décisions du concile (du latin *concilium* : assemblée), lorsqu'elles ont été confirmées par le pape, obligent tous les fidèles. Les 1ers conciles ont souvent donné lieu à des abus, soit qu'ils fussent convoqués sans l'agrément du pape, soit que le pouvoir temporel des empereurs d'Orient s'y ingérât trop. Les orthodoxes dénient aux conciles leur qualité œcuménique à partir du 8e (Constantinople IV). A partir du IXe s., ce sont en fait des conciles de l'Égl. d'Occident, sauf 14 et 17.

Liste des conciles œcuméniques

1. **Nicée I** *(325).* Condamne Arius, qui nie la divinité de J.-C. Rédige le Symbole de Nicée. 2. **Constantinople I** *(381).* Condamne les Macédoniens, qui nient la divinité et la consubstantialité du St-Esprit. 3. **Éphèse** *(431).* Condamne Nestorius, qui nie que Marie soit la mère de Dieu. 4. **Chalcédoine** *(451).* Définit les deux natures (humaine et divine) du Christ, condamnant le monophysisme (que garderont en majorité Coptes, Arméniens, Éthiopiens et Syriens). 5. **Constantinople II** *(553).* Confirme les 4 précédents et condamne l'origénisme. 6. **Constantinople III** *(680-681).* Condamne le monothélisme. 7. **Nicée II** *(787).* Condamne les iconoclastes qui détruisent les images. 8. **Constantinople IV** *(869-877).* Dépose Photius qui a usurpé le patriarcat de Constantinople. 9. **Latran I** *(1123).* Approuve l'accord de Worms (1122) sur les investitures. 10. **Latran II** *(1139).* Condamne simonie, usure ; prêche la continence des clercs. 11. **Latran III** *(1179).* Condamne Albigeois et Vaudois. 12. **Latran IV** *(1215).* Définit la transsubstantiation. 13. **Lyon I** *(1245).* Contre Frédéric II. 14. **Lyon II** *(1274).* Essai de rapprochement avec les Grecs. 15. **Vienne** *(1311-1312).* Condamne les Templiers. 16. **Constance** *(1414-1418).* Met fin au schisme d'Occident. 17. **Florence** *(1439-1443).* Essai de rapprochement avec les Grecs. 18. **Latran V** *(1512-1517).* Réforme du clergé. 19. **Trente** *(1545-1563).* Réforme de l'Égl., décrets dogmatiques sur le péché originel, la justification, les sacrements.

20. **Vatican I** *(1869).* Ajourné *sine die* après la prise de Rome, en 1870 (clos officiellement en 1962). Définit la position de l'Égl. sur la foi et le rationalisme (constitution *Dei filius*), proclame l'infaillibilité du pape (const. *Pastor æternus*).

21. **Vatican II** *(1962).* 1er concile sans condamnation. *Sessions :* 11-10/8-12-62 ; 29-9/4-12-63 ; 14-9/21-11-64 ; 14-9/8-12-65. *Papes :* Jean XXIII († 1963), Paul VI. *Participants :* 2 000 pères conciliaires, experts religieux et laïcs, observateurs non cath. Affirme sacramentalité et collégialité de l'Épiscopat. Promulgue 4 constitutions (mystère de l'Église, révélation, liturgie, dialogue avec le monde), 9 décrets (moyens de communication sociale ; œcuménisme ; Églises cath. orientales ; apostolat des laïcs ; formation des laïcs ; form. des prêtres ; renouvellement de la vie des religieux ; activités missionnaires de l'Église ; vie et activités des prêtres), 3 déclarations (liberté religieuse, relations avec les non-chrétiens, éducation chrétienne). *Influence :* bilan dressé en nov. 1985 au synode extraordinaire des év. (24-11/8-12, voir p. 522b) ; *aggiornamento* [terme italien ; mot à mot : remise à jour (changement dans le fonctionnement de l'Égl.)] ; *collégialité* (notamment groupement d'év. à l'échelon subcontinental ou national) ; *dialogue* (rapports élargis avec les autres religions et avec les non-croyants) ; *définition de l'Égl.* (l'encycl. *Lumen gentium* insiste sur le rôle du peuple de Dieu) ; *inculturation* (le christianisme inséré dans la mentalité des peuples) ; *liturgie* (bouleversements, dans l'ensemble mal acceptés) ; *liberté religieuse* (reconnue dans le contexte des « Droits de l'Homme ») ; *insertion dans l'époque vécue* (définie par la constitution *Gaudium et Spes*) ; *œcuménisme* [dialogue avec les autres Égl. chrétiennes (bute sur l'ordination des femmes)] ; *sources de la Révélation* (l'Écriture présentée comme aussi importante que les dogmes définis par l'autorité de l'Église).

Curie romaine

Ensemble des dicastères [secrétairerie d'État, congrégations, tribunaux, conseils et services administratifs (chambre apostolique, administration du patrimoine du siège apostolique, préfecture des affaires économiques du St-Siège)] et des organismes (*instituta* dont préfecture de la maison pontificale et office des célébrations liturgiques du Souverain Pontife) qui aident le pape dans l'exercice de sa charge suprême de pasteur. Son nom vient de la *Curia*, siège du Sénat de l'Empire romain. Elle se distingue du *vicariat de Rome* (administration du diocèse) et des *services de l'État de la Cité du Vatican.*

En général, les dicastères sont composés du cardinal préfet, ou d'un archevêque président de l'assemblée des pères cardinaux, et d'évêques, avec l'aide d'un secrétaire. Des consulteurs y sont présents, des ministres *(administri)* majeurs et d'autres officiers *(officiales)* prêtent leur concours. Pourront être adjoints : des clercs et d'autres fidèles *(christifideles)* mais les membres proprement dits des congrégations sont, cependant, les cardinaux et les évêques.

Langue officielle : le latin, mais les langues modernes sont aussi utilisées.

Secrétairerie d'État

Assure les relations entre les organismes de la Curie, les relations du pape avec les évêques, les nonces, les gouvernements, les ambassadeurs, les personnes privées.

Cardinal secrétaire d'État. *1979* Agostino Casaroli (n. 23-11-1927). *1990 (1-12)* Angelo Sodano, préside les 2 sections de la secrétairerie.

Section des affaires générales. *Substitut :* Mgr Jean-Louis Tauran (Fr., n. 5-4-1943) dep. 1-12-1990. *Assesseurs :* Francesco Monterisi (It.), Crescenzio Sepe (It.). S'occupe des affaires courantes, des affaires ne relevant pas de la compétence ordinaire des dicastères et des autres instituts : coordonne les travaux des dicastères ; dirige la charge des légats et leur activité (spécialement en ce qui concerne les Églises particulières) ; traite ce qui concerne les représentants des États près du St-Siège, de l'activité du St-Siège auprès des organisations internationales (sauf relations diplomatiques et sujets de droit intern., questions de caractère public, légats pontificaux qui sont du ressort de la section des rapports avec les États). Rédige et expédie constitutions apostoliques, lettres apostoliques, lettres *(epistula)* et autres documents qui lui sont confiés par le pape. Garde le sceau de plomb et l'anneau du Pêcheur. Assure la publication des actes et des documents dans le bulletin *Acta apostolicae sedis.* Publie, par l'intermédiaire de l'office spécial *(Sala stampa),* les communications officielles. Exerce, en accord avec la section des rapports avec les États, une vigilance sur l'*Osservatore Romano*, Radio Vatican et le centre de télévision du Vatican. Coordonne et publie toutes données statistiques.

Section des rapports avec les États. *Secrétaire :* Mgr Claudio Celli (It.).

Les services chargés de la correspondance (ancienne chancellerie) existaient dès le IVe s. ; des rédacteurs étaient dirigés par les *protonotaires apostoliques,* qui contresignaient et faisaient exécuter les bulles pontificales. A partir du XIIe s., le 1er chancelier de la Ste Église romaine était le principal collaborateur du pape. En 1908, Pie X réduisit ses compétences. Le dernier chancelier, le card. Traglia, démissionna le 26-2-1973 en raison de son âge.

Congrégations

Elles jouent le rôle des différents ministères d'un gouvernement moderne.

Pour la doctrine de la foi (ex-St-Office). Veille à la pureté de la doctrine et des mœurs. *Préfet :* cardinal J. Ratzinger ; *secr. :* Mgr Bovone. **Pour les Églises orientales.** *Préfet :* card. Simon Lourdusamy. **Du culte divin et de la discipline des sacrements.** *Préfet :* card. Eduardo Martinez Somalo. *Secr. :* Mgr Lajos Kada. **Pour les causes des saints.** *Préfet :* card. Angelo Felici. **Pour les évêques** (ex-Congrégation consistoriale). En font partie d'office le Pt ou préfet du Conseil pour les Affaires publiques de l'Eglise, les pr. des Congrégations pour la Doctrine de la Foi, pour le Clergé, pour l'Éduc. catholique. S'occupe de la création ou de la réorganisation de diocèses ou de provinces ecclésiastiques, d'établir des évêques pour des régions ou des groupes sociaux particuliers (par ex. les vicaires aux armées). *Préfet :* card. Gantin. **Pour l'évangélisation des peuples.** *Préfet :* card. Joseph Tomko. **Pour le clergé** (ex.-C. du Concile). *Préfet :* card. Antonio Innocenti. **Pour les instituts de vie consacrée et pour les sociétés de vie apostolique.** *Préfet :* card. Jean-Jérôme Hamer. **Des séminaires et des institutions d'enseignement.** 3 sections : 1re : séminaires ; 2e : universités ; 3e : écoles secondaires et primaires. *Préfet :* card. Baum. **Pour la conservation du patrimoine artistique et historique. Pour l'Amérique latine.** *Prés. :* card. Gantin aidé d'un évêque vice-président.

Tribunaux

Nota. – Régis par le livre VII du Code de droit canonique de 1983.

• **Pénitencerie apostolique.** *Compétence :* affaires concernant le for interne (accorde absolutions, dispenses, commutations, validations, remises de peine et autres grâces) et les indulgences. *Pro-Pénitencier :* Mgr Luigi Dadaglio. *Régent :* Mgr L. de Magistris.

• **Tribunal suprême de la signature apostolique.** Cour d'appel et de cassation pour les tribunaux ecclésiastiques. Conseil d'État pour les litiges administratifs. Tribunal des conflits en cas de litiges de compétence. Conseil supérieur de la magistrature, Chancellerie (administration de la justice ecclésiastique). *Préfet :* card. Achille Silvestrini.

• **Tribunal de la Rote romaine.** Du latin *rota,* roue, car les 12 juges qui constituent un collège (présidé par le doyen, nommé par le pape parmi les juges eux-mêmes) siègent 3 par 3 à tour de rôle. Connaît, en 2e instance, des causes jugées par les tribunaux ordinaires de 1re instance et déférées au St-Siège par appel légitime ; en 3e ou dernière instance, des causes déjà connues par le même tribunal apostolique ou par quelque autre tribunal, à moins qu'elles ne soient passées en l'état de chose jugée ; en raison de la primauté reconnue au pape, tout fidèle peut directement introduire une cause devant ce tribunal, la Rote, ou le saisir alors même qu'un procès est déjà engagé devant un autre tribunal ecclésiastique ; mais il faudra toutefois que celui-ci se prononce.

La Rote juge en 1re instance les causes réservées au St-Siège par le droit canonique (ex. celles concernant les chefs d'État et leur famille, pour éviter toute pression de leur part sur les tribunaux diocésains) ; elle juge de même les causes qui lui sont soumises par le pape. *Juge* également : évêques au contentieux ; abbés primats ou abbés supérieurs de congrégations monastiques et modérateurs généraux des instituts religieux de droit pontifical ; diocèses ou autres personnes ecclésiastiques qui n'ont pas de supérieur au-dessous du pape ; causes que le pape lui a remises. *Doyen :* Mgr Ernesto Fiore.

• **Tribunaux. 1re instance.** Dans chaque diocèse. *Juge :* l'évêque ou à défaut un *official* nommé par lui pour le remplacer et des *vice-officiaux* (si besoin est) et des *juges assesseurs.* Ils doivent être prêtres et docteurs ou licenciés en droit canonique. *Causes :* celles mettant en jeu le bien public, un *promoteur de justice* les plaide ; celles concernant la nullité d'un mariage ou d'une ordination, un *défenseur du lien* expose ce qui peut s'opposer à cette nullité. L'un et l'autre peuvent être des laïcs. Les parties peuvent faire appel à un avocat de leur choix : clerc ou laïc mais sans y être tenus. *Dans les congrégations religieuses,* les supérieurs majeurs sont de 1re instance.

2e instance. *Tribunal d'appel* de l'archevêque dans chaque province ecclésiastique. Les causes jugées en 1re instance devant le tribunal de l'archevêque vont en 2e instance devant le tribunal d'un autre diocèse de la province, désigné de manière permanente.

Conseils pontificaux

Pour les laïcs (créé 6-1-1967). *Prés. :* card. Ed. Pironio. **Pour l'unité des chrétiens.** Compétent aussi pour les relations avec les juifs sur le plan religieux. *Prés. :* card. Edward Cassidy. *Secr. :* Pierre Duprey (Fr., n. 26-11-1922). **Pour la famille.** *Prés. :* card. Édouard Gagnon. *Vice-prés. :* Mgr Jean-François Arrighi (Fr.). **« Justice et Paix »** (créé 6-1-1967). S'emploie à ce que dans le monde soient promues la justice et la paix selon l'Évangile et la doctrine sociale de l'Église. *Prés. :* card. Etchegaray. **« Cor unum »** (créé 15-6-1971). Exprime la sollicitude de l'Église à l'égard des nécessiteux. *Prés. :* card. Etchegaray. **Pour la pastorale des migrants et des personnes en déplacement.** *Prés. :* card. Gantin. **Pour la pastorale des services de la santé.** *Prés. :* card. Pironio. **Pour l'interprétation des textes législatifs. Pour le dialogue interreligieux.** *Préfet :* card. Francis Arinze. **Pour le dialogue avec les non-croyants.** *Prés. :* card. Poupard (n. 30-8-1930). **De la culture.** Prime le dialogue entre les cultures. *Prés. :* card. Poupard. **Des communications sociales.** *Prés. :* John Foley.

Services administratifs

Chambre apostolique. Chargée de conserver les droits et biens du St-Siège entre la mort d'un pape et l'élection de son successeur. *Chef* (nommé à vie) : le *camerlingue de la Sainte Église* (card. Baggio), à distinguer du camerl. du Sacré Collège. En cas de vacance du St-Siège, il est gardien et administrateur des biens de la papauté et de ses droits temporels et prend possession des palais apostoliques. Il est chargé de constater officiellement la mort du pape. Il reçoit la *ferula aurea,* sorte de bâton de commandement, insigne de sa charge.

Administration du patrimoine du Siège apostolique (A.P.S.A.). Chargée de gérer les domaines privés du St-Siège. *2 sections :* ordinaire (créée 1878) et extraordinaire [gérant notamment les fonds versés par l'État italien en 1929 (accords du Latran), créée 1933]. Paul IV a regroupé les 2 sections. *Prés. :* card. Rosalio José Castillo Lara dep. 1990.

Préfecture des affaires économiques du Saint-Siège. *Pdt. :* card. Edmund Szoka, dep. 22-1-1990, assisté de 14 cardinaux. Examine l'état patrimonial et économique, établit le budget prévisionnel.

Autres organismes

Préfecture de la maison pontificale. Dirige la discipline et le service, clercs et laïcs constituant la chapelle et la famille pontificales. Veille à l'organisation et au déroulement des cérémonies pontificales (sauf la partie liturgique, dont s'occupe l'Office des célébrations liturgiques du pape). Établit l'ordre des préséances. Règle les audiences du pape.

Office des célébrations liturgiques du Souverain Pontife. Dirigé par un maître nommé par le pape pour 5 ans.

Avocats

En plus des avocats de la Rote romaine et avocats pour les causes des saints, il existe une liste d'avocats habilités à assumer la défense des causes auprès du tribunal suprême de la signature apostolique et à apporter leur concours dans les recours hiérarchiques devant les dicastères de la Curie romaine. Nommés pour 5 ans par le cardinal secrétaire d'État, ils sont déchargés de leur fonction à 75 ans accomplis.

Index

Origine. *Créé* 1557. Dernière édition 1948. *Supprimé* 1966. Indiquait les livres qu'on ne pouvait lire que pour des motifs professionnels soumis à l'appréciation de l'év. diocésain. La non-lecture de livres antireligieux, immoraux ou induisant en erreur reste une exigence morale, mais qui n'est plus explicitée par une loi ecclésiastique.

Avaient été mis à l'Index : XVIIe s. : 93 auteurs, dont Pascal (les Pensées) ; XVIIIe s. : 52, dont Locke (1734), La Mettrie (1770), Condorcet (1827), Condillac (1852), Diderot (1894) ; XIXe s. : 19, dont le Grand Dictionnaire universel Larousse du XIXe s. ; XXe s. : 16, dont Sartre (1948), Gide (1952), Kazantzakis (la Dernière Tentation, 1954), Simone de Beauvoir (le 2e Sexe, les Mandarins, 1956), l'abbé Steinman (la Vie de Jésus, 1961).

Institutions rattachées au Saint-Siège

Sans faire partie à proprement parler de la Curie romaine, elles rendent différents services au pape, à la Curie, à l'Église universelle et, d'une certaine façon, sont liées au Siège apostolique. Parmi celles-ci : les *Archives secrètes vaticanes,* la *Bibliothèque apostolique vaticane,* différentes *académies* créées au sein de l'Église dont l'*Académie pontificale des sciences, Typographie polyglotte vaticane, Éditions* et *Librairie vaticanes, journaux* dont l'*Osservatore Romano, Radio Vatican* et le *centre de télévision* du Vatican dépendent de la Secrétairerie d'État ou d'autres services de la Curie romaine, *la Fabrique de St-Pierre* s'occupe de tout ce qui concerne la basilique St-Pierre, l'*Aumônerie apostolique* (assistance à l'égard des pauvres) dépend du pape.

Synode épiscopal mondial

Origines. Du grec *Sunodos,* chemin parcouru ensemble. Réformé par Vatican II qui crée le 28-10-1965 un synode des évêques auprès du pape. Assemblée plus restreinte, plus facile à réunir qu'un concile. **Types.** *Synode ordinaire :* évêques élus par les conférences épiscopales, patriarches orientaux, évêques nommés personnellement par le pape, religieux. Tous les 3 ans *extraordinaire :* présidents des conférences épiscopales, patriarches orientaux, cardinaux préposés aux congrégations de la Curie, 3 religieux et des participants nommés par le pape. Pour donner des réponses rapides à « des questions concernant le bien de l'Église universelle » ; *spécial :* convoqué sur une question propre à une région ou à une Église particulière [ex. 5 des évêques européens (1991), africains (1993)].

A la fin d'un synode, les évêques remettent un rapport au pape et, souvent, rédigent un message au monde. Le pape, s'il en a ratifié les conclusions (ex. encyclique ou exhortation apostolique) reprend fréquemment dans un document paraissant sous sa responsabilité propre les éléments essentiels du rapport qui lui a été remis.

Premiers synodes. *1967* (24-9/29-10) (problèmes doctrinaux, mariages mixtes, liturgie) ; *1969* (11/28-10) (extraordinaire : le pape, Rome et les Églises locales) ; *1971* (30-9/6-11) (sacerdoce, justice dans le monde) ; *1974* (27-9/27-10) [évangélisation du monde ; marqué par l'invitation du pasteur antillais Philip Potter (n. 1921), secr. gén. du Conseil œcuménique des Églises dep. 1972] ; *1977* (30-9/29-10) (catéchèse) ; *1980* (26-9/26-10) (la famille) ; *1982* (29-9/28-10) (réconciliation et pénitence dans la mission de l'Église). *1985* (24-11/8-12) Syn. extr. : « 20 ans après Vatican II ». Les 2 tendances de V. II (conservateurs et progressistes) sont remplacées par « optimistes » et « pessimistes ». *Résultats :* décision d'« amplifier » V. II : projet de réforme du gouvernement de l'Égl. et d'un catéchisme universel ; réduction du rôle des conférences épiscopales (continentales, sud-continentales, nationales) ; relance de l'œcuménisme pour un sommet de toutes les religions, tenu à Assise le 27-10-1986. *1987* (1/30-10) (mission de laïcs). *1990* (30-9/8-10) (formation des prêtres pour l'an 2000).

Ordres religieux

Congrégations et ordres masculins

Définitions

Chanoines réguliers. Voir Chanoines p. 511a.

Clercs réguliers. Ordres fondés principalement au XVIe s. et groupant des prêtres sous une règle de vie commune et d'action dans le monde.

Congrégation. Plusieurs sens : 1° *institut religieux* à vœux non solennels ; 2° *groupement de monastères autonomes* (par ex. : congr. bénédictine) ; 3° *ministère de la Curie romaine ;* 4° *sous la Restauration,* association fondée le 2-2-1801 par un ancien jésuite, l'abbé Jean-Baptiste Delpuits (1734-1811), et dissoute par décret impérial en 1809. On la confondait souvent avec la Sté secrète des *Chevaliers de la Foi,* fondée vers juin 1810 par Ferdinand de Bertier († 1864) et Mathieu de Montmorency (1767-1826).

Couvent. Maison où résident des religieux non moines, tels que franciscains ou dominicains (pour les jésuites, on dit : maison). Le nom désigne également les maisons où résident les religieuses non moniales. Il a aussi pris le sens de « maison d'éducation » (d'où le mot : *couventines*).

Instituts religieux. Nom d'ensemble de tous les groupements organisés dont les membres sont des religieux ou des religieuses : ordres, congrégations cléricales (de prêtres) et laïques (de frères non-prêtres), sociétés de vie commune.

Instituts séculiers. Associations de prêtres et de laïcs pratiquant les 3 vertus de pauvreté, chasteté, obéissance, mais vivant dans le monde. Ex. : Institut du Prado. Les membres d'instituts séculiers, en France, sont surtout des femmes (25 instituts, dont *Caritas Christi,* avec 800 m.).

Moines. Religieux à vœux solennels vivant en groupe dans un *monastère,* sous la direction d'un des leurs : les *abbés,* élus d'ordinaire pour un temps indéterminé (ou indéfini), sont à la tête d'une abbaye (au moins 12 moines) ; les *prieurs,* élus ou nommés à temps, sont à la tête d'un prieuré.

Ordres les plus anciens. Antonins et basiliens, fondés au IVe s. (environ 1 000 m. aujourd'hui).

Ordres mendiants. Ordres fondés au début du XIIIe s. (principalement franciscains et dominicains), dont la communauté, pratiquant la pauvreté, ne peut posséder que certains biens prescrits par la règle.

Postulat. Probation préalable à l'entrée au noviciat. Il peut durer de quelques semaines à quelques mois et n'est plus exigé par le droit universel.

Noviciat. Probation d'au moins 12 mois consacrée à la formation spirituelle. Il se passe dans une maison désignée à cet effet, avec peu de contact avec le monde extérieur mais ayant un lien avec la communauté et la vie de l'institut. Dans les instituts de vie active, on peut prévoir des stages apostoliques qui en prolongent la durée.

Vœux temporaires (profession temporaire) de pauvreté, de chasteté et d'obéissance, prononcés à la fin du noviciat : engagement temporaire et probatoire d'au moins 3 ans (max. 9 ans). **Perpétuels** (profession perpétuelle). Engagement définitif pour toute la vie dans l'institut. Certains instituts parlent de « vœux solennels ». Les Stés de vie apostolique n'ont pas de vœux, mais une autre forme d'engagement.

Profès (du latin *professus :* qui a fait profession). Nom donné aux religieux qui ont prononcé des vœux. On les appelle après les vœux temporaires, profès temp. ; les v. simples : pr. simples ; les v. perpétuels : pr. perpétuels ; les v. solennels : pr. solennels.

« Union des Supérieurs généraux ». *Regroupe* 242 Supérieurs généraux d'ordres ou congrégations d'hommes, de droit pontifical. 101 résident à Rome, les autres dans différents pays (14 en France). *But :* rendre la vie religieuse toujours plus utile à l'Église et au monde. *Pt :* R.P. Anthony McSweeney, Sacramentin ; *Secr. :* R. Fr. José Pablo Basterrechea, Écoles Chrétiennes. Via dei Penitenzieri, 19, 00193 Roma.

Statistiques

Novices en 1984. 9 659 dont 7 574 se préparant au sacerdoce (*de 1979 à 1984 :* + 8,2 %).

Instituts en 1984. **Total.** 226 (234 260 religieux). **Par rite :** *latin* hors pays de mission 189 (215 777), en pays de mission 23 (15 539) ; *oriental* 14 (2 944). **Par types :** *instituts religieux* 199 (215 866) dont ordres (chanoines réguliers, moines, ordres mendiants, clercs réguliers) 83 (103 736), congrégations de clercs 85 (83 966), c. de laïcs 31 (28 164) ; *stés de vie apostolique* 27 (18 934).

Nombre de religieux dans le monde

Déc. 1985	Prêtres	Frères	Religieux [1]
Afrique	10 515	5 119	15 991
Amérique	52 233	21 018	72 827
Asie	13 557	5 629	24 720
Europe	72 854	31 530	108 313
Océanie	2 711	2 991	5 177
Total	*151 870*	*66 287*	*227 028*

Nota. – (1) Prêtres et frères religieux.

Principaux instituts religieux masculins

☞ **Légende :** Bx : Bienheureux ; Ch. : Chanoines ; C.L. : Congrégation religieuse laïque (c.-à-d. non sacerdotale) ; congr. : congrégation ; C.R. : Clercs réguliers et chanoines réguliers ; C.S. : Congrégation sacerdotale ; I.S. : Institut séculier ; M. : Membres (nombre dans le monde, en 1986-91) ; Miss. : Missionnaires ; Pr. : Prêtres ; *Rel.* : Religieux ; S.V.A. : Société de vie apostolique. – Date de fondation.

Assomptionnistes, C.S. (1850), groupe de prêtres professeurs du collège de l'Assomption à Nîmes érigé en congrégation par le P. Emmanuel d'Alzon (1810-80) sous la règle de St Augustin (nom officiel : Augustins de l'Ass.). Essaime à Paris en 1851. Approbation définitive par Rome en 1923. *Activités principales :* presse, édition (dont Le Pèlerin et La Croix) ; pèlerinages (N.-D. du Salut) ; collège de Mongré (Rhône) ; centres d'accueil à Lyon-Valpré (Rhône), St-Maur (M.-et-L.), Les Essarts (S.-M.) ; missions (Amér. du S., Madagascar, Zaïre, C.-d'Ivo.) ; paroisses et établ. d'ens. européens (Amér. du N., N.-Zél.). *Membres :* 1 083. *Maisons :* 152.

Principaux ordres	1939	1967	1990
Jésuites	25 954	35 573	24 346
Franciscains	24 482	26 940	18 129
Salésiens	11 070	22 626	17 161
Capucins	13 466	14 521	11 539
Bénédictins	9 070	11 400	7 509
Frères des écoles ch.	14 415	15 978	8 682
Dominicains	7 011	10 003	6 460
Rédemptoristes	6 663	8 779	6 060
Frères mar. des éc.	3 673	9 752	5 723
Oblats (O.M.I.)	5 196	7 595	5 302
Verbe Divin	3 632	5 744	5 115
Lazaristes	5 133	6 584	3 681
Franc. conventuels	3 113	4 605	4 021
Spiritains	3 890	5 147	4 090
Augustins	2 200	3 721	3 229
Passionistes	2 887	4 137	2 627
Pères Blancs	2 045	3 621	2 596
Augustins récollets	814	1 482	1 204

Augustin (chanoines réguliers de Saint) (CRSA). *IVe s.* St Augustin organise la vie commune de son clergé. *XIe et XIIe s.* Communautés créées, réorganisées et recevant leur nom. *Actuellement :* 9 congrégations indépendantes, dont 6 confédérées dep. 1959 sous la présidence d'un abbé primat [Congr. du Latran (310 membres), d'Autriche (XIe s., 191 m.), du Grand St-Bernard (XIe s., 72 m.), de St-Maurice-d'Agaune (XIIe s., 90 m.), Vindesheim-St-Victor (XIIe et XIVe s., 109 m.), l'Immaculée-Conception (XIXe s., 73 m.)]. En dehors de la Confédération : Prémontrés (XIIe s., 1 378 m.), Congr. de Ste-Croix-de-Coïmbre (XIIe s., 153 m.), Croisiers (XIIIe s., 513 m.). *Vie commune* selon la règle de St Augustin, en abbayes ou prieurés le plus souvent, office choral public et solennel, et ministère sacerdotal (paroisses, enseignement, missions, éducation et hospitalité). *Membres :* 3 231. *Maisons :* 404 dans 40 pays.

Augustins déchaux, mendiants ; branche réformée des A. esp. *Fondé* 1592-99 [Vén. Thomas de Jésus († 1582), Vén. André Diaz († 1596)]. *Membres :* 127. *Maisons :* 25.

Augustins récollets, mendiants (1588), branche des castillans, réformée par Jerónimo Guevara (1554-89), Pedro de Rojas et Luis de León (1528-91) et érigée en congr. distincte par Grégoire XV en 1621, et en ordre par Pie X en 1912. Répandus Esp., Italie, Amér. du S., U.S.A., Angleterre, Mexique, Philippines, Taiwan. *Vie contemplative,* communautaire et apostolique selon la règle de St Augustin. *Apostolat :* enseignement, paroisses et missions. *Membres :* 1 260. *Maisons :* 206.

Barnabites, C.R. de St Paul (1530), *fondés* 1533 à Milan, dans l'égl. Ste-Catherine par St Antoine-Marie Zaccaria (1502-39) ; transférés à l'égl. St-Barnabé (1545). Apostolat, enseignement, missions. *Membres :* 427. *Maisons :* 69.

Bénédictins confédérés, moines (v. 530, conf. 1893) ; Ordo Sancti Benedicti (O.S.B.). St Benoît de Nursie (480-547) fonde 2 monastères : Subiaco (v. 500), Mt-Cassin (529). Il écrit pour eux la règle des moines cénobites qui militent dans un monastère sous une règle et un abbé. *V. 580,* monastères détruits par Lombards, leurs moines se réfugient à Rome (Sts-Jean-et-Pancrace, près du Latran). *597,* 1res missions (St Augustin de Cantorbéry, moine romain, évangélise l'Angl.). *VIIe et VIIIe s.,* les règles irl., dites de St Colomban et de St Benoît, sont diffusées dans les îles Brit. et sur le continent, donnant naissance au monachisme bén. colombanien régi par la règle mixte ; union entre textes celtiques de St Colomban et règle de St Benoît. Le statut de fondation des monastères règle leur situation juridique diverse. *817,* 1re tentative de centralisation des monastères, au synode d'Aix-la-Chapelle, sur l'initiative de St Benoît d'Aniane (750-821), abbé d'Inda près de Cologne et conseiller intime de Louis le Pieux. La règle de St B. devient l'unique règle reconnue et admise pour les monastères de l'Empire. Après la dislocation de l'Empire et la décadence du IXe s., et la fondation de Cluny (910, Bourg.), se développe le mouvement monastique des Xe et XIe s., avec l'ordre (= observance) de Cluny, fortement centralisé : rayonnement religieux, spirituel, liturgique et artistique. Autres observances : Brogne (Belg., 923), Gorze (Lorraine, 923), Fleury (pays de Loire, 960), St Dunstan (Angl., 969), Cava et Fontavellane (It., 1025 et 1049), Hirsau (Forêt-Noire, 1049), La Chaise-Dieu (Auvergne, 1052). *XIIe s.* Cîteaux (Bourg.), pour plus de fidélité à la règle de St B. constitue un ordre à part, plus structuré (V. Cisterciens). *XIVe-XVe s.,* réforme regroupant beaucoup de mon. bénéd. en congrégrations sans liens juridiques entre elles : Olivétains (1319) et Ste-Justine (1419), devenue Mt-Cassin (1504) en It. ; Valladolid (1390) en Esp. ; Bursfeld (1440) en All. ; Chezal-Benoît (1498) en Fr. *XVIIe s.* la réforme bén. suscite 2 congr. : St-Vanne-et-St-Hydulphe (1604, Lorraine) et St-Maur (1618, Fr.), célèbres par leurs travaux d'érudition. *Révolution fr.* ruine le monachisme en Fr. et en Europe. *XIXe s.,* rétablissement d'anciennes congr. (Mt-Cassin, 1815 ; Bavière, 1858 ; Autriche, 1889), fondation de nouvelles congr. [*Congr. de France ou de Solesmes* (1837), par Dom Prosper Guéranger (1805-75), héritière de St-Maur, St-Vanne et Cluny ; *C. de Subiaco* (1872), f. par D. Pierre Casaretto ; *C. de Beuron* (1873), f. par les frères Maur et Placide Wolter en All. et *C. de Sankt-Ottilien* (Bavière, 1884)]. En Am. du N. : *C. américano-cassinaise* (1855) et *helvéto-américaine* (1881). *1893,* Léon XIII constitue la *Confédération bén.* regroupant tout l'ordre.

Actuellement, 21 congr. sous l'autorité d'un abbé primat. Solesmes et Beuron sont renommées pour leurs travaux de liturgie et d'art sacré. *Membres :* 9 096. *France métropolitaine* (1985) : 907 m. dans 20 monastères (C. de Solesmes, 801 moines, 304 moniales ; Province fr. de Subiaco ; C. olivétaine et autres).

Exemple de vie dans un monastère

La règle de St Benoît (v. 530), encore observée par bénédictins et cisterciens, a inspiré beaucoup d'ordres et congrégations. La louange divine (chant ou récitation de l'office composé de psaumes, hymnes et lectures) et la messe conventuelle réunissent, à des moments déterminés, la communauté à l'Église. Chaque moine consacre de plus un temps à la prière personnelle et à la lecture méditée de l'Écriture sainte et des auteurs spirituels. Des réunions rassemblent aussi les moines « à la salle du chapitre » (décisions communautaires, conférences, lectures spirituelles). Les moines prennent leurs repas en commun et en silence, tandis qu'ils écoutent une lecture. Le silence de règle entre les frères est interrompu par des temps de récréation commune ou d'échanges par groupes. Un silence plus strict règne la nuit, dep. l'office du soir (complies) à l'office matinal du lendemain (laudes).

Chacun enfin s'adonne aux tâches que l'abbé ou le supérieur lui a assignées : travaux manuels (entretien, cuisine, artisanat, agriculture, etc.) ou intellectuels (sciences sacrées et humaines, enseignement aux jeunes frères, publications, etc.).

Le travail artisanal est courant dans les petites communautés, surtout féminines (jouets, vêtements, pâtes de fruits, imagerie, dactylographie et polycopie, etc.). Depuis 1973, les articles produits portent un label d'origine : *Aide au travail des cloîtres, Produits monastiques.*

Les grandes abbayes ont des activités plus importantes : imprimerie d'art à La Pierre-qui-Vire, galvanoplastie à Acey, fromagerie à Belloc, céramique à En-Calcat et Tournay. Elles accueillent aussi des hôtes pour des récollections ou des retraites individuelles ou en groupe.

Bétharram, C.S. (Prêtres du Sacré-Cœur-de-Jésus). *Fondée* 1835 à Bétharram par St Michel Garicoïts (1797-1863). Activités pastorales, enseignement et missions d'outre-mer. A essaimé en Italie, Esp., Angl., Am. lat., Afrique noire et Extrême-Orient. *Membres :* 373 dont France 120.

Camaldules, ermites et moines (1 027, St Romuald). *Maison mère :* ermitage de Camaldoli (Apennins toscans). En 1965, les moines se sont ralliés aux Bénédictins confédérés (voir ci-dessus) dont ils forment la congr. des « moines-ermites camaldules ». *Membres :* 110. *Maisons :* 9. *Congr. des Ermites camaldules du Mt Corona.* Réforme de Camaldoli, *fondée* 1524 par Paolo Giustiniani (1476-1528), érémitique et indépendante. *Membres :* 98. *Maisons :* 9.

Camilliens, C.R. (Serviteurs des malades) (1586, St Camille de Lellis). Prêtres et frères. *Membres :* 1 073 dont France 53. *Maisons :* 131.

Carmes de l'ancienne observance, mendiants ; *v. 1209* règle reçue du patriarche latin de Jérusalem, St Albert Avogadro ; *1238* rapatriés en Occident. *1247* ordre mendiant organisé par le pape Innocent IV. Connus pour leur dévotion à Marie (Scapulaire). *Membres :* 2 051. *Maisons :* 355.

Carmes déchaux, mendiants (*réforme* 1568). Sous l'influence de St Jean de la Croix et de Ste Thérèse d'Avila, marqués par la note contemplative (2 h d'oraison quot., vie en cellule, silence) ; mais ils n'abandonnent pas la prédication (notamment retraites spirituelles). Supprimés en Fr. à la Révolution, rétablis à Bordeaux 1840 par un Carme déchaux esp. le P. Dominique de St-Joseph. *Membres :* 3 403 (en 40 provinces) dans 57 pays et 472 maisons. *En France :* 2 provinces (Paris 57 religieux, 5 maisons ; Avignon-Aquitaine 50 rel., 3 maisons).

Carmes de Marie Immaculée, C.S. *Créée* 1831 par 3 prêtres indiens (Frères Thomas Palakal, Thomas Porukara et Cyriac Chavara). *1855* érigée officiellement sous le titre « Serviteurs de Marie Immaculée du Mont-Carmel ». *1858* titre actuel. Exempte de droit pontifical, appartient au rite oriental. Allie l'apostolat (surtout l'éducation) avec l'esprit carmélite de prière. Implantée en Inde, Amér. latine et Afrique. *Membres :* 1 584. *Maisons :* 167.

Chartreux, moines, 2 catégories : pères (prêtres), à la vie solitaire plus accentuée ; frères, avec plus de travail manuel. *Fondés 1084* par St Bruno (v. 1030-1101) dans la Grande Chartreuse (Isère). *1128* 7 maisons indép. ; reçoivent la règle (Coutumes) du Prieur de Chartreuse, Guigues ; *1140* érigées en ordre par St Anthelme ; *1520* apogée (195 chartreuses, en Europe, en 17 prov.) *1582* nouvelle collection des statuts ; *1789* sur 122 chartreuses, 5 restent ; *1816* Grande Chartreuse restaurée. *XIXe s.* reconstitution de l'ordre. *XXe s.* après Vatican II : mise à jour des statuts. *Membres :* 395. *Maisons :* 18. *Activités :* vie consacrée à la prière : offices de j et de nuit, chantés à l'église, récités dans la cellule ; prière personnelle, lecture spirituelle ; un peu de travail manuel ; repas en solitude ; une promenade, une récréation par semaine. Pas d'activités extérieures, en raison de la clôture requise par la forme de vie contemplative. Quelques activités artisanales pour assurer la subsistance. Chaque moine vit dans une cellule personnelle (petite maison avec jardinet) donnant sur un cloître commun qui les relie à l'église. La communauté, dirigée par un prieur, et qui ne doit compter qu'un petit nombre de moines, constitue une *chartreuse. Supérieur de l'ordre :* le prieur de la Grande Chartreuse. *Autorité suprême :* Chapitre général (rassemblant tous les prieurs tous les 2 ans à la Gde Chartreuse). Chaque maison est inspectée tous les 2 ans par 2 visiteurs délégués du Chapitre général. *Implantation en France :* Gde Chartreuse (fondée 1084) ; Portes (Ain) 1115 ; Montrieux (Var) 1137 ; Sélignac (Ain) 1200.

Cisterciens, moines, *fondés* 1098 à Cîteaux (Cistercium) par St Robert de Molesmes († 1110) ; dits aussi *Bénédictins blancs* (pratiquent la règle de St Benoît et ont adopté l'habit blanc), et *Bernardins* [leur maître spirituel St Bernard (Fontaine-lès-Dijon 1090, Clairvaux 20-8-1153 ; canonisé 1174, docteur de l'Église 1830), 1er abbé de Clairvaux (1112), déclencha un tel mouvement en faveur de Cîteaux que même des communautés non affiliées à l'ordre adoptèrent ses observances]. D'où les moniales dites bernardines (ex. en France : bern. d'Esquermes). Plusieurs réformes, dont celle de Armand Jean Le Bouthillier Rancé (1626-1700), abbé de la Trappe à Soligny (Orne), d'où les trappistes. *A la Révolution,* Dom Augustin de Lestrange (1754-1827) regroupe quelques moines à la Valsainte (Suisse) et en *1815* la Trappe reprit possession du monastère. *1892,* à la demande de Léon XIII, les Cist. se scindent en 2 ordres juridiquement distincts : **1° O. Cistercien.** *Membres :* 1 361 dans 83 monastères, dont 1 en Fr. (île St-Honorat, îles de Lérins, A.-M.). **2° O. Cistercien de la stricte observance,** dit **Trappistes** qui tous retrouvèrent en 1898, Cîteaux comme maison mère. *Monastères : 90* (dont 16 en France). *Membres :* 2 802.

Clercs de St-Viateur, C.S. (1831). *Membres :* 998. *Maisons :* 126.

Consolata di Torino, C.S. (1901). *Membres :* 993. *Maisons :* 256.

Dominicains (Frères prêcheurs), mendiants [*fondés* 1215 à Toulouse par St Dominique de Guzmán (Esp., 1170-1221)]. *Robe* de laine blanche et manteau noir. *Gouvernement :* a) prieurs conventuels élus par les religieux profès perpétuels ; b) prieurs provinciaux élus par prieurs conventuels et délégués spéciaux des couvents ; c) maître de l'Ordre, élu (pour 9 ans) par prieurs prov. et délégués spéciaux (2 par province) : Père Damian Byrne (Irl. 8-1-1929 élu 1983). *Couvents et maisons :* 666 (au 31-12-88) dans 83 pays, administrés par un *prieur* et groupés en 49 prov. et 3 vicariats généraux dirigés par un provincial ou un vicaire gén. *Membres :* 6 749. *Buts du fondateur :* 1° Évangélisation des païens et des hérétiques (notamment albigeois du Languedoc, où il avait prêché seul de 1206 à 1215). 2° A partir de 1217 : étude et enseignement de la théologie [leur compétence théologique leur fera jouer un rang prééminent dans l'*Inquisition,* fondée 1229 ; le plus grand théologien cath. St Thomas d'Aquin (1227-74) a été dominicain] : les couvents des D. conçus, à l'origine, comme de simples lieux d'hébergement pour prédicateurs itinérants, deviennent alors des établissements organisés pour la recherche théologique (instituts de recherches bibliques, facultés de théologie, bibliothèques) et pour l'apostolat (centres de conférences, de célébration liturgique, de direction spirituelle). *De nos jours :* des maisons sont des centres d'action spécialisés dans l'apostolat : *intellectuel* [ex. : éditions du Cerf et « Istina » (revue d'études œcuméniques), bibliothèque du « Saulchoir », à Paris ; ils ont été à l'origine de plusieurs organismes indépendants : Économie et humanisme, Centre national de pastorale liturgique, Groupe de presse Malesherbes *(La Vie, Actualité religieuse dans le monde, Télérama)* ; ils animent, sous l'autorité de l'épiscopat, l'émission télévisée « Le jour du Seigneur »] ; *ouvrier* (centre de mission ouvrière à Hellemmes, Nord) ; *œcuménisme* (l'école biblique de Jérusalem est un lieu de rencontre islamo-judéo-chrétien). *Animation spirituelle* dans 2 collèges en France : Oullins, Marseille. *Tiers Ordre régulier,* fondé 1852 par le P. Lacordaire et consacré à l'éducation ; assimilé à l'ordre en 1921. *Adresses des 3 provinces fr. :* 8, rue Fabre, 34024 Montpellier ; 222, rue du Fg-St-Honoré, 75008 Paris ; 104, rue Bugeaud, 69451 Lyon.

Eudistes (Congr. de Jésus et Marie), S.V.A. *Fondés* 1643 par St Jean Eudes (1601-80), ex-oratorien, pour la prédication des missions et la direction des séminaires ; *XVIIIe s.* combattent le jansénisme ; supprimés à la Révolution ; *1826* reconstitués. *Provinces :* Canada-U.S.A., Colombie-Équateur, Venezuela, France (18 communautés, éducation, paroisses) et 1 région africaine : Côte-d'Ivoire et Bénin. *Maison généralice* à Rome. *Membres :* 586 dont France 143. *Maisons :* 68.

Fils de la Charité, C.S. Paris (1918). *Membres :* 226. *Maisons :* 57.

Fils missionnaires du Cœur Immaculé de Marie, C.S., Clarétiens (1849). *Membres :* 2 995. *Maisons :* 386.

Franciscains ou **Frères mineurs.** *Fondés* 1209 par St François d'Assise, appelés en France Cordeliers jusqu'en 1792. Prédicateurs populaires orientés aussi vers les études sup. (sciences, étude des cultures, études bibliques, histoire, etc.). Actuellement, les frères exercent des apostolats variés, surtout populaires. 7 universités ou centres d'études sup. enseignent la théologie franciscaine, notamment l'Univ. pontif. St-Antoine (Rome), l'Univ. St-Bonaventure (New York), l'institut Cisneros de Madrid et le Studium biblique de Jérusalem. *Revues :* plusieurs dont l'*Archivum franciscanum historicum. Membres en 1989 :* 19 210 Pères et Frères, en 114 provinces [Europe occ. 7 650 (dont France 460) Europe-Est 2 600, Afrique 670, Terre-Ste 250, Amér. du Nord 2 640, Amér. lat. 4 260, Asie 1 140]. *Adresse des 5 provinces fr. :* 7, rue Marie-Rose, 75014 Paris ; 13, av. Esquirol, 69003 Lyon ; 17, rue Marchand, 57000 Metz ; 42, rue Surcouf, 35000 Rennes ; 27, rue Adolphe-Coll, 31000 Toulouse.

Franciscains capucins, mendiants (1528, réforme des Fr. par Matthieu de Basci). *Nom :* du capuchon long et pointu inspiré de l'antique iconographie de St François. Ils donnèrent la priorité à la contemplation, la simplicité de vie et la prédication populaire nourrie par la recherche théologique. Constitutions révisées sur le nouveau droit canon promulguées 1983. *Membres en 1985 :* 11 355 dont France : 454.

En France : introduits par le card. Charles de Lorraine (1574), éteints pendant la Révolution, restaurés (1820) grâce à leur « Mission du Levant » à Constantinople, qui avait survécu. *Membres :* 450, + de 70 *fraternités* en 5 provinces : Lyon, Paris, Savoie, Strasbourg, Toulouse. *Adresses principales :* 32, rue Boissonade, 75014 Paris et 29, bd de Glatigny, 78000 Versailles.

Franciscains conventuels, ou Frères mineurs conventuels, mendiants, en France *Cordeliers,* à cause de la corde qu'ils portent. *1209* fondés par St François d'Assise. *1223* approuvés par Honorius III sous le nom de *Frères Mineurs. 1250* peuvent officier dans des églises « conventuelles » d'où leur nom. *Apostolat :* prédication pastorale paroissiale, enseignement, animation de sanctuaires (par ex. : à Assise, garde du corps de St François ; à Padoue, du corps de St Antoine), pénitencerie à St-Pierre de Rome. *Missions à l'étranger :* Afrique, Asie, Indonésie, Japon, Philippines, Corée, Chine, Inde, Amér. latine. *Recherche théologique* inspirée par la spiritualité fr., primitivement à Paris au *Studium generale* fondé 1236 par Alexandre de Hales près de la future Sorbonne (Grand couvent des Cordeliers), illustré par St Bonaventure et Duns Scot ; puis au *Collège St-Bonaventure,* érigé 1587 à Rome par Sixte Quint (pape franciscain conventuel) ; actuellement, Faculté pontificale de théologie « Seraphicum ». *Revue spécialisée :* Miscellanea francescana. Spiritualité mariale de St Maximilien Kolbe (mission de l'Immaculée). *Adresse principale :* Rome, piazza SS. Apostoli, 51. *Membres :* 4 307 (au 1-1-1990), en 37 provinces, 19 custodies, 11 territoires de mission.

France : supprimé à la Révolution, rétabli 1949 ; 3 couvents [Narbonne (Aude), Tarbes (2, bd Pierre-Renaudet) et Lourdes (Htes-Pyrénées)].

Franciscains du Tiers Ordre régulier, mendiants (1221). *Membres :* 893. *Maisons :* 206.

Frères de la Charité de Gand, C.R. de droit pontifical. *Fondée* 1807 par Pierre-Joseph Triest (1760-1836). *But spécial :* malades mentaux, handicapés et enfants normaux (écoles primaires, secondaires, professionnelles). *Membres :* 764. *Communautés :* 78 dont : Belgique 35, Hollande 10, Afrique 11, Canada 10, Irlande 9, Indonésie 4, Pérou 4, Angleterre 3, Afr. du Sud 3, U.S.A. 1, Japon 1, N.-Guinée 1, Rome 1, Philippines 1.

Frères de l'Instruction chrétienne de Ploermel, C.L. *Fondée* 1819 par les abbés de La Mennais (1780-1860) et Deshayes (1767-1841). *1822,* approuvés. *1903* dissoute en Fr. Dirige des établ. scolaires en France, Canada, Esp. Angleterre, It., U.S.A., Haïti, Argentine, Uruguay, Chili, Sénégal, C.-d'Ivoire, Togo, Zaïre, Ouganda, Rwanda, Tanzanie, Kenya, Seychelles, Japon et Tahiti. *Membres* (1988) : 1 440 (dont en 1986, France et missions dépendantes 590, Canada et missions 420, Espagne et missions 205). *Maisons :* 214.

Frères de l'Instruction chrétienne de St Gabriel, C.L. *Fondés* 1853 par St Louis-Marie Grignion de Montfort (1673-1716) pour les missions paroissiales et les écoles charitables ; restaurés par Gabriel Deshayes (1767-1841) ; *1853* reconnaissance légale. Enseignements ; catéchèse, sourds, aveugles ; Boy's Towns (Asie) ; aide au dévelop. (Asie, Afrique). *Membres :* 1 300, dans 25 pays. *Communautés :* 263.

Frères maristes des Écoles (Petits Fr. de Marie), C.L. enseignante. *Fondée* 1817 par le Bx Marcellin Champagnat (1789-1840) à La Valla-en-Gier (Loire), dans le cadre de la Sté de Marie (Maristes), dont elle forme une branche autonome. *1851* reconnue en France. *1863* approuvée à Rome. *Membres :* 60 588 dans 1 041 maisons (72 pays). *France :* 430 m. (62 maisons).

Frères de N.-D. de Lourdes, C.L. C.R. de droit pontifical. *Fondés* 1830 par E.-M. Glorieux (1802-72). *Adm. gén. :* rue St-Joseph 1, 9040 Oostakker (Belg.). *Membres :* 392. *Maisons :* 46.

Frères du Sacré-Cœur, C.L. *Fondés* 1821 à Lyon par André Coindre (1787-1826). *1851* reconnus en France. *1894* par Rome. *Jusqu'en 1903* dirigent écoles, orphelinats et instituts pour sourds-muets. *Dep. 1927* missions. *Membres :* 1 695. *Maisons :* 237. *En France :* 105 membres, 18 écoles, collèges et lycées d'ens. gén., profess. et agric. en collaboration avec des laïcs.

Frères de St Louis de Gonzague, C.L. *Fondés* 1840 à Oudenbosch, P.-B., par Guillaume Hellemons Cist. (1810-44). *Maisons :* 17. *Missions :* Indonésie, Tanzanie et Liberia. *Membres :* 172.

Frères des Écoles chrétiennes, C.L. *Fondés* 1681 à Reims par St Jean-Baptiste de La Salle (1651-1719). *1725* approuvés. *1808* incorporés à l'Univ. Supprimés en France *1904* fondent de nombreuses écoles à l'étranger. *Actuellement,* dirigent 260 établ. en France, 1 314 écoles dans 82 pays. *Adresse France :* 78 A, rue de Sèvres, 75341 Paris Cedex 07. *Noviciat :* 14, montée des Carmes, 69995 Lyon. *Membres :* 8 150 dont France 1 644. *Missions :* 120 frères français. *Maisons :* 1 173.

Hospitaliers de St Jean de Dieu (St Jean de Dieu, 1495-1550). O. religieux de caractère laïc, consacré au service des pauvres et des malades. *Fondé* à Grenade. Introduit en France en 1602 où il s'est occupé surtout des malades mentaux. *Membres :* 1 611 (France : 10 hôp., 110 frères). *Maisons :* 194.

Jésuites (Compagnie de Jésus), C.R. *Fondée* 27-9-1540 (bulle *Regimini militantis*) (Inigo López, St Ignace de Loyola, 1491-1556). *Devise :* Ad majorem Dei gloriam.

Dirigée par un préposé général (surnommé le « pape noir ») élu à vie par la Congrégation générale [3 profès délégués pour chaque province de l'ordre (actuellement 86), dont les provinciaux]. *Préposé général : 1965* (22-5) Pedro Arrupe (1907-91), *1983* (13-9) le P. Peter-Hans Kolvenbach (Hollandais n. 30-11-28). *Divisée* en 11 Assistances groupant 86 provinces. 2 catégories de membres : coadjuteurs (spirituels ou temporels) et profès.

Constitutions : rédigées par St Ignace de Loyola et Jean de Polanco, approuvées 1558 (Ordre d'un genre particulier, à la fois O. des clercs réguliers et O. mendiant ; le seul O. dispensé de la récitation en commun de l'office). *Noviciat :* 2 ans, préparant à la profession des 3 vœux simples de pauvreté, chasteté et obéissance. *Formation :* environ 10 ans, puis admission aux grands vœux, solennels (avec vœu spécial d'obéissance au pape), ou simples, mais publics, conférant le statut de coadjuteur spirituel ou temporel (pour ceux qui ne sont pas prêtres et contribuent de bien des manières à l'œuvre apostolique de la Compagnie). Seuls les profès des vœux solennels ont droit à certaines charges, comme celle de supérieur majeur.

Histoire : la Compagnie s'était mise à la disposition des papes et avait été chargée de mener la lutte contre la Réforme. Demeurée largement espagnole dans ses structures, elle utilise les cadres politiques de l'ancien empire de Charles Quint pour enlever à l'emprise protestante de nombreux territoires européens (Hongrie, Pologne, All. du S., P.-Bas) et pour évangéliser outre-mer. Après la défaite partielle du protestantisme, les J. luttent principalement pour la papauté *(ultramontanisme)* contre jansénisme et particularismes religieux de chaque pays (par ex. : le gallicanisme en France) ; ils provoquent ainsi la coalition des monarchies cath. absolues, des partis dévots jansénisants et des nouveaux alliés du protestantisme, les philosophes, partisans des Lumières, c.-à-d. de la liberté de penser et d'écrire. Les philosophes, puissants à Versailles, font pression sur les cours où règnent les Bourbons et leurs alliés (or, les Bourbons d'Italie sont influents à Rome). Par ressentiment contre les actions antijansénistes de la Cie, les dévots laissent les philosophes agir contre elle. Elle est interdite au Portugal, 1759 ; en France, 1764 ; Espagne, 1767. En 1769, lors du conclave, les ambassadeurs des Bourbons (France, Espagne, Sicile, Parme) menacent d'exclusive tout *papabile* ne prenant pas l'engagement d'interdire l'ordre. Clément XIV, élu, retarde la décision jusqu'en 1773, puis est contraint de la promulguer pour tous les États cath. (le général Ricci mourra en prison). Cependant, l'ordre se maintient en Pologne (dépendant de la

Russie orthodoxe et de la Prusse protestante) et est toléré en Italie sous le nom des *Pères de la Foi* (1799). En 1814, Pie VII le rétablit officiellement. Il est de nouveau expulsé d'Italie en 1870 et de France en 1880.

Expulsions. Allemagne 1872, Brésil 1874, Espagne 1767, 1820, 1836, 1868, France 1764, 1830, 1880, Mexique 1873, Portugal 1873, Russie 1828.

Membres : 1965 36 000. *1990* 24 421 dans 114 pays dont Europe 9 590 (dont Esp. 2 581, It. 1 094, France 900), Amér. du N. et du S. 8 279, Asie orient. 1 863, Inde 3 522, Afr. 1 167. Depuis 1970, 32 assassinés dans le monde (dont 6 fin 89 à San Salvador).

CONGRÈS [1er Congrès : Rome 1967 ; 2e : Versailles 1986 (20/23-7) : 700, dont 220 Fr. *Anciens élèves :* 3 750 000, dont Fr. 60 000].

EN FRANCE. *Assistance de France :* 1 province (résultant de la fusion des 4 prov. de Fr. en 1976). *Membres :* 900. *Provincial de France* (dep. 1985) : Père Jacques Gellard (n. 1931).

Maisons d'enseignement où travaillent les jésuites en France : ENS. SUPÉRIEUR : École sup. d'agric. de Purpan, Toulouse ; Éc. d'ingénieurs I.C.A.M. (Institut cath. d'arts et métiers), Lille et Nantes ; Éc. Ste-Geneviève (dite Ginette), Versailles. ENS. SECONDAIRE : Éc. St-Louis-de-Gonzague (rue Franklin), Paris 16e, à direction laïque ; de Provence, St-Giniez, Marseille ; Lycée tech. du Marais, St-Étienne. Éc. St-Stanislas, Toulouse ; Le Caousou, Toulouse ; St-Joseph-de-Tivoli, Bordeaux-Caudéran ; St-Michel, St-Étienne ; St-Joseph, Reims ; St-François-Xavier, Vannes ; N.-D.-de-Ste-Croix, Le Mans ; la Providence, Amiens ; St-Joseph, Avignon. CENTRE SCOLAIRE : St-Marc, Lyon.

Principales publications en France : Études (mensuel fondé 1856) ; *Cahiers pour croire aujourd'hui* (bi-mensuel) ; *Projet* (trimestriel) ; *Christus* (trim.).

Lazaristes, S.V.A. (Congr. de la Mission). *1625* établis par St Vincent de Paul (1581-1660) au coll. des Bons Enfants, puis au prieuré de St-Lazare. *1633* approuvés. *1670* constitutions définitives. Missions rurales et étrangères, aumôneries, enseignement dans les séminaires. Une des 5 congrégations masculines autorisées en Fr. *Membres :* 3 709 (en 1990) + 642 scolastiques. *Maisons :* 549.

Marianistes [Sté de Marie (S.M.)], *1817* C. *fondée* à Bordeaux, par le Vén. Guillaume Chaminade (1761-1850). Enseignement, paroisses, missions. Prêtres et laïcs (à égalité de droits). *Provinces :* 16, France, Italie, Autriche, Suisse, Canada, Japon (1), Esp. (2), Amér. du Sud (3), U.S.A. (5) ; régions : 2, Corée, Colombie. *Membres :* 1 902 dans 32 pays. *Maisons :* 227. *En France,* 12 ét. scolaires, 10 paroisses.

Maristes (S.M. : Sté de Marie), Pères maristes. *Fondés* 1816 à Lyon et Belley par le Vén. Jean-Claude Colin (1790-1875) selon un engagement communautaire pris à Fourvière. *1836* approuvée. Missions, enseignement, paroisse, animation de jeunesse. *Congr. féminines apparentées :* Sœurs maristes (S.M.) ; Sœurs missionnaires de la Société de Marie (S.M.S.M.). *Membres :* 1 683 dans 29 pays (France 250, Québec 60, Océanie). *Maisons :* 259.

Maryknoll, S.V.A. (Sté pour les missions étr.). *Fondée* 1911 J. A. Walsh et Th. F. Price. *Membres :* 789. *Maisons :* 53.

Mercédaires, mendiants. *Ordre de la Merci : fondé* 17-1-1235 par St Pierre Nolasque (1182-1256), à Barcelone (Esp.). Approuvé par le pape Grégoire IX. Ordre militaire jusqu'en 1317, les membres étaient prêtres. *But :* rachat des chrétiens prisonniers par les musulmans (env. 500 000 rachetés jusqu'en 1779, coût 2 milliards de pesetas-or) ; depuis, se consacre aux missions (surtout sud-amér.) et œuvres de bienfaisance. *Membres :* 768 en 19 pays. *Maisons :* 156.

Mill Hill, M.H.M. (Sté missionnaire de St Joseph) (*Fondée* 1866). *Membres :* 858. *Maisons :* 27.

Missionnaires d'Afrique (Pères Blancs). Sté des Missionnaires d'Afrique, S.V.A. *Fondée* 1868 à Maison-Carrée (Algérie) par le card. Charles Lavigerie, archev. d'Alger (1825-92). Travaillent dans 99 diocèses, dans 22 pays africains, en collaboration avec le clergé afr. ; dispensaires, centres sociaux, cours du soir, participation au développement du pays, bibliothèques. En Europe et en Amérique, maisons d'études pour les futurs missionnaires, activité miss. dans les diocèses et réception des miss. âgés ou malades. *Membres* (au 1-1-1991) : 2 453 (18 év., 2 181 pères, 254 frères) dont France 6 év., 575 pères, 43 frères (le sup. gal, dep. 1986, est un Fr., le P. Étienne Renaud).

Missionnaires de N.-D. de La Salette, C.S. *Fondés* 1852 par Mgr Philibert de Bruillard (1765-1860), après l'apparition de la Vierge à La Salette (19-9-1846). *Membres :* 923 (France 94 dont 74 prêtres, 21 frères profès, 2 frères oblats). *Maisons :* 216.

Missionnaires de Scheut, ou Congrégation du Cœur Immaculé de Marie (C.I.C.M.), C.S. *Fondés* 1862 par P. Théophile Verbist. *Maison mère :* Scheut-Bruxelles (Belg.) ; *généralice :* Rome. Missions en Afr., Asie, Amér., Europe. *Membres :* 1 462 (prêtres 1 198, frères 120, scolastiques 133, novices 54). *Maisons :* 54.

Missions africaines de Lyon (Sté des), S.M.A. *Fondées* 1856 à Fourvière (Lyon) par Mgr Melchior de Marion Brésillac (1813-59), vic. apost. de Sierra Leone. *1900* approuvées. *Provinces :* Lyon, France-Est, Irlande, Hollande, U.S.A., G.-B., Italie. *Districts :* 2 : Canada, Espagne. Travaille dans 45 diocèses en Afrique. *Membres :* 1 153. *Maisons :* 65.

Missions étrangères de Paris (S.V.A.). *Fondées* 1663 après la décision de Rome, en 1658, de créer en Asie (Perse, Siam) des diocèses autochtones indépendants du patriarcat portugais et confiés à des Français. [*1660 :* 1er envoi d'év. français (Canada, Tonkin, Cochinchine, Chine)]. *1663* création du séminaire rue du Bac (« Sté des Missions Étr. »). *1683* création de la mission d'Ispahan [supprimée 1722, l'év. Varlet ayant passé au Vieux-Catholicisme (Voir p. 542b) : les missionnaires vont au Canada]. *1773* l'Association remplace en Asie les jésuites (supprimés). *1837* érigée en « Société ». *Membres :* 487. *Maisons :* 21. Présents au : Japon, Corée, Taiwan, Hong Kong, Thaïlande, Malaysia, Singapour, Birmanie, Inde, Madagascar, Indonésie, Maurice, N.-Calédonie, la Réunion, Brésil.

Montfortains, C.S. (Cie de Marie). *Fondée* 1705 par St Louis-Marie Grignion de Montfort (1673-1716). Missions. *Membres :* 1 251 dans 38 pays. *Maisons :* 229.

Oblats de Marie Immaculée (O.M.I.). *Fondés* 1816, à Aix-en-Provence, par le Bienheureux Eugène de Mazenod (1782-1861) pour l'apostolat missionnaire dans le monde ouvrier et les zones défavorisées du monde occidental, et du tiers monde. *Membres en 1990 :* 5 275 (4 005 prêtres, 701 frères, 569 scolastiques). *Maisons :* 1 362 en 79 provinces et délégations. *France* 373 m. en 49 maisons.

Oblats de St François de Sales, C.S. *Fondée* 1871 par le P. Brisson pour vivre en communauté la spiritualité de St Fr. de Sales. Accueil, enseignement, paroisses, missions. *Membres :* 811. *Maisons :* 118.

Oratoire de France, S.V.A. *Fondée* 1611, sur le modèle des Oratoires de St Philippe Neri (1515-95) où les prêtres menaient une vie communautaire, par le card. Pierre de Bérulle (1575-1629), initiateur de l'« École française de spiritualité » et promoteur de la rénovation sacerdotale au XVIIe s. Disparu sous la Révolution. *1852* restauré par les Pères Alphonse Gratry et Louis-Pierre Pététot (1801-87). Oratorien notoire : R.P. Lucien Laberthonnière, théologien et philosophe (1860-1932). Éduc., paroisses, aumôneries. *Membres :* 92. Autres oratoriens (confédérés) : *493.*

Orione (Don) (Petite Œuvre de la Divine Providence), C.S. *Fondée* 1903 par le Bx Louis Orione (1872-1940) à Tortona (Italie). Service des pauvres, enseignement profess., paroisses, missions (Amér. du S. et Afr.). *Membres :* 1 133. *Maisons :* 215.

Pallottins, Sté de l'Apostolat catholique, S.A.C. *Fondées* 1835 à Rome, par Vincent Pallotti [(1795-1850), canonisé (20-1-1963), prêtre romain] pour promouvoir l'apostolat universel. 10 provinces et 7 régions. Missions en Amér. du S., Australie, Inde, Afr. *Membres :* 2 221 clercs et laïcs (dont France 36). *Maisons :* 363.

Passionistes, Congrégation de la passion de J.-C., C.P. *Fondées* 1720 par St Paul de la Croix (1694-1775). Vie contemplative et active (notamment par la prédication). 20 provinces et 6 vice-provinces, dans 52 pays. *Membres :* 2 650.

Philippins (Conf. de l'Oratoire de St Philippe Neri), S.V.A. (1575). Divisée en congr. indépendantes (Europe, Amérique). Œuvres de jeunesse, paroisses, action charitable. *Membres :* 493. *Maisons :* 63.

Prado (Institut du), I.S. *Fondé* 1860 à Lyon par le Bx Antoine Chevrier (1826-79) sous le nom de Sté des Pauvres Prêtres. Vie évangélique, évangélisation des pauvres. *Membres :* 1 100 dont 750 Français, 100 It., 100 Esp.

Prémontrés, C.R. *Fondée* 1121 par St Norbert (1080-1134). Ses membres sont attachés à une abbaye et peuvent être appelés à exercer leur apostolat sur place (accueil des retraitants, des pèlerins), à l'extérieur (dans paroisses, établissements d'enseignement), ou en prêchant retraites et missions. *Membres :* 1 378. *Maisons :* 68. *France,* 2 abbayes hommes : St-Michel-de-Frigolet (B.-du-Rh.), St-Martin-de-Mondaye (Calvados). 1 monastère de chanoinesses norbertines : Ste-Anne-de-Bonlieu (Drôme). Fraternités séculières (ancien Tiers Ordre) en liaison avec chaque abbaye.

Prêtres de St-Sulpice, S.V.A. *Fondée* 1641 par Jean-Jacques Olier (1608-57). Direction des grands séminaires, formation permanente du clergé, en France, Amér. du N. et du S., Japon, Afrique. *Membres :* 433 dont France 245. *Maisons :* 38.

Rédemptoristes, C.S.S.R. *Fondée* 1732 par St Alphonse de Liguori (1696-1787), év. et docteur de l'Église. Prédicateurs et miss. *Membres : 1750 :* 44, *1800 :* 197, *25 :* 390, *50 :* 1 134, *1900 :* 2 702, *30 :* 5 385, *63 :* 8 722, *90 :* 6 086 (dont 49 évêques, 4 509 prêtres). *Maisons :* 753.

Religieux de St Vincent de Paul, C.S. (Jean-Léon Le Prévost, 1845) (Pères et frères). *Membres :* 272. *Maisons :* 46.

Sacré-Cœur de Jésus (Miss. du), C.S. *Fondée* 1854 à Issoudun par Jules Chevalier. Enseignement, ministère paroissial, jeunes Églises. *Membres :* 2 446 dans 37 pays.

Sacré-Cœur de Jésus de St-Quentin ou Déhoniens (Prêtres du), C.S. *Fondée* 1878 par le chan. Léon-Jean Dehon (1843-1925) à St-Quentin. Dévotion au Cœur de Jésus ; apostolat social ; formation du clergé et du laïcat ; missions (Cameroun, Zaïre, Mozambique, Amér. latine, etc.). *Membres :* 2 572. *Maisons :* 435.

Sacrés-Cœurs de Picpus (Congr. des), C.S. *Fondée* 1800 par Marie-Joseph Coudrin (1768-1837) et Henriette Aymer de La Chevalerie à Poitiers. 3e maison généralice à Paris (rue de Picpus) ; maintenant à Rome. Enseignement, missions, apostolats divers. *Membres :* 1 342 dans 40 pays. *Maisons :* 286.

Saint-Esprit (Congr. du), dits Spiritains, C.S.S.P. *Fondée* 1703 comme séminaire de prêtres pauvres destinés aux postes défavorisés en France et aux colonies par Claude-François Poullart des Places (1679-1709). *1848* regroupée avec la Sté du St-Cœur de Marie, *fondée* 1841 par Jacob (puis François) Libermann (1802-52) converti au catholicisme 1826, devenue alors congr. missionnaire. *Publications :* Pentecôte sur le Monde 20 000 ex. ; Revue de St Joseph 100 000 ; Esprit saint 5 000. *Membres :* 3 445 dont Français 886, Irlandais 642, Holl. 349, Nigérians 220, Portugais 215, dans 53 pays. *Maisons :* 873.

Saint Sacrement (Religieux du), C.S. *Fondée* 1856 par St Pierre-Julien Eymard (1811-68). Vie et apostolat centrés sur l'Eucharistie. *Membres :* 1 086. *Maisons :* 151 dans 33 pays. *France* 55 m. (7 maisons).

Sainte Croix (Congr. de la), C.S.C. *Fondée* 1837 au Mans par Basile Moreau (1799-1873) par le regroupement des Frères de St-Joseph fondés 1820 par Jacques Dujarié (1767-1838), à Ruillé-sur-Loir, et des prêtres auxiliaires qu'il avait lui-même fondés auparavant. Ministère pastoral, éducation chrétienne, missions (France, Canada, U.S.A., Haïti, Chili, Pérou, Brésil, Bangladesh, Inde, Ghana, Liberia, Kenya et Ouganda). *Membres :* 1 924 (France 45). *Maisons :* 258 dans 12 provinces, 11 districts.

Sainte Famille (Fils de la), C.S. *Fondée* 1864 par le vénérable José Manyanet y Vivés (1833-1901) à Tremp (prov. de Lérida, Espagne). *1901* approuvée. Répandue Espagne, Italie, U.S.A., Mexique, Colombie, Brésil, Argentine. Apostolat. *Membres :* 170. *Maisons :* 51.

Salésiens, S.D.B. *Fondés* 1864 par St Jean Bosco (1815-88) dans le quartier de Valdocco à Turin. Enseignement, missions (notamment Amér. latine), apostolat populaire. *Membres : 1877 :* 61, *80 :* 405, *90 :* 994, *1900 :* 2 723, *10 :* 4 001, *20 :* 4 417, *30 :* 7 652, *40 :* 12 055, *50 :* 14 754, *60 :* 19 925, *70 :* 20 427, *80 :* 17 293, *1990 (31-12) :* 17 631 dont 420 en France, Suisse romande et Afrique francophone. *Maisons :* 1 597.

Salvatoriens, Sté du Divin Sauveur, C.S. *Fondés* 1881 par l'All. J.-B. Jordan (1848-1918). Enseignement, paroisse, missions. *Membres :* 1 253 (France : 0).

Scolopes (Clercs réguliers des Écoles pies ou Piaristes), C.R. *Fondés* 1617 par St Joseph de Calasanza (1556-1648). Instruction et éducation. *Membres :* 1 538. *Maisons :* 213.

Servites de Marie, mendiants (1233). 7 fondateurs (canonisés 1888). Prêtres et frères. Missions en Afr. du S. et Amér. latine, Asie. 21 congr. féminines (moniales : 5 fédérations). Théologie mariale (faculté « Marianum » à Rome). *Membres :* 1 085. *Maisons :* 202.

Société de St Colomban, S.V. A. *Fondée* 1918. Sté mission. (Corée, Japon, Taiwan, Philip., Fidji, Vanuatu, Pakistan, Pérou, Chili, Brésil). *Publications :* « Far East » (Irlande, G.-B., 200 000 ex. ; Austr., N.-Zél., 30 000) ; « Columban Mission » (U.S.A., 75 000). *Membres :* 874. *Maisons :* 42.

Société de St Paul, C.R. *Fondée* 1914 à Alba (It.) par un prêtre, Giacomo Alberione (1884-1971). Apostolat par presse, audiovisuel. *Membres :* 1 185. *Maisons :* 95.

Somasques, C.R.S. *Fondée* 1534 par St Jérôme Emiliani. Répandue en Esp., It., Suisse, Am. du N. et du Sud. Soins (orphelins, jeunes abandonnés). *Membres :* 504. *Maisons :* 72.

Trappistes. Voir Cisterciens réformés.

Verbe divin (Société du), C.S. *Fondée* 1875 par le Bx Arnold Janssen (1837-1909, All.) à Steyl aux P.-Bas. Missions en Asie et Pacifique, Océanie, Afr., Amérique lat. *Membres :* 5 320 profès (dont 51 évêques, 3 491 prêtres, 911 scolastiques, 867 frères laïques) et 380 novices. *Maisons :* 277.

Ordres et congrégations de femmes

Généralités

• Définitions. **Abbesse.** Du syriaque, mère. Titre remontant au VIe s. Élue pour un laps de temps indéfini. **Moniale :** religieuse qui se consacre à une vie de prière, dans un ordre monastique, en communauté fraternelle, dans un certain retrait par rapport à la vie de société, sans œuvre d'apostolat. Travaille pour gagner sa vie. **Religieuse :** a prononcé des vœux simples, appartient à une congrégation de droit pontifical ou diocésain.

• Statistiques. **Instituts féminins** 1 175 (27 séculiers) dans le monde. **Religieuses** (au 1-1-1986) : 926 335, dont Europe 500 961, Amérique 281 444, Asie 91 760, Afrique 37 346, Océanie 14 824. Religieuses professes 717 126 dont vœux perpétuels 678 468, temporaires 38 658. Aspirantes 5 329. Novices 18 285. **Religieuses dispensées de leurs vœux.** De 1970 à 75 : 25 000. *Raisons* (%) : manque de vocation 15, santé 30, impossibilité de vivre en communauté 25, de respecter les vœux 20, diverses 10.

Principaux instituts religieux féminins de droit pontifical

Nota. – C. = congrégation. Statistiques de l'*Annuario Pontifico* reflétant souvent une situation ancienne.

Adoratrices du Saint Sacrement. *Fondées* 1882 par Francesco Spinelli (1853-1913). C. it. de *Rivolta d'Adda* [*membres :* 720, *maisons :* 79 (Italie 72, Zaïre 4, Sénégal 1, Colombie 2)].

Apparition (Sœurs de St-Joseph-de-l'). *Fondée* (1832) à Gaillac (Tarn) par Ste Émilie de Vialar (1797-1856, canonisée 1951). Congr. missionnaire (écoles, hôpitaux, foyers). *Maison généralice :* 90, avenue Foch, 94120 Fontenay-sous-Bois. *Membres :* 1 192. *Maisons :* 173.

Assomption. 5 congr. diff. *Religieuses de l'Ass.* [c. de droit pontifical *fondées* 1839 par Marie-Eugénie Milleret (1817-98), contemplatives, éducatrices et missionnaires, *membres :* 1 450 dans 30 pays]. *Petites Sœurs de l'Ass. Oblates de l'Ass. ; Orantes de l'Ass. ; Filles de Marie de l'Ass.* (Canada). *Membres :* 6 324. *Maisons :* 702.

Augustines (Fédér. des Sœurs). 9 congr. Règle de St Augustin, accent sur la vie communautaire. *Maisons* 82 (dont France 81, Madagascar 5, Belg. 3, Togo 2, Angleterre 1). *Membres :* 1 185.

Auxiliatrices (Sœurs). *Fondée* 1856 à Paris par Eugénie Smet (Bse Marie de la Providence). Activités sociales et ecclésiales. Spiritualité de St Ignace de Loyola. *Membres :* 975 (318 en France) en 142 communautés et 13 provinces dans 25 pays.

Bénédictines. *Fondées au* Ve s. par Ste Scholastique (dates inconnues), sœur de St Benoît. 21 congr. diff. *Membres : 20 490,* 610 maisons. *Bén. du Sacré-Cœur de Montmartre :* f. 1898 par Adèle Garnier, lors de la construction de la basilique. 5 maisons. *60 membres.* – Les *moniales bén.* sont rattachées aux grandes c. masculines comme Solesmes ou Subiaco, ou vivent en abbayes indépendantes ; ex. : Faremoutiers (S.-et-M.). *Membres :* 5 970. *Maisons :* 237.

Bernardines. Voir **Cisterciennes.**

Bon Secours de Paris (Sœurs du). Sœurs de N.-D. Auxiliatrice. *Fondées* 1824 par Mgr Hyacinthe de Quélen, arch. de Paris (1778-1839). Soin des malades, éducation, catéchèse, aumônerie (hôpitaux). Présentes en France, It., Irlande, Angleterre, Écosse, U.S.A., Pérou. *Membres :* 464. *Maisons :* 37.

Calvaire (Filles du). Congr. esp. Œuvre du Calvaire *fondée* 1842 à Lyon par Mme Garnier ; regroupe des veuves se consacrant aux œuvres, sans vœux de religion ; divisée en *dames, veuves agrégées et associées. Bénédictines de N.-D. du Calvaire* (voir ci-dessus, Bénédictines). [Une congrégation de droit diocésain, les religieuses de N.-D. du Calvaire, existe à Gramat (Lot) : enseignantes et éducatrices.] *Membres :* 393. *Maisons :* 59.

Carmélites. Rattachées à l'ordre masculin des Carmes (existant au Mt Carmel au Ier s.). *Fondées* 1451 par St Jean de Soreth. *XVIe s.* réformées par Ste Thérèse d'Avila (total *Congrégations* 28, *membres* 24 500, *maisons* 2 126). *C. déchaussées* (12 898 membres, 859 maisons). *C. de la Charité* (it., 2 674 m., 297 maisons). *France :* 4 féd. : St-Joseph (Paris, 28 maisons) ; Ste-Thérèse-de-Lisieux (Lisieux, 27) ; St-Jean-de-la-Croix (Avignon, 25) ; Ste-Marie-de-Jésus (Toulouse, 31). *Communautés :* 24 membres au +, prière et pénitence sans sortir de la clôture et sans œuvre dans le monde.

Carmélites du Tiers Ordre Régulier de N.-D.-du-Mont-Carmel, Carmélites tertiaires, thérésiennes du Luxembourg (agrégation au Carmel, 29-1-1886). *Fondées* 1872 par l'abbé Nicolas Wies, les Mères Paula Bové et Jospha Niederprüm. Travaillent dans cliniques, hôpitaux, foyers pour femmes et jeunes filles en détresse, émigrants, maisons de retraites, soins à domicile. Missions au Malawi. *Maisons :* Luxembourg 12, Malawi-Afrique 3, Allemagne 1. *Membres :* 162.

Chanoinesses régulières. 9 congr. diff., notamment *Congr. de N.-D.* (chan. de St Augustin), fondée 1597 par St Pierre Fourier (1565-1640) et la Bienheureuse Alix Le Clerc (1576-1622). *Éducatrices* 1 000 membres env. *Total,* 175 maisons, 4 120 membres. **Ancien Ordre des Chanoinesses régulières de Remiremont.** *VIIe s.* St Romaric fonde un mon. de femmes sur le Mt Habend, près de Remiremont (Vosges), où l'on pratique la règle de St Colomban. *IXe s.* règle de St Benoît. Plus tard, deviennent chan. rég., sans vœux de religion. Leur abbaye était une des plus riches d'Europe (52 terres seigneuriales, 22 petites seigneuries). L'abbesse, princesse du Saint Empire, relevait directement de l'empereur au temporel, et du pape au spirituel. Elle portait un sceptre. Pour être admise au chapitre, il fallait être noble des 4 côtés depuis au moins 200 ans (la fille de Gaston d'Orléans, nièce de L. XIII, petite-fille de Marie de Médicis, de noblesse trop récente, ne put être abbesse). *Dernière abbesse :* Louise-Adélaïde de Bourbon-Condé.

Charité. FILLES DE LA CHARITÉ DE ST VINCENT DE PAUL. *Fondées* 1633 à Paris par St Vincent de Paul (1581-1660) et Ste Louise de Marillac (1591-1660). Œuvres sanitaires, sociales, éducatives et charitables (75 pays, 74 provinces dont 6 en France : Paris, Lille, Lyon, Marseille, Rennes, Toulouse). *Membres :* 30 000. *Communautés locales :* 3 160. SŒURS DE LA CHARITÉ. 73 congr. diff. *Membres :* 60 000, notamment *S. de la Ch. de Ste Jeanne-Antide Thouret* (sous la protection de St Vincent de Paul) : fondée 1799 à Besançon par Ste Jeanne-Antide Thouret (1765-1826), religieuse de St Vincent de Paul, sécularisée à la Révolution, et ayant fondé sa congr. (après un exil en Suisse sur l'ordre des vicaires généraux de Besançon), pour le service et l'évangélisation des pauvres. *Maisons :* 616 dont 97 en France. *Membres :* 4 815. SŒURS DE LA CHARITÉ DE STRASBOURG (sous la protection de St Vincent de Paul). *Fondées* 1734 par le card. de Rohan. Depuis 1970 fédération de 9 congr. *Membres :* 10 000. Fondation à l'étranger. *En France :* 49 maisons et 336 membres. MISSIONNAIRES DE LA CHARITÉ. Voir Missionnaires, ci-dessous.

Chartreuses. Moniales. *Fondées* 1145. *Monastères :* 4 [France 2 : Reillanne (A.-de-Hte-Pr.) et Nonenque (Aveyron)]. *Membres :* 57.

Cisterciennes bernardines. *Membres :* 1 756. *Maisons :* 89. Voir aussi Trappistines, ci-dessous.

Cisterciennes (dites Bernardines d'Esquermes). (Voir Cisterciens, p. 524a.) Moniales. Les fondatrices issues de 3 abbayes de la Flandre française supprimée en 1789 se regroupèrent à Esquermes, près de Lille, pour y continuer leur vie monastique. *Membres :* 177. *Monastères :* 10 en Fr., Belg., G.-B., Japon, Zaïre.

Clarisses ou Ordre des Sœurs pauvres. *Fondées* 1212 par Ste Claire (1193-1253) qui s'inspira de la règle des Frères Mineurs (humilité et pauvreté). 9 congr. diff., notamment moniales clarisses, cl. colettines, cl. capucines, cl. urbanistes. Monastères autonomes, gouvernés par une abbesse (beaucoup se sont groupés en fédér. dep. 1954). Rattachées par affiliation spirituelle aux ordres des Franciscains, Capucins et Conventuels. *Maisons :* 863. *Membres :* 16 480.

Cluny (Sœurs de St-Joseph-de-). *Fondées* 1807 par Anne-Marie Javouhey (1779-1851, béatifiée 1950). Enseignantes, hospitalières et missionnaires. *Provinces :* 30 regroupant 395 communautés : Europe (111), Asie (78), Afrique et océan Indien (104), Océanie (22), Amér. et Antilles (80). *Maison mère :* 21, rue Méchain, 75014 Paris. *Membres :* 3 323.

Dominicaines. 84 congr. diff., dont **moniales domin.,** *fondées* 1206 à Prouilhe (Aude) par St Dominique. Partie de l'ordre des Frères prêcheurs. Contemplatives et cloîtrées. *Membres :* 4 343. *Maisons :* 220 (Fr., 447 mon. d. 16 monastères). **Congr. du Tiers Ordre régulier :** 35 congr. *XIIe au XVe s. :* réunions de membres du Tiers Ordre de St Dom. *1509* autorisées à prononcer des vœux. Contrairement aux moniales, exercent des activités sociales et charitables. **Petites sœurs domin. :** *fondées* 1879 à Beaune par l'abbé Victor Chocarne (1824-87). *Communautés :* France 26, Belgique 4, Espagne 2, Congo 1. *Membres :* 222.

Franciscaines. Prononcent des vœux de religion. *XIIIe s. :* 1res associations religieuses avec règle propre ; *XIVe s.* congr., activités charitables, hospitalières, enseignantes, missionnaires selon les congr. *Congrégations :* 387 du Troisième Ordre régulier de St François. *Sœurs :* 200 000.

Immaculée Conception (Sœurs de l'). *Total :* 1 346 maisons, 11 400 membres. 17 congr. diff., dont **N.-D. de Lourdes ;** *fondée* 1863 [à Lannemezan (H.-P.) par le P. Louis Peydessus (1807-82) et Eugénie Ducombs (mère Marie de Jésus crucifié, 1814-78)] transférée 1870 à Lourdes. (Accueil des pèlerins, maisons de retraites, enseignements, pastorale, paroissiale), Europe et Am. du S. *Maisons :* 45 (France 6) dans 5 provinces. *Membres :* 3 129.

Instruction chrétienne. *Congr.* 3 diff. **Sœurs de la Charité et de l'I. chr. de Nevers,** *fondées* 1680, 111 maisons, 776 membres. **Dames de l'I. chr.** (Flône, Belgique), *fondées* 1823 par Agathe Verhelle (1786-1838), Congr. de droit pontifical ; éducation. 36 maisons dont Brésil 26, Zaïre 4 et 3 Fraternités en Belgique. 375 m. **Sœurs de l'I. chr. de Gildas des Bois,** *fondées* 1820 par le P. Gabriel Deshayes et Michelle Guillaume ; éducation, promotion et service ; reste de droit diocésain ; 169 communautés.

Miséricorde (Sœurs de la). *Total :* 2 352 maisons, 23 000 membres. Non fédérées : 39 maisons autonomes, 1 190 m. *Congr. :* 60 diff., notamment la congr. amér. de l'**Union des Sœurs de la M.** Œuvres sociales et charitables, aux U.S.A. surtout enseignantes. *Maisons :* 672. *Membres :* 4 635.

Missionnaires de la Charité. *Fondées* 1950 à Calcutta par Mère Teresa (Agnès Gonxha Bojaxlisu, Albanaise de Yougosl., n. 27-8-1910), religieuse de N.-D. de Lorette, prix Nobel de la paix 1979. *Maisons :* 385. *Membres :* 3 028. *Collaborateurs bénévoles* 80 000. *Assistés* 6 millions.

Pauvres (Sœurs, Petites Sœurs ou Servantes des). *Membres :* 7 462. *Maisons :* 796. *Congr. :* 8 diff. dont sous le patronat de St François 2 (V. Franciscaines), St Vincent de Paul 3, sous l'invocation de la Providence 1 (V. Providence). **Petites S. des Pauvres :** *fondées* 1839 par Jeanne Jugan (1792-1879), béatifiée 1982. Accueil pauvres (âgés). *Maisons :* 245 dont 74 en Fr. *Membres :* 3 996. **Servantes des Pauvres de Jeanne Delanoue (dites aussi Sœurs de Jeanne Delanoue) au Service des Pauvres.** *Fondées* par Ste Jeanne Delanoue (1666-1736, canonisée 1982). *Maisons :* France 51, Madagascar 13, Sumatra 2, Mali 1. *Membres :* 400 (français et malgaches, indonésiens).

Petites Sœurs de Jésus du Frère Charles de Jésus (Père Charles de Foucauld, 1858-1916). *Fondées* 1939 [par Magdeleine Hutin (Fr., 1898-1989), en religion Sœur Magdeleine de Jésus] à Touggourt (Sahara) ; contemplatives au milieu du monde ; veulent y être une présence d'amitié dans le partage solidaire de la condition sociale des travaux manuels des pauvres, en imitation de Jésus de Nazareth, particulièrement auprès des musulmans et des minorités du quart monde. *Adresse :* 20, rue Albert-Thomas, 75010 Paris. *Membres :* 1 350 [64 nationalités, 250 « fraternités » (50 régions dont 6 rattachées aux Égl. orientales)].

Présentation (Sœurs de la). *Total :* 1 194 maisons, 8 200 membres. **Congr. irlandaise de Kildare** [*fondée* Cork (Irl.) 1775 par Nano Nagle (1718-84) : enseign ; miss. ; hosp. *Membres :* 1 860. *Maisons :* 195 (Irlande, Angl., Pakistan, Zimbabwe, Zambie, N.-Zélande, Inde, U.S.A.) De la congr. primitive sont issues 18 congr. (total *2 680 membres,* U.S.A., Can., Aust.)] ; **Congr. fr. de Bourg-St-Andéol** (Ardèche) [*fondée* par Marie Rivier (1768-1838, béatifiée 1982), *Maison généralice* à Castel Gandolfo (It.). *Maisons :* 200. *Membres :* 2 236 m.]. La 1re congr. de ce nom fondée en 1760 à Castres par Mgr de Barral et sa sœur, Félicité ; s'est unie à la précédente en 1978 : éducation, œuvres charitables, missions. Non fédérées : 39.

Providence (Sœurs de la Congr. Divine). *Total :* 458 maisons, 21 000 membres. 30 c. diff., notamment **Sœurs de la Div. Prov. de St-Jean-de-Bassel.** *Fondées* 1762 par Jean Martin Moye (1730-93). Enseignantes, soins (lépreux), promotion humaine et féminine, catéchèse, animation liturgique. Missions : Comore, Madagascar, Mayotte, Équateur, U.S.A., Allem., Belg., France, Italie. *Membres :* 918. *Maisons :* 188. **Sœurs de la Div. Prov. de Portieux,** 103, rue de Talant, 21000 Dijon. Enseignantes, hospitalières, missionnaires, professions sociales. 3 prov. : France-Belgique, Cambodge, Viêt-nam ; 4 régions : Italie, Suisse, C.-d'Ivoire, Taiwan. *Membres :* 996. *Maisons :* 173. En 1838, un rameau a formé les **Sœurs de la Div. Prov. de Gap :** missions Brésil, Mexique, Bénin, Bihar (Inde) et Bolivie. *Maisons :* 140. *Membres :* 899.

Sacré-Cœur (Sœurs du). *Sté du Sacré-Cœur de Jésus,* fondée 1800 par Madeleine-Sophie Barat (1779-1865 ; canonisée 1925) ; 1818 : implantée en Amér. du N. par Rose Philippine Duchesne (1769-1852 ; canonisée 1988). Éducation. *Communautés :* 605 dans 43 pays des 5 continents. *Membres :* 4 532.

Sacrés-Cœurs de Jésus et de Marie (Sœurs des). *Total :* maisons 649, membres 5 500 (en Italien *Sacri cuori,* « les sacrés-cœurs »). En France (de préférence) : les *Saints Cœurs. Congr. :* 11 ; notamment la *congr. des Sœurs des S.C. de Jésus et Marie de Paramé* (I.-et-V.), fondée 1853 par Amélie Fristel, tertiaire de St Jean Eudes. *Maisons :* 60. *Membres :* 377.

Sagesse (Filles de la). *Fondée* à Poitiers (Vienne) 1703 par St Louis-Marie Grignion de Montfort (1673-1716) et Marie-Louise Trichet (1684-1759). *Maisons généralice* à Rome, *mère* à St-Laurent-sur-Sèvre. Spiritualité missionnaire apostolique (priorité aux « délaissés ») et mariale. *Communautés :* 400. *Provinces :* 16. *Membres 1703-90 :* 361, *1800-1900 :* 5 092, *1900-65 :* 5 070, *1990 (31-12) :* 2 871 (dans 28 pays ; France 1 120).

Saint-Esprit (Sœurs, Petites Sœurs ou Filles du). *Total :* 898 maisons, 9 000 membres. 9 congr. diff., notamment **Filles du St-Es. de St-Brieuc,** *fondées* 1706 par dom Jean Leduger. Catéchèse, soins aux malades et personnes âgées [Neufchâteau (Vosges), existe une *c. du St-Es.* (de droit diocésain), héritière du *Grand Ordre Hospitalier du St-Es.,* fondée 1175 par Gui de Montpellier, approuvée 1198 par Innocent III] ; *Filles du St-Esprit* (Rennes). *Maisons : 331. Membres :* 2 243.

Saint-Joseph (Sœurs de). 48 congr. diff. (25 400 religieuses), notamment les 4 féd. (Fr., U.S.A., Can., It.) issues de la congr. des *Sœurs de St-Joseph,* fondée au Puy 1650 par le P. J.-Pierre Médaille, jésuite (1610-69). En France, 13 congr. (enseignantes, hospitalières, paroissiales, etc.). *Membres :* 7 900. Voir aussi Cluny, p. 526c.

Saint-Maur (Sœurs de). Dites aussi *Sœurs de l'Instruction charitable du St Enfant Jésus. Fondées* 1662, à Paris (actuellement rue de l'Abbé-Grégoire) par le P. Nicolas Barré (rel. minime, 1621-86). *Communautés :* 169. *Membres :* 1 197 (dont 13 pays).

Saint-Paul (Filles ou sœurs de). Congrégations diff. : 4. *Total.* Membres : 7 120. Maisons : 757 dont **La Pieuse Sté des Filles de St-Paul.** *Fondée* 1915 par le P. Jacques Alberione (1884-1971). Apostolat : évangélisation par les médias. *Membres :* 2 688 (238 maisons dans 35 pays). **Sœurs de St Paul de Chartres.** *Hospitalières et enseignantes* (appelées autrefois : de St Maurice de Ch.). *Fondées* 1696 par l'abbé L. Chauvet. *Missionnaires* 1727 Guyane, 1848 Extrême-Orient, 1950 Afr., 1965 Amér. latine. *Membres :* 3 944 (503 maisons dont 45 en France). **Les Sœurs aveugles de St-Paul** (1/3 le sont). De droit diocésain. 52, rue Denfert-Rochereau à Paris, fondées par la mère Anne Bergunion. Enseignement des aveugles.

Saint-Vincent-de-Paul (Sœurs de la Charité). *Total.* Maisons : 753. Membres : 7 400. 12 congr. diff., notamment les **Sœurs de la Charité de Halifax.** *Fondées* 1849 par Ste Elizabeth Ann Seton (1774-1821). *Maison mère* Halifax (Canada). Éducation. *Membres :* 1 047 (181 maisons dans 8 provinces). Région missionnaire au Pérou et dans la Rép. Dominicaine. Voir Charité p. 526b. 2 congr. de vincentines, sous le patronat de St V. de Paul (1 à Pittsburgh, U.S.A. *265 m.,* d. 31 maisons ; et 1 à Turin, It., *69 m.,* d. 11 maisons).

Sainte Famille (Sœurs, petites sœurs, filles ou servantes de la). *Total :* Maisons, 415, 4 766 membres, 22 congr. diff., notamment *Sœurs de la Ste Fam. de Villefranche-de-Rouergue* (Av.), *fondées* 1816 par Émilie de Rodat (1787-1852, canonisée 1950). Enseignement, œuvres sociales. Implantées dans 16 dép. fr. (40 maisons dans l'Aveyron), et 9 pays étr. Missions en Bolivie, C.-d'Iv., Sénégal. *Membres :* 916, 143 maisons ; **Association Ste Famille de Bordeaux,** *fondée* 1820 par l'abbé Pierre Bienvenu Noailles. Comprend 76 *religieuses contemplatives* (France, Esp., Belg., Canada, Lesotho, Sri Lanka) et 3 176 *apostoliques* (France, Esp., Angl., Allem., Belg., It., Irl., Pologne, Afr. du S., Lesotho, Cameroun, Tchad, Zaïre, Canada, Arg., Brésil, Paraguay, Pérou, Inde, Pakistan, Philippines, Sri Lanka) ; 84 *séculières consacrées* vivant dans le monde ; 1 430 *laïcs* et *prêtres associés. Maisons :* 402.

Salésiennes de Don Bosco (Sœurs). *Fondées* 1872 à Mornese (It.) par St Jean Bosco (1815-88) et par Ste Marie-Dominique Mazzarello (1837-81), sous le nom des filles de Marie Auxiliatrice. Enseignement (surtout professionnel) ; catéchèse ; centres de loisirs et d'accueil ; promotion de la femme en pays de mission. *Provinces :* 70 (Europe 35). *Membres :* 17 180. *Maisons :* 1 473.

Trappistines ou **Cisterciennes de la Stricte Observance.** Forment un seul ordre avec la branche masc. Chaque maison fém. (abbaye ou prieuré) est autonome, mais associée à un monastère masculin qui assure la direction spirituelle. *Maisons :* 60 (15 en Fr.). *Membres :* 1 896.

Ursulines (total 16 000 m.) Plusieurs congr. se rattachent à la fondation d'Angèle Merici de 1535, notamment **Ursulines de l'Union romaine.** *Membres :* 3 662 dans 29 pays. *Maisons :* 252. **Unions canadienne, irlandaise, de Chatham, de Thildonck,** etc. Communautés autonomes (dont plusieurs membres de la *Féd. all.*). Enseignement, catéchèse, missions. *Non fédérées :* 41 maisons autonomes. *Membres :* 1 761.

Visitation Sainte Marie. Ordre contemplatif. *Fondé* à Annecy (1610) par St François de Sales (1567-1622 ; canonisé 1665 ; docteur de l'Église 1877) et Ste Jeanne de Chantal (1572-1641 ; canonisée 1767). Dep. 1952, les monastères (tout en restant autonomes) sont groupés en 19 féd. (2 en Fr.). *Membres* 4 000 (166 monastères).

Associations catholiques internationales

Conférence des organisations internationales catholiques (groupant 35 org. membres, 4 org. associées, 10 org. invitées) : 37/39, rue de Vermont, 1202 Genève. *Adm. :* Rudi Ruegg.

Aide à l'Église en détresse. *Fondée* 1947 par le P. Werenfried Van Straaten (religieux prémontré), reconnue par le St-Siège. Réunit + de 600 000 bienfaiteurs et donateurs. *Publications :* « Bulletin », bimestriel ; « Chrétiens de l'Est » trimestriel ; « AED-Jeunes » bimestriel. *Adresse en France :* B.P. 1 – 29, rue du Louvre, 78750 Mareil-Marly.

Bureau international catholique de l'enfance (B.I.C.E.). *Fondé* 1948. Statut consultatif auprès de l'ECOSOC, l'UNESCO, l'UNICEF et le Conseil de l'Europe. *Secrétariats :* Genève, Paris, New York, Montevideo, Abidjan. *Publications :* « L'Enfance dans le monde », également en anglais et en espagnol, « Enfants de partout ». *Effectifs :* 210 m. (24 actifs, 105 organisations associées, 81 m. individuels) dans + de 40 pays env. *Secr. gén. :* François Rüegg. *Adresse :* 65, rue de Lausanne, 1202 Genève. 19, rue de Varenne, 75007 Paris.

Caritas Internationalis. *Créée* 1950, par 12 Caritas nationales. En 1991, organismes dans 152 pays (services sociaux, secours d'urgence, développement communautaire, etc.). Statut consultatif auprès de : Conseil de l'Europe, ECOSOC, FAO, ILO, UNESCO, UNICEF. *Pt. :* card. Alexandre do Nascimento. *Assemblée générale :* tous les 4 ans. *Secr. gén. :* Palazzo San Calisto 00120 Vatican. *Branche française :* Secours catholique/Caritas France.

Centre catholique international de coordination pour l'UNESCO (C.C.I.C.). *Fondé* 1947 par le chanoine Jean Rupp. *Buts :* aide 25 organismes cath. Statut consultatif auprès de l'UNESCO. 6 *revues* ou *bulletins. Membres :* 150 (de 80 pays diff.), groupés en une association de soutien. *Adresse :* 9, rue Cler, 75007 Paris. *Secr. gén. :* Jean Larnaud.

Commission internationale catholique pour les migrations. *Fondée* 1951. *Secr. gén. :* Dr André Van Chau. 37-39, rue de Vermont, 1202 Genève.

Fraternité séculière de St François (avant : Tiers Ordre Franciscain). *Fondée* par St François d'Assise (1220) à la demande des laïcs mariés ou célibataires qui aimaient sa spiritualité. *Personnalités marquantes :* Frédéric Ozanam (voir Sté de St Vincent de Paul), Léon Harmel (1829-1915) ; Marieus Gonin et Eugène Duthoit, liés à la fondation des « Semaines Sociales ». *Publication :* « Arbre ». *Effectifs* (en Fr.) : 8 000 m. *Secr. nat. :* 27, rue Sarrette, 75014 Paris.

Mouvement international d'apostolat des enfants (Midade). *Fondé* 1962 à Paris. Statut consultatif auprès du BIT, de l'ECOSOC, l'UNICEF. Regroupe mouvements de 47 pays. *Publication :* « Enfants en mouvement ». *Secrétariat général :* 8, rue Duguay-Trouin, 75006 Paris.

Mouvement international des étudiants catholiques (M.I.E.C.). *Fondé* 1921 à Fribourg (Suisse). *Fédérations* dans 68 pays. *Pt :* Carles Torner. *Vice-Pte :* Olga Lawrencia Kwark. *Adresse :* 171, rue de Rennes, 75006 Paris.

Mouvement international des intellectuels catholiques (M.I.I.C.). *Fondé* 1947. *Adresse :* 37-39, rue de Vermont, B.P. 85, 1211 Genève.

Mouvement international de la jeunesse agricole et rurale catholique (M.I.J.A.R.C.). *Fondé* 1954 par H.A.C. Middelweerd (P.-Bas) et Flore Herrier (Belg.). *Statut* consultatif auprès de l'UNESCO. *Membres :* 2 000 000, dans 60 pays. *Publication :* « M.I.J.A.R.C.-Nouvelles » (trim.). *Pt :* Alfonso Tenorio Polo. *Adresse :* Tiensevest 68, B. 3 000 Leuven, Belgique.

Organisation catholique internationale du cinéma et de l'audiovisuel (O.C.I.C.). *Fondée* 1928. *Publications :* « Cine & Media », bimestriel en français, anglais et espagnol dans 157 pays, livres « Cinemedia ». *Pt :* Henk Hoekstra. *Adresse :* 8, rue de l'Orme, B-1040 Bruxelles (Belgique).

Pax Christi et **Pax Christi-Secteur Jeunes.** *Fondé* 1945 se présente comme : *un service de recherche et d'information* sur les problèmes de la paix, de la justice et de la sauvegarde de la Création : anime en Fr. la semaine de la Paix et la journée mondiale de la Paix ; *un mouvement d'éducation au service de la paix* (intern., politique, sociale, spirituelle) ; *un groupement de chrétiens* cherchant en équipe à faire prévaloir paix et justice dans les comportements pol. et sociaux (campagnes d'opinion, accueil aux étrangers, centres de rencontres intern., routes intern., fraternités). ONG présente au C. de l'Europe, à l'UNESCO et à l'ONU. *Membres :* 2 000. *Pt intern. :* Mgr Danneels, archev. de Malines-Bruxelles, cardinal ; *Pt national :* Mgr Joseph Rozier, év. de Poitiers ; *Secr. nat. français :* 18, rue Cousté, 94230 Cachan. *Publication :* « le Journal de la Paix ».

Société de Saint Vincent de Paul. *Fondée* 1833 par Frédéric Ozanam (1813-53) et un groupe d'étudiants. *Vocation :* lutter contre toutes formes de pauvreté, de souffrance et de sous-développement physique, matériel, culturel ou moral, par une action fraternelle et personnalisée visant à la promotion des plus déshérités (enfants, jeunes, personnes âgées, malades, handicapés, migrants, réfugiés, marginaux, prisonniers...). Plus de 5 000 jumelages, des milliers d'œuvres et institutions spécialisées. *Membres* (hommes, femmes, jeunes) : 850 000 en 44 600 « Conférences » (équipes) dont environ les 2/3 dans les pays en développement. *France :* reconnue d'utilité publique. 15 000 membres dans 1 300 conférences. *Pt international :* Amin A. De Tarrazi. *Pt national :* Gérard Gorcy. *Publications, nationale :* « Les Cahiers Ozanam » ; *intern. :* « Vincenpaul ». *Adresse :* 5, rue du Pré-aux-Clercs, 75007 Paris.

Union catholique internationale de la presse (U.C.I.P.). *Fondée* 1927 à Bruxelles par René Delforge. Présente dans 94 pays. *Pt :* Jean-Marie Brunot (Fr.). *Publication :* U.C.I.P. Informations (trim.) 4 000 ex. *Secr. gén. :* case postale 197, 1211 Genève 20, Suisse.

L'Église en France

Quelques dates

V. 150 fondation de l'Église de Lyon, si l'on tient pour authentique une lettre de « chrétiens lyonnais et viennois », racontant, en 177, le martyre des chrétiens lyonnais (notamment de St Pothin, évêque, et de Ste Blandine, vierge) et transcrite par Eusèbe de Césarée au chap. V de l'*Histoire ecclésiastique* (début du IVe s.). Certains pensent qu'Eusèbe a situé en Gaule occidentale une persécution qui a eu lieu en Gaule orientale ou Galatie (Asie Mineure), sous le proconsulat d'Arrius Antoninus, pendant le règne de Marc Aurèle. La présence d'une forte communauté de chrétiens d'origine phrygienne émigrée à Lyon dès le IIe s. leur paraît improbable. La 1re inscription chrétienne trouvée à Lyon date de 240 ; le 1er évêque de Lyon, mentionné sur un document historique (258), est Faustin, 5e év. de la liste traditionnelle. **200-250** fondations d'Églises épiscopales à Arles (St Trophime), Marseille (St Victor), Narbonne (St Paul), Toulouse (St Sernin), Vienne (St Crescens), Trèves (St Euchaire), Reims (St Sixte), Paris (St Denis), Autun (St Réticius). **250** persécution de Dèce, la seule sans doute qui ait frappé la Gaule, car les édits de Dioclétien (303-11) n'y furent pas appliqués. Martyre de St Saturnin ou Sernin, év. de Toulouse. **313** l'*Édit de Milan* favorise la christianisation des cités gallo-romaines, les cadres politico-religieux étant devenus chrétiens : 34 ou 36 diocèses dénombrés en Gaule en 314. **IVe-VIe s.** Les *basiliques* (édifices civils romains) utilisées pour le culte cath. sont remplacées peu à peu par des cathédrales, édifiées sur les *martyriums* ou tombeaux des martyrs. Les églises gauloises, ne possédant pas de reliques de martyrs, les font venir d'Italie. De cette époque subsistent ainsi : *N.-D.-de-Nazareth* à *Vaison-la-Romaine :* 3 absides du VIe s. ; *St-Sauveur* à *Aix :* baptistère des IVe-Ve s. ; *Notre-Dame* à *Fréjus :* baptistère du Ve s. ; *N.-D. de Rouen :* vestiges de la 1re cathédrale (395-96), construite pour St Victoire. **V. 400** 114 diocèses et 17 métropoles. **410-507** les rois wisigoths, ariens militants, mènent une politique anticath. en Gaule (notamment en laissant les sièges épiscopaux vacants) ; les Burgondes sont moins hostiles (païens faiblement arianisés).

496 *Baptême de Clovis,* roi des Francs (païen) ; le sacre confère au roi un caractère sacré et un pouvoir religieux ; le roi est le protecteur des églises du roy., le défenseur de la foi cath. contre les ariens antitrinitariens. **507** *Vouillé.* Clovis, appelé par les évêques « soldat de la Trinité », bat les Wisigoths, qui se maintiennent seulement en Septimanie (où la noblesse restera arienne, comme en Esp., sympathisant avec les musulmans aux VIIIe-IXe s., puis favorisant le catharisme antitrinitarien). **511** concile national d'Orléans, réservant au roi franc la nomination des clercs, sauf pour les fils et petits-fils de prêtres, qui ont droit d'office au sacerdoce (le célibat est peu respecté jusqu'au XIe s.). **V. 590** arrivée en Gaule de St Colomban (Irl.) et début du monachisme irl. en Fr. (abbaye principale : Luxeuil ; autres centres : St-Gall, Stavelot-Malmédy, Rebais, Jumièges, Corbie, Remiremont, Fontenelle) ; la règle de St Benoît, moins rigoureuse, y supplantera la règle irl. à partir du IXe s. **632-39** règne de Dagobert sur la Fr. unifiée ; christianisation des campagnes (*St Éloi :* Noyonnais ; *St Ouen* : Roumois ; *St Didier* : Quercy ; *Bonitus :* Auvergne ; *Bodégisèle :* Maine). **866** l'arch. Hincmar de Reims affirme les droits des églises métropolitaines contre l'autorité papale. **V. 875** rédaction du martyrologe d'Usuard, qui crée le culte des saints, notamment celui des saints évêques locaux. La Gaule, ayant peu de martyrs attestés, Usuard adapte les *acta martyrum* d'Afrique, d'Orient et d'Italie.

1082 1re mention, en Provence, des saintes Maries de la Mer et de St Lazare qui auraient fondé, dès le Ier s., les églises d'Aix et de Marseille (origine admise officiellement en 1102 par la papauté). **1209** *24-6 : Croisade contre les « albigeois »* (hérétiques cathares), se terminera en 1244 par la réduction de la forteresse cathare de *Montségur* (dernier prolongement : résistance du château de *Quéribus,* 1255). **1396-98** concile de Paris, début du *gallicanisme politique,* qui affirme l'indépendance temporelle du roi, la liberté de l'Église gallicane et la supériorité des conciles généraux sur le pape. **1438** *Pragmatique Sanction de Bourges* accordée à Charles VII : les 3 principes *gallicans* du concile de Paris sont reconnus ; le roi obtient 2 privilèges : nomination aux bénéfices ecclésiastiques (après une « élection canonique » purement formelle), suppression des *annates* (paiement au pape d'un % sur les bénéfices ecclésiastiques). Elle ne sera appliquée que dans le domaine royal. Abolie en 1461, elle est rétablie en 1499. **1512** *21-4* Louis XII fait déposer le pape Jules II par le concile de Milan, au nom de la *Pragmatique Sanction ;* puis, les Fr. sont chassés d'It. par les Suisses ; *10-12,* le Ve concile du Latran abolit la *Pr. Sanction.*

1516 *Concordat de Bologne,* François Ier renonce à subordonner le pape au Concile, obtient de Léon X le droit de nommer aux évêchés et aux grands bénéfices ecclésiastiques (le pape se contentant de conférer l'institution canonique et renonçant en outre à certaines taxes). **1622** *20-10* Paris érigé en archevêché, détaché de Sens. **1682** l'Assemblée du clergé rappelle dans la *Déclaration des 4 articles* les libertés de l'Égl. gallicane. Louis XIV en rend l'enseignement obligatoire par les prof. de théologie, mais y renonce en 1693 contre la reconnaissance du *droit de régale,* qui lui permet de percevoir les revenus des bénéfices vacants. **1731-32** affaire des convulsionnaires de St-Médard. Le diacre *Pâris* (1690-1727), janséniste fervent, avait été enterré au cimetière de St-Médard. Les jans. s'y rendaient, en pèlerinage ; il s'y produisait des guérisons soudaines et des convulsions. Le 15-7-1731, Mgr de Vintimille, archevêque de Paris, ferma le cimetière et obtint du pape un décret et un bref interdisant le culte du diacre Pâris. Le Parlement de Paris, favorable aux jansénistes, refusa d'enregistrer ces actes.

1789 les biens du clergé sont sécularisés (confisqués). *11-8* les dîmes perçues par le clergé sont abolies. **1790** *3-7* la Constituante supprime les congrégations à vœu solennel. *12-7* Constitution civile du Clergé, visant à créer une Église nationale (un diocèse par département ; curés et évêques élus par le peuple). *24-8* le roi donne sa sanction. *27-11* décret Voidel, exigeant que les prêtres jurent fidélité à la nouvelle Constitution. *26-12* le roi donne sa sanction. **1791** *4-1* à l'Assemblée nationale, 42 évêques sur 44 refusent publiquement le serment (exceptions : Talleyrand, Jean-Baptiste Gobel). *24-2* Talleyrand sacre évêques 2 prêtres jureurs. *13-4* les prêtres qui jurent la Constitution (assermentés ou « jureurs ») sont déclarés suspens par le pape (le roi cesse de les reconnaître). *18-11* les prêtres *réfractaires* (« non jureurs ») sont mis hors la loi (veto royal). **1792 Religion civique.** Prévoyait dans les communes un autel de la patrie ; symboles, cocarde (port obligatoire le 8-7-1792 pour les hommes, le 21-9-1793 pour les femmes), arbres de la liberté, tables de la Déclaration des droits de l'Homme et de la Constitution, offertes à la vénération publique ; culte avec cérémonies et lectures de la Constitution. **1793.** *28-4* loi de bannissement et déportation des prêtres réfractaires. *9-11* abjuration du clergé (constitutionnel) de Paris : conduit par Chaumette (procureur de la Commune) et par Gobel (évêque const.), il dépose ses lettres de prêtrise à la tribune de la Convention. Imité par les conventionnels ecclésiastiques (exception : Henri Grégoire, év. const. de Loir-et-Ch.). Gobel sera guillotiné avec les hébertistes le 14-4-1794. *20-11* **Culte de la Raison,** organisé à N.-D. de Paris par les hébertistes. **1794** *8-6* solennité de l'**Être suprême** où Robespierre officie (religion rousseauiste : le législateur est le « prêtre du bonheur du peuple »). **1795** *21-12 (3 ventôse an III) séparation des Égl. et de l'État* (les prêtres de l'Égl. constitutionnelle ne sont plus payés ; les prêtres non jureurs sont tolérés en civil ; pas de lieux de culte reconnus). **1797** *27-4* annulation des lois frappant les gens d'Église. *1-6 (20 prairial an V) :* rapport Camille Jordan [1771-1821 (surnommé ensuite Jordan-les-Cloches)], rendant les églises aux cath. *5-9 (19 fructidor an V) :* les mesures d'apaisement sont révoquées (« 2e Terreur ») ; 2 000 prêtres déportés en Guyane, Ré, Oléron (« fructidorisés »).

1801 *(17-7) (28 messidor an IX) : Concordat* entre Bonaparte et Pie VII : le catholicisme est reconnu comme la religion de la majorité des Fr. ; les circonscriptions diocésaines restent calquées sur les départements ; le clergé reçoit une indemnité de l'État (traitement annuel), contre la renonciation de l'Église aux biens confisqués ; le 1er Consul nomme les évêques, mais ils sont institués par le pape ; les évêques nomment les curés. 93 évêques survivants de l'Ancien Régime sont invités à démissionner (en vertu de l'art. III du Concordat, par une lettre circulaire du pape, datée du 15-8-1801), 55 obéissent, 38 (émigrés, en majorité à Londres) refusent. Les non-démissionnaires ne sont plus que 3 en 1817 (voir Petite Église, p. 542a). **1802** *8-4* Bonaparte introduit le Concordat (acte diplomatique) dans la législation française : loi comportant 77 *articles organiques,* rétablissant le gallicanisme politique ; non reconnus par le St-Siège, ils seront appliqués unilatéralement par le « ministère des Cultes » jusqu'en 1905. **1813, 1817,** 2 projets de modifier le Concordat de 1801 n'aboutissent pas. **1822** rétablissement symbolique des évêchés et archevêchés d'avant la Révolution. Leurs titres sont cumulés par évêques et archevêques des nouvelles circonscriptions qui les englobent (par ex., l'archev. d'Avignon est en même temps év. d'Apt, Carpentras, Orange, Vaison, Cavaillon). **1822-77** *(jusqu'à l'arrivée au pouvoir des anticléricaux) :* rechristianisation (en 1876 : 55 369 prêtres séculiers, 30 287 religieux, 127 753 religieuses). **1871** l'évêque d'Oran, Irénée Callot (Lyonnais, 1814-76), tente de faire régler par le concile de Vatican I la question du refus du concordat de 1801 (échec). Les anti-infaillibilistes fr. s'allient à la Petite Égl. dissidente. **1872** dernier recensement demandant l'appartenance religieuse. **1879** suppression de la loi de 1816, interdisant le travail du dimanche. **1880** *décrets contre les congrégations* non autorisées (suppression de 261 établissements comptant 5 643 religieux, notamment les jésuites). **1881** laïcisation des hôpitaux, pompes funèbres, cimetières ; retrait du crucifix dans les tribunaux. **Mars 1882-oct. 1886** *lois sur l'enseignement primaire laïque.* **Juillet 1889** *loi obligeant les ministres du culte* à faire leur service militaire. **1890** « ralliement » v. p. 637a. **1901** *1-7 loi sur les associations.* [L'art. 13 restreint le droit des *congrégations* (autorisation légale obligatoire) ; l'art. 16 définit le « délit de congrégation ».] Sur 1 665 c. (154 d'hommes, 1 511 de femmes) 910 étaient autorisées dont 4 d'h. (Missions étr. de Paris, 1815 ; Spiritains, 1816 ; Sulpiciens, 1816 ; Lazaristes, 1816), 906 de f. Mais 276 c. féminines autorisées possédaient des établissements non encore déclarés, pour lesquels elles avaient négligé ou refusé de demander l'autorisation partielle. Sur 150 c. d'h. non autorisées, 64 déposent une demande d'autorisation (pour 2 001 établissements) ; 86 refusent. Sur 601 c. de f. non aut., 532 déposent une demande (pour 6 799 ét.), 69 refusent. Finalement, 448 demandes (1 958 ét. d'h. et 4 986 de f.) sont soumises au Parlement ; 148 demandes (pour 1 243 de f.) sont soumises au Conseil d'État. La Chambre rejette en bloc toutes les demandes, sauf celle des Trappistes (non autorisés mais non interdits : leur dossier reste en attente jusqu'à la g. de 1914 qui met fin aux expulsions). Les congr. non autorisées sont dissoutes ou s'exilent (13 904 écoles fermées sur 20 823). *Total des immeubles possédés par les congr. :* 48 757 ha ; 1 072 millions de francs-or (« le milliard des congr. »). *Total des établissements non autorisés et confisqués :* 25 000 ha, 440 millions de francs-or. **1904** *7-7* interdiction totale de l'enseignement congréganiste (fermeture des écoles même autorisées). *30-7 rupture des relations diplomatiques* avec Rome à la suite d'un incident dipl. : le 24-4, le Pt de la Rép. s'est rendu à Rome en visite officielle auprès du roi d'Italie, sans aller saluer le pape. Le St-Siège a protesté (note diplomatique adressée aux chancelleries étrangères). Le Pce de Monaco, anticlérical, a donné cette note à Jaurès, qui l'a publiée en 1re page de « l'Humanité ». Combes

Conciles pléniers nationaux

Convoqués par les archevêques, ils réunissent tous les évêques d'un pays. L'autorisation papale est nécessaire (sauf pour ceux convoqués par patriarches syriens et coptes). Le pape est représenté par un légat. Il y a eu de nombreux conciles nat. gallicans. Arles (314, 524, 1059, 1234), Poitiers (1078), Aix-la-Chapelle (816), Worms (829), Quierzy (858), Troyes (429, 862, 1104, 1128), Reims (625, 991, 1049, 1119). Paris : nombreux dep. XIIIe s., derniers : 1521, 1615*, 1635*, 1642*, 1656*, 1661*, 1681-82*, 1745*, 1762*, 1811.

Nota. – (*) Nom officiel : assemblée générale du clergé de France.

Catharisme

Mouvement religieux apparenté au christianisme, mais mêlé de *manichéisme* (philosophie admettant l'existence d'un Dieu du Mal à côté d'un Dieu du Bien). Les manichéens ont été pourchassés par l'Église catholique en Europe occidentale dep. le XIe s. Ils ne se sont implantés solidement que dans l'ancienne Septimanie (Narbonnaise), possession wisigothique (arienne) du Ve au VIIIe s., puis musulmane au VIIIe-IXe s. Les *Cathares,* comme ariens et musulmans, croient en un Dieu-Esprit, d'une pureté absolue, dont l'incarnation est impensable, la chair étant foncièrement mauvaise. Seuls quelques « bons hommes » (prêtres et ascètes) peuvent prétendre à la perfection morale. Les autres sont dispensés de rechercher la sainteté ; il leur suffit d'avoir de temps en temps la bénédiction d'un « Bon Homme » pour se retrouver en règle avec Dieu.

saisit cette occasion pour rompre. **1905** *9-12 séparation de l'Église et de l'État,* décidée par le gouvernement. Abroge le Concordat de 1801, mais maintient les lois sur les congrégations. **1906** *printemps* affaire *des inventaires ;* dans de nombreuses églises et maisons religieuses, notamment en Bretagne, ou à Paris (St-Clotilde, St-Pierre-du-Gros-Caillou) échauffourées entre police et fidèles massés devant les portes ; seuls seront déférés devant les tribunaux ceux qui ont ceinturé les commissaires de police voulant ouvrir les tabernacles. *12-7* amnistie générale.

1907 *8-10* Pie X institue le *denier du culte,* que les cath. sont tenus *en conscience* (sous peine de péché) de verser pour l'entretien de leur clergé. *% des revenus recommandé :* 1 j de salaire pour les salariés ; le rev. d'une journée moy. de l'année pour les non-salariés. **1908** *7-3* excommunication de l'abbé *Alfred Loisy* (1857-1940), chef de la tendance moderniste, condamné l'année précédente par l'encyclique *Pascendi* (il est nommé en 1909 prof. d'histoire des religions au Collège de Fr. ; prend sa retraite en 1931 ; écrit sa défense dans *Un mythe apologétique* en 1938). *13-4* loi permettant d'attribuer à des œuvres de bienfaisance laïques dons et legs faits à l'Église cath. même si le donateur fait opposition. **1910** *25-8* condamnation du mouv. chrétien de gauche, *le Sillon,* formé vers 1894 par Marc Sangnier (1873-1950).

1919-39 la plupart des congr. supprimées se reforment en France sans être inquiétées. Après le retour de l'Alsace-Lorraine, en 1918, le Concordat de 1801 continue à être appliqué dans le Bas-Rhin, le Haut-Rhin et la Moselle. Les év. de Metz et de Strasbourg sont désignés par l'État qui rémunère les prêtres. **1921** rétablissement des relations diplomatiques avec le St-Siège. **1924** *18-1* Pour la possession des biens ecclésiastiques acquis depuis 1905, de nouveaux organismes, reconnus par la loi civile française, sont autorisés par Pie XI dans son encyclique *Maximam gravissimamque* sous la forme d'associations cultuelles diocésaines respectant la hiérarchie de l'Église. Pie XI aurait souhaité le vote d'une loi, qui aurait été quasi concordataire. Mais Poincaré reconnaît les « diocésaines » par un simple acte administratif, les assimilant aux associations cultuelles prévues par la loi du 9-12-1905.

1940-42 régime de Vichy, modifiant en partie la législation religieuse, notamment par ces 8 actes (lois) : *3-9-1940* abrogeant l'art. 14 de la loi de 1901 et la loi du 7-7-1904 ; *21-2-1941* autorisant les Chartreux ; *4-4-1941* sur les hospitalières employées dans certains établissements hospitaliers ; *30-5-1941* étendant la capacité de certaines congrégations autorisées ; *8-4-1941* (n° 504) élargissant le régime d'exemption des impôts exceptionnels sur les biens des congrégations ; *8-4-1941* (n° 505) supprimant le délit de congrégation et permettant la reconnaissance des congrégations par décret ; *24-10-1942* supprimant les impôts d'exception : *31-12-1942* sur l'incorporation d'immeubles dans le patrimoine des congrégations qui seraient reconnues. **1943,** sept. parution de *la France, pays de mission ?* des abbés Henri Godin (1906-44) et Yvan Daniel (1936-86). Il déterminera la création (1944) de la Mission de Paris, puis (1947) des prêtres-ouvriers.

1958-76 11 « congrégations » demandent et obtiennent l'autorisation. **1959** *14-9* le Vatican met fin à l'expérience des prêtres-ouvriers. *11-12 loi Debré* accordant des subventions à l'école libre. **1970** fondation à Écône (Suisse), par Mgr Marcel Lefebvre, d'un séminaire traditionaliste (voir p. 503). **1972** carte des diocèses remaniée ; les 18 provinces ecclésiastiques sont remplacées par 9 régions apostoliques (mais les anciens archevêchés conservent leurs « officialités métropolitaines » recevant les appels des officialités diocésaines). **1980** *30-5 au 2-6* Jean-Paul II en Fr. (Paris, Lisieux). **1984** *24-6* manifestation des cath. pour l'école libre, avec l'approbation de Jean-Paul II (3 prélats français sont hostiles : Gaillot, Fihey, Honoré). Le projet de loi adopté par l'Assemblée est retiré ; de nouveaux textes votés reconnaissent le pluralisme scolaire et l'association des établissements par contrat dans l'esprit de la loi Debré.

1986 *26-6* accord entre l'épiscopat français et le Comité catholique contre la faim et pour le développement (C.C.F.D.), accusé par certains de subventionner des actions révolutionnaires dans le tiers monde, sur ses méthodes de sélection, de réalisations financées dans le tiers monde. *Oct.* Jean-Paul II dans la région lyonnaise [coût : 8 millions de F (le diocèse de Lyon a un déficit de 3,5 millions)]. **1987** *27-2* l'État remet en question la loi de 1881 laissant 1 j par semaine sans cours à l'école pour permettre l'enseignement religieux (d'abord jeudi, puis mercr.). *Avril* bagarres à Port-Marly entre conciliaires et intégristes, pour la possession de l'égl. St-Louis. **1988** *8-10* Jean-Paul II à Strasbourg visite l'Assemblée européenne. **1989** *31-7* 18 clarisses d'Aubazines (Corrèze) décident de rompre avec Rome pour se placer sous l'autorité du patriarche grec d'Antioche, Ignace IV.

Organisation

☞ **Conseil des Églises chrétiennes en France.** *Créé* 1987. *Membres :* 7 catholiques (dont 6 évêques dont le Pt et le vice-Pt), 7 protestants, 7 orthodoxes et arméniens, 1 observateur anglican.

Circonscriptions diocésaines

• **Évolution. Ancien régime** (avril 1789). *Diocèses :* 141 évêchés ou archevêchés dont 4 en Corse (annexés 1768) et l'évêché de Bethléem (voir ci-dessus). En outre, *6 évêques étrangers avaient juridiction sur des paroisses faisant partie du royaume :* Ypres, Tournai, Liège, Spire, Bâle (siégeant à Porrentruy), Genève (siégeant à Annecy). *6 év. français avaient juridiction sur des territoires étrangers :* Cambrai (P.-B.), Strasbourg (Allem.), Carpentras, Cavaillon, Vaison (Comtat), Comminges (Esp.). *Sur 141 diocèses, 122 étaient « réputés français »* (ils devaient payer le « don gratuit » au roi) ; *19 étaient « réputés étrangers »* et payaient au roi des redevances spéciales : Corse 4, et territoires annexés après le XVIe s. : 15 Cambrai, Besançon, Strasbourg, Metz, Toul, Verdun, Arras, St-Omer, Belley, Orange, Perpignan, Elne, St-Claude, Nancy, St-Dié. **1810 :** (avec les annexions) 23 a., 75 é. ; **17 :** 7 a., 33 é. ; **20 :** 9 a., 41 é. ; **23 :** 13 a., 61 é. ; **26 :** 14 a., 65 é. ; **59 :** 16 a., 65 é. ; **60 :** 17 a., 68 é. ; **71 :** 17 a., 66 é. ; **1918 :** 17 a., 68 é. ; **82 :** 18 a., 96 é. (créations : 1948 a. de Marseille ; 1966 é. de Corbeil, Créteil, Nanterre, Pontoise, St-Denis ; 1970 é. de St-Étienne ; 1976 é. du Havre ; 1979 é. de Belfort-Montbéliard).

• **Nombre actuel.** 95 *diocèses* répartis en 9 *régions apostoliques* et dirigés par 93 évêques ou archevêques, nommés par le pape. Le titre d'archevêque est porté par les chefs des 18 *archidiocèses :* Marseille et les 17 sièges métropolitains, chefs-lieux de provinces ecclésiastiques ayant plusieurs évêchés *suffragants.*

Départements comptant plus d'un diocèse : Savoie 3 (Chambéry, Maurienne, Tarentaise : administrés par le même prélat) ; B.-du-Rh. 2 (Aix, Marseille) ; Marne 2 (Reims, Châlons) ; Nord 2 (Cambrai, Lille) ; Seine-M. 2 (Le Havre, Rouen). *Diocèses couvrant plus d'un département :* Bourges 2 (Cher, Indre) ; Limoges 2 (Hte-Vienne, Creuse) ; Poitiers 2 (Vienne, Deux-Sèvres) ; Reims 1 1/2 (nord de la Marne, Ardennes) ; Besançon 1 1/2 (Hte-Saône, ouest du Doubs) ; Belfort-Montbéliard 1 1/2 (Belfort, est du Doubs) ; Lyon 2 [Loire (arrondissement de Roanne), Rhône]. *Diocèses ayant fictivement 2 noms :* Nancy (+ Toul), Périgueux (+ Sarlat), Toulon [+ Fréjus (dont la cath. St-Léonce est dep. 1975 « co-cathédrale »)], Dax (+ Aire ; évêché à Dax dep. 1933), Auxerre [+ Sens (archevêché et résidence à Auxerre dep. 1973)], etc. *Évêques résidant au chef-lieu du dép., et non dans leur ville épiscopale :* St-Dié (résidence à Épinal) ; Belley-St-Claude (à Lons-le-Saunier).

• **Diocèses de métropole par régions** (en italique les 18 archevêchés) : **Sud-Ouest :** Agen, Aire et Dax, Angoulême, Bayonne, *Bordeaux,* La Rochelle, Limoges, Périgueux, Poitiers, Tulle. **Provence-Méditerranée :** *Aix et Arles,* Ajaccio, *Avignon,* Digne, Fréjus et Toulon, Gap, *Marseille,* Montpellier, Nice. **Midi-Pyrénées :** *Albi, Auch,* Cahors, Carcassonne, Mende, Montauban, Pamiers, Perpignan et Elne, Rodez, St-Flour, Tarbes et Lourdes, *Toulouse.* **Nord :** Amiens, Arras, Beauvais, *Cambrai,* Châlons-sur-M., Évreux, Langres, Le Havre, Lille, *Reims, Rouen.* **Ouest :** Angers, Bayeux et Lisieux, Coutances, Laval, Le Mans, Luçon, Nantes, Quimper, *Rennes,* St-Brieuc, Sées, Vannes. **Centre-Est :** Annecy, Autun, Belley, *Chambéry* (+ Maurienne + Tarentaise), Clermont-Ferrand, Grenoble, Le Puy, *Lyon,* St-Étienne, Valence, Viviers. **Centre :** Blois, *Bourges,* Chartres, Moulins, Nevers, Orléans, *Sens, Tours.* **Est :** Belfort-Montbéliard, *Besançon,* Dijon, Metz (concordataire), Nancy, St-Claude, Strasbourg (concordataire), Verdun. **Région parisienne :** Corbeil-Essonne, Créteil, Meaux, Nanterre, *Paris,* Pontoise, St-Denis-en-France, Versailles.

Nota. – Il existe, en outre : *1 vicariat aux armées* (Mgr Michel Dubost, n. 15-4-1942) ; *1 prélature territoriale* (la Mission de France) ; *2 exarchats* pour les fidèles de rite oriental : Ukrainiens-catholiques, Arméniens-catholiques.

• **Outre-mer.** *Fort-de-France,* Basse-Terre et Pointe-à-Pitre, Cayenne, St-Denis de la Réunion, *Nouméa, Papeete,* Taiohae, Wallis-et-Futuna. St-Pierre-et-Miquelon est vicariat apostolique.

Conférences de carême

1835 (8-3) Père Lacordaire qui prêchera jusqu'en 1851. **1946** P. Michel Riquet, jésuite. **1956** P. A.M. Carré, dominicain (de l'Académie fr.). **1965** P. Jacques-Yves Calvez, jésuite. **1988** *21-1* P. Bernard Dupuy, *28-2* P. René Laurentin, *6-3* P. Bernard Sesboüé, *13-3* Claude Savart, *20-3* Marie-Hélène Mathieu (laïque, 59 ans, fondatrice en 1963 de l'Office chrétien des handicapés et inadaptés, Pte du mouv. Foi et Lumière), 1re femme à prêcher à N.-D. **1989** Mgr Gérard Defois, recteur des Fac. catho. de Lyon.

Évêchés et cathédrales

Légende : (1) Cathédrales existantes, sièges actuels. (2) Cath. existantes, anciens sièges. (3) Cath. disparues. En italique, archevêché.

Paris et région parisienne. *Paris.* Paris [1]. *Seine-et-M. :* Meaux [1]. *Yvelines :* Versailles [1]. *Essonne :* Corbeil [1]. *Hts-de-Seine :* Nanterre [1]. *Seine-St-Denis :* St-Denis en France [1]. *Val-de-M. :* Créteil [1].

Province. Ain : Belley [1], Bourg-en-Bresse [3]. **Aisne :** Soissons [1], Laon [2], St-Quentin [3], Vermand [3] (transféré à Noyon au VIe s.). **Allier :** Moulins [1]. **Alpes-de-Hte-Prov. :** Digne [1] [cath. : ancienne N.-D. du Bourg (XVIIIe s.), actuellement St-Jérôme (XVe s.)], Riez [3], Sisteron [2], Entrevaux [2], Senez [2], Forcalquier [2], Glandèves [3] (IVe, Ve s. transférés à Entrevaux), Thorane [3] (Rigomagus) et Castellane [3] (Salinas, IVe s. unis à Senez au VIe s.). **Htes-Alpes :** Gap [1], Embrun [2] (titre « relevé » par l'archevêque d'Aix). **Alpes-mar. :** Nice [1], Vence [2], Grasse [2], Cimiez [3] (a coexisté avec Nice au Ve s., fouilles), Antibes [3] (transféré à Grasse au XIIIe s.). **Ardèche :** Viviers[1]. **Ardennes :** relève de Reims (51) [1]. **Ariège :** Pamiers [1], St-Lizier [2] (capit. de Couzerans), Mirepoix [2]. **Aube :** Troyes [1]. **Aude :** Carcassonne [1], Narbonne [2] (titre « relevé » par l'Archev. de Toulouse), Alet [2] (en ruines), St-Papoul [2]. **Aveyron :** Rodez [1], Vabres [2]. **Bouches-du-Rhône :** *Aix-en-Prov.* [1], Arles [2] [le titre d'archev. d'Embrun (05) a été également « relevé » par l'archev. d'Aix]. *Marseille* [1] (sans province ecclésiastique). **Calvados :** Bayeux [1], Lisieux [2]. **Cantal :** St-Flour [1]. **Charente :** Angoulême [1]. **Charente-Mar. :** La Rochelle [1] [par transfert de Maillezais (85) au XVIIe s.], Saintes [2]. **Cher :** *Bourges* [1]. **Corrèze :** Tulle [1]. **Corse :** Ajaccio [1], Bastia [2], Calvi [2], Nebbio [2], Mariana [2] (transféré à Bastia au XVIe s.), vestiges de la 1re cath. du IVe s., 2e cath. de la Canonica (XIIe s.), Sagone [3], Accia [3], Aléria [3], Taina [3] (site inconnu). **Côtes-d'Armor :** St-Brieuc [1], Tréguier [2]. **Côte-d'Or :** Dijon [1]. **Creuse :** relève de Limoges (87) [1]. **Dordogne :** Périgueux [1], Sarlat [2]. **Doubs :** *Besançon* [1]. **Drôme :** Valence [1], Die St-Paul-Trois-Châteaux [2]. **Eure :** Evreux [1]. **Eure-et-Loir :** Chartres [1]. **Finistère :** Quimper [1], St-Paul-de-Léon [2]. **Gard :** Nîmes [1], Alès [2], Uzès [2], Aristum [3] (Le Vigan à l'époque mérov.). **Hte-Garonne :** *Toulouse* [1], (l'archev. a « relevé » le titre de l'archev. de Narbonne) [2], Rieux [2], St-Bertrand-de-Comminges [2]. **Gers :** *Auch* [1], Condom [2], Lectoure [2], Lombez [2], Eauze [3] (a précédé Auch). **Gironde :** *Bordeaux* [1], Bazas [2], Buch [3] (Ve s.). **Hérault :** Montpellier [1], Agde [2], Béziers [2], Lodève [2], Maguelonne [2] (transféré à Montp. au XVIe s.), St-Pons-de-Thomières [2]. **Ille-et-Vilaine :** *Rennes* [1], Dol [2], St-Malo [2], Aleth [3] (a précédé St-Malo). **Indre :** relève de Bourges (18) [1]. **Indre-et-Loire :** *Tours* [1]. **Isère :** Grenoble [1], Vienne [2] [titre « relevé » par l'archev. de Lyon à partir de la Révolution]. **Jura :** St-Claude [1]. **Landes :** Dax [1], Aire-sur-l'Adour [2]. **Loir-et-Cher :** Blois [1]. **Loire :** St-Étienne [1]. **Hte-Loire :** Le Puy [1], St-Paulien [3]. **Loire-Atl. :** Nantes [1]. **Lot-et-G. :** Agen [1]. **Lozère :** Mende [1], Javols [3] (au VIe s., transféré à Mende). **Maine-et-L. :** Angers [1]. **Manche :** Coutances [1], Avranches [3]. **Marne :** *Reims* [1], Châlons-sur-M. [1]. **Hte-Marne :** Langres [1]. **Mayenne :** Laval [1], Jublains (époque gallo-romaine) [3]. **Meurthe-et-M. :** Nancy [1], Toul [2]. **Meuse :** Verdun [1]. **Morbihan :** Vannes [1]. **Moselle :** Metz [1]. **Nièvre :** Nevers [1]. **Nord :** *Cambrai* [1], Lille [1]. **Oise :** Beauvais [1], Noyon [2] [succédant à Vermand (02) au VIe s.], Senlis [2]. **Orne :** Sées [1]. **Pas-de-Calais :** Arras [1], Boulogne-sur-mer [2], St-Omer [2], Thérouanne [3] (remplacé par Boulogne au XVIe s.). **Puy-de-Dôme :** Clermont-Ferrand [1]. **Pyr.-Atlant. :** Bayonne [1], Lescar [2], Oloron-Ste-Marie [2]. **Htes-Pyrénées :** Tarbes [1]. Lourdes : (n'a pas de cath.) **Pyr.-Or. :** Perpignan [1], Elne [2] (transféré à Perpignan au XVIIe s.). **Bas-Rhin et Haut-Rhin :** Strasbourg [1] ; l'égl. St-Martin de Colmar appelée « la cath. » est une ancienne collégiale [1]. **Rhône :** *Lyon* (Primat des Gaules) [1]. **Hte-Saône :** relève pour l'essentiel de Besançon (25) sinon Belfort-Montbéliard (90) [1],

Port-sur-Saône (Ve s.) [3]. **Saône-et-Loire :** Autun [1], Chalon-sur-S. [2], Mâcon (vestiges) [2]. **Sarthe :** Le Mans [1]. **Savoie :** *Chambéry* [1], Moûtiers-Tarentaise [1], St-Jean-de-Maurienne [1]. **Hte-Savoie :** Annecy [1]. **Seine-maritime :** *Rouen* [1], Havre [1]. **Deux-Sèvres :** relève de Poitiers (86) [1]. **Somme :** Amiens [1]. **Tarn :** *Albi* [1], Castres [2], Lavaur [2]. **Tarn-et-G. :** Montauban [1]. **Terr. de Belfort :** Belfort [1]. **Var :** Toulon [1], Fréjus [2]. **Vaucluse :** Avignon [1], Apt [2], Carpentras [2], Cavaillon [2], Orange [2], Vaison-la-Romaine [2] [2 cath. : la + ancienne N.-D. de Nazareth (VIe-XIIIe s. au Vieux-Bourg)], Vénasque [3] (du VIe s. au Xe s. des év. de Carpentras). **Vendée :** Luçon [1], Maillezais [3] (ruines) créé XIVe s. transféré à La Rochelle au XVIIe s. **Vienne :** Poitiers [1]. **Hte-Vienne :** Limoges [1]. **Vosges :** St-Dié [1]. **Yonne :** *Sens* [1], Auxerre [2].

Départements d'Outre-Mer. **Guadeloupe :** Basse-Terre [1], Pointe-à-Pitre [3]. **Martinique :** *Fort-de-France* [1], St-Pierre [3]. **Guyane :** Cayenne [1]. **La Réunion :** Saint-Denis-de-la-Réunion [1]. **Iles St-Pierre-et-Miquelon :** vicaire apostolique des Iles St-Pierre [1].

Territoires d'Outre-Mer. **Nouvelle-Calédonie :** *Nouméa* [1]. **Wallis-et-Futuna :** île Wallis [1]. **Polynésie Française :** *Papeete* [1]. **Iles Marquises :** Taïohae ou Tefenuanata [1].

Rites orientaux catholiques. **Paris :** éparque de Sainte-Croix-de-Paris pour les Arméniens, Cath. Arm. cath., 10 bis, rue Thouin. Exarque apostolique pour les Ukrainiens de rite byzantin, Cath. ukr. cath., 51, rue des Saints-Pères.

☞ Cathédrales non catholiques en France. **Paris :** métropolite de l'Égl. grecque en France, Cath. de l'Égl. orthodoxe grecque (Patriarcat de Constantinople), 7, rue Georges-Bizet. Archev. de l'Égl. orthodoxe en France, Cath. de l'Égl. Orthodoxe (ex-russe), 12, rue Daru. Cath. américaine (Égl. épiscopalienne), 23, av. George-V.

Épiscopat

Assemblée plénière annuelle de l'épiscopat français. Siège d'ordinaire à Lourdes et se réunit en principe une fois par an. *Pt :* Mgr Joseph Dunal (Rouen). **Conseil permanent de l'épiscopat** prépare et dirige les travaux. *Pt :* Card. Decourtray (Lyon) ; *vice-Pt :* Mgr Marcus (Nantes) ; *membres :* Card. Jean-Marie Lustiger (Paris) [n. 17-9-1926 (fils d'un Juif émigré en France v. 1918), baptisé 25-8-1940, archev. de Paris 2-2-1981] et 9 membres représentant les 9 régions apostoliques de France.

Commissions épiscopales. *Familiale* (Mgr Cuminal) 4, cité du Sacré-Cœur, 75018 Paris. *Monde ouvrier* (Mgr Deroubaix) 29, place du Marché St-Honoré, 75001 Paris. *Monde rural* (Mgr Taverdet) 2, rue de Rouen, 61400 Mortagne-au-Perche. *Milieux indépendants* (Mgr Derouet) 21, rue Brûlée, 51100 Reims. *Enfance-jeunesse* (Mgr Pican) 106, rue du Bac, 75007 Paris. *Mode scolaire et universitaire* (Mgr Panafieu) 277, rue St-Jacques, 75005 Paris. *Migrations* (Mgr Joatton) 26 bis, rue du fbg St-Antoine, 75011 Paris. *Clergé et séminaires* (Mgr Poulain) presbytère de la cathédrale, rue de la Chanterie, 46000 Cahors. *État religieux* (Mgr Soulier) 25, bd des Arènes, 24000 Périgueux. *Liturgie et pastorale sacramentelle* (Mgr Feidt) 4, av. Vavin, 75006 Paris. *Opinion publique* (Mgr Fihey) 106, rue du Bac, 75007 Paris. *Com. sociale de l'épiscopat* (Mgr Marchand) 8, rue Jean-Bart, 75006 Paris. *Enseignement religieux* (Mgr Plateau) 6, av. Vavin, 75006 Paris. *Missions à l'extérieur* (Mgr Dufaux) 5, rue Monsieur, 75007 Paris. *Unité des Chrétiens* (Mgr Vilnet) 31, rue de la Marne, 94230 Cachan.

Comités épiscopaux. *Financier* (Mgr Dardel) 106, rue du Bac, 75007 Paris. *Mission ouvrière* (Mgr Poulain) 2 bis, quai des Célestins, 75004 Paris. *Mission de France* (Mgr Lacrampe) 16, rue Père-Lucien-Aubry, BP 18, 94121 Fontenay-sous-Bois Cedex. *France-Amérique latine* (Mgr Lacrampe) 2, rue de l'Abbé-Patureau, 75018 Paris. *Mer* (Mgr David) 15, quai Garnier, 85100 Les Sables-d'Olonnes. *Canonique* (Mgr David) 11, rue du Grand-Séminaire, BP 149, 59403 Cambrai Cedex.

Groupes épiscopaux. *Communautés chrétiennes* (Mgr Duval) [1]. *Renouveau charismatique* (Mgr Duchêne) [1]. *Pastorale des réalités du tourisme et des loisirs* (Mgr Barbier) 4, cité du Sacré-Coeur, 75018 Paris. *Conseil nat. de la solidarité* (Mgr David) [1].

Nota. – (1) 106, rue du Bac, 75341 Paris Cedex 07.

Autres organismes nationaux. *Aumonerie générale des Français de l'étranger* (Mgr Fihey) 9-11, rue Guyton-de-Morveau, 75013 Paris. *Comité catholique contre la faim et pour le développement* (P. Guy Régnier) 4, rue Jean-Lantier, 75001 Paris. *Délégation catholique pour la coopération* (Mgr Deroubaix) 9-11, rue Guyton-de-Morveau, 75013 Paris. *Délégation de l'épiscopat pour les questions morales concernant la vie humaine* (P. Olivier de Dinechin) 14, rue d'Assas, 75006 Paris. *Secours catholique* (P. Marie-Paul Mascarello) 106, rue du Bac, 75007 Paris. *Secrétariat pour les relations avec l'islam* (Mgr Dufaux) 71, rue de Grenelle, 75007 Paris. *Service Incroyance-foi* (Mgr Dagens) 8, rue de St-Simon, 75007 Paris.

• **France, « fille aînée de l'Église ».** Formule lancée par le cardinal Benoît Langénieux (1824-1904), archevêque de Reims (en 1896, à l'occasion du XIVe centenaire du baptême de Clovis, tirée d'une lettre du Cte de Chambord). Repose sur 4 données : 1°) les rois de Fr. s'appelaient habituellement « Fils aînés de l'Église » [traduction libre de leur titre officiel de *Christianissimus,* rendu dans les textes français par « très chrétien », mais signifiant « le premier des (rois) chrétiens » (Napoléon Ier prenant également ce titre dans sa correspondance avec le pape)] ; 2°) l'université de Paris s'est définie jusqu'à la Révolution comme « la fille aînée des rois de Fr. » (allusion au titre précédent) ; 3°) depuis les Mérovingiens, les souverains ont eu une dévotion à *Ste Pétronille,* fille de St Pierre, tombée dans l'oubli v. 1600.

Selon le card. Langénieux, Clovis reçut en 496 du pape Anastase II une lettre le présentant comme un fils enfanté par l'Église (cette lettre est en réalité un faux, datant du XVIIe s.) ; 4°) Étienne II (pape de 752 à 757) écrit le 23-2-756 à Pépin le Bref une lettre où il fait parler St Pierre. Celui-ci s'adresse à Pépin comme à son « fils adoptif ». Dès lors, il devient courant, dans les lettres échangées entre papes et rois francs, de dire que *Ste Pétronille* est la « sœur spirituelle » de la monarchie franque.

D'après certains textes, le tombeau de Ste Pétronille, dans une des chapelles de la basilique de Constantin, était appelé *Capella Regum Francorum,* « chapelle du roi de Fr. » (on suppose que les rois de Fr. l'entretenaient sur leur trésor). Au XVe s., la dévotion des rois de Fr. envers Ste Pétronille reprit vigueur : Louis XI lui attribua la naissance de Charles VIII. Celui-ci constitua en 1490 à Rome une chapellenie de Ste Pétronille, devant assurer des messes pour le repos de l'âme de Louis XI. Ce culte n'était plus attesté au XVIIe s. et on n'a plus parlé de Ste Pétronille jusqu'en 1874, date de la découverte de son tombeau sur la voie Ardéatine près de Rome. *En 1889,* le card. Langénieux obtint que Léon XIII remette officiellement à la Fr. une chapelle de Ste Pétronille, faisant partie de la basilique St-Pierre. L'huile de la lampe du St Sacrement est payée par l'Église de Fr. La messe solennelle de Ste Pétronille, avec présence de l'ambassadeur de Fr., est célébrée officiellement chaque année (le 31-5), depuis 1949, mais on parle peu du patronage.

Conférence des évêques de France. *Créée* 18-5-1964. Succède à l'Assemblée des card. et arch. (créée 1919). Au 10-8-1990, 118 membres (les cardinaux français retirés, les cardinaux de la Curie et les év. des T.O.M. n'en sont pas membres). *Pt :* card. Albert Decourtray (arch. de Lyon, n. 9-4-1923) dep. 7-11-1987.

Titres féodaux ou ecclésiastiques portés par les anciens évêques de France. (*Légende :* b. : Baron, c. : Comte, pr. : Prince). *Aix* (arch.) : Président-né des États de Provence. *Ajaccio :* c. de Frasso. *Albi :* c. d'A. *Arles* (arch.) : Primat, pr. de Salon. *Auch* (arch.) : Primat de Novempopulanie et du royaume de Navarre. *Autun :* port du Pallium, Pt-né des États de Bourgogne, *Beauvais :* 1er des c. et pairs ecclésiastiques. *Belley :* pr. du St Empire, c. de B. *Besançon :* pr. du St Empire. *Bordeaux* (arch.) : primat d'Aquitaine Seconde. *Bourges* (arch.) : primat des Aquitaines et Patriarche. *Cahors :* b. et c. de C. *Cambrai* (arch.) : duc de C., pr. du St Empire, c. du Cambraisis, Seigneur temporel de la ville, Pt-né des États de Cambraisis. *Carpentras :* Pt-né des États du Comtat. *Chalon-sur-Saône :* c. de Ch. *Châlons-sur-Marne :* c. et pair de France. *Die* (fusionné avec Valence) : c. de D. *Digne :* b. de Lauzières, seigneur de D. *Dol :* c. de D. *Embrun* (arch.) : pr. d'E. *Gap :* c. de G. *Grenoble :* pr. de Gr. *Langres :* duc et pair de Fr. *Laon :* duc et second pair de Fr. *Lectoure :* seigneur de la ville. *Lescar :* Pt-né des États de Béarn. *Léon :* c. de L., seigneur de Brest. *Lisieux :* c. de L. *Luçon :* b. de L. *Lyon* (arch.) : c. de L., primat des Gaules. *Marseille :* B. d'Aubagne. *Mende :* seigneur et gouverneur de M., c. de Gévaudan. *Metz :* pr. du St Empire. *Montpellier :* marquis de Marquerose, c. de Mauguio et de Montferrand, b. de Sauve, de Durfort, de Salevoise, de Brissac. *Nancy :* primat de Lorraine. *Narbonne :* primat, Pt-né des États de Languedoc. *Noyon :* c. et pair de France. *Paris* (arch.) : duc de St-Cloud, 7e pair ecclésiastique. *Le Puy :* c. du Velay et de Brioude, seigneur du P. Port du pallium. *Quimper :* seigneur de la ville, c. de Cornouaille. *Reims* (arch.) : primat de Gaule Belgique, duc de R., 1er pair de France, Légat-né du St-Siège, consécrateur des rois. *Rodez :* c. de Rodez. *Rouen :* primat de Normandie. *St-Brieuc :* Seigneur de St-Br. *St-Claude :* seigneur de St-Cl. *St-Malo :* b. de Beignon, c. de St-M., co-seigneur de la ville. *St-Papoul :* seigneur de la ville. *St-Paul-Trois-Châteaux :* seigneur de la ville. *Sarlat :* b de S. *Sens* (arch.) : primat des Gaules germaniques. *Sisteron :* pr. de Lurs. *Strasbourg :* pr. de Str., comte souverain du Nordgau (moitié Nord de l'Alsace) dep. 1365 (résidence à Saverne dep. 1414) ; Altesse sérénissime et éminentissime. *Tarbes :* Pt-né des États de Bigorre. *Toul :* c. de T., pr. du St Empire, doyen des év. de la prov. de Trèves. *Tulle :* seigneur et vicomte de T. *Uzès :* seigneur d'U. *Vabres :* c. de V. *Valence :* seigneur et comte de V. *Verdun :* c. de V., pr. du St Empire. *Vienne* (arch.) : seigneur de la ville, « Primat des Primats ». *Viviers :* c. de V., pr. de Donzère et de Châteauneuf-du-Rhône.

Évêché de Bethléem. *1110* créé par les Croisés (l'év. avait le privilège de consacrer les rois de Jérusalem). *1161* Guillaume III, Cte d'Auxerre et de Nevers († en Terre sainte), demande à être enseveli dans la cathédrale de B. En échange, il cède aux évêques de B.-Ascalon, en toute suzeraineté, l'hôpital construit par son père Guillaume II à Clamecy en 1147. *1331* l'év. Guillaume Ier, chassé par les Sarrasins, s'y installe. 44 év. s'y succéderont jusqu'à 1801, (résidence à Clamecy, la chapelle de l'hôpital est érigée en cathédrale). *1413* Charles VI reconnaît les év. de B. comme des prélats du royaume (nommés par le Cte de Nevers, agréés par le roi). Mais ils n'exercent pas de juridiction, sauf sur le personnel de l'hôpital. *1635* l'assemblée du clergé leur attribue une pension de 1 000 livres, pour qu'ils ne soient pas tentés d'usurper certaines juridictions, détenues par les év. d'Auxerre. *1801* l'évêché est supprimé. *1840* le titre d'év. de Bethléem, devenu un simple titre *in partibus,* est lié à la dignité abbatiale de St-Maurice-d'Agaume (Valais, Suisse). Les abbés sont appelés « év. de Bethléem St-Maurice ».

Église et État

Avant le 9-12-1905. Le régime du Concordat (voir p. 528 c) était appliqué.

Depuis le 9-12-1905 (loi de séparation de l'Église et de l'État, abrogeant le concordat de 1801 ; régime qui ne s'appliquera pas à l'Alsace-Lorraine rendue à la France en 1918 et qui gardera le régime de Concordat) : suppression du ministère des cultes et de la rémunération du clergé. Le libre exercice des cultes est garanti dans la limite de l'ordre public. L'État n'intervient plus dans les nominations des ministres du culte et les modifications des circonscriptions ecclésiastiques. Les *évêques* sont nommés par le pape (de fait, l'accord du gouv. est toujours donné officieusement). Les *congrégations* restent soumises à la loi concordataire du 1-7-1901 qui limite leur création et leur fonctionnement. Les biens possédés par les établissements du culte, devant être dévolus à des *associations cultuelles,* sont soumis à des *inventaires* par la loi du 9-12-1905. Les « associations cultuelles », qui ne mentionnaient pas l'autorité épiscopale, ayant été désapprouvées par Pie X (encyclique *Gravissimo* du 10-8-1906), les biens des églises paroissiales ont été dévolus aux communes qui sont tenues de les laisser « à la disposition des fidèles et des ministres du culte pour la pratique de leur religion » (loi du 2-1-1907).

Le 13-12-1923, le Conseil d'État a approuvé les statuts des associations diocésaines destinées à s'occuper des frais et de l'entretien du culte catholique (Pie XII approuve dans l'encyclique *Maximum gravissimumque* du 18-1-1924).

Il y a ainsi 3 catégories d'associations : les *cultuelles* (lois 1901 et 1905), réservées aux cultes protestants, israélite, musulman, orthodoxe, etc. et les *diocésaines* (loi 1901 et avis 1923) réservées au culte catholique ; les *quasi cultuelles* (lois 1901 et 1907 inexistantes en fait). Les associations ont le droit de recevoir des dons et legs. Les bâtiments sont entretenus par l'État ou les communes s'ils sont leur propriété.

Service des cultes. Au min. de l'Intérieur. *Compétences :* 1°) le Bas-Rhin, Haut-Rhin, Moselle, du régime concordataire toujours en vigueur (4 cultes reconnus : catholique, luthérien, réformé, israélite – la gestion du personnel cultuel est confiée à une antenne à Strasbourg). 2°) Guyane et St-Pierre-et-Miquelon : un régime cultuel propre quasi concordataire. 3°) Gestion des lieux du culte (cathédrales appartenant à l'État ; égl. paroissiales appar-

Souverains français excommuniés

Robert le Pieux (998) pour avoir épousé Berthe de Bourgogne, cousine au 4e degré. **Philippe Ier** (1094) pour avoir répudié Berthe de Hollande et enlevé et épousé Bertrade de Montfort, épouse de Foulques d'Anjou (Voir encadré p. 589). Absous 1096, excommunié de nouveau en 1100. **Louis VII le Jeune** (1140) pour n'avoir pas reconnu l'élection à l'archevêché de Bourges du P. de La Châtre. **Philippe Auguste** (1200) pour avoir répudié Ingeburge, et épousé Agnès de Méranie. **Philippe IV le Bel** (1303) pour avoir refusé de se soumettre à Boniface VIII. **Louis XII** (1512) à cause de ses victoires en It. et pour avoir convoqué à Pise un concile dirigé contre le pape. **Henri III** (1588) pour avoir ordonné l'assassinat du cardinal de Guise. **Henri IV,** encore Henri de Navarre, excommunié en 1585 pour son abjuration (ayant adhéré au catholicisme en 1572, il s'était rétracté en 1576). **Louis XIV** (18-10-1687) à la suite de la formation de l'Église gallicane, et de l'entrée à Rome du marquis de Lavardin avec 800 h. armés (affaire du droit d'asile). Par une concession exceptionnelle, la lettre pontificale fut gardée secrète. **Napoléon Ier** (18-6-1809) à la suite de l'annexion des États du pape à l'Empire fr. (mais N. n'est pas désigné nommément ; la bulle condamne « ceux qui ont spolié les biens de l'Église »).

Canonicats d'honneur Souverains puis présidents de la République

• **St-Jean-de-Latran** voir Chanoines, p. 511 a. Quand Raymond Poincaré fut élu Pt de la Rép. (1913), des journaux ont assuré qu'il était chanoine du Latran ; d'autres que les Pts français avaient perdu ce privilège, car Loubet avait été radié en 1905 (le Vatican a gardé le silence).

• **France. St-Maurice d'Angers.** Le roi Charles VII a pris part à l'office canonial, revêtu du surplis et de la chappe. **Ste-Marie d'Auch.** Les rois de France ont hérité des comtes d'Armagnac, postérieurement rois de Navarre. **St-Vincent de Chalon-sur-Saône.** Accordé au duc de Bourgogne, Philippe le Bon (qui prenait part à l'office comme chanoine laïc), et passé à la couronne de France, sous Louis X. **St-Jean de Lyon.** Accordé en *1230* aux Dauphins du Viennois, et passé dans la famille royale après l'acquisition du Dauphiné par l'héritier de la couronne (1356). **St-Julien du Mans.** Immémorial. *1909* l'artiste manceau A. Échivard exécute un vitrail (refusé par l'évêque) représentant le Pt Armand Fallières à genoux, avec la chappe des chanoines, pour être placé dans le chœur de St-Julien ; *1913* Échivard refait une maquette avec le Pt Poincaré [même costume au pied d'une statue de Jeanne d'Arc (vitrail non exécuté)]. **St-Hilaire de Poitiers, St-Gratien de Tours.** Aucun document. **St-Jean-de-Maurienne.** Canonicat des ducs de Savoie, revendiqué par François Ier (1537) et Henri II (1548) lors d'annexions temporaires. Non revendiqué par Nap. III. **St-Georges de Nancy.** Can. des ducs de Lorraine ; reconnu à Napoléon Ier et accepté par Napoléon III ; sa transmission automatique aux Pts de la République est discutée.

tenant aux communes), qui doivent légalement être affectés au culte. 4°) Toute question juridique concernant les rapports de l'Église et de l'État (il s'agit en fait, du contrôle, par l'Enregistrement et l'Inspection des Finances, en vertu de la loi du 9-12-1905 sur les associations cultuelles, de la gestion du patrimoine des « diocésaines » reconnues par l'Admin.).

Relations diplomatiques entre France et papauté. Rompues en 1904, renouées en 1920-21.

Congrégations. *1970*, le Pt Pompidou rouvre dans le *J.O.* la rubrique « Établissements congréganistes » (loi concordataire du 1-7-1901). *1977*, 5 400 religieux sur 19 000 et 75 000 religieuses sur 100 000 vivent sous le régime des « Congrégations reconnues », qui implique certains avantages judiciaires et financiers, sous tutelle administrative.

15 congrégations masculines reconnues légalement : Lazaristes, Missions étrangères, Spiritains, Sulpiciens, Chartreux, Bénédictins de Hautecombe et de St-Benoît-sur-Loire, Cisterciens de Bellefontaine, Meilleraye, Bricquebec, Timadeuc, Pères Blancs, Frères de St Gabriel, Missions afric. de Lyon, Picpusiens, Camilliens (soit 6 000 religieux sur env. 20 000). *17 en instance de reconnaissance.*

Mesures diverses. L'art. 14 du décret du 19-7-1948 mentionne l'Assemblée des cardinaux et archevêques comme l'autorité corporative du clergé ; la loi du 17-1-1948 sur l'ass. vieillesse des non-salariés cite les « ministres du culte catholique » ; la loi sur « la généralisation de la Séc. soc. » s'applique, à partir du 1-1-1978, aux prêtres, religieux, religieuses. Vis-à-vis de la commune, le curé est autorisé à recevoir une indemnité pour le gardiennage de l'église, sans être assimilé à un salarié communal.

Statut des édifices catholiques. Les diocèses ne peuvent posséder des immeubles « de rapport », mais seulement les immeubles nécessaires à leurs propres activités (logements de prêtres, locaux d'activités pastorales, séminaires, évêché...). Églises et presbytères existant avant 1905 sont devenus depuis la loi de séparation de 1905 la propriété de la commune qui doit assurer les charges du propriétaire. L'occupant d'un presbytère paye un loyer à la commune. Depuis 1905, d'autres édifices appartenant à diverses associations ou sociétés ont été construits et sont à leur charge. Il y a ainsi à Paris 89 édifices appartenant à la ville et 58 édifices privés. *Propriété ecclésiastique. Statut :* réglé par un accord quasi concordataire, déclaré légal par 2 avis du Conseil d'État (13-12-1923) et canonique par le pape (18-1-1924).

Saints patrons de la France. Voir p. 509.

Finances de l'Église de France

• **Évolution. 1789 :** *Revenu total du clergé :* 248 millions de livres, dont 150 de revenus fonciers [valeur du capital foncier : 5 milliards (dont bâtiments 500 millions) ; en surface 6 % de la superficie du royaume, la plus grosse fortune de France]. *Revenus des 118 évêques et des 18 archevêques :* 5 141 000 livres, + les revenus de leurs abbayes commendataires [maximaux : Strasbourg 400 000 livres, Paris 200 000, Narbonne 160 000, Cambrai 150 000, Auch 126 000, Metz et Albi 120 000. Minimaux (dits *évêchés crottés) :* Apt 9 000, St-Pons, Carpentras, Vaison 10 000]. *Revenus des ordres religieux :* 8 000 000 livres (dont 2 500 000 pour les ordres féminins). Principales abbayes commendataires : St-Germain-des-Prés 130 000 livres, Cîteaux 120 000, Clairvaux 90 000, Corbie 85 000, Fécamp 80 000.

1840 : *Fortune foncière de l'Église :* 100 MF ; *revenus :* 40 MF, dont 30 de subventions de l'État et 10 de casuel. *Traitement* archevêque de Paris : 40 000 F ; cardinal : 30 000 ; archevêque : 15 000 ; évêque : 10 000. **1880 :** *Fortune foncière :* 712 MF (40 520 ha), dont congrégations non autorisées 210 MF (14 000 ha). **1905 :** *Fortune foncière :* 1 071 MF appelés « le milliard des congrégations » (48 757 ha), dont congrégations non autorisées 440 MF (25 000 ha).

• **Régime actuel.** Depuis la loi de Séparation (9-12-1905), l'Église ne reçoit plus rien de l'État [sauf en Alsace-Lorraine (Haut-Rhin, Bas-Rhin, Moselle) où persiste le régime du Concordat]. Elle ne reçoit rien non plus du Vatican. Chaque diocèse, au contraire, lui reverse le produit d'une quête annuelle, Denier de Saint-Pierre (8 millions de F en 1988). Il n'y a pas de comptes centralisés au plan national. Chaque diocèse est autonome : les finances sont sous la responsabilité de l'évêque, aidé depuis 1983 par le Conseil diocésain pour les affaires économiques.

Associations diocésaines. Déclarées comme « assoc. cultuelles (loi de 1905, différente de la loi de 1901), elles sont soumises au contrôle financier de l'Enregistrement et de l'Inspection des Finances, et ont pour but de « subvenir aux frais et à l'entretien du culte cath. ». Elles ne gèrent pas les propriétés foncières, ni les biens des instituts et des congrégations de religieux ou religieuses. Bâtiments et comptes des écoles cath. sont gérés par des associations propres (parents d'élèves – assoc. de gestion).

• **Ressources des diocèses (1988).** *Total :* 2 000 millions de F dont : denier de l'Église (autrefois *denier du culte*), 880, collecte annuelle à laquelle chacun donne librement (44 % des ressources) ; *quêtes paroissiales* 460 (23 %) ; *offrandes* pour des intentions de messe 380 (19 %). Montant de l'offrande de messe (1990) par les évêques en Région apostolique, de 65 à 75 F ; *contribution des familles* pour des célébrations particulières (mariages, funérailles) 280 F (14 %).

Denier du culte. *Montant par habitant (1984).* Annecy 2 394, Autun 1 722, Lille 1 636, Sens 1 221, Versailles 853, Marseille 619, St-Denis 441.

Quêtes paroissiales. *Quête ordinaire :* sans précision de destination (recette inscrite au compte de la paroisse). Couvrant les frais de fonctionnement (animation, entretien des bâtiments, éclairage, chauffage, secrétariat, assurance, impôts...). Une part est éventuellement prélevée pour être envoyée à l'évêché (complément nécessaire au Denier du culte). *Quêtes spéciales. Ex. :* pour le Secours catholique et le Denier de St-Pierre.

• **Dépenses d'un diocèse.** Personnel (60 %) : traitement et Sécurité sociale des prêtres et des permanents laïcs. *Activités « pastorales »* (services, mouvements, aumôneries) (17 %). *Entretien des bâtiments* (12 %). *Formation* des prêtres et permanents (6 %). *Services administratifs* (personnel salarié, matériel...) (5 %). **Budget annuel** *d'un diocèse moyen (500 000 hab., 300 prêtres) :* 15 millions de F.

Traitement des prêtres. Décidé par l'évêque (appliqué à tous, évêque compris). *Montant (1990) :* 3 900 à 4 400 F par mois (pour payer nourriture, chauffage, habillement) + logement. *Frais de fonction* (ex. déplacements) : pris en charge par l'organisme (paroisse, aumônerie, évêché). *Cotisations individuelles de Sécurité sociale* (maladie et vieillesse, 17 500 F en 1990 par prêtre) assurées par l'évêché (Denier de l'Église). *Allocation de retraite après 65 ans :* 1 618 F par mois en 1990. Le diocèse apporte un complément pour atteindre le même traitement que les autres prêtres (minimum : 3 725 F par mois assuré).

• **Ressources des congrégations religieuses.** *Règle :* autonomie financière. Chacune a budget et ressources propres. *Communautés :* subsistent par leur travail (ex. : exploitations agricoles, liqueurs, ouvrages imprimés d'art religieux, travaux d'aiguille ou de reliure, animations de groupe de presse ou édition, etc.). *Activité salariée :* les salaires touchés au dehors sont reversés à la communauté. *Communautés monastiques :* 2 organisations créées pour leur soutien financier, *La Fondation des monastères de France,* reconnue d'utilité publique, recueille dons, donations, legs, 21, rue Paradis, 75010 Paris ; *L'Association Aide au travail des cloîtres (A.T.C.)* expose et vend les produits des religieuses contemplatives, 68 bis, av. Denfert-Rochereau, 75014 Paris. *Centre d'artisanat monastique :* Paris 14e, Lyon, Rennes, Lille. 150 monastères regroupant 1 600 femmes env. (50 % des religieuses cloîtrées confient au Centre en dépôt-vente leur fabrication). *C.A. 1989 :* 8,25 millions de F (layette 20 %, objets de décoration 11, céramique et porcelaine 8, lingerie, alimentation et objets religieux 6, vêtements liturgiques 2). Les carmélites fournissent 1/3 de la main-d'œuvre.

Spécialités réputées. *Bénédictines de Chantelle :* produits de beauté ; *d'Igny et Alpes-Mar. :* chocolat ; *bénédictines de l'avenue Denfert-Rochereau :* hosties (env. 200 000 par mois par 3 personnes). *Clarisses de Neyrac (près d'Agen) :* broderies. *Carmélites d'Amiens :* maroquinerie ; *de St-Pair (Manche) :* porcelaine blanche décorée à la main et sur commande. *Abbaye de Sept-Fons :* germalyne (farine de germe de blé). *Trappistes de l'Ain :* musculine Guychon (carré d'extraits de viande reconstituants pour asthéniques et convalescents). *Bénédictins de la Pierre-qui-Vire :* éditent une collection de livres d'art roman. *Religieuses de la Retraite à Perne-les-Fontaines (Vaucluse) :* hosties (*C.A. :* 800 000 F).

• **Sécurité sociale des clercs, religieux et religieuses.** Obligatoire dep. loi du 2-1-1978. *2 régimes : CAMAC* (Caisse mutuelle d'ass.-maladie des cultes) et *CAMAVIC* (Caisse mutuelle d'ass.-vieillesse des cultes) gérées par le régime général. Mêmes remboursements de frais de maladie que les travailleurs salariés. Régime autonome ; les intéressés assurent, par leurs cotisations, la totalité de ses ressources. Le régime d'ass.-maladie créé à partir de 1950 : *la Mutuelle St-Martin* (qui gère des Éts de soins et des maisons de retraite accessibles aux clercs) a été maintenu.

Statistiques (France)

Clergé

• **Aumôniers militaires.** 487.

• **Diacres permanents.** *1970 :* 1re ordination. *1975 :* 33. *80 :* 100. *86 :* 291. *87 :* 337 (13 544 dans le monde). *89 :* 500. *90 :* 600.

• **Évêques** EN ACTIVITÉ : env. 120. *Métropole :* dans les 95 diocèses, vicariat aux armées (1 év.), Prélature Mission de France, exarchats (1 év. pour les Ukrainiens et 1 év. pour les Arméniens). *Outre-Mer :* D.O.M. 4 dioc. (4 év.), 1 vicariat apostolique (év.) ; T.O.M. 4 dioc. (4 év.).

Nota. – 2 cardinaux à la Curie, 2 à la tête d'un diocèse, 5 à la retraite.

Le plus jeune évêque français (au 12-2-1991). François Garnier, évêque coadjuteur de Luçon, (n. 7-4-1944).

• **Instituts catholiques.** Voir à l'Index.

• Mission de France. 16, rue du R.P. Aubry, B.P. 124, 94 120 Fontenay-sous-Bois. *Créée* 1941 par l'Ass. des cardinaux et archev. de France à l'initiative du cardinal Suhard. *But :* former un clergé spécialisé dans l'évangélisation des zones déchristianisées. *1954* le pape lui donne le statut de prélature territoriale. *Évêque :* Mgr André Lacrampe. *Prêtres séculiers :* 274 dont 85 % exercent un métier ou l'ont exercé jusqu'à l'âge de la retraite professionnelle. Une trentaine vivent dans le tiers monde. *Ordinations : 1978-90 :* 39

• Missionnaires. Au 1-1-1990, 287 prêtres diocésains fr. envoyés outre-mer au titre de « Fidei Donum ». Afrique 138, Amér. centrale et du Sud. 127, D.O.M.-T.O.M. 21, Asie 7. Au 1-1-1980, 4 136 membres d'instituts rel. (ordres, congrégations) et de Stés de vie apostolique hors de Fr. : Afrique 2 189, Asie 565, Amér. latine 541, Europe 483, Océanie 176, Amér. du Nord 151, sans précision de continent 31.

• Paroisses. 38 370 dont 15 561 avec curé résidant (séculiers 14 639, religieux 922). 21 968 sont desservies par un prêtre voisin. 12 sont confiées à 1 diacre permanent, 46 à des religieuses, 30 à des laïcs.

Chantiers du Cardinal. *Créés* 1931 par le card. Verdier (1864-1940), arch. de Paris, pour donner plus d'élan à la construction des églises de Paris et de sa banlieue [avant, constructions : *1886-1905 :* 50 églises ; *1905-14 :* 41 ; *1925-32 :* 52 (avec les chapelles)]. *Bilan : 1939 :* 100 églises et 50 presbytères ; *1945-59 :* 37 églises, 7 agrandies ; *1960-72 :* 88 réalisations ; *1973-80 :* 53 ; *1981-90 :* 35 (budget 30 millions de F). Entretiennent aussi gros-œuvre des édifices construits depuis leur création.

• Prêtres (au 31-12-86), 35 000 (28 000 diocésains, 7 000 religieux) séculiers (40 994 en 1965) et 13 150 réguliers (dont 8 123 sur le territoire français). *Activités (%) :* ministère paroissial 59,3 (31,9 en milieu rural ; 27,4 urbain) ; éducation et enseignement 9,5 ; services généraux des diocèses 5,1 ; divers 20,1.

Sondage de La Vie (sept. 1985). Sur 19 000 prêtres interrogés, 2 000 ont répondu : 83 % accepteraient des pr. mariés, 29 % le mariage des pr. ordonnés, 36 % l'ordination des femmes, 53 % approuvent Jean-Paul II. Ces chiffres ont été contestés.

Abandons de ministère : « Le Monde » a donné le 19-12-86 2 évaluations : Danièle Hervieu-Léger (2 500 entre 1965 et 1985) ; le P. Potel (3 500 entre 1940 et 1982, avec une pointe entre 1970 et 1974). 55 % se sont mariés à l'Égl. (après avoir demandé une dispense canonique) et 36 % civilement.

Ordinations. *1830 :* 2 300, *1900*[1] : 1 679, *1904*[1] : *1 740, 1914*[1] : 704, *1918*[1] : 152, *1924 :* 907, *1927 :* 1 043, *1931 :* 838, *1938 :* 1 355, *1951 :* 1 028, *1960 :* 595, *1965 :* 646, *1968 :* 501, *1969 :* 370, *1970 :* 285, *1975 :* 161, *1976 :* 136, *1977 :* 99, *1978 :* 118, *1979 :* 125, *1980 :* 111, *1981 :* 111, *1982 :* 106, *1983 :* 95, *1984 :* 111 ; *1985 :* 116 ; *1986 ;* 94 ; *1987 :* 106 ; *1988 :* 139 ; *1989 :* 140 ; *1990 :* 133.

Nota. – (1) Sans Alsace-Lorraine. *Centre national des vocations,* 106, rue du Bac, 75007 Paris.

Prêtres âgés de moins de 65 ans : 1965 : 34 065 ; *75 :* 27 731 ; *85 :* 18 000 (sur 28 000 diocèses) ; *99* (prév.) : 9 530 (sur env. 20 000).

• Religieux. **Nombre.** *1975 :* 16 450 (dont 950 étr.). *1986 :* 16 611 (âge moyen 58 ans) dont 3 783 à l'étranger ; répartition moines 1 573 (132 à l'étranger), chanoines réguliers et ordres apostoliques 2 007 (331), clercs réguliers et congrégations cléricales 5 254 (1254), S[tés] de vie apostolique, instituts laïcs et séculiers 902 (97), missionnaires 2 875 (1527), frères enseignants et hospitaliers 4 000 (442).

Entrées dans la vie religieuse. *1941-48 :* 800 par an ; *1949-53 :* 650 ; *1954-57 :* 550 ; *1958-63 :* 450-500 ; *1970-71 :* 150-170 ; *1980 :* 163 ; *1987 :* 58 ordinations dont (22 moines, 22 clercs réguliers, 10 chanoines réguliers, 3 missionnaires et 1 membre de S[té] de vie apostolique) ; 140 profès (dont 44 chanoines réguliers, 41 clercs réguliers, 34 moines, 7 missionnaires, 12 frères et 2 membres de S[té] de vie apostolique).

> **Début XVIIIe s.,** pour 22 millions d'hab. : 200 000 prêtres, 90 000 religieux et religieuses. **1836,** pour 33 millions : 43 000 pr. **1876-77,** pour 38 millions : 55 000 pr., 30 680 religieux, 127 000 religieuses. **1967-70,** pour 50 millions : 33 775 pr., 23 000 religieux, 111 500 religieuses.

Centres de formation ou scolasticats. Les importants ont disparu sauf le *Centre de Sèvres des jésuites* et une réalisation temporaire des *Fils de la Charité.* Il y a eu de nouvelles fondations [Fraternité de Jérusalem, oblats de Lérins, frères de Bethléem (patronnés par l'évêque de Grenoble aujourd'hui à la retraite, Mgr Matagrin), communauté St-Jean (fondée par le dominicain Marie-Dominique Philippe et patronnée par l'évêque d'Autun, Mgr Séguy), communauté de l'Emmanuel à Paray-le-Monial].

• Religieuses de vie apostolique *(1986) : Instituts de droit pontifical* 373 dont 117 ayant des novices et 252 des sœurs à l'étranger. *Religieuses* professes 68 213, novices 341, sœurs franç. à l'étranger 4 681. *Moyenne annuelle des professions* (1975-85) : 300.

Activités : 14 100 relig. sont enseignantes. 18 600 ont des prof. sanitaires, 2 600 des prof. sociales et médico-soc., 17 500 des fonctions d'accueil, d'encadrement, d'admin. ou de gestion (dont 5 100 dans des établissements relig.). 5 400 se consacrent à des activités spécifiquement apostoliques (catéchèses, services paroissiaux, etc.). Le reste se répartit entre le « 3e âge », les étudiantes, les novices et les services généraux et domestiques.

Évolution de 1973 à 1985. 268 congrégations sur 369 ont dû fermer leurs noviciats. 1 000 petites communautés (de 4 à 5 religieuses en moyenne) sont apparues sans être toujours liées à une institution. Leurs membres n'appartiennent pas forcément à la même congrégation. Certaines, généralement en civil, qui restent intégrées à leur congrégation, sont ouvrières, cadres ou employées, travailleuses familiales, puéricultrices, ergothérapeutes, etc. Il ne faut pas les confondre avec les membres des instituts séculiers, féminins, qui prononcent les vœux de religion, tout en demeurant dans le monde.

Moniales. (1986) : 7 271 dans 317 monastères. *Bénédictines* 1 754 (50 mon.) ; *Carmélites* 2 042 (116) ; *Cisterciennes* 682 (19) ; *Clarisses* 1 092 (56) ; *Dominicaines* 4 451 (17) ; *Visitandines* 894 (37) ; Diverses 362 (22). **Novices** (1986) : 158.

Age (% de + de 65 ans) : Visitandines 70 ; Cisterciennes 30 ; moyenne 45.

Ressources (1984) : env. 25 000 F par an et par personne dont travail et allocations, vieillesse : 80 % ; revenus mobiliers et immobiliers 10 % (sauf pour les Clarisses, env. 30 %). *Charges sociales :* env. 11 300 F par an et par personne pour les jeunes (une caisse aide les plus pauvres à faire ces versements).

Regroupements : dep. 1958, les monastères de moniales ont pu se regrouper en fédérations, par ordre et par région (féd. de Carmélites, de Clarisses, de Dominicaines, de Visitandines). Dep. 1966 s'est constituée une *Union des moniales de France,* d'abord appelée Commission des religieuses contemplatives cloîtrées, puis, en 1972, Service des moniales.

Situation juridique (loi de 1901) autorisées : *Bon Pasteur (Filles du)* (fondée 1688 à Paris par Mme de Combé, refuge pour prostituées). *Bon Secours. Espérance (Sœurs de l')* (rameau de la Ste-Famille ; f. à Bordeaux 1824 par l'abbé Noailles, gardes-malades pour les classes pauvres). *Notre-Dame. N.-D. de Sion* (f. 1843 par le P. Ratisbonne ; enseignement, missions en Orient. *Petites sœurs des pauvres. Présentation de Tours* [f. à Sainteville (E.-et-L.) 1840, par Marie Pousse-Pin, gardes-malades et enseignantes]. *Providence* [2 branches : *Portieux* (Vosges). *Ruillé-sur-Loir* (Sarthe), f. 1818 par l'abbé Jacques Dujarié ; enseignement]. *Sagesse (Filles de la). Ste-Famille* [branche f. à Séez (Orne) 1820 par l'abbé Villeroy et la mère Marie-Thérèse Raguenel]. *St-Joseph de Cluny (Sœurs de). St-Maur (Dames de). St-Paul (Sœurs aveugles de). St-Paul (Sœurs de)* (dite de St-Maurice de Chartres). *St-Vincent-de-Paul (Filles de la Charité). Ursulines. Visitation.* Non autorisées : jouissent d'une tolérance, toujours révocable.

• Séminaires. **Origine.** *1563* création décidée par le concile de Trente (chaque diocèse doit avoir le sien). *1564* 1er fondé à Milan par St Charles Borromée [en France 1ers fondés au XVIIe s. (Vincent de Paul, Lazaristes, Oratoriens, Sulpiciens, Eudistes)]. **Formation.** *3 cycles : 1er* 2 ans, études et stage, *2e et 3e* 4 ans, études, activités en paroisse. 3e facultatif.

Situation (1987-89). 22 séminaires interdiocésains (Angers[1], Avignon[3], Bayonne[2], Besançon[2], Bordeaux[2], Caen[3], Dax[1], Dijon[1], Issy I et II[3], Lille[3], Lyon[3], Marseille[3], Metz[2], Nantes[2], Nancy[1], Orléans[3], Poitiers[1], Reims[2], Rennes[3], Toulouse[3], Vannes[3]) ; 7 diocésains (Aix[1], Arras 1er cycle, Paray[1], Paris 1er cycle, Le Puy[1], Strasbourg[3], Toulon[1]) ; 3 universitaires (Paris les Carmes, Lyon, Toulouse) ; 1 séminaire français à Rome ; Groupes de formation en monde ouvrier (G.F.O.) ; Groupes universitaires (G.F.U.) ; Séminaire de la Mission de France (à Fontenay-sous-Bois) ; Séminaire du Prado (Lyon) ; 2 séminaires d'aînés (Vienne, Lisieux).

Nota. - (1) 1er cycle. (2) 2e cycle. (3) 1er et 2e cycles.

Séminaristes (nombre y compris groupes de formation). *1861 :* 8 480 ; *77 :* 7 867 ; *1901 :* 9 277 ; *29 :* 7 175 ; *49 :* 8 490 ; *64 :* 4 953 ; *70 :* 3 380 ; *75 :* 1 297 ; *79 :* 1 150 ; *85 :* 1 172 ; *86 :* 1 196 ; *87 :* 1287 ; *88 :* 1253 ; *89 :* 1257, *90 :* 1 258. *Entrées :* 1re année : *1965 :* 845 ; *70 :* 402 ; *75 :* 202 ; *80 :* 258 ; *85 :* 229 ; *86 :* 238 ; *87 :* 276 ; *88 :* 278 ; *89 :* 285, *90 :* 276. *2e cycle (effectifs) : 1984 :* 504 ; *85 :* 531 ; *90 :* 583.

Anticléricalisme

Définition. *Clérical :* utilisé par l'Église dans le sens de « propre au clergé », a pris en 1848 le sens de « visant à subordonner le pouvoir civil au pouvoir religieux ». *Anticlérical :* forgé en 1852 (après le coup d'État bonapartiste) avec le sens de « opposé aux cléricaux ». A partir de 1870, si les catholiques désignent souvent leurs adversaires sous le nom d'*anticléricaux,* ils ne s'appellent jamais eux-mêmes les *cléricaux.*

Quelques dates. 1815 : naissance de l'opposition « libérale », sous la Restauration qui est théocratique (ne distinguant pas la société religieuse de la Sté civile) ; les libéraux sont des *individualistes :* les convictions religieuses sont une affaire personnelle, et ne doivent pas obliger à un comportement social. **1830 :** triomphe de l'anticléricalisme « romantique » (prototype : Stendhal) : les prêtres doivent être écartés de la vie sociale, car ils sont laids, bêtes et méchants ; le jésuite est appelé « l'Homme Noir » (en 1848, cet anticléricalisme a disparu : les « quarante-huitards » sont dans l'ensemble respectueux de la religion). **1849 :** Victor Hugo, sans attaquer l'Évangile ni la papauté, dénonce le danger des « gouvernements cléricaux » : le « jésuitisme » est l'ennemi de la liberté. **1850 (15-3) :** *loi Falloux* qui confie à l'Église l'enseignement primaire et fait naître l'anticléricalisme scolaire. **1852-70 :** alliance de l'Église et du régime bonapartiste, qui fait basculer dans l'anticléricalisme l'opposition républicaine. **1871 :** anticléricalisme révolutionnaire des Communards : exécutions de prêtres, la religion étant conçue comme un mal pour le peuple. **1875 :** 1res mesures anticléricales du régime républicain : cherchent à utiliser les droits de l'État sur l'Église, pour déchristianiser un certain nombre d'institutions, notamment l'enseign. **1905 :** l'Église est séparée de l'État ; les congrégations (religieux et religieuses) restent soumises au régime concordataire qui permet de limiter leur liberté d'action. **1940-44 :** le régime de Vichy cherche à utiliser l'influence du clergé et favorise le catholicisme. **Après 1945 :** anticléricalisme composite irréligieux « Le Canard enchaîné », laïc (opposition aux écoles catholiques) ou matérialiste athée. **1981-84 :** renaissance de l'action laïque à propos surtout du problème scolaire. Une législation défavorable à l'enseign. cath. est ajournée par suite de violents incidents.

Croyants

• Assemblées dominicales en l'absence de prêtres. Selon une enquête de 1987, 78 diocèses sur 93 consultés ont des assemblées régulières et 6 occasionnelles, représentant 2 013 lieux d'assemblées régulières + 650 lieux concernés occasionnellement.

• Attitudes politiques. *Sources :* « La Vie » 16-6-1988. **Présidentielles.** Ensemble des électeurs, pratiquants réguliers entre parenthèses, pratiquants irréguliers en italique (en %). **1er tour.** R. Barre 16,5 (32,7) *21,9.* J. Chirac 19,9 (33,7) *34,8.* J.-M. Le Pen 14,4 (12,2) *13.* Droite 50,8 (78,6) *69,7.* F. Mitterrand 34,1 (15,8) *23,9.* Ext. gauche 11,3 (2,1) *3,4.* Gauche 45,4 (17,9) *27,3.* Écologistes 3,8 (3,5) *3.* **2e tour.** J. Chirac 46 (81) *61.* F. Mitterrand 54 (19) *39.* **Législatives (vote des pratiquants en %). Gauche** 14 dont extrême gauche 0. Centre 46 dont centre gauche 7, centre 16, centre droit 24. **Droite** 39 dont extrême droite 3.

• Aumôneries. Env. 2 800 en France regroupant 400 000 jeunes (env. 30 000 animateurs).

• Baptêmes. *Nombre* (1986) : 529 494 dont 6 624 pour des + de 7 ans.

• Catéchistes (1985-86). 220 000 (84 % de femmes).

• Convictions et pratique religieuse. *Pratique* (en %). *1946 :* 33 ; *1948 :* 37 ; *1958 :* 35 ; *1968 :* 25 ; *1975 :* 13,5 ; *1988 :* 13. **Sondage** *Sofres-Le Monde* (sept. 1986). Auprès de 1 500 personnes de 18 ans et + (en %) : cath. 81 ; pratiquants (assistance à la messe) : réguliers 16 (20 % des cath.) ; irréguliers 15 (19) ; nuls ou quasi nuls 50 (61). *Sympathie envers les intégristes (en %) :* 47 des cath. (pratiquants réguliers 63, occasionnels 60 ; non pratiquants 37). *Adhésion* *à quelques vérités religieuses (en %) parmi des personnes s'affirmant « catholiques »* (et, entre parenthèses, pratiquants) : supériorité de la conscience individuelle sur l'enseignement de l'Égl. 80 (53) ; Jésus, fils de Dieu 72 (96) ; existence de Dieu certaine ou probable 75 (98) ; nouvelle vie après la mort 21 (50) ; Trinité 44 (88) ; résurrection du Christ 60 (94) ; ciel 47 (82) ; purgatoire 30 (61) ; enfer 27 (53) ; Jugement dernier 38 (75) ; existence du diable 28 (57) ; Immaculée Conception de Marie 51 (77) ; miracles 52 (81). *Pratiques (en %) :* prière 65 (98) ; lecture de la Bible 9 (22) ; lectures religieuses 25 (56) ; messe télévisée 23 (43) ; catéchisme aux enfants 7 (17) ; réunions d'action cath. 5 (17) ; prières en groupe 6 (19) ; animation liturgique 6 (21). *Acceptant ces principes (en %) :* avortement 50 (25), sexualité hors mariage 72 (49), mariage des prêtres 69 (47), ordination des femmes 61 (45), action politique violente 31 (26), divergences avec le pape 55 (43), lutte des classes 52 (34), mutations doctrinales 61 (52). *Admettant qu'un catholique puisse être (en %) :* communiste 58, socialiste 81, d'extrême droite 66, capitaliste 79.

Étude du Credoc (1989). 82 % des Français se déclarent catholiques, 2 % protestants, 1 % juifs, 1 % musulmans. *Pratique :* jamais 44 %, occasionnellement 26 %, régulièrement 12 % (dont 2,5 % chez les moins de 25 ans et 22,5 % chez les plus de 60 ans) (dont 72 % de femmes) 16 % vont chaque année à la messe de minuit (15 % y vont de temps à autre, 29 % rarement. 40 % n'y assistent jamais).

• **Mariages religieux.** *1986 :* 180 264.

• **Pèlerinages.** 1 Français sur 4 visite chaque année 1 sanctuaire. *Sanctuaires* les + visités (nombre de pèlerins par an en millions) : Notre-Dame de Paris (8) ; Sacré-Cœur de Montmartre [6 (dont 0,3 de pèlerins)] ; Lourdes [5 (dont 0,6 en pèlerinages organisés)] ; Chartres (2,5) ; Mont-St-Michel [2,5 (dont 0,75 aux offices)] ; la Médaille miraculeuse (1,2) ; Lisieux (1,2) ; Rocamadour (1) ; Paray-le-Monial et Pontmain (0,5) ; Ars (0,4) ; Nevers (0,35) ; La Salette (0,2).

Associations et mouvements

Mouvements de spiritualité

• **Groupements de vie évangélique (G.V.E.).** Longtemps appelés « tiers ordres ». *Origine :* St François d'Assise, après avoir fondé l'ordre des Franciscains et celui des Clarisses, proposa une règle de vie aux laïcs qui aspiraient à une plus grande perfection, et les regroupa dans un « tiers ordre » (3e ordre) en 1221. Le tiers ordre de St Dominique date de 1422. D'autres sont plus récents, telles les communautés Vie chrétienne. Animés par des laïcs avec le concours de religieux appartenant à la famille spirituelle dont ils s'inspirent dans leur forme de prière (récitation de l'office, par ex.) et la discipline de vie. **Communautés Vie chrétienne** (mouvance des jésuites) 128, rue Blomet, 75015 Paris. **Fraternités carmélitaines** 1, rue du Père-Jacques, 77120 Avon. **Frat. séculières Charles-de-Foucauld** 10, rue de la Halle, 59800 Lille. **Frat. laïque dominicaines** 222, rue du Fg-St-Honoré, 75008 Paris. **Frat. séculières de Saint François d'Assise** 27, rue Sarrette 75014 Paris. **Frat. Lataste** (fondateur des Dominicains de Marie, 1864) 1, rue d'Auvergne, 78450 Villepreux. **Frat. marianistes** Maison St-Jean, 5, rue Maurice-Labrousse, 92150 Antony. **Frat. maristes** 6, rue Jean-Ferrandi, 75006 Paris. **Oblatures bénédictines** 7, rue d'Issy, 92170 Vanves.

• **Autres mouvements s'adressant à tous : Équipes d'Eaux vives** 16, rue St-Martin, 75004 Paris [issu 1941 du mouvement noëliste (revue *Noël*)] *fondé* 1901 par les assomptionnistes. En majorité des femmes ; quelques équipes mixtes (jeunes). Activités de loisirs et culture. **Équipes du Rosaire** 222, rue du Faubourg-Saint-Honoré, 75008 Paris. Animées par les dominicains. **Focolari** (en italien, foyers) *Centre masculin :* 56, rue des Garrements, 92140 Clamart. *Féminin :* 41, rue Boileau, 75016 Paris. *Fondé* 1943 en Italie par Chiara Lubich. Communautés de vie laïques. En 1967 branche jeune : GEN (« génération nouvelle »). Chaque été rassemblements de 5 j, les *Mariapolis. Membres :* + de 1 million dans le monde. *Publications : Nouvelle Cité* (adultes). *GEN* (jeunes). *Parole de vie* (45 000 ex.). Éditions de livres et disques *Nouvelle Cité.* **Légion de Marie** 43, rue Boileau, 75016 Paris. *Fondée* 1921 en Irlande par Frank Duff ; en France dep. 1940. S'inspirant de St Louis-Marie Grignion de Montfort. **Pax Christi** 44, rue de la Santé, 75014 Paris, voir p. 527 c. **Prière à Marie** 11, rue Marin-Dubuard, 28400 Nogent-le-Rotrou. *Fondé* 1942 sous le nom de Prière des hommes à Marie pour obtenir la paix par le renouveau spirituel. Mixte depuis 1972.

• **Pour les jeunes. Jeunesses mariales** 65, rue de Sèvres, 75006 Paris. Ancienne Association des enfants de Marie Immaculée *fondée* 1830 à l'initiative de Catherine Labouré selon la spiritualité de St Vincent de Paul. Mixte en 1968 (nom actuel). **Mouvement eucharistique des jeunes (M.E.J.)** 19, rue de Varenne, 75007 Paris. Ancienne Croisade eucharistique *fondée* 1917. *Membres :* 90 000. **C.P.M. (Centres de préparation au mariage)** 6, av. Vavin, 75006 Paris.

• **Foyers. Équipes Notre-Dame** 49, rue de la Glacière, 75013 Paris. Mouvement de spiritualité conjugale. *Fondé* 1939 par le Père Caffuel. *Équipes :* 5 777 (dont France 1 800, Brésil 950, Espagne 800).

• **Femmes veuves.** *Espérance et vie* 49, rue de la Glacière, 75013 Paris. **Séparées et divorcées.** *Renaissance* 13, rue des Bernardins, 75005 Paris. **Service des prêtres.** *L'aide au prêtre* La Contie, 15250 Jussac. *Fondé* 1946.

• **Retraités et troisième âge. La Vie montante** 7, rue Berteaux-Dumas, 92200 Neuilly. Organisé 1962.

Action catholique

Quelques dates

1871 : *Œuvre des Cercles* avec René de La Tour du Pin (1831-1924), Albert de Mun (1841-1914), Léon Harmel (1829-1915). **1886 :** A. de Mun crée l'A.C.J.F. (Association cath. de la jeunesse de Fr.). **1894 :** *le Sillon* de Marc Sangnier (1873-1950). **V. 1920 :** *Fédération nationale catholique* (F.N.C.) organisée par le général de Castelnau (1851-1944) (créée en Belgique en 1925 par l'abbé Cardjin). **1927 :** Organisation de la J.O.C. en Fr. Branche autonome de l'A.C.J.F. **1930 :** Pie XI charge le card. Verdier et Mgr Courbe de mettre en place l'A.C.F. (*Action catholique française*). **1931 :** ses statuts sont approuvés par l'épiscopat fr. **1932-50 :** mouvements spécialisés d'action catholique ; mouv. de la jeunesse fédérés au sein de l'A.C.J.F. **1957 :** l'A.C.J.F. est dissoute, chaque mouv. reprend son autonomie mais relié au *Secrétariat pour l'apostolat des laïcs* (106, rue du Bac, 75341 Paris Cedex 07) et aux commissions épiscopales qui suivent leurs activités.

Associations et mouvements existants dans le cadre des statuts de 1931

Action catholique des enfants (A.C.E.). Association des *Cœurs vaillants* et *Ames vaillantes de France,* 6, rue Duguay-Trouin, Paris 6. *Créée* 1936 par les P. Courtois (1897-1970) et Pihan. *Pte :* Élisabeth Faure. *Activités :* rencontres de clubs d'enfants, actions dans le quartier, à l'école, fêtes, camps. *Statistiques :* 100 000 de 5 à 15 ans et 14 000 accompagnateurs. *Presse :* journaux édités par Fleurus : « Perlin » (5-8 ans), « Fripounet » (8-11 a.), « Triolo » (11-15 a.). *Revues des clubs A.C.E. :* « Les Mifasols » (5-8 a.), « Tric et Truc » (8-11 a.), « Vitamine 11-15 ».

Action catholique générale féminine (A.C.G.F.). 98, rue de l'Université, Paris 7e. *Issue* 1954 de la *Ligue féminine d'Action catholique. Effectifs :* env. 30 000 femmes. *Presse :* « Le Gué » et « En équipe au service de l'Évangile ».

Action catholique des membres de l'enseignement chrétien (A.C.M.E.C.). 95, rue de Vaugirard, Paris 6e. *Fondée* 1947. *Membres :* env. 1 000. *Presse :* « Engagement ».

Action cath. des milieux indépendants (A.C.I.). 3 bis, rue François-Ponsard, Paris 16e. *Fondée* 1938 par Marie-Louise Monnet (1902-88), sœur de Jean Monnet, 1re femme auditrice à Vatican II en 1964. Elle avait fondé en 1935 le J.I.C.F. *Membres :* env. 13 000. *Pts :* Bénédicte Carment, Dominique Lemeau de Talance. *Presse :* « Le Courrier », « Prêtres en milieux indépendants », 13 000 ex.

Action catholique des milieux sanitaires et sociaux (A.C.M.S.S.). 36, rue Klock, 92110 Clichy. *Créée* 1956. *Membres :* 1 500 à 2 000. *Presse :* « B.L. » (Bulletins de liaison), trimestriel : 1 000 ex.

Action catholique ouvrière (A.C.O.). 7, rue Paul-Lelong, Paris 2e. *Fondée* 1950. *Origine :* L.O.C. (Ligue ouvrière chrétienne, 1935), puis M.P.F. (Mouvement populaire des familles) (1941). *Membres :* 19 000 (1986). *Presse :* « Témoignage A.C.O. » (mensuel) 16 000 ex., revue de masse (2 fois par an) 50 000 ex., revue pour responsables du mouvement (trimestrielle) 3 500 ex.

Chrétiens dans le monde rural (C.M.R.). 21, rue du Fg-St-Antoine, Paris 11e. *Origine :* Ligue agricole catholique (L.A.C.) *créée* 1938 par des anciens de la J.A.C. et devenue Mouvement familial rural (M.F.R.) après la guerre, puis le C.M.R. en 1966. *Membres :* env. 20 000. *Presse :* « Agir en rural » 5 000 ex., « Sève église aujourd'hui » 5 000 ex.

Homosexuels. « David et Jonathan ». BP 9107 75327 Paris Cedex 07. De nombreux prêtres en font partie dep. 1952 (pastorale des « homophiles » de l'abbé Max Lionnet).

Jeunesse de la mer. 16, rue du Père-Aubry, 94120 Fontenay-sous-Bois. *Fondée* 1930 à St-Malo par l'abbé Havard (Jeun. maritime chrétienne) ; 1974 devient Jeunesse de la mer ; regroupe jeunes navigants (pêche et commerce) et jeunes des éc. d'apprentissage maritime. Non confessionnelle. *Publication :* « Jeunesse maritime » (3 nos/an).

Jeunesse étudiante chrétienne (J.E.C.). 27, rue Linné, Paris 5e. *Fondée* 1929 par Louis Chaudron et Paul Vignaux. *1965,* à la suite d'un conflit avec la hiérarchie cath., elle perd ses branches étudiantes et devient progressivement un mouvement de lycéens. *1983,* la branche étudiante est réintégrée. 8 350 lycéens en mouvement et 1 100 étudiants. *Presse :* « Aristide-Infos » pour lycéens (6 nos par an), « Anima J.E.C. » pour animateurs (4 nos par an). *Pte :* Isabelle Barbay.

Jeunesse indépendante chrétienne (J.I.C.). 22, rue de l'Abbé-Derry, 92130 Issy-les-Moulineaux. *Fondée* 1931 au sein de l'A.C.J.F. par Noël Souriac pour regrouper les jeunes gens ne pouvant faire partie d'un mouvement « spécialisé » (ouvrier, étudiant, marin, paysan). *Mixte* dep. 1980. *Membres : 1946 :* 2 000, *62 :* 1 000, *68 :* 2 000, *76 :* 4 500, *82 :* 12 000, *88 :* 6 500. *Presse :* « Recherche » (18-28 ans), 6 000 ex., « Recherche-Informations », 4 500 ex.

Jeunesse indépendante chrétienne féminine (J.I.C.F.). 7, bd Delessert, Paris 16e. *Fondée* 1935 par Marie-Louise Monnet. Filles de 14 à 28 ans. *Pte :* Anne Champenois. *Filles en équipe :* 2 000. *Presse :* 2 bitrimestriels, « Aujourd'hui » (14-18 a.) et « Jeunesse et Présence » (18-28 a.).

Jeunesse ouvrière chrétienne (J.O.C.), Jeunesse ouvrière chrétienne féminine (J.O.C.F.). 246, bd St-Denis, 92403 Courbevoie Cedex. *Fondées* 1925 par l'abbé Cardjin (belge) puis, en France, en 1927 (J.O.C.) et 1928 (J.O.C.F.) par l'abbé Guérin, pour les 15-26 ans. *Membres :* 20 000. *Pts :* Jérome Pedro (J.O.C.), Jacqueline Vion (J.O.C.F.). *Presse :* « La Jeunesse ouvrière » (7 nos annuels), « Stop-équipe ouvrière » (4 nos ann.).

Mission étudiante. 7, rue Vauquelin, 75005 Paris. *Créée* 1892 par Pupey-Girard, fondateur des « Unions d'Écoles ». Aumôneries, communautés, centres catholiques. *Pte :* Catherine Alibert. *Membres :* 13 000. *Presse :* « Campus-Actualités » (8 fois par an). 2 branches plus spécifiques : **Chrétiens en Grande École (C.G.E.),** 18, rue de Varenne, 75007 Paris. *Membres :* 2 000. *Pte :* Cécile Dagallier. *Presse :* « Journal des Chrétiens en Grande École » (5 nos/an) 600 ex. Région parisienne : **Communautés chrétiennes univ.** (Le Cep) ; *créées* 1968, héritières du *Centre Richelieu,* fondé 1945, place de la Sorbonne. *Adhérents :* 2 500. 5, rue de l'Abbaye, Paris 6e. *Presse :* « Paraboles » 1 700 ex.

Mouvement des cadres : techniciens, ingénieurs et dirigeants chrétiens (M.C.C.). 18, rue de Varenne, Paris 7e. 1966 fusion de l'Union sociale d'ingénieurs cath., cadres et chefs d'entr. (U.S.I.C.) fondée 1906, et du Mouv. d'ing. et de chefs d'ind. d'action cath. (M.I.C.I.A.C.) fondé 1937. *Membres :* 6 000 en équipes de foyers. *Pt :* Xavier Grenet. *Presse :* « Responsables » 6 000 ex. (men.).

Mouvement eucharistique des jeunes (M.E.J.). 19, rue de Varenne, Paris 7. *1962* issu de la Croisade eucharistique, née 1917 au sein de l'Apostolat de la prière. *Membres :* 60 000 de 9 à 19 ans (milieu employés 9 %, ouvriers 16, monde agricole 12, cadres patrons, professions libérales 57). 5 sections : *Feu nouveau (FN) :* 9/11 ans ; *Jeunes Témoins (JT) :* 11/13 ans ; *Témoins Aujourd'hui (TA) :* 13/15 ans ; *Équipes Espérance (ES) :* 15/17 ans ; *Équipes apostoliques (EA) :* 17/19 ans. Unité de base : équipe (5 à 7 jeunes accompagnés d'un adulte parfois aidé d'un jeune de 16 à 18 ans).

Mouvement rural de jeunesse chrétienne (M.R.J.C.). 53, rue des Renaudes, 75017 Paris. *Né 1963,* de la fusion de la Jeunesse agricole cath. (J.A.C., f. 1929) et de la Jeunesse agric. cath. féminine (J.A.C.F., f. 1933). 15 000 militants, 40 000 sympathisants. 3 branches : *J.A.C.* (exploitants agricoles, jeunes en formation agricole, aides-familiaux : 20 %) ; *J.T.S.* (jeunes travailleurs salariés : apprentis, salariés, chômeurs : 20 %) ; *G.E.* (groupe école : scolaires, lycéens, étudiants : 60 %). *Pt :* François Bernard. *Presse :* « Canard Plus », « Graffiti ».

Partage et Rencontre. 18, rue de Varenne, Paris 7e. *Fondé* 1974. *Membres :* 3 500. Échanger sur les réalités de sa vie et celles de l'Evangile. *Pts :* Marie-Laure et Jean-Paul Vandererven, 29, rue Fénelon, 76600 Le Havre.

Scoutisme catholique. Voir Index.

Vivre ensemble l'Évangile aujourd'hui (V.E.A.). 12, rue Edmond-Valentin, Paris 7e. *Origine :* Féd. nat. cath. (F.N.C.) fondée 1924 par le Gal de Castelnau (1851-1944). *1945* Féd. nat. d'action cath. (F.N.A.C.). *Pt :* J. Le Cour Grandmaison. *1954* Action cath. gén. des hommes (A.C.G.H.). *1976* nom actuel : Mouv. apostolique mixte. *Membres* (1989) : 10 000. *Presse :* « Vivre ensemble ».

Autre origine

Communauté de l'Emmanuel. *Membres :* 3 500. *Vocations principales :* adoration, en participant à une messe et à des prières quotidiennes ; évangélisation (lieux publics), compassion (assistance téléphonique, visite aux malades, soupe populaire).

Communautés néo-catéchumènes. Env. 60 dont le Chemin ouvert 1973 à St-Germain-des-Prés.

Credo. Association catholique traditionaliste. *Fondée* 1975 par Michel de Saint-Pierre (1916-87). *Publication :* Bulletin bimestriel. *Pt :* Marc Dem. *Siège :* 5, allée Corot, 78170 La Celle-St-Cloud.

Secours catholique. *Créé* 8-9-1946 lors du pèlerinage à Lourdes de 100 000 anciens prisonniers et déportés. *Statut :* association (loi 1901), reconnue d'utilité publique 1962. Grande cause nationale en 1988. Confédéré au sein de *Caritas Internationalis* (Voir p. 527 b), 106 délégations diocésaines (métropole et outre-mer), 66 000 volontaires bénévoles. *Budget 89 :* 711 millions de F (lui ayant permis de répondre à 710 000 appels à l'aide en France ; 512 opérations internationales, dont 116 d'urgence dans 61 pays, 285 micro-projets de développement dans 48 pays, grâce au réseau des Caritas nationales. *Conseil d'admin. :* 21 membres. *Pt : 1946* François Charles-Roux. *1961* Jacques de Bourbon-Busset. *1970* Mgr Jean Rodhain. *1977* Robert Prigent. *1983* André Aumonier. *Secr. gén. 1946* Mgr Jean Rodhain. *1973* Gilbert Cesbron. *1976* Louis Gaben. *1985* M. Fauqueux. *Aumonier général :* Père Marie-Paul Mascarello. *Siège :* 106, rue du Bac, Paris 7e. *Mensuel :* « Messages », 1 156 580 ex. (O.J.D. 1989).

Vie nouvelle. Mouvement de formation et d'action communautaire (assoc. d'éduc. populaire) reconnu comme organisme de formation permanente. *Fondé* 1947. S'inspire du personnalisme communautaire d'Emmanuel Mounier (1905-50). 70 groupes locaux, 1 conseil des régions, 2 permanences nationales. *Périodiques :* « Vers la vie nouvelle », « Citoyens ». Jacques Delors a été 20 ans responsable de l'équipe politique. *Adr. :* 74, bd. Beaumarchais, Paris 11e.

☞ *C.N.E.R.* (relevant de la Commission épiscopale de l'enseign. religieux) 6, avenue Vavin, Paris 6e. *C.L.E.R. (Centre de liaison des équipes de recherche)* 65, bd de Clichy, Paris 9. Fondé 1962. *Confédération nat. des assoc. familiales catholiques* 28, place Saint-Georges, Paris 9e. Fondée début XXe s.

Presse catholique

Tirage (ou *diffusion*) **(1989). Bayard Presse :** « La Croix – L'Événement » [1], 104 329 ; « le Pèlerin Magazine » [2] *(345 697)* ; « Notre Temps » [4] *(1 115 360)* ; « Astrapi » [3] *(92 578)* ; « Okapi » [3] *(129 443)* ; « Pomme d'api » [4] *(150 852)* ; « Phosphore » [4] *(97 920)* ; « Documentation catholique » [3] 25 000 ; « la Foi aujourd'hui » 40 000 *(40 000)* ; « Vermeil ». **Publications de la Vie catholique :** « Télérama » [2] *(511 157)* ; « la Vie » [2] *(265 232)* ; « Croissance des jeunes nations » [4] 22 000 *(25 000)* ; « Actualité religieuse dans le monde » [4] 20 000 *(25 000)* ; « Prier », mensuel. **Union des œuvres catholiques de France [UOCF]/Fleurus Presse (association 1901) :** « Perlin » [2] 98 000 ; « Fripounet » [2] *(10 000)* ; « Triolo » [3] 100 000. **Publications indépendantes :** « Témoignage chrétien » [2], 85 000 ; « la France catholique » [2] 25 000 ; « l'Homme nouveau » [3] *(27 194)* ; « Famille chrétienne » [2] 65 000 ; « Cahiers pour croire aujourd'hui » [3] *(20 000)* ; « Étincelles » [4], « Fêtes et saisons » [4], « Feu et lumière » [4], « Missi » [4], « Panorama » [4], « Peuples du monde » [4], « Points de repères », 7 nos par an ; « Terres lointaines » [4].

Nota. (1) quotidien. (2) hebdomadaire. (3) bimensuel. (4) mensuel.

Églises catholiques orientales

Rites orientaux

• **Rites d'Antioche-Jérusalem.** Le rite antiochien pur a disparu au VIe s., pour être remplacé par la « liturgie de St Jacques » : variété locale, pratiquée par l'Église primitive de Jérusalem (dont Jacques le Mineur a été le 1er évêque). **En grec :** supplantée par le rite byzantin-grec, sauf pour la messe de St Jacques le Mineur (23 oct.).

En syriaque occidental (dialecte araméen de la région d'Édesse) : **Églises séparées monophysites syriennes** (Voir p. 543) ; **Églises catholiques : I) proche du patriarcat d'Antioche des Syriens** [*fondé* 1830 ; résidence actuelle Beyrouth ; en dépendent 3 vicaires patriarcaux (Jérusalem, Liban, Turquie), 2 archevêques irakiens (Bagdad, Mossoul), 2 métropolitains syriens (Damas, Homs), 2 arch. syriens (Alep, Hassassé-Nissibi), 1 évêque égyptien (Le Caire)]. **France :** Égl. syrienne St-Éphrem, 15, rue des Carmes Paris 5e **(II) Inde** (d'abord dans le Kerala, puis a essaimé : Égl. syr. orthodoxe (10 éparchies rattachées au patriarche jacobite d'Antioche) ; Égl. syr. indépendante du Malabar (ne sont pas du rite chaldéen « malabar », voir ci-dessous) ; Égl. syr. de Mar Thomas [dite *Mar Thomiti*) (5 éparchies, 250 000 fidèles)] ; Égl. du sud de l'Inde (créée 1947, proche des Anglicans) ; Égl. anglicane (100 000 fidèles formant le « diocèse de Travancore et Cochin ») ; Égl. évangélique de St-Thomas (protestants séparés de l'Égl. Mar Thomiti). *Catholiques :* Égl. métropolitaine de Trivandrum des Syro-Malankars (Inde, Kerala) (fondée 1930 par Mar Ivanios). Archevêque : Mgr Grégorios Thangalatil. *Diocèse suffrageant :* Tiruvala. *Ordres religieux :* Imitation du Christ (f. 1919, rallié à Rome 1930) ; monastère de la Montagne de la Croix créé 1958 par un bénédictin et un trappiste français : vie des *ashrams* hindous avec office du rite syrien. Pas de centre à Paris.

• **Rite maronite.** Liturgie de l'Église syriaque mère. Subit l'influence latine à partir du XIIe s. Pratiqué par les maronites, disciples de St Maroun (Ve s.) restés catholiques après la crise monophysite. *Patriarche :* dep. avril 1986, Nasrallah Pierre Sfeir (n. 1920). *Résidence :* Bkerké (Liban) ; 21 archevêchés ou évêchés (Liban 10, Chypre 1, Syrie 3, Égypte 1, U.S.A. 2, Brésil 1, Australie 1, Canada 1, Argentine 1). *Vicariat à Paris :* N.-D. du Liban, 15-17, rue d'Ulm, Paris 5e.

• **Rite chaldéen. En syriaque oriental** [dialecte araméen de la région de Nisibe (*chaldéen* a été longtemps, pour les linguistes, synonyme d'« araméen »)] : le plus ancien rite de la chrétienté (Ier s.) ; évangélisation de la Mésopotamie par l'apôtre Thomas et ses compagnons Addaï et Mari, qui ont créé la liturgie eucharistique) ; modifié 410, puis 650, après la coupure avec les Égl. d'Antioche et d'Alexandrie ; VIIIe-XIVe s. : répandu de l'Arabie à la Chine par les missionnaires nestoriens (chrétienté la plus importante après l'Occident) ; diminué par les persécutions musulmanes. Commun aux Égl. séparées « nestoriennes » ou « assyriennes » (Voir p. 543), et aux cath. du patriarcat de Babylone. *Créé* 1551 à Diarbékir (Turquie) [*fidèles :* 700 000, *siège actuel :* Bagdad (*patriarche :* Raphaël Ier Bidawia dep. mars 1989) ; Irak 10 diocèses ; Iran 4 ; Liban 1 ; Syrie 1 ; Turquie 1 (l'arch. de Diarbékir) ; 2 vicariats patriarcaux : Jérusalem et Paris ; 1 exarchat aux U.S.A. (Southfield, Michigan)]. **En malayalam** (depuis Vatican II) : liturgie des Indiens chrétiens « syro-malabars », commune à plusieurs Égl. séparées (Voir p. 543) et aux cath. des archevêchés de Changanacherry et d'Ernakulam (avec certains rites romains adoptés dep. 1599). En févr. 1986, Jean-Paul II a béatifié 2 membres de cette Égl. : Kyriakos Elias Chavos et la Mère Alphonsa. *Fidèles. France :* 3 500 [*Paris et banlieue :* 2 000 (500 nouveaux arrivés de Turquie en 1983), *région marseillaise :* 130 familles].

• **Rite byzantin** (10 langues différentes, dont 6 utilisées par des Égl. unies à Rome). Variété de la liturgie de St Jacques. A supplanté le r. d'Antioche quand Constantinople est devenue capitale de l'Empire romain d'Orient, et s'est imposé chez les païens convertis par des missionnaires de Byzance. Le plus répandu après le latin. **En grec :** Égl. séparées orthodoxes du patriarcat de Constantinople (Voir p. 535), 2 exarchats cathol. d'Athènes et Istanbul. **En arabe :** appelée *melkite,* c.-à-d. « royale », car elle était celle des Grecs de Syrie, qui au VIIe s. ont refusé de rallier l'Égl. de Jacques Baradaï et sont restés fidèles au « roi », c.-à-d. l'empereur de Constantinople). Arabisée dep. le XIIIe s. ; 4 Églises séparées orthodoxes (patriarcats d'Antioche, Jérusalem, Alexandrie ; archevêché du Sinaï) ; Église grecque melkite cathol. (Patriarcat d'Antioche des Melkites, siégeant à Damas) ; 4 vicariats patriarcaux (Égypte et Soudan, Jérusalem, Irak, Koweit) ; *diocèses :* Syrie 6, Liban 7, Jordanie 1, Israël 1 (St-Jean-d'Acre), Brésil 1 (São Paulo), U.S.A. 1 (Newton, Massachusetts). *Centre à Paris :* Égl. grecque melkite St-Julien-le-Pauvre. **En albanais :** Égl. albanaise orthodoxe autocéphale, 3 diocèses « italo-albanais » d'Italie. **En hongrois :** exarchat orthodoxe de Budapest (rattaché au patriarcat orthodoxe de Constantinople, 1930, de Moscou, 1946), exarchat cath. de Hajdudorog (Hongrie), fondé 1912. **En roumain :** Égl. séparée orthodoxe (patriarcat de Bucarest) ; Égl. métropolitaine catholique d'Alba Julia [avec 5 diocèses (supprimée par le gouv. roumain en 1946)]. *Centre à Paris :* Égl. roumaine St-Georges, 38, rue Ribera, Paris 6e.

En vieux slavon : 9 Égl. séparées de pays slavophones (Voir p. 537). **Catholiques :** *Bulgarie :* exarchat de Sofia ; *Yougoslavie :* év. de Crisio (Krizevci), siégeant à Zagreb ; *Ruthénie :* siège de Munkacs vacant (4 diocèses aux U.S.A.) ; *Ukraine :* 3 diocèses (dont l'arch. de Lwow) vacants ; diocèses de la diaspora : Canada 5, U.S.A. 3, Australie 1, Brésil 1, Argentine 1 ; exarchats : France 1, G.-B. 1, Allemagne 1 (Munich) ; *Slovaquie :* év. de Presov (Prjasev). **Centres à Paris :** 1°) *Égl. cath. russe de la Ste-Trinité, fondée* 1932 par Mgr Alexandre Evreinoff, env. 120 familles, 39, rue François-Gérard, Paris 16e ; 2°) *Égl. cath. ukrainienne St-Vladimir-le-Grand,* 51, rue des Saints-Pères, Paris 6e. **A Lyon :** Foyer oriental St-Basile, 25, rue Sala, 69002.

Église gréco-catholique d'Ukraine. *Chef* (en exil à Rome) : card. Lubatchivsky. De rite byzantin, née 1596, quand les év. des diocèses orthodoxes d'Ukraine occ., intégrés à la Pologne, signent avec Rome *l'union de Brest-Litovsk. 1946* un synode, auquel ne participe aucun év. cath., proclame sa réintégration dans l'Égl. orthodoxe. L'Égl. uniate est déclarée illégale. 3 000 églises, 150 monastères sont confisqués. Ses év. sont emprisonnés ou tués. *1963* l'U.R.S.S. expulse le dernier survivant : Mgr Slypyi. *1980* (21-3) Jean-Paul II réunit un synode particulier d'év. ukr. à Rome, malgré la protestation du patriarcat moscovite (l'Ukr. lui fournit 90 % de ses séminaristes et la majeure partie de ses revenus). *1990* (juin) synode à Rome, 29 év. (dont 11 venus d'Ukr.). **Membres :** *U.R.S.S.* 4 000 000. *Émigrés :* 1 000 000 dont Europe 400 000 (France 17 000), U.S.A. 300 000, Amér. du S. 250 000.

• **Rite arménien.** *Égl. chalcédoniennes* (Voir p. 535 c). *Église arménienne cath.* [Patriarcat de Cilicie des Arm. (restaurée 1742, actuellement Beyrouth, Liban) : diocèse patriarcal, Liban ; 3 archevêques (Syrie, Irak, Turquie) ; 3 évêques (Syrie, Égypte, Iran) ; dep. 1986, 2 exarchats (Amér. du N. et Amér. latine), 1 éparchie (France)]. *Centre à Paris :* Cath. Arm. Cath. Ste-Croix-St-Jean, 13, rue du Perche, Paris 3e ; Évêché, chancellerie et Centre culturel Mesrob, 10 bis, rue Thouin, Paris 5e.

• **Rite paulicien.** Proche du r. arménien. Du VIIe au XIIe s., a été celui des hérésiarques pauliciens, d'origine arménienne, qui avaient des tendances gnostiques, et rejetaient tout le Nouveau Testament, sauf saint Paul. Implantés en Bulgarie. Pour échapper à l'autorité du patriarche de Constantinople, ils se font catholiques au XIIIe s. Env. 70 000, formant 2 diocèses, distincts de l'exarchat bulgare de rite byzantin : Nicopoli (à Roussé) et Sofia-Philippopoli (à Plovdiv). Situation précaire sous régime communiste.

• **Rite d'Alexandrie.** Appelé « liturgie de St Marc ». Célébré en grec jusqu'au Xe s., puis en copte. Comprend des prières très particulières, les *diptyques.* **Liturgie copte** (actuellement bilingue, arabe et copte) : Église non chalcédonienne copte (Voir p. 543), Égl. copte cath. [patriarcat d'Alexandrie f. 1824 (*patriarche :* Stephanos II Ghattas, dep. 1986)] ; 4 évêques en Égypte : Assiout, Louxor, Minya, Sohag). **Rite éthiopien** (en ghéez) : Église nationale éthi. (Voir p. 543), Égl. métropolitaine cath. d'Addis-Abeba (fondée 1961) ; 2 évêques en Éthiopie : Adigrat, Asmara.

• **Ordinariats communs à plusieurs rites orientaux :** *Buenos Aires* (Argentine) ; *Vienne* (Autr.) ; *Rio de Janeiro* (Brésil) ; *Paris* (l'arch. de Paris est l'Ordinaire en titre ; mais il a un vicaire général délégué : Mgr Y. Marchassou, 24, rue de Babylone, Paris 7e).

Statistiques

• **Classification.** On distingue les *uniates* (catholiques unis à Rome), relevant d'un des 6 patriarches en communion avec Rome (dont 2 card.) et reconnaissant l'autorité de l'Église romaine, et les *orientaux « séparés »* (avant Vatican II « schismatiques ») relevant d'Églises qui ne reconnaissent pas l'autorité de Rome, rattachées à l'orthodoxie ou indépendantes.

• **Effectifs approximatifs et**, entre parenthèses, **% des catholiques (uniates)**. **Rite arménien :** 6 000 000 (10 %). **Byzantin :** 200 000 000 (4,5 %) dont Grecs 9 000 000 (0,2 %) ; Arabes (Melkites) 620 000, dont 150 000 émigrés (40 %) ; Albanais 180 000 (42 %) ; Italo-Albanais et Italo-Grecs 150 000 (100 %) ; Ukrainiens-Ruthènes en U.R.S.S. 4 000 000 [100 % (?) ; il n'y avait plus de hiérarchie organisée depuis 1946], émigrés 1 000 000 (80 %) ; Hongrois 200 000 (83 %) ; Roumains 18 000 000 [12 % (?) ; il n'y avait plus de hiérarchie organisée]. **Chaldéen :** M.-Orient 1 000 000 (84 %) ; Inde 2 500 000 (99,8 %). **Copte :** Égypte 10 000 000 (4 %), Éthiopie-Érythrée 14 000 000 (0,4 %). **Maronite :** 1 200 000 au Liban, 3 à 4 millions dans le monde (Argentine, Brésil, U.S.A., Canada, Afr. noire, Europe) dont émigrés 750 000 (100 %). **Syriaque :** M.-Orient 190 000 (45 %) ; Inde 1 020 000, dont Anglicans 300 000 (7 %).

Orthodoxes

Quelques dates

IVe s. La primauté de Rome oppose l'Occident, qui considère l'évêque de Rome comme chef de droit divin en tant que successeur de St Pierre (1er év. de Rome), à l'Orient qui ne voit là qu'un phénomène historique dû à l'importance numérique de l'Église romaine et au caractère de Rome, ancienne capitale de l'Empire. **325** *Concile de Nicée* reconnaît l'autorité exceptionnelle (hiérarchique mais non dogmatique) des évêques de Rome, Alexandrie et Antioche. Le Fils de Dieu est reconnu consubstantiel au Père. **381** *Concile de Constantinople* reconnaît l'autorité de l'évêque de Constantinople. Affirme la divinité du St-Esprit, 3e personne de la Ste-Trinité. **451** *Concile de Chalcédoine,* crée la juridiction territoriale du patriarcat de Constantinople. Dissidence des *Coptes, Arméniens* et *Syriens* (considérés dès lors comme « monophysites »). Reconnaît en J.-C. 2 natures (divine et humaine), et une personne, celle du Fils de Dieu, 2e personne de la Sainte-Trinité.

787 *Concile de Nicée.* 7e et dernier concile, considéré comme œcuménique par les orth., reconnaît la légitimité du culte des images. **794** Charlemagne demande d'intégrer le Filioque à une phrase du Credo : « Credo in spiritum sanctum qui ex patre *filioque* procedit » (« Je crois au Saint-Esprit qui procède du Père *et du Fils* ») ; l'Orient s'y refuse, pour 3 raisons : 1° Destruction de l'équilibre de la Trinité. 2° Violation du principe voté à Constantinople (381) et Éphèse (431), interdisant de modifier le symbole de Nicée. 3° Négation de l'enseignement évangélique (Jean, XV, 26) : « Je vous enverrai l'esprit de la Vérité qui procède du Père » [en fait, le *filioque* était une adaptation maladroite, Charlemagne aurait dû distinguer entre les 2 ablatifs : *Ex patre (procedit)* et *A filio (mittitur).* Mais il fit tout dépendre de *ex.*] **810** Le pape Léon III refuse d'insérer le *filioque* dans la liturgie romaine et tâche de le faire biffer de la littérature impériale carolingienne, puis se contente, « par amour pour la vraie foi », de faire déposer près des tombeaux des apôtres Pierre et Paul le texte du Credo sans *filioque,* gravé en grec et en latin, sur des plaques d'argent. La formule sera finalement acceptée à Rome dans la 1re moitié du XIe s. **857** L'empereur d'Orient exile Ignace, patriarche de Constantinople, qui avait blâmé son impiété, et nomme à sa place un laïque, *Photius,* qui est ordonné en quelques j. Ignace fait appel à Rome où un concile condamne Photius. Le pape Nicolas Ier demande à Ignace et Photius de venir à Rome. Photius refuse et dénonce la primauté juridictionnelle de Rome (n'admettant que la primauté d'honneur). Remplacé par Ignace, il est condamné et la primauté est de nouveau reconnue. **877** Photius succède à Ignace, le pape Jean VIII (877-882) le reconnaît.

Xe et XIe s. Rome et Constantinople s'ignorent. **1054** Michel Cérulaire, patriarche de Constantinople (adversaire du *filioque*), est excommunié par les légats du pape Léon IX. Il avait voulu imposer aux églises latines de son diocèse les usages byzantins (le pape ayant exigé des Grecs d'It. l'adoption des usages latins, notamment l'emploi de pain azyme). La rupture n'est pas définitive. **1204** les Croisés pillent Constantinople ; un Vénitien en devient patriarche latin. **1261** Michel VIII Paléologue reprend Constantinople aux Latins. **1274** au Concile de Lyon, il reconnaît Rome. **1369** Jean V (1341-91) se dit catholique, mais n'est pas suivi. **1438-39** Concile d'union à Ferrare, puis Florence ; l'opposition à Rome ne compte plus que St Marc d'Éphèse, mais les Grecs ralliés se rétractent après leur retour en Orient.

1453 *Constantinople pris* par les Turcs ; rupture consommée par le patriarche Gennade Scholarios. **1589** Moscou érigée en patriarcat. Les Russes parlent de « la *3e Rome* ». **1596** les évêques orth. « ruthènes » (ukrainiens) signent avec Rome le tr. d'Union de Brest-Litovsk : certaines églises ukr. reconnaissent Rome, en conservant liturgie et calendrier orientaux, et en étant dispensées du *filioque.* **1697** Mgr Téofil, év. roumain orthodoxe d'Alba Julia (en Transylvanie alors sous domination hongroise), signe avec Rome un acte d'union analogue pour les Roumains de Transylvanie (1853 : Égl. métropolite de Blaj). Les Églises de Grèce (1850), Moldo-Valachie (1885), Bulgarie (1870), Serbie (1920), Pologne (1924), Albanie (1925) seront reconnues autocéphales par Byzance. **1922** *tr. de Lausanne ;* l'arch. de Constantinople renonce au titre d'ethnarque (politique) pour celui de patriarche (spirituel). **1946** les Soviétiques suppriment l'Égl. de l'Union de Brest-Litovsk (prêtres et évêques fusillés, fidèles rattachés d'office à l'Égl. orthodoxe). **1948** les communistes roumains font de même pour les Unis de Blaj.

1963 (5-1) Paul VI rencontre à Jérusalem Athénagoras Ier, patriarche de Constantinople : accolade et échange de cadeaux reconnaissant symboliquement la valeur de leur épiscopat [calice pour Ath., *engolpion* (médaillon avec icône du Christ) pour P. VI]. **1965 (déc.)** clôture de Vatican II, P. VI et Ath. Ier lèvent conjointement et réciproquement les excommunications de 1054. La décision de P. VI engage toute l'Église romaine ; celle d'Ath. n'engage pas toute l'orthodoxie (il ne jouit que d'une primauté d'honneur). **1978 (5-9)** le métropolite Nikodim, de Leningrad, en visite officielle au Vatican, meurt d'une crise cardiaque dans les bras de Jean-Paul Ier. **1979 (30-11)** Jean-Paul II rencontre à Istanbul le patriarche œcuménique Dimitrios Ier et y chante le Pater en latin à la messe du patriarche.

Parallèle avec la religion catholique romaine

Calendrier. L'Église orthodoxe russe conserve le calendrier julien (elle fête Noël le 7 janvier). D'autres orthodoxes, les patriarcats de Constantinople et d'Antioche, les Églises de Grèce et de Finlande, célèbrent Noël le 25 déc., mais gardent le cal. julien pour fixer la date de Pâques.

Célibat. Un homme marié peut être ordonné diacre, puis prêtre. Un prêtre ou un diacre une fois ordonné ne peut ni se marier ni se remarier (veuf ou divorcé). Les évêques sont célibataires (dep. le VIe s.). Ils sont élus [parmi moines et prêtres non mariés, en général par des synodes, plus rarement par le clergé et le peuple (les élections populaires devant être confirmées par un synode d'évêques)].

Culte de la Vierge. Refus du dogme de l'Immaculée Conception qui abaisse la Vierge en lui déniant participation, mérite personnel, libre arbitre ; des théologiens occidentaux, notamment St Bernard l'ont combattu, et l'Écriture sainte n'en parle pas.

Doctrine (Divergences). Refus de la formule cath. qui fait procéder le St-Esprit du Père et du Fils ; refus de la primauté hiérarchique du pape et de son infaillibilité qui ne peut appartenir à un homme seul, fût-il patriarche (elle appartient à l'Église et s'exprime dans le concile œcuménique). Seul est « œcuménique » un concile témoignant de la foi orthodoxe ancrée dans la Tradition.

Icônes. En représentant le Christ dans une image, on affirme qu'il s'est rendu visible.

Liturgie. Le rite byzantin s'est imposé. Il est célébré dans les langues nationales ou liturgiques (slavon pour Russes, Serbes, Bulgares ; grec byzantin). La messe est chantée. Aucun instrument de musique n'est utilisé.

Monachisme. Pas d'ordres religieux, mais des monastères soumis à l'évêque du lieu ; la tendance contemplative domine.

Ordination. Diacre, prêtre ou évêque : le peuple doit clamer : *Axios* (en grec : « Il est digne »). Si un fidèle a une raison canoniquement valable d'empêcher l'ordination, il clamera : *Anaxios* (« Il n'est pas digne ») et l'on arrêtera l'ordination.

Ordres. Mineurs : lecteur, sous-diacre. **Majeurs :** diacre, prêtre, évêque. Les *évêques* peuvent être : *archevêque* (ayant sous sa juridiction un ou plusieurs évêques) ; *exarque* (représentant d'une Église locale pour l'émigration de celle-ci à l'étranger) ; *patriarche* (titre honorifique que porte un primat, conféré en concile à certaines Églises locales). Chez les Slaves, le métropolite peut être le primat d'une Égl. locale ; chez les Grecs, tous les év. diocésains portent le titre de métropolite. *Archidiacre, archiprêtre et archimandrite :* titres honorifiques correspondant souvent à des charges administratives.

Sacrements. Différences de rites : baptême par triple immersion ; confirmation suivant toujours le baptême ; eucharistie ouverte aux enfants en bas âge ; fidèles communiant sous les deux espèces ; divorce admis dans certains cas.

Nombre d'orthodoxes

☞ Sont orthodoxes les Églises fidèles au concile de Chalcédoine ; *au sens large* (en usage chez de nombreux catholiques) : toute Église orientale dissidente, même les non-chalcédoniennes ; *au sens strict* (en usage chez les orthodoxes). (Voir p. 543.)

Églises chalcédoniennes. U.R.S.S. 37 à 50 millions. Roumanie 16 000 000 (1989). Yougoslavie 8 160 000. Grèce 8 100 000. Bulgarie 6 000 000. U.S.A. 4 000 000. Chypre 470 000. Pologne 450 000. Tchéc. 400 000. Argentine 275 000. Albanie 250 000 (?). Canada 240 000. Liban 200 000. Syrie 200 000. Turquie, Égyp. 150 000. Australie 100 000. Brésil 100 000. Finlande 75 000. Jordanie 60 000. Hongrie 40 000. Japon 35 000. Ouganda 30 000.

Églises non chalcédoniennes. Voir p. 543 b.

Organisation actuelle

Complexe. *1°) les territoires historiques de l'orthodoxie* ont été occupés par des non-orthodoxes (souvent des musulmans), mais les vieux sièges de l'orthodoxie historique ont conservé leur prestige et une partie de leurs privilèges et de leur autorité ; *2°) les populations orthodoxes* répandues dans le monde entier sont restées fidèles à leur foi, leurs traditions religieuses et leur langue liturgique. On a créé pour elles des cadres nouveaux.

L'organisation des Églises orthodoxes doit donc être étudiée d'après 2 points de vue : 1°) selon l'Église historique à laquelle chaque Église se rattache ; 2°) selon le pays moderne dans lequel elle est implantée.

Autorité des Églises historiques

Églises orthodoxes grecques

• **Patriarcat œcuménique de Constantinople.** *Origine. 324* l'emp. Constantin fonde Constantinople. Les conciles de Constantinople (381) et de Chalcédoine (451) reconnaissent à C. des privilèges égaux à ceux de Rome et la 2e place d'honneur. *Après 1453,* C. exerce son autorité sur une grande partie des chrétiens vivant en pays islamiques ; les conquêtes turques lui imposent cette juridiction.

Patriarche assisté par un synode de 12 métropolites qui l'élisent. Tous résident au palais du *Phanar,* à Constantinople. Ils doivent être de nationalité turque et sortir du collège théologique de Haiki (île proche de C.), actuellement fermé par le gouvernement turc. Ils sont recrutés parmi la colonie grecque de C. (les « Phanariotes »), dont le nombre diminue chaque année par suite de l'émigration. Ils sont donc peu représentatifs des orthodoxes d'Australie (300 000 fidèles) et d'Amérique (3 millions). Certains envisagent l'abandon du Phanar, l'établissement du patriarche dans une région plus peuplée de Grecs orthodoxes, la réforme des canons régissant la nomination du synode. *Titulaire :* Sa Sainteté Dimitrios Ier (n. 1914), élu 1972 à la suite d'Athénagoras Ier (25-3-1886/7-7-1972) titulaire depuis 1948.

Les Égl. orthodoxes étant « épiscopaliennes » (chaque évêque étant souverain dans son diocèse), l'autorité du patriarcat est variable ; pour certains, il n'y a qu'une primauté d'honneur, pour d'autres, une autorité canonique sur une Égl. De nombreuses Égl., se déclarent en « intercommunion » avec le trône de Constantinople, sans dépendre organiquement de lui. Certaines Égl. non grecques se sont placées, au contraire, sous sa juridiction.

Territoires sous juridiction directe. **Diocèses patriarcaux en Turquie :** Constantinople, Chalcédoine, Imbros et Tenedos, Iles des Princes, Derques. Il est interdit aux Grecs d'habiter des territoires turcs situés en dehors de ces 5 diocèses (nombre des Grecs de Turquie : *1922 :* 2 000 000 ; *56 :* 300 000 ; *85 :* 5 000). **Diocèses du Dodécanèse :** 4 dioc., occupés par les Italiens de 1911 à 1945, redevenus politiquement grecs en 1947, mais demeurés sous la juridiction directe du patriarche, sans être rattachés à l'Église autocéphale d'Athènes.

Territoires semi-autonomes. **Église de Crète :** 8 diocèses, avec un archevêque (Heraklion) ; administrée par un synode ; 400 moines. **Mont Athos :** (Sainte Montagne) République monastique formée de 20 grands monastères, sous la juridiction du patr. de Const. Moines en majorité grecs, mais aussi 3 monastères slaves et un roumain. *Effectifs. 1903 :* 7 432 moines ; *13 :* 6 345 ; *52 :* 2 700 ; *59 :* 1 641 ; *84 :* 1 555.

Territoires autonomes, **parfois non hellénophones. Église de Finlande :** *1917* rompt avec Moscou. *1923* Égl. métropolitaine à Kuopio [l'archevêque, Mgr Paul (depuis 1955), a le titre de primat de Carélie et de Finl.]. 60 000 fidèles env. ; concordataire ; 1 métropolite à Helsinki ; 1 monastère d'hommes et 1 de femmes. Mission de Laponie. *Langue liturgique :* finnois. *Calendrier :* occidental.

Exarchats et évêchés de la diaspora (4 millions). Grecs émigrés reconnaissent la juridiction du patriarche, tout en ayant une autonomie plus ou moins accentuée. L'ancienne Égl. missionnaire russe de Corée est rattachée à Constantinople, ainsi qu'une des Égl. russes de Paris. Voir ci-dessous, organisations nationales. **Centre administratif de Chambésy** (Suisse) : a en mains les activités œcuméniques du Patriarcat.

• Patriarcat d'Alexandrie. *Remonte* au Ier s., affaibli en 451 par la scission des coptes. *En dépendent :* 8 métropoles (Tripoli, Ismaïlia, Port-Saïd, Tantah, Addis-Abeba, Johannesburg, Khartoum, Tunis) ; 3 sièges créés après 1454 : Accra, Afr. centrale et orientale. *Organisation :* patriarche siégeant à Alexandrie choisi par le St-Synode sur une liste de 3 noms dressée par une assemblée de 36 ecclésiastiques et 72 laïcs. *Titulaire :* Sa Béatitude Parthénios Konodis (n. 1919), dep. 1987.

• Patriarcat de Jérusalem. *Fondé* 451. Gardien des Lieux saints. *En dépendent :* 6 archevêchés (Sébaste, Mont-Thabor, Diocésarée, Philadelphie, Éleuthéropolis et Tibériade). *Organisation :* la Confrérie du St-Sépulcre comprend environ 100 m. en majorité grecs, se partageant les titres épiscopaux et élisant le patriarche parmi les membres. Bas clergé arabe. *Titulaire :* Sa Béatitude Diodore Ier (Damianos Karivallis), dep. le 1-3-1981.

• Église autocéphale de Chypre. *431* Archevêché autonome. *Organisation :* un archevêque, Mgr Chrysostome de Paphos (n. 1927), depuis le 12-11-1977 ; 3 métropolites.

• Église autocéphale de Grèce. *733* rattachée au patriarcat de Constantinople. *1833* autocéphale (Constantinople la reconnaît en 1850). *Organisation :* 2 séries de diocèses, dont les liens avec Constantinople sont différents (37 dans les limites de 1881 ; 33 plus au N.). Missions intérieures dont la Confrérie de Zoé fondée 1911. Dirigée par le St-Synode (*Pt :* Sa Béatitude Séraphim, archevêque d'Athènes et de l'Hellade). Le gouvernement d'A. Papandréou a amorcé la séparation de l'Égl. et de l'État.

L'Église refuse calendrier occidental et intrusion du modernisme.

• Archevêché du Mt Sinaï. Monastère de Ste-Catherine fondé au VIe s. Gouverné par un archevêque élu par les moines (env. 100). *Titulaire :* Sa Béatitude Damianos (Samartis), dep. le 23-12-1973, résidant au Caire.

Patriarcats orthodoxes non grecs

• Patriarcat d'Antioche. *Langue :* arabe. *Remonte* au Ier s., quand Antioche était la 3e ville de l'Empire romain (aujourd'hui 40 000 h). L'église de Qualat es Salihiye, en Syrie or. (construite 232), est le plus ancien lieu de culte chrétien conservé. *En dépendent :* 11 métropoles (Alep, Cheikh Tabba, Beyrouth, Homs, Hama, Lattaquié, Zahlé, Tripoli, Tyr, Sidon, Bagdad) ; 3 évêchés, en Amér. du N. et du S. *Organisation :* patriarche (souvent arabophone) élu à plusieurs degrés, siégeant à Damas (Syrie). Les métropolites se réunissent une fois par an après Pâques. *Titulaire :* Sa Béatitude Ignace IV Hazim, dep. 2-7-1979.

• Catholicosat de Tiflis (Géorgie). *Ve s.*, dépend d'Antioche. *Jusqu'au VIIe-VIIIe s.* seul ne dépendait de Constantinople que l'Ouest de la Géorgie (G. orientale, G. occid. furent unifiées fin Xe/début XIe s.). *VIIIe s.,* autonome. *1057* autocéphale. *1811 à 1917* soumis au synode de Moscou (où il n'y avait plus de patriarche depuis Pierre le Grand). *1918* autocéphale sous l'autorité du catholicos de Mtzkhet, ayant rang de patriarche. *1944* reconnu par le patriarcat de Moscou. *Organisation :* Catholicos (Sa Sainteté Élie II dep. 1977), 15 diocèses.

• Patriarcat de Bucarest. *Origine :* christianisme de tradition latine. *Après le IXe s.* passe dans l'orbite de Byzance et surtout sous l'influence slave-bulgare, d'où une liturgie en slavon jusque vers le milieu du XIXe s. *1885* autocéphale en Valachie-Moldavie. *1925* patriarcat. *En dépendent :* 15 métropoles et 52 diocèses (8 185 paroisses, avec 8 600 prêtres). *Organisation :* patriarche secondé par un St-Synode, 2 Instituts de théologie. *Titulaire :* Sa Béatitude Théoctiste Arapas (n. 1915), dep. le 16-11-1986. L'Église est contrôlée par le *Département des cultes ;* elle a plus ou moins l'administration de ses affaires intérieures et dirige ses séminaires. Dépenses et salaires sont réglés par l'État.

• Bulgarie. *XVIIIe s.,* patriarcat de Tirnovo à Constantinople. *1860* schisme des évêques bulgares. *1945* autocéphalie reconnue par Constantinople. *1947* séparation de l'Église et de l'État. *Organisation :* un exarque de Sofia, assisté d'un St-Synode. *Patriarcat :* rétabli pour le siège de Sofia 1953, reconnu par Constantinople 1961. 11 diocèses. *Titulaire :* Sa Béatitude Maxime, dep. 1971.

• Patriarcat de Moscou. *1438-39* Église de Moscou reconnue autocéphale et instituée en patriarcat en 1589. *1652-58* schisme des vieux croyants (*raskol :* scission) après la réforme du patriarche Nicon. *1721* Pierre le Grand remplace le patriarcat par un St-Synode. *1917* le Concile panrusse le rétablit. *1922* persécution (évêques, prêtres et religieux mis à mort par milliers), confiscation des biens religieux, arrestation du patriarche Tikhon, création de « l'Église vivante » et de « l'Église réformée » soutenues par le gouvernement soviétique. *1925* Tikhon meurt (circonstances mal déterminées). Interdiction d'élire un nouveau patriarche. *1927* le gouvernement obtient qu'un évêque crée l'Église officielle. Les autres év. sont emprisonnés ou entrent dans la clandestinité (260). *1943* une assemblée épiscopale (19 m.) est autorisée à élire le successeur de Tikhon. *Après 1945* par suite de l'attitude patriotique des évêques pendant la guerre, politique plus libérale : libération d'év. emprisonnés, élection d'un patriarche, ouverture d'écoles de théologie. *1959* politique plus rigoureuse ; interdiction de vendre des bibles et d'enseigner le catéchisme ; pas de prêtres en robe dans les rues ; nombre des séminaires réduit de 8 à 3 ; nombre des églises de 22 000 à 7 000. *1982* confiscation des livres religieux imprimés à l'étranger ou imprimés en « samizdat ». *1989* libéralisation. *Organisation :* Conseil aux affaires religieuses près le Conseil des ministres de l'U.R.S.S. : organisme politique coiffant le Conseil créé 1945 ; patriarche [*titulaire :* Sa Sainteté Pimène (Serge Mikhailovich Izvekov, n. 1910), dep. 1971], assisté d'un synode de 6 évêques, 3 séminaires, 2 académies de théologie (Zagorsk, Leningrad), 6 000 prêtres, 900 séminaristes. 73 diocèses, plusieurs exarques en mission à l'étranger.

Nota. – Il existe depuis 1927 une « Église des Catacombes » (clandestinité). 15 évêques. Métropolite : Mgr Théodose.

• Patriarcat de Belgrade. *1220* St Sabbas, 1er archevêque serbe ; ensuite quasi indépendante (avec patriarcat à Pecs). *1766* rattachée à Constantinople. *Au XIXe s.* naissent Égl. du Monténégro, métropole de Carlovitz, métropole de Cernauti (dont dépendent les paroisses orth. de la côte dalmate), Égl. de Serbie (autonome 1832, autocéphale 1879), Égl. de Bosnie-Herzégovine (1878). *1913,* diocèses macédoniens devenus serbes. *1920* réunion de ces entités. *Organisation :* patriarche assisté d'un synode, 2 séminaires. *Titulaire :* Sa Béatitude Germain (n. 1899), depuis 1959. *Diocèses :* 31 en Youg.

• Patriarcat de Macédoine. Non reconnu par les autres Égl. orthodoxes. Héritier de l'ancien archevêché d'Okhrida (XVIIe-XVIIIe s.). *1959* Egl. autonome de Macédoine. *1967* patriarcat. *Raison d'être :* aide à affirmer la personnalité macédonienne face aux revendications bulgares. 4 diocèses, 953 paroisses, 1 200 000 fidèles. Siège à Skopje. *Difficulté majeure :* l'expansion de l'islam (Albanais du Kossovo).

Églises non patriarcales

• Albanie. *1937 :* autocéphale. *1946 :* séparation de l'Église et de l'État. *1963 :* interdiction des religions.

• Amérique (Église autocéphale d'). Ancienne mission russe en Alaska. *1796* évêché auxiliaire dépendant d'Irkoutsk. *1840* création de l'archevêché du Kamtchatka (avec Kouriles et Aléoutiennes). *1872* création de l'évêché indépendant d'Alaska et des Aléoutiennes (dep. 1867, devenu américain). *1872* l'év. transfère son siège à San Francisco. *1900* création du diocèse des Aléoutiennes et d'Amér. du N., siège New York. Voir ci-dessous, implantations.

• Estonie, Lettonie, Lituanie. *1919 à 45 :* constituent 3 Égl. autocéphales dépendant de Constantinople. Actuellement, diocèses du patriarcat de Moscou. Le métropolite de Riga, réfugié en Suède, a constitué une Église dépendant de Constantinople.

• Hongrie. 40 000 orthodoxes, pas de hiérarchie hongroise : les Serbes dépendent de Belgrade ; les Roumains de Bucarest ; les Ruthènes du patriarcat de Moscou.

• Pologne. *1924* autocéphale, confirmée après 1945. 1 *métropolite :* Mgr Basile, dep. 1970.

• Russie. **Église russe hors frontières.** Organisation ecclésiale autonome regroupant les émigrés orth. russes et leurs descendants qui ne sont pas en communion avec le patriarcat de Moscou, ni avec les Égl. « de la Dispersion » relevant directement du patriarcat de Constantinople, ni avec aucune autre Église orthodoxe sauf l'Église serbe. Fonde son existence canonique sur l'oukase du 20-11-1920 du patriarche Tikhon. Elle dispose de l'autorité souveraine en matière de dogme et de discipline ecclésiastique, ce qui lui permet notamment de procéder à des canonisations (en nov. 1981, elle a déclaré saint et martyr le tsar Nicolas II de Russie, assassiné par les Bolcheviks en 1917). Représentée dans les pays non communistes : St-Synode à New York, 20 évêques, 220 paroisses, 110 chapelles, 13 monastères, séminaire de théologie. *Titulaire :* S.E. métropolite Vitaly [Oustinov (n. 1910)] dep. 22-1-1986 (év. d'Europe occd. dep. 1978).

• Tchécoslovaquie. Autocéphale dep. 1951, mais Constantinople ne la reconnaît pas. Un archevêque (Prague) : Mgr Dorothios, 4 diocèses.

• Ukraine. Égl. ukrainienne orthodoxe autocéphale, en relation œcuménique avec le patriarcat de Constantinople. *2 Égl. métropolitaines :* 1°) *États-Unis :* siège à South Bound Brook (New Jersey) ; métropolite : Mgr Mstyslaw Skrypnyk ; 3 évêques, 104 prêtres, 11 diacres, 92 paroisses ; 2°) *Canada :* siège à Winnipeg ; métropolite : Mgr Wasyly Fedak ; 2 év., 94 prêtres, env. 100 paroisses ou groupements. *3 diocèses :* 1°) *Australie-N.-Zélande :* siège à Blacktown, N.-Galles du S. ; 2°) *G.-B. :* l'évêque réside provisoirement à Munich, All. ; 3°) All. : siège à Neu-Ulm (l'Égl. parisienne en dépend). *Autres Communautés organisées* (sous l'autorité du métropolite américain) en Argentine, Belg., Brésil, Paraguay.

Implantations contemporaines

• Amérique du Nord. 10 Égl. différentes avec un comité permanent des évêques (créé 1960) : Standing Conference of Orthodox Bishops in America. **Église autocéphale d'Amérique.** Voir ci-dessus. **Archidiocèse grec.** *1864* (Nlle-Orléans), paroisses dépendant du patriarcat œcum. *1922* fondation de l'archidiocèse (avec un exarque patriarcal). *1931* le métropolite Athénagoras (futur patriarche de Const.) devient archev. d'Amérique. Il organise 400 paroisses. *1979* création de 9 évêchés aux U.S.A. (+ 1 en Argentine, dépendant de l'archevêque). *1986* 488 paroisses, (dont Canada 37, Amér. du Sud 20). **Autres Églises.** *Patriarcat d'Antioche :* métropolite à Englewood (New Jersey), 2 évêques (150 prêtres ou diacres, 123 paroisses). *Patr. de Bulgarie :* 10 paroisses relevant directement du patriarche ; 10 formant un diocèse américain de l'Église. *Patr. de Roumanie :* 30 paroisses relevant du P. ; 48 formant un diocèse. *Patr. de Serbie :* 2 évêchés aux U.S.A., 1 au Canada. *1 diocèse carpatho-russe* relevant directement du patr. de Const. *1 dioc. du patriarcat de Moscou. 1 dioc. d'Ukrainiens et Biélorussiens. Église russe hors frontières :* Voir ci-dessus.

• Amérique Latine. **Argentine.** *Patr. d'Antioche :* 1 métropolite (Buenos Aires). *Église grecque :* 1 évêque (Buenos Aires) relevant de l'archevêque des États-Unis (soutenu par la Fondation Onassis). *Patr. de Moscou :* év. à Buenos Aires (pour l'Am. du Sud et Centrale ukrainienne). **Brésil.** *Patr. d'Antioche* (arabophone) : 1 métropolite (São Paulo), 1 év. (Rio de Janeiro). **Chili.** *Patr. d'Antioche :* 1 év. (Santiago). **Mexique.** *Patr. d'Antioche :* 1 év. (Mexico).

• Europe occidentale. Depuis 1982, un « liaison commitee » sert de plate-forme de rencontre aux entités orthodoxes d'Allemagne, Belgique, France, G.-B., Pays-Bas, Suisse. **Allemagne.** 500 000 fidèles, 10 évêques, 130 prêtres et diacres. *Patr. œcum. :*

(métropole grecque) 4. *Patr. de Moscou :* 2. *Patr. de Roumanie :* 1 év. *Ukrainiens :* 1. *Patr. d'Antioche :* 3 prêtres. **Belgique.** 35 000 fidèles. *Métropole grecque :* 6 paroisses francoph. ; 2 néerlandoph. *Patr. de Moscou :* 6 paroisses ; *Roumaine :* 1 ; *Bulgare :* 1 ; *Ukrainiennes :* 3. **France.** Voir ci-dessous. **Gde-Bretagne.** 250 000 fidèles en majorité chypriotes. 12 évêques, 93 prêtres, 21 diacres. *Patr. œcuménique :* 9 év., dont un Anglais. *Patr. de Moscou :* 1 év. *Patr. de Serbie :* 1. *Égl. synodale* (anglaise) 1 év. Au total, 12 évêques, 93 prêtres et 21 diacres (25 Anglais sur 125 ecclésiastiques). **Pays-Bas.** *Patr. de Moscou :* 1 év. résidant au monastère Jean-Baptiste à La Haye. 5 paroisses. *Patr. œcuménique :* 1 évêché (Rotterdam) dépendant du métropolite belge (3 paroisses). *Égl. russe de la rue Daru à Paris :* 3 paroisses. *Égl. russe hors frontières :* 3 paroisses. *Roumains :* 1 paroisse. **Suisse.** 35 000 orth., dont de nombreux Suisses d'origine. *Chambésy* (voir p. 536 a) ; *1 diocèse* placé sous la juridiction de Constantinople et réunissant des paroisses russophones, francophones, germanophones. *Métropolite :* Damaskinos, à Genève.

• **Autres pays du monde.** **Afr. du Sud.** *Patr. d'Alexandrie :* 2 métropoles (Johannesburg) Pretoria et Bonne Espérance (Cape Town). **Australie.** 1 archevêque, 2 évêques auxiliaires (un 3e év. reste à désigner), 84 paroisses grecques ; diocèses serbe et russe. **Corée.** Voir ci-dessus. **Inde.** 1 métropolite et 7 paroisses, 1 paroisse à Calcutta qui dessert Bombay. **N.-Zélande.** Métropole aussi siège de l'exarchat des Indes, Corée, Japon (pour le Patr. œcumén.), Philippines, Singapour, Indonésie et Hong Kong.

Organisation en France

• **Église orthodoxe grecque.** *Métropolite :* Mgr Jérémie (Paraschos Calligeorges), archevêque nommé 9-6-1988, exarque de patriarche œcuménique pour Espagne et Portugal et Pt du comité interépiscopal orthodoxe en France. *Cathédrale :* St-Étienne (St-Stéphanos), 7, rue Georges-Bizet, Paris 16e. *16 paroisses* en France. *Évêque auxiliaire :* Mgr Stéphanos (Christakis Charalambidis), év. de Nazianze, 2, avenue Désambrois, 06000 Nice. *Vicaire général :* Archiprêtre Panayotis Simiyatos.

District diocésain. Centre de la France : *créé* 1978 à Lyon (10 000 fidèles, dont Grenoble 2 000, Lyon 1 500, St-Étienne 1 500 ; la plupart réfugiés de Turquie en 1922). *Siège :* égl. orth. grecque de l'Annonciation, 45, rue du P.-Chevrier, 69007 Lyon. *Recteur* de la paroisse : Rév. archiprêtre Athanase Iskos. **Midi** (15 000 fidèles, réfugiés de Turquie en majorité). *Siège :* égl. orth. grecque de la Dormition de la Vierge, 23, rue de la Grande-Armée, 13001 Marseille. *Recteur :* Mgr Stéphanos Charalambidis, év. de Nazianze (dep. 13-1-1987). Concerne l'émigration grecque en France. **Rite byzantin** selon St Jean Chrysostome et St Basile, en grec (français dans certains cas). **Fidèles :** env. 50 000.

• **Paroisse orthodoxe géorgienne de Ste Nino.** *Fondée* 1929 avec la bénédiction du patriarche œcuménique (de Constantinople), pour regrouper les Géorgiens exilés en France après 1921 (occupation de la Géorgie par les Soviétiques). Culte en géorgien (seul lieu de culte en géorgien en dehors de Géorgie). Dépend de Mgr. Jérémie, Pt. de la Conférence épiscopale orthodoxe de Fr., archevêque. *Recteur :* Méthode Alexiou. *Fidèles :* 1 000. *Adresse :* 8, rue de la Rosière, Paris 15e.

• **Église autocéphale orthodoxe ukrainienne.** *Évêque diocésain :* Mgr Anatolij Dublanskyj, arch. de l'Eur. occ. (Finninger Strasse 10, 7910 Neu-Ulm, All.). En relations œcuméniques avec Constantinople (voir p. 536 c). *Église :* St-Simon, 6, rue de Palestine, Paris 19e. *Prêtre :* R.P. Michel Bachkativ. 10 paroisses en province, 100 m. à Paris, 800 en province. La Confrérie St-Simon s'occupe de l'activité culturelle orth. auprès de l'Égl. de Paris.

• **Église orthodoxe serbe.** *Église :* Paroisse St-Sava, 23, rue du Simplon, Paris 18e. *Archiprêtre :* Vladimir Garie. Sous l'obédience du patriarcat serbe (Belgrade) et sous la juridiction de Mgr Lavrentie (év. pour l'Eur. occ.) à Londres.

• **Diaspora russe.** Depuis 1928, en 3 groupes :

1°) **Église patriarcale orthodoxe russe.** *Exarchat pour l'Europe occid. du patriarcat de Moscou :* 26, rue Péclet, Paris 15e. *Exarque :* Mgr Vladimir, métropolite de Rostov et de Novotcherkassk, 344019 Rostov-sur-le-Don, rue Première Komsomolskaïa 49, U.R.S.S., qui assume temporairement la charge d'évêque ordinaire pour le diocèse de Chersonèse. L'église patriarcale comprend : 1 communauté monastique, 7 paroisses, 5 chapelles.

2°) **Église orthodoxe russe hors frontières.** *Évêque diocésain :* Mrg Antony, archev. de Genève et de l'Europe occ. (résidant à Genève). 3, rue Taëpffer. *Paroisse de Paris :* 19, rue Claude-Lorrain, 75016 Paris. 16 églises, 23 chapelles. Le monastère de Lesna (Provémont, Eure) est le plus important monastère de moniales orth. d'Europe occ.

3°) **Archevêché des Églises orthodoxes russes en Europe occidentale.** *Fondé* 1921 par le métropolite Euloge. Dep. 1931, sous la juridiction de Constantinople. Reconnu par l'État fr. comme « Union directrice diocésaine des associations orth. russes en Eur. occid. ». *Archevêque :* Mgr Georges (Wagner). *Église cathédrale :* St-Alexandre Nevsky, 12, rue Daru, Paris 8e. *Évêque auxiliaire :* Mgr Romain (Zolotoff). *Siège :* cath. St-Nicolas, bd Tsarévitch, Nice. *France* env. 50 000 fidèles, 16 paroisses à Paris et région parisienne, 22 en province ; 2 monastères, 2 ermitages et plusieurs chapelles (maisons de retraite, etc.). *Autres paroisses :* Belgique 3, All. 3, Scandinavie 2, Italie et Pays-Bas 3. *Offices* en slavon et dans les langues occidentales (paroisse de langue fr. à Paris, dans la crypte de la cathédrale).

Institut de théologie orthodoxe St-Serge (fondé 1925), 93, rue de Crimée, Paris 19e. *Recteur :* protopresbytre Georges Wagner (n. 10-3-1930).

• **Églises roumaines.** **Diocèse orthodoxe roumain pour la France et l'Europe occidentale.** *Cathédrale :* Paroisse des Saints-Archanges, 9 bis, rue Jean-de-Beauvais, 75005 Paris, achetée 1882 par le roy. de Roumanie. *Paroisses :* France 3, Allem., Angl., Esp. 4. Suisse 1. Diocèse autonome concernant la diaspora roum. Dep. le 2-4-1952, cathédrale gérée par une Association pour la pratique du culte orth. en Fr. rejetant l'autorité du patriarcat de Bucarest, et reconnaissant l'autorité du métropolite Vitaly (Égl. russe hors frontières) résidant aux U.S.A.

Diocèse français : dirigé par Mgr V. Boldeanu ; env. 1 500 fidèles.

Paroisse de la Descente du St-Esprit. Ouverte en 1980 pour les Roumains rejetant l'autorité Vitaly/Boldeanu et fidèles au patriarcat de Bucarest. Hébergée au temple protestant, 44 boulevard des Batignolles, 75017 Paris. *Curé :* Aurel Grigoras.

Protestantisme

Caractéristiques générales

• **Classification.** Apparu au XVIe s., sous l'impulsion des Réformateurs (Luther en Allemagne et Calvin en France) qui, après avoir tenté de restaurer l'autorité de la Bible dans l'Église, ont créé une nouvelle Égl. C'est la conception de l'Égl. qui différencie les protestants des catholiques. Pour les protestants, l'Égl. est une communauté qui ne prétend à aucune infaillibilité et qui croit à la nécessité d'une réforme permanente, ce qui explique la diversité actuelle du protestantisme. On peut grouper les Égl. protestantes en 5 grandes confessions : 1°) luthérienne, 2°) calviniste ou réformée, 3°) baptiste, 4°) méthodiste, 5°) pentecôtiste.

Il existe aussi des Églises réunissant des Églises de différentes confessions, ex. : luthérienne réformée en Allemagne (1817), unie de l'Inde du Sud (1947) et Église du Cameroun (1957). Réformés et congrégationalistes, séparés jusqu'en 1971, se considèrent depuis comme faisant partie d'une même famille.

• **Culte.** S'adresse à Dieu le Père, le Fils ou le St-Esprit. La Vierge peut être honorée comme la mère du Seigneur. 2 sacrements reconnus : baptême et Sainte-Cène (sous les 2 espèces). La confirmation, couramment pratiquée, n'est pas un 3e sacrement mais un acte complémentaire du baptême.

• **Liturgie.** Comprend la lecture de la Bible, la prédication (traditionnellement importante) : invocation, lecture du Décalogue et du Sommaire de la loi, confession des péchés, promesses de grâce, confession de Foi, prières d'intercession, oraison dominicale, psaumes, chorale et bénédiction.

• **Morale.** Les protestants insistent sur la responsabilité personnelle de chacun (les Églises ne donnent pas d'instructions mais des indications). Ils admettent la contraception. Une majorité accepte le divorce et l'avortement : certains (notamment les baptistes) le refusent. La plupart des nouvelles techniques de bio-éthiques sont acceptées à condition qu'elles ne déresponsabilisent pas l'individu. Le travail, l'ascension sociale sont souvent valorisés. La laïcité est, en France, considérée comme un principe à défendre.

• **Principes communs :** 1° *Justification par la foi.* La mort du Christ sur la croix, pour tous les hommes, suffit à assurer au croyant le pardon de Dieu et le salut éternel (messes, indulgences ou pèlerinage ne peuvent rien y ajouter). Le croyant doit évidemment manifester sa reconnaissance par sa vie morale (insistance plus ou moins grande suivant les Églises sur la sanctification). 2° *Principe formel.* Fidèles et Églises doivent se soumettre à l'autorité de la Bible en matière de foi, de morale ou d'organisation religieuse (mais, suivant les tendances théologiques, l'interprétation des textes est plus ou moins large).

• **Structure.** Églises locales gouvernées par un collège d'anciens (en grec *presbyteros*) envoyant des délégués à des *assemblées synodales* (régime *presbytérien synodal*) ou autonomes, mais groupés pour des actions communes (régime *congrégationaliste*). *Évêque :* titre (comme dans l'Église réformée de Hongrie et certaines Églises luth.) attaché à une fonction et non à vie à une personne (sauf chez les luth. de Suède et Finlande). *Pasteurs :* en principe nommés par les paroisses, sous le contrôle des commissions synodales ; ils sont instruits dans des facultés de théologie (études : en général 5 ans). Dans presque toutes les Églises, les femmes peuvent être pasteurs. *Communautés :* quelques-unes se consacrent à des tâches précises (soin des malades, assistance, tâches paroissiales). L'engagement d'obéir à une règle est différent des vœux traditionnels, perpétuels et méritoires.

Parallèle avec le catholicisme romain

Baptême. Donné par les protestants, est reconnu valide par les cath. et vice versa (depuis déc. 1972, les cath. considèrent valide tout baptême qui n'est pas explicitement antitrinitarien). Certaines églises prot. baptisent seulement les adultes capables de professer personnellement leur foi.

Sainte-Cène. Cath. et prot. (la plupart) affirment la présence réelle du Christ dans le pain et le vin consacrés, mais les prot. n'admettent pas la *transsubstantiation* (changement de la substance du pain et

Terminologie

Huguenots. Nom fréquemment donné aux calvinistes à partir de 1550, dérive de *Eidgenossen* [« confédérés », c.-à-d. *Suisses* (adversaires prot. des Savoyards cath.)] : les Savoyards catholiques appelaient « confédérés » les Genevois protestants révoltés contre leur duc et ralliés aux autres cantons helvétiques. La déformation de la 1re syllabe serait peut-être venue, plus tard, d'un rapprochement avec le nom du « Roi Hugon » (un fantôme nocturne dont parlaient les légendes populaires dans de nombreuses régions).

Parpaillot. Apparu en 1621. Plusieurs étymologies : a) viendrait du languedocien : papillon : 1°) les prot. risquent d'être brûlés sur les bûchers ; 2°) ils volent de fleur en fleur, au lieu de s'en tenir à la religion romaine ; 3°) ils se sont laissé piéger à la St-Barthélemy. b) déformation volontaire par les catholiques de *Papau,* « papiste », surnom languedocien donné aux cath. par les prot. c) parpaillot, en languedocien, signifie aussi « gredin ». d) de Jean-Perrin, seigneur de Parpaille, chef prot. décapité à Lyon en 1562.

Protestant. De l'allemand juridique *Protestant,* « auteur d'une déclaration publique » : en 1529, à la 2e Diète de Spire, 5 princes et 14 villes impériales déclarèrent en appeler au Concile contre Charles Quint qui voulait révoquer les concessions accordées par la Diète précédente, en restaurant intégralement hiérarchie et culte romain. Aujourd'hui, les prot. se réfèrent plutôt à l'étymologie latine *testari pro,* « témoigner pour ».

Noms donnés en France : *bibliens, luthériens, christaudins* (écouteurs du Christ), *calvinistes, réformés, religionnaires, évangéliques.*

☞ Aujourd'hui, le terme protestant s'applique aux Églises issues de la Réforme du XVIe s., luthériens, réformés (appelés presbytériens dans les pays anglo-saxons), congrégationalistes, baptistes, moraves, méthodistes, ou à des groupements (l'Armée du Salut, pentecôtistes, darbystes, adventistes et quakers). Les autres groupements théosophes ou anthroposophes sont en contradiction formelle avec plusieurs grands principes du protestantisme.

du vin). Les prot. ont contesté l'aspect sacrificiel de la messe cath., affirmant que le Christ a accompli une fois pour toutes l'offrande de son corps sur la croix. La communion est communion avec le Ressuscité et non avec le Christ de l'histoire passée.

Le *groupe œcuménique* (non officiel) des théologiens *des Dombes* (fondé 1937) a estimé que l'accès à la communion ne doit pas être refusé à un chrétien d'une autre confession et définit ainsi l'Eucharistie : « repas du Seigneur, action de grâces au Père, mémorial du Christ, don de l'Esprit, présence sacramentelle du Christ » (absence du sacrifice répétitif). Il subsiste des difficultés au sujet de la définition du ministère qualifié pour la célébrer.

Mariage. Le mariage n'est pas un sacrement. L'Église doit tenir compte de l'échec d'un mariage et peut autoriser la bénédiction d'un 2e mariage après examen de chaque cas particulier. Pour le *groupe des Dombes,* « l'engagement matrimonial est voulu par les chrétiens permanent et définitif. Cette indissolubilité, les époux chercheront à la vivre dans la foi. Mais cet effort peut être insuffisant. L'alliance conjugale peut se vider de tout amour. L'Église peut être amenée à prendre acte de la dislocation du foyer. Il reste à savoir si et quand le lien conjugal est pour autant détruit au point qu'un nouveau mariage puisse être envisagé » (il ne peut être automatique).

Ministères. Pour les cath., célébration et administration des sacrements sont réservées aux prêtres, ordonnés par les évêques, eux-mêmes successeurs des apôtres. Pour les prot., le sacerdoce a été confié par le Christ à l'Église tout entière. Il y a donc un sacerdoce des croyants (principe non contesté par les cath., qui confient néanmoins le « sacerdoce ministériel » aux seuls prêtres). Le *groupe des Dombes* a affirmé que si le ministère protestant « a surgi en dehors d'une succession épiscopale, il peut, dans un certain nombre de cas, s'appuyer du moins sur le signe d'une continuité presbytérale ».

Église. Selon le Comité mixte catholique-prot. de France (1987), la « différence fondamentale » concerne la conception de l'Église. Pour les prot., l'Église est seconde par rapport à la relation 1re qui existe entre Dieu et l'être humain. Elle ne joue aucun rôle médiateur dans le salut.

Principales Églises dans le monde

• Église réformée (ou calviniste). **Doctrine :** contenue dans différentes Confessions de foi : C. de La Rochelle 1559-71 (France) ; C. Helvétique 1535-66 ; C. Écossaise 1560 ; C. Belge 1561 ; C. Palatine 1563, etc. Les divergences doctrinales avec les luthériens, aujourd'hui estompées, portaient essentiellement sur la présence réelle de Dieu dans l'Eucharistie [niée par Zwingli (1484-1531), mais reconnue, au sens spirituel, par Calvin (1509-1564)], la prédestination appelée aussi « élection » [admise par Luther, niée par Melanchthon (1497-1560) mais très fortement soulignée par Calvin]. **Ordination des femmes :** admise pratiquement par toutes les Églises issues de la Réforme. Certaines Églises ordonnent déjà des évêques (U.S.A., Canada, N.-Zélande) ou, comme en France, des présidentes d'Église. En 1990, une centaine de femmes ordonnées en France (env. 10 % des pasteurs sont des femmes). **Organisation :** variable. *L'A.R.M. (Alliance réformée mondiale :* siège à Genève ; *Pte* (1990) : Jane Dempsey Douglass, théologienne (faculté de Princeton, USA) regroupe 175 Églises, 75 millions de membres dans 87 pays.

Presbytériens d'Écosse. Origine : le mot presbytérien créé par Calvin définit l'Église de Genève et sa république théocratique. Autorité religieuse collégiale aux mains de presbytres (pasteurs qui prêchent et « anciens » laïcs qui administrent), élus par les fidèles. Pas d'épiscopat. *1554 à 59* le principal collaborateur de Calvin à Genève est un ancien prêtre écossais John Knox (1505-72) qui regagne ensuite son pays pour y fonder une Église calviniste qu'il appela presbytérienne. *1560* le Parlement écossais dénonce la juridiction du pape, abolit la messe et ratifie la Confession de foi préparée par Knox. **Organisation :** assemblée générale (pasteurs et laïcs représentant les presbytres) présidée par un modérateur choisi annuellement par l'ass. (env. 1 300 000 m. adultes).

Nombre de calvinistes, presbytériens et réformés (en milliers) : U.S.A. 6 000. Canada 5 000. Pays-Bas 4 000. Suisse 3 000. Afrique du S. 2 900. G.-B. 2 200. Hongrie 2 000. Indonésie 2 000. Australie 1 000. Corée 780. Roumanie 700. N.-Zél. 484. *France 460.* Rhodésie 400. Philippines 300. Tanzanie 300. Cameroun 280. Madagascar 250. Nigeria 250. Brésil 200. Formose 200. Japon 194. Ghana 150. Tchéc. 150. Lesotho 140. Zaïre 130. Jamaïque 62. Lituanie 60. Espagne 30.

• Église luthérienne. **Doctrine :** contenue dans les 7 « Livres symboliques », dont la Confession de foi d'Augsbourg rédigée en 1530 par Philippe Melanchthon. **Organisation :** variable : *la Féd. luthér. mondiale* (F.L.M.) regroupe 106 Égl. dans 98 pays et 93 % des luth. du monde, soit 55,7 millions. *Pt :* Pasteur Gottfried, Brakemeier (Brésil).

Nombre de luthériens (en milliers, 1990) : All. 15 622, U.S.A. 8 357, Suède 7 600, Finlande 4 609, Danemark 4 602, Norvège 3 620, Indonésie 3 125, Tanzanie 1 500, Inde 1 297, Brésil 1 057, Madagascar 1 000, Éthiopie 887, Afr. du Sud 799, Papouasie-N.-Guinée 649, Namibie 605, U.R.S.S. 604, France 258. *Par continents :* Europe 38 777, Amér. du Nord 8 643, Afrique 5 616, Asie 4 601, Amér. latine 1 246, Australie et Pacifique 758.

Luthériens en France

Histoire. *En Alsace :* tolérée sous l'Ancien Régime [mais Strasbourg (gouverné depuis 1529 par un sénat luthérien) est rendu en 1681 à l'év., résidant à Saverne, et la cathédrale redevient cath. ; l'autorité religieuse est détenue par un consistoire collectif]. *A Paris :* les luth. alsaciens célèbrent leur culte à la chapelle de l'ambassade de Suède. 1re égl. à Paris : 1809. *1801 :* tr. de Lunéville (les luthériens montbéliardais officiellement français).

FRANÇAIS CONNUS. Alsaciens : *Gal Frédéric Walther,* Cte d'Empire [(1761-1813), seul luth. enterré au Panthéon (1806 chambellan de l'empereur, il obtient la création d'une Égl. luthérienne concordataire)] ; *Gal Jean Rapp* (1771-1821), Cte d'Empire ; *baron Georges-Eugène Haussmann,* (1809-91), préfet de la Seine ; *Dr Albert Schweitzer* (1875-1965), prix Nobel de la Paix 1952 (devenant unitarien 1913). **Montbéliardais :** *Fanny Durbach* (1822-1901), préceptrice de Tchaïkowski ; *Georges-Frédéric Parrot* (1767-1852), 1er recteur élu de l'université de Dorpath (Tartu), précurseur de la biologie moderne ; *Georges Bretegnier* (1863-92), peintre ; *Jules Zingg* (1882-1947), peintre ; *Henri-Frédéric Iselin* (1825-1902), sculpteur. **Famille des DUVERNOY :** *Georges-Louis* (1777-1855), anatomiste et zoologiste ; *Frédéric-Nicolas* (1765-1838), corniste et compositeur ; *Charles* (1766-1845), clarinettiste et compositeur. **Parisiens d'adoption :** *Bon Georges Cuvier* (1769-1832), paléontologiste ; *André Parrot* (1901-80), pasteur, archéologue. **Psse d'origine allemande :** *Élisabeth-Charlotte* (Psse Palatine), duchesse d'Orléans [(1652-1722), abjuration de façade] ; *Hélène de Mecklembourg-Schwerin,* Pesse d'Orléans (1814-58).

• Églises congrégationalistes. **Issues** des Indépendants d'Angleterre, elles insistent sur l'autonomie des Églises locales. Ont fusionné avec les réformés. *Membres :* env. 3 000 000 dans le monde.

• Églises baptistes et mennonites. **Origine :** issues de la Réforme, remontent aux anabaptistes et mennonites du XVIe s. (de Menno Simonis, 1495-1560) ou aux Indépendants du XVIIe s. Ne baptisent que les adultes convertis. **Organisation :** Églises de *professants* (fidèles pratiquant leur foi), ce qui les distingue des Églises de type *multitudiniste* (fidèles non militants). Seuls sont admis comme membres ceux qui, déclarant croire sincèrement en J.-C. et adhérant à la confession de foi des Églises, ont alors reçu le baptême par immersion totale. Il y a des Égl. bapt. dans 143 pays.

Personnalités baptistes connues : Pts des USA *Harry S. Truman* (1884-1972) et *James Carter* (n. 1924) ; *Martin Luther King* (1929-68, assassiné) ; *James Irwin* (n. 1930), astronaute ; *Billy Graham* (n. 1918), créateur de la BGEA (Billy Graham Evangelical Association), devenue indépendante (budget : 30 millions de $), prêche depuis 1957 (émission radio l'Heure de la Décision : 20 millions d'auditeurs). Est venu en France 3 fois : 1955, 1963, 1986 15 000 auditeurs à Bercy, chaque soir pendant 8 j.

Nombre (en milliers, 1990). 35 000 (dont U.S.A. 28 700, Inde 900, U.R.S.S. 500, Brésil 400, Nigeria 400, Zaïre 400, G.-B. 200, Roumanie 100, France 6).

France : 1re église en 1835. En 1987 dans 55 dép. *Villes principales :* Bordeaux, Grenoble, Lille, Lyon, Marseille, Montpellier, Mulhouse, Nancy, Nice, Nîmes, Paris, Poitiers, Roubaix, Rouen, Strasbourg, Toulouse. *Fidèles* (1986) : 6 500 représentants, 20 000 paroissiens. *Groupe le plus important :* Fédération des Égl. évangéliques baptistes de France (4 425 m. professants, 12 000 à 15 000 paroissiens). *Pt :* Pasteur Robert Somerville (n. 1930) (dep. 1987).

Branche des Amish. Mennonites traditionalistes, fondés en Suisse au XVIIe par Jacob Amman ; réfugiés aux U.S.A. vers 1850, et implantés dans le comté de Lancaster, à 130 km de Philadelphie. N'ont accepté que certains progrès techniques (ex : refus de l'électricité quand elle est produite en dehors de la communauté).

• Église méthodiste. **Origine :** issue de la prédication (1739) de John (1703-91) et Charles Wesley (1707-88). Nom donné en quolibet par les étudiants d'Oxford qui se moquaient de la dévotion méthodique des premiers adeptes. Nie la prédestination et affirme la sainteté possible sur terre. **Organisation :** le *Conseil méthodiste mondial* (Lake Junaluska, North Carolina, 28745 U.S.A.) représente 64 Égl. membres dans 90 pays. Les méthodistes possèdent l'édifice religieux le plus haut du monde : à Chicago, rue Clark, érigé en 1924 (croix à 173,12 m).

Nombre (en milliers, 1990). Amér. du N. (Mexique inclus) 15 499, Asie 4 024, Afrique 3 262, Europe 690 (dont *France 0,5*), Australie et îles du Pacif. 743, Amér. du S. 657, Amér. centrale et Caraïbes 263. *Total :* membres 25 141, communauté 54 246.

France. *1791* introduite par John Angel, laïc des îles Anglo-Normandes. *1852* Égl. organisée par le Rév. Charles Cook († 1858). *1907* les méthodistes amér. (épiscopaliens) ouvrent une mission fr. *2 branches :* 1°) Alsace-Lorraine : *Union de l'Église évangélique m.* (7, rue Kageneck, 67000 Strasbourg), reliée à la Conférence suisse, faisant maintenant partie de l'*Église m. unie* et membre de la F.E.F. 2°) l'*Église évangélique m. de France* (La Borie Blanche, 30270 St-Jean-du-Gard) qui n'est pas entrée dans l'unité réformée en 1938.

• Armée du Salut. **Origine :** *1865* William Booth (1829-1912), pasteur méthodiste, fonde la Mission chrétienne. *1878* devenue l'Armée du Salut, elle adopte une organisation quasi militaire. Dirigée par un « général » élu par un Ht Conseil, présente dans 92 pays (2 500 000 m.).

France. *Établie* dep. 1881 ; *dirigée* par un commissaire général ; 300 officiers, 1 500 militants laïcs et plusieurs milliers de personnes dont l'Armée est le foyer spirituel. Abrite env. 4 000 personnes chaque jour. *Adresse à Paris :* 76, rue de Rome, 75008. *Publication :* « En avant » (hebdo.), 13 000 ex.

• Pentecôtistes. **Origine :** mouvement religieux créé spontanément à Los Angeles (1906), par des baptistes, notamment le pasteur américain Charles Parham. **Principes :** caractérisé par un retour aux vérités fondamentales de l'Écriture Sainte, telles qu'elles se vivaient dans l'Église primitive. **Organisation.** *Principales cérémonies :* baptême des adultes par immersion ; Sainte Cène sous les 2 espèces. Pas de hiérarchie organisée : chaque Église locale prend le nom d'Assemblée de Dieu et reste indépendante. **Conventions.** *Européennes. Mondiales :* tous les 3 ans. *Nationales :* tous les ans.

Nombre (en milliers). Brésil 6 000. Europe 4 200. U.S.A. 4 000. U.R.S.S. 3 000. Indonésie 2 000. Chili 1 700. Kenya 1 200. Suède, Norv. Finl. 1 000. Corée du S. 1 000. Afr. du S. 850. Nigeria 850. Canada 800. Congo 500. *Total :* 60 000 (selon d'autres sources env. 115 000).

France. *1re communauté :* Le Havre, créée 1930 par un anglais D.-R. Scott. *Membres actifs (1991) :* 150 000 dont 65 000 tsiganes. *Lieux de culte :* 620 dont 8 à Paris (*Égl.* Centrale : 10, rue du Sentier) et 16 en banlieue. 346 pasteurs en 1991. *L'Union nationale des Assemblées de Dieu de France* représente le mouvement. *Siège :* 15 bis, rue du Parc-de-Clagny, 78000 Versailles. *Pt :* Pasteur Daniel Hebert. *Revue :* « Pentecôte », 60, rue de Cauville, Rouen.

Conseil œcuménique des Églises

Origine. Conférence universelle des missions à Édimbourg : 1910. Conf. œcuméniques : Stockholm (1925), Lausanne (1927), Oxford (1937), Édimbourg (1937), Amsterdam (1948, création officielle).

Secrétariat permanent. 150, route de Ferney, CH-1211 Genève 2 (annexe à New York).

Fonctionnement. *Assemblée* [comprenant, en 1991, 315 Églises : protestantes, anglicanes, orthodoxes, catholiques non romaines, soit au total + de 350 millions de chrétiens] se réunit tous les 7 ou 8 ans : 1re ass., Amsterdam (P.-B., 1948) ; 2e Evanston (U.S.A., 1954) ; 3e New Delhi (Inde, 1961) ; 4e Upsal (Suède, 1968) ; 5e Nairobi (Kenya, 1975) ; 6e Vancouver (Canada, 1983) ; 7e Canberra (Australie, 2/20-2-1991). *Comité central* (150 m. élus par l'ass.) se réunit tous les 12-18 mois. *Comité exécutif* (25 m.) se réunit 2 fois par an. 6 *coprésidents. Secr. général :* Pasteur Emilio Castro (Uruguay). *Églises membres :* 315 représentant 400 millions de fidèles dans env. 100 pays.

But. Appeler les Églises à tendre vers l'unité visible en une seule foi et en une seule communauté eucharistique ; faciliter le témoignage commun des Églises en chaque lieu et en tout lieu ; exprimer le souci des Églises de servir l'homme et de promouvoir la justice et la paix.

Protestantisme en France

Histoire

• **De l'origine à l'édit de Nantes.** **1177** *Pierre Valdo* (?-1197) fonde la Confrérie des Pauvres de Lyon, prédicateurs laïques qui répandent l'Évangile en langue vulgaire. Ses disciples, les *Vaudois,* se maintiennent dans les Alpes (ralliés au protest. en 1532). **1498** début de l'action (surtout sur le plan intellectuel) des *Bibliens* français : *Jacques Lefèvre d'Étaples* (v. 1450/55-1536), *Guillaume Briçonnet* (1472-1534), le « groupe de Meaux ». **1512** *Lefèvre d'Étaples,* dans un commentaire sur les Épîtres de St Paul, enseigne dans une certaine mesure la justification par la foi. **1521** *Martin Luther* (n. 10-11-1483, Eisleben, Saxe 18-2-1546) est condamné par la Sorbonne. **1523** *Jean Vallière,* de Falaise, moine augustin, est brûlé vif à Paris comme luthérien. *Jean Calvin* (né Noyon 1509) arrive à Paris pour faire ses humanités. **1525** *Jean Leclerc,* marqué au fer rouge à Meaux comme luthérien, exécuté 1526. **1533** discours réformateur publié sous le nom de *Nicolas Cop* (v. 1450-1532), recteur de l'Université de Paris (mais en réalité de Calvin).

1534 après l'*affaire des Placards* (déclarations contre la messe, affichées même sur la porte de la chambre du roi), François Ier s'oppose à la Réforme. Nombreux exils vers les pays du 1er Refuge (surtout Suisse et Hollande). **1541** 1re édition de l'*Institution de la Religion chrétienne de Calvin,* imprimée probablement à Genève. **1555** fondation clandestine, à Paris, d'une Église réformée. *Rejette* sacerdoce sacramentel (prêtre, évêque, pape), messe, présence matérielle du Christ dans l'Eucharistie, intercession de la Vierge, et le culte des Saints. *Enseigne* libre choix divin des élus et des damnés, rôle essentiel de la pratique et de la lecture de la Bible. « Prêche » célébré plusieurs fois par semaine (lecture, homélie, méditation, chants). *Prière* adressée à Dieu. *Communion* donnée 4 fois par an. **1559** *1er synode national des Églises réformées* de Fr. à Paris [les participants gardent l'anonymat, mais prennent la parole au nom des Égl. suivantes : Paris, Dieppe, St-Lô, Orléans, Angers, Tours, Châtellerault, Poitiers, St-Jean-d'Angély, Saintes, Marennes (pas d'Égl. méridionales)]. Élaboration d'une Confession de foi calvinienne (dite de La Rochelle, 1571) et d'une Discipline, de type calviniste, instituant le régime *presbytérien synodal.* **1561** *Colloque de Poissy* (échec d'une tentative de rapprochement entre cath. et réformés). **1562** l'*Édit de Janvier* accorde la sanction légale aux Assemblées publiques des Égl. réformées (2 150 selon de Coligny). *Massacre de Wassy* (12 à 60 †) : début des guerres de religion. **1572 (24 août)** *St-Barthélemy :* assassinat de l'amiral Coligny et massacre de protestants (Voir p. 609).

1598 (13-4) édit de Nantes, Henri IV accorde la liberté religieuse avec des restrictions.

1610-20 réaction antiprotestante après la mort d'Henri IV (la régente est influencée par le nonce et l'ambassadeur d'Espagne). **1620** proclamation à *La Rochelle* d'une fédération des provinces prot. françaises (sur le modèle des provinces unies hollandaises). **1624** Ministère Richelieu ; alliance des prot. et des Angl. (débarquement angl. à Ré, 1627). **1628** *Prise de La Rochelle* (après 14 mois de siège) par Louis XIII, marquant le déclin politique du prot. **1629** *Édit de grâce d'Alès :* interdiction définitive des assemblées politiques et suppression des places de sûreté. Nomination d'un député général unique. **1637** Richelieu réduit à 626 les « lieux d'exercice » ; mais, conformément à l'Édit, les seigneurs hauts justiciers protestants en ouvrent de nouveaux sur leurs terres. **1648** annexion de l'Alsace, moins Strasbourg (1681) et Mulhouse (1798) : les prot. luthériens y gardent la liberté de culte. **1659** dernier synode national des Églises réformées à Loudun. **1679** les Hollandais prot. vaincus, malgré leur alliance avec Espagnols et Impériaux cath., signent la paix de Nimègue, avantageuse pour la Fr. Les 2 puissances prot. (Hollande et Angl.) se trouvant affaiblies, Louis XIV estime qu'elles ne sont plus en état de soutenir les huguenots fr. Il décide de rétablir l'unité religieuse du royaume (catholicisme gallican ; persécution aggravée). **1681** Poitou, début des *dragonnades* pour convertir les prot. par la force ; l'intendant René II de Marillac ayant obtenu 38 500 « conversions », les dragonnades sont étendues au Béarn (1682 : 22 000 conv.), puis généralisées (1685). **1682-85** plusieurs milliers de déclarations du roi, interprétant de façon restrictive les clauses de l'Édit de Nantes, notamment fermeture de temples [motifs invoqués. 1°) sermons séditieux. 2°) fréquentation par des « relaps » (prot. convertis fictivement au catholicisme). Il ne reste que 70 temples] ; interdiction de toute conversion de cath. au protestantisme, ce qui rend impossibles les mariages mixtes, les prot. demandant la conversion du conjoint cath. ; interdiction aux cath. de servir chez des maîtres prot. (en 1683, 700 000 cath. servaient ainsi).

• **Révocation de l'Édit de Nantes.** **1685** expulsion des pasteurs. **Émigration** 250 000 (surtout de 1679 à 1700, mais se poursuit jusqu'en 1763). *Départs par régions (en %) :* Bassin parisien 50 ; Normandie, Dauphiné, Saintonge 40 ; Vivarais, Cévennes 10. *Recensés à l'étranger (pays du 2e Refuge) :* États-Unis 10 000 (en majorité : Caroline du S.), Suisse 22 000, Allemagne 30 000 (en 1870, 21 généraux all. sur 144 commandant des unités engagées en France portaient des noms à consonance française), Angleterre env. 40 000, Hollande 70 000 (40 % des pasteurs), autres pays 2 000 (dont Afr. du S. 97 familles), soit au total env. 170 000. Une régie des biens des fugitifs est instituée en 1690 (devenue 1790 Régie des Biens nationaux). Après la victoire protestante en Angleterre (1688), beaucoup profiteront pour partir d'un relâchement aux frontières dû aux hostilités. A Paris, à la fin 1685, 16 000 (sur 30 000) protestants partent, 7 300 se sont convertis [dont 300 notables (dont les banquiers Samuel Bernard, Crozat frères, Legendre Frères)]. En janv. 1686, il reste seulement 45 protestants déclarés, mais il y a de nombreuses fausses conversions et un culte clandestin.

• **Période du Désert (1685-1775).** Nom donné pour les protestants restés en France. **1702-04 g. des Cami-**

Régime de l'édit de Nantes. Les *Assemblées politiques,* interdites par l'Édit de Nantes (art. 83), sont tolérées de fait ; il y a des *synodes nationaux* (religieux) tous les ans de 1598 à 1626 (ensuite par intervalles : Charenton 1631, Alençon 1637, Charenton 1644, Loudun, XXIXe, 1659). Les pasteurs reçoivent de l'État en tout 48 000 écus. **Statistiques.** *Fidèles :* 274 000 familles (probablement 1 200 000 personnes) dont 2 468 nobles. Les 3/4 dans le Midi ; 1/10 en Normandie et Paris. *Pasteurs :* 800 ministres et 400 proposants (futurs pasteurs) ; admission à tous les emplois et charges ; *églises reconnues* 951 (2 par bailliage et sénéchaussée, en plus des places protestantes). *Députés généraux :* 2 nommés en 1601 auprès du roi (élus par le synode national). *Temples principaux :* Dieppe, Charenton, La Rochelle ; jugement par tribunaux mixtes (Paris, Castres, Nérac ou Bordeaux, Grenoble). *Places de sûreté :* 51 avec gouverneurs et soldats protestants, payés par le roi, plus 80 places particulières, fiefs de nobles protestants.

QUELQUES PLACES PROTESTANTES : Sedan (aux ducs de Bouillon). *Normandie :* Valognes, Carentan. *Champagne :* Rozay-en-Brie. *Ile-de-France :* Houdan, Dourdan, Mantes, Essonne. *Bretagne :* Josselin et Pontivy (aux Rohan), Vitré (aux La Trémoille). *Pays de la Loire :* 10 dont Montcenis, Vezins, Château-Renaud, Saumur (siège d'une université). *Poitou :* 7 dont Talmont, Thouars, Loudun, Châtellerault. *Aunis-Saintonge :* 5 dont La Rochelle (république calviniste quasi indépendante), St-Jean-d'Angély, Royan. *Béarn :* 8 dont Orthez, Mauléon, Sauveterre, Oloron. *Basse-Guyenne :* 17 dont Castillon, Bergerac, Caumont. *Hte-Guyenne-Toulousain :* 30 dont Montauban, Figeac, Capdenac, Castres. *Bas-Languedoc-Cévennes :* 20 dont Marvejols, Sommières, Lunel, Nîmes, Montpellier. *Provence-Dauphiné :* 12 dont Die, Gap, Tallard, Serres, Embrun, Orange.

Universités (appelées « académies ») : dates de fondation et de suppression : Nîmes 1561-1664, Orthez 1566-1620, Orange 1573-1690, Sedan 1579-1681, Montpellier 1596-1627, Saumur 1598-1685, Montauban 1600-85, Die 1604-84.

Personnalités protestantes

• **Arts. Architectes.** Plusieurs familles apparentées : Androuet du Cerceau, de Brosse, du Ry. En outre, Jacques Aleaume († 1627), Salomon de Caus († 1626). **Art décoratif.** Boulle, ébénistes, et les Gobelin, tapissiers ; nombreux parmi les ouvriers tapissiers du fbg St-Marcel employés chez les Gobelin. **Graveur.** Abraham Bosse (1602-76). Les artistes se font miniaturistes et émailleurs, notamment Jean Petitot (1607-91), Paul Le Prieur (1620-?, exilé au Danemark). **Peintres.** Jacob Bunel (1558-1614), Claude Vignon (1593-1673), Sébastien Bourdon (1616-71) un des 7 prot. parmi les fondateurs de l'Académie de peinture en 1648 (réservée aux cath., 1681).

• **Chefs militaires.** Duc Henri de Rohan [(1579-1638) gendre de Sully], connétable François de Lesdiguières (1543-1626, abj. 1622), maréchaux de La Force (1558-1652), de Gassion (1609-47), de Schomberg (v. 1630-90, devenu Anglais), de Turenne (1611-75, abj. 1668), les frères Jacques-Henri de Durfort-Duras (1626-1704) et Guy de Duras-Lorge (1630-1702), neveux de Turenne (abj. de Lorge : 1668 ; un Duras devient Anglais, Lord Feversham), *chef d'escadre* Abraham Duquesne (1610-88, non converti ; ses fils deviennent Suisses).

• **Écrivains.** Agrippa d'Aubigné (1552-1630), grand-père de Mme de Maintenon, épouse de Louis XIV ; Marie Bruneau, dame des Loges (1585-1641), qui tient un salon d'intellectuels prot. rue de Tournon, exilée à Rochechouart après 1629 ; *3 académiciens :* Valentin Conrart (1603-75) et Marc-Antoine de Saint-Amant (1594-1661) élus 1635, Paul Pellisson (1624-93 élu 1653, abj. 1670, convertisseur) [un 4e d'origine huguenote, François de Boisrobert (1589-1662), avait abj. en 1621, 14 ans avant la création de l'Ac.] ; le poète Théophile de Viau (1590-1626) ; Pierre Jurieu (1637-1713, exilé à Rotterdam) ; le pasteur Claude (1619-87, exilé à La Haye) ; Pierre Bayle (1647-1706, exilé à Rotterdam), auteur du *Dictionnaire historique et critique ;* Claude Brousson (1647-98, exécuté).

• **Huguenots d'avant la Révocation (1610-85).** **Noblesse.** Pas de princes du sang après l'abjuration d'Henri de Condé (1599). *6 familles ducales :* La Trémoille (abjuration 1628), Rohan (abj. 1684), Lesdiguières (abj. 1622), Sully, princes d'Henrichemont (éteint 1641), Bouillon, princes de Sedan (abj. 1637), La Force (abj. contestée à la Bastille 1685). *Autres grands seigneurs :* les Chatillon-Coligny (abj. 1643), les marquis de Ruvigny (devenus Anglais). *Noblesse de robe :* les Harlay, les Mesmes.

• **Quelques personnalités récentes.** Marc Boegner (1881-1970), de l'Ac. fr. Alain Bombard (n. 1924). Ferdinand Buisson (1841-1932), prix Nobel de la Paix. Pierre Chaunu (n. 1923). Maurice Couve de Murville (n. 1907), 1er min. (1968-69). Gaston Doumergue (1863-1937), seul Pt de la Rép. protestant. Georgina Dufoix (n. 1943), min. 1984-86, 1988. Jacques Ellul (n. 1912), prof. Georges Fillioud (n. 1929), min. 1981-86. Charles Freycinet (1828-1923), Pt du Conseil. François Guizot (1787-1874), min. et historien. Lionel Jospin (n. 1937), 1er secr. du Parti socialiste 1981-88, min. 1988. Louis Joxe (1901-91), min. 1960-67. Pierre Joxe [n. 1934 (fils de Louis)], min. 1981-82, 1986, 1988. Catherine Lalumière (n. 1935), min. 1982-86. Pierre Loti (1850-1923), écrivain. Louis Mermaz (n. 1931), Pt de l'Ass. nationale (1981-86), min. 1988. Louis Mexandeau (n. 1931), min. 1983-86. Jacques Monod (n. 1910), prix Nobel de Médecine 1967. Paul Ricœur (n. 1913), philosophe. Michel Rocard (n. 1930), min. 1981-85, 1er min. 1988. Yvette Roudy (n. 1929), min. 1981-86. Albert Schweitzer (1875-1965), prix Nobel de la Paix 1952. Delphine Seyrig (1932-90). Catherine Trautman (n. 1951), maire de Strasbourg. William H. Waddington (1826-94), Pt du Conseil.

• **Élevés dans le protestantisme, puis détachés.** André Gide (1847-1932), prix Nobel de Littérature 1947. Roland Barthes (1915-80), philosophe, créateur de la sémiologie. Le Corbusier.

• **Nés dans une famille protestante.** Jean-Paul Sartre (1905-80), prix Nobel de Littérature 1964. Gaston Defferre (1910-86), ministre 1981-86. Jacques Soustelle (1912-90), ministre 1958-60.

sards dans les Cévennes (déclenchée par le meurtre d'un agent royal, l'abbé du Chayla) animée par des inspirés (prophétisme), terminée en principe par un accord entre le maréchal de Villars et le chef camisard Jean Cavalier (1681-1740) qui deviendra finalement major dans l'armée angl. Plusieurs rebelles armés resteront en dissidence jusqu'au tr. d'Utrecht (1713), notamment *Pierre Laporte,* dit *Roland,* tué au combat [sa maison au hameau du *Mas Soubeyran* près de Mialet (Gard) a été aménagée en 1910 en *Musée du désert ;* le 1er dimanche de sept., un rassemblement organisé par la Sté de l'histoire du protestantime réunit env. 15 000 personnes (fr. ou étrangers, descendants de huguenots) ; on y honore : Marie Durand (1715-79, prisonnière à Aigues-Mortes de 1750 à 1768)], *Jean Cavalier, Esprit Séguier* (prophète). Ceux qui sont pris sont condamnés aux galères. **1709** soulèvement du Vivarais (échec). **1715** *1er Synode à Monoblet* (Gard) sous la direction d'Antoine Court [1695-1760 (pasteur 1718) : effort pour reconstituer l'Église]. **1716** le Régent interdit les Assemblées (peine de mort pour les pasteurs, galères pour les participants, prison pour les participantes). **1726** Synode national (clandestin) de Vivarais-Dauphiné-Cévennes-Languedoc. **1759** Louis XV crée le Mérite militaire, pour les officiers prot. étrangers servant dans ses armées (All., Suédois, Suisses). **1762** exécution du pasteur Rochette et des 3 frères Grenier à Toulouse ; Jean Viala *dernier prot. à être condamné aux galères* (il y a en tout env. 4 000 galériens). *Affaire Calas :* Voir Index. **1764** à la suite du tr. de Paris avec l'Angl. (10-2-1763), fin des persécutions anti-protestantes (en échange de la liberté de culte pour les cath. canadiens). **1768** libération des dernières prisonnières de la Tour de Constance. **1771** *dernier pasteur tué,* près de Meaux (P. Charmuzy). **1775** libération des 2 derniers galériens pour la foi : Riaille et Achard (30 ans de galères). **Protestants déclarés :** 593 000 (dont env. 400 000 « ouvertement » prot.).

• De 1783 à 1789. **1783** à la suite du tr. de Versailles avec Angl. et U.S.A. (3-9), Louis XVI promet de nouveaux avantages aux Prot. fr. **1785** La Fayette vient saluer officiellement à Nîmes le pasteur Paul Rabaut (1718-95) de la part de Washington ; il prend en main, avec Jefferson, amb. des U.S.A., le dossier du protestantisme fr. **1786** *janv.* Rabaut Saint-Étienne (1743-94, guill.), fils de Paul Rabaut, vient à Versailles, invité par La Fayette : reçu par Malesherbes, garde des Sceaux, il est chargé de rédiger une nouvelle loi sur les Prot. (avec l'avocat Gui Target). **1787,** *mai* La Fayette pose le problème prot. devant l'Assemblée des notables ; *nov.* il obtient (de Malesherbes) *l'édit de tolérance* (proclamé le 29-1-1788), rendant aux « non-catholiques » les *droits civils* (sans liberté du culte, sans accès aux charges). **1788** *mai* les *quakers* fr. se séparent des calvinistes.

• De 1789 à nos jours. **1789** *Déclaration des Droits de l'Homme et du Citoyen* [rendant l'égalité complète aux prot. (reconnus dep. 1788 comme « citoyens »)]. **1790** loi rendant automatiquement la nationalité française aux descendants d'émigrés huguenots désireux de revenir en Fr. [restée en vigueur jusqu'en 1945 ; Benjamin Constant (1767-1830) avait demandé à en bénéficier ; sa demande fut rejetée, sa famille ayant quitté la Picardie alors espagnole]. **1793** réunion de Montbéliard, ville et région à forte implantation luthérienne. **1798** annexion de Mulhouse.

1802 *Articles organiques* de la loi de Germinal an X, organisant un régime légal pour les Églises luth. et réformées : pas de synode autorisé ; consistoires locaux (pour groupes de 3 000 à 6 000 âmes) et paroissiaux ; 1 consistoire général luth. **1817** 1re revue prot., *Archives du christianisme au XIXe s.* **1819** l'amiral Verhuell [(1764-1845) Holl. nat. fr. 1814] entre à la Chambre des Pairs : leader des Prot. fr. **V. 1820-30** réveil religieux et fondation de nombreuses Stés bibliques [notamment *la Sté biblique prot.* (Paris, fin 1818), des sous-sociétés missionnaires, d'enseignement, de charité]. **1822** Verhuell fonde (accord entre la Sté des missions évangéliques et les Afrikanders) la mission du Basutoland. **1824** Georges Cuvier (1769-1832) nommé grand-maître des Facultés prot. **1828** Cuvier directeur des cultes non cath. au ministère de l'Intérieur. **1835** débuts en Fr. du prot. libéral [Athanase Coquerel (1795-1868) ; fonde l'Alliance chrétienne universelle]. **1841** 1re Église baptiste de Fr. à Douai. **1848** fondation à La Force (Dordogne) des asiles John Bost (vieillards, déficients, aliénés, etc.). **1849** Frédéric Monod (1794-1863) et Agénor de Gasparin (1810-71) fondent l'*Union des Églises évangéliques libres de Fr.* (séparées de l'État). **1852** fondation de l'*Église méthodiste* de Fr. Officialisation des « conseils presbytéraux » locaux (changement de nom des consistoires locaux de 1802) ; Guizot entre à celui de Paris. **1855** Guizot, Pt de la *Société biblique prot. ;* milite pour l'adoption d'une doctrine officielle. **1872** organise le XXXe synode nat. de l'Égl. réformée (le 1er depuis Loudun 1659) ; obtient la promulgation d'une doctrine off. Mais il y a scission entre orthodoxes et libéraux. **1881** 1re réunion en Fr. de l'*Armée du Salut.*

1904-06 fondation de la *Fédération protestante de France* (1re assemblée : 1909). **1905** séparation des Églises et de l'État (mesure anticath., atteignant aussi, indirectement, le prot.). **1938** réunion dans l'*Église réformée de France* de l'Union des Églises réformées évangéliques, de celle des Églises réformées (plus libérales) et d'une partie des Églises libres et méthodistes. **1969** fondation de *la Fédération évangélique de France (F.E.F.).* **1971** texte « Église et pouvoir » (prônant un réformisme hardi). **1985** tricentenaire de la Révocation de l'édit de Nantes. **1987** Bicentenaire de l'Édit de Tolérance donné par Louis XVI. **1989** texte commun Fédération prot. de France – Ligue de l'Enseignement : « Pour un nouveau pacte laïque ».

Organisation

• Fédération protestante de France (F.P.F.). *Fondée* 1904-06 pour représenter les Églises prot. devant les pouvoirs publics et coordonner leur action dans le domaine moral et social. Son rôle s'est élargi depuis, à mesure que se développaient des activités communes aux Églises (cultes à la radio et à la télévision, service de presse B.I.P., aumônerie militaire et pénitentiaire, mouvements de jeunesse, œuvres diverses). *Prés. :* pasteur Jacques Stewart (n. 1936). *Secr. gén. :* pasteur Louis Schweitzer (n. 1952). *Formée* de 15 Églises et Unions d'Églises et d'institutions, œuvres et mouvements protestants.

Église réformée de France (E.R.F.). *Née* 1938 (regroupement des Églises évangéliques et libérales). *Membres :* 400 000. *Pasteurs :* 460. *Prés. :* pasteur J.-Pierre Monsarrat (n. 1927), dep. 1980.

Église de la Confession d'Augsbourg d'Alsace et de Lorraine (E.C.A.A.L.) (1802, 1852). Luthérienne et concordataire, fortement rurale. *Membres :* 230 000. *Pasteurs :* 208. *Prés. :* pasteur Michell Hoeffell (n. 1935), dep. 1987.

Église réformée d'Alsace et de Lorraine (E.R.A.L.) (1895). Concordataire, regroupe les « réformés », c.-à-d. calvinistes. *Membres :* 42 000. *Pasteurs :* 52. *Prés. :* pasteur Antoine Pfeiffer (n. 1940), dep. 1988.

Église évangélique luthérienne de France (E.E.L.F.) (1872). Seule Égl. strictement francophone à représenter la tradition théologique luth. (2 « inspections », correspondant aux « évêchés » luth. : Paris et Montbéliard). *Membres :* 40 000. *Pasteurs :* 54. *Prés. :* Jean-Michel Sturm (n. 1931), dep. 1988.

Églises réformées évangéliques indépendantes (E.R.E.I.) (1948). Méridionales ; ont refusé en 1938 de faire partie de l'Égl. réformée. *Membres :* 12 000. *Pasteurs :* 31. *Prés. :* pasteur Maurice Longeiret (n. 1927), dep. 1989.

Fédération des Églises évangéliques baptistes de France (F.E.E.B.) (1914). *Membres :* 16 000. *Pasteurs :* 95. *Prés. :* pasteur Robert Somerville (n. 1930), dep. 1986.

Mission populaire évangélique. *Créée* 1871 par le pasteur britannique Mac All dans les quartiers ouvriers de Belleville. *Membres :* 4 000. *Pasteurs :* 16. *Prés. :* Marc Brunschweiler (n. 1950), dep. 1989.

Église apostolique. ((E.A.) Attentive au « renouveau charismatique » et « solidaire de toutes les Églises ». *Membres :* 1 000. *Pasteurs :* 11. *Prés. :* Pasteur Jacques Vavasseur (n. 1938), dep. 1980.

• Mission évangélique des tziganes de France (METF). *Fondée* 1946 par le pasteur Clément Le Cossec. Rattachée à la F.P.F. en 1974. *Membres :* 65 000. *Pasteurs :* 360. *Centre :* « Les Petites Brosses », 45500 Nevoy. + de 100 000 participants en Europe, Amér., Inde, dont 45 000 baptisés par immersion et + de 1 000 prédicateurs.

Églises pentecôtistes. Plusieurs petites églises (Égl. de Dieu en France, Union des Égl. évangéliques de réveil, etc.), rattachées dep. 1983 [les Assemblées de Dieu (90 000 membres) ne le sont pas]. 2 500 membres, 22 pasteurs.

• Organismes divers. **Action missionnaire commune.** En Afrique, en Europe, dans le Pacifique et en Amérique latine, la *CEVAA (Communauté évangélique d'action apostolique)* remplace dep. 1971 la Sté des missions évangéliques de Paris (SMEP), *fondée* 1822. Composée de 46 Églises : 5 réformées et luthériennes de France, groupées dans le *Département évangélique français d'action apostolique (DEFAP) ;* 7 réformées cantonales de la Suisse romande, groupées dans le *Département missionnaire romand (DM) ;* l'Égl. vaudoise d'Italie, celle du Rio de la Plata (Uruguay, Argentine) et les Égl. évangéliques du Cameroun, du Gabon, du Lesotho, de N.-Calédonie, de Tahiti et du Togo ; l'Union des Églises baptistes du Cameroun, l'Égl. unie de Zambie, l'Égl. de J.-C. à Madagascar, les Égl. méthodistes du Bénin et de la Côte-d'Ivoire et l'Égl. presbyt. du Mozambique. 15 Égl. de Suisse alémanique par la KEM (Coopération des Égl. et missions en Suisse além.), l'Égl. protestante du Sénégal, l'Égl. du Christ-Roi à Bangui (Centrafrique), l'Égl. presbytérienne de l'île Maurice, l'Égl. méthodiste du Togo et l'Église protestante de la Réunion sont membres associés. *Secrétariat :* 12, rue de Miromesnil, 75008 Paris.

Alliance évangélique française. *Fondée* 1846 à Londres. 1er mouvement œcuménique mondial érigé sur une déclaration de foi précise.

Centre protestant d'études et de documentation (C.P.E.D.). 46, rue de Vaugirard, 75006 Paris.

Conseil permanent (24 membres). Rassemble depuis 1970 les 2 *Églises luthériennes* EELF et ECAAL, réunies en une Alliance nationale des Égl. luthériennes de France (1950)] et les 2 *Églises réformées* [de France (ERF) et d'Alsace et de Lorraine (ERAL) concordataire]. Assemblée des représentants des 4 Églises tous les 3 ans.

Étudiants protestants (Association des étudiants). 46, rue de Vaugirard, 75006 Paris.

Facultés de théologie protestante de l'université des Sciences humaines de Strasbourg. *Créée* 1538. Prépare à 8 diplômes nation. et à 3 dipl. univ. **Théologie réformée.** 33, avenue J.-Ferry, 13100 Aix-en-Prov.

Fédération évangélique de France. *Fondée* 1969 à Paris. Regroupe 192 unions d'églises, égl. indép., œuvres notamment : Alliances des Égl. chrétiennes missionnaires, des Égl. év. indépendantes, Union de l'Égl. év. méthodiste (voir p. 538 c), Égl. év. de la Guadeloupe, de La Réunion, France-Mission, Unions des Égl. chrétiennes bibliques, des Égl. év. Chrischona, Assemblées év., Communautés év., Égl. prot. év., France pour Christ, Ligue biblique fr., Mission év. des Alpes fr. *Publications :* Annuaire év. (bisannuel) ; Info-F.E.F. (trimestriel). *Lieux de culte :* 450. *Siège :* 40, rue des Réservoirs, 91330 Yerres. *Pt :* Gérard Dagon (n. 1936). *Secr. gén. :* Maurice Decker (n. 1945).

Institut protestant de théologie. Dépend de l'Égl. luthérienne de Fr. et de l'Égl. réformée de Fr. *2 facultés [Fac. libre de théol. prot. de Paris* (1er cycle : licence ; 3e cycle : doctorat), 83, bd Arago, 75014 Paris ; *Fac. libre de théol. de Montpellier* (2e cycle : maîtrise ; 3e cycle : doctorat), 13, rue Louis-Perrier, 34000 Montpellier]. *Bibliothèques :* Paris 60 000 vol., Montpellier 80 000.

Société de l'histoire du protestantisme français (1852). Reconnue d'utilité publ. 1870. A créé la Fête de la Réformation (le 1er dimanche d'oct.). *Musée. Bibliothèque* de 160 000 vol. et 12 000 mss. *Bulletin* trimestriel. 54, rue des Saints-Pères, Paris.

Traditions des chrétientés huguenotes. *Temples anciens :* 4 plans : rectangulaire (Charenton), circulaire (Lyon), octogonal (La Rochelle), ovale (Dieppe). *Tenue des pasteurs :* semblable à celle des gens d'Église et de robe. *Titre officiel* « Fidèle ministre du St Évangile » (FMDSE). *Contraste avec les catholiques :* fréquentation du Temple (les Parisiens vont à Charenton) ; refus de tout divertissement le dimanche, de participer aux fêtes religieuses cath. (notamment de décorer les maisons en cas de procession), de prêter serment sur la Croix et de posséder un crucifix ; interdiction de la danse, des jeux (cartes, dés, tarots), de la mascarade. Comparution des coupables d'adultère ou de rixes devant le consistoire.

Statistiques. *Nombre de Protestants : vers 1670 :* 882 000, *1815 :* 472 000, *1851* (recensement) : 480 000 réformés et 267 000 luth., *1862 :* 589 000, *1895 :* 538 000, *1935 :* 402 000, *1955 :* 461 000, *1987 :* 950 000 (dont 140 000 non-membres : certains baptistes, pentecôtistes, méthodistes, mennonites, quakers, darbystes, évangélistes libres, adventistes et l'Armée du Salut). **Pratique (1989).** 10 %.

Presse protestante. Le christianisme au XXe siècle, hebdo. (6 000 ex.) ; Réforme, hebdo. (7 500) ex.).

☞ Culte pratiqué chaque dimanche dans les églises locales (souvent appelées *temples*). Les fidèles se rassemblent autour de la Parole de Dieu (la Bible), des sacrements (baptême, eucharistie) et de la prédication (Bible commentée). Le chant des cantiques tient une place importante.

Autres Églises chrétiennes

Église anglicane

• **Origine.** *XVIe s.* elle se sépare de Rome. *Raisons : 1532-33* le pape Clément VII (de Médicis) refuse l'annulation du mariage contracté en 1503 par le roi Henri VIII âgé de 12 ans avec sa belle-sœur, Catherine d'Aragon (18 ans), veuve d'Arthur, prince de Galles. *1534* acte de suprématie : H. VIII, désireux d'épouser Anne Boleyn, soustrait l'Église d'Angl. à l'autorité du Pape (en en devenant lui-même le chef) et fait annuler son mariage par l'archevêque de Cantorbéry, Thomas Cranmer (1489-1556 ; condamné au bûcher comme protestant par Marie Tudor).

Controverse sur l'annulation

1°) Cranmer l'a prononcée en invoquant l'impossibilité canonique d'épouser une belle-sœur (mais H. VIII avait obtenu de Rome les dispenses nécessaires). 2°) Le mariage pouvait être déclaré nul pour défaut de consentement, H. VIII ayant été marié d'office (mais tous les mariages princiers de l'époque se faisaient ainsi). 3°) Les annulations de mariages royaux étaient fréquentes, mais Clément VII craignait de se brouiller avec Charles Quint, neveu de Catherine. 4°) H. VIII convoitait les biens de l'Église d'Angl., notamment : abbayes et couvents.

1570 Pie V excommunie Elisabeth Ire. *1593* Richard Hooker (1553-1600) publie les lois de la politique ecclésiastique, qui créent la théologie de l'anglicanisme. *1618* Lancelot Andrewes (1555-1626), prédicateur et écrivain, devient évêque de Winchester (crée la littérature religieuse anglicane).

Nota. – L'anglicanisme a eu plusieurs martyrs, dont *William Laud,* archev. de Cantorbéry (n. 1573-décapité 10-1-1645), qui tenta d'imposer l'épiscopat aux Écossais et fut condamné à mort en 1644 pour avoir tenté d'abattre la religion protestante. Le roi *Charles Ier*, décapité en 1649, sur l'ordre du « Parlement croupion » dominé par les Puritains, est souvent considéré aussi comme martyr. *Thomas Wentworth,* Cte de Strafford, décapité en 1641, est plutôt considéré comme la victime d'un complot politique.

• **Clergé** (évêques, prêtres, diacres). Le clergé séculier n'est pas astreint au célibat. Les évêques, nommés par la Couronne sur proposition d'une commission ecclésiastique, prêtent hommage au souverain ; ils reçoivent de leur clergé le serment d'obéissance canonique. En dehors de l'Angl., évêques élus par l'Église. **Ordination des femmes.** *1978 (8-11),* le Synode général de l'Égl. d'Angl. s'y refuse (par 262 voix contre 246 et 3 abstentions), [mais certaines Égl. anglicanes (N.-Zélande, Canada, U.S.A., Hong Kong, Ouganda, Kenya) le pratiquent]. *1981 (12-11),* le synode admet le principe de donner aux femmes le diaconat (ainsi que le titre de « Révérend »). *1984 (16-11),* par 307 voix contre 183, il autorise la préparation d'un texte législatif qui permettrait l'ordination des femmes [en protestant, 62 prêtres passent à l'Église romaine (épiscopaliens américains, mariés ou non)]. *1987 (26-2),* le syn. vote la mise en place d'une législation permettant cette ord. mais aucune ne doit avoir lieu avant 1991 (96 % des fidèles favorables, 69 % du clergé). Le même jour, l'arch. de Cantorbéry ordonne 15 diaconesses. L'év. anglican de Londres, Graham Leonard, envisage de fonder une Égl. anglicane dissidente. *1989 (11-2).* Barbara Harris (noire, divorcée, 58 ans), élue évêque le 25-9-88, est sacrée évêque à Boston (USA) dans l'Église épiscopalienne. Elle était une des 1 500 femmes ordonnées prêtres dep. 1978. *(7-11)* le syn. de l'Église d'Angl. se déclare favorable aux femmes-prêtres (décision définitive 1992). *1990 (17-5)* le syn. de l'Égl. d'Irlande admet l'ordination des femmes.

• **Doctrine.** Il n'y a pas de doctrine spécifique. *Foi professée :* celle des Pères et des Conciles antérieurs à la séparation des Églises d'Orient et d'Occident. Sa formulation officielle se trouve dans le *Book of Common Prayer* (1549, plusieurs fois révisé), les *39 articles* (adoptés en 1562) et le *quadrilatère de Lambeth* (1888) qui insiste sur les points suivants : 1°) La Bible contient tout ce qui est nécessaire au salut. 2°) Les symboles des Apôtres et de Nicée exposent l'essentiel de la doctrine. 3°) Il y a 2 sacrements essentiels : baptême et eucharistie, institués par le Christ (le caractère sacramentel des 5 autres : confirmation, pénitence, ordre, mariage et onction des malades n'est pas nié). 4°) Les évêques anglicans sont les successeurs historiques des apôtres.

• **Liturgie et culte.** Comporte traditionnellement 2 « ailes » : la *Haute Égl. (High Church),* où le cérémonial ressemble souvent à celui de l'Égl. cath. romaine, et la *Basse Égl. (Low Church)* où l'influence est surtout protestante. Une certaine unification s'était produite au XIXe s. [bien que plusieurs provinces (sur 27) aient créé leurs propres rites], car il existait un livre de la prière commune. Ce livre n'est plus utilisé et de nouvelles liturgies nationales et locales ont été créées. Mais l'unité anglicane a été maintenue grâce au respect de la tradition liturgique et de l'ordre traditionnel.

• **Ordres religieux.** Supprimés au XVIe s., rétablis au XIXe s. Il en existe actuellement un grand nombre (franciscains, bénédictins, etc.).

• **Organisation.** La communion anglicane comprend 28 églises membres autonomes ou provinces dans plus de 160 pays (400 diocèses), admettant le principe de l'épiscopat et le gouvernement synodal représentatif.

1°) **Église d'Angleterre :** Church of England (2 provinces : Cantorbéry et York), gouvernée par le Synode général [présidé conjointement par archevêques d'York et de Cantorbéry, George Carey (n. 1936, entre en fonction le 19-4-1991)]. Connu sous le nom de « Convocations de Cantorbéry et d'York », le Synode réunit clergé et laïcs des 2 provinces en 3 « chambres » séparées : évêques (43), prêtres (250) et, dep. 1970, laïcs (250) qui peuvent et, dans certaines circonstances, doivent voter séparément (dans ce cas, il doit y avoir majorité dans chaque chambre). Chaque chambre peut se réunir à son gré en dehors de la convocation générale. En Angl. le souverain est chef temporel de l'Égl. et le gouvernement participe à la nomination des archev., des év. et de certains autres dignitaires ecclésiastiques. Les décisions synodales sont soumises au vote des évêques, puis à celui du Parlement.

2°) **Églises autonomes :** à l'origine, l'Église d'Angl. s'implanta dans les territoires sous influence britannique. Certaines égl. sont d'expression esp., française, japonaise. L'ensemble est divisé en provinces ou Églises régionales (3 conseils régionaux : Asie de l'E., Pacifique S., Amér. du S.). *Pays* (outre l'Angl.) : Afr. centrale, Nigeria (1979), Afr. de l'O., Afr. du S., Amér. du S., Asie du S.-E., Australie (4 prov. dirigées par un Pt élu), Birmanie, Brésil, Canada (4 prov. ; primat élu par les évêques), Chine, Écosse, États-Unis (Église épiscopale, 9 prov.), Indes occid., Irlande (2 prov., gouvernement par les 2 archevêques assistés d'un Synode général et d'un Corps législatif représentant les diocèses), Japon, Jérusalem, Kenya, Mélanésie, N.-Zél., Océan Indien, Ouganda, Ruanda-Burundi-Zaïre (francophone), Pacifique Sud, Papouasie-N.-Guinée, Pays de Galles (6 diocèses, dirigés par un archevêque et une assemblée législative élue), Soudan, Sri Lanka, Tanzanie.

Nota. – Inde, Pakistan et Bangladesh ont créé des Égl. unies nationales qui ne sont plus anglicanes mais en communion avec les Égl. angl..

Conférences de Lambeth. Réunissent tous les 10 ans, dep. 1867, les évêques des Églises anglicanes ; présidées par l'archevêque de Cantorbéry. A la dernière réunion à Cantorbéry, le 1-8-1988, 527 évêques dont 175 africains venant de 32 pays et 27 provinces ont voté (par 423 voix contre 28) un texte laissant libres les Égl. membres qui le souhaitent d'ordonner des femmes à l'épiscopat. **Conseil consultatif anglican :** réunion tous les 3 ans dep. 1971. *Adresse :* Partnership House, 157 Waterloo Road, Londres SE1 8UT. **Comité des Primats :** réunit tous les 2 ou 3 ans dep. 1979 les év. présidents de chaque Égl.

• **Relations avec Rome.** *1896* Léon XIII (bulle *Apostolicae Curae)* déclare nulles et non avenues les ordinations anglicanes. *1921-25 conversations de Malines* menées par le cardinal Mercier et Lord Halifax (1839-1934). *1962-65* Vatican II reconnaît à *l'Ecclesia Anglicana* une « place particulière » parmi les Égl. et communautés séparées de Rome par la Réforme, mais gardant en partie les structures et les traditions cath. *1966 (24-3)* Paul VI reconnaît implicitement l'ordination du Dr Ramsey, archev. de Cantorbéry, en l'invitant à bénir la foule romaine. *1980 (26-3)* le card. Hume, archev. de Westminster, assiste à l'intronisation du primat anglican, le Dr Robert Runcie (archev. de Cantorbéry). *1982 (29-5)* Mgr Runcie reçoit Jean-Paul II dans la cath. de Cantorbéry. *1989 (sept.)* Mgr Runcie déclare, avant de le rencontrer au Vatican, que le pape a une « primauté universelle ».

Commissions internationales romano-anglicanes (A.R.C.I.C.). 1970-82 : Une 1re commission (20 membres, présidée par l'archev. anglican de Dublin et l'év. cath. d'East Anglia) réunie en 1970 (étudie les divergences : autorité dans l'Égl., primat universel, dogmes mariaux, mariages mixtes, ordination des femmes, éthique sexuelle, divorce et divorcés remariés). La conférence de Lambeth de 1988 a reconnu les déclarations communes sur la doctrine eucharistique, le ministère et l'ordination des prêtres « conformes en substance à l'esprit de l'anglicanisme », et les déclarations 1 et 2 sur l'autorité de l'Égl. ont été accueillies comme « une base solide pour l'orientation du dialogue poursuivi. » La réponse des catholiques est attendue.

Lettres du card. Willebrands (Pt du secrétariat romain pour l'Unité des chrétiens). La 1re *(Osservatore Romano* du 6-3-1986) envisage la levée de l'invalidation des ordinations angl. La 2e (17-6-1986) condamne l'éventuelle ordination des femmes.

• **Statistiques. Fidèles. Nombre d'anglicans et épiscopaliens** (en milliers, 1988). *Afrique :* Nigeria 3 900. Afr. du S. 2 400. Ouganda 2 200. Kenya 1 300. Tanzanie 1 000. Burundi, Rwanda, Zaïre 700. Afr. centr. 600. Soudan 400 à 2 500. Afr. occident. 135. Seychelles 83. *Amériques :* U.S.A. 2 505. Canada 2 430. Caraïbes 770. Amér. du S. 95 (dont Brésil 65). Bermudes 25. Cuba 7. *Asie :* Japon 60. Sri Lanka 55. Birmanie 42. Hong-Kong 28. Singapour 20. *Europe :* Angleterre 25 000. Irlande 410. P.-de Galles 116. Ecosse 60. France (est.) 5. *Jerusalem et Moyen-Orient :* 30. *Océanie :* Australie 3 724. N.-Zél. 200. Papouasie-N.-Guinée 184. Mélanésie 88. *Total* env. 70 000 (en majorité noirs dep. 1983).

Proportion des Anglais ayant reçu le baptême anglican 57,9 %, *de couples ayant reçu le mariage anglican* 34,2 %. *Pratique dominicale* 2,7 %.

Prêtres (1983) env. 10 789 (dans le monde : 64 000, dont 619 *femmes,* 600 *évêques,* 430 *diocèses).* En Angleterre : *Ordinations annuelles* 331.

☞ EN FRANCE : env. 5 000 fidèles. *Église St-Georges* 7, rue Auguste-Vacquerie, Paris 16e ; recteur : Père Martin Draper. Dépendant du diocèse de l'Égl. d'Angl. en Europe. *Cathédrale de l'Égl. épiscopale américaine en Europe,* 23, av. George-V, Paris 8e ; recteur : Père James Leo.

Adventistes

• **Origine.** *Milieu d'origine :* groupes protestants anabaptistes (voir p. 538 a). *XIXe s.,* regain de popularité, principalement auprès des croyants évangéliques. *1831,* le baptiste américain William Miller (1782-1849) annonce publiquement le retour de J.-C. *1843-44,* un mouvement interconfessionnel se constitue. *Après 1844,* il se divise en plusieurs groupes et tendances. *1863* le plus important devient l'Église adventiste du 7e jour.

1864 (6-6) M.B. Czechowski, ex-prêtre polonais réfugié aux U.S.A. débarque en Angleterre et organise des communautés chrétiennes en Italie puis en Suisse. *1877* (sept.) : 1re Église adventiste fondée en France (à Valence).

• **Doctrines essentielles :** divinité de J.-C., Trinité, autorité de la Bible, (écrite sous l'impulsion du Saint-Esprit) en matière de doctrine, salut par grâce et justification par la foi, baptême par immersion après confession de foi. Les adv. acceptent le primat de la Bible (sola scriptura) et la doctrine réformée de la justification par la foi (sola fide, sola gratia). Aux U.S.A., ils attendent le retour personnel et glorieux de J.-C., selon les promesses du Nouveau Testament.

L'Eglise adv. n'entend pas se substituer unilatéralement aux autres Eglises chrétiennes pour la proclamation de l'Evangile. Sa mission particulière : réhabiliter plusieurs éléments importants de la doctrine biblique laissés dans l'ombre.

• **Particularités.** Sans avoir de crédo, les adv. professent cependant des croyances fondamentales. Ils acceptent les articles fondamentaux de la foi chrétienne tels qu'ils ont été énoncés par les 3 anciens symboles de l'Eglise (s. des apôtres, de Nicée-Constantinople, d'Athanase).

1) *Sabbat.* Dieu a créé le monde en 6 j. et s'est reposé le 7e (samedi). Le sabbat rappelle l'acte créateur de Dieu et la libération du péché, et annonce par anticipation le royaume de Dieu où le repos sera éternel. Le Christ-Jésus, créateur du monde, libéra-

teur du péché et fondateur du royaume est le maître du sabbat. Le samedi est jour de culte. 2) *Baptême.* Décision de mener une vie nouvelle. Le baptisé exprime sa foi en la mort et en la résurrection du Christ et sa volonté d'être uni au corps du Christ qui est l'Eglise. Administré par immersion, réservé aux adultes ou adolescents. 3) *Mort.* État où l'homme tout entier (esprit, âme et corps) demeure dans une inconscience totale jusqu'à la résurrection finale. Pas de culte des saints, ni de prière pour les morts. 4) *Santé.* Pour mieux servir Dieu et les hommes, les adv. s'appliquent à suivre les principes d'une hygiène de vie d'inspiration biblique et scientifique. Ils évitent de consommer drogues, tabac et alcool. 5) *Retour du Christ.* Seul espoir des croyants. Personne ne peut en fixer le moment. Toutefois, les signes précurseurs donnés par le Christ lui-même se réalisent rapidement. Ils confirment à la fois la proximité de ce retour et son caractère de surprise.

• **Relations avec la société religieuse.** Les adv. aspirent à l'unité des chrétiens, réalisée autour de l'Ecriture sainte et autour du Christ. Ils participent à des rencontres œcuméniques et interconfessionnelles (ABU : Alliance biblique universelle ; CCM : Communions chrétiennes mondiales ; Commission Foi et Constitution du COE, etc.).

• **Organisation.** Communautés locales regroupées en fédérations (ex. Féd. de Fr.-Sud, de Fr.-Nord) qui se rassemblent en Unions (ex. : Union franco-belge), forment la Conférence générale (siège Washington ; pour l'Europe, Berne et Londres). L'Église locale est souveraine. Chaque responsable (ancien, diacre...) est élu ou réélu chaque année par l'assemblée des membres.

• **Œuvres.** Proclamation de l'Évangile, défense de la liberté religieuse de tous les croyants non adventistes, éducation, assistance aux déshérités, prévention sanitaire, œuvre médicale. Secours adventiste mondial (ADRA) au tiers monde, aux réfugiés victimes des cataclysmes. Plus de 50 millions de $ sont attribués chaque année à ses services d'entraide. Ils développent une médecine préventive dans leurs institutions médicales et leurs universités. Chaque année, plusieurs milliers de personnes cessent de fumer grâce au « Plan de 5 jours » organisé par la ligue Vie et Santé. Campagnes similaires pour l'alcoolisme (méthode Atout 4), le stress, la diététique, le contrôle du poids, l'hygiène de vie.

• **Statistiques.** *Sympathisants* adventistes 15 000 000. *Membres* adultes baptisés 6 200 000 (fin 1989), soit en moyenne 548 baptêmes par jour en 1989. *Pays* couverts 190. *Pasteurs* 115 720 (licence, maîtrise ou doctorat en théologie). *Écoles* primaires et secondaires 5 258 ; d'infirmières 47. *Universités et collèges* 92. *Enseignants* 29 853. *Hôpitaux et cliniques* 431. *Avions et bateaux dispensaires* 26. *Maisons de retraite* 67. *Personnel médical* 56 530. *Centres de secours* 18 092. *Maisons d'édition* 56. *Périodiques* 395. *Stations de radio* 3 000. *Émissions T.V.* 2 133 (par semaine).

France (1989). *Sympathisants adv.* 70 000. *Adultes baptisés* 36 150 (dont outre-mer 25 550, et métropole 10 600). *Églises* 143. **Pays francophones** 612 375 adultes baptisés.

Une maison de retraite, 3 écoles primaires, une école secondaire, une faculté de théologie (Hte-Savoie), un institut d'étude de la Bible par correspondance, une maison d'édition, un centre média de production et d'enregistrement, 6 radios locales, 4 périodiques, une fabrique de produits alimentaires, 4 centres de jeunesse.

Sièges : *Union franco-belge ;* B.P. 7, 77350 Le Mée-sur-Seine. *Fédération des églises adv. France-Nord :* 130, bd de l'Hôpital, 75013 Paris. *Fr.-Sud :* rue du Romarin, Clapiers, 34170 Castelnau-le-Lez.

Petite Église

• **Origine.** **1801** signature du Concordat entre Napoléon Bonaparte et Pie VII. Sur 81 évêques non constitutionnels, émigrés en Angleterre, 38 refusent de démissionner en vertu de l'art. III du Concordat. **1803** *(6-4)* ils adressent au pape des « Réclamations ». **1814** 1re Restauration. Sur les 38 évêques, 16 survivent. 1 s'était soumis en 1812 (Mgr de Bovet), 14 vont se soumettre [dont, en 1816, Mgr Alexandre de Talleyrand-Périgord (grand-aumônier, archevêque de Reims, nommé cardinal) ; Mgr de La Fare (évêque de Nancy) ; Mgr de Coucy (1766-1824, évêque de La Rochelle, nommé archevêque de Reims) ; en 1818 Mgr de Brou de Vareilles (évêque de Gap)]. 1 ne se soumet pas : Mgr de Thémines (?-1829, évêque de Blois). **1814** *(17-8)* les prêtres de la Petite Égl. jurent de lui rester fidèles. 40 000 fidèles dont 25 000 à Lyon (3 % du diocèse) et quelques dizaines de prêtres dont l'abbé de La Roche-Aymon se révèlent anti-concordataires. **1820** *(27-9)* bref du pape qualifiant de « schisme manifeste » l'attitude de la Petite Égl. *(23-12)* Louis XVIII refuse la publication du bref. **1829** Mgr de Thémines meurt en Belgique. Il n'a jamais consenti à ordonner prêtres ou évêques qui auraient constitué un clergé schismatique. **1841** mort de l'abbé de Broglie qui lui a succédé comme chef spirituel. **1847** mort du dernier prêtre [l'abbé Ozouf aux Aubrais (Deux-Sèvres)]. **1857** *(20-5)* mort du laïc Philippe Texier (n. 1802). **1894** Joseph Bertrand (chef à Courlay dep. 1887, gendre de Phil. Texier) et Marius Duc (Pt de la chambre de commerce de Lyon) se soumettent. **1905** l'abolition du Concordat ne modifie pas la position de la Petite Égl. qui désire que Rome reconnaisse le bien-fondé des « Réclamations » de 1803. **1948-49** le pape autorise les membres qui veulent se soumettre à ne plus, désormais, faire abjuration ou déclaration de soumission, le baptême et le mariage faits par la Petite Égl. étant considérés comme valides. **1955** *(20-12)* Pie XII désigne 2 visiteurs apostoliques [Mgr Derouineau († 1973) pour la Petite Égl. du Poitou et Mgr Morel pour les Stevenistes (Petite Égl. de Belgique)]. **1965** *(26-3)*, à N.-D. de la Pitié, à 10 km de Bressuire, pour la 1re fois, dep. 1847, 130 membres de la Petite Égl. acceptent de recevoir les sacrements (confession, communion, confirmation des enfants) des mains du clergé cath. Mais l'intervention des Lyonnais empêche un ralliement officiel et général, rendu encore plus difficile par les innovations de Vatican II.

• **État actuel.** On appelle les fidèles de la Petite Église *Clémentins, Basniéristes* ou *Bétournés* en Normandie, *Louisets* en Bretagne, *Chambristes* ou *Enfarinés* dans le Rouergue, *Purs* à Montpellier, *Stévenistes* à Namur, *Filochois* en Touraine, *Dissidents* dans le Poitou, *Jansénistes* dans le Lyonnais (héritiers des adversaires de la *bulle Unigénitus*), *Blanchardistes* en Angleterre, à cause de l'abbé Pierre-Louis Blanchard (1758-1829), principal pamphlétaire des 400 prêtres anticoncordataires formant la « Petite Église » de Londres (leur nom de « Petite Église » a été donné par la suite à tous leurs partisans sur le continent). Ces 400 prêtres devinrent anglophones et desservants paroissiaux (le renouveau du catholicisme anglais au XIXe s. leur est dû en grande partie).

Implantation. Petite église de France : *Poitou* 3 500 fidèles (743 familles), *Lyonnais* 400 fid. [83 fam. à Lyon, quelques-unes dans l'Ain et à St-Jean-de-Bonnefonds (Loire), 95 en S.-et-L. : St-Germain-en-Brionnais, St-Symphorien-les-Bois, Varennes-sous-Dun, St-Maurice-de-Châteaudun, Buffières, St-Julien-de-Civry, Génelard]. Ils ont chaque année un pèlerinage à Alise-Ste-Reine (C.-d'Or). **De Belgique :** une centaine de familles, quelques groupes à Paris, Marmande (L.-et-G.), Villedieu-les-Poêles (Manche), Nortes (B.-du-Rh.), St-Maximin (Var).

Clergé. Il n'y en a plus ; dep. 1849 un Conseil des Anciens dirige l'Église. **Livres religieux :** Grand missel de 1787, Catéchisme d'avant 1789. **Fêtes :** toutes les f. d'obligation d'avant 1789. **Jeûne :** vendredi et samedi, chaque semaine. **Carême :** sans viande (et semaine sainte : pas d'œufs). **Dimanche :** office de jour chanté en latin et français, sur l'autel sont disposés ornements de la fête du jour, calice et ciboire vides. **Baptême :** conféré par des laïcs. **Communion :** de désir (1re à 10 ans). **Mariage :** échange de consentement mutuel, cérémonie.

Église vieille-catholique

• **Histoire.** **1704** Pays-Bas ; regroupe des jansénistes : le pays, étant officiellement protestant, n'avait pas de hiérarchie cath. et le clergé cath., comprenant de nombreux réfractaires au formulaire antijanséniste, dépendait d'un vicaire apostolique envoyé par Rome. **1713** de nombreux prêtres cath. hollandais rejettent la bulle *Unigenitus.* **1724** *14-10* un évêque fr. janséniste, réfugié en Hollande, Dominique Varlet, consacre évêque l'un d'eux, Cornelius Steenhoven, qui prend le titre d'év. d'Utrecht (on disait alors *l'Église d'Utrecht* ou « *vieille-épiscopale* »). **1724-40** accueil des jansénistes venus de France. 2 nouveaux diocèses en 1742 (*Haarlem*) et en 1757 *(Deventer).* **1763** *concile d'Utrecht.* **1871** congrès à Munich, autour d'Ignaz von Döllinger, des opposants à l'infaillibilité du pape, proclamée en 1870. **1873** l'abbé Reinkens, de Breslau, évêque des anti-infaillibilistes, se fait sacrer par l'év. de l'Église d'Utrecht. **1874** l'Église « vieille-catholique » (anti-infail.) se constitue en féd. d'Églises nat. autonomes : Allemagne, Suisse [« cath. chrétiens » (reconnus par le gouv. fédéral ; fac. de théologie intégrée à l'Univ. de Berne)], Autriche, Tchécoslov., Youg., Pologne, France. **1889** union officielle du clergé vieil-épiscopal et des Vieux-Cath. : l'év. d'Utrecht devient le Pt de la Conférence des év. de l'Union d'Utrecht (chaque Égl. étant autonome). **1907** fondation à Scranton (U.S.A.) de l'*Égl. cath. nationale polonaise* (actuellement 5 diocèses) dirigée par un Primat.

• **Personnalités marquantes.** Charles LOYSON (1827-1912), dit le Père Hyacinthe (ancien dominicain puis carme), il rompt avec l'Égl. romaine le 20-9-1869 et épouse en 1872 une Américaine, Émilie Meriman, née Butterfield. N'ayant pu rejoindre, à cause de son mariage, l'Église d'Utrecht, il crée en 1879 une *« Église catholique gallicane »,* qui sera prise en charge par des évêques anglicans jusqu'en 1890 ; puis s'efface en 1893 devant l'abbé Georges Volet pour permettre l'agrégation à l'Église de Hollande. A la fin de sa vie, il devient théiste ; un pasteur protestant sera présent à ses obsèques. Georges VOLET (1864-1915), ordonné prêtre en 1887 par Mgr Herzog (év. vieux-cath. de Berne) ; rattache en 1893 l'église gallicane de Paris aux Vieux-Cath. hollandais, il édite de 1891 à sa mort un mensuel, *le Catholique français* (284 numéros). Jean-Joseph VAN THIEL (1843-1912), Hollandais, vicaire épiscopal de l'Église gallicane en 1893, év. de Haarlem 1906. Paul FATOME (1881-1950), ordonné prêtre par Mgr Herzog en 1905, fonde la paroisse vieille-cath. de Nantes en 1910 et la dirige jusqu'en 1936 ; en 1938, n'ayant pu obtenir d'Utrecht la consécration épiscopale, il l'obtient de l'év. mariavite polonais Kowalski, rompant ainsi avec Utrecht. Abbé Eugène MICHAUD (1839-1917). Vicaire de la Madeleine à Paris ; ralié aux vieux-cath. en 1870 ; fonde en Suisse la Faculté de théologie vieille-cath. à Berne et la « Revue intern. de théologie » (actuellement « Internationale Kirchliche Zeitschrift », IKZ, publiée par la Fac. de Théologie de Berne). Joseph-René VILATTE (1854-1929). Voir p. 545 a, Égl. vilattienne. Joseph-Antoine BOULLAN [(1824-† 1893 sans doute assassiné), prêtre de la Congr. du Précieux Sang, condamné par Rome en 1867, puis en 1870, pour ésotérisme ; quitte l'Église cath. en 1875 et fonde à Lyon une communauté anti-infaillibiliste sans lien avec Utrecht. Ses écrits ont été remis au romancier cath. Joris-Karl Huysmans, qui l'a représenté dans le roman *Là-bas* sous les traits du « docteur Johannès »].

☞ **Désaccord avec la doctrine catholique romaine.** Prépondérance du concile sur le pape ; refus des dogmes de l'infaillibilité personnelle du pape et de son magistère universel, de l'Immaculée Conception et de l'Assomption, de la doctrine du « sacrifice » de la messe ; droit au mariage des prêtres (dep. 1922) ; en All. féd., dep. mai 1989, droit à la prêtrise des femmes. Sur certains points de discipline ecclésiastique (par ex. les langues liturgiques), les doctrines se sont rapprochées. Un observateur vieux-cathol. a assisté à Vatican II. Rapports œcuméniques officiels et officieux avec l'Eglise romaine, mais projets d'intercommunication au point mort dep. 1970.

• **Rapports avec différentes Églises chrétiennes.** Pleine communion avec les anglicans *(full communion)* dep. 1931 (participation d'évêques de chaque Égl. aux ordinations épiscopales de l'autre et d'év. vieux-cath. aux Conférences de Lambeth). Intercommunion avec l'Égl. cath. nationale des Philippines, l'Égl. cath. réformée d'Espagne et l'Égl. Lusitania du Portugal. *Avec orthodoxes :* reconnaissent partager une foi commune.

Nombre (1989). U.S.A. 250 000. Pologne 50 000. Autriche 30 000. All. féd. 20 000. Suisse 16 000. Hollande 9 000. Youg. 8 000. Canada 7 000. Tchécosl. 4 000. Allem. de l'E. 2 000. *France 1 500.*

• **Organisation épiscopo-synodale.** **Diocèses :** 3 hollandais, 5 amér., 1 suisse (Berne), 1 allem. (Bonn), 1 autr. (Vienne), 1 tchéc. (Prague), 1 pol. (Varsovie). **Paroisses :** 616.

France. Placée, dep. le 1-5-1893, sous la juridiction directe de l'arch. d'Utrecht (il y a 6 prêtres mais aucun évêque). *Centres permanents :* Paris 9e (15, rue de Douai), Lyon, Sarcelles, Haguenau, Annecy, Rouen.

Église vieille-catholique mariavite de Pologne

Siège : Plock (Pologne). **Evêque-Primat :** Mgr Tymoteusz Kowalski. **Membres :** 25 000. **Nom :** vient de *Mariae Vita* (la vie de Marie). Spiritualité centrée sur l'Eucharistie. **Origine** *Père Honorat Kozminski,* frère mineur capucin [(1829-1916), béatifié le 6-10-1988 par Jean-Paul II], et qui fonda de nombreuses autres congrégations dans la Pologne occupée par la Russie, mais la Papauté, suspicieuse, le démit de ses fonctions et reconnut avec réticence ses congr. *V. 1886* la *Mère Marie-Françoise Koslowska* fonde une communauté contemplative sous la règle de St-François. *V. 1893* fonde une congr. de Prêtres Mariavites qui se donnent la règle de St-François pour modèle. Tous étaient d'anciens élèves de l'académie ecclésiastique de St-Pétersbourg (seule faculté de théologie cath. autorisée en Russie). *1903 à 1906* persécution des Év. polonais. Prêtres, religieuses et env. 44 000 adultes laïcs fondent l'Égl. mariavite ; mais l'Égl. romaine avec l'aide des autorités administratives, de l'armée, de la police confisque leurs biens. *1906 à 1908* les Mariavites construisent de nouvelles égl., maisons religieuses. *1909* l'Égl. Mariavite est reçue dans l'Union d'Utrecht (Union des Égl. vieilles-catholiques), le supérieur général devenant l'Év.-Primat de l'Égl. qui devient l'Égl. vieille-cath. mariavite de Pologne. *1935* réforme et retour aux sources du mouvement ; dissidence de Felicjanow. *1972 (6-8)* Mgr Tymoteusz Kowalski consacré év. à Plock par plusieurs év. vieux-cath. dont l'Archevêque d'Utrecht. *Province de France* érigée en 1989, 7-9, rue Aubriot, Paris 4e.

Statistiques. *1921* env. 120 000 fidèles, 67 paroisses, 38 filiales paroissiales, 44 égl. conventuelles, 14 chapelles, 72 maisons paroissiales, 25 écoles primaires, 45 maternelles, 28 secondaires, 15 bibliothèques, 72 manufactures, 4 internats, 13 hôpitaux et maisons de retraite et 43 associations d'aide pour les pauvres. *1990* 25 000 fidèles.

Églises orientales non chalcédoniennes

• **Coptes.** Déformation arabe du mot grec *aiguptios,* « égyptien ». Les coptes ont rompu avec le patriarcat de Byzance, à l'occasion du concile de Chalcédoine (451) ; mais il s'agissait de politique ecclésiastique plus que de doctrine. Langue liturgique dérivée de la langue parlée à l'époque pharaonique, mais écrite en caractères grecs. **Égypte.** Église patriarcale distincte des patriarcats coptes-catholiques et grecs-orthodoxes d'Alexandrie. *Patriarche* d'Alexandrie et de toute l'Afrique : Chenouda III. *Fidèles :* env. 13 000 000. **Éthiopie** (Égl. autocéphale depuis 1951 ; langue liturgique : ghéez) : 14 000 000 fidèles. Aba Melaku Woldie-Michael, sous le nom d'Abouna Tikle Haimanot. [Il a rencontré à Rome le pape Jean-Paul II en 1981 (1re rencontre pape-Abouna dep. 15 siècles).] **Soudan :** 60 000. **Jérusalem, U.S.A. :** petites communautés. **France :** un év., Mgr Markos, résidant à Toulon ; un prêtre, le P. Girgis Luka Iskander (Égyptien) pour Paris (1 500 fidèles).

• **Arméniens.** Église apostolique, fondée selon la tradition par les apôtres St Thaddée (martyrisé en 50, tombeau vénéré à Ardaze) et St Barthélemy (mart. en 68, tombeau à Caschkolé). Appelée aussi Égl. grégorienne : son 1er évêque attesté par les historiens fut St Grégoire l'Illuminateur, sous le règne de Tiridate (261-317). En 505, puis 554, les évêques arm., réunis en concile à Dvin, rejetèrent les définitions du concile de Chalcédoine sur les 2 natures du Christ ; l'Église arm. fut alors considérée comme monophysite par les orthodoxes byzantins (et plus tard par les latins), alors qu'elle rejetait la doctrine d'Eutychès. **Rite :** variante du rite byzantin.

• **Catholicosats arm. indépendants :** 1°) *Etchmiadzin* (Arménie, U.R.S.S.) titulaire : (Catholicos et Chef suprême de tous les Arm.) Sa Sainteté Vazken Ier ; en dépendent un patriarcat à Istanbul et un à Jérusalem. L'archevêque arm. de Paris, Mgr Sérobé Manoukkian (cathédrale : 15, rue Jean-Goujon, Paris 8e), est « délégué apostolique pour l'Europe occid. ». 2°) *Antélias* (Liban) titulaire : (Catholicos de la Grande Maison de Cilicie) Sa Sainteté Karekine II.

Églises syriennes

• **Occidentale (syriaque).** Liturgie en araméen occidental (dialecte d'Édesse). Héritiers de l'Église jacobite de Syrie (fondée par Jacques Baradaï, VIe s.). *VIIIe s.* prennent parti pour les conquérants arabes contre les Byzantins. *Jusqu'au XVIe s.* situation privilégiée, protection musulmane : 20 métropoles, 103 évêques. *1783* affaiblis par la création des Syriens uniates. **Patriarche :** S.B. Eiwas Zakka (dep. 1980) Homs-Damas, résidant à Damas dep. 1959. **Fidèles :** *Syrie* 50 000 (2 diocèses), *Irak* 30 000 (plusieurs diocèses). *U.S.A.* 60 000, *Inde* (Égl. syro-malankare) 1 000 000 (12 diocèses).

• **Orientales (souriennes).** Liturgie en araméen oriental (dialecte de Nisibe). Appelées longtemps « *nestoriennes* », elles ont rejeté en 1976 cette appellation, jugée injurieuse ; certaines ont choisi le nom d'« *assyriennes* », qui était, depuis le XIXe s. celui des Églises protestantes issues de leur sein [les « Chaldéens » (du patriarcat de Babylone, rattaché à Rome) sont env. 4 fois plus nombreux que les ex-Nestoriens dont la dissidence remonte au concile d'Éphèse]. Le cas de Nestorius avait déjà été abordé au concile de Chalcédoine, auquel il n'a pas participé, étant sans doute malade. Ses disciples ont fondé des égl. prospères dans toute l'Asie, jusqu'au Tibet et en Chine. Quelques-unes ont subsisté au Kurdistan, en Mésopotamie, Iran et Turquie. **Patriarcat :** jusqu'en 1976, héréditaire d'oncle à neveu dans la famille des Ishaï [le patriarche portait le titre de Mar Ishaï Shimoun (Simon) : le dernier (Mar Shimoun XXIII) a démissionné en 1973 et a été assassiné à San Francisco en 1977]. Le 17-10-1976 l'év. métropolite d'Iran, Khanania Denkha (n. 1935), a pris (en G.-B.) le titre de Patriarche de l'Église assyrienne d'Orient (siège à Chicago : Séleucie-Ctésiphon) et le nom de Mar Denkha IV. Mais de nombreux Mésopotamiens chrétiens demeurés en Irak se sont ralliés en 1968 à un patriarche dissident, Mar Thomas Darmo († 1969). *Patriarche actuel (Bagdad) :* Mar Addaï II.

Église irvingienne ou néo-apostolique

Nom officiel. Égl. cath. apostolique. **Origine. 1835** fondée par des disciples du théologien (protestant) écossais Edward Irving (1792-1834). Pasteur de l'Église calédonienne, apôtre des classes laborieuses, devenu vers 1827 disciple du philosophe Samuel Coleridge, il prêchait un christianisme mystique, teinté d'ésotérisme. Dans plusieurs paroisses écossaises, des disciples d'Irving se présentèrent comme des prophètes inspirés par l'Esprit. Irving fut exclu de sa paroisse de Londres en 1832, et condamné comme hérétique en 1833, mais en 1834, il fut réordonné comme « chef pasteur de l'Église assemblée Newman Street ». L'Égl. catholique apostolique n'ayant pas prévu le remplacement des apôtres décédés, le mouvement se poursuivit en prenant sa forme définitive avec l'appel de nouveaux apôtres en 1863. Il se développa d'abord surtout en Allemagne et Hollande.

Doctrine. Se considère comme la vraie Égl. instituée par J.-C. *Sacrements :* 3 comme au temps des 1ers apôtres : Baptême, Saint Scellé (dispensation du St-Esprit par l'imposition des mains et la prière d'un apôtre), Cène. *Principaux enseignements :* plan de salut divin (salut de l'humanité déchue) ; incarnation de Dieu en Jésus, son fils ; mission confiée aux apôtres ; retour du Christ ; règne millénaire de paix ; jugement dernier ; communion éternelle des rachetés avec Dieu.

Organisation. *Siège :* Zurich (Suisse). Réunion des communautés néo-apostoliques du monde entier. L'apôtre-patriarche statue en dernier ressort sur toutes les questions religieuses. *Communautés.* Chacune est confiée à un conducteur, qui assume un ministère sacerdotal (évêque, berger, évangéliste et prêtre). Assisté de diacres et sous-diacres. Les serviteurs de l'Église néo-apostolique sont des laïcs n'ayant pas fait d'études théologiques. *Apôtre de district de France :* Robert Higelin, 140, route de Lorry, Metz.

Effectifs. *1930 :* 200 000. *1975 :* 1 000 000. *1990 :* 6 000 000.

Église vivante (Église rénovée)

Origine. 1917 formée par l'aile épiscopale progressiste du concile panrusse. **1922** le patriarche Tikhon lui remet ses pouvoirs. **1923** convoque à Moscou un nouveau concile panrusse, sur lequel s'appuient son statut canonique et ses réformes ecclésiastiques (retour aux évêques mariés), liturgiques, etc. **1924** le patriarcat de Constantinople la déclare « seule autorité religieuse légitime en U.R.S.S. ». **1943** politiquement progressiste, elle est jugée évangélisatrice et Staline lui préfère la traditionnelle Église patriarcale qui la déclare schismatique et la prive de ses églises et chapelles. **1945** survit en U.R.S.S. et s'étend après en Serbie, Bulgarie..., pays gréco-orthodoxes non socialistes, en Europe occ. et en Amérique. **1977** supprimée en U.R.S.S.

Statut. N'est pas reconnue comme Égl. orthodoxe par les autres Égl. *Titre officiel en France, dep. 1977 :* Aumônerie des chrétiens orthodoxes relevant du concile général de Moscou de 1923 (plus de hiérarchie organisée). Dépend pour les autres pays d'un synode à Beyrouth (son Pt, Mgr Kyrill Markovitch, a été tué au cours de la guerre civile de 1976).

Effectifs *1943 :* 17 000 000. *1982 :* Europe de l'E. 1 500 000, de l'O. 50 000, Grèce et pays libres gréco-orthod. 10 000, Amér. 10 000, divers 3 000.

Église kimbanguiste

Nom officiel. Égl. de Jésus-Christ sur Terre par le prophète Simon Kimbangu (E.J.C.S.K.).

Origine. 1921 *(6-4)* fondée au Zaïre par Simon Kimbangu (1887-1951) catéchiste et prédicateur baptiste. Dans son village natal de Nkamba devenu Nkamba-Jérusalem, il annonce le retour du Christ sur terre. Condamné à mort par un conseil de guerre belge le 3-10-1921, gracié par le roi Albert, emprisonné 30 ans (mort en prison ; ses disciples le considèrent comme un martyr). **1959** *(24-12) :* obtient un statut légal. **Organisation.** Admise en 1969 au Conseil œcuménique des Églises. *Père spirituel :* Diangenda Ku Ntima (n. 22-3-1918, fils de Simon Kimbangu). *Sacrements :* 4 baptême, cène, ordination, mariage. La confession est obligatoire sans être considérée comme un sacrement en soi, ainsi que l'imposition des mains. Vie austère sans alcool ni tabac, stricte monogamie. La communion se fait avec un gâteau de maïs et de pommes de terre. Activités agricoles et enseignantes. **Fêtes liturgiques.** 25-12 : Noël ; 6-4 : anniv. de la fondation de l'Église (1921) ; 12-10 : ann. de la mort de Simon Kimbangu.

Effectifs (1986). 5 millions, dont 4 au Zaïre (Congo, Zambie, Ruanda, Burundi, Rép. centrafr., Gabon, Angola ; – France, Belgique, Portugal).

Frères dits Darbystes et Frères de Plymouth

Origine. Issu des réveils spirituels qui ont éclaté en divers pays d'Europe, fin du XVIIIe et début du XIXe s., caractérisés par un retour aux Stes Écritures (la Bible) comme référence unique de doctrine et de vie. **Vers 1827,** à Dublin, quelques chrétiens (y compris catholiques) redécouvrent que la Personne de J.-C. est le seul véritable lien d'unité entre eux, au-dessus de toute appartenance ecclésiale. Ils l'affirment en se réunissant pour partager le pain et le vin (le « Repas du Seigneur ») sans la présence ou même l'autorisation du clergé. Le mouvement s'étend ; les « assemblées » se multiplient, principalement en G.-B. (les plus nombreuses sont celles de Plymouth et de Bristol) et en Suisse où le mouvement rejoint le réveil dit « de Genève » (né 1817). **1847,** John Nelson Darby, pasteur anglican, entraîne nombre d'assemblées à la pratique d'une stricte discipline, touchant surtout la doctrine. Il les amène à rompre toute relation avec celles qui ne la pratiquent pas (d'où leur nom d'« **exclusifs** »).

Organisation. Pas de clergé, fonctions du culte accessibles à tous, pas de structure hiérarchique ni centralisatrice. Tendance évangélique (autorité de la Bible, divinité de J.-C., salut éternel gratuit reçu par la foi en J.-C., attente de son retour). Dans certains pays, elles en sont la composante principale (G.-B., Espagne, Inde, Roumanie, Tchad, etc.). Chaque assemblée locale (dirigée par des anciens) s'autodétermine et se réunit chaque dimanche pour le « culte d'adoration », avec partage du pain et du vin (Sainte Cène) et participation de chacun par la prière, le chant, la lecture ou l'exhortation. En fonction des besoins, certaines assemblées ont créé des groupes de coordination au plan régional ou national, pour administrer les œuvres faites en commun (éditions, œuvres sociales ou de jeunesse, action missionnaire, soutien mutuel...).

Frères exclusifs. *Périodique :* « Le Messager évangélique », Vevey (Suisse) ; 30, rue Châteauvert, 26000 Valence.

Frères larges. En pays francophones, mouvement connu sous le sigle CAEF (Communautés et Assemblées Évangéliques de France), sous lequel se reconnaissent les assemblées françaises qui éditent « Servir en l'attendant », 18 bis, rue Pierre Sonnerat, 69008 Lyon – et sous le sigle AESR (Assemblées

Évangéliques de Suisse Romande) groupant les églises qui éditent le journal « Semailles et Moisson » : Case postale 73, CH 1247 Anières (Genève, Suisse). *Membres :* 2 à 3 millions dans le monde (dont Roumanie 150 000, G.-B. 100 000, *France :* 4 000, 400 églises en Inde et 250 au Pakistan).

Église du Christ Scientiste (Christian Science)

Origine. *Fondée* 1879 aux États-Unis par Mary Baker-Eddy (1821-1910) dont le livre « Science et Santé, avec la clef des Écritures » contient les articles de foi. **Doctrine.** Dieu est le Principe divin de tout ce qui existe réellement. Le Christ rachète l'homme du péché, de la maladie et de la mort, indiquant ainsi leur irréalité. Quand la loi les y autorise, les scientistes chrétiens préfèrent s'appuyer uniquement sur les moyens spirituels pour le traitement des maladies. **Organisation.** *Église mère* à Boston (administrée par le Conseil des directeurs de la sc. chrétienne de 5 m. cooptés). *Filiales :* env. 3 000 dans 68 pays (dont U.S.A. 2 300, G.-B. 250) organisées en Églises ou Stés de la science chrétienne. Église de laïcs (il n'y a pas de clergé, les services sont conduits par des lecteurs élus). Service le dimanche. Réunion le mercredi. *Presse,* « The Christian Science Monitor » (quotidien, env. 200 000 ex.), 4 périodiques en 13 langues. **En France :** *fondée* 1898. Adresse : 66, rue La Boétie, Paris 8e. *Églises :* 14.

Mouvements chrétiens libres

Quakers (Société religieuse des Amis)

Origine. **V. 1650** mouvement *fondé* par George Fox (1624-91) en G.-B., également illustré par William Penn, fondateur de la Pennsylvanie aux U.S.A. [Quaker, « trembleur » : surnom ironique donné en 1650 à Fox et à ses premiers compagnons (qui parlaient de « trembler » devant Dieu) par le juge Gervase Bennett, adopté ensuite par les Amis]. **1702** à l'occasion de la guerre des Camisards, naissance, en France, du mouvement des « Inspirés » ou « Prophètes » ou « Gonfleurs », dans la Vaunage (canton de Congénies), à l'ouest de Nîmes. **1785** Jean de Marcillac, chef des Inspirés de la Vaunage, prend contact avec les quakers angl., qui reconnaissent les liens de fraternité. **1788** *(27-1)* les Gonfleurs sont mentionnés implicitement dans l'Édit de Tolérance (« ceux qui ne reconnaissent pas la nécessité du baptême ») ; *mai* 7 quakers anglo-amér. créent à Congénies la Sté des « Amis » ou « Trembleurs » français.

Organisation. Association religieuse libre sans profession de foi, sacrements, ni clergé, fondée sur la recherche dans la méditation de l'esprit apporté par le Christ et éclairé par la « Lumière intérieure ». Accent mis sur : valeur du silence en particulier dans le culte, fraternité humaine, intégrité, tolérance, non-violence (qui mène à l'objection de conscience), réconciliation et paix, aide aux victimes de guerre et d'autres fléaux.

Effectifs. 200 000 dont G.-B. 20 000, U.S.A. 100 000 et nombreux petits groupes en Europe [France : Béziers, Nice, Marseille ; personnage célèbre : Marius Grout (prix Goncourt 1942)], Asie, Afrique et Australie.

Adresses. *Société religieuse des Amis (Quakers),* Assemblée de France et Centre quaker international, 114, rue de Vaugirard, Paris 6e. *Comité mondial consultatif des Amis,* Drayton House, 30 Gordon Street, Londres.

Témoins de Jéhovah

Nom. Tiré d'un passage biblique (Isaïe 43:10) selon lequel les serviteurs de Dieu sont ses témoins. Adopté en 1931 (avant, connus sous le nom d'« Étudiants de la Bible »).

Origine. **1870** Charles Taze Russell (1852-1916) entreprend l'étude de la Bible avec quelques associés (Pennsylvanie, U.S.A.). **1877** le livre *Les trois mondes* identifie la date de 1914 à celle de la fin des « temps des Gentils » mentionnée par Jésus, commencés en 607 av. J.-C. avec la prise de Jérusalem par Nabuchodonosor. **1879** 1er numéro de *La Tour de Garde* destiné à favoriser l'étude et l'enseignement de la Bible. **1933-45** en Allemagne, témoins emprisonnés pour refus du nazisme : env. 10 000 (soit 1 sur 2). Plusieurs milliers meurent dans les camps de concentration.

Croyances. Fondées sur la Bible. Rejettent les traditions non conformes à la Parole de Dieu. Croient en un Dieu unique, le Père, Jéhovah, Créateur de toutes choses. Son Fils fut créé esprit et devint plus tard l'homme Jésus. L'Esprit saint est la force active invisible de Dieu. Rejettent l'immortalité de l'âme et les supplices éternels. Pensent que les événements survenus depuis 1914 accomplissent les prophéties de Jésus sur le « temps de la fin » consignées dans les Évangiles. Croient à une intervention divine prochaine qui fera disparaître la méchanceté de la Terre, après quoi survivants et ressuscités transformeront notre planète en Paradis, selon le dessein originel de Dieu. L'immense majorité des humains seront ressuscités sur Terre. Un petit nombre est appelé à régner au ciel avec Jésus. Les témoins prêchent de maison en maison. (En France, une dizaine d'heures par mois en moyenne). Leur œuvre est financée par des dons et des contributions volontaires. Pas de hiérarchie, pas de quête. **Principes.** Ceux du christianisme. S'appliquent à garder un haut niveau de moralité. Rejettent drogue, tabac, avortement. Suivent le principe mentionné dans le livre des Actes (15 : 29) demandant de s'abstenir de sang (refusent viandes non saignées et transfusions).

Siège international. Brooklyn à New York. *En France :* 81, rue du Point-du-Jour, 92100 Boulogne-Billancourt. **Témoins :** *1945 :* 127 000 (dont 1 700 en France). *1990 :* 4 017 213 répartis dans 63 016 congrégations, dans 212 pays et îles dont (1990, nombre maximal), U.S.A. 850 120, Mexique 304 756, Brésil 293 466, Japon 147 622, *France* 114 308 (1 428 congrégations), Belgique 25 161, Suisse 16 552. **Publications bimensuelles :** « La Tour de Garde », 15 290 000 ex. en 111 langues ; « Réveillez-vous ! », 12 980 000 ex. en 64 langues.

• **Amis de l'Homme.** *Fondé* 1916 sous le nom d'« Anges de l'Éternel », par Alexandre Freytag (Suisse, 1870-1947). *Doctrine* chrétienne préconisant le changement du caractère par la pratique de l'Évangile. *Siège mondial :* le Château, route de Vallière 27, CH 1236 Cartigny (Genève), Suisse. *France :* 22, rue David-d'Angers, 75019 Paris. *Stations* en Suisse, France [« La Nouvelle Terre », Oraison (Alpes-de-Hte-Pr.), « Château de la Prospérité » à Méthamis, station de Draveil], Allem., Belgique dep. 1925. *Journaux :* « Moniteur du Règne de la Justice » (96 000 ex., bimensuel, en 7 langues), « Journal pour tous » (hebdomadaire).

Unitariens

Origine. **1531** Michel Servet (1511-53, exécuté par le feu) publie à Haguenau un pamphlet antitrinitariste, *De Trinitatis erroribus.* **1579** Lelio et Fausto Sozzini, disciples de Servet, fondent l'Égl. « socinienne » (voir p. 498 b) *des Frères Polonais* (unicité de Dieu, non-divinité de Jésus-Christ). **Fin XVIe s.** leur doctrine s'implante en Transylvanie [région de Cluj (une Égl. subsiste actuellement)]. **1654** John Biddle (1615-62), fondateur de l'Unitarisme anglais est emprisonné par les Anglicans. **1750** James Relly (1720-78) prêche à Londres une doctrine voisine, *l'Universalisme.* **1770** le 1er prédicant universaliste, John Murray, débarque aux U.S.A. **1774** Théophile Lindsey (1723-1808) crée à Londres la 1re congrég. unit., détachée de l'Égl. anglicane. Autres prédicants unit. de l'époque en Angl. et aux U.S.A. : Joseph Priestley (1733-1804), William Channing (1780-1842) ; leur théologie est celle de Biddle, plus le libéralisme (rationalisme) du siècle des lumières. **1813** l'Unitarisme est autorisé par le Parlement angl. **1817** Hosea Ballou (1771-1852) implante à Boston l'Égl. universaliste. **1961** les 2 Égl. fusionnent.

Croyances. Chrétiens « anté-nicéens », les Unitariens refusent la plupart des dogmes élaborés par les Conciles des IIIe et IVe siècles. Ils ne croient pas à l'Incarnation (divinité de Jésus), à la Trinité, au Péché originel, à la Prédestination.

Organisation. *Églises anglo-saxonnes :* congrégationalistes, chaque église est indépendante. *Égl. de l'Est :* presbytériennes-synodales, ont des évêques élus (Budapest, Cluj).

Principales personnalités. John Adams (1735-1826) [1]. John Quincy Adams (1767-1848) [1]. Phineas T. Barnum (1810-91). Béla Bartók (1881-1945). Ambrose Bierce (1842-1914). Karen Blixen (famille de) (1885-1962). Robert Burns (1759-96). Neville Chamberlain (1869-1940). Charles Darwin (famille de) (1809-82). Charles Dickens (1812-70). Ralph Waldo Emerson (1803-82). Millard Fillmore (1800-74) [1]. Nathaniel Hawthorne (1804-64). Thomas Jefferson (1743-1826) [1]. Herman Melville (1819-91). John Milton (1608-74). Isaac Newton (1642-1727). Linus Pauling (n. 1901). Paul Revere (1735-1810). Albert Schweitzer (1875-1965). Sir Henry Tate (1818-99). Frank Lloyd Wright (1869-1959).

Nota – (1) Président des U.S.A.

Effectifs. 300 000, dont U.S.A. 195 000, Roumanie 60 000, G.-B. 9 000, Inde 5 000, Philippines 4 000, Hongrie 1 800, Tchécosl. 500. *France* quelques dizaines. [*Pt d'honneur :* Théodore Monod, de l'Ac. des sciences. *Pt :* A. Blanchard-Gaillard. *Secr. gén. :* Alain Houisse, 24-26, rue Hoche, 91260 Juvisy-sur-Orge. *Bulletin intérieur :* « Approches unitariennes »].

Autres communautés d'inspiration chrétienne ou biblique

☞ Voir aussi Communautés, enseignements et mouvements divers, p. 563.

• **Alliance universelle.** Nom pris le 15-6-1983 par l'*Église chrétienne universelle* fondée 1953 par Georges Roux [dit le Christ de Montfavet (1903-81)] « forme humaine par laquelle Dieu intervint pour redonner son message d'amour afin que tous les hommes, accomplissant les actes essentiels à l'individualisation de leur âme, forment la véritable humanité ». *Siège social :* 9, rue de la Pépinière, 84000 Avignon. *Pte :* Jacqueline Van Gerdinge. *Publications :* « Journal d'un guérisseur », « Paroles d'un guérisseur », « Mission divine », « Messidor ».

• **(Culte) Antoiniste.** *Fondé* 1910 à Jemeppe-sur-Meuse (Belgique) par Louis Antoine dit le Père, ouvrier mineur (1846-1912). Culte fondé sur la foi, le désintéressement, le respect de toutes les croyances et l'amour du prochain, sur la prière qui consiste en l'élévation de la pensée. Croient à la réincarnation

Les sectes aux États-Unis

Toute société se présentant comme « religieuse » est dispensée d'impôts (sur revenus, biens immeubles, dons et legs reçus). Cette disposition a incité des sociétés non religieuses à prendre le masque de la religion pour échapper au fisc. En 1977, l'État de New York a renforcé sa législation et pu inculper Moon de fraude fiscale, voir p. 545 c.

Les sectes en France

• **Nombre de sectes.** Il y a env. 10 000 sectes dans le monde. Pour la France, Alain Vivien (député socialiste) parle de 116 groupes (env. 500 000 personnes) ; la police nationale (nov. 1984), de 200 sectes (150 000 personnes).

• **Statut.** Les sectes sont libres de s'exprimer et de recruter, dès qu'elles ont été déclarées comme *associations,* au titre de la loi de 1901 (80 % d'entre elles). Certaines ont néanmoins été citées en justice, notamment pour extorsion de fonds aux adhérents, détournement de mineurs, non-assistance à personne en danger de mort, enlèvement d'enfants et ont fait l'objet d'un contrôle fiscal [ex. : la Conscience de Krishna (redressement de 65 millions de F) ; les Moonistes (AUCM) (redr. + pénalités : 35 millions de F)]. Dans un rapport rendu public le 9-4-1985, Alain Vivien a proposé la création d'organismes médiateurs et la nomination de juges de tutelle, même pour des majeurs, si leur famille l'exige. Aucune suite n'a été donnée à cette proposition.

• **Associations (d'information et de prévention). Association pour la défense des familles et de l'individu (A.D.F.I.).** 10, rue du Père-Julien-Dhuit, 75020 Paris. **Centre de documentation, d'éducation et d'action contre les manipulations mentales (C.C.M.M.).** *Créé* 1981 par Roger Ikor (1912-17-11-86). 19, rue Turgot, 75009 Paris. **Ass. d'étude et d'information sur les mouvements religieux.** *Créée* 1979 par Bernard Blandre et le pasteur Gérard Dagon (Pt de la Féd. évang. de Fr.). B.P. 733, 57207 Sarreguemines Cedex.

comme étant la loi de l'évolution des êtres. *Statistiques.* Temples : Belgique (31), France (33), nombreuses salles de lecture en divers pays. *Adeptes.* 2 500 à 3 000, revêtus du costume religieux antoiniste et chargés d'assurer le travail moral que comporte l'activité du culte. *Pratiquants :* 150 000 (100 000 en France).

• **Doukhobors** (en russe : combattants de l'esprit).

Origine. *1740* fondés dans la région de Kharkov (Russie) par un sous-officier prussien, de nom inconnu, converti au *quakerisme. 1769* repris en main après sa mort, par Sylvan Kolesnikov († 1780) puis par d'autres prophètes. *1884* déportation de la secte en Géorgie (*prophète :* Pierre Vériguine, assassiné en 1924). *1898* permission d'émigrer au Canada. *Doctrine :* refus des actes sociaux : service militaire, possession de maisons, port des vêtements. Au Canada, ont souvent été poursuivis pour destructions d'immeubles et nudisme. *Statistiques :* 12 000 au Canada (dont 3 000 en Colombie britannique) pratiquant avec modération et intégrés à la société chrétienne.

• **Églises des « évêques hors collégialité ».** Voir le statut canonique, p. 511 c.

Église de la succession Vilatte-Alvarez. *Iʳᵉ Égl. vilattienne. Fondée* 1907 par Joseph-René Vilatte (1854-1929), élevé dans la Petite Égl. et ordonné prêtre vieux-catholique le 7-6-1885 par Mgr Herzog (voir p. 542 c). Parti pour les U.S.A., il fonde des paroisses « anciennes catholiques ». *1892* consacré évêque à Colombo (Sri Lanka) par un ancien missionnaire catholique espagnol, Julio Alvarez, devenu en 1889 évêque jacobite de l'Église d'Antioche syrienne, voir p. 543 a). *1898* les vieux-catholiques de Suisse concluent à l'invalidité de sa consécration (pour « simonisme », c.-à-d. payée en argent, mais Rome le reconnaît comme év. validement consacré). *1901* choisi comme archevêque-primat par des néo-gallicans de la région de Bordeaux. Héritiers de l'Église catholique française de Mgr Chatel (fondée 1831), ils sont opposés au vieux-catholicisme hollandais et suisse (leur chef avait été le chanoine Pierre-François Junca, † 1899), mais Mgr Vilatte ne réside pas près d'eux, retournant, semble-t-il, aux U.S.A. *1907* (fév.), il occupe, 22, rue Legendre à Paris, l'ancienne chapelle des Barnabites, confisquée 1903, et y fonde l'égl. des Saints Apôtres. *1907-09* chassé par des émeutiers cath., occupe un hangar, 51, rue Boursault à Paris. *1908* il s'entend avec un journaliste du « Matin », Henri Durand-Morimbau, dit Henri Des Houx (1848-1911) qui, avec l'aide du sénateur protestant de la Charente-Inférieure Eugène Réveillaud (1851-1935) et de l'égyptologue Pierre-Paul Guieysse (1841-1914), député radical du Morbihan, arrive à fédérer, sous le patronage du « Matin », 184 ass. cultuelles, qui se rallient à l'*Égl. catholique, apostolique et française* de la rue Boursault. Puis il se brouille avec Vilatte et meurt en 1911, dans le sein de l'Église vieille-cath. de l'abbé Volet (ses cultuelles disparaissent par suite de procès avec l'Égl. cath.). Abandonné par Briand, Vilatte tombe dans la misère et se convertit au catholicisme en 1925 (il meurt en 1929 à l'abbaye cistercienne de Pont-Colbert, près de Versailles). *IIᵉ Égl. Vilattienne (Égl. gallicane). Patriarches. 1928* Mgr Louis-François Giraud (ordonné prêtre 1907 par Mgr Vilatte, consacré évêque *1911,* installé *1916* au Gazinet près de Bordeaux où il déclare l'ass. cultuelle St-Louis († 1950). *1950* Mgr Jalbert-Ville († 1956). *1956* Mgr d'Eschevannes († 1970). *1976* Mgr Truchemotte († 12-12-1986). *1987* Mgr Thierry Teyssot (évêque gallican d'Aquitaine, consacré par Mgr Agostinho, év. gallican du Portugal, consacré lui-même en 1985 par Mgr Truchemotte).

Multiplication des évêques « antiochiens ». Avant son abjuration, Mgr Vilatte avait consacré plusieurs év., dont un Italien, Mgr Miraglia (consécrateur, à son tour, de plusieurs év. non rattachés à une Égl. déterminée). Plusieurs dizaines d'év. se réclament de cette succession apostolique. Ils sont désignés *episcopi vagantes* (« év. errants » ou « marginaux », c.-à-d. n'appartenant pas au « collège universel » des év.). Eux-mêmes s'appellent « antiochiens », mais, dep. 1938, ne sont plus reconnus par le patriarche syrien d'Antioche.

Égl. catholique libérale (créée 1918 par un Anglais, Mgr James Ingall Wedgwood, vieux-catholique dissident).

☞ Consécrations cath. romaines illicites : au moins 3 évêques romains ont pratiqué des consécrations épiscopales non canoniques : *Mgr Renato Cornejo Radavero,* ancien évêque auxiliaire de Lima [consécrateur en 1970 de Mgr Cantor (ancien moine bénédictin, chef de l'*Église cath. traditionnelle* de Mont-St-Aignan, près de Rouen et déjà consacré en 1964 par Mgr d'Eschevannes)] ; *1987,* pour la même Église Mgr Ducrocq, Mgr Fleury, Mgr Bernard. *Mgr Ngo Dinh Thuc* (voir Hérésie palmariste, p. 498 c), *1976,* excommunié pour avoir pratiqué des consécrations et des ordinations illicites ; *1978* fait amende honorable. *1981* excommunié après avoir consacré Mgr Laborie, desservant le sanctuaire d'Espis, près de Moissac, (T.-et-G.), également non reconnu par Rome. *1984* avant de mourir, fait amende honorable, exhortant Mgr Laborie à se rallier à Rome ; *Mgr Lefebvre,* excommunié après avoir consacré plusieurs évêques en 1988 (voir p. 503 b).

Nota. – Une grande partie des év. hors collégialité ont été consacrés plusieurs fois, car certaines consécrations sont déclarées invalides dans les milieux des *episcopi vagantes* comme dans certaines Égl. canoniques.

• **Église de J.-C. des saints des derniers jours (Mormons). Origine.** *1830* fondée par Joseph Smith (1805-44), « après une visite de Dieu et de Jésus-Christ » sur la colline de Cumorah près de Palmyra (New York, U.S.A.), aujourd'hui lieu saint de l'Église. *1844* Smith présente sa candidature à la présidence des U.S.A., 1 émeute éclate, son frère et lui sont arrêtés et tués par la populace dans leur prison (le 27-6). *1847* les Mormons s'établissent près du lac Salé au pied des monts Uinta sous le gouv. de leur 2ᵉ prophète, Brigham Young (1801-77), après avoir franchi le Missouri gelé. *1847-69* État indépendant du Déseret (nom tiré du livre de Mormon voulant dire abeille). *1850* intégré à l'Union amér. (territoire de l'Utah) après construction du chemin de fer du Pacifique. *1861-68* superficie réduite. *1896* l'Utah constitué en État, les M. dirigent économie et administration. *1985* Salt Lake City : Hofmann, faussaire de documents historiques et tueur par colis piégé (2 victimes), est démasqué alors qu'il tentait de vendre à l'Église une pseudo-lettre de « la Salamandre blanche » de Martin Harris.

Doctrine. Principe essentiel : le libre arbitre, base de tout acte et de toute décision. **Livres saints :** la *Bible, Doctrine et Alliance,* la *Perle de grand prix,* le *Livre de Mormon* (traduction des plaques d'or gravées de hiéroglyphes en égyptien réformé dont un messager de Dieu, Moroni, avait révélé l'existence à Joseph Smith). Celui-ci les découvrit le 22-9-1827 sur une colline avec 2 pierres, l'*Urim* et le *Thummin,* qui sont mentionnées dans la Bible (Esdras 2-62) et qui lui permirent de les déchiffrer. Sa traduction donna le Livre de Mormon le 2-5-1838. Le messager de Dieu reprit les plaques que nul n'a revues depuis. Selon ce livre, un 1ᵉʳ groupe vint de Babylone en 2200 av. J.-C. pour s'établir en Amérique, un 2ᵉ vint de Palestine en 600 av. J.-C. et un 3ᵉ en 590 av. J.-C. Les Amériques auraient été peuplées par 4 grandes civilisations : les *Jarédites* (qui s'entre-tuèrent), les *Néphites* (anéantis env. 421 apr. J.-C. ; un des leurs, le prophète Mormon, écrivit les plaques d'or), les *Lamanites* (ancêtres des Indiens d'Amér.) et les *Mulékites,* émigrés en Amér. et qui seraient parmi les ancêtres des Indiens (découvertes archéologiques récentes). Jésus serait venu parmi eux après sa résurrection et aurait établi une branche de son Église. Selon l'exemple des prophètes de l'Ancien Testament, David, Salomon, le « mariage plural » était pratiqué avec l'accord de la 1ʳᵉ épouse. **Polygamie.** Cause principale des difficultés entre Mormons et Américains [émeutes de Nauvoo (Illinois), exil au lac Salé, impossibilité de former un État normal] ; pratiquée par 2 % des Mormons autorisés par le prophète et capables de subvenir aux besoins de leurs familles : Brigham Young (17 épouses, 56 enfants) l'avait prônée pour que leur nombre augmente rapidement. Abolie le 6-10-1890.

Mais, en *1955,* une branche dissidente (et excommuniée) des Mormons a rétabli la polygamie, au Mexique et aux U.S.A. (40 000 membres, dont 5 000 à Colorado City). Les différentes « tribus » polygamiques ont fondé des coopératives très prospères.

Recherches généalogiques. Selon un texte de l'apôtre Paul (1 Cor., 15-29), tout croyant peut obtenir par procuration le baptême rétroactif (c.-à-d. le salut) de ses ancêtres. Chacun prend donc à cœur de rechercher sa généalogie. Les Églises locales ont le devoir de collaborer à ces recherches. Des microfilms portant sur 14 milliards d'individus ont été stockés à Little Cottonwood Canyon (Utah) dans des tunnels aménagés. L'Église a mis au point un logiciel pour micro-ordinateur.

Organisation. Siège *mondial :* Salt Lake City (U.S.A.). **Président** *(prophète, voyant* et *révélateur) :* Ezra Taft Benson (n. 4-8-1899), assisté de 2 conseillers et 12 apôtres. **Prêtrise :** 2 degrés : à 12 ans (pr. d'Aaron) ; à 18 ans (pr. de Melchisédech) ; dep. 1978, accordée à toutes races. A partir de 19 ans, et pendant 2 ans, les jeunes hommes peuvent partir en mission (les jeunes femmes, à partir de 21 ans et pendant 18 mois). Tout Mormon, entre 19 et 27 ans, peut accomplir une mission d'évangélisation à l'étranger (18 à 24 mois) à ses frais, ainsi que les femmes et les couples sans enfants à charge entre 40 et 60 ans.

Statistiques. **Membres :** 7 300 000 au 1-10-1990, dont *U.S.A.* 4 345 000. [Il y a eu 318 940 baptêmes de convertis en 1990 et 75 000 d'enfants (8 ans minimum).] 39 739 missionnaires dans 256 missions, 11 753 paroisses (dirigées par un évêque ayant une activité professionnelle et une famille) et 1 771 pieux (diocèses). *Europe :* 304 500 (France 21 000). *Amér. latine :* 1 948 000 m. **Temples.** *Nombre* le plus grand : consacré 1974, 14 770 m², situé à Kesington (Maryland, U.S.A.). 44 dans le monde (+ 5 en construction) dont 5 en Europe et 1 à Tahiti.

Finances. Les fidèles donnent 10 % de leurs revenus annuels [selon la loi de la dîme de la Bible (Abraham paya la dîme à Melchisédech)]. L'Église possède une grande partie des immeubles de Salt Lake City, 160 000 ha de terrains, des Cⁱᵉˢ d'assurances (pour protéger les dons des fidèles de l'inflation), 1 quotidien, 11 stations de radio, 2 chaînes de télévision, 1 Sté sucrière, des actions dans une chaîne de grands magasins, 2 universités et 2 collèges.

Adresses. *Missions françaises : Paris :* 23, rue du 11-Novembre, 78110 Le Vésinet ; *Bureau des communications publiques* pour l'Europe de l'Ouest : 3, rue de l'Arrivée, B.P. 34, Tour CIT, 75749 Paris Cedex 15 ; *Publication mensuelle :* « l'Étoile ».

• **Église réorganisée de J.-C. des saints des derniers jours. Origine.** Continuation légale du mouvement après l'assassinat de Joseph Smith en 1844 (jugement du 23-2-1880, Lake County Ohio). Dirigée actuellement par le docteur W.B. Smith, arrière-petit-fils du fondateur. D'après un document récemment découvert, son grand-père, Joseph Smith II, aurait bien désigné son père Joseph Smith III comme successeur légitime à la tête de l'Église mormone. Le « Collège des 12 Apôtres », qui dirige l'Église (non réorganisée) dep. la mort de Joseph Smith II, continue néanmoins à se considérer comme l'autorité légitime, estimant que le document découvert est une bénédiction, non une désignation. **Doctrine :** se considère comme un mouvement chrétien. Croit que la volonté divine pour l'homme se trouve dans les Écritures et dans la révélation prophétique contemporaine. Croit aux dons et aux manifestations du St-Esprit. **Membres :** 230 000 dans 30 pays. **Centre mondial :** P.O. BOX 1059, Independence, Missouri 64051, U.S.A. **Universités :** Graceland College, Iowa Park College, Kansas City. *Centre d'enseignement :* B.P. 92, Sanito, Tahiti. **Siège social à Paris :** 11, rue Sédillot, Paris 7ᵉ.

• **Taizé.** Communauté œcuménique. *Fondée* 1940 à Taizé (S.-et-L.) par frère Roger Schultz (n. 1915 à Provence, Suisse). Comprend plus de 90 frères de diverses origines chrétiennes catholique et protestante et d'une vingtaine de pays. Engagés pour la vie par les vœux monastiques. Accueillent des jeunes du monde entier pour vivre avec eux la recherche de réconciliation, d'unité et de paix. Animent un « pèlerinage de confiance sur la Terre » [(à Madras 1985 et 88, Londres 1986, Rome 1987, Paris 1988, Pologne 1989, Prague 1990 (80 000 jeunes). Le fr. Roger a accueilli Jean-Paul II à Taizé, le 5-10-1986. A reçu le Prix de l'éducation pour la paix de l'UNESCO en 1988.

• **Église de l'Unification.** (*Nom officiel :* Association du St-Esprit pour l'unification du christianisme mondial, AUCM). **Origine.** *1954* fondée à Séoul par Sun Myung Moon (n. 1920, Corée). Interné par le régime nord-coréen en camp de concentration de 1948 à 50 pour « infractions à l'ordre social », libéré par la g. de Corée et militant évangéliste. *1958* envoie des missionnaires au Japon, *1959* U.S.A., *1962* Europe, puis tous les pays du monde à partir de 1975. S'est consacré principalement à l'action missionnaire aux U.S.A. à partir de 1972, se faisant notamment le défenseur de Nixon dans l'affaire du Watergate (1974). *1982* Moon est condamné à 18 mois de prison pour une fraude fiscale de 162 000 $. *1984* (20-7) incarcéré. *1985* (20-8) libéré. Son épouse (née Hak Ja Han) a mis au monde 13 enfants, dep. son mariage en 1960.

Doctrine. Contenue dans « les Principes divins », de Moon. L'idéal de Dieu se réalisera par l'établissement du Royaume de Dieu sur Terre coïncidant avec le retour du Christ. L'unification de toutes les cultures et religions viendra en prélude. Préconise un christianisme intégral, notamment la pratique de la prière et le don de soi total pour prévenir le matérialisme communiste et lutter contre le déclin spirituel et moral du monde actuel.

Réarmement moral

Lancé en 1938 à Londres (et en France après 1947) par Frank Buchman (1878-1961), Américain d'origine suisse. *Doctrine :* ni parti, ni religion, il invite chacun à œuvrer à l'amélioration de la société et à la paix dans le monde en partant d'une qualité de vie personnelle. D'inspiration chrétienne, il rassemble des hommes de toutes croyances. Propose une philosophie d'action fondée sur l'écoute intérieure et la référence à des principes absolus (honnêteté, pureté, détachement, amour). Travaille à la transformation des attitudes et à la réconciliation dans la famille, dans la vie sociale, nationale et internationale. Les équipes du Réarmement moral ont été notamment à l'œuvre dans le processus de la réconciliation de l'Allemagne et du Japon avec leurs anciens adversaires, durant la période des décolonisations et sur le plan des rapports sociaux dans l'industrie.

Rencontres internationales plusieurs fois par an dans les centres de Caux (Suisse) et de Panchgani (Inde) ou ailleurs . *Direction :* collégiale depuis 1965. *Adresse suisse :* 1824 Caux. *France :* 68, bd Flandrin, 75116 Paris. *Périodique* en français : « Changer » (mensuel).

Le mariage est une institution centrale, équivalente aux sacrements de baptême et d'ordination de l'Église catholique. *Exemples de mariages célébrés collectivement :* Corée (1975) 1 800 couples ; New York (1982) 2 075 ; Corée (1982) 6 000.

Budget annuel. Aux U.S.A. 10 millions de $; des membres de l'Église possèdent de nombreuses entreprises industrielles. *Fortune totale de ses membres :* 200 millions de $ (évaluation du *Monde*).

Terrains d'action. Domaine scientifique *(Conférence intern. pour l'unité des sciences)* ; médical *(Fondation mondiale de secours et d'amitié)* ; social *(Projet Volunteer),* en Amérique, organise collecte et distribution de vivres aux indigents, spécialement en Californie, etc. *Fédération intern. pour la victoire contre le communisme.* CAUSA, alternative au communisme, en Amérique et en Europe.

Membres. Plus de 2 millions dans 120 pays [Corée 600 000, Japon 300 000, U.S.A. 50 000, Europe occid. quelques milliers dont *France :* 1 200 m. (siège social : Château de Mauny 76530 Mauny. *A Paris :* 9, rue de Châtillon, 75014), 15 centres]. Déclarée comme association sans but lucratif ; la vente d'un périodique, *le Nouvel Espoir,* lui rapporte de grosses sommes qui seraient non imposables si l'association était une « cultuelle » (loi de 1905).

Nota. – De nombreux chrétiens dénient la qualité d'Église chrétienne à « l'Église de l'Unification ». La Cour Suprême de l'État de New York a toutefois jugé le 6-5-1982 qu'elle présentait le caractère de « religion de bonne foi ». La Commission de contrôle des institutions charitables d'Angleterre et du Pays de Galles (« Charity Commission »), dans son rapport 1982, a écrit que les « Principes divins (doctrine officielle) pouvaient raisonnablement être considérés comme faisant partie du christianisme dans le sens le plus large de ce terme ». Le Conseil œcuménique amér. (26 membres cath., orthodoxes, prot.) a refusé le qualificatif de « chrétien » au mouvement.

• **La Famille d'Amour.** *Fondée* 1968 aux U.S.A., sous le nom d'*Enfants de Dieu,* par un ancien pasteur méthodiste, David Brandt Berg (Moïse David, n. 1918). A changé de nom en 1978. *Vers 1979,* Berg rejoint le colonel Kadhafi à Tripoli, faisant passer son mouvement dans la clandestinité. *1981,* il demande aux adeptes de rejoindre l'Amérique du Sud.

Le Judaïsme

Sens du mot juif

Yehoudi (mot hébraïque) signifie judéen, c.-à-d. du pays de Juda (Judée) au sud de l'Eretz Israël (pays d'Israël). Il a désigné également, ensuite, les habitants de Samarie, au N. du pays, et tous ceux qui pratiquaient la religion j. après l'exil à Babylone (VIe s. av. J.-C.). **Ioudaios :** forme grecque. **Judaeus :** forme latine. Le *f* qui termine le mot français est diversement expliqué : certains le considèrent comme l'aboutissement normal d'un *f* en fin de mot (soif, veuf, fief, bief, suif, etc.) ; d'autres comme une forme masculine refaite sur le féminin « juive ». **Israélite :** utilisé surtout de 1800 à 1950 ; mot qui tombe en désuétude, car il prête à confusion avec le terme moderne *israélien* désignant un citoyen d'Israël. **Juif :** le mot a repris son sens religieux, bien que l'expression « confession israélite » soit encore officielle en France.

Population juive

• **En 1911.** 11 817 783 J. dont : Europe 9 942 266, Amérique 1 894 209, Asie 522 635, Afrique 341 867, Océanie 17 106. **Par pays :** Russie 5 110 548, Autriche 1 224 899, Hongrie 851 378, Allemagne 607 862, Turquie d'Europe 282 277, Roumanie 266 652, Angleterre 238 175, Hollande 105 988, *France 100 000,* Italie 52 115, Bulgarie 33 663, Belgique 15 000, Suisse 12 264. **Villes** (entre parenthèses, pop. j. actuelle) : New York 1 062 000 (1 836 000), Varsovie 204 712 (5 000), Budapest 186 047 (60 000), Vienne 146 926 (2 000), Londres 144 300 (220 000), Odessa 138 935 (180 000), Brooklyn 100 000 (760 000), Berlin 98 893 (O. : 550, E. : 2 200). **En 1939 :** V. Israël.

• **En 1984** [1]. **Afrique** [2]. Afr. du Sud 118 000, Algérie 1 000, Égypte 400, Éthiopie 25 000, Kenya 400, Libye 20, Maroc 18 000, Rhodésie 3 800, Tunisie 4 500.

Amérique du Nord. Canada 305 000, États-Unis (en 1988) 5 935 000 (46 % de la population j. mondiale), Mexique 37 500.

Amériques centrale et du Sud. Argentine 300 000, Bolivie 2 000, Brésil 150 000, Chili 27 000, Colombie 12 000, Costa Rica 1 500, Cuba 900, Curaçao 700, Équateur 1 000, Guatemala 1 900, Panamá 2 000, Paraguay 1 200, Pérou 5 300, Uruguay 50 000, Venezuela 15 000.

Asie [2]. Afghanistan 200, Inde 1 000, Irak 300, Iran 28 000, Israël 3 659 000, Japon 400, Liban 400 [3], Syrie 4 500, Yémen 1 200.

Australie et Nouvelle-Zélande. Australie et N.-Zélande 7 000.

Europe. All. 34 000 (est. : 400), Autriche 13 000, Belgique 41 000, Bulgarie 7 000, Danemark 7 500, Espagne 10 000, Finlande 1 320, *France 650 000,* G.-B. 410 000, Grèce 6 000, Hongrie 80 000, Irlande 4 000, Italie 35 000, Luxembourg 1 000, Pays-Bas 30 000, Pologne 6 000, Roumanie 20 000, Suède 16 000, Suisse 21 000, Tchéc. 13 000, Turquie 18 000, U.R.S.S. 2 678 000 à 3 000 000, Yougosl. 6 000.

Total mondial en 1988. 12 967 900.

Nota. – (1) Estimations (dans la plupart des pays, les J. ne font pas l'objet de recensements). (2) Selon l'Organisation mondiale de Juifs originaires des pays arabes (W.O.J.A.C.), 2 000 000 de Juifs ont quitté les pays arabes en 25 ans. (3) Forte réduction depuis les combats de 1975.

• **Fin 1988.** 3 659 000 J. en Israël.

Quelques dates

Les origines

• **Entre 2000 et 1700 ans av. J.-C.,** Dieu se révèle à *Abraham,* puis à son fils *Isaac* et à son petit-fils *Jacob,* comme le Dieu unique et tout-puissant. Il leur promet la terre de Palestine en récompense de leur fidélité. Ces 3 premiers « patriarches » sont d'origine syrienne. *Abraham* né à Ur, colonie syrienne en Mésopotamie [la forme Abra-mu a été retrouvée sur des tablettes découvertes en 1975 à Ebla (Syrie)] ; fondateur du peuple hébreu, ayant émigré d'Ur vers la Terre de Canaan, il institue la circoncision, marque de l'Alliance avec Dieu. Son nom signifie Père d'une multitude de nations. Sa femme Sara, alors stérile, lui conseilla de s'unir à sa servante Agar (il en eut *Ismaël :* à sa naissance Abraham le chassa avec sa mère) ; les Arabes se considèrent comme les descendants d'Ismaël. De sa femme Sara, il eut un fils (Isaac, qu'il accepta de sacrifier à Dieu, mais le sacrifice fut interrompu par un ordre divin). *Isaac* fils d'Abraham et de Sara, épousa Rebecca dont il eut 2 jumeaux Esaü (ou Edom) et Jacob [nommé également Israël (qui signifie « a affronté Dieu », car Jacob, au cours d'une théophanie, a lutté contre l'Ange de Dieu)]. Célèbre par sa vision d'une échelle qui relie le Ciel à la Terre. Jacob eut 12 fils (*de Léa :* Ruben, Siméon, Lévi, Juda, Issachar, Zabulon ; *de Bilha :* Dan, Nephtali ; *de Zilpa :* Gad, Aser ; *de Rachel :* Joseph, Benjamin (appelé par sa mère Ben-oni : fils de mon malheur que son père changea en Benjamin : fils de ma droite, c.-à-d. de mon bonheur), qui seront les chefs des 12 tribus d'Israël. *Joseph,* son fils préféré, vendu par ses frères à des Égyptiens (divinateur de songes et chaste, il a repoussé les avances de la femme de l'Égyptien Putiphar), devenu ministre de Pharaon, appelle sa famille en Égypte à l'occasion d'une famine qui dure 7 ans. Leurs descendants formeront le *peuple d'Israël* ou peuple hébreu [*ivri,* racine araméenne, signifiant « de l'autre côté » ; le 1er Hébreu, Abraham, étant venu de l'autre côté du désert arabo-syrien ; le nom des nomades Habiru (Asie occidentale, XXe s. av. J.-C.) serait de la même racine].

Les Esséniens. Secte religieuse qui s'est développée dans les déserts de Judée depuis la fin de l'époque hasmonéenne (v. 100 av. J.-C.) jusqu'après la guerre juive contre les Romains (70 apr. J.-C.). Au max. 4 000, ils vivaient dans des cœnobiums où ils pratiquaient une religion proche de celle des Pharisiens, se recrutaient après une période probatoire et une cérémonie rituelle d'initiation. Jean le Baptiste faisait partie des Esséniens ou d'une secte voisine. Le baptême qu'il administra à Jésus devait faire partie des rites d'initiation de sa secte.

• **1200 av. J.-C.** *Moïse,* Hébreu de la tribu de Lévi, avait été placé par sa mère dans une nacelle de papyrus sur le bord du Nil (les enfants juifs devant être massacrés) ; la fille du Pharaon le recueille et l'élève. Plus tard, il commandera l'armée égyptienne et gagnera la bataille de Meroë. Il épousera la fille du roi éthiopien. Il tuera un Égyptien qui opprimait un Hébreu. Dieu lui ordonne d'emmener son peuple dans la Terre promise, et il change son bâton en serpent. Le pharaon refusant de laisser sortir les Hébreux, Moïse obtient de Dieu qu'il inflige les 10 plaies à l'Égypte (voir page 548 b). Il conduit env. 600 000 h. vers la *Terre promise (l'Exode).* Mais il s'attarde dans le Sinaï, pour purifier le peuple des souillures morales et physiques dues à l'esclavage dans la vallée du Nil. Dieu lui apparaît, lui révèle son nom : YHVH (déjà attesté sur les tablettes d'Ebla), et lui donne les 10 Commandements (*Décalogue,* qui sera inscrit sur des Tables déposées dans l'*Arche d'Alliance* à la garde de la tribu de Lévi). Moïse institue le Sabbat, les fêtes et une législation destinée à assurer la justice et la protection du pauvre, du serviteur, de la veuve et de l'étranger. Il mourra sur la rive gauche du Jourdain avant d'arriver. *Josué* lui succède. Après 40 ans de traversée du désert, les Hébreux arrivent avec lui à la *Terre de Canaan* (en hébreu : pays de la pourpre), *Terre promise* par Dieu à Abraham et habitée par 8 peuples d'origines diverses : Amoréens, Moabites, Périzéens, Cananéens, Hittites, Girgachéens, Hivites, Jébuséens. Josué les vainc les uns après les autres.

☞ La plupart des exégètes bibliques non religieux considèrent la rédaction du Pentateuque [les « 5 rouleaux » de la Loi (voir p. 547 b)] comme postérieure à Moïse (4 traditions, du Xe au VIe s.) ; mais la substance des lois remonterait bien au XIIe s.

• Selon *Emmanuel Anati* (1983), chef de 15 campagnes de fouilles (1980-86) dans le Sinaï (Mar Karkom) : cette chronologie doit être revue ainsi : migration d'Abraham : *2600 ;* implantation en Égypte : *2500 ;* fuite des Hébreux : *2250 ;* séjour au mont Sinaï (Mar Karkom) : *2250-v. 2000 ;* prise de Jéricho et installation en Terre promise : *2000 ;* période des Juges (très allongée) : *tout le IIe millénaire.*

Les Juges (IIe millénaire av. J.-C.)

A la mort de Josué, le peuple hébreu se fractionne en *14 tribus locales,* dont 11 portent le nom d'un des frères de Joseph (voir ci-dessus), et 2 celui d'un fils de Joseph : Éphraïm et Manassé. Le pays d'Israël (en hébreu : *Eretz Israël*) ne correspond pas à l'État moderne d'Israël [*en plus :* 3 territoires à l'E. du Jourdain (Ruben, Gad, Manassé-Est) ; *en moins :* la frange côtière (Philistins, Cananéens, Phéniciens) et le S. du Néguev]. Il est divisé en 12 territoires tribaux, Ephraïmites et Manasséens ayant chacun le leur, mais les Lévites (descendants de Lévi) n'en ayant aucun, car ils sont affectés au service du Temple. Chaque tribu est commandée par un juge, chef militaire et religieux dont le 1er souci est d'empêcher l'assimilation par les tribus idolâtriques de Canaan. Les tribus sont unies par un acte traditionnellement lié au sanctuaire de Sichem. *XIIe et XIe s. av. J.-C.* sanglantes luttes entre elles, une anarchie facilite les entreprises de leurs voisins (Moabites, Ammonites, Édomites, Amalécites, Madianites) et des envahisseurs philistins. Certaines des tribus s'éteignent vite ; d'autres s'imposent comme celle de Juda (centre : Jérusalem), berceau de la dynastie de David qui donnera plus tard son nom à tout le peuple juif. V.

1050, les Philistins (Thraco-Illyriens venus d'Anatolie et faisant partie des « Peuples de la Mer », envahisseurs de l'Égypte), débarquent à Gaza, Ashdod et Ascalon. Les Hébreux retrouvent pour les combattre leur unité nationale.

Les prophètes (1050-586 av. J.-C.)

Saül, choisi par le prophète *Samuel,* devient roi en 1035. Il se suicida sur le champ de bataille. **David** roi de 1070 à 970 env. Descendant d'Abraham (par Isaac et Jacob), fils de Jessé ; il tue le géant philistin Goliath d'un coup de fronde. Selon la tradition, auteur des *Psaumes.* **Salomon** fils de David et de Bethsabée, roi v. 970 à 930 il construit le 1er Temple. Auteur présumé du *Cantique des Cantiques,* des *Proverbes* et, selon une tradition, de l'*Ecclésiaste.* Il épousa la fille d'un pharaon célèbre pour son amour de la richesse, ses femmes (700 épouses et 3 000 concubines) et sa sagesse, voir p. 549 a. **Jéroboam** roi de 930 à 910 entraîne en dissidence 10 tribus et fonde le *royaume d'Israël,* où se succèdent 19 rois (capitale Samarie) avant son occupation par Sargon, roi d'Assyrie (722). **Élie** prophète, dont la vie est attestée entre 876 et 854 av. J.-C. Enlevé au Ciel dans un char de feu. **Roboam,** (roi 931-913) fils de Salomon, ne gouverne plus que les tribus de *Juda* et de *Benjamin,* qui s'unissent en *royaume de Juda* (capitale Jérusalem) où se succèdent 20 rois. **Osée** prophète du VIIIe av. J.-C. Prévoit la destruction du royaume de Samarie par Sargon (621). **Isaïe** (740-700) prophétise l'arrivée des Assyriens. **Jérémie** (650 à 590 av. J.-C.) prophétise les malheurs de Jérusalem qui sera détruite par Nabuchodonosor, et compose sur la ruine de Jérusalem des chants appelés *Lamentations de Jérémie.* Les prophètes commencent à annoncer la venue des *temps messianiques,* c'est-à-dire le rétablissement d'Israël, la fin des guerres et des injustices et la reconnaissance universelle du Dieu Unique.

☞ Les 4 grands prophètes sont Isaïe (n. v. 765-701), Jérémie (n. v. 650), Ézéchiel et Daniel, et les 12 petits : Osée, Joël, Amos, Abdias, Jonas, Michée, Nahum, Habacuc, Sophonie, Aggée, Zacharie, Malachie.

Royaume d'Israël. rois *Jéroboam Ier* (933-910). *Nadab* (910). *Basha* (909). *Ela* (886). *Zimri* (885). *Omri (Amri)* (885) ; fit de Samarie sa capitale. *Achab* (874), son frère, allié par moments au roi de Juda, Joram ; il combattit les Assyriens, les rois de Damas et de Moab. Il avait épousé Jézabel, fille du roi-prêtre de Tyr, qui fit tout pour imposer le culte de Baal et d'Astarté. Père d'Athalie. *Ochozias,* fils d'Achab (853). *Joram* (852). *Jéhu* (841) ; chargé par le prophète Élisée de la vengeance divine, tue Joram, il fait jeter Jézabel par une fenêtre (son corps est dévoré par les chiens). *Joachaz* (814). *Joas* (798). *Jéroboam* II (783). *Zacharie* (743) + *Shallum* (743) + *Menahem* (743). *Pecahya* (738). *Pegah* (737). *Osée* (732). Chute de Samarie 722 ou 721.

Royaume de Juda. Rois *Roboam* (931). *Abiyyam* (931). *Asa* (911). *Josaphat* (870). *Joram* (848), épouse Athalie, fille d'Achab roi d'Israël. *Ochozias* (841) ; ses autres frères ayant été tués par des bandits, il succède à son père ; à sa mort, Athalie, sa mère, fait égorger tous ceux qui peuvent prétendre à la Couronne. *Athalie* (841). *Joas* (835), petit-fils d'Athalie, sauvé du massacre par sa tante Josabeth, élevé secrètement dans le Temple ; Joad, le grand-prêtre, le fit proclamer roi à 7 ans (Athalie fut massacrée par le peuple) ; fit tuer le grand-prêtre Zacharie ; † assassiné. *Amasias* (796). *Osias* (781). *Yotham* (740). *Achaz* (736). *Ézéchias* (716). *Manassé* (687). *Amon* (642). *Josias* (640). *Joachaz* (609). *Joiaquim* (609-598), vassal de Nabuchodonosor pendant 3 ans, idolâtre, persécuta les prophètes. *Joiakin* (597, déporté à Babylone avec le prophète Ézéchiel). *Sédécias* (597). Chute de Jérusalem 587.

Le judaïsme (586-47 av. J.-C.)

586 av. J.-C. : *Nabuchodonosor,* roi de Babylone, bat *Sédécias,* roi de Juda (qui sera condamné à avoir les yeux crevés et mourra captif à Babylone), détruit le Temple et déporte la population. **539** *Cyrus,* roi des Perses, prend Babylone. **538** il autorise le retour des Juifs à Jérusalem. Une communauté se reforme sous l'autorité des grands prêtres. **525** *Esdras,* scribe, reconstruit le Temple. Le code religieux est fixé, des synagogues s'ouvrent. **334** domination grecque. **168** *Mattathias* et ses fils (dont *Judas,* dit *Maccabée*) organisent une révolte qui réussit. **142-67** indépendance, sous le gouvernement des princes hasmonéens, de la famille de Judas Maccabée. Principaux chefs militaires et religieux : *Siméon,* fr. de Judas († 134), qui fait reconnaître l'indépendance et obtient le titre héréditaire de grand prêtre ; Jean Hyrcan, ethnarque et grand prêtre (135-104), fils de Siméon ; *Aristobule* (104-103), le 1er roi de la dynastie ; *Alexandre Yannai* (103-76), roi et grand prêtre qui conquiert tout l'Erez Israël ; *Hyrcan II* (103-30), roi vaincu par les Romains, mais conservant après l'annexion le titre de grand prêtre. **67 Conquête romaine. 57** 1re mention du *Sanhédrin* ou *Synode,* assemblée sacerdotale et aristocratique, qui a d'abord un rôle politique (représentant la communauté j. en face des Romains), puis un pouvoir religieux et judiciaire. Présidé par un patriarche, titre héréditaire dans la famille de Hillel, il ne sera supprimé qu'en 425 apr. J.-C.

La dynastie des Hérodes (47 av. J.-C. - 92 apr. J.-C.)

Av. J.-C. 47 Jules César, maître de la Syrie, nomme le chef iduméen Antipater Ier, régent de Judée à la place du prince hasmonéen Matthathias Antigone. **43** *Hérode Ier* le Grand (73-4 av. J.-C.), fils d'Antipater, épouse la princesse hasmonéenne Marianne, petite-fille de Jean Hyrcan. **40** nommé roi de Judée par le Sénat de Rome, il met à mort 45 membres du Sanhédrin, partisans des Hasmonéens. **22-13** il reconstruit le Temple de Jérusalem. Le service y est assuré par la secte sacerdotale des *Sadducéens* (libéraux) rivaux des *Pharisiens* (traditionalistes).

Après J.-C. Embellissement du Temple poursuivi jusqu'au règne d'Hérode Agrippa II, arrière-petit-fils d'Hérode Ier, monté sur le trône en 61, déposé par les Romains en 92. Les 2 Hérodes de l'Évangile sont : *1°) Hérode Ier le Grand* (pourtant mort en 4 av. J.-C.), présenté comme le massacreur des Innocents ; 2°) *le tétrarque Hérode Antipas* (26 av. J.-C.-41 apr. J.-C.), son fils, qui intervint dans le procès de Jésus. **29** Jésus est crucifié par les Romains ; les Juifs ne l'ont pas reconnu comme le Messie ; le christianisme naît. **50** les Pharisiens enlèvent aux Sadducéens l'administration du Temple. **64** révolte contre Rome. **67** arrivée d'une armée de répression romaine. **70** 31-3 Titus assiège Jérusalem avec 60 000 h. ; 20-6 s'empare de la Tour Antonine ; 23-7 assaut final des Romains : le Temple est incendié ; 1-8 fin de résistance ; 1 100 000 Juifs périssent [tués au combat (580 000), morts de faim, exécutés après la reddition], 300 000 sont vendus comme esclaves. **73** *Massada ;* près de la mer Morte, une garnison (750 rescapés) recourt au suicide collectif plutôt que de se rendre, après un siège de 3 ans. **132-135** les Romains transforment Jérusalem en Aelia Capitolina, l'empereur Adrien réprime la révolte de *Simon Bar-Kokhba* (135 †). Les Juifs émigrent vers la Babylonie, ou rejoignent les communautés de la *diaspora,* dans le bassin méditerranéen.

☞ Voir Israël à l'Index.

Dates admises jusqu'au XIXe s. *4963* création du monde (*1er jour* lumière ; *2e* ciel, sépare eaux supérieures et inférieures ; *3e* mer et terre ; *4e* soleil, lune et étoiles ; *5e* poissons, oiseaux ; *6e* animaux domestiques, sauvages reptiles, homme ; *7e* se repose). *4833* Caïn tue Abel (1er meurtre sur Terre). *3307* déluge. *3164* dispersion des peuples. *2958* mort de Noé à 950 ans. *2191* d'Abraham à 175 a. *1605* de Moïse à 120 a. *1500* de Josué à 110 a. *1040-1001* règne de David (1011 à 70 a.). *1011-962* Salomon (règne).

Livres saints et traditions

La Bible

La Bible juive, appelée par les chrétiens Ancien Testament, comprend 24 livres divisés en 3 parties.

• **La loi (Torah ou Pentateuque). 1.** La *Genèse* (de la création du monde à la mort de Jacob). Contient les plus importants récits symboliques, voir p. 548 a). Tous les personnages importants énumérés dans la descendance d'Adam, puis, après le déluge, entre Noé et Jacob, sont honorés du titre de patriarche. Il n'y a que 3 patriarches hébreux : Abraham, Isaac, Jacob. **2.** L'*Exode* (la sortie d'Égypte) et le *Décalogue.* **3.** Le *Lévitique* (contenant des indications sur le rituel du Temple, les fêtes, les lois de pureté et de sainteté). **4.** Les *Nombres* (marche dans le désert). **5.** Le *Deutéronome* (derniers discours de Moïse : répétition des lois et du Décalogue). Le Talmud en tire 613 commandements : 248 positifs (ordonnant certains actes), 365 négatifs (prohibitions diverses). Les désobéissances à ces lois (connues sous le nom générique de péchés) sont désignées dans la Bible par 20 mots différents ; le plus employé *het',* « manquement » (de la racine *ht'*), revient 459 fois.

• **Les Prophètes. 6.** *Josué* (conquête de la Terre promise, sa répartition entre les tribus). **7.** Les *Juges* (guerres contre les voisins). **8.** *Samuel* (hist. de Samuel, Saül et David, naissance de la Monarchie). **9.** Les *Rois* (histoire de Salomon, schisme entre Israël et Juda). **10.** *Isaïe* (les prophéties). **11.** *Jérémie* (prophéties concernant la destruction du Temple et l'exil). **12.** *Ézéchiel* (Dieu changera l'esprit et le cœur de l'homme. Prophéties de l'Apocalypse). **13.** Les *12 prophètes* (Osée, Joël, Amos, Abdias, Jonas, Michée, Nahum, Habacuc, Sophonie, Aggée, Zacharie, Malachie).

• **Les Écrits (ou Hagiographes). 14.** Les *Psaumes* (c'est-à-dire louanges). **15.** *Job* (Pourquoi les justes souffrent-ils ?). **16.** Les *Proverbes* (recommandations de sagesse). **17.** *Ruth* (histoire d'une jeune Moabite, aïeule du roi David, qui abandonne l'idolâtrie). **18.** Le *Cantique des Cantiques* (poèmes chantant l'amour réciproque de Dieu et d'Israël). **19.** L'*Ecclésiaste* (thème : la vanité des choses humaines). **20.** Les *Lamentations* (le repentir d'Israël après la ruine de Jérusalem). **21.** *Esther* [épisode de l'histoire des juifs exilés en Perse, miraculeusement sauvés du massacre grâce à la reine Esther (épouse juive du roi perse Assuérus) et à son oncle Mardochée, commémoré par la fête de Pourim]. **22.** *Daniel* (son histoire, ses prophéties et visions apocalyptiques). **23.** *Esdras. Néhémie* (restauration juive en Terre sainte après l'exil). **24. Les** *Chroniques* (généalogies, histoire de David et de ses successeurs impies, ruine de Jérusalem).

Traduction des Septante

Traduction en grec de la Bible élaborée à Alexandrie sur l'ordre du roi Ptolémée II (283-246 av. J.-C.). D'après une légende rapportée par la lettre d'Aristée, chacun des 70 traducteurs aurait travaillé isolément dans une cellule ; tous auraient terminé leur travail au même moment, après 70 j, et leurs versions auraient toutes été absolument identiques. Les historiens placent cette traduction entre 250 et 150 av. J.-C. Le texte hébraïque utilisé par les traducteurs diffère sur certains points des textes *massorétiques,* notamment dans les livres de Samuel (passages résumés ou allongés), dans le 1er livre des Rois (additions), et dans le livre de Job (coupures).

La traduction admet certaines interprétations, *ex. :* l'expression *Yahvé Sébaoth* (mot à mot : « Dieu des armées »), employée 282 fois, est toujours traduite par « Seigneur Tout-Puissant » (les « armées » étant conçues comme les éléments de l'Univers, obéissant à Dieu).

Textes massorétiques

La *massore* (hébreu *massorah*) est la transmission orale des textes bibliques, non écrits, mais appris par cœur dans les écoles rabbiniques. Au VIIIe s. apr. J.-C., un groupe de docteurs des écoles de Tibériade (Galilée) entreprit de fixer par écrit les textes conservés jusque-là oralement. La langue utilisée était le dialecte galiléen (faisant partie des langues araméennes), avec des notes en néo-hébreu (hébreu biblique, enrichi de termes nouveaux). Mais dans certains cas (par ex., les mots abrégés), on ne peut dire avec certitude si un terme est hébraïque ou araméen, les 2 langues étant assez voisines. Les *Massorètes* ont créé une orthographe originale, avec des consonnes dont 5 affectent 2 formes possibles selon leur place dans le mot, et avec des points servant de voyelles. Ils ont noté les variantes possibles de chaque passage, ce qui rend actuellement de grands services pour l'établissement définitif des textes originaux. La tradition orale des Massorètes est restée fidèle aux textes primitifs. Des textes plus anciens que la Bible massorétique l'ont prouvé [*papyrus Nash* (publié 1903) avec le Décalogue (150 av. J.-C.) ; *rouleaux de la mer Morte* (Qumran), datés de 100 av. J.-C. à 100 apr. J.-C. ; *plaques d'argent* découvertes en janv. 1983 près de l'égl. écossaise de Jérusalem : 3 versets du Livre des Nombres (chapitre 6), gravés en caractères cunéiformes et datant du VIIe s. av. J.-C.].

Les interprétations de la Bible

La Michnah (compilée par Juda Hanassi 164-217), texte définitif des 6 codes de la loi orale ; date inconnue, postérieure à 400 av. J.-C., constitue la 1re partie du Talmud, et contient des prescriptions rituelles, notamment sur le service du Temple. **La Tosephtah** (= addition) sur les traditions orales. **La Guemara** (*discussions* sur la Michnah : le mot n'est employé que dans les éditions du Talmud). **Le Talmud,** réunissant Michnah et Guemara, comprend la *Halakha* (règle de vie, jurisprudence), et la *Aggada* (récit) : récits, fables, commentaires historiques, anecdotiques ou moraux. Cette littérature rabbinique est basée sur le *Midrach* (interprétation), exégèse méticuleuse du texte biblique. On connaît le Talmud de Jérusalem (IVe s. ap. J.-C.) et celui de Babylone (Ve-VIe s. ap. J.-C.), comptes rendus des réflexions et des délibérations des rabbins (II-VIIIe s.), mise par écrit de la tradition orale du judaïsme. **Le Targum** (traduction de la Bible en araméen) : 3 versions, la plus connue est l'Onkelos (IIe s.). **La Mischné Torah** (ou Yad Hazaka = main-forte), codification du Talmud par Maïmonide (1180). **Le Shulhan Aroukh** (= table dressée), rédigé par Caro et paru en 1565, codifiant le Talmud et les décisionnaires postérieurs.

Nota. – La *Kabbale* est l'ensemble des enseignements mystiques et ésotériques commentant la Bible. Les ouvrages kabbalistiques les plus connus sont le *Zohar* et le *Sefer Yeçirah.*

Grands récits bibliques

Tenus pour « historiques » jusqu'au XVIIIe s., les grands récits bibliques ont, au XIXe s., été rapprochés des légendes mésopotamiennes (mythe du déluge) ou égyptiennes (création par un dieu-potier).

• **Genèse.** Les autorités religieuses catholiques réagirent en 1909, affirmant le caractère historique des 3 premiers chapitres de la Genèse (voir p. 491 c). Les Juifs ont peu participé à la controverse, considérant la Genèse avant tout comme le 1er livre de la Torah, qui rappelle la promesse divine et les droits d'Israël sur la Terre promise. Actuellement, on sait que plusieurs grands récits ont des parallèles qui remontent au IIIe millénaire (tablettes d'Ebla), et sont nés chez les ancêtres des Hébreux. Pour ceux qui croient au caractère inspiré de la Bible, les grands récits de la Genèse apportent aux hommes des idées valables sur le monde et l'humanité. Certains cherchent à retrouver dans les récits bibliques des preuves historiques de l'action dans l'histoire humaine des « extraterrestres » (ex. : Pierre-Jean Moatti).

Création du monde. Elle est géocentrique et offre des ressemblances avec la tradition mésopotamienne [retrouvée sur les tablettes d'Ebla (2500 av. J.-C.)] : le monde avant la création était un mélange de terre et d'eau, de lumière et de ténèbres. Dieu créera le monde en 6 jours (1er création de la lumière et du jour, 2e de l'architecture de l'univers, 3e sépare la Terre et les Eaux, 4e crée les plantes, 5e les étoiles et les astres, 6e les animaux et l'Homme).

Création des êtres vivants. Végétaux, poissons, oiseaux, reptiles, mammifères, hommes apparaissent à une exception près (oiseaux avant reptiles) dans l'ordre que les biologistes ont découvert aux XIXe-XXe s. Pour la plupart des exégètes, il s'agit là d'une simple coïncidence.

Création et perfection du couple humain. *Adam* (le 1er homme) a été tiré du limon de la terre ; *Ève* (la 1re femme) a été tirée d'une côte d'Adam pendant son sommeil (elle est « la chair de sa chair » et « les os de ses os »). Les nouvelles théories chromosomiques de Jean de Grouchy (Ève serait la fille d'Adam) donnent aux formules de la Genèse une résonance insoupçonnée : pourquoi « chair de ma chair » ne signifierait-il pas : « fille » ?

Chute du couple humain. Le Tentateur, présenté comme un serpent, incite les hommes à rejeter les ordres de Dieu en goûtant le fruit de l'arbre de la Science (on parle du pommier), pour devenir eux-mêmes semblables à Dieu. Ce texte révèle l'existence d'une loi morale (précisée dans les textes législatifs de Moïse). Dieu punit Adam et Ève en les privant de l'immortalité et de la béatitude : ils sont chassés du « Jardin de l'Éden » (traduit par *paradeison,* « jardin » ou « paradis », dans la Bible grecque des Septante) et condamnés à « gagner leur pain à la sueur de leur front » ; Ève doit « enfanter dans la douleur » (3 fils : Abel, Caïn, Seth) et rester soumise à l'homme. Caïn, agriculteur, jaloux de voir Dieu préférer les offrandes de son frère cadet Abel, le berger, le tuera.

Déluge et Arche de Noé. Dieu annonce à Noé qu'il va exterminer toutes les créatures, mais lui ordonne de construire une arche, dont il lui fournit le plan. Noé y entre avec sa famille [ses 3 fils : *Sem, Cham* (qui lui manquera plus tard de respect, alors qu'il s'était enivré et dénudé pendant son sommeil ; il sera maudit ainsi que sa descendance) et *Japhet*] et des couples de chaque espèce d'animaux (a. purs : 7 couples ; a. impurs : 1). Le déluge s'abat 150 j (40 j selon une variante) ; tout périt. L'eau dépasse de 15 coudées les plus hautes montagnes, la décrue commence : l'arche se pose sur le mont Ararat (Arménie, Turquie orientale), et Dieu conclut avec Noé et sa descendance une alliance dont l'arc-en-ciel est le signe. Ce récit sans doute d'origine mésopotamienne (retrouvé sur les tablettes d'Ebla, 2500 av. J.-C.) peut être lié à de grandes inondations dans les vallées du Tigre et de l'Euphrate. Au IVe millénaire, il existe une couche de 2,50 m d'argile près d'Ur. Au XXe s., J. de Morgan a pensé plutôt aux dernières glaciations du quaternaire (dites périodes pluviales dans le Moyen-Orient).

Ararat. Forme hébraïque de *Urartu,* qui désigne en assyrien tout le haut bassin du Tigre (en hébreu, *Ararat* signifie « Arménie ») ; la Bible parle de « montagnes », au pluriel. Le mont nommé actuellement *Ararat* (vrai nom : *Mt Massis*) est le plus visible de la région. Considéré comme le lieu d'échouage de Noé depuis Flavius Josèphe (v. 100 apr. J.-C.) [autres lieux mentionnés : Djebel Judi, au Kurdistan (version syriaque de la Bible) ; Mt Lubar, non identifié (Livres des Jubilés) ; Mt Nisir, c.-à-d. le Pir Omar Gudrun, Est assyrien (tradition babylonienne)]. *Explorations :* 1re, un évêque chaldéen qui découvre une planche, mentionnée par l'historien arménien Fausete de Byzance (317-80). *1670,* le Hollandais Jans Janszoon. *1896,* un diacre malabar (nestorien). *1930,* Hardwicke Knight (N.-Zél.). *1952,* George Creen (G.-B.) prend des photos d'une « plateforme ». *1952, 53, 55 :* expéditions de Fernand Navarra. *1958* Navarra rapporte des morceaux de bois extraits de la glace, dont l'âge a été estimé à 4 000 ou 5 000 ans. D'après des photos prises par Skylab, les glaces du mont Ararat emprisonneraient un « objet » long de 135 m et de la forme d'un navire.

Tour de Babel. Les descendants de Noé parlaient tous la même langue, et s'étaient mis d'accord pour bâtir une tour devant monter jusqu'aux cieux (même thème que pour Adam et Ève : devenir semblable à des dieux). Dieu les rend incapables de travailler en commun, en les faisant tous parler des langues différentes : la tour est abandonnée. Explication rationnelle du récit : la ziggourat de Babylone, en plein désert, excitait les imaginations : Bab-Il, « porte de Dieu », a été compris *Babel,* « confusion » ; l'idée d'un complot contre Dieu vient sans doute de l'utilisation des ziggourats : des observatoires astronomiques (c.-à-d. en fait astrologiques).

Alliance divine. Conclue entre Dieu et Abraham, elle est le fondement de la théologie juive : le monde doit être sauvé par la bienveillance de Dieu, mais c'est le peuple d'Israël, dépositaire de la promesse divine, qui doit établir, en entraînant toute l'humanité, le règne de Dieu sur Terre.

Destruction de Sodome et Gomorrhe. Villes au Sud de la mer Morte, habitées par des populations impies incapables de pitié et débauchées. Elles furent condamnées à la destruction, mais les rares justes qui y vivaient (*Loth,* neveu d'Abraham, et ses filles ; un jour, ivre, Loth commettra un double inceste avec ses filles, devenant ainsi l'ancêtre des Moabites et des Ammonites) furent épargnés. Les tablettes d'Ebla (2500 av. J.-C.) mentionnent un tremblement de terre.

Plat de lentilles d'Esaü. *Esaü* (en hébreu : le velu), l'ancêtre du peuple iduméen, était le frère jumeau de *Jacob* (Israël), l'ancêtre des Israélites. Sorti du sein de sa mère *(Rébecca)* le premier, il avait le droit d'aînesse (héritage de la plus grande part des biens de son père Isaac ; et droit à recevoir la bénédiction paternelle, c.-à-d. de participer après Isaac à l'alliance divine). Mais il vendit ce droit à son frère contre un plat de lentilles (un jour qu'il était affamé en revenant de la chasse) et son frère, avec l'aide de Rébecca, se substitua à lui frauduleusement pour recevoir la bénédiction paternelle. Leçon morale : nécessité de croire en l'amour personnel de Dieu pour son peuple.

Joseph vendu par ses frères. Joseph devant être mis à mort par ses frères jaloux de lui, *Ruben* obtient qu'il ne soit pas exécuté, mais vendu comme esclave. Joseph pardonne à ses frères et leur fait bon accueil en Égypte.

• **Exode. Plaies d'Égypte.** Épreuves envoyées par Dieu au pharaon d'Égypte pour le contraindre à laisser partir le peuple hébreu [d'après Emmanuel Anati (voir p. 546 c) ce serait Mentouhotep (2196-2122 av. J.-C.)] : 1°) eau changée en sang ; 2°) grenouilles ; 3°) moustiques ; 4°) mouches ; 5°) peste ; 6°) ulcères ; 7°) grêle ; 8°) sauterelles ; 9°) ténèbres ; 10°) mort des premiers-nés.

Passage de la mer Rouge. Le peuple hébreu conduit par Moïse et poursuivi par les Égyptiens se heurte au littoral de la **« mer Rouge »** qui s'avançait alors plus vers **le nord** (jusqu'aux lacs amers actuels) : un vent d'est envoyé par Dieu dessèche le fond de la mer, et les Hébreux passent à pied sec. Quand les Égyptiens s'engagent derrière eux, les eaux reviennent et les engloutissent. Moïse peut ainsi mettre son peuple à l'abri dans la péninsule du Sinaï. Selon Emmanuel Anati (voir p. 546 c) qui a identifié le Mt Sinaï avec le Mt Karkom, dans le Néguev, au Nord d'Eilat, cet épisode eut lieu en bordure de la Méditerranée, dans l'étang salé du Sabkhat el Badawill. D'autres chercheurs ont pensé au cordon alluvial qui sépare le Sabkhat de la mer.

La Manne dans le désert. 6 semaines après leur passage dans la mer Rouge, les Hébreux étaient à court de vivres. Dieu leur promit un « pain tombé du ciel », qu'il faudrait aller ramasser hors du camp, tous les jours (sauf le sabbat). Ce « pain » avait la forme d'une gelée blanche, et le goût d'un gâteau. Il fut donné sans interruption au peuple hébreu pendant les 40 ans de son séjour dans le Sinaï. Il était appelé la « *manne* », car le 1er jour, en voyant le sol du désert couvert de cette substance, les Hébreux s'écrièrent : *Mân hu ?,* « qu'est-ce que cela ? » Des naturalistes ont plus tard assimilé la manne à des graines de tamaris. L'eau potable a été également donnée miraculeusement (Moïse ayant frappé un rocher de son bâton). Pour Anati : phénomène possible au Har Karkom (roches emmagasinant les pluies).

Veau d'or. Idole réclamée par les Hébreux, découragés, pendant les 40 j où *Moïse* se trouvait seul sur le Sinaï, pour y recevoir la loi de Dieu. *Aaron,* frère de Moïse et chef religieux, n'ayant pas la force de résister, fit exécuter une statue en or, en déclarant : demain il y aura une fête en l'honneur de Dieu. Moïse, revenant de la montagne, broya le veau d'or et répandit la poudre dans de l'eau qu'il fit boire au peuple. Avec l'aide des enfants de Lévi, il massacra les idolâtres les plus coupables (3 000). Puis il remonta sur le Sinaï et obtint de Dieu le pardon pour l'ensemble du peuple, à condition de construire *l'Arche d'Alliance.* Cette alliance (renouvellement de celle d'Abraham) a été conclue par Moïse sur un autel de pierre, entouré de 12 stèles, représentant les 12 tribus d'Israël (Anati a retrouvé, au Har Karkom, un autel entouré de 12 stèles).

Serpent d'airain. Autre épisode d'une révolte des Hébreux dans le Sinaï : Dieu punit les révoltés en leur envoyant des serpents qui les mordent. Pour les guérir, Dieu ordonne à Moïse de construire un serpent d'airain, et de l'élever au bout d'une perche : les coupables qui se repentaient sincèrement se trouvaient guéris. Plus tard, *Ézéchias* (roi de 726 à 697) fit détruire le serpent d'airain, qui était honoré comme une idole.

• **Livre des Nombres. L'ânesse de Balaam.** Le prophète païen Balaam, qui possédait des dons surnaturels, avait été acheté par le roi de Moab, Balac, et chargé de maudire les Hébreux. Dieu le lui interdit, mais, aveuglé par la cupidité, Balaam se mit en route sur son ânesse et alla rejoindre Balac. En chemin, l'ânesse se mit à parler (prodige qui aurait dû indiquer à Balaam qu'il était sous le regard de Dieu). Il passa outre, mais Dieu lui dicta les formules de bénédictions au lieu de malédictions.

• **Livre de Josué. Les trompettes de Jéricho.** Jéricho (aujourd'hui Er Riha), à 12 km de Jérusalem, était une place forte des Cananéens, réputée imprenable [1]. Dieu ordonna à *Josué* de faire faire le tour de ses remparts avec des joueurs de trompettes et les porteurs de l'Arche d'Alliance : 1 fois par j pendant 6 j et 7 fois le 7e j. Après le dernier tour, les murailles s'effondrèrent et les Hébreux s'emparèrent de la ville, qui, plus tard, fut donnée à la tribu de Benjamin.

Nota. – (1) Le lieu de culte le plus ancien du monde (– 7800) a été retrouvé à Jéricho. Il appartient à la civilisation (néolithique) dite natoufienne (d'après le site de Ouadi en Natouf, Palestine) ; on y célébrait une déesse de la fécondité. Le site occupé jusqu'au Bronze ancien est resté désert le millénaire suivant.

Bataille de Béthoron. Double miracle : 1°) Dieu fait pleuvoir du ciel des pierres sur l'armée cananéenne, ennemie des Hébreux ; 2°) Josué arrête le Soleil pour avoir encore de la lumière et exterminer les ennemis en fuite. Ce 2e épisode est devenu célèbre, à cause de la condamnation de Galilée par l'Église cath. au XVIe s. La Bible dit en effet que l'ordre de Josué a arrêté le Soleil, et non qu'il a arrêté la Terre.

• **Livre des Juges. La fille de Jephté.** *Jephté,* juge d'Israël et chef de la tribu des Galaadites, avait fait le vœu, avant une bataille contre les Ammonites, de sacrifier en cas de victoire le 1er être humain qu'il rencontrerait après le combat. Il rencontra sa fille, et il la mit à mort, pour accomplir son vœu. Il lui avait laissé un mois pour se préparer à la mort.

• **Livre de Samuel. L'appel de Dieu à Samuel enfant.** Consacré à Dieu dès 3 ans, Samuel vivait au Temple près du grand prêtre *Héli* (mal vu de Dieu, parce que ses fils étaient impies et qu'il était trop faible envers eux). Dieu réveilla Samuel en pleine nuit et lui dit d'aller avertir Héli : les Philistins allaient s'emparer du Temple et de l'Arche et massacrer ses fils. Héli, sous le coup de l'émotion, tomba à la renverse et se tua.

• **Ier livre des Rois. L'amitié de David et de Jonathan.** *Jonathan* était le fils du roi Saül, et *David,* consacré dès son enfance par le prophète Samuel, était désigné comme le futur successeur du roi, devant le supplanter un jour. Une profonde amitié les unissait, ce qui rendait Saül fou furieux : il accusait son fils de le trahir. Jonathan sauva plusieurs fois la vie de David menacé par le roi, et proclama sa volonté de devenir le second de son ami, quand celui-ci serait monté sur le trône. Mais il fut tué à la bataille de Gelboé contre les Philistins. David l'ensevelit et composa sur lui un chant funèbre.

• **IIe livre des Rois. L'adultère de David.** David convoitait *Bethsabée,* la femme d'un officier mercenaire hittite, Uri. Pour se débarrasser du mari il l'envoya se faire tuer, au cours d'un combat avec les Philistins (abandonné par ses troupes en pleine mêlée). Il épousa la veuve, qui devint la mère du futur roi Salomon. Mais le prophète *Nathan* vint lui reprocher son crime, et l'obligea à des pénitences publiques. Comme punition, David connut de grands malheurs : la mort du 1er fils de Bethsabée, un inceste (*Amnon,* fils de David et d'Achinoam, viole sa demi-sœur *Thamar,* fille de David et de Maacah) et un fratricide (*Absalom,* frère de Thamar, venge celle-ci en tuant *Amnon*). Absalom se révolte ensuite contre son père et meurt assassiné (ses meurtriers l'ont frappé alors que sa longue chevelure s'était prise dans une branche d'arbre).

Le jugement de Salomon. 2 prostituées avaient mis au monde un fils le même jour, et l'une d'elles étouffa accidentellement le sien pendant son sommeil. Au réveil, elle alla chercher le bébé vivant de sa voisine et mit le mort à sa place. La mère reconnut la substitution et traîna l'autre femme devant le roi Salomon. Celui-ci donna l'ordre de couper le bébé vivant en deux et d'en remettre une moitié à chacune. La fausse mère accepta la sentence. La vraie mère la refusa avec horreur, disant : « Non, donnez plutôt l'enfant vivant à cette femme. » Salomon lui donna alors le bébé, ayant reconnu la vraie mère à ce cri du cœur. L'amour maternel est souvent utilisé comme symbole de l'amour de Dieu pour son peuple.

Principaux personnages bibliques

Énoch. Personnage mystérieux, mentionné par la *Genèse* parmi les patriarches (fils de Caïn) rendu célèbre par un apocryphe, le livre d'Énoch, d'inspiration apocalyptique, écrit au Ier s. av. J.-C. **Esdras.** Prêtre et scribe des Ve ou IVe s. av. J.-C., ayant ramené à Jérusalem un groupe de Juifs de Babylone. **Esther** juive d'une grande beauté, de la tribu de Benjamin, déportée en Assyrie et épouse du roi perse Xerxès (Assuérus). A l'appel de Mardochée (son oncle et père adoptif), elle obtient de son époux qu'il rapporte l'ordre d'extermination des Juifs, obtenu par le Vizir Aman, qui sera tué. **Job.** Émir du pays d'Uz, c.-à-d. d'Édom, symbole du juste souffrant (accablé de malheurs, malgré sa vertu), dans le *Livre de Job,* conte moral du Ve s. av. J.-C. **Judith.** Héroïne d'un conte (apocryphe) écrit en 63 av. J.-C. Veuve, d'une grande beauté, elle se fait inviter par *Holopherne,* général assyrien (mythique), et lui coupe la tête, sauvant Israël de l'invasion. **Mathusalem.** Fils d'Énoch, mourra à 969 ans. **Ruth.** Héroïne d'un conte écrit (sans doute avant l'Exil à Babylone). Épouse du riche propriétaire Booz. Arrière-grand-mère du roi David. **Samson.** Juge d'Israël, doué d'une force prodigieuse, résidant dans ses cheveux. Il épousa une étrangère, *Dalila,* qui, par trahison, lui coupa les cheveux et le livra aux Philistins. Samson, devenu aveugle, attendit que ses cheveux repoussent. Ayant récupéré sa force, il mourut en faisant s'écrouler le temple des Philistins. **Suzanne.** Héroïne d'un conte (apocryphe) écrit au Ier s. av. J.-C. et servant d'appendice au livre de Daniel. Calomniée par 2 vieillards qu'elle avait repoussés, elle est sauvée de la mort par Daniel qui confond ses accusateurs (livre non canonique). **Tobie.** Héros d'un conte moral (apocryphe) écrit v. 180 av. J.-C. Il épouse Sarah, juive d'Ecbatane (en Médie), la délivre d'un maléfice (le démon assyrien Asmodée) (livre non canonique).

Doctrine

Croyances en : *un seul Dieu, la Torah* inspirée, l'*immortalité* de l'âme, le *libre arbitre,* la *responsabilité* individuelle (l'homme ayant été créé à l'image de Dieu, libre et souverain), la *solidarité* et l'*avènement* de la justice.

Décalogue (Commandements de Dieu). La loi s'exprime par le respect de sa morale : *1. Je suis l'Éternel ton Dieu, qui t'ai tiré du pays d'Égypte, de la maison des esclaves. 2. Tu n'auras pas d'autre dieu que moi ; tu ne feras et n'adoreras aucune image. 3. Tu ne prononceras pas le nom de Dieu à l'appui du mensonge, car Dieu ne laisse pas impuni celui qui prononce son nom pour le mensonge. 4. Souviens-toi du jour du Sabbat pour le sanctifier. Tu travailleras pendant six jours, mais le septième jour est consacré à l'Éternel, ton Dieu. Tu ne feras aucun ouvrage, ni toi, ni ton fils, ni ta fille, ni ton serviteur, ni ta servante, ni ton bétail, ni l'étranger qui est dans tes murs, car l'Éternel a créé en six jours le ciel, la terre, la mer et tout ce qu'ils renferment et il a béni le septième jour et l'a sanctifié. 5. Honore ton père et ta mère, afin que tes jours soient prolongés sur la terre que l'Éternel ton Dieu te donne. 6. Tu ne tueras pas. 7. Tu ne commettras pas d'adultère. 8. Tu ne voleras pas. 9. Tu ne commettras pas de faux témoignages. 10. Tu ne convoiteras pas la maison de ton prochain, ni sa femme, ni son serviteur, ni sa servante, ni son bœuf, ni son âne, ni rien de ce qui appartient à ton prochain.*

Articles de foi rédigés par Maïmonide (1135-1204) résument les croyances essentielles du judaïsme : 1. *Dieu a créé et gouverne tout ce qui existe.* 2. *Dieu est Un et Unique.* 3. *Dieu est Esprit et ne peut être représenté par aucune forme corporelle.* 4. *Dieu n'a pas de commencement et n'aura pas de fin.* 5. *A lui seul nous devons adresser nos prières.* 6. *Toutes les paroles des prophètes (de la Bible, c'est-à-dire de l'Ancien Testament) sont vérité.* 7. *Moïse a été le plus grand de tous les prophètes.* 8. *La loi, telle que nous la possédons, a été donnée par Dieu à Moïse.* 9. *Cette Loi, nul homme n'a le droit de la remplacer ni de la modifier.* 10. *Dieu connaît toutes les actions et toutes les pensées des hommes.* 11. *Dieu récompense ceux qui accomplissent ses commandements et punit ceux qui les transgressent.* 12. *Dieu nous enverra le Messie annoncé par les Prophètes.* 13. *Notre âme est immortelle et, à l'heure que Dieu choisira, il rappellera les morts à la vie.*

Dieu. La tradition juive considère le nom de Dieu comme ineffable : il ne peut donc être ni prononcé ni écrit. Selon la tradition chrétienne, le Dieu de l'Ancien Testament est souvent appelé *Iahweh* (écrit fautivement *Jéhovah* en ajoutant les voyelles d'un autre mot : *adonaï,* « mon Seigneur ») ; on ajoute souvent le mot hébreu *Sabaoth,* multitudes, armées au nom de Yahwé, ce qui indique sa souveraineté absolue.

Principales différences avec le christianisme

Salut du Monde. *Doctrine chrétienne :* chaque homme et toute l'humanité doivent être sauvés. *Doc. judaïque :* le salut de la Maison d'Israël prise dans son ensemble peut sauver le monde. Un non-Juif observant les 7 lois Naah'ides (morale universelle) aura part au monde futur ; s'il pratique la justice, il peut se sauver individuellement.

Messie. *Doc. chr. :* il est venu, c'est Jésus. *Doc. jud. :* il doit venir sauver Israël et toute l'humanité.

Divinité de Jésus. *Doc. chr. :* Jésus est Dieu, fils de Dieu. *Doc. jud. :* il est un juif parmi les autres (Dieu est unique, transcendant et incorporel).

Relations avec les confessions chrétiennes

Protestantisme. Traditionnellement étroite à cause de l'intérêt porté par les pr. à l'Ancien Testament (depuis le XVIe s., ils se sont mis à l'école des rabbins pour l'étude de la Bible).

Catholicisme. Devenues bonnes après la publication du texte conciliaire *Nostra Aetate* (28-10-1965), qui condamne l'antisémitisme. *Ex. : 1969* en France, création d'un Comité pour les relations avec le judaïsme (Pt : Mgr Matagrin, év. de Grenoble). *1973* il publie des « orientations » (Attitude des chrétiens envers le judaïsme). *1983* le card. Etchegaray reçoit le prix œcuménique d'Israël. *1985* (25-6) 20e anniversaire de *Nostra Aetate,* le St-Siège publie une note pour une correcte présentation des J. et du judaïsme.

Messie (du latin *messias,* transcription de l'hébreu *hamashiah,* « celui qui a reçu l'onction »). Descendant de David appelé à établir la Justice et la Paix, à restaurer le royaume d'Israël et à y ramener les Juifs en exil. Pour les chrétiens, le Messie est Jésus, qui a restauré une Jérusalem spirituelle. **Faux messies.** *Nombreux ex. : Shabbetaï Zevi* (ou Tsvi), né à Smyrne (1626), s'est proclamé Messie en 1660, puis converti à l'islam ; *Jacob Frank* (1726-91), fondateur des frankistes en Pologne et Bohême.

Karaïsme. Secte apparue au VIIIe s., reprenant sans doute la tradition des Sadducéens (voir p. 493 b). *Nom :* verbe *Kara,* « lire ». Préconisent une lecture attentive de la Bible et rejettent la loi orale des rabbins. Militent pour le retour en Éretz Israël (s'y implantent dès 850, avec Daniel al Qumiqi).

Hassidisme. Mouvement piétiste, né en Podolie dans la 2e moitié du XVIIIe s. Certains considèrent que les mouvements messianiques des XVIIe-XVIIIe s. sont à l'origine du *hassidisme.* Les hassidims (pieux) sont des J. traditionalistes, très religieux, observateurs rigoureux de tous les préceptes moraux et disciplinaires, pratiquant avec ferveur prières, chant et danse (spiritualité de la joie, liée à l'espérance messianique). Groupés en communautés fermées depuis le XVIIIe s., ils se distinguent par leur tenue (chapeau noir, barbe, cheveux tressés). Leur idéal religieux comporte un attachement enthousiaste à la Torah vécue dans la joie et une application scrupuleuse des prescriptions traditionnelles.

Clergé

Prêtres

Origine. Appelés *kohen* (pl. *kohanim*) dans la Bible, descendent d'Aaron (frère de Moïse), chargés héréditairement du culte divin. Ils constituaient une caste fermée. *Fonctions essentielles :* sacrifices dans le Temple, bénédiction sacerdotale prononcée sur le peuple, transport de l'Arche d'Alliance, purification des malades et des sujets atteints d'impureté légale. En outre, le *grand prêtre* rendait des oracles après avoir pénétré dans le Saint des Saints. Après la destruction du Temple, les cérémonies sacrificielles furent suspendues et seule subsista dans le rituel la bénédiction sacerdotale des fidèles.

Prêtres modernes. En principe, tous les descendants d'Aaron ont conservé leurs droits au sacerdoce héréditaire et cette descendance est difficile à prouver depuis l'exil. Les J. réformés rejettent la notion de sacerdoce héréditaire et, dans leurs synagogues, les rabbins (v. ci-dessous) récitent la bénédiction sacerdotale sans se préoccuper de laisser la priorité à un kohen. Les J. orthodoxes, au contraire, reconnaissent aux descendants d'Aaron les droits des anciens prêtres du Temple, y compris celui de dire la prière sacerdotale dans les synagogues. Ils exigent de même que les prêtres modernes soient soumis aux mêmes obligations que les anciens prêtres du Temple : notamment fuir tout contact avec les cadavres. Ainsi, la route Jérusalem-Jéricho, tracée par les Jordaniens à travers un cimetière, comporte une déviation spéciale pour les kohanim, contournant ce lieu interdit.

Le Rabbinat

Rabbins. Docteurs de la Loi, habilités à commenter les textes de la Bible et du Talmud. Ils ont la charge de l'enseignement religieux des enfants et adultes, président les cérémonies de la vie religieuse, doivent posséder un diplôme de séminaire ou un équivalent, accordé par des grands rabbins ; sont encouragés à se marier et à avoir une nombreuse famille.

Grands Rabbins. Représentants des communautés juives en face des autorités civiles d'un pays ou des autres groupes religieux. Dans l'Espagne médiévale, le « rabbin mayor » était chargé de récolter les taxes spéciales acquittées par les J. En France, le poste de Grand Rabbin a été créé par Napoléon Ier en 1808 pour les chefs de chaque consistoire régional ; le Grand Rabbin de France est élu par une assemblée spéciale, composée de laïcs et de rabbins. Plusieurs pays ont suivi l'exemple fr., notamment G.-B. (1845) et Turquie (v. 1850). En Israël, il y a actuellement 2 Grands Rabbins : un pour le rite ashkénaze, l'autre pour le rite sépharade.

Ministres-officiants. Membres de la communauté israélite n'ayant pas le diplôme de rabbin, mais habilités à diriger, en l'absence d'un rabbin, une réunion cultuelle ou des cours d'instruction religieuse. Ils chantent les offices.

Femmes rabbins. Bien que ce soit contraire à la tradition orthodoxe, il y avait fin 1990, env. 200 femmes rabbins aux U.S.A., 10 en G.-B., 4 en Israël et 1 en France (1989 : Pauline Babe 25 ans, ordonnée le 8-7-90 à Londres). Le judaïsme de la réforme (1 500 000 membres dans le monde) fut le 1er aux U.S.A. à accepter, en 1972, des rabbins femmes et en 1990 le principe de rabbins homosexuels.

Liturgie

Fêtes

• Fêtes entièrement chômées : **Chabbat** (sabbat ou samedi). Commence le vendredi soir à la tombée de la nuit et se termine le samedi à la nuit close. Le repos est obligatoire. Le Talmud a établi une liste de 39 travaux interdits : pendant le sabbat il est interdit de créer, transformer ou transporter matière ou énergie. En Israël, la législation facilite le respect du sabbat : transports publics arrêtés ; bureaux, écoles, magasins fermés, etc. Ailleurs, les J. rencontrent des difficultés. En France, le Grand Rabbinat aide les étudiants à faire les démarches nécessaires pour obtenir des régimes spéciaux permettant de concilier observance religieuse et poursuite des études.

• 5 grandes fêtes annuelles (débutant la veille au soir comme les sabbats).

Rosh Haschana [(« début de l'année ») 2 j]. Jour de l'An israélite, le 1er Tischri (entre 10 sept. et début oct.) ; début de 10 j de pénitence, dont le dernier, le *Yom Kippour,* est également férié.

Yom Kippour (jour de la Purification). Appelé le Sabbat des Sabbats. J. de jeûne absolu, terminant le 10 Tischri (entre le 20 sept. et le 12 oct.) la période de 10 j pénitentiels (appelés « les j redoutables » car on considère que le monde entier passe en jugement devant le trône de Dieu et rend compte des péchés commis pendant l'année écoulée) qui commence à Rosh Haschana. Le jeûne débute la veille au déclin du soleil et dure un peu plus de 24 h jusqu'à la nuit suivante, les Juifs affluent dans les synagogues. L'office (très long) commence par le *Kol Nidrei* (« tous les vœux »), formule qui annule les serments faits et non encore tenus. La moralité de cette pratique a été discutée (elle pourrait pousser les Juifs à se parjurer, confiants dans le pardon qui leur sera accordé au Yom Kippour). Certains disent qu'elle fut instituée en Espagne du temps des marranes (Juifs faussement convertis au christianisme) : les serments qu'on déclarait nuls étaient ceux de leur pseudo-conversion ; on reconnaissait ainsi la légitimité de leur statut équivoque. L'office du Kippour se termine par la *Neilah* (fermeture).

Solennité des Tabernacles ou **Soukkot** (le 15 Tischri, en oct.) dure 7 j (2 premiers j chômés). Célèbre la protection de Dieu durant le séjour dans le désert. Les Juifs quittent leur maison 7 j et résident dans des cabanes, pour rappeler qu'ils ne sont fixés nulle part dans le monde. Actuellement, ils se contentent de dresser sur leurs balcons une petite cabane symbolique dans laquelle ils prennent leur repas. Une cabane est installée dans la cour des synagogues pour ceux qui n'en ont pas chez eux. Les Juifs libéraux la montent dans la synagogue même, ce qui n'est pas réglementaire, la cabane devant être en plein air. *Fête de la récolte,* suivie de la *fête de clôture et réjouissance de la loi* (2 j chômés, 1 en Terre sainte).

Pâque [*Pessah,* « passage » (toujours au singulier)] c.-à-d. commémoration du passage de l'Ange qui a tué tous les premiers-nés d'Égypte en épargnant ceux des Hébreux ; célébré le 15 du mois de Nissan (souvent en avril) en souvenir de la sortie d'Égypte. Dure 8 j (7 j en Terre sainte) (les 1er et 2 derniers j sont chômés).

Pentecôte (*Shavouoth,* « semaines » c.-à-d. 7 semaines ou 50 j après Pâque) : dure 2 j (2 j chômés, 1 j en Terre sainte) ; rappelle le don de la Torah sur le mont Sinaï et aussi *Fête des prémices.*

• Demi-fêtes (chômage non obligatoire). **Hanouka.** *Fête des Lumières* (25 kislev, fin déc.), commémore la dédicace du Temple par Judas Maccabée. **Pourim** (1 mois avant Pessah). Célèbre la délivrance des Juifs de Perse, grâce à l'intervention d'Esther. **5 Iyar.** Anniversaire de l'indépendance de l'État d'Israël (15 mai 1948). **5 jours de jeûne.** *10* Tebeth ; *13* Adar, jeûne d'Esther ; *17* Tammouz ; *9* Ab ou Ticha Béav (anniversaire de la destruction du Temple) ; *3* Tischri.

• Fêtes israélites en 1991. *Jeûne d'Esther :* 27-2, *Pourim* (Échec du complot d'Haman contre Esther) : 28-2, *Pâque* (Pessah : passage de la mer Rouge) : 30-3 au 6-4, *Lag Ba Omer* (33e j de l'Omer, période pénitentielle) : 2-5, *Pentecôte* (Shavouoth : « fête des Semaines », célébrant la récolte de l'orge) : 19/20-5, *Jeûne de Tammouz* 30-6, *Jeûne d'Ab* 21-6, *Nouvel an* Rosh Ha-Schana 9/10-9, *Jeûne de Guedaliah :* 11-9, *Expiation* (Kippour) : 18-9, *Tabernacles* (Soukkot) : 23/29-9, *Allégresse* (Simhat Tora) : 30/9-1/10, *Dédicace* (Hanouka : consécration du Temple asmonéen) : 2/9-12. Jeûne de Tevet : 17-12.

Divers

Bain rituel. Obligatoire pour les femmes mariées pour mettre fin à leur état de *Niddah* (pendant et après leurs règles menstruelles) qui se vit dans l'abstention de l'intimité conjugale ; pour les jeunes filles avant leur mariage religieux. Intervient également dans les modalités de la conversion.

Châle de prière (talith). Porté par les hommes pendant la récitation des prières du matin (en application du texte biblique, n° XV, 37-41). Il est blanc, avec des bandes noires ou bleues, et porte des franges *(tsizith)* pour rappeler au fidèle qu'il doit consacrer sa vie au service de Dieu.

Chandelier à 7 branches (Menorah). Objet liturgique en bronze, déjà utilisé à l'époque biblique dans le Tabernacle et le Temple ; son usage a peut-être été emprunté aux populations primitives de Canaan et il est attesté depuis l'âge de bronze moyen. Une menorah en or était placée dans le Temple, et elle est devenue le symbole du judaïsme (actuellement emblème de l'État d'Israël). Lors du pillage du Temple en 70, la menorah a été transportée à Rome (elle est représentée sur le bas-relief de l'arc de triomphe de Titus, au Forum romain) ; elle aurait été ensuite emportée à Carthage par les Vandales en 45, ce qui laisse supposer qu'elle a abouti à Byzance, ayant été récupérée par Bélisaire en 533. Dans les synagogues modernes, les chandeliers à 7 ou à 9 branches sont largement utilisés pour la décoration.

Chémoné-Esré [« les Dix-huit » (bénédictions)] : prières prononcées à l'office des jours ordinaires.

Choffar. Corne de bélier, utilisée le j de l'An.

Circoncision (ablation du prépuce). Prescrite par Dieu à Abraham. Le 8e j après la naissance. L'opération est presque toujours faite par un médecin. Malgré une opposition née dans les milieux libéraux, la circoncision est encore pratiquée par la majorité des Juifs : elle scelle et confirme l'Alliance dont Dieu a dit : elle sera à perpétuité dans votre chair. Pour les premiers-nés, il y a la cérémonie du rachat, *Pidyon-ha-Ben,* le 31e j après la naissance.

Deuil rituel. Une dizaine de prescriptions traditionnelles ; notamment 7 j de plein deuil pour les proches parents du mort. Des carrés réservés aux Juifs existent dans certains cimetières parisiens.

Initiation (Bar-mitzva). Profession de foi à 13 ans (garçons), 12 ans (filles).

Langues liturgiques. Hébreu et, accessoirement, araméen (yiddish, judéo-espagnol ou judéo-arabe étant des langues populaires).

Mezouza (chambranle). Rouleau de parchemin fixé sur le chambranle des portes dans les maisons juives. Portent le mot *Tout-Puissant* (qui constitue également les initiales des mots hébraïques signifiant « Gardien des Portes d'Israël »), et le texte du *chemâ* (« Écoute, Israël »), profession de foi j.

Natalisme. Quiconque n'accomplit pas le devoir de procréation doit être comparé à un meurtrier (Rabbi Éliézer). Le *célibat* est déconsidéré : le célibataire ne s'appelle pas vraiment homme (Talmud). C'est la procréation qui confère au mariage son caractère sacré. La *monogamie* n'est pas imposée par la Bible, et la bigamie (moins rare que la polygamie) a été pratiquée par les J. en milieu musulman. Mais elle a été déconseillée par les rabbins ashkénazes dep. le Xe s. et est interdite par le Code civil israélien.

Nourriture cacher (c'est-à-dire permise). *2 raisons :* distinguer le peuple juif des autres et ne pas faire souffrir les animaux lors de leur exécution. Il est interdit de mélanger viande et lait et de consommer sang et suif sous quelque forme que ce soit ; les seules viandes autorisées sont celles des ruminants aux pieds fendus, c.-à-d. bovins, chèvres, moutons [ni lièvres, ni chameaux (ruminants mais sans pieds fendus), ni porcs (pieds fendus mais non ruminants)], animaux de basse-cour, pigeons et colombes ; les seuls poissons autorisés sont ceux pourvus d'écailles et de nageoires : carpes, truites, saumons, harengs ; mais non requins, raies, anguilles, etc.

Plusieurs centaines de règles fixent la façon d'abattre les animaux : bêtes non anesthésiées ; opération avec un couteau parfaitement aiguisé, dont la lame est contrôlée ; section nette de la trachée artère et de l'œsophage en un endroit précis (le moindre écart de la lame entraînant la nullité de l'opération). A Paris, 30 exécuteurs assermentés sont contrôlés par une commission rabbinique intercommunautaire (il y avait, en 1986, 130 boucheries cacher). Pendant la *Pâque,* tout pain et toute pâte levés sont rigoureusement interdits, le *pain azyme* (sans sel, non levé) est prescrit ; tout aliment fermenté est interdit, sauf les alcools à base de fruits.

Phylactères (tefillin). Objets de piété composés de 2 petites boîtes de cuir noir contenant des passages de l'Écriture sainte. On les fixe autour du bras gauche et autour de la tête au moyen de lanières de cuir noir ; les hommes les portent aux services religieux du matin sauf les sabbats et les j de fête chômés (en application du Deutéronome VI, 4-9 ; XI, 13-21).

Prières. 3 prières essentielles (communautaires ou individuelles). Chacune doit son origine à un des 3 patriarches: Abraham, Isaac, Jacob. *Matin* (Chahrith) et *soir* (Maariv ou Arbith) : lecture du Chema (verset 4, chap. VI, Deutéronome) et Tefilla (v. 18, bénédictions). *Après-midi* (Min'ha) : Tefilla. *Chabbat* (samedi) et les *j de fête* s'y ajoutent hymnes et lectures de passages de la Torah.

Rites. *Ashkenasi* (allemand), pratiqué par la majorité des Juifs d'Europe et d'Amérique. *Sefardi* (espagnol), pratiqué surtout dans les pays méditerranéens. *Orientaux* (Proche-Orient). Les différences apparaissent surtout dans la prononciation de l'hébreu et dans l'ordonnancement des prières.

Sept Espèces. Produits agricoles considérés comme un don particulier fait par Dieu à la Terre sainte : orge, figue, miel, grenade, olive, blé, vigne.

Synagogues (hébreu : *Beth Knesset,* maison de réunion). Bâtiments servant aux assemblées religieuses, existant depuis le VIe s. av. J.-C., date de la destruction du 1er Temple. Elles ont servi primitivement aux réunions sociales et politiques, puis comme maisons d'enseignement. Actuellement, elles servent surtout à la prière et aux cérémonies cultuelles. On peut d'ailleurs réciter en commun les prières liturgiques dans tout autre lieu dès qu'on forme un *Miniane* (groupe d'au moins 10 hommes de 13 ans révolus). On distingue les synagogues (lieux de cultes importants), appelées *schuhl* (écoles) par les Ashkénazes, et les oratoires locaux (plus petits), appelés *stiebel* (chambrettes) par les Ashkénazes. On emploie peu le mot « temple », réservé au Temple de Jérusalem. *La plus grande synagogue du monde* est celle de la 5e avenue à New York (Emmanu-El). Contenance : 6 000 personnes. Surface au sol : 3 760 m².

Téphila. Examen de conscience, prières, louanges, supplications. Prescrit 3 fois par jour.

Tendances actuelles

Orthodoxes ou *religieux,* très attachés à l'observance rigoureuse des pratiques religieuses. Ils s'appellent eux-mêmes les *traditionalistes* et se distinguent, notamment en Israël, par leur tenue : lévite noire, chapeau noir, barbe ; ils se marient exclusivement entre Juifs. Ils sont conscients du danger de déjudaïsation que représente l'assimilation aux sociétés non j. (depuis 2 000 ans, le nombre des J. est resté infime à cause des nombreuses déjudaïsations). Libéraux ou *culturalistes* (surtout U.S.A. et Europe occid.), partisans d'une « réforme » tenant compte du fait que la plupart des J. ne comprennent plus les prescriptions fondamentales du Talmud. Environ 3 millions de membres dans le monde appartiennent à l'Union mondiale du judaïsme libéral (en France : MJLF : Mouvement Juif Libéral de France).

Prévisions **(sous toutes réserves).** *U.S.A. :* actuellement 6 000 000 J. (dont orthodoxes : 2 000 000) ; en 2000 : 4 000 000, tous orthodoxes ; *Israël :* actuellement 3 000 000 (dont 1 200 000 orth.) ; en 2000 : 4 500 000 (dont 4 000 000 orth.). Orthodoxes ou traditionalistes seront majoritaires, par suite de leur fécondité (interdiction de la sexualité hors mariage, mariage jeune, rejet de la contraception, condamnation de l'avortement sauf en cas de danger de mort pour la mère).

Antisémitisme

Des origines à 1945

• Définition. Mot créé en 1862 par le pamphlétaire allemand *Wilhelm Marr.* L'ouvrage du Français *Ernest Renan* (1823-92), « Système comparé des langues sémitiques » (1858), venait de donner une grande notoriété au mot *sémite.* Marr l'a utilisé pour préciser qu'il n'attaquait pas le judaïsme en tant que religion mais en tant que force politique et groupe racial. Néanmoins, les J. ont employé le mot antisémitisme pour désigner toute attaque menée contre leur peuple, y compris les attaques religieuses.

• Quelques dates. **Avant J.-C., v. 1200** (relaté par le Livre de l'Exode) les Égyptiens traitent en esclaves leurs colonies hébraïques (voulant empêcher les J. de partir). **V. 330** (relaté par le Livre d'Esther) les colonies J. de Perse sont menacées d'extermination par Haman (personnage non identifié, mais peut-être un partisan d'Alexandre le Grand contre les Perses). **IIIe-IIe s.** dans l'Égypte des Ptolémées, nombreuses émeutes contre les J. alexandrins. **161** à Rome, Marcus Pompeïus, prêteur, interdit l'accès de la ville aux J. **Après J.-C. 22** 4 000 J. romains sont transportés en Sardaigne. **70** les Romains détruisent le Temple et transforment Jérusalem en Aelia Capitolina. **135** extermination des J. après la révolte de Barkochba ; actions sanglantes contre les J. révoltés d'Ég. et de Cyrénaïque.

• Antijudaïsme chrétien : **Après J.-C., 49** concile de Jérusalem : les chrétiens qui jusque-là pratiquaient la religion juive et se considéraient comme une secte judaïque rompent avec la Synagogue, sous l'influence de St Paul, renonçant à la circoncision et acceptant le recrutement des païens. Certains pensent que St Paul cherchait simplement à tenir éloignée la communauté chrétienne de l'État théocratique j. menacé d'anéantissement par les Romains. Les J. ont considéré cette prudence comme une trahison. **I-IIIe s.** polémique religieuse notamment avec le traité de Justin le Philosophe (IIe s.). Dialogue avec Tryphon. Élaboration de la doctrine que l'Église enseignera jusqu'au XXe s. : les J. sont à l'origine le peuple élu de Dieu mais, comme ils ont rejeté Jésus, ils sont devenus des réprouvés (peuple dit déicide). **IVe-VIe s.** après le décret de Constantin (313) faisant du christianisme la religion d'État, le prosélytisme est interdit aux J. **VIIIe-XIe s.** les J. sont assimilés aux musulmans par les chrétiens (à cause de la réussite sociale et économique des J. de l'Islam). **XIe s.** ils sont victimes des Croisades anti-islamiques.

A partir de 1243 28 cas d'accusation de *profanation d'hostie :* Portugal 2, Espagne 4, France 1, Belgique 1, Allemagne 8, Autriche 6, Tchécoslovaquie 3, Pologne 3. Il s'agissait d'hosties consacrées que l'on retrouvait tachées de rouge. On disait que les J. les perçaient avec des clous pour renouveler sur elles la crucifixion de Jésus, ce qui les faisait saigner miraculeusement ; des émeutes antijuives, souvent sanglantes, s'ensuivaient. En 1948, des chercheurs de l'Institut de Rehovoth (Israël) ont démontré que la farine des hosties pouvait être attaquée par un champignon rouge sang, le *Bacterium prodigiosum.*

XIIe-XVe s. fréquentes accusations de *« meurtres rituels »* [mise à mort d'enfants chrétiens pour renouveler sur eux le supplice du Christ, ou pour utiliser leur sang comme remède : *1235* Fulda (Allemagne) ; *1462* Rinn (Autriche) : André de Rinn, béatifié 1752 ; *1472* Trente (Italie) : St Simon de Trente (2 ans ½), martyr, canonisé 1476, retiré du calendrier 1966]. **XIIIe-XVIe s.** beaucoup de conversions forcées, ex. en Espagne ; suicides collectifs de J., pour éviter les conversions. **XIXe s.** on reparle de meurtres rituels, notamment en Russie où une commission officielle d'enquête est instituée en 1837 [1863 à Saratov, 2 J. et un apostat sont condamnés à mort pour le meurtre de 2 enfants chrétiens ; 1911-13 à Kiev, Menahem Beilis est jugé pour le meurtre d'un chrétien de 12 ans, Andrei Yushchinsky (acquitté, il émigre en Israël)] et à Damas, où en 1840 les J. sont accusés d'un meurtre rituel après la disparition d'une supérieure d'un couvent de religieuses. Le ministre j. (français) Crémieux obtient du sultan une loi condamnant à l'avenir tous ceux qui accuseraient les J. d'un crime rituel. **1858,** *affaire Mortara :* dans les États de l'Église, à Bologne, un enfant de 11 mois, Edgard Mortara, en danger de mort, avait été baptisé par une servante chrétienne (en 1852) ; à 7 ans (1858), il est emmené par la police pontificale et placé d'office dans un hospice de catéchumènes ; il n'a jamais été rendu à ses parents et deviendra prêtre en 1867 ; pour obtenir sa libération, se fonde à Paris l'Alliance israélite universelle (voir p. 553c).

XXe s. 1952, *affaire Finaly :* Robert (n. 1941) et Gérald (n. 1942) qui ont perdu leurs parents arrêtés le 14-2-1944 [leur père Fritz Finaly (n. 1906), médecin juif autrichien, exilé à Grenoble puis mort en déportation, avait épousé Annie Schwartz à Auschwitz] ont été recueillis par les religieuses de N.-D. de Sion, puis par Mlle Antoinette Brun (directrice de la crèche municipale de Grenoble) qui les fait baptiser en 1948. En janvier 1953, la Cour d'appel de Grenoble stipule qu'ils doivent être rendus à leurs tantes habitant en N.-Zélande et Israël, mais les religieuses les font passer en Espagne. Fin juillet, une des tantes peut les récupérer et les emmène en Israël. **1960** suppression de la prière pour les J. « perfides » (en réalité *perfidus* signifiait « incrédule »). *L'historien j. (français) Jules Isaac* (1877-1963) avait entrepris de mettre fin à l'antisémitisme de l'Église. Il avait contacté le cardinal Béa et le pape Jean XXIII pour leur faire reconnaître que les J. n'étaient pas un peuple déicide. **1965** le concile du Vatican affirme qu'il n'y a pas d'hostilité entre christianisme et judaïsme.

• Antijudaïsme social et religieux. L'Église ayant interdit aux chrétiens de prêter à intérêt, les non-chrétiens organisent au XIe s. le secteur bancaire. La plupart des confiscations et des expulsions de J. (Angleterre 1290, France 1394) s'expliqueront par le désir de récupérer les capitaux détenus par la banque j. ou de restreindre le crédit (l'expulsion d'un usurier correspond empiriquement à une mesure anti-inflationniste). Les 1res *« juiveries »* étaient des quartiers spécialisés dans un métier, des « rues au change », comme il y avait des rues aux bouchers et des rues poissonnières. **XIIIe s.,** la résidence des J. dans les quartiers spécifiques devient obligatoire (Perpignan 1251, Carpentras 1269, Londres 1276, Paris 1292, Marseille 1320, Aix-en-Pr. 1341).

V. 1320 complot « des lépreux » : les J. sont accusés d'utiliser des lépreux pour contaminer les Européens (en accord avec le sultan de Grenade en Espagne), notamment en polluant l'eau des puits et les hosties [exécutions de J., notamment à Chinon (160 J. brûlés, dont le rabbin Éliézer Ben Joseph) et Vitry-en-Perthois]. **1348** peste noire : les J. sont accusés (surtout en Allemagne) d'empoisonner les puits ; env. 300 communautés j. sont supprimées (exode des J. allemands vers la Pologne). **1349** (14-2) 2 000 J. mis à mort à Strasbourg. **1516** institution des *ghettos* (du nom du quartier j. de Venise, la Fonderie ou ghetto) : les juiveries sont désormais entourées d'un mur avec une seule porte ; les J. qui la franchissent doivent porter un insigne spécial (rouelle ou chapeau jaunes). A l'intérieur, les J. peuvent exercer sur les maisons un droit de jouissance et de vente semblable au droit de propriété (interdit ailleurs). Ils y ont leurs institutions propres. La ségrégation permettra aux communautés j. de se structurer pendant 3 siècles (en 1791, dans le comtat Venaissin annexé, de nombreux J. refusent d'adopter la législation française et de quitter leur ghetto).

XIXe s. antisémitisme social des fouriéristes (réaction contre le judaïsme des saint-simoniens). Alphonse Toussenel (1803-85), publie en 1845 *les Juifs rois de l'époque, histoire de la féodalité financière,* soulignant la continuité entre les activités bancaires j. du Moyen Age et les grandes entreprises j. modernes. Il fournira de nombreux arguments aux antisémites maurrassiens (voir ci-dessous).

• Antisémitisme racial. La division de l'humanité en 3 grandes races : Japhétites, Sémites, Hamites ou Chamites, enseignée par la Bible (Livre de la Genèse, épisode du Déluge), a été admise par chrétiens, musulmans et juifs jusqu'au XVIIIe s. (avec des divergences pour la répartition des peuples entre ces 3 groupes) : la découverte de l'Amérique et l'exploration des côtes africaines et asiatiques (XVIe-XVIIe s.) ont bouleversé ces données, mais, longtemps, les anthropologues ont tenu à conserver ce chiffre de 3 : Linné et Buffon ne distinguaient que Noirs, Jaunes et Blancs. La notion de race sémite (ou j.) est née au XIXe s., après les travaux de linguistique qui avaient démontré l'existence d'un groupe hébréo-arabe. Les J. eux-mêmes ont cru longtemps à la pureté de leur race (descendant des Béné-Israël de l'époque des patriarches). Ils admettent aujourd'hui que le prosélytisme religieux israélite a fait entrer dans le judaïsme des milliers de non-sémites.

En Allemagne, la notion de *race nordique* ou de *race aryenne* a été adoptée en 1894 d'après les ouvrages de Joseph Arthur de *Gobineau* (Fr. 1816-82), qui utilisait des découvertes philologiques (groupe des langues indo-europ.) et croyait à la dégénérescence des races latines et méditerranéennes (fondation de la Gobineau Vereinigung). Le *racisme hitlérien,* qui a tenté d'exterminer les races « inférieures » (Juifs, Jennitchs, Tziganes) entre 1940 et 45, avait pris comme point de départ ses théories. Beaucoup d'Allemands étaient convaincus : 1° de la supériorité raciale des Nordiques ; 2° de la réalité, sur le plan politique et national, du péril j., mais n'ont pas (sauf de nombreuses exceptions) voulu le génocide lui-même [appelé par les J. *l'holocauste :* extermination de plusieurs millions de J. européens, par exécutions massives ou mort lente dans des camps de concentration *(Shoa)*]. Ils « ignoraient », ont-ils dit, ou avaient voulu ignorer, les crimes raciaux nazis (voir Israël, à l'Index).

Depuis 1973 et la crise pétrolière, un certain antisémitisme semble renaître. Certains y voient un essai de déstabilisation de l'Occident provoqué par les pays de l'Est, ou la Libye, d'autres y voient l'action de néo-nazis convaincus.

• Antisémitisme politique et national. **En France.** *Charles Maurras* (1869-1952), fondateur de *l'Action française,* définit lors de l'affaire Dreyfus (1894-1906) une nouvelle thèse : les J. alliés aux 3 grandes internationales (protestante, révolutionnaire, maçonnique) représentent un péril pour la nation française, dont ils cherchent à contrôler la destinée en s'emparant de la puissance économique et politique [Dreyfus est présumé coupable car il appartient « à une race portée à la trahison » (voir Affaire Deutz, p. 553a)], mais Maurras condamne cependant « l'antisémitisme de peau » et se situe sur le plan politique et national : les J. doivent être combattus par les nations, car ils forment une nation ennemie décidée à les asservir. *Édouard Drumont* [(1844-1917), auteur de *la France juive* (1886), directeur d'un quotidien antisémite, *la Libre Parole,* élu député d'Alger (1898)] : reproche moins aux J. d'être des agents internationaux que des agents allemands (opinion liée à la forte immigration ashkénaze après 1871). *Louis-Ferdinand Céline* [(1894-1961), auteur de *Bagatelles pour un massacre* (1936)], antisémite non nationaliste et antimilitariste, reproche surtout aux J. d'être bellicistes. Il admet la notion hitlérienne de races et veut enfermer tous les J. du monde dans un vaste ghetto palestinien.

En Russie, *Constantin Pobiedonostsev* (1827-1907), conseiller du tsar Alexandre III, assimile les J. aux révolutionnaires qui ont assassiné Alexandre II le 13-3-1881. Il édicte une législation sévère contre les J. et organise avec le baron de Hirsch leur émigration de Russie. L'antisémitisme du gouvernement tsariste encourage les pogroms (attaques) populaires, 800 jusqu'en 1917 [le plus sanglant : Odessa 1905 (300 tués)].

De 1917 à 21, les Russes blancs tsaristes ont exécuté massivement les J. (ceux-ci étant nombreux parmi les bolcheviks, notamment Trotski, Sverdlov, Kamenev, Zinoviev).

En 1927, à Paris, un réfugié j. de Russie, Chalom Schwartzbard (1886-1938) tue un Gal ukrainien, l'Atman Petlioura, coupable d'avoir massacré, en 1919, 50 000 J. ukrainiens. Il sera acquitté.

Protocoles des Sages de Sion. Adaptation russe d'un pamphlet français de Maurice Joly (1829-78), *le Dialogue aux Enfers entre Montesquieu et Machiavel* (Bruxelles, 1864). Publié en 1905 à Moscou par Serge Nilus comme le révéla Philip Graves (dans le Times en août 1921) averti par Michel Raslovleff († 1987). Traduit en allemand (1919), polonais, anglais et français (1920). Présenté comme les conclusions secrètes du 1er Congrès sioniste de Bâle.

Le livre dénoncé comme un faux inspirera néanmoins Hitler (*Mein Kampf*) et deviendra un manuel officiel de l'antisémitisme en Allemagne nazie après 1929. Voir également *antisémitisme arabe,* ci-dessous.

Époque actuelle

• Antisémitisme soviétique. **URSS.** Sensible dès l'arrivée de Staline au pouvoir, il s'intensifie en 1948 (assassinat à Minsk de l'acteur J. Solomon Mikhoels), et se poursuit par l'interdiction de la littérature et du théâtre en langue yiddish, même dans la région autonome juive de Birobidjan (voir Index), où elle est théoriquement l. officielle, à égalité avec le russe. Des J. sont déportés en Sibérie, mais non au Birobidjan, où leur nombre est restreint (15 000). Le 12-8-1952, 26 membres j. du Comité antifasciste sont fusillés. 6 médecins j. accusés d'espionnage sioniste sont arrêtés. Ils seront libérés en avril, après la mort de Staline. Entre 1956 et 1963, le nombre des synagogues décroît de 450 à 96.

En 1960, la confection des pains mazzot est interdite ; l'impression des livres j. est suspendue, sauf celle du livre des prières Siddur ha-Shalom (imprimé à 3 000 ex. en 1957, réimprimé en 1960, mais non mis en circulation) ; les écoles en yiddish, supprimées sous Staline, ne sont pas rouvertes, et une seule publication en yiddish est autorisée (en 1961) : le mensuel officiel *Sovetish Heymland ;* les J. sont écartés des postes dirigeants dans le parti. De 1965 à 1967, quelques centaines de familles sont autorisées à émigrer vers Israël. Après la g. des Six Jours (1967), cette émigration est limitée, jusqu'en 1974. Depuis l'accession au pouvoir de Gorbatchev, l'émigration s'est développée et les mesures prises à l'encontre de la vie culturelle juive à l'intérieur se sont atténuées ; mais le « *Pamyat* », mouvement antisémite, se développe et s'appuie sur les traditions religieuses et nationales de l'ancienne Russie.

• Antisémitisme polonais. Pogrom sanglant en 1946, à Kielce, puis l'antisémitisme reste vivace, en particulier pendant l'ère Moczar où la communauté juive disparaît pratiquement.

• Antisémitisme arabe. *Avant le sionisme,* dans les empires arabes ou turcs, les J. occupent une position inférieure par rapport aux musulmans mais ils sont privilégiés par rapport aux païens. Avec les chrétiens (autre peuple du Livre, c.-à-d. de la Bible), ils ont, dans les villes, leur autonomie à l'intérieur de leurs quartiers. Ils paient une taxe spéciale pour obtenir la liberté de leur culte. Les musulmans les traitent en général avec condescendance sans hostilité ; il y a eu pourtant des persécutions, surtout chez les chiites (Iran, Yémen) et des expulsions en pays sunnites (notamment Espagne musulmane, XIIIe s.).

Depuis le sionisme (1898), les Arabes s'opposent à l'établissement d'un foyer j. en Palestine (à plus forte raison à la création d'un État). A partir de 1927 (accroissement de l'immigration j.), ils passent à l'action armée contre les colons sionistes.

La Ligue arabe, créée en 1945, utilise pour la propagande de nombreux arguments antisémites de type hitlérien ou maurrassien. Elle a fait rééditer à des millions d'exemplaires les *Protocoles des Sages de Sion* (voir ci-dessus, Russie). Les Révolutionnaires musulmans iraniens ont fait de même en 1978. A partir de 1948, env. 1 million de J. ont dû quitter, de gré ou de force, les pays musulmans. Le 5-9-1989 Kadhafi suggère de régler le « problème palestinien » en transférant les J. d'Israël en Alsace-Lorraine, à défaut en Alaska ou dans les pays baltes.

• « Antisionisme » gauchiste pro-arabe. Les mouvements modernes d'extrême-gauche, ayant pris parti pour les Arabes dans la question palestinienne, ont adopté une attitude « antisioniste », hostile en principe à l'État israélien et non à l'ethnie ou à la religion j. Mais le mouvement arabe gauchiste Convergence 84 a refusé l'alliance avec les mouvements antiracistes proches du judaïsme (par ex. « Touche pas à mon pote »). Pour eux, les antiracistes arabes sont manipulés par les sionistes. Les J. refusent en majorité de faire la distinction entre antisionisme et antisémitisme. Cependant le petit Mouvement sémitique d'Uri Avneri (n. 1924) a préconisé l'abandon du messianisme j. et la fondation d'un État sémitique israélo-arabe. En 1980, un gauchiste j., Jean-Gabriel Cohn-Bendit (frère de Daniel), a soutenu les thèses de Robert Faurisson sur le génocide hitlérien. Depuis 1982 (intervention d'Israël au Liban), des antisionistes de droite ont accusé Israël d'avoir agressé les Libanais chrétiens.

• Antisémitisme américain. Apparut entre les 2 guerres mondiales (principal leader : Henry Ford, qui diffusa les *Protocoles des Sages de Sion).* Reproche aux J. leur puissance financière qui leur permet de contrôler les U.S.A. où ils formeraient un État dans l'État. Les J. amér. émigrent peu vers Israël : 25 000 Isr. d'origine amér. sur 1 360 000 immigrants entre 1948 et 68, soit 2 % (alors que les J. amér. représentent plus de 40 % de la Diaspora).

Terrorisme antijuif contemporain

Anvers (Belg.). *1980 27-7 :* colonie de vacances j. (1 †, 17 bl.). *1981 20-10 :* ateliers de diamantaires, synagogue (3 †, 95 bl.). **Bruxelles** (Belg.). *1982 18-9 :* synagogue (4 bl.). **Istanbul** (Turquie). Synagogue. **Paris.** *1979 27-3 :* restaurant rue Médicis (30 bl.). *1980 3-10 :* synagogue rue Copernic (4 †, 10 bl.). *1982 9-8 :* restaurant Goldenberg, rue des Rosiers (6 †, 22 bl.) ; *10-8 :* banque Meyer et Sté d'importation israél. rue de La Baume (plastic, 1 bl.) ; *14-8 :* rue Auguste-Laurent, incendie ; *17-9 :* voiture piégée, rue Cardinet (5 bl.). *1985 29-3 :* cinéma (18 bl.). **Rome** (Italie). Synagogue. **Vienne** (Autriche). *1981 29-8 :* synagogue (2 †, 19 bl.).

Les auteurs (arrêtés) du 1er attentat d'Anvers étaient « antisionistes » arabes ; les attentats de la rue des Rosiers et de la rue Copernic étaient dus au groupe palestinien Abou Nidal. L'extrême gauche antisioniste « Action directe » a revendiqué l'attentat de la rue de La Baume et 7 explosions antérieures.

• Statistiques. **En France** *de 1980 à juillet 87 :* 232 agressions antisémites (dont 221 de l'extrême droite, 6 liées au terrorisme international, 5 d'Action directe) ; 736 menaces ou actions injurieuses. **Attentats** : *1978 :* 15, *79 :* 25, *80 :* 75, *81 :* 26, *82 :* 34, *83 :* 21, *84 :* 15, *85 :* 11, *86 :* 2, *87 (8 mois) :* 6. **Profanations de cimetières :** 6 entre 1987 et 89. Celle du cimetière de Carpentras en 1990 n'a pas été élucidée.

Ligue internationale contre le racisme et l'antisémitisme (L.I.C.R.A.). *Fondée* 1927 par Bernard Lecache (1895-1968). *Pt :* Jean Pierre-Bloch (n. 1905). *Revue* mensuelle, *Le Droit de vivre* (30 000 ex.). Entre juin 1981 et févr. 1983, a plaidé 4 fois [en 1re instance, puis en appel (pénal et civil)] contre Robert Faurisson (prof. de littérature à l'univ. de Lyon) qui soutenait que « le mythe des chambres à gaz » est une « escroquerie » sioniste. F. a été condamné pour diffamation (en appel). A engagé 100 procès entre juill. 1987 et avril 90 pour injures, provocation et diffamation.

La religion juive en France

Histoire

• Origine. **Ier s.** Immigration probable de familles juives avec les armées romaines. Inscriptions j. à Orgon (B.-du-Rh.), Salignac-de-Pons (Char.), Bordeaux et Avignon. **IVe s.** inscr. à Auch, Lyon, Arles ; traces à Metz, Poitiers. **Ve s.** Implantation à Valence, Agde, Vienne, Clermont-Ferrand, Marseille, Narbonne, Uzès, Bourges, Mâcon, Tours, Orléans, Lutèce. **576** 500 J. vivent à Clermont-Ferrand où l'évêque saint Avit leur propose le baptême ; 35 villes sont citées comme ayant également une communauté. Dagobert (631-39) a, semble-t-il, rendu un décret d'expulsion contre eux. **IX-Xe s.** les J. d'Espagne immigrent, attirés par Charlemagne et Louis le Pieux qui créent le poste de *magister Judaeorum.* Leurs communautés austrasiennes et neustriennes fondent des foyers culturels ashkénazes, notamment à Paris, Troyes [où vivra le rabbin Salomon ben Isaac Rachi (1050-1105), commentateur de la Bible et du Talmud], et surtout à Rouen, où, protégés par les ducs de Normandie, ils créent une yechiva ; la Narbonnaise reste le centre principal des études j.

• Changements dus aux croisades. **1096-1501 :** les Croisés (surtout ceux qui ont combattu en Espagne) considèrent les J. comme les alliés des musulmans. Conversions forcées des J. à Rouen et Metz (mais non dans le Languedoc). **1171** *à Blois,* 1re attestation d'une condamnation à mort pour accusation de meurtre rituel ; *26-5,* 31 hommes, femmes et enfants brûlés vifs sur le bûcher, sur l'ordre du Cte Thibault (autres cas attestés : Pontoise, Joinville, Épernay). **1182** Philippe Auguste décrète l'expulsion des J. du domaine royal (ils se réfugient surtout à Rouen). **1198** il revient sur sa décision. **1240** procès contre le Talmud : sa lecture est interdite aux chrétiens ; nombreux manuscrits j. brûlés. **1269** St Louis impose aux J. une tenue spéciale : bonnet pointu et « rouelle » (médaillon rond de tissu jaune). **1276** Philippe III le Hardi oblige les J. à vivre en milieu non rural (les biens ruraux étaient reçus « en tenure » des seigneurs terriens ; le tenant devait prêter serment sur l'Évangile, ce qui écartait les J.). Ils s'installent en ville, dans des *juiveries* ou rues aux J., successions d'échoppes (prêteurs, orfèvres, etc.). De nombreuses synagogues datent de cette époque ; la lecture du Talmud y est autorisée alors qu'elle est toujours interdite aux chrétiens. **1290** expulsion des J. du S.-O. dépendant du roi d'Angleterre, duc de Guyenne. **1306** décret d'expulsion (Philippe le Bel) ; confiscation des biens j. **1315-94** les J. sont autorisés à vivre dans le royaume et à pratiquer le crédit moyennant paiement de taxes. **1322-23** expulsion momentanée (fausse accusation de complicité avec des lépreux pollueurs de puits). **1394** *(17-9)* Charles VI annule l'autorisation de résidence. Les J. du Nord se replient en territoire impérial (surtout Lorraine et Alsace) ; les J. du Sud vers le Comtat Venaissin, le Dauphiné (qu'ils évacueront progressivement au XVe s.), la Provence [âge d'or des J. provençaux sous le roi René (1431-80)]. **1481** la Provence est rattachée au roy. **1498** les J. se replient en Avignon. **1501** il n'y a pour ainsi dire plus de J. dans le roy. (sauf peut-être à Paris, où les fripiers auraient été des descendants de J., convertis en apparence).

1501-1723 : période de tolérance pour les « Portugais » (immigrants j. en Gascogne). Les J. sépharades expulsés d'Espagne en 1492, puis du Portugal en 1497, s'introduisent dans le S.-O. et forment des communautés à St-Esprit (faubourg de Bayonne), Bordeaux, Peyrehorade, Bidache, Labastide-Clairence. Ils y ont le même statut que les étrangers chrétiens [il s'agit de *conversos* ou *marranes* (J. convertis officiellement au christianisme, mais continuant à pratiquer le judaïsme en secret)]. **1550** Henri II leur accorde des lettres patentes qui ne mentionnent pas leur religion. **1625** leurs biens sont confisqués (comme sujets du roi d'Espagne, les biens des Français résidant en Esp. ayant été confisqués par Philippe IV). **1565** 1er texte reconnaissant à des J. le droit de résider dans le royaume : il porte sur les ashkénazes de Metz, l'un des 3 évêchés impériaux rattachés à la France. Soumis au régime du ghetto allemand *(Judengasse)*, ils conservent ce régime sous l'occupation française. **1569** les J. d'Avignon et du Comtat sont soumis au régime des ghettos [appelés par les chrétiens *carrières* ou *juiveries,* par les J. « les 4 cités saintes » : Avignon (en hébreu : *Ir ha-gefanim,* « ville des raisins »), L'Isle-sur-la-Sorgue, Cavaillon, Carpentras]. Les « Portugais » du S.-O. sont plus mêlés aux populations chrétiennes du fait de leur statut mal défini. **1691** les J. de Paris, originaires du S.-O. ou de la « Jurue » messine, acquièrent leur 1er cimetière depuis l'expulsion de 1394, dans le jardin d'un aubergiste, le sieur Camot, patron de *l'Étoile* (actuellement 44, rue de Flandres, 75019 Paris). Ils peuvent y enterrer leurs morts, de nuit. **1697** annexion de l'Alsace ; les ashkénazes y reçoivent les mêmes droits que dans les Trois-Évêchés (mais comptent de nombreuses communautés rurales). Dès cette époque, les J. d'Avignon et du Comtat Venaissin pénètrent sans entrave en Languedoc et en Provence pour y commercer.

XVIIIe s. des J. s'installent à Paris mais ils n'y ont pas le droit de propriété : à leur mort, leurs biens reviennent à la Couronne. **1723** renouvellement des lettres patentes d'Henri II (100 000 livres), mentionnant leur qualité de j. mais ne leur accordant pas officiellement le droit de pratiquer la religion. **1775** à la requête des J. de Lorraine, française en 1766, et de l'Alsacien Herz Cerfbeer (1726-94), L. XVI accorde à tous les J. de France les mêmes droits patrimoniaux qu'aux autres Français. Néanmoins, d'après la brochure publiée à Metz à cette occasion par l'abbé Grégoire (1750-1831), *Essai sur la régénération physique, morale et politique des J.,* on voit que l'intention de L. XVI était l'assimilation et la conversion des J. du royaume. **1784** Cerfbeer obtient l'abolition de l'impôt personnel *(Leibzoll)* frappant les J. d'Alsace. **1789** *(janv.) :* 3 500 J. portugais du S.-O. sont admis au vote désignant les députés aux états généraux ; ceux d'Alsace sont exclus.

• Après la Révolution. **1790** *(janv.)* la citoyenneté fr. est reconnue aux J. portugais du S.-O. **1791** *(27-9)* le décret Duport accorde aux autres J. de France (25 000 en Alsace, 7 500 dans le Messin, 700 à Paris, 3 000 en Provence) les mêmes droits qu'aux Port. du S.-O. et aux autres citoyens français. 84 % sont des ashkénazes, 16 % des sépharades. **1792** *juin* les J. avignonnais reçoivent les droits civiques français ; *sept.* Avignon est annexé à la France. **1793** les J. portugais offrent au comte de Provence (en exil) de lui acheter 25 millions la baie d'Arcachon et les Landes entre Bordeaux et Bayonne pour y installer une principauté sépharade dépendant de la couronne (proposition connue par Bonaparte en 1807).

1806 *26-7 assemblée de notables j.* [111 délégués nommés par les préfets, dont ashkénazes 67 (rabbins 8, laïcs 59), sépharades 45 (r. 7, l. 37). *Pt :* Abraham Furtado, négociant bordelais ; rôle : concilier le mode de vie des communautés j. avec les exigences du Code Napoléon (régimes matrimoniaux, devoirs envers l'Empereur, égalité des J. et non-J.) ; fin officielle des travaux : 6-4-1807]. **1807** *7-2/7-3 « grand sanhédrin »* de Paris [71 délégués, en majorité choisis parmi les « notables » réunis à ce moment, dont ashkénazes 40 (r. 27, l. 13), sépharades 32 (r. 19, l. 12). *Pt :* David Sintzheim (1745-1812), rabbin de Bischheim (Bas-Rhin) ; rôle religieux : faire passer dans la loi j. les conclusions adoptées par les « notables »]. **1808** *17-3 :* 3 décrets : 1°) création de consistoires locaux, calqués sur le protestantisme (2 rabbins, 1 laïc dans les dép. comptant + de 2 000 j.) ; 2°) création d'un consistoire national (3 r., 2 l., nommés par le gouv.) ; 3°) (« décret infâme ») régime d'exception, pour 10 ans, limitant déplacements et activités économiques des J.

XIXe s. accroissement de l'immigration ashkénaze (40 000 J. à Paris, 152 synagogues en France). Migration générale des J. des bourgades vers les grandes villes. Aristocratie financière ashkénaze : Gunzburg, Cohen d'Anvers, Bischoffsheim, Heine, Finaly, Koenigswarter, Ephrussi, Lazard, Reinach, Stern, Rothschild, Seligmann d'Eichtal, Deutsch de la Meurthe, Weisweiller ; sépharade : Pereire, Camondo. Branche française des Rothschild [James (1792-1868), ses fils Alphonse (1827-1905), Gustave (1829-1911) et Edmond (1845-1934) ; ses petits-fils Édouard (1868-1949, fils d'Alphonse), Robert (1880-1946, fils de Gustave), Maurice (1881-1957, fils d'Edmond) ; ses arrière-petits-fils Guy (n. 1909, fils d'Édouard, père de David (n. 15-12-1942)], Alain (1910-82), Élie (n. 1917, fils de Robert), Edmond (n. 30-9-1926, fils de Maurice)] ; installée en France en 1811 ; titre de baron autrichien en 1822 (transmissible à tous les héritiers légitimes). **1823** le banquier sépharade Olinde Rodrigues (1795-1851) sauve Saint-Simon de la misère et devient le leader du saint-simonisme proche de la pensée biblique. Il partage la direction du mouvement avec 6 autres J. (son fr. Eugène, ses cousins Émile et Isaac Pereire, Léon Halévy, Gustave d'Eichtal, Jules Carvallo). Le mouvement gagnera l'Allemagne grâce à 4 J. allemands (Eduard Gans, Heinrich Heine, Rahel Varnhagen et Moritz Veit). **1832-35** affaire Deutz, qui brouille le judaïsme avec la Droite française. Simon Deutz (1802-52), converti au catholicisme, mais fils du Grand Rabbin de France, Emmanuel Deutz (1763-1842), était devenu l'homme de confiance de la duchesse de Berry. Le 6-11-1832, à Nantes, il la livre à la police de Louis-Philippe. Dans un *mémorandum* publié en 1835, il assure avoir agi par patriotisme (pour éviter que les Russes, alliés de la duchesse, n'envahissent la France) ; mais il insiste maladroitement sur ses besoins d'argent (Thiers lui avait versé une prime de 500 000 F). Malgré les efforts d'Adolphe Crémieux (1796-1880), le Grand Rabbin refuse de désavouer son fils qui abjure le catholicisme et redevient israélite, se rendant ainsi coupable, aux yeux de la Droite conservatrice, d'une « double trahison » (celle-ci sera fréquemment rappelée au moment de l'affaire Dreyfus, 1896-1904). **1870** *24-10* le décret du gouvernement provisoire dit « décret Crémieux » accorde la citoyenneté française aux 33 000 J. d'Algérie. **1875** il y a 80 000 J. en France, dont beaucoup déjudaïsés. **Après 1880** naissance de l'antisémitisme nationaliste français, dont le porte-parole, Drumont, reproche aux J. d'être venus d'Allemagne (voir p. 551 c). **1894-1906** affaire Dreyfus (voir Index). Réaction philosémite des chrétiens dreyfusards, avec Charles Péguy.

• **De 1919 à 1940** accroissement de la population ashkénaze, immigrations de J. d'All., d'Europe centrale et orientale (40 000 Russes, 40 000 Polonais) ; installation des 1ers J. de rite oriental, venus de Grèce et Turquie (20 000). **1927** *20-8* loi sur la naturalisation, permettant à de nombreux J. de devenir rapidement Fr. (3 ans de résidence, parfois 1 an). **1939** *3-9* début des hostilités : 290 000 J. en Fr., dont 90 000 Français et 200 000 étrangers ou apatrides. **1940-45** persécutions hitlériennes, avec le consentement du gouv. de Vichy (voir p. 652).

• **Après 1945. 1956** 20 000 J. égyptiens (rite oriental) s'installent en France. **1957-64** immigration massive de J. sépharades venus d'Algérie, Tunisie, Maroc. Les Alg. de nationalité fr. s'intègrent sans difficultés ; les Marocains, occidentalisés, acquièrent dans l'ensemble la nationalité fr. Les Tunisiens (17 % de nationalité fr.) forment parfois des groupes fermés et plus traditionalistes. Sépharades de nouveau plus nombreux que les ashkénazes (env. 400 000 contre 250 000). Une synthèse des 2 cultures se fait dans de nombreuses synagogues. **1967** g. des Six Jours : déclenche en Fr. un vif mouvement de solidarité envers Israël, provoque un certain nombre d'émigrations (alyah). **1972** *1-7-* loi contre l'incitation à la haine raciale, les injures et la discrimination raciales (dite « loi Pleven »). **1980** *juin* pour la 1re fois, un rabbin sépharade (René Samuel Sirat) est élu Gd Rabbin de France. **1981** 75 % des 200 000 électeurs d'origine j. votent pour Mitterrand [ils reprochent au Pt Giscard d'Estaing de ne pas être revenu d'Alsace (où il chassait) à Paris le 3-10-1980 le soir de l'attentat rue Copernic]. **1985** à propos du mariage d'un J. ashkénaze (le baron Éric de Rothschild) avec une non-j. (l'Italienne Maria-Beatrice Caracciolo), une crise éclate : le tribunal rabbinique de Paris (conservateur, majorité sépharade) s'oppose au mariage. Mais celui-ci se fait avec l'autorisation du tribunal rabbinique de Rabat (célébrant : l'ancien gd Rabbin ashkénaze Jacob Kaplan ; témoin : le Pt du Consistoire central, Jean-Paul Elkann).

Consistoires

Origine. Organisation officielle créée par Napoléon Ier le 17-3-1808 par un décret rendant exécutoire le règlement organique délibéré par l'assemblée des notables juifs de 1806, et organisant le culte israélite dans l'Empire (les protestants possédaient dep. le XVIe s. leurs consistoires nationaux et locaux). Le *Consistoire central* de France, à Paris, est constitué alors par 3 grands rabbins et 2 laïcs nommés par cooptation ; les *c. régionaux* par 1 grand rabbin et 3 laïcs désignés par 25 notables, élus par les membres des communautés et confirmés par les préfets. Le C. central veille à l'exécution du règlement organique, confirme la nomination des rabbins. Le 25-5-1844, une ordonnance royale fait du C. central l'intermédiaire entre les ministres des cultes et les c. départementaux, et le charge de la haute surveillance des intérêts du culte israélite (délivrance des diplômes rabbiniques, nomination des rabbins).

Statut actuel. En droit, cette institution a cessé d'exister depuis la loi de séparation des Églises et de l'État du 9-12-1905. Une *Union des associations cultuelles israélites de Fr. et d'Algérie,* dont le conseil d'administration a relevé la dénomination de « Consistoire central », lui a succédé. Aujourd'hui, le C. central « pourvoit aux intérêts généraux du culte israélite, veille à la sauvegarde des libertés nécessaires à son exercice, défend les droits des communautés et assure la fondation, le maintien et le développement des institutions et services communs aux organismes adhérents ». Il assure la permanence de la fonction de Grand Rabbin de France et gère l'École rabbinique de France.

Les consistoires de Strasbourg, Metz et Colmar, redevenus français en 1919, sont encore concordataires. Depuis 1962, les consistoires algériens n'existent plus que nominalement.

Consistoire central : *Pt :* Jean-Paul Elkann (n. 1921), dep. 1982. *Membres de droit :* le Grand Rabbin de France, Joseph Sitruk (n. Tunis, 1944), grand rabbin de Marseille en 1975, juif sépharade élu 17-6-1987 pour 7 ans par 99 voix sur 138, à compter du 1-1-1988 (avant René Samuel Sirat n. 1930) ; le Gd Rabbin du Consistoire central, Jacob Kaplan (n. 1895). SIÈGE : *1822 :* rue du Vert-Bois, Paris 3e ; *1879 :* 44, rue de la Victoire, Paris 9e ; *1940 à 44 :* rue Beissac à Lyon ; *1944 :* 17, rue St-Georges, Paris 9e.

Consistoires régionaux. Créés en 1808 : *Membres :* 30. *Paris* [*Pt :* Benny Cohen (n. 1950), élu 10-12-1989 (renouvellement par moitié). L'élection s'est faite avec une liste d'opposition qui a remporté les 14 sièges à pouvoir, obtenant ainsi la majorité sur 26 voix (nombre de membres). *Membre de droit :* le Gd Rabbin de Paris, Alain Goldmann (n. 14-9-1931) dep. 22-6-1980], *Strasbourg, Wintzenheim* (Ht-Rhin), *Metz, Nancy, Bordeaux, Marseille,* plus 6 dans les territoires annexés d'Allemagne ou d'Italie. **Créés depuis 1808 :** *Bayonne* (1846), *Lyon* (1857), *Alger, Oran* et *Constantine* (1858), *Lille* et *Vesoul* (1872).

Statistiques

• **Population juive en France.** *1306 :* 100 000. *1400 :* 25 000. *1500 :* 5 000. *1789 :* 40 000. *1875 :* 80 000. *1939 :* 290 000. *1945 :* 170 000. *1964 :* 600 000. *1977 :* 700 000 [région Paris 380 000, Marseille 75 000 (total B.-du-Rh. 120 000), Lyon 25 000, Toulouse 20 000, Nice 18 000, Strasbourg 12 000]. *1987 :* entre 550 000 et 750 000.

☞ Depuis 1948 env., 60 000 juifs de France ont émigré en Israël, 26 000 sont revenus.

• **Pratique.** D'après une enquête d'Éric Cohen (de nov. 1986 à juill. 88, sur 1 113 J. français) : 15 % observent les lois, 49 ne respectent que les grandes fêtes et quelques prescriptions alimentaires, 36 n'observent pas ; 45 % mangent kasher, 48 ne participent qu'exceptionnellement à la vie de la communauté, 29 que 2 ou 3 fois par an et 22 régulièrement.

• **Rabbins.** *France :* 100 + 54 délégués rabbiniques et une centaine de ministres du culte adjoints. *Strasbourg :* 14 rabbins pour 12 000 J. *Région parisienne :* + de 30 rabbins et une quinzaine de dél. rabbiniques pour 380 000 J.

• **Synagogues et oratoires.** *Région parisienne :* 60 synagogues consistoriales, 15 associées aux consistoriaux, 15 à 20 non consistoriales. *Province :* les anciennes juiveries paysannes d'Alsace ont disparu en 1940 ; celles du comtat Venaissin après 1791. Des communautés comprenant surtout des J. d'Afr. du Nord fonctionnent de nouveau en Avignon, à Carpentras, à Cavaillon.

Image des Juifs en France. Du 11 au 25 nov. 1987 auprès de 1 000 personnes, commandée à la SOFRES par « Tribune juive et Radio ». *Adjectifs ou expressions s'appliquant aux Juifs (en %) :* débrouillards (47), aiment l'argent (43), intelligents (36), ambitieux (28), créatifs (26), envahissants (9), dominateurs (8), et m'as-tu-vu (1), mais aussi généreux (8) n'ont recueilli que peu de suffrages. 91 % des Français jugent que les Juifs sont « très attachés à leurs traditions » ; 72 % qu'ils « sont un vrai pouvoir international, car ils s'entraident entre Juifs de différents pays » ; 70 % qu'« ayant été persécutés, ils sont sensibles à toutes les injustices » ; 9 % jugent que les Juifs devraient éviter de « se singulariser ».

• **Enseignement. Écoles privées.** Environ 50, en France, dont 8 yéchivoth (pluriel de **yéchiva,** « école talmudique ») dirigées à titre privé par des rabbins ; l'enseignement y est plus traditionaliste (7 % des enfants j. fréquentent une école privée).

Cours d'instruction religieuse. Mercredi ou dimanche dans le cadre des communautés (fréquentés par env. 15 % des enfants j. d'âge scolaire).

• **Presse.** « Tribune juive » (hebdo.) : 20 000 ex.

Liens avec Israël

Définis le 25-1-1977 par le Conseil représentatif des institutions j. de France. Les J. de France affirment l'existence d'un lien historique, spirituel et vital, vieux de 4 000 ans, entre l'âme juive et Erez Israël. Ils ressentent toute menace envers l'État d'Israël comme une atteinte à la communauté j. Ils rappellent les exigences de justice et d'émancipation des peuples qui constituent l'essence prophétique du judaïsme : pour des raisons morales, ils réclament une politique d'équilibre et d'amitié envers Israël.

Organismes divers

A.D.I.A.M. (Association d'aide aux israélites âgés et malades). Service d'aides ménagères à domicile. 6, rue Rembrandt, 75008 Paris.

A.J.D.C. (American Joint Distribution Committee). Org. d'assistance sociale et d'aide aux réfugiés.

Alliance israélite universelle (A.I.U.). *Fondée* 1860 à Paris par de jeunes intellectuels j. français, pour développer l'enseignement dans les communautés j. des pays méditerranéens et orientaux. Crée à partir de 1862 un réseau d'écoles privilégiant l'enseignement du français tout en réservant une place prépondérante à la langue du pays et à la culture j. *Écoles et éc. affiliées en 1990-91 :* 49 établissements (primaires, secondaires, techniques et supérieurs : + de 20 000 élèves) en Belgique, Canada, Espagne, France, Iran, Israël, Maroc, Syrie. *Pt :* Pr Steg (n. 1925), avant, Jules Braunschvig et René Cassin (1887-1976). *Siège :* 45, rue La Bruyère, 75009 Paris (bibliothèque de + de 120 000 ouvrages). *Publications :* « Les Nouveaux Cahiers » ; « Les Cahiers de l'A.I.U. »

École normale israélite orientale (6 *bis,* rue Michel-Ange, 75016 Paris) *fondée* 1865 pour former des enseignants pour les écoles de l'A.I.U. hors de France. Second cycle du secondaire, sous contrat d'association. Internat, 1/2 pension, externat.

American Jewish Committee. *Fondé* 11-11-1906 à la suite du pogrom de Kichinev. Défend les droits civils et religieux des J. dans le monde ; milite pour le progrès des relations entre les peuples. *Publications :* « American Jewish Year-Book », « Commentary ». *Siège :* 165 E 56 Street, New York NY 10022.

Appel unifié juif de France. Organisme central de la collecte au sein de la communauté j. de France, *né* 1968 de la fusion de l'Appel unifié pour Israël et du département collecte du F.S.J.U. Produit de la collecte affecté à des programmes sociaux, éducatifs et culturels réalisés en Israël par l'Agence juive et en France par le F.S.J.U. *Fonds recueillis en 1989 :* 92 500 000 F (20 135 donateurs). *Pts :* Michel Topiol (n. 1910) et David de Rothschild (n. 15-12-42). 19, rue de Téhéran, 75008 Paris.

B'nai B'rith (hébreu : Fils de l'Alliance). *Fondé* 1843 aux U.S.A. (sur le modèle de la franc-maçonnerie anglo-saxonne) pour aider les nouveaux émigrants j. 1 700 loges (dont 25 % en Amér. du N.) dans 45 pays (env. 500 000 membres). Introduit en France 1932 ; le cérémonial maçonnique est abandonné (on parle encore de « loges »). *Pt (France) :* Marc Rosenblum. 16, av. de Wagram, 75008.

Bureau du Chabbath. *Fondé* 1962. Antenne de l'ANPE pour la communauté j. Env. 5 000 demandeurs d'emploi par an. *Accueil :* 42, rue des Saules, 75018 Paris. *Siège social :* 8, rue de Pali-Kao, 75020.

C.A.D.I. (Comité d'aide aux détenus israélites). *Créé* 1977. *Siège :* 8, rue de Pali-Kao, 75020.

C.A.S.I.P. (Comité d'action sociale israélite de Paris). *Fondé* 1809, reconnu d'ut. publ. 1887. *Pt :* Bon Éric de Rothschild (n. 3-10-40). 8, rue de Pali-Kao, 75020.

Centre de documentation juive contemporaine. *Créé* 1943. *Pt :* Bon Éric de Rothschild. *Publication :* « Le Monde juif » (créée 1945, trim.). 17, rue Geoffroy-l'Asnier, 75004 Paris. *Mémorial du Martyr juif inconnu :* monument élevé, en 1956, à la mémoire des victimes sans sépulture de la déportation (crypte, exposition sur la résistance des Juifs à l'hitlérisme).

Centre Rachi-C.U.E.J. (Centre universitaire d'études j.). *Fondé* 1973. Du nom de Salomon ben Isaac Rachi (1040-1105), exégète de Troyes.

C.I.D.E. (Caisse israélite de démarrage économique). Prêts sans intérêts. 6, rue Rembrandt, 75008.

C.O.J.A.S.O.R. (Comité juif d'action sociale et de reconstruction). *Fondé* 1945. Œuvrant notamment pour 3e âge et réfugiés. 6, rue Rembrandt, 75008.

Congrès juif mondial. *Fondé* 1936, représente 70 communautés dans le monde. 6 bureaux (New York, Buenos Aires, Jérusalem, Paris, Londres et Genève). Défend les droits des Juifs et des communautés j. Représenté à l'ONU, l'UNESCO, au Conseil de l'Europe, à la Commission des Communautés Européennes. *Congrès juif européen :* 78, av. des Champs-Élysées, 75008 Paris. *Secr. gén. :* Serge Cwajgenbaum.

C.R.I.F. (Conseil représentatif des institutions juives de France). *Fondé* 1943. Représente 58 org. j. de Fr. *Pt :* Jean Kahn (n. 17-5-1929) ; *Directrice :* Jacqueline Keller. 19, rue de Téhéran, 75008.

C.R.J.T.F. (Conseil représentatif du judaïsme traditionaliste de France). *Créé* 1952. 23 bis, rue Dufrénoy, 75016 Paris.

Éclaireurs et éclaireuses israélites de France. Voir Index.

Écoles religieuses non rabbiniques. *Séminaire de professeurs d'enseignement religieux Beth-rivkah :* 43-49, rue Raymond-Poincaré, 91330 Yerres, *fondé* 1958. Forme des professeurs pour les écoles privées j. (env. 70 étudiantes). Jardin d'enfants, école primaire et collège secondaire privés pour jeunes filles et section informatique. *École Rambam Maïmonide : fondée* 1935. 11, rue des Abondances, 92100 Boulogne, maternelle, primaire et secondaire. *École normale israélite orientale* (voir Alliance Isr. Univ.). *École Ozar Hatorah de Créteil :* primaire, classe 6e. 65, rue St-Simon, 94000 Créteil. D'autres écoles à Paris et en Ile-de-France (notamment École primaire Lucien de Hirsch et École Yabné secondaire) ainsi qu'à Marseille, Strasbourg, Lyon, etc.

Fédération des Stés juives de France. *Fondée* 1923. Regroupe des Stés de secours mutuels. *Pt :* Mordechay Lerman. 68, rue de la Folie-Méricourt, 75011 Paris.

F.S.J.U. (Fonds social juif unifié). *Fondé* févr. 1950. Centralisation de l'action sociale, éducative et culturelle, pour le maintien de la vie j. en France ; favorise les rapports de la communauté j. de Fr. avec Israël et les communautés j. dans le monde ; réunit les ressources nécessaires à son action et décide de leur affectation. 25 000 membres, qui élisent tous les 4 ans un conseil national de 120 représentants siégeant à côté de 80 m. élus par les associations adhérentes au F.S.J.U. *Pt :* David de Rothschild (n. 1942). 19, rue de Téhéran, 75008 Paris.

Jewish Chronicle. Hebdomadaire *créé* 12-11-1841 à Londres, par Isaac Valentine : 50 000 abonnés ; 25 Furnival Street, Londres EC4A 1 JT.

K.K.L. (Keren Kayemeth Leisraël, « Fonds national juif »). *Fondé* 1901 par Théodore Herzl. Recueille des fonds pour bonifier la terre, reboiser et aménager Israël, éduquer la jeunesse pour la protection de la nature, créer une infrastructure forestière et agricole, promouvoir l'écologie. *Adhérents :* 40 000. *Conseil national :* 140 membres. *Pt :* Me Édouard Knoll, 108, rue de Rivoli, 75001.

Mouvement Loubavitch. *Nom* venant de Loubavitch (Biélorussie), célèbre par une communauté. Tige centrale du mouvement hassidique *né* des enseignements du Baal-Chem-Tov (fondateur du hassidisme général), *fondé* 1778 par Rabbi Schnéour-Zalman de Liadi (1745-1813). *Buts :* rassembler le peuple j. en exil et le ramener aux authentiques valeurs du Judaïsme. *Membres :* U.S.A. 50 000, Israël 70 000. *France :* Paris, Lyon, Marseille, Nice, Toulouse, Grenoble, Metz, Strasbourg. *Siège mondial* (dep. 1950) : Rabbi Menachem-Mendel Schneerson [Brooklyn, N. Y. (U.S.A.)]. *Siège central pour Europe, Afr. du N. et Israël :* 8, rue Meslay, 75003 Paris. *Directeur :* Gd Rabbin Benjamin Gorodetzki (dep. 1946).

O.P.E.J. (Œuvre de protection des enfants juifs). *Fondée* dans la Résistance en 1942, pour sauver les enfants j., (reconnue d'utilité publique). Action sociale, maison d'enfants, action éducative en milieu ouvert, clubs de prévention, colonies de vacances. 10, rue Théodule-Ribot, 75017 Paris.

Organismes sionistes. Organes de liaison entre les J. d'Israël et les J. répartis dans le monde. 1° **Congrès sionistes.** Tous les 4 ans à Jérusalem (entre-temps le *Comité d'action sioniste* détient les pouvoirs). Le 1er congrès (Bâle 29/31-8-1897) convoqué par Théodore Herzl a défini la charte du sionisme. Organe exécutif permanent *(Agence juive)* à Jérusalem. 2° **Organisation sioniste américaine (Z.O.A.).** *Fondée* 1898 par Richard Gottherl (1862-1936). Depuis la création d'Israël (1948), son rôle pratique a diminué, les tâches matérielles qu'elle assurait ayant été prises en main par l'administration israélienne. Mais son rôle financier demeure important. 3° **Fédération des organisations sionistes de France (F.O.S.F.).** *Membres :* 35 000. *Pt :* Jacques Orfus ; *Pt de l'exécutif :* Francis Kalifat ; *dir. :* Maurice Chiche. 38, rue de Turbigo, 75003 Paris.

O.R.T. (Organisation Reconstruction Travail). *Créée* 1880 en Russie ; *1921 en France. But :* formation professionnelle et technique des jeunes j. Reconnue d'utilité publique. Ouverte à tous. En 1990 : 10 000 élèves et stagiaires préparant les diplômes d'État (CAP, BEP, BTN, BTS). 8 écoles en France (Paris, Montreuil, Choisy-le-Roi, Villiers-le-Bel, Strasbourg, Lyon, Toulouse et Marseille). *Pt* du conseil d'admin. en France : Gilbert Dreyfus, ancien dir. gén. des Aéroports de Paris. 10, villa d'Eylau, 75016 Paris.

O.S.E. (Œuvre de secours aux enfants). *Créée* 1933 en France. Reconnue d'utilité publique 1951. 9, passage de la Boule-Blanche, 75012 Paris.

Séminaire israélite de France. *Fondé* 1829 à Metz, transféré à Paris en 1859. 2 cycles d'études : 1° (3 ans) : hébreu, histoire j., Bible, livres de la Tradition (Talmud, etc.). 2° (2 ans) : ministère rabbinique (psychologie, culte, pédagogie). Env. 20 élèves. En moy. 4 diplômes de rabbin et 2 de ministre officiant chaque année. Bibliothèque (plus de 25 000 ouvrages). 9, rue Vauquelin, 75005 Paris.

Sté des études juives. *Fondée* 1980. *Pt :* Ernest-Marie Laperrousaz. *Secrétaire :* Evelyne Oliel Grausz. 19, rue de Téhéran, 75008 Paris. Publie la *Revue des études juives.*

Trait d'union. Œuvre d'adoption. *Créée* 1962.

Tribunal rabbinique de Paris (Beth Din). 17, rue St-Georges, 75009 Paris. Statue en matière de droit religieux, divorce et conversion. Confirme dans leurs fonctions le personnel du culte chargé de l'abattage rituel ; responsable de la diététique cachère.

U.E.S.F. (Union des étudiants juifs de France).

U.I.S.F. (Union des israélites sépharades de France). *Fondée* 3-4-1919. Centre d'études Don Isaac Abravanel (créé 1980). A regroupé d'abord les J. de Salonique. 12, rue Puvis-de-Chavannes, 75017.

U.L.I.F. (Union libérale israélite de France). Assoc. cultuelle *fondée* 1907. *Synagogue principale :* 24, rue Copernic 75116 Paris. *Communautés sœurs :* Vigneux, Région parisienne, Marseille et Nice. Institut internat. d'études hébraïques : (cours, séminaires de recherche et sessions de formation). *Publication :* Hamevasser.

W.I.Z.O. (Women's International Zionist Org.). *Fondée* 1920 par Rebecca Sieff (G.-B., 1890-1966). Association féminine à but humanitaire et caritatif. Statut consultatif auprès de UNICEF et ECOSOC. *Quartier général :* Londres, puis 1940 Tel-Aviv. *Fédérations :* dans 52 pays (250 000 m.). *Congrès mondiaux :* tous les 4 ans en Israël. *Pte pour la France :* Nora Gaillaud, 24, rue du Mont-Thabor, 75001 Paris.

Islam

☞ Les termes *islam* et *musulman* ne sont employés couramment en français que depuis le XXe s. ; on disait avant : *mahométisme* (anciennement *mahométanisme*) et *mahométan.*

Origine

• **Mahomet** en arabe : **Mouhammad,** « le loué » (569-632), fils d'Abdallah et d'Amina, appartenant à la tribu de Quraych (arabe et païenne), naquit à La Mecque, carrefour de caravanes et centre de pèlerinage.

Épouses. 11 : en 595 *Khadidja,* pendant 25 a. († 619 à La Mecque, veuve, de 15 ans son aînée, dont il eut 3 garçons et 4 filles ; seules les filles survécurent) ; *Sauda* (épousée 619, † 674 à Médine) ; *Aïcha,* fille d'Abu Bekr, qui avait 9 ans (épouse favorite, mais stérile, † 13-7-678 à Médine) ; *Hafsa* (épousée 625, † 665 ou 666) ; *Zainab,* fille de Khuzaima (épouse de Zayd ou Saïd Ibn Haritha, fils adoptif de Mahomet, qui divorça pour laisser Zainab (voir ci-dessous) épouser celui-ci en 626 ; elle mourut après 3 mois de mariage) ; *Umm Salama* (épousée 626) ; *Zainab,* fille de Djahch (épousée 626, † 641) ; *Djuwairiya* (captive épousée 626) ; *Umm Habiba,* veuve d'un chrétien (épousée 628, † vers 678) ; *Safiya,* d'origine juive (épousée 627, † 670 ou 672) et *Maimouna,* veuve âgée de 51 ans, belle-sœur d'Al Abbas (épousée 629, † 681 à Sarif). Il eut aussi 2 femmes affranchies : *Marie la Copte* (mère d'Ibrahim né 630, † à 2 ans) et *Raihana* (juive, dont le mari avait péri dans le massacre de Ban Quraiza).

Révélation. Commerçant, Mahomet se retirait fréquemment dans le désert pour méditer. L'ange *Gabriel* lui apparut, le 22-12-609 pour la 1re fois, puis fréquemment les années suivantes. Il lui annonça que Dieu *(Allâh)* l'avait choisi comme son Envoyé *(rasûl)* auprès des hommes et lui dicta les premières paroles du Coran dont la révélation allait s'échelonner sur 23 ans. Mahomet se mit alors à prêcher la nouvelle religion, l'*islâm* (soumission, ou abandon, à Dieu). Khadidja fut la 1re à croire en sa mission et bientôt se forma autour de lui un petit groupe de musulmans (de *mouslim,* « qui se confie à Dieu »). **Départ pour Médine.** Persécuté par les dirigeants mecquois, Mahomet décida d'émigrer avec ses compagnons, d'abord en Éthiopie, puis dans l'oasis de Yathrib (qui prit le nom de Médine, la « ville », et fut appelée par les musulmans *Madinat an-Nabi,* « la ville du Prophète ») où il parvint le 30-9-622. *L'ère musulmane,* dite de l'**hégire,** commence le 16-7-622, mais Mahomet ne partit pour Médine que quelques mois plus tard. Dès lors, s'organisa la nouvelle communauté des croyants conformément à l'ordre de Dieu, révélé dans le Coran, et aux instructions de son Envoyé. Le nouvel État musulman entra en conflit avec les Quraychites restés païens et il y eut plusieurs affrontements armés.

Retour à La Mecque. Après 8 ans de guerre défensive, Mahomet rentra à La Mecque qui fit sa soumission, en 630, et y proclama immédiatement l'amnistie ; le lendemain, toute la population se convertit à l'islam. Le 4-6-632 (ou le 25-5), il mourut à Médine. Sa mosquée est considérée comme le 2e lieu saint de l'Islam après la Kaaba de La Mecque. La vie du prophète *(Sira)* est connue par des traditions.

• **Expansion militaire.** **644** (Omar) : Abyssinie et Transoxiane. **647** (Othman) : bords de la Caspienne, Turkestan, Afghānistān, Bassin de l'Indus. **660-710** (Ommeyades) : Afrique du N. **710-720** (id.) : Espagne et Septimanie (le S.-O. de la France, occupé temporairement 730-732). **1071** (Turcs Seldjoukides) : Asie Mineure. **1353** (Turcs Ottomans) : Balkans. **1453** (id.) : Constantinople. **XVe-XVIe s.** (id.) : Europe du S.-E. et Hongrie. – Les autres territoires actuellement islamisés (Asie du S.-E., Afrique) sont devenus musulmans sous l'influence de missionnaires, marins, négociants (XVIe-XIXe s.) et surtout de notables favorisés par les colonisateurs (XXe s.).

Livres saints et traditions

Coran. De l'arabe : *Qur'an,* « lecture ». Recueil des révélations que Dieu fit (à La Mecque entre 609 et 622, puis à Médine) à Mahomet. Il se compose de 114 chapitres, *sourates* (« sections »), divisées en versets (3 pour la plus courte, 286 pour la plus longue). La 1re, ou *Fâtiha* (celle qui ouvre), comprend versets d'adoration et d'implorations constituant l'élément principal de la prière rituelle des musulmans.

Rédaction : après sa mort (632), le calife *Abu Bekr,* sur les conseils de Omar ben al Khattâb et avec l'aide de *Zayd,* fils adoptif de Mahomet, fit mettre par écrit le texte de tous les passages dictés par le Prophète, mais il y eut, en fait, plusieurs versions, ce qui créa des dissensions. Le 3e calife, *Othman* (644-56), fit rédiger un texte unique et officiel (avec la collaboration de Zayd ibn Thabit) et en envoya des copies dans les différentes provinces (2 ont été conservées à Tachkent et à Istanbul : elles sont identiques au texte en usage aujourd'hui). Cette nouvelle rédaction a été rejetée par les Kharidjites (voir p. 557c), qui considèrent notamment comme apocryphe le chapitre 12, narrant les amours de Joseph et de l'Égyptienne.

La louange est à Dieu Maître des Mondes. Le Tout-Miséricordieux. Le Tout-Compatissant. Souverain du Jour de la Rétribution. C'est Toi que nous adorons et c'est de Toi que nous implorons le secours. Dirige-nous sur la voie droite. La voie de ceux sur qui Tu répands Tes bienfaits. Non la voie de ceux sur qui est Ta colère, ni la voie des égarés *(Sourate I* ou *Fâtiha).*

La Sunna [« tradition » (sens primitif : « sentier »)] : relate les enseignements du Prophète, ses faits et gestes, et les débuts de la 1re communauté musulmane de Médine. Sert d'exemple et de modèle aux croyants de l'islam. Consignée dans les *Hadîths,* relations de sa vie et de ses dires.

La Charî'a. Loi religieuse comprenant l'ensemble des obligations procédant du Coran et de la Sunna. Embrassant tous les aspects de la vie individuelle et collective des musulmans, elle est, chez les Sunnites, codifiée dans le cadre de 4 écoles juridico-théologiques « orthodoxes » : 1°) *Hanafite* (de Abu Hanifa, mort 767) dominant en Turquie et dans la plupart des pays asiatiques ; 2°) *Malékite* (de Malik ibn Anas, mort 795) : Afrique ; 3°) *Chaféite* (de Muhammad ibn Idris ach-Chafii, m. 826) : Proche-Orient, Asie du S., Indonésie ; 4°) *Hanbalite* (de Ahmad ibn Hanbal, mort 833) : Arabie.

Le fiqh (« dogme ») : droit jurisprudentiel de l'islam, interprétation et application de la Charî'a.

Le voyage du pape Jean-Paul II en Turquie, le 28-11-1979, a été présenté comme une tentative de rapprochement entre le christianisme et l'islam. Le pape a déclaré éprouver de l'estime pour les valeurs religieuses musulmanes mais, en fait, il était venu en Turquie musulmane pour y rencontrer un prélat chrétien, le patriarche de Constantinople. Dans l'ensemble, les musulmans turcs sont restés indifférents. L'un d'eux, Mehmet Ali Agça, a tiré sur le pape à Rome, le 13-5-1981, prétendant d'abord avoir voulu le punir pour ce voyage, qui avait défié l'islam. Les autorités islamiques ont condamné l'attentat [d'origine politique (le personnage clé du complot, le Turc Béchir Celenk, étant mort le 14-10-1985, la vérité ne sera jamais confirmée, mais on a soupçonné le KGB)]. En 1985, le pape est allé saluer le roi du Maroc, commandeur des croyants, mettant fin aux campagnes hostiles à l'islam.

Doctrine

• **Origine.** Mahomet n'a pas prétendu apporter une religion nouvelle, mais restaurer celle de toujours que Dieu avait précédemment révélée aux prophètes et que les hommes avaient oubliée ou altérée : *Adam, Noé, Abraham (Ibrâhîm),* désigné comme *hanîf,* c'est-à-dire un fidèle de la religion pure et primordiale que l'Islam entend restaurer, *Moïse (Moussa),* et plusieurs prophètes d'Israël notamment *David, Salomon, Élie, Élisée, Job, Jonas.* Prophètes étrangers à la tradition judéo-chrétienne : *Sâlih, Hûd, Chu'aïb.*

Jésus. Fils de Marie *(Issa ibn Maryam),* il occupe une place éminente parmi ces prophètes. L'islam le qualifie de « verbe et esprit de Dieu », mais ne lui reconnaît pas de divinité, le désignant comme « serviteur » *('abd)* au même titre que les autres prophètes et messagers de Dieu.

Marie. Elle est mentionnée dans le Coran plus souvent que dans les Évangiles. Élue par Dieu « au-dessus de toutes les femmes de l'univers », elle est très vénérée. Elle a été fécondée par un souffle de l'Ange. L'islam est la seule religion non chrétienne à admettre que Jésus est né miraculeusement sans père, d'une vierge immaculée. Marie a accouché près d'un palmier et Jésus a parlé dès sa naissance pour attester l'innocence de sa mère. Le mariage de Marie avec **Joseph,** la naissance de « frères » ou de « sœurs » de Jésus, sont inconnus de l'islam.

Mahdi. Jésus n'a pas été tué par les hommes qui, en fait, ont seulement crucifié l'apparence de son corps. Il a été élevé au ciel d'où il doit revenir sur terre lorsque les temps seront accomplis. L'attente de son retour est souvent associée à celle du Mahdi qui, à la fin, doit surgir pour lutter contre les forces du mal aux ordres du **Dajjâl** (Antéchrist). Selon certaines traditions, Jésus lui-même sera le Mahdi. Un verset de l'Évangile (Jean 16,7) : « Je vous enverrai le Paraclet » (à rapprocher des versets 14,6 et 16, 13-14) fait l'objet de discussions dans les dialogues islamo-chrétiens.

Thèse de certains exégètes chrétiens : confondant les 2 adjectifs grecs *paraklètos,* « consolateur », et *périklutos,* « brillant », le Coran annonce, comme prédite par Jésus, la venue de Mahomet sous le nom de *Ahmad* qui est un doublet de Mahdi, « le glorieux ». *Thèse musulmane : Ahmad* (Coran, 61/6) est un synonyme de *Muhammad* et signifie « glorieux » ou « très loué » (mot différent de *Mahdi,* qui signifie : « bien guidé »). On ignore quel était le mot araméen que l'Évangile a traduit en grec par *paraklètos ;* il avait peut-être le sens de « directeur », qui est aussi voisin de « prestigieux » que de « consolateur ».

Jean le Baptiste (Yahya). Cité dans plusieurs récits coraniques.

Sort des Juifs et Chrétiens. Juifs et Chrétiens, auxquels sont parfois ajoutés les Sabéens, sont considérés comme « peuple du Livre » *(ahl al-kitâb).* Ils ont, comme tels, accès au salut et bénéficient d'un statut spécial dans la société musulmane, mais il leur est aussi reproché d'être infidèles à leur propre tradition et d'avoir falsifié leurs Écritures.

• **Articles.** Articles de la conviction (les 5 piliers de l'Islam) : *chahâda* (profession de foi), prière, *zakat, syyam* (Ramadan), *hadj* (pèlerinage à La Mecque, voir ci-dessous). Il n'est de divinité que Dieu ; Mahomet est l'envoyé de Dieu. De cette formule découlent un strict monothéisme et la conformité aux enseignements et à la tradition *(sunna)* du Prophète. 1) Croyance à l'unicité absolue *(tawhîd)* de Dieu ; à ses attributs. 2) Aux anges. 3) Aux Livres révélés. 4) Aux prophètes. 5) Au Jugement dernier (articles de la foi, les 6 piliers de la croyance). 6) Au décret divin [*(gadar)* prédéterminant le destin de chacun].

Anges. Parmi les anges, la tradition islamique mentionne particulièrement *Djibraïl* (Gabriel), porteur des ordres divins, *Azraïl,* ange de la mort, et *Israfîl* qui sonnera la trompette annonçant le Jugement dernier. La croyance aux *djinns,* êtres créés de feu, invisibles aux humains, n'est pas obligatoire, mais, comme le Coran les mentionne, les musulmans croient à leur existence. Théologiens et philosophes ont à leur sujet des opinions divergentes.

Livres révélés. En dehors du *Coran* sont explicitement reconnus par l'orthodoxie musulmane : la *Torah* (Pentateuque), les *Psaumes* et l'*Évangile,* bien qu'elle considère que ces Écritures des juifs et des chrétiens ont subi au cours des âges des altérations qui en ont déformé le sens.

Jugement dernier. Rangés derrière leur Prophète, les musulmans trouveront en lui un intercesseur efficace. Les justes entreront au Paradis [appelé notamment *Janna* (jardin) et *Adn* (Éden)] et les injustes subiront le feu de l'Enfer [appelé notamment *Jahannam* (géhenne)] jusqu'à ce que Dieu leur accorde sa grâce (les péchés finiront par être pardonnés, sauf le refus obstiné de reconnaître l'Unité divine).

• **Fatalisme.** *On peut lire dans le Coran :* « Dieu égare qui Il veut, et guide qui Il veut sur le droit chemin. » Cette formule ne doit pas être interprétée dans un sens « fataliste », mais sert à souligner le fait qu'il n'y a qu'un seul Dieu. « Bien et Mal » ne le sont que par rapport aux individus humains, le Bien de l'un peut être le Mal de l'autre : en eux-mêmes, le Bien et le Mal sont tous deux de la création du Dieu unique. Le Coran fit ressortir que Dieu avait déjà agréé le repentir d'Adam et d'Ève, quand Il leur donna l'ordre d'aller vivre sur terre. Certains théologiens musulmans en ont conclu qu'il ne s'agissait donc pas d'un châtiment, mais d'une faveur : ils étaient investis de la lieutenance de Dieu sur la Terre.

Pratique de la religion

5 obligations majeures, ou « piliers » *(arkân) :*

• **1° L'attestation de la foi (chahâda).** Consiste à prononcer la formule : « Il n'est de divinité que Dieu ; Mahomet est l'envoyé de Dieu. » Elle établit la distinction entre l'Absolu et le relatif, et offre à l'homme la possibilité de retourner à Dieu. Le fait de la prononcer avec sincérité détermine la qualité de musulman.

• **2° La prière rituelle (çalât).** La seule véritable liturgie du culte musulman. Précédée d'un rite d'ablution avec de l'eau ou, à défaut, avec du sable ou une pierre, elle est dite 5 fois par jour. Elle est accomplie par les fidèles tournés vers La Mecque. L'obligation de se tourner vers La Mecque *(qibla)* a fait naître la science astronomique arabe.

1) *Office de l'aube : Sobh,* 2 *rekaa* (comprend inclinaison, génuflexions-prosternations et position rituelle sur les talons) : 1 h 30 avant le lever du soleil, sinon 20 min. après. 2) *Office de midi : Dohr,* 4 rekaa ; au moment où le soleil franchit le méridien jusqu'à env. 3 h plus tard. 3) *Milieu de l'après-midi : Assr,* 4 rekaa ; jusqu'au coucher du soleil. 4) *Soir : Maghreb,* 4 rekaa ; du coucher du Soleil à env. 1 h 30 plus tard. 5) *Nocturne : Icha,* 4 rekaa ; de la disparition du crépuscule à l'aube. *Prière du vendredi :* faite en groupe à la mosquée, remplace le *Dohr.*

Chaque prière est annoncée par les **muezzins** du haut des **minarets** des mosquées (actuellement, souvent pourvus de haut-parleurs diffusant l'appel traditionnel enregistré sur bande). « Allah est le plus grand. J'atteste qu'il n'y a pas de divinité en dehors de Dieu. J'atteste que Mahomet est l'envoyé de Dieu. Venez à la prière. Venez au salut. Allah est le plus grand. Il n'y a pas de divinité en dehors de Dieu. »

☞ *Les plus hauts minarets du monde :* Maroc [mosquée Hassan II à Casablanca ; *achevée* 1990, *conçue* par l'architecte français Michel Pinseau, *capacité :* 80 000 personnes, *largeur :* 200 m, *hauteur :* 60 m, *superficie* (ensemble) : 9 ha ; *coût :* 3 milliards de F ; le + haut minaret du monde] : 175 m ; Pakistan (mosquée d'Islāmābād) : 100 m ; Égypte (mosquée du sultan Hassan, 1356 au Caire) : 86 m ; Inde (Qutub Minâr, 1194 à Delhi) : 72,54 m (ne fait pas partie d'une mosquée).

• **3° Le jeûne du ramadan** (9e mois du calendrier musulman). De 29 à 30 j/an (j. de l'*Achoura* recommandé ; j. de l'*Aïd el-Fitr* et de l'*Aïd el-Adha* interdits). Enfants, vieillards, voyageurs au-delà de 80 km, malades : dispensés. Certains pieux jeûnent le jeudi et le lundi. Consiste à s'abstenir totalement, dès avant l'aube et pendant toute la journée jusqu'au coucher du soleil, de manger, de boire, de fumer et de s'adonner à des plaisirs charnels. Il est recommandé pendant cette période de dire des oraisons spéciales et de lire le Coran en entier. Les nuits du ramadan, au cours desquelles toutes les abstinences sont levées, se déroulent souvent dans une atmosphère de fête. La rupture du jeûne donne lieu à une fête (*Aïd-el-Fitr* ou *Aïd-el-Seghir* « Petite fête » par opposition à la « Grande fête », *Aïd-el-Kébir* célébrée le lendemain du Sacrifice et sur le lendemain de l'Arafat, le point culminant du pèlerinage à La Mecque). *Objectif :* l'objectif spirituel du jeûne est le détachement du croyant par rapport au monde de la matière et la concentration sur la réalité divine. Il a aussi une portée sociale en soumettant riches et pauvres aux mêmes privations et en imposant le paiement d'une aumône spéciale *(zakât al-fitr)* à la fin du ramadan. Ce jeûne a été critiqué, activité et production baissant sensiblement pendant le ramadan. Dans plusieurs pays d'islam, comme l'Algérie, il demeure punissable de manger, boire ou fumer en public aux heures où la population s'en abstient. Des horaires allégés sont alors en vigueur dans les administrations. Des dispenses canoniques existent au bénéfice des malades, voyageurs et femmes enceintes, indisposées ou en couches.

• **4° L'aumône légale (zakât).** Est une expression de l'idéal de solidarité sur lequel l'islam a insisté dès le début. Obligatoirement payée par les seuls citoyens musulmans, elle est consacrée en principe à l'entraide sociale et s'applique aux biens et revenus suivants : or, argent, marchandises et bénéfices commerciaux au taux de 2,5 %, si on emploie des équipements pour la production ou l'élevage de 5 %, des produits de la terre et bestiaux de 10 %.

• **5° Le pèlerinage à La Mecque (Hadj). Origine.** Perpétue une tradition antérieure à l'islam. Il est dit que la 1re **Kaaba** avait été édifiée par Adam et détruite lors du Déluge avant d'être reconstruite par Abraham et son fils Ismaël, puis rendue par Mahomet au culte du pur monothéisme oublié depuis des générations. Située au centre de la grande mosquée de La Mecque (al Masjid al Harâm, qui a 7 minarets, chacun de 45 m de haut), la Kaaba (15 m de haut, 12 m de large ; généralement recouverte de la *kiswa,* brocart noir brodé d'inscriptions coraniques dorées) est désignée comme la « Maison sacrée d'Allâh ». **La pierre noire** donnée à Abraham par l'archange Gabriel est toujours enchâssée dans le mur sud-est de l'édifice, à 1,50 m du sol. A l'intérieur de l'enceinte de la mosquée se trouvent également la « station d'Abraham » (*Maqâm Ibrâhîm :* bloc de pierre sur lequel Abraham montait pour construire les murs de la *Kaaba* au-dessus de sa propre taille), et le *puits de Zamzam* dont, selon la tradition, l'eau avait jailli miraculeusement pour sauver de la soif Agar, femme d'Abraham, et son fils Ismaël.

Prescriptions. En principe obligatoire pour tout musulman qui en a les moyens matériels, le *Hadj* symbolise le retour au centre de toutes choses. Le croyant doit s'y rendre dans un esprit de repentir pour que ses péchés soient pardonnés et pour que le pèlerinage soit un renouvellement intérieur et exprime la réalité spirituelle d'un mouvement de l'âme vers la *Kaaba* du cœur.

En pratique le pèlerin accomplit, avant de pénétrer dans le territoire sacré de La Mecque, un rite de sacralisation *(ihrâm)* et se vêt de 2 pièces de tissu blanc sans coutures. En approchant des lieux saints, il répète la *talbiya :* « Me voici, ô mon Dieu, me voici ! Tu n'as pas d'associé, me voici ! A toi la louange et la grâce et le royaume ! Tu n'as pas d'associé ! » Dès lors il ne doit ni se raser, ni se parfumer, ni commettre de violence, ni accomplir d'acte sexuel.

Les rites proprement dits comprennent d'abord le *tawâf,* circumambulation de 7 tours autour de la *Kaaba* [en principe, il faudrait toucher la pierre noire à chaque passage, mais la foule (quelquefois + de 100 000 personnes) rend le geste très difficile], puis la marche accélérée *(sa'y)* entre Safâ et Marwa, petites collines situées à l'intérieur du *Harâm,* ou enceinte sacrée de la mosquée, commémoration de la course désespérée d'Agar à la recherche d'eau pour son fils. Dans la *plaine d'Arafat,* sur les lieux mêmes où, selon la tradition, Adam et Ève trouvèrent grâce devant Dieu et se retrouvèrent après avoir été chassés du Paradis et s'être égarés sur terre, sont accomplis les rites marquant le point culminant du pèlerinage. Le 10e jour a lieu le grand Sacrifice *(al-adha)* dans la plaine de Mina, en souvenir d'Abraham qui, par obéissance à Dieu, s'apprêtait à immoler son fils auquel fut miraculeusement substitué un bélier. C'est l'occasion d'égorger de nombreux moutons, chameaux, bœufs et chèvres. On se rase ou on se coupe les cheveux. Lapidation avec 7 cailloux de la grande pierre ou colonne baptisée *Samrat* ou *Lakaba ; tawaf alifada.* Les autres rites du *Hadj* ont lieu dans les environs immédiats de la Ville sainte. Le 11e jour, à Mina, à 5 km, les pèlerins lapident, avec 7 petits cailloux par colonne, 3 colonnes de pierre (petite *Assougha,* moyenne *Alwousta,* grande *Alakaba*) figurant Satan qu'Abraham avait repoussé lorsqu'il lui était apparu à cet endroit [Satan l'avait invité à rejeter l'ordre donné par Dieu de sacrifier son fils (le Coran ne précise pas s'il s'agissait d'Isaac ou d'Ismaël)]. Le 12e j, on peut quitter Mina avant le coucher du soleil, sinon on doit rester le 13e j. Avant de quitter les lieux saints, le pèlerin retourne au *Harâm* où il accomplit de nouvelles circumambulations autour de la *Kaaba* et boit de l'*eau de Zamzam* (dont il fera souvent provision pour en rapporter chez lui), puis se rend à Mina pour une dernière lapidation de Satan.

Après le *Hadj,* il est recommandé de visiter la *mosquée du Prophète,* à *Médine,* car, selon ses propres paroles, « pour qui me visite après ma mort, c'est comme s'il m'avait visité de mon vivant ». Quand la situation le permettait, bon nombre de pèlerins se rendaient encore à *Jérusalem,* 3e ville sainte de l'islam, et à *Hébron* où est enterré Abraham, « Ami de Dieu » *(Khalil)* et père des monothéistes.

Le *Hadj* a lieu du 8 au 12 de *Dhu'l'Hijja,* 12e mois du calendrier lunaire musulman (700 000 à 950 000 participants). La *'Umra,* petit pèlerinage, peut être accomplie à tout autre moment de l'année.

Traditions sociales

Arts. Architecture et arts graphiques non figuratifs caractérisés par une sévérité géométrique, alliée souvent à de la préciosité et parfois à de l'exubérance.

Communauté musulmane (Oumma). Principe régissant l'ensemble de la vie sociale : tous les croyants sont frères, c.-à-d. égaux entre eux. Il n'y a pas d'inégalité en droit. Seul leur degré de piété les distinguent aux yeux de Dieu. Les inégalités sociales, dues à la fortune, ne sont pas interdites par le Coran : chacun a le droit d'acquérir, par son effort, les biens matériels et terrestres.

Fêtes musulmanes 1991-92. Années de l'Hégire 1412, entre parenthèses 1413. 1er Muharram 13-7-1991 (2-7-1992), anniversaire du Prophète 22-9-1991 (11-9-1992), 1er Ramadân 6-3-1992 (24-2-1993), fête des sacrifices 12-6-1992 (2-6-1993).

Langue arabe. *Arabe littéraire :* proche de la langue classique (VIIIe-XIIe s.) qui a été celle du Coran, du Hadith et des grands livres religieux philosophiques ou poétiques. Redevenu courant, à la radio, dans les journaux et dans les livres, il regagne du terrain dans les milieux populaires dialectophones, du Maroc à l'Irak. *Arabe dialectal* ou *populaire* (dialectes libanais, égyptien, algérien, etc.) : langue d'env. 40 % des musulmans, les grandes nations musulmanes (Bangladesh, Indonésie, Iran, Pakistan, etc.) n'étant pas arabophones. Néanmoins, les élites sociales et culturelles musulmanes non arabophones connaissent l'arabe littéraire, étudié comme langue sacrée, utilisé par le Coran et le Hadith (le marché du livre arabe s'étend sur tous les pays musulmans).

Propriétés collectives. Biens de mainmorte donnés à Dieu, et dont l'usufruit alimente des fondations religieuses ou de charité (biens habous).

Vie intellectuelle. La pensée islamique a perdu au XVe s. (hégémonie de l'Empire militaire turc) l'originalité qui avait émerveillé l'Occident médiéval (astronomie, mathématiques, médecine, géographie, sciences agricoles, etc.). On a admis, au XIXe s., que la science médiévale arabe était une synthèse d'éléments pris à des civilisations antérieures, notamment à l'hellénisme alexandrin, à la Perse, à l'Inde, à la Chine. On reconnaît aujourd'hui qu'il y a eu de nombreux apports originaux. Les intellectuels musulmans contemporains sont à l'école des démocraties industrielles ou des sociétés marxistes. Néanmoins, les spécialistes de l'histoire de la pensée islamique ont entrepris l'édition de plusieurs centaines de milliers de manuscrits de l'époque classique.

Vie privée. Profondément marquée par les prescriptions coraniques, notamment : puissance des liens familiaux (autorité du père, solidarité familiale, cousinage et parentage maintenus plusieurs générations). Le statut de la femme a souvent été considéré (à tort) comme antiféministe ; or la femme est, en réalité, très honorée en Islam. Pour la protéger de la méchanceté des hommes de bas caractère, le Coran lui a imposé le voile. Les femmes ne paient pas l'impôt zakât sur leurs bijoux et parures quelle que soit leur valeur ; elles sont exemptées des prières quotidiennes lors de leurs règles mensuelles. La polygamie est possible seulement si la femme elle-même l'accepte, car le mariage est un contrat où elle seule, pas même son père, donne le consentement. Elle peut obtenir le droit de divorcer d'avec son mari si elle le stipule dans le contrat de mariage. Si sa quote-part dans l'héritage est moindre, c'est parce qu'elle n'est pas tenue, comme l'homme, d'entretenir ses père, mère, frères, sœurs, mari, enfants et autres proches parents.

Vie urbaine. 3 lieux principaux : *mosquée,* souvent entourée d'écoles ou d'œuvres d'assistance ; *bazar* ou *souk,* foyer du commerce et de l'artisanat ; *bains publics* (héritiers des thermes romains) pour le délassement et les ablutions rituelles.

Nota. – L'implantation de communautés européennes en pays musulmans a sensiblement modifié les comportements sociaux dans de nombreux États islamiques modernes.

Autres prescriptions

Aliments. Le sang étant considéré comme nourriture impure, la viande doit être issue d'un animal abattu et égorgé selon le rite. Les musulmans peuvent consommer la viande casher. De nombreuses associations veillent sur cette activité, dont l'association Tayibat.

Circoncision des enfants mâles. Généralement observée ; n'étant pas d'institution coranique, elle n'est pas obligatoire pour ceux qui se convertissent à l'islam.

Décès. La tombe est orientée, tout au moins la position du corps est rituellement déterminée.

Effort suprême (Djihâd). Couramment rendu par **« guerre sainte »**, c'est plutôt l'« effort collectif » des musulmans, qui ont le devoir de lutter, au besoin jusqu'au sacrifice de leur vie, pour la défense et les progrès de l'islam. Dans un sens spirituel, il se rapporte à la lutte du croyant contre les passions et les mauvais penchants de l'âme. Sur le plan historique, le *djihâd* a été mené d'abord contre les idolâtres arabes et les tribus juives puis contre les empires chrétiens et païens. Le Coran (2/190) n'autorise que la guerre défensive : « Et combattez dans la voie de Dieu ceux qui vous combattent et ne transgressez pas, Dieu n'aime pas les transgresseurs. » Il précise (2/256) : « Pas de contrainte en religion. »

Le *Djihâd* armé a reparu au cours des guerres dites de décolonisation (1950-70). Un Fonds du Djihâd a été créé le 7-8-71 en Libye par le colonel Kadhafi ; il subventionne les guérilleros musulmans, notamment en Mauritanie, aux Philippines, au Liban. Durant le conflit du Golfe (1991), Sadam Hussein relança le Djihâd pour le compte de l'Irak.

Interdits. Boissons alcooliques, stupéfiants, viande de porc et d'animaux sacrifiés à d'autres divinités qu'au Dieu unique ou tués de façon non rituelle ; prêt à intérêt assimilé à l'usure, jeux de hasard.

Mariage. Le mariage fécond est recommandé. Les pénalités pour adultère et fornication sont aussi sévères pour l'homme que pour la femme consentante (la femme non consentante n'est jamais poursuivie). *Polygamie :* un homme est autorisé à avoir jusqu'à 4 épouses simultanées, mais il lui est conseillé de se limiter à une seule s'il craint d'user d'injustice envers plusieurs. En principe le nombre des esclaves-concubines n'est pas limité : celles-ci peuvent cohabiter avec leur maître seul, à l'exclusion de tout autre ; si leur maître les marie, il perd le droit d'avoir des relations avec elles (raison juridique : le maître conserve la propriété du corps de son esclave ; mais le mari en a légalement l'usufruit). En fait, la polygamie tombe en désuétude (en Égypte, moins de 4 % des foyers musulmans) et la majorité des musulmans n'ont qu'une épouse. *Divorce :* les hommes peuvent facilement l'obtenir par simple répudiation. Les femmes peuvent aussi le demander, toutefois le Prophète a présenté le divorce comme « de toutes les choses permises, celle que Dieu déteste le plus ». *Mariage mixte :* un musulman peut épouser une juive ou une chrétienne (mais non une païenne). Si l'épouse ne se convertit pas à l'islam, elle perd le droit de garde des enfants en cas de divorce. Le 6-10-1985, Hocine Abbas, recteur de la Gde Mosquée de Paris, a rejeté la jurisprudence française sur le div. après mariage mixte.

Peines légales. 1°) **Définies par le Coran ou les Hades (Hadd).** LAPIDATION : châtiment réservé primitivement aux sacrilèges, et d'origine prébiblique. La Bible (Deutéronome) l'a appliqué à d'autres crimes (par ex. : violation du sabbat, adultère de l'épouse, infidélité d'une fiancée, rébellion d'un enfant contre ses parents). Le Coran n'en parle pas expressément, réservant la peine capitale aux incroyants et aux idolâtres. Mais la sourate 6/90 l'entérine implicitement, en déclarant que les lois des anciens prophètes non abrogées par le Coran restent en vigueur. En fait, la lapidation par preuve a été très rare en Islam, à cause de la nécessité (s'il n'y a pas aveu) de fournir 4 « témoins oculaires » (sourate 24/4). Le 4-7-1980, en Iran, 2 femmes et 2 hommes, accusés de crimes sexuels, ont été exécutés par lapidation (durée de l'exécution : 1/4 d'h.). 100 COUPS DE FOUET : pour la fornication *(Zina).* 80 COUPS DE FOUET : pour la dénonciation calomnieuse d'adultère ; – pour la consommation de vin *(shurb).* MISE À MORT : pour l'apostasie. ABLATION DE LA MAIN DROITE : pour le vol. ABLATION DES MAINS ET DES PIEDS : pour le brigandage armé (sans meurtre). MISE À MORT PAR DÉCAPITATION OU CRUCIFIXION : pour le brigandage armé avec meurtre. 2°) **Représailles.** Exercées par la victime (en cas de coups et blessures) ou par ses héritiers (en cas de meurtre). Consiste à faire subir au coupable le même dommage qu'il a causé (loi du talion, *Qisas*). 3°) **Châtiment fixé par le juge.** *Tazir : Minimum* 3 coups de fouet. *Maximum* 39.

Port du voile. Les passages du Coran relatifs au port du voile *(hidjâb)* ont été diversement interprétés selon les écoles juridiques, les époques et les régions. En usage surtout en ville il est souvent ignoré dans les villages et chez les nomades. Le voile est souvent remplacé, de nos jours, par un foulard cachant cou et cheveux. Le *burqa* (voile) cache la figure à l'exception des yeux et descend aux pieds ; les plus beaux étant ceux du Cachemire ; il peut être un ample vêtement de dessus de n'importe quelle couleur ou une simple bande de fine étoffe blanche cousue à un ruban qui fait le tour de la tête.

Nota. – En France, à l'automne 1989, des élèves musulmanes refusèrent de se rendre en classe sans leur foulard. Des proviseurs s'y opposèrent invoquant le principe de la laïcité de l'École publique.

Prohibition des images animales et humaines. Elle n'est pas exprimée dans le Coran, mais a été respectée même dans les pays musulmans non arabes. Les sculptures à représentation humaine, cultuelles ou profanes, restent interdites dans les lieux du culte.

Terminologie

- **Ayatollah.** De l'arabe *âyatullâh,* (« signe de Dieu », ce titre (acquis dans une université religieuse) désigne en général chez les chiites les *mujtahids* (ceux qui sont dignes de pratiquer l'interprétation de la volonté de l'Imam caché et ont reçu de leur maître l'autorisation d'enseigner la théologie). Le rôle influent des dignitaires religieux dans le chiisme vient du fait que tout fidèle, durant l'occultation de l'Imam, doit s'en référer, pour tout ce qui concerne sa conduite, au savant en matière religieuse qu'il considère comme le plus capable et le plus juste, car seuls les *mujtahids* sont en contact intérieur avec l'Imam caché. Leur prestige est renforcé par leur origine ; la plupart d'entre eux descendent du Prophète et donc des Imams.
- **Cadi.** Magistrat ou juge chargé d'appliquer la Loi de l'islam.
- **Calife.** Successeur de Mahomet, il était le chef spirituel et temporel des Croyants. Le titre signifie « vicaire » ou « lieutenant » du Prophète ; le Coran le donne à Adam (vicaire de Dieu sur Terre) et à David (lieutenant de Dieu). Dignité élective ; condition d'éligibilité (remplie de 632 à 1517) : appartenir à la tribu des Quraych, dont est originaire Mahomet.

Après 1517, le califat a passé aux Turcs ottomans ; la succession se faisant à l'intérieur de la famille califale ; l'élection était souvent la sanction symbolique d'une prise de pouvoir forcée.

Premiers califes. Abou Bekr (apr. 550-634 ; calife en 632), beau-père de Mahomet, qui se fait appeler Khalifa Raçoul Allah (le successeur de l'envoyé de Dieu). Son choix avait mis aux prises les Quraychites émigrés à Médine (dont il était le chef avec Omar) et les Médinois qui avaient accueilli et soutenu le Prophète. Surnommé *As-Siddik,* « le Véridique ».

Omar (634), autre beau-père de Mahomet, qui conquiert Perse, Syrie et Égypte, puis prend le titre d'émir des Croyants ; mort assassiné 644.

Othmân (644), conquiert Abyssinie (647) et Transoxiane ; assassiné 656.

Ali (656), gendre de Mahomet, époux de Fatima. Contesté par le gouverneur de la Syrie, Mu'âwiya (cousin d'Othmân), qui lui reprochait de ne pas avoir puni les assassins de celui-ci, il est sur le point de le vaincre à Siffîn (657), quand il accepte un « arbitrage » qui le dépossède du trône (cet arbitrage, rendu par 2 personnes qui n'étaient pas d'accord, ne trancha rien et laissa la guerre se continuer). En 659, Abdur-Rahman ben Muljam, dans l'intérêt de la communauté, l'assassine, voulant supprimer Mu'âwiya et Ali. Seul Ali fut tué.

Hassan (660). Dégoûté de l'indiscipline de son armée, démissionne en faveur de Mu'âwiya. Meurt empoisonné.

Mu'âwiya Ier (661-80). Gouverneur de Syrie, conteste l'élection d'Ali. Sur le point d'être battu à Siffîn, propose de faire rendre un arbitrage par un représentant de chacun des 2 camps. Cet arbitrage n'aboutit pas. La guerre continue et se termine par un partage, chaque adversaire gardant les territoires qu'il contrôlait. Après l'abdication de Hassan, fils et successeur d'Ali, Mu'âwiya devient calife de tout l'Empire islamique, installe sa capitale à Damas et, pour éviter les guerres de succession, suit l'exemple d'Ali et nomme son propre fils (Yazid) comme prince héritier [dynastie des *Omeyyades* qui comptera 14 membres jusqu'en 749 ; + 57 m. en Espagne de 755 à 1492 (califats de Cordoue et de Grenade)].

Autres califes. En 750, les *Abbassides* (descendants d'Al Abbas, oncle de Mahomet) supplantent les Omeyyades et s'installent à Bagdad (37 califes jusqu'en 1258). En 1258, chassés par les Mongols, ils se réfugient en Égypte. En 1517, les Turcs conquièrent l'Egypte et leur sultan prend le titre de calife (29 califes turcs à Constantinople de 1517 à 1924, date d'abolition du califat par le Pt Atatürk).

En 909, des Chiites ismaéliens (voir ci-dessous), descendants du calife Ali, assassiné en 659, fondent la dynastie *fâtimide* à Mahdia (Tunisie actuelle). En 969, ils conquièrent l'Égypte et fondent Le Caire (14 califes au Caire jusqu'à la destruction de leur califat par Saladin en 1171 ; Saladin et ses successeurs ont reconnu le califat des Abbassides). En 1939, le roi d'Égypte Farouk essaiera, sans succès, de rétablir le califat.

• **Émir.** Amir al Mouminin (déformé au Moyen Age en *Miramolin*), titre signifiant *Commandeur des Croyants,* pris par Omar, puis porté par les califes abbassides et les sultans jusqu'en 1924. Le titre d'émir fut aussi décerné à des chefs locaux ou à des officiers. Actuellement, il est porté par le roi du Maroc.

• **Imam. Chez les chiites,** titre désignant le chef spirituel et temporel de la communauté. Il est porté par les descendants d'Ali, 1er imam, et de Fatima, la fille du Prophète, jusqu'au 12e imam, l'Imam caché pour les Duodécimains. Les imams sont considérés comme les dépositaires du sens secret de la Révélation coranique et comme les successeurs légitimes du Prophète. **Chez les sunnites,** il désigne celui qui est chargé de conduire la prière et il est parfois attribué à une autorité religieuse éminente (les fondateurs des 4 rites sunnites, etc.). Les imams guidant la prière sont généralement choisis pour leur intégrité et leur dévotion, et souvent anciens élèves d'une école ou d'une université islamique. L'*imam khâtib* préside la prière du vendredi.

• **Marabouts.** Descendants de saints (soufis), qui, dans certains pays, héritent l'influence spirituelle de leurs ancêtres (baraka), influence dont ils ont parfois abusé à des fins non spirituelles, ce qui a déclenché contre eux la réaction des réformistes.

• **Mirzas.** Descendants du Prophète par leur mère (voir ci-dessous, sayyeds). Env. 500 000.

• **Mufti.** Jurisconsulte et, dans certains pays, fonctionnaire religieux (ex. : Algérie, Jordanie). *Grand Mufti :* conseiller spirituel d'une région.

• **Oulémas** *(Ulamâ).* « Savants » en sciences religieuses, aptes à interpréter la Loi divine ou *Charî'a.*

• **Sayyeds.** Dans le monde indo-iranien et particulièrement chez les chiites, désigne l'aristocratie par le sang des descendants en ligne masculine de la famille du Prophète. Équivalent de l'arabe *Sayyid,* « seigneur » et de l'algérien *sidi,* « monsieur », qui a donné le nom du Cid. La graphie adoptée par Voltaire (séide) a pris en français le sens de « partisan fanatique ». Chez les sunnites, équivalent de *chérif* (pluriel *chorfa*) ou « noble ».

L'islam contemporain

Tendances historiques

Chiisme. Constituant le « parti *(chi'at)* d'Ali », groupe près de 10 % des musulmans du monde. Ils ont leur propre école juridique *(djafarite),* et croient généralement que le dernier *imam* vient d'Ali. Constituèrent un groupe séparé pour des raisons plus politiques que religieuses, estimant que la succession de Mahomet aurait dû revenir, non aux 3 premiers califes Abu Bakr, Omar et Othmân reconnus par les sunnites mais à Ali (époux de Fatima), son cousin et son gendre. Pour Ali, ils ont combattu à Siffîn (657), contre Mu'âwiya. Après « l'arbitrage qui a, par subterfuge, dépossédé Ali » [et qui n'a rien tranché, n'étant pas unanime (Ali a gouverné jusqu'à sa mort les territoires qu'il contrôlait)], ils continuèrent à soutenir celui-ci contre les Omeyyades, en lui donnant le titre d'« imam » (calife pour les chiites).

Après la mort d'Ali, ses partisans se rallièrent à ses fils Hasan (2e *imam*) et Husayn [3e *imam* tué par les Omeyyades à Kerbela (Irak, 680), vénéré comme un martyr]. Le souvenir de cet événement, ajouté à l'idée que le pouvoir légitime ne saurait émaner que d'un *imam* descendant du Prophète par sa fille, épouse d'Ali, a entretenu dans le chiisme un élément de douleur et de tristesse et une certaine méfiance envers tout gouvernement séculier. Les chiites vénèrent Fatima : en particulier sa main, dont l'image attire la protection divine (la « *main de Fatma* » est vénérée aussi par les sunnites).

Les chiites attendent la réapparition de l'« Imam caché » à la fin des temps. Cependant ils se répartissent en différents groupes qui divergent quant au nombre des *imams.*

Duodécimains ou **imamites.** Secte dominante en Iran, fortement représentée en Irak, formant d'importantes minorités au Liban, en Afghānistān, au Pakistan et en Inde ; croit à 12 *imams.* Le 11e, Hassan al-Askari, descendant direct d'Ali II (4e imam, fils du 3e), épouse une princesse chrétienne convertie, Nargis Khatum, fille de l'empereur de Constantinople. Son fils, le 12e, Muhamad al-Mahdi, ou Imam al-Mahdi, décide de « s'occulter » en 873, dès la mort de son père. D'après la prophétie, il devait être le *mahdi,* c.-à-d. le calife bien guidé, dont le retour (ayant lieu en même temps que celui du prophète Jésus) inaugurera une ère de justice et de bonheur. La plupart des chiites croient qu'il n'est pas mort et qu'il reviendra lui-même quand les Temps seront accomplis, d'où le nom de *chiites duodécimains* (Mahdi ou 12e Imam), qu'ont pris ses partisans [*imâmiya* (« ceux qui croient en 12 imams »)].

Ismaéliens ou **septimaniens** (Inde, Pakistan, Turquie, Afrique orientale) reconnaissent 7 *imams* (le 7e était Ismaïl, fils du 6e imam). Ils comprennent plusieurs branches, divergeant sur des points de doctrine, notamment celles des **nizaris** (v. ci-dessous), et des **nusaïris** ou **alaouites** de Syrie.

Zaïdites (partisans de Zaïd fils cadet du 4e imam, Ali Zayn al-Abidin), chiites modérés plus proches des sunnites, majoritaires dans le haut Yémen, croient à 5 *imams.*

Ismaéliens nizârites (15 000 000 au Pakistan, Inde, Syrie et Soudan). *Chefs récents : Agha Khan Ier* (1800-81), 46e imam, descendant d'Ali et des anciens rois de Perse ; il établit son autorité sur les ismaéliens de l'Inde. Enterré en Égypte. *Agha Khan III* (Muhammad Châh, 1877-1957), son petit-fils, conseiller privé des rois d'Angl. et fondateur de la ligue panmusulmane de l'Inde ; obtint en 1919, qu'Istanbul ne soit pas rendue aux Grecs, mais laissée aux Turcs musulmans. Il fut l'homme le plus riche du monde (400 milliards d'AF) : pour son 60e anniversaire, il reçut de ses fidèles son poids en platine et en diamants ; il possédait une écurie de courses renommée. En 1944, il épousa la Française Yvette Labrousse (Miss France 1930) connue comme la *Bégum* (la femme de l'Agha), mais dont le titre officiel était *Mata Salamat* (« Que vive la Mère ! »). *Agha Khan IV* (Karim, n. 1936), 49e imam, petit-fils d'Agha Khan III [désigné pour successeur au lieu de son père Ali Khan (1911-60), époux divorcé de l'actrice Rita Hayworth (épousée 1949)], marié à une Anglaise, Sarah Crocker Poole (épouse en 1res noces de M. Chrichton Stuart), devenue la Bégum Salima. En 1967, il a créé à Genève une fondation humanitaire (hôpitaux, écoles en Inde, Pakistan, Kenya), dont le budget est alimenté par la « didar », contribution en espèces versée par chaque fidèle. Il a racheté pour 41 millions de F l'écurie de course Boussac. Mais, pour son jubilé en 1982, il n'a pas reçu l'équivalent de son poids en platine (tradition perdue).

Kharedjisme (de *kharadja,* « sortir »). Secte des « sortants » qui, dès 657, se séparèrent de la communauté majoritaire après être entrés en dissidence avec Ali, 4e calife, à qui ils reprochaient sa compromission avec Mu'âwiya, fondateur de la dynastie omeyyade, lors de l'« arbitrage » de Siffîn. Leur communauté, connue pour son rigorisme, s'est perpétuée dans le cadre de la secte ibadite (remontant à Abdallâh ibn Ibâd, VIIe s.). Ceux-ci fondèrent en 761 à Tahert, la « Purifiée » (à 9 km de Tiaret, Algérie), une communauté prospère, la seigneurie *rostémide* (détruite en 909), dont les continuateurs sont les actuels *Mzabites.* Survivances à Mascate, Zanzibar, Djerba (Tunisie), Mzab (Algérie). Env. 1 000 000 de m.

Soufisme. *Le taçawwuf,* généralement traduit par « soufisme », désigne le mysticisme de l'islam avec ses aspects spirituels et ésotériques. Il se fonde essentiellement sur le Coran et la *sunna* (tradition) du Prophète et de ses compagnons, représentant un approfondissement et une intériorisation de l'islam, contrairement à une opinion souvent exprimée selon laquelle il aurait résulté d'influences étrangères. Ses manifestations, distinctes de la piété ordinaire, datent du Ier s. de l'hégire et il n'a cessé depuis lors de constituer un ferment spirituel et une source de ferveur dans toutes les régions du monde musulman, où pratiquement tous les saints dont on vénère la mémoire et dont on visite les tombeaux furent des soufis. Le soufisme entra néanmoins en conflit avec les autorités religieuses, notamment à Bagdad sous les Abbassides où un grand mystique comme Hallâdj (Xe s.) fut jugé hétérodoxe et mis à mort. Puis, surtout depuis Ghazâlî (XIe s.), le soufisme se réconcilia avec l'orthodoxie officielle et se développa.

Les soufis sont généralement groupés en confréries [parmi les plus importantes : la *Qâdiriya* issue d'Adb-al-Qadîr al-Djilânî (XIIe s.), saint patron de Bagdad, répandue dans le monde musulman tout entier ; la *Châdhiliya* fondée par Abou'l-Hasan ach-Châdhilî (XIIIe s.) qui a de nombreux adhérents en Afrique du N. et au Proche-Orient ; et la *Mawlawiya* remontant à Djalâl ad-Dîn Rûmî (XIIIe s.), célèbre par la danse cosmique des « derviches tourneurs »]. La pratique la plus caractéristique des confréries est le *dhikr,* ou « souvenir » de Dieu, sous forme d'invocations, de litanies ou de danses sacrées. Parfois dégénéré pour n'être plus que maraboutisme ou fakirisme, le soufisme a aussi été mêlé, en quelques occasions, à des mouvements politiques.

Sunnites ou **orthodoxes.** Mettent l'accent sur la fidélité à la tradition *(sunna)* et se considèrent comme orthodoxes par rapport au chiisme. Ils reconnaissent les 4 premiers califes comme légitimes (Abou Bekr, Omar, Othman, Ali) et désignent le successeur du Prophète (calife) par investiture *(Bai'a).* Partisans de l'élection. Divisés en 4 écoles juridico-théologiques (voir Fiqh p. 555a).

Tendances récentes

Ahmadiya. 73e secte de l'islam. Mouvement *fondé* le 23-3-1889 par Hazrat Mirza Ghulam Ahmad (1835-1908), de Qadian, Inde, qui se présenta comme le *Mujaddid* du XIVe s. de l'hégire (réformateur), l'imam Madhi ou Messie promis ; représenté par son 4e Calife, Hazrat Mirza Tahir Ahmad. *Adhérents :* + de 10 millions dans plus de 114 pays (G.-B. : + de 10 000). *Adresse (France) :* 54, rue du Lieutenant-Col.-Donzelle, 95390 Saint-Prix.

Frères musulmans *(Al-Ikhwân al-muslimûn).* **1928.** Association créée en Égypte par l'instituteur Hassan al-Bannâ. Inspirée par la *Salafiya,* elle veut aussi mettre en pratique ses idées et s'adresse à toutes les catégories sociales, gagnant à sa cause une bonne partie de la jeunesse, vise à lutter contre toute emprise étrangère dans les pays musulmans, et à retourner aux sources de la religion du Prophète, rejette toute imitation du modèle occidental, origine de la corruption et de la déchéance du monde musulman, veut édifier une société islamique idéale [« pas de Constitution si ce n'est le Coran » ; la *choura* (conseil), dont les membres représentent la communauté et élisent le chef de l'État, contrôle ses actes et légifère avec lui], abolir la prostitution, interdire les écoles mixtes, organiser la *zakât* (aumône publique) et la propriété privée, interdire l'usure, lutter contre les fausses confréries, limiter la polygamie, laisser libres les écoles juridico-théologiques. **1932** l'organisation se politise et, grâce à ses multiples cellules implantées notamment en Égypte, devient une force importante menaçant le régime. **1948** dissous par le gouv. égyptien, les Frères répliquent par l'assassinat du Premier ministre. **1949** (12-2) al-Bannâ est tué, mais la confrérie continue une vie clandestine. **1951** reprend ses activités au grand jour. **1952** les « Officiers libres » de Néguib et Nasser, en contact avec les Frères, prennent le pouvoir et cherchent leur collaboration. **1954** (oct.) déçus dans leurs espoirs de voir s'instaurer un régime islamique, les Frères attaquent le gouvernement et fomentent un attentat contre Nasser ; la confrérie est dissoute, les Frères arrêtés et des exécutions spectaculaires ont lieu (en 1954, 66, 74, 78, 80 et 81). Cependant l'Association continue de se manifester, souvent avec violence (1981, affrontements au Caire avec les coptes : 14 †, 54 blessés ; assassinat du Pt Sadate imputé aux Frères).

Le succès de ces doctrines fondamentalistes vient du fait que le modernisme et les idéologies nationaliste, libérale, socialiste importées ont échoué. Pour les jeunes et les intellectuels, l'islam et les mouvements s'en réclamant paraissaient alors la seule solution à leurs problèmes. Pour la plupart des peuples du tiers monde qui estiment perdre leur âme par une modernisation excessive, l'islam apparaît comme faisant cause commune avec celle du tiers monde.

Mouridisme. Communauté *fondée* v. 1890 par le cheikh Ahmadou Bamba (1852-1927), au Sénégal, à l'époque française. Les Mourides considèrent le travail comme un moyen de sanctification aussi important que la prière. Ont créé des villages communautaires, pratiquant les techniques agricoles modernes, dont l'un est leur ville sainte : Touba. Pour eux, le Djihâd n'est pas violent (combat spirituel pour la perfection de l'âme), et la femme joue un rôle capital dans la société. Pour la prière et la méditation, les femmes font cercle autour de la maîtresse, les hommes autour du maître. *Adhérents :* 3 000 000, surtout au Sénégal.

Salafiya. Courant réformiste né au XIXe s., se réclamant des pieux « ancêtres » *(salaf)* et d'un certain modernisme, pour revivifier un Islam en « stagnation » face à un Occident dynamique et puissant. Après l'Iranien Djamâl al-Dîn al-Afghânî, partisan du panislamisme, l'Égyptien Muhammad Abduh (1848-1905), son disciple, élabora un réformisme théologique et culturel. Il épura l'islam, combattant superstitions et culte des saints en prêchant le retour à la foi originelle. Il chercha à développer l'enseignement des sciences occidentales et de l'histoire. Son œuvre fut poursuivie dans un sens plus nationaliste arabe par Rachid Ridâ († 1935) qui, avec la revue *Al-Manâr* (« Le Phare »), propagea les idées de la *Salafiya* (Maghreb, mouvement réformiste des oulémas algériens ; Inde, « Ahl-il-Hadith » combattant les superstitions ; Indonésie, « Mohammadiya », 1912, œuvrant à approfondir l'islamisation du pays). Il en résulta la création d'universités modernes.

Sanûsiya. *Fondée* 1837 à Mazouna (Alg.) par Muhammad Ibn-Ali as-Sanûsi (1787-1859) qui a émigré ensuite à Koufra (Libye). La moins mystique des confréries soufies. Marquée par le wahhabisme, elle a lutté pour le retour aux sources de la foi, et a combattu contre la pénétration italienne en Libye, où se trouvait le centre de l'ordre des Sénoussis, dont le chef était à la tête d'un empire s'étendant jusqu'en Afrique centrale. Le chérif Idris (petit-fils du fondateur), défait par les Italiens en 1931, roi de Libye à son indépendance (1951), fut renversé en 1969 par Khadafi.

Tablighi. Mouvement pur et missionnaire. Env. 3 000 000 en 1986.

Wahhabisme. Mouvement religieux réformiste fondé en Arabie par Muhammad ibn Abd al-Wahhâb (1703-91). Influencé par l'école hanbalite, il s'éleva contre les pratiques jugées incompatibles avec la pureté de la religion et considérées comme des innovations *(bid'a)* blâmables, telles que le culte des saints et la visite de leurs tombeaux. Il s'attaqua aussi aux philosophes, aux soufis et aux chiites, accusés également d'avoir introduit des innovations dans l'islam, et prêcha une foi rigoriste et une interprétation littérale de la *Charî'a.* Au XIXe s. l'émir Muhammad ibn Saoud, gagné à la cause wahhabite et désireux de la répandre dans le monde musulman, entraîna ses guerriers à la conquête de l'Arabie, alors sous domination ottomane. Il réussit à la soumettre presque entièrement, puis il parvint à Bagdad et à Damas, mais fut vaincu par le calife. Le wahhabisme restait toutefois vivace et c'est en son nom qu'Ibn Saoud fonda le royaume d'Arabie saoudite en 1932. Depuis, étant donné les contacts sans cesse croissants du royaume avec le monde extérieur, la rigueur du wahhabisme tend à se tempérer.

Lieux saints principaux

Communs. La Mecque (plus de 2 000 000 pèlerins par an), Médine, Jérusalem. **Chiites.** Meshed (Iran), Nadjaf, Karbala, Kazimeyn (Irak).

Universités islamiques principales

Afghânistân : Fac. de théologie de Kaboul (fondée 1856). **Algérie :** U. Abdelkader à Constantine (f. 1983). **Égypte :** U. Azhar du Caire (f. 973, réformée 1936 ; Fac. de théologie 1945, de droit musulman 1946). **Inde :** U. Dârul-aboum Deoband (f. 1870) ; U. islamique Alighar (f. 1877) ; Nawat Al Ulama (f. 1898). **Iran :** Meshed (Bibl. XVe s. ; U. 1939) ; Fac. des études islamiques à Qom ; Fac. de théologie à Téhéran. **Maroc :** U. Qaouyine à Fès (f. IXe s., réf. 1936). **Nigeria :** U. Ahmadu Bello Zaria. **Pakistan :** U. d'Islamabad (f. 1980). **Arabie Saoudite :** Riad, U. Mohamed Ben Saoud ; U. Médine. **Soudan :** U. Oum Darman. **Syrie :** Damas (f. 1920). **Tunisie :** Fac. Zaïtouna à l'U. de Tunis (f. Xe s.). **Turquie :** Fac. de théologie d'Ankara (f. 1949) ; Marmara à Istanbul.

Déclaration islamique universelle des droits de l'homme. Proclamée officiellement le 19-9-1981, à Paris (Unesco) par Salem Azzam, secr. gén. du Conseil islamique. Composée de 23 art., elle ne doit, en principe, être transgressée par aucun gouv. islamique. Outre le droit à la vie, sont reconnus les droits à la liberté ; à l'égalité et à la prohibition de toute discrimination ; à la justice ; à un procès équitable ; à la protection contre l'abus de pouvoir et contre la torture ; à l'honneur et à la réputation ; à la liberté de déplacement et de résidence ; et à 13 droits politiques et sociaux : droit d'asile, droit des minorités, droit et obligation de participer à la conduite et à la gestion des affaires publiques, droit à la liberté de croyance, de pensée et de parole, droit à la liberté religieuse, droit de libre association, droits découlant de l'ordre économique, droit à la protection de la propriété, statut et dignité des travailleurs, droit à la sécurité sociale, droit de fonder une famille, droit de la femme mariée, droit à l'éducation et droit à la vie privée.

Statistiques

Les musulmans dans le monde en 1986

• **Population musulmane en millions, % par rapport à la pop. totale du pays. Tendance : c : chiite, s : sunnite, z : zaidite. Monde arabe. Afrique.** Algérie 20 (95 %) s. Bénin 0,3 (10). Botswana 0,001. Burundi 0,05 (1,5). Cameroun 1 (14). Cap Vert, néant. Centrafricaine (Rép.) 0,2 (6,5). Comores 0,3 (99). Congo 0,005. Côte-d'Ivoire 1,7 (23). Djibouti 0,2 (92). Égypte 41 (90) s. Émirats arabes unis 0,75 (68) s. Éthiopie 11,5 (40). Gabon, quelques milliers. Gambie 0,4 (85). Ghâna 1,2 (12). Guinée 4,4 (75). Guinée-Bissau 0,2 (33). Guinée équatoriale, quelques milliers. Haute-Volta 1,8 (30). Kenya 0,8 (6). Lesotho, quelques centaines. Liberia 0,4 (26). Libye 3 (99) s. Madagascar 0,4 (5) Malawi 0,6 (12). Mali 4,4 (70). Maroc 9,3 (99) s. Mauritanie 1,5. Mozambique 1,3 (15). Namibie, néant. Niger 4 (85). Nigeria 28 (36). Ouganda 0,6 (5). Réunion, quelques milliers. Rwanda, quelques milliers. São Tomé et Principe, néant. Sénégal 4,3 (84). Sierra Leone 1,5 (50). Somalie 3,2. Soudan 13,2 (75) s. Sud-Africaine (Rép.) 0,4 (1,5). Swaziland (Ngwane), néant. Tanzanie 5,2 (33). Tchad 2,2 (53). Togo 0,2 (10). Tunisie 5,9 (92) s. Zaïre 0,3 (1,25). Zambie, quelques milliers. Zimbabwe, quelques milliers. **Asie arabe.** Arabie Saoudite 9,3 (99) s. Bahreïn 0,34 (95) c. 55, s. 40. Irak 12,9 (96) c. 70. Jordanie 3,1 (94) s. Koweït 1,2 (95) s. Liban 1,6 (1) c. 60. Oman 0,81 (99) s. Qatar 0,22 (88) s. Syrie 8 (87) s. Yémen du N. 5,5 (99) z. Yémen du S. 1,7 (99) s. **Asie non arabe.** Afghânistân 17,5 (99) s. majorité, c. 40. Bangladesh 84 (85) s. Birmanie 1 (3) s. Brunei 0,2 (75) s. Chine 30 (1,4) s. Chypre 0,1 (18) s. Inde 80 (12) s. Indonésie 135 (90) s. Iran 40 (98) c. 97. Israël 0,5 (14) s. [intérieur : Palestiniens ; Cisjordanie et Gaza : 1,3 (87)]. Malaysia 7,8 (52) s. Maldives 0,17 (99,9). Pakistan 89 (95) s. 75. Philippines 2,4 (5) s. Singapour 0,3 (14). Sri Lanka 1,4 (9) s. Thaïlande 1 (2) s. Turquie 44,8 (90) s. **Europe orientale.** U.R.S.S. 48 (18) s.

Europe (en millions). Albanie (7), Allemagne (RFA) 1,8 (6), Bulgarie 1, *France 2,5 (5),* G.-B. 0,6 (1,4), Grèce 0,27, Yougoslavie 3,5. **Amérique.** Am. latine 2,5 (0,6), Canada 0,14 (0,6), E.-U. 3 (1,4). **Total Islam** (1982). *Évaluation Encyclopaedia Britannica :* 588. *Missi :* 745.

Chiites (1980, en millions). Iran 33, Inde 17, Pakistan 15, Afghânistân 7,2, Irak 4,8, Liban 1,1 ; total 78,1. *Non islamiques :* U.R.S.S. 2, autres 5,4.

• **Population totale** *(1990).* + d'un milliard.

Prévisions. *En 2020 :* 2 milliards (soit 23 % de la population mondiale qui atteindra 8,6 milliards).

☞ L'islam progresse en Afrique noire, au détriment du christianisme, depuis la décolonisation. Les conversions de Noirs chrétiens à l'islam sont fréquentes. Les conversions d'animistes se font plus vers l'islam que vers le christianisme.

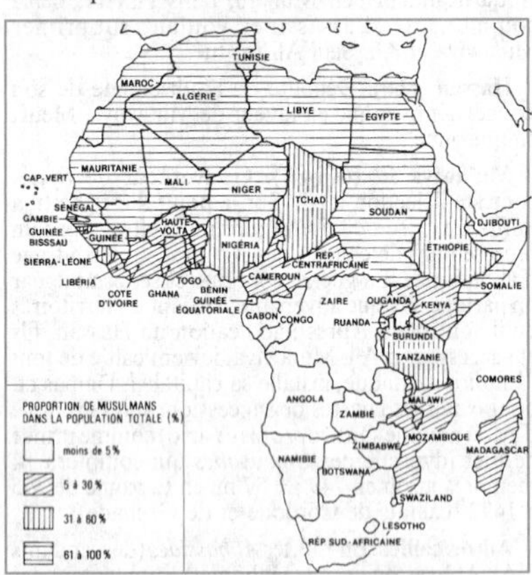

Agents de l'islamisation : marabouts locaux ; confréries sociales et professionnelles ; centres éducatifs (notamment mosquées des villes). *Transformations sociales :* adoption de prénoms musulmans ; écoute des émissions arabes ; alliance entre groupes sociaux musulmans et rejet des païens (kâfirs) ; restructuration des familles.

Taux de natalité moyen (1988) dans le monde musulman : 42 ‰ ; dans le reste du tiers monde : 34 ; pays industralisés : 13.

Les musulmans en France

Historique. *VIIIe s. :* installation de musulmans dans le Sud de la Fr. : mosquées (Narbonne), villes et forteresses (Carcassonne), influences sur l'art et la culture. *VIIIe-XXe s. :* éclipse. *XXe s. :* début de l'immigration massive.

Nombre. *1987 :* env. 3 010 000 dont Français d'origine maghrébine 1 000 000. Algériens 900 000. Marocains 400 000. Tunisiens 200 000. Turcs 200 000. Français d'origine européenne 100 000. Africains 100 000. Iraniens 60 000, autres 50 000.

Opinion des musulmans français. D'après une enquête SOFRES-Nouvel Observateur de mars 1989, 10 % se sentent avant tout Français, 27 % avant tout musulmans, 59 % autant l'un que l'autre, 4 % sont sans opinion. 44 % pensent qu'un musulman a le droit de rompre avec l'Islam, 48 % qu'il n'en a pas le droit. 53 % pensent acceptable qu'une femme épouse un Français non musulman, 42 % que ça n'est pas acceptable.

Pratique. Env. 5 % des musulmans vont régulièrement dans une mosquée.

Mosquées et Imams de France (il n'y a pas de hiérarchie religieuse en Islam). *1965 :* 4. *75 :* 68. *80 :* 274. *85 :* 922. *90 :* env. 1 000 dont 400 importants. **Paris :** 23 mosquées ou salles de prières dont les plus importantes : *Grande Mosquée de Paris* (construite de 1922 à 1926), 2, place du Puits-de-l'Ermite, 75005 ; Gd Mufti : Sheikh Abdel Hamid Amer ; l'Institut musulman de Paris qui en dépend était à l'origine un mémorial des musulmans d'outre-mer tués à la guerre de 1914-18, son administration avait été confiée à la Sté des Habous et des Lieux saints de l'Islam, créée en 1917 à Alger par le gouvern. français ; actuellement (dep. 1982) géré par la Sté des Habous, doté d'un statut international ; recteur de l'Institut : Dr Tedjini Haddam (n. 11-1-1921, Algérien). *Mosquée Da'wa,* 39, rue de Tanger, *Mosquée Al Fath,* 53, rue Polonceau, *Mosquée Omar Ibn al Khattab,* 79, rue J.-P. Timbaud, *Union islamique en France* (Turcs), 64, rue du Fg-St-Denis, **Banlieue :** env. 100 mosquées ou salles de prières dont : *Mantes-la-Jolie,* imam : Idaoudi Omar ; *Asnières,* imam : Ahmed Khattab ; *Clichy, Nanterre* ; *St-Denis* ; *Les Mureaux* . **Province :** env. 300 dont : *Marseille* (9, av. Camille-Pelletan, 13001), *Reims, Lille, Roubaix, Clermont-Ferrand, Strasbourg, Mulhouse, Lyon* et banlieue, *Dijon, Bordeaux, Nantes, Laval.*

Centres de conférences. **Paris :** *Association des étudiants islamiques en France :* 23, rue Boyer-Barret, Paris 14ᵉ, *Amicale des musulmans de Fr. :* 59, rue Claude-Bernard, Paris 5ᵉ. *Bureau de Paris de la Ligue islamique mondiale :* 22, rue François-Bonvin, Paris 15ᵉ. *Centre culturel et religieux chiite en Europe :* 16, av. du Pt-Kennedy, Paris 16ᵉ. (Imam : Mehdi Rouhani).

Convertis à l'islam. Maurice Béjart (doctrine chiite). Michel Chodkiewicz, origine polonaise. Isabelle Eberhardt, or. russe, † à 27 ans en Algérie. Roger Garaudy, catholique et militant communiste, en 1982 sunnite. René Guénon (1886-1951), en 1911, vécut au Caire de 1930 à sa mort sous le nom d'Abd El-Wahid Yahya.

☞ Sondage IFOP (Le Monde, nov. 89) : 38 % des Français sont opposés aux constructions de mosquées dont 74 chez les sympathisants du *Front national,* 49,6 du *P.C.,* 43,8 du *R.P.R.,* 32,6 de l'*U.D.F.,* 29,5 du *P.S.*

Foi baha'ie

Origine. 2 fondateurs (iraniens chiites) : *Mirza Ali Muhammad* dit le *Bab* (la Porte), de son vrai nom *Siyyid'Ali Muhammad* (1819-50 fusillé), annonce en 1844, à Chiraz (Perse) la venue d'un grand prophète ; exécuté par ordre du Chah avec 20 000 de ses disciples ; enseveli sur le mont Carmel, Haïfa (Israël), devenu un lieu saint de la foi baha'ie. *Mirza Husayn-Ali* (1817-92), dit *Baha'u'llah* (la Gloire de Dieu), déclare en 1863 être la grande manifestation de Dieu annoncée par le Bab. Exilé à St-Jean-d'Acre jusqu'à sa mort et enseveli au manoir de Bahji, à la sortie de St-Jean d'Acre.

Principes. La foi baha'ie proclame le caractère nécessaire et inévitable de l'unification du genre humain, demandant à ses adeptes de travailler à ce qui peut rapprocher les hommes et établir la paix et la concorde ; elle prône la recherche personnelle de la vérité et l'abandon des préjugés, affirme que la religion doit être en harmonie profonde avec la science, soutient l'égalité des droits de l'homme et de la femme, le principe de l'éducation obligatoire, la suppression des extrêmes dans la richesse et la pauvreté et condamne l'esclavage ; élève au rang de prière le travail accompli dans un esprit de service. Elle n'a pas de clergé et abolit les pratiques d'ascétisme, de mendicité et monacales, prescrit la monogamie, encourage la vie de famille et décourage le divorce ; prescrit l'obéissance au gouvernement.

Structures. Foi baha'ie administrée par la Maison universelle de justice, élue tous les 5 ans, au cours d'un congrès international. 151 assemblées spirituelles nationales et 16 821 assemblées spirituelles locales élues annuellement.

Statistiques (1986). *Localités* où résident des Baha'is : 108 095 dans le monde (juin 1987). *Centre à Paris :* 45, rue Pergolèse, 75016.

Persécutions en Iran. *L'islam chiite* iranien n'a jamais accepté la proclamation, en 1844, de l'indépendance religieuse des Babis, puis des Baha'is, et les traite en hérétiques à exterminer. *L'islam sunnite* a, en 1925 et 1939, banni de l'islam la communauté baha'ie pour « apostasie » et décrété qu'elle constituait une communauté non musulmane indépendante, ayant ses croyances, son statut et ses règles hors de l'islam. Il n'a pu l'admettre en tant que nouvelle religion indépendante étant tenu de croire qu'aucune religion ne doit succéder à celle de Mohamed. *Avant 1978,* les Baha'is ont subi une législation d'exception (confiscation d'immeubles, impôts spéciaux, interdiction de réunions etc.), et des exactions populaires (viols, rapts, assassinats, incendies, pillages) impunies. *Après la Révolution* (1978) la persécution s'est amplifiée : immeubles détruits (notamment la maison du Bab, en nov. 1979) ; fidèles torturés, condamnés à mort et exécutés.

Grandes religions d'Asie

Religions bouddhiques

Bouddhisme indien

• **Sens du mot « Bouddha ».** Sanskrit : « éveillé ». Titre donné à l'ascète indien Gautama qui s'était « éveillé » à la Vérité, découvrant alors la réalité cachée aux yeux des hommes par le voile épais de l'ignorance. L'Éveil *(bodhi)* est le but visé par tout *bodhisattva* [« être recherchant l'Éveil », c'est-à-dire futur *bouddha*].

• **Origine.** Gautama, surnommé Çâkyamouni, « Sage (de la tribu) des Çâkya », vécut vers le vᵉ s. av. J.-C. dans le bassin moyen du Gange, prêchant la doctrine de salut qu'il avait découverte, accompagné des ascètes « mendiants » *(bhikshou),* ses disciples, organisés en communauté *(sangha).* Ses cendres furent divisées en 8 lots et gardées dans 8 pays. En 1981, l'un d'eux (boîte de 4 × 5 cm) aurait été retrouvé au temple de Yunju, à 75 km de Pékin.

Grâce à la conversion et au zèle de l'empereur Açoka (milieu du IIIᵉ s. av. J.-C.), le bouddhisme se répandit dans le sous-continent indien et à Ceylan. Plus tard, il atteignit Sud-Est asiatique et Insulinde par la mer, Asie centrale, Chine (IIᵉ s. apr. J.-C.), Corée, Japon (VIᵉ s.), Tibet (VIIᵉ s.) et Mongolie (XIIIᵉ s.) par voie de terre. Partout, il sut s'adapter aux cultures et mentalités. En Inde, il fleurit jusqu'au VIIIᵉ s., puis déclina et disparut après le XIIᵉ s.

• **Doctrine fondamentale** *(dharma).* **Base :** repose sur 2 croyances indiennes prébouddhiques : 1° Tous les êtres vivants renaissent après la mort et chacun d'eux traverse ainsi une série indéfinie d'existences parmi les hommes, les dieux, les animaux et les damnés. 2° Chacune de ces renaissances, sa part de bonheur ou de malheur, est déterminée par la valeur morale des actes accomplis dans les vies précédentes, selon une justice immanente, automatique et inéluctable.

Les 4 vérités. Saintes. Découvertes par Gautama lors de l'Éveil : 1° Toute existence est par nature pénible et décevante, même celle des dieux. 2° L'origine de ce malheur est la soif d'exister, qui conduit à renaître. 3° La cessation de cette soif entraîne celle de la renaissance et par là celle du malheur inhérent à l'existence. 4° Cette cessation, donc la Délivrance du cycle des renaissances et des souffrances, est obtenue en suivant la Sainte Voie *(mârga)* aux 8 membres, c.-à-d. par la correction parfaite des idées, des intentions, des paroles, des actes, des moyens d'existence, des efforts, de l'attention et de la concentration mentale.

Le terme de cette Voie est appelé « Extinction » *(nirvâna)* des passions, des erreurs et des autres facteurs de renaissance. C'est un état de sérénité imperturbable qui dure jusqu'à la mort du saint, après laquelle celui-ci ne renaît plus jamais nulle part.

Autre enseignement. La Doctrine enseigne en outre que tout, êtres et choses, est transitoire, changeant, composé d'éléments eux-mêmes en perpétuelle transformation, soumis à un rigoureux enchaînement de causes et d'effets. Tout a un commencement, une durée variable et une fin, il n'y a que des séries de phénomènes évoluant plus ou moins rapidement, et par conséquent il n'existe ni âme immortelle ni Dieu éternel, omnipotent et créateur.

« Moines ». La Voie de la Délivrance ne peut guère être suivie jusqu'au bout que par les ascètes mendiants *(bhikshou),* subsistant d'aumônes, soumis à une discipline fort austère. Ces « moines » doivent pratiquer des exercices variés, appelés en général « méditations » *(dhyâna)* et apparentés au *yoga,* pour affaiblir et supprimer erreurs et passions, obtenir la vision parfaitement claire de la réalité et la sérénité parfaite du *nirvâna.*

Prescriptions pour les fidèles. Ils doivent pratiquer l'aumône, s'abstenir comme les moines du meurtre de tout être vivant, de vol, de luxure, de mensonge et de l'usage des boissons enivrantes.

• **Culte bouddhique. Origine.** La vénération des premiers adeptes envers le Bouddha et ses plus saints disciples s'est transformée en culte, à cause des habitudes religieuses des laïcs et parce que ses manifestations étaient regardées comme des bonnes actions permettant de renaître dans des conditions agréables, parmi les dieux ou les hommes riches et puissants.

Objet. Ce culte s'adressait d'abord au *Bouddha Gautama,* à sa doctrine et à sa communauté monastique, puis il s'étendit aussi aux divers *bouddha* qui l'avaient précédé et aux *bodhisattva* qui devaient lui succéder. Les innombrables divinités indiennes, considérées comme des protectrices zélées du bouddhisme, parurent dignes de recevoir hommages et offrandes des fidèles laïcs.

Formes. Empruntées au culte indien prébouddhique, en retranchant ce qui était incompatible avec la doctrine bouddhique et notamment avec sa morale (comme les sacrifices sanglants). Il consiste en divers gestes et attitudes de vénération, en offrandes de fleurs, parfums, lampes allumées, musique et chants de louanges, en audition et récitation de textes sacrés attribués au Bouddha, et en méditations. A cela s'ajoutèrent très tôt : le culte des reliques et les pèlerinages aux lieux saints. Au cours des siècles, le culte s'est développé et compliqué, parfois jusqu'à l'exubérance, par l'adjonction de pratiques plus ou moins symboliques empruntées à l'hindouisme et relevant souvent plus de la magie que de la religion.

• **Évolution du bouddhisme indien.** Il se divise en 3 groupes principaux, dont les 2 premiers, du moins, sont appelés « véhicules » *(yâna)* ou moyens de progression sur la Voie de la Délivrance.

« Petit Véhicule » *(hînayâna).* Ainsi nommé par les adeptes des 2 autres, il est le plus ancien, le plus fidèle aux enseignements du Bouddha. Il a compté une vingtaine de sectes, nées la plupart avant notre ère et dont seul subsiste aujourd'hui le *theravâda,* ou « Enseignement des Anciens » ; florissant à Ceylan, en Thaïlande et Birmanie, et naguère au Cambodge et Laos ; littérature rédigée en pâli, langue sœur du sanskrit, concernant surtout les moines *(bhikshou),* auxquels elle enseigne la méthode à suivre pour devenir des *arhant,* hommes « méritants », c.-à-d. des saints ayant atteint le *nirvâna.*

« Grand Véhicule » *(mahâyâna).* Apparu à la fin du Iᵉʳ s. av. J.-C., a produit de nombreux textes sanskrits. Exhorte ses adeptes à devenir, non pas des *arhant,* mais des *bodhisattva,* en portant à leur perfection *(pâramitâ)* l'exercice des vertus, notamment en aidant et secourant les autres êtres, sans épargner leur peine ni leur vie, et en retardant leur propre entrée dans le *nirvâna* jusqu'à ce que tous les autres l'aient atteint eux-mêmes. La plupart de ses fidèles ont une vénération particulière pour le *bodhisattva Avalokiteçvara,* dont la compassion sans limite et toujours active leur sert de sauvegarde et de modèle. D'autres vouent un culte exclusif au *bouddha* mythique *Amitâbha,* « Lumière infinie », qui accueille, dans son paradis nommé *Sukhâvatî,* tous ceux qui ont eu même une seule pensée de respect à son égard. *Écoles de philosophie : Mâdhyamika,* fondée par Nâgârjuna (IIᵉ s.), démontre et enseigne que tout est « vide » *(çûnya)* de nature propre derrière le monde illusoire auquel croient et s'attachent les êtres ; *Vijñânavâdin,* fondée par Asanga (fin du IVᵉ s.), réduit tout, êtres et choses, à la pure conscience *(vijñâna)* virtuelle, vide elle-même de nature propre comme de tout contenu autre qu'illusoire. Les penseurs du mahâyâna voulaient aider leurs disciples à se détacher des objets, des passions et des erreurs en prouvant l'irréalité de ceux-ci. En soutenant la thèse de la vacuité de nature propre, intermédiaire entre l'être et le néant, ils rejetaient l'accusation de nihilisme lancée par les autres philosophes indiens.

Tantrisme bouddhique. Appelé ainsi parce que sa littérature, en sanskrit, est constituée d'ouvrages nommés *tantra,* « fil de chaîne ». Ensemble de sectes nées du mahâyâna à partir du VIIᵉ s., différentes les unes des autres par leurs doctrines et leurs pratiques religieuses, où l'on note une forte influence de l'hindouisme, qui subit à la même époque une évolution parallèle. Elles se distinguent en gros du bouddhisme plus ancien par un panthéon (ensemble de dieux) riche et complexe et par des activités rituelles, où la symbolique et la magie exercent des fonctions déterminantes, en vertu d'un principe d'identité universelle fondé sur la doctrine de la vacuité.

Bouddhisme tibétain ou lamaïsme

• **Origines.** Forme du monachisme tibétain et mongol, depuis l'introduction du tantrisme bouddhique au Tibet par *Padmasambhava* (VIIIᵉ s.) qui triompha de la religion autochtone, le *Bôn.* **Bonnets rouges.** Ce sont les 3 sectes les plus anciennes [Nygma-pa, fondée par Padma-Sambhava ; Sakya-pa (monastère principal), fondée par Atisha ; Kagyü-pa, fondée par le plus grand des ascètes tibétains, Milarepa] ; les 3 pratiquent le bouddhisme sous la forme du *Vajrayâna tantrique.* Groupées en monastères ou lamaseries *(gompa),* elles s'articulent en une hiérarchie sacerdotale dont le moine *(gelong)* est le centre : il est célibataire, alors que le *lama* ou *bla-ma* (érudit) peut être marié et vivre avec sa famille. Chaque gompa est dirigé par un ou plusieurs *rinpoché,* lamas réincarnés ou *tulkou,* reconnus comme tels grâce à une procédure traditionnelle.

Bonnets jaunes ou **Gelug-pa** (« secte vertueuse »), secte la plus nombreuse (3 monastères principaux groupés à Lhassa : Debung, Sera, Galdan). Axée sur la réforme entreprise par Tsong-ka-pa (1356-1418) qui a imposé le célibat et réduit l'aspect tantrique de la doctrine. Chef spirituel : le *dalaï-lama* (signifiant : « lama pareil à l'Océan »), considéré comme une réincarnation du bodhisattva Avalokiteçvara (« le Seigneur qui regarde en bas »). Le 5e dalaï-lama, Ngawang Lobzang Gyamtso (1617-1682), cumulant ainsi pouvoirs spirituel et temporel, a établi la dynastie théocratique qui régna à Lhassa jusqu'en 1959, et érigé le Potala, palais-monastère. Il fut reconnu et anobli par l'empereur de Chine (dynastie Tsing). Depuis, les dalaï-lamas sont considérés comme l'un des 2 pontifes du bouddhisme tibétain en Mongolie et au Tibet, le 2e étant le *tashi-lama* (« lama qui est un joyau »), incarnation du bouddha Amitâbha (« Lumière infinie »). *L'actuel dalaï-lama tibétain,* Sa Sainteté Tenzin Gyatso (n. 1935, choisi par les sages 5 j après sa naissance, et reconnu en 1937 comme 14e dalaï-lama), s'est réfugié en 1959 à Dharamsala (Inde) avec 100 000 fidèles, après l'échec d'un soulèvement antichinois, préparé dep. 1950. La Chine communiste annonça la dissolution du gouvernement tibétain qu'il dirigeait. En 1964, il fut proclamé « traître ». En 1977, son adjoint, le *panchen-lama* († 28-1-1984, vice-Pt de l'Assemblée nat. pop.), rallié à la Chine, l'invita officiellement à revenir au Tibet. Il a réservé sa réponse, se contentant de mener une action diplomatique en faveur du Tibet, par des voyages à l'étranger : Mongolie, Japon, U.R.S.S., États-Unis, Suisse, Italie, Espagne, France ; il a été reçu le 6-10-1982 à l'Hôtel de Ville de Paris (la Chine a protesté). Le 3-2-1986, il a rencontré en Inde le pape Jean-Paul II. Avril 1989, nouvelle visite en France. 1989 Prix Nobel de la Paix.

En Mongolie, le bouddhisme a pris un aspect magique par emprunt au chamanisme (voir ci-dessous), il a recours aux pratiques magiques mises au service du bouddhisme populaire. Le *dernier bouddha vivant de Mongolie intérieure,* Changchia Hutukhtu Lozang Paldan Tanpei Dronme, réfugié à T'ai-wan au moment de la prise du pouvoir par les communistes en 1949, est mort à T'ai-pei le 4-3-1957. Il avait été remplacé par le lama Thubten Yeshe († 1984, à Los Angeles). Le lama désigné actuellement est un Andalou, Osel Hita Torres [n. 12-2-1985 à Grenade (Esp.), de parents espagnols convertis au bouddhisme en 1977]. Il vit actuellement au Népal, avec ses parents.

• Statistiques. **Lamas.** Avant 1959, 100 000, regroupés dans 2 000 lamaseries (provinces du Tibet, du Sik'ang et du T'sing-hai).

Bouddhistes en France. 500 000 dont 350 000 du Sud-Est asiatique et 150 000 Français convertis (la plupart adhérents au mahâyâna (Grand Véhicule).

Bouddhisme japonais

Origine. Introduit au Japon par vagues successives, depuis la Chine, entre le VIe et le XIIe s. Comprend des sectes principales, souvent divisées en plusieurs sous-sectes : Ritsu (Discipline) ; Hosso ; Kegon ; Tendaï ; Shingon ; Yûzû nembutsu ; Jodo ; Jodo shin ; Rinzaï ; Soto ; Obaku ; Nichiren ; Ji.

Zen

Origine. École de méditation bouddhiste, connue en Chine sous le nom de Ch'an (japonais : Zen, du sanskrit : Dhyâna, « concentration »). A partir du Ve s., elle est une des principales écoles du Grand Véhicule (mahâyâna). Pratique le *mushotoku* [c.-à-d. la méditation sans objet (mot à mot : sans recherche de profit)], en insistant sur la posture *(zazen shikantaza),* la respiration (concentration sur le *hara,* expiration profonde) et l'attitude de la conscience [penser sans penser, l'au-delà de la pensée *(hishiryo)* : intuition et sagesse du corps influencent le corps et l'esprit dans la vie quotidienne].

Écoles principales. **Au Japon :** 3 (depuis le XIIe s.) : **Zen Rinzaï** (maîtres en Chine : Rinzaï ; Japon : Eisaï) : recherche l'Éveil *(Satori)* par la méthode des paradoxes *(Koans)* mettant en échec la raison raisonnante, 5 758 temples. **Zen Obaku** (maître : Ingen, Chinois nat. Japonais, même famille religieuse que Rinzaï Zen, 474 temples). **Zen Soto** (maîtres en Chine : Tozan et Sozan ; Japon : Dogen) : pratique du *zazen* sans les *koans,* 14 219 temples. **En Occident : Zen Rinzaï** a été introduit avant 1939 (U.S.A., G.-B.). Le **Zen Soto,** introduit en Europe, Amériques en 1967 par Maître Taisen Deshimaru, 160 centres regroupés dans l'*Association Zen internationale* fondée en 1970 ; siège : 17, rue Keller, 75011 Paris ; principaux centres en France : Centre Zen international (même adresse) et Château de la Gendronnière, 41120 Les Montils, Valaire. Centre Zen du Taillé, La Riaille, 07800 St-Laurent-du-Pape. Plusieurs milliers d'adhérents.

Nishiren Shoshu

Noms. *Nichiren Shoshu :* signifie « École orthodoxe de Nichiren ». Son nom, « Soleil Lotus », implique qu'il atteignit la boddhéité par lui-même et se fonde sur les principes essentiels du Sûtra du Lotus, enseignement ultime du Bouddha Shakyamuni. *Nam Myoho Renge Kyo :* nom donné par cette doctrine au principe ou à la Loi immuable qui régit tous les phénomènes de l'univers.

Origine. *Nichiren Daishonin* (1222/13-10-1282). *Nikko Shonin,* son successeur immédiat, construit un temple, *Taiséki-ji,* au pied du mont Fuji, où sont conservées plusieurs de ses reliques et notamment un objet de culte, le *Daï-Gohonzon,* concrétisation du principe d'*ichinen sanzen* (une pensée, trois mille dharma), autrement dit de la Loi de l'univers.

Centre européen : Trets (B.-du-R.), créé 1975. *Nichiren Shoshu Soka Gakkai France :* B.P. 4, 92332 Sceaux Cedex. Fondée 1961 par un médecin japonais, chercheur au Collège de Fr., Eiichi Yamazaki (naturalisé français 1979). Association déclarée (loi de 1901) dep. 20-4-1966.

Doctrine morale. L'homme doit accomplir individuellement l'effort qui mène à la boddhéité (plein épanouissement de l'être). Le résultat de cet effort, sur le plan social, est la prospérité des pays et la paix entre les nations.

Membres. **Dans le monde** + de 11 000 000 (Japon 10 000 000, Amér. du N. 500 000, Amér. latine 300 000, S.-E. asiatique et Australie 200 000, Europe, Afrique et Moyen-Orient 20 000).

Forme laïque. *Soka Gakkaï :* créée 1930 par Tsunésaburo Makiguchi, philosophe et enseignant (1871/18-11-1944 en prison, pour s'être opposé à la politique militariste japonaise pendant la guerre) qui diffuse la doctrine de Nichiren. *Successeurs :* Josei Toda (1900/2-4-1958), Pt en 1951, donne le nom au mouvement et fait passer ses adeptes de 5 000 à 765 000. Daisaku Ikeda (n. 1928), Pt dep. 3-5-1960, puis le 26-1-1975 Pt de la Soka Gakkaï internat.

Autres formes extrême-orientales

En Chine, Japon, Corée, au Viet-nâm. **Amidisme.** *Amida* est la forme sino-japonaise de 2 mots sanskrits, *Amitâyus* (« vie éternelle ») et *Amitâbha* (« lumière éternelle ») : nom donné à un bouddha, le moine Dharmakâra, qui est vénéré par les sectes Jodo et Yûzû Nembutsu (Japon, XIe-XIIe s.). Culte du saint personnage, montrant du doigt le paradis. **Cultes ésotériques.** Proches de 2 sectes japonaises (IXe-XIIe s.) : Tendaï et Shingon. Issus du Grand Véhicule et du tantrisme ; riches en rites et en magie.

☞ En France 60 bouddhistes tibétains de l'école Kagyupa, 9 centres [dont la lamaserie de Chaban (55 hectares), à Landrevie, près de Peyzac-le-Moustier (24 620 Les Eyzies-de-Tayac), créée en 1974, par un Américain, Bernard Benson ; le château de Plaige (S.-et-L.), 71320 Toulon-sur-Arroux].

Brahmanisme (Hindouisme)

• Origines. Religion traditionnelle, considérée comme révélée, des Indo-Européens entrés en Inde vers le XVIe s. av. J.-C.

• Textes. **La Çruti** ou **Révélation.** Comprenant : **Les 4 Veda.** Révélés aux rishi (sages des 1ers âges) : *a) le Rigveda,* V. des stances, composé sous sa forme actuelle entre 1500 et 1000 av. J.-C. (1 023 hymnes) ; *b) le Yajurveda,* V. des formules accompagnant les rites préliminaires du sacrifice védique ; *c) le Sâmaveda,* Veda des mélodies liturgiques ; *d) l'Atharvaveda* de composition hétéroclite (hymnes philosophiques, recettes magiques, incantations). **Les Brâhmana** (XIe au VIIIe s. av. J.-C.). Commentaires sur les rites et les formules des V. **Les Aranyaka.** « Textes de la forêt » de nature ésotérique. **Les Upanishad ou « Corrélations ».** Appellation qui rappelle leur composition établissant des correspondances entre 3 domaines : macrocosme, microcosme et rituel. Ces textes comportent des spéculations philosophiques centrées sur les notions du Soi *(âtman)* et de l'Énergie universelle *(brahman).*

La Smriti ou **Tradition.** Comprend des textes annexes au rituel, des textes épiques, des recueils de Loi *(dharma).* **Les Kalpasûtra** (sortes de fils conducteurs). Aphorismes concernant l'exécution des rites. **Les Textes épiques.** Exposant légendes, mythes et récits cosmogoniques, représentés par : a) les 2 grandes épopées, composées entre le IIIe s. av. J.-C. et le IIIe s. apr. J.-C. : le *Mahâbhârata* [racontant la rivalité entre 2 clans, apparentés, descendant de Bhârata (la *Bhagavadgîtâ :* Chant du Seigneur, célèbre poème philosophico-religieux, en fait partie)] ; le *Râmâyana* (relatant les aventures de Râma, 7e *avatâra* de Vishnu) ; b) Les *Purâna :* Antiquités, composés du IVe au XIe s. après J.-C. **Les Textes de Dharma.** Recueils juridiques : *Manusmriti,* les « Lois de Manu », le plus connu.

• Description. **Doctrines.** Le *Brahman* neutre est l'Être suprême en tant qu'Énergie universelle, à distinguer de *Brahmâ* (divinité personnifiée) et du *brâhmane* (représentant de la classe sacerdotale gardienne des textes sacrés). Il est considéré comme identique au Soi *(âtman),* dont tout être semble offrir un aspect particulier. Le monde sensible et l'Ego sont donnés, avec des nuances qui varient selon les interprètes, comme les résultats de l'Illusion cosmique *(mâyâ),* jeu de l'Être suprême.

3 autres notions tiennent une place primordiale : le cycle des renaissances *(samsâra),* conditionné par les actes *(karman) ;* le *dharma* régit l'univers entier dont toutes les manifestations, animées ou inanimées, ont leur loi propre *(dharma).* La durée de l'univers correspond à un jour de Brahmâ (le démiurge), et sa dissolution, nuit de Brahmâ, est d'une durée égale. Au début de chaque période de création *(kalpa),* le monde se réorganise suivant des règles immuables ; à la fin du kalpa, il se dissout dans l'ordre inverse.

Disciplines philosophiques. Nombreuses doctrines [« points de vue » (sur la Réalité)], dont 6 principales classiques : *1) La Pûrvamîmâmsâ :* exégèse première, celle des injonctions védiques. *2) L'Uttaramîmâmsâ :* plus souvent dite *Vedânta,* littéralement « achèvement du Veda », dans la ligne des *Upanishad. 3) Le Sâmkhya :* dénombrement des constituants cosmiques et psychiques de tout ce qui existe. *4) Le Yoga :* discipline tendant à joindre et à équilibrer les constituants psychiques et, plus tardivement, à assurer leur jonction avec un principe supérieur (v. Index). *5) Le Nyâya,* la logique. *6) Le Vaiçeshika :* étude spécifique des divers aspects du manifesté. Ces différents enseignements concourent à l'obtention de la connaissance de l'Unique Réalité, substrat de toute manifestation particulière.

De telles notions relèvent de la culture générale ; au contraire, les spéculations religieuses forment la trame des Textes *(tantra)* ou Traditions *(âgama),* manuels techniques de l'hindouisme traitant théoriquement 4 sujets principaux : *1) doctrine ; 2) conditions extérieures du culte,* y compris construction des temples et fabrication des images ; *3) comportement religieux ; 4) yoga,* discipline spirituelle conditionnée par une discipline gestuelle, particulièrement par le contrôle du souffle (le *hatha-yoga :* yoga de l'effort, ne se présente souvent que sous son aspect d'une culture physique particulière).

Aux spéculations proprement philosophiques, il faut ajouter celles sur la langue, la grammaire *(vyâkarana)* et la poétique *(alamkara).* La doctrine communément admise de la transmigration *(samsâra),* dite parfois réincarnation, explique, par les traces qu'ont laissées les actes passés *(karman)* dans l'individualité psychique, la nécessité pour celle-ci de transmigrer après la mort d'un corps dans un autre corps où elle actualise les tendances accumulées dans les vies précédentes.

• Divinités. **Triade hindoue.** Correspond aux 3 aspects de l'univers : création, maintien, dissolution.

Brahmâ, l'ordonnateur, fait passer l'inarticulé *(ánrita)* à l'état articulé *(rita).* La dévotion populaire ne s'adresse pas à lui, mais aux 2 suivants.

Vishnu assure la conservation de l'univers ; quand celui-ci se manifeste, quand celui-ci se dissout, Vishnu, endormi sur le serpent d'infinitude, *Çesha,* conserve en sa pensée le schéma prêt à reparaître lors d'une nouvelle création. Pour protéger l'ordre cosmique et moral *(dharma)* lorsqu'il est en péril, Vishnu descend sur terre sous une forme appropriée à ses desseins. Les plus célèbres de ses descentes *(avatâra)* sont celle de Râma et celle de Krishna.

Çiva (ou **Rudra**) apparaît sous 2 aspects : *1°) destructeur* de l'univers à la fin d'un kalpa, on l'identifie à la mort et au temps *(kâla) ; 2°)* on peut le rendre *favorable* par des actes propitiatoires, d'où son appellation-épithète de Çiva (« bienveillant »).

Vishnu ou Çiva sont souvent tenus comme la divinité suprême ; les autres n'en sont que des formes secondaires. Le terme de *trimûrti* (triple forme) désigne la triade divine. Lorsque Çiva est considéré comme l'Absolu personnifié (au-dessus de cette trimûrti), il est créateur aussi bien que destructeur [par l'intermédiaire de son énergie, personnifiée sous une forme féminine, la çakti, que l'on assimile à *Mahâdevî*, la Grande Déesse (parèdre [1] de Çiva, appelée aussi *Pârvatî*, « la Montagnarde » ; *Umâ*, « la Bienveillante » ; *Kâlî*, « la Destructrice » ; ou *Durgâ*, « l'Inaccessible », selon que l'on considère l'un ou l'autre de ses aspects)].

Autres dieux. Divinités de l'époque brahmanique ancienne : *Indra*, dieu de l'orage ; *Varuna*, dieu des eaux, primitivement gardien de l'Ordre cosmique et moral ; *Agni*, le feu (sacrificiel et domestique) ; *Kâma*, dieu de l'amour ; *Sarasvatî*, parèdre [1] de Brahmâ, présidant aux sciences et aux arts ; *Ganesha*, dieu à tête d'éléphant, fils de Çiva et de Pârvatî, protecteur des entreprises particulièrement intellectuelles ; *Hanuman*, dieu-singe, allié de Vishnu sous son *avatâra* de Râma ; *Lakshmî*, parèdre [1] de Vishnu ; *Râdhâ*, l'amante de Krishna ; *Sîtâ*, modèle des épouses, femme de Râma ; *Sûrya*, le Soleil ; *Yama*, 1er des hommes, donc 1er des morts (par suite, dieu des morts).

Il existe d'autres divinités, forces naturelles ou abstractions personnifiées, tel *Dharma*, l'Ordre, la Loi universelle.

Nota. – (1) Divinité inférieure, dont le culte est associé à celui d'une divinité plus puissante.

• Culte. **Fêtes principales.** Mobiles (dépendent des lunaisons). *1) Durgâpûjâ* : fête de Durgâ, manifestation de la Grande Déesse Mahâdevî (oct.-nov.). *2) Çivarâtrî* : grande fête de Çiva (févr.). *3) Dîpavâli* : fête des lumières (nov.-déc.). *4) Holi* : festival de la joie, le carnaval indien (févr.-mars). *5) Dassaïn* : festival d'oct., repris en mars. *6) Indrayatra* : fête d'Indra, chef des dieux de l'ancien panthéon (sept.).

Lieux saints. Bénarès, Hardvâr, Ujjain, Mathurâ, Ayudhya, Dvârkâ, Kanchipuram et Allahabad (fête tous les 12 ans). Rassemblements exceptionnels pour célébrer certaines positions planétaires ; ainsi, à Kumb Mela, le 10-1-1977 [12 700 000 participants (dont 200 000 seulement ont pu se baigner dans le Gange)].

Pûjâ. Offrande quotidienne individuelle ou collective de fruits, fleurs, lumières. Quelques autre formes d'hommage (hymnes, processions, etc.) remplacent de plus en plus les rites « plus compliqués » de l'Antiquité.

Samskâra. Rites rythmant la vie depuis avant la naissance jusqu'aux funérailles ; la plupart se placent pendant l'enfance et la jeunesse. Les rites d'initiation religieuse sont parmi les plus importants (pour la femme, les rites du mariage en tiennent lieu).

• Sectes et mouvements. **Grandes sectes.** Aucune n'est exclusive : à côté d'une certaine divinité (Dieu suprême), on honore les autres en tant que formes partielles de celle-ci.

Vishnouites. Dans le Sud. Sectes les plus réputées : *râmânujîya* [disciples de Râmânuja († en 1137) ; cap. religieuse, Çrîrangam] ; *mâdhva* [disciples de Madhva (1199-1276)] ; disciples de *Nimbarka*, originaire du Sud [capitale religieuse Mathurâ dans le N. (fidèles de l'avatâra Krishna et de sa favorite Râdhâ)].

Çivaïtes. Voués à Çiva, plusieurs sectes, dont les *viraçaiva* ou *lingâyat* qui portent sur eux en permanence un *linga*, symbole phallique de Çiva qui représente l'énergie créatrice et l'infinitude.

Çâkta. Adorateurs de la *çakti*, énergie personnifiée du dieu ; la plupart suivent la traditon çivaïte.

• Mouvements modernes. **Brâhmo-Samâj.** Essai de synthèse des spiritualités hindoue, islamique, bouddhique et chrétienne ; fondé 1832 par Ram Mohan Ray (1772-1833) [scindé 1864, en *Adibrahmosamâj* avec Debendranâth Tagore (1838-1905) et *Brâhmo-Samâj* avec Krishna Chandra Sen (1838-84)].

Aryasamâj. Fondé en 1875 par Dayânanda Sarasatî (1824-83) ; coloration nationaliste et populaire.

Râmakrishna Mission. Fondée en 1897 par Vivekânanda (1862-1902), disciple de Râmakrishna (1834-1886), centrée sur une action sociale et éducative, et répandue à travers le monde (voir p. 563c).

Ashram de Sri Aurobindo (1872-1950). Ermitage fondé 1914 à Pondichéry ; développé en mouvement spiritualiste.

Association intern. pour la conscience de Krishna (voir p. 563a). Son caractère international et son zèle missionnaire (en contradiction avec la tradition brahmanique) ne permettent pas de le classer dans l'orthodoxie hindoue.

Organisation Sri Nisargadatta Adhyatma Kendra. Fondée par le gourou Sri Nisargadatta Maharaj *(1897-1981)*, surnommé Maruti. Disciple du gourou Sri Siddharameshwar et philosophe du monisme de l'advaita-vedânta. *Siège international* : Ganpati Bhawan Deorukhkar road, Naigaon, Dadar, Bombay 400 014 (Inde). *En France* : Les Deux Océans, 19, rue du Val-de-Grâce, 75005 Paris.

• Statistiques. *Inde* : 458 000 000 ; *Pakistan* : 9 784 000 ; *Népal* : 4 500 000 ; *Ceylan* : 1 615 000 ; *Bali* : 1 112 000 ; *Malaysia, Singapour* : 436 000 ; *Afrique du Sud* : 181 000.

Gourou

Maître spirituel. Étymologiquement « lourd, personnage de poids ». Mot utilisé par les hindous et auquel correspond *lama* en tibétain. Il aide ses disciples à éliminer les voiles ou écrans émotionnels et mentaux qui les séparent de la Réalité, et leur permet d'entrer en contact ou de réaliser leur identité avec la Réalité ultime.

Chamanisme

Définition. Ensemble des pratiques magiques auxquelles se livrent, sous extase, les *chamanes* (« sorciers guérisseurs ») des tribus de Sibérie et d'Asie centrale. Appelés *Ojun* en yakoute, *bögä* en mongol, *kam* en turco tatar. Les Yakoutes ont aussi des femmes-chamanes qu'ils appellent *udoyan*.

Pratiques. Se distinguent des pratiques habituelles des sorciers et guérisseurs (relation avec les esprits, permettant de chasser ou d'infliger les maladies, de mener les âmes au repos éternel ou de les rendre errantes, etc.) par les techniques d'acquisition de l'état extatique. Un chamane n'est agréé dans ses fonctions qu'après être passé par la maladie initiatique, période comateuse de 3 à 9 j, accompagnée de sueurs de sang, difficilement explicables du point de vue médical. Les jeunes manifestant leur vocation ont souvent des crises épileptiques, mais la maladie initiatique n'affecte que des sujets guéris de tout trouble cérébral. A la fin de leur période de maladie, les futurs chamanes décrivent les tourments que leur ont infligés les Démons (ils se considèrent comme ayant été morts, puis ayant ressuscité). Les chamanes titularisés ont dans leur cabane un tronc de bouleau vertical qui sort par la cheminée : il symbolise leur montée au Ciel. De cette hauteur ils s'adressent à la foule. Après leur maladie initiatique, les chamanes atteignent l'état extatique de façon aisée et fréquente.

Confucianisme

Origine. *Initiateur* : Confucius (en chinois K'ong fou tseu, ou K'ong le Maître, 551-479 av. J.-C.). *Continuateurs principaux* : Mencius (Meng Tseu, 372-288 av. J.-C.) ; Siun Tseu (298 ?-238 av. J.-C.). Se développe d'abord dans le Chan-Toung. Après quelques vicissitudes, il renaît vers le XIIe s. Confucius n'a jamais été considéré comme une divinité, mais plutôt comme un maître immortel de sagesse et de sainteté. Néanmoins, en 1914, par décret du Pt de la Rép. ch., sa naissance (28-9) a été commémorée officiellement comme pour un saint. Le confucianisme n'a jamais été considéré en Chine comme une religion mais, jusqu'en 1905, les fonctionnaires chinois devaient étudier sa doctrine.

Livres canoniques. *Yi King* (Livre des Mutations). *Che King* (Livre des Odes). *Chou King* (Livre des Documents historiques). *Tchouen Tsiou* (Annales du Printemps et de l'Automne). *Li Ki* (Livre des Rites). Les *Louen Yu* ou *Analectes* (Entretiens de Confucius, recueillis par ses disciples). *Ta-Hsoueh* (la Grande Étude) sur des questions morales. *Tchong Yong* (Doctrine du Milieu), par Tsu Szu, petit-fils de Confucius. Le *Livre de Mencius*.

Doctrine. Confucius croit en un Ciel régulateur de l'ordre moral et social, mais refuse de parler des divinités, des démons et des esprits des morts. Il adhère pourtant au culte des ancêtres. Il met l'accent sur la pratique du *Jen* (humanité, bonté, charité), qui va de l'individu à la famille, à l'État et à l'humanité par élargissement progressif. Plutôt une morale qu'une religion. L'École confucéenne enseigne en outre *8 vertus* : *Hsiao* (piété filiale), *Ti* (affection entre frères), *Tchong* (loyauté), *Sin* (fidélité), *Li* (rite), *Yi* (équité), *Lien* (intégrité), et *Tchi* (sens de l'honneur).

Fétichisme du cargo

Pratiqué par de nombreuses ethnies de N.-Guinée (Indonésie) : le cargo, symbole de la richesse occidentale, a été entouré, depuis la venue des premiers navires, d'un véritable culte. Ce culte du cargo s'est traduit ensuite par la construction de faux aéroports et de fausses banques. Le christianisme fut interprété comme le rituel grâce auquel les Européens obtenaient leur abondance, puis le culte a pris une forme hostile aux Blancs.

Jinisme ou Jaïnisme

Origine. Mouvement de protestation antibrahmanique, à peu près contemporain du bouddhisme. Organisé aux VIe-Ve s. av. J.-C. dans la plaine indogangétique sous l'impulsion de Mahâvîra : « Grand Héros », le 24e Jina : « Victorieux », et dernier des *Tirthamkara*, ou Prophètes : « Faiseurs de gué », vénérés par les fidèles.

Communauté jaïna. Env. 2 600 000 jaïnas en Inde (recensement de 1971), répartis en 2 Églises séparées dep. 80 apr. J.-C., les *svetâmbara* (religieux « de blanc vêtus »), les plus nombreux et les *digambara*, (« de ciel vêtus », c.-à-d. « nus ») qui n'admettent pas les mêmes Écritures. Reconnaissables à leur équipement (bol à aumône, plumeau et, le cas échéant, pièce d'étoffe masquant la bouche) ; leurs ascètes, errants (sauf pendant la mousson), vivent de mendicité, dispensant leur enseignement à la communauté laïque qui vit en étroite solidarité avec eux (charité, donations, mécénat, etc.) ; surtout influente dans l'O. (Gujarat, Rajasthan) et le S. (Karnatak), elle joue un rôle économique, social et intellectuel considérable (hommes d'affaires, commerçants...).

Les jaïnas se signalent par leur activité culturelle : création littéraire ; préservation du patrimoine (manuscrits, bibliothèques) ; la profusion de l'art et la richesse de certains lieux de pèlerinage (Mt Abu, Palitana, Shravana-Belgola).

Principaux mouvements. **Non idolâtriques** : *Sthânakvâsî* (dep. le XVIIe s.), *Terâpantha* (dep. le XVIIIe s.) aujourd'hui rassemblés autour de l'Acârya Tulsi. **Idolâtriques** : *Mûrtipûjak* : « adorateurs d'images », participant au culte des temples ; certaines cérémonies évoquent le rituel hindou.

Philosophie et morale. Principes analogues dans les 2 Églises, notamment dans le *corpus canonique svetâmbara*, rédigé en langue « naturelle » (prakrit) et codifié au Ve s. ap. J.-C. La philosophie jaïna repose sur le dualisme de l'âme ou « vie » : *jîva*, et de la « non-vie » : *ajîva*, qui inclut matière, espace, mouvement et temps. Ce dernier, conçu comme cyclique, est divisé en 6 ères ascendantes *(utsarpinî)* et descendantes *(avasarpinî)* : la 4e était celle des Prophètes jaïna ; la nôtre est la 5e. Le monde *(loka)* est figuré en 3 étages superposés : supérieur (céleste), inférieur (infernal), médian, au centre duquel est situé celui des humains où règne la loi de la rétribution des actes *(karman)* et de la réincarnation, fondement de la doctrine.

Le but suprême est la Délivrance de l'âme qu'assure l'observance des principes éthiques : les 5 vœux des moines (et leurs contreparties « mineures », destinées aux laïques) : *1) ne pas nuire aux 5 catégories d'êtres vivants* (principe fondamental de *l'ahimsâ* ; innocuité (dont le végétalisme est l'un des corollaires) ; *2) ne pas mentir ; 3) ne pas s'approprier ce qui n'a pas été donné ; 4) ne pas manquer à la chasteté ; 5) ne pas s'attacher aux possessions matérielles.* Cette morale se trouve condensée dans le « triple joyau » : connaissance-conduite-foi (et ascèse).

Parsisme (zoroastrisme ou mazdéisme)

Fondateur. Zarathoustra (ou Zoroastre) (650-583 ? av. J.-C), en Iran. On ne le considère plus actuellement comme un personnage légendaire ; on admet parfois qu'il était mage (astronome) à la cour d'un roi de Bactriane. Le nom de *mazdéisme* vient de *Mazdâh*, le *Grand Créateur* (V. ci-dessous) ou Zarthoshti. Religion officielle des Empires perses arsacide et sassanide.

Livre sacré. Appelé à tort *Zend-Avesta* ; son vrai nom est *Avesta* (la loi). *Zend* veut dire « interprétation », c.-à-d. traduction en pahlavi (moyen perse) du texte original rédigé en avestique (vieux perse).

5 parties : 1° le *Yasna,* 72 chapitres sur les rites dont font partie les 17 Gâthâs, écrits par Zoroastre lui-même. 2° le *Vispered* (tous les chefs), énumération des 24 dieux compagnons d'Ormuzd. 3° le *Vendidad* (« donné contre les démons »). 4° les *Yashis,* invocations aux anges. 5° le *Khordah Avesta* (petit Avesta), dévotionnaire privé. Au XIXe s., les théologiens parsis ont accompli un retour systématique aux *Gâthâs* iraniennes, source essentielle de la doctrine.

Dieux. Les zoroastriens sont dualistes. Deux hypostases divines créées par le temps éternel (Zurvan Akarana) : le dieu du Bien (*Ahura Mazdah* ou *Ormuzd*) et le dieu du Mal (*Ahriman* ou *Angra Mainyu*). Primitivement Ormuzd, insaisissable par l'esprit humain, prenait 6 aspects différents (3 féminins et 3 masculins) : les *Amesha-Spentas* ou Saintetés immortelles. Ces aspects devinrent 6 dieux différents vers le IVe s. av. J.-C. ; puis leur nombre s'accrut, ex. : *Mithra* (dieu du Soleil), devenu l'objet des cultes mithraïques (jusqu'au Ve s. apr. J.-C.).

Doctrine. L'accent est mis sur la bonté en pensée, parole et action. Les bons iront au Ciel, les mauvais en Enfer. L'influence hindouiste s'est fait sentir : prêtrise héréditaire, mariage des enfants, pratiques superstitieuses [ex. : ablutions à l'urine de vache (supprimées aujourd'hui)]. Mais la réincarnation est rejetée.

Rites. Vénération du feu, symbole de la pureté. Par souci de pureté, les Parsis fuient la pollution de l'eau, de l'air, de la terre. Les cadavres sont exposés sur les tours du Silence pour être dévorés par les vautours. Les fêtes célèbrent les 6 périodes de la Création, l'agriculture, la floraison. La fête la plus importante est celle de *yazdegerd* (Voir ci-dessous).

Prêtres. Héréditaires ; ordre hiérarchique : Destours, Mobeds Herbads.

Sectes. *Shahanshakis* et *Kadmis ;* opposées pour la date de leurs fêtes : le point de départ du calendrier parsi est la chute du dernier empereur sassanide, Yazdegerd (640 apr. J.-C.). Les Kadmis la datent avec 1 mois de retard sur les Shahanshakis.

Situation actuelle. Persécutés après la conquête musulmane, les zoroastriens se réfugièrent dans les montagnes de Perse, où leurs descendants, les *Guèbres* (ou Zarthoshti), sont encore plus de 10 000, et en Inde occidentale (dans la région de Bombay), où les *Parsis* (nom des habitants du Farsistan actuel, noyau de la Perse antique), primitivement établis au Gujarat (Sanjan, Udwada, IX-XIe s.), sont près de 200 000 et fournissent la majorité des cadres supérieurs à Bombay (leur centre religieux dep. 1640).

☞ En 1968, Jacques de Marquette et Paul du Breuil ont fondé un mouvement néo-zoroastrien, devenu en 1971 la *Sté d'études zoroastriennes* (71, rue Borghèse, 92200 Neuilly) [(rattachée à la World Zoroastrian Organization (Londres) et au K.R. Cama Oriental Institute (Bombay)].

Shintoïsme

Doctrine. Religion autochtone du Japon, toujours pratiquée par la famille impériale à l'exclusion de toute autre religion. Il n'est plus religion d'État depuis 1945, par ordre des autorités militaires américaines. La plupart des Japonais sont à la fois shintoïstes [pour les grands événements de la vie (naissance, mariage, relations sociales)] et bouddhistes (pour la mort et les fins dernières).

Selon la tradition consignée dans le *Kojiki* (712) et le *Nihon-shoki* ou *Nihongi* (720), recueils des choses anciennes et chroniques du Japon, *Izanagi* et *Izanami,* créateurs mythiques du Japon, ont donné naissance à *Amaterasu,* déesse du Soleil (encore déesse principale) ; sa lignée aboutit à celle des empereurs terrestres, dont le premier est Simmu Tennô.

Culte. Polythéiste [800 millions de dieux, les *Kami* (chiffre symbolique)]. Vénère les forces qui animent la nature ; les ancêtres impériaux ; quelques grands hommes ; les morts de la guerre ; les 3 « Trésors sacrés » : miroir, sabre, joyaux (donnés par Amaterasu à son petit-fils, l'empereur Ninigi-no-mikoto). **Rituel.** Comporte des purifications (chassant fautes, souillures, malheurs), des invocations aux kami, récitées par les prêtres *(Kannushi). Fêtes :* 1er jour de l'année, fêtes de la Fécondité [d'origine agraire (matsuri), avec offrandes propitiatoires et danses symboliques], etc. **Édifices :** *jinja* (oratoires ou temples officiels), *kyokaï* (églises populaires).

Clergé. *Officiant principal :* l'empereur. *Prêtres (guji) :* ne sont pas tenus au célibat, il y a des jeunes filles prêtresses.

Statistiques. **Shintoïsme national** (anciennement d'État) ou *Jinja Shinto* (célébré dans les 110 500 *jinja* officiels dont chacun a ses dieux et ses héros) : env. 36 000 000 de m. et 15 800 prêtres ; sanctuaire principal : Isé, dans la préfecture de Mié (culte de la déesse solaire Amaterasu O-mikami). **Shintoïsme sectarien** ou *Shûha Shinto* (13 sectes et 100 sous-sectes, célébré dans les 16 000 *kyokaï*) : env. 12 000 000 de m. et 121 000 prêtres ou enseignants.

Sikhisme

Nom. Le mot *sikh,* dérivé du sanskrit *shishya* (disciple), vient aussi du verbe pendjabi *sikhna* (apprendre). Il désigne les disciples des 10 gourous (maîtres spirituels).

Origine. Fondé au XVe s. par le gourou (ou Baba) Nânek (1469-1539), né au Pendjab (actuel Pakistan), fils d'un percepteur. Dès sa jeunesse, il visita les grands centres de pèlerinage hindous et musulmans, attirant de nombreux disciples ou *sikhs* (dont il sera le 1er gourou) et prêchant la tolérance. De 1499 à 1517, 3 voyages en Inde et 1 à travers l'Afghanistan, l'Iran, la Russie et la Chine, et à La Mecque, Médine (Arabie), Bagdad.

Les 10 gourous. Nânek (1469-1539). Angad (1504-53). Amardas (1479-1574). Ramdas (1534-81). Arjan Dev (1563-1606). Hargobind (1595-1644). Har Rai (1630-61). Harkrishan (1656-64). Tégh Bahadour (1621-75). Gobind Singh (1666-1708). 7 furent des poètes féconds. Le 1er et le 10e ont écrit en plusieurs langues.

Doctrine. Rejet de tout culte idolâtre, monothéisme, et croyance en l'immanence de Dieu dans la Création. L'amour de l'être suprême *(Bhakti)* est à la base des pratiques spirituelles. La morale rejette les pratiques antihumaines de l'Inde : infanticide, crémation de la veuve sur le bûcher de son mari *(sati),* mariage des enfants, claustration des femmes des membres de castes inférieures (ainsi, castes supprimées) ; femmes proclamées égales des hommes. Elle offre pour idéaux : vie active et dynamique, générosité, liberté-égalité-fraternité, dignité et respect des hommes de toutes races, castes et religion, dévouement, travail. L'action militaire est utilisée en dernier ressort pour défendre le droit. Les sikhs ne doivent ni fumer, ni boire d'alcool, mais ils peuvent manger la viande des animaux tués d'un coup (l'abattage s'appelle *jhatka*).

Le *Khalsa* créé en 1699 par le gourou Gobind Singh, est une perfection du sikhisme.

Les combattants de la foi reçoivent le *baptême de l'épée à double tranchant (kandé-da-pahul)* et jurent de rester fidèles aux 5 K : *Kesh* (cheveux longs et barbe jamais coupée), *kangha* (peigne de bois) et *kachcha* (pantalon court), *kara* (bracelet d'acier) et *kirpan* (épée).

Tous les hommes doivent porter le nom de *Singh* (« lion ») ; toutes les femmes, celui de *Kaur* (« lionne » ou « princesse »).

Histoire. Les musulmans ont vénéré Nânek et ont apprécié sa morale humaniste. Les rapports sont bons avec le gouvernement moghol jusqu'au règne du 5e gourou, Arjan Dev (1581-1606). A partir de là, les relations commencent à se détériorer avec le gouvernement (raisons surtout politiques), Arjan Dev ayant aidé le fils révolté de l'empereur Djahangir, Grand Moghol, est exécuté en 1606 à Lahore. Sous le règne du Xe et dernier gourou, Gobind Singh (1675-1708), à l'époque du Grand Moghol Aureng Zeb, la guerre se déclenche entre le gouvernement, les rajahs hindous et les sikhs, qui sont tous condamnés à mort comme hérétiques. Au lieu de se soumettre, ils acceptent le combat, sous la direction de Banda Singh Bahadour (exécuté 1716 avec 800 fidèles) ; en 1768, ils organisent le Pendjab en une fédération de 12 principautés. *A partir de 1799,* le maharaja Ranjit Singh (1780-1839), devient le maître du Pendjab, du Cachemire et du Ladakh. A sa mort, les Anglais occupent le Pendjab. L'Inde est annexée en 1849 après 3 guerres anglo-sikhs. Plus tard, les sikhs joueront un rôle important dans le « mouvement d'indépendance de l'Inde », jusqu'en 1947. Leur leader, Baba Ram Singh, de Bhaini, invente les mouvements de non-coopération (désobéissance civile contre les Anglais, 50 ans avant ceux du Mahatma Gandhi).

Époque moderne. En 1947, lors du partage de l'Inde du N.-O. entre Inde et Pakistan, les sikhs optent pour l'Inde et travaillent activement à sa prospérité, mais montrent vite une tendance aux discriminations, et à former une communauté autonome. Les extrémistes revendiquent le Khalistan comme pays sikh indépendant de l'Inde. Ils sont aujourd'hui en guerre ouverte avec le gouvernement de New Delhi, surtout dep. l'action militaire contre leur Temple d'Or à Amritsar (3-6-1984). Indira Gandhi a été assassinée par 2 gardes du corps sikhs (31-10-1984).

Temple d'Or d'Amritsar. Achevé en 1604 par le gourou Arjan Dev. Les 4 portes, correspondant aux points cardinaux, signifient que l'on peut venir de toutes les directions du monde, et s'y asseoir sans distinction de race, caste, sexe ou religion.

Livre sacré. *V. 1604,* Arjan Dev achève « l'Adi-Granth » (ou « Livre saint des sikhs »), et le dépose dans le Temple d'Or. Contient + de 5 000 hymnes de gourous sikhs et de saints hindous, musulmans ou intouchables, rédigé en pendjabi, avec un alphabet spécial dit *gourmoukhi,* créé par Nânek. *En 1708,* à sa mort, Gobind Singh, le dernier gourou, décrète l'*Adi-Granth* son successeur et gourou éternel. Depuis il s'appelle *Gourou Granth Sahib* (« Gourou illustre le livre »), l'original est dans le Temple d'or. D'autres exemplaires se retrouvent chez les familles sikhes et dans les temples sikhs dit *gourdwaras* (Maisons de Dieu). On lui rend les honneurs dus aux souverains ; le titre de gourou cessera d'être porté par un mortel.

Statistiques (1989). Inde 20 000 000, U.S.A. et Commonwealth 5 000 000.

Adresse en France : Manjeet Singh, 71, rue St-Martin, 75001 Paris.

Taoïsme

Étymologie. L'idéogramme *Tao,* datant de l'Antiquité, a été simplifiée il y a 2 200 ans env. et en 1956. La transcription phonétique française en 3 lettres *(Tao)* crée une confusion avec 22 autres mots chinois transcrits *tao* et 35 mots transcrits *t'ao.*

Origine. VIe s. av. J.-C. : fondé par des inconnus, et systématisé par le philosophe chinois Lao-tseu ou Lao Tan, archiviste à la cour des Tcheou, et contemporain de Confucius (qu'il aurait rencontré en 517 avant J.-C.). Son nom de famille était Li et il serait originaire du Ho-Nan *(Lao Tseu* signifie « vieux maître »). IIe s. apr. J.-C. société religieuse créée par Tchang Tao-ling, qui prend le titre de *Précepteur Céleste* et fonde de nombreux monastères où est réglé le culte des dieux chinois (polythéisme fantastique). *404,* devient religion d'État ; les descendants de Tchang Tao-ling obtiennent un fief dans le Kouang-Si ; ils portent le titre de *maître du Ciel* et sont de véritables *papes chinois. 666,* Lao-tseu est proclamé officiellement comme supérieur à Confucius et Bouddha. *1927,* les maîtres du Ciel sont supprimés par le gouvernement chinois.

Livres. Le **Tao-tö King** (le Livre du Principe et de sa vertu, dicté par Lao-tseu et appelé *Lao-tseu* jusqu'à l'époque des Han). Le **Tchouang-tseu,** qui aurait été écrit par Tchouang Tchéou (IVe s. avant J.-C.). Le **Lietseu** (IIIe s. avant J.-C.), recueil de légendes et d'écrits philosophiques, attribué au personnage de ce nom.

Doctrine. Le *Tao* est un principe qui règne à l'origine de la vie, c'est le Cours des choses. Le mot traduit généralement par *voie,* signifie aussi *puissance résidant dans et derrière la Nature* et animant le jeu cosmique. Il est principe d'ordre et de réalisation. Celui qui vit uni à lui a soin de ne jamais prendre parti, de « ne pas intervenir » *(wou wei).*

San T'sing (les Trois Purs) ont pour personnage central *Yuan-che T'ien-tsouen* (le Vénérable Céleste du Commencement originel) qui aurait délégué ses pouvoirs à l'empereur de Jade qui avait été, jusqu'alors, le 2e personnage de cette Trinité. Sur le nom du 3e personnage, les textes diffèrent. Auparavant, la Trinité taoïste avait eu pour chef le Grand Un *(T'ai-Yi).*

Vie religieuse. Il y a un clergé régulier, vivant dans les monastères, et un clergé séculier : prêtres de villages, mariés, ne mettant leurs habits religieux que pour officier au temple. Ils pratiquent les sciences occultes, et les paysans font appel à eux pour des affaires de charmes et d'amulettes.

Philosophie. L'idéogramme Tao contient plusieurs éléments symboliques, notamment 2 principes (appelés des *âmes* ou des *respirations*) qui, tantôt par leur conflit, tantôt par leur union féconde, sont à l'origine de l'Univers et de l'Humanité : le *yang* (solaire) et le *yin* (lunaire). Le *yang* est formé d'une multitude de bons esprits *(shen),* le *yin* d'une multitude de particules plus ou moins mauvaises, les spectres ou *kweï.* Les dieux sont composés uniquement de *shen,* les hommes d'un mélange de *shen* et de *kweï*. A leur mort, leur partie *shen* va au ciel et leur partie *kweï* demeure sur terre.

Sectes. **Ts'iuan-tchen** (« Réalisation parfaite »), école dite du Nord, fondée par Wang Tche (v. 1140). Le monastère des Nuages-Blancs à Pékin en dépendait. **Tcheng Yi** (« Unité réalisée »), secte des « Maîtres célestes », qui prétend avoir pour fondateur Tchang Tao-ling (né v. 147-167 apr. J.-C.), souvent considéré comme le fondateur de la « religion taoïste » (Tao kiao). On distingue l'école philosophique du Tao *(Taokia),* dont Lao-tseu apparaît comme le patron, et le taoïsme magico-religieux qui se développa à partir du IIe s. de notre ère. Le Maître Tchang En-p'uo (1894-1969) se trouvait à Formose, où il a créé 2 associations. Actuel Maître Céleste : Tchang Yuan-hsien, neveu du 63e.

Yikouan tao (« Unité qui embrasse toutes choses »), religion officiellement reconnue par le gouvernement de Taiwan, et se référant aux livres confucianistes, taoïstes et bouddhistes. *Principe :* unifier ces 3 doctrines avec celles de la Bible et du Coran. **Association taoïste chinoise.** *Fondée* 1957 à Pékin pour « unir les taoïstes chinois dans le patriotisme et l'aide à la construction socialiste ».

Statistiques. *Asie :* 410 millions [dont Taiwan 3 900 000 (prêtres-pasteurs-moines 12 600, temples, chapelles familiales 17 300)] ; *Amérique :* 4 100 000 ; *Europe :* 175 000.

Siège en France. *Académie Wan Yun Lou, Pagode de Rambouillet*, 3, rue Pasteur, 78120. La directrice, Tchen Gi-Vane (pour l'état civil : Mme Bertrand), a posé, en 1981 et en 1988, sa candidature à la présidence de la République, mais n'a pu recueillir les 500 parrainages nécessaires.

Communautés, enseignements et mouvements divers

☞ **Union des Athées.** *Fondée* le 14-3-1970 par Albert Beaughon (n. 1915). *Doctrine et buts :* opposer à la croyance en Dieu (aussi bien déisme que christianisme) des certitudes fondées sur des études scientifiques sérieuses ; dénoncer l'intoxication par les sectes ; rejeter les conceptions fondées sur la notion de « perfection et d'absolu » ; organiser en ce but des campagnes de « désintoxication psychique ». En relation avec la Libre Pensée, l'Union rationaliste, les American Atheists, l'Atheist Centre (Inde), l'Atheist Society of Australia. **Prix littéraire annuel.** Décerné dep. 1977 (1990, à Robert Vimard pour *Dieu cet inconnu*). *Publication :* « Tribune des Athées » (2 500 ex.). *Siège :* 03330 Bellenaves. Adhérents 1990 : 2 668.

• Centre spirituel international Omkarananda. *Fondé* par le Swâmi Omkarananda. *Siège :* 41, Anton Graffstrasse, CH 8400 Winterthur, Suisse. *Inde :* Durga Mandir Shivananda Nagar 249 192 Himalayas.

• Conscience de Krishna. *Association internationale pour la conscience de Krishna :* branche moderne de l'hindouisme monothéiste. *Fondée* 1966 par A.C. Bhaktivedanta Swami Prabhupada (1896-1977), qui confia la succession spirituelle à 11 de ses disciples. *Doctrine :* considère Krishna comme dieu unique, créateur universel. Le bhakti-yoga (yoga de la dévotion) très rigoureux (jeûne, lever à 3 h, travail manuel) est exigé de tous les adeptes. *Périodique :* « Retour à Krishna ». *Effectifs (Inde exclue) :* env. 6 millions dont 10 000 prêtres et membres actifs. *En France :* env. 200 membres actifs, quelques dizaines de milliers de fidèles. L'Association a été mise en liquidation judiciaire après le départ de William Ehrlichmann, chef spirituel pour la France, pour les USA, en 1986. La Nouvelle Mayapoura, château d'Oublaisse, Luçay-le-Mâle, 36600 Valençay (Indre) a été vendu le 6-12-1988 (achat 1975). Le centre d'Ermenonville (Oise, ouvert 1980) a été fermé à la suite d'une escroquerie (1987).

• Druidisme. Ressurgi à Londres en 1717. *3 « branches » : « ésotérique »* de John Toland, Druid Order ; *« mutualiste »* de Henry Hurle (1781) devenue société d'entraide ; *« culturelle »* de Iolo Morganwc (prononciation : morganouk) (1792) à laquelle appartient le Gorsedd de Bretagne.

Fraternité des Druides, Bardes et Ovates de Bretagne. *Fondée* à Guingamp, le 1-9-1900 [à l'imitation de l'assemblée des Bardes existant au pays de Galles, dep. le XVIe s., sous le nom de « gorsedd » (Hautes Assises)], par Jean Le Fustec (1er Grand Druide), François Vallée, François Jaffrenou, à la suite de l'intronisation d'une délégation bretonne par l'Archi-Druide de Galles à Cardiff en 1899. Constituée en fraternité (breuriez), la Gorsedd comprend des druides (saie blanche), bardes (bleue), ovates (verte). La Gorsedd contemporaine (Sté philosophique) compte env. 150 membres. Langue officielle : breton. *Pt :* Gwenc'hlan Le Scouezec (Grand Druide de Bretagne). *Secrétariat général :* B. Borne, Ker Henri Saint-Thurien, 29114 Bannalec.

Collège des Druides, Bardes et Ovates des Gaules (Collège druidique des Gaules). *Pt :* 1943 Paul Bouchet, 1976 Jacques Gestalder. *Publication :* Ar Gael. *Siège :* 6, rue P.-Bourdan, 75012 Paris.

Wicca internationale. Se rattache aux religions néolithiques (préhistoriques, préceltiques ; avec certaines survivances dans le celtisme traditionnel, notamment plusieurs rites sexuels). *Nom :* celtique (« sagesse »). *En France :* 6, rue Danton, 94270 Kremlin-Bicêtre. *Prêtresse :* Diane N. L'Hôtellier. *Membres :* 3 000 000 initiés actifs dans le monde.

Collège druidique de Bibracte. *Fondé* 1981 par Henri-Robert Petit († 1985). *Origine :* Ier s. av. J.-C. En liaison avec la Golden Section Order. *Culte :* donne tous les sacrements de la religion druidique : cérémonie du nom (baptême), mariage, décès (tous les membres portent la togia (« saie ») blanche) ; a également des activités culturelles (sciences, économie, sociologie, techniques de pointe). Héritier du Conteno Bibracta. Organise des séances près des anciens dolmens [notamment celui de Chevresse (près de St-Brisson, Nièvre)]. *Clergé :* druides et druidesses. *Pt :* Jacques Billard, rue Principale, 89420 Cussy-les-Forges.

Kredenn Geltiek Breizh. (Kevanod Tud Donn : Assemblée des Gens de Dana). *Fondée* 1936 par Raffig Tullou († 1990). *Publication :* Kad-Nemeton. *Renseignements :* Alain Le Goff, Bothuan, 29450 Commana.

F.R.G.-Triscèle. Fédération de Renaissance gauloise. *Fondée* juin 1979 à Suèvres (L.-et-C.). Section de la Ligue panceltique europ. culturelle. *Publ. :* Le Triscèle. *Adresse :* B.P. 13, 93301 Aubervilliers.

Église druidique des Gaules. *Fondée* 2-11-1985 à Balesmes. Fédération néo-païenne religieuse, refusant ésotérisme et folklorisme. Association cultuelle reconnue (J.O. du 13-6-1990). Fête 4 grandes cérémonies druidiques : *1-2* Ambolo, *1-5* Beltane, *1-8* Lugnasad, *1-11* Samon. Primat : Pierre de La Crau (depuis mai 1986). *Membres :* 200 actifs. *Siège :* EDG-Henri Larcher, 71700 Le Villars. *Publication :* Le Druidisme. *Adr. :* B.P. 13, 93301 Aubervilliers Cedex, France.

• Église de Scientologie ou de la Nouvelle Compréhension. Organisation *fondée* par l'auteur de science-fiction et philosophe, Lafayette Ronald Hubbard (1911-86), ayant pour objet de diffuser l'enseignement « scientologique » (traitant des moyens de la connaissance) et « dianétique » (étude du fonctionnement de l'esprit humain, se donnant un caractère thérapeutique). Les termes « scientologie » et « dianétique » ont été forgés par R. Hubbard. L'organisation, qui offre ses services à des sujets désirant acquérir des facultés ou aptitudes, a pris en 1954 le nom d'*Église.*

Culte : baptêmes, ordinations, mariages, enterrements. *Organisation :* Église centrale à Los Angeles, église principale dans chaque continent (Copenhague pour l'Europe) et des églises dans différents pays : Amér. 44, Europe 42, Canada 8, G.-B. 8, Australie 7, Afr. du Sud 6, Zimbabwe 2, Japon 1, N.-Zélande 1. Dep. 1982 le Religious Technology Center (R.T.C.) a été désigné par Hubbard comme détenteur des marques « Dianétique » et « Scientologie ». *En France :* siège : 65, rue de Dunkerque, 75009 Paris ; centre culturel, rue Legendre, 75017 Paris ; 7 églises, 26 missions en province. *Activités sociales :* lutte contre toxicomanie, illettrisme, abus psychiatriques. *Publications :* Éthique et Liberté (bimensuel). *Livre de base :* la Dianétique (12 millions d'ex. vendus dont 150 000 en France). *Adeptes :* 8 millions dont *France :* 40 000.

☞ L'Égl. est souvent attaquée en justice par des anciens m. ou leur famille. Ex. en France (procès pour escroquerie à Lyon, Marseille, Paris), en particulier à la suite du suicide d'au moins 1 m. à Lyon. Nombreux procès à l'étranger. Poursuite pour exercice illégal de la médecine.

• Méditation transcendantale. *Association. Fondée* 1958 en Inde, par Maharishi Mahesh Yogi, 1960 aux U.S.A. et en Europe. Technique mentale de développement spirituel se pratiquant sans effort, 20 mn 2 fois par jour, assis les yeux fermés. Elle permet d'atteindre naturellement un état de profonde relaxation associé à un plus grand éveil de l'esprit. *Méditants :* + de 4 000 000 (dont U.S.A. 1 000 000). *Centres :* 1 600. *Professeurs :* 16 000. *France :* méditants 32 000, instructeurs 260, centres 30. Siège : 13, rue Étienne-Marcel, 75001 Paris.

• Métapsychique. **Origine.** *1889,* Max Dessoir propose le terme de *parapsychologie* pour « caractériser toute une région frontière encore inconnue qui sépare les états psychologiques habituels des états pathologiques » ; et celui de *paraphysique* pour désigner ses manifestations objectives. *1922,* Charles Richet (1850-1935, prix Nobel de physiologie 1913) unifie ces 2 concepts en définissant la *métapsychique* comme « une science qui a pour objet des phénomènes mécaniques dus à des forces qui semblent intelligentes ou à des puissances inconnues latentes dans l'intelligence humaine ». *1954,* Fernand Clerc propose le terme de *psychotronique* pour désigner « les phénomènes dans lesquels l'énergie est dégagée par le processus de la pensée ou par la pulsion de la volonté humaine ».

But. Étude rationnelle des phénomènes paranormaux (c.-à-d. assez improbables pour paraître faire exception aux lois reconnues par la science classique). La *métapsychique objective* étudie actions et interactions paranormales (psychocinèse, prodiges) qui intéressent la paraphysique et le versant physique de la psychotronique. La *m. subjective* étudie les informations et communications paranormales (clairvoyance, télépathie, prémonition) qui intéressent la parapsychologie et le versant psychologique de la psychotronique.

France. Institut métapsychique international, 1, place Wagram, 75017 Paris. Reconnu d'utilité publique. *Pt :* Dr Jean Barry. *Directeur :* Dr Hubert Larcher. *Publication :* la Revue métapsychique (paraît depuis 1919).

Nota. – La métapsychique ne doit pas être confondue avec le *spiritisme* qui est l'étude des phénomènes médiumniques (voir ci-dessous).

• Râmakrishna Mission. *Fondée* 1847 par Vivekânanda (1863-1902), disciple de Râmakrishna (voir p. 561a). Action éducative et sociale. **En France :** *Centre védântique Râmakrishna,* 64, bd Victor-Hugo, Gretz-Armainvilliers, 77220 Tournan-en-Brie, *fondé* en 1947 par le Swâmi Siddheswarânanda († 1957), dirigé actuellement par le Swâmi Ritajânanda. *Membres :* 245. *Publications :* « Vêdânta » (800 ex.).

• Satanisme. « Antireligion » non structurée. *Principal précurseur :* l'Anglais Aleister Crowley (1875-1947), auteur du Livre de la Loi (1904), fondateur de sectes adonnées à la magie sexuelle, notamment l'Ordre de l'Étoile d'Argent (1904) et l'Ordre Germanique du Temple Oriental (1920). Il avait appartenu en 1898, sous le nom de Frère Perdurabo, à l'Ordre Hermétique de l'Aurore, qu'il quitta pour enseigner le culte de « l'Énergie solaire phallique », que lui aurait révélé un démon nommé Aiwass. Promoteur de la « contre-culture occidentale », il a pratiqué alcoolisme et hallucinogènes (dès 1930). *« Église de Satan »* fondée à San Francisco en 1966 par un ancien dompteur, Szandor La Vey, portant le titre de Mage, qui écrivit une « Bible satanique ». 10 000 sectateurs en Californie (sorciers, enchanteurs, magiciens, apprentis). Certains se livrent en privé à des séances de satanisme (messes noires, débauches, zoophilie, sacrifices rituels d'animaux, vandalisme). Charles Manson (1935), coupable d'avoir organisé en août 1969 l'assassinat de 5 personnes, dont l'actrice Sharon Tate à Bel Air (Californie), possédait la « Bible satanique ».

• Société théosophique. *Fondée* 1875 à New York par Helena Petrovna Blavatsky et le colonel Henry Steel Olcott. Émigra à Adyar, près de Madras. Sous l'impulsion de sa fondatrice et de ses continuateurs, dont Annie Besant (1847-1933), la Sté a répandu une sorte de synthèse d'enseignements traditionnels de la spiritualité (hindouisme, bouddhisme, etc.), a contribué dans l'Inde, alors colonisée, à la renaissance de ces enseignements, et a été dans le monde un important agent de leur diffusion. Sur le plan politique, elle a joué un rôle important dans le mouvement qui aboutit à l'indépendance de l'Inde. *Annie Besant* avait adopté Krishnamurti en 1910. Mais celui-ci, ayant dissous en 1929 l'Ordre dont on lui avait confié la direction, se mit soudainement à professer un enseignement spirituel original et révolutionnaire. A. Besant avait suscité en France, en

1893, la création d'une franc-maçonnerie féminine, *le Droit Humain.* En 1913, *Rudolf Steiner* (1861-1925) entraîna dans la dissidence la section allemande de la théosophie et créa *l'anthroposophie. Principales activités :* cours, conférences, séminaires ; bibliothèque spécialisée. *Membres :* 1 500. *Secrétaire gén. en France :* Françoise Caracostea. *Publication :* « le Lotus bleu » (2 000 ex.). *Siège en France :* 4, square Rapp, 75007 Paris.

Krishnamurti. Jiddu Krishnamurti (1895-1986). Né à Madanapalle (Inde du S.) de parents brahmanes, adopté par Annie Besant [théosophe et leader des nationalistes indiens (1847-1933)], fut promu chef d'un nouveau mouvement messianique d'inspiration théosophique. Reprenant sa liberté (1929), il créa un enseignement spirituel original excluant tout dogmatisme, tout rituel, toute organisation ecclésiastique et ne relevant d'aucune autorité spirituelle, la sienne comprise.

Il affirme que l'homme ne peut parvenir à sa plus haute réalisation spirituelle qu'en se libérant de tous ses conditionnements imposés ou acquis, en reprenant sa vie à son propre compte. Et il ne peut s'affranchir de ses conditionnements que par une prise de conscience aiguë et immédiate, impartiale, incessante et sans analyse, de toutes ses pensées, sentiments, désirs et peurs, de tous les actes de sa vie quotidienne pris sur le vif. Cet enseignement a été à l'origine de recherches pédagogiques nouvelles et de la création de plusieurs écoles en Inde, U.S.A., G.-B.

Renseignements pour l'Europe : Krishnamurti Foundation Trust Ltd, Brockwood Park, Bramdean, Hampshire, SO24 OLQ, G.-B. *Siège en France :* Association culturelle Krishnamurti, 73, rue Fondary, 75015 Paris.

Anthroposophie. *Fondateur :* Rudolf Steiner, Autrichien (1861-1925) ; *1882 à 1900* élabore les bases d'une approche de l'âme et de l'esprit selon la méthode scientifique (œuvre majeure : *La Philosophie de la Liberté,* 1894) ; *1902* Secr. gén. de la Section all. de la Sté théosophique ; *1913* ayant souligné le rôle fondamental du Christ dans l'évolution, est démis de ses fonctions par A. Besant ; *1913-22* construction du Goetheanum ; développe l'activité artistique (eurythmie, art de la scène) avec Marie von Sivers (1867-1948) qu'il épouse en 1914 ; *1919* début du développement des activités scientifiques, culturelles et sociales (pédagogie, médecine, etc.) ; *1923* fonde la Sté Anthroposophique universelle. Des institutions s'en inspirent : écoles pour les enfants (pédagogie Waldorf), établissements médico-pédagogiques, universités libres, banques, écoles d'eurythmie (nouvel art du mouvement), de peinture, d'art dramatique, agriculture biodynamique (label Déméter), hôpitaux et cliniques, produits pharmaceutiques (Weléda, Wala). *Siège :* Goetheanum, CH 4143 Dornach, Suisse (*France :* Sté anthroposophique, 68, rue Caumartin, 75009 Paris).

• **Spiritisme.** Selon les écrits d'Allan Kardec, codificateur et apôtre de la doctrine, celle-ci consiste en révélations reçues des Esprits de la hiérarchie du monde spirituel ; révélations concordantes en différents points du globe et complémentaires aux révélations antérieures mosaïque et christique. A. Kardec a consacré, de 1854 à sa mort en 1869, les 15 dernières années de sa vie à un travail de publication et de diffusion de la doctrine, précédées de l'étude minutieuse de la phénoménologie de l'Esprit humain, aux possibilités, qu'elle révèle, de relations entre le monde invisible et celui ou périodiquement les êtres sont soumis aux conditions d'évolution et de croissance offertes dans la matière du globe ; opérations connues sous le vocable de palingénésie, ou réincarnation.

Phénoménologie : les relations entre les 2 modes de vie de notre humanité sont rendues possibles grâce à la médiumnité ; faculté dépendant d'une force, vraisemblablement magnétique, dénommée « fluide vital », produit des échanges énergétiques entre le corps physique, et les corps spirituels formant le périsprit qui constitue l'archétype de l'espèce humaine pour ce qui nous concerne ; il représente avec l'âme, personnalité totale, et la cellule divine d'immortalité, l'Esprit, le « corps glorieux » des religions.

La faculté de médiumnité varie selon le fluide vital offert par le médium aux correspondants de l'autre monde qui en sont démunis, parce que dépourvus de corps physique et rendus ainsi imperceptibles à nos sens réglés sur les plages de vibrations propres à la vie dans la matière.

Doctrine : immortalité de l'âme (ou Esprit), personnalité réelle soumise à la poussée évolutive universelle. Développement incessant de la conscience, de la connaissance, des facultés nobles découlant de l'amour pour toute vie. L'évolution est assurée par les séjours nombreux dans la matière-énergie du globe où toutes expériences sont offertes en fonction de l'évolution déjà acquise par chacun.

Positions par rapport aux religions : opposé aux dogmes et aux rites ainsi qu'aux attributs consacrés, il tend cependant à développer un sens religieux intime, A. Kardec le présente comme une doctrine philosophique et morale. S'il dénonce l'inefficacité de tout objet talisman ou formule cabalistique, il proclame, cependant, la puissance magique de la prière réfléchie, soutenue par l'amour et la force de la pensée, qu'elle s'adresse directement à la puissance divine ou à un esprit intercesseur. *Par rapport à la science :* il considère comme démontrées la survivance et l'immortalité de l'âme ou Esprit, celui-ci s'enrichissant des acquis de son évolution et de ses efforts de développement.

Adeptes : nombre inconnu. FRANCE : *Tombeau d'Allan Kardec* (de son nom professeur Rivail) au Père-Lachaise à Paris. *Union spirite française et francophone,* siège, Tours, 1, rue du Docteur-Fournier ; membre fondateur de la Confédération Spirite Europ. [Siège, Liège (Belgique)]. *Revue Spirite* (créée par Allan Kardec en 1858).

• **Vimala Thakar.** Petite-fille d'un rajah, collaboratrice de Vinoba dans le mouvement Bhoodan pour la distribution des terres, s'attacha ensuite à répandre en Inde et dans le monde son propre enseignement ; né de sa propre expérience intérieure – même si, à certains égards, il s'apparente à celui de Krishnamurti. *Renseignements :* Bookfund Vimala Thakar, Huiserweg 46, 1261 AZ Blaricum (P.-B.).

Mythologie gréco-romaine

Comprend env. 30 000 dieux, déesses, demi-dieux, héros ou autres divinités inférieures dont l'origine remonte au vieux fonds indo-européen. Chaque puissance naturelle, mais aussi chaque réalité locale, est symbolisée par une divinité (salutaire ou nuisible). Certains étaient communs à toute la Grèce, d'autres n'étaient adorés que localement. Les Romains adoptèrent les dieux grecs et leurs légendes ; ils y retrouvaient, sous une forme littéraire, les légendes importées en Italie par « Italiotes » (XIe s. av. J.-C.) et Étrusques (IXe s. av. J.-C.).

• **Origine.** Du *Chaos,* naissent la *Terre (Gaia)* [qui aura (sans l'aide d'un principe mâle) la *Lumière terrestre (Hemera),* le *Ciel étoilé (Ouranos)* et la *Mer (Pontos)*] et le *Désir (Éros).* Suivent les *Ténèbres (Érebos),* la *Nuit (Nyx)* [Nyx aura (sans l'aide d'un principe mâle) la *Lumière des astres (Aither),* la *Lumière terrestre (Hemera),* le *Ciel étoilé (Ouranos)* et la *Mer (Pontos)*].

Ouranos et *Gaia* ont une nombreuse descendance : *Okéanos* (fleuves) ; *Hypérion,* père d'*Hélios* (le Soleil) ; *Phoïbé* (la Lune) ; les *Cyclopes ; Thémis* (la Loi) ; *Mnémosyne* (la mémoire) ; *Titan* eut avec Gaia (la Terre) 12 enfants géants, les Titans. Il céda le trône à *Cronos,* son frère, mais pour que l'empire revienne ensuite à ses propres fils, il obligea Cronos à dévorer ses enfants mâles. Zeus, Poséidon et Hadès échappèrent toutefois à la mort grâce à une ruse de leur mère. Titan, l'ayant appris, enchaîna Cronos et sa famille ; *Cronos* (Saturne), qui tue *Ouranos,* engendre avec *Rhéa* de nombreux enfants (voir ci-dessus), dont *Zeus* qui le détrônera et deviendra le Dieu suprême siégeant dans l'*Olympe.*

☞ **Divinités olympiennes :** *Zeus, Hestia* (Vesta déesse du foyer domestique) et les 10 autres dieux ou déesses ci-dessous, désignés par un astérisque (*).

• **Le Ciel. Zeus (Jupiter ;** attributs : aigle, sceptre, foudre). Il est appelé *pantocrator* (du grec, *pan :* tout et *kratos :* puissance). C'est le maître des dieux et des hommes.

Descendants de Zeus. De *Héra [Junon (mariage) ; attributs : paon, grenade] → *Hébé* (jeunesse) ; **Arès* [*Mars* (guerre) ; attributs : casque, armes] ; *Enzo (Bellone)* (bataille) ; **Héphaïstos (Vulcain)* (forgeron, boiteux) ; attributs : enclume, marteau ; qui épouse *Aphrodite.* **De *Déméter [Cérès** (agriculture) ; attributs : gerbe, faucille] → *Coré (Perséphone)* épouse d'*Hadès (Pluton).* **D'*Aphrodite [Vénus** (beauté) ; attribut : colombe ; s'éprit d'Adonis et le disputa à Perséphone, reine des Enfers ; blessé à mort par un sanglier, il fut changé en sanglier par Aphrodite] → *Éros* (amour). **De Maia** (croissance) → **Hermès [(Mercure) ;* commerce, dieu des voleurs, voyageurs, messager des dieux) ; attributs : ailes, caducée] qui a d'*Aphrodite : Hermaphrodite* (symbole de l'ambivalence sexuelle), et de *Timbris : Pan* (bergeries, fécondité et puissance sexuelle). **De Thémis** (loi ; attributs : glaive, balance) → les 3 *Moira* (les *Parques*) : *Clotho* (naissance), *Lachésis* (jours de la vie), *Atropos* (mort). **De Dioné** (nymphe de l'Océan) → *Aphrodite (Vénus)* (beauté). **De Léto (Latone)** → **Phoïbos (Apollon)* (Soleil, beaux-arts) ; attributs : arc, lyre, combat le serpent Python avant d'être exilé sur terre pour avoir tué les Cyclopes ; il aurait également écorché vif un satyre et fait pousser des oreilles d'âne au roi Midas ; père de *Phaéton* et d'*Asclépios* [*(Esculape)* (médecine), père d'*Hygieïa* (santé)] ; *Artémis* [*Phoïbé* ou **Diane* (lune, chasse) ; attributs : croissant, arc, biche]. **De Mnémosyne** (la mémoire) → les *Muses : Clio* (histoire), *Melpomène* (tragédie), *Thalie* (comédie), *Euterpe* (musique), *Terpsichore* (danse), *Érato* (poésie pastorale, élégie), *Calliope* (éloquence), *Uranie* (astronomie), *Polymnie* (poésie lyrique). **De Léda** (†) → *Pollux ; Hélène.* **D'Alcmène** (†) → *Héraklès (Hercule).* **De Danaé** (†) → *Persée.* **D'Europe** (†) → *Minos ; Rhadamante ; Sarpédon.* **D'Eurynomé** → *les 3 Grâces : Euphrosyne ; Thalie ; Aglaé.* **De Sémélé** (†) → *Dionysos* [*Bacchus* (vin) ; attributs : pampres, panthère ; sa mère voulut contempler Jupiter au grand jour, et fut foudroyée ; Jupiter, pour sauver son fils, lui fit passer à l'intérieur de la cuisse les mois qui manquaient à l'enfant pour naître à terme ; qui a d'*Aphrodite : Hyménée* (mariage), *Priape* (virilité)].

Zeus engendra seul **Athéna* [*Pallas ;* ou *Minerve* (sagesse) ; attributs : chouette, égide, olivier], qui jaillit tout armée de sa tête.

Iris. Voyage entre ciel et terre, messagère des dieux (son écharpe est l'arc-en-ciel).

Atlas. Titan (géant immortel), frère de Prométhée, tous deux fils de Japet. Il porte sur les épaules la voûte du ciel. Père des *7 Pléiades* qu'il eut de Pléione (fille de l'Océan et de Thétys), métamorphosées en étoiles parce que leur père avait voulu lire dans les secrets des dieux, appelées aussi Vergilies (printanières ou étoiles du printemps) par les Latins : Maïa qui eut de Jupiter Mercure, Électre qui eut de Jupiter Dardanus, Taygète qui eut de Jupiter Taygétus, Astérope, Mérope qui eut de Sisyphe Glaucus père de Bellérophon, Alcyone qui eut de Neptune Glaucus, Céléno qui eut de Neptune Lycus, et des 7 *hyades* (ou pluvieuses) qu'il eut d'Éthra (fille de l'Océan et de Téthys) : Ambrosie, Eudore, Phoésyle, Coronis, Polyxo, Phoéo, Dioné.

Nota. – (†) Simple mortelle.

• **Les Eaux. Okéanos.** Dieu des eaux. **Téthys.** Sa sœur (la Mer, mère des fleuves), mer calme. **Nérée, Doris.** Parents des *Néréides.* ***Poséidon (Neptune) ;** Attributs : trident, cheval. Dieu des océans et des mers et des terres (à l'origine), époux d'*Amphitrite,* reine de la mer, dont il a *Triton* (dieu du bruit de la mer). **Protée.** Mer en mouvement. Gardien des troupeaux de phoques, veaux marins et autres animaux de son père Poséidon. Ayant le don de prophétie, pour échapper à ceux qui l'interrogeaient, il revêtait des formes diverses. **Glaucos.** Dieu de la vie de la mer. **Sirènes.** Divinités locales (malfaisantes : naufrageuses : *Parthénopé, Texielpie, Pisinoé*). **Typhon.** Dieu de l'ouragan, père de la *Chimère* et des *Harpies* (vents terrestres, voir ci-dessous). **Ino.** Secours des marins, mère de *Palémon.* **Océanides.** Nymphes des océans (dont *Calypso*). **Éole.** Roi des vents de la mer *(Boréas, Notos, Euros, Zéphyros).*

• **Les Enfers. *Hadès (Pluton).** (Dieu des ténèbres). Attributs : sceptre, chien *Cerbère* (né de 2 monstres : *Typhon* et *Échidna :* cou hérissé de serpents, à 3 têtes ; garde l'entrée des Enfers du bord du *Styx. Orphée,* descendant aux Enfers pour ramener Eurydice, réussit à l'assoupir par les sons de sa lyre et *Énée* l'amadoua avec un gâteau de miel. *Héraklès* parvint à l'enchaîner à ses pieds). **Perséphone (Proserpine).** Déesse des Enfers et de la végétation, sa femme. **Hécate.** Artémis infernale. **Les Érinyes (Furies).** Dites *Euménides* (bienveillantes) : *Mégère, Tisiphone, Alecto.* **Les Kères (Destinées).** Filles de la nuit. **Thanatos** (la mort). **Les Juges** *(Minos, Éaque, Rhadamante).* **Hypnos** (le sommeil). **Aux Champs Élysées** séjournent les justes ; au **Tartare,** les criminels.

• **La Terre.** DÉESSES. **Gaia** (à l'origine). **Rhéa (Cybèle).** Attributs : corne d'abondance. Épouse de Kronos, le temps, mère de Zeus. **Déméter.** D. des moissons. Mère de Perséphone. **Flore.** D. des fleurs. **Pomone.** D. des fruits. DIEUX. **Sylvain.** D. des forêts et de la fécondité (attribut : maillet). **Faune.** D. des bergers. **Ploutos.** D. des richesses accumulées [le dieu des richesses acquises (par l'agriculture et le commerce) étant **Vertumne** emprunté aux Etrusques (voir ci-dessous)]. **Dionysos (Bacchus).** Attributs : pampres, panthères. D. de la vigne. NYMPHES. **Naïades :** des cours d'eaux. **Hamadryades :** des arbres. **Oréades :** des forêts. **Napées :** des bocages.

Les 3 Harpies. Vents terrestres (confondues plus tard avec les Furies) : *Aëllo, Ocypète, Céléno.* Filles de Poséidon et de la Terre. Messagères de Zeus, elles avaient un visage de femme, un corps de vautour, des ongles crochus et des ailes.

Les 3 Gorgones. Divinités pré-indo-européennes, monstres ailés à chevelure de serpents : *Méduse* ou *Gorgos* (tuée par Persée) *Euryale, Sthéno.* Elles avaient 3 sœurs, vieilles dès leur naissance, les **Grées** (« Vieilles femmes ») : *Péphréso, Ényo, Dino.*

Héros ou demi-dieux. Fils d'un dieu et d'une mortelle ou d'une déesse et d'un mortel. Ainsi **Atlas, Argos, Thésée** et **Héraklès (Hercule) :** *fils de Zeus et d'Alcmène,* femme du roi de Tirynthe Amphytrion ; jalouse d'Alcmène, *Héra* envoya 2 serpents dans le berceau d'Héraklès (8 mois) mais celui-ci les étouffa d'une main. Nessus, un centaure, ayant voulu enlever *Déjanire* sa femme, Héraklès le tua. Avant de mourir, Nessus donna à Déjanire une tunique teinte de son sang et permettant, selon lui, de s'assurer la fidélité de l'être aimé. Héraklès regarda un jour une autre femme ayant revêtu la fameuse tunique ; il ressentit des brûlures si atroces qu'il se jeta dans le feu.

Travaux d'Hercule. 1° Étouffe le lion de Némée. 2° Tue l'Hydre de Lerne. 3° Prend vivant le sanglier d'Érymanthe. 4° Rejoint à la course la biche aux pieds d'airain. 5° Tue à l'arc les oiseaux du lac Stymphale. 6° Dompte le taureau envoyé par Poséidon contre Minos. 7° Tue Diomède, roi de Thrace, qui nourrissait ses chevaux de chair humaine. 8° Vainc les Amazones. 9° Nettoie les écuries (3 000 bœufs, pas nettoyées depuis 30 ans) d'Augias, roi d'Élide, en y détournant le fleuve Alphée. Augias refusa de payer Héraklès. Celui-ci le tua et pilla sa ville. 10° Tue Géryon, dont il prend les troupeaux. 11° Prend les pommes d'or du jardin des Hespérides. 12° Délivre Thésée des Enfers.

Géants. Fils de la Terre qui voulurent escalader l'Olympe pour détrôner Jupiter ; ils furent foudroyés par lui.

• **Animaux légendaires. Pégase.** Cheval ailé, né du sang de Méduse décapitée. Fait jaillir d'un coup de sabot la source de l'Hippocrène, sur l'Hélicon. Dompté par Minerve, sert de monture à *Persée* et *Bellérophon.* Demeure ensuite sur le Parnasse, près d'Apollon, dieu des poètes.

Sphinx. Fille de Typhée et d'Échidna. Tête et poitrine de femme, corps de lion, aile d'aigle. Proposait des énigmes insolubles et dévorait les voyageurs qui n'avaient pu les résoudre. Œdipe ayant résolu l'énigme qu'elle lui soumettait, elle se tua [Qui a 4 pieds le matin, 2 à midi, 3 le soir ? L'homme (enfant, il marche à 4 pattes ; veillard, il s'appuie sur un bâton)].

☞ **Pandore.** Créée par Héphaïstos. Zeus lui donna une boîte contenant tous les maux. Pandore épousa *Épiméthée,* le frère de Prométhée, et Zeus, pour se venger, l'incita à ouvrir la boîte de Pandore. Les maux se répandirent sur la Terre et ne resta plus au fond de la boîte que l'espérance.

Religion des Étrusques

Religion révélée (par la nymphe Bégoé et le génie Tagès), et transcrite dans une « discipline », ouvrage composé de 4 livres : I. les Haruspices ; II. les Foudres ; III. les Rites ; IV. l'Au-delà. Les Étrusques sont restés fidèles à cette foi rigide longtemps après leur assimilation par les Romains, et les auteurs chrétiens fulminent encore au Ve s. contre les nombreuses superstitions pratiquées en Toscane.

• **Dieux et démons.** TRIADE SUPRÊME. Composée de **Tinia** (assimilé à Jupiter Capitolin), **Uni** (Junon) et **Mnerva** (Minerve). AUTRES DIEUX (plusieurs sont communs aux mythologies étrusques et latines). **Vertumne** ou **Voltumna,** créateur de la végétation, peut-être un substitut local de Tinia à Volsinies (Toscane). **Fufluns,** protecteur de Populonia, ville des Pampres, dieu de la vigne, assimilé à Bacchus. **Sethlans,** protecteur de Pérouse, d. des forges souterraines. **Turms,** protecteur d'Arezzo, génie multiforme assimilé à Hermès. **Maris,** guerrier et agricole (Mars). **Aplu** (Apollon). **Hercle** (Héraklès), auteur d'exploits surnaturels. **Velchans,** d. du feu et de la végétation. DÉESSES. **Tiv,** la lune (haute Antiquité). **Artumes** (Artémis), venue d'Asie Mineure, sœur d'Aplu. **Nortia,** protectrice de Volsinies, déesse de la justice. **Turan** (« la tyrannique »), déesse-mère commandant à la vie et à la mort, à la fois Héra, Artémis, Perséphone et Aphrodite. GÉNIES ET DIVINITÉS MINEURES. Les **Faveurs,** compagnes de la Fortune. **Pales, Cilens,** génies voilés et mystérieux. Les **Lases,** annonciatrices de la destinée. Les **Lares** et les **Pénates,** semi-divinités attachées aux familles (adoptées par les Romains : protectrices du foyer ; représentées par des poupées de bois auxquelles on apportait des offrandes). Les **Génies,** semi-divinités attachées aux individus (chaque homme a son *genius*).

• **Monde de l'au-delà.** Les morts vont dans un domaine souterrain que l'on peut atteindre par le *mundus,* fosse voûtée, ouverte rituellement les jours de fêtes *(religiosi)* pour permettre aux morts de rejoindre les vivants. **Dieu des enfers :** jusqu'au IVe s. **Turan,** la déesse-mère ; ensuite **Eita** (Hadès), **Persipmai** (Perséphone), **Athrpa** (une des Parques), **Culsu** (porteuse de flambeaux), **Leinth,** à la face voilée, **Vanth,** tenant le livre du destin, **Charun,** démon au nez crochu qui achève les mourants. Les tombes étrusques représentent des scènes d'horreur qui ont inspiré les peintres chrétiens de l'enfer.

• **Art divinatoire. Éclairs.** Le ciel est divisé en 16 régions, toutes consacrées à un dieu (Tinia ou Jupiter en a 3). Les éclairs jaillis en Toscane sont observés et notés dans les archives. On compare leur heure et leur date selon chaque région pour juger des dispositions d'un dieu.

Examen des entrailles des animaux tués au cours d'un sacrifice rituel. 1°) le foie *(hépatoscopie)* : s'il possède certaines rides (causées par la pression des organes), il est habité par le dieu : on peut tirer un présage de la forme de ses lobes, de ses protubérances, de ses creux. La face externe révèle les ennemis ; la face interne les amis. On a trouvé à Plaisance un foie de bronze divisé en 16 régions, comme le ciel (chacune consacrée à un dieu). 2°) les exta (entrailles) *(extispicium) :* rate, cœur, rognons, estomac, poumons.

Haruspices. Interprétations divinatoires de phénomènes « sacrés » (*haru :* du grec *hieros,* « sacré »).

Présages. Tout événement fortuit est une indication d'une volonté divine : passage d'une belette, toile d'araignée, éternuement ou pet, et surtout vol des oiseaux (auspices).

Prodiges. On observe les événements naturels (grondements souterrains, mugissements, tremblements de terre, pluies de sang), les bizarreries du monde animal et végétal (essaims d'abeilles, arbustes fleuris, chant des grenouilles), les malformations (veaux à 2 têtes ou à 5 pattes, enfants androgynes). Les devins professionnels les considèrent comme des signes de courroux de telle ou telle divinité.

Autres mythologies

• **Assur – Babylone. Ishtar ou Ashtart :** déesse de la fécondité, de la végétation et de l'amour. **Shamash :** dieu du Soleil justicier. **Sin :** dieu de la Lune, père de Shamash et d'Ishtar. **Tiamat :** déesse du mal, vaincue par Mardouk qui fait de son corps les deux moitiés du monde : Ciel et Terre. **Mardouk :** dieu créateur babylonien.

• **Aztèques.** Voir Mexique, à l'Index.

• **Carthage. Baal :** Soleil. **Moloch :** Feu purificateur. **Tanit :** Lune.

• **Celtes.** DIEUX INDO-EUROPÉENS auxquels les romains ont donné les noms latins : **Belenos,** guérisseur, dieu de la lumière *(gallo-romain* Apollon) ; **Donn** (« Sombre »), dieu de la Terre (Pluton) ; **Gofannon,** le forgeron (Vulcain) ; **Lug,** dieu du commerce et des techniques (Mercure) ; **Mullo,** dieu de la guerre (Mars) ; **Smertios** ou **Ogmios,** dieu protecteur des troupeaux (Hercule) ; **Sucellos,** dieu au maillet, protecteur de la fécondité (Sylvain) ; **Taranis,** roi du Ciel (Jupiter). DIEUX PROPRES : animaux ou semi-animaux : **Borvo,** serpent à tête de bélier ; **Cernunnos,** dieu solaire, maître des bêtes fauves (porteur de cornes de cerf) ; **Ésus,** dieu forestier (un taureau accompagné de 3 grues). Nombreux dieux locaux : les **Teutates,** totémiques de chaque tribu ; les **Matrae,** déesses mères, vénérées auprès des sources. Chaque espèce animale ou végétale avait sa divinité protectrice : **Arto** pour les ours, **Épona** pour les chevaux ; les chênes étaient protégés directement par **Taranis,** et tout ce qui venait d'eux était sacré, notamment le gui, objet d'un culte rituel.

• **Égypte.** Voir Égypte, à l'Index.

• **Germanie et pays scandinaves. Ases :** principaux dieux (12 ou 14 ?) dont *Odin, Thor, Balder, Frigg.* **Balder :** lumière et beauté. **Elfes :** génies inférieurs. **Freyja :** déesse de la fécondité et de l'amour. **Freyr :** père de Freyja, fils de Njord, époux de Gerd ; fertilité et végétation. **Frigg ou Frigga :** épouse d'Odin, mère de Balder, amour et mariage. **Heimdal :** fils d'Odin, dieu de la lumière et gardien des dieux. **Jord :** la Terre, épouse d'Odin, mère de Thor. **Loke :** malin et rusé. **Mani :** Lune. **Nerthus :** Terre nourricière. **Nibelungen :** nains descendants de Nibelung, enfants de la brume ; Siegfried prit leur trésor. **Njord :** roi des vents et de l'Océan. **Odin (Wotan) :** le Soleil créateur de toutes choses. **Thor :** dieu du tonnerre. **Walhalla :** paradis germanique. **Walkyries :** vierges guerrières.

• **Mayas.** Voir Mexique, à l'Index.

Comment se nomment les habitants de ?

☞ Suite de la p. 490.

Sainte-Geneviève-des-Bois Génovéfains
Sainte-Marie Samaritains
Ste-Menehould Ménehouldiens, Ménéhildiens
Saintes Saintais, Santois
Stes-Maries-de-la-Mer Saintois
Sainte-Savine Saviniens
Salency Salenciens
Salers Sagraniers
Sales Salésiens
Sallanches Sallanchards
Salon-de-Provence Salonnais
Salses Salséens
Sarlat Sarladais
Saulieu Sédélociens
Saulzoir Salicetains
Saulx-les-Chartreuse Salucéens
Savigny-sur-Orge Savignyens, Excelsiens, Saviniens
Sceaux Scéens, Celléens
Scey-sur-Saône Sceycolais
Sées Sagiens
Sein (Ile de) Senans
Semur-en-Auxois Sémuriens, Sémurois
Senez Séneziens, Sonisiens
Sens Sénonais
Sèvres Sévriens
La Seyne-sur-Mer Seynois
Six-Fours-les-Plages Six-Fournais
Solre-le-Château Solréziens
Sos Sosciates
Sospel Sospellitains, Sospellois
Sours Souriots
Souterraine (La) Souterrainiens
Soyaux Sojaldiciens
Stains Stanois
Sucy-en-Brie Sucyciens
Sully-sur-Loire Sullinois, Sullylois
Tain-l'Hermitage Tinois
Tarbes Tarbésiens, Tarbais
Tartas Tarusates, Tartarins
Tassin-la-Demi-Lune Tassilunois
Taulé Taulésiens
Taverny Tabernaciens
Tergnier Ternois
Termes Termenais
Ternois Tervaniens
Thélin Thélandais
Thiers Thiernois
Thionville Thionvillois
Tonneins Tonneinquais
Toucy Toucyquois
Tourcoing Tourquennois
Tour-du-Pin (La) Turripinois
Tournus Tournusiens
Tours Tourangeaux
Trappes Trappistes
Tréguier Trégorois, Trécoriens
Treix Tréyens
Tremblade (La) Trembladais
Tremblay-lès-Gonesse Tremblaysiens
Tremouille (La) Trémouillais
Tréport (Le) Tréportais
Trévoux Trévoltiens
Trinité (La) Trinitaires
Troyes Troyens
Tulle Tullistes, Tullois
Turbie (La) Turbiasques
Uchizy Chizerots
Ulis (Les) Ulissiens
Uzès Uzétiens
Vaas Védaçais
Valay Valésiens
Valence Valentinois
Valenciennes Valencenais, Valenciennois
Valentigney Boroillots
Vallauris Vallauriens
Vandœuvre-lès-Nancy Vandopériens
Vannes Vannetais
Vanves Vanvistes
Varzy Verdigois
Vaujours Valcoviens
Vaulx-en-Velin Vaudais
Vence Vinciens, Vençois
Vénissieux Vénissians
Verdun Verdunois
Verneuil-sur-Avre Vernoliens
Verneuil-sur-Seine Vernolitains
Vertou Vertaviens, Vertousains
Vésinet (Le) Vésigondins, Vésinettois
Vesoul Vésuliens
Vez Vadais
Vézelay Vézéliens
Vichy Vichissois, Vichissais, Vichinois
Vieux Viducasses
Vieux-Condé Vieux-Condéens
Vigan (Le) Viganais
Ville-aux-Dames Gynépolitains
Ville-d'Avray Ville-d'Avraysiens
Villeneuve-d'Ascq Villeneuvois
Villedieu-les-Poêles Sourdins
Villefranche-sur-Saône Caladois
Villemomble Villemomblois
Villeneuve-la-Garenne Villeno-Garennois
Villeparisis Villeparisiens
Villepinte Villepintois
Villiers-le-Bel Beauvillerois
Villers-Cotterêts Cotteréziens
Villiers-le-Bel Beauvilérois, Beauvilésois
Vimoutiers Vimonastériens
Vire Virois
Viroflay Viroflaysiens
Vitré Vitréens
Vitry-le-François Vitryats
Vitry-sur-Seine Vitriots
Viviers Vivarois, Vivarais
Vouvray Vouvrillons
Vouziers Vouzinois
Yermenonville Remenonvillois
Yerres Yerrois
Yport Yportais
Yssingeaux Yssingelais, Yssingelois, Yssingeaviers
Yvetot Yvetotais

La France

GÉOGRAPHIE

Situation, limites

La France continentale est située entre les 42,5° et 51° de latitude N. ; en longitude, elle s'étend du 5° de longitude O. au 8° de longitude E.

• **Points extrêmes du territoire continental. Nord :** plage de Bray-Dunes près de Dunkerque (51°5'27").

Sud : montagne de la Bague de Bordeillat, près de Prats-de-Mollo (42°20').

Ouest : pointe de Corsen, à l'ouest de Brest (4°47'47" de longitude O.).

Est : embouchure de la Lauter, dans le nord de l'Alsace (8°1'47" de longitude E.).

Distances maximales : Nord-Sud (Dunkerque-Prats de Mollo) 973 km ; Est-Ouest (Lauterbourg-Pointe de Corsen) 945,5 km ; Nord-Ouest-Sud-Est (Pointe de Corsen-Menton) 1 082 km.

• **Centre géométrique du territoire continental. Cher. St-Amand-Montrond :** *colline du Belvédère* (tour Malakoff). Point de rencontre entre le méridien 2°30'37" de longitude est et le parallèle 46°43'17" de latitude nord, chacun étant respectivement équidistant des méridiens et parallèles passant aux points extrêmes de la France, à savoir : pour les parallèles : 51°5'27" nord, plage de Bray-Dunes, près de Dunkerque ; 42°20'00" la montagne de Bordeillat, près de Prats-de-Mollo ; distants de 973 km ; pour les méridiens : 4°47'47" longitude ouest, pointe de Corsen, ouest de Brest ; 8°01'47" longitude est, embouchure de la Lauter, nord de Strasbourg ; distants de 945,5 km. Mais du fait de la forme allongée de la Bretagne où se situe la pointe de Corsen, il est excentré vers l'ouest (plus proche de l'Atlantique que de la Suisse), et sa qualité de « centre géométrique » est contestée. **Bruères-Allichamps.** D'après Adolphe Joanne (1813-81), calculs effectués entre 1860 et 1870 : le centre de la France est compris entre les 2 latitudes et les 2 longitudes entre lesquelles pourrait s'inscrire la plus petite figure semblable à la France. Point situé entre 46°51'32" et 46°40'02" de latitude et 0° et 0°10'33" de longitude orientale. Si l'on suppose un quadrilatère construit avec 4 points et dans lequel tient la France, le Centre sera l'intersection des 2 médianes. L'une de ces médianes se confond avec le méridien passant par 0°5'15" de longitude est, et l'autre avec le parallèle situé à 46°45'47" de latitude. Au centre du village, borne romaine découverte en 1757 dans un champ voisin. **Vesdun.** D'après Pierre Vermond (1830), à la Coucière, à 8 km de Saulzais. Entre les hameaux de « Frappon » et « la Presle » d'après le général Gérin en 1957. A 300 m du point Gérin d'après Georges Dumont en 1966. Près du hameau de « Mondan » d'après Puisségur en 1976. Centre de gravité d'une plaque d'épaisseur égale ayant la forme de la France [sans la Corse mais avec les îles côtières (d'après Jean Denègre et Claude Pilkiewicz de l'I.G.N.)]. Dalle de 5 m de diamètre construite en 1984.

Allier. Chazemais. D'après Georges Dumont (1966). Même procédé mais en ajoutant la Corse. A 550 m au N.-N.O. de Villevendret : borne pierre.

• **Superficie.** 551 602 km², en comptant les îles et notamment la Corse (8 747 km²) ; 550 986 en 1946 (avant l'annexion des territoires de Tende et de la Brigue) ; 528 400 de 1871 à 1918 (avant la récupération de l'Alsace-Lorraine) [selon les mesures géodésiques de l'Institut géographique national (ne descendant pas au-dessous de l'arrondissement)]. – 543 998,03 km² [selon le Service du cadastre (données disponibles pour l'ensemble de la France et pour chaque commune)]. Ce sont ces dernières données qui ont été retenues dans Quid avec la définition suivante : sont comprises toutes les surfaces du domaine public et privé cadastrées ou non cadastrées, à l'exception des lacs, étangs et glaciers de plus d'1 km² ainsi que des estuaires des fleuves.

Par rapport à l'Europe. Environ 1/18e. Au 1er rang après la partie européenne de l'U.R.S.S. (4 500 000 km²). En 1900 (528 400 km²), au 5e après : l'Empire russe, l'Union suédo-norvégienne (760 166), l'Autriche-Hongrie (622 269) et l'Empire allemand (540 496). **Aux terres émergées.** 0,4 %.

• **Altitude.** *Moyenne.* 342 m (Corse exclue 297 m). *Commune habitée la plus haute :* St-Véran (Htes-A.) 2 200 m. *Lieu habité le plus haut :* observatoire du pic du Midi 2 859 m.

Répartition suivant l'altitude

Altitude en m	Surface en km²	% de la France
0 à 100	135 524	25,4
100 à 250	192 301	36,4
250 à 500	110 453	20,4
500 à 1 000	64 730	11,0
1 000 à 2 000	28 830	5,3
+ de 2 000	8 425	1,5

• **Frontières** (longueur en km). 5 670. **Terrestres :** 2 970 [dont 1 750 montagneuses (Pyrénées 740, Alpes 660, Jura 350), 195 sur un fleuve (Rhin)]. 8 États limitrophes : Espagne 650, Belgique 620 (dont Nord 357, Ardennes 238, Meuse 24), Suisse 572 (dont Ht-Rh. 77), Italie 515 (dont Htes-A. 98), Allemagne 450 (dont Ht-Rhin 66), Luxembourg 73, Andorre 57, Monaco 4,5 [4 États limitrophes des DOM-TOM : Brésil, Surinam (Guyane), Pays-Bas (St-Martin), Australie (Antarctique)].

Maritimes : 2 700 sans compter les découpures (Atlantique et Manche 2 075, Méditerranée 625), avec découpures 5 500 (dont continent et Corse 4 200, îles côtières 600, estuaires 700). Plages 1 900. Marais et zones humides 1 300. Côtes rocheuses et falaises 2 300.

On peut inscrire la carte de France dans un *hexagone* (presque) régulier (3 côtés terrestres et 3 maritimes : Manche et mer du Nord ; Méditerranée ; Atlantique).

☞ 10 200 communes sont directement menacées par une ou plusieurs calamités naturelles (7 500 par les inondations, 3 000 par les mouvements de terrain, 1 400 par les séismes et 400 par les avalanches).

Formation du sol français

Jusqu'à la fin du primaire, seuls émergent quelques îlots dans les mers silurienne et dévonienne. A la fin du carbonifère surgit la *chaîne hercynienne* qui dessine un V depuis le Massif central vers la Bretagne et la Cornouailles britannique d'une part, vers les Vosges et la Forêt-Noire d'autre part. Les montagnes des Maures et de l'Esterel appartiennent au système *tyrrhénien,* rattaché actuellement au bloc continental de l'Afrique. Les chaînes hercyniennes ont atteint probablement 3 000 à 4 000 m d'altitude. Des accidents tectoniques les ont fragmentées avant le début du secondaire et n'en ont laissé que des plaques isolées. Une végétation exubérante se développe pour des raisons climatiques et s'accumule dans les dépressions lacustres et fluviales.

Secondaire. Des mers profondes recouvrent la moitié sud du pays, où des couches épaisses de matériaux sont formées. Dans la moitié nord, les mers sont peu profondes : les régions sont successivement inondées et découvertes selon les abaissements et les soulèvements du socle (principale avancée de la mer : au liasique ; principal retrait : au crétacé).

Tertiaire. Le plissement alpin qui se manifeste dans tous les continents affecte les terrains malléables du Sud (les Pyrénées se soulèvent à l'éocène ; les Alpes et le Jura, au pliocène) et le vieux socle primitif [Ardennes, Vosges, Morvan se soulèvent une 2e fois ; le volcanisme se développe dans le Massif central ; des fractures apparaissent, notamment en Alsace, séparant les Vosges de la Forêt-Noire (un volcan y naît également, le Kaiserstuhl, sur la rive droite du Rhin, en Allemagne)].

Profondeur des cratères de quelques volcans éteints (en m). Ardèche : Jaujeac 250 ?, la Coupe d'Ayzac 200 ?, les Balmes de Montbrul (Montbrun) 150, Freycinet 120. *Hte-Loire :* Bar 40. *Puy-de-Dôme :* la

Cartographie de la France

1670 déterminations astronomiques sur le pourtour de la France et mesure d'un arc de méridien. Carte de l'abbé Picard par mesure d'une base et observation des angles d'une chaîne de 13 triangles de Paris à Amiens. Méridienne prolongée au nord par La Hire et au sud par Jean-Dominique puis Jacques Cassini. **1735-43** Cassini de Thury et l'abbé La Caille vérifient la méridienne. **1744** carte des Triangles (après achèvement des chaînes de triangulation primordiale et de la 1re chaîne perpendiculaire). **1747,** *17-7* après la bataille de Lawfeld, Louis XV charge Cassini de Thury de dresser une carte générale du Royaume à échelle de 1/84 600 (1 ligne pour 100 toises). **1791** Delambre et Méchain mesurent sur ordre de la Convention la méridienne de Dunkerque à Barcelone (travaux de 1792 à 1798). Ils complètent les travaux de Cassini et La Caille en établissant la définition du mètre par rapport à la toise : 1 m = 0,513074 t. **1793** 165 des 181 feuilles de la carte de Cassini achevées et rendues à la Nation. **1802** commission de Topographie. Adoption du système métrique en topographie, du niveau de la mer comme référence pour les altitudes et codification des signes conventionnels. Le Dépôt de la guerre réalise la carte de l'Empereur en 1 exemplaire (420 feuilles au 1/100 000e couvrent une partie de l'Europe). **1824** adoption des échelles au 1/40 000e pour les levés et 1/80 000e pour la publication.

1870-82 nouvelle mesure de la Méridienne de France. **1889** création du service de Nivellement général de la France. **1900** 1re version en 10 couleurs de la France au 1/10 000 (seulement région parisienne et frontières de l'Est). **1910** 1re carte Michelin. **1914-18** plans directeurs de guerre au 1/20 000 réalisés par les « Groupes canevas de tir ». **1922** carte de France au 1/50 000. **1940** achèvement presque total de la triangulation primordiale entreprise en 1898. *1-7* l'Institut Géographique National (IGN) remplace le service géogr. de l'armée. **1964** carte au 1/25 000e dite série bleue, remplace celle en 1/20 000e (2 000 cartes mises bout à bout = 1 600 m² pour la France).

Cartes d'État-Major. *Origine :* 1818 création du « Corps d'État-Major » ; *1831* celui des ingénieurs géographes y est intégré. *Nom :* appelées ainsi non pas parce qu'elles étaient destinées à l'État-Major, mais parce que les relevés étaient faits par des officiers d'État-Major. *Évolution :* 1821 1re feuille (Paris), 1880 dernière (Corte). 1889 édition de la carte en 965 coupures « type 1889 » en quart de feuille. *Révisions :* 1re 1883-1907, 2e 1908-52. *Principales dérivées :* cartes au 1/320 000 (terminées 1886), en 33 feuilles en hachures, 1/500 000 en 15 feuilles en couleurs du colonel Prudent, 1/200 000 en 82 feuilles en couleurs (1880-88), au 1/100 000 du ministère de l'Intérieur (service vicinal) dressée à partir de 1878 en 5 couleurs, 1/80 000 et 1/320 000 géologiques.

Le territoire français

• **La République française** comprend : la *France métropolitaine* (France continentale et Corse), 5 *départements d'outre-mer* (Guyane, Martinique, Réunion, Guadeloupe, St-Pierre-et-Miquelon) constituant également chacun une région depuis la loi du 31-12-1982, 4 *territoires d'outre-mer* (Mayotte, îles Wallis et Futuna, Nouvelle-Calédonie et dépendances, Polynésie française) ayant un statut particulier.

• **Frontières.** Dates de fixation des frontières actuelles. **Nord et Nord-Est :** 2e traité de Paris (20-11-1815), qui a maintenu ou modifié des frontières déjà tracées : du Nord, tr. d'Utrecht (11-4-1713) ; avec le Luxembourg. tr. de Rastadt (6-3-1714) ; annexion de la Lorraine, tr. de Vienne (2-5-1738, mais daté du 18-11-1738). Le 13-3-1769, Choiseul et l'ambassadeur d'Autriche signent à Versailles un traité régularisant le tracé et échangeant les enclaves [29 e. autr. en Fr. contre 14 e. fr. aux P.-Bas (accord définitif 1779)]. En 1772, traité similaire avec l'év. de Liège [Par le 1er tr. de Paris (30-5-1814), la Fr. revenait à des limites plus favorables que celles de 1792, c.-à-d. pour le Nord, env. 1 000 km² de plus qu'au tr. d'Utrecht (11-4-1713) ; mais après Waterloo (18-6-1815), le 2e tr. de Paris enlevait à la Fr. Bouillon, Philippeville et Marienbourg et tout le terrain nouvellement acquis. Lorsque les Belges se révoltèrent contre le roi de Holl. (25-8-1830), la Fr. ne put récupérer Bouillon, Philippeville et Marienbourg malgré les efforts de Talleyrand à la conférence internationale de Londres (1830-31). Mais elle obtint le démantèlement de quelques places fortes belges, telles que Mons et Philippeville].

Est : avec Rhénanie et Palatinat : le 1er tr. de Paris (30-5-1814) laissait à la Fr. des limites plus favorables que celles de 1792, c.-à-d. celles du tr. de Rastadt (6-3-1714), plus environ 800 km² dans la vallée de la Sarre et autour de Landau. Le 2e tr. de Paris enlève à la Fr. ces territoires nouvellement acquis, et, en plus, Sarrelouis, Sarrebruck et Landau. Le long du Rhin, le 2e tr. de Paris laisse à la Fr. les frontières du tr. de Rastadt, plus le territoire de Mulhouse, acquis au tr. de Lunéville le 9-2-1801 (20 pluviôse de l'an IX).

Centre-Est : avec la Suisse : le 1er tr. de Paris (30-5-1814) laisse à la Fr. le comté de Montbéliard et le demi-canton de Porrentruy, acquis au tr. de Lunéville le 9-2-1801 (20 pluviôse de l'an IX), le 2e tr. de Paris (20-11-1815) lui conserve Montbéliard, mais lui enlève Porrentruy. La frontière de Franche-Comté date du 2e tr. de Nimègue (17-9-1678), celle du pays de Gex et du Val-Romeu du tr. de Lyon avec la Savoie (27-1-1601). Celle du Genevois, du Congrès de Vienne (9-6-1815).

Sud-Est : *Savoie :* tr. de Turin (24-3-1860) et plébiscite (22-4-1860) ; tr. de Paris du 10-2-1947 : la Fr. annexe le Petit St-Bernard et le mont Cenis. *Dauphiné :* tr. de Romans (30-3-1349), avec des échanges de territoires ultérieurs, ramenant les frontières sur la crête (tr. d'Utrecht, 11-4-1713 : vallée de Barcelonnette à la Fr. ; vallées d'Oulx et de Pignerol au Piémont) ; tr. de Paris du 10-2-1947 : annexion du plateau du mont Tabor et du massif du Chaberton. *Comté de Nice :* tr. de Turin (24-3-1860) et plébiscite (15-4-1860) ; tr. de Paris du 10-2-1947 : annexion des vallées de la haute Roya (avec Tende et La Brigue), de la Tinée et de la Vésubie (env. 1 000 km²). *Avec Monaco* (février 1861).

Midi : *Pyrénées :* paix des Pyrénées [(7-11-1659) Llivia est rétrocédée à l'Espagne en 1660]. *Andorre :* en 1607, les droits du comte de Foix, cosuzerain d'Andorre, passent à la couronne de France (Henri IV). Les traités définitifs, avec mise en place des bornes-frontières, datent du 14-4-1862 pour Andorre, de 1856, 1862, 1863, 1866 et 1868 pour l'Espagne (avec un rectificatif du 14-6-1906 pour les bornes 579 et 580).

Corse : tr. de Versailles (1768), la république de Gênes cède ses droits sur la Corse à Louis XV.

Particularités

• **Enclaves étrangères. Principauté de Monaco** (1,5 km², 23 500 h.) dans les Alpes-M. V. Index. **Llivia** (avec les hameaux de Sareja et Gorguja), enclave espagnole dans les Pyrénées-Orientales, à 4 km de la province de Gerona (12 km², 1 200 hab.), dep. le tr. des Pyrénées (1659) et la convention du 12-11-1660 qui cédait à la Fr. 33 villages catalans, sauf Llivia, ancienne capitale de la Cerdagne jusqu'au XIe s. et qui avait le titre de ville (« Llivia » vient de Julia Livia, femme de l'empereur romain Auguste ou, selon d'autres sources, de Julia Libyca, colonie de vétérans originaires de Cyrénaïque). Elle est reliée à l'Esp. par une route neutre, isolée des chemins qui la traversent par des barrières gardées par la douane française ; elle ne peut être fortifiée par l'Espagne.

• **Abbaye de Hautecombe** (Savoie). Abbaye cistercienne fondée XIIe s., rebâtie XVIIIe, restaurée XIXe, occupée par les bénédictins dep. 1922.

A la suite de la cession, par le roi de Sardaigne, de Nice et de la Savoie à la Fr., des dispositions internationales stipulèrent que la Fr. s'engageait à respecter à perpétuité la destination religieuse de l'abbaye (protocole franco-sarde du 18-8-1860, arrangement du 4-8-1862, déclaration du 19-2-1863). Les lois sur les congrégations religieuses prononçant, en Fr. leur expulsion, ne furent pas applicables aux religieux de Hautecombe, patronnés par la Maison de Savoie et dont le chef (l'ancien roi Humbert II d'Italie) possédait le droit de nomination de l'abbé, droit qu'il a abandonné par testament. L'abbaye est terre française mais son affectation religieuse, étant garantie à perpétuité par suite des dispositions de droit international, la place néanmoins en dehors du champ d'application de certaines lois fr. Les dépenses d'établissement sont à la charge de l'abbaye et des Monuments historiques. C'est un des lieux de sépulture des princes de la Maison de Savoie, qui régnèrent en Italie jusqu'en 1946. Le roi Humbert II y fut inhumé le 24-3-1983.

• **Ile de la Conférence (ou île des Faisans).** Moins de 3 000 m² de superficie. Les représentants des communes riveraines s'y réunissaient pour conclure des accords de « faceries » (d'où viendrait le mot « faisans ») sur la pêche au saumon (communauté de pêche) dans la Bidassoa, et régler les questions d'intérêt local. Le 7-11-1659, les ministres de Louis XIV et de Philippe IV y signèrent le traité des Pyrénées (mariage du roi de France et de l'infante Marie-Thérèse d'Espagne). L'île était considérée comme propriété commune des royaumes d'Esp. et de Fr. Dep. le tr. de Bayonne du 2-12-1856 (complété par la convention du 27-3-1901 qui établit les droits de police et de justice), c'est un condominium de droit international. Le droit de police de ce territoire indivis (indivision perpétuelle, exceptionnelle en droit international) incombe à tour de rôle, tous les 6 mois, à la Fr. (du 12-8 au 11-2) et à l'Esp. (la Fr. est représentée par le capitaine de frégate commandant la station navale de la Bidassoa).

Nota. – En réalité, il y a 2 îles des Faisans : *l'île des Faisans* proprement dite, située contre la rive fr. et *l'île de la Conférence,* plus petite, située au sud de la 1re et au milieu de la rivière ; malgré une confusion de l'art. 9 du traité de 1856, seule l'île du condominium est concernée par celui-ci.

• **Ondarrolle.** Hameau français et paroisse esp. de la vallée des Aldudes, à 6 km du village fr. d'Arneguy, en face du village esp. de Valcarlos (dont il n'est séparé que par la Nive d'Arnéguy) ; sur le plan religieux, il dépend du diocèse esp. de Pampelune : mariages et enterrements sont célébrés à Valcarlos et l'inhumation a lieu en Esp. Dep. le Moyen Age les habitants d'Ondarrolle allaient à l'église de Valcarlos ; on ne put ensuite faire coïncider (la coutume étant plus forte) frontières politiques et religieuses malgré les différentes tentatives (bulle papale de 1566, accords fr.-esp. au XVIIIe s., concordat de 1801, concile de Vatican II...). En juin 1940, Ondarrolle resta en zone libre alors qu'Arnéguy fut en zone occupée.

• **Pays Quint.** Depuis le traité fr.-esp de Bayonne du 2-12-1856 (complété par la convention du 28-12-1858), c'est un territoire esp. (bordant l'extrémité sud de la haute vallée du Baïgorry sur 2 à 6 km de profondeur) à statut particulier. Il est divisé en 2 régions ayant chacune leur statut :

1°) le Pays Quint du Sud : territoire de faceries (communautés de pâturages) où les habitants de Baïgorry (territoire français) possèdent le fermage des herbes et des eaux ainsi que des privilèges douaniers.

2°) le Pays Quint du Nord où, malgré la souveraineté espagnole, l'exploitation (des pâturages) appartient à la France (habitants de la vallée du Baïgorry) grâce à un droit de bail perpétuel (anomalie exceptionnelle en droit international) ; l'Esp. n'a pas la compétence de disposition (elle ne peut modifier l'état des sols). Actuellement, la frontière du Pays Quint est clôturée sur 37 km, mais les Baïgorriens ont libre accès au territoire ; pour la douane française, les frontières politique et économique ne coïncident pas ; les P.T.T. françaises distribuent le courrier dans le territoire et les gardes civils espagnols assurent la police.

• **Faceries de la frontière espagnole.** Facerie : association ou communauté de pâturages entre villages voisins pour leurs troupeaux. Origine : conventions passées entre « vallées » (ou paroisses) pyrénéennes voisines au Moyen Age : elles organisent la possession et la jouissance indivises de hauts pâturages situés sur leurs limites respectives ; ces faceries devinrent des traités politiques de neutralité et de non-belligérance par lesquels les vallées (souvent des « Républiques ») se désolidarisaient des g. franco-esp. (exemple le « Plan d'Arrem » de 1315, entre plusieurs vallées). Cette organisation, respectée ensuite par la France et l'Espagne, perdit son caractère politique au début du XVIIIe s. et reprit son caractère primitif de convention pastorale conservé jusqu'aujourd'hui. Depuis le tr. de Bayonne de 1856, qui a en général respecté la démarcation fixée auparavant par conventions, on distingue, outre le cas spécial du Pays Quint (v. plus haut), les faceries locales (durée limitée à 5 ans, mais renouvellement tacite), et 2 faceries perpétuelles : entre Cize et Aezcoa, entre Roncal et Baretous (depuis la Sentence d'Anso de 1375, chaque 13 juillet, les habitants béarnais de Baretous offrent à leurs voisins navarrais de Roncal 3 génisses de 2 ans, saines et sans tache).

Vache 153, Louchadière 148, Montchié 104, Pariou 93, Petit-Puy-de-D. 89, la Nugère 82, Puy-de-D. 76.

Quaternaire. Période glaciaire laissant des traces profondes dans le relief actuel : érosion, dépôts de moraines. Les alluvions fluviales comblent les anciens golfes marins (Bassin parisien, Aquitaine, Sillon rhodanien, Alsace). A la fin du quaternaire, la *fonte des glaces* relève de 50 m le niveau des mers : les rias bretonnes sont noyées.

Terrains géologiques actuels

Terrains précambriens. Massif armoricain, Massif central et Vosges. Autrefois on leur donnait une vaste extension (tout l'ancien socle soulevé à l'époque hercynienne), actuellement on les réduit à quelques zones où le paysage ressemble à celui du Pays de Galles (période algonquienne) – ex. granites de Bretagne et du Cotentin.

Terrains cambriens. Principalement dans les Ardennes (paysage aussi voisin de celui du pays de Galles) : roches métamorphiques ayant subi une recristallisation très poussée. Il y a peu de fossiles. Autres sites : Massif armoricain (poudingues pourpres, ardoises rouges sans fossiles, arènes feldspathiques de la Sarthe) ; Montagne Noire (cambriens à fossiles de l'époque acadienne, ardoises jaune et violette).

Terrains siluriens. Principalement en Bretagne, dépôts d'arènes ordoviciens (vallée de la Laize), peu fossilifères ; et dans la Montagne Noire (trilobites fossiles de type scandinave et gallois, arènes sans fossiles et ardoises à fossiles de l'étage gotlandien, puis calcaires gris très fossilifères).

Dévonien. Séries de bandes étroites, mêlées à du carbonifère ; Massif armoricain (orientées d'est en ouest dans le Cotentin, dans l'axe Brest-Laval, à Angers, à Ancenis) ; Massif central (Allier et Morvan, et surtout dans la vallée de la Loire où les calcaires sont zoogènes) ; Vosges ; Montagne Noire et surtout Pyrénées (ardoises fossilifères, calcaires à nodules rouges et verts appelés marbres griottes ou marbres de Campan).

Carbonifère. Massif armoricain ; occupe les mêmes synclinaux que le dévonien, mais des accidents tectoniques l'ont fragmenté. Se prolonge jusqu'aux bassins de Laval et de Châteaulin. Vallée de la Sarre et Vosges (principaux fossiles : fleurs variées, insectes, arachnides). Bassins de Commentry, de St-Étienne. – Autres sites importants : Montagne Noire (ardoises avec bancs calcaires, dépôts de sables et calcaires à fossiles contenant notamment de nombreux mollusques). Corbières et Pyrénées (notamment le massif de la Maladetta, période westphalienne).

Permien. Bassin de Littry (Calvados) : sables, arènes, poudingues, argiles de couleurs vives et calcaires dolomitiques ; vallée de la Bruche : ardoises rouges, riolite du Nideck ; bassin d'Autun et Hérault : ardoise bitumeuse ; Maures, Esterel et Alpes-Mar. : terrains permiens atteignant 900 m d'épaisseur (ardoises rouges et vertes ; porphyre bleu).

Triasique. Recouvrent les terrains anciens du Cotentin, des Ardennes et des Vosges où les grès bigarrés (grès vosgiens), contenant des grains de silice cimentés, atteignent 400 m d'épaisseur. Les fossiles sont souvent des crustacés (d'eau douce). Autres sites : Morvan, Massif central et basse Provence (vastes dépôts de calcaires coquilliers), Pyrénées (arènes rougeâtres et dépôts salins du triasique supérieur).

Jurassique. Normandie et seuil du Poitou sont recouverts par les dépôts de la mer liasique ; Jura et Haute-Saône ont des aspects analogues à la Souabe (liasique supérieur). Autres régions : rebords du Massif central, Languedoc, vallée du Rhône. A la période oolithique, d'importantes couches se sont déposées des deux côtés de la Manche actuelle ; les terrains normands et boulonnais ressemblent à ceux de G.-B. : calcaires marneux, contenant des céphalopodes fossiles. Nombreux autres dépôts : Bassin parisien, Meurthe, Vosges, Causses, vallée du Rhône, Pyrénées, etc. Tous ces sédiments sont d'origine marine.

Crétacé. Vaste sillon du Dauphiné au Boulonnais, se prolongeant en G.-B. Le crétacé moyen notamment (cénomannien) forme la majeure partie du Bassin parisien, caractérisé par des calcaires marneux. Autres dépôts : Massif central, Pyrénées, Bretagne occidentale.

Éocène et Oligocène (calcaire à nummulites). Vastes terrains en Picardie et Normandie (sables siliceux et marnes de Meudon). Sparnacien : littoral de la Manche, Soissonnais, Champagne. Lutécien : environs de Paris (la couche de gypse atteint 50 m à Montmartre). Autres sites : Cotentin, Aquitaine, rebords du Massif central, Provence (bassins d'Aix et d'Apt), nombreux mammifères fossiles. Oligocène : domine en Beauce, à Fontainebleau, dans l'Étampois. La Limagne est un ancien lac oligocénique à la faune lacustre et continentale. A Manosque, les fleurs fossilisées sont de type subtropical ; en Quercy, les gisements de phosphates de calcium contiennent de nombreux types de vertébrés.

Néocène (Miocène et Pliocène). Bien moins abondant que le crétacé. Dépôts principaux : Orléanais, Touraine, Maine et Anjou. En Armagnac, le calcaire est d'origine lacustre et contient des mammifères fossiles. Autres sites ; vallée du Rhône (notamment colline de la Croix-Rousse à Lyon ; gisement de fossiles de vertébrés). La mer pliocène a laissé des dépôts en Vendée et en Aquitaine et dans la région basse du Languedoc, des Pyrénées au Rhône.

Époque moderne. *Principal dépôt morainique* (plateau sableux et caillouteux, tapissé d'argile) : les Dombes, golfe comblé par l'ancien glacier du Rhône.

Principal dépôt d'alluvions fluviales : la Limagne, série de fossés tectoniques comblés par des débris végétaux (terre noire), coupés à l'est par des « varennes » sableuses, longtemps marécageuses, aujourd'hui changées en prairies. Alluvions déposées par des vents : dunes de la région landaise ; collines de lœss en Alsace.

Climat

☞ Dans l'ensemble, le climat français appartient au domaine tempéré (effet de la latitude, à mi-chemin entre le pôle et l'équateur).

Sous-types de climats. 1° **Atlantique** (ou maritime tempéré), du Cotentin aux Pyrénées, subdivisé en *armorique* (humide, brumeux et froid) et *aquitain* (plus chaud et plus ensoleillé) ; 2° **Continental** atténué, du Cotentin à la vallée du Rhône, subdivisé en *parisien* (assez proche du climat atlantique, mais moins pluvieux), *auvergnat* (rude et froid à cause de l'altitude), *lorrain* (aux hivers froids et humides), *alsacien* (le plus typiquement continental : plus sec avec orages estivaux) ; 3° **Méditerranéen,** côtes sud et Corse ; 4° **Alpestre,** Alpes et Pyrénées.

Pressions et vents

1° **Vents dominants ou océaniques** (vents d'ouest). Ils viennent plutôt du S.-O. en hiver (les basses pressions se trouvant principalement sur la Manche et au sud de l'Irlande) : ils sont donc relativement tempérés ; du N.-O. en été (les basses pressions se situant vers le S.-E. du territoire) : ils sont donc relativement frais. Les températures extrêmes sont ainsi atténuées à chaque saison.

2° **Vents continentaux ou bise du nord.** Affectent la partie la plus orientale du pays (à l'est d'une ligne Sedan-Toulon) et soufflent surtout en hiver et au printemps, quand les plaines nord-orientales de l'Europe sont nettement plus froides que l'Atlantique. Leur direction est initialement N.E./S.O. Ils sont ensuite fréquemment happés par le couloir Saône-Rhône et se ruent vers la Méditerranée, selon une direction N.-S. : le *mistral* qui atteint 200 km/h (mais jamais plus de 3 000 m d'altitude). La bise du nord est donc relativement rare dans l'ouest du pays.

3° **Vents locaux méditerranéens.** Outre le *mistral* qui vient de régions éloignées, le Midi méditerranéen connaît une alternance de vents locaux ; chauds et humides venus de la mer, puis vents froids et secs soufflant de la terre, qui rappelle, sur une petite échelle, le mécanisme des moussons (mer située au sud d'un continent) :

– MINI-MOUSSON D'ÉTÉ : l'*autan blanc* (altanus, en latin, signifie « originaire du large ») : attiré par les basses pressions du Massif central surchauffé, il vient par le S.-E. et déverse son eau sur les rebords des Cévennes (le mont *Aigoual* veut dire le mont de l'eau). Il continue ensuite vers les vallées ouest du Massif central, toujours chaud, mais devenu sec et violent (effet de fœhn).

– MINI-MOUSSON D'HIVER : la *tramontane* (froide et sèche) : descend du Massif central, attirée vers le S. par les basses pressions hivernales de la Méditerranée. Elle est souvent confondue avec le mistral, bien qu'elle soit moins violente.

4° **Vent de la Méditerranée vers l'Atlantique :** l'*autan noir.* Il n'est pas forcément estival (comme l'*autan blanc*) et souffle d'E. en O., chaque fois qu'une basse pression atlantique se produit dans le golfe de Gascogne : il amène la pluie entre Massif central et Pyrénées.

☞ Chaque année, plus de 1,5 million d'impacts foudre touchent le sol. *Dégâts :* plusieurs milliards de F. La foudre serait responsable de 10 % de tous les incendies. Elle provoque la mort de 2 000 têtes de bétail. 50 personnes sont foudroyées, accidentées ou brûlées par un incendie provoqué par la foudre. Elle endommage 250 clochers.

Météorologie nationale

Appelée également **Météo-France.**

Siège : 73-77, rue de Sèvres, 92100 Boulogne. Service central d'exploitation : 42, av. G. Coriolis, 31057 Toulouse Cedex (depuis sept. 1991). Centre technique et du matériel (Trappes, Yvelines). *École nat. de la Météorologie* (Toulouse-Mirail).

Créée en 1945, elle a succédé à l'Office national de météorologie (O.N.M.) créé en 1920, anciennement Bureau central météorologique, créé en 1878, en remplacement de la division météorologique de l'observatoire de Paris, organisée par Lamarck en 1796. La *Direction de la Météorologie* est une des Directions du ministère des Transports.

Budget : 1990. 819 millions de F.

Personnels civils : 3 566 (techniques 2 913, administratifs 359, ouvriers d'État 294).

Appareils : métropole et outre-mer : 3 816 *pluviomètres* dont 95 télémesures ; 1 722 *thermohygro* sous abri (86 avec télémesure) : 285 *ensembles anémomètre-girouette ;* 241 *héliographes* (instrument de mesure et d'enregistrement de la durée d'insolation) ; 92 *télémètres de nuages* (mesure de la hauteur de la base des nuages au-dessus du sol) ; 34 *stations automatiques* de surface ; 27 *calculateurs pour radiosondage ;* 24 *récepteurs de radiosondage ;* 18 *radiothéodolites ;* 31 *radars pour la mesure du vent ;* 19 *radars panoramiques* (nuages et pluie) ; 14 *récepteurs de satellites ;* 40 *pyranographes* [mesure et enregistrement du rayonnement ; 27 (rayonnement global), 13 (diffus)] ; 6 *pyrhéliomètres* (de mesure du rayonnement solaire venant directement du disque solaire) ; 20 *transmissomètres* (mesure de la transparence de l'atmosphère) ; 9 *calculateurs de visibilité aéronautique ;* 5 *rétrodiffusomètres* (mesure du pouvoir absorbant optique de l'atmosphère en vue d'apprécier la visibilité).

Publications : *Annuaire météorologique de Lamarck* (11 vol., 1800-10) interrompu par ordre de Napoléon, qui trouvait choquant qu'un membre de l'Institut s'amuse à faire des prédictions ; *Annales du Bureau central météorologique* dep. 1879.

Records français

☞ Voir également Météorologie p. 83.

Étés les plus chauds

1604. 05. 12. 15. 19. 22. 23. 36. 37. 45. 52. 53. 54. 62. 66. 69. 76. 81. 84. 85. 91. 98.

1704. 05. 06. 07. 12. 17. 18. 19. 23. 26. 29. 31. 36. 41. 42. 43. 51. 57. 59. 60. 61. 62. 64. 65. 66. 72. 73. 78. 83. 84. 85. 88. 90. 93. 95. 98. 99.

1803. 05. 11. 18. 22. 25. 26. 35. 42. 46. 52. 57. 58. 59. 64. 70. 74. 76. 81. 84. 92. 93. 95. 99.

1900. 04. 06. 11 [seule année en France où le maximum a dépassé 35 °C pendant 3 mois : juil. (35,7 °C), août (36,5 °C), sept. (35,8 °C) ; 32 journées à Paris et 53 à Marseille au-dessus de 30 °C]. **13. 21** (sécheresse record dans la moitié N. de la France ; 5 mm de pluie à Paris pour juin et juil ; 41,6 °C à Chaumont et à Vesoul). **23. 28. 33. 45. 47** (record pour juillet : 40,4 °C à Paris Montsouris). **49** (record de chaleur pour le mois d'avril : 30,2 °C à Paris). **50. 52. 55. 59. 61. 62. 64. 76. 83. 90.**

Hivers les plus durs

1607-08. 15-16. 20-21. 40-41. 55-56. 57-58. 59-60. 62-63. 69-70. 76-77. 83-84 (la mer gèle sur plusieurs milles). **94-95.**

1708-09 (Garonne, Rhône, Meuse gelés), 1 400 000 † (froid, famine, épidémie). **15-16. 28-29. 39-40. 41-42. 75-76. 83-84. 88-89** (Seine gelée à Paris du 26-11 au 20-1 ; 56 j de gelées consécutives ; mer gelée à Ostende). **94-95.**

1819-20. 22-23. 29-30 (record de longueur : 15-11/28-2, 2 m de neige en Normandie). **37-38. 40-41. 44-45. 70-71. 79-80** [record absolu du froid : 10-12 (1 h 10) – 25,6 °C à St-Maur ; – 33 °C à Langres ; 30 cm de glace sur la Seine à Paris. 2-1 débâcle, 3-1 le pont des Invalides s'écroule]. **90-91. 92-93. 94-95.**

1916-17. 28-29 (record du froid dans l'Est : 70 cm de glace sur le Rhin). **38-39. 39-40. 41-42** (28-12/4-3). **44-45. 46-47. 55-56** (févr. exceptionnellement glacial,

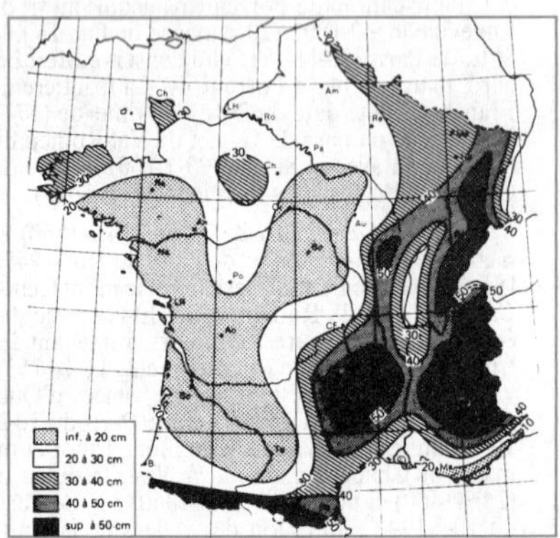

Épaisseur maximale de neige observée en moyenne une fois tous les 50 ans.

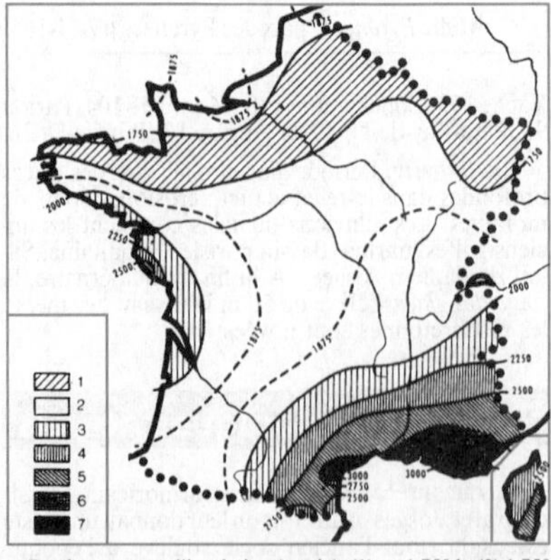

Durée moyenne d'insolation (année). (1) < 1 750 h. (2) 1 750 à 2 000 h. (3) 2 000 à 2 250 h. (4) 2 250 à 2 500 h. (5) 2 500 à 2 750 h. (6) 2 750 à 3 000 h. (7) > 3 000 h.

après un janv. tiède ; 30 j de gels consécutifs à – 20 °C ; 30 à 60 cm de neige à St-Raphaël et Antibes ; – 25 °C à Romilly, – 24,8 °C à Nancy, – 16,8 °C à Marignane, température moyenne à Paris-St-Maur – 4,2 °C). **62-63** (13-11/5/6-3). **70-71** (déc. 70-début janv. 71 ; autoroute près de Montélimar : 60 cm de neige). **78-79** (31-12/1-1. La région parisienne est traversée très vite par un front froid et très neigeux : le 31-12. dans la journée, il faisait – 10 °C à l'aéroport du Bourget et + 13 °C à Orly ; quelques heures après, – 10 °C à Orly). **84-85** (janvier). **85-86** (3 dernières semaines de janv. et 10/25-2 ; surmortalité 6 100 †). **86** (février). **86-87** (janvier).

Température la plus élevée

44 °C Toulouse, Hte-Garonne (8-8-1923)
42,8 °C Montpellier, Hérault (19-7-1904)
42 °C Bergerac, Dordogne (27-7-47) (12-7-49)
41,6 °C Nîmes, Gard (9-8-1923)
41,6 °C Chaumont-sur-Loire, Loir-et-Cher et Vesoul, Hte-Saône (28-7-1921)
41,4 °C Angoulême, Charente (8-8-1923)
41,4 °C Tours, Indre-et-Loire (28-7-1947)
41,2 °C Grasse, Alpes-Mar. (17-7-1932)
41 °C Agen, Lot-et-Gar. (1-8-1947)
40,4 °C Paris, Montsouris (28-7-1947)
40,2 °C Châteauroux, Indre (28-7-47)
40 °C Cazaux, Landes (30-6-1968)
39,8 °C Paris, St-Maur (28-7-1947)

Température la plus basse

– 35 °C Mouthe, Doubs (3-1-1971)
– 33 °C Langres, Hte-Marne (9-12-1879)
– 31 °C Granges-Ste-Marie, Doubs (2-1-1971)
– 30 °C Nancy, M.-et-M. (8-12-1879)
– 30 °C Morbier, Jura (13-1-1968)
– 26,6 °C Commercy, Meuse (8-12-1879)
– 26 °C Épinal, Vosges (8-12-1879)
– 26 °C Gien, Loiret (9-12-1879)
– 25 °C Limoges, Hte-Vienne (18-1-1893)
– 25 °C Paris, St-Maur (10-12-1879)
– 25,2 °C Luxeuil, Hte-Saône (13-1-1968)
– 25,2 °C Romilly, Aube (6-1-1971)
En 1928, il y eut 70 cm de glace sur le Rhin.

• **Enneigement. Faible : 1949, 1962, 1988-90. Fort : 1971-77** (surtout 1973), **1978-84** (surtout 1982).

• **Grêle.** *Dégâts :* en moyenne 1 milliard de F par an. Parmi les records : 11-7-1984 [19 départements atteints, 256 communes sinistrées en Côte-d'Or (plus de 900 millions de F de dégâts)].

• **Insolation annuelle. La plus forte :** 3 144 h à Toulon (1961). **La plus faible :** 1 243 h à Rostrenen (1958). **Paris :** *1988* 2 158 h, *89* 1 812. **Brest :** *1954* 2 039, *89* 1 849. **Lyon :** *1949* 2 260, *89* 1 922. **Lille :** *1959* 1 945, *89* 1 688.

• **Pluie** (100 mm = 100 l par m²). **En 30 minutes** 88 mm à Bordeaux le 20-7-1883. **En 1 jour** 840 mm à la Llaud (P.-O.) le 17-10-1940. **En 1 an** 4 017 mm au mont Aigoual (Gard) en 1913. **1988** 3-10 orage de 8 à 9 h, 228 l d'eau entre 6 h et 12 h à Nîmes-Courbessac ; dégâts 4 milliards de F, 45 000 sinistrés.

• **Pression** *(réduite au niveau de la mer).* **Maximale :** 1 050,2 mb à Paris (Observatoire astronomique) le 6-2-1821 ; 1 049,5 mb à Paris-St-Maur le 29-1-1905 ; **Minimale :** 947,1 mb à Boulogne-s-Mer le 25-12-1821. **Vents.** 320 km/h au Mt Ventoux en 1967.

Sécheresse de 1976. Exceptionnelle, non par ses records absolus (températures inférieures à celles de 1911 ; sécheresse moins prolongée qu'en 1921), mais par ses causes météorologiques. 1) En déc. 1975, un anticyclone s'est installé entre l'Écosse et l'Allemagne, effectuant un mouvement de va-et-vient. Lorsqu'il stationnait sur l'Écosse, il dirigeait sur la Fr. des vents du nord ; lorsqu'il stationnait sur l'Allemagne, il provoquait la remontée de l'air chaud venant du sud, d'où une succession de vagues de chaleur et de coups de froid (le dernier à la mi-mai). Cette circulation fit dériver les perturbations pluvieuses vers le nord ou les pays méditerranéens.

2) La frange polaire s'étant anormalement rétrécie et décalée vers le nord, l'anticyclone chaud constitué d'air tropical sec couvrant d'habitude le Sahara et les pays méditerranéens progressa jusqu'à l'Angleterre. Plus la chaleur gagnait les hautes couches de l'atmosphère, plus la masse chaude devenait stable et plus la situation s'aggravait.

Effets : pluies à Paris, 121 mm du 1-2-75 au 30-6-76 (moyenne : 304 mm ; probabilité d'un chiffre si bas : tous les 95 ans) ; Rennes : 136 mm du 1-12-75 au 30-6-76 (probabilité : tous les 110 ans).

Sécheresses. Les plus longues. 97 j à Marseille (6-7/10-10-1906). 55 j à Paris (21-1/16-3-1897). 34 j à Paris (20-2/26-3-1953). **Automnes et hivers secs. 1953-54, 1956-57, 1988-89** [du 1-9-88 au 31-1-89, Toulouse 114 mm (normale 372), Nantes 213, Rennes 158], **1989-90. Janviers « secs ». 1964** 17 mm, **76** 29, **89** 22.

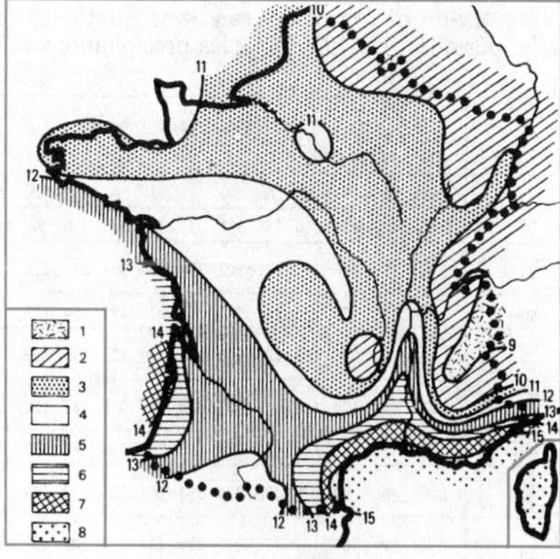

Température moyenne (année).
Légende : (1) < 10 °C. (2) 10 à 11 °C. (3) 11 à 12 °C. (4) 12 à 13 °C. (5) 13 à 14 °C. (6) 14 à 15 °C. (7) 15 à 16 °C. (8) > 16 °C.

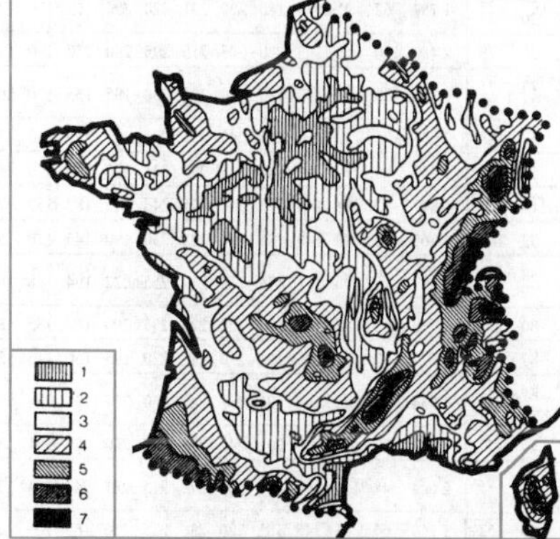

Hauteur moyenne des précipitations (année).
Légende : (1) < 600 mm. (2) 600 à 700 mm. (3) 700 à 800 mm. (4) 800 à 1 000 mm. (5) 1 000 à 1 200 mm. (6) 1 200 à 1 500 mm. (7) > 1 500 mm.

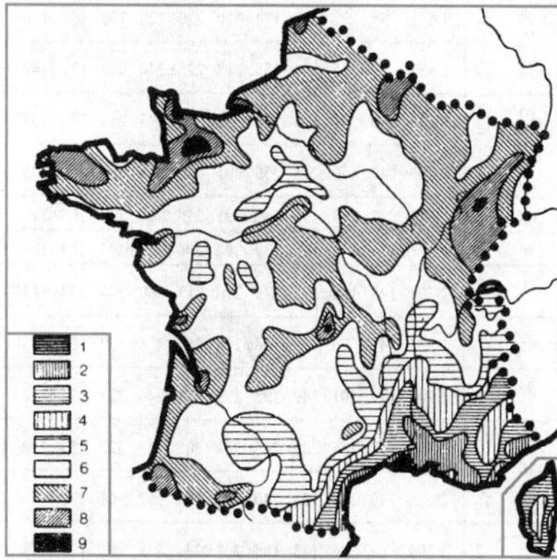

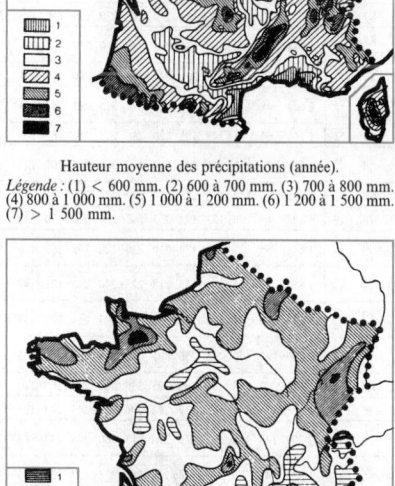

Nombre moyen de jours de précipitations (année).
Légende : (1) < 60 jours. (2) 60 à 80 j. (3) 80 à 100 j. (4) 100 à 120 j. (5) 120 à 140 j. (6) 140 à 160 j. (7) 160 à 180 j. (8) 180 à 200 j. (9) > 200 j.

• **Tempêtes. 1982** Massif central : 10 millions d'arbres abattus. **1984** Normandie, Picardie, Vosges : 3 millions. **1987** oct. Bretagne, coût : 3,5 milliards de F, Normandie 10 millions d'arbres abattus. **1990**-25-1 (vent, pointe du Raz, 167 km/h, Paris 158, Nancy 145), 3-2, 7-2, 8-2, 11-2, 12-2, 13-2, 26-2 au 1-3. Du 3-2 au 1-3 : 8 millions d'arbres abattus (Paris, 6 000). *Dégâts (1-1 au 1-3 :* + de 7 milliards de F).

Records parisiens

(Relevés du parc Montsouris)

Réchauffement continu de Paris. Il existe un microclimat parisien, dû à la chaleur dégagée par les moyens de chauffage et par une lentille de pollution qui arrête les vents et diminue la pluie. Entre 1880

Le temps à Paris (Montsouris) depuis 1900

	Temp.			Jours avec			Haut. pluies (mm)
	moy.	max.	min.	pluie	neige	orages	
1900	11,5	38,6	– 6,6	161	20	30	497
1901	10,5	33,9	– 10,3	149	32	22	547
1902	10,3	33,9	– 9,4	172	16	18	571
1903	10,7	33,5	– 8,9	179	17	23	614
1904	10,9	37,1	– 6,2	153	10	16	593
1905	10,5	33,8	– 9,4	176	11	26	721
1906	11,1	34,9	– 7,7	176	34	15	684
1907	10,7	34,4	– 10,4	159	19	14	534
1908	10,5	32,5	– 11,6	158	19	18	560
1909	10,2	32,5	– 8,1	167	29	27	661
1910	10,9	29,7	– 7	197	13	32	792
1911	11,8	37,7	– 5,4	146	18	15	496
1912	11,0	34,4	– 8,7	175	7	22	627
1913	11,3	31,2	– 7	176	8	21	638
1914	11,1	33	– 10	177	11	27	608
1915	10,9	33,0	– 7,3	164	13	22	693
1916	11,0	31,8	– 5,3	195	14	19	684
1917	9,9	34,4	– 13,4	165	29	22	614
1918	11,1	36,4	– 13,8	158	13	12	603
1919	10,4	35,2	– 10,7	181	32	10	705
1920	11,1	31,8	– 8,9	152	7	17	532
1921	12,0	37,1	– 8,9	114	7	13	270
1922	10,4	34,8	– 8,5	179	1	19	742
1923	11,1	36,1	– 3,4	182	6	19	697
1924	10,7	32,9	– 6	180	12	23	633
1925	10,6	31,6	– 9,4	180	26	18	731
1926	11,4	32	– 7,6	162	12	21	613
1927	10,9	30,2	– 10,3	191	12	26	757
1928	11,8	36,3	– 4,1	175	6	26	709
1929	11,0	34,8	– 14,1	133	23	17	471
1930	11,6	34,2	– 4,1	197	9	20	745
1931	10,8	32	– 5,4	184	20	32	797
1932	11,2	35,7	– 8,9	159	6	21	491
1933	11,2	36,2	– 9,7	133	14	21	469
1934	12,0	33,6	– 5,6	152	8	19	572
1935	11,4	33,1	– 7,1	165	14	17	631
1936	11,3	32,4	– 5,1	176	14	26	709
1937	11,9	34,4	– 4,3	171	11	5	760
1938	11,7	33,5	– 12,9	146	10	5	503
1939	11,4	32,9	– 4,7	182	15	11	754
1940	10,7	32,1	– 14,6	160	20	5	615
1941	10,8	35,3	– 9	166	18	7	730
1942	10,8	32,5	– 13,3	166	31	20	828
1943	12,0	36,6	– 4,3	141	5	18	537
1944	11,2	34,8	– 6,7	157	14	15	684
1945	12,2	36,8	– 10,2	153	20	18	456
1946	11,1	36,9	– 12,6	171	17	15	616
1947	12,3	40,4	– 12,2	163	18	19	610
1948	11,7	33,7	– 9,3	168	7	18	632
1949	12,3	33,6	– 4,2	127	5	16	402
1950	11,6	33,6	– 7,2	177	16	24	687
1951	11,3	30,4	– 7,1	188	5	25	783
1952	11,3	38	– 4,4	184	22	20	715
1953	11,7	34,6	– 5,2	133	17	9	425
1954	11,0	34,3	– 12,9	184	9	11	483
1955	11,3	33	– 4,3	148	16	18	678
1956	10,4	31,1	– 14,7	154	12	14	545
1957	11,7	36	– 7	161	2	11	536
1958	11,4	31,1	– 4,4	193	20	22	783
1959	12,8	36,4	– 4,5	131	7	14	453
1960	11,7	30,5	– 11,3	198	7	20	739
1961	12,4	34,4	– 3,4	152	2	16	541
1962	10,5	32,1	– 8,5	159	22	18	528
1963	10,1	31	– 12,3	159	29	14	559
1964	11,7	35,2	– 8,5	146	18	16	521
1965	11,1	30,5	– 10,4	196	21	23	880
1966	11,9	32,7	– 13,6	192	14	20	834
1967	11,9	33	– 6,4	161	11	23	592
1968	11,2	34	– 7,7	176	22	16	634
1969	11,7	32,8	– 8,1	173	31	28	618
1970	11,6	31,2	– 6,5	199	36	17	631
1971	11,8	31,6	– 8,6	141	18	18	508
1972	11,1	30,1	– 7,2	170	13	26	740
1973	11,6	32,7	– 4,2	156	12	18	576
1974	12,0	34	– 0,4	198	5	27	668
1975	11,7	35,7	– 4,5	164	12	21	658
1976	12,4	35,4	– 6,2	135	12	12	417
1977	11,7	29	– 3,7	179	8	17	717
1978	10,9	30,1	– 10,3	171	23	16	743
1979	11,0	32,1	– 12,7	172	24	17	729
1980	11,2	31,3	– 5,1	170	10	17	690
1981	11,8	31,9	– 3,1	197	13	17	746
1982	12,4	32,8	– 6,6	173	13	25	700
1983	12,3	33,4	– 4,2	177	9	38	623
1984	11,7	34,8	– 3,3	177	12	22	745
1985	10,8	32	– 13,9	163	22	19	501
1986	11,0	34,9	– 9,1	176	14	11	611
1987	10,9	33	– 12,1	180	19	16	707
1988	12,2	31,1	– 2	167	7	18	734
1989	12,4	33	– 2,6	140	1	20	573
1990	12,9	36,6	– 2,1	149	5	17	501

Précipitations, insolation et températures dans quelques villes de France

Source : Mémorial de la Météorologie nationale, période 1951-1970 pour les précipitations et insolations. 1931-1960 pour les températures.

Précipitations (1951-1970) — Hauteur moyenne (en mm) et nombre de jours *(en italique)*.

VILLE	Année	J	F	M	A	M	J	J	A	S	O	N	D
Aix-en-Provence	630	45	50	47	45	45	43	25	35	60	85	80	70
Ajaccio	653 *95*	78 *12*	69 *10*	51 *9*	39 *9*	43 *8*	23 *4*	10 *1*	15 *2*	43 *6*	81 *10*	105 *11*	96 *13*
Alençon	730	72	62	54	48	46	48	48	55	62	72	86	77
Angers	690 *154*	65 *16*	50 *13*	60 *12*	45 *12*	50 *13*	55 *10*	35 *11*	60 *11*	55 *12*	65 *13*	80 *15*	70 *16*
Angoulême	826 *160*	79 *16*	68 *14*	64 *13*	62 *12*	70 *14*	58 *11*	53 *12*	66 *12*	69 *12*	70 *13*	79 *15*	88 *16*
Auxerre	626	53	51	42	42	63	68	44	56	56	48	49	54
Besançon	1 088 *169*	94 *17*	87 *14*	75 *12*	74 *14*	86 *14*	107 *14*	80 *14*	116 *13*	106 *13*	78 *14*	92 *15*	93 *15*
Biarritz	1 474 *177*	128 *16*	105 *14*	98 *13*	102 *15*	100 *77*	91 *14*	69 *13*	123 *13*	155 *14*	152 *15*	175 *16*	176 *17*
Bordeaux	947 *162*	100 *16*	84 *13*	66 *13*	57 *13*	64 *14*	71 *11*	52 *11*	65 *12*	88 *13*	84 *14*	99 *15*	117 *17*
Bourges	722	62	56	54	47	65	64	49	73	70	56	63	63
Brest	1 157 *201*	130 *22*	98 *16*	89 *15*	77 *15*	74 *14*	60 *13*	51 *14*	80 *15*	95 *16*	108 *19*	136 *20*	159 *22*
Briançon	757	65	74	59	51	50	60	31	60	60	73	96	78
Caen-Carpiquet	713 *169*	65 *17*	61 *14*	45 *12*	44 *13*	53 *14*	52 *12*	45 *13*	57 *13*	66 *13*	75 *15*	79 *16*	71 *17*
Carnac	732	72	68	55	42	47	41	33	55	70	74	87	88
Chartres	551	46	38	38	35	44	46	42	53	54	50	55	50
Château-Chinon	1 276	122	106	97	78	102	106	83	115	114	98	111	144
Cherbourg	1 032	116	86	67	60	61	51	55	70	90	104	132	140
Clermont-Ferrand	571 *132*	28 *12*	27 *11*	30 *9*	41 *12*	78 *12*	79 *12*	48 *9*	70 *10*	58 *10*	43 *11*	39 *12*	30 *12*
Deauville	795	70	60	50	50	60	63	55	67	80	85	80	75
Dieppe	778	68	60	46	48	53	54	59	77	73	78	87	75
Dijon	734 *147*	62 *16*	48 *13*	51 *10*	48 *11*	68 *12*	79 *12*	44 *11*	79 *11*	74 *11*	53 *12*	67 *14*	61 *14*
Dinard	698	66	55	47	48	55	49	44	54	59	67	77	77
Embrun	698 *107*	61 *9*	55 *9*	55 *8*	48 *9*	47 *11*	63 *10*	41 *7*	65 *8*	60 *8*	60 *9*	81 *10*	62 *10*
Évreux	584	52	45	41	40	47	53	35	50	57	54	56	52
Grenoble	1 005 *144*	80 *14*	79 *11*	69 *11*	69 *12*	83 *14*	94 *11*	74 *10*	96 *11*	88 *11*	85 *12*	90 *13*	98 *14*
La Rochelle	785	75	63	55	49	51	53	42	58	69	80	99	91
Le Mans	684	64	57	52	45	49	57	42	58	57	57	76	70
Lille	612 *171*	45 *18*	43 *14*	38 *13*	37 *14*	45 *13*	57 *12*	62 *13*	64 *13*	53 *14*	56 *14*	56 *16*	56 *17*
Limoges	910 *165*	87 *17*	75 *14*	68 *13*	69 *13*	72 *14*	71 *12*	56 *12*	73 *12*	87 *12*	72 *14*	82 *15*	98 *17*
Lyon	828 *145*	53 *15*	50 *12*	60 *11*	54 *11*	67 *13*	84 *11*	55 *10*	104 *11*	86 *11*	73 *12*	80 *14*	62 *14*
Marseille Marignane	533 *76*	36 *8*	49 *6*	40 *7*	35 *6*	38 *7*	33 *4*	13 *2*	27 *4*	65 *6*	67 *8*	69 *8*	61 *10*
Metz	736	62	58	53	47	65	66	58	81	63	52	63	68
Montélimar	972	61	74	78	60	80	69	35	91	134	102	116	72
Montpellier	736 *88*	56 *8*	59 *6*	69 *8*	46 *8*	47 *9*	41 *5*	20 *3*	52 *6*	78 *7*	125 *9*	70 *9*	73 *10*
Nancy	731 *161*	66 *16*	58 *13*	43 *12*	45 *13*	62 *13*	70 *13*	58 *12*	76 *13*	65 *12*	52 *13*	59 *15*	67 *16*
Nantes	819 *168*	83 *18*	65 *14*	53 *14*	48 *11*	54 *13*	52 *11*	42 *12*	66 *12*	80 *14*	77 *15*	95 *16*	94 *18*
Nice	868 *86*	67 *9*	83 *7*	71 *8*	70 *9*	39 *8*	37 *5*	21 *2*	38 *4*	83 *7*	109 *9*	158 *9*	92 *9*
Nîmes	680 *92*	52 *8*	53 *6*	57 *9*	45 *8*	50 *9*	40 *6*	25 *4*	40 *6*	75 *7*	100 *9*	83 *10*	60 *10*
Orléans	621 *156*	57 *16*	48 *13*	43 *12*	46 *12*	52 *13*	54 *11*	47 *11*	54 *12*	51 *12*	54 *13*	61 *15*	54 *16*
Paris Montsouris	624 *162*	53 *17*	48 *14*	40 *12*	45 *13*	53 *12*	57 *12*	54 *12*	61 *13*	54 *13*	50 *13*	58 *15*	51 *16*
Pau	108[1]	111	85	84	95	92	88	52	76	87	83	96	134
Perpignan	628 *85*	27 *7*	52 *6*	59 *8*	47 *7*	49 *9*	33 *7*	27 *5*	28 *6*	69 *7*	97 *8*	70 *6*	71 *9*
Poitiers Briard	702 *155*	65 *16*	58 *13*	56 *13*	49 *12*	55 *14*	55 *11*	46 *10*	59 *11*	52 *12*	61 *12*	78 *15*	68 *16*
Reims	575 *164*	43 *17*	44 *15*	42 *12*	37 *13*	52 *13*	53 *13*	47 *12*	58 *13*	54 *12*	43 *13*	52 *16*	50 *16*
Rennes	634 *168*	57 *18*	50 *14*	45 *14*	43 *12*	46 *13*	48 *11*	36 *12*	57 *12*	53 *13*	60 *15*	73 *16*	66 *18*
Rouen	716 *167*	65 *17*	58 *15*	50 *12*	44 *12*	50 *13*	57 *12*	49 *12*	67 *13*	70 *13*	72 *15*	68 *16*	66 *18*
St-Étienne	728	40	36	43	51	79	94	63	86	76	60	63	37
St-Quentin	684 *164*	52 *17*	50 *14*	46 *12*	44 *12*	52 *12*	63 *12*	61 *13*	69 *14*	67 *13*	52 *14*	63 *15*	65 *16*
Strasbourg	719 *158*	51 *15*	44 *13*	42 *12*	58 *13*	71 *13*	88 *14*	73 *14*	90 *13*	61 *12*	43 *12*	51 *13*	47 *14*
Toulon	837 *81*	76 *9*	86 *6*	82 *8*	60 *7*	49 *7*	35 *4*	12 *2*	31 *4*	77 *5*	105 *9*	117 *9*	107 *11*
Toulouse	656 *137*	53 *14*	50 *12*	52 *11*	55 *12*	65 *13*	65 *10*	44 *9*	43 *9*	57 *10*	49 *11*	58 *12*	65 *14*
Tours	687 *157*	63 *16*	55 *13*	52 *12*	51 *12*	53 *13*	58 *11*	47 *11*	60 *12*	60 *13*	55 *13*	68 *15*	65 *16*
Vichy	761 *161*	50 *17*	45 *14*	51 *12*	52 *13*	84 *14*	84 *12*	63 *11*	86 *22*	75 *12*	58 *13*	58 *15*	55 *16*

Insolation (1951-1970) — Durée moyenne (en heures).

VILLE	Année	J	F	M	A	M	J	J	A	S	O	N	D
Aix-en-Provence	2 835	145	150	210	255	300	325	380	335	250	200	145	140
Ajaccio	2 811	136	136	199	241	302	334	380	338	271	213	141	120
Alençon	1 674	53	77	136	181	215	221	227	197	154	113	58	42
Angers	1 899	73	95	152	196	229	231	248	223	179	139	75	59
Angoulême	1 989	80	104	155	189	227	240	266	231	187	158	86	66
Auxerre	1 842	58	86	149	186	226	23	251	218	184	136	62	42
Besançon	1 897	66	92	149	178	226	234	262	224	189	148	69	60
Biarritz	1 921	90	107	161	178	220	221	231	214	182	152	94	71
Bordeaux	2 076	82	109	168	201	235	252	272	244	194	165	88	66
Bourges	1 837	63	88	150	185	220	225	250	220	180	137	66	53
Brest	1 757	67	91	139	180	220	221	220	200	163	126	71	59
Briançon	2 480	50	55	205	220	245	255	295	260	230	190	135	140
Caen-Carpiquet	1 776	70	92	150	180	220	225	230	195	165	130	65	55
Carnac	2 055	75	110	165	215	240	255	270	245	195	150	75	60
Chartres	1 730	55	80	140	180	215	230	235	200	170	120	60	45
Château-Chinon	1 847	67	88	144	173	218	225	246	212	187	150	75	62
Cherbourg	1 665	55	80	140	175	220	225	230	190	145	110	55	40
Clermont-Ferrand	1 899	78	100	151	174	212	217	255	222	194	148	80	68
Deauville	1 778	60	85	152	183	222	225	235	200	168	135	63	50
Dieppe	1 624	52	75	135	160	210	215	220	195	150	115	52	45
Dijon	1 934	62	96	166	196	239	243	260	227	195	134	63	53
Dinard	1 920	70	99	162	202	242	238	247	220	170	131	80	59
Embrun	2 604	148	159	215	229	260	272	315	281	244	204	138	139
Évreux	1 760	60	85	145	185	220	230	235	200	165	125	60	50
Grenoble	2 100	80	103	166	192	240	262	300	255	207	150	80	65
La Rochelle	2 331	95	122	178	228	276	290	307	276	211	174	94	80
Le Mans	1 873	65	90	153	192	233	243	254	220	170	135	68	50
Lille	1 641	58	72	122	170	210	220	220	195	155	116	58	45
Limoges	1 853	73	95	143	175	213	225	246	213	181	149	77	63
Lyon	2 036	60	96	165	198	251	260	293	254	207	139	66	47
Marseille Marignane	2 866	147	160	215	256	305	330	377	331	260	205	145	135
Metz	1 613	42	75	135	162	205	210	225	200	165	110	47	37
Montélimar	2 571	115	134	191	239	292	306	351	305	244	185	113	96
Montpellier	2 709	143	158	206	246	290	313	360	306	237	185	137	128
Nancy	1 633	46	76	136	164	208	211	228	199	165	113	49	38
Nantes	1 901	74	101	149	193	229	233	246	223	174	142	78	59
Nice	2 779	152	157	205	245	284	306	362	320	253	208	146	141
Nîmes	2 628	140	149	193	240	284	304	352	301	229	182	132	122
Orléans	1 799	62	86	143	185	227	230	238	211	177	128	63	49
Paris Montsouris	1 814	62	86	146	187	222	233	239	213	181	131	64	50
Pau	1 936	98	118	165	172	207	207	222	214	186	161	106	80
Perpignan	2 603	155	164	214	237	271	277	315	276	224	183	148	139
Poitiers Briard	2 024	75	100	160	201	238	252	272	242	194	153	74	63
Reims	1 702	54	80	140	178	219	221	222	194	172	119	58	45
Rennes	1 835	69	93	151	191	226	232	238	210	168	129	71	57
Rouen	1 694	55	78	140	175	210	220	230	195	163	125	58	45
St-Étienne	1 920	80	95	145	175	220	225	265	230	200	145	75	65
St-Quentin	1 661	52	78	130	170	215	218	220	192	170	116	57	43
Strasbourg	1 696	45	85	150	165	215	225	240	205	170	115	45	36
Toulon	2 917	151	161	216	262	309	334	383	337	265	206	152	141
Toulouse	2 081	78	116	179	195	235	242	268	244	205	164	92	63
Tours	1 859	64	87	157	190	215	245	259	220	173	128	70	51
Vichy	1 873	66	90	149	180	219	229	259	229	190	139	67	56

Températures (1931-1960) — Sous abri, normale.

VILLE	Année	J	F	M	A	M	J	J	A	S	O	N	D
Aix-en-Provence	12,9[1]	5,3	6,1	8,8	11,6	15,4	18,7	21,2	20,6	18,3	14,4	9,2	5,5
Ajaccio	14,7	7,7	8,7	10,5	12,6	15,9	19,8	22	22,2	20,3	16,3	11,8	8,7
Alençon	10,2[1]	3	3,9	7	9,4	12,6	15,6	17,4	17,1	14,8	10,7	6,3	4
Angers	11,3	4,2	4,9	7,9	10,4	13,6	17	18,7	18,4	16,1	11,7	7,6	4,9
Angoulême	12	4,6	5,4	8,9	11,3	14,5	17,8	19,5	19,4	16,9	12,5	8,1	5,3
Auxerre	10,8[1]	2,6	3,3	7,5	10,5	14	17	19	18,7	16,2	11	6,4	3,5
Besançon	10	1,1	2,2	6,4	9,7	13,6	16,9	18,7	18,3	15,5	10,4	5,7	2
Biarritz	13,6	7,6	8	10,8	12	14,7	17,8	19,7	19,9	18,5	14,8	10,9	8,2
Bordeaux	13,3	5,6	6,6	10,3	12,8	15,8	19,3	20,9	21	18,6	13,8	9,1	6,2
Bourges	11,1	3	3,9	7,6	10,6	14,2	17,6	19,4	19	16,2	11,3	6,8	3,8
Brest	10,8	6,1	5,8	7,8	9,2	11,6	14,4	15,6	16	14,7	12	9	7
Briançon	–	–	–	–	–	–	–	–	–	–	–	–	–
Caen-Carpiquet	10,5	4,3	4,6	6,9	9,2	12,3	15	16,9	17	15,2	11,5	7,4	5,1
Carnac	–	–	–	–	–	–	–	–	–	–	–	–	–
Chartres	10,4[1]	2,7	3,6	6,9	9,7	13,1	16,2	18,2	18,1	15,5	11	6,5	3,6
Château-Chinon	9,3[1]	1,1	1,6	6,1	8,6	12,2	15,3	17,3	17	14,6	10,1	5,6	2
Cherbourg	11,4[1]	6,4	6,2	7,7	9,6	12,2	14,9	16,6	16,8	15,9	12,9	9,7	7,4
Clermont-Ferrand	10,9	2,6	3,7	7,5	10,3	13,8	17,3	19,4	19,1	16,2	11,2	6,6	3,6
Deauville	10,1[1]	3,9	4,1	6,6	9	12,1	14,7	16,4	16,5	14,9	11,1	7,1	4,9
Dieppe	10,1[1]	4,1	4,3	6,6	8,3	11,5	13,9	16	16,3	15	11,7	7,8	5,3
Dijon	10,5	1,3	2,6	6,9	10,4	14,3	17,7	19,6	19	15,9	10,5	5,7	2,1
Dinard	11,0[1]	5,5	5,6	7,7	9,6	12,5	14,9	16,7	16,8	15,5	12,3	8,5	6,3
Embrun	9,4	0,5	1,6	5,7	9	13	16,4	18,9	18,3	15,3	10,1	4,6	0,5
Évreux	10,1[1]	3,4	4,2	6,3	9,2	13	15,7	17,6	17,2	14,5	10,4	6	4,2
Grenoble	11,0	1,5	3,2	7,7	10,6	14,5	17,8	20,1	19,5	16,7	11,4	6,5	2,3
La Rochelle	12,7[1]	5,8	6,4	9,3	11,7	14,7	17,8	19,5	19,8	17,8	13,8	9,6	6,8
Le Mans	11,1[1]	3,8	4,5	7,6	10,2	13,7	17	18,8	18,4	15,9	11,5	7,4	4,5
Lille	9,7	2,4	2,9	6	8,9	12,4	15,3	17,1	17,1	14,7	10,4	6,1	3,5
Limoges	10,6	3,1	3,9	7,4	9,9	13,3	16,8	18,4	17,8	15,3	10,7	6,7	3,8
Lyon	11,4	2,1	3,3	7,7	10,9	14,9	18,5	20,7	20,1	16,9	11,4	6,7	3,1
Marseille Marignane	14,2	5,5	6,6	10	13	16,8	20,8	23,3	22,8	19,9	15	10,2	6,9
Metz	9,9	1,2	2	6	9,6	13,6	16,7	18,6	18,3	15,3	10,1	5,6	2
Montélimar	13[1]	4	5,4	9,2	12,1	15,7	19,6	22,3	21,8	18,6	13,4	8,5	4,9
Montpellier	13,9	5,6	6,7	9,9	12,8	16,2	20,1	22,7	22,3	19,3	14,6	10	6,5
Nancy	9,5	0,8	1,6	5,5	9,2	13,3	16,5	18,3	17,7	14,7	9,4	5,2	1,8
Nantes	11,7	5	5,3	8,4	10,8	13,9	17,2	18,8	18,6	16,4	12,2	8,2	5,5
Nice	14,8	7,5	8,5	10,8	13,3	16,7	20,1	22,7	22,5	20,3	16	11,5	8,2
Nîmes	14,2	5,7	6,8	10,1	13	16,6	20,8	23,6	22,9	19,7	14,6	9,8	6,5
Orléans	10,5	2,7	3,6	6,9	9,8	13,4	16,6	18,4	18,2	15,6	10,9	6,6	3,6
Paris Montsouris	11,2	3,4	4,1	7,6	10,7	14,3	17,5	19,1	18,7	16	11,4	7,1	4,3
Pau	12,4[1]	5,5	6,2	9,5	11,4	14,2	17,7	19,5	19,5	17,6	13,1	8,9	6
Perpignan	15,2	7,5	8,4	11,3	13,9	17,1	21,1	23,8	23,3	20,5	15,9	11,5	8,6
Poitiers Briard	11,3	3,8	4,6	8	10,4	13,7	17,1	18,9	18,8	16,3	11,7	7,4	4,6
Reims	10,1	1,9	2,8	6,2	9,4	13,3	16,4	18,3	17,9	15,1	10,3	6,1	3
Rennes	11,1	4,8	5,3	7,9	10,1	13,1	16,2	17,9	17,8	15,7	11,6	7,8	5,4
Rouen	10,3	3,4	3,9	6,8	9,5	12,9	15,7	17,6	17,2	15	11	6,8	4,3
St-Étienne	10,3[1]	1,9	2,8	6,7	9,3	13,2	16,7	18,9	18,5	15,7	10,5	6,2	3
St-Quentin	9,9	2	2,9	6,3	9,2	12,7	15,6	17,4	17,4	15	10,5	6,1	3,1
Strasbourg	9,7	0,4	1,5	5,6	9,8	14	17,2	19	18,3	15,1	9,5	4,9	1,3
Toulon	15,3	8,6	9,1	11,2	13,4	16,6	20,2	22,6	22,4	20,5	16,5	12,6	9,7
Toulouse	12,7	4,7	5,6	9,2	11,6	14,9	18,7	20,9	20,9	18,3	13,3	8,6	5,5
Tours	11,2	3,5	4,4	7,7	10,6	13,9	17,3	19,1	18,7	16,2	11,7	7,2	4,3
Vichy	10,7	2,4	3,4	7,1	9,9	13,6	17,1	19,3	18,8	16	11	6,6	3,4

Nota. – (1) (1959-1960).

et 1940, le réchauffement de Paris a été de 1,2 °C à Montsouris et de 1,5 °C au centre de la ville.

Nombre de jours dans l'année. **De pluie** (j. de neige inclus) : *maximal* 199 (1970) ; *minimal* 114 (1921) ; *moy.* 164. **De neige :** *max.* 36 (1970) ; *min.* 2 (1957, 1961) ; *moy.* 15. **Avec orages :** *moy.* 19.

Nota. – 8 cm de neige 1-5-1945, 3 cm 18-5-1935.

Pluie (en mm). **1900-79 :** moitié des observations normalement entre 628 (moyenne) – 88 (écart moyen) = 540 mm et 628 + 88 = 716 mm.

Hauteur des pluies en mm

depuis 1873	Maximum	Minimum
Juin	138 (1873)	1 (21-76)
Juillet	168 (1972)	6 (1949)
Août	161 (1931)	3 (1940)
Septembre	149 (1896)	0 (1895)
Dans l'année	880 (1965)	270 (1921)

Sécheresse de 1921 (270 mm de pluie en 114 j) : + de 4 fois l'écart moyen.

Records récents. **1980** *(juill.). Soleil* 158,8 h (moyenne 247 h). *Pluie* 110,1 mm d'eau (au lieu de 57,4 mm) pendant 83,1 h réparties sur 18 j. *Température moyenne* 17,3 °C (au lieu de 19,1 °C). **1982.** *Insolation* 76 h en oct. (au lieu de 132 h). *Pluie* 104 mm en mai (au lieu de 57 mm). **1985. Janvier :** *pluie* 21 j. (normale : 16 j.). *Température* min. absolue – 13,9 °C le 17. **Mai :** *insolation* 146 h (au lieu de 225). **Septembre :** *pluie* 11 mm (5 j) au lieu de 50 mm. **1989.** *Température :* 24,8 °C le 22-10. **1990. Février :** *température* Paris 18,5 °C le 20 (records précédents : 15,4 °C 1896, – 9,3 °C 1948). *Le 24 :* Paris 20 °C, Lyon 21,4, Bordeaux 24,2, Tarbes 24,5, Biarritz 26. **Mars :** *température : le 17 :* 24 °C (17-3-1940 : 21 °C), Caen 22,1, Rennes 21,9, Cherbourg 20,9 ; *le 21 :* Tarbes 28 °C, Toulouse, Perpignan 27.

Températures à Paris depuis 1872

	Maximales	Minimales
Jan.	15,6° (1-1-1883)	– 14,6° (23-1-1940)
Févr.	21,4° (28-2-1960)	– 14,7° (2-2-1956)
Mars	25,7° (25-3-1955)	– 9,1° (3-3-1890)
Avr.	30,2° (18-4-1949)	– 3,5° (13-4-1879)
Mai	34,8° (24-5-1922) (29/30-5-1944)	– 0,1° (7-5-1874)
Juin	37,6° (26-6-1947)	+ 3,1° (10-6-1881)
Juil.	40,4° (28-7-1947)	+ 6° (3-7-1907)
Août	37,7° (9-8-1911)	+ 6,3° (29-8-1881)[1]
Sept.	36,2° (7-9-1895)	+ 1,8° (26-9-1889)
Oct.	28,4° (6-10-1921)	– 3,1° (27-10-1887) (29-10-1890)
Nov.	21° (2-11-1899)	– 14° (28-11-1890)
Déc.	16,7° (11-12-1961)	– 23,9° (10-12-1879)

Nota. – (1) Plus faibles températures maximales : 13,4 °C (25-8-1979), la couche de nuages était ce jour-là de 10 000 m ; 16,5 °C (25-8-1924, 25-8-1966).

Végétation

La flore comprend 6 000 espèces, appartenant pour la plupart aux espèces communes du domaine tempéré nord (atlantique, continentale, méditerranéenne, alpine). Seules 200 espèces sont « endémiques » en France (n'existant pas ailleurs).

1° Flore des plaines. 3 régions :

a) **Régions atlantiques.** *1° Région aquitaine* (des Pyrénées aux Sables-d'Olonne) : espèces atlantiques, plus 162 méditerranéennes. – *2° Armoricaine* (des Sables-d'Olonne au Cotentin) : terrains siliceux, climat plus froid. Possède 120 espèces méditerranéennes et 254 espèces atlantiques de moins que la région aquitaine. Arbres dominants : pin (sylvestre au N., maritime au S.), genévrier, chêne (rouvre ou sessile sur terrains secs, pédonculé sur terrains humides, souvent mélangé de chêne pubescent méditerranéen), houx, hêtre, bouleau, charme, frêne. De nombreuses plantes atlantiques remontent les vallées de la Loire et de ses affluents, jusqu'au Berry, notamment : fougère grand-aigle, canche flexueuse, fétuque capillaire, luzule champêtre, digitale pourpre, millepertuis élégant, germandrée scorodoine.

Principales plantes de la lande atlantique : Arbustes : ajoncs, genêt, bruyère, hélianthèmes ; *Buissons :* en terrains secs, canche argentée, nard, lichen, mousse ; en t. humides, graminées, juncées, cypéracées, gentianes, sphaignes (dans le Béarn, la lande à ajoncs, bruyère et fougères aigles est nommée « touya »).

b) **Régions continentales nord-européennes** (basses altitudes de l'embouchure de la Loire aux Vosges). Plantes des plaines nord-eur., avec peu d'éléments non homogènes : 78 espèces montagnardes, 7 atlantiques. La vigne y est à peu près bannie. Selon les terrains, on peut avoir les *savarts* champenois (aspect steppique ; une graminée steppique, *Stipa pennata,* s'y est maintenue), les *landes* gâtinaises (bruyère rose et ajonc), le *pâturage* (Normandie et Flandre), la *forêt à lichen* (Ouest), les céréales du Bassin parisien. *Arbre dominant :* hêtre ; autres feuillus : charme, érable, chêne, frêne, aulne ; principaux conifères : sapin, épicéa, pin sylvestre.

c) **Région rhodanienne.** Climat voisin de celui des plaines continentales (étés chauds, hivers froids), mais les pluies y sont moins abondantes, même en automne, et le manteau végétal est moins fourni. Les espèces atlantiques sont rares, mais la flore méditerranéenne remonte vers le N. et se mêle aux espèces rhod. jusqu'à Tournus. Les régions granitiques sont généralement couvertes de landes arbustives ou buissonneuses ; seul le châtaignier constitue encore de vastes forêts naturelles.

2° Flore des basses montagnes, au N. des Alpes. Plus de la moitié de la France continentale : Massif central, plateau de Langres et Vosges, Ardennes. *Types : a) Ardennais :* pauvre en calcaires (landes marécageuses ou fagnes sont peuplées surtout de saules). Sur les hauteurs, forêts de chênes pédonculés, hêtres, charmes, frênes, aulnes, bouleaux, sorbiers. *b) Lorrain :* terrains le plus souvent calcaires, les plantes calcifuges y disparaissent. *c) Vosgien :* terrains en majorité siliceux et froids, espèces nord-eur. calcifuges (plantes ne supportant pas le calcaire) ; sapin, épicéa, hêtre, charme, bouleau ; bouquets de châtaigniers (dans les collines sous-vosgiennes) ; myrtilles, fougères ; spirées, aconits. Les plus hauts sommets offrent des paysages alpestres : chaumes (terrains dénudés), avec quelques hêtres buissonneux.

3° Flore montagnarde (massif jurasso-alpin, Pyrénées). Comprend 1 157 espèces dont 600 seulement se retrouvent dans les Pyrénées. *a) Zone alpine.* Au-dessus de 1 900 m (en moyenne ; varie selon la latitude), disparition des arbres et des arbustes, remplacés par des pâturages en zone continentale, par des pelouses tourbeuses (vert tendre) en Corse. Les plantes ont des souches ou des racines fixées dans les fissures de rochers. Entre 1 600 et 1 900 m : zone des aulnes nains (dans le lit des torrents). *b) Zone subalpine.* Dans le Midi et en Corse. *Zones :* des pins (1 000-1 600 m : pin aster à partir de 500 m, laricio à partir de 800-900 m) ; du châtaignier (400-1 000 m) ; du maquis (plantes xérophiles, arbres à feuilles persistantes, au-dessous de 400 m).

4° Flore méditerranéenne. Essentiellement xérophile (avec 2 végétations, au printemps et à l'automne) ; feuilles persistantes, avec repos estival. Sur 750 espèces méd., la France n'en abrite que 500, dont 129 ligneuses : chêne-liège et chêne-vert (ou yeuse ; les « yeusaies » persistent jusqu'à 1 200 m au Mt Ventoux), pin d'Alep, pin parasol, cèdre de l'Atlas (importé) ; laurier, amandier, mûrier, figuier ; olivier d'Europe et lentisque, jadis abondants, ont disparu, mais des espèces importées sont devenues spontanées : châtaignier, olivier d'Asie, platane, oranger, citronnier, mimosa, eucalyptus, palmier ; + agaves et cactées. Arbustes, arbrisseaux et sous-arbrisseaux prédominent : sur les sols siliceux, ils forment le *maquis* (arbousiers, bruyère arborescente, lentisque, buis, garou, ajoncs, enchevêtrés de salsepareille) ; sur les sols calcaires, les *garrigues* [plantes plus petites, cistacées, sous-arbrisseaux : buis, chêne kermès, genévrier et labiées odorantes (romarin, lavande aux feuilles larges, thym)]. Parmi les fleurs printanières : ombellifères, astragales ; et les plantes à bulbe (tulipes, jacinthes, crocus).

Montagnes

☞ Légende. m. : massif, voir : vallée.
Voir aussi p. 60.

Alpes françaises

• Origine du nom : du ligure *alp,* « pâturage ». **Longueur :** env. 350 km. **Largeur :** de 50 à 60 km. **Superficie** de la zone de montagne pour chaque département alpin (en km²) : Isère 9 350, Alpes-de-Hte-Provence 6 195, Htes-Alpes 5 520, Savoie 5 317, Alpes-Maritimes 3 443, Hte-Savoie 3 337, Drôme 3 022, Var 1 206, Vaucluse 903. *Total France :* 32 296, dont Alpes du S. 20 291, du N. 12 005.

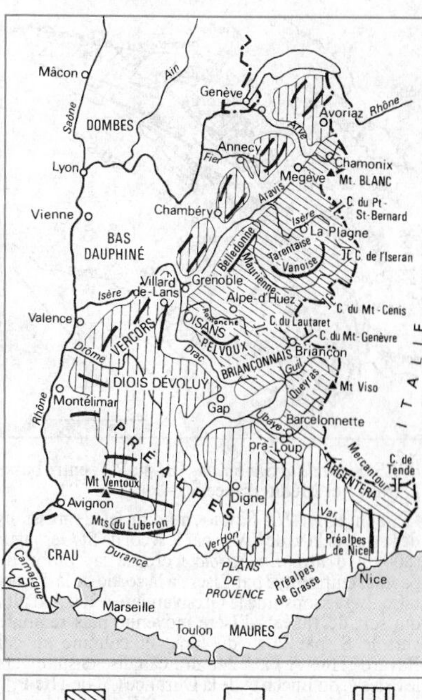

• Divisions d'est en ouest : *a) chaîne centrale,* haute et massive, courant N.-S., de la Suisse à la mer, et servant de frontière entre France et Italie ; elle s'incurve vers l'O. en son milieu ; *b) une vingtaine* de massifs secondaires s'articulant à l'E. sur la chaîne centrale, séparés entre eux par des vallées profondes et limités à l'O. par le Sillon alpin ; *c) le Sillon alpin ;* dépression tombant par endroits à 200 m d'alt., large de 10 à 20 km et courant du N.-E. (Cluses) au centre O. (Luz la Croix-Haute), puis du centre-O. au S.-E. (vallée de l'Argens) ; *d) une dizaine de « contreforts alpins »* à l'O. de ce sillon.

• Principaux massifs.

a) **Chaîne frontalière :** *m. du Mt-Blanc* (Hte-S.) : hautes v. du Giffre, de l'Arve et de l'Arly ; *m. du Grand-Paradis ou de l'Iseran* (Savoie – appelée anciennement Alpes Grées) : hautes v. de l'Isère et de l'Arc (le Grand-Paradis est en Italie) ; *m. du Tabor ou du Briançonnais* (Htes-A. – anciennement Alpes Cottiennes) : haute v. de la Durance ; *m. du Queyras ou du Viso :* haute v. de l'Ubaye (le Mt Viso est en Italie) ; *m. de l'Argentière ou de Larche* (A.-de-Hte-Provence) : hautes v. de l'Ubaye et de la Tinée ; *m. du Mercantour* (A.-M.) : hautes v. de la Vésubie et de la Roya.

b) **Entre chaîne frontalière et Sillon alpin :** *m. du Chablais* (Hte-S.) : frontière fr.-suisse ; entre les v. du Rhône et du Giffre ; *m. du Beaufortain* (Savoie, entre v. de l'Arly et Tarentaise ou v. de la Hte Isère) ; *m. de la Vanoise* (Savoie) entre Tarentaise et Maurienne, ou v. de l'Arc ; *m. des Grandes-Rousses* (Savoie et Htes-A.), prolongé par la chaîne de Belledonne (Savoie et Isère) : entre Maurienne, Grésivaudan ou v. de la moyenne Isère et v. de la Romanche ; *m. du Pelvoux* (Htes-A.) : entre Romanche, Durance et Val Godemar ou v. de la Séveraise ; *m. du Champsaur* (Htes-A.) : entre Val Godemar et v. du Drac et de la Durance ; *m. du Parpaillon* (A.-de-Hte-P.) : entre Durance et Ubaye ; *m. de la Blanche ou du Mt-Pelat* (A.-de-Hte-P. et Ht Var) : au S. de l'Ubaye : haute v. de la Bléone, du Verdon (nombreuses ramifications) ; *m. de l'Argentera* (A.-M. ; à ne pas confondre avec l'Argentière ou Larche) : entre le Var et la Roya.

c) **A l'ouest du Sillon alpin :** *m. du Faucigny* (Hte-S.) : entre Arve, Arly et Fier (lac d'Annecy), prolongé au S. par la chaîne du Reposoir ; *m. des Bauges* (Hte-S. et Savoie) : entre lac d'Annecy et « combe de Savoie » prolongée par la dépression du lac du Bourget ; *m. de la Grande Chartreuse* (Isère), prolongé par les monts du Chat (Savoie) parfois classés parmi les jurassiens : haute v. du Guiers ; *m. du Vercors* (Isère) : entre Drac et Drôme ; *m. de Laupouffre* (Drôme) ; entre Drôme et Aygue ; *m. de Lure* (A.-de-Hte-P.), prolongé par le Ventoux (Vaucluse) : au S. de la v. de l'Aygue ; *m. du Luberon* (Vaucluse) : entre basse v. de la Durance et v. du Coulon ; *m. des Alpilles* (B.-du-R.) : entre basse Durance et delta du Rhône ; *m. de la Ste-Victoire,*

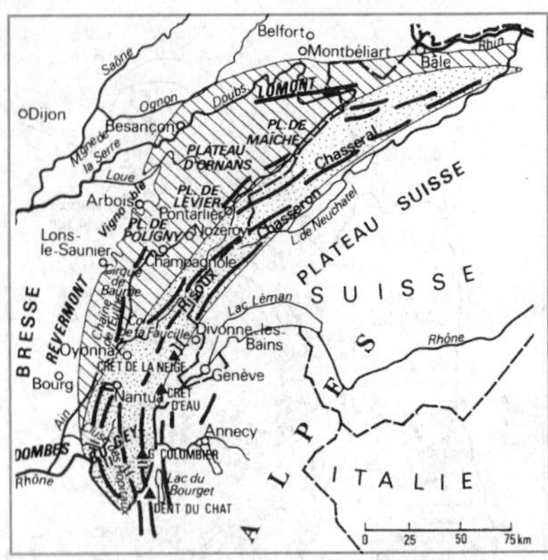

de l'Étoile et de la Ste-Baume (B.-du-R.) : entre basse Durance et Méditerranée.

• **Sillon alpin.** *Hte-Savoie :* rejoint les dépressions de l'Arve et la v. de l'Arly par le « col de St-Gervais » (800 m d'alt.). *En Savoie :* creuse la combe de Savoie, empruntée par l'Isère à la sortie de la Tarentaise. *Isère :* constitue le Grésivaudan, à 200 m d'alt., qui sert de vallée à l'Isère moyenne puis remonte vers le S. par la v. du Drac et culmine au col Bayard (Htes-A.) à 1 248 m ; canalise ensuite vers le S. les v. du Buech et de la Durance (A.-de-Hte-P.) ; au S. du Verdon, se dirige vers l'E., entre la montagne Ste-Victoire et le plateau de Valensole. *Var :* constitue presque tout le bassin de l'Argens, jusqu'à la mer, entre Maures et Esterel (massifs non alpins).

Jura

• **Origine du nom.** Du latin *jura,* fabriqué par Jules César sur le celtique *juris,* « hauteur boisée ». Repris par les érudits de la Renaissance. **Superficie** : 5 840 km². **Longueur** : 300 km du S.-O. au N.-E. **Largeur** : 80 km au maximum. Fait de lignes courbes, plus large au centre qu'aux extrémités, il a la forme d'une tranche de mandarine. **S'étend** sur 6 départements français : Isère, Savoie, Ain, Jura, Doubs, Ht-Rhin, et en Suisse.

Nota. – Les deux « Juras » allemands (J. souabe, J. franconien) sont formés des mêmes roches calcaires que le Jura franco-suisse. Mais ce sont des plateaux non plissés, ne faisant pas partie de la même chaîne montagneuse.

• **Nombre de plis** : Isère 1, Savoie 3, Bugey 7, à hauteur de Besançon 14, sud de Montbéliard 9, à Zurich (Suisse) 1. Ces plis, en gros parallèles, forment des chaînons plus ou moins élevés et plus ou moins distants.

• **Profil d'est en ouest.**

a) **Au sud d'une ligne Bourg-Genève** (Juras savoyard et bugésien), les plis forment des chaînons élevés et rapprochés entre eux (altitude max. : 1 500 m), dominant des vallées encaissées (altitude moy. : 450 m) ; distance moy. d'un synclinal à l'autre : 5 km.

b) **Au nord de la ligne Bourg-Genève :** *1) Les chaînons bugésiens se prolongent vers le N.-E.* (nombre : 5 ou 6 ; alt. max. : 1 700 m ; écartement moyen : 6 km ; alt. des vallées intermédiaires : 700 m). Cet ensemble constitue, à l'E. du massif jurassien, les Hautes Chaînes que longe la frontière franco-suisse. *2) Plus à l'O.* des Hautes Chaînes : 5 ou 6 chaînons parallèles, au plissement moins prononcé, constituant un « plateau » à peine vallonné (largeur : 45 km ; alt. moy. chaînons : 900 m, creux intermédiaires : 800 m ; écartement d'un synclinal à l'autre : 9 km). Le plateau jurassien ne se prolonge pas en Suisse et disparaît à la hauteur du Mt Terri. *3) Sur le rebord O.* du plateau, dominant la plaine de la Bresse et la dépression du seuil de Bourgogne, 1 ou 2 plis fortement accentués (ayant buté sur les vieilles roches cristallines du socle vosgien) constituent un rebord escarpé (falaises, protubérances, collines viticoles à forte pente). – Une crête du socle cristallin a été incorporée au plissement entre Dole et Besançon : le massif de la Serre (alt. max. : 391 m).

• **Morcellement du système plissé.** Les plis (anticlinaux) et creux (synclinaux) ne se prolongent pas de façon continue tout le long du Jura.

a) **Dans les Hautes Chaînes :** les lignes de hauteurs (monts) ont été brisées par des cassures transversales qui ont fait communiquer entre elles 2 ou plusieurs vallées : les **cluses.** Empruntant les couloirs des cluses, les rivières changent de vallées ; leurs cours dessinent des coudes brusques. Principaux éléments de chaînons isolés par des cluses : le *Clos du Doubs* (mi-français, mi-suisse, altitude : 919 m), le *Larmont* (alt. : 1 324 m) entaillé par la cluse de Pontarlier, le *Noirmont de Mouthe* (alt. : 1 240 m), la *Joux derrière* et la *Joux devant* (alt. : 1 138 m), le *chaînon du Reculet* (avec le Crêt de la Neige, alt. : 1 718 m), le *mont de la Chaux* (alt. : 969 m) ; ex. dans le Bugey : cluses de l'*Albarine* qui coupent 4 chaînons, cluse de la *Sérine* (2 chaînons).

b) **Sur le plateau central :** les masses compactes de calcaires ont été entaillées par des gorges qui les découpent en compartiments. Ex. plateaux d'*Orchamps* (avec le Mt Chaumont, alt. : 1 122 m), de *Nozeroy,* d'*Ornans* (entaillé par la Loue), *Lédonien* (c.-à-d. de Lons-le-Saunier), de *Champagnole* (entaillé par l'Ain).

c) **Sur le rebord occidental :** le *Lomont,* découpé par le Doubs, près de Baume-les-Dames ; le *Revermont,* entre l'Ain et la Valouze.

Massif central

• **Situation.** Séparé des Alpes par le couloir Rhône-Saône ; des hauteurs vosgiennes par le *détroit de Dijon ;* des reliefs armoricains par le *seuil du Poitou ;* du massif pyrénéen par le *col ou seuil de Naurouze.* **Superficie** : 86 000 km². **Altitude** : moy. 700 m, max. 1 886 m. **S'étend** sur 22 dép. : Indre, Cher, Nièvre, Creuse, Allier, Saône-et-Loire, Charente, Hte-Vienne, Corrèze, Puy-de-Dôme, Loire, Rhône, Lot, Cantal, Hte-Loire, Ardèche, Aveyron, Tarn, Lozère, Gard, Hérault, Aude. **Longueur** max. (N.-S.) : 500 km. **Largeur** max. (E.-O.) : 350 km.

• **Divisions d'ouest en est.** a) **Plateaux cristallins de l'O. :** Longueur (N.-S.), env. 350 km ; largeur (E.-O.), moitié S. (jusqu'à la Dordogne) : 60 km ; moitié N. : 200 km. Croupes granitiques, végétation verdoyante (herbe). Arbres dominants : châtaignier, reboisements récents en résineux. b) **Chaos montagneux du centre :** région hétéroclite. Longueur (N.-S.) : env. 200 km (de Brioude à Moulins, un effondrement de plus de 150 km remplace la montagne : plaines du *Bourbonnais* et de *Limagne*). Largeur : tiers sud 100 km ; central : 150, dont 60 de plateaux cristallins ; nord : 60. Paysages différents selon les terrains : calcaires dénudés et déchiquetés dans le S., aiguilles et cônes de basaltes dans le centre et le N., interrompus par des croupes granitiques. c) **Rebord surélevé de l'E.** *(Cévennes) :* longueur (S.-O./N.-E. puis S./N.), 550 km ; largeur, env. 70 km. Ligne de séparation des eaux entre Atlantique et Méditerranée.

Subdivisions (S.-N.) de plateaux cristallins occidentaux. Extrémité sud : *ségalas de Vabre et de Sidobre* entre Cévennes et v. de l'Agout ; entre Agout et Tarn, *ségala de Lacaune* (alt. : 1 266 m, point culminant du plateau occidental) ; *ségala du Rouergue* entre Tarn et Lot (alt. moy. : 750 m ; max. : 1 157) ; entre Lot et Dordogne, croupes granitiques de Hte Auvergne (alt. moy. : 500 m) ; entre Dordogne et Vienne, à l'ouest : *monts du Limousin* (800 à 1 000 m) ; à l'E. : *plateau de « Millevaches »* c'est-à-dire de 1 000 vasques (1 000 sources) (alt. max. : Mt Bessou, 984 m) ; au N. de la Vienne, *monts de la Marche* (alt. max. : Puy d'Hyverneresse, 854 m) ; au N.-E. (haute v. du Cher) : *collines de Combrailles* (alt. moy. 500 m).

• **Massifs centraux.** a) **Au S. entre Cévennes et vallée du Lot :** sur 100 km de long. N.-S. et sur 50, puis 100 km de largeur E.-O. (5 000 km²) : les *7 m. des « Causses »,* c'est-à-dire des « Calcaires », roches sédimentaires différentes des roches endogènes forment le reste du M. central (env. le 12e de la surface totale) : dépôts marins du secondaire (comme ceux du Jura), non plissés, mais surélevés en même temps que les Cévennes, puis fracturés et fissurés. Épaisseur des masses calcaires au-dessus des vallées : 400 à 600 m (alt. moy. : 800 m ; max. : causse *Méjean,* 1 278 m) – *1)* entre les Cévennes et la v. de la Dourbie : *C. du Larzac* (659 km², alt. max. : 904 m) ; *2)* entre Dourbie et Trévez (vers l'E.) : *C. Bégon* (alt. moy. : 900 m) ; *3)* entre la Dourbie et Tarn (vers l'O.) : *C. Noir* (déboisé, autrefois couvert de résineux, 130 km², alt. : moy. 850 m, max. 1 178 m) ; *4)* entre Janse et Tarn (vers le N.-E.) : *C. Méjean* (322 km², 120 km de tour ; alt. : moy. 1 000 m, max. 1 278 m) ; *5)* entre Tarn et Lot (vers l'E.) : *C. de Sauveterre* (648 km², alt. max. : 1 181 m) ; *6)* entre Aveyron et Serre : *C. de Séverac ; 7)* entre Aveyron et Dourdou (vers l'O.) : *C. Comtal ou de Rodez* (360 km², alt. : 600 m).

b) **Au N. de la vallée du Lot,** sur 150 km de long. (N.-S.), enchevêtrement de m. volcaniques et de restes du vieux plateau cristallin (relevés en même temps que les Cévennes).

Volcans : * *Groupe de l'O.* (orienté S.-N.) : longueur : 150 km (du Lot à la Sioule) ; largeur : 20 à 60 km. *Aubrac* (alt. max. : 1 471 m), *Cantal* (alt. max. : Plomb du Cantal, 1 858 m), *Mont-Dore* (alt. max. : puy de Sancy, 1 886 m), *puys d'Auvergne* (alt. max. : 1 465 m au Puy de Dôme). La « chaîne des Puys » [improprement appelée « chaîne » (non plissée)] est un alignement S.-N. de volcans coniques (éteints) dont certains ont gardé leur cratère (puy de Pariou). * *Groupe de l'E.* (orienté transversalement N.-O./S.-E.) : long. 120 km, de l'Allier au Rhône ; larg. 40 km : *Velay* (alt. max. : Devès, 1 423 m), *Mézenc* et *du Mégal* (alt. max. : Mt Mézenc, 1 776 m), *Coiron* (alt. max. : roc de Gourdon, 1 061 m), coulée basaltique à l'extrême E., faisant déjà partie des monts du Vivarais (Cévennes). *Restes du socle cristallin ancien :* * Entre les 2 groupes de volcans : *monts de la Margeride* [(long. 100 km, larg. 70 km, alt. max. : signal de Randon, 1 554 m) ; orientés N.-O./S.-E. ; leur extrémité S.-E. est appelée le *« Toit de la France »,* car les ruisseaux qui y prennent leur source (à environ 8 km de Châteauneuf-de-Randon) se dirigent vers le Rhône (par le Chassezac, affluent de l'Ardèche), la Garonne (par le Lot), la Loire (par l'Allier)]. Au N. du groupe E. des volcans : Mts du Livradois (vers l'O., entre Allier et Dore ; alt. max. : N.-D. de Mons, 1 210 m) ; *monts du Forez* (vers l'E., entre Dore et Loire ; alt. max. : Pierre-sur-Haute, 1 640 m), prolongés vers le N. par *monts Noirs* et *monts de la Madeleine,* entre Allier et Loire (alt. max. : le Montoncel, 1 292 m).

• **Descriptions (S.-O./N.-E.) du rebord cévenol.** Le nom de *Cévennes* s'applique aux escarpements dominant les plaines du Languedoc, du Rhône et de la Saône, depuis le col ou seuil de Naurouze (Aude) jusqu'aux sources de la Cure (Nièvre), mais on tend, actuellement, à le restreindre aux régions du Gard et de l'Ardèche du S., où vivent les protestants cévenols (80 km de long sur un ensemble de 550 km). a) **Du col de Naurouze à la vallée du Chamoux** (Aude) : *Montagne Noire* (1 210 m). b) **Du Chamoux à l'Orb :** *monts du Minervois* (806 m), vers le S. et *chaîne du Saumail* au N. de l'Orb (alt. max. : 1 126 m, *m. de l'Espinouze ;* 1 093 m, *m. du Caroux).* c) **Entre Orb et Ergue :** *m. de l'Escandorgue,* coulée volcanique isolée (alt. : 866 m). d) **Entre Ergue et Hérault :** la *garrigue de Lodève* (848 m, 943 m dans la Séranne, vers le N.-E.) : coulée calcaire rattachée au Causse du Larzac. e) **Entre Hérault et Ardèche :** *m. de l'Aigoual* (alt. max. : pic. de l'A., 1 567 m), *de la Lozère* (alt. max. : Signal de Finiels, 1 702 m), et *m. du Tanargue* (alt. max. : Croix de Bauzon, 1 549 m) ; région culminante des Cévennes, la plus arrosée de France (2,28 m au pic de l'Aigoual dont le nom signifie aqueux) ; après le Tanargue, la direction du bourrelet des Cévennes devient S./N. sur 300 km. f) **Entre Ardèche et Gier :** *monts du Vivarais :* chaîne des Boutières (1 383 m), puis *m. du Mont-Pilat* (1 434 m). g) **Entre Gier et Furens :** *monts du Lyonnais* (mont Boussièvre, 1 004 m) ; **entre Furens et Crosne :** *monts du Beaujolais* (alt. max. : mont St-Rigaud, 1 012 m, la dernière hauteur cévenole dépassant 1 000 m vers le nord). h) **De la Crosne à la Dheune :** *monts du Mâconnais* (vers l'est) et du *Charolais* (vers l'ouest). i) **Au N. de la Dheune** (hautes v. de l'Yonne et de la Cure) : *m. du Morvan* (alt. max. : le Haut Folin, 902 m).

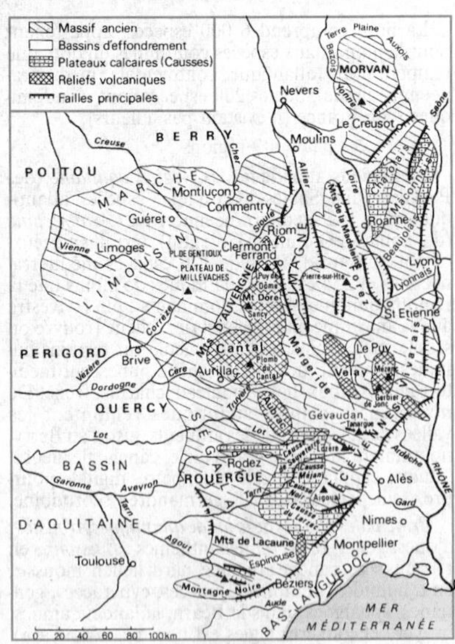

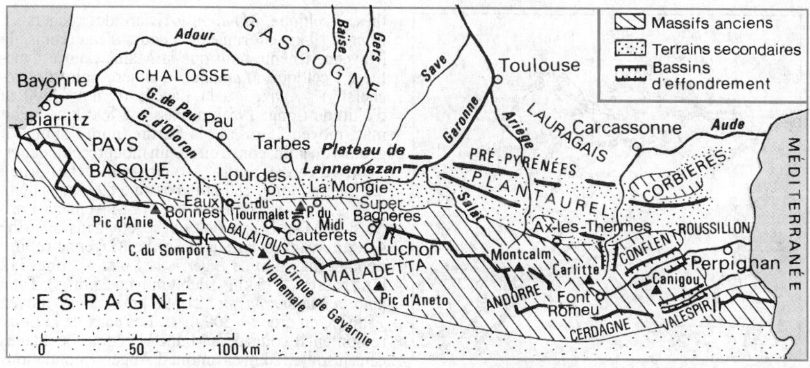

Pyrénées

• **Origine. Du nom :** contestée : 1°) celtique *biren* ou *piren,* « pâturage élevé » ; 2°) nom mythologique grec *Pyréné,* nymphe aimée d'Hercule ; 3°) dérivé du grec *pyrinos,* « riche en froment » (qui désignerait toute la Narbonnaise) ; 4°) dérivé du grec *pyr,* « feu », désignant le phare du port de Narbonne, puis Narbonne et la Narbonnaise.

Géologique : chaîne édifiée au tertiaire entre – 65 et – 40 millions d'années (m.a.). On l'explique actuellement comme un bourrelet, né de la collision du socle européen avec la péninsule Ibérique. Celle-ci s'était détachée à partir de – 230 m.a. de l'hexagone français, par suite de l'ouverture du golfe de Gascogne (jusqu'alors, la Galice jouxtait la Bretagne). Pendant 165 m.a., elle a dérivé vers l'est, parcourant un arc de cercle dont le centre se situait dans l'actuelle région parisienne. En abordant vers – 65 m.a. les côtes S. de l'Aquitaine (région de Port-Bou), elle a refermé un canal qui réunissait l'Atlantique à Thétys (l'actuelle Méditerranée).

Cette région côtière se serait alors surélevée par suite du choc entre les 2 masses.

• **Situation. Longueur :** 450 km. **Largeur :** 90 à 150 km (en France : 50 à 80). **Superficie :** env. 55 000 km² dont 17 000 en France. **Couvrent** 6 départements : Pyrénées-Atlantiques, Htes-Pyrénées, Hte-Garonne, Ariège, Aude, Pyrénées-Orientales.

• **Divisions du sud au nord.** a) **Chaîne frontalière :** bourrelet continu de roches anciennes, alt. 2 000 m au centre (entre les cols du Somport – 1 631 m – et de Puymorens – 1 915 m, sur 200 km de long), max. 3 404 m. Du col de Puymorens à la Méditerranée (partie E.), le bourrelet est moins élevé et moins massif (col du Perthus, 290 m) ; du col du Somport à l'Atlantique (partie O.), il disparaît sous les terrains prépyrénéens (par ex. au pic d'Orhy, alt. : 2 017 m, synclinal perché de calcaire éocène) ou se réduit à quelques îlots sur 50 km de long ; il reparaît au Pays Basque, avec des hauteurs modestes (la Rhune, 900 m). b) **Pré-Pyrénées :** région calcaire de 60 km de large sur 450 km de long, plissée (à la façon du Jura) entre la chaîne frontalière et les plaines aquitaines. Les plis rasés par l'érosion transformés en plateaux (alt. moy. : 400 m), sauf au N.-E. où subsistent 2 massifs montagneux : les *Petites Pyrénées* (900 m dans l'Ariège) et les *Corbières* (450 m, dans l'Aude), longs de 200 km et larges de 20 à 40 km.

Subdivisions de la chaîne frontalière. Les vallées [qui sont glaciaires entre Aspe et Val du Carol (Pyr.-or.)] qui descendent du bourrelet axial O.-E., selon une direction S.-N., découpent la chaîne frontalière en une douzaine de chaînons qui sont de l'O. à l'E. : *m. du Labourd* (900 m) et *des Aldudes* (1 459 m), entre Océan et Nive ; *m. des Arbailles* (2 759 m), entre Nive et Soude ; *m. de l'Anie* (2 504 m), entre Soule et gave d'Aspe ; *m. du Balaïtous* (3 146 m), entre d'Ossau et g. de Pau ; *m. de Néouvielle* (3 092 m) *et du Marboré* (3 260 m comprenant cirque de Gavarnie, Mt Perdu, hautes v. du g. de Pau et de l'Adour), entre g. de Pau et v. de la Neste (Val d'Aure) ; *m. de la Maladeta* (3 404 m, en partie en Esp.), entre val d'Aure et Hte-Garonne (val d'Aran, en Esp.) ; *m. d'Aspet* (2 968 m), entre Garonne et Salat ; *m. d'Arize* (1 622 m) et *des Trois Seigneurs* (2 199 m), entre Garonne et Ariège ; *m. du Canigou* (2 786 m), entre Têt et Tech ; *m. des Albères* (1 275 m) entre Tech et Méditerranée. En outre, une partie du m. ancien se trouve isolé au milieu du plissement des Corbières, à 40 km au nord du bourrelet axial : le Monthoumet (alt. : 880 m).

Subdivisions du plateau sub-pyrénéen. 4 régions de la zone des plateaux constituent des zones à caractère particulier : plateaux de *Lannemezan* (389 à 679 m) au N. du Val d'Aure ; de *Plantaurel* au N. de Foix ; de Sault (1 000 m) entre Ariège et Aude, prolongé au N. par le *Mirepoix* (621 m) ; le *Fenouillèdes* ou *Fenouillet* (926 m), entre Canigou et Corbières.

Montagnes tyrrhéniennes

Appartiennent au massif hercynien de la « Tyrrhénide » qui avait soulevé la plate-forme continentale euro-africaine, considérées comme des débris du socle africain.

• **Maures** (c.-à-d. Montagnes Noires, à cause des résineux). Dans le Var (long. 60 km, en direction S.-O./N.-E., de Hyères à Fréjus ; larg. 30 km) ; limites (S. et E. : Méditerranée ; N. : dépression de l'Argens ; O. : v. du Gapeau).

Divisions, du N. au S. : 3 crêtes parallèles soulevées en même temps que Pyrénées et Alpes : *1)* entre v. de l'Aille (affluent de l'Argens) et Giscle : crête principale (long. 50 km, larg. 15 km, alt. max. La Sauvette, 779 m) ; *2)* entre v. de la Giscle et de la Môle : chaîne de la Verne, parallèle à la 1re (long. 35 km, larg. 10 km, alt. max. 629 m) ; *3)* entre la Môle et la mer : chaînon littoral (long. 40 km dont 10 forment la presqu'île de St-Tropez, larg. 8 km ; alt. max. Les Pradels, 524 m). Une 4e crête est aux 3/4 submergée : presqu'île de Giens, îles d'Hyères.

• **Esterel** (du latin *sterilis,* « terre improductive »). Dans le Var, à l'E. des Maures dont il est séparé par la dépression de l'Argens ; entre Méditerranée et v. de l'Endre, affluent de l'Argens. Long. (N.-S.) 20 km ; larg. (E.-O.) 15 km ; env. 300 km². Alt. max. : Mt Vinaigre (616 m). Enchevêtrement de roches volcaniques, notamment de porphyres surgis à l'époque du plissement hercynien.

• **Corse.** Voir Index.

Vosges

• **Origine du nom.** Peuplade gauloise : les Vosèges ou Voséguns (celtique *Vo,* « sous » ; ligurique *Sek* ou *Seg,* « hauteur »).

• **Situation.** Système montagneux ancien (plissement hercynien, soulevé au tertiaire par la poussée alpine), orienté du S.-O. au N.-E. entre la trouée de Belfort et la v. de la Lauter (long. : 170 km) ; limité à l'E. par la plaine d'Alsace (cassure brusque), à l'O. par le plateau lorrain (larg. : 30 km) ; couvre 7 départements : Territoire de Belfort, Ht-Rhin, Bas-Rhin, Hte-Saône, Vosges, Meurthe-et-Moselle, Moselle.

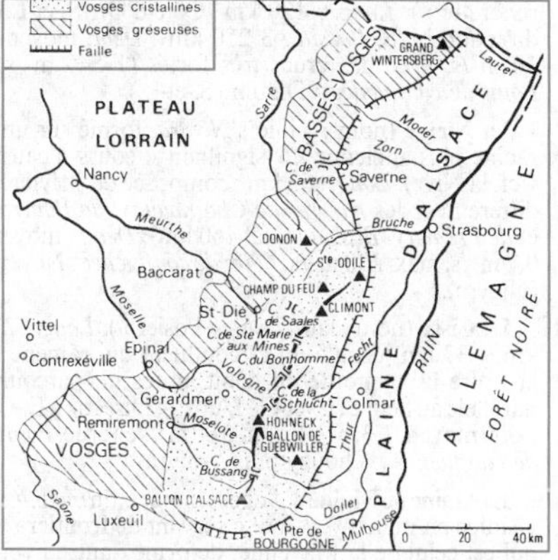

• **Description de l'O. à l'E.** 2 chaînes parallèles : a) **Vosges cristallines** (long. : 90 km, de la haute v. de l'Ognon à la v. de la Bruche ; alt. moy. : 1 000 m). 1) *Crête principale :* parcourt toute la chaîne, du ballon de Giromagny (1 149 m) au Struthof (959 m). Principaux sommets : ballon d'Alsace (1 250 m), Hohneck (1 366 m), Champ du Feu (1 004 m). 2) *Secondaires :* entre Doller et Thur, c. du Rossberg (1 196 m) ; entre Thur et Lauch, c. du ballon de Guebwiller (1 426 m, alt. max. des Vosges) ; entre Lauch et la Fecht, c. du Petit Ballon (1 274 m) ; entre Andlau et l'Elm, c. du Hohwald et du Mt Ste-Odile (823 m). b) **Vosges gréseuses** (long. 80 km), de la v. de la Bruche à celle de la Lauter (alt. moy. : 600 m). 1) *Crête principale :* se relie à la chaîne des Vosges cristallines par le chaînon du col de Saales (700 m) ; parcourt la moitié environ de la chaîne, de St-Dié à Saverne. Sommets principaux : Ormont, Donon (1 009 m) et Haut Barr (720 m). 2) *Secondaires :* Grand Brocart (802 m), Mt Dabo (750 m). Au N. de Saverne, les V. gréseuses se réduisent à une série de collines (Basses Vosges).

Fleuves

La Garonne

• **Origine du nom.** Du ligure *gar,* « rocher », et *onna,* « source », à rapprocher du latin *unda,* « onde », ou du basque *ingurune,* « méandre ».

• **Statistique.** *Source* double : toutes 2 en Espagne, au Val d'Aran : Garonne occidentale 1 430 m ; G. orientale 1 872 m (sur le versant sud du Mt Aneto) ; au lieu de devenir un affluent de l'Èbre, le torrent se perd dans un canyon souterrain de 4 km, et resurgit au N. des Pyrénées, au Trou du Toro (comme l'a démontré en 1951 Norbert Casteret, à l'aide de colorants). A son entrée en France : 581 m d'alt. *Long. :* 647 km, dont 596 en France (en comptant la Gironde ; sinon 575 et 524). *Bassin :* 84 811 km², dont 84 756 en France et 240 pour la seule Gironde (17 dép. : Ariège, Hte-Gar., Htes-Pyr., Gers, Tarn-et-G., Tarn, Aude, Gironde, Lot-et-G., Lot, Aveyron, Lozère, Charente-Mar., Charente, Dordogne, Corrèze, Cantal). *Débit :* moyen 200 m³/s, max. 8 000 m³/s.

• **Régime.** Mixte : pluies méditerranéennes d'hiver avec orages d'été dans les bassins des affluents est ; régime montagnard (fonte des neiges de mars à juin ; s'il pleut sur les plaines, les crues sont catastrophiques, ex. juin 1875, mars 1930) : maigres en août et septembre. Dep. 1955, Toulouse est protégée par des digues contre les inondations de mars-juin ; les villes d'aval restent menacées.

• **Description du cours.** S.-E./N.-O. jusqu'à Montréjeau (Hte-G. ; 100 km) en descendant rapidement des Pyrénées ; puis elle bute sur une colline faite de ses propres alluvions, qui lui barre le chemin de l'Atlantique (distant de 250 km) ; elle coule alors S.-O./N.-E. jusqu'à Toulouse dans une vallée subpyrénéenne qui garde la direction de celle de la Neste. A partir de Toulouse (140 m d'alt.), lent écoulement jusqu'à l'estuaire, en direction S.-E./N.-O., à travers les plaines du Bassin aquitain dont 100 000 ha inondables. L'influence de la marée se fait sentir à Bordeaux. Un estuaire de 72 km de long, appelé *Gironde* (déformation bordelaise du mot Garonne), s'élargit progressivement : 5 km en face de Blaye, 11 km en face de Talmont, 25 km entre la pointe de la Négade et la pointe de la Coubre, avec un brusque rétrécissement entre Royan et la pointe de la Grave (5 km). La Gironde est parfois considérée comme un bras de mer distinct de la Garonne et servant d'estuaire commun à 2 fleuves indépendants : Garonne et Dordogne (le bassin de la Garonne n'aurait en ce cas que 57 000 km²).

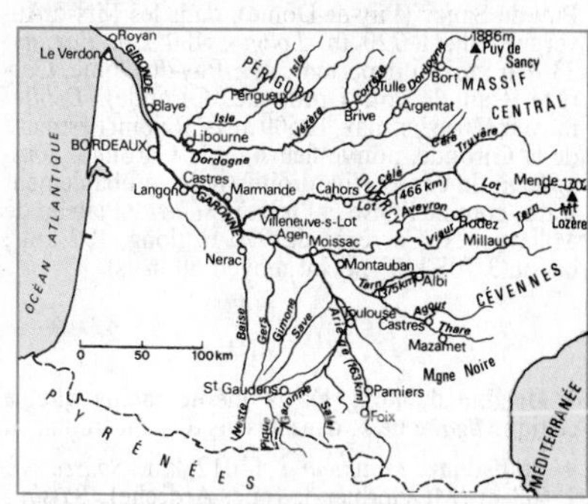

• **Affluents. Rive gauche.** **La Neste** (nom générique des torrents pyrénéens, plus ancien que *gave*). *Sources multiples :* la Grande Neste ou Neste d'Aure (*source :* lac de Cap de Long, 2 250 m d'alt.) et la Petite Neste ou Neste de Louron (*source* au pied du pic du Midi de Génost, qui a 2 479 m d'alt.) se réunissent à 700 m d'alt. à Arreau. *Long. :* 65 km. *Débit* moyen : 13 m^3/s [supérieur à celui de la Garonne au point de confluence (Montréjean, Hte-Garonne), mais diminue de 7 m^3 en alimentant le canal de Lannemezan]. *Bassin :* 906 km^2.

Le Gers (du latin *Egirtius,* où se retrouve l'ibéro-basque *aguirre,* « lande », ou du basque *Igeri*). *Source :* à 2,5 km de Lannemezan (Hte-P.), à 660 m d'alt. *Long. :* 178 km (presque rectiligne au sud-nord). *Bassin :* 1 230 km^2. *Débit :* très faible, parfois à sec ; max. 9 m^3/s.

La Baïse (de l'ibéro-basque *ibaia,* « fleuve »). *Source :* Plateau de Lannemezan, alt. 640 m. *Long. :* 185 km. *Bassin :* 2 910 km^2 (Landes, Htes-Pyr., Gers, Lot-et-Gar.). *Débit :* moyen 7 m^3/s, max. 1 000 m^3/s. *Sous-affluent :* **la Gelise** (« eau glacée ») ; *source :* Lupiac, Gers, alt. 230 m (long. 92 km, rive gauche, rivière atlantique, abondante en été ; bassin 1 485 km^2).

Rive droite. **L'Ariège** (déformation de *la Riège,* même racine que le latin *reg-are,* « irriguer », se retrouvant dans le basque *erreka*). *Source :* le lac Noir, massif du Carlitte (P.-O. ; alt. 2 150 m), à la limite France-Andorre. *Long. :* 170 km. *Bassin :* 3 860 km^2. *Débit :* moyen 48 m^3/s, min. 14 m^3/s, max. 1 100 m^3/s. *Sous-affluent :* **l'Hers** (de l'ibérique *ertz,* « rochers », dont la racine est sans doute ligure et se retrouve dans *Hercynia,* « Forêt noire ») ; *source :* plateau du Chioula (Ariège), 1 500 m (long. 133 km ; bassin 1 420 km^2 ; débit moyen 14 m^3/s, max. 665 m^3/s).

Le Tarn (du latin *Tanarus,* Piémont : le Tanaro ; 2 racines ligures *tan,* « la falaise », *ar,* « le fleuve »). *Source :* Mt Lozère, alt. 1 600 m. *Long. :* 375 km. *Bassin :* 3 465 km^2. *Débit :* moyen 27 m^3/s, max. 2 000 m^3/s. *Canyon du Tarn :* long. 53 km, hauteur max. 600 m ; écartement des falaises au sommet : de 1 500 à 2 400 m. *Sous-affluents :* **l'Agout** (bas latin *adguttum,* « déversoir » ; peut-être fausse étymologie populaire d'un mot contenant la racine ligure *aKw,* qu'on retrouve dans *Aquitaine*) (rive gauche) ; *source :* Mt de l'Espinouse, Hérault, alt. 1 100 m [long. 180 km (est-ouest) ; bassin 3 465 km^2 ; débit moyen 25 m^3/s, débit max. 1 800 m^3/s (le 1/3 des eaux du Tarn)] ; **l'Aveyron** (latin *aquarius,* voir Guiers ; le *on* final est sans doute un augmentatif) (rive droite) ; *source :* Causse de Sauveterre, près de Séverac-le-Château, alt. 900 m (longueur 250 km ; bassin 5 357 km^2 ; débit moyen 25 m^3/s, débit max. 1 500 m^3/s). *Affluent du sous-affluent :* **le Viaur** [déformation de Varaïr (le petit Viaur s'appelant *le Varaïroun*), où l'on retrouve la même racine préceltique que dans *Var*] ; *source :* plateau de la Tousque, au pied du Pal (1 157 m), dans l'Aveyron [longueur 153 km ; bassin 1 550 km^2 ; débit moyen 6 m^3/s, débit supérieur à celui de l'Aveyron au point de confluence (Lagueypie, Tarn) : 4,8 m^3/s].

Le Lot (du latin *Oltis,* le fleuve s'appelle encore l'Olt dans son cours supérieur). *Source :* Montagne du Goulet, Lozère, alt. 1 499 m. *Long. :* 481 km. *Bassin :* 11 254 km^2. *Débit :* moyen 60 m^3/s, max. 4 000 m^3/s (crues subites atteignant 15 m de haut). *Sous-affluent :* **la Truyère** [bas latin *traucaria,* « celle qui sort du trou », construit sur le ligure *trauk,* « trou » ; ou bas latin *trebucaria,* « celle qui passe à Trebuc » (hameau dont le nom signifie « chute » en occitan)] (rive droite) ; *source :* Mts de la Margeride, Lozère, alt. 1 494 m (long. : 160 km ; bassin : 3 250 km^2 ; débit : moyen 25 m^3/s, max. 2 800 m^3/s) ; *confluent :* Entraygues-sur-Truyère (Aveyron).

La Dordogne (du celtique *Dorunia,* féminin dérivé du celtique ancien *dubro,* « eau »). *Source :* Puy de Sancy (Puy-de-Dôme), dans les Mts d'Auvergne, alt. 1 720 m. *Long. :* 480 km. *Bassin :* 23 870 km^2 (6 départements : Puy-de-Dôme, Corrèze, Cantal, Lot, Dordogne, Gironde). *Débit :* moyen 320 m^3/s, max. 12 500 m^3/s. Rejoint l'estuaire de la Gironde, non le fleuve de la Garonne. *Sous-affluent :* **la Vézère** (rive droite) (nom : probablement Isara, comme l'Oise et l'Isère) ; *source :* Plateau de Millevaches, Corrèze, alt. 970 m (long. 192 km ; bassin 3 708 km^2 ; débit moyen 50 m^3/s).

La Loire

• **Origine du nom.** De la même racine que le celtique *liga,* « lie », dans le sens d'« eau trouble ».

• **Statistique.** *Longueur :* 1 012 km. *Source :* à 1 408 m (Mt Gerbier-de-Jonc, Ardèche). *Bassin :*

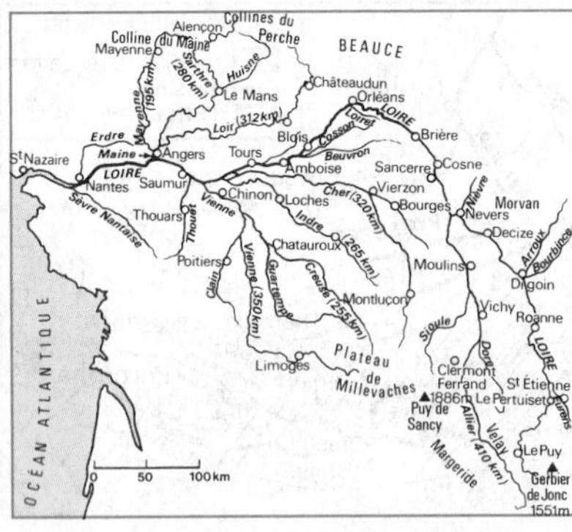

115 120 km^2. *Départements traversés ou bordés* par la Loire : 12 (Ardèche, Hte-Loire, Loire, Saône-et-L., Allier, Nièvre, Cher, Loiret, Loir-et-Cher, Indre-et-Loire, Maine-et-L., Loire-Atl.). Seul des 6 grands fleuves français dont le bassin soit entièrement en France. *Débit* moyen : 800 m^3/s (max. 9 000, min. 18).

• **Description du cours.** Naissant à 150 km de la Méditerranée, la Loire s'éloigne d'elle en coulant pendant 250 km environ en direction du N., à travers le Massif central ; elle y creuse 2 séries de gorges : l'une entre la Voulte (Hte-L.) et St-Rambert (L.), en entrant dans l'ancien lac du Forez ; l'autre à Neulise (Loire), en sortant du Forez. Entre Digoin (S.-et-L.) et Briare (Loiret), elle coule en direction du N./N.-O. pendant 150 km, dans des plaines rattachées au Bassin parisien. *Jusqu'au quaternaire,* elle continuait alors vers le N., par la dépression actuelle du canal de Briare et par la vallée du Loing, pour se jeter dans la Seine. *Captée au quaternaire* par un affluent de la Cens, elle s'infléchit vers le N.-O. et l'O. jusqu'à Orléans pendant env. 100 km. Elle coule alors vers le S.-O. Après Angers, la Loire quitte le Bassin parisien pour s'encaisser dans le Massif armoricain. L'influence de la marée se fait sentir depuis Nantes, à 53 km de l'embouchure.

• **Régime.** Très irrégulier, lié à la pluviosité, en raison de l'imperméabilité des terrains traversés et de l'absence de réserves en neiges et de nappes régulatrices. Les crues succèdent aux maigres, indépendamment des périodes de basses et hautes eaux, jusqu'au confluent avec la Maine. Instantanées, elles provoquent des catastrophes quand il y a conjonction entre climats méditerranéen et atlantique (6 000 m^3/s, en moy. 4 fois par siècle).

Plus grands débits instantanés observés depuis 1846 à Gien (Loiret) : 7 200 (juin 1856 sept. 1866), 7 000 (oct. 1846), 4 500 (déc. 1825), 4 300 (oct. 1907), 4 200 (oct. 1872). Entre la Maine et la mer, le régime redevient celui des fleuves atlantiques : hautes eaux en hiver, basses en été ; mais la différence entre les 2 saisons y est relativement forte.

Programme de régulation du débit (pour garantir un débit minimal toute l'année). *Objectifs :* Orléans : *1985 :* 70 m^3/s (*à long terme :* 100 m^3/s). Nantes : *1985 :* 180 m^3/s (240 m^3/s).

Ouvrages (capacité en millions de m^3) : *Naussac* (Lozère) sur la Donozau (bassin de l'Allier) 190 (également régulateur de crues). *Villerest* (Loire) sur la Loire, 238 (combiné avec un barrage supplémentaire au Veurdre sur l'Allier). *Lafarre ou Cublaise* (Hte-L.) sur la Loire ou Vignon ou du Velay, 150 à 160. *Chambonchard* (Creuse) sur le Cher, 100.

• **Affluents. Rive droite.** **L'Arroux** (nom : gaulois *aturavos,* diminutif du préceltique *atur,* « la rivière » – cf. Adour, Aar, etc., signifie à peu près « la rivièrette »). *Long. :* 120 km (Côte-d'Or, S.-et-L.), direction N./S. *Bassin :* 3 250 km^2. *Débit* moyen : 10 m^3/s, avec des crues très fortes (1 575 m^3/s). *Point de confluence :* Digoin (S.-et-L.).

La Nièvre (nom : gaulois *Nivara,* formé sur une racine plus ancienne *niv* signifiant « cours d'eau » – cf. la Nive). *Long. :* 53 km ; composée de 3 rivières différentes : les *Nièvres de Champlemy, de Bourras* et *de Prémery. Bassin :* total 460 km^2. *Débit :* moyen 0,7 m^3/s, max. 230 m^3/s. *Point de confluence :* Nevers (Nièvre).

La Cisse (nom : latin *cista,* « l'osier »). *Long. :* 27 km + 37 km jusqu'à un 2e confluent qui ramène à la Loire la 2e moitié du débit, après un parcours parallèle au fleuve (L.-et-C., I.-et-L.). Direction E.-O. *Débit* moyen : 1,3 m^3/s, jusqu'à 60 m^3/s en crue. *Points de confluence :* Chouzy puis Vouvray.

La Maine ou Maine d'Angers (nom : latin *mediana,* « située au milieu », c.-à-d. « servant de frontière », qui est celui de la Mayenne, déformé ; autre hypothèse : celtique, *Ma-aïnn,* « rivière des rochers »). *Long. :* 10 km ; formée de 3 cours d'eau réunis : **la Mayenne** (même nom que la Maine ; autre hypothèse : celtique *Maduaïnn,* « rivière noire des rochers ») ; *source :* à la Lacelle (Orne) à 300 m d'altitude (long. 195 km, bassin 5 890 km^2, débit max. moyen 25 m^3/s) ; **la Sarthe** (nom : diminutif gaulois ou latin, construit sur un mot préceltique *sar,* « cours d'eau ») ; *source :* Moulins-la-Marche (Orne), alt. 250 m ; long. 280 km ; bassin 5 890 km^2 ; débit max. 25 m^3/s) ; confluent avec la Mayenne à Port-Mesley (M.-et-L.) ; **le Loir** qui se jette dans la Sarthe 4,5 km avant le confluent Sarthe/Mayenne (nom : doublet masculin de *Liger,* « la Loire » ; long. 312 km ; bassin 7 275 km^2 ; débit moyen 25 m^3/s). **Total pour la Maine :** *bassin :* 21 898 km^2 ; *débit :* moyen 75 m^3/s, en crue : 1 500 m^3/s. Les eaux de la Loire remontent le cours de la Maine à l'époque des hautes eaux jusqu'à 12 km en amont d'Angers (inondations de longue durée).

L'Erdre (nom : Arar, voir Saône). *Source :* La Pouège (M.-et-L.) à 85 m d'alt. *Long. :* 95 km, dont un fjord de 28 km. *Bassin :* 1 035 km^2. *Débit :* 2,5 m^3/s. Forme 2 lacs, appelés « plaines » : de la Poupinière (env. 2 km^2) ; de Mazerolles (env. 3 km^2).

Rive gauche. **L'Allier.** Le plus important des affluents de la L., considéré parfois comme la branche mère du réseau hydrographique (nom : latin *Elaver,* formé sur la racine ligure *el,* « arbre » : fleuve forestier ou servant au flottage du bois). *Source* à 1 501 m d'alt. (Mt Maure de la Garidille, Lozère). *Long. :* 410 km. *Bassin :* 14 435 km^2. *Débit :* moyen 140 m^3/s, max. 6 000 m^3/s. Le cours de l'Allier (N.-S.) a imposé sa direction à celui de la Loire (confluent au Bec d'Allier, à 6 km de Nevers). *Affluents* **la Dore** (hydronyme préceltique ou celtique *Dor, Dur*), 140 km (r. droite), **la Sioule** [latin médiéval *Siccula ;* du nom de la montagne dont elle est issue, la chaîne des Puys (racine ligurique *sekk*)], 150 km (r. gauche).

Le Beuvron (nom : du gaulois *bebros,* « castor » ; la vraie orthographe serait Bevron). *Source* à 176 m (Sologne). *Long. :* 125 km. *Bassin :* 1 400 km^2 (dont la moitié pour son affluent le Cosson). *Départements parcourus :* Cher, Loiret, L.-et-C. *Débit :* 7 m^3/s, crues modérées, absorbées par les étangs solognots. *Confluent* à Candé-sur-Beuvron (L.-et-C.).

Le Cher [nom : préceltique (ligure) *kar,* « la pierre » : rivière caillouteuse]. *Source* à 762 m (Creuse). *Long. :* 367 km. *Bassin :* 13 410 km^2 (7 départements) dont 1 000 km^2 pour la **Tardes,** considérée parfois comme branche mère. *Débit :* moyen 17 m^3/s, max. 1 350 m^3/s. *Se jette dans la Loire* à Villandry (Indre-et-L.) ; autrefois la rejoignait aussi à Tours par un canal artificiel de 2 km de long transformé en autoroute. Un ancien lit de 11 km, le Vieux-Cher, continue jusqu'à l'Indre, mais est considéré actuellement comme un bras de la Loire. *Sous-affluents :* **la Tardes** (nom d'une localité traversée : Tardes, *Tarodunum,* « le bourg de Taros ») (long. 100 km ; bassin 1 000 km^2, débit moyen 5 m^3/s) ; **l'Aumance** (du ligure *el,* « arbre », et de l'indo-européen *man,* « sourdre ») (long. 74 km, bassin 1 000 km^2, débit moyen 10 m^3/s, crues 600 m^3) ; *confluent* à Meaulne (Allier).

L'Indre (nom : latin *Ennara,* venu du ligure *Enn* – Enn ou Inn, fleuves d'Allemagne – et *ar* – cf. Aar, Samara, Isara, etc.). *Source* à 504 m (Mts de St-Marien, Creuse). *Long. :* 266 km. *Bassin :* 3 642 km^2. *Débit :* moyen 16 m^3/s, max. 320 m^3/s. *Sous-affluent :* **l'Igneray** (de Ligneray ou Ligneret, cf. Le Lignon, même racine que le latin *limpidus,* « limpide ») (long. 32 km ; bassin 170 km^2, débit 2,5 m^3/s). *Confl. :* Avoine (I.-et-L.).

La Vienne (nom : du latin *Vinganna,* en patois local Vignague, avec des transcriptions variables, telles que Vingenna et Vigenna ; du gaulois *venda,* « brillante » et du ligure *onna : Venda-onna,* « la rivière brillante »). *Source* à 850 m (plateau de Millevaches, Corrèze). *Long. :* 372 km. *Bassin :* 21 467 km^2. *Débit :* moyen 70 m^3/s, max. 2 100 m^3/s. *Confluent :* à Candes St-Martin (I.-et-L.). *Sous-affluent :* **la Creuse** (branche mère du bassin ; nom : celtique *croza,* « la marmite » ou « le creuset ») (long. 255 km ; bassin 9 550 km^2 ; débit moyen 32 m^3/s, max. 970 m^3/s) grossie de **la Gartempe** [porte le nom du village où elle prend sa source, dans la Creuse : Gartempe (anciennement Gard-Temple), réserve de chasse d'une commanderie de Templiers] (long. 190 km ; bassin 3 975 km^2, débit moyen 10 m^3/s, max. 400 m^3/s).

La Sèvre nantaise (nom : latin *Sapara,* du ligure *sap,* « buisson, fourré » ; et *ar,* « rivière ») – l'épithète *nantaise* la distingue de la Sèvre *niortaise,* fleuve côtier. *Source* à 259 m (Gatine poitevine). *Long. :* 136 km. *Bassin :* 2 385 km^2. *Débit :* moyen 8 m^3/s, max. 375 m^3/s.

La Meuse

• **Origine du nom.** Du latin *Mosa,* du celto-germanique *mod,* « la boue » ; cf. la Moder.

• **Statistique.** *Source :* 403 m d'alt. (Pouilly-en-Bassigny, Hte-Marne). *Long. :* 950 km dont 500 en France (192 en Belgique, 258 aux Pays-Bas). *Bassin :* 33 000 km^2 dont 7 750 en France (4 dép. : Hte-Marne, Vosges, Meuse, Ardennes). *Débit* à la sortie de France : moyen 100 m^3/s ; max. 7 000 m^3/s.

• **Description du cours.** Dans l'ensemble S.-N., avec un crochet S.-E./N.-O., entre Verdun et Mézières. Jusqu'à Mézières, rectiligne dans les alluvions du Bassin parisien, entre 2 lignes de côtes (Plateaux du Barrois, Côtes de Meuse) ; après Mézières, sinueux et encaissé dans le massif ancien de l'Ardenne. Bassin très étroit pour sa longueur : 2 affluents ont été capturés au quaternaire (rive dr. : *la Moselle,* capturée par un affluent de la Meurthe et devenue tributaire du Rhin ; rive g. : *l'Aire,* capturée par un affluent de l'Aisne et devenue tributaire de l'Oise). *Embouchures :* un des bras de la Meuse rejoint, en Hollande, un des bras du Rhin (ce qui l'a fait classer parfois comme tributaire du Rhin), mais le bras principal (Haring Vliet) se jette dans la mer du Nord 15 km plus au sud.

• **Affluents. Rive droite. La Semois** ou Semoy (nom : celui de sa source : *Som Oize,* c'est-à-dire source de l'Oize). *Source :* 360 m d'alt. (Luxembourg belge). *Long. :* 198 km (E.-O.) dont 26 en France. *Bassin :* 1 550 km^2 dont 1 000 en France. *Débit :* 20 m^3/s, max. 170 m^3/s (débâcle des glaces au printemps).

Rive gauche. La Sambre (nom : *Samara,* « rivière tranquille », même nom que la Somme). *Source :* 230 m d'alt. (massif du Nouvion, Aisne). *Long.* (O.-E.) : 190 km dont 85 en Fr. *Bassin :* 2 662 km^2 dont 1 000 en France. *Débit :* moyen 18 m^3/s ; max. 58 m^3/s. Rejoint la Meuse à Namur (Belg.).

Le Rhin

• **Origine du nom.** Gaulois *renos,* « fleuve » ; l'orthographe *rh* est imitée du grec *rheein,* « couler ».

• **Statistique.** *Source :* lac Toma, C. des Grisons, Suisse, alt. 2 344 m. *Long. :* 1 298 km, dont 190 à la frontière franco-allem. [Suisse 456 (dont frontière avec Liechtenstein 41, Allem. 130), Allem. 476, P.-B. 176]. *Bassin :* 116 000 km^2 [28 000 en France

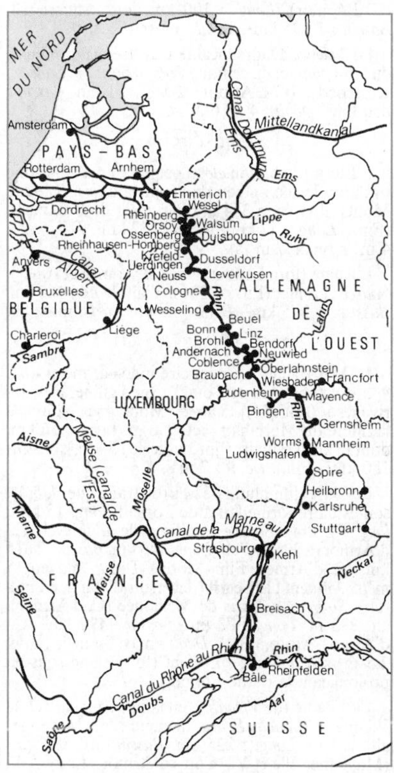

(Belfort, Ht-Rhin, Bas-Rhin, Moselle, Meurthe-et-M., Vosges)]. *Débit :* moyen 2 210 m^3/s ; débit max. 10 000 m^3/s.

• **Régime.** En Alsace, est encore un fleuve alpestre (deviendra un fleuve mixte après le confluent avec le Main, rivière continentale) : hautes eaux en mai-juin, à la fonte des neiges ; basses en septembre ; parfois gelé en hiver (climat alsacien, quasi continental).

• **Description du cours.** Entre Bâle et Lauterbourg, quasi rectiligne S.-O./N.-E., au bas de la plaine d'Alsace, pente assez forte mais nombreux faux bras, actuellement drainés par le canal latéral.

• **Affluents** (en France). **Rive gauche. L'Ill** (nom : racine ligurique *el,* « rivière », fréquente en Europe). *Source* au Glasberg, contrefort du Jura (Ht-Rhin) ; alt. 500 m. *Long. :* 208 km. *Bassin :* 9 800 km^2. *Débit :* moyen 25 m^3/s, max. 150 m^3/s. Coule à 10 ou 20 km du Rhin, dans la plaine alsacienne.

La Moselle (diminutif de *Mosa,* « la Meuse »). *Source* au col de Bussang, Vosges ; alt. 725 m. *Long. :* 550 km, dont 259 en Fr. *Bassin :* 28 360 km^2, dont 15 147 en Fr. *Débit :* moyen 150 m^3/s, max. 1 500 m^3/s. *Cours :* S.-E./N.-E. jusqu'à Toul où elle est capturée par un affluent de la Meurthe et fait un coude brusque vers l'est. Après Frouard, S.-N. jusqu'à la frontière allemande. *Sous-affluents* (rive droite) : **la Meurthe** (racine ligure *mor,* « débris de roches », qu'on retrouve dans *moraine*) (long. 170 km ; bassin 2 910 km^2 ; débit moyen 20 m^3/s, max. 600 m^3/s) ; **la Sarre** (racine celtique, v. la Sarre dans le Morbihan). 240 km, dont 80 en France ; *sources :* au pied du Donon (S. Blanche et S. Rouge) ; alt. 465 m ; [bassin (en France) 3 800 km^2 ; débit max. 500 m^3/s].

Le Rhône

• **Origine du nom.** Grec *Rhodanos,* utilisé par les Phocéens de Marseille ; racine indo-eur. sans doute rhétique (*rho/rhe* que l'on retrouve dans Rhe-nus, « le Rhin »), comprise par les Grecs – en grec *rhe-ein* = « couler ».

• **Statistique.** *Source :* Massif du St-Gothard (Suisse). Un torrent, appelé *Rotten* (« Rhône »), sort à 2 200 m au pied d'un massif de 3 600 m. Il se jette dans un cours d'eau plus important qui a sa source à 1 753 m, au pied du Pizzo Rotondo (3 192 m). Ce cours d'eau est parfois considéré comme le vrai Rhône supérieur, parfois appelé Gerenwasser. *Long. :* 812 km, dont 290 en Suisse ; mais l'ensemble Grand Rhône-Saône a 860 km ; l'ensemble Grand Rhône-basse-Saône et Doubs : 1 025 km. *Bassin :* 97 800 km^2, dont 90 630 en France. Couvre 20 dép. : Bouches-du-R., Vaucluse, Alpes-de-Hte-Pr., Drôme, Htes-Alpes, Isère, Savoie, Ain, Hte-Savoie, Jura, Doubs, Hte-Saône, Terr. de Belfort (plus quelques ha dans le Haut-Rhin), Gard, Ardèche, Loire, Rhône, Saône-et-Loire, Côte-d'Or, Hte-Marne.

• **Régime.** Mixte : r. alpestre par le Rhône et ses affluents de la rive gauche (Isère, Durance) qui ont leurs sources dans les glaciers ; r. tempéré atlantique ou semi-continental par la Saône et le Doubs ; r. méditerranéen par l'Ardèche et le Gard. Au total, r. abondant toute l'année : fonte des neiges alpestres avec maximum en mai-juin ; pluies d'automne avec 2e maximum en oct. ; pluies d'hiver sur le bas Rhône, avec de violentes crues d'été en cas d'orage sur le Vivarais (les « coups » de l'Ardèche).

• **Description du cours.** En Suisse, il emprunte une vallée glaciaire surcreusée (auge), de 165 km de long, orientée E.-O. et aboutissant au lac Léman, également d'origine glaciaire (prof. max. : 309 m). Au sortir du Léman et à son entrée en France, il coule plein S., se frayant un passage à travers les plis du Jura méridional (Bugey) : gorges profondes et même, entre Bellegarde (Ain) et Lucey (Savoie), disparition dans une crevasse (anciennes *« Pertes du Rhône »,* noyées depuis 1948 dans la retenue de *Génissiat*). Au sortir du Jura, coude brusque en direction du N./N.-O. qui est celle de la vallée du Guiers (phénomène de « capture », le Rhône se jetant primitivement dans l'Isère). Le cours du Guiers se poursuivait, au quaternaire, en direction du lac ou de la mer de Bresse, entre Villefranche et Bourg, mais les alluvions glaciaires de la fin du quaternaire l'ont dévié E./O. Il se fraye difficilement un chemin vers l'O. jusqu'à Lyon où il tourne à 90° vers le S., empruntant la *ria* maritime située entre Alpes et Cévennes que ses alluvions ont comblée. Après le confluent avec le Gard, commence le delta du Rhône divisé alors en 2 bras : *Petit Rhône,* à l'ouest, 14 % du débit ; 58 km : appelé anciennement Rhône majeur, car il avait alors le débit le plus important,

subdivisé à 16 km de la mer [sous-bras : Rhône Mort (21 km), appelé successivement canal de Peccais, puis *Rhône Vif*] ; *Grand Rhône* (long. : 51 km). Le delta du Rhône avance vers le S. (moy. 67 m par an ; volume des alluvions : 21 millions de m^3).

• **Affluents. Rive gauche. L'Arve** (*Aturava,* forme féminine de *Aturavos,* « l'Arroux »). *Long. :* 102 km, dont 93,5 en France (Hte-Savoie) et 8,5 en Suisse. *Source :* alt. 2 204 m, au col de Balme. *Bassin : 2 060 km^2. Débit :* moyen 35 m^3/s, max. 1 200 m^3/s. *Confluent* à Genève, Suisse. *Sous-affluent :* **le Giffre** (forme régionale de *gypière,* « carrière ») (long. 50 km ; bassin 440 km^2 ; débit moyen 77 m^3/s).

Le Guiers (latin *aquarius,* « débouché des eaux ») (formé du Guiers mort, Isère et du Guiers vif, Savoie). *Long. :* 48 km. *Bassin :* 555 km^2. *Débit :* moyen 10 m^3/s, max. 150 m^3/s. *Confluent :* St-Genix d'Aoste (Savoie).

L'Isère (nom : hydronyme double, courant en Europe : Isar, Yser ; voir Oise). *Source* 2 400 m (Mt Iseran, Savoie). *Long. :* 290 km. *Bassin :* 12 140 km^2. *Débit :* moyen 425 m^3/s, max. 2 900 m^3/s. *Point de confluence :* Valence. *Sous-affluents :* **l'Arc** (adjectif celtique formé sur le radical ligurique *ar,* voir Saône ou Arar) (long. 150 km ; débit moy. 100 m^3/s, max. 1 200). *Confluent :* St-Pierre d'Albigny (Savoie) ; **le Drac** (déformation du celtique *Drau,* doublet de *Drave,* fleuve hongrois ; étymologiquement : *dorawa,* « eau du torrent »), grossi de la **Romanche** (long. 78 km ; débit moy. 150 m^3/s, max. 1 800 m^3/s). *Confluent :* Grenoble (Isère).

La Drôme (*Drauma,* adjectif formé sur *Drau,* v. Drac, ci-dessus). *Long. :* 102 km. *Source :* Le Laup (Drôme), 1 646 m. *Bassin :* 1 735 km^2. *Débit :* moyen 15 m^3/s, max. 3 500 m^3/s. *Confluent :* Livron.

La Durance (du celtique ancien *dubro,* « eau »). *Source :* alt. 1 800 m (massif du Montgenèvе, Htes-Alpes). *Long. :* 350 km (380 km en comptant la Clairée comme branche mère). *Bassin :* 15 000 km^2 (5 dép. : Htes-Alpes, Alpes-de-Hte-P., Drôme, Var, B.-du-Rh.). *Débit :* moyen 125 à 350 m^3/s, selon les années ; max. 10 000 m^3/s. Indépendante jusqu'au quaternaire (embouchure golfe de Fos), la Durance a été déviée ensuite vers le N.-O., d'Aix à Avignon, par suite de sa capture par un affluent du Coulon. *Sous-affluent :* **le Verdon** (probablement, nom de la vallée : verdoyante) (long. 175 km ; bassin : 2 270 km^2 ; débit moy. 25 m^3/s, max. 1 430 m^3/s).

Rive droite. L'Ain [anciennement *Ouain,* cas régime (féminin) de l'Oue, ou la Loue (cf. le Loing), du latin *Odoanna ;* voir Odet]. *Source :* alt. 750 m (Nozeroy, Jura). *Long. :* 190 km, 205 en comptant la Serpentine comme branche mère. *Confluent* avec le Rhône : St-Maurice de Gourdans (Ain). *Bassin :* 4 183 km^2 (Jura, Ain). *Débit :* moyen 50 m^3/s, max. 2 500 m^3/s. L'Ain dessert la région la plus arrosée de France : 125 cm de pluies annuelles.

La Saône [appelée jusqu'au Ier s. apr. J.-C. Arar (de *ar,* « eau ») ; puis Sauconna, « source Sainte », du nom d'une de ses sources divinisées : *sawk* ou *sakw* est de la même racine que *sanctus* et *sacratus* en latin, *hagios* en grec]. *Source :* Mts Faucilles (à Vioménil, forêt de Darney à 402 m, au pied du Méamont, Vosges, 472 m) alt. 396 m. *Long. :* 482 km (647 en comptant le cours du Doubs). *Bassin :* 29 580 km^2 (9 dép. français : Vosges, Hte-Saône, Côte-d'Or, S.-et-L., Ain, Rhône, Jura, Doubs, Terr. de Belfort et 2 cantons suisses). *Débit :* moyen 432 m^3/s, max. 4 000 m^3/s. *Cours :* N.-E./S.-O. jusqu'à Chalon, en contre-bas du plateau de Langres ; à Chalon, cours N./S. de 200 km, dans le « couloir Saône-Rhône », ancienne ria maritime comblée au quaternaire. *Sous-affluents :* **l'Ognon** (déformation de Lignon, hydronyme courant) ; *source :* ballon de Servance, Vosges, alt. 695 m (long. 185 km ; *bassin :* 2 250 km^2 ; débit moyen 10 m^3/s, max. 800 m^3/s) ; *coule* du N.-E. au S.-O., parallèlement au Doubs dont il est distant de 8 à 15 km seulement ; **le Doubs** (du celtique *dub,* « noir ») ; *source* au Mt Risoux, Jura, alt. 937 m (long. 450 km ; bassin 7 826 km^2 ; débit moyen 62 m^3/s, max. 1 000 m^3/s) ; cours très irrégulier, dû à la traversée du Mt Jura : S.-O./N.-E. au début, N.-E./S.-O. à la fin : 2 anticlinaux parallèles mais en pente inverse ; entre eux, traversée de 2 cluses ; le « Saut du Doubs », à la frontière franco-suisse, a 29 m de haut.

L'Ardèche (d'*Arctica,* « la rivière aux ours »). *Plusieurs sources,* notamment à la Croix de Bauzon, Ardèche, alt. 1 537 m, et dans la forêt de Mazan, près du col de la Chavade, alt. 1 271 m. *Long. :* 112 km. *Bassin :* 2 387 km^2. *Débit :* moyen 10 m^3/s, max. 7 900 m^3/s (pente rapide, terrains imperméables, lit encaissé ; le niveau peut monter de 21 m en quelques heures). *Sous-affluent :* **le Chassezac** (d'une localité arrosée : *Casatiacum,* domaine de Casatus, déformé en Catiasacum) (long. 75 km ; bassin 560 km^2 ; débit moyen 6 m^3/s ; crues terribles).

Le Gard (ligure *gar,* « le rocher »). *Sources* nombreuses : 5 ou 6 torrents de la Lozère, nommés les *Gardons* (de 1 100 à 1 200 m d'alt.). *Long. :* 113 km, pour la branche du Gardon St-Jean, 62 km pour le Gard réuni. *Bassin :* 2 200 km^2. *Débit :* moyen 6 à 40 m^3/s, avec des crues subites de 7 000 m^3/s.

La Seine

• **Origine du nom.** Primitivement, il semble que seul le cours supérieur était appelé *Seine* [du latin *Sequana,* transcription faite par César du mot *(I)sicauna* où l'on retrouve le nom de l'Yonne : Icauna ou Icaonna (les 2 rivières étaient sans doute considérées comme jumelles) ; à cause du nom de Rouen (*Rotomagus,* mais vraisemblablement *Rhodomagus*), on peut conclure que le cours inférieur était appelé Rhodos (comme le Rhône)].

• **Statistiques.** *Long. :* 776 km. *Source* à 471 m (à St-Seine-l'Abbaye, Côte-d'Or). *Bassin :* 77 767 km^2, dont 40 km^2 en Belgique (source de l'Oise) ; le 1/7e du territoire français. *Départements drainés :* 14 (Côte-d'Or, Aube, Marne, Seine-et-M., Paris, Yvelines, Essonne, Val-d'Oise, Hts-de-Seine, Val-de-M., Seine-St-Denis, Eure, Seine-Mar., Calvados). *Débit :* moyen 375 m^3/s, max. 2 500 m^3/s.

• **Description du cours.** Jusqu'à Fontainebleau (220 km), il fait 2 coudes importants : à Marcilly (confluent avec l'Aube), il passe brusquement de la direction N.-O. à la dir. S.-E. (l'Aube étant la branche mère et coulant vers le S.-E.) ; à Moret, il se redresse vers le N. en empruntant l'ancien lit de la Loire, occupé par le Loing (cours d'eau résiduel). Après Fontainebleau, direction générale : S.-E./N.-O. jusqu'à la Manche, avec de nombreux méandres dont 8 très accusés, entre Paris et Caudebec-en-Caux (le plus sinueux des fleuves français). Influence de la marée jusqu'à Poses, au confluent de l'Andelle, à 22 km en amont de Rouen. Estuaire primitif commençant à Caudebec, mais comblé en grande partie par des vases et stabilisé par des digues. Une ligne de falaises mortes signale l'extension en largeur du lit.

• **Affluents. Rive droite. L'Aube** [du latin *alba,* « blanche », confondu avec le préceltique (ligurique) *albis,* « fleuve » – nom ancien de l'Elbe en Allemagne]. *Source* à 516 m (plateau de Langres, Hte-M.). *Long. :* 248 km. *Bassin :* 4 500 km^2 (Hte-Marne, Côte-d'Or, Aube, Marne). *Débit :* moyen 25 m^3/s, max. 348 m^3/s. *Point de confluence :* Marcilly (Marne) où elle apparaît comme la branche mère du réseau (longueur et volume supérieurs à la Seine, vallée orientée est-ouest).

La Marne (du latin *Matrona,* transcription approximative de *Matter-onna,* du ligure *matta,* « pâturage buissonneux » et *onna,* « source, rivière »). *Source* à 381 m (à 5 km de Langres, Hte-Marne). *Long. :* 525 km. *Bassin :* 12 679 km^2 (7 dép. :

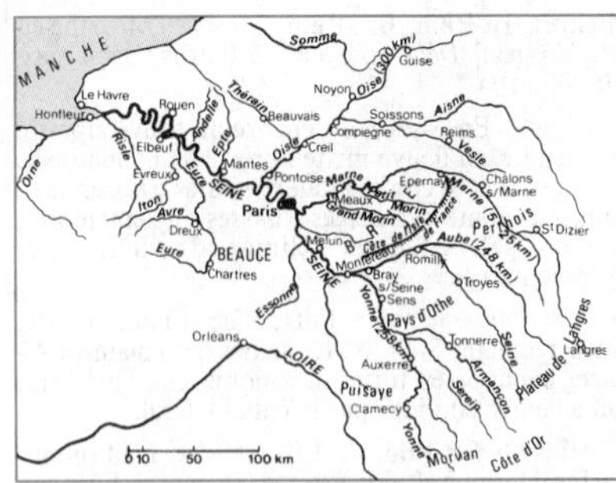

Hte-Marne, Meuse, Marne, Aisne, S.-et-M., Seine-St-D., Val-de-M.). *Débit :* moyen 36 m^3/s, max. 700 m^3/s. *Point de confluence :* Charenton (Val-de-Marne). *Sous-affluent :* **l'Ourcq** (gaulois *Aturicos :* du préceltique *atur,* voir Adour) [longueur 80 km ; bassin 1 087 km^2 (Aisne, Oise, S.-et-M.) ; débit, réduit de moitié par le canal de l'Ourcq, 1 m^3/s].

L'Oise (nom : doublet de Isère, Isar, Yser, etc., latin *Isara,* du ligure *is* ou *viz,* « rivière » et *ar,* « cours d'eau »). *Source :* en Belg., près de Chimay (Hainaut). *Long. :* 300 km pour la rivière portant le nom ; 420 km en comptant le cours de l'Aisne et de l'Aire, affluent et sous-affluent de l'Oise. *Bassin :* 16 667 km^2, dont 40 km^2 en Belgique (5 dép. fr. : Nord, Aisne, Oise, Val-d'O., Yvelines). *Débit :* moyen 55 m^3/s, max. 650 m^3/s. *Point* d'O.). *Sous-affluents :* **l'Ailette** (du ligure *el,* voir Allier). *Source* à 200 m d'alt. à 2 km de Craonne. *Long. :* 63 km. *Bassin :* 800 km^2. *Débit :* 1 m^3/s. *Confluent* à Manicamp (Aisne) ; **l'Aisne** (du latin *Axonna,* racine celtique *Akw,* « eau », suivie du ligure *onna,* « source, rivière »). *Source* à 240 m d'alt. *Long. :* 280 km (300 avec l'Aire). *Bassin :* 7 752 km^2 (Meuse, Marne, Ardennes). *Débit :* moyen 45 m^3/s. L'Aisne a capturé un des affluents de la Meuse, **l'Aire** (féminin du ligure *Ar,* voir Saône) (long. 131 km ; bassin 1 000 km^2 ; débit moyen 3 m^3/s, max. 100 m^3/s.).

L'Epte (du latin *Icta,* hydronyme préceltique *ik,* avec diminutif (?) ; doublet de *iton* ou *icton,* petit cours d'eau de l'Eure). *Source :* la fontaine d'Epte, à 5 km de Forges-les-Eaux. Alt. 190 m. *Long. :* 117 km. *Bassin :* 872 km^2 (4 départements : Seine-Mar., Oise, Eure, Val-d'Oise). *Débit :* moyen 9 m^3/s, débit max. 35 m^3/s.

Rive gauche. L'Yonne (du latin *Icauna* ou *Imgauna,* transcription des préceltiques *Inka-onna*). *Source :* Mt Préneley (Nièvre, à 855 m). *Long. :* 293 km. *Bassin :* 10 887 km^2. *Débit :* moyen 75 m^3/s, max. 1 200 m^3/s. Quand elle rejoint la Seine (à Montereau), elle lui est supérieure pour le débit, pour la longueur et pour la surface du bassin ; l'Y. est donc souvent considérée comme la branche mère du réseau ; le nom de la Seine (Is-Icauna) semble un diminutif du sien. *Sous-affluents :* **la Cure** (de l'indo-eur. *kwr,* dont dérive aussi le latin *currere,* « courir ») (longueur 109 km ; bassin 1 267 km^2 ; débit 1,6 m^3/s) et **l'Armançon** (même étymologie que *Aumance,* voir p. 596c) (long. 174 km ; bassin 2 900 km^2 ; débit 24 m^3/s).

Le Loing [nom : déformation de Louhain, cas régime de Loue (féminin) ; *Odoanna,* voir Ain et Odet ; en latin retraduit : *lupa,* « la louve », fausse étymologie populaire]. *Source :* à Ste-Colombe-sur-L. (Yonne). *Long. :* 160 km. *Bassin :* 4 150 km^2 (Yonne, Loiret, S.-et-M.). *Débit* très faible (0,8 m^3/s). Le Loing est le résidu de l'ancienne Loire coulant N.-S. et captée au quaternaire.

L'Essonne (même nom que l'Aisne, *Axonna*). *Source :* double [l'*Œuf :* étang du Grand-Veau, près de la Neuville, Loiret (alt. 130 m) et la *Rimarde :* petit étang près d'Aulnay-la-Rivière, Loiret (alt. 182 m)]. *Long. :* 90 km. *Bassin :* 1 850 km^2. *Débit :* moyen 8 m^3/s ; crue 30 m^3/s.

L'Eure (du latin *Atura ;* racine ligure *atur,* « source » – cf. Adour). *Source :* 250 m d'alt. (étang Rumieu, dans le Perche). *Long. :* 225 km. *Bassin :* 5 500 km^2. *Débit :* moyen 19 m^3/s, max. 230 m^3/s. *Sous-affluent :* **l'Avre** (gallo-latin *Avara :* de l'indo-eur. *aw,* « eau », et de *ar,* comme *Arar,* « la Saône » ; nom voisin d'Avaricum, « Bourges », située sur l'Avron) utilisée pour fournir de l'eau à Paris (long. 72 km : bassin 980 km^2 ; débit moyen 4 m^3/s, max. 5 000). *Source :* forêt du Perche (Orne). Alt. 290 m.

La Risle (du latin *Lirizina,* du préceltique *Liri* – cf. fleuve d'Italie). *Long. :* 140 km. *Bassin :* 2 310 km^2. *Débit :* moyen 10 m^3/s, max. 330 m^3/s. Se jette dans l'estuaire de la Seine à Berville-sur-Mer (considéré parfois comme fleuve côtier).

Fleuves côtiers

Mer du Nord

L'Escaut (du germanique *Schelde* – racine *schalt,* « communiquer »). *Source :* Colline du Catelet, Aisne ; alt. 100 m. *Long. :* 430 km (dont France 107, Belgique 233, Pays-Bas 90). *Bassin :* 32 000 km^2 (dont France 7 000, Belgique 20 500, P.-B. 4 500). *Débit :* moyen 25 m^3/s, max. 230 m^3/s. **Affluent : la Lys** (celtique *liga,* voir Loire ; la forme franç. vient du flam. Leye). *Source :* Plateau de Hesdin, P.-de-C. ; alt. 180 m. *Long. :* 214 km (dont France 126, frontière franco-belge 27, Belgique 88). *Bassin :* 3 910 km^2, dont France 2 750. Ancien fleuve indépendant, elle recevait l'Yser sur sa rive gauche et se jetait dans la mer du Nord à Terneuzen (P.-B.). Actuellement capturée par l'Escaut à Gand (Belgique).

Manche

La Canche (bas-latin *quantia,* « caillouteuse » ; du ligure *kant,* « rocher » ; voir Cantal, Cancale, Cancaval, etc.). *Source :* St-Pol de Ternoise (P.-de-C.), alt. 150 m. *Long. :* 97 km. *Bassin :* 1 384 km^2 (P.-de-C.). *Débit :* 1,5 m^3/s.

L'Authie (latin *altus,* « haut » : cours d'eau venant d'une hauteur). *Source :* Coigneux (Somme). *Long. :* 100 km. *Bassin :* 1 040 km^2 (+ 200 km^2 pour les marais du Marquenterre). Limite entre la Somme et le P.-de-C. *Débit :* 7 m^3/s.

La Somme (du celtique *Samara,* la « rivière tranquille », cf. Sambre). *Source :* Font-Somme, Aisne ; alt. 80 m. *Long. :* 245 km. *Bassin :* 5 530 km^2. *Débit :* moyen 35 m^3/s, max. 88 m^3/s (Aisne, Somme). *Cours :* après Péronne, nombreux faux bras et ramifications dans une vallée spongieuse et tourbeuse. **Affluent : l'Avre picarde** (même nom que l'Avre, affluent de l'Eure). *Long. :* 65 km. *Bassin :* 1 150 km^2. *Débit :* moyen 4,3 m^3/s.

L'Orne (du ligure *Otorna,* riv. de Champagne ; *Atur,* « source »). *Source :* Aunou près de Sées, plaine d'Alençon ; alt. 200 m. *Long. :* 152 km. *Bassin :* 2 570 km^2 (Orne, Calvados). *Débit :* moyen 13 m^3/s, max. 300 m^3/s. **Affluents : le Noireau** (d'après la couleur de son lit). *Long. :* 38 km. *Bassin :* 465 km^2. *Débit :* moyen 5 m^3/s, max. 32 m^3/s. **L'Odon** (racine *Olt,* voir Lot). *Long. :* 50 km. *Bassin :* 180 km^2. *Débit :* moyen 1 m^3/s, max. 30 m^3/s.

La Vire (déformation de l'Avire, latin *aquaria ;* voir Aveyron et Guiers). *Source :* St-Sauveur-de-Chaulieu (Orne). *Long. :* 118 km. *Bassin :* 1 170 km^2 (3 080, en comptant les bassins tributaires de son estuaire). *Débit :* moyen 6 m^3/s, max. 100.

La Rance (*Rancia,* adj. formé sur la racine celtique ou préceltique *ranc,* « rocher »). *Source :* Méné (C.-d'Armor). *Long. :* 100 km dont estuaire 10. *Bassin :* 1 195 km^2. *Débit :* moyen 8 m^3/s.

Le Trieux. D'une localité traversée (Pontrieux), du latin *pons,* et du celtique *Treb,* « bourg ». *Source :* Kerscoédec (C.-d'Armor). *Long. :* 71 km. *Bassin :* 850 km^2. *Débit :* 4 à 10 m^3/s.

Mer d'Iroise

L'Élorn (du breton *elo,* « peuplier » ; d'après une tradition locale : « eau de l'épouvante »). *Source :* Monts d'Arrée, à 344 m d'alt., près de Commana (Fin.). *Long. :* 37 km. *Bassin :* 272 km^2. *Débit :* 2 à 4 m^3/s (max. 7 m^3/s).

L'Aulne (formé sur la racine *el ;* voir Ill et Allier). *Source :* Lohuec (Fin.), à 326 m d'alt. *Long. :* 140 km. *Bassin :* 1 875 km^2. *Débit :* moy. 9 m^3/s, max. 80.

Atlantique

L'Odet [racine *od,* peut-être indo-européen *wod,* « eau » (voir Ain et Loing) ; ou signifierait « les rivages » (celtique)]. *Source :* Montagnes Noires, à la limite du Morbihan ; alt. 250 m. *Long. :* 56 km, dont 18 km d'estuaire (fjord large de 1 500 m). *Bassin :* 180 km^2 (Fin.). *Débit :* 7 m^3/s.

Le Blavet [diminutif de *bleu* (du francique *blabo*)] ; son estuaire forme la ria de Lorient (*long.* 15 km ; *larg. :* 2 km). *Source :* collines de Landevel (C.-d'Armor) à 306 m d'alt. *Long.* 140 km. *Bassin :* 2 615 km^2 (C.-d'Armor, Fin., Morb.). *Débit :* moyen 15 m^3/s. **Affluent : le Scorff** (déversoir d'étang, en breton). *Source :* collines de Mellionec (C.-d'Armor), alt. 283 m. *Long. :* 78 km. *Bassin :* 490 km^2 (C.-d'Armor, Morb., Fin.). *Débit :* max. 50 m^3/s ; min. 2,5 m^3/s. *Confluent :* Lorient (forme une sous-ria prolongeant la ria de Lorient).

La Vilaine (de *Visnaine,* en latin *Vicinonia ;* cf. la Vienne : *Viciniaca*). *Source :* hauteurs de la Mayenne ; alt. 153 m. *Long. :* 225 km. *Bassin :* 10 882 km^2 (Mayenne, Ille-et-V., Côtes-d'Armor, Loire-Atl.,

Morbihan). *Débit :* moyen 80 m³/s, max. 800 m³/s. À Redon commence la *Vilaine maritime* (50 km) sensible à la marée et navigable. **Affluents.** Rive gauche : **l'Ille** (avant la construction du barrage d'Arzal, long. 40 km, utilisée pour alimenter le canal d'Ille-et-Rance entre Vilaine et Manche. Rive dr. : **l'Oust** (déformation de *oult*). *Source :* plateau de Rohan, C.-du.N., à 25 km de la Manche, alt. 320 m. *Long. :* 155 km. *Bassin :* 3 630 km² (C.-d'Armor, Morb., I.-et-V.). *Débit :* moyen 25 m³/s, max. : peu de crues. Sensible à la marée sur 1,5 km.

La Charente (du ligure *car,* « roche » et *onna,* « source »). *Source :* à Chéronnac, près de Rochechouart, Hte-Vienne, alt. 300 m. *Long. :* 361 km. *Bassin :* 10 000 km² (Hte-V., Vienne, Charente, Charente-M., Dordogne, D.-Sèvres). *Débit :* moyen 95 m³/s, max. 300 m³/s.

La Seudre [devrait être masculin : St-Laurent-du-Seudre ; nom d'une localité traversée, Seudre (Ch.-M.) : gaulois *Solodurum,* même origine que Soleure (Suisse)]. *Source :* St-Genis (Ch.-M.), à 60 m d'alt. *Long. :* 60 km. *Bassin :* 855 km². *Débit :* faible, mais aboutit à un estuaire profond, la baie de Seudre.

L'Adour (du ligure passé par l'ibéro-basque, *Aturra,* « la source »). *Source :* col du Tourmalet, Htes-Pyr. ; alt. 1 931 m. *Long. :* 335 km. *Bassin :* 17 020 km² (Htes-Pyr., Pyr.-Atl., Gers, Landes). *Débit :* moyen 150 m³/s, max. 1 500 m³/s. **Affluents : les gaves** (en basque : *Gabarra,* du celtique *gab,* « ravin », ligurique *ara,* « cours d'eau ») de Pau (180 km) et d'Oloron [formé des gaves d'Ossau (48,5 km) et d'Aspe (48 km)].

Méditerranée

Le Tech (gallo-romain *Tichis,* d'après une racine hydronymique très ancienne). *Source :* Roque-Couloum, Pyr.-Or. (2 500 m). *Long. :* 79 km. *Bassin :* 937 km² (P.-O.). *Débit :* moy. 5 m³/s, max. 4 500 m³/s.

Le ou la Têt (latin *Tetum,* cité par Pline ; origine inconnue). *Source :* Puig de Prigue, Pyr.-Or. (2 810 m). *Long. :* 120 km. *Bassin :* 1 550 km² (P.-O.). *Débit :* moy. 7,5 m³/s, max. 3 600 m³/s.

L'Agly (adj. latin *aquilinus,* « peuplé d'aigles »). *Source :* Pech de Bugarach, Aude (1 231 m). *Long. :* 80 km (103 en comptant la Boulzanne comme branche mère). *Bassin :* 1 105 km² (Aude, P.-O.). *Débit :* moy. 0,6 m³/s, max. 1 800 m³/s.

L'Aude (*Elita,* adj. formé sur la racine ligurienne *el,* « arbre »). *Source :* lac d'Aude, Pyr.-Or. (2 377 m). *Long. :* 223 km. *Bassin :* 5 340 km² (P.-O., Ariège). *Débit :* moy. 62 m³/s, max. 3 000 m³/s.

L'Orb (préceltique *Orobis,* cf. *Orobia,* « Orge », dans l'Essonne). *Source :* le Bouviala, Aveyron (884 m). *Long. :* 145 km. *Bassin :* 1 400 km² (Aveyron, Hérault). *Débit :* moy. 25 m³/s, max. 2 500 m³/s.

L'Hérault (*Araris,* même nom que la Saône). *Source :* Aigoual, Gard (1 567 m). *Long. :* 160 km. *Bassin :* 2 900 km² (Gard, Hérault). *Débit :* moy. 50 m³/s, max. 4 000 m³/s (crues soudaines).

Le Vidourle (dérivé du radical *vendo,* voir Vienne). *Source :* St Roman de Codières, Gard (525 m). *Long. :* 85 km. *Bassin :* 1 335 km² (Hérault, Gard). *Débit :* moy. 3,5 m³/s, max. 1 500 m³/s.

L'Argens (rad. préceltique *ar* + celt. *gwenn,* « blanc »). *Source :* Seillans, Var (270 m). *Long. :* 116 km. *Bassin :* 2 678 km² (Var). *Débit :* moy. 10 m³/s, max. 600 m³/s.

Le Var (racine ligurienne conservée en basque *Ibar,* « vallée »). *Source :* Entraunes, Alpes-M. (1 800 m). *Long. :* 120 km. *Bassin :* 2 742 km² (Alpes-M.). *Débit :* moy. 50 m³/s, max. 5 000 m³/s. **Affluents : l'Esteron, la Vésubie** (48 km), **la Tinée** (72 km), **le Cians** (25 km).

La Roya (latin *rubea,* « rouge »). *Source :* Col de Tende, Alpes-M. (1 875 m). *Long. :* 60 km, dont 45 en France. *Bassin :* 560 km² dont 410 en France (Alpes-M., se jette dans la mer à Vintimille, Italie). *Débit :* moy. 8,5 m³/s, max. 1 130 m³/s.

Plans d'eau douce

Plans d'eau naturels. 1 618 de 10 ha au min., soit *151 lacs* (50 000 ha), dont (en ha) : partie franc. (23 900) du lac Léman (58 396), Le Bourget 4 462, Annecy 2 700, Aiguebelette 545, Raviège 403, St-Point 400, Paladru 390, Viam 189, Nantua 143, Gérardmer 117, Laffrey 110, Pierre Chatel 101, Marceney et Larrey 100 ; et *1 227 étangs* (130 000 ha), dont (en ha) étangs de Cazaux et Sanguinet 5 800, Der 4 800, Biscarrosse et Parentis 3 450, Carcans 2 611 (avec Hourtin 3 620), Lacanau 2 000, Soustons 650, Gondrexange 650, Léon 450, Aureilhan 344, Duc (Ploermel) 240, Blanc 194, Vaux 177, Puits 150, la Gabrière 110, Landes 102, la Blissière 100 [sans compter étangs salés comme Berre 11 500, Thau 7 500...]. Voir Index (lacs).

Lacs de retenue électrique d'E.D.F. 240, dont réservoir de Serre-Ponçon 3 000, barrage de Ste-Croix 2 300, r. de Pareloup 1 200, b. de Vassivière 1 100, b. de St-Étienne-Cantales 562, b. Grangent 500, b. St-Cassien 400, b. de Guerledan 400.

Réseau artificiel pour le canal du centre Torcy Neuf 198.

Départements ayant la plus grande superficie de plans d'eau (en km²). Bouches-du-Rhône 387, Ain 268, Gironde 251, Hérault 236, Htes-Alpes 210, Loire-Atlantique 177, Indre 125, Charente-Mar. 122.

Côtes

Définitions

• **Littoral.** Bande large de plusieurs km qui comprend l'ensemble des cantons côtiers et en mer la largeur des eaux territoriales (12 milles marins).

• **Rivage.** « Sera réputé bord et rivage de la mer tout ce qu'elle couvre et découvre pendant les nouvelles et pleines lunes, et jusques où le grand flot de mars se peut étendre sur les grèves » (ordonnance d'août 1681, art. 1). Cette limite correspond « au point jusqu'où les plus hautes mers peuvent s'étendre à l'absence de perturbations météorologiques exceptionnelles ». **Estran.** Zone comprise entre les plus hautes mers et les plus basses mers. **Trait de côte.** Représente la ligne des plus hautes mers et délimite la ligne supérieure de l'estran. **Laisse de basse mer.** Ligne définie par la limite des plus basses mers. **Lais.** Terres nouvelles : les lais sont formés par dépôts d'alluvions sur le rivage. **Lignes de base.** Tracées pour définir la limite des eaux territoriales. Constituées par une ligne brisée comprenant, selon la géomorphologie du rivage, les laisses de basse mer, les lignes droites et les lignes de fermeture de baie qui sont tracées par décret du ministre chargé des transports. **Eaux territoriales.** S'étendent sur 12 milles à partir des lignes de base vers la mer. L'espace aérien, le sol et le sous-sol des eaux territoriales sont sous la souveraineté de l'État français. **Zone économique des 200 milles.** S'étend sur 188 milles au-delà des limites de la mer territoriale : les États riverains y exercent des droits privilégiés, voire exclusifs, dans certains domaines : l'exploration et l'exploitation des ressources naturelles, biologiques ou non du fond de la mer, du sous-sol et des eaux adjacentes.

• **Accès au rivage.** Le libre accès est un droit inaliénable. La loi du 31-12-1976 a institué une servitude de passage afin de favoriser la circulation des piétons le long du littoral et de permettre l'accès aux plages. 1 600 km env. de cheminements piétons sont ouverts au public.

Sentier du douanier. *Origine.* Ordonnance sur la Marine de Colbert de 1681. *Article 1 :* voir ci-dessus. *Art. 2 :* faisons défense à toutes personnes de bâtir sur les rivages de la mer, d'y planter aucune pierre, ni laisser aucun ouvrage qui puisse porter préjudice à la navigation à peine de démolition des ouvrages, de confiscation des matériaux et d'amende arbitraire ». Colbert voulait favoriser la navigation et non permettre la libre circulation le long des rivages, mais les chemins ainsi créés permettent le passage du public.

1976-*31-12,* loi instituant le droit de passage des promeneurs le long du bord de mer. **1977**-*7-7* décret, et **1978**-*20-10* circulaire, la complètent. « Les propriétés privées sont grevées sur une bande de 3 m de largeur d'une servitude destinée à assurer exclusivement le passage des piétons. » 3 m à partir de la limite du domaine public maritime [depuis l'arrêt Kreitman du 12-10-1973 du Conseil d'État, la limite du Domaine public maritime (D.P.M.) est fixée « au point jusqu'où les plus hautes mers peuvent s'étendre en l'absence de perturbations météorologiques exceptionnelles » (définition valable pour départements et territoires d'outre-mer)]. La loi exclut 15 m de terrain entourant les habitations construites avant le 1-1-1976, et les terrains attenant à des maisons, entièrement clos par des murs. Le promeneur peut donc, en application de la loi, franchir grillages et clôtures légers qui sont dans la zone des 3 m, mais pas les murs seuls.

1979-*26-6* décret : sont interdits toute construction nouvelle, camping ou caravaning, à moins de 100 m d'un rivage. Toute construction de logement sur le domaine public maritime, les clôtures entourant les plages en concession, les routes de lido ou de front de mer, le stationnement des voitures sur plages et dunes. Lors des renouvellements des concessions de plages, les surfaces concédées seront réduites. Les plages de – de 100 m en Méditerranée et de – de 300 m ailleurs devront être librement accessibles. Les concessions n'y seront pas renouvelées.

Quelques chiffres

• **Longueur.** *Totale : 1 600 km en ligne droite* (long. totale des 3 côtés maritimes de l'Hexagone) ; *3 120 km en tenant compte des sinuosités* [mer du Nord et Manche 605 (1 120), Atlantique 390 (615), Méditerranée 605 (1 385) ; il n'y a que 2 péninsules fortement découpées : Cotentin et Bretagne] ; *4 458 km en tenant compte des estuaires* (756 km) ; 5 533 km ; des îles et îlots (582 km). *Offre* (compte non tenu de l'urbanisation) 1 948 km de plages (35 %), 1 316 km de marais et vasières (24 %), 1 548 km de côtes rocheuses découpées (28 %), 721 km de falaises (13 %).

• **Recul des côtes.** 850 km du littoral français reculent de plus de 1 m par an. *Raisons :* 1) l'élévation lente du niveau de la mer (fonte de la calotte glaciaire antarctique) due au réchauffement de la basse atmosphère, expliqué par l'augmentation de sa teneur en gaz carbonique consécutive à l'utilisation croissante de combustibles fossiles (pétrole, gaz...). 2) exploitation des matériaux meubles des dunes et des plages destinés à la voirie et à la construction. 3) Disparition en Méditerranée des prairies à posidonies qui jouent un rôle de brise-lames mais sont sensibles au rejet en mer des matériaux solides et des polluants chimiques, notamment dans le Var.

Exemples : à l'est de Dunkerque recul de + de 30 m entre 1947 et 1977 (le nouveau port de Dunkerque a accentué cette tendance entraînant des érosions de plus de 1 m par an). *Pays de Caux* destruction des falaises calcaires 800 000 à 900 000 m³ par an entre Antifer et la baie de Somme. *Bretagne* rive sud de la baie d'Audierne 150 m entre 1952 et 1969. *St-Hilaire-de-Riez* (Vendée), un ensemble Merlin, construit il y a 10 ans, est menacé par l'érosion maritime. *Côte d'Arvent* à l'entrée de la Gironde, reculs moyens de 18 m, parfois 35 (le phare de la Coubre a dû être reconstruit plusieurs fois). *Côte des Landes* de 1 à 3 m par an. *Plage de Fréjus* a reculé à l'ouest de 100 m au XIXᵉ siècle.

• **Occupation du littoral. Espaces : urbanisés** 51 % dont 960 km de façon dense et 1 844 km de zones de mitage (Alpes-Mar. 92 %, Loire-Atl. 86 %, Nord 80 %, Bretagne 70 %) ; **non urbanisés** 37 % des plages, 24 des marais et vases, 17 des côtes découpées, 22 des falaises, 30 des côtes rocheuses. Sur une longueur continue de 2 000 m au moins et sur une profondeur de 500 au moins : 1 272 km soit 23 %, dont ouest 21 %, Méditerranée 26 % (13 % sans la Corse). *Espaces naturels continus sur 2 km de longueur et 2 km de profondeur :* 5,6 % pour l'ensemble du littoral dont Océan 230 km (dont 152 km dans les dunes d'Aquitaine), Méditerranée (hors Corse) 17,5 km, Bretagne et Normandie 0 km. *Composition : zones sableuses* (dunes essentiellement) 80 %, *falaises* 10 %.

Peuplement permanent. 5 270 000 (1975, communes littorales) soit 10 % de la population sur 3 % du territoire, 35 % dans 5 grandes villes (Marseille, Nice, Le Havre, Toulon et Brest), 25 % dans 35 villes de 20 000 à 100 000 h. - de 8 % dans les communes de moins de 2 000 h. **Non permanent :** l'été, la population double ou quadruple (Loire-Atl., Vendée, Ch.-Mar., Gironde, Languedoc-Roussillon), ou même décuple dans des petites communes, et celles situées dans les zones les plus naturelles (Vendée, Gard, Somme).

Description

• **1° Mer du Nord.** *De la frontière belge à Sangatte* (60 km E.-O.) : côte basse, sablonneuse, rectiligne, avec des dunes. *De Sangatte au cap Gris-Nez* (15 km N.-E./S.-O.) : falaises calcaires du Boulonnais (134 m de haut).

• **2° Manche. Du cap Gris-Nez à Audresselles** (7 km N.-S.) : falaises calcaires du Boulonnais. *D'Audresselles à Boulogne* (10 km N.-S.) : cordon littoral submergé. **De Boulogne à Ault** (80 km N.-S. puis N.-E./S.-O.) : basse et sablonneuse (dunes du Marquenterre, 49 m). Estuaires : Authie, Canche, Somme ; dite côte d'Opale (vers Le Touquet). **D'Ault au Havre** (120 km N.-E./S.-O., puis N.-S.) : falaises de craie du Pays de Caux (alt. max. Mt Joli-bas 140 m ; dénivellation max. cap d'Antifer, 110 m), dite **côte d'Albâtre** du Tréport au Havre. **Du Havre à Honfleur** (creux de 20 km de profondeur et de 14 km de large) : estuaire de la Seine : plat, envasé et endigué, laissant 2 lignes de falaises mortes au N. et au S. **De Honfleur à St-Vaast-La Hougue** (110 km E.-O., puis 35 km N.-S.), « baie de la Seine » : alternance de plages sablonneuses et de falaises basses et friables (terrains sédimentaires de Normandie) ; échancrures : estuaires de l'Orne, de la Vire (envasé) ; dite côte fleurie (v. Deauville). **De St-Vaast-La Hougue au cap de la Hague** (50 km en ligne droite S.-E./N.-O.) : nombreuses sinuosités : pointes de Saire, de Barfleur ; cap Lévy, rade de Cherbourg ; falaises cristallines (granitiques) de la presqu'île du Cotentin ; dite côte de Nacre (Cherbourg).

De la Hague à Avranches (110 km N.-S.) : côte de la Déroute : profondeur max. des eaux territoriales fr. (Raz Blanchard, entre la Hague et Aurigny, 172 m). Falaises granitiques à l'ouest du Cotentin : Nez de Jobourg, pointe du Roc à Granville ; échancrures : baies de Barneville, d'Avranches. **D'Avranches à Cancale** (40 km E.-O.) : baie du Mt-St-Michel : basse, rectiligne, envasée ; Mt-St-Michel : avancée granitique, devenue insulaire. **De Cancale au cap Fréhel** (45 km E.-O. en ligne droite) : très fortes découpures et échancrures : rias de la Rance, de l'Arguenon ; baie de la Frénaye, pointe du Grouin, de St-Cast ; nombreux îlots et récifs ; côte granitique appelée **côte d'Émeraude** ou « baie des caps ». **Du cap Fréhel à Paimpol** (60 km S.-E./N.-O. en ligne droite ; 40 km N.-E./S.-O. jusqu'au fond de la baie de St-Brieuc, puis 50 km à angle droit S.-E./N.-O. jusqu'au sillon de Talbert) ; baie de St-Brieuc : falaises moins hautes et moins découpées entrecoupées de plages. **De Paimpol à Trébeurden** (55 km E.-O. en ligne droite) : fortes découpures et échancrures : rias du Trieux et de Tréguier, pointe de l'Arcouest, sillon de Talbert, pointe du Château ; nombreux îlots et récifs, île de Bréhat ; **côte des Roches :** chaînons granitiques attaqués par l'érosion ; côte de granit rose (Perros-Guirec). **De Trébeurden à Roscoff** (35 km E.-O. en ligne droite) : baies de Lannion et de Morlaix : falaises rondes, galets et sables ; échancrures : rias de Morlaix, du Penz, île de Batz. **De Roscoff à la pointe St-Mathieu** (100 km N.-E./S.-O., en ligne droite ; d'abord 60 km E.-O. jusqu'à Argenton, puis 40 km N.-S.) : côte du Léon : falaises granitiques déchiquetées ; échancrures : Aber Wrac'h, Aber Benoît, Aber Ildut ; nombreux îlots, île d'Ouessant.

• 3° Atlantique. **De St-Mathieu à la pointe de Penmarch** (70 km en ligne droite, 300 km avec les sinuosités) : **côte des Promontoires** (Finistère) ; bras de mer : l'Iroise ; rade de Brest (sup. : 15 000 ha ; long. max. : 23 km ; larg. max. : 18 km ; pourtour : 70 km), baie de Douarnenez (larg. à l'entrée : 8 km ; max. : 16 km ; profondeur : 20 km ; dite côte des Légendes), séparées par la presqu'île de Crozon (pointes du Diable, du Toulinguet, de Pen-lui ; cap de la Chèvre) ; baie d'Audierne, au S. de la pointe du Raz (île de Sein) ; échancrures ; rias de l'Elorn (Brest) et de l'Aulne, falaises hautes et massives. **De Penmarch à l'estuaire de la Vilaine** (160 km N.-O./S.-E.) : côte sud de la péninsule armoricaine : basse et souvent sablonneuse ; échancrures profondes : estuaire de l'Odet (Quimper), du Blavet (Lorient), rivière d'Etel, golfe du Morbihan ; presqu'île de Quiberon. **De la Vilaine à l'île de Noirmoutier** (80 km en ligne droite ; 250 km en comptant les creux de la Loire et de la baie de Bourgneuf) : côtes de roches anciennes envasées par les alluvions de la Loire : « Grand estuaire de la Loire » : baie de La Baule, pointe de St-Gildas, goulet de Fromentine au fond de la baie de Bourgneuf, entre le continent et la pointe de la Fosse, île de Noirmoutier [« Marais breton », très envasé ; dite côte d'Amour (La Baule)].

De Noirmoutier à Royan (220 km N.-O./S.-E.) : côtes de Vendée, basses, souvent sablonneuses avec dunes ; îles d'Yeu, de Ré, d'Oléron ; îlots d'Aix ; échancrure : Marais poitevin, ancien golfe comblé par les alluvions de la Sèvre Niortaise ; embouchures de la Charente et de la Seudre ; pointes de Chassiron (île d'Oléron) et de la Coubre ; dite côte de Jade (Les Sables d'O.), d'Argent ou de Beauté (Royan). **De la pointe de la Coubre à la pointe de la Négade** (35 km N.-N.-O./S.-S.-E.) : estuaire de la Gironde : long. : 80 km, largeur : diminue jusqu'à 5 km en face de Blaye. Pointe de Grave en face de Royan (long. 10 km ; réduit la Gironde à un goulet de 5 km) : baie du Verdon, au S. de Grave. **De la Négade à Biarritz** (225 km N.-S.) : **côte des Landes :** rectiligne, sablonneuse avec dunes et étangs littoraux (alt. max. des dunes 89 m) ; étang de Cazaux ; échancrures : bassin d'Arcachon (à l'E. du cap Ferret) ; estuaire de l'Adour (Bayonne) ; l'ancien lit de l'Adour, à Capbreton, a creusé un « gouf », canyon sous-marin de 1 500 m de profondeur à 50 km du rivage (*5 km :* 375 m ; *16 km :* 574 m ; *37 km :* 1 000 m). **De Biarritz à la frontière esp.** (35 km N.-E./S.-O.) : côte rocheuse, falaises schisteuses et rectilignes : **côte basque :** échancrures : baie de St-Jean-de-Luz, estuaire de la Bidassoa (du basque *bide oxoa,* « chemin aux Ours »).

• 4° Méditerranée. **De la frontière esp. à Collioure** (20 km S.-E./N.-O.-O.) : **côte des Albères :** falaises et rochers des contreforts pyrénéens ; corniche découpée : cap l'Abeille, cap Béard ; échancrures de Port-Vendres et Collioure. **De Collioure à Port-de-Bouc** (230 km S.-N. jusqu'à Port-la-Nouvelle ; S.-O./N.-E. jusqu'à Port-de-Bouc) : basse, alluviale, avec cordons littoraux et étangs ; échancrures : étang de Leucate, étang de Vaccarès (Camargue), golfe de Fos (Camargue) ; promontoire : cap d'Agde, ancienne île volcanique englobée dans le littoral. Le delta du Rhône avance de 50 m par an. **De Port-de-Bouc au Bec de l'Aigle** (60 km N.-O./S.-E., en ligne droite ; 100 km avec les sinuosités) : côte marseillaise : falaises calcaires découpées (Calanques) ; échancrures ; étang de Berre (communiquant avec la mer par un étroit chenal, dans l'étang de Caronte) ; rade de Marseille, avec les îles d'If, de Pomègues, de Ratonneau ; baie de Cassis ; promontoires ; cap Couronne, cap Croisette avec l'archipel des îles du cap Croisette, Bec de l'Aigle.

Du Bec de l'Aigle à la frontière italienne (180 km S.-O./N.-E., en ligne droite ; nombreux changements de direction) : **Côte d'Azur,** divisée en 4 parties : **a) Du Bec de l'Aigle à Giens** (45 km O.-E. en ligne droite) : côte toulonnaise, de part et d'autre de la péninsule du cap Sicié (long. : 12 km) ; à l'ouest, baies de La Ciotat et de Bandol ; à l'est, rade de Toulon ; promontoire : cap Céret se détachant de la péninsule de Sicié (longueur : 6 km) : contreforts des Alpes tombant à pic dans la mer (Mts de Toulon, 800 m ; dite côte vermeille (Canet), d'Améthyste (Stes-Maries), des Calanques (Sanary). **b) De Giens à Fréjus** (70 km S.-O./N.-E., coupés par la péninsule de St-Tropez E.-O., S.-N., O.-E.) : **côte des Maures :** massif cristallin ancien attaqué par l'érosion ; promontoires : presqu'île de Giens, cap Bénat ; les 6 caps de la péninsule de St-Tropez (notamment Camarat et St-Pierre), cap Magnat ; échancrures : baies de Cavalaire et de Pampelonne, golfe de St-Tropez, baie de Fréjus ; archipel d'Hyères. A l'est de la presqu'île de Giens, côte basse (16 km N.-S.) le long de la plaine d'Hyères. **c) De Fréjus au Var** (50 km S.-O./N.-E.) : **côte de l'Esterel :** roches volcaniques (porphyre) tombant à pic dans la mer : falaises massives ; échancrures : golfe de La Napoule (Cannes) et golfe Juan, séparés par le cap de la Croisette et les îles de Lérins ; promontoires : pointe de l'Esquillon, péninsule du cap d'Antibes (longueur 6 km). **d) Du Var à la frontière ital.** (30 km S.-O./N.-E.) : **Riviera** niçoise : Alpes maritimes tombant dans la mer ; escarpements élevés (corniches) ; échancrures : baie des Anges (Nice), rade de Villefranche ; promontoires : péninsule du cap Ferrat avec la presqu'île de l'Hospice (long. 4 km) ; cap Martin. Les alluvions du Var ont comblé en partie la baie des Anges (plaine côtière).

Conservatoire du littoral et des rivages lacustres

Fondé le 10-7-1975. Établissement public à caractère administratif. Compétence limitée aux cantons côtiers et aux communes riveraines des lacs et plans d'eau d'une superficie au moins égale à 1 000 hectares (Der, Chantecoq, Forêt d'Orient, Vouglans, le Léman, Annecy, Le Bourget, Serre-Ponçon, Sainte-Croix-du-Verdon, Sarrans, Bort-les-Orgues, Pareloup et Vassivière), concerne 20 régions, 40 départements, 388 cantons et plus de 1 000 communes, sur un littoral de 5 500 km (7 700 avec les départements d'outre-mer).

Mission. Politique foncière de sauvegarde des espaces naturels et des paysages maritimes et lacustres. Par convention, la gestion des terrains acquis est confiée aux collectivités locales (communes et départements) ou à des associations de protection de l'environnement. L'Office national des forêts apporte son concours technique pour entretien et aménagement des espaces boisés. Le conseil d'administration du Conservatoire définit les programmes d'acquisition après avis des Conseils de rivage. Un terrain acquis ne peut être aliéné (sauf procédure exceptionnelle nécessitant une majorité qualifiée du conseil d'administration et un décret en Conseil d'État).

Budget (millions de F). Crédit de paiement disponibles *1985 :* 80. *86 :* 80. *87 :* 75,3. *88 :* 77. *89 :* 73,8. Bénéficie aussi des concours des régions et départements et des particuliers (le Conservatoire est habilité à recevoir tous dons et legs : « Fondation Conservatoire du littoral », 72, rue Regnault, 75013 Paris).

Acquisitions. 1976 (1re : 23-12) à 1989 ; 33 000 ha concernant 260 sites et 450 km de rivages (6 % du rivage français), coût : 719 MF.

Terrains acquis les plus étendus (en ha). Les Agriates (Hte-Corse) 4 399, La Côte Bleue (B.-du-R.) 3 136, Étang de Vic (Hér.) 1 341, Eccica (Corse-du-S.) 1 271, Les Combots d'Ansoine (Ch.-M.) 954, L'Étang de Canet (Pyr.-Or.) 894, Les Éouvières (Var) 808, La Palissade (B.-du-R.) 702, Senetosa (Corse-du-S.) 603, Anse Couleuvre (Martin.) 509, Pointe de Ceppo Étang du Loto (Haute-Corse) 506, Roccapina (Corse-du-S.) 503 ha.

Géographie humaine (population)

Population française

Caractéristiques

• Moyennes nationales. **Taille. Conscrits** (taille moyenne) : *1939 :* 1,66 m., *1980 :* 1,74 m. Parmi les causes de cet accroissement la bicyclette qui a permis aux jeunes gens d'aller chercher plus loin leurs conjoints et de réduire ainsi les mariages consanguins. **Étudiants,** en 1974 plus grands (1,78 m) que les manuels (1,73 m). Les enfants des VIIIe et XVIe arr. de Paris (quartiers bourgeois) avaient en moy. 2 à 4 cm de plus que ceux des XIIIe et XIXe. Raisons : régime alimentaire plus équilibré, hygiène améliorée, travail moins dur, union des parents plus diversifiée (génotypes plus dissemblables).

Françaises : *1939 :* 1,59 m., *1975 :* 1,65 m. Tour de taille en 1939 (et 1975) : 88 (86) cm, hanches 93 (96) cm.

Nains. – *de 1,40 m :* 5 000 à 6 000.

Poids moyen (1970, en kg). *Hommes* 72,2 (*20 à 29 a :* 69,8, *50 à 59 a :* 74,4). *Femmes* 60,6 (*20 à 29 a :* 55,7, *50 à 59 a :* 64,2).

Yeux (en %). Bleu ou gris-bleu, entre parenthèses gris, en italique foncés. Nord-E. 41 (13) *46.* Paris et rég. par. 34 (9) *57.* Nord-O. 29 (20) *51.* Sud-E. 25 (11) *64.* Sud-O. 23 (14) *63. Moyenne* 31 (14) *55.*

Cheveux. Blonds diminuent. Roux : *1965* 0,6 %, *1972* 0,3 % (Moselle 5,4 %, Corse 3,1 %).

• Par régions. **Nord :** stature haute, cheveux et yeux très clairs, méso-brachycéphale. **Est :** stature très haute, cheveux et yeux foncés, méso-brachycéphale. **Sud :** stature faible, cheveux et yeux foncés, brachycéphale. **Noyau breton :** stature faible, cheveux plus ou moins clairs, yeux clairs, assez brachycéphale (voir p. 105b). **Noyau basque :** stature haute, cheveux très foncés, yeux clairs, assez brachycéphale. **Bande pyrénéo-méditerranéenne :** stature moyenne, cheveux et yeux très foncés, méso-dolichocéphale.

Évolution

Perspectives

Année	Hypothèse a	Hypothèse b
1990	56 085 000	55 046 000
1995	57 262 000	56 662 000
2000	58 240 000	56 005 000

Nota. – Hypothèse a : descendance finale 2,1 enfants par femme, pour les générations 1970 et les générations suivantes (remplacement assuré). *Hypothèse b :* descendance finale 1,8 enfant par femme.

☞ En 1986, l'hypothèse basse (1,8 enfant par femme) était de 58 millions d'habitants en l'an 2000. La population augmente ensuite de 1 million d'hab. puis diminue.

Population totale

Le premier document officiel valable est de 1794.

15000 av. J.-C.	50 000	1960	45 465 000
5000 av. J.-C.	500 000	1968	49 795 010[2]
2500 av. J.-C.	5 000 000	1970	50 770 000
Sous César	6 700 000	1975	52 658 253[3]
Clovis	12 200 000	1980	53 731 400[4]
Charlemagne	8 800 000	1981	54 028 600[4]
1226	16 000 000	1982	54 335 000[5]
1345	20 200 000	1983	54 625 700[4]
1357-1453	16 600 000	1984	54 830 900[4]
1457	19 700 000	1985	55 062 500[4]
1594	18 500 000	1986	55 278 400[4]
1700	21 000 000	1987	55 510 000[4]
1715	19 200 000	1988	55 750 000[4]
1740	24 600 000	1989	55 017 000
1789	27 600 000	1990	56 016 958[5]
1810	30 000 000	1991	56 561 000
1850	35 630 000	2000	57 600 000
1900	38 990 000[1]	2010	57 900 000
1920	39 000 000	2020	57 200 000
1939	41 900 000	2025	56 500 000
1950	41 740 000		

Nota. – (1) Sans l'Alsace-Lorraine. (2) Recensement d'avril. (3) Recensement février-mars (l'INSEE avait prévu 52 733 000). (4) Au 1-1. (5) Recensement.

Population (en milliers) au 1-1-1991

(évaluation provisoire fondée sur les résultats du recensement de 1990. *Source :* INSEE)

ÂGE EN ANNÉES RÉVOLUES	Hommes	Femmes	ÂGE EN ANNÉES RÉVOLUES	Hommes	Femmes
0	388	370	50	273	268
1	380	364	51	292	290
2	380	363	52	290	289
3	381	364	53	290	291
4	389	370	54	290	294
0-4	*1 918*	*1 831*	*50-54*	*1 435*	*1 432*
5	385	367	55	288	296
6	382	365	56	295	306
7	377	360	57	288	302
8	403	384	58	296	314
9	408	387	59	294	315
5-9	*1 956*	*1 864*	*55-59*	*1 460*	*1 533*
10	407	387	60	293	318
11	387	366	61	278	306
12	378	356	62	275	308
13	382	361	63	266	302
14	370	351	64	261	303
10-14	*1 925*	*1 821*	*60-64*	*1 373*	*1 537*
15	383	364	65	256	303
16	411	392	66	243	295
17	439	420	67	239	294
18	450	430	68	232	292
19	449	431	69	234	299
15-19	*2 132*	*2 036*	*65-69*	*1 204*	*1 484*
20	434	416	70	230	297
21	427	412	71	135	179
22	421	403	72	115	157
23	421	411	73	97	138
24	429	422	74	87	127
20-24	*2 131*	*2 070*	*70-74*	*665*	*899*
25	432	423	75	103	156
26	437	432	76	144	227
27	432	430	77	138	220
28	420	418	78	129	213
29	427	427	79	111	193
25-29	*2 148*	*2 130*	*75-79*	*625*	*1 009*
30	419	421	80	105	191
31	425	427	81	94	180
32	419	419	82	84	168
33	421	423	83	72	150
34	419	422	84	62	137
30-34	*2 102*	*2 112*	*80-84*	*417*	*826*
35	418	424	85	54	122
36	421	424	86	45	107
37	418	420	87	37	92
38	427	426	88	30	81
39	427	423	89	24	68
35-39	*2 112*	*2 116*	*85-89*	*190*	*470*
40	443	436	90	17	53
41	444	436	91	12	41
42	446	434	92	9	31
43	442	429	93	6	23
44	421	409	94	4	18
40-44	*2 197*	*2 145*	*90-94*	*48*	*167*
45	322	313	95 ou +	7	34
46	317	309			
47	313	304	**Total**	**27 554**	**28 982**
48	291	282			
49	264	257	-de 20	7 931	7 551
45-49	*1 508*	*1 465*	20 à 64	16 466	16 541
			65 ou +	3 156	4 890

Répartition de la population totale au 1-1-1991 suivant le sexe et l'âge
Effectifs des classes d'âges (en milliers)

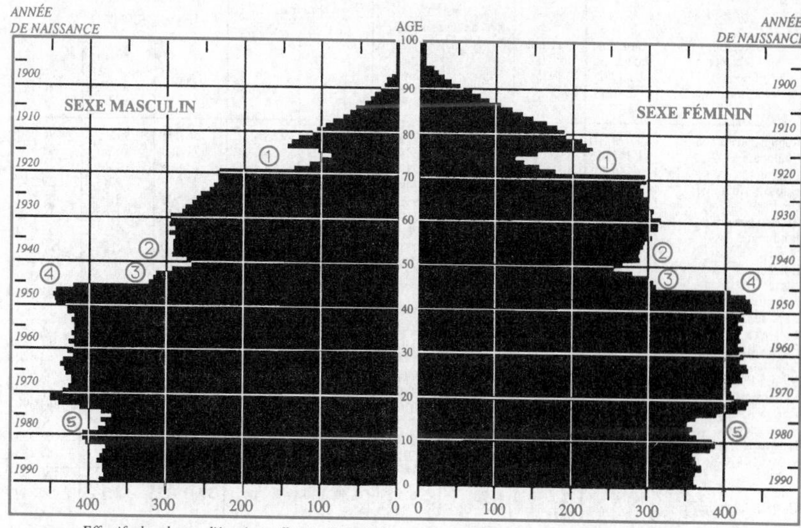

Effectifs des classes d'âge (en milliers) : (1) Déficit des naissances dû à la guerre 1914-18 (classes creuses). (2) Passage des classes creuses à l'âge de fécondité. (3) Déficit des naissances dû à la guerre 1939-45. (4) « Baby boom ». (5) Non-remplacement des générations.

Années	Nombres					Taux pour 1 000				
	Population [1]	Mariages [2]	Nés vivants [2]	Décédés [2]	Excédent naiss. sur décès [2]	Nuptialité [3]	Natalité [4]	Mortalité [5]	Accroiss. naturel [6]	Mortal. inf. [7] (taux rectifié)
1861-1865	37 700 000	301 800	1 005 000	861 700	+ 143 300	8	26,7	22,9	+ 3,8	330[8]
1901-1905	40 900 000	312 000	883 500	801 000	+ 82 500	7,6	21,6	19,6	+ 2	142
1926-1930	41 100 000	339 400	748 100	690 000	+ 58 100	8,2	18,2	16,8	+ 1,4	94,1
1935-1937	41 900 000	279 800	629 800	643 400	– 13 600	6,7	15,2	15,5	– 0,3	71,4
1946-1950	41 100 000	397 400	860 100	537 200	+ 322 900	9,7	20,9	13,1	+ 7,8	63,4
1951-1955	42 800 000	313 800	814 100	538 600	+ 275 500	7,3	19	12,6	+ 6,4	43,3
1956-1960	44 800 000	311 400	816 900	521 700	+ 295 200	7	18,2	11,6	+ 6,5	31,7
1961-1965	47 600 000	333 000	856 700	532 600	+ 324 100	7	18	11,2	+ 6,8	24,5
1966-1970	49 900 000	363 300	846 500	548 200	+ 298 300	7,3	17	11	+ 5,9	20,1
1971-1975	52 100 000	401 100	832 500	555 200	+ 277 300	7,7	16	10,7	+ 5,3	15,4
1976-1980	53 288 000	354 300	752 000	545 800	+ 206 200	6,6	14,1	10,2	+ 3,8	11
1975	52 699 200	386 900	745 100	560 400	+ 184 700	7,3	14,1	10,6	+ 3,5	13,6
1976	52 908 600	374 000	720 400	557 100	+ 163 300	7,1	13,6	10,5	+ 3	12,6
1977	53 145 300	368 200	744 700	536 200	+ 208 500	6,9	14	10,1	+ 3,9	11,5
1978	53 376 300	354 600	737 100	546 900	+ 190 200	6,6	13,8	10,2	+ 3,5	10,6
1979	53 606 200	340 400	757 400	541 800	+ 215 600	6,4	14,1	10,1	+ 4	10,1
1980	53 880 000	334 400	800 400	547 100	+ 253 300	6,2	14,9	10,2	+ 4,7	10,1
1981	54 181 800	315 100	805 500	554 800	+ 250 700	5,8	14,9	10,2	+ 4,6	9,7
1982	54 480 400	312 400	797 200	543 100	+ 254 100	5,7	14,6	10	+ 4,7	9,5
1983	54 728 300	300 500	748 500	559 700	+ 188 800	5,5	13,7	10,2	+ 3,4	9,1
1984	54 946 700	281 400	760 000	542 500	+ 217 400	5,1	13,8	9,9	+ 4	8,3
1985	55 170 400	270 000	768 400	552 500	+ 215 900	4,9	13,9	10	+ 3,9	8,3
1986	55 392 400	266 000	779 000[9]	547 000	+ 232 000	4,8	14	10	+ 4,1	8,1
1987	55 754 000	266 000	770 000	526 000	+ 244 000	4,8	13,8	9,5	+ 4,3	7,8
1988	55 996 000	273 000	770 000	524 000	+ 246 000	4,9	13,8	9,4	+ 4,4	7,8
1989	56 016 958	281 000	765 000	528 000	+ 237 000	4,8	13,6	9,4	+ 4,3	7,5
1990	56 419 675	288 000	762 000	529 000	+ 233 000	5,1	13,5	9,4	+ 4,1	7,2

Nota. – (1) Au milieu de la période ou de l'année. (2) Moyenne annuelle de la période, puis, à partir de 1976, moyenne annuelle. (3) Mariages pour 1 000 h. (4) Nés vivants pour 1 000 h. (5) Décédés pour 1 000 h. (6) Accroissement naturel (excédent de naissances pour 1 000 h.). (7) Décédés de moins d'un an pour 1 000 nés vivants ; le taux non rectifié est calculé en rapportant le nombre de décédés de moins d'un an au nombre d'enfants nés vivants à l'état civil ; le taux rectifié est calculé de la même façon, mais en ajoutant aux deux nombres précédents le nombre d'enfants nés vivants et décédés avant la déclaration à l'état civil (ces enfants sont légalement enregistrés avec les mort-nés). (8) 1801. (9) Résultat provisoire.

Population par âge

Proportion par âge pour 100 hab.

Année	– 20 a.	20/64 a.	65 a. ou +	– 15 a.	60 a. ou +
1740	42,1	—	—	—	8,3
1830	40,6	—	—	—	9,8
1861	35,8	57,5	6,7	27,1	10,9
1901[1]	34,2	57,3	8,5	25,7	12,7
1931	30,1	60,4	9,6	22,6	14,2
1936	29,9	60,0	10,0	24,4	14,9
1946	29,5	59,4	11,1	21,4	16,0
1954	30,7	57,8	11,5	23,9	16,2
1962	33,1	55,1	11,8	26,4	17,1
1968	33,8	53,7	12,6	25,2	17,9
1975	32,1	54,5	13,4	24,1	18,4
1988	28,2	58,2	13,6	20,5	18,7
1991[3]	27,4	58,4	14,2	20,0	19,4
2001[2]	26,0	60,2	13,8	n.c.	n.c.
2026[2]	23,3	58,9	17,8	n.c.	n.c.
2051[2]	23,1	57,9	19,0	n.c.	n.c.

Nota. – (1) 87 départements. (2) Dans l'hypothèse où le taux de fécondité resterait au niveau de 1976 (d'après Alfred Sauvy). (3) Évaluation provisoire.

Population française en % par rapport à l'Europe (avec l'U.R.S.S.) et entre parenthèses, par rapport au monde. *52 av. J.-C. :* 21,9 (2,7). *1340 :* 28,4 (4,9). *1550 :* 35,6 (4). *1650 :* 24,2 (4). *1750 :* 23,6 (3,2). *1800 :* 19 (3). *1850 :* 17,5 (3,5). *1900 :* 13,8 (2,5). *1950 :* 10,6 (1,7). *1980 :* 11,1 (1,2). *1990 :* 11,5 (1,1). *2000 :* 11,5 (0,9). *2025 :* 11,8 (0,7).

Accroissement

- **Solde migratoire** (en milliers). *1968 :* + 103. *1969 :* + 151. *1970 :* + 180. *1971 :* + 143. *1972 :* + 102. *1973 :* + 107. *1974 :* + 31. *1975 :* + 13,6. *1979 :* + 34,7. *1980 :* + 44. *1981 :* + 55,7. *1982 :* + 36,6. *1983 :* + 16,2. *1984 :* + 14,1. *1985, 86, 87, 88, 89 :* 0, *90 :* 50.

Densité

- **Moyenne de la France.** En habitants par km². *1851* (avec Nice et Savoie) : 66,28 ; (sans) : 66,72. *1872 :* 68,46. *1901* (avec) : 73,97 ; (sans) : 72,75. *1911* (avec) : 75,42 ; (sans) 73,96. *1921 :* 71,29. *1936 :* 76,20. *1968 :* 86. *1975 :* 96. *1980 :* 97,6. *1983 :* 98,5. *1984 :* 100.

Population totale par sexe, nationalité, région de résidence
(*Source* : DG 3/C)

Région de résidence au 20 février 1975	Ensemble au recens. de 1982	Ensemble au 20-2 1975	Français de naissance		Français par acquisition		Étrangers		
			Total	Sexe masculin	Total	Sexe masculin	Total	% par rapport à la population totale	Sexe masculin
Région Parisienne	10 073 160	9 876 665	8 409 570	3 983 485	311 000	133 660	1 156 095	11,7	696 060
Champagne – Ardenne	1 345 935	1 337 460	1 236 185	608 095	30 193	13 190	71 080	5,3	43 530
Picardie	1 740 321	1 680 505	1 573 255	773 605	33 270	14 450	73 980	4,4	46 070
Haute-Normandie	1 655 362	1 598 350	1 539 040	749 125	15 335	6 955	43 975	2,8	29 230
Centre	2 264 164	2 150 800	2 027 770	992 210	25 530	11 480	97 500	4,5	56 850
Basse-Normandie	1 350 979	1 305 885	1 280 960	619 455	8 285	3 845	16 640	1,3	10 505
Bourgogne	1 596 054	1 574 540	1 456 950	709 965	27 650	12 680	89 940	5,7	52 600
Nord	3 932 939	3 913 250	3 599 550	1 751 715	108 890	43 665	204 810	5,2	120 725
Lorraine	2 319 905	2 325 435	2 036 890	998 550	97 330	42 925	191 215	8,2	116 430
Alsace	1 566 048	1 519 525	1 382 345	667 665	30 895	11 410	106 285	7	65 000
Franche-Comté	1 084 049	1 060 850	965 035	471 655	21 835	9 955	73 980	7	45 110
Pays de la Loire	2 930 398	2 768 185	2 729 410	1 320 805	9 695	4 245	29 080	1,1	18 135
Bretagne	2 707 886	2 594 925	2 573 405	1 245 500	6 365	2 895	15 155	0,6	9 350
Poitou – Charentes	1 568 230	1 526 595	1 492 335	730 210	11 295	5 115	22 965	1,5	13 640
Aquitaine	2 656 518	2 547 645	2 370 300	1 141 200	63 265	27 605	114 080	4,5	63 820
Midi – Pyrénées	2 326 037	2 264 725	2 049 580	994 010	91 395	42 810	123 750	5,5	69 465
Limousin	737 153	741 285	715 555	345 565	6 200	2 920	19 530	2,6	11 630
Rhône – Alpes	5 015 947	4 795 820	4 202 535	2 030 775	148 645	66 700	444 640	9,3	264 390
Auvergne	1 332 678	1 333 285	1 251 330	607 430	18 590	8 930	63 366	4,8	36 405
Languedoc – Roussillon	1 926 514	1 788 425	1 552 825	743 125	91 560	41 170	144 040	8,1	80 330
Provence – Côte d'Azur	3 965 209	3 676 210	3 134 290	1 501 825	228 660	98 525	313 260	8,5	189 295
France Corse non comprise	54 095 486	52 599 430	47 765 005	23 075 590	1 392 010	608 045	3 442 415	6,5	2 060 840

1989 : 101,5. *1990* : 102,2. La pop. française vit sur env. 200 000 km² habitables, où la densité moyenne est donc de 280,1 [en Italie, 25,5 millions (45 % des Italiens) vivent sur 25 % du territoire, où la densité est donc de 1 558].

• **Départements** (1990). *Les plus denses* : Paris 20 770. Hts-de-S. 7 923. Seine-St-Denis 5 847. Val-de-M. 4 961. Val-d'Oise 842. Essonne 601. Yvelines 572. Rhône 464. Nord 441. B.-du-Rh. 346. Alpes-M. 226. Bas-Rhin 200,4. Seine-M. 194,3. Haut-Rhin 190,4. Seine-et-M. 182. Moselle 163. Loire 156. Loire-Atl. 154. Hte-Garonne 145,4. Isère 137. M.-et-M. 136, Var 136. Vaucluse 131. Hérault 127,7. Finistère 125. Oise 124. Ille-et-V. 118. Calvados 111.

Les moins denses : Yonne 44. Indre 34,3. Nièvre 34. Landes 33. Hte-Marne 33. Meuse 32. Aveyron 30,8. Corse-du-S. 29. Hte-Corse 28. Cantal 28. Ariège 27,9. Gers 27,9. Creuse 24. Htes-Alpes 20. Alpes-de-Hte-Provence 19. Lozère 14.

Divorce

• **Divorces. Nombre total prononcé.** *1950-59* : (moy. annuelle) 31 673. *60-69* (moy. annuelle) 33 742. *72-75* : 55 612. *80* : 81 156. *85* : 107 505. *86* : 108 380. *1987 : 106 527. 88* : 106 096.

Nombre pour 100 000 couples : *1960-69* : 303. *75* : 499. *80* : 721.

Nombre pour 100 mariages. *1792-1803* : 6 (Marseille 10, Rouen 13, Paris 24). *1900* : – de 6. *V. 1940* : 9. *70* : 12. *75* : 17,2. *80* : 22,3. *84* : 29,2. *85* : 30,4. *86* : 31. *87* : 30,8. *88* : 31,2.

• **Séparations de corps prononcées.** *1973* : 4 136. *1980* : 4 088. *1984* : 4 005. *1985* : 4 429. *1986* : 4 570. *1987* : 4 473. *1988* : 4 840.

• **Motifs.** Excès, sévices, injures 64,5 % ; adultère de la femme 17,5 %, du mari 17,2.

• **Tentatives de conciliation.** 1 % aboutissent.

• **Situation des couples au moment du divorce. Age** (% par rapport à la tranche d'âge et, entre parenthèses, au nombre des divorces). – *de 20 ans* : 0,1 (1,5). *20 à 24 a.* : 9,7 (18,4). *25 à 29 a.* : 23 (24). *30 à 34 a* : 18 (16). *35 à 39 a* : 15 (13,7). *40 à 44 a.* : 13 (11). *45 à 49 a.* : 9,3 (7,4). *50 à 59 a.* : 8,4 (6). *60 a. et +* : 3,5 (2). **Age moyen.** H. : 38,27 a., F. : 35,45 a.

Catégories professionnelles (en % H., et entre par., F.). *Ouvriers* 39,8 (12,3), *employés* 14,9 (28,8), *cadres moyens* 14,3 (8,3), *prof. libér. et cadres sup.* 8,8 (2,2), *patrons industr. com.* 7,6 (3,3), *non-actifs* 5,6 (33,5), *personnel de service* 2,8 (10,5), *agriculteurs exploitants* 1,6 (0,5), *salariés agric.* 0,9 (0,2), *autres catégories* 3,7 (0,4).

Durée du mariage (en %). *Après 0 à 2 ans* : 6. *2 à 5 ans* : 20,3. *5 à 10 ans* 28. *10 à 15 ans* : 17,1. *15 à 20 ans* : 11,9. *20 ans et plus* : 16,7.

La durée moyenne de mariage rompu est de 12 ans (1975).

Femmes. 68 % des femmes qui divorcent ont une activité professionnelle. La femme demande le d. plus souvent que l'homme. Dans 83 % des cas la garde des enfants est confiée à la mère et dans 64 % la résidence du ménage est attribuée à la femme.

Présence d'enfants. 58 % des couples en instance de divorce n'ont pas d'enfant ou un seul. 32 % ont attendu un enfant avant de se marier.

Mariage

Ages moyens au 1er mariage. *1700 hommes* 27 ans (*femmes* 25). *1931* : 26,5 (23,5). *46* : 27,8 (24,5). *58* : 26,05 (23,25). *68* : 24,95 (22,77). *73* : 24,57 (22,51). *81* : 25,34 (23,20). *85* : 26,4 (24,3). *86* : 26,5 (24,6). *87* : 27 (24,9). *88* : 27 (25).

État matrimonial antérieur des époux (1989). Hommes (femmes). Célibataires 232 302 (235 082), veufs ou divorcés 47 879 (44 818).

Nombre de mariages. *1978* : 354 628, *1980* : 334 377, *1986* : 265 678, *1987* : 265 177. *1988* : 271 124. *1989* : 279 000. *1990* : 287 860. **Remariages** : en baisse en raison de la cohabitation sans mariage chez les jeunes ; env. 38 000 par an pour les femmes, un peu plus pour les hommes. Au-delà de 26 ans, les taux de nuptialité sont à peu près stables.

Taux de nuptialité. (Nombre de nouveaux mariés pour 1 000 personnes mariables) : *1966-76* : 0,7 à 0,8. *86* : 4,8. *87* : 4,9. *88* : 4,8. *89* : 5. *90* : 5,1.

Mariages mixtes. *Françaises ayant épousé une étrangère* : *1980* : 5 323. *86* : 9 244. *87* : 8 710. *88* : 9 468.

État matrimonial et ménages

• **Population par état matrimonial** (au 1-1-1989). *Total sexe masculin* : 27 161 973 dont mariés 12 754 453, célib. [1] 12 876 202, divorcés 885 437, veufs 645 881. *Total sexe féminin* : 28 588 344 dont mariées 12 598 750, célib. [1] 11 540 004, veuves 3 247 636, divorcées 1 201 954.

Nota. – (1) Y compris enfants.

• **Nombre de ménages** (en milliers). **Ordinaires.** *1982* : 19 590 (dont couple, homme actif, femme inactive, avec ou sans enfants 4 057, h. et f. actifs, avec ou sans enf. 5 989, h. inactif, f. active, avec ou sans enf. 426, h. et f. inactifs avec ou sans enf. 2 647, h. seul 1 666, f. seule 3 151, h. seul avec enf. 123, f. seule avec enf. 724, autres cas 807). *1983* : 19 806.

Autres ménages. *1982* : 54 273 (dont étudiants logés en cité univ. ou foyer 128, travailleurs logés en foyer 204, pers. âgées en maison de retraite ou hospice 330, membres de communautés religieuses 86, pop. d'hab. mobiles, y compris batellerie 124, autres cas 420).

Source : INSEE, recensement 1982.

89 : 10 789. *Françaises ayant épousé un étranger* : *1980* : 12 292, *86* : 14 008. *87* : 12 610. *88* : 12 746. *89* : 15 420.

Mortalité

Taux annuel de décédés
pour 1 000 personnes de chaque groupe d'âge

	Hommes		Femmes	
	1983	1935/37	1983	1935/37
Tous âges ..	10,8	17	9,7	14,3
– d'1 an [1] .	10,3	74,5	7,9	58
1-4	0,60	6,24	0,5	5,56
5-9	0,35	1,83	0,24	1,65
10-14	0,31	1,38	0,21	1,4
15-19	0,97	2,59	0,43	2,54
20-24	1,77	4,55	0,57	3,95
25-29	1,6	4,83	0,63	4,06
30-34	1,71	6,05	0,75	4,15
35-39	2,25	7,57	1,06	4,71
40-44	3,42	9,8	1,56	5,83
45-49	5,75	12,6	2,39	7,59
50-54	9,39	17,1	3,69	10,4
55-59	13,7	23,3	5,2	13,9
60-64	19,3	33,2	7,6	20,9
65-69	29,6	48,2	12,1	32,1
70-79	56,7	88,4	29,4	66,5
80 et + ..	148	208	116	172

Nota. – (1) Taux calculé sur 1 000 naissances vivantes correspondantes.

Espérance de vie et mortalité par catégorie socio-professionnelle

• **Hommes. Espérance de vie à 35 ans et, entre parenthèses, probabilité de décès entre 35 et 60 ans (en %).** Professeurs 43,2 (7,1), ingénieurs 42,3 (8,3), cadres sup. et prof. libérales 42,0 (9,1), instituteurs 41,1 (9,8), cadres adm. sup. 41,4 (9,8), prof. libérales (1) (10,0), contremaîtres 40,2 (11,6), techniciens 40,3 (11,7), cadres moyens 40,3 (11,7), industriels et gros commerçants (1) (12,0), agriculteurs 40,3 (12,0), artisans 40,2 (12,4), cadres adm. moyens 39,6 (12,6), patrons de l'ind. et du commerce 39,5 (13,4), autres actifs (artistes, clergé, armée, police) (1) (13,7), petits commerçants 38,8 (14,8), employés de com. 38,4 (15,5), employés 38,5 (15,6), employés de bureau 38,5 (15,7), armée, police 36,9 (16,5), ouvriers qualifiés 37,5 (17,0), ouvriers 37,2 (18,1), ouvriers spécialisés 37,0 (18,6), personnel de service 36,0 (19,4), salariés agricoles 37,5 (20,2), manœuvres 34,3 (25,3), ensemble des actifs 38,8 (14,9), inactifs (1) (47,0). Total 37,2 (17,4).

Nota. – (1). Calculs non effectués dans cette étude.

• **Femmes. Probabilité de décès entre 35 et 60 ans (en %).** Employées 4,48 ; institutrices 4,93 ; cadres supérieurs 4,94 ; techniciennes et cadres administratifs moyens 5,05 ; ouvrières qualifiées 5,55 ; artisans et petits commerçants 5,66 ; agricultrices 5,78 ; ouvrières spécialisées et manœuvres 5,79 ; femmes de ménage 6,28 ; personnel de service 6,69 ; ensemble des actives 5,41 ; inactives 8,85. Ensemble 7,27.

• **Causes des décès.** Voir p. 147.

• **Mortalité accidentelle. Taux** pour 100 000 h. (1984). *France 71.* Suisse 82,3. Espagne 77,2. All. féd. 44. G.-B. 25. **Nombre.** *Accidents corporels de la route* : 250 000 par an. *Tués 1972* : 16 500, *75-78* : 12 873, *79-82* : 12 189, *83* : 11 677, *84* : 11 525, *85* : 10 447, *86* : 10 961, *87* : 9 855, *88* : 10 458. *Accidents domestiques* : env. 250 000 enfants victimes (env. 4 000 †).

Décès. *1990* : 526 570. Voir tableau p. 579.

Natalité

Source : I.N.E.D.

• **Naissances. Nombre total :** *1989* : 765 473 [dont naturels 216 063 (28,2 % de l'ensemble), légitimes 549 410 (*du 1er rang* : 227 823, *2e* : 184 861, *3e* : 88 781, *4e et +* : 47 945. Voir tableau p. 579)].

Naissances par nationalité des parents (1989). *Légitimes de 2 parents français* 468 322, *d'1 parent étranger* 22 208, *de 2 parents étr.* 58 880. Naturels de mère étrangère 12 225.

Espérance de vie en France

Nombre de survivants à des âges donnés pour 100 000 personnes de la même génération. Espérance de vie (nombre moyen d'années qui restent à vivre selon l'âge que l'on a). Hommes (H) et Femmes (F). Comparaison avec l'étranger (voir p. 96).
Source : INSEE (table de mortalité 1984-86).

Age	Survivants		Espérance de vie		Age	Survivants		Espérance de vie		Age	Survivants		Espérance de vie	
	H	F	H	F		H	F	H	F		H	F	H	F
0	100 000	100 000	71,31	79,49	34	95 863	97 871	39,63	46,92	68	67 224	85 195	12,60	16,41
1	99 063	99 279	70,98	79,07	35	95 684	97 790	38,70	45,96	69	65 162	84 094	11,98	15,61
2	98 985	99 214	70,04	78,12	36	95 495	97 702	37,78	45,00	70	62 953	82 885	11,38	14,83
3	98 932	99 173	69,07	77,15	37	95 293	97 605	36,86	44,05	71	60 659	81 568	10,79	14,07
4	98 890	99 142	68,10	76,17	38	95 077	97 503	35,94	43,09	72	58 267	80 112	10,22	13,31
5	98 854	99 116	67,13	75,19	39	94 841	97 393	35,03	42,14	73	55 720	78 502	9,66	12,58
6	98 823	99 092	66,15	74,21	40	94 585	97 274	34,12	41,19	74	53 060	76 721	9,12	11,86
7	98 795	99 070	65,17	73,23	41	94 305	97 145	33,22	40,24	75	50 293	74 744	8,60	11,16
8	98 766	99 050	64,18	72,24	42	94 001	97 006	32,33	39,30	76	47 347	72 557	8,10	10,48
9	98 738	99 031	63,20	71,26	43	93 677	96 858	31,44	38,36	77	44 286	70 126	7,62	9,82
10	98 712	99 012	62,22	70,27	44	93 323	96 696	30,56	37,42	78	41 145	67 445	7,17	9,19
11	98 686	98 995	61,24	69,28	45	92 930	96 519	29,68	36,49	79	37 939	64 510	6,73	8,59
12	98 660	98 978	60,25	68,29	46	92 505	96 327	28,82	35,56	80	34 679	61 307	6,32	8,01
13	98 633	98 959	59,27	67,31	47	92 034	96 121	27,96	34,64	81	31 421	57 834	5,92	7,46
14	98 601	98 939	58,29	66,32	48	91 514	95 896	27,12	33,72	82	28 200	54 092	5,54	6,94
15	98 561	98 915	57,31	65,34	49	90 945	95 651	26,28	32,80	83	25 023	50 097	5,18	6,46
16	98 506	98 885	56,34	64,36	50	90 319	95 384	25,46	31,89	84	21 934	45 955	4,84	6,00
17	98 433	98 848	55,38	63,38	51	89 538	95 095	24,65	30,99	85	18 970	41 716	4,51	5,55
18	98 337	98 804	54,44	62,41	52	88 289	94 786	23,86	30,09	86	16 151	37 368	4,22	5,14
19	98 217	98 755	53,50	61,44	53	88 059	94 452	23,08	29,19	87	13 502	32 953	3,94	4,76
20	98 075	98 703	52,58	60,47	54	87 168	94 087	22,31	28,30	88	11 091	28 586	3,69	4,42
21	97 920	98 651	51,66	59,50	55	86 208	93 701	21,55	27,42	89	8 950	24 401	3,46	4,09
22	97 758	98 600	50,75	58,53	56	85 169	93 293	20,81	26,54	90	7 068	20 458	3,24	3,78
23	97 592	98 548	49,83	57,56	57	84 075	92 853	20,07	25,66	91	5 495	16 841	3,03	3,48
24	97 431	98 496	48,91	56,59	58	82 914	92 384	19,35	24,79	92	4 212	13 599	2,80	3,19
25	97 277	98 443	47,99	55,62	59	81 678	91 877	18,63	23,92	93	3 159	10 732	2,57	2,91
26	97 124	98 388	47,07	54,66	60	80 376	91 330	17,92	23,06	94	2 277	8 225	2,37	2,65
27	96 972	98 332	46,14	53,69	61	79 001	90 753	17,23	22,21	95	1 564	6 057	2,22	2,42
28	96 823	98 276	45,21	52,72	62	77 562	90 130	16,54	21,36	96	1 038	4 309	2,09	2,19
29	96 673	98 217	44,28	51,75	63	76 051	89 460	15,86	20,51	97	670	2 969	1,96	1,96
30	96 520	98 156	43,35	50,78	64	74 459	88 744	15,18	19,67	98	426	1 964	1,80	1,70
31	96 363	98 089	42,42	49,81	65	72 789	87 957	14,52	18,85	99	277	1 266	1,50	1,36
32	96 203	98 020	41,49	48,85	66	71 025	87 105	13,87	18,02					
33	96 037	97 948	40,56	47,88	67	69 165	86 191	13,23	17,21					

Évolution de l'espérance de vie à la naissance. En années. Homme et Femme. **1740-49** 23,8 (25,7). **1750-59** 27,1 (28,7). **1760-69** 26,4 (29). **1770-79** 28,2 (29,6). **1780-89** 27,5 (28,1). **1790-99** (32,1). **1800-09** (34,9). **1810-19** (37,5). **1820-29** 38,3 (39,3). **1830-32** 37 (39). **1835-37** 39,2 (40,7). **1840-59** 39,3 (41). **1861-65** 39,1 (40,6). **1877-81** 40,8 (43,4). **1898-1903** 45,4 (48,7). **1933-38** 55,9 (61,6). **1952-56** 65,0 (71,2). **1960-64** 67,5 (74,4). **1970** 68,4 (75,8). **1975** 69 (76,9). **1982** 70,2 (78,8). **1985** 71,3 (79,4). **1986** 71,5 (79,7). **1987** 72 (80,3). **1988** 72,3 (80,5) dont *1 an* 72 (00) ; *20* 53,5 (61,4) ; *40* 35,1 (42,1) *60* 18,7 (23,9). **1989** 72,4 (80,6). **1990 (prov.)** 72,4 (80,9).

Naissances vivantes par sexe en 1989. Nés vivants 391 649 garçons (51,16 %), 373 824 filles ; mort-nés (1986) 2 881 g, 2 734 f. Pour 100 filles vivantes, il y a 105 garçons. *Il naît plus de garçons viables que de filles :* 101 à 113 %.

• **Avortements enregistrés.** *1976 :* 134 173. *80 :* 171 218. *81 :* 180 695. *82 :* 181 122. *83 :* 182 862. *84 :* 180 789. *85 :* 173 335. *86 :* 166 797. *87 :* 162 352. *88 :* 166 510. *89 :* 162 620.

• **Conceptions prénuptiales** (en %) : *1957 :* 16. *1965-67 :* 22,5. *72 :* 26,3. *80 :* 17,7. (*Max.* pour les mariages célébrés entre *1924* et *1973.* P.-de-C. 24,4. Indre 24. *Min.* Alpes de H.-P. 8,8. Aveyron 9,6.).

• **Naissances hors mariage** (en %). *1946-50 :* 5,4. *69 :* 6,5. *70 :* 6,8. *75 :* 8,5, *81 :* 12,7 (Italie 4,1 %, All. Féd. 7,6, États-Unis 17, Danemark 31,7). *85 :* 19,6. *89 :* 28,2.

• **Familles. Répartition en % selon le nombre d'enfants et par catégorie socio-professionnelle du chef de famille en 1986. Ensemble.** *Pas d'enfant* 50,5 ; *1 :* 22,7 ; *2 :* 17,69 ; *3 :* 6,5 ; *4 :* 1,7 ; *5 :* 0,6 ; *6 :* 0,3. **Agriculteurs.** *Pas d'enf. :* 52,6 ; *1 :* 20,5 ; *2 :* 16,7 ; *3 :* 7,3 ; *4 :* 2 ; *5 :* 0,6 ; *6 :* 0,2. **Artisans Commerçants.** *Pas d'enf. :* 44,5 ; *1 :* 26 ; *2 :* 21,1 ; *3 :* 6,6 ; *4 :* 1,3 ; *5 :* 0,3 ; *6 :* 0,1. **Cadres, prof. intellect. sup.** *Pas d'enf. :* 38,6 ; *1 :* 26 ; *2 :* 25,5 ; *3 :* 8,8 ; *4 :* 1,4 ; *5 :* 0,2 ; *6 :* 0,05. **Prof. intermédiaires.** *Pas d'enf. :* 37,3 ; *1 :* 29,9 ; *2 :* 24,8 ; *3 :* 6,7 ; *4 :* 1 ; *5 :* 0,2 ; *6 :* 0,07. **Employés.** *Pas d'enf. :* 36,6 ; *1 :* 32,6 ; *2 :* 21,9 ; *3 :* 6,8 ; *4 :* 1,5 ; *5 :* 0,3 ; *6 :* 0,2. **Ouvriers.** *Pas d'enf. :* 34,4 ; *1 :* 28,1 ; *2 :* 22 ; *3 :* 10 ; *4 :* 3,2 ; *5 :* 1,2 ; *6 :* 0,8. **Retraités.** *Pas d'enf. :* 97,3 ; *1 :* 1,9 ; *2 :* 0,4 ; *3 :* 0,1 ; *4 :* 0,05 ; *5 :* 0,02 ; *6 :* 0,02. **Autres, sans profession.** *Pas d'enf. :* 56,1 ; *1 :* 22 ; *2 :* 11,7 ; *3 :* 5,8 ; *4 :* 2,4 ; *5 :* 1,1 ; *6 :* 0,7.

• **Familles nombreuses.** Il y eut une génération où les Gramont furent 12, les Rohan 13, les Croÿ 14, les Catinat et les Montgolfier 16, La Rochefoucauld et les Carnot 18, les Arnauld 19 (H. de Gallier) ; le père de Marie Agnesi (mathématicienne) eut 23 enfants (3 mariages). Les couples étrangers représentent 38,1 % des naissances des familles nombreuses.

• **Fécondité. Indice synthétique. Descendance finale des générations** (nombre effectif de naissances, par couple en âge de procréer au cours d'une génération). *1670-89 :* 6,5 ; *1690-1719 :* 6,2 ; *1720-39 :* 6 ; *1740-69 :* 5,8 ; *1770-89 :* 5,5 ; *1790-1819 :* 4,6 ; *1851-55 :* 3,4 ; *1870 :* 2,7 ; *1900 :* 2 ; *30 :* 2,6 ; *40 :* 2,5 ; *46 :* 2,16. *75 :* 1,93. *80 :* 1,94. *82 :* 1,91. *83 :* 1,79. *84 :* 1,81. *85 :* 1,82. *86 :* 1,84. *87 :* 1,82. *88 :* 1,82. *89 :* 1,81. Au-dessous de 2,10, une population n'assure plus son renouvellement.

Nombre d'enfants par femme (selon certains facteurs). *Age du mariage :* f. mariées avant 20 a. 3,23 ; celles qui se marient entre 30 et 34 a. 1,56. *Milieu social :* salariés agricoles 3,35, cadres moyens 2,16. *Niveau d'éducation :* f. sans diplôme 2,79, titulaire du B.E.P.C. 2,13. *Région :* Basse-Normandie 3,10, Ile-de-France 2,10. *Religion :* 0,5 enfant de + chez les catholiques que chez les agnostiques. *Taille des familles des époux :* filles uniques 2,15, femmes ayant au moins 8 frères et sœurs 3,19 (fils uniques : 2,11 et 3,22) ; 2 époux enfants uniques 1,88 (2,10 si chaque parent est issu d'une famille de 2 enf. ; 3,95 si de + de 9 enf.). *Rang de naissance :* souvent les aîné(e)s ont plus d'enfants que les cadets(tes).

• **Prématurés.** 1 enfant sur 10 en France. 65 000 env. chaque année (20 000 garderont des séquelles + ou – graves). *Pr. célèbres :* Napoléon Bonaparte, Isaac Newton, Charles Darwin, Victor Hugo et Voltaire.

• **Mortalité infantile** (1re année de la vie). Plus forte pour enfants illégitimes (garçons) ; la mortalité fœtale paraît être supérieure de 20 % pour l'embryon mâle. Dans les familles nombreuses (y compris pour les premiers-nés), chez les immigrés (18,4 ‰), personnes non scolarisées (32,8 ‰). Augmente avec l'âge de la mère (6,8 ‰ avant 30 ans ; 13,3 ‰ entre 30 et 39 ; 42 ‰ après 40). Parfois en cas de consanguinité des parents. Répartition des causes : voir page 148.

Recensement

• **1ers recensements modernes.** *1665* rec. nominatif du Québec, *1749* Finlande, *1750* Suède, *1769* Norvège et Danemark, *1790* U.S.A., *1801* G.-B.

• **En France.** Avant la Révolution, il existait des évaluations tirées de l'état des « feux » ou des paroisses (sous St Louis, Charles VI, Charles VIII), de l'état des provinces (Colbert) ou des mémoires des intendants (XVIIIe s.) La loi du 22-7-1791 prévit un rec. Préparé par Lucien Bonaparte et Chaptal, il eut lieu en 1801 (plus de 33 millions d'h. dans les 98 départements de l'époque, dont 27 349 000 sur le territoire attribué à la France par le tr. de 1815). Puis on effectua un rec. tous les 5 ans (années terminées par 1 et 6). A cause des guerres, le rec. de 1871 fut reculé d'un an et il n'y eut pas de rec. en 1916 et 1941. Après 1945, le recours aux enquêtes par sondage devait, pensait-on, permettre d'effectuer un rec. seulement tous les 10 ans. Mais un rythme plus rapide se révéla nécessaire dès 1946. On a ainsi réalisé 5 recensements à des intervalles de 9, 8, 6 et 7 ans. [L'*All. féd.* a réalisé ses rec. d'après-g. en 1950, 1961, 1970 ; *Italie :* 1951, 1961, 1971 ; *Belgique :* 1947, 1961, 1971 ; *Roy.-Uni :* 1951, 1961, 1971 ; *U.S.A. :* 1950, 1960, 1970.]

Recensement de 1990. Préparé par l'INSEE (Inst. nat. de la statist. et des études écon.). Réalisé du 5-3 au 4-4-90 en métropole (du 15-3 au 12-4-90 dans les DOM). L'INSEE a utilisé 110 000 agents recenseurs, chacun recensant env. 500 pers.

Prescriptions. *Toute personne est obligée de répondre, avec exactitude, aux questions posées sous peine d'amende de 100 F.* Les renseignements donnés sont utilisés pour établir des tableaux statistiques anonymes et ne peuvent servir en aucun cas à des fins fiscales ou pour un contrôle administratif quelconque. Tout participant aux opérations du recensement étant astreint au secret professionnel, l'INSEE ne pourra communiquer aucun résultat individuel des questionnaires avant 100 ans. La CNIL (commission nationale de l'informatique et des libertés) a autorisé l'INSEE à vendre certaines analyses statistiques (20 millions de F gagnés avec le recensement de 1982) mais elle a exigé en avril 1989 des protections, interdisant notamment la diffusion de résultats portant sur des zones de - de 5 000 hab. Les résultats, obtenus par comptabilisation des bulletins individuels, sont authentifiés par un décret et prennent, de ce fait, le nom de *population légale.* De nombreux textes législatifs s'y réfèrent notamment dans les domaines suivants : crédits aux départements et aux communes ; subventions de l'État aux collectivités locales ; élections municipales ; détermination du nombre des emplois communaux ; traitement et indemnités des fonctionnaires des collectivités locales ; règles d'adjudication des marchés ; plans et travaux d'urbanisme, etc. ; impôts et taxes ; législation des loyers ; hygiène, nombre d'officines de pharmacie.

Un *recensement complémentaire* peut être effectué dans les communes en forte expansion.

Coût du recensement (en millions de F). *1975 :* 211,2. *1982 :* 450. *1990 :* 1 000.

La maladie hémolytique du nouveau-né, provoquée par l'incompatibilité Rhésus (différence de facteur Rhésus entre le père et la mère) est l'une des plus graves et plus fréquentes causes de mortalité (risques chez 5 à 10 % des couples incompatibles).

Décès de moins d'un an (pour 1 000 nés vivants). *Vrais mort-nés* (décès *in utero* de fœtus de + de 6 mois, avant ou pendant l'accouchement) : *1930-32 :* 29,50, *51-55 :* 18,30. *61 :* 16,50. *73 :* 12,1. *79 :* 9,2. *80 :* 10,1. *85 :* 8,3. *89 :* 7,5.

Faux mort-nés [enfants ayant respiré à la naissance, mais décédés avant la déclaration à l'état civil (dans les 3 j au plus)] 70 à 80 % décèdent la 1re journée. Pour 100 mort-nés 14,9 % d'enf. naturels.

Décès de la 1re semaine (y compris faux mort-nés) : *1960 :* 14,5. *65 :* 12,7. *70 :* 10,2. *75 :* 7,3. *80 :* 4,4. *85 :* 3,4. *86 :* 3,2. *88 :* 3.

Des 28 premiers jours. *1955 :* 20,8. *60 :* 17,6. *65 :* 15,2. *70 :* 12,6. *75 :* 9,1. *80 :* 5,8. *85 :* 4,6. *88 :* 4,1.

Du 29e au 365e j. *1955 :* 17,7. *60 :* 9,7. *65 :* 6,7. *70 :* 5,5. *75 :* 4,6. *80 :* 4,3. *85 :* 3,7. *88 :* 3,8.

Population urbaine

Communes rurales et urbaines en 1990

Nota. – En 1982, sur 1 782 unités urbaines, 830 sont des agglomérations urbaines et 952 sont des communes qui sont des villes isolées.

Unités urbaines en 1990

	Agg.	dont ville
Paris	9 060 000	2 152 333
Lyon	1 214 869	415 487
Marseille	1 087 276	800 550
Lille	950 265	363 653
Bordeaux	685 456	210 336
Toulouse	608 427	358 688
Nantes	492 212	244 952
Nice	475 459	342 391
Toulon	437 493	167 550
Grenoble	400 141	150 758
Strasbourg	388 483	252 338
Rouen	380 161	102 723
Valenciennes	336 481	57 985
Grasse-Cannes-Antibes	335 647	221 911
Lens	323 174	35 017
Saint-Étienne	313 338	199 396
Nancy	310 659	99 297
Tours	271 927	129 509
Béthune	259 679	49 483
Clermont-Ferrand	254 416	136 181
Le Havre	253 627	195 854
Rennes	245 065	197 536
Orléans	243 148	105 111
Montpellier	236 788	207 996
Dijon	226 025	146 703
Mulhouse	223 856	108 357
Reims	206 363	180 620
Angers	206 276	141 404
Brest	201 480	147 956
Douai	199 562	42 175
Metz	193 117	119 594
Dunkerque	190 279	70 331
Le Mans	189 070	145 465
Mantes-la-Jolie	189 103	78 176
Caen	188 799	112 846
Avignon	162 715	86 939
Limoges	170 064	133 463
Amiens	156 120	131 872
Perpignan	138 735	105 983
Nîmes	138 527	128 471
Bayonne	136 334	40 051
Pau	134 625	82 157
Thionville	132 386	39 712
Saint-Nazaire	131 511	64 812
Aix-en-Provence	130 647	123 601
Troyes	122 725	59 228
Besançon	122 623	113 828
Annecy	122 622	49 644
Montbéliard	117 510	45 366
Hagondange-Briey	112 080	12 728
Valence	107 965	63 437
Lorient	107 088	59 271
Poitiers	105 269	78 894
Maubeuge	102 772	52 464
Chambéry	102 548	54 120
Calais	101 758	75 309
Angoulême	101 107	42 875
La Rochelle	100 264	71 094

☞ Évolution, voir chaque ville à l'Index.

	Nombre de communes d'unités urbaines		Population milliers	Superficie milliers km²
Communes rurales de				
Moins de 50 habitants	1 057		36,4	7,4
50 à 99 habitants	3 039		228,5	24,8
100 à 199 «	7 017		1 036,4	71,7
200 à 499 «	10 967		3 514,2	151,9
500 à 999 «	5 932		4 086	110
1 000 à 1 999 «	2 916		4 006,6	71,9
2 000 habitants ou plus	617		1 551,6	22,6
Ensemble	*31 545*		*14 459,7*	*460,3*
Unités urbaines de				
Moins de 5 000 habitants	1 289	934	3 161,6	25,2
5 000 à 9 999 habitants	773	426	2 919,7	17,7
10 000 à 19 999 «	554	194	2 668,1	9,9
20 000 à 49 999 «	489	116	3 596	8,6
50 000 à 99 999 «	370	55	3 682,5	6,3
100 000 à 199 999 «	322	29	4 078,6	4,4
200 000 habitants ou plus	756	27	11 063,8	9,2
Agglomération de Paris	335	1	8 707	2,3
Ensemble	*4 888*	*1 782*	*39 877,3*	*83,6*
France métropolitaine	36 433	1 782	54 337	543,9

Répartition de la population

Année	Urbaine[2]	Rurale[2]
1806	5 454 821	23 652 604
1866	11 595 348	26 471 716
1911	17 444 948	22 096 052
1936	21 566 642	19 935 358
1954	23 946 000	18 829 445
1968[1]	33 633 168	17 207 309
1975	36 003 922	16 654 331
1982	39 975 300	14 459 600

Nota. – (1) Avec doubles comptes, c'est-à-dire que la population *comptée à part* (militaires, élèves internes) est comptée 2 fois : dans la commune où se trouve la caserne ou l'établissement, et dans celle de leur résidence personnelle. (2) Pop. des communes ayant – de 2 000 h. agglomérées au chef lieu.

En 1990, 80 % des Français vivaient en ville. Au recensement de 1982, on a constaté que la croissance des communes rurales était plus rapide : retournement massif des courants migratoires malgré le vieillissement de la population des communes rurales.

Les Français à l'étranger

• **Nombre probable.** 1 400 000 soit 2,5 % de la pop. française. *1972* (1-1) : 1 002 769. *1982* (1-1) : 1 039 556. *1989 :* 1 400 000.

• **Nombre d'immatriculés dans les ambassades et consulats** (1989). *Source :* ministère des Affaires étrangères 911 154 dont : Afghānistān 26, Afrique du Sud 4 146, Albanie 32, Algérie 19 062, All. dém. 771, All. féd. 155 821, Angola 949, Arabie Saoudite 4 261, Argentine 10 377, Australie 7 505, Autriche 3 592, Bahreïn 291, Bangladesh 139, Belgique 63 118, Bénin 2 865, Birmanie 37, Bolivie 396, Brésil 12 211, Brunei 87, Bulgarie 155, Burkina-Faso 2 795, Burundi 771, Cameroun 9 920, Canada 36 932, Cap-Vert 82, Centrafrique 3 209, Chili 4 410, Chine populaire 1 244, Chypre 564, Colombie 2 410, Comores 1 221, Congo 6 081, Corée du S. 717, Costa Rica 572, Côte-d'Ivoire 21 987, Cuba 206, Danemark 2 142, Djibouti 4 810, Rép. Dominicaine 606, Égypte 3 563, El Salvador 318, Émirats arabes unis 1 722, Équateur 925, Espagne 47 688, États-Unis 62 216, Éthiopie 378, Fidji 101, Finlande 751, Gabon 16 205, Ghāna 216, Grande-Bretagne 44 679, Grèce 6 063, Guatemala 414, Guinée 2 733, Guinée-Bissau 121, Guinée Équatoriale 194, Haïti 1 593, Honduras 210, Hong Kong 2 231, Hongrie 362, Inde 14 166, Indonésie 1 718, Irak 417, Iran 281, Irlande 1 296, Islande 88, Israël 20 576, Italie 27 310, Jamaïque (+ Bahamas) 222, Japon 3 432, Jérusalem 6 996, Jordanie 436, Kenya 831, Koweït 666, Laos 156, Liban 6 726, Liberia 151, Libye 545, Luxembourg 11 255, Madagascar 14 705, Malaisie 586, Malawi 112, Mali 2 889, Malte 84, Maroc 25 922, Maurice 3 280, Mauritanie 1 472, Mexique 8 771, Monaco 15 261, Mozambique 331, Népal 141, Nicaragua 270, Niger 2 793, Nigeria 2 343, Norvège 2 182, Nouvelle-Zélande 979, Oman 311, Ouganda 106, Pakistan 413, Panamá 427 Papouasie-Nouvelle-Guinée 146, Paraguay 991, Pays-Bas 8 948, Pérou 1 683, Philippines 479, Pologne 1 527, Portugal 4 927, Qatar 475, Roumanie 168, Rwanda 725, Saint-Siège 17, Sainte-Lucie 290, Sénégal 14 807, Seychelles 270, Sierra Leone 135, Singapour 1 386, Somalie 101, Soudan 207, Sri Lanka 179, Suède 3 387, Suisse 73 614, Surinam 158, Syrie 1 495, Tanzanie 174, Tchad 1 510, Tchécoslovaquie 488, Thaïlande 984, Togo 3 470, Trinité-etTobago 305, Tunisie 10 600, Turquie 1 992, U.R.S.S. 1 067, Uruguay 1 545, Vanuatu 1 004, Venezuela 5 577, Viêt-nam 464, Yémen du Sud 130, Yémen du Nord 269, Yougoslavie 899, Zaïre 3 208, Zambie 243, Zimbabwe 299.

Secteur public. 129 625 dont secteur public *français* (militaires et divers dont diplomates) 79 684 (dont 51 552 milit. en Europe), *étranger* (coopérants, services publics locaux et org. inter.) 49 941. **Privé** 242 950 (dont prof. libérales 43 264, industrielles 66 620, commerciales 125 884, agricoles 7 182).

Hors classement. 538 579 (dont religieux non enseignants 8 023, relig. enseignants 2 117, étudiants majeurs 57 732, pères et mères au foyer 96 373, retraités 44 649, divers et enfants mineurs 329 685).

• **Population rapatriée admise au bénéfice de la loi du 26-12-1961** *(au 31-12-1989) :* 1 482 560 dont Algérie 969 045 (dont 651 000 en 1962), Maroc 263 538, Tunisie 180 213, Indochine 44 129, Afrique noire et Madagascar 15 453, Égypte 7 307, Vanuatu 2 378, Comores 340, Guinée 153, Djibouti 4. *En 1989 :* 700 dont Afrique noire et Madagascar 275, Maroc 209, Vanuatu 87, Algérie 51, Indochine 42, Tunisie 35, Guinée 1.

Étrangers en France

Statistiques

Principales sources. Évaluations de l'I.N.S.E.E. (à partir des recensements), parfois sous-estimées, et évaluations du min. de l'Intérieur (comptabilisant les titres de séjour en cours de validité et les enfants de – de 16 ans des titulaires).

Raisons d'omissions. Absence des personnes seules lors du passage des agents recenseurs ; mais, l'immigration familiale s'intensifiant, le % baisse (10 % d'omissions pour le rec. de 1975). Surestimation des personnes, erreurs dans leurs déclarations. Ex. : enfants de couples d'Algériens déclarés alg. par leurs parents, alors qu'ils sont français par la loi fr. (voir ci-après : Naturalisation). Décès et naturalisation non systématiquement transmis au min., départs ou retours vers pays d'origine pas toujours connus (les entrées sont enregistrées par l'Office nat. de l'immigration, mais pas pour toutes les nat. ; il n'y a pas d'enregistrement des retours), l'étranger n'étant pas tenu de rendre son titre de séjour ; les titulaires de la carte de « 10 ans » (plus d'1 million) peuvent quitter la France sans perdre le bénéfice de ce titre.

☞ Voir aussi à l'Index : statut, définition et conditions de naturalisation.

Données globales

Officiellement, les frontières françaises sont fermées à l'immigration depuis 1974, mais pour rendre étanches les 6 000 km de frontières de la France, il faudrait 100 000 hommes (la police de l'Air et les Frontières en a 4 000). Aussi le nombre des immigrés n'a-t-il pas cessé de croître, du fait des regroupements familiaux et des régularisations, au rythme moyen de 60 000 personnes par an. Il faut ajouter les clandestins et les réfugiés politiques (près de 20 000 par an). *Étrangers refoulés :* 1985 : 44 794. 1987 : 71 063. *Clandestins appréhendés :* env. 4 000 par an.

☞ L'accroissement naturel de la France est de 237 000 h. par an. *Taux pour mille* (natalité 13,6 – mortalité 9,4 = accroissement 4,2). En 1988 sur 765 000 naissances 60 400 (10,6 %) étaient issues de parents étrangers, 22 000 (3,9 %) d'un parent français et d'un parent étranger, 11 600 hors mariage d'une mère étrangère.

Nombre total

Évolution récente

• **Estimation globale des immigrés et des personnes d'origine étrangère au 1-1-1986** (en millions). Immigrés 4 (dont 1,3 Français), enfants d'immigrés 5 (dont 4,2 Français, dont 3,3 dès la naissance), petits-enfants d'immigrés 4,4 à 5,3 (tous Français). *Total :* 13,4 à 14,3 dont 3,5 étrangers, 9,9 à 10,8 Français.

• **Données des recensements.** *Étrangers en milliers et, (entre parenthèses) % par rapport à la pop. totale :* **1946 :** 1 744 (4,38) ; **1954 :** 1 765 (4,12) ; **1962 :** 2 170 (4,67) ; **1968 :** 2 621 (5,28) ; **1975 :** 3 442 (6,54) ; **1982 :** 3 680 (6,78).

• **Données du ministère de l'Intérieur.** *Étrangers en milliers :* **1975 :** 4 196 ; **1980 :** 4 168 ; **1981 :** 4 224 ; **1982 :** 4 459 ; **1975 : 1983 :** 4 471 ; **1984 :** 4 486 ; **1985 :** 4 500 ; **1990 :** 4 500 en situation régulière + 1 000 clandestins (2 à 3 000 selon certains) + 2 500 ayant acquis la nationalité française dep. 20 ans.

Origine (selon le min. de l'Intérieur) *des 4 500 000 étrangers en situation régulière :* **Maghreb et Afrique noire 43 %** (Algériens 725 049, Marocains 558 799, Tunisiens 225 730, Sénégalais 42 266, Maliens 32 161, Camerounais 16 999, Congolais 14 138, Ivoiriens 13 357, Zaïrois 10 679, Malgaches 10 637, Togolais 6 581, Mauritaniens 5 906, Égyptiens 5 868, Béninois 4 885, Centrafricains 4 141, Gabonais 3 200). **Europe :** (Portugais 846 488, Turcs 160 140, Italiens 378 339, Espagnols 352 232, Yougoslaves 68 809, Polonais 68 531, Belges 63 282, Allemands 52 629, Britanniques 43 852, Grecs 8 169, Roumains

5 005, Suédois 4 779, Autrichiens 3 259, Danois 2 965). **Proche-Orient :** (Libanais 17 597, Syriens 7 367, Israéliens 3 692). **Asie :** (Laotiens 37 904, Sri-Lankais 10 160, Soviétiques 9 239, Japonais 8 784, Pakistanais 8 328, Chinois 8 175, Indiens 4 330). **Amériques :** (Américains 25 670, Chiliens 8 936, Haïtiens 8 617, Canadiens 5 434, Brésiliens 5 008, Argentins 3 586, Colombiens 2 946).

☞ 18 millions de Français (soit plus du tiers de la population), nés entre 1880 et 1980, descendent d'immigrants à la 1re, 2e ou 3e génération.

Pays européens. *Étrangers en millions et % de la population :* All. féd. 4,5 (7,3) ; Autriche 0,28 (3,6) ; Belgique 0,9 (9,1) ; Danemark 0,12 (2,1) ; Espagne 0,3 (0,7) ; G.-B. 1,7 (3) ; Grèce 0,08 (0,8) ; Irlande 0,1 (2,4) ; Italie 0,5 (0,7) ; Luxembourg 0,096 (25,9) ; P.-Bas 0,6 (3,8) ; Portugal 0,08 (0,7) ; Suède 0,4 (4,6) ; Suisse 0,96 (14,5).

Répartition (au recensement de 1982)

• **Sexe.** Hommes 57,2 %, femmes 42,8 (40,1 en 75, 38,2 en 62).

• **Age.** Répartition, en 1982 des étrangers et, entre parenthèses, des Français (de naissance par acquisition) : *0 à 14 a.* 25,8 (20,3), *15 à 24 a.* 14,8 (15,9), *25 à 64 a.* 51,8 (49,5), *65 a. ou +* 7,6 (14,3). 33 % des étrangers ont – de 20 a. (28 % pour les Fr.) [% des – de 20 a. par nationalité : It. 15, Esp. 22, Port. 38, Tun. 40, Alg. 41, Mar. 43, Turcs 51]. 50 % ont – de 30 a. (44 % pour les Fr.).

63 % des – de 20 a. sont nés en France (3,3 % pour les 20 a. ou +, 23 % pour l'ensemble). 1/3 possèdent la nationalité française.

• **Ménages.** 4 058 000 personnes (fr. ou étr.) vivaient dans un ménage dont la personne de référence était étrangère. Ces ménages (1 215 000) comptaient en moyenne 3,3 personnes dont 1,3 actif contre respectivement 2,7 et 1,1 pour les ménages dont la personne de référence était fr. *Nombre moyen d'enfants de 16 a. ou –* : 1,15 (ménages fr. : 0,60).

• **Durée du séjour.** 70 % des étr. résidant en France y sont depuis + de 10 ans. 1 sur 5 ne parlait pas le français.

• **Implantation géographique.** 57,5 % des étrangers étaient concentrés dans 3 régions : Ile-de-Fr. (36 %), Rhône-Alpes (12,5 %), Prov.-Côte d'Azur (9 %).

% des étrangers dans la pop. totale. Régions. *Max. :* Ile-de-Fr. 13,3 (17 en Seine-St-Denis et à Paris), Corse 11,3, Rhône-Alpes 9,1, Prov.-Alpes-C. d'Azur 8,2, Alsace 8,1. *Min. :* Bretagne 0,7, Pays de la Loire 1,4, B.-Normandie et Poitou-Charente 1,7, Limousin 2,7. **Départements** (hors Ile-de-Fr.). Rhône, Moselle, Ht-Rhin, Isère, Doubs, Alpes-Mar. : env. 10 %. **Villes.** Paris 16,6 ; Villeurbanne 15 ; Grenoble 13,1 ; Strasbourg 12,7 ; St-Etienne 12,5 ; Metz 11,1 ; Lyon 11 ; Clermont-Ferrand 10,9 ; Besançon 10,2 ; Lille 9,4 ; Marseille 9,3 ; Montpellier 9 ; Dijon 8,5 ; Toulouse 8,5 ; Aix-en-Provence 8,3 ; Toulon 8 ; Reims 7,8 ; Bordeaux 7,6 ; Nice 6,5 ; Le Havre 6 ; Tours 5,6 ; Amiens 5,4 ; Limoges 5,1 ; Nîmes 5 ; Nantes 3,6 ; Rennes 3,2 ; Caen 3,2 ; Le Mans 2,8 ; Brest 2,5.

Nota. – Le % d'étr. avait décru par rapport à 1975 en Languedoc-Roussillon. (– 19 %) et Midi-Pyrénées (– 11,5 %) du fait de nombreux retours d'Espagnols en Espagne (en 1975, il y avait 57 Espagnols sur 100 étr. en Languedoc-Roussillon et 34 en Midi-Pyrénées, en 1982, 40 et 23). 65 % des étrangers vivaient dans une agglomération de 100 000 h. ou +.

Naissance et fécondité

Nombre moyen d'enfants par femme. Femmes françaises et f. étrangères *en italique.* **1968 :** 2,50, *4,01* (Alg. 8,92, Port. 4,90, It. et Mar. 3,32, Esp. 3,20). **1975 :** 1,84, *3,33* (Alg. 5,28, Tun. 5,27, Mar. 4,68, Port. 3,30, Esp. 2,60, It. 2,12). **1982 :** 1,84, *3,20* (Mar. 5,23, Tun. 5,20, Turques 5,05, Alg. 4,29, Port. 2,17, Esp. 1,77, It. 1,74).

Nota. – Les étrangères représentaient en 1982 5,7 % des f. résidant en France. Les Maghrébines représentaient 23,6 % des étrangères de 15 à 49 ans en 1975 et 34,1 % en 1982.

Naissances vivantes. *Total dont,* entre parenthèses, *naissances étrangères.* **1975 :** 745 065, (75 761 dont Port. 21 755, Alg. 16 810, Mar. 8 235). **1980 :** 800 376, (81 291) dont Alg. 19 274, Port. 15 532, Mar. 15 115). **1983 :** 748 525, (85 236 dont Alg. 20 191, Mar. 16 928, Port. 12 624, Tun. 7 211, Turques 4 410, Esp. 2 420, It. 1 616).

Nota. – En 1982, 52 % des naissances étr. étaient maghrébines (34 % en 1975). De 1978 à 1982, la part des naissances de mère étrangère de rang 5 (5e enfant) est passée de 46,4 % à 57,2 % ; elle concernait 13 % env. du total des naissances.

Enfants étrangers scolarisés (1987-88)

Total. 1 076 544. % des étr. par rapport aux effectifs totaux : *1er cycle :* 10,2 (29,05 S.-St-Denis, 30,81 à Paris)[1], *2e c. :* 7,2.

Répartition dans le 1er degré public par nationalité à Paris (% du total des élèves étrangers) : Europe 31 (dont Port. 22,2, Esp. 4, It. 3,2, Youg. 1,6, autres pays de la C.E.E. 1,6), Maghreb 49,1 (dont Algérie 26, 9, Mar. 17,5, Tun. 5,6). Reste du monde 19,9 (dont Turcs 5,7, Sud-Est asiat. 5,1, Afr. francophone 3,9, Afr. non francophone 0,5, autres 3,1).

Nota. – (1) En 1984-85.

Naturalisés et étrangers

• **Acquisition de la nationalité française** (naturalisation, réintégration, mineurs compris dans le décret de naturalisation de leurs parents). **1979 :** 46 790, **1980 :** 52 123, **1981 :** 54 015, **1982 :** 48 828, **1983 :** 39 695, **1984 :** 35 573, **1985 :** 60 677, **1986 :** 55 968 (dont naturalisés 21 072, réintégrés 1 986, mineurs 10 344, par mariage 12 566). **1987 :** 41 800, **1988 :** 54 299 dont déclaration acquisitive 27 338 dont naturalisation 16 762, réintégration 2 251, mineurs 7 948.

Origine par pays (1970 à 1980). *Naturalisés :* 325 908, dont : Italiens, Espagnols, Portugais : 193 036, Maghrébins : 41 696, autres 91 177. *Acquisitions par déclaration :* 134 807, dont : Italiens, Espagnols, Portugais : 70 283, Maghrébins : 13 110, autres : 51 414.

Nombre et % depuis 1851 [1]

(*Source :* recensements)

	Naturalisés		Étrangers	
1851	13 525	*0,04*	379 289	*1,06*
1866	16 286	*0,04*	655 036	*1,72*
1876	34 510	*0,10*	801 754	*2,17*
1901	221 784	*0,59*	1 033 871	*2,69*
1911	252 790	*0,64*	1 159 835	*2,96*
1921	254 343	*0,66*	1 532 024	*3,95*
1931	361 231	*0,88*	2 714 697	*6,58*
1936	853 100	*1,25*	2 198 236	*5,34*
1946	1 068 121	*2,14*	1 743 600	*4,38*
1954	1 283 690	*2,50*	1 765 298	*4,13*
1962	1 316 320	*2,76*	2 169 665	*4,67*
1968	1 428 442	*2,66*	2 664 060	*5,28*
1972	1 392 000	*2,76*	2 787 114	*5,39*
1975	1 395 444	*2,65*	3 442 415	*6,54*
1982 [2]	1 425 920	*2,63*	3 680 100	*6,8*

Nota. – (1) De 1851 à 1876, et depuis 1954 : pop. résidant en France. De 1881 à 1946 : pop. présente. Les Algériens musulmans, bien qu'alors juridiquement de nationalité fr., sont comptés en 1954 et 1962 avec les étrangers, comme dans les autres recensements. Les ressortissants des territoires de l'Union fr. sont comptés en 1954 avec les Fr. de naissance, à la différence des autres rec. où ils sont comptés avec les étrangers. (2) Dont Eur. 1 141 300 (80 % dont Esp. + de 400 000, It. près de 270 000, Port. 160 000), Afr. 173 020 (12,1 % dont Alg. + de 70 000), Asie 77 880 (5,5 %), autres nat. 33 720 (2,4 %).

Immigrations et mouvements

• **Évolution. De 1975 à 1982.** Voir Quid 1990 p. 590b. **Immigrations officielle. 1984 :** 166 234. **86 :** 146 220. **88 :** 148 725 dont travailleurs permanents bénéficiant d'une autorisation temporaire de travail, travailleurs saisonniers 85 141 ; immigration familiale 29 332 ; demandeurs d'asile 34 253. **89 :** 120 000 dont 60 000 réfugiés, 34 000 au titre du regroupement familial, 12 000 avec contrat de travail, 16 00 étudiants.

• **Immigration permanente** (nombre total). **1970 :** 293 737 (dont 212 785 travailleurs permanents). **71 :** 258 873 (177 377). **72 :** 194 604 (119 649). **73 :** 226 066 (153 419). **74 :** 132 500 (64 462 [1]). **75 :** 77 413 (25 591). **76 :** 84 320 (26 949). **77 :** 75 071 (22 756). **78 :** 58 476 (18 356). **79 :** 56 693 (17 395). **80 :** 59 388 (17 370). **81 :** (33 433 [2]). **82 :** 144 358 (96 962). **83 :** 64 250 (18 483). **84 :** 51 425 (11 804).

Nota. – (1) Suspension de l'immigration des travailleurs permanents à partir de juillet. (2) Y compris 1 043 légalisations exceptionnelles et 21 084 régularisations exceptionnelles.

Travailleurs permanents (entrées contrôlées par l'OMI, hors CEE). **1987 :** 5 300, **88 :** 6 600, **89 :** 9 300, **90 :** 14 600. **Saisonniers. 1989 :** 62 000. **Membres des familles. 1987 :** 26 600, **88 :** 29 100, **89 :** 34 400, **90 :** 36 900. **Étudiants. 1989 :** 22 000. **Stagiaires. 1989 :** 1 000. **Parents de Français. 1989 :** 14 000, **90 :** 19 000. **Actifs non salariés. 1989 :** 1 500. **Travailleurs de la CEE. 1989 :** 6 000.

Solde net de l'immigration

	Non Alg.	Alg.[1]		Non Alg.	Alg.
1964	100 000	43 802	1975	n.c.[2]	– 3 528
1965	100 000	9 281	1976	n.c.	– 37 046
1966	90 000	35 568	1977	n.c.	+ 1 477
1967	82 000	11 286	1978	n.c.	+ 1 633
1968	70 000	32 755	1979	n.c.	+ 56 871
1969	125 000	27 328	1980	n.c.	+ 86 401
1970	135 000	61 112	1981	45 223	99 124
1971	110 000	36 840	1982	3 969	4 937
1972	84 000	29 774	1983	19 641	1 038
1973	95 000	41 202	1984		
1974	60 000	8 123	1985		

Nota. – (1) *Solde max. entre 1955 et 1963 : 1963* 50 543 (dont 43 064 de + de 17 ans). (2) Le solde net de l'immigration pour les non-Algériens n'est plus comptabilisé que pour les ressortissants de l'Afrique noire francophone.

• **Entrées. 1986 :** 1 316 981 (Maghreb et Afrique noire), **1987 :** 1 297 680. **Sorties. 1986 :** 1 219 138 ; **1987 :** 1 136 096. **Solde. 1986 :** 87 843 ; **1987 :** 161 584. *Sources :* Police de l'Air et des Frontières (P.A.F).

☞ **Sorties « juridiques » :** 80 000 étrangers deviennent français : 60 000 par naturalisation, 20 000 par acquisition de la nationalité à la majorité.

Demandes d'asile (enregistrées par l'OFPRA). *1983 :* 22 285. *84 :* 21 624. *85 :* 28 809. *86 :* 26 196. *87 :* 27 568. *88 :* 34 253. *89 :* 61 372. *90 :* 56 000.

Immigrés arrivés sans visas et refoulés à la douane à leur arrivée dans les aéroports. 59 000 en 1989. **Nomades :** (au 1-1-1983) 200 000.

Originaires des D.O.M. Citoyens français à part entière, ils peuvent venir librement en métropole. Leur migration est organisée en grande partie par le *B.U.M.I.D.O.M. (Bureau des migrations pour les D.O.M.).* Env. 72 000 Martiniquais, 60 000 Guadeloupéens, 40 000 Réunionnais et 3 000 Guyanais vivent en France.

Décisions de reconduction aux frontières *1987 :* 15 387 ; *88 :* 15 665 ; *89 :* 10 673 (sur les 9 premiers mois). **Reconductions effectives** 1 sur 6 (?). **Expulsions.** *1987 :* 1 746 dont 60 % réalisées.

Nationalité des étrangers

Évolution comparée

Total en milliers et % des nat. *(Source : recensements).* **1861 :** 506 (dont Belg. 40,6, It. 15,2, Esp. 6,9, Suisse 6,9). **1872** (terr. de 1871) : 676 [1] (Belg. 51,5, It. 16,7, Esp. 7,8, Suisse 6,4). **1901** (terr. de 1871) : 1 034 (It. 31,9, Belg. 31,2, All. 8,7, Esp. 7,7, Suisse 7). **1921 :** 1 532 (nat. d'Eur. 83 dont It. 29,4, Belg. 22,8, Esp. 16,6, Suisse 5,9, All. 5, Pol. 3 ; nat. d'Afr. 2,5). **1931 :** 2 715 (nat. d'Eur. 79 dont It. 29,7, Pol. 18,7, Esp. 13, Belg. 9,4, Suisse 3,6 ; nat. d'Afr. 3,9). **1936 :** 2 198 (nat. d'Eur. 80 dont It. 30,8, Pol. 19,2, Esp. 11,6, Belg. 8,9, Suisse 3,6 ; nat. d'Afr. 3,9). **1946 :** 1 744 nat. d'Eur. [2] 88,7 dont It. 25,9, Pol. 24,3, Esp. 17,3, Belg. 8,8 ; nat. d'Asie 4 ; nat. d'Afr. 3,1 dont Alg. 1,3, Mar. 0,9, Tun. 0,1 ; nat. d'Am. 0,5 ; Sov. 2,9). **1954 :** 1 765 (nat. d'Eur. [2] 79,1 dont It. 28,7, Esp. 16,4, Pol. 15,2, Belg. 6,1 ; nat. d'Afr. 13 dont Alg. 12, Mar. 0,6, Tun. 0,3 ; nat. d'Am. 2,8 ; nat. d'Asie 2,3 ; Sov. 2). **1962 :** 2 170 (nat. d'Eur. [2] 72,2 dont It. 29, Esp. 20,4, Pol. 8,2, Belg. 3,6 ; nat. d'Afr. 19,7 dont Alg. 16,2, Mar. 1,5, Tun. 1,2 ; nat. d'Am. 4,1 ; nat. d'Asie 1,7 ; Sov. 1,2). **1968 :** 2 621 (nat. d'Eur. [2] 71,6 dont Esp. 23,2, It. 21,8, Port. 11,3, Pol. 5 ; nat. d'Afr. 24,8 dont Alg. 18,1, Mar. 3,2, Tun. 2,3 ; nat. d'Asie 1,7 ; nat. d'Am. 1,1 ; Sov. 0,7). **1975 :** 2 090 (nat. d'Eur. [2] 60,7 dont Port. 22, Esp.

14,5, It. 13,4 ; nat. d'Afr. 34,6 dont Alg. 20,6, Mar. 7,6, Tun. 4,1 ; nat. d'Asie 3 ; nat. d'Am. 1,2 ; Sov. 0,4). **1982 :** 1 753 (nat. d'Eur. [2] 47,6 dont Port. 20,8, It. 9,1, Esp. 8,7 ; nat. d'Afr. 42,8 dont Alg. 21,6, Mar. 11,7, Tun. 5,2 ; nat. d'Asie 8 dont Turcs 3,4 ; nat. d'Am. 1,4 ; Sov. 0,2). **1984 :** Port. 860, Alg. 780, Mar. 520, It. 425, Esp. 380, autres 765 (dont 630 CEE, 135 anc. colonies d'Afr. noire).

Nota. – (1) 65 000 Als.-Lorrains n'ayant pas encore opté pour la Fr. après le tr. de Francfort (1871) sont comptés avec les Fr. de naissance. (2) Sauf U.R.S.S.

Étrangers par nationalité

Algériens. *1940 :* 22 114 ; *1954 :* 211 675 ; *1962 :* 350 484 ; *1968 :* 473 812 ; *1972 :* 798 690 ; *1975 :* 710 690 (+ 118 500 Fr. musulmans) ; *1976 :* 884 320 ; *1-1-83 :* 805 355. *Au 1-1-1986 :* 820 900. Selon l'accord fr.-alg. du 27-12-68, les porteurs d'une carte délivrée par l'*Office national alg. de la main-d'œuvre (ONAMO)* pouvaient venir librement travailler en Fr. (dans la limite de 35 000 par an en 1969, 1970, 1971 et 25 000 par an pour 1972 et 1973). Le 20-9-73 le gouv. algérien a décidé d'interrompre l'émigration de travailleurs vers la Fr. La *population alg.* en France devait être stabilisée en 3 ou 4 ans (au rythme précédent, il y aurait eu 2 500 000 Nord-Africains en l'an 2000). **Allemands.** *1901 :* 90 000 ; *1911 :* 102 271 ; *1921 :* 76 000 ; *1931 :* 72 000 ; *1936 :* 58 138 ; *1946 :* 103 970 ; *1954 :* 58 022 ; *1960 :* 48 336 ; *1962 :* 46 606 ; *1968 :* 43 724 ; *1975 :* 42 955 ; *1980 :* 47 797 ; *1982 :* 51 004. **Américains** (U.S.A.). *1946 :* 10 769 ; *1975 :* 20 915 ; *1979 :* 23 188 ; *1980 :* 21 665 ; *1982 :* 23 076. **Argentins.** *1975 :* 2 090 ; *1980 :* 3 045. **Arméniens.** *1975 :* 6 905 ; *1980 :* 5 805. *1982 :* 4 780. **Australiens.** *1975 :* 910 ; *1980 :* 1 155. **Autrichiens.** *1975 :* 3 315 ; *1980 :* 2 858.

Belges. *1861 :* 205 000 ; *1872 :* 348 000 ; *1886 :* 482 261 ; *1901 :* 323 000 ; *1921 :* 348 946 ; *1931 :* 72 000 ; *1936 :* 195 447 ; *1946 :* 145 947 ; *1954 :* 106 828 ; *1960 :* 89 757 ; *1962 :* 79 069 ; *1968 :* 65 224 ; *1975 :* 55 945 ; *1980 :* 59 968 ; *1982 :* 64 172. **Brésiliens.** *1975 :* 2 940 ; *1980 :* 3 568. **Britanniques.** *1946 :* 19 736 ; *1968 :* 18 760 ; *1975 :* 24 850 ; *1979 :* 37 537 ; *1983 :* 43 119. **Bulgares.** *1975 :* 1 410 ; *1980 :* 1 112.

Cambodgiens. *1975 :* 4 520 ; *1980 :* 30 664 (24 395) ; *1982 :* 36 880. **Camerounais.** *1975 :* 8 275 ; *1980 :* 12 172 ; *1982 :* 14 118. **Canadiens.** *1975 :* 5 180 ; *1980 :* 4 816. **Centrafricains.** *1975 :* 1 315 ; *1980 :* 2 592. **Chiliens.** *1975 :* 2 360 ; *1980 :* 6 443. **Chinois.** *1946 :* 2 356 ; *1968 :* 5 000 ; *1975 :* 3 115 ; *1980 :* 5 514. **Congolais.** *1975 :* 3 435 ; *1980 :* 6 816. **Dahoméens.** *1975 :* 3 460 ; *1980 :* 4 259. **Danois.** *1975 :* 1 695 ; *1980 :* 2 045.

Égyptiens. *1975 :* 2 615 ; *1980 :* 3 239. **Espagnols.** *1861 :* 35 000 ; *1872 :* 53 000 ; *1901 :* 80 000 ; *1921 :* 255 000 ; *1931 :* 351 864 ; *1936 :* 253 599 ; *1946 :* 302 201 ; *1962 :* 441 658 ; *1966 :* 638 834 ; *1968 :* 706 184 ; *1972 :* 571 727 ; *1975 :* 497 480 ; *1980 :* 429 987 ; *1982 :* 321 440 ; *1983 :* 395 364 ; *1985 :* 286 000. *1986 :* 267 900. *Entrées : 1964 :* 66 269, *65 :* 49 865, *70 :* 15 738, *75 :* 3 892, *80 :* 604. *1987 :* 200. **Éthiopiens.** *1975 :* 425 ; *1980 :* 554. **Finlandais.** *1975 :* 725 ; *1980 :* 837.

Gabonais. *1975 :* 2 070 ; *1980 :* 2 301. **Grecs.** *1946 :* 16 184 ; *1968 :* 9 000 ; *1975 :* 9 580 ; *1980 :* 9 516. **Guinéens.** *1975 :* 935 ; *1980 :* 1 592.

Haïtiens. *1975 :* 1 175 ; *1980 :* 2 479 (724). **Hongrois.** *1975 :* 5 705 ; *1980 :* 4 879.

Indiens. *1975 :* 1 680 ; *1980 :* 2 294. **Irakiens.** *1982 :* 2 400. **Iraniens.** *1975 :* 3 300 ; *1980 :* 13 193 ; *1982 :* 10 420. **Irlandais.** *1975 :* 1 250 ; *1980 :* 1 909. **Israéliens.** *1975 :* 3 985 ; *1980 :* 3 787 ; *1982 :* 4 040. **Italiens.** *1851 :* 77 000 ; *1872 :* 113 000 ; *1901 :* 330 000 ; *1921 :* 451 000 ; *1931 :* 808 038 ; *1936 :* 720 926 ; *1946 :* 450 764 ; *1954 :* 589 524 ; *1960 :* 688 474 ; *1962 :* 628 956 ; *1966 :* 678 037 ; *1968 :* 571 694 ; *1972 :* 573 817 ; *1975 :* 462 940 ; *1982 :* 333 740 ; *1985 :* 293 000. *1986 :* 277 100. *Entrées : 1955 :* 14 246, *56 :* 52 782, *57 :* 80 385, *58 :* 51 146, *59 :* 21 262, *60 :* 19 515, *72 :* 5 093. **Ivoiriens.** *1975 :* 6 645 ; *1980 :* 10 653 ; *1982 :* 12 213.

Japonais. *1975 :* 4 935 ; *1975 :* 155 ; *1980 :* 54. **Laotiens :** *1975 :* 1 605 ; *1980 :* 31 846 ; *1982 :* 33 480. **Libanais.** *1975 :* 3 870 ; *1980 :* 13 752 ; *1982 :* 11 200 ; **Libériens.** *1975 :* 155 ; *1980 :* 54. **Luxembourgeois.** *1926 :* 28 270 ; *1946 :* 9 002 ; *1954 :* 7 381 ; *1960 :* 4 876 ; *1968 :* 3 940 ; *1975 :* 3 380 ; *1980 :* 2 945.

Malgaches. *1975 :* 4 060 ; *1980 :* 5 770. **Maliens.** *1975 :* 12 580 ; *1980 ;* 17 924. **Marocains.** *1946 :* 16 458 ; *1954 :* 10 734 ; *1962 :* 33 320 ; *1966 :* 102 193 ; *1968 :* 84 236 ; *1972 :* 218 146 ; *1975 :* 260 025 ; *1980 :* 421 369 ; *1982 :* 431 120 ; *1983 :* 441 042 ; *85 :* 504 000. *86 :* 516 400. *Entrées : 1974 :* 27 870, *75 :* 13 706, *80 :* 13 602. *87 :* 8 600. **Mauriciens.** *1980 :* 10 624 ; *1982 :* 13 090. **Mauritaniens.** *1975 :* 5 415 ; *1980 :* 4 383. **Mexicains.** *1975 :* 1 155 ; *1980 :* 1 747. **Monégasques.** *1975 :* 1 100 ; *1980 :* 6.

Néerlandais. *1946 :* 10 580 ; *1968 :* 10 600 ; *1975 :* 10 935 ; *1980 :* 10 600. **Néo-Zélandais.** *1975 :* 235 ; *1980 :* 274. **Nigériens.** *1975 :* 620 ; *1980 :* 1 033. **Norvégiens.** *1975 :* 1 385 ; *1980 :* 1 277.

Péruviens. *1975 :* 740 ; *1980 :* 803. **Polonais.** *1921 :* 45 766 ; *1931 :* 507 811 ; *1936 :* 422 694 ; *1946 :* 423 470 ; *1954 :* 281 384 ; *1960 :* 176 749 ; *1962 :* 177 181 ; *1968 :* 131 668 ; *1975 :* 93 655 ; *1980 :* 73 302 ; *1982 :* 64 820 ; *1983 :* 63 769. **Portugais.** *1921 :* 10 788 ; *1931 :* 48 963 ; *1936 :* 28 290 ; *1946 :* 22 261 ; *1962 :* 50 010 ; *1966 :* 270 972 ; *1968 :* 296 448 ; *1972 :* 742 646 ; *1975 :* 758 925 ; *1979 :* 873 944 ; *1982 :* 764 860 ; *1983 :* 866 595 ; *1985 :* 767 000. *1986 :* 751 300. *Entrées : 1961 :* 6 716, *65 :* 47 330, *66 :* 44 916, *67 :* 34 764, *68 :* 30 868, *69 :* 80 829, *70 :* 88 634, *71 :* 64 328, *72 :* 30 473, *73 :* 32 082, *74 :* 37 727, *75 :* 23 436, *76 :* 17 919, *77 :* 13 265, *78 :* 7 406 (dont 368 travailleurs permanents et 7 038 membres de familles). *1987 :* 400.

Roumains. *1975 :* 3 730 ; *1980 :* 3 815. **Russes.** *1975 :* 12 450 ; *1980 :* 7 580.

Sénégalais. *1955 :* 14 920 ; *1960 :* 40 604 ; *1966 :* 37 248 ; *1972 :* 29 202 ; *1975 :* 28 085 ; *1980 :* 23 747 ; *1982 :* 22 833. **Suédois.** *1975 :* 3 015 ; *1980 :* 3 369 ; **Suisses :** *1861 :* 35 000 ; *1872 :* 43 000 ; *1901 :* 72 000 ; *1921 :* 90 000 ; *1926 :* 123 119 ; *1931 :* 98 000 ; *1936 :* 79 000 ; *1946 :* 53 526 ; *1954 :* 47 779 ; *1960 :* 40 604 ; *1966 :* 37 248 ; *1972 :* 29 202 ; *1975 :* 28 085 ; *1980 :* 23 747 ; *1982 :* 22 833. **Syriens.** *1975 :* 3 010 ; *1980 :* 3 891 (70) ; *1982 :* 3 640.

Tamouls (Sri-Lankais). *1985 :* 10 000. **Tchadiens.** *1975 :* 880 ; *1980 :* 1 057. **Tchèques.** *1975 :* 4 530 ; *1980 :* 3 398 (1 066). **Togolais.** *1975 :* 4 035 ; *1980 :* 5 001. **Tunisiens.** *1946 :* 1 916 ; *1954 :* 4 800 ; *1962 :* 26 569 ; *1968 :* 61 028 ; *1975 :* 139 735 ; *1980 :* 181 618 ; *1982 :* 189 400 ; *1983 :* 212 909 ; *1985 :* 202 000 ; *1986 :* 202 600. *Entrées : 1975 :* 4 691, *1980 :* 3 380 ; *1986 :* 2 600. **Turcs.** *1948 :* 7 878 ; *1954 :* 7 628 ; *1960 :* 3 336 ; *1968 :* 7 628 ; *1972 :* 24 501 ; *1975 :* 50 860 ; *1980 :* 104 818 ; *1982 :* 123 540 ; *1983 :* 135 049 ; *1985 :* 144 000 ; *1986 :* 146 100. *Entrées : 1973 :* 18 628, *75 :* 7 192, *80 :* 7 084 ; *1986 :* 4 600.

Vénézuéliens. *1975 :* 930 ; *1980 :* 1 731. **Vietnamiens.** *1975 :* 11 380 ; *1980 :* 34 483 (22 315). **Voltaïques.** *1975 :* 1 725 ; *1980 :* 2 112.

Yougoslaves. *1948 :* 18 966 ; *1954 :* 15 379 ; *1960 :* 13 510 ; *1962 :* 21 314 ; *1966 :* 34 355 ; *1968 :* 47 544 ; *1972 :* 68 748 ; *1975 :* 70 280 ; *1976 :* 77 810 ; *1980 :* 72 164 ; *1982 :* 64 420 ; *1983 :* 68 316. *Entrées : 1970 :* 10 639, *73 :* 18 628, *74 :* 4 500, *75 :* 1 183, *80 :* 362.

Les étrangers en France

La politique d'immigration depuis 1973

• **Principales étapes. 1973,** *loi du 19-1 :* réforme du Code de la nationalité. Encourage les étrangers résidant en Fr. à opter pour la nat. fr. **1974,** *juillet :* fermeture des frontières. Exceptions : étr. admis en France au titre du droit d'asile, ressortissants des États membres de la C.E.E., membres de la famille (regroupement familial : conjoints, enfants mineurs). **1975,** *juillet :* autorisation des regroupements familiaux. *Nov. :* décret autorisant l'expulsion des clandestins. **1976,** *27-7 :* regroupements familiaux favorisés (prime de 1re installation). **1977,** *juillet :* plan Stoleru : aide au retour pour les chômeurs (10 000 F), *sept. :* aide au retour étendue à tous les étr., interruption totale de la délivrance de doubles cartes de trav., suspension de l'immigration fam. pendant 3 ans (mesure rapportée le 25/26-10). **1979,** *déc. :* loi Bonnet facilitant notamment l'expulsion des clandestins ; dénoncée par le PS comme « grave atteinte à la dignité des immigrés et aux droits de l'homme ».

1980, accord avec l'Algérie visant à favoriser le retour des trav. dans leur pays dans de bonnes conditions (formation professionnelle et création de petites entreprises pour les travailleurs qui reviennent au pays). Abrogation partielle de la loi Bonnet par le conseil constitutionnel. Mise en place de la Mission interministérielle de lutte contre le travail clandestin. Le décret Imbert institue un niveau min. pour les étudiants s'inscrivant dans les univ. **1981,** *été :* opération exceptionnelle de régularisation pour les trav. « sans papiers » entrés en France avant le 1-1-1981. *Loi du 9-10.* Abrogeant les décrets-lois du 12-4-1939, elle permet aux étr. de se regrouper dans des ass. sportives, religieuses, parents d'élèves, locataires correspondant à leur identité culturelle ; une clause restrictive concernant les ass. « dont les activités sont de nature à porter atteinte à la situation diplomatique de la Fr. » a été supprimée par l'Ass. nat. malgré l'avis du min. Autain. Le statut de réfugié est reconnu par l'Office français de protection des réfugiés et apatrides (OFPRA), sous contrôle d'une juridiction d'appel, la Commission de recours. *Loi du 29-10 :* la possibilité d'expulsion pour présence irrégulière est supprimée et remplacée par une procédure de « reconduite à la frontière » (1 seul cas d'expulsion adm., par le min. de l'Intérieur : « menace grave pour l'ordre public ») ; compétence des tribunaux, appel possible pour les immigrés. Autres sanctions : amendes (180 à 8 000 F), prison (1 mois à 1 an). *Nov. :* suppression de l'aide au retour. **1982,** *décret du 27-5 :* exige certains documents pour entrer en Fr. : visa ou certificat d'hébergement, couverture bancaire de frais de rapatriement. *Nov. :* visas rétablis pour les courts séjours (ressortissants d'Amér. latine). **1983,** *loi du 10-6 :* autorise les tribunaux à décider des expulsions avec « exécution provisoire » (l'immigré clandestin est renvoyé, puis a droit de faire appel de son pays d'origine). **1984,** *loi du 7-5 :* fixe un délai min. de 6 mois entre le mariage d'un (ou d'une) étr. avec un(e) Fr. et l'acquisition de la nat. fr. (voir aussi naturalisation, à l'index). *Mai :* rétablissement par la gauche de l'aide au retour supprimée en 1981. *Loi du 17-7 :* titre unique de séjour et de travail valable 10 ans, automatiquement renouvelable. *Décret du 17-7 :* crée le Conseil nat. des pop. immigrées, compétent pour les questions relatives aux conditions de vie, à l'habitat, au travail, à l'emploi, à l'éducation, à la formation et aux actions soc. et culturelles. **1987,** *nov. :* rapport Hannoun (RPR) favorable à l'intégration des immigrés. **1988,** *janv :* le gouvernement Chirac renonce à la réforme du code de la nationalité. **1989,** *nov. :* nomination d'un secr. général permanent chargé des problèmes de l'immigration. **1991,** *mai :* nomination d'un secr. d'État chargé des affaires sociales et de l'intégration.

• **Mesures contre l'immigration clandestine** (statistiques, voir p. 582). **1983,** *31-8 :* multiplication des contrôles d'identité par les préfets ; *31-8 :* augmentation des amendes en cas de fraude (6 000 à 24 000 F) ; *août :* mesures financières pour freiner la venue des saisonniers ; création d'un diptyque (carte d'identité à 2 volets dont un est laissé à la frontière et l'autre gardé pour être présenté à tout contrôle) obligatoire pour les ressortissants du Maghreb en visite en France ; **1984,** *oct. :* diptyque pour tout étranger venu des pays d'Afrique noire ; renforcement de la police de l'air et des frontières : 900 à 1 000 fonctionnaires de plus ; reconduction à la frontière assortie d'une interdiction de retour sur le territoire et inscription de l'identité des immigrés expulsés pour irrégularité au fichier informatisé des personnes recherchées ; sanction de l'embauche des irréguliers : amende ou prison pour l'employeur fautif (loi du 17-10-1981). Jusqu'en 1974, l'étranger pouvait régulariser sa situation si on lui proposait un emploi (80 % des entrées en 1968). **1986,** *août : loi Pasqua* visant à endiguer l'immigration clandestine et à favoriser les reconductions à la frontière. Protestations des socialistes qui défèrent le texte au Conseil constitutionnel. **1989,** *juillet : la loi Joxe* remplace la loi Pasqua.

☞ *Parmi les propositions visant à renforcer les actions contre les clandestins :* reconductions à la frontière, police des ateliers clandestins, sanctions contre les salariés clandestins, leurs employeurs, et leurs passeurs, renforcement des pouvoirs et des effectifs de la police de l'air et des frontières, contrôles mobiles multipliés le long des routes, points de passage obligatoires pour les étr. devant avoir un visa, contrôle du départ des détenteurs de visas de tourisme, refus des faux étudiants, lutte renforcée contre les trafics de faux papiers, meilleur contrôle des conditions de réalisation des regroupements familiaux.

Pour Didier Bariani, l'abrogation de la loi Sécurité et Liberté et l'interdiction faite à la police d'effectuer tout contrôle d'identité sauf vis-à-vis de ceux qui troublent l'ordre public, ou sont dans des zones où la sécurité publique est en danger, empêchent un contrôle efficace de la clandestinité, un étranger entré illégalement en France et n'ayant pas troublé l'ordre public pouvant y résider en toute impunité et indéfiniment.

☞ *Loi Pasqua :* voir Index.

Nota. – Originaires d'Afrique noire ex-française et de Madagascar. *1975 :* 70 320, *82 :* 138 080.

Tsiganes en France. 150 000 à 250 000. 97 % env. d'entre eux sont français. 70 % sont analphabètes. 2/3 sont sédentarisés (dans des conditions souvent mauvaises). 1/3 voyagent. 15 000 adultes sont baptisés par la Mission évangélique des Tsiganes. 5 000 fréquentent cette Église.

☞ **Pays de naissance.** *Argentine :* Barenboïm, Daniel (chef d'orchestre). *Bulgarie :* Vartan, Sylvie (chanteuse). *Égypte :* Dalida (chanteuse). *Espagne :* Casarès, Maria (actrice). *Grèce :* Ahrweiler, Hélène (recteur de l'Académie de Paris). *Hongrie :* Arnothy, Christine (écrivain) ; Image, Jean (réalisateur de cinéma) ; Vasarely, Victor (peintre). *Italie :* Montand, Yves (chanteur) ; Ventura, Lino (comédien). *Roumanie :* Cioran, Émile-Michel (philosophe) ; Éliade, Mircea (historien) ; Popesco, Elvire (actrice). *Russie :* Chagall, Marc (peintre) ; Lifar, Serge (danseur) ; Oldenbourg, Zoé (écrivain) ; Sarraute, Nathalie (écrivain) ; Troyat, Henri (écrivain, membre de l'Académie fr.) ; Zitrone, Léon (journaliste).

Réfugiés politiques

En France

• **Total. Années 1950** 300 000. **Au 1-1-1988** 179 306 (2 264 apatrides) dont par nationalité : Afghane 1 326. Albanaise 398. Algérienne 93. Angolaise 848. Argentine 590. Bengalienne 23. Béninoise 113. Birmane 9. Bolivienne 230. Bouthanaise 3. Brésilienne 201. Bulgare 708. Burkinabé 34. Burundaise 55. Cambodgienne 36 227. Camerounaise 59. Capverdienne 4. Centrafricaine 105. Chilienne 5 463. Chinoise 1 196. Chypriote 2. Colombienne 252. Comorienne 10. Congolaise 183. Cubaine 198. Djiboutienne 8. Dominicaine 22. Égyptienne 571. Équatorienne 32. Équato-Guinéenne 17. Est-Allemande 236. Éthiopienne 829. Gabonaise 7. Ghanéenne 821. Guatémaltèque 31. Guinéenne-Bissau 433. Guinéenne-Conakry 637. Haïtienne 2 735. Hondurienne 1. Hongroise 3 449. Indienne 18. Indonésienne 49. Irakienne 197. Israélienne 11. Ivoirienne 7. Jordanienne 4. Kenyane 1. Koweïtienne 1. Laotienne 23 455. Libanaise 17. Libérienne 124. Libyenne 16. Malaise 11. Malgache 50. Malienne 90. Marocaine 218. Mauricienne 9. Mexicaine 7. Mozambicaine 16. Namibienne 10. Nicaraguayenne 5. Nigériane 59. Nigérienne 20. Nord-Yéménite 1. Ougandaise 71. Pakistanaise 115. Panaméenne 1. Paraguayenne 41. Péruvienne 282. Philippine 13. Polonaise 11 747. Roumaine 4 807. Rwandaise 30. Salvadorienne 71. São-Tomé 5. Sénégalaise 10. Seychelloise 2. Sierra-Léonaise 10. Singapourienne 1. Somalienne 8. Soudanaise 16. Soviétique 8 961 (dont Arménienne 4 523). Sri-Lankaise 2 208. Sud-Africaine 78. Sud-Coréenne 7. Suriname 1. Syrienne 154. Taïwanaise 1. Tanzanienne 4. Tchadienne 266. Tchécoslovaque 1 518. Tibétaine 29. Togolaise 190. Tunisienne 95. Turque 7 715. Uruguayenne 780. Vénézuelienne 2. Vietnamienne 34 723. Yougoslave 4 568. Zaïroise 3 959. Zimbabwéenne 11. Divers Europe 454.

• **Demandeurs d'asile. Nombre et,** entre parenthèses **% d'acceptation :** *1972 :* 2 000, *1976-80* (moy. annuelle) : 15 000, *1980-84 (id) :* 20 000, *1983 :* 22 285, *84 :* 21 624, *85 :* 26 809, *86 :* 26 196, *87 :* 27 568, *1988 :* 34 253 (34 %), *1989 :* 61 422 (28 % dont Turcs 17 335, Zaïrois 7 417, Maliens 3 807, Sri-Lankais 3 236). **Nombre de décisions et % de demandes traitées.** *1987 :* 26 628 (96 %), *1988 :* 25 425 (74 %), *1989 :* 31 111 (50 %).

Nombre de réfugiés statuaires. *1987 :* 179 306, *1988 :* 183 945, *1989 :* n.c. **Nombre de réfugiés du sud-est asiatique.** *1980 :* 12 001, *1981 :* 12 290 (dont Cambogiens 5 684, Laotiens 3 888, Vietnamiens 3 192, autres 26), *1982 :* 9 207 (dont C. 4 273, V. 3 276, L. 1 653, autres 5), *1983 :* 8 690 (dont C. (5 032, V. 2 995, L. 632, autres 31). *1987 :* 4 222, *1988 :* 4 462, *1989 :* 4 909. **Nombre de recours enregistrés par la Commission des Recours des Réfugiés.** *1987 :* 14 737, *1988 :* 15 657, *1989 :* 16 000. **Annulation des décisions de l'Office.** *1988 :* 7 %, *1989 :* n.c.

Dans le monde

Total. Env. 15 millions en févr. 1985.

Répartition en 1981-82. Afrique : + de 3 millions dont Algérie 152 000 (150 000 Sahraouis), Burundi 234 600, Nigeria 105 000, Ouganda 113 000 (80 000 Rwandais), Somalie 700 000 (1 pour 7 hab.), Soudan 550 000 (419 000 Éthiopiens, 110 000 Ougandais), Tanzanie 164 000 (154 000 Burundais), Zaïre 365 000 (215 000 Angolais, 115 000 Ougandais). **Amérique du N. :** Canada 338 000 (1 pour 69 hab.), U.S.A. 849 000. **Am. centrale** (avec Mexique) : 260 000 à 310 000 (dont 220 à 270 000 Salvadoriens). **Am. du S. :** 74 500 (dont 58 000 r. europ. et 130 000 latino-amér.), dont 26 500 en Argentine. **Asie :** Chine 265 000 Vietnamiens, Hong Kong 13 542 Vietnamiens, Iran 50 000 Afghans env., Pakistan 2 350 000 Afghans (1 pour 34 hab.), Viêt-nam 30 000 Cambodgiens, pays arabes d'Asie (Ar. Saoud., Émirats arabes unis, Irak, Jordanie, Koweït, Syrie, Yémen) 70 000 env. + 1 925 726 r. palestiniens (au 30-6-82) [1]. **Europe :** 589 200 (1 pour 710 hab.) dont 148 000 Indochinois arrivés dep. 1975 [2]. **Océanie :** Australie 304 000 (1 pour 47 hab.), Nlle-Zélande 10 000.

Nota. – (1) Jordanie 748 552 (1 pour 5 hab.), bande de Gaza 377 292, rive occ. du Jourdain 340 643, Liban 238 667 (1 pour 11 hab.), Syrie 220 572. (2) En Suisse, 22 000, dont 14 000 arrivés dep. 1982-83.

☞ Refus d'accorder le statut (en %, en 1982) : All. féd. 81,1, Dan. 48,7, Belg. 45, *Fr. 44,7,* G.-B. 33,9, Suisse 25.

• **Proportion.** *Nombre d'habitants par réfugié politique au 1-1-1983 :* Somalie 7, Soudan 32, Pakistan 34, Suisse 150, Autriche 246, *France 360,* G.-B. 390, Suède 416, Italie 423, Belgique 476, All. féd. 610.

Étrangers actifs en France

Données globales

• **Nombre total** (y compris les chômeurs) **et,** entre parenthèse, **% de la pop. active totale** (*source :* recensements). *1946 :* 1 046 000 (5,1). **1954 :** 949 000 (5). **1962 :** 1 093 000 (5,7). **1968 :** 1 268 000 (6,2). **1975 :** 1 584 000 (7,3). **1982 :** 1 556 000 (6,6), dont ouvriers non qualifiés 593 740, ouvriers qualifiés 394 740, personn. serv. directs aux particuliers 108 760, employés administratifs d'entreprise 98 020, ouvriers agricoles 54 040, chômeurs n'ayant jamais travaillé 43 300, employés de la fonction publique 32 980, artisans 31 160, commerçants et assimilés 27 540, employés de commerce 26 780, cadres d'entreprise 26 200, prof. interm. admin. et commerc. des entr. 23 320, prof. interm. enseign., santé, fonct. publ. 22 140, contremaîtres, agents de maîtrise 21 880, cadres fonct. publ., prof. intell. et artist. 21 160, techniciens 13 560, agriculteurs exploitants 9 720, chefs d'entreprise de 10 salariés ou + 3 880, professions libérales 3 340. **1983** [1] : 1 574 000. **1984** [1] : 1 658 000, dont hommes 1 187 (8,5 % de la pop. active masc.) et femmes 369 140 (3,9 %). **1985 :** 1 510 332 dont salariés 1 135 000, demandeurs d'emploi 291 000, non salariés 85 000. **1989 :** 1 471 500 (dont 1 065 000 salariés et 309 000 chômeurs). **1990 :** 1 700 000 (dont 500 000 femmes) sans compter les clandestins.

% de femmes dans la pop. active étr. 1962 : 15,2. **1975 :** 18,8. **1982 :** 23,7.

Nota. – (1) Enquête emploi I.N.S.E.E. en mars.

Travailleurs étrangers dans certains pays de l'O.C.D.E. en milliers. Autriche (1987) 147,5 (yougoslaves 82,5 ; turcs 32,7 ; italiens 2,2). **Belgique (1987)** 411,5 (italiens 89,5 ; marocains 49,9 ; espagnols 37,5 ; turcs 35,1). *France (1987)* 1 524,9 (port. 393,2 ; alg. 249,3 ; mar. 176 ; esp. 119,3 ; it. 113,6 ; tun. 71,5 ; turcs 56,5 ; youg. 39,8). **Allemagne fédérale (1987)** 1 865,5 (turcs 622,5 ; youg. 323,6 ; it. 214,4 ; grecs 113,2 ; autr. 83,3 ; esp. 70,5 ; port. 39,5). **Luxembourg (1984)** 53 (ressortissants C.E.E. 25,2 dont port. 15,7 et it. 8,5). **Pays-Bas (1987)** 157,7 (turcs 35,3 ; mar. 23,2 ; esp. 8,1 ; it. 7,9 ; youg. 4,9 ; port. 3,4 ; grecs 1,7). **Suède (1987)** 214,9 (finl. 81,1 ; youg. 22,8 ; grecs 4,8). **Suisse (au 1-1-1988 sauf saisonniers et frontaliers)** 587,7 (it. 231,6 ; esp. 72,4 ; youg. 57,2 ; port. 32,1 ; turcs 28 ; autr. 20,2 ; grecs 4,6 ; tun. 1,5 ; alg. 1,2 ; mar. 1 ; finl. 0,9).

• **Transferts de fonds vers le pays d'origine** (milliards de F). **1985 :** 31,7, **86 :** 35,5, **87 :** 34,6.

Répartition selon la nationalité. Port. 388 820 (dont femmes 138 160), Alg. 318 880 (40 480), Mar. 187 620 (18 240), It. 146 920 (31 300), Esp. 137 340 (44 660), Tun. 76 020 (7 720), Turcs 40 780 (3 920), Youg. 35 800 (13 420) ; autres C.E.E. 65 360 (21 380), Afr. noire 56 080 (10 160), autres nat. 122 860 (39 720).

Actifs ayant un emploi

• **Total** (1982). 1 338 120 (dont 1 257 860 salariés), dont bâtiment, génie civil et agr. 299 380, services marchands 234 560, industrie des biens d'équipement 146 540, services non marchands 121 520, ind. des biens de consommation 112 120, commerce 111 760, agr., pêche 59 300, transports et télécommunications 48 400, ind. agric. et alim. 30 320, produc. et distribution d'énergie 16 240, organismes financiers 6 200, location et crédit-bail immobiliers 4 140, assurance 2 620. V. aussi au chapitre Travail.

• **Répartition par secteur** (%). Industrie 56 (65,5 en 75), dont bâtiment, génie civil et agricole 22, biens intermédiaires 11 (fonderie et travail des métaux 4), biens d'équipement 11 (automobile 5), biens de consommation 8,5 (textiles et habillement 4), autres 3,5 ; tertiaire 39,5 (28,5 en 75), dont services marchands 17,5, services non marchands 9, commerce 8,5, agriculture 4,5 (6 en 75). En 1989 BTP 25,9, services 18,3 (hôtels, cafés, restaurants 16,4), automobile 12,7.

• **% des étrangers selon les branches d'activité** (1983). Commerce 4,9, bâtiment, génie civil et agr. 20,3 (dont Portugais 30 %), agriculture 10, industrie 8,5 [ind. des biens intermédiaires 10,3 dont Portugais 25 %, Algériens 25 %), des biens de consommation 8,9, des biens d'équipement 8,4, agr. et alim. 6,1, énergie 3,4). Services marchands 7,3. Activité indéterminée 6. Services non marchands 3,5. Transports et télécom. 3. Institutions financ. 2,6.

Nota. – Il y avait 14,5 % d'étrangers dans l'automobile et les matériels de transports terrestres (dont Marocains 25 %, Algériens 20 %, Portugais 17 %).

• **Travailleurs saisonniers. 1970 :** 135 058. **71 :** 137 197. **72 :** 144 492. **73 :** 142 458. **74 :** 131 783. **75 :** 124 126. **76 :** 121 474. **77 :** 112 116. **78 :** 122 658. **79 :** 124 715. **80 :** 120 436. **81 :** 117 542. **82 :** 107 017. **83 :** 101 857. **84 :** 93 220. **88 :** 70 547. **89 :** 61 868.

Source : O.N.I.

Répartition géographique (en % 1981). Les 3/4 dans 8 départements (par ordre décroissant) : Hérault, Aude, Gard, Vaucluse, Gironde, Lot-et-G., Bouches-du-Rh., Pyrénées-Or.

Nationalités (1982). Espagnols 89 539. Portugais 10 477. Marocains 5 536. Tunisiens 900. Yougoslaves 173. Autres 290.

Répartition selon le secteur d'activité (1982). *Total* 106 915, dont pêche, agriculture, forestage 103 834. Prod. transf. des mét., ind. mécaniques et élec. 4. B.T.P. 243. Ind. agricoles et alimentaires 969. Ind. du bois et ameublement 34. Autres ind. 269. Commerces 1 470. Hygiène, services divers domestiques 62. Autres activités 30.

• **Travailleurs permanents. Admis de 1946 à 1984 :** total 2 685 974 dont It. 632 993, Port. 606 352, Esp. 528 692, Mar. 256 958, Tun. 123 566, Youg. 93 022, Turcs 71 562, divers 372 828. **87 :** 10 700 ; **88 :** 14 594. **89 :** 18 646 [dont 12 314 devant posséder un titre de travail (dont 8 792 régularisations et 6 332 de la CEE bénéficiaires de la libre circulation)]. **Membres des familles. 1988 :** 29 331. **89 :** 34 594.

Catégorie socio-professionnelle. En %. **1982 :** 63,5 % d'ouvriers contre 34,2 % pour l'ensemble des actifs (64 % en 1962, 73 % en 1975), 71,5 % chez les hommes et 38 % chez les femmes. **Qualification professionnelle dans l'industrie (oct. 82) :** manœuvres 14, O.S. 33,1, ouvriers qualifiés 37,3, total ouvriers 84,4 ; employés 9,8, agents de maîtrise et cadres 3, cadres 2,3. Les ouvriers non qualifiés représentaient 45 % de l'ensemble des actifs chez les Port., Alg., Mar. et Tun., 60 % chez les Turcs.

Autorisations de travail temporaire. 1988 : 17 233, **89 :** 19 954 (hommes 14 736, femmes 5 218) dont Européens 4 525, Marocains 1 823, Afr. noirs francophones 1 400, Tunisiens 945, Algériens 694. **Carte de résident. 1989 :** 2 325.

Histoire de France

Souverains et chefs d'État

☞ Pour en savoir plus, demandez le *Quid des Présidents de la République* (et des candidats). 717 pages de faits, de dates, de chiffres et d'anecdotes sur la vie des présidents et des candidats à la présidence. Chez tous les libraires (éditions Robert Laffont).

☞ Hervé Pinoteau, auteur de *L'État présent de la Maison de Bourbon* (Paris, 3e édition, 1986) compte 85 rois, de Clovis à Charles X. Sous l'Ancien Régime, on comptait à partir de Pharamond, mais on oubliait les empereurs et rois associés (dont les noms figurent pourtant dans les diplômes), et on donnait Louis XVI 66e roi de France. Il y eut 3 empereurs des Français [Napoléon Ier, Napoléon II (reconnu par les chambres et proclamé dans plusieurs villes de France) et Napoléon III].

Empereurs gaulois et empereurs des Gaules

☞ *Abréviations :* Cte : comte ; e. g. : empereur gaulois ; e. d g. : empereur des gaulois ; ép. : époux, épouse ; f. : fils, fille ; g. : gaule ; p. : précédent ; v. : vers. *D'après* Maurice Bouvier-Ajam.

Les *empereurs gaulois (e. g.)* sont des Gaulois proclamés empereurs par leurs compatriotes ou une grande partie d'entre eux. Les *empereurs des Gaules (e. d g.)* sont des Romains ou des non-Gaulois, sujets de Rome, qui ont pris ou reçu ce titre. **70** (janvier-mars) : **Sabinus César** des G. : 1er empereur gaulois. **70** (août) : préside une assemblée d'une république aristocratique des G. **121 (?) : Caius, Julius, Aupex,** conservateur des G. **124 (?) : Adrien,** restaurateur des G. **138 : Antonin,** Gallo-Romain. **192 : Caracalla** (4 ans), symbolique protecteur de la G.

257-267 : 2e Empire gaulois. **267** (juillet)-**268** (août) : **Lélien, Marius, Victorien** (e. g.). **268-273 : Treticus** et son fils. **275 : Probus,** Pannonien proclamé en Gaule avant d'être investi par le Sénat romain. **276-279 : Proculus,** Bonosus se révoltent contre Probus. **282 : Carus,** Narbonnais, proclamé empereur romain. **283 : Lélien,** e. bagaude. **287 : Carausius,** e. g. **293 : Constance Chlore,** Pannonien, César des G.

340 : Constant. 350 : Magnence, Lète, e. g. **353 : Decentius,** s. frère, e. d g. **354 : Silvanus,** Lète franc, e. g. **355** (octobre) : **Julien,** César des G., nommé par l'empereur romain Constance II, dit le Libérateur des G. **361** (mai) : **Julien,** e. d g., e. romain. **364 : Salluste,** gaulois, refuse l'empire. **375 : Gratien,** e. romain d g. ; Gaule continentale, Britannia, Espagne. **383 : Maxime,** e. d g.

407 : Constantin, e. d g. **412 : Maxime le Tyran,** dernier e. d g. **435-436 : Tibaton,** dernier e. bagaude. **452-464 : Egidius,** comte romain, patrice des g. **455** (juillet)-**456** (avril) : **Avitus,** Gaulois, e. romain d'Occident. **464 à 476** (chute de l'Empire romain) : **Syagrius,** patrice des g. **476 à 486** (juillet) : **Syagrius,** patrice d'un E. d'Occident qui n'existe plus, mais se réclame de l'E. d'Orient. **486 :** fin de la Gaule romaine.

Les Mérovingiens

Nota. – La France a été plusieurs fois divisée en royaumes : Austrasie, Neustrie, Orléans, Paris, Aquitaine et Bourgogne. Cette coutume a été expliquée de 2 façons différentes : 1°) elle serait d'origine germanique ; 2°) elle prétendait imiter les empereurs romains postérieurs à Dioclétien (voir p. 991).

v. 396 rois dits « chevelus » : v. 413 Théodemir (Trèves) † 418. v. 428 Clodion le Chevelu († v. 455) fils de Pharamond, dont l'existence est contestée. v. 451/5 Mérovée parent de Clodion. v. 451 Childéric Ier (v. 436-482) f. du p. *Ép.* Basine de Thuringe, déposé, restauré v. 458.

481 Clovis Ier (465-511) f. du p. *Ép.* 493 Clotilde (v. 470-545) (fille de Chilpéric, roi des Burgondes) qui sera canonisée.

• 1er partage (511-558). **4 royaumes (511-524).** REIMS et AUVERGNE. **Théodoric (Thierry Ier)** (486-534) f. de Clovis, ép. Suavégote (princesse burgonde). ORLÉANS. **Clodomir** (495-524) f. de Clovis, ép. Gondioque. PARIS. **Childebert Ier** (v. 497-558) f. de Clovis, ép. Vultrogote. SOISSONS (NEUSTRIE). **Clotaire Ier le Vieux** (v. 497-561) f. de Clovis. Roi de tout le royaume de 558 à 561. *Ép.* 1° Chunsène ; 2° Gondioque ; 3° Ingonde ; 4° Arégonde ; 5° sainte Radegonde de Thuringe (519-87) ; 6° Vultrade, princesse lombarde.

3 royaumes (524-555). REIMS et AUVERGNE. **Théodoric (Thierry Ier),** devenu roi de Thuringe 531. **534 Théodebert (Thibert Ier),** s. f. (v. 504-548), titré roi d'Austrasie, *ép.* Vingarde, princesse lombarde. **548 Théodebald (Thibaut)** (v. 535-555) s. f. ORLÉANS et PARIS. **Childebert Ier,** roi d'Orléans jusqu'à 532 ; co-roi de Bourgogne 534, *ép.* Vultrade, princesse lombarde. NEUSTRIE. **Clotaire Ier le Vieux,** roi d'Orléans 532 ; co-roi de Bourgogne 534.

2 royaumes (555-58). PARIS et co-royauté de BOURGOGNE. **Childebert Ier († 558).** NEUSTRIE, ORLÉANS, co-royauté de BOURGOGNE, AUSTRASIE. **Clotaire Ier le Vieux.**

• 1re réunification (558-61). **Clotaire Ier le Vieux** (479-† 561), roi de Paris, r. unique de Bourg., souverain de tous les roy. francs à la mort de Chil. Ier.

• 2e partage (561-613). **4 royaumes (561-568).** PARIS. **Caribert Ier** (521-567) f. de Clotaire Ier. *Ép.* 1° Ingoberge ; 2° Méroflède ; 3° Marcovèfe ; 4° Teutechilde. ORLÉANS et BOURGOGNE. **Gontran (St)** (525-592) f. de Clotaire Ier. *Ép.* 1° Vénérande ; 2° Marcatrude ; 3° Austrechilde. AUSTRASIE. **Sigebert Ier** (535-assassiné en 575 sur ordre de Frédégonde) f. de Clotaire Ier. *Ép.* Brunehaut (534-613/4). SOISSONS. **Chilpéric Ier** (539-assassiné 584) f. de Clotaire Ier et d'Haregonde. *Ép.* 1° Audovère († 580/1) ; 2° Galsvinthe, princesse wisigothe (?-568) ; 3° Frédégonde (543-97).

3 royaumes (568-592). ORLÉANS et BOURGOGNE. **Gontran (St)** († 592), roi de Paris (à la place de Chilpéric Ier à partir de 584). AUSTRASIE. **Sigebert Ier** († 575). **575 Childebert II** (570-95) f. de Sigebert et Brunehaut. *Ép.* Faileube. SOISSONS et PARIS. **Chilpéric Ier.** A sa mort (584), le royaume de Paris va à Gontran. **584 Clotaire II le jeune** (584-629) s. f.

2 royaumes (592-595). AUSTRASIE, ORLÉANS, PARIS, BOURGOGNE. **Childebert II** recueille l'héritage de son oncle Gontran jusqu'à sa mort (595). SOISSONS. **Clotaire II le jeune, † 629.** *Ép.* 1° Haldetrude ; 2° Bertrude ; 3° Sichilde ou Sicheut.

3 royaumes (595-612). AUSTRASIE. **Théodebert ou Thibert II** (585-612, assassiné) f. de Childebert II. *Ép.* 1° Bilichilde ; 2° Théodechilde. BOURGOGNE, PARIS, ORLÉANS. **Thierry II** (587-613) f. de Childebert II. SOISSONS. **Clotaire II le jeune.**

2 royaumes (612-613). BOURGOGNE, PARIS, ORLÉANS, AUSTRASIE. **Thierry II** recueille l'héritage de son fr. *Ép.* Ermenberge, princ. wisigothe. SOISSONS. **Clotaire II le jeune.**

• 2e réunification (613-634). **613 Clotaire II le jeune.** Recueille l'héritage de ses 2 cousins germains, fils de son oncle Childebert II. **629 Dagobert Ier** (v. 600-39) f. du p. et de Bérétrude. *Ép.* 1° 626 Gomatrude ; 2° 629 Nanthilde († v. 642) ; 3° 630 Ragnétrude.

• 3e partage (634-656). **2 royaumes.** NEUSTRIE et BOURGOGNE. **634 Dagobert Ier** († 639). *Ép.* 1° Ragnétrude ; 2° Gométrude ; 3° Nanthilde ; 4° Vulfégonde ; 5° Berthilde. **639 Clovis II le Fainéant** (v. 630-57) f. de Dagobert Ier et de Nanthilde. *Ép.* 651 Ste Bathilde († 678). AUSTRASIE. **634 St Sigebert III** (631-56) f. de Dagobert Ier. *Ép.* Himnechilde. Règne sous la tutelle de Pépin l'Ancien et de Grimoald, son père l'ayant nommé fictivement roi, à 3 ans.

• 3e réunification (656-660). NEUSTRIE, BOURGOGNE, AUSTRASIE. **Clovis II le Fainéant** recueille l'héritage de son frère St Sigebert († 656), en écartant le futur St Dagobert II, âgé de 4 ans. **657 Clotaire III** (v. 652-673) f. de Clovis II. **(656** reçoit fictivement la couronne austrasienne de son oncle St Sigebert. **657** hérite des autres royaumes francs).

• 4e partage (663-675). **2 royaumes.** NEUSTRIE et BOURGOGNE. **Clotaire III** († 673) donne la couronne d'Austrasie à son fr. Childéric II en 663. **673 Thierry III** (v. 657-690 ou 91) 3e f. de Clovis II et de Ste Bathilde. *Ép.* Clotilde (Doda) († 694/9), succède à son fr. aîné. AUSTRASIE. **Childéric II** (v. 653/7-assass. 675) f. de Clovis II et de Ste Bathilde. *Ép.* v. 668 Bilichilde († 675), fille de Sigebert II.

• 4e réunification (675-676). NEUSTRIE, BOURGOGNE, AUSTRASIE. **Thierry III** recueille un an l'héritage austrasien de son fr. Childéric II.

• 5e partage (676-79). **2 royaumes.** NEUSTRIE ET BOURGOGNE. **Thierry III.** Donne en 676 l'Austrasie à son cousin germain Dagobert, f. de son oncle St Sigebert († 656). AUSTRASIE. **676 St Dagobert II** (v. 652-assassiné 679) f. de Sigebert III. *Ép.* 1° Mathilde († 670) ; 2° Gisèle.

• 5e réunification (679-717). NEUSTRIE, BOURGOGNE, AUSTRASIE. **679 Thierry III.** Reprend la couronne austrasienne après l'assassinat de son cousin. **691 Clovis III** (682-95) f. du p. et de Clotilde. Pépin d'Héristal dirige le royaume. **695 Childebert III** (683-711) f. de Thierry III et de Clotilde. *Ép.* N. Sous la tutelle de Pépin d'Héristal. **711 Dagobert III** (v. 699-715) f. du p. *Ép.* N. **715 Chilpéric II** (v. 670-721) f. de Childéric II et de Bilichilde. *Ép.* N.

• 6e partage (717-719). **2 royaumes.** NEUSTRIE et BOURGOGNE. **Chilpéric II,** contraint de céder en 717 la couronne austrasienne à son cousin germain, Clotaire IV, protégé de Charles Martel. AUSTRASIE. **717 Clotaire IV** (684-719) f. de Thierry III, désigné par Ch. Martel. Opposé à Chilpéric II.

• 6e réunification (719-751). NEUSTRIE, BOURGOGNE, AUSTRASIE. **719 Chilpéric II** reprend sa couronne austrasienne à la mort de son rival. **721 Thierry IV** (v. 713-737) f. de Dagobert III. *Seul roi.* **737-43 Interrègne :** Charles Martel (carolingien) au pouvoir. **743-51 Childéric III** (v. 714-754) f. de Chilpéric II. *Ép.* Gisèle, dont il eut Théodoric ou Thierry, mort sans post., et dernier des Mérovingiens. Déposé par Pépin le Bref en 751, après consultation du pape.

Les Carolingiens (dits aussi Pippinides)

751 Pépin le Bref (714, Jupille/24-9-768, St-Denis) f. de Charles Martel [v. 676/12-10-741, Quiercy-s/Oise. F. de Pépin d'Héristal (v. 635-714), lui-même petit-fils de Pépin le Vieux ou de Landen (v. 580-640), maire du palais d'Austrasie sous Clotaire II, Dagobert I et Sigebert II. *Ép.* 1° Rotrude ou Chrotrud († 724) ; 2° 741 Swanahilde ou Sonichilde, de la famille des ducs de Bavière] ; maire du palais de Neustrie (741), proclamé roi de France (751), sacré roi de France à Soissons par St Boniface, archevêque de Mayence (5-3-752), puis à St-Denis par le pape Étienne III (*juillet ?* 754). *Ép.* v. 740 Bertrade de Laon, dite Berthe au Grand Pied (726-783), f. du comte de Laon, Caribert.

768 Charles le Grand, dit Charlemagne (742-28-1/814), Aix-la-Chapelle, f. du p. et de Bertrade de Laon. Sacré Patrice des Romains à St-Denis (28-7-754), *Roi de Neustrie, Austrasie* et *Aquitaine occidentale* à Noyon (9-10-768), *Bourgogne, Provence, Septimanie* et *Aquitaine orientale* après la mort de son frère Carloman Ier (751-71) ; *roi des Lombards* et *patrice de Rome* (7-7-774) ; couronné *empereur gouvernant l'Empire des Romains* le 25-12-800 par le pape Léon III. *Canonisé* 1165. Longtemps considéré comme le roi des Francs Charles Ier (Charles le Chauve étant appelé Charles II, et Charles le Gros, avant Charles III le Simple, n'ayant aucun numéro). Actuellement, on considère *Charlemagne* comme un nom différent de *Charles,* et on appelle Charles le Chauve : Charles Ier. *Ép.* 1° Himiltrude (morganatique) ; 2° 770 Désidérade (?), f. de Didier, roi des Lombards, répudiée 771 ; 3° 771 Hildegarde (758-83), petite-f. du duc d'Alémanie, Godefroy ; 4° 783 Fastrade († 794), f. du Cte de Franconie, Radulf ; 5° av. 796 Liutgarde († 800) ;

6° Madelgarde ; concubines ; 7° Gerswinde ; 8° Regina ; 9° Adelinde ; 10° N.

813 Louis Ier le Débonnaire ou **le Pieux** (778, Chasseneuil/20-6-840, Ingelheim) f. du p. et de Hildegarde. *Ép.* 1° v. 794 Ermengarde († 818) ; 2° v. 819 Judith (v. 805-43), f. du Cte de Bavière, Welft. A la dignité de *roi d'Aquitaine* (778-814), sacré à Rome par Adrien Ier (15-4-781), associé à son père comme *empereur* (813), couronné à Reims (818 ou 816 par le pape Étienne IV), seul 814-833, déposé par ses fils (833), restauré (834). [Si l'on comptait les 3 Clovis mérovingiens (dont le nom est une autre forme de Louis = Hlodovicus), il serait appelé Louis IV, et Louis XIV serait Louis XVII. Longtemps on commença la liste des rois à Charlemagne (actuellement, à Louis le Débonnaire, ce qui fait de Charles le Chauve un Charles Ier)].

A partir de 814, les souverains sont empereurs et rois sans qu'il soit dit de quoi (sauf en Aquitaine : Pépin Ier et II sont rois des Aquitains).

817 Lothaire (795/29-9-855, Prüm), f. du p. et d'Ermengarde, a la dignité de *roi de Bavière* (814), associé à son père *empereur* (817), roi d'Italie (820, couronné à Rome (5-4-823), associé (825-829, 830-831), seul emp. (833), démis et simple roi en Italie (834), seul emp. et forcé d'abandonner la Francie de l'Ouest (ou France) dès 840, moine à Prüm (855). *Ép.* 821 Ermengeard († 851), f. du comte d'Alsace.

817 Pépin Ier († 838) a l'Aquitaine dès 814, comme roi 817.

839 Pépin II († après 864) proclamé roi d'Aquitaine 839 contre Ch. le Chauve, reconnu 845-848.

840 Charles II le Chauve (13-6-823, Francfort-s/le Main/6-10-877, Avrieux) f. de Louis le Pieux et de Judith. *Roi d'Aquitaine* (838), en Francie de l'Ouest (840), couronné à Orléans (6-6-848), *Roi de Lorraine* (couronné 869) et *de Bourgogne* (870), *empereur* (875 ou 876 par Jean III, à Rome), *Roi des Lombards* (5-1-877 Pavie). *Ép.* 1° 842 Ermentru († 869) f. du Cte d'Orléans ; 2° 870 Richeut († 877) f. du Cte d'Ardenne, Bivin.

855 Charles l'Enfant († 866).

877 Louis II le Bègue (1-11-846/10-4-879, Compiègne) f. de Charles le Chauve et d'Ermentru. *Roi d'Aquitaine* en 867, couronné à Compiègne (8-12-877) puis à Troyes (17-9-878 par Jean VIII). *Ép.* 1° 862 Ansgarde d'Hiémois († ap. 875) répudiée en 866 ; 2° 870 Adélaïde (Aélis) de Paris († ap. 901).

879 Louis III (864/5-8-882, St-Denis) f. du p. et d'Ansgarde. Sans postérité. Couronné roi avec Carloman à Ferrière-en-Gâtinais (10-4-879), roi de Neustrie et d'Austrasie (880). Ce fut le dernier partage du royaume (879-882).

879 Carloman II (866/12-12-884) f. de Louis II et d'Ansgarde. Sans post. *Roi avec Louis III* d'Aquitaine, de Bourg. et de Septimanie (880-82), *roi de Fr. seul* (882). *Ép.* 878 la f. de Boson, roi de Bourg.

884 Charles II le Gros (839/13-1-888, Neidingen) f. de Louis II le Germanique (v. 806-76, 3e f. de Louis Ier le Débonnaire, roi de Germanie et d'Ermengarde) et d'Emma. *Roi de Souabe* (876-87), *d'Italie* (879, couronné *janv.* 880), *empereur* (880-87, couronné à Rome 12-2-881), *roi de France* au détriment de Charles le Simple (12-12-884) ; déposé en 887 (11-11). *Ép.* 862 Ste Richarde, dont il eut Carloman († 876).

---

888 Eudes (864/mai 998) non carolingien, voir ci-dessous, Capétiens.

---

898 Charles III le Simple (c'est-à-dire le loyal) (17-9-879/7-10-929, Péronne) f. posth. de Louis II le Bègue et d'Adélaïde. *Roi avec Eudes* (893-98, couronné à Reims 18-1-893), *puis seul* [reprend en 911 (extinction des Carolingiens de l'Est) le titre : rex Francorum, abandonné depuis 814], déposé (923-927), roi (927), renonce (928). *Ép.* 1° 907 Frédérune (Frérone) († 916/17) ; 2° 919 Édvige d'Angleterre (896-951) f. du roi Édouard 1er d'Angleterre.

A partir de 911, lorsque disparaît Louis IV l'Enfant, dernier Carolingien de la Francie de l'Est ou Germanie, qui ne portait que le simple titre de roi, le titre de roi des Francs sera parfois repris en Germanie, puis disparaîtra avec Henri IV (1056-1106) ; le roi de la Francie de l'Ouest ou France, assume le titre de roi des Francs.

---

922 Robert Ier (866-923) non carolingien, voir ci-dessous, Capétiens.

923 Raoul duc de Bourgogne († 936) non carolingien, voir ci-dessous, Capétiens.

---

936 Louis IV d'Outremer (921, G.-B./10-9-954, Reims) f. de Charles III et d'Edvige ; couronné à Laon (19-6-936). *Ép.* 939 Gerberge de Saxe [(913/14-984, fille d'Henri l'Oiseleur († 968)].

954 Lothaire (941, Laon/2-3-986, Compiègne) f. du p. et de Gerberge, associé à son père (952) ; sacré à Reims (12-11-954). *Ép.* 966 Emma († 988) f. de Lothaire II, roi d'Italie.

986 Louis V le Fainéant [1] (v. 967/21-5-987) f. du p. et d'Emma ; associé à son père (978) ; couronné à Compiègne (8-6-979). *Ép.* 982 Adélaïde d'Anjou, veuve d'Étienne Ier, Cte de Gévaudan († v. 1010). Sans postérité.

Nota. – (1) Surnom donné sous le règne de ses successeurs capétiens, mais ne correspondant à rien.

Les Capétiens

Origine. *Capet* est un surnom dû sans doute à un détail vestimentaire, la cappa (demi-manteau de Saint-Martin), déjà relique d'État sous les Mérovingiens et les Carolingiens, donné par les chroniqueurs du début du XIe s., à Hugues Ier le Grand († 956), à son fils le roi Hugues II Capet († 996) et au roi Hugues III le Grand († 1026, avant Robert II le Pieux, dont il était le fils aîné). Vers 1200, on parla de Capétiens, mais ce ne fut jamais une appellation officielle. Le roi, ses enfants, ceux du dauphin et ceux du fils aîné du dauphin sont « *de France* », seul nom de famille possible pour celui qui a contracté un « mariage saint et politique » avec la Couronne, le royaume et la Nation, ainsi que pour sa proche famille. Louis XIV instaura officiellement dans certains textes le terme de « *Maison de Bourbon* » (1er texte : le traité de Montmartre du 6-2-1662).

Jusqu'en 1958, on ne faisait pas remonter la généalogie des Capétiens plus haut que Robert le Fort (v. 800-66), Cte d'Angers et de Tours, abbé laïc de Marmoutier ; père d'Eudes, roi de France de 888 à 898. On connaît aujourd'hui les ancêtres de Robert le Fort ou « Robertiens » : ce sont les Ctes de Wormsgau et Oberrheingau, qui étaient certainement alliés aux Carolingiens par les femmes, et qui étaient très probablement les Mérovingiens d'une branche cadette. Leur liste a paru après l'analyse du cartulaire de l'abbaye St-Nazaire de Lorsch (près de Worms), fondée vers 764 par Williswinte, veuve d'un prince robertien. **Lambert,** référendaire de Dagobert Ier, roi de Neustrie, vivant le 8-4-630. **Robert,** s. f., maire du palais de Clovis II, chancelier de Clotaire III entre 639 et 675. **Lambert,** s. f. (dates inconnues). **Robert Ier,** s. f., duc en Hesbaye (Liège) mort v. 764. **Turimbert,** s. f. (d. inconnues). **Robert II,** s. f. (d. inconnues). **Robert III,** s. f., administrateur royal à Hornbach (mort v. 834).

Rois frères. Les 3 branches des Capétiens qui ont régné en Fr. ont fini par le règne successif de 3 frères : *de 1314 à 1328,* les 3 derniers Capétiens directs (Louis X, Philippe V, Charles IV) ; *de 1559 à 1589,* les 3 derniers Valois (François II, Charles IX, Henri III) ; *de 1774 à 1830,* les 3 derniers Bourbons (Louis XVI, Louis XVIII, Charles X).

Rois robertiens antérieurs à Hugues

888 Eudes (v. 860-98) f. de Robert le Fort. *Épouse* v. 882 Théoderade (Thierrée) (de la famille des Ctes de Troyes), dont 1 fils Guy (cité 903) ; Cte de Paris 882 ; reconnu r. des Francs par l'emp. Arnulf 889. Couronné à Reims, quelques mois après avoir été sacré et couronné à Compiègne. Eudes, qui semble avoir été l'homme de confiance de Charles le Gros pour le royaume occidental, fut naturellement élu après la mort de l'emp. et reconnu par le roi (puis emp.) Arnoul, seul Carolingien adulte à être alors sur un trône. Charles III le Simple ayant été couronné et sacré en 893, un arrangement eut lieu entre Eudes et lui (897), les 2 élections étant considérées légitimes.

922 Robert Ier (866-923 à la bat. de Soissons) frère d'Eudes et 2e f. de Robert le Fort ; élu roi. *Ép.* 1° N... 2° apr. 893 Béatrice de Vermandois. Reconnu par le pape Jean X et Henri Ier l'Oiseleur de la Maison de Saxe, roi de la Fr. orientale, ou Germanie.

923 Raoul duc de Bourgogne († 936) f. de Richard comte d'Autun, puis duc de Bourg. ; élu roi, sacré le 13-7 à Soissons. *Ép.* Emma († 934), f. de Robert Ier et de Béatrice de Vermandois. *Roi avec Charles le Simple jusqu'en* 929, *puis gouverne seul.* Reconnu par Henri Ier l'Oiseleur et le roi de Bourg. Raoul (Rodolphe II). Bénéficiant de l'appui de l'Église de Reims, de la bienveillance de l'emp. (Hugues II était gendre d'Henri Ier et beau-fr. d'Otton Ier) et du titre de duc des Francs (autrefois porté par les Pippinides avant d'être rois), Hugues II, petit-f. de Robert Ier, était en 987 le seul « prince » (chef d'une Neustrie ou « France ») capable d'être élu à la mort de Louis V.

Capétiens directs

987 Hugues Capet (v. 941, Paris ?-96) f. d'Hugues le Grand [† 956, f. de Robert Ier et beau-f. de Raoul, surnommé le *faiseur de rois* car il laissa 2 fois la couronne à des Carolingiens] et d'Hathude ou Hedwige (f. de Henri l'oiseleur, roi de Germanie ; Cte de Paris, duc de Fr. (956), suzerain d'Aquitaine et de Bourgogne (956), élu roi à Noyon (1-7-987), sacré à Noyon ou à Reims (3-7-987). *Ép.* 963-68 Adélaïde (Aélis) d'Aquitaine ou de Poitiers (v. 945-1006) f. de Guillaume III (dit Tête-d'Étoupes) duc d'Aquitaine, descendante de Charlemagne.

987 Robert II le Pieux (v. 970, Orléans/juillet 1031) f. du p. et d'Adélaïde ; d'abord duc de Bourgogne, associé au trône et sacré à Orléans (v. 987), roi (23, 24 ou 25-10-996). *Ép.* 1° 988 Suzanne ou Rosala de Provence répudiée en 992 (950/60/7-2-1003) f. de Bérenger, roi d'Italie, veuve d'Arnoul II, dit le Jeune, Cte de Flandre ; 2° 996 Berthe de Bourgogne (v. 964), rép. 998, f. de Conrad le Pacifique, duc de Bourgogne et de Mathilde de France (f. de Louis IV), veuve (995) de Eude, Cte de Chartres, Tours et Blois ; 3° v. 1002 Constance d'Arles († juillet 1032, Melun) f. de Guillaume Ier, Cte d'Arles.

1017 Hugues le Grand (1007/17-9-1025) f. du p. de Constance ; associé au trône à St-Corneille de Compiègne (19-6-1017).

1026 Henri Ier (1008/4-8-1060, Vitry près d'Orléans) f. de Robert II et de Constance d'Arles ; duc de Bourgogne (v. 1017), associé et sacré à Reims (?) (1027), roi (juillet 1031). *Ép.* 1° Fiancé à Mathilde († 1034) f. de Conrad le Salique, roi de Germanie, qui mourut avant d'arriver en France ; 2° Mathilde († v. 1044), nièce de Henri II, emp. d'Allemagne ; 3° 1049 (14-5) Anne de Russie (v. 1024-v. 1075) f. de Jaroslaw Wladimirowitch, grand-duc de Russie et d'Ingegerd de Norvège (remariée après 1060 avec Raoul de Péronne, Cte de Crépy et de Valois ; *régente* de 1052 à 1065).

1059 Philippe Ier (1052/entre 29 et 31-7-1108, château de Melun), f. du p. et d'Anne de Russie ; associé et sacré à Reims (23-5-1059), roi sous la régence de Baudouin V, comte de Flandre, qui dura 7 ans (4-8-1060). *Ép.* 1° 1071 Berthe de Hollande (v. 1055-94), f. de Florent Ier, Cte de Hollande, répudiée 1091. 2° 1092 (15-5) Bertrade de Montfort (sacrée 1097). Nommé Philippe en souvenir de Philippe de Macédoine dont sa mère prétendait descendre.

1100 Louis VI le Gros (v. 1081/1-8-1137, Paris) f. du p. et de Berthe de Hollande ; d'abord Cte de Vexin et Cte de Vermandois, associé (v. le 25-12-1101), roi (entre 29 et 31-7-1108), sacré à Orléans par l'archevêque de Sens (3-8-1108). *Ép.* 1° 1104 Lucienne de Rochefort, f. de Gui le Rouge, Cte de Rochefort, rép. 1107 (23-5) ; 2° 1115 Alix (Aélis) de Savoie ou de Maurienne († 1154), f. de Humbert II, Cte de Maurienne, remariée avec Mathieu de Montmorency, connétable de France.

1129 Philippe, (29-8-1116/13-10-1131, Paris) f. du p. et d'Alix de Savoie ; associé et couronné à Reims (14-4-1129).

1131 Louis VII le Jeune (v. 1120/18-9-1180, Paris) fr. du p. ; associé et sacré à Reims (25-10-1131), roi (1-8-1137), sacré duc d'Aquitaine à Poitiers (8-8-1137), sacré roi de France à Bourges (25-12-1137), sacré avec Constance à Orléans (1154). *Ép.* 1° 1137 Éléonore d'Aquitaine ou de Guyenne (1122, Berlin/31-3-1204) f. de Guillaume X, dernier duc d'Aquitaine, sacrée duchesse d'Aquitaine (8-8-1137), répudiée (18-3-1152) pour inconduite, remariée avec Henri Plantagenêt, Cte d'Anjou et duc de Normandie, puis roi d'Angl. sous le nom de Henri II ; 2° 1154 Constance de Castille († 4-10-1160) f. d'Alphonse VII, roi de Castille ; 3° 1160 (30-11) Adèle (Aelis) de Champagne (v. 1140/4-6-1206, Paris) f. de Thibaut IV, Cte de Champagne. (1147-50 *Suger, régent* pendant la croisade.)

1179 Philippe II Auguste (août 1165, Gonesse/14-7-1223, Mantes) f. du p. et d'Adèle de Champagne ; associé et sacré à Reims (1-11-1179), roi (18-9-1180). *Ép.* 1° 1180 (28-4) Isabelle de Hainaut ou de Flandre (1170/15-3-1190, Paris) f. de Baudouin V, Cte de Hainaut et de Flandre, couronnée à St-Denis (29-5-1180) ; 2° 1193 (14-8) Ingeburge ou Isambour de Danemark (1175/29-7-1236, Essonnes) f. de Valdemar le Grand, roi de Danemark, sacrée par l'archevêque de Reims (15-8-1193), répudiée (5-11-1193), reprise officiellement (mais emprisonnée) en 1201, reprise effectivement en 1212 ; 3° 1196 Agnès ou Marie de Méranie († 1201) f. de Berthold, duc de Méranie, répudiée 1200 et morte de chagrin.

1223 Louis VIII le Lion (3 ou 5-9-1187, Paris/8-11-1226, château de Montpensier) f. du p. et d'Isabelle de Hainaut ; roi d'Angleterre (1216), roi de France (14-7-1223), sacré à Reims (6-8-1223). *Ép.* 1200 *Blanche de Castille* (av. 4-3-1188, Palencia/26 ou 27-11-1252, Paris), sacrée et couronnée à Reims (6-8-1223), *régente* 1226-36 et 1248-52 (7e crois.). Louis VIII est le 1er roi capétien qui n'ait pas été associé à la couronne du vivant de son prédécesseur.

1226 Louis IX (St Louis) (25-4-1214, Poissy/25-8-1270, Tunis) f. des p. ; roi sous la tutelle de sa mère (8-11-1226), sacré à Reims (29-11-1226), déclaré majeur (25-4-1236). Canonisé par Boniface (11-8-1297). *Ép.* 1234 (27-5) Marguerite de Provence (1221/21-12-1295) f. de Raymond-Bérenger IV, Cte de Provence.

1270 Philippe III le Hardi (1-5-1245, Poissy/5-10-1285, Perpignan) f. des p. ; roi (25-8-1270, sacré à Reims (1271). *Ép.* 1° 1262 (28-5)Isabelle d'Aragon (1243/28-1-1271) f. de Jacques Ier, roi d'Aragon ; 2° 1274 (21-8) Marie de Brabant (v. 1260/10-1-1321) f. de Henri III, le Débonnaire, duc de Brabant, couronnée à la Ste-Chapelle de Paris (24-6-1275).

1285 Philippe IV le Bel (1268, Fontainebleau/29-11-1314, idem) f. du p. et d'Isabelle d'Aragon ; roi (5-10-1285), sacré à Reims (6-1-1286). *Ép.* 1284 (16-8) Jeanne de Navarre (1271/2-4-1304, château de Vincennes) f. et héritière de Henri Ier, roi de Navarre, Cte de Champagne et de Brie. 1er roi de Fr. à porter également le titre de *roi de Navarre* (la loi salique n'existant pas en Navarre).

1314 Louis X le Hutin (de *hustin* : bruit, querelle) (4-10-1289, Paris/5-6-1316, château de Vincennes) 1er f. des p. ; d'abord roi de Navarre, Cte de Champagne et de Brie, sacré roi de Navarre à Pampelune (1307), roi de France (29-11-1314), sacré à Reims (24-8-1315). *Ép.* 1° 1305 (21 ou 23-9) Marguerite de Bourgogne (1290-avril 1315) f. de Robert II, duc de Bourgogne et d'Agnès de France, f. de Louis IX ; 2° 1315 (19-8) Clémence d'Anjou et de Hongrie (1293/13-10-1328) f. de Charles Ier, roi de Hongrie, sacrée à Reims (24-8-1315). *Roi de Fr. et de Nav.*

1316 Jean Ier (14-11-1316/19 ou 20-11-1316) f. du p. et de Clémence de Hongrie, né posthume 5 mois après la mort de son père, il vécut et régna de 6 à 7 j. sous la régence de Philippe Cte de Poitiers, futur Philippe V. Sans post. *Roi de France et de Navarre.*

1316 Philippe V le Long (1294/3-1-1322, Longchamp) 2e f. de Philippe IV le Bel (1268-1314) et de Jeanne de Navarre ; d'abord Cte de Poitou, régent (16-7-1316), roi (19 ou 20-11-1316), sacré à Reims (9-1-1317). *Ép.* 1307 (janv.) Jeanne de Bourgogne (1294/21-1-1329) f. d'Otton V, Cte de Bourgogne et de Mahaut, comtesse d'Artois, dont il eut 4 filles. *Roi de France et de Navarre.* Il fut le 1er pour qui fut invoqué le principe de masculinité, appelé en 1358 *loi salique.* En fait, Jeanne, demi-sœur de Jean Ier (fille de Louis X et de Marguerite de Bourg.), avait été exclue car elle passait pour adultérine.

1322 Charles IV le Bel (1294/1-2-1328, château de Vincennes) 3e f. de Philippe IV le Bel et de Jeanne de Navarre ; d'abord Cte de la Marche, roi (3-1-1322), sacré à Reims (11-2-1322). *Ép.* 1° 1307 Blanche de Bourgogne (1296/avril 1326), f. d'Othon IV, Cte de Bourgogne et de Mahaut d'Artois, rép. en 1322, 2 enf., Philippe (n. 1314, mort jeune), Jeanne (n. 1315, morte jeune), 2° 1322 (21-9) Marie de Luxembourg (1304-24), f. de l'empereur Henri VII, 1 enf., Louis (n. 25-3-1324, mort en bas âge, sa naissance provoqua la mort de sa mère) ; 3° 1325 (5-7) Jeanne d'Évreux (1310/4-3-1371, Brie-Comte-Robert), f. de Louis, Cte d'Évreux, 3 enf. : Jeanne (n. 1326, morte en bas âge), Marie (n. 1327, morte jeune), Blanche (n. posthume 1328, elle épousera Philippe comte de Valois et Beaumont, duc d'Orléans). *Roi de France et de Navarre.* La *Navarre* n'étant pas régie par la loi salique, la couronne de *N.* revint en 1328, à sa mort, à Jeanne (1312-42), fille du roi Louis X et de Marguerite de Bourgogne, qui ép. en 1329 Philippe (1301-43) Cte d'Évreux qui devint roi de *N.* (Phil. V et Charles X s'étaient dits rois de *N.* comme tuteurs de leur nièce Jeanne).

Valois

1328 Philippe VI de Valois (1293/22-8-1350, Nogent-le-Roi) f. de Charles de France (1270-1325) [3e f. de Philippe III le Hardi et d'Isabelle d'Aragon, il était *Cte de Valois, d'Anjou, d'Alençon, de Chartres et du Perche, roi titulaire d'Aragon et de Valence, Cte de Barcelone* (1284-95) par investiture du pape, *empereur titulaire de Constantinople* par son mariage (1301) avec Cath. de Courtenay, seule fille, héritière de Philippe de Courtenay, emp. de Const.] et de Marguerite d'Anjou et de Sicile († 1299). *Régent à la mort de Charles IV,* la reine Jeanne étant enceinte, il devient roi à la naissance de l'enfant (une fille, Blanche, qui épousa un f. de Phil. VI). Sacré à Reims (29-5-1328). *Ép.* 1° 1313 (juillet) Jeanne de Bourgogne (1293-1348) f. de Robert II, duc de Bourgogne ; 2° 1349 (29-1) Blanche de Navarre (1330-98) f. de Philippe III, roi de Navarre, qui avait 35 ans de moins que lui.

1350 Jean II le Bon (26-4-1319, près du Mans/8-4-1364, Londres) f. du p. et de Jeanne de Bourgogne. D'abord duc de Normandie ; régent en 1332 ; sacré à Reims (26-9-1350). *Ép.* 1° 1332 (23-7) Bonne de Bohême (1315-49) f. de Jean de Luxembourg, roi de Bohême (morte avant l'avènement de son mari, elle n'eut jamais le titre de reine) 2° 1350 (19-2) Jeanne d'Auvergne (1326-60) f. de Guillaume XII, Cte d'Auvergne, veuve (1345) de Phil. de Bourgogne Cte de Nevers.

1364 Charles V le Sage (21-1-1338, Vincennes/16-9-1380, château de Beauté, près de Vincennes) f. du p. et de Bonne de Luxembourg. D'abord duc de Normandie. 1er fils aîné du roi à porter le titre de *dauphin du Viennois.* Ce titre appartenait à Humbert II de La Tour du Pin, qui le vendit au roi Philippe VI avec ses États, en spécifiant que tous les fils aînés de France seraient, en naissant, dauphins du Viennois et posséderaient le Dauphiné. Le roi donna ce titre (1349) à Charles son petit-fils. Lieutenant-général du royaume (1356) ; régent (1358) ; sacré à Reims (19-5-1364). *Ép.* 1350 (8-4) Jeanne de Bourbon (1338-77) f. de Pierre I, duc de Bourbon.

1380 Charles VI le Bien-Aimé ou **le Fol** (3-12-1368, Paris/21-10-1422) f. des p. 1380-89, *régence* de ses oncles. ; sacré à Reims (4-11-1380). *Ép.* 1385 (17-7) Isabeau de Bavière (1371-1435) f. d'Etienne III, duc de Bavière-Ingolstadt.

1422 Charles VII le Victorieux (22-2-1403, Paris/22-7-1461, Mehun-s/Yèvre) f. des p. (Henri V d'Angl. le disait f. de Louis, duc d'Orléans). D'abord Cte de Ponthieu, puis duc de Touraine et de Berry ; dauphin (1417) ; régent (24-6-1418), roi (22-10-1422) ; couronné à Poitiers (1422) ; sacré à Reims (17-7-1429). *Ép.* 1422 (2-6) Marie d'Anjou (1404-63) f. de Louis II, duc d'Anjou, roi de Naples et de Sicile.

1461 Louis XI le Prudent (3-7-1423, Bourges/30-8-1483, Plessis-lès-Tours) f. des p. Né dauphin ; sacré à Reims (15-8-1461). *Ép.* 1° 1436 (24-6) Marguerite d'Écosse (1418-45) f. de Jacques Ier, roi d'Écosse ; 2° 1451 (9-3) Charlotte de Savoie (1445-83) f. de Louis, duc de Savoie.

Branches cadettes de la Maison de Valois

Branche d'Alençon. Issue de Charles de France, Cte de Valois (1270-1325). Philippe III, son père, lui donna le comté d'Alençon en 1284. Lui succédèrent 7 comtes, puis ducs, sur 6 générations : Charles II de Valois 2e fils de Charles, de 1325 à 1346 (tué à Crécy) ; ses fils Charles III, qui devint dominicain et archevêque de Lyon, et Pierre II († 1404) ; Jean Ier, duc en 1404 († à Azincourt, 1415) ; Jean II († 1476) ; René († 1492) ; Charles IV, dernier duc († 1525), beau-frère du roi François Ier du fait de son mariage avec Marguerite d'Angoulême.

Branche d'Anjou. Issue du 2e fils de Jean le Bon, Louis (1339-1384), qui reçut le comté d'Anjou en apanage en 1356 (transformé en duché-pairie en 1360) et hérita du royaume de Naples et du comté de Provence. 3 ducs lui succédèrent : son fils Louis II, de 1384 à 1417 ; les fils de Louis II, Louis III de 1417 à 1434 et René (amateur d'art) de 1434 à 1480. Ils tentèrent de faire valoir leurs droits à Naples mais ne purent s'y maintenir. René par sa femme devint duc de Lorraine mais dut abandonner son duché. De Charles, frère de René, sortit la branche des *comtes du Maine* éteinte en 1481.

Branche de Bourgogne. Issue du 4e fils de Jean II le Bon, Philippe le Hardi (1342-1404), auquel la Bourgogne fut donnée en apanage en 1363. 3 ducs lui succédèrent, de père en fils : Jean sans Peur de 1404 à 1419 (assassiné à Montereau) ; Philippe le Bon de 1419 à 1467 ; Charles le Téméraire de 1467 à 1477 (tué devant Nancy). De Philippe le Hardi sortit la branche cadette des *comtes de Nevers* éteinte en 1491.

1483 Charles VIII l'Affable (30-6-1470, Amboise/7-4-1498, Amboise) f. du p. et de Charlotte de Savoie (fut *roi de Sicile et de Jérusalem* : conquête de Naples 1495). Né dauphin (on a dit qu'il y avait eu substitution d'enfant : à une fille mourante, on aurait substitué la f. d'une maîtresse de L. XI ou d'un boulanger) ; sacré à Reims (30-5-1484) ; sous la tutelle de sa sœur Anne de Beaujeu (1461-1522), jusqu'à son 2e mariage (6-12-1491). *Ép.* 1° 1483 Marguerite d'Autriche (1480-1530), f. de l'empereur Maximilien (nommée Madame la Dauphine), élevée à la cour de France, mariage annulé ; 2° 1491 Anne (1,43 m), duchesse de Bretagne, comtesse de Montfort (l'Amaury) et d'Étampes, Capétienne (1476-1514) f. de François II, duc de Bretagne. Louis XI avait alors 47 ans (marié dep. 34 ans il avait perdu 2 f. en bas âge).

Valois-Orléans

Les enfants de Charles VIII étant morts en bas âge, la couronne revient aux Valois-Orléans en raison de leur filiation : *Louis de France* (1371-1407), duc de Touraine (1386) puis d'Orléans (1392), 3e fils de Charles V et de Jeanne de Bourbon. *Ép.* (1389) Valentine Visconti (1370-1408), fille de Jean Galéas Visconti, duc de Milan, et d'Isabelle de France, fille de Jean II le Bon → *Charles Ier d'Orléans,* le poète (1391-1464), duc d'Orléans, duc de Milan, qui *ép.* 1° 1406 Isabelle de France (1389-1409), fille du roi Charles VI et d'Isabeau de Bavière ; 2° 1410 Bonne d'Armagnac (1399-1419) ; 3° 1440 Marie de Clèves (1426-87), dont → :

1498 Louis XII, le père du peuple (27-6-1462, Blois/1-1-1515, Paris) *(roi de Naples et de Jérusalem, duc de Milan)* ; duc d'Orléans (1465) ; sacré à Reims (27-5-1498). *Ép.* 1° 1476 (8-9) Jeanne de France (1464-1505) f. de Louis XI, mariage annulé 1498 (béatifiée 1742, canonisée 1950) ; 2° 1499 (8-1) Anne (1476-1514), duchesse de Bretagne et veuve de Charles VIII ; 3° 1514 (9-10) Marie d'Angleterre (1496-1533) f. d'Henri VII, roi d'Angleterre.

Valois-Angoulême

Louis XII n'ayant pas d'héritiers mâles, la couronne revient aux Valois-Angoulême en raison de cette filiation : *Jean II d'Orléans* (1404-67), Cte d'Angoulême et de Périgord, 3e fils de Louis de France (1371-1407) et de Valentine Visconti qui *ép.* (1449) Marguerite de Rohan († 1496), dont → *Charles d'Orléans* (1459-96), Cte d'Angoulême qui *ép.* (1487) Louise de Savoie (1476-1531), *régente* (1515 et 1525 ; 1525-26 captivité de François Ier), duchesse d'Angoulême (1515), de Bourbon (1527), dont → :

1515 François Ier le père et le restaurateur des lettres (12-9-1494, Cognac/31-3-1547, Rambouillet) ; Cte d'Angoulême (1496), puis duc de Valois, d'Orléans et de Romorantin (1498), duc de Milan (1515) ; sacré à Reims (25-1-1515). *Ép.* 1° 1514 (13-5) Claude de France (1499-1524), duchesse de Bretagne et de Milan, fille de L. XII et d'Anne de Bret. (ex-fiancée de Charles Quint) ; 2° 1530 (7-7) Éléonore d'Autriche (1498-1558) f. de Philippe le Beau et de Jeanne la Folle, rois d'Espagne, sœur de Charles Quint, veuve d'Emmanuel le Grand, roi du Portugal († 1521).

1547 Henri II (31-3-1519, St-Germain-en-Laye/10-7-1559, Paris) f. du p. et de Claude de France ; dernier duc couronné de Bretagne (1532), dauphin (1536), sacré à Reims (26-7-1547), protecteur des libertés germaniques (1552). *Ép.* 1553 (28-10) Catherine de Médicis (1519-89) f. de Laurent de Médicis, duc d'Urbino, comtesse de Boulogne et d'Auvergne, *régente* 1552, 1559, 1574.

1559 François II (19-1-1544, Fontainebleau/5-12-1560, Orléans) f. d'Henri II et Catherine de Médicis ; duc de Bretagne, dauphin (1547), officiellement *roi d'Écosse* (1558), puis, à la mort de Marie Tudor, *roi d'Angleterre et d'Irlande* (1558), sacré à Reims (18-9-1559). *Ép.* 1558 (24-4) Marie Ire Stuart (1542-exécutée 1587) [reine d'Écosse (héritière de Jacques V, roi d'Éc.) ; veuve, épousera 1° 1565 Henri Stuart, lord Darnley, duc d'Albany puis roi d'Éc., assassiné 1567 par le suivant ; 2° 1567 James Hepburn, lord Bothwell, duc d'Orkney († 1578)]. Sans post.

1560 Charles IX (Charles-Maximilien) (27-6-1550, St-Germain-en-Laye/30-5-1574, Vincennes) f. d'Henri II et de Catherine de Médicis ; titré duc d'Angoulême à sa naissance (27-6-1550), puis duc d'Orléans à la mort de son fr. Louis (24-10-1550), sacré à Reims (15-5-1561). *Ép.* 1570 (26-11) Élisabeth d'Autriche (1554-92) f. de Maximilien II, emp., dont Marie-Élisabeth (archiduchesse, 1572-78).

Favorites royales et leurs enfants

Charles VI. ODETTE DE CHAMPDIVERS (v. 1384-v. 1424) : *Marguerite de Valois* dite « la petite reine », demoiselle de Belleville (v. 1407-58), 1427 légitimée, 1428 ép. Jean III de Harpédienne, seigneur de Montagu, postérité jusqu'en 1587.

Charles VII. AGNÈS SOREL (v. 1422-49), dame de Beauté (à cause de son château de Beauté-sur-Marne) : *Charlotte de Valois,* bâtarde de France (1434-77), 1462 ép. Jacques de Brézé, Cte de Maulévrier, Mal et grand-sénéchal de Normandie, qui assassina sa femme surprise en flagrant délit d'adultère ; *Marguerite de Valois,* bât. de Fr. (1436-av. 73), 1458 ép. Olivier de Coëtivy, sénéchal de Guyenne, dont post. ; *Jeanne de Valois,* bât. de Fr. (1439-apr. 67), ép. Antoine de Bueil, Cte de Sancerre, amiral, dont post. ANTOINETTE DE MAIGNELAI, dame de Villequier (v. 1430-apr. 1461).

Louis XI. MARGUERITE DE SASSENAGE, dame de Beaumont (v. 1449-71) : *Jeanne,* bât. de Fr., dame de Mirebeau (v. 1446-56/1519), 1466 lég., 1466 ép. Louis, bât. de Bourbon, Cte de Roussillon, amiral, dont post. ; *Marie,* bât. de Fr. (v. 1449-51/69), 1467 lég., 1467 ép. Aymar de Poitiers, dont post. ; *Isabeau,* bât. de Fr., ép. Louis de Saint-Priest, dont postérité. GUYETTE (n. 1446), (fille de Phélix Regnard), 1460 ép. Charles de Sillons.

François Ier. D'une grande dame inconnue : *Nicolas d'Estouteville,* sire de Villeconnin (v. 1545-1570). FRANÇOISE DE FOIX, Ctesse de Châteaubriand (1495-1537). ANNE DE PISSELEU, Desse d'Étampes (1508-80). LA « BELLE FÉRONNIÈRE » (femme de l'avocat Jean Féron).

Henri II. MARY FLEMING (v. 1520-apr. 53) : *Henri,* bât. d'Angoulême (1551-86), grand prieur de Fr., gouverneur de Provence, amiral. FILIPPA DUCO (v. 1520-?) : *Diane de Fr.* (1538-1619), 1548 lég., 1563 Desse de Châtellerault, 1576 d'Étampes, puis 1582 d'Angoulême, sans post., 1553 ép. Horace Farnèse, duc de Castro († 1554), 1557 ép. François, duc de Montmorency, Mal de Fr. NICOLE DE SAVIGNY (1535-90) : *Henri de Saint-Rémy,* bâtard de Valois, baron de Fontette (1557-1621), dont post. [notamment Jeanne de La Motte-Valois, voir p. 639 (affaire du collier)]. DIANE DE POITIERS, Desse de Valentinois (1499-1566).

Charles IX. MARIE TOUCHET (1549-1638) (anagramme : je charme tout), dame de Belleville, épousa le 20-10-1578 François de Balzac d'Entragues, dont elle eut 2 filles : Catherine-Henriette (maîtresse de Henri IV, devint Desse de Verneuil) ; Marie (vécut 10 ans avec Bassompierre). *Charles,* bât. de Valois (1573-1650), 1619 duc d'Angoulême, 1591 ép. Charlotte de Montmorency, Ctesse de Fleix († 1636), dont post., puis 1644 Françoise de Nargonne (1621-1713), sans post.

Henri IV. DIANE D'ANDOUINS (1554-1620) : la « Belle Corisande », 1580 Ctesse de Guiche. FRANÇOISE DE MONTMORENCY, Bonne de Fosseux, dite de la « Fosseuse » (n. 1564), fille du Bon de Fosseux, ép. François de Broc, Bon de Cinq-Mars, 1 enf. GABRIELLE D'ESTRÉES, Mise de Monceau (1573-99), 1595 Desse de Beaufort, 1595 de Verneuil ; 1591 ép. Nicolas d'Amerval, seigneur de Liancourt (séparés 1594) : *Catherine-Henriette,* bât. de Bourbon, Mlle de Vendôme (1596-1663), 1597 lég., 1619 ép. Charles II de Lorraine, duc d'Elbeuf (1596-1657) ; *César,* bât. de Bourbon, duc de Vendôme (1594-1665), 1595 lég., parmi ses enfants : François de Vendôme, duc de Beaufort, dit le « Roi des Halles » († 1669) ; Alexandre de Bourbon, chevalier de Vendôme, grand-prieur de Fr. (1598-1629), 1599 lég. CATHERINE-HENRIETTE DE BALZAC D'ENTRAGUES (1579-1633), 1599 Mise de Verneuil, fille de Marie Touchet (maîtresse de Charles IX) : *Henri de Bourbon,* duc de Verneuil (1601-82), 1603 lég., évêque de Metz, gouverneur du Languedoc, sans post. ; *Gabrielle-Angélique,* bât. de Bourbon, Mlle de Verneuil (1603-27), lég., 1622 ép. Bernard de La Valette, duc d'Épernon, d'où post. JACQUELINE DE BUEIL (v. 1580-1651), 1604 Ctesse de Moret, 1604 ép. Philippe de Harlay, Cte de Césy (rompu 1607), 1617 René du Bec, Mis de Vardès : *Antoine de Bourbon,* Cte de Moret (1607-1703), 1608 lég., abbé, sans post. CHARLOTTE DES ESSARTS (v. 1588-1651), Ctesse de Romorantin. « Mlle de La Haye », 1630 ép. François de l'Hospital, Mal de Fr. : *Jeanne-Baptiste de Bourbon* (av. 1608-1670), 1608 lég., abbesse de Fontevrault ; *Marie-Henriette de Bourbon* (v. 1608-29), abbesse de Chelles.

Louis XIII. LOUISE DE LAFAYETTE (v. 1616-65).

Louis XIV. LOUISE-FRANÇOISE DE LA BAUME LE BLANC (1644-1710), 1667 Desse de La Vallière et de Vaujours : *Charles de Bourbon* (1663-† jeune) ; *Philippe de Bourbon* (1665-† jeune) ; *Louis de Bourbon* (1665-66) ; *N...* († jeune) ; *Marie-Anne de Bourbon,* bât. de Fr., Mlle de Blois (1666-1739), 1667 lég., Desse de La Vallière, 1680 ép. Louis-Arnaud de B., Pce de Conti (1661-85), sans post. ; *Louis de Bourbon,* bât. de Fr., Cte de Vermandois (1667-83), amiral, 1669 lég. FRANÇOISE-ATHÉNAÏS DE ROCHECHOUART DE MORTEMART, Mise DE MONTESPAN (1641-1707), 1663 ép. Henri-Louis de Pardaillan de Gondrin, Mis de Montespan (sép. 1674) : *un garçon* (1669-† jeune) ; *une fille* (1669-72) ; *Louis-Auguste de Bourbon,* bât. de Fr. (1670-1736), 1673 duc du Maine et lég., 1692 ép. Anne-Louise-Bénédicte de B., Mlle de Charolais (1676-1753), fille de Henri-Jules de B., Pce de Condé ; *Louis-César de Bourbon,* bât. de Fr. (1672-83), 1673 Cte de Vexin et lég., abbé de St-Denis et St-Germain-des-Prés ; *Louise-Françoise de Bourbon,* bât. de Fr., Mlle de Nantes (1673-1743), 1673 lég., 1685 ép. Louis III, duc de Bourbon, Pce de Condé (1668-1710), dont post. ; *Louise-Marie-Anne de Bourbon,* bât. de Fr., Mlle de Tours (1674-81), 1676 lég. ; *Françoise-Marie de Bourbon,* bât. de Fr., Mlle de Blois (1677-1749), 1681 lég., 1692 ép. Philippe II d'Orléans, duc de Chartres, puis d'Orléans, régent de Fr., dont post. ; *Louis-Alexandre de Bourbon,* bât. de Fr., Cte de Toulouse (1678-1737), 1681 lég., amiral, Grand Gouv. de Fr., gouv. de Guyenne et Bretagne, 1723 ép. Marie-Victoire-Sophie de Noailles (1688-1766). CLAUDE DE VIM DES ŒILLETS (v. 1637-87) : *Louise de Maisonblanche* (1676-1718), 1696 ép. Bernard des Prés, seigneur et baron de La Queue. MARIE-ANGÉLIQUE DE SCORAILLE DE ROUSSILLE (1661-81), Desse de Fontanges : *un fils* (1681-81). FRANÇOISE D'AUBIGNÉ, Mise DE MAINTENON, veuve Scarron (1635-1719) (épousée en 2es noces).

Louis de France, Grand Dauphin (1661-1711). Marie-Émilie de CHOIN (1670-1732), maîtresse dep. 1690 (veuvage du Dauphin), épouse morganatique 1695.

Philippe II d'Orléans, le Régent. LÉONORE : *une fille* (v. 1688), ép. M. de Charencey. Mlle DE FLORENCE (actrice) : *Charles de Saint-Albin,* bât. d'Orléans, dit l'abbé de Saint-Albin (1698-1764), 1706 lég., év. de Rouen puis archevêque de Cambrai. MARIE-LOUISE-MADELEINE-VICTORINE LE BEL DE LA BOISSIÈRE DE SÉRY, Mlle de Séry, Ctesse d'Argenton (v. 1680-1748). 1713 ép. le chev. de Forbin d'Oppède : *Jean-Philippe,* chevalier d'Orléans (1702-48), 1706 lég., grand prieur de Fr. CHRISTINE-ANTOINETTE-CHARLOTTE DESMARES (tragédienne, 1683-1753) : *Philippe-Angélique de Froissy* (v. 1702-85), 1718 ép. Henri-François, Cte de Ségur. Mlle d'ARANCOUR, Desse de Phalaris.

Louis XV. LOUISE DE NESLE, Ctesse de Mailly (1710-51). PAULINE-FÉLICITÉ DE MAILLY, Mlle de Nesle, Ctesse de Vintimille (1712-41), 1739 ép. J.-B., Cte de Vintimille : *Charles-Emmanuel-Marie-Magdelon de Vintimille du Luc,* dit le Demi-Louis (car il ressemblait beaucoup à Louis XV) (1741-1814), Mis du Luc, post. DIANE-ADÉLAÏDE DE NESLE, Desse de Lauraguais (1713-60). MARIE-ANNE DE NESLE, Mise de La Tournelle, Desse de Châteauroux (1717-44) (toutes les 4 étant sœurs). ANTOINETTE LE NORMANT D'ÉTIOLES, née POISSON, Mise DE POMPADOUR (1721-64) [mère d'*Alexandrine Le Normant d'Étioles* (1744-54), née de son mariage légitime, élevée en princesse et anoblie (Mlle de Crécy), fiancée au duc de Picquigny]. ANNE BÉCU dite Jeanne de Vaubernier, Ctesse du Barry (1743-93 guillotinée). MARIE-LOUISE O'MURPHY, Mlle de Morphise (1737-1815) : *Agathe-Louise de Saint-Antoine de Saint-André,* Mlle de La Tour-du-Pin (1754-74), 1773 ép. René-Jean-Mars de La Tour-du-Pin, Mis de la Charce. FRANÇOISE DE CHÂLUS, Desse de Narbonne-Lara (1734-1821), ép. J.-F., duc de Narbonne († 1806) : *Louis-Marie-Jacques-Almaric,* Cte de Narbonne-Lara, tige de la maison de Narbonne Lara (1755-1813), post. MARGUERITE-CATHERINE HAYNAULT (1736-1823), 1766 ép. Blaise, Mis de Montmélas : *2 filles : Agnès-Louise de Montreuil* (bapt. 1760-1837), 1778 ép. Gaspar, Cte de Montmélas, dont post. ; *Anne-Louise de La Réale* (1762-1831), 1780 ép. Cte de Geslin. LUCIE-MADELEINE D'ESTAING (1726-1807), 1768 ép. François, Cte de Boysseulh : *Agnès* (1761-1822), 1777 ép. Vte Charles II de Boysseulh, dont post. ANNE COUPPIER DE ROMANS (1737-1808), 1772 ép. Gabriel-Guillaume de Siran, Mis de Cavanac : *Louis-Aimé de Bourbon,* dit l'abbé de Bourbon (1762-87), seul enfant illégitime reconnu par le roi. JEANNE-LOUISE TIERCELIN (1746-79), Mme DE BONNEVAL. CATHERINE ÉLÉONORE BÉRARD (1740-69), 1768 ép. Joseph Starot de Saint-Germain († 1794). MARIE-THÉRÈSE-FRANÇOISE BOISSELET (1731-99), 1771 ép. Louis-Claude Cadet de Gassicourt ; Charles-Louis, Cadet de Gassicourt (1769-1821).

Napoléon Ier. MARGUERITE WEIMER, Mlle GEORGE (1787-1867). GIUSEPPINA GRASSINI (1773-1850). ÉMILIE LEVERT (1788-1843). CARLOTTA GAZZANI (1789-1827). ÉLÉONORE DENUELLE DE LA PLAIGNE (1778-1868), 1805 ép. Jean-Fr.-Honoré Réval (1773-1835), 1808 div. puis ép. Pierre-Philippe Augier († 1812), puis 1814 Cte de Luxbourg († 1849) : *Charles Léon,* dit le Cte Léon (1806-81), d'où descendance en extinction chez les mâles. MARIE WALEWSKA (1789-1817), 1814 ép. Cte Walewski († 1814), puis 1816 Philippe-Antoine d'Ornano (1784-1863) : *Alexandre,* Cte Walewski (1810-68). CHARLOTTE, Ctesse de Kielmansegge. ADÈLE, Ctesse Duchâtel. CHARLOTTE RIGAUD DE VAUDREUIL, Ctesse de Walsh Serrant, etc. (Jean Savant en a dénombré 51, dont 12 dames de la Cour et 14 actrices).

Louis XVIII. ZOÉ TALON, Ctesse DU CAYLA (1785-1852), etc.

Napoléon III. DÉSIRÉE-ÉLÉONORE-ALEXANDRINE VERGEOT (1820-86), 1858 ép. Pierre-Jean-François Bure (1807-82) : *Alexandre-Louis-Eugène Bure,* Cte d'Orx (1843-1910) ; *Alexandre-Louis Ernest Bure,* Cte de Labenne (1845-82), d'où un fils, Louis († 1884). ELIZABETH-ANN HARYETT, dite LADY HOWARD (1823-65), Ctesse de Beauregard, 1854 ép. Sir Clarence Trelawny : *Martin Constantin Haryett* (1842-1907) [créé Cte de Béchevêt, il passe pour le fils de Napoléon III, mais était né en réalité d'une précédente liaison entre Miss Howard et le major Francis Martyn (1809-74)]. Mme HUGENSCHMIDT (née Élisabeth Hauger), lingère aux Tuileries : le Dr Arthur Christophe Hugenschmidt (1862-1929), médecin de la Cour en exil à Farnborough. MARGUERITE BELLANGER (Julie Lebœuf, 1840-86) : Charles Lebœuf (n. 24-2-1863). VIRGINIE OLDOINI, Ctesse de Castiglione (1837-99). VALENTINE HAUSSMANN (1850-1908) : Jules Hadot (1865-1937).

Répudiations de souveraines

• 1° **N'ayant pas abouti : Bertrade,** ép. de Pépin le Bref. 752 répudiée, mais reprise même année sur menace d'excommunication du pape Zacharie. **Teutberge,** ép. de Lothaire Ier. 862 mariage déclaré nul par des évêques. Opposition de Hincmar, archev. de Reims. 867 Lothaire, *excommunié,* fait le pèlerinage de Rome, et doit reprendre sa femme, en éloignant sa concubine Waldrade.

Ingeburge de Danemark. 2e ép. de Philippe Auguste. Voir p. 587 c et 604 a.

• 2° **Ayant abouti en fait : Rosala de Provence,** ép. de Robert le Pieux. 989, répudiée par Robert qui épouse Berthe de Bourgogne (mariage béni par l'archev. de Tours Archambaud). 998 Berthe et Robert *excommuniés* par le conc. de Rome. 1003 Robert renvoie Berthe, mais ne reprend pas Rosala, devenue nonne (il se marie en 1007 avec Constance d'Arles). **Berthe de Hollande,** 1091 ép. de Philippe Ier. Voir p. 587 c.

• 3° **Ayant abouti en droit : « Désidérade »,** 771, 2e ép. de Charlemagne. Le pape Étienne III autorise un 3e mariage de Charles avec Hildegarde, fille du duc d'Alémanie (peut-être parce que Himiltrude, la 1re, était une concubine). Voir p. 586 c. **Éléonore d'Aquitaine,** 1152, ép. de Louis VII. Voir p. 603 a.

Sainte Jeanne de France. 1498, 1re ép. de Louis XII. Voir p. 608 c.

Marguerite de Valois. 1599, 1re ép. d'Henri IV. 1600 (16-12) Henri IV ép. Marie de Médicis. 1616 Marguerite sort de prison. **Joséphine de Beauharnais,** ép. de Napoléon Ier. Répudiée (pour stérilité) le 30-11-1809. Voir p. 627 c.

1574 Henri III (Alexandre-Édouard) (19-9-1551, Fontainebleau/2-8-1589, St-Cloud) f. d'Henri II et de Cath. de Médicis ; prend le nom d'Henri (1566), duc d'Orléans, puis d'Anjou, élu *roi de Pologne* et *grand-duc de Lithuanie* (9-5-1573), couronné à Cracovie (21-2-1574), sacré à Reims (13-2-1575), remplacé en 1576 ; il en garde les armes jusqu'à sa mort, titré roi de Fr. et de Pol. *Ép.* 1575 (15-2) Louise de Lorraine-Vaudémont (1553-1601) f. de Nicolas, Cte de Vaudémont, duc de Mercœur. Sans post.

☞ En décembre 1588, la Ligue proclame la déchéance d'Henri III (coupable d'avoir fait assassiner le duc de Guise), et proclame roi, sous le nom de **Charles X**, le cardinal Charles de Bourbon (1523-90), oncle d'Henri IV, reconnu comme héritier d'Henri III en 1584 par l'Espagne et le Saint-Siège. Le Parlement a ratifié cette décision par un arrêt du 3-3-1590, après la mort d'Henri III (1-8-1589).

Bourbons

La couronne revient aux Bourbons en raison de cette filiation : *Robert de France,* Cte de Clermont, 6e fils de St Louis, qui épousa Béatrice de Bourgogne (v. 1258-1310), dame de Bourbon → *Louis* (1270-1342), Cte de Clermont (1317), Cte de la Marche et duc de Bourbon (1327), ép. Marie de Hainaut → *Jacques Ier* (v. 1315-61) Cte de la Marche (1342) ép. Jeanne de Châtillon-St-Paul → *Jean* († 1393) Cte de la Marche (1361) ép. Catherine de Vendôme → *Louis* (v. 1376-1446) Cte de Vendôme ép. Jeanne de Montfort-Laval → *Jean II* († 1477) Cte de Vendôme (1466) ép. Isabelle de Beauvau → *François* († 1495) Cte de Vendôme (1477) ép. Marie de Luxembourg St-Paul → *Charles* (1489-1537) Cte, puis (1515) duc de Vendôme, chef de la branche de Bourbon (1527), ép. Françoise d'Alençon → *Antoine* (1518-62) duc de Vendôme (1537), roi de Navarre par son mariage (1548) avec Jeanne III d'Albret (1528-72), fille d'Henri II d'Albret, roi de Navarre, et de Marguerite d'Angoulême, sœur de François Ier, dont : 1° le duc de Beaumont ; 2° le Cte de Merle (tous 2 morts en bas âge) ; 3° Henri.

1589 Henri IV le Grand (14-12-1553, Pau/14-5-1610, assassiné à Paris) ; d'abord Pce de Viane, de Beaumont et de Navarre, roi de Navarre sous le nom d'Henri III (9-6-1572), roi de France (2-8-1589), abjure à St-Denis (25-7-1593), sacré à Chartres (7-2-1594). *Ép.* 1° 1572 (18-8) Marguerite de Valois (14-5-1553, St-Germain-en-Laye/27-3-1615, Paris), f. d'Henri II et de Cath. de Médicis ; emprisonnée à Usson 1586, en sortira (1616) ; mariage annulé 1599 [motifs : 1° défaut de consentement de Marguerite (menacée par son fr. Charles IX) ; 2° dispense pour consanguinité, non indiquée à la reine (elle aurait exigé un consentement spécial)] ; 2° 1600 (17-12) Marie de Médicis (26-4-1573, Florence/3-7-1642, Cologne), *régente* 1610-14. *Il réunit la Navarre à la couronne de France* en 1607 (*réunion confirmée par Louis XIII,* en 1620)].

1610 Louis XIII le Juste (27-9-1601, Fontainebleau/14-5-1643, St-Germain-en-Laye) f. d'Henri IV le Grand et de Marie de Médicis. Cte de Barcelone (1641), roi sous la tutelle de sa mère (14-5-1610), sacré à Reims (17-10-1610), déclaré majeur le 28-10-1614. *Ép.* 1615 Anne d'Autriche (22-9-1601/20-1-1666, Paris), *régente* 1643 (18-5)-51. Barcelone a appartenu à l'Empire carolingien puis à la Francie de l'Ouest ou Fr., indépendante entre 986 et 1025, le traité de Corbeil (1258) ratifia cette situation. Le principat de Catalogne se donna à Louis XIII en 1640, qui l'accepta en 1641. Les actes de Louis XIII et de Louis XIV ajoutaient après la titulature normale : Cte de Barcelone, de Roussillon et de Cerdagne. En 1652, les Esp. reprirent Barcelone, et le vice-roi résida à Perpignan puis à Puigcerda jusqu'en 1659. A la paix des Pyrénées, Louis XIV renonça à Barcelone. Roussillon et Cerdagne restèrent fr.

1643 Louis XIV. Le Grand, le Roi-Soleil (5-9-1638, St-Germain-en-Laye/1-9-1715, Versailles) f. des p., *Cte de Barcelone* (1643-52) ; roi sous la tutelle de sa mère (14-5-1643), déclaré majeur le 8-9-1651, sacré à Reims (7-6-1654). *Ép.* 1° 1660 Marie-Thérèse d'Autriche (10-9-1638, l'Escurial/30-7-1683, Versailles) f. de Philippe IV, roi d'Espagne et d'Élisabeth de France ; 2° 1684 Françoise d'Aubigné, marquise de Maintenon (28-11-1635, Niort/15-4-1719, St-Cyr) petite-f. d'Agrippa d'Aubigné, veuve du poète Scarron (1610-60) épousé en 1652.

1715 Louis XV le Bien-Aimé (15-2-1710, Versailles/10-5-1774, Versailles). *Filiation : Louis XIV* et Marie-Thérèse → *Louis,* dit Monseigneur ou le Grand Dauphin (1661-1711), ép. 1680 Marie de Bavière (1600-90) → *Louis de France* (1682-1712) duc de Bourgogne puis dauphin du Viennois. *Ép.* 1697 Marie Adélaïde de Savoie (1685-1712) → *Louis XV* (3e fils après Louis 1704-05, Louis 1707-12), d'abord duc d'Anjou, 2-9-1715/16-2-1723 *Régence de Philippe II duc d'Orléans* (1674-1723) neveu de Louis XIV ; sacré à Reims (25-10-1722), majeur le 22-2-1723. *Ép.* 1725 ((5-9) Marie Leszczyńska (1703-68), fille de Stanislas, roi de Pologne, et de Catherine Opalinska.

1774 Louis XVI (23-8-1754, Versailles/21-1-1793, Paris). *Filiation : Louis XV* et Marie Leszczyńska → *Louis, dauphin du Viennois* (1729-65), ép. 1° 1744 Marie-Thérèse d'Espagne (1726-46) ; 2° 1747 Marie-Josèphe de Saxe (1731-67), dont → *Louis-Joseph-Xavier, duc de Bourgogne* (1751-61), *Xavier-Marie-Joseph, duc d'Aquitaine* (1753-54), *Louis Auguste ;* d'abord duc de Berry, puis roi Louis XVI (10-5-1774), sacré à Reims (11-6-1775), roi des Français du 6-11-1789 au 10-8-1792, détrôné 21-9-1792, condamné à mort 15-1-1793, guillotiné 21-1-1793. *Ép.* 1770 Marie-Antoinette « de Lorraine », princesse royale de Hongrie et de Bohême, archiduchesse d'Autriche (2-11-1755, Vienne, guillotinée 16-10-1793) f. de François Ier, empereur d'Autriche et de Marie-Thérèse, reine de Hongrie et de Bohême.

1793 Louis XVII (27-3-1785, présumé mort au Temple le 8-6-1795) 2e f. de Louis XVI (après Louis, dauphin 1781-89). Duc de Normandie, dauphin de Fr. (4-6-1789), prince royal (1791), roi de Fr. (21-1-1793, pour les royalistes, la Rép. ayant été proclamée le 21-9-1792). Sans postérité. Voir p. 594.

Quelques chiffres

Règnes les plus longs : Louis XIV : 72 ans 3 mois 17 j (de 4 ans 8 m 9 j à 76 ans 11 m 26 j, dont 59 ans de règne personnel) ; Louis XV : 59 ; Philippe Ier : 48 ; Childéric Ier : 47 ; Charlemagne : 46 ; Saint-Louis (Louis IX) : 44 ; Louis VII, Philippe Auguste : 43 ; Charles VI : 42. **Les plus courts :** Louis XIX : 20 minutes [mais il ne s'est pas considéré comme roi pendant ces instants, et a été roi en droit 8 ans (1836-44)] ; Jean Ier le Posthume : 5 j. ; Napoléon II : empereur implicitement jusqu'à la fin de la commission de gouvernement (qui parle de l'Empereur) : 15 j. - voir p. 591 [en droit : 11 ans (1821-32)]. **Régences les plus longues :** Blanche de Castille : 10 ans ; Anne d'Autriche : 8 ans.

Roi mort le plus vieux : Charles X, mort à 79 ans et 11 mois, en exil. **Rois morts hors de France.** Saint Louis 1270 à Tunis, Philippe III le Hardy 1285 Perpignan (roy. d'Aragon), Jean le Bon 1364 Londres, Charles X 1836 Autr., Louis Philippe 1850 Angl.

Sang royal. Louis XVI et ses frères, Louis XVIII et Charles X, étaient français pour 1/128e. Louis XVII pour 1/256e.

Ire République

Convention

☞ La France vivait sous le régime du gouvernement d'Assemblée. Les Pts de l'Assemblée, renouvelés tous les 15 jours, avaient un pouvoir disciplinaire sur les débats, mais n'avaient ni rôle représentatif, ni pouvoir exécutif.

Pouvoir exécutif exercé collectivement (« Comité de Salut public » de 9 Conventionnels). *6-4-1793 :* Bertrand Barère (1755-1841), Jean-François Delmas (1751-98, éliminé 10-7), Jean-Jacques Bréard (1751-1840, démissionnaire 5-6), Pierre-Joseph Cambon (1756-1820, él. 10-7), Jean Debry (1760-1834) immédiatement remplacé par Robert Lindet (1743-1823)], Georges Danton (1759-94, guill. ; él. 10-7), Louis Guyton-Morveau (1737-1816, dém. 10-7), Jean-François Lacroix (1753-94, guill. ; él. 10-7), Jean-Baptiste Treilhard (1742-1810, dém. 12-6). *10-7-1793 :* 2 maintenus : Barère et Lindet. 7 nouveaux : Jean Bon-Saint-André (1749-1813) [1], Thomas Gasparin (1754-93) remplacé le 27-7 par Maximilien de Robespierre (1763-94, guill.), Georges Couthon (1755-94, guill.), Marie-Jean Hérault de Séchelles (1759-94, guill. : dém. 29-12), Pierre-Louis Prieur de la Marne (1756-1827) [1], Antoine de Saint-Just (1767-94, guill.), Jacques Thuriot (1753-1829 ; dém. 20-9-1793). *14-8-1793 :* adjonction de Claude Prieur de la Côte-d'Or (1763-1839) et de Lazare Carnot (1753-1823). *6-9-1793 :* adjonction de Jacques Billaud-Varenne (1756-1819) et de Jean-Marie Collot d'Herbois (1749-96, déporté).

Nota. - (1) Membres itinérants en surplus [10e et 11e membre du « Grand Comité » ayant fonctionné du 29-12-1793 au 9 thermidor (27-7-1794)].

Directoire

Fonctions de chef d'État exercées collectivement

1795 (1er nov.) Jean-François Rewbell (ou Reubell) (1747-1807) ; Paul (Vte de) Barras (1755-1829) ; Louis-Marie (de) La Révellière-Lépeaux (1753-1824) ; Louis-François Letourneur (1751-1817) ; Lazare Carnot (1753-1823) [remplace l'abbé Joseph Sieyès (1748-1836) qui, élu, refusa]. **1796 (juin)** François (futur marquis de) Barthélemy (1747-1830) remplace L.-F. Letourneur, éliminé par le sort. **1797 (4 sept.)** *(18 fructidor an V)* Philippe-Antoine Merlin de Douai (1754-1838) et Nicolas-Louis F. de Neufchâteau (1750-1828) remplacent Barthélemy et Carnot (proscrits). **1798 (15 mai)** *(20 floréal an VI)* J.-Baptiste Treilhard (1742-1810) remplace F. de Neufchâteau, éliminé par le sort. **1799 (16 mai)** *(21 floréal, an VII)* l'abbé Sieyès remplace Rewbell, éliminé par le sort. **(18 juin)** *(30 prairial, an VII)* Louis Gohier (1746-1830) remplace Treilhard dont l'élection vient, après 13 mois, d'être annulée. Roger Ducos (1747-1816), le Gal Jean-François Moulin (1752-1810) remplacent La Révellière-Lépeaux et Merlin de Douai, contraints de démissionner.

Composition au 18 brumaire : Barras, Sieyès, Gohier, Roger Ducos, Moulin.

Consulat

Commission consulaire provisoire. 1799 (19 nov.) *(18 brumaire, an VIII)* Bonaparte, Sieyès, Roger Ducos.

Consulat décennal. 1799 (13 déc.) *(22 frimaire, an VIII).* Trois consuls : Bonaparte, 1er consul, Jean-Jacques de Cambacérès (1753-1824, sous l'Empire, duc de Parme), Charles-François Lebrun (1739-1824, sous l'Empire, duc de Plaisance).

Consulat bidécennal. 1802 (8 mai) *(18 floréal, an X)* Bonaparte, Cambacérès, Lebrun.

Consulat à vie. 1802 (2 août) *(14 thermidor, an X)* Bonaparte.

Premier Empire

1804 (18 mai) *(28 floréal, an XII)* Bonaparte revêtu de la « dignité impériale héréditaire », devient **Napoléon Ier** (15-8-1769/5-5-1821). Sacré *empereur des Français* 2-12-1804 et couronné *roi d'Italie* 26-5-1805 ; *protecteur de la Confédération du Rhin* 12-7-1806 ; f. de Charles Bonaparte (1746-85) et de Marie Letizia Ramolino (1750-1836). *Ép.* 1° 9-3-1796 Joséphine Tascher de La Pagerie (23-6-1763/29-5-1814), veuve du Gal Vte Alexandre de Beauharnais (1760, guill. 1794), mariage dissous civilement 16-12-1809, annulé 14-1-1810 ; 2° 1-4-1810 *Marie-Louise,* archiduchesse d'Autr. (12-12-1791/17-12-1847), *régente* 30-3-1813 (campagne de Russie) et 25-1-1814 sous Napoléon Ier. 3-4-1814 déclaré déchu par Sénat et Corps législatif. 4-4-1814 abdique en faveur de son fils et 6-4-1814 sans condition. *Souverain de l'île d'Elbe* en 1814 (garde son titre d'empereur).

Régime transitoire

1814 (31 mars), gouvernement provisoire : 5 membres nommés par le Sénat pour assurer la transition : Pierre Riel, général, marquis de Beurnonville (1752-1821) ; Emmeric, duc de Dalberg (1773-1833) ; François Arnail, Cte de Jaucourt (1757-1852) ; l'abbé François-Xavier de Montesquiou, duc de Fezensac (1756-1832) ; Charles Maurice de Talleyrand-Périgord, Pce de Bénévent (1754-1838). Cessent leurs fonctions le 14-4-1814.

Première Restauration

1814 Louis XVIII le Désiré (17-11-1755/16-9-1824), frère de Louis XVI. *Cte de Provence, Monsieur* (1774), *duc d'Anjou, d'Alençon, Cte du Maine et du Perche. Ép.* 1771 Marie-Louise de Savoie (1753-1810). Sans postérité. *Roi de France et de Navarre* selon la tradition, à la mort de Louis XVII le 8-6-

1795, mais, en réalité, le 6-4-1814. [Forcé par moments de porter incognito le titre de Cte de L'Isle (de L'Isle-Jourdain, en Armagnac, comté qui lui appartenait en propre) déformé souvent en Cte de Lille.] Se réfugie à Gand le 23-3-1815.

Cent-Jours

1815 Napoléon Ier débarque au golfe Juan (1-3), est à Lyon (12-3) à Paris (20-3). 2° abdication en faveur de Napoléon II (22-6).

1815 Napoléon II (20-3-1811/22-7-1832) f. de Napoléon Ier et de Marie-Louise. *Prince impérial* et *roi de Rome* (1811-14). Reconnu empereur des Français par la Chambre le 22-6-1815. Devenu en exil *prince de Parme* (1815-18), puis *duc de Reichstadt* (18-7-1818). Sans postérité. Inhumé dans le caveau des Habsbourg (crypte des Capucins, à Vienne) ; ses cendres ont été transférées à Paris, par ordre de Hitler, le 15-12-1940 ; elles sont déposées près du tombeau de Napoléon, aux Invalides [son cœur est resté à Vienne (égl. des Augustins)]. Son surnom de « l'Aiglon » a été créé en 1852 par Victor Hugo, dans le poème *Napoléon II.*

Commission de gouvernement

1815 (23-6/7-7). Commission de 5 membres élus : 3 par la Chambre des Représentants (au 1er tour : Carnot par 324 suffrages, et Fouché, duc d'Otrante, par 293 sur 511 ; au 2e tour : le Gal Grenier). 2 par la Chambre des Pairs (Caulaincourt, duc de Vicence, et le baron Quinette). Le 23-6, la « Commission » se réunit aux Tuileries et Fouché est désigné comme Pt sur la proposition du Gal Grenier, approuvée par le duc de Vicence et Quinette.

Seconde Restauration

1815 (7-7) Louis XVIII († 16-9-1824).

1824 Charles X (9-10-1757/6-11-1836), son frère et fr. de Louis XVI. *Cte d'Artois, duc d'Angoulême, de Berry, d'Auvergne, de Châteauroux,* puis *Monsieur* (1795). *Ép.* 1773 Marie-Thérèse de Savoie (1756-1805). Abdique le 2-8-1830 en faveur de son f. le duc d'Angoulême *(Louis XIX),* qui abdique aussitôt en faveur de son neveu le duc de Bordeaux *(Henri V).* Ch. X. vécut en exil se titrant *Cte de Ponthieu,* et mourut à Göritz [Autr., actuellement Italie ; tombeau crypte du couvent Kostanjevica (Castagnavizza) (Youg.)].

☞ *Charles X eut 2 fils :* 1° *Louis-Antoine d'Artois* (1775-1844) *duc d'Angoulême,* puis dauphin 1824 (à la mort de L. XVIII), qui ép. à Mittau le 10-6-1799 Marie-Thérèse de France (1778-1851) f. de L. XVI et de Marie-Antoinette, dite Madame Royale, sa cousine germaine. Sans postérité, il renonça à la couronne le 2-8-1830 et prit le titre de *Cte de Marnes* (-la-Coquette). 2° *Charles Ferdinand d'Artois, duc de Berry* (1778 – assassiné par Louvel le 14-2-1820), ép. 1816 Marie-Caroline des Deux-Siciles (1798-1870), dont il eut *(a) Louise d'Artois* (1819-64), qui ép. Ch. III de Bourbon (1823-54) duc de Parme ; *(b) Henri d'Artois, duc de Bordeaux* (posthume 29-9-1820/24-8-1883), qui, proclamé roi par Ch. X le 2-8-1830 sous le nom d'*Henri V,* prit le titre de *Cte de Chambord,* en exil, et de *Cte de Mercœur* pendant son voyage en Fr. (1871). Malgré les actes du 2-8-1830, ne se considéra pas comme roi avant la mort de Louis XIX, « Cte de Marnes » (1844). Il ép. en 1846 Marie-Thérèse d'Este-Modène (1817-86) et n'eut pas de postérité. Refusant d'adopter le drapeau tricolore et le projet de constitution orléaniste libéral, il fit échouer en 1873 les projets de restauration sur le point d'aboutir. Mort à Frohsdorf (Autriche), enterré au couvent de Castagnavizza (Kostanjevica, Youg.).

Monarchie de Juillet

1830 (9-8) Louis-Philippe Ier (6-10-1773/26-8-1850) duc de Valois 1773, de Chartres 1785 et d'Orléans 1793, lieutenant-général du royaume 31-7-1830, *roi des Français* 9-8-1830. A son abdication 24-2-1848, prit le titre de *Cte de Neuilly,* du nom de son château près de Paris (pillé et incendié en 1848), jusqu'à sa mort à Claremont (G.-B.). *Ép.* 1809 Marie-Amélie de Bourbon (1782-1866), f. de Ferdinand Ier roi des Deux-Siciles.

Descendants de Louis-Philippe : 1° *Ferdinand* (1810-42), duc de Chartres 1810, *duc d'Orléans* 1830, prince royal 1830 ; ép. 1837 Hélène de Mecklembourg-Schwerin (1814-58), dont 2 fils, le Cte de Paris (1838-94) et le duc de Chartres (1840-1910), lui-même père du duc de Guise (1874-1940). 2° *Louis* (1814-96), *duc de Nemours,* élu roi des Belges 1831 (refus), épouse 1840 Victoire de Saxe-Cobourg Gotha (1822-57), dont 2 fils : le Cte d'Eu (1842-1922), tige des Orléans et Bragance, et le duc d'Alençon (1844-1910), tige des ducs de Nemours. 3° *François* (1818-1900), *prince de Joinville,* ép. 1843 Françoise de Bragance, princesse du Brésil (1824-98), dont 1 fils, le duc de Penthièvre (1845-1919), sans postérité. 4° *Henri* (1822-97), *duc d'Aumale,* ép. 1844 Marie-Caroline de Bourbon, princesse des Deux-Siciles, sans postérité. 5° *Antoine* (1824-90), *duc de Montpensier,* infant d'Espagne 1859, ép. 1846 Marie-Louise de Bourbon, sœur de la reine d'Espagne Isabelle II, dont Antoine (1866-1930), infant d'Espagne, duc de Galliera 1895, tige de la branche des ducs de Galliera.

Filiation : Philippe de France (1640-1701), fils cadet de Louis XIII et d'Anne d'Autriche, duc d'Anjou 1640, Monsieur 1643, duc de Chartres 1661, d'Orléans (Philippe Ier) 1660, de Nemours, de Valois 1661, de Montpensier 1690, prince de Joinville 1690, Cte de Beaujolais 1690 ; ép. 1° 1661 Henriette d'Angleterre (1644-70) ; 2° Élisabeth Charlotte de Bavière (1652-1722) dite la Palatine, dont → *Philippe II* (1674-1723) *duc d'Orléans, le Régent* (1715-23) ép. Mlle de Blois (1677-1749) (Françoise Marie de Bourbon, fille légitimée de Louis XIV et de la marquise de Montespan), dont → *Louis II duc d'Orléans* (1703-52) ép. Auguste Marie Jeanne de Bade (1704-26), dont → *Louis-Philippe Ier* (1725-85) *duc d'Orléans,* ép. [1] Mlle de Conti (Louise Henriette de Bourbon, 1726-59) fille du P^ce de Conti dont → *Louis-Philippe Joseph* (1747/6-11-1793 guillotiné), *duc d'Orléans, dit Philippe Égalité* sous la Révolution, qui vota la mort de Louis XVI, ép. Louise Marie Adélaïde de Bourbon (Mlle de Penthièvre 1753-1821), père de Louis-Philippe.

Nota. – (1) Épousa secrètement (23-4-1775) en 2es noces Mme de Montesson (1737-1806).

IIe République

1848 (24-2) Gouvernement provisoire avec Jacques-Charles Dupont de l'Eure (1767-1855), Alphonse de Lamartine (1790-1869), Adolphe Crémieux (1796-1880), François Arago (1796-1853), Alexandre Ledru-Rollin (1807-74), Louis-Antoine Garnier-Pagès (1803-78), Pierre-Thomas Marie (1795-1870), Armand Marrast (1801-52), Louis Blanc (1811-82), Ferdinand Flocon (1800-66), Alexandre Martin, dit l'Ouvrier Albert (1815-95).

1848 (10-12) Louis-Napoléon Bonaparte (20-4-1808/9-1-1873), élu Pt le 16-12, s'installe à l'Élysée. Il est le 3e f. de Louis Bonaparte (2-9-1778/25-7-1846), roi de Hollande (1806-10), Cte de St-Leu après 1810, marié le 3-1-1802 à Hortense de Beauharnais (1783-1837), f. d'Alexandre de B. et de Joséphine de Tascher de La Pagerie (plus tard impératrice), [Ses *deux fr. aînés* 1° *Napoléon-Charles* (1802-07) P^ce royal de Holl. 2° *Napoléon-Louis* (1804-31) P^ce royal de Holl. 1807-10, gd-duc de Berg et de Clèves 1809-13, époux de Charlotte Bonaparte (1802-39) f. de Joseph Bonaparte et de Julie Clary, étaient sans postérité.] **Vice-Pt :** le Cte Georges-Henri Boulay de la Meurthe (1797-1858), fils du conventionnel régicide Antoine-Claude-Joseph Boulay de la Meurthe (1761-1840), ministre d'État pendant les Cent-Jours.

1851 (2-12) *Coup d'État du 2 décembre.* (21/22-12) *Louis-Napoléon élu chef de l'État* pour 10 ans (la vice-présidence est supprimée).

Second Empire

☞ Le 7-11-1852, un *sénatus-consulte* (ratifié les 20 et 21-11 par un plébiscite) proclame Louis-Napoléon empereur des Français sous le nom de Napoléon III. Le Sénat proclame les résultats le 2-12 (date officielle du début du règne).

1852 (2-12) Napoléon III (20-4-1808/9-1-1873). *Ép.* 29-1-1853 *Eugénie de Guzmán Portocarrero etc.* (5-5-1826/11-7-1920) f. du Cte de Montijo et connue sous le nom de Mlle de Montijo. Renversé le 4-9-1870. Il mourut en exil à Chislehurst (G.-B.). L'impératrice Eugénie fut 3 fois *régente.* Voir Index.

IIIe République

1870 (du 4-9 au 12-1-1871) Gouvernement de la Défense nationale. Pt Gal Louis Trochu (1815-96). Du 7-10-1870 au 12-1-1871, le min. de l'Intérieur, Léon Gambetta (1838-82), dirige à Tours une *« délégation gouvernementale ».*

1871 (12-1) Gouvernement de l'Assemblée nationale (réunie à Bordeaux). *Chef du gouvernement exécutif :* Adolphe Thiers (1797-1877).

☞ Présidents de la République (en gras), vice-présidents du Conseil (jusqu'au 10-3-1876), puis présidents du Conseil (la liste ne tient pas compte des remaniements intérieurs des ministères).

1871-73 Adolphe Thiers (1797-1877). *Pt de la République* (31-10-1871/24-5-1873). *19-2-71/24-5-73* Armand Dufaure (1798-1881).

1873-79 Maréchal Patrice de Mac-Mahon, duc de Magenta (1808-93). *25-5-73/16-5-74* Albert, duc de Broglie (1821-1901). *22-5-74/10-3-75* Gal Ernest Courtot de Cissey (1810-82). *10-3-75/23-2-76* Louis-Joseph Buffet (1818-98). *5-3/2-12-76* Armand Dufaure. *12-12-76/17-5-77* Jules Simon (1814-96). *17-5/15-11-77* Albert, duc de Broglie. *23-11/30-11-77* Gal Gaëtan de Grimaudet de Rochebouët (1813-99). *13-12-77/30-11-79* Armand Dufaure.

1879-87 Jules Grévy (1807-91). *4-12/26-12-79* William Henri Waddington (1826-94). *28-12-79/19-9-1880* Charles de Freycinet (1828-1923). *23-9-80/10-11-1881* Jules Ferry (1832-93). *14-11-81/27-1-1882* Léon Gambetta (1838-82). *27-1/29-7-82* Charles de Freycinet. *7-8-82/21-1-1883* Charles Duclerc (1812-88). *29-1/18-2-83* Armand Fallières (1841-1931). *21-2-83/30-3-1885* Jules Ferry. *6-4/29-12-85* Henri Brisson (1835-1912). *7-1/3-12-86* Charles de Freycinet. *12-12-86/18-5-87* René Goblet (1828-1905). *30-5/4-12-87* Maurice Rouvier (1842-1911).

1887-94 Sadi Carnot (1837-assassiné 94). *12-12-87/30-3-88* Pierre Tirard (1827-93). *3-4-88/14-2-89* Charles Floquet (1828-96). *22-2-89/1-3-90* Pierre Tirard. *17-3-90/19-2-92* Charles de Freycinet. *27-2/28-11-92* Émile Loubet (1838-1929). *6-12-92/30-3-93* Alexandre Ribot (1842-1923). *4-4/25-11-93* Charles Dupuy (1851-1923). *3-12-93/22-5-94* Jean Casimir-Perier (1847-1907). *30-5-94* Charles Dupuy →.

1894-95 Jean Casimir-Perier (1847-1907). *94 → (15-1-95)* → Charles Dupuy.

1895-99 Félix Faure (1841-99). *26-1/28-10-95* Alexandre Ribot. *1-11-95/23-4-96* Léon Bourgeois (1851-1925). *29-4-96/15-6-98* Jules Méline (1838-1925). *28-6/25-10-98* Henri Brisson (1835-1912). *1-11-98* Charles Dupuy →.

1899-1906 Émile Loubet (1838-1929). *12-6-99* → Charles Dupuy. *22-6-99/7-6-1902* Pierre Waldeck-Rousseau (1846-1904). *7-6-02/18-1-05* Émile Combes (1835-1921). *24-1-05* Maurice Rouvier →.

1906-13 Armand Fallières (1841-1931). *7-3-06* → Maurice Rouvier. *14-3/19-10-06* Ferdinand Sarrien (1840-1915). *25-10-06/20-7-09* Georges Clemenceau (1841-1929). *24-7-09/27-2-11* Aristide Briand (1862-1932). *2-3/23-6-11* Ernest Monis (1846-1929). *27-6-11/14-1-12* Joseph Caillaux (1863-1944). *14-1-12/21-1-13* Raymond Poincaré (1860-1934). *21-1-13* Aristide Briand →.

1913-20 Raymond Poincaré (1860-1934). *22-3-13* → Aristide Briand. *22-3/9-12-13* Louis Barthou (1862-1934). *9-12-13/9-6-14* Gaston Doumergue (1863-1937). *9-6/13-6-14* Alexandre Ribot. *13-6-14/29-10-15* René Viviani (1863-1925). *29-10-15/20-3-17* Aristide Briand. *20-3/12-9-17* Alexandre Ribot. *12-9/16-11-17* Paul Painlevé. *16-11-17/20-1-20* Georges Clemenceau. *20-1-20* Alexandre Millerand (1859-1943) →.

1920 (28-2/22-9) Paul Deschanel (1855-1922). *24-9-20* → Alexandre Millerand.

1920-24 Alexandre Millerand (1859-1943). *24-9-20/16-1-21* Georges Leygues (1857-1933). *16-1-21/15-1-22* Aristide Briand. *15-1-22/8-6-24* Raymond Poincaré. *8-6/13-6-24* Frédéric François-Marsal (1874-1958).

1924-31 Gaston Doumergue (1863-1937). *14-6-24/10-4-25* Édouard Herriot (1872-1957). *17-4/22-11-25* Paul Painlevé. *28-11-25/17-7-26* Aristide Briand. *19-7/21-7-26* É. Herriot. *23-7-26/27-7-29* R. Poincaré. *29-7/22-10-29* A. Briand. *2-11-29/17-2-30* André Tardieu (1876-1945). *21-2/25-2-30* Camille Chautemps (1885-1963). *2-3/4-12-30* A. Tardieu. *13-12-30/22-1-31* Théodore Steeg (1868-1950). *26-1-31* Pierre Laval →.

1931-32 Paul Doumer (1857-assassiné 1932). *16-2-32* → Pierre Laval. *20-2/10-5-32* André Tardieu.

1932-40 Albert Lebrun (1871-1950). *3-6/14-12-32* Édouard Herriot. *18-12-32/1-33* Joseph Paul-Boncour (1873-1972). *31-1/18-10-33* Édouard Daladier (1884-1970). *26-10/23-11-33* Albert Sarraut (1872-1962). *26-11-33/27-1-34* Camille Chautemps. *30-1/7-2-34* Édouard Daladier. *9-2/8-11-34* Gaston Doumergue. *8-11-34/1-6-35* Pierre-Étienne Flandin (1889-1958). *1-6/4-6-35* Fernand Bouisson (1874-1959). *6-6-35/22-1-36* Pierre Laval. *24-1/30-5-36* Albert Sarraut. *6-6-36/21-6-37* Léon Blum (1872-1950). *29-6-37/13-3-38* Camille Chautemps. *14-3/26-3-38* Léon Blum. *10-4-38/21-3-40* Édouard Daladier. *21-3/16-6-40* Paul Reynaud (1878-1966). *17-6/12-7-40* M[al] Philippe Pétain (1856-1951).

État français à Vichy

1940-44 Maréchal Philippe Pétain (24-4-1856/23-7-1951) *Chef de l'État* (10-7-1940 jusqu'à son enlèvement de Vichy par les Allemands le 20-8-1944). Condamné à mort, à Paris, le 14-8-1945. Peine commuée en détention perpétuelle à l'île d'Yeu. *13-7/13-12-40* Pierre Laval (1883-exécuté 15-10-1945) Vice-Pt du Conseil. *13-12-1940/9-2-1941* Pierre-Étienne Flandin (1889-1958). *10-2-41/18-4-42* Amiral de la Flotte François Darlan (1881-assassiné 24-12-1942) Vice-Pt du Conseil. *18-4-42/20-8-44* Pierre Laval, chef du Gouv.

France Libre

Français libres 1940 (26-6). Gal Charles de Gaulle (23-11-1890/9-11-1970), reconnu comme chef des Français libres (Londres).

Comité français de Libération nationale (3-6-1943). Gal Charles de Gaulle et Gal Henri Giraud (1879-1949). Pts alternatifs *3-6/9-11-43 puis* **Gal de Gaulle** seul.

Gouvernement provisoire

1944 (3-6/2-11-1945) Gal Charles de Gaulle.

IVe République

Gouvernement provisoire

1945 (2-11/20-1-1946) Gal Charles de Gaulle.

1946 (23-1/12-6) Félix Gouin (1884-1977).

1946 (24-6/28-11) Georges Bidault (1899-1983), maintenu après la promulgation de la Constitution.

1946 (28-11/18-12) Vincent Auriol (1884-1966), Pt de l'Assemblée nationale élue le 10-11-1946, assure par intérim les fonctions de chef de l'État.

1946 (18-12/22-1-1947) Léon Blum (1872-1950), chef du gouvernement provisoire.

Présidents de la République

1947 (16-1) Vincent Auriol. *17-1/21-11-47* Paul Ramadier (1888-1961). *24-11-47/24-7-48* Robert Schuman (1886-1963). *26-7/31-8-48* André Marie (1897-1974). *31-8/12-9-48* Robert Schuman. *12-9-48/27-10-49* Henri Queuille (1884-1970). *28-10-49/24-6-50* Georges Bidault. *2-7/4-7-50* Henri Queuille. *12-7-50/28-2-51* René Pleven (15-4-1901). *10-3/10-7-51* Henri Queuille. *11-8-51/7-1-52* René Pleven. *20-1-52/29-2-52* Edgar Faure (1908-88). *8-3/22-12-52* Antoine Pinay (30-12-1891). *6-1/21-5-53* René Mayer (1895-1972). *26-6-53* Joseph Laniel (1889-1975).

1954 (23-12) René Coty (1882/22-11-1962). → *12-6-54* Joseph Laniel. *17-6-54/5-2-55* Pierre Mendès France (1907-82). *23-2-55/24-1-56* Edgar Faure. *30-1-56/21-5-57* Guy Mollet (1905-75). *12-6/30-9-57* Maurice Bourgès-Maunoury (19-8-1914). *6-11-57/15-4-58* Félix Gaillard (1919-70). *13-5/31-5-58* Pierre Pflimlin (5-2-1907). *1-6-58/8-1-59* Gal Charles de Gaulle.

Ve République

Présidents et Premiers ministres

1959 (1-8) Gal Charles de Gaulle (22-11-1890/9-11-1970). Élu le 21-12-1958, intronisé le 8-1-1959. Pt de la Rép. et de la Communauté. Chef du gouvernement jusqu'au 8-1-59. *8-1-59/14-4-62* Michel Debré (15-1-1912). *14-4-62/21-7-68* Georges Pompidou (5-7-1911/74). *21-7-68/16-6-69* Maurice Couve de Murville (24-1-1907).

1969 (28-4/19-6) Alain Poher (17-4-1909) (Pt du Sénat) par intérim.

1969 (16-6) Georges Pompidou (5-7-1911/2-4-1974). *20-6-69* Jacques Chaban-Delmas (7-3-1915). *7-7-72* Pierre Messmer (20-3-1916).

1974 (2-4) Alain Poher (17-4-1909) (Pt du Sénat) par intérim.

1974 (19-5) Valéry Giscard d'Estaing (2-2-1926). *28-5-74* Jacques Chirac (29-11-1932). *27-8-76* Raymond Barre (12-4-1924).

1981 (21-5) François Mitterrand (26-10-1916). *21-5-81* Pierre Mauroy (5-7-1928). *19-7-84* Laurent Fabius (20-8-46). *20-6-86* Jacques Chirac (29-11-32). *12-5-88* Michel Rocard (23-8-30)

Quelques chiffres

Présidents de la République

Nombre de présidents. 21. **Ire République** : 0, **IIe** : 1, **IIIe** : 14, **IVe** : 2, **V[e]** : 4 (Coty avait été élu sous la IVe) + Pt intérimaire à 2 reprises (Alain Poher, Pt du Sénat).

Age. *Les plus jeunes :* Louis-Napoléon Bonaparte 40 ans. Jean Casimir-Perier 46. Valéry Giscard d'Estaing 48. Sadi Carnot 50. *Les plus vieux :* Paul Doumer 74 ans. Thiers 74. Grévy 72 (réélu à 79). Mitterrand 64 (réélu à 71 ans). René Coty 71. De Gaulle 69 (réélu à 75 ans 28 j.).

Démissionnaires. Thiers, Mac-Mahon, Grévy, Casimir-Perier, Deschanel, Millerand, Coty, de Gaulle. **Déposé.** Lebrun. **Devenu empereur.** Louis-Napoléon Bonaparte (Napoléon III). **Mandat complet.** Grévy (1er mandat), Loubet, Fallières, Poincaré, Doumergue, Lebrun (1er mandat), Auriol, de Gaulle (1er mandat 1958-1965), Giscard d'Estaing. **Morts en exercice.** *Assassinés :* Carnot, Paul Doumer. *De maladie :* Faure, Pompidou.

Records de pouvoir. *Le plus longtemps :* Mitterrand 11 ans (en mai 91), de Gaulle 10 ans 3 mois, Grévy 8 ans 10 mois, Lebrun 8 ans 2 mois. *Le moins longtemps :* Casimir-Perier 6 mois 20 j., Deschanel 9 mois 4 j., Doumer 11 mois 25 j.

Ministères

• **Nombre. IIIe République. 1873** *(25 mai).* 9 ministères (Affaires étrangères, Justice, Intérieur, Finances, Marine et Colonies, Instruction publique, Cultes et Beaux-Arts, Travaux publics, Agriculture et Commerce). *Le duc de Broglie* est vice-Pdt du Conseil (la fonction et le titre de Pdt du Conseil n'apparaîtront qu'en mars 1876) et min. des Aff. étrangères. 1 sous-secr. d'État (à l'Intérieur). **1936.** Ministère Léon Blum, *nombre record* de la IIIe Rép. 21 ministres, 14 sous-secr. d'État.

IVe République. 1946 : le titre de secrétaire d'État apparaît. *Le nombre des membres du Gouv.* évolue de 22 min. (de Gaulle 1945) à 46 (Bourgès-Maunoury 1957), *celui des ministres* de 14 (Guy Mollet 1956 et Bourgès-Maunoury 1957) à 26 (Edgar Faure 1952), *des secrétaires d'État* de 0 (de Gaulle 1945) ou 1 (Bidault et Blum en 1946) à 25 (Bourgès-Maunoury) ou 32 avec les *sous-secr. d'État.*

Ve République. *Membres du Gouvernement :* de 25 (Debré, 14-4-1962) à 43 (Chirac, 28-5-1974).

Nota. – Les *Pdts du Conseil* ont jusqu'en 1933 [à 1 exception près : Raymond Poincaré (11-11-1928/27-7-1929)] exercé en même temps une fonction ministérielle (ex. : Aff. étr., Intérieur, Finances, Instruction publique). Ensuite cela a varié : ils furent souvent sans portefeuille, notamment de 1936 à 1938 et de 1947 à 1952.

De Gaulle, dernier Pdt du Conseil de la IVe, fut en même temps min. de la Déf. nat. Sous la Ve Rép., les Premiers min. n'ont eu aucune fonction ministérielle sauf Raymond Barre, min. de l'Économie et des Finances (1976-78).

• **Présidence des ministères.** Durée de quelques présidences (en ne tenant pas compte des remaniements des ministères).

Les plus longues. IIIe République. *3 ans 19 j. :* Poincaré (23-7-1926/27-7-1929). *2 a. 11 m. 17 j. :* Waldeck-Rousseau (22-6-1899/7-6-1902). *2 a. 9 m. :* Clemenceau (25-10-1906/24-7-1909). *2 a. 7 m. 18 j. :* Combes (7-6-1902/24-2-1905). **IVe République.** *1 a. 4 m. 15 j. :* Mollet (1-2-1956/13-6-1957). *1 a. 1 m. 16 j. :* Queuille (12-9-48/27-10-49). **Ve République.** *6 a. 3 m. 25 j. :* Pompidou (14-4-62/21-7-68).

Les plus courtes. IIIe République. *3 j. :* Herriot (19/21-7-1926). *4 j. :* Bouisson (1/4-6-1935). *4 j. :* Ribot (9/13-6-1914). *6 j. :* François-Marsal (9/14-6-1924). *8 j. :* Dufaure (18/25-5-1873). *9 j. :* Reynaud (5/13-6-1940). **IVe République.** *2 j. :* Queuille (2/4-7-1950). *13 j. :* Schuman (31-8/12-9-1948). **Ve République.** *11 m., 10 j. :* Maurice Couve de Murville (10-7-1968/20-6-1969).

• **Crises de la IVe République. Les plus longues.** 38 j. (21-5/28-6-53 Mayer-Laniel). 32 j. (10-7/11-8-51 Pleven-Queuille). 28 j. (16-4/14-5-58 Gaillard-Pflimlin). 21 j. (16-10/6-11-57 Bourgès-Maunoury-Gaillard). **Les plus courtes.** 1 j. (31-5/1-6-58 Pflimlin-de Gaulle). 3 j. (8-9/11-9-48 Schuman-Queuille) ; (10-6/13-6-57 Mollet-Bourgès-Maunoury).

• **Longévité ministérielle.** *Robert Boulin* (au Gouv. dep. le 24-8-61, jusqu'à sa mort le 8-11-79 ; soit 14 ans, 11 mois, avec interruption du 28-3-73 au 27-8-76 ; secr. d'État aux Rapatriés, au Budget, aux Finances ; min. de la Fonction publ., de l'Agric., de la Santé, des Relations avec le Parlement, du Travail). *Robert Galley* [au Gouv. dep. le 31-5-68, soit env. 12 ans ; record de longévité ministérielle sans interruption (précédent record : Robert Boulin 11 ans et 7 mois de 1961 à 73) ; min. de l'Équipement, Recherche, P.T.T., Transports, Armées, Coopération]. *Pierre Messmer* (au Gouv. du 5-2-60 au 27-5-74 soit 12 ans 9 mois, interruption du 22-6-69 au 24-2-71, min. des Armées, des DOM et TOM, P.M.).

Jeunes ministres. Age à leur 1re nomination : *IIIe République :* Pierre-Étienne Flandin (30), Georges Mandel (30), Louis Barthou (32), Léon Gambetta (32), Jean Zay (32), Raymond Poincaré (33), Guy La Chambre (34), Joseph Caillaux (35), Waldeck-Rousseau (35), Paul-Boncour (38), Camille Chautemps (39). *IVe République :* Félix Gaillard (sous-secr. d'Etat 27, secr. d'Etat 31, min. 37, Pt du Conseil 38), François Mitterrand (30), René Arthaud (31), Tanguy-Prigent (35), Paul Coste-Floret (36), Maurice Faure (36), Félix Gaillard (38), Pierre-Henri Teitgen (38). *Ve République :* Valéry Giscard d'Estaing (secr. d'État 32, min. 35), Jacques Chirac (secr. d'État 34, min. 38, Premier min. 41), Laurent Fabius (min. 34, Premier min. 38). Pierre Méhaignerie (38), Claude Évin (39).

Descendants des anciens souverains français

☞ Seul, le Cte de Paris s'est défini lui-même comme prétendant, dans un message à Rabat (1-7-1941).

La loi du 22-6-1886, relative aux membres des familles ayant régné en France (dite loi d'exil), interdisait aux chefs des familles ayant régné sur la France et à leurs fils aînés de séjourner ou de venir en France, et à tous les hommes de ces familles de servir dans l'armée française (Bourbon-Orléans et Bonaparte). Fut abrogée sur proposition de Paul Hutin-Desgrées, député (M.R.P.) du Morbihan, adoptée par l'Assemblée nationale le 16-5-1950 par 314 voix contre 179 et par le Conseil de la République le 22-6 par 218 voix contre 84, promulguée le 24-6-1950, mais les princes de ces familles peuvent être expulsés de France avec facilité s'ils troublent l'ordre.

Descendance des Mérovingiens et des Carolingiens

6 familles descendraient de Clovis par les mâles (de La Rochefoucauld, d'Aure puis Gramont, de Comminges de Peguilhan, de Galard, de Luppé, de Montesquiou Fezensac). Ces familles, qui n'ont jamais prétendu à la couronne de France, ne peuvent pas prouver scientifiquement leur filiation. De même les familles de Sohier de Vermandois et de Chaumont Quitry (issues de Charlemagne par les femmes). Les Capétiens ont eu des liens nombreux avec les Carolingiens et Mérovingiens, et ont toujours prétendu descendre de Charlemagne, donc de Clovis.

La maison capétienne, qui remonte en tout cas à Robert le Fort, comte d'Anjou, dont le nom apparaît en France en 852, est la plus ancienne race du monde [si l'on ne compte pas les Bagration (Géorgie) à la filiation incertaine, et la dynastie japonaise dont la filiation est légendaire durant les premiers siècles de l'ère chrétienne]. Des membres encore plus lointains, connus depuis 1936 (voir p. 586), étaient liés à la famille carolingienne, et avaient été des proches des rois mérovingiens (soit leurs parents, soit leurs serviteurs). D'ailleurs, les Carolingiens passent aujourd'hui pour les descendants en ligne féminine des rois francs de Cologne. En ligne masculine, ils seraient gallo-romains (?).

Descendance des Capétiens

Le duc d'Anjou

Chef de la Maison de Bourbon

Mgr Louis-Alphonse, duc d'Anjou (Madrid 25-4-1974), porta le titre de duc de Touraine puis le 19-9-1981 le titre de duc de Bourbon et le 2-2-1989 il prit le titre de duc d'Anjou. Citoyen français par sa mère. Fait ses études à Madrid. Assisté d'un Conseil. *Secrétariat :* 10, av. Alphonse XIII, 75016 Paris.

Filiation : *Louis XIV, Louis Gd Dauphin, Philippe V d'Espagne,* 5 générations, *Alphonse XIII* (roi d'Esp. † 28-2-1941), son fils aîné, *Jacques (Jaime) Henri de Bourbon, duc de Ségovie* (La Granja, Esp. 23-6-1908/St-Gall 20-3-75) qui a fait acte de roi de France en prenant le titre de duc d'Anjou et les pleines armes de France (Rome 28-3-1946). Ép. Mlle Emmanuelle de Dampierre (n. 8-11-1913), fille du vicomte (français) Roger de Dampierre, second duc de San Lorenzo, et de la Pcesse (italienne) Vittoria Ruspoli. Mariage célébré à Rome 4-3-1933. Divorce prononcé à Bucarest 6-5-1947, enregistré à Turin 3-6-1949 ; il se remariera civilement en 1949 avec une protestante, Mme Charlotte Tiedemann († 3-7-1979), ancienne chanteuse ; divorcée, Emmanuelle de Dampierre épousera Antonio Sozzani (union non reconnue en Espagne, séparée). Il eut d'elle 1° *Alphonse* (voir ci-dessous), 2° *Charles-Gonzalve* (Rome 5-6-1937), qui a reçu de son père (21-9-1972) le titre héréd. de duc d'Aquitaine, marié plusieurs fois, et 2 fois divorcé. Voir Espagne.

Alphonse de Bourbon, duc d'Anjou et de Cadix (Rome 20-4-1936/Beaver Creek, Colorado, U.S.A. – accident de ski 30-1-1989), porta le titre de duc de Bourbon et de Bourgogne du 25-11-50 au 3-8-75. Le 22-11-1972, Franco l'autorisa à porter le titre héréditaire de duc de Cadix (dans la primogéniture des mâles), toujours lié à la qualification d'altesse royale. Reconnu en Espagne comme S.A.R. le duc de Cadix, le 22-11-1972 ; succéda à son père le 20-3-1975, avec prise du titre de duc d'Anjou le 3-8 suivant. Chef de la maison de Bourbon, nationalité française confirmée par jugement (Montpellier 13-11-1987), avocat (non exerçant) au barreau de Madrid, fut ambassadeur d'Esp. à Stockholm (1969-72), banquier, Pt de l'Institut de culture hispanique (1973-77), Pt du Comité Olympique esp., Pt d'honneur de l'Institut de la Maison de Bourbon, Pt d'honneur du Mémorial de France à St-Denis, maire d'honneur de Jonage (Rhône), etc. Marié au Pardo, près de Madrid, le 8-3-1972, à Marie Carmen Martinez Bordiu y Franco (Madrid 26-2-1951), fille du marquis de Villaverde et petite-fille du généralissime Franco [dont François, duc de Bourbon (Madrid 22-11-1973 – Pampelune 5-2-1984, accident de la voiture conduite par son père) et Louis-Alphonse (Madrid 25-4-1974) (v. ci-dessus)]. Séparation de corps prononcée par le tribunal diocésain de Madrid le 16-11-1979, divorce le 10-4-1980, mariage annulé le 16-12-1986 ; elle s'est remariée civilement le 11-12-1984 avec Jean-Marie Rossi (antiquaire parisien d'origine italienne, divorcé de Barbara Hottinguer) dont elle est la 3e femme, le prince était fiancé à l'archiduchesse Constance d'Autriche.

Pour ses partisans : 1° La couronne se transmet par ordre d'aînesse, de mâle en mâle appartenant à une même branche ; c'est seulement en cas d'extinction de la branche aînée qu'elle passe à l'aîné de la branche qui vient tout de suite après. Ainsi le roi Louis-Philippe n'est qu'un usurpateur. 2° Aux disciples du P. Pierre Poisson (?-1744), cordelier, défenseur des droits du Régent (auteur v. 1720 d'un opuscule *La loy fondamentale de la succession à la couronne de Fr.,* publié par Mgr Baudrillart en 1890), qui disent que les descendants de la branche aînée, étant espagnols, ne sauraient avoir de droits sur la couronne, ils répondent : « Les exigences de l'ordre successoral, qui est une des "lois fondamentales" du Royaume, l'emportent sur des réalités contingentes, telles que la nationalité du prince capétien héritier » (elles l'ont emporté même sur l'appartenance *religieuse* d'Henri IV), et invoquent des précédents : Louis XII était roi de Naples et duc de Milan, François II roi d'Écosse et Henri III roi de Pologne ; de même, Philippe le Bel, Louis X le Hutin et Henri IV avaient été rois de Navarre (et même Napoléon III qui était fils de Louis, roi de Hollande !). 3° La couronne n'est pas un droit mais une charge (principe de « l'indisponibilité de la c. ») ; elle ne peut appartenir à celui qui la porte, mais lui est seulement confiée par Dieu ; celui auquel elle échoit se trouve dans l'incapacité de la refuser.

Le 21-12-1988, le tribunal de grande instance de Paris avait tranché en faveur du duc d'Anjou et de Cadix (défendu par Jean Foyer) dans le procès que lui avait intenté Henri d'Orléans, comte de Mortain (représenté par Paul Lombard) et les Pces Ferdinand de Bourbon-Siciles et Sixte Henri de Bourbon-Parme (représentés par Jean-Marc Varaut) qui souhaitaient que la justice lui interdise de porter le titre de duc d'Anjou et d'user des armoiries de la Maison de France (3 fleurs de lys d'or sur fond d'azur). Dans son jugement, le tribunal constatait que : « Les titres nobiliaires supprimés par les Révolutions de 1789 et de 1848 et rétablis par le décret du 28-1-1952 ne peuvent être régulièrement portés et ne peuvent être donnés à leurs titulaires dans les actes d'état civil qu'en vertu d'un arrêté d'investiture pris par le garde des Sceaux, en application de l'acte royal ou impérial qui les a, à l'origine, conférés. » Un titre de noblesse « ne peut être défendu contre toute usurpation que par celui qui en dispose lui-même dans les conditions rappelées, ou qui fait partie d'une famille à laquelle a été, de la même manière, reconnue cette distinction honorifique ». Or le titre de duc d'Anjou « a été concédé, en dernier lieu, par Louis XV à son 2e petit-fils Louis Stanislas Xavier (futur Louis XVIII) puis a été aboli par l'effet du décret de l'Ass. nat. constituante du 19-6-1790. La survivance actuelle de ce titre ne pourrait être vérifiée que par le garde des sceaux, éventuellement saisi. Dans ces conditions, Henri d'Orléans doit être déclaré irrecevable à agir en défense du titre de duc d'Anjou sur lequel il n'établit pas que lui-même ou sa famille aient des droits. Il doit en être de même quant à Ferdinand de Bourbon-Siciles et Sixte de Bourbon-Parme qui ne justifient pas davantage d'un intérêt à intervenir ». Pour le port des armoiries, « il n'appartient pas à une juridiction de la République d'arbitrer la rivalité dynastique qui sous-tend en réalité cette querelle héraldique comme l'ensemble de la procédure. »

L'arrêt de la Cour d'appel de Paris (22-11-1989) confirme le jugement de première instance. Les pleines armes de France prises dep. plus de 100 ans par les aînés des Bourbons d'Espagne (dep. la mort d'Henri V en 1883) ne peuvent être contestées au Pce Louis, nouvel aîné. Dep. la chute de Charles X, ce sont des armes privées, non étatiques, elles sont un attribut de la famille.

Les traités d'Utrecht signés par Louis XIV et Philippe V, par lesquels Louis XIV renonçait pour lui et son petit-fils à la réunion des couronnes de France et d'Espagne, et Philippe V abandonnait pour lui et ses descendants toute prétention à la couronne de France, ne peuvent avoir d'effets sur la succession capétienne : 1° Louis XIV, même agissant en tant que roi, n'a pu modifier l'ordre successoral en faveur des légitimés ; 2° Philippe d'Anjou, n'étant pas roi de France, n'avait aucun titre pour disposer de la couronne française ; 3° (argument procédurier) : les décisions en matière de succession relèvent des états généraux : le parlement de Paris n'est pas compétent pour les enregistrer ; 4° les juristes français (notamment le négociateur d'Utrecht, le marquis de Torcy) ont fait l'impossible pour accorder aux Angl. la séparation des couronnes de Fr. et d'Espagne, tout en réservant les droits des Bourbons-Anjou à la succession capétienne ; 5° le tr. d'Utrecht n'a pas mis fin à la g. de Succession d'Espagne. Celle-ci s'est terminée en 1714, par les tr. de Rastatt (en français) et de Baden (en latin, à cause de la présence d'un légat du pape). Plusieurs clauses secrètes, signées entre le maréchal de Villars et le Pce Eugène (St Empire) excluaient les Orléans de la succession et réservaient les droits des Pces d'Anjou-Espagne ; 6° quand la question des droits de Philippe V d'Anjou-Espagne s'est posée sérieusement (mauvaise santé du jeune Louis XV, unique héritier des Bourbons de France) entre 1715 et 1723, le peuple français était unanime à suivre les lois fondamentales et à faire appel à Philippe V contre le Régent (le Régent aurait eu en compensation la couronne d'Espagne, comme petit-fils d'Anne d'Autriche) ; 7° Louis XVI a reconnu les Bourbons d'Esp. comme aînés après lui de la famille capétienne : le 12-10-1789, il a remis entre les mains de Charles IV « chef de la seconde branche » sa protestation, contre les concessions arrachées par les révolutionnaires ; 8° la Constitution de 1791 ne rejetait nullement les droits successoraux des Bourbons d'Anjou-Espagne, et ne fixait aucune règle relative à la nationalité des rois héréditaires (la charte de 1814 refusait d'expliciter ce point, les « lois fondamentales » restant en vigueur telles qu'elles étaient jusqu'à 1789). Louis-Philippe redoutait tellement la compétition avec la branche carliste d'Esp. qu'il fit pression sur Ferdinand VII pour que celui-ci maintînt la loi salique en Esp. : avec les carlistes sur le trône de Madrid, il pouvait leur opposer le tr. d'Utrecht. Avec les carlistes privés du trône d'Esp., il avait une dynastie française mieux placée que la sienne ; 9° à la mort du comte de Chambord (1883), le ralliement des monarchistes français à don Juan, Cte de Montizon (Jean III de France), aurait sans doute été unanime, si ce prince n'avait pas fait preuve de graves défauts de caractère : il avait déjà abdiqué ses droits espagnols en faveur de son fils don Carlos VII (Charles XI de France). D'ailleurs, les partisans du Cte de Paris n'ont pas reconnu le fait que Philippe Égalité ait par 3 fois, pour lui et pour ses descendants, renoncé à la couronne. Il aurait même pris le patronyme d'Égalité pour montrer qu'il rejetait les droits des Bourbons (les orléanistes disent que ce patronyme lui a été imposé par les révolutionnaires, comme celui de Capet à Louis XVI).

Suite des « rois de France » depuis la mort de Charles X, pour les légitimistes. 1836 Louis XIX Cte de Marnes (-la-Coquette) (ex-duc d'Angoulême, ex-dauphin, fils de Charles X). **1844** Henri V Cte de Chambord (1820-83), fils du duc de Berry († 1820), frère cadet de Louis XIX, donc petit-fils de Charles X. **1883** Jean III (1822-87), petit-fils d'un frère cadet de Ferdinand VII roi d'Espagne (celui-ci n'avait qu'une seule fille, la reine Isabelle II d'Espagne, qui, étant femme, ne pouvait transmettre les droits héréditaires français, mais avait épousé son cousin François d'Assise, fils d'un autre cadet, Fr. de Paule). **1887** Charles XI, duc de Madrid (1848-1909), son fils. **1909** Jacques Ier duc d'Anjou et de Madrid (1870-1931), son fils. **1931** Charles XII, Alphonse duc d'Anjou et de San Jaime (12-9-1840/30-9-1936), son oncle (frère de Charles XI et dernier roi d'Espagne de la branche carliste). **1936** Alphonse Ier (roi d'Esp. sous le nom d'Alphonse XIII, 1886-1941), son cousin. **1941** Henri VI, Jacques duc d'Anjou et de Ségovie (1908-75), Voir plus haut. **1975** Alphonse II, duc d'Anjou et de Cadix (1936-89). **1989** Louis XX (n. 1974), duc de Touraine, puis duc de Bourbon puis duc d'Anjou (1989).

Nota. – Cet ordre successoral est rejeté par les partisans de la Maison d'Orléans, qui estiment que des princes espagnols ne peuvent être dynastes en France [mais les Orléans sont moins nets sur la successibilité des leurs qui sont Brésiliens et Espagnols]. Cette contradiction affaiblit la thèse orléaniste face aux légitimistes qui estiment, en vertu de l'édit de Louis XV (1717), qu'en cas d'extinction de la Maison de France ou de Bourbon, c'est à la nation de décider.

Le comte de Paris

Mgr Henri d'Orléans, Cte de Paris (5-7-1908, château du Nouvion-en-Thiérache, Aisne), également duc d'Orléans, de Valois, de Chartres, de Nemours et de Montpensier, dauphin d'Auvergne, prince de Joinville et sénéchal héréditaire de Champagne, marquis de Coucy et de Folembray, comte de Soissons, de Dourdan et de Romorantin, baron de Beaujolais, etc., prince du sang. Enfance au Maroc, à Larache. Élève à la Fac. cath. de Louvain. Exilé (par le fait de la loi de 1886) en 1926 avec son père, le duc de Guise, quand celui-ci devient, à la mort du duc d'Orléans Philippe VIII, l'aîné des descendants de Louis-Philippe Ier, roi des Français. S'installe au manoir d'Anjou, près de Bruxelles. Réside (1940-50) près de Rabat, puis à Pampelune (Esp.) et Cintra (Port). Rentré en France le 5-7-1950 après l'abrogation de la loi d'exil, s'installe au manoir du Cœur-Volant (Louveciennes, près de Paris), puis réside à Paris et au château de Nouvion-en-Thiérache, et enfin à Chantilly dans son hospice de la fondation Condé ; président de la Fondation St-Louis, membre d'honneur et titulaire de la société des Cincinnati de France (représentant le duc de Chartres, futur Philippe Égalité, il a démissionné lors de l'admission du prince Alphonse de Bourbon-Anjou, duc de Cadix). *Ép.* 8-4-31 à Palerme Isabelle d'Orléans et Bragance, descendante du duc de Nemours (13-8-11). Séparés de biens 1986.

Enfants (11 Pces et Pcesse) : **Isabelle** (8-4-1932) ép. à Dreux 10-9-64 Cte Frédéric-Charles de Schönborn-Buchheim, dont Damian (1965), Vincenz (1966),

Succession de la royauté française selon l'ordre de primogéniture mâle (théorie des légitimistes)

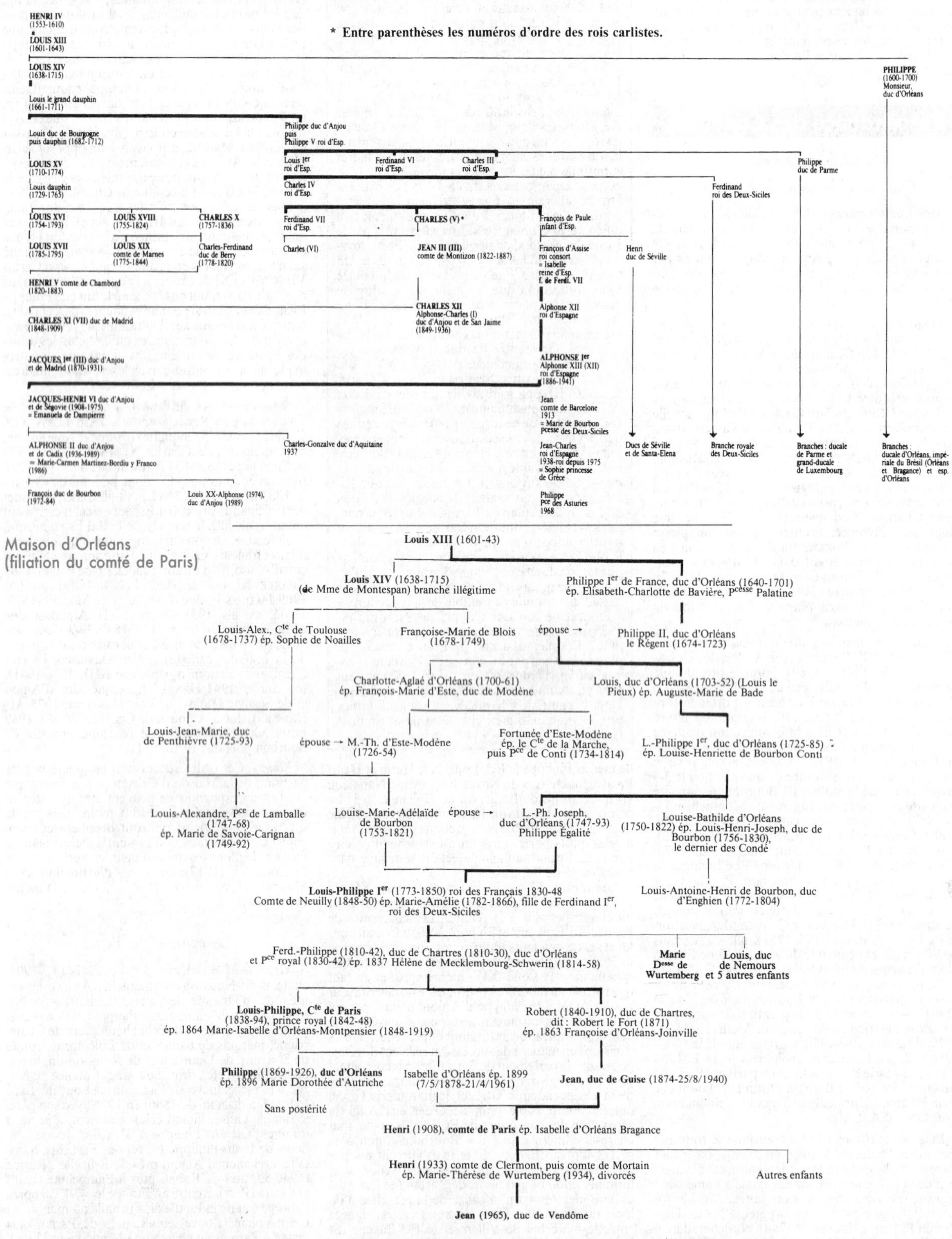

Lorraine-Marie (1968), Claire (1969). **Henri-Pierre, Cte de Clermont** (14-6-33), autorisé en 1948 à venir en France, malgré la loi d'exil, pour poursuivre ses études, fut officier dans l'arme blindée cavalerie ; travaille actuellement à la Sté civile des créations du prince Henri-Pierre d'Orléans ; ép. 1°) 5-7-57 (divorcé le 3-2-84) duchesse Marie-Thérèse de Wurtemberg (12-11-1934), f. de Philippe duc de Wurtemberg et de la Desse, née Rose d'Autriche (le Cte de Paris l'a titrée duchesse de Montpensier) dont Marie (1959), François [(7-2-1961), handicapé cérébral], Blanche (1962), Jean (19-5-1965), duc de Vendôme, Eudes (18-5-1968), duc d'Angoulême ; 2°) 31-10-84 Micaela Quinones de Leon (n. 30-4-38), divorcée (1966) de Jean Boeuf (ép. en 1961) ; en 1982, désapprouvant le divorce et le remariage d'Henri, le Cte de Paris a décidé de substituer le titre de Cte de Mortain à celui de Cte de Clermont et de faire de Jean, son petit-fils, son héritier direct ; en 1991, réconciliation. **Hélène-Astrid** (17-9-1934) ép. 17-1-57 Cte Évrard de Limburg-Stirum (1927), f. du Cte Thierry de L.-S. et de la Ctesse née Pcesse Marie-Immaculée de Croy, dont Catherine (1957), Thierry (1959), Louis (1962), Bruno (1966). **François duc d'Orléans** (1935, † en Algérie le 11-10-60, tué au combat). **Anne** (4-12-1938) ép. 12-5-65 Pce Charles de Bourbon (1938), duc de Calabre, membre de la famille royale d'Esp., f. de l'infant d'Esp. Alphonse de Bourbon (1901-64), duc de Calabre et de l'infante n. Pcesse Alice de Bourbon-Parme, dont Cristina (1966), Maria Paloma (1967), Pedro (1968), titré duc de Noto, Inès (1971), Victoria (1976), Pcesse et Pce des Deux-Siciles. **Diane** (24-3-1940) ép. 21-7-60 Carl duc de Wurtemberg (1936), frère de Marie-Thérèse (voir plus haut), chef de la maison de Wurtemberg, dont Friedrich (1961), Mathilde (1962), Éberhard

(1963), Philippe (1964), Michel (1965), Éléonore (1977). **Michel** (25-6-1941) **Cte d'Évreux** (dep. 1976) ép. 18-11-67, sans l'autorisation du Cte de Paris, Béatrice Pasquier de Franclieu (1941), dont Clotilde (1968), Adélaïde (1971), Charles-Philippe (1973), François (1982). **Jacques** (25-6-1941), son jumeau, **duc d'Orléans,** ép. 3-8-1969 Gersende de Sabran-Pontevès (1942), f. de Foulques de Sabran-Pontevès, duc de Sabran, dont Diane (1970), Charles-Louis (1972), Foulques (1974). **Claude** (11-12-1943), ép. *1°)* 22-7-64 Pce Amédée de Savoie, duc d'Aoste (27-9-1943), f. du Pce Aimon de Savoie, duc d'Aoste (1900-48), et de la duchesse n. Pcesse Irène de Grèce [divorcé 1982 (annulation 1987)], dont Bianca (1966), Aimone (1967), Mafalda (1969), *2°)* Arnaldo La Cagnina. **Chantal** (9-1-1946) ép. 1972 Bon François-Xavier de Sambucy de Sorgue (1943) dont Axel (1976), Alexandre (1978), Kildine (1979). **Thibaut** (1948-83), Cte de La Marche (dep. 1976) ép. 1972 Marion Gordon-Orr (1941) (union non agréée par le Cte de Paris), dont Robert (1976), Louis-Philippe (1979-80).

Sœurs du Cte de Paris : Isabelle (1900-83) ép. 1° le Cte Bruno d'Harcourt (1899-1930) ; 2° Pce Pierre Murat (1900-48). **Françoise** (1902-53) ép. 11-2-29 le Pce Christophe de Grèce (1889-1940) dont Michel de Grèce (n. 7-1-1939), écrivain. **Anne** (1906-86) ép. 5-11-1927 Pce Amédée de Savoie, duc d'Aoste (1898-1942).

Suite des rois de France, depuis la mort du Cte de Chambord (Henri V, 1820-83), pour les orléanistes. **1883** PHILIPPE VII, Cte de Paris (1838-94), petit-f. de Louis-Philippe Ier. **1894** PHILIPPE VIII, duc d'Orléans (1869-1926), s. f. **1926** JEAN III, duc de Guise (1874-1940), son cousin germain. **1940** HENRI VI, Cte de Paris (n. 1908), s. f.

Deux branches cadettes sont issues des fils de Louis-Philippe. Composées toutes deux de princes ayant une nationalité étrangère (brésilienne, espagnole) ; en principe, pas reconnues comme dynastes par les orléanistes (argument opposé aux Pces de la Maison d'Anjou). Le pacte de famille conclu le 26-4-1909 a stipulé, qu'en vertu des Édits du Roi du 2-7-1717 et du 23-4-1723, enregistrés au Parlement, les Orléans Bragance, devenus étrangers en tant que Maison impériale du Brésil, n'auront aucun droit à la couronne de France (sauf en cas d'extinction des Orléans français). **1)** Du Pce Louis d'Orléans, duc de Nemours (1814-96), 2e f. du roi Louis-Philippe : par le Pce Gaston d'Orléans, Cte d'Eu (1842-1922), f. aîné de Louis (branche d'Orléans et de Bragance, héritière des droits impériaux du Brésil), et par le Pce Ferdinand d'Orléans, 2e f. de Louis (branche de Nemours, éteints en 1970). **2)** Du Pce Antoine d'Orléans, duc de Montpensier (1824-90), ép. (1846) Louise d'Espagne (1832-97) : branche des ducs de Galliera, infants d'Espagne. *Chef actuel :* Alphonse d'Orléans, 6e duc de Galliera (1910).

Autres descendants

François de Paule de Bourbon et Escasany. 5e duc de Séville, banquier (n. 16-11-1943) ; *ép.* 7-7-1973 Béatrice, Ctesse de Hardenberg, dont 3 enf. dont François de Paule n. 21-1-79. *Filiation :* Louis XIV, Louis Gd Dauphin, Philippe V, Charles III, Charles IV, infant François de Paule (fr. de François d'Assise, roi consort d'Esp.), Henri Ier duc de Séville (1823-70) (qui fit un mariage inégal et dont la postérité n'est pas dynaste en Esp.) [1], François son fils cadet (1853-1942) titré duc d'Anjou, qui proclama ses droits le 30-7-1894 devant les attitudes par trop esp. de la branche aînée des rois « carlistes » [2]. François de Paule duc de Séville [(1882-1952) a porté le titre de duc de Séville en épousant sa cousine germaine Henriette (4e duchesse) héritière de Henri (2e duc 1848-94), morte en 1967. François de Paule (n. 1912), colonel en retraite de l'armée esp., a laissé son titre à son fils, le 5e duc, chef actuel de la famille].

Les Séville viennent juste après la descendance d'Alphonse XIII sur le plan français. Plusieurs de ces princes ont acquis la nationalité fr.

Nota. – (1) Il eut un autre fils, Albert, tige des ducs de Santa Elena. (2) Il eut 3 autres fils qui ont tous eu une descendance (titrée marquis de Balboa et marquis de Squilache).

Sixte-Henri de Bourbon-Parme. *Filiation :* Louis XIV ; Louis Gd Dauphin ; Philippe V ; Philippe duc de France (frère de Charles III d'Esp.) ép. d'Élizabeth, fille de Louis XV ; Louis duc de Parme, roi d'Etrurie ; Charles II duc de P. ; Charles III duc de P. (1623-54) ép. Louise, sœur du Cte de Chambord ; Robert duc de P. (1848-1907) ; Xavier duc de Parme (1889-1977), Sixte-Henri (n. 1040) frère cadet d'Hugues-Charles duc de P. Pas d'acte officiel de « candidature », mais des partisans.

Jacques, comte de Bourbon-Busset (n. 1912), de l'Académie fr., ministre plénipotentiaire, 4 enfants : Hélène (1940), Ctesse Amaury de Poilloüe de St-Périer, Charles (1945), Robert (1947-80), Jean (1948). *Filiation :* saint Louis, Robert Cte de Clermont, Louis Ier duc de Bourbon, Pierre Ier duc de Bourbon (dont le frère cadet Jacques Ier, Cte de la Marche, est l'ancêtre d'Henri IV, et ainsi de tous les Bourbons et Orléans actuels) ; 3 gén.

Louis de Bourbon (1437-assassiné 1482) prince-évêque de Liège (1455), ordonné 1466, sacré 1467 qui aurait épousé (avant d'être ordonné) Catherine d'Egmont, fille du duc de Gueldre dont seraient nés ses 3 fils. Mais, la réalité de cette union a été discutée. Aucun acte n'en a été produit, les fils se dirent et portèrent des armoiries de bâtards, mais en 1518 demandèrent à être considérés comme légitimes (ce que leur aurait accordé un arrêt du Parlement de Paris qui n'a pas été retrouvé). En 1589, leurs descendants ne firent pas valoir leur droit au trône (à la mort d'Henri III, ils seraient devenus les aînés des Capétiens. L'aîné, Pierre († 1529), chambellan de Louis XII, épousa Marguerite d'Allègre, dame de Busset ; 2 gén., César de Bourbon, titré (1578) comte de Busset († 1631) ; 9 gén. de Ctes de Busset, puis de Bourbon-Busset, reconnus « cousins » par le roi (usage pour les bâtards capétiens).

Personnes ne pouvant prouver leur rattachement à la maison capétienne

Faux dauphins

Le mystère du Temple. Selon la thèse officielle, Louis XVII (n. 1785) est mort au Temple le 8-6-1795 et a été enterré au cimetière Sainte-Marguerite le 10-6, mais de nombreux historiens ont soutenu que Louis XVII s'était évadé du Temple. Ils s'appuient notamment sur le fait que le rapport d'autopsie et l'examen du squelette exhumé 2 fois (1846 et 1894) font état d'un cadavre mesurant 1,47 m et 1,65 m (alors que L. XVII n'avait que 1,15 ou 1,20 m) et ayant entre 15 et 20 ans (alors que L. XVII né en 1785 avait 10 ans). Il est certain que le squelette (mélange d'os de diverses personnes) n'était pas celui de l'enfant mort au Temple. Celui-ci a été inhumé dans une fosse commune (on est allé rechercher des ossements près de l'église Ste-Marguerite, à des dizaines de mètres du trottoir de la rue St-Bernard, sous laquelle elle se trouve actuellement). Il semble que de nombreux comploteurs ont essayé entre le 3-7-1793 et le 8-6-1795 de s'emparer de la personne du Dauphin (devenu L. XVII à la mort de son père le 21-1-1793). Il s'agissait soit de royalistes (comme le Cte de Puisaye ou Mrs Atkins), désireux de rétablir la monarchie, soit de républicains (comme le conventionnel Chaumette et peut-être Barras), désireux d'avoir un gage en cas d'échec de la Révolution. On a retrouvé des indices d'au moins 4 substitutions d'enfants. Selon certains, on aurait perdu la trace de L. XVII après son départ du Temple [lieu de refuge : Livradois ou Velay (P.-de-D., Hte-Loire)]. Selon d'autres, L. XVII se serait manifesté mais n'aurait pas été reconnu par le roi L. XVIII [motifs supposés : 1° L. XVIII était désireux de garder la couronne pour lui-même ; 2° il n'était pas convaincu de l'authenticité du prétendant ; 3° (le plus vraisemblable) il ne croyait pas à la légitimité du Dauphin, à cause des adultères supposés de Marie-Antoinette (il appelait déjà le précédent Dauphin : « le fils de Coigny ») et avait tenté, en 1789, de faire écarter du trône le futur L. XVII, persuadé qu'il était le fils de Fersen. De nombreux faux dauphins ont ainsi surgi (43). Certains ont pensé qu'ils auraient été des enfants formés systématiquement au rôle de « faux dauphins » par des comploteurs décidés à leur faire prendre la place de L. XVII au Temple. Selon Edmond Dupland, Louis XVII est mort au Temple le 4-1-1794 (le 3 ou 4-6-1795 selon Marina Grey), et aurait été inhumé dans l'enclos du Temple près de la Tour (selon M. Grey).

Charles Guillaume Naundorff (1787?-1845). *1795,* 12-6 : évadé du Temple (selon ses partisans). *1803 :* se marie selon Xavier de Roche, sous le nom de Louis Capeto à Marie de Vasconcellos (dont postérité). *1809 :* commis-voyageur en horlogerie, il apparaît à Berlin ; personne ne sait d'où il vient. *1812 :* il s'établit à Spandau, sous la protection de Herr Le Coq, chef de la police, à qui il a confié « son secret ». *1818 :* épouse Jeanne Einert (fille d'un négociant prussien protestant), quitte Spandau pour Brandebourg. *1824 :* comparaissant en justice pour usage de fausse monnaie, se présente comme un prince français de sang royal : condamné à 15 coups de fouet [selon la procédure de la *poena extraordinaria* (pour s'être rendu « indigne de la confiance du juge »)] et à 3 ans de prison. L'enquête ordonnée sur lui ne peut remonter au-delà de 1809. *1829 :* libéré de prison, horloger à Crossen ; convainc le commissaire Pezold chargé de sa surveillance qu'il est Louis XVII. *1831 :* se fait connaître en France par un article du *Constitutionnel ;* convainc un partisan de la thèse de la survivance, le juge d'Albouys, de Cahors, qui le fait venir à Paris. *1833-36 :* vit à Paris aux frais d'Albouys : rencontre une vingtaine d'anciens courtisans de Versailles, qu'il étonne par la précision de ses « souvenirs ». *1836 :* janv. victime d'une tentative d'assassinat ; 13-6 : intente un procès à la famille royale ; 15-6 expulsé en Angleterre. *1838 :* 2e attentat (balle dans le bras gauche). *1841 :* en prison pour dettes en Angl. *1845 :* pris en charge par le roi de Hollande, qui l'installe à Delft. Il y meurt le *10-8-1845,* peut-être empoisonné. Son acte de décès hollandais lui attribue le nom de Charles-Louis de Bourbon, duc de Normandie : Louis XVII. Ce nom est gravé sur sa tombe à Delft. Le 7-7-1954, la 1re chambre de la cour d'appel de Paris a mis fin au procès commencé en 1850 par la femme et les enfants de Naundorff, pour le faire reconnaître comme étant Louis XVII, évadé du Temple. Elle a confirmé le jugement rendu par le tribunal de 1re instance de la Seine le 5-6-1851 qui avait déclaré cette demande mal fondée, concluant que si les circonstances de la détention et de la mort de Louis XVII étaient troublantes, les preuves n'étaient pas suffisantes pour annuler l'acte de décès du 8-6-1795.

On a avancé qu'une Mlle Naundorff était, vers 1785, domestique de Louis-Joseph de Bourbon, 8e prince de Condé (1736-1818). Celui-ci, veuf depuis 1760 de Godefride de Rohan, aurait été le père de Naundorff. Selon certains, il aurait même demandé l'autorisation d'épouser sa maîtresse à Louis XVI qui aurait refusé, les Condé étant princes du sang. Naundorff serait donc authentiquement un Bourbon (ce qui expliquerait à la fois sa connaissance des milieux versaillais et sa ressemblance physique avec les membres de la Maison de France).

Descendance : ses descendants portent légalement le nom de Bourbon. De son union avec Jeanne Einert, Naundorff eut : *5 garçons :* Charles Edouard (1821-66) dit Ch. X sans postérité ; Louis Charles (1831-99) dit Ch. XI sans post. ; Charles Edmond (1833-83) Cte d'Anjou ; Adalbert (ou Adelberth) (1840-87) Cte de Provence ; Ange-Emmanuel (1843-78) Cte de Poitiers sans post. *4 filles :* Jeanne-Amélie (1819-92) ép. Abel de Laprade ; Marie-Antoinette († 1893) ép. 1°) Sébastien Guillaume Van der Horst, 2°) M. Daymonaz ; Marie-Thérèse ép. M. Leclercq ; N....

Naundorff se serait aussi marié au Portugal et aurait eu une autre descendance.

Descendance de Charles-Edmond (1833-83) « Cte d'Anjou » (le mariage religieux avec Christine Schönlau n'est pas prouvé) : *9 enfants* dont *5 garçons : 1°* Jean Auguste [(1872-1914) dont Henri (1899-1960) « duc de Bourgogne » sans post.] ; *2°* Charles Louis Mathieu [(1875-1944) « duc de Berry » dont Charles Edmond (n. 1929) dont Hugues (n. 29-12-1974) ; *3°* Louis-Charles (1876-†) ; *4°* Abel-Louis-Charles (1877-†) ; *5°* Louis Charles Emond [(1878-1940) « duc d'Aquitaine » dont René Tschoeberlé (1898-1978), reconnu 1940 devenu R. de Bourbon].

Descendance d'Adalbert ou Adelberth (1840-87) « comte de Provence » : *5 garçons : 1° Louis Charles* (1866-1940, « Pce de Sannois ») sans post. mâle ; *2° Henri* [(1867-1937) « duc de Normandie » dont *Louis* (1908-75) « Cte de Boulogne, duc de Normandie » dont *a) Charles Louis* (n. 1933) « duc de Guyenne, duc de Berry » dont Philippe (1953-55)], Michel-Henri (n. 1957) « duc de Normandie » [dont Charles-Michel (n. 1976) « duc de Bourgogne » ; André-Louis (n. 1977) ; Marc Édouard (n. 1986)] ; Jean-Edmond (n. 1960) « duc de Vendôme » ; *b) Henri-Emmanuel* (n. 1935) « duc d'Anjou » dont Guillaume (n. 1957), Henri (n. 1966) ; *3° Emmanuel* (1869-1938) « Cte de Poitiers » sans post. ; *4° Jean-Louis-Marie* (1870-70) ; *5° Charles-Ferdinand* (1871-73).

Autres faux dauphins. Jean-Marie Hervagault (1781-1812), manifesté en 1798. **Mathurin Bruneau** [1786-1820 (ou 1850 ?)], manifesté en 1815. **Claude Perrein,** dit le **comte de Richemont** (1786-1853), manifesté en 1831.

☞ **Mèves.** En 1952, se prétendit issu de Louis XVII, enlevé au Temple par le cordonnier Simon en janvier 1794. Il aurait servi dans les armées de Napoléon et eu un fils (Valentin, n. 1812) qu'il aurait confié pour le protéger à la famille Mézières dont il aurait pris le nom.

Autres cas

Henry Freeman, dit Henry de Bourbon (n. 27-8-1929/30-11-1987), marié plusieurs fois (dont Antoine). *Filiation prétendue :* Charles X, Charles-Ferdinand d'Artois, duc de Berry (1778-1820), époux d'Amy Brown (1783-1876), John Freeman (1801 ?-66), marié à Sophie de Blonay, William Freeman (1855-1907), marié à Marie-Janvière de Bourbon-Siciles, John William (1902-68), marié à Béatrice de Galard de Brassac de Béarn (fille du Pce de Béarn et Chalais). Mais le mariage du duc de Berry avec Amy Brown n'a jamais été prouvé, et John Freeman n'aurait même pas été fils bâtard du duc de Berry (on ne sait qui est son père).

En 1945 et 1946 John Freeman, usant d'artifices de procédure, obtint du tribunal de Thonon le droit de porter le nom de Bourbon, mais la cour d'appel de Chambéry (1-7-1952) puis la Cour de cassation (5-1-1956) infirmèrent ces décisions, et lui défendirent d'employer cette identité sous laquelle il avait eu, entre-temps, des ennuis judiciaires pour d'autres faits. Son fils Henri V, condamné par le tribunal de la Seine (7-4-1964), pour usurpation du nom de Bourbon, tenta à son tour d'obtenir le droit de le porter, mais fut débouté par le tribunal de grande instance de Paris (1973).

Bourbons des Indes. Descendants soit *1°* de Jean-Philippe de Bourbon (alias Bourbon-Busset, n. 5-10-1567, disparu en mer v. 1580), *2°* du 4e enfant (n. 1535) du Connétable de Bourbon qui, à la suite d'un duel ayant dû s'exiler, pris en mer par des pirates, débarqué en Egypte, repris par des Abyssins, serait passé en Inde v. 1560 (hypothèse la plus vraisemblable), *3°* du fils (n. 1525) du connétable et d'Alaïque, Pcesse indienne, ayant échoué dans la conspiration d'Amboise pour renverser les Valois, serait parti pour l'Inde. Plusieurs descendants dont à la 13e génération Balthazar-Napoléon (n. 1958), avocat à Bhopal. Un ancêtre à la 7e fut général en chef de Bhopal, un à la 8e, ministre et régent de Bhopal. S'il était prouvé que ces Bourbons indiens descendent légitimement du Connétable, ils seraient les aînés de la Maison de Bourbon et de tous les Capétiens,.

« **Charles-Louis de Bourbon, duc de Vendée** » (Alexandrie 9-8-1897-1986), en réalité le peintre Georges Comnène qui eut des ennuis judiciaires pour ses « copies » de tableaux de maîtres. Il s'est voulu tour à tour roi d'Espagne, comme duc de Santiago-de-Compostelle, puis roi de France sous le nom de « Charles XII ». Se prétendit « fils secret » de don Carlos, duc de Madrid (1848-1909) (Charles XI de France), Voir supra, et de Polyxène Asklepiadis (célibataire qui aurait ultérieurement épousé un sieur Comnène : nom répandu chez des descendants probables d'esclaves des empereurs Comnène ayant régné sur Byzance au XIIIe s., la coutume voulant que les esclaves prennent le nom de leur maître). La seule preuve de cette « union » est une « confirmation » par « rescrit impérial de S.A.I. le prince Lascaris Comnène, chef de la Maison impériale de Byzance » [Eugenio Lascorz, espagnol, né à Saragosse le 26-3-1886, † à Madrid le 1-6-1962, dont la généalogie est fortement contestée).

Prétendants mystiques. Abbé Henri-Félix de Valois (1860-1924), prétendant descendre du Masque de Fer, et se déclarant le 15-7-1884 couronné Roi de Fr. dans le Ciel. **Charles de Gimee** (1891-1982) dit le Prétendant caché, le Lion de Juda, le Roi du Sacré Cœur, ou Duc de Normandie, † sans postérité. **Léon Millet** (n. 1920) dit le Chevalier Blanc ou le Roi Blanc, se disait le Grand Monarque annoncé par les prophètes, se manifesta à Romans (1942-43). Il fut aidé un certain temps par le Père Michel Collin (1905-74) de la Congrégation du Sacré Cœur de St-Quentin qui, à la mort de Jean XXIII, se proclama pape sous le nom de Clément XV et fut excommunié le 14-10-1963. **Gilles-Arthur de la Villarmois** (1897-1971). Le 15-8-1964, « Clément XV » monta à l'autel et le présenta à l'assistance comme Louis XIX, le futur roi qui allait consacrer la Fr. au Sacré Cœur.

Maison impériale

Nota. – Le nom officiel de la famille Bonaparte est devenu Napoléon en 1804 (mais le Pce Napoléon actuel a enregistré ses enfants à l'état civil avec le patronyme Napoléon Bonaparte).

S.A.I. le prince Napoléon Bonaparte (Louis) (Bruxelles, 23-1-1914). *1926* chef de la maison impériale. *1932* étudiant en lettres à Louvain. *1934* ét. en sciences sociales à Lausanne. *1939-40* combattant dans la Légion étrangère sous le nom de Louis Blanchard. *1943* capturé par les All. (en tentant de passer en Espagne), rejoint le maquis sous le nom de Louis Monnier. *1944* lieutenant à l'armée De Lattre (sous le nom de Louis de Montfort) ; capitaine de réserve, chevalier (1946), puis officier (1979) de la L. d'honneur, croix de g. 1939-45. *1950* après l'abolition de la loi d'exil de 1886, vit officiellement à Paris. Ép. 16-8-49 Alix de Foresta (4-4-26) ; *4 enfants :* Pce Charles (19-10-50) ép. civilement 18-12-78 Béatrice de Bourbon, Pcesse des Deux-Siciles (n. 16-6-50), puis divorce le 2-5-89 [dont Caroline (n. 24-10-80) et Jean (n. 11-7-86)] : sa jumelle, Pcesse Catherine, ép. : 1°) 1976, marquis Nicolo San Martino di San Germano (n. 48), 2°) après son divorce, ép. le 13.10.82 Jean Dualé (n. 3-11-36) ; Pcesse Laure (n. 8-10-52), mariée 23-12-1982 à Jean-Claude Leconte (n. 15-3-48) ; Pce Jérôme (n. 14-1-57).

Filiation : Jérôme Bonaparte (1784-1860), roi de Westphalie (1807-13), dernier frère de Nap. Ier, ép. 1° 1803 Elizabeth Patterson [1] (1785-1879), mariage annulé en 1805 ; 2° 1807 Catherine de Wurtemberg (1783-1835) dont → le Pce Nap. Jérôme (1822-91) ép. 1859 Clotilde de Savoie (1843-91), *Chef de la famille imp.* en 1879 [après la mort de Nap., Pce Impérial (1856-tué par les Zoulous en 1879), seul fils de Nap. III, sans alliance] dont → Pce Nap. Victor (1862-1926) ép. 1910 Clémentine de Belgique (1872-1955) fille du roi Léopold II dont → Pce Louis, ci-dessus.

Nota. – (1) 2 fils (légitimes) dont Jérôme B. (1805-70). Son fils Jérôme-Napoléon (1832-93) fut lieut.-col. de l'armée fr. sous le nom de B. Patterson mais ne put se faire reconnaître, en 1865, comme prince B. Famille redevenue amér. (éteinte 1945).

Sœur du Pce. Pcesse Marie-Clotilde (1912) ép. 17-10 38 Cte Serge de Witt (n. 1891) de famille russe, dont 10 enfants.

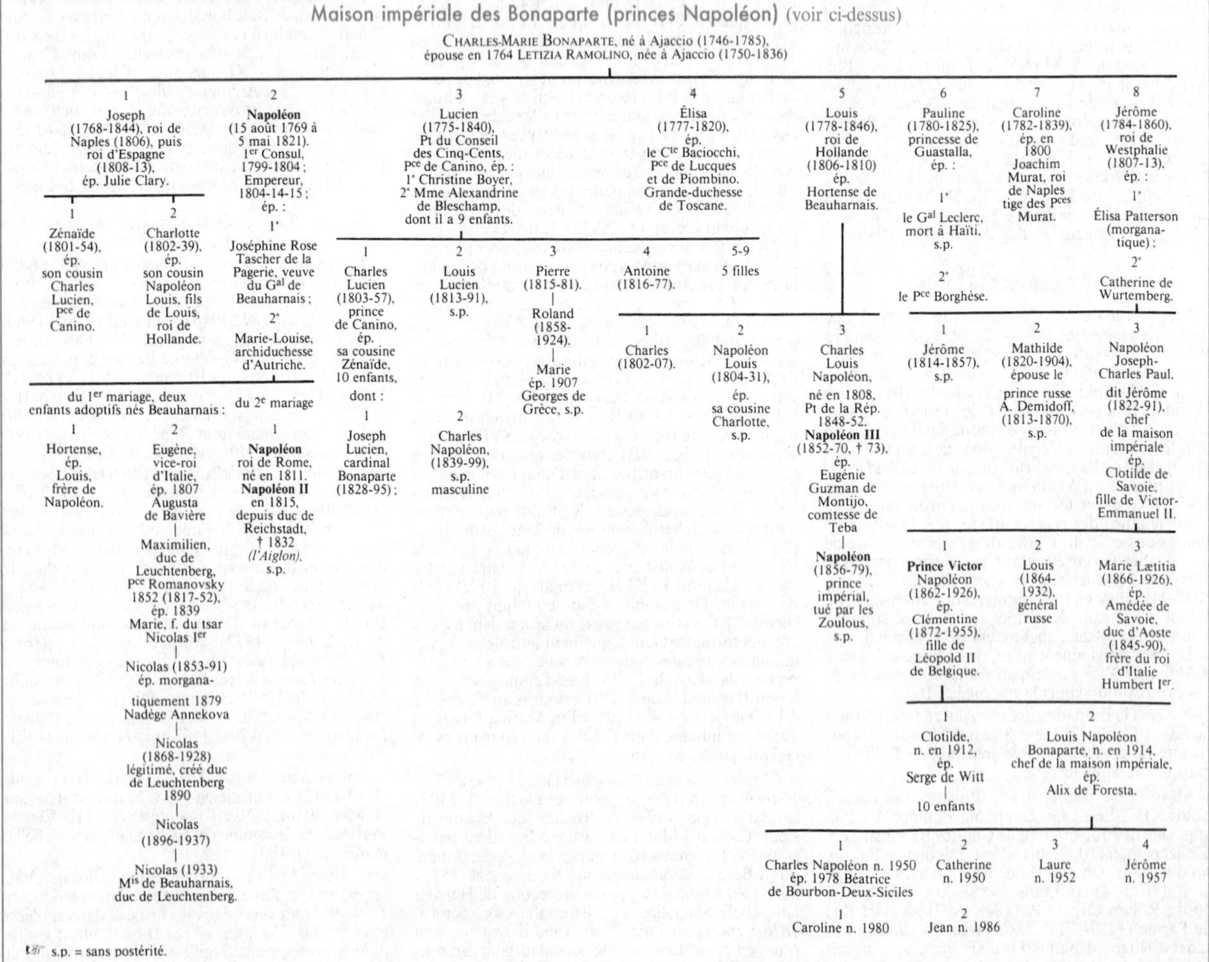

Principaux événements

Légende. – Cte : comte, déf. : défaite, emp. : empereur, Emp. : Empire, f. : fils ou fille, Fr. : France ou Français, g. : guerre, Mis : marquis, roy. : royaume, tr. : traité, vict. : victoire.

Pour l'histoire des régions françaises, des élections, des chefs d'État et des pays étrangers ou l'histoire des arts, des sports, etc., V. index.

Préhistoire

Avant les Néandertaliens (de – 950000 à – 80000)

Vers – 950000 (prépaléolithique). Glaciation de Günz. Faibles groupes humains (10-15 personnes), hominiens du type *Homo erectus* (« homme debout »), originaires du Tanganyika (Afrique) ; *taille :* 1,20 m ; *capacité cérébrale :* env. 680 cm^3. Site typique : grotte du Vallonnet près de Roquebrune (Alpes-Mar.). Savent tailler des galets (d'un seul côté), travailler les os, édifier des murettes. Chasseurs (gibier : éléphant méridional, baleines échouées, etc.). Viennent d'Afrique par le détroit de Gibraltar, qui est une terre ferme à l'époque.

V. – 650000 (début du paléolithique inférieur). Période interglaciaire Günz-Mindel. Les mêmes hominiens (appelés aussi *Archanthropiens,* « anthropiens anciens ») occupent de nombreux sites [Préalpes de Provence, Roussillon, Tarn, Charente vallée de la Somme, où Abbeville a donné son nom à leur civilisation (*abbevillienne*)] ; ils chassent l'hippopotame et le machairode ou « tigre à dents de sabre » ; ils fabriquent des coups-de-poing ou « bifaces » avec des rognons de silex. *Habitat :* huttes, forges de Lunel-Viel (– 700 000).

V. – 400000 (paléolithique inférieur). Glaciation de Mindel, puis interglaciaire Mindel-Riss. D'autres hominiens, venus d'Asie (*Pithécanthropes* de Java, *Sinanthropes* de Chine) remplacent les Africains. *Site typique : Terra Amata* (Nice, Alpes-Mar.), connu en 1958, sur une plage marine fossile des « fonds de cabane » [datés par la thermoluminescence des silex brûlés et par la racémination des acides aminés (c.-à-d. leur transformation en des substances inactives sur la lumière polarisée, appelées les « racémiques »)]. Ils correspondent à des huttes ovales de 8 à 15 m × 4 à 6 m au centre desquelles était allumé, dans une petite fosse creusée dans le sable, un foyer protégé par une murette de pierre. Sur 210 m^3 : 21 niveaux successifs d'habitats ; près de 35 000 objets répertoriés. Ces foyers sont, avec ceux de Choukoutien, en Chine (environ – 500000), et de Vertesszöllos, en Hongrie, les plus vieux connus.

V. – 280000 (paléolithique inférieur, suite). Interglaciaire Mindel-Riss et glaciation de Riss : les *« Atlanthropes d'Afr. du N. »* (de 1,50 à 1,65 m ; orbites saillantes ; *habitat :* grottes) s'installent en Esp. et en Fr. et passent en Angleterre (la Manche n'existait pas) ; ils apportent une nouvelle technique (africaine), des outils bifaces, d'un type *acheuléen* [de St-Acheul (Somme)] : le coup-de-poing est remplacé par un casse-tête en amande, à la pointe acérée, fixé au bout d'un manche, servant de hache. On a trouvé des poinçons en os dans la grotte du Lazaret, près de Nice. *Principaux sites :* Basses-Alpes, Ardèche, vallées de la Garonne, Vienne, Dordogne, Somme.

Vivent aussi en France d'autres Archantropiens, ex. : homme de la grotte de La Caune de l'Arago (Tautavel, Pyr.-Or., connue depuis 1838 ; on y a trouvé 2 mandibules, un crâne le 22-7-1971, et un os iliaque en août 1978). Ils se distinguent nettement des populations africaines. *Cultures :* Tayacien ancien (voir ci-dessous) et Acheuléen moyen, outils sur éclats et galets (quelques bifaces).

V. – 100000 (fin du paléolithique inférieur). Interglaciaire Riss-Würm. Invasion venue d'Asie des **Pré-Sapiens.** Capacité crânienne : 1 470 cm^3 ; pas d'arcades sourcilières proéminentes. Chasseurs vivant dans des grottes (gibier : rhinocéros, lions et ours des cavernes, hyènes). Outillage : peu perfectionné (grattoirs massifs taillés sur une seule face, pics, ciseaux, tarières). *Civilisations tayacienne* [Eyzies-de-Tayac (Dordogne)] ; *acheuléenne* [subsiste par endroits (beaux outils de silex), attestée également en Angleterre (Swanscombe)] ; *Moustérienne* (– 100000 à – 36000 ; Le Moustier, Dordogne ; ind. à éclats, parfois à lames ; *outil dominant :* le racloir).

Types de monuments mégalithiques

☞ **Menhir** (en bas-breton : pierre longue). Pierre fichée dans le sol, poids de 2 à 200 tonnes. *Les plus hauts menhirs en France :* Mané er *Groach* (Locmariaquer, Morbihan) : 23,50 m [auj. en 4 morceaux totalisant 20,60 m : 350 t. (un des morceaux a été réutilisé comme couverture d'un dolmen, dans l'île de Gavrinis, à 11 km)]. *Plesidy* (C.-du-N.) : 11 m. *Louargat* (C.-du-N.) : 10 m. *Champ Dolent* (I.-et-V.) : 9,50 m. *Kerloaz* (Plouarzel, Finistère) : 9 m.

• **Alignement.** Menhirs dressés en lignes parallèles. *Carnac* 4 km, 2 935 menhirs (autrefois 8 km ?) ; comprend 2 enceintes et 3 alignements : Le Menec : 1 169 menhirs sur 11 files, Kermario : 1 029 sur 10 files, Kerlescan : 594 sur 13 files. *Kerzerho* (Erdeven) 2,1 km, 1 129 menhirs.

• **Enceinte** (improprement appelée *cromlech*). Série de menhirs : *de forme ovoïde,* souvent liée aux alignements (ex. : *Kermario* et *Le Menec* à Carnac) ; *disposée en cercles tangents ;* 2 en France : *Er Lannic,* île du Morbihan, dont une partie est submergée, témoignant ainsi de la remontée du niveau des mers après le Néolithique ; *grotte de la Caougno, pic de St-Barthélemy,* près de Luzenac (Ariège) ; *en cercles* apparemment *astronomiques :* uniquement en G.-B. (ex. : *Avebury,* diam. 365 m, le + grand du monde, comportait 650 pierres) ; *formant des ensembles complexes : Stonehenge* (G.-B.), modifié au cours des siècles (diam. 31 m, 125 pierres).

• **Dolmen** (du breton *dol* ou *taol :* table, et *men :* pierre). Sépulture collective matérialisant la puissance du groupe social. Types : *d. à couloir,* les plus anciens, surtout dans l'O. de la Fr. : chambre ronde ou carrée précédée d'un couloir plus étroit que la ch. ; parfois en pierres sèches, y compris la couverture de la ch. dite alors en encorbellement. *Barnenez à Plouezoch* (Finist.) ; *d. à allées couvertes* (ch. rectangulaires allongées, parfois précédées d'un court vestibule de même largeur que la ch.) ; *d. simples* (sans structure d'accès). Ils sont découverts, ou sans tumulus, ou à moitié enterrés. Les monuments bien conservés sont inclus dans un *cairn* avec enceintes ou bien sous tumulus (le t. St-Michel à *Carnac,* Morbihan, représenterait 35 000 m^3 de terre). Le d. de *Gavrinis,* Morbihan, est orné de gravures géométriques. Parfois la dalle entre chambre et entrée est trouée (ex. d. de *Conflans,* Yvelines, transporté à *St-Germain-en-Laye,* ou d. de *Trie-Château,* Oise).

Bagneux-Saumur (M.-et-L.), d. le plus grand d'Europe (ch. de 20 m de long). *Cueva de la Pastora* (Castillejo de Guzmán, Esp.), env. 30 m de long. *Antequera* (Andalousie, Esp.), plus de 25 m de long (une des pierres pèse 100 t). *Locmariaquer* (Morbihan) : pierres plates, dolmen en équerre de 28 m de long ; Mané-Rutual, table mesurant 11,50 m + 4,20 m et 0,50 m d'épaisseur, pesant 60 t. *Mettray* (I.-et-L.). 60 t. *La pierre la plus lourde* serait la pierre de *Gast* (Calv.), granit bleu pesant 300 t (brisée aujourd'hui), mais il n'est pas prouvé qu'il s'agisse d'un dolmen. Le 28-7-1979, près de la carrière d'Escoudun à Bougon (sud de Poitiers), l'archéologue Jean-Pierre Mohen et le producteur Robert Clarke ont fait déplacer une masse de 32 t, tirée par 170 hommes et poussée avec des leviers de chêne par 30 autres.

Monuments répertoriés en France. Dolmens et allées couvertes : 4 500 dont Aveyron 487, Ardèche 400, Finistère 353, Morbihan 312, Lot 285, Gard 224, Lozère 213. **Menhirs isolés :** 2 208 dont Finistère 314, Morbihan 240, Loire-Atlantique 155, Ille-et-Vilaine 114, Vendée 100, Côtes-du-Nord 98, Corse 70, Yonne 69. **Cromlechs :** 106 dont Finistère 22, Ille-et-V. 22, Morbihan 14, Oise 6, Dordogne 4, M.-et-L. 4. **Alignements :** 70 dont Ille-et-Vilaine 27, Finistère 17, Morbihan 12, Loire-Atl. 2, Oise 2.

menhirs

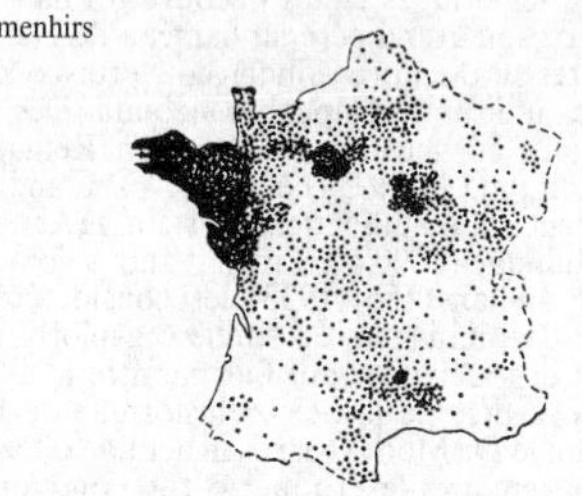

dolmens

Civilisation de Neandertal (de – 80000 à – 30000)

V. – 80000 (paléolithique moyen). Glaciation de Würm. Invasion de peuples asiatiques (Java, Chine, Inde, Proche-Orient, Asie Mineure) : 20 000 individus, en 2 vagues (l'une venue par le Danube, l'autre par l'Afrique du N. et Gibraltar). Taille : 1,55 m (tête grosse, mâchoire puissante, sans menton). **Sites connus :** une trentaine en Europe et au Proche-Orient : *Neandertal* (Rhénanie, Allemagne), *La Chapelle-aux-Saints, La Quina, Le Moustier.* Vivent dans des grottes (Poitou, Charente, Dordogne). Taille perfectionnée du silex selon la technique de **Levallois** (Levallois-Perret) : l'artisan détache d'un coup sec, à partir d'un gros nucléus ovoïde tenu verticalement, un éclat long et triangulaire donnant des lames de toutes tailles : racloir à peaux (en forme de tranche d'orange) ; pointe triangulaire, scies, burins, taraudes, éclats à encoches, hachettes emmanchables [nucléus en silex erratiques de la région du Grand-Pressigny (I.-et-L.) : surnommés « mottes de beurre » ; longueur max. : 40 cm ; fabrication industrielle (technique non retrouvée) ; découverte de + de 130 lames en 1886 et 1971]. Chassent bison, aurochs, cheval (pottok), loup (technique : boules de pierres réunies par une longue courroie de peau), et surtout renne, (nombreux pendant la glaciation de Würm) ; mammouth et rhinocéros velu sont piégés dans des fosses. *Culte des morts :* ensevelis dans des fosses de 1,40 m × 1 m × 0,30 m ; on pose à côté des corps des rations de viande, des objets en silex et un crâne de bison ; les funérailles s'accompagnent d'un repas pris en commun. *Disparition des néandertaliens* vers – 35000 [duels (?) ; réchauffement vers – 40000, suivi d'un retour brutal de la glaciation (?)].

Ère de l'Homo sapiens (de – 33000 à – 10000)

V. – 33000 (paléolithique supérieur). Fin de la glaciation de Würm. Arrivée en France de l'**Homme de Cro-Magnon,** qui repeuple les régions désertées ; de petits groupes néandertaliens subsistent, par ex. à *La Ferrassie* (Dord.). Les **Aurignaciens** (Cro-Magniens de la 1re vague) viennent peut-être du Moyen-Orient (chaque tribu compte plusieurs milliers de membres) : ils colonisent aussi Asie orientale et Amérique (passage par le détroit de Béring gelé). *Autre hypothèse* (non vérifiée) : ils seraient des Atlantes, ayant débarqué en Amérique, à l'O. ; en Europe (Sud-Portugal) et en Afrique (Maroc), à l'E. Densité maximale au S.-O. de la péninsule Ibérique et à l'O. du Maghreb. **Caractéristiques de l'H. de Cro-M. :** crâne volumineux (dolichocéphale), front bombé, face large et basse, avec saillies du menton et du nez ; hauteur 1,71 m (Cro-Magnon, Dordogne) à 1,77 m (Grimaldi) ; avant-bras long, jambes longues. Ce type se retrouve (légèrement métissé) à la fin de la période, chez les *Magdaléniens ;* encore décelable actuellement. *Exceptions :* H. de *La Combe Capelle* [Dordogne (Neandertal)]. *Chanceladiens* [Chancelade, Dordogne : petits (1,60 m.), parfois comparés aux Esquimaux].

Taille de la pierre : au marteau de bois (principalement buis) ; éclats ensuite travaillés avec des pointes d'os. *Os de renne :* on enlève les tissus spongieux avec des grattoirs en pierre, pour obtenir des pointes de sagaies (15 cm de long), spatules, poinçons, lissoirs, flacons. Les objets sont fignolés et décorés. *Arc :* inventé vers – 15000. *Sites : Pincevent* (près de Montereau) découverts 1964 ; *Lascaux* (grottes : dessins de – 21 500).

Subdivisions du Paléolithique supérieur : *Périgordien inf.* (– 33000 ; Châtelperron, Allier). *Aurignacien* (– 30000 ; Aurignac, Hte-Gar.). *Périgordien sup.* (– 20000 ; La Ferrassie, Dord.). *Solutréen* (– 18000 ; Solutré, S.-et-L.). : chasseurs de chevaux ; artisanat en os de cheval. *Magdalénien* (– 15000 ; La Madeleine, Dord.) : chasseurs de rennes et pêcheurs (harpon à pointe mobile) ; connaissent les couleurs rouge et bleu ainsi que la musique (pipeaux).

Ère postglaciaire (10000 à 4000 av. J.-C.)

« **Épipaléolithiques** » **régionaux** (vers – 10000). Réchauffement. Disparition du renne et du phoque. Une civilisation *magdalénienne finale* se répand du Sud-O. français vers le N.-E. plus froid.

Romanelliens (10000 – 8500 av. J.-C.) Appelés aussi *Microgravettiens* (grattoirs très courts, lames de canifs) : populations non cro-magniennes en Provence orientale ; **Aziliens** (9000 à 8500 av. J.-C., Le Mas d'Azil, Ariège) : héritiers des Magdaléniens, sous l'influence culturelle des Microgravettiens : chassent le petit gibier et fabriquent de petites armes (microlithes). Ramasseurs d'escargots.

Civilisations mésolithiques régionales (8000 – 4000 av. J.-C.). Héritières des dernières civilisations du magdalénien. Variétés locales : *Montadien* (8000 – 7000 av. J.-C., Montade, B.-du-Rh.). *Castelnovien* (7500 – 6000 av. J.-C., Châteauneuf-lès-Martigues, B.-du-Rh.) : domestication du mouton sauvage. A partir de 6000 av. J.-C., élevage du petit bœuf. *Sauveterrien* (7500 – 3000 av. J.-C., Sauveterre-la-Lémance, L.-et-G.) : emploi de l'arc, connu déjà en Afrique (chasse au lapin). *Tardenoisien* (7000 à 3000 av. J.-C., Fère-en-Tardenois, Aisne), 8 variétés locales : Belgique, Bassin parisien, Bretagne (notamment l'île d'Hoëdic, alors reliée au continent), Loire, Rhodanien, Aquitaine, Languedoc, Bas-Rhône (outils en trapèze et têtes de flèches tranchantes).

Potiers du Cardial (5600 – 4000 av. J.-C.). Classés parfois parmi les Néolithiques, mais leurs outils sont mésolithiques (pierre taillée, minuscules). Héritiers des mésoli. castelnoviens, qui possédaient des récipients de vannerie et de cuir : les 1ers pots auraient été des paniers enduits d'argile.

Civilisations néolithiques (4000 à 2500 av. J.-C.)

Le polissage des pierres leur a donné leur nom *néolithe,* « pierre nouvelle » (polie), opposée à « pierre ancienne » ou *paléolithe* (taillée).

« **Révolution néolithique** ». *Caractéristiques :* fin de la civilisation de la cueillette et de la chasse ; culture des céréales, domestication des animaux, poterie, tissage, polissage de certains instruments ; premiers villages, premiers tombeaux mégalithiques (tumulus, cairns, dolmens).

V. 4000 av. J.-C. (proto-néolithique). Civilisation du *Rubané* (motif décoratif fréquent sur les poteries). Originaire des régions danubiennes, se retrouve en Alsace, Lorraine, Somme, Bassin parisien. Les côtes restent sous l'influence d'autres civilisations (Pologne et Allemagne du N.).

3200 – 2400 av. J.-C. (néolithique moyen). *Chasséen* (Chassey, Côte-d'Or) : sites en éperon, barrés par un fossé, habitations rectangulaires, étables rondes et enclos à bétail ; empierrage avec des galets fréquent. Site typique : St-Michel-de-Touch (Hte-G.) ; poteries à décor incisé, couteaux à tranchant convexe ; travail du bois de cerf. Dans l'Ouest, décor géométrique pointillé (style de Luxé).

Néolithique final (v. 2500 av. J.-C.). V. ci-dessous.

Protohistoire (préceltique)

Période intermédiaire entre la *préhistoire* [pour laquelle on dispose exclusivement de documents archéologiques (objets recueillis dans des fouilles)], et l'*histoire* (on dispose de sources écrites ou de témoignages oraux). Quoique considérés comme préhistoriques, les Ligures sont un peuple protohistorique, car on a gardé d'eux des noms géographiques (toponymes) ; les S.O.M. (Seine-Oise-Marne), car ils ont laissé leur empreinte dans le paysage rural (ils ont découpé les terrains dont les limites forment encore de nos jours les propriétés rurales du centre de la France). Les *Campaniformes* qui leur sont contemporains, mais que l'on ne connaît que par l'archéologie, sont cependant classés dans la protohistoire (2500 av. J.-C.) par commodité. Actuellement, tout **l'âge des métaux,** classé primitivement dans la préhistoire, est considéré comme protohistorique.

Civilisation agricole en France (2500 av. J.-C.)

2500-2000 av. J.-C. Colonisation du Nord par des défricheurs, qui seraient venus du Proche-Orient. 3 axes différents : Caucase, plaines du Nord ; Balkans-Danube (le décor des céramiques est de type danubien) ; Méditerranée. Appartenant au type « méditerranéen gracile » ils sont appellés **S.O.M.** (Seine-Oise-Marne), lieu de leur foyer territorial. Pour certains, ce sont des Armoricains (ils ont introduit les chambres funéraires armoricaines dans le Bassin parisien). Mais en H[te]-Normandie, il y a un peuplement de petits brachycéphales trapus, venus du Rhin supérieur. *Villages :* nombreux (mêmes emplacements qu'aujourd'hui). *Cultures :* dans des clairières défrichées (arbres abattus avec des haches de pierre polie) ; céréales, légumes, fruits. Découpage des terrains en champs individuels qui se retrouvent dans le cadastre contemporain. *Habitations :* légères, en bois (peu de traces). *Industrie :* de type *campignien* (Campigny, Somme). *Armement :* flèches tranchantes, casse-tête, poignards (importés du Grand-Pressigny, Indre). *Poteries :* gobelets à fond plat, décorés à coups d'ongle. *Sépultures :* collectives ; les morts ne sont pas brûlés, mais déposés dans des allées couvertes de type armoricain ou dans des tumuli à chambres multiples.

Énigmes

Glozel. Le 1-3-1924, un paysan, Émile Fradin (18 ans), présenta à la Sté d'Émulation du Bourbonnais des briques cuites découvertes dans le champ de son grand-père au hameau de Glozel (Ferrières-sur-Sichon, Allier) couvertes d'inscriptions utilisant un alphabet inconnu. Des archéologues en vue comme Salomon Reinach, Joseph Loth (1847-1934) et Émile Espérandieu conclurent à leur authenticité [certains les datant du néolithique (8000 av. J.-C.), d'autres comme Camille Jullian (1859-1933) les considérèrent comme des amulettes de sorciers gaulois]. Le Journal des Débats ayant fait paraître le 13-5-1929 un article de la Sté préhistorique de Fr. qualifiant le Dr Morlet (partisan actif de Glozel) d'entrepreneur d'escroquerie fut condamné (avec la Sté) le 26-9-1929 et en appel le 28-2-1930 (Riom) à 16 F d'amende avec sursis et 1 F de dommages et intérêts. Une plainte en escroquerie déposée par le Dr Regnault, Pt de la Sté préhistorique de France, contre Fradin aboutit à un non-lieu (ordonnance du juge d'instruction de Cusset du 26-6-1931, confirmée par arrêt de la cour d'appel de Riom du 30-7-1931). Fradin ayant déposé une plainte en diffamation contre Dussaud et le journal « Le Matin », le 23-3-1932 le tribunal correctionnel de la Seine condamna Dussaud et « Le Matin » au franc de dommages-intérêts.

En 1972, des techniciens du commissariat à l'Énergie atomique analysèrent quelques tablettes par « thermoluminescence ». 20 sur 25 dateraient de 700 av. J.-C. à 100 apr. J.-C. Certains objets en os remonteraient au paléolithique supérieur (17000 av. J.-C.). En 1978, 3 journalistes belges (Nicole Torchet, Patrick Ferryn et Jacques Gossard) ont avancé que Fradin aurait réellement découvert une proto-écriture, antérieure à celle des Phéniciens, et comparable à celle qu'on a relevée sur des objets gravés du paléolithique (par ex. : à Alvão, au Portugal). Cependant, beaucoup de sceptiques s'étonnent qu'on ait retrouvé ensemble des objets datant de 2 époques distantes de 15 000 ans dans un même lot archéologique.

Les mammouths des grottes de Rouffignac (Dordogne). En 1956, des préhistoriens découvraient une fresque pariétale représentant des mammouths. Or, des spéléologues ayant déjà pénétré dans la grotte, l'authenticité des peintures fut contestée. Mais la représentation de détails anatomiques très peu connus du mammouth (par exemple dans les organes génitaux) indiqua que seuls des témoins visuels de cet animal avaient pu peindre les fresques.

2350 av. J.-C. (Chalcolithique). 1ers **« Campaniformes »** [utilisant des gobelets en forme de cloche, (latin *campana*)], venus d'Espagne, voyagent avec des chevaux de bât ; ne se mêlent pas aux populations locales, mais forment de petites colonies de métallurgistes et de potiers. *Armement :* en cuivre : poignards à languette, têtes de flèches, haches. *Céramique :* rouge vif ou noire, décorée au peigne fin ou à la cordelette ; jarres, tasses, bols, vases, écuelles, coupes. *Bracelets d'archer :* en pierre polie, passés sur le bras gauche pour caler l'arc, tandis que la main droite tirait la corde. Chaque archer est enterré avec son bracelet, d'où le 2e nom des Campaniformes : peuple aux bracelets d'archer.

2150 av. J.-C. (Chalcolithique récent). Les S.O.M. civilisent Alsace, Franche-Comté, Val de Loire. Leurs ustensiles sont également utilisés en Armorique (acculturation sans immigration). La France du Nord est soumise à leur civilisation.

2100 av. J.-C. (Age du Cuivre). Naissance de la métallurgie dans les Cévennes. Les 1ers fondeurs ont peut-être été formés par des navigateurs méditerranéens qui recherchaient de nouveaux gisements de cuivre (l'ère a commencé en Syrie 3600 av. J.-C.). Ils n'avaient pas de rapports avec les S.O.M., dont la civilisation n'a pas pénétré au sud de la France. *Civilisation type :* le *Fontbuxien* (Fontbouisse, près de Sommières, Gard) ; découverte vers 1940 et appelée *civilisation des pasteurs des plateaux :* maisons en pierres sèches, rectangle arrondi, murs 1,50 m de haut, toits en bois à 2 pentes ; vases carénés ou sphéroïdes, décorés de cannelures ; colliers en perles de cuivre ; statues-menhirs aux flancs côtelés, avec des faces stylisées (hommes, chouettes).

Empire des Ligures (1800 à 1200 av. J.-C.)

1800 av. J.-C. *Origines :* habitants primitifs de l'Europe occid. (peut-être parents des Campaniformes ; comme eux, ils avaient des tombes individuelles et des maisons en bois) ; ou Indo-Européens (v. ci-dessous) détachés du groupe primitif de la Russie du S. plusieurs siècles avant l'éclatement du groupe. *Pays colonisés :* on les retrouve là où le nom des fleuves contient la syllabe *ar,* et où le nom des localités se termine par *sk* (Allemagne, Suisse, France, Angl. du S. et Irlande, Italie du N. et du Centre, Corse puis Italie du S. et Espagne seront colonisés le millénaire suivant). *Apport culturel :* la charpente. *Sépultures :* sous la maison.

Légende des villages lacustres : les Ligures construisaient des maisons de bois reposant sur plusieurs pieux, souvent sur le bord des lacs alpestres. Le niveau de ces lacs ayant monté depuis, ces pieux ont été submergés sous 3 ou 4 m d'eau, ce qui les a protégés jusqu'à nos jours, en les carbonisant (début de fossilisation). Au XIXe s., on a cru qu'il s'agissait de villages préhistoriques lacustres construits sur pilotis. Mais des plongeurs sous-marins ont trouvé, entre les prétendus pilotis, des foyers, avec des cendres.

Fin de l'Empire des Ligures (1200 – 1000 av. J.-C.). *V. 1200* ils sont chassés d'Italie par les *Italiotes* (Indo-Européens) ; *v. 1100* de Corse par les *Korsi,* rameau de l'ethnie étrusque (Thraco-Illyriens faisant partie des « Peuples de la Mer ») ; *v. 1000* d'Allemagne par les *Celtes.* Voir ci-dessous.

Préhistoire et Protohistoire celtiques

☞ Le nom des Celtes apparaît v. 500 av. J.-C. chez les anciens Grecs. Il viendrait de l'indo-eur. *keletos,* « rapide », ou de *kel-kol,* « habitant, colon ».

V. 2500 av. J.-C. Les *Indo-Européens* quittent le Kazakhstan (entre la Volga et l'Ienisseï), devenu trop sec, et fondent en Russie méridionale la civilisation de *Kurgan* (en russe : « tertre ») : ils construisent des positions fortifiées pour leurs aristocraties militaires (guerriers à cheval). **2300** les cavaliers du Kurgan ravagent le Proche-Orient ; ils détruisent Lerne (Grèce), Troie III en Asie Mineure, reviennent au nord de la mer Noire avec leur butin. **2000** dislocation du groupe indo-européen : les futurs *Celtes* font partie du groupe des Occidentaux, qui se dirigent vers la Baltique ; puis d'un sous-groupe, Italo-Celtes et Germains, avançant plus vers l'ouest. **1600** les *Celtes* de Bohême créent la civilisation d'*Unetice* et l'industrie européenne du bronze. Ils se différencient des autres Indo-Européens occidentaux : futurs Italiotes, restés longtemps leurs compagnons (groupe italo-celtique), et Germains. *Armement :* poignard de bronze triangulaire d'Unetice. *Sépultures :* guerrier enterré avec ses armes et objets en bronze sous un tumulus atteignant parfois 6 m (d'où le nom de *civilisation des tumulus*). **1250** naissance de la *civilisation des champs d'urnes* en Eur. centrale, les Celtes vivent dans des clairières défrichées, où il y a peu de place pour les grandes sépultures. Ils brûlent les cadavres et mettent leurs cendres dans des urnes regroupées dans des cimetières collectifs hors des villages (plus tard, ils reprendront l'usage des tumulus pour les chefs). **1200** 1ers champs d'urnes celtiques en Allemagne du S. puis en Fr.

1000 les Celtes de l'All. du S. créent la *civilisation du fer* dite de **Halstatt** [bourgade proche de Salzbourg (Autriche) ; gisement (1000 à 500 av. J.-C.) découvert en 1846 par un ingénieur des salines, Georges Ramsauer] : ils utilisent le minerai de Bohême, Bavière, Autriche. *Armement :* grande épée de fer, de Halstatt I (1000-700) ; après 700, épée courte, de Halstatt II ; mors de cheval en fer. **950** les Celtes chassent les Ligures d'All. de l'O., mais montagnes et rivières conservent leurs noms ligures. **800** pénètrent dans la Fr. de l'E. où ils remplaceront les Ligures. Leurs tombeaux à tumulus apparaissent au milieu des « champs d'urnes » des non-Celtes. **700** une partie des Celtes de la Fr. de l'E. traverse l'Ouest français, de civilisation ligure, et va fonder l'Espagne celtique (civilisation hispano-halstattienne de Galice). **600** les *Ibères* en Aquitaine ; les *Grecs* à Marseille.

500-400 les Celtes occupent la Gaule au N. d'une ligne Carcassonne-Genève : ils fondent la *civilisation de* **La Tène** [village entre lacs de Bienne et de Neuchâtel (Suisse) ; site découvert en 1856 par le colonel Friedrich Schwab, et fouillé en 1881 par Emil Vouga ; on y a trouvé les 1res tombes contenant des chars à 2 roues]. *Écriture :* connue, peu utilisée (quelques inscriptions funéraires, avec le nom du défunt). Leur culture et leurs traditions ont été transmises oralement ; les 1res transcriptions datent des XIe-XVe s. apr. J.-C. (faites en Irlande par des moines, qui avaient sans doute sous les yeux des textes plus anciens, sauvées des destructions vikings des VIIIe-IXe s.). *Architecture :* lieux cultuels et maisons en majorité en bois et terre [exception. en pierre, Entremont et Glanum (en Provence), en os humains, Ribemont-sur-Ancre (Somme)] ; Gournay-sur-Aronde (Oise), fossé rempli de 3 000 os d'animaux et de 2 000 armes volontairement tordues ou cassées. *Armement :* char de combat et casque. *Art gaulois ancien :* reproduction d'animaux. **387** Ambicat (« roi suprême »), chef des *Bituriges*, conquiert l'Italie du N. (qui devient Gaule cisalpine). **385** il prend et pille Rome à l'exception du Capitole, sauvé du pillage par les cris des oies sacrées. **278** ils conquièrent bassin du Danube et Balkans : fondation de Singidunum (Belgrade), suivie du pillage de la Grèce [notamment Delphes par 150 000 Gaulois sous le commandement de « Brennos » (nom commun signifiant chef)] ; ils fondent ensuite un empire durable en Thrace et Asie Mineure [*Galatie* (c.-à-d. « Pays des Galates », nom grec des Gaulois), près de la Phrygie]. **218** 25 000 Gaulois servent comme mercenaires dans l'armée carthaginoise d'Hannibal. **192** *offensive romaine* en Gaule cisalpine ; les G. de la plaine du Pô sont soumis. **154** les Romains débarquent à Marseille qui les a appelés à l'aide contre les Celto-Ligures de la Basse-Durance. **125-121** ils conquièrent [sur *Bituit* (roi des *Arvernes*), les tribus celto-ligures (*Salyens*) et plusieurs tribus gauloises (*Allobroges, Volques*)] un sixième environ du territoire gaulois, entre Espagne et Italie : la Province romaine. **113** attaque germanique contre les territoires celtiques de la rive droite du Rhin : les *Helvètes* (bassin du Main) se replient au sud du Rhin (Suisse actuelle). **60** *Arioviste* (chef suève) bat les *Éduens* [localisation actuelle : entre Aumur et Pleure, au S. de Dole (Jura)]. **58** les *Helvètes*, inquiets de la proximité des Germains, décident de s'installer en Saintonge (Charente-Marit.) ; cette migration déclenche la guerre contre Rome.

Période gallo-romaine (50 av. J.-C.-481 apr. J.-C.)

Guerre des Gaules 58-50

Causes. 1° Impérialisme des Romains, notamment de Jules César, désireux de conquérir la Gaule riche en or (il est criblé de dettes) ; 2° Crainte des Gaulois devant les Germains : le chef suève Arioviste a franchi le Rhin en 61 av. J.-C. et a soumis la tribu gauloise des Éduens : le protectorat romain semble nécessaire à de nombreuses tribus ; 3° Crainte des Romains devant les Germains : l'émigration des Helvètes vers la côte atlantique leur permettrait d'atteindre les Alpes. Une Gaule romanisée servirait de rempart.

Effectifs. Gaulois 3 millions mobilisés selon Diodore de Sicile, sur 10 millions d'hab. [en moyenne 50 000 (62)] : pertes 1 000 000 †, 1 000 000 d'esclaves. **Romains :** la Xe Légion, 2 légions cisalpines, 3 légions illyriennes (36 000 h.) + 4 000 cavaliers auxiliaires gaulois. *Après 57* 8 légions (48 000 h).

Déroulement. 59. César. Nommé proconsul des 2 Gaules : Cisalpine (plaine du Pô) et Transalpine (Provincia). **58** juill. il écrase les Helvètes à 27 km du Mont-Beuvray *(Bibracte)* [localisation actuelle : Montmort (S.-et-L.), oppidum de 135 ha] ; il les rejette sur leur base de départ (226 000 † sur 336 000 d'après César : chiffre forcé) ; août : César occupe Besançon, cap. des Séquanes menacés par Arioviste. 10-9 bataille de Cernay : Arioviste battu et blessé repasse le Rhin. **Hiver 58-57** coalition des Belges contre César ; chef : *Diviciacos,* roi des Suessions (Soissons). Armée principale : les Bellovaques (Beauvais), 60 000 h. **57** printemps, les *Éduens* pillent le territoire des *Bellovaques* qui se retirent de la coalition. Les *Suessions* sont battus à *Noviodunum* (Pommiers, Aisne) ; fin juillet, bat. de la Sambre ; César bat *Nerves* et *Atrébates ;* sept. : César fait capituler les *Aduatuques* à Namur (?). Crassus (avec 1 légion) reçoit la soumission du N.-O. (entre Loire et Seine). **56** les peuples du N.-O., sous la direction des *Vénètes* (Morbihan), rompent le tr. passé avec Crassus ; juin : César bat la flotte des Vénètes au N. de l'île du Pouliguen (actuellement marais salants) ; *Sabinus* bat *Virodorix*, chef des tribus de l'actuelle Basse-Normandie, et soumet leur pays. Crassus bat les Aquitains à Sos (Lot-et-G.). 10-9 César rejoint Crassus en Aquitaine (occupation temporaire du pays) ; oct. raid punitif de César vers le Pas-de-Calais (*Morins* et *Ménapes* avaient aidé les Vénètes). **55** offensive germanique sur le Rhin (tribus des Usipètes et des Tenctères). Début juin, bat. de Fort St-André (Hollande) : ils sont écrasés ; César fait un raid sur la rive dr. du Rhin ; août-sept. échec d'un raid de César en G.-B. (flotte détruite par la tempête). **54** juin-août, 2e raid en G.-B. (5 légions, 5 000 cavaliers éduens). Soumission des Londini (vallée de la Tamise). Oct. rév. des *Éburons ;* leur chef, *Ambiorix,* soulève plusieurs tribus belges : les lieutenants de César, *Sabinus* et *Cotta*, sont vaincus et tués à Aduatuca (Tongres, Belgique). Quintus Cicéron est assiégé à Charleroi par Éburons, Aduatuques, Nerves. Nov. : César, parti d'Amiens, délivre Cicéron. Déb. déc. *Labienus* bat et tue *Indutiomaros* (chef des *Trévires*) qui est venu attaquer son camp près de Reims. **53** août raid punitif contre Ambiorix et les Aduatuques (avec 10 légions, 60 000 h.) : la Belgique du N.-E. est ravagée, mais Ambiorix s'échappe.

52 janv. Vercingétorix. Chef des Arvernes, prépare un raid contre la Provincia [son nom n'est pas un patronyme, mais un titre : « chef suprême des combattants » ; il n'apparaît dans les histoires de Fr. qu'à partir de 1828 (*Histoire des Gaulois,* d'Amédée Thierry, fr. d'Augustin) ; auparavant les historiens négligent les Gaulois, faisant remonter l'origine des Français aux Francs. Magnifié comme le premier héros national français à la fin du XIXe s., il est de nouveau contesté aujourd'hui : César, source unique de son histoire, aurait imaginé un grand chef gaulois à sa taille, pour se vanter de l'avoir vaincu] ; févr. César lance un raid sur Brioude, désorganisant l'offensive arverne ; mars : il rejoint ses alliés Éduens (Bourgogne) ; début avr. il prend Orléans (Genabum) ; avr. Vercingétorix pratique la tactique de la terre brûlée au S. de la Loire, mais épargne Avaricum (Bourges) ; mai, siège et prise d'Avaricum par César ; Vercingétorix soulève toute la Gaule. Raid de César contre l'Auvergne : siège de **Gergovie** [localisée à Merdogne [(à 12 km, au S. de Clermont) renommée Gergovie par Napoléon III le 11-1-1865] ; ou côtes au N. de Clermont (camp gaulois) ; Montferrand (grand camp de César), Puy de Chanturgue (petit camp) ; ou dans le Cantal à Chatecol près de Blesles] : déb. juin vict. de Vercingétorix sur César à Gergovie (700 Romains, dont 46 centurions †). César lève le siège, les Éduens se rallient à Vercingétorix ; mi-juin, vict. de *Labienus* (parti de Reims) à Lutèce, contre les Parisii ; fin juin, César rejoint Labienus à Joigny ; août, ils enferment Vercingétorix dans **Alésia** [localisée sous Napoléon III à Alise-Sainte-Reine. D'autres lieux ont été proposés : dans l'Yonne (Guillon : le site comporte un oppidum dominant la plaine de 120 m, avec une triple enceinte en pierres sèches, de 12 km de long, de 2 à 8 m de haut et de large), en Franche-Comté (notamment à Syam/Chaux des Crotenay, à env. 10 km de Champagnole) ; mais le relief semble trop montagneux César parlant de « collines » (alors qu'il appelle la citadelle de Besançon une « montagne énorme », *mons ingens*)]. Sept. une armée de secours (246 000 h., dont 8 000 cavaliers), sous la direction de *Commios,* roi des Atrébates, est battue par Labienus non loin d'Alésia (d'après B. Fèvre, à Cisery) ; fin sept. capitulation

La France à l'arrivée de César

d'Alésia : d'après Dion Cassius, Vercingétorix (enfermé avec 80 000 h.) se serait livré seul à César, pour tenter d'obtenir la grâce de la garnison (César ne le dit pas) ; V. est emmené à Rome [il y sera exécuté (étranglé) après 6 ans de cachot, ayant figuré au « triomphe » de son vainqueur]. Soumission des Éduens. 29-12 soumission des Bituriges.

51 janv. soumission des *Carnutes.* **51-50** guérilla en Gaule. Le pays est entièrement pacifié fin 50 : destruction d'*Uxellodunum* [localisations actuelles, dans le Lot : Puy d'Issolud ou Capdenac-le-Haut, Murcens (près de Lauzès), Luzech]. **49** fin de l'indépendance de Marseille (favorable à Pompée, est prise par César). **13** la Gaule, récemment conquise, est divisée en 3 provinces : Aquitaine, Lyonnaise, Belgique. Lyon devient capitale des « 3 Gaules ». **10** *Auguste* soumet les peuplades alpines. **9** *Varus* essaie de conquérir la rive droite du Rhin, mais est écrasé par *Arminius* (la frontière de la Gaule se fixe sur le Rhin).

Après J.-C. 21 révoltes de l'Éduen *Sacrovir* et du Trévire *Florus ;* ils sont écrasés à Autun par l'armée de Germanie (*Silius*). **68** soulèvement de *Vindex,* gouverneur d'Aquitaine, qui se rallie à Galba contre Néron ; battu à Besançon par *Virginius Rufus,* gouverneur de Germanie (20 000 Gaulois †), il se suicide. **70** avènement de la *Paix romaine,* qui durera jusqu'en 253, et permettra la création de la civilisation gallo-romaine (routes, villes, arts plastiques, littérature). **208-211** campagnes de Bretagne. **250** les Francs franchissent le Rhin. **253** l'emp. *Gallien* (« Restaurateur des Gaules ») fait des provinces gauloises le centre politique et militaire de l'Empire romain (début de la période dite de l'Emp. gaulois). **258-68** *Postumus,* emp. des Gaules, repousse les Francs. **276** raid des *Alamans* jusqu'aux Pyrénées. Vict. de l'empereur *Probus.* **285** Révolte des *Bagaudes* (du gaulois *badad* ou *bagad,* assemblée tumultueuse) : paysans gaulois, transformés en esclaves par la civilisation romaine [dans la Gaule celtique, les *dunans* (artisans) et les *magans* (agriculteurs) travaillaient pour les guerriers nobles, sans leur appartenir] ; la g. des Bagaudes préfigure les jacqueries médiévales. **V. 300** Dioclétien réunit l'ancienne *Provincia Romana* aux « 3 Gaules ». L'ensemble est divisé en 17 provinces. **313 Édit de Constantin.** La Gaule est christianisée par fonctionnaires et magistrats romains. **356** l'emp. *Julien l'Apostat* fait de Lutèce la cap. militaire de l'Emp. et la résidence impériale. Vict. sur les Alamans en Alsace : Brumath (356), Oberhausbergen (357). **375-83** *Gratien* transfère la cap. à Trèves. **V. 390** *Théodose* la transfère à Arles. **406-20** *grandes invasions germaniques :* Vandales, Alains, Burgondes, Quades, Wisigoths.

Les grandes invasions

Causes. *1°)* Décadence administrative et militaire de l'Emp. romain (après Théodose le Grand, 379-95, il n'y a plus de hiérarchie civile organisée). *2°)* Poussée vers l'ouest des peuplades germaniques, elles-mêmes poussées par les Slaves et Asiatiques des plaines orientales de l'Europe, en pleine expansion démographique. *3°)* L'élément germanique était déjà puissant dans l'Emp. romain (depuis le IIe s., installations de colons et de mercenaires ; depuis 382, colonisation de la Thrace par les Goths, avec la permission de Théodose le Grand).

Déroulement en France. Francs (Germains occidentaux dont le nom signifie « frais », c.-à-d. « libres ou féroces ») : ils n'ont pas pris part à la « ruée » de 406 ; ils forment 2 groupes principaux : dans l'île des Bataves ou Bétuwe (embouchures du Rhin et de la Meuse) et en Toxandrie (Limbourg).

1° **Francs Saliens :** installés depuis 358 (par l'emp. Julien) comme auxiliaires des armées romaines ; occuperont Tournai et Cambrai en 430, et obtiendront d'Aetius le statut de « fédérés ». 2° sur la rive droite du Rhin, jusqu'à Mayence, **Francs Ripuaires,** ils ne franchiront le fleuve qu'en 410 (puis 423, 430, 440), et n'occuperont définitivement la vallée de la Moselle qu'en 454, après la mort d'Aetius. **Burgondes** (Germains occidentaux, orientalisés après un long séjour dans la Hongrie actuelle) prennent part, avec Vandales, Quades et Alains, à la « ruée » de 406. Ils franchissent le Rhin dans la région de Worms et s'y fixent jusqu'en 435. En 436, vaincus par Aetius, ils obtiennent le droit de coloniser la Suisse romande actuelle (N. du lac Léman). **Vandales** (Germains orientaux) franchissent le Rhin en janv. 406 en face de Mayence, avec leurs alliés Quades et Alains. Ils traversent la Gaule en la pillant, puis franchissent les Pyrénées en 408 et se dirigent vers l'Espagne du S. **Alains** (non germaniques, proches des Daces) « clients » des Vandales qu'ils suivront jusqu'en Afrique. **Quades** (longtemps appelés **« Suèves »,** par confusion avec les Souabes, confédération de Germains occid.) : Germains orientaux, proches des Vandales, ils suivent ceux-ci jusqu'aux Pyrénées, puis conquièrent le León actuel. **Wisigoths** (Germains orientaux) ; vivaient en Thrace depuis 383 ; pénètrent en Gaule par les Alpes en 410, et colonisent l'Aquitaine, après avoir pillé l'Auvergne.

Conséquences. *1° Ethniquement :* faibles ; les Germains étaient peu nombreux et leur passage rapide ; *2° Politiquement :* le royaume wisigothique du S.-O. et de Narbonnaise a brisé l'unité de « l'Empire gaulois », réduit aux territoires d'Aetius, entre Seine et Rhin ; les royaumes ultérieurs des Francs et des Burgondes achèveront la dislocation de cet empire ; *3° Religieusement :* les Germains orientaux ont importé l'arianisme (traces en Narbonnaise).

• **Après les invasions. 416** *Wallia,* roi des Wisigoths, accepte le statut de « fédéré » en échange de terres, au S. de la Loire. **423** *Aetius,* le Silistrien, gouverneur de la Gaule. **448** *Mérovée,* roi franc, fait la paix avec Aetius. **451** 7-4 **Attila** (petit père ; nain), roi des **Huns :** veut récupérer ses sujets wisigoths, qui se sont échappés d'Ukraine sans sa permission, pour s'installer en Aquitaine et Espagne ; envahit la Gaule. Les Huns, cavaliers, nomadisant depuis les steppes sibériennes, sont réputés cruels (d'après St Grégoire de Tours : Attila est le « fléau de Dieu » et « l'herbe ne pousse plus où les Huns ont passé », car ils brûlent les récoltes sur pied) ; ils n'ont pas de tentes mais des chariots bâchés où vivent leurs familles ; ils ne sont pas barbares et sont d'habiles orfèvres, mais ils ignorent l'extraction du sel : pour saler leur viande, ils la mettent sous la selle de leurs chevaux, utilisant ainsi la sueur du cheval ; juin, les Huns devant Paris : Ste Geneviève exhorte les habitants à se défendre ; *Attila,* repoussé, pille Reims et Troyes, puis échoue devant Orléans ; début juil. il est vaincu par Aetius et par le roi wisigoth Théodoric à Campus Mauriacus [Moirey, commune de Dierrey-St-Julien (Aube) ; les Gallo-Romains ont parlé de la « région de Châlons » (Campi Catalaunici, traduit par *Champs catalauniques*)]. **454** Aetius mis à mort par l'emp. Valentinien III. **457** Gaule gouvernée par *Aegidius* († 467). **476** Afranius *Syagrius,* fils d'Aegidius, gouverne la Gaule entre Loire et Somme (capitale Soissons) après la chute du dernier emp. de Rome (Romulus Augustule). L'emp. de Byzance lui reconnaît le titre de *« roi des Romains »* (dernier souverain de l'Emp. d'Occident).

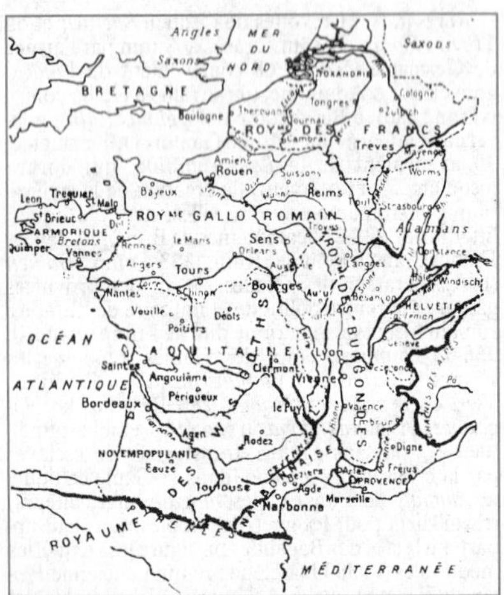

La Gaule en 481

La Gaule en 545

Les Mérovingiens d'Augustin Thierry

L'historien romantique Augustin Thierry (1795-1856), s'inspirant de *l'Histoire des Francs* de Grégoire de Tours (15 livres écrits entre 575 et 592 ; continués jusqu'en 641 par Frédégaire, puis, jusqu'en 720, par un anonyme), a fait paraître de 1833 à 1837, dans *La Revue des Deux-Mondes,* sous le titre *Nouvelles Lettres sur l'Histoire de France,* des adaptations modernisées des chroniques mérovingiennes (publiées en 1840 sous leur titre définitif : *Récits des Temps mérovingiens).* Ces récits sont centrés sur les luttes pour le pouvoir que se sont livrées les 4 fils de Clotaire Ier : Chilpéric, Sigebert, Gontran, Caribert et leurs femmes : Brunehaut, Frédégonde, Galswinthe. Souvent repris par les historiens du XIXe s., notamment Henri Martin (1810-1883), ils ont fait naître la croyance en une « époque barbare », où les égorgements étaient une pratique quotidienne.

Les historiens du XXe s. considèrent plutôt les temps mérovingiens comme une période de décadence administrative, héritée du bas-empire romain, avec prépondérance de l'économie rurale et importance accrue du clergé dans la vie sociale. L'intégration des nouveaux venus germaniques ne s'est pas faite sans difficultés, mais l'époque ne se signale pas par une immoralité particulière.

L'invasion sarrasine de 720-39

☞ Sarrasin vient du bas latin *sarracenus* (nom d'une peuplade d'Arabie) issu de l'arabe *charqryin,* pluriel de *charbi* (oriental).

711 l'Espagne wisigothique, officiellement catholique mais avec de fortes minorités juives et ariennes, accueille les musulmans venus d'Afrique du N. (dits « arabes » mais en majorité berbères). *720* ils occupent la Septimanie (capitale Narbonne), ancienne province wisigothique (Gothie). *721* ils attaquent Toulouse (le duc d'Aquitaine, Eudes, repousse Al Samah, gouverneur musulman d'Esp. : 3 750 mus. †). *724-25* ils pillent la vallée du Rhône jusqu'à Autun. *V. 730* Eudes s'allie à un émir aragonais, Othman ben Abi Nassa, contre le sultan mus. Abd el Rahman ; Othman est vaincu et Abd el Rahman attaque l'Aquitaine. *732* juin, il conquiert Bordeaux, assiège Poitiers et marche sur Tours ; 17-10 il est vaincu et tué par Charles Martel à Moussais-La-Bataille (Vienne), à 20 km de Poitiers (la cavalerie lourde des Francs écrase sa cavalerie légère). *732-39* offensives des musulmans de Narbonnaise contre Provence et vallée du Rhône. *739* Pépin, fils de Charles, et Liutprand, roi des Lombards, les écrasent devant Marseille et les rejettent sur la Narbonnaise.

Période mérovingienne (481-752)

• **Clovis Ier** (465-511) roi des Francs [son nom (germano-latin Hludovicus) est un doublet de « Louis ». Son arrière-grand-père (mythique) *Pharamond* a été considéré jusqu'au XIXe s. comme le 1er des « rois de Fr. », car les historiens admettaient que la civilisation et la langue fr. avaient été introduites en Gaule par les Francs] ; il commande env. 5 000 guerriers, avec lesquels il bat successivement : Syagrius (*Soissons* 486 ; exécuté en 487) ; Alamans, rejetés sur la rive dr. du Rhin (*Tolbiac* 496) ; Burgondes qui deviennent tributaires (*L'Ouche* 500) ; Wisigoths, rejetés au S. des Pyrénées (*Vouillé* 507). **493** Clovis épouse *Clotilde* (catholique), nièce du roi burgonde Gondebaud. **496** ou **498** (?) 25-12 baptisé à Reims par St Rémi (avant Tolbiac, il avait promis au Dieu de Clotilde de se faire baptiser s'il gagnait). **510** à Tours, il reçoit, de l'empereur byzantin Anastase, les insignes de consul honoraire de Rome.

• **511 Partage du royaume** à sa mort (Austrasie, Orléans, Paris, Neustrie) entre ses 4 fils [il ne s'agissait pas d'une tradition « germanique », mais d'une imitation de l'ancien empire romain. Considéré par les évêques comme le successeur des empereurs, Clovis, comme Dioclétien (292), répartit ses territoires entre 2 *Césars* et 2 *Augustes,* chargés de gouverner ensemble]. **523** lutte franco-burgonde. *Sigismond,* roi des Burgondes, exécuté ; *Clodomir* tué au combat de Véséronce [524 ; ses domaines sont annexés par ses frères, au détriment de ses fils qui sont égorgés, sauf Clodoald (le moine St Cloud)]. Les 3 frères conquièrent : Provence (530-37), roy. burgonde (532-37).

• **558-61 Clotaire Ier** (479-561) roi unique. **561** partage, par tirage au sort, du royaume entre *Sigebert* († 575), *Gontran* († 593), *Caribert* († 567), *Chilpéric* († 584) et *Frédégonde* la maîtresse de Clotaire (545-597) [qui lui fait répudier sa 1re femme, Audovère et fait étrangler Galswinthe, sa 2e. *Brunehaut* (v. 534-613), fille du roi des Wisigoths et sœur de Galswinthe veut la venger ; son époux, Sigebert (roi d'Austrasie), est assassiné sur ordre de Frédégonde ; elle épouse Mérove, fils de Chilpéric Ier, mais il sera tué (578). En 584, Frédégonde fait tuer Chilpéric et gouverne sous la protection de Gontran, roi de Bourgogne. Quand il meurt (582), elle reprend la lutte contre Brunehaut que celle-ci mène au nom de ses petits-fils Thibert en Austrasie et Thierry II en Bourg. Brunehaut est battue à Latofao (Laffaux, 596). En 613, les Austrasiens la livrent à Clotaire II, fils de Frédégonde, qui la fait mourir attachée à la queue d'un cheval sauvage (à 80 ans). La g. entre Austrasiens (à l'E.) et Neustriens (à l'O.), commencée en 568, se poursuivra jusqu'en 719.

• **613 Clotaire II** (584-629). Roi unique pour Neustrie, Bourgogne et Austrasie. **628** il lègue sa triple couronne à Dagobert.

• **628 Dagobert** (v. 600-39). Son domaine va de la Garonne à la Weser ; principaux ministres : St Éloi (v. 588/1-12-660), évêque de Noyon ; St Ouen (v. 610-v. 684), év. de Rouen ; Pépin de Landen († 639), maire du palais d'Austrasie, tige de la dynastie carolingienne.

• **639** mort de Dagobert (**partage** entre les 2 premiers *rois fainéants :* Sigebert III et Clovis II) ; reprise de la guerre neustro-austrasienne. **679** *Ébroïn* († v. 681), maire du palais de Neustrie, fait exécuter St Léger, év. d'Autun, maire du palais de Bourgogne, et unifie les 2 mairies (roi en titre : Thierry III). **679** fin de la royauté mérovingienne en Austrasie (dictature du maire du palais *Pépin d'Héristal* († 714), petit-fils de Pépin de Landen). **680** Ébroïn (avec Thierry III) bat Pépin à Leucofao [Bois-du-Fay (Ardennes)] ; il est assassiné peu après. **687** *Testry :* Pépin bat Berthaire, successeur d'Ébroïn, et unit les mairies du palais des 3 royaumes. Les rois *(fainéants)* ne sont plus que rois de Neustrie, et les maires du palais (Austrasiens) gouvernent les 3 roy.

• **Charles Martel** (v. 676-741). Maire du p. d'Austrasie (fils naturel de Pépin d'Héristal), est écarté de la mairie par la veuve de Pépin, Plectrude, mais prend le pouvoir de force (716), bat Neustriens révoltés (Soissons 719), Frisons (724), Bavarois (725), Saxons (724-38), Arabes (Poitiers 732 ; Étang de Berre 738). A la mort de Thierry II (737), le pape Grégoire II lui propose le titre impérial.

Période carolingienne (752-987)

• **752 Pépin le Bref** (714-68) [Maire du palais depuis 741, avait soumis les Germains de la rive dr. du Rhin (Saxons, Alamans, Bavarois) et leur avait fait prêter

Invasions normandes (810-911)

Causes. 1° Pression démographique en pays scandinaves (Norvégiens, Suédois, Danois forment alors un seul peuple). 2° Attaque de Charlemagne contre la péninsule danoise en 808 : il est arrêté par une ligne de fortifications et les « Vikings » contre-attaquent sur les côtes franques et anglo-saxonnes.

Effectifs. Raids de 300 à 400 h. montés sur 30 ou 40 *snekkja* (navires légers) ; ils installent des bases fortifiées (par ex. l'île de Jeufosse, près de Mantes, en 856) où ils créent des armées terrestres avec cavalerie et matériel de siège.

Opérations. 1° On compte par milliers les levées de tribut sur les villes et les États (Danegeld, payé presque annuellement à partir de 845), les enlèvements de personnes (vendues comme esclaves ou qui payent rançon), les pillages de monastères.

2° Armées normandes équipées sur place : *856,* 8-4 prise d'Orléans, 27-12 de Paris. *858* Charles le Chauve échoue dans une attaque de l'île de Jeufosse. *861* prise de Paris. *867* bat. de *Brissarthe :* Hasting b. et tue Robert, Cte de la Marche, et Renoul, duc d'Aquitaine. *873* Charles le Chauve et Salomon de Bretagne reprennent Angers. *881* vict. de *Saucourt-en-Vimeu* (Louis II et Carloman : 8 000 Normands †). *883* bat. de *Reims* (Carloman) indécise. *885-86* Siegfried assiège Paris, défendu par le Cte Eudes (Charles le Gros paye 7 000 livres de rançon). *889* Eudes paye rançon pour Paris. *890* il est battu à Noyon et *891* à Valenciennes. *896* les Normands créent une base à l'embouchure de la Seine. *903* ils prennent Tours. *910 Rollon* (Hrolf) attaque Paris, mais est repoussé. *911* il assiège Chartres (repoussé par l'évêque Gouteaume ; 7 000 †) ; il accepte le baptême et devient duc de Normandie, vassal du roi de Fr. [Rollon refuse par orgueil le cérémonial de l'hommage, consistant notamment à baiser le pied du suzerain ; il délègue à sa place un seigneur lui recommandant de ne pas s'incliner trop : selon la légende, celui-ci s'incline si peu qu'il fait tomber le roi à la renverse, en lui soulevant le pied très haut].

Invasions sarrasines (v. 830-990)

Causes. A partir de 800, les musulmans fixés en Espagne et en Afr. du N. effectuent des raids maritimes. Les États carolingiens, trop étendus, ne peuvent résister à la fois aux raids normands et aux raids sarrasins.

Opérations. *838* et *842* raids sur Marseille. *842* et *850* sur Arles. *869* installation d'une base en Camargue. *870-90* les Vikings supplantent les Sarrasins. *890* fondation de la base sarrasine à La Garde-Freinet (Var). *972* capture de St Mayeul, abbé de Cluny, sur la route du Mont-Genèvre. *983* Guillaume, Cte de Provence, prend La Garde-Freinet. *990* fin de la domination en Provence. Néanmoins les raids se poursuivent jusqu'au XIIIe s. (Lérins 1047, 1107, 1197 ; Toulon 1178, 1197).

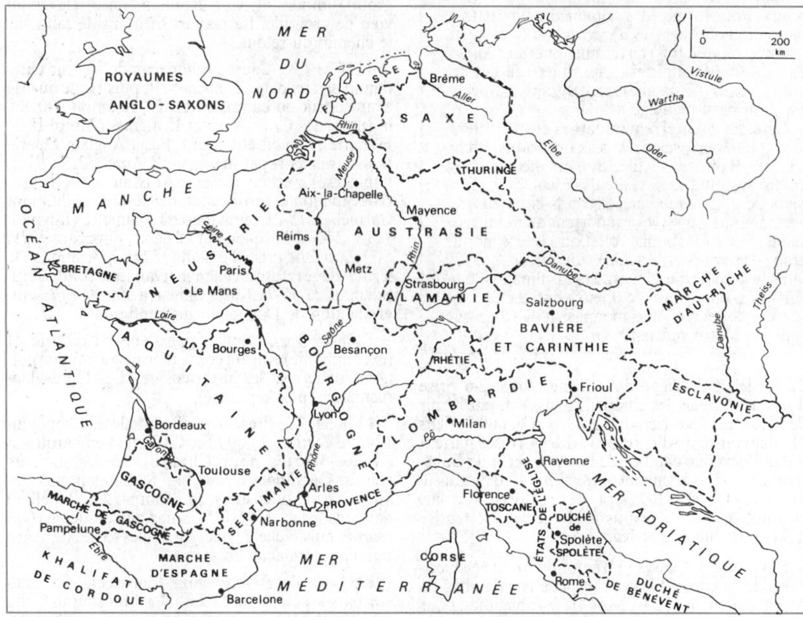

Empire d'Occident à la mort de Charlemagne (814)

hommage à *Childéric III* (roi en titre dep. 742)]. Fait déposer Childéric III, qui est tondu rituellement (les guerriers francs portaient leurs cheveux tressés en nattes ; les moines avaient le crâne rasé) ; est enfermé dans l'abbaye de St-Omer ; Pépin est proclamé roi à sa place (751), sacré à Soissons (5-3-752) par St Boniface, archevêque de Mayence. Le soutien du pape Zacharie lui a été acquis contre la promesse d'intervenir militairement contre les Lombards : ils occupaient l'Italie et l'emp. byzantin, Constantin V, suzerain en titre du pays, était incapable de les chasser. Sacré à Reims une 2e fois par le pape Étienne III (juillet ? 754) ; passe en Italie et chasse les Lombards de l'exarchat de Ravenne, qu'il donne au pape. **755-59** prend la Septimanie aux musulmans. **769** Waïfre, roi des Gascons, exécuté (l'Aquitaine n'est pourtant pas soumise).

• **768 Charlemagne** (742-814). Roi du N.-O. (des Pyrénées à la Bohême) ; **771,** de tous les domaines francs (mort de son frère Carloman, roi du S.-E.). Charl. battra les *Lombards* (774, annexe leur royaume) ; *Saxons* (785-99 ; les frontières franques sont sur l'Elbe et la Baltique) ; *Arabes* d'Esp. (778-811 ; création de la marche d'Esp. en bordure des Pyrénées *Roland* † à *Roncevaux* 778) ; *Bavarois* (788) ; *Avars* (796). **V. 796** prend pour capitale Aix-la-Chapelle. **800** (25-12) couronné empereur d'Occident à Rome par le pape Léon III. **805** révolte des Saxons : 10 500 familles déportées en France méridionale. **806** Charlemagne divise son empire en 3 roy. : *Aquitaine [Louis le Romain* fils légitime d'une princesse, son nom le distinguait d'un 2e Louis, de *pute aire* (d'obscure naissance), fils naturel de Charlemagne et d'une servante], *Francie* (Charles), *Italie* (Pépin, puis Bernard fils de Pépin). Charles meurt avant son père et Louis reçoit 2 parts.

• **814-817 Louis le Débonnaire** en 817 partage entre ses fils ses 2 roy. en 3 sous-roy. (*Aquitaine :* Pépin II ; *Bavière :* Louis le Germanique ; *Centre,* avec la couronne impériale : Lothaire). Ce partage déclenche de nombreuses g. qui dureront jusqu'en 843. **841** *25-6* Lothaire battu à *Fontenoy* (Yonne) par ses frères : Charles le Chauve et Louis le Germanique. **842 Serments de Strasbourg.** Charles le Chauve et Louis le Germanique, contre Lothaire (prêtés en français par les soldats de Charles : 1er document écrit en langue fr.). **843 Tr. de Verdun.** Partage l'Empire carolingien entre les 3 fils de Louis le Débonnaire : **Lothaire Ier,** emp., reçoit la *« Lotharingie »* (de la mer du N. aux États de l'Église) ; **Louis le Germanique,** la *Francie orientale (Allemagne) ;* **Charles II le Chauve,** la *Francie occidentale (France).*

• **847** Constitution du duché de France, donné à *Robert le Fort,* ancêtre des Capétiens. **870 Tr. de Meersen.** Charles le Chauve et Louis le Germanique se partagent la Lotharingie. **876** Charles le Chauve essaie de s'emparer de toute la Lotharingie, il est battu par Louis le Jeune (fils de Louis le Germanique), à Andernach. **877** 14/16-6 *capitulaire de Kiersy* [Quierzy-sur-Oise (Aisne), résidence impériale], rendant les charges comtales héréditaires. **879-88** Lotharingie divisée en Lorraine, Bourgognes (Cisjurane et Transjurane), Provence.

• **888-98** Crise dynastique : **Eudes,** ancêtre des Capétiens, est élu roi de Fr. mais redonne à sa mort la couronne à un Carolingien [**Charles III le Simple** (c.-à-d. « le loyal », ne jouant pas double jeu)]. **912** 21-1 Charles se fait proclamer roi de Lotharingie, après la mort de Louis l'Enfant.

• **922** 30-6 mécontents de la préférence accordée par Charles aux Lotharingiens, les seigneurs fr. couronnent à Reims **Robert,** frère d'Eudes. **923** 15-6 Charles attaque Robert à Soissons et le tue ; 13-7 les seigneurs fr. couronnent à Soissons un autre Capétien, le gendre de Robert, **Raoul de Bourgogne :** celui-ci a un rival, son beau-fr. Herbert de Vermandois. **924-29** Herbert garde Charles en otage ; il l'utilise pour lutter contre Raoul. **925** Charles est dépouillé de la Lotharingie par le roi de Germanie, Henri Ier l'Oiseleur. **926** invasion hongroise. **933** le roi de Bourgogne, Rodolphe II, annexe la Provence et fonde le *« roy. d'Arles »,* de Bâle à la Méditerranée. **936-54** nouvelle g. entre Carolingiens et Capétiens [**Louis IV d'Outremer** (élevé dep. 926 à la cour du roi d'Angl. Athelston, fr. de sa mère, la reine Ogive) contre Hugues de Vermandois, duc de Fr.] : le pape prend parti pour Louis et excommunie Hugues. **978** le roi de Fr. **Lothaire** prend Aix-la-Chapelle. **979** il est battu par l'emp. Otton II qui brûle Compiègne et prend Montmartre, puis est repoussé par le duc de France, *Hugues Capet.* **984-85** Lothaire prend Verdun et meurt. **987** (21-5) mort (chute de cheval) du dernier Carolingien, **Louis V.** Les nobles, réunis à Senlis, écartent son oncle Charles, duc de Basse-Lorraine, sur intervention d'Adalbéron, archevêque de Reims et chancelier du roy. (adversaire des Carolingiens ; menacé par Louis V d'un procès en haute trahison) et élisent roi, Hugues Capet, le 1-7 à Noyon.

Dynastie capétienne directe (987-1328)

• **987** 3-7 **Hugues Capet** (v. 941-96). Proposé comme roi à l'Assemblée de Senlis fin mai 987 ; proclamé roi, et dernier roi de France à être élevé sur le pavois, à Noyon ; le 1-7, sacré à Reims (?) par l'archevêque Auberon (certains disent qu'il a été sacré à Noyon le 3-7) ; juill. rend Verdun à l'empereur, en échange de sa reconnaissance ; 25-12 associe au trône son fils Robert. Adalbert de Périgord, refusant de lever le siège de Tours, Hugues Capet lui écrit pour lui rappeler que les comtes ne sont que des fonctionnaires du pouvoir royal ; Adalbert répond que c'étaient les ducs et les comtes qui l'avaient élu roi. (ce que l'on a ainsi résumé) : « Qui t'a fait comte ? Qui t'a fait roi ? ») **989** Concile de Charroux, instituant la *« paix de Dieu »* (interdiction de faire la g. aux non-combattants). **991** 29-3 capture à Laon du dernier P^ce^ carolingien, Charles de Basse-Lorraine († au cachot à Orléans v. 995).

• **996 Robert II le Pieux** (v. 970-1031). **1000** *Terreurs de l'An Mille* mentionnées pour la 1re fois en 1590, légende née d'une citation pieuse, souvent faite dans les formules des chartes de donation, et rappelant la vanité des biens de ce monde (St Paul, II Cor., I, 22), établie aux XVIIIe s. (William Robertson, Anglais, 1721-93) et XIXe s. (Jules Michelet, Fr., 1798-1874) : les chrétiens auraient cru à une fin du monde inéluctable, 1 000 ans après la venue du Christ. **1002-14** Robert le Pieux conquiert le duché de Bourgogne. **1017** Hugues, fils de Robert, est associé au trône. **1019** s'allie avec Baudoin de Flandres, qui épouse sa fille Adèle. **1023** réunion des comtés de Blois et de Champagne qui encercleront 200 ans le domaine capétien. **1026** Hugues meurt ; son frère cadet, Henri, est associé au trône. **1027** l'emp. d'Allemagne hérite de la Bourgogne transjurane.

• **1031 Henri Ier** (1008-60). **1031-39** G. civile : les grands féodaux (avec le Cte Eudes II de Blois) sont battus par Henri Ier, aidé du duc de Normandie, Robert le Magnifique. **1047** Henri Ier aide Guillaume le Bâtard, duc de Norm., à battre ses vassaux révoltés (bat. de *Val-ès-Dunes*). **1053** Rupture de l'alliance franco-normande.

La légende de Charlemagne

1° *Barbu,* aucune miniature carolingienne ne le représente avec une barbe, mais le poète de la *Chanson de Roland* (publiée au XIXe s.) l'a imaginé comme un patriarche de la Bible (la barbe était un insigne de dignité chez les Hébreux), et Ch. est traditionnellement appelé « l'empereur à la barbe fleurie » (c.-à-d. « blanche »).

2° *Culte religieux :* en 1165, l'emp. Frédéric Barberousse fait rechercher le corps de Charlemagne et l'élève sur le maître-autel d'Aix-la-Chapelle, dans une châsse ornée de pierreries. Le pape Pascal III donne son assentiment (mais il est chassé comme antipape). Ni le pape légitime de l'époque (Alexandre III), ni aucun de ses successeurs n'ont formulé d'objection, et la canonisation peut être considérée comme valide (la Saint-Charlemagne est célébrée le 28-1). Le culte a été introduit par Louis XI (1475) dans l'Université. Il n'a jamais cessé d'être célébré en Belgique et en Allemagne. Mais l'expression « Bienheureux Ch. » est plus adéquate, car il ne s'agit pas d'un saint de l'Égl. universelle, inscrit au martyrologe romain.

La légende de Roland

La Chanson de Roland. Composée par un clerc anonyme entre 1100 et 1125, elle a fait naître la « légende de Roland » (Roland a un ami aussi chevaleresque que lui, Olivier ; il est trahi par Ganelon ; son épée s'appelle Durandal ; en cherchant à la briser, il entaille les Pyrénées ; il souffle dans un cor en ivoire d'éléphant, ou « olifant », pour appeler Charlemagne à son secours). Pour certains, il s'agit d'une œuvre fictive, destinée à recruter des combattants français pour la croisade contre Saragosse (1110-18) menée par le roi d'Aragon, Alphonse Ier le Batailleur (1104-34). Pour d'autres, l'auteur a utilisé de nombreux récits remontant aux temps carolingiens et maintenus dans les traditions orales d'Andorre et d'Ariège.

Lieu de la bataille. L'historien carolingien Éginhard (v. 770-840) raconte dans sa *Vie de Charlemagne* (v. 820) que l'armée de Charlemagne, après un raid manqué au S. des Pyrénées, se repliait par un col pyrénéen (non nommé), quand son arrière-garde fut attaquée par des « Vascons », qui pillèrent les chariots et tuèrent de nombreux soldats francs, notamment le sénéchal Éginhard, le Cte du Palais Anselme, le préfet des Marches de Bretagne, Hruotland ou Roland. En 1130, à la suite d'une vision en songe de l'évêque de Pampelune, Sancho de la Rosa, le terrain du combat fut localisé à Orréaga, lieu-dit, près du col d'Ibañeta, entre haute et basse Navarre. Tradition conservée, notamment par les Basques, qui se proclament les descendants des « Vascons » et considèrent la victoire remportée sur les troupes carolingiennes comme un fait d'armes national (ils organisent chaque année un pèlerinage au monument d'Orréaga).

D'autres estiment : 1° que Sancho de la Rosa a donné arbitrairement à Orréaga le nom de *Roncevaux,* qui n'est pas dans Éginhard, mais dans la *Chanson de Roland* (orthographié Rencesvals) ; 2° que *Vascon* désigne non seulement les Basques, mais tous les habitants de la Vasconie, région allant de l'Èbre à la Garonne ; 3° que la *Chanson de Roland* situe les Rences vals (*Roza valles,* selon d'autres sources) au pied du col de « Ciser » (*Sisera,* selon d'autres sources), qui semble correspondre au Port de Siguer (Andorre) ; 4° qu'elle ne désigne jamais les adversaires de Roland comme des Vascons, mais comme des « Sarrasins », qui au VIIIe s. occupaient la Vasconie.

La renaissance carolingienne

Elle a duré de l'installation du Palais à Aix-la-Chapelle (792-98 ; constr. de la chapelle 798-800) à 930 (reprise des guerres civiles entre rois francs). *Caractéristiques :* essor économique fondé sur l'administration centralisée : les ordres écrits, les rapports, les comptes remplacent les ordres oraux. Pour former des administrateurs lettrés, on multiplie les centres d'instruction (« école du palais », monastères) en faisant appel aux Anglo-Saxons, bons latinistes ; aux juifs (de culture arabe, venus d'Espagne) ; aux Byzantins, spécialistes du beau manuscrit.

Un essor culturel remarquable s'ensuit : littérature, philologie, sciences, arts décoratifs, architecture, industrie textile. Son financement est assuré surtout par la vente des esclaves (prisonniers de g.) : chaque été, les raids en territoires germaniques ou slaves rapportent de nombreux sujets. Malgré les bonnes relations avec le monde arabe (Haroun el Rachid), un rescrit de 779 interdit la vente d'esclaves aux musulmans. Charlemagne, puis Louis le Pieux, ont tenté, sans succès, de recréer une monnaie d'or (disparue sous les Mérovingiens).

• **1060 Philippe Ier** (1052-1108). **1059** associé au trône à 7 ans. **1060** Roi. **1060-66** sa mère Anne de Kiev est la *1re régente* de France. **1066** Guillaume, duc de Norm., conquiert l'Angl. **1077** il fait la paix avec le roi de Fr. et renonce à conquérir la Bretagne. **1081** Philippe Ier battu à Yèvres-le-Châtel par un vassal révolté, Hugues du Puiset. **1095** début des croisades. **1095, 1097, 1100** excommunié pour bigamie, mariage invalide avec Bertrade de Montfort. **1105** absous.

Les Croisades (1096-1291)

1096-99 (1re). Causes : 1°) désir de la papauté de sauver l'Empire chrétien d'Orient, menacé de destruction par les Turcs dep. 1077 (désastre de Manzikert) ; 2°) désir des puissances italiennes (dont la papauté) de briser si possible la domination arabo-musulmane en Méditerranée ; 3°) existence d'un potentiel militaire inemployé chez les chrétiens occidentaux, dep. la création de la « chevalerie » (conception religieuse du métier des armes). **Prêchée** par le pape Urbain II au concile de Clermont. **Opérations.** *2 expéditions* avec des bandes de pèlerins sans valeur militaire : Pierre l'Ermite (1050 ?/8-7-1115) et Gauthier sans Avoir († 1096 ou 97), battus à Nicée *(1096) ; 1096, 15-8 départ des Croisés armés* (4 500 chevaliers, 30 000 fantassins, 60 000 à 100 000 auxiliaires civils et pèlerins non combattants). 1°) Français du Nord et Lorrains [(Godefroi de Bouillon (1061-1100), Robert, Cte de Flandres (v. 1065/5-10-1111)] à pied par la vallée du Danube. 2°) Occitans [Raymond de St-Gilles, Cte de Toulouse (1042/28-2-1105)] à pied par la Dalmatie. 3°) Normands de Sicile [Bohémond, Pce de Tarente (v. 1057-1111)] par mer, de Bari à Durazzo, puis à pied par la Macédoine. 4°) Neustriens [Étienne de Blois, Hugues de Vermandois (1057/18-10-1101), Robert Courteheuse, duc de Norm. (v. 1054/3-2?-1134)] rejoignent Bohémond à Bari (à pied par les Alpes). Point de jonction : Constantinople. *1097,* 26-6 prise de Nicée (rendue aux Byzantins) ; 1-7 *Dorylée* (Bohémond et Godefroi de Bouillon battent Gilidj Arslan ; 50 000 Turcs †) ; 21-10 début du siège d'Antioche. *1098,* 2-6 prise d'*Ant. ;* 3-6 siège des chrétiens dans Ant. par l'émir de Mossoul ; 28-6 vict. de *Kerbogah* (30 000 Syriens †) : délivrance d'Ant. *1099,* 13-1 les Croisés partent d'Ant., devenue capitale de la « princée » de Bohémond ; 15-7 ils prennent *Jérusalem* (40 000 musulmans et juifs †). *1101,* sept. des renforts nivernais et aquitains sont anéantis à Héraclée. *1104* prise d'Acre, renommée St-Jean-d'Acre.

1147-49 (2e). Causes : 1°) émotion causée en Occident par la chute d'Édesse (reprise par l'atabeg de Mossoul Zenghi, le 23-12-1144) ; 2°) obligation pour Louis VII de faire un acte pénitentiel en expiation du massacre de Vitry (1142). **Prêchée** par St Bernard (1090-1153) à Vézelay le 31-3-1146. **Effectifs :** 70 000 Fr. (Louis VII), 65 000 Allem. (Conrad III). Itinéraire terrestre par la vallée du Danube jusqu'à Constantinople. **Opérations :** *1147,* nov. l'armée allem. de Conrad est battue à *Dorylée. 1148,* 6-1 les Fr. battus à *Pisidie,* mars : embarquement des Fr. à *Adalia* sur des vaisseaux grecs. *Été 1148* échec fr.-allem. devant Damas (l'offensive sur Édesse est annulée). *1149* retour des Croisés ; résultats nuls.

1189-92 (3e). Cause : émotion suscitée en Occident par la chute de Jérusalem (2-10-1187) [prise par Saladin après sa victoire d'*Hattin* (4-7-1187)] ; la croisade est ordonnée par le pape Grégoire VIII. **Effectifs :** 100 000 All. [Frédéric Barberousse (v. 1112, 10-6-1190)], voie terrestre par Constantinople et l'Asie Mineure ; 30 000 Fr. [Phil. Auguste (1165/14-7-1223)] ; 20 000 Angl. [Richard Cœur de Lion (8-9-1157/6-4-1189)], embarqués à Aigues-Mortes (en cours de route Richard conquiert Chypre sur un despote grec). **Opérations :** *1190,* 17-5 Frédéric Barberousse écrase les Turcs à Konya. 10-6 Fréd. noyé, son armée se disperse. *1191,* 10-6 Richard Cœur de Lion et Philippe Auguste reprennent St-Jean-d'Acre ; 7-9 *Arzuf :* Richard bat Saladin. *1192* Jaffa, Ascalon reprises ; 3-9 *tr. de Jaffa* entre Richard et Saladin : Jérusalem est laissée aux musulmans ; admission des pèlerins sans armes.

1202-04 (4e). Causes : 1°) désir de reprendre les Lieux saints ; volonté d'Henri VI, fils de Frédéric Barberousse, de poursuivre la croisade de son père ; 2°) le détournement vers Constantinople est dû : a) à l'exaspération des chrétiens romains de Terre sainte qui voient dans les Byzantins des alliés des musulmans ; b) au désir des Vénitiens de dominer économiquement la mer Noire. **Effectifs :** 20 000 Allem. débarqués à Acre dès 1197, se rembarquent en 1298 ; 30 000 Fr., 5 000 Flamands, 5 000 Italiens concentrés à Venise (doivent s'embarquer sur les vaisseaux vénitiens ; objectif initial : l'Égypte). **Opérations :** *1202,* nov. délivrance de Zara (Dalmatie), port vénitien assiégé par les Hongrois (service rendu comme équivalent des 85 000 marcs d'or dus pour le transport). *1203,* printemps, le prétendant byzantin Isaac l'Ange se rend à Zara et propose 35 000 marcs pour la prise de Constantinople ; 17-7 Isaac rétabli sur le trône byzantin. *1204,* févr. Isaac meurt ; 12-4 *prise de Const.* par les Croisés et les Vénitiens ; 9-5 Baudoin de Flandres couronné emp.

1212 (Cr. des Enfants). Cause : indignation du peuple chrétien contre le détournement de la 4e cr. **Déroulement :** 1°) *Cr. française* (quelques centaines d'enfants). Étienne, un jeune berger de Cloyes (près de Vendôme), conduit des groupes d'enfants en prières sur les routes de Norm., Picardie, Ile-de-Fr. On a dit qu'ils avaient été vendus comme esclaves à Bougie et Alexandrie (en fait, leur troupe, affamée, a dû se disperser en Ile-de-Fr.). 2°) *Cr. allemande* (plusieurs milliers). Prêchée par Nicolas de Cologne, gagne Gênes par les Alpes, mais ne trouve pas de navires. Certains croisés s'y fixent, d'autres vont s'embarquer à Pise ou Brindisi. Nicolas, avec un groupe important, va à Rome se faire relever du vœu de croisade. La plupart meurent de faim sur le chemin du retour.

1212-21 (5e). Cause : renouveau de ferveur chrétienne dû aux papes Innocent III, puis Honorius III et au concile du Latran. **Effectifs :** au moins 200 000 h. (max. des Cr.) : Autr. et Hongrois (André II de Hongrie), Danois et Frisons, Fr. et Anglais. **Opérations :** transport par mer jusqu'à Acre. *1217-18* (cr. hongroise) : échec des Hongrois au mont Tabor, réoccupation et fortification de Césarée et du mont Carmel. *1218-21* campagne de Damiette (Égypte). *1218,* 24-8 débarquement et début du siège. *1219,* 5-11 *Damiette* prise d'assaut. *1220* négociations : le légat Pelage refuse d'échanger Damiette contre Jérusalem. *1221,* 12-7 Croisés vaincus à *Mansourah ;* sept. évacuation de Damiette sans conditions.

1228-29 (6e). Menée par l'emp. Frédéric II (excommunié) et ayant consisté en négociations ; non homologuée par les historiens de l'Égl. (Jérusalem récupérée, puis reperdue).

1248-54 (7e). Prêchée par le concile de Lyon, juin 1245. **Effectifs :** 25 000 Fr. (St Louis) embarqués à Aigues-Mortes pour Chypre sur des navires génois. **Opérations :** *1249,* 4-6 St Louis prend *Damiette ;* 20-11 offensive sur Le Caire. *1250,* 2e défaite de Mansourah. *1251-54* St Louis, prisonnier à *Mansourah,* puis racheté ; relève les villes fortes de Terre sainte, notamment Césarée.

1251 (Cr. des Pastoureaux). Cause : émotion causée par la défaite de St Louis à Mansourah ; elle soulève surtout des ruraux (pastourou = paysan). **Opérations :** pogroms contre les communautés juives de France (Joseph, dit le Maître de Hongrie) ; 11-6 écrasés à Villeneuve-sur-Cher (Joseph †) ; quelques rescapés rejoindront Acre.

1270 (8e). Cause : St Louis et son fr. Charles d'Anjou, roi de Sicile, après l'offensive victorieuse de Baïbars en Terre sainte (prise de Césarée 5-3-1265, du mont Carmel 16-3-1265, d'Antioche 20-5-1268), décident d'attaquer la Tunisie, base future de départ contre Égypte ou Constantinople, en demandant un armistice à Baïbars. **Opérations :** *1270,* 18-7 débarquement à Tunis ; 25-8 épidémie de « peste », mort de St Louis. *1271* les survivants débarquent à Acre, mais ne peuvent empêcher la chute du Krak des Chevaliers (23-3). *1271-91* Baïbars, puis Spinola, enlèvent les dernières places fortes de Terre sainte : Beyrouth, Tripoli, Sidon, Tyr.

• **1108 Louis VI le Gros** (v. 1081-1137). **1100** désigné comme roi. **1109-35** « *Guerre de Gisors* » : Henri Ier, duc de Norm. et roi d'Angl., a occupé indûment la forteresse de Gisors, clef du Vexin, et a refusé l'hommage féodal. Il prend part à toutes les luttes féodales contre Louis VI. **1111** Louis VI conquiert le château du Puiset (à un baron révolté). **1112-15** *Émeutes de Laon,* constitution d'une commune avec « charte municipale » (Voir Institutions). **1114** début de la g. contre Thomas de Marle (durera jusqu'en 1130). **1119** 20-8 Louis VI battu par Henri Ier à Noyon-sur-

Fiefs chrétiens de Terre sainte

Royaume de Jérusalem (1099-1291)

☞ 3 grands fiefs vassaux : *comté d'Édesse* (1098-1144), *« princée » d'Antioche* (1098-1268), *comté de Tripoli* (1102-1289) ; 2 autres roy. non vassaux créés fin XIIe s. : *Chypre* (1192-1489) et *Petite-Arménie* ou *Cilicie* (1198-1375).

Rois de Jérusalem

1099 Godefroi de Bouillon (v. 1060-1100), chef des croisés lorrains, élu roi par l'assemblée des Seigneurs le 23-7-1099. Refuse le titre : n'est qu'avoué du Saint-Sépulcre.

1100 Baudouin Ier, s. fr. (v. 1070-1118), Cte d'Édesse (1093-1100). Conquiert St-Jean-d'Acre (1104), Beyrouth (1109), Sidon (1110).

1118 Baudouin II, s. cousin (v. 1070-1131), Cte de Rethel, Cte d'Édesse (1100-18). Conquiert Tyr (1124).

1131 Foulques Ier, s. gendre (1092-1143), Cte d'Anjou, abdique sa couronne comtale en épousant (1129) Mélisende, fille de Baudouin II.

1144 Baudouin III, s. f. (1131-62). Perd Édesse le jour de son couronnement (Noël 1144) ; échoue contre Damas (1148) ; prend Ascalon (1153), Césarée (1159).

1162 Amauri Ier, s. fr. (1135-73). Tente en vain de conquérir l'Égypte (1166-67). Battu par Saladin 1170, recherche l'alliance byzantine en épousant la nièce de l'emp. Isaac Comnène (1167).

1173 Baudouin IV, le Lépreux, s. f. (1160-85). Mineur à son avènement, laisse la régence à Milon de Planès. Bat Saladin à Ramleh (25-11-1177), mais est battu à Sidon (1178), perd la forteresse du Gué de Jacob (1179), bat Saladin à Tibériade (1182), mais contracte la lèpre et marie sa sœur Sybille, veuve de Guillaume de Montferrat, à Gui de Lusignan.

1185 Baudouin V, s. neveu (1176-86), fils de Sybille et de Guill. couronné à 7 ans (1188) ; régence de son grand-oncle, le Cte de Tripoli, qui conclut avec Saladin une trêve de 4 mois, pour ravitailler le pays, ruiné par la famine. Meurt pendant la famine, peut-être empoisonné.

1186 Gui Ier de Lusignan, s. beau-père (v. 1129-1194). Prend la couronne malgré l'opposition des barons. Incapable ; battu et capturé par Saladin à Hattin (1187). Perd Jérusalem. Libéré en 1188 contre rançon. Laisse en 1192 la couronne de J. contre celle de Chypre, achetée 100 000 besants.

1192 Isabelle Ire, s. sœur (1169-1205) et **Conrad de Montferrat** (?-1192), roi consort. Fille d'Amauri d'Anjou, épouse dès son couronnement, en faisant casser son mariage avec Onfroi de Toron, le meilleur guerrier de Terre sainte, le marquis de Montferrat (ancien beau-frère de l'empereur byzantin), et seigneur de Tyr depuis 1188, qui est assassiné par un musulman.

1192 Isabelle Ire et **Henri de Champagne** (?-1197). Celui-ci refusa le titre de roi de J., étant replié à Acre. Avec l'aide des Croisés de la IVe Cr., rompt la trêve avec Saladin ; perd Jaffa et meurt (tombe par la fenêtre du château d'Acre).

1197 Isabelle Ire et **Amauri II de Lusignan** (v. 1130-1205). Fr. de Gui de Lusignan, il est roi de Chypre (Amauri Ier) depuis 1194. Reconquiert Beyrouth et Giblet (1197-98) avec l'aide des Croisés all. Mais il ne peut empêcher le détournement de la IVe Croisade vers Constantinople.

1205 Jean de Brienne (1148-1237). A la mort d'Amauri, épouse Marie de Montferrat, fille d'Isabelle Ire et de Conrad, héritière du royaume. Couronné roi de J. à Acre. 1212, mort de Marie, il devient régent de leur fille Yolande. Celle-ci épouse en 1225 l'emp. Frédéric II qui prend le titre de roi de J. Jean rejoint alors Constantinople dont il est régent (1227), puis empereur (1231).

1225 Frédéric II, s. gendre (1194-1250), roi de Sicile (1197), emp. germanique (1220). Prend la couronne à J. en 1229 (cérémonie laïque car excommunié), en vertu d'un tr. passé avec Malik al-Kalil. Puis laisse le gouvernement du pays à Richard Filangieri qui laisse les musulmans reprendre J. (1244) et l'anarchie s'installer.

Les descendants de Fr. II se disent rois de J., Charles Ier de France, roi de Sicile qui règne sur St-Jean-d'Acre [1277-86 (royaume détruit 1291)] leur achète le titre. Les Anjou de Naples se disent rois de Sicile. Les ducs d'Anjou issus des rois Valois prétendent à Sicile et Jérusalem. Le roi René a une fille dont le fils, René II, duc de Lorraine, arbore les armes de Jér. Les ducs de Lorraine donneront François Ier empereur élu des Romains : depuis, les emp. d'Autriche se diront rois de Jérusalem.

☞ **Survivance du titre.** Le titre de roi de Jér. a été disputé entre : 1°) les *Lusignan*, qui, en 1239, se firent confier la « garde » de la couronne par la noblesse chypriote (sans préjudice des droits des Hohenstaufen), la reine Alix, veuve de Hugues Ier de Chypre (1205-21), étant petite-fille du roi Amauri II. Joint au titre de Chypre, celui de J. a passé aux Savoie ; 2°) les *Hohenstaufen*, descendants de Fréd. II. Le pape, suzerain, en ayant investi le roi des Deux-Siciles Charles de Bourbon, futur Charles III d'Espagne, le duc de Calabre est actuellement le seul roi de J. possible.

Empire latin de Constantinople (1204-61)

(voir Turquie à l'index)

3 grands fiefs vassaux : *royaume de Thessalonique* (1204-24), *« princée » de Morée* (c.-à-d. du Péloponnèse : 1205-1428), *duché d'Athènes* (1205-1436).

Autres fiefs

Crète possession vénitienne de 1206 à 1669 ; **Rhodes** terre souveraine des Chevaliers de St-Jean-de-l'Hôpital de 1309 à 1522.

l'Andelle (Brenneville). **1124** 1re g. nat. fr.-all. : l'emp. Henri V attaque Reims, mais doit battre en retraite. **1127** mariage de Mathilde de Normandie-Angl. avec Geoffroi d'Anjou, point de départ de « l'Empire angevin » (voir carte ci-contre). **1131** Philippe (associé au trône et couronné) se tue en tombant de son cheval gêné par un cochon. Sacre du prince Louis, futur Louis VII.

• **1137 (Août) Louis VII le Jeune** (v. 1120-80). Couronné roi de Fr. puis duc d'Aquitaine, à Poitiers, comme époux d'Éléonore (ou Aliénor). **1142-43** Guerre fr.-champenoise : L. VII attaque le Cte Thibaut et incendie Vitry (1 300 †). **1152** 21-3 **Éléonore** répudiée [(à Antioche, en mars 1148, elle aurait été la maîtresse de son jeune oncle, Raymond II d'Antioche) ; motif officiel : Louis VII et El. ayant un ancêtre commun, Robert le Pieux, étaient cousins au 12e degré (6e degré canonique), leur mariage a été annulé le 21-3-1152, par le concile de Beaugency, pour avoir été célébré sans dispense de consanguinité]. Elle épousera le 18-5 Henri II Plantagenêt (en 1173 il la fera enfermer 16 ans à Winchester, sans la répudier pour ne pas perdre l'héritage poitevin). A la mort d'H. (6-7-1189), Eléonore reprendra le gouvernement de ses fiefs et soutiendra son fils préféré, Richard Cœur de Lion. Elle sera régente quand Richard sera en Terre sainte, et réunira en 1193 sa rançon. En févr. 1194, elle fera se réconcilier les 2 fr., Richard et Jean sans Terre.

Guerre franco-angevine « 1re guerre de Cent Ans » (1159-1299)

Causes. 1°) *féodales :* rivalité des 2 maisons d'Anjou (Plantagenêts) et de Fr. (Capétiens) ; de nombreuses autres maisons féodales se mêlent à la lutte : Toulouse, Bretagne, Champagne, Flandres ; 2°) *politiques :* les Capétiens sont rois de Fr. et cherchent à unifier le roy. ; les Angevins sont rois d'Angl. et cherchent à briser la puissance royale fr. Mais les rois de Fr. sont les suzerains des Anglais : toute attaque angl. contre la Fr. est une « félonie ».

Effectifs. Variables selon les époques, et selon les coalitions ; maximum à Bouvines 1214 (15 000 Français contre 20 000 coalisés).

Opérations. 1°) **Entre Louis VII et Henri II : 1159** juill. offensive d'H. II contre le Cte de Toulouse, vassal du roi de Fr. Louis VII s'enferme à Toulouse et fait reculer H. II ; oct. offensive d'H. II en Beauvaisis, prise et démantèlement de Gerberoy. **1173** 23-6 les fils d'H. II révoltés contre leur père sont soutenus par L. VII qui met le siège devant Verneuil ; 23-7 il est forcé de lever le siège ; oct. H. II reconquiert le Poitou sur Éléonore (qui a pris parti pour ses fils). **1174** mars, offensive de L. VII en Norm. (siège de Rouen) ; sept. H. II bat L. VII à Rouen et le force à lever le siège ; 30-9 *paix de Montlouis* (statu quo).

2°) **Entre Philippe Auguste et Henri II : 1188** juin, offensive de Philippe sur le Berry, Châteauroux pris ; conquête de Vendôme ; H. II prend Dreux, échoue devant Mantes ; automne Phil. fomente une révolte générale des vassaux d'H. II au N. de la Loire. **1189** 4/11-6 conquête du Maine ; 12-6 prise du Mans ; 2-7 de Tours ; 4-7 *paix d'Azay-le-Rideau* (H. renonce au Berry et à l'Auvergne).

3°) **Entre Philippe Auguste et Richard Cœur de Lion : 1189** 18-7 Phil. rend toutes les conquêtes faites sur H. II à Richard, son héritier (ils partiront ensemble pour la Terre sainte). **1194** 12-5 rentrant de captivité, R. attaque Norm. et Touraine, occupées par Phil., avec la complicité de Jean sans Terre, fr. de R. ; juin il reprend Verneuil et Loches ; 3-7 R. victorieux à *Fréteval* (Phil. mis en fuite). **1196** R. construit Château-Gaillard. **1197** avr. offensive de Phil. en Norm., Aumale prise. Offensive de R. en Beauvaisis ; sept. Baudouin de Flandres s'allie à R. et attaque l'Artois ; Phil. capitule à Ypres ; 8-10 Baudouin prend St-Omer et Aire. **1198** 28-9 *Courcelles* près de Gisors : R. écrase Phil. ; oct., *Vernon :* Mercadier bat Phil. (cavalerie fr. détruite). **1199** 13-1 *trêve de Vernon* (Phil. garde Gisors).

4°) **Entre Philippe Auguste et Jean sans Terre : 1199** 15-8 offensive fr. en Norm., Conches prise, et dans le Maine (siège du Mans, échec). **1200** *tr. du Goulet :* Phil. reçoit Évreux, Issoudun. **1202** 25-3 condamné pour « félonie » (il a enlevé la fiancée de Hugues de Lusignan, son vassal) doit céder à son neveu, Arthur de Bret., Anjou, Maine, Touraine, Norm. ; offensive de Phil. en Norm., d'Arthur en Touraine ; juill. à Mirebeau (près de Loudun), Arthur fait prisonn. par J. (égorgé 3-4-1203). **1204** 6-3 Phil. enlève *Château-Gaillard ;* avril-mai conquête de la Norm. ; août ralliement du Poitou. **1205** juin conquête de l'Ouest et de la Bret. **1206** 6-10 *trêve :* J. cède Norm.,

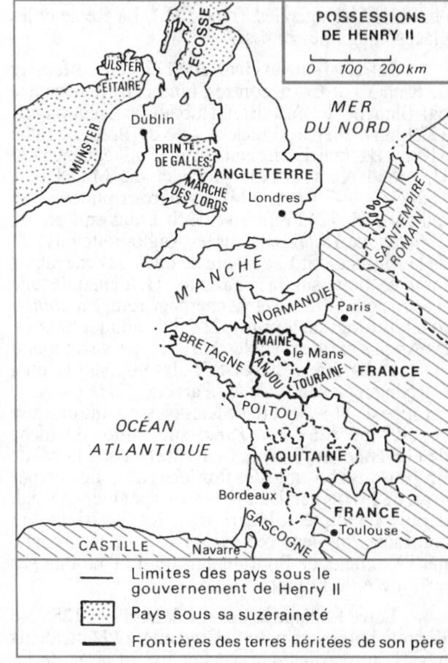

Maine, Touraine, Anjou. **1214** coalition : Angl., Flandres et Allemagne contre Fr. ; févr. offensive de J. au Poitou (débarqué à La Rochelle avec 15 000 h.) ; 2-7 il est écrasé à *La Roche-aux-Moines ;* 15-7 se rembarque ; 27-7 à *Bouvines* Phil. bat les alliés de J. : Flamands, Impériaux, Boulonnais plus contingents anglais (l'emp. Othon perd l'aigle impérial que Phil. envoie à son rival Fréd. de Hohenstaufen ; Fernand de Flandres et Renaud de Dammartin-Boulogne prisonniers) ; *épisodes célèbres :* les contingents des communes lâchent pied devant l'infanterie teutonique : le roi est jeté à bas de son cheval, mais délivré par des chevaliers fr. (le porte-oriflamme Galon de Montigny leur a fait des signaux de détresse) ; les fantassins brabançons refusent de fuir ou de se rendre : ils sont exterminés par les chevaliers de Thomas de St-Valéry. 18-9 *tr. de Chinon :* Jean paie 60 000 livres, renonce à Anjou, Maine, Touraine, Poitou, garde Aquitaine ; Bret. vassale de Fr. **1216** avril le fils de Phil., Louis de Fr. (futur L. VIII), nommé roi d'Angl. par les barons révoltés, débarque et prend Londres (juill.) ; 19-10 mort de J. ; proclamation de Henri III, son fils mineur, qui est protégé par le pape Honorius III, suzerain du royaume anglais ; Louis se rembarque (janv. 1217).

5°) **Entre Philippe Auguste et Henri III : 1217** avril Louis de Fr. redébarque en Angl. ; mais il est battu à Lincoln ; août sa flotte (Eustache le Moine) est détruite devant Douvres ; 11-9 *tr. de Lambeth :* Louis renonce au trône anglais contre 10 000 marcs. **1221** renouvellement du tr. de Chinon.

6°) **Entre Louis VIII et Henri III : 1224** les barons poitevins (Hugues de Lusignan) se rallient à H. ; 5-7/3-8 L. assiège La Rochelle ; 3-8 La R. capitule ; Poitiers repris ; sept. l'Aquitaine conquise, échec devant Bordeaux. **1225** contre-offensive angl. (Richard de Cornouailles, frère d'H.), La Réole et les places aquitaines reprises.

7°) **Entre St Louis et Henri III : 1227** janv. offensive de Richard de Corn. contre Chinon ; trêve négociée par Blanche de Castille et Thibaut de Champagne. **1229** janv. Pierre Mauclerc, duc de Bret., se rallie à Henri III ; mai débarquement angl. à Tréguier. **1230** H. prend Nantes. **1231** juin vict. de Mauclerc à *Fougères ;* 4-7 trêve. **1241** les barons poitevins se rallient à H. **1242** offensive de St Louis en Poitou ; 21-7 vict. de *Taillebourg* sur les Anglo-Poitevins (Cte de la Marche). St L. à la tête de quelques chevaliers force le pont sur la Charente. H. demande une suspension d'armes, et va chercher refuge à *Saintes* (quelques tués sur le pont) ; 22-7 St L. attaque Saintes, les Angl. s'enfuient en désordre (H. perd son trésor et se rembarque à Blaye). St L. les poursuit jusqu'à Cartalègue, mais malade, s'arrête. *Conséquence :* prestige de St L., qui rallie la noblesse saintongeaise et poitevine. **1259** *tr. de Paris,* constitution du duché de Guyenne (au S. de la Charente) vassal du roi de Fr. [raisons : hostilité des Bordelais à l'annexion par le roi de Fr. (ils vendaient leurs vins par mer en Angl. depuis l'époque d'Henri II) ; les Parisiens, au contraire, faisaient venir leurs vins de Bourgogne par l'Yonne et de Bourbonnais ou de Touraine par la Loire et le Loing].

8°) **Entre Philippe le Bel et Édouard Ier : 1286** 5-6 É. prête hommage pour la Guyenne. **1292** incidents navals entre Anglo-Gascons et Fr. au large de La Rochelle. **1293** 5-1 É. accusé de « félonie », 6 villes gasconnes occupées. **1294** le C^e^ de Richemont concentre des troupes angl. à Bordeaux. **1295** janv. il conquiert Blaye, La Réole, Bayonne, St-Sever ; mars-sept. reconquête par Charles de Valois, frère de Phil. **1296** trêve. **1297** 27-1 le Cte de Flandres, Guy de Dampierre, se rallie à É. ; 13-8 vict. de Robert d'Artois à Furnes : Guy et É. enfermés dans Gand. **1298** juin *tr. de Montreuil-sur-Mer :* Isabelle de France devra épouser le futur Édouard II.

• Conséquences. *1°)* Fr. et Anglais deviennent « ennemis héréditaires » (hostilité surtout entre marins). *2°)* les Plantagenêts héritent par les femmes des droits sur la couronne de Fr. (d'où : « 2e g. de Cent Ans »).

• 1180 Philippe II Auguste (1165-1223). **1179** associé au trône. **1181** 8-5 ligue féodale contre Philippe Auguste ; il isole son meneur, Philippe d'Alsace, Cte de Flandres, et lui impose la paix. **1190** signature du *testament* de Philippe Auguste, s'embarquant pour la Terre sainte ; création des *baillis* (Vermandois, Senlis, Orléans, Bourges, Sens), qui contrôlent les prévôts du domaine royal. **1193** ép. Ingeburge (Isambour) de Danemark ; 5-11 mariage cassé à Soissons pour non consommation ; Knut VI, roi de Dan., frère de la reine se plaint. **1196** 13-3 cassation annulée ; Phil. ép. Agnès de Méranie. **1199** 6-12 concile de Dijon : Phil. est frappé d'interdit à cause de son mariage irrégulier avec Agnès. **1200** Agnès meurt, Phil. reprend officiellement Ingeburge qui reste en prison jusqu'en **1272. 1209-29** *Croisade contre Albigeois* (voir religions, p. 528 a) battus par Simon de Montfort. **1212** 12-9 Pierre II, roi d'Aragon, allié des Alb., vaincu et tué à Muret. [Raisons de son intervention : comme Cte de Barcelone, il était en principe vassal du roi de Fr. ; tant que celui-ci régnait à Paris, le comté de B. était en fait une prov. du roy. d'Aragon. Avec un sénéchal capétien à Carcassonne, il risquait de retomber dans la « mouvance » française.] **1214** *Bouvines* (voir ci-dessus).

• 1223 Louis VIII le Lion (1187-1226). **1224** offensive contre l'Aquitaine angl. (voir ci-contre). **1226** 26-1 Les domaines toulousains d'Henri de Montfort sont remis au roi Louis VIII par le card. de St-Ange, légat de Honorius III (principale motivation du pape : détourner Louis de ses projets angl.) ; 9-9 L. VIII prend Avignon, puis conquiert le Languedoc.

• 1226 (3-11) Louis IX (St-Louis) (1214-70 ; canonisé 1297). **1227** Déc. tentative d'enlèvement du jeune roi Louis IX à Montlhéry (échec grâce aux milices parisiennes). **1229** alliance de la Régente et de Thibaut IV de Champagne (1201-53), contre les ligues féodales ; 26-2 *tr. de Paris,* annexion du Languedoc ; constitution du comté de Toulouse pour Alphonse de Poitiers (réuni à la couronne en 1271). **1244** prise du château de *Montségur,* fin de la résistance *alb.* **1246** 21-1 Béatrice de Provence épouse Charles d'Anjou, fr. de L. IX ; début de la maison d'Anjou-Prov. (qui régnera à Naples). **1251** troubles en France, quand L. IX est en Terre sainte : révolte des *Pastoureaux* exterminés par la régente Blanche de Castille. **1261** fondation du roy. capétien de Naples (Charles d'Anjou). **1270** 25-8 meurt à Tunis.

• 1270 Philippe III le Hardi (1245-85). **1276** 7-8 rivalité à la Cour de Fr. entre la coterie du favori Pierre de la Brosse et celle de la reine Marie de Brabant (Pierre pendu sans jugement en juin 1278). **1282** 30-3 *Vêpres siciliennes :* troupes de Charles d'Anjou massacrées en Sicile ; 8-5 le roi d'Aragon, responsable du massacre, est excommunié ; Philippe III nommé roi d'Aragon par le pape Martin IV. **1285** 15-6 avec une armée de croisés (20 000 cavaliers, 80 000 fantassins), franchit les Pyrénées au col de Mangana ; 5-10 meurt de la malaria, son armée décimée par la malaria se retire.

• 1285 Philippe IV le Bel (1268-1314). 1er roi de Fr. à porter également le titre de *roi de Navarre.* **1301** 12-7 l'évêque de Pamiers, Bernard Saisset, l'accuse publiquement d'être un « faux-monnayeur » (de 1295 à 1306, il a fait frapper des monnaies contenant une valeur-or inférieure à la valeur nominale, parfois de 50 %) ; 24-10 Bernard en prison ; 5-12 *bulle Ausculta fili :* le pape Boniface VIII somme Phil. de libérer l'évêque (les clercs relevant uniquement des tribunaux ecclésiastiques). **1302** 11-2 Phil. fait jeter la bulle au feu et la remplace par un résumé tendancieux, portant uniquement sur la collation des bénéfices eccl. ; 10-4 *États généraux* convoqués à N.-D. de Paris ; affirment l'indépendance du roi en face du pape ; 11-7 *bat. de Courtrai,* 20 000 Flamands battent 50 000 Fr. : début des g. flam. qui se termineront par la sécession de la Flandre (XVe s.). **1303** Janv. Bon. VIII convoque à Rome une assemblée du clergé fr. ; 14-6 *États généraux :* ils chargent *Guillaume de Nogaret* (?-1313), juriste et conseiller du roi, né dans une famille cathare, d'organiser un concile général pour juger le pape ; août Guill. passe en Italie et s'entend avec les Colonna, ennemis de Bon. VIII ; 7-9 attentat d'*Anagni :* Guill. fait prisonnier Bon. VIII [qui meurt d'émotion le 11-10 (Guill. qu'il a traité de *patarin,* c.-à-d. de cathare l'ayant giflé)]. **1304** 10-8 bat. de *Mons-en-Pévèle :* 80 000 Flamands battus (6 000 † dont Guillaume de Juliers, leur chef). **1308** 24-3 *États généraux* de Tours ; nov. Ch. de Valois, candidat, battu à l'élect. impériale. **1309** les papes à Avignon (motif : *Avignon* appartenait à la famille d'Anjou-Prov. protectrice des papes contre les emp. gibelins ; elle était entourée du Comtat Venaissin, appartenant aux papes dep. 1274. Clément V, qui était allé au concile de Vienne en 1307, juge plus prudent de ne pas rentrer en Italie ; son successeur Clément VI achètera en 1348 la ville d'Avignon à la comtesse Jeanne d'Anjou-Prov.).

Controverse sur Philippe le Bel

De nombreux historiens [notamment Ernest Renan, *Études sur la politique de Philippe le Bel* (1858)] lui ont reproché sa malhonnêteté en finances, sa mauvaise foi, sa rapacité, sa cruauté (envers les Templiers et envers ses brus), son machiavélisme dans ses relations avec le pape, sa brutalité envers Flamands et Juifs. Néanmoins, ils lui reconnaissent des qualités : sang-froid, lucidité, obstination, capacité de dissimuler. Actuellement, on tire souvent un bilan favorable de son règne [consolidation de l'appareil monarchique, enrichissement, agrandissement du domaine royal, indépendance de la couronne en face des grands féodaux et de la papauté, création d'institutions quasi démocratiques (États généraux)].

Procès des Templiers (1310-14)

1307 13-10 les membres français de l'Ordre du Temple sont arrêtés. Du 19-10 au 24-11, 138 comparaissent sous l'accusation de mœurs obscènes, sodomie, hérésie, idolâtrie, pratiques de messes noires. Après 7 ans d'instruction, 56 sont envoyés au bûcher ; Jacques de Molay, Hugues de Pairaud, Geoffroi de Gonneville, Geoffroi de Charney sont condamnés à la prison perpétuelle, mais J. de Molay et G. de Charney, rétractent leurs aveux, et sont brûlés sur un bûcher le 18-3-1314.

[*Trésor des Templiers :* serait réparti dans plusieurs caches souterraines en Fr. (on cite souvent la forteresse de Gisors, Eure). Les trésors découverts v. 1891 à Rennes-le-Château (Aude) par le curé Saunières, et comportant notamment des pièces d'or de St Louis et un calice du XIIIe s., n'auraient appartenu aux T. qu'en partie. Les objets les plus précieux, trouvés dans un sarcophage de l'époque carolingienne, remonteraient aux Albigeois, et auraient été mis à l'abri vers 1212, à l'arrivée des Croisés de Simon de Montfort.]

1311 expulsion des banquiers lombards ; 13-1 Philippe de Poitiers (futur Phil. V), candidat, battu à l'élection impériale. **1314** scandale des brus de Phil. le Bel : *Marguerite de Bourgogne,* femme de Louis (futur Louis le Hutin) et *Blanche,* femme de Charles (futur Charles IV) convaincues d'adultère ; leurs amants, les frères. Philippe et Gauthier d'Aulnay sont émasculés, tirés aux chevaux, décapités ; les princesses sont tondues et enfermées au cachot des Andelys (Marg. y meurt, sans doute de mort violente ; Blanche accepte l'annulation de son mariage et se retire à l'abbaye de Maubuisson). La 3e bru (*Jeanne de Bourg.,* femme de Phil., futur Phil. V) est acquittée par défaut de preuves : elle vivra retirée à la Tour de Nesle, sur la rive g. de la Seine, en face du Louvre et mourra en 1329 (selon une légende, datant de 1471, c'est dans la t. de Nesle que les 3 brus royales avaient reçu des amants jusqu'en 1314 ; elles les faisaient noyer dans la Seine, cousus dans un sac, après 3 j de débauche ; seul un maître de philosophie, nommé *Buridan,* repêché par ses étudiants, en aurait réchappé. Mais c'est peu vraisemblable : né en 1300, Buridan ne pouvait, à 14 ans (1314, date du procès), être professeur de philosophie. La condamnation pour adultère de Marg. de Bourgogne fit écarter sans difficulté de la couronne de Fr. sa fille Jeanne en 1328, fille de Louis X le Hutin, sa légitimité étant douteuse.

• 1314 Louis X le Hutin (1289-1316). **1315** 3-4 exécution d'*Enguerrand de Marigny* (n. 1260), ancien favori de Phil. le Bel (haï par la haute noblesse et notamment par Charles de Valois, fr. de Phil. le Bel, parce qu'il s'était enrichi comme garde du Trésor : L. X l'a laissé accuser de sorcellerie et de trahison, Enguerrand ayant été le plus sévère accusateur de la princesse Jeanne, certainement innocente) ; 11-7 L. X affranchit les serfs du domaine royal.

• 1316 Jean Ier le Posthume (1316-16). A la mort de Louis X, sa femme, la reine Clémence, se trouve enceinte : son beau-frère qui suit (Philippe le Long) se déclare alors régent jusqu'à la naissance. On admet qu'il sera roi si la reine met au monde une fille. [Ce fut un garçon (Jean Ier) né le 15-11-1316 (5 mois après la mort de son père Louis X le Hutin), il ne vécut que 4 jours]. 40 ans après surgit apparaît à Sienne un personnage qui se disait Jean 1er « roi des Français » (à sa naissance, on lui aurait substitué un autre enfant pour le protéger des ambitions du comte de Poitiers). Reconnu par le gouvernement de Sienne et Louis de Hongrie, ce « Jean 1er » pénétra en Provence à la tête d'une armée ; fait prisonnier, il mourut en captivité à Naples.

• 1316 Philippe V le Long (1294-1322). **1317** crée les milices non nobles (recensement des manants aptes au service militaire par les baillis). **1318** suppression de la commune de Sens, par vote des habitants ; de nombreuses autres villes l'imiteront (réaction contre les dynasties bourgeoises qui avaient accaparé l'administration).

• 1322 Charles IV le Bel (1294-1328). **1323** incidents franco-anglais en Guyenne (le roi d'Angl. Édouard II n'ayant pas prêté hommage, comme seigneur de Guyenne et de Ponthieu). **1324** 1-7 Charles de Valois envahit la Guyenne angl. ; 22-9 prend La Réole puis le Bazadais. **1325,** le pape Jean XXII (le Fr. Jacques Duèze) tente de faire élire Charles IV (époux de

Marie de Luxembourg) empereur d'All ; Marie meurt d'une chute de cheval, et Louis de Bavière s'assure du trône impérial. **1327** 31-3 Isabelle de Fr., devenue régente d'Angl., cède à la Fr. les conquêtes de Charles de Valois (son fils Édouard III consent à prêter hommage).

Dynastie capétienne des Valois (1328-1589)

Valois directs (1328-1498)

• **1328 (29-5) Philippe VI de Valois** (1293-1350). Couronné à Reims, par application de la loi appelée plus tard « salique » ; 20-8 expédition de Flandres, pour soutenir le Cte Louis de Nevers contre ses sujets révoltés ; 23-8 vict. de Cassel (12 000 Flamands † sur 15 000). **1329** Robert d'Artois, beau-frère du roi, héritier de l'apanage d'Artois, mais dépossédé par un jugement de 1315 [favorable à sa tante paternelle Mahaut (?-1329)], réclame son héritage avec des documents falsifiés et fait mourir par le poison Mahaut, puis sa fille Jeanne. Menacé d'arrestation, il s'enfuit en Angl. (il conseillera à Edouard III d'attaquer la Fr.). **1341** 7-9 le conseil des Pairs de France attribue le duché de Bretagne à Charles de Blois, parent du roi. **1344** 11-4 Humbert II, *Dauphin du Viennois,* choisit pour héritier le fils aîné du roi de Fr. **1346** Févr. *États généraux* (le 2 à Paris pour la langue d'oïl, le 15 à Toulouse pour la langue d'oc). Des « aides » (impôts exceptionnels) sont votées. **1347-48** épidémie de *« peste noire »* (bubonique), 25 millions de † en Europe, environ 10 millions en France (50 % de la population).

• **1350 Jean II le Bon** (1319-64). Déprécie 85 fois la monnaie (perte de 70 % de la valeur). **1354** 8-1 assassinat du connétable Charles d'Espagne (Charles de la Cerda, favori du roi) par Charles le Mauvais [Charles d'Évreux (1332-87), prince du sang (petit-fils de Louis d'Évreux, frère de Philippe le Bel et 1er Cte apanagé d'Évreux), roi de Navarre par son père (gendre de Jean le Bon)], celui-ci est mis en prison ; ses amis décapités (en nov., il se ralliera au roi d'Angl.). **1354** *Étienne Marcel* (1315-58, assassiné) devient prévôt des marchands de Paris. **1355** 2-12 *États généraux* à Paris, ils votent la *Grande Ordonnance* (28-12) limitant les pouvoirs royaux, sur le modèle de la Grande Charte anglaise (votée également à Toulouse le 24-3-1356 par les États de langue d'oc et publiée en 1357). **1356** 17-10 le dauphin Charles (devenu le « lieutenant du roi », à cause de la captivité de son père) convoque les *États généraux :* Ét. Marcel y dirige l'opposition ; clôture brusquée 3-11. **1358** Janv. Ét. Marcel (appuyé sur Ch. le Mauvais) se rend maître des rues de Paris ; 14-3 le dauphin prend le titre de régent ; 25-3 il réunit une assemblée de nobles à Paris et obtient des « aides » sans États généraux ; juin : révolte paysanne *(jacquerie)* écrasée par Ch. le Mauvais et Ét. Marcel ; 31-7 Ét. Marcel exécuté par des Parisiens partisans du dauphin. **1360-64** Jean le Bon rentre en France en vertu du tr. de Brétigny, laissant en otages à Londres, puis à Calais, ses 2 fils, les ducs d'Anjou et de Berry (il séjourne à Avignon, préparant une croisade en Terre sainte). **1364** 4-10 son fils, Louis d'Anjou, s'étant évadé de Calais, Jean retourne en Angl., où il meurt 2 mois après (autre raison possible : il voulait retrouver sa maîtresse, la comtesse de Salisbury).

• **1364 Charles V le Sage** (1338-80). 1er fils aîné à porter, en naissant, le titre de *dauphin du Viennois.* **1365** *12-4 Tr. de Guérande,* mettant fin à la *« g. des 2 Jeanne »* (Bretagne). **1366** Janv.-mars intervention fr. en Esp. (Du Guesclin fait triompher la dynastie des Transtamare, qui deviendra l'alliée de la Fr.). **1369** 12-4 mariage de Marguerite de Flandre et de Philippe de Fr., duc de Bourgogne (fondement de l'Empire bourg. du XVe s.). **1380** 29-6 Louis, duc d'Anjou, le plus jeune fr. du roi, adopté par la reine Jeanne de Naples, devient héritier du roy. nap. : il garde ses droits de prince fr., notamment le droit à la régence ; 16-9 sur son lit de mort, Ch. V abolit les *fouages* (impôt sur chaque foyer paysan).

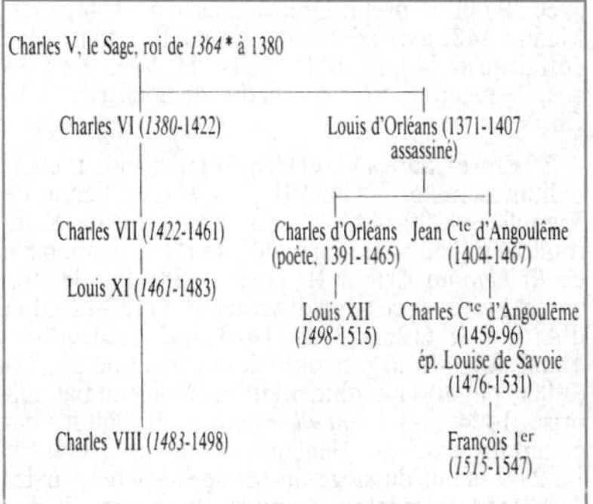

* Pour les rois, date de *l'avènement* en italique.

• **1380 Charles VI le Bien-Aimé** ou **le Fol** (1368-1422). *Oct.* Ch. VI a 6 ans : *régence* confiée à Louis, duc d'Anjou ; la tutelle aux ducs de Bourgogne et de Bourbon : d'où des tiraillements ; 14-11 les *États généraux* suppriment les « aides », mais des subsides spéciaux sont votés au début déc. et les fouages sont rétablis en mars 1381. **1382** révolte contre les impôts [notamment à Rouen, où la répression est sévère ; à Paris où les émeutiers s'arment des maillets en plomb destinés à la défense des remparts (d'où le surnom de *Maillotins*) ; au Languedoc (révolte des *Tuchins* ou « maquisards » : ils vivent dans les Touches ou Touques, « bosquets »)]. **1383** 3-1 répression des Maillotins. Loi martiale à Paris, suppression de la prévôté des marchands, les impôts sont fixés sans vote des États ; 29-2 le dernier prévôt des marchands, Jean des Marès, est exécuté (cause du ralliement des Parisiens au roi d'Angl. en 1420). **1387** 8-4 Louis de Touraine (bientôt d'Orléans), fr. du roi, ép. Valentine Visconti, héritière du Milanais, cause des futures g. d'Italie. **1389** janv. retour au pouvoir des *Marmousets* (petites gens), anciens conseillers de Ch. V : appuyés par le connétable de Clisson, ils promulguent des ordonnances, réformant l'administration royale (ils forment un « grand conseil » recruté par cooptation) ; 27-1 rétablissent la prévôté des marchands ; 5-2 la cooptation est étendue aux magistrats (parlementaires, juges, baillis, etc.). **1390** août : Louis, duc d'Anjou, roi de Naples. **1392** 4-8 Ch. VI *est atteint de folie* [(à Parigné-le-Polin, près du Mans, il tue 4 cavaliers de sa suite) ; en 35 ans il gardera de nombreuses périodes de lucidité)]. **1393** 28-1 régence du duc d'Orléans (avec duc de Berry, lieutenant général, et duc de Bourg., chargé des affaires polit.), début de la rivalité entre Orléans et Bourg. **1396** 24-3 Ch. VI nommé souverain de Gênes par le doge Antonio Adorno. **1399** Été, Louis II d'Anjou expulsé de Naples.

1400 *Jean le Meingre,* dit *Boucicaut* (v. 1365/21-6-1421), gouverneur de Gênes, conquiert île d'Elbe, Savoie et Monaco. **1407** 23-11 à Paris, rue Vieille-du-Temple, *assassinat de Louis d'Orléans* par les hommes de Jean sans Peur, duc de Bourg. Création du *Parti Armagnac* [dont le chef est le Cte d'Armagnac, beau-père du nouveau duc d'Orléans, Charles (1391-1465, le poète)]. **1409** Boucicaut chassé de Gênes par une émeute populaire. **1411** *G. civile entre* **Armagnacs et Bourguignons** (se prolongera jusqu'en 1435, tr. d'Arras). **1413** 27-4 l'écorcheur *Jean Caboche* prend Paris (partisan des Bourg., il sera mis à mort en août par les Arm.) ; mai « ordonnance cabochienne », instituant une monarchie constitutionnelle (annulée en sept. par les Arm.). **1417** 5-4 exécution de Louis de Boidsredon, un des amants de la reine Isabeau. **1418** les Bourg. massacrent les Arm. à Paris [522 † la 1re nuit (29-5) ; 80 000 † de juin à sept., beaucoup de victimes du choléra]. Le dauphin quitte Paris (reviendra en 1437). **1419** 10-9 *Jean sans Peur* assassiné au pont de Montereau (en présence du dauphin) ; les Bourg. s'allient aux Anglais.

• **1422 Charles VII le Victorieux** (1403-61). Régent et dauphin en 1416. Il était le 5e fils de Charles VI et d'Isabeau et n'est devenu héritier du trône qu'après la mort de ses frères. Proclamé roi à Poitiers, il a douté pendant 7 ans de sa naissance légitime et se défendait faiblement contre le duc de Bedford, régent anglais. **1422-35** avec l'aide du personnel royal (acquis aux Bourg.), le duc de Bedford, régent, gouverne le roy. au N. de la Loire ; les lois et coutumes d'après le tr. de Troyes restant celles du roy. de Fr. (seuls les chefs militaires sont Anglais).

1429 8-3 convaincu par J. d'Arc d'être bien le fils de Charles VI, Ch. VII accepte de se faire sacrer à Reims et de reconquérir son royaume. **1431** 16-1 Henri VI (9 ans) couronné à Paris roi de Fr. **A partir de 1435** réconcilié avec les Bourguignons, Ch. VII chasse les Anglais de toutes leurs positions.

1438 7-7 *Pragmatique Sanction de Bourges* (voir Index). **1439** 2-11 *Grande ordonnance royale sur l'armée,* supprimant les armées seigneuriales : les troupes (sauf les garnisons fixes des châteaux) relèvent désormais du roi, le budget militaire royal est alimenté par une *taille permanente.*

1440 Janv.-mars : la haute noblesse se révolte contre la suppression des armées seigneuriales (*Praguerie :* signifiant révolte armée, à cause de la g. des Hussites à Prague, terminée 1436). Elle est matée par le connétable de Richemont ; 26-10 *exécution du M^{al} Gilles de Rais* (n. v. 1400), ancien compagnon de J. d'Arc (coupable de sorcellerie et de meurtres rituels : plusieurs dizaines d'enfants torturés et égorgés). **1444** juill.-août le dauphin (futur Louis XI) aide l'emp. Frédéric à vaincre les révoltés bâlois (vict. de Farnsbourg, 26-8). **1445** 9-2 prise de Metz à la demande du roi René de Provence-Lorraine. **1447** 1-1 le dauphin Louis exilé en Dauphiné (pour avoir comploté contre son père avec Antoine de Chabannes). Oct. Charles d'Orléans, en possession du vicomté d'Asti, essaye en vain de conquérir le Milanais. **1450** 6-4 François II duc de Bretagne fait exécuter son frère et rival Gilles (étouffé entre 2 matelas). **1453** date admise comme *fin du « Moyen Age » :* correspond à la fois à la fin de la g. de Cent Ans et à la destruction de l'empire de Constantinople (prise de Byzance par les Turcs 29-5-1453).

1455 23-5 *procès de Jacques Cœur.* Voir p. 607 a. A Vendôme, procès du duc d'Alençon, qui a essayé

Controverse sur le Moyen Age

Origine. L'expression *moyen âge* (1640) vient de l'italien *medio evo,* « époque intermédiaire », créée au moment de la « Renaissance ». L'historienne Régine Pernoud (n. 1909) a démontré qu'elle était absurde.

Défauts reprochés au Moyen Age par les historiens du XIXe s. *Idées :* dogmatisme religieux étroit, s'appuyant sur une philosophie purement formelle. *Structures sociales :* oppression des classes pauvres (serfs) par les seigneurs, guerriers, et par l'Église, propriétaire et éducatrice. *Sécurité des biens et des personnes :* inexistante, à peine compensée par une justice seigneuriale expéditive. *Guerres :* incessantes (g. privées des châtelains ; g. féodales des grands barons). *Institutions :* inconsistantes, sauf l'Église qui règne despotiquement ; Etat : volatilisé en des centaines de terres suzeraines, n'ayant pas les moyens de se structurer. *Moyens de transport :* à peu près nuls, ce qui réduit les échanges à de petits trafics locaux. *Finances :* multiplication des monnaies locales, pratique généralisée de l'usure et du troc. *Arts :* ignorance des règles académiques dans les arts plastiques, négligence du confort et de l'habitabilité en architecture, barbarie et naïveté de la musique. *Lettres :* pédantisme et futilité des ouvrages faits par les lettrés, grossièreté des œuvres populaires, rudesse et incorrection de la langue.

Défense du « Moyen Age ». *Idées :* essentiellement chrétiennes et bibliques, elles gardent, grâce à l'Église romaine, de nombreux traits gréco-latins. Mais elles restent imprégnées de traditions préchrétiennes (celtiques et préceltiques) et accueillent de nombreux éléments arabes et orientaux. *Structures sociales :* se ramènent au patronat romain et à la *Treue* (fidélité personnelle) germanique, mais sont profondément marquées par l'égalitarisme évangélique (tout baptisé est le frère d'un baptisé). *Sécurité des biens et des personnes :* difficile, mais systématiquement recherchée dans le patronat (lien féodal) : le fort protège le faible. *Guerres :* inévitables en l'absence d'un arbitre incontesté (empereur, roi, seigneur régalien), elles sont régentées par des règles morales (paix de Dieu, trêve de Dieu, droit d'asile, quarantaine-le-roi, etc.) qui les rendent moins désastreuses. *Institutions :* se ramènent à des *coutumes,* ayant conservé tout ce qui avait structuré les sociétés celtiques, germaniques et romaines. *État :* la tradition impériale de Rome, toujours vivante à Byzance, reste l'idéal des chefs politiques : le machiavélisme (prince subordonnant tout à l'intérêt de l'Etat), qui passe pour une invention des Temps modernes, a été le fait de milliers de souverains médiévaux. *Moyens de transport :* la navigation n'a jamais cessé d'être active et prospère. *Finances :* l'économie est essentiellement domestique, la production est surtout agricole, mais l'artisanat crée la richesse : le commerce et la spéculation n'ont jamais disparu. *Arts :* architecture, orfèvrerie, miniature, sculpture atteignent à certains siècles un degré de perfection inégalé ; la tapisserie et les arts ménagers sont florissants à toutes les époques. *Lettres :* le latin n'est pas celui du classicisme romain, mais il est une langue vivante et pittoresque où les chefs-d'œuvre littéraires abondent ; les lettres françaises à partir du XIe s. (langues d'oc et d'oïl) ne paraissent « barbares » que si l'on ignore les dialectes employés. La poésie est remarquable.

d'empoisonner Charles VII (condamné à mort ; peine commuée en détention perpétuelle au château de Loches ; libéré à l'avènement de Louis XI) ; 30-8 le dauphin Louis, compromis dans le complot, s'enfuit à Louvain. **1456** 7-7 procès en réhabilitation de J. d'Arc. **1457** Dauphiné réuni à la Couronne. **1458** 11-5 le duc de Calabre (Jean d'Anjou) reconquiert Gênes.

« 2e guerre de Cent Ans » (1337-1453)

Causes. *1°) Séquelles de la « 1re g. de Cent Ans »* (franco-angevine) : le roi d'Angl. doit au roi de Fr. l'hommage-lige pour le duché de Guyenne (Édouard y répugne) ; le roi de Fr. peut faire saisir les terres de son vassal pour des questions de dettes (par ex. Puymirol en 1336) ; les seigneurs de Guyenne poussent leur suzerain à s'affranchir de la tutelle royale fr. *2°) Question de Flandres :* le nouveau Cte de Flandres, Louis de Nevers, est l'allié du roi de Fr., mais les Flamands, utilisateurs de la laine angl., sont de cœur avec les Angl. et contre la Fr. *3°) Question dynastique :* Édouard III (17 ans), fils d'Isabelle de Fr. fille de Philippe le Bel, serait, selon le droit anglais, héritier de la couronne de Fr. ; il ne rejette pas la « loi salique », inventée sous les règnes de ses 3 oncles Louis X, Philippe V et Charles IV, et dont profite son cousin germain, Philippe de Valois (35 ans), qui s'est proclamé régent ; il admet qu'une femme ne puisse régner en Fr., mais prétend qu'une fille de roi peut transmettre à ses fils les droits à la couronne (elle en est « le pont et la planche »). *4°) Rôle des grands barons :* ils prennent parti pour Philippe de Valois, cousin germain du roi défunt Charles IV : a) ils ne veulent pas d'un roi étranger ; b) ils préfèrent un roi moins puissant que le riche duc de Guyenne, possesseur du royaume angl. *5°) Intervention de Robert d'Artois :* pour récupérer son apanage, confisqué par les Valois, il a poussé Édouard à revendiquer la couronne de France.

Effectifs. Ils ont souvent varié ; les archers anglais (6 000) étaient beaucoup moins nombreux que la cavalerie fr. (env. 40 000 h.) ; l'utilisation de l'artillerie, à la fin du XIVe s., a changé les rapports de force (forte supériorité fr. après 1435).

Déroulement. 1°) Entre Philippe VI et Édouard III : 1337 oct. Édouard cesse de reconnaître Phil. comme roi de Fr. ; 1-11 lui déclare la g. (« lettre de défi »). **1338** les Flamands (Jacques Artevelde) passent dans le camp angl. **1340** 23-1 poussé par Artevelde, É. III prend le titre de roi de Fr. ; 24-6 à *l'Écluse* (avant-port de Bruges), É. III détruit la flotte fr. (amiral Nicolas Béhuchet ou Buchet, pris et pendu), pertes fr. 30 000 tués ; 23-9 trêve d'*Esplechin* (la 1re de la g. jusqu'en 1342). **1341** début de la **« g. des 2 Jeanne »** en Bretagne, entre la famille de Montfort (pro-angl.) et la famille de Blois (pro-fr.) (V. Bretagne dans l'Index). **1342** juin Robert d'Artois tué en Bret. à la tête d'un corps d'armée angl. **1343** 19-1 2e trêve (jusqu'au 24-6-1345). **1345** 17-6 Artevelde tué dans une émeute de Flamands pro-français ; juill.-août récolte catastrophique en Fr. (famine en 1346) ; sept.-oct. offensive angl. en Gascogne (Cte de Derby). **1346** 7-6 offensive d'Éd. III en Normandie (débarquem. à St-Vaast-La Hougue avec 15 000 h.) ; 21-7 prend Caen (le gouverneur, le connétable Raoul de Brienne, Cte d'Eu, sera exécuté pour trahison le 20-11-1350) ; 16-8 franchit la Seine à Poissy ; 23-8 la Somme au gué de Blanchetagne ; 26-8 bat. de **Crécy** (Ponthieu) : archers anglais et coutiliers gallois battent arbalétriers génois et cavalerie fr. [*pertes :* 1 542 chevaliers fr. tués, dont 11 de haute noblesse (roi de Bohême, Cte d'Alençon, duc de Lorraine, Cte de Flandres, de Savoie, etc.) ; 2 300 archers génois (pertes des milices fr. inconnues) ; Angl. : pertes insignifiantes]. *Épisodes célèbres :* 1° les archers angl. avaient gardé les cordes de leurs arcs au sec pendant un orage, tandis que les arbalètes des Génois avaient des cordes mouillées (les arcs ont une portée très supérieure) ; 2° Éd. III a fait tirer des canons (les Génois se sont débandés) ; 3° les coutiliers (à pied) : tuaient les chevaux, puis poignardaient le chevalier tombé à terre. *Conséquences : siège de Calais* [**1347,** 4-8 capitulation (les Fr., affaiblis par les souffrances dues au siège, périront en 1348 de la « peste noire » ; la ville, repeuplée d'Anglais, restera angl. 211 ans, jusqu'en 1558). *Épisodes célèbres :* 1° 27-7 Phil. VI arrive à Sangatte (2 km de Calais) avec une armée de chevaliers : incapable de percer les lignes angl., il offre à É. III un combat singulier : É. refuse, l'armée de secours se retire. 2° 3-8 É. a décidé de passer la population au fil de l'épée ; puis il accepte de décapiter seulement 6 otages (les « bourgeois de Calais » : Eustache de Saint-Pierre, Jean d'Aire, Pierre et Jacques de Wissant, Jean de Fiennes, Andrieux d'Ardes) ; 4-8 les otages arrivent sur le lieu de l'exécution, en chemise et la corde au cou, mais la reine d'Angl., Philippine de Hainaut, obtient leur grâce]. **1347,** 28-9 trêve générale (jusqu'en sept. 1355).

2°) **Entre Jean II le Bon et Édouard III : 1351,** mars *combat de Ploërmel,* dit *combat des Trente* (combat sur défi), Jean IV de Beaumanoir, seigneur de Josselin, avec 29 chevaliers br. bat Richard Bemborough avec 19 Angl., 6 All., 4 Bretons [15 † (camp fr. 3, camp angl. 12), dont Bemborough, le reste prisonnier]. **1354** nov. *Charles le Mauvais* se rallie à É. III. Son surnom de « Mauvais » ne vient pas de sa trahison, mais lui avait déjà été donné par ses sujets navarrais. **1355** sept.-oct. offensive du *Pce Noir* [Édouard, prince de Galles, gouverneur à vie d'Aquitaine (1330-76), fils aîné d'É. III] en Languedoc (avec 8 000 Gallois et Irlandais débarqués à Bordeaux, prise de Carcassonne, échec devant Narbonne). **1356** 5-4 capture de Charles le Mauvais à Rouen (ses terres sont confisquées) ; juin-juill. double offensive angl., duc de Lancastre en Normandie, Pce Noir en Berri ; 19-9 *bat. de Poitiers,* le Pce Noir (avec 7 000 h., dont 2 500 Angl. et 4 500 Gascons, commandés par le captal de Buch) bat 15 000 cavaliers fr., commandés par Jean le Bon qui est fait prisonnier.

3°) **Entre Charles V** [d'abord dauphin et régent pendant les captivités de son père (1356-60 et 1363-64), puis roi] **et Édouard III : 1357** 4-1 offensive de Philippe de Navarre, fr. de Charles le Mauvais, contre la Beauce (Chartres prise) ; 23-3 trêve de Bordeaux (de 2 ans) ; 7-11 Étienne Marcel libère Charles le Mauvais, qui occupe Rouen. **1358** Ch. le Mauvais, allié à É. Marcel, écrase la *Jacquerie* d'Ile-de-Fr. (15 000 Jacques † à Clermont-en-Beauvaisis, 10-6), puis fait occuper Paris par des Anglo-Navarrais (8-7) ; 2-8 le régent reprend Paris, Ch. le Mauvais repoussé devant Amiens par le connétable de St-Pol. **1359** 24-3 *tr. de Londres* (signé par J. le Bon), Éd. III récupère l'emp. des Plantagenêts (+ Ponthieu, Montreuil, Calais, Boulogne) en toute souveraineté (sans être vassal du roi de Fr.), conditions rejetées par le régent ; 18-6 *Du Guesclin* reprend Melun à Ch. le Mauvais ; oct. off. d'É. III cherche à prendre Reims (ville du sacre) ; les Fr. se replient en pratiquant la terre brûlée ; déc. É. III échoue devant Reims (défendue par Gaucher de Châtillon). **1360** hiver, les Angl. pillent la Bourg. ; 7-4 É. III menace Paris (prise de Châtillon, Issy, Vanves, Vaugirard) ; 12-4 « Lundi noir » : les chevaux de l'armée angl. sont tués par des grêlons ; 1-5 *paix de Brétigny :* l'Angl. reçoit en toute souveraineté Guyenne, Gascogne, Poitou, Aunis, Limousin, Agenais, Rouergue ; É. III renonce à la couronne de Fr. **1362** 6-4 *Brignois,* les *Grandes Compagnies* anglo-navarraises (15 000 h.) écrasent l'armée royale. **1362** *2e peste noire* en Angleterre. **1363** 6-9 Ch. le Mauvais reprend la g. **1364** 7-4 Du Guesclin prend Mantes ; 16-5 *à Cocherel* bat le captal de Buch (paix signée mai 1365). **1365-66** Du Guesclin emmène les Grandes Compagnies en Espagne et fait couronner Henri de Transtamare roi de Castille. **1367** 3-4 il est battu et f. pris. à Najera par le Pce Noir et Pierre le Cruel, rival de Henri ; déc. prisonnier à Bordeaux, il fixe le prix de sa rançon : 100 000, puis 60 000 florins (somme énorme) ; les rois de Fr. et de Castille la paient (libéré 1368). **1368** 18-11 Charles V rompt le tr. de Brétigny, en agissant comme suzerain des seigneurs devenus vassaux du roi d'Angl., qui ont fait appel en dernier ressort devant son Parlement [raison juridique : le détachement total de la souveraineté fr. devait avoir lieu seulement quand les « actes de renonciation », fief par fief, seraient rédigés et scellés officiellement ; or les notaires avaient pris (volontairement) du retard]. **1369** *3e peste noire* en Angl. (catastrophe économique) ; janv. soulèvement du Quercy et du Rouergue contre le Pce Noir ; 15-1 *Montalzat :* Fr. b. Angl. ; 14-3 *Montiel :* Castillans et Du Guesclin b. Pierre le Cruel, allié des Angl. ; avril soulèvement du Poitou et du Ponthieu ; juin soulèvement de Montauban, Tarbes, Périgord ; sept.-oct. offensive du duc de Lancastre en Artois ; 30-11 confiscation de la Guyenne ; déc. offensive du sénéchal poitevin *Jean Chandos* (?-1369) contre le Limousin [il est tué à Chauvigny (31-12)]. **1370** 11-8 Ch. V reprend Limoges. Août-sept. *Robert Knolles* (1325-1407) (avec 1 600 chevaliers et 2 500 archers) débarque à Calais et menace Paris (prise de Villejuif, 25-9), faute de vivres se replie vers la Bret. ; 14-9 Pce Noir prend Limoges d'assaut (3 000 civils massacrés) ; 4-12 *Du Guesclin* (connétable dep. 2-10), *Olivier de Clisson* (1336-1407) et *Jean de Vienne* (1341-96) écrasent à Pontvallain (près du Mans) Knolles et Granson. **1371** janv. le Pce Noir se réfugie en Angl. ; sept. alliance de Jean de Montfort (chef d'un des camps bretons) et d'É. III, débarquement angl. à Brest. **1372** Du Guesclin et Clisson conquièrent la Bret. ; juin *bat. navale de La Rochelle :* 20 galères castillanes détruisent l'escadre angl. de Pembroke ; 7-8 Du Guesclin prend Poitiers ; 23-8 *prise de La Rochelle.* **1373** 21-3 vict. de Du Guesclin à *Chizé ;* 25-7 duc de Lancastre débarque à Calais. Offensive sur la Bourg. ; oct. il est battu à Sens par Clisson ; déc. se replie sur Bordeaux après avoir pillé l'Auvergne. **1374** offensive en Guyenne de Du Guesclin, en Basse-Normandie de Jean de Vienne. **1375** É. III signe une trêve de 2 ans, ne conservant que Calais, Brest, Bordeaux, Bayonne. **1375-76** création de l'artillerie royale.

4°) **Entre Charles V et Richard II : 1377** juin raid fr.-castillan sur le port angl. de Rye (pris et détruit) ; juill. prise de Yarmouth ; août Douvres prise par Jean de Vienne ; oct. Louis d'Anjou et Du Guesclin enlèvent 134 forteresses et villes de Guyenne (Bordeaux est isolée). **1378** 4-1 alliance de Charles V et de l'emp. d'Allemagne Charles IV ; 25-4 capture de Ch. le Mauvais à Bernay (par Du Guesclin) ; avr.-juin conquête des fiefs normands de Ch. le Mauvais (Évreux, Carentan, Mortain, Avranches, Pont-Audemer, etc.) et de Montpellier (pris par Jean de Bueil) ; fin août vict. navale de *Cherbourg,* Jean de Vienne bat Lancastre. **1380** 13-7 mort de Du Guesclin (maladie, pendant le siège de Châteauneuf-de-Randon) ; 19-7 offensive angl. (Buckingham débarque à Calais, ravage Ile-de-Fr. et Chartrain) ; 30-8 Jean de Vienne prend *Gravesend,* port anglais ; 16-9 mort de Ch. V, les Angl. n'ont plus que 5 villes fr. : Calais, Cherbourg, Brest, Bordeaux, Bayonne.

5°) **Entre Charles VI et Richard II : 1382** oct. les Flamands (Philippe Artevelde) se rallient aux Angl. ; 27-11 *Roosebecke :* Clisson (avec 30 000 archers et 10 000 cavaliers) bat Artevelde (40 000 h., dont 9 000 Gantois) ; 25 000 Flamands tués. **1383** mars les Angl. débarquent à Calais et occupent la Flandre (Dunkerque, Bergues, Cassel) ; août-sept. Ch. VI reconquiert Flandre (trêve de Leulinghem : statu quo jusqu'en mai 1385). **1384** les Gantois font allégeance à R. II ; 28-8 Gand est prise et pillée par Ch. VI et Philippe le Hardi. **1386** mai-juin une flotte franco-bourg. est concentrée à *l'Écluse* pour débarquer en Angl. ; sept. attaque de corsaires angl. (partis de Calais) sur Cassel et Bourbourg ; la flotte de Clisson est détruite par la tempête à l'embouchure de la Tamise. **1388** le duc de Gueldre déclare la g. à Ch. VI ; 18-8 trêve (renouvelée pour 3 ans le 18-6-1390). **1389** Ch. VI attaque la Gueldre, son armée fond sur le chemin du retour. **1396** mars trêve fr.-angl. prévue pour 28 ans [R. II est fiancé à Isabelle de Fr. (fille de Ch. VI), le parti belliciste angl. le détrônera en 1399 et donnera le trône à Henri IV de Lancastre)].

6°) **Entre Charles VI et Henri V : 1414** août H. V revendique officiellement la couronne de Fr. (il n'y a aucun droit héréditaire, étant de la famille de Lancastre). **1415** il dénonce la trêve de 1396 (après 19 ans) ; 13-8 il débarque à la pointe de La Hève (13 000 h.) ; 19-8 prise de Honfleur ; 25-10 *Azincourt,* H. V (13 000 h.) b. Clisson (avec 45 000 h.), pertes 8 000 Fr. † (dont 1 700 prisonniers égorgés), 113 Angl. **1416** août *bat. nav. d'Harfleur* (Fr.-Génois battus par Angl.). **1417** 1-8 H V. débarque à Trouville ; 4-9 Caen pris (population évacuée ; quartier général anglais) ; oct. Argentan et Alençon pris. **1418** 22-8 Cherbourg pris. **1419** 20-1 Rouen capitule (assiégée dep. le 29-7 par 45 000 Angl. ; Alain Blanchard, chef des défenseurs, exécuté) ; 25-12 Philippe le Bon (fils de Jean sans Peur, assassiné 10-9) signe avec H. V *le tr. d'Arras :* H. V doit recevoir Guyenne, Gascogne, Normandie sans hommage. **1420** 21-5 *tr. de Troyes,* Ch. VI (fou) et Isabeau de Bavière reconnaissent H. V pour leur fils et héritier, les 2 couronnes de Fr. et d'Angl. sont réunies à perpétuité (art. 24) ; 1-12 H. V et Ch. VI entrent à Paris. **1421** 3-1 le dauphin Charles (futur Ch. VII) est déclaré « banni du royaume » ; 22-3 *Jean Stuart* (Écossais anti-anglais, au service du dauphin) bat le duc de Clarence au Vieil Baugé et reconquiert l'Anjou ; juin avec 30 000 h. prend Dreux, Épernon, Beaugency, Meaux. **1422** avr. prise de Meaux par les Angl. (trêve de fait jusqu'à juill. 1423) ; 31-8 H. V meurt à 35 ans, à Vincennes, régence du duc de Bedford ; 21-10 Ch. VI meurt.

7°) **Entre Charles VII et Henri VI :** principaux chefs militaires ralliés à Ch. VII : *La Hire* (Étienne de Vignolles, 1390-1443) ; *Jean Poton,* sire de Xaintrailles (v. 1400-61, maréchal 1454) ; le connétable de *Richemont* Arthur III (1395-1458) duc de Bretagne 1457, successeur d'Arthur Ier (1187-1203) et d'Arthur II (1262-1312). **1423** 31-7 *Cravant-sur-Yonne* Angl.-Bourg. écrasent les Écossais de Ch. VII (3 000 †) ; 30-11 Lathie prend Compiègne par surprise. **1424** 17-8 *Verneuil,* Bedford (10 000 h.) bat et capture le duc d'Alençon (14 000 h.), 7 000 Fr. † ; 28-9 début du siège du Mont-St-Michel par les Angl. (résistera victorieusement 30 ans, ravitaillé par mer). **1426** 6-3 échec de Richemont à St-James-du-Beuvron ; 5-9 Dunois délivre Montargis. **1428** 7-10

Quelques personnages

• **Anne de Beaujeu** (1461-1522). Fille de Louis XI. *1470* vicomtesse de Thouars. *1474* ép. Pierre de Beaujeu, fr. du duc de Bourbon (prince de sang). *1482* Louis XI lui confie la garde et le gouvernement de Charles VIII (mais non la régence). *1483-91* gouv. avec son mari (règle notamment la révolte nobiliaire de 1485 et le mariage breton). *1488* son mari devient duc de Bourbon. *1491* laisse le pouvoir à Charles VIII, qu'elle a marié à Anne de Bretagne. *1503* veuve, gouverne le Bourbonnais au nom de sa fille Suzanne.

• **Bayard** (1476-1524). Pierre du Terrail, seigneur de Bayard, en Dauphiné, surnommé le Chevalier sans peur et sans reproche. Choisi à Marignan (1515) pour armer chevalier Fr. Ier. Sa vie fut écrite par son écuyer, qui signait le *Loyal Serviteur*. – ÉPISODES CÉLÈBRES : Au pont du Garigliano (oct. 1503), B., seul, interdit le passage du fleuve à une escouade de cavalerie ; B., mourant de ses blessures, reproche au connétable de Bourbon sa trahison.

• **Bourbon (Charles de)** (1490-1527). Fils d'un seigneur de la famille de Bourbon, Gilbert de Montpensier ; *1505* ép. Suzanne de Bourbon-Beaujeu, fille de Pierre de Bourbon-Beaujeu et d'Anne de Fr., régente, et devient le seigneur le plus riche d'Europe (duc de Bourbon, Auvergne, Châtellerault, etc.) ; *1515* connétable ; *1521* mort de Suzanne, qui avait testé en sa faveur (mais Louise de Savoie, mère de Fr. Ier, conteste cet héritage) ; *1522* Anne de Beaujeu meurt et lui lègue ses biens. François Ier, conseillé par Duprat, considérant qu'il s'agissait d'un « apanage » qu'Anne avait reçu de son père, saisit tout le legs pour sa mère Louise, cousine germaine de Suzanne et fille de Marguerite de Bourbon, sœur de Pierre. *1523* le Parlement casse le testament de Suzanne et attribue l'héritage à Louise. Le connétable perd donc tous ses biens, *sauf* le fief de Montpensier. Furieux contre les Valois, il se rallie à Charles Quint, espérant devenir son beau-frère et recevoir la couronne de Naples. Il bat François Ier à Pavie, mais il est abandonné par le roi d'Esp. Il décide alors de prendre Rome d'assaut, pour obliger le pape à le nommer roi de Naples, mais il est tué pendant l'attaque. Ses mercenaires (all. luthériens) pillent la ville pour le venger.

• **Cœur (Jacques)** (1395-1456). Fils d'un riche pelletier de St-Pourçain (Allier), établi à Bourges. *1418* fondeur de monnaie à Bourges (condamné, pour fabrication de monnaie trop légère, puis gracié 1429). *1432* fonde une société pour le Levant (séjour en Syrie 1435). *1436* directeur des monnaies à Paris. *1438* « commis au fait de l'argenterie » au Louvre, c.-à-d. directeur des services financiers. *1440* « grand argentier du roi », c.-à-d. min. des Finances. Anobli, prend le titre d'écuyer. Fonde des comptoirs commerciaux en Turquie, Asie, Afrique. *V. 1447* envoie son neveu, J. du Village, négocier un tr. commercial avec le Soudan d'Égypte. *1448-49* ambassadeur auprès des 2 papes rivaux, Félix V et Nicolas V. *1450* mort d'Agnès Sorel : désigné comme exécuteur testamentaire, est accusé de l'avoir empoisonnée. *1451* arrêté : son procès est instruit par son ennemi Jacques de Chabannes. *1453,* 13-1 torturé, n'avoue rien ; 23-5 condamné à une restitution de 100 000 écus et une amende de 300 000 écus, à la confiscation de tous ses biens et à l'amende honorable ; 5-6 ses biens sont vendus à l'encan. *1454* s'enfuit à Rome. *1455* amiral des galères du pape (meurt à Chio, au cours d'une croisade contre les Turcs).

• **Coligny (les).** Fils du Cte de Châtillon et de Louise de Montmorency, ils étaient les neveux du connétable Anne de Montmorency, chef des cath. *1561* avril, **Odet de Coligny** (1517-71), év. de Beauvais, card., abjure le cath. pour épouser Isabelle d'Hauteville, dame de Loré, avec qui il vivait maritalement. *1564-69* habite avec sa femme son palais épiscopal, portant le titre de Cte de Beauvais. *1569* exilé à Londres, il y mourut empoisonné. **Gaspard de Coligny** (1519-72), amiral de France, héros des batailles de Cérisoles (1544) et St-Quentin (1557), chef de la tendance modérée des huguenots depuis 1559, avait comme objectif le départ massif des prot. français vers le Nouveau Monde (Brésil 1555, Floride 1562 et 65). *1562* avec son oncle Montmorency, reprend Le Havre sur les Anglais. *1569* après la mort de Condé à Jarnac, il commande les armées prot. qu'il sauve du désastre. *1570* obtient la paix (avantageuse) de St-Germain. *1570 à 72* pousse le roi Charles IX vers un compromis, ce qui déclencha la St-Barthélemy, où il fut égorgé (Voir p. 609). **François de Coligny-Andelot** (1531-69) ; *1560* chef de la tendance extrémiste des huguenots ; *1562* conquiert Orléans et recrute en Allemagne des mercenaires luthériens ; *1563* sauve la Normandie ; *1567-68* dirige le soulèvement ; meurt pendant la campagne, sans doute empoisonné.

• **Dunois (Jean**, bâtard d'Orléans, comte de) (1402 ?-68). Fils de Louis, duc d'Orléans, fr. de Charles VI et de Mariette d'Enghien (épouse d'Aubert Le Flamenc, chambellan du duc). Élevé avec ses demi-fr. par la D[chesse] Valentine Visconti († 1408). *1418* prisonnier des Bourguignons (relâché 1420). *1421* combat pour le dauphin Charles à Baugé ; reçoit seigneurie de Valbonnais, en Dauphiné. *1422* ép. Marie Louvet, fille du favori du Dauphin (disgraciée 1425). *1427* revient aux armées. *1429-31* compagnon de Jeanne d'Arc. *1432* enlève Chartres aux Anglais *1439* créé Cte de Dunois ; ép. en 2e noces Marie d'Harcourt. *1443* enlève Dieppe, créé duc de Longueville. *1444* négocie avec Anglais trêve de Tours. *1446-48* avec Bourguignons. *1449* conquiert Normandie. *1451* Guyenne. *1453* négocie fin guerre de Cent Ans. *1465* prend part à guerre de « la Ligue du Bien public ».

• **Guesclin (Bertrand du)** (1320-80). *1341* de petite noblesse bretonne, combat dans le parti français (Charles de Blois). *1364* comte de Longueville ; armé chevalier ; chargé de saisir les fiefs normands de Charles le Mauvais ; 16-5 victoire de *Cocherel*. *1369* connétable de Castille et duc de Molina ; 14-3 victoire de *Montiel*. *1370* connétable de France ; remporte de nombreux succès jusqu'en 1378. Mais il reste Breton de cœur, désapprouve en 1378 le rattachement de la Bret. au domaine royal et tombe en disgrâce pour avoir combattu mollement le duc Jean IV, allié des Angl. *1379* sept. Charles V l'envoie en Auvergne. *1380* meurt près du Puy-en-Velay, où l'on enterre ses entrailles dans l'église des Cordeliers. Il a un autre tombeau (vide) au Mans, où les bourgeois voulaient garder le corps, mais, par ordre de Ch. V, il fut enseveli à St-Denis, dans la crypte des rois de Fr. Ch. VI, en 1389, lui a fait de nouvelles funérailles solennelles. Il avait été fait prisonnier 3 fois : 1359, 64, 67 [sa 3e rançon fut de 100 000 F (somme énorme pour l'époque)].

• **Guise (les).** Ils se rattachent par les femmes à la maison capétienne d'Anjou-Provence (René II de Lorraine, grand-père de François de Guise, était le fils de Yolande d'Anjou, fille du roi René), mais ils ne peuvent donc rivaliser avec les Bourbons pour la succession au trône de Fr. **Claude Ier** (1496-1550) 1er duc de Guise. **François Ier** (1519-63) 2e duc, son fils, *Conservateur de la patrie,* défenseur de Metz 1552, conquérant de Calais 1558, de Rouen 1562, de Dreux, abattu au cours du siège d'Orléans 18-2-1563 par un huguenot, Poltrot de Méré ; **Charles,** cardinal de Lorraine (1524-74), frère de François Ier de Guise, min. sous François II et Charles IX, représentant de la Fr. au concile de Trente. **Henri** (1550-88 assassiné), 3e duc, surnommé *le Balafré* (blessure à la joue à la bataille de Dormans) ; lieutenant général du roy., chef de la Ligue ; cherche à détrôner Henri III, en se posant comme l'héritier direct des Carolingiens, par les Lorraine, tué par ordre d'H. III le 13-12 à Blois au pied du lit du roi. **Louis II** (1556-88), cardinal de Guise, son frère, tué 2 j après lui par ordre d'H. III (corps détruits à la chaux vive). **Charles** (1554-1611), *duc de Mayenne,* leur frère, chef de la Ligue en 1588, se soumet à Henri IV, 1595.

Le titre de duc de Guise, éteint en 1675 (au 7e duc), a été repris en 1688 par les Condé. D'après Camille Bartoli (1977), le « masque de fer » aurait été le 5e duc de Guise.

• **Hospital (Michel de l')** (1507-73). Fils de médecin, docteur en droit, *1537* épouse la fille du lieutenant criminel Morin et obtient une charge de conseiller au Parlement de Paris. *1547* chancelier du Berry. *1560* chancelier de Fr. *1561* tente d'éviter les g. civiles par une réforme de l'Église et de la justice, mais le colloque qu'il organise à Poissy ne donne pas de résultats. *1568* écarté de la Cour.

• **Jeanne d'Arc.** *Origine :* Domrémy. Née le 6-5-1412 dans le fief de Neufchâteau, ancienne terre lorraine devenue champenoise en 1220. Dite *la Pucelle d'Orléans* (nom apparaissant pour la 1re fois en 1555). Fille de Jacques et Isabelle d'Arc. Béatifiée 1909 et canonisée 9-5-1920. Elle et ses frères ont reçu des armoiries (écu d'azur, 2 lys d'or, une épée au milieu). Certains ont vu en elle une fille naturelle d'Isabeau de Bavière [le 10-11-1407, Isabeau accouche officiellement d'un fils nommé Philippe et mourut peu après ; elle aurait eu cet enfant de L. d'Orléans (son beau-frère). Pendant sa grossesse, tous les deux craignant une vengeance de Charles VI, quand il reviendrait à la raison, avaient décidé de soustraire l'enfant qui naîtrait à sa vengeance et de lui substituer un enfant mort. Ce qui aurait été fait (le véritable enfant, une fille, aurait été caché en province chez les d'Arc). J. aurait été ainsi la demi-sœur de Charles VII (par Isabeau) et de Dunois (par Louis), d'où ses rapports confiants avec eux, d'où la haine du duc de Bourgogne]. Cette thèse est réfutée par tous les historiens. *1425* à 13 ans, éveil de sa vocation (délivrer la Fr. au nom de l'archange St Michel). *1428 13-5* Robert de Baudricourt, capitaine de la cité de Vaucouleurs, l'éconduit. *1429* J. revoit Baudricourt qui accepte de la faire accompagner jusqu'à Chinon pour voir le roi. *23-2* est à Chinon. *8-3* reçue par Ch. VII, se déclare envoyée de Dieu pour lui révéler qu'il est fils de Ch. VI et héritier de Fr., l'engage à se faire couronner à Reims. *15-4* J. nommée chef de l'armée de Ch. VII. (voir p. 608 a). *1430 23-5* blessée, capturée à Compiègne par les Bourguignons qui la vendent (10 000 livres) aux Anglais. *1431 procès :* condamnée à mort par un tribunal ecclésiastique à la suite de 2 procès : 1° *en sorcellerie :* elle est condamnée au cachot, ayant accepté de faire pénitence (la peine capitale n'était prévue que pour les récidivistes ou « relaps ») ; 2° *en récidive :* J., ayant promis de ne plus mettre d'habits masculins, fut privée, dans son cachot, de ses vêtements féminins. Pour ne pas rester nue, elle s'habilla de nouveau en homme, ce qui la fit condamner au bûcher comme « relapse ». *30-5* elle est brûlée vive à Rouen.

Pt du tribunal : Pierre Cauchon (1371-† en 1442 en se faisant la barbe), év. de Beauvais (diocèse où J. avait été capturée), conseiller du duc de Bedford. Rallié à la couronne d'Angl., il considérait la rébellion contre le pouvoir punissable comme un crime. Calixte III (pape de 1455 à 1458) excommunia Cauchon, fit jeter son corps à la voirie et fit réhabiliter J. d'Arc en 1456.

Fausses Jeanne d'Arc. Au moins 4 aventurières se firent passer pour Jeanne d'Arc, à partir de 1439 (à Poitiers, au Mans, à Cologne, etc.). La plus célèbre a été *Claude des Armoises,* qui se fit reconnaître par le frère et la mère de Jeanne, commit de nombreuses escroqueries, mais protégée par le roi René de Lorraine-Provence ; mourut riche et anoblie en 1458.

• **Orléans (Louis d')** (1372-1407). Frère du roi Charles VI, entre au conseil de régence en 1392 et y devient le rival du duc de Bourgogne, son oncle. Ambitieux, il épouse Valentine Visconti, riche héritière du duc de Milan. Son frère l'aimait tendrement et le couvrit de faveurs ; il était pourtant l'amant de sa femme, la reine Isabeau. Il fut également celui de sa cousine, Jacqueline de Bavière, femme de Jean sans Peur. Ce dernier, qui le haïssait (sans doute pour cette raison), le fit assassiner le 23-11 1407 dans un guet-apens rue Vieille-du-Temple. Louis avait pour enfant naturel Dunois (Voir ci-dessus), compagnon de Jeanne d'Arc. Certains ont avancé que Jeanne était la fille adultérine de Louis et d'Isabeau (Voir ci-dessus).

• **Rais (Gilles, baron de)** (1404-40). Petit-neveu de du Guesclin. Condamné pour apostasie, hérésie, évocation des démons, crimes contre nature, sacrilège et violation des immunités ecclésiastiques. Pendu et brûlé 26-10-1440. La légende a fait de lui *Barbe-Bleue.*

• **Sully** (1559-1641) (Maximilien de Béthune, baron de Rosny, duc de Sully). Principal ministre d'Henri IV, présenté longtemps comme très populaire. En fait, imbu de sa noblesse, il méprisait la bourgeoisie et dédaignait la misère du peuple. Retiré 31 ans, après sa disgrâce, au château de Sully (Loiret), il y a joué au souverain, exigeant une étiquette rigoureuse. Il est le véritable auteur du mot historique : « Paris vaut bien une messe. » Huguenot, il a poussé Henri IV à se convertir, mais a lui-même refusé d'abjurer, acquérant ainsi chez les protestants une renommée d'héroïsme.

Salisbury assiège Orléans, défendue par Dunois. **1429** 12-2 *bat. « des Harengs »* au Rouvray, près d'Angerville, le Cte de Clermont attaque Falstaff qui commande un convoi de vivres angl. (avec les harengs du carême), il est repoussé ; 4-3 à Ste-Maure, près de Tours, intervention de Jeanne d'Arc, venue en 11 j avec 6 h. donnés par le sire de Baudricourt, capitaine de Vaucouleurs (seigneurie lorr. appartenant aux Valois) ; 8-5 délivrance d'Orléans ; 12-6 reprise de Jargeau, capture de Suffolk ; 17-6 reprise de Beaugency ; 18-6 *Patay :* Jeanne bat Falstaff (4 000 Angl. † ou pris) ; 10-7 prise de Troyes ; 17-7 *sacre de Ch. VII* à Reims ; juill.-août ralliement à Ch. VII de nombreuses places, notamment Beauvais et Laon ; 8-9 Jeanne échoue devant Paris (garnison bourg.) ; 21-9 à Gien, démobilisation de l'armée royale : Jeanne continue la g. avec des forces réduites. **1430** 23-5 elle est blessée et capturée par les Bourg. à Compiègne (trêve de fait entre Angl. et Fr. jusqu'à sept. 1435) ; 24-12 Jeanne est vendue aux Anglais (10 000 livres). **1431** 30-5 elle est brûlée à Rouen (Voir Index). **1432** 5-3 le duc de Bretagne se rallie à Ch. VII. **1435** 28-10 *tr. d'Arras,* Philippe, duc de Bourg., se rallie à Ch. VII : il quitte l'alliance angl. ; il est dégagé à titre personnel de toute vassalité à l'égard de Ch. VII (mais ses descendants redeviendront vassaux de la couronne de Fr.) ; il reçoit les *villes de la Somme* (rachetables). **1435-44** ravages des *Écorcheurs* (mercenaires déserteurs). **1436** 13-4 libération de Paris (la garnison angl. obtient des émeutiers le droit de se replier sur Rouen). **1437** 12-11 Ch. VII entre à Paris. **1441** prise de Pontoise. **1442** offensive dans le S.-O. **1443** avr. raid angl. contre Angers (échec). **1444** 28-5 *trêve* anglo-fr. signée à Tours. **1448** juin rupture (les Angl. n'ayant pas évacué Le Mans) : Dunois et Brézé prennent Le Mans ; juill. offensive en Norm. (prise de Rouen, 29-10). **1449** 17-7 une assemblée autorise Ch. VII à mener la g. à outrance. **1450** 18-4 *Formigny,* Clermont et Richemont b. Thomas Kyrielle (sur 6 000 Angl., 3 774 †, 1 200 prisonniers, pertes fr. 12 †) ; juill.-oct. conquête totale de la Norm. **1451** offensive en Guyenne (Dunois : 6 000 h. ; amiral Jean le Boursier : escadre hispano-rochelaise) ; 23-6 prise de Bordeaux, suivie de 2 ans d'interruption des combats. **1453** 17-7 *Castillon,* Jean de Bueil bat 8 000 Angl. (artillerie fr. des frères Bureau) ; pertes angl. 4 000 ; août-sept. reconquête du Bordelais et fin de la g. de Cent Ans sans traité. **1475** 29-8 tr. de *Picquigny* entre Fr. et Angl. Pour certains (notamment Jean Favier), la g. de Cent Ans, se terminant ce jour-là, aura duré 137 ans, 10 mois et 22 j (dont 26 ans et 3 mois seulement d'hostilités, compte tenu des trêves).

La France en 1461

• **1461 Louis XI** (1423-83). Constamment révolté contre son père Charles VII, et chef du parti des grands seigneurs, L. XI entreprend dès son couronnement de ruiner la féodalité. Ses principaux adversaires sont son frère Charles de France (1446-72), Charles le Téméraire, duc de Bourgogne (1433-77), le duc de Bretagne, le Cte d'Alençon. Par la force et la ruse, il les vaincra l'un après l'autre. Au cours de son règne, il a augmenté le roy. de 4 provinces « terres d'empire » (Franche-Comté, Roussillon et Cerdagne, Provence) et a fait rentrer dans le domaine royal 4 apanages (Picardie, Artois, Bourgogne, Anjou). N'aimant pas Paris, il habitait volontiers le Val de Loire (notamment Plessis-lez-Tours). Dévot, il devint en vieillissant de plus en plus superstitieux. Encensé par Philippe de Commynes (1447-1511), ancien conseiller du duc de Bourgogne, couvert de largesses (1468). Caricaturé par le romancier angl. Sir Walter Scott (1771-1832) dans *Quentin Durward* (1823) et après lui par bien des historiens du XIXe s., réhabilité 1927 par Pierre Champion, puis, 1971, par l'Amér. Paul Murray Kendall. Parmi ses résultats positifs : création des parlements de Bordeaux et Dijon ; développement du commerce internat. ; amélioration des routes, création de la poste royale, fondation des 1res imprimeries et des manufactures de soie. Les « cages » dans lesquelles il enfermait les prisonniers politiques ayant tenté de s'évader mesuraient : 2,60 m × 2,60 m et 2,25 m de haut. Le card. Jean La Baluc (v. 1421-91) fut emprisonné en 1469 (pour avoir intrigué avec Charles le Téméraire) mais pas dans une cage en fer comme on l'a dit.

1461 juill. perte de Gênes ; 14-8 L. XI rentre en Fr. et est sacré à Reims. Sept.-oct. Dunois, Brézé, Chabannes, Bueil, etc. sont révoqués et exilés. L. XI occupe le Roussillon [comme gage d'un emprunt fait par Jean II d'Aragon, prise de Perpignan (7-1)]. **1463** 12-9 rachète les 5 « villes de la Somme » St-Quentin, Péronne, Corbie, Amiens, Abbeville cédées à titre précaire en 1435. **1465** 1-3 *g. civile du Bien public* (révolte nobiliaire) ; 4-3 « Monsieur Charles », duc de Berry, fr. du roi, rejoint les révoltés (ducs de Bretagne, Bourbon, Bourgogne) ; 16-7 *Montlhéry,* L. XI et Galéas Sforza battent le Cte de St-Pol et Charles le Téméraire et les empêchent de prendre Paris ; oct. tr. de Conflans et de St-Maur, M. Charles devient duc de Norm. **1466** janv. L. XI lui reprend (les armes à la main) et lui donne en échange le Roussillon. **1466-67** L. XI soutient Jean de Calabre qui tente de conquérir la Catalogne. **1467** nouvelle coalition nobiliaire (Bretagne, Charles le Téméraire, Jean d'Alençon, M. Charles). **1468** 20-9 L. XI pousse les Liégeois à se révolter contre le duc de Bourg. ; 9-10 *tr. de Péronne :* L. XI prisonnier dans Péronne doit donner en apanage à son frère Champagne et Brie et participer à la g. contre ses alliés les Liégeois. **1470** juill.-sept. L. XI intervient dans la g. civile angl., soutenant Warwick contre Édouard IV (Warwick sera battu et tué à Barket 14-4-1471). **1472** févr. nouvelle coalition (Bourg., Angl., grands féodaux français : M. Charles, Jean V d'Armagnac, Jean II d'Aragon, François II de Bret, Jean d'Alençon) ; 24-5 mort de M. Charles ; la joie de L. XI cause un scandale ; 27-6/22-7 *Jeanne Hachette* (J. Lainé, v. 1454-?) défend Beauvais. **1475** 6-7 Édouard IV débarque à Calais pour soutenir Ch. le Téméraire ; 29-8 il signe une trêve avec L. XI à *Picquigny* (1er document officiel mettant fin à la g. de Cent Ans). Ch. le Téméraire, battu par les Suisses (1476) à *Grandson* et *Morat,* et à *Nancy* (avec 10 000 h.) par René II d'Anjou duc de Lorraine (avec 20 000 h.), meurt après la bat. (5-1-1477). La Fr. récupère Bourg., mais non Flandres-Artois qui demeurent hors du roy. [L. XI avait fiancé son fils de 8 ans (le futur Ch. VIII) à Marie, fille du Téméraire (dot de la fiancée : Flandres, Artois, Hainaut, comté de Bourg.) ; le 29-8-1477, Marie épouse Maximilien d'Autr. et reprend sa dot (le duché de Bourg. suit un sort différent, étant un apanage fr.).] **1479** 7-8 L. XI veut prendre Flandres et Hainaut, mais est battu à *Guinegatte.* **1480** 10-7 le dauphin Charles hérite de la Provence.

• **1483 Charles VIII l'Affable** (1470-98). **1485-88 Guerre folle** contre la régente *Anne de Beaujeu. Cause :* coalition entre grands féodaux fr. (chef : duc d'Orléans, futur Louis XII ; but : régime aristocr.), Maximilien d'Autr. (fiancé à Anne de Bret., héritière du duché), François II de Bret., Henri VII d'Angl. *Déroulement :* **1485** 1er soulèvement, échec. **1486** invasion autr. repoussée en Picardie. **1487** févr. soulèvement de la Guyenne (reconquise mars) ; avr. échec de Ch. VIII et La Trémoille devant Nantes. **1488** avr. offensive de La Trémoille en Bret. ; 26-7 vict. de St-Aubin du Cormier (duc d'Orléans prisonnier). 20-8 tr. de Verga : pas de mariage d'Anne sans le consentement du roi ; 9-9 François II meurt. **1490** déc. Anne épouse Maximilien par procuration. **1491** août-nov. assiégée dans Rennes par La Trémoille, elle capitule ; 6-12 épouse Charles VIII (s'engage, en cas de veuvage sans postérité, à épouser son héritier). **1494** rétablissement officiel du prêt à intérêt ; institution des foires de Lyon et de Nantes (où les Espagnols ouvrent une bourse). **1496** la chancellerie de Bretagne remplacée par un conseil de 6 membres (6 mois à Nantes ; 6 m. à Vannes).

Guerres d'Italie (1494-1559)

Causes. 1° directes les Valois (Charles VIII) ont hérité les droits de la maison de Provence-Anjou-Naples par testament du roi René Ier (10-7-1480). **2° indirectes :** ils ont hérité les droits sur le Milanais des Visconti [par Valentine (1366-1408) ép. de Louis Ier d'Orléans]. Les revendications des Orléans-Visconti ont déjà provoqué plusieurs g. sous Ch. VII et L. XI, sans qu'ils interviennent directement.

Effectifs. *Charles VIII* réunit 36 000 h. (16 000 cav., 20 000 fant., dont 10 000 mercenaires suisses et all. et 4 000 Bretons) et une forte artillerie. Ses adversaires de la Ligue de Venise (1495) ont 49 000 h., dont 15 000 cav. *Louis XII* n'a que 1 000 cav. et 6 000 fant., mais ses alliés vénitiens ont 15 000 h., dont 10 000 Suisses. *François Ier* (en 1515) a 30 000 h. dont 6 000 cavaliers et une forte artillerie. En 1525, 1 500 cav. et 30 000 fant., dont 14 000 Suisses et 6 000 All. Les Esp. lui opposent 22 500 h., dont 13 000 All. (1 800 cav.). *Henri II* a env. 50 000 h. (40 000 fant., 12 000 cav. en 1554).

Opérations

1re guerre d'Italie (1492-97) : *1492,* 3-11 les Anglais, qui assiègent Boulogne, acceptent de se retirer pour 745 000 écus d'or. *1493,* 19-1 *tr. de Barcelone* avec Esp. : neutralité esp. en échange de Roussillon et Cerdagne ; 12-6 *tr. de Senlis* avec Autriche : neutralité impériale en échange d'Artois, Franche-Comté, Charolais. *1494,* 25-1 mort de Ferdinand, roi de Naples ; Ch. VIII prend officiellement le titre de roi de Naples et de Jérusalem ; sept.-déc. traversée de l'Italie sans combat ; 31-12 entrée à Rome (le pape n'accorde pas l'investiture de Naples). *1495* prise de Naples, sans combat ; 1-3 *« Ligue de Venise »* contre Ch. VIII : pape, empereur, Milan, Esp., Venise ; 20-5 Ch. VIII repart pour la Fr. avec 9 000 h. Il laisse à Naples un vice-roi : Gilbert de Montpensier (3 000 fant., 500 cav.) ; 6-7 *Fornoue.* Ch. VIII s'ouvre le passage avec 9 000 h. contre 30 000 h. du marquis de Mantoue (pertes : Fr. 1 000, alliés 2 000) ; 9-10 prise de *Verceil* (Louis d'Orléans, futur Louis XII, renonce au Milanais et évacue Novare). La syphilis (mal de Naples) décime l'armée. *1496,* 17-12 offensive esp. contre Naples (*Gonzalve de Cordoue,* dit le Grand Capitaine, 1453-1515). *1497,* 15-2 reddition des Fr. de Naples.

Les Valois indirects (1498-1589)

• **1498 (10-9) Louis XII, le père du peuple** (1462-1515) (ancien L. II d'Orléans, chef de la Guerre Folle). 17-12 mariage avec Jeanne de Fr., fille de L. XI, annulé par le tribunal ecclésiastique de Tours pour pouvoir épouser Anne de Bret., veuve de Charles VIII [motifs donnés : non-consommation (Jeanne était contrefaite), manque de consentement (L. XII s'était marié sous la menace)]. **1498-1510** le cardinal Georges d'Amboise (1460-1510) administre le royaume. **1499** 8-1 le mariage est célébré (la Bret. garde une administration distincte). **1512** tentative de faire déposer le pape Jules II par un concile profrançais réuni à Pise. Échec (excommunication des membres du concile). **1513** 16-8 *Guinegatte,* Henri VIII d'Angl. bat les Fr. (journée dite *des Éperons :* la cavalerie fr. s'est enfuie au galop), occupe Thérouanne, puis Tournai ; 20-8 au *cap St-Matthieu :* Hervé de Portzmoguer (v. 1470-1512), dit *Primauguet,* coule avec *la Belle Cordelière,* faisant couler avec elle le navire angl. *la Régente.* **1514** 18-3 François d'Angoulême, fils de Charles d'Angoulême, cousin germain du roi (héritier de la couronne), épouse Claude de Fr. (fille de Louis XII et héritière de Bretagne).

2e guerre d'Italie (1499-1500) : *1499,* 9-2 alliance de L. XII et Venise pour reconquérir le Milanais contre *Ludovic Sforza,* rival des Visconti ; août-oct., Milanais conquis, Ludo. s'enfuit. *1500,* févr. Ludo. reprend Milan et Novare sur le gouverneur *Jean-Jacques Trivulce* (1448-1518) ; avr. contre-offensive de La Trémoille : Ludo. capturé dans Novare (après la reddition de ses mercenaires suisses).

3e guerre d'Italie (1500-04) : *1500,* 1-11 *tr.* (secret) *de Grenade :* L. XII reçoit Naples, laisse à l'Esp. Pouilles et Calabre. *1501,* juin occupe Naples. *1503,* avr. offensive esp. (Gonzalve) ; 28-4 il bat à *Cerignola* Gaston de Foix (âgé de 14 ans) [(1489-1512) duc de Nemours, neveu de L. XII, sera commandant en chef de l'armée d'Italie en 1512 (à 23 ans), surnommé le *Foudre d'Italie* pour sa campagne éclair]. Louis d'Ars se retranche dans Venise ; oct. au *Garigliano :* une armée de secours fr. (Trivulce avec 1 000 cav., 6 000 fant.) est arrêtée par Gonzalve. *1504,* 1-1 reddition de Gaète, les Fr. sont rapatriés par mer.

4e guerre d'Italie (1508-13) : *1508,* 10-11 *paix de Cambrai :* L. XII et Maximilien s'allient contre Venise (adhésion du pape, mars 1509). *1509,* 10-5 *Agnadel,* L. XII (avec Bayard) bat 40 000 Vénitiens (Alviano). *1510,* 24-2 le pape Jules II se rallie à Venise et recrute 6 000 Suisses. *1511,* 20-1 il prend d'assaut *Mirandole ;* contre-offensive fr. : J. II se replie sur Rome ; 4-10 il constitue la *Ste Ligue* contre la Fr. (L. XII excommunié) et recrute 10 000 Suisses. *1512* la ligue attaque Brescia, délivrée 19-2 par Gaston de Foix ; 11-4 *Ravenne :* Gaston victorieux, mais est tué en poursuivant l'ennemi ; juin La Pallice évacue l'Italie. *1513,* mai contre-offensive fr., prise d'Alexandrie ; 6-6 *Novare :* 24 000 Suisses battent La Trémoille et Trivulce (8 000 Fr. †) ; sept. offensive suisse en Bourg. ; 13-9 *tr. de Dijon :* La Trémoille cède Milan et Asti (L. XII refuse la ratification).

• **1515. François Ier** (1494-1547). 18-8 concordat de Bologne abolissant la Pragmatique Sanction : le pape récupère les annates et peut refuser l'investiture des évêques et archevêques. **1517** fondation du port du Havre ; 21-3 réforme de la monnaie (interdiction des pièces de « mauvais aloi »). **1518** 22-3 le Parlement enregistre le *concordat* par lit de justice (ordre exprès du roi) après 3 ans de résistance. **1519** 28-6 échec de Fr. Ier à l'élection impériale (Charles Quint est élu). **1520** 7-6 *camp du Drap d'Or,* entre Guines et Ardres, entrevue de Fr. Ier avec Henri VIII d'Angl. (luxe inouï, pas de résultats). **1521** 28-4 Suzanne de Beaujeu, femme du connétable de Bourbon, meurt : Fr. Ier décide de faire reconnaître les droits de sa mère, Louise de Savoie, cousine germaine de Suzanne, sur les biens des Beaujeu. **1523** le Parlement de Paris confisque l'héritage de Suzanne ; 9-10 le connétable se rallie à l'Espagne et gagne Besançon (sera condamné pour trahison). **1526** juill. négociations fr.-turques (1re alliance d'un royaume chrétien avec un État musulman). **1527** 11-8 *Semblançay,* ancien min. des Finances, condamné pour malversations et pendu. **1532** août les états de Bret. réclament le rattachement direct à la France. **1534** 20-4 Jacques Cartier part explorer le nord de l'Amérique ; 24-7 création d'une armée nationale [6 000 h. recrutés dans les 7 provinces principales (légions provinciales)], 18-10 *affaire des Placards* (déclarations contre la messe jusque sur la porte de la chambre de Fr. Ier). Fr. Ier prend position contre la Réforme. **1535** mai 2e départ de J. Cartier (prise de possession du Canada, 6-5). **1539** 10-8 ordonnance de Villers-Cotterêts. **1539** déc. **1540** janv. Charles Quint séjourne à Chambord, puis à Paris. **1541** *Philippe de Chabot* (v. 1492-1543), amiral, condamné pour malversations à la prison perpétuelle ; absous par Fr. Ier et réintégré. **1543** Chabot meurt, l'amiral d'Annebaut au pouvoir (en réalité le pouvoir appartient à la favorite, la *duchesse d'Étampes*).

5e guerre d'Italie (1515-16) : *1515,* 25-3 Fr. Ier promet aux Vénit. de reprendre l'offensive contre Suisses et Milanais ; fin juill. il franchit le col de Larche ; 13-9 *Marignan :* Fr. Ier et Alviano (Vénitien) écrasent les Suisses (14 000 S. †, 2 500 Fr.-Vén.) ; 15-9 reprise de Milan ; 3-10 *tr. de Viterbe,* Fr. reçoit Milanais, Parme, Plaisance. *1516* 29-11 *paix de Fribourg ou « Paix perpétuelle » :* les Suisses n'attaqueront plus jamais ni France ni Milan.

6e guerre d'Italie (1521-26) : *1521,* mars offensive fr. (Lautrec) ; 29-4 *La Bicoque* (Lautrec battu par Colonna, 2 000 †, perte de Milan). *1523,* 18-7 le connétable de Bourbon passe au roi d'Esp. ; sept. offensive fr. (Bonnivet) : siège de Milan. *1524,* 3-4 contre-attaque de Lannoy : Bonnivet blessé, Bayard tué. Siège de Milan levé ; 30-6 Bourbon attaque la Provence, bombarde Marseille, prend Aix ; oct. Fr. Ier (avec Bonnivet et 32 000 h.) passe le Mont-Genèvre. *1525,* 3-2 bat. de *Pavie :* Bourbon et Lannoy anéantissent les Fr. (Bonnivet tué, Fr. Ier prisonnier). *1526,* 13-1 *tr. de Madrid,* Esp. reçoit Bourgogne, Tournai ; la Fr. abandonne ses droits sur Milanais (donné à Bourbon) ; suppression de la suzeraineté fr. sur Flandre et Artois, les 2 fils du roi en otages.

7e guerre d'Italie (1526-29) : *1526,* 22-5 *ligue de Cognac* (Angleterre, Fr., pape, Vénitiens, princes allemands contre l'Esp.). *1528,* févr. Lautrec (25 000 h.) reconquiert Milanais et Gênes ; avr.-mai il attaque Naples avec le marin génois Andréa Doria ; juill. Doria se rallie au roi d'Esp. ; 15-8 l'armée fr. est atteinte de la peste (Lautrec †). Capitulation des survivants. *1529,* 1-6 défaite et capitulation de l'armée fr. du Milanais à Landriano ; 3-8 *tr. de Cambrai (paix des Dames) :* Fr. récupère Bourg., Boulogne, villes de la Somme, Ponthieu ; cède Flandres et Artois sans suzeraineté ; renonce à ses droits sur Milan, Asti, Naples ; les princes sont libérés contre rançon de 2 millions d'écus d'or.

8e guerre d'Italie (1536-42) : *1536,* 2-6 Charles Quint attaque la Provence ; 14-9 Montmorency délivre Alpes et envahit Piémont (au duc de Savoie). *1537* conquiert tout le pays ; 18-6 *paix de Nice :* Fr. Ier garde 2/3 du Piémont ; Ch. Q. 1/3 et le Milanais. *1540,* oct. Ch. Q. donne Milanais à son fils Philippe.

9e guerre d'Italie (1543-45) : *1543,* 29-6 Fr. Ier s'allie à Soliman, pacha de Turquie ; juill. une escadre fr.-tur. (Barberousse) prend Nice, mais la citadelle résiste. *1544,* 14-4 *Cérisoles,* duc d'Enghien bat Mis del Vasto ; 8-7 les Fr. évacuent Piémont pour défendre Champagne (prise de Château-Thierry et d'Épernay, fin juin) ; 18-9 *paix de Crépy :* Fr. Ier renonce à Savoie et Piémont, mais promet Milanais à Charles d'Orléans, fiancé à une infante. *1545,* 8-9 mort de Ch. d'O., le tr. de Crépy devient caduc.

• **1547. Henri II** (1519-59). 2-4 disgracie les conseillers de son père ; *Anne de Montmorency* (1493-1517), connétable, surintendant des affaires, influence de la favorite *Diane de Poitiers ;* 10-7 dernier duel autorisé par un roi de Fr. Guy de Chabot Bon de *Jarnac* (1509-1572), devant H. II et la Cour, frappe au jarret (coup inattendu) et tue François de Vivonne seigneur de la Châtaigneraie (n. 1520) ; 13-9 lettres patentes créant la marine fr. (vaisseaux ronds dans l'Atlantique, galères en Méditerranée) ; déc. création de la censure sur les textes imprimés. **1552** 15-1 la Fr. s'allie aux princes protestants d'All., en échange de *Metz, Toul* et *Verdun* qui sont occupés en avr.-mai ; 3-5 échec d'un raid contre Strasbourg ; nov.-déc. François de Guise résiste à Metz contre Charles Quint. **1554** janv. échec d'une offensive fr. contre Belgique. **1555** 2-5 Antoine de Bourbon (père du futur Henri IV) devient roi de Navarre. **1557** 7-6 Marie Tudor, reine d'Angl., épouse de Philippe II, déclare la g. à Henri II. **1558** 6-1 François de Guise prend *Calais* (cédé au *tr. du Cateau-Cambrésis* le 3-4-1559 par l'Angl. contre 500 000 écus).

10e guerre d'Italie (1447-1556) : *1547,* oct. H. II s'allie avec le pape Paul III. *1550* Charles de Brissac (1505-63), gouverneur du Piémont, prend l'offensive en Milanais. *1552,* 26-2 H. II exige Milan, Asti, Naples et Sicile ; 26-7 Sienne ralliée à la Fr. est occupée par *Monluc* [Blaise de Lasseran Massencone, seigneur de M. (1502-77), combattant à Pavie 1525, Cérisoles 1544, défend Sienne 1554-55, lieutenant Gal de Guyenne 1565 (répression du protestantisme), Mal de France 1574 ; blessé et réformé 1570, auteur de *Mémoires* (parus 1592)]. *1553* escadre fr.-turque occupe Corse. *1554-55* siège de Sienne par le Mis de Marignan (17-4-1555 Monluc capitule). *1556 trêve de Vaucelles* (Fr. garde Piémont).

11e guerre d'Italie (1556-59) : *1556,* août, offensive esp. contre le pape Paul IV (duc d'Albe prend Ostie et Agnani). H. II intervient, Rome n'étant pas comprise dans la trêve de Vaucelles ; 25-11 François de Guise chargé de conquérir Naples. *1557,* 31-1 déclaration de g. ; 5-4 offensive de Guise depuis Rome contre Naples ; 15-5 échec à Civitella, rappel de Guise en Fr. *1559,* 3-4 *tr. du Cateau-Cambrésis :* H. II rend Milanais, Montferrat, Piémont, Corse.

> **Catherine de Médicis.** *1519* née de petite noblesse, devenue souveraine par parenté avec les papes. *1533* ép. le Pce Henri, cadet des fils de Fr. Ier (non destiné à être roi, il régna sous le nom de Henri II). Stérile jusqu'en 1544, elle fut menacée de répudiation. *1559-89* régente, reine mère, gouverne la Fr. Rendue responsable du massacre de la St-Barthélemy (qu'elle aurait combiné avec le duc d'Albe pendant l'entrevue de Bayonne 1565), elle eut, en fait, une seule politique : maintenir ses fils sur le trône. Elle a éliminé Coligny à la St-Barthélemy, car il était devenu dangereux pour la monarchie, comme elle a fait éliminer les Guise (catholiques). Tant qu'elle ne pouvait abattre un adversaire, elle se mettait de son côté, d'où sa réputation de perfidie. H. IV lui a rendu hommage pour sa ténacité.

• **1559 François II** (1544-60). 10-7 charge sa mère *Catherine de Médicis* du gouv. Elle renvoie Montmorency, exile Diane de Poitiers et confie le gouv. aux Guise : François de Guise (aff. militaires), cardinal de Lorraine (aff. civiles). 20-5 Michel de l'Hospital chancelier de Fr.

• **1560 Charles IX Maximilien** (1550-74). 21-12 mort de François II, Catherine est régente ; Antoine de Bourbon lieutenant général du royaume. **1561** janv. *États généraux* (grande ordonnance d'Orléans). 9-9/9-10 *colloque de Poissy* (tentative de rapprochement entre cath. et réformés : échec). **1562** 1-3 *massacre de Wassy ;* début des g. de Religion (voir ci-dessous). **1566** *Assemblée de Moulins* (grande ordonnance de Michel de l'Hospital réorganisant l'administration : les *Grands Jours* provinciaux sont institués). **1567-68** 2e g. de Religion (voir ci-contre). **1568-70** 3e g. **1571** 7-10 enthousiasme en Fr. pour la victoire des Esp. sur les Turcs à *Lépante.* **1572** 19-4 alliance défensive fr.-angl. contre l'Esp. ; 18-8 Henri de Navarre ép. Marguerite, sœur de Ch. IX ; 21-8 massacre de la *St-Barthélemy* (voir encadré). **1573-74** 4e g. de Religion (voir p. 610). **1573** 30-5 meurt à 24 ans (– 28 j) empoisonné ont cru certains.

• **1574 Henri III** (1551-89). **1573** élu roi de Pologne et grand-duc de Lituanie. **1576** 5e g. de Religion (voir p. 610) ; 13-6 Henri de Navarre abjure le catholicisme ; 6-12 la taille est levée [sur chaque « feu » (maison familiale), impôt unique, proportionnel aux ressources]. **1578-79** conférence de Nérac entre les cours de France (cath.) et de Navarre (prot.). **1579** 28-2 *édit de Nérac,* accordant pour 6 mois aux prot. 3 places de sûreté en Guyenne et 11 au Languedoc. **1580** 22-8 François d'Alençon (Monsieur) élu souverain des Pays-B., s'installe à Cambrai. **1584** 10-6 il meurt, léguant son fief à Henri III (Jean de Montluc, gouverneur). **1585** 9-10 les Esp. (Cte de Fuentes) reprennent Cambrai. **1588** déc. cardinal de Bourbon proclamé roi (Charles X) par la Ligue (voir 8e g. de Rel.). **1589** 8e g. de Rel. ; 5-1 Cath. de Médicis meurt ; 1-8 H. III poignardé à St-Cloud par le moine Jacques Clément (22 ans, qui est tué sur place), meurt le 2 dans la nuit.

Guerres de Religion (1560-98)

1560 conjuration d'Amboise : les calvinistes veulent soustraire François II à l'influence des Guise et porter au pouvoir Louis 1er, prince de Condé (1530-69). 17-3 Godefroy de Barry, seigneur de La Renaudie (?-1560), masse 500 cavaliers dans les bois de Château-Renault pour attaquer Amboise. Trahis par un complice, ils sont cernés et anéantis, env. 100 se réfugient au château Moisay et se rendent contre

La Saint-Barthélemy

Causes. Coligny, devenu le principal conseiller du roi Charles IX, le poussait à attaquer l'Esp. en Flandres et à y fonder une république calviniste. Le parti pro-esp. [la reine mère, Catherine de Médicis, le duc d'Anjou, frère du roi (futur Henri III), et les Guise, qui avaient quitté ostensiblement la Cour] était décidé à tuer Col. avant les hostilités. Le 22-8 à 11 h du matin, un capitaine gascon, Nicolas de Louviers, sire de Maurevert, chargé par les Guise d'exécuter Col., se met en embuscade rue Béthisy et le blesse de 2 coups d'arquebuse. Le lendemain, une délégation huguenote (Henri de Navarre, Condé) se présente au Louvre pour exiger la punition de l'assassin et de ses complices. Ch. IX se rend au chevet de Col., qui lui conseille de se « défier de sa mère ». Rentré au Louvre, le roi répète les propos de Col. à sa mère, celle-ci décide avec les Guise le massacre des huguenots : Col. ne pourra échapper. L'opération est confiée aux gardes du corps des Guise et du roi, renforcés des milices du prévôt des marchands (signe de ralliement : croix blanche au chapeau, écharpe blanche au bras). A 5 h du matin, un groupe commandé par le duc de Guise, le duc d'Aumale et le duc d'Angoulême (fr. naturel du roi) va égorger Col. dans son lit et jette le cadavre dans la cour. Les milices bourgeoises sont alors convoquées par le son des cloches (tocsin) : le déchaînement de la violence provoque de nombreuses exécutions non prévues.

Nombre de victimes. Incertain. *Pour tout le royaume :* de 2 000 à 100 000 [selon Jean-Auguste de Thou : 30 000, selon le *Martyrologe des calvinistes* (imprimé en 1582) : 15 168 † désignés et 786 † nommés]. *A Paris :* de 1 000 à 10 000 [selon le livre de comptes de l'Hôtel de Ville de Paris : 1 100 sépultures et selon le *Martyrologe :* 10 000 † désignés en gros et 468 † désignés en détail (total des † par lieu de massacre) et 152 † nommés].

La Ligue

Dirigée par des nobles depuis 1576 (maréchal d'Humières, gouverneur de Picardie), elle avait été fondée par des bourgeois (Toulouse 1563, Angers 1565, Dijon 1567, Bourges et Troyes 1568), dont les préoccupations étaient surtout religieuses. Les bourgeois parisiens, les 1ers à s'organiser en mouvements politiques (1587), sous la direction des « Seize », se rallieront au duc de Guise, au cardinal de Bourbon ou à l'infante d'Espagne, bien résolus à ne pas avoir un roi huguenot.

la vie sauve. Le lendemain, ils sont pendus et décapités. La Renaudie est tué au combat ; son cadavre est pendu au pont d'Amboise, puis décapité. La répression dure plusieurs semaines (1 200 exécutés).

1re guerre (1562-63). *Prot. :* Gaspard II, amiral de Coligny (1519-72), Louis Ier Pce de Condé (1530-69), Antoine de Bourbon († 17-11-1562) ; *Cath. :* Anne, connétable de Fr., duc de Montmorency (1493-1567), François, 2e duc de Guise (1519-63), Jacques d'Albon, Mal de Saint-André (1505-62). *Évén. : 1562,* 1-3 : *massacre de Wassy.* 300 Prot. surpris dans une grange, en train d'écouter un prêche, par des archers du duc de Guise (60 †, 200 bl.) ; 19-12 Dreux : Condé battu et prisonnier. *1563,* 19-3 *paix (édit) d'Amboise.* Le culte prot. est autorisé dans les maisons nobles, domaines des seigneurs hauts-justiciers, une ville par bailliage ou sénéchaussée (amnistie générale).

2e guerre (1567-68). *Prot. :* Pce de Condé, électeur palatin (Frédéric III, 1515-76) ; *Cath. :* duc de Montmorency. *Évén. : 1567,* 10-11 *bataille de Saint-Denis.* Condé et Coligny tentent d'enlever Paris ; Montmorency les attaque par surprise, avec la garnison cath. de Paris, depuis Aubervilliers (est tué au cours de l'assaut, mais les prot. se replient), *1568,* 23-3 *paix de Longjumeau.* Mêmes clauses qu'à Amboise (La Rochelle reconnue comme place huguenote).

3e guerre (1568-70). *Prot. :* Pce de Condé [1530-tué 13-3-1569 par Montesquiou (cap. des gardes du duc d'Anjou) après s'être rendu à Jarnac], Coligny, Guillaume de Nassau (1487-1559) ; *Cath. :* duc d'Anjou (futur H. III), Henri, 3e duc de Guise (1550-88), Gaspard de Saulx, Mal de Tavannes (1509-73). *Défaites prot. :* Jarnac 13-3-1569, Moncontour 3-10 ; 15-8 ; *paix de St-Germain-en-Laye* obtenue par Coligny et reconnaissant légalement le protestantisme, avec 4 places de sûreté. **1572** (24-8) *massacre de la St-Barthélemy ;* Pce de Condé [Henri Ier (1552-88)] et Henri de Navarre (le futur Henri IV) abjurent.

4e guerre (1573-74). *Prot. :* François de la Noue [1531-91 (rallié au roi 14-3-1573)], Gabriel de Lorges, Cte de Montgomery (1530-74) ; *Cath. :* duc d'Anjou, fr. d'Henri III, dit « Monsieur » (1554-84), Charles de Gontaut, 1er duc de Biron (1524-92). *Évén. : siège de La Rochelle* (11-2-24/6-1-1573) ; *paix de La Rochelle. 1573,* 24-6 levée du siège (*l'édit de St-Germain* rétablit la liberté du culte pour les seigneurs hauts-justiciers et retire les garnisons royales de La Rochelle, Nîmes, Montauban) ; *1574* 26-5 exécution de Montgoméry ; 29-5 trêve de 7 mois au Languedoc.

5e guerre (1576). *Prot. :* Henri I Pce de Condé (1552-1588 emprisonné par sa femme ?), Cte palatin Jean-Casimir (1543-92, fils de l'électeur Frédéric III), Henri de La Tour d'Auvergne, duc de Bouillon et Vte de Turenne (1555-1623) ; *Cath. :* duc d'Anjou, 1er duc de Mayenne ; *évén. : 1576* 6-5 paix de Beaulieu-lès-Loches ou *de Monsieur :* (73 articles) liberté des cultes dans les villes closes et à Paris ; chambres de justice mi-parties (moitié cath., moitié prot.). 8 places fortes aux Réformés, sans garnison royale ; condamnation de la St-Barthélemy ; réhabilitation de Montgoméry (exécuté 1574).

6e guerre (1577). *Prot. :* Henri Ier Pce de Condé (1552-88), François de Coligny [(1557-91), fils de l'amiral] ; *Cath. :* duc d'Anjou, Henri Ier, 3e duc de Montmorency (1534-1614), d'abord connu sous le nom de Damville, fervent cath. mais tolérant. *Évén. 1577,* 1-5 Monsieur prend La Charité ; 1-6 enlève Issoire ; 15-9 *paix de Bergerac,* 17-9 promulguée par l'édit de Poitiers, mêmes clauses qu'à Beaulieu, mais le culte cath. est rétabli dans les lieux à majorité prot. ; les 2 ligues dissoutes.

7e guerre (1580). *Prot. :* Henri Ier Pce de Condé (1552-88), Henri de Navarre (futur Henri IV) ; *Cath. :* Jacques de Goyon, Mal de Matignon (1525-97). *Évén. :* 30-5 Henri de Navarre prend Cahors ; 26-11 *paix de Fleix,* confirmant l'édit de Nérac (en accordant les 14 places pour 6 ans au lieu de 6 mois).

8e guerre (1585-98). *Prot. :* Henri de Navarre futur H. IV ; *Cath. :* Anne, duc de Joyeuse (1561-87), Henri de Guise (1550-1588). *Évén. : 1587,* 20-10 *Coutras,* Joyeuse vaincu et tué par Henri de N. ; Condé mortellement blessé ; 24-11 *Auneau,* H. de Guise bat les mercenaires all. *1588,* 12-5 *Journée des Barricades.* Paris s'insurge contre H. III ; 23-12 H. de Guise assassiné sur ordre du roi par le capitaine du Guast et 45 gardes. 24-12 cardinal de Guise, son fr., assassiné. *1589,* janv. H. III s'allie à H. de Navarre : ils assiègent Paris ensemble ; 1-8 H. III assassiné par le moine Jacques Clément, ses soldats catholiques abandonnent H. de Navarre (devenu le roi H. IV) ; 6-8 il doit lever le siège de Paris. La g. finira sous H. IV, voir ci-dessous). *1590,* 3-3 *la Ligue,* avec Mayenne, proclame roi le card. de Bourbon sous le nom de Charles X (n. 1520, emprisonné 1588, † en prison 9-5-1590, oncle paternel d'Henri de Navarre) ; de son côté, Philippe II d'Esp. cherche à faire couronner sa fille Isabelle, petite-fille de Henri II ; 24-12 card. de Guise, son fr., assassiné.

Dynastie capétienne des Bourbons (1589-1792)

☞ Filiation et origine, voir p. 605.

Henri IV le Grand (1553-1610)

1589 *Roi de Navarre (1562) et de France.* 15-27/9 *Arques :* Henri IV bat le duc de Mayenne.

1590, 14-3 *Ivry :* H. IV bat le duc de Mayenne ; 9-7 prend St-Denis. **1591** il bloque Paris et y déclenche la famine ; obtient l'appui militaire de l'électeur de Brandebourg, mais il est battu par Alexandre Farnèse, duc de Parme (Espagnol) qui libère Rouen et met une garnison dans Paris. **1592** intervention du duc de Savoie, qui est battu par Lesdiguière en Dauphiné. **1593,** 28-6 *loi salique :* le Parlement exclut les femmes de la succession royale (mesure visant l'infante Isabelle, petite-fille de Henri II). 25-7 H. IV abjure à St-Denis. **1594,** 27-2 sacré à Chartres ; 22-3 entre à Paris. 27-12 blessé par Jean Châtel (coupure lèvre). **1595** reçoit l'absolution du pape, ce qui rallie la majorité des Ligueurs ; 6-6 *Fontaine-Française* H. IV et Biron (900 cavaliers), battent Mayenne et l'Esp. (Velasco : 2 000 cav., 10 000 fant.) ; nov. Mayenne se soumet. **1596** Sully administre les Finances. **1597** soumission des derniers Ligueurs (duc de Mercœur en Bretagne). 11-3 Esp. prennent Amiens par surprise ; 25-9 H. IV la reprend. **1598** Sully surintendant des Fin., grand-maître de l'artillerie, superintendant des Bâtiments. 15-4 *Édit de Nantes :* confère la liberté de conscience et de culte aux villes à majorité protestante ; les prot. retrouvent leurs droits civiques ; 2-5 *paix de Vervins* avec l'Espagne : retour au statu quo du tr. du Cateau-Cambrésis (1559). **1599** remise de 20 millions d'arriérés sur les tailles. Création de la maîtrise des Digues, confiée au Hollandais Humphrey Bradley. **1600** 17-12 H. IV ép. Marie de Médicis ; Olivier de Serres crée l'industrie de la soie (élevage du ver à soie) ; guerre de Savoie. **1604** création de la *Paulette :* en payant chaque année une cotisation égale au 1/60 de la valeur vénale de la charge, les détenteurs la rendent héréditaire. **1605-42** constr. du canal de Briare.

1605 (à partir de) augmentation de la flotte. **1606** prise de possession du Canada. **1607** Béarn réuni à la Fr. **1609** préparatifs pour conquête des Pays-Bas et de Rhénanie. **1610** 13-5 couronnement de Marie de Médicis ; 14-5 H. IV assassiné par Jean-François Ravaillac (n. 1578), déclaré coupable le 27-5-1610, condamné à la peine de mort (écartelé) ; sa main qui a tenu le couteau est brûlée au soufre. Tueur déséquilibré, Ravaillac a agi pour le parti esp. qui craint l'attaque des Pays-Bas. Sont compromis dans le complot : le duc d'Épernon, ancien favori d'H. III (sa maîtresse, Charlotte du Tillet, connaissait Ravaillac et lui donnait de quoi vivre ; le duc espérait prendre le pouvoir sous la régence de Marie de Médicis, mais se brouilla avec elle), la marquise de Verneuil (maîtresse délaissée de H. IV) et la reine Marie de Médicis, manœuvrée par les cours esp. et italienne (elle avait été couronnée reine la veille, ce qui lui assurait la régence). Les dossiers de cette affaire seront brûlés en 1618 (incendie).

Le « bon roi Henri » a-t-il été populaire ?

En fait, Henri IV n'a été populaire qu'au Béarn et auprès des Béarnais émigrés à Paris qu'il a couverts de faveurs. Le peuple a reconnu sa bravoure, mais lui a reproché d'avoir acquis la paix au prix des énormes concessions faites aux huguenots par l'Édit de Nantes. Sa politique économique a passé pour brouillonne et inconséquente et la répartition capricieuse des bénéfices ecclésiastiques lui a valu de nombreux ennemis. Ses allures rustiques, son goût effréné pour les femmes et son humeur joviale ont choqué ses contemporains, habitués dep. Henri II à une étiquette de cour très stricte, mais, après le rousseauisme et la mode du « bon sauvage », sa simplicité a été présentée comme une vertu. Son culte date de la fin du XVIIIe s. et du début du XIXe s. (sous la Restauration, on adopte pour hymne officiel le *Vive Henri IV*).

Guerre franco-savoyarde (1600-01)

Causes. Le duc de Savoie, Charles-Emmanuel Ier, contraint par la paix de Vervins à céder à la France le marquisat de Saluces et la Bresse, cherche à gagner du temps et conspire contre Henri IV avec le maréchal de Biron. **Forces en présence.** 7 000 Français commandés par Sully et Henri IV ; des garnisons sav. dans toutes les grandes places.

Déroulement. *1600* résistance de Bourg-en-Bresse, 16-11 Sully prend Montmélian, 16-12 le fort Sainte-Catherine (au S. de Genève). *1601* janv. tout le duché est occupé. 16-1 tr. de Lyon la Fr. abandonne le marq. de Saluces mais reçoit Bresse, Bugey, Valromey et Pays de Gex.

Louis XIII le Juste (1601-43)

Marie de Médicis au pouvoir (1611-17)

1610 15-5 Louis XIII devient roi ; 16-5 sa mère, proclamée régente, écarte les conseillers d'H. IV et mène une politique antiprotestante, entourée de l'ambassadeur d'Esp., du nonce et du P. Cotton, jésuite. **1611** 26-1 disgrâce de Sully. Licenciement de l'armée réunie par H. IV et Sully. Influence de *Concino Concini* (?-1617), Mal d'Ancre, et d'*Éléonore Galigaï* (1576-1617), sa femme, sœur de lait de la reine. Concini accumule les richesses (armée privée de 7 000 h. ; achat envisagé du comté de Montbéliard). **1614** majorité de L. XIII (il n'a aucun pouvoir, Concini les détenant tous). *États généraux* à Paris (aucune mesure pratique). **1615** 28-11 L. XIII épouse à Bordeaux Anne d'Autriche (13 a.), fille du roi d'Esp. et garante de la politique antiprotestante. **1616** révolte nobiliaire (notamment le duc de Vendôme, bâtard d'H. IV) contre Concini ; 21-2 *paix de Loudun* (apaisement à prix d'argent). **1617** 24-4 avec son favori, le duc de Luynes, L. XIII fait exécuter Concini par le baron de Vitry (capitaine des gardes du corps) : C. est abattu à coups de pistolet dans la cour du Louvre ; son corps, enterré à St-Germain-l'Auxerrois, est exhumé par la foule, dépecé, brûlé sur le Pont-Neuf ; sa femme est jugée et décapitée le 8-7. Marie de M. est exilée et emprisonnée à Blois.

Louis XIII sans Richelieu (1617-24)

1617-20 la noblesse, fidèle à Marie de Médicis, se révolte. Chef : le duc de Bouillon, Pce de Sedan. **1620** les protestants proclament à La Rochelle l'Union des provinces réformées de Fr. ; L. XIII et Luynes assiègent Montauban (échec). **1621** 15-12 Luynes meurt. Gouvernement de Henri II (1588-1646) Pce de Condé : il enlève Montpellier aux prot. **1622** 5-9 Marie de M. fait nommer cardinal Armand de Richelieu, directeur de sa maison ; 18-10 *paix de Montpellier,* les prot. ne gardent que 2 grandes villes fortifiées : La Rochelle et Montauban. **1624** 29-4 Marie de M. fait entrer Richelieu au Conseil du roi (présidé par La Vieuville).

Louis XIII et Richelieu (1624-42)

1624 13-8 R. fait arrêter La Vieuville et devient chef du Conseil ; programme : éliminer le protestantisme fr., mettre au pas la haute noblesse, lutter contre les Habsbourg d'Esp. et d'Autr. **1625** expédition de *La Valteline* (Annibal d'Estrées, Mis de Cœuvres : 500 cavaliers, 3 000 fantassins), payée par les Holl., ennemis de l'Esp., 1 200 000 livres : conquiert et donne aux Suisses la route Milan-Tyrol *(tr. de Monzon,* 5-3-1626). **1626** édit contre les duels (2 duellistes, les comtes de Montmorency-Boutteville et des Chapelles exécutés 1627). Le maréchal d'Ornano et le Cte de Chalais qui ont conspiré contre R. sont exécutés. Comptoirs coloniaux fondés au Sénégal et en Guyane. **1629** 28-6 *édit de grâce d'Alès* (v. Index) ; 15-9 L. XIII et Marie de M. se réconcilient ; 21-11 R. nommé « principal ministre ». **1630** 3-1 L. XIII et son frère, Gaston d'Orléans, se réconcilient ; 11-10 *journée des Dupes* (Marie de M. obtient de L. XIII, malade, le renvoi de R., mais L. XIII change d'avis et exile Marie à Compiègne ; Marillac incarcéré). **1631** 30-1 Gaston quitte le royaume ; 19-7 Marie de Médicis également († Cologne 1642). **1632** 10-5 Marillac exécuté ; 11-6 Gaston rentre en Fr. ; obtient l'aide d'Henri, 2e duc de Montmorency ; avec 3 000 cavaliers all., ils veulent prendre le Languedoc ; 1-9 battus à Castelnaudary ; 27-10 Montmorency exécuté ; 6-11 Gaston s'enfuit à Bruxelles. **1633** 25-9 prise de Nancy (le duc Charles III de Lorraine,

Psychologie de Louis XIII

Il y a chez lui un déséquilibre psychologique attribué parfois à l'épilepsie : impulsivité, timidité et bégaiement, mysticisme, scrupules. Son conflit avec sa mère s'explique probablement par le traumatisme subi lors de l'assassinat de son père (il avait 9 ans ; Marie de Médicis, sa mère, fut soupçonnée de complicité). Il éprouva de la répulsion pour sa femme, l'infante Anne d'Autr. : leur nuit de noces (il avait à peine 15 ans), en présence de témoins, a sans doute été un échec, d'où une longue inhibition. Ses 4 favoris successifs : Luynes, Baradès, Saint-Simon, Cinq-Mars, ont souvent été appelés ses « mignons », mais son homosexualité n'est pas prouvée. On a parlé de son impuissance, ce qui pose le problème de la légitimité de Louis XIV. On estime actuellement qu'il était capable de procréer, mais que, tuberculeux, il se sentait trop épuisé pour avoir une vie sexuelle normale.

Richelieu

Armand, Jean de Vignerot du Plessis, cardinal de (1585-1642). *1607,* évêque de Luçon. *1622,* cardinal. Fonda la monarchie absolue qu'il imposa aux nobles (ruine du pouvoir féodal), parlements (suppression du droit de remontrance politique 1641), protestants (suppression de leur organisation militaire 1629). *1626,* prend le titre de grand maître et surintendant de la Navigation, et crée une flotte de guerre fr. Il lutta contre l'Esp. et son alliée l'Autr. des Habsbourg. Mais il ne déclara la g. qu'en 1635 et n'a pas fait de grandes conquêtes militaires. Ses grands succès sont surtout politiques : sécession du Portugal (1640), annexion temporaire de la Catalogne (1641).

beau-fr. de Gaston, accepte une garnison fr. jusqu'au tr. de paix avec l'All.). **1634** 18-8 Urbain Grandier, curé de Loudun, est exécuté pour sorcellerie. **1635** 19-5 L. XIII déclare la guerre à l'Esp. (et donc à Philippe IV, frère de sa femme). Voir g. de Trente Ans. **1637** 7-1 représentation du Cid de Corneille au théâtre du Marais à Paris. **1638** 10-2 vœu de L. XIII consacrant la France à Dieu ; 5-9 naissance du dauphin (futur L. XIV) ; 18-12 mort du père Joseph (n. 1577), surnommé l'Éminence grise. **1642** complot contre R. : *Cinq-Mars* [Henri Coiffier de Ruzé, Mis de (1620-42)], Gaston d'Orléans, qui fait amende honorable, et le duc Frédéric-Maurice de Bouillon (1605-52), dépouillé de la seigneurie de Sedan ; Cinq-Mars est exécuté ; Mazarin est nommé cardinal (ce qui le désigne comme successeur de R.) ; 4-12 R. meurt ; 5-12 Mazarin entre au Conseil du roi. **1643** 14-5 L. XIII meurt d'une péritonite (anniversaire de son avènement et de la mort d'H. IV).

Guerre contre les huguenots (1627-29)

Causes. 1° Prise d'armes du duc de Rohan en Languedoc (5 500 h.). 2° Alliance du maire de La Rochelle, Jean Guiton, avec les Anglais (duc de Buckingham). **Déroulement.** *1° La Rochelle. 1627,* 22-7 débarquement angl. à Ré (Buckingham, 100 cav., 5 000 fantassins) ; 11-7 rembarquement ; 13-11 arrivée de L. XIII et Richelieu (25 000 h.) ; fin nov. digue construite entre Ré et la côte. Capitulation (famine, 15 000 †) 28-10-1628. *2° Raid en Italie* (V. g. de la Succession de Mantoue). *1629,* mars-avril l'armée de La Rochelle passe les Alpes ; début mai revient en Languedoc. *3° Campagne en Languedoc. 1629, 17-5* prise de Privas ; 9-6 d'Alès. 28-6 paix d'Alès : reddition de Rohan, démantèlement des places protestantes, suppression des assemblées politiques, liberté de culte. Juillet, soumission de Montauban.

Guerre de la Succession de Mantoue (1629-32)

Causes. Vincent II de Gonzague († 26-12-1627) a désigné comme héritier un Français, Charles de Gonzague-Nevers, son neveu, mais Charles-Emmanuel, duc de Savoie, revendique le Montferrat, fief féminin, avec l'appui de l'Esp.

Déroulement. *1628* Ch.-Em. conquiert le Montferrat et bloque Ch. de Nevers dans Casal. *1629,* 6-3 L. XIII et Richelieu, avec l'armée de La Rochelle, forcent le pas de Suse ; 18-3 délivrent Casal ; avr. trêve de Suse ; oct. attaque (esp.) contre Montferrat et Mantoue. *1630,* 23-3 Richelieu prend d'assaut Pignerol (savoyard) ; 17-5 L. XIII prend Chambéry, puis conquiert Savoie ; 6-7 *traité secret de Turin* (négociateur : Mazarin). La Savoie donna Pignerol à la Fr. contre Albe (mantouane) que L. XIII paya 494 000 écus à Nevers ; 10-7 Montmorency et Effiat battent Ch.-Em. à Veillane ; 18-7 les Esp. prennent Mantoue ; 20-7 La Force prend Saluces. *1631* 16-4 *tr. de Cherasco :* l'emp. donne l'investiture de Mantoue et Montferrat à Nevers. *1632 tr. de St-Germain :* reconnaît l'annexion de Pignerol.

Louis XIV le Grand, le Roi-Soleil (1638-1715)

Gouvernement de Mazarin (1643-61)

Dans son testament, L. XIII avait nommé Mazarin Pt du Conseil de régence (L. XIV n'ayant que 5 ans). Le Parlement casse ce testament comme « contraire aux lois fondamentales du royaume », car la monarchie est successive et non héréditaire : dès qu'un roi (ou une régente) est au pouvoir, il l'exerce à sa volonté, sans avoir à tenir compte des volontés du roi précédent. Mais la régente, Anne d'Autriche, nomme Mazarin 1er ministre.

1643-48 opposition systématique du Parlement aux édits financiers (ils sont chaque année amendés ou rejetés). *1643* Michel Particelli d'Emery (1595-1650) surintendant des Fin. ; réforme des impôts (taxe des aisés, taxe du toisé 1644). *Cabale des Importants :* des membres de la haute noblesse [chef : le duc de Beaufort (1616-69), petit-fils d'Henri IV, surnommé « le roi des Halles » à cause de ses allures démagogiques] essaient de remplacer Maz. par Châteauneuf, ancien garde des Sceaux. Beaufort est embastillé en sept., les autres exilés en province. **1650** « Disette monétaire » qui affectera l'Europe jusqu'en 1730 (chute de 80 % des envois d'or péruvien en Esp.). **1651-52** peste, Maz. a été accusé de l'avoir introduite (1 000 000 de † dont Rouen 17 000) ; 7-9 *majorité de L. XIV* (13 ans). **1652** Colbert intendant de Maz. **1653** 10-7 enregistrement de la bulle pontificale *Augustinus,* condamnant le jansénisme. **1654** 17-6 sacre de L. XIV ; déc. Nicolas Fouquet (1615-80 ?) surintendant des Fin. **1660** 2-2 « Monsieur » (Gaston d'Orléans, oncle du roi) meurt, le « petit Monsieur » (Philippe, fr. du roi) devient duc d'Orl. ; 26-8 entrée solennelle de L. XIV et Marie-Thérèse à Paris. **1661** févr. dispersion des Solitaires de Port-Royal (jansénistes) ; 8-3 Mazarin meurt (il lègue tous ses biens à L. XIV et signe sur son lit de mort une ordonnance mettant hors la loi le card. de Retz, chef de la Fronde).

Louis XIV et Colbert (1662-83)

1661-62 maintien des ministres de Maz. : Séguier (garde des Sceaux), Le Tellier (Guerre), Hughes de Lionne (Marine et Affaires ext.), Fouquet (Finances). **1661** 16-3 Colbert intendant des Fin. ; 5-9 il fait arrêter Fouquet (voir p. 613). **1662** Colbert « Contrôleur général » des Fin. (titre nouveau). **1664** fondation de la Cie des Indes occidentales. **1665** Philippe IV, roi d'Esp., meurt. Outre son fils de 4 ans, Charles II (1661-1700), 2 prétendants à sa succession : L. XIV et l'emp. d'Allemagne. **1665-67** *G. anglo-holl* (voir p. 612). Colbert fait construire une flotte de g., en prévision de la g. contre l'Esp. **1666** François-Michel de Louvois (1639-91), fils de Michel Le Tellier, succède à son père comme min. **1667-68** *G. de Dévolution* (voir p. 612). **1669** janvier occupation de la Lorraine ; juin expédition de Candie (Crète) contre les Turcs (échec ; le duc de Beaufort tué). **1670** 29-6 Henriette d'Angl., duchesse d'Orléans (sœur du roi Charles II), meurt subitement, sans doute d'une péritonite, mais des contemporains ont cru à un empoisonnement (coupables présumés : l'entourage du chevalier de Lorraine, mignon de « Monsieur », mari d'Henriette). L. XIV n'a pas admis la thèse du poison.

1673-79 *Affaire des Poisons* [*1673* Jean Amelin, dit La Chaussée, roué vif pour avoir empoisonné les 2 frères de la M[ise] de Brinvilliers ; nov. mort du Cte de Soissons, rumeur d'empoisonnement contre la Ctesse (née Olympe Mancini). *1676* 10-7 Marie-Madeleine Dreux d'Aubray, ép. d'A. Gobelin, marquis de Brinvilliers (n. 1630), accusée d'avoir empoisonné son père, ses frères et attenté à la vie de sa sœur, condamnée, reconnaît ses crimes, fait amende honorable, puis est décapitée et brûlée. *1679* 7-4 *Chambre ardente* créée à l'Arsenal recherchant les clients éventuels de la M[ise] ; la Ctesse de Soissons, mère du Prince Eugène, est exilée ; la duchesse de Montespan, maîtresse du roi, est disgraciée : elle avait acheté des aphrodisiaques destinés au roi (elle vivra encore à la Cour avant de se retirer en 1691 et mourra le 26/27-5-1707 à 67 ans) ; L. XIV met fin à l'enquête et fait brûler les dossiers pour éviter que le scandale n'éclabousse la Cour. Principale accusée : la Voisin (Catherine Deshaye, ép. Monvoisin) ; née 1640, arrêtée 12-3-1679, exécutée 22-2-1680 après avoir subi la question ; sa fille, mettant en cause Mme de Montespan, est enfermée à Belle-Ile]. **1678** constitution des *Chambres de réunion* (commissions d'experts en droits féodaux, chargés de délimiter les territoires acquis en 1648, 68, 78). **1680** 21-10 fondation de la Comédie-Française. Début des *dragonnades* antiprotestantes (V. Religions). **1681** 28-6 Angélique de Fontanges (20 ans), maîtresse de L. XIV, meurt [on a parlé d'empoisonnement (vengeance de Mme de Montespan disgraciée ?), thèse aujourd'hui écartée] ; 8-7 tr. secret entre Louis XIV et *Charles III de Gonzague-Mantoue,* contre une pension de 60 000 livres, le duché de Mantoue devient protectorat fr. (avec droit de garnison à Casal, occupée le 30-9). *Négociateur :* le Cte Mattioli (peut-être le « Masque de Fer ») ; 30-9 *Strasbourg,* annexé par décision de la chambre de réunion d'Alsace (à Brisach) ; 5-10 *Alger* bombardé par Petit-Renaud (représailles contre piraterie barbaresque sur les côtes provençales). **1682** 3-2 tr. de commerce avec sultan du Maroc Moulay Ismaïl (liberté commerciale pour la Fr.) ; 19-3 *déclaration des 4 Articles,* soustrayant le clergé fr. à l'autorité du pape (rétractation : 1693).

Louis XIV sous l'influence de Mme de Maintenon (1684-1715)

1683. 30-7 la reine Marie-Thér. meurt ; L. XIV se remarie secrètement, en 1684, avec Mme de Maintenon, sa principale conseillère politique ; 6-9 Colbert meurt. **1684** humiliation du doge de Gênes ; bombardement de la ville par Duquesne. *Motif :* on y avait construit 17 galères pour la flotte esp. Le doge présente ses excuses à Versailles. **1685** 18-10 *révocation de l'Édit de Nantes* [(V. Index) jugée sévèrement après le XVIIIe s., elle fut alors très populaire en Fr.]. De 1685 à 1688, le départ en exil des protestants est contrarié aux frontières ; il sera massif ensuite (*conséquences :* essor démographique et écon. du Brandebourg ; renforcement de l'armée de Guillaume d'Orange par 700 officiers huguenots). **1686** 18-11 L. XIV est opéré d'une fistule anale. **1700** Philippe d'Anjou, petit-fils de Louis XIV, roi d'Esp. **1702** *g. des Camisards* (Voir p. 614). **1711** 14-4 le dauphin meurt. **1715** 1-9 L. XIV meurt.

Guerre de Trente Ans (période française 1635-48)

Antécédents. *1° période palatine* (contre les princes protestants allemands) (1618-24) ; *2° danoise* (1624-29) ; *3° suédoise* (dès 1630) ; *4° française* (1635-48). Richelieu veut affaiblir les Habsbourg.

Occasion : 1634, les Esp. des P.-B. occupent l'évêché de Trèves qui s'était placé sous protectorat fr. 1-11 alliance franco-suéd. *1635,* P[ces] all. signent la paix de Prague ; seuls restent en lutte contre Habsbourg d'Autr. : Suédois (Oxenstierna) ; contre Habsbourg d'Esp. : Hollandais ; 19-5 la Fr. déclare la g. à l'Esp. *1636,* l'emp. déclare la g. à la Fr.

Armée française. 20 880 cavaliers, 135 000 fantassins + armée (germano-suédoise) de Bernard de Saxe-Weimar : 6 000 cavaliers, 12 000 fantassins.

Opérations. **1635** mai échec d'une attaque sur les P.-B. [victoire stérile d'Avein (20-5) ; rapatriement par mer]. **1636** avr. Henri II de Condé échoue en Fr.-Comté ; 4-8 Esp. prend Corbie ; **1637** le duc de Rohan évacue La Valteline et les Grisons ; **1638** Bernard de Saxe-Weimar conquiert l'Alsace (il meurt en 1639 et son armée est prise en main par le M[al] de Guébriant). **1639** défection des alliés italiens (Mantoue, Parme, Savoie) et perte de l'It. du N. **1640** Turin prise et tr. de protectorat imposé à Christine de Savoie ; Arras prise et Châtillon conquiert l'Artois. **1641** échec d'une occupation de la Catalogne révoltée contre Madrid ; l'amiral de Sourdis battu à Tarragone. **1642** 17-1 à *Kempen,* Guébriant b. l'Esp. Lamboy ; avr. Roussillon conquis ; 9-9 capitulation de Perpignan ; juin victoire sur les beaux-frères de Christine de Savoie (Thomas et Maurice) ; nov. Silésie, Saxe conquises, le Suédois Torstenson envahit la Bohême. **1643** 19-5 *Rocroi,* Condé anéantit l'infanterie esp. **1643-46** conquête de Thionville, Gravelines, Courtrai, Mardyck, Furnes, Dunkerque. **1644** mai Turenne évacue Fribourg ; 10-8 Condé victorieux à Fribourg. **1645** mai Turenne vaincu à *Marienthal* ; 3-8 Condé et Turenne vict. à *Nordlingen* ;

Trèves prise. **1648** 17-5 Turenne et le Suédois Carl-Gustav Wrangel vict. à Zusmarshausen, Wurtemberg et Bavière conquises, menaces sur Vienne ; 20-8 à *Lens* Condé b. les Esp.

Conclusion. *Tr. de Westphalie* à Münster (8-9-1648) et Osnabrück (6-8-1648) (2 tr. diplomatiques, 1 Constitution germanique). Fr. garde Alsace (moins Strasbourg), Brisach, Pignerol ; son annexion des Trois Évêchés est confirmée ; Suisse et Provinces-Unies sortent de l'Emp. germanique.

La Fronde (1648-53)

Nom. Donné par dérision [arme d'enfants (les révoltés n'ont pas pu faire sérieusement du mal à la monarchie)].

Fronde parlementaire (1648-49). Causes. 1648, avr. *Édit du rachat :* les parlementaires des cours souveraines sont privés pendant 4 ans de leur traitement ; ils ne le récupèreront qu'en rachetant leur charge au prix qu'elle valait lors de l'institution de la Paulette (voir p. 610 b). 15-6 *Déclaration de 27 articles :* suppression des intendants, interdiction des impôts non approuvés par le Parlement, garantie de la liberté individuelle. Déroulement : 26-8 arrestation du conseiller Broussel, meneur du Parlement ; 29-8 émeutes pop. en sa faveur, la régente libère Broussel et s'enfuit à Rueil. **1649** 5-1 la Cour se replie à St-Germain, fait assiéger Paris par Condé ; 1-4 *paix de Rueil,* Parlement et bourgeois se soumettent.

Fronde des princes (1651-53). Causes. Les grands seigneurs tiraient la majeure partie de leurs revenus de leurs « gouvernements » (délégation de l'autorité royale dans une province). La création des intendants par Richelieu avait dévalué leur charge et ils voulaient profiter du changement de ministres pour supprimer les intendances. **Chefs.** Gaston d'Orléans, oncle du roi, et sa fille, la G[de] Mademoiselle ; card. de Retz ; princes du sang : Condé, Conti (son frère), Longueville (descendant des Dunois : il a épousé la sœur de Condé et de Conti, Anne, qui est la maîtresse de La Rochefoucauld), duc de Beaufort ; duchesse de Chevreuse et sa fille, maîtresse de Condé ; maréchal de Turenne, amoureux de Mme de Longueville et fr. du duc de Bouillon.

Déroulement. 1650 janv. Mazarin fait arrêter Condé, Conti, Longueville ; mars, l'armée royale (la reine, L. XIV, Mazarin) assiège Bordeaux (soulevé à cause de la mévente des vins ; la P[cesse] de Condé est à la tête des insurgés) ; juin, Turenne, avec une armée esp., attaque Guise ; oct. Bordeaux capitule ; 15-12 Mazarin bat Turenne à Rethel. **1651,** 7-2 le duc de Beaufort soulève les Halles, bloque la reine au Palais-Royal. Mazarin s'enfuit en All. ; août, rupture entre Beaufort et Condé ; sept. L. XIV est déclaré majeur. Condé, gouverneur de la Guyenne, prend les armes ; L. XIV le bat à Poitiers ; déc. Mazarin rejoint L. XIV à Poitiers. Le Parlement met sa tête à prix (50 000 écus). **1652** janv. Turenne, chef de l'armée roy. ; Condé recrute une armée esp. ; 1-4 *Bléneau,* Condé bat Turenne puis est battu à *Gien ;* 2-7 *faubourg St-Antoine,* Turenne bat Condé, mais la G[de] Mademoiselle fait tirer le canon de la Bastille sur les troupes roy. et sauve l'armée de Condé ; 4-7 anarchie à Paris : incendie de l'Hôtel de V. et du Palais Mazarin ; août, Mazarin s'enfuit à Brühl, près de Cologne ; août-oct. Turenne assiégé à Villeneuve-St-Georges par Condé avec des mercenaires wurtembergeois ; 21-10 Paris ouvre ses portes à L. XIV. **1653** févr. Mazarin rentre ; cardinal de Retz arrêté ; Gaston d'Orléans et la G[de] Mademoiselle exilés à Blois. **1654** 27-3 Condé condamné à mort par le Parlement (rallié au roi) [combattra la Fr. jusqu'au tr. des Pyrénées].

Guerre franco-anglo-espagnole (1655-59)

Causes. [Les princes frondeurs (dont Condé) utilisaient des troupes esp.] ; Angl.-Esp. : rivalité coloniale. **1655** avr. l'Angl. conquiert la Jamaïque ; déc. l'Esp. lui déclare la g. **1657** 23-3 Mazarin et Cromwell signent un tr. d'alliance.

Opérations. 1657 mai-oct. les Fr.-Anglais assiègent et prennent Mardyck (remis à Cromwell). **1658** 14-6 *Les Dunes,* Turenne bat les Esp. (Don Juan d'Autriche, Condé) et prend *Dunkerque* (remis à Cromwell) ; juill.-oct. Turenne conquiert la Flandre et Ypres.

Conclusion. 1659 *7-11 tr. des Pyrénées* (négociateurs : Mazarin, Luis de Haro) [ou tr. de l'île des Faisans, car signé dans une île de la Bidassoa, territoire neutre, appelée en esp. Isla de la Facienda (esp. moderne « hacienda », c.-à-d. domaine du fisc : on y pêchait les saumons réservés à l'administration royale) ; dep. le XXe s., on appelle cette île « île de la Conférence » et on y élève des faisans] : Esp. cède à Fr. Philippeville, Marienbourg, Avesnes, Roussillon et Cerdagne, Artois (moins Aire et St-Omer), Gravelines, Bourbourg, St-Venant, Landrecies, Le Quesnoy, Thionville, Montmédy. L. XIV ép. l'infante Marie-Thérèse (juin 1660). Maz. l'avait choisie car elle pouvait acquérir des droits sur la couronne esp., mais, pour piquer au vif Philippe IV d'Esp., père de Marie-Thér., il avait feint de rechercher pour L. XIV Marguerite de Savoie.

Nota. – **Cousines de L. XIV pouvant l'épouser :** *Marguerite,* fille de Christine de Fr., régente de Savoie ; *Henriette,* fille d'Henriette-Marie de Fr., reine douairière d'Angl., veuve du roi Charles Ier, décapité ; et *Marie-Thérèse* d'Autr., fille de feu Élisabeth de Fr., 1re épouse de Philippe IV d'Espagne.

Guerre de Dévolution (1667-68)

Causes. L. XIV souhaite recueillir l'héritage de son beau-père, le roi d'Esp. (au tr. des Pyrénées, Marie-Thérèse avait renoncé à ses droits moyennant le paiement d'une dot de 500 000 écus, jamais payée). M.-Th. est fille d'un 1er lit, et, selon le droit coutumier des Pays-Bas, il y a (en droit privé) *dévolution* totale des biens paternels aux héritiers du 1er lit. L. XIV réclame la *dévolution* des P.-B. (thèse contestable en droit public) et de la Franche-Comté (thèse insoutenable).

Effectifs. *Flandres :* Français (Turenne) 50 000 h. (Aumont) 8 000 h. ; Esp. (Marcin) 20 000 h. *Franche-Comté :* Fr. (Condé) 15 000 h. ; Esp. 2 000 cavaliers., 6 000 miliciens.

Opérations. 1667 10/19-2 Franche-Comté conquise ; mai-sept. Flandres conquises jusqu'à Alost (prise de Charleroi, Tournai, Douai, Courtrai, Lille) ; 31-8 Créqui bat Marsin (père) à Gand.

Conclusion. *Paix d'Aix-la-Chapelle* **1668** (2-5) sur médiation (menaçante) des Provinces-Unies. La Fr. restitue Franche-Comté, reçoit 11 villes des P.-Bas : Charleroi, Binche, Ath, Douai, Tournai, Audenarde, Lille, Armentières, Courtrai, Bergues, Furnes et le fort de la Scarpe.

Guerre de Hollande (1672-78)

Causes. 1° ressentiment de L. XIV pour la médiation menaçante des Holl. lors de la g. de Dévolution. 2° ressentiment des Holl. pour la non-participation de L. XIV à la g. contre l'Angl. 1666-67.

Effectifs. *Hollande :* 32 000 en 1669, 80 000 en 1672 (levées réclamées par De Witt). *Brandebourg* (allié des Holl.) : 20 000 h. *Français :* 2 armées de 60 000 h. *Bavière* (alliée) : 18 000 h.

Opérations. Condé (40 000 h.), Turenne (80 000 h.) se rejoignent devant Maëstricht. **1672** 12-6 *passage du Rhin* à Tolhuis ; 14-6 raid de cavalerie jusqu'à Muyden (10 km d'Amsterdam) ; 19-6 ouverture des écluses de Muyden et inondation de la Hollande ; 20-6 *Jean De Witt* assassiné, remplacé par Guillaume d'Orange 20-8. **1673** févr. Turenne bat les Brandebourgeois en Westphalie ; 7/14-6 les flottes anglo-fr. sont repoussées par Ruyter au banc de Schoonveldt ; 18-6 ouverture de négociations à Cologne ; 1-7 L. XIV prend Maëstricht ; 30-8 Holl. obtiennent l'alliance de l'emp. (30 000 h.), Esp. et Lorraine (16 000 h.) : pourparlers rompus ; 7-9 Louvois prend Trèves ; G. d'Orl. reprend Naarden. **1674** mai-juin L. XIV et Vauban conquièrent la Fr.-Comté ; juin, Turenne occupe le *Palatinat* et des paysans tuent des soldats, incendient une trentaine de villages ; 11-8 à *Seneffe* Condé vict. [pertes : Fr. 8 000 †, Alliés (P[ce] d'Orange, Holl. ; Monterey, Esp. ; De Souche, Lorraine) 12 000 †] ; oct. Orange reprend Grave, dernière ville de Holl. occupée par les Fr. ; 4-10 bataille indécise d'*Entzheim* (Turenne 30 000 h., contre Électeur de Brandebourg 57 000 h.). **1675** janv. victoire de Turenne en Alsace (campagne d'hiver : par surprise, il prend tous les camps d'hiver des Impériaux ; bataille principale : *Turckheim,* 14-1) ; févr. L. XIV obtient l'alliance de Suède et Pologne (Jean Sobieski) contre le Brand. ; 27-7 Turenne tué à *Salzbach.* Montecucculi conquiert l'Alsace ; sept. Condé reconquiert l'Als. (manœuvres, aucune bataille). **1676** 8-1 bat. indécisise de *Stromboli* (Ruyter, Holl. : 36 v., 19 galères ; Duquesne, Fr. : 30 v., 10 brûlots, 24 g.) ; 22-4 *Agosta,* Duquesne vict. (Ruyter tué) ; 2-6 victoire de *Palerme.* **1677** 28-2 L XIV prend Valenciennes ; 11-4 vict. de *Cassel* [Philippe d'Orléans fr. de L. XIV (30 000 h.) bat le P[ce] d'Orange (30 000 h.) : 3 000 †, 4 000 prisonniers]. **1678** janv. repli de la flotte de Duquesne ; févr. offensive de L. XIV en

☞ Suite p. 614.

Le refus de l'impôt

Gabelle. Créée par Philippe VI en 1340 (impôt sur le sel), la plus grosse ressource du fisc royal, n'est pas uniforme à l'intérieur du roy. : des pays *rédimés* ont fait un versement forfaitaire (Poitou, Saintonge, Aunis, Angoumois, Gascogne, Périgord, Marche, Limousin, Guyenne, Cté de Foix, Bigorre, Comminges) ; des *provinces franches* ont été dispensées de la gabelle ; [1° par acte gracieux, lors de leur annexion à la Fr. (Cambrésis, Flandre, Hainaut, Bretagne, Béarn) ; 2° à cause de leur façade maritime, rendant le contrôle impossible (Boulonnais, Calaisis, côtes de l'Aunis et de la Saintonge, côte du Poitou)]. *Dans les pays de grande gabelle* [l'achat en quantité de 9 livres de sel par foyer par an, dit « sel du devoir », est obligatoire (Île-de-France, Picardie, Champagne, Orléanais, Perche, Normandie non côtière, Maine, Anjou, Touraine, Berry, Bourbonnais, Bourgogne)]. *Dans les pays de petite gabelle* (Languedoc, Provence, Roussillon, Rouergue, Gévaudan, partie de l'Auvergne, Bresse, Bugey, Dombes, Lyonnais) il n'y a pas de « sel du devoir ». *Dans les pays de quart-bouillon* (Normandie côtière) on a le droit de faire bouillir de l'eau de mer. *Dans les pays de saline* (producteurs de sel), on peut acheter directement le sel aux salines d'État (Franche-Comté, Alsace, Trois-Évêchés, Rethélois, Clermontois).

Les FAUX-SAUNIERS font le commerce clandestin du sel dep. les pays où il est le moins cher vers les pays où il est le plus cher. En 1675, le faux-saunage est défini comme un crime. Dans les pays de grande gabelle, le « sel du devoir » est porté au minimum à 11 livres 3/4 de sel par personne et par an. Des émeutes s'ensuivent notamment en Bretagne (greniers à sel pillés à Fougères et à Rennes ; 7 000 émeutiers ; 6 000 h. de troupe engagés dans la répression).

Révolte du Papier timbré. 1675. A Bordeaux (27 au 30-3) ; Rennes (18-4) ; représailles en sept. : les maisons des meneurs sont rasées. Près de Morlaix (50 paroisses) en juin (meneur : le notaire Le Balp) : le duc de Chaulnes écrase la révolte en août.

Bilan du règne de Louis XIV

1° Il a recueilli l'héritage espagnol (jusqu'en 1715, il gouverne Espagne et Amérique du S. ; les galions du Pérou débarquent à St-Nazaire).

2° Il a échoué dans la défense du catholicisme anglais : la défaite des Stuarts en 1688 marque le début d'une « *3e g. de Cent Ans* » (1688-1815), que la Fr. perdra.

3° Il s'est vengé de la Fronde. Les nobles sont presque constamment mobilisés (une des raisons des g. incessantes a été le désir d'envoyer les nobles au feu), sinon, ils sont gardés à la Cour, dotés de riches pensions, mais contraints à des dépenses encore supérieures, réduits ainsi à la merci du roi ; ce ne sont plus que des courtisans. Les parlementaires perdent le pouvoir administratif et politique au profit des « officiers » royaux.

4° Les frontières du N.-E. ont avancé sur certains points de 200 km : Franche-Comté-Alsace, ligne Meuse-mer du N. Les forteresses de Vauban ont été efficaces et peu coûteuses.

5° Il a créé un type de monarchie (absolue) qui deviendra au XVIIIe s. le « despotisme ». Mais, obsédé par les questions de décorum et d'étiquette, il n'a pas orienté l'absolutisme vers l'efficacité politique.

6° Il a répandu en Europe le prestige de la culture classique fr. : Versailles va être pendant un siècle un modèle partout reproduit.

7° Le peuple (rural à 90 %) est resté pauvre (forte mortalité, famines fréquentes). Mais un certain progrès s'est accompli (infrastructures, annexion de territoires plus riches, début des manufactures et du commerce maritime).

Fortunes comparées

Actif et, entre parenthèses, **passif** (en livres, en sept. 1661). *Mazarin (à sa mort) :* 35 144 891 (1 421 000) ; *Fouquet (lors de son arrestation) :* 15 442 473 (15 531 725) ; *Servien (à sa mort) :* 4 306 944 (2 000 000).

Quelques personnages du règne de Louis XIV

Bart, Jean (1650-1702). Fils d'un armateur dunkerquois, sert dans la marine holl. contre l'Angl. (1666-87). Passe au service de la Fr. comme corsaire en 1672 (g. contre la Holl., 81 prises de g.). Capturé par les Anglais en 1689, s'évade en traversant la Manche à la rame. Se distingue en 1690 à Beachy Head. Chef d'escadre en 1691. Se spécialise dans les actions ponctuelles, avec quelques navires (force ainsi le blocus de Dunkerque, 1694). Anobli, créé chevalier de St-Louis. Meurt de pleurésie au début de la g. de Succession d'Esp., alors qu'il préparait l'attaque de la Holl.

Beaufort, François de Vendôme, duc de (1616-69). Petit-fils d'Henri IV et de Gabrielle d'Estrées. D'abord favori d'Anne d'Autriche, puis évincé par Mazarin, prend part à la Fronde (notamment à la *Cabale des Importants*), où il reçoit le nom de « Roi des Halles », à cause de son succès auprès des masses populaires. Réconcilié avec la Cour en 1653, il est employé dans la lutte contre les Barbaresques en Méditerranée. Chef de l'expédition de Crète (Candie) en 1669, il meurt à l'ennemi (certains en ont fait « l'homme au masque de fer »).

Catinat, Nicolas (1637-1712). Avocat devenu officier de Turenne, maréchal de camp 1680, Lt gén. 1688. Cdt en chef de l'armée de Piémont (1690-93), force le duc de Savoie à la paix (vict. de Staffarde 18-8-1690, et de La Marsaille 4-10-93). Maréchal de Fr. 1693. Commande l'armée d'Italie au début de la g. de Succ. d'Esp. 1701, battu par le P^ce^ Eugène à Carpi, et disgracié. Finit sa vie dans son château de St-Gratien (Val-d'O.).

Colbert, Jean-Baptiste (1619-83). Fils de Nicolas Colbert de Terron, bourgeois de Reims, lui-même fils d'un contrôleur des gabelles anobli en 1595. *1649* commis dans les services de Michel Le Tellier. *1651* présenté à Mazarin. *1652* gère sa fortune privée. *1659* chargé de veiller à la gestion des Finances de l'État (fait un rapport sur les malversations de Fouquet). Surintendant des bâtiments du roi, il a en main toute l'architecture et les beaux-arts. *1661* intendant des Fin. à la mort de Maz. *1664,* qui le recommande à L. XIV avant de mourir. *1666* 2-12 fait arrêter Fouquet. Surintendant des Fin. *1667* à l'Acad. fr. *1669* 18-2 secrétaire d'État à la Maison du roi et 7-3 à la Marine. Construit une flotte de g. de 276 bâtiments et crée le *colbertisme* (la puissance politique, militaire et écon. d'un pays dépend de la masse monétaire dont il dispose : l'essentiel est donc de gagner de l'argent par tous les moyens ; autre nom : mercantilisme national). Contrôlant les dépenses du min. de la Guerre, il mécontente Louvois, qui le dessert auprès de L. XIV. Il risquait d'être disgracié quand il mourut.

Condé (le Grand). Louis II de Bourbon, P^ce^ de (1621-86). Fils du P^ce^ Henri II de Bourbon-Condé (1588-1646), il porte jusqu'à la mort de son père le titre de *duc d'Enghien.* Appelé à la Cour « Monsieur le Duc ». *1641,* ép. Claire-Clémence de Maillé-Brézé (nièce de Richelieu) ; il essaiera, en vain, de faire casser ce mariage pour épouser sa maîtresse Marthe de Vigean. *1642,* mis à la tête d'une armée à 21 ans. *1643,* 18-5 vict. à Rocroi ; 10-8 prend Thionville. *1644,* chef de l'armée du Rhin, enlève Fribourg, Philipsbourg, Mayence. *1645,* ayant rejoint Turenne, remporte avec lui la bat. de Nordlingen (3-8). *1646,* conquiert Dunkerque. *1647,* échoue devant Lérida (Catalogne). *1648,* après la paix de Westphalie, désœuvré, il se jette dans la Fronde. *1649,* 2-7 il prend Paris après le combat du Faubourg St-Antoine, mais, chassé par le peuple parisien, il rejoint le 5-9 l'armée esp. qu'il commandera contre les troupes roy. (chef : Turenne) jusqu'au tr. des Pyrénées (1659). *1660,* amnistié, il cherche à se faire nommer roi de Pologne (échec : Michel Wisniowiecki est élu à sa place en 1669). Reprend du service comme chef des armées de L. XIV. *1672,* 12-6 blessé au passage du Rhin, remporte encore plusieurs victoires, notamment Seneffe (11-8-1674) sur le P^ce^ d'Orange. *1675,* se retire dans son château de Chantilly.

Conti, Armand de Bourbon, P^ce^ de (1629-66). Fr. du Grand Condé, entraîné dans la Fronde par leur sœur, la duchesse de Longueville. *1650-51,* enfermé au Havre. *1654,* ép. Anne-Marie Martinozzi, nièce de Mazarin, ce qui le réconcilie avec la Cour. *1655-57,* prend part aux campagnes, puis se convertit au jansénisme et finit dévot.

Conti, François-Louis de Bourbon, P^ce^ de (1664-1709). Fils du précédent. *1688-97,* brillant combattant de la g. de la Ligue d'Augsbourg. *1697,* élu roi de Pologne, il est évincé du trône par Auguste II. *1709,* Cdt en chef dans les Flandres.

Duguay-Trouin, René (1673-1736). Fils d'un riche armateur malouin. *1688,* combat comme corsaire contre les Angl.-Holl. *1697,* dans la marine royale. *1707,* prend une flotte de 64 nav. *1711,* conquiert Rio de Janeiro. *1715,* chef d'escadre, combat encore, notamment les Barbaresques.

Duquesne, Abraham (1610-88). *1617,* mousse à 7 ans sur le bateau de son père (corsaire). *1644,* vice-amiral. *1647,* chef d'escadre. *1650,* ép. Gabrielle de Bernières et vit dans le domaine des Moros (Finistère). *1661,* Colbert le rappelle au service. *1663,* campagne contre les corsaires algériens. *1669,* lieutenant g^al^ des armées navales. *1672,* relevé de son commandement après la défaite de Solebay. *1674,* commande l'escadre de la Méditerranée. *1675,* vainqueur des Esp. à Stromboli. *1676,* de Ruyter à Alicudi, à Agosta (29-4 ; Ruyter †) ; anéantit les escadres hollandaises-esp. à Palerme (22-6). N'est pas nommé amiral (car, protestant, il refuse d'abjurer). *1679,* campagne contre les Turcs ; bombarde Chio. *1682,* bombarde Alger. *1684* bombarde Gênes, obligeant le Doge à s'humilier. *1688,* meurt d'apoplexie. *1701,* son fils Henri, resté protestant, s'établit à Genève.

Fouquet, Nicolas (1615-80). Fils d'un conseiller au Parlement, vicomte de Vaux, enrichi par le commerce avec le Canada, il achète la charge de procureur général au Parlement de Paris et devient l'ami de Mazarin. *1653* nommé surintendant gén. des Fin., il s'enrichit et peut acheter le marquisat de Belle-Isle. Colbert prouve au roi ses nombreuses malversations. *1661*-17-8, Louis XIV, fastueusement reçu au château de Vaux, le fait arrêter le 5-9 à Nantes par d'Artagnan. *1664* 30-12, après un procès en partie falsifié par Colbert, il est condamné pour abus, malversations et lèse-majesté, au bannissement et à la confiscation de ses biens. Louis XIV tranforme le bannissement en prison perpétuelle. Fouquet est interné à la forteresse de Pignerol où il meurt. Certains ont prétendu qu'il avait été empoisonné à Châlonnes par des agents de Le Tellier et de Colbert. Il a été considéré comme l'un des « masques de fer » possibles. *Devise :* quo non ascendet (jusqu'où ne montera-t-il pas ?). *Emblème de la famille :* un écureuil (fouquet, en vieux français).

Lionne, Hugues de (1611-71), Mis de Bercy. Diplomate, collaborateur de Mazarin 1641 ; min. d'État 1659 (dirige les Aff. étr.) ; min. des Aff. étr. 1663 (ayant acheté la charge au Cte de Brienne). A le mérite des plus grands succès dipl. de Louis XIV : mariage espagnol (1647), ligue du Rhin (1657), paix des Pyrénées (1659), achat de Dunkerque (1662), tr. de Breda (1667), d'Aix-la-Chapelle (1668) ; alliance avec Charles II d'Angl. (1671). Sa femme fut célèbre par ses galanteries.

Louvois, François-Michel Le Tellier, marquis de (1641-91). Fils du min. Michel Le Tellier, seigneur de Chaville (1603-85). *1655,* à 14 ans secrétaire d'État à la G., remplace son père, qui devient conseiller de la Régente. *1662,* associé à son père au secrétariat d'État. *1666,* partage avec son père la responsabilité de min. de la G. (Le Tellier fixé à Paris ; Louvois souvent aux armées). *1668,* surintendant des Postes. *1672,* ministre d'État ; exerce l'intérim des Affaires étr. *1679,* commande de fait la diplomatie (organise les annexions appelées « réunions »). Responsable des provinces-frontières : Flandres, Alsace, Franche-Comté. *1683,* achète la charge de surintendant des bâtiments, que possédait Colbert († 1683). *1689,* disgracié après la chute de Mayence (sur intervention de Mme de Maintenon). *1691,* sa mort soudaine en sortant de chez Mme de Maintenon fit croire à son empoisonnement. L'autopsie montra qu'il avait succombé à « une attaque d'apoplexie pulmonaire ».

Luxembourg, François de Montmorency-Bouteville, duc de (1628-95). Fils du duelliste décapité sous L. XIII (1627). Partisan de Condé, combat dans l'armée esp. contre L. XIV jusqu'en 1659. *1611,* amnistié après le tr. des Pyrénées, ép. l'héritière de la maison de Lux. dont il prend le nom (reconnu duc et pair par le roi). *1668,* conquiert la Franche-Comté. *1672,* commande en chef l'armée de Holl. *1675,* maréchal. *1677,* prend part à la bat. de Cassel (gagnée par le duc d'Orléans). *1685,* disgracié pendant l'Affaire des poisons, retrouve un commandement pendant la g. de Succ. d'Esp. Victoires : Fleurus 1690, Steinkerque 1692, Neerwinden 1693. Surnommé « le Tapissier de Notre-Dame » (on y exposait des drapeaux qu'il avait pris à l'ennemi).

Mademoiselle (la Grande). Voir **Montpensier.**

Maintenon, Françoise d'Aubigné, marquise de (1635-1719). Petite-fille du poète Agrippa d'Aubigné, fille d'un huguenot emprisonné pour intelligence avec l'Angl. (née à la prison de Niort). Enfance à la Martinique. *1647,* revient en Fr., orpheline et ruinée ; mise chez les Ursulines. *1649,* abjure. *1652,* sans un sou épouse un paralytique, l'auteur comique Paul Scarron (1610-60). Tient un salon littéraire brillant. *1660,* veuve, pensionnée par Anne d'Autriche. *1669,* gouvernante des bâtards royaux, nés de la Montespan. *1673,* à l'occasion de leur légitimation, créée M^ise^ de Maintenon. *1680,* dame d'atour de la Dauphine (devient sans doute alors la maîtresse de L. XIV, qu'elle épouse secrètement après la mort de la reine, entre 1683 et 1686). *1685,* rend austère la vie de la Cour. Combat les protestants, s'acharne contre Louvois. *1686,* fonde la maison d'éducation de St-Cyr. *1715,* s'y retire après la mort de L. XIV.

« Masque de fer » († 19-11-1703). Prisonnier non identifié, surveillé par le même officier (M. de Saint-Mars) dans 3 lieux de détention successifs : Pignerol (1679-87), île Ste-Marguerite de Lérins (1687-98), Bastille (1698-1703). Enterré au cimetière St-Paul, sous le nom de « Marchiali », ce qui a fait penser au Cte Mattioli [1er négociateur du tr. de protectorat entre la France et Mantoue (conclu 1681, après 3 ans de discussions), coupable d'avoir révélé le début des pourparlers aux Esp.]. Certains en ont fait un jumeau de L. XIV (Voltaire), son bâtard, le Cte de Vermandois, le P. Jacques de la Cloche, le duc de Monmouth (bâtard de Charles II d'Angl.), Fouquet, Eustache Dauger (avis d'Alain Decaux), Dauger de Cavoye (n. 30-8-1637) valet qui aurait empoisonné Fouquet (peut-être à l'instigation de Colbert, d'après Maurice Duvivier), etc.

Mazarin, Jules (1602-61). Diplomate italien, au service du pape (clerc tonsuré, non prêtre), remarqué par Richelieu pendant sa nonciature à Paris (1634-36). *1640,* nommé cardinal « de la couronne de Fr ». *1643-51,* choisi comme successeur par Richelieu mourant, il gouverne la Fr. pendant la régence d'Anne d'Autr. Puis il reste Premier ministre avec un pouvoir presque absolu jusqu'à sa mort [on a souvent affirmé l'existence d'un mariage secret avec Anne d'Autr. (il était parrain de L. XIV) ; la reine a toujours nié, disant que Maz. « n'aimait pas les femmes ». Peut-être ont-ils été amants à partir de 1652. Mais Mazarin cherchait à se faire élire pape : signant toute sa vie *Mazarini,* pour préserver ses chances ; à plus forte raison, il refusait le statut d'homme marié]. S'intéressant surtout aux affaires étrangères, a remporté des succès diplomatiques (tr. de Westphalie 1648, tr. des Pyrénées 1659). Enrichi par 18 ans de gouv., il bâtit à ses frais le palais où siège actuellement l'Académie et où il a son tombeau. *Nièces* (les « Mazarinettes ») : 2 filles de sa sœur Margarita Martinozzi : Anne-Marie (1637-72) et Laure (1640-87) ; 5 de sa sœur Girolama Mancini : Laure (1636-57), Olympe (1638-1708), Marie [(1639-1706) aimée de L. XIV qui, en 1659, demanda sa main, mais Mazarin refusa (Marie épousa en 1661 le prince Onuphre Colonna)], Hortense (1646-99), Anne-Marie (1649-1714). *Neveux* Mancini : Paolo (1636-52, tué pendant la Fronde) ; Filippo (1639-1707, créé duc de Nevers 1670) ; Lorenzo (1642-58, mort accidentellement).

Montpensier, Anne-Marie d'Orléans, duchesse de (1627-93). Fille de Gaston d'Orléans, cousine germaine de L. XIV, dite « la *Grande Mademoiselle* » (son père était appelé « le Grand Monsieur »). Prend part à la Fronde avec son père (dont elle est la conseillère) et sauve l'armée de Condé au combat du Faubourg St-Antoine (2-7-1652) en lui ouvrant les portes de Paris. Cette intervention brise son projet d'épouser L. XIV (elle avait 11 ans de plus que lui, mais possédait l'immense fortune des Bourbon-Montpensier). Exilée à St-Fargeau (Yonne) jusqu'en 1657. *1669* (42 ans), s'éprend du Cte de Lauzun (Antoine Nompar de Caumont, 1633-1723), que le roi fait enfermer à Pignerol. *1680,* voulant doter richement ses fils légitimés, L. XIV autorise la Gde Mademoiselle à épouser Lauzun (créé duc), à condition de léguer au duc du Maine, fiancé à la princesse d'Orléans, les fiefs des Dombes et d'Eu. *1685,* maltraitée par son mari, s'en sépare et finit sa vie dans la dévotion.

Négresse de Moret. Religieuse noire qui, à la fin du XVIIe s., vivait au couvent de Moret (S.-et-M.) et y recevait la visite des plus hauts personnages de la Cour. Appelée sœur Louise Marie-Thérèse, elle était, disait-on, la fille de la reine Marie-Thérèse d'Autriche, femme de Louis XIV, et d'un Noir, qui lui servait de page.

Orléans, Gaston, duc d' (1606-60). Fr. de L. XIII (souvent en révolte contre lui), Lt gén. du roy. pendant la minorité de L. XIV. Titre officiel à la Cour : *Monsieur* (on l'appelle « le *Grand Monsieur* », pour le distinguer de son neveu, fr. du roi). Prend part aux campagnes de 1644, 45, 46 (sièges de Gravelines, Courtrai, Bergues). *1648-52,* chef de la Fronde. *1652,* se soumet, livrant à Maz. tous ses partisans (sauf Condé, qui rejoint l'armée espagnole). Exilé jusqu'à sa mort dans son château de Blois.

Orléans, Philippe, duc d' (1640-1701). Fr. de L. XIV. *1660,* reçoit le duché d'Orléans à la mort de son oncle Gaston. Mazarin, chargé de son éducation, s'efforça d'affaiblir sa personnalité pour éviter à L. XIV les ennuis que L. XIII avait connus avec Gaston. *V. 1656,* il le fit initier à l'homosexualité par son neveu Filipo Mancini. Philippe restera homosexuel (favori : le chevalier de Lorraine), mais eut plusieurs enfants de ses 2 mariages [1) *Henriette d'Angleterre* (1644-70) ; 2) Charlotte-Élisabeth de Bavière, Pcesse *Palatine* (1652-1722), mère du futur Régent]. *1677,* à Cassel, se révèle un des meilleurs chefs militaires de son temps, écrasant le Pce d'Orange. Mais L. XIV, jaloux, lui retire tout commandement.

Tourville, Hilarion de Cotentin, Cte de (1642-1701). Chevalier de Malte. *1667,* passe dans la marine. *1689,* vice-amiral, comm. la flotte d'invasion d'Irlande. *1690,* 10-7 bat l'amiral anglais Herbert à Beachy Head ; mai, écrasé à La Hougue (pour avoir obéi aux ordres de L. XIV). *1692,* nommé maréchal de Fr. après sa défaite. *1693,* victorieux au cap St-Vincent.

Turenne, Henri de La Tour d'Auvergne, vicomte de (1611-75, tué au combat). Appartient à la famille protest. des Bouillon (fr. du duc de Bouillon, chef de la Fronde). *1643,* maréchal de Fr. *1648 à 51,* chef militaire de la Fronde. *1651-58,* victorieux des Frondeurs. Il espérait recevoir le titre de connétable, mais à cause de son protestantisme il n'eut que celui de « maréchal général » (1660). *1668,* sa femme Charlotte de Caumont (huguenote convaincue) meurt ; T. se convertit au cath. *1672,* pratique au Palatinat la politique de la « terre brûlée ». Provoqué en duel par l'Électeur palatin, il refusa le combat singulier, par ordre du roi. Napoléon Ier fit transférer ses cendres aux Invalides.

Vauban, Sébastien Le Prestre, maréchal de (1633-1707). Petite noblesse bourguignonne, sans fortune. *1650,* officier de Condé (contre la Cour). *1653,* prisonnier, passe au service de Maz. *1655,* ingénieur du roi. Dirige presque tous les sièges. *1674,* brigadier général. *1678,* commissaire gén. des fortifications. Entoure le roy. d'une ceinture de villes fortifiées et d'ouvrages isolés, avec des lignes rasantes, moins vulnérables à l'artillerie. Crée également des ports (milit. et comm.) et travaille au canal des Deux-Mers. Se brouille progressivement avec le roi [1689, critique la révocation de l'Édit de Nantes ; 1698, écrit le *Projet d'une disme royale,* envisageant la suppression de l'exemption fiscale des nobles (publié 1707 ; saisi par la police)]. *1702,* chute de Landau, fortifiée par lui (reprise 1703, reperdue 1704), il envisage de remplacer les villes fortifiées par des camps retranchés, regroupant plusieurs forteresses. *1703,* Mal de Fr. mais disgracié.

Vendôme, Louis-Joseph de Bourbon, duc de (1654-1712). Arrière-petit-fils par son père d'Henri IV et, par sa mère, petit-neveu de Maz. *1612-69,* duc de Penthièvre jusqu'à la mort de son père Louis de V. *1695-97,* commandant en chef en Catalogne, prend Barcelone. *1702,* remporte des victoires en Italie (Luzzara) et 1705 (Cassane). *1708,* accusé de la défaite d'Audenarde en Flandre (le responsable était, en fait, le duc de Bourgogne, petit-fils du roi). Disgracié en France, appelé en Esp. par Phil. V, dont il sauve le trône par des vict. décisives (notamment Villaviciosa, 10-12-1710). Devenu prince esp., enterré à l'Escurial.

Villars, Claude-Louis-Hector, duc de (1653-1734). Fils de diplomate. *1671,* entre dans l'armée. *1674,* colonel de cav. *1683,* ambassadeur à Vienne. *1690,* maréchal de camp. *1693,* Lt gén. *1697-99,* amb. à Vienne. *1702,* victorieux à Friedlingen (nommé maréchal par ses soldats ; titre confirmé par L. XIV). *1703,* à Hochstaedt. *1704,* pacif. des Cévennes. *1705,* duc. *1709,* blessé à Malplaquet (semi-victoire : l'ennemi est stoppé). *1712,* vict. à Denain, sauve la monarchie. Pt du Conseil de régence. *1715,* joue encore un rôle important aux armées de L. XV (Cdt en chef en Italie à 80 ans).

Villeroi, François de Neufville, duc de (1644-1730). Fils du gouverneur du roi ; élevé avec L. XIV, reste son ami. *1693,* Mal de Fr. ; remplace Luxembourg à la tête des armées. Sans cesse vaincu [Chiari 1701 ; Crémone 1702 (prisonnier) ; Ramilies 1706]. L. XIV lui retire son commandement, puis le nomme par testament gouverneur de L. XV.

Villeroi

Flandres (120 000 h.) ; 12-3 Gand prise. **1678-79** *tr. de Nimègue :* Fr. rend Maëstricht, mais acquiert Franche-Comté ; Valenciennes, Bouchain, Condé, Cambrai, Aire, St-Omer, Bailleul, Cassel, Bavay, Maubeuge (P.-B.) (+ Ypres, Warwick, Warneton, Poperingue, maintenant belges) ; Fribourg (Allemagne) ; Longwy (Lorraine). **1679** campagnes contre Brandebourg, Danemark et Saxe, restés en dehors des tr. : 30-6 passage de la Weser (Créqui) ; oct. conquête de l'Oldenbourg (Créqui) ; juin-nov. paix signée avec Brandebourg (Nimègue, 29-6), Danemark et Saxe (Fontainebleau, nov.) : statu quo territorial, subventions payées par la Fr.

Guerre de la Ligue d'Augsbourg (1688-97)

Causes. 1° **Luxembourg :** décrété fr. par la Chambre de réunion de Lorraine ; *1683* 31-8 ultimatum à l'Esp. ; 26-10 décl. de g. 2° **Palatinat :** *1685* 26-5 mort de l'électeur Charles. L. XIV réclame pour sa belle-sœur, la princesse Palatine, Oppenheim, Simmern, Kaiserslautern, Sponheim (l'agressivité de L. XIV s'explique par la g. austro-turque : l'emp., assiégé dans Vienne, ne peut agir sur la rive gauche du Rhin). *1686* 9-7 l'emp., délivré des Turcs, signe à Augsbourg un tr. d'alliance avec l'Esp. S'y joignent : Suède, Bavière, Franconie, Saxe, Palatinat. 3° **Cologne :** *1688* 3-6 mort de l'archevêque électeur. L. XIV veut faire élire le card. de Furstenberg, év. de Strasbourg ; 6-9 le pape nomme Joseph-Clément de Bavière, fr. de l'Électeur. *4° Angleterre :* le roi cathol., Jacques II Stuart, a un fils (J. III) ; *1688* 20-6 son gendre, Guillaume d'Orange, protestant, stathouder de Holl., prend la décision de le renverser.

Effectifs. Français : 100 000 h. + 25 000 miliciens, 12 compagnies de canonniers ; flotte : 219 vaisseaux de ligne, 45 galères. *Principaux généraux :* Lorges, Boufflers, Catinat, Luxembourg (surnommé le « Tapissier de Notre-Dame ») ; amiraux : Tourville, Château-Renault, Forbin, Jean Bart, Duguay-Trouin ; ministre de la Marine, depuis le 3-11-1690 : Louis Phélypeaux de Pontchartrain. **Alliés :** *principaux généraux :* le margrave Louis de Bade, Guillaume III, le duc de Lorraine.

Opérations. 1688 30-9 occupation de l'électorat de Cologne (et d'Avignon, représailles contre le pape) ; oct.-nov. conquête de la rive g. du Rhin sauf Coblence ; 18-10 l'emp. déclare la g. ; 15-11 débarquement holl. en Angl. (son armée compte 700 off. huguenots). Jacques II fuit. **1689** 23-2 Guillaume et Marie proclamés roi et reine ; mars-juin *destruction du Palatinat* par le maréchal de Tessé, sur ordre de Louvois : Mannheim (presque entièrement détruite), Heidelberg, Spire, Worms, Oppenheim, Brangen sont incendiées ou dévastées, les habitants n'ont eu que quelques j. pour évacuer ; Trèves devait être brûlée, mais L. XIV furieux fait donner le contrordre (épisode célèbre : il frappe Louvois à coups de pincettes) ; but : empêcher les armées impériales de « vivre sur le pays » pendant que l'armée fr. attaquait l'Angl. (aucune attaque impériale n'eut lieu dans ce secteur entre 1689 et 1697) ; 22-3 débarquement en Irlande (Château-Renault avec Jacques II). **1690** 1-7 *Fleurus* (Belg.) Luxembourg (40 000 h.) bat Waldeck (48 000 h.) ; 18-8 *Staffarde* (Italie) Catinat bat Victor-Amédée ; 23-9 bat. de *Béveziers* [Tourville (70 vaisseaux), anglo-holl. (60 v., dont 9 détruits et 12 incendiés plus loin)] ; *Drogheda* Jacques II battu fuit en Fr. **1691** 8-4 L. XIV prend Mons. **1692** 29-5 *La Hougue* fin des offensives fr. contre les îles Brit. ; 5-6 Namur prise ; 3-8 *Steinkerque* Luxembourg bat Guillaume d'Orange (1 300 pris.). **1693** 28-6 *Lagos* ou cap St-Vincent (Esp.) Tourville (72 vaisseaux) bat Rook et Vandergoes (22 vais., 200 nav. marchands) : 82 nav. coulés ; 29-7 *Neerwinden* Luxembourg (66 000 h.) bat Guillaume d'Or. et Max.-Emmanuel de Bavière (50 000 h.) : 15 000 pris. ; 14-10 *La Marsaille* (Italie) Catinat bat Victor-Amédée (6 000 †, 2 000 pris.). **1696** la Savoie quitte la coalition. **1697** 20-9 et 30-10 *Traités de Ryswick :* la Fr. restitue Lorraine, sauf Sarrelouis et Longwy ; ses conquêtes sur la rive dr. du Rhin (garde Strasbourg) ; rend Luxembourg à l'Esp., Pignerol à la Savoie ; reconnaît le changement dynastique en Angleterre.

Guerre de Succession d'Espagne (1701-13)

Causes. *1°* l'emp. Léopold, 2e héritier de la couronne d'Esp. après les Bourbons, ne se résigne pas à perdre ses droits. *2°* Angl. et Holl. (alliées) redoutent la fusion des monarchies esp. et fr. *3°* la dynastie protestante d'Angl. redoute l'appui donné par L. XIV aux Stuarts (influence de Mme de Maintenon, circonvenue par la femme de Jacques II).

Chefs principaux. *France :* L. XIV dirige les armées et les flottes esp. et fr. ; les généraux n'osent pas prendre de décisions et envoient des messagers à Versailles ; les ordres arrivent souvent trop tard. *Alliés :* « Triumvirat » Heinsius (Hollande), prince Eugène de Savoie (Empire), John Churchill, duc de Marlborough (Angleterre).

Effectifs (1706). 8 armées : Villeroi, Marsin (fils), La Feuillade, Noailles, Tessé, Vendôme, Berwick, Villars ; ministre de la G. : Chamillart ; maréchal des logis de l'armée : Chamlay.

Déroulement. 1701 6-2 L. XIV fait occuper P.-Bas esp. : les Holl. craignent pour leur sécurité. **1702** 15-5 Angl., Hollande et Emp. déclarent la g. à Fr. et Esp. (en vertu du tr. de La Haye, dit la Grande Alliance, 7-9-1701) ; tous les princes all. y participent, sauf les électeurs de Cologne et de Bavière. Autres alliés de Louis XIV : Savoie (jusqu'en nov. 1703), Portugal (jusqu'en déc. 1703). **Vict.** *du Mal de Villars :* Hochstaedt 20-9-1703, Friedlingen 14-10-1709, Denain 24-7-1712 ; *du duc de Vendôme :* Luzzara 15-8-1702, Cassano 16-8-1706, Villaviciosa 10-12-1710 ; *de Berwick :* Almansa 25-4-1707 (l'armée fr. est commandée par un Anglais, le duc de Berwick, et l'armée anglo-all. par un Français, Ruvigni Cte de Galway). **Défaites :** Hochstaedt *(Tallard)* 13-8-1704, Ramillies *(Villeroi)* 23-5-1706, Turin *(La Feuillade)* 8-9-1706, Audenarde *(duc de Bourgogne)* 11-7-1708, Lille *(duc de Bourg.)* 30-8-1708, Malplaquet *(Villars,* puis *Boufflers :* bat. indécise) 11-9-1709. *1711* l'Angl. abandonne ses alliés (préliminaires de Londres). **1713** 11-4, *tr. d'Utrecht ;* **1714,** 6-3 de *Rastadt* et 7-9 de *Baden.* Fr. cède Terre-Neuve, Acadie, baie d'Hudson à l'Angl., 4 villes de Flandres aux P.-Bas. Phil. V renonce à la couronne de Fr. conserve celle d'Esp., cède Gibraltar, Minorque à l'Angl. Autriche reçoit P.-B., Milanais, Naples, Sardaigne. Duc de Savoie reçoit Sicile.

Guerre des camisards (25-7-1702 – 12-5-1704).

1661-1740 les huguenots des Cévennes, commandés par Jean Cavalier, prennent parti pour les Angl. et Holl., protestants. **Effectifs :** *Protestants* 1 500 à 1 800. *Armée royale et supplétifs* 60 000 h. (généraux : maréchal La Baume Montrevel jusqu'en avril 1704, puis maréchal de Villars).

Victoires prot. : *1702,* 24-12 Mas Rouge, contre le gouv. d'Alès. *1703,* 17-1 Sauve. *1704,* 13-3 Devoir de Martignargues. *1705,* 12-4 Plan-de-Fontmort. **Défaites prot. :** Vagnas (décisive) 10-2-1703 ; La Tour-du-Billot 30-4-1703 ; Nages 16-4-1704 (1/3 des Camisards tués ; Cavalier réduit à négocier).

Controverses sur la Régence

Portrait du Régent. *Traditionnel :* débauché, libertin, immoral, indolent, organisateur de « soupers » orgiaques avec ses roués ; livré à un favori méprisable, l'abbé Dubois : son ancien répétiteur devenu son compagnon d'armes ; désireux de s'emparer de la couronne roy. ou, à défaut, de celle d'Esp. ; *critique :* acharné au travail, ami de la liberté et admirateur des libertés angl., porté à l'ivrognerie et à la paillardise, mais veillant à éviter les scandales ; très peu porté à la dévotion (par réaction contre L. XIV), mais bien disposé envers les jansénistes (qu'il a tirés de prison) ; ami des arts (style « rocaille »).

Bilan de la Régence. A amorcé le redressement économique de la France : la paysannerie s'est enrichie, une nouvelle classe de chefs d'entreprises est née ; gros travaux d'infrastructure (canal de Montargis, port de Lorient, routes) ; mise en valeur de la Louisiane. Mais la politique anti-esp. (ayant permis l'anéantissement de la marine de g. esp.) aura des conséquences funestes au cours de la « 3e guerre de Cent Ans » contre l'Angleterre : le désastre de 1763 (perte du Canada, de la Louisiane et de l'Inde) s'explique par l'affaiblissement des Bourbons d'Espagne.

Système de Law

John Law, Écossais (1671-1729), venu en France en 1695 à la suite d'un duel ; publie en 1705 les *Considérations sur le numéraire et le commerce ;* apprécié par le futur Régent ; après sa faillite, vivra 9 ans dans la misère à Venise.

Principe. Remplacer les pièces d'or et d'argent par du papier-monnaie, qui circule plus vite (une somme qui a circulé 2 fois plus vite égale une somme double). Création d'une banque d'État (capital 6 millions ; 1 200 actions), ouvrant des crédits illimités, garantis par des entreprises (coloniales, commerciales, agric., fin., fiscales). **Déroulement.** *1716-19 :* création de multiples entreprises (par actions), dites sociétés filles et petites-filles de la Banque générale drainant les capitaux nécessaires à la banque d'émission (d'énormes dividendes sont promis). *Déc. 1719* plus-value de 40 % sur les dividendes. *Févr. 1720* effondrement des actions (2 causes : 1° spéculation à la baisse des frères Pâris qui provoquent une panique ; 2° découragement des détenteurs d'actions qui touchaient des dividendes dérisoires par rapport au prix payé) ; *mars* Law s'enfuit ; les billets de sa banque perdent toute valeur.

Bilan. A ruiné de nombreuses personnes, mais a relancé les entreprises par milliers (boom économique durable) et a permis aux paysans de se libérer de leurs dettes.

1704, 12-5 *armistice du pont d'Avène* ; 16-5 Villars offre à Cavalier un brevet de colonel et un régiment dans l'armée royale. C. ne recrute que 97 anciens camisards et déserte le 26-8 (rejoint l'Angl., devient en 1735 gén. de l'armée angl.). 470 villages cévenols ont été détruits par l'armée (« grand brûlement des Cévennes »).

La Régence (1715-23)

Le Régent. (Généalogie, voir p. 594). **Philippe d'Orléans** (1674-1723), neveu de L. XIV, duc de Chartres (1674), duc d'Orléans et 1er prince du sang (1701) ; commandait les armées fr. en 1693 (Neerwinden), 1706 (Turin), 1707-08 (Lérida) : très brave.

1715 2-9 le testament de L. XIV organisant la régence pour son arrière-petit-fils, L. XV (5 ans), est lu en public : Phil. d'Orléans s'impose en face de son rival, le duc du Maine (fils légitimé de L. XIV) ; 12-9 le Parlement casse le test. et confie la régence à Phil. d'Orléans ; en échange, il retrouve le droit de remontrance. **1715-18** Phil. gouverne au moyen de « conseils délibératifs » *(polysynodie) :* chaque ministre est remplacé par une assemblée de magistrats et de grands seigneurs, compétente pour les affaires du ministère (inefficacité, perte de temps) : système abrogé le 16-9-1718, sauf pour le Conseil de Rég., composé des conseillers privés du Régent, notamment l'abbé Guillaume Dubois (1656-1723 ; card. 1721). **1716** 2-5 création de la Banque générale et de la Cie d'Occident. **1717** séjour à Paris du tsar Pierre le Grand. **1718** 22-8 les princes légitimés perdent la qualité de pr. du sang. Fondation de La Nouvelle-Orléans (cap. de la Louisiane 1721).

1720 *Peste de Marseille* (85 000 † en Provence) ; 4-12 la *bulle Unigenitus* (antijanséniste) est enregistrée malgré l'opposition des Parlements ; le cardinal Dubois devient officiellement 1er ministre. **1721** 28-11 Louis-Dominique *Cartouche* (n. 1693), chef de brigands, opérant dans la région parisienne (roué vif). Avant de mourir, il dénonce des complices (dont certains de la Cour). **1723** 10-8 mort du cardinal Dubois ; le Régent devient 1er ministre (le roi étant majeur à 13 ans) ; il meurt le 2-12.

Guerre de la Quadruple Alliance

Causes. *1°* Hostilité dynastique entre les Bourbon-Anjou (Philippe V d'Espagne) et les Bourbon-Orléans (le Régent). *2°* Ambition du ministre espagnol, le cardinal *Jules Alberoni* (1664-1752), voulant récupérer les domaines esp. d'Italie, perdus au tr. d'Utrecht. *3°* Volonté anglaise d'affaiblir les Bourbons en profitant de leurs dissensions. **Préparation : 1717** 4-1 triple alliance signée à La Haye contre l'Espagne (Angleterre, Pays-Bas, France) ; **1718** 2-8 adhésion de l'Emp. attaqué par Alberoni en Italie.

Opérations. 1717 juillet les Esp. conquièrent Sardaigne et Sicile. **1718** juillet-août tentative esp. de fomenter une g. civile en Bretagne [l'ambassadeur d'Esp. Antonio del Giudice, duc de Giovenazzo, P[ce] de *Cellamare* (1657-1733), obtient l'appui du duc et de la duchesse du Maine, du duc de Richelieu, du P[ce] de Conti, du cardinal de Polignac, qui sont exilés ; 4 conjurés bretons sont pris en 1719 et exécutés en avr. 1720 : Mis de Pontcallec, Talhouët, Montlouis, du Couëdic (les principaux coupables : Le Gouvello, Kérantré, Lambilly)] ; oct. les Anglais détruisent la flotte esp. à Syracuse. **1719** Berwick attaque l'Esp. par le Guipúzcoa (avril), la Navarre (juin), Urgel (oct.) ; nov. Philippe V renvoie Alberoni. **1720** il adhère à la Quadruple Alliance. **1721** L. XV (11 ans) est fiancé à la fille de Philippe V, Marie-Anne-Victoire (3 ans).

Bilan. Retour à la politique du bloc franco-esp. de L. XIV, mais l'Esp. a perdu son escadre de Méditerranée.

Louis XV le Bien-Aimé (1710-74)

Louis XV avant Choiseul (1723-57)

1723 3-12 le duc de Bourbon (Louis-Henri de Condé, 1692-1740) 1er ministre à la mort du Régent ; sa maîtresse, Mme de Prie, gouverne en son nom : elle confie les finances à Joseph Pâris-Duverney (1684-1770), banquier partisan des dévaluations monétaires. **1725** L. XV ép. la fille de l'ex-roi de Pologne, Marie Leszczyńska (qui a 7 ans de plus). *Motif :* l'infante d'Esp. est trop jeune ; L. XV ne pourrait l'épouser avant d'avoir 23 ans (et s'il mourait sans enfants, le trône irait au duc d'Orléans, fils du Régent, ennemi des Condé). **1726** 11-6 disgrâce de Bourbon (exil de Pâris-Duverney et de Mme de Prie) ; 15-6 l'abbé Fleury (73 ans) entre au Conseil (nommé cardinal le 20-8, il le préside d'office) ; il stabilise le cours des monnaies.

1727 acquisition du comptoir de Mahé (Indes) ; Mgr Soanen, év. de Senez, adversaire de la bulle Unigenitus, est déposé et exilé. **1729** naissance du dauphin : fin de la rivalité dynastique fr.-esp. : installation des Bourbons d'Esp. (branche cadette) à Parme et en Toscane. **1737** 20-2 disgrâce de Chauvelin ; le maréchal de Belle-Isle devient le chef du parti anti-autr. **1745** début de la liaison de L. XV avec la *M[ise] de Pompadour* [(Jeanne Poisson, 1721-64) ; elle est roturière, fille et épouse de financier ; les nobles lui sont hostiles : elle régentera : finances, guerre, aff. étr. (avec les conseils du banquier Pâris-Duverney). Elle fait disgracier Orry (1745) (remplacé par Machault d'Arnouville), Maurepas (1749)] ; **1745** mai création du vingtième, impôt sur tous les biens, même nobles. Opposition du Parlement. **1750** le clergé refuse de payer la contribution réclamée par Machault (1 500 000 livres). **1751** 23-12 L. XV cède. **1752** Mme de Pompadour fait entrer au Conseil l'abbé de Bernis (1715-94), partisan de l'alliance autr. [la g. contre l'Angl. (à cause du Canada et de l'Inde) paraît inévitable ; il faut trouver un allié continental]. **1754** Godeheu abandonne aux Anglais les territoires indiens conquis par Dupleix. **1755** 26-5 exécution (strangulation) à Valence de *Louis Mandrin* (n. 1724), chef des faux sauniers et des contrebandiers opérant en Dauphiné et Savoie ; il s'était rendu populaire en attaquant fermes générales et greniers à sel, mais en respectant (dans l'ensemble) les propriétés privées. 31-8 Bernis, négociateur à Vienne ; sept. directeur des Affaires étr. (secr. d'État 1757).

1756 16-1 Frédéric II s'allie à l'Angl. *(tr. de Whitehall) ;* 1-5-la Fr. s'allie avec l'Autr. *(tr. de Jouy-en-Josas) :* pour la 1re fois depuis 1498, un roi de Fr. est allié avec un Habsbourg *(renversement des alliances).* Création de la manufacture nationale de Sèvres (porcelaines tendres, puis dures 1770). **1757** 5-1 L. XV blessé par Damiens d'un coup de couteau à la poitrine ; Damiens écartelé. *Conséquences :* L. XV, prétextant d'avoir perdu l'affection de ses sujets, renvoie ses 2 ministres réformateurs : Machault d'Arnouville et d'Argenson.

Quelques personnages

Dubois, Cardinal Guillaume (1656-1723). Fils d'un pauvre apothicaire de Brive-la-Gaillarde (Corrèze). Études à Paris (payées en étant domestique) ; secrétaire du curé de St-Eustache. *Juin 1683* prend le « petit collet » (homme d'Église sans prêtrise) et devient répétiteur du duc de Chartres (chargé de chercher les mots dans le dictionnaire latin). *1687* gouverneur intérimaire du duc à la mort de St-Laurent (2-8), puis en titre (3-9). *1689* chanoine honoraire d'Orléans. *1690* abbé commendataire d'Airvault. *1691* prend part avec son élève au siège de Mons. *1692* pousse son élève à épouser une « légitimée », Mlle de Blois. *1692-93* secrétaire du duc de Chartres ; l'accompagne en Flandre (combat vaillamment à Steinkerque 3-8-92). *1693* abbé commendataire de St-Just. *1694-96* combattant en Flandre, près du duc. *1698* négociateur à Londres avec le M[al] de Tallard. *1702* secrétaire des commandements du duc (devenu duc d'Orléans à la mort de son père). *1706-07* combattant en Italie (bat. de Turin 7-9-1706). *1716* nommé conseiller d'État d'Église, par le duc devenu Régent. *1717* négociateur à Londres, conclut le tr. d'alliance contre l'Esp. *1718* min. des Aff. étr. *1720* 14-4 archevêque de Cambrai (ordonné prêtre la veille) ; 4-12 fait enregistrer la *bulle Unigenitus, 1721* 16-7 cardinal. *1722,* janv. membre du Conseil de Régence ; 22-8 principal min. Il meurt relativement pauvre (800 000 livres, 300 fois moins que Mazarin).

Maupeou, René-Nicolas de (1714-92). Vieille noblesse de robe. *1743-57 :* 1er Pt du Parlement de Paris. *1763-68 :* vice-chancelier et garde des Sceaux *1768* (16-9) : chancelier (ami des jésuites exilés). *1769:* appelle l'abbé Terray aux Finances. *1770* fait renvoyer Choiseul. *1771*-3-1 : forme le « Triumvirat » avec Terray et d'Aiguillon ; 23-2 : réussit le « coup d'État royal » contre le Parlement. *1774* chassé par Louis XVI, se retire dans ses terres en Normandie.

Richelieu, Louis-Armand du Plessis, duc et M[al] de (1696-1788). Petit-neveu du cardinal, jeune, porte le titre de duc de Fronsac. *1711* embastillé à 15 ans pour débauche. *1713* officier de l'armée de Villars. *1715* duc à la mort de son père. *1719* compromis dans la conspiration de Cellamare et embastillé. Prend part à toutes les g. de L. XV (faisant fortune en 1757 : pillage du Hanovre). *1780* remarié pour la 3e fois (84 ans). Très populaire.

Terray, l'abbé Joseph-Marie (1715-78). Sans vocation et libertin : il a pour fille naturelle Lucile Desmoulin, épouse du journaliste révolutionnaire. *1736* conseiller ecclésiastique au Parlement de Paris (spécialiste des finances de l'Église). *1769* appelé au min. des Finances par Maupeou, régit 5 ans les fin. de façon dictatoriale (réductions des taux de rentes, augmentation des impôts directs et indirects : il est surnommé « Vide-gousset »). *1779* chassé par L. XVI, remplacé par Turgot.

Louis XV et Choiseul (1757-70)

1757 mars *Choiseul* est envoyé à Vienne poursuivre la politique de Bernis ; juin, il est créé duc. **1758** oct. Bernis est nommé cardinal, puis disgracié (il voulait traiter avec Frédéric II et abandonner l'alliance autrichienne) ; 3-10 Choiseul remplace Bernis aux Affaires étrangères [il sera 1er min. de fait, avec 3 autres portefeuilles : Postes (28-6-1760), Guerre (27-1-1761), Marine (13-10-1761 ; il crée une flotte de g.)]. **1761** *Pacte de famille* entre les Bourbons (France, Espagne, Naples, Parme) : réalise les vues de L. XIV sur la succession d'Esp. (chaque État devient solidaire des 3 autres). **1762** 8-3 *Jean Calas* (né 1698), commerçant protestant de Toulouse, déclaré coupable de la mort de son fils aîné qui se

Controverse sur Louis XV

Thèse traditionnelle. Néfaste : adonné aux plaisirs, paresseux, inconstant (incapable de mener une guerre à terme), dépensier, il ruina la France ; mort haï du peuple, enterré sous les huées.

Thèse de l'école Gaxotte. Intelligent et consciencieux ; sensuel, mais veillant à ce que ses liaisons ne nuisent pas à son gouvernement (il gardait discrètement dans le « parc aux Cerfs » à Versailles des filles jeunes, aux parents consentants : elles ignoraient la personnalité de leur amant et on les mariait à des courtisans en cas de grossesse). L'influence des maîtresses officielles (Pompadour, puis du Barry) était en fait superficielle (portait sur pensions et charges). Le roi menait sa politique en secret et ressemblait aux « despotes éclairés » de son temps, en étant plus libéral et plus généreux. Moderniste et réformateur, il lutta contre les parlementaires rétrogrades, conservateurs des privilèges féodaux (Voltaire a approuvé Maupeou). L. XV s'est aliéné le monde des *Lumières* car il jugeait sévèrement l'anglomanie et la prussomanie des « philosophes » : snobisme et affairisme. Seule plaie de son règne : l'incapacité des généraux fr. (son meilleur G[al] fut un All., le M[al] de Saxe). La haute noblesse « militaire » s'était muée en noblesse courtisane dep. L. XIV. L. XV a toujours fourni à ses généraux des armées suffisantes (guerre de Sept Ans : 160 000 h., de quoi conquérir l'All.). Perte des colonies : un repli provisoire en attendant la nouvelle flotte de Choiseul. L'élimination des parlements par L. XV (« révolution royale » ou « coup d'État royal ») aurait sans doute sauvé l'Ancien Régime, si L. XVI avait poursuivi la politique de L. XV (Voir encadré p. 618).

Thèse de l'école Paul del Perugia. L. XV a été victime de sa bonté (il attendit jusqu'à 1771 pour frapper les parlementaires ennemis de la monarchie) et de sa piété (les dévots abusaient de sa crainte de l'Enfer ; ils obtenaient de lui des faveurs, en expiation de ses péchés contre la chasteté ; mais insatiables, ils se sont alliés aux antimonarchistes pour salir sa réputation). Au XIXe s., il a été calomnié par catholiques et libéraux.

☞ **Le cabinet noir** (appelé aussi « Secret du Roi »). Employant 32 personnes, dirigé successivement par Louis-François de Bourbon, P[ce] de Conti (1717-76), Jean-Pierre Tercier (1704-67) et Charles-François, Cte de Broglie (1719-81). Il comprenait un service de renseignements (rapports oraux du lieutenant de police, interception des lettres privées) et un service de correspondance avec l'étranger permettant une diplomatie parallèle. Son existence n'a été découverte que la semaine précédant la mort du roi. Il a fonctionné en secret plus de 20 ans.

disposait à abjurer, condamné à la torture et au supplice de la roue, exécuté 9-3 (Mme Calas est acquittée), réhabilité 9-3-1765 à la suite d'une campagne passionnée de Voltaire ; le fils s'était suicidé. 1-4 le Parlement de Paris ferme les collèges des jésuites ; août supprime la Cie de Jésus [motifs : « perverse, pernicieuse, séditieuse, attentatoire », etc. ; raisons réelles : alliance entre jansénistes (dévots, mais gallicans) et philosophes (irréligieux) contre les jésuites antigallicans, antijansénistes (« ultramontains »)]. **1763** 18-2 *tr. de Paris* (voir g. de Sept Ans).

1764 5-6 le Parlement de Rennes (procureur général : La Chalotais) dresse un réquisitoire contre le duc d'Aiguillon, gouverneur de Bretagne ; 16-7 rupture entre Aiguillon et Parlement (début de la « g. parlementaire », qui amènera la fin de l'Ancien Régime). **1766** 23-2 mort (accidentelle) de Stanislas Leszczyński (tombé dans sa cheminée) et annexion de la Lorraine ; 1-7 exécution du *chevalier Lefebvre de La Barre* (né 1745), accusé de blasphèmes, de chansons infâmes, de profanation et de ne pas s'être découvert lors d'une procession de la Fête-Dieu, 28-2 condamné à avoir la langue coupée, la tête tranchée et le corps réduit en cendres. Voltaire prendra sa défense. **1768** mars-avr. début de la liaison de L. XV et Jeanne Bécu (future *Ctesse du Barry*). **1769** Académie de Besançon ouvre un concours pour un nouvel aliment végétal [lauréat : Parmentier (pomme de terre)]. **1770** 13-5 dauphin Louis épouse l'archiduchesse Marie-Antoinette d'Autriche [aboutissement de la politique de Bernis, soutenue à Paris par le Cte Mercy d'Argenteau (1727-94), ambassadeur d'Autriche dep. 1766] ; 6-6 le duc d'Aiguillon obtient l'appui de la Ctesse du Barry contre les parlementaires bretons ; juillet-août L. XV sévit contre parlementaires provinciaux ; 2-11 supprime le pouvoir politique des parlements (édit rédigé par le chancelier Maupeou le 23-10). 23-11 disgrâce de Choiseul (qui veut déclarer la g. à l'Angleterre à propos de l'incident anglo-esp. des îles Malouines).

« Révolution royale » (1770-74)

1771 3-1 min. Maupeou *(triumvirat),* avec abbé Terray, contrôleur général des Finances, et duc d'Aiguillon, min. des Affaires étrangères ; 20-1 dispersion du Parlement de Paris ; 23-2 nomination d'un nouveau Parlement, dont les membres ne sont plus propriétaires de leur charge. **1772** L. XV laisse s'accomplir le 1er partage de la Pologne qui profite surtout à son alliée, l'Autriche (il évite un partage de la Suède, projeté par Fr. II et Catherine de Russie). **1773** échec du projet de mariage entre L. XV et Mme du Barry, long procès d'annulation du mariage avec Guillaume du Barry ; la Ctesse joue officieusement le rôle de reine de France. **1774** 10-5 L. XV meurt de la petite vérole, dans l'indifférence.

Guerre de Succession de Pologne (1733-38)

Causes. *1°* Désir de la reine Marie Leszczyńska de remettre son père, Stanislas Leszczyński (1677-1766), sur le trône de Pol. à la mort du roi Auguste II (1-2-1733). *2°* Volonté d'abattre l'Autr. [chef du parti antiautr. : Germain de Chauvelin (1685-1762), secr. d'État aux Aff. extér.] ; Fleury est pacifiste, mais a la main forcée. **Opérations. 1733** 24-9 : 20 000 Russes (alliés de l'Autr.) chassent Stanislas réélu roi 12 j avant ; 26-9 tr. d'alliance avec Esp. et Sardaigne ; oct. déclaration de g. à l'Autr. **1734** mai : le corps de débarquement fr. à Dantzig est anéanti : Stanislas s'enfuit ; juin-sept. les Fr.-Esp. conquièrent le roy. de Naples. **Conclusion.** *Tr. de Vienne* (1738) : Stanislas renonce à la Pol., mais reçoit la Lorraine qui doit devenir fr. à sa mort ; François de Lorraine, époux de Marie-Thérèse d'Autr., reçoit la Toscane ; Don Carlos de Bourbon devient roi des Deux-Siciles.

Guerre de Succession d'Autriche (1740-48)

Causes. *1°* Mort sans héritier mâle du dernier emp. Habsbourg, Charles VI (oct. 1740). Il laisse ses biens héréditaires à sa fille Marie-Thérèse, par la *Pragmatique Sanction.* Mais elle a des rivaux : Auguste de Saxe, Charles-Albert de Bavière (succession entière) ; roi de Sard. (Milanais) ; roi d'Esp. (Autriche, Hongrie, Bohême) ; Frédéric II roi de Prusse (Silésie). Le parti antiautr. voit une occasion de ruiner l'emp. des Habsbourg. *2°* L'Angl. est décidée à conquérir les colonies fr. et si possible esp. ; une g. entre Habsbourg et Bourbons est de son intérêt. **Coalitions.** Autr.-Hongrie alliée à Angl., Hollande, Russie contre Prusse, alliée à Fr. et Esp., Sard., Bavière [l'électeur Charles-Albert est élu emp. 24-1-1742 (Charles VII)], Saxe.

Opérations en Europe. Effectifs. *Français :* 40 000 h. (Belle-Isle) en Bavière, 30 000 h. (Maillebois) contre le Hanovre anglais. **1740** déc. Fréd. II occupe la Silésie. **1741** Belle-Isle occupe Bohême, mais doit l'évacuer (résistance dans Prague du colonel Chevert, 1742). **1742** défection de Fréd. II (*tr. de Breslau* 11-6). **1743** débarquement angl. au Hanovre : George III bat Noailles à Dettingen (27-6) ; juillet, défection de Charles VII de Bav. ; nov. défection de Savoie et Saxe. **1744** Charles de Lorr. franchit Rhin et envahit Alsace (L. XV part à sa rencontre mais tombe malade à Metz) ; nov. d'Argenson (antiautr.), min. des Aff. étr. **1745** Charles VII meurt ; son fils renonce à l'Empire ; 10-5 *Fontenoy :* Maurice de Saxe (50 000 h.) bat le duc de Cumberland (50 000 h.) : 9 000 Anglais † ; oct. le prétendant Stuart conquiert l'Écosse (battu à *Culloden* le 16-5-1746) ; 2-12 Fréd. II promet sa voix à Charles de Lorr. en échange de la Silésie (*tr. de Dresde*). **1746** 21-2 Maurice de Saxe prend Bruxelles ; 10-6 défaite de Maillebois à *Plaisance :* perte de l'Italie, invasion de la Provence ; 11-10 *Raucoux :* Maur. de Saxe bat Charles de Lorr. **1747** 2-2 *Antibes :* Belle-Isle bat les Austro-Sardes et les rejette en Italie ; 2-7 *Lawfeld :* Maur. de Saxe bat Cumberland ; 19-7 défaite de *l'Assiette* (Piémont) : Belle-Isle ne peut envahir l'It. (il est tué ; 4 000 Fr. †) ; 16-9 *Berg-op-Zoom :* les Fr. envahissent la Holl.

Opérations coloniales et navales. Effectifs. *Français :* 50 vaisseaux de ligne, 19 frégates. **1744** 22-2 bat. de *Toulon* (indécise). La Bruyère de Court contre Matthews et Hawke. **1745** 6-7 bat. de *Mahé* (Indes) : La Bourdonnais contre Peyton (indécise). **1746** 12-9 La Bourdonnais prend Madras ; 13-10 sa flotte est détruite par ouragan ; 19-10 il propose de rendre Madras aux Angl. pour 11 millions (accusé de trahison par Dupleix, directeur de la C. des Indes ; embastillé 1749, acquitté 1751). **1748** Dupleix attaqué dans Pondichéry par Boscawen (30 nav., 8 000 h.) résiste jusqu'à la signature de la paix.

Conclusion. 1747, 10-1 d'Argenson (belliciste) disgracié. **1748** janv. *congrès d'Aix-la-Chap.* La Fr. rend P.-Bas et Madras, reçoit l'île du Cap-Breton et Louisbourg au Canada ; s'engage à éloigner le prétendant. Fréd. II garde la Silésie.

Guerre de Sept Ans (1756-63)

Causes. *1°* l'Angl. veut conquérir Inde et Amér. du N. *2°* l'Autr. veut reprendre Silésie à Fréd. II. *3°* le *parti prussien,* puissant à Versailles à cause des subventions payées par Fréd. II aux « philosophes », s'effondre lorsque Mme de Pompadour passe dans le camp autr. (1752). *4°* la Russie est décidée à attaquer Fréd. II.

Europe. Effectifs français. 160 000 h. + 24 000 à la disposition de l'Autr. (en Bohême). **Opérations. 1755** Fréd. II attaque Saxe (28-8) (qui capitule) et incorpore les Saxons à l'armée pruss. (15-10). **1757** 6-5 Fr. II bat François de Lorr. devant Prague ; 18-6 est battu par Daun à Kollin ; 26-7 *Hastenberck :* d'Estrées bat Cumberland : conquête du Hanovre par le M[al] de Richelieu ; 8-9 Cumberland capitule à *Closterseven* (Richelieu ne désarme pas l'armée anglo-hanovrienne qui reprendra la lutte en 1758 sous les ordres du duc de Brunswick) ; 5-11 *Rossbach :* Fr. II (20 000 h.) bat Soubise et Hildburghausen (général des contingents impériaux, 60 000 h.) ; 5-12 *Leuthen :* Fr. II bat Charles de Lorr. (22 000 prison.) et reconquiert Silésie. **1758** 13-7 *Sundershausen :* Soubise bat Brunswick ; 23-8 *Crefeld :* Brunswick (40 000 h.) écrase Clermont (70 000 h.) ; 25-8 *Zorndorff :* Fr. II contre Russes (bat. indécise) ; oct. repousse les Autr. en Saxe. 10-10 *Lutzelberg :* Soubise bat Brunswick. **1759** 13-4 *Bergen :* Broglie (34 000 h.) bat Brunswick (40 000 h.) ; 1-8 *Minden :* Brunswick bat Broglie et Contades ; 12-8 Fréd. II écrasé à Kunersdorf (20 000 † sur 50 000 h.) par Autr. et Russes réunis qui n'exploitent pas la victoire. **1760** 10-6 *Korbach :* Broglie et Saint-Germain battent Brunswick ; 16-7 *Cassel :* Brunswick bat Broglie ; oct. Russes et Autrichiens prennent et pillent Berlin ; 16-10 *Clostercamp :* Castries bat Brunswick (mort du chevalier d'Assas) ; 3-11 *Torgau :* Fr. II bat Daun. **1761,** 16-7 *Villingshausen :* Soubise (100 000 h.) et Broglie (50 000 h.) battus par Brunswick. **1762** 5-5 défection de l'armée russe (rappelée par Pierre III, tsar depuis le 5-1). *Johannisberg :* Soubise et d'Estrées battent Brunswick.

Guerre navale et coloniale. Effectifs. *Anglais* (1756) 345 vaisseaux de ligne ; (1760) 422. *Français* 63. **1754** 28-5 un parlementaire fr., Jumonville, tué par les Angl. à Fort Duquesne (Ohio) ; les Fr. détruisent *Fort Necessity.* **1755** 10-6 attentat de Boscawen (amiral anglais) près de Terre-Neuve (3 nav. de g. fr. attaqués, 2 capturés) ; juin-juillet l'amiral angl. Hawk capture 300 bateaux de com. **1756** 17-8 La Galissonnière (marine) et Richelieu (armée) prennent Minorque. L'amiral angl. Byng, repoussé à Mahón, sera fusillé le 4-3-1757. **1757** *Plassey :* 4-2 Clive bat Souradja (Indien allié des Fr.) ; juin conquiert le Bengale ; juin-août les Angl. font de nombreux débarquements sur les côtes de Fr. (île d'Aix, St-Malo) ; 27-7 ils enlèvent *Louisbourg* au Can. **1759** 17-2 Thomas, Cte de Lally, baron de Tollendal (n. 1702) échoue devant Madras ; sept. la flotte fr. (amiral d'Aché) évacue l'Inde ; 21-6 Wolfe (10 000 h.) débarque à Québec ; 31-7 Montcalm (16 000 miliciens) les repousse ; 13-9 *Québec* pris par escalade ; 17-9 capitulation fr. **1760** Lally bloqué dans Pondichéry (capitule janv. 1763 ; condamné à mort par le Parlement de Paris le 6-5-1766, action en révision commencée en 1778 grâce à Voltaire ; stoppée 1779 ; son fils Gérard, Mis de Tollendal, avait été élu député de la noblesse aux états généraux). **1762** août les Angl. prennent La Havane.

Conclusion. Tr. de Paris 10-2-**1763 :** entre Fr., Esp., Angl. *Pertes fr. :* Inde (sauf 5 comptoirs), Canada, Ohio, rive g. du Mississippi, Sénégal, Antilles (sauf St-Domingue, Martinique, Guadeloupe). *L'Esp.* cède Floride à l'Angl. et reçoit Louisiane fr. **Tr. d'Hubertsbourg** (15-2-**1765**) entre Fr., Prusse, Autr. et pr. allemands : Fr. II garde Silésie.

Guerre de l'Indépendance américaine (1775-83)

Causes. 1° révolution des colons anglais d'Am. du N., qui ont la sympathie des « philosophes », leur idéologie s'inspirant de Montesquieu et de Rousseau ; 2° désir des Bourbons de Fr. et d'Esp. de prendre leur revanche du tr. de Paris (1763), en utilisant la flotte créée par Choiseul.

Opérations. I. En Amér. du N., voir États-Unis, à l'Index. II. *Sur mer :* principaux marins français : d'Estaing, Suffren, Latouche-Tréville, La Motte-Piquet, Guichen, de Grasse. **1778,** 27-7 bat. d'Ouessant : Orvilliers (Fr.) avec 27 vaisseaux, contre Keppel (G.-B.), indécise. **1778-79** campagne décevante de d'Estaing sur les côtes amér. (Delaware, puis Rhode Island). **1779-81** les Fr.-Esp. assiègent en vain Gibraltar. **1781** De Grasse bloque Yorktown, amenant la capitulation angl. **1782** fin août Suffren conquiert Trinquemalé aux Indes.

Conclusion. *Tr. de Versailles* (3-9-1783) ; la Fr. ne récupère ni Louisiane, ni Canada (opposition de Washington) mais ses comptoirs d'Inde et du Sénégal. Elle obtient St-Pierre-et-Miquelon, le droit de pêche à Terre-Neuve. L'Esp. récupère Minorque et Floride, mais non Gibraltar. *Conséquences pour la France :* alourdissement de la dette.

Louis XVI (1774-92)

De 1774 à 1789

Caractère. L. XVI est considéré par une partie de sa Cour, notamment par le duc de Choiseul, comme *imbécile* (handicapé cérébral). D'après ses frères et cousins, cette imbécillité aurait justifié un conseil de régence (comme jadis la folie de Charles VI). Il semble que le parti de Marie-Antoinette (soutenue par sa mère, l'impératrice d'Autriche, et par l'amb. d'Autr., Mercy d'Argenteau) ait fait écarter cette solution. En réalité, L. XVI [plutôt grand pour l'époque (1,76 m), ce qui le faisait passer pour un « grand dadais »] était un timide maladif (il ricanait et se dandinait) et un myope (il ne reconnaissait pas les gens) [il buvait beaucoup d'après Paine].

1774 12-5 exil de Mme du Barry ; 31-8 disgrâce de Maupeou ; remplacé par Jean Phélypeaux *de Maurepas* (1701-81), de la famille des Pontchartrain [L. XVI avait choisi J.-Baptiste Machault d'Arnouville (1701-94), mais sa tante, Mme Adélaïde, l'a obligé à le changer] ; Robert *Turgot* (1727-81), intendant de Limoges, remplace l'abbé Terray ; Charles *de Vergennes* (1717-87), amb. en Suède, rempl. d'Aiguillon ; 12-11 annulation de la réforme judiciaire de Maupeou (1771) et rappel du Parlement de Paris (une des causes principales de la chute de la monarchie) ; 9-12 le Parl. adresse des remontrances à L. XVI qui les accepte. **1775** mai *g. des farines :* émeutes à Paris (augmentation du prix du pain) ; 21-7 *Malesherbes* entre au gouv. (min. de la Maison du Roi) ; 21-8 le *Cte de Saint-Germain* min. de la Guerre. **1776** janv. Turgot remplace la *corvée* par une *taxe additionnelle ;* 12-5 sur intervention du Parl., Turgot disgracié (la nouvelle taxe frappant les privilégiés). Malesherbes démissionne ; 11-8 *Clugny* rétablit la corvée ; 22-10 *Necker* remplace Clugny. **1777** 29-6 Necker contrôleur gén. des Fin. lance un emprunt (600 millions). **1778** mémoire secret de Necker au roi : il faut créer, en pays d'élections, des assemblées régionales élues pour diminuer les pouvoirs des parlementaires (1er essai : Berry).

1780 27-2 constitution d'une *Ligue des Neutres* qui reconnaît la liberté de navig. (avec l'appui de Vergennes et malgré l'hostilité des Angl.) ; déc. la dette atteint 1 milliard. **1781** 20-4 le Cte de Provence communique aux parlementaires le mémoire secret de Necker sur les assemblées provinciales. Offensive du Pt d'Aligre contre Necker ; 19-5 Necker renvoyé. **1783** *Calonne* aux Fin., emprunt (305 millions) ; 21-10 1re ascension (Pilâtre de Rozier et Mis d'Arlandes) à bord d'une montgolfière. **1783-84** hiver exceptionnel, qui détruit les semis de blé. **1785-86** affaire du *Collier :* la Ctesse Jeanne de La Motte-Valois (1756-91), persuade le card. de Rohan (1734-1803) [qui voulait s'attirer les faveurs de Marie-Antoinette] d'acheter à crédit un collier de 1 600 000 livres que M.-A. lui remboursera secrètement ; il remet le collier à un pseudo-officier de M.-A. qui revend les diamants au détail ; les bijoutiers lui réclament la somme ; comme il est insolvable, ils adressent la facture à la reine ; procès devant le Parl. de Paris : J. de La Motte condamnée à être fustigée de verges, marquée au fer et détenue à perpétuité à la Salpêtrière (s'évade 1787 ; meurt à Londres 1791). Le card. de Rohan acquitté est exilé par le roi. Cagliostro (1743-95) est acquitté. M.-A. est déconsidérée. **1785-88** expédition de La Pérouse vers le N.-O. de l'Amérique (voir Index) : échec.

1786 mars introduction des moutons mérinos ; juillet plan de réforme financier et admin. de Calonne : une assemblée de notables sera substituée aux Parl. (qui refuseraient certainement d'enregistrer l'édit). **1787** 22-2/25-5 réunion de l'**Assemblée des notables,** réclamant l'enregistrement des réformes de Calonne par le Parl. ; 8-4 Calonne disgracié : remplacé par *Loménie de Brienne ;* juin le Parl. rejette la « Subvention territoriale », qui impose terres nobles et privilégiées ; 6-8 le roi fait enregistrer la subvention par lit de justice ; 14-8 le Parl., qui a mis Calonne en accusation, est exilé à Troyes : émeutes à Paris ; 19-9 il est rappelé à Paris : rentrée triomphale ; 19-11 L. XVI lui impose, au cours d'une séance royale, d'enregistrer un nouvel emprunt de 420 millions. Le duc d'Orléans prend publiquement parti contre L. XVI. **1788** janv. Adrien Duport (1759-98) crée le parti des « Nationaux », opposé à la distinction entre les 3 ordres [*30 membres,* dont Talleyrand et Montesquieu (clergé), La Fayette (noblesse), Dupont de Nemours (tiers)]. 29-4 le Parl. réclame le partage des pouvoirs politiques entre roi, Parl. et états généraux ; 4-5 L. XVI tente de revenir à la politique de Maupeou (suppression des Parl. et rétablissement de la « Cour plénière », réunion de conseillers désignés par le roi), mais déclenche des émeutes, notamment à *Grenoble* (les magistrats protestent le 20-5 contre la cour plénière ; condamnés à l'exil, ils sont soutenus le 7-6 par la population qui jette des tuiles sur les forces armées : *journée des Tuiles*) ; 13-6 les parlementaires grenoblois cèdent et quittent la ville ; les « Nationaux » y réunissent une assemblée régionale illégale ; 5-7 L. XVI annonce la convocation des États gén., sans précision de date ; 21-7 réunion à *Vizille* de l'assemblée régionale (légale) du Dauphiné qui réclame la double représentation du tiers état et le vote par tête aux futurs états généraux (formule préconisée par les « Nationaux ») ; elle invite les autres assemblées régionales et états provinciaux à ne voter aucun impôt avant la convocation des États généraux (ce qui équivaut à une grève des impôts) : dépression de L. XVI (crises de larmes) ; 8-8 il supprime la cour plénière et fixe une date pour les États généraux : le 1-5-1789 ; 16-8 l'État suspend les paiements (banqueroute) ; 26-8 *Necker* remplace Brienne ; 27/31-8 émeutes réprimées par le Mal de Biron ; 23-9 L. XVI rétablit les parlementaires dans leurs droits (rentrées triomphales dans leur siège en oct.). 20-12 pour éviter la convocation des États généraux, clergé et noblesse de l'Assemblée des Notables (2e session) renoncent à leurs privilèges fiscaux ; 27-12 L. XVI maintient le principe des États généraux (voir p. 670 a).

1789 janv. élections des représentants aux états gén. (participation variable, faible à Paris : 1 706 votants sur 50 000 inscrits ; forte en Bretagne) ; 18-4 émeutes à Paris, rue de Montreuil (le duc d'Orléans est soupçonné de les avoir fomentées) ; 5-5 ouverture des **États généraux** [1 139 députés, dont clergé 291 (curés 206), noblesse 270, tiers état 578] ; 17-6 le tiers état se proclame **Assemblée nationale ;** 20-6 serment du *Jeu de Paume* (le tiers état jure de ne pas se séparer avant d'avoir pu donner une Constitution au royaume).

Limite de Gouvernement — Limite de Généralité — Pays d'Élection — Pays d'État — Chef-lieu de Gouvernement — Chef-lieu de Généralité — Siège du Parlement — Limite entre pays de droit écrit (au sud) et pays de droit coutumier (au nord)

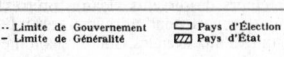

La France en 1789

Monarchie non absolue (9-7-1789/1-10-1791)

1789 9-7 l'Ass. nat. devient **Constituante ;** 12-7 Necker renvoyé : manif. à Paris : les électeurs parisiens s'emparent de l'Hôtel de Ville et y installent le comité permanent de la **Commune** (120 m.), qui décide de prendre les gardes fr. comme force armée ; 13-7 celles-ci s'emparent de 28 000 fusils et de 20 canons aux Invalides ; 14-7 **prise de la Bastille** [garni-

Quelques personnages

Calonne Alexandre de (1734-1802). Noblesse de robe, protégé de Vergennes. **1783** 10-1 contrôleur général des Finances. **1784-86** émet 3 emprunts (env. 300 millions). **1785** se contente d'un « don gratuit » de 18 millions (sur les finances de l'Égl.) ; accusé de complicité avec elle ; **1786** juill. propose un vaste plan de réformes (exigeant la réunion des notables). **1787,** 13-2 mort de son protecteur Vergennes. 2-3 mis en échec devant les notables ; 18-4 congédié (exil en Angleterre ; rappelé par Bonaparte en 1802).

Loménie de Brienne, Étienne-Charles (1727-1794, assass. ou suicidé). Cadet de famille entré dans les ordres sans vocation. **1752** prêtre. **1760** év. de Condom. **1763** archev. de Toulouse. **1787** ministre des Finances ; échoue dans la réforme des services financiers. **1788** renvoyé du ministère, nommé arch. de Sens, puis cardinal. **1789** fait partie des év. libéraux. **1791** prête le serment de la constitution civile du clergé, renonce au cardinalat. **1793** démissionne de son évêché. Vit à Sens comme simple particulier, souvent maltraité par les sans-culottes. **1794** 18-1 brutalisé toute une nuit, est retrouvé mort le lendemain.

Necker, Jacques (Suisse, 1732-1804). Banquier à Genève, ministre de la Rép. de Genève. Père de Mme de Staël (V. Index). **1772** prête de l'argent à l'abbé Terray et s'introduit dans les milieux financiers de Paris (ambitionne de lui succéder). **1774** évincé par Turgot ; polémique avec lui sur la liberté du commerce des grains (Turgot pour ; Necker contre). **1777** 29-6 contrôleur général des Finances ; adopte le système des emprunts (490 millions en 4 ans). **1780** économies dans la maison du roi ; en butte aux attaques des antiphilosophes. **1781** févr. se justifie dans un *Compte rendu au Roi* (immense succès) ; 19-5 congédié. **1787** polémique avec Calonne sur brochure (il aurait truqué les chiffres de 80 millions) ; exilé en Suisse. **1788** 25-8 rappelé aux Finances. **1789** 11-7 congédié (exilé à Bâle) ; 20-7 rappelé après les émeutes. **1790** 18-9 démissionne et retourne en Suisse.

Turgot, Robert, baron de L'Aulne (1727-81). Cadet d'un magistrat, destiné à l'Égl. **1752** magistrat à la mort de son père. **1761** intendant à Limoges, lié avec les physiocrates (écrit des ouvrages d'économie). **1774** 24-8 succède à l'abbé Terray (évince Necker, grâce à l'appui de l'abbé de Véry, confesseur de Mme de Maurepas). Programme : création de richesses et économies, mais ni banqueroute, ni impôts nouveaux, ni emprunts ; 13-9 décrète la liberté du commerce des grains (polémique avec Necker). **1776** mars-avril : émeutes (renchérissement des grains) ; 12-5 congédié, remplacé par Necker.

Vergennes, Charles Gravier, comte de (1717-87). Noblesse de robe, neveu de l'ambassadeur Chavigny. **1740** diplomate. **1754** ministre à Constantinople. **1771** ambassadeur en Suède. **1774** remplace le duc d'Aiguillon aux Affaires étr. **1776** contribue à faire tomber Turgot. **1777** prépare la coalition contre l'Angl. **1779** médiateur au traité de Teschen, qui amène le 2e partage de la Pologne. **1781** contribue à faire tomber Necker. **1783** 3-9 au tr. de Paris, renonce à récupérer le Canada. **1786** tr. de commerce avec l'Angl. (libre-échangiste, mal accueilli par les industriels français). Meurt en charge pendant les négociations sur le 2e partage de la Pologne.

Causes de la Révolution

I. Révolution « parlementaire » (1788-89) : épisode de la vieille querelle entre monarchie absolue et parlement. Les parlementaires ne sont ni contre l'absolutisme, ni contre l'hérédité, mais ils veulent que le roi partage ses pouvoirs absolus et héréditaires avec une oligarchie parlementaire formant des assemblées souveraines et de droit divin (le royaume devenant aristocratique au lieu de monarchique). L. XV les avait vaincus en 1771, mais L. XVI a rétabli leur situation en 1774. En 1788, en lui refusant tout emprunt et en préconisant la grève de l'impôt (Vizille), ils essayent d'obtenir de lui le partage de l'autorité royale. Les révolutionnaires vont récupérer à leur profit cette déstabilisation.

II. « Insurrection des curés » (1788-89). Le bas clergé a joué un rôle décisif en s'alliant au tiers état lors du Serment du Jeu de Paume. 60 000 curés, recteurs, desservants, vicaires, prêtres habilités, etc. se répartissent un revenu très inférieur à celui qui va aux évêques, abbés, chanoines nobles ; ils réclament une forte augmentation de la « portion congrue » et une réduction importante des hauts revenus ecclésiastiques ; ils veulent profiter des élections aux états généraux pour faire aboutir cette réforme (211 curés élus contre 48 évêques). De nombreux curés admettent la théorie du presbytérat (hérité des 72 disciples) égal collectivement à l'épiscopat (hérité des 12 apôtres). Le roi passe pour ultramontain (curés et évêques veulent en majorité l'obliger à s'émanciper de Rome). Les cahiers du clergé recommandent souvent aux élus de se considérer comme « des représentants de la nation plutôt que comme les ministres d'une religion ».

III. Révolution nobiliaire (1789-91) : 1°) *Les nobles sont solidaires des parlementaires* pour revendiquer un partage des pouvoirs absolus du roi. 2°) *Endettés, ils réclament de nouvelles sources de revenus :* charges, pensions et surtout profits de g. ; L. XVI étant peu dynamique, beaucoup envisagent un changement dynastique (un frère du roi, le duc d'Orléans ou le P^ce^ de Condé) : l'émigration sera la suite de la rév. nobiliaire (appel aux monarchies étr., surtout autr., russe, angl.). 3°) *Action personnelle de La Fayette :* son prestige et son influence sont considérables. Il passe (à tort) pour républicain à cause de sa dévotion à Washington ; son idéal est plutôt de rendre la noblesse pop. en la chargeant de faire triompher le libéralisme. Rôle essentiel dans 3 événements : édit de tolérance (1787), convocation des états généraux (1789), Déclaration des droits (1789 ; inspirée par le *Bill of Rights* américains).

IV. Révolution bourgeoise (1789-92) : 1°) *Désir du « tiers état »* (intelligentsia bourgeoise, surtout provinciale) de participer aux privilèges des parlementaires et de la noblesse, par la création d'assemblées *électives.* 2°) *Désir d'acquérir des domaines fonciers,* en se partageant les terres d'Église. 3°) *Idéologie « patriote »* (mot forgé vers 1750), ouverte aux idées de *libertés,* notamment la lib. de la presse et la lib. professionnelle (destruction des corporations).

V. Révolution populaire (1792-94) : 1°) *Mépris pour L. XVI et haine pour Marie-Antoinette (l'Autrichienne).* On dit le roi impuissant : les grossesses de la reine sont attribuées à des adultères (même le Cte de Provence est de cette opinion). De fait, L. XVI était atteint d'un phimosis. On a prétendu en nov. 1776 qu'il avait été opéré. En réalité, l'opération n'a jamais eu lieu et l'illégitimité des naissances royales est souvent admise. 2°) *Hostilité contre noblesse, clergé et bourgeoisie* (formant à elle seule le tiers état) qui ont commencé une révolution orientée vers le maintien des privilèges. 3°) *Idéologie républicaine* de certains « patriotes », disciples de Rousseau. 4°) *Misère* [plusieurs récoltes déficitaires créant une crise des subsistances ; stagnation de l'économie due à l'arrêt des investissements (par manque d'argent liquide) ; augmentation du coût de la vie, « g. des farines »]. 5°) *Chez les paysans* (88 % de la population) : mentalité opposée aux dîmes, droits féodaux, privilèges ecclésiastiques, ayant provoqué historiquement les « jacqueries » (la *Grande Peur* de juill.-août 1789 est une « jacquerie » antiseigneuriale et anti-ecclésiastique). Mais le sentiment religieux des paroisses neutralise en de nombreux points les tendances sociales.

VI. Déchristianisation. Pour des historiens comme Jean Dumont (*les Prodiges du Sacrilège,* 1984), les motivations des révolutionnaires étaient avant tout d'ordre religieux : ils n'étaient opposés ni au pouvoir absolu, ni à la richesse, ni à la noblesse, mais à la religion catholique (application des idées de Voltaire ou Diderot).

Controverse sur le rôle de la franc-maçonnerie

Partisans du rôle joué. *Principaux arguments :* 1°) Le duc d'Orléans, grand responsable des révolutions « parlementaires » et « nobiliaires » qui ont abouti à la révolution rép. de 1792, était f.-m. (Grand Maître) ainsi que La Fayette, son principal lieutenant. Autres f.-m. célèbres de l'époque révolutionnaire : Marat, Grouchy, Talleyrand, Isaac Le Chapelier (qui a supprimé les corporations), Condorcet, Choderlos de Laclos, Sieyès, Bailly, Pétion, Guillotin (créateur de la guillotine), Brissot, Camille Desmoulins, Danton, Hébert. 2°) Les loges ont été l'ossature des clubs révolutionnaires, qui ont forcé la main aux Ass. élues et ont mené la Fr. à la Rép., puis à la Terreur. 3°) Le Directoire, puis le Consulat, qui ont créé l'Empire, sauveur de l'acquis révolutionnaire, étaient aux mains de f.-m. notoires (dont plusieurs Bonaparte).

Adversaires. *Principaux arguments :* 1°) Philippe Égalité était Grand Maître de la f.-m., mais son ambition était personnelle : il voulait monter sur le trône. 2°) Les f.-m. ont bénéficié de la liberté de la presse et de l'expression qui a caractérisé la société fr. de 1789 à 92 ; ils ont été ensuite les victimes de la Terreur au même titre que les nonmaçons. 3°) Le Code civil napoléonien contient très peu de références à la *Déclaration des droits de l'homme* qui, elle, était d'inspiration maçonnique.

L'émigration

Origine. Départ vers l'étranger (à partir du 16-7-1789, date de l'émigration du Cte d'Artois) des membres de la noblesse, suivis des prêtres « réfractaires », des soldats des armées royales restés fidèles à leurs officiers, de bourgeois désireux de rejoindre à l'étranger l'élite de la noblesse, et de nombreux gens du peuple. Considérée longtemps comme un mouvement contre-révolutionnaire, l'émigration a été rapprochée des grandes révoltes nobiliaires, telles que la « Ligue du Bien public » ou la « Fronde ». En 1789-90, en effet, de nombreux nobles se sont regroupés à l'étranger par opposition à L. XVI, et dans l'espoir d'obtenir, grâce à une victoire militaire, un régime aristocratique, où la noblesse héréditaire jouerait un rôle politique essentiel.

Effectifs. Mal déterminés. En 1825 on a liquidé 25 000 dossiers représentant 67 250 chefs de famille, ce qui correspond à 250 000 ou 300 000 personnes, dont 1/3 du tiers état (soit 1 Français sur 100) ; 60 % d'h. adultes (dont 1/3 d'ecclésiastiques) ; 40 % de femmes et d'enfants.

Répartition géographique. Les régions frontières (Bas-Rhin, Var) sont les plus touchées par l'émigration populaire (plus de 20 000 paysans catholiques du Bas-Rhin passent en Allemagne). En Vendée, très peu de nobles ont émigré : ils ont encadré les insurgés.

Division politique. On distingue les 1ers émigrés (ceux de 1789-90) et ceux de 1792, qui ont fui la Rép. mais sont restés fidèles à la monarchie constitutionnelle (appelés « constitutionnels » et regroupés entre eux, ils sont tenus pour suspects par les autres). Les 1ers émigrés sont eux-mêmes divisés en « purs » (ultraroyalistes groupés autour du Cte d'Artois), en partisans de L. XVIII, plus souples, qui ont tenté (vainement) de négocier une restauration avec Bonaparte.

Armées. 25 000 combattants [« armée des Princes » (les frères du Roi) 10 000 ; a. du duc de Bourbon 9 000 ; a. du P^ce^ de Condé 6 000]. Les 2 premières se sont dispersées après Valmy. La 3e s'est maintenue jusqu'à 1801, à la solde de l'Angl. (armée à cocarde noire, exterminée en 1795 à Quiberon), puis à celle du tsar.

Sièges de la Cour en exil. Principaux centres de ralliement des émigrés (1789-90) : Piémont (Turin), puis la Rhénanie (Coblence). Après la déposition de L. XVI (10-8-1792), ses 2 frères reçoivent du roi de Prusse une maison à Hamm-sur-la-Lippe en Westphalie ; de là, le Cte de Provence, devenu lieutenant général du roy. à la mort de L. XVI, se rend par mer à Vérone (Rép. de Venise) ; il y est proclamé roi de Fr. à la mort de L. XVII (21-6-1795), mais en est chassé le 14-4-1796 ; il retourne en All. à Blankenburg (au duc de Brunswick) jusqu'en févr. 1798 ; puis à Mittau, dans le palais du duc de Courlande (hôte du tsar, jusqu'en 1807). Menacé par l'avance de Napoléon après Eylau et Friedland (1807), il s'embarque pour l'Angl. le 3-9-1807 ; il y reste au château de Hartwell, jusqu'à la Restauration de 1814.

Retours. Jusqu'en 1794, les émigrés rentrés clandestinement en France ou faits prisonniers au cours des conquêtes révolutionnaires en Belg., Holl., All., Suisse, It. étaient exécutés. A partir de Thermidor (juillet 1794), il leur est interdit de revenir ; ceux qui rentrent sont reconduits à la frontière. Le 9-1-1795, la loi Laurenceaux autorise le retour de 40 000 paysans du Bas-Rhin et du Haut-Rhin. Les nobles demeurés en France organisent dès lors pour leurs parents émigrés un trafic de faux « certificats de résidence », attestant que les intéressés n'avaient jamais quitté la France, et permettant leur radiation de la liste des émigrés. A partir de 1801, Bonaparte prend 20 mesures aboutissant à une amnistie quasi générale : en 1802, 40 % des émigrés étaient rentrés. Env. 25 000 nobles en Angl., U.S.A., Russie refuseront de rentrer avant la Restauration de 1814.

---

son : 32 Suisses et 82 invalides (gouverneur : Mis Bernard de Launay, n. 1740, † massacré après la prise de la forteresse). Assaillants : env. 800 à 3 000 gardes fr., sans officiers, commandés par un ancien sergent blanchisseur à La Briche, Pierre Hulin (1758-1841, Cte d'Empire 1806). Ils voulaient s'emparer de poudre et de munitions, franchirent le pont-levis de l'Avance, puis la cour du gouvernement, et mirent leurs canons en batterie ; après 4 h de tir, la garnison capitula malgré de Launay. *Pertes :* assaillants : env. 100 tués et 115 blessés ; garnison : 5 massacrés après la reddition (de Launay ; son adjoint, de Losme ; 2 officiers : Person et de Miray ; le prévôt des marchands Jacques de Flesselles, n. 1721) ; prisonniers délivrés : 7 (4 escrocs ayant falsifié une lettre de change : Jean Bechade, Bernard Laroche, Jean La Corrège, Jean-Antoine Pujade ; 2 malades mentaux : Tavernier et le Cte de Whyte de Malleville ; 1 jeune prodigue : le Cte de Solages enfermé pour inceste)].

1789 16-7 **création de la 1re commune de Paris** [maire : Jean-Sylvain Bailly (1736-93, guill.) ; 60 commissions électorales de districts ; une assemblée permanente de leurs délégués], fin de la police royale [les pouvoirs du *lieutenant de police* sont dévolus à l'assemblée permanente ; ceux des *commissaires de police* aux *comités de districts* (dévolution confirmée par une loi du 4-8)]. 20-7 à 6-8 **Grande Peur** dans les campagnes (émeutes paysannes, peut-être provoquées par les patriotes, réclamant l'abolition des droits seigneuriaux sur les récoltes : plusieurs centaines de châteaux pillés, notamment en Maine et Picardie) ; 29-7 la Constituante crée sa propre police, le *Comité de recherches ;* 30-7 création, à la commune de Paris, d'un conseil de 120 représentants (2 par districts), remplaçant l'assemblée permanente des délégués ; **Nuit du 4 août** abolition des privilèges [décret d'application pris le 15-3-1790 : sont abolies servitudes personnelles : mainmorte, corvée, droit de justice, péage, chasse, pêche ; doivent être rachetées : redevances foncières *réelles* reposant sur d'anciens contrats : cens, rentes, casuels, droits de mutation (abolis 17-7-1793)] ; 26-8 **Déclaration des Droits de l'Homme et du Citoyen** ; 6-10 L. XVI ramené par la foule à Paris (*chef :* Hulin, devenu commandant des gardes nationales, ex-françaises) ; 21-10 la municipalité crée son propre *Comité de recherches* (qui reçoit les dénonciations) ; 2-11 *nationalisation des biens du clergé* [principal opposant : l'abbé Maury (1746-1817), card. 1794, arch. de Paris 1805] ; 14-12 création des *assignats* [sorte de bons du Trésor, émis sur un capital de 400 millions, la *Caisse de l'extraordinaire,* alimentée par la vente des biens du clergé ; valeur de l'émission : 1 000 livres par bon, intérêt de 5%. Cours forcé d'avril 1790 : intérêt réduit à 3 %, coupures de 300 et 200 l. ; de sept. 1790 : 200 millions supplémentaires, coupures de 50 l. ; décrets du 8-10 et du 18-11-1790 : intérêt supprimé (l'ass. devient un simple papier-monnaie) ; cours forcé de mai 1791 : coupures de 5 l. Juillet 1794 : circulation fiduciaire : 6 milliards ; déc. : 11 ; oct. 1795 : 18 ; janv. 1796 : 39 (l'ass. de 100 l. vaut 1 sou)].

1790 15-1 division de la Fr. en 83 départements ; 13-2 suppression des ordres religieux ; 15-3 des droits seigneuriaux personnels ; 21-5 **création de la 2e**

commune de Paris [48 *Sections* remplacant les 60 districts (chacune a 1 Pt, des secrétaires et 1 commissaire de police élu, avec 16 adjoints chargés de le contrôler) ; un maire (Bailly) ; un bureau de 16 administrateurs ; un conseil municipal de 32 membres, 1 procureur, 2 substituts] ; 12-6 Avignon annexé ; 19-6 titres de noblesse supprimés ; 3-7 Mirabeau se rallie à la monarchie ; 12-7 **Constitution civile du clergé** ; 14-7 *Fête de la Fédération* (anniv. de la prise de la Bastille) : messe célébrée au Champ de Mars par Talleyrand, év. d'Autun ; 4-9 Necker démissionne, s'estimant incapable de maintenir l'ordre dans la rue (les gardes nat., membres des Sections en armes, y font la loi) ; 26-11 l'Assemblée vote la « loi du serment », obligeant les prêtres ayant un ministère à jurer la Constitution, 26-12 L. XVI accepte la loi du serment (Voir Religions, p. 528 b).

1791 26-1 mise en application de la loi du serment [la majorité des prêtres la refusent, notamment en Vendée (75 %) ; les « réfractaires » sont, en principe, révoqués et remplacés par des « jureurs » (mais ceux-ci sont en nombre insuffisant)] ; 2-4 Mirabeau meurt (les révolutionnaires, ignorant son ralliement à la monarchie, lui font des funérailles nationales, au Panthéon) ; le pape Pie VI condamne la *Constitution civile* du clergé (les jureurs sont tenus de se rétracter) : 31-5 torture abolie, guillotine adoptée ; 20/25-6 **fuite de Varennes :** combinée par Mercy d'Argenteau, amb. d'Autr., et exécutée par l'amant de la reine, le Cte suédois Axel de Fersen [(1755-1810), rentré en Suède, feld-maréchal ; accusé sans preuve d'avoir empoisonné le prince royal, le duc d'Augustenborg, massacré au cours des funérailles]. La reine, Fersen, L. XVI et ses enf. s'enfuient vers la Lorraine, pour rejoindre la garnison royaliste de Nancy (Mis de Bouillé) ; partie des Tuileries vers minuit, le 20-6, la famille roy. arrive à Somme-Vesle ; à 20 h, elle est à Ste-Menehould : des hussards de Bouillé sont là, mais la population les désarme ; le maître de poste, Drouet, mandaté par la municipalité de Ste-Menehould, part à la poursuite de la berline, la dépasse avant Varennes et y organise un piège ; 22-6 à 5 h du matin, Bayon, aide de camp de La Fayette, arrive à Varennes et fait ramener la berline à Paris sous escorte ; juin-sept. gouvernement du « *triumvirat* » Barnave, Lameth, Duport. Pas de sanction contre L. XVI, mais ses pouvoirs sont suspendus jusqu'à la proclamation de la Const. ; 1-7 1er manifeste républicain (l'Amér. Paine et 4 Fr. : Achille du Chastellet, Condorcet, Brissot, Nicolas Bonneville) ; 17-7 **massacre du Champ-de-Mars :** La Fayette et Bailly, maire de Paris, font tirer sur des pétitionnaires, demandant le « remplacement » de L. XVI (pétition rédigée par Danton, et peut-être inspirée par le duc d'Orléans) ; env. 400 blessés, entre 12 et 40 † ; 9-7 décret enjoignant aux émigrés de rentrer en Fr. ; juillet-août : plébiscite à Avignon et dans le Comtat Venaissin [150 000 votants, 102 000 pour la Fr., 17 000 contre, 31 000 abst. (résultats confirmés le 18-8 par l'ass. électorale de Bédarrides)] ; 14-9 Avignon annexé (Carpentras reste fidèle au pape et la g. éclate entre les 2 villes) ; 14-9 L. XVI prête serment à la Const. ; il est reconnu roi héréditaire ; 30-9 séparation de l'Assemblée constituante que remplace l'Ass. législative ; aucun de ses membres ne peut être un ancien constituant (les principaux orateurs de la Constituante deviennent orateurs des Clubs : Jacobins, Feuillants, Cordeliers).

La monarchie pouvait-elle se réformer ?

Il y avait 2 solutions possibles :

1° LE « DESPOTISME ÉCLAIRÉ », tel qu'il existait en Autriche (Marie-Thérèse, Joseph II), Prusse (Frédéric II), Russie (Catherine II), Espagne (Charles III) : solution choisie par Louis XV et Maupeou en 1771. *Obstacle :* l'ancienneté et la puissance de la noblesse française (la noblesse espagnole trop pauvre ; les noblesses d'Europe orientale, presque exclusivement rurales, ont cédé devant leurs monarchies ; Napoléon pourra, en 1804, créer un despotisme monarchique français, grâce à la disparition du corps nobiliaire, due à l'émigration). L. XV en imposait suffisamment à ses gentilshommes pour devenir, au-dessus d'eux, un « despote éclairé » (mais il est mort moins de 3 ans après sa « révolution » de 1771). Avec L. XVI, l'échec était certain.

2° LA MONARCHIE CONSTITUTIONNELLE de type anglais (un Parlement élu, mais tenant ses pouvoirs d'une charte royale, contrôle finances et pouvoir exécutif). Cette solution cherchée en 1787-89, la plus à la mode, après les analyses de Montesquieu, supposait un monarque incontesté conférant aux corps intermédiaires un pouvoir légitime. Ce sera le cas en 1814 : L. XVIII pourra « octroyer » une charte constitutionnelle, étant alors la seule autorité valable dans le pays (la seule reconnue par les puissances occupantes). En 1789-92, au contraire, les Ass. ont dû aller chercher leur légitimité dans la « volonté du peuple » (théorie rousseauiste et antimonarchique).

Monarchie constitutionnelle (1-10-1791/10-8-1792)

1791 1-10 réunion des 745 députés de l'**Ass. législative :** droite 160, centre 449, gauche 136 ; 17-11 Pétion, maire de Paris (procureur : Manuel ; substitut : Danton) ; 25-11 création du *Comité de surveillance* (futur Comité de sûreté générale) ; 29-11 *Loi dite « du 1er Veto »* contre les prêtres réfractaires (ils pourront être éloignés de leur commune en cas de troubles). Non sanctionnée par L. XVI, elle est malgré tout envoyée par la Législative dans les départements et appliquée localement. Les clubs mènent campagne contre le droit de veto.

1792 1-1 décret d'accusation contre les princes émigrés ; 9-2 les biens des émigrés sont déclarés biens nationaux ; 20-4 déclaration de g. au « roi de Bohême et de Hongrie » (c.-à-d. François II, neveu de Marie-Ant. et fils de l'emp. Léopold, mort le 1-3) ; 25-4 1re guillotine place de Grève ; 27-5 loi « du 2e Veto » (ou « décret Guadet ») contre les prêtres réfractaires (ils pourront être déportés hors du royaume sur plainte de 20 citoyens actifs) ; L. XVI met son veto, mais le décret est appliqué malgré tout dans 53 départements sur 83 ; 8-6 décret du min. de la Guerre, Servan, ordonnant la formation d'un camp de 20 000 h. près de Paris ; 9/11-6 pétition dite des *Huit Mille* [tentative d'utiliser contre la gauche l'intervention des *pétitionnaires* (8 000 gardes nationaux parisiens, modérés, viennent protester contre le camp de 20 000 « brigands ») : s'appuyant sur eux, L. XVI, qui a mis son veto, renvoie Servan] ; 10-6 *Monsieur* et *Madame* sont remplacés par *Citoyen* et *Citoyenne ;* 20-6 **Tuileries envahies** par les Sections, qui protestent contre le veto royal ; famille roy. molestée : le futur conventionnel Louis Legendre (1752-97) coiffe L. XVI d'un bonnet rouge ; 7-7 *baiser Lamourette* à l'Assemblée législative [après un discours d'Adrien Lamourette (évêque constitutionnel, 1742-guillotiné 11-1-1794), les députés se réconcilient et s'embrassent ; leur réconciliation ne durera qu'1 j]. 11-7 décret proclamant la *patrie en danger ;* 1-8 publication à Paris du *« manifeste de Brunswick »* [écrit 25-7, signé par le duc Charles-Guillaume-Ferdinand de B. (1735-1806), rédigé par Geoffroi de Limon (?-1799), émigré orléaniste] ; maladroit, il provoque la colère des sectionnaires parisiens.

Captivité de Louis XVI. 10-8 *Danton,* substitut du procureur de la commune légale de Paris, et agissant comme chef d'une commune insurrectionnelle de Paris (le maire, Pétion, demeurant caché), fait prendre d'assaut les Tuileries par la section du Faubourg St-Antoine [env. 12 000 h. et 5 000 provinciaux, en majorité marseillais, conduits par le futur conventionnel girondin Charles Barbaroux (1761-94, guill.)]. Le Palais est défendu par 1 100 Suisses, 2 000 gardes nationaux (en partie gagnés aux Républicains), 900 gendarmes avec artillerie (peu sûrs) et 150 gentilshommes volontaires (sur 2 000 convoqués). Soit 1 800 défenseurs sûrs, contre 17 000 assaillants. Pour désorganiser la défense, Danton convoque le commandant (marquis de Mandat) à l'Hôtel de Ville et le fait exécuter. L'assaut commence à 9 h. L. XVI donne immédiatement l'ordre aux Suisses de cesser le feu et de regagner leurs casernes (Courbevoie). En chemin, ils sont massacrés par les Républ. (786 †, dont 26 officiers). Autres défenseurs tués : env. 20. Assaillants : 98 †, 270 blessés. L. XVI est suspendu (par 250 voix et 550 abstentions sur 800 votants), puis enfermé au Temple avec sa famille.

Le dauphin, futur Louis XVII (août 1792)

Dictature de la Commune 10-8/21-9-1792

1792 10-8 les 180 sectionnaires au pouvoir à l'Hôtel de Ville, depuis la veille, introduisent 108 membres supplémentaires (soit un total de 6 par sections) dont Robespierre, Hébert, Fouquier-Tinville ; 11-8 la Législative remet les pouvoirs à un *Conseil exécutif provisoire* de 7 membres : Danton, à la fois substitut de la Commune et min. de la Justice, y exerce tous les pouvoirs ; 16-8 la commune, érigée en assemblée souveraine, crée 6 comités exécutifs, dont le comité de surveillance (où Marat entrera le 2-9) qui a des pouvoirs dictatoriaux. Il envoie des commissaires en province pour contacter les comités locaux ; 17-8 création du *Tribunal criminel* (Pt : Robespierre, qui démissionne aussitôt), pour juger les crimes commis le 10-8 ; *guillotine* dressée place du Carrousel (6 exécutions à partir du 21-8) ; 20-8 La Fayette quitte la Fr. avec son état-major ; 24-8 échauffourées à Bressuire (Deux-Sèvres) ; 26-8 bannissement des réfractaires ; 29-8 le Tribunal criminel décrète perquisitions nocturnes à domicile et arrestations des suspects (env. 12 000 emprisonnements) ; 30-8 la Législative décrète la suppression de la commune, mais, menacée d'une insurrection par le procureur Manuel, retire son décret ; 31-8 la commune organise sur le Champ-de-Mars des levées de volontaires pour défendre Verdun (assiégé dep. le 29-8) : 1 800 hommes partent chaque jour, équipés par ses soins ; 2/5-9 **massacres de Septembre** 50 % des tueurs sont des « Volontaires » (soit parisiens, soit provinciaux, notamment marseillais) ; 50 %, des « Sectionnaires » (petite bourgeoisie parisienne) [*causes :* 1° les orléanistes [Marat (longtemps tenu pour l'unique responsable), Danton, Fabre d'Églantine, François Robert] veulent créer un effet de terreur, les troubles étant favorables au duc d'Orléans, présenté comme une planche de salut. Ils choisissent de faire tuer des prisonniers, dont la mort a moins de conséquences ; 2° les ennemis de l'Égl. (notamment Stanislas Fréron, imprimeur de *l'Orateur du Peuple,* et de nombreux Girondins, dont Gorsas) veulent l'extermination des prêtres non jureurs : ceux-ci sont présentés aux « Volontaires » comme un danger moral pour les épouses laissées à l'arrière du front ; l'Abbaye leur est fréquemment désignée comme objectif ; 3° les boutiquiers ou artisans des « sections » croient à l'arrivée prochaine des Prussiens. Ils tiennent à éliminer des pillards éventuels (notamment les enfants ou jeunes délinquants)] ; l'écrivain Jacques Cazotte (1719-92, guill.), commissaire de la Marine, est sauvé par sa fille (qui trinque avec les bourreaux, dans un verre taché de sang ; on dira ensuite qu'elle a accepté de boire du sang) ; les prisonniers (de droit commun et politiques) sont égorgés dans les prisons de Paris [*statistiques pour les prisons parisiennes,* % des † sur le total des incarcérés : Bernardins 96/97 %, St-Firmin 80/83, Châtelet 79/82, Carmes 71/76, Abbaye 58/75, Conciergerie 50/70, Bicêtre 39/41, Grande Force 39/41, Salpêtrière 12. *Catégorie des victimes* (en %) : militaires 6, politiques non-prêtres 5, prêtres 17 (total 223 dont 187 canonisés comme martyrs), prisonniers de droit commun 72 (total 974, dont 37 femmes et env. 300 enfants ou adolescents). Total général : 1 395 †] ; une circulaire de la commune de Paris, envoyée aux municipalités de province, déclenche les mêmes massacres dans les prisons de Versailles, Meaux, Reims, Orléans, Lyon (env. 300 †) ; 20-9 création de la *carte civique* (obligatoire ; délivrée par le Pt de la section, signée par les secrétaires ; appelée « certificat de civisme » et devant être présentée à toute réquisition ; accompagnée dans certains cas d'un certificat de non-suspicion et d'un c. de non-émigration).

Ire République 22-9-1792/25-10-1795

☞ **Institutions.** Voir p. 670.

Convention girondine (21-9-1792/31-5-1793)

1792 21-9 fin de la Législative, *entrée en fonction de la Convention :* 200 Girondins (droite), 140 Montagnards [gauche ; il y a une extrême gauche, formée du « triumvirat » : Claude Basire (1764-94, guill.), François Chabot (1759-94, guill.) et Antoine Merlin de Thionville (1762-1833)], 160 centristes qui se

Terreur

• **Bilan global des différentes guerres civiles.** 600 000 à 800 000 †. *Les Statistiques* sont incertaines [beaucoup d'archives de la Révolution ayant été détruites dans les incendies de la Commune en 1871 (pour Paris, on a conservé seulement 2 795 copies d'actes de décès)].

• **Exemples de bilans dressés par des particuliers. Par le bourreau Charles Sanson** (dans ses *Mémoires*), pour la période du 14-7-1789 au 27-10-1795. Mis à la lanterne, tués dans les châteaux 400. Suite des guerres civiles 32 000. Massacres de Septembre 3 400. Morts par guillotine 13 800. Extermination en Vendée et Chouannerie 180 000. Républicains tués par les Chouans 87 000. Famine et peur 7 000. Émigrés morts à l'étranger ou guillotinés 14 000. Fusillés, mitraillés, noyés en province 18 500. Massacres des Blancs et hommes de couleur aux colonies 50 000. Jacobins mis à mort dans le Midi 14 600. Le roi, la reine, la sœur du roi, le prince du sang 4. Le dauphin 1. Morts aux armées 290 000.

• **Par Louis-Marie Prudhomme** (1752-1830), dans *Histoire générale et impartiale de la Révolution* (1797). *Guillotinés 18 613,* dont : ci-devant nobles 1 278. Femmes 750. Femmes de laboureurs et d'artisans 1 467. Religieuses 350. Prêtres 1 135. Hommes non nobles de divers états 13 663. Femmes mortes de frayeur ou par suite de couches prématurées 3 748. *Morts de la Vendée 337 000* (dont : femmes 15 000 ; enfants 22 000 ; morts dans la Vendée 300 000). *Victimes à Lyon* 31 000. *Victimes de Carrier à Nantes* 32 000 (dont enfants fusillés 500, noyés 1 500, femmes fusillées 264, noyées 500, prêtres fusillés ou noyés 760, nobles noyés 1 400, artisans noyés 5 300).

• **Guillotine.** Du nom de Joseph Guillotin (1738-1814), médecin élu à la Constituante qui proposa l'utilisation de cette machine épargnant au condamné les lenteurs et les maladresses du bourreau (admise le 1-12-1789). Connue dès le XVIIe s., la machine fut remaniée par le docteur Louis, secrétaire de l'Académie de Chirurgie (on la surnomma Louison ou petite Louisette) puis améliorée par un mécanicien, Schmidt. *Nombre* fixé par un décret du 13-6-1793 : 1 par département.

• **Guillotinés. A Paris.** *Nombre total* du 21-1-1793 au 9-9-1795 : 2 794 guillotinés, dont 1 376 entre le 10-6 et le 28-7-1794 (de la loi de Prairial au 9 thermidor). *Maximum quotidien :* 7-7-1794 : *68 ;* 29-7-1794 (11 thermidor) : *70. Chiffres de René Sédillot (1987) :* 2 639 dont 1 862 entre mars 1793 et juillet 1794. *Age :* de 16 à 93 ans (L. XVI : 39). **En province.** *42 000* dont : *17 000* à la suite d'un procès ; par ex. : Orange 332 [on exécutait aussi par fusillade, le rendement de la guillotine étant insuffisant (notamment le 28-5-1793 : 16 guillotinés pour 45 fusillés)] ; Bayonne (1794) 62 ; Bordeaux 298 ; Arras 391 ; Rennes 267 ; *25 000* par simple décision administrative (hors-la-loi : rebelles, émigrés ou déportés rentrés clandestinement). 52 % des condamn. à mort sont prononcées dans l'Ouest, 19 % dans le Sud-Est. 2 % des victimes étaient des aristocrates, 8 à 18 % des adversaires politiques, 80 à 90 % des roturiers, affairistes, escrocs. Dans 6 départements : il n'y eut aucune exécution, dans 31 autres : – de 10.

• **Exécutions hors guillotine :** à Paris, pendant la dictature de la commune (tribunal criminel du 17-8-1792) et dans les départements insurgés.

Armes blanches et massues : *Paris* (août-sept. 1792 ; 1 395 †, dont 420 ne purent être identifiés (cadavres mutilés ou brûlés). *Bois de Beaurepaire* en Vendée (déc. 1793) : 300 femmes, etc. (le 17-1-1794 Turreau prescrit les exécutions à la baïonnette pour épargner les munitions).

Canonnade : *Lyon* (plaine des Brotteaux, du 4-12 au 27-12-1793) : 1 876 exécutions. Les canons sont chargés à la mitraille.

Fusillade : *Toulon* (du 20-12 au 25-12-1793) : 800 exécutions. *Noirmoutier* (mai 1794) : 1 200 prisonniers exécutés avec d'Elbée. *Angers* (1794) env. 3 000 [dont 800 à *Pont-de-Cé* (corps jetés à la Loire)]. *Nieuport* (Belgique, 17-6-1794) : 1 200 émigrés exécutés par Pichegru (encore républicain). *Auray* (1795) : 952, etc.

Noyade : *Nantes* (du 3-10 au 31-12-1793) : 4 800, dont 2 000 la semaine de Noël [maximum le 23-12 : 800 (« mariages républicains » : noyades par couples nus, 1 h lié à 1 f.)]. Voir le bilan de Prudhomme, ci-dessus. **Sort des conventionnels.** Sur 749, 56 guill., 27 † de mort violente, 15 † fous. Les bourreaux sont jugés après Thermidor (16-12-1794) : 91 acquittés ; 3 guill. : Carrier, Pinard, Grandmaison.

rallieront aux Montagnards. Sur 749 conventionnels, on compte 15 cultivateurs et 1 ouvrier. Dès la 1re séance, la proposition « la royauté est abolie en France » est votée à l'unanimité ; 22-9 j. choisi comme le 1er j. de la Rép. et le point de départ du calendrier rép. ; 20-11 découverte de *l'armoire de fer* [où L. XVI gardait des papiers compromettants (correspondance avec Mirabeau, La Fayette, Talon, Dumouriez, etc.)] ; 27-11 Savoie annexée (départ. du Mt-Blanc) ; 2-12 dissolution de la « commune des Sections » [Pétion remplacé par le girondin Chambon, à la tête d'une « commune provisoire », formée de 12 commissaires (4e commune)] ; 11-12 L. XVI prend comme avocats : François Tronchet (1726-1806), Guillaume de Malesherbes (1721-94, guillotiné) et Romain de Sèze (1748-1828). **1793** 17-1 L. XVI condamné à mort : 3 questions ont été posées. 2 le *15-1 :* « Louis Capet, ci-devant roi des Français, est-il coupable de conspiration contre la liberté et d'attentat contre la sûreté de l'État ? » (sur 749 conventionnels, 691 oui, 31 absents, 27 abstentions) ; « le jugement sera-t-il soumis à la ratification du peuple réuni dans les assemblées primaires ? » (287 oui, 424 non, 28 absents, 20 abstentions) ; 1 le *16-1 :* peine (l'appel nominal commence à 20 h et le vote se termine le 17-1 à 20 h) [sur 745 membres 721 votants (1 †, 6 malades, 2 absents sans cause, 11 par commission, 4 dispensés), majorité : 361, pour la mort 366, détention jusqu'à la fin de la guerre et bannissement après la paix 319, fers 2, mort avec clause restrictive 34 (possibilité de commutation 1, discussion sur l'époque de l'exécution (amendement Mailhe) 23, sursis jusqu'à l'expulsion des Bourbons 8, jusqu'à la paix (époque à laquelle la mort pouvait être commuée et réservant le droit d'exécution en cas d'invasion par une puissance étrangère, dans les 24 h de l'irruption) 2. La mort a donc été votée à une majorité de 5 voix (en réalité 13 votes pour la mort étaient nuls : Saint-Just, âgé de moins de 25 ans ; Robert, député de Paris, non-Français ; 4 dép. non inscrits ; 4 suppléants n'ayant pas le droit de vote ; 3 dép. ayant voté après s'être récusés)] ; 18-1 nouveau décompte nominal demandé par des modérés, résultat porté au procès-verbal : votants 721, majorité absolue 361, mort sans condition 361, avec l'amendement de Mailhe 26, avec diverses modalités de sursis 44, pour d'autres peines (détention, bannissement, fers) 290. Vergniaud ajoutant aux 361 votes incontitionnels les 26 favorables à l'amendement Mailhe, annonça 387 pour la mort. 19-1 nouvel appel nominal : « Sera-t-il sursis à l'exécution du jugement de Louis Capet ? » Vote terminé le 20-1 à 2 h du matin. Sur 690 suffrages, 310 pour, 380 contre. 21-1 L. XVI exécuté place de la Révolution (actuellement pl. de la Concorde) par Sanson : il veut parler au peuple mais les tambours de la Garde nat. (commandés par Santerre) couvrent sa voix ; enterré cimetière de la Madeleine (actuellement bd Haussmann) ; 28-1 le dauphin est proclamé roi (L. XVII) par les émigrés (Cte de Provence, régent ; Cte d'Artois, lieutenant général du roy.) ; 4-2 comté de Nice annexé (dép. des Alpes-M.) ; 14-2 les Montagnards reprennent la commune de Paris [maire : Pache ; procureur : Chaumette ; substitut : Hébert ; sous le nom de « triumvirat », ils font de la municipalité un foyer d'insurrection (5e commune, dominée par un « comité central des 33 sections » siégeant à l'Archevêché, et intervenant constamment dans la salle de la Convention)] ; 7-3 canton de Porrentruy annexé (partie cathol. de l'anc. évêché de Bâle ; dép. du Mont-Terrible) ; 10-3 institution du *tribunal révol.* (malgré l'opposition des Girondins) ; 19-3 les biens des condamnés à mort sont déclarés nationaux ; 6-4 établissement du *Comité de salut public ;* 11-4 cours forcé de l'assignat ; 4-5 *loi du maximum* sur le prix du grain.

Convention montagnarde (31-5-1793/2-4-1794)

1793 31-5 *mise en accusation des brissotins* (girondins) ; 30 dép. (dont Brissot, Vergniaud, Pétion, Barbaroux, Lanjuinais) et 2 ministres (Lebrun et Clavières) : 21 seront guillotinés le 31-10 ; 9 évadés dont Buzot, Barbaroux, Pétion, tentent de soulever la province et sont tués ou se suicident. Mme Roland sera guillotinée le 8-11, son mari (non-député) se suicidera le 10-11 ; 14-7 *Marat* assassiné dans son bain par *Charlotte Corday* [n. 1768 (guillotinée 17-7)] ; 1-8 la Convention décide de détruire les sépultures roy. à St-Denis ; 10-8, les corps sont jetés à la voirie, les trésors pillés ; 17-9 *loi des Suspects* (permettant d'arrêter « tous ceux qui doivent être considérés comme défavorables au régime nouveau ») ; 27-9 *loi du maximum* (fixant un prix-plafond pour des produits courants autres que le grain : les hausses illicites sont punies de mort) ; 14-10 *procès de Marie-Antoinette* [avocats : Guillaume Tronson du Coudray (1750-98, déporté en Guyane) et Claude Chauveau-Lagarde (1756-1841) ; chefs d'accusation : 1° manœuvres en faveur « des ennemis extérieurs de la Rép. » ; 2° complot pour allumer la g. civile] ; 16-10 exécutée à 12 h 15 (ensevelie à côté de L. XVI)] ; 6-11 *exécution de Philippe Égalité* (duc d'Orléans) ; 10-11 établissement du *culte de la Raison* (non officiel : Robespierre n'y participe pas) ; 19-11 les biens des accusés sont déclarés nationaux, même avant le procès (pour empêcher les donations entre vifs faites par les accusés sûrs d'être mis à mort) ; 8-12 mort en Vendée de *Joseph Bara* [(palefrenier, abattu par des voleurs de chevaux) : Robespierre organisera son culte, comme celui d'une victime de la barbarie royaliste ; 28-12 au Panthéon].

1794 4-2 *esclavage aboli* dans les colonies ; 15-2 adoption comme *drapeau national* du pavillon de marine : bleu-blanc-rouge ; 14-3 arrestation de 21 *ultra-révolutionnaires* ou *hébertistes,* du club des (nouveaux) Cordeliers (partisans de la Commune contre la Convention) : 19 exécutions le 24-3, dont Hébert et Cloots.

Principaux leaders de la Convention

Période girondine : 21-9-1792 au 31-5-1793. *Leaders gir. :* Jean-Pierre Brissot (1754-93, guill.), Étienne Clavière (1735-93, suicidé), Armand Gensonné (1758-93, guill.), Élie Guadet (1758-93, guill.), Maximin Isnard (1751-1835), Pierre Tondu, dit Lebrun-Tondu (1754-93, guill.), les époux Roland [Jean-Marie (1734-93, suicidé) et Manon, née Philippon (1754-93, guill.)], Charles de Valazé (1751-93, suicidé), Pierre Vergniaud (1753-93, guill.).

Période montagnarde : 31-5-1793 au 27-7-1794 (9-10 thermidor an II). *Leaders :* ce sont surtout les membres du Comité de salut public, voir p. 590 b. Également : Camille Desmoulins, voir p. 621, Pierre-Joseph Cambon (1756-1820), membre du comité des Fin. et l'évêque Henri Grégoire (1750-1831), membre du comité de l'Instr. publ.

Période thermidorienne : 27/28-7-1794 au 23-9-1795 (4 brumaire an IV). Le Centre (Marais) domine avec Régis de Cambacérès (1753-1824, duc de Parme 1804), François Boissy d'Anglas (1756-1826), Jean-Lambert Tallien (1767-1820), Paul, Vte de Barras (1755-1829).

Dictature de Robespierre (2-4-1794/27-7-1794)

1794 2-4 *arrestation des « dantonistes »* ou « vieux Cordeliers » : Danton, Camille Desmoulins, Hérault de Séchelles, etc. (exécutés 4-4) ; 16-4 décret : aucun ex-noble ne peut habiter Paris ; 8-5 *fête de l'Être suprême,* célébrée par Robespierre (croyance décrétée le 7-5) ; 10-5 Mme Élisabeth, sœur de L. XVI, exécutée ; nomination d'un nouveau maire de Paris (Fleuriot-Lescot), et d'une nouvelle municipalité entièrement robespierriste (la Commune perd son influence politique) ; 22-5 attentat manqué d'Admirat contre Rob. et Collot d'Herbois. 23-5 de Cécile Renault contre Rob ; 10-6 (22 prairial) *Loi de Prairial* permettant d'exécuter tout accusé sans audition de témoin ou interrogatoire, sur simple preuve *morale* (1 376 exécutions en vertu de ce texte) ; 15-6 1re manœuvre pour ridiculiser Robespierre : Marc Vadier (1736-1828), membre du Comité de sûreté générale, lit un rapport prouvant que la fête de l'Être suprême a été organisée en liaison avec un groupe d'illuminés se réunissant rue de la Contrescarpe [le chartreux Dom Gerle (1736-1801), les prophétesses Suzanne Labrousse (1747-1821) et Catherine Théot (1716-94)] qui saluait Robespierre comme le Messie. Gerle et Catherine sont arrêtés (lui sera libéré après Thermidor, elle mourra en prison) ; 16-6 : 2e manœuvre pour ridiculiser Robespierre : on exécute, revêtus de chemises rouges (tenue des condamnés pour parricide), une simple d'esprit, Cécile Renault (20 ans), accusée d'avoir voulu poignarder Robespierre, et 52 autres condamnés, considérés comme ses

Quelques personnages de la Révolution et de l'Empire

☞ **Famille Bonaparte.** Voir p. 627.

Augereau, Pierre-François-Charles (1757-1816). Bas peuple parisien. *1774* simple soldat. *V. 1780,* chassé de l'armée, sert dans un régiment russe (blessé à Ismaïloff contre les Turcs). *1792* volontaire dans la garde parisienne. *1793* lieutenant-colonel ; puis Gal de division. *1795* armée Bonaparte. *1796* se distingue en Italie, notamment contre l'armée pontificale. *1797* sauve la Rép. par le coup d'État de Fructidor (approuvé par Bonaparte). *1799* bien que jacobin, se rallie à Bonaparte au 19 brumaire. *1801* refuse d'aller au Te Deum du Concordat. *1804* Mal de France. *1807* se distingue à Eylau. *1808* créé duc de Castiglione. *1813* se brouille avec Nap. après Leipzig. *1814* livre Lyon sans combat à Schwarzenberg ; injurie Nap. sur le chemin de l'Île d'Elbe. *1815* écarté aux Cent-Jours ; se retire dans ses terres.

Bailly, Jean-Sylvain (1736-93). Fils du garde des tableaux du roi, fait de la littérature et de l'astronomie. *1785* appartient aux 3 Académies (française, Beaux-Arts, Sciences). Orateur larmoyant, surnommé « le Pleureur ». *1789* Pt des États généraux ; 23-6 auteur principal du coup d'État (Jeu de Paume). 14-7 élu maire de Paris ; se rallie à L. XVI (surtout à la reine) : passe pour avoir favorisé leur départ pour Varennes. *1791* 25-6 fait proclamer la loi martiale, pour le retour du roi, ce qui permet à La Fayette de faire tirer sur les pétitionnaires dantonistes réclamant, au Champ-de-Mars, le « remplacement » du roi (17-7). 12-11 haï, il démissionne de la mairie. *1793*-5-9 arrêté à Melun, 15-10 témoigne en faveur de Marie-Antoinette. 10-11 condamné à mort. 12-11 exécuté sur le Champ-de-Mars (« lieu de son crime »).

Barras, Paul, Vte de (1755-1829). Ancien cap. de l'armée roy., conventionnel régicide. *1793* déc. célèbre par la cruauté avec laquelle il épure Toulon. *1794* ennemi personnel de Robespierre, il assure le succès du 9 Thermidor en prenant le commandement des sections modérées. Grâce à plusieurs tirages au sort favorables, il est le seul Directeur à être resté en charge sans interruption de 1794 à 99. C'est lui qui protège Bonaparte et lui fait réussir son coup d'État du 18 Brumaire. Il comptait sur lui pour rétablir les Bourbons, avec qui il était en contact dep. 1797. Mais il est joué par Bon. qui le laisse sans fonctions ni dignités sous l'Empire. *1816,* il est le seul régicide à ne pas être inquiété par les Bourbons.

Bernadotte, Jean-Baptiste (1763-1844). Fils d'un avocat béarnais. *1780* s'engage dans l'armée. *1789* sergent-major. *1792* colonel. *1793* Gal de brigade, *1794* de division (un des vainqueurs de Fleurus), *1796* de corps d'armée avec Jourdan ; rejoint Bonaparte en Italie avec 20 000 h. *1797* chargé de porter au Directoire les drapeaux pris à l'ennemi. *1798* ambassadeur à Vienne ; épouse Désirée Clary, belle-sœur de Joseph Bonaparte (et ex-fiancée de Napoléon). Min. de la G. *1799* reproche à Bon., revenu d'Égypte, d'avoir « déserté ». *1804* réconcilié avec lui, nommé maréchal et Pce de Pontecorvo. *1805-09* prend part à plusieurs campagnes, mais s'entend mal avec l'Emp. *1810* élu Pce royal de Suède (par reconnaissance, pour avoir fait relâcher 1 600 mercenaires suédois prisonniers en 1806). *1811* rompt avec Nap. qui a occupé la Poméranie suédoise. *1812* s'allie à la Russie. *1813* l'un des vainqueurs de la bataille de Leipzig. *1814* tente à Paris de recueillir la succession de Nap., mais est conspué par la foule. *1818* roi de Suède, sous le nom de Charles XIV ; accueille les descendants de Fouché, dont il fait des ducs suédois.

Berthier, Alexandre (1753-1815). Noblesse récente (père cartographe, anobli 1763). *1778-81* combat en Amérique. *1792* Mal de camp, destitué par Dumouriez. *1792* Gal de division, chef d'état-major de Bonaparte. *1796* début de liaison avec une Milanaise, Mme Visconti. *1800* ministre de la G. *1804* Mal de France (1er de la liste). *1806* Pce souverain de Neufchâtel (enlevé au roi de Prusse). *1807* vice-connétable (quitte le ministère de la G.). *1808* ép. la nièce du roi de Bavière (sans rompre avec la Visconti). *1809* mars commandant provisoire de la Gde Armée (Nap. étant en Esp.), se révèle incapable. 15-8 Pce de Wagram. *1814* 1-6, se rallie aux Bourbons, doit rendre Neufchâtel à la Prusse (contre une pension de 25 000 F). *1815* aux Cent-Jours, se réfugie chez son beau-père, en Bavière. 1-6 meurt [tombé par la fenêtre (suicide ?)].

Brune, Guillaume (1763-1815). *1790* typographe et journaliste, [*le Journal de la Cour et de la Ville,* puis *la Bouche de Fer* (feuille ordurière, inspirée par les Cordeliers, proche de Danton et Marat)]. *1791* commissaire civil en Belgique. *1793* Gal de brigade, chargé avec Fréron de la répression du terrorisme royaliste dans le Midi (« Compagnons de Jéhu » exterminés). *1798* ambassadeur en Suisse. *1799* commandant en chef en Hollande, vainqueur à Bergen des Anglo-Russes. *1800* rétablit l'ordre en Vendée. *1803-05* amb. à Constantinople (nommé Mal de Fr. 1804). *1807* disgracié pour avoir parlé de « l'armée fr. » au lieu de « l'armée de S.M. Impériale ». *1815* pendant les Cent-Jours, commandant militaire en Provence ; 2-8 reconnu à Avignon par d'anciens « Compagnons de Jéhu », est mis à mort.

Carnot, Lazare (1753-1823). Officier du génie, maintenu au grade de lieutenant, comme roturier. Fréquente Robespierre à Arras. *1790* membre du club jacobin d'Aire-sur-Lys ; député à la Législative, puis à la Convention (vote la mort du roi). *1792* sept. mission à l'armée des Pyrénées. *1793* juin à l'armée du Nord ; juill. entre au Comité de salut public ; responsable des armées ; 23-9 décrète la levée en masse. Surnommé l'« Organisateur de la Victoire ». *1795*-5-3 quitte le Comité ; élu au Conseil des Cinq-Cents. *1797* se rallie aux royalistes. *1798* doit s'exiler après le coup d'État de Fructidor. *1802 à 1807* rentré en France après le 18 Brumaire, siège au Tribunat ; tenu à l'écart par Nap. qui le sait trop populaire. *1814* défend Anvers contre Bülow ; rallié à Louis XVIII ; puis de nouveau à Nap. (min. de l'Intérieur pendant les Cent-Jours). Après Waterloo, essaye de devenir Pt d'une nouvelle rép. ; exilé comme régicide, meurt à Magdebourg.

Cloots, Jean-Baptiste, dit Anacharsis (1755-94). Sujet prussien (né à Clèves), fils du baron de Gnadenthal, ayant francisé son nom en Val-de-Grâce, neveu du philosophe hollandais Cornelius De Pauw. Élevé à la française, étudiant en philo. à Paris, devient militant athée. *1776* hérite 100 000 livres de rente. *1789* août entre au club des Jacobins. *1789-90* parcourt la Bret., répandant les idées jacobines. *1790* 19-6 (anniversaire du Jeu de Paume) organise à la Législative une manifestation internationale (ambassadeurs des peuples souverains opprimés) ; surnommé l'« Orateur du genre humain » ; élu à la Convention, vote la mort du roi et l'élimination des Girondins. Annexionniste et belliciste, *1793* déc. dénoncé par Camille Desmoulins, avec Hérault de Séchelles, comme un agent ennemi jouant la politique du pire. Organise le culte de la Raison, se brouillant avec Robespierre, théiste. Arrêté comme étranger, il est incarcéré 2 mois ½ à St-Lazare, puis jugé et guillotiné avec les hébertistes.

Danton, Georges (1759-94). Avocat parisien, il fréquente noblesse et grande bourgeoisie libérale ; il tente de faire proclamer le « remplacement » du roi, dès l'arrestation de Varennes. Poursuivi par La Fayette, il s'enfuit en Angl. pour 6 semaines, grâce à l'appui du Marseillais Barbaroux (touche des subsides anglais). *1792* 10-8 joue un rôle capital dans l'émeute qui renverse L. XVI. Min. de la Justice du gouv. provisoire, il démissionne en sept. pour rester simplement député à la Convention, qu'il domine par son éloquence. *1793* juin il fait tomber les Girondins et remplace le gouv. d'Assemblée par celui du Comité exécutif. 10-7 il en est exclu, par Hérault de Séchelles, annexionniste et belliciste, encore allié aux robespierristes. Il entre alors en lutte avec ce comité, en recherchant, comme les hébertistes, l'appui de la Commune, mais s'opposant aux hébertistes par une politique de paix à tout prix. *1793* sept. négocie avec Mercy d'Argenteau, ancien amb. d'Autr., réfugié à Bruxelles, la libération de Marie-Antoinette (on lui offre une grosse somme, il promet son appui, mais n'a plus aucun pouvoir). *1794* 19-3 prend le parti de Pache, maire de Paris, qui vient d'abandonner Hébert ; il est soupçonné de préparer à son tour une insurrection de la Commune contre la Convention (chef militaire : Westermann). Devancé par ses ennemis du Comité (Saint-Just et Billaud-Varenne), il est condamné à la guillotine après un procès illégal. On sait actuellement qu'il avait été également payé par le duc d'Orléans. Après la mort de celui-ci (6-11-1793), il était soupçonné d'aspirer à la « régence ». Il songeait, disait-on, à capituler devant l'Angl. et à offrir la couronne de Fr. au duc d'York, qui aurait épousé Madame Royale.

David, Louis (1748-1825). Peintre, rallié à la Révolution, auteur du *Serment du Jeu de Paume.* Élu à la Convention, il vote la mort du roi et se rallie à Robespierre. Arrêté le 2-8-94 (15 Thermidor), il est relâché pour pouvoir travailler à ses toiles dans son atelier, mais est arrêté de nouveau après l'émeute « crêtoise » de Prairial (22-5-95). Amnistié le 4 Brumaire (26-10-95), il se rallie à Bonaparte et devient le peintre officiel de l'Empire. Exilé en 1815 comme régicide, meurt à Bruxelles.

Davout, Nicolas (1770-1823). Noblesse bourguignonne (d'Avoust), élève de l'école militaire royale. *1792* commandant des volontaires de l'Yonne. *1793* Gal. *1801* épouse la sœur du Gal Leclerc (devient beau-frère de Pauline Bonaparte). *1804* Mal de Fr. *1805* se distingue à Austerlitz. *1806* vainqueur des Prussiens à Auerstaedt. *1808* duc d'Auerstaedt. *1809* Pce d'Essling. *1813* assiégé dans Hambourg (capitule sur ordre de Louis XVIII le 31-5-1814). *1815* Cent-Jours, min. de la G. ; 3-7 commandant en chef, signe une convention avec les Alliés (repli au S. de la Loire). *1819* pair de Fr.

Desmoulins, Camille (1760-94). Bourgeoisie de robe ; condisciple de Robespierre à Louis-le-Grand. *1789* avocat à Paris, élu aux États généraux (tiers état), d'abord partisan de Mirabeau. Nov. fonde le journal *les Révolutions de France et de Brabant.* *1792* rallié à Danton, qui le nomme après le 10 août secr. gén. du min. de la Justice et le fait profiter des subsides anglais (18 000 livres remises par le banquier Perrégaux). Élu à la Convention, siège à la Montagne, où il s'oppose au bellicisme des Girondins. Mais leur mise à mort le bouleverse. *1793* sept. accuse Hérault de Séchelles (belliciste et annexionniste) d'être un agent ennemi, jouant la politique du pire. 30-10 lance le journal *le Vieux Cordelier,* où il défend la politique de Danton contre le Comité de salut public. Déc. chassé du Comité de salut public. *1794* mars condamne l'épuration sanglante des *Enragés* ou hébertistes. 5-4 guillotiné avec les dantonistes. 13-4 sa femme Lucile (n. 1771, ép. 29-12-1790), guillotinée, était la fille naturelle de l'abbé Terray (1715-78), min. de L. XV.

Duroc, Géraud de Michel du Roc, dit Michel (1770-1813). Noblesse d'épée. Élève officier de l'armée royale (artilleur). *1797* capitaine, aide de camp de Bonaparte. *1799* prend part au coup d'État du 18 Brumaire. *1800* Gal de brigade. *1804* Mal de F., gd maréchal du Palais (ami de l'Emp.). *1808-13* missions diplom. (notamment paix de Vienne 1809). *1808* duc de Frioul. *1813* tué par un boulet avant la bataille de Bautzen.

Dumouriez, Charles François Du Périer, dit (1739-1823). Ancien agent secret de L. XV ; mis à la Bastille pour avoir travaillé contre l'Autriche en faveur du roi de Prusse. Rallié ensuite aux Orléans, tente d'amener sur le trône Philippe Égalité. Négocie avec l'armée prussienne en 1792 pour la séparer des Autrichiens, favorables à L. XVI, et arrive à la faire se replier à Valmy. Conquiert P.-Bas sur les Autr. après sa vict. de Jemmapes où combat le fils du duc d'Orléans ; mais perd Neerwinden (févr. 1793). Menacé d'arrestation, livre les commissaires à l'ennemi et s'enfuit en Allemagne. A la Restauration, L. XVIII refusera de lui pardonner ses manœuvres orléanistes et le laissera finir sa vie en exil.

Fouché, Joseph (1759-1820). Religieux oratorien, professeur au collège de Juilly, élu député à la Convention. Vote la mort du roi. Épura cruellement Lyon en nov. *1793* menacé par Rob., organise avec Barras le « 9 Thermidor ». *1798* ministre de la Police, aide Bonaparte à devenir consul, et reste l'un des plus sûrs soutiens jusqu'en 1810. *1814* fortune considérable, espère pouvoir se rallier aux Bourbons. *1816* exilé comme régicide, se réfugie en Autriche ; ses descendants, protégés par Bernadotte, sont devenus ducs suédois. *1869* duc d'Otrante.

Fouquier-Tinville, Antoine (1746-95). Fils de paysans picards, *1773-83* procureur au Châtelet. Révoqué pour inconduite, devient commis dans les bureaux de la police. Organise, sous la direction de Danton, l'émeute du 10 août ; nommé aussitôt directeur du jury d'accusation, puis substitut. *1793* 10-3 accusateur public du tribunal criminel. Chargé, 17 mois, des causes importantes, notamment Marie-Antoinette, Philippe Égalité, les 22 députés girondins, Hébert, Danton, Camille Desmoulins, qu'il envoie à l'échafaud. 10 Thermidor, il « constate l'identité » de Robespierre (contre lequel il n'a pas à requérir, puisqu'il s'agit d'un hors-la-loi) et l'envoie à l'échafaud. *1795* 6-5 exécuté après 41 j. de procès.

Grégoire, Henri (4-12-1750/28-5-1831). *1774* prêtre. *1788* défend les juifs dans un écrit. *1789* député du clergé aux États généraux (l'un des 1ers à provoquer la réunion des 3 ordres, prêta le serment du Jeu de Paume) ; 14-7 préside la séance où les députés se déclarent en permanence ; 4-8 propose l'abolition du droit d'aînesse. *1790* juillet vote la constitution civile du clergé ; nov. 1er à prêter le serment civique. Élu évêque de Blois. A la Convention, appuye l'abolition de la royauté. *1794* fait décréter l'abolition de l'esclavage. *1795/98* membre du Conseil des Cinq-Cents. *1797* et *1801* réunit 2 conciles nationaux. *1800* m. du Corps législatif. *1801* sénateur. Refuse d'accepter le concordat et renonce à son évêché. *1814* un des 1ers à proposer la déchéance de l'Empereur mais maintenu en disgrâce par la Restauration et exclu de l'Institut. *1819* élu député de l'Isère mais invalidé. *1831* Mgr de Quélen, archevêque de Paris, interdit de lui administrer les sacrements et lui refuse une sépulture chrétienne (il fut pourtant administré mais refusa toute rétractation). *1989* 12-12 transfert de ses cendres au Panthéon.

Hébert, Jacques (1757-94). Fils d'un orfèvre parisien, débute à 16 ans dans la presse clandestine ; emprisonné, condamné au bannissement, puis acquitté en appel. *1786* commis au théâtre des Variétés. *1789* nombreux pamphlets d'un style populacier. *1790* juill. fonde *le Père Duchesne*. *1793* 24-5 arrêté par les Girondins, 14-7 libéré par une émeute populaire. Après la mort de Marat, est l'idole des sectionnaires parisiens ; octobre, lance une campagne contre Marie-Antoinette (l'accusant d'inceste avec son fils). Ses campagnes de presse imposent au Comité de salut public : levée en masse, greniers d'abondance, loi des suspects, maximum, épuration, gouvernement révolutionnaire, etc. Oct.-nov. Camille Desmoulins le présente comme complice de Hérault de Séchelles et des « agents étrangers ». *1794* 4-3 il tente de remplacer la Convention par la Commune, et le Comité de salut public par un Tribunal suprême, avec Pache, maire de Paris, comme « grand juge ». Mais celui-ci se dérobe. 24-3 guillotiné.13-4 sa veuve, la « Mère Duchesne », est exécutée.

Hérault de Séchelles, Marie Jean, dit Hérault Séchelles (1759-94). Noble devenu feuillant, puis girondin, belliciste et annexionniste. *1793* 10-7 membre du Comité de salut public, dirige les aff. étrangères, essayant de déclencher la g. contre les 2 neutres : États-Unis et Suisse. Sept., Camille Desmoulins dénonce sa collusion avec les révolutionnaires étrangers vivant à Paris (notamment Cloots), l'accusant de la politique du pire et de rechercher une défaite. Déc. contraint de démissionner. *1794* arrêté avec Cloots (hébertiste), exécuté avec Danton.

Hoche, Lazare (1768-97). Ennemi du G[al] royaliste Pichegru, qui arrive à le faire mettre en prison en 1794. Accusé d'avoir trahi sa parole en accordant une capitulation aux émigrés débarqués à Quiberon (en majorité des off. de la marine royale), puis en les livrant, après leur reddition, aux tribunaux révolut. d'Auray qui les ont mis à mort, s'est toujours défendu d'avoir accordé une capitulation écrite (son adjoint, Rouget de Lisle, ancien officier du roi, avait persuadé Sombreuil de rendre son épée à Tallien). Lui-même n'aurait promis la vie sauve à personne. Après il ne pourra obtenir l'appui de la marine, demeurée royaliste, et échouera dans ses tentatives de débarquement en Irlande. *1797* sollicité par Barras pour faire un coup d'État rép. Ministre de la G., amène des troupes à La Ferté-Alais ; dénoncé par Pichegru, il doit renoncer. Meurt tuberculeux à Wetzlar (All.). Ses descendants, devenus royalistes, ont en 1871 refusé le transfert de son corps au Panthéon. Souvent cité avec Marceau comme symbole des vertus militaires de la Ire Rép.

Junot, Andoche (1771-1813). Fils d'un magistrat bourguignon. *1792* volontaire dans le bataillon de la Côte-d'Or (surnommé « La Tempête »). *1793* siège de Toulon, aide de camp de Bonaparte. *1796* blessé à la tête au combat de Lonato, devient psychopathe. *1799* gouverneur de Paris, épouse Laure Permon (qui écrira des mémoires). *1804* se voit refuser le maréchalat. *1807* G[al] en chef de l'armée du Portugal. *1808* duc d'Abrantès, capitulation de *Cintra*. *1810* blessé (au visage). *1812* disgracié après la campagne de Russie. *1813* se suicide.

Kellermann, François (1735-1820). Hussard alsacien, volontaire pendant la g. de Sept Ans, un des rares généraux roturiers de l'Ancien Régime [*1788* (53 ans) maréchal de camp]. *1789* se rallie à la Révolution. *1791* Cdt de l'armée d'Alsace. *1792* offensive en Sarre, puis retraite jusqu'à Valmy. Considéré comme le « vainqueur », affecté à l'armée de la Moselle, échoue devant Mayence et passe en jugement (acquitté). Contribue à la reprise de Lyon révolté. *1793-94* emprisonné 13 mois, pour mollesse lors du siège de Lyon. *1794* 8-11 acquitté (après Thermidor). *1795* commandant de l'armée des Alpes, il rend service à Bonaparte. *1804* maréchal. *1808* duc de Valmy.

Kléber, Jean-Baptiste (1753-1800). Alsacien, d'abord officier dans l'armée bavaroise, *1789* s'enrôle dans la garde nationale, et se rend célèbre par sa bravoure au siège de Mayence. Commande ensuite l'avant-garde des « Mayençais » contre les Vendéens, refuse d'être G[al] en chef. *1799* gouverneur de l'Égypte après le départ de Bonaparte, essaie de négocier une évacuation honorable ; assassiné par un mameluk.

La Fayette, Gilbert Motier, Mis de (1757-1834). Noblesse auvergnate. Libéral et franc-maçon, dévoué au duc d'Orléans, prend part à la guerre d'Indépendance américaine, et devient populaire. Député de la noblesse aux États généraux. *1789* 15-7 commandant de la Garde nationale ; influent à la Cour, préconise une monarchie constitutionnelle garantissant les libertés. *1791* juin après la fuite de L. XVI à Varennes, accrédite la thèse de l'enlèvement du roi. 17-7, fait tirer au Champ-de-Mars sur des « pétitionnaires » demandant, par ordre de Danton, le « remplacement » de L. XVI ; devient impopulaire. *1792* 20-4 prend la tête de l'armée du Nord et négocie avec les Autr. : en échange d'un armistice, il emmènera son armée à Paris pour rétablir la monarchie constitutionnelle. 19-7 décrété d'accusation, passe chez les Autr. ; prisonnier jusqu'en 1797. *1802-03* facilite la cession aux États-Unis de la Louisiane, y acquérant de vastes domaines. Refuse le poste (américain) de gouverneur de la Louisiane. « Émigré intérieur » sous l'Empire, reçoit de nombreux Anglais dans son château de la Grange. *Cent-Jours* député, fait proclamer la déchéance de Nap. *Rest.* chef de l'opposition libérale, fait triompher Louis-Philippe, refusant la présidence d'une nouvelle République.

Lannes, Jean (1769-1809). Fils d'un garçon d'écurie ; apprenti teinturier. *1792* s'engage dans l'armée des Pyr.-Or. *1795* chef de brigade. *1799* en Égypte, général de division. *1800* 16-4 bat les Autrichiens à Montebello. *1804* maréchal (le seul qui ait tutoyé l'empereur). *1808* duc de Montebello. *1809* prend Saragosse, tué à Essling. *1812* enseveli au Panthéon.

Lefebvre, François-Joseph (1755-1820). Fils de soldat ; *1773* engagé dans les gardes françaises. *1788* sergent, épouse une blanchisseuse, Catherine Hubscher (dite « Madame Sans-Gêne »). *1792* capitaine. *1793* G[al] de brigade. *1798* commandant de l'armée de Sambre-et-Meuse, blessé, réformé. *1795* candidat des Cinq-Cents au Directoire (échec). *1800* prêteur du Sénat (jusqu'à 1814). *1804* M[al] de France. *1807* prend Dantzig, créé duc de Dantzig. *1809* commande l'armée bavaroise à Wagram. *1814* pair de France. *1815* pair de l'Empire ; destitué après Waterloo. *1819* réintégré.

Marat, Jean-Paul (né en Suisse, 1743-93). Médecin en Angl. *1777* à Paris ; le Cte d'Artois le nomme médecin de ses gardes du corps. Un de ses livres, *Plan de législation criminelle,* est mis au pilon sur ordre du procureur Brissot. *1789* 12-9 fonde le journal *l'Ami du Peuple,* subventionné par le duc d'Orléans : s'oppose aux bourgeois, notamment aux Brissotins (Girondins). *1792* 10-8 2e journal, *le Journal de la Rép. fr.,* où il défend les institutions rép. contre les démagogues. *1793* 14-7 assassiné dans sa baignoire, par une jeune fille de la noblesse normande, Charlotte de Corday d'Armont (1768-93, guill.), arrière-petite-nièce de Corneille. Chateaubriand a surnommé Marat le « Caligula des carrefours » (on ignorait au XIXe s. la collusion de Marat et du duc d'Orléans).

Marceau, François (1769-96). Simple soldat de l'armée royale. *1793* nov. G[al] de l'armée rép., après plusieurs victoires sur les Vendéens ; G[al] en chef de l'armée de l'Ouest, remporte les victoires du Mans et de Savenay. Ensuite aux armées de « Sambre-et-Meuse », acquiert une grande réputation. *1796* 19-9 abattu par un autrichien le lendemain de la bataille d'Altenkirchen (corps transféré au Panthéon en 1889).

Marmont, Auguste Viesse de (1774-1852). Petite noblesse, fils d'officier. *1793* lieutenant ; s'attache à Bonaparte (siège de Toulon). *1796* devient son aide de camp en Italie. *1806* conquiert Dalmatie. *1808* duc de Raguse. *1809* maréchal. *1812* vaincu par Wellington aux Arapiles. *1814* 30-3 conclut un cessez-le-feu pour ses troupes à Belleville (à l'insu de Mortier qui défendait La Villette et de Moncey qui défendait Clichy) avec l'autorisation du roi Joseph. 4-4 affaire de la « Ragusade » [Marmont, chef du 6e corps d'armée (ramené de Belleville à Essonnes, au terme d'une capitulation, et couvrant la ligne N. de Nap.), va rejoindre Talleyrand et le M[al] autrichien Schwarzenberg à Paris ; ses troupes passant dans les lignes russes]. *Thèse de Marmont :* il avait négocié la veille avec Schwarzenberg la reddition de son corps ; mais, allant négocier à Paris l'abdication conditionnelle de N., il a donné un contrordre, dont son remplaçant, le Gal Souhan, n'a pas tenu compte. Considéré comme un traître, est tenu à l'écart des postes importants. *1830* juill. nommé par Charles X G[al] en chef (il se rallie sans combat à Louis-Philippe).

Masséna, André (1758-1817). Niçois, né Sarde. *1775* s'engage dans la marine. Ne peut être officier (roturier). *1786* quitte le service. Tient une épicerie à Antibes. Volontaire dans le bataillon du Var. *1793* général de brigade (participe à la bat. de Loano, 23-11). *1796-98* remporte victoires de Diego, Lodi, Rivoli (sous le com. de Bonaparte). Surnommé l'« Enfant chéri de la Victoire ». S'enrichit par des rapines en Italie. *1799* G[al] en chef en Suisse ; écrase les Russes à Zurich. *1800* 18-6 défend Gênes contre les Autrichiens, permettant la victoire de Marengo. Nap. le jalousait. *1804* maréchal. *1808* duc de Rivoli. *1811* P[ce] d'Essling. *1812-13* défaites en Esp., disgracié (retraite au château de Rueil).

Mirabeau, Honoré Riqueti, comte de (1749-91). Noblesse provençale, d'origine it. Neveu de l'économiste Victor de Mirabeau (1715-89). Débauché, il passe de nombreuses années en prison (condamnation à mort par contumace en 1771). Franc-maçon, publie des ouvrages politiques, dont un éloge du Grand Frédéric : *la Monarchie prussienne,* écrit sous sa direction par des rédacteurs appointés. Avocat, bon orateur. *1788* élu aux États généraux par le tiers état de Provence (la noblesse l'a refusé, à cause de ses condamnations). *1789* 23-6 auteur du coup d'État « du Jeu de Paume », qui transforme les États généraux en Constituante. Ne peut être ministre, la Constituante ayant décidé que ses membres ne pourraient l'être (mesure le visant personnellement). Se rallie secrètement à L. XVI (dont il reçoit de fortes sommes). *1791* avril avant de mourir, conseille au roi de s'enfuir en province et de reconquérir Paris par les armes.

Moreau, Jean (1763-1813). Avocat, devenu officier de la Garde nationale. *1794* janv. (30 ans) G[al]. Victorieux des Autr. en Belg. *1794* juill. se brouille avec la Rép. (père guillotiné à Brest) et se rallie secrètement à Pichegru (royaliste) tout en continuant de combattre les Autr. *1800* 3-12 victorieux à Hohenlinden, Bonaparte le suspecte. *1803-04* compromis dans le complot royaliste de Pichegru et de Cadoudal ; condamné à l'exil, restera 8 ans aux États-Unis. *1813* conseiller mil. des Alliés, tué aux côtés du tsar à Leipzig. L. XVIII le nommera maréchal de Fr. à titre posthume.

Ney, Michel (1769-1815). Fils d'un tonnelier sarrois, sert dans l'armée de Hoche, désapprouve le coup d'État du 18 Brumaire. *1802* épouse une amie de Joséphine, Aglaë Auguié. *1804* maréchal. Surnommé « le Brave des braves ». *1808* duc d'Elchingen. *1812* P[ce] de la Moskowa, sauve les débris de la Grande Armée en Russie. *1814* à la tête des G[aux] mécontents, force Nap. à abdiquer et se rallie à L. XVIII. *Cent-Jours* se rallie à Nap., mais combat mollement en Belg., n'exploitant pas la victoire de Ligny et commettant de grosses erreurs à Waterloo. *1815* 7-12 fusillé au terre-plein de l'Observatoire ; le bruit a couru que son exécution était une mise en scène et qu'il avait fini ses jours aux États-Unis (voir Ney à l'Index).

Philippe Égalité, Louis, Philippe, Joseph, duc d'Orléans, dit – (1747-93). Prince du sang, l'homme le plus riche d'Europe après son mariage (1769) avec Adélaïde de Bourbon-Penthièvre, héritière des biens des légitimés. Grand-Maître du Grand Orient de France. Ambitieux, décidé à monter sur le trône, il était considéré par Marie-Antoinette et les frères du roi comme le personnage clé de la Rév. Les historiens modernes reviennent à cette opinion (abandonnée au XIXe s.), tout en admettant qu'il n'était pas à la hauteur du rôle qu'il voulait jouer. Grâce à sa fortune, il a pu avoir à sa solde plusieurs grands chefs révolutionnaires : modérés comme La Fayette, Talleyrand et Dumouriez, ou des démagogues, comme Marat, Hébert, Danton, Desmoulins. Il n'a pourtant pu acheter ni les girondins, ni les robespierristes, notamment Billaud-Varenne (le surnom d'« Incorruptible » donné à Robespierre vient de là). *1789 :* rejoint le tiers état ; réunit les opposants au Palais-Royal et organise les journées des 5/6 octobre. *1790 :* émigre en Angleterre, mais revient en juill. *1791 :* tente de se faire nommer roi après Varennes : la fusillade du Champ-de-Mars naît d'une rivalité entre Danton (qui a réclamé le « remplacement » de L. XVI) et La Fayette (entraîné par Bailly, rallié à la reine). *1792,* sept. élu à la Convention, prend le nom de Phil. Ég. *1793,* janv. vote la mort de L. XVI. Févr. compromis par la fuite de son fils et de Dumouriez. *6-4* arrêté par la Commune, il perd ses moyens d'action, ses biens étant mis sous séquestre. Danton, membre du Comité de salut public, le fait envoyer à Marseille, comme membre de la famille Capet (il est acquitté par le tribunal local). *Sept.* Billaud-Varenne, entré au Comité, le fait inscrire sur la liste des girondins (avec qui il n'a aucun rapport). *6-11* ramené à Paris, jugé et guillotiné dans la journée. Après sa mort, il semble que Danton ait contacté son fils (se faisant soupçonner d'aspirer à la « régence »).

Pichegru, Jean-Charles (1761-1804). Fils d'un paysan ; volontaire dans l'artillerie pendant la g. d'Amérique (1780-83) ; *1792,* 9-10 adjudant à Besançon, Pt d'un club, élu lieutenant-colonel. *1793,* 22-8 G^al de brigade ; 23-8 de division ; 27-10 G^al en chef de l'armée du Rhin ; 24-12 vainqueur à Wissembourg. *1794,* 8-2 G^al en chef de l'armée du Nord ; conquiert Belg. et Holl. (*1795,* 20-1 prend la flotte holl. bloquée par les glaces à Texel). *1795-96,* commandant en chef contre les Autr., il se rallie aux royalistes et se fait battre volontairement. *1796,* janv. contraint de quitter l'armée ; élu Pt des Cinq-Cents (conservateur). *1797,* 12-4 déporté à la Guyane, après le coup d'État rép. de Fructidor, 4-10-1797. *1798,* juin, s'évade et se réfugie à Londres, où il fait équipe avec Cadoudal. *1803,* secrètement à Paris ; dénoncé, emprisonné au Temple. *1804,* 5-4 retrouvé étranglé (sur ordre de Bonaparte ?).

Robespierre, Maximilien de (1758-94). Avocat d'Arras, député du tiers aux États généraux ; défend des thèses démocratiques d'origine rousseauiste et, en mai 1791, fait passer dans la Constitution l'article affirmant le *droit de pétition,* qui paralysera les assemblées. Orateur du club des Jacobins sous la Législative, il préconise l'élection d'une convention au suffrage universel. Membre de la Commune insurrectionnelle après le 10-8-1792, il devient, avec Danton, l'un des chefs de la Montagne à la Convention. Il utilise les « Sections » révolutionnaires parisiennes contre la Conv. modérée, en multipliant les interventions de *pétitionnaires,* favorables à ses thèses. Mais la Commune ayant passé au camp hébertiste, il remplace le 20-5-1794 le maire Pache par Fleuriot-Lescot, qui lui est dévoué, et qui renonce à faire de la Commune un contre-pouvoir opposé à la Convention. Institue, en juin 1794, le culte de l'Être suprême et s'en nomme le chef, cumulant ainsi pouvoir religieux et p. politique. Sa dictature est sanglante. Renversé par des conventionnels qui craignaient pour leur vie. Les sections parisiennes qui tentaient, pour le sauver, de recourir de nouveau à l'action insurrectionnelle (chef : Hanriot), sont dispersées par les partisans de l'Assemblée. Guillotiné.

Saint-André (Jean Bon), André Jeanbon, dit (1749-1813). Pasteur protestant de Montauban, *1789* fonde la Sté populaire, pour répandre les idées nouvelles. Élu à la Convention, vote la mort du roi. *1793* juill. entre au Comité de salut public. Sept. chargé des affaires de la Marine, envoyé à Brest pour la réorganiser. *1794* 1-6 part. à la bataille où sombra le *Vengeur.* En mission à Toulon lors du 9 Thermidor ; *1795-97* consul à Alger, puis *1798-1801* à Smyrne. *1803-13* préfet du Mont-Tonnerre (Mayence).

Saint-Just, Louis (1767-94). Fils d'un paysan, ancien soldat. Étudiant en droit à Reims, *1789* se trouve à Paris ; juill. lieutenant-colonel de la Garde nat. *1791* juin escorte la voiture du roi lors du retour de Varennes, sept. élu à la Législative (invalidé car trop jeune), *1792* sept. élu à la Convention. Siégeant à la Montagne, *1793* joue un grand rôle dans la condamnation à mort du roi et dans la rédaction de la Constitution. Avril au Comité de salut public, en est le porte-parole auprès de la Convention. Théoricien de la Terreur. *1793* (16-10)-*1794* (4-1) missions aux armées, prend Bitche et délivre Landau ; *1794* 28-4 fait gagner par des offensives à outrance les batailles de Courtrai et de Fleurus. Reste silencieux du 8 au 10 Thermidor (peut-être épuisé nerveusement ?), ce qui provoque la chute des robespierristes. Guillotiné.

Savary, René (1774-1833). Soldat de Louis XVI. *1793* capitaine. Aide de camp de Desaix en Égypte et à Marengo. *1801* colonel de la gendarmerie consulaire, chef de la police secrète. *1804* G^al chargé de l'exécution du duc d'Enghien. *1808* pousse Ferdinand VII d'Espagne à abdiquer à Bayonne ; créé duc de Rovigo. *1810* ministre de la Police (remplaçant Fouché). *1812* dépassé lors de la conspiration de Malet. *1815* (Cent-Jours) inspecteur g^al de la gendarmerie ; 15-7 suit Nap. sur le *Bellérophon,* est fait prisonnier de guerre. *1816* s'évade (réfugié en Turquie) ; 25-12 condamné à mort par contumace. *1819* rentre en Fr. ; jugement cassé : réfugié à Rome. *1831* 16-12 C^dt en chef de l'armée d'Algérie.

Sieyès (prononcer si-yès), Joseph (1748-1836). Ecclésiastique (grand vicaire de l'év. de Chartres en 1787). *1789* député du tiers état, rôle important aux journées du « Jeu de Paume » et au début de la Constituante ; puis travaille surtout à la rédaction des constitutions. Élu à la Convention, vote la mort du roi « sans » « dépêtrise » selon le rite officiel. *1795* membre du Directoire. *1799* prend part au coup d'État du 18 Brumaire ; consul provisoire le 19 Brumaire. Pt du Sénat sous l'Empire. *1814-30* exilé comme régicide.

Soult, Nicolas (1769-1851). Fils d'un notaire ; volontaire à 16 ans au Royal Infanterie. *1791* sous-lieutenant. *1793* capitaine. *1794* G^al de brigade. *1799* remplace Lefebvre, blessé, comme C^dt en chef de l'armée de Sambre-et-Meuse ; G^al de division, adjoint de Masséna à Zurich et à Gênes. *1802* présenté au 1er Consul par Masséna ; colonel de la garde consulaire. *1804* M^al de France, C^dt en chef du camp de Boulogne. *1806* gouverneur de Vienne. *1807* gouv. de Berlin, duc de Dalmatie. *1808-14,* C^dt en chef en Espagne ; bat en retraite jusqu'à Toulouse (dernière bataille 7-4-1814). *1815* chef d'état-major de Nap. à Waterloo, se révèle incapable ; révoqué par Louis XVIII. *1819* réintégré comme M^al. *1830* ministre de la G. de Louis-Philippe. *1834* Pt du Conseil. *1838* mission diplomatique à Londres. *1847* « maréchal-général » ; se démet de la présidence.

Talleyrand, Charles-Maurice de (1754-1838, P^ce de Bénévent 1806). Évêque d'Autun en 1788, il accepte de passer dans l'Église constitutionnelle et de consacrer le 24-1-1791 les 2 premiers évêques const. de l'Aisne et du Finistère (Marolte et Expilly). *1792 à 96* séjourne en Angl. et aux États-Unis, évitant de voter la mort du roi, mais travaillant pour les Orléans. *1797* ministre des Aff. étr., choisit d'aider Bonaparte. *1803* épouse sa maîtresse, Mme Grant. *Empire* ministre des Aff. étr., amasse grosse fortune. *1814* se rallie aux Bourbons, qui lui reconnaissent son titre de prince de Bénévent et le chargent de négocier le tr. de Vienne. Il vit maritalement avec sa nièce (épouse de son neveu, Edmond de Périgord), la duchesse de Dino (1793-1862 ; née Dorothée de Courlande, P^cesse de Sagan). *1830* récompensé de sa fidélité aux Orléans par de hautes fonctions, notamment l'ambassade de Londres. *1838* 17-5 meurt après avoir reçu les derniers sacrements de Mgr Dupanloup (qui est son fils naturel).

Tallien, Jean Lambert, dit (1767-1820). Clerc de notaire. *1790* fonde la Sté fraternelle du faubourg St-Antoine. *1791* directeur du journal *l'Ami du Citoyen. 1792* sept. député à la Convention, siège à la Montagne, vote la mort du roi. Membre du Comité de sûreté générale. *1793* en mission à Bordeaux, fait tomber de nombreuses têtes, s'enrichit en vendant des grâces. Devient l'amant d'une Esp., Teresa Cabarrus, fille d'un banquier bordelais (ex. marquise de Fontenay). Dénoncé, rappelé à Paris, suspect aux yeux des robespierristes (Teresa est emprisonnée), il organise le coup d'État du 9 Thermidor, qui abat Robespierre et sauve Teresa (surnommée « Notre-Dame de Thermidor »). Il accompagne Hoche à Quiberon, puis tombe dans l'oubli. Napoléon le nomme consul à Alicante ; ayant contracté la lèpre, il quitte ce poste. *1820* meurt dans la misère.

« complices » ; l'opinion publique est choquée de la mégalomanie du « tyran » (qui n'a rien fait pour interdire la mascarade).

24-7 : 38 guillotinés ; 25-7 : 25 (dont André Chénier) ; 26-7 : 25 (dont 1 père pris pour son fils et la P^cesse de Monaco ; 27-7 : 24 (dont 2 montreurs de marionnettes).

(9 thermidor) coup d'État anti-rob. *Causes :* 1° les abus de la *loi de Prairial* (les conventionnels eux-mêmes ne sont pas à l'abri) ; 2° le 8 thermidor (26-7) R. a annoncé une nouvelle purge, menaçant notamment Tallien écroué dep. le 31-5 et sa maîtresse, Teresa Cabarrus (1773-1835), Carnot, Fouché, Barras (mais il ne les nomme pas en public) : ceux-ci s'entendent pour le renverser. *Déroulement :* le *9 thermidor,* à 11 h du matin, R. monte à la tribune pour désigner les épurés, les modérés avec Tallien l'empêchent de parler. Après 11 interruptions, 2 modérés, Louchet et Lozeau, demandent la mise en accusation de R., son frère, Couthon, Saint-Just, Lebas ; 17 h 30 : les Sections populaires (constituant la Commune révolut.) se soulèvent en faveur de R. et ses amis ; elles les libèrent et les transfèrent à l'Hôtel de V. (chef des émeutiers : Hanriot). 18 h : la Convention met R. « hors la loi » (peut être exécuté sans jugement). 23 h : les troupes d'Hanriot se dispersent à cause de la pluie, Barras occupe l'Hôtel de V. R. a la mâchoire cassée d'un coup de pistolet, soit tentative de suicide, soit tiré par un gendarme [Charles-André Merda (1770-1812, tué à la Moskowa) qui s'en vanta, reçut un pistolet d'honneur et un brevet d'officier (sous l'Empire : baron, colonel)].

Réaction thermidorienne (28-7-1794/23-9-1795)

1794 28/31-7 R. et 103 robespierristes exécutés ; 21-8 explosion de la *poudrière de Grenelle,* attribuée aux rob. (env. 400 †) ; 31-8 suppression de la Commune de Paris, remplacée par des commissions, dont le Pt est élu chaque mois ; 11-11 Club des Jacobins fermé ; néanmoins, les conventionnels jac. ne sont pas exclus : ils forment le groupe des *« crêtois »* [siègent à la crête de la Montagne (extrême gauche)].

1795 1-4 *Journée de Germinal :* émeute jac. fomentée par les crêtois ; la foule envahit la Convention ; seuls les crêtois restent en séance. Mais la salle est évacuée par la troupe, aidée des muscadins (sectionnaires royalistes). 20 crêtois arrêtés ; Barrère, Vadier, Billaud-Varenne, Collot d'Herbois sont condamnés à la déportation en Guyane ; 20/22-5 : 2e émeute jacobine, *Journée de Prairial :* la foule s'empare de l'Ass. le 20, met à mort le conventionnel Féraud, nomme Pt le crêtois Soubrany, et une commission crêtoise qui amnistie les déportés de germinal (trop tard : ils sont déjà embarqués à Oléron), le retour à la taxation, etc. Les soldats de Menou et Murat, appelés par Tallien, rétablissent l'ordre : 12 dép. crêtois sont arrêtés ; 31-5 suppression du Tribunal révolut. (Fouquier-Tinville et 15 juges ont été guillotinés 7-5) ; 8-6 mort officielle de L. XVII au Temple (voir Prétendants, p. 595) ; 23-9 proclamation de la nouvelle Constitution (Directoire).

Directoire (23-9-1795/9-11-1799)

☞ **Institutions.** Voir p. 671.

1795 1-10 incorporation au territoire national de la rive gauche du Rhin ; 5-10 *(13 vendémiaire)* les Sections royalistes et modérées de Paris se soulèvent ; dispersées au canon, devant l'église St-Roch, par Bonaparte, adjoint de Barras, C^dt des forces de l'intérieur ; 9-10 exécution à Amiens du conventionnel Joseph Lebon, robespierriste, ancien oratorien (1765-95), bourreau d'Arras en 1794 ; 26-10 *fin de la Convention ;* 4-11 le « Directoire exécutif » (formé 1-11) s'installe au Luxembourg ; 21-12 échange de Madame Royale, fille de L. XVI, contre le ministre Beurnonville et 4 commissaires livrés à l'Autr. par Dumouriez [notamment Bancal des Issarts (1750-1826) et Armand Camus (1740-1804)]. **1796** 26-1 reprise de la g. de Vendée (voir p. 625) ; 19-2 la planche aux assignats est solennellement brûlée place Vendôme ; 8/10-5 découverte du complot des *babouvistes,* qui sont arrêtés (Babeuf et Darthé seront exécutés le 26-5-97) ; 19-8 *tr. de St-Ildefonse,* alliance de l'Esp. ; 9/10-9 machination policière contre les derniers partisans des babouvistes : attirés dans la plaine de Grenelle, ils sont chargés par les dragons

(20 †, 132 prisonniers, dont 31 fusillés le 2-11) ; 21-10 les Angl. évacuent la Corse.

1797 19-2 *tr. de Tolentino* avec le pape [cession d'Avignon, de 30 millions de livres-or et des œuvres d'art cédées par l'armistice de Bologne (23-6-96) : 100 statues ou tableaux, 500 manuscrits, entreposés dep. 1815 à la Pinacothèque de Bologne] ; 17-4 *Pâques véronaises* : à Vérone (Rép. vénitienne, It.), les blessés fr. de l'hôpital sont massacrés ; Bonaparte déclare la g. à Venise ; 4-9 *(18 fructidor)* coup d'État du directeur Barras, aidé du gén. Augereau, contre la majorité royaliste et modérée des Assemblées (Cinq-Cents et Anciens) ; seuls les rép. gardent leur mandat ; 27-11 le gén. français Léonard Duphot est assassiné à Rome dans une émeute : rupture avec le pape. **1798** 28-1 annexion de Mulhouse ; 26-3 de Genève ; 9-9 la célébration du décadi (jour férié révol. 1 j sur 10) est rendue obligatoire (le peuple ne s'y habitue pas : suppression le 7 thermidor an VIII, 26-7-1800) ; oct.-déc. fin de la domination fr. à Haïti.

1799 28-4 assassinat à Rastadt de 2 plénipotentiaires français : Claude Roberjot (n. 1753) et Antoine Bonnier d'Alco (n. 1750) ; le 3e, Jean Debry (1760-1834) survit à 14 coups de sabre. 12-7 décret de levée en masse (Voir guerres, ci-dessous). 9-10 Bonaparte rentre d'Égypte et débarque à Fréjus ; 17/20-10 il complote avec 2 directeurs sur 5, Sieyès et Ducos ; 9-11 (*18 brumaire* de l'an VIII), il paye un 3e directeur (Barras) pour qu'il quitte Paris (il ne reste plus que 2 dir., Gohier et Moulin, et ils n'ont plus d'autorité constitutionnelle) ; 10-11 son frère Lucien, Pt des Cinq-Cents (en majorité rép.), l'aide [il convoque l'Assemblée à St-Cloud où elle est plus vulnérable ; lorsque les députés veulent mettre Bonaparte hors la loi, il prend prétexte d'une bagarre pour appeler dans la salle les grenadiers de Murat, partisans de Bon. (il en a le droit d'après le règlement) ; les grenadiers font évacuer la salle sur son ordre ; le Conseil des Anciens, constatant la « retraite » des Cinq-Cents et la dissolution du Directoire, nomme une commission exécutive provisoire ; Lucien réunit en pleine nuit quelques membres des Cinq-Cents retrouvés dans St-Cloud et Boulogne et leur fait approuver le texte voté par les Anciens ; les 5 directeurs sont remplacés par 3 « membres du Conseil exécutif » : Bonaparte, Sieyès, Ducos].

Guerres extérieures de la Révolution (1792-97)

(appelées aussi « **g. de la 1re coalition** »)

Causes. *1°* le roi et la reine attendent la victoire de leur neveu, l'emp. d'Autriche, qui les délivrera ; *2°* les « Brissotins » (futurs Girondins) veulent démontrer que les Bourbons ont fait une erreur en choisissant l'alliance autr. dep. 1756 : ils veulent conquérir les P.-Bas sur l'Autr., au lieu de les attendre d'un échange amiable avec les Habsbourg ; *3°* après l'institution de la Rép. (sept 1792), l'armée révol. mènera une g. idéologique, tendant à l'abolition des monarchies hors de Fr.

Effectifs. Armée de terre. *1792* : env. 80 000 h., avec un nombre insuffisant d'officiers (troupes sujettes aux paniques ; par dérision, on les surnommait « vaincre ou courir »). *1793* juill. (après levée de 300 000 h) 471 290 h ; 16-8 (après levée en masse : célibataires et veufs sans enfants) 645 195 h ; fin 1793 : 1 million. **Flotte.** *1792* néant. *1793* nov. (action de Jean Bon Saint-André) : 12 vaisseaux, 5 frégates, 3 corvettes.

Opérations. I. Jusqu'à l'alliance espagnole (1792-96). 1792, févr.-mars le Mal Luckner (1722-94) pénètre aux P.-Bas, prend Menin et Courtrai ; 29-4 *déf. de Baisieux ;* bat en retraite précipitamment (destitué, puis guillotiné) ; le Gal Théobald Guillon est massacré à Quiévrain par ses soldats ; 2-9 les Prussiens prennent *Verdun ;* 11-9 avance des Pr. (avec 6 000 émigrés) en Argonne ; 20-9 recul des Pr. à **Valmy** (*effectifs :* 52 000 Fr., 34 000 Pr., 30 000 Autr., 6 000 émigrés) ; *pertes :* Fr. 150 †, 260 blessés ; coalisés : 160 h hors de combat. 21-9 début de la retraite des coalisés, rendue catastrophique par la dysenterie (30 000 Pr. atteints, dont 3 000 †) (Brunswick s'était-il laissé acheter ? On trouvera dans sa succession, en 1806, plusieurs beaux diamants de la Couronne de Fr.) ; 22-9 conquête de la Savoie par les Fr., ; 28-9 prise de Nice ; sept.-oct. offensive de Custine en Rhénanie (prise de *Mayence* 21-10, de *Mannheim* 22-10) ; 6-11 **Jemmapes** Dumouriez bat Clerfayt [plus de 50 000 † fr. (la plus sanglante bat. de l'époque), 18 000 † autr.] ; nov.-déc. conquête de Belg. et Sarre. **1793,** 1-2 déclaration de g. à la Holl. ; 7-3 à l'Esp. Sont ainsi *coalisés* contre la Fr. : Autr., Prusse, Empire, Angl., Holl., Espagne, Deux-Siciles, Portugal, États de l'Église, Sardaigne ; 3-4 Dumouriez avec le duc de Chartres passe aux Autr. et leur livre la Belg. (son chef d'É.-M., le futur Mal Macdonald, empêche les troupes de le suivre) ; 27-8 *Toulon* livré aux Anglais ; 8/20-9 campagne de Houchard dans le N. (bat le duc d'York à *Hondschoote* 8-9 ; mais est chassé de Ménin ; destitué, puis guillotiné) ; 13-10 Wurmser (Autr.) force les lignes fr. à *Wissembourg ;* 16-10 *Wattignies :* Jourdan, successeur de Houchard, et Carnot battent Clerfayt (dép. du Nord reconquis) ; 19-12 Gal Dugommier (Jacques Coquille dit ; 1738-94, tué à Figueras) [remplaçant de Jean-François Carteaux (1751-1813), artiste peintre nommé Gal après la prise des Tuileries] reprend *Toulon* aux Anglais (capitaine Bonaparte, chef de l'artillerie). **1794,** févr. l'amiral angl. Jervis occupe la Corse (Georges III proclamé roi de C., 19-6) ; 30-4 les Alliés prennent Landrecies ; 18-5 vict. de Moreau et Souhans à *Tourcoing :* dép. du N. reconquis pour la 2e fois ; 26-6 *Fleurus* Jourdan b. Autr. [1er emploi de ballon captif *(l'Entreprenant)* comme poste d'observation] ; 15-6/31-7 reconquête de la Belg. ; août offensive en Guipuzcoa ; sept. en Belg. et Rhénanie ; sept./déc. en Holl. (armée Pichegru). **1795,** 23-1 au *Helder,* capture de la flotte holl., bloquée dans les glaces par les cavaliers de Pichegru ; févr. offensive en Catalogne ; 14-2 Pichegru prend *Groningue* et occupe toute la Holl. (sera alliée de la Fr. 16-5) ; 5-4 la Prusse se retire de la coalition *(tr. de Bâle) ;* 17-6 prise de *Bilbao* et de *Vitoria ;* 22-7 l'Esp. se retire de la coalition (s'alliera à la Fr., voir ci-dessous) ; oct. offensive autr. en Rhénanie (Wurmser reprend Mannheim 21-12) ; 23-11 *Loano* (It.) : Masséna et Schérer battent les Autr. et conquièrent la Riviera jusqu'à Savone ; déc. Carnot organise 3 armées : Rhin-et-Moselle (Pichegru, puis Moreau), Sambre-et-Meuse (Jourdan, puis Hoche), Italie (Bonaparte). **1796,** 10-4 Bonaparte prend l'offensive en Italie, partant de Savone : vict. de *Montenotte* 12-4 et de *Dego* 15-4 sur les Autr. ; de *Millesimo* 14-4 et de *Mondovi* 21-4 sur les Sardes. 28-4 *armistice de Cherasco :* la Sardaigne se retire de la coalition [*tr. de Paris* (cédant Nice et la Savoie) 15-5]. 10-5 vict. du *Pont de Lodi* sur les Autr.

II. Après l'alliance espagnole (1796-97). Maîtrise de la Méditerranée, rendant possible la campagne d'Italie. (Le Directoire espérait aussi contrôler la mer du Nord avec l'alliance hollandaise ; mais la flotte holl. est détruite à Camerdown 11-10-1797.) **1796,** 18-6 l'Esp. s'allie à la Fr. par le *tr. de San Ildefonso* (déclaration de g. à l'Angl. 8-10) ; 29-6 prise de Milan ; 15-7 début du siège de *Mantoue,* clé de l'Italie du N. [*durée :* 6 mois 1/2 : 60 000 † par paludisme, 4 tentatives autr. pour délivrer la place : 1° *fin juill.* Quasdanovitch battu à *Lonato ;* Wurmser entre à M. ; puis, battu à *Castiglione* (5-8), doit s'éloigner ; 2° *début sept.* Wurmser battu à *Roveredo* (4-9), puis *Bassano* (8-9 ; s'enferme dans M.) ; 3° 17-9 Alvinczi battu à *Arcole ;* 4° **1797,** 16-1 Alvinczi battu à *Rivoli ;* 17-1 Provera capitule à *La Favorite*] ; août-déc. offensive autr. en Allem. ; 24-8 *Bamberg* l'archiduc Charles bat Jourdan ; 3-9 *Altenkirchen* Marceau vaincu et tué ; 25-10 Moreau vaincu en Forêt-Noire ; 10-10 les Deux-Siciles se retirent de la coal. ; 22-10 Jervis évacue la Corse et se replie sur Gibraltar. **1797,** 9-1 arch. Charles prend Kehl ; 2-2 Wurmser capitule à *Mantoue* (les Autr. perdent l'Italie du N.) ; mars-avr. offensive de Bonaparte vers l'Autr. (vict. du Tarvis 24-3 ; prise de Trieste 24-3, Klagenfurt 29-3, Ljubliana 1-4) ; 15-4 l'Autr. signe les préliminaires de *Léoben ;* avr. offensive en Rhénanie ; mai-juin destruction de la Rép. de Venise (prise de Venise 16-5, de Corfou 28-6) ; 17-10 **tr. de Campoformio :** l'Autr. cède la rive gauche du Rhin et reçoit la moitié de la Vénétie.

Guerres civiles de la Révolution

I. 1re guerre de Vendée (1793-94)

Causes. *1°* le peuple du bas Poitou (appelé plus tard « vendéen ») a été formé à une piété catholique fervente par la prédication de St Louis Grignion de Montfort (1673-1716), puis des missionnaires « mulotins » (prédicateurs ruraux) ; il est révolté par la Constitution civile du clergé (1res émeutes religieuses en 1791 à St-Christophe-de-Ligneron) ; *2°* les nobles vendéens n'ont pas émigré (par suite de l'absence de jacqueries) ; d'abord constitutionnalistes, ils se rallient à l'absolutisme après l'exécution de L. XVI (21-1-1793), encadrent militairement leurs métayers et les forment à la « g. de chicanes » (guérilla) ; *3°* intervention financière et mil. des Angl., d'abord favorables à la Révolution, qui affaiblissait la Fr. de L. XVI, puis qui s'appuient sur les émigrés pour combattre la Révolution conquérante.

Effectifs. Armée vendéenne appelée par ses chefs le 12-6-1793 *grande armée catholique et royale,* 80 000 à 100 000 h., en 4 armées : pays de Retz et bas Bocage (commandement : Charette) ; Centre et haut Bocage (les 2 Sapinaud et Royrand) ; Mauges (Cathelineau, d'Elbée, Bonchamps, Stofflet) ; Poitou (La Rochejaquelein, Marigny, Lescure). L'armée n'était pas permanente : les paysans rejoignaient leurs seigneurs pour des opérations ponctuelles, puis retournaient à leurs champs ; seuls demeuraient auprès des chefs quelques centaines de mercenaires (cavaliers, déserteurs de l'armée rép.). Les effectifs varient ainsi : 25 000 h. s'emparent de Bressuire le 3-5-1793 ; 6 000, le 16-5, attaquent Fontenay-le-Comte (échec), et 30 000 l'enlèvent, le 25-5, puis partent en masse, et La Rochejaquelein doit évacuer la ville. **Armées bleues** 20 000 à 60 000 h. [organisées (mai 1793) en 2 armées : côtes de Brest (Gal Canclaux) et côtes de La Rochelle (Gal Biron)].

Opérations. Grande guerre. 1793, 10-3 Vendée, plusieurs révoltes lors du recensement pour la levée en masse des 300 000 h., notamment dans le Choletais et à Challans ; 12-3 le chevalier Sapinaud de Bois-Huguet (1736-93, tué au combat) prend la tête des insurgés ; 11-3 prise de Machecoul ; 13-3 prise de Chemillé par Cathelineau (rejoint le lendemain par Stofflet) ; 14-3 prise de Cholet et de La Roche-sur-Yon par les Vendéens, ralliement de Charette ; 15-3 prise de La Roche-Bernard et de Clisson ; 17-3 ralliement de Gigot d'Elbée ; 19-3 conquête de Noirmoutier ; 21-3 ralliement de Bonchamps, occupation totale des Mauges ; 22-3 prise de Chalonnes ; avr. conquête du littoral, sauf Les Sables-d'Olonne ; 18-4 Bois-Grolleau, Cathelineau et Stofflet battent Berruyer ; 25-5 prise de Fontenay ; 9-6 de Saumur ; juin conquête de la rive dr. de la Loire ; 23-6 prise d'*Angers ;* 29-6 Châtillon-sur-Sèvre, Charette bat Westermann ; 29-6 échec devant Nantes : retraite sur Angers (Cathelineau blessé ; † 17-7) ; juillet les Rép. prennent Angers, Ancenis, Saumur (gén. bleu : Rossignol ; chefs chouans : d'Elbée, adjoint : Stofflet) ; 1-8 : 15 000 h. de l'armée du Rhin capitulent à Mayence : ne devant plus combattre la coalition, ils sont affectés en Vendée ; 2-8 Bertrand Barère de Vieuzac donne à Kléber la consigne d'exterminer la population ; 5-9 d'Elbée vainqueur à Chantonnay ; 18-9 Santerre battu à Coron ; Duhoux, à Pont-Barré ; 19-9 Charette et Bonchamps, réunis près de *Torfou,* écrasent l'avant-garde de Marceau (5 000 h., commandés par Kléber) ; 21-9 Charette bat Beysser à Montaigu ; 22-9 fausse manœuvre de St-Fulgent [après les succès de Torfou et de Montaigu, les Blancs devaient exterminer les Mayençais à Clisson ; mais Lescure fit remettre cette bataille (décisive) pour aller enlever un convoi à St-Fulgent ; les Mayençais peuvent se refaire à Nantes] ; 9-10 début des offensives de 5 *colonnes rép.* en direction de Châtillon-sur-Sèvre [François-Joseph Westermann (1751-94, guillotiné), ancien grand bailli de la noblesse d'Alsace, exécuté comme dantoniste], Bressuire (Chalbos), Clisson (Kléber), **Le Luc** (Cordelier : 564 †, dont 109 de moins de 7 ans, le 28-2-1794), étang de Drillais (Huché : 4 000 † le 27-2-1794) ; gén. en chef et organisateur de la répression rép. : Louis-Marie Turreau [(1756-1816) futur ambassadeur de l'Empire aux États-Unis (1803-11) ; baron de Linières (1812) ; prête serment à L. XVIII (1814)] ; 15/17-10 Bonchamps écrasé et tué à Cholet (d'Elbée blessé est transporté à Noirmoutier) ; La Rochejaquelein devient Gal en chef.

Virée de Galerne. 1793, 18-10, 100 000 Vendéens, dont de nombreux civils, se réfugient au N. de la Loire, malgré l'opposition de La Rochejaquelein [avant la bataille de Cholet, le Pce de Talmont à la tête de 4 000 Chouans (voir p. 625) avait été chargé d'enlever Varades, sur la rive droite, pour permettre aux Vendéens de fuir, en cas de défaite] ; 21-10 La Rochejaquelein prend *Laval ;* 26-10 il bat Westermann à Entrammes (10 000 †) ; 3-11 mort de Lescure, blessé à Cholet ; 4-11 prise de Fougères [permettait d'attaquer Rennes ou Granville ; un conseil de g. décide de marcher sur Granville, pour y recevoir l'aide des Angl. (Francis Rawdon Hastings, Cte de Moira, 1754-1826, ayant sa base à Jersey)] ; 14-11 échec devant Granville : retraite vers la Loire ; 20-11 les Vendéens battent Rossignol à Antrain ; 4/5-12 échouent devant Angers, se retirent en désordre vers Le Mans ; 13-12 défaits près du Mans, se retirent vers Laval ; 23-12 vaincus à *Savenay* (15 000 † sur 18 000 h. ; prisonniers, hommes ou femmes, sont fusillés). **1794,** exécutions : 6-1 D'Elbée (fusillé à Noirmoutier, voir ci-dessous) ; 27-1 : Pce de Talmont, guill. à Laval ; 5-2 abbé Jean-Louis Guillot de Folleville (pseudo-évêque d'Agra), guill. à Angers ; janv.-févr. 15 000 Chouans exéc. à Angers, Laval, Saumur [dont à Angers env. 3 000, exécutés pour des raisons religieuses (assistance quotidienne à la messe, port des bannières aux processions, etc.), 99 ont été béatifiées par Jean-Paul II en févr. 1984].

Guerre sauvage. 1794, janv.-juill. Passées de 5 à 12, les colonnes rép. (*« colonnes infernales »*) pratiquent la « terre brûlée » et exécutent env. 160 000 civils ; 28-1 La Rochejaquelein tué entre Cholet et Nuaillé ; 29-9 Turreau arrêté par ordre du Directoire à cause des excès de sa répression (acquitté 1795) ; 2-12 amnistie accordée par la Convention thermidorienne ; 16-12 Charrier guillotiné. **1795,** 17-2 *paix de* **La Jaunaie,** signée par Charette et Canclaux [libre exercice du culte ; remboursement des bons signés par l'armée vend. (ces « bons royaux » ne seront jamais remboursés, même la Restauration les ignorera)] ; 2-5 *paix de St-Florent* (Stofflet).

II. Guerre fédéraliste (juin 1793-janvier 1794)

Causes. L'anéantissement par les Jacobins de la minorité des Girondins (appelés alors Brissotins) qui voulaient organiser la Fr. comme une fédération de départements. Plusieurs villes et régions de province, hostiles à la centralisation jacobine, prennent les armes pour eux.

Opérations. 1793, 15/20-6 les Girondins prennent Marseille, Toulon, Bordeaux. A Caen, les Montagnards sont arrêtés et la Normandie se soulève (12-7), l'armée gir. est formée (généraux : Wimpffen et Puisaye ; chefs civils : Brissot, Lanjuinais, Buzot, Valadé, Pétion) ; 13-7 Puisaye battu à *Pacy-sur-Eure* par le colonel Brune (futur Mal) ; 16-7 gouvernement fédéral local à *Lyon,* Joseph Chalier (jacobin, n. 1747) exécuté ; 31-7 dispersion des féd. bordelais. Entrée de Carteaux à Marseille ; 9-8 début du siège de Lyon ; 22-8 Lyon bombardée ; 27-8 les féd. livrent Toulon aux Angl. ; 9-10 Lyon capitule, renommée *Commune affranchie* (répression avec Couthon, Fouché, Collot d'Herbois 15 000 †) ; 15-12 Toulon reprise (plus de 1 000 exécutions ; déportations des hab.). **1794,** janv. Fréron achève l'épuration de Marseille renommée *Sans Nom* (400 exécutions).

III. 1re guerre des Chouans (décembre 1793-avril 1796)

☞ Les 2 guerres des Chouans se sont déroulées au nord de la Loire.

Nom. Forme dialectale de *Chat-huant :* surnom d'un des chefs, Jean Cottereau, dit Jean Chouan, parce qu'il avait comme signal de ralliement le cri de la chouette, du temps où il était faux saunier ; se distinguent des Vendéens par leurs motivations (devise : *Dieu et mon pays* au lieu de *Dieu et mon roi*) et leur localisation (nord de la Loire) ; ils ont pourtant combattu à leurs côtés pendant la « virée de Galerne » et la IIe g. vendéenne.

Effectifs. *Chouans :* 40 000 h. en Anjou-Touraine, peut-être plus en Bretagne (Cadoudal), mais leurs bandes sont rarement rassemblées. *Républicains* (armée des côtes de Brest) : 30 000 h., employés également contre les Vendéens (au S. de la Loire).

Opérations. 1792, 15-8 à St-Ouen (Mayenne) constitution du 1er groupe de réfractaires armés, sous le commandement de J. Chouan. **1793,** 10-3 1ers troubles publics armés à St-Florentin-le-Vieil (M.-et-L.), à l'occasion de la levée des 300 000 h. ; mi-mars les mutins sont organisés militairement (principaux combats : la Baconnière, Port-Brillet, Andouillé, Le Pertre) ; le marquis de Scépeaux combat sur la rive g. avec son beau-fr. Bonchamps ; oct.-déc. de nombreux Chouans prennent part à la *« Virée de Galerne »,* notamment les frères Chouans et les Morbihannais de Cadoudal ; déc. après le désastre des Vendéens à *Savenay,* les Chouans restent sur la rive droite (Cadoudal dans le Morbihan ; Scépeaux en M.-et-L.). **1794,** captivité de Cadoudal à Brest ; le Cte de Silz, chef des Chouans bretons. **1795,** 20-4 paix de **La Mabilais** entre Hoche et Scépeaux (Cadoudal, évadé de Brest, la rejette ; le marquis de Cormatin, chef d'état-major du Cte de Puisaye, l'accepte) ; 25-5 Hoche fait arrêter Cormatin ; 12-6 reprise de la guérilla, Scépeaux prend Segré ; 27-6 *débarquement à Quiberon* de 3 700 émigrés (chefs : Puisaye, Sombreuil, d'Hervilly), transportés par les Angl. ; 28-6 Cadoudal prend Auray, mais (29-6) Hoche la reprend, et (16-7) son lieutenant, Jean Humbert, perce les lignes de Quiberon (1 200 émigrés † ; 1 800 regagnent la flotte) ; 22-7 reddition des survivants qui, en août, seront fusillés à Auray par ordre de Hoche [12 fusillés par j (952 †) au « Champ des Martyrs »] ; 18-11 le Cte d'Artois évacue l'île d'Yeu et renonce à débarquer. **1796,** 12-4 suspension d'armes entre Scépeaux et Hoche (rive droite de la Loire, de Nantes à Blois) ; mai entre Cadoudal et Hoche (Bret.).

Principaux chefs vendéens

Bonchamps (Charles, Mis de) (1760-93, blessé mortellement à Cholet ; transporté sur la rive dr.) officier. Admiré pour sa foi religieuse (ordonne avant de mourir d'épargner 5 000 prisonniers bleus). **Cathelineau** (Jacques) (1759-93, tué au combat), le « Saint de l'Anjou », colporteur, élu généralissime le 12-6-1793, mort 14-7 ; sa famille sera anoblie en 1817 ; son fils Jacques, rallié à la duchesse de Berry, sera tué par les gendarmes de Louis-Philippe, 27-5-1832. **Charette de La Contrie** (François-Athanase de) (n. 1763, fusillé à Nantes le 29-3-1796) ancien officier de marine ayant participé à la guerre de l'Indépendance américaine. **Elbée** (Maurice Gigost d') (1752-94, fusillé) officier émigré, élu généralissime le 19-7-1793 après la mort (14-7) de Cathelineau ; blessé le 17-10. La Rochejaquelein lui succède. **La Rochejaquelein** (Henri du Vergier, Cte de) (1772-94) officier (gouverneur de Saumur le 12-6-1793 ; généralissime le 18-10-1793 ; tué au combat le 28-1-1794). **Lescure** (Louis-Marie de Salgues, Mis de) (1766-93, tué au combat) châtelain de Clisson et chef des combattants poitevins. **Marigny** (Bernard de) (1754-94, fusillé par les Vendéens). Officier de marine, commandant en chef de l'artillerie vendéenne (mai 1793) ; chef d'une armée de partisans en Vendée (avril 1794) ; vainqueur à Clisson ; accepte de collaborer avec Charette et Stofflet (mai 1794) ; sommé de renoncer à son commandement en chef et de reprendre sa place à la tête de l'artillerie, il refuse et fait sécession (juin 1794) ; capturé par Stofflet et exécuté (graves dissensions entre Vendéens après sa mort). **Sapinaud de la Verie** (v. 1760-1829), ancien officier au régiment de Foix, chef de l'armée du centre. Il reprend les armes en 1815. Pair de France. **Stofflet** (Jean-Nicolas) (v. 1751-1796, fusillé) garde-chasse des marquis de Colbert, Lorrain.

Principaux chefs chouans

Becdelièvre (Anne-Christophe, Mis de) (1774-95, † au combat) ; émigré dans l'armée de Condé, revenu dans l'O. comme major gal des armées du N. de la Loire, sous les ordres de Scépeaux (déc. 1794-juill. 1795). Blessé mortellement au combat d'Oudon. **Bourmont,** (Louis-Auguste, Cte de) (1773-1846) ; émigré dans l'armée des Princes 1791 ; débarqué en Bret. 1795 et chef d'ét.-m. de Scépeaux ; nommé maréchal de camp à Londres 1797 ; cdt en chef des Chouans 1799 ; compromis en 1801 lors de la séquestration du sénateur Clément de Ris et incarcéré au Temple ; évadé 1804 ; rallié à Napoléon 1807 ; Gal de division 1814 ; le 15-6 passe à l'ennemi avant Waterloo ; Cdt en chef de l'expédition d'Alger 1830 ; maréchal de Fr. (14-7) ; compromis dans la révolte vendéenne (Desse de Berry) 1832 ; condamné à mort par contumace, devient Portugais et Cdt en chef de l'armée port. ; amnistié 1834. **Cadoudal** (Georges) (1769-1804, guillotiné) ; royaliste, mais hostile à l'aristocratie, il constitue une chouannerie plébéienne, et essaye même de faire fusiller le Cte de Puisaye qu'il soupçonne de trahison ; Bonaparte l'admirait et lui offrit les galons de colonel (refus) ; il fut soupçonné sans doute à tort d'avoir monté la conspiration de la machine infernale (1804), mais il complota réellement avec Pichegru une attaque contre le palais consulaire, suivie de l'exécution du 1er Consul. **Cormatin** (Pierre Dezoteux, baron de) (1753-1812) émigré, venu d'Angl. en 1794 et nommé Gal en chef, se préoccupe de conclure la paix avec Hoche ; jugé sévèrement par les historiens chouans. **Cottereau** (les « Frères Chouans ») : Jean (1757-94, † au combat) ; François, † à ses côtés ; Pierre, l'aîné, fait prisonnier et guillotiné à Laval en 1794 ; René, le cadet, surnommé *Faraud,* († 1846). **Frotté** (Louis, Cte de) (1755-1800, fusillé) protestant, émigré à Londres ; 1795 lieutenant gal et chef de la chouannerie normande [rive gauche de la Seine (rive droite, le chef est un autre protestant, François de Mallet)]. Plusieurs campagnes victorieuses. 1797-98, commande 1 500 h. dans la forêt d'Halouze, les « gentilshommes de la Couronne ». 1799, avec 11 000 h., conquiert régions d'Alençon et Mortain. 28-1-1800 pris dans un guet-apens (par un faux sauf-conduit de Bonaparte), fusillé. **La Rouërie** (Armand Taffin, Mis de) (1751-93). Chef du parti antirévolutionnaire breton dep. 1787, reçoit en 1791, à Coblence, la mission de coordonner la résistance nobiliaire en Bret. ; en contact avec Londres à partir de janv. 1793 ; meurt de pneumonie durant une mission clandestine à Laguyomarais. **Puisaye** (Joseph-Geneviève, Cte de) (1755-1827), ancien chef des insurgés fédéralistes, organise la chouannerie d'Ille-et-Vil. Soupçonné de complicité avec les Rép., rejoint la flotte angl. après Quiberon et se fait naturaliser angl. **Scépeaux** (Marie-Paul, Mis de) (1769-1821), respecte la trêve qu'il signe avec Hoche ; se fait radier de la liste des émigrés, devient inspecteur gén. des armées imp. ; Mal de camp sous la Restauration. **Tinténiac** (chevalier) (?-1795). Aide de camp de La Rouërie, passe en Angl., devient l'agent de liaison entre Pitt et les Vendéens. Juill. 1793, débarque à St-Malo et organise en Vendée l'expédition de Granville (échec). 1795, rejette le tr. de La Mabilais, prend part au combat de Quiberon, débarque avec 4 000 Chouans (repliés sur Houat) à la pointe St-Jacques, près de Vannes, bat Hoche, ne peut prendre Josselin et est tué à Coëtlogon.

IV. 2e guerre de Vendée (1795-96)

Causes. Charette n'avait jamais vraiment déposé les armes ; après la paix de La Jaunaie (17-2-1795), il va à son quartier gén. de Belleville, et dirige de nouvelles guérillas. Stofflet, brouillé avec lui, observe la paix qu'il a signée avec Hoche à St-Florent le 17-5-1795. Mais les agents du Cte d'Artois le contactent à l'occasion du débarquement de Quiberon, et il se réconcilie avec Charette (sept. 1795).

Opérations. 1796, 26-1 Stofflet reprend les armes ; 24-2 pris à Chemillé ; exécuté ; 29-3 Charette exécuté ; avril : dernières guérillas.

V. 2e guerre des Chouans (1799-1800)

Opérations. 1799, août Cadoudal réunit les Ch. bretons au camp de Beauchêne ; le marquis de Bourmont est envoyé de Londres pour prendre le commandement du Maine, Perche, Chartrain, Vendômois ; sept. Cadoudal attaque Vannes et s'empare de Sarzeau ; oct. Bourmont s'empare de Saumur et du Mans ; nov. coup d'État du 18 brumaire : Bonaparte au pouvoir ; déc. Cadoudal, avec 800 Chouans, occupe l'estuaire de la Vilaine pour recevoir armes et munitions angl. **1800** il a 15 000 h. ; 25/26-1 il est battu par le Gal Brune à Grand-Champ et à Elven ; 4-2 Bourmont signe la paix avec Bonaparte (pays de la Loire) ; 9-2 Cadoudal signe la paix avec Brune à *Theix ;* mars, menacé d'arrestation, il passe en Angl. ; déc. il échoue dans une attaque de Brest. **1802** Bonaparte, à la paix d'Amiens, demande aux Angl. de lui livrer Cadoudal (refus).

Bilan des guerres de Vendée et de la Chouannerie. *Vendée militaire :* 117 000 (selon Reynald Secher). *Ensemble Vendée-Chouannerie :* 400 000 (selon René Sédillot). + de 600 000 † (selon Hoche, Pierre Chaunu), dont : soldats républicains 18 000, chouans 80 000, civils exécutés 210 000, † de froid et de faim 300 000, dont + de 100 000 enfants. 400 000 selon A. Casanova (dont 220 000 Vendéens et 180 000 Bleus). *Pertes civiles des Vendéens :* femmes et enfants massacrés sur place, exécutés en captivité (noyades de Carrier à Nantes : 4 800 † en automne 1793, liés 2 par 2 dans des galiotes coulées dans la Loire) ou morts de misère en déportation ; la Convention avait exclu la région vendéenne des lois de la g. : prisonniers et blessés étaient fusillés ; les cadavres étaient envoyés à des tanneries de peau humaine, à Meudon et aux Ponts-de-Cé. Dans ses *Mémoires* (1824), le Gal Turreau affirme que les Vendéennes exécutées étaient des combattantes, habillées en hommes. En fait, Turreau a appliqué des consignes organisant un authentique génocide (1/3 de la population détruite).

☞ **Vendée militaire.** Théâtre de la guerre civile, entre la Loire au *Nord,* l'Atlantique de Paimbœuf aux Sables-d'Olonne à l'*Ouest,* les 2 lignes idéales Les Sables-d'Olonne-Fontenay-le-Comte-Parthenay au *Sud,* et Parthenay-Thouars-Angers à l'*Est.* Comprend 750 paroisses dont 480 forment la Vendée insurgée.

État de la France au 18 Brumaire (9-11-1799)

Société. Frénésie de plaisirs (par réaction contre les années d'austérité et de terreur) dans les milieux riches : goinfrerie, excès des *muscadins* (mot forgé en 1792 par le conventionnel Chabot, pour désigner les jeunes royalistes lyonnais, utilisant de riches parfums au musc) et des *merveilleuses* (épithète ironique pour les élégantes : employée aussi au masculin, ainsi qu'*incroyables,* pour les « muscadins »). Brigandage généralisé (à l'origine, il s'agissait de bandes monarchistes).

Économie. Commerce et industrie ruinés (à Paris, production réduite de 62 %, à Lyon de 85 %) ; ports de Marseille et Bordeaux fermés ; forêts domaniales pillées. Réseau routier détruit ; le service des diligences n'est plus assuré.

Finances. Dévaluation de 99,966 % ; les caisses de l'État sont vides, fonctionnaires et soldats sont payés avec 10 ou 12 mois de retard ; les rentes ne sont pas versées. Il n'y a pas de budget établi (chaque administration dépense au jour le jour).

Libertés. Suspendues après le 18 Fructidor (4-11-1796) : la presse modérée est supprimée ; 1 700 prêtres réfractaires emprisonnés à Rochefort.

Consulat (13-12-1799/18-5-1804)

☞ **Institutions.** Voir p. 671.

1799 13-12 Constitution de l'An VIII : 3 « consuls » : Bonaparte, Cambacérès, Lebrun, désignés par Sieyès (12-12) ; 25-12 décret de mise en vigueur de la Constitution ; 26-12 création du Conseil d'État. **1800** 17-1 suppression de 60 des 73 journaux politiques parisiens ; 13-2 création de la Banque de Fr. ; 14-2 soumission de Cadoudal ; 17-2 réorganisation administrative ; 19-2 Bon. s'installe aux Tuileries ; 20-2 lettre de L. XVIII à Bon., lui offrant le titre de connétable s'il rétablit la monarchie ; 3-3 *clôture de la liste des émigrés ;* 14-6 victoire de Marengo ; 2-7 Bon. revient aux Tuileries après ses victoires en It. ; 12-8 début des travaux du Code civil ; 7-9 réponse de Bon. à L. XVIII (refus) ; 1-10 *2e tr. de St-Ildefonse :* l'Esp. rend la Louisiane à la Fr., en échange de Parme ; amnistie pour de nombreux émigrés ; 9-11 complot de Joseph Ceracchi [sculpteur it. (n. 1751), avec 4 complices, dont le peintre Topino-Lebrun (n. 1769), élève de David, et l'officier corse Arena (n. 1771), projette de poignarder Bon. à l'Opéra. Arrêté dans le couloir de la loge, il est condamné à mort et exécuté avec ses complices le 28-1-1802]. 24-12 *explosion de la « machine infernale »* rue St-Nicaise : un tonneau de poudre rempli de clous saute au passage de la voiture de Bon., elle devait être arrêtée par un embarras de voitures, mais le cocher ivre fonce sur l'obstacle sans ralentir ; Bon. est sauf mais il y a : 10 †, 20 blessés, 46 maisons détruites ; 130 jacobins déportés aux îles Seychelles, par sénatus-consulte du 5-1-1801. L'idée (jacobine) de l'attentat avait été utilisée par les Chouans : Jean-François Carbon (n. 1756) (dit le Petit François) et Pierre St-Réjant (n. 1768), arrêtés 15 j après. Condamnés le 6-4-1801, exécutés le 20-4 ; le chevalier de Limoëlan, chef du complot, en réchappe.

1801 3-2 paix de Lunéville avec l'Autriche ; 17-7 Concordat avec le pape (signature) (voir p. 528) ; 22-11 réunion du corps législatif ; départ pour *St-Domingue* de l'expédition du Gal Charles Leclerc [(1772-1802), beau-frère de Bonaparte]. **1802** 18-1 élimination des membres du Tribunat hostiles à Bon. ; 25-1 Bon. élu Pt de la Rép. ital. ; 8-4 promulgation du *concordat* et de ses *articles organiques* (voir p. 528) ; 26-4 *amnistie* pour les émigrés ; 1-5 loi sur l'instruction publique, créant notamment les lycées ; 8-5B nommé 1er Consul pour 10 années supplémentaires ; 19-5 création de la *Légion d'honneur ;* 24-5 protestation du pape contre les articles organiques (rejetée par Bon., ainsi que les suivantes, remises par le card. Caprara) ; 7-6 Toussaint-Louverture pris à St-Domingue ; 29-7 Bon. plébiscité, 1er Consul à vie ; 4-8 nouvelle constitution, avec une loi électorale favorisant Bonaparte ; 11-9 Piémont réuni à la France ; 13-9 suppression du ministère de la Police (éviction de Fouché) ; 20-9 B. s'installe à St-Cloud, avec une cour consulaire ; 2-11 Gal Leclerc meurt de la fièvre jaune, son armée est décimée ; 23-11 Bonaparte nommé médiateur de la Conféd. suisse.

1803 25-2 Recez (ou recès) de l'Empire allemand (voir Index) ; 27-3 création du franc germinal à l'effigie de Bonaparte ; 11-5 décl. de g. à l'Angl. (la paix ne sera plus jamais rétablie avant 1815) ; 13-5 la Louisiane est vendue aux U.S.A. ; août débarquement clandestin de Georges Cadoudal (n. 1771) en Normandie ; nov. évacuation de St-Domingue.

1804 févr. complot de *Cadoudal* (exécuté 25-6 avec ses complices), Pichegru, Moreau (condamné 10-6-1804 à 2 ans de prison pour non-dénonciation de malfaiteurs lors de l'attentat) ; 15-3 *duc d'Enghien* (Louis de Condé, n. 1772), enlevé à Ettenheim en territoire all. [par le Gal Armand de Caulaincourt, Mis de l'Ancien Régime, futur duc de Vicence (1773-1827)] et 21-3 exécuté [après jugement d'un tribunal milit. présidé par le Gal Pierre Hulin (1758-1841 ; Cte d'Empire 1808) et contrôlé par le Gal Savary, chargé de l'exécution immédiate du condamné dans les fossés de Vincennes] [*raisons :* 1° Cadoudal, au cours de son interrogatoire, avait révélé qu'« un prince » devait prendre la tête des conjurés chouans dès la mort du 1er Consul (il s'agissait du Cte d'Artois qui avait promis de venir, sans en avoir l'intention). 2° Bonaparte a su qu'Enghien n'était pas le Pce en question, mais il a appliqué la règle corse de la vendetta, permettant de tuer les parents d'un adversaire. 3° Fouché (régicide) et Talleyrand ont poussé Bonaparte à tuer un Bourbon, pour lui faire rejoindre le camp des régicides. 4° Enghien avait en Alsace un réseau d'agents antirépublicains, ce qui suffisait à le faire condamner pour complot] ; 21-3 *Code civil* adopté ; 6-4 suicide (suspect) de Pichegru à la prison du Temple ; 30-4 le tribun Jean-François Curée (1755-1835), ancien conventionnel, propose la création d'un empire héréditaire (3-5 proposition adoptée par le Tribunat).

Guerres de la 2e Coalition (1798-1801)

☞ **1re Coalition.** Voir p. 624a.

Causes. *1°* L'Angleterre n'a pas pris part aux traités de paix (Bâle et Campoformio) qui ont mis fin à la 1re Coalition. Restée en g., elle cherche des alliés : Turquie (19-9-1798), Naples et Sardaigne (6-12), Russie (18-12), Autriche (12-3-1799), Portugal, États d'Afr. du N. (mars 1799). *2°* Bonaparte veut combattre les Anglais en Méditerranée (Égypte, sur la route de l'Inde). Cela implique l'entrée en g. des puissances méditerranéennes. *3°* La Russie se méfie de l'annexion des îles Ioniennes, base de départ vers Constantinople.

Effectifs. *France* 230 000 h. (Égypte 60 000, Italie 45 000, Rhénanie 40 000, Suisse 40 000, Danube 45 000) ; *Autriche* 215 000 (Bavière 75 000, Vénétie 60 000, Tyrol 20 000) ; *Russie* 75 000 ; *Turquie* 45 000 (Albanie 15 000, Égypte 30 000).

Opérations. 1798, 19-5 la flotte fr. quitte Toulon ; 10/13-6 prise de Malte ; 1/3-7 d'Alexandrie ; 21-7 vict. des *Pyramides* et occupation du Caire ; 1-8 Nelson anéantit la flotte de Brueys à Aboukir (13 vaisseaux angl. contre 13 fr. : 9 fr., 2 angl. détruits, Brueys tué) ; sept-oct. Desaix conquiert la Hte-Égypte dont il devient gouverneur (surnommé le « sultan juste ») ; 23-10 le Gal Richemont, gouverneur des îles Ioniennes, chargé de conquérir l'Albanie turque, est écrasé à Prévéza (4 000 †, Richemont prisonnier) ; déc. Joubert occupe le Piémont, Championnet conquiert l'Italie (Rome 15-12, Naples 31-12). **1799,** janv.-mai offensive de Bon. en Palestine (prise de Gaza 24-2, de *Jaffa* 6-3, siège de St-Jean-d'Acre : mars-avr. ; vict. sur Turcs au *Mont Thabor* 17-4 ; levée du siège de *St-Jean-d'Acre* 20-5 ; retour au Caire 14-6) ; 27-4 offensive russe (Souvarov) en It. du N. (défaite de *Novi,* mort de Joubert 15-8) ; 21-7 Bon. bat Anglo-Turcs qui ont débarqué à Aboukir ; 27-8 débarquement anglo-russe en Holl. (battus par Brune au *Helder,* capitulent à Alkmaar 6-10) ; 27-9 Masséna bat Souvarov, puis Korsakov à Zurich ; 9-10 Bon. débarque en Fr. (Kléber commandant en chef de l'armée d'Égypte) ; 30-12 le grand vizir turc s'empare d'El Arich. **1800,** 24-1 Kléber signe la convention d'*El Arich,* prévoyant le rapatriement de son armée par la flotte angl. (refus angl.) ; 1-3 l'am. russe Ouchakoff prend les îles Ioniennes ; 20-3 Kléber bat grand vizir à *Héliopolis ;* 5-5 Moreau bat Autr. à *Stockach ;* mai, Masséna résiste dans Gênes ; 20-5 Bon. franchit le *Gd-St-Bernard ;* 4-6 Masséna capitule à *Gênes* (retraite sur Nice autorisée). 14-6 *Marengo* (Bon. bat Mélas, Desaix tué) ; Kléber assassiné au Caire par le janissaire Souleïman el Alepi ; 19-6 *Hochstaedt* Moreau bat Kray ; 28-6 l'Autr. signe un cessez-le-feu pour l'It. ; *sept.* l'armée de Suisse (Macdonald) conquiert Vorarlberg et Tyrol ; 25-9 Angl. conquièrent Malte ; 3-12 *Hohenlinden* Moreau bat l'archiduc Jean (12 000 †, 25 000 pris.) ; 16-12 Bon. propose Malte au tsar Paul Ier, qui se retire de la coalition (assassiné 23-3-1801) ; 18-12 Autr. signe armistice à *Steyer* (tr. définitif *Lunéville* 9-2-1801 : l'It. sauf Venise est laissée sous l'influence fr. ; cession définitive de la rive gauche du Rhin, avec compensation pour les princes sur la rive droite). **1801,** 22-2 Esp. alliée à la Fr. contre Angl. ; mars-juin Lord Abercromby bat Menou, qui a remplacé Kléber, et conquiert Égypte ; 2-9 Menou capitule (rapatriement de son armée par la flotte angl.) ; 8-10 **tr. de Paris** (paix entre Fr. et Russie) : îles Ioniennes sous protectorat russe (Rép. des *Sept-Îles* unies) ; 9-10 ouverture de négociations franco-angl. à *Amiens* (tr. définitif 25-3-1802 : Méditerranée à la Fr. ; océan Indien à l'Angl. ; o. Atlantique indivis ; frontières du Rhin reconnues).

Ier Empire (18-5-1804/6-4-1814)

1804 juin : St-Napoléon devient fête off. fixée au 15-08, anniversaire de l'emp. ; 2-12 *sacre* de N. [Pie VII accepte de venir à Paris pour *sacrer* N. (c.-à-d. lui donner l'onction avec le saint chrême), mais N. se couronne lui-même et couronne sa femme, Joséphine (épousée religieusement la veille à 4 h de l'après-midi, sans témoins, dans le salon des Tuileries) ; jure sur l'Évangile l'irrévocabilité de la vente des biens nationaux (anciens biens fonciers de l'Église). L'Angleterre est la seule nation européenne à n'avoir jamais reconnu le titre impérial de N. ; à Ste-Hélène, il sera appelé le « Gal Bonaparte »]. **1805** 19-5 création de la dignité de maréchal ; 26-5 N. couronné roi d'It. à Milan ; 26-12 tr. de Presbourg ; titre de Grand ; 31-12 fin du calendrier rép.

1806 30-3 Joseph Bon. roi de Naples ; 5-7 Louis Bon. roi de Hollande ; 12-7 création de la *Confédération du Rhin ;* 21-11 institution du *Blocus* continental : ports eur. fermés aux navires angl. ; 11-12 l'Électeur de Saxe devient roi et entre dans la Conféd. **1807** 17-10 expédition de Junot au Portugal (qui refuse d'appliquer le Blocus) ; 27-10 *tr. de Fontainebleau :* Port. partagé entre Fr. et Esp. ; 23-11 *décret de Milan :* fin de la navigation neutre (tout navire visité par les Anglais est considéré comme anglais) ; 8-12 Jérôme Bon. roi de Westphalie.

1809 17-5 annexion des États pontificaux ; 10-6 Nap. *excommunié ;* 6-7 pape arrêté (interné à Savone 20-8 ; à Fontainebleau juin 1812) ; oct. Metternich devient chancelier d'Autriche (politique : s'allier à N., pour l'abattre au bon moment) ; 16-12 *annulation* du mariage civil de Nap. prononcée par sénatus-consulte, l'un des témoins (l'aide-de-camp Le Marois, 19 ans) n'étant pas majeur.

1810 10-1 *mariage religieux avec Joséphine* annulé (voir p. 627c) ; 5-2 censure pour les imprimeries ; 17-2 Rome réunie à la Fr. ; création du titre de *roi de Rome* (porté par Nap.) ; 2-4 Nap. *épouse Marie-Louise ;* 9-7 roy. de Holl. transformé en départements fr. ; 21-8 Bernadotte roi de Suède. **1811** 11-1 annexion du duché d'Oldenbourg (appartenant à un cousin du tsar) ; 20-3 *naissance du roi de Rome* (fils de Nap.) ; 17-6 ouverture d'un concile à Paris pour trouver un arrangement avec le pape emprisonné (échec). **1812** 15-1 création de l'industrie sucrière (betterave) ; 9/21-5 *congrès de Dresde,* réunissant les rois soumis à Napoléon ; 23-10 *conjuration du Gal Malet* [Claude François de Malet (1754-1812), noble périgourdin devenu républicain, membre de la société secrète des Philadelphes, Gal en 1799, destitué 1807, essaye de rétablir la rép. en s'emparant de la préfecture de la Seine et du gouvernement militaire de Paris, au moyen de faux documents (dont un sénatus-consulte annonçant la mort de N. en Russie) ; reconnu par le gouverneur, le Gal Hullin, il l'abat d'un coup de pistolet, mais se fait arrêter par la garde ; exécuté 29-10 avec 13 complices (dont Gal Victor de Lahorie, amant de la mère de Victor Hugo)] ; 5-12 Nap. quitte son armée ; 18-12 il arrive à Paris. **1813** 25-1 *pseudo-concordat de Fontainebleau* entre N. et Pie VII (récusé par le pape). **1814** 13-1 Pie VII libéré ; 28-1 Joseph lieutenant-général de l'Empire (Marie-Louise régente) ; 2-4 le Sénat proclame la *déchéance* de N. ; 3-4 le Corps législatif la vote ; 4-4 défection de Marmont (voir p. 622) ; 5-4 N. signe son acte d'abdication (pour lui et ses enfants), à Fontainebleau ; 11-4 *Convention de Paris :* N. garde le titre impérial, reçoit l'île d'Elbe et 2 millions par an (jamais versés) ; Marie-Louise reçoit Plaisance, Parme et Guastalla (N. II devient « prince de Parme »).

Crises économiques sous le Consulat et l'Empire

1802-03. Crise agricole (subsistance). **1805-07** financière (déflation : rareté des arrivées d'or amér. et financement de la g.). Solution : rafle de monnaie en Autriche et Allemagne. **1810-11** industrielle (rareté des matières premières). **1811-12** agricole (subsistance : baisse de la main-d'œuvre agricole). **1812-15** financière (déflation). Les milieux boursiers poussent le 30-3-1814 à la signature de l'armistice (par Marmont) et le 31-3 à la capitulation de Paris (la Bourse remonte).

La famille Bonaparte

☞ Voir p. 596.

Napoléon Ier

• **Nom.** Sur son acte de baptême figurent le nom Bonaparte (et non Buonaparte) et le prénom Napoleone [forme pseudo-latine de « Nabulione » ; (sa mère l'appelle *Nabulione*)], venant sans doute d'*Anabulione,* c.-à-d. le saint revêtu d'un *anabolium* [voir p. 508b, St Nicolas (en avril 1814, la presse royaliste a rappelé que N. se nommait en réalité Nicolas)].

• **Santé.** « Infatigable » (journées entières à cheval, nuits entières sans dormir, brèves siestes en cours de journée) ; mais il souffrait sans doute d'une hépatite chronique (teint jaune depuis sa jeunesse), d'origine paludéenne.

• **Grands traits psychologiques.** Aristocrate, orgueilleux de ses ascendances et ambitionnant avant tout la gloire de sa maison (opinion de Chateaubriand). Volonté implacable (ébranlée fréquemment par ses ennuis de santé) ; ascendant sur autrui (autorité naturelle, sens du commandement) ; imagination ; sûreté du coup d'œil (il évalue à 1 000 h. près la troupe qu'il a en face de lui) ; intelligence synthétique et analytique, servie par une mémoire exceptionnelle ; don de la simulation et sens du théâtral. *Failles :* nonrespect de la personne et de la vie humaines (« qu'est-ce qu'un homme après tout ? ») ; croyance excessive en la bassesse des hommes (peur, servilité, cupidité) ; avec l'âge, mégalomanie (objectifs irréalistes) et confusion mentale (poursuites d'objectifs inconciliables). Superstition (parfois optimiste, parfois pessimiste) ; préjugés d'aristocrate génois (aversion pour Venise, mépris pour les Espagnols et les Orientaux, hostilité envers l'Allemagne et le protestantisme ; ignorance des valeurs plébéiennes) ; complexe du gentilhomme de petite noblesse (fascination devant les grandes familles).

• **Carrière. 1774-78** élève des jésuites à Ajaccio. **1778** avec l'aide de Marbeuf, boursier au collège d'Autun. **1779-84** à l'école militaire de Brienne. **1784** reçu au concours de l'école militaire de Paris (1 an d'études). **1785** (sept.) sous-lieut. d'art. à La Fère. **1785-91** lieut. d'art. à Valence, Lyon, Douai, Auxonne, et de nouveau Valence. **1792-93** tente fortune en Corse (indépendantiste) ; évincé par les paolistes, se réfugie en Fr. avec sa famille (pauvreté). **1793** *juin* capitaine d'art. à Nice ; rencontre Augustin Robespierre ; devient jacobin ; *sept.* command. artillerie au siège de Toulon ; *22-12* Gal de brigade (à cause de son rôle brillant à Toulon). **1794** *juil.* emprisonné par les thermidoriens, libéré ; sans emploi un an (refuse un commandement en Vendée). **1795** se lie avec Barras et prépare un plan de conquête de l'Italie du N. ; *5-10* (journée de Vendémiaire) fait échouer une émeute royaliste ; nommé par Barras Gal de div. **1796** liaison avec Joséphine de Beauharnais, ex-maîtresse de Barras (épousée 9-3) ; *5-3* nommé par Barras gal en chef de l'armée d'Italie, gds succès ; *29-6* crée la République cisalpine (qu'il gouverne sans titre, depuis Mombello) ; *4-9* (18 fructidor) par l'intermédiaire d'Augereau (qu'il a envoyé à Paris) rétablit une rép. jacobine ; *17-10* tr. de Campoformio ; *27-10* Gal en chef de l'armée d'Angl. ; *26/30-11* négociateur à Rastatt (récupère Mayence) ; *15-12* à Paris. **1798** *5-3* Gal en chef de l'armée d'Égypte ; *19-5* s'embarque à Toulon. **1799** *22-8* quitte son armée (confiée à Kléber). **1798-99** *(date incertaine)* est reçu dans la franc-maçonnerie à Memphis (crée la loge **Isis**), s'embarque pour la Fr. ; *9-10* débarque à Fréjus ; *17-10* arrive à Paris, contacte Barras en vue d'un coup d'État ; *10-11* coup d'État « du 18 Brumaire ».

• **Consulat (1799-1804).** Voir p. 626a.

L'Empire (1804) *18-5* le Sénat le proclame par sénatus-consulte (unanimité moins 5 voix) ; *20-5* décret lu dans les rues de Paris ; *fin mai* plébiscite sur l'hérédité (pas sur la dignité impériale, déjà décrétée) ; *7-6* Eugène de Beauharnais installé comme vice-roi à Milan ; *28-8* abandon du plan de conquête de l'Angl. ; *21-10* déf. de *Trafalgar* (décisive) ; *2-12* vict. d'*Austerlitz.* **1806** *26-2* décide de construire l'Arc de Triomphe de l'Étoile ; *30-3* protecteur de la Conféd. du Rhin (à la demande du prince-archevêque de Ratisbonne Charles de Dalberg) ; *4-8* publication du catéchisme impérial (« Dieu a établi Nap. notre souverain, l'a rendu à son image sur la terre ») ; *19-12* entrée à Varsovie (souveraineté indirecte sur la Pologne). **1807** *1-6* création du 1er duc d'Empire (Mal Lefèvre, duc de Dantzig) ; *7-7* tr. de *Tilsit,* alliance avec Russie [annexion des îles Ioniennes (projet d'empire oriental)] ; *27-10* tr. de *Fontainebleau :* partage du Portugal avec le roi d'Espagne ; *13-11* code Nap. appliqué aux territoires annexés ou administrés. **1808** *2-2* occupation de Rome ; *18-3* entrée des Fr. (Murat) en Espagne ; *22-7* 1re défaite terrestre de l'armée fr. (capitulation de Dupont à *Baïlen*) ; *27-9* fêtes d'*Erfurt* (Nap. et le tsar Alexandre Ier devant un « parterre de rois »). **1809** *14-10 paix de Vienne* (annexion des provinces illyriennes). **1810** *6-2* le tsar répond évasivement à une demande en mariage pour sa sœur Anne (15 ans) ; *7-2* Nap. demande en mariage Marie-Louise d'Autriche ; *2-4* l'épouse (la *noblesse* de l'Ancien Régime se rallie) ; *12-11* annexion des villes hanséatiques ; *10-12* d'une partie du roy. de Westphalie. **1811** *20-3* naissance du « roi de Rome », enthousiasme (la dynastie semble définitivement installée). **1812** *17-4* tentative de paix vers l'Angl. (échec) ; *21-5* le pape transféré à Fontainebleau (en vue d'une réconciliation éventuelle) ; *22-6* début de la *campagne de Russie* (régence de Marie-Louise) ; *juill.* épidémie de typhus, va détruire la Gde Armée ; *25-11* défaite de la *Bérézina.* **1813** *mars* dissolution de la Confédération du Rhin ; *21-4* défaite de *Vitoria* et perte de l'Esp. ; *18/21-10* défaite de *Leipzig* et perte de l'All. ; *12-11 tr. de Valencay :* Nap. rétablit les Bourbons d'Esp. ; *29-12* fin de la « médiation » de Nap. en Suisse. **1814** 11-1 défection de Murat ; *21-3* défaite d'Arcis-sur-Aube (décisive) ; *30-3* les Coalisés prennent Paris.

Souverain de l'île d'Elbe (1814-15). *4-5* débarque à Porto-Ferrajo ; *28-5* Joséphine meurt à la Malmaison ; *déc.* Nap. décide de rentrer en France. **1815** *févr.* Fleury de Chaboulon, sous-préfet de Reims, combine à Paris (avec Maret, duc de Bassano) le retour ; *26-2* Nap. quitte Elbe.

Les Cent-Jours (21-3/23-6-1815). *30-5* Murat attaque l'Italie du N. (autrichienne) ; *2/3-5* Murat battu à *Tolentino ; 2-6* plébiscite proclamé (1 500 000 oui ; 4 802 non) ; *15-6* Nap. attaque en Belgique.

Dernières années (1815-21). 1815 *15-7* Nap. s'embarque sur le navire angl. *Bellerophon ; 24-7* en rade de Plymouth ; *7-8* passe sur le *Northumberland ; 16-10* arrive à Ste-Hélène ; *10-12* s'installe à Longwood. **1816** *17-4* arrivée de Hudson Lowe (1769-1844), chargé de sa surveillance. **1821** *17-3* fait son testament ; *5-5* meurt ; *9-5* enterré avec les honneurs militaires dans la vallée « du géranium ». **1840** *12-5* la chambre vote le retour des cendres (budget de 1 million) ; *15-10* exhumé à Ste-Hélène ; corps ramené sur la *Belle-Poule* par le Pce de Joinville (fils du roi Louis-Phil.) ; *15-12* enseveli aux Invalides.

Parents de l'Empereur

• **Père :** Charles-Marie de Bonaparte (1746-85), ancienne et modeste noblesse florentine, ayant obtenu le patriciat d'Ajaccio, valable pour la noblesse de France. **Mère :** Letizia Ramolino (1750-1836), porte le titre de *Madame Mère* (1805).

• **Oncle :** le cardinal Joseph Fesch (1763-1839), demi-fr. de Letizia (mère, Angela-Maria Pietra-Santa qui, après la mort de son 1er mari, Jean-Jérôme Ramolino, s'était remariée avec un officier suisse, Franz Fesch).

Frères et sœurs

• **Frères : Joseph** (1768-1844), baptisé *Nabulione,* il ne reçut le prénom de *Joseph* qu'après le baptême de son fr. Napoléon, le futur empereur. Roi de Naples 1806, d'Esp. 1808-13 ; ép. 1794 Julie Clary (1771-1845). Après 1815, porte le titre de comte de Survilliers. DESCENDANCE : 2 filles.

Lucien (1775-1840), non reconnu comme « prince français » par Nap. avant 1815, à cause de son mariage non autorisé en 1803. Pce de Canino (pontifical) en 1814. Ép. 1794 Christine Boyer (1773-1800) ; 1803 Alexandrine de Bleschamp (1778-1855), veuve Jouberthon. DESCENDANCE : 7 filles et 5 fils, dont la ligne des Pces de Canino (éteinte en 1895) et la ligne de Pierre Bonaparte (1815-81) éteinte avec Roland, géographe (1858-1924), père de Marie Bonaparte (1892-1962) (Pcesse Georges de Grèce), psychanalyste.

Louis (1778-1846), Pce fr. 1804, roi de Hollande 1806-10 ; après abdication, Cte de St-Leu. Ép. 1802 Hortense de Beauharnais (1783-1837), belle-fille de Nap. DESCENDANCE : *1° Charles* (1803-07) passa pour être le fils de Nap. Ier (pour cette raison, Louis refusa que N. Ier l'adopte en 1804). *2° Napoléon-Louis* (n. 1804), mort 17-3-1831 de la rougeole (on a dit abattu par les carbonari pour avoir fui devant les Autrichiens). *3° Louis-Napoléon* devenu Nap. III (1808-73) (Voir p. 633).

Jérôme (1784-1860), Pce fr. 1806, roi de Westphalie (1807-13), Pce de Montfort 1816, Mal de France 1850, réintégré comme Pce fr. 1852. Ép. 1° 1803 Élisabeth Patterson (1785-1879), mariage annulé 1805 ; 2° 1807 Catherine de Wurtemberg (1783-1835). DESCENDANCE : du 1er mar. : branche des Bonaparte-Patterson (éteinte 1945, non princière) ; du 2e : Jérôme-Napoléon-Charles (1814-47), colonel de la garde lux., sans postérité, Pcesse Mathilde (1820-1904) (Voir p. 633) ; Pce Napoléon (1822-91) (Voir p. 633).

• **Sœurs : Élisa** (1777-1820), Pcesse 1804, de Lucques et de Piombino 1805, Gde-duchesse de Toscane 1809-14 ; apr. 1815 Ctesse de Compignano. Ép. 1797 Félix Baciocchi (1762-1841). DESCENDANCE : Napoléone (1806-69), Pcesse Baciocchi 1856, dont 1 fils, conseiller d'État, suicidé 4-3-1856 (le Cte Félix-Marnès Baciocchi, 1er chambellan de Nap. III, était le neveu du Pce Félix).

Pauline (1780-1825), Pcesse, duchesse de Guastalla 1806. Ép. 1798 le Gal Charles Leclerc (1772-1802) qu'elle accompagne à St-Domingue où il meurt de la fièvre jaune. Ép. 1805 le Pce Camille Borghèse (1775-1832). Sans postérité.

Caroline (1782-1839), Pcesse 1804. Ép. 1800 Joachim Murat (1771-1815), fils d'aubergiste, Gal de div. en Égypte 1799, maréchal et Pce 1804, Gd-duc de Berg 1806, roi de Naples 1808-15. Après 1815 Ctesse de Lipona (anagramme de *Napoli*). DESCENDANCE : Pces Murat (8e, Joachim, né 1944).

Épouses

Joséphine Tascher de la Pagerie (23-6-1763/29-5-1814), née à Trois-Ilets (Martinique), veuve du Vte de Beauharnais, Gal en chef de l'armée du Rhin (1760-guillotiné 94) épousé 1778. Arrêté, libéré le 6-8-1794. Obtient que Barras (son amant) nomme Bonaparte Gal en chef en Italie. Mariage civil 9-3-1796, religieux 2-12-1804 (la veille du sacre). Impératrice des Français 1804. Reine d'Italie 1805. Répudiée pour stérilité 30-11-1809 [16-12-1809 annulation du mariage civil par sénatus-consulte, 10-1-1810 déclaration de nullité du mariage religieux par l'officialité métropolitaine de Paris [motif officiel (d'ordre « externe », selon les exigences de Napoléon) : le curé de la paroisse n'était pas présent à la bénédiction nuptiale ; motif réel : manque de consentement de l'empereur (normalement irrecevable, car il y avait eu « simulation »)], garde le titre impérial 1810-14. DESCENDANCE de son 1er mariage : Eugène et Hortense (voir ci-dessous).

Marie-Louise d'Autriche (12-12-1791/18-12-1847), mariage 2-4-1810. Impératrice des Fr., reine d'Italie 1810, régente 1812, puis 1814 (ne participe pas aux affaires). Après 1815, duchesse de Parme, Plaisance et Guastalla ; se remarie 1° sept. 1821 au général Cte Adam von Neipperg (1775-1829), Autrichien, dont elle est la maîtresse depuis le 29-9-1814 ; 2° 17-2-1834 Cte Charles de Bombelles (1785-1856), émigré. DESCENDANCE : *De Napoléon :* Napoléon II. *De Neipperg :* adultérins, non légitimés par le mariage subséquent (voir ci-dessous). Albertine de Montenuovo (1817-67, ép. 1835 le Cte Louis San Vitale) ; Mathilde (n. 1818, morte en bas âge) ; Guillaume de Montenuovo (1819-95), Gal et Pce autrichien 1854.

Enfants

• **Fils légitime :** *De Marie-Louise :* Napoléon François, **Napoléon II** (1811-32), roi de Rome 1811, empereur mars 1814 et avril 1815, duc de Reichstadt 1818 (nom d'un château royal en Bohême ; on avait songé d'abord à duc de Mödling, mais Mödling n'était plus aux Habsbourg). Meurt en Autriche de la tuberculose. **Enfants naturels :** voir p. 591a.

• **Beaux-enfants : Eugène de Beauharnais** (1781-1824), aide de camp de son beau-père en Égypte (1798-99 ; blessé à St-Jean-d'Acre ; ramené en Fr. avec lui oct. 1799) ; chef d'escadron 1800, colonel 1802, Gal de brigade 1804. Pce et archi-chancelier de l'Empire 1805. Vice-roi d'Italie 1805-14. Adopté par Nap. 1806, prince de Venise 1807.

Grand-duc de Francfort 1810 (compensation pour le divorce de sa mère), duc de Leuchtenberg et Pce d'Eichstadt 1817. Ép. 1807 Augusta de Bavière (1788-1851). DESCENDANCE : les princes de Leuchtenberg, devenus russes. Voir p. 596.

Hortense de Beauharnais (1783-1837), reine de Hollande 1806-10, puis Ctesse de Saint-Leu ; créée duchesse de St-Leu par Louis XVIII 1814. Ép. Louis Bonaparte. DESCENDANCE : *de son mari :* Napoléon III ; *de sa liaison avec le Cte Auguste de Flahaut (1784-1870) :* Charles duc de Morny (1811-63) (branche éteinte 1940).

• **Fille adoptive : Stéphanie de Beauharnais** (1789-1860). Cousine issue de germain des précédents. *1806* (3-3) adoptée, mariée au P[ce] Charles-Louis-Frédéric, héritier de la couronne grand-duc de Bade. *1811* Gde-duchesse. *1812* a un fils qu'on ne lui montra pas et qui fut déclaré mort après 3 j. *1818,* son mari meurt, devient (à 29 ans) Gde-duchesse douairière. *1828,* mai, *Gaspard Hauser,* 16 ans, apparaît, à Nuremberg, reconnu par plusieurs souverains comme son fils disparu en 1812 (notamment le roi de Bavière) ; il est assassiné 5 mois plus tard (5-10).

Guerres de la 3e Coalition (1803-05)

Causes. *1°* l'Angl. n'a pas évacué Malte comme l'exigeait le tr. d'Amiens (raison officielle : annexion du Piémont par Bon. contrairement au tr. d'Amiens). *2°* Prusse et Russie craignent comme elle une hégémonie fr. en Europe. *3°* l'Angl. ne peut admettre que les Fr. occupent la Hollande (en plus de la Belg. annexée). *4°* l'Autr. cherche à récupérer l'It. du N. : elle signe une convention avec l'Angl. (6-11-1804), lui promettant 235 000 h. *5°* Nap. a une alliée : l'Esp. [qui a déclaré la g. à l'Angl. en déc. 1804 (motif : les Angl. ont capturé 4 galions)].

Effectifs français. Dep. 1805, le contingent annuel est fixé par l'empereur. Le 28-8-1805, l'Armée d'Allemagne comptait 592 000 h. (inf. 440 000, cavalerie 77 000, artill. 23 000, génie, train, pontonniers, etc. 28 000, gendarmerie 16 000, Garde 8 000).

Opérations. 1804 concentration à *Boulogne* de l'armée d'invasion d'Angl. [10 000 h. ; 2 400 navires (appelée *Grande Armée,* par opposition aux corps d'Italie et d'Esp.)] ; 70 nav. angl. croisent au large et harcèlent la côte. **1805,** mars-août échec du plan de Nap. prévoyant la concentration dans la Manche des escadres fr. de la Méditerranée (Villeneuve), de l'Atlantique (Ganteaume), et de la flotte esp. (Gravina) : Villeneuve et Gravina, qui ont lâché Nelson aux Antilles, se heurtent 22-7 au cap Finistère à l'amiral angl. Robert Calder (repliés à Cadix où ils sont bloqués par Nelson) ; 28-8 l'armée d'invasion d'Angl. est détournée vers l'Autr. ; 20-10 Nap. fait capituler Mack à *Ulm* (27 000 prisonniers dont 18 généraux) ; 21-10 Villeneuve et Gravina écrasés par Nelson à *Trafalgar* (18 vaisseaux fr.-esp. sur 33 pris ou coulés, Nelson tué, Villeneuve fait prisonnier, relâché en 1806, craignant la colère de Nap. se suicidera le 22-4) ; 31-10 offensive fr.-it. sur l'Adige ; 13-11 Nap. entre à Vienne ; 19-11 offensive en Bohême ; 2-12 *bat. d'Austerlitz* (actuellement Slavkov-n-Brno, Tchécosl.) ou des *Trois Empereurs* (Nap. avec 65 000 h. bat les emp. d'All. et Russie avec 90 000 h. : 15 000 †, 20 000 prisonniers ; *pertes fr. :* 800 †, 7 000 bl.) ; 26-12 *tr. de Presbourg* (actuellement Bratislava) : Autr. cède à Bavière, Tyrol et Trentin ; au Wurtemberg, Brisgau et Souabe ; à France, Vénétie, Istrie, Dalmatie, Cattaro. Le tsar ne traite pas.

Guerres de la 4e Coalition (1806-07)

Causes. *1°* Lors de la création de la Conf. du Rhin (12-7), Nap. propose de rendre au roi d'Angl. le Hanovre, occupé par la Prusse. La reine de Prusse, Louise, pousse son mari à rejoindre la Russie et l'Angl. (qui n'ont pas fait la paix). L'Autr. ruinée par sa contribution de 50 millions (tr. de Presbourg) reste neutre. *2°* La Turquie, inquiète de la présence russe en Adriatique, s'allie à Nap. et déclare la g. à la Russie le 24-12-1806.

Opérations. 1806, 5-3 l'amiral russe Séniavine occupe Cattaro ; 14-10 *Iéna* Nap. avec 80 000 h. bat Hohenlohe avec 50 000 h. ; *Auerstaedt* Davout avec 26 000 h. bat le roi de Prusse avec 70 000 h. ; oct.-nov. anéantissement de l'armée pr. ; occupation des États pr. (sauf Pr. orientale) et de la Pologne. **1807,** 8-2 bataille d'*Eylau* (indécise : 20 000 † fr. sur 60 000 h. ; 26 000 † pr.-russes sur 88 000 h.) ; 14-5 prise de *Dantzig,* dernière place prussienne ; 14-6 *Friedland* Nap. avec 26 000 h. (1 800 †) bat Bennigsen avec 70 000 h. (30 000 † et pris.) ; 1-7 bat. navale du Mt Athos (Séniavine détruit 8 nav. turcs) ; janv.-févr. Sébastiani, amb. de Fr. à Constantinople, repousse une escadre angl. qui a forcé les Dardanelles.

Conclusion. 7-7 *tr. de Tilsit* (accepté par la Prusse le 9-7) : la Pr. perd ses territoires à l'ouest de l'Elbe, et rend les terres polonaises acquises en 1792-95 (Gd-Duché de Varsovie). La Russie s'allie à Nap. Prusse et Russie adhèrent au *Blocus.* Projet de partage de la Turquie : la Fr. retrouve Cattaro et reçoit les îles Ioniennes.

Guerre d'Espagne (1808-14)

Causes. Nap. voulait annexer l'Esp. à son système en mariant son fr. Lucien à une fille du roi Bourbon (Charles IV). A cause du refus de Lucien, il choisit la solution du « roi intrus » (1er projet : Murat, puis : Joseph). Mais le 2-2-1808, Rome est occupée : le clergé esp., fidèle au pape, soulèvera le peuple en faisant connaître l'excommunication de Nap. (les Fr. sont appelés les Infidèles).

Opérations. 1808, 18-3 Murat (chef des troupes qui doivent en principe opérer au Portugal) fait pression sur Charles IV pour qu'il s'enfuie en Amérique : Ch. IV abdique à Aranjuez en faveur de son fils Ferdinand VII ; 23-3 Murat occupe Madrid ; 30-4 F. VII et Ch. IV comparaissent devant Nap. à Bayonne ; 2-5 *(Dos de Mayo)* insurrection des Madrilènes contre Murat (1 200 † français, 2 500 † espagnols) ; 5-5 F. VII et Ch. IV remettent leur couronne à Nap. qui la donne à Joseph Bon., roi de Naples (Murat devient roi de Naples) ; juin-juillet développement de la guérilla ; 22-7 capitulation de Dupont à *Baylen* (ses troupes seront exterminées sur l'îlot de Cabrera, îles Baléares) ; 31-7 Wellington débarque au Port. ; 1-8 Joseph évacue Madrid ; 30-8 capitulation de *Cintra :* Junot battu à Vimeiro (Port.) est ramené avec ses troupes à Quiberon par la flotte angl. ; 3-11 offensive de la Grande Armée, commandée par Nap. ; 10-11 prise de Burgos ; 30-11 vict. de *Somo-Sierra ;* 3-12 capitulation de Madrid : Joseph remis sur le trône. **1809,** 17-1 Nap. rentre à Paris, laissant le commandement à Soult, Moncey, Lannes ; 24-2 Lannes prend *Saragosse* (50 000 Espagnols †) ; 29-3 vict. de Soult à *Oporto ;* les Angl. fortifient les lignes de *Torrès-Védras ;* 26-9 Soult commandant en chef : 19-11 vainqueur à *Ocaña* (30 000 Esp. †). **1810,** 1-2 Victor prend Séville ; 6-3 Masséna lève le siège de *Torrès-Védras* et évacue le Port. **1811,** 11-3 Soult prend *Badajoz ;* 3-5 dernière vict. fr. à Fuentes de Onoro (Masséna bat Wellington). **1812,** 9-1 Suchet prend Valence ; 21-7 Wellington bat Marmont aux *Arapiles,* puis prend Madrid. **1813,** 11-5 offensive de Wellington (80 000 h.) ; 21-6 il bat Joseph Bon. à *Vitoria ;* 8-9 il s'empare de St-Sébastien ; 12-12 *tr. de Valençay :* les Bourbons rétablis sur leur trône.

Guerres de la 5e Coalition (1809)

Causes. L'Autr. veut profiter de la g. d'Esp. pour prendre sa revanche sur la Fr. et sur la Bavière.

Effectifs. *France* 280 000 h. (sans l'Espagne) ; *Autriche* 300 000 hommes.

Opérations. 1809, 12-3 offensive autr. en Bavière ; 12-4 occupation de Munich ; 19/23-4 contre-offensive de Nap. (vict. de *Tengen, Abensberg, Landshut, Eckmühl, Ratisbonne* sur l'archiduc Jean ; pertes autr. 60 000 h.) ; 13-5 prise de *Vienne ;* 21-5 bataille d'*Essling* (indécise, 16 000 † français, dont Lannes ; 27 000 † autr.) ; 5-7 d'*Enzersdors* (15 000 Fr. franchissent le Danube) ; 6-7 de *Wagram* (Nap. avec 150 000 h. et 600 canons bat archiducs Charles et Jean avec 180 000 h. : 18 000 † fr., 32 000 † autr.) ; 12-7 *armistice de Znaïm* avec Autr. ; 30-7 débarquement angl. à Walcheren (échec) ; 14-10 *paix de Vienne :* Autr. perd 300 000 km² et 3 500 000 hab. (Galicie à Varsovie, Illyrie à la Fr.).

Guerres de la 6e Coalition (1812-14)

Causes. *1°* En 1812, le tsar Alexandre est ulcéré par l'annexion de l'Oldenbourg, fief appartenant à son cousin. *2°* La Russie souffre du Blocus continental. *3°* Alex. a fait la paix avec la Turquie (tr. de Bucarest). *4°* Napoléon est tenté par la conquête de la Russie. *5°* En 1813, les États germaniques ont compris que l'Empire français est touché à mort.

Effectifs. *Russie* 350 000 h. *Napoléon :* 700 000 h. dont Français 300 000, Autrichiens 38 000, Prussiens 20 000. Engagés en Russie : 400 000, mais le typhus et les désertions ont fait perdre 150 000 h. le 29-7 (arrivée à Vitebsk).

Opérations. 1° Campagne de Russie (1812-13) : 1812, 17-8 prise de Smolensk ; 7-9 bat. de la *Moskova,* appelée *Borodino* par les Russes [Nap. avec 130 000 h. bat Koutouzov (Michel Golenistchev, 1745-1813 ; P[ce] de Smolensk en 1812) et Bagration (le P[ce] Pierre, Géorgien, 1765-1812 tué à la Moskova) avec 100 000 h. : 58 000 † russes, 20 000 † alliés ; blessés : 25 000 russes, 10 000 alliés (13 000 blessés russes † faute de soins ; la plus sanglante bataille napol.)] ; 14-9 *prise de Moscou ;* évacuée sur ordre du gouverneur le Gal Rostopchine ; seuls demeuraient les prisonniers de droit commun à qui il avait promis la réhabilitation s'ils mettaient le feu (18-9) : 2/3 de la ville sont brûlés ; le reste est pillé par les Fr. (Rostopchine avait agi seul : le tsar Alexandre a toujours considéré les Fr. comme les auteurs de l'incendie) ; 23-10 Nap. ordonne au M[al] Mortier (duc de Trévise, 1768-1835) de faire sauter le Kremlin, ordre exécuté en partie ; 10-10 début de la retraite ; 17/25-11 passage de la *Bérézina* par 65 000 h. sur le pont construit par les sapeurs du Gal Eblé ; Nap. ordonne la destruction du pont alors que 12 000 traînards sont sur la rive dr. Eblé désobéit et en sauve encore 4 000 ; 5-12 Murat quitte l'armée (commandant : Pce Eugène) ; 16-12 Eugène ramène env. 100 000 h. à l'ouest du Niemen [pertes globales 532 000 h. (dont typhus : 450 000), 1 200 canons] ; 30-12 les Prussiens pactisent avec les Russes (déclarent la g. à la Fr. 17-3-1813).

Empire à son apogée 1811

Départements (130) dont *incorporés :* en 1802 Piémont (5), Valais (1), 1805 Gênes (3), 1808 Parme (1), Toscane (3), 1810 États de l'Égl. (2), Hollande (8), nord de la Westphalie (4), 1811 Oldenbourg (1). Voir liste ci-contre. *Sont rattachés sans être départementalisés* (8-2-1810) : Catalogne, Aragon, Navarre, Biscaye détachés du royaume d'Esp. **Provinces illyriennes** (1809) : *1° anciennes possessions vénitiennes* à l'E. de l'Adriatique ; autr. depuis le *tr. de Campoformio* (1797) ; cédées à Nap. en 1805 : Frioul, Istrie, Dalmatie, Raguse, Bouches de Cattaro ; cap. : Zara. *2° territoires enlevés à l'Autr. par le tr. de Schoenbrünn* (1-8-09) : Croatie, Carinthie, Carniole. 6 prov. civiles, sur le modèle des dép. fr., mais non départementalisées : Carniole, Carinthie, Istrie, Croatie civile, Dalmatie, Raguse ; 1 prov. militaire : Croatie mil. ; cap. : Laybach (Ljubljana).

États satellites de l'Empire : *Suisse* (dont Nap. est *médiateur,* 1803) ; *roy. d'Italie* (dont Nap. est *roi,* avec Eugène de Beauharnais comme *vice-roi,* 1805) ; *Confédération du Rhin* [dont Nap. est *protecteur,* 1806, et qui réunit 16 États en 1806, puis 29 après 1807, dont le roy. de Westphalie (Jérôme Bonaparte) et le duché de Varsovie (roi de Saxe)] ; *roy. de Naples* (à Joseph Bonaparte, 31-3-1806 ; puis à Joachim Murat, 15-7-1806) ; *rép. des îles Ioniennes* (1807).

☞ Le maréchal français Bernadotte, devenu prince héritier de Suède en 1810, n'a pas été l'allié de Nap. Autriche et Prusse lui ont fourni des contingents (34 000 et 20 000 h.) en 1812 contre la Russie.

Départements nouveaux sous la Révolution et l'Empire

1793 : Vaucluse, Mont-Blanc (Savoie et Hte-Savoie actuels), Mont-Terrible (chef-lieu Porrentruy ; réparti en 1800 entre le Doubs et le Ht-Rhin). **1795 :** Lys (Bruges), Escaut (Gand), Jemmapes (Mons), Deux-Nèthes (Anvers), Dyle (Bruxelles), Meuse-Inférieure (Maestricht), Ourthe (Liège), Sambre-et-Meuse (Namur), Forêts (Luxembourg). **1798 :** Sarre (Trèves), Rhin-et-Moselle (Coblence), Mont-Tonnerre (Mayence), Roër (Aix-la-Chapelle), Léman (Genève). **1802 :** Doire (Ivrée), Sésia (Verceil), Pô (Turin), Stura (Coni), Marengo (Alexandrie). **1805 :** Montenotte (Savone), Gênes (id.), Apennins (Chiavari). **1808 :** Arno (Florence), Méditerranée (Livourne), Ombrone (Sienne), Taro (Parme). **1810 :** Simplon (Sion), Tibre (Rome), Trasimène (Spolète). **1811 :** Bouches-de-l'Escaut (Middelbourg), Bouches-du-Rhin (Bois-le-Duc), Bouches-de-la-Meuse (La Haye), Yssel-Supérieur (Arnhem), Zuyderzee (Amsterdam), Bouches-de-l'Yssel (Zwolle), Frise (Leuwarden), Ems-Occidental (Groningue), Lippe (Munster), Ems-Supérieur (Osnabrück), Ems-Oriental (Aurich), Bouches-du-Weser (Brême), Bouches-de-l'Elbe (Hambourg).

2° **Campagne d'Allemagne (1813). Effectifs.** Sur le Rhin, 240 000 h., dont 150 000 Fr. (dont beaucoup de « Marie-Louise », conscrits des classes 1814 et 1815, non formés), 600 canons, cavalerie insignifiante (60 000 chevaux perdus en Russie). Eugène : 100 000 h. dont 60 000 occupent les places fortes prussiennes ; le typhus détruira 60 % des effectifs. **Opérations.** Avril offensive vers Dresde ; 2-5 vict. de *Lutzen* (Nap. bat les Prussiens) ; 20-5 *Bautzen* Nap. bat les Russes ; 29-5 prise de Hambourg ; les Prusso-Russes repassent l'Oder ; 4-6 *armistice de Pleiwitz* (cessez-le-feu) ; 12-7 *congrès de Prague* (Metternich décide l'emp. d'Autr. à se déclarer contre Nap.) ; 11-8 l'Autr. déclare la g. (effectifs alliés 1 million d'h., dont 40 000 Suédois) ; 27-8 vict. de *Dresde* (Nap. bat Autr., Prussiens, Russes ; 27 000 coalisés †, 12 000 pris.) ; 21-9 décret appelant 300 000 jeunes gens sous les drapeaux ; 12-10 la Bavière abandonne l'alliance fr. ; 16/18-10 *Leipzig* ou *bat. des Nations* [185 000 Fr. contre 300 000 coalisés (dont Bernadotte) avec 1 500 canons : 20 000 † fr., 38 000 pris., anéantissement évité grâce au Gal Antoine Drouot (1774-1847), chef de l'artillerie, surnommé le « Sage de la Gde Armée »] ; 23-10 évacuation de l'Allemagne ; 30-10 combat de *Hanau* contre les Bavarois : 45 000 Fr. repassent le Rhin ; 15-11 la Holl. rappelle Guillaume d'Orange.

3° **Campagne de France (1814). Effectifs.** Chiffres traditionnels : coalisés 350 000 h. (dont Blücher 70 000, Schwarzenberg 130 000), Napoléon 50 000 h. D'après Jean Savant : coalisés 140 000 h., Napoléon 160 000. BATAILLES : *St-Dizier* 27-1, *Brienne* 29-1, *La Rothière* 1-2, *Champaubert* 10-2, *Montmirail* 11-2, *Mormant* 17-2, *Troyes* 24-2, *Craonne* 7-3, *Laon* 9-3, *Arcis-sur-Aube* 19-3 (défaite décisive) ; 30-3 *capitulation de Paris :* Nap. se replie sur Fontainebleau ; 1-4 le chirurgien Gal Percy sauve 12 000 bl. russes et prussiens (réquisitionne les abattoirs de Paris ; les transforme en hôpitaux) ; 5-4 Nap. abdique ; 23-4 armistice entre Cte d'Artois et coalisés : reddition des 54 places qui résistent encore ; abandon des conquêtes de la Rép. et de l'Emp. ; livraison à l'Angl. des navires se trouvant dans les ports étrangers, des colonies et de Malte.

4° **Autres campagnes (1814). Espagne** (voir p. 628). Janv. Wellington passe la Bidassoa ; 2-2 le duc d'Angoulême le rejoint à St-Jean-de-Luz (13-3 il entre à Bordeaux) ; 27/28-2 *Orthez* Wellington bat Soult ; 10-4 Wellington entre à Toulouse. **Italie.** 11-1 Murat s'allie aux Autr. contre le P^ce^ Eugène ; 2-3 vict. de *Parme* (Eug. bat Murat et Bellegarde) ; avr. offensive austro-nap. ; 16-4 convention de Mantoue. **Suisse. 1813**, 30-12 les Autr. occupent Genève. **1814**, janv. pillent la Bresse ; 26-2 battus devant Lyon par Augereau ; mars occupent Lyon.

1re Restauration (avril 1814-mars 1815)

1814 12-4 entrée du Cte d'Artois (futur Charles X) à Paris (Nap. à Fontainebleau, essaie de s'empoisonner, le poison, trop vieux, n'agit pas) ; 13-4 rétablissement du drapeau blanc et de la cocarde blanche ; 4-4 gouv. provisoire du Cte d'Artois, « lieutenant-général du roy. » ; 20-4 *adieux de Nap.* à sa Garde (Fontainebleau) ; il part pour l'île d'Elbe avec 1 000 h. ; 24-4 Louis XVIII débarque à Calais ; 2-5 L. XVIII octroie la Charte constitutionnelle *(acte de St-Ouen)* ; 3-5 entrée à Paris ; 12-5 licenciement de 300 000 soldats et mise en *demi-solde* de 12 000 officiers (20 000 en 1815, ils constitueront jusqu'en 1848 la masse des militants bonap. ; les plus jeunes seront en général réintégrés en 1830 par Louis-Philippe et prendront part à la conquête de l'Algérie) ; 30-5 *tr. de Paris :* la Fr. revient à ses frontières de 1792, mais garde une partie de Savoie, Sarre et Hainaut ; 4-6 réunion du Corps législatif et du Sénat : la Charte est promulguée solennellement ; nov. (jusqu'au 9-6-1815) *Congrès de Vienne* (voir p. 631). 1815 3-1 Talleyrand conclut un tr. secret avec Autr. et Angl. contre Prusse et Russie ; 17-2 dissolution de l'Université de Fr., remplacée par 17 univ. particulières ; 26-2 *Nap. s'embarque* à l'île d'Elbe sur le brick « l'Inconstant », avec 5 autres navires et 1 200 h. ; 1-3 il débarque au golfe Juan (Talleyrand, d'accord avec les congressistes de Vienne, l'aurait manœuvré pour ce coup de tête, afin de l'abattre définitivement) ; 7-3 Nap. atteint Grenoble ; 10-3 Lyon ; 14-3 à Lons-le-Saunier, ralliement de Ney.

Les Cent-Jours (1815)

1815 19-3 Louis XVIII quitte Paris pour Gand ; 20-3 Nap. entre à Paris ; 21-3 obtient l'alliance de Murat ; 31-3 gouv. provisoire nommé par le Sénat [Emmerich, duc de Dalberg (Mayençais, donc Fr. à l'époque, 1773-1833), François, Mis de Beurnonville (1752-1821), abbé François de Montesquiou-Fézensac (1757-1832), P^ce^ Charles de Talleyrand (1754-1838)] ; 22-4 *actes additionnels* à la Constitution de l'Empire ; 31-5 *tr. de Vienne,* mettant Nap. *hors-la-loi ;* 1-6 *Champ de Mai* à Paris (présentation

Bilan de l'Empire

• **Démographie. Population de la France.** *1789 :* 27 000 000, *1815 :* 29 400 000 [accroissement 9 % (Angl. 23 %)]. **Proportion des hommes** (*1806 :* 1 000 h. pour 1 034 f., *1815 :* 1 000 h. pour 1 059 f., 14 % de f. célibataires). **Natalité** *1789 :* 36 ‰, *1813 :* 29 ‰, *1815 :* 32 ‰ (Angl. 37 ‰). **Mortalité** hors combat, stable, sauf 1814 (typhus 100 000 † civils).

Pertes militaires : 430 000 à 2 600 000 †. J. Bourgeois-Pichat : 860 000 ; Jean Tulard : 1 million (470 000 †, 530 000 disparus) dont Russie (1812) 300 000, Allemagne (1813) 250 000, la plupart † du typhus. *Bataille la plus sanglante :* Leipzig (1813) : 60 000 †.

• **Domaine culturel et artistique. Objets d'art :** les guerres ont restreint les industries de luxe (ébénisterie, orfèvrerie, bijouterie) et provoqué l'exil de nombreux artistes (Fragonard, Vigée-Lebrun, etc.). Lors de la paix d'Amiens (1802), de nombreux objets d'art, achetés par des Angl., partent pour la G.-B. *Style empire.* Voir p. 404.

Destructions de monuments médiévaux : commencées sous la Révolution, elles se poursuivent sous le Consulat et l'Empire : Paris (le Temple, St-André-des-Arts, St-Jean-en-Grève, St-Thomas du Louvre, le Grand Châtelet, le séminaire St-Sulpice, l'abbaye St-Victor, les couvents des Feuillants, Célestins, Cordeliers, Capucines, Carmes) ; province (St-Pierre d'Angoulême, château comtal à Troyes, abbayes de St Jean-des-Vignes à Soissons, St-Martin à Nevers, St-Germain à Auxerre, St-Sernin à Toulouse et surtout Cluny, en 1810).

Constructions en style empire : PARIS : chapelle des Tuileries (détruite 1871), cour carrée du Louvre, colonne commémorative (place Vendôme), obélisques, arc de triomphe de l'Étoile (réalisé et modifié sous la Restauration), arc du Carrousel ; péristyle du corps législatif (Assemblée nationale actuelle) ; Bourse de Brongniard (modifiée 1855), Cour des comptes (brûlée 1871), fontaines [place du Châtelet, place St-Sulpice, hôpital Laennec, boulevard St-Martin (transportée au parc de la Villette)] ; marché St-Germain ; rues de Castiglione et de Rivoli, pont d'Austerlitz, pont d'Iéna. PROVINCE : orangerie de *Strasbourg,* serre du Jardin botanique de *Marseille ;* théâtre de *Dijon,* château de *Rambouillet.* ITALIE : jardins du Pincio à *Rome ;* décoration du Quirinal (utilisé par les papes).

Littérature. Période stérile. Napoléon préférait les œuvres de style néoclassique, de préférence sans originalité, pour éviter les créations subversives. Les 3 grands écrivains de l'époque : Mme de Staël, Chateaubriand, Benjamin Constant étaient de l'opposition. Malgré de sévères lois restreignant sa liberté, le théâtre reste vivant (notamment le mélodrame : Caigniez, Pixérécourt).

• **Économie. Grands travaux publics.** *Routes alpines :* Simplon, Mt-Cenis, Montgenèvre. *Ports :* Cherbourg, mais surtout Anvers, qui a mobilisé presque tout le budget de la marine. *Routes* (en étoile autour de Paris) ; améliorées et prolongées (notamment corniche Nice-Gênes-La Spezia). *Total :* 219 impériales, 1 165 r. départementales.

Agriculture. Betterave (culture lancée 1812 par Delessert) : le prix du sucre tombe de 99 %. Pastel (introduite dans le Midi, pour compenser l'indigo, devenu introuvable). Tabac, vigne et élevage des bêtes à viande progressent. Ver à soie, lin, chanvre, sylviculture, céréales régressent. *Production agricole* plus 48 % entre 1789 et 1814.

Industrie. Sidérurgie : les forges se développent, grâce à l'industrie de l'armement (notamment Wendel à Hayange), elles utilisent encore le bois comme combustible. Les Peugeot (de Montbéliard), devenus Français en 1790, créent l'industrie de l'acier. **Textile :** développement des filatures de coton, par suite de la prohibition des tréfilés anglais (Paris : établissement Richard Lenoir ; Lille, Roubaix, Tourcoing, Mulhouse, Rouen). Développement de la laine dû aux machines cardeuses, fileuses, finisseuses. *Soie :* Jacquard parvient, à la fin de l'Empire, à faire adopter son métier à tisser (progrès sensibles sous la Restauration). **Chimie :** à Paris, création de l'usine de Javel (eau de Javel) et de l'usine à gaz du Gros-Caillou. En province : Saint-Gobain (soude). **Total de la production industrielle :** elle retrouve en 1809 son niveau de 1789 (après des baisses très sensibles). En 1811, crise industrielle, nouvelle baisse. **Commerce :** déclin maritime (1789 : 2 000 navires long-courriers ; 1801 : 1 500, 1812 : 179). Nantes, Bordeaux, Marseille sont victimes du Blocus continental. La contrebande, active, profite à Strasbourg et à Lyon. La navigation fluviale est délaissée.

Encaisse-or. *1812 :* 82 millions, *mars 1814 :* 9 ; *avr. 1814 :* 2. **Déficit budgétaire cumulé :** *1814* 1 300 ou 1 640 millions (évaluation de Louis Corvetto : 500 à 600). **Dette publique à long terme.** *1815* 1 272 millions. **Revenu national :** le P.I.B. (sans les services) : *1789 :* 4 milliards ; *1812 :* 5,7. **Progression** (1796-1815) 3 % par an.

• **Influence à l'étranger. Europe.** La France qui, au XVIIIe s., n'avait plus qu'un seul ennemi (l'Angl.), se retrouve en 1815 avec presque toute l'Europe contre elle : Portugal, Espagne, Suisse, Hollande, Allemagne, Autriche, Russie, Suède. Seules, Italie et Belgique restent politiquement fidèles à Nap. (sentimentalement mais non politiquement : Pologne). Italie, Espagne, Allemagne, Russie vont rejeter la culture française, même si le Code civil napoléonien se maintient parfois (Allemagne, Italie, Espagne, Belgique et Hollande). Dans les États de l'Église (ex-départements de Trasimène et de Rome), la structure administrative reste en place. La laïcisation ne disparaît nulle part. La carte de l'Allemagne est modifiée. Les coutumes féodales ont disparu presque partout. **Hors d'Europe :** l'Angl. réalise son projet du XVIIe s. : chasser l'Espagne et le Portugal de leurs possessions américaines (succès rendus possibles par l'occupation fr. de la péninsule Ibérique et la rupture des communications entre Europe et Amér.). Les républiques sud-amér. restent hispanophones, mais l'influence maçonnique y est forte et les Angl. y dominent économiquement (en Argentine, vers 1900, 85 % des capitaux investis seront angl.).

• **Institutions.** Nap. a rétabli les corps centralisés de la monarchie (enregistrement, domaines, impôts directs, hypothèques, caisse d'escompte, postes, eaux et forêts, haras, écoles vétérinaires, archives, cartographie, poudres) ainsi que 6 classes de charges vénales (notaires, avoués, greffiers, huissiers, courtiers, agents de change) ; il a créé (surtout pendant le Consulat) d'autres organismes nécessaires à un État centralisé : administrations, préfectures, municipalités ; Conseil d'État, Cour des comptes, Corps législatif et Sénat, Code civil avec tribunaux hiérarchisés, Banque de France, Institut de France. Pendant un siècle et demi, on a considéré comme positive son œuvre de législateur-centralisateur. Mais, sous des chefs d'État plus faibles, la centralisation napoléonienne tombe dans le « caciquisme » administratif, chaque administration ignorant ou combattant les autres. Plusieurs entités napoléoniennes ont disparu au XXe s. *1905 :* Église concordataire ; *1919 :* franc germinal ; *1968 :* université. Depuis, on est revenu à l'idée de « décentralisation » (anti-napol.) ; on a critiqué la soumission du pouvoir judiciaire (nomination et avancement des magistrats dépendent du gouvernement) ; dep. 1981-86 le rôle des préfets a diminué.

Dynastie. Les Napoléonides ont encore régné de 1852 à 1870 (IIe Empire). Actuellement les Bonaparte se trouvent sur un pied d'égalité avec les anciennes maisons souveraines (plusieurs alliances). **Noblesse.** Échec. Sur 3 600 familles anoblies par Napoléon, il en restait 167 (env. 4 %) en 1987.

• **Territoire.** Légèrement agrandi en 1814, par rapport à 1789, la métropole se retrouve en 1815 légèrement rapetissée (Avignon et Mulhouse compensant à peu près certaines rectifications de frontières défavorables). Mais Napoléon perd la Louisiane (qui aurait pu faire de la France au XIXe s. la 1re puissance mondiale) et plusieurs îles : St-Dominique (55 % de la production mondiale de sucre), Tobago, Ste-Lucie, Dominique ; Maurice et Rodrigues, Seychelles.

des dignitaires de l'Empire) ; à Bamberg (Bavière), suicide de Berthier ; 3-6 réunion de la Chambre des députés ; 18-6 Waterloo ; 21-6 Nap. tente de s'empoisonner (sauvé par des lavages d'estomac, pratiqués par le pharmacien Charles-Louis de Gassicourt, fils naturel de L. XV) ; 23-6 2e *abdication* à Paris ; 8-7 L. XVIII rentre à Paris ; 15-7 Nap. s'embarque à l'île d'Aix.

Guerre de la 7e Coalition (1815)

Cause. Volonté des puissances européennes d'en finir avec Napoléon. **Effectifs.** *Français* 420 000 h. dont 120 000 utilisables immédiatement. *Coalisés* 500 000 h. (Belgique : 120 000 Prussiens, 88 000 Anglais, 20 000 Holl ; Italie : Murat 40 000 h. ; Autrichiens 70 000 h.).

Opérations. 1815. Belgique. 15-6 offensive de Nap. sur Charleroi : *Ligny* bat. indécise : Blücher se replie en bon ordre ; 18-6 *Waterloo* [Wellington (77 000 h.) rejoint par Blücher (88 000 h.) battent Napoléon (74 000 h.) privé du corps de Grouchy (33 000 h.) ; *pertes alliées :* 15 000 h. ; *françaises :* 30 000 h., dont 7 000 pris.]. Pour la 1re fois au cours des g. napoléoniennes, l'armée fr., après un 7e assaut tenté en vain contre les lignes de Wellington, vers 18 h, s'est débandée aux cris de « nous sommes trahis ». Cette panique s'explique par la désertion à l'ennemi (prussien) du Gal français Louis de Bourmont (1773-1846 ; maréchal 1830), le 14-6-1815. Ancien chef chouan, il s'était rallié à Nap. en mai 1815 et avait obtenu le commandement de la 6e division (il n'est pas sûr qu'il ait communiqué à Blücher le plan fr., bien que Nap. l'en eût accusé dans le Mémorial de Ste-Hélène). Les soldats, impressionnés, ont répandu le bruit de la trahison de plusieurs généraux, notamment Soult, Vandamme, Dhérin. Celle de Grouchy (admise sous la Restauration) n'a pas été évoquée le j. de la bataille. Les 1ers *sauve-qui-peut* avaient été poussés à 16 h à l'aile droite de l'armée fr. au village de La Haye, attaqué inopinément par Blücher et défendu par la 4e div. fr. (son chef, le Gal Durutte, agressé en 1813 à Leipzig par les alliés saxons, est peut-être à l'origine de la panique générale). Seule la Garde (Gal Pierre Cambronne 1770-1842, qui aurait répondu merde aux Anglais lui demandant de se rendre) a tenu ses lignes. 23-6 Nap. abdique ; 3-7 armistice (militaire) : l'armée fr. doit se retirer derrière la Loire dans les 8 j. **Italie.** 20-3 offensive Murat dans les États de l'Église ; 6-4 enlève Florence aux Autrichiens ; 2/3-5 Murat écrasé à Tolentino (30 000 † ou pris sur 40 000 h.). **Vendée.** 15-3 soulèvement général ; 1-6 débarquement angl. dans le Marais vendéen ; 4-6 *Les Marthes :* Estève bat les royalistes, La Rochejaquelein (fils) tué ; 26-6 armistice *(Convention de Cholet).* **Haute Alsace.** 2-7 le Gal Barbanègre, commandant Huningue, demeuré fidèle au régime impérial, subit le feu des Austro-Suisses. 26-7 il bombarde Bâle (grosses destructions). 14-8 nouveau bombardement de Bâle. 22-8 l'archiduc Jean, avec 20 000 h., assiège et bombarde Huningue. 26-8 Barbanègre capitule et va rejoindre les armées fr. au sud de la Loire.

Principauté de Waterloo. Érigée le 3-6-1817 pour Wellington, par Guillaume Ier, roi des P.-Bas. Non souveraine. 1 000 ha près de Waterloo (Nivelles, Vieux-Genappe, etc.). Transmissible par les mâles, elle appartient au 8e duc de Wellesley, titré Pce de Waterloo, qui touche les revenus des fermages versés par les fermiers quasi-propriétaires (fermage héréditaire), mais ne pouvant vendre leur fonds.

2e Restauration (22-6-1815/7-8-1830)

Louis XVIII (22-6-1815/16-9-1824)

1815 *Terreur blanche,* contre Jacobins et bonapartistes ; env. 100 000 arrestations, 45 mamelouks massacrés à Marseille ; le Mal Brune (ancien « septembriseur », responsable de la mort de Mme de Lamballe), tué à Avignon ; 2-8 colonel Charles de La Bédoyère condamné à mort (fusillé 19-8), Antoine de La Valette, directeur des Postes (qui s'évadera) ; 15-8 Gal Ramel tué à Toulouse par les « Verdets » (terroristes royalistes existant depuis la Révolution) ; 2-9 les « jumeaux de La Réole » (généraux César et Constantin Faucher, nés 1759) fusillés à Bordeaux. Août élections : *Chambre « introuvable »* [surnom donné par le roi, majorité *ultra-royaliste* (terme forgé par Jean-Marie Duvergier de Hauranne, 1798-1881, député libéral de Rouen), partisan d'une sévère répression anti-rép. et anti-bon., chef : le Cte d'Artois] ; dissoute 5-9-1816 ; 6-9 *min. du duc de Richelieu* (1766-1822) ; 26-9 *tr. de la Ste-Alliance* entre Prusse, Autriche, Russie (transformée en Quadruple Alliance avec l'Angl. 20-11 ; et en Pentarchie, avec la Fr., en oct. 1818) : antirévolutionnaire ; 20-11 2e *tr. de Paris ;* 7-12 Mal Ney (n. 1769) condamné à mort pour s'être rallié à Nap. ; exécuté 18-12. **1816** 6-6 naufrage de la *Méduse* (voir Index) ; oct. élections favorables aux « Constitutionnels » (160 élus sur 262 sièges). **1817** lois électorales (5-2) ; sur lib. individuelles (12-2) ; sur presse (28-2). **1818** 30-9 ouverture des négociations d'Aix-la-Chapelle entre Richelieu et Alliés ; 30-11 évacuation des troupes étrang. ; 26-12 *min. du Gal Dessolles* (1767-1828) *et du duc Élie Decazes* (1780-1860). **1820** 20-2 *du duc de Richelieu ;* 13-3 duc de Berry assassiné par Louis Louvel (n. 1783), ouvrier sellier rép. (condamné à mort le 6-6, guillotiné le 7) : le 1er min. Decazes, chef des libéraux et favori de L. XVIII, est rendu responsable du crime, accusé de complicité en pleine Chambre, il doit se retirer, mais L. XVIII le nomme ambassadeur à Londres et duc français (il était déjà, par mariage, duc danois) ; 29-9 naissance du duc de Bordeaux, futur Henri V. **1821** 5-5 Nap. meurt à Ste-Hélène ; 14-12 min. du *Cte de Villèle* (1773-1854). **1822** 1-1 *conspiration de Saumur* (Sirejean, exécuté 2-5 ; Gal Berton, exécuté 5-10) ; 17-3 complot des *4 sergents de La Rochelle :* Bories (26 ans), Goubin (20 ans), Pommier (25 ans) et Raoul (24 ans) (exécutés 21-9) ; 20-10 *congrès de Vérone ;* 28-12 Chateaubriand, min. des Aff. étr. **1823** expédition d'Esp. pour abattre le libéralisme esp. ; 31-8 prise du *Trocadéro* par le duc d'Angoulême. **1824** 24-2 élection : *Chambre retrouvée* (415 conservateurs, dont 264 fonctionnaires sur 430 élus) ; 15-8 censure rétablie ; 16-9 L. XVIII meurt (hydropique, 2 jambes gangrénées).

Charles X (16-9-1824/2-8-1830)

1825 17-3 indépendance de St-Domingue (150 millions pour les colons rapatriés) ; 20-4 loi sur le *sacrilège ;* 28-4 *« milliard des émigrés »* remboursé sous forme de rentes à 3 % aux familles nobles qui n'ont pas récupéré leurs biens fonciers vendus sous la Révolution comme « biens patrimoniaux » ; principaux bénéficiaires : duc d'Orléans (510 000 F annuels), La Fayette. En contrepartie, les biens patrimoniaux étaient garantis à leurs propriétaires, ce qui fit monter leur valeur de 25 % ; 29-5 *sacre de Charles X* à Reims. **1827** 12-3 loi sur la presse (antilibérale, dite *loi de Justice et d'Amour*) ; 17-4 la Chambre des Pairs la modifie tellement que Villèle la retire : Paris illumine ; 24-6 rétablissement de la censure ; 4-10 intervention en Grèce ; 20-10 *bat. de Navarin :* flotte turco-égypt. (Ibrahim Pacha) détruite par escadre anglo-franco-russe (amiral fr. : Henri de Rigny, 1782-1835), protégeant les insurgés grecs ; 5-11 Chambre dissoute ; 17-11 les libéraux gagnent les élections. **1828** 4-1 min. du *Vte de Martignac* (1778-1832) (min. de l'Intérieur). **1829** 8-8 min. du *Pce de Polignac* (1780-1847). **1830** 16-3 : 221 députés libéraux votent une *Adresse* (contre 181 voix ultras), demandant l'observation de la règle du jeu parlementaire ; 16-5 Chambre dissoute ; 3-7 élections : la majorité lib. s'accroît de 53 voix ; 4-7 prise d'*Alger* (Voir Index) ; 26-7 *ordonnances* (1 : censure rétablie ; 2 : Chambre dissoute ; 3 : loi électorale modifiée ; 4 : élections fixées en septembre) ; 27/28/29-7 *les Trois Glorieuses,* insurrection ; 29-7 min. du *duc de Mortemart* (1787-1875) ; 7-8 la Chambre appelle le duc d'Orléans.

La guerre civile de 1830

Causes. Tentative de Charles X de gouverner par ordonnances (c.-à-d. sans le Parlement : la charte de 1814 l'y autorise). En fait, Charles X aurait pu gagner la partie contre le libéralisme maçonnique en instituant le suffrage universel. Les citadins, libéraux et républicains étaient env. 10 fois moins nombreux que les paysans (conservateurs et bien encadrés par le clergé paroissial).

Effectifs. *Troupes royales* à Paris (Marmont) : 10 000 h. *Insurgés :* anciens gardes nationaux (dissous le 24-7-1827, mais ayant conservé leurs armes) : 20 000 h. ; insurgés rép. (ayant pillé les armureries) : env. 5 000 h. **Pertes** [29-7 à midi (évacuation de Paris)]. *Insurgés :* 1 800 † ; *troupe :* env. 200 †.

Opérations. 27-7 patrouilles des troupes royales dans les rues de Paris. Jets de projectiles. 2 compagnies passent aux émeutiers (5e de ligne) ; 28-7 constructions de barricades ; Marmont forme 4 colonnes pour les déblayer ; à 17 h, il reçoit l'ordre de tenir Louvre et Tuileries. La nuit, il s'y fait bloquer par des barricades ; 29-7, 13 h les insurgés prennent le Louvre ; débâcle des troupes de Marmont ; 13 h 30 duc d'Angoulême commandant en chef : il évacue Paris (Ch. X est à St-Cloud) ; 15 h duc de Mortemart 1er ministre ; 30-7, 6 h retrait des Ordonnances ; 8 h Thiers et Mignet font placarder un manifeste orléaniste ; 10 h la Garde nationale est rétablie (commandant : La Fayette) ; elle occupe l'Hôtel de V. et y fait hisser le drapeau tricolore ; 31-7 le duc d'Orléans prend le titre de lieutenant-général du royaume, 11 h se rend à l'Hôtel de V. ; 1-8 Ch. X, replié à Rambouillet, nomme officiellement le duc d'Orléans lieut.-général du roy. (refus du duc) ; 2-8 Ch. X nomme le duc régent (chargé de proclamer roi le duc de Bordeaux) ; il abdique, ainsi que son fils (le duc d'Angoulême, devenu Louis XIX), impressionné par le Mal Maison (1771-1840), orléaniste, qui lui signale une offensive de 100 000 Parisiens (partis 30 000, ils arrivent moins de 1 000), l'armée royale (12 832 h.) se replie, Ch. X se replie vers Cherbourg ; il mourra en exil à Gorizia (Italie), le 6-11-1836.

Pouvait-elle être gagnée ? *a) Militairement :* le rapport des forces était favorable au roi ainsi que la position (les insurgés ayant quitté les rues de Paris pour le plateau des Yvelines ; la cavalerie aurait pu les balayer). Mais, le Gal Maison, commandant l'armée royale, haut dignitaire maçonnique (grand-officier du Grand-Orient, grand trésorier du Suprême Conseil) a agi en faveur de Louis-Philippe.

b) Psychologiquement : le duc d'Angoulême, devenu le roi L. XIX, avait le droit de tenir pour nulles les décisions de son père, Ch. X, et de garder la couronne au lieu de la transmettre à son neveu, Henri V. Ayant lui-même servi comme général (notamment lors de l'expédition d'Esp. en 1823), il aurait pu disperser les insurgés et reprendre Paris, mais il a abdiqué (soit par confiance envers le duc d'Orléans, soit par simple faiblesse).

Monarchie de Juillet

Louis-Philippe (9-8-1830/24-2-1848)

1830 9-8 vote de la *Charte rénovée* (liberté de la presse, abolition de la censure ; initiative des lois reconnue également à la Chambre ; le catholicisme n'est plus religion d'État ; suppression des justices exceptionnelles). Le duc d'Orléans prête serment et est nommé « roi des Français » ; 27-8 mort inexpliquée (« suicide » invraisemblable) du Pce Louis de Condé [n. 1756, père du duc d'Enghien (fusillé 1804) ; beau-frère de Louis-Philippe ; fils de l'ancien chef de l'armée des émigrés ; sa fortune revenant au duc d'Aumale, son neveu et filleul, la famille d'Orléans fut soupçonnée de crime ; on a dit également que le duc était mort accidentellement, au cours d'une partie de plaisir avec sa maîtresse, la Bonne de Feuchères (v. 1795-1840)]. 25-12 : 4 ministres de Ch. X condamnés à la prison perpétuelle (Pce de Polignac, Cte de Peyronnet, Victor de Chanteleuze, Cte Guernon-Ranville) conduits à Ham le 30-12. 3 cond. par contumace (D'Haussez, Bon Capelle, Montbel. **1831** janv. L.-Phil. refuse pour son fils, le duc de Nemours, la couronne de Belg. (indépendante dep. 4-10-1830) ; motif : crainte de mécontenter l'Angl. ; 3-2 émeute anticléricale (des légitimistes ayant fait célébrer à *St-Germain-l'Auxerrois* une messe à la mémoire du duc de Berry) : l'*archevêché de Paris* est saccagé ; 11-7 une escadre fr.-angl. installe à Lisbonne don Pedro de Bragance (libéral) qui chasse Miguel II (conservateur) ; 21/22-11 insurrection des *canuts* (ouvriers de la soie) à Lyon (les patrons refusent d'établir un salaire minimal). 40 000 ouvriers en armes, 20 000 soldats (Mal Soult) ; tués : 171 civils, 170 soldats (600 arrestations).

1832 23-2 occupation d'*Ancône* (États de l'Église) par représailles contre Metternich qui a occupé Bologne ; 3-3 échec d'un complot légitimiste dit de la *rue des Prouvaires ;* mars-avr. épidémie de *choléra* à Paris (18 500 †) ; 30-4 la *duchesse de Berry,* mère d'Henri V, débarque à Marseille ; déb. mai ne parvenant pas à soulever le Languedoc, gagne la Vendée ; mai-juin suscite des troubles en Vendée (prise d'armes du comte de Charette, neveu du chef vendéen, à La Chaise-en-Vieille-Vigne, 3/4-6) ; 6-11 arrêtée à Nantes ; internée à Blaye sous la surveillance du futur Mal Bugeaud, elle doit révéler une grossesse ; disait avoir conclu un mariage secret avec un Italien, le Cte Lucchesi-Palli (déconsidérée, elle est libérée par L.-Ph., mais écartée de la cour de Ch. X, à Gorizia) ; 30-11 *intervention en Belg.* en faveur des insurgés (Mal Gérard) ; 23-12 prise d'Anvers. **1834** 13/14-4 massacre de la *rue Transnonain* à la suite d'une émeute fomentée par la Sté des droits de l'homme (19 tués ou blessés). **1835** 28-7 attentat de *Fieschi* (18 tués dont le Mal Mortier, duc de Trévise,

Congrès de Vienne

Souverains présents. Empereurs : *Russie* (Alexandre Ier, 1777-1825) ; *Autriche* (François II, 1768-1835). **Rois :** *Prusse* (Frédéric-Guillaume III, 1770-1840) ; *Bavière* (Maximilien-Joseph Ier, 1756-1825 ; *Wurtemberg* (Frédéric Ier, 1754-1816) ; *Danemark* (Frédéric VI, 1768-1839).

Diplomates. *France :* Charles-Maurice de Talleyrand-Périgord (1754-1838). *Angleterre :* Henry Robert Stewart, Vte Castlereagh (1769-1822) et le Gal Arthur Wellesley, duc de Wellington (1769-1852). *Autriche :* Clément, Pce de Metternich (1773-1859). *Prusse :* Charles-Auguste, Pce de Hardenberg (1750-1822), Guillaume, Bon de Humboldt (1767-1835). *Russie :* Antoine Capo d'Istria (Grec, 1776-1831), Robert, Cte de Nesselrode (1780-1862) et André Cyrilovitch Razoumovski (1752-1836). *St-Siège :* cardinal Hercule Consalvi (1757-1824), secr. d'État. *Espagne :* Pedro Gomez Havelo, Mis de Labrador (1775-1852). *Secr. gal du Congrès :* Friedrich von Gentz (Autr., 1764-1832).

Sujet des négociations. Refaire la carte de l'Europe (en fixant, notamment, les frontières des anciens États, et en réglant le sort des États nouvellement créés en Italie et Pologne). *Problèmes secondaires :* navigation sur Danube et Rhin ; traite des Noirs ; sort des juifs ; préséance entre agents diplomatiques.

Comité directeur. Les 4 grandes puissances, signataires du tr. d'alliance de Chaumont (14-3-1814) : Angleterre, Autriche, Prusse, Russie, prétendent le constituer seules. Mais Talleyrand, aidé par Labrador, forme contre elles une ligue des petites puissances qui bloque les négociations. Les 4 grandes consentent alors à admettre la Fr. comme 5e membre du comité, à égalité avec ses anciens ennemis (décision due surtout à Lord Castlereagh, qui redoute les ambitions de la Prusse et de la Russie).

Politique de Talleyrand. Il est Pce de Bénévent, ancienne terre pontificale enclavée dans le royaume de Naples, aux mains de Murat, qui s'appuie sur l'Autr. Ferdinand IV (1751-1825), roi de Naples dépossédé (mais qui a gardé la Sicile), offre à Talleyrand d'échanger la principauté du Bénévent contre un titre ducal napolitain. T. adopte cette stratégie : 1° éliminer Murat [en 1815, des agents provocateurs poussent Napoléon et Murat à se lancer dans l'aventure sans issue du « retour de l'île d'Elbe » (les Cent-Jours : mars-juin). Murat est fusillé le 13-10-1815]. 2° faire admettre le principe de la *légitimité* [les territoires ayant changé de statut depuis 1791 doivent revenir à leurs souverains légitimes et Ferdinand récupérera les territoires dans lesquels le Bénévent est enclavé (conséquences : favorable pour la France : elle récupère ses colonies ; défavorable : le projet russo-prussien d'installer en Rhénanie le roi de Saxe, dépouillé de son royaume au profit de la Prusse, échoue ; la Prusse s'installe sur le Rhin)]. 3° faire admettre le principe de la « suppression des enclaves » (le pape devrait ainsi donner le Bénévent à Ferdinand IV, ce qui rendrait possible l'octroi du titre ducal). En vertu de ce 3e principe (1814), la France bénéficie de rectifications de frontières en Belgique, dans la vallée de la Sarre, à Landau-Germersheim (Palatinat bavarois) et dans la vallée du Rhône (annexion d'Avignon, enclave pontificale jusqu'à 1791) ; mais, après Waterloo, la Fr. est privée de ses enclaves d'avant 1792 (sauf Avignon, que le cardinal Consalvi a réclamé en vain pour le St-Siège). Consalvi refuse de livrer le Bénévent à Ferdinand IV. Celui-ci cède, et crée Talleyrand duc sans réclamer en échange sa principauté (en 1817, le titre ducal sera fixé sur l'îlot de Dino, pour le neveu et la nièce de Talleyrand.).

Traité secret franco-anglais. Talleyrand (orléaniste et de formation libérale) s'entend avec Castlereagh pour briser la coalition de Chaumont, et défendre l'Europe, au besoin par les armes, contre les ambitions éventuelles de Prusse, Russie, Autriche. Cet accord sera dénoncé après l'assassinat du duc de Berry et la conclusion de la Sainte-Alliance (1823) : la Fr. rejoint les 3 puissances conservatrices. Mais il reprendra vie en 1830 (Fr. et Angl. formant le groupe des « puissances libérales »), grâce à Talleyrand, ambassadeur de Louis-Philippe à Londres, qui, à propos de l'indépendance belge, met fin au principe de « légitimité ».

ancien Pt du Conseil) : fin de la politique libérale [3 exécutions : Guiseppe Fieschi (n. 1790), Morey, Pépin le 19-2-1836]. **1836** 26-6 Louis Alibaud (n. 1810), républicain, tire un coup de fusil sur L.-Ph. (exécuté 11-7) ; 29-10 *Strasbourg,* 1er complot de Louis-Nap. Bonaparte (soulève le 4e régiment d'artillerie, avec la complicité du colonel Vaudrey ; mais Varoy, général gouverneur, refuse son concours ; Louis-Nap. est arrêté par le 46e de ligne ; L.-Ph. le fait embarquer pour les U.S.A.) ; 6-11 Ch. X meurt à Gorizia ; 27-12 Meunier tire un coup de pistolet sur L.-Ph. (gracié). **1838** 17-5 Talleyrand meurt ; 11-10 intervention en *Argentine* contre le dictateur Rosas (antifédéraliste) qui institue le monopole commercial de Buenos Aires brimant les négociants fr. ; la flotte fr. bloquera le Rio de la Plata jusqu'en 1849 ; 25-10 les Fr. évacuent *Ancône ;* nov. les Fr. débarquent à *Vera Cruz* (Mexique) pour obliger le gouv. à payer ses dettes aux négociants fr. (dont un pâtissier, *« g. des gâteaux »*). **1839** 12-5 émeutes déclenchées par Barbès et Blanqui (prise de la Préfecture, de l'Hôtel de Ville, du marché St-Jean) ; les gardes nationaux contre-attaquent et capturent Blanqui, blessé (condamné à mort, il sera gracié, sur intervention de la duchesse d'Orléans, qui vient de mettre au monde le Cte de Paris).

1840 20-2 la Chambre rejette une dotation demandée par le roi pour le mariage du duc de Nemours. 6-8 *Boulogne,* complot de Louis-Nap. : il débarque avec 56 h. (dont plusieurs agents secrets orléanistes) et 475 000 F ; les officiers orléanistes de la garnison empêchent le ralliement des troupes ; les conjurés essayent de se rembarquer, mais ils ont 1 tué, 1 noyé, plusieurs blessés ; Louis-Nap. est capturé (il sera enfermé au fort de Ham dont il s'échappera le 25-5-1846). 15-12 transfert des cendres de Napoléon aux Invalides (voir p. 627b). 20-12 condamnation de Lamennais (auteur de *Paroles d'un croyant*). **1841** 25-4 protectorat sur Mayotte (océan Indien) ; 5-5 prise de possession des îles de *Nossibé* et *Nossi-Komba* (océan Indien) ; 13-7 sign. à Londres de la *Convention des Détroits* (fermés à tout navire de g.) ; 13-9 Quenisset tire sur le duc d'Aumale (gracié). **1842** 11-6 création du réseau des chemins de fer ; 13-7 *mort accidentelle du duc d'Orléans,* fils de L.-Ph. (il se brise les reins, près de la place des Ternes, en sautant d'un cabriolet dont le cheval s'était emballé) ; 9-9 prise de possession de *Tahiti.*

1843 16-5 le duc d'Aumale prend la *Smala d'Abd el-Kader* (23 000 h. dont 5 000 combattants, enlevés par 500 cav.) ; 2-9 visite de Victoria, reine d'Angl., à Paris ; sept.-déc. occupation de comptoirs africains : Assinie, Grand-Bassam, côte du Gabon. **1844** févr. à Tahiti, *Pritchard* (missionnaire anglican) pousse la reine Pomaré à rejeter le protectorat fr. ; mars l'amiral Dupetit-Thouars l'expulse ; juill. la presse angl. réclame la g. contre la Fr. ; Guizot promet une indemnité ; fin août apaisement (l'indemnité ne sera jamais payée). Juillet-sept. campagne contre le Maroc qui soutient Abd el-Kader ; 14-8 l'*Isly,* Bugeaud bat les Marocains ; 10-9 convention de Tanger (Abd el-Kader expulsé du Maroc). **1845** 22-9 *Sidi-Brahim* en Alg. : Fr. battus (450 †). **1846** 25-5 Louis-Nap. s'évade du fort de Ham. **1847** 23-11 soumission d'Abd el-Kader (1808-83) [interné à Toulon, Pau puis Amboise et libéré par Nap. III en 1852 ; 1855, il s'installe à Damas avec une pension de 100 000 F ; 1871, exhortera les rebelles algériens à faire la paix]. **1848** février chute du roi.

La guerre civile de février 1848

Causes. *1°* immobilisme du gouvernement (Louis-Ph. démoralisé depuis la mort de son fils aîné ; Guizot est sans imagination) ; *2°* l'opposition rép. à laquelle on avait volé sa victoire de 1830 exploite les scandales [corruption du Pt de la Cour de cassation Teste, et du Gal Cubières ; assassinat de la duchesse de Praslin par son mari (19-8-1847)] ; *3° les réunions étant interdites,* les rép. organisent une campagne de *banquets* (autorisés) : 70 en 1847 (17 000 participants), *le recours au suffrage universel* (qui aurait sauvé les Bourbons en 1830) ne pouvait aider les Orléans (beaucoup de paysans étaient légitimistes, le bonapartisme était implanté dans le peuple). **Chefs républicains :** Ledru-Rollin, Barbès, Louis Blanc, Schoelcher, Proudhon, Arago.

Déroulement. *1848,* 31-1 interdiction du banquet de la 12e légion de la Garde nationale (prévu le 22-2) ; 21-2 défilé de protestation décidé par Louis Blanc et Ledru-Rollin. 22-2, 10 h attroupement à la Madeleine, puis à la Concorde ; 16 h 1res barricades ; 24 h occupation des pavillons de l'octroi ; 23-2 les troupes quadrillent Paris ; nombreuses barricades ; 8 h assaut contre celle de la rue Quincampoix : 16 soldats † ; 12 h la Garde nat. est convoquée ; 14 h elle prend parti pour l'émeute ; renvoi de Guizot ; 22 h fusillade boulevard des Capucines (52 civils †, 95 bl.). Bugeaud commandant en chef, Thiers 1er ministre ; 24-2, 3 h Bugeaud décide d'envoyer 4 colonnes depuis le Carrousel. Mais les émeutiers évacuent les barricades sans combat, et les reforment derrière la troupe (exception : Barrière de Montmartre ; forte barricade que l'armée n'attaque pas). Seul point de combat : pl. de la Bastille [brigade du général Duhot (1788-1858), encerclée, met rapidement la crosse en l'air : Duhot se replie sur Vincennes] ; 8 h Thiers exige le cessez-le-feu ; 10 h la troupe pactise avec l'émeute ; Thiers propose la retraite sur St-Cloud (son plan qui sera appliqué en 1871 contre les Communards consistait à évacuer et à encercler Paris ; puis à le reconquérir comme une place forte ennemie avec de la troupe de métier). Louis-Ph. refuse ; 12 h il abdique en faveur de son petit-fils [le comte de Paris, 10 ans (la duchesse d'Orléans est régente)]. Il aurait sauvé la dynastie s'il avait laissé la couronne à l'un de ses cadets, le duc d'Aumale ou le Pce de Joinville. 13 h les Tuileries prises et pillées ; 15 h les émeutiers envahissent la Chambre, molestent la régente, nomment un *gouvernement provisoire :* Dupont de l'Eure, Ledru-Rollin, Arago, Marie, Lamartine ; 17 h 30 un *2e gouv.* (radical et socialiste) se forme à l'Hôtel de V. (Louis Blanc, Marrast, l'éditeur Laurent Pagnerre, Flocon, l'ouvrier Albert) ; 20 h les 2 gouv. fusionnent et *Lamartine proclame la rép. ;* 25-2 soumission des fils du roi (Aumale et Joinville) qui commandent l'armée et la flotte en Algérie ; 26-2 Louis-Ph. (réf. à Dreux) part pour l'Angl. où il mourra le 26-8-1850.

Ministères sous la monarchie de Juillet : 11-8-1830 Jacques Laffitte (1767-1844) ; 13-3-1831 Casimir Perier (1777-1832) ; 23-4-1832 Mal Soult (1769-1851) ; 19-7-1834 Mal Gérard (1773-1855) ; 10-11-1834 Maret, duc de Bassano (1763-1839) ; 19-11-1834 Mal Mortier ; 16-3-1835 duc de Broglie (1785-1870) ; 22-2-1836 Adolphe Thiers (1797-1877) ; 6-9-1836 comte Molé (1781-1855) ; 31-3-1839 Mal Soult ; 12-3-1840 Adolphe Thiers ; 29-10-1840 Mal Soult [vrai chef du gouv. : François Guizot (1787-1874)] ; 26-9-1847/23-2-1848 François Guizot (remplacé par Molé, puis Thiers).

Pertes. Insignifiantes sur les barricades, vu la non-combativité des troupes [peut-être une dizaine de † à la brigade Duhot (?)].

IIe République (25-2-1848/7-11-1852)

☞ **Institutions.** Voir p. 672.

1848 26-2 création des *ateliers nationaux* [chantiers non spécialisés (terrassements ouverts aux chômeurs (salaire 2 F par j)] ; bientôt 40 000 volontaires dont de nombreux provinciaux ; on ne sait à quoi les employer ; 29-2 abolition des titres de noblesse ; 2-3 fixation à 10 h de la j. de travail (pour l'imposer effectivement aux employeurs, nombreux mouvements de grève) ; 27-4 esclavage aboli aux colonies ; 4-5 *Ass. constituante* élue au suffrage universel ; 6-5 le Gouv. provisoire remplacé par une commission exécutive de 5 membres (Arago, Garnier-Pagès, Lamartine, Ledru-Rollin, Marie) ; 13-6 Louis-Nap. élu à des partielles par 4 départements ; 23-6 *suppression des ateliers nationaux* (trop coûteux) ; 23/26-6 émeutes ; *Cavaignac* reçoit les pleins pouvoirs (mort de Mgr Affre ; armée 800 †, garde nationale 800 †, insurgés 4 000 † ; 11 000 prisonniers, 4 300 déportés) ; 12-11 nouvelle Constitution ; 10-12 Louis-Nap. élu Pt par 5 434 226 voix contre Cavaignac 1 448 007, Ledru-Rollin 370 719, Raspail 36 329, Lamartine 17 910, Changarnier 4 790. **1849** 7-3/2-4 procès des chefs émeutiers de juin (Barbès, Blanqui, Raspail, Marie-Joseph Sobrier condamnés) ; avr.-mai constitution d'un corps expéditionnaire destiné à soutenir le Piémont contre les Autr. (mais le Piémont capitule avant sa mise en route) ; 26-5 installation de l'*Ass. législative ;* 1-6 envoi d'un corps expéditionnaire dans les *États de l'Église,* pour soutenir le pape contre les rép. romains ; 11-6 Ledru-Rollin met le gouv. en accusation pour viol de la Constitution (elle interdit de faire la g. aux peuples). L'accusation est rejetée (12-6), mais il y a des émeutes à Paris

Quelques personnages de la IIe République

Barbès, Armand (1809-70). Fils de riches propriétaires terriens de la Guadeloupe, élevé en France, *1827* au Parti républicain (clandestin). *1839* 12-5 prend part au soulèvement manqué ; blessé, arrêté, condamné à mort, puis gracié par Louis-Philippe sur intervention de Victor Hugo. *1848* févr. élu député de l'Aude, 15-5 organise le soulèvement socialiste qui s'empare de l'Hôtel de Ville. *1849* arrêté, condamné à la prison perpétuelle (à Bourges). *1854* gracié, exil en Espagne (1854-56), puis en Hollande où il meurt des suites de ses captivités.

Blanc, Louis (1811-86). Grande bourgeoisie (père inspecteur des finances ; mère née Pozzo di Borgo) ruinée par la rév. de Juillet. Renonce à la diplomatie ; clerc de notaire et précepteur. *1839* fonde la *Revue du Progrès* (rép.) et devient théoricien socialiste (*De l'organisation du travail* 1840, *le Droit au travail* 1848). *1848* se joint au gouv. provisoire et fait proclamer la Rép. Devenu ministre, il organise la commission du Luxembourg (réunissant patrons et ouvriers) et crée les ateliers nationaux, conséquence de la proclamation du « droit au travail », 4-5 éliminé du gouv., ne prend pas part au soulèvement manqué du 15-5 mais, accusé par Marrast de complicité, il doit s'enfuir à l'étranger en juin. Il vit à Londres jusqu'en 1871, correspondant du *Temps* sous le nom de Weller. *1871* 8-2, élu député de la Seine, il rejoint Bordeaux et siège à l'extrême gauche, mais refuse de s'allier aux communards. *1876* fonde le journal *l'Homme libre.*

Blanqui, Auguste (1805-81). Fils d'un conventionnel de Puget-Théniers, Girondin rallié à Napoléon. *V. 1825* Carbonaro. *1827* 29-4 blessé lors du soulèvement rép. *1830* blessé lors de la rév. de Juillet. *1834* avr. arrêté lors de l'insurrection de « la rue Transnonain ». *1839* 12-5 condamné à la prison perp. après le soulèvement manqué. *1848* févr. libéré, crée avec Barbès la *Sté rép. centrale* qui tente de s'emparer du pouvoir le 15-5 (attaque de l'Hôtel de Ville), incarcéré. *1859* libéré par l'amnistie mais condamné pour complot contre l'Empire à 4 ans de prison (1861-64). *1864-70* exilé. *1871* membre de la Commune, mai arrêté, condamné à mort et gracié. *1879* 30-4 élu député socialiste (de nouveau prisonnier à Clairvaux). Siège à l'extrême gauche jusqu'à sa mort. Il a passé 37 ans de sa vie en prison.

Raspail, François (1794-1878). *1815* séminariste à Avignon, chassé pour s'être rallié à Napoléon. Fait sa pharmacie à Paris, s'affilie au Parti rép. clandestin, *1830* blessé à la rév. (ne se rallie pas à Louis-Philippe ; *1832* emprisonné comme membre de la Sté des amis du peuple). *1840* après le procès de Marie Lafarge, démontre qu'un cadavre peut contenir de l'arsenic sans qu'il y ait eu empoisonnement. *1841* publie des traités de vulgarisation médicale. *1848* 25-2 fonde *l'Ami du Peuple,* 15-5 prend part à l'occupation du Palais-Bourbon. *1849* 24-4 arrêté, condamné à 6 ans de prison. *1855-59* exilé en Belgique. *1859* amnistié. *1874* condamné à 1 an de prison pour certains passages de son *Almanach et Calendrier météorologique. 1876* élu dép. de Marseille. *1877* réélu.

(13-6) et Lyon (15-6) ; 3-7 les Français occupent *Rome,* rétablissant Pie IX. **1850** 15-3 *Loi Falloux* (enseignement, voir Index) ; 31-5 loi restreignant le suffrage universel, il faut 3 ans de résidence au lieu de 6 mois pour voter : les ouvriers journaliers, main-d'œuvre mobile, sont éliminés (40 % des électeurs) ; août-sept. négociations entre orléanistes et légitimistes pour former un parti unique. **1851** 2-12 *coup d'État présidentiel* [exécutants : Morny (1811-65), Maupas (1818-88), Persigny (1808-72), Gal Saint-Arnaud (1801-54)] ; 4-12 résistance armée (300 †, 6 642 arrestations, 9 530 déportés en Algérie, 2 804 internés, 1 545 expulsés, 5 000 coupables placés sous surveillance) ; 21/22-12 Louis-Nap. élu pour 10 ans (7 439 216 oui, 646 737 non après un plébiscite au suffrage universel). **1852** 14-1 *nouvelle Constitution ;* 22-1 confiscation des biens de la famille d'Orléans ; 24-1 rétablissement des titres de noblesse ; 7-11 sénatus-consulte proposant un plébiscite sur le rétablissement de la dignité impériale ; 21-11 plébiscite (7 800 000 oui ; 280 000 non) ; 1-12 le Pt du Sénat apporte à St-Cloud les résultats du référendum et salue le nouvel empereur.

Second Empire (2-12-1852/4-9-1870)

Napoléon III (20-4-1808/9-1-1873)

1852 3-12 Angleterre, Prusse, Russie, Autriche reconnaissent l'Empire par un protocole secret (prenant acte des déclarations pacifiques de Napoléon III). **1853** 29-1 mariage de Nap. III et d'Eugénie de Montijo ; 1-7 baron Haussmann préfet de la Seine. **1855** 28-4 attentat de Giovanni Pianori [1827-1855 (guillotiné) : cordonnier italien (carbonaro), il tire 2 coups de pistolet sur Nap. III aux Champs-Élysées] ; 15-5 ouverture de l'Exposition universelle ; 23-11 visite à Paris de Victor-Emmanuel du Piémont. **1856** 16-3 naissance du prince impérial (nom envisagé : roi d'Alger, à cause des projets d'un roy. arabe en Alg.). **1857** 3-1 assassinat à St-Etienne-du-Mont de Mgr Sibour, archev. de Paris, par l'abbé Jean Verger, interdit et dément, prêtre opposé au dogme de l'Immaculée Conception ; 21-6 élections (seulement 5 opposants rép. : Jules Favre, Ernest Picard, Émile Ollivier, Louis Hémon et Alfred Darimon). **1858** 14-1 attentat d'*Orsini* [8 †, 142 blessés ; 1er attentat par un explosif chimique ; Felice Orsini (n. 1819) et son complice Joseph-André Pieri exécutés 13-3] ; 20-5 *1er tr. de Tien-Tsin* [ouverture aux missionnaires et aux négociants européens de 6 ports chinois supplémentaires : T'ai-wan et Tamsoui (Formose), Kioung-Tchéou (Haïnan), Nankin, Tchao-Tchéou (Kouang-Toung) et Tang-Tchéou (Chan-Toung)] ; 21-7 Nap. III rencontre le Premier ministre piémontais Cavour (1810-61) à *Plombières.* **1860** 23-1 *tr. de libre-échange* avec l'Angl. (droits de douane fixés en fonction de la valeur des produits) ; 24-3 *tr. de Turin,* Fr. reçoit Savoie et comté de Nice (plébiscites 15-4 et 23-4) ; 30-8 débarquement fr. au *Liban* (protection des chrétiens maronites contre les Druses) ; 21-9 *Palikao :* Cousin-Montauban, avec un corps fr.-angl., bat la calavérie chinoise ; 6-10 prise de Pékin, sac du Palais d'Été ; 28-10 *2e tr. de Tien-Tsin* (ouverture confirmée des ports chinois au commerce ; protection des missions cath.). **1861** 31-10 *Convention de Londres,* prévoyant d'envoyer un corps franco-anglo-espagnol (9 000 h.) au Mexique. **1862-67** *Guerre du Mexique.* (Voir Mexique, à l'Index). **1862** 5-6 *tr. de Hué :* basse Cochinchine annexée (Saigon, Mytho, Bien-Hoa) ; 18-11 *percement de l'isthme de Suez.* **1863** échec de la médiation de Nap. III dans la g. de Sécession américaine ; 31-5 élections : net progrès de l'opposition rép. (élection de Thiers à Paris). **1864** 12-1 rétablissement du droit de grève (non violente) ; févr.-mars organisation de l'opposition parlementaire (rép. et anticléricale) sur le modèle anglais (leaders : Ferry, Gambetta, Carnot, Garnier-Pagès) ; 17-1 Nap. III fait échouer un projet angl. d'intervention en faveur du Danemark, attaqué par Prusse et Autriche (*g. des Duchés :* le D. capitule 1-8) ; 12-8 création de la Croix-Rouge intern. (convention de Genève) ; automne : Nap. III atteint de lithiase (coliques néphrétiques violentes et fréquentes). **1865** 10-3 † du duc de Morny, Pt du Corps législatif (l'influence d'Eugénie devient prépondérante) ; mai, Eugénie régente pendant un voyage de Nap. III en Algérie ; 4/11-10 entrevue de *Biarritz* avec Bismarck (Nap. III soutiendra la politique anti-autr. de la Prusse). **1866** 7-6 début de la g. austro-prussienne (Nap. III laisse battre l'Autr. à Sadowa 3-7) ; 26-7 *tr. de Nikolsbourg,* la Prusse peut réorganiser l'All. (défaite diplomatique fr., la politique de Nap. III étant celle des « 3 Allemagnes », indépendantes les unes des autres : Prusse, Autriche, États princiers ou royaux). **1867** 20-1 les députés reçoivent le droit d'interpellation ; avril-oct. Exposition universelle ; 11-5 *conférence de Londres :* Nap. III se voit refuser le Luxembourg (compensation demandée pour Sadowa) qui devient indép. et neutre ; 6-6 attentat de Berezowski, au Bois de Boulogne, contre le tsar venu pour l'Exposition : brouille avec la Russie ; 29-10 les Fr. débarquent à *Civitavecchia,* pour empêcher Garibaldi de prendre Rome ; 3-11 *Mentana,* les troupes fr. pontificales b. les garibaldiens. **1868** 1-2 vote du projet Niel réorganisant l'armée. **1869** 9-3 loi sur la presse (abolition de l'autorisation préalable et des avertissements) ; 24-5 *élections :* progrès républicains (voir Index) ; 6-7 abolition de l'autorisation pour les réunions non politiques ; 27-10 Emile Ollivier, chef du Tiers Parti (rép. ralliés) ; 17-11 *inauguration du canal de Suez.* **1870** 12-1 manifestations anti-bonap. pour l'enterrement de Victor Noir, journaliste abattu le 10-1 par le Pce Pierre Bonaparte (venu au domicile du Pce pour y arranger les conditions d'un duel, il aurait eu une attitude menaçante) ; 8-5 plébiscite favorable à l'Empire (7 358 000 oui, 1 572 000 non), sur la libéralisation de la Constitution (le Sénat 2e chambre législative) ; 17-7 Émile Ollivier *déclare la g.* à la Prusse (déclaration notifiée le 19-7, voir p. 633b) ; 27-7 Eugénie nommée régente ; 4-9 Jules Favre, Gambetta, Jules Ferry (avec le Gal Trochu, gouv. de Paris) renversent la régente et proclament la République ; 9-9 Eugénie arrive à Hastings (G.-B.) où son fils le Pce Impérial vient d'arriver, après avoir franchi la frontière franco-belge dès l'annonce du désastre de Sedan.

Essor industriel du IIe Empire

Développement des chemins de fer *1848* 1 322 km de voies ; *1855* 3 248 ; *1859* 9 000 ; *1870* 18 000. **Créations de banques** Comptoir d'escompte (1848), Crédit foncier (1852), Société générale (1858), Crédit Lyonnais (1863). **Escompte de la Banque de France** *1852* 1,8 milliard ; *1854* 3 ; *1869* 6,3. **Mécanisation de l'ind.** machines à vapeur : *1850* 5 322, *1860* 14 936, *1870* 27 958. **Production de charbon :** *1848* 7 600 000 t, *1869* 12 200 000 t. **Principales ind. :** métallurgie (procédé Bessemer 1855), textiles (machines à tisser Schlumberger 1855), chimie (prod. ind. de l'acide sulfurique et du carbonate de soude), confection (machine à coudre Thimonnier 1851-57).

Ministères sous Napoléon III (pas de 1er ministre, mais un *min. d'État* représentant, devant les Chambres, l'empereur, chef du gouvernement) : *22-1-1852* Xavier de Casabianca (1797-1881) ; *30-7-1852* Achille Fould (1800-67) ; *23-11-1860* Cte Alexandre Walewski (1810-68) ; *23-6-1863* Auguste Billault (1805-63) ; *18-10-1863* Eugène Rouher (1814-84), « vice-empereur » ; *17-7-1869* Jean de Forcade (1820-74) ; *21-1-1870* Émile Ollivier (1825-1913).

Sous la régence d'Eugénie : *22-8-1870* Gal Charles Cousin-Montauban, Cte de Palikao (1796-1878), *Pt du cons.,* min. de la G. Mais un comité de défense de Paris (Gal Jules Trochu) fonctionne avec 3 députés et 2 sén. (il fera le coup d'État du 4-9).

Guerre de Crimée (1854-55)

Causes. *1o* désir de l'Angl. de contrer les ambitions russes au Caucase et au Moyen-Orient. *2o* désir de Nap. III de remporter des victoires contre les coalisés de 1815 (en s'alliant avec les uns, contre les autres). *3o* désir de l'Église cath. de ne pas perdre le protectorat des chrétiens de Turquie, que le tsar orthodoxe cherche à acquérir.

Effectifs. *Alliés* 75 000 h. (Fr. 30 000, Angl. 25 000, Piémontais 15 000, Turcs 5 000) ; *Russes* 40 000 h. puis 100 000 à partir de sept. 1854.

Opérations. 1854, 20-9 *l'Alma* (Saint-Arnaud et Lord Raglan battent Menchikov ; 5-11 *Inkerman* Bosquet bat Menchikov. **1855,** 10-9 prise de *Sébastopol* après 350 j de siège. **1856,** 30-3 *tr. de Paris :* la Russie renonce à s'agrandir aux dépens de la Turquie (la mer Noire est neutralisée, le Danube est internationalisé).

Guerre austro-franco-sarde (1859)

Causes. *1o* ambition de la maison de Savoie de s'agrandir en Italie. *2o* volonté des *carbonari* it. de détruire les États de l'Église. *3o* sympathie de Nap. III pour les « nationalités europ. » et désir d'obtenir Nice et la Savoie en laissant à la maison de Savoie la possibilité de prendre la Lombardie occupée par l'Autr. *4o* action personnelle de la *Ctesse de Castiglione* [Virginia Oldoini (1837-99), surnommée la *divina contessa,* envoyée par Cavour à Paris pour être la maîtresse de Nap. III (elle se brouilla avec lui après l'armistice de Villafranca, que Cavour désapprouvait, et vécut à Paris comme une demi-mondaine, obtenant de ses amants jusqu'à 1 million par nuit)].

Effectifs. Fr. 120 000 h. (débarqués à Gênes), Sardes 40 000, Autr. 180 000, puis 270 000.

Opérations. 1859, 30-5 *Palestro* Victor-Emmanuel II et Cel de Chabron (3e zouave) battent Gyulay ; 4-6 *Magenta* Nap. III bat Gyulay ; 24-6 *Solferino* Nap. III bat François-Joseph ; 17-7 *armistice de Villafranca ;* 10-11 *tr. de Zurich.* La Fr. reçoit la Lombardie, mais la remet au Piémont. L'Autriche garde la Vénétie.

Guerre du Mexique (1862-67)

voir Mexique à l'index

Guerre franco-allemande de 1870-71

Causes. *1o Volonté de Bismarck de mener une g. victorieuse contre la Fr., pour cimenter l'unité all. avec un emp. prussien et protestant* [le chef d'état-major all., Moltke, connaît l'impréparation de l'armée fr., due : *a)* à l'expédition du Mexique qui a désorganisé l'administration mil., *b)* au rejet de la loi Niel par la Chambre, *c)* à la faiblesse de l'artillerie fr. (canons se chargeant par la bouche), *d)* aux traditions tactiques de l'armée d'Afrique, impropres à une g. européenne (fantassins lourdement chargés, bivouacs en plein air, dispositifs resserrés), *e)* au vieillissement et au manque de valeur des généraux (aucun chef compétent) ; Moltke et Bismarck décident de déclencher la g. en juillet (motif : le 1-8, le traité d'alliance militaire avec la Bavière devient caduc ; ils savent que Louis II refusera de le renouveler).

2° *Volonté de l'imp. Eugénie de mener une g. victorieuse pour assurer l'accession au trône du prince impérial* [14 ans ; Nap. III, malade, est proche de sa fin (les Fr., sauf Thiers, sont convaincus de la supériorité de leurs armées : depuis la Crimée, 1854-55, elles ont toujours été victorieuses ; même le Mexique a passé pour une victoire)].

3° *Bellicisme des garibaldistes* : les partisans de la Rép. italienne savent qu'une guerre obligerait la Fr. à rappeler les troupes qu'elle a envoyées à Rome pour soutenir le pape. Ils poussent à la g. sur le Rhin pour dégarnir l'État pontifical.

4° *Affaire de la succession d'Esp.* (particulièrement sensible à Eugénie, Espagnole) : *1870* 21-6 Léopold de Hohenzollern-Sigmaringen (cousin cath. du roi de Prusse) est candidat au trône d'Esp. vacant depuis 1868 ; 6-7 Gramont, min. des Aff. étr., annonce au Corps législatif que la Fr. fait opposition ; 12-7 retrait de Léopold, notifié par son père, le prince Antoine ; 13-7 Gramont réclame que ce retrait soit garanti par son suzerain, le roi de Prusse (à cause du précédent roumain de 1866 : Charles de Hohenzollern était devenu roi de Roumanie malgré une renonciation antérieure). Refus du roi de Pr. que Bismarck notifie par un communiqué officiel (dit *dépêche d'Ems*) rendu volontairement plus sec que la réponse du roi : les Fr., bellicistes, crient à la provocation ; 17-7 Émile Ollivier, porté par l'opinion publique, déclare la g. (Nap. III, pacifiste mais malade, laisse faire).

• **Effectifs.** 1re PARTIE (jusqu'à la capitulation de Metz) : *France* 350 000, *Prusse* 450 000. 2e PARTIE (après Metz) : *à Paris : Fr.* 400 000 (dont soldats 131 000 ; mobiles 70 000), *Allemagne* 250 000 ; *province : Fr.* 600 000, *All.* 350 000.

• **Opérations. 1re partie 1870** (1-8/28-10) : **Armée Mac-Mahon** (170 000 h.) : 4-8 défaites de *Wissembourg*, 6-8 de *Reichshoffen* et *Froeschwiller* ; 16-8 repli sur Châlons ; 25-8 offensive (prévue par Montmédy ; 140 000 h.) pour rejoindre Bazaine sous Metz ; 30-8 déf. de *Beaumont*, retraite sur Sedan ; 31-8/1-9 à Bazeilles, les troupes de marine arrêtent les Bavarois qui se rendent, faute de munitions (dernière cartouche tirée par le capitaine Aubert, de l'Auberge Bourgerie, entourée de 600 ennemis †) ; 1/3-9 déf. et capitulation de *Sedan* [Fr. 15 000 † ou blessés, 91 000 prisonniers, 3 000 internés en Belgique, 10 000 repliés à Paris ; All. 10 000 † ou blessés sur 250 000 h. (Nap. III, qui accompagne Mac-Mahon, est fait prisonnier : interné à Wilhelmshoehe près de Cassel jusqu'au 6-3-1871, il rejoint ensuite sa femme et son fils à Chislehurst]. **Armée Bazaine** (150 000 h.) : 6-8 déf. de *Forbach* ; 12-8 retraite sur Metz ; 14-8 combats de *Borny* (indécis), 16-8 de *Gravelotte* (indécis) ; 18-8 déf. de *St-Privat* : Bazaine enfermé dans Metz ; 28-10

Napoléon III (1808-73)

Naissance. Le 20-4-1808. Son père Louis, roi de Hollande, déclara qu'il n'était pas de lui et rompit avec sa femme (Hortense de Beauharnais). *Pères putatifs le plus souvent cités :* l'amiral hollandais Charles-Henri Verhuell (1764-1845) ; Adam de Bylandt-Hastelcamps (écuyer d'Hortense) ; le marquis de La Woestine (1786-1870) (thèse adoptée par Jean Savant) ; le Cte de Villeneuve, premier chambellan d'Hortense. Cependant Hortense n'a pas admis la naissance adultérine de Louis, alors qu'elle a avoué celle du futur duc de Morny, fils du Cte de Flahaut. Selon d'autres sources, Nap. III ressemblait beaucoup au roi Louis ainsi qu'au Cte de Castelvecchio, fils naturel du roi Louis. **Carrière. 1817** réfugié en Suisse à Arenenberg avec sa mère. **1829** élève de l'école d'artillerie de Thoune. **1832**-14-4 naturalisé Suisse. **1835** capitaine d'artillerie du canton de Berne. **1835** citoyen d'honneur de Thurgovie. **1836**-31-10 suscite un complot à Strasbourg, 21-11 expulsé vers l'Amérique. **1837**-4-8 rentré à Arenenberg. **1838**-26-9 part volontairement pour l'Angleterre quand Louis-Philippe exige son expulsion en massant 25 000 h. à la frontière. **1840**-6-8 débarque à Boulogne, arrêté, enfermé au fort de Ham. **1846**-25-2 s'en évade, rejoint l'Angleterre. **1848**-26-2 rentre en Fr. quand la Rép. est proclamée, 10-12 élu Pt de la Rép. **1851**-2-12 coup d'État, 1-12 devient empereur. **1853**-29-1 épouse Eugénie de Montijo. **1870**-26-7 Eugénie régente. 27-7 N. III et le Pce impérial partent pour Metz prendre le commandement de l'armée du Rhin. 30-8 fait prisonnier à Sedan par les All. 4-9 renversé. **1871**-19-3 libéré, s'établit à Camden Place (Chislehurst, à 20 km de Londres). **1873** un complot est prévu pour le faire rentrer, avant il veut se faire opérer (calcul de vessie), il meurt le 9-1 des suites de l'opération.

Eugénie (impératrice) (1826-1920)

Nom. Marie Eugénie de Montijo, comtesse de Teba. **Née le 5-5-1826,** Espagnole par son père (3 fois Grand d'Espagne), Irlandaise par sa mère (Marie Emmanuelle Kirkpatrick de Closeburn). **Mariage.** Nap. III l'épousa au moment où l'on négociait son mariage avec la nièce de la reine Victoria (il comptait en faire sa maîtresse, mais elle avait exigé le mariage ou rien). Après la naissance du Pce impérial, elle fit chambre à part et laissa à son mari toute liberté dans ses liaisons féminines, mais se passionna de plus en plus pour la politique (expédition du Mexique, intervention à Rome de 1867, g. de 1870 à propos de la succession d'Espagne). *Régente* 1859 (guerre d'Italie), 1865 (voyage de Nap. III en Algérie), 1870 (guerre), lutte pour assurer la couronne au Pce impérial, exilé en Angl. A la mort de son fils (1-6-1879), elle renonça à toute activité politique, meurt le 11-7-1920.

Louis Napoléon (prince impérial) (1856-79)

Naissance. Le 16-3-1856. Baptisé le 14-6 (parrain : le pape, marraine : la reine de Suède ; étaient représentés). **Carrière. 1870**-28-7 part avec Nap. III pour Metz ; 2-8 participe à l'attaque de Sarrebruck ; 4-9 réfugié en Belgique ; 9-10 débarque à Hastings (Angleterre) et retrouve sa mère. **1872**-17-11 entre à l'école d'artillerie de Woolwich. **1875**-juin sort sous-lieutenant. **1879**-28-2 lassé de l'exil, rejoint l'armée angl. en Afr. du S. qui lutte contre les Zoulous ; 1-6 à Istelizi, tué par les Zoulous de 17 coups de lances ; juill., corps ramené en Angl.

Autres personnages de l'Empire

Bazaine, François-Achille (Mal) (1811-88), officier sorti du rang. *1832* volontaire dans l'armée libérale espagnole, capitaine à titre espagnol. *1838* réintégré dans l'armée fr. (Algérie). *1850* colonel. *1854* en Crimée, général. *1855* gouvern. de Sébastopol. *1859* commande une division à Solférino. *1862 g.* du Mexique, prend Pueblo. 7-6 entre à Mexico, juill. général en chef (suicide de sa femme, compromise dans une affaire d'adultère). *1864* maréchal. *1865* ép. une Mexicaine et essaye d'être chef d'État au Mexique. *1867* rappelé en France ; privé d'honneurs militaires 6 mois. *1869* commandant de la garde impériale. *1870*-6-8 laisse écraser Frossard à Forbach (par jalousie) ; 12-8 à la tête de l'armée (Nap. III, malade, laisse faire). *1870*-18-8 capitule à Metz. *1873*-10-12 condamné à mort pour avoir capitulé à Metz. Peine commuée en 20 ans de détention. *1874* nuit du 9 au 10-8 s'évade. Finit sa vie en Espagne.

Haussmann, Eugène (1809-91). Protestant alsacien, sous-préfet sous Louis-Philippe. *1848* rallié à Louis-Nap. *1851* préfet de la Gironde, fait triompher le coup d'État à Bordeaux. *1853* 26-3 préfet de la Seine. *1857* baron et sénateur. Remodèle Paris (immeubles nouveaux, larges avenues). *1870* janv. destitué par Émile Ollivier ; *1870-77* exilé puis député bonapartiste de la Corse. Sa fille Valentine fut la maîtresse de Nap. III, dont elle eut un fils, Jules Hadot (1865-1937).

Howard. Elizabeth Haryett, dite Miss Howard (1823-65), actrice anglaise. *1846* maîtresse de Louis-Nap., à Londres. Enrichie par un ancien amant, dont elle a eu un fils, aide financièrement Louis-Nap. *1849* s'installe à côté de l'Elysée, rue du Cirque, et paraît aux soirées privées du prince-président, sans jouer de rôle officiel. *1853* Nap. III, épousant Eugénie, signe un contrat avec elle : il lui rembourse 4 millions de F et lui donne le domaine de Beauregard et un titre comtal [qui passera à son fils en 1866 : la famille de Beauregard (noblesse de l'Ancien Régime) ayant fait opposition à la création du titre de comtesse de Beauregard, Miss Howard fut comtesse non titrée, et son fils, comte de Béchevert].

Mathilde (Princesse). Mathilde-Laetitia Bonaparte (1820-1904). Fille du roi Jérôme ; cousine germaine de Nap. III (à qui elle aurait été fiancée vers 1835). *1841* épouse un richissime parvenu russe, le Pce Anatole Demidoff (1813-70) (elle s'en sépare en 1845, avec une pension de 200 000 roubles). *1848* maîtresse de maison de son cousin, à l'Élysée, mais n'envisage plus de l'épouser [elle vit maritalement avec le sculpteur Alfred de Nieuwerkerke (1811-1892)]. *1853* perd sa prééminence à la Cour après le mariage de Nap. III. Tient 1 salon littéraire, artistique et politique dans sa villa de St-Gratien (Val-d'Oise) et dans son hôtel rue de Courcelles. Influente sous la IIIe Rép.

Morny (Auguste Demorny, 21-8-1811/10-3-1865, duc de Morny 1862). Demi-frère de Nap. III [fils de la reine Hortense et du Cte de Flahaut, lui-même présenté généralement comme un fils de Talleyrand, mais plus vraisemblablement fils du ministre britannique William Windham (1750-1810)], officier de l'armée d'Afrique devenu riche homme d'affaires, il réalise le coup d'État du 2 décembre (comme ministre de l'Intérieur) ; *1854* Pt du corps législatif, oriente l'Empire vers un certain libéralisme, et neutralise l'opposition républ. par le ralliement d'Émile Ollivier. *1860* arbitre des élégances, crée la station de Deauville.

Napoléon (Prince) (9-12-1822/17-3-1891). Fils du roi Jérôme, cousin germain de Nap. III. Petit-fils du roi de Wurtemberg, gendre du roi d'Italie. *1852-56* héritier présomptif, perd ce titre à la naissance du Pce impérial, ce qui le rend hostile à l'impératrice. Républicain et anticlérical, se conduit en opposant de gauche. *1858-59* ministre de l'Algérie (1858-59). *1879* exclu de la succession impériale, en faveur de son fils Victor, par le testament du Pce impérial, il persise à se poser en prétendant jusqu'à sa mort.

Ollivier, Émile (2-7-1825/20-8-1913). Avocat marseillais. *1848* préfet des B.-du-Rh. *1857* élu député (rép) de la Seine. *1870* 2-1 clef de l'opposition rép., se rallie à l'Empire, devient chef du gouvernement (ministre d'État). 17-7 déclare la g. à la Prusse, 9-8 renversé. Exilé en Italie. *1873* rentre d'exil, exige de lire son discours de réception (probonapartiste) à l'Académie (où il avait été reçu en 1870) tel qu'il avait été rédigé. L'Académie refuse. Il y siégera jusqu'à sa mort sans avoir été reçu.

Persigny (Gilbert Fialin, 11-1-1808/14-1-1872, duc de P. 1863). Aide de camp de Louis-Nap. Prit part aux tentatives de Strasbourg et de Boulogne, et fut condamné à 20 ans de détention, commués en résidence forcée à Versailles. *1851* 2-12 s'empare de l'Ass. nat. *1852-54* min. de l'Intérieur. *1855-60* amb. à Londres. *1860-63* min. de l'Intérieur. *1864* retraite politique.

Rouher, Eugène (1814-84). Avocat à Riom (P.-de-D.), *1848* député du P.-de-D. sous la IIe Rép., *1849* oct. min. de la Justice ; se rallie à Louis Nap. et approuve le coup d'État du 2-12-1851. *1852-55* Conseiller d'État. *1855* min. du Commerce. *1863* min. d'État. *1867-69* (Empire libéral), chef des bonap. conservateurs, garde un grand ascendant sur Nap. III, et reçoit le surnom de « vice-empereur ». *1869* démissionne après la victoire électorale des libéraux, et devient Pt du Sénat. *1872-76* dép. bonap. de Corse. *1876* dép. de Riom ; *1879* se retire de la polit. à la mort du Pce imp.

Saint-Arnaud (Jacques Leroy, maréchal de, 1798-1854). *1831* attaché au maréchal Bugeaud, gardien de la duchesse de Berry à Blaye. Protégé par la duchesse, fait une carrière rapide (colonel 1844, général 1847, commandant en chef en Kabylie 1851). *1851* 26-7 appelé à Paris , 26-10 min. de la Guerre avec mission de préparer le coup d'État. *1852* 2-12 Maréchal. *1854* commandant en chef de l'expédition de Crimée. 20-9 victorieux à L'Alma. Meurt du choléra peu après.

Walewski (Alexandre Colonna, comte, 1810-68). Fils naturel de Nap. Ier et de Marie Walewska, cousin germain de Nap. III. *1830* prend part à l'insurrection polonaise. *1832* naturalisé Français, officier en Algérie. *1837* démission, liaison avec l'actrice Rachel. *1849* amb. à Florence. *1851-55* à Londres (obtient la reconnaissance de Nap. III par la reine Victoria) ; négocie le mariage de l'emp. et de la nièce de Victoria, Adélaïde de Hohenlohe : échec. *1855-60* min. des Aff. étr. *1856* Pt du congrès de Paris. *1860-63* min. des Beaux-Arts. *1865-67* Pt du corps législatif.

reddition sans conditions [173 000 prisonniers, 1 570 canons. On l'accusera d'avoir tenté de conserver son armée intacte, sans combats, pour servir d'arbitre entre les républicains et la famille impériale ; il ambitionnait la régence. Bismarck lui a permis d'envoyer des émissaires à Londres pour contacter Eugénie (durée des tractations : 1 mois, pendant lequel l'armée de Metz a usé ses subsistances) ; puis il a exigé la reddition].

2e partie : siège de Paris : 1870 19-9 déf. de *Châtillon ;* 21-10 vict. de *Bougival,* 28-10 du *Bourget ;* 28-11/3-12 déf. de *Champigny* [(Ducrot) pertes : 8 000 Fr., 5 000 All.]. **1871** 5-1 début du bombardement (durée 1 mois) : 10 000 projectiles, en moy. 60 † ou bl. chaque jour ; 20-1 déf. de *Montretout* et *Buzenval* [(Vinoy) pertes : 4 000 Fr.]. Il est sorti de Paris, pendant le siège, 65 ballons, dont 47 frêtés par l'Administration des Postes, 7 par l'Adm. des Télégraphes, 1 par le min. de l'Instruction publique, 1 par le min. des Travaux publics et 9 par des particuliers. Ces 65 ballons emportèrent 164 personnes, 381 pigeons, 5 chiens, des appareils et des engins, de la dynamite, 10 675 kg de courrier postal.

Province : 1870 2-11 levée en masse ; **armée de la Loire** (100 000 h.) ; 18-10 prise et incendie de *Châteaudun ;* 27-10 vict. de Coulmiers (Aurelle de Paladines) ; 28-11 *Beaune-la-Rolande* le Pce Charles de Prusse bat Aurelle de Paladines (3 000 Fr., 800 Pr. †) ; 2/4-12 déf. de *Patay-Orléans ;* 11-12 déf. de *Villarceau* (Chanzy) ; **1871** 11-1 déf. du *Mans.* **Armée du Nord** (Faidherbe, 45 000 h.) : **1870** 23-11 combat de *Pont-Noyelles* (indécis) ; **1871** 3-1 *Bapaume* Faidherbe bat Goeben ; 19-1 déf. de *St-Quentin.* **Armée de l'Est : 1870** 14-11 siège de *Belfort* (résistance de Denfert-Rochereau jusqu'au 29-1) ; 18-12 bat. de *Nuits* (indécise) ; **1871** 9-1 *Villersexel* Bourbaki, avec 120 000 h., bat Schmeling ; 18-1 déf. d'*Héricourt ;* 24-1 de *Baume-les-Dames* (exclue de l'armistice par Jules Favre à cause des convictions bonapartistes de Bourbaki, l'armée passe en Suisse 1-2).

• Conclusion. **Armistice de Versailles 1871** 28-1 (Jules Favre et Bismarck) : l'armée de Paris (131 000 h. de ligne) déclarée prisonnière de g. reste à Paris désarmée (la Garde nation. conserve ses armes).

Traité de Francfort (10-5-1871). Fr. perd Alsace-Lorraine (1 447 466 ha, 1 694 communes, 1 600 000 hab.) et doit verser 5 milliards de francs ; 50 000 à 100 000 Als.-Lorr. optent pour la France et quittent l'Als.-Lorr. ; 16-9 libération du territoire (la dette de 5 milliards est payée par des emprunts à 6 %, 4 900 millions souscrits dès le 1er emprunt du 27-6-1871) ; les sommes dégagées sont converties en or et en devises étrangères avec l'aide de banques européennes favorables à Thiers (le coût total de la g. 1870-71 a été évalué à 15 592 468 626 F).

• Causes de la défaite française. 1° **Militaires.** *a)* l'effort de g. prussien a été considérable dep. 1864. L'armée prussienne victorieuse du Danemark (1864) et de l'Autriche (1866) possède une excellente artillerie et de gros effectifs (450 000 h. contre 350 000 Fr.) ; *b)* l'armée française aurait dû être modernisée par le projet du maréchal Adolphe Niel (1802-62, min. de la Guerre en 1867, qui fit adopter le chassepot et la « garde mobile »), mais la Chambre le rejeta le 19-12-1866.

2° **Politiques. a) Avant Sedan :** l'opposition rép. souhaite une défaite des armées impériales, sachant que l'Empire n'y résisterait pas. La capitulation de Sedan a été accueillie par des applaudissements de la gauche à la Chambre. **b) Après Sedan** 1°) *Paris :* les « modérés », qui ont pris le pouvoir, préfèrent une victoire all., même avec une amputation du territoire, à une victoire du peuple de Paris (patriote mais révolutionnaire) : la résistance de Trochu et de Ducros à Paris a semblé être un trompe-l'œil (baroud d'honneur en attendant une capitulation due à la famine ; refus de percer). 2°) *En province :* les Fr. sont divisés entre royalistes, rép., bonapartistes. Bismarck en profite, il accule Bazaine à la capitulation, lui laissant croire pendant 2 mois que la Pr. est prête à s'entendre avec Eugénie (réfugiée à Londres). Le 4-11-1870, il menace Thiers de négocier avec le Cte de Chambord ; il fait droit, le 28-1-1871, à la demande de Jules Favre, faisant exclure de l'armistice l'armée Bourbaki (bonapartiste), afin d'anéantir celle-ci.

3° **Diplomatiques.** Par suite des incohérences de sa diplomatie, Nap. III n'a gagné aucun allié : l'Autriche (qui avait pardonné Solferino et Magenta, lui en voulait de ne pas l'avoir aidé contre la Prusse à l'époque de Sadowa), la Russie lui en voulait à cause de la g. de Crimée, l'Angleterre (à cause du lâchage du Danemark en 1864), le Piémont (à cause du retour du corps expéditionnaire fr. à Rome).

4° **Questions de personnalités.** *a) Avant Sedan :* Nap. III souffrait de la vessie : il n'avait plus la force de donner des ordres (par ex., il ne voulait pas de Bazaine comme chef de la 1e armée, mais ne s'est pas opposé à sa nomination). *b) Après Sedan :* Gambetta et Freycinet, qui ont pris en main, à partir du 7 oct., la direction des opérations, étaient militairement incapables. Les défaites décisives subies autour d'Orléans (du 9-11 au 3-12-1870) sont dues à leur impéritie. *c) Thiers,* qui s'était opposé en 1870 à la déclaration de g., comprend que son heure est venue : il sait que la défaite va renforcer son prestige et assurer sa prise de pouvoir. Il est prêt à beaucoup de concessions pour obtenir la consécration par le suffrage universel.

• La guerre pouvait-elle être gagnée ? 1° **En août/ septembre 1870.** *a) L'armée de Metz* pouvait remporter une victoire éclatante le 16-8 (j. de Gravelotte). Une armée all. isolée sur la rive gauche de la Moselle était opposée à 2 armées fr., disposant des réserves d'artillerie de la place-forte ; une attaque le long du fleuve aurait amené sa capitulation, mais Bazaine ordonne le repli sur Metz. *b) La marche de Mac-Mahon sur Metz* par les Ardennes aurait pu amener l'écrasement des 2 armées assiégeant Metz. Mais Mac-Mahon était lent et hésitant, et la presse dévoila son plan (la censure n'existait pas). Sur 130 000 † all., 78 000 ont été tués avant le 4-9, dont 64 000 en août.

2° **Après Sedan.** *a) A Paris :* la « percée » des 2 armées de Paris, à travers les lignes très peu fournies (il s'agissait d'un blocus plus que d'un siège) était possible. Les Parisiens avaient pour eux le nombre, et leurs ateliers avaient en quelques semaines créé une bonne artillerie (1 362 pièces de remparts, 602 pièces de campagne). Si Ducrot avait attaqué vers l'ouest, avec résolution, il aurait pu prendre à revers les All., opérant en Normandie. *b) En province :* Gambetta a rejeté les offres de service du capitaine Rossel (promu colonel), évadé de Metz et futur ministre de la G. de la Commune. Bon stratège, il aurait pu gagner la bataille de Coulmiers-Orléans-Artenay (9-11/3-12-1870), avant que les forces libérées par la capitulation de Metz aient pu être engagées dans la bataille : la délivrance de Paris aurait eu des conséquences (stratégiques et psychologiques). Mais Gambetta, se méfiant de la jeunesse de Rossel, a préféré Freycinet, qui a conduit les armées au désastre.

3° **Autres erreurs.** *Bazaine* capitule à Metz (due surtout à des causes politiques) ; *Faidherbe,* ayant battu les All. à Bapaume le 3-1-1871, n'ose pas attaquer les assiégeants de Péronne, qu'il pouvait mettre en déroute. Il s'arrête à 16 km de la place, qui capitule le 9-1, et le 19 se laisse écraser à St-Quentin. *Gambetta* refuse à Kératry (nommé 22-10-70 commandant des forces de Bretagne) armes et vivres pour les 80 000 Bretons du camp de Conlie et refuse leur évacuation (il craignait un réveil chouan).

4° **Armistice prématuré.** *Jules Favre* était résolu, le 23-1-1871, à mettre fin coûte que coûte aux hostilités, pour éviter à Paris une prise de pouvoir révol. Or, le plus dur de la guerre était passé (l'hiver avait coûté des milliers de morts par pneumonie). Les All., écœurés par la résistance de la nation, étaient prêts à une paix blanche pour éviter une 2e année de guerre. Le moral de l'armée all. était au plus bas à cause de pertes très lourdes : 129 610 tués ou disparus, dont 6 251 officiers (12 854 « disparus » étaient des prisonniers mis à mort par les francs-tireurs). Généraux : 5 †, 20 bl. Colonels : 27 †, 51 bl. La plupart des généraux étaient pour un repli sur l'All., en cas de résistance prolongée des Fr. qui eurent moins de tués que les All. (120 000 contre 130 000).

IIIe République (4-9-1870/13-7-1940)

De 1870 à 1914

• **1870** 9-9 création de la *délégation gouvernementale de Tours* (Crémieux) ; 19/20-9 tentative de paix à Ferrières (Jules Favre-Bismarck) : échec ; 7-10 *Gambetta* quitte Paris en ballon, atterrit à Montdidier (Somme), gagne Tours en train ; il devient min. de l'Intérieur et de la Guerre (adjoint pour la G. : Freycinet) ; 3-11 les Parisiens *plébiscitent le gouv. « de la Défense nationale »* par 321 373 oui contre 53 584 non ; 2/4-11 tentative de paix à Versailles (Thiers-Bismarck) : échec ; 3-11 le gouv. Gambetta se replie sur *Bordeaux.*

• **1871** 19-1 le Gal Jules *Trochu* (1815-96), gouverneur de Paris et chef du gouv., qui avait promis que « jamais le gouverneur de Paris ne capitulerait », démissionne de son poste de gouverneur (il capitulera comme chef du gouv.) ; 22-1 émeutes à Paris (50 †) ; 8-2 élections générales (majorité monarchiste et bonapartiste) ; 12-2 réunion à *Bordeaux* de l'Ass. nat. : *Thiers* élu « chef du pouvoir exécutif » ; 26-2 il signe avec Bismarck les préliminaires de la paix ; 1-3 occupation symbolique des quartiers ouest de Paris par les Prussiens, les dép. d'Alsace-Lor. quittent l'Ass. nat. ; Jules Grosjean lit leur protestation ; 3-3 la Garde nat. de Paris s'organise en *fédérations ;* les gardes nat. s'appellent désormais les *Fédérés ;* 8-3 Thiers supprime la paye des gardes nat. ; 10-3 *« pacte de Bordeaux » :* l'Ass. se transfère à Versailles ; le régime politique ne sera pas défini avant la réorganisation du pays. Mars-mai, la Commune (voir ci-dessous) ; 1-7 le Cte de Chambord rentre en France. 5-7 manifeste du « drapeau blanc » publié. 7-7 le Cte de Chambord quitte la France. 30-8 l'Assemblée s'attribue le pouvoir constituant (proposition Rivet).

Guerre civile de la Commune (mars-mai 1871)

Causes. *1°* le peuple de Paris est sous-alimenté depuis 5 mois (consommation d'absinthe quintuplée) ; *2°* indignation de la Garde nationale devant : a) la capitulation de Jules Favre (29-1) qui pourtant lui laissait ses armes ; b) les préliminaires de Thiers (26-2) qui l'obligeait à livrer ses canons ; c) la suppression de la solde des gardes nationaux (unique ressource des ouvriers mobilisés) ; d) l'annulation du moratoire des effets de commerce et des loyers (obligeant les ouvriers sans ressources à payer brusquement leurs dettes) ; *3°* développement de la propagande révolutionnaire, grâce à l'entière liberté de la presse et des réunions (clubs) ; *4°* Thiers est décidé à gagner en 1871 la bataille contre le peuple de Paris qu'il a perdue en févr. 1848 ; *5°* Bismarck (anti-révolutionnaire) pousse à écraser un mouvement armé populaire à prétentions socialistes.

Fédérés. **Effectifs :** 234 bataillons (garde active 80 000 h., garde sédentaire 113 000 h.). **Délégués à la guerre :** 3-4/1-5 *Gustave Cluseret* (1823-1900), Gal de l'armée nordiste américaine ; 1/9-5 *colonel Louis Rossel* (1844-71, fusillé) ; 11/25-5 *Charles Delescluze* (1809-71, tué au combat). **Chefs militaires :** *Jaroslaw Dombrowski* (1836-71, tué au combat), quartier-maître de l'armée russe ; *Gustave Flourens* (1838-71, assassiné) ; *Charles Lullier,* lieutenant de vaisseau (1838-91, destitué le 25-3). **Autres personnages.** *Louise Michel* (1830-1905), conférencière, puis combattante ; déportée à Nouméa, libérée 1880. *Jules Vallès* (1832-85), condamné à mort par contumace. *Félix Pyat* (1810-89), membre de la commission des Finances. *Raoul Rigault* (1846-71, fusillé), préfet de police. *Prosper-Olivier Lissagaray* (1838-1901), journaliste. *Eugène Varlin* (1839-71, fusillé), commissaire aux subsistances.

Versaillais. **Chefs militaires.** Cdt en chef : Mac-Mahon (1808-93) ; de l'inf. : Vinoy ; de la cav. : Gallifet (1830-1909). **Effectifs :** 130 000 h. jusqu'au 16-4 puis 170 000.

Déroulement. 18-3 soulèvement à Paris ; les rebelles exécutent les généraux Lecomte et Thomas ; Thiers gagne Versailles ; le comité central siège à l'Hôtel de Ville ; 26-3 élection d'un conseil municipal (90 m., dont 71 révolutionnaires) qui prend le nom de *Commune ;* 3-4 les Fédérés attaquent vers Versailles mais sont arrêtés par le canon du Mt-Valérien ; le Gal Émile Duval (n. 1840) pris et fusillé avec son chef d'état-major ; 5-4 prise de 74 otages par les communards (dont l'archev. de Paris Mgr Darboy) ; 4-4 les Versaillais attaquent Neuilly, prennent Courbevoie et Châtillon ; 1-5 institution d'un comité de salut public ; 21-5 : 70 000 Vers. entrent à Paris par le bastion du Point du Jour, dégarni ; 22/28-5 *« semaine sanglante » :* Paris est conquis rue par rue ; incendie : Hôtel de Ville, quai d'Orsay, Tuileries, Légion d'Honneur, Cour des Comptes, Palais de Justice, Bibl. du Louvre 23-5 ; 424 fédérés prisonniers fusillés au parc Monceau et à Montmartre 24/25 et 26-5 ; 26-5 rue Haxo, 52 otages tués par insurgés ; prise du Père-Lachaise 27-5 ; chute de la dernière barricade, rue Ramponeau 28-5. **Bilan.** *Massacrés par les Fédérés :* 484 dont 66 otages. *Pertes militaires des Versaillais :* 880 †. *Répression :* 400 000 dénonciations écrites. *Pertes des Insurgés :* de 20 000 à 35 000 (selon Rochefort) [selon d'autres 100 000 (dont 3 500 fusillés sans jugement dans Paris, 1 900 le furent cour de la Roquette, plusieurs centaines au « Mur des Fédérés » du Père-Lachaise)]. *Fédérés prisonniers* plus de 40 000 (faute de places dans les prisons, ils sont internés sur des pontons et dans les

Principaux personnages de la IIIe République

☞ Pour en savoir plus, demandez le *Quid des présidents de la République* (et des candidats). 700 pages de faits, de dates, de chiffres et d'anecdotes sur la vie des présidents et des candidats à la présidence. Chez tous les libraires (éd. Robert Laffont, 1987).

Légende. AE : Affaires étrangères. AN : Assemblée nationale. D : député. EM : état-major. M : ministre. Pt C : Président du Conseil. Pt Ch : Président de la Chambre. Rep. : représentant. S : sénateur. SS : sous-secrétaire d'État.

Blum, Léon (Paris 8-4-1872/30-3-1950). Père mercier et négociant en textiles. Lic. droit, philo. Auditeur puis maître des requêtes au Conseil d'État 1910. Journaliste : coll. à *l'Humanité* 1904. P.S. : 1902. D Seine 1919-28. D Aude 1929-40. Pt C 4-6-36/21-6-37. Vice-Pt C 1937 (3e cab. Chautemps). Pt C 13-3/8-4-38. Il joue un grand rôle (accords Matignon, non-intervention en Espagne). Emprisonné par le gouv. de Vichy (1940-42) puis déporté en All. (1942-45), est sous la IVe Rép. le défenseur de l'alliance avec les U.S.A. (politique « atlantique »). Pt du gouv. provisoire 12-12-46/21-1-47. La Chambre lui refuse l'investiture le 22-11-47 pour 9 voix (300 au lieu de 309). Chef de la délégation fr. à l'Unesco 1947. Vice-Pt dans le gouv. Marie (31-8/12-9-48). Son livre, *A l'échelle humaine,* écrit pendant sa captivité au Portalet (1941-42), est devenu l'ouvrage de base de l'humanisme socialiste. En 1937, il avait pris parti contre le Mal Toukhatchevski, victime de Staline, ce qu'Édouard Depreux avait révélé aux Fr. après la 2e G. mondiale. En 1939, comme beaucoup d'autres, Blum fut pris au dépourvu par le pacte germano-soviétique entre Hitler et Staline. Inconscient à la fois de l'agressivité hitlérienne et de la faiblesse française, il ne sut pas prévoir le désastre de juin 1940.

Bouisson, Fernand (Constantine, 16-6-1874/28-12-1959). Père industriel (tanneur). Industrie [tannerie familiale à Aubagne (B.-du-Rh.)]. S.F.I.O. 1909-34. Cons. mun. et maire (Aubagne). Cons. gén. B.-du-Rh. 1907-20. D B.-du-Rh. 1909-40. Maire (La Ciotat) 1938-41. 2 fois commiss. Transports mar. et Marine marchande (1918 et 1919). Pt. C 1-6/4-6-35. Pt Ch 1927/7-6-35. Vote la délégation des pouvoirs constituants au Mal Pétain (10-7-40) et se retire de la politique.

Briand, Aristide (Nantes, 28-3-1862/7-3-1932). Taille : 1,70 m. Père hôtelier (à moins qu'il ne fût le fils naturel d'un baron). En 1891, il passe en correctionnelle pour une affaire de mœurs [acquitté en appel (mais ses adversaires de l'Action franc. lui reprocheront ce fait toute sa vie)]. Lic. droit, avocat P.O.F. puis Parti socialiste (secr. gén. du Comité général). D Loire 1902-19. D Loire-Inf. 1919-32. 2 fois M (Instruction publique et Cult. 1906 ; Justice et Cult. 1908). 3 fois Pt C et M Int. 1909, 1910, 1913, 1914, 7 fois Pt C et M des AE 1915, 1916, 1921, 1925, 1926, 1929 (2 fois). M Justice. 4 fois M des AE 1925 (2 fois), 1926, 1928. 6 fois M des AE 1929-1932. Surnommé l'« Arrangeur », a cherché, pour tous les problèmes, des solutions de compromis : en 1906, avec l'Église sur la question des biens ecclésiastiques (refus du pape Pie X) ; en 1925-32, avec l'All. sur le problème des réparations et du désarmement (voir traité de Locarno). Son idéal pacifiste, sa foi en la Sté des Nations (« l'esprit de Genève », qui a abouti au pacte Briand-Kellog d'août 1928, mettant la g. hors la loi), l'a fait surnommer le « Pèlerin de la Paix ». Battu le 13-6-31 aux élections présid. par Paul Doumer.

Caillaux, Joseph (Le Mans 30-3-1863/21-11-1944). Père S Sarthe M TP 1874-76, M Finances 1877, ingénieur Chemins de fer. Lic. droit, reçu à l'Inspection des Finances 1888. Professeur. Parti radical (Pt en janvier 1914). D Sarthe 1898-1919. S Sarthe 1925-40. 3 fois M Finances 1898, 1906, 1911. Pt C et M Int. 27-6-1911/11-1-1912. Puis 4 fois M Finances 1913, 1925, 1926, 1935. Passe pour la plus brillante intelligence de sa génération. De gauche, mais également financier, il est en 1911 pour une entente avec l'All. Le 16-3-14 sa femme tue de 6 coups de revolver Gaston Calmette, dir. du *Figaro,* dans le bureau de celui-ci [Calmette s'était procuré des lettres de Caillaux (sujets financiers, diplomatiques, politiques et privés, notamment une lettre écrite en 1901 à sa maîtresse, devenue sa 1re épouse, Mme Gueydan). Le 14-3-14, *le Figaro* avait publié cette lettre, donnant à entendre qu'il publierait aussi les lettres de Caillaux à une autre maîtresse, devenue sa 2e épouse]. Mme C. sera acquittée le 28-7-14, mais son mari restera impopulaire. Ennemi personnel de Clemenceau et de Poincaré. Mobilisé, puni de 8 j d'arrêt pour avoir envoyé un télégramme à sa femme avec indication d'origine ; venu en permission, il est menacé dans un restaurant ; le gouvernement l'envoie en mission au Brésil en déc. 1914 ; arrêté le 14-1-18 (pour avoir négocié une paix séparée avec Autr. et Bavière). Condamné par le Sénat constitué en cour de justice le 23-4-20 à 3 ans de prison (couvert par la détention préventive), 10 ans de privation de droits civiques et 5 ans d'interdiction de séjour pour correspondance avec l'ennemi. Revient aux affaires avec l'appui de Painlevé (1925-26), mais ne peut vaincre l'hostilité de la droite. Il estimait que le chantage de Gaston Calmette était un coup monté par les bellicistes pour écarter du gouvernement une personnalité « germanophile ».

Chautemps, Camille (Paris, 1-2-1885/1-7-1963). Père D Seine 1889-1897, Hte-Savoie 1897-1905 ; S Hte-Savoie 1905-18 ; Vice-Pt du Sénat ; M. Colonies 1895, Marine 1914. Docteur droit, avocat Grande Loge de Fr. Parti radical. D I.-et-L. 1919-28. L.-et-C. 1929-34. S L.-et-C. 1934-40. M Justice 1925, 3 fois M Int. 1924, 1925, 1926. Pt C et M Int. 21-2/25-2-30. M Instruction publ. 1930, 4 fois M Int. (1932, 1933). Pt C et M Int. 26-11-33/30-1-34. M TP et M d'État 1936. Pt C (sans portefeuille) 22-6-37/14-1-38 et 18-1-/10-3-38, 3 fois Vice-Pt C (1938, 1940, cabinet Pétain). Le 10-7-40, vote la délégation des pouvoirs constituants au Mal Pétain. Celui-ci l'envoie (nov. 1940) en mission officieuse aux U.S.A. où il demeurera jusqu'à sa mort. En 1947, condamné pour « actes contraires à la Défense nat. » à 5 ans de prison, à l'indignité nat. à vie et à la confiscation de ses biens (par contumace). Amnistié en 1954, résida normalement à Washington.

Clemenceau, Georges (Mouilleron-en-Pareds, 28-9-1841/24-11-1929 ; enterré couché et non debout comme il a été dit, à Colombier, Mouchamps). Père médecin. Épouse : Mary Plummer (Américaine). Études de médecine à Nantes 1858, puis Paris 1860. Externe des hôp. 1861-62. Emprisonné 4 mois à Mazas pour avoir proclamé la République sur la place de la Bastille 1863. Interne provisoire des hôp. de Paris, thèse de doctorat 1865. Part pour l'Amérique. Médecin 1869. Exercera jusqu'en 1885. Journalisme : *le Temps, la Justice* (fondateur en 1880), *l'Aurore, la Dépêche, le Bloc, l'Homme libre...* Fondateur du parti radical socialiste. Maire XVIIIe Paris 5-9-1870/27-3-1871. Cons. mun. 1875. Rép. de l'AN 8-2/27-3-1871. D Seine 1876-85. D Var 1885-93. S Var 1902-20. M. Int. 1906. Pt C et M Int. 20-10-1906/20-7-1909. Pt C et M Guerre 19-11-1917/18-1-1920. Compromis dans l'affaire de Panamá (1892), il est battu aux élections de 1893 et écarté de la vie politique [on l'accuse notamment de toucher de l'argent anglais ; on lui reproche d'être l'ami de Cornélius Herz (grand officier de la Légion d'honneur, mais qui se révèle malhonnête), on forge contre lui le faux Norton] ; refait surface lors de l'affaire Dreyfus. De 1906 à 1909, brise plusieurs grèves ; crée le min. du Travail. Ennemi de Poincaré, il est dans l'opposition au début de la guerre ; puis, à partir de nov. 1917, exerce des pouvoirs très étendus que Poincaré ne cherche plus à limiter, se contentant de lui écrire des reproches. Adversaire de toute paix de compromis, il mène la France à la victoire mais impose l'armistice à Poincaré pour épargner des vies humaines avant d'avoir rejeté l'armée all. hors de France (surnommé le « Père la Victoire »). Partisan du démantèlement de l'Empire austro-hongrois, il laisse, au traité de Versailles, Lloyd George et Wilson l'emporter sur plusieurs points (la SDN, l'étendue de l'occupation de la Ruhr, le sort des provinces de l'Empire ottoman). Il est battu par Deschanel aux élections présidentielles de 1920 (son anticléricalisme est une des causes de son échec). A la fin de sa vie, il rédige un ouvrage polémique *(Grandeur et Misère d'une victoire),* défendant, contre Poincaré et le Mal Foch, son action politique de 1917-19, et évoquant le risque du réarmement all. en raison de l'abandon des garanties du traité de Versailles et des complaisances de Briand.

Daladier, Édouard (Carpentras, 18-5-1884/10-10-1970). Père boulanger. 1er à l'agrég. d'histoire. Professeur. Franc-maçon. Parti radical (Pt 1927-30 et 1936-38). Maire (Carpentras) 1912. D Vaucluse 1919-40. 7 fois M [Colonies 1924, Guerre 1925 et 1932, Instruction publ. 1925, TP (3 fois 1930-32)]. Pt C et M Guerre 31-1/24-10-33. 2 fois M Guerre 1933. Pt C et M des AE 30-1/7-2-34. 3 fois M Guerre 1937, 1938. Pt C et M Défense nat. et Guerre 10-4-38/20-3-40. M Guerre et M des AE, cabinet Reynaud. Emprisonné par Vichy de 1940 à 43, déporté en Allemagne (1943-45). Réélu dép. du Vaucluse 1946, maire d'Avignon (1953-58), Pt du Parti radical (1957-58). Se retire au début de la Ve Rép., mais anime jusqu'à la fin de sa vie des manifestations anticléricales.

Deschanel, Paul (voir p. 642c).

Ferry, Jules (St-Dié, 5-4-1832/17-3-1893). Père avocat. Droit. Avocat. Journalisme : articles polit. dans *la Presse, le Courrier de Paris, le Temps, la Tribune, la Revue politique, l'Éleveur.* Adepte du positivisme 1859 ; franc-maçon 1875. Pt de la Gauche rép. 1873-77. D Paris 1869. Repr. AN Vosges 1871-1876. D Vosges 1876-1889. S Vosges 1891-1893. Secr. du gouv. de la Défense nat. 4-9/15-11-70. Préfet de la Seine 15-11-1870/5-6-1871 (poste cumulé avec la mairie de Paris dep. le 16-11-1870). Ambassadeur à Athènes 12-5-1872/24-5-1873. 2 fois M Instruction publ. 1879. Pt C et M Instruction publ. 23-9-1880/13-11-1881 et 22-2-1883/30-3-1885. Échec à la prés. de la Rép. 1887. Pt Sénat 1893. Considéré comme le chef des « opportunistes », en réalité rép. de gauche, décidé à enlever l'Éducation à l'Église cath. De 1880 à 83, crée l'enseignement laïc. A partir de nov. 1883 (laissant l'Instr. publ. à Armand Fallières), prend en main les Aff. étr. : tente de détourner vers les conquêtes coloniales l'ardeur militaire des Fr., jusque-là surtout anti-allemande. Il y est encouragé par Bismarck. La défaite de Lang-Son (Tonkin, 2-3-1885) brise sa carrière.

Flandin, Pierre-Étienne (Paris, 12-4-1889/13-6-1958). Père D Yonne 1893-98 et 1902-09. S Inde française 1909-20. Droit. Avocat. Parti rép. démocratique et social. D Yonne 1914-40. 2 fois SS Aéronautique 1920. Vice-Pt Ch 1928 et 1929. 2 fois M Industrie 1929-30. 4 fois M Finances 1931, 1932. M TP 1934, Pt C (sans portefeuille) 8-11-34/31-5-35. M d'État 1935, AE 1936. Rallié au Mal Pétain en 1940, M d'État après la chute de Laval (13-12-40), il rejoint l'Afr. du N. en 1942. Emprisonné le 20-12-43, désigné pour être fusillé en 1944, est sauvé par une intervention de Churchill. Condamné à l'indignité nat. en 1946, est relevé de cette peine, mais demeure inéligible. Réanime *l'Alliance démocratique* qui soutient le gouv. Pinay en 1952.

Gambetta, Léon (Cahors, 2-4-1838/31-12-1882). Père immigrant italien, épicier à Cahors. Opte pour la nationalité fr. en 1859. Petit séminaire. Lic. droit. Avocat. Journaliste, fonde *la Revue politique* en 1868 (avec Brisson et Challemel-Lac.), *la République fr.* en 1871. Franc-maçon. D Marseille 1869-70. M Intérieur (gouv. de Défense nat.) 4-9-70/6-2-71. Repr. AN Bas-Rhin 8-2/1-3-71. Repr. AN Seine 2-7-71/76. D Seine 1876-82. Pt Ch 1879, 1880, 1881. Pt C et M des AE 14-11-81/29-1-82. L'un des leaders de l'opposition rép. sous l'Empire, seul homme de gauche, après Sedan, à penser qu'une victoire serait plus profitable à la Rép. qu'une défaite. Remuant mais brouillon : le Gal all. von der Goltz verra en lui l'un des responsables dans la défaite des armées de la Déf. nat. Domine par son éloquence les 1res années de la IIIe Rép., mais, au pouvoir, se révèle peu capable. Il était prêt à enterrer l'esprit de revanche, mais il en fut détourné par Juliette Adam (nationaliste). Blessé à la main, en réparant son pistolet (on a dit que la balle avait été tirée par sa maîtresse Léonie Léon), sa blessure était presque cicatrisée le 8-12-82, mais (après être resté longtemps alité), il fut saisi de douleurs abdominales ; n'ayant pas été opéré, il mourut le 31-12 de 2 perforations internes.

Grévy, Jules, (voir p. 636c).

Herriot, Édouard (Troyes, 5-7-1872/30-3-1957). Père sous-lieutenant. Normale sup. 1er à l'agrég. de lettres. Docteur ès lettres. Professeur. Académie fr. 1946. Radical (Pt du parti 1919-25, 1931-35, 1945-57). Maire de Lyon (1905-57). S Rhône 1912-19. D Rhône 1919-40. M des TP 1916. Pt C et M des AE 15-6-24/10-4-25. Pt Ch (avr. 1925-juill. 1926). Pt C 19/21-7-26. M Instr. publ. 1926. Pt C et M des AE 4-6/13-12-32. 4 fois M d'État (1934-36). Pt Ch 1936-40. Pt AN 1947-53. Créateur de l'expression, se présente « comme un Français moyen », ce qui le rendit populaire. Considérant toujours Pierre Laval comme « un membre de la famille rép. », il perdra de sa popularité après 1945, malgré ses mérites (interné en France, nov. 1942-août 1944 ; déporté en Allemagne, sept. 1944-avr. 1945). Pendant son voyage en U.R.S.S. (août 1933), Pierre Gaxotte, alors journaliste à *Je suis partout,* suggérera un canular : Herriot a reçu le grade de colonel de l'armée Rouge. La « nouvelle » est téléphonée à la presse qui la répand dans le monde. Herriot n'arriva jamais à dissiper complètement cette légende.

Jaurès, Jean (Castres, 1859/Paris, 31-7-1914). Taille : 1,67 m. Normalien, agrégé de philo., prof. au lycée de Toulouse. 1885 élu (26 ans) député du Tarn, sans étiquette, rejoint ensuite le socialisme ; 1889 battu ; élu 1893, battu 1898. 1902 réélu. 1904 fonde *l'Humanité,* qui rallie les socialistes au dreyfusisme. 1906 succès électoral (74 sièges socialistes). Pacifiste, antimilitariste (auteur de *l'Armée nouvelle,* qui a fait scandale), il est accusé de germanophilie, notamment par Charles Péguy. Abattu par un nationaliste, Raoul Villain [(1885-1936), qui sera acquitté le 23-3-1919 mais assassiné aux Baléares, pendant la g. civile esp.] au *Café du Croissant,* 16, rue Montmartre, 4 j avant la déclaration de g. Son frère était amiral.

Mac-Mahon, (voir ci-dessous).

Mandel, Georges (1885-1944). Fils de 2 commerçants israélites, Edmond Rothschild et Hermine Mandel, prend en 1903 le patronyme de sa mère (pour éviter l'homonymie avec les banquiers, sans lien de parenté avec lui). Journaliste ; chef de cabinet de Clemenceau (1917-20). D Gironde 1919, 1928-40. M PTT 1934-36. M Colonies 1939-40. M Intérieur 21-3-1940. Attaqué par la gauche (pour son train de vie dispendieux) et la droite (surtout pour son judaïsme). En juin 1940 il fait arrêter, pour intelligence avec l'ennemi, plusieurs anciens cagoulards, dont Thierry de Ludre (1903-40, abattu par son gardien) ; s'embarque sur le *Massilia* (voir Index). Emprisonné par le gouv. de Vichy (jusqu'à nov. 1942), puis livré aux Allemands. En juillet 1944, ceux-ci le remettent à des miliciens fr. qui, pour se venger de l'assassinat de Philippe Henriot, le tuent le 7-7 dans la forêt de Fontainebleau.

Millerand, Alexandre, (voir p. 642c).

Paul-Boncour, Joseph (St-Aignan, 4-8-1873/28-3-1972). Père médecin. Docteur en droit. Avocat. Académie Sc. morales et politiques. S.F.I.O. D Loir-et-Cher 1909-14, Seine 1919-24, Tarn 1924-31. S Loir-et-Cher 1931-40. M Travail et Prévoyance sociale 1911, M Guerre 1932. Pt C et M des AE 18-12-1932/28-1-1933. 4 fois M des AE 1932 et 38. M. Déf. nat. 1934, d'État 1936. Vote contre la délégation des pouvoirs au M[al] Pétain (10-7-1940). Conseiller de la Rép. 1946-48.

Poincaré, Raymond, (voir p. 638b).

Reynaud, Paul (Barcelonnette, 15-10-1878/21-9-1966). Taille : 1,60 m. Père négociant au Mexique, rentré en France. H.E.C., docteur en droit. Avocat. Parti rép. démocratique et social. D Basses-Alpes 1919-24, Paris 1928-40, Nord 1946-62. M Finances 1930 et 38. M Colonies 1931. M Justice 1932 et 38. Pt C et M des AE (et Guerre à partir du 18-5-40) 21-3/16-6-40. Nommé ambassadeur à Washington par le M[al] Pétain 17-6-40, décide de rester en France et de regrouper à Port-Vendres les adversaires de l'armistice, pour créer éventuellement un gouv. prov. à Alger. Blessé dans un accident de voiture (où est tuée sa maîtresse et inspiratrice, la Ctesse Hélène de Portes), il ne joue aucun rôle lors du changement de régime (Vichy, 10-7-40). Emprisonné par Vichy (1940-42), déporté en All. (1942-45). Dép. de Dunkerque à l'Ass. const. (1946) puis à l'Ass. nat. (1946-62). M des Fin. 1948, M d'État 1950, M des États associés 1953, délégué au Conseil de l'Europe 1949-55. Rallié au Gal de Gaulle, Pt du comité consultatif constit. (août 1958). Rompt avec lui lors du référendum de 1962 et perd son siège de D. Supporter de Lecanuet aux él. de 1965.

Ribot, Alexandre (St-Omer, 7-2-1842/Paris 13-1-1923). Bourgeoisie protestante. Juriste. Académie des Sc. morales et pol. 1903. Ac. fr. 1906. D Pas-de-Calais 1878-1909. S Pas-de-Calais 1909-23. 4 fois Pt C 6-12-92/30-3-93, 26-1/28-10-95 et M des Fin., 9/13-6 1914, 20-3/12-9-1917 ; 3 fois M Affaires étr. 1890-92, 1892-93, 1917 ; 2 fois M Finances 1895, 1914-17 ; M Int. 1893 ; M Justice 1914. Considéré par certains comme un des acteurs les plus importants de la g. 1914-18 (au pouvoir pendant les grands événements de 1917) ; il semble, en réalité, être un homme de Clemenceau, ayant accepté d'assurer la transition entre Briand et Cl., mais obéissant à celui-ci, notamment pour le rejet des offres de paix autr. Le 23-10-1917, il est chassé des Aff. étr. dans des conditions considérées comme mystérieuses (soupçonné de s'être vendu aux Italiens, ne se défend pas, pour couvrir Cl.).

Sarraut, Albert (Bordeaux, 28-7-1872/26-11-1962). Père maire de Carcassonne et dir. du *Radical du Midi* ; frère dir. de *la Dépêche* (Maurice, Pt du Parti radical-s., 1869-1943, assass.). Avocat et propriétaire viticulteur. Académie des Sc. morales et politiques. Gouverneur gén. de l'Indochine 1911-14 et 1916-19. Ambassadeur à Ankara, mars 1925-juillet 1926. Parti radical. D Aude 1902-24. S Aude 1926-40. 3 fois SS (Int. 1906-09, Guerre 1909). 13 fois M (2 fois Instr. publ. 1914, 8 fois Colonies 1920-24 et 1932-33 ; Int. 1926, Marine 1930 et 6-9-33). Pt C et M Marine 26-10/24-11-1933. M Marine 27-11-1933, Int. 1934, Pt C et M Int. 24-1/4-6-1936, 2 fois M d'État 1937 et 38 ; 2 fois M Int. 1938. M Éducation nat. 1940. Vote la délégation des pouvoirs au M[al] Pétain. Déporté en Allemagne (1944-45). Membre, puis Pt de l'Ass. de l'Union française.

Sembat, Marcel (Bonnières-sur-Seine, 19-10-1862/5-10-1922). Père postier. Droit. Journaliste. Directeur de *la Petite République* (socialiste) 1890-97. Parti soc. révolutionnaire. M. du comité rév. central dep. 1881. D. Paris (socialiste indép.) 1893-1922. Parti S.F.I.O. 1904. Leader de *l'Humanité* 1904. Dignitaire du Gd Orient. M. Trav. publics 1914-16. Très hostile à la guerre, opposé à toutes les expéditions coloniales et aux missions catholiques. Auteur en 1913 du pamphlet « Faites la paix, sinon faites un roi ». Rallié aux minoritaires au Congr. de Tours 1920.

Tardieu, André (Paris, 22-9-1876/15-9-1945). Père avocat. Lettres et droit. Secr. AE (reçu 1er en 1898). Inspecteur de l'administration. Journaliste. Professeur. Parti rép. démocratique et social. D S.-et-O. 1914-24. D Belfort 1926-36. M Régions libérées 1919, TP 1924, 1926 M Int. 1928 et 1929. Pt C et M Int. 3-11-1929/17-2-1930 et 5-3-/4-12-1930. 2 fois M Agriculture 1931. M Guerre 1932. Pt C et M des AE 20-2/3-6-1932. M d'État et Vice-Pt C 9-2/8-11-1934. Plénipotentiaire à la Conf. de la Paix 1918. Rép. de droite, lié à la finance, domine la législature 1928-32, inventant la politique des investissements créateurs d'emplois et de richesses. Battu par la gauche aux él. de 1932, il ne peut réaliser son programme de lutte contre la crise écon. Impopulaire (allure désinvolte, autoritarisme). Frappé d'hémiplégie en 1934, se retire à Menton jusqu'à sa mort.

Thiers, Adolphe (voir ci-dessous).

Waldeck-Rousseau, Pierre (Nantes, 2-12-1846/10-8-1904). Père avocat. Droit. Avocat. Franc-maçon (?). D Ille-et-Vilaine 1879-89. S Loire 1894-1904. Pt du groupe de l'Union rép. 1882. Candidat à l'élection présid. de 1895. 2 fois M Int. Anticlérical et libéral, détient le record de longévité ministérielle de la IIIe Rép. Crée la législation sociale fr. (inspirée par Millerand, alors socialiste). Auteur de la loi de 1901 (qui, dans son idée, devait permettre aux religieux de s'intégrer à la société rép.), il fut débordé par les combistes, anticléricaux extrémistes.

Zay, Jean (Orléans, 6-8-1904/20-6-1944, assassiné). Père israélite, alsacien, réfugié en Fr. 1871, rédacteur en chef du *Progrès du Loiret.* Mère protestante ; élevé dans le protestantisme. Journaliste au *Progrès du Loiret.* Droit. Avocat 1928. Parti rad. soc. M. du Grand-Orient 1926. D Orléans 1932 et 1936. SS d'État à la Prés. du Conseil. 1936. M. Éduc. nat. 1936-39. Haï par la droite pour avoir écrit en 1924 une *Ode au Drapeau* très antimilitariste. 1937, auteur d'une loi créant l'E.N.A. (votée après guerre). 1939, mobilisé. 1940 juin, s'embarque sur le *Massilia,* emprisonné comme déserteur à Riom. 1942, publication illégale de ses carnets secrets : haine accrue. 1944 extrait de sa cellule et abattu par 3 miliciens.

forts côtiers), *condamnés* 10 137 [à mort 93, dont 23 exécutés ; travaux forcés 251 ; déportations dans une enceinte fortifiée 1 169 ; dép. simples (en Algérie ou N.-Calédonie) 3 417 ; réclusion 1 247 ; emprisonnement plus d'un an 1 305 ; moins d'un an 2 054 ; mineurs en maison de correction 55] ; acquittés 2 445 ; non-lieux 22 727.

Conséquences. Paris doté d'un régime municipal spécial (pas de maire avant 1977) ; les Parisiens sont considérés (jusqu'en 1914) par les provinciaux comme de dangereux anarchistes (état de siège maintenu jusqu'en 1876, avec autorisation préalable pour les journaux, censure des théâtres, couvre-feu pour cafés et restaurants) ; l'artisanat parisien est décimé (50 % des peintres, plombiers, couvreurs, cordonniers) ; la propagande officielle a interdit toute apologie de la Commune jusqu'à la 1re G. mondiale. Depuis 1917, les révolutionnaires étrangers ont exalté son souvenir (notamment la « commune hongroise » de 1927).

• **1871 (31-8) Adolphe Thiers** [(Marseille, 15-4-1797 / St-Germain-en-Laye, 3-9-1877). Fils d'un aventurier, condamné pour escroquerie. *1821* journaliste et écrivain à Paris (Hist. de la Révolution fr. 1823-27). *1830* cofondateur du *National.* *1830-40* ministre de Louis-Philippe. *1833* Ac. fr. *1840-48* chassé du pouvoir parce que belliciste, redevenu historien (Hist. du Consulat et de l'Empire). *1848* tente de sauver la monarchie. *1848-49* rallié à Louis-Napoléon. *1850* févr. devenu républicain. *1870* juil.-sept. s'oppose à la g. *1871* 12-2 chef du pouvoir exécutif] *18-8* Pt de la Rép.

Après sa présidence : *1876* député de la Seine. *1877* 24-5 prend parti contre Mac-Mahon (manifeste des 363), meurt pendant la campagne électorale.

1872 14-5 M[al] Bazaine arrêté (condamné à mort 10-12, puis gracié). **1873** 24-5 Thiers battu par 360 voix contre 344 sur l'« ordre du jour Ernoul » [Edmond Ernoul, député monarchiste de la Vienne (1829-99)], réclamant une « politique résolument conservatrice », cède la place à Mac-Mahon.

• **1873 (24-5) Maréchal de Mac-Mahon** élu *Pt de la Rép.* [Edme-Patrice, Cte de Mac-Mahon, duc de Magenta (Sully, S. et L. 13-6-1808 / Montcresson, Loiret, 17-10-1893). Vieille noblesse légitimiste, d'origine irlandaise. Officier de carrière (saint-cyrien 1828, G[al] 1848, se distingue à Malakoff 1855, M[al], duc 1856). Vaincu et prisonnier à Sedan 1870. Chef nominal de l'armée des Versaillais 1871. S'entend avec le duc de Broglie pour occuper la présidence de la République et restaurer la monarchie].

1873 5-8 le Cte de Paris va à Frohsdorf (Autr.) et se réconcilie avec le Cte de Chambord. 30-10/12-11 échec de la restauration monarchique du Cte de Chambord : légitimistes et orléanistes avaient la majorité absolue à l'Ass. nat. mais malgré plusieurs démarches, dont celle de Charles Chesnelong le 14-10, ne purent le convaincre de renoncer au drapeau blanc. Chambord confirma sa position dans une lettre publiée dans *L'Union* du 30-10. Il voulait se présenter à l'Ass. nat., appuyé sur le bras de Mac-Mahon, le 12-10-1873, et s'y faire acclamer comme roi (mais Mac-Mahon refusa). Du 9 au 21-11, il réside à Versailles chez le Cte de Vanssay, mais ne peut rencontrer Mac-Mahon ; l'Assemblée n'ayant pas voté le rétablissement de la monarchie mais instauré, le 20-11, le *septennat présidentiel,* il quitte Versailles. **1874** 15-3 *tr. de Hué :* Tonkin protectorat fr. 4-10 élections cantonales : succès des républicains. **1875** *Constitution* [30-1 : article additionnel proposé par Henri Wallon (1812-1904, surnommé plus tard le « Père de la République »), voté par 353 voix contre 352 (plusieurs orléanistes, qui avaient refusé jusque-là que le mot *République* figure dans les textes, votent oui par crainte d'un retour du bonapartisme] : le Pt de la Rép. est élu pour 7 a. à la majorité absolue des suffr. par le Sénat et la Ch. des députés réunis en Ass. nat., il est rééligible ; 24-5 loi constitutionnelle sur le Sénat ; 25-5 sur l'organisation des pouvoirs publics ; 16-7 sur les rapports entre les pouvoirs publics. **1876** 20-2 et 5-3 élections favorables aux rép. (360 rép.). **1877** 16-5 Mac-Mahon renvoie Jules Simon (prétexte : désaccord à propos de la loi sur les délits de presse ; *raison profonde :* les catholiques réclament une intervention contre le gouvernement it., qui s'oppose au pape ; les rép. la refusent) ; 22-6 *dissolution de la Chambre ;* 14-10 élections, les rép. obtiennent encore 327 sièges. **1878** 1-5 : 3e Exposition universelle de Paris. **1879** 5-1 les rép. ont la majorité au Sénat ; 30-1 Mac-Mahon démissionne, pour protester contre le départ du Gal Jean-Louis Borel (1819-84), ministre de la Guerre exclu du gouvernement par Dufaure, le 13-1.

• **1879 (30-1) Jules Grévy** [François-Jules, dit Jules (Mont-sous-Vaudrey, 15-8-1807/9-9-1891). Fils d'un paysan franc-comtois. *1837* avocat (républicain) au barreau de Paris. *1848* dép. du Jura. *1851* arrêté le 2-12, libéré et redevenu avocat. *1869* député (rép.) de Paris. *1871* dép. du Jura, 16-2 Pt de l'assemblée à Bordeaux, confie le pouvoir exécutif à Thiers. *1875* vote l'amendement Wallon. *1876* Pt de la Chambre]. *1879* 30-1 élu Pt de la Rép.

1879 31-1 1er vote des Chambres revenues de Versailles à Paris : le *14 Juillet* fête nationale et *la Marseillaise* hymne national ; 1-6 mort du prince impérial, tué au Zoulouland ; 21-2 la Chambre prend parti pour la démolition des Tuileries (qu'on aurait pu restaurer). **1880** opérations de police contre de nombreuses maisons religieuses (jésuites, dominicains) ; 29-5 Lesseps entreprend le percement du canal de Panamá (voir Index). **1881** 12-5 Tunisie protectorat (17- 4 raid de 500 Kroumirs en Algérie, 5 Fr. tués ; avril 30 000 Fr. passent la frontière algéro-tunisienne et 8 000 débarquent à Bizerte) ; 16-6 vote des lois scolaires (gratuité et caractère obligatoire de l'ens. primaire, création des écoles normales d'instituteurs) ; 29-7 liberté de réunion et de la presse. **1882** 28-3 laïcité de l'enseignement ; 18-5 fondation de la *Ligue des Patriotes* (Paul Déroulède) ; 20-5 formation de la *Triple-Alliance* (All., Autr., It.) contre la Fr ; 20-12 Eugène Bontoux (1820-1905), accusé dans l'affaire du *krach de l'Union générale,* condamné à 5 ans de prison et à 3 000 F d'amende [15-3-1883, peine réduite à 2 ans (l'Union générale, créée en 1877, était une Sté financière prospère mais, attaquée par la spéculation, elle a des difficultés de trésorerie (non insurmontables) en 1881. Au moment où Bontoux arrive à se renflouer, le garde des Sceaux, Gustave Humbert (1822-84), le déclare en faillite et le fait arrêter (motif supposé : Bontoux, député conservateur, était un ami de Mac-Mahon, il avait été invalidé de façon suspecte, le 14-10-1877). Bontoux a remboursé son passif sur sa fortune personnelle et a écrit en 1888 un livre dénonçant l'injustice d'Humbert]. **1883** 7-7 visite des princes d'Orléans au Cte de Chambord à Frohsdorf. 24-8 mort du Cte de Chambord ; 25-8 protectorat fr. en Annam. **1883-85** expédition de *Madagascar.* **1884** 22-3 liberté syndicale ; 27-7 rétablissement du divorce ; sept.-oct. grève des mineurs *d'Anzin* (40 000 grévistes, 46 j de grève) ; 18-12 déclaration de g. à la *Chine* [qui a attaqué Tuyên-Quang (15 000 Chinois assiègent 400 légionnaires et 165 tirailleurs annamites, commandés par le commandant *Dominé ;* ils résistent plus de 100 j et sont délivrés le 3-3-1885 par la brigade Giovaninelli ; 6 000 Chinois †, parmi les morts fr., le sergent *Bobillot*)]. **1885** 3-2 défaite de *Lang Son* (200 Fr. tués ou blessés) ; 29-3 la nouvelle arrive à Paris, causant la chute de Jules Ferry ; 28-12 Grévy réélu Pt. **1886** 7-1 le Gal *Boulanger,* min. de la G. ; 23-6 loi d'exil : expulsion des princes (Bourbon et Bonaparte) ; janvier troubles à Decazeville. **1887** 20-4 *affaire Schnaebelé* (commissaire de police du poste frontière de Pagny-sur-Moselle ; attiré en territoire all. par son homologue et incarcéré comme espion ; relâché le 30-4 sur ordre de Bismarck) ; sept. découverte d'un *trafic de décorations* [Daniel Wilson (1840-1919), gendre de Grévy, député d'Indre-et-Loire dep. 1876, a ouvert à l'Élysée, où il loge, une officine, où l'on peut obtenir la légion d'honneur en payant. Après une violente campagne de presse, le 17-11 la Chambre autorise l'ouverture d'une action judiciaire contre Wilson ; 19-11 discours de Clemenceau, faisant tomber le ministère ; 2-12 Sénat et Chambre votent une double résolution demandant la démission de Grévy, qui se soumet (Wilson, condamné à 2 ans de prison le 23-2-1888, est acquitté en appel, et réélu député en 1893 et 1898)].

• **1887 (3-12) Sadi Carnot** [(Limoges 11-8-1837/Lyon, 24-6-1894, assass.). Fils d'Hippolyte C., ministre ; petit-fils de Lazare C., Cte d'Empire. *1857* polytechnicien. *1863* ingénieur des Ponts et Chaussées. *1876* dép. de Beaune. *1880* min. des Trav. publ. dans le cabinet Jules Ferry. *1881* vice-Pt de la Chambre. *1886* min. des Trav. publ. du cabinet Freyssinet ; doit démissionner pour avoir demandé des économies]. *1887* 3-12 élu Pt de la Rép.

1889 6-5 inauguration de la Tour Eiffel (Exposition universelle). **1890** 7-2 Philippe, duc d'Orléans (1869-1926), fils du Cte de Paris, arrive clandestinement à Paris pour son service militaire. Il est arrêté et condamné le 12-2 à 2 ans de prison (reconduit à la frontière suisse le 6-6). Prise de Ségou par le colonel Archinard, Cdt supérieur au Soudan (destruction de l'Empire d'Ahmadou). 12-11 début du *ralliement* des cath. aux rép. (sur l'ordre de Léon XIII, le card. Lavigerie, archev. d'Alger, porte un toast à la Rép. et fait jouer *la Marseillaise* au cours d'un banquet d'officiers de marine). **1891** 1-5 *fusillade de Fourmies :* la troupe tire sur les grévistes qui défilent pour le 1er Mai (9 †, dont 1 enfant de 11 ans, 30 bl.), 2 des organisateurs du défilé sont emprisonnés : Culine et Paul Lafargue (1842-1911), élu député du Nord le 25-10 ; 23-7 visite à *Cronstadt* (Russie) d'une escadre fr. (le tsar écoute, tête nue, la Marseillaise) ; 27-8 accord diplomatique fr.-russe (consultations en cas de menaces extérieures). **1892** 11-1 *lois Méline* (retour au protectionnisme agricole) ; 11-3 début des *attentats anarchistes* à Paris ; 17-8 signature de la convention mil. franco-russe ; sept. début du *scandale de Panamá* [pots-de-vin distribués à des parlementaires – dont Clemenceau – par le baron de Reinach, pour obtenir le vote de subventions à la compagnie de Lesseps ; 26 parlementaires, dont les noms sont divulgués, sont appelés les *chéquards* (104 auraient reçu des subventions) ; *Ferdinand de Lesseps* (1805-94) et *son fils Charles,* administrateurs de la Cie, condamnés à 5 ans et 3 000 F d'amende pour « escroquerie » le 9-2-1893 (puis à 1 an de prison pour corruption) ; *Charles Baïhaut* (ancien ministre) à 5 ans de prison, 750 000 F d'amende et la dégradation civique. Les autres chéquards ont tous un non-lieu : *Marius Fontane et Henri Cottu* condamnés à 2 ans de prison et à 3 000 F d'amende ; *Gustave Eiffel* (1832-1923) qui s'est engagé à mener à bonne fin la construction du canal, à 2 ans et 20 000 F d'amende ; *Léopold-Henri Aaron,* dit *Émile Arton,* est acquitté le 25-2-1897]. **1893** 2-7 le cousin d'un étudiant est tué par un policier en fuite ; 3/4-7 manif. étudiante ; 14-7 Bourse du travail fermée ; oct. esc. russe visite Toulon ; 16-8 Aigues-Mortes ; affrontements entre travailleurs, 7 Italiens †. **1894** 10-1 prise de *Tombouctou* (Afr.) par le Lt-colonel Bonnier, intérimaire du colonel Archinard ; 24-6 *Carnot est assassiné* à Lyon par un anarchiste italien de 21 ans, Santo Caserio (n. 8-10-1873, exécuté 16-8-1894).

Boulangisme (1886-89)

Causes. *1°* discrédit de la Rép. parlementaire, du fait notamment du trafic des décorations à l'Élysée ; *2°* désir de revanche, fomenté dans l'opinion publique par la bourgeoisie conservatrice, accusée d'avoir signé le tr. de Francfort (1871) par crainte de la commune parisienne ; *3°* engouement des foules, surtout à Paris, pour un beau cavalier.

Le personnage. *Georges Boulanger* (1837-91), brillant combattant d'Algérie, Italie, Cochinchine ; général à 43 ans (1880), chef du corps expéditionnaire en Tunisie (1884-85) ; condisciple de Clemenceau au lycée de Nantes, il se rallie à lui en 1886, abandonnant le duc d'Aumale qui a fait sa carrière militaire. Se pose en « Gal républicain ». Ambitieux, il vise la présidence à vie d'une rép. nationaliste. Les monarchistes, notamment la *duchesse d'Uzès* (1847-1933), qui alimente son budget, le soutiennent, pour qu'il renverse le régime, la restauration ayant ses chances après lui ; Boul. garde néanmoins des partisans chez les hommes de gauche, notamment *Henri Rochefort* (1831-1913), *Alfred Naquet* (1834-1916). Principal propagandiste : *Paul Déroulède* (1846-1914), qui a inventé le surnom de « Gal Revanche ». Les rép., connaissant son manque d'intelligence et de caractère, l'ont vu avec satisfaction à la tête de la droite (monarchistes, bonapartistes, conservateurs) ; ils le tiennent en main par sa maîtresse *Marguerite de Bonnemain,* qui travaillait pour la police.

Déroulement. *1886,* janvier-mai, Boul., min. de la G., se rend populaire dans l'armée par des réformes (fusil Lebel, guérites tricolores, incorporation des séminaristes, etc.) ; 14-7 revue à Longchamp (il est acclamé) ; oct. parution du journal *la Revanche* (frontispice : portrait de Boul.), faisant campagne pour la reconquête de l'Alsace-Lorr. *1887,* 20/21-4 affaire Schnaebelé : Boul. veut mobiliser ; 31-5 il est remplacé au min. de la G. ; 22-5 : 39 000 électeurs votent pour lui lors d'une partielle (non éligible, bulletins nuls) ; 28-6 affecté à Clermont-Ferrand ; nov. création du *Parti boulangiste* (baron de Mackau, 1832-1918). *1888,* 14-3 Boul. mis en non-activité ; 4-6 élu député du Nord ; 13-7 duel à l'épée avec Charles Floquet (1828-96), Pt du Conseil. (Boul. est blessé). *1889,* 27-1 élu à une partielle de Paris [245 000 v. contre 162 000 au radical Édouard Jacques (1828-1900 ; élu dép. de la Seine 1889)] : la foule marche sur l'Élysée où le Pt Carnot fait ses malles, mais Marguerite de Bonnemain empêche Boul. de prendre le pouvoir ; 2-4 elle s'enfuit avec lui à Bruxelles, lui faisant croire qu'il va être arrêté ; sept.-oct. élections : reflux du boulangisme (38 sièges sur 571) ; 14-8 Boul. condamné par contumace à la détention perpétuelle (complot contre la sûreté de l'État) dans une enceinte fortifiée ; s'enfuit. *1891,* 16-7 mort de Marguerite de Bonnemain ; 14-8 suicide de Boul. sur sa tombe à Ixelles (Belg.).

Conséquence. Le nationalisme revanchard continue, dans les milieux de droite, sans leader qualifié. Il ne pourra jamais renverser la Rép. radicale, même à l'occasion de l'affaire Dreyfus.

• **1894 (27-6) Jean Casimir-Perier** [(Paris 8-11-1847/11-3-1907). Fils d'un min. de l'Intérieur ; petit-fils du PM de Louis-Philippe. *1870* équipe un bataillon de mobiles dans l'Aube, et sert comme capitaine. *1876* dép. (centre gauche) de Nogent-sur-S. *1885* dép. de l'Aube, vice-Pt de la Chambre. *1893* Pt du Conseil, crée le min. des Colonies]. *27-6* élu Pt de la Rép. par 451 voix sur 851 (accepte après beaucoup d'hésitations). Violemment attaqué par la gauche, à cause de sa grosse fortune. *1895* 15-1 démissionne brusquement, se plaignant de ne pas être informé de la situation politique par ses ministres. Devenu Pt de la Cie des mines d'Anzin, se retire de la vie politique jusqu'à sa mort.

Attentats anarchistes (1892-94)

Causes. *1°* souvenirs de la Commune de Paris [la militante révolutionnaire Louise Michel (1830-1905), rentrée de N.-Calédonie en 1880, est la théoricienne des an. fr.] ; *2°* hostilité envers les partis organisés de gauche (marxistes) qui veulent créer un État socialiste ; *3°* haine et mépris pour la bourgeoisie affairiste, au pouvoir dep. 1877.

Déroulement. 1892, 11-3 bombe de Ravachol (François Koenigstein, n. 1859) chez le Pt Benoît ; 15-3 attentat, caserne Lobau ; 27-3 bombe de Ravachol chez Bulot ; 30-3 Ravachol arrêté ; 25-4 explosion au restaurant Véry (2 †) ; 26-4 procès de Ravachol ; 11-7 exécuté ; **1893,** 8-11 bombe déposée par Émile Henry (19 ans), 11, av. de l'Opéra (siège des Mines de Carmaux), transportée au commissariat de police rue des Bons-Enfants : 5 † ; 9-12 Auguste Vaillant (1861-94) lance une bombe dans la Chambre des députés (*Le Crapouillot* a dit en 1935 que Vaillant était téléguidé par le policier Puyrabaud, chargé de faire adopter les *lois scélérates,* utiles à la répression. Sa bombe aurait été fabriquée à la préf. de police : chargée de clous, elle n'avait fait que des blessés légers, dont l'abbé Lemire, catholique libéral ; le procès fut bâclé en 1 mois) ; 11/12-12 1re *loi « scélérate »* sur les « appels au meurtre et au pillage » ; 18/19-12 2e sur les « assoc. de malfaiteurs ». **1894,** 5-2 Vaillant exécuté ; 12-2 Henry fait sauter le café Terminus (gare St-Lazare) : 1 †, 20 bl. ; 15-3 le Belge Pauwels saute avec sa bombe à la Madeleine ; 4-4 explosion au restaurant Foyot (l'écrivain Laurent Tailhade perd un œil) ; 27-4 procès d'Henry ; 21-5 Henry exécuté ; 24-6 Jeronimo Caserio (1873-94), pour venger Vaillant, tue à Lyon le Pt Sadi Carnot (exécuté 16-8) ; 27/28-7 3e loi « scélérate » sur la « propagande par le fait » votée par 269 voix contre 163. *Dernières manif. de l'anarchie :* exécution de Liabeuf 1910 ; extermination de la bande à Bonnot [20 accusés. Joseph Bonnot (1876-1912) abattu par la police. 4 cond. à mort 27-2-1912 : Eugène Dieudonné, Raymond Callemin, André Soudy et Monier].

• **1895 (17-1) Félix Faure** [(Paris 30-1-1841/16-1-1899). Fils d'entrepreneur ; apprenti tanneur en Touraine, puis ouvrier aux tanneries du Havre ; y crée une maison de commerce. *1870* Cdt d'un bataillon de mobiles. *1881* dép. du Havre (union rép.). *1881* sous-secr. d'État au Commerce et aux Colonies. *1888* leader de l'anti-boulangisme. *1894* min. de la Marine et des Colonies]. *17-1* élu Pt de la Rép. contre Henri Brisson, radical ; surnommé le « Pt Soleil » à cause de son ostentation, il est militariste, prorusse et antidreyfusard.

1895 1-10 protectorat fr. à *Madagascar ;* oct. émeutes de mineurs grévistes à *Carmaux.* **1896** 6-8 annexion de Mad. ; 5/9 oct. Nicolas II en Fr. **1897** août, Félix Faure en Russie, alliance fr.-russe. **1898** 7-2 procès d'Émile Zola ; 4-11 à la suite d'un ultimatum anglais, le cap. Jean-Baptiste *Marchand* (1863-1934) reçoit l'ordre d'évacuer *Fachoda* [conséquences : l'Angl. réalise son projet de colonisation N.-S. de l'Afrique ; la Fr. renonce à son Empire E.-O. (Dakar-Djibouti). Mais l'*Entente cordiale* devient possible, et l'Angl. laissera à la Fr. le Maroc contre l'Égypte (l'opinion publique ne comprend pas et reste anglophobe)]. **1899** janv. les écrivains François Coppée (1842-1908) et Jules Lemaître (1853-1914) fondent la Ligue de la Patrie française (extrême droite) ; 16-2 Faure meurt à l'Élysée au cours d'une aventure galante (avec Marguerite Steinheil, née Japy, future héroïne du « drame de l'impasse Ronsin », en 1908).

• **1899 (18-2) Émile Loubet** [(Marsanne, Drôme 31-12-1838/La Bégude de Mazenc, Drôme 20-12-1929). Fils de paysans ; avocat (républicain) sous l'Empire. *1870* maire de Montélimar. Franc-maçon, proche de la petite bourgeoisie. *1876* dép. *1885* sénateur. *1892* Pt du Conseil. *1896* Pt du Sénat]. *1899* 18-1 élu Pt de la Rép. par les radicaux et les « révisionnistes » (dreyfusards) contre Méline. 4-6 frappé à coups de canne au champ de course d'Auteuil, par le baron de Cristiani (à cause de son appui aux dreyfusards). *1906* après sa présidence, se retire de la vie politique, mais reste membre du « Comité Mascuraud » (Comité républicain du Commerce et de l'Industrie), dont le rôle électoral est important.

1899 23-2 échec d'un putsch de Paul Déroulède : après les obsèques de Félix Faure, il veut entraîner vers l'Élysée les troupes qui ont défilé (leur chef, le Gal Roget, refuse) ; acquitté en Cour d'assises ; 29-5 conférence intern. de La Haye (interdiction des gaz asphyxiants).

1900 janv. *Exposition universelle ;* juill.-sept. expédition intern. en Chine (*g. des Boxers) ;* la Fr. y participe ; déc. Delcassé obtient le retrait italien de la Triple-Alliance. **1901** 18-9 le tsar Nicolas II en Fr. **1902** 20-5 Loubet en Russie ; 1-6 arrivée au pouvoir du « Bloc » anticlérical (Émile Combes). **1903** 1-5 Edouard VII d'Angl. à Paris ; 22-8 Thérèse Humbert (n. 1850) condamnée avec son mari à 5 ans de réclusion pour faux et escroquerie basés sur un héritage imaginaire.

1904 mars écoles congréganistes interdites ; 8-4 convention fr.-angl., concrétisant l'*Entente cordiale* [Delcassé la croit dirigée contre l'Allemagne, alors que les Angl. cherchent à paralyser l'alliance franco-russe (le Japon, allié de l'Angl., s'apprête à attaquer la Russie, mais serait battu si l'Indochine fr. prenait part à la lutte ; Delcassé laissera écraser les Russes)]. **1905** 6-6 *démission de Delcassé* imposée par l'All. (conséquence de l'affaire de *Tanger ;* Guillaume II avait soutenu contre la Fr. l'indépendance du Maroc.) ; 9-12 *séparation* de l'Église et de l'État (v. Index).

• **1906 (18-1) Armand Fallières** [(Mézin, L.-et-G., 6-11-1841/Loupillon, L.-et-G., 22-6-1931). Fils d'un greffier ; études à Angoulême ; avocat à Nérac. *1876* dép. de Nérac (anticlérical). *1882* min. de l'Intérieur. *1883* proposition de la loi expulsant de France les princes héritiers des anciennes familles régnantes. *1887* min. de l'Intérieur de Rouvier, lutte contre le boulangisme. *1890* min. des Cultes de Freycinet ; fait condamner l'arch. d'Aix à 3 000 F d'amende pour outrages envers le gouvernement ; sénateur. *1899* Pt du Sénat ; préside la Hte Cour jugeant Déroulède]. *1906* 18-1 élu Pt de la Rép. contre le modéré Paul Doumer (449 voix contre 371). *1913* après sa présidence, dans sa terre du Loupillon, cultive ses vignes jusqu'à sa mort.

1906 janv. début de la *conf. d'Algésiras* [par 10 voix contre 3 (All., Autr., Maroc), la Fr. obtient un droit « spécial » au Maroc] ; févr.-mars, affaire des *Inventaires* dans les églises (1 cathol. †). **1907** mai-juin, agitation chez les viticulteurs du Languedoc (v. Index : *Marcelin Albert*). **1908** grèves fréquentes et violentes, notamment à *Draveil* (juillet) : 4 †. Juin, l'État rachète la Cie des chemins de fer l'Ouest. **1909** 9-2 arbitrage de la cour de La Haye après le vote d'Algésiras (accord fr.-all. sur le Maroc) ; mars, grève des postiers (600 révoqués) ; avril-mai, échecs de grève générale. **1910** 25-8 condamnation par le pape du *Sillon* de Marc Sangnier (1873-1950) (socialisme chrétien) ; oct. grève des cheminots (révocations, mobilisation). **1911** 1-7, affaire d'*Agadir* (où fut envoyée une canonnière all.) ; 4-11 accord fr.-all. sur Maroc et Congo [la Fr. a les mains libres au Maroc ; l'All. reçoit en échange le « *bec de canard* » (250 000 km² entre le Cameroun et le fleuve Congo, coupant en 2 l'Afr. équatoriale fr.)]. **1912** 30-3 *Maroc protectorat fr.* ; 23-7 tr. d'assistance navale avec l'Angl. ; 29-4 Bonnot tué. 26-7 Henri *Rochette* (n. 1878) condamné à 3 ans de prison pour escroquerie (sera recondamné le 24-3-34 à 3 ans de prison).

• **1913 (17-1) Raymond Poincaré** [(Bar-le-Duc, 20-8-1860/15-10-1934). Père ingénieur des Ponts et Chaussées. Lic. droit et ès lettres. Avocat. Académie fr. 1909. Jeunesse rép. *1887-1903.* député de la Meuse. *1903-13* et *1920-34* sénateur. *1893* et *95* ministre Instr. publique. *1894* et *1906* min. des Finances. *1912* (14-1)-*13* (18-1) Pt du Conseil et min. des Aff. étr. *1913* (18-2)-*1920* (18-2) Pt de la Rép. *1922* (15-1)-*24* (26-3) Pt du Conseil et min. des Aff. étr. *1924* (26-3/1-6), *26* (23-7)-*28* (6-11), *28* (11-11)-*29* (27-7) Pt du Conseil et min. des Finances. Partisan de la revanche, il acquiert une réputation d'homme énergique, sauf auprès de Clemenceau, qui dénonce sa pusillanimité. La façon dont il a poussé le gouv. russe, en juillet 1914, à faire preuve de fermeté lui a valu le surnom de « Poincaré-la-Guerre ». Pendant la g., s'efforce de respecter la Constitution (maintien du pouvoir exécutif sous le contrôle du Parlement). Redevenu sénateur, min. et Pt du Conseil après son septennat.

1913 10-8 service militaire de 3 ans ; nov. incidents de Saverne entre Alsaciens francophiles et soldats all. ; 31-3 *la Joconde,* qui avait été volée, revient à Paris. **1914** 28-6 assassinat à *Sarajevo* (Bosnie) de l'archiduc François-Ferdinand, héritier d'Autr. (v. Index) ; 20/24-7 visite en Russie de Poincaré et du Pt du Conseil, Viviani ; 31-7 Jean Jaurès assassiné par Raoul Villain (voir p. 636a).

L'affaire Dreyfus (1894-1906)

Déroulement. 1894, fin sept. une femme de ménage fr. de l'ambassade allemande, travaillant pour le S.R. (Service des Renseignements) français, découvre un bordereau prouvant la trahison d'un officier de l'état-major français ; 14-10 le Gal Mercier, min. de la Guerre, met en cause un capitaine juif, Alfred Dreyfus (1859-1935) ; il lui fait faire une dictée et conclut à sa culpabilité (similitude des écritures) ; 15-10 Dreyfus incarcéré ; 22-12 condamné à la déportation à vie dans une enceinte fortifiée, 12-3-1895/9-6-1899 envoyé en Guyane, à l'île du Diable (ni lui ni son avocat n'ont eu en main le dossier secret sur lequel il a été condamné). **1895,** 5-1 dégradé à l'École militaire ; 1-7 colonel Georges Picquart (1854-1914) nommé à la tête du S.R. : il découvrira en 1896 que 2 pièces d'un « dossier secret » communiqué au jury militaire qui a condamné Dr. sont sans valeur, notamment un billet de l'attaché militaire italien portant mention : « ce canaille de D... » (on sait actuellement qu'il s'agissait d'un cartographe nommé Dubois) ; 5-8 il en avertit le Gal de Boisdeffre, chef de l'état-major général ; 26-10, il est envoyé en Tunisie ; 6-11 Bernard Lazare publie une brochure : « Une erreur judiciaire : la vérité sur l'affaire Dreyfus. » **1897,** 15-11 Mathieu Dreyfus (1858-1931), frère d'Alfred, accuse le commandant Charles Walsin Esterhazy (1847-1923) d'être l'auteur du bordereau. **1898,** 11-1 Esterhazy, qui a demandé à être jugé, est acquitté (il se révèle néanmoins qu'il fait de l'espionnage) ; 13-1 Émile Zola publie dans *l'Aurore* un article « J'accuse » (titre de Clemenceau) ; 4-6 création de la Ligue des droits de l'homme pour défendre Dr. (idée lancée le 20-2 par le sénateur Ludovic Trarieux) ; 31-8 suicide en prison du colonel Henry, auteur d'un faux daté de 1896, et rajouté au dossier de Dr., pour couper court à toute révision. Les antidreyfusards concluent à un crime politique et *la Libre Parole* ouvre une souscription pour sa femme. **1899,** 3-6 cassation du jugement (motif : non-remise à la défense du « dossier secret » ; 9-9 Dr. rejugé à Rennes, condamné à 10 ans de réclusion (reconnu coupable avec circonstances atténuantes) ; 19-9 gracié ; (12-8/20-9 Paul Déroulède et Jules Guérin déclenchent un mouvement armé de protestation à « *Fort-Chabrol* » où ils résistent à la police). **1906,** 12-7 la Cour de cassation annule sans renvoi le jugement de Rennes : « prononcé par erreur » ; 13-7 Dr. réintégré (nommé commandant et chevalier de la Légion d'hon. en 1906, lieut.-col. 1918) ; Picquart réintégré et nommé Gal ; de 1906 à 1909, ministre de la Guerre de Clemenceau.

Conséquences. 1° Psychologiques. « Dreyfusards » et « antidreyfusards » s'accusant des plus graves forfaits (déni de justice, haine raciale, violation des droits de l'homme, d'une part ; trahison, antipatriotisme, complot contre l'armée, d'autre part). Sous l'influence de Charles Maurras et de *l'Action française* (créée en 1899), l'antidreyfusisme se transforme chez beaucoup de gens de droite en « antisémitisme d'État ». **2° Politiques.** Des opportunistes (radicaux modérés) révisionnistes, c.-à-d. dreyfusards, rallient la gauche. *a)* Présidence de la Rép. : 18-2-1899, Jules Méline, modéré, est battu par Émile Loubet, radical (279 voix contre 483). *b)* Gouvernement : 22-6-1899, Charles Dupuy, modéré, est remplacé par Waldeck-Rousseau, radical. Les radicaux, puis le « Bloc des gauches », s'installent au pouvoir pour 20 ans. **3° Militaires.** L'armée sort affaiblie de la crise. *a)* Les officiers sont divisés en dreyfusards et « anti » (nombreux duels). *b)* Le Gal André écarte les dreyfusards des postes importants. *c)* Le S.R. est supprimé et ses fonctions sont confiées à la police civile (qui sera surclassée par le S.R. allemand).

État actuel de la question. Dreyfus est considéré par les historiens comme innocent. Certains auteurs ont émis des hypothèses, qu'aucun élément n'est venu confirmer : Dreyfus aurait-il occasionnellement collaboré avec le S.R. ? Le commandant Henry ne peut-il être soupçonné ? L'auteur du bordereau ne serait-il pas l'attaché militaire all. de Paris, Schwartzkoppen, qui l'aurait établi pour « intoxiquer » le S.R. ?

Première Guerre mondiale (1914-18)

Les débuts

Causes. 1°) **Rivalités européennes** (Russie contre Autr. au sujet des Balkans ; France contre All. au sujet de l'Alsace-Lorr. ; All. contre Fr. et Angl. au sujet des colonies ; Angl. contre All. au sujet du réarmement naval ; Italie contre Autr. au sujet des provinces « irrédentes » ; Autr. contre Serbie au sujet des Slaves du Sud, etc.).

2°) **Crainte des conséquences financières de la « course aux armements » :** dep. 1901, chacune des grandes puissances europ. dépense de 1 à 2 milliards de F annuels pour s'armer ; la tentation est venue d'utiliser ces armes pour réduire (après une victoire) les budgets des armées et des marines.

3°) **Croyance générale en une g. courte :** la Fr. surestime la puissance russe (« le rouleau compresseur ») ; Poincaré pense reconquérir l'Alsace-Lorraine en quelques semaines ; les All. pensent écraser l'armée fr. en 1 mois grâce au « *plan Schlieffen* » ; les Autr. pensent liquider la Serbie en 8 j ; le chef d'état-major russe Ianushkevitch croit prendre les All. de vitesse s'il peut mobiliser avant eux et charge Sazonov d'arracher au tsar l'ordre de mobilisation générale le 30-7 à 16 h.

4°) **Bellicistes.** *L'été 1914, il y a simultanément au pouvoir, en Europe, plusieurs bellicistes :* le comte de Berchtold en Autr.-Hongrie, Iswolsky et Sazonov en Russie, Poincaré en France, Nicolas Pachitch en Serbie. Le chancelier allemand Bethmann-Holweg longtemps considéré comme un médiocre s'étant laissé entraîner dans la g. sans l'avoir voulue, aurait été, selon l'historien all. Fritz Fischer, un expansionniste et un belliciste convaincu.

5°) **L'Angl. (Sir Edward Grey) préfère la neutralité** (ce qui pousse l'Allemagne à la g.), mais, après l'invasion allem., verra dans la violation de la neutralité belge un *casus belli.*

La guerre était-elle évitable ? Caillaux assurait que sans le scandale causé par sa femme (meurtre de Calmette, voir Index), il aurait été Pt du Conseil à la place de Viviani, homme sans caractère, ayant laissé agir Poincaré. Caillaux pensait faire entrer Jean Jaurès dans son gouv. et empêcher Poincaré de se rendre en Russie [il estimait qu'Iswolsky avait soutenu à fond la Serbie contre l'Autr. (ce qui a déclenché la g. par réaction), Poincaré lui ayant promis son soutien].

D'après les marxistes, les milieux financiers internat. ont poussé à la guerre, pour affaiblir et dominer le prolétariat des belligérants. D'après Caillaux, les banques étaient, au contraire, pacifistes, redoutant un conflit mondial (ruine des monnaies, crise des échanges, suprématie financière des U.S.A.).

• **Plans de campagne.** FRANCE : *« Plan XVII »,* élaboré par Joffre en 1914, mais reprenant les idées d'offensive « à outrance » du colonel, puis général Louis de Grandmaison (1861-1915, tué au combat), prof. à l'École de g. : la victoire dépend de la supériorité des forces morales [des soldats résolus, armés de baïonnettes, l'emportant sur des adversaires retranchés et mieux armés, mais moins vaillants ; ces théories étaient battues en brèche, dep. avr. 1913, par le capitaine Bellanger, observateur militaire de la g. des Balkans, qui avait compris l'efficacité de l'ensemble défensif : tranchées, barbelés, mitrailleuses. Bellanger était soutenu par le Gal Estienne (futur créateur des chars d'assaut) et le colonel Pétain. Mais la tendance Grandmaison prévalait chez les officiers d'état-major]. Offensives prévues : par le plateau lorrain vers Sarrebourg, puis le Palatinat ; par la trouée de Belfort vers le Rhin.

ALLEMAGNE : *« Plan Schlieffen »* (modifié par von Moltke) ; supériorité du feu (mitrailleuse, artillerie lourde, gros effectifs) ; 27 corps d'armée doivent violer la neutralité belge et déborder l'aile g. des Fr. Après la bat. de la Marne, les All. adopteront à leur tour la tactique des masses profondes attaquant à la baïonnette (bat. de l'Yser) et sacrifieront 4 corps de volontaires à Dixmude.

Effectifs. Voir p. 641b.

Grands événements stratégiques

• **1914. Guerre de mouvement sur 2 fronts.** Les All. veulent éliminer d'abord les Fr. pour se retourner ensuite contre les Russes (ils redoutent la g. sur 2 fronts) ; ils espèrent que les Autr. pourront contenir les Russes pendant que l'armée all. triomphera à l'Ouest. Cette stratégie échoue : 1°) Les Fr. résistent à l'O. [ils sont renforcés par Belges et Angl. ; ils gagnent la bat. de la Marne (sept.) puis celle des Flandres (Dixmude, Ypres, nov.)]. 2°) Les Autr. sont écrasés par les Russes, qui ont envahi leur territoire et menacé la Silésie all. 3°) Les Russes, fidèles à la parole donnée aux Fr., ont attaqué la Prusse orientale all. sans avoir achevé leur concentration. Ils ont été battus à Tannenberg et aux lacs Mazurie, mais Guillaume II, affolé, a exigé qu'on prélève 2 corps d'armée à l'O., pour sauver Koenigsberg (ce qui a soulagé les Fr. pendant la Marne).

Théâtre secondaire : la Serbie. Les Autr., qui avaient monté une « expédition punitive », sont battus par les Serbes, et doivent, eux aussi, creuser des tranchées (bataille du Roudnik, 13-12-1914).

Changement de doctrine des Allemands (hiver 1914-1915). Falkenhayn décide de rester sur la défensive à l'O., de porter tous ses efforts contre les Russes, qui manquent de munitions. En mars-avril, Fr. et Angl. attaquent les *Dardanelles* (Turquie), pour pouvoir ravitailler la Russie par la mer Noire. Échec [cause vraisemblable : la mauvaise volonté des Angl. (voir p. 640 : *occasions perdues*)]. Le 2-5, les Russes sont battus à Gorlice par les All. et perdent de vastes territoires (Pologne, Lituanie, Courlande).

• **1915. Massacres inutiles.** Joffre, incapable d'aider les Russes directement, décide de les aider indirectement en lançant des offensives locales (il espère immobiliser ainsi de gros effectifs all.). En Artois, Champagne, Vosges, il perd 600 000 h. sans entamer l'ennemi.

Ouvertures de nouveaux fronts. Voulues par les Alliés pour éviter l'obligation de percer les lignes all. en Fr. 1°) *23-5*, entrée en g. de l'Italie (mais le front austro-ital. se stabilise immédiatement comme celui de l'O.). 2°) *nov.-déc.*, Aristide Briand (Pt du Conseil dep. oct.) décide d'ouvrir un *front dans les Balkans (Salonique)*. Raisons : a) la Serbie vient d'être écrasée, mais une partie de son armée s'est réfugiée à Corfou ; b) les troupes franco-angl. des Dardanelles peuvent être utilisées en Grèce, au lieu d'être gaspillées en Turquie ; c) les Bulgares sont entrés en g. aux côtés de l'All. le 25-9 : s'ils sont battus dans une g. de mouvement, la Turquie est isolée, l'Autr. prise à revers. L'idée de Briand est critiquée par l'état-major fr. (et par Clemenceau) ; le front de Salonique sera immobilisé, comme ceux de l'Ouest et d'Italie.

• **1916. Nouveau changement allemand : Verdun.** Falkenhayn, ayant fait reculer les Russes loin des frontières allem., espère vaincre à l'Ouest : il attaque à Verdun en févr. La résistance française est vigoureuse ; les All. subissent de lourdes pertes.

Nouvelles théories sur la g. industrielle. A partir de Verdun, les états-majors sont convaincus que la victoire s'obtiendra par la supériorité des armements (bombardements massifs, chars d'assaut, aviation). Les All. croient en la g. sous-marine (le blocus sous-marin devant paralyser l'industrie de g. anglaise) ; les états-majors alliés croient au blocus (la pénurie en matières premières devant ruiner l'industrie de g. allemande). Voir guerre navale ci-contre.

Diversions. 1°) *Entrée en g. de la Roumanie.* Provoquée par Briand, qui cherche à ranimer le front du S.-E. (déception : les Roumains sont immobilisés rapidement par Austro-All. et Turcs). 2°) *Offensive Broussilov en Bukovine.* Déclenchée en juill., elle doit soulager la pression all. sur Verdun. Succès limité, qui épuise définitivement l'armée russe. 3°) *Offensive anglo-fr. sur la Somme (sept.-oct.).* Conçue par les Angl., devait démontrer que la « rupture » était possible grâce à la supériorité du matériel. Échec coûteux en vies humaines. Mais rupture momentanée obtenue sans être exploitée ; les états-majors persistent à croire en une percée décisive, obtenue grâce à la supériorité en matériel lourd.

• **1917. Priorité de la politique sur la stratégie.** 1°) *Les Alliés obtiennent l'intervention des U.S.A. :* le potentiel écon. naval des Amér. doit permettre d'écraser l'All. 2°) *Les All. jouent la carte révolutionnaire russe* contre la Russie tsariste et obtiennent l'effondrement du front oriental (Russie et Roumanie éliminées). 3°) *Nombreuses tentatives de paix négociée* (voir p. 640c).

Manifestations attardées des anciennes stratégies. 1°) *Défaite de Nivelle au Chemin des Dames (avr. 1917).* Nouvelle tentative de percée. Échec sanglant

L'Europe en 1914

qui démoralise l'armée fr. (se borne désormais à attendre les Amér.). 2°) *Offensive des Angl. en Palestine*, « g. de mouvement » à partir de l'Égypte (et également en Mésopotamie). Vise à obtenir (à longue échéance) un effondrement de la Turquie, compensant l'effondrement russe.

• **1918. Guerre totale (à outrance).** Menée par des chefs aux pouvoirs dictatoriaux (Clemenceau en Fr. avec Foch, généralissime des armées alliées ; Hindenburg, Ludendorff en All., ayant de fait le commandement de toutes les armées des « Empires centraux »). Vise l'écrasement de l'adversaire grâce à la supériorité en armement et en effectifs.

– Les Allemands, n'ayant plus que le front de l'Ouest à supporter après l'élimination des Russes et des Roumains, espèrent vaincre, début 1918, avant que l'armée amér. soit opérationnelle. *3 percées réussies* (St-Quentin, Mt Kemmel, Chemin des Dames) : aucune décisive. Raisons : 1°) les effectifs all. ont fondu, et la victoire à l'Est n'a pas permis de récupérer plus de 30 divisions, à cause de la nécessité d'occuper d'immenses territoires (la cavalerie est restée en Russie, ce qui a empêché l'exploitation des percées) ; 2°) les soldats sont affaiblis par la famine ; 3°) les Alliés gardent la supériorité en avions, chars, artillerie ; 4°) les Amér. ont été jetés dans la bataille plus tôt que prévu et s'y sont bien comportés (juill. 1918).

– Les Alliés. *Sur le front Ouest :* Foch n'essaye pas de faire des manœuvres stratégiques : il *martèle* d'obus le front all., successivement dans tous les secteurs. La seule manœuvre prévue pour la capture, sur le champ de bataille, de l'armée all. prise à revers (attaque au S.-E. de Metz en direction du Luxembourg), a été retardée jusqu'au 14-11-1918. L'armistice est intervenu avant. *Salonique :* Franchet d'Esperey réussit la percée et conquiert les Balkans, réalisant le plan de Briand. Mais il doit s'arrêter sur ordre de Clemenceau (ennemi politique de Briand) alors qu'il prend l'Autr.-Hongrie à revers. *Au Moyen-Orient :* les Angl. de Mésopotamie et Palestine réussissent une percée et contrôlent les territoires arabophones de Turquie.

• **1914-18. Guerre navale.** – Navires de surface : 1°) *Succès alliés :* la g. navale s'est déroulée dans tous les océans ; en 1914-15 les corsaires all. (chargés de détruire le trafic entre Angl., Bel., Fr. et leurs colonies) sont éliminés (principale bataille : les Falkland, déc. 1914) ; *en 1916,* dans la mer du N. ; les navires de g. all. tentent de briser le blocus pour rejoindre les mers libres. Ils sont refoulés (bataille du Jutland), après un combat où les Angl. ont eu des pertes plus lourdes que les leurs. 2°) *Succès all. :* en juill.-août 1914, 2 cuirassés all. (Goeben, Breslau) traversent la Méditerranée et rejoignent Constantinople. Ils sont supérieurs aux navires russes de la mer Noire. Jusqu'en 1918, ils suffiront à interdire tout trafic en mer Noire, empêchant la victoire russe sur la Turquie, et provoquant la défaite roumaine.

– G. sous-marine : le plus grave danger qu'ait couru l'Angl. jusqu'en 1918 (en 1917, les *U. Boote* all. ont coulé 3,5 fois plus de navires que les Angl. n'en construisaient) : 3 750 000 t contre 1 110 000. A partir de 1918, intervention amér. décisive : 1°) les Amér. appuient les Angl. contre les sous-marins ; 2°) la construction navale amér. compense les pertes (3 millions de t contre 2).

– Ravitaillement de la Russie : l'échec des Dardanelles (1915) a coupé la meilleure voie, et a été la cause première de l'effondrement russe. *Voies maritimes de remplacement :* Mourmansk [raccordé par voie ferrée au réseau russe seulement en févr. 1917 (à partir de janv. 1916, il y a une liaison ferroviaire Arkhangelsk-Petrograd)], l'Iran et la Caspienne (au S.) jusqu'en 1917. A partir de 1917, les Amér. ravitaillent la Russie à travers le Pacifique (Vladivostok, puis le Transsibérien). Mais cette aide vient trop tard.

Déroulement

• **Déclarations de guerre : 1914** 28-7 Autriche à Serbie ; 1-8 All. à Russie ; 3-8 All. à France, Serbie ; 4-8 Angl. entre en g. ; 5-8 Autr. à Russie ; 6-8 Serbie à All. ; 12-8 France et Angl. à Autr. ; 20-8 les All. entrent à Bruxelles ; 22-8 Autr. à Belg. ; 1-11 Russie à Turquie ; 2-11 Serbie à Turquie ; 5-11 G.-B. et Fr. à Turquie. **1915** 23-5 It. à Autr. ; 21-8 It. à Turquie ; 14-10 Bulg. à Serbie ; 15-10 G.-B. à Turquie. **1916** 9-3 All. à Port. ; 15-3 Autr. à Port. ; 17-8 Roumanie à Autr. ; It. à All. ; 30-8 Turquie à Roumanie ; 28-10 All. à Roumanie ; 1-9 Bulg. à Roumanie. **1917** 6-4 USA à All. ; 2-7 Grèce à Turquie, Autr., Bulg. ; 7-12 USA à Autr.

• 1914.21/23-8 **bataille de Charleroi** [le Gal Lanrezac Mis de Cazernal, 1852-1925) sauve son armée de l'anéantissement en se repliant malgré l'ordre de Joffre ; il sera révoqué le 3-9] ; 25-8 Joffre renonce au plan XVII ; il renforce son aile gauche ; plus de 100 généraux ont été « limogés » (nommés à des postes dans des villes de l'arrière, comme Limoges) ; 26-8 Gallieni gouverneur de Paris ; 29-8 **Guise :** Lanrezac b. Bülow (5 800 All. †, l'armée de Kluck se dirige vers l'est de Paris au lieu de Rouen, pour soutenir Bülow) ; 3-9 gouv. fr. à Bordeaux ; 6/13-9 **vict. de la Marne** [les All. sont arrêtés devant Meaux (44 km de Paris) et au sud de Senlis (35 km). *Principaux vaincus :* Kluck, avancé trop loin au S.-E. de Paris (jusqu'à Coulommiers), attaqué de flanc par Gallieni ; Bülow, qui bat précipitamment en retraite quand Kluck remonte vers Paris ; *principaux vainqueurs :* Joffre qui a décidé les Angl. (French) à contre-attaquer ; Gallieni, qui a eu l'idée de la manœuvre ; Franchet d'Esperey (successeur de Lanrezac) qui a foncé entre Kluck et Bülow ; Foch qui a arrêté les Saxons en Champagne (marais de St-Gond) ; *épisode fameux :* les taxis de la Marne (1 100 chauffeurs réquisitionnés ont conduit au front, dans le secteur de Nanteuil-le-Haudouin, 5 000 h. de la 7e D.I. ; le Trésor public a versé 70 102 F à la Cie de taxis G7, appartenant au Cte André Walewski, petit-fils de Nap. Ier, qui eut l'idée de l'opération)] ; 14-9 rétablissement de l'aile droite all. sur l'Aisne, Joffre ayant stoppé à Sissonne (Aisne) la contre-offensive fr. [*controverse :* 1°) le Gal René Chambe accuse Joffre d'avoir manqué une occasion et le Gal Conneau (chef de la cav.) d'avoir été inactif ; 2°) Conneau et Joffre répliquent que les chevaux étaient fourbus ; 3°) Liddell Hart estime que c'était la faute de Joffre : il avait envoyé le corps de Conneau jusqu'à Liège entre le 4 et le 10-8] ; sept-oct. **« course à la mer » ;** début g. des tranchées ; 26/29-8 **Tannenberg** (vict. all. sur Russes) ; 3/11-9 **Lemberg** (vict. russe sur Autr.) ; 16-10/1-11 **bat. de l'Yser** (Dixmude).

• 1915. Févr. bat. des **Éparges** (S.-E. de Verdun) ; févr.-sept. des **Dardanelles** [tentative de prendre Constantinople pour assurer la liaison entre Occidentaux et Russes ; longues tractations entre Alliés : les Angl., craignant de livrer les Détroits aux Russes, les All. profitent du délai pour fortifier les D. (pertes fr. 50 000 †, 95 000 bl., 100 000 malades : les rescapés débarquent à Salonique et forment l'armée d'Orient)] ; avril, *offensive all. en Flandres ;* 22-4 à Steenstrate, sur l'Yser, *1er emploi des gaz asphyxiants* sur le front occidental (voir Index) ; 7-5 torpillage du **Lusitania** (Angl., 1 198 †, dont 128 Amér. ; on sait actuellement qu'il était « croiseur auxiliaire armé », avec 12 canons de 6 pouces et plus de 3 000 caisses de munitions) ; 23-5 *Italie déclare g. à Autr. ;* mai-sept. offensive fr. Champagne, Artois ; 5-10 débarquement allié à *Salonique.*

• 1916. 4-1 offensive all. en Champagne ; 21-2 au 15-12 *bat. de* **Verdun** [offensive all. confiée au Kronprinz, pour le prestige de la monarchie ; *objectif :* Verdun, « cœur de la Fr. » (les All. pensent que l'armée fr. se laissera saigner à blanc pour défendre la ville) ; *chefs fr. :* 26-2 Pétain, puis Nivelle ; *pertes* (de 50 à 65 % effectifs) : Fr. 221 000 †, 216 000 bl. ; All. 500 000 †, bl. ou disp. *Voie Sacrée :* route nationale de Bar-le-Duc à Verdun, par Souilly (75 km) : 11 500 camions, avec 8 500 h. et 3 000 off. assurent les convois (par semaine : 50 000 t de munitions, 90 000 h.), 1 camion toutes les 14 secondes ; *principaux forts :* Douaumont enlevé par surprise par les All. 25-2, repris et reperdu 22/25-5, repris définitivement 24-10 ; Vaux assiégé 9-3/7-6 (le Ct Raynal capitule), évacué par All. 2-11 ; Souville : résistance vict. 22/30-6] ; 9-3 *l'All. déclare la g. au Portugal* (qui a saisi les navires all. dans ses ports en févr.) : une division port. sera intégrée aux forces brit. de Flandres en 1917-18 ; 31-5 au 1-6 bat. nav. du **Jutland** (voir ci-contre) ; 13/11-7 *off. de la Somme* [les Anglo-Fr. ne peuvent percer les lignes fortifiées all. entre Péronne et Bapaume ; *pertes :* Fr. 200 000, Angl. 400 000, All. 300 000 ; *principal vaincu :* Foch (limogé : on lui reproche de ne pas avoir attaqué à Verdun, lorsque les All. occupaient des positions non fortifiées)] ; 27-8 *Italie déclare g. à All. ;* 15-10 les Angl. utilisent les *1ers chars d'assaut ;* août-déc. invasion de la Roumanie ; 21-11 Charles Ier emp. d'Autriche ; 2-12 Nivelle remplace Joffre ; 15-12 : 1re tentative de paix négociée.

• 1917. 23-1 : 2e tentative de paix négociée. 26-2 Nicolas II abdique ; 2-4 *entrée en g. des U.S.A. ;* 26-28 débarquement à St-Nazaire de la 1re div. amér. (14 500 h. dits Sammies) ; mars-avril, offensive britannique au Sinaï, stoppée à Gaza ; 9/10-4 victoire canadienne à **Vimy ;** avril *1re défaite du* **Chemin des Dames** [147 000 † en 15 j (les plus sanglants de la g.), démoralisation ; *vaincu :* Gal Nivelle (offensive mal conçue)] ; à partir du 2-5 : *mutineries* dans l'armée fr. [répression en mai-oct. : 3 427 condamnations, dont 554 à mort avec 55 exécutions ; d'après certains : 12 034 condamnations et 283 exécutions de mai à juill. 1917. En 1934 : *le Crapouillot* a parlé de 1 637 exécutés (*1914 :* 215, *15 :* 442, *16 :* 315, *17 :* 528, *18 :* 136)] ; on a noté 250 cas de sédition, dans 68 divisions ; env. 30 000 mutins ou manifestants (dont à la 41e D.I. 2 000 h. ; durée max. : Missy-aux-Bois, 4 j) ; 15-5 *Pétain remplace Nivelle ;* 19-5 il met fin aux offensives inutiles ; 13-6 Gal Pershing arrive à Boulogne ; 28-6 St Nazaire, arrivée de la 1re division amér. ; 29-6 **la Grèce** (P.M. Venizélos) déclare la g. à l'All. ; juill.-nov. *bat. des* **Flandres ;** 25-7 Marguerite Gertrude Zelle (n. 1876), appelée *Mata-Hari,* condamnée à mort pour espionnage pour l'All. (fusillée 15-10) ; 17/26-10 succès local au Chemin des Dames *(vict. de La Malmaison) ;* 19-10, 13 zeppelins envoyés sur Londres, 1 seul y parvient. 24/25-10 déf. italienne à *Caporetto ;* 31-10 vict. angl. en Palestine (le Gal Edmund Allenby perce les lignes turques à Bersheeba) ; 2-11 *« déclaration Balfour »* sur le Foyer national juif ; 7-11 *Lénine et Trotski au pouvoir en Russie* (12-3 mutinerie de Vyborg ; 14-3 1er soviet, à Moscou ; 15-3 abdication du tsar ; 16-4 retour de Lénine) ; 9-11 Allenby prend *Jérusalem ;* 11-9 Guynemer tué.

Commandants en chef. Français : 1914 : *Joseph Joffre* (1852-1931, Chef d'état-major des armées du N. et N.-E. dep. le 28-7-1911) ; 12-12-1916 : *Georges Nivelle* (1856-1924) ; 15-5-1917 : *Philippe Pétain* (1856-1951). **Anglais :** 5-8-1914 : *John French* (1852-1925) ; 31-12-1915 : *Douglas Haig* (1861-1928). **Américain :** 13-6-1918 : *John Pershing* (1860-1948). **Armées alliées :** 26-3-1918 : *Ferdinand Foch* (1851-1929). **Allemands :** 3-8-1914 : *Helmuth von Moltke* (1848-1916) ; 14-9-1914 : *Erich von Falkenhayn* (1861-1922) ; 28-8-1916 : *Paul von Hindenburg* (1847-1934) avec *Erich Ludendorff* (1865-1937).

• 1918. 14-2 *Paul Bolo* condamné à mort pour avoir reçu des fonds de l'Allemagne en vue de l'achat du quotidien « Le Journal » destiné à la propagande ennemie (fusillé 17-4) ; 3-3 *tr. de Brest-Litovsk* (Russie-Allem.) (conséquences : l'All. annexe Pologne et pays baltes, occupe Ukraine et en exploite les ressources écon., mais récupère peu de troupes pour le front occidental, étant donné les vastes territoires à occuper) ; 21-3/4-4 défaite angl. en Picardie (St-Quentin), qui aurait pu être décisive ; 23-3/9-8 Paris bombardé par un canon géant all. dit la *Grosse Bertha* (évacué par les All. le 10-8, il a été démoli à Essen et jamais retrouvé) : 256 Parisiens †, 600 bl. ; 15-4 *Foch généralissime* unique ; 27-5/6-6 *2e défaite du* **Chemin des Dames** (60 000 Fr. prisonniers) ; 6-8 Louis *Malvy* (1875-1949), condamné à 5 ans de bannissement pour avoir méconnu les devoirs de sa charge de min. de l'Intérieur ; 15/17-7 vict. défensive en *Champagne ;* 18-7/6-8 **2e vict. de la Marne** [l'armée all. a 8 millions d'h. hors de combat sur 14 millions mobilisés ; à l'O. : 187 divisions « squelettiques » (17 en réserve) soit 3 800 000 h., dont 500 000 fantassins en face de 205 divisions (103 en réserve), plus de 6 000 000 h. (102 fr., 60 brit., 12 belg., 29 amér., 2 portug., 2 it.) ; seuls les Fr. ont incorporé la classe 19 ; 50 000 All. de la classe 19 sont au front, 200 000 de la classe 20 sont mobilisés ; les Fr. ont plus de chevaux pour l'artillerie de campagne] ; 1-9 Ludendorff se replie sur la ligne Hindenburg (allant de la région lilloise à l'Argonne, enfoncée en sept.-oct. par les Alliés) ; 18-9 Allenby conquiert toute la Palestine (prise de Nazareth) ; 29-9 *armistice avec Bulgarie ;* 30-10 *avec Turquie ;* 24/29-10 vict. it. à **Vittorio Veneto ;** oct. épidémie de **grippe espagnole** en Fr. (env. 400 000 †) ; 4-11 *Autr.-Hongrie capitule* (fronts it. et oriental) ; 5-11 recul all., prise de Guise.

• Armistice de Rethondes. *11-11* signé à 5 h du matin, cessez-le-feu à 11 h [signé dans un wagon sur une ligne reliée à cette gare, mais sur la commune de Compiègne ; *clauses principales :* évacuation de Fr., Belg., Lux. pour le 26-11 (entrée des Fr. à Metz 19-11, Strasbourg 22-11), de la rive g. du Rhin au 10-12 ; constitution d'une Pologne indépendante avec accès à la mer ; l'All. renonce à l'annexion de l'Autr. germanophone, résidu de l'ancien Empire austro-hongrois. Les Angl. exigent l'abandon des colonies et la livraison de la flotte de g. (qui sera sabordée par son chef l'Amiral von Reuter, à *Scapa Flow* en Écosse le 21-6-1919 : les Angl. l'auraient laissé faire pour être débarrassés définitivement de 10 cuirassés d'escadre, 6 croiseurs de bataille, 84 croiseurs légers, 50 destroyers)] ; une offensive fr.-amér. prévue pour le 14-11 devait prendre Metz, descendre la Moselle jusqu'au Rhin et obliger les All. de Belgique à se rendre sans conditions. Foch l'annula en imposant l'armistice : l'armée all. a pu repasser le Rhin « invaincue » ; – motifs : 1°) Foch se méfiait de Pétain, auteur du plan d'off. [il fallait une avance rapide (30 à 40 km par j), or Pétain était lent et n'aurait pas mené l'aile marchante beaucoup plus vite que le centre] ; 2°) il se considérait comme généralissime d'une coalition internat. devant obéissance à l'Angl. et aux U.S.A. autant qu'à la Fr. ; 3°) mal renseigné sur l'All., il ignorait l'effondrement imminent de l'armée ennemie, mais savait l'armée fr. incapable de faire la g. en 1919 [crise d'effectifs (115 000 † dep. le 18-7)].

• Occasions de victoires décisives perdues. **Par les Alliés.** 1°) **1914** *août : défense de Liège.* Le plan all. Schlieffen reposait sur une occupation rapide de Liège, nœud ferroviaire et routier. Si Joffre avait envoyé, dès le 3 août, l'armée Lanrezac à Liège par chemin de fer, l'armée all., embouteillée autour d'Aix-la-Chapelle, était battue. 2°) *sept. :* après la victoire de la Marne, l'encerclement et la destruction de l'armée von Kluck aurait entraîné la capture de l'armée von Bülow, et la défaite all. Maunoury venant de l'Ouest était à 5 km de La Ferté-Milon ; Franchet d'Esperey, venant du S.-E., à 6 km. Faute de cavalerie, les 2 avant-gardes ne se sont pas vues, et ont laissé l'armée von Kluck s'écouler par cet étroit couloir.

3°) **1915** *févr. : Bataille navale des Dardanelles.* Les cuirassés franco-angl. ont pénétré de plus de 20 km dans le détroit, canonnant les forts turcs. Ils ont subi de lourdes pertes, mais les derniers forts turcs n'ont plus de munitions. Rien ne peut empêcher les escadres alliées d'atteindre Constantinople. Mais l'amiral angl. De Robeck (Cdt en chef) ordonne la retraite (à la stupéfaction des Turcs). Les Angl. ont souvent été accusés de mauvaise foi (les Russes ont dit que les Angl. préféraient une défaite à une victoire, qui aurait donné Constantinople à la Russie). 4°) *3-5 : percée stérile de Vimy.* Au cours de l'offensive d'Artois (Foch), le 33e corps (Pétain), attaquant dans le secteur de Souchez, perce les lignes all. et conquiert la crête stratégique de Vimy, 12 km plus loin. Quand Pétain avertit Foch, celui-ci refuse de le croire, et n'envoie pas de troupes pour exploiter ce succès. Une contre-attaque all. a lieu le lendemain (Foch et Pétain dès lors brouillés).

5°) **1916** *8-7 : percée stérile de Biaches.* Au cours de l'offensive de la Somme (Foch), le 1er Corps d'Armée colonial (Berdoulat) crève le front all. sur 8 km et atteint la Somme à Biaches (près de Péronne). Foch demande à Joffre d'exploiter cette brèche, de prendre Péronne et d'encercler les All. de la rive g. Joffre refuse, car Péronne, d'après son plan, doit être enlevée par les Angl. Berdoulat reçoit l'ordre de s'arrêter. Les Angl. ne perceront jamais.

6°) **1918** *oct. : invasion manquée de la Hongrie.* Franchet d'Esperey, ayant obligé la Bulgarie à capituler le 29-9, décide de foncer sur Belgrade, d'où il peut attaquer la Hongrie. Clemenceau lui ordonne d'obliquer vers le N.-E. et d'occuper la Roumanie. L'Autr. capitulera le 3-11 (devant l'Ital.).

Par les Allemands. 1°) **1914** *août : encerclement manqué de Charleroi.* Le plan de marche all. prévoyait l'encerclement et la destruction de l'aile gauche (Ve armée, Lanrezac, 350 000 h.), que Joffre avait alignée sur la rive S. de la Sambre, face au N., de Charleroi à Namur. Pendant que la IIe armée all. (von Bülow) l'attaquait de front sur la Sambre, en marchant N.-S., la IIIe armée all. (von Hausen), marchant E.-O., devait franchir la Meuse à Dinant (à 30 km au S. de Namur) et attaquer Lanrezac de dos. Le 23-8, Hausen passe le fleuve. Lanrezac a reçu de Joffre l'ordre de ne pas bouger, et la manœuvre all. est sur le point de réussir. Mais Lanrezac, désobéissant à Joffre, bat en retraite par le S.-O. de Charleroi. Quand Hausen rejoint Bülow, les Français se sont repliés sur la haute Oise.

Non-exploitation du repli de Lanrezac. Ce repli (23-8) avait découvert les Anglais (Gal French) qui tenaient, 40 km plus à l'Ouest, la position de Mons (où ils avaient arrêté Kluck). En lançant toutes ses forces vers l'O., dans le flanc angl., Bülow aurait écrasé French entre lui et Kluck, mais il met son aile gauche à la poursuite de Lanrezac.

2°) **1918** *mars-avril : non-exploitation de la victoire du Gal Oskar von Hutier en Picardie.* Après la défaite brit. à St-Quentin, les All. avaient conquis 1 000 km² de terrain en 3 j, fait 90 000 pris. et ouvert la route de Paris entre les Angl. (à l'O.) et Fr. (à l'E.) : Ludendorff estimera qu'il aurait pu gagner définitivement la g. alors que les Amér. n'étaient pas encore en ligne ; il aurait fallu que Hutier, au lieu de s'attarder devant Montdidier, fonce immédiatement sur Compiègne et Paris. Le 24-3, Hutier, pour des raisons inconnues (beuveries de ses soldats, bombardements aériens fr. ?), ne s'engouffre pas dans cette brèche de 20 km de large. Elle sera bouchée le 28 par Debeney. Normalement, Paris devait être pris en 5 j.

• Négociations de paix avortées. 1°) **1914** *(déc.) :* battu par les Russes en Galicie et par les Serbes au S. du Danube, l'emp. d'Autr. François-Joseph propose à Guillaume II de mettre fin à la g. désormais impossible à gagner. G. II contacte Nicolas II, mais l'état-major all. refuse tous pourparlers. 2°) **1915-16** le 18-10-1915, le Cte Hans Törring zu Jettenbach, beau-frère bavarois du roi des Belges Albert Ier, propose par lettre à celui-ci un armistice séparé. Albert Ier envoie à Zurich le prof. Émile Waxweiler, qui rencontre 3 fois Törring (nov. 1915, janv. et févr. 1916). Mis au courant, Lord Curzon fait échouer la négociation ; les Alliés promettent en compensation une « large indemnisation » à la Belgique (déclaration de Sainte-Adresse, 14-2-1916).

Pourparlers avec l'Autriche. 1916 21-11 Charles Ier devient emp. d'Autriche. Sa femme, l'impératrice, est la sœur des Pces Sixte et Xavier de Bourbon-

Parme, officiers dans l'armée belge ; 30-11 il les charge de faire connaître aux Alliés ses désirs de paix ; Sixte invite à déjeuner l'ambassadeur Jules Cambon, directeur des Aff. étr. ; 4-12 les 2 princes contactent le Gal Gouraud, en Champagne ; 15-12 leur mère, la duchesse de Parme, écrit au roi des B., lui demandant de les rencontrer en Suisse ; 25-12 Albert Ier consent. **1917** 23-1 Cambon donne aux 2 princes des passeports diplomatiques ; 28-1 leur mère leur transmet le désir de paix de Charles Ier ; 13-2 le comte Erdödy les contacte à Neuchâtel et leur transmet ce qu'accepterait Charles : Alsace-Lorr. rendue à la Fr. avec les frontières de 1814, Constantinople laissée aux Russes ; 2-3 le roi d'Espagne, Alphonse XIII, donne sa garantie à l'attaché militaire fr. à Madrid, le Gal Joseph Denvignes, qui transmet au ministre de la G., le Gal Lyautey ; 5-3 les princes contactent Poincaré qui, le 8-3, donne son accord à Sixte qui repart pour la Suisse avec son frère ; 19-3 les princes revoient Erdödy à Neuchâtel ; 22-3 ils sont à Vienne ; 24-3 Charles Ier met ses propositions par écrit (demandant qu'elles restent secrètes) ; 30-3 Sixte apporte la lettre à Poincaré, mais entre-temps Briand a été renversé : Ribot est aux Affaires étr. ; 31-3 il rencontre Clemenceau (jusqu'au-boutiste), qui le convainc de rompre les pourparlers ; 19-4 il rencontre Sonnino, min. des Aff. étr. italien qui veut annexer un territoire autr. important (quelques mois auparavant, il avait contacté l'Autr. pour une paix séparée, se contentant du Tyrol italophone) ; 20-6 Ribot prévient Sixte que les pourparlers sont inutiles, Denvignes (redevenu colonel) est rappelé de Madrid ; 22-7 violant ses engagements, Ribot montre à Sonnino les lettres de Charles Ier ; 12-10 il en parle à la Chambre : rupture avec Sixte.

Pourparlers avec l'Allemagne. 1917 : début janv. le représentant à Bruxelles du ministère all. des Aff. étrang., le baron von der Lancken, contacte chez la P[cesse] de Mérode (avec l'approbation du card. Mercier qui a la confiance d'Albert Ier) les barons belges Coppée père et fils ; il leur laisse entendre que l'All. est prête à céder sur l'Alsace-Lorr. en échange de compensations en Lituanie et Courlande (russes). 23-1 Coppée père contacte au Havre le Cte de Broqueville (min. de la G. belge, puis le 4-8 min. des Aff. étr.) ; 17-8 Coppée fils rejoint son père au Havre et contacte Briand, lui proposant d'aller en Suisse rencontrer Lancken ; 3-9 Broqueville reçoit Briand à dîner et donne sa garantie à la mission des Coppée ; 13-9 Briand contacte Painlevé, P[t] du Conseil dep. le 12-9 ; 21-9 Lancken arrive en Suisse ; 22-9 Poincaré demande à Albert Ier confirmation des pourparlers, il l'obtient ; 23-9 Ribot, min. des Aff. étr., notifie à Briand l'interdiction d'aller en Suisse ; 24-9 Coppée fils prévient Lancken de l'échec (celui-ci quitte la Suisse le 25-9) ; 12-10 Ribot interpellé à la Chambre par Georges Leygues est contraint à la démission. Pour se justifier, il présente comme liées les 2 négociations autr. et all. alors qu'elles étaient séparées.

Raison de l'échec des pourparlers. On a souvent mis en cause l'Italie, mais en fait elle était prête à de larges concessions. *Explication retenue actuellement :* influence de Clemenceau sur Ribot. Une paix négociée aurait empêché Clemenceau d'accéder au pouvoir (il devient P[t] du Conseil en nov. 1917), et d'appliquer sa politique jusqu'au-boutiste.

Autres propositions de paix faites vers la même époque. Le P[t] amér. Wilson, le roi d'Espagne Alphonse XIII (qui transmet à Vienne une proposition de paix séparée entre Angl. et Autr.), le pape Benoît XV, le congrès socialiste de Stockholm. Joseph Caillaux, après la g., a affirmé avoir eu des propositions de paix séparées faites par la Bavière (passées probablement par le Cte de Törring et la reine des Belges). Matthias Erzberger (1875-1921, assassiné), futur négociateur all. de l'armistice de Rethondes, a signalé qu'un prélat all., Mgr Rodolpho Gerbach, était resté en contact en 1917 avec le Cte de Törring, au Vatican, pour négocier une paix séparée avec la Belgique.

Traités

• **Signatures. 1919 Tr. de Versailles** (28-6 avec l'Allemagne). Sur la base des « 14 points » de Wilson, qui affirment notamment le principe des nationalités : la Sarre germanophone ne sera pas donnée à la Fr. qui a pourtant besoin du charbon sarrois, et Dantzig germanophone ne sera pas donné à la Pologne qui a besoin d'un débouché maritime, Memel germanophone ne sera pas donné à la Lituanie (qui l'annexera unilatéralement en 1923) ; ils deviendront des territoires autonomes, sous l'autorité de la Sté des nations. Wilson refuse de détacher la Rhénanie de l'All. : simple zone d'occupation, elle devra être évacuée par les Fr. quand l'All. aura payé les réparations. Raison principale de la modération de Wilson envers l'All. : il craint qu'un traitement trop sévère ne la fasse basculer dans le camp du bolchevisme] ; **Tr. de St-Germain** (10-9, avec l'Autr.). **Tr. de Neuilly** (27-9, Bulgarie). **1920 Tr. de Trianon** (4-6, Hongrie). **Tr. de Sèvres** (10-8, Turquie). **Tr. de Rapallo** (12-11, Italie-Youg.).

Les U.S.A. ayant rejeté le tr. de Versailles le 19-11-1919, signèrent des tr. séparés en 1921 : 28-8 avec Autr., 25-8 avec All., 29-8 avec Hongrie.

• **Conséquences géographiques.** 1°) *3 empires sont démembrés : a) Russie* (occidentale) 5 États nouveaux [Finlande, Estonie, Lettonie, Lituanie, Pologne (qui comprend également des terr. all. et autr.)], la Bessarabie est annexée à la Roumanie ; *b) Autriche-Hongrie :* 5 États : Pologne, Tchécoslovaquie, Autriche, Hongrie, Yougoslavie (Serbie agrandie) ; la Transylvanie est annexée à la Roumanie ; le Tyrol et le Trentin à l'Italie ; *c) Turquie* arabophone : 5 États (Irak, Syrie, Liban, Palestine, Transjordanie) [l'Asie Mineure devait être démembrée, mais Kemal Atatürk a fait échouer ce projet (1920-22)].

2°) *Une nation indépendante est supprimée en faveur d'un ensemble plus vaste :* le Monténégro, annexé à la Serbie à l'intérieur de la Yougoslavie.

3°) *5 belligérants obtiennent des agrandissements territoriaux : France* (Alsace-Lorraine ; droits spéciaux en Sarre) ; *Belgique* (Eupen et Malmédy) ; *Italie* (Trentin, Tyrol, Trieste, îles et ports dalmates) ; *Roumanie* (Bessarabie, Transylvanie, Bukovine) ; *Grèce* (Thrace bulgare ; les gains sur la Turquie seront reperdus en 1922).

4°) *1 non belligérant* (*Danemark*) reçoit un territoire (all.), le Slesvig, en vertu du principe des nationalités.

5°) *Les colonies all. sont réparties entre les vainqueurs. 2 annexions :* la partie du Congo donnée aux All. en 1911 redevient colonie fr. ; l'Afr. orientale all. devient colonie brit. Le reste forme des « *mandats* » confiés par la S.D.N. aux vainqueurs : *France* (partie du Togo et du Cameroun), *Belgique* (Rwanda-Burundi), *Afr. du S.* (S.-O. africain), *G.-B.* (partie du Togo et du Cameroun), *Australie* (N[lle]-Guinée), *Japon* (îles du Pacifique).

6°) *Des entorses sont faites au principe des nationalités.* EUROPE. a) les Autrichiens se voient refuser le droit de devenir allem. ; b) dans les territoires changeant de souveraineté, il y a de nombreuses minorités nationales : Tchécosl. (All., Hongrois) ; Pologne (All., Ukrainiens), Youg. (All., Hongrois, Alb.), Belgique (All.), Roumanie (Hongrois, All., Bulgares, Ukrainiens), Italie (All., Youg.), Autriche (Hongrois). EXTRÊME-ORIENT. Le territoire allemand de Kiao-Tchéou, peuplé de Chinois, est donné au Japon (raison principale du rejet par le Sénat amér. du tr. négocié par Wilson). En principe, ces minorités reçoivent des garanties pour leurs droits culturels, politiques, religieux. En fait, la IIe G. mondiale va naître du « problème des minorités ».

Quelques chiffres

• **Pays belligérants.** 35, dont **Europe** 14 [*Alliés* 10 : France, Angl., Belg., Russie, Serbie, Monténégro (1914), Italie (1915), Portugal, Roumanie (1916), Grèce (1917) ; *empires centraux* 4 : Allem., Autr., Turquie (1914), Bulgarie (1915)]. **Amérique** 11 [*Alliés* 11 : Canada, Terre-Neuve (dominions, 1914), U.S.A., Panamá, Cuba, Bolivie, Uruguay, Brésil, Équateur (1917), Guatemala, Nicaragua, Costa Rica, Honduras (1918)]. **Asie** 5 [*Alliés* 4 : Japon (1914 : s'est emparé des positions all. d'Extrême-Orient), Hedjaz (1916), Chine (1917 : en g. nominalement), Siam (1917) ; *Empires centraux* 1 : Turquie (1914)]. **Océanie** *Alliés* 2 [Australie, N.-Zél. (dominions, 1914)]. **Afrique** *Alliés* 1 [Liberia (1917) + dépendances des alliés européens].

• **Effectifs. 1914** (15-8). **France :** 93 div. (57 act., 25 rés., 11 territ., dont aviation : 321 pilotes, 4 021 autres). **Allemagne :** 94 div. (Ouest, 77 ; Est, 17). **Autriche-Hongrie :** 94 div. **Belgique :** 7 div. **Gde-Bretagne :** 5 div. **Russie :** 99 D.I. + 42 div. cav. **Serbie :** 11 div. (1 div. d'inf. = 12 bataillons).

1918. Front français *mars :* 172 div. all. + 2 div. autr., 99 div. fr. (dont aviation : 6 417 pilotes, 68 588 autres) + 58 brit. (+ 1 200 avions) + 12 belg. + 2 port. + 3 amér. *11 nov. :* 181 div. all., 211 div. alliées (104 fr. + 60 brit. + 30 amér. + 12 belg. + 2 port. + 2 ital. + 1 pol.). *Total :* chevaux 1 214 000, fusils-mitrailleurs 89 168, mitrailleuses 44 276, canons 26 692, avions 6 186, chars 3 000. **Macédoine :** 17 div. austro-germano-bulgares ; 28 div. alliées (8 fr. + 4 brit. + 6 serbes + 9 gr. + 1 ital.). **Front italien** (sept.) : 61 div. autrich., 58 div. alliées (51 ital. + 2 fr. + 3 brit. + 1 amér. + 1 tchèque). **Mésopotamie :** 240 000 Brit. **Palestine :** 210 000 Brit. + 7 000 Fr., 30 000 Turcs. **Effectifs alliés sur l'ensemble des fronts le 1-11-1918.** 9 355 500 (*France 2 834 000,* G.-B. 2 335 000, Italie 2 194 500, U.S.A. 1 805 000, Belg. 185 000).

• **Matériel. 1914** (15-8). **Avions en ligne :** 174 all., 150 fr., 66 brit., 24 belg. **Artillerie lourde :** 308 pièces fr., 548 pièces all. **Mitrailleuses :** 2 200 fr., 2 450 all. (dont 2 250 à l'ouest). **Sous-marins allemands :** *1914 :* 15 ; *entrés en service 1914-18 :* 343 ; *en construction au 11-11-1918 :* 226 ; *pertes de guerre :* 178 ; *sabordés :* 14 ; *remis aux alliés :* 176. **1918. Avions** en ligne (oct.-nov.) : 3 600 fr., 1 760 brit., 800 ital., 740 amér.

• **Dépenses de guerre** (en milliards de F-or). **Prix total de la g. :** au moins 2 500. **« Dépenses globales de guerre »** (du 1-8-14 au 31-12-18) : All. 231, *France 145,* U.S.A. 114, Autr.-Hongrie 100, Russie 92, G.-B. 80, Italie 58, Turquie 49, Belg. 42, Grèce 2,5. **Dommages de la guerre :** *France 160,* Italie 120, G.-B. 100, Russie 83, Roumanie 35, Belg. 30, Serbie 10, U.S.A. 4. D'autres éléments n'apparaissent pas dans le budget : en Allemagne, par ex., les allocations aux familles des mobilisés ont été en majeure partie à la charge des budgets locaux.

• **Pertes militaires.** (*Source :* U.S. War Department.)

La France fut le pays le plus touché : pour 100 h. actifs, il y eut 10,5 morts ou disparus (Allemagne 9,8 ; Autr. 9,5 ; Italie 6,2 ; G.-B. 5,1 ; Russie 5 ; Belgique 1,9 ; U.S.A. 0,2). Si les autres pays avaient eu proportionnellement autant de morts, les U.S.A. en auraient eu 3 200 000, la G.-B. 1 500 000, l'Allemagne 2 700 000.

Nationalités	Mobilisés	Morts et tués	Blessés	Prisonniers
Alliés				
Belgique	267 000	13 716	44 686	34 659
France	*8 410 000*	*1 357 800*	*3 595 000*	*510 000*
G.-B.	8 904 467	908 371	2 090 212	191 652
Grèce	230 000	5 000	21 000	1 000
Italie	5 615 000	650 000	947 000	600 000
Japon	800 000	300	907	3
Monténégro	50 000	3 000	10 000	7 000
Portugal	100 000	7 222	13 751	12 318
Roumanie	750 000	335 706	120 000	80 000
Russie	12 000 000	1 700 000	4 950 000	2 500 000
Serbie	707 343	45 000	133 148	152 958
U.S.A.	4 734 991	116 516	204 002	4 500
Total	*42 568 801*	*5 188 631*	*12 129 706*	*4 121 090*
Empires centraux				
Allemagne	11 000 000	1 773 700	4 216 058	1 152 800
Autr.-Hong.	7 800 000	1 200 000	3 620 000	2 200 000
Bulgarie	1 200 000	87 500	152 390	27 029
Turquie	2 850 000	325 000	400 000	250 000
Total	*22 850 000*	*3 386 200*	*8 388 448*	*3 629 829*
Total général	65 418 801	8 574 831	20 518 154	7 750 919

Pertes civiles. Env. 13 millions de morts dont massacres d'Arménie 1 500 000, surmortalité due aux famines et aux déportations 6 000 000, civils tués au combat ou par bombardement 800 000, victimes de la grippe espagnole de 1917-18 : 4 700 000.

Pertes aériennes. Aviateurs : *Allemands* 4 578 † au combat, 1 800 par accident. *Anglais* 6 166 † au combat ou par acc., 3 312 disparus ou prisonniers. *Français* 1 945 pilotes et observateurs † au combat ou par acc., 1 461 disparus, 2 922 blessés. **Appareils :** All. 3 128, *Français* 3 000, *Anglais* 4 000.

Pertes maritimes. Marine marchande (en milliers de tonnes). *Alliés et neutres* 12 700 [dont G.-B. 7 760, Norvège 1 174, *France 878,* Italie 830, U.S.A. 395, Grèce 343, Danemark 241, Norvège 207, Hollande 198, Russie 180, Espagne 165, Japon 113, Portugal 100, Belgique 83] dont par sous-marins 11 135, mines 1 000, corsaires 564. **Marine de guerre** (milliers de t). *Alliés* G.-B. 7 760, Italie 846, *France 109,* U.S.A. 31. *Empires centraux* Allemagne 200, Turquie 60, Autriche, Hongrie 15.

• **Raids aériens (grands).** *Sur Londres* (13-6-1918) : 14 avions all., 162 †. *Sur l'Allemagne* (juill.-nov. 1918) : 550 tonnes de bombes († indéterminés).

• **As de l'aviation. Français :** *René Fonck* (1894-1953) 75 victoires (plus 52 non homologuées) ; *Georges Guynemer* (1894-1917) 53. Abattu en combat aérien le 11-9-1917 par le lieut. all. Kört Wissemann, il a été cité à l'ordre de la Nation, et son nom figure sur une plaque de marbre au Panthéon. Son corps fut repéré par une patrouille all. (atteint d'une balle dans la tête) dans le no man's land de Poelkapelle (Belg.). Un sous-off. prit sa carte d'id. et l'envoya en 1923 à la mère de Guynemer. Le corps fut détruit en sept.-oct. 1917 par les tirs d'art. En 1923, une stèle de 11 m fut dressée sur les lieux ; *Charles Nungesser* (1892-1927) 45 ; *Georges Madon* (1892-1923) 41. **Allemands :** *Manfred von Richthoffen* (1892-21-4/1918, abattu par des Australiens) 80 ; *Ernst Udet*

(1896-17-11/1941, suicidé, partisan des avions à réaction, il se sentait incompris du haut commandement, qui dissimula son suicide en accident lors d'un vol d'essai de prototype) 62 ; *Theo Osterkamp* 59. **Anglais :** *Mannock* 73 ; *W.A. Bishop* 72 ; *Mc Cudden* 54.

La guerre et la France

• Blessés. 3 595 000 (dont la moitié furent blessés 2 fois et plus de 100 000, 3 ou 4 fois). **Invalides** *permanents d'au moins* 10 %, 1 100 000, *amputés* 56 000, *mutilés fonctionnels* 65 000. **Invalides** (1922) 1 117 874 ; (1938) 1 005 000. **Enfants d'inv.** (1924) 692 315 ; (1925) 838 058 ; (1926) 1 025 663.

Nota. – Un nombre indéterminé de blessés et de malades, morts ailleurs que dans les hôpitaux militaires, ne sont pas comptabilisés comme tués.

• Bombardements Paris. **Par avions.** *30-8-1914 au 22-5-1915 :* 46 projectiles (+ banlieue 12). *Du 30/31-1 au 14/15-3-1918 :* 295 projectiles. **Par Zeppelin** *le 21-3 et le 29/30-1916 :* 24 projectiles (+ banlieue 369). **Canon longue portée (Bertha)** du 23-3 au 9-8-1918 : 183 projectiles (+ banlieue 120). **Bilan total** (Paris et banlieue). Projectiles 1 049 (avions et zeppelins 746, canons 303). Tués 522 (avions zepp. 226, canon 256). Blessés 1 223 (603 et 620).

• Coût de la guerre (en milliards de francs-or). *Dépenses de g.* 156. *Dommages subis* 34, *usure du patrimoine* 10, *créances sur l'étranger* 8, *réduction du stock d'or* 3 (soit 15 mois du revenu nat. de 1913, soit 11 ans d'investissements perdus). *Prix alimentaires :* hausse de 1914 à 1917 (+ 150 %).

• Destructions. 13 départements sinistrés (superficie dévastée : forêts 4 856 km², terres cultivables 20 720 km²), 812 000 immeubles détruits en tout ou partie, 54 000 km de routes à refaire, des milliers de ponts et des km de voies ferrées.

• Matériel français. **Artillerie : 1914** *canons de 75 à tir rapide (modèle 1897) :* 15-18 coups/mn ; portée 3 000-4 000 m (max. 6 000 m) ; emploi : destruction du personnel et neutralisation de l'art. adverse. *Pièces de 80 à 90 (modèle 1877),* canons de montagne de 65, canons longs et courts de 150 et 120, matériel Rimailho à tir rapide de 155, mortiers de 220 et 270. **1915** création de l'art. de tranchée : *mortiers* de 58, 150, 240 (transportés sur chariots), 340 (bombes en acier de 195 kg). **1916** *art. lourde* pour la destruction des tranchées ennemies : *canons* de 95, de 100 (modèle 1913), de 14 cm, de 155 Schneider, 155 Filloux ; canons courts : 155 (modèle 1890, 1892 et Schneider) ; *art. à pied :* canons longs : 95, 120, 155, 90 sur affût ; canons courts : 120, 155, 220 sur plate-forme ; *art. lourde à grande puissance* (sur voie ferrée) : obusiers de 370 et 400, canons de 200, 293 et 370 Filloux. **1917** obus de 75 à explosif.

Infanterie : 1914 *fusil Lebel* modèle 1886, à magasin et à répétition (chaque homme porte 210 cartouches) ; *mitrailleuses* St-Étienne (voir Index). **1915** *pistolet* automatique, *fusil* à chargeur de 3 cartouches, *canons* de 37 sur trépied et voiturette (obus pleins, portée 2 km), *mortiers* Stokes, *mitrailleuses* Hotchkiss [(modèle 1914, 450 coups min, voir Index) ; *1-1-18 :* 25 000 mitr. Hotchkiss, 18 000 mitr. St-Étienne], *fusils-mitrailleurs* (construction : 400 par j) : balles de fusil de 86, chargeurs circulaires de 20 cartouches ; *fusils VB* (lance-grenades) : 88 cart. par grenadier, voiture de munitions : 200 cart., section de munitions : 2 000.

Cavalerie : 1914 sabres, lances, mousquetons. **1915** mousquetons avec baïonnette, fusils-mitrailleurs, grenades (pour les régiments à pied : mêmes armes que l'infanterie).

Aviation. Avions aux armées : *1914* 216, *15* 800, *16* 1 500, *17* 2 600, *18* 3 600. **Dirigeables :** *1914 :* 5 en service, 7 en commande (1916, l'armée cède les 7 à la Marine). **Ballons captifs :** *1914* aucun, *1915 :* 75, *1916 :* 1 500.

• Mobilisés. Sur 8 410 000 h., 8 030 000 de la métropole (20,2 % de la population, 75 % des h. de 20 à 35 ans). **Effectifs :** *15-8-14 :* 92 838 off., 3 781 000 soldats ; *1-1-17 :* 115 074 off., 5 026 000 sold. (inf. 2 106 575 ; art. 899 845 ; cav. 166 422 ; génie 185 110 ; aéron. 59 275). *Démobilisation : 30-9-1919 :* 900 000 h. ; *1-1-1920 :* 794 000 (dont métropolit. 510 000, N.-Afr. 164 000, coloniaux 120 000).

Nota. – En août 1914, l'état-major escomptait 13 % de réfractaires ; il n'y en eut que 1,5 %.

• Morts. **Civils.** 210 000 † (dont des anciens militaires) + 400 000 de la grippe espagnole de 1918.

Militaires. 1 357 800 (dont 252 900 disparus et 18 222 † en captivité). Selon certains, le nombre des morts français a été volontairement sous-évalué. Chiffres officiels par année : *1914 :* 301 000 ; *1915 :* 349 000 ; *1916 :* 252 000 ; *1917 :* 164 000 ; *1918 :* 235 000 ; par batailles : *Frontière et Marne :* 250 000 ; *Artois-Champagne :* 232 000 ; *Verdun :* 221 000 ; *Somme :* 104 000 ; *Chemin des Dames :* 78 000 ; *Offensives all. de 1918 :* 107 000 ; *Offensives Foch :* 131 000. En additionnant Verdun et Somme (1916), on obtient 325 000 (contre 252 000 officiels pour l'année 1916) ; en additionnant les 2 bat. de 1918 : 238 000 contre 235 000. Pour Guy Pedroncini, la bat. du Chemin des Dames (1917) a fait 147 000 † (dont 7 800 off.). Le Gal Baratier estimait le 19-2-1937 qu'entre déc. 1914 et janv. 1916, il y eut 477 000 † en métropole, plus env. 50 000 aux Dardanelles, soit 527 000. Les pertes de 1915 représentant env. 1/5 des pertes subies en 5 années, le total serait de 2 500 000.

% des morts ou disparus par rapport aux mobilisés. *Officiers* 22 (infanterie 29 ; aviation 21,6 ; cavalerie 10,3 ; génie 9,3 ; artillerie 9,2). *Hommes de troupe et sous-off.* 15,8 (inf. 29,9, cav. 7,6, génie 6,4, art. 6, train 3,6, av. 3,5). Le % des tués fut très fort dans les élites. Grandes écoles, env. 20 % (promotion de 1913 de Polytechnique : 46 tués sur 230 ; École normale sup. Lettres : 28 % de tués) ; les élèves servirent comme lieutenants d'inf.

• Pertes navales. **Marine de guerre :** 4 cuirassés, 5 croiseurs, 15 contre-torpilleurs, 8 torpilleurs, 14 sous-marins, 5 canonnières ou chasseurs, 6 croiseurs auxiliaires, 70 chalutiers, dont près de la moitié coulés au cours de dragages de mines. **Marine marchande :** 50 % de la flotte [52 paquebots (total 284 000 t), 189 cargos (460 000 t), 74 grands voiliers (160 000 t), 373 petits voiliers (46 000 t)].

• Prisonniers. 557 000 (18 222 moururent en captivité soit 3,93 %).

• Production de guerre française. **De 1914 à 1918. Avions :** 51 000, moteurs avions 95 000. **Chars :** Schneider 400, St-Chamond 400, F.T. Renault 3 000. **Obus 75 :** *1914* 10 000, *15* 150 000, *16* 200 000, *17* 230 000, *18* 230 000 ; **155 :** *15* 3 600, *16* 30 000, *17* 40 000, *18* 40 000 ; **220 :** *15* 460, *16* 2 000, *17* 3 500, *18* 3 500. **Fournitures aux Alliés.** 25 000 moteurs, 10 600 avions (dont 4 000 aux U.S.A.), 7 000 canons (dont 4 000 aux U.S.A.), 400 chars (dont 240 aux U.S.A.).

Fabrications d'armement (au 1-11-1918). Entreprises privées 15 500. Arsenaux 10. **Effectifs :** 1 688 000 dont 494 000 mobilisés affectés spéciaux, 425 000 ouvriers, 426 000 femmes, 132 000 jeunes, 110 000 étrangers, 61 000 coloniaux, 40 000 prisonniers de guerre.

• Restrictions. 1917 janv. : sur charbon, sucre, pommes de terre ; menus de restaurants à 2 plats ; pâtisseries fermées 2 j par semaine, théâtres et cinémas 4 j sur 7 ; suppression de pain frais, trains rapides, bains publics. *Avril :* plus de viande aux menus du soir ; boucheries fermées à 13 h. 1918 janv. : cartes de pain (300 g par j), suppression du pétrole, de la circulation autom. privée. *Mai :* boucheries fermées 3 j sur 7 ; eau chaude dans les hôtels 2 j sur 7.

• Veuves avec orphelins. 600 000 (dont remariées en 1923 : 140 000 ; 1927 : 262 500 ; 1934 : 280 000). Enfants de veuves. 760 000 (en 1920).

Les réparations

☞ L'indemnité de 1870 (5 milliards) représentait 5 mois du revenu national. Sur la même base, l'indemnité demandée à l'All. après la g. de 1914-18 aurait été de 12 à 13 milliards de marks-or, mais on demanda plus.

• Montant fixé à Versailles. 269 milliards de marks-or (52 % à la France), soit 400 milliards de F-or, ce qui dépasse de beaucoup la totalité de la fortune all. Les Anglais estimaient qu'on ne pouvait pas demander à l'All. + de 75 milliards.

Discussions. **De 1920 à 1921** accord difficile entre Alliés : Clemenceau trouve trop faible le chiffre brit. On se répartit donc un % de sommes non encore fixées (Fr. 52 %). Janv. 1921 on admet le principe de 42 annuités (montant non précisé). Été 1921 Clemenceau accepte la somme de 85,8 milliards (1/10 de la créance fr.). **1923 à 1929** rupture de l'entente entre Alliés : les All. payant mal, les Fr. occupent la Ruhr, malgré les Angl. Les Amér., en échange de l'évacuation de la Ruhr, proposent le plan de *Charles Dawes* (1865-1961) (1924) : les All. paieront des annuités variables selon leur prospérité écon. **1929-30** Pt américain, Hoover, veut garantir le paiement des dettes interalliées (la Fr. doit 32 milliards). Il remplace le plan Dawes par le plan d'*Owen Young* (1874-1982) : 59 annuités au lieu de 42, dont 37 pour les réparations et 22 pour les dettes interalliées. Les All. paient directement les dettes interalliées en remettant aux U.S.A. des obligations. **1930-32** *moratoire amér. :* Hoover, voulant sauver le pouvoir d'achat all. (afin que l'All. achète en Amérique), impose le moratoire, c.-à-d. la remise *sine die* des paiements all. **1932** *conférence de Lausanne :* elle annule les dettes all. (mais les Amér. ne cessent de réclamer le paiement des dettes interalliées).

Bilan. La France a reçu env. 5 milliards, soit 2 % de sa créance.

L'Entre-deux-guerres (1919-39)

• Présidence de Poincaré (début : voir p. 638 b).

1919 25-1 loi sur les conventions collectives ; 19-2 Clemenceau blessé par Émile Cottin (anarchiste, condamné à mort, sera gracié) ; 2-4 journée de travail fixée à 8 h ; 16-1 vict. du *Bloc national* aux élect. ; 6-4 : 150 000 manif. contre l'acquittement de Raoul Villain, l'assassin de Jaurès : 2 †, 10 000 arrestations ; 16-4 mutinerie des marins de la mer Noire ; 16-11 élect. des députés (puis 11-1-1920 des sénateurs) en Bas-Rhin, Ht-Rhin et Moselle.

• 1920 (16-1) Paul Deschanel [(Shaerbeck, Belg., 13-2-1855/Paris, 28-4-1922). Fils d'un enseignant, exilé sous l'Empire pour ses idées rép., et devenu député de la Seine en 1876. Sous-préfet de Dreux à 22 ans (1877), Brest (1879), Meaux (1881). Dep. d'Eure-et-L. 1885, de Nogent-le-Rotrou 1889 (constamment réélu). Vice-Pt (1896) puis Pt Ch 1898 (battu en 1902 ; réélu 1912). Élu à l'Académie fr. 1899]. Élu Pt de la Rép. contre Clemenceau. Sujet à des dépressions nerveuses (le 24-5-20, tombe en pyjama du train présidentiel, près de Montargis). Prend plusieurs semaines de repos, mais, son état s'aggravant, quitte l'Élysée le 21-9-1920. Après une cure dans une clinique à Rueil (sept.-déc. 1920), élu sénateur d'E.-et-L. le 9-1-1921. Meurt à Paris des suites d'une pleurésie.

1920 9-2 une liste de 330 criminels de g. est remise au gouv. all. (en tête : Guillaume II, Hindenburg, Ludendorff). Refus du gouv. all. Un tribunal internat. se réunit à Leipzig (Pt : le procureur gén. fr. Matter). Faute d'accusés, il se disperse ; 19-3 *le Sénat américain rejette le tr. de Versailles* [conséquences : la garantie anglo-amér. contre toute attaque all. est refusée : Clemenceau l'avait acceptée en échange d'une renonciation à la rive g. du Rhin. Après le refus amér., les Fr. tenteront de réveiller l'autonomisme des Rhénans (catholiques, antiprussiens, ayant gardé le Code Napoléon jusqu'en 1906) ; ils y renonceront après le massacre de *Pirmasens* du 12-2-1924 (voir ci-dessous)]. L'opinion fr. a été insensible au retrait des garanties : pour elle, l'All. n'était plus un danger. 23-4 J. Caillaux condamné à 3 ans de prison (voir p. 635 a) ; 1-5 grève des cheminots (20 000 révocations).

• 1920 (23-9) Alexandre Millerand [(Paris, 10-2-1859/6-4-1943). Taille : 1,77 m. Père drapier. Avocat. Académie des Sc. morales et pol. Franc-maçon. *1885-1920* député Seine. *1925-27* sénateur Seine. *1927-40* sén. Orne. *1899* min. Commerce, Ind. et PTT. *1909* min. PTT. *1912 et 14* min. Guerre. *1920* 20-1/24-9 Pt du Conseil et min. des Aff. étr. *1899* socialiste, accepte d'être min. d'un gouv. « bourgeois » (Waldeck-Rousseau), d'où scission entre socialistes réformistes (Jaurès) et inconditionnels de l'opposition (J. Guesde, Blanqui). *1905* quitte le parti soc. et évolue vers la droite (répression des grèves 1910) par nationalisme]. *1920* 23-9 élu Pt de la Rép.

1920 6-11 début du procès *Landru* (arrêté 12-4-1919) ; 25/31-12 *congrès de Tours,* scission entre communistes et socialistes. **1921** 16-5 rétablissement des relations dipl. avec le Vatican ; 20-7 scission de la C.G.T. **1922** 5/12-1 conférence de Cannes (sur Réparations). 6-2 accords de Washington (sur armements navals). 26-2 Landru exécuté. 18-11 Marcel Proust meurt. **1923** 11-1 sept. *occupation de la Ruhr* par Fr. et Belges [cause : la dévaluation all. qui rend les paiements en marks dérisoires (les Fr. croient la dévaluation volontaire). Malgré l'opposition angl., les techniciens fr., belges et ital. exploitent les richesses de la Ruhr, dont le produit alimente les réparations (le Gal Degoutte, C[t] militaire fr., expulse 145 000 agitateurs all.) ; 22-1 Marius Plateau, militant royaliste, assassiné ; oct. Millerand tente de créer un régime présidentiel (en participant à la lutte électorale). 25-11 Philippe Daudet, fils de Léon, meurt (assassiné ?). **1924** 12-2 *massacre de Pirmasens :* 40 autonomistes rhénans (pro-français) sont exterminés

État de la France en 1919

1°) Prestige international. Très haut ; fait figure de vainqueur et de protectrice des petits États européens : Pologne, Tchécoslovaquie, Roumanie, Yougoslavie.

2°) Démographie. Situation grave, malgré le retour de l'Alsace-Lorraine (1 700 000 h.), la population a diminué (39 millions au lieu de 39 millions ½ en 1914) ; début de l'immigration massive (Polonais, Russes, Italiens, Belges) ; le peuplement des colonies est interrompu.

3°) Économie. Le volume de la fortune nat. tombe de 302 à 227 milliards de F du fait de la perte des créances sur Russie, Autriche-Hongrie, États balkaniques, Turquie ; destructions en « zone sinistrée » très importantes, mais le potentiel écon. créé pendant la g. doit permettre une reconstruction rapide ; de nombreuses industries en sortiront modernisées (ex. : houillères du N.).

4°) Monnaie. Situation catastrophique : le franc germinal, qui n'avait pas bougé depuis 1801, cesse en 1917 d'avoir une couverture-or. Entre oct. 1917 et avr. 1919, grâce à la « solidarité monétaire » entre alliés (avances, ouvertures de crédit), il maintient à peu près sa parité, malgré les dépenses de guerre. En avr. 1919, l'Angl. ferme le compte d'avances qui maintenait la stabilité des changes. Le franc commence à plonger. Il ne retrouvera jamais sa stabilité.

5°) Situation politique. La droite antirépublicaine a perdu la partie : (a) les nationalistes sont reconnaissants à la République d'avoir « gagné la g. » sans voir qu'elle a épuisé la nation ; b) l'électorat traditionnel de la droite, le paysannat catholique, a été décimé.

6°) Mœurs politiques. Anciens combattants, victimes de g. sont frustrés : ils sont mal indemnisés et haïssent les « embusqués », profiteurs de g. Les députés ne sont plus considérés comme des législateurs, mais comme des intermédiaires (décorations, pensions, postes, avancements, indemnisations, mutations) ; leur réélection dépend de leur efficacité. La vie politique se réduit à résoudre des problèmes locaux ou des problèmes personnels (conséquence : inertie).

7°) Mutations dans la société : a) *femmes :* elles ont occupé pendant la g. de nombreux emplois réservés jadis aux hommes ; elles sont devenues majoritaires (1 million de veuves de g., plusieurs millions de non-mariées) ; b) *« les Années folles » :* l'euphorie, qui a suivi la fin des hostilités, se traduit par une démoralisation de la bourgeoisie, une plus grande exigence du prolétariat, un renoncement de l'intelligentsia.

par des nationalistes all. venus de la rive droite du Rhin : les troupes fr. laissent faire ; 11-5 élections, succès du *Cartel des gauches.* 11-6 Millerand, en butte à l'hostilité maçonnique, démissionne.

• **1924 (13-6) Gaston Doumergue** [(Aigues-Vives, Gard, 1-8-1863/18-6-1937). Fils de viticulteurs protestants. *1885* avocat à Nîmes. *1890* magistrat en Indochine. *1893* juge de paix en Algérie ; élu dép. de Nîmes (rad. soc.). *1902* min. des Colonies. *1906-10* min. du Commerce, de l'Instruction publ. *1910* sénateur du Gard. *1913* Pt du Conseil. *1915-17* de nouveau min. des Colonies (organise la conquête du Togo et du Cameroun allemands). *1923* Pt du Sénat]. *1924* 13-6 élu Pt de la Rép. (515 voix contre 309 à Painlevé, du Cartel des gauches). *1931* se retire à Tournefeuille (Hte-Gar.). *1934* Pt du Conseil après les émeutes du 6-2 ; renversé le 7-11.

1924 avr. Poincaré, pour des raisons monétaires (veut l'appui des banques angl. pour le franc), laisse le soin de faire payer les réparations à un comité international d'experts, présidé par l'Américain Charles Dawes (plan adopté le 1-9). 10-9 soulèvement d'*Abd el-Krim* au Maroc ; 29-10 reconnaissance de l'U.R.S.S. **1925** 25-7/1-8 *évacuation de la Ruhr ;* 16-10 pacte de *Locarno* (Fr., Angl., Italie, All.) : l'All., reconnue, entre à la S.D.N. ; 25-6 arrivée de la *Croisière noire* à Tananarive ; 11-11 Georges Valois (1878-† déporté 1945) fonde *le Faisceau* (1er parti se réclamant du fascisme en Fr.). **1926** 25-5 Shalom Schwartzbard tue à Paris Petlioura (responsable de la mort d'env. 100 000 juifs en Ukraine en 1919). 26-5 reddition d'*Abd el-Krim ;* 20/23-7 effondrement du franc ; Herriot cède la place à Poincaré, qui forme un gouv. d'union comprenant 5 anciens Pts du Conseil (Barthou, Briand, Herriot, Leygues, Painlevé).

Le Cartel des gauches (1924-27)

Programme. *1°) Laïcité renforcée :* fin du concordat en Alsace-Lorraine ; rupture avec le Vatican. *2°) Amnistie* aux grévistes et aux mutins de la mer Noire. *3°) Progrès social :* journée de 8 h, assurances sociales, enseignement secondaire gratuit. *4°) Équilibre financier :* réduction des dépenses (notamment de la pol. étrangère : frais d'occupation, aide mil. aux petits alliés, mandats) ; projet d'impôt sur le capital. *5°) Retour à l'irresponsabilité présidentielle :* Millerand est chassé, remplacé par Doumergue (« président-soliveau »).

Difficultés et échec. *1°) Action des catholiques* contre la politique religieuse (agitation en Alsace). *2°) Fuite des capitaux* menacés par la taxation des grosses fortunes (« faire payer les riches »). *3°) Les petits épargnants cessent de souscrire aux bons du Trésor* [conséquence : le gouvernement fait appel aux avances de la Banque de France : Herriot « crève le plafond » (c'est-à-dire dépasse le chiffre des avances consenties) et il est renversé]. *4°) Panique financière :* la livre monte à 250 F. Doumergue appelle Poincaré ; jusqu'aux élections de 1928, la Chambre (de gauche) soutient un ministère « d'union nationale », orienté vers la droite.

1927 8-1 l'*Action française* mise à l'index par le pape ; mai, agitation autonomiste en Alsace. **1928** 24-6 *franc Poincaré :* pour favoriser les exportations et réduire les dettes de l'État, Poincaré rétablit la convertibilité officielle à 20 % du franc germinal, ruinant des millions de petits épargnants. 13-7 *loi Loucheur* (sur les constructions d'immeubles sociaux) ; du 23-7 au 8-8 , le franc remonte de 18 %, la livre tombe de 250 à 125 F. 20-8 loi sur la *naturalisation,* très libérale (voir Index). 27-8 *pacte Briand-Kellog* (voir p. 635 a) ; Frank Billings Kellog (1856-1937, secr. d'État amér., prix Nobel de la Paix 1929) met la g. hors la loi ; 8-12 scandale de la *Gazette du Franc* (Mme Hanau). Attirés par la stabilité du « franc P. », les capitaux affluent en France, créant une reprise économique (investissements, travail à la chaîne, assurances sociales) ; les records de production seront battus en 1929, la modernisation restant cependant insuffisante (majorité de petites entreprises). Élections de 1928 ; les radicaux rompent l'union nationale, retournant à l'opposition. **1929** 7-6 *plan Young* [remplace plan *Dawes* pour les réparations (voir p. 642 b) ; 12-7 scandale financier Louis-Lucien Klotz [(1868-1930) (ancien min. des Fin. de Clemenceau, condamné pour chèques sans provision à 2 ans de prison (libéré au bout de 2 mois)] ; 26-7 Poincaré démissionne pour être opéré de la prostate ; sa pol. sera poursuivie par Tardieu et Laval. 24-10 *« Jeudi noir »* aux U.S.A., début de la crise économique.

La crise de 1929

Causes (quelques). Développement incontrôlé du crédit (ex. : U.S.A. et Allemagne) et de la spéculation boursière (aux U.S.A.). Surproduction et surinvestissement industriels (l'accroissement de la consommation est nettement plus faible que celui de la production), surproduction agricole (les pays « neufs » augmentent fortement leur production alors que l'Europe a rétabli la sienne).

Parités monétaires mal évaluées (ex. : livre surévaluée) en raison du souci de rétablir le système de l'étalon-or tel qu'il existait jusqu'en 1914, et des politiques commerciales protectionnistes.

« Exportation » de la crise favorisée par le poids accru de l'Amérique dans l'économie mondiale depuis la fin de la guerre.

Chronologie. Début aux U.S.A. : *lundi 21-10 :* 6 millions de titres vendus à la Bourse de New York. *Jeudi 24-10 :* effondrement des cours et panique des petits porteurs. *Mardi 29-10 :* plus de 350 banques font faillite. Chute des prix. **Extension.** *Fin 1929 :* le Canada limite ses règlements en or ; Argentine et Uruguay les suspendent. *1930 :* dévaluation des monnaies [pays amér., Australie et N.-Zélande (9 à 50 %)]. *1931, mai :* faillite de l'Osterreichische Kreditanstalt de Vienne (la plus grande banque autr.) ; contrôle des changes en Espagne. Série de faillites en Europe centrale, Allemagne, France (+ 59 % en un an) et G.-B. *Juillet :* fermeture de la Bourse et contrôle des changes en Allem. *21 sept. :* dévaluation de la livre sterling et abandon de l'étalon-or en G.-B. *Jusqu'en déc. :* dévaluations (Suède, Norvège, Finlande, Portugal, Autriche, Japon). Extension du contrôle des changes (Europe centrale...). *Fin 1931 début 1932 :* hausse des tarifs douaniers en G.-B. De nombreux pays contingentent les importations ; accords régionaux préférentiels (oct. 1932 : « préférence impériale » entre pays du Commonwealth). *1933 :* Conférence écon. mondiale à Londres : échec. *Mars :* embargo sur l'or aux U.S.A. *Avril :* dollar détaché de l'or et dévalué. *1935, mars :* dévaluation du F belge. *Mai :* sorties d'or de Fr. : + de 4 milliards en 3 semaines. Déflation du gouv. Laval (10 % de réduction des dépenses publiques, hausse des impôts, baisse autoritaire de certains prix, des intérêts, de la rente). *Oct. et nov. :* sorties d'or de Fr. : + de 4,7 milliards.

Principales politiques suivies. *Mesures monétaires :* instauration du contrôle des changes, abandon de l'étalon-or, dévaluation [destinée à concurrencer l'étranger sur les marchés extérieurs (la livre flotte à partir de 1931 ; le dollar est dévalué en 1934)], création de zones monétaires (bloc dollar, bloc sterling). *Mesures commerciales :* élévation des droits de douane, contingentement des importations, puis politique de « dumping ». *Mesures en matière de production :* dans un 1er temps, limitation de la production et destruction des stocks ; dans un 2e temps, grands travaux (d'abord en Allemagne, puis aux U.S.A. avec le « New Deal » de Roosevelt) et armement pour réduire le chômage. *Mesures en matière de prix :* fixation de prix plafond, baisses autoritaires (en G.-B. et en France).

Déflation : notamment en G.-B. et France (réduction des dépenses budgétaires, de certains salaires et revenus, augmentation des impôts).

Reflation : généralisée à partir de 1936, notamment en Fr., où le gouv. du Front populaire cherche à relancer la consommation par des hausses salariales (accords de Matignon) et par des soutiens aux prix agricoles (Office national interprofessionnel du Blé, du Vin, du Bétail). La relance est fragile et incomplète (dans les pays dictatoriaux, elle est forte, car elle s'appuie sur un développement de l'industrie des armements : mais elle conduira à la guerre).

Autres mesures anticrise prises en Fr. par le gouv. du Front populaire : nationalisation des chemins de fer (tendant à maintenir l'activité économique, même avec des transports déficitaires : l'arrêt du trafic provoqué par la faillite des réseaux privés aurait définitivement ruiné l'économie) ; réforme de la Banque de Fr. (oct. 1936) dans la même perspective : elle est chargée de gérer le Fonds de stabilisation des changes, pour régulariser les rapports entre le franc et les monnaies étrangères ; par des avances au Fonds, elle permet des opérations déficitaires à court terme, mais soutenant, à long terme, l'ensemble de l'économie.

Quelques chiffres. Baisse des prix. *Gros* (par rapport à 1929 indice 100). *1932 :* All. 70, U.S.A. et France 68, G.-B. 67. *1935 :* France 79, G.-B. 52, U.S.A. 48, Japon 29. *Détail entre 1930 et 1935,* en France, S.G.F. (34 articles) : 29,3 %.

Chute des investissements. Investissements bruts privés aux U.S.A. : *1929 :* 15,8 milliards de $ (15,4 % du P.N.B.). *1932 :* 0,9 milliard (1,5 % du P.N.B.).

Chute des valeurs boursières U.S.A. (indice de New York) : *7-9-1929 :* 379, *19-10 :* 348, *2-11 :* 275, *9-11 :* 254, *16-11 :* 221. En 10 semaines, les actions perdent env. 41 % de leur valeur. **G.-B.** (base 100 : août *1929*) *1931* (août) : 31. **France** (base 100 : *1913*) valeurs fr. : *1929 :* 507, *1931* (sept.) 269, *1935* 186.

Chute de la production industrielle. Évolution des indices entre *1929* (base 100) et *1932 :* G.-B. 84, France 72, Italie 67, Allem. et U.S.A. 53. En *1939,* ni la France ni les U.S.A. n'ont retrouvé le niveau de 1929 (G.-B. 2,5 %, Allem. 33 %).

Hausse du chômage. U.S.A. : *1930* (oct.) : 4 600 000, *1931* (oct.) : 7 800 000, *1932* (oct.) : 11 600 000, *1933* + de 13 000 000 (27 % de la population active).

Baisse du commerce international. *Indice* (base 1929 : 100). *1932 (1937) :* produits alim. 89 (93,5) ; mat. premières 81,5 (108) ; prod. manuf. 59,5 (87). *Variations en volume du commerce extérieur (en %) :* France – 25 importations, – 46 exportations ; Allemagne – 30, – 40 ; autres pays – 16, – 14 ; monde entier – 18, – 18.

1930 26-1 disparition à Paris du Gal russe exilé *Koutiepoff* (enlevé par les Russes et embarqué à Villers-sur-Mer sur un canot qui l'a déposé au large sur un cargo soviét.) : 10-3 centenaire de l'Algérie fr. ; 29-3 plan Young ratifié par la Fr. ; 30-6 fin de l'évacuation de la Rhénanie ; nov. scandale de la banque *Oustric* (9-12 provoque la chute de Tardieu) [Albert Oustric (n. 1887), condamné 19-1-33 à 1 an de prison et 5 000 F d'amende ; traduit devant la cour d'assises avec André Benoît pour corruption de fonctionnaire ; acquittés 26-5-33]. **1931** 6-5 *exposition coloniale.*

• **1931 (13-6) Paul Doumer** [(Aurillac, 22-3-1857/Paris 6-5-1932). Fils d'un cheminot ; orphelin dès l'enfance. Apprenti graveur à Paris, passe son bac en travaillant seul. *1877* prof. de mathématiques à Mende. *1880* journaliste à Laon. *1887* maire. *1888* dép. (radical) de Laon. *1890* dép. de l'Yonne. *1895* min. des Finances. *1896-1902* gouverneur de l'Indochine. *1902* dép. de Laon. *1905* Pt de la Chambre. *1912* sénateur de Corse. *1914-18* 4 de ses fils morts pour la France. *1921-22* et *25-26* min. des Finances. *1927* Pt du Sénat]. *13-6* élu Pt de la Rép. au 1er tour [442 voix contre 401 à Briand, qui se retire, ulcéré (il y aurait eu un conflit entre 2 tendances maçonniques)]. **1932** 6-5 assassiné par un émigré russe, sans doute fou, Paul Gorguloff (n. 1895), qui sera exécuté le 14-9-1932.

• **1932 (10-5) Albert Lebrun** [(Mercy-le-Haut, M.-et-M., 29-8-1871/Paris 6-3-1950). Polytechnicien et ingénieur. *1900* dép. (modéré) de M.-et-M. *1911-14* min. des Colonies. *1917-20* min. du Blocus. *1920* sénateur. *1931* Pt du Sénat. *1939* réélu. *1940* 10-7 laisse le pouvoir au Mal Pétain sans démissionner. *1944-45* déporté en Allemagne].

1932 9-7 *Accords de Lausanne* (fin des réparations). **1933** 12-2 arrivée à Pékin de la *Croisière jaune* (v. Index) ; 28-11 Henri de Bournazel (n. 21-11-1898) tué au Maroc ; déc. début affaire d'escroquerie d'Alexandre *Stavisky* (1886/suicidé 9-1-1934).

1934 6-2 manifestation de droite à Paris, 17 † dont 1 policier, 1 329 blessés dont 664 policiers et soldats : protestation d'anciens combattants contre les « voleurs » (les députés complices de Stavisky) et contre la révocation du préfet de police favorable à la droite Jean Chiappe (1878-1940) ; l'Action française tente de les entraîner vers le Palais Bourbon pour mettre en fuite les députés et provoquer une crise de régime, mais les Croix de Feu (Cel de La Rocque) refusent de les appuyer, laissant la victoire à la police ; 7-2 Daladier démissionne ; 9/12-2 contre-manif. communistes 11 †, 300 blessés ; 20-2 *Albert Prince (1883-1934),* conseiller à la cour de Paris, trouvé écrasé par le ch. de fer près de Dijon (thèse officielle : suicide) ; 13-7 *Marthe Hanau* (1886-1935), créatrice de la *Gazette du Franc,* accusée d'avoir détourné plus de 100 millions de F, est condamnée à 3 ans de prison ; trouvée morte le 19-7-1935 dans sa cellule (somnifères) ; 9-10 le roi *Alexandre de Youg.* assassiné à Marseille par un Oustachi, Kerim, qui est abattu sur place (3 complices seront, le 13-2-36, condamnés aux travaux forcés à perpétuité ; l'ancien député croate Ante Pavelitch et Lyon Kvaternik : mort par contumace) ; Louis Barthou min. des Aff. étr., atteint par des balles de la police, mal soigné, décédera ; déc. *la présidence du Conseil* est créée avec ses services administratifs ; elle s'installe à l'hôtel Matignon. **1935** 13-1 *la Sarre* vote son rattachement à l'All. ; 11-3 formation (par le Gal Goering) de l'aviation militaire all. ; 16-3 rétablissement du service militaire all. (protestation sans suite de France, Angl., It.) ; 11/14-4 *accords de Stresa* (Fr., Angl., Italie) garantissant l'indépendance de l'Autr. ; 15-5 *pacte fr.-soviét.* sans clauses militaires (Laval a supprimé l'assistance mutuelle en cas d'agression) ; 31-5 les comm. soutiennent un gouv. Laval, remplaçant Flandin ; 18-6 pacte naval anglo-all. : l'All. peut construire une flotte égale à 35 % de la flotte angl. ; 14-7, 500 000 manif. de gauche à la Bastille ; 18-10, la Fr. vote les sanctions contre l'Italie à la S.D.N. (à cause de la g. d'Éthiopie) ; 14-12 Laval (d'accord avec Samuel Hoare) propose une médiation entre l'It. et le Négus.

1936 17-1 *Affaire Stavisky :* 11 acquittements et 16 condamnations ; 22-1 opposition violente de la gauche, Laval doit se retirer ; 13-2 agression contre Blum ; 7-3 entrée des troupes all. en Rhénanie (Gal Gamelin renonce à toute riposte) ; 26-4/3-5 vict. du *Front populaire* (coalition communistes, socialistes, radicaux) aux élections ; Voir suite à Front populaire ; 12-5 *début des grèves* « sur le tas » [avec occupation d'usines ; le 1er cas a été fortuit (au Havre) : les ouvriers ont attendu jusqu'au matin le résultat de négociations entre délégués syndicaux et patrons ; le lendemain, les grévistes de Latécoère à Toulouse les imitèrent. *Raison :* crainte du lock-out, permettant de recruter des « jaunes », pris parmi les sans-travail] ; 1-6 les gr. s'étendent (usines, hôtels, magasins, imprimeries, transports), spontanées, sans consignes syndicales pour obtenir sans délais les avantages sociaux promis (au 1-6 : 12 142 grèves touchant 1 830 000 ouvriers) ; 4-6 *ministère Blum* (1er min. français dirigé par un socialiste ; 6 vice-Pts du Conseil, présidant chacun un groupe de travail, 3 femmes sous-secr. d'État, 10 min. (Déf. nat. : Daladier, Éduc. nat. : Jean Zay, Fin. : Vincent Auriol,

Intér. : Salengro), 6 sous-secr. socialistes. Exhortation à reprendre le travail : échec. **Accords Matignon** 7/8-6 réunion à l'hôtel Matignon de Blum, des chefs syndicaux et du patronat (discussions pour chaque branche de l'ind. entre délégués syndicalistes et patronaux, sous l'arbitrage d'un min., d'un sous-secr. d'État ou d'un haut fonctionnaire) : accords sur semaine de 40 h, congés payés, conventions collectives, droit syndical. Hausse des salaires de 7 à 15 % ; 18-6 vote des *accords ; 20-6 ligues de droite dissoutes ;* déb. juillet il reste 100 000 grévistes, occupant 1 000 entreprises ; 14-7 manif. triomphale ; 15-7 : 50 000 grév. dans 350 entr. ; déb. août fin des grèves ; 11-8 nationalisation des entreprises travaillant pour la défense nat. (la production chute par endroits de 75 %) ; 16-8 création de l'Office des céréales ; 25-8 service militaire porté de 1 à 2 ans ; 1-10 dévaluation ; 20-8 *Affaire Salengro :* l'hebdomadaire nationaliste *Gringoire* reprend une révélation (faite en 1923 par le P.C. et le 14-7-1936 par *l'Action française*) : le ministre de l'Intérieur de Léon Blum, Roger Salengro (n. 1890), a été condamné pour désertion à l'ennemi en 1915. Une commission militaire, présidée par le Gal Gamelin, réexamine les dossiers des conseils de g. de l'époque : Sal. avait demandé l'autorisation de sortir des tranchées pour ramener le corps d'un camarade, et n'était pas revenu ; accusé de désertion, il fut jugé par contumace pendant qu'il était prisonnier de g. en All. et acquitté le 7-10-1915 par 3 voix contre 2 [mais une inscription erronée (« condamné au lieu de jugé ») avait entraîné des témoignages discordants]. Sal. se suicide au gaz le 17-11 ; oct. début de l'aide franco-sov. à l'Espagne rép. [politique menée secrètement pour ne pas pousser à la révolte les cadres de l'armée fr. (ils savent que sur 14 000 officiers esp., 5 000 ont été fusillés, et que 260 seulement ont rallié l'Esp. rép.)] ; 11-9 attentats contre les sièges du Patronat français et des industries métall. attribués à la gauche (en fait dus à la Cagoule) ; 16-9 Cdt Jean Charcot sombre avec le « Pourquoi Pas ? » ; 1-11 axe italo-germanique ; 17-11 (n. 1867) Salengro se suicide ; 19-11 signature de l'accord syndicats-patronat-gouvernement sur conciliation et arbitrage obligatoires avant la grève [de janv. à juin 1937, sur 3 496 conflits, 2 929 réglés par conciliation, 567 soumis à arbitrage (275 positifs, 292 grèves)] ; 6-12 Jean Mermoz disparaît au-dessus de l'Atlantique ; 18-12 nouvelle loi sur la liberté de la presse, aggravant les peines frappant la diffamation (suite de l'affaire Salengro).

1937 17-3 bagarres de *Clichy :* 1 000 communistes et socialistes attaquent le cinéma Olympia où sont réunis (sur invitations des Croix de Feu) 400 femmes et 10 enfants pour une œuvre de bienfaisance avec présentation du film *la Bataille* (5 militants de gauche †, 200 bl. dont 107 civils) ; 2 000 coups de feu tirés ; 24-4 la Belgique abandonne l'alliance fr., sous l'influence du roi Léopold III ; mars-mai les grèves empêchent l'achèvement de l'Exposition (inaugurée sans être terminée) ; 24-5 au 25-11 *exposition intern. de Paris ;* 9-6 Carlo *Rosselli* (n. 1889, Italien libéral) et son frère Nello assassinés par la Cagoule ; 21-6 Blum démissionne ; 22-6 *chute du ministère Blum* (le Sénat lui refuse les pleins pouvoirs pour l'augmentation des impôts, la diminution des dépenses, le contrôle des changes) ; 30-6 le franc devient flottant ; 21-7 dévaluation du franc ; 21-9 disparition du *Gal Miller,* Russe exilé, enfermé dans une caisse, il aurait été chargé au Havre sur le cargo soviétique *Maria Ouliovna* (le Gal Skobline, impliqué, disparaît ; la chanteuse Plevitskaïa, sa femme, est condamnée à 20 ans de travaux forcés, mourra en prison en 1940).

Le Front populaire (1936-38)

• **Formation :** **1934** 8-2 création d'un « front commun » antifasciste après les émeutes du 6-2 ; regroupe les militants communistes et socialistes, qui se recrutent en nombre parmi les chômeurs (412 000 chômeurs totaux en nov. 1934, 465 000 en mars 1936 ; 600 000 chômeurs partiels) ; 12-2 grève générale ; 27-7 pacte d'unité d'action entre P.C. et S.F.I.O. **1935** 12-5 les radicaux rejoignent le front commun pour les municipales (nombreux gains de mairies, notamment en banlieue parisienne) ; 14-7 serment du Rassemblement populaire à la Bastille (500 000 participants) avec soc. (Blum), com. (Thorez), rad. (Daladier) ; 12-10 Marcel Cachin crée l'expression *front populaire* (les socialistes parleront de *rassemblement populaire* jusqu'au 5-6-36). **1936** 26-4/3-5 accord électoral entre les 3 partis qui remportent 358 sièges contre 222.

• **Programme :** dissolution des ligues d'extrême droite, défense de l'école laïque et des droits syndicaux ; publication des bilans de la presse quotidienne ; réforme de la Banque de Fr. (nationalisation des actions des *« 200 familles »*). Pas de déflation ni de dévaluation : grands travaux, fonds de chômage, semaine de 40 heures, congés payés.

1938 19-1 *ministère Chautemps* (radicaux, socialistes et soc. indépendants) ; 9-3 chute de Chautemps ; 12-3 Hitler envahit l'Autr. (Anschluss) ; 13-3/10-4 *2e ministère Blum.* Nouvelle vague de grèves. Blum réclame l'impôt sur le capital et le contrôle des changes ; il est renversé par le Sénat. 29/30-9 accords de *Munich* (All., France, G.-B., Italie) : la Tchéc. doit céder le terr. des *Sudètes* à l'All. ; 1-10 Daladier arrive au Bourget (de l'aérodrome à Paris, il est acclamé) ; 3-10 la Chambre fr. ratifie l'accord de Munich par 535 voix contre 75 [ont voté *non :* 73 communistes et 2 non-com. : Georges Bouhey, socialiste (n. 1898) ; Henri de Kérilis, rép. national (1889-1958)]. 30-10 fin officielle du Front populaire (Daladier rompt avec les communistes).

• **Bilan économique** (d'après Alfred Sauvy) : entre 1936 et 1938. **Production :** revenue au niveau très bas de crise (la production indus. fr. baisse de 4 à 5 %, celle de l'All. monte de 17 %), consommation maintenue, recul des investissements, hausse des prix et baisse de 57 % du franc. **Pouvoir d'achat :** à peu près maintenu pour les ouvriers au travail, en recul pour les fonctionnaires ; maintien pour la masse des salaires, traitements et retraites ; amputation importante des revenus fixes, mobiliers et fonciers. **Gain essentiel :** loisir (congés et semaine de travail réduite) ; contrepartie : perte de 1 380 t d'or. – *emploi,* en 1936, la France comptait 20 800 000 actifs et 400 000

Les ligues

Ligue de l'Action française (monarchiste), fondée le 14-1-1905 par Charles Maurras et Henri Vaugeois. **Jeunesses patriotes** [(d'abord section des jeunes de la **Ligue des Patriotes,** formée en ligue indép. par Pierre Taittinger (1887-1965) en 1924, nommée *Antilibéraux* en 1936)]. **Croix de Feu** (après 1936 : *Parti social français) :* anciens combattants nationalistes, regroupés en 1927 par Maurice d'Hartoy. En 1930, le colonel François de La Rocque (1885-1946) en devint le vice-Pt et en fit un mouvement de masse (*adhérents : 1930 :* 9 000, *1936 :* 400 000) ; refusant la prise de pouvoir armée, il fit échouer le putsch du 6-2-1934, mais eut un certain succès électoral en 1936 : 20 élus, 49 apparentés. **Francistes,** mouvement fasciste fondé 1933 par Marcel Bucard (1895-1946, fusillé) ; subventionné par Mussolini. **Solidarité française,** lancée 1933 par François Coty (né Spoturno 3-5-1874), parfumeur enrichi (possédait 3 milliards de F en 1930) ; acheta *Le Figaro* en 1922, puis *Le Gaulois* (lancé le 1-5-1928), *L'Ami du peuple* (800 000 ex.) mis en liquidation le 8-12-1933 (déficit 450 millions de F) ; meurt 25-7-1934, ruiné (par son divorce et la crise américaine) ; ses adhérents (300 000) se rallient en majorité aux francistes. **Front paysan,** regroupant 3 mouvements professionnels d'agriculteurs (bloc professionnel, bloc agraire, bloc de défense paysanne), créé en 1934 par Henri Dorgères (H. d'Halluin, dit, 1897-1985). 60 fédérations de **Comités de défense paysanne. Parti populaire français,** fondé 1936 (après dissolution des Ligues) par Jacques Doriot (1898-1945), avec des militants ex-communistes regroupés autour du journal *l'Émancipation nationale* de Doriot à St-Denis ; se disant néo-socialistes (communistes nationalistes), les doriotistes se rallieront aux hitlériens en juin 1941.

demandeurs d'emploi. En réduisant de + de 10 % la durée du travail, le gouvernement escomptait la création de 2 000 000 d'emplois. En fait, le nombre d'actifs tombera à 19 400 000, le nombre de chômeurs atteindra 864 000.

• **Quelques chiffres.** **Horaires de travail,** *début juin 1936 (établissements d'au moins 100 personnes) (en %) : 48 h et +* : 67,32 ; *40 à 48 h* : 20,16 ; *40 h* : 5,6 ; *– de 40 h et + de 32 h* : 4,46 ; *32 h et –* : 2,46. **Durée moyenne du travail :** *1935* : 44 h 9/10 ; *1936* : 46 h (45 h 8/10 en juin) ; *1937* : 40 h 5/10 (39 h 7/10 en juin) ; *1938* : 38 h 8/10. **Demandes d'emploi non satisfaites** *juin 1936* : 459 368 ; *juin 1937* : 346 916. **Indice d'activité** (effectifs multipliés par la durée du travail) *juin 1936* : 69,6 ; *juin 1937* : 64,9.

1938 7-11 Herschel Grynspan (1921-? exécuté), juif polonais réfugié d'All., assassine à Paris un diplomate all., Ernst von Rath (qu'il prend pour l'ambassadeur) [crime utilisé par Hitler pour déclencher la « nuit de Cristal » (antisémite)] ; 13-11 rétablissement de la semaine de 48 h (dont 8 payées au tarif « heures supplémentaires »).

1939 Févr. 900 000 rép. espagnols se réfugient en Fr. ; 15-3 Hitler occupe la *Tchéc.,* Mussolini l'*Albanie* ; 19-3 le gouv. (Daladier) reçoit le droit de gouverner par *décrets-lois ;* 22-3 Hitler annexe *Memel* (la ville de Memel-Klaïpeda, germanophone, avec un territoire de 150 km × 20, lituanophone) ; *22-5 axe Berlin-Rome (Pacte d'Acier) :* Allemagne et Italie se prêtent mutuellement assistance pour acquérir « l'espace vital » nécessaire à leurs peuples (Europe orientale et centrale pour l'All., régions méditerr. et Afrique orient. pour l'It.) ; 23-8 accord germano-soviétique : présenté comme *« pacte de non-intervention »,* il contient des clauses secrètes stipulant un partage de la Pologne ; 2-9 Chambre et Sénat votent à mains levées à l'unanimité, selon le Journal off., un crédit extraordinaire de 69 milliards (cela signifie implicitement que la g. va être déclarée). Les 74 parlementaires communistes ont voté pour et applaudi Daladier (Staline les a prévenus seulement le 27-9 que le pacte du 23-8 était une alliance militaire avec le Reich). 3-9 la Fr. déclare la g. à l'All., voir ci-contre.

Politique extérieure française de 1924 à 1939

☞ La Fr. qui avait eu une politique extérieure énergique (occupation de la Ruhr, 1923) s'engage ensuite dans des *concessions unilatérales.*

Vis-à-vis de la G.-B. *1924* retrait inconditionnel des troupes d'occupation de la Ruhr. *1929* acceptation inconditionnelle du plan américain Young (qui a l'appui britannique), privant la Fr. des réparations allem. sans la délivrer des dettes interalliées. *1935* acceptation de l'accord naval anglo-all., qui permet à Hitler de reconstituer une flotte de g. ; répudiation des accords de Stresa (qui assuraient un front commun anglo-franco-italien) contre les violations all. du tr. de Versailles. *1936* acceptation du refus anglais d'intervenir contre la remilitarisation de la Rhénanie par Hitler. *1938* appui donné à la politique du PM anglais Chamberlain face à Hitler (concessions unilatérales en Tchéc., entraînant son annexion par l'All.). *1939* docilité en face du retournement anglais vis-à-vis de l'All. (déclaration de g. du 3-9-1939), malgré la capitulation de Munich d'oct. 1938).

Vis-à-vis de l'Allemagne. *1924* abandon des Rhénans francophiles, exterminés par les hitlériens. *1929-32* renonciation aux réparations. *1935* non-participation à la campagne plébiscitaire en Sarre (triomphe nazi). *1936* passivité (imposée par l'Angl.) devant la réoccupation de la Rhénanie par l'All. *1938* passivité devant l'annexion de l'Autriche (mars) et de la Tchéc. (oct.). *1939* devant la liquidation en Esp. du *Frente popular,* due en grande partie à l'aide germano-ital. (la Fr. craint d'être encerclée par 3 États totalitaires).

Vis-à-vis des U.S.A. Acceptation du refus de la garantie am. contre les agressions all. sans contrepartie (elle devait pourtant compenser la renonciation de la Fr. à un État-tampon sur le Rhin) (1921) ; de la fin des paiements all. (la Fr. ne dénonce pas ses dettes envers l'Am., 1929-32).

Vis-à-vis de la « Petite Entente » européenne. Tchéc., Roumanie, Youg., Pol. comptent sur la protection de la Fr. qui signe des pactes d'assistance bilatéraux. Elle leur reconnaît néanmoins le droit de rechercher les alliances qu'elles veulent avec d'autres grandes puissances (Roum. et Youg. rejoindront le camp de l'Axe). La Pol., qui s'était rapprochée de l'All. nazie en 1936-38, réclamera et obtiendra en 1939 (grâce à l'Angl.) l'entrée en g. de la Fr. à ses côtés. Un traité fr.-tchéc. est signé. Mais en 1925, dans le cadre des accords de Locarno, Chamberlain (Angl.) refuse de garantir les frontières des pays de l'Est de l'Europe. Il ne donne la garantie brit. qu'à la Fr. pour des frontières que l'All. Streseman a reconnu solennellement. Cependant pour calmer Pol. et Tchéc., Briand leur donne la garantie fr., croyant qu'elle ne jouerait que dans le cadre d'une intervention collective des membres de la S.D.N.

Vis-à-vis de l'Italie fasciste. *1935* abandon à Mussolini de 104 000 km² (bande d'Aozou au Tchad) contre la promesse (non tenue) de s'opposer à l'Anschluss autr. *1937* passivité dans la g. italo-éthiop. (non-application des sanctions ; reconnaissance de « l'Empire italien »). *1939* passivité lors de l'annexion de l'Albanie.

Raisons de l'effondrement diplomatique français. *1°) L'horreur de la guerre.* Les anciens combattants fr. (de 1914-18) pensent que, comme eux, les anciens comb. all. ne veulent plus de g. Les Fr. croient, quand Hitler parle de guerre, qu'il bluffe ; sinon, que le peuple all. le chassera.

2°) Obsession monétariste. Les dirigeants fr. sont préoccupés par l'effondrement du franc (cours forcé du franc-papier 1917), qui n'avait pas bougé dep. 116 ans, même après des désastres comme Waterloo et Sedan (Poincaré a ainsi renoncé à la politique de force en Ruhr-Rhénanie, dans l'espoir d'avoir l'appui des banques anglo-am., pour soutenir le franc). Ils croyaient l'All. dans une situation monétaire encore plus catastrophique, après l'effondrement du mark de 1923, et l'abandon de la référence-or pour définir le mark hitlérien. Ils l'imaginaient incapable de faire la g. Ils admettaient que le plus sûr moyen de maintenir la paix (même au prix de concessions politiques) était de travailler à la prospérité du camp anglo-am., possédant la plus grande partie des réserves d'or mondiales.

3°) Servitude pétrolière. L'état-major fr. sait qu'une g. moderne exigera entre 12 et 30 millions de t de pétrole par an (au lieu de 6 en temps de paix). Or l'Angl. est maîtresse de la production (90 % du pétrole importé en Fr. est brit.) et du transport (la Fr. possède en 1936-38 seulement 40 pétroliers, jaugeant au total 242 000 t). Aucune g. ne peut donc être envisagée sans la permission de l'Angl.

4°) Le communisme international. Pour la droite, l'ennemi n° 1 est l'U.R.S.S. [*raisons politiques* : le bolchevisme fait peur aux possédants ; *financières* : un effondrement du régime soviétique amènerait à une renégociation sur les « emprunts russes » (confisqués par les soviets)]. L'espoir de voir Hitler attaquer l'U.R.S.S. a empêché les Fr. de contrer sérieusement le militarisme all. Hitler a d'ailleurs habilement joué cette carte : à Munich, notamment, il a présenté la Tchéc. comme un « porte-avions sov. » au cœur de l'Europe (Daladier a hésité à jouer la carte militaire sov. contre Hitler).

5°) Influence de Briand. Même après sa mort (7-3-1932), sa doctrine (pacifisme, arbitrage, désarmement) a continué à être appliquée, notamment par Alexis Léger, dir. des Aff. étr. ; il ne voulait rien d'irréparable entre Fr. et All., espérant, après une réconciliation, voir naître une union fédérale européenne.

Seconde Guerre mondiale (1939-45)

☞ Appelée *Drôle de guerre* pour la période sept. 1939/mai 1940 par Roland Dorgelès ; *Funny War, Phony War* par les Anglais ; *Sitzkrieg* (guerre « assise ») par les Allemands ; *Phoney War* (guerre bidon) par les Américains.

Causes

Situation générale. *1° Volonté de l'Allemagne hitlérienne* de prendre sa revanche sur le tr. de Versailles (1919). *2° Idéologies conquérantes des nazis allemands,* des fascistes italiens (et des impérialistes japonais). *3° Faiblesse des démocraties occidentales,* notamment de la Fr. affaiblie par la g. de 1914-18 ; elle encourage les puissances totalitaires à attaquer. *4° Méfiance de l'U.R.S.S.* (Staline) à l'égard des démocraties occ. ; il craint leur hostilité et préfère les voir éliminées par Hitler.

Affaire tchécoslovaque. Hitler désire annexer le « quadrilatère de Bohême » qui commande l'Eur. centrale et permet, notamment, la conquête de la Pologne (2 armées all. attaqueront la Pol. par le sud en sept. 1939, venant de Bohême et de Slovaquie). Mais il cache son plan : il assure réclamer uniquement la protection des 3 500 000 All. de Tchéc., ayant pour leader un prof. de gymn. nazi, Conrad Henlein, et appelés *Sudètes* (ils sont nombreux dans les monts Sudètes, au sud de la Silésie). *Les accords de Munich* (30-9-1938) lui donnent satisfaction. *Raisons :* 1° les démocraties reconnaissent un droit des « minorités » à disposer d'elles-mêmes ; 2° le P.M. angl., Neville Chamberlain, n'imagine pas qu'après avoir défendu la minorité sudète, Hitler puisse opprimer une minorité tchèque ; 3° Daladier, transfuge du Front populaire, a besoin des voix de la droite pour gouverner. Or, pour celle-ci, la Tchéc. est une création de la maçonnerie anti-habsbourgeoise et de Clemenceau, l'ennemi de la droite ; 4° le Gal Gamelin ne croit pas à une possibilité de résistance des Tchèques, depuis que l'All., occupant l'Autr., tient 3 côtés du quadrilatère bohémien.

Affaire polonaise. En partageant la Pol. avec Staline, par le tr. secret du 23-8-1940, Hitler poursuit son plan (il se réserve d'attaquer l'Ukraine, le moment venu). Mais il va déchaîner la g. 1° Chamberlain, outré par l'occupation de la Bohême le 15-3-1939, sait désormais que Hitler est décidé à conquérir l'Europe ; 2° l'Angl. donne sa garantie à la Pologne et le confirme le 25-8-1939 ; 3° la France est poussée par elle pour ne plus accorder de concessions.

Défenses

Ligne Maginot. *Projetée* 1925 par Paul Painlevé (1863-1933). Construction de 1929 à 1936 (approuvée 17-1-1929 ; crédits de 2 900 millions F votés 14-1-1930 ; construction ralentie par manque de crédits 1934) sous l'impulsion d'André Maginot [(1877-1932) amputé de la jambe droite, min. de la G. 1922-24 et 1929-32]. *Coût :* env. 4 milliards de F actuels. *Tracé :* 140 km (de Montmédy à Huningue, frontière suisse) 2 tronçons de 70 km sur un front total théorique de 760 km de la Suisse à la mer du Nord. *Pièces maîtresses :* nord de Metz, entre Rhin et Moselle, et contreforts des Vosges (en tout : 49 ouvrages d'art., 44 d'inf.). En 1932, le Conseil sup. de la guerre avait refusé de continuer la ligne jusqu'à la mer. Il considérait, après des aménagements spéciaux, les Ardennes comme infranchissables.

En 1939, la « ligne » avait vieilli : superstructures des forts non protégées contre des parachutistes, tourelles armées de canons de 75 et non d'armes antichars, ou antiaériennes, modernes. De sept. 1939 à mai 1940, Gamelin massa une trop importante partie de ses forces derrière la ligne Maginot. Actuellement, l'armée n'utilise que les casemates d'Hoch-

Quelques questions

Pourquoi n'a-t-on pas bombardé la Ruhr au début de la guerre ? Les Anglais l'auraient voulu, ils possédaient une aviation stratégique dont les Allemands n'avaient pas l'équivalent, et ne redoutaient pas leurs représailles. Mais les Français les craignaient sur le Nord, la Lorraine et Paris (régions industrielles) faute de D.C.A. et de protection aérienne. Les Anglais proposèrent alors, au moins, de poser des mines dans le Rhin, le gouvernement fr. s'y opposa par crainte de représailles aériennes. (Quelques-unes furent cependant lancées et détruisirent des barrages de péniches devant Trèves.)

La France aurait-elle pu répliquer à l'invasion allemande en Pologne ? Paul Reynaud a proposé, le 5-10-1939, une attaque par la Belgique, mais cela posait un problème politique grave ; il aurait donc fallu attaquer, disait Gamelin, entre Rhin et Moselle contre la « ligne Siegfried » (qu'il croyait redoutable) avec une puissante artillerie (nécessaire contre le béton), mais on tarda à la mettre en place. Il semble que les autorités fr., militaires et civiles, n'aient pas voulu prendre le risque d'une attaque, au début d'une guerre censée être longue et coûteuse. Les All. ont lancé contre la Pologne 58 divisions en 4 j, sans avoir achevé leur mobilisation ; il a fallu aux Fr. une semaine pour faire progresser 10 divisions sur quelques km. Gamelin ne disposait pas des moyens mécaniques nécessaires pour toute entreprise offensive.

Sabotages communistes. Ils auraient été nombreux (notamment aux usines Farman) et auraient causé la mort de plusieurs aviateurs. Des communistes furent condamnés à mort (dont 3 fusillés le 22 juin 1940 à Bordeaux).

wald, où l'armée de l'Air a installé le système de surveillance « Strida ». Les autres ouvrages sont vendus aux particuliers dep. 1971. Env. 10 sont ouverts au public.

Ligne Siegfried. Construite de 1937 à 1939 par l'organisation Todt (inachevée en sept.). *Tracé :* d'Aix-la-Chapelle à la Suisse, 15 à 20 ouvrages au km² ; total : 23 000 casemates en profondeur sur 30 km. *But :* freiner l'avance française le temps de permettre à la *Wehrmacht* de battre la Pologne.

Mobilisation

Sur le plan technique. *24-8* appel dans un ordre donné selon âge, profession et qualification militaire ; *1-9* mobilisation générale. La S.N.C.F. achemine 5 200 trains vers le N.-E. *10-9* tout est en place ; chaque division d'active engendre 3 nouvelles divisions : 1 « d'active » avec 1/3 des officiers de carrière, et 55 % de soldats accomplissant leur service ; 1 de « série A », 23 % d'off. d'act. ; 1 de « série B » avec 3 off. d'act. par régiment, des réservistes âgés, mal entraînés, qui n'avaient fait qu'un an de service.

Sur le plan moral. Quelques condamnations de la « g. juive » par des extrémistes de droite ou de « la g. du capitalisme » par des extr. de gauche ; déserteurs : un millier par les Pyrénées ; 5 millions de mobilisés, communistes compris (bien que des sanctions aient été prises contre le parti), rejoignent sans enthousiasme leur unité.

Sur le plan économique. Presque tous les hommes valides étant mobilisés, usines et ateliers sont privés de main-d'œuvre alors qu'il n'y a pas assez de fusils pour chaque mobilisé ; les effectifs de la métallurgie tombent de 1 000 000 à 550 000, Renault de 30 000 à 8 000 ; la plupart des cadres partent comme officiers de réserve. Les généraux craignant de dégarnir leurs secteurs (tout en se plaignant d'une insuffisante dotation en armes et munitions), on aura du mal à rappeler des armées 500 000, puis 2 000 000 de « spécialistes » mis en affectation spéciale.

Opérations 1939-40

1939 1-9 Hitler envahit la *Pologne ;* 3-9 *Fr. et G.-B. déclarent la g.* à All. (G.-B. : 11 h ; Fr. : 17 h) ; 10-9 *Canada* déclare la g. à All. ; 17-9 entrée des Russes en Pol. ; 27-9 Varsovie capitule ; 6-10 reddition des derniers combattants pol. à Koch ; 16-10 les troupes fr. qui avaient pénétré en Sarre (théoriquement pour aider les Pol.) sont ramenées sur la ligne Maginot ; 8-11 attentat manqué contre Hitler à Munich (coupables non identifiés, peut-être une provocation policière) ; 30-11 l'U.R.S.S. attaque la Finlande (v. Finlande) : Fr. et G.-B. se considèrent comme alliés des Finl. [conséquences : leurs états-majors se détournent de la g. contre l'All., pour envisager des actions contre la Russie ; d'abord par le N. (refus des Scandinaves), puis par la Syrie vers le Caucase (réticence des « alliés » turcs)].

1940 16-2 l'*Altmark,* croiseur auxiliaire all., naviguant dans les eaux norvégiennes, avec des prisonniers angl. à bord, est pris à l'abordage par le destroyer angl. *Cossack* qui délivre les prisonniers ; 12-3 les Alliés décident d'envoyer 13 000 h. à Narvik (Norv.) pour soutenir les Finl. ; 12-3 *capitulation finl.* (tr. de Moscou, signé 12-3, ratifié par la Finl. 16-3) ; mars-avr. massacre des officiers polonais à Katyn (U.R.S.S., voir Index) ; 9-4 l'All. devance les Alliés qui ont retardé leur débarquement (prévu le 5-4) ; voulant défendre « la route du fer » (minerai suédois transitant vers l'All., par Narvik), puis éventuellement Suède et côtes baltiques, ils occupent *le Danemark, la Norvège* (occupation d'Oslo, Bergen, Egersund, Kristiansand, Stavanger, Trondheim, Narvik) ; bat. navale de *Narvik ;* flottille all. détruite, G^al^ all. Dietl est isolé, mais le G^al^ angl. Mackesy refuse toute opération terrestre ; 15-4 débarquement anglo-fr. en Norv. ; 1-5 le G^al^ fr. Antoine Béthouart (1889-1982) (½ brigade de chasseurs alpins, 1 ½ brig. de légionnaires, 1 brig. polonaise) et le G^al^ norvégien Fleisher attaquent à Foldvik [13-5 Auchinleck remplace Mackesy, fait front vers le S., pour stopper les All. venus de *Namsos ;* 28-5 ordre d'évacuation, à cause de la défaite en Fr. ; 29-5 au 2-6 la Légion chasse les All. de Narvik et de Ankenes ; 7-6 rembarquement sans réaction all.].

10-5 les All. envahissent *Pays-Bas, Belg., Luxemb. ;* 13/15 *percée allem.* entre Namur et Sedan ; 14-5 Rotterdam bombardée, 1 147 † ; 15-5 (9 h 15) *l'armée hollandaise capitule ;* 16-5 archives du Quai d'Orsay brûlées ; 19-5 Weygand remplace Gamelin ; 28-5 *capitulation de la Belg.* [225 000 prisonniers : 145 000 Flamands (libérés aussitôt), 80 000 Wallons (internés : 66 000 captifs fin 1943)] ; 29-5/4-6 rembarquement de **Dunkerque** [*évacués* (26-5/3-6) 338 226, dont Brit. 199 121, Fr. 139 097 ; par bateaux fr. : 48 474 ; *blessés :* Brit. 58 584 ; Alliés 814 ; *pertes angl. :* disparus, tués, capturés 68 111 ; avions 180, canons 2 472, véhicules 75 000, navires 500 000 t ; *pertes all.* 156 avions] ; 5-6 Gal de Gaulle nommé sous-secr. d'État à la Déf. nationale ; 6-6 fronts de l'Aisne, de la Somme rompus ; raid isolé d'un avion de l'aéronavale fr. sur Berlin ; 9-6 de Gaulle va en Angl. demander le renvoi en Fr. de troupes brit. et d'une partie de la RAF ; 10-6 le gouvernement quitte Paris ; 10-6 *l'Italie déclare la g. à la France* (du 10-6 au 25-6 180 000 Fr. repoussent 500 000 It. *Pertes françaises :* 38 †, 150 disparus, 42 blessés ; *italiennes :* 631 †, 3 400 blessés, 1 140 prisonniers). 11-6 Conseil suprême présidé par Reynaud et Churchill à Briare ; 12-6 ne pouvant maintenir un front continu, Weygand ordonne le repli général des armées ; 14-6 Paris déclarée « ville ouverte » par le gouvernement. Repli des armées sur la Loire et vers la Bourgogne. Le gouv. envisage une résistance en Bretagne (« Réduit breton »), impossible à organiser. Attaques all. sur la Sarre. Offensive *Tiger* de von Witzleben sur la ligne Maginot avec 1 000 canons : échec. De Gaulle quitte Brest pour Plymouth ; 16-6 à Londres demande des moyens de transport pour continuer la lutte en Afrique du N. ; au téléphone fait accepter par Reynaud le projet d'union franco-brit. présenté par Jean Monnet et accepté par Churchill, rentre à Bordeaux à 21 h 30, Reynaud a démissionné. Min. *Pétain* demande l'armistice ; 17-6 de Gaulle prend l'avion pour Londres, avec L^nt^ Geoffroy de Courcel et G^al^ anglais Spears ; sa famille s'embarque à Brest sur un cargo ; les All. sont à Briare sur la Loire ; 18-6 **appel du G^al^ De Gaulle** sur la BBC à 20 h (22 h selon certaines archives), les All. franchissent la Loire ; 18 au 21-6 résistance des 2 000 *cadets de Saumur* (élèves officiers, instructeurs, bataillon de marche des élèves officiers et d'infanterie de St-Maixent) sur un front de + de 30 km de Gennes à Montsoreau ; 19-6 les panzers de Rommel atteignent Cherbourg. La ligne de la Loire ne peut être tenue. Repli vers le S. Les forces de l'Est sont isolées. Bataille autour de Toul. Les All. franchissent le Rhin au N.-E. de Colmar. Une partie des troupes de haute Alsace passe en Suisse après l'arrivée des panzers de Guderian à Pontarlier ; 22-6 **armistice** signé avec All. à Rethondes [par le G^al^ fr. Charles Huntziger (1880-1941) et le M^al^ Keitel (All.), 25-6 entre en vigueur] ; 24-6 avec Italie à Rome.

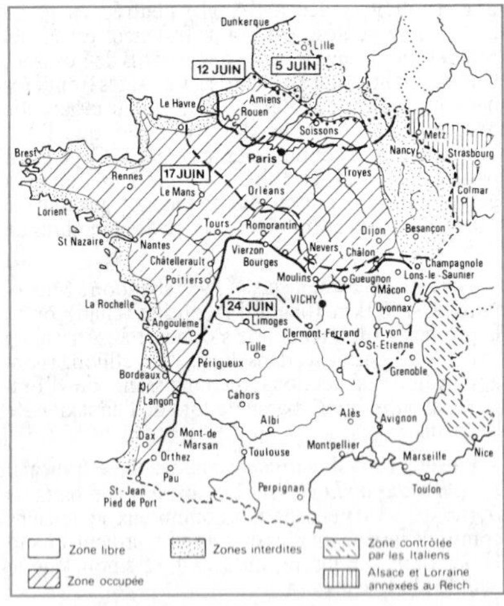

5 juin. Début de la bataille de France, les Allemands passant à l'offensive sur la Somme. *12 juin.* L'ordre de retraite générale est donné aux armées fr. *17 juin.* Demande d'armistice. *24 juin (à 24 h).* Arrêt des hostilités.

Causes de la défaite de la France

• **On ne peut invoquer une supériorité all.** *en effectifs* (2 000 000 d'h. contre 2 000 000), *en chars* (2 800 contre 3 000), *sur mer* (les Alliés ont 514 unités contre 104 pour l'All. ; Angl. : 13 navires de bataille, 50 croiseurs, 6 porte-avions ; Fr. : 7 navires de ligne, 18 croiseurs, 51 destroyers, 77 sous-marins).

On peut invoquer : 1°) une supériorité en avions de bombardement (1 562 contre 292) et en avions de chasse (1 016 contre 777, les chasseurs angl. modernes étant restés en Angl.) ; les All. ont la maîtrise totale du ciel et peuvent agir partout à leur guise ; **2°) un esprit offensif** (50 % de - de 25 ans contre 35 % dans l'armée fr. : 51 divisions actives contre 33) ; **3°) une meilleure coordination :** aviation, artillerie, blindés se sont entraînés à opérer ensemble (les Fr. ne conçoivent pas la liaison blindés-avions) ; **4°) les grandes unités blindées** (10 divisions panzers + 4 div. motorisées contre 3 div. cuirassées fr. et 3 div. légères mécaniques ; 2 200 chars sont concentrés entre Longuyon et la mer contre 1 520), sur 50 bataillons de chars fr., 20 sont groupés, 30 éparpillés ; **5°) une artillerie bien équipée** en canons antichars (11 200 contre 4 350) et pièces de D.C.A. (9 000 contre 1 227) ; **6°) l'erreur de l'état-major fr.** qui a cru que Hitler reprenait le Plan Schlieffen de 1914 et qu'il fallait avant tout bloquer son aile droite ; Gamelin a adopté le système du cordon linéaire, sans masse de manœuvre de réserve, sans points fortifiés en profondeur ; **7°) un commandement uni** face à un manque de concertation (ni état-major commun fr.-angl., ni état-major interarmes français) ; ainsi le plan de contre-attaque de Gamelin et Weygand ne sera pas appliqué en mai, faute d'accord entre Anglais, Belges et Français. Gamelin n'a pas réagi après la percée de Sedan (les blindés aventurés vers Amiens pouvaient être coupés par une contre-attaque N.-S. ou S.-N.) ; **8°) la paralysie des voies de communication** par 11 millions ½ de civils réfugiés (le commandement all. a provoqué exprès cet exode) ; **9°) la faible motorisation des troupes d'intervention fr.** La moitié des forces envoyées en Belg. a été transportée par trains ou en autobus réquisitionnés à la hâte. **10°) l'absence de communications** radio dans l'armée fr.

Armistice

• **Circonstances. 1° – Illusions de Pétain et de Weygand.** *Weygand* espérait qu'un armistice sauverait de la captivité une bonne partie des effectifs. *Pétain* a cru que l'affaire serait aussi bonne que pour l'All. le 11-11-1918. Or Hitler n'avait pas de parole et voulait détruire la Fr. qu'il haïssait. Il a dès le début voulu obtenir plus que ce qu'il était prévu dans l'armistice, il a annexé l'Alsace-Lorraine, créé une zone interdite, imposé des frais d'occupation disproportionnés, voulu des facilités en Afr. du Nord.

2° – En juin 1940 Pétain a cru que la défaite anglaise était imminente. Presque tout le monde y croyait alors (ex. : Roosevelt, Staline, Mussolini, Pie XII, des Anglais comme Richard Austin Butler). Il voulait donc s'accommoder le moins mal possible d'une victoire all. sur l'Angleterre.

3° – L'esprit de capitulation était général. 1°) les civils réfugiés (au moins 10 000 000, plus 1 500 000 Belges), mal logés, mal nourris, veulent revenir chez eux ; 2°) les militaires qui ont eu 130 000 tués en 1 mois (plus qu'en aucun mois de la g. de 1914-18) sont scandalisés d'être envoyés au massacre pour rien ; ils pensent, comme Weygand, que l'armistice leur évitera la captivité ; 3°) la résistance de Gambetta en 1870-71, qui a coûté des morts et des ruines et qui s'est terminée par une paix encore plus désavantageuse (5 milliards de F d'indemnité au lieu de 2 milliards ; l'Alsace-Lorraine perdue au lieu de l'Alsace seule), est rappelée par la presse.

• **Controverses. L'armistice a-t-il sauvé l'Angleterre ?** *Pour certains* l'armistice a sauvé l'Angleterre en empêchant les All. de prendre l'Afr. du Nord et Dakar (ils seraient passés par l'Espagne). *Pour d'autres,* Franco aurait refusé le passage aux All. et ceux-ci n'auraient pu s'installer en Afr. du Nord (empêchés par la flotte anglo-fr. et l'aviation réfugiée en Afr. du N. (700 appareils).

Sans l'armistice, le sort de la France eut-il été plus mauvais ? *Pour les pétainistes* la Fr. a moins souffert de l'occupation all. que les autres pays européens qui n'avaient pas signé d'armistice (nombre relatif des déportés, des exécutés, des calories de rations alimentaires, des t de produits réquisitionnés, etc.). *Pour d'autres,* si la Fr. avait eu un Gauleiter, l'occupation n'aurait pas été plus facile pour l'All. qui aurait dû se passer de l'aide administrative fr.

• **Clauses militaires.** L'armée fr. dite *d'armistice* est réduite à 95 000 soldats (garde mobile : 180 officiers, 6 000 h. ; autres unités : 3 584 officiers, 84 516 h.). Pas de motorisation, sauf 8 automitrailleuses par régiment de cavalerie, pas d'artillerie sauf des 75 attelés, puis, ultérieurement, des batteries de D.C.A. contre les raids anglais. Pas d'aviation jusqu'à juillet 1941 (ensuite autorisation de fabriquer 600 avions en zone sud, à condition de fabriquer 3 000 av. pour les All. en z. nord).

• **Organisation du territoire. Zone libre** (246 618 km² soit 45 % du territoire) : 34 départements inoccupés, 13 occupés partiellement par les All., 4 occ. partiellement par les Italiens (Alpes-Mar., Basses-Alpes, Hautes-Alpes, Savoie) ; 14 millions d'hab. (33 % de la pop. active, vignes 77 %, fruits 64, ovins 60, pommes de terre 42, bovins 35, terres labourables 33, avoine 19, betteraves 4, pêche 3, blé 2,6).

Zone occupée (304 368 km², soit 55 % du territoire) : 39 dép. totalement occupés (42 avec Alsace-Lorraine) et 13 occ. partiellement ; 26 millions d'h. (67 % de la population active) ; abrite la majeure partie du potentiel écon. du pays. Les all. violant l'armistice, créent en zone occupée :

1°) **Une zone interdite** au N. et au N.-O. où le retour des réfugiés est interdit : une organisation all., l'*Ostland,* y organisera jusqu'au 17-2-1943 l'installation dans les terres restées sans propriétaires de colons venus des pays baltes. *Implantation maximale :* Ardennes (380 communes sur 503) : 2 500 propriétaires expulsés, 110 000 ha confisqués. 2°) **Une zone à régime spécial :** *Alsace-Lorraine :* annexée en fait, malgré les protestations de Vichy (l'allemand devient obligatoire le 29-7-1941) : 130 000 Alsaciens-Lorrains, considérés comme citoyens all., serviront dans l'armée all. à partir de 1942.

☞ Hitler imaginait de démembrer la France : l'Alsace-Lorraine reviendraient à l'All., un État « thiois » germanique serait créé dans les provinces de l'ancienne *Lotharingie* créée en 843 : Nord, Pas-de-Calais, Ardennes, Meuse, Meurthe-et-M., Vosges, Hte-Saône, Doubs, Jura.

De l'armistice à 1945

• **1940** 30-6 les derniers éléments de la ligne Maginot cessent le combat ; 3-7 **Mers el-Kébir** (Alg.) : l'amiral angl. Somerville (6/8 h) somme l'amiral fr. Gensoul de faire route vers la Martinique ; croyant à de la mauvaise foi, Gensoul refuse. 16 h 53 Sommerville ouvre le feu : *Dunkerque* touché, *Provence* touché, *Bretagne* chaviré, *Strasbourg* s'échappe pour Toulon ; 6-7 nouveau raid anglais, *Dunkerque* touché (regagne Toulon 1942) ; 1 300 marins fr. tués les 3-7 et 6-7 ; 15-7 début de l'opération *Otarie* (plan d'offensive all. en G.-B.) : 1 722 chalands, 1 161 navires à moteurs, 475 remorqueurs, 155 gds transports. 7-8 accords Churchill-de Gaulle ; 26-8 Tchad rallie F.F.L. ; 7-9 Weygand délégué général en A.F.N. ; 23/25-9 tentative anglo-fr. libre de débarquement à *Dakar,* échec (défenseurs tués : milit. 100, civils 84) ; 25/26-9 raids de représailles sur Gibraltar, par l'aviation vichyssoise basée en Alg. ; 28-10 It. attaque *Grèce ;* 12-8 au 31-10. 15-11 raid allemand sur Coventry.

Bataille aérienne d'Angleterre. Les All. veulent détruire aérodromes et avions de chasse anglais ; 15-8 *journée record :* 1 786 sorties all. ; pertes all. 73 avions, angl. 34 ; 7-9 les All. commencent à bombarder des grandes villes jour et nuit (7-9 : 300 avions le matin sur Londres, 250 la nuit) ; 17-9 Hitler repousse le débarquement prévu en G.-B. le 20/21, puis le 12-10 il y renonce pour l'année.

Bilan général. 375 pilotes brit. †, 356 blessés, 14 621 civils †, 20 292 bl. ; 945 av. angl. perdus (1 905 avions neufs construits). 2 375 avions all. détruits (dont 2 265 abattus en Angl.). *Nombre total de sorties aériennes :* All. 27 560 ; Angl. 65 218 ;

• **1941** 11-1 raid de Colonna d'Ornano sur Mourzouk *Fezzan* (où il est tué) ; 21/23-1 les Angl. prennent *Tobrouk* (Libye) ; 1-2 les Angl. prennent Benghazi ; 2-3 les All. occupent Bulgarie ; Leclerc prend *Koufra* (sud Libye) et demande à ses off. de jurer de ne déposer les armes que lorsque « nos couleurs flotteront à nouveau sur la cath. de Strasbourg » ; 3-4 Rommel reprend Benghazi ; 6-4 *les All. envahissent Yougoslavie et Grèce ;* 8-4 Legentilhomme et Monclar prennent *Massaoua* (Érythrée) ; 5-4 les Angl. prennent *Addis Abeba ;* 13-4 les All. occupent Belgrade ; 27-4 Athènes et Péloponnèse ; les Angl. réembarquent ; 11-5 *Rudolf Hess* (contrôleur gén. du parti nazi) part en Angleterre (il essaie d'entamer des négociations de paix avec un ami personnel, Lord Hamilton. Est déclaré fou par Hitler) ; 20-5 les All. attaquent *la Crète ;* 24-5 le *Bismarck* (50 000 t, 32 nœuds, 8 canons de 380 mm, 12 de 150, 16 de 105) coule le *Hood* au large de l'Islande (1 416 †) ; 27-5 le *Bismarck* coulé (à 970 km au large de Brest, son épave a été retrouvée en 1989 à 4 600 m de profondeur) ; 28-5 *protocole de Paris* (voir p. 653 a) ; 31-5 les Angl. (16 500 h.) évacuent la Crète. Mai-nov. *siège de Tobrouk* par les All. et les It.

22-6 All. attaque l'URSS ; 14-8 **charte de l'Atlantique** (Roosevelt-Churchill se rencontrent) : ils définissent les 8 principes « sur lesquels ils fondent leurs espoirs en un avenir meilleur pour le monde et qui sont communs à la politique nationale de leurs pays respectifs ». 9-9 début du siège de *Leningrad ;* 27-9 : 25 000 Italiens faits prisonniers à Gondar (Éthiopie) ; 7/8-12 (7 h 40) **Pearl Harbor,** Japon attaque flotte amér. (pertes U.S., navires atteints : 8 cuirassés, 3 croiseurs, 3 destroyers, 273 avions ; Jap. : 29 avions, 5 petits sous-marins) ; 11-12 Allem. et It. déclarent la *guerre aux U.S.A. ;* 18-12 retraite allem. devant Moscou ; 20-12 1er engagement entre l'aviation japonaise et les « Tigres volants » [aviateurs américains volontaires en Chine (Gal Claire Lee Chennault, 1890-1958)].

Affaire de Syrie (juin-juillet 1941). **Raisons :** 1°) le gouv. de Vichy a autorisé les All. à faire transiter des appareils de la Luftwaffe vers l'Irak en révolte contre les Britanniques ; 2°) faire passer à la Fr. libre un nouveau territoire pétainiste ; 3°) tâcher de recruter pour les gaullistes l'armée du Gal vichyssois Fernand Dentz (30 000 h.) ; 4°) empêcher les pétainistes de livrer les ports libanais et syriens aux All. ; 5°) (pour l'Intelligence Service) liquider la présence fr. au Proche-Orient (37 563 cadres fr. seront expulsés de Syrie-Liban en août 1941)]. **Déroulement :** 17-6 *résistance de Dentz ;* attaque franco-brit. Pétain et Darlan refusent l'aide des Stukas ; 21-6 Legentilhomme prend Damas ; 14-7 *armistice de St-Jean-d'Acre :* honneurs de la guerre à Dentz (2 000 h. sur 25 000 rejoignent les gaullistes). **Pertes. Forces Vichy :** *armée* 1 036 † ou disparus (dont 76 officiers, 256 sous-off., 701 h.) ; *aviation :* 65 † ou disp. (dont 20 off.), 58 avions (dont 24 en combat aérien) ; *marine :* 69 † ou disp. sur les bâtiments, 1 contre-torpilleur et 1 sous-marin coulés ; *aéronautique navale :* 25 † ou disp. (dont 7 off.), 14 avions (dont 9 au combat). **FFL :** 187 † ou disp. (dont 12 off.), 409 bl. **Britanniques :** env. 1 500 † ou disp., 27 avions, 3 destroyers gravement avariés.

• **1942** janv. les Japon. prennent les Philippines ; févr. Birmanie ; 27/28-3 **St-Nazaire,** coup de main allié ; 4-5 attaque anglaise contre **Diégo-Suarez** (Madagascar) pour éviter que les Jap. de Birmanie utilisent l'île comme base [7-5 repli fr. ; oct. offensive contre Majunga ; 5-11 capitulation fr. (env. 500 Fr. †, dont l'aviateur Assolant)]. 7/9-5 déf. navale jap. *(mer de Corail) ;* 27-5/11-6 **Bir-Hakeim** (Afr.) Fr. (Gal Kœnig avec 3 273 h. résistent 14 j face à 3 divisions ennemies) et échappent à l'Afrika Korps all. (Gal Rommel) ; 6-5 les Jap. prennent Corregidor (Manille, 11 500 pris. amér.), 15-5 Amér. capitulent à Mindanao) ; 4-6 défaite navale japonaise à *Midway* (4 porte-avions coulés contre 1 aux Amér.) ; 28-7-42/31-1-43 **siège de Stalingrad** (Voir encadré p. 648) ; 19-8 **Dieppe** coup de main allié [opération *Jubilee :* sur 6 086 soldats alliés, 4 384 tués ou blessés (2e div. canad. : 836 †, commandos angl. 132 †, Royal Navy 550 †, 1 500 prisonniers), 34 navires coulés, les 28 blindés mis à terre atteints ; 106 avions détruits (contre 170 all.). Hitler récompense Dieppe pour sa sagesse en libérant des prisonniers de la région] ; 12-9 à 100 milles au N.E. d'Ascension, l'U. 156 coule le *Laconia* (19 695 t, armé en croiseur auxiliaire) : 3 000 pers. transportées dont 1 800 Italiens prisonniers, 1 111 rescapés. Le sauvetage est interrompu par un avion amér. qui bombarde le sous-marin all. 23-10/3-11 **El-Alamein :** Montgomery bat Rommel [23-10 offensive angl. après préparation d'artillerie (échec) ; 24-10 contre-offensive des chars de Rommel (lourdes pertes) ; 28-10 : 2e offensive angl. sur un autre axe (réserves all. fixées) ; 2-11 percée angl. sur un 3e axe : repli de Rommel, qui continuera jusqu'en Tunisie (250 000 prisonniers en mars 1943)] ; 8-11 **débarquement anglo-américain en Afr. du Nord ;** escadre d'Alger : 25 000 h. ; e. d'Oran : 39 000 h. ; e. de Casablanca : 35 000 h. (pertes fr. 500 †, 2 000 bl., 1 cuirassé (Jean Bart), 1 croiseur, 4 contre-torpilleurs, 12 sous-marins détruits) ; 11-11 *Zone libre occupée* (voir p. 653 b) ; 12-11 les troupes all. arrivent en Tunisie (l'amiral fr. Esteva les laisse s'installer par ordre de Pétain) ; 27-11 sabordage de Toulon ; 8-12 en Tunisie les All. internent la garnison de Bizerte et s'emparent de l'escadre Derrien (3 torp., 9 sous-marins, 3 avisos).

• **1943** 13-1 Hitler reconnaît la défaite de Stalingrad et proclame la g. totale ; 27-1 **conférence de Casablanca** (Roosevelt, Churchill, Giraud, de Gaulle) ; 23-1 arrivée de la Colonne Leclerc à Tripoli (Libye), venant du Tchad ; 8-2 Amér. reprennent Guadalcanal ; 31-1 **chute de Stalingrad ;** 19-4 soulèvement du *ghetto de Varsovie.* **Tunisie,** 14-2 les All. arrêtent les Alliés et occupent la ligne Mareth à la frontière libyo-tun. ; 26-3 ils évacuent la ligne Mareth ; 12-4 Montgomery prend Sousse ; 8-5 prend Tunis et Bizerte ; 13-5 les All. capitulent (250 000 prisonniers, 100 canons, 250 chars). *Effectifs* de l'armée fr. victorieuse (mai 1943) : 50 000 h., dont 16 000 opérationnels (indigènes 66 %, légionnaires étrangers 16 %, Fr. de souche 18 %). 1-7 *1er bombardement massif de la Ruhr ;* 5/12-7 bataille de Koursk, en Ukraine. Échec des blindés all. Début de la grande contre-offensive soviét. d'été. Batailles d'Orel, Kharkov et de Bielgorod. Repli all. vers le Dniepr ; 10-7 **débarquement allié en Sicile ;** 25-7 *Mussolini destitué,* maréchal *Badoglio* nommé P.M. : 31-7/10-8 les All. relèvent les troupes ital. d'occupation dans le Midi ; 8-9 **capitulation de l'Italie ;** 12-9 **débarquement des Français en Corse ;** 13-10 **Italie décl. g. à All.** 6-11 les Russes reprennent Kiev ; 11-11 le maquis défile à Oyonnax ; 28-11/1-12 **conférence de Téhéran** (Churchill, Roosevelt, Staline) ; **Guadalcanal :** contre-offensive américano-austr. en N.-Guinée.

• **1944** 30-1 **conférence de Brazzaville ;** 1-2 création officielle des F.F.I. ; 18-2 « opération *Jéricho* » [attaque aérienne brit. contre la prison d'Amiens (bilan : All. : 20 †, 70 bl. ; prisonniers fr. : 95 †, 87 bl. ; 2 av. brit. détruits ; quelques Fr. condamnés à mort évadés ; 60 agents de la Gestapo démasqués)] ; 25-3 combat des *Glières* (Hte-Savoie), voir p. 651 a ; 31-3 début de la maladie cardiaque de Roosevelt ; 2-4 massacre d'*Ascq* (voir p. 653 b) ; 10-5 prise de Sébastopol ; 11-5 vict. du Gal Juin sur le *Garigliano* (lignes all. percées) ; 4-6 *Rome* prise par alliés et Fr.

Débarquement allié en Normandie. Nom de code : *Overlord* (suzerain) [pour tromper (opération *Fortitude*), les Alliés avaient persuadé les All. que le débarquement principal aurait lieu dans le Pas-de-Calais]. **Forces alliées** d'assaut (5 divisions débarquées par mer, 3 aéroportées) : 90 000 (Amér., Brit., Canadiens et 177 Fr.). *Jours suivants :* 200 000 (39 divisions) ; 9 000 navires dont de guerre 138 gros, 221 petits, 1 000 dragueurs, 4 000 péniches ; 3 200 avions (174 escadres). Fin juin : 850 000 h., 150 000 véhicules, 600 000 t d'approvisionnement. *Allemands* 50 000 (dont 50 % de volontaires étrangers) entre Seine et Mt-St-Michel ; 300 000 dans les jours suivants. **Déroulement.** 5-6 à 23 h parachutage près de Ste-Mère-l'Église ; 6-6 à 6 h 30 la 1re unité amér. débarque à Ste-Marie-du-Mont (plage de la Madeleine, rebaptisée Utah Beach). **Pertes Jour J** (6-6) *Amér.* 3 400 † et disparus, 3 180 blessés ; *Angl.* env. 3 000, *Canadiennes* 946 (dont 335 †), *All.* 4 000 à 9 000. **Totales** *alliées* 30-40 000, *All.* 150 000 (70 000 prisonniers).

9-6 *Massacre de Tulle* (voir p. 653 b) ; 10/19-6 combats du *Mt Mouchet,* puis de *la Truyère* (Hte-Loire), voir p. 651 a ; 10-6 *Oradour-sur-Glane* (voir p. 653 b) ; 12-6 offensive soviétique en Biélorussie ; 13-6 *1er V1 sur Londres ;* juillet : combat du *Vercors* (voir p. 651 a) 17/20-6 île d'Elbe prise (1re armée Fr.) ; 7-6 au 19-11 ports artificiels installés dont Arromanches (Mulberry) : brise-lames, 60 à 70 navires coulés au large dont le Courbet, 147 caissons Phoenix de 1 600 à 6 000 t (60 × 17 m ; hauteur 18 m). 20-7 *attentat du Cel de Stauffenberg contre Hitler* échoue ; répression féroce ; 31-7 *percée d'Avranches ;* 1-8 *insurrection de Varsovie* (v. index) ; offensive soviét. en Roumanie ; effondrement du front germano-roumain ; 15-8 **débarquement allié en Provence** [1 261 navires (1 850 000 t), dont 6 % de fr. (notamment l'*Émile-Bertin* à Anthéor) ; 2 100 avions contre 230 avions all. ; 4 h 22, 10 000 parachutistes au Muy ;

Mur de l'Atlantique

Origine. *1942*-13-8, Hitler charge l'Organisation Todt (génie militaire) de créer une ligne fortifiée des P.-Bas à l'Espagne pour le 1-5-1943. 15 000 blockhaus prévus. 4 zones construites : Norvège (2), Pas-de-Calais, îles anglo-normandes.

Réalisation au 6-6-1944. *Au large :* mines, *plages :* mines, obstacles immergés à marée haute avec charge explosive ; « hérissons tchèques » (rails entrecroisés), « grilles belges » (tétraèdres en béton de 2 m de haut), murailles de béton antichars, villas transformées en blockhaus, barbelés, blockhaus sur le front de mer. *A l'intérieur des terres :* mines, inondations, « asperges de Rommel » (poteaux de 3 à 4 m) avec explosifs contre les planeurs.

Bilan. Batteries mal équipées [2 ont été utilisées le 6-6-1944 : celle de Longues (calibre 152 mm), une de celles de Ste-Adresse (170 mm)]. Pour ne pas dépendre de ports fortifiés (difficiles à prendre), les Alliés avaient créé des ports artificiels. Les All. ont pu se réfugier dans les « poches » de l'Atlantique à Royan jusqu'au 15-4-1945 (attaque de la 2e D.B. française), Lorient, St-Nazaire, La Rochelle, Rochefort, Dunkerque, jusqu'à l'armistice (sans être réellement attaqués).

Mur du Sud (Südwall)

Côtes méditerranéennes. 550 canons entre Marseille et Agay. **Bilan.** Pulvérisés par l'aviation, les roquettes (30 000) et l'artillerie de marine (16 000 obus) le 15-8-1944 entre 3 h 50 et 8 h.

Dates de libération. 1944 7-6 Bayeux, 27-6 Cherbourg, 4-8 Rennes, 12-8 Alençon, 16-8 Orléans, 18-8 Draguignan, 23-8 Marseille, Grenoble, 25-8 Paris, 26-8 Avignon, 27-8 Toulon, Montélimar, 29-8 Nîmes, 31-8 Montpellier, Béziers, Narbonne, Valence, 1-9 Rouen, Amiens, Reims, 2-9 Nice, Bordeaux, Chambéry, 4-9 Lyon, Maubeuge, 2-9 Lille, St-Étienne, 6-9 Les Sables d'Olonne, 7-9 Calais, Lons-le-Saunier, 8-9 Beaune, Chalon-sur-Saône, 10-9 Besançon, 11-9 Dijon, 12-9 Le Havre, 15-9 Nancy, 21-9 Boulogne-sur-Mer, Menton, 20-11 Metz, Belfort, Mulhouse, 23-11 Strasbourg.

8 h, débarquement à Cavalaire, Ste-Maxime ; 8 h 30 et 15 h 34, à St-Raphaël : faible résistance all. ; 16-8 débarquement de la 1re armée fr. 18-8 au 25-8 **Libération de Paris** [18-8 fusillade du Pont des Arts *(début de l'insurrection) ;* 19-8 police parisienne en grève ; 21/22-8 trêve [négociée par l'entremise de Raoul Nordling (1882-1962), consul de Suède], signée entre insurgés et le Gal Dietrich von Choltitz (1894-1966) nommé le 9-8 commandant de la garnison all. à la place du G[al] von Stulpnagel ; 22/25 combats de rue après la rupture de la trêve par le colonel F.T.P. Rol-Tanguy ; 22-8 sur l'insistance de De Gaulle, Eisenhower, C[dt] suprême allié, dit à Bradley de pousser la 2e D.B. (Leclerc) sur Paris ; 25-8 Choltitz, qui ne disposait que de 15 000 h. des services, quelques dizaines de chars et une faible artillerie, capitule à 14 h 45 devant Leclerc après avoir refusé d'exécuter l'ordre d'Hitler de brûler Paris].

20-8 *St-Genis-Laval* (Rh). 120 brûlés vifs par All. ; 25-8 *Maillé* (I.-et-L.) 126 p. massacrées par les All. ; *de Gaulle* à *Paris ;* 26-8 magnificat chanté à N.-D. de Paris en présence de De Gaulle, des coups de feu sont tirés ; 31-8 *Gouv. prov. de la R.F.* à Paris ; 2-9 les Alliés libèrent la Belgique ; 3-9 la 1re Armée fr. atteint Lyon ; 8-9 : 1re V2 sur l'Angl. (2) ; 11-9 *armistice russo-bulgare ;* 12-9 *armistice russo-roumain ;* 17/25-9 **Arnhem** [Montgomery tente de passer successivement : Meuse, Rhin supérieur à Nimègue, Rhin inf. à Arnhem en jetant sur chaque pont une division parachutée pour ouvrir la voie aux blindés ; seuls les 2 premiers ponts sont enlevés ; la 1re division aéroportée brit. (Gal Urquhart) est encerclée autour du pont d'Arnhem (2 000 survivants sur 10 000 paras)] ; 19-9 *armistice russo-finlandais ;* 19-10 les Amér. débarquent aux *Philippines ;* 22-10 *capitulation de Varsovie,* les All. b. les insurgés ; 22/27-10 *Leyte,* déf. navale jap. (V. Index) ; 28-10 *armistice Alliés-Bulgarie ;* 14-11 offensive de la 1re Armée fr. vers Belfort. 23-11 Strasbourg prise. 16/26-12 *contre-attaque all. en Ardennes* (avance de 70 km) : les Amér. résistent à Bastogne, St-Vith et au Luxembourg.

• 1945 16-1 le saillant all. des Ardennes est réduit (bilan : *All. :* 24 000 †, 63 000 blessés, 16 000 prisonniers ; *Alliés :* 8 000 †, 48 000 bl., 21 000 pr.) ; 17-1 les *Russes prennent Varsovie ;* 27-1 libèrent *Auschwitz ; 20-1 armistice avec Hongrie.*

Conférence de Yalta (4/11-2) entre Churchill, Roosevelt (malade), Staline. 1° All. sera divisée en 4 zones administrées par les Alliés : démontage d'usines, réparations (Staline refuse 6 fois d'admettre la Fr. dans la Commission de contrôle ; à la 7e demande formulée par Eden, il cède) ; 2° les positions acquises par l'U.R.S.S. seront reconnues, les frontières occ. de la Pologne seront fixées par le traité de paix, la ligne *Curzon* sera sa frontière à l'est ; 3° la Russie interviendra contre le Japon ; 4° projet de Conférence à San Francisco pour créer une Organisation des Nations unies (Churchill et Eden arrivent à faire reconnaître à la France un droit de veto et une place parmi les 5 grands) ; 5° les Soviétiques réfugiés dans les territoires occupés par les Anglo-Amér. seront renvoyés en U.R.S.S. [2 800 000 seront livrés ; 800 000 exécutés sur-le-champ ; env. 1 500 000 déportés en Sibérie (exception : 60 000 Arméniens réfugiés en Californie)].

1-2 *Budapest prise ;* 6-2 *Colmar libérée ;* les Fr. bordent le Rhin du N. de Bâle à Strasbourg ; 13-2 *Dresde bombardée* [800 bombardiers lourds anglais (bombes de 4 t et 2 t, 650 000 bombes incendiaires), puis 450 forteresses volantes ; 135 000 †, apparemment inutiles (réfugiés) ; centre historique détruit ; motifs invoqués : 1°) saper le moral des civils all. ; 2°) désorganiser une possible résistance à l'occup. sov.)]. 27-2 Calais bombardée par un aviateur angl. s'entraînant au tir réel (il a confondu Calais avec Dunkerque alors occupée), + de 127 †. *Iwo Jima* (19-2/16-3) et *Okinawa* (1-4/10-6) les Am. b. les Jap. ; 7-3 *Rhin franchi* à Remagen ; 5-4 intervention de Pie XII, pour obtenir un cessez-le-feu séparé entre Occidentaux et All. ; 9-4 *Vienne prise ;* 12-4 *Roosevelt meurt ;* 25-4/26-6 **Conférence de San Francisco ;** 25-4 jonction amér.-russe à Torgau (All., sur l'Elbe) ; 28-4 *Mussolini exécuté ;* 1-5 **Hitler se suicide** [ni cliniquement fou, ni dépendant des drogues, mais atteint de dépression, d'inflammation du côlon, de troubles cardiaques et de la maladie de Parkinson et « bourré » de médicaments] ; 2-5 **Berlin capitule ;** 7-5 **capitulation all.** signée à 2 h 41 ; au QG d'Eisenhower à Reims (installé dans une école technique), sur une table de ping-pong), y signent gén. Jodl (All.), Bedel Smith (Amér.), Susloparov (Russe) ; Sevez (Français) ; 8-5 : 15 h proclamation officielle de la capitulation dans les pays occidentaux ; en vigueur à 23 h 01 ; le 9-5 signée à Berlin au QG soviét. (0 h 06 à 0 h 45), y signent : gén. Keitel (All.), mar. Joukov (Sov.), mar. Tedder (Brit. représentant Eisenhower) [et à titre de témoins : gén. de Lattre (Fr.), gén. Sperez (Amér.)] ; 26-6 signature du **statut de l'O.N.U. ;** 17-7/2-8 **Conférence de Potsdam** (Churchill puis Attlee, Staline, Truman) organise l'occupation de l'All. ; 6-8 **Hiroshima** (1re bombe atomique) ; 9-8 **Nagasaki** (2e bombe a.) ; 14-8 **capitulation japonaise ; 2-9 reddition japonaise** (à bord du *Missouri* dans la baie de Tōkyō).

Traités terminant la guerre 1939-45

1) **Capitulations. Avec U.R.S.S. :** *1944* Roumanie 12-9 ; Finlande 19-9 ; Bulgarie 28-10 ; *1945* Hongrie 20-1. **Avec U.R.S.S. et Alliés occidentaux :** *1945* Allemagne (Reims) 7-5, ratifié (Berlin 8-5). **Avec Alliés occidentaux :** *1945* Japon (à bord du Missouri, ancré dans la baie de Tōkyō, 2-9).

2) **Actes diplomatiques. 1947** 10-2 *traité de Paris :* Italie, Roumanie, Bulgarie, Hongrie et Finlande. **1951** 8-9 *tr. de San Francisco* Japon et 48 pays alliés. **1952** 27-4 tr. de Taipeh, Chine nationaliste, Japon. **1954** 23-8 *accords de Paris :* Constitution de la Rép. fédérale d'All. ; avec rétablissement des responsabilités diplom. (entrée en vigueur 1-1-1955). **1955** 20-9 *tr. de Moscou* l'U.R.S.S. confère la souveraineté à la Rép. démocratique d'All. 15-5 *tr. de Vienne ou du Belvédère* ou « Tr. d'État » avec l'Autriche : U.R.S.S., U.S.A., G.-B. et France mettent fin à l'occupation ; confère la souveraineté à l'État autrichien. **1956** 19-10 tr. de Moscou U.R.S.S., Japon.

Guerre germano-russe (1941-45)

• **Causes.** 1°) Hitler voit dans les plaines à blé de l'Est *l'espace vital* idéal pour la race all. ; 2°) il veut détruire le « judéo-bolchevisme » [il prétend lui-même être socialiste et totalitaire. 23-8-1939 le pacte de « non-agression » avec l'U.R.S.S. lui permettra d'abord de liquider les Occidentaux)] ; 3°) la résistance angl. d'oct.-déc. 1940 lui fait reprendre ses projets d'attaque : il suppose que la résistance brit. est motivée par une collusion secrète anglo-soviét. : a) le potentiel écon. de l'U.R.S.S. lui permettrait de frapper encore plus fort l'Angl. ; b) par le Caucase, il prendrait à revers les Angl. au Proche-Orient ; 4°) il décide d'attaquer sans attendre car il pensait peut-être que Staline se croyait tranquille (tant que les combats dureraient à l'O., l'All. redouterait une g. sur les 2 fronts), à moins qu'il ait été inquiété par des préparatifs de Staline et par les approches de celui-ci vers la Roumanie d'où l'All. tirait son pétrole. Mais la campagne des Balkans retarde son projet de 2 mois.

• **Déroulement.** 1°) **Victoires initiales des Allemands** (juin-déc. 1941). Staline, quoique avertit par Churchill et par l'espion Richard Sorge (1895-1944), en poste au Japon, a été surpris. Selon Victor Suvorov, il envisageait d'attaquer l'All. le 6-7 et avait réuni des chars rapides (pour les autoroutes all.) et des parachutistes. Son armée destinée à l'offensive n'était pas prête pour la défensive. Les blindés all. encerclent des millions de combattants mais aucun plan d'ensemble n'a été suivi, aucun objectif stratégique n'a été atteint. Le contre-espionnage soviét. trompe les All. sur les pertes soviét. : Hitler croit avoir mis hors de combat 200 divisions soviét. au lieu de 60, toutes les autres ayant été reformées et renforcées. Les partisans résistent sur les arrières all. en raison de la brutalité de l'occupation.

2°) **Défaites de l'automne 1941.** Les blindés all. reçoivent seulement le 30-9 l'ordre d'atteindre Moscou. Mais l'hiver arrive en oct.-nov., la poussière, la boue et le gel vont jouer. Le 5-12, les Sov. contre-attaquent près de Moscou, les All. reculent de 250 km.

3°) **Offensive all. par le Sud** (juillet-déc. 1942). Hitler renonce à attaquer sur l'ensemble du front et décide de percer au S. pour remonter en 1943 par la vallée de la Volga et prendre Moscou à revers. Ses armées s'élancent le 12-7 entre Koursk et la mer d'Azov : leur aile gauche est stoppée à Voronej ; leur aile droite bat les Sov. dans la boucle du Don et atteint la Volga au S. de Stalingrad le 4-9. Hitler lance vers le Caucase la moitié des effectifs de l'aile droite, qui atteignent Ordjonikidzé en oct. L'autre moitié (Gal Paulus) est stoppée à Stalingrad.

4°) **Défaite de Stalingrad.** *18-11-1942,* les Sov. lancent leur contre-offensive sur les arrières all. de Stalingrad (300 000 h. encerclés). Hitler ordonne à Paulus (nommé M[al]) de résister jusqu'à la mort. *1-2-1943,* Paulus capitule ; ses 300 000 h. sont hors de combat. Les Sov. reconquièrent le S.-E. jusqu'à l'Ukraine.

5°) **Dernières offensives all.** (mars 1943). Von Manstein profite d'une avance trop rapide des Russes pour contre-attaquer en Ukraine : il reprend Kharkov le 15-3, Bielgorod le 21-3 et rejette les Russes à l'E. du Donetz le 31-3. Le 5-7, il décide de prendre le saillant de Koursk en tenaille avec toutes ses réserves blindées (opération « Citadelle »). Ses 2 colonnes sont stoppées par les blindés sov. Le 12-7, d'autres blindés sov. percent le front au N. de Koursk et prennent Orel (victoire décisive : les All. n'auront plus jamais l'initiative).

6°) **Offensives russes vers l'Ouest.** *En 1943* les All. perdent Kharkov (23-8), Smolensk (25-9), Kiev (6-11) ; *en 1944,* Odessa (10-4), Sébastopol (9-5), fin avril les Sov. attaquent les frontières roumaine et polonaise.

7°) **Conquête de l'Eur. orientale.** Le débarquement en Normandie du 6-6-1944 immobilise de gros effectifs all. Les Sov. attaquent vers Roumanie, États baltes, Pologne (Varsovie atteinte 1-8), Bulgarie (18-9), Youg. (Belgrade prise 19-10), Hongrie (attaque sur Budapest 6-12). L'All. est atteinte le 12-1-1945 (Tcherniakowski conquiert la Prusse orientale) ; la Vistule est franchie le 22-2 (Dantzig capitule le 29-3), l'Oder le 12-3. Berlin est investi en avril, Tchéc. et Autriche sont occupées début mai.

• **Effectifs. 1941 sur le front de l'Est au 22-6 :** *All. :* 180 divisions dont 20 blindées (300 chars chacune), 3 200 avions + 40 div. alliées (Finlande 14, Roumanie 22, Hongrie 8, Italie 12) ; *Sov. :* 150 div., 50 brigades blindées de 200 chars, 20 div. de cavalerie, 6 000 avions. **1942 mai** (offensive vers la basse Volga) **:** *All.* 240 div. (All. 179, Hongrie 13, Roum. 22, It. 10, Slovaquie 1, Esp. 1, Finl. 14) ; *Sov.* ont (sans doute) reconstitué leurs effectifs de 1941, mais perdent 600 000 h., 4 500 chars, 6 000 canons entre le *28-6* et le *15-8-1942.* **1942 automne, en basse Volga :** 150 div. (avec 5 000 chars). **1943 Bataille de Koursk (12/17-7) :** *All. :* 900 000 h. (38 div. dont 17 blindées), 10 000 canons, 2 700 chars, 2 000 avions ; *Sov. :* 1 300 000 h., 20 000 canons, 3 600 chars, 2 400 avions. **Nov. :** *Sov. :* 380 div. dont 51 blindées [2 à 3 fois supérieures à celles de la Wehrmacht (max. réuni par Manstein à Rostov le 15-11-1943 : 15 000 h., 1 500 chars). Les div. all. de panzers n'ont plus que 100 à 150 chars]. **1944 :** *All. :* 400 « div. » réduites à quelques centaines d'h. ; *Soviét.* (juillet) : 430 div., 70 brig. motorisées, 110 div. blindées, 20 div. de caval. (total : 8 millions d'h.). **1945 (12-1) :** *All. :* 170 « div. », + 20 en Youg. et 35 div. blindées réduites à 100 chars.

☞ Plus de 2 000 000 de Russes se rangèrent aux côtés des All. En 1943 certaines divisions all. comprenaient jusqu'à 20 % d'auxiliaires russes (les Hiwis). Il y eut 2 div. SS russes et, en avril 1945, 2 div. de l'armée Vlassov. Le xve SS Kosaken-Kavalerie-Korps [plusieurs milliers de cosaques (du Don, Terek, Kouban, etc.) commandé par le G[al] SS Helmuth von Panwitz].

• **Aide à l'U.R.S.S.** *Total* (1942-45) (U.S.A., G.-B., Canada) : 22 000 avions, 12 000 chars, 345 00 t d'explosifs, 385 000 camions (par mer, 2 600 navires et 17,5 millions de t). Aide amér. : 11 milliards de $.

Traités d'alliance conclus contre l'Allemagne

• **Clauses.** Durée 20 ans ; alliance contre l'All. et ses alliés, jusqu'au tr. final, sans paix séparée, alliance éventuelle après la g. en cas de nouvelle agression all. ; coopération amicale et assistance technique après la guerre.

• **Dates. 1942** *26-5* U.R.S.S./G.-B. **1943** *12-12* U.R.S.S./Tchéc. **1944** *10-12* U.R.S.S./France. **1945** *11-4* U.R.S.S./Youg. ; *21-4* U.R.S.S./Pol.

Quelques précisions

Commandants supérieurs 1939-45

Allemagne. *1939-41* Fedor von Bock (1880-1945) ; *1941-43* et *1944* Günther von Kluge (1882-1944) ; *1938-1941* Walter von Brauchitsch (1882-1948) ; *1942-45* Gerd von Rundstedt (1875-1953) ; *1941-42* (Afrique) et *1943-44* Erwin Rommel (1891-1944) ; *1939-45* (état-major) Wilhelm Keitel (1882-1946) ; Karl Doenitz (1939-juin 1942 sous-marins, 1943-45 Kriegsmarine) ; A. Kesselring [(1885-1960) 1941-42 Luftwaffe de Méditerranée, 1942-45 Italie, mars-mai 1945 fr. de l'Ouest] ; E. Milch (n. 1892).

France. *1939* Maurice Gamelin (1872-1958) ; *18-5-1940* Maxime Weygand (1867-1965) ; *1943-44* (front d'Italie) Alphonse Juin (1888-1967) ; *1944-45* (Normandie) Philippe de Hauteclocque, dit Leclerc (1902-47) ; Jean de Lattre de Tassigny (1889-1952) (Rhin et Danube).

Grande-Bretagne. *1939-40* Lord John Gort (1886-1946) ; Hugh Dowding (1882-1970) ; *1940-42* (bat. aérienne d'Angl.) ; *1943-45 forces navales :* Bruce Fraser (1888) ; *terrestres :* Bernard Law Montgomery (1887-1975). Gort-Wavell (1940-41 Moyen-Orient, 1942-45 Indes). Harold Alexander (1891-1969 C[dt] en chef allié en Afr. du N., créé 1er Cte de Tunis).

Japon. *1940-45* (état-major) Hideki Tojo (1884-1948) ; *1941-43* (forces navales) Isoroku Yamamoto (1884/17-4-1943, tué en vol par Amér.).

U.R.S.S. *1941-45* Simon Timochenko (1895-1974) ; *1942-45* Grégor Joukov (1896-1974) ; *1943-45* Ivan Koniev (1897-1973). Boris Chapochnikov (1882-1945) (1941-42 chef d'état-major général). Vatoutine (1901-44). Constantin Rokossovski (1896-1968). Andrei Teresnenko (1892-n.c.).

U.S.A. *1941-45 Pacifique :* Douglas MacArthur (1880-1964) ; forces navales : Chester Nimitz (1885-1966) ; *état-major :* George Marshall (1880-1959) ; *1942-45 Europe :* Dwight Eisenhower (1890-1969). Mark Clark (Italie) (1896-n.c.).

Autres officiers généraux

Allemagne. *Heinz Guderian* (1888-1954), spécialiste des blindés : bat les Fr. (mai 1940) ; est battu devant Moscou (déc. 1941) ; chef d'état-major (juill. 1944-mars 1945). *Walter Model* (1891-1945, suicidé), maréchal ; arrête les Russes sur les Carpathes (août 1944) ; C[dt] en chef du front de l'Ouest (1944-45). *Erich Lewinski von Manstein* (1887-1973), auteur du plan d'attaque par les Ardennes (mai 1940) ; front sud en Russie (mars 1943) ; destitué mars 1944. *Hermann Goering,* voir index. *Friedrich Paulus* (1890-1957). *Wilhelm von Leeb* (1876-1956), comm. chef du gr. d'armées N. (1941-42), échoue devant Leningrad.

France. *Charles Huntziger* (1880-1941, † accident d'avion), C[dt] de la IIe armée devant Sedan (mai 1940) ; G[al] en chef de l'armée d'armistice (1940-41). *Kœnig, Catroux, Giraud, Larminat* (voir p. 652 a). *Jean de Goislard de Monsabert* (1887-1985) C[dt] d'un des 2 corps d'armée (1944-45). *Émile Béthouart* (1889-1982), C[dt] de l'autre corps d'armée. *Augustin Guillaume* (1895-1986), C[dt] des Tabors marocains.

Grande-Bretagne. *Henry Maitland Wilson* (1881-1964), Grèce (1941), Syrie (1941), comm. suprême allié en Méditerranée (1944-45).

Japon. *Tomoyuki Yamashita* (1885-1946, pendu), conquérant de Singapour (15-2-1942 ; surnommé le « Tigre de Malaisie ») ; défenseur des Philippines (1944-45) ; criminel de guerre.

U.R.S.S. *Simion Boudienny* (1883-1973), cavalier, battu en Ukraine (juill. 1941), *Kliment Vorochilov* (1881-1969), comm. le front du N. (juin-sept. 1941) ; organisateur des réserves en Sibérie.

U.S.A. *George Smith Patton* (1885-1945), comm. de la VIIe armée (Sicile 1943) et la IIIe armée (France-All. 1944-45). *Omar Nelson Bradley* (1893-1982), comm. de la Ire armée (juin 1944), puis du 12e groupe d'armées am. en Allemagne (1945). *Matthew Ridgway* (1895), comm. des tr. aéroportées (Normandie 1944).

Quelques chiffres

• **Pays envahis par l'All.** Pologne (1939), Danemark et Norvège (1940), Hollande, Belgique, Luxembourg, France zone occupée, îles Anglo-Normandes (1940), Yougoslavie, Grèce (1941), Crète (1941), Égypte (N.-O. 1942), France (zone sud 1942), U.R.S.S. (à l'ouest d'une ligne Leningrad-Voronej-Stalingrad-Caucase, 1941-43), Tunisie (1943). **Ont échappé à l'invasion** 5 pays neutres : Espagne, Portugal, Suède, Suisse, Turquie.

Matériel

• **Guerre aérienne. Avions en ligne. Allemagne :** *1939 :* 2 700, *40 :* 3 200 à 4 500, *44 :* 16 000. **France.** *mai 1940 :* 700 (en 1re ligne et en réserve immédiate sur 1 400 app.). **G.-B.** *1945 :* 20 000. **Pologne** *1939 :* 400. **U.S.A.** *1945 :* 135 000.

Production annuelle. Allemagne : *1936 :* 2 880, *37 :* 4 320, *38 :* 6 500, *39 :* n.c., *40 :* 10 800, *41 :* 11 800, *42 :* 15 600, *43 :* 25 500, *44 :* 39 800, *45 :* 8 000. **G.-B.** *1939 :* 7 000, *40 :* 15 000, *41 :* 20 100, *42 :* 23 671, *43 :* 26 263, *44 :* 29 220. **France.** *1934 :* 80, *35 :* 423, *36 :* 569, *37 :* 423, *38 :* 445, *39 :* 2 125, *40 (1[er] sem.) :* 1 554. **Italie.** *1940 :* 3 257, *41 :* 3 503, *42 :* 2 813, *43 :* 1 930. **Japon.** *1941-45 :* 65 000. **U.R.S.S.** *1942 :* 8 000, *43 :* 18 000, *44 :* 30 000. **U.S.A.** *1940 :* 6 028, *41 :* 19 445, *42 :* 47 675, *43 :* 85 433, *44 :* 95 272. *Total 1940-45 : All.* 92 600 ; *G.-B.* 96 500 ; *Japon* 59 000 ; *U.S.A.* 296 000.

Bombardements alliés sur l'Europe : 2,7 millions de t, dont sur All. 50 %, Fr. 22, Italie 14, Balkans 7.

As de l'aviation. Allemagne : *Est :* Adolf Galland, Éric Hartmann 352 victoires. *Ouest :* Hans Joachim Marseille (1912-42) 158 dont 16 en 1 jour, W. Mölders, W. Nowotny, Hans-Ulrich Rudel (1917-83) 3 nav. de g., 70 péniches de déb., 519 chars. **Finlande :** E. Juutilainen 94. **France :** *Normandie-Niémen* (total collectif) : 273 victoires [dont : Marcel Albert 23 ; Roland de la Poype 16, Jean-Louis Tulasne (1912-43) 14, P. Pouyade 10 ; formé en 1942 d'aviateurs français de la base de Rayak (Syrie), venus en U.R.S.S. par l'Iran, il comporte 4 escadrilles en 1945 ; 42 pilotes sont morts au combat] ; *Français de la R.A.F. :* 33 ; *Forces aériennes fr. libres :* 675 dont : Pierre Clostermann (n. 1921) 33 ; campagnes de 1939-40 et 1944-45 : Edmond Marin La Meslée (1912-45) 16. **G.-B. :** St-John Pattle 51 (Sud-Afr. †1941), John Johnson (n. 1916) 38, John Braham 29. **Japon :** H. Nishizawa 103, Saburo Sakai 64. **Pologne :** S. Skalski (dans la R.A.F.) 22. **Roumanie :** P[ce] C. Cantacuzene 60. **U.R.S.S. :** Ivan Kojedoub 62, Alexandre Pokrychkine (n. 1913) 59. **U.S.A. :** Mac Guire († 1945) 138, R. Bong († 1945) 40 ; Francis Gabreski (n. 1919) 31.

Pertes aériennes. Allemagne : *avions déclarés détruits par les Alliés* 113 569 (dont par G.-B. 7 911 ; U.S.A. 50 658 ; U.R.S.S. 55 000). Or la Luftwaffe n'a jamais eu plus de 60 000 appareils. *Pertes pendant la bataille de France :* 1 123 av. (dont 200 pendant la bataille de la Somme). **France :** 610 av. (dont 200 au sol par bombardement). **G.-B. :** 35 500 av. (dont 16 385 au combat, le reste par accident), 79 281 †. **Japon :** env. 50 000 av. **U.S.A. :** 53 000 av. (dont 10 000 bomb. et 8 400 chasseurs sur l'Europe).

• **Guerre navale. Pertes navales. Allemagne** *(1939-févr. 1945) :* env. 1 100 nav. (dont 781 sous-marins), dont 246 par des navires de surface, 247 par des avions basés à terre. Les Angl. s'étaient emparés en 1941, à bord d'un sous-marin all. capturé (U 110), d'un décodeur *Enigma,* dont le mathématicien angl. Alan Turig découvrit le fonctionnement, repérèrent dès lors la position des « U-Boote ». **Alliés :** 23,4 millions de t (dont 14,6 par sous-marins soit 2 775 navires, 2,8 par aviation, 1,4 par mines), dont de *1939 à 1942 :* 17,86 (10,71 construites) ; de *1943 à 1945 :* 5,49 (31,75 construites). **France** *(sept. 1939 à mai 1945) :* 4 cuirassés (*Bretagne* 3-7-40 ; *Provence* 27-11-42 ; *Dunkerque* 27-11-42 ; *Strasbourg* 27-11-42) ; 1 transporteur d'avions ; 4 croiseurs lourds ; 6 légers ; 26 contre-torpilleurs ; 25 torpilleurs ; 7 légers ; 1 croiseur sous-marin (*Surcouf* 18-2-42 heurté par cargo près de Panama 131 †) ; 31 sous-marins de 1re cl. ; 20 de 2e cl. ; 6 poseurs de mines ; 1 frégate ; 3 corvettes ; 12 avisos de 1re cl. ; 16 de 2e cl. ; 52 autres petits bâtiments de surface ; 7 croiseurs auxiliaires (navires marchands armés) ; 67 petits nav. auxiliaires (caboteurs et chalutiers armés). *Pertes des F.N.F.L. :* mar. de g. 11 dont le Surcouf, mar. de comm. 26. **Japon :** *marine marchande :* 8,14 millions de t (1941-42 : 1 ; 1943 : 1,8 ; 1944 : 3,84 ; 1945 : 1,5) ; *de guerre* 550 navires (1,74 million de t sur 1,94).

• **Guerre terrestre, Chars en ligne. Allemagne :** *1940 :* 2 600 (dont 1 500 ch. français), *1945 :* 3 500. **Anglo-amér. :** *1944 :* 6 000. **France :** *1940 :* 2 300. **U.R.S.S. :** *1944 :* 12 000.

Production annuelle moyenne. Allemagne : 5 056. **France :** *1934 :* 3, *35 :* 50, *36 :* 467, *37 :* 482, *38 :* 403, *39 :* 1 059, *40 (1er sem.) :* 854. **G.-B. :** 8 611. **Italie :** 1 500. **Japon :** 500. **U.R.S.S. :** 24 500 (max. 1944, 30 000). **U.S.A. :** 20 000 (max. 1943, 29 500).

Pertes humaines civiles et militaires

Total. Env. 38 millions de morts (dont 5,7 de déportés raciaux et 4 à 5 de dép. pol. en All.). **Pertes civiles. All :** 3 810 000 (dont par bombardements anglais et amér. 635 000). *Civils allemands disparus dans les terr. orientaux :* env. 1 200 000 (depuis, décès enregistrés : 124 000 ; rapatriés des pays de l'Est 520 000 ; rapatriés en instance 240 000 ; civils non encore retrouvés env. 175 000). **Belgique :** 80 000. **Bulgarie :** 10 000. **Finlande :** 8 000. **France :** 330 000 (dont 182 000 déportés). **G.-B. :** (et colonies) 150 000 (dont bombardement en Angl. 51 509 dont : 6 184 par V1 et 2 754 par V2). **Hongrie :** 300 000. **Italie :** 380 000. **Japon :** 600 000. **P.-Bas :** 205 000. **Pologne :** 5 500 000. **Roumanie :** 160 000. **Tchéc. :** 405 000. **U.R.S.S. :** 10 000 000. **Youg. :** 1 400 000.

Effectifs militaires à leur maximum ; morts au champ de bataille (1939-45)

	Eff. Max.	Morts
Alliés		
Afrique du Sud	140 000	6 840
Australie	680 000	23 365
Belgique	650 000	7 760
Canada	780 000	37 476
Chine	5 000 000	2 200 000
Danemark	25 000	3 006
France	*4 300 000*[1]	*210 671*
Grèce	414 000	73 700
Inde	2 150 000	24 338
Norvège	45 000	1 000
Nouvelle-Zélande	157 000	10 033
Pays-Bas	410 000	6 238
Pologne	1 000 000	320 000
Royaume-Uni	5 120 000	244 723
U.R.S.S.	12 500 000	7 500 000
U.S.A.	12 300 000	291 557[2]
Yougoslavie	500 000	410 000
Axe		
Allem.-Autr.	10 200 000	3 850 000[3]
Bulgarie	450 000	10 000
Finlande	250 000	82 000
France (volontaires)	n.c.	*14 500*
Hongrie	350 000	140 000
Italie	3 750 000	77 494[4]
Japon	6 095 000	1 219 000
Roumanie	600 000	300 000

Nota. – (1) Dont *ralliés aux Fr. Libres* de Londres 80 400 (Terre 62 100 ; marine de guerre 8 800 ; marine de comm. 6 000 ; air 3 500). (2) Dont (en %) Europe 60, Méditer. 20, Pacifique 20. (3) En 1945, sur *le front de l'Est,* 2 250 000 militaires de la Wehrmacht étaient portés manquants (prisonniers libérés depuis 520 000 ; décédés dans des camps 550 000 ; disparus 1 180 000). (4) Dont 17 490 *du côté des Alliés.*

Camps de concentration

Nombre total : 203. **Camps principaux. Allemagne :** Dachau (près de Munich, 1936), Oranienbourg-Sachsenhausen (près de Berlin, 1936), Buchenwald (près de Weimar, Thuringe, 1937), Flossenburg (près de Bayreuth, 1939) 73 296 † (dont 4 371 Français), Neuengamme (près de Hambourg, 1939), Ravensbrück (pour les femmes, Mecklembourg, 1939), Dora-Niederhagen (près de Magdebourg, 1940), Bergen-Belsen (près de Hanovre, 1943). **Territoires allemands actuellement polonais :** Stutthof (près de Dantzig, 1940), Gross Rosen (Silésie, 1940), Auschwitz [Silésie, 1940, victimes 1,3 à 1,5 million (et non 4 à 8 comme avancé autrefois, la mention de 5 figurant sur les plaques déposées au pied du monument a été enlevée) dont selon F. Piper, Juifs 1,1, Polonais 0,15, Tziganes 0,023, prisonniers soviét. 0,015. 223 000 dép. ont survécu]. **Pologne :** Maidanek (banlieue de Lublin, 1940), Treblinka (à 100 km de Varsovie, 1941 ; insurrection armée des prisonniers 1943), Sobibor (près de Lublin, 1942). **Tchécoslovaquie :** Theresienstadt (près de Prague, 1940). **Autriche :** Mauthausen (près de Vienne, 1938). **France :** Natzwiller-Schirmeck-le-Struthof [Bas-Rhin, 1941 [1], seul camp où les chambres à gaz aient été conservées intactes (inscrites à l'Inventaire supplémentaire des Monuments historiques le 20-3-1947, et classées monument historique le 7-8-1951)]. **Pays-Bas :** Bois-le-Duc (1942). **Pays Baltes (actuellement U.R.S.S.) :** Kaunas, Riga (1942).

Morts. Selon certains, il y eut 9 millions de morts de 23 nations (victimes civiles et déportés morts dans les camps de concentration). Sur 8 295 000 Juifs qui se trouvaient en 1939 dans les pays occupés par les nazis, 6 millions furent tués pour raison raciale entre 1940 et 1945. Selon d'autres, 6 millions (dont 3 millions de juifs). En nov. 1978, l'ancien commissaire aux aff. juives du gouv. de Vichy, Louis Darquier de Pellepoix (1897-1980), réfugié en Espagne, ayant qualifié le chiffre de 6 millions de morts juifs « d'invention pure et simple », a été l'objet de plusieurs plaintes en incitation à la haine raciale et d'une demande d'extradition. Un décompte des victimes juives de « l'holocauste » est donné à l'article Israël. Voir Index.

Poursuites contre les criminels de guerre

Zone d'occupation américaine en Allemagne : plusieurs milliers d'accusés (liste du Gal Taylor, 570 cas retenus, 177 affaires jugées, 14-4-1949). 24 condamnés à mort, 20 détentions perpétuelles, 98 trav. forcés à temps, 35 acquittements.

Anglaise : 700 000 cas examinés, 973 affaires jugées, 230 cond. à mort, 24 pris. perp., 423 pris. à temps, 260 acquittés.

Française : 2 027 affaires jugées (+ certaines affaires d'Allemands jugés en France). 104 cond. à mort, 44 pris. perp., 1 475 pris. à temps, 404 acquittements.

Soviétique (évaluation de J.A. Marting) : 185 000 exécutions.

☞ *Procès de Nuremberg :* Voir Index.

La guerre et la France

☞ Les statistiques données par les différents auteurs sont souvent imprécises et contradictoires.

• Alsaciens-Lorrains. **Réfugiés en France.** 520 000 (à partir de 1939). Env. 250 000 sont rentrés en Als.-Lorr. occupée en 1940, dont 40 000 (surtout Lorrains) ont été réexpulsés en 1941.

Incorporés de force. *« Malgré nous ».* Sur 200 000 mobilisables, 40 000 ont « déserté », 130 000 sont partis (Russie, Pays baltes, Hongrie, Bohême, Berlin). Une partie ont été faits prisonniers (camps soviétiques, par ex. celui de Tambov), 93 000 sont rentrés (le dernier en avril 1945, d'U.R.S.S.), 40 000 ont été tués ou sont disparus dont 17 000 † en captivité en U.R.S.S. (certains après le 8-5-1945). Près de 35 000 ont été blessés ou sont restés invalides.

En 1981, l'Allemagne a accepté le principe d'une indemnisation (250 millions de marks). Il restait 60 000 survivants.

Nota. – 12 000 Luxembourgeois et 8 700 Belges furent aussi incorporés de force.

• Budgets militaires (en milliards de F), années (en gras), crédits votés et (entre parenthèses) dépenses réelles. **1933 :** 12,5 (13,4) ; **34 :** 11,3 (11,6) ; **35 : 12,9 (12,8)** ; **36 :** 12,8 (15,1) ; **37 :** 18,8 (21,6) ; **38 :** 22,2 (29,2) ; **39 :** 38,9 (93,7).

• Déportés raciaux. 120 000 (dont 8 000 enfants) dont 3 000 rescapés. *D'après G. Wellers :* 86 000 dép. *D'après S. Klarsfeld :* 75 721 dép. raciaux dont 24 000 Français (27 % des J. français), 51 721 étrangers ou apatrides (26 %). Tous les enfants déportés (6 029) sont morts. En dehors des pertes en déportation, il y eut aussi en France des morts par exécution, mauvais traitements et camps de concentration, surtout dans le Roussillon.

• Juifs. **Nombre en France.** *1939 (sept.) :* 300 000 [dont 180 000 Français (dont autochtones 110 000, naturalisés fr. 70 000) ; étrangers et apatrides 120 000]. *1940 (sept.) :* 350 000 [dont de Belg., Hollande, Lux. (arrivés en France) 40 000, de Bade et du Palatinat (déportés par les nazis en zone sud) 6 500]. *1941 (juillet) :* 340 000 [dont 287 962 recensés et 52 000 non recensés (dont internés dans des camps fr. + groupes de trav. étrangers 35 000, prisonniers de guerre 12 000, réfractaires du recensement 5 000)] dont 60 % de Juifs fr. (2/5 par filiation et 2/5 par naturalisation) et 40 % d'étrangers et apatrides.

Étrangers. 120/150 000 Juifs étrangers en France en 1939, 55 000 étaient des réfugiés arrivés dep. 1933 et 90 000 immigrés présents en 1933 [soit 0,35 % de la population française (6 % du nombre total des étrangers)]. *Réfugiés politiques et raciaux :* la plupart entrés illégalement, et certains démunis de titres de séjour en règle, furent internés avant même le déclenchement de la guerre. *En sept. 1939,* la police arrêta 15 000 ressortissants « ennemis » (en majorité Allemands et Autrichiens), ils furent internés dans les camps de Gurs, du Vernet et de St-Cyprien. Env. 50 % furent libérés dans les 3 mois suivants. *En mai 1940,* les arrestations reprirent ; sur 40 000 civils internés dans les camps du sud de la Fr., il y avait 70 % de Juifs.

Au cours de l'exode, sur 8 000 000 de réfugiés dans la zone sud, il y eut 1 200 000 étrangers venus de Hollande, Belgique et Luxembourg. Les All. refusèrent l'accès des territoires occupés à env. 40 000 réfugiés juifs (Polonais et Allemands ayant fui Belgique et P.-Bas). 30 000 Juifs étrangers, incorporés dans l'armée fr. en tant qu'engagés volontaires, furent démobilisés, internés ou enrôlés d'office dans des groupes de travailleurs étrangers (GTE).

• « Évadés de France » par l'Espagne. Sur 1 000 000 de tentatives, 33 000 ont réussi (dont 18 540 en 1943). Selon la Confédération des évadés de France, 1 860 évadés ont été remis par les Espagnols aux autorités de Vichy avant le 8-11-1942 ; 2 120 ont été capturés par les Allemands et déportés ; 320 sont morts dans les Pyrénées (accidents de montagne ou tués par les All.), 130 sont morts en détention en Esp. *Prisons :* 30 (dont le camp de Miranda). *Engagés :* 23 000 évadés de France. *Tués pour la Libération :* 9 500.

• Internés résistants. 110 000 (45 000 sont revenus).

• Maquisards. *1943 oct.* 20 000 (la plupart réfractaires au S.T.O.), *1944 mars* 30 à 40 000, juillet 200 000. Autres estimations pour l'automne 1943 : Guillain de Bénouville 10 000 ; services allemands 130 000 ; Marie Granet et Henri Michel 75 000 (en comptant les affiliés aux réseaux clandestins).

• Morts et disparus. **Militaires** *1939-40* 123 079. *Prisonniers* 45 000. *Armée de Libération et FFL* 54 929 [dont : *Forces Fr. Libres* env. 11 700 (terre 8 600 ; mar. de g. 1 000 ; mar. de comm. 1 500 ; air 600) ; *– Armée d'Italie.* 7 251 (off. 389 ; sous-off. 974 ; h. de tr. 5 888)]. **FFI et FFL morts au combat** 19 701. **Alsaciens et Mosellans** *(Malgré nous)* incorporés de force dans l'armée all. 30 882 (dont 13 970 disparus).

Civils. 412 000 [dont *victimes de bombardements* alliés 67 078, *d'opérations terrestres* 58 000, *otages fusillés par les All.* 29 660 (selon le procureur fr. Dubost, le 24-1-1946) ; ch. du P.C.F. (1945) : 200 000, dont 75 000 du parti ; l'ambassadeur all. Abetz en juill. 1949 : 498 avant le 1-6-42, 254 entre le 1-6-42 et le 25-8-44 ; Rousseau et Céré dans *Chronologie du conflit mondial :* 1 845 ; le Bureau du P.P.F. à Nancy, le 29-8-44 : 1 811 ; d'Henri Frénay (1905-89 min. des Prisonniers et déportés 1944-45) : 23 000 massacrés. **Déportés** 222 000 [(83 000 raciaux, 65 000 politiques) chiffres du *J.O.* du 24-2-62 : *dép. résistants* 16 702 vivants, 9 783 décédés ; *pol.* 13 415 v., 9 325 d. ; *internés résistants* 9 911 v., 5 759 d. ; *politiques* 10 117 v., 2 130 d.]. **Requis** (travail) 40 000.

Condamnés pour collaboration et exécutés par la Résistance. 40 000 (105 000 selon Saint-Paulien, citant le min. de l'Int. Adrien Tixier, févr. 1945 ; 97 000 selon François Mitterrand le 28-5-1948).

• Organisations policières allemandes. *Gestapo (Geheimstaatpolizei,* « police d'État en civil ») : s'occupe des ressortissants allem. et n'est pas directement engagée contre la Résistance française. *Polices all. antirésistance :* prévôté mil. *(Feldgendarmerie),* prévôté militaire en civil *(Geheimfeldpolizei),* service de sécurité *(Sicherheitsdienst* ou *S.D.)* qui dépendait de Heinrich Himmler, min. de la Police.

• Pertes économiques dues à l'occupation. 1 500 milliards de F (valeur 1938) dont par spoliation 452, destructions et autres dommages 670, dommages en Alsace-Lorraine et autres zones particulières 127. Coût du travail en Allemagne 200 (selon A. Piatier, « la France sous l'occupation »). *Indice de la production industrielle : 1939 :* 100 ; *1941 :* 68 ; *1942 :* 62 ; *1943 :* 56 ; *1944 :* 43. L'Allemagne prélèvera env. 34 % de cette production déjà réduite en 1941-42 et 38 % en 1943-44.

Destructions. Ponts 10 000 [dont routiers 6 500, ferroviaires 2 800 (reconstruction 1 000 par an, soit 3 ponts de + de 40 m par j)]. **Camions et remorques** 160 000 sur 430 000 en 1939 (reconstruction 1947 : 450 000). **S.N.C.F.** 20 % des actifs de la S.N.C.F. : 4 870 km de lignes, 14 000 appareils de voies, 11 620 km de block, 4 000 000 m² de bâtiments, 2 600 ponts et viaducs, 70 tunnels, 980 km de caténaires, 20 sous-stations de traction électrique, 960 gares, 24 grands triages, 7 000 locomotives (+ 7 000 endommagées), 11 locomotives électriques (+ 140 endomm.), 16 000 voitures à voyageurs (+ 3 000 endomm.), 315 000 wagons de marchandises (+ 60 000 endomm.) [*reconstruction* nov. 1946 (achats en Amér.) : 10 350 locomotives, 275 000 wagons, 13 800 voitures ; 30 000 km de lignes sur 37 200 rouverts au public. *En 1947 :* toutes les voies, 2 422 viaducs, 3 500 000 m² de bâtiments]. **Navigation :** 8 200 km de canaux (sur 9 000), 220 remorqueurs (sur 500), 7 600 chalands (sur 13 800). *Ports maritimes :* destruction quasi totale, 1 096 grosses épaves dans les chenaux (Marseille : capacité réduite aux 2/3).

Frais d'occupation. Fixés le 8-8-1940 à 20 millions de marks soit 400 millions de francs par jour (ramenés à 300 en mai 1941 puis 500 après nov. 1942). Au total 620 866 millions de F furent versés. [Ces frais représentaient l'entretien (22 F par j et par h) de 18 millions d'h., alors que 300 000 h. suffisaient à occuper la Fr. En outre le mark était évalué arbitrairement à 20 F français, les All. achetaient les produits fr. au 1/5 de leur valeur réelle.]

• Prisonniers de guerre français. *Capturés* 1 845 000 [en *1939-40* (au 25-6-1940) : pris au combat : 2 650 000 ; internés : 1 830 000 ; *1941/43 :* 15 000].

A la suite des décès ou disparitions (51 000), et des libérations et évasions, ils n'étaient plus que 1 490 000 (fin 1940), 1 216 000 (41), 1 109 000 (42), 983 000 (43), 944 000 (44). Ils ont pu jusqu'en 1944 envoyer de l'argent en Fr. et, à partir de juin 1942, devenir travailleurs libres (voir ci-dessous). Env. 5 000 épousèrent des All. et restèrent en All. après 1945. Env. 80 000 prisonniers s'évadèrent entre juin 1940 et nov. 1942, la plupart se réfugièrent en zone libre ou après l'occupation de la zone libre (nov. 1942), ils furent soumis au même régime que les hommes de leur classe d'âge. **Internés en Suisse** 30 000.

Bilan du 17-11-1947 du Secr. d'État aux Anciens Combattants. Prisonniers transférés en All. : 1 580 000. Évadés : 70 000. Rapatriés anciens combattants : 59 359 [1]. Pères et soutiens de famille : 18 731 [1]. Service de santé : 32 740. Malades, blessés : 183 381. Militaires de carrière libérés pour encadrement : 1 422 [1]. Sauveteurs : 232 [1]. Services rendus : 81. Spécialistes : 14 490 [1]. Relève : 90 747 [1]. Alsaciens, Lorrains : 7 681. Dieppois : 1 580. Administration publique : 17 751 (dont semble-t-il 10 000 libérés en Fr.) [1]. Veufs : 123 [1]. Cas humanitaires : 273. Récompense : 8. Cultivateurs : 18 127 [1]. Cheminots : 1 710 [1]. Ingénieurs agronomes : 381 [1]. Divers et indéterminés : 81 076. Mission de propagande : 4.

Nota. – (1) Rapatriements dus à l'action de Vichy.

• Prisonniers allemands en Fr. En 1945, 661 000, dont 440 000 livrés par les Amér. (le 1-10-1945, 200 000 inaptes furent récupérés par les Amér.). Leur mortalité en Fr. n'est pas connue (sans doute forte).

• Rations alimentaires. Correspondaient à 1 700 calories par j env. **Adulte** catégorie A (22 à 70 ans non travailleur de force, ni cultivateur : *oct. 1940 par j :* pain 250 g, matières grasses 15 g, *par semaine :* viande 180 g, fromage 40 g, *par mois :* sucre 500 g ; *avril 1941 par j :* pain 240 g, *par sem. :* viande 250 g, fromage 75 g, *par mois :* vin 3 l, matières grasses 550 g, sucre 500 g, riz 200 g, pâtes 250 g. **Autres catégories : E** (– de 3 ans), **J1** (3 à 6 a), **J2** (6 à 13 a), **J3** (13 à 21 a), **T** (21 à 70 a, trav. de force), **C** (21 à 70 a, cultivateurs), **V** (+ de 70 a) : les rations étaient calculées différemment (du lait pour E, J, et V, du vin pour T, etc.). La sous-alimentation a fait progresser tuberculose, rachitisme et carie dentaire. L'espérance de vie a baissé de 8 ans.

Résistance française

• Action psychologique. Presse clandestine d'abord rudimentaire (tracts recopiés à la main, puis ronéotypés). En 1943, la police de Vichy signale 5 000 perquisitions, 1 600 arrestations, 500 000 passés au pilon. PRINCIPAUX TITRES : *zone sud :* Combat, Franc-Tireur, Libération ; *nord :* Défense de la France, le Populaire (socialiste), l'Humanité et France d'abord (communistes), Témoignage chrétien (progress.), l'Université libre (enseignants).

• Actions directes. *De 1940 à fin 1941 :* surtout le fait d'équipes débarquées sur les côtes, depuis l'Angleterre (BCRA-Bureau central de renseignement et d'action). *1941 (fin) :* quelques actions individuelles en zone nord (sabotages, attentats en régions urbanisées). En zone sud, les officiers de l'armée d'armistice mettent au point un plan d'action éventuel contre l'armée all. (ORA-Organisation de résistance de l'armée et OCM-Org. civile et militaire). *1942-43 :* coordination de ces mouvements souvent assurée par les équipes de rédaction des journaux. *Zone nord :* Pierre Brossolette (1903-arrêté le 3-2-1944 à Plogoff, se suicidera pour ne pas parler sous la torture). *Zone sud :* Jean Moulin (voir encadré ci-dessus). A partir de nov. 1942, ces noyaux sont en contact avec Alger. *1943 printemps :* constitution du CNR [Conseil national de la résistance (Jean Moulin)], regroupant mouvements, partis politiques, syndicats clandestins. *Été :* l'instauration du STO accroît les effectifs (requis refusant de partir pour l'All.). Néanmoins, le total des résistants n'atteint jamais 1 % de la pop.

• Actions militaires des maquis. Constitués au début de 1944, surtout avec des réfractaires STO. 2 groupes principaux FTP (Francs-tireurs partisans, communiste), FFI (Forces françaises de l'intérieur). Dépendant du COMAC [Comité d'action militaire du Conseil national de la Résistance]. Chaque département a en principe à sa tête un délégué militaire.

Effectifs maximaux : 20 000 h. notamment dans les Alpes (les mieux équipés : matériel de l'armée italienne qui avait capitulé à l'automne 1943), Massif central, Jura et Bretagne (maquis encadrés). Le 24-9-1944 un décret intègre les maquis dans l'armée.

Principales opérations. Alpes : Les Glières (1 500 m d'altitude, près d'Annecy) : 500 hommes, venus principalement du 27e bataillon de chasseurs alpins, attaqués par une division all. de montagne et des miliciens (12 000 h), les 23-3/25-3-44, ils sont anéantis (102 † dont leur chef le capitaine Anjot), 2 à 10 All. tués ; le 1-5, le maquis réoccupera le plateau. **Le Vercors** près de Grenoble : 1 000 m d'alt. *1943* avril, 350 h. ; 13-11, 1er parachutage d'armes. *1944* avril, 1ers accrochages avec la Milice ; mai, 500 h., 4 000 h. après le débarquement ; 13-6, attaqués par 1 500 All., 15-6 par 4 000 All. avec artillerie (St Nizier évacué). 25/28-6, nombreux parachutages (2 160 containers). 19-7, attaqués par 10 000 All., 40 planeurs atterrissent au centre du dispositif ; 21-7 (les maquisards qui, croyant à des renforts alliés, les laissent atterrir, sont anéantis) ; en tout 500 † en 1943-44 (combats, accidents, maladies). **Massif central : Mont Mouchet** [(massif de la Margeride (confins du Cantal, P.-de-D., Hte-Loire, Lozère)] : 10 000 h. [*1944* 5-4, 2 500 h., avec 2 points d'appui proches (Truyère 15 000 h., St-Genès 2 000 h.), parachutages de bazookas, mitrailleuses, fusils-mitrailleurs ; 2-6, attaque all. (15 000 h.), décrochage vers la Truyère. 20-6, 2e attaque (20 000 h.), le maquis se disperse (350 maquisards †, pertes all. + de 3 000 h.)]. **Jura** (Ain) : *1943* des groupes clandestins se forment dans les montagnes entourant Chevillard. 11-11, Oyonnax : défilé militaire avec drapeau. *Nov. 1943 à févr. 1944 :* harcèlement par la milice (miliciens infiltrés) ; *1944* févr. : offensive des troupes de montagne all., camps dispersés (les maquisards de l'Ain ont évité de se concentrer), juin (piste d'Izernore) : début des parachutages massifs. **Bretagne :** *1941* janv., 1res activités. I.-et-V., C.-du-N., Fin., Morb. forment la subdivision M 13 de la région de Résistance M (ouest de la France). Délégué militaire régional : V. Abeille. Chef de l'armée secrète : Gal Audibat. Seront pris par les All. *1944* 5-6, ordre de Londres de commencer les sabotages sur une grande échelle, des cadres arrivent de Londres (Cdt Bourgoin). 2 bases constituées : « Shamwest » (C.-du-N.) et « Dingson » (Morb.). Elles sont détruites par les All., et les maquisards sont repris en main par des « Jedburghs » parachutés. 1-8, après la percée d'Avranches, le Gal Patton leur fixe 2 objectifs : Lorient et Quiberon. Aucun ne fut atteint, mais leur importance avait disparu, la bataille ayant changé de terrain (poche de Falaise). Bloquent les « poches all. de l'Atlantique » en Bretagne (Lorient et St-Nazaire). 13-9, les FFI brestois guident les blindés amér. Au sud de la Loire, les maquisards surveillent les « poches » de La Rochelle et de Royan-Le Verdon.

Principaux maquis juifs : *appartenant à l'Organisation juive de combat* (O.J.C.) : escadron Joseph Trumpeldor [Montagne Noire. Chefs : Lt Lévy-Seckel († 20-7-1944), puis Pierre Loeb] ; *Éclaireurs israélites de France* (E.I.F.) : compagnie Marc Haguenau (Vabre, Tarn). Chef : Robert Gamzon.

Histoire intérieure 1939 à 1946

De sept. 1939 à juill. 1940

Histoire intérieure 1939-1940. 6-9 arrestation à Arras du député comm. Quinet pour distribution de tracts contre la g. (déclarée 3 j plus tôt) ; 21-9 arrestation de 2 dép. comm. ; 26-9 dissolution du Parti comm. ; 1-10 les dép. comm. écrivent à Herriot (Pt de la Chambre) pour réclamer des négociations de paix (35 arrestations, Thorez mobilisé s'enfuit en Russie) ; 20-10 dissolution du Parti national breton. **1940** 30-1 Marty (comm.) déchu de la nationalité fr. ; 29-2 Marcel Cachin, sénateur comm., déchu ; 22-3 formation du dernier cabinet de la IIIe Rép. (Paul Reynaud) ; 27-3 Reynaud signe avec l'Angl. un tr. interdisant de conclure une paix séparée ; 18-5 le Mal Pétain entre dans le gouv. Reynaud ; 12-6 repli du gouv. sur *Tours* (Paris, ville ouverte, évacuée) ; 16/17-6 Churchill propose la fusion totale des Emp. français et brit. (refus fr.) ; 14-6 repli du gouv. à Bordeaux ; 17-6 le Pt Lebrun nomme Pétain Pt du Conseil ; armistice voir p. 646 ; 2-7 transfert du gouv. Pétain à Vichy ; 9-7 : une résolution tendant à la révision de la Constitution est votée par 592 dép. contre 3 (Roche, Biondi, Margaine) et 229 sén. contre 1 (Mis de Chambrun) ;10-7 la Constitution de 1875 (IIIe Rép.) est abolie par une Assemblée nat. (députés et sénateurs réunis au casino de Vichy). 80 votent contre [23 sén. (14 gauche démocratique, 7 S.F.I.O., 2 non-inscrits) ; 57 dép. (29 S.F.I.O., 13 radicaux et radicaux soc., 6 gauche indépendante, 3 ex-communistes, 2 démocrates populaires, 2 alliance des rép. de gauche et radicaux indépendants, 1 rép. d'action sociale, 1 non-inscrit)] (27 abst.) ; (voir p. 672).

Affaire du Massilia. *Déroulement :* 20-6 embarquement au Verdon sur le *Massilia* de 26 députés hostiles à Laval [départ organisé par Édouard Barthe, questeur de la Chambre (1882-1949)]. *Raisons :* accompagner à Casablanca Camille Chautemps, nommé délégué en Afrique du N. Une note de Darlan précisait que ce voyage n'était pas une mission officielle. Devinant un piège, de nombreux députés (dont Éd. Herriot et Louis Marin) refusent de partir. *Parlementaires embarqués :* 1 sénateur (Tony Révillon), 23 députés civils (dont Daladier, Delbos, Mandel, Le Troquer) et 3 dép. mobilisés : Jean Zay, Mendès France, Pierre Viénot. L'équipage refuse pendant 24 h d'appareiller, par hostilité envers le Parlement. 24-6 le M. arrive à Casablanca ; les parl. civils sont gardés à vue ; les militaires sont arrêtés et inculpés d'abandon de poste devant l'ennemi.

Quelques personnages (1939-45)

Nota. – Voir aussi p. 635 et 636 : Daladier, Flandin, Reynaud.

Abetz, Otto (All., 1903-58). Enseignant, marié à une Française (Suzanne de Bruyker), protégé de Baldur von Schirach. *1934* membre de la Hitlerjugend, chargé des questions françaises. *1940* 13-6 représentant officiel de la Wilhelmstrasse (Aff. étr.) à Paris. 3-8 ambassadeur auprès des autorités militaires d'occupation. S'efforce d'obtenir de Pétain l'entrée en g. de la Fr. aux côtés de l'All. (échec). *1944* 25-8 quitte Paris. *1949* condamné à 20 ans de travaux forcés. *1954* libéré. *1958* tué dans un accident de voiture.

Bonnard, Abel (1883-1968). Écrivain. *1932* Acad. fr., *1936* se lie avec Abetz et adhère au nazisme. *1940 la Gerbe, Je suis partout, la N.R.F.* *1942* min. de l'Instruction publ. du gouv. de Vichy, réside à Paris, crée à la Sorbonne une chaire d'« Hist. du judaïsme » et une chaire d'« Études raciales » (antisémites). *1944* replié en All. (Sigmaringen). *1945* part en Espagne dans l'avion de Laval. *1958* revient en Fr., *1960* condamné à 10 ans de prison, mais aussitôt gracié (retourne en Esp. jusqu'à sa mort).

Brinon, Fernand de (1885-1947). Journaliste financier. *1935* fonde le comité France-All. et devient l'ami d'Abetz. *1940* représentant personnel de Laval auprès d'Abetz à Paris. *1942* nov., secr. général de Laval à Vichy, chargé des relations avec l'occupant. Amasse une grosse fortune, en favorisant les contrats entre industriels français et hommes d'affaires all. *1944* replié en All., fait partie du gouv. de Sigmaringen. *1945* arrêté en Bavière. *1947* 15-4 fusillé au fort de Montrouge.

Catroux, Georges (1877-1969). Fils de colonel, élève du prytanée de La Flèche, officier de l'armée col. (Maroc, Levant, Algérie). *1939* gouv. gén. De l'Indochine. *1940* (juin) tente de la rallier à de Gaulle, révoqué par Pétain. *1941-45* Cdt des forces fr. libres de Syrie et du Liban. *1941*-10-4 condamné à mort par contumace à Gannat. *1945* gouv. gén. de l'Algérie, ambassadeur à Moscou. *1954* Gd chancelier de la Lég. d'h. *1956* (févr.) min. résident en Alg., renonce devant l'hostilité des Pieds-Noirs. *1962* juge à la Cour de justice mil.

Darlan, François (1881-1942). Fils d'un député du L.-et-G., min. Justice 1897-98 (radical et franc-maçon). *1901* École navale. *1914-18* combat comme artilleur. Attaché de cabinet du min. de la Marine, Georges Leygues. *1929,* contre-amiral. *1932* vice-amiral. *1937* 1-1, chef d'é.-m. de la Marine. *1939* 6-6, amiral de la Flotte. *1940* 16-6, min. de la Marine du gouv. Pétain *1940* 7-3, antianglais après Mers-el-Kébir, reste lié avec les « synarchistes » pro-amér. *1941* févr., vice-Pt et min. Aff. étr. *1941* 3-5, négocie avec Abetz (3-5-41) et *1941* 11-12 avec Hitler. *1942* 18-4, min. du gouv., remplacé par Laval (reste Cdt en chef des forces armées). *1942* nov., étant à Alger lors du débarquement allié, se fait reconnaître Chef de l'Empire fr. d'Afrique. Assassiné le 24-12 (voir p. 653 b).

Darnand, Joseph (1897-1945, fusillé). Apprenti ébéniste. *1915* (18 ans) engagé volontaire, 7 fois cité. *1918* adjudant ; 13-7 les renseignements des prisonniers qu'il capture sont précieux pour la 2e vict. de la Marne. *1921* (sous-lieut.), quitte l'armée. Crée une entreprise de transport à Nice. *1936,* adhère au P.P.F. de Doriot. *1938,* incarcéré comme cagoulard (non-lieu). *1939-40,* chef de corps francs (lieut., off. de la Lég. d'h.), prisonnier évadé. *1940* juill., chargé par Pétain de constituer la Légion fr. des Anciens Combattants. *1941,* crée le *S.O.L.* (Service d'ordre de la Légion) regroupant les légionnaires militants, d'abord à Nice, puis dans la zone non occupée. *1943* 31-3, S.O.L. se transforme en *Milice fr.* (chef nominal Laval). *1943* 13-12, Darnand secr. gén. au maintien de l'ordre la commande ; prend part à des opérations contre les maquisards. *1944* mars, min. de l'Intérieur. *1944* août, se réfugie en All., avec les miliciens et leur famille. Fait partie du comité de Sigmaringen (« Défense des intérêts fr. »). *1945* août, prend part à des opérations contre les maquisards en It. du N. *1945* 3-10, arrêté à Milan, 10-10, condamné à mort par la Hte Cour, exécuté au fort de Châtillon.

Déat, Marcel (1894-janv. 1955). *1914,* reçu à Normale. *1914, mobilisé comme simple soldat. 1918,* finit la g. comme capitaine (5 citations, Légion d'hon.). *1919,* entre à Normale, agrégé de philo. *1920,* militant S.F.I.O. *1926,* député soc. de la Marne, *1928* battu, *1932,* élu à Paris, provoque une scission du parti soc. *1933* (fonde avec Adrien Marquet et Paul-Boncour l'Union soc. et rép.). *1935,* chef de cabinet d'Albert Sarraut (min. de l'Air 1936). *1936,* battu par un comm. *1939* élu à Angoulême, déclenche une campagne contre la g. (« Mourir pour Dantzig ? »). *1940* 10-7, vote les pleins pouvoirs à Pétain, sept. va résider à Paris, Pétain ayant refusé de créer un « parti unique » dont il aurait été le chef. *1940-44,* dirige *l'Œuvre,* journal collaborationniste. *1944* 17-3, min. du Travail à Vichy. 17-8, réfugié en All. 29-8, reçu par Hitler. Crée la Commission gouvernementale fr. de Sigmaringen, transformée (janv. 45) en un Comité fr. de libération. *1945* mai, réfugié en Italie, vit dans un couvent jusqu'à sa mort (tuberculose), sous le nom de Leroux.

Doriot, Jacques (1898-1945). Fils d'un forgeron du Morvan, d'origine ital. *1915,* ouvrier à La Courneuve. *1916* militant des Jeunesses socialistes. *1917,* mobilisé (combattant en Champagne, puis dans l'armée d'Orient ; *1920* démobilisé). Revenu aux Jeunesses soc., choisit le Parti comm. après la scission de Tours. *1923* secr. gén. des Jeunesses comm. (sous le nom de Guyot). *1924.* dép., *1931* maire de St-Denis, populaire, en rivalité avec Maurice Thorez. *1934* août, exclu du Parti. *1936* 3-5, dép. 28-6, fonde le Parti populaire fr. *1941* membre du Conseil national, réside à Paris, dirigeant *le Cri du Peuple,* lancé le 19-10-40. *1942* août, s'engage dans la L.V.F. *1945* fait partie du comité de Sigmaringen. 23-2, sa voiture est mitraillée par un avion all. près du lac de Constance. Ses ambitions politiques, portant ombrage aux gens de Sigmaringen, étaient réprouvées par Bormann. Il est arrêté, condamné après la mort de son seul protecteur, le Gauleiter Burckel, du Gau de Palatinat.

Gabolde, Maurice (1891-1972). Mutilé de la 1re g. mondiale (jambe amputée). *1939* Procureur général à Chambéry. *1940* Pt de la Cour de Justice de Riom. *1941* (janv.) procureur de la Rép. à Paris. *1943* (mars) min. de la Justice, crée le bureau des menées antinationales. *1944-45* à Sigmaringen. *1945* part en Espagne, dans l'avion de Laval. *1946* 13-3 condamné à mort par contumace, vivait à Barcelone comme prof. de français.

Gamelin, Maurice (1872-1958). *1891* St-Cyrien. *1902-11,* officier à l'é.-m. de Joffre, *1914 chef de cabinet, 1916* chef du 3e bureau au G.Q.G. Après la disgrâce de Joffre (1916), commande une brigade puis une division. *1925-27* campagne du Djebel Druze. *1930,* membre du Conseil sup. de la g. *1938* chef d'é.-m. de la Défense nat., *1939-40,* généralissime des armées anglo-fr., laisse ses troupes dans l'inaction et l'impréparation. *1940* début mai, Paul Reynaud décide de le remplacer, mais l'offensive all. du 10-5 se déclenche avant. 18-5, remplacé par Weygand, sept., emprisonné. *1943-45* déporté en All.

De Gaulle, Charles (voir p. 654 a).

Giraud, Henri (1879-49). *1940* cdt de la 7e armée en mai, 18-5 prisonnier. *1942* s'évade de la forteresse de Königstein (Saxe), nov., rejoint l'Afr. du N. dans un sous-marin anglais. Se rallie à Darlan ; 13-11, cdt en chef des troupes d'Afr. 24-12 Darlan assassiné, il lui succède comme Ht-Commissaire en Afr. *1943* janv., accepte de rencontrer de Gaulle à Casablanca ; 31-5 l'accueille à Alger ; 36-3 le prend comme co-Pt du C.F.L.N. *1944* avril, évincé par lui du comité ; juill., échappe à un attentat, et rentre dans la vie privée.

Juin, Alphonse (1888-1967). Fils d'un gendarme en poste à Mostaganem (Alg.). *1910* St-Cyrien. *1914* combattant dans l'infanterie col., *1915* blessé (perd l'usage du bras droit). *1918* capitaine, aide de camp de Lyautey. *1938* G^al^ de brigade. *1940* mai, commande la 15e div. d'inf. motorisée. Prisonnier. *1941* libéré à la demande de Vichy, pour remplacer Weygand en Afr. du N. *1942* 8-11, se rallie aux Américains. *1942-43* commande les troupes fr. de Tunisie. *1943-44* le corps expéditionnaire fr. d'Italie. *1944* mars, perce le front all. sur le Garigliano et prend Rome. Voulait attaquer Vienne depuis l'It., mais le corps fr. est affecté en juillet-août au débarquement de Provence. *1945-47* chef d'é.-m. *1946-51* cdt en chef en Afr. du N. (en même temps résident général au Maroc 1947-51). *1951* cdt en chef des forces de l'OTAN (secteur Centre-Europe). *1952* 14-7, maréchal. *1953* élu à l'Académie fr. *1961* avril, hostile à la politique gaulliste de « l'Alg. algérienne », mais refuse de soutenir le putsch.

Koenig, Pierre (Caen 10-10-1898/Neuilly-sur-Seine 2-9-1970). Engagé volontaire à 17 ans. Officier de la Lég. étrangère. *1940* (juin) rejoint de Gaulle. *1942* 3-6 Bir Hakeim, compagnon de la Libération. *1944* délégué du gouv. d'Alger auprès d'Eisenhower (C^dt^ suprême interallié), C^dt^ supérieur des forces fr. en G.-B. et C^dt^ des F.F.I. *1944* (oct.) gouv. militaire de Paris. *1945* (juillet) C^dt^ en chef fr. en All., puis inspecteur gén. des forces fr. en Afrique. *1951* député R.P.F. (Bas-Rhin). *1954* (août) min. de la Déf. nat. (gouv. Mendès France), en désaccord avec le projet de la C.E.D. démissionne. *1955* min. (gouv. E. Faure), démissionne (hostile au retour de Mohammed V au Maroc). *1956* réélu député du Bas-Rhin. *1958* ne se représente pas. *1970* 2-9 meurt. *1982* 6-6 maréchal de Fr. à titre posthume.

Larminat, René de (1895-1962). *1940* chef d'é.-m. au Levant, se rallie à De Gaulle ; *1940-41* Commissaire gén. de l'Afr. fr. libre. *1941-42* participe aux campagnes de Libye, *1944* d'Italie, de Provence. *1944-45* commande forces fr. devant les poches de l'Atlantique. *1951* chargé des négociations pour la C.E.D. *1962* Pt de la Cour mil. de justice, se suicide le 1-7 (malade, il ne s'estime pas capable de remplir son rôle).

Lattre de Tassigny, Jean de (1889-1952). St-Cyrien. *1914-18* cavalier, puis fantassin (termine la g. commandant, à 29 ans). *1933-34* état-major du Gal Weygand (soupçonné d'avoir participé à l'émeute du 6-2-1934). *1939* général (le plus jeune g^al^ fr. à l'époque). *1940* commande la 14e D.I. *1941* C^dt^ des troupes de Tunisie. *1942* nov. commandant mil. de Montpellier, refuse de se rendre aux Allemands, arrêté, emprisonné. *1943* 9-1 condamné à 10 ans de prison ; 3-9 s'évade, rejoint l'Algérie. *1944-45* chef de la 1re armée fr. (Rhin et Danube). *1945* chef d'é.-m. g^al^ de l'armée. *1950* chef des troupes fr. d'Indochine. *1951* son fils Bernard y est tué. *1952* très affecté, il meurt d'un cancer de la hanche. M^al^ à titre posth.

Laval, Pierre (Châteldon, 28-6-1883/15-10-1945), Père boucher-cafetier. Lic. hist. nat., droit. Avocat. *1914-19, 1924-27* dép. de la Seine. *1927-36* sénateur de la Seine, du P.-de-D. *1936-44. 1925* min. Trav. publics, s.-secr. d'État à la Prés. du Conseil. *1926* min. Justice. *1930* min. Travail. *1931* 27-1 Pt du Conseil. *1932* 20-2 min. Intérieur et Affaires étr. *1932* min. Travail , *1934* Colonies, *1934* Affaires étr. *1935* 7-6 *1936* 24-1 Pt du Conseil et min des Affaires étr. *1940* 22-6 min. du gouv. Pétain à Bordeaux il prend en main la manœuvre aboutissant à la fin de la IIIe Rép. 12-7 au 13-12 Vice-Pt du Conseil. Renvoyé à Paris du 13-12-40 au 18-4-42. *1941* 27-8 blessé dans un attentat à Versailles. *1944* 18-4 à août, chef du gouv. Partisan de la collaboration. Croyant à la victoire all., veut entraîner la Fr. dans la g. contre Angl. et Russie. *1944* sept. *1945* mai, emmené en All., réfugié en Esp., *1945* 30-7 livré par Franco aux Amér., 9-10, condamné à mort, 15-10 tente de s'empoisonner le matin de son exécution ; ranimé par les médecins, il est fusillé.

Leclerc, Maréchal (1902-47), né Philippe de Hauteclocque (noblesse picarde). *1922* St-Cyrien. Combattant au Maroc. *1940* capitaine, mai, prisonnier à Lille (mai), 25-7 s'évade et rejoint de Gaulle à Londres (prend le pseudonyme de Leclerc). *1940* fin août, nommé commandant, rallie le Cameroun à la Fr. Libre ; nov. conquiert Gabon ; cdt mil. de l'A.E.F., prend l'offensive contre Libye. *1943* 24-1, rejoint l'armée brit. à Tripoli. févr.-mars, prend part à la campagne de Tunisie. *1944* avr., chargé d'entraîner au Maroc la 2e div. blindée (2e D.B.), envoyée en G.-B. 1-8, débarquée en Normandie ; 22-8, déborde l'aile gauche all., prend Argentan ; 25-8, Paris (reçoit la capitulation du G^al^ allemand von Choltitz). 23-11, affecté à la VIIe armée amér., prend Strasbourg ; *1945* 26-3 franchit le Rhin ; 4-5, prend Berchtesgaden. 2-9 Cdt en chef des forces d'Extrême-Orient, signe pour la Fr. sur le cuirassé amér. *Missouri* l'acte de capitulation du Japon. Débarque en Indochine, ne peut empêcher Ho-Chi-Minh de déclencher la g. *1946* rappelé en métropole, inspecteur des troupes d'Afr. du N., *1947* 28-11 meurt au Sahara à 60 km de Colomb-Béchar (accident d'avion). *1952* 26-5 maréchal à titre posthume.

Moulin, Jean (Béziers, 1899-1943). *1926* sous-préfet. *1936* chargé d'acheminer vers l'Espagne républicaine du matériel de g. *1940* juin préfet d'E.-et-L. 7-6, refuse de signer une déclaration accusant de crimes de g. les troupes coloniales engagées dans le secteur de Chartres (tente de se suicider avec un rasoir). Juill., révoqué par Vichy comme franc-maçon. *1941* automne, va consulter de Gaulle à Londres. 31-12 délégué gén. du Comité National, parachuté dans les Alpilles. Unifie les 3 réseaux de résistants de la zone sud : Combat, Libération, Franc-Tireur (M.U.R. : Mouvement uni de la Résistance). *1943* janv., crée le Directoire de la Résistance, obtenant le ralliement des communistes (il envoie Fernand Grenier à Londres, comme délégué permanent de leur parti). 27-5, crée le C.N.R. à Paris. 21-6, livré aux All. à Caluire (Rhône), emprisonné au fort de Montluc (Lyon), meurt sous la torture lors d'un interrogatoire dirigé par K. Barbie, selon la Résistance ; le 8-7 à Metz au cours de son transfert dans un train pour l'All., selon certains All. Son corps (supposé) renvoyé le 8-7-43 à Paris où il est incinéré au Père-Lachaise ; ses cendres ont été transférées au Panthéon le 19-12-64.

Muselier, Émile (1882-1965). *1917-18* membre des cabinets de Painlevé et Clemenceau. *1939*-9-10 vice-amiral. 21-10 mis à la retraite, ingénieur dans une Sté réquisitionnée par la Défense. *1940*-23-6 quitte Marseille et part pour Londres ; commandant des Forces aér. et navales libres. *1941*-2/10-1 emprisonné par les Britanniques (faussement accusé d'avoir renseigné Vichy lors de l'expédition de Dakar).

Pétain, Philippe (voir ci-dessous).

Thierry d'Argenlieu, Georges (1889-1964). Off. de marine, *1920* entre dans l'ordre des Carmes ; *1939* supérieur de la Province des Carmes de Paris. Mobilisé à Cherbourg (cap. de corvette) ; *1940* juin, prisonnier, s'évade et rejoint de Gaulle à Londres ; sept., blessé lors de l'expédition contre Dakar. *1941-43* Ht-commissaire pour le Pacifique. *1943* contre-amiral, Cdt en chef des forces nav. fr. libres. *1945* amiral. *1945* Ht-commissaire et Cdt en chef en Indochine. *1947* rendu responsable des défaites, rappelé à Paris. Jusqu'en *1958* Gd-chancelier de l'ordre de la Libération. *1958-64* au couvent des Carmes d'Avon (père Louis de la Trinité).

Weygand, Maxime (sept. 1866-1965). Sa naissance à Bruxelles de parents inconnus a toujours constitué un mystère que lui-même n'a pu élucider. On l'a dit fils du roi Léopold II de Belgique et d'une de ses nombreuses amies, de l'empereur Maximilien du Mexique et de la fille d'un jardinier mexicain, de l'impératrice Charlotte (épouse de Maximilien et sœur de Léopold II) et d'un inconnu (ou du général belge Van der Smissen, attaché à la cour du Mexique), ou encore du négociant de Marseille, David de Léon Cohen et d'une Belge, Thérèse Denimal. Entré à St-Cyr à titre étranger en *1885,* naturalisé et nommé officier de l'armée fr. *1914* Chef d'é.-m. de Foch, reste à ses côtés pendant la g. (G^al^ 1916). *1920,* bat les armées soviétiques en Pologne. *1931* Académie française. *1935* à la retraite, administrateur de la Cie du canal de Suez. *1939* rappelé au service, Cdt en chef en Syrie. *1940* 19-5, généralissime, remplace Gamelin, après la défaite de Sedan. Il ne peut rétablir la situation, refuse d'obéir à Reynaud qui voulait une capitulation militaire sans armistice. 16-6, ne s'entendant pas avec Pétain (étant l'héritier spirituel de Foch, adversaire de Pétain) il se rapproche cependant de lui, et devient son ministre de la Guerre, car il espère sauver de la captivité, grâce à un armistice, les unités dont la retraite vers le sud a été coupée par les All. (mais les All. leur feront déposer les armes en vertu de l'armistice, et les garderont prisonnières). Délégué général en Afrique du N., il entreprend de renforcer le potentiel militaire outre-mer ; *1941* 17-7, gouverneur général de l'Algérie ; 20-11, rappelé sur intervention des All., *1942-45* déporté en Allemagne *1945* hospitalisé au Val-de-Grâce (au lieu d'être mis en prison préventive), accusé de complot contre la sûreté de l'État, il comparaît 18 fois, *1948* 6-5 obtient un non-lieu.

Entre IIIe et IVe République (13-7-1940/27-10-1946)

État français

☞ Le Conseil d'État a déclaré que la zone sud, avant son invasion en 1942, était un « territoire contrôlé par l'ennemi ».

• **Chef de l'État. Maréchal Philippe Pétain** (Cauchy-à-la-Tour, 24-4-1856/23-7-1951). *Père* agriculteur. *Etudes :* Coll. jésuites et dominicains. St-Cyr. *1878* s.-lieut., *1914* G^al^ de brigade, de division, de corps d'armée. *1915,* d'armée. *1917,* chef des armées fr. Vainqueur de Verdun, restaure le moral des troupes. **1918** M^al^ de France. **1931** Académie fr. **1934** Académie Sc. morales et pol ; min. de la g. **1935** min. d'État. **1939** ambassadeur en Esp. **1940** 18-5 min. d'État et vice-Pt du Conseil (cabinet Reynaud) ; 16-7, Pt du Conseil ; 10-7, chef de l'État français. Met en place une politique antijuive ; manœuvré par Laval, accepte la collaboration avec l'All. (espérant protéger la Fr. occupée) ; *1942* refuse (lors de l'occ. de la zone libre par les All.) de rejoindre l'Afr. du N., laisse sous son nom la milice combattre la résistance. *1944* 20-8, emmené de force à Belfort, puis à Sigmaringen (All.), demande à rentrer en Fr. *1945* 26-4, regagne la Fr. par la Suisse. 15-8, condamné à mort (peine commuée en détention à vie). Nov., déporté à l'île d'Yeu. Meurt en captivité.

• **Quelques dates. 1940** 3-7 un conseil national breton se tient à Pontivy ; 4-7 rupture des relations diplomatiques avec la G.-B. (en raison de Mers-el-Kébir) ; 24-7 en Alsace-Lorraine, les frontières douanières sont reportées aux limites de 1914 (7-8 Robert Wagner est nommé Gauleiter d'Alsace) ; juillet : fondation des Chantiers de Jeunesse (G^al^ de La Porte du Theil 1884-1976) ; 2-8 de Gaulle condamné à mort par contumace ; 3-8 trafic ferrov. reprend entre les 2 zones ; 7-8 Arthur Groussier (1863-1957), Pt du Grand Conseil de l'ordre du Grand-Orient, annonce que l'ordre se dissout volontairement ; 13-8 Pétain annonce la *Révolution nationale* ; 14-8 loi interdisant les sociétés secrètes (et visant surtout la franc-maçonnerie) [celle-ci prendra part à la Résistance (60 000 membres fichés, 6 000 poursuivis, 989 déportés, 549 fusillés)] ; 29-8 création de la *Légion française des combattants,* pour soutenir l'action de Pétain : divisée en légions départementales autonomes, elle n'aura aucune unité de doctrine (réactionnaire, pétainiste ou maçonnique selon les régions). La légion des Alpes-Mar. dirigée par Joseph Darnand, fournira les cadres du S.O.L. *(Service d'ordre de la Légion),* transformé en Milice française à partir de janv. 1943 ; 30-8 *compromis franco-japonais* à Tokyo, la France accordera au Japon des facilités de transit en Indochine ; sept. rétablissement des relations postales entre les 2 zones : *cartes familiales* avec formules imprimées [(remplacées le 1-8-41 par des cartes de 7 lignes en blanc) ; lettres autorisées en mars 1943] ; 7-9 Weygand nommé délégué général en Afr. du Nord ; 8-9 Daladier, Mandel, Reynaud, Gamelin internés ; 16-9 Blum interné ; 22-9 attaque de Langson et entrée des Jap. en Indochine ; 23-9 *cartes de pain et de viande* instituées ; 26-9 Auriol, Marx Dormoy, Jules Moch internés ; 27-9 ordonnance allemande : **statut des Juifs** en zone occupée ; 18-10 **1er** *statut des Juifs* ; 22-10 entrevue Hitler-Laval ; 23-10 entrevue Franco-Hitler à Irun ; 24-10 **Montoire** entrevue Pétain-Hitler : Pétain demandant une baisse des frais d'occupation, un assouplissement de la ligne de démarcation. Les All. diffusent la photo de la poignée de main Hitler, Pétain et exigent des concessions unilatérales au nom de la « collaboration » ; 25-10 Pétain confie à Laval les Aff. étrangères ;

oct.-déc. Laval relance la négociation (avec le G[al] all. Warlimont) : en échange des concessions refusées à Pétain, offre une offensive fr. contre le Tchad (occupé par les gaullistes) : refus des All. ; 30-10 *1er discours de Pétain en faveur de la collaboration ;* 9-11 rencontre Laval-Goering, dissolution des syndicats ouvriers et patronaux ; 11-11 manif. d'étudiants parisiens à l'Arc de Triomphe [3 blessés, env. 100 arrestations (libération rapide, sur intervention de Vichy)] ; 16-11 expulsion de 70 000 Lorrains ; 1-12 *acte constitutionnel n° VI* proclamant la déchéance des parlementaires ; 2-12 loi créant *la corporation paysanne ;* 13-12 Laval arrêté ; Pierre-Étienne Flandin vice-Pt du Conseil, décision inspirée par l'ambassadeur amér. Robert Murphy (1894-1978) ; 15-12 les cendres de l'Aiglon sont transférées aux Invalides ; 18-12 Fernand de Brinon, délégué du gouvernement auprès des Allemands à Paris ; 25-12 rencontre Hitler-Darlan.

1941 19-1 entrevue Pétain-Laval à La Ferté-Hauterive (Allier) ; 10-2 Darlan remplace Flandin ; 19-4 création de 15 *préfectures régionales ;* 1-5 exposé de la future **Charte du travail** (sorte de participation ouvrière aux entreprises) ; 9-5 *tr. de Tokyo,* la France cède au Siam des territoires au Laos et en Cochinchine, et autorise le Japon à utiliser le port de Haiphong ; 11-5 entretien Darlan-Hitler à Berchtesgaden ; 27-5 au 10-6 *grèves des mineurs* du Nord et du Pas-de-Calais, organisées par Auguste Lecœur ; 28-5 *protocole de Paris* signé entre les G[aux] Huntziger (France) et Warlimont (All.) : prévoit la collaboration militaire en Afrique du N., en échange de 83 000 prisonniers (resté lettre morte car rejeté par Vichy) ; 14-6 nouveau **statut des Juifs ;** 22-6 l'attaque all. contre l'U.R.S.S. déchaîne l'enthousiasme des collabos (Hitler est le défenseur de l'« Europe » contre le stalinisme) ; juillet, *g. de Syrie* voir Index ; 30-6 Vichy rompt relations diplom. avec U.R.S.S. ; 11-7 *création de la L.V.F.* ; 26-7 Marx Dormoy, ancien min. de l'Intérieur de Léon Blum, assassiné par 4 collaborateurs ; 15-10 : Blum, Daladier, Reynaud, Gamelin incarcérés (prison préventive, par décision d'un « Conseil de justice pol. », nommé par Pétain) ; seront déportés en All. en 1944] ; les hauts fonctionnaires doivent prêter serment à Pétain ; 15-8 Drancy devient un camp d'internement pour les Juifs ; 21-8, *1er attentat communiste* à Paris [Pierre Georges dit colonel *Fabien* († 1944) tue l'enseigne de vaisseau Alfons Moser], représailles : 20 détenus fusillés ; 22-8 au 15-9 : 6 All. tués par l'O.S. (communiste) ; 23-8 (antidaté au 14-8) création des *Sections spéciales* dans les cours d'appel, chargées de juger en flagrant délit les crimes politiques (les services de police compétents sont les *bureaux des menées antinationales) ;* 27-8 Paul Colette tire et blesse Laval et Déat passant en revue dans la cour de la caserne Borgnis-Desbordes, à Versailles, les volontaires de la L.V.F. ; 29-8 *Honoré d'Estiennes d'Orves* (capitaine de corvette) (né 5-6-01) et chef du 2e bureau de la France libre, arrêté le 22-1-41, est fusillé par les Allemands ; 2-10 attentats à l'explosif contre 7 synagogues parisiennes (représailles d'Eugène Deloncle, chef de la Cagoule) ; 20-10 attentat de *Nantes* (Marcel Bourdarias, Spartaco, Brustheim) : (lieut.-col. all. Holz tué). 21-10, 16 otages exécutés à Nantes ; 22-10 ; 27 à *Châteaubriant* [dont Guy Môquet (17 ans, fils du député communiste Prosper M.) ; Charles Michels (dép. de Paris) ; J.-P. Timbaud (dirigeant cégétiste)] ; 5 à *Paris,* 50 à *Bordeaux.* 12-11 Huntziger tué (accident d'avion) ; 18-11 Hitler obtient le rappel de Weygand (qui commande en Afr.) ; 1-12 entrevue Goering-Pétain à *St-Florentin ;* 7-12 *1er convoi de déportés français vers l'Allemagne ;* 18-12 suppression de fait de la « zone interdite » (les All. retirent leurs troupes de la ligne de démarcation, faute d'effectifs).

1942 22-1 Hitler refuse le plan de Darlan [1°) l'All. signe la paix et libère les prisonniers ; 2°) la Fr. l'aide contre l'U.R.S.S., mais reste hors de la g. germano-américaine] ; 17-4, Gal Giraud s'évade d'All. 18-4 Pétain rappelle Laval au pouvoir, malgré les démarches amér. (il lui avait fait croire que les All. exigeaient son retour, ce qui était faux) ; il forme un ministère de collabor. [dont 2 venus de Paris (Bonnard, Benoist-Méchin) et 4 de Vichy (Bridoux, Bichelonne, Marion, Platon)] ; 11-5 rencontre Goering-Laval à Moulins ; 7-6 les Juifs astreints à porter *l'étoile jaune ;* 17-6 Pétain reconnaît l'échec de sa « révolution nationale » ; 22-6 *accord sur la relève* entre Laval et le Gauleiter Fritz Sauckel (1894-1946, pendu), directeur de la main-d'œuvre du Reich ; pour 3 départs de spécialistes volontaires vers l'All., 1 prisonnier de g. doit être libéré (échec : 12 000 vol. en juin, 23 000 en juill. alors que Sauckel en réclamait 150 000) ; Laval déclare « qu'il souhaite la victoire de l'All. » : 16/17-7 à Paris, **rafle du Vél' d'hiv** (Palais des sports, démoli 1959 ; plaques commémoratives, 1, rue Nélaton inaugurées 19-7-1986) pour rassembler les Juifs non naturalisés avant de les déporter en Allemagne (8 160 dont 1 129 hommes, 2 916 femmes et 4 115 enfants). 30 revinrent (pas un seul enfant) ; rafle exécutée par 450 policiers, gendarmes et gardes mobiles ; hommes et femmes seuls furent dirigés sur Drancy. Les familles furent parquées d'abord au Vél' d'hiv. 3 500 enfants seront internés quelques semaines à Pithiviers et Beaune-la-Rolande avant d'être envoyés à Auschwitz ; 16-7 projet de **Légion tricolore** devant remplacer la L.V.F. (uniforme all.) par des combattants en uniforme fr. (échec : dissoute en févr. 1943) ; 28-7 FTP tue gén. Schaumburg, bombe lancée sur voiture (groupe de Misrak Manouchian, arménien, 23 membres pris fin 1943, fusillés 1944, avaient commis près de 60 attentats faisant 150 †). 15-8 otages fusillés au Mt Valérien. 19-8 après le raid anglo-canadien sur Dieppe, Pétain propose de charger l'armée fr. de la défense des côtes ; 25-8 mobilisation des Alsaciens-Lorrains dans la Wehrmacht ; 4-9 recensement de la main-d'œuvre fr. disponible (pour un éventuel envoi en All.) : tous les h. de 18 à 65 ans et les f. cél. de 21 à 35 ans ; 20/22-9, 116 otages exécutés à Romainville ; 4-11 l'escadre fr. mouille dans la rade des Salins d'Hyères ; 7-11 revient à Toulon ; 8-11 *débarquement anglo-amér. en Afr. du N.* (voir p. 647b) ; l'empire colonial se rallie aux Anglo-Amér. ; Darlan qui se trouve par hasard à Alger traite avec les Amér. (Pétain le désavoue) ; 11-11 All. et Italiens occupent toute la métropole (zone italienne : Alpes-Mar., Var, Htes-Alpes, Isère, Drôme, Savoie, Hte-Savoie ; les Juifs s'y réfugient et sont protégés par Mussolini jusqu'au 4-9-1943). L'armée d'armistice est dissoute ; la garde personnelle de Pétain est réduite à 3 000 h. ; l'amiral de Laborde, invité 2 fois par Darlan à rejoindre l'Afrique avec l'escadre de Toulon, refuse ; 19 h Laborde fait mettre bas les feux ; 12-11 la Luftwaffe occupe les aéroports voisins de Toulon ; 18-11 *Laval reçoit les pleins pouvoirs ;* les troupes terrestres qui défendent le camp retranché de Toulon sont retirées sur ordre des All. ; 27-11, 4 h 30 attaque des blindés all. vers le port ; 8 h 30 sabordage de la flotte [225 000 t, 61 unités dont les cuirassés *Strasbourg* et *Dunkerque,* et le contre-torpilleur *Volta* (qui atteignait 43,78 nœuds)], 5 s.-m. s'échappent : il reste alors à la Fr. 240 000 t de navires de g. dont l'escadre d'Alexandrie ; 20-11 *Weygand déporté* en Autriche ; 4-12 le régime de Vichy se maintient dans les colonies grâce à Darlan, qui crée à Alger le *Conseil impérial ;* 24-12 **Darlan assassiné** par Fernand Bonnier de La Chapelle (1922-42, fusillé), étudiant monarchiste [de Gaulle, désireux de se débarrasser de Darlan, aurait laissé croire au Cte de Paris (exilé au Maroc esp., mais entré clandestinement en Algérie) qu'il rétablirait la monarchie ; le Cte aurait laissé à un groupe de 5 fidèles le soin d'éliminer Darlan. Bonnier de La Chapelle aurait reçu l'assurance qu'il aurait la vie sauve ; il fut néanmoins fusillé après sentence d'une cour martiale] ; 26-12 Giraud haut-commissaire en A.F.N. ; Marcel Peyrouton (1887-1983), ancien min. de l'Intérieur de Vichy, gouv. gén. de l'Algérie.

1943 13-1, Sauckel demande 250 000 trav. fr. (150 000 spécialistes, 100 000 manœuvres) ; 17-2 le gouv. décide alors de mobiliser les classes 40, 41, 42 pour le S.T.O. (Service du travail obligatoire) (170 000 effectivement partis) ; 17-2 *suppression de la ligne de démarcation* entre les 2 anciennes « zones » ; 31-11 création de la **Milice** (voir ci-contre) ; 31-12 Laval fait entrer au gouvernement plusieurs ultracollabos : Brinon, Henriot, Darnand, Gabolde.

1944 janv. la Gestapo exécute *Eugène Deloncle* (n. 1890), chef de la « Cagoule » [antirépublicain, il avait fondé en 1937 le Comité secret d'action révolutionnaire (C.S.A.R. ou **Cagoule**) ; mis en prison par Daladier de 1938 à 40 ; rallié à Darlan, il collabore avec l'amiral all. Canaris, favorable aux Alliés] ; 15-2 la côte méditerr. devient zone interdite (évacuation Marseille, 15-3) ; 30-3 à cause d'un attentat contre un train (n'ayant fait ni morts ni blessés), les SS tuent 86 pers. à Ascq (Nord) ; 6-4 44 enfants juifs (de 3 à 13 ans) arrêtés à Izieu, Ain (41 † à Auschwitz). 26-4 *Pétain à Paris* (accueilli avec enthousiasme) ; 6-6 **débarquement allié en Normandie** (voir p. 647c) ; 9-6 *Tulle,* 99 otages pendus (le 5-7-44, le C[dt] Heinrich Wulff et l'adjudant Hoff, accusés d'y avoir participé, seront condamnés à 10 ans de travaux forcés pour le 1er, et aux travaux forcés à perpétuité pour le 2e peine réduite le 27-5-52 à 5 ans et 10 ans d'interdiction de séjour ; libérés 1955) ; 10-6 **Oradour-sur-Glane** (Hte-Vienne), massacre de 648 hab. [dont 246 femmes et 207 enfants (dont 6 de – de 6 mois)] par la 3e compagnie du 4e régiment de la 2e division S.S. *Das Reich* [21 membres de celle-ci (dont 14 Alsaciens) seront jugés et amnistiés en 1953 ; le G[al] commandant la division, Lamerding, condamné à mort par contumace, mourra dans son lit en 1971 ; le lieutenant commandant la compagnie, Heinz Barth, sera arrêté en déc. 1981, mais non extradé ; selon Robin Mackness (en 1987) des maquisards auraient la veille pris 600 kg d'or aux All.] ; le village aurait pu être confondu avec un autre Oradour : O.-sur-Vayres (à 26 km S.O.), O.-Fanais (à 30 km N.O.) et O.-St-Genest (à 34 km N.) ; 20-6 la milice *exécute Jean Zay* (ancien min. de l'Éducation nat. du Front populaire) ; 13-6 Darnand, min. de l'Intérieur ; 28-6 des résistants *exécutent Ph. Henriot,* secr. d'État à la Propagande ; 2-7, 2 551 déportés partent en train de Compiègne vers l'All., 1 537 arrivent vivants à Dachau le 5-7 (moins de 200 en reviendront) ; 7-7 la milice exécute *Georges Mandel,* ancien min. de l'Intérieur de Paul Reynaud ; 12/18-8 tentative de constitution d'un régime démocratique (Laval contacte Herriot, qui refuse) ; 20-8 *fin du régime de Vichy* (Pétain et Laval emmenés à Belfort puis à Sigmaringen le 20-9) ; 1-9 Marion, Déat, Brinon, Darnand, Doriot reçus par Hitler. Brinon chef du gouv. fr. en exil (désavoué par Pétain et Laval) ; 8-9, ce gouv. s'installe à Sigmaringen (le véritable chef des coll. en exil est alors Doriot jusqu'au 23-2. Voir p. 651c). La plupart des Fr. membres d'organisations pro-all. rejoignent la Waffen-SS (lourdes pertes mil. en Poméranie en janv.-avril 1945). Darnand et une partie des miliciens combattent en Italie du N. contre les maquisards ital.

• **Division SS Charlemagne.** A regroupé, fin oct. 1944, L.V.F., SS français, miliciens et doriotistes réfugiés, Kriegsmarine et N.S.K.K. Début 1945 comprend 7 000 Fr. Presque anéantie en mars et avril 1945 en Poméranie. Un groupe (env. 300) échappé participa à la défense de Berlin sous les ordres du G[al] SS Krukenberg. Du 1er au 8-5-1945, une compagnie participa à la défense de Dantzig.

• **L.V.F. (Légion des volontaires français).** *Fondée* 4-7-1941. *Effectifs :* juillet 1941 à mai 1943, engagea 6 429 volontaires sur 19 788 candidats. En mai 1943, comptait 2 317 h. (soldats + off.). Dissoute août 44.

• **Gestapo en France.** Emploie 15 000 Allemands (téléphonistes compris) et 40 000 auxiliaires Français (dont nombre d'anciens truands), une brigade nord-africaine (150).

• **Législation antisémite du gouv. de Vichy.** 11 textes entre 22-7-1940 et 11-12-1942, notamment statut des J. [3-10-40 (art. 1er – Est regardé comme juif pour l'application de la présente loi, toute personne issue de 3 grands-parents de race juive, ou de 2 grands-parents de la même race, si son conjoint lui-même est j.)], décret sur les j. étrangers [4-10-40 ils pourront être internés dans des camps spéciaux, par décision du préfet], abrogation du décret Crémieux de 1870 (7-10-40), création (29-11-41) de l'Union générale des Israélites de France (U.G.I.F.), sous la direction d'un *Commissariat général aux affaires juives.* 52 025 entreprises j. sont confiées à 7 423 administrateurs provisoires, obligatoirement non j.

• **Milice.** *Créée* 30-1-1943 ; corps d'élite, groupant les combattants armés. Secr. gén. : Joseph Darnand (1897-1945, fusillé) ; *organisation :* avant-garde jusqu'à 18 ans ; franc-garde après 18 ans. *Effectifs :* 20 000 h. en automne 1943 (zone libre), 5 000 h. en zone occupée (janv.-mai 1944). *Activités :* combats contre les maquisards, cours martiales, police politique (nombreuses exactions, exécutions de Georges Mandel et Jean Zay). Passe en All. en août 44.

• **Procès de Riom.** **Accusés :** Gal Gamelin, Edouard Daladier et Léon Blum (anciens Pts du Conseil), Guy La Chambre (ancien min. de l'Air), Jacomet (contrôleur gén.) estimés responsables de la défaite française. **Juge :** *Cour Suprême de Justice* instituée par l'acte constit. n° 5 du 30-7-1940. **Déroulement :** *1942* 19-2 ouverture ; 11-4 : loi relative à l'organisation de la Cour Suprême suspend les débats qui ne reprendront pas. Hitler était opposé le 15-3 à la continuation du procès (qui devait être pour lui celui des responsables de la déclaration de g., non de la défaite française) ; les accusés sont réincarcérés au fort du Portalet.

• **Révolution nationale.** Nom donné à l'action politique et administrative de Vichy tendant à créer un nouvel ordre moral : rejet des mensonges, de l'égoïsme individuel, de l'esprit de jouissance, du goût des loisirs, exaltation des vertus traditionnelles et des notions de Travail, Famille, Patrie. Interdiction des grèves (selon une *Charte du travail*) ; création des chantiers de Jeunesse ; promulgation du *statut des Juifs.*

• **Travailleurs. En Allemagne. Volontaires.** *1°) « désignés » :* partis entre l'automne 1940 et juin 1942 : 153 000. *2°) autres :* 34 652. Il y eut de nombreux retours plus ou moins licites. Bloqués à partir de juin 1942, il en resta env. 43 000 en Allemagne. **S.T.O.**

S.T.O. (Service du travail obligatoire) (Lois des 4-9-42 et 16-2-43 notamment) (partis avec la « relève » à partir de juin 1942) : total 70 000 (été 42), 240 000 (déc. 42), 490 000 (mars 43), 670 000 (août 43), 723 000 (juillet 44). *Départs par périodes : 1-6 au 31-12-42 :* 240 386 ; *1-1 au 31-12-43 :* 456 000 ; *1-1 au 30-5-44 :* 34 244.

Conditions stipulées entre Laval et les nazis en juin 1942 : 3 travailleurs volontaires contre le retour de 1 prisonnier de g. (chiffres effectifs : 723 162 travailleurs entrés en All. : 111 000 prisonniers et malades rapatriés ; 197 000 pris. transformés en trav. libres). Les anciens trav. en All. se sont vu refuser le 13-2-78, par la cour d'appel de Paris, le droit de s'appeler *« déportés du travail »,* mais les cours d'appel de Limoges (19-4-90) et de Toulouse (29-11 et 4-12-89) n'ont pas interdit cette dénomination. Leur dénomination officielle est « personnes contraintes au travail en pays ennemi » (ou occupé par l'ennemi). Le 19-11-1980, un projet de loi a été déposé par le groupe communiste pour faire adopter la formule « victimes de la déportation du travail ». Ses auteurs rappelèrent que les travailleurs forcés en All. ont eu 60 000 morts (dont 15 000 exécutés pour actes de résistance) ; 50 000 sont revenus tuberculeux. Entre 1945 et 1980, 25 % sont morts, de handicaps divers.

Employés en France par les All. *1940-41 ;* 2 000 ; *6-6-44,* 558 000 [dont *organisation Todt* (créée en 1933 par l'ingénieur Fritz Todt, 8-2-1891-† accident d'avion 1942) 251 000 (Wehrmacht 65 000, Luftwaffe 137 000)]. En outre, les accords conclus entre le min. fr. Bichelonne et le min. all. Speer (17-9-1943) avaient prévu que certaines entreprises (les usines « S ») et les mines devaient être assimilées à des entreprises all., ce qui permettait à 1 917 294 trav. fr. d'être maintenus sur leur lieu de travail.

La France libre (1940-44) devenue la France combattante (22-7-1942)

Organisation

Autorité suprême (titres variés)

• **Général Charles de Gaulle** [(Lille 22-11-1890/Colombey-les-Deux-Égl. 9-11-1970). Ép. 6-4-1920 Yvonne Vendroux (1900-1979). 3 enf. : Philippe (n. 1921, amiral) ; Élisabeth (n. 1923), ép. 1946 Alain de Boissieu (n. 1914, G^al 1962) ; Anne (mongolienne, 1928-48)]. *1911* 1-10, sous.-lieut. *1939* 25-12 colonel. *1940* 25-5 G^al de brig. (à titre temporaire). 6-6 sous-secr. d'État à la Guerre ; 17-6 rejoint Londres, fonde la Fr. libre ; 18-6 lance aux Français un appel à la radio de Londres ; 24-6 ramené au grade de colonel et mis à la retraite par mesure disciplinaire ; 27-6, chef des Français Libres ; 4-7 condamné par le tribunal militaire de Toulouse à 4 ans de prison et 1 000 F d'amende ; 2-8 condamné à mort et à la confiscation de ses biens par un tribunal de Vichy. *1943* 30-5 s'installe à Alger. *1944* 3-6 chef du G.P.R.F. *1945* 13-11 élu Pt du gouv. prov. *1946* 20-1 démission. *1947* 7-4 fonde le R.P.F. *1958* 1-6 Pt du Conseil ; 21-12 Pt de la Rép. *1969* 28-4 démission.

Œuvres. Le Fil de l'épée (1932), Vers l'armée de métier (1934), la France et son armée (1938), Mémoires de guerre [I. l'Appel (1954) ; II l'Unité (1956) ; III le Salut (1959)], Mémoires d'espoir [I. le Renouveau (1970) ; II. l'Effort (posth. 1971)].

• **Comité national français** (24-9-1941 au 5-6-1943). *Créé* 24-9-1941 par ordonnance. Composé de commissaires nationaux nommés (par décret) par de Gaulle et responsables devant lui. Les commissaires forment un Conseil des min. et, individuellement, gèrent un département administratif. **Reconnaissance** par G.-B. le 13-7-41 (comme symbole de la résistance française à l'Axe), U.R.S.S. le 26-9-42, U.S.A. : 9-7.

• **Conseil national de la Résistance** (C.N.R.). *Créé* 15-5-1943 par Jean Moulin. Groupe 8 mouvements de résistants dans les 2 zones. Chefs élus par les membres du conseil : *15-5-1943,* Jean Moulin (1899-1943) jusqu'à son arrestation le 21-6, nommé par de Gaulle ; 2° fin juin 1943/25-8-1944 Georges Bidault (1899-1983), élu par les membres du conseil.

• **Comité français de la Libération nationale** (C.F.L.N.) (3-6-1943 au 3-6-1944). *Créé 3-6-1943* par ordonnance à la suite d'un accord entre de Gaulle et Giraud (qui commandait une partie des troupes françaises d'Afr. du N. combattant avec les Alliés). « Pouvoir central fr. unique » devant exercer ses fonctions jusqu'à la Libération. Présidé alternativement par Giraud et de Gaulle. **Reconnaissance** *1943 26-8* par l'U.R.S.S. comme le représentant de la Rép. fr. *27-8* par G.-B. et U.S.A. comme administrant les terr. fr. d'outre-mer qui reconnaissent son autorité. La France libre a un gouvernement, une administration, des territoires, une représentation diplomatique (« Représentants de la Fr. libre »), des forces armées, une flotte de commerce, une monnaie et un institut d'émission, des timbres-poste, etc. Elle délivre les passeports. Elle a ses ressources propres (en particulier l'or du Gabon).

• **Ralliements de territoires. 1940 : Domaines fr. de Ste-Hélène** (23-6), à la même époque, personnel et installations du canal de **Suez,** puis **N.-Hébrides** (20-7). **Tchad** *13-8* René Pleven à Lagos (Nigeria), propose au gouverneur du Tchad, Félix Éboué (Guyane 1884-1944), de ravitailler le T. en échange du ralliement à de Gaulle ; *26-8* Éboué et Pleven proclament le ralliement. **Cameroun** *15-8* les gaullistes de Douala se replient à Victoria (Cameroun anglais) ; *23-8* le colonel Leclerc (de Hauteclocque) et le Cdt de Boislambert se rendent à Victoria ; *26-8* avec 25 réfugiés gaull., ils occupent les bâtiments publics de Douala ; *22-8* ils proclament le ralliement. **Congo français** *16-8* le col. de Larminat arrive à Léopoldville (Congo belge), contacte les gaull. de Brazzaville (capitaine Delange, médecin-Gal Sicé) ; *27-8* envoie un ultimatum au Gouv. gén. Husson ; *28-8* Delange et Sicé avec un bataillon de tirailleurs du Tchad font prisonnier Husson et remettent Brazzaville à Larminat ; *31-8* les gaull. contrôlent Pointe-Noire. **Oubangui-Chari** *sept.* la garnison refuse, mais le *30-9* se rallie sans combat. **Tahiti et dépendances** 2-9 (après plébiscite du 1-9, 5 564 pour le ralliement, 18 contre). **Établissements fr. de l'Inde** (9-9). **Nouv.-Calédonie** 20-9. **Sénégal** (échec). Tentative faite pour éloigner les All. de Dakar, nécessaire pour surveiller l'Atlantique ; assurer un territoire à la France libre, récupérer l'or des banques de Fr., Belgique, Pologne, stocké à Bamako. *14-8* les croiseurs *Georges-Leygues* et *Montcalm* (Vichy) arrivent à Dakar où se trouve le cuirassé *Richelieu. 23-9* une escadre angl. (avec 2 cuirassés et 1 porte-avions) débarque les commandos gaull. de Thierry d'Argenlieu à Rufisque, ils sont repoussés. *24-9* 2e débarquement gaull. repoussé à Rufisque. *24/25-9* l'escadre angl. bombarde Dakar : *morts :* 100 militaires, 84 civils ; *blessés :* 182 militaires, 197 civils ; 2 sous-marins fr. coulés. Un cuirassé angl. torpillé ; retraite angl.]. *Conséquences :* Churchill rend de Gaulle responsable de l'échec (des indiscrétions gaullistes auraient provoqué l'envoi des croiseurs) et propose à Catroux, qui refuse, de remplacer celui-ci. De Gaulle décide de s'implanter au Gabon. **Gabon** *29-8* ralliement à Larminat ; *30-8* arrivée à Libreville du sous-marin *Sidi Ferruch* (Vichy) qui rétablit le régime de Vichy ; *sept.* offensive de Leclerc dep. le Congo ; oct. les pétainistes ainistes résistent à Lambaréné ; *8-10* le sous-marin *Poncelet* (Vichy) est coulé ; *9-10* le *Savorgnan de Brazza* (Fr. libre) coule le *Bougainville* (Vichy) ; *7-11* Leclerc débarque à Mondah ; *10-11* les gaull. prennent d'assaut Libreville : suicide du gouverneur (Gal Masson) ; *12/14-11* prise de Port-Gentil : la majorité des fonctionnaires refusent le ralliement et sont internés.

1941 : *Syrie et Liban* 10-7. *St-Pierre-et-Miquelon* 24-12. **1942 :** *Wallis-et-Futuna* 19-5. *Réunion* 28-11. *Madagascar et dép.* 14-12. *Côte Fr. des Somalis* 28-12. **1943 :** *Guyane* 11-3. Soit au total 14 millions de citoyens, sujets ou protégés fr., dans un ensemble de territoires 7 fois grands comme la Fr. métropolitaine.

Effectifs

• **Évolution. 1940** *juillet :* env. 3 000 h. dont 2 000 à Londres, 600 en Egypte, 300 en Côte-de-l'Or.

Forces terrestres. 1940 *10-8, 1re brigade libre :* 2 331 h. dont 407 fusiliers marins et env. 1 300 anciens légionnaires de Narvik ; **1943** 31-7, 55 873 soldats engagés, 7 581 auraient été tués (au 6-5-1945 en tout 10 219 †). **Forces navales libres. 1940** *3-7 :* 400 h., dont 10 off. ; nov. 3 000 h. ; **1941** 3 500 h. dont 270 off. (Afrique 960) ; 1 cuirassé ancien *Courbet,* 2 contre-torpilleurs, 1 torpilleur, 4 sous-marins, 57 petits bâtiments de surface. **Marine marchande.** 57 bateaux (300 000 t) dont 19 perdus, 4 000 h. dont 1 000 ont péri en mer.

• **B.C.R.A.** (Bureau central de renseignements et d'action) : agents secrets, personnel des réseaux homologués par Londres, agents en pays étrangers : 3 600 hommes et femmes dont 800 ont été torturés, fusillés ou sont morts déportés.

• **Femmes.** Des milliers ; beaucoup à titre civil ; 7 000 furent déportées, 6 furent faites Compagnons de la Libération (voir Index), 2 sont au monument du Mont-Valérien dans la crypte : Bertie Albrecht († juin 1943 à Fresnes), Renée Lévy (fusillée à Cologne avril 1943).

• **Bilan global.** *Forces terrestres :* en tout 31 900 soldats français libres ; 5 200 tués ou disparus entre le 18-6-1940 et le 31-7-1943, 248 572 prisonniers capturés ; 68 batailles gagnées. *Navales* (F.N.F.L.) : 9 800 marins ; 1 000 tués ou disparus ; 80 bâtiments dont 20 perdus. *Aériennes* (F.A.F.L.) : 3 500 volontaires ; 563 aviateurs non rentrés ; 316 avions ennemis détruits officiellement.

• **Compagnons ralliés à de Gaulle à Londres en 1940 : 18-6 :** *René Cassin* (prof. à la faculté de droit de Paris, futur prix Nobel, 1887-1976) ; *René Pleven* (futur commissaire aux Finances et pt du Conseil, n. 1901) ; *Jean Marin* (journaliste) ; *Jean Oberlé* (journaliste, 1900-61). **19-6 :** *Christian Fouchet,* aviateur (futur min., 1911-75) ; **20-6 :** *Pierre-Olivier Lapie* (député, n. 1901) ; **23-6 :** *amiral Émile Muselier* (1882-1965) ; **28-6 :** *Gilbert Renault,* dit le *colonel Rémy* (1904-84) ; **29-6 :** 3 off. revenus de Narvik : cap. *Pierre Koenig* (futur G^al, 1898-1970, maréchal à titre posthume le 6-6-1984), colonel *Raoul Magrin-Vernerey* (1892-1964, futur « Gal *Monclar* »), cap. *André Devawrin* (futur colonel *Passy,* chef des Services secrets, n. 1911) ; **30-6 :** *Maurice Schumann* (journaliste, futur min. et acad., 1911) ; **début juillet :** Gal *Paul Legentilhomme,* commandant les troupes de Djibouti (1884-1975), et col. *René de Larminat,* comm. celles de Syrie (1895-suicidé 1962) ; **25-7 :** cap. *Philippe de Hauteclocque* (futur M^al *Leclerc,* 1902-47) ; **sept. :** Gal *Georges Catroux* (ancien gouv. de l'Indochine, 1877-1969) ; **fin 40 :** *Jacques Soustelle* (ethnologue, futur min. et acad., 1912-90).

• **Membres de la Résistance. 1941-21-10 :** *Jean Moulin* (préfet, 1899-1943) ; **1942 mars :** *Emmanuel d'Astier de La Vigerie* (journaliste, 1900-69) ; *Pierre Brossolette* (journaliste, 1903-44) ; *André Philip* (député, futur min., 1902-70) ; **1942 sept. :** *Christian Pineau* (futur ministre, n. 1904) ; **1943 janv. :** *Fernand Grenier* (député, futur ministre, 1901-70). *Gal Charles Delestraint* (1879 – fusillé à Dachau 1945) chef de l'armée secrète (1942), arrêté 9-6-43, déporté ; *Gal Aubert Frère* (1881 – Struthof 1944) fin 1942 dirige l'ORA (Organisation de Résistance de l'Armée), arrêté, fusillé 1943.

Quelques dates

• **Origine. 1940** *18-6,* de Gaulle, sous-secrétaire d'État à la Guerre dans le ministère Reynaud, en mission à Londres, ne reconnaît pas le ministère Pétain formé le 16-6 pour demander l'armistice, il lance un appel à la B.B.C. *24 au 26-6* 5 bateaux amènent en G.-B. 124 Sénans (habitants de l'île de Sein qui sera occupée le 2-7 par les All.) qui constituent le 1/4 des effectifs de De Gaulle *27-6,* il prend le titre de « Chef des Français libres » et affirme que le ministère Pétain, bien qu'établi dans les formes constitutionnelles, n'est pas un gouvernement régulier, mais une simple autorité de fait, parce que sous la dépendance de l'ennemi. *28-6* reconnu par un communiqué du gouv. brit. comme « *Chef de tous les Français libres,* où qu'ils se trouvent et qui se rallient à lui pour la défense de la cause alliée ». *14-7* 1re manif. officielle : de Gaulle passe en revue 800 soldats. *7-8* accord avec le gouv. britannique, de Gaulle constitue une force de volontaires et crée un organisme civil avec les services administratifs nécessaires ; la G.-B. assure provisoirement le paiement des dépenses engagées. *27-10, l'ordonnance n° 1 de Brazzaville,* « au nom du peuple et de l'Empire fr. », organise l'exercice des pouvoirs publics dans les terr. libérés du contrôle de l'ennemi. Un *Conseil de défense de l'Empire* (consultatif) est créé. Les pouvoirs administratifs appartenant normalement aux ministres seront exercés par des directeurs de services nommés par le Chef des Fr. libres (art. 6). Des *hauts-commissariats* sont créés pour Afr. libre (Ord. du 12-11-1940) et Pacifique (Ord. du 2-8-1941). *Français présents en Angl. ayant exigé d'être rapatriés en France (du 17-6 au 31-12-1940) :* marins militaires 21 000, de commerce 2 000, hommes de troupe 8 000, civils 200.

1941 *6-1* 1er parachutage d'un agent, en zone occupée. *14-1* adoption du V comme signe de ralliement des Résistants antinazis. *23-6* 1er parachutage de matériel sur la France par services anglais. *24-9 Comité national français* créé (voir p. 654a). *8-12* la Fr. libre déclare la guerre au Japon. **1942** *14-7* le mouvement de la Fr. libre prend le nom de *France combattante. 22-7* prend acte de l'adhésion des groupements de la Résistance intérieure et symbolise ainsi l'union des efforts de la Fr. libre et de la Fr. captive. **1943** *3-6* CFLN créé (voir p. 654a). *4-8* Giraud, nommé G[al] des forces mil. (dep. 22-6-1943, était C[dt] en chef pour l'Afr. du N. et l'Afr. Occ. Fr., de Gaulle commandait les autres terr. de l'Empire), son rôle sera progressivement réduit. *17-9 Assemblée consultative provisoire* créée [Membres désignés par les différents groupements de la résistance métropolitaine et extra-métrop., et par les m. du Sénat et de la Chambre des députés se trouvant hors du terr. occupé (en majorité communistes, du fait de la déportation en Algérie des parlementaires communistes)]. *2-10* décret maintenant encore les 2 Pts ; mais, en exerçant effectivement le commandement mil., Giraud cesse d'exercer ses fonctions de Pt. *9-11* de Gaulle seul Pt. *16-12* le C.F.L.N. (donc de Gaulle) assure la direction générale de la g. et l'autorité sur l'ensemble des forces terrestres, navales et aériennes. **1944.** Janv. *conférence de Brazzaville* (voir Index). *1-2* création des F.F.I. *20-3* exécution de *Pierre Pucheu* (n. 1899), ancien ministre de l'Intérieur de Vichy, rallié au Gal Giraud (motif officiel : il aurait désigné aux All. les otages de Châteaubriant ; autre raison : déconsidérer le Gal Giraud, qui l'avait fait venir en Afrique). *-4-4* chef des armées, de Gaulle décide en dernier ressort de la composition, de l'organisation et de l'emploi des forces armées. *8-4* Giraud nommé inspecteur général des armées fr., et à ce titre conseiller mil. du Gouv. (refuse, est mis à la retraite). *1-6* Koenig nommé commandant en chef des F.F.I.

Épuration

Bilan global

Personnes touchées d'une façon ou d'une autre par des mesures d'épuration. 1 500 000 à 2 000 000 (990 000 arrêtées ne serait-ce que quelques j ou semaines), et des centaines de milliers victimes de sanctions professionnelles ouvertes (limogeages) ou déguisées (retraites anticipées, retards dans l'avancement).

Affaires instruites. Par les cours de justice et chambres civiques : 158 000 dont 110 500 viennent en jugement. *Condamnés* (du 1-11-44 au 31-12-45) : *à mort* 7 040 dont 4 397 par coutumace (3 784 exécutions) ; *aux travaux forcés à perpétuité* 2 722, *à temps* 10 434 ; *à l'emprisonnement* 26 529 ; *à la dégradation nationale* 57 852. **Par les comités d'épuration professionnels :** 300 000 ; **administratifs :** 120 000 peines prononcées.

Emprisonnés. *Mai 1944* 250 000. *1945 (vers juin)* 60 000. *1947 (1-1)* 20 000. *1948 (1-1)* 15 585 (loi d'amnistie partielle en 1947). *1950 (1-1)* 4 791. *1951 (janv.)* 4 000. *1952 (oct.)* 1 570 (loi d'amnistie en 1951). *1956* 62 (loi d'amn. en 1953). *1958* 19. *1964* 0 (prescription de 20 ans).

Exécutés. 105 000 de juin 1944 à février 1945, selon Adrien Tixier (socialiste, min. de l'Intérieur). 68 000 selon Jean Pleyber (Écrits de Paris). 50 000 (dans le Midi, de Nice à Toulouse) selon la sécurité militaire amér. 30 000 à 40 000 selon Robert Aron dans l'*Histoire de la Libération.* 11 590 avec ou sans jugement au titre de la collaboration avant ou après la libération, selon François Mitterrand (alors min. de la Justice). 10 842 (dont 5 675 avant la Libération) selon les « Mémoires » du Gal de Gaulle. 9 673 (dont 5 234 avant la Libération) selon une enquête partielle auprès des préfets. 10 000 à 15 000 selon Henri Amouroux.

Recours en grâce présentés au Gal de Gaulle. 2 071 (1 303 furent acceptés).

Indignité nationale. *Créée* par une ordonnance du 26-8-1944, modifiée par les ordonnances des 30-9 et 26-12-1944. Elle n'était pas une peine, mais un état constaté chez un individu qui avait accompli certains actes.

Peine attachée à cet état : Dégradation nationale (allant de 5 ans à la perpétuité). *Sanctionnait* des individus coupables d'actes (qui ne pouvaient se rattacher juridiquement à des infractions prévues par des textes en vigueur en 1940) : avoir été membre d'un cabinet Pétain, avoir rempli une fonction exécutive dans les services de propagande de Vichy ou au commissariat aux questions juives, avoir été membre d'organisations collaborationnistes, avoir aidé à organiser des réunions ou des manifestations en faveur de la collaboration, avoir publié des écrits ou donné des conférences en faveur de l'ennemi, de la collaboration avec l'ennemi, du racisme ou des doctrines totalitaires. *Pouvait être prononcée comme peine accessoire* par la Haute Cour de justice ou les cours de justice compétentes pour des actes de collaboration punis par les textes de droit commun, *ou à titre principal* par les chambres civiques, rattachées aux cours de justice, pour les actes de collaboration non punis par les textes de droit commun. *Pouvait être suspendue* si le condamné s'était réhabilité par des actions de guerre ou de résistance.

Conséquences : exclusion du droit de vote, inéligibilité, élimination de la fonction publique, perte du rang dans les forces armées et du droit à porter des décorations, exclusion des fonctions de direction dans entreprises, banques, presse et radio, de toutes fonctions dans syndicats et organisations professionnelles, des professions juridiques, de l'enseignement, du journalisme, de l'Institut, interdiction de garder ou porter des armes. Le tribunal pouvait ajouter des interdictions de séjour et la confiscation de tout ou partie des biens. Le versement des retraites était suspendu.

Total de 1944 à 1951 : 49 723 personnes frappées de dégradation nationale (dont 3 578 par les cours de justice et 46 145 par les chambres civiques), 3 184 peines suspendues. 4 évêques démis de leur siège. 96 des 151 députés S.F.I.O. exclus.

Bilan de l'épuration judiciaire

Condamnés par la Haute Cour de justice

☞ *Créée* par ordonnance du 18-11-1945 (dernier procès : 1960, Abel Bonnard). c. : contumace. c.b. : confiscation des biens. com. : commissaire. d.n. (v.) : dégradation nationale (à vie). i.n. (v.) : indignité nationale (à vie). M : condamné à mort. min. : ministre. p. : prison. p. com. : peine commuée. s.E. : secrétaire d'État. t.f. : travaux forcés.

Bilan. 108 affaires. 41 non-lieux prononcés par la commission d'instruction (dont 34 après 1945). 8 actions publiques éteintes par décès de l'accusé (Platon, Boisson, L.O. Frossard, Chatel, Bichelonne, Barthélemy, Moysset, Cathala). 1 renvoi pour incompétence. 18 condamnations à mort. 25 à des peines de travaux forcés ou de prison (dont 3 par contumace). 14 à la dégradation nationale uniquement (plusieurs aussitôt relevées pour « faits de résistance »). 1 acquittement (Marcel Peyrouton).

Condamnés à mort. Exécutés. *Joseph Darnand* (exéc. 10-10-45). *Pierre Laval* (15-10-45). *Fernand de Brinon* (15-4-47).

Non exécutés. *Raphaël Alibert* (1887-1963, min., secr. d'État à la justice) 7-3-43 M, d.n.v., c.b. (c.). *Jacques Benoist-Méchin* (1901-84, min. s.E. près le gouv.) 6-6-47 M, d.n.v., c.b., p. commuée en. t.f. puis à 20 ans, libération conditionnelle en 1954. *Abel Bonnard* (1883-1968, min. de l'Éduc. nat.) 4-7-45 M, d.n.v., c.b., comm. en 10 ans de détention déjà accomplis en 1960. *René Bonnefoy* (secr. gén. à l'Intérieur) 18-7-48 M, d.n.v., c.b. (c.), 15-3-55, 5 ans i.n. *Louis Darquier de Pellepoix* (19-12-1897/29-8-1980, commissaire gén. aux Questions juives) 19-6-47 M, d.n.v., c.b. (c.), non rentré d'exil. *Marcel Déat* (1894-1955, min. du Travail) 19-6-45 M, d.n., c.b. (c.), non rentré d'exil. *Henri-Fernand Dentz* (n. 1881), général M. 20-4-45 pour avoir combattu les forces britanniques et gaullistes au Levant ; † à Fresnes le 13-12-45 alors qu'il venait d'être gracié. *Maurice Gabolde* (1891-1977, min., s.E. à la Justice) 13-3-46 M, d.n.v., c.b. (c.), non rentré d'exil. *Jacques Guérard* (secr. gén. de la prés. du Conseil) 25-3-47 M., d.n.v., c.b. (c.), p. com. *Amiral Jean de Laborde* (1878-1977, commandant en chef des forces de haute-mer) 28-3-47 M pour avoir laissé saborder la flotte de Toulon qu'il commandait, d.n.v., c.b., gracié 9-6-47. *André Masson* (commissaire gén. aux Prisonniers) 2-7-48 M (c.), non rentré d'exil. *Philippe Pétain* (maréchal, chef de l'État) 15-8-45 M, d.n., c.b., non exécuté en raison de son âge. *Charles Rochat* (secr. gén. aux Aff. étr.) 18-7-46 M, d.n.v., 16/17-3-55, 5 ans de d.n., relevé en raison des faits résultant des débats et du dossier.

Condamnés à d'autres peines. *Jean Abrial* (1879-1962, amiral, s.E. à la Marine) 14-8-45 10 ans de t.f., d.n.v., 2-12-47 liberté conditionnelle. *Armand Annet* (gouverneur gén. de Madagascar) 21-3-47 d.n.v. *Gabriel Auphan* (n. 1894, amiral, s.E. à la Marine) 14-8-46 t.f., d.n.v., c.b. (c.), 19/20-7-55, 5 ans de p. avec sursis et 5 de d.n., relevé immédiatement. *Paul Baudouin* (min., s.E. aux Aff. étr.) 3-3-47, 5 ans t.f., d.n.v., c.b. *Jean Berthelot* (s.E. aux Communications) 10-7-46, 2 ans de p., 10 000 F d'amende, 10 ans d'i.n. *Henri Bléhaut* (amiral, s.E. à la Marine et aux Colonies) 1-6-48, 10 ans de p., d.n.v. (c.), 18-3-55 relaxé des fins de la poursuite. *Pierre Boisson* (1894-1948, gouverneur gén. de l'Afr. Occid. fr.) 16-12-48 action publique éteinte (décès). *René Bousquet* (secr. gén. à la Police) 23-6-59, 5 ans de d.n., relevé pour faits de résistance. *Yves Bouthillier* (s.E. aux Finances) 8-7-48, 3 ans de p., d.n. *Jules Brevie* (s.E. aux Colonies) 21-3-47, 10 ans de réclusion, d.n. v., c.b. *Eugène Bridoux* (1888-1955, G[al], s.E. à la Guerre) 18-12-48 d.n.v. (c.) non rentré d'exil. *Gaston Bruneton* (commis. gén. à la main-d'œuvre en All.) 22-7-48, 4 ans et 6 mois de p., 10 ans de d.n. *Pierre Caziot* (min., s.E. à l'Agr. et au Ravitaillement) 19-3-47 d.n.v., c. moitié des biens. *Charles Charbin* (s.E. au Ravitaillement) 11-7-46, 10 ans de d.n. *François Chasseigne* (s.E. au Ravitaillement) 16-7-48, 10 ans de t.f., d.n.v. *Camille Chautemps* (1885-1963, min. d'E. auprès du gouv.) 25-3-47, 5 ans de p., c.b. (c.), d.n.v. *Jacques Chevalier* (1882-1962, s.E. à l'Éduc. nat. et à la Famille) 12-3-46, 20 ans de t.f., i.n.v. *Paul Creyssel* (secr. gén. à la Propagande, min. de l'Information) 24-6-48, 4 ans de p., 10 ans de d.n. *Georges Dayras* (secr. gén. à la Justice) 15-3-46 d.n.v. *Georges Delmotte* (G[al], secr. gén. à la Défense terrestre) 3-6-48, 2 ans de p., d.n.v. *Jean-Pierre Ét.* (1880-1951, amiral) t.f., décédera après avoir été remis en liberté. *Pierre-Ét. Flandin* (1889-1958, min. des Aff. étr.) 26-7-46, 5 ans d'i.n. mais relevé pour actes de résistance. *Robert Gibrat* (s.E. aux Communications) 12-3-46, 10 ans d'i.n. *Georges Hilaire* (secr. gén. à l'Intérieur puis aux Beaux-Arts) 7-3-47, 5 ans de p., d.n.v., cb (c.) 25-1-55 relaxé des fins de poursuite. *Jean Jardel* (secr. gén. du chef de l'État) 14-3-47 d.n.v. *Hubert Lagardelle* (s.E. au Travail) 17-7-46 t.f. à perpétuité, i.n.v., c.b. *Auguste Laure* (1881-1957, G[al], secr. gén. du chef de l'État) 1-7-48 renvoi des fins de la poursuite. *Joseph Lemery* (min. des Colonies) 22-3-47, 5 ans d'i.n. mais relevé immédiatement pour faits de résistance. *Antoine Lemoine* (s.E. à l'Intérieur) 29-6-48, 5 ans de d.n. puis relevé pour faits de résistance. *Paul Marion* (1899-1954, s.E. à l'Information) 14-12-48, 10 ans de p., d.n.v., gracié 1953. *Adrien Marquet* (1884-1955, min., s.E. à l'Intérieur) 28-1-48, 10 ans d'i.n. *André Marquis* (amiral, préfet maritime de Toulon) 10-8-45, 5 ans de p., d.n.v. *Pierre Mathé* (com. gén. à l'Agr. et Ravitaillement) 27-5-49, 5 ans d'i.n. *Charles Noguès* (1876-1971, G[al], résident gén. au Maroc) 28-11-47, 20 ans de t.f., d.n., c.b. (c.) 22/26-10-56 i.n. et relevé immédiatement. *Félix Olivier-Martin* (secr. gén. à la Jeunesse) 28-6-49 renvoi des fins de la poursuite. *André Parmentier* (dir. gén. de la police, secr. gén. à l'Intérieur) 1-7-49 sans d.n. et relevé pour faits de résistance. *Joseph Pascot* (com. gén. aux Sports) 25-5-48, 5 ans d'i.n. mais relevé pour faits de résistance. *Marcel Peyrouton* (gouverneur gén. de l'Algérie, min. de l'Intérieur) 22-12-48 acquitté. *François Piétri* (min., s.E. aux Communications, ambassadeur à Madrid) 4-6-48, 5 ans d'i.n. (c.). *Georges Robert* (1875-1965, amiral, haut-commissaire aux Antilles) 14-3-47, 10 ans de t.f., d.n.v., relevé 1957. *Xavier Vallat* (1891-1972, com. gén. aux Questions juives) 10-12-47, 10 ans de p., d.n.v. *Jean Ybarnegaray* (min., s.E. à la Famille et à la Jeunesse) 18-3-46 i.n. mais relevé pour faits de résistance.

Non-lieu. Charges insuffisantes. *Jacques Barnaud* (délégué gén. aux Relations éco. franco-all.) 27-1-49. **Incompétence.** *Georges Cayrel* (s.E. aux Réfugiés) 28-11-45. **Faits non établis.** *Félix Michelier* (amiral, commandant la marine au Maroc) 2-5-47. **Faits de résistance.** *Louis Achard* (s.E. au Ravitaillement) 13-6-46. *René Belin* (min. de la Production industrielle et du Travail) 27-6-49. *Jean Bergeret* (G[al], s.E. à l'Aviation) 25-11-48. *Max Bonnafous* (s.E. à l'Agr. et au Ravitaillement) 20-12-48. *Émile Boyez* (secr. gén. à la Main-d'œuvre et au Travail) 29-1-48. *Jérôme Carcopino* (1881-1970, s.E. à l'Éduc. nat.) 11-7-47. *Louis Colson* (G[al], min. de la Guerre) 28-3-46. *Victor Debeney* (G[al], secr. gén. du chef de l'État) 19-9-45. *Jean Decoux* (1884-1963, amiral, gouverneur gén. de l'Indochine) 17-2-49. *Vincent Di Pace* (secr. gén. aux P.T.T.) 22-5-47. *Fatou* (secr. gén. aux Colonies) 4-7-47. *André Février* (min. du Travail et des Communications) 5-9-45. *Charles Frémicourt* (min. de la Justice) 18-2-47. *Maurice Gait* (com. gén. à la Jeunesse) 18-11-47. *Paul Gastin* (G[al], secr. gén. à la Défense aérienne) 17-2-49. *Jean Jannekein* (G[al], s.E. à l'Aviation) 27-2-49. *Georges Lamirand* (secr. gén. à la Jeunesse) 25-7-47. *Paul de La Porte du Theil* (1884-1976, G[al], com. gén. aux Chantiers de jeunesse) 18-11-47. *François Lehideux* (s.E. à la Production industrielle) 17-2-49. *Amaury de L'Épine* (dir. du Comité d'organisation de l'automobile) 4-7-47. *Jacques Le Roy Ladurie* (s.E à l'Agr. et au Ravitaillement) 12-12-45. *Émile Mireaux* (s.E. à l'Éduc. nat.) 23-1-47. *Paul Moniot* (G[al], s.E. à l'Aviation) 17-2-49. *Robert Moreau* (com. gén. aux Prisonniers) 30-1-47. *François Musnier de Pleignes* (secr. gén. aux Anciens Combattants) 8-5-47. *Charles du Paty de Clam* (com. gén. aux Questions juives) 19-6-47. *Maurice Pinot* (com. gén. aux Prisonniers) 5-9-45. *Charles Pomaret* (min. de l'Intérieur puis du Travail) 13-6-46. *Georges*

Portmann (secr. gén. à l'Information) 19-6-47. *Jean Prouvost* (1885-1978, secr. gén. à l'Information) 11-7-47 *Bertrand Pujo* (1878-1964, Gal, min. de l'Air) 25-11-48. *Louis Rifert* (s.E. à l'Éduc. nat.) 21-5-47. *Albert Rivaud* (s.E. à l'Éduc. nat.) 23-1-47. *Albert Rivière* (min. des Colonies) 5-9-45. *Frédéric Roujou* (secr. gén. au Travail) 29-1-48. *Robert Schuman* (sous-s.E. à la prés. du Conseil) 5-12-45. *Robert Weinmann* (com. gén. à la Main-d'œuvre) 29-1-48. *Maxime Weygand* (Gal, min., s.E. à la Défense nat.) 6-5-48.

Cours de justice locales

☞ *Créées* par ordonnance du 26-6-44. *Nombre :* 90, puis 30 (janv. 1946), 25 (janv. 1947), la dernière (Paris) ferme en août 1949.

Bilan. Env. 140 000 affaires. 41 000 non-lieux prononcés en cours d'instruction et 41 000 dossiers renvoyés devant les chambres civiques. 57 000 affaires jugées. 6 763 condamnations à mort dont 4 397 par contumace et 779 exécutées. 2 777 peines de travaux forcés à perpétuité. 10 434 à temps. 26 529 peines de prison à temps. 3 678 à la dégradation nationale uniquement (la plupart des autres condamnations en étaient assorties). 6 724 acquittements.

Cas célèbres. Exécutés : *Georges Suarez* (né 15-12-44, fusillé), *Paul Chack* (n. 1876 ancien off. de marine, écrivain, c. à mort 18-12-1944 pour avoir souhaité publiquement la victoire all. et publié des tracts ; fusillé 9-1-45), *Robert Brasillach* (n. 1904, écrivain, c. à mort 19-1-45 pour intelligence avec les Allemands, fusillé, 6-2), *Marcel Bucard* (chef des francistes, n. 1895, fusillé 19-3-1946), *Jean Luchaire* (journaliste, c. à mort 23-1-46 pour ses articles contre gaullisme et Résistance ; fusillé 23-2), *Jean Hérold-Paquis* (exécuté 11-10-45), *Paul Ferdonnet* (le Traître de Stuttgart), com. *de Messine, Max Knipping, Georges Radici, Jean Bassompierre* (dernier milicien fusillé 1948). **Graciés :** *Lucien Rebatet, Jeantet, Algarron, P.-A. Cousteau,* etc., *Henri Béraud* (1885-1958, écrivain, c. à mort 29-12-44 pour ses articles au cours de l'Occupation ; peine commuée en trav. forcés à perpétuité ; libération conditionnelle 1950), *Charles Maurras* (1868-1952, philosophe inspirateur de l'Action française, 26-1-45 réclusion perpétuelle pour avoir mené une campagne contre la Fr.), *Georges Claude* (1870-1960, physicien, 26-6-45 réclusion perpétuelle pour propagande en faveur de l'All. ; p. com. en détention perpétuelle ; libéré fin 49), *Maurice Pujo* (1872-1955).

Chambres civiques

☞ *Créées* par ordonnances des 26-8 et 26-12-1944.

Bilan. 115 000 affaires jugées (dont 41 000 renvoyées par les Cours de justice). 95 000 condamnations à l'indignité nationale.

Autres condamnations. 50 000 aux tr. forcés ou à la prison, 70 000 déchéances civiques ; 120 000 cond. administratives (42 000 officiers, 28 750 fonctionnaires, 7 039 cheminots, 5 000 agents de l'E.D.F., 170 commissaires de police, 18 membres du Conseil d'État, 334 magistrats, etc.).

Emprisonnés célèbres. *Mary Marquet* (de la Comédie-Fr.), *Alfred Fabre-Luce* (1899-1983), *Sacha Guitry* (1885-1957), *Pierre Taittinger* (1887-1965), *Jean de Castellane, Arletty* (n. 1898), le doyen *Georges Ripert* (1880-1958), *Louis Renault* [1877-1944 (mort des sévices subis en prison)], *Ginette Leclerc, Charlotte Lysès* (de la Comédie-Fr.), *Hervé Pleven* (fr. du ministre ; mort en prison), *Abel Hermant* (1862-1950).

Journalistes. Condamnés : des centaines passèrent en Cour de justice, dont : **fusillés :** *Georges Suarez,* dir. d'Aujourd'hui, *Robert Brasillach* (Je suis partout), *Jean Hérold-Paquis* (Radio-Paris), *Jean Luchaire,* dir. des Nouveaux Temps. **Peines commuées :** *Henri Béraud* (Gringoire), *P.-A. Cousteau* (Paris-Soir et Je suis partout), *Robert de Beauplan* (l'Illustration), *Martin de Briey* (l'Écho de Nancy), *Pierre Brumel* (le Petit Ardennais, contumace), *Delion de Launois* (la Gerbe). **Condamnés à perpétuité :** *Louis Auphan* (l'Action française), *Maurice Pujo* (l'Action française), *Bunau-Varilla* (le Matin), *Alain Laubreaux* (Je suis partout), *Claude Maubourguet* (Je suis partout et Combats).

Écrivains. Mis à l'index : en sept. et oct. 1945 par le Comité national des écrivains (C.N.E.), des dizaines dont : **De l'Académie française :** Pierre Benoit, Abel Bonnard, Henry Bordeaux, Maurice Donnay, Abel Hermant (cond. à la réclusion à perpétuité, libéré 1948), Edmond Jaloux, Charles Maurras, Jean-Louis Vaudoyer, Gal Weygand. *4 seront exclus de l'Académie :* Pétain et Maurras (remplacés après leur mort) ; Abel Bonnard et Abel Hermant (remplacés). **De l'Académie Goncourt :** Jean Ajalbert, René Benjamin, Sacha Guitry, Jean de La Varende. **Divers :** Colonel Alerme, Paul Allard, Marcel Aymé, René Barjavel, Jacques Benoist-Méchin, Henri Béraud (cond. à mort puis gracié), Georges Blond, Robert Brasillach (fusillé), Alexis Carrel, Louis-Ferdinand Céline, Paul Chack (fusillé 9-1-45), Jacques Chardonne, Alphonse de Châteaubriant, André Demaison, Pierre Dominique, Pierre Drieu La Rochelle (n. 1893-suicidé 15-3-45), Alfred Fabre-Luce, Jean de Fabrègues, Bernard Fay, Paul Fort, André Fraigneau, Jean Giono, Bernard Grasset, Marcel Jouhandeau, Jean de La Hire, Henri Massis, Anatole de Monzie, Paul Morand, Lucien Rebatet, Raymond Recouly, Jules Rivet, André Thérive, R. Vallery-Radot, etc.

La plupart avaient continué à écrire sous l'occupation et étaient antipétainistes.

Artistes. Mis à l'index : le 4-9-1945 par le Front national des arts : Derain, Despiau, Dunoyer de Segonzac, Friesz, Oudot, Vlaminck, etc.

☞ Paul Touvier (1915) : chef de la milice à Lyon, c. à mort par contumace le 10-9-45 et le 4-3-47, évadé, gracié 23-11-71, arrêté 24-5-89.

Gouvernement provisoire de la République française

• **1er Gouvernement provisoire fr. (Chef : Gal de Gaulle) :** Gouv. de fait [à Alger (ancien C.F.L.N.)] dont l'autorité s'étend sur l'ensemble du terr. fr. (du **3-6-1944 au 21-11-1945). 1944** *14-6* de Gaulle en Normandie ; *11-7* reconnu de facto par les Alliés ; *26-8* de Gaulle à Paris (y installe le G.P.R.F.) ; les U.S.A. avaient prévu d'administrer tous les pays d'Europe par l'A.M.G.O.T. (Allied Military Government of Occupied Territories) dont relèveraient droit de battre monnaie, pouvoir judiciaire, désignation et révocation des fonctionnaires, transports ; de Gaulle s'y refusa ; *5-10 droit de vote des femmes ; 9-10* remise en service du port du Havre ; *11-10* ordonnance élargissant la *composition de l'Assemblée consultative provisoire :* 296 m. (représentants Résistance métrop. 148, Corse et Résistance extra-métrop. 28, anciennes ass. parlementaires 60, terr. d'outre-mer 12) ; *6-11* emprunt de la Libération ; *27-11* Thorez rentre d'U.R.S.S. ; *10-12* tr. d'alliance franco-sov. (à Moscou) ; *13-12* nationalisation des houillères du N. ; *18-12* de la Marine marchande ; *30-12* ordonnance sur le financement des assur. soc. (maladie, maternité, vieillesse). **1945** *16-1* nationalisation des usines Renault ; *22-2* création des comités d'entreprise ; *5-4* Mendès France, en désaccord avec Pleven sur la politique éc. à suivre démissionne ; *26-4* Pétain se constitue prisonnier à son retour en Fr. ; *29/4-13/5* vict. de la gauche aux élect. mun. ; *8/10-5* émeutes en Algérie (Sétif, Guelma), répression ; *29-5* nationalisation de Gnome et Rhône (devient la S.N.E.C.M.A) ; *30-5* incidents de Damas (émeutes anti-fr.) ; *23-7/15-8* procès Pétain ; *4/6-10* procès Laval (exécuté 15-10) ; *4/19-10* ordonnance instituant la Séc. soc. ; loi sur le fermage ; *20-11* début du procès de Nuremberg (Voir Index).

• **Assemblée Constituante. 1945** *21-10 élections. 1o* référendum rejetant la Const. de 1875 et maintenant un gouv. provisoire. *2o* élection d'une Assemblée qui du fait de ce rejet est une Assemblée Constituante.

2e Gouvernement provisoire (de Gaulle). 1945 *21-11* min. de Gaulle [investi à l'unanimité des 555 dép., comprend 5 min. communistes : *m. d'État,* Thorez ; *Armement,* Tillon ; *Écon. nat.,* Billoux ; *Pr. ind.,* Marcel Paul ; *Travail,* Croizat] ; *2-12 nationalisation* des 5 plus grandes banques (Banque de France, Crédit Lyonnais, Société Générale, B.N.C.I., Comptoir National d'Escompte) ; *5-12* le gouv. fr. refuse la création (préconisée par les USA) d'un gouv. central allemand ; *27-12* réorganisation de la Haute Cour de justice : Louis Noguères remplace le Pt Mongibeaux.

IVe République (1946-1958)

Gouvernement provisoire

• **1946 Charles de Gaulle (suite)** 1-1 les soc. demandent une réduction de 20 % du budget militaire : de Gaulle décide de quitter le pouvoir ; 6-1 il prend 6 j de vacances à l'Éden-Roc, près d'Antibes ; 19-1 il démissionne.

• **1946 (23-1) Félix Gouin** [(4-10-1884/25-10-1977). *1907-53* avocat. *1924-40* dép. soc. ; 10-7-1940 refuse de voter les pleins pouvoirs à Pétain. *1943* Pt de l'Ass. Consultative d'Alger. *1944* Pt de l'Ass. Consultative de Paris]. Élu Pt du gouv. provisoire ; 29-1 présente un gouv. tripartite, gouv. de coalition communistes-socialistes-M.R.P. 8-3 Leclerc à Haiphong ; nouvelle *constituante ;* 28-3 *nationalisation* du gaz et de l'électricité ; 24-4 création des délégués du personnel ; 25-4 nationalisation des assurances ; 26-4 des bassins houillers (Charbonnages de Fr.), extension de la Séc. soc. à tous les salariés ; 16-6 discours de De Gaulle à Bayeux.

• **1946 (24-6) Georges Bidault** (voir p. 710 c). Élu Pt du gouv. provisoire par 384 dép. (les communistes se sont abstenus). 13-10 vote par référendum d'un nouveau projet de Constitution ; 28-11 Bidault démissionne ; 5-12 chargé de constituer un nouv. gouv., il n'obtient pas la majorité (240 v. seulement).

• **1946 (18-12) Léon Blum** (9-4-1872/30-3-1950). Voir biographie, p. 635a. Pt du C. 19-12 début de la *g. d'Indochine.* Voir Index.

1947 2-1 baisse autoritaire des prix de 5 % ; 3-1 Commissariat au plan.

Présidence de Vincent Auriol

1947 (16-1) Vincent Auriol [(Revel, Hte-Gar. 27-8-1884/Paris 1-1-1966). Fils d'un boulanger. *1905* étudiant en droit, socialiste. *1914* dép. de Muret. *1920* au Congrès de Tours, choisit le camp de Léon Blum. *1936* min. des Finances de Léon Blum ; auteur de l'opération dite « du franc flottant » (dévaluation). *1940* vote contre les pleins pouvoirs au Mal Pétain. *1943* oct., rejoint Londres en avion. *1944* à l'Assemblée d'Alger (Pt de la commission des Finances). *1946* Pt des 2 ass. constituantes de la Rép. *1947* 16-1 élu Pt de la Rép. (voir p. 718c, instit.). *1958* membre du Conseil constit. *1960* cesse de siéger pour marquer son opposition au régime].

1947 7-1 1er plan d'équipement ; 10-2 *tr. de Paris* (Italie, Hongrie, Roumanie, Bulgarie, Finlande) voir p. 648c ; 12-3 le Pt Truman offre à l'Europe occid. un soutien écon. et militaire contre le communisme voir Index ; 30-3 insurrection malgache ; 7-4 création du *Rassemblement du peuple français* (gaullistes) ; 21-4 accord charbonnier avec U.S.A. et G.-B. ; 4-5 les communistes, sur le gel des salaires, votent contre le gouv. Ramadier dont ils font partie ; 5-5 éviction des min. communistes et fin du tripartisme ; 6-5 le Conseil national du parti socialiste entérine cette décision par 2 529 mandats contre 2 125 ; 5/27-6 nombreuses grèves ; 5-6 Harvard : le Gal Marshall annonce son plan ; 22/27-9 conférence de Sklarska-Poreba (Pologne) : mise en cause du « crétinisme parlementaire » du P.C.F. par les partis frères et constitution du *Kominform ;* 19/26-10 élect. municipales ; 12-11 manif. violentes du P.C.F. devant la mairie de Marseille (Me Carlini, R.P.F., a été, le 10, élu maire par 26 voix contre 25 au comm. Cristofol) ; nov.-déc. grèves « insurrectionnelles » ; 29-11 au 3-12 l'Assemblée nat. siège sans désemparer, obstruction communiste contre les mesures prises contre les grèves : les dép. comm. sont expulsés ; 3-12 près d'Agny (Nord) déraillement (sabotage) de la voie par des commandos. 16 † (ce jour-là 15 autres sabotages, 6 déraillements) ; 5-12 rappel jusqu'au 15-2-48 de 30 000 h. de la classe 1946/2 qui avaient été libérés le 26-11 ; 8-12 obsèques du Gal Leclerc ; 10-12 fin des grèves.

1948 25-1 échange obligatoire des billets de 5 000 F ; 20/27-3 él. cantonales : gaullistes : 31 % des voix ; 31-3 *blocus de Berlin ;* 7-4 création des 8 igames ou super-préfets (Paris, Lille, Rennes, Bordeaux, Toulouse, Marseille, Dijon, Metz) ; 16-4 création à Paris de l'O.E.C.E. ; juin, grève à Clermont-Ferrand ; 19-6 les comm. s'abstiennent dans le vote d'investiture de Georges Bidault (688 voix pour) ; 1-7 début d'application du *Plan Marshall ;* 4-10/18-11 grèves (mines, métallurgie, chemins de fer) : échec ; intervention de l'armée pour dégager les puits ; 23-10 rappel des classes 1947/2 et 1948/1.

1949 24-1 procès en diffamation intenté par *Victor Kravchenko* (1905-suicidé 1966 à New York, désespéré de l'intervention amér. au Viêt-nam) au journal communiste *les Lettres françaises,* à son directeur Claude Morgan et au journaliste André Wurmser qui soutenaient que son livre *J'ai choisi la liberté* (paru en France en 1947, 503 000 ex.) était un faux. Morgan et Wurmser condamnés chacun à 5 000 F d'amende et 50 000 F de dommages et intérêts (peine que la cour d'appel, tout en confirmant le fond du jugement, ramènera, un an plus tard, au franc symbolique) ;

4-4 signature de l'O.T.A.N. *(pacte atlantique)* ; 12-5 fin du blocus de Berlin ; 11-8 ouverture à Strasbourg du Conseil de l'Europe

1950 janv. *affaire des généraux* : un rapport a été communiqué au 1er min., le Gal Revers est limogé ; 2/8-3 loi sur le sabotage (bagarre à la Chambre) ; 25-6-1950/27-7-1953 *g. de Corée* ; 3/8-10 défaite de *Cao Bang* (Indoch.) ; 10-10 serv. mil. porté à 18 mois.

1951 18-4 C.E.C.A. instituée ; 9-7 *fin officielle (sans traité) de la g.* entre Allemagne et 39 États alliés, dont la Fr. ; 17-6 él. législatives, les gaull. : 118 sièges sur 625 ; 23-7 Pétain meurt à l'île d'Yeu ; 8-9 *tr. de San Francisco* : paix entre Japon et 48 États alliés, dont la Fr. ; 21-9 *loi Barangé* (allocations scolaires à l'ens. privé) ; 12-12 *plan Schuman* ratifié ; 13-12 découverte du gaz de Lacq.

1952 18-1 Bourguiba, chef du Néo-Destour relégué à l'île de Ré ; 6-3 min. *Pinay* ; 26-4/3-5 recul gaulliste aux municipales ; 6-5 de Gaulle interdit aux députés gaull. de participer aux activités de l'Assemblée ; 27-5 tr. créant la *Communauté européenne de défense (C.E.D.)* ; 28-5 manif. contre Ridgway (1 †, 718 arrestations, dont Jacques Duclos) ; 5-6 découverte des corps de la famille Drummond (affaire *Dominici* voir p. 741a).

1953 5-3 Staline meurt ; 21-5/27-6 record de durée d'une crise ministérielle : 40 j (avant l'investiture de Joseph Laniel) ; 14-7 manifestation, défilé de Nord-Afr. (7 †) ; 27-7 *fin de la g. de Corée* ; 4/26-8 grève générale des services publics ; 15-8 la Fr. remplace le *sultan du Maroc* Mohammed V (1909-61) exilé à Madagascar par Ben Arafa.

Présidence de René Coty

1953 (23-12) René Coty élu Pt de la Rép. [(Le Havre, 20-3-1882/22-11-1962). Père directeur établ. d'ens. libre. *1902* avocat au Havre. *1907* conseiller municipal. *1914-18* combattant comme homme de troupe. *1923* député. *1936* sénateur. *1940* vote pleins pouvoirs au Mal Pétain. *1944* arrêté par FFI, puis relâché. *1945* relevé d'inéligibilité. *1946* député. *1947* min. de la Reconstruction. *1948* sénateur. *1953* 23-12 élu Pt de la Rép. après 13 tours de scrutin. *1958* se retire. *1962* membre du Conseil const., critique l'élection du Pt au suffrage univ.].

1954 13-3/7-5 *défaite de Diên Biên Phu* ; 18-6 Gouv. Mendès France investi par 419 voix contre 17 ; 21-7 *accords de Genève* sur l'Indochine ; 31-7/3-8 Mendès France à Tunis ; 30-8 C.E.D. rejetée au Parlement ; 1-11 début de la *g. d'Algérie* (Voir Index) ; 20-11 accords franco-tunisiens.

1955 févr. début du *poujadisme* (Voir Index) ; 14-5 *pacte de Varsovie* (Voir Index) ; 15-5 tr. de paix avec l'*Autriche* ; 3-6 autonomie interne de la *Tunisie* ; juill.-août émeutes au *Maroc* ; 23-10 la *Sarre* vote son retour à l'Allemagne (423 000 voix contre 201 000). 6-11 à La Celle-Saint-Cloud, accord Pinay-Mohamed V pour son retour au Maroc.

1956 29-1 le Gal Catroux (partisan de la décolonisation) min. de l'Algérie dans le gouv. Guy Mollet ; 31-1 Jules Moch préconise une Alg. avec 2 entités nationales (départements fr. et rép. Alg.) sur le même territoire (projet repoussé par Guy Mollet) ; 6-2 Guy Mollet insulté à Alger ; Catroux démissionne ; janv.-mars invalidation de 11 députés poujadistes remplacés (anticonstitutionnellement) par 5 socialistes, 3 radicaux, 1 M.R.P., 2 modérés ; 3-3 *Maroc indépendant* ; 20-3 *Tunisie indépendante* ; 20-5 *affaire des fuites* : François Mons, accusé d'avoir permis de prendre connaissance des secrets militaires et André Baranès, accusé d'être un agent communiste, sont acquittés ; René Turpin, accusé d'avoir transmis des secrets concernant la défense nat. est condamné à 6 ans de prison ; Roger Labrusse, inculpé d'avoir répercuté des renseignements sur Baranès est condamné à 4 ans ; 23-6 loi cadre sur les territoires d'Outre-mer ; 5/6-11 **Expédition de Suez** (voir Égypte) ; nov. intervention russe en Hongrie ; manif. anticomm. en France (siège du P.C. incendié).

1957 16-1 attentat *au bazooka* à Alger contre Gal Salan [son chef d'état-major, le Ct Rodier, est tué. *Assassins* : Philippe Castille et Michel Frechoz ; *instigateur* : René Kovacs, médecin algérois (activistes Algérie fr., voulant remplacer Salan par le Gal Cogny, plus énergique). Kovacs met en cause, sans apporter de preuves, des personnalités dont Michel Debré, Pascal Arrighi, Jacques Soustelle, l'enquête n'aboutit pas] ; 25-3 *tr. de Rome* (Marché commun et Euratom). **1958** 15-4 les Anglo-Saxons proposent leurs bons offices en Tunisie : le gouvernement Gaillard est renversé ; 13-5 émeutes en Algérie (voir Index) ; 26-5 rencontre de Gaulle-Pflimlin à St-Cloud ; 1-6 *ministère de Gaulle* ; 2-6 l'Assemblée vote les pleins pouvoirs pour 6 mois ; 3-6 rédaction d'une nouvelle Constitution confiée au gouv. ; 17-6 *emprunt Pinay* indexé sur l'or (il rapporte 324 milliards) ; 28-9 *référendum* approuvant Constitution.

Ve République (dep. le 28-9-1958)

Présidence de René Coty

1958 René Coty (reste Pt de la Rép.). 1-10 fondation de l'U.N.R. 23/30-11 élect. législ., succès gaulliste. 21-12 de Gaulle élu Pt de la Rép. par un collège restreint (voir Index), reste chef du gouvernement et ne prend ses fonctions que le 8-1-1959. 27-12 création de l'accord monétaire européen. 28-12 création du franc lourd.

Présidence du Gal de Gaulle

1959 Charles de Gaulle. 1-1 : 1re réduction (10 %) des droits de douanes du Marché commun. 8-1 Charles de Gaulle Pt de la Rép. (voir p. 654a) ; 31-1 1er *satellite américain* (Explorer) ; 16-9 de Gaulle se dit favorable à l'*autodétermination de l'Alg.* [les députés nords-afri. conduits par Georges Bidault quittent la majorité (9 démissionnent de l'U.N.R.) et forment un groupe dissident : Rassemblement pour l'Algérie fr.] ; 17-10 l'Assemblée nat. approuve la déclaration de De Gaulle par 441 voix contre 23 et 28 abstentions] ; 2-12 rupture du barrage de *Malpasset* (427 †) ; 24-12 *loi Debré* sur l'enseignement privé. **1960** 1-1 mise en circulation du *franc lourd* ; 4-1 *tr. de Stockholm* créant l'A.E.L.E. ; 19-1 Massu limogé en Alg. ; 24/31-1 *journées des barricades* à Alger [24-1 manif. en faveur de Massu dispersée par les gendarmes (22 †), les émeutiers dressent des barricades ; 29-1 de Gaulle obtient du Parlement des pouvoirs spéciaux : le Gal Challe et le gouverneur Delouvrier quittent Alger pour Reghaia (base de départ de la répression) ; 2-2 reddition de Pierre Lagaillarde, chef des insurgés] ; 13-2 1re *bombe atomique* fr. à Reggane (Sahara) ; 25-4 Soustelle (favorable aux émeutiers d'Alger) exclu de l'U.N.R. ; V. Auriol annonce qu'il ne siégera plus au Conseil constitut., car le régime s'oriente « vers un système de pouvoir personnel et arbitraire » ; 25/29-6 : *entretiens de Melun* avec rebelles alg.

1961 3-1 référendum pour l'autodétermination en Alg. ; 21/26-4 *putsch en Alg.* [généraux Raoul Salan (1899-1984), Maurice Challe (1905-78), André Zeller (1899-1979), Edmond Jouhaud (n. 2-4-1905)] ; 20-5 début de la *Conférence d'Évian* : 28/31-5 procès, Challe et Zeller condamnés à 15 ans de détention criminelle ; 30-5 Pt John et Jackie Kennedy à Paris ; 13-6 rupture des pourparlers d'Évian (à cause du Sahara) ; 19/22-7 bat. de Bizerte (Voir Index) ; 12-8 construction du *mur de Berlin* ; 8-9 attentat contre de Gaulle à Pont-sur-Seine ; 17-10 : 30 000 manif. algérien. à Paris : 2 †, 44 bl. Alg., 13 policiers bl., 11 538 Alg. appréhendés. 18-10 4 000 manif. algériens. 20-10 manif. de musulmanes accompagnées d'enfants (1 000 appréhendées).

1962 janvier-juin *attentats O.A.S.* ; 8-2 manif. anti-O.A.S. organisées par P.C. et 6 syndicats : C.E.T., C.F.T.C., F.E.N., U.N.E.F., S.G.E.N., S.N.I. (9 † dont 7 du P.C., étouffés à l'entrée du métro *Charonne*) ; 7-3 reprise des pourparlers d'Évian (de Gaulle ayant cédé sur le Sahara) ; 18-3 *accords d'Évian* ; 19-3 cessez-le-feu en Alg. ; 25-3 Jouhaud arrêté à Oran ; 8-4 *référendum* sur la ratification des acc. d'Évian ; 11/13-4 procès *Jouhaud* ; 20-4 Salan arrêté ; 17/21-6 accords F.L.N./O.A.S. en Alg. ; 3-7 la Fr. reconnaît l'indép. de l'Alg. ; 22-8 attentat contre de Gaulle au *Petit-Clamart* ; 22-10 *blocus de Cuba* par U.S.A. ; 28-10 *référendum* pour l'élection du Pt de la Rép. au suffr. universel.

1963 14-1 de Gaulle rejette la candidature angl. au Marché commun ; 22-1 tr. de coopération France-All. **1964** 27-1 la Fr. reconnaît la Chine communiste ; 1-3 grève des charbonnages ; 4-3 les mineurs sont réquisitionnés ; 16/19-3 de Gaulle au Mexique ; 12-7 *Thorez meurt* à Odessa. **1965** 1-7 la Fr. quitte le Conseil des ministres de la C.E.E. ; 29-10 enlèvement à Paris de **Mehdi Ben Barka** (n. 1920) [leader de l'opposition marocaine, son cadavre n'a jamais été retrouvé. Les débats de la Cour d'assises de Paris, clos le 5-6-67, n'ont pas permis d'établir clairement les responsabilités du colonel Leroy-Finville, chef d'études du SDECE, et du général Oufkir, alors ministre de l'Intérieur du Maroc (condamné par contumace à la détention perpétuelle), d'Antoine Lopez (inspecteur principal à Air France, travaillant aussi pour le SDECE, condamné à 8 ans, libéré 1971), de Souchon, officier de police, chef du groupe des stupéfiants, condamné à 6 ans (libéré 1969). Il est possible que Ben Barka ait succombé à une rupture de vertèbres due au déplacement de l'appareil orthopédique qu'il portait] ; 5/19-12 de Gaulle réélu Pt de la Rép. après ballottage. **1966** 9-3 la Fr. dénonce l'OTAN (Voir Index) : les U.S.A. replieront leurs bases fr. sur Belgique, Espagne et Italie ; 30-8 à *Phnom Penh*, de Gaulle demande aux U.S.A. d'évacuer le Viêt-nam. **1967** 30-6 signature à Genève du *Kennedy Round* ; 23/31-7 de Gaulle au Canada (préconise le Québec libre) ; 11-12 création du *Concorde*.

1968 9-3 Gal Charles Ailleret (26-3-1908) tué à la Réunion (accident d'avion). 15-3 après 2 paniques sur l'or (déc. puis mars), le Pool de l'or de Londres suspend ses opérations. **Mai 1968** (Voir encadré) ; 10-7 Pompidou, 1er ministre démissionne ; 12-7 gouv. Couve de Murville, Edgar Faure min. de l'Éd. nat. ; 21-8 intervention russe en Tchéc. ; 7-11 loi d'orientation de l'enseignement supérieur ; 23-11 de Gaulle refuse de dévaluer le franc ; 25-11 rétablissement du contrôle des changes (avait été supprimé le 4-9).

1969 3-1 *embargo* sur les livraisons d'armes à Israël ; 17-1 Pompidou à Rome, se porte candidat à la présidence ; 4/6-3 *négociations rue de Tilsitt* avec les syndicats (échec) ; avril-mai agitation des commer-

O.A.S. (Organisation armée secrète)

• **Organisation :** *fondée* février 1961 par Pierre Lagaillarde (n. 15-5-1931), réfugié en Espagne. *1er chef : colonel Yves Godard* (21-12-1911), *2e : général Raoul Salan* (1899-1984) (ancien commandant en chef en Algérie) avril 1961 au 20-4-62 [*adjoint : gén. Edmond Jouhaud* (n. 2-4-1905), ancien chef d'état-major de l'armée de l'Air], 1962 (avr.) à 63 (mars), *3e : Georges Bidault* (1899-1983) (voir p. 710c) d'avril 62 à mars 63, *4e : capitaine Pierre Sergent* (n. 27-6-1926), Pt du Conseil national de la Révolution. **Principaux responsables : O.A.S.-Algérie-Sahara :** gén. Salan ; chef d'état-major : gén. Paul Gardy (11-8-1901), ancien inspecteur général de la Légion (adjoint : colonel Godard) ; organisation-renseignement-opération (O.R.O.) : Dr Pérez [ancien membre de l'O.R.A.F., mouvement contre-terroriste, impliqué dans l'« affaire du bazooka » (remplacé 1-1-62 par le capitaine Jean-Marie Curutchet, n. 1930)] ; organisation des masses : colonel Jean Gardes (n. 4-10-1914) ; action politique et propagande : Jean-Jacques Susini (n. 30-7-1933). L'Algérie-Sahara était divisée en 3 zones : *Oranie* : Gal Jouhaud puis colonel Dufour et Gal Gardy (directoire révolutionnaire de 5 membres : cap. Sergent, Christian Léger, Denis Baille, René Souètre, Curutchet) ; *Alger* : colonel Vaudrey (1912-65) ; *Constantine* : colonel Château-Jobert (n. 3-2-1912), lié à Martel, le « chouan de la Mitidja ». **O.A.S. métro :** général Vanuxem (dit Verdun) ; chef d'état-major : capitaine Sergent ; France-Mission III : André Canal (dit le Monocle, né 1915). **O.A.S.-Madrid :** colonel Argoud, qui deviendra l'adjoint de Georges Bidault.

• **Attentats. Métropole.** *Total* du 25-4-1961 au 15-6-62 : 751 (6 †, 37 bl.). *Exemples.* A Paris : 17-1, 18 charges de plastic ; 22-1, Quai d'Orsay (1 †, 2 bl.) ; 24-1, 13 charges de plastic ; 7-2, attentat manqué contre André Malraux (Delphine Renard blessée). **Algérie** (voir Index). **Total** 2 500 civils fr., 18 500 musulmans (dont 3 000 immigrés en métropole).

• **Répression anti-O.A.S. en 1962 :** 635 arrestations (sur 1 200 membres identifiés), 223 jugements (acquittements 117, prison avec sursis 53, prison ferme 38), 4 condamnations à mort suivies d'exécutions (*3 O.A.S.* : Degueldre, Piegts, Dovecar ; *1 non-O.A.S.* : Bastien-Thiry).

Affaires liées aux événements d'Algérie

• **Procès des barricades.** 2-3-1961. 11 accusés et 1 par contumace acquittés. *Pierre Lagaillarde* condamné à 10 ans de prison. *Marcel Ronda* à 3 ans et *Jean-Jacques Susini* à 2 ans avec sursis.

• **Coup de force militaire du 22-4-1961.** *Condamnations : **1961** 31-5* généraux *Maurice Challe* et *André Zeller* 15 ans de détention ; libérés 1966. *5-6 Cdt Hélie de Saint-Marc* 10 ans. *6-6 Gal Pierre Pigot* 15 ans. *19-6 Gal Jean Nicot* 12 ans. *20-6 Gal Gouraud* 7 ans. **1962** *13-4 Gal Jouhaud* : mort (commuée en détention à vie, libéré 23-12-67). *23-5 Gal Salan* : dét. à vie (libéré 15-6-68).

Mai 1968

• **Leaders du mouvement :** *Daniel Cohn-Bendit* (n. 4-4-1945), de nationalité allemande, interdit de séjour en Fr. de 1968 à 1978 ; *Alain Geismar* (n. 1939), secrétaire général du S.N.E.-Sup. ; *Jacques Sauvageot* (n. 1949), Pt de l'U.N.E.F. dep. le 21-4-1968.

• **Chronologie. Janv.** agitation dans les lycées, manif. à l'univ. de Nanterre et de Caen ; **Mars** 22-3 Nanterre, tour adm. occupée par des étudiants révolutionnaires : Nanterre fermée jusqu'au 1-4 ; **Avril :** plusieurs manif. ; **Mai :** -2 *Pompidou part pour l'Iran ;* incidents à Nanterre, cours suspendus ; -3 *la police fait évacuer la Sorbonne ;* barricades au quartier Latin ; -4 cours suspendus à la Sorbonne ; -5, 4 manif. condamnés à 2 mois de prison ferme ; -6 manif. contre les condamnations (20 000 étudiants), bagarres (600 blessés) ; -7 bagarres toute la nuit ; -10/11 *nuit des barricades* (400 blessés, 188 véhicules endommagés ou incendiés, notamment rue Gay-Lussac) ; -11 *Pompidou rentre d'Iran,* fait libérer les manif. arrêtés ; -13 la police évacue la Sorbonne, les ét. l'occupent ; défilé de la place de la Rép. à Denfert-Rochereau (200 000 selon la police) ; -14 *de Gaulle part pour la Roumanie ;* -15 occupation des usines Renault à Cléon, et de l'Odéon ; -18 *de Gaulle rentre de Roumanie ;* -19 de Gaulle : « La réforme oui, la chienlit non » ; -20 la grève s'étend ; -22 bagarres ; *Cohn-Bendit* expulsé ; -23 bagarres ; -24 de Gaulle annonce un référendum ; bagarres (500 blessés) ; -25 ouverture des *négociations de Grenelle* avec les syndicats (conclues par un accord 27-5), commissaire de police tué à Lyon ; -27 meeting au stade *Charlety,* protocole de Grenelle rejeté par les ouvriers de Renault et de Citroën ; -28 *retour clandestin de Cohn-Bendit,* Mitterrand propose un gouv. de transition présidé par Mendès France ; démission d'Alain Peyrefitte (min. de l'Éduc. nat.) acceptée ; -29 de Gaulle part secrètement par hélicoptère, voit Massu à *Baden-Baden* et rentre à Colombey ; défilé de la gauche ; -30 de Gaulle parle à 16 h 30 à la radio et *dissout la Chambre ;* une *manif. gaulliste* suit (800 000 personnes) ; -31 la police rouvre les bureaux de poste. **Juin :** -1er l'essence revient ; -5/7 reprise du travail ; -6 les C.R.S. occupent l'usine Renault de Flins ; -10 un lycéen se noie lors des ratissages de la police près de Flins ; -11 un ouvrier tué à Montbéliard ; -11/12 manif. et barricades ; -12 dissolution de mouv. d'extrême gauche ; -14 la police *fait évacuer l'Odéon,* puis *la Sorbonne* le 16 ; -17 vote pour la reprise du travail chez Renault ; -20 reprise chez Citroën, Peugeot, Berliet ; -23/29 *élections :* raz de marée gaulliste.

• **Conséquences. 1°) Politiques :** *a) renvoi de Pompidou,* rendu responsable par de Gaulle du développement de la révolte (de Gaulle voulait employer la manière forte dès le 11-5) ; *b) affaiblissement de De Gaulle,* qui a renvoyé Pompidou, sans deviner que la compréhension de celui-ci envers les émeutiers l'avait rendu plus populaire que lui ; *c) affaiblissement international de la France :* la Ve République passait depuis 1962 (victoire sur l'O.A.S.) pour un modèle de stabilité ; Mai 68 lui fait perdre sa crédibilité.

2°) Financières : les concessions faites par Pompidou aux syndicats, pour séparer les ouvriers des étudiants, ont provoqué une baisse du franc : la dévaluation, repoussée par de Gaulle en nov. 68, deviendra inévitable en août 69.

3°) Sociologiques *a) transformation de l'enseignement :* l'Université napoléonienne, centralisée et uniformisée, visant à former, par sélection, des officiers et des fonctionnaires, est condamnée. Principes de l'Université nouvelle : décentralisation, autonomie, non-sélectivité, et surtout démocratisation (les effectifs triplent dans le secondaire et décuplent dans le supérieur). Bilan après 20 ans : considéré par beaucoup comme plutôt négatif (multiplication des jeunes diplômés insuffisamment formés ; problèmes budgétaires insolubles) ; *b) accélération du processus de déchristianisation :* la hiérarchie catholique, décontenancée par les événements, a souvent pris le parti des révoltés ; *c) la contestation se développe* dans tous les domaines (Administration, entreprises, éducation, information).

• **Rôle de l'O.A.S.** D'anciens activistes de l'Algérie fr. ont aussi cherché à déstabiliser le régime et à obtenir de De Gaulle une amnistie pour les putschistes de 1961 encore internés à Tulle. Le 29-5, à Baden-Baden, le Gal Massu obtint de De Gaulle une promesse d'amnistie.

çants (Nicoud) ; 28-4 *référendum sur la régionalisation,* victoire des *non* (Voir Index) : de Gaulle se retire, Alain Poher, Pt du Sénat, assure l'intérim.

Principaux attentats contre le Gal de Gaulle

8-9-1961 à *Pont-sur-Seine* (Aube) : explosion d'une bouteille de gaz remplie de plastic, au passage de la voiture. Bastien-Thiry chef du commando. *Condamnations* (8-9-62) : Henri Manoury 20 ans de réclusion, Martial de Villemandy 15, Bernard Barbance 15, Jean-Marc Rouvière et Armand Belvisi 10. **23-5-1962** *opération Chamois :* de Gaulle devait être abattu sur le perron de l'Élysée par un tireur visant d'un appartement au 1er étage du 86, rue du Fg-St-Honoré. **25-5-1962** aux *Pouzets,* près d'Argenton-sur-Creuse (explosif non encore déposé sur la voie ferrée, fil électrique découvert avant le passage du train présidentiel). **22-8-1962** au *Petit-Clamart :* voiture criblée de balles ; Bastien-Thiry condamné à mort 4-3-63 (exécuté 11-3), Alain Bougrenet de La Tocnaye et Jacques Prévost (peine commuée : réclusion perpétuelle) ; réclusion perpétuelle : Gérard Buisine, Pascal Bertin ; et Henri Magade 15 ans, Laslo Varga 10, Constantin 7, Ducasse 3. Tous seront libérés en 1968 et amnistiés par la loi du 31-7-68. **14-8-1964** au *Mont-Faron,* près de Toulon, bombe placée dans une potiche, mais le déclencheur est trop faible, et la charge ne saute pas [découverte le 28-8, quand les terroristes tentent de la détruire (attentat d'abord projeté près de la tombe de Clemenceau, à Mouchamps, Vendée)].

Présidence de Georges Pompidou

1969 (15-6) Georges Pompidou [Monboudif, Cantal, 5-7-1911/Paris 2-4-1974). Fils d'instituteurs. Normalien, *1935* professeur. *1945* au cabinet de De Gaulle. *1946* maître des requêtes au Conseil d'État. *1946-49* dir. du Commissariat au Tourisme. *1947-54* collabore avec de Gaulle. *1954-58* au groupe Rothschild. *1958* 1-6/*1959* 8-1 dir. du cabinet de De Gaulle (Pt du Conseil). *1959-62* au groupe Rothschild. *1962* 16-4 Premier min. *1968* mai-juin, rôle important lors des émeutes]. *1969* 15-6 élu Pt de la Rép, avec 58,22 % des voix (2e tour).

1969 11/13-7 la S.F.I.O. prend le nom de Parti socialiste ; 21-7 cosmonautes américains sur la Lune ; 8-8 dévaluation ; 24-12 5 vedettes quittent clandestinement Cherbourg pour Israël (en 1965, Israël avait commandé 2 séries de 6 vedettes rapides aux chantiers Amiot, 5 étaient parties courant 1968, 1 les 30/31-12-1968, 1 les 4/5-1-1969). **1970** nombreuses manif. de commerçants ; mai-juin procès de Le Dantec et Le Bris (« la Cause du Peuple »), attentats ; 4-6 loi *anticasseurs ;* 20/22-10 Geismar condamné à 18 mois de prison ; 9-11 *de Gaulle meurt* à 19 h. **1971** juin, saccages au quartier Latin, passivité de la police ; congrès d'Épinay : renouveau du P.S. ; juillet, scandale de la Garantie foncière. **1972** 22-1 admission dans la C.E.E. de G.-B., Irlande, Danemark ; 25-2 Pierre Overney, militant maoïste, tué à la porte de Renault à Billancourt ; 23-4 référendum sur l'entrée de la G.-B. dans la C.E.E. ; 22-6 accord entre C.E.E. et ancienne A.E.L.E. ; sept. Gabriel Aranda dénonce des compromissions. **1973** 17-1 *tr. de Paris* (fin de la g. entre U.S.A. et Viêt-nam) ; mars manif. lycéennes contre la loi Debré (supprimant les sursis longs) ; 19-10 vote de la *loi Royer* sur le commerce. **1974** 2-4 Pompidou meurt.

Présidence de Valéry Giscard d'Estaing

1974 (19-5) Valéry Giscard d'Estaing [(2-2-1926, Coblence, R.F.A.). *Père* inspecteur des Finances, membre de l'Institut, né Edmond Giscard, en 1894 ; autorisé, ainsi que son fr. René, par décret du 17-6-1922, à relever le nom de d'Estaing et s'appeler légalement Giscard d'Estaing (motifs retenus : 1° possession du château de Murol, P.-de-D., propriété de la famille d'Estaing ; 2° liens de parenté avec Lucie-Madeleine d'Estaing, dernière du nom). *Marié* (17-12-1952) à Anne-Aymone Sauvage de Brantes, 4 enf. : Valérie-Anne (ép. Gérard Montassier, divorcée ; rem. à Bernard Fixot), Henri, Louis-Joachim, Jacinte (ép. Philippe Guibout, div.). *Polytechnicien 1949/51.* E.N.A. 1954. Inspecteur des Finances. Dir. adj. au cab. d'Edgar Faure (Pt du Conseil juin/déc. 54). *Député* du P.-de-D. 56, réélu en 58-62, 67-69. *Conseiller gén.* de Rochefort-Montagne 58/74. *Secr. d'État* aux Finances 8-1-59 (gouv. Debré). *Min.* des Finances 19-1/nov. 62 (gouv. Pompidou), des Fin. et des Aff. écon. déc. 62-janv. 66 (gouv. Pompidou), Économ. et Fin. 69-74 (gouv. Chaban-Delmas puis Messmer). *Pt de la Fédération nat. des R.I.* 66. *Pt de la Commission des Finances* (Ass. nat.) avril 67/mai 68. *Pt du Conseil de l'O.C.D.E.* 70. *Maire* 1967-74 puis conseiller municipal de Chamalières 1973. *Pt de la Rép.* élu 19-5-74 (50,8 % des voix), battu 1981, membre du Conseil constitutionnel. *Député* 23-9-84. *Distraction :* accordéon. *Sport :* chasse. *Œuvres :* Démocratie française (1976, tirage : 1 185 000 ex.) ; Deux Français sur trois (1984)].

1975 mars, manif. contre la réforme Haby ; 30-5 les communistes prennent Saïgon (50 000 réfugiés vietnamiens en Fr.) ; 22-8 à *Aléria* (Corse), 2 gendarmes tués : E. Siméoni arrêté ; 28-8 émeutes à Bastia ; 20-11 *Franco* meurt. **1976** 14-3 le F sort du serpent monétaire eur. ; 23-6 loi sur les plus-values ; 25-8 démission du gouv. Chirac ; 9-9 *Mao Tsé-toung* meurt ; 22-9 *plan d'austérité* de Raymond Barre ; 24-12 le P[ce] *Jean de Broglie* (1921-76) assassiné ; dettes de 7 460 000 F lors de son décès (M. Poniatowski, min. de l'Intérieur et de la police, mis en cause pour négligence) ; procès (4-11/24-12-81) : 10 ans de prison pour Varga (libéré 17-5-84), Simoné (libéré en mai 83) et Frèche (tueur, libéré depuis), 5 pour Tessèdre. **1977** 13 et 20-3 *él. municipales :* majorité de gauche ; 14-9 : *éclatement de l'Union de la gauche.* **1978** 12 et 19-3 *él. législatives,* gauche battue ; 19-4 libéralisation des prix ; mai : intervention au Zaïre (reprise de *Kolwezi ;* libération des prisonniers eur.) **1979** févr. les troupes fr. évacuent du Tchad 3 700 civils ; mars, entrée du franc dans le système monétaire eur. ; juin élections à l'Ass. eur. ; 29/30-10 *Robert Boulin* (n. 1929), min. du Travail, se suicide après une campagne de presse sur l'achat d'un terrain à Ramatuelle (Var) à Henri Tournet (condamné par contumace le 15-11-80 pour faux en écritures publiques, à 15 ans de prison). **1980** 10-1 affrontements à Ajaccio, 3 † ; 31-1 heurts violents à Plogoff ; 1-2 *Joseph Fontanet* assassiné ; 6-3 Marguerite Yourcenar 1re femme élue à l'Académie fr. ; mai, *Jean-Paul II* à Paris (1re visite d'un pape dep. 1805). **1981** 24-1 Mitterrand annonce sa candidature à la prés. ; 3-2 Chirac annonce la sienne ; 11-2, 3 autonomistes corses condamnés à 4 ans de prison ; 12-2, 46 attentats en Corse ; 2-3 Giscard annonce sa candidature. 24-4 et 10-5 élections présidentielles. Giscard battu au 2e tour. Voir p. 721 et 722.

Présidence de François Mitterrand

1981 (10-5) François Mitterrand [(26-10-16, Jarnac, Charente), mesurant 1,72 m et pesant 80 kg le 20-5-81. Fils d'un agent de la Cie des chemins de fer de Paris à Orléans, puis industriel et Pt de la Féd. des syndicats de fabricants de vinaigre. Il a 3 frères : Robert (n. 1915), polytechnicien, ingénieur ; Jacques, général d'aviation (n. 1918) ; Philippe, exploitant agricole, maire de St-Séverin (Charente) et 4 sœurs. *Marié* en 1944 à Danielle Gouze, 2 enf. Off. de la Légion d'honneur. Croix de guerre 39-45, Rosette de la Résistance. Licencié en droit. D.E.S. droit public. Diplômé de Sciences-Po. Licencié ès lettres. Directeur politique du *Courrier de la Nièvre. Avocat* à Paris dep. 1954. Fondateur du Mouvement nat. des prisonniers. *Secr. gén.* aux prisonniers de guerre (gouv. Charles de Gaulle 27-8-44/août-sept. 44). *Député* de la Nièvre 46-48. *Min. des Anciens Combattants* (cab. Ramadier et Schuman) 47-48. *Min. de l'Information* 48, *de la France d'outre-mer* 50-5, *Min. d'État* 53. *Secr. d'État* à la prés. du Conseil (cab. André Marie, Schuman, Queuille). *Min. de l'Intérieur* (cab. Mendès France) 54-55. *Min. d'État, garde des Sceaux* (cab. Mollet) 56-57. *Conseiller gén.* (dep. 49) de Montsauche. *Pt du Conseil gén.* (dep. 64) de la Nièvre. *Maire* de Château-Chinon dep. 59. *Sénateur* de la Nièvre 59-62. *Député* de la Nièvre 62. *Pt de la F.G.D.S.* 65-68. *1er secr.* du Parti socialiste 71. *Vice-Pt* de l'Internationale socialiste 72. *Cosignataire du Programme commun* de la gauche 72. *Candidat à la prés. de la Rép.* 65, 74. 81 (élu) 2e tour. 88 (élu) 2e tour. *Œuvres :* Aux frontières de l'Union française (53), la Chine au défi (61), le Coup d'État permanent (64), Tech. économique française (68), Ma part de vérité (69), Un socialisme du possible (71), la Rose au poing (73), la Paille et le Grain (75), Politique (77), l'Abeille et l'Architecte (78). *Sports :* tennis, tennis de table, golf. *Distraction :* marche].

Patrimoine. Selon le communiqué officiel de mai 1981, « Résidence principale » 22, rue de Bièvre, Paris 5e ; immeuble en copropriété dont M. et Mme Mitterrand possèdent pour leur usage 166 m² ; secondaire à Latche dans les Landes, 10 ha dont 7 plantés de pins, et un étang de 1,3 ha à Planchez-en-Morvan (Nièvre). Compte en banque au Crédit Lyonnais à Paris pour les dépenses courantes, livret A de Caisse d'Épargne, 75 actions de S.I.C.A.V. (Crédit Lyonnais) acquises récemment, d'un montant global de 9 000 F. Mme Mitterrand possède en indivision avec ses frères et sœurs une maison héritée de ses parents en 1971, à Cluny (S.-et-L.). M. Mitterrand a contracté un emprunt pour le financement de sa résidence principale (il lui reste à rembourser 280 000 F). Ses revenus viennent essentiellement de son indemnité parlementaire et de ses droits d'auteur.

1981 13-5 Barre démissionne ; 21-5 1er gouv. Mauroy (avec communistes) ; 22-5 Ass. nat. dissoute ; 3-6 S.M.I.C. + 10 % à compter du 1-6, minimum vieillesse + 20 % ; 14/21-6 *élections lég. :* victoire de la gauche ; 23-6 : 2e gouv. : min. Mauroy avec 4 min. communistes ; 1-7 handicapés + 20 %, allocations familiales + 25 %, allocations logements + 25 % (et + 25 % le 1-12) ; 20/21-7 sommet des pays industrialisés à Ottawa ; 18-9 l'Ass. nat. vote *l'abolition de la peine de mort ;* 4-10 *dévaluation du franc* de 3 % (avec réévaluation du mark et du florin de 5,5 %) ; 8-10 blocage des prix 6 mois ; 22/23-10 sommet de Cancún ; 1/13-12 Mitterrand à Alger ; 23-12 *emprunt d'État :* 10 milliards de F à 16,20 %.

1982 14-1 ordonnances sur les 39 h et les contrats de solidarité ; 18-1 accords fr.-soviétique puis le 3-2 fr.-algérien sur le gaz ; 13-2 loi sur les *nationalisations* promulguée ; 24-2 : 1er bébé éprouvette français ; 4-3 René Lucet, ancien dir. de la Caisse mal. des B.-du-Rh., se tue (2 balles tirées) ; 3/5-3 Mitterrand en Israël ; 14/21-3 *él. cantonales :* victoire de l'opposition (64 Pts de conseils généraux contre 36 pour la majorité de gauche) ; 14/18-4 Mitt. au Japon ; 15-4 les préfets transmettent leur pouvoir exécutif aux Pts des conseils régionaux ; 28/30-4 Mitterrand au Danemark ; 14/26-5 Mitt. en Afrique ; 4/6-6 *sommet des pays industrialisés à Versailles ;* 12-6 2e *dévaluation du franc ;* 13-6 au 1-11 blocage des prix et salaires ; 22/24-6 Mitt. en Espagne ; 29-6 remaniement ministériel ; 7/9-7 Mitt. en Hongrie ; 28-7 dissolution du S.A.C. (Service d'action civique) ; 23-8 arrivée à Beyrouth du contingent français ; 1/2-9 Mitterrand en Grèce ; 14-9 emprunt d'État de 10 milliards de F ; 15-9 *emprunt* de 4 milliards de F auprès des banques intern. ; 20-9 envoi d'une 2e force multinationale à Beyrouth ; 11-10 Mitt. en Afrique ; 24/30-11 Mitt. en Égypte puis Inde ; 30-11 *emprunt d'État* de 10 milliards de F ; 8-12 remaniement ministériel.

1983 6/13-3 *él. municipales :* remontée de la droite ; 21-3 3e *dévaluation du franc* (dep. 1981) de 2,5 %. Août, intervention au Tchad renforcée. 5-4 expulsion de 47 diplomates et ressortissants soviét. accusés d'espionnage ; 28/31-5 *sommet de Williamsburg ;* déclaration sur la sécurité et sur un nouveau « Bretton Woods » ; 9/10-6 Conseil atlantique à Paris (1re fois dep. 1966) ; 8-8 opération *Manta* (Tchad) ; 14/15-8 *Jean-Paul II* à Lourdes ; 4-10 sommet franco-africain à Vittel ; 23-10, 58 soldats fr., 200 amér. tués au Liban (attentat). 7/10-11 Chadli Bendjedid, 1er Pt de l'Algérie en voyage officiel en Fr. 17-11 raid de l'aviation fr. sur Balbek (Liban). 21-12 le « Canard enchaîné » dévoile l'affaire des *avions renifleurs* (d'oct. 1976 à 79, ERAP a acheté un prétendu procédé de détection géodésique, présenté par le Cte de Villegas et Aldo Bonussoli ; coût : 740 à 790 millions de F). **1984** 19/20-3 les producteurs de porcs dévastent la sous-préfecture de Brest ; 21/29-3 Mitt. aux U.S.A. ; 31-3 le contingent français quitte Beyrouth ; 17-6 *élec. européennes ;* 20/23-6 Mitt. en U.R.S.S. ; 24-6 manif. pour l'enseignement libre à Paris, env. 1 400 000 personnes (Voir Enseignement, Index). 19-7 gouv. Fabius ; 31-8/1-9 voyage privé au Maroc de Mitt. ; 17-9 accord fr.-libyen sur « l'évacuation totale et concomitante du Tchad » ; 15-11 Crète, Mitt. rencontre Kadhafi ; 7-12 Roland Dumas succède à Claude Cheysson aux Aff. étr. **1985** mars *élec. cantonales ;* 13-3 Mitt. aux obsèques de Tchernenko ; 2/4-5 sommet des pays industrialisés à Bonn : Mitt. refuse de participer au projet I.D.S. Affaire Greenpeace, voir index. **1986** 16-3 *élec. législatives et régionales,* succès de la droite (voir Index) ; 20-3 gouv. Chirac ; 6-4 dévaluation du franc ; 27-4/6-5 sommet de Tōkyō ; 7-5 Gaston Defferre meurt ; juillet : affaire du *Carrefour du développement ;* 7-8 loi sur les *privatisations ;* déc. manif. étudiants contre la *loi Devaquet* (1 †, grèves (transports). **1987** 23-1 le Conseil const. annule 2 textes gouvernementaux : temps de travail, conseil de la concurrence ; 5-2 *privatisation de TF1 ;* 21-2 Jean-Marc Rouillan, Nathalie Ménigon, Joëlle Aubron, Georges Cipriani (d'Action directe) arrêtés ; 28-2 Georges Ibrahim Abdallah condamné à la réclusion perpétuelle ; oct. *krach boursier* (– 30 % en quelques jours) ; 22-11 Max Frérot (Action directe) arrêté ; 22/23-12 Mitt. à Djibouti.

1988 24-4/8-5 *élect. présid.,* Mitt. réélu ; 10-5 Chirac (PM) démissionne, Michel Rocard PM ; 14-5 *Assemblée* dissoute ; 5/12-6 *élect. législatives ;* succès de la gauche confirmé, tentative au centre ; 6-11 référendum sur l'avenir de la Nouv.-Calédonie. **1989** 12 et 19/3 *élec. municipales ;* 29-3 Grand Louvre inauguré ; 2/4-5 Arafat reçu à Paris ; 4-5 Tjibaou et Yeiwéné tués en N.-Cal. ; 24-5 Touvier arrêté ; 16-6 affaire *Luchaire,* non-lieu ; 18-6 *élect. européennes ;* 14-7 fêtes du *bicentenaire* de la Révolution, défilé devant 32 chefs d'État et inaug. de l'Arche de la Fraternité à La Défense ; 28-8 fin du certificat d'études primaires (créé 28-3-1882). **1990** 1-1 contrôle des changes supprimé ; nuit 8/9-5 Carpentras, profanation du cimetière juif ; août participation jusqu'à mars 91 aux opérations dans le Golfe (voir Index). 28-7 Anis Naccache et 4 complices [condamnés à vie pour tentative d'assassinat contre Chapour Bakhtiar (18-7-80)] graciés et expulsés. **1991** polémiques sur fausses factures et le financement de la campagne présidentielle du Pt Mitterrand en 1987-88. Affaire Georges Bourdarel (n. 1926 professeur passé du côté Vietminh 1951-54, responsable politique dans un camp de prisonniers français), dénoncé.

Attentats politiques récents en France

☞ Contre de Gaulle voir p. 658. Corse voir p. 767.

Légende. – bombe : b. (1) Action directe. (2) Assala. (3) Palestiniens.

1976-*24-12* le Pce *Jean de Broglie,* député, ancien négociateur d'Évian (voir Index). **1977**-*23-3 Jean-Antoine Tramoni,* meurtrier d'un militant gauchiste, René-Pierre Overney, le 25-2-72. *-5-6 Pierre Maître,* participant à un piquet de grève C.G.T. (Reims, assassin présumé : Claude Lecomte). *-2-10 Laïd Sebal,* gardien de l'Amicale des Alg. en Europe (Paris), revendiqué par « commando Delta ». **1978**-*18-3 François Duprat,* écrivain, membre du Front national, voiture piégée. *-4-5 Henri Curiel,* d'origine égyptienne, gauchiste (soupçonné d'être un agent du K.G.B.) : même assassin que Laïd Sebal. **1979**-*20-9 Pierre Goldman,* gauchiste, juif, ancien condamné de droit commun. **1980**-*3-10* b. devant *synagogue rue Copernic,* Paris 16e : 4 †, dont 3 non-juifs, 30 blessés [on soupçonne des palestiniens FPLP (Selim Abou Salem)]. De 1975 à 1980 100 synagogues, 20 cimetières profanés, en 80 235 incidents antijuifs dont 75 graves. **1981** *A Paris : 24-9* coup de force arménien au consulat de Turquie : 1 †, 3 bl., 40 employés pris en otages. *-26-10* 2 b. (toilettes du Fouquet's et drugstore Publicis). *-29-10* b. cinéma Berlitz, 3 bl. *-5-11* b. consigne gare de Lyon. *-12-11* Christian Chapman, chargé d'affaires américain, échappe à un tueur ; Libye accusée. *-16-11* b. consigne gare de l'Est : 3 bl. (groupe arménien Orly). *-20-11* b. restaurant Mc Donald, bd St-Michel, 1 bl. *-20-12* b., siège Botrans, Sté de transports (Charles Martel). *-23-12* 4 b. dont l'une contre le concessionnaire Rolls-Royce [1]. **1982**-*18-1* Charles Ray, lt-col. attaché mil. des U.S.A., tué [3]. *-19-3,* 2 C.R.S. tués à St-Étienne-de-Baïgorry (Pays basque). *-29-3* b. dans T.E.E. *le Capitole,* près de Limoges, 5 † dont la sœur de l'ancien min. des Finances, J.-P. Fourcade, 27 bl., non revendiqué. *Paris-1-4* bureaux dépendant de l'amb. israél. mitraillés ; Joëlle Aubron et Mohand Hamami [1] arrêtés quelques j. plus tard. *-3-4 Yacov Barsimantov,* 2e secrét. de l'amb. d'Israël, tué par jeune femme. *-22-4* voiture piégée, 33, rue Marbeuf, devant locaux du journal libanais pro-irakien, « Al Watan al Arabi », 1 femme †, 63 bl. (2 dipl. syriens expulsés). *-28-5* coups de feu contre Bank of America [1]. *St-Cloud -4-6* att. contre l'école U.S. [1]. *-5-6* att. contre bureaux du FMI [1]. *-21-6* Salaheddin Bitar, ancien 1er min. syrien, ass. *-21-7* b. à St-Michel (groupe Orly), 15 bl. *-23-7 Fadl Dani,* no 2 de l'OLP, tué, voiture piégée. *-24-7* b. Paris (pub St-Germain) 2 bl. (groupe Orly). *Lyon 5-8* attentat arménien consulat de Turquie à Lyon : 4 bl. *-7 et 8-8,* 2 attentats [1] visant des objectifs juifs : dégâts matériels. *Paris -9-8* fusillade restaurant juif Goldenberg *rue des Rosiers :* 6 †, 22 bl. *-11-8 rue de La Baume* contre établissements israélites [1] : 1 blessée grave. *-12-8* 1 voiture explose devant amb. d'Irak : dégâts matériels. *-21-8,* 2 policiers tués par b. qu'ils désarmaient avenue de La Bourdonnais. *-17-9,* voiture explose rue Cardinet devant lycée Carnot : 51 bl. graves, 40 légers. **1983**-*22-1* b. désamorcée à *Orly* près des bureaux de Turkish Airlines. *-26-2* bombe désamorcée avant fête israélite. *Marseille -13-3* 1 enfant de 11 ans †. *Paris -22-3,* agence de voyages spécialisée dans voyages en Turquie 1 †, 4 bl. *-22-4* 15 jeunes propalestiniens occupent musée de la *Légion d'honneur. -31-5* b. mairies des xe et xxe arr. (par Antillais). *-15-7 Orly* 8 †, 60 bl. [2] *Berlin -27-8* Maison de France 1 †, 23 bl. [2] *Asala. Marseille -30-9 :* Palais des Congrès (foire) 1 †, 26 bl. *Paris -19-11 :* Orée du Bois (restaurant) 33 bl. *-23-12* Grand Véfour (restaurant) 12 bl. *Marseille -31-12 :* gare St-Charles 2 †, 34 bl. *TGV Marseille-Paris* 2 †, 20 bl. près de Tain-l'Hermitage (Organisation de la lutte arabe). **1984**-*25-1* SNIAS à *Châtillon :* dégâts matériels. *-8-2 Paris :* Khalifa Ahmed Mubarak, amb. des Émirats arabes, bl. *-19-3 Marseille,* 2 bl. (antiarménien). *-3-5 Alfortville,* 13 bl. (antiarm.). **1985**-*25-1 René Audran,* ingénieur général, dir. au min. de la Défense nat. tué. *Paris -28-1* Marks and Spencer, bd Haussmann (déjà plastiqué 76 et 81) 1 vigile tué. *-29-3* Rivoli Beaubourg (5e festival intern. du cin. juif), 18 bl. *-13-4* banque Leumi (Israël.) ; Office nat. d'immigration [1]. *-11-11* archevêché b. *-7-12* Printemps et Galeries Lafayette 35 bl. (groupe Abou Nidal). *-20-12* Fauchon incendié. Pte de la Sté et sa fille brûlées vives (déjà victime en 1970 d'une razzia gauchiste ; le 19-12-77 b.). **1986**-*Paris 3-2* Claridge galerie commerciale b. 8 bl. (Arabes). Tour Eiffel b. (n'explose pas). *-4-2* Gibert Jeune b. incendie 3 bl. (Arabes). *-5-2* FNAC Forum des Halles (groupe Abou Nidal) 9 bl. (Arabes). *-27-2* librairie d'extrême dr., rue de l'Abbé-Grégoire b. (9e att. dans cette libr. dep. 1978). *-17-3 TGV Paris-Lyon* peu après le départ 10 bl. (Arabes). *-20-3 Paris :* Galerie Point-Show (Champs-Élysées) b. (Arabes) 2 † (dont 1 auteur de l'att.) 28 bl. *-15-4* attentat manqué contre Guy Brana, vice-Pt du C.N.P.F[1]. *-26-4 Lyon :* bureaux American Express (Arabes). *-9-7 Paris :* préfecture de police 1 †, 22 bl. [1]. *-4-9* attentat manqué dans R.E.R. *-8-9* att. Hôtel de Ville 1 †, 18 bl. *-12-9* la Défense-Cafétéria Casino 41 bl. *-14-9* Pub Renault (Champs-Élysées) 1 †, 1 bl. *-15-9* préfecture de police 1 †, 51 bl. *-17-9* devant magasin Tati (rue de Rennes) 7 †, 51 bl. (Arabes). *-17-11 Georges Besse,* P.-D.G. de Renault, tué [1].

La France outre-mer

☞ Voir Francophonie, p. 853.

Histoire de la colonisation

● xvie s. : sous François Ier, expédition en Amérique du N. de l'Italien Verrazano (1524), puis du Français Jacques Cartier (1534), qui prend possession du Canada. Expéditions au Brésil, dans la baie de Guanabara [(1555-67, dirigées par Nicolas de Villegaignon (1510-71)], puis de Maranhão (1594-1615). Jean Ribault (1520-65) et René de Laudonnière (?-1572) fondent Fort-Caroline, en Caroline du S. (du nom de Charles IX) (1562-65).

● **Du xviie au début du xixe s. 1604 :** Pierre de Monts et Samuel Champlain fondent une colonie en Acadie (Nlle-Écosse actuelle). **1608 :** Champlain s'installe au Québec (Montréal fondé en 1642). **1635 :** Cie des îles d'Amérique occupe Guadeloupe et Martinique. **1642 :** Cie fr. des Indes orientales fonde Fort-Dauphin à Madagascar. **1659 :** St-Louis du Sénégal fondé. **1664 :** Colbert crée la Cie des Indes occidentales et la Cie des Indes orientales (compagnies par actions) pour étendre les colonies et développer leur activité. **1668 :** comptoir en Inde, à Sûrat (près de Bombay). **1674 :** abandon de Madagascar, installation dans l'île Bourbon (Réunion actuelle) et l'île de France (île Maurice actuelle). **1682 :** Cavelier de La Salle s'empare de la Louisiane. **1701 :** Pondichéry principal établissement fr. de Yanaon, Masulipatnam (1750-59 ; on disait alors Masulipatam, Chandernagor). **1714 :** Fr. cède Terre-Neuve, Acadie et

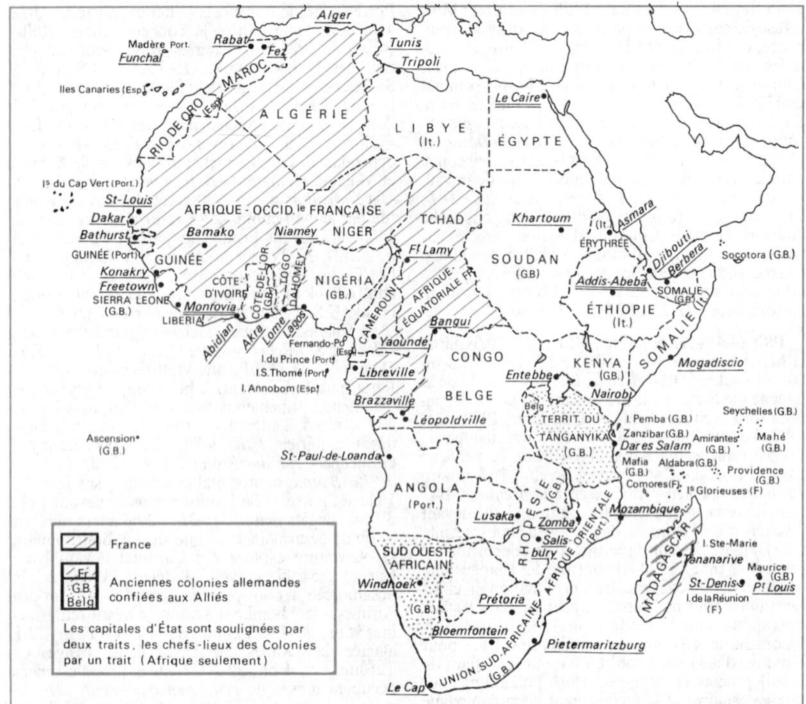

baie d'Hudson à l'Angl. **1719 :** la Nouvelle-Orléans occupée. **1741-59 :** Dupleix conquiert Deccan (Inde), finalement cédé à l'Angl. **1763 :** Fr. perd Canada (70 000 Français), Louisiane, Dominique, St-Vincent, Tobago, Grenade et Sénégal ; elle garde 5 comptoirs en Inde, St-Domingue, Martinique, Guadeloupe, Mascareignes (îles Bourbon et de France). **1764 :** échec d'une tentative de peuplement en Guyane. **1783 :** comptoirs du Sénégal et Tobago rendus à Fr. **1794 :** la Convention abolit l'esclavage (rétabli par Bonaparte). **1798-1801 :** expédition d'Égypte. **1802 :** Espagne rend la Louisiane à la Fr. **1803 :** Louisiane vendue aux U.S.A. **1808 :** Fr. chassée de St-Domingue. **1814 :** Fr. cède Tobago, Ste-Lucie et l'île de France à l'Angl.

• **Sous Louis-Philippe. 1830** *(5-7) :* prise d'Alger. **1832-47 :** soulèvement d'Abdel-Kader en Algérie. Établissements Côte-d'Ivoire (Assinie et Grand-Bassam, 1842), Gabon (1839-43), Nossi-Bé (Madagascar, 1840-41), Mayotte (1843), Tahiti (1842-43).

• **2e République. 1848,** 3-4 : 2e abolition de l'esclavage ; 9-12 l'Algérie forme 3 dép. fr.

• **2e Empire. 1853 :** Nlle-Calédonie annexée. **1857 :** Grande Kabylie occupée en Algérie. **1854 :** commence la conquête du Sénégal fondé par Faidherbe (f. de Dakar en 1857). **1862-67 :** Cochinchine conquise. **1863 :** protectorat sur Cambodge.

• **IIIe République. 1873 :** Francis Garnier (1839-73) conquiert delta tonkinois. **1880 :** protectorat sur Congo (Bangui fondé en 1889). **1881 :** prot. sur Tunisie. **1883-84 :** Savorgnan de Brazza colonise Gabon. **1885 :** Chine abandonne Tonkin et Annam à Fr. **1880-95 :** Joseph Gallieni (1849-1916 ; Mal de Fr. à titre posthume 1921) conquiert Soudan (Mali actuel). **1888 :** fondation de Djibouti, puis de la Côte fr. des Somalis. **1891 :** Niger occupé. **1893 :** Guinée détachée du Sénégal ; Côte-d'Ivoire et Dahomey créés ; protectorat sur Laos reconnu par le Siam. **1896 :** Madagascar occupé. **1899 :** Hte-Volta conquise ; la mission Marchand s'installe à Fachoda, sur le Nil, puis cède la place aux Anglais. **1904 :** fondation de l'Afr. Occidentale fr. (capitale : Dakar). **1897-1912 :** Tchad conquis. **1906 :** condominium Fr.-G.-B. sur Nouvelles-Hébrides. **1907 :** Siam restitue au Cambodge ses 3 provinces occidentales. **1910 :** fondation de l'Afr. Équatoriale fr. (capitale : Brazzaville). **1912 :** protectorat sur Maroc. **1919 :** mandat sur Cameroun, Togo, Grand-Liban et Syrie. **1934 :** dernière insurrection du Maroc.

Histoire de la décolonisation

• **1941-46 :** Syrie et Liban indépendants. **1944 :** 30-1/5-2 *conférence de Brazzaville* prévoit notamment la représentation des peuples d'outre-mer au Parlement et la création d'assemblées locales ; 7-3 élargissement de l'octroi aux musulmans alg. de la citoyenneté fr. **1945 :** 8-5 soulèvement de Sétif (Algérie) ; 2-9 Hô Chi Minh proclame la Rép. dém. du Viêt-nam (début de la g. d'Indochine en 1946) ; 22-12 décret supprimant le « statut de l'indigénat » ; 25-12 création du franc C.F.A. **1946 :** 13-10 vote de la nouvelle Constitution : l'Empire colonial devient l'Union française ; 18/20-10 fondation à Bamako du Rassemblement démocratique africain (R.D.A.) ; 10-11 élection de 5 membres du M.L.T.D. (Messali Hadj) au collège des non-citoyens de l'Ass. nat. **1947 :** 30-3 insurrection réprimée à Madagascar ; 4-8 création du Gd Conseil de l'A.-O.F. (8 membres) et du Gd Conseil de l'A.-É.F. (6 membres) ; 27-8 statut de l'Alg. (13 départements avec Ass. alg.) ; 11-10/3-11 élections à l'Ass. de l'Union fr. **1949 :** Fr. reconnaît l'indépendance du Viêt-nam. **1949-50 :** Cambodge et Laos deviennent des États indépendants associés (*indépendance totale* 1953).

• **1950 :** 28-1/3-2 Côte-d'Ivoire agitation pour la libération des leaders du R.D.A. emprisonnés. **1952 :** 30-3 élections des Ass. territoriales d'A.-O.F., A.-É.F., Cameroun, Togo, Madagascar ; 22-11 Code du Travail outre-mer. **1953 :** déc. Madagascar les évêques missionnaires se prononcent pour l'indépendance. **1954 :** 21-7 fin de la g. d'Indochine ; 1-11 début de la g. d'Algérie ; *id.* cession à l'Inde des comptoirs fr. **1955 :** 22/26-5 Cameroun émeutes anti-fr. ; 29-5 Tunisie autonomie interne ; 18-11 collège électoral unique (pour Fr. et Afr.) dans 41 villes d'Afr. et de Madagascar. **1956 :** 2-3 indép. du Maroc ; 20-3 de la Tunisie ; 28-4 le S.-Viêt-nam quitte l'Union fr. ; 20-6 autonomie interne des États et territoires de l'Union franç. ; suffrage universel et direct ; 30-8 indép. du Togo. **1957 :** 20-1 rupture entre syndicats afr. et centrales fr. ; 31-3 élections au suffrage univ. des collèges uniques ; 25/30-9 revendications de l'autonomie interne pour A.-O.F. et A.-É.F. (projet abandonné mai 1958). **1958 :** nouvelle Constitution : la Communauté remplace l'Union fr. Indépendance de la Guinée ; les autres membres africains de la Communauté deviennent États autonomes. **1960 :** indép. des États afr. et de Madagascar. **1962 :** indép. de l'Algérie. **1974 :** indép. des Comores (mais Mayotte la refuse). **1977 :** 27-6 territoire des Afars et des Issas indépendant. **1985 :** troubles en Nouvelle-Calédonie. **1989 :** statuts nouveaux.

Organisation

L'empire colonial entre les 2 guerres

La plupart des pays et territoires sont des colonies ou des protectorats. Les pays d'Afrique noire sont regroupés en 2 fédérations, l'Afrique occidentale française (A.-O.F.) et l'Afrique-Équatoriale française (A.E.F.) ; les pays de l'Indochine sous souveraineté française sont regroupés sous l'autorité du Gouvernement général de l'Indochine.

Ces pays et territoires dépendent du ministère des Colonies, [sauf Algérie (m. de l'Intérieur), Tunisie, Maroc, Liban et Syrie (m. des Affaires étrangères)] et sont administrés par décrets. A la tête de chaque colonie est nommé un gouverneur qui a sous son autorité des administrateurs.

L'Union française

Créée par la Constitution de 1946. Comprend : 1°) *la République française :* a) France métropolitaine ; b) départements et territoires d'outre-mer [les habitants sont citoyens français, élisent des représentants aux assemblées françaises (droit de vote limité à une partie de la pop., double collège dans certains territoires)] ; 2°) *les territoires* (pays sous tutelle) et *États associés* (ont leur nationalité et leur système politique propres ; ils peuvent envoyer des délégués au Haut Conseil de l'Union ; Viêt-nam, Cambodge et Laos ont eu ce statut). **Organes.** *Président* (Pt de la Rép. fr.), *Assemblée* (composée d'un nombre égal de conseillers représentant la métropole, et de c. représentant DOM et TOM, pays membres de l'Union et États associés ; elle a l'initiative des lois et un pouvoir consultatif ; rôle effectif réduit), *Haut Conseil* (assemblée de diplomates).

La Communauté

Créée par la Constitution de 1958 (titre XII), elle remplace l'Union française. Le titre XII est soumis à référendum dans chaque État et territoire d'outre-mer (Madagascar et pays d'Afrique noire, sauf la Somalie française) ; seule la Guinée vote non et devient indépendante. La Communauté est une association entre les États indépendants totalement souverains, la Rép. française (France métropolitaine, départements algériens et sahariens, 4 DOM et 6 TOM) et 12 États dotés de l'autonomie interne (ils s'administrent et gèrent librement leurs affaires intérieures).

Organes. *Pt* (Pt de la Rép. fr.), *Conseil exécutif* (Premier ministre fr., chefs des gouv. des autres États, ministres divers), *Sénat* essentiellement consultatif (représentants des Parlements de chaque État). *Cour arbitrale.* Les institutions communes ont un domaine de compétence générale (politique étrangère, défense, monnaie, pol. écon. et fin. commune, et matières 1res stratégiques) et des domaines de compétence particulière. **Évolution.** A partir de 1960, tous les États ont progressivement acquis leur pleine souveraineté. Des accords bilatéraux et multilatéraux de coopération ont été signés entre la France et les autres États.

Départements et territoires d'outre-mer

☞ Dépendent d'un ministre délégué auprès du 1er ministre.

• **Départements d'outre-mer (D.O.M.).** Martinique, Guyane, Guadeloupe et Réunion dep. 1946, St-Pierre-et-Miquelon dep. 1976. *Statut :* collectivités territoriales de la République ; leur régime législatif et leur organisation peuvent être adaptés aux particularités locales.

Évolution. Depuis la loi du 31-12-1982, les DOM (sauf St-Pierre-et-Miquelon) sont transformés en régions mono-départementales. *Conseil régional* (à côté du conseil général, maintenu), élu au suffrage universel et à la représentation proportionnelle (répartition des restes à la plus forte moyenne). Compétences : générales (dévelop. écon., soc., culturel et scientifique, aménagement du territoire) et spécifiques (peuvent créer des agences) ; peuvent aussi proposer des modifications de lois au règlement sur les compétences et l'organisation de la région, donner leurs avis sur les problèmes de coopération. *2 comités consultatifs :* c. écon. et soc., c. de la culture, de l'éducation et de l'environnement.

• **Territoires d'outre-mer (T.O.M.).** Nouvelle-Calédonie, Wallis-et-Futuna, Polynésie franç., Terres australes et antarctiques franç., Mayotte. *Statut :* partie intégrante de la Rép. franç., leurs ressortissants sont citoyens français. *Organes : Conseil de gouvernement* et *Assemblée territoriale* élus, *gouverneur* représentant la Rép. élisent des représentants au Parlement et au Conseil écon. et social.

Territoires de l'Empire français (1939)

En 1939, le domaine colonial français formait un ensemble de 12 300 000 km² peuplé par 103 millions d'h., métropole comprise.

• **Afrique :**

Afrique du Nord. 1 territoire partie intégrante de la France : *Algérie* (territoires civils 207 480 km², 6 000 000 h. ; territoires du Sud env. 2 000 000 km², 542 000 h.). **2 protectorats :** *Maroc* (415 000 km², 5 420 000 h.), *Tunisie* (130 000 km², 2 400 000 h.).

Afrique Occidentale française (A.-O.F.). 3 738 000 km², 14 576 000 h. 20 % de la population était de race blanche. Maures (400 000), Touaregs (250 000), Nomades, Peuls (2 000 000). Européens 23 000 [(dont 14 500 Français) : fonctionnaires, militaires, chefs d'entreprise, commerçants, planteurs, etc.]. Les Noirs comprenaient les Ouolofs (450 000, Sénégal), Toucouleurs (250 000), Mandingues (2 800 000, haute et moyenne vallée du Niger), Qonahais (150 000, bouche du Niger), Mossis (2 200 000, Niger, Côte-d'Iv.), Haoussas (500 000, Est du Niger). **8 colonies :** *Sénégal* (192 000 km², 1 634 000 h.), *Mauritanie* (400 000 km², 324 000 h.), *Guinée française* (231 000 km², 2 240 000 h.), *Côte-d'Ivoire* (315 000 km², 4 000 000 h.), *Soudan* (923 000 km², 4 000 000 h.), *Niger* (1 200 000 km², 2 000 000 h.), *Dahomey* (122 000 km², 1 110 000 h.), *Haute-Volta* (370 000 km², 3 500 000 h.). **1 territoire sous mandat** (dep. 1918) : *Togo français* (56 500 km², 750 000 h., 650 Européens).

Afrique Équatoriale française (A.-É.F.). 4 colonies 3 000 000 km², 3 500 000 h. : *Gabon* [274 870 km², 400 000 h. (Pahoins et Pongués)] ; *Moyen-Congo* [240 000 km², 700 000 h. (Batékés, Bacongos)] ; *Oubangui-Chari* [493 000 km², 1 200 000 h. (Mandjas, Bayas, Barguirmens)] ; *Tchad* [1 248 000 km², 1 200 000 h. (Kotokos, Salamas, Ouaddaiens)] ; Européens : 5 000. **Territoire sous mandat :** *Cameroun* [439 800 km², 2 000 000 h. (dep. 1918 dont 3 000 Européens)].

Côte française des Somalis. 22 000 km², 86 000 h. (1 500 Européens dont 350 Français).

Madagascar et dépendances. Madagascar : 592 356 km² et dépendances, 3 800 000 h. (Hovas et Betsiléos), 40 000 Européens dont 25 000 Français. **Dépendance :** Comores (2 185 km², 118 700 h.).

Réunion (île franç. dep. 1642). 2 400 km², 187 000 h.

Iles du sud de l'océan indien (françaises depuis 1842). Au total, 7 216 km². Principales : *St-Paul, Amsterdam, Kerguelen, Crozet.*

• **Amérique.** 1° **Antilles françaises :** *Martinique* (1 100 km², 240 000 h.) ; *Guadeloupe* (1 800 km², 270 000 h.) ; *dépendances* (Marie-Galante : 520 km², la Désirade : 28 km², Les Saintes : 48 km², St-Barthélemy : 27 km², St-Martin : 80 km² avec la Frégate et Tintamarre). 2° **Guyane** [90 000 km², 30 000 h. (Indiens, Noirs importés, Créoles, Blancs)]. 3° **St-Pierre-et-Miquelon** (26 et 185 km², 4 000 h.) ; 240 km² avec quelques îlots : l'île aux Chiens (280 h.), le Grand-Colombier, l'île aux Vainqueurs, etc. 4° **îlot de Clipperton** (5 km², inhabité ; Pacifique, à 1 300 km du Mexique).

• **Asie :**

Proche-Orient. 2 pays sous mandat : *Liban* (10 500 km², 628 000 h.), *Syrie* (171 600 km², 3 000 000 h.).

Indochine. 740 000 km², long. 1 700 km, larg. 700 km, 23 000 000 d'h. [Annamites (15 000 000), Cambodgiens (2 500 000), Tchams, Thaïs, Moïs, Chinois (300 000), Européens (42 000)]. **1 colonie :** *Cochinchine* (66 000 km², 7 800 000 h. dont 6 790 Fr.) ; **4 protectorats :** *Tonkin* (105 000 km², 7 400 000 h.), *Annam* (150 000 km², 5 000 000 h.), *Cambodge* (175 000 km², 2 400 000 h. dont 1 270 Fr.), *Laos* (214 000 km², 818 000 h.). **1 dépendance de l'empire d'Annam,** les 11 îles *Paracels.*

Concessions françaises et territoires à bail. *Chine :* à Shanghai, Canton, T'ien-Tsin, Han-K'eou, Kouang-Tcheou-Wan.

Établissements français de l'Inde. *5 villes :* Pondichéry, Karikal, Yanaon, Mahé, Chandernagor. *9 enclaves :* Calicut, Masulipatam, Balassar, Gorety, Jouqdia, Dacca, Cassimibazar, Surate et Patna. [total : 520 km², 300 000 h. (dont 1 600 Fr.)].

• **Océanie.** 23 000 km², 100 000 h., 4 500 Européens. **1° Nouvelle-Calédonie** et dépendances (18 650 km², 57 000 h.). **2° Établissements français de l'Océanie** (4 000 km², 32 000 h.), protectorat des *îles Wallis-et-Futuna ; îles de la Société* (Tahiti, Moorea, îles Sous-le-Vent) ; archipels des *Marquises, Gambier, Tuamotou et îles Toubouai.* **3° Nouvelles-Hébrides** (12 000 km², 60 000 h.), condominium franco-britannique.

• **Antarctide.** *Terre Adélie* 900 000 km².

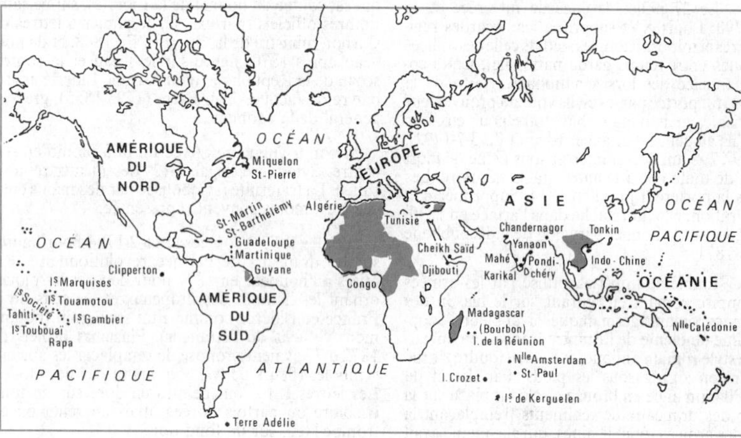

Empire colonial français de 1919 à 1939.

Institutions françaises

Symboles

Emblèmes

Fleurs de lys. *Sens du mot « fleur ».* La décoration florale, souvent symbolique, est utilisée depuis l'Antiquité : Étrusques, Salomon (IXe s. av. J.-C.). Les Carolingiens, soucieux d'appuyer leur royauté sur l'enseignement biblique, ont adopté les fleurs du roi Salomon. *« Lys ».* Symbole de sainteté et de pureté, il est, d'après la Bible, la fleur du roi Salomon, et d'après la tradition populaire chrétienne celle de la Vierge Marie (au Xe s., les villes ayant Marie pour patronne avaient un lys dans leurs armes). Cependant, à cause de la forme du dessin, certains refusent de voir un lys dans la plante représentée. Ils parlent d'iris stylisé choisi par Clovis et par Louis VII, devenue fl. de Luce (Louis) puis de Lys ou fer de l'ancien javelot gaulois. La 1re allusion à la fleur de lys comme symbole de la dignité royale capétienne est de 1147 (sous Louis VII), le vêtement du sacre de Philippe Auguste est semé de fleurs de lys dorées sur fond bleu (pour imiter les étoiles dans l'azur du ciel : le manteau est dit « cosmique »). En 1285, Philippe III réduit leur nombre à 3 sur le sceau royal, et au XIVe s., on dira que c'est en l'honneur des 3 personnes de la Trinité (mais dès 1228, de nombreux sceaux avaient déjà adopté cette disposition, pour des raisons pratiques). En 1377, une ordonnance de Charles V évoque le chiffre de 3 sur l'écu royal (cet écu sera appelé « France moderne » par opposition au semé ou « France ancien »). L'écu des rois de France demeurera ainsi jusqu'en 1830. Des fleurs de lys de couleurs différentes ont souvent été utilisées par des monarchies étrangères ou par des seigneuries françaises. Par exemple, elles servent d'armes parlantes à Florence (à cause de « fleur ») et à Lille (à cause de *lil,* « lis »). Un arrêt de 1697 interdit aux sujets du roi de France la fleur de lys d'or sur champ d'azur.

Emblèmes personnels des rois. Charles VI, le *lion* et la *cosse de genêt ; – son fils le dauphin* (précédant le futur Charles VII) le *cygne.* **Charles VII** et **Ch. VIII :** *cerfs ailés.* **Louis XII :** *porc-épic,* avec pour devise Cominus et eminus (« De près et de loin »). **François Ier :** *salamandre* (emblème des Orléans-Angoulême dep. 1461). Nutrisco et extinguo (« Je me nourris du feu et je l'éteins »). **Henri II :** *croissant de lune.* **François II :** *soleil.* **Charles IX :** *colonnes* imitées de celles de Charles Quint, avec Pietate et Iustitia (« Autant par la bonté que par la justice »). **Henri III :** *3 couronnes* (2 royales, 1 de palme). Manet ultima coelo donec totum compleat orbem (« La troisième est au ciel avant de remplir le monde »). **Henri IV :** *2 sceptres et 1 épée.* Duo praetendit unus (« La troisième protège les deux autres »). **Louis XIV :** *soleil* (qui restera sur les étendards de cavalerie jusqu'en 1790). Nec pluribus impar (« Supérieur à tous »).

Bonnet phrygien ou **bonnet rouge.** D'origine très ancienne, il fut confondu par les révolutionnaires épris de l'Antiquité classique avec le bonnet (conique) d'affranchi porté à Rome par les esclaves récemment libérés. Adopté après le décret du 19-6-1790 abolissant noblesse et armoiries familiales, il remplaça les écussons sur les carrosses et passa sur le sceau du Consulat alors que le bonnet de la Liberté ou bonnet rouge (la pointe, molle, retombant sur la nuque), popularisé par les mutins de Châteauvieux, les brigands et les libérés qui vinrent à Paris, avait figuré sur le sceau de la Convention nationale et du Directoire. Les bonnets de laine rouge étaient souvent portés par les gens du peuple à la fin de l'Ancien Régime. Le *1er homme politique qui l'adopta* comme signe de ralliement révolutionnaire fut le Conventionnel girondin Jean-Antoine de Grangeneuve (1751-93) qui, en févr. 1792, le mettait pour se rendre à l'Assemblée. Le mois suivant, on en mit un au buste de Voltaire, dans le vestibule du « Théâtre national » (Comédie-Française, à l'Odéon). Louis XVI en fut coiffé le 20-6-1792 par la populace. Le 15-8-1792, un décret de la Législative l'imposa officiellement comme sceau de l'État (figure de la Liberté, tenant à la main une pique surmontée d'un bonnet de la Liberté). Sur proposition de Billaud-Varenne, le sceau fut étendu à tous les corps administratifs par décret du 26-9-1792. Le 6-11-1793, la Commune en fit la coiffure officielle de ses membres. Il disparut comme coiffure après le 9 thermidor (27-7-1794), mais continua à figurer sur le sceau de l'État, prenant, à partir de 1800, la forme « phrygienne » [la partie supérieure est orientée vers l'avant, mais en restant rigide, pour ressembler au cimier d'un casque (modèle copié sur une mosaïque de S. Apollinare Nuovo de Ravenne)]. *Sous la IIe République,* les insurgés de juin 1848 mirent un bonnet rouge sur le blanc du drapeau tricolore. Sous *la IIIe Rép.,* le bonnet servait essentiellement comme coiffure de « Marianne » (voir ci-dessous).

Cocarde tricolore. *Origine du mot :* touffe de plumes de coq que les soldats croates de Louis XIV portaient à leur coiffure. Après l'adoption du tricorne (1701), les régiments adoptèrent la cocarde circulaire en ruban ; signe officiel d'appartenance à l'armée, elle était interdite aux civils. *Le 12-7-1789,* Camille Desmoulins, pour indiquer que le peuple était en armes (mobilisé en permanence), mit une feuille de tilleul ronde à son chapeau. Le lendemain, le 13-7, la milice bourgeoise (48 000 h., qui se crée spontanément à Paris) prit une cocarde bleu et rouge (couleurs du blason de la ville de Paris). Le 16, La Fayette fut mis à la tête de cette milice parisienne. Les gardes-françaises, nombreux dans la milice parisienne, avaient un uniforme bleu, blanc, rouge (livrée du roi) ; ces 3 couleurs étaient d'ailleurs celles du drapeau américain sous lequel avait combattu La Fayette. Le 27 juillet, la cocarde fut créée et, le 22-5-1790, Louis XVI supprima les cocardes régimentaires et imposa à tous les soldats celle des milices (devenues entre-temps garde nationale). Cette cocarde, appelée dès lors « nationale » ou « de la liberté », fut portée par les civils voulant prouver leur patriotisme, mais n'était obligatoire pour eux que lorsqu'ils allaient à l'étranger (décret du 3-7-1792). Le 17-9-1792, un décret interdit sous peine de mort le port de toute cocarde autre que la tricolore. Les armées la portèrent jusqu'en 1814. Supprimée à la Restauration, elle fut rétablie dans l'armée en 1830. Elle figure sur le bonnet phrygien de la République depuis 1871.

Aigle. Emblème impérial, utilisé par les armées de l'Empire romain et figurant sur le blason des empereurs romains germaniques. Napoléon l'adopta comme emblème de l'Empire français en lui gardant le style romain antique, avec un « foudre » orné d'éclairs en zigzag sous les pieds. Par décret du 21-8-1804, un aigle en bronze ciselé fut placé sur la hampe des drapeaux de régiments (remplaçant la pique des armées républicaines, qui elle-même avait remplacé la fleur de lys royale). En 1815, la fleur de lys fut rétablie. Le pavillon personnel de Napoléon Ier, quand il naviguait, portait les armoiries impériales peintes sur la bande blanche centrale. L'aigle de bronze fut rétabli sur la hampe des drapeaux des armées de 1852 à 1870 (IIe Empire).

Abeilles. Insigne de l'Empire napoléonien, remplaçant la fleur de lys comme motif décoratif sur les tentures des bâtiments publics et figurant, à partir de 1812, sur les drapeaux de l'armée, puis en 1814-15 sur le drapeau de l'île d'Elbe. Napoléon les avait choisies comme motif décoratif du manteau impérial pour imiter Childéric Ier dont le tombeau avait été découvert en 1653 [son manteau royal s'était décomposé, mais le tombeau contenait des centaines de cigales d'or qui y avaient été fixées et qui furent prises pour des abeilles (la cigale était un vieux symbole indo-européen, figurant l'immortalité de l'âme et utilisé fréquemment dans le mobilier funéraire)].

Violettes. Sous la 1re Restauration (avril 1814/mars 1815), signe de ralliement des bonapartistes, symbolisant l'espoir de voir Napoléon revenir avec le printemps.

Coq. Symbole de la vigilance et du peuple français, à cause du jeu de mots latin *galus,* « gaulois », et *gallus,* « coq ». Souvent utilisé par les artistes, notamment à partir de 1659 : Colbert, désireux de créer en architecture un ordre français pour les chapiteaux des colonnes, mit au concours un motif de décoration utilisant des coqs au lieu des acanthes corinthiennes (le vainqueur en fut Le Brun : ses chapiteaux en bronze doré sont encore dans la galerie des Glaces à Versailles). En 1665, une médaille officielle fut frappée pour la délivrance du Quesnoy : le coq français met en fuite le lion espagnol. Dès lors, les adversaires des Français, et notamment les Hollandais, emploient le coq pour symboliser la France, dans leurs caricatures et allégories. Le coq qui figure sur le sceau du Directoire ne devint un emblème officiel que sous Louis-Philippe et la IIe République (1830-52) où il figure sur la hampe des drapeaux de régiments. L'idée de remplacer la fleur de lys par un coq avait été lancée en 1820 par le poète Pierre-Jean Béranger (1780-1857) dans la chanson *le Vieux Drapeau.* Sur *le Départ des armées de la République* (connu sous le nom de *la Marseillaise*) de Rude, décorant l'Arc de triomphe de l'Étoile et datant de 1836, les drapeaux sont surmontés d'un coq qu'ils n'avaient pas à l'époque. Depuis 1848, le coq figure sur le sceau de la République (la Liberté assise tient un gouvernail orné d'un coq) ; il a été utilisé à partir de 1899 comme motif des pièces d'or de 20 F. Il est l'emblème officiel des sportifs français dans les épreuves internationales.

Nota. – Le coq des clochers de France ne symbolise pas le peuple gaulois mais probablement l'attente du soleil levant, toujours salué par le chant des coqs. La dévotion au soleil levant, préchrétienne, mais transformée par St Patrick en dévotion au « Soleil de Justice » (c.-à-d. au Christ), était restée vive chez les moines irlandais qui ont rechristianisé la Gaule aux VIe-IXe s. ; ils ont vers cette époque introduit les coqs de clocher sur le continent.

Faisceau de licteurs. Symbole remontant à la République romaine (les magistrats faisaient porter devant eux des verges attachées en faisceaux et servant à donner les bastonnades en public). Utilisé sous la Ire République par les artistes, pour symboliser l'union des 83 départements (généralement surmonté de la pique, arme des « Sections » parisiennes, qui est coiffée du bonnet de la Liberté), sur certains timbres officiels (par ex., sur le papier à lettres de Carnot, ministre de la Guerre). En 1848, et de nouveau après 1870, figure sur le sceau et le contre-sceau de la République tenu par une Liberté assise, œuvre de Jacques-Jean Barre (1793-1855), graveur général de la Monnaie.

Niveau triangulaire. Avec un fil à plomb en son centre. Symbolise l'égalité (2e des idéaux républicains). La fraternité (symbolisée par des mains enlacées) est moins souvent représentée.

Initiales R.F. Adoptées le 15-2-1794 pour figurer sur les drapeaux de l'armée révolutionnaire. Remises à l'honneur en 1877 pour décorer les piques ornant les hampes des drapeaux et les écus de la France considérée comme État souverain (notamment vis-à-vis de l'étranger). Plusieurs projets de 1872 à 77 avaient proposé de remplacer les anciens symboles (fleurs de lys, coq, aigle) par des étoiles. Les lettres R.F. sont peintes en doré sur un fond tricolore ou parfois dorées, mais en relief ou en trompe-l'œil, sur un fond doré.

Buste de Marianne. Figure allégorique de la République (femme coiffée d'un bonnet phrygien). Commence à apparaître dans les mairies après 1877, remplace les bustes de Napoléon III. La « doyenne » dressée en plein air, serait la Marianne de Marseillan (Hérault) en 1878. Le modèle sera, après 1881, la statue monumentale du Triomphe de la République, place de la Nation à Paris, par Jules Dalou (1838-1902). Il y eut de nombreux types réalisés : ex. par Injalbert (1933), Pierre Poisson, Saupique (sous la IVe), Aslan (1969, Brigitte Bardot ; 1985 14-10, Catherine Deneuve).

Origine : La 1re mention écrite du nom de Marianne pour désigner la République est apparue en octobre 1792, à Puylaurens (Tarn), dans la chanson en occitan du chansonnier Guillaume Lavabre, « la Garisou de Marianno » (la Guérison de Marianne). En 1797, ayant réprimé le coup d'État du 18 fructidor de l'an V, le Directoire voulut trouver un nom plaisant pour la République. Lors d'une réception chez Mme Reubell (née Marie-Anne Monhat, 2-1-1759, Colmar), Barras s'enquit de son prénom. « Parfait, dit-il, il est simple, il est bref et sied à la République, autant qu'il sied à vous-même. » Dans sa correspondance secrète avec les généraux hostiles à son ennemi Carnot, il désigna toujours son groupe sous le nom conventionnel de Marie-Anne. En 1811, Napoléon accorda à Mme Reubell une pension à vie de 6 000 livres, mais elle mourut le 8-02-1813 à Sigolsheim (Alsace). Ce surnom fut repris par une société secrète républicaine fondée sous la Restauration et réformée sous le IIe Empire.

Bonnet phrygien de Ravenne

Croix de Lorraine. **Usage récent. Origine.** Souvent appelée « croix d'Anjou » ou « croix d'Anjou-Lorraine », elle figurait dans la symbolique des ducs d'Anjou, devenus ducs de Lorraine à partir de 1473 [René II (1451-1508), fils de Yolande d'Anjou]. Elle représente un reliquaire (contenant une parcelle de la vraie Croix) vénéré par les ducs (apanagés) d'Anjou, depuis Louis Ier (1339-84) qui le fit broder sur sa bannière. Ce reliquaire avait un double croisillon. Le roi René, petit-fils de Louis Ier et duc de Lorraine par mariage, utilisa aussi la croix d'Anjou qui passa au cou des aigles supports des armes ; d'où la croix de Lorraine dans les armoiries (mais pas dans le blason) des ducs de Lorraine et son apparition en France lors de la Ligue (symbole des Guise). Dans son ordre général no 2 du 3-7-1940, le vice-amiral Émile Muselier (1882-1965), nommé l'avant-veille au commandement des forces navales et aériennes françaises libres, créa, pour les forces fr. ralliées à de Gaulle, un pavillon de beaupré (carré bleu avec, au centre, la croix de Lorraine en rouge par opposition à la Cr. gammée) et pour les avions une cocarde à croix de L. Muselier était d'origine lorraine et les armes du 507e Régiment de chars que commandait le colonel de Gaulle au moment de la g. comportaient une croix de L. Le pavillon fut modifié après 2 ou 3 mois : il était trop sombre. Dans le modèle définitif, il était bleu, blanc, rouge ; le blanc étant en forme de losange et chargé d'une croix de L. rouge (non tréflée). (Ce pavillon restera pour les futurs navires de la Marine nat. auxquels sera donné le nom d'un ancien bâtiment des F.N.F.L.) Le symbole a été adopté ensuite par tous les Français libres et figure sur de nombreux insignes (insigne émaillé porté par de Gaulle), monuments, timbres créés sous les gouvernements du Gal de Gaulle (1940-46, puis 1958-69), notamment l'Ordre de la Libération, créé à Brazzaville le 16-11-1940, la médaille de la Résistance, créée à Londres le 9-2-1942, et la méd. commémorative des Services volontaires dans la France libre, créée par décret le 4-4-1946. En 1972, la croix de L. a été choisie comme motif du mémorial Charles-de-Gaulle à Colombey-les-Deux-Églises (Hte-M.). Elle ne figure pas sur les cachets officiels de la Ve Rép. (qui ont conservé le motif de la Liberté assise avec faisceau de licteurs).

Emblèmes de Vichy. **Francisque** (faite d'un fer de hache double découpé dans une cocarde tricolore et d'un manche figurant un bâton de maréchal), emblème du Mal Pétain, elle figurait sur son fanion de voiture et sur le pavillon à la mer. Devenue un insigne politique officiel porté par ses partisans et créé par un arrêté de Pierre Pucheu (15-11-1941), elle pouvait être portée par tout le monde mais sur un écu blanc. **Décoration de la Francisque,** créée par l'arrêté du 26-5-1941 et destinée à récompenser des services rendus à l'État français ; elle était accordée par un Conseil de la Francisque de 12 membres, présidé par le grand chancelier de la Légion d'honneur. **Écu (officieux) de l'État français** tricolore avec au lieu de RF les initiales dorées PP (le 1er P tourné vers la gauche) pour Philippe Pétain. Il y eut des projets d'armoiries officielles de l'État français.

Drapeaux

Ancien Régime

Oriflamme de St-Denis. Bannière allongée, en soie légère, rouge uni, terminée par des queues [5, 3 ou 2 selon les exemplaires (car elle a été refaite souvent)]. Son nom est attesté pour la 1re fois dans la *Chanson de Roland* (1080) sous la forme *orie flambe* [du latin *aurea flammula,* « petite flamme » (c.-à-d. bannière) « dorée »]. Il désigne la bannière de Charlemagne. Il semble que l'épithète « dorée » s'applique à la lance sur laquelle était fixée la « flamme » rouge. Mais la soie elle-même n'a jamais eu de motifs décoratifs dorés : elle était frangée de houppes vertes. La bannière rouge de Charlemagne était celle de la ville de Rome, remise au futur empereur par le pape Léon

III en 796 (sa couleur est celle de la pourpre impériale romaine). Les rois carolingiens, puis capétiens, l'ont utilisée comme insigne de la dignité souveraine.

A partir de 1124, cette bannière impériale et royale a été remplacée (fortuitement, semble-t-il) par celle de l'abbaye de St-Denis, qui était également rouge (à cause du sang des martyrs) : le roi Louis VI, qui avait perdu son étendard à la bataille de Brémule en 1119, alla prendre sur l'autel de l'abbaye le vexillum rouge des avoués de St-Denis (les rois de France portaient ces titres, étant devenus comtes du Vexin sous le règne de Philippe Ier). Dès lors, la tradition s'établit (chaque fois que le roi convoquait sa noblesse pour une expédition militaire) d'aller chercher l'étoffe sur le reliquaire de St-Denis et de la brandir rituellement. On a dénombré 21 « levées d'oriflamme » entre 1124 et 1386 ; et encore plusieurs après la g. de Cent Ans. A Azincourt (1415) l'oriflamme fut perdue et ne reparut jamais sur un champ de bataille bien qu'elle ait été levée une dernière fois sous Louis XI.

Bannière des croisades. Les rois de Fr. utilisaient comme *gonfanon* (étendard de combat, fixé à une pique) l'oriflamme de St-Denis, et comme *fanions de commandement* (indiquant leur présence aux troupes) des pièces d'étoffe portées par des officiers : d'abord bannière de Fr. héraldique, puis *pennon* lui aussi héraldique, puis *cornette blanche.* Dep. 1188, ils levaient la bannière que les Croisés français avaient choisie comme signe de ralliement : une croix rouge sur un fond blanc. A la fin du XIIIe s., les Anglais prirent la croix rouge dite de St-Georges, que les Français abandonnèrent pour la blanche au milieu du XIVe s. ; le parti anti-anglais (Armagnacs) qui soutenait Charles VII adopta la croix blanche qui figura sur les enseignes des régiments d'infanterie jusqu'à la fin de l'Ancien Régime.

Écharpes blanches. Jusqu'à la Révolution, chaque régiment, bataillon ou escadron avait son drapeau, de couleurs, de dessin, de forme et de dimensions différents. La croix blanche de Charles VII et les fleurs de lys figuraient sur la majorité. Depuis la bataille de Fleurus (1690), où les artilleurs français avaient tiré sur des régiments d'infanterie française dont ils n'avaient pas identifié les couleurs, tous les drapeaux reçurent, comme signe distinctif commun, une écharpe blanche nouée au sommet de la hampe : le blanc a été de 1638 à 1790 la couleur du drapeau royal et du pavillon de marine. De 1814 à 1830, il a été aussi la couleur des drapeaux de l'armée royale.

Après la Révolution

Cocardes tricolores. Créées le 26 ou 27-7-1789 pour la Garde nat. de Paris, par le 4e bureau du Comité militaire provisoire de la Ville de Paris. Ce fut La Fayette qui fit mettre du blanc à la cocarde bleu et rouge de cette garde, elle fut adoptée par l'Assemblée des représentants de la commune (1re cocarde le 2-8-1789).

Drapeaux tricolores. **1790**-*19-10* le député Menou propose à l'Assemblée nationale constituante que le pavillon blanc de la marine soit remplacé par le pavillon tricolore. Mirabeau appuie cette proposition. *22-10* un décret de l'Assemblée décide que sur mer, le pavillon national serait blanc avec un quartier tricolore, au lieu de l'écu aux armes royales de France. La cravate blanche des drapeaux de l'armée est remplacée par la cravate tricolore. *24-10* ordonnance : *Art. 1 :* le pavillon de beaupré sera composé de *3 bandes égales* et posées verticalement. La plus près du bâton sera rouge, celle du milieu blanche et l'autre bleue. *Art. 2:* le pavillon de poupe (vaisseaux de guerre et bâtiments de commerce) portera dans son quartier supérieur le pavillon de beaupré cidessus décrit. Cette partie du pavillon sera exactement le 1/4 de la totalité et environné d'une bande étroite dont la moitié sera bleue et l'autre rouge. Le reste du pavillon sera blanc. Pavillon de poupe 2 × 3. Cadre bleu-rouge de 3 unités contre une unité pour le liséré blanc. **1792**-*21-9* proclamation de la République ; de nombreux marins sont indignés de voir la livrée du « Tyran » occuper une place sur les pavillons. **1794**-*15-2* (27 pluviôse, an II) Jean Bon Saint-André, rentrant de Brest, rapporte à la Convention « qu'un drapeau qui n'était pas celui de la Révolution flottait encore sur nos vaisseaux ». Le peintre David, consulté, aurait proposé d'étendre les 3 couleurs du canton à l'ensemble du pavillon en les intervertissant. Un décret supprime le pavillon décrété par l'Assemblée nationale constituante. Le *pavillon national* sera formé des 3 couleurs nationales *disposées en 3 bandes égales* posées verticalement (le bleu attaché à la gauche, le blanc au milieu et le rouge flottant dans les airs). *Pavillon de beaupré et pavillon ordinaire de poupe* seront disposés de la même manière en observant proportions et grandeurs établies par l'usage (dont 2 × 3 encore en usage aujourd'hui). *La flamme* sera pareillement formée des 3 couleurs (1/5 bleu, 1/5 blanc et 3/5 rouge : proportions modifiées en 1838). Le pavillon national sera arboré sur tous les vaisseaux le 1er jour de prairial (20-5-1794). Ce pavillon de marine s'imposera progressivement à terre en tant que *drapeau national.* **1791 à 1794,** les régiments d'infanterie conservent des drapeaux carrés à croix blanche. **1792**-*22-11* les fleurs de lys sont recouvertes par des losanges tricolores. **1794** les demi-brigades qui remplacent les régiments ont des drapeaux avec les couleurs tricolores disposées de façons diverses. Les *croix disparaissent sur les drapeaux militaires.* **1804** Napoléon attribue aux régiments d'infanterie le drapeau au carré central blanc avec les triangles des 4 angles alternativement bleus et rouges. **1812** il leur donne un drapeau carré tricolore (les couleurs sont disposées comme celles du drapeau national (à l'origine pavillon de la marine de 1794). **1814 Restauration** adopte le drapeau blanc découlant du pavillon repris par la marine. Le drapeau blanc restera le signe de ralliement des royalistes jusqu'à 1904. Puis, sous l'influence de l'Action française, ralliée aux Orléans, les monarchistes fr. ont généralement adopté le drapeau tricolore mais les légitimistes, fidèles aux aînés des Bourbons (d'Espagne), ont gardé le drapeau blanc. **1830**-*1-8* ordonnance de Louis-Philippe, lieutenant-général du royaume, reprenant le drapeau tricolore de 1794. **1836** un tableau donne les dimensions et proportions des couleurs des pavillons (encore en vigueur) (marques distinctives et flamme dans la marine). *Pavillon :* bleu 0,30, blanc 0,33, rouge 0,37. *Flamme de guerre :* 0,20, 0,20, 0,60. **1853**-*17-5* cette disposition reprend le règlement publié notamment dans l'album des pavillons du capitaine de frégate Le Gras, édité 1858.

France libre (1940-43), *1er pavillon de beaupré* des Forces navales françaises libres (F.N.F.L.). Créé par le vice-amiral Muselier et approuvé par de Gaulle. D'après l'ordre général n° 2 du 2-7-1940, les bâtiments de guerre et de commerce des F.N.F.L. porteront à la poupe le pavillon national français et, à la proue, le pavillon carré bleu orné au centre de la croix de Lorraine en rouge. **1941**-*7-6* ce pavillon, abandonné pour des raisons de visibilité, est remplacé par un 2e modèle utilisé par les bâtiments de guerre des F.N.F.L. Le pavillon de beaupré des navires de commerce a les 4 angles bleus. Dans les territoires d'Afrique et d'Océanie ralliés apparurent des drapeaux tricolores (non officiels) chargés d'une croix de L. dans le blanc. *Flamme nationale des Forces françaises libres :* seul emblème officiel à croix de L. utilisé à terre : tricolore, rectangle allongé (sa longueur est 4 fois sa largeur). Créée par décret du 7-9-1940 du colonel de Larminat assumant depuis le 29-8 à Brazzaville les pouvoirs dans la partie de l'A.E.F. ralliée. La croix de Lorraine en rouge sur le blanc est posée verticalement dans le sens de la plus petite largeur. **1943** les F.N.F.L. deviennent les Forces navales en G.-B. (F.N.G.B.). *22-10* décret, les bâtiments ayant fait partie des F.N.F.L. auront le droit de porter un pavillon de beaupré particulier : celui du 7-6-1941, mais rectangulaire (2 × 3).

Règlement actuel

La Constitution du 27-10-1946 (art. 2) déclarait : l'emblème national est le drapeau tricolore bleu, blanc et rouge à 3 bandes verticales d'égales dimensions. Pour les navires français, l'emblème est resté le pavillon de poupe tricolore bleu, blanc, rouge à 3 bandes verticales, la taille variant selon navires et circonstances. La Constitution de 1958 indique simplement (art. 2) que l'emblème national est le drapeau tricolore bleu, blanc, rouge.

• **Armée de terre. Emblèmes. Drapeau** (0,90 cm de côté), régiments d'Infanterie, du Génie, des Transmissions et des Écoles. **Étendard** (0,64 cm), corps de l'arme blindée et cavalerie, de l'artillerie, du train et de l'aviation légère de l'armée de terre, matériel.

L'emblème – réglementaire dep. avant 1880 – est constitué d'un tablier à 3 bandes verticales : bleue, blanche et rouge. Il est fixé à une hampe en bois de 2 m terminée par une pique à 2 cartouches dont l'un porte RF et l'autre l'appellation du régiment. Une *cravate tricolore* à 2 pans est fixée à cette pique. **Inscriptions.** *A l'avers du tablier* « République française » et le nom du régiment (encadrés par 4 couronnes de feuilles de chêne et de laurier). *Au revers* « Honneur et Patrie » et, en dessous, une devise. *Ex. :* Polytechnique (« Pour la Patrie, les sciences, la gloire »), St-Cyr (« Ils s'instruisent pour vaincre »), Légion étrangère (« Honneur et fidélité »), Sapeurs-pompiers de Paris (« Dévouement et discipline ») ou des noms de batailles. Le drapeau des Invalides porte l'inscription « Tous les champs de bataille ». Avant août 1880, drapeaux et étendards ne portaient que 4 inscriptions de bataille rappelant les combats où ils s'étaient illustrés dep. la Révolution. En 1914-18, on porta ce nombre à 8, en 1939-45 à 12 avec quelques exceptions (max. : 15 sur le 2e régiment d'infanterie coloniale).

Décorations. *Légion d'honneur* apparut en 1859 sur les drapeaux des corps qui se sont emparés d'un drapeau ennemi (le 2e régiment de zouaves fut le premier à en être décoré pour la prise d'un drapeau autrichien, le 4-6-1859, à Magenta). Pendant la g. de 1914-18, on décida d'épingler des *croix de g.* sur la cravate de l'emblème des corps qui s'étaient distingués, et des *fourragères* aux couleurs correspondant au ruban de la Légion d'honneur, de la Médaille militaire ou de la croix de g. [la couleur de la fourragère variant selon le nombre de citations à l'ordre de l'Armée (6-4 ou 2) au cours d'une même campagne].

Actuellement, les *2 drapeaux les plus décorés* sont ceux du Régiment d'Infanterie-Chars de Marine (17 citations) et du 3e Régiment étranger d'Inf. (16).

Couleurs des fourragères. Celles des rubans de la croix de guerre (pour 2 ou 3 citations à l'ordre de l'armée) ; médaille militaire (pour 4 ou 5 c.) ; Légion d'honneur (pour 6 à 8 c.), Légion d'honneur et croix de guerre (pour 9 à 11 c.) (ex. du R.I.C.M.) ; Légion d'honneur et Méd. mil. (pour 12 à 14) ; double Légion d'honneur pour 15 et plus (ces fourragères n'ont jamais été attribuées). Il n'existe pas de fourragères aux couleurs du ruban de la croix de g. 1939-45. Seule, celle aux couleurs du ruban de la croix de g. 1914-18 avec une olive aux couleurs de la croix de g. 1939-45, placée au-dessus du ferret est réglementaire. Les fourr. aux couleurs du ruban de la L. d'honneur et de la Méd. mil. accordées pour la g. de 1939-45 portent une olive semblable. Les unités ayant reçu des fourr. au titre des 2 g. mondiales portent audessus du ferret un système d'olives qui permet de différencier l'origine des citations. La fourr. aux couleurs du ruban de la croix de g. des T.O.E. est toujours portée distinctement. Lorsque les citations permettent l'obtention d'une fourr. d'un niveau supérieur (Méd. mil. ou Légion d'hon.), une olive aux couleurs du ruban de la croix de g. des T.O.E. est placée au-dessus du ferret.

Décorations françaises. Les cravates des emblèmes peuvent recevoir : Légion d'honneur, croix de g., ordre de la Libération, Méd. militaire (cas du R.I.C.M.), et Méd. des évadés (2e Dragons : cas unique). *Ordres étrangers.* Pouvaient être portés sur la cravate d'un emblème jusqu'à la décision ministérielle du 29-12-1953 qui a invalidé cette mesure.

• **Marine nationale. Drapeau.** Symbole de la patrie et de la personnalité morale de la formation à laquelle il est attribué. Carré à 3 bandes égales en largeur. La Marine possède 11 drapeaux dont 8 en service, attribués à des unités combattantes ou formations spécialisées à terre d'un niveau équivalent à celui du régiment.

Pavillon. Symbole de la patrie et marque de nationalité à bord des bâtiments. A la mer, arboré dans le mât en tout temps. Au mouillage, p. de poupe (p. principal) et p. de beaupré sont arborés entre les couleurs du matin et celles du soir. *Modèles :* 16 suivant navires et circonstances. *Longueur* (battant) 0,75 à 13,50 m. *Hauteur* (guindant) égale aux 2/3 du battant. *Proportions des couleurs :* bleu 30/100 du battant, blanc 33/100 et rouge 37/100.

Flamme. En tête de mât en toutes circonstances. *Modèles :* 10 de 1 à 20 m de long, le battant valant 20 fois le guindant pour les plus petites, 133 fois pour les plus grandes. *Proportions des couleurs :* bleu 20/100 du battant, blanc 20/100 et rouge 60/100.

Fanion. On distingue : *f. d'unité* (symbole de la personnalité morale de l'unité à laquelle il est attribué, celle-ci ne pouvant prétendre à un drapeau) et *f. d'autorité* (marque de commandement arborée sur une voiture ou un aéronef au sol).

Marques. De commandement. *Officiers généraux de Marine* (amiraux) : pavillons carrés avec étoiles, bleu 30/100 du battant, blanc 33/100 et rouge 37/100. *Officiers supérieurs :* guidons (2 pointes) et triangle (1 pointe), le battant égal à 2 fois le guindant, bleu 23,5/100 du battant, blanc 26,5/100 et rouge 50/100. **Honorifiques.** Pavillons carrés avec différents motifs

Quels sont les personnages inhumés au Panthéon ?

Ancien régime. 1744 Louis XV fait le vœu, s'il guérit, de construire une nouvelle église à Ste Geneviève. **1755** Soufflot commence les travaux. **1764**-6-9 L. XV pose la 1re pierre (Soufflot meurt le 5-1-1780). **1789** achevée par Rondelet.

Sous la Révolution. 1791-2-4 à la mort de Mirabeau, le procureur général-syndic de la Seine, Claude-Emmanuel Pastoret (1756-1840 ; marquis 1817), à la tête d'une délégation, demande à l'Assemblée constituante que le nouvel édifice soit destiné à recevoir les cendres des grands hommes de l'époque de la liberté française ; le décret est aussitôt voté. (*Art. 2,* le corps législatif décidera seul à qui cet honneur sera décerné, *3,* Mirabeau est jugé digne). L'Église est transformée par Quatremère de Quincy, tours-clochers rasées, baies et portails latéraux murés. Le fronton représente la Patrie couronnant la Vertu tandis que la Liberté saisit par leurs crinières 2 lions attachés à un char qui écrase le Despotisme, et qu'un Génie terrasse la Superstition, avec l'inscription : « Aux grands hommes, la Patrie reconnaissante » ; la croix du dôme qui occupe provisoirement la place d'une statue de Ste Geneviève est remplacée par une *Renommée* de Dejoux, de 9 m de haut, embouchant une trompette. **1791**-4-4 transfert de *Mirabeau,* -12-12 de *Voltaire* (1694-1778). **1792**-12-12 décision de transférer le commandant Jean-François de *Beaurepaire,* suicidé lors de la reddition de Verdun. **1793** janvier transfert du député *Le Pelletier de Saint-Fargeau,* assassiné le 21-1 (pour avoir voté la mort de Louis XVI), il sera plus tard inhumé au château de St-Fargeau (Yonne). 21-9 Marie-Joseph Chénier démontre la collusion de Mirabeau avec la cour et propose le transfert de Marat au Panthéon à la place de Mirabeau. 28-12 la Convention décide le transfert de Joseph Bara (1779-93), tué en Vendée. Le transfert solennel prévu pour le 10 thermidor an II (28-7-1794) sera décommandé le 9. **1794**-21-9 transfert de *Marat.* Mirabeau est réinhumé au cimetière de St-Étienne-du-Mont. 9-10 transfert de Jean-Jacques *Rousseau* (1712-78) (restes). **1795**-8-2 la Convention (avec effet rétroactif) décrète que les honneurs au Panthéon ne peuvent être accordés que 10 ans après la mort d'un citoyen. 14-2 on peut ainsi retirer Marat qui est réinhumé à St-Étienne-du-Mont.

Sous l'Empire. 1806-20-2 un décret rend le Panthéon au culte sous le nom d'église Ste-Geneviève et la consacre à la sépulture des « citoyens », dans « la carrière des armes ou dans celle de l'administration et des lettres, ayant rendu d'éminents services à la Patrie ». 39 sont ainsi transférés : **Cercueils.** *Béguinot* (François-Barthélemy, Cte) 1757-1808, général de division, sénateur. *Bévière* (Jean-Baptiste-Pierre) 1723-1807, membre de l'Assemblée constituante, notaire et maire à Paris, sén. *Bougainville* (Louis-Antoine, Cte de) 1729-1811, vice-amiral, membre de l'Institut et du Bureau des longitudes. *Brissac* (Hyacinthe-Hugues-Timoléon de Cossé, Cte de) 1746-1813, ancien maréchal de camp du roi, sénateur, chambellan de Madame, mère de l'Empereur. *Cabanis* (Pierre-Jean-Georges) 1757-1808, sénateur, membre de l'Institut. *Caprara* (Jean-Baptiste) 1733-1810, cardinal archevêque de Milan. *Caulaincourt* (Gabriel-Louis, Cte de) 1740-1808, sénateur. *Champmol* (Emmanuel Cretet, Cte de) 1747-1809, min. de l'Intérieur et min. d'État. *Choiseul-Praslin* (Antoine-César de) 1756-1808, sénateur. *Demeunier* (Jean-Nicolas, Cte) 1751-1814, sénateur de Toulouse. *Erskine* (Charles) 1743-1811, cardinal-diacre de Ste-Marie-dans-le-Portique. *Fleurieu* (Charles-Pierre Claret, Cte de) 1738-1810, sénateur, conseiller d'État, gouverneur des palais des Tuileries et du Louvre, membre de l'Institut. *Ham* (Ignace Jacqueminot, Cte de) 1754-1813, sénateur du Nord. *Laboissière* (Pierre Garnier, Cte de) 1754-1809, gén. de division, sénateur, chambellan de l'Empereur. *Lagrange* (Joseph-Louis, Cte) 1736-1813, sénateur, membre de l'Institut et du Bureau des longitudes. *Legrand* (Claude-Juste-Alexandre, Cte) 1762-1815, pair de France, lieutenant gén. des armées du roi. *Lepaige-Dorsenne* (François) 1753-1812, gén. de division, chambellan de l'Empereur, colonel des grenadiers à pied de la garde impériale. *Mareri* (Hippolyte-Antoine-Vincent) 1738-1811, cardinal-évêque de Sabine. *Massa* (Claude-Ambroise *Régnier,* duc de) 1736-1814. *Montebello* (maréchal *Lannes,* duc de) 1769-1809. *Ordener* (Cte) 1755-1811, sénateur, gouverneur du palais de Compiègne. *Papin* (Jean-Baptiste) 1756-1809, sénateur. *Perrégaux* (Jean-Frédéric, Cte de) 1744-1808, sénateur. *Petiet* (Claude) 1759-1806, min. de la Guerre, sénateur. *Portalis* (Jean-Étienne) 1746-1807, min. des Cultes et membre de l'Institut. *Resnier* (Louis-Pierre-Pantaléon) 1752-1807, sénateur. *Reynier* (Jean-Louis-Ebenezer, Cte) 1771-1814, gén. en chef. *Rousseau* (Jean, Cte) 1738-1813, sénateur. *Saint-Hilaire* (Louis-Joseph-Vincent Leblond de) 1764-1809, gén. de division. *Songis* (Nicolas-Marie) 1761-1810, inspecteur gén. d'artillerie. *Thévenard* (Antoine-Jean-Marie) 1733-1815, vice-amiral, pair de Fr. *Treilhard* (Jean-Baptiste, Cte) 1742-1810, min. d'État, Pt au Conseil d'État. *Tronchet* (François-Denis) 1726-1807, sénateur d'Amiens. *Vien* (Joseph-Marie, Cte) 1716-1809, sénateur, membre de l'Institut, professeur-recteur des écoles spéciales des Beaux-Arts. *Viry* (François-Marie-Joseph-Justin) 1737-1813, sénateur, chambellan de l'Empereur. *Walther* (Frédéric-Henry, Cte) 1761-1814, lieutenant-gén., col. des grenadiers à cheval de la garde impériale. *Winter* (S.E. Jean-Guillaume, Cte de) 1761-1812, vice-amiral. **Urnes (avec des cœurs).** *Durazzo* (Jérôme-Louis-François-Joseph, comte) 1739-1809, sénateur. *Hureau de Sénarmont* (Alexandre-Antoine, baron) 1769-1810, gén. de div. *Malher* (Jean-Pierre-Firmin) 1761-1808, gén. de division. *Morand de Galles* (Justin-Bonaventure, Cte) 1741-1809, sénateur. *Sers* (Pierre, Cte) 1746-1809, sénateur.

Sous la Restauration. 1822-3-1 l'église est inaugurée. Sur le fronton, nouvelle inscription : *DOM sub invocat. S. Genovefae. Lud. XV dicavit. Lud. XVIII restituit* (Louis XV a dédié cette église au seigneur sous l'invocation de Ste Geneviève. L. XVIII l'a restaurée). On relégua sous le péristyle les dépouilles de Voltaire et Rousseau en dehors du périmètre qu'allait bénir l'archevêque de Paris, Mgr de Quélen. Selon une légende (contredite en 1897 par une enquête officielle), des ouvriers, conduits par un gentilhomme de la Chambre, auraient violé, de nuit, leurs tombes, mis leurs restes dans un sac qu'ils auraient vidé à la campagne. **1829** transfert de Soufflot.

Monarchie de Juillet. 1830-26-8 redevient Panthéon. **1831**-3-7 David d'Angers refait le fronton : la Patrie distribue des couronnes que lui tend la Liberté tandis que l'Histoire prend note. A gauche, les civils : Malesherbes, Mirabeau, Monge, Fénelon, Manuel, Carnot, Berthollet, Laplace, Louis David, Cuvier, La Fayette, Voltaire, Rousseau et Bichat ; à droite, les militaires : Bonaparte, des soldats de toutes armes, le grenadier Trompe-la-Mort, l'enfant qui battait la charge au pont d'Arcole et des polytechniciens. On remet l'inscription « Aux grands hommes... ».

IIe Empire. 1851-6-12 redevient église Ste-Geneviève (basilique nationale). On enlève l'inscription « Aux grands hommes », on remet une croix sur le dôme.

IIIe République. 1871-2-4 la Commune scie la croix. **1873** juillet une croix de pierre est remise. **1885**-28-5 redevient Panthéon. **Transferts : 1885**-1-6 *Victor Hugo* (1802-85) écrivain. **1889**-4-8 *Lazare Carnot* (1753-1823), mathématicien conventionnel surnommé l'« Organisateur de la Victoire ». *Théophile de La Tour d'Auvergne* (1743-1800), « 1er grenadier de France » (cœur aux Invalides). *Jean-Baptiste Baudin* (1811, tué sur les barricades le 3-12-1851). *François Marceau* (1769-96), général (1/3 de son corps, le reste est aux Invalides et à Chartres). **1893** *Victor Schoelcher* (1804-93), antiesclavagiste, sénateur inamovible, et son père *Marc* (vœu de Victor de reposer auprès de son père). **1894**-29-6 *Sadi Carnot* (1837/assassiné 24-6-1894), Pt de la République. **1907**-25-3 *Marcelin Berthelot* (1827-1907), chimiste et ancien min. des Aff. étr., et sa femme (1837-1907) morte le même jour. **1908** *Émile Zola* (1840-1902), romancier. **1920**-11-11 *Gambetta* (cœur, son corps est à Nice). **1924**-23-11 *Jean Jaurès* (1859/assassiné 31-7-1914), fondateur de l'*Humanité.* **1933**-*4-11 Paul Painlevé* (1863-1933), mathématicien, Pt du Conseil (1917 et 1925).

IVe République. 1948-17-11 *Paul Langevin* (1872-1946), savant. *Jean Perrin* (1870-1942), savant. **1949**-20-5 *Félix Éboué* (Cayenne 1884-1944), 1er Noir gouverneur des colonies [Guadeloupe puis Tchad 1938 (1er territoire rallié à la France libre 1940), puis A.E.F. en 1940]. **1952**-22-6 *Louis Braille* (1809-52).

Ve République. 1964-18-12 *Jean Moulin* (1899-1943), préfet (chef du C.N.R.). **1987**-5-10 *René Cassin* (1887-1976), juriste, prix Nobel de la Paix. **1988**-9-11 *Jean Monnet* (1888-1979), un des « pères » de l'Europe. **1989**-12-12 *abbé Grégoire* (1750-1831). *Gaspard Monge* (1746-1818) Cte de Péluse, mathématicien. *Condorcet* (Marie Jean Antoine Caritat, Mis de) 1743-94, mathématicien, philosophe, économiste, conventionnel ; proscrit sous la Terreur, arrêté à Bourg-la-Reine (alors Bourg-Égalité), s'empoisonne dans sa prison pour échapper à l'échafaud le 29-3-1794 ; le lendemain son corps fut amené au cimetière et jeté dans une fosse commune. Le cimetière a disparu, nul ne sait où Condorcet repose. Dans la crypte, un tombeau vide rappelle sa mémoire.

marquant la présence à bord d'une personnalité de la Défense nat. ou d'un officier gén. extérieur à la Marine (armées de Terre et de l'Air).

Cérémonial des couleurs (au mouillage uniquement). On « envoie » (hisse) les couleurs à 8 h chaque matin ; on les rentre le soir au coucher du soleil, ou à 20 h quand le soleil se couche plus tard ; on ne les amène qu'en cas de reddition. Au moment de l'envoi des couleurs (matin et soir), la garde présente les armes, le factionnaire tire un coup de fusil à blanc. Les honneurs sont rendus au clairon (sonnerie « Au drapeau ») ou au sifflet de manœuvre (à roulette). **Salut aux navires.** Les navires de commerce saluent les nav. de guerre en rentrant et rehissant leur pavillon de poupe 3 fois de suite. Le nav. de guerre rend le salut en « marquant » son pavillon (en le baissant et en le rehissant du 1/4 de sa hauteur). **Deuil.** Mise en « berne » du pavillon.

Code international des signaux flottants. Pavillons et guidons alphabétiques, flammes numériques, « substituts » triangulaires et autres signaux flottants sont hissés, marqués et amenés selon un code. L'article 257 du Code pénal punit d'un emprisonnement de 1 mois à 2 ans et d'une amende de 500 F à 30 000 F toute destruction ou dégradation volontaires d'un « objet destiné à la décoration publique et élevé par l'autorité publique ou avec son autorisation ». Dans le cadre d'une manifestation indépendantiste, elles peuvent être considérées comme une atteinte à la Défense nationale. Commises par un militaire, elles sont réprimées par le Code de justice militaire (6 mois à 5 ans d'emprisonnement, et éventuellement destitution ou perte du grade).

Hymnes nationaux

• **Ancien Régime.** Les airs officiels étaient des hymnes religieuses, choisies selon les circonstances. Ainsi, pour le départ de la flotte des Croisés à Aigues-Mortes en 1248, l'hymne chantée a été le *Veni Creator.* Il était coutumier au cours d'une cérémonie publique (qui était toujours religieuse) de chanter le motet *Domine salvum fac Regem* à l'arrivée du roi. En 1686, lorsque Louis XIV vint inaugurer la maison d'éducation de Saint-Cyr, Mme de Maintenon fit chanter à ses élèves une adaptation française de ce répons, *Dieu protège le Roi* (musique de Lully). Cette hymne serait devenue, en sept. 1745, le *God Save the King* britannique [introduit par Mme de Maintenon à la cour des Stuart à St-Germain-en-Laye, il aurait été chanté par les partisans de Jacques III Stuart, débarqué en G.-B. en août 1745, et adopté par leurs adversaires hanovriens. Le 19-7-1819, 3 dames de St-Cyr (Mmes Thibault de La Noraye, de Moutiers et de Palagny) ont attesté devant le maire de St-Cyr (qui a légalisé les signatures) que le motet était dans la tradition de St-Cyr (document publié en 1900). Au musée de Versailles, on trouve une horloge de la 1re moitié du XVIIIe s., donnant en carillon l'air du *God Save the King*].

• **Ire République. La Marseillaise.** De Claude-Joseph Rouget de Lisle (1760/26-6-1836). Capitaine du génie en garnison à Strasbourg, il compose cet air (qui lui avait été demandé chez le maire le soir du 24-4-1792) dans la nuit du 24 au 25. Le 25 à 10 h du matin il le joue au clavecin chez Dietrich, 4 cours de Broglie, devant 10 personnes l'appelant « Hymne de guerre dédié au maréchal de Luckner ». Le 29-4 l'hymne (dont Dietrich a commandé une orchestration très simple) est joué sur la place d'armes de Strasbourg par la garde nationale. Le chant est imprimé et répandu dans toute la France. Le 22-6, un étudiant

La Marseillaise

1er couplet

Allons enfants de la patrie,
Le jour de gloire est arrivé !
Contre nous de la tyrannie
L'étendard sanglant est levé ! (bis)
Entendez-vous dans les campagnes,
Mugir ces féroces soldats ?
Ils viennent jusque dans nos bras
Égorger nos fils, nos compagnes !

Refrain

Aux armes, citoyens !
Formez vos bataillons !
Marchons ! Marchons !
Qu'un sang impur
Abreuve nos sillons !

6e couplet

Amour sacré de la patrie,
Conduis, soutiens nos bras vengeurs !
Liberté, Liberté chérie,
Combats avec tes défenseurs ! (bis)
Sous nos drapeaux, que la victoire
Accoure à tes mâles accents !
Que tes ennemis expirants
Voient ton triomphe et notre gloire !

7e couplet

Nous entrerons dans la carrière
Quand nos aînés n'y seront plus ;
Nous y trouverons leur poussière
Et la trace de leurs vertus. (bis)
Bien moins jaloux de leur survivre
Que de partager leur cercueil,
Nous aurons le sublime orgueil
De les venger ou de les suivre !

Couplets inusités aujourd'hui

2e couplet

Que veut cette horde d'esclaves,
De traîtres, de rois conjurés ?
Pour qui ces ignobles entraves,
Ces fers dès longtemps préparés ? (bis)
Français ! pour nous, ah ! quel outrage !
Quels transports il doit exciter !
C'est nous qu'on ose méditer
De rendre à l'antique esclavage !

3e couplet

Quoi ! ces cohortes étrangères
Feraient la loi dans nos foyers !
Quoi ! ces phalanges mercenaires
Terrasseraient nos fiers guerriers ! (bis)
Grand Dieu ! par des mains enchaînées
Nos fronts sous le joug se ploiraient !
De vils despotes deviendraient
Les maîtres de nos destinées !

4e couplet

Tremblez, tyrans ! et vous, perfides,
L'opprobre de tous les partis,
Tremblez ! vos projets parricides
Vont enfin recevoir leur prix ! (bis)
Tout est soldat pour vous combattre.
S'ils tombent, nos jeunes héros,
La France en produit de nouveaux,
Contre vous tout prêts à se battre !

5e couplet

Français, en guerriers magnanimes,
Portez ou retenez vos coups !
Épargnez ces tristes victimes,
A regret s'armant contre nous. (bis)
Mais ces despotes sanguinaires,
Mais ces complices de Bouillé,
Tous ces tigres qui, sans pitié,
Déchirent le sein de leur mère !...

Couplet supprimé par Servan, min. de la Guerre

Dieu de clémence et de justice
Vois nos tyrans, juge nos cœurs.
Que ta bonté nous soit propice,
Défends-nous de ces oppresseurs...
Tu règnes au ciel et sur terre
Et devant Toi, tout doit fléchir,
De ton bras, viens nous soutenir.
Toi, grand Dieu, maître du tonnerre...

de Montpellier, François Mireur († 10-7-1798, général en Égypte), en ayant eu un exemplaire, le chante dans un banquet civique que la ville de Marseille offre à 500 volontaires partant pour Paris. Un musicien enthousiasmé, Vernade, le déclame devant la garde assemblée. Les Marseillais l'adoptent comme chanson de marche. Le 30-7-1792, les fédérés marseillais entraient à Paris aux accents du *Chant de guerre pour l'armée du Rhin,* rebaptisé par les Parisiens *la Marseillaise.*

On a dit que la mélodie serait d'Ignaz Pleyel (1757-1831), ami de Rouget de Lisle. Compositeur autrichien, 10 ans maître de chapelle à la cathédrale de Strasbourg, il l'aurait composée au château des comtes d'Andlau d'Ittenwiller près de Bar (Bas-Rhin). En 1886, Arthur Loth l'attribua à Jean-Baptiste Grisons (Lens 1746/16-6-1815) chef de la maîtrise de la cath. de St-Omer (la marche d'Assuérus de son oratorio *Esther,* composé en 1787, aurait la même mélodie) mais Grisons ne l'a jamais revendiquée. D'autres ont parlé d'Alexandre Boucher, surnommé l'Alexandre des violons (il l'aurait écrite en 1792, à la demande d'un colonel qui devait se rendre le lendemain à Marseille et voulait une marche pour la musique de son régiment). Enfin, on a constaté des similitudes avec le concerto pour clavecin et orchestre en mi bémol majeur de Carl Philipp Emanuel Bach (1714-88), fils de J.-S. Bach, ou avec un thème du 1er mouvement allegro maestoso du concerto pour piano et orchestre en fa majeur de 1786 de Mozart (1756-91). Le 7e couplet, attribué successivement au poète Lebrun (1764-1811), à Louis Dubois (1793-1859), à Marie-Joseph Chénier (1729-1807) et à d'autres, semble être de l'abbé Antoine-Dorothée Pessonneaux († 1835) qui l'aurait composé pour la fête organisée à Vienne (Isère) le 14-7-1792 en l'honneur des Marseillais se rendant à Paris.

Le décret de la Convention du 26 messidor an III (14-7-1795) dispose que les airs et chants civiques (dont *la Marseillaise*), qui ont contribué au succès de la Révolution, seront exécutés par les corps de musique des gardes nationales et les troupes de ligne. Le comité militaire est chargé de les faire exécuter chaque jour par la garde montant du Palais national. En conséquence, il y a lieu de se conformer à cette loi dans toutes les circonstances où les musiques militaires sont appelées à jouer un air officiel.

En 1795, Étienne Méhul (1763-1817), chargé d'arranger pour plusieurs voix la musique, y introduisit des changements qui ont subsisté. En 1887, elle fut transformée en marche militaire par une commission musicale nommée par le général Boulanger et présidée par Ambroise Thomas (1811-96). Le 11-11-1974, par ordre du Pt Giscard d'Estaing, elle a été réarrangée d'après les partitions anciennes et réharmonisée avec un rythme différent [en particulier, la 2e note *(sol dièse)* de la version Ambroise Thomas a été changée en *mi*]. En 1981, on est revenu au rythme précédent.

• **Ier Empire.** Napoléon n'avait pas d'hymne national. Il faisait chanter par son clergé le répons *Domine salvum fac Imperatorem.* L'hymne *Veillons au Salut de l'Empire* [utilisant sur une musique de Nicolas Dalayrac (1753-1809) la romance *Vous qui d'amoureuse aventure,* tirée de l'opéra-comique *Renaud d'Ast* (1787)] était souvent joué par ses musiques militaires, mais il n'était jamais chanté, les paroles étant « libertaires » (le mot *Empire,* figurant dans le titre, signifiait « État » et était couramment utilisé pour désigner le royaume de France dep. Louis XVI). L'auteur de ces paroles était le journaliste girondin Joseph-Marie Girey-Dupré (1769-93, guillotiné), qui les composa en prison et les chanta en montant à l'échafaud. Il avait eu comme collaborateur l'adjudant-général Bois-Guyon, guillotiné quelques jours après lui [souvent confondu avec le médecin jacobin Adrien-Simon Boy (1764-95), organisateur de la Terreur à Strasbourg en 1793-94].

• **Restauration.** 2 airs quasi officiels : 1o **Hors de la présence royale,** *Vive Henri IV :* air populaire du XVIe s., repris en 1774 par Charles Collé (1709-83) dans la comédie *la Partie de chasse d'Henri IV ;* harmonisé en 1826 (op.-comique, même titre) par François Henri Castil Blaze (1784-1857). On évitait de jouer cet air devant les personnes royales, à cause de son refrain d'un ton trop libre : *J'aimons les filles et j'aimons le bon vin.* 2o **Pour accueillir le roi ou des membres de la famille royale,** quand ils faisaient leur entrée dans une cérémonie publique, *Où peut-on être mieux qu'au sein de sa famille ?* [paroles de Jean-François Marmontel (1723-99), musique d'André Grétry (1741-1813)], tiré de la comédie musicale *Lucile* (1769). L'air fut exécuté pour la dernière fois au cours d'une cérémonie officielle le 15-4-1915 à La Panne (Belgique) lors de l'incorporation dans l'armée belge du prince Léopold, futur Léopold III (Grétry était belge, né à Liège). C'est le seul exemple attesté de l'exécution d'un hymne royaliste devant des autorités républ. françaises.

• **Louis-Philippe.** *La Parisienne* (1830), paroles de Casimir Delavigne (1793-1843), musique d'Esprit Auber (1782-1871) (« chant national »).

• **IIe République.** *Le Chant des Girondins* (1847), extrait du drame *le Chevalier de Maison-Rouge* (1847), d'Alexandre Dumas et Auguste Maquet, musique d'Alphonse Varney (1811-79). Les 2 vers du refrain : *Mourir pour la patrie, C'est le sort le plus beau, le plus digne d'envie...* ont été empruntés à *Roland à Roncevaux,* chant composé à Strasbourg en 1792 par Rouget de Lisle.

• **IIe Empire.** *Partant pour la Syrie* (chant officiel). Composé en 1809 par la reine Hortense, mère de Napoléon III, paroles du Cte A. de Laborde (signe de ralliement des bonapartistes dep. 1815).

• **IIIe République.** *La Marseillaise.* Le 24-2-1879 une circulaire du gén. Gresley, min. de la Guerre, rappelle que le décret-loi du 26 messidor an III (14 juillet 1795), inséré au Bulletin des lois n'a jamais été rapporté, or il porte que le morceau de musique intitulé *Hymne des Marseillais* sera exécuté par les musiques militaires. En conséquence il y a lieu de se conformer à cette loi dans toutes les circonstances où les musiques militaires sont appelées à jouer un air officiel.

• **État français.** Hymne national : *La Marseillaise,* presque toujours suivie d'un hymne officieux, *Maréchal, nous voilà* [paroles d'André Montagard (1888-1963), musique de Montagard et Courtioux], créé officiellement en 1940, mais les auteurs avaient réutilisé une chanson intitulée *Voilà le Tour qui passe* dont les 2 premiers vers du refrain étaient : "Attention, les voilà ! les coureurs, les géants de la route."

• **Gouvernement de la France libre.** Hymne national : *La Marseillaise.* Officieux : *Le Chant des Partisans* [idée d'Emmanuel d'Astier de La Vigerie, auteur d'une *Complainte du Partisan ;* paroles écrites en 1943 à Londres par Joseph Kessel et son neveu Maurice Druon, musique d'Anna Betoulinsky, dite Anna Marly (reprise d'un chant yougoslave composé en 1914 par Gratchinovitch)].

• **IVe et Ve Républiques.** *La Marseillaise* (art. 2 de la Constitution du 4-10-1958).

Fête nationale

Le 6-7-1880, sur proposition de Benjamin Raspail, la date du 14 juillet fut adoptée comme fête annuelle nationale pour commémorer la prise de la Bastille (14-7-1789) et la fête de la Fédération (14-7-1790), qui avaient été le 1er anniversaire en étant une manifestation de la réconciliation nationale.

Le 14 Juillet avant la IIIe Rép. : 1790 discours du maire de Paris devant la Convention. *1796-99* remplacé par l'anniversaire du 9 thermidor (27-7). *1800* festivités et feu d'artifice sur le pont de la Révolution (Concorde). *1801* festivités (coïncidant avec la conclusion du Concordat, signé le 15). *1831* Eugène Planiol, Pt de la Sté des Amis de l'Égalité, organise des fêtes nationales (avec plantations d'arbres de la Liberté) ; remplacées par l'anniversaire du 27-7 (rév. de 1830). *1848* choisi comme Fête des Travailleurs (banquets à 50 centimes par tête dans tout Paris) ; annulé à cause des émeutes de juin.

Du 14-7-1880 à 1914, un défilé se déroule à Longchamp. Le 1er défilé du 14-7 sur les Champs-Élysées aura lieu le 14-7-1915 à l'occasion du retour aux Invalides des cendres de Rouget de Lisle. Le plus long fut celui de la victoire le 14-7-1919 (plus de 6 heures).

Histoire des Institutions avant 1958

Période gauloise

Formation tribale. Héritée des Indo-Européens (env. 2000 av. J.-C.). Une aristocratie militaire (utilisant le cheval de combat) habite un tertre fortifié ; elle fait cultiver les plaines avoisinantes par des serfs [étrangers dont on a conquis le pays, mais que l'on n'a pas exterminés (*servus* = épargné)].

Installation en Gaule. A partir de l'an 1000, *2 types de hauteurs fortifiées : 1) Celles qu'avaient occupées les Ligures,* habitants antérieurs de l'Hexagone : *briga,* peut-être enlevées de force et repeuplées, peut-être alliées et assimilées. Nom des habitants devenu prénom : *Brixius,* « Brix » ou « Brice ». *2) Celles qu'ont construites les Celtes : durum* (c'est-à-dire « porte » ; germanique *thür*). Nom des habitants devenu patronyme : Duran ou Durand.

2 types de villages serviles : 1) Commerçants : dunum (angl. *town*) ; nom des habitants devenu patronyme : Dunan. *2) Agricoles : magos ;* nom des habitants devenu patronyme : Magan ou Mayen.

Structure politique des tribus

• **Roi (rix).** Élu dans certaines familles aristocratiques ; c'est un chef militaire, en cas de conflit il commande alors les cavaliers d'une tribu, qui porte un nom totémique : *Eburovici,* les gens de l'if ; *Epomandui,* les guerriers du cheval, etc. Chaque sous-tribu peut avoir son « petit roi », *regulus.* Une tribu a généralement 4 sous-tribus. En temps de guerre, les sous-tribus se regroupent autour de la tribu principale. Ainsi, en 52 av. J.-C., les Arvernes (roi : Vercingétorix) regroupent les Cadurques (Cahors), les Gabales (Gévaudan), les Vellaves (Velay).

• **Aristocratie.** Les lignées nobles non royales et les branches cadettes des lignées royales habitent des collines fortifiées et s'entourent de « clients » (c.-à-d. de protégés, débiteurs ou anciens serfs), qui leur sont unis par des liens de vassalité personnelle (origine de la féodalité). Les nobles font travailler leurs serfs dans des unités territoriales équivalant au canton actuel. En cas de surpeuplement, on défriche une zone forestière. Village de défricheurs : *iolos* (nom des habitants devenu prénom : Yolande). Les nobles n'obéissent pas au roi en temps de paix et l'institution royale tend à disparaître : au temps de César, il n'y avait qu'un seul statut, un roi tribal chez les Sénons (Sens) et un seul regulus sous-tribal chez les Nitiobriges (Agen).

• **Druides.** Aristocrates détachés des *durum* et vivant dans les *dunum, magos* et *iolos,* ils sont à la fois prêtres (culte des dieux naturels ; liturgie du gui toujours vert et symbole de l'immortalité de l'âme) ; éducateurs (mainteneurs des poèmes héroïques récités de mémoire) et juges (ils prononcent la peine capitale : les exécutions sont rituelles et varient selon la nature du crime ; par ex., certains criminels voués au dieu Esus sont pendus à un arbre et saignés à mort).

• **Vie familiale.** La famille comprend tous ceux qui vivent dans la maison du père. Le père a droit de vie et de mort sur ses enfants et sa femme. La femme est respectée, ne serait-ce qu'en raison de la dot (argent, troupeau, meubles) qu'elle apporte.

• **Conseils tribaux.** Les druides de chaque tribu se rencontraient régulièrement, sans doute aux fêtes religieuses.

Grandes assemblées nationales. Les Celtes ont gardé le souvenir de l'« empire celtique » dep. le IVe s. av. J.-C. (ils occupaient presque toute l'Europe et une partie du monde méditerranéen). Chaque année, en dépit de leur morcellement politique, ils se réunissent au « nombril » (en grec *omphalos*) de chacune de leurs grandes unités nationales : Gaule, Espagne, Bretagne, Pannonie, Asie, etc. Pour la Gaule, le nombril était chez les Carnutes [vraisemblablement à Sodobriga (Suèvres, L.-et-Ch.)]. Les réunions étaient plus cultuelles que politiques, les participants étant en majorité des druides. Néanmoins, leur président jouait un rôle politique : il était considéré comme un empereur des Celtes (sans doute un noble de lignée royale, constamment réélu) ; c'était lui qui accréditait les ambassadeurs gaulois envoyés à Rome, en Grèce et dans les royaumes d'Orient. Tite-Live désigne comme « empereur des Celtes » un Biturige nommé Ambicatus.

• **Ralliement des Gaulois à Rome.** De 56 à 51 av. J.-C., César soumit la Gaule avec des troupes en majorité gauloises (depuis 70 ans, le S.-E. de la Gaule romanisé fournissait des légionnaires romains). Vercingétorix, son adversaire de 52 à 51, échoua dans sa tentative de royaume gaulois centralisé, qui allait trop contre les habitudes ancestrales. César, au contraire, resta dans la tradition gauloise : ses légionnaires permanents, qui avaient la promesse d'un établissement en terre (avec des esclaves), groupés dans une cité à eux, retrouvaient les privilèges de la caste militaire tribale. De plus, l'organisation impériale romaine faisait espérer le regroupement des nations celtiques sous un empereur commun (ce sont les Gaulois continentaux qui ont conduit César en G.-B.).

Période gallo-romaine

• **La Civitas.** La Gaule devenue romaine a gardé ses structures sociales et politiques : les tribus sont devenues des cités *(civitates),* beaucoup n'ont pas changé de nom : Ambiani : Amiens ; Petrocorii : Périgueux ; Sagii : Sées, etc.

Colonies. Cités créées pour les immigrants, elles diffèrent peu des cités gauloises. Beaucoup de vétérans sont Gaulois ; les autres sont des Indo-Européens ayant les mêmes traditions ancestrales : Germains, Daces, Sarmates, Illyriens, etc. Il s'agit parfois d'une bourgade gauloise urbanisée ; parfois d'une ville neuve, entourée de *iolos* nouvellement défrichés, dans la tradition des nombreux *noviodunum.* Il y eut env. 100 000 émigrants en Gaule au cours des 4 siècles d'occupation romaine.

Organisation municipale. Calquée sur celle de Rome et très proche de celle des cités gauloises (tradition étrusco-italiote, indo-européenne). Une aristocratie terrienne, propriétaire des exploitations agricoles du territoire, possède des résidences en ville et y compose le *Sénat* (d'où le titre de *senior,* « sénateur », qui donnera *seigneur,* « propriétaire terrien »).

Vie politique. Comme à Rome, l'assemblée générale du Sénat devient une cérémonie cultuelle et culturelle : célébration des dieux locaux et impériaux (Rome, empereurs divinisés, Jupiter Capitolin). Réunions de travail réservées aux *décurions* (du mot *decem,* « dix » ; c'est-à-dire 1 sénateur sur 10, en principe) qui désignent des magistrats municipaux, ayant chacun leur spécialité (spectacles, ravitaillement, fisc, constructions, etc.). Les questions politiques sont en majorité d'intérêt local : vie culturelle du centre urbain, commercialisation des produits agricoles. A partir du IVe s., les grandes familles redoutent les coûteuses charges municipales, mais les fonctionnaires romains les leur imposent sous peine de sanctions.

Urbanisation. Les villes d'un type uniforme (théâtres, temples, forums, etc.) ne sont plus dans la tradition celtique et indo-européenne. Bâties en pierre, remontent à la civilisation crétoise-minoenne, adoptée par les Grecs, puis copiée par Romains. En 210 apr. J.-C., on ne distingue plus entre colonies et cités.

Relations entre villes. Les villes sont réunies par des routes ; les cités sont groupées en provinces dont la capitale porte le nom de *métropole. A partir de 13 av. J.-C.* (Auguste), 4 provinces : Narbonnaise (Narbonne ; gouverneur : un proconsul) ; Lugdunaise (Lyon) ; Aquitaine (Saintes, puis Bordeaux) ; Belgique (Reims). Gouverneurs : des légats. *A partir de 300 env. apr. J.-C.* (Dioclétien), 17 provinces avec des gouverneurs militaires (les *duces*) et civils (les *praesides*) : Narbonnaise 1re (Narbonne), N. Seconde (Aix), Viennoise (Vienne), Alpes Maritimes (Nice), Alpes Grées (Moutiers), Novempopulanie (Eauze), Aquitaine 1re (Bourges), A. Seconde (Bordeaux), Lugdunaise 1re (Lyon), L. Seconde (Sens), L. 3e (Tours), L. 4e (Rouen), Belgique 1re (Trèves), B. Seconde (Reims), Germanie 1re (Mayence), G. Seconde (Cologne), Séquanaise (Besançon). Dans chaque métropole, la *basilique* est réservée aux cérémonies officielles ; les services administratifs sont à la *curie.*

• **Christianisme romain.** Après Théodose le Grand (379-95), la hiérarchie administrative disparaît. Les métropoles deviennent politiquement des villes comme les autres : il n'y a plus ni *dux,* ni *praesides.* La Gaule retourne au régime des cités celtiques, quasi indépendantes les unes des autres. Dans ces villes christianisées, les conseils locaux sont des conseils de *prêtres* (*presbyteros,* « prêtre », traduction grecque de *senior*) entourant le magistrat principal, l'*évêque* (qui prend souvent le titre de *Defensor civitatis*). L'évêque (*episcopos,* c'est-à-dire inspecteur) est à la fois chef spirituel du centre urbain et responsable civil du territoire : il nomme dans les villes secondaires des *vicaires forains.* Seule la vie religieuse conserve l'organisation en provinces, avec un gouvernement central ; le pape de Rome nomme dans chaque métropole un *archevêque* qui a autorité sur les évêques des cités et qui les réunit en *conciles provinciaux.*

Période germanique

Francs

Rois francs. Chez les Francs (peuplade germanique « occidentale », c'est-à-dire habitant une zone forestière), le roi est élu par un groupe de *leudes* (guerriers nobles) ; il est le fils aîné du roi défunt. L'expression « hisser sur le pavois », pour décrire la cérémonie d'intronisation d'un roi franc (porté sur un bouclier par 4 leudes), est fautive puisque le *pavois,* bouclier des mercenaires originaires de *Pavie,* date du XVe s.

Noblesse franque. Elle ne monte pas à cheval et ne possède pas de serfs. Elle constitue une armée professionnelle, aux ordres directs du roi. Peu formée à l'agriculture, elle a le goût de la chasse. Les récompenses que le roi lui accorde pour services de guerre consistent surtout en terrains de chasse.

Religion des Francs. A leur arrivée en Gaule romaine (migration pacifique au cours du IVe s., comme auxiliaires des Romains), ils sont païens. Après le baptême de Clovis (486 ou 496 ou 504), ils deviennent catholiques et introduisent dans leur « Loi salique » des articles protégeant l'Église. Les leudes catholiques fournissent aux chefs religieux des auxiliaires militaires et civils, les comtes et vicomtes.

Nota. – Le *comte* (du latin *comes,* « compagnon ») était primitivement le chef d'escorte d'un évêque (*comita,* « l'escorte ») dans une capitale de cité ; les *vicomtes,* des chefs d'escorte de « vicaires forains » dans des chefs-lieux de *pagus.*

Immunités franques. *Entre 450 et 500 :* les rois francs Chilpéric Ier et Clovis Ier s'attribuent à titre personnel les domaines appartenant directement à l'ancien Empire romain et appelés « domaines du fisc ». Ces propriétés royales ont le privilège de l'immunité (comtes et vicomtes qui administrent les territoires des cités et des *pagus* ne peuvent y pénétrer). *Après 500 :* les rois francs accordent l'immunité à des seigneurs particuliers qui échappent à leur tour au contrôle des comtes et vicomtes. Sont immunisés : les évêques dans les domaines ecclésiastiques, les abbés dans les dom. monastiques, les plus puissants des leudes francs qui ont acquis des biens privés par mariage avec l'héritière de *villas* gallo-romaines, par usurpation d'un bien foncier gallo-romain, ou par défriche d'une terre nouvelle. A côté des comtes, qui administrent les territoires au nom du roi, se développe une classe d'immunistes qui deviendront les grands « feudataires » ou « seigneurs féodaux » (de l'allemand *feod,* « champ » = domaine ; français *fief*).

Cour des rois. Elle est formée de plusieurs centaines de personnes, chargées des services domestiques du roi ou des services publics. Les *palatins* (« seigneurs résidant au palais ») ou *optimates* [« aristocrates » (ancien titre romain, donné aux généraux et ambassadeurs)] portent une ceinture d'or. Autres officiers : *majordome* [« gérant de la maison (royale) » : sera plus tard « maire du palais » (jouant un rôle politique)], *échanson* [« celui qui verse » (francique *skankjo ;* allem. *schenken*) : primitivement serviteur qui sert à boire, puis officier chargé de l'approvisionnement en vin], *sénéchal* [« doyen des officiers » (du gothique *sinista,* « aîné »)], *maréchal* [« responsable des chevaux » (du francique *marah,* « chevaux »)], *référendaire* [le futur « chancelier », chargé de ce qui doit être rapporté (latin *referre,* « rapporter »)], *camérier* [chargé d'installer le trésor dans les appartements privés (du latin *camera,* « chambre »)]. Le *comte du palais* rendait la justice.

La Cour vivait dans une villa royale (demeure campagnarde construite en bois ; par ex. : Berry-Rivière, à l'ouest de Soissons), de préférence près d'un terrain de chasse. Elle se déplaçait sur des chars à bœufs, quand les provisions étaient épuisées. Mais il y avait toujours une ville capitale, titre peut-être honorifique : Paris (VIIe s.), Soissons, Orléans, Chalon-sur-Saône, Reims, Metz.

Autres peuplades germaniques

Monarchie burgonde. Caractérisée par son désir d'imiter l'Empire romain. Fondée aux Ve-VIe s., en Suisse romande, puis dans le bassin du Rhône, elle deviendra un royaume franc descendant jusqu'à la Durance, que les empereurs germaniques revendiqueront du XIIe au XVIIe s., mais dont les comtes de Provence exerceront les droits régaliens.

Monarchies wisigothique et ostrogothique. Germains orientaux, venus des plaines du S.-E. européen ; cavaliers, divisés en seigneurs et serfs, ayant gardé la structure sociale des Indo-Européens (proches des anciens Celtes). Les rois sont ariens, puis catholiques. La noblesse, puissante et solidement implantée en Espagne et en Septimanie (futur marquisat de Gothie), demeure arienne et se rallie aux musulmans après 720.

Nota. – Francs (Saliques et Ripuaires), Burgondes (sujets du roi Gondebaut, auteur de la loi « Gombette ») et Wisigoths ont eu du VIe au IXe s. un système juridique spécial : ils étaient jugés devant les tribunaux gallo-romains, selon les lois coutumières de leur peuplade.

Période carolingienne

Renaissance impériale. Charlemagne et son fils, Louis le Pieux, qui reçoivent des mains du pape la couronne impériale, tentent de reconstituer l'empire romain d'Occident, sur le modèle de l'empire de Byzance, c'est-à-dire avec une cour, une administration et une alliance étroite avec l'Église. Dans chaque cité, l'évêque et le comte collaborent et se surveillent. Ils sont contrôlés dans les territoires frontières *(marches)* par un marquis qui a l'autorité sur les comtes de la province et sur les autres territoires par des envoyés, les *missi dominici* (de la *cour* d'Aix-la-Chapelle).

Prévôts du domaine. Les propriétés personnelles de l'empereur sont administrées par des prévôts *(praepositi).* Tous les immunistes ont également leurs prévôts, chargés de faire rentrer les revenus (presque entièrement agricoles).

Naissance des grandes dynasties féodales. Les comtes des plus grandes cités et les marquis de certaines provinces commencent, sous les Carolingiens, à créer des dynasties locales, en principe sujettes de l'empereur (jusqu'à 843) puis du roi (après

843), mais en fait trop puissantes pour leur obéir. Tels sont : les comtes d'Autun (qui dominent la Bourgogne, futur duché), de Flandre, de Vermandois, de Roumois, d'Anjou, de Poitou, de Toulouse, le marquis de Bretagne. *Au traité de Verdun (843),* la France occidentale est séparée du reste de l'Empire carolingien. Soumise en principe à la suzeraineté des empereurs, elle s'affirmera indépendante dès la fin du IXe s. : « Le roi de France est empereur en son royaume. »

Royauté sacramentelle

Sacre et serment. Jusqu'en 1165, on disait le sacrement d'un roi ; l'onction sacramentelle lui était conférée après qu'il avait fait un ou plusieurs serments (en latin *sacramentum*) ; elle faisait du roi une personne consacrée, appartenant à l'Église et jouant un rôle religieux dans les nations catholiques. C'est de cette façon qu'on explique aujourd'hui la « *loi salique* », c.-à-d. l'exclusion des femmes du trône de France : elles ne pouvaient être rois parce qu'elles ne pouvaient être prêtres.

Onction biblique. Les 1ers sacres royaux ont été ceux des rois hébraïques : Saül, David et Salomon, tels qu'ils sont narrés dans la Bible (1er livre de Samuel). Le roi, devenant l'oint du Seigneur, est inviolable et saint. En contrepartie, il est le serviteur de l'Éternel, son Dieu. L'institution du sacre des rois francs du VIIIe s. (Pépin le Bref 751, puis 754) est une copie de l'onction sainte des rois bibliques.

Rois de France sacrés. 12 Carolingiens (de 751 à 979 avec, en 922, un non-Carolingien, Robert, comte de Paris, ancêtre des Capétiens) ; puis 33 rois capétiens (avec en 1804 un non-Capétien, Napoléon Ier Bonaparte) ont reçu l'onction sacramentelle de l'Église catholique. [Le sacre a été aussi donné par l'Église catholique aux empereurs d'Allemagne, aux rois d'Angleterre, d'Espagne, du Portugal, de Pologne, du Danemark ; les emp. de Russie ont réclamé l'onction (du patriarche de Moscou) à partir du XVIIIe s.].

Caractère ecclésiastique de la royauté française. L'onction reçue par les rois (et les empereurs) le jour de leur sacre leur donnait dans la hiérarchie ecclésiastique un rang spécial qui était assimilé tantôt à celui d'un diacre, tantôt à celui d'un sous-diacre, tantôt à celui d'un chanoine. L'empereur d'Allemagne était, dès son sacre, chanoine de la basilique de Latran et de la collégiale d'Aix. Le roi de France était 1er chanoine de Lyon, chanoine d'Embrun, du Mans, de Montpellier, St-Pol-de-Léon, Lodève, etc. Dans toutes ces cathédrales, il participait au chœur en surplis et en camail.

Lors des couronnements impériaux à Rome, l'empereur devait lire l'évangile (fonction de diacre) ; l'épître (fonction de sous-diacre) devait être lue par le roi de Sicile ou, à défaut, par le roi de France.

• **Symboles religieux du sacre. Ornements royaux. Grande couronne impériale :** utilisée pour la 1re fois par le pape Léon III pour sacrer Charlemagne (or, rubis, saphir, émeraude). **Épée du sacre** (remise à Louis le Débonnaire par le pape Serge II en 844, mais appelée couramment épée de Charlemagne, et officiellement épée de St-Pierre ou *Joyeuse,* c.-à-d. de fête) : bénie dans son fourreau puis placée nue sur l'autel, le roi la brandit, puis la remet au connétable chargé de la porter ; symbolise la puissance militaire du défenseur de l'Église (le pape se réservant le glaive spirituel). **Sceptre** (bâton d'or de 6 pieds de haut, terminé par une fleur de lys) : emblème de commandement. **Main de justice :** bâton d'or plein d'une coudée de haut, avec une main d'ivoire aux doigts levés ; symbolise la bénédiction, c.-à-d. l'absolution des fautes (correspond au serment de justice miséricordieuse). **Éperons d'or** (dits de Charlemagne) : symbolisent l'autorité sur tout le royaume (le roi se déplace rapidement d'un fief à l'autre) ; c'est un des grands vassaux (le duc de Bourgogne) qui est chargé de les attacher. **Agrafe :** ornée d'une fleur de lys, maintient le manteau royal. **Anneau :** passé à la main gauche, symbolise le mariage du roi et de son royaume (comme pour un évêque et son diocèse).

• **Vêtements. Chemise spéciale** avec des fentes bordées d'or pour permettre de recevoir les onctions. **Tunique, dalmatique** et **manteau :** symboles des 3 ordres (sous-diacre, diacre, sacerdoce). **Gants de soie :** on les mettait aux mains du roi après l'onction ; ils étaient imprégnés d'huile sainte et brûlés après la cérémonie. Les vêtements étaient blancs (couleur du baptême et des ordinations), mais le violet (couleur des deuils à la cour) s'est imposé, la plupart des sacres se faisant pendant le deuil du roi précédent.

• **Gestes. Baiser :** signe d'alliance contractée. **Onction** (geste imité de Samuel versant de l'huile sur la tête de Saül) : faite avec le baume de la **Sainte Ampoule** qui, selon la légende, aurait été apportée du Ciel par une colombe lors du baptême de Clovis (1re attestation : sacre de Charles le Chauve par Hincmar). Solidifié, le baume était extrait de l'ampoule avec une épingle d'or et mélangé au chrême des consécrations épiscopales. C'est cette huile miraculeuse qui servit au sacre des rois de France de 496 à 1825 (exception : Henri IV, sacré à Chartres 27-2-1594 avec l'huile de « l'ampoule de Marmoutiers », qui servait à oindre les ducs d'Aquitaine). Le 16 vendémiaire de l'an II (7-10-1793), le conventionnel Ruhln (suicidé le 20-5-1795) déclara avoir détruit l'ampoule à coups de marteau sur les degrés de la statue de Louis XV à Reims. (Il prétendit ensuite qu'il en avait détruit seulement une copie. On ignore ce que serait alors devenu l'original.) Le curé de St-Remi de Reims, l'abbé Seraine, avait recueilli quelques parcelles du baume de l'ampoule détruite par Ruhln. Celles-ci, remélangées à du chrême, ont servi au sacre de Charles X le 29-5-1825 et ont été conservées ensuite dans une nouvelle ampoule ornée de pierreries et conservée à Reims. **Lâcher d'oiseaux :** à l'issue de la cérémonie (une fois que le roi s'est assis sur son trône), des oiseaux sont lâchés du haut du jubé à l'intérieur de la cathédrale ; ils symbolisent la délivrance des prisonniers (amnistie traditionnelle pour les peines dites non irrémissibles).

• **Lieu du sacre.** A *Reims.* La tradition veut que le lieu fût choisi à cause du baptême de Clovis (v. 496). En réalité, il s'agit d'une tradition carolingienne. L'archevêque Hincmar de Reims a joué un rôle prépondérant dans le remplacement des rois mérovingiens par Pépin le Bref (752). La bulle pontificale désignant Reims comme lieu des sacres est de 1509. Sur 64 rois de France, seuls 16 ont été sacrés hors de Reims, notamment à Soissons, Compiègne, Metz (Carolingiens), et à Chartres (Henri IV).

• **Signification du sacre.** Jusqu'en 1430 (sacre de Charles VII à Reims, sous la protection de Jeanne d'Arc), le sacre signifiait que le roi élu (même avec élection symbolique) était agréé par l'Église. Après 1430, la conception a changé : le roi sacré doit être accepté comme roi, en vertu de son sacre même.

• **Toucher des écrouelles.** Il a été admis pendant 8 siècles, du règne de Philippe Ier (1060-1108) à celui de Charles X (1824-30), que le roi, en vertu de l'onction sacramentelle, possédait le pouvoir miraculeux de guérir les « écrouelles », c.-à-d. les tumeurs scrofuleuses (tuberculose des ganglions). Le lendemain de leur sacre, les rois de Fr. se faisaient donc présenter des scrofuleux, et les touchaient du doigt sous la mâchoire en prononçant la prière : « Le roi te touche, Dieu te guérisse ! » Le lendemain de son sacre, Louis XVI a touché 2 400 scrofuleux, Charles X 120 ou 130.

Les rois d'Angleterre ont adopté cet usage depuis Henri Ier « Beauclerc » (1100-1135) jusqu'à la reine Anne (1702-14). Certains historiens estiment même qu'Henri Ier a été le premier roi thaumaturge (il avait de réels dons de guérisseur) et que Philippe Ier, puis Louis VI de France, ont touché les écrouelles par imitation de leur rival anglo-normand. St Louis remplaçait le toucher par une bénédiction en signe de croix, pour montrer que le miracle ne venait pas d'un charisme propre au roi de Fr., mais de la puissance du Christ. L'Église, qui se méfiait de l'exaltation du pouvoir religieux des rois, n'a jamais reconnu officiellement leur don de miracle. Au contraire, les apologistes de la Couronne de France, notamment ceux qui soutenaient Philippe le Bel contre Boniface VIII, en ont souvent tiré parti.

• **Sacre des reines.** Les reines ne reçoivent que 2 onctions (sur le chef et sur la poitrine) au lieu de 9. Elles participent à la royauté de leur mari, sans y accéder en personne. Il semble, néanmoins, que le 1er sacre d'une reine de France (Bertrade, épouse de Pépin le Bref, 754) s'expliquait par la personnalité de la reine : descendante des Mérovingiens, elle recevait et transmettait à son époux, 1er roi carolingien, les droits de sa dynastie. Le sacre de la reine ne se faisait pas en même temps que celui du roi. L'archevêque de Reims lui remettait un anneau, un sceptre et une main de justice plus petite, au cours d'une cérémonie à laquelle le roi assistait d'une tribune.

Féodalité

• **Définition.** Système de gouvernement et de répartition de la propriété, fondé sur lien de fidélité personnelle : entre les différents chefs hiérarchiques et entre les différents possesseurs du sol sont créées des obligations (juridiques et morales) qui stabilisent la société. Durée en Europe occidentale : env. 9 siècles (VIIe-XVIe).

• **Origine.** 1°) *comme système de répartition de la propriété :* l'époque romaine (IVe-Ve s.) ; beaucoup de possesseurs des grands domaines gallo-romains *(latifundia)* ont conservé leurs biens familiaux après les invasions. Les guerriers germaniques sont devenus leurs voisins ou leurs gendres ; les dépossessions ont été exceptionnelles. 2°) *comme système de gouvernement :* l'*immunité* mérovingienne : chaque propriétaire exerce sur sa terre des droits gouvernementaux (justice, impôts, sécurité), quitte à payer certains droits à l'autorité centrale ou à fournir certaines prestations. 3°) *comme système de relation sociale :* le *patronat* romain et la *treu* germanique, issus de vieilles coutumes indo-européennes ; une caste de nobles (cavaliers, possesseurs des chevaux) dispose héréditairement des services d'une caste de travailleurs, non combattants.

Bénéfice. Au Bas-Empire et sous les premiers royaumes germaniques en Gaule, les patrons (appelés *seniores,* car membres des sénats locaux) cessent de payer en argent les services de leurs protégés (la monnaie s'étant raréfiée). Ils leur donnent à la place une terre (champs et maison), non en propriété, mais en *tenure* (VIe s. : 15 ans = tenure « précaire » ; VIIe s. : viagère de fait ; VIIIe s. : viagère de droit et héréditaire de fait ; Xe s. : héréditaire par obligation = les cultivateurs deviennent des *manants,* c.-à-d. des permanents de père en fils : ils sont « attachés à la glèbe »). Un tenant roturier n'a pas normalement à rendre le service militaire ; il doit la taille (redevance) et la corvée (travail non rétribué en dehors de la tenure).

Diversité des régimes. La base des obligations de chaque sujet envers la société féodale est le contrat individuel. La diversité des institutions locales est extrême ; par ex., les obligations de la corvée varient d'une paroisse à l'autre : en principe, il s'agit d'entretenir pour rien les chemins et les ouvrages d'utilité publique. Mais le nombre d'heures, de journées, d'hommes requis par famille, de distances à parcourir, de fourniture de chevaux, etc., dépend d'un contrat initial débattu d'homme à homme, puis sanctionné par une coutume.

Vassalité. Équivalent du système du bénéfice, mais toujours réservée aux nobles (on l'appelait *recommandation* jusqu'au XIe s.). Le *vassal* doit à son suzerain l'assistance (c.-à-d. surtout ses conseils en affaires), l'aide financière (dans quelques cas), le service militaire (fonction essentielle de la noblesse, « noble » se traduit en latin par *miles,* « soldat »). 3 modalités : *ost* (40 j de campagne par an) ; *chevauchée* (participation à des raids ponctuels exécutés en une journée) ; *garde* (au château seigneurial). Un seigneur important est un chevalier *banneret,* car il a une bannière, autour de laquelle manœuvrent les vassaux de son ost. Un vassal peut avoir des arrière-vassaux, nobles également, les *vavasseurs (vassi vassorum).* La mobilisation des roturiers vivant au service d'un noble s'appelle l'*arrière-ban ;* elle est exceptionnelle. Les serfs furent affranchis à différentes époques selon les domaines (sous Louis VI, L. VII, L. X le Hutin 3-7-1315).

Droit de « cuissage ». Jeu de mots sur *droit de « quitage »,* c.-à-d. *d'affranchissement.* Un serf, qui mariait sa fille en dehors du domaine seigneurial, devait payer 3 sous au seigneur. *Cérémonial :* le serf remet sa fille au seigneur, qui la tient par la main ; il paye alors les 3 sous, et le seigneur lui rend sa fille, qui est remise au marié. Le terme de *quitage* s'étant perdu, le reste n'a plus été compris. On trouve certains textes révélant peut-être des abus. Mais les allusions à un « droit de cuissage », en vertu duquel un seigneur pouvait déflorer toutes les mariées de son fief, ne remontent qu'au XVIIIe s. (Voltaire et, d'après lui, Beaumarchais). La légende a dû se former en Espagne, le droit de déflorer les vierges d'une tribu étant reconnu à certains caciques sud-américains.

Hiérarchie des fiefs nobles. Un fief implique à la fois *bénéfice* et *hommage :* un noble reçoit en « mouvance », des mains d'un seigneur suzerain, une portion de ses terres, avec la seigneurie sur les manants qui la cultivent ; il peut à son tour donner en « arrière-fief » la totalité ou une partie de ce bien. Symboliquement, le suzerain remet au vassal une motte de terre prise dans un des champs. *Fiefs non fonciers :* peuvent consister en redevances, ex. : péage sur un pont, droits banaux sur un four, un moulin, un champ de foire. *Bénéfices ecclésiastiques :* dîmes sur les récoltes des paroissiens (on les appelle de « mainmorte », car ils reviennent toujours au supérieur ecclésiastique à la mort du bénéficiaire).

Fiefs ecclésiastiques. L'Église possédait de nombreuses terres : biens fonciers des évêques et des curés de paroisse ; domaines agricoles des monastères. La plupart étaient laissées en *emphytéose* à leurs tenants (bail pratiquement perpétuel, avec de faibles redevances, mais avec de nombreuses corvées). Les domaines ecclésiastiques pouvaient être « nobles », s'ils avaient appartenu primitivement à des maisons seigneuriales. Les dignitaires ecclésiastiques avaient les mêmes obligations que les seigneurs (comme vassaux et comme suzerains). Ils ne commandaient pourtant pas leurs contingents armés, laissant cette fonction à des *vidames* héréditaires. *Exceptions :* certains évêques étaient comtes, c'est-à-dire chefs militaires ; par ex. à Rodez, Cahors, Laon.

Chevalerie. Forme chrétienne de la féodalité. L'Église s'efforça dep. le Xe s. de moraliser la féodalité, en donnant aux vassaux le sens de la loyauté envers leur seigneur ; aux suzerains, celui de la générosité et de la justice envers leurs vassaux. La *félonie,* rupture du lien personnel, fut considérée comme le pire péché pour un noble. La guerre féodale fut réglementée par des lois ecclésiastiques : *Trêve de Dieu* (1027), interdisant de se battre en Carême et en Avent ; *Paix de Dieu* (Bourgogne 989, généralisée 1027), interdisant de porter les armes contre les roturiers. La cérémonie de l'*armement du chevalier* comportait un serment (acte religieux) de loyauté envers le seigneur et de générosité envers les non-combattants.

Monarchie féodale

• **Domaine royal.** Les rois capétiens sont suzerains de tous les seigneurs du royaume et ils sont par ailleurs eux-mêmes seigneurs du « domaine royal », c'est-à-dire principalement des anciennes terres domaniales romaines acquises personnellement par les rois francs. La suzeraineté sur le royaume les aide à agrandir leur domaine seigneurial ; leur fortune domaniale leur permet de s'imposer comme suzerains aux autres familles.

Inaliénabilité du domaine. Une fois acquise par un roi, une terre reste perpétuellement du domaine : quand elle est donnée en gage, pour dettes, les rois gardent un droit imprescriptible de rachat ; quand elle est donnée en *apanage* à un prince capétien, elle revient obligatoirement à la couronne après l'extinction de la famille apanagée. – *Exception :* une terre du domaine peut être *échangée* définitivement contre une autre terre.

Administrateurs du domaine. Les *prévôts,* qui existent depuis l'époque carolingienne. Les *baillis* (pas toujours nobles), officiers itinérants jusqu'en 1190, fixés ensuite dans leur « bailliage » ; ils sont chargés de contrôler les prévôts et de centraliser les revenus domaniaux (ils sont en outre juges d'appel et chefs militaires). Les *sénéchaux* (toujours nobles) sont l'équivalent des baillis dans les fiefs qui ont été seigneuriaux avant d'entrer dans le domaine royal : devenant officiers du domaine capétien, ils ont gardé leur titre primitif de « sénéchal ».

Droits seigneuriaux du roi. Dans le domaine royal, le roi est un seigneur ; il a des vassaux qui lui rendent hommage en tant que « duc de France » et non en tant que roi ; par ex. : les Montmorency ou les Montfort (M.-l'Amaury). A Paris, il est comte et nomme un vicomte pour gouverner le comté ; à Vincennes, il est seigneur (St Louis y rendait la justice, sous un chêne, aux tenants de ses terres, quand il y allait chasser). En vertu de ses droits seigneuriaux, St Louis a interdit, en 1246, toutes les guerres féodales privées sur les terres du domaine royal.

Apanages (*adpanagium,* formé sur *adpanare,* « fournir du pain »). Fiefs donnés aux puînés, d'abord dans toute famille seigneuriale, puis, à partir de 1031, exclusivement aux cadets royaux (les Capétiens ne partageaient pas le royaume en parts égales, mais le réservaient à l'aîné). A partir de 1367 (Charles V), il est stipulé que tout apanage revient à la couronne en cas d'absence d'héritier mâle chez l'apanagé. Les princes apanagés ne jouissent pas des droits régaliens (v. ci-dessous) que les grands feudataires ont généralement dans leurs domaines. Le roi se réserve l'autorité sur l'Église, la frappe des monnaies, les anoblissements, etc.

Droits féodaux du roi. Comme suzerain de son royaume, dignité qui lui est conférée par le sacre à Reims, le roi doit pouvoir compter sur l'allégeance personnelle des grands feudataires, même possesseurs de domaines plus riches que les siens. *Domaines féodaux plus importants que ceux de la Couronne :* Flandre, Blois-Champagne, Normandie, Anjou-Maine-Touraine, Poitou-Aquitaine, Toulouse et même Barcelone. Les grands fiefs (sauf Flandre et Barcelone) finiront par être absorbés dans les biens de famille capétiens. Les droits féodaux du roi entrent en jeu, notamment quand le roi refuse de consentir à certains mariages, confisque des biens pour félonie, rend des sentences arbitrales en cas de contestation entre héritiers. Le roi use également de son droit féodal pour l'*ost :* ainsi ses vassaux, notamment les villes seigneuriales, ont fourni des contingents à Philippe Auguste à Bouvines (1214). Comme chef suprême des armées féodales, Philippe Auguste avait interdit (v. 1200) d'attaquer les parents d'un seigneur avec qui l'on était en guerre privée, avant un délai de 40 j *(Quarantaine le Roi).*

Droits régaliens. Attachés à la fonction souveraine, c'est-à-dire en fait hérités de l'ancien Empire romain, le roi étant « empereur en son royaume » : droit de haute-justice, de battre monnaie, de lever l'impôt, d'agir diplomatiquement. Le roi de Fr. a dû partager ces droits avec les grands feudataires, avec les villes et avec certains seigneurs ecclésiastiques (comme en Allemagne où 340 seigneuries étaient souveraines à côté de l'empereur). Les Capétiens se sont employés à récupérer un à un tous ces droits ; *le dernier seigneur qui ait battu monnaie* a été le prince des Dombes, à Trévoux (jusqu'en 1729) ; son fief était en principe « terre d'Empire ».

Pairie. Ensemble des grands vassaux de la couronne, relevant directement du roi de France à qui ils prêtent hommage, mais exerçant sur leur fief des droits régaliens égaux au sien (*pair* veut dire « égal »). 1re mention : 1023. D'après la tradition, les pairs (12) remontaient aux 12 compagnons d'armes de Charlemagne. XIe-XIIIe s. : 6 pairs ecclésiastiques (1 archevêque-duc : Reims ; 2 évêques-ducs : Laon, Langres ; 3 évêques-comtes : Beauvais, Châlons, Noyon), 6 pairs laïques : Bourgogne, Champagne, Flandre, Guyenne, Normandie, Toulouse. En 1227, ont été créées 3 pairies : Anjou, Artois, Bretagne. De 1314 à 1400 : 31. Le titre devient alors honorifique (il y aura 306 créations de pairies jusqu'à la Révolution). Les pairs conservent néanmoins le droit d'être jugés uniquement par la Cour des pairs (à partir du XIXe s., la grande Chambre du Parlement), d'assister à toutes les séances des parlements avec voix délibératives, et de n'être soumis en tant que juges seigneuriaux qu'à l'appel devant le parlement. Plusieurs jugements de la Cour des pairs ont eu une grande importance historique : 28-4-1202 confiscation des fiefs de Jean sans Terre ; 5-5-1293 confiscation de la Guyenne, fief d'Édouard Ier ; 1297 confiscation de la Flandre.

Centralisation monarchique

• **Coutumes (rédaction des).** Jusqu'au XIIIe s., chaque province, et souvent pays, a sa propre justice, avec lois, procédure et juridictions particulières, dont l'*origine* remonte aux « lois personnelles » des envahisseurs germaniques. Ces coutumes seront codifiées entre 1254 (Vermandois) et 1586 (Normandie). Les *états provinciaux,* réunis spécialement en présence de délégués royaux, les ratifient, les *parlements* les enregistrent.

• **Parlements. Paris** (érigé en assemblée permanente, 1318). Origine : la *Curie royale (Curia regis)* regroupant conseillers et secrétaires du roi, prétendant remonter aux Champs de Mars (assemblées annuelles des leudes mérovingiens et carolingiens), en réalité date des Capétiens. Du IXe au XIIIe s., ils ont traité toutes les affaires du royaume et du domaine royal. A partir de St Louis, conseillers politiques et financiers s'organisent en corps distincts [Conseil et Cour des comptes ayant chacun sa chancellerie (son secrétariat)]. Les conseillers juridiques forment le parlement qui tient des sessions à dates fixes (séparation de fait entre pouvoirs législatif et judiciaire).

Parlements provinciaux : Toulouse 1443, Grenoble 1456, Bordeaux 1462, Perpignan 1463 (supprimé 1493), Dijon 1490, Aix 1501, Rouen 1515, Lyon 1532-1696 (transféré à Trévoux 1697), Rennes 1551, Metz 1633, Artois 1641, Alsace 1657, Flandre 1668, Besançon 1676, Bastia 1768, Nancy 1775. Ils sont copiés sur le parlement de Paris : rendent la justice en appel et enregistrent les ordonnances royales.

• **Ordonnances royales.** Réglementations établies par le roi pour l'administration générale du royaume et portant sur des questions politiques, économiques, commerciales et juridiques (droit public jusqu'au XVIIIe s. ; également droit privé à partir de 1731). Émanent du *pouvoir absolu* que détient le roi ; elles ne prennent leur force légale que lorsque le parlement compétent les a enregistrées ; or celui-ci oppose parfois une certaine résistance (*« droit de remontrance »* du p. de Paris limité à certains édits de 1673 et de 1715).

• **Lois fondamentales du royaume.** Constitution coutumière réglant la transmission héréditaire de la couronne et des droits seigneuriaux de la famille capétienne sur son domaine. La succession au trône exige traditionnellement 3 conditions : *primogéniture* (le fils aîné, à l'exclusion des cadets) ; *masculinité* (un fils à l'exclusion des filles ; si le roi n'a que des filles, le 1er des princes du sang, c'est-à-dire le chef de la branche cadette la plus proche de la branche éteinte) ; *légitimité* (un fils légitime, à l'exclusion des bâtards, même légitimés). Elles sont à distinguer des 22 maximes fondamentales du royaume, mises au point en 1665 par le juriste Pierre de L'Hommeau : elles définissent les droits de la couronne à l'encontre des sujets et des institutions françaises comme à l'encontre des nations étrangères.

• **Chartes municipales.** Entre le XIe et le XIVe s., presque toutes les grandes villes et de nombreuses bourgades obtinrent des « chartes de franchise » qui les dispensèrent des liens de vassalité envers les seigneurs locaux (souvent un évêque, parfois aussi un feudataire). Comme il s'agissait d'un arrangement entre tenants de fiefs nobles, les chartes devaient obtenir la sanction royale. Il y eut *2 types de chartes : 1° dans le domaine royal* [86 villes ayant reçu une charte copiée sur celle de Lorris (original perdu ; 1re rédaction conservée : 1155)] : le roi reste le seigneur, représenté par son prévôt, et chaque bourgeois devient individuellement son vassal ; la ville n'est pas personne morale, mais obtient des avantages fiscaux et juridiques (les bourgeois sont jugés par leur corporation) ; *2° dans les grands fiefs et les seigneuries ecclésiastiques :* la ville prend rang de seigneur ; elle est un vassal du roi de France (personne morale) et elle a ses armoiries ; les bourgeois, vassaux de leurs villes, sont arrière-vassaux du roi de France (mais ils sont aussi administrateurs du fief urbain, lui fournissant maires, échevins, jurés).

• **Conseil du roi.** Organe du pouvoir exécutif ; point de départ des ministères modernes. Origine : l'ancienne *Curia regis,* réduite à ses responsables politiques et administratifs. Divisé en : *Conseil d'En-Haut* (3 à 7 membres, ayant à vie le titre de ministres d'État ; le secrétaire d'État aux Affaires extérieures en est membre de droit) : chargé des affaires étrangères ; *Conseil des Dépêches* (les mêmes membres + les 3 autres secr. d'État) : affaires intérieures ; *Conseil des Finances* (le surintendant des Finances en est membre de droit) ; *Conseil des Parties* (le chancelier en est membre de droit) : affaires judiciaires. Les secr. d'État (Armée, Marine, Maison du roi et Affaires extérieures), le chancelier (garde des Sceaux) et le surintendant des Finances ne font donc pas équipe ensemble, comme dans les ministères actuels ; mais on les appelle couramment des « ministres » (étymologiquement, des « serviteurs » du roi).

• **États généraux.** Institution d'origine féodale utilisée par la monarchie centralisée (devient rouage administratif à partir de 1560). Rassemblement de tous les vassaux du roi (tenus au devoir d'assistance, c'est-à-dire de conseil) quand une grande décision doit être prise, notamment une levée d'impôt. *Dates et lieux de convocation :* 1302 Paris (Philippe le Bel désire être soutenu dans sa lutte contre Boniface VIII) ; 1308 Tours ; 1314 Paris ; 1317 et 1320 Pontoise, transférés à Poitiers ; 1321 Orléans ; 1329, 1333 et 1343 Paris ; 1346 Paris (langue d'oïl) et Toulouse (langue d'oc) ; 1347 Paris ; 1356-57 Paris (langue d'oïl) et Toulouse (langue d'oc) ; 1413 Paris ; 1484 Tours ; 1560 Orléans ; 1561 Pontoise ; 1576-77 et 1588-89 Blois ; 1593, 1614 et 1789 Paris. *Sont membres des états :* les nobles [seigneurs laïcs ou ecclésiastiques (évêques et abbés) et les représentants des villes seigneuriales (appelés tiers état)]. En 1789, on avait oublié que le tiers état agissait comme vassal noble et on l'a considéré comme l'émanation « du peuple ».

• **États provinciaux.** Assemblées régionales, maintenues dans certains grands fiefs anciens et dans les territoires annexés au domaine royal entre le XIVe s. et le XVIIe s. ; elles ont gardé jusqu'à la Révolution, au moins en théorie, certains droits administratifs et fiscaux : impôts consentis et répartis à l'échelon de la province par les représentants des 3 ordres ; droit de remontrance ; droit de nommer des fonctionnaires provinciaux aux côtés des agents du roi.

Pays d'états (en 1789) : Bretagne, Artois, Hainaut, Bourgogne, Provence, Languedoc, Navarre, Bigorre, Béarn, Nébougan et les Quatre Vallées (en Comminges). Ils s'opposaient aux *pays d'élections* (voir ci-dessous, fonctionnaires royaux), et aux *pays d'impositions* (Roussillon, Franche-Comté, Alsace, Lorraine, Corse), d'acquisition récente, où il n'y avait jamais eu d'élus, et où l'impôt était levé par les subdélégués de l'intendant royal.

• Fonctionnaires royaux. **Élus :** officiers permanents chargés de lever les impôts, ils étaient à l'origine (en 1355) réellement élus pour prendre part aux états généraux, décider des contributions extraordinaires (aides), puis les récolter. En 1360, ils deviennent des fonctionnaires nommés (tout en gardant leur nom) et sont chargés de collecter les impôts dans une circonscription appelée élection (1517 : 96 élections ; 1575 109 ; 1597 146 ; 1662 178, avec 4 000 agents, élus ou lieutenants des élus). Depuis 1577, elles sont regroupées en bureaux des finances qui deviendront les *intendances* ou *généralités.*

Pays d'élections : les territoires qui ont gardé ce nom jusqu'à la Révolution faisaient partie du domaine royal en 1360 et gardaient depuis les « élections » comme unités administratives et fiscales. Chaque élection était également le ressort d'un « tribunal d'élection ». *21 généralités formaient un pays d'élections :* Paris (22 circonscriptions et tribunaux), Amiens (6), Soissons (7), Orléans (12), Bourges (7), Moulins (7), Lyon (5), Riom (6), Grenoble (6), Poitiers (9), La Rochelle (5), Limoges (5), Bordeaux (5), Tours (16), Pau et Auch (6), Montauban (6), Champagne (12), Rouen (14), Caen (9), Alençon (9), Bourgogne et Bresse (4).

Projets d'assemblées régionales. Les pays d'élections, contrairement aux pays d'États, n'avaient aucune assemblée à l'échelon régional pour voter leurs impôts et enregistrer les édits royaux (ces rôles étant laissés aux parlements dont ils dépendaient). Cette situation semblait injuste et des projets d'assemblées régionales élues pour chaque pays d'élections ont été faits notamment par Fénelon, Turgot, Necker. Louis XVI en a créé plusieurs en 1778 (notamment Berry, Hte-Guyenne) : 12 ecclésiastiques, 12 nobles, 24 propriétaires roturiers. Mais les parlementaires, jaloux de leur pouvoir, ont fait opposition.

Trésoriers généraux : d'abord « élus généraux », chargés d'inspecter le travail d'un groupe d'élus (1389), ils dépendent d'un bureau des finances qu'ils visitent depuis Paris. En 1390, 4 généralités (Paris, Rouen, Tours, Montpellier) remplacent les bureaux des finances, et « l'élu général » s'y installe en permanence. En 1552, ils deviennent *trésoriers du roi* et en 1586 *trésoriers de France,* charge vénale et héréditaire. En 1666, les intendants (v. ci-dessous) sont chargés à leur place d'inspecter les services financiers, comme les services administratifs et économiques, à l'intérieur de leurs généralités (qui gardent leur nom). Pour ne pas rembourser leurs charges aux trésoriers de France, le roi les maintient en les réduisant à un rôle d'apparat.

Baillis : anciens inspecteurs des « prévôts » du domaine royal (voir ci-dessus), ils sont devenus propriétaires de leur charge et réduits à un rôle d'apparat. Les « bailliages » continuent à exister après la création des « élections » (parfois même chef-lieu, mais circonscriptions différentes et se chevauchant) et sont soumis à l'inspection des intendants. 2 « lieutenants » du bailli y font le travail administratif : **lieutenant de robe longue,** chargé du contentieux et des affaires judiciaires de petite instance ; **lieutenant de robe courte,** chargé de la police (sa robe courte lui permet de monter à cheval).

Intendants : au XVe s., commissaires envoyés en inspection et choisis parmi les membres du conseil royal, ils faisaient des « chevauchées » dans un secteur que le roi leur confiait, vérifiant les comptes des *élus,* contrôlant l'administration des *baillis* et des *municipalités.* Vers 1600, ils prennent le nom d'intendants ; en 1666, ils se fixent dans les généralités où ils coiffent *trésoriers* ou *élus généraux.* En 1697, ils deviennent *intendants de police, de justice et des finances,* avec un droit d'inspection sur les parlements. Chaque généralité était divisée en *subdélégations ;* le subdélégué de l'intendant, rétribué par l'intendant sur ses propres appointements, avait un territoire administratif distinct des bailliages et des élections, mais résidait toujours dans l'un de leurs chefs-lieux.

Gouverneurs : fonctionnaires militaires, héritiers des *lieutenants généraux du roi,* créés au XIIIe s. pour représenter l'autorité du roi dans certaines provinces troublées, et devenus au XVe s. les *gouverneurs et lieutenants pour le roi.* Au XVIe s., leur autorité n'est pas seulement militaire, mais aussi politique et administrative (ils convoquent et tiennent en main les Parlements provinciaux, servent d'intermédiaire entre roi et noblesse). Ce sont toujours de grands seigneurs. Sous Louis XIII, ils font preuve d'insubordination (notamment Montmorency et Épernon) et Richelieu réduit leur rôle à un commandement militaire. A partir de Louis XIV, les gouvernements (militaires) ne sont plus que des sinécures, données à des généraux à titre de récompense, et le plus souvent transmissibles de père en fils.

Circonscriptions : ne coïncident pas avec celles des généralités ; elles varient jusqu'au XVIIe s., puis se sont fixées : 33 grands gouvernements (aux revenus élevés), 7 petits (ici en italique). **Nord :** Flandre et Hainaut (capitale Lille), *Dunkerque,* Artois (Arras), Picardie (Amiens), *Boulonnais* (Boulogne), Normandie (Rouen), *Le Havre,* Ile-de-France (Soissons), *Paris.* **Nord-Est :** Champagne (Troyes), *Metz et Verdun* (Metz), *Toul,* Lorraine (Nancy), Alsace (Strasbourg). **Est :** Franche-Comté (Besançon), Bourgogne (Dijon). **Sud-Est :** Lyonnais (Lyon), Dauphiné (Grenoble), Provence (Aix), Corse (Bastia). **Sud :** Languedoc (Toulouse), Roussillon (Perpignan), comté de Foix (Foix). **Sud-Ouest :** Guyenne et la Gascogne (Bordeaux), Béarn (Pau). **Ouest :** Bretagne (Rennes), Maine (Le Mans), Anjou (Angers), *Saumur,* Poitou (Poitiers), Aunis (La Rochelle), Saintonge et Angoumois (Angoulême). **Centre :** Touraine (Tours), Orléanais (Orléans), Nivernais (Nevers), Berry (Bourges), Bourbonnais (Moulins), Auvergne (Clermont-Ferrand), Limousin (Limoges), Marche (Guéret).

Dynastie capétienne

• Victoire des Capétiens sur les feudataires. Entre le XIe et le XVIe s., les rois de France accumulent successivement tous les titres seigneuriaux du royaume (quelques exceptions, notamment comtés de Nevers et de Rethel). Ils acquièrent également des titres impériaux : dauphins du Viennois, comtes et marquis de Provence, etc.

Théoriquement, ils devraient se comporter dans chaque province comme un seigneur féodal à la tête d'un territoire autonome. En fait, la fusion est presque toujours proclamée avec le domaine capétien. Même la Navarre, royaume étranger, est réunie par Henri IV. Néanmoins, le roi continue à se proclamer le « 1er gentilhomme du royaume » ; il affecte d'être au milieu des nobles le « primus inter pares ». François Ier s'intitule dans sa correspondance avec la cour d'Espagne « Roi de France, seigneur de Vanves et de Gonesse ».

• Applications de la loi salique. Les Capétiens ont régné près de 4 siècles (987-1316) sans que leur filiation masculine soit interrompue. Le 1er roi mort sans fils légitime a été Louis X le Hutin, qui laissait une fille, Jeanne, âgée de 4 ans. La coutume n'interdisait pas qu'un fief passe à une fille, mais on avait gardé le souvenir de la royauté franque qui ne passait jamais aux femmes (par ex., en 587, Gontran, roi de Bourgogne, donne son trône à son neveu, non à sa fille). De fait, en 1314, Jeanne aurait été sans doute proclamée reine, si la reine veuve, Clémence de Hongrie, n'avait pas été enceinte de 5 mois. Il fallait attendre pour savoir s'il allait naître un fils ou une fille. Pendant les 4 mois d'attente, le régent Philippe de Poitiers, frère de Louis X, fit triompher le principe de l'exclusion des femmes (2 raisons : 1° l'ambition personnelle du régent ; 2° le fait que Marguerite de Bourgogne, mère de Jeanne, avait été condamnée pour adultère). Le 3-11-1316, naquit Jean II le Posthume, mais il mourut quelques jours plus tard. Philippe prit le titre de roi et se fit couronner en hâte à Reims (11-1-1317). A sa mort (1322), il ne laissait que des filles et son frère Charles devint roi automatiquement : le principe était déjà admis. A la mort de Charles (1328), la couronne passa à Philippe VI de Valois, cousin germain du roi qui rendit à Jeanne (mariée à Philippe Cte d'Évreux, la couronne de Navarre).

Le principe de masculinité fut invoqué de nouveau, notamment en 1326, contre Édouard III d'Angleterre, fils d'Isabelle (1298-1358), sœur de Louis X et fille de Philippe le Bel, qui avait épousé en 1308 Édouard II (1284-1327), roi d'Angl. Éd. III fit acte de prétendant en 1340 et se proclama roi de France, titre dont firent état les souverains d'Angl. jusqu'en 1801 (avec des interruptions).

☞ L'expression de *loi salique* a été créée pendant la g. de Cent Ans (on ne sait ni par qui, ni à quelle date exacte). Elle fut officialisée sous ce nom en 1593 [du nom d'un recueil des coutumes des Francs saliens écrit sous Clovis et comportant un titre qui exclut les femmes de la succession à la terre ancestrale *(terra salica)*].

• Régences. Système existant en droit féodal (le régent, nommé le plus souvent garde ou baillistre, avait l'administration et la jouissance d'un fief pendant la minorité de l'héritier). Le royaume de France a été confié à des régents ou régentes non seulement en cas de minorité, mais en cas d'absence du roi : croisade de St Louis (1248-52 et 1269-70), captivités de Jean Ier (1356-60) et de François Ier (1525-26). La mère du roi recevait généralement la régence, même quand le roi était majeur (ex. : Louise de Savoie, mère de François Ier, en 1525-26).

Les cas de régence exercée par d'autres que la mère du roi sont fréquents. Baudouin V de Flandre à la place d'Anne de Kiev, mère de Philippe Ier, en 1060 ; les oncles de Charles VI, réunis en un conseil de régence (1380-85 ; et de nouveau pendant les crises de folie du roi) ; la sœur de Charles VIII, Anne de Beaujeu (1483-85) ; et enfin le *Régent,* premier prince du sang, pendant la minorité de Louis XV (1715-22). Les souverains du XIXe s., Napoléon Ier, Louis-Philippe, Napoléon III, se sont tous ralliés à la tradition de confier la régence à la mère de l'héritier mineur (1814, 1848, 1870). La tutelle du prince mineur et l'administration du royaume sont traditionnellement confondues. Seul Louis XIV a essayé de les dissocier par testament en 1715. Le Parlement a cassé sa décision.

• Princes capétiens. **Enfants de France.** Enfants et petits-enfants des rois de Fr., frères et sœurs du roi régnant, et les enfants des frères jouissaient aussi de ce titre. Leurs petits-enfants avaient seulement droit au titre de *princes de sang.* Le 1er fils du roi portait le titre de *dauphin* depuis 1349 ; les princes nés après lui, outre le titre d'enfants de France, prenaient chacun celui de la principale terre de leur apanage (v. ci-dessus). Le 1er *frère du roi* a été appelé *Monsieur* depuis le XVIe s., mais le titre n'a été officialisé qu'à partir de Gaston d'Orléans, frère de Louis XIII. De sa naissance à la mort de son oncle Gaston (1640-60), Philippe, frère de Louis XIV, a été appelé le *Petit Monsieur.* Les filles de France étaient appelées *dames,* même lorsqu'elles n'étaient pas mariées. Les filles, les sœurs du roi, la fille aînée du dauphin avaient le titre de *Madame.* La fille aînée du roi, ou à défaut du prince le plus rapproché du trône, n'ajoutait pas son nom de baptême après Madame (la femme du 1er frère du roi en faisant autant). Les filles du 1er frère du roi étaient dites *Mademoiselle.* La fille du 1er lit de Gaston d'Orléans, frère de Louis XIII, prit le titre de *Grande Mademoiselle,* car elle était fille du *Grand Monsieur* et nièce de Louis XIII, pour se distinguer des 3 *Mesdemoiselles,* filles de l'ancien *Petit Monsieur,* Philippe d'Orléans, et nièces de Louis XIV.

Princes du sang. Le titre commence à être porté sous Louis XI. Louis XIV fixa en 1711 leurs prérogatives, dès 15 ans notamment ils avaient voix délibérative au Parlement et aux Conseils.

Fin de l'Ancien Régime

• Pouvoir royal. Il est *en principe* absolu : le roi nomme et révoque les ministres (pouvoir exécutif) ; il fait la loi en la promulguant par *lits de justice* quand le Parlement ne veut pas l'enregistrer (« C'est légal parce que je le veux », dira L. XVI) ; il peut interner les sujets sans jugement (pouvoir judiciaire). En fait, il est limité par l'influence de la Cour et par la survivance des privilèges féodaux. Les courtisans font et défont les ministères, malgré les désirs du roi : L. XV doit renvoyer Choiseul ; L. XVI doit renvoyer successivement Turgot, Necker, Calonne, Brienne. Ils usent d'intrigues de couloirs, bons mots, pamphlets anonymes, chansons. Un ministre critiqué par la Cour se retire quasi automatiquement.

Principaux groupes de pression à la Cour : 1° parti orléaniste (duc d'Orléans, chef de la franc-maçonnerie) ; 2° parti de la reine (Marie-Antoinette soutient une politique pro-autrichienne) ; 3° parti du comte de Provence (futur Louis XVIII) ; 4° parti du comte d'Artois (futur Charles X).

• Privilèges des gens de robe. Parlementaires (parisiens et provinciaux) : membres des états provinciaux, magistrats des bailliages, élections, prévôtés, sénéchaussées ; juges seigneuriaux et ecclésiastiques.

Inamovibilité : ils sont propriétaires de leur charge et le roi ne peut les en priver. De fait, les charges sont rarement revendues mais laissées en héritage aux fils des magistrats. D'où l'abaissement des limites d'âge : on pouvait succéder à son père dans une charge dès la mort de celui-ci, même avec des études incomplètes. Une décision administrative prise par les services royaux de Versailles ou par un intendant de province, si elle est portée devant un de ces magistrats, est pratiquement annulée (lenteur des procédures, chevauchement des juridictions). Les ordonnances royales sont pour la plupart enregistrées à prix d'argent : des agents royaux, appartenant à un parlement, proposent à leurs confrères des bénéfices en échange d'un vote favorable. Les charges sont ainsi très lucratives, et leur cote ne cesse de croître (une présidence vaut de 500 000 à 800 000 livres).

• **Fermiers généraux.** Existent depuis 1681 : adjudicataires des rentrées d'impôts indirects sur les boissons (ou *aides*), le tabac, le sel (ou *gabelle*), les douanes [ou *traites* (réparties en 5 grandes fermes et 18 petites, couvrant tout le royaume, sauf les duchés de Lorraine et de Bar, qui formaient une ferme spéciale, et 5 provinces d'acquisition récente, *« réputées étrangères »* du point de vue de la fiscalité indirecte : Artois, Roussillon, Franche-Comté, Alsace, Corse)]. Groupés en une compagnie de 40 (60 à partir de 1775), les fermiers gén. s'engagent chaque année à verser au Trésor une certaine somme ; ils se remboursent ensuite sur les recettes des taxes (ils ne versent pas effectivement la somme mais l'inscrivent à un compte courant en doit et avoir, effectuant ensuite tous les paiements du Trésor).

Montant des adjudications (en millions de livres) : *1681* : 56 ; *1738* : 91 ; *1761* : 121 ; *1774* : 162 ; *1786* : 242. Le bénéfice moyen de chacun des 40 fermiers est de 300 000 livres par an.

• **Privilèges de la noblesse.** Les nobles détiennent la puissance financière : possession d'une grande partie du sol (exemptée d'impôts), exclusivité pour les charges pensionnées : militaires (tous les grades élevés sont donnés aux nobles) ou civiles (charges fictives à la Cour ou en province, notamment les « gouvernements », richement dotées).

• **Privilèges seigneuriaux de l'Église.** L'Église possède environ 1/3 du sol national, exempté d'impôt. Ses revenus considérables sont versés à des bénéficiaires (évêques ou abbés) inamovibles. Les évêques sont tous nobles ; les abbés sont souvent des intellectuels ayant reçu le « petit collet », leur seule obligation est de demeurer célibataires.

Le roi peut demander à l'Église de France de lui faire des « dons », mais ceux-ci doivent être votés par les assemblées du clergé.

• **État des finances.** *Ressources directes* des pays d'élections (voir p. 669a) : elles sont absorbées par le paiement des pensions et le coût des charges inamovibles ; les domaines nobles et ecclésiastiques sont dispensés de l'impôt. Depuis 1778, les impôts exceptionnels sont consentis par les assemblées régionales élues (voir p. 669a). A Grenoble, où il n'y avait pas d'assemblée régionale (car il y avait un parlement), les « Nationaux » en convoquent une de leur propre chef. Louis XVI accepte d'en revenir au vieux système des états du Dauphiné (qui rejetteront la demande d'impôts).

Ressources directes des pays d'états (voir p. 669a) : les impôts doivent être *consentis* par les états provinciaux : ils sont maintenus à des chiffres traditionnels, ne correspondant plus aux besoins.

Spéculation boursière : largement pratiquée par les ministres de Versailles : dévaluations, banqueroutes partielles, agiotage. Permettra au régime de survivre jusqu'en 1789.

Recettes indirectes de la Ferme générale : dépensées, à partir de 1786, avec 3 années d'avance. La Ferme n'assure plus les débits du Trésor.

• **États généraux de 1789.** Leur convocation auraient été décidée le 5-7-1788 pour instituer la « subvention territoriale » : impôt direct que payaient au roi toutes les terres, même nobles, ecclésiastiques ou privilégiées. La tradition exigeait un consentement spécial de tous les « vassaux du roi » pour un tel changement. Le 20-12-1788, le clergé et la noblesse de l'assemblée des Notables (2e session) ayant renoncé à leurs privilèges fiscaux (renonciation entérinée en janv. 1789 par les différents États provinciaux), cette convocation des états généraux devint superflue, cependant Louis XVI et Marie-Antoinette, pour punir les ordres privilégiés de leur fronde, décidèrent le 27-12-1788 de les convoquer quand même mais avec un Tiers doublé (comme pour les assemblées régionales de 1778).

Les représentants du Tiers ne sont plus ceux des « villes nobles » (notion perdue), mais comme pour les assemblées régionales de 1778 dans les pays d'élections, ceux des propriétaires non nobles, pour moitié urbains, pour moitié ruraux. Des nobles et des ecclésiastiques peuvent ailleurs être représentants du Tiers. *Nombre de députés par états* (sur 1 139) : Tiers 578, Noblesse 270 (dont 90 libéraux), Clergé 291 (dont 205 curés). Après la réunion des 3 ordres (27-6-1789), droite conservatrice : 290 ; centre monarchiste modéré : 300 ; gauche : 550.

• **Fin de l'armée royale.** La tendance maçonnique l'emporta dans le corps des officiers après la guerre d'Amérique (1778-83), sous l'influence de La Fayette, franc-maçon et partisan du duc d'Orléans. Revendication principale : accès aux grades supérieurs des officiers de petite noblesse ; accès aux charges d'officiers pour les roturiers (les Gardes-françaises, à qui incombait la protection du roi, se rallièrent au tiers état en juin 1789 ; ils prennent la Bastille, devenant la Garde nationale, soldée).

• **Abolition de la féodalité.** La nuit du 4 août 1789, la noblesse effrayée par la « jacquerie » du 14 au 31 juillet 1789, appelée la *« Grande Peur »,* accepte la suppression des droits féodaux [1] pour sauver ses droits de propriété. Mais le maintien de l'ordre devenant impossible par suite de la défection de l'armée, ce sacrifice n'a pas été suffisant. Les propriétés seigneuriales ont passé en grande partie en d'autres mains. Le 20-6-1790, l'Assemblée nationale décrète la suppression de la noblesse héréditaire et l'abolition de tous les titres. Beaucoup de nobles émigrent (1789-92), espérant pouvoir reconquérir plus tard leurs privilèges avec l'aide étrangère.

Droits abolis : sans indemnités : *les droits de féodalité dominante,* c.-à-d. exercés par tout seigneur sur ses terres, en vertu de coutumes féodales : *servage* (impôts levés sur les serfs uniquement : chevage ou taxe par tête, et formariage, quand on épouse), *mainmorte* (ecclésiastique : les terres d'un fief eccl. devant obligatoirement retourner à la seigneurie en cas de décès du tenant, les héritiers doivent payer pour conserver la tenure), *droits de chasse* (seul le seigneur peut chasser sur les terres du fief), *de colombier* (seul le seigneur a le droit d'élever des pigeons), *de déshérence* (tout bien possédé sur le fief revient au seigneur en cas de décès sans héritiers du possesseur), *de bâtardise et d'aubaine* (dans certaines provinces, les aubaines, c.-à-d. les gens venus d'ailleurs, et les bâtards étaient assimilés à des serfs ; ils payaient donc le chevage et le formariage), *d'épave* (toute épave localisée sur le fief appartient au seigneur), *la corvée* (obligation de fournir un certain nombre d'heures de travail sur le domaine, c.-à-d. le château et les terres en dépendant immédiatement) et *la taille* (pratiquement disparue à l'échelon seigneurial : la taille royale, c.-à-d. l'impôt sur les personnes, s'était imposée dans tout le royaume), *les banalités* (obligation d'utiliser, exclusivement et moyennant redevance, certains moyens de production appartenant au seigneur : four à chaux, pressoirs, forges, carrières, animaux reproducteurs, abattoirs, lavoirs, etc.), *les péages* (sur les ponts et sur certains tronçons de route). **Avec indemnités :** *les droits de « féodalité contractante »,* c.-à-d. résultant d'accords particuliers passés entre les seigneurs et leurs tenants [*cens* et *rentes, lods* et *ventes, mutations* et certaines banalités (*fours à pain, moulins*)].

• **Fin des parlements.** Les parlements sont tous supprimés par un décret de l'Assemblée nationale du 3-11-1789. Les parlementaires parisiens (très populaires en mai 1788 pour leur opposition à Louis XVI) se dispersent dans l'indifférence.

• **Vote d'une Constitution.** Les députés du tiers état se sont proclamés unilatéralement *« Assemblée nationale »* le 17-06-1789. Ils sont rejoints par la majorité du clergé le 24-06, par 47 nobles (dont le duc d'Orléans) le 25-06, par tous les délégués nobles (ordre du roi) le 27-06. Ils prennent, le 9-07, le nom d'*Assemblée nationale constituante* et entreprennent de rédiger une Constitution limitant le pouvoir du roi. En juillet, l'Assemblée s'empare du pouvoir exécutif, en créant, à l'initiative de Volney, un *comité des rapports,* qui supervise les décisions des ministres et du roi, et un *comité des recherches* assurant à ses côtés la police générale du royaume. Parallèlement, la *commune de Paris* exerce plusieurs des pouvoirs souverains en province et dans la capitale. A partir du 10-08-1791, l'Ass. prend des décrets « au nom du Roi », ayant déjà la même force juridique que les textes promulgués par la future Constitution qui sera achevée le 14-09-1791 (le roi, arrêté le 22-06-1791 à Varennes, suspendu provisoirement par l'Assemblée le 23-06, restait, en principe, « absolu »).

Monarchie constitutionnelle

Constitution du 3 septembre 1791

• **Le roi** (titré roi des Français), héréditaire, inviolable, irresponsable devant l'Ass., ne règne que par la loi ; il doit prêter serment de fidélité à la nation et à la loi. Jusqu'à 18 ans, il est mineur. Chargé de l'exécutif, il nomme et révoque les min. (responsables devant le Corps législatif), est le chef suprême des armées, nomme les ecclésiastiques. Il a un veto suspensif (il peut refuser de sanctionner des décrets, en déclarant qu'il les examinera, mais si les 2 législatures suivantes reprennent ces décrets dans les mêmes termes, la sanction royale est réputée donnée). Il peut annuler les actes des administrations des départ. et des districts (qui sont élus). Il dispose d'une liste civile de 25 millions de livres. **Le pouvoir judiciaire** est aux mains de juges élus.

• **Assemblée nationale législative.** Indissoluble. **Élections :** élue pour 2 ans au suffr. indirect et restreint. **Électeurs** (décret du 22-12-1789) les citoyens actifs nés ou devenus français [25 ans au min., inscrits au rôle des gardes nationales, ayant prêté le serment civique, n'étant pas en état de domesticité, payant une contribution égale au prix de 3 j de travail porté à 10 j en août 1791 (applicable dans les 2 ans)]. Ils constituaient les *assemblées primaires* qui élisaient des *électeurs du 2e degré* [propriétaires et usufruitiers d'un bien évalué à un revenu de 100 j de travail (villes de – 6 000 h.), ou 150 j (campagne), ou 200 j (villes de + de 6 000 h.), ou locataires d'une habitation au revenu évalué à 50 j (villes de – de 6 000 h.), ou 100 j de travail (villes de + de 6 000 h.), ou fermiers et métayers de biens évalués à 400 j de travail], chargés d'élire eux-mêmes les députés, juges et administrateurs de district et de département.

Sur 26 millions supposés d'habitants, le décret du 28-5-1791 dénombre 4 298 360 citoyens actifs.

Députés. D'après la loi de déc. 1789, ils ne pouvaient être choisis que parmi les propriétaires fonciers payant une contribution égale à la valeur d'un *marc d'argent* (soit 244 gr.). En août 1791, on supprima le marc d'argent. **Nombre :** 247 attachés au territoire à raison de 3 par département, sauf Paris, 249 à la population active (chaque départ. nommant autant de députés que de parts de 17 262 citoyens actifs), 249 à la contribution directe.

Pouvoirs : l'Ass. a seule le droit de proposer et de décréter les lois, de fixer les dépenses publiques, de statuer sur l'organisation de l'armée, de déclarer la guerre (sur la proposition du roi et sous réserve de sa sanction). **Fonctionnement.** L'Ass. lég. siégea du 1-10-1791 au 27-9-1792. Elle fut gênée par le *droit de pétition,* introduit dans le projet de Const. en mai 1791, qui permettait de pouvoir adresser aux autorités constituées des pétitions signées individuellement. [Robespierre (n'étant pas député) l'utilise à son profit]. Très vite, le roi entra en conflit avec l'Assemblée (par ex., elle s'assit le 14-9-1791, quand le roi prononça le serment constitutionnel ; irrité, le roi s'assit à son tour). Le 10-8-1792, le roi fut suspendu définitivement et les ministres furent élus par l'Ass. lég. pour exercer provisoirement l'exécutif.

Ire République

• **Convention nationale.** Chargée de réorganiser les pouvoirs après la déposition du roi, elle fut élue au suffrage universel en août-sept. 1792. Le 11-8, un décret avait supprimé les conditions de cens. Les électeurs du 1er degré devaient avoir 21 ans, ceux du 2e degré 25 ans. Ils ne devaient pas être en état de domesticité. Les colonies eurent leurs députés [St-Domingue 18, Guadeloupe 4, Martinique 3, île de France (Maurice) 2, Inde française 2, Ste-Lucie, Tobago, Guyane, île Bourbon (la Réunion), chacune 1].

La *Convention* siégea du 20-9-1792 au 26-10-1795 (4 brumaire an IV). Elle abolit la royauté par décret le 21-9-1792, organisa le gouvernement révolutionnaire (loi du 14 frimaire an II) et prépara la Constitution du 24 juin 1793, puis la Const. du 22-8-1795.

• **Constitution du 24 juin 1793** (ratifiée par plébiscite le 9-8-1793, elle ne fut jamais appliquée). **Électeurs.** Tout Français de 21 ans est citoyen. Les citoyens domiciliés dep. 6 mois dans le canton se réunissent en *ass. primaires* (200 à 600 m.), votent les lois et élisent les députés du Corps législatif à la majorité absolue (tous les ans le 1er mai). Ils élisent aussi des électeurs qui, réunis en *ass. électorales,* nomment des administrateurs, des arbitres publics et des juges. L'art. 32 précise : « Le droit de présenter des pétitions aux dépositaires de l'autorité publique ne peut en aucun cas être interdit, suspendu, ni limité. »

Assemblées. Conseil exécutif : 24 m. choisis par le corps législatif sur une liste présentée par les ass. électorales de département (1 candidat par dép.) ; renouvelé par moitié tous les ans. **Corps législatif :** composé de 1 député pour 40 000 individus. Propose les lois et rend les décrets. Les lois proposées sont réputées ratifiées par le peuple si, dans la moitié plus un des dép., 1/10 des assemblées primaires de chacun d'eux ne réclame pas avant l'expiration d'un délai de 40 j. S'il y a réclamation, les ass. primaires sont convoquées pour être consultées.

• **Constitution du 22 août 1795 (5 fructidor an III).** **Électeurs.** Est *citoyen* tout Français ou naturalisé de 25 a., inscrit sur le registre civique de son canton (il faut savoir lire et écrire, et exercer une profession), domicilié dep. 1 an et payant une contribution directe, foncière ou personnelle ; pas de conditions pour les Français ayant fait campagne pour la République. Les *assemblées primaires* se réunissent le 1er germinal de chaque année pour nommer les *membres de l'ass. électorale* (1 pour 200 inscrits), le juge de paix et ses assesseurs, le Pt de l'ass. municipale du canton et les officiers municipaux des communes de plus de 5 000 h. L'*assemblée électorale* comprend l'ensemble des électeurs (élus par les ass. primaires) de chaque département ; elle se réunit le 20 germinal de chaque année ; nomme les m. du Corps législatif (d'abord ceux du Conseil des Anciens et ensuite ceux des Cinq-Cents) ; choisit les m. du Tribunal de cassation, les hauts jurés, les administrateurs du département, le président, l'accusateur public et le greffier du tribunal criminel, les juges des tribunaux civils.

Directoire (5 m. d'au moins 40 ans, désignés pour 5 ans), nommé par les Anciens d'après 1 liste de 50 noms préparée par les « 500 ». Chaque directeur préside 3 mois et assure les signatures et la garde des sceaux ; 3 membres présents pour une délibération valable. Les **ministres** (de 6 à 8, minim. 30 ans) ne forment pas un conseil et sont responsables de l'exécution des lois et des arrêtés du Directoire.

Corps législatif. Élus pour 3 ans (et renouvelés par tiers). Comprend **Conseil des Cinq-Cents** (min. 25 ans) ayant l'initiative des lois et **Conseil des Anciens** (250 m., min. 40 ans, mariés ou veufs) votant les lois.

Nota. – Traitement annuel des m. du Directoire : équivalent de 500 t de froment (env. 125 000 F-or) ; des *m. du Corps législatif :* équivalent de 30 t.

☞ Cette Constitution fonctionna 4 ans jusqu'au 9-11-1799 (coup d'État du 18 brumaire an VIII), mais les coups d'État en avaient faussé l'application.

• **Constitution du 13 déc. 1799 (22 frimaire an VIII).** L'acte du 19 brumaire an VIII nomma une *Commission consulaire* et chargea le Conseil des Anciens et le Conseil des Cinq-Cents de préparer cette nouvelle Constitution qui fut ratifiée par le plébiscite du 18 pluviôse an VIII. **Électeurs.** Le suffr. univ. est rétabli, mais les électeurs ne peuvent que dresser des *listes de confiance communales* (1 désigné pour 10 électeurs). Les désignés par ces listes établissent des *listes de confiance départementales* (1 pour 10), qui à leur tour élisent une *liste nationale* (1 pour 10) dans laquelle sont choisis les membres des assemblées.

Gouvernement. Composé de 3 **consuls** élus pour 10 ans (et rééligibles). Le *1er consul* propose seul les lois, les promulgue, fait des règlements, il nomme et révoque les membres du Conseil d'État, ministres, ambassadeurs et agents diplomatiques, officiers de l'armée de terre et de mer, membres des administrations locales et du ministère public ; nomme, sans pouvoir les révoquer, les juges de paix et juges de cassation. *Le 2e et le 3e consul* n'ont qu'une voix consultative.

Assemblées : Conseil d'État, nommé par le 1er consul, prépare les lois. **Tribunat** (100 m., 25 a. au moins), nommé par le Sénat, renouvelé par 1/5 tous les ans, discute les lois. **Corps législatif** (300 m., 30 a. au moins), nommé par le Sénat, renouvelé par 1/5 tous les ans, vote les lois sans les discuter. **Sénat** (80 m. inamovibles, 40 a. au moins) se recrutant par cooptation, gardien de la Constitution.

• **Constitution du 8 mai 1802 (18 floréal an X).** **Consulat bidécennal.** Par un sénatus-consulte, le Sénat « réélit le citoyen Napoléon Bonaparte consul de la République française pour les dix années qui suivront immédiatement les dix ans pour lesquels il a été nommé ». Le sénateur Augustin Lespinasse (1736-1816) avait proposé le consulat à vie.

• **Constitution des 2 et 4 août 1802 (14 et 16 thermidor an X).** **Consulat à vie** (dure 2 ans) Bonaparte ayant été proclamé consul à vie par le plébiscite du 14 thermidor, le sénatus-consulte du 16 thermidor modifie la Constitution du 22 frimaire an VIII (le min. des Finances dresse des listes en fonction des revenus des contribuables. Les collèges électoraux sont nommés à vie). Le *1er consul* voit ses pouvoirs renforcés (il a notamment le droit de grâce). Les *2e et 3e consuls* sont nommés à vie par le Sénat sur la présentation du 1er consul ; celui-ci peut présenter un citoyen qui lui succéderait après sa mort et qui, après ratification du choix par le Sénat, prête serment ; si le 1er et le 2e candidat présentés ne sont pas acceptés, le 3e l'est nécessairement. **Assemblées. Tribunat** réduit (50 m.), **Sénat** pouvoirs renforcés. **Conseil d'État** (au max. 50 m.) : les min. y ont voix délibérative (seulement s'ils sont sénateurs), sinon consultative.

Un *Conseil privé* (composé de 2 conseillers d'État, de 2 grands officiers de la Légion d'honneur désignés pour chaque séance, et des consuls) discute les projets de sénatus-consulte admis par le Sénat et donne son avis avant la ratification d'un traité ou d'une alliance.

Premier Empire

Constitution du 18 mai 1804 (28 floréal an XII)

• **Empereur.** Le Gouvernement de la République est confié à un empereur qui prend le titre d'Empereur des Français. La justice se rend, au nom de l'emp., par les officiers qu'il institue. Napoléon Bonaparte, 1er consul de la Rép., devient Emp. des Français.

La **dignité impériale** est héréditaire dans sa famille, de mâle en mâle, par ordre de primogéniture, et à l'exclusion des femmes et de leur descendance. À défaut d'héritiers ou d'enfants adoptifs, sa succession doit être recueillie par son frère Joseph et sa descendance, et à son défaut, par son frère Louis et sa descendance ; à leur défaut, l'empereur doit être nommé par un sénatus-consulte. Les **membres de la famille impériale**, dans l'ordre d'hérédité, portent le titre de *princes français,* et le fils aîné de l'empereur celui de *prince impérial.* Ils entrent au Sénat à 18 ans et ne peuvent se marier sans l'autorisation de l'empereur, sous peine de perdre leurs droits. En cas de minorité de son successeur (majeur à 18 ans), l'empereur désigne un *régent* d'au moins 25 ans ; si aucune désignation n'est faite, le régent est le prince le plus proche en degré par ordre d'hérédité ; si aucun des princes français n'est âgé de 25 ans, le Sénat choisit le régent parmi les titulaires des grandes dignités de l'Empire qui forment le conseil de régence.

• **Grands dignitaires de l'Empire.** Nommés à vie par l'empereur, ils ont les mêmes privilèges que les princes français et ont rang après eux. Ils forment le **Grand Conseil de l'Empereur,** sont membres du Conseil privé, et composent le Grand Conseil de la Légion d'honneur. **Grand électeur :** fait fonction de chancelier pour les convocations du Corps législatif et des collèges électoraux et pour la promulgation des sénatus-consultes de dissolution. **Archichancelier de l'Empire :** fait fonction de chancelier pour la promulgation des sénatus-consultes organiques et des lois, et de chancelier du palais impérial. Il préside la haute cour impériale, et, dans certains cas, les sections réunies du Conseil d'État et du Tribunat. **Archichancelier d'État :** a les mêmes fonctions vis-à-vis des membres de la diplomatie française, mais il n'a ni sceau, ni signature, ni charge de présider. **Architrésorier :** assiste au compte rendu annuel des ministres des Finances et du Trésor public, et vise les comptes des recettes et dépenses annuelles présentés à l'empereur. **Connétable :** assiste au compte rendu annuel des ministres de la Guerre et du directeur de l'administration militaire. **Grand amiral.**

• **Assemblées.** **Sénat :** a la prééminence. **Tribunat :** ne peut plus se réunir que par sections et sera supprimé le 18-8-1807. **Corps législatif** (300 m.) : peut discuter les lois, mais sera très rarement convoqué.

☞ Napoléon fut déclaré déchu le 3-4-1814 par le Sénat et le Corps législatif et abdiqua par 2 déclarations (4 et 11-4-1814).

Restauration

Constitution des 6 et 7 avril 1814

Jamais appliquée : **le roi** a des pouvoirs étendus ; il a également l'initiative des lois. Il y a 2 assemblées : **Sénat** (de 150 à 200 m.) nommé à titre héréditaire par le roi ; **Corps législatif** (300 m.).

Charte du 4 juin 1814

☞ *Rédigée* par l'abbé Xavier de Montesquiou-Fezensac (1756-1832), assisté de Jacques Beugnot (1761-1835), directeur de la Police, de Charles Dambray (1760-1819), chancelier de France, et du Cte Antoine Ferrand (1751-1825), écrivain (Académie fr. 1816). *Octroyée* par le roi Louis XVIII (dura 6 ans moins *les Cent-Jours*), et appliquée du 4-6-1814 au 20-3-1815 (rentrée de Napoléon à Paris) et du 8-7-1815 (réinstallation de Louis XVIII aux Tuileries) au 2-8-1830 (abdication de Charles X).

• **Le roi.** Il propose, sanctionne, promulgue la loi, nomme les ministres et peut dissoudre la Chambre des députés.

• **Chambre des pairs.** Nombre : non limité. 150 (traitement annuel 36 000 F) choisis en grande partie parmi les m. du Sénat de l'Empire (53 exclus). Les m. de la famille royale et les princes du sang étaient pairs de droit. Les pairs héréditaires avaient accès à la Ch. à 25 ans et aux délibérations à 30 ans. La Ch. des pairs siégea du 4-6-1814 au 20-3-1815. *Après les Cent-Jours,* Louis XVIII la garda, mais le 24-7-1814 élimina 29 m. qui avaient siégé pendant les Cent-Jours. Le nombre des pairs passa de 214 (sept. 1815) à 263 (1819) et 341 (1828). Le 19-8-1815, le roi décida que la pairie serait héréditaire. Sauf les pairs ecclésiastiques, les pairs durent constituer des majorats devant produire un revenu minimal de 30 000 F p. les ducs, 20 000 F marquis et comtes, 10 000 F vicomtes et barons.

• **Chambre des députés** *Élections* (300 m.). L'*ordonnance royale du 13-7-1815* réorganisa les *collèges électoraux* [il faut, pour faire partie des c. d'arr. ou de dép., avoir 25 ans, mais les membres des c. de dép. doivent être choisis sur la liste des plus imposés. Les c. d'arr. se réunissent d'abord et nomment un nombre de candidats égal à celui des députés à nommer dans le dép. ; les c. de dép. choisissent sur cette liste la moitié des députés (la moitié plus un si le nombre des sièges est impair) et abaisse l'âge minimal des députés à 25 ans. La *loi du 5-4-1817 sur les élections* institua un seul collège électoral, le coll. de dép., dont font partie les citoyens de 30 ans, domiciliés dans le dép. et payant une contribution directe de 300 F. La *loi du 9-6-1824* modifia le système (chambre renouvelable intégralement). Des dégrèvements d'impôts permirent de réduire les électeurs de 99 000 en 1824 à 81 200. Les ordonnances de 1830 les auraient réduits à 25 000 propr. fonciers. *Députés.* 300 m. élus pour 7 ans et renouvelables par tiers (intégralement après la loi du 9-6-1824). Pour être éligible, il faut avoir au min. 40 ans et payer au min. 1 000 F d'impôts directs ; s'il n'y a pas 50 éligibles réunissant ces 2 conditions dans le dép., ce nombre doit être complété par les plus imposés payant au-dessous de 1 000 F. Une moitié de députés peut être choisie parmi les éligibles n'ayant pas leur domicile politique dans le département. La fonction de député est gratuite.

Fonctionnement. *Du 4-6-1814 au 20-3-1815,* la Chambre fut composée des membres du Corps législatif de l'Empire (237 m. ; il ne fut pas pourvu aux vacances). *Après les Cent-Jours,* on procéda à des élections. *La 1re Ch.* (comprenant 395 dép. et dite *Ch. introuvable,* car composée d'une majorité royaliste importante) siégea du 7-10-1815 à sa dissolution le 5-9-1816. Elle fut alors renouvelée entièrement puis par 1/5 à la fin de chaque année jusqu'en 1823. *Après la dissolution du 5-9-1816,* on fixa le nombre des dép. à 262 et l'âge de l'éligibilité passa de 25 à 40 ans. La *loi du 5-2-1817* supprima le suffr. à 2 degrés. La *loi du 29-6-1817* rétablit les collèges de dép. (qui nomment 172 dép.) et d'arrond. (qui nomment 258 dép.). *24-12-1823* la Ch. fut dissoute. *23-3-1824* une nouvelle Ch. fut élue pour 7 ans, mais elle fut dissoute le 5-11-1827. La Ch. élue le 17-11-1827 fut dissoute le 16-5-1830. Une nouvelle Ch. élue le 23-6 appela le 3-7 le duc d'Orléans et vota le 7-7-1830 la déchéance des Bourbons par 219 voix contre 32.

Cent-Jours

Acte additionnel aux Constitutions de l'Empire du 23 avril 1815

• **L'empereur** est rétabli.

• **Chambres.** **Chambre des pairs,** héréditaire nommée par l'empereur, en nombre illimité. Les pairs prennent séance à 21 ans mais n'ont voix délibérative qu'à 25 ans. Les membres de la famille impériale sont pairs de droit. La chambre siégea du 3-6 au 7-7-1815.

Chambre des représentants, 629 m. de 25 ans au min. [606 nommés par les collèges électoraux (d'arrondissement 238, de dép. 368), 23 nommés par le coll. de dép. sur une liste d'éligibles dressée par la Ch. de commerce et la Ch. consultative]. Elle siégea du 3-6 au 7-7-1815. *Après Waterloo,* elle contraignit Napoléon Ier à abdiquer en faveur de son fils (22-6-1815) qu'elle reconnut sous le nom de Napoléon II

(23-6). Elle constitua une *commission exécutive* de 5 députés, présidée par Fouché, manifesta son hostilité aux Bourbons le 30-6, mais dut se retirer, ses membres ayant trouvé porte close le 8-7.

☞ L'acte additionnel disparut en fait le 22-6 (abdication de l'Empereur) et en droit le 8-7, quand Louis XVIII fut réinstallé aux Tuileries. L'ordonnance royale du 12-7, qui dissolvait la Chambre des repr., rétablit d'une façon effective la Charte suspendue par les Cent-Jours.

Monarchie de Juillet

Charte du 7 août 1830

• **Le roi.** Il partage avec les Chambres l'initiative des lois ; nomme les ministres. La religion catholique cesse d'être la religion de l'État, mais est celle de la majorité des Français.

• **Chambre des pairs.** La Charte, amendée le 14-8-1830, et la loi du 29-12-1831 modifient son recrutement : le roi ne peut plus choisir les pairs que parmi des notabilités aux fonctions précisées, l'hérédité est supprimée (29-12-1831), les majorats sont abolis en 1835, aucun traitement, pension ou dotation n'est plus attaché à cette dignité. *Nombre de pairs* illimité : *1830* : 192 (94 nommés par Charles X), *1840* : 301, *1844* : 285, *1847* : 322, *1848* : 312.

• **Chambre des députés** (300 m.), élus pour 5 ans. **Électeurs.** Contribuables de 25 a. au moins, payant au moins 200 F d'impôts directs ; en 1832 : 172 000 él. ; en 1845 : 248 000. **Dissolution.** Ch. élue avant la révolution de 1830 fut dissoute le 31-5-1831, nouvelle Ch. fut élue 5-7 ; 25-5-1834, 3-10-1837, 2-2-1839, 12-6-1842, 6-7-1846, 24-2-1848. La *loi du 19-4-1831* abaissa le cens, abolit le double vote et porta le nombre de dép. à 459.

☞ Le 24-2-1848, Louis-Philippe abdiqua en faveur de son petit-fils le comte de Paris, mais la Rép. fut proclamée par le décret du gouv. provisoire du 26-2 et confirmée par l'acte du 4-5 rendu par l'Assemblée nationale élue au suffrage universel.

IIe République

L'Assemblée constituante élue les 23/24-4-1848 confia l'exercice du gouvernement le 9-5-1848 à une *commission exécutive* de 5 membres, chargée de nommer les ministres. Le 28-6-1848, le pouvoir exécutif fut délégué au *général Cavaignac* qui prit le titre de *Pt du Conseil* des ministres et fut chargé de nommer le ministère.

Constitution du 4 novembre 1848

• **Pt de la République.** *Age* : min. 30 ans ; doit avoir toujours été Français. *Élection* : tous les 4 ans au suffrage universel (hommes), à la majorité absolue et non immédiatement rééligible. L'Assemblée nationale vérifie l'élection ; si le candidat élu n'est pas éligible, ou si personne n'a obtenu la majorité absolue des suffrages exprimés et plus de 2 millions de voix, elle élit le Pt au scrutin secret et à la majorité absolue parmi les 5 candidats éligibles qui ont réuni le plus grand nombre de suffrages. *Pouvoirs* : le Pt peut faire présenter par ses ministres des projets à l'Assemblée nat. ; il promulgue les lois et veille à leur exécution. Il dispose de la force armée, mais ne la commande jamais en personne. Il ne peut ni céder un territoire, ni proroger, ni dissoudre l'Ass. nat., ni suspendre l'exécution des lois ou de la Constitution. Il nomme et révoque les ministres. Logé aux frais de l'État, il reçoit un traitement de 600 000 F. **Vice-Pt de la République :** nommé par l'Ass. nat. dans le mois suivant l'élection présidentielle, est choisi sur une liste de 3 membres que le Pt présente.

• **Assemblée nationale législative.** 750 m. (min. 25 ans, élus pour 3 ans au suffr. univ., 9 000 000 él.). La *loi du 31-5-1850* modifia celle du 15-3-1849 (les listes électorales, dressées dans chaque commune par le maire assisté de 2 délégués nommés par le juge de paix, comprennent les citoyens ayant depuis 3 ans leur domicile dans la commune ou dans le canton ; les fonctionnaires publics, les représentants du peuple dans la ville où siège l'Ass., et les ministres des cultes ne sont soumis à aucune condition de domicile ; pour être élu au 1er tour, il faut obtenir ¼ des voix des électeurs du dép.).

☞ L'Ass. siégea du 28-5-1849 jusqu'à sa dissolution le 2-12-1851. Le 20-12-1851, un *plébiscite* délégua les pouvoirs constituants à Louis-Napoléon Bonaparte.

Constitution du 14 janvier 1852

• **Prince-président.** Élu pour 10 ans, a l'initiative des lois et promulgue tous les textes. Chef de l'État, il est responsable devant le peuple, auquel il peut toujours faire appel ; il commande les forces militaires, déclare la guerre, fait les traités, nomme aux emplois, a le droit de grâce. Il fait les règlements, décrets d'exécution des lois, dont il a seul l'initiative et qu'il sanctionne et promulgue. Il peut proclamer l'état de siège. Il a le droit de présenter un citoyen pour lui succéder. Les ministres sont responsables devant lui seul.

• **Assemblées. Conseil d'État** (40 à 50 m. nommés par le Pt, prépare les lois et les soutient devant les Ch.). **Corps législatif** [261 m. élus (1 dép. pour 35 600 électeurs), sanctionne les lois]. **Sénat** (nommé à vie par le Pt sans limitation de nombre, gardien de la Constit.) Les fonctions des sénateurs sont gratuites, mais ils peuvent recevoir des dotations d'au plus 30 000 F par an.

Second Empire

• **Empire autoritaire. Constitution appliquée :** celle du 14-1-1852 plusieurs fois modifiée par des sénatus-consultes.

Sénatus-consulte du 7-11-1852 (confirmé par le plébiscite du 21-11-1852) rétablit l'Empire. Le Pt de la Rép. devient l'empereur Nap. III. Il peut adopter les enfants et descendants légitimes des frères de Nap. Ier dans la ligne masculine, et ces enfants adoptifs ne peuvent prétendre au trône que s'il n'a pas d'enfants mâles ; ses successeurs n'ont pas ce droit d'adoption. Il a le droit de régler sa succession par un décret s'il n'a pas d'enfants (ni d'adoptés). A défaut de ceux-ci et de successeurs en ligne collatérale, l'empereur est nommé par un sénatus-consulte, proposé par les ministres et les Pts du Sénat, du Corps législatif et du Conseil d'État, et ratifié par un plébiscite. Les *membres de la famille impériale* ne peuvent se marier sans l'autorisation de l'empereur (sinon, ils perdent leurs droits au trône, mais ils peuvent les recouvrer si leur femme meurt sans enfants).

Décret organique du 18-12-1852. Règle les droits des collatéraux à la succession au trône en choisissant la famille de Jérôme Bonaparte. **Sénatus-consulte du 25-12-1852.** Le *Sénat* ne peut avoir plus de 50 membres (nommés par l'empereur, ils ont une dotation annuelle de 30 000 F). Les *députés* reçoivent pour chaque mois de session une indemnité de 2 500 F. *2-2-1861* : publication des débats de l'Ass. *31-12-1861* : vote du budget par sections. **Sénatus-consulte du 18-7-1866.** Rappelle que la *révision* de la Constitution ne peut être discutée qu'au Sénat. La *session du Corps législatif* n'est plus limitée à 3 mois, et les *députés* reçoivent pour les sessions ordinaires une indemnité de 12 500 F. **Décret du 19-1-1867.** Donne au Sénat et au *Corps législatif le droit d'interpellation.* **Sénatus-consulte du 14-3-1867.** Donne au *Sénat* le droit de demander au Corps législatif, par une résolution motivée, de délibérer de nouveau sur une loi. **Sénatus-consulte du 8-9-1869** accroît les pouvoirs du Corps législ. qui reçoit l'initiative des lois.

• **Empire libéral. Sénatus-consulte du 20-4-1870.** L'emp. garde le droit de renvoyer les min. responsables. Il ne préside plus le Sénat ni le Conseil d'État. L'empereur ne peut nommer plus de 20 sénateurs en un an et le nombre des sénateurs ne peut excéder les 2/3 de celui des membres du Corps législatif. Le *Sénat* n'a qu'une attribution, celle de discuter et de voter les projets de loi, concurremment avec le Corps législatif. Le *Corps législatif* est nommé pour au moins 6 ans. Le *droit de pétition* s'exerce auprès du corps législatif et du Sénat. Le *droit d'amendement* n'est plus soumis au contrôle du Conseil d'État.

IIIe République

De 1870 à 1875

☞ **La République** est proclamée le *4-9-1870.* **Gouvernement provisoire :** 12 membres, députés de Paris, fonctionne sans l'assistance du pouvoir législatif et rend des décrets ayant force de lois (d'abord revêtus de 7 signatures, puis de 6).

Assemblée nationale. Élue au scrutin de liste le 8-2-1871, elle gouvernera jusqu'en 1875 (siégeant à Bordeaux, puis à Versailles). Se déclarant dépositaire de l'autorité souveraine, elle nomme, le 17-2-1871, Thiers *chef du pouvoir exécutif de la Rép. française ;* celui-ci exerce ses fonctions sous l'autorité de l'Ass., avec des ministres qu'il choisit et qu'il préside. Le 1-3-1871, l'Ass. nationale prononce la déchéance de Napoléon III et de sa dynastie.

Loi du 31-8-1871 donne à Thiers le titre de *Pt de la République.* Celui-ci, responsable devant l'Ass. et résidant dans la même ville qu'elle, promulgue les lois, assure et surveille leur exécution ; il peut être entendu par l'Ass. après en avoir informé le président ; il nomme et révoque les ministres ; ses actes doivent être contresignés par un ministre. Le *Conseil des ministres* est responsable devant l'Ass. Un *décret du 2-9-1871* crée un *Vice-Pt* chargé de convoquer et de présider le Conseil des ministres en cas d'absence ou d'empêchement du Président de la République.

Loi du 15-2-1872 [dite **loi Tréveneuc ;** proposée par le Cte Henri de Tréveneuc (1834-93)] vise à empêcher un coup de force du pouvoir exécutif contre le pouvoir législatif. Si l'Assemblée est dissoute illégalement ou si on l'empêche de se réunir, les *conseils généraux* sont convoqués de plein droit ; chacun d'eux se réunit pour nommer 2 délégués. Les délégués doivent se réunir là où sont le gouvernement légal et les députés ayant échappé à la violence ; les délégués réunis de la moitié plus un des départements forment une *Assemblée nationale provisoire* à laquelle s'adjoignent les députés restés libres. Cette ass. provisoire doit pourvoir à l'administration du pays jusqu'à ce que l'Ass. soit reconstituée par la réunion de la majorité de ses membres sur un point quelconque du territoire ; si cette reconstitution est impossible, les électeurs doivent être convoqués dans le mois qui suit les événements. Les fonctionnaires doivent, sous peine de forfaiture, obéir à l'Ass. provisoire ; en attendant que l'ordre soit rétabli, les conseils généraux exercent, chacun dans leur département, les fonctions administratives et politiques.

Loi du 24-5-1872. Elle réorganise le *Conseil d'État,* dont les membres sont élus par l'Ass., et rétablit le *Tribunal des conflits.*

Loi du 13-3-1873. Elle crée des règles plus précises. Le *Pt de la Rép.* doit communiquer avec l'Ass. par des messages. S'il désire prendre la parole dans la discussion d'une loi, il doit en informer l'Ass. par un message ; la séance est alors suspendue, et, à moins d'un vote spécial, il ne doit être entendu que le lendemain. Le Pt de la Rép. doit promulguer les lois déclarées urgentes dans les 3 j, à moins que dans ce délai il demande à l'Ass., par un message motivé, une autre délibération.

Loi du 20-11-1873. Elle fixe les pouvoirs du maréchal de Mac-Mahon désigné comme successeur de Thiers (renversé le 24-5-1873).

Constitution de 1875

• **Formulation. Lois du 24-2-1875** sur l'organisation du Sénat (le parti républicain était unanime contre l'institution d'une seconde chambre ; mais Gambetta fit accepter le Sénat, en le qualifiant de « Grand Conseil des communes françaises ») ; du **25-2-1875** sur l'organisation des pouvoirs publics ; du **16-7-1875** sur les rapports des pouvoirs publics. **Modifications. Lois** du **19-6-1879** datée du 21-6, abrogeant l'art. 9 de la loi du 25-2 qui fixait à Versailles le siège du pouvoir exécutif et des 2 chambres (ceux-ci seront ramenés à Paris par la loi du 22-7-1879), du **13/14-8-1884,** supprimant l'*inamovibilité des sénateurs* et spécifiant que la forme républicaine du Gouv. ne peut faire l'objet d'une proposition de révision et empêchant les membres des familles ayant régné sur la Fr. d'accéder à la présidence de la Rép., et du **10-8-1926** créant la Caisse d'amortissement et de gestion des bons de la défense nat.

• **Président de la Rép.** Élu pour 7 ans par les Chambres réunies en Congrès. A l'initiative des lois, concurremment avec la Ch. des députés, et les promulgue. Nomme les ministres (le Conseil des min. n'est mentionné qu'incidemment). Peut dissoudre la Ch. des députés après avis conforme du Sénat. Est irresponsable ; mais pour tout acte de sa fonction (présider une cérémonie, prononcer un discours, recevoir un ambassadeur), il y a un ou plusieurs ministres qui en portent la responsabilité. En *cas de vacance,* et jusqu'à l'élection du Pt, le Conseil des ministres exerce le pouvoir exécutif. Le Sénat se réunit de plein droit.

• **Chambre des députés.** *Députés :* 25 ans au min., élus pour 4 a. au suffr. univ. direct. *Nombre : 1876* : 533, *81* : 554, *85* : 584, *1910* : 597, *28* : 612, *32* : 615, *36* : 617.

• **Sénat.** *Sénateurs :* 40 ans au min., élus pour 9 a. au suffr. univ. indirect (au scrutin de liste départemental, par un collège d'environ 75 000 m. comprenant députés, conseillers généraux, conseillers d'arrondissements et délégués sénatoriaux élus par les conseils municipaux). *Nombre :* 300 (314 à partir de 1919, 75 étaient inamovibles avant la loi du 13/14-8-1884 ; le dernier inamovible, Émile-Louis-Gustave des Hayes de Marcère, né en 1828, min. de l'Intérieur en 1876, inamovible en 1883, mourut le 26-4-1918). **Pouvoirs :** ne peut être dissous. Peut être constitué en *Haute Cour de Justice, soit* sur accusation de la Ch. des députés pour juger le Pt de la Rép. ou les ministres pour crimes commis dans l'exercice de leurs fonctions, *soit* sur convocation du gouv. pour juger les attentats contre la sûreté de l'État.

• **Président du Conseil.** Les textes constitutionnels ne le mentionnent pas. Jusqu'au 9-3-1876, les premiers ministres Dufaure, de Broglie, Cissey, Buffet portèrent officiellement le titre de *Vice-Pt du Conseil.* Le 10-3-1876, Dufaure prit le titre de Pt du Conseil, qui fut dès lors adopté (la P^ce du Conseil fut légalisée et installée à *Matignon* par Flandin en déc. 1934 et déc. 1935).

• **Révision de la Constitution.** Par les deux Chambres réunies en Ass. nationale (le bureau du Sénat tenant le rôle de bureau de l'Ass. nat. (procédure utilisée pour la 1re fois le 21-6-1879).

• **Défauts de la Constitution.** Le pouvoir exécutif est donné non au Pt de la Rép. (échec de la tentative de Millerand, 1920-24, pour accroître son rôle) mais au *Conseil des ministres.* Or celui-ci est à la merci de la Chambre des députés (et des groupes officialisés, à partir de 1910, qui la composent), car la Chambre des députés est pratiquement indissoluble (sa dissolution devant être décidée à la fois par le Pt de la Rép. et le Sénat). Tout vote impliquant un défaut de confiance (même implicite) fait tomber le Gouv., quels que soient l'occasion, le moment, la majorité, le nombre de présents (beaucoup de ministères furent renversés par surprise).

Par crainte d'être renversé, le Pt du Conseil se soumet aux volontés de la Chambre des députés et l'on a ainsi un gouvernement d'assemblée. Il n'y a pas d'arbitre en cas de conflit entre les 2 Chambres, qui sont égales (mais toute loi de finances est d'abord discutée et votée à la Ch. des dép., et le Sénat a souvent peu de temps pour en discuter) : la *« navette »* entre députés et sénateurs peut retarder indéfiniment l'adoption des lois.

La *salle du Congrès* fut construite dans l'aile sud du château de Versailles, après la proclamation de la Rép. en 1875, pour abriter l'Assemblée nat. : les députés y siégèrent de 1876 à 1879. La loi du 22-7-1879 ayant refait de Paris la capitale politique de la France, la salle devint le lieu de réunion des 2 chambres du Parlement pour les élections du Pt de la Rép. et les révisions constitutionnelles.

État français (1940-44)

☞ Chambre des députés et Sénat, réunis en Assemblée nationale à Vichy le 10-7-1940, votent une loi constitutionnelle donnant pleins pouvoirs au maréchal Pétain (seul celui-ci peut les exercer). Effectif légal de l'Ass. nat. 850. Présents 666. Résultats du scrutin : pour 569, contre 80, abstentions 17. A la Libération (1944), la délégation à autrui du pouvoir constituant que la Constitution avait conféré à l'Assemblée nationale a été jugée comme abusive et irrégulière et toutes les décisions ultérieures prises en fonction de cette délégation furent donc entachées d'irrégularité. **Actes constitutionnels.** Il y en eut 13 (en fait 17, car l'Acte nº 4 eut 5 rédactions) promulgués par le M^al Pétain entre le 11-7-1940 et le 26-11-1942. La plupart des documents officiels substituèrent l'expression *« État français »* à « République française », mais la France restait en principe une république. Le 18-4-1942, l'Acte const. nº 11 créa la fonction de chef de gouv. nommé par le chef de l'État et responsable devant lui. Des assemblées étaient prévues.

La Constitution de 1875 n'avait pas été abrogée par la loi de révision du 10-7-1940, ni par les actes constitutionnels : ceux-ci avaient procédé à des abrogations partielles et le gouvernement de Vichy considérait que, pour le reste, la Constitution continuait d'exister.

Gouvernement provisoire (1944-45)

L'*ordonnance* de De Gaulle du 9-8-1944, en constatant la nullité de l'acte dit « loi constitutionnelle » du 10-7-1940 et de tous les actes dits « actes constitutionnels », affirme que rien, juridiquement, n'a pu mettre fin à la Constitution de 1875. Mais, pour la remettre en application, il aurait fallu reconstituer le Sénat et que le Pt Lebrun reprenne ses fonctions (écarté en 1940, il n'avait pas démissionné, et son mandat était toujours en cours). Le *référendum du 21-10-1945* résolut la question : en décidant que l'Assemblée qu'il élisait serait constituante, le peuple, exerçant son pouvoir constituant, abrogea la Constitution de 1875, et, en acceptant le projet (devenu la loi constitutionnelle du 2-11-1945 sur l'organisation des pouvoirs publics), il y substitua une Constitution provisoire. La Const. de 1875 a ainsi pris fin le 2-11-1945.

IVe République

Loi constitutionnelle du 2 novembre 1945

• **Gouvernement.** Le chef est nommé par l'Ass. Il gouverne et promulgue aussi les lois.

Assemblée nationale constituante. *1re Ass., élue le 21-10-1945* (586 m.), siège du 6-11-1945 au 26-4-1946. Élabore un projet de Constitution qui est repoussé par le référendum du 5-5-1946, *2e Ass. élue,* siège du 11-6 au 5-10-1946. Élabore un projet de Const. [voté à l'Ass. le 29-9 par 440 v. (comm., soc., MRP) contre 106 (UDSR, rad.-soc., paysans ind., PRL)] il est accepté par référendum le 13-10-1946.

Constitution du 27 octobre 1946

• **Préambule.** Il réaffirme les libertés de la Déclaration des droits de 1789 (définies sous les auspices de l'Être suprême) et proclame des principes sociaux et économiques (égalité de la femme, garantie d'une aide par la Nation à tous ceux qui ne peuvent vivre décemment, devoir de travailler, droit au travail, à l'action syndicale, droit de grève, nationalisation d'entrepr. ayant le caractère d'un service public).

• **Exécutif. Président de la République** élu pour 7 ans (rééligible une seule fois) par les 2 Chambres réunies en Congrès à Versailles (bureau de l'Ass. nat.). Irresponsable politiquement, il ne peut être renversé ni destitué par l'Ass. nat. (mais il est responsable en cas de haute trahison et peut être mis en accusation par l'Ass. nat.). *Pouvoirs :* signe et ratifie les traités, dispose de la force armée, préside le Conseil des ministres, promulgue les lois, adresse des messages à l'Ass. nat. Tous ses actes doivent être cosignés par le Pt du Conseil et par un ministre (sauf pour sa démission et la désignation du Pt du Conseil). – En raison de l'instabilité gouvernementale et de la multiplicité des tendances à l'Ass. nat., les deux Pts, Vincent Auriol et René Coty, jouèrent un certain rôle, notamment au moment des crises ministérielles lorsqu'ils devaient choisir un nouveau Pt du Conseil ; ils donnèrent également leur avis sur de nombreuses questions importantes.

Gouvernement. Le *Pt du Conseil,* chef du Gouv., est investi par un vote de confiance de l'Ass. nat. au scrutin public et à la majorité absolue des députés [investi le 21-1-1947, Paul Ramadier accepta le 28 la discussion des interpellations sur la composition du gouv. constitué le 22. V. Auriol lui téléphona pour l'en dissuader. P. Ramadier évoqua la souveraineté de l'Ass. Ainsi naquit la pratique de la « double investiture » qui entraîna la chute de Robert Schuman, investi le 31-8-1948 et renversé le 7-9 sur l'attribution des Finances à un socialiste, puis de Queuille dans les mêmes conditions en juillet 1950. Seul Pierre Mendès France annonça dans son discours d'investiture qu'il refuserait de négocier avec les partis la formation du gouv. (il ne fut pas imité). La *révision du 7-12-1954* revint à la formule de la 3e : le Pt du Conseil se présente avec son gouv. devant l'Ass. qui vote la confiance à la majorité simple]. Il pose la question de confiance (responsabilité collective des ministres devant l'Ass. nat.) après délibération du Cons. des ministres. Le Cons. des ministres peut décider la dissolution de l'Ass. nat. (décret du Pt de la Rép.) si 2 crises ministérielles surviennent (après les 18 premiers mois de la législature) en 18 mois (par refus de la confiance ou motion de censure). Il y eut 1 dissolution (1-12-1955, Edgar Faure).

• **Législatif. Parlement.** Composé de 2 ass. **Assemblée nationale.** Élue au suffr. univ. direct pour 5 ans (âge min. 23 a.) ; 619 m. (dép. métropolitains : 544). *Pouvoirs :* vote seule la loi, a l'initiative des dépenses, élit le Pt du Conseil et peut renverser le Gouv. à la majorité absolue (vote de défiance quand le Pt du Conseil pose la question de confiance, motion de censure), peut élire jusqu'au 1/6 des m. du Conseil de la Rép. En fait, le gouv. sera affaibli par le rôle accru des commissions (contrôle, débat sur les projets de loi amendés par elles...).

Conseil de la République. *Élu* au suffr. univ. indirect à 2 degrés (collectivités territoriales métropolitaine et d'Algérie, Conseils et assemblées d'outre-mer, Ass. nat.) pour 6 ans, renouvelable par moitié tous les 3 ans (âge min. 35 a.) ; 250 à 320 m. *La loi du 23-9-1948 :* – rétablit l'ancien régime électoral du Sénat (surreprésentation des communes rurales). Les conseillers reprennent le nom de sénateurs. *Pouvoirs (limités) :* participe à l'élection du Pt de la Rép., élit 3 m. du Conseil constitutionnel, n'intervient pas dans la formation du Gouv. qui n'est pas responsable devant lui : simple droit d'information et d'enquête ; peut inviter le Gouv. à prendre certaines décisions ; ne participe pas au pouvoir législatif. Son droit d'initiative se limite en fait à présenter des amendements aux textes transmis par l'Ass. nat. (celle-ci n'est pas tenue de donner suite aux propositions qu'il lui transmet), il donne son avis sur les textes votés par l'Ass. nat., dans un délai max. de 2 mois, et l'Ass. nat. statue définitivement en 2e lecture.

• **Assemblées consultatives. Conseil national économique.** 169 m. (184 à l'origine) désignés pour 3 a. par les organisations profess., synd. et corporatives (+ quelques m. nommés par le Gouv.). **Assemblée de l'Union française** (260 m., v. Index). **Conseil constitutionnel :** 13 m., peut être saisi par le Cons. de la Rép. sur demande du Pt de la Rép. et du Pt du Cons. pour contrôler la constitutionnalité *d'une loi.*

• **Révision.** Décision sur l'initiative de l'Ass. nat. (majorité absolue), soumise au Cons. de la Rép. (2e lecture à l'Ass. nat. dans les 3 mois) ; puis projet de loi de l'Ass. nat. voté comme une loi par le Parlement, et soumis à référendum (sauf s'il est voté en 2e lecture de l'Ass. nat. à la majorité des 2/3, ou adopté par les 2 ass. à la majorité des 3/5).

Révision par voie parlementaire du 7-12-1954 : limitation des sessions parlementaires, suppression de la majorité absolue pour l'investiture du Pt du Conseil, rétablissement de la navette entre les 2 ass. [Cette *navette* augmentait les pouvoirs du Cons. de la Rép. : les textes sont discutés tant qu'il n'y a pas d'accord entre les 2 ass., mais dans une limite de 100 j (1 mois pour le budget, 15 j si urgence) après l'adoption en 2e lecture à l'Ass. nat.] En outre, le Cons. de la Rép. peut discuter en 1re lecture ses propres propositions de loi et les projets que le Gouv. peut lui soumettre directement.

Projet de révision de 1958. Modifications du vote de défiance (quand le Pt du Conseil pose la question de confiance sur un texte, celui-ci est adopté sans vote s'il n'y a pas de motion de défiance), la dissolution (automatique, après les 18 premiers mois de la législature, si le Gouv. est renversé après une motion de censure ou de défiance, dans les 2 a. qui suivent l'investiture du Pt du Conseil, mais le Pt de la Rép. peut s'y opposer dans des cas graves ; la dernière année, le Pt de la Rép. peut dissoudre l'Ass. nat. sur la demande du Pt du Cons. et du Cons. des min.).

• **Reproches faits à la Constitution.** *Le Pt du Conseil,* dont le rôle est reconnu officiellement, est désigné par le Pt de la Rép., mais dépend ensuite exclusivement de l'Assemblée nationale, qui pratique sans entraves le « gouvernement d'assemblée ». La *dissolution* a pour effet de transformer en crises électorales les crises ministérielles. Le *Pt de la Rép.,* théoriquement sans pouvoir exécutif direct, devient grâce à sa stabilité le chef moral de l'exécutif, ce qui facilitera le passage du régime parlementaire au présidentiel.

• **Statistiques. Ministères.** *Nombre :* 25 en 12 ans. *Record de durée des crises :* 38 j, mai-juin 1953. **Formations à l'Ass. nat. :** 14 en 1947 (députés indépendants : 5), 18 listes électorales nationales en 1956 (candidats dans 30 départements) ; il y a souvent des groupements de circonstance, et généralement plus de groupes que de partis, bien que certains groupes réunissent des m. de plusieurs partis. **Présidences :** 2, dont 1 interrompue : René Coty abandonne ses fonctions au Gal de Gaulle le 8-1-1959, après la mise en place de la Ve Rép.

Constitution de 1958

• **Origine.** A la suite des événements de mai 1958 en Algérie, le Gal de Gaulle forme un gouvernement qui reçoit la confiance de l'Assemblée nationale le 1er juin. En vertu de la loi du 3-6-1958 qui modifie la procédure de révision constitutionnelle, le gouv. du Gal de Gaulle élabore un projet de constitution qui, après avoir été soumis au Comité consultatif constit. et au Conseil d'État, est soumis au peuple français, qui l'approuve par le référendum du 28-9-1958 à une très forte majorité (voir p. 731). Promulguée le 4-10, la Constitution est entrée en vigueur immédiatement.

• **Révisions.** **4-6-1960,** loi constitutionnelle modifiant les articles 85 et 86 : désormais la révision des dispositions relatives à la Communauté peut intervenir par accord entre tous les États membres. **28-10-1962,** le peuple français approuve par référendum (62,25 % des suffrages exprimés, 46,65 % des inscrits) le projet de loi présenté par le Pt de la Rép., prévoyant son élection au suffrage univ. Il était antérieurement élu par un collège électoral restreint d'environ 80 000 « grands électeurs » (parlementaires, conseillers généraux, maires et représentants des conseils généraux). D'après la plupart des juristes et le Conseil d'État (avis sur le projet de loi), le référendum se fit en violation de la Constitution : la décision de référendum du Pt de la Rép. a précédé la proposition du 1er min. ; le Pt de la Rép. a maintenu en fonction le Gouv. alors que l'Ass. nat. l'avait censuré (de Gaulle refuse le 6-10 la démission du gouv. Pompidou et l'Ass. nat. est dissoute le même jour) ; l'art. 11 (référendum) n'aurait pas dû être utilisé pour une modification de la Constitution à la place de l'art. 89 qui impose une intervention du Parlement. **30-12-1963,** le Congrès (Sénat et Assemblée nationale, réunis en Congrès à Versailles) modifie la date des sessions parlementaires (2-10 et 2-4). **27-4-1969,** référendum sur les régions et la modification du statut du Sénat. Le « non » l'emporte (voir p. 731). **29-10-1974,** le Congrès (votants 764 ; suffr. exprimés 761 ; pour 488, contre 273, abstentions volontaires 3, non-votants 4) remplace le 2e alinéa de l'art. 61 de la Constit. par : « Aux mêmes fins, les lois peuvent être déférées au Conseil constit., avant leur promulgation, par le Pt de la Rép., le 1er ministre, le Pt de l'Assemblée nationale, le Pt du Sénat ou 60 députés ou 60 sénateurs. » **18-6-1976,** le Congrès (par 490 voix contre 258 et 1 abstention) révise l'art. 7 de la Constitution précisant la procédure d'élection du Pt de la Rép. en cas de décès ou d'empêchement d'un candidat.

☞ 2 projets de révision, votés par les Assemblées, n'ont pas été soumis au Congrès, car ils ne purent recueillir les 3/5 des suffr. exigés : 1°) quinquennat (au lieu du septennat) ; 2°) modification du statut des parlementaires suppléants d'un ministre. 1 projet (saisine du Conseil constitutionnel par les justiciables) a été adopté le 26-4 par l'Ass. nat. par 306 voix contre 246 dont 272 PS, 16 UDC, 14 non inscrits, 4 UDF.

• **Interprétation de la Constitution.** D'après François Luchaire, prof. à la Fac. de Droit (n. 1919), 2 présidents ont eu une façon personnelle d'interpréter la constitution. *1) De Gaulle :* prééminence du dialogue entre le chef de l'État et le peuple sur celui du Gouvernement et du Parlement (utilisations de l'art. 16 en cas de crise ; responsabilités séparées du Gouv. et du Parlement ; institution de l'élection directe du Pt non prévue initialement ; démission du Pt en cas de référendum négatif ; Pt conçu comme arbitre et comme 1er responsable national ; non-concordance possible entre majorités présidentielle et législative, recours fréquents au référendum) ; *2) V. Giscard d'Estaing :* priorité à la sauvegarde des équilibres institutionnels ; pratiques prudentes des révisions (notamment : abandon du projet du quinquennat) ; prise en considération de la majorité législative dans la politique présidentielle [ce qui implique l'abandon du présidentialisme, cependant V. Giscard d'Estaing n'a pas réellement tenu compte du scrutin de mars 1978 : bien que le R.P.R. (148 sièges) ait eu plus de députés que les giscardiens (141 s.). La politique présidentielle aurait dû faire du R.P.R. l'élément le plus important de la majorité (réponse : les gaullistes ne peuvent se plaindre d'une attitude qui est précisément « gaullienne »)] ; le Pt conçu comme protecteur des libertés ; *3) F. Mitterrand :* a tenu compte, en mars 1986, du changement de majorité législative.

☞ **Présidents :** voir élections, p. 741, liste p. 613.

Le président de la République

Généralités

Élection

• **Mode.** Élu pour 7 ans au suffr. universel, à la majorité absolue (depuis le référendum du 28-10-1962) : si celle-ci n'est pas atteinte au 1er tour, il y a un 2e tour 15 j après. Seuls peuvent s'y présenter les 2 candidats qui (le cas échéant, après retrait des candidats plus favorisés) se trouvent avoir recueilli le plus grand nombre de suffrages au 1er tour. L'él. du nouveau président a lieu 20 j au moins et 35 j au plus avant l'expiration des pouvoirs du Pt en exercice.

Chaque candidature doit être présentée par 500 élus, membres du Parlement, des conseils généraux, du Conseil de Paris, des assemblées territoriales des territoires d'outre-mer, ou maires (dont des élus d'au moins 30 départements ou territoires d'outre-mer, sans que plus d'un dixième d'entre eux puissent être les élus d'un même départ. ou territ. d'outre-mer).

Pour pouvoir être candidat, il faut : être Français ; avoir au moins 23 ans ; avoir satisfait aux obligations du service nat. : il suffit d'avoir répondu à l'appel sous les drapeaux (il n'est pas nécessaire d'avoir définitivement satisfait aux obligations du service actif – cf. décision du Conseil constit. du 17-5-1969 vis-à-vis d'Alain Krivine, à l'époque sous les drapeaux) ; n'être sous le coup d'aucune incapacité ou inéligibilité prévue par la loi : certaines condamnations (toutes les c. pour crimes, certaines c. pour délit : par ex. fraude électorale...), contumaces, faillis non réhabilités, majeurs en tutelle, citoyens pourvus d'un conseil judiciaire, débiteurs admis au règlement judiciaire. *Chaque candidat doit verser* au trésorier-payeur général du lieu de son domicile, agissant en qualité de préposé de la Caisse des dépôts et consignations, un cautionnement de 10 000 F, avant l'expiration du 17e j précédant le 1er tour.

• **Campagne.** Ouverte le j de la publication au *Journal officiel* (au moins 15 j avant le 1er tour) de la liste des candidats et prend fin le vendredi précédant le scrutin à minuit. *Durée :* 15 j pour le 1er tour, 8 pour le 2e. *Déroulement :* surveillé par une Commission nationale de contrôle de 5 m. (vice-pt du Conseil d'État, 1er pt de la Cour de cassation et de la Cour des comptes, 2 m. cooptés).

Télévision/Radio : chaque candidat dispose, au 1er tour, de 2 h d'émission télévisée et de 2 h d'émission radiodiffusée. Compte tenu du nombre de candidats, la durée de ces émissions peut être réduite par la Commission nat. de contrôle qui tire au sort l'ordre d'attribution des temps de parole. Au 2e tour chaque candidat dispose de 2 h d'émission radiodiffusée et de 2 h d'émission télévisée. Ni le Gouv. ni aucune organisation publique ou privée ne peut utiliser indirectement la radio ou la télévision en faveur d'un des candidats. *Affichage :* chaque candidat ne peut faire apposer, sur des emplacements spéciaux, qu'une affiche énonçant ses déclarations et une autre annonçant ses réunions électorales et, s'il le désire, l'heure des émissions sur les antennes de télév. Chacun ne peut faire envoyer aux électeurs, avant chaque tour, qu'un texte de ses déclarations.

Sont pris directement en charge par l'État : le coût du papier, l'impression et la mise en place des bulletins de vote et des textes des déclarations ; le coût du papier, l'impression et les frais d'apposition des affiches, les dépenses occasionnées par les commissions. Outre ces facilités, l'État contribue aux frais de campagne des candidats en remboursant une somme forfaitaire de 100 000 F à chaque candidat ayant obtenu au moins 5 % des suffrages exprimés.

Candidats n'ayant pas obtenu 5 %. *1965 :* 2, *69 :* 3, *74 :* 9, *81 :* 5, *88 :* 4.

Septennat

Origine. Loi du 20-11-1873 adoptée par 378 voix contre 310 par laquelle Mac-Mahon fut porté pour 7 ans à la présidence de la République. Pour les républicains, les royalistes et les bonapartistes, il ne s'agissait alors que d'un compromis, les uns et les autres espérant faire évoluer le régime dans le sens qu'ils souhaitaient. C'était le laps de temps raisonnable pour que le comte de Chambord cédât la place à un prétendant plus souple (en fait, il ne mourut pas avant 1883) ; le temps qu'il fallait pour que le prince impérial (fils de Napoléon III) atteignît sa majorité (mais il fut tué au Zoulouland en 1879 à 23 ans).

Sous la Ve République. Pour *le Gal de Gaulle,* le septennat devait permettre au Pt de mener à bien les grands desseins de la Nation, d'assurer la continuité des pouvoirs publics et de le placer à l'écart des luttes des partis. Le *Programme commun de la gauche (1972)* a prévu de ramener à 5 ans la durée du mandat ; le Pt Pompidou avait également proposé cette modification dans un message adressé au Parlement le 3-4-1973. Mais le Parlement français a repoussé en oct. 1973 le projet gouvernemental de réduire le mandat présidentiel à 5 ans. Ass. nat. : 270 dép. pour, 211 contre. Sénat : 162 sén. pour, 112 contre.

La principale critique faite au septennat est qu'il crée un risque de confrontation entre un Pt de la Rép. et un Parlement (tous deux élus par la nation) de tendances politiques opposées.

Durée de mandat présidentiel

A vie. Haïti (Pt Duvallier), renversé en 1986, Tunisie (Habib Bourguiba) 19-3-1975, déposé le 7-11-1987.

8 ans. Chili (avant 1990).

7 ans. *Élection par le Parlement ou un collège électoral :* Afrique du Sud, Italie, Portugal, Tchad, Turquie. *Au suffrage universel :* France, Gabon, Guinée, Irlande, Madagascar, Zaïre, Allemagne de Weimar.

6 ans. *Él. par l'Assemblée :* Liban. *Au suffrage universel :* Autriche, Égypte, Finlande (indirect), Mexique (non rééligible).

5 ans. *Él. par l'Assemblée :* Cameroun, Congo (élection par le Congrès du parti unique), Israël, Tchécoslovaquie. *Au suffrage universel :* Chypre, Côte-d'Ivoire, Mauritanie, Niger, Sénégal, Tunisie, Venezuela.

4 ans. *Él. au suffrage universel :* Argentine, Chili (dep. 1990), Colombie, Costa Rica, Islande, Rwanda, États-Unis (indirect). Le suffrage universel indirect n'a pas toujours la même signification. Le mandat des « grands électeurs » américains est pratiquement impératif, alors qu'en Finlande il ne l'est pas.

1 an. En Suisse : le Parlement désigne le président par rotation tous les ans.

Dans la plupart des pays communistes, la présidence de la Rép. est assumée collectivement par le bureau (présidium) de l'Assemblée (U.R.S.S., le président du Présidium du Soviet suprême).

Installation

• **Date.** Jusqu'en 1981, le j de l'expiration du mandat du prédécesseur. Sous la IIIe Rép., les assassinats de Carnot (1894) et de Doumer (1932) entraînèrent une vacance (2 et 4 j). Sous la IVe, Coty succéda, le 16-1-1954, à Auriol, qui avait été installé le j de son élection (16-1-1947) ; de Gaulle, installé pour la 1re fois le 8-1-1959, se succéda à lui-même le 8-1-1966. A sa démission Pompidou, proclamé élu le 19-6-1969 par le Conseil constit., fut installé le 20. A la mort de Pompidou en 1974, Giscard d'Estaing, proclamé élu le 24-5, fut installé le 27-5. En 1981, le Conseil constit. annonça les résultats de l'élection le 15-5, estima que Mitterrand serait Pt à compter de la cessation des fonctions de Giscard d'Estaing (qui, en vertu de l'article 6 de la Constitution, devait avoir lieu, au plus tard le 24-5-81 à 0 h), faisant ainsi prévaloir, pour point de départ du septennat, la date de la proclamation de Giscard d'Estaing, le 24-5-74 sur celle de son installation (le 27-5). En fait, le septennat de Mitterrand commença le 21-5-81, date fixée par accord avec Giscard d'Estaing.

• **Cérémonie.** Le Pt, à son arrivée à l'Élysée, reçoit (dans un petit salon) du grand chancelier de la Légion d'honneur les insignes de Grand-Croix, puis dans une autre pièce, le grand chancelier lui présente le collier de la Légion d'h. « M. le Pt de la Rép., nous vous reconnaissons comme Grand Maître de l'ordre national de la Légion d'honneur », 21 coups de canon annoncent l'événement. En 1981, le grand chancelier, le Gal de Boissieu (gendre de De Gaulle), ayant préféré démissionner plutôt que de participer à cette cérémonie, fut remplacé par le doyen des grands-croix, membre du Conseil national de l'ordre : le Gal Biard. En 1959, Coty resta aux côtés du Gal de Gaulle, jusqu'à la cérémonie de la flamme à l'Arc de Triomphe. En 1969, Poher quitta l'Élysée et Pompidou avant celle-ci. En 1974, il accompagna Giscard d'Estaing à l'Arc de Triomphe et revint à l'Élysée pour déjeuner avec lui. En 1981, Giscard quitta l'Élysée aussitôt après y avoir accueilli Mitterrand et avoir eu avec lui un entretien en tête à tête (transmission des pouvoirs confidentiels, notamment en matière d'utilisation de la force de dissuasion). L'installation officielle commence par la lecture des résultats (en 1959, par le Pt de la Commission constitutionnelle provisoire, depuis, par le Pt du Conseil constitutionnel). En 1966 et 1981, il s'agit d'une 1re proclamation (même si l'annonce des résultats a déjà eu lieu, mais avec effet différé) ; le 20-5-1969, Palewski précisa que les pouvoirs de Pompidou avaient pris naissance la veille (date de la proclamation) et, le 27-7-1974, Frey précisa qu'il ne s'agissait que d'un rappel, la proclamation ayant eu lieu – en même temps que l'annonce – le 24-5 précédent.

Le nouveau Pt rend hommage au drapeau des troupes présentes à l'Élysée, aux morts pour la patrie [(à l'Arc de Triomphe) ; en 1981, Mitterrand est également allé au Panthéon rendre hommage à Victor Schoelcher, Jean Jaurès et Jean Moulin ; en 1947, Auriol est allé au mont Valérien pour un hommage aux morts de la Résistance], au prédécesseur, au peuple de Paris (visite à l'Hôtel de Ville).

Amnistie

Sous la Ve Rép. le Gouvernement prend l'initiative de proposer au Parlement le vote d'une loi (après l'élection).

Élection du Gal de Gaulle. *Loi du 19-12-1965* (promulguée le 18-6-1966), s'appliquait aux infractions commises avant le 8-2-1966, soit jusqu'à 50 j après l'élection elle-même. Le montant des amendes signifiées cesse d'être dû (mais pas les frais de justice).

Élection de Georges Pompidou. *Loi du 30-6-1969* (promulguée le 15-6) pour les infractions commises avant le 20-6, soit jusqu'à 5 j après le 2e tour ; la loi précise pour les contraventions : « Les effets de l'amnistie s'étendent aux frais de poursuites et d'instance non encore recouvrés. »

Élection de V. Giscard d'Estaing. *Loi du 10-7-1974* (promulguée le 10-7) pour : les contraventions infligées avant le 27-5-1974 ; les délits pour lesquels seule une peine d'amende a été encourue ; les délits commis à l'occasion de conflits sociaux ou inférieurs à certains seuils suivant la nature ; à titre individuel dans certaines conditions.

Élection de F. Mitterrand (1981). *Loi du 4-8-1981. 1°) Amnistie de plein droit en raison de la nature de l'infraction :* contraventions de police ; délits pour lesquels seule une peine d'amende est prévue ; d. rattachés à des incidents sociaux (conflits scolaires, professionnels, agricoles, commerciaux, syndicaux) ou à des manif. politiques ; d. de communication [d. de presse (sauf d. racistes), atteintes au monopole de la radio-télé et des télécom., actes de réception et d'émission de radio d'appareils non autorisés (Citizen-Band)] ; d. en matière de police des étrangers ; d. d'interruption volontaire de grossesse commis par la femme elle-même ou par toute personne n'appartenant pas aux prof. médicales ou para-méd., par les personnels méd. sous réserve que l'intervention pratiquée n'ait pas donné lieu à perception d'honoraires supérieurs à ceux prévus par la réglementation en vigueur ; nombreux d. relevant du Code de justice mil. (insoumission, désertion, refus d'obéissance...) ; atteintes à la sûreté int. de l'État qui n'ont pas entraîné la mort ou des blessures graves et qui ne sont pas constituées par des coups et blessures volontaires ou des tentatives d'homicide vol. par arme à feu sur des agents de la force publique. *2°) Automatique en raison de la nature de la peine :* peines d'emprisonnement fermes, inf. ou égales à 6 mois ; d'empr. inf. ou égales à 6 mois avec application du sursis avec mise à l'épreuve ; d'empr. à 15 mois avec application du sursis simple, p. de substitution (interdiction d'activité prof. ou sociale, confiscation, retrait du permis de chasse...) ; infractions qui ont donné lieu à une dispense de peine. En cas de condamnation à une amende sup. à 5 000 F, l'amnistie au quantum n'est acquise qu'après paiement de l'amende. *3°) Individuelle par décret du Pt de la Rép. :* personnes qui se sont distinguées (domaines humanitaire, culturel ou scientif.), moins de 21 ans lors de l'infraction, titulaires d'une pension de g. ou blessés au cours des guerres de 14-18, 39-45. *4°) A. des fautes disciplinaires ou professionnelles et de certaines mesures administratives :* fautes commises dans le cadre de rapports de droit public ; faits retenus comme motifs de sanction disciplinaire prononcée par l'employeur sous réserve notamment qu'ils ne constituent pas des manquements à la probité, aux bonnes mœurs ou à l'honneur. Pour la 1re fois, la loi autorise la réintégration, sous certaines conditions, des salariés licenciés pour des faits en relation avec leurs fonctions de délégués synd. ou de représentants du personnel. *5°) Exclusions :* infractions en matière douanière et fiscale, de change, de législation et de réglementation du travail sauf les infr. les moins graves ayant donné lieu à une condamnation de – de 5 ans ; infr. les plus graves en matière de proxénétisme, de mauvais traitement à enfants, de circulation routière (homicide ou blessures commis en état d'ivresse ou de délit de fuite) ; infr. à la législation sur les armes ; abandon de famille ; délits de banqueroute frauduleuse ; certaines infr. en matière de pollution ; plusieurs délits en matière raciale, d. de violation de sépulture... **Effets :** la condamnation pénale et ses conséquences secondaires disparaissent (incapacité, déchéance), mais l'indemnisation des victimes reste due. **Statistiques :** 6 233 libérations dont grâces : 4 775 le 14-7-1981 ; amnisties : 1 437 le 4-8 ; grâces : 21 le 15-8. Du 1-7 au 1-9-1981, le nombre de détenus est passé de 39 852 à 30 850 (– 22,6 %).

Élection de F. Mitterrand (1988). Pour les infractions commises avant le 22-5-1988. Sont amnistiés. *1°) De droit, en raison de la nature de l'infraction :* contraventions de police, délits punis d'une peine d'amende, délits commis à l'occasion de conflits du travail ou d'activités syndicales et revendicatives de salariés et d'agents publics (y compris dans les lieux publics), délits commis à l'occasion de conflits de caractère industriel, agricole, rural, artisanal ou commercial ou relatifs aux problèmes de l'enseignement, divers délits en matière d'élection (sauf fraude ou corruption), de presse, d'avortement, de service national. *En raison du quantum des peines :* les peines de prison ferme ou avec sursis probatoire de 4 mois au plus, les peines d'amende (sous réserve du paiement si elles excèdent 5 000 F). *En raison de la nature de la peine :* diverses sanctions prononcées à titre principal à la place de l'amende ou de l'emprisonnement (ex. : suspension du permis de conduire, infractions ayant donné lieu à une dispense de peine ou à une admonestation). *2°) Sanctions disciplinaires et professionnelles :* l'amnistie est subordonnée à celle de l'infraction, s'il y a eu condamnation pénale ; les fautes constituant des manquements à la probité, aux bonnes mœurs ou à l'honneur ne peuvent être amnistiées que par mesure individuelle du Pt de la Rép. Tout salarié licencié depuis le 22-5-1981 pour une faute (autre qu'une faute lourde) commise à l'occasion de l'exercice de sa fonction de représentant élu du personnel (DP et CE), de représentant syndical au CE ou de délégué syndical peut invoquer cette qualité pour obtenir, sauf cas de force majeure, sa réintégration dans son emploi (ou emploi équivalent). Le Conseil constitutionnel a annulé un membre de phrase qui permettait d'amnistier, pour cette catégorie de salariés, certaines fautes lourdes, c'est-à-dire toutes les fautes lourdes autres que celles ayant consisté en des coups et blessures entrant dans la catégorie des délits non amnistiés. *3°) Par mesure individuelle :* par décret du Pt de la Rép., pour les jeunes de - de 21 ans, les anciens combattants, les déportés, les personnes s'étant distinguées dans les domaines humanitaire, scientifique, culturel ou économique. **Exclusions :** différentes infractions, notamment : actions terroristes, conduite en état alcoolique, trafic de stupéfiants, proxénétisme ; infractions pénales en douane, change, fiscalité, concurrence, fraude, pollution. *Infractions à la législation et à la réglementation du travail :* certains délits relatifs au marchandage, au travail clandestin, aux trafics de main-d'œuvre étrangère ; les infractions sanctionnées d'une peine de prison avec ou sans sursis ; les contraventions jusqu'à 1 300 F d'amende sont seules amnistiées, les autres infractions punies seulement d'une amende le seront après paiement de l'amende. **Effets :** remise, sauf exception, de toutes les peines principales, accessoires et complémentaires et des incapacités et déchéances ; l'amnistie n'entraîne pas de droit la réintégration dans les fonctions, emplois, professions, grades, offices publics ou ministériels ; elle ne donne pas lieu à reconstitution de carrière mais entraîne la réintégration dans les divers droits à pension. **Statistiques :** *au 22-7,* 5 171 détenus condamnés auraient été libérés depuis juin : 2 863 auraient bénéficié de la grâce présidentielle et 2 308 de la loi d'amnistie entrée en vigueur le 21-7, 600 étrangers auraient été libérés.

Journée de congé

Pour les enfants des écoles, le j de l'installation (décision du min. de l'Éducation nat.), mesure traditionnelle sous IIIe et IVe Rép., abandonnée par de Gaulle et Pompidou, reprise 1974, 1981, 1988.

Vacance ou empêchement, suppléance

Peut intervenir pendant l'exercice du mandat présidentiel ou lors des élections présidentielles. Il y a eu 2 vacances depuis 1958 : 1969, au départ du Gal de Gaulle ; 1974, à la mort de Pompidou.

Palais nationaux et résidences présidentielles

• **Palais de l'Élysée.** *1718* Louis XV donne le terrain à Henri de La Tour d'Auvergne, Cte d'Évreux, qui charge Claude Millet de bâtir un hôtel. *1753* à la mort du Cte d'Évreux, la Mise de Pompadour achète l'hôtel, l'aménage avec P. Lassurance. *1764 (15-4)* à sa mort le lègue à Louis XV qui s'en sert comme garde-meuble. *1773.* L. XV le vend au financier Beaujon. *1776* Beaujon le vend à L. XVI qui donne l'hôtel à Louise-Marie-Thérèse d'Orléans (1750-1822), Desse de Bourbon (arrière-petite-fille du Régent et mère du duc d'Enghien). La Convention met l'hôtel sous séquestre, puis à la disposition de l'Imprimerie nat. Il sert ensuite de salle de ventes. *1797* rendu à la Desse qui le loue à Nicolas Hovyn qui en fait un établissement de plaisirs (danse et jeux, ouvert le 21-6-1797). *1798 (19-3)* Hovyn l'achète au Directoire (qui avait déclaré l'Élysée bien national), puis le cède à Ribié Montreux de Marimeto qui le cède au glacier Velloni. *1801* Ribié utilise le rez-de-ch. et loue le 1er en appartements (l'un fut loué au père d'Alfred de Vigny). *1805* vendu à Murat, qui, devenu roi de Naples, le cède à Napoléon (1808). Joséphine s'y installe. Nap. y séjourne (le palais s'appelle l'Élysée-Napoléon). *1809* après son divorce, le donne à Joséphine qui le garde 2 ans. *1812* Nap. y séjourne souvent. *1814* l'empereur de Russie s'y installe. L. XVIII le restitue à la Desse de Bourbon puis le lui échange contre l'hôtel de Valentinois. *Cent-Jours* Nap. s'y installe (y signe le 22-6-1815 sa 2e abdication), L. XVIII le donne au duc de Berry. *1820* (14-2) le duc est assassiné, la Desse abandonne l'El. *1820 à 1848* inhabité. Après la Révolution de 1848, appelé Élysée national, lieu de plaisirs, puis Louis-Napoléon élu Pt s'y installe jusqu'au 1-1-1852 (il ira aux Tuileries). IIe Empire : gros travaux, résidence officielle des souverains en visite. *1870 (22-12)* Élysée national. *1872* Thiers y séjourne quelques mois. *1873* (sept.) Mac-Mahon s'y fixe, *1876* affecté au Pt de la Rép. Y ont habité tous les Pts de la IIIe et de la IVe. *Ve*, de Gaulle y habite et se rend parfois à des week-ends à « la Boisserie ». Pompidou, Giscard et Mitterrand ont gardé leur appartement où ils résident la plupart du temps ainsi que leur maison de campagne (Pompidou : Cajarc et Orvilliers, Giscard : Chanonat et Authon, Mitterrand : Latché).

• **Locaux administratifs. Hôtel de Persigny** (14, rue de l'Élysée) secrétariat de l'état-major particulier du Gal de Gaulle après 1958. **Hôtel de Noirmoutier** (138, rue de Grenelle) secrétariat général pour la Communauté, supprimé juin 1974. **14, rue de l'Élysée** occupé en 1977 par l'état-major particulier et une partie du service du courrier. **2 et 4, rue de l'Élysée** restaurant et divers collaborateurs. **11, quai Branly, au palais de l'Alma** (anciennes écuries de Napoléon III ; abritait les équipages présidentiels dep. la IIIe Rép., le Conseil sup. de la magistrature dep. la IVe, service du courrier).

Hôtel Marigny (23, av. de Marigny). Ancien hôtel Rothschild construit de 1872 à 1875, acquis en 1885 par la Présidence pour accueillir les personnalités étrangères plus commodément qu'au Grand Trianon (qui n'est pas une résidence présidentielle, bien que l'aile de Trianon-sous-Bois soit affectée à l'usage personnel du Pt et que certains appartements soient réservés aux hôtes étrangers), sert aussi aux conférences de presse du porte-parole du gouv.

Pavillon de Marly-le-Roi. Sert surtout pour les chasses présidentielles.

Château de Rambouillet. Abrite souvent des rencontres internationales, parfois des réunions gouvernementales.

Fort de Brégançon (Var). Résidence de vacances ou de repos.

☞ Le château de Vizille (Isère), acheté par le ministre des Beaux-Arts en 1924 et transformé en résidence présidentielle, a été cédé au département de l'Isère en 1960.

Pendant les élections. Si, dans les 7 j précédant la date limite du dépôt des présentations de candidatures, une des personnes ayant, moins de 30 j avant cette date, annoncé publiquement sa décision d'être candidate, décède ou se trouve empêchée, le Conseil constitutionnel peut décider de reporter l'élection ; si, avant le 1er tour, 1 des candidats décède ou se trouve empêché, le Conseil prononce le report de l'élection ; en cas de décès ou d'empêchement de l'un des 2 candidats les plus favorisés au 1er tour avant les retraits éventuels, le Conseil déclare qu'il doit être procédé de nouveau à l'ensemble des opérations électorales ; il en est de même en cas de décès ou d'empêchement de l'un des 2 candidats restés en présence en vue du 2e tour.

Le Pt de la Rép., le Premier ministre, le Pt d'une des 2 assemblées, 60 députés ou sénateurs, ou 500 personnes qualifiées pour présenter un candidat, peuvent saisir le Conseil constitutionnel.

Si, par suite du report de l'élection, le mandat de 7 ans du président de la République est expiré, celui-ci continue à exercer ses fonctions jusqu'à la proclamation de l'élection de son successeur. Dans ce cas, ce n'est pas le Pt du Sénat qui devient (pour un temps assez court) Pt par intérim.

Effets. Après constatation par le Conseil constitutionnel saisi par le Gouvernement, le Pt du Sénat exerce provisoirement les pouvoirs du Pt de la Rép., mais il ne peut user du référendum ni dissoudre l'Assemblée nationale. La Constitution ne peut être révisée, le Gouvernement ne peut être renversé, ni être tenu de démissionner.

Si le Pt du Sénat est à son tour empêché, les fonctions de Pt sont exercées par le Gouv. La Constitution ne précise pas si la candidature du Pt du Sénat à la présidence de la Rép. est un empêchement. En 1969, Alain Poher a exercé l'intérim (53 j) tout en étant candidat ; il n'a pu de ce fait prendre d'initiatives politiques et s'est trouvé face à un gouvernement qui soutenait son rival, Georges Pompidou. En 1974, il a exercé l'intérim 56 j ; n'étant pas candidat, il a pu exercer pleinement ses prérogatives constitutionnelles et a pris ainsi des initiatives diplomatiques.

Suppléance (et non intérim) si le Pt de la Rép. est malade ou absent (à l'étranger). *Cas de suppléances :* Pompidou préside le Conseil des ministres le 22-4-1964 (de Gaulle opéré) et le 30-9-1964 (de Gaulle en Amérique latine) ; Pierre Messmer le préside le 14-2-1973 (sous la présidence de Pompidou).

Responsabilité

Le Pt n'est pas responsable des actes accomplis dans l'exercice de ses fonctions, sauf cas de haute trahison (il est alors jugé par la Haute Cour). Aucun texte ne définit la haute trahison, procédure qui n'a jamais été engagée (ni sous la IIIe, ni sous la IVe Rép.). Elle correspond à des manquements graves aux obligations de la charge présidentielle. Si le Gal de Gaulle avait été accusé de haute trahison lors de la révision de la Constitution d'oct. 1962 pour violation de la Constitution (voir page 674a), la saisine de la Haute Cour aurait été techniquement impossible avant le référendum et après l'adoption de celui-ci au suffrage universel. Elle serait apparue comme une atteinte inadmissible à la souveraineté du peuple.

En fait, le Pt peut engager sa responsabilité devant le peuple, soit en se démettant et en sollicitant aussitôt un nouveau mandat, soit en liant son maintien en fonction au succès d'un référendum (démission de De Gaulle après l'échec du référendum du 27-4-1969). Ses actes doivent être soumis au contreseing du Premier ministre et des ministres responsables (A 19) sauf certains actes (dissolution de l'Ass. nat., nomination du Premier ministre, décision de soumettre un texte au référendum, recours à l'article 16).

Convoqué, l'été 1984, par la commission d'enquête de l'Ass. nat. sur l'affaire des « avions renifleurs », Giscard d'Estaing a interrogé le Pt Mitterrand (arbitre du fonctionnement régulier des pouvoirs publics) qui a répondu que la responsabilité du Pt ne peut être mise en cause devant le Parlement au-delà du terme de son mandat pour les faits qui se sont produits pendant qu'il l'exerçait. La convocation fut annulée.

Pouvoirs

☞ *Légende.* – A : Article.

a) Il nomme certaines personnalités : le *Premier ministre* (et met fin à ses fonctions sur présentation par celui-ci de la démission du Gouvernement) (A 8) ; les *autres membres du Gouv.* (et met fin à leurs fonctions sur proposition du P.M.) ; *aux emplois civils et militaires de l'État* (A 13) ; 3 *membres du Conseil constitutionnel et son président* (A 56) ; les 9 *membres du Conseil supérieur de la magistrature.*

b) Il préside certains organismes : le Conseil des ministres (A 9) ; les Conseils et Comités supérieurs de la défense nationale, étant chef des armées (A 15) ; le Conseil supérieur de la magistrature.

c) Il dirige la diplomatie : négocie et ratifie les traités et est tenu informé des négociations internat. tendant à la conclusion d'un accord non soumis à ratification (A 52) ; accrédite les ambassadeurs ; les ambassadeurs étrangers sont accrédités auprès de lui.

d) Il signe certains textes : promulgue les lois dans les 15 jours suivant leur adoption (A 10) ; signe les ordonnances et les décrets délibérés en Conseil des ministres (A 13).

e) Il est un organe d'arbitrage entre les pouvoirs publics : peut demander au Parlement une nouvelle délibération d'une loi ou de certains articles [(A 10) ; faculté exploitée pour la 1re fois par Mitterrand (2 fois de 1981 à avril 86)] ; peut soumettre au Conseil constitutionnel une loi ou un traité estimé inconstitutionnel (A 54 et 61) ; peut, sur proposition du Gouvernement ou des Assemblées, soumettre au *référendum* tout projet de loi portant sur l'organisation des pouvoirs publics ou comportant l'approbation d'un accord de Communauté ou tendant à autoriser la ratification d'un traité (A 11) (en fait, le Pt a souvent décidé un référendum sans proposition du Premier ministre, celle-ci intervenant comme simple régularisation postérieure ; aucun référendum n'a été demandé par le Parlement) ; peut prononcer la dissolution de l'Ass. nat. après consultation des Pts des Assemblées et du Premier ministre (A 12) ; peut adresser aux Assemblées des messages qu'il fait lire et qui ne donnent lieu à aucun débat hors session, le Parlement est réuni spécialement à cet effet (A 18).

Tous les Pts ont adressé un message lors de leur prise de fonction, ou pour saluer les membres de l'Ass. nat. nouvellement élue (sauf en 67, 68, 78), dans de grandes occasions (23-4-61 util. de l'art. 16, 20-3-62 accords d'Évian, 2-10-62 référendum du 28-10, 5-4-72 référendum sur élargissement à la C.E.E.) ; nombre total : De Gaulle 5, Pompidou 3, Giscard 1, Mitterrand 2.

f) Pouvoirs judiciaires : il a le droit de grâce (A 17) ; il est garant de l'indépendance judiciaire (A 64). Appel des décisions du Conseil des prises (qui exerce son activité à l'occasion d'opérations de guerre) : le Conseil d'État qui se prononce en assemblée gén. admin. et prépare un projet motivé de décret soumis à la signature du chef de l'État.

Mariage : il peut dispenser des empêchements dus à la parenté et à l'alliance, autoriser des mariages posthumes ; jusqu'à la loi du 23-12-1970 il accorda des centaines de dispenses d'âge en vertu de l'article 145 du Code civil, mais cette prérogative fut alors transférée au procureur de la Rép. du lieu de célébration du mariage.

g) Pouvoirs constituants (voir : révisions constitutionnelles, p. 674a).

h) Pouvoirs spéciaux dans les circonstances exceptionnelles (A 16) : lorsque les institutions de la Rép., l'indépendance de la nation, l'intégrité de son territoire ou l'exécution de ses engagements internationaux sont menacées d'une manière grave et immédiate et que le fonctionnement régulier des pouvoirs publics constitutionnels est interrompu, le Pt de la Rép. prend les mesures exigées par ces circonstances après consultation officielle du Premier ministre, des Pts des Assemblées ainsi que du Conseil constitutionnel. Il en informe la nation par un message. Ces mesures doivent être inspirées par la volonté d'assurer aux pouvoirs publics constitutionnels, dans les moindres délais, les moyens d'accomplir leur mission. Le Parlement se réunit de plein droit. L'Ass. nat. ne peut être dissoute pendant l'exercice des pouvoirs exceptionnels. Les pouvoirs de l'A 16 ont été utilisés une fois (23-4/30-9-1961) ; le Pt de la Rép. dénia au Parlement le droit de débattre de problèmes étrangers à l'application des pouvoirs exceptionnels, et le Pt de l'Ass. nat. décida qu'une motion de censure était irrecevable en cas de crise.

Rôle au sein de la Communauté franco-africaine. Il est président de la Com. et est représenté dans chaque État de la Com.

Survivances historiques et honorifiques. *Ordres :* le Pt nomme par décret les membres des 2 ordres nationaux (Légion d'honneur et Mérite), signe les promotions aux divers grades et peut autoriser le port de décorations étrangères. En fait, il suit les propositions des divers ministères à l'intérieur des « contingents » attribués. Il n'exerce de choix véritable qu'à l'intérieur du contingent qu'il s'est réservé lors de la répartition qu'il effectue tous les 3 ans. *Académie française.* Le Pt est « protecteur ». Il se prononce sur l'élection de nouveaux membres (approbation résultant implicitement de l'audience qu'il accorde au nouvel élu).

Titres de chanoines laïcs (ad honores) portés par les chefs de l'État français. *Chanoines de St-Jean-de-Latran* en vertu d'une fondation de Louis XI (1482), renouvelée par Henri IV, le 22-9-1604, qui donne à St-Jean-de-Latran l'abbaye de Clarac (dioc. d'Agen) (confisquée en 1791) ; restaurée sous forme de bourse par Napoléon III qui rétribue (1863) un remplaçant au chœur (supprimé en 1871).

En outre, ayant fondé ou doté des églises en France, ils s'inscrivent sur la liste des chapitres, par ex. : *Tours, Poitiers, Le Mans* (St-Julien, titre remis en honneur pour Armand Fallières), *Auch, Lyon, Angers, Châlons, St-Quentin.* Comme successeurs des ducs de Lorraine, chanoines de *Nancy* (titre remis en honneur pour Napoléon III). Comme successeurs des ducs de Savoie, chanoines de *St-Jean-de-Maurienne* (idem).

Nota. – Le Pt est aussi coprince d'Andorre (voir Index).

Le Pt de la République peut-il exercer d'autres fonctions politiques ?

La Constitution de 1958 (comme celles de 1848 et 1875) ne le précise pas (celle de 1946 disait qu'il y avait incompatibilité), mais dans la pratique l'incompatibilité est la règle depuis 1848 (exception : Thiers qui avait gardé son mandat de député) ; sous la Ve Rép., Pompidou et Mitterrand ont renoncé à leur mandat de député, Giscard d'Estaing et Mitterrand à leur mandat de maire, Mitterrand à son mandat de conseiller gén. et de Pt du Conseil gén., mais Giscard d'Estaing est resté conseiller municipal jusqu'en 1977 et Mitterrand jusqu'en 1983.

Protocole en cours de mandat

Coups de canon protocolaires. Lors de l'investiture du Pt, quand le grand chancelier de la Légion d'honneur lui passe au cou le grand collier de la Légion d'honneur, on tire 21 coups de canon. Lors de la réception officielle du Pt dans une ville de garnison (cérémonie militaire), on tire 101 coups de canon.

Déplacement en France. Le Pt de la Rép. reçoit les *honneurs civils* (accueil par le préfet à la limite du département, par le sous-préfet à la limite de l'arrondissement, par le maire au « lieu d'arrivée » dans la ville ; sonnerie de cloches à la volée) et *militaires* (dans la ville de garnison : haies de troupes, batteries de tambour et sonneries de clairon, hymne national, 101 coups de canon).

Honneurs funèbres. Civils et militaires ; participation des personnes et des corps figurant sur la liste des préséances, drapeaux en berne, honneurs militaires rendus par toute la garnison. L'usage en a fixé le déroulement qui peut varier dans les détails. Une décision gouvernementale prise en Conseil des ministres détermine la nature des funérailles dont les frais sont à la charge de l'État.

Les *funérailles nationales* sont réglées dans le détail par des décisions du Gouvernement.

Offense au Président. *Délit de presse* (art. 26 de la loi du 29-7-1881), concerne la personne et non les fonctions du chef de l'État. *Outrage :* définition plus large que l'offense : il peut être non public ou perpétré autrement que par écrit ou parole (gestes ou envoi d'objets).

Services de la Présidence

• **Effectifs de la Présidence** (au 1-9-85). 711 (dont 308 militaires) dont maison du Président : 173 (dont 31 mil.), services : 538 (dont 277 mil.).

• **Collaborateurs personnels du président. IIIe et IVe Rép.,** le Secr. gén. et peu de collaborateurs : 5 en 1958 (directeur du Cabinet, dir. du Secr. gén., chef du Service financier, adjoint au dir. de Cabinet, chef du service de l'Information). D'abord un militaire, dédoublé à partir de *Émile Loubet (1899-1906),* avec la création d'un poste militaire et d'un poste civil.

Ve Rép. en 1958, le titre de Secr. gén. militaire disparaît, un secr. gén. adjoint est créé sous Pompidou (1969-74) ; le Pt est entouré de 10 à 20 conseillers techniques et chargés de mission.

Secrétaires généraux de l'Élysée. *1954* Charles Merveilleux du Vignaux (22-8-08). *Sous la Ve République. 1959 (8-1)* Geoffroy de Courcel (11-9-12) ; *1962 (14-2)* Etienne Burin des Roziers (11-8-13) ; *1967 (30-6)* Bernard Tricot (17-6-20) ; *1969 (2-5)* Bernard Beck (intérim de Poher) ; *1969 (20-6)* Michel Jobert (11-9-21) ; *1973 (5-4)* Edouard Balladur (2-5-29) ; *1974 (27-5)* Claude Pierre-Brossolette (5-3-28) ; *1976 (27-7)* Jean François-Poncet (8-12-28) ; *1978 (29-11)* Jacques Wahl (18-1-32) ; *1981 (21-5)* Pierre Bérégovoy (23-12-25) ; *1982 (1-7)* Jean-Louis Bianco (12-1-43) ; *1991 (17-5)* Hubert Védrine (31-7-47).

• **Autres collaborateurs (au 18-6-91).** *Chef de l'état-major particulier* amiral Jacques Lanxade (n. 8-9-34). *Dir. du Cabinet* Gilles Ménage. *Secr. gén. de la Présidence* Hubert Védrine. *Secrétaire général adjoint* Anne Lauvergeon. *Chargés de mission auprès du Pt de la Rép.* Pierre Dreyfus, Edgard Pisani, Georgina Dufoix, Jean Kahn, Philippe Vougny. *Attachée de presse de la présidence* Nathalie Duhamel. *Conseiller à la présidence* (aff. africaines et malgaches), Jean-Christophe Mitterrand. *Chef de Cabinet* Béatrice Marre. *Conseiller diplomatique* Pierre Morel. *Conseiller économique* Guillaume Hannezo. *Conseillers techniques* 7. *Chargés de mission* 24. *Secrétariat particulier du Pt* 2 secr., 2 assistantes. *État-major particulier :* 6 membres. *Commandant militaire du Palais :* colonel de gendarmerie : Francis Avrial.

• **Courrier du Président.** En moyenne 200 000 à 300 000 lettres par an, dont 100 000 lettres proprement dites (non compris cartes de vœux, pétitions imprimées, demandes de secours). En période exceptionnelle, le courrier augmente : de Gaulle reçut 210 000 lettres la semaine des « barricades » (janv. 1960) et Giscard d'Estaing 250 000 la semaine qui suivit son élection (mai 1974).

Nota. – En 1975, V. Giscard d'Estaing a reçu 8 640 invitations à dîner : 2 067 de la région parisienne, 6 413 de la province et 160 de l'étranger.

• **Budget de la Présidence.** Voir Index Salaires.

• **Parc automobile de la Présidence de la République** (mai 1990). *Citroën :* 2 SM (achetées en 1972), 1 XM V6 « Ambiance », 4 XM 21 « Séduction », 1 break CX diesel, 2 utilitaires diesel : 1 C 25, 1 C 35. *Peugeot :* 5 605 SL, 5 505 ST. *Renault :* 6 R25 V6, 3 RGTX, 7 R25 GTS, 2 R5 GTR, 2 Espace, 1 Express, 1 minicar 17 places. Le Pt utilise surtout 2 Renault 25 (1 limousine et 1 V6) et Mme Mitterrand 1 Renault 25 GTX. En province, ils peuvent être transportés dans d'autres voitures du parc (R25 V6 ou CX « Prestige » si la mise en place simultanée de plusieurs cortèges l'exige). Ces véhicules sont vendus après 4 ou 5 ans, avec un kilométrage d'env. 90 000 km.

Le Gouvernement

Premier ministre

Nomination

Nommé par le Pt (A 8, alinéa 1). Il propose ensuite des ministres au Pt qui les nomme (A 8, alinéa 2). Le 18-3-1986, J. Chirac a été appelé pour procéder à un tour d'horizon au sujet de la formation du gouvernement, formule permettant au Pt de subordonner la nomination effective de Chirac au caractère acceptable du Gouv. qu'il proposerait.

Pouvoirs

Il dirige l'action du Gouv. ; il est responsable de la défense nat. ; il assure l'exécution des lois ; il exerce le pouvoir réglementaire et nomme aux emplois civils et militaires (sous réserve des pouvoirs attribués au Pt de la Rép.) [A 21]. Il peut proposer au Pt de la Rép. une révision de la Constitution (A 89). Il est consulté par le Pt de la Rép. en cas de dissolution de l'Assemblée (A 12) ou d'utilisation de l'article 16 de la Constit. Il est, avec le Gouvernement, responsable devant le Parlement (A 20).

Il peut demander au Parlement les pleins pouvoirs (le Pt de la Rép. ne peut l'en empêcher mais peut s'opposer à toutes les ordonnances prises). En mars 1986, Michel Debré estimait que si le Pt refusait de signer les ordonnances, le gouvernement devrait poser la question de confiance à l'Assemblée ; si celle-ci la votait, le Pt devrait se soumettre ou se démettre car la volonté d'une ass. élue récemment prime sur celle d'un président élu 5 ans plus tôt.

Art. 49-3. Lorsque le gouvernement, après délibération du Conseil des ministres, décide d'engager sa responsabilité sur le vote d'un texte, celui-ci est considéré comme adopté, sans même que l'Assemblée ait eu besoin de l'approuver (sauf si une motion de censure est déposée dans les 24 h et votée par la majorité absolue des députés). *De 1958 à oct. 1986,* les gouvernements ont engagé 36 fois leur responsabilité, sur le vote de 22 projets de loi (du fait des navettes parlementaires, il est fréquent qu'on utilise plusieurs fois le *49-3* sur un même texte). *1958-1962,* Debré : 4 fois sur la loi de programmation militaire et la loi de Finances. *1962,* Pompidou : collectif budgétaire concernant l'usine de Pierrelatte. *1962-67,* aucun *49-3. 1967-68,* 1 seul (triple) sur les pouvoirs spéciaux (ordonnances sur la Sécurité sociale). *1968-76,* aucun *49-3. Août 1976-mai 1981,* Raymond Barre : 8 fois sur 4 textes (notamment la loi de Finances pour 1980). *Mai 1981-juillet 1984,* Pierre Mauroy : 7 fois sur 5 textes (notamment pour faire passer en 1re lecture le projet de loi sur l'enseignement privé, abandonné par le Pt de la Rép.). *Juillet 1984-mars 1986,* Laurent Fabius : 4 fois. *Mars 1986-mai 1988,* Jacques Chirac : 8 fois sur 7 textes. *Mai 1988-mai 1991* Michel Rocard : 27 fois sur 14 textes.

Résidences du Premier ministre

Hôtel Matignon. Œuvre de Jean Courtonne (1671-1739) ; commencé pour le Mal de Montmorency, achevé pour le Cte Jacques de Matignon (1689-1751), devenu prince de Monaco. Habité par Talleyrand en 1810, puis par les princes de Bourbon-Espagne, ducs de Galliéra. Ambassade d'Autriche de 1888 à 1914, confisqué pendant la guerre et transformé en 1920 en tribunal d'arbitrage pour le traité de Versailles. En janv. 1935, remanié sous la direction de Paul Bigot (1870-1942) et mis à la disposition du Pt du Conseil (1er occupant : Léon Blum, 4-6-1936). Décoration style rocaille. Le jardin est le plus grand espace vert de Paris.

Château de Champs-sur-Marne (S.-et-M.) Construit de 1703 à 1707 par Jean-Baptiste Bullet (1662-1737) pour le financier Charles Renouard, dit La Touane († 1704), puis pour le financier Paul Poisson de Bourvalais (v. 1660-1719), embastillé 1716 ; passe alors au duc de La Vallière, qui, à partir de 1757, le loue à Mme de Pompadour. Acheté en 1905 par le banquier Cahen d'Anvers, dont le fils lègue le château à l'État pour servir de résidence d'été aux Pts du Conseil. Depuis 1945, utilisé de préférence pour loger les hôtes étrangers du Gouvernement.

Collaborateurs

Secrétariat général du Gouvernement. *Créé* en 1935. *1943 :* Louis Joxe (16-9-01) secr. gén. du Comité de libération nationale. *1946 (15-9) :* André Ségalat (10-8-10). *1958 (23-1) :* Roger Belin (21-3-16). *1964 (14-3) :* Jean Donnedieu de Vabres (9-3-18). *1974-75 :* intérim Jacques Larché, Marceau Long (22-4-26). *1982 (10-7) :* Jacques Fournier (5-5-29). *1986 (26-3) :* Renaud Denoix de Saint-Marc (24-9-38).

Services généraux du Premier ministre. *1980 :* 1 389 (737 titulaires, 652 contractuels). *1985 :* 1 880 (1 190 t., 690 c.). *1988 :* 1 496 (1 110 t., 386 c.).

Le Gouvernement

☞ Voir nombre, durée des ministères et liste chronologique des ministres à l'Index.

Nomination

Ses membres (qui ont tous droit à l'appellation de « ministre » même s'ils sont secrétaires d'État) sont nommés par le Pt de la République sur proposition du Premier ministre (A 8).

Différentes formations

Conseil des ministres. *Composition :* membres du gouvernement (Premier ministre, min. d'État, ministres) réunis sous la présidence du Pt de la Rép. Les secrétaires d'État n'y participent pas de plein droit. Habituellement exclus depuis 1969. *Présidence :* exceptionnellement, le Premier ministre peut le présider (il faut une délégation expresse et un ordre du jour déterminé) ; il ne l'a fait que 3 fois : pour l'hospitalisation de De Gaulle le 22-4-1964 et son voyage en Amér. latine le 30-9-1964 (le 1er min. ne fut autorisé à tenir qu'un seul Conseil et les textes furent signés par le Pt de la Rép.) et le 14-2-1973 ; aucune des délégations accordées au Premier ministre lors des voyages présidentiels à l'étranger pour réunir éventuellement le Conseil des min. n'a été utilisée. *Séances :* généralement le mercredi matin à l'Élysée (il a siégé à Lyon le 11-9-1974, Évry le 26-2-1975, Marly-le-Roi le 17-12-1975, le 14-12-1977, le 13-12-1978, et à Lille le 1-12-1976). *Rôle :* conseille le Pt qui peut s'opposer à ses avis et peut inscrire à l'ordre du jour les décrets qu'il réserve à sa signature ; il coordonne l'action du Gouv. En général le *Conseil* entérine sans discussion textes ou décisions des *conseils restreints* ou *interministériels.* Durée moy. : 3 h (record dep. 1945, en 1958, sous Félix Gaillard : 10 h). Un communiqué officiel est publié.

Conseil de cabinet. Présidé par le Premier ministre, il n'est réuni qu'exceptionnellement : ainsi, après la mort du Pt Pompidou (3-4-1974).

Comités. Interministériels. Réunions présidées par le P.M. comprenant les min. et les secr. d'État intéressés par une question. **Restreints** (sans existence légale). Réunis à la demande du Pt de la Rép. ou avec son autorisation pour préparer certaines affaires qui viendront devant un conseil restreint ou en Conseil des min. ; fréquents au début de la Ve Rép., moins nombreux dep. 1971.

Pouvoirs. Il détermine et conduit la politique de la nation. Il dispose de l'Administration et de la Force armée (A 20). Il peut proposer au Pt de la Rép. de soumettre un texte au référendum (A 11).

Responsabilité. 1° **politique** (A 49 et 50). Il est responsable devant l'Ass. nationale. Il peut lui demander l'approbation de son programme ou d'une déclaration de politique générale. Il peut engager sa responsabilité sur un texte : le texte est considéré comme adopté si une *motion de censure* n'est pas votée. L'Ass. peut voter une motion de censure (signée par 1/10 au moins de ses membres). Si le vote obtient la majorité absolue des voix, le Gouvernement est renversé. Voir p. 685a. 2° **pénale.** Les ministres sont pénalement responsables des crimes et délits commis dans l'exercice de leurs fonctions ; ils sont jugés par la Haute Cour (A 68).

État de siège. Décrété en Conseil des ministres ; au-delà de 12 j, ne peut être prorogé qu'avec l'accord du Parlement (Article 36). Implique l'attribution de pouvoirs de police exceptionnels aux autorités militaires en cas d'un péril national grave (politique ou militaire) ; peut être déclaré sur tout ou partie du territoire national.

État d'urgence. Créé par une loi du 3-4-1955 (modifiée par ordonnance du 15-4-1960). Décrété en Conseil des ministres, il doit préciser l'aire géographique concernée ; seule une loi peut autoriser sa prorogation au-delà de 12 j. Il est plus rigoureux que l'état de siège ; des pouvoirs de police exceptionnels sont accordés aux autorités civiles. Sous la Ve Rép., appliqué en 1960 (en Algérie), du 23-4-1961 au 15-7-1962 (territoire national – Article 16 également).

Nota. – Chaque membre du Gouvernement peut démissionner (il reçoit alors sa rémunération pendant 6 mois). Il peut être « démissionné » par le Pt de la Rép. sur proposition du Premier ministre : ainsi J.-J. Servan-Schreiber, nommé min. de la Réforme le 28-5-1974 et écarté le 9-6-1974.

Les ministres

• **Ministres.** Un même ministère peut être confié à un ministre d'État, ministre délégué, un ministre, un secrétaire d'État (ex. : Défense, Construction, Information, Intérieur, Justice, Transports...).

Ministres d'État. Sous les IIIe et IVe Rép. On nommait min. d'État de grands esprits pour participer au Gouvernement, sans avoir la charge d'un ministère. La fonction acquit ainsi du prestige. Févr. 1956, Guy Mollet donna le titre de « ministre d'État » à 2 ministres détenant un portefeuille : René Billières (Éduc. nat.) et François Mitterrand (Justice), créant un degré supplémentaire dans la hiérarchie ministérielle. En 1957, le député ivoirien Houphouët-Boigny fut nommé min. d'État dans le gouv. Bourgès-Maunoury. Nommé simple ministre dans les gouv. suivants, il refusa de prendre ses fonctions, jugées inférieures, bien que la primauté hiérarchique des min. d'État ne figurât dans aucun texte. Les min. d'État sans portefeuille constituèrent alors une sorte de caution des partis coalisés au sein du Gouvernement ; ainsi en 1958, dans le dernier gouv. (de Gaulle) de la IVe Rép., les 4 min. d'État représentaient la S.F.I.O. (Guy Mollet), le M.R.P. (P. Pflimlin), les Indépendants (L. Jacquinot) et l'U.D.S.R. (F. Houphouët-Boigny). **Sous la Ve Rép.**, le titre est surtout devenu honorifique (préséance protocolaire, avec une rémunération légèrement supérieure) ; toutefois, dans le gouv. Barre du 27-8-1976, il y avait 3 min. d'État représentant les 3 tendances de la majorité présidentielle : O. Guichard (U.D.R.), M. Poniatowski (R.I.) et J. Lecanuet (C.D.S.).

Ministres délégués. Titre créé en 1956 par Guy Mollet (Houphouët-Boigny, « min. délégué à la Présidence du Conseil »). Il permettait de donner la qualité de min. à une personnalité, sans la nommer « min. d'État », ce qui la mettrait au-dessus des autres min. Correspond actuellement à un échelon intermédiaire entre ministre et secrétaire d'État.

• **Cabinet ministériel.** Comprend 1 directeur de cabinet (fonctions administratives), 1 chef de cabinet (fonctions politiques), 2 chefs adjoints de cabinet, 3 attachés de cabinet, 1 chef du secrétariat particulier, 2 ou 3 chargés de mission ou conseillers techniques et beaucoup de collaborateurs « officieux ».

Membres des cabinets. Nombre. *Avant 1981 :* env. 300 ; *depuis 1981 :* sous Mauroy 500, Fabius 530 ; Chirac (1986) 430, (1987) 580 ; Rocard (1988) 600 (moyenne 12,6 par cabinet). **Origine.** ENA (*1981* 29 %, *1986* Chirac 36 %, *1988* Rocard 22 %). Polytechnique (*1981* 8 %, *1986* 11 %, *1988* 9 %).

Composition du Gouvernement

Mai 1981 à mai 1988

• **1er gouv. Mauroy (22-5-1981) :** 43 membres dont 6 femmes : 5 ministres d'État, 25 min. et min. délégués et 12 secrétaires d'État. 39 membres du P.S., 3 du Mouvement des radicaux de gauche et 1 du Mouv. des démocrates. 3 ministères créés : Solidarité nationale, Temps libre, Mer.

• **2e gouv. Mauroy (23-6-1981) :** (Mauroy ayant démissionné après les élections lég. de juin) : 44 membres ; 5 min. d'État, 29 min. et min. délégués, 9 secr. d'État, 32 socialistes, 4 communistes, 2 radicaux de gauche et 1 représentant du Mouv. des démocrates. **Remaniements :** *1982-29-6 :* 2 grands ministères sont créés : Affaires sociales (Bérégovoy), Recherche et Industrie (Chevènement). Questiaux (Solidarité nat.) et M. Dreyfus (Industrie) quittent le gouv. *17-8 :* Joseph Franceschi, secr. d'État aux personnes âgées, est nommé secr. d'État à la Sécurité publique. *8-12 :* Jean-Pierre Cot, min. délégué à la Coopération et au Développement est remplacé par Christian Nucci. D. Benoist est nommé secr. d'État aux personnes âgées. *1983-29-6 :* démissions : Michel Jobert, min. d'État, min. du Commerce extér., J.-P. Chevènement, min. d'État, min. de la Recherche et de l'Ind.

• **3e gouv. Mauroy (22-3-1983) :** Mauroy ayant démissionné est reconduit le soir même dans ses fonctions et annonce un « ministère de combat » ; 43 membres, 14 min., 8 min. délégués, 20 secr. d'État. *24-3-83* nomination de min. délégués et de 19 secr. d'État. *Sont supprimés :* les min. d'État, le secr. d'État au Travail. *Sont transformés 4 min. de plein exercice* en 3 min. délégués (Culture ; P.T.T. ; Temps libre, Jeunesse, Sports) ; 6 en secr. d'État (Santé, Environnement, Mer, Communication, Anciens combattants, Consommation) ; 3 min. délégués en secr. d'État (Fonction publique, Budget, Énergie). *Sont créés :* 3 secr. d'État : Forêt, Éd. nat., porte-parole du gouv. *Femme* (6 au lieu de 5). *Partis :* P.S. : 36, P.C. : 4, R.G. : 2, P.S.U. : 1. **Remaniements :** 30-9-83, Paul Quilès et Jean Gatel remplacent Roger Quilliot et François Autain élus sénateurs ; *18-12-83,* Roland Dumas remplace André Chandernagor nommé 1er Pt de la Cour des comptes.

• **Gouvernement Fabius (19 et 23-7-1984) :** à l'Économie, Bérégovoy remplace J. Delors qui, le 7-1-85, devient Pt de la Commission des Communautés eur., P. Joxe remplace à l'Intérieur G. Defferre nommé min. d'État chargé du Plan et de l'Aménagement du territoire. Chevènement remplace A. Savary à l'Éducation nationale. **Remaniements :** *7-12-84 :* Roland Dumas remplace aux Relations extér. Claude Cheysson qui redeviendra Commissaire eur. en janv. 85. *4-4-85 :* Henri Nallet remplace à l'Agriculture Michel Rocard qui, opposé à l'adoption de l'élection à la représentation proportionnelle, a démissionné. *20-9-85 :* Paul Quilès (min. Urbanisme et Logement) remplace à la Défense Charles Hernu démissionnaire à la suite de l'affaire Greenpeace. *16-2-86 :* Michel Crépeau (min. du Commerce) remplace à la Justice Robert Badinter (nommé Pt du Conseil constit.).

• **Gouvernement Chirac (R.P.R.) nommé le 20-3-1986, complété le 26-3. Membres :** 35 dont 25 participent régulièrement au Conseil des min. : le P.M., 14 min. (dont 1 d'État), 10 min. dél. et 16 secrétaires d'État (le 26-3). **Age :** *5 de 60 à 70 ans, 11 de 50 à 40, 22 de - de 50 ;* avant, *2 de + de 70 ans, 5 de 60 à 70, 14 de 50 à 60, 22 de - de 50.* **Partis :** R.P.R. 20, U.D.F. 18 (8 P.R., 7 C.D.S., 2 Rad., 1 P.S.D.), 3 sans parti.

Gouvernement Rocard

• **1er gouvernement (12-5-1988) :** *27 ministres* (y compris le P.M.) dont 10 P.S., 2 U.D.F. [Michel Durafour (Fonction publique), Jacques Pelletier (Coopération)], 2 M.R.G. [Maurice Faure (Équipement), François Doubin (délégué auprès du min. de l'Ind.)], 4 sans parti [Pierre Arpaillange (Justice), Roger Fauroux (Industrie), Jacques Chérèque (dél. auprès du min. de la Culture)] ; *15 secr. d'État* dont 8 P.S., 1 U.D.F. [Lionel Stoléru (Plan)], 6 sans parti [Brice Lalonde (Environnement), Roger Bambuck (Sports), Philippe Essig (Logement), Émile Biasini (Grands Travaux), Thierry de Beaucé (Relations cult.), Bernard Kouchner (Insertion)]. 6 femmes (4 min., 2 secr.). Le 14-6-88 démission après les élec. législatives, mais le Pt lui demande de poursuivre jusqu'à l'installation de l'Ass. nat. (démission effective 23-6 à 0 h).

• **2e gouvernement (28-6-1988) :** 21e gouvernement dep. 1958. 49 min. (3 min. d'État, 17 min., 10 min. délégués, 17 secr. d'État). 25 P.S., 3 M.R.G., 5 U.D.F. dont 2 barristes (J.-P. Soisson, J.-M. Rausch), 12 « techniciens » peu engagés dont 2 membres de la Sté civile, Léon Schwarzenberg et Alain Decaux, rejoignant Brice Lalonde et Bernard Kouchner [pour la 1re fois dep. 1958, la formation d'origine du P.M. (ici le P.S.) ne représente que la moitié du gouvernement]. 5 min. non repris : G. Dufoix, C. Trautmann, députés sortants battus, L. Mermaz devenu Pt du groupe socialiste à l'Ass. nat. 7 sénateurs (dont 6 min., 1 secr.), 6 femmes (dont 3 min., 3 secr.). **Remaniement :** *2-10-1990. M. d'État :* Michel Delebarre [2] P.S. (Ville). *Ministres :* Henri Nallet [2] P.S. (Justice), Louis Mermaz [1] P.S. (Agric. et Forêt), Claude Evin [2] P.S. (Aff. sociales et Solidarité), Louis Besson [2] P.S. (Équipement, Log., Transp. et Mer). *M. délégués :* Brice Lalonde [3] Génération écologie (Environnement, Prévention des risques techn. et naturels majeurs), Elisabeth Guigou [1] P.S. (Aff. européennes), Georges Kiejman [1] (Justice), Bruno Durieux [1] C.D.S. (Santé). *Secr. d'État :* Hélène Dorlhac de Borne [2] France unie (Aff. soc. et Solidarité chargé de la Famille et des Personnes âgées).

Gouvernement Cresson

16-5-91 : P.M. Édith Cresson [1] P.S. (27-1-34, Boulogne/Seine).

Ministres d'État. Éducation nationale : Lionel Jospin P.S. (12-7-37, Meudon, H.-de-S.). **Économie, finances et budget :** Pierre Bérégovoy P.S. (23-12-25, Déville-lès-Rouen, S.-M.). **Affaires étrangères :** Roland Dumas P.S. (23-8-22, Limoges, Hte-V.). **Fonction publique et modernisation de l'administration :** Jean-Pierre Soisson [2] France unie (9-11-34, Auxerre, Yonne). **Ville et aménagement du territoire :** Michel Delebarre [2] P.S. (27-4-46, Bailleul, N.).

Ministres. Garde des sceaux, min. de la Justice : Henri Nallet P.S. (6-1-39, Bergerac, Dord.). **Défense :** Pierre Joxe P.S. (28-11-39, Paris). **Intérieur :** Philippe Marchand P.S. (1-9-39, Angoulême, Char.). **Culture et communication, porte-parole du gouv. :** Jack Lang [2] P.S. (2-9-39, Mirecourt, Vosges). **Agriculture et forêt :** Louis Mermaz P.S. (20-8-31, Paris). **Affaires sociales et intégration :** Jean-Louis Bianco [1] P.S. (12-1-43, Neuilly/Seine). **Travail, emploi et formation professionnelle :** Martine Aubry [1] P.S. (8-8-50, Paris). **Équipement, logement, transports et espace :** Paul Quilès [2] P.S. (27-1-42, St-Denis-du-Sig, Alg.). **Coopération et développement :** Edwige Avice [2] P.S. (13-4-45, Nevers, N.). **Départements et territoires d'outre-mer :** Louis le Pensec [2] P.S. (8-1-37, Mellac, Fin.). **Recherche et technologie :** Hubert Curien P.S. (30-10-24, Cornimont, Vosges). **Relations avec le Parlement :** Jean Poperen P.S. (9-1-25, Angers, M.-et-L.). **Jeunesse et sports :** Frédérique Bredin [1] P.S. (2-11-56, Paris). **Environnement :** Brice Lalonde [3] Génération écologie (10-2-46, Neuilly/Seine).

Ministres délégués. Économie, finances et budget, chargé du budget : Michel Charasse P.S. (8-7-41, Chamalières, P.-de-D.) ; **de l'industrie et du commerce extérieur :** Dominique Strauss-Kahn [1] P.S. (25-4-49, Neuilly/Seine) ; **du commerce et de l'artisanat :** François Doubin France unie-M.R.G. (23-4-33, Paris) ; **de la poste et des télécommunications :** Jean-Marie Rausch [2] France unie (24-9-29, Sarreguemines, Mos.). **Justice, chargé de la justice :** Michel Sapin [1] P.S. (9-4-52, Boulogne/Seine). **Affaires étrangères, chargé des affaires européennes :** Élisabeth Guigou P.S. (6-8-48, Marrakech, Maroc) ; **de la francophonie :** Catherine Tasca [2] (13-12-41, Lyon). **Affaires sociales et de l'intégration, chargé de la santé :** Bruno Durieux (23-10-44, Montigny, Sarthe). **Culture et communication, chargé de la communication :** Georges Kiejman [2] (12-8-32, Paris). **Équipement, logement, transports et espace, chargé du tourisme :** Jean-Michel Baylet France unie-M.R.G. (17-11-46, Toulouse, Hte-G.).

Secrétaires d'État. Premier min., chargé des anciens combattants : Louis Mexandeau [1] P.S. (6-7-31, Wanquetin, P.-de-C.). **Éducation nationale, chargé de l'enseignement technique :** Jacques Guyard [1] P.S. (19-11-37, Paris). **Affaires étrangères, chargé de l'action humanitaire :** Bernard Kouchner (1-11-39, Avignon, Vaucl.) ; **des affaires étrangères :** Alain Vivien [1] P.S. (20-8-38, Melun, S.-et-M.). **Ville et aménagement du territoire :** André Laignel [2] P.S. (4-12-42, Paris). **Défense :** Jacques Mellick [2] P.S. (22-7-41, Fresnicourt-le-Dolmen, P.-de-C.). **Intérieur, chargé des collectivités locales :** Jean-Pierre Sueur [1] P.S. (28-2-47, Boulogne/Mer, P.-de-C.). **Culture et communication, porte-parole du gouv., chargé des grands travaux :** Émile Biasini (31-7-22, Noves, B.-du-Rh.). **Affaires sociales et intégration :** Kofi Yamgnane [1] P.S. (1948, Bassar, Togo) ; **chargé de la famille et des personnes âgées :** Laurent Cathala [1] P.S. (21-9-45, St-Jean-de-Barrou, Aude) ; **des handicapés et accidentés de la vie :** Michel Gillibert (8-4-45, La Chapelle-de-Guinchay, S.-et-L.). **Travail, emploi et formation professionnelle, chargé des droits de la femme :** Véronique Neiertz [2] P.S. (6-11-42, Paris). **Équipement, logement, transports, espace, chargé du logement :** Marcel Debarge [1] P.S. (16-9-29, Courrières, P.-de-C.) ; **chargé des transports routiers et fluviaux :** Georges Sarre P.S. (26-11-35, Chenerailles, Creuse) ; **de la mer :** Jean-Yves Le Drian [1] P.S. (30-6-47, Lorient, Morb.). **Industrie et commerce ext., chargé du commerce ext. :** Jean-Noël Jeanneney [1] (2-4-42, Grenoble, I.).

Nota. – (1) Nouveau membre du gouv. (2) M. de l'ancien gouv. ayant changé d'attribution. (3) M. de l'ancien gouv. ayant changé de titre sans changer d'attribution.

Rocardiens : 4 partent (Michèle André, Tony Dreyfus, Robert Chapuis, Roger Bambuck), 2 entrent (Alain Vivien, Jean-Pierre Sueur). *Fabiusiens :* 1 part (André Méric), 4 entrent (Jacques Guyard, Kofi Yamgnane, Laurent Cathala, Marcel Debarge). *Jospinistes :* 2 entrent (Louis Mexandeau, Jean-Yves Le Drian). *France-unie :* 3 partent (Lionel Stoléru, Thierry de Beaucé, Hélène Dorlhac), 0 entre. *Divers-Gauche :* 1 part (Gérard Renon), 1 entre (Jean-Noël Jeanneney).

Total : 32 P.S. (11 fabiusiens, 10 jospinistes, 4 rocardiens, 4 socialistes non apparentés à un courant, 1 poperениste, 2 m. de Socialisme et Rép.) ; 7 Divers-Gauche, 3 France-unie, 2 M.R.G., 1 Génération écologie. Par rapport aux sortants, les fabiusiens gagnent 3 postes et les jospinistes 3, les Divers-Gauche 2, les rocardiens en perdent 4 et France-Unie 7.

4 secrétaires d'État restent avec les mêmes attributions : Bernard Kouchner, Émile Biasini, Georges Sarre, Michel Gillibert. *3 changent :* André Laignel (de la formation professionnelle à la ville et aménagement du territoire), Jacques Mellick (de la mer à la défense, perd son titre de min. délégué et le droit d'assister à tous les conseils des min.), Véronique Neiertz (de la consommation aux droits des femmes). *4 fonctions n'ont plus de responsable ministériel :* plan, consommation, économie sociale, relations culturelles internat. Seul le secrétariat aux anciens combattants n'a plus de min. de tutelle. Certains changent : action humanitaire dépend des aff. étrangères (et non plus P. M.), droits des femmes du travail (et non plus P.M.). *Création de secrétariats d'État* auprès des min. de la Ville et de l'Aménagement du territoire et des Affaires sociales et de l'Intégration. Recréation de ceux des Collectivités locales rattaché à l'Intérieur, et du Logement à l'Équipement. Le min. des Affaires étrangères n'a plus qu'un secr. d'État et non plus un min. délégué. La Mer n'est plus un ministère délégué, mais un secr. d'État, idem pour le Commerce extérieur.

9 députés et 1 sénateur quittent l'ass. 6 anciens députés et 3 sénateurs quittent le gouv. sans pouvoir retrouver leurs sièges sans élections partielles.

7 régions (hors outre-mer) ne sont pas représentées : Alsace, Champagne-Ardenne, Corse, Franche-Comté, Languedoc-Roussillon, Limousin, Provence-Côte d'Azur. 2 n'y sont plus : Pays de Loire et Picardie. 1 le devient : Haute-Normandie. Banlieue parisienne : 7 représentants (avant 1), Bretagne 3 (avant 1), Paris 2.

Statistiques

Durée moyenne des 21 gouvernements de la IVe Rép. : inférieure à 7 mois. *1 seul Pt du Conseil est parti sans crise :* Henri Queuille (le 10-7-51 après les él. législ., conformément à l'art. 45 de la Const.). De Gaulle, dernier Pt du Conseil de la IVe Rép., a quitté Matignon pour l'Élysée le 8-1-59 après son élection à la présidence de la Rép. *6 ont été renversés dans les formes constitutionnelles après que la confiance leur eut été refusée à la majorité absolue :* Bidault (24-6-50) sur l'application de la *loi des maxima* limitant l'initiative des dépenses des députés ; Queuille II (4-7-50) sur la composition du ministère qu'il venait de former après avoir été investi le 30-6 ; Pleven II (17-1-52) posa 8 questions de confiance sur la loi de fin. et fut renversé au 1er vote ; Mayer (21-5-53) sur sa politique financière ; Mendès France (4-2-55) sur sa politique en Afrique du Nord ; Faure II (29-11-1955) sur l'ordre du jour de l'Ass. alors décidé par celle-ci. *6 ont démissionné sans vote parlementaire :* Ramadier (19-11-47) à la suite des intrigues de Guy Mollet, secr. gén. de la S.F.I.O. (son propre parti) ; Marie (28-8-48) en raison de divergences sur la politique économique et financière ; Queuille I (6-10-49) après la démission du min. du Travail, Daniel Mayer ; Pleven I (28-2-51) en raison des divisions de sa majorité sur la réforme élect. ; Pinay (22-12-52) en apprenant que le M.R.P. votera contre le budget à cause des alloc. familiales ; Pflimlin (28-5-58) pour laisser la place à de Gaulle. *7 autres se sont retirés après un vote négatif, sans être constitutionnellement obligés de démissionner,* soit qu'ils n'aient pas posé la question de confiance, soit que la majorité absolue n'ait pas été atteinte : Schuman I (19-7-48) ; Schuman II (7-9-49) ; Faure I (29-2-52) ; Laniel (12-6-54) ; Mollet (21-5-57) ; Bourgès-Maunoury (30-9-57) ; Gaillard (15-4-58).

De 1958 à 1981 : *1 a démissionné sur motion de censure* de l'Ass. nat. (Pompidou, le 6-10-62), 12 à la demande du chef de l'État (de Gaulle exigeait de ses Premiers ministres, dès leur nomination, leur démission en blanc) ou du Premier ministre ou pour d'autres raisons (après des élec. législatives ou présidentielles) ; en 1972, Chaban-Delmas, malgré le vote de confiance de l'Ass. nat. du 23-5-72 (368 v. contre 96), dut démissionner le 5-7 ; Chirac prit, le 26-7-76, l'initiative de sa démission rendue publique le 25-8. **De 1981 à mars 1986 :** Mauroy a démissionné 2 fois (dont 1 après les élec. lég. de juin 81), Fabius 1 fois (après les élec. lég. du 16-3-86). **De mars 1986 à juillet 1988 :** Chirac 1 fois (9-5-88) après la réélection de Mitterrand, Rocard 1 fois (13-6-88) après le 2e tour des élec. législatives.

Nombre de membres. Gouvernement le plus nombreux IIIe Rép. : *Léon Blum* en 1936 (21 min., 13 sous-secr. d'État). Pour la 1re fois le min. comprenait des femmes : 3 sous-secrétaires d'État (éducation, recherche scientifique, protection de l'enfance). 3 min. d'État représentaient les 3 familles politiques du Front populaire. Il y avait un sous-secr. d'État à l'organisation des loisirs (et aux sports) confié à Léo Lagrange. **Ve Rép. :** *Debré :* 26 (20 min. et 6 secr. d'État). *Chaban-Delmas :* 39 (19 min. et 20 secr. d'État). *Mauroy, I* (22-5-81) : 31 min., 12 secr. d'État. *II* (23-6-81) : 34 min. et 9 secr. *III* (1-6-82) : 34 min., 9 secr. *Rocard, I* (10-5-88) 27 min., 15 secr. *II* (23-6-88) 33 min., 17 secr. *Cresson* (16-18-5-91) : 30 min., 16 secr.

Membres du Gouv. non parlementaires. 1° *gouv. Chirac :* 14 (5 min. et 9 secr. d'État, après le 12-1-76) sur 43. *Barre, I* (du 25-8-76 au 28-3-77) : 11 sur 36 (6 min., 5 secr. d'État). *II* (du 29-3-77 au 31-3-78) : 9 sur 40 (5 min., 4 secr. d'État). *III :* 11 sur 38 (5 min., 6 secr. d'État). 15 min. sur 20 et 6 secr. d'État sur 18 étaient fonctionnaires d'origine (dont 3 universitaires, 4 ingénieurs, 6 anciens E.N.A.).

☞ Voir Quid 1982, tableaux p. 704.

Passages rapides au gouvernement. *J.-J. Servan-Schreiber,* min. des Réformes, 13 jours en 1974. *André Postel-Vinay,* secr. d'État chargé des travailleurs immigrés du 8-6 au 22-7-74 (démissionnaire pour cause de réduction budgétaire). *Léon Schwartzenberg,* min. délégué auprès du min. de la Solidarité, de la santé et des affaires sociales, chargé de la santé du 28-6 au 7-7-88 (doit démissionner).

Question de confiance. Sous la IVe Rép., 164 fois dont 1re législature (1946-51) 45, 2e (1951-56) 73, dernière (1956-58) 46. *Records :* Edgar Faure : 23 en un peu plus d'un mois (début 1952) ; Guy Mollet : 34 en presque 16 mois (1956-57).

Frais de Cabinet d'un ministre et (entre parenthèses) **d'un secrétaire d'État** *(en milliers de F, 1982).* Dépenses de personnel 1 600 (1 465) ; Indemnités de cabinet 97 (38) ; Frais de déplacement 100 (50) ; matériel 200 (150) ; parc automobile 50 (30) ; remboursements à diverses administrations 70 (40) ; total 2 117 (1 773). [En 1980 : 1 448 (1 273).]

(% de non parlementaires). Debré 37,5. Pompidou 27,4. Couve de Murville 3,2. Chaban-Delmas 2,2. Messmer 6,1. Chirac 33,3. Barre 29,2. Mauroy 23. Fabius 31,1.

Président du Conseil l'ayant été le plus longtemps pendant leur carrière. IIIe Rép. : *Poincaré* 5 a. 6 m. 6 j en 5 fois. *Briand* 5 a. 3 m. 6 j en 11 fois. *Clemenceau* 4 a. 11 m. 5 j en 2 fois. **IVe Rép. :** *Queuille* 1 a. 7 m. 18 j en 3 fois. **Ve Rép. :** *Pompidou* (1er min.) 6 a. 2 m. 25 j.

Ministres depuis 1944

☞ Voir Présidents du Conseil puis Premiers ministres, p. 591. *Biographie :* voir à l'Index.

Affaires culturelles

1959 (24-7) André Malraux (1901-76) [1].
1969 (22-6) Edmond Michelet (1899-1970) [1].
1970 (1-10) André Bettencourt (21-4-1919) (intérim).
1971 (7-1) Jacques Duhamel (1924-77).
1973 (4-4) Maurice Druon (23-4-1918).
1974 (18-5) Michel Guy (1927-90) [2].

Culture

1976 (27-8) Françoise Giroud (21-9-1916) [2].
1977 (30-3) Michel d'Ornano (1924-91) [3].
1978 (11-9) Jean-Philippe Lecat (29-7-1935) [4].
1981 (22-5) Jack Lang (2-9-1939).
1986 (20-3) François Léotard (26-3-1942) [4].
1988 (12-5) Jack Lang (2-9-1939).

Nota. – (1) Ministre d'État. (2) Secrétaire d'État. (3) Ministre de la Culture et de l'Environnement. (4) Ministre de la Culture et de la Communication.

Affaires étrangères

1944 (10-9) Georges Bidault (1899-1983).
1946 (16-12) Léon Blum (1872-1950).
1947 (22-1) Georges Bidault (1899-1983).
1948 (26-7) Robert Schuman (1886-1963).
1953 (8-1) Georges Bidault (1899-1983).
1954 (19-6) Pierre Mendès France (1907-82).
1955 (20-1) Edgar Faure (1908-88).
1955 (23-2) Antoine Pinay (30-12-1891).
1956 (1-2) Christian Pineau (14-10-1904).
1958 (14-5) René Pleven (15-4-1901).
1958 (1-6) Maurice Couve de Murville (24-1-1907).
1968 (31-5) Michel Debré (15-1-1912).
1969 (22-6) Maurice Schumann (10-4-1911).
1973 (4-4) Michel Jobert (11-9-1921).
1974 (28-5) Jean Sauvagnargues (2-4-1915).
1976 (27-8) Louis de Guiringaud (1910-82).
1978 (29-11) Jean-François Poncet (8-12-1928).

Relations extérieures

1981 (22-5) Claude Cheysson (13-4-1920).
1984 (17-12) Roland Dumas (23-8-1922).

Affaires étrangères

1986 (20-3) Jean-Bernard Raimond (6-2-1926).
1988 (12-5) Roland Dumas (23-8-1922).

Agriculture

1944 (10-9) Fr. Tanguy-Prigent (1909-70).
1947 (22-10) Marcel Roclore (1897-1966).
1947 (24-11) Pierre Pflimlin (5-2-1907).
1949 (2-12) Gabriel Valay (1905-78).
1950 (3-7) Pierre Pflimlin (5-2-1907).
1951 (11-8) Paul Antier (20-5-1905).
1951 (21-11) Camille Laurens (12-8-1906).
1953 (28-6) Roger Houdet (14-6-1899).
1955 (23-2) Jean Sourbet (1900-62).
1956 (1-2) André Dulin (Secr.) (1896-1973).
1957 (17-6) Pierre de Félice (Secr.) (1896-1981).
1957 (6-11) Rol. Boscary-Monsservin (1904-89).
1958 (9-6) Roger Houdet (14-6-1899-v. 1987).
1959 (27-5) Henri Rochereau (25-3-1908).
1961 (24-8) Edgard Pisani (9-10-1918).
1966 (6-1) Edgar Faure (1908-88).
1968 (10-7) Robert Boulin (1920-79).
1969 (16-6) Jacques Duhamel (1924-77).
1971 (8-1) Michel Cointat (13-4-1921).
1972 (7-7) Jacques Chirac (29-11-1932).
1974 (2-3) Raymond Marcellin (19-8-1914).
1974 (28-5) Christian Bonnet (14-6-1921).
1977 (30-3) Pierre Mehaignerie (4-5-1939).
1981 (22-5) Édith Cresson (27-1-1934).
1983 (22-3) Michel Rocard (23-8-1930).
1985 (4-4) Henri Nallet (6-1-1939).
1986 (20-3) François Guillaume (19-10-1932).
1988 (12-5) Henri Nallet (6-1-1939).
1990 (2-10) Louis Mermaz (20-8-1931).

Défense nationale

1944 (10-9) André Diéthelm [1] (1896-1954).
1945 (21-11) Edmond Michelet [2] (1899-1970).
1946 (24-6) Félix Gouin [3] (1884-1977). Edmond Michelet [4] (1899-1970).
1946 (16-12) André Le Troquer [3] (1884-1963).
1947 (22-1) Paul Coste-Floret (Guerre) (1911-79). Louis Jacquinot (Marine) (16-9-1898). André Maroselli (Air) (1893-1970).
1947 (22-10) Pierre-Henri Teitgen [3] (29-5-1908).
1948 (26-7) René Mayer [3] (1895-1972).
1948 (11-9) Paul Ramadier [3] (1888-1961).
1949 (28/29-10) René Pleven [3] (15-4-1901).
1950 (12-7) Jules Moch [3] (1893-1985).
1951 (11-8) Georges Bidault [3] (1899-1983). Maurice Bourgès-Maunoury (adjoint) (19-8-1914).
1952 (20-1) Georges Bidault [3] (1899-1983).
1952 (8-3) René Pleven [3,7] (15-4-1901).
1954 (19-6) Pierre Koenig [6] (1898-1970). Pierre Billotte (8-3-1906) adjoint le 23-2-55.
1956 (1-2) Maurice Bourgès-Maunoury (19-8-1914).
1957 (13-6) André Morice [6] (1-10-1900).
1957 (6-11) Jacques Chaban-Delmas [6] (7-3-1915).
1958 (14-5) Pierre de Chevigné [5] (16-6-1909).
1958 (1-6) Pierre Guillaumat [8] (5-9-1909).
1960 (5-2) Pierre Messmer [8] (20-3-1916).
1969 (22-6) Michel Debré [3] (15-1-1912).
1973 (4-4) Robert Galley (11-1-1921).
1974 (28-5) Jacques Soufflet (4-10-1912).
1975 (1-2) Yvon Bourges (29-6-1921).
1980 (2-10) Joël Le Theule (1930-80). Robert Galley (11-1-1921).
1981 (22-5) Charles Hernu (1923-1990).
1985 (20-9) Paul Quilès (27-1-1942).
1986 (20-3) André Giraud (3-4-1925).
1988 (12-5) Jean-Pierre Chevènement (9-3-1939).
1991 (29-1) Pierre Joxe (28-11-1934).

Nota. – (1) Guerre. (2) Des Armées (Terre, Air, Mer). (3) Déf. nat. (4) Armée. (5) Forces armées. (6) Déf. nat. et Forces armées. (7) A partir du 8-1-53, Déf. nat. et Forces armées. (8) Des Armées.

Éducation nationale

1944 (6-9) René Capitant (1901-70).
1945 (21-11) Paul Giacobbi (1896-1951).
1946 (26-1) Marcel Naegelen (1892-1978).
1948 (12-2) Édouard Depreux (1898-1981).
1948 (26-7) Yvon Delbos (1885-1956).
1948 (5-9) Tony Revillon (Michel Marie) (1891-1957).
1948 (11-9) Yvon Delbos (1885-1956).
1950 (2-7) André Morice (31-7-1900).
1950 (12-7) Pierre-Olivier Lapie (2-4-1901).
1952 (11-8) André Marie (1897-1974).
1954 (9-16) Jean-Marie Berthoin (1895-1979).
1956 (1-2) René Billères (29-8-1910).
1958 (14-5) Jacques Bordeneuve (1908-81).
1958 (1-6) Jean-Marie Berthoin (1895-1979).
1959 (8-1) André Boulloche (1915-78).
1959 (23-12) Michel Debré (p. intér.) (15-1-1912).
1960 (15-1) Louis Joxe (1901-91).
1960 (23-11) Pierre Guillaumat (5-9-1909).
1961 (20-2) Lucien Paye (1907-72).
1962 (15-4) Pierre Sudreau (13-5-1919).
1962 (15-10) Louis Joxe (1901-91).
1962 (7-12) Christian Fouchet (1911-74).
1967 (8-4) Alain Peyrefitte (26-8-1925).
1968 (31-5) François-Xavier Ortoli (16-2-1925).
1968 (13-7) Edgar Faure (1908-88).
1969 (23-6) Olivier Guichard (27-7-1920).
1972 (7-7) Joseph Fontanet (1921-80).
1974 (28-5) René Haby (9-10-1919).
1978 (5-4) Christian Beullac (1923-86).
1981 (22-5) Alain Savary (1918-88).
1984 (19-7) Jean-Pierre Chevènement (9-3-1939).
1986 (20-3) René Monory (6-6-1923).
1988 (12-5) Lionel Jospin (12-7-1937).

Environnement

1971 (7-1) Robert Poujade (6-5-1928).
1974 (27-5) Gabriel Peronnet (1919-91).
1976 (12-1) Paul Granet (20-3-1931).
1978 (3-4) Michel d'Ornano (1924-91).
1981 (21-5) Michel Crepeau (30-10-1930).
1983 (22-3) Huguette Bouchardeau (1-6-1935).
1988 (12-5) Brice Lalonde (10-2-1946).

Femmes

1974 (16-7) Françoise Giroud (21-9-1916).
1978 (11-9) Monique Pelletier (25-7-1926).
1981 (4-3) Alice Saunier-Seité (26-4-1925).
1981 (21-5) Yvette Roudy (10-4-1929).
1988 (12-5) Georgina Dufoix (16-2-1943).
1988 (28-6) Michèle André (6-2-1947).
1990 (17-5) Véronique Neiertz (6-11-1942).

Finances

1944 (10-9) Aimé Lepercq (1889-1944).
1944 (14-11) René Pleven (15-4-1901).
1946 (26-1) André Philip (1902-70).
1946 (24-6) Robert Schuman (1886-1963).
1946 (18-12) André Philip (1902-70).
1947 (22-1) Robert Schuman (1886-1963).
1947 (24-11) René Mayer (1895-1972).
1948 (26-7) Paul Reynaud (1878-1966).
1948 (5-9) Christian Pineau (14-10-1904).
1948 (11-9) Henri Queuille (1884-1970).
1949 (12-1) Maurice Petsche (1893-1951).
1951 (11-8) René Mayer (1895-1972).
1952 (20-1) Edgar Faure (1908-88).
1952 (8-3) Antoine Pinay (30-12-1891).
1953 (8-1) Maur. Bourgès-Maunoury (19-8-1914).
1953 (28-6) Edgar Faure (1908-88).
1955 (20-1) Robert Buron (1910-73).
1955 (23-2) Pierre Pflimlin (5-2-1907).
1956 (1-2) *Affaires économiques :* Robert Lacoste (1898-1989).
1956 (14-2) Paul Ramadier (1888-1961).
1957 (13-6) Félix Gaillard (1919-70).
1957 (6-11) Pierre Pflimlin (5-2-1907).
1958 (14-5) Edgar Faure (1908-88).
1958 (1-6) Antoine Pinay (30-12-1891).
1960 (13-1) Wilfrid Baumgartner (1902-60).
1962 (19-1) Valéry Giscard d'Estaing (2-2-1926).
1966 (8-1) Michel Debré (15-1-1912).
1968 (31-5) M. Couve de Murville (24-1-1907).
1968 (13-7) François-Xavier Ortoli (16-2-1925).
1969 (16-6) Valéry Giscard d'Estaing (2-2-1926).
1974 (28-5) Jean-Pierre Fourcade (18-8-1929).
1976 (27-8) Raymond Barre (12-4-1924) ; min. délégué Michel Durafour (11-4-1920), remplacé le 30-3-1977 par Robert Boulin (1920-79).
1978 (5-4) *Économie :* René Monory (6-6-1923) ; *Budget :* Maurice Papon (3-9-1910).
1981 (22-5) *Économie :* Jacques Delors (20-7-1925) ; *Budget :* Laurent Fabius (20-8-1946).
1983 (22-3) *Économie, Finances, Budget :* Jacques Delors (20-7-1925).
1984 (19-7) *Id. :* Pierre Bérégovoy (23-12-1925).
1986 (20-3) *Économie, Finances, Privatisation :* Édouard Balladur (2-5-1929).
1988 (12-5) Pierre Bérégovoy (23-12-1925).

Intérieur

1944 (10-9) Adrien Tixier (1893-1946).
1946 (26-1) André Le Troquer (1884-1963).
1946 (24-6) Édouard Depreux (1898-1981).
1947 (24-11) Jules Moch (1893-1985).
1950 (7-2) Henri Queuille (1884-1970).
1951 (11-8) Charles Brune (1891-1966).
1953 (28-6) Léon Martinaud-Deplat (1899-1969).
1954 (19-6) François Mitterrand (26-10-1916).
1955 (23-2) M. Bourgès-Maunoury (19-8-1914).
1956 (1-2) Jean Gilbert-Jules (1-9-1903).
1957 (6-11) M. Bourgès-Maunoury (19-8-1914).
1958 (14-5) Maurice Faure (2-1-1922).
1958 (17-5) Jules Moch (1893-1985).
1958 (1-6) Émile Pelletier (1898-1975).
1959 (8-1) Jean-Marie Berthoin (1895-1979).
1959 (30-5) Pierre Chatenet (6-3-1917).
1961 (6-5) Roger Frey (11-6-1913).
1967 (4-4) Christian Fouchet (1911-74).
1968 (31-5) Raymond Marcellin (19-8-1914).
1974 (2-3) Jacques Chirac (29-11-1932).
1974 (28-5) P[ce] Michel Poniatowski (16-5-1922).
1977 (30-3) Christian Bonnet (14-6-1921).
1981 (22-5) Gaston Defferre (1910-86).
1984 (19-7) Pierre Joxe (28-11-1934).
1986 (20-3) Charles Pasqua (18-4-1927).
1988 (12-5) Pierre Joxe (28-11-1934).
1991 (29-1) Philippe Marchand (1-9-1939).

Justice

1944 (5-9) François de Menthon (1900-84).
1946 (26-1) Pierre-Henri Teitgen (29-5-1908).
1946 (18-12) Paul Ramadier (1888-1961).
1947 (22-1) André Marie (1897-1977).
1948 (26-7) Robert Lecourt (19-9-1908).
1948 (11-9) André Marie (1897-1977).
1949 (13-2) Robert Lecourt (19-9-1908).
1949 (28-10) René Mayer (1895-1972).
1951 (11-8) Edgar Faure (1908-88).
1952 (20-1) Léon Martinaud-Deplat (1899-1969).
1953 (28-6) Paul Ribeyre (1906-88).
1954 (19-6) Émile Hugues (1901-66).
1954 (3-9) Jean-Michel Guérin de Beaumont (1896-1955).
1955 (20-1) Emmanuel Temple (1895-1988).
1955 (23-2) Robert Schuman (1886-1963).
1956 (1-2) François Mitterrand (26-10-1916).
1957 (13-6) Édouard Corniglion-Molinier (1899-1960).
1957 (6-11) Robert Lecourt (19-9-1908).
1958 (1-6) Michel Debré (15-1-1912).
1959 (8-1) Edmond Michelet (1899-1970).
1961 (24-8) Bernard Chenot (20-5-1909).
1962 (15-4) Jean Foyer (27-4-1921).
1967 (7-4) Louis Joxe (16-9-1901).
1968 (31-5) René Capitant (1901-70).
1969 (29-4) Jean-Marc Jeanneney (13-11-1910) (intérim).
1969 (22-6) René Pleven (15-4-1901).
1973 (16-3) Pierre Messmer (20-3-1916) (intérim).
1973 (6-4) Jean Taittinger (25-1-1923).
1974 (28-5) Jean Lecanuet (4-3-1920).
1976 (27-8) Olivier Guichard (27-7-1920).
1977 (30-3) Alain Peyrefitte (26-8-1925).
1981 (22-5) Maurice Faure (2-1-1922).
1981 (23-6) Robert Badinter (30-3-1928).
1986 (19-2) Michel Crépeau (30-10-1930).
1986 (20-3) Albin Chalandon (11-6-1920).
1988 (12-5) Pierre Arpaillange (13-3-1924).
1990 (2-10) Henri Nallet (6-1-1939).

Travail

1959 (8-1) Paul Bacon (1-11-1907).
1962 (16-5) Gilbert Grandval (1904-1981).
1967 (7-4) Joseph Fontanet (1921-1980).
1973 (2-4) Georges Gorse (15-2-1915).
1974 (27-5) Michel Durafour (11-4-1920).
1976 (25-8) Christian Beullac (1923-1989).
1978 (3-4) Robert Boulin (1920-1979).
1981 (21-5) Jean Auroux (19-9-1942).
1983 (22-3) Jack Ralite (14-5-1928).
1984 (17-7) Michel Delebarre (27-4-1946).
1986 (20-3) Philippe Seguin (21-4-1943).
1988 (12-5) Michel Delebarre (27-4-1946).
1988 (22-6) Jean-Pierre Soisson (9-11-1934).
1991 (17-5) Martine Aubry (8-8-1950).

Ministres communistes depuis 1945

France

Arthaud, René (20-9-1915). Santé publique (juin à déc. 46). **Billoux,** François (1903-78). Comm. aux régions libérées dans le Gouv. prov. d'Alger. Santé publique (sept. 44-oct. 45) ; Économie nat. (nov. 45-janv. 46) ; Reconstruction et Urbanisme (janv.-déc. 46) ; Défense nat. (janv.-mai 47). **Casanova,** Laurent (1906-72). Anciens combattants et victimes de guerre (janv.-déc. 46). **Croizat,** Ambroise (1901-51). Travail et Séc. soc. (nov. 45-mai 47). **Fiterman,** Charles (28-12-1933). Transports (1981-84). **Gosnat,** Georges (20-12-1914). Sous-secr. d'État à l'Armement (août-déc. 46). **Grenier,** Fernand (9-7-1901). Comm. à l'Air dans le Gouv. prov. d'Alger. **Lecœur,** Auguste (4-9-1911). Sous-secr. d'État à la Prod. ind. (janv.-déc. 46). **Le Pors,** Anicet (28-4-1931). Fonction publique et Réformes admin. (1981-84). **Marrane,** Georges (1888-1976). Santé publique (janv.-mai 47). **Patinaud,** Marius (11-12-1910). Sous-secr. d'État au Travail et Séc. soc. (janv.-nov. 46). **Paul,** Marcel (1900-82). Prod. ind. (nov. 45-déc. 46). **Ralite,** Jack (14-5-1928). Santé (81-83). Emploi (mars 83). **Rigout,** Marcel (10-5-1928). Formation professionnelle (1981-84). **Thorez,** Maurice (avril 1900-juill. 64). Min. d'État chargé de la Réforme admin. (nov. 45-janv. 46), vice-Pt du Conseil (janv.-déc. 46). Min. d'État (janv.-mai 47). **Tillon,** Charles (3-4-1897). Air (sept. 44-oct. 45), Armement (nov. 45-déc. 46), Reconstruction et Urbanisme (janv.-mai 47).

Autres pays européens

Allemagne féd. : les C. participent aux gouv. jusqu'en 1948. **Autriche :** 1945 : 1 (Intérieur). 1945-47 : 1 (Énergie). **Belgique :** 1945-46 : 2. 1946-47 : 4 (Ravitaillement, Santé publique, Reconstr., Travaux publics). **Danemark :** 1945 : 1. **Islande :** participent aux gouv. 1971 à 1974 et dep. 1978. **Italie :** participent à création répub. (1945-47) ; Justice (1945). Participent activ. aux gouv. de régions dep. 1970. **Luxembourg :** 1945 à 47 : 1. **Norvège :** mai à sept. 1945 : 1. **Pays-Bas :** ont participé à 7 gouv. En 1981 : 2 (Éducation et Emploi). **Portugal :** ont participé aux gouv. prov. entre mai 1974 et juill. 76. **St-Marin :** soutiennent l'exécutif dep. 1978.

Le Parlement

☞ Voir Élections, p. 723 et Liste des députés p. 685.

Budget du Parlement (en millions de F, 1990). *Ordinaire :* 3 398 dont Ass. nat. 2 173 et Sénat 1 225. *Extraordinaire :* 71 dont Ass. nat. 16 et Sénat 55.

Composition

Assemblée nationale

• **Nombre de députés.** Assemblée nat. : *1934 :* 618 ; *IVe :* 625 ; *V[e] :* 255 puis 491 ; *1986 :* 577 ; *1988 :* 577 ; (dont *métropole* 555 ; *départements d'O.-M.* 15 (Guadeloupe 4, Guyane 2, Martinique 4, Réunion 5) ; *T.O.M. :* 5 (Wallis-et-Futuna 1, N.-Calédonie 2, Polynésie 2) ; *collectivités territoriales de la Rép. fr.* 2 (Mayotte 1, St-Pierre-et-Miquelon 1). Tout département métropolitain a droit à 2 dép. au minimum. *Femmes (1990) :* 33 sur 577 dont 16 P.S., 10 R.P.R., 2 U.D.F., 3 U.D.C., 1 P.C. et 1 non-inscrit.

Répartition au 16-7-1988. *Patrons et travailleurs indépendants :* 160 (dont médecins 41, patrons de l'industrie et du commerce 30, avocats 29, exploitants agric. 11, prof. d'étude, conseil et assistance 19, prof. littéraires, artistiques et scientifiques 6, dentistes 4, pharmaciens 4, vétérinaires 4, autres prof. sociales et de santé 5, autres trav. indépendants 5, officiers publics et ministériels 3, notaires 1). *Salariés du secteur privé :* 107 [cadres supérieurs 41, journalistes 17, ouvriers 9 (dont C. 8, S. 11, R.P.R. n.c.)], *public et parapublic :* 303 (dont ens. secondaire 91, supérieur 56, primaire 15). *Sans prof. déclarée :* 7 [en 1881, 229 juristes, 62 médecins sur 560 députés].

Moyenne d'âge. *1973* 53 ans et 1 mois, *1981* 49 et 10 mois, *1988* 51 ans (*P.S.* 49 ans, *U.D.C.* 51 a. 1 m., *R.P.R.* 53 a. 2 m., *U.D.F.* 53 a. 4 m., *P.C.* 53 a. 10 m., *non-inscrits* 48 a. 4 m.).

• **Élection.** Élue pour 5 ans (durée appelée *législature*) [*1958 à 1986* au suffrage univ. direct ; *en mars 1986,* au scrutin de liste à la représentation proportionnelle avec le département comme circonscription. *En juin 1988,* au suffrage univ. direct. (la loi n° 86-825 du 11-7-1986 ayant rétabli le scrutin majoritaire uninominal de circonscription à 2 tours)]. *La législature* s'achève à l'ouverture de la session ordinaire d'avril de la 5e année suivant l'élection précédente (écart de 5 ans 3 mois, à 4 ans 3 mois). Le mandat peut être écourté en cas de *dissolution* prononcée par le Pt de la Rép. dans les conditions prévues à l'art. 12 de la Constit. Les élections ont alors lieu 20 j au moins et 40 j au plus après la dissolution. L'Ass. nat. se réunit de plein droit le 2e jeudi suivant l'él. Il ne peut y avoir de nouvelle dissolution dans l'année qui suit.

• **Dissolution des Chambres dep. 1789** (faisant objet d'un décret ou d'une ordonnance). **Chambre des représentants :** 8-7-1815. **Ch. des dép. :** 5-9-1816, 5-11-1827, 16-5-1830, 25-7-1830. **Ass. constituante :** 26-6-1848. **Ass. législative :** 2-12-1851. **Ch. des députés :** 16-5-1877. **Ass. nationale :** *IVe Rép. :* 30-11-1955 ; *Ve Rép. :* 10-10-1962 (après le vote de la motion de censure du 5-10 contre Pompidou, à propos de l'organisation d'un référendum pour réviser le mode d'élection du Pt de la Rép.), 30-5-1968 (pour dénouer la crise de mai). 22-5-1981 [après l'élection d'un Pt socialiste (Mitterrand)], 14-5-1988 (après réélection de Mitterrand).

• **Groupes politiques. Effectifs minimum pour qu'un parti puisse être représenté par un groupe.** *1958* 28 *1959* 40 *1988* (1-7) 20 (seuil abaissé pour permettre au P.C. n'ayant plus que 24 élus de continuer à être représenté). **Situation au 1-3-1991** (apparentés entre parenthèses). *P.S. :* 255 membres (+ 20 dont Huguette Bouchardeau, Alain Calmat, Aimé Césaire, Michel Crépeau, Roger-Gérard Schwartzenberg), soit 275 (14 de moins que la majorité absolue). *R.P.R. :* 125 (+ 2 dont Édouard Frédéric-Dupont), *U.D.F. :* 80 (+ 11 dont Philippe de Villiers), *U.D.C. :* 32 (+ 7 dont Raymond Barre, Dominique Baudis). *P.C. :* 25 (+ 1). *N'appartenant à aucun groupe :* 19 dont Jean Royer, Bernard Tapie et Marie-France Stirbois.

☞ Au 23-6-1988 (ouverture de la 9e législature), 3 députés avaient siégé sans interruption durant la Ve Rép. ; 1 R.P.R. : Grussenmeyer (Bas-Rhin) ; 1 apparenté socialiste : Aimé Césaire (Martinique) ; et 1 non-inscrit : Jean Royer (I.-et-L.). 1 seul avait débuté sous la IIIe Rép., Édouard Frédéric-Dupont, élu député de Paris en 1936 et doyen de l'Assemblée. 7 avaient été députés sous la IVe Rép. et l'étaient restés dans la Chambre de 1958 : Césaire (élu 1945), Chaban-Delmas (1946), Frédéric-Dupont (1946), Bénouville (1951) et 3 élus le 2-1-1956 (Giscard d'Estaing qui a démissionné de son mandat de député le 3-11-89, Marcellin, Seitlinger). Césaire détenait le record de longévité parlementaire, + de 40 ans de mandat continu. Sans avoir été député de façon continue dep. 1946 (interruption du 20-7-1969 au 5-7-1972 pour être Premier ministre, puis jusqu'au 2-4-1973), Chaban-Delmas a été élu

• **Nombre de Chambres.** En 1970-71, sur 126 États dotés de Chambres parlementaires, il y en avait 53 bicaméristes (2 Chambres), 73 monocaméristes (1 Chambre).

1 Chambre. *Danemark* (2e Ch. supprimée en 1953), *Finlande* (dep. 1906), *Grèce, Israël, Lux.* (mais le Conseil d'État a un rôle consultatif étendu), *N.-Zél.* (2e supprimée en 1950), *Turquie.*

2 Chambres. Bicaméralisme (ou Bicamérisme). *Types. Technique* (ex. France) : la 2e Chambre (ou Chambre haute), le Sénat a un rôle de réflexion. *Fédéral* (U.S.A., U.R.S.S., All. féd.) : la 2e Ch. (Sénat, Soviet des Nationalités, Bundesrat) représente les intérêts politiques fondamentaux des États membres de la Fédération et dispose des mêmes pouvoirs que la chambre qui représente les citoyens. *Ancien :* la 2e Ch. représente les intérêts politiques et économiques d'une aristocratie ou d'une classe sociale en voie de disparition (Chambre des lords en G.-B.). *Économique et social :* la 2e Ch. représente certains intérêts professionnels, écon., sociaux ou corporatifs (Ch. des faisceaux, Italie fasciste ; projet français du 27-4-1969). **L'Assemblée élue se divise en 2** (pour former la 2e, les élus désignent une partie d'entre eux : 1/3 en *Islande,* 1/4 en *Norvège*).

Pouvoirs de la 2e Ass. Pratiquement nuls : *Canada* (nommée à vie), *G.-B.* (nommée à vie ; héréditaire) ; **Inférieurs :** *All. féd.* [1] (ass. fédérale), *Autriche* [1] (ass. féd.) *France* [1], *Irlande* (nommée et désignée), *Pays-Bas* [1], *Suède* [1] ; **Égaux :** *Australie* [2] (ass. féd.), *Belgique* [2], *États-Unis* [2] (ass. féd.), *Italie* [2], *Suisse* [2] (ass. féd.).

Nota. – (1) Élection indirecte. (2) Él. directe.

• **Vote.** *Allemagne féd. :* vote au Bundestag personnel ou obligatoire. Amende : 75 marks (env. 250 F) par absence. Interdiction du cumul des mandats. *États-Unis :* procurations interdites dans les séances plénières de la Chambre des représentants et du Sénat. 2 systèmes : vote à main levée et vote avec carte magnétique. *G.-B. :* pour voter, les députés doivent franchir l'une des 2 portes qui encadrent le siège du Pt : celle des *yes* et celle des *no. Italie :* vote secret. Aucun texte de loi, théoriquement, ne peut être approuvé s'il n'y a pas au moins 316 députés en séance (chiffre rarement atteint).

• **Durée des législatures.** En général 4 à 5 ans (*Australie* et *N.-Zélande* 3, *U.S.A.* 2).

à toutes les élections générales dep. le début de la IVe Rép.

En juin 1988, 109 anciens ministres ont été élus. 162 enseignants (153 en 1981), 30 chefs d'entreprise (36 en 86), 5 champions : Alain Calmat (apparenté Soc.), Guy Drut (R.P.R.), Jacques Chaban-Delmas (R.P.R.), Christian Estrosi (R.P.R.), Pierre Mazeaud (1er Français au sommet de l'Everest). Il y aurait 112 *francs-maçons,* soit 1 député sur 5, la plupart à gauche. 4 étaient en juin 88 entrés en famille : les Debré (Bernard et Jean-Louis, R.P.R.) ; Jean-François Deniau (U.D.F.) et son frère aîné Xavier (R.P.R.) ; Gilbert Mitterrand étant le fils du Pt de la Rép.

• **Président de l'Assemblée nationale.** Élu pour une législature, il dirige les débats en séance publique et certains organes importants (Bureau de l'Assemblée, Conférence des Présidents...), veille à la sûreté de l'Ass. et, à cet effet, peut requérir la force armée. Il est chargé, par la Constitution, de nommer 3 des 9 membres du Conseil constitutionnel et de le saisir dans certains cas. Il doit être consulté par le Pt de la Rép. préalablement à la dissolution de l'Assemblée ou à la mise en vigueur de pouvoirs exceptionnels.

Fauteuil présidentiel. Celui que Lucien Bonaparte occupait aux Cinq-Cents (1799) ; il est placé sur une tribune surélevée, dominant la tribune des orateurs, qui domine elle-même le bureau des sténographes. L'ensemble d'environ 4 m de haut est appelé depuis la IIIe Rép. le *perchoir.*

Présidents depuis 1871. IIIe Rép. 1871 (16-2) : Jules Grévy[1] (1807/91) ; **1873** (4-4) Louis Buffet (1818/98) ; **1875** (15-3) Duc d'Audiffret-Pasquier (1823/1905) ; **1876** (13-3) Jules Grévy ; **1877** (10-11) Jules Grévy[2] ; **1879** (31-1) Léon Gambetta (1838/82) ; **1881** (3-11) Henri Brisson[3] (1835/1912) ; **1885** (8-4) Charles Floquet (1828/96) ; **1885** (10-11) Charles Floquet[3] ; **1888** (4-4) Jules Méline (1838/1925) ; **1889** (16-11) Charles Floquet ; **1893** (16-1) Jean Casimir-Perier (1847/1907) ; **1893** (18-11) Casimir-Perier[3] ; **1893** (5-12) Charles Dupuy[3] (1851/1923) ; **1894** (2-6) Casimir-Perier[2] ; **1894** (5-7) Auguste Burdeau[4] (1851/94) ; **1894** (18-12) Henri Brisson ; **1898** (9-6) Paul Deschanel (1856/1922) ; **1902** (10-6) Léon Bourgeois (1851/1925) ; **1905** (10-1) Paul Doumer (1857/1932) ; **1906** (8-6) Henri Brisson ; **1910** (1-6) Henri Brisson[4] ; **1912** (23-5) Paul Deschanel ; **1914** (1-6) Paul Deschanel ; **1919** (18-12) Paul Deschanel[2] ; **1920** (12-2) Raoul Péret (1870-1942) ; **1924** (9-6) Paul Painlevé[3] (1863/1933) ; **1925** (22-4) Édouard Herriot[3] (1872-1957) ; **1926** (22-7) Raoul Péret ; **1927** (11-1) Fernand Bouisson (1874/1959) ; **1928** (5/6-6) Fernand Bouisson ; **1932** (3-6) Fernand Bouisson[3] ; **1935** (7-6) Fernand Bouisson ; **1936** (4-6) Édouard Herriot. **IVe Rép. 1946** (3-12) (2e Ass. constituante ; Ass. nationale) : Vincent Auriol[2] (1884-1966) ; **1947** (21-1) Édouard Herriot[1] (puis « Pt d'honneur ») ; **1954** (12-1) André Le Troquer (1884-1963) ; **1955** (11-1) Pierre Schneiter (1905-79) ; **1956** (24-1) André Le Troquer. **Ve Rép. 1958** (9-12) Jacques Chaban-Delmas (7-3-1915) ; **1969** (25-6) Achille Peretti (1911-83) ; **1973** (2-4) Edgar Faure (1908-88) ; **1978** (3-4) Jacques Chaban-Delmas ; **1981** (2-7) Louis Mermaz (20-8-1931) ; **1986** (2-4) Jacques Chaban-Delmas élu *1er tour :* 271 v. ; André Labarrère (P.S.) : 207 ; Yann Piat (F.N.) : 36 ; Guy Ducoloné (P.C.) : 33. *2e tour :* 282 sur 554 exprimées, dépassant de 5 voix la majorité absolue] ; **1988** (23-6) Laurent Fabius (20-8-1946), 41 ans, le + jeune Pt dep. Gambetta ; *1er tour :* Fabius (P.S.) 276, Chaban-Delmas (R.P.R.) 263, Hage (P.C.) 25, Yann Piat (F.N.) 4 ; *2e tour :* Fabius 301, Chaban-Delmas 268.

Nota. – (1) démissionne. (2) élu P de la République ; (3) devient Pt du Conseil ; (4) décédé.

Vice-Pts (au 15-5-91). André Billardon (22-10-40) (P.S.), Loïc Bouvard (20-1-29) (U.D.F.), Raymond Forni (20-5-41) (P.S.), Georges Hage (11-9-21) (P.C.), Claude Labbé (27-1-20) (R.P.R.), Pascal Clément (12-5-45) (U.D.F.).

Bureau : Pt élu pour une législature, 6 vice-Pts, 3 questeurs, 12 secrétaires, élus pour un an.

• **Siège de l'Assemblée.** Paris, Palais-Bourbon. Construit XVIIIe s. par Louise-Françoise duchesse de Bourbon, fille légitimée de Louis XIV et de Mme de Montespan. Les travaux, confiés à l'Italien Giardini († 1724) et approuvés par Hardouin-Mansart, commencèrent en 1722. *1724,* ils furent achevés par Jacques Gabriel. *1765* agrandi et transformé par le duc de Condé, petit-fils de la duchesse de Bourbon (Soufflot modifia dans le sens de l'austérité les conceptions d'origine de Mansart et de Gabriel). Le marquis de Lassay, à qui la duchesse avait fait appel pour la construction du Palais-Bourbon, fit construire sur son ordre un hôtel à proximité du palais. *1795* affecté au futur conseil des Cinq-Cents qui fit construire une salle des séances, la première conçue en France pour servir durablement à une assemblée de législateurs. Cette salle fut occupée sous le Consulat et l'Empire par le Corps législatif. A cette époque, Fontanes, président du Corps législatif, fit édifier l'actuelle façade nord du palais dans le style de l'église de la Madeleine. *Restauration,* la Chambre des députés loue au prince de Condé, de retour d'émigration, une grande partie du palais. *1827* elle achète le Palais-Bourbon à son fils 5 250 000 F. Devient le lieu de réunion des élus du peuple. *1843,* **l'hôtel de Lassay** racheté par le duc d'Aumale, il devient la résidence du Pt de la Chambre. *1848* Palais-Bourbon et Hôtel de Lassay, séparés à l'origine, sont reliés par une 1re galerie. *1860* par une 2e. *1898* par une 3e.

Superficies. Palais-Bourbon : 46 500 m² ; **Dépendances :** *101, rue de l'Université* (construit 1974), 24 000 m² (2 restaurants, 200 bureaux), *233 bd St-Germain* (acquis 1983) 11 500 m² (archives, services administratifs), **hôtel Sofitel Bourbon,** *32 rue St-Dominique* (112 ch., acheté, le 1-3-1990, 450 millions de F, soit 4 millions de F la chambre). Chaque député occupe un bureau personnel.

Population. 577 députés, 1 165 fonctionnaires.

• **Séances. (Statistiques). Jours :** *1985 :* 118, *86 :* 129, *87 :* 114, *88 :* 70, *89 :* 117, *90 :* 111. **Nombre :** *1985 :* 239, *86 :* 277, *87 :* 273, *88 :* 147, *89 :* 246, *90 :* 234. **Heures :** *80 :* 708 h 50. *81 :* 791 h 05. *82 :* 1 177 h 15. *83 :* 936 h 55. *84 :* 1 012 h 05. *85 :* 792 h 55. *86 :* 933 h 40. *87 :* 925 h 55. *88 :* 484 h. *89 :* 834 h 55, *90 :* 849 h 10 (dont débats législatifs 460 h, budgétaires 217 h, politiques 82 h, questions 89 h). Certaines séances dépassent 24 h (la 1re fois ce fut en 1903, du 30 mars à 9 h 30 au 31 à 12 h 30, soit 27 h). **Durée.** *Sous la IVe Rép. :* 29-11-1947 : Robert Schuman dépose sur le bureau de l'Ass. une série de textes dits de « défense publique ». Les communistes font obstruction 4 j. et 4 nuits (déposant amendements, contre-propositions, demandes de renvoi, exigeant à chaque instant des scrutins publics à la tribune). Le 1-12 à 19 h 30 le député Raoul Calas (Hérault) évoque à la tribune le « glorieux régiment du 17e qui a refusé de tirer sur le peuple à Béziers en 1907 ». Le groupe communiste se lève et entonne l'hymne de Montehus *Salut braves soldats du dix-septième !* Raoul Calas refuse de quitter la tribune. La séance est suspendue. A 6 h 15 Calas est évacué manu militari. *Record sous la Ve Rép. :* 20 h 45 de séance (17-11-1978 : discussion d'un budget de la loi de finances pour 1979).

• **Bilan 7e législature (1981-86).** Voir Quid 1990 p. 688b. **8e légis. (avril 1986-mai 88). Textes déposés** 166 projets, 690 propositions ; adoptés définitivement 187 dont 176 lois promulguées ; adoptés après Commission mixte paritaire 47 ; amendements 11 509 enregistrés, 2 336 adoptés. **Engagements de responsabilité du gouvernement.** Application de l'art. 49, alinéa 1, de la Const. Déclaration de politique générale : *1986 8-4* pour 292, contre 285 ; *1987 7-4* pour 294, contre 282 ; *1987 3-12* pour 295, contre 282. **Questions orales.** Au gouvernement 615. Orales avec débats 2 ; sans débat, dépôt 344, réponses 299. **Écrites.** 40 007 dépôts, 32 934 réponses. **9e légis. (du 23-6-1988 au 31-12-1990). Textes déposés** 257 projets, 752 propositions. **Textes adoptés** 225 projets, 40 propositions (dont plusieurs jointes à un projet de loi ou entre elles). **Amendements enregistrés** 17 619 adoptés 5 658. **Engagements de responsabilité sur le vote d'un texte** (art. 49, al. 3) 27. **Déclaration du gouvernement** (art. 132 R.) 15. **Motions de censure** 10. **Questions orales** sans débat 359, réponses 320. **Questions au gouvernement** 877, réponses 878. **Questions écrites** 37 713, réponses 20 899. **Questions à un ministre :** 304.

Sénat

• **Nombre de membres.** *1977 :* 295 ; *1980 :* 304 : *1983 :* 317 ; *1986 :* 319 ; *1989 :* 321 (322 sièges) dont métropole 296, D.O.M. 8, T.O.M. 3 (non compris le siège de l'ancien territoire devenu indépendant des Afars et des Issas, non pourvu depuis la démission d'Amadou Barkat Gourat), Mayotte 1, St-Pierre-et-Miquelon 1. Français établis hors de France 12. **Liste** (voir p. 685).

• **Groupes politiques au 1-3-91.** Effectifs (322 sièges, 321 élus). *Communiste* [Pte Hélène Luc (V.-de-M.)] 16 (dont 1 apparenté), *Rassemblement démocratique et européen* [Pt Ernest Cartigny (S. -St-Denis)] 23 ; *Union centriste* [Pt Daniel Hoeffel (Bas-Rhin)] 68 (dont 9 ratt.) ; *Union des Républicains et des Indépendants* [Pt Marcel Lucotte (S.-et-L.)] 51 (dont 3 ratt.) ; *R.P.R.* [Pt Charles Pasqua (Hts-de-S.)] 91 (dont 6 app.) ; *Socialiste* [Pt Claude Estier (Paris)] 66 (dont 2 app. et 4 ratt.). *D'aucun groupe* 6 (Philippe Adnot, François Delga, Hubert Durand-Chastel, Jean Grandon, Jacques Habert, Charles Ornano). *Siège non pourvu* 1 (ancien territ. des Afars et des Issas).

Répartition (au 1-3-91). Total général : 321, dont *professions agricoles* 46 ; *commerciales et industrielles* 42 (dont chefs d'entreprise 27, négociants 5, commerçants 5, artisans 3, retraités 2) ; *salariés* 50 (dont cadres divers 29, ingénieurs 10, employés 4, ouvriers 4, retraités 3) ; *médicales* 53 (dont médecins 26, pharmaciens 7, vétérinaires 9, professeurs 5, dentistes 2, chirurgiens 2, retraité 1, autres 1) ; *judiciaires et libérales* 39 (dont avocats 13, autres prof. libérales 11, journalistes 7, officiers ministériels 5, publicistes 2, retraité 1) ; *enseignants* 43 (dont secondaire 23, sup. 7, primaire 8, autres cat. 2, retraités 3) ; *fonctionnaires et agents du service public* 37 (dont hauts fonct. 24, retraités 13). Sans prof. déclarée 11.

Répartition en % des sénateurs

Catégories représentées	IIIe R. (1930)	IVe R. (1949)	Ve R. (1987)	Ve R. (1988)	Ve R. (1991)
Prof. libérales et méd.	36	33,8	29	14	28
Agriculture	13,5	13,7	16	17	14
Prof. ind. et comm.	12,3	12,9	15	14	12,5
Cadres sup. et hauts fonct.	15,7	13,7	n.c.	n.c.	10,5
Enseignement	6,45	11,4	12	12	12,5
Employés, cadres moy.	–	5,9	n.c.	n.c.	10
Ouvriers	–	3,5	n.c.	n.c.	n.c.
Retraités	–	–	–	–	7

• **Élection.** Élu pour 9 ans au suffrage univ. indirect, dans le cadre de chaque département, par un collège électoral composé des députés, conseillers régionaux (dep. leur élection au suffr. universel le 16-3-1986), conseillers généraux et délégués des conseils municipaux ou leurs suppléants, désignés en nombre variable selon l'importance de la population [les plus nombreux dans les collèges électoraux : *communes de* – de 9 000 h. : 1 délégué pour les conseils municipaux de 9 à 11 membres (communes qui ont jusqu'à

499 h.), 3 p. 15 m. (c. de 500 à 1 499 h.), 5 p. 19 m. (c. de 1 500 à 2 499 h.), 7 p. 23 m. (c. de 2 500 à 3 499 h.), 15 p. 27 et 29 m. (c. de 3 500 à 8 999 h.) ; *c. de 9 000 h. et +* : tous les conseillers sont dél. de droit ; *c. de + de 30 000 h.* : les cons. mun. élisent en outre des dél. supplémentaires à raison d'1 pour 1 000 h. au-dessus de 30 000 h.].

Renouvellement tous les 3 ans : les sénateurs sont répartis en 3 séries non égales A, B, C, déterminées par la liste alphabétique des départements. Une seule série est renouvelée tous les 3 ans. En métropole, l'élection a lieu au scrutin uninominal ou plurinominal majoritaire à 2 tours dans les dép. qui ont droit à 4 sièges de sén. ou moins (pour être élu au 1e tour, il faut avoir la majorité absolue des suffrages exprimés et un nombre de voix égal au ¼ des électeurs inscrits ; maj. relative au 2e t. ; à égalité des voix, le plus âgé est élu) ; à la représentation proportionnelle avec répartition des sièges selon la plus forte moyenne (sans panachage ni vote préférentiel) dans ceux qui ont droit à 5 sièges de sén. ou plus (Art. L 294 et L 295 du Code électoral), ainsi que dans le Val-d'Oise (loi du 12-7-1966), dans les départements de l'ancienne Seine-et-Oise, même si le nombre de sièges est inférieur à 5. Les sénateurs des D. d'O.-M. sont soumis au même régime que les sénateurs métropolitains. Des dispositions spéciales concernent les autres sénateurs. Les représentants des Français établis hors de France sont élus par le Conseil supérieur des Français de l'étranger (CSFÉ), à la représentation proportionnelle à la plus forte moyenne, sans panachage, ni vote préférentiel.

Répartition des sièges de sénateurs entre les séries : série A 102 (Ain à Indre 95, Guyane 1, Polynésie française 1, Wallis-et-Futuna 1, Français établis hors de France 4). *Série B* 102 (Indre-et-L. à P.-Orientales 94, Réunion 3, N.-Cal. 1, Français hors de France 4). *Série C* 117 (B.-Rhin à Yonne 62 ; Essonne à Yvelines 45 ; Guadeloupe 2, Martinique 2, Mayotte 1, St-Pierre-et-Miquelon 1 ; Français hors de France 4).

☞ **Élections du 24-9-89.** 44 578 grands électeurs. **Sénateurs.** 102 élus dont 95 pour 38 dép. de métropole, d'Ain à Indre, 1 pour la Guyane, 2 pour la Polynésie fr. et Wallis-et-Futuna ; 4 pour les Français hors de Fr.

• **Représentativité.** La France rurale pèse au Sénat plus lourd que dans la vie réelle, bien que de moins en moins. *Raison juridique* : l'Ass. nat. représente directement les électeurs ; le Sénat, au contraire, représente les collectivités territoriales (art. 24). Les pays à système fédéral, où la 2e Chambre représente les États, offrent une surreprésentation analogue des collectivités de petite taille (All. féd., U.S.A., Suisse). *Raison politique* : rôle modérateur de la 2e Chambre (comme en 1875 et 1946). La surreprésentation rurale est moins critiquée depuis que le souci écologiste et le besoin de sécurité donnent plus d'attrait aux petites et moyennes communes.

En 1958, les communes de moins de 1 500 h. (33 % de la population) désignaient 53 % des délégués des conseils municipaux (qui constituent la quasi-totalité du collège électoral du Sénat). Une commune de 510 h. dispose de 3 « grands électeurs », une de 510 000 h. de 517 (elle est donc près de 6 fois moins représentée). La loi du 16-7-1976, en voulant tenir compte de l'augmentation de la pop. urbaine, a augmenté le nombre de sénateurs de 283 à 315.

• **Président.** Réélu tous les 3 ans (après chaque renouvellement), nomme aussi 3 membres du Conseil constitutionnel. En cas de vacance ou d'empêchement, il assure provisoirement les pouvoirs du Pt de la République (voir p. 675 c).

Présidents depuis 1876. 1876 (13-3) duc Edme d'Audiffret-Pasquier (1823-1905), orléaniste rallié à la République. **1879** (15-1) Louis Martel (1813-92), droite. **1880** (25-5) Léon Say (1826-96), centre gauche. **1882** (2-2) Élie Le Royer (1816-97), gauche rép. **1893** (24-2) Jules Ferry (1832-93), gauche rép., décédé en fonctions 17-3. (27-3) Paul-Armand Challemel-Lacour (1827-96), union rép. **1896** (16-1) Émile Loubet (1838-1929), gauche rép., élu Pt de la Rép. 18-2-1899. **1899** (3-3) Armand Fallières (1841-1931), gauche dém., élu Pt de la Rép. 17-1-1906. **1906** (16-2) Antonin Dubost (1844-1921), gauche rép., non réélu. **1920** (14-1) Léon Bourgeois (1851-1925), gauche dém. et radicale soc., démissionnaire pour raison de santé. **1923** (22-2) Gaston Doumergue (1863-1937), gauche dém. et radicale soc., élu Pt de la Rép. 13-6-1924. **1924** (19-6) Justin de Selves (1848-1934), union rép., non réélu, sénateur 9-1-1927. **1927** (14-1) Paul Doumer (1857-1932), gauche dém., élu Pt de la Rép. 13-5-1931. **1931** (11-6) Albert Lebrun (1871-1950), union rép., élu Pt de la Rép. 10-5-1932. **1932** (3-6) Jules Jeanneney (1864-1957), gauche dém. **1947** (14-1) Auguste Champetier de Ribes (1882/6-3-1947), proclamé élu comme le plus âgé au 3e tour (lui et Marrane avaient obtenu chacun 129 voix), non inscrit, décédé en fonctions. (18-3) Gaston Monnerville (Cayenne, Guyane, 2-1-1897), rassemblement des gauches rép. et gauche dém. **1968** (3-10, à 3 h du matin) Alain Poher (Ablon, V.-de-M., 17-4-09) U.C., élu au 3e tour sans avoir été candidat aux 2 premiers. *1er tour* : (273 votants et 268 suffrages exprimés) : Pierre Garet (indépendant) 64 voix, André Colin (centriste) 58, André Méric (PS) 53, Étienne Dailly (radical) 37, Georges Cogniot (PC) 18 ; *non candidats* : Jean Berthoin (gauche dém.) 16, Raymond Bonnefous (gauche dém.) 10. *2e tour* (268 votants) : Dailly et Cogniot se retirent ; Pierre Garet 110, André Méric 83, André Colin 62, divers 11. *3e tour* (265 votants) : Poher 135, Garet 107, Cogniot 22. Poher sera réélu après chaque renouvellement triennal (toujours au 1er tour) ; *1971* : (265 votants) 199 voix contre Cogniot (PC) 26 ; *1974* : (268 vot.) 193 v. contre Pierre Giraud (PS) 70, 2 divers ; *1977* : (287 vot.) 192 v. contre Marcel Brégégère (PS) 45, Fernand Lefort (PC) 23, 1 divers ; *1980* : (296 vot.) 193 v. contre Edgar Taihades (PS) 75, Hélène Luc (PC) 24, 1 divers ; *1983* : (311 vot.) 210 v. contre Edgar Taihades 96 ; *1986* : (313 vot.) 230 v. contre Tony Larue (PS) 62, Charles Lederman (PC) 16, 1 divers. *1989* : réélu grâce au soutien du groupe R.P.R. *1er t.* (2-10) : votants 319, blancs ou nuls 3, exprimés 316. Poher (UC) 115, Claude Estier (PS) 66, Philippe de Bourgoing (UREI) 50, Jean Arthuis (UC) 40, Jean François-Poncet (RDE) 21, Charles Lederman (PC) 16 ; non candidats : Christian Poncelet (RPR) 2, Charles Pasqua (RPR) 2, Geoffroy de Montalembert (RPR) 1, Maurice Schumann (RPR) 1. *2e t.* (22 h 30) : votants 320, blancs ou nuls 1, exprimés 319, Poher 108, Estier 85, Pierre-Christian Taittinger (UREI) 66, René Monory (UC) 57 ; non candidats : G. de Montalembert, Philippe de Bourgoing, C. Poncelet 1. *3e t.* (2 H 35) : votants 320, blancs ou nuls 3, suffrages exprimés 317, Poher 127, Taittinger 111, Estier 79.

☞ *Pts de la République des IIIe et IVe Républiques qui n'ont pas été Pts du Sénat* : Raymond Poincaré, René Coty.

• **Bureau.** Élu pour 3 ans ; assiste le Pt dans l'organisation du travail parlementaire, la présidence des débats et l'administration de l'Assemblée. *Bureau* (élu 4-10-89) : *Pt* Alain Poher. *Vice-Pts* : Pierre-Christian Taittinger, Étienne Dailly, Jean Chamant, Michel Dreyfus-Schmidt. *Questeurs* : Lucien Neuwirth, Jacques Bialski, Jacques Mossion.

• **Siège du Sénat.** *1615,* Palais du Luxembourg construit par Salomon de Brosse, puis Lemercier, en 1626, pour Marie de Médicis, près de l'hôtel de Luxembourg (aujourd'hui Petit-L. qu'elle avait occupé en 1612). *1642,* à Gaston d'Orléans (sa fille, la « Grande Mademoiselle », y habitera). *1694,* au Roi. *1715,* au Régent, qui le laisse à sa fille la duchesse de Berry († 1719 à 24 ans). *1778,* au Cte de Provence. *1793,* prison. *1795,* siège du Directoire. *1799,* 18 brumaire, attribué aux consuls, puis au Sénat [l'escalier d'honneur (de Chalgrin) remplace la Grande Galerie]. *1814,* sous Louis XVIII, agrandi, Chambre des Pairs. *1848,* siège du gouvernement. *1852,* Sénat. *1870,* sert d'hôpital. *1871,* préfecture de la Seine. *1879* (22-7), Sénat. *1884,* le musée de l'aile Est est transféré à l'Orangerie Férou, puis, en 1937, au musée nal d'Art moderne, quai de Tokyō. *1940-44,* état-major de la Luftwaffe-Ouest. *1944,* Assemblée consultative provisoire. *1946* (juillet-oct.), conférence de la paix ; (déc.), Conseil de la Rép. *1958,* Sénat.

• **Statistiques. Sénat en 1990.** 215 séances publiques : discussions législatives 442 h 50, débats budgétaires 192 h 35, questions orales avec ou sans débat 23 h 05, questions au Gouvernement 17 h 15, travaux d'ordre interne 4 h 05, déclarations 27 h 25. 107 textes de loi ont été discutés et adoptés par le Parlement : 95 venant de projets gouvernementaux (dont 45 déposés en 1re lecture sur le bureau du Sénat), 12 venant de propositions de loi. 6 129 amendements ont été examinés par le Sénat, 1 911 ont été adoptés.

Statut des membres du Parlement

Éligibilité. Satisfaire aux conditions générales d'éligibilité, avoir 23 ans minimum pour l'Assemblée nationale et 35 ans pour le Sénat. Le candidat doit : **1°)** faire une demande de candidature au préfet du département (en cas de difficulté, le préfet peut saisir, dans les 24 h, le tribunal administratif qui statue dans les 3 j) ; **2°)** la déposer à la préfecture en double exemplaire, au plus tard 21 j avant l'ouverture du scrutin à l'Ass. nat. (8 j au Sénat) ; **3°)** verser une caution de 1 000 F à l'Ass. nat., 200 F au Sénat (remboursée s'il obtient 5 % au moins des suffrages exprimés) [*au Sénat* : 5 % des suffrages exprimés en cas de représentation proportionnelle, 10 % en cas de scrutin majoritaire]. Il ne peut se présenter que dans une seule circonscription (il ne lui est pas nécessaire d'avoir son domicile ou sa profession ou un lien quelconque avec la circonscription choisie).

Nul ne peut être candidat au 2e tour s'il ne s'est pas présenté au 1er tour et s'il a obtenu moins de 12,5 % des voix des électeurs inscrits ; si ce taux n'a été atteint par personne, celui qui a le plus grand nombre de voix peut se présenter. Les cand. du 1er tour peuvent se désister en faveur des cand. qui restent au 2e tour, ou se retirer simplement.

Au Sénat, les déclarations de candidature pour le 2e tour, en cas d'élection au scrutin majoritaire, doivent être déposées à la Préfecture avant l'heure fixée pour l'ouverture du scrutin.

Suppléants. Élus (en même temps que députés et sénateurs) au scrutin majoritaire (colistier venant après le dernier candidat élu si représentation proportionnelle). Ils les remplacent en cas de décès, d'acceptation de fonctions gouvernementales ou de nomination au Conseil const. ou d'une mission de + de 6 mois confiée par le Gouv. Ils ne peuvent figurer que sur une seule liste de candidature ; s'ils ont remplacé un parlementaire nommé m. du Gouv., ils ne peuvent, l'élec. suivante, faire acte de candidature contre lui. *De 1980 à 1990* : 68 remplaçants sont devenus sénateurs (15 après nomination à des fonctions ministérielles, 43 après décès du titulaire, 5 après démission du tit., 4 après élection du sénateur à l'Assemblée nat., 1 après nomination du sénateur au Conseil constitutionnel) ; il y a eu 21 élections partielles (7 après démission du tit., 10 après élection du sénateur à l'Assemblée nat., 1 après nomination à des fonctions ministérielles, le remplaçant étant décédé, et 3 après décès du tit.).

Inéligibilité (principaux cas). Personnes ne souscrivant pas aux conditions générales pour être élu (voir p. 717 c), personnes dépendant d'un conseil judiciaire, le médiateur, inspecteurs généraux en mission extraordinaire, préfets dans toute circonscription où ils exercent leurs fonctions ou les ont exercé depuis moins de 3 ans (sous-préfets et secrétaires généraux de préfecture depuis moins d'1 an) ; ne peuvent être élus dans toute circonscription où ils exercent leurs fonctions (ou les ont exercées depuis moins de 6 mois) : ingénieurs des ponts et chaussées, des eaux et forêts, du génie rural et de l'agriculture, contrôleurs généraux des services vétérinaires, magistrats des cours d'appel et des tribunaux, membres des tribunaux administratifs, officiers des armées de terre, de mer, de l'air, exerçant un commandement territorial, fonctionnaires ayant une responsabilité au niveau départemental ou régional (ex. : dir. dép. de la police, comm. de police, dir. rég. de la S.S., dir. des impôts...).

Candidatures multiples. Système utilisé sous la IIe Rép., le IIe Empire et la IIIe Rép. (jusqu'à la loi du 17-7-1889). *Furent ainsi élus dans plusieurs circonscriptions* : 1848 Lamartine (10 dép.), L.-N. Bonaparte (5) ; 1871 Thiers (26), Trochu (10), Gambetta (8) ; 1888 Boulanger (3).

Actuellement, nul ne peut simultanément être candidat dans plusieurs circonscriptions aux élections législatives (art. L. 156 du code électoral, art. L. 174), mais un député peut se présenter à la faveur d'une élection partielle, dans une autre circonscription que celle dont il est l'élu. De même, un député peut, avant la date normale d'expiration de son mandat, se faire élire en qualité de sénateur ou vice versa.

Incompatibilités. N'empêchent pas le candidat de se présenter, mais l'obligent, une fois élu, à faire un choix. Certaines entraînent le remplacement par le suppléant élu en même temps et dans les mêmes conditions pour les députés et les sénateurs élus au scrutin majoritaire, ou par appel au suivant de liste dans les départements où l'élection sénatoriale a lieu à la représentation proportionnelle. Pour tous les parlementaires élus au scrutin majoritaire, le remplacement se fait dans les seuls cas où l'élu décède, est nommé ministre, membre du Conseil constitutionnel ou reçoit une mission temporaire prolongée au-delà de 6 mois. Le 27-1-1983, M. Guidoni (député soc. de l'Aude), a été nommé « parlementaire en mission » et ambassadeur ; 1er cas, sous la Ve Rép. d'un parlementaire nommé ambassadeur et ne renonçant pas à son mandat (s'il y avait renoncé, une élection partielle aurait eu lieu). Au bout de 6 mois, sa mission étant prolongée, l'incompatibilité a joué, et son suppléant l'a remplacé le 28-7-1983.

Principaux cas d'incompatibilité : membres du Conseil écon. et social, du Conseil constit., du Cons. du gouvernement d'un T.O.M., personnes exerçant des fonctions conférées par un État étranger ou une organisation internationale, présidents, membres de conseil d'administration, directeur général (ou adjoint) dans les entreprises nationales et établissements publics nat. La loi organique du 24-1-1972 a étendu le régime des incompatibilités entre l'exercice d'un mandat parlementaire et certaines activités professionnelles à caractère économique : P.-D.G. ou directeurs généraux de Stés ou entreprises jouissant d'avantages financiers assurés par la puissance publique, Stés ayant un objet financier ou faisant appel à l'épargne, Stés travaillant pour le compte de l'État, Stés à but lucratif dont l'objet est l'achat ou la vente de terrains à bâtir, Stés de promotion immobilière...

Déclaration des comptes de campagne et du patrimoine. Le candidat proclamé député doit présenter ses comptes de campagne, sinon il peut être déclaré démissionnaire d'office par le Conseil constit., saisi par la commission nationale des comptes de campagne (loi org. du 10-5-1990). Dans les 15 j. qui suivent son entrée en fonctions, il doit déposer sur le bureau de l'Ass. nat. une déclaration certifiée sur l'honneur indiquant tous ses biens (Dep. élections lég. de juin 1988 - Loi organique du 11-3-1988). Mêmes formalités à l'expiration de son mandat.

Cumul des mandats. Le cumul des mandats de député et de sénateur est interdit (de même une personne remplaçante d'un sénateur ou d'un député perd immédiatement ce titre dès qu'elle est élue). Il est interdit aux parlementaires de faire ou de laisser figurer leur nom suivi de leur qualité de parlementaire sur une publicité (commerciale, industrielle ou financière). La loi organique du 30-12-1985 interdit le cumul du mandat parlementaire avec l'exercice de plus d'un des mandats ou fonctions suivants : représentant à l'Assemblée des Communautés européennes, conseiller régional, cons. général, cons. de Paris, membre de l'Ass. territoriale de Polynésie fr. ou du territoire des îles Wallis-et-Futuna, m. du Congrès du territoire de N.-Calédonie, maire d'une commune de 20 000 hab. ou +, adjoint au maire d'une com. de 100 000 hab. ou + (des dispositions transitoires ont été prévues par cette loi).

Contentieux des élections. Jugé par le Conseil constitut. Jusqu'en 1958, le contrôle de l'élection était assuré par l'assemblée concernée ; cette pratique permit d'éliminer des parlementaires régulièrement élus mais politiquement contestés (en 1956, 11 députés poujadistes furent ainsi invalidés). *Él. législatives : 1967* (record) 141 décisions pour 149 requêtes, *1986* 34 requêtes, *1988* 96 requêtes.

Nature du mandat. Les parlementaires sont investis d'un mandat national : bien que chacun d'entre eux soit l'élu d'une seule circonscription, il représente l'ensemble du pays ; ainsi les élus alsaciens-lorrains restèrent juridiquement des élus de la Nation française malgré l'annexion de ces provinces par l'All. ; par contre, l'ordonnance du 3-7-1962 mit fin au mandat des élus de l'Algérie, pour respecter la souveraineté du nouvel État. Les élus peuvent exercer leur mandat comme ils l'entendent sans se plier aux ordres de qui que ce soit (art. 27 de la Const. : « tout mandat impératif est nul »). Le mandat est irrévocable (démission en blanc interdite). *Cessation :* la *déchéance* du mandat peut être prononcée, notamment lorsque le parlementaire vient à être frappé d'une inéligibilité en cours de mandat. S'il refuse d'abandonner certaines fonctions ou activités incompatibles avec son mandat, il peut être déclaré démissionnaire d'office par le Conseil constitutionnel. Dans ces deux cas, il est procédé à une nouvelle élection (él. partielle). *En cas de décès* ou lorsque le parlementaire devient ministre ou secrétaire d'État, il est remplacé par son suppléant, élu en même temps que lui (un secr. d'État, Jean-Michel Bailly, qui avait successivement renoncé à ses mandats de député, puis de sénateur, fut représenté par un suppléant dans chaque Chambre le 2-11-1971).

S'il quitte le Gouvernement, il ne recouvre pas son siège, sauf si son départ a lieu dans le mois qui suit sa nomination (cas des ministres M.R.P. en 1962).

Immunités. Le parlementaire est protégé pendant son mandat par 2 immunités : *l'irresponsabilité* lui permet d'échapper à toute poursuite ou action en responsabilité pour les opinions ou votes qu'il a pu exprimer dans l'exercice de son mandat (notamment au cours de ses interventions devant l'Assemblée) ; *l'inviolabilité* lui permet de n'être poursuivi ou arrêté en matière criminelle ou correctionnelle, pendant les sessions, qu'avec l'autorisation de l'Assemblée dont il est membre (sauf flagrant délit). Hors session, il ne peut l'être qu'avec l'autorisation du bureau de l'Assemblée dont il est membre.

Demandes de levées de l'immunité sous la Ve République jusqu'au 21-12-1990). 22 concernant 18 députés dont 3 levées : Lagaillarde (7-12-1960), Lauriol (21-6-1961), Bidault (5-6-1962).

Demandes de suspension de poursuites ou de suspension de détentions présentées (jusqu'au 31-12-1990). 9 concernant 16 députés dont 2 rejetées : Lagaillarde (détention 1-6 et 15-11-1960).

Indemnité. Montant fixé par l'ordonnance no 58-1210 du 13-12-1958. Voir Index. Destinée à permettre au député ou au sénateur de couvrir les charges et les frais entraînés par l'exercice de son mandat.

L'indemnité est exclusive de toute rémunération publique (*cf.* incompatibilités). Exception pour les professeurs précédemment titulaires de chaires ou chargés de dir. de recherches, et les min. des cultes du Ht-Rhin, du Bas-Rhin et de la Moselle (dép. concordataires). Peuvent aussi être cumulées avec l'indemnité : pensions civiles et militaires, de la Légion d'honneur, de la médaille militaire, indemnités de fonction des maires, adjoints et des membres du Conseil de Paris (pour celles-ci, ½ du montant).

Parlementaires et service national. En temps de paix, un parlementaire ne peut accomplir son service militaire pendant les sessions, sauf s'il le demande ; s'il fait son service militaire, il ne peut participer aux sessions, mais peut voter par délégation. En cas de mobilisation, de guerre ou tension extérieure, les parlementaires appartenant à la disponibilité ou à la 1re réserve sont soumis aux obligations de droit commun, ceux qui demeurent en fonction peuvent demander à être mobilisés sans démissionner.

Âge moyen des sénateurs et, entre parenthèses, des députés. *1973 :* 59 (53). *89 :* 62 (51).

Composition socio-professionnelle du Sénat en 1989 et, de l'Assemblée, entre parenthèses, en 1988 (en %). Agriculteurs 14 (2,4), commerce et industrie 13 (12,4), salariés 16 (dont ouvriers et employés 2,5) (18) (dont ouvriers et employés 4,9), prof. médicales 16 (10,1), juristes 13 (11,1), enseignants 14 (28,2), fonctionnaires 11 (17), divers et sans profession 3 (0,8).

Organisation intérieure du Parlement

• **Groupes politiques.** Partis et groupes politiques sont reconnus par la Const. (art. 4), mais le règlement de l'Ass. nat. précise qu'ils doivent comprendre au moins 20 m. pour profiter des facilités administratives (ils disposent d'un certain nombre de bureaux dans l'enceinte de l'Ass. nat.) et politiques consenties aux groupes (au Sénat, 15 m.). Ils élisent leur Pt, interviennent dans la présentation des candidatures aux organes collectifs de l'Assemblée, ainsi que dans la désignation des orateurs pour les débats organisés ou les questions au Gouvernement, prennent position sur les textes soumis ou à soumettre à l'Ass., suivent la politique gouvernementale et décident de l'attitude politique qu'ils adoptent dans les commissions ou en séance publique.

• **Conférences des Présidents.** Dans chacune des 2 Assemblées, comprennent : Pt de l'Ass., vice-Pts, Pts des commissions et des groupes, le Rapporteur général de la commission des finances et un représentant du Gouv. *Rôle important :* elles décident l'ordre du jour des travaux des Assemblées.

• **Commissions parlementaires. Permanentes :** *Assemblée nat. :* Aff. culturelles, familiales et sociales (145 membres) ; Aff. étrang. (73 m.) ; Défense et forces armées (73 m.) ; Finances, économie générale et plan (73 m.) ; Lois constitutionnelles, législation et admin. générale de la Rép. (73 m.) ; Production et échanges (141 m.). *Sénat :* Aff. culturelles (52 m.) ; Aff. économiques et Plan (78 m.) ; Aff. étrang., Défense et forces armées (52 m.) ; Aff. sociales (52 m.) ; Finances, contrôle budgétaire et comptes écon. de la nation (43 m.) ; Lois constitutionnelles, législation, suffr. universel, règlement et admin. générale (44 m.).

Nommées normalement à la représentation proportionnelle des groupes pol., les commissions désignent elles-mêmes leur Bureau composé d'un Pt, de vice-Pts et de secr. Chaque député ou sénateur ne peut appartenir qu'à une seule d'entre elles. Le Pt du Sénat ne fait partie d'aucune commission.

Spéciales : constituées sur l'initiative du Gouv. ou des ass. parlementaires pour examiner un texte législatif (31 m. au max. à l'Assemblée nat., 24 au Sénat).

• **Séances.** *Publiques :* tribunes réservées au public (places en nombre limité). Les débats sont publiés au *Journal officiel.*

• **Sessions. Ordinaires :** le Parlement se réunit de plein droit en 2 sessions par an ; l'une de 80 j s'ouvre le 2 octobre, l'autre de 90 j max. s'ouvre le 2 avril (Art. 28). Précédemment, la durée était plus longue : au moins 5 mois sous la IIIe Rép., 8 mois à partir de 1946 et 7 mois à partir de 1954 sous la IVe Rép. (au-delà de ces délais, le Gouv. pouvait clore la session, mais il pouvait être renversé si la majorité des parlementaires était hostile à cette clôture) ; cette pratique de session quasi permanente fut considérée comme une des causes de l'instabilité gouvernementale.

Extraordinaires : possibles à la demande du Premier min., ou de la majorité des membres de l'Ass. nat. sur un ordre du jour déterminé. En cas de session extr. sur la demande de l'Ass., la session ne peut dépasser 12 j.

Pouvoirs législatifs du Parlement

A. Domaine de l'activité législative

• **Loi ordinaire. Matières devant être réglées par la loi (art. 34).** Notamment : droits civiques et libertés publiques ; sujétions imposées par la défense nationale ; droit privé (capacité, régimes matrimoniaux, etc.) ; détermination des crimes et délits et des peines applicables ; amnistie ; procédure pénale ; statut de la magistrature ; fiscalité ; régime électoral ; création de catégories d'établissements publics ; garanties fondament. des fonctionnaires ; nationalisations ; lois de finances (budget).

• **Matières dont la loi fixe les principes essentiels.** Organis. de la défense nat. ; compétences et ressources des collectivités locales ; enseignement ; régime de la propriété et des obligations civiles et commerciales ; droit du travail, droit syndical et Sécurité sociale ; objectifs de l'action économique et sociale de l'État (lois programmes). Ce qui ne relève pas de la loi relève du *domaine réglementaire.* Les textes législatifs déjà intervenus en cette matière peuvent être modifiés par décret (art. 37).

• **Ordonnances.** *Origine :* nom des décrets sous la Restauration et la Monarchie de Juillet ; terme repris par le Gouv. de la France libre et, en 1958, lorsque de Gaulle devint Pt du Conseil. *Constitution de 1958 :* d'après l'art. 38, le Parlement peut autoriser le Gouv. à prendre par ordonnances des mesures relevant normalement du domaine de la loi. La loi de délégation fixe leur délai d'application et la date limite de dépôt du projet de loi de ratification. Les ordonnances entrent en vigueur dès leur publication, mais deviennent caduques si le projet de loi de ratification n'est pas déposé devant le Parlement dans les délais fixés. L'effet des ordonnances est celui des lois, mais elles sont assimilées à des règlements (donc soumises au contrôle du juge administratif) tant qu'elles n'ont pas été ratifiées par le Parlement (en fait, le plus souvent, le Gouv. dépose le texte mais celui-ci n'est pas ratifié). Le régime des ordonnances est comparable à celui des *décrets-lois* des IIIe et IVe Républiques.

Statistiques : jusqu'en mai 1981, 15 recours à l'art. 38, notamment loi soumise à référendum du 8-4-1962 (fin de la g. d'Algérie), loi du 31-10-67 (mesures écon. et soc., dont réforme de la S.S.). *Depuis mai 1981 :* 51 (*81 :* 3 ; *82 :* 25 ; *83 :* 3 ; *84 :* 2 ; *85 :* 8 ; *86 :* 8 ; *90 :* 2). P.S. et P.C. avaient pourtant condamné le principe des ordonnances lorsqu'ils étaient dans l'opposition, mais le gouv. Mauroy a utilisé 2 fois l'art. 38 : le 23-12-1981 (orientation soc.) et le 6-4-1982 (plan d'austérité).

• **Ratification des traités internationaux.** Le Parlement intervient dans le domaine de la politique extérieure, en discutant et en votant les projets de loi de ratification des traités internationaux (de paix, de commerce, qui concernent l'organisation internationale, les finances de l'État). Ces traités ne prennent effet qu'après ratification du Parlement.

• **Révision de la Constitution.** L'initiative appartient concurremment au Pt de la Rép., sur proposition du P.M., et au Parlement. Le projet ou la proposition de révision doit être voté par les 2 Ass. en termes identiques. La révision est définitive après avoir été approuvée par référendum. Toutefois, le projet de révision n'est pas présenté à référ. lorsque le Pt de la Rép. décide de le soumettre au Parlement convoqué en Congrès ; pour être approuvé, le projet doit alors réunir la majorité des 3/5 des suffr. exprimés.

B. Procédure législative

Initiative de la loi. Elle appartient aussi bien au 1er min. qu'aux parlementaires (art. 39). Les *initiatives* du Gouvernement s'appellent : *projets de lois : celles du Parlement : propositions.* Le Parlement vote la loi, le Pt de la Rép. la promulgue.

PROJETS DE LOIS. De 2 ordres : concernent soit la mise en œuvre de la politique du Gouvernement (projets de lois de finances, grandes orientations du Gouvernement), soit l'adaptation de la législation existante sur des points particuliers. Les 1ers projets sont mis au point lors de réunions interministérielles. Les autres sont laissés en principe à l'initiative des administrations ; en cas de désaccord, l'arbitrage du 1er min. est sollicité. Pour tous les projets, le 1er min. est seul habilité à mettre en œuvre la procédure, ce qui implique son accord sur leur contenu. Tous les projets doivent être soumis à l'avis du Conseil d'État (voir p. 688), et au Conseil économique et social pour le Plan ou les projets de lois de programme à caractère économique ou social (art. 70). Après ces consultations, le Conseil des min. peut délibérer sur le projet et en arrêter le texte définitif ; celui-ci est déposé sur le bureau de l'une ou l'autre des assemblées, au choix du Gouv. (sauf pour les lois de fin., qui doivent être soumises en premier lieu à l'Ass. nat.).

PROPOSITIONS DE LOIS. Ne sont soumises à aucune règle de forme particulière. Sont irrecevables : celles qui ont pour conséquence d'augmenter les dépenses ou de diminuer les ressources des finances publiques, et celles qui ne relèvent pas du domaine de la loi, défini par l'art. 34 (art. 40 et 41). Si le bureau de l'Assemblée saisie juge la proposition irrecevable, il refuse son dépôt. Sinon le Gouv., ou tout député ou sénateur, peut soulever par la suite l'irrecevabilité au cours de la procédure (le Conseil constitut. a déclaré, le 20-7-1977, que l'irrecevabilité ne pouvait être invoquée directement pour la 1re fois devant lui).

Examen et adoption des textes. DÉLAIS. *Lois organiques :* le projet ou la proposition de loi ne peut être soumis à la délibération et au vote qu'à l'expiration d'un délai de 15 j après son dépôt. *Lois de finances :* l'Ass. nat. doit se prononcer dans les 40 j après le dépôt du projet. Le Sénat doit ensuite statuer dans les 20 j. Les 10 derniers j sont consacrés aux procédures de commission mixte paritaire et de navette. C'est donc dans les 70 j après le dépôt du projet que le Parlement doit statuer.

Examen en commission. Les textes sont examinés par la commission permanente compétente de l'Assemblée saisie ou par une commission spéciale. La commission saisie désigne un rapporteur qui soumet ses conclusions à ses collègues. Le rapport conclut soit à l'adoption, soit au rejet du texte [le plus souvent à l'adoption avec modifications (amendements)]. Les commissions reflétant l'importance des différents groupes parlementaires, le Gouvernement ou les parlementaires renoncent parfois à leur texte (si la commission a fait des réserves sérieuses, il y a de fortes chances pour que celles-ci soient reprises en séance plénière et que le projet soit repoussé).

Inscription à l'ordre du jour. Elle dépend essentiellement du Gouvernement, qui peut faire inscrire les textes de son choix par priorité et dans l'ordre qu'il fixe (voir ci-contre). La conférence des présidents de chaque assemblée, à qui il incombe d'établir chaque semaine l'ordre du jour de ses travaux, est informée des affaires inscrites par le Gouv. ; elle ne peut faire des propositions qu'en complément de l'ordre du jour prioritaire, sous la forme d'un ordre du jour complémentaire et de questions orales avec ou sans débat. Mais, même dans ce cas, elle peut difficilement faire inscrire un texte contre la volonté du Gouv.

Examen en séance publique. La discussion s'engage, pour les projets, sur le texte proposé par le Gouvernement ; pour les propositions, sur le texte proposé par la commission.

La discussion générale d'un projet de loi s'ouvre par l'intervention d'un représentant du Gouv. (au Sénat) ou par celle d'un rapporteur de la commission (principe de l'Ass. nat.). Se succèdent ensuite le rapporteur de la commission (s'il n'a pas ouvert le débat) et les orateurs inscrits.

Le débat commence éventuellement par l'audition du Gouv. (le ministre compétent, parfois le Premier ministre) et par la présentation du rapport de la commission saisie au fond et, le cas échéant, des avis des autres commissions intéressées. S'ouvre ensuite la discussion générale dans laquelle interviennent les orateurs qui se sont fait préalablement inscrire. La Conférence des Pts peut organiser la discussion générale et fixer sa durée globale.

La discussion par articles, qui suit, traite d'abord des amendements de suppression, puis des amendements de modification. Le Gouv. peut demander cependant un vote global de tout ou d'une partie du projet. En cas d'opposition de l'assemblée à un projet de loi, le Gouvernement peut faire prévaloir son point de vue de 2 façons : par la procédure du vote bloqué ou en engageant sa responsabilité, mais seulement devant l'Assemblée nationale (voir ci-contre).

Après son adoption en 1re lecture par l'assemblée saisie en premier, le texte est examiné par l'autre assemblée. En général, on procède ensuite à des navettes entre les 2 assemblées jusqu'à l'adoption par celles-ci d'un texte identique. Mais le Gouvernement peut, pour mettre un terme aux navettes, en cas de désaccord entre les 2 assemblées, recourir à la procédure de conciliation (art. 45) : le 1er min. peut décider, après 2 lectures par chaque ass., ou quand l'urgence a été déclarée, après une seule lecture, la réunion d'une *commission mixte paritaire.* Il notifie sa décision aux Pts des 2 ass., qui constituent alors la commission mixte. Si la commission parvient à élaborer un texte, celui-ci peut être soumis par le 1er min. à l'approbation des 2 ass. ; si le texte est voté dans les mêmes termes par celles-ci, la loi est définitivement adoptée. Parfois, le Gouvernement assortit d'amendements le texte élaboré par la commission mixte paritaire. Si celle-ci ne parvient pas à élaborer un texte, ou si le texte qu'elle élabore n'est pas adopté dans les mêmes termes par les 2 ass., le 1er min. peut demander à l'Ass. nat. une nouvelle lecture du texte. Quand le texte est adopté par l'Ass. nat., le Gouv. le transmet au Sénat. Si celui-ci l'adopte, la procédure est terminée. Sinon, le 1er min. peut demander à l'Ass. nat. une dernière lecture afin de statuer définitivement.

Dep. le début de la Ve République jusqu'au 1-3-1991 : 3 080 lois ont été adoptées définitivement par le Parlement, dont 2 427 (soit 78,9 %) dans un texte identique par les 2 Ass. à la suite d'une procédure normale de navette. Il y a eu 648 commissions mixtes paritaires et, dans 397 cas, les 2 Ass. ont ensuite adopté un texte identique. *En 1990,* ce fut le cas pour 18 des 37 textes soumis à une commission paritaire.

Le Conseil constitutionnel peut alors être saisi. Ainsi le *16-7-1971,* le C. const. a annulé une loi votée par l'Ass. nat. modifiant la loi de 1901 sur les associations, et que le Pt du Sénat avait jugée contraire au principe de la liberté d'ass. *En 1974,* il a été saisi d'un art. de la loi de finances, jugé incompatible avec le principe de l'égalité des citoyens devant la loi pour l'accès à la justice (recours au juge de l'impôt réservé à certains contribuables taxés d'office). *En 1982,* le C. const. a annulé le 2-12 une loi portant adaptation de la loi du 2-3-1982 relative aux droits et libertés des communes, des départements et des régions à la Guadeloupe, Martinique et Réunion, qui contrevenait aux art. 72 et 73 de la Const.

En 1984, le Conseil constitutionnel a examiné la loi visant à limiter la concentration et à assurer la transparence financière des entreprises de presse. Il a retenu les arguments essentiels des sénateurs auteurs de la saisine en censurant la remise en cause des situations existantes et les pouvoirs de sanction administrative de la commission pour la transparence et le pluralisme (10 et 11-10-1984).

Vote. Il est personnel. A l'Ass. nat., les votes s'effectuent normalement à *main levée* et, en cas de doute, par *assis et levé.* A la demande des présidents de groupes, de la commission, du Gouvernement, ou sur décision du président, on recourt au *scrutin public ordinaire.* A l'Ass. nat., le vote a lieu par procédé électronique, chaque député a devant lui un clavier de 3 touches actionné avec des clés : P (pour), C (contre), A (abstention). Le résultat apparaît en quelques instants sur des tableaux lumineux.

Les clés restent pratiquement toujours dans leur serrure et des députés courent d'un siège à l'autre et votent à la place de leurs collègues absents. Des incidents peuvent se produire. Ex. : la *nuit du 19 au 20-6-1987,* l'Ass. nat. n'a pas adopté le projet de loi du gouvernement sur le financement de la Séc. soc. [(*pour* 283 (R.P.R., U.D.F.) ; *contre* 284 (P.C., P.S., et F.N.)]. Il y a eu 4 pupitres oubliés et 2 erreurs de manipulation. *9-10-1987 :* passé minuit, les élus du Front nat. tournent les clés des absents, détournant 130 votes en leur faveur.

Pour les motions de censure ou en cas d'engagement de la responsabilité du Gouvernement, il est procédé par *scrutin public à la tribune* par appel nominal. Pour les nominations personnelles (élection du Bureau, etc.) les scrutins sont *secrets.*

Le détail de chaque scrutin public est annexé au compte rendu du débat de la séance publié au *Journal officiel* (éd. des Débats de l'Ass. nat. et éd. des Débats du Sénat).

Les députés ont un délai de 7 j. pour faire part de leurs rectifications de vote, mais celles-ci ne changent pas le résultat du scrutin.

Promulgation et publication des lois

Promulgation. Une fois adoptée, la loi est transmise au Gouvernement. Le Pt de la Rép. promulgue les lois dans les 15 j qui suivent cette transmission. Toutefois, avant l'expiration de ce délai, il peut demander au Parlement une nouvelle délibération ; la loi peut être soumise au Conseil constitutionnel par le Pt de la Rép., le 1er ministre, ou les Pts des 2 assemblées, ou 60 députés, ou 60 sénateurs ; le Conseil doit statuer dans un délai d'un mois (8 j si urgence, à la demande du Gouv.).

La promulgation donne valeur obligatoire à un texte législatif, mais elle ne garantit pas son application si, par exemple, le Gouv. ne prend pas les règles qui rendent le texte pratiquement exécutoire (ex. : loi Neuwirth sur la contraception promulguée en 1967 : certains des décrets d'application n'ont été publiés qu'en 1972 et 1973).

Publication au Journal officiel. Indispensable pour rendre un texte opposable (lui donner une valeur juridique obligatoire) ; cette opposabilité n'intervient qu'un jour franc après réception du *J.O.* (ou du document où l'acte est inséré) au chef-lieu d'arrondissement.

Statistiques. Textes publiés au J.O. de 1979 à sept. 1989 : 63 813 dont lois votées (990), décrets (41 843), arrêtés du 1er ministre (16 373), circulaires du 1er min. (77). Arrêtés non publiés du 1er ministre de 1980 à septembre 1988 : 616. Nombre de pages publiées (1989) : 16 712.

Rapports entre Gouvernement et Parlement

Moyens d'action du Parlement sur le Gouvernement

• **Questions orales.** La réponse (du min. compétent) peut en être demandée avec ou sans débat. La Conférence des présidents décide leur inscription à l'ordre du jour ; le Pt de l'Ass. organise le débat qui ne peut donner lieu à aucun vote. **Avec débat :** exposées en 10-20 mn à l'Ass. nat., 20 au Sénat ; les orateurs inscrits ont 10 mn au Sénat, un temps fixé par le Pt à l'Ass. nat. ; l'auteur de la qu. réplique en priorité au Gouv. (aucune question orale avec débat n'a été inscrite à l'ordre du jour dep. 1978 à l'Ass. nat.). L'*interpellation* (question orale avec débat suivie d'un vote mettant en jeu la responsabilité du Gouv.) est interdite dans sa forme traditionnelle : le député désirant interpeller le Gouv. doit en informer le Pt de l'Ass., en séance publique, et joindre à sa demande une motion de censure. **Sans débat :** exposées en 2 mn à l'Ass. nat. ; l'auteur peut intervenir 5 mn après le ministre qui peut répliquer.

• **Questions écrites** aux ministres sur les points importants de la politique du Gouvernement. Les réponses sont publiées au *J.O.* A l'**Assemblée nationale,** 15 249 ont été déposées et 13 924 (dont 4 794 au titre des années antérieures) ont reçu une réponse en 1990. Au Sénat, 5 414 ont été déposées et 4 684 ont reçu une réponse en 1990.

• **Questions d'actualité** (appelées questions au Gouvernement, dep. 1974). Au *Sénat,* ces séances ont lieu chaque mois pendant les sessions ordinaires. A tour de rôle, chaque groupe est appelé en début de séance, une alternance étant instituée entre la majorité et l'opposition (en moy. 15 questions par séance). Le début de la séance du mercredi après-midi leur est réservé à l'Ass. nat., et un jeudi après-midi par mois au Sénat ; cette séance est télévisée en direct par FR3. Chaque groupe intervient à tour de rôle jusqu'à épuisement du temps imparti, compte tenu de son effectif, par la Conférence des Pts. Ce temps comprend à la fois questions des députés et réponses du Gouv. A tour de rôle, chaque groupe est appelé en début de séance, une alternance étant instituée entre groupes de la majorité et groupes de l'opposition (349 questions au Gouv. ont été posées en 1990).

• **« Questions à un ministre.** (Parfois appelées « questions cribles »). Nouvelle procédure de question posée en séance publique, mise en œuvre en avril 1989. Chaque jeudi, au cours de la session de printemps, un ministre ou un secrétaire d'État est interrogé durant 1 h par les membres des divers groupes, sur les problèmes relevant de la compétence de son département. De 1989 à mars 1990, 304 questions de ce type ont été posées.

• Commissions. **Commissions permanentes** peuvent contrôler l'action du Gouvernement soit en procédant à l'*audition des ministres,* soit en constituant des *missions d'information commune (ou d'évaluation)* pour recueillir l'information nécessaire ou contrôler la pertinence d'une législation. Dep. 1989, 3 missions : intégration des immigrés (constituée 5-12-1989) ; législation sur logement et urbanisme (16-5-1990) ; bioéthique 16-10-1990). Au 31-12-1990, seule la 1re avait déposé son rapport. L'Ass. nat. et le Sénat peuvent constituer des *commissions de contrôle* formées pour examiner la gestion administrative, financière ou technique des services publics ou des entreprises nationales, et des *commissions d'enquête* pour recueillir des éléments d'information sur des faits déterminés, à condition que ces faits ne donnent lieu à aucune poursuite judiciaire.

Quelques commissions et enquêtes du Sénat. O.R.T.F. (1968), scandale des abattoirs de la Villette (déc. 70-avril 71), écoutes téléphoniques (été 73), naufrage de l'*Amoco-Cadiz* (été 78), gestion financière des sociétés de télévision (1er semestre 79), industrie textile (1er semestre 81), sécurité publique (mai-oct. 82), dette extérieure (1er semestre 84), fonctionnement du service des postes (1er semestre 85), événements étudiants de nov. et déc. 1986 (1er semestre 87), opérations financières portant sur le capital des stés privatisées (1er semestre 89). **Mission d'information ;** a été utilisée pour l'incendie du C.E.S. Édouard-Pailleron (mission 1977), une instruction judiciaire ayant interdit la formation d'une c. d'enquête ; le Sénat a dû respecter la règle du secret (comme pour les commissions) ; est utilisée par le Sénat dep. 1983 pour faire le bilan de la décentralisation. Autres ex. : mission d'information sur les personnels soignants non médecins des hôpitaux publics (1989) ; sur l'avenir de l'espace rural (constituée le 20-6-1989). **Procédure du groupe d'études :** réunit les m. de plusieurs commissions permanentes pour l'examen d'une question d'intérêt national ; ex. : commerce extérieur (nov. 1978), crise de la presse (déc. 1978). Sont temporaires et soumises à la règle du secret. Dep. la loi du 19-7-1977 sur les commissions d'enquête, ont été étendus : les pouvoirs d'investigation des rapporteurs, le droit pour le Pt de citer à comparaître toute personne dont le témoignage paraîtrait utile [(600 à 15 000 F d'amende si non-comparution). Lors de l'enquête sur les écoutes téléphoniques, le 1er min. P. Messmer avait invoqué le secret de la défense nat., et aucun min. ni haut fonctionnaire n'avait témoigné].

Commissions d'enquêtes et de contrôle à l'Ass. nat. : *1958-62 :* 1, *1962-67 :* 0, *1967-68 :* 0, *1968-73 :* 2, *1973-77 :* 9, *1978-81 :* 7, *1981-86 : 3, 1986-88 : 1, 1988-90 :* 3 commissions d'enquête sur privatisations effectuées dep. le 6-8-1986 [1] ; pollution de l'eau, politique nat. d'aménagement des ressources hydrauliques [1] ; viande bovine et ovine ; 1 de contrôle de la gestion du Fonds d'action sociale [1].

Nota – (1) Elles ont déposé leur rapport.

• Discussion et vote du budget. La discussion budgétaire est préparée par la com. des finances et par les autres com. saisies pour avis. Les rapporteurs (général et spéciaux) disposent de pouvoirs permanents d'investigation et de communication des documents portant sur l'exécution des budgets votés et la gestion des entreprises nationales. Le débat est l'occasion unique donnée aux parlementaires d'interroger publiquement tous les ministres sur la politique générale gouvernementale.

• Déclaration de politique générale. Lorsque le 1er ministre engage devant l'Ass. nat. la responsabilité du Gouvernement sur son programme ou sur une déclaration de politique générale (après délibération du Conseil des ministres), un débat est organisé, sanctionné par un vote portant sur l'approbation du programme ou de la déclaration. Le Gouvernement doit démissionner en cas de désapprobation. Dans la pratique, le Gouvernement engage peu souvent sa responsabilité aussitôt après sa nomination, car c'est par le Pt de la Rép. qu'il est investi.

• Déclaration de politique générale du gouvernement. Il y a eu 20 déclarations de politique générale en application de l'art. 49, alinéa 1er de la Constitution sous la Ve Rép. (du 8-1-1959 au 31-12-1989), dont 3 dep. avril 1986. Le 1er min. peut demander au Sénat l'approbation d'une déclaration de politique générale ; dep. 1958 : 11-6-1975 (Gouv. Chirac), 5-5-77 et 11-5-78 (Gouv. Barre) ; 15-4-86, 15-4-87 et 9-12-87 (gouv. Chirac) ; 29-6-88 (gouv. Rocard) ; 3 en 1989 (gouv. Rocard), suivies d'un vote positif : 1-6-89 (sur l'audiovisuel), 30-6-89 (sur l'industrie textile), 20-11-89 (sur la France et l'évolution de l'Europe de l'Est). Si le vote du Sénat est négatif, le Gouvernement n'est pas obligé de démissionner.

• Motion de censure. L'Ass. nat. met en cause la responsabilité du Gouv. par le vote d'une *motion de censure,* qui doit être signée par un dixième des députés au moins. Seuls les votes favorables à la motion de censure sont recensés. Si elle est adoptée par la maj. des membres composant l'Ass., le 1er min. doit remettre au Pt de la Rép. la démission du Gouvernement. Si elle est rejetée, les signataires de la motion ne peuvent en proposer une nouvelle au cours de la même session, sauf en cas d'engagement de la responsabilité du Gouv.

Nombre de m. de censure sous la Ve République. En application de l'art. 49, alinéa 2 : 36 (du 5-5-1960 au 1-1-1991) dont 5 dep. le début de la 9e législature (23-6-1988) : *1988-9-12 :* 286 (pour 258), *1989-16-5 :* 289 (192), *6-6 :* 289 (264) ; *1990-9-5 :* 289 (268) ; *21-12 :* 288 (218) ; **alinéa 3 :** 40 (du 27-11-1959 au 1-1-1991) dont 5 dep. le début de la 9e législature : *1989-9-10 :* majorité requise 288 (159), *23-10 :* 288 (240), *20-11 :* 288 (254), *21-12 :* 289 (265), *19-11 :* 289 (284).

Seule la motion du 2-10-1962, motivée par le projet concernant l'élection du Pt de la Rép. au suffrage universel, avait permis à l'opposition de renverser le Gouv. (Pompidou) par 280 voix contre 241.

Déclarations du gouvernement suivies d'un débat. Dep. le début de la 9e législature : 15 (au 21-12-1990).

• Pouvoir électif. Le Parlement désigne ses représentants aux assemblées parlementaires européennes (Ass. parlementaire du Conseil de l'Europe et Ass. de l'Union de l'Europe occidentale).

• Pouvoir juridictionnel. Les 2 ass., statuant par un vote identique à la majorité absolue des membres les composant, peuvent, en cas de haute trahison, mettre en accusation le Pt de la Rép. devant la Haute Cour. Elles peuvent aussi mettre en accusation les membres du Gouv. (art. 68) en cas de crimes ou de délits commis dans l'exercice de leurs fonctions ou de complot contre l'État. En 1987, les 2 Assemblées ont voté une proposition de résolution présentée par Pierre Messmer, portant mise en accusation de Christian Nucci, ancien ministre délégué chargé de la Coopération, devant la Hte Cour de justice.

☞ Sonorisation des débats. Microphones pour le Pt, les orateurs, les membres du Gouv. et les rapporteurs des commissions. D'autres se trouvent dans les travées, à portée des députés. Ils sont reliés à des haut-parleurs dans l'hémicycle et à des diffuseurs dans le Palais-Bourbon (idem au Sénat).

Moyens d'action du Gouvernement sur le Parlement

Moyens indirects. *Les membres du Gouv. ont accès aux ass. et sont entendus quand ils le demandent* (art. 31). *Le Gouv. inscrit d'office à l'ordre du jour des ass.,* dans l'ordre et aux dates qu'il a fixés, les affaires dont il demande la discussion (art.48).

Le Gouv. peut demander un vote bloqué, c'est-à-dire que l'Assemblée se prononce par un seul et unique vote sur l'ensemble du projet ou de la proposition de loi ou sur un groupe d'articles en ne retenant que les amendements proposés ou acceptés par le Gouv. (sous la IVe Rép., les textes étaient souvent déformés en séance, notamment sur l'initiative des commissions parlementaires) ; pour le Pt de la Rép. Giscard d'Estaing, le vote bloqué devait être utilisé modérément, surtout pour les textes essentiels engageant l'avenir. Selon le Programme commun de la gauche de 1972, le vote bloqué ne pouvait être utilisé en 1re lecture pour certains textes : projets de lois de finances, plan, projets de lois de programme, accords internat., projets de lois concernant les libertés publ.

Le Gouv. peut convoquer le Parlement en session extraordinaire (art. 29).

A l'Ass. nat., le Gouv. peut faire adopter un texte en engageant sa responsabilité sur le vote de ce texte *(question de confiance) ;* celui-ci est considéré comme adopté si une motion de censure n'est pas déposée dans les 24 h qui suivent l'engagement de responsabilité du Gouv. (art. 49, 3e alinéa) et votée à la majorité des membres composant l'Assemblée. Cette procédure a été utilisée *plusieurs fois* au cours de la discussion de la loi budgétaire de 1980 à l'Assemblée nationale (hiver 1979-80) ; d'après certains, cette utilisation *répétée* est contraire à l'esprit de la Constitution : elle aboutirait à faire adopter des dispositions budgétaires sans discussions ni vote, et à attribuer indirectement au Gouvernement des pouvoirs législatifs. Le principal bénéficiaire d'une telle manœuvre serait le Sénat (n'ayant pas le droit de renverser le Gouvernement, il est tenu de discuter et de voter chaque article de la loi budgétaire, ce qui lui confère une autorité morale supérieure à celle de l'Assemblée). L'art. 49-3 avait déjà été utilisé en 1977 à propos de l'élection des députés à l'Ass. européenne, mais il s'agissait d'un recours unique et exceptionnel à cette disposition constitut.

Depuis 1958, aucun Gouv. n'a remis sa démission à la suite du dépôt d'une « question de confiance » (sous la IVe Rép., l'abus des « questions de confiance » avait favorisé l'instabilité gouv. et conduit à un contrôle, jugé excessif, du Gouv. par l'Ass. nat.).

Moyens directs. Soumission de certains projets de lois à référendum (art. 11) ; dissolution de l'Assemblée nationale (art. 12) ; application de l'article 16 (pouvoirs spéciaux) ; le Parlement se réunit alors de plein droit.

Liste des députés (D) et des sénateurs (S)

☞ *Légende :* **Députés (D).** GROUPES (1) Socialiste. (2) R.P.R. (3) U.D.F. (4) U.D.C. (5) Communiste. (6) Non inscrit. **Sénateurs (S).** GROUPES : (a) R.P.R. (b) Socialiste. (c) Communiste. (d) Union des républicains et des indépendants. (e) Union centriste. (f) Rassemblement démocratique et européen. (g) Non inscrit gr.

Ain. D Jacques Boyon [2] (30-9-34) ; Lucien Guichon [2] (9-2-32) ; Charles Millon [3] (12-11-45) ; Michel Voisin [4] (6-10-44). S Jean-Paul Émin [d] (19-6-39) : Jean Pépin [d] (23-11-39).

Aisne. D Jean-Pierre Balligand [1] (30-5-50) ; René Dosière [1] (3-8-41) ; Bernard Lefranc [1] (21-6-36) ; Daniel Le Meur [5] (25-7-39) ; André Rossi [3] (16-5-21). S Jacques Braconnier [a] (13-7-24) ; Paul Girod [f] (27-6-31) ; François Lesein [f] (11-12-29).

Allier. D J.-M. Belorgey [1] (2-11-44) ; François Colcombet [1] (1-9-37) ; Pierre Goldberg [5] (25-8-38) ; André Lajoinie [5] (26-12-29). S Bernard Barraux [e] (15-2-35) ; Jean Cluzel [e] (18-11-23).

Alpes-de-Haute-Provence. D André Bellon [1] (31-8-43) ; François Massot [1] (9-6-41). S Fernand Tardy [b] (14-6-19).

Alpes-Maritimes. D Emmanuel Aubert [2] (23-4-16) ; Pierre Bachelet [2] (19-5-26) ; Martine Daugreilh [2] (11-9-47) ; Charles Ehrmann [3] (7-10-11) ; Christian Estrosi [2] (1-7-55) ; Pierre Merli [3] (6-2-20) ; Louise Moreau [3] (29-1-21) ; Rudy Salles [3] (30-7-54) ; Suzanne Sauvaigo [2] (15-7-30). S Honoré Bailet [a] (27-2-20) ; José Balallero [d] (25-12-26) ; Charles Ginesy [a] (12-5-05) ; Pierre Laffitte [f] (1-1-25).

Ardèche. D Jean-Marie Alaize [1] (29-10-41) ; Claude Laréal [1] (19-4-35) ; Régis Perbet [2] (25-3-19). S Bernard Hugo [a] (4-5-25) ; Henri Torre [d] (12-4-33).

Ardennes. D Jean-Paul Bachy [1] (30-3-47) ; Gérard Istace [1] (26-7-35) ; Roger Mas [1] (16-4-31). S Maurice Blin [e] (28-8-22) ; Jacques Sourdille [a] (19-6-22).

Ariège. D Augustin Bonrepaux [1] (11-8-36) ; René Massat [1] (19-7-34). S Germain Authié [b] (4-7-27).

Aube. D Michel Cartelet [1] (app.) (25-5-35) ; Robert Galley [2] (11-1-21) ; Pierre Micaux [3] (26-10-30). S Philippe Adnot [g] (25-8-45) ; Bernard Laurent [e] (19-1-21).

Aude. D Régis Barailla [1] (28-8-33) ; Jacques Cambolive [1] (6-5-40) ; Joseph Vidal [1] (3-3-33). S Raymond Courrière [b] (23-8-32) ; Roland Courteau [b] (24-2-43).

Aveyron. D Jean Briane [4] (app.) (20-10-30) ; Jacques Godfrain [2] (4-6-43) ; Jean Rigal [1] (app.) (28-6-31). S Jean Puech [d] (22-2-42) ; Bernard Seiller (12-7-41).

Bas-Rhin. D Jean-Marie Caro [3] (14-8-29) ; André Durr [2] (7-11-26) ; Germain Gengenwin [4] (8-5-36) ; F. Grussenmeyer [2] (11-5-18) ; Émile Koehl [3] (8-3-21) ; Jean-André Oehler [1] (30-3-37) ; Marc Reymann [3] (7-6-37) ; Bernard Schreiner [2] (30-8-37) ; Adrien Zeller [4] (2-4-40). S Daniel Hoeffel [e] (23-1-29) ; Louis Jung [e] (18-2-17) ; Paul Kauss [a] (23-10-23) ; Marcel Rudloff [e] (15-3-23).

Bouches-du-Rhône. D Henri d'Attilio [1] (4-2-27) ; Roland Blum [3] (12-7-45) ; Jeanine Écochard [1] (14-9-38) ; Guy Hermier [5] (22-2-40) ; Christian Kert [4] (25-7-46) ; Paul Lombard [5] (15-12-27) ; Marius Masse [1] (15-4-41) ; J.-François Mattei [3] (14-1-43) ; J.-Pierre Peretti della Rocca [6] (26-6-30) ; Michel Pezet [1] (9-4-42) ; Philippe Sanmarco [1] (16-2-47) ; Bernard Tapie [6] (29-1-43) ; Jean Tardito [5] (19-12-33) ; Léon Vachet [2] (29-12-32) ; Michel Vauzelle [1] (15-8-44) ; Yves Vidal [1] (27-11-46). S Jean-Pierre Camoin [a]

(9-5-42) ; Jean-Claude Gaudin [d] (8-10-39) ; Louis Minetti [c] (1-9-25) ; Louis Philibert [b] (12-7-12) ; Jacques Rocca-Serra [b] (rat.) (16-11-31) ; André Vallet [b] (ratt.) (29-1-35) ; Robert-Paul Vigouroux [b] (ratt.) (21-3-23).

Calvados. D Nicole Ameline [3] (7-4-32) ; René Garrec [3] (24-12-34) ; François d'Harcourt [3] (app.) (10-12-28) ; Dominique Robert [1] (12-8-52) ; Yvette Roudy [1] (10-4-29) ; Francis Saint-Ellier [3] (11-3-51). S Philippe de Bourgoing [d] (25-7-21) ; Ambroise Dupont [d] (11-5-37) ; Jean-Marie Girault [d] (9-2-26).

Cantal. D Yves Coussain [3] (app.) (15-5-44) ; Pierre Raynal [2] (9-1-20). S Roger Besse [a] (18-8-29) ; Roger Rigaudière [a] (22-7-32).

Charente. D J.-M. Boucheron [1] (app.) (15-12-46) ; Georges Chavannes [4] (6-1-25) ; Pierre-Rémy Houssin [2] (4-10-31) ; Jérôme Lambert [1] (7-6-57). S Michel Alloncle [a] (7-10-28) ; Pierre Lacour [e] (20-2-23).

Charente-Maritime. D Roland Beix [1] (22-9-49) ; Jean-Guy Branger [3] (app.) (15-4-35) ; Michel Crépeau [1] (app.) (30-10-30) ; Jean de Lipkowski [2] (25-12-20) ; Pierre-Jean Daviaud [1] (app.) (1-1-38). S Claude Belot [e] (ratt.) (22-11-31) ; François Blaizot [e] (21-9-23) ; Michel Doublet [a] (26-9-39).

Cher. D Alain Calmat [1] (app.) (31-8-40) ; Jean-François Deniau [3] (31-10-28) ; Jacques Rimbault [5] (7-8-29). S Jacques Genton [e] (22-9-18) ; Serge Vinçon [a] (17-6-49).

Corrèze. D Jean Charbonnel [6] (22-4-27) ; Jacques Chirac [2] (29-11-32) ; François Hollande [1] (12-8-54). S Henri Belcour [a] (11-9-26) ; Georges Mouly [f] (21-2-31).

Corse-du-Sud. D J.-P. de Rocca Serra [2] (11-10-11) ; José Rossi [3] (18-6-44). S Charles Ornano [g] (5-5-19).

Côtes-d'Armor. D Maurice Briand [1] (9-6-49) ; Didier Chouat [1] (24-4-45) ; Yves Dollo [1] (21-5-34) ; Charles Josselin [1] (31-3-38) ; Pierre-Yvon Tremel [1] (9-8-46). S Félix Leyzour [c] (22-7-32) ; René Régnault [b] (23-8-36) ; Claude Saunier [b] (26-2-43).

Côte-d'Or. D Louis de Broissia [2] (1-6-43) ; Roland Carraz [1] (18-5-43) ; Gilbert Mathieu [3] (12-5-20) ; François Patriat [1] (21-3-43) ; Robert Poujade [2] (6-5-28). S Bernard Barbier [d] (30-6-24) ; Maurice Lombard [a] (4-2-22) ; Henri Revol [d] (14-2-36).

Creuse. D André Lejeune [1] (4-7-35) ; Gaston Rimareix [1] (29-1-35). S William Chervy [b] (3-6-37) ; Michel Moreigne [b] (6-5-34).

Deux-Sèvres. D Albert Brochard [3] (app.) (19-6-23) ; André Clert [1] (22-6-21) ; Jean de Gaulle [2] (13-6-53) ; Segolène Royal [1] (22-9-59). S Jean Dumont [d] (27-11-30) ; Georges Treille [e] (rat.) (2-9-21).

Dordogne. D Bernard Bioulac [1] (24-8-41) ; Alain Bonnet [1] (app.) (10-1-34), Paul Duvaleix [1] (16-12-29) ; Michel Suchod [1] (10-5-46). S Yves Guéna [a] (6-7-22) ; Michel Manet [b] (24-3-24).

Doubs. D Guy Bêche [1] (10-8-45) ; Huguette Bouchardeau [1] (app.) (1-6-35) ; Michel Jacquemin [4] (14-5-39) ; Robert Schwint [1] (11-1-28) ; Roland Vuillaume [2] (12-4-35). S Georges Gruillot [a] (14-8-31) ; Jean Pourchet [e] (09-12-25) ; Louis Souvet [a] (19-10-31).

Drôme. D Georges Durand [3] (2-3-43) ; Alain Fort [1] (25-7-46) ; Roger Léron [1] (25-1-45) ; Henri Michel [1] (18-11-22). S Jean Besson [b] (28-1-26) ; Gérard Gaud [b] (2-6-25).

Essonne. D Jean Albouy [1] (19-2-43) ; Michel Berson [1] (21-4-45) ; Julien Dray [1] (5-3-55) ; Xavier Dugoin [2] (27-3-47) ; Claude Germon [1] (2-5-34) ; Marie-Noëlle Lienemann [1] (12-7-51) ; Thierry Mandon [1] (30-12-57) ; Michel Pelchat [3] (8-7-35) ; Yves Tavernier [1] (20-10-37) ; Pierre-André Wiltzer [3] (31-10-40). S Paul Loridant [b] (22-4-48) ; Jean-Luc Mélenchon [b] (19-8-51) ; Jean-Jacques Robert [a] (24-4-24) ; Jean Simonin [a] (26-5-16) ; Robert Vizet [c] (30-1-24).

Eure. D Jean-Louis Debré [2] (30-9-44) ; F. Deschaux-Beaume [1] (4-3-42) ; François Loncle [1] (21-10-41) ; Ladislas Poniatowski [3] (10-11-46) ; Alfred Recours [1] (19-3-45). S Joël Bourdin [d] (25-1-38) ; Henri Collard [f] (11-4-28) ; Alain Pluchet [a] (1-5-30).

Eure-et-Loir. D Maurice Dousset [3] (26-2-30) ; Bertrand Gallet [1] (24-5-45) ; Georges Lemoine [1] (20-6-34) ; Marie-France Stirbois [6] (11-11-44). S Jean Grandon [g] (25-2-26) ; Martial Taugourdeau [a] (14-2-26).

Finistère. D Jean-Yves Cozan [4] (16-5-39) ; Jean-Louis Goasduff [2] (2-5-27) ; Joseph Gourmelon [1] (27-4-38) ; Ambroise Guellec [4] (26-3-41) ; Marie Jacq [1] (28-7-19) ; Gilbert Le Bris [1] (3-3-49) ; Charles Miossec [2] (25-12-38) ; Bernard Poignant [1] (19-9-45). S Alphonse Arzel [e] (20-9-27) ; Alain Gérard [a] (2-12-37) ; Édouard Le Jeune [e] (20-2-21) ; Jacques de Menou [a] (30-10-32).

Gard. D Georges Benedetti [1] (29-7-30) ; Jean Bousquet [3] (app.) (30-3-32) ; Jean-Marie Cambacérès [1] (5-6-49) ; Alain Journet [1] (25-6-41) ; Gilbert Millet [5] (27-9-30). S Gilbert Baumet [f] (5-2-43) ; Claude Pradille [b] (29-7-42) ; André Rouvière [b] (29-4-36).

Gers. D Jean-Pierre Joseph [1] (8-3-38) ; Jean Laborde [1] (8-3-22) ; S Robert Castaing [b] (6-9-30) ; Aubert Garcia [b] (7-9-31).

Gironde. D Claude Barandé [1] (12-6-37) ; Pierre Brana [1] (28-5-33) ; Robert Cazalet [3] (19-10-24) ; J. Chaban-Delmas [2] (7-3-15) ; Pierre Ducout [1] (12-12-42) ; Pierre Garmendia [1] (9-6-24) ; Pierre Lagorce [1] (16-5-14) ; Bernard Madrelle [1] (27-4-44) ; Gilbert Mitterrand [1] (4-2-49) ; Michel Sainte-Marie [1] (18-8-38) ; Jean Valleix [2] (23-4-28). S Marc Bœuf [b] (8-1-34) ; Gérard César [a] (19-12-34) ; Bernard Dussaut [b] (14-11-41) ; Philippe Madrelle [b] (21-4-37) ; Jacques Valade [a] (4-5-30).

Haut-Rhin. D Jean-Pierre Baeumler [1] (1-7-48) ; Jean-Marie Bockel [1] (22-6-50) ; Jean-Paul Fuchs [4] (6-12-25) ; Edmond Gerrer [4] (19-9-19) ; Jean-Luc Reitzer [2] (29-12-51) ; Jean Ueberschlag [2] (29-5-35) ; Jean-Jacques Weber [4] (20-4-40). S Henri Gœtschy [e] (4-9-26) ; Hubert Haenel [a] (20-5-42) ; Pierre Schiélé [e] (5-7-25).

Haute-Corse. D Pierre Pasquini [2] (16-2-21) ; Émile Zuccarelli [1] (app.) (4-8-40) ; S François Giacobbi [f] (19-7-19).

Haute-Garonne. D Gérard Bapt [1] (4-2-46) ; Dominique Baudis [4] (app.) (14-4-47) ; Claude Ducert [1] (25-7-34) ; Jean-François Lamarque [1] (12-2-44) ; Robert Loïdi [1] (15-8-48) ; Hélène Mignon [1] (26-6-34) ; Pierre Ortet [1] (8-12-33) ; J. Roger-Machart [1] (16-5-40). S Maryse Bergé-Lavigne [b] (29-1-41) ; Claude Cornac [b] (1-10-39) ; Jean Peyrafitte [b] (15-6-22) ; Gérard Roujas [b] (8-9-43).

Haute-Loire. D Jacques Barrot [4] (3-2-37) ; Jean Proriol [3] (25-11-34). S Jean-Paul Chambriard [d] (12-7-29) ; Adrien Gouteyron [a] (13-5-33).

Haute-Marne. D Guy Chanfrault [1] (3-9-24) ; Charles Fèvre [3] (2-2-33). S Georges Berchet [f] (13-6-26) ; Jacques Delong [a] (14-8-21).

Haute-Saône. D Christian Bergelin [2] (15-4-45) ; Philippe Legras [2] (6-6-48) ; Jean-Pierre Michel [1] (5-8-38). S Pierre Louvot [d] (29-6-22) ; Michel Miroudot [d] (30-1-15).

Haute-Savoie. D Claude Birraux [4] (app.) (19-1-46) ; Bernard Bosson [4] (25-2-48) ; Jean Brocard [3] (4-10-20) ; Pierre Mazeaud [2] (24-8-29) ; Michel Meylan [3] (27-1-39). S Raymond Bouvier [e] (30-3-28) ; Jacques Golliet [e] (14-12-31) ; Bernard Pellarin [e] (ratt.) (18-9-28).

Haute-Vienne. D Marcel Mocœur [1] (18-2-27) ; Jean-Claude Peyronnet [1] (7-11-40) ; Alain Rodet [1] (4-6-44) ; Robert Savy [1] (28-10-31). S Jean-Pierre Demerliat [b] (8-5-43) ; Robert Laucournet [b] (22-7-21).

Hautes-Alpes. D Daniel Chevallier [1] (12-9-43) ; Patrick Ollier [2] (17-12-44). S Marcel Lesbros [e] (9-9-21).

Hautes-Pyrénées. D Pierre Forgues [1] (17-6-38) ; Claude Gaits [1] (app.) (20-3-44) ; Claude Miqueu [1] (app.) (31-3-46). S François Abadie [f] (19-6-30) ; Hubert Peyou [f] (11-7-23).

Hauts-de-Seine. D Patrick Balkany [2] (16-8-48) ; Philippe Bassinet [1] (18-7-42) ; Jacques Baumel [2] (6-3-18) ; Jacques Brunhes [5] (7-10-34) ; Patrick Devedjian [2] (26-8-44) ; Jean-Pierre Foucher [4] (13-8-43) ; Georges Gorse [2] (15-2-15) ; Jean-Yves Haby [3] (5-1-55) ; Claude Labbé [2] (27-1-20) ; André Santini [3] (20-10-40) ; Nicolas Sarkozy [2] (28-1-55) ; Michel Thauvin [1] (12-11-43) ; Georges Tranchant [2] (23-6-29). S André Fosset [e] (13-11-18) ; J.-Pierre Fourcade [d] (18-10-29) ; Jacqueline Fraysse-Cazalis [c] (25-2-47) ; Paul Graziani [a] (14-2-25) ; Michel Maurice-Bokanowski [a] (6-11-12) ; Ch. Pasqua [a] (18-4-27) ; Robert Pontillon [b] (4-12-21).

Hérault. D Alain Barrau [1] (17-2-47) ; René Couveinhes [2] (16-6-25) ; Willy Dimeglio [3] (3-5-34) ; Georges Frèche [1] (9-7-38) ; Jean Lacombe [1] (16-4-43) ; Bernard Nayral [1] (19-7-41) ; Gérard Saumade [1] (3-5-26). S Gérard Delfau [b] (21-10-37) ; André Vezinhet [b] (7-9-39) ; Marcel Vidal [b] (7-3-40).

Ille-et-Vilaine. D Jean-Michel Boucheron [1] (6-3-48) ; Michel Cointat [2] (13-4-21) ; René Couanau [4] (10-7-36) ; Yves Fréville [4] (1-12-34) ; Edmond Hervé [1] (3-12-42) ; Alain Madelin [3] (26-3-46) ; Pierre Méhaignerie [4] (4-5-39). S Yvon Bourges [a] (29-6-21) ; Marcel Daunay [e] (ratt.) (20-3-30) ; André Egu [e] (ratt.) ; Jean Madelain [e] (9-1-24).

Indre. D Jean-Claude Blin [1] (12-3-46) ; Jean-Paul Chanteguet [1] (9-12-49) ; Jean-Yves Gateaud [1] (17-12-49). S Daniel Bernardet [e] (27-6-27) ; François Gerbaud [a] (10-4-27).

Indre-et-Loire. D Bernard Debré [2] (30-9-44) ; Christiane Mora [1] (14-11-38) ; Jean Proveux [1] (17-7-38) ; Jean Royer [6] (30-10-20) ; Jean-Michel Testu [1] (7-5-37). S Marcel Fortier [a] (7-11-20) ; Jean Delaneau [d] (29-8-33) ; André-Georges Voisin [a] (app.) (28-3-18).

Isère. D René Bourget [1] (6-2-32) ; Richard Cazenave [2] (17-3-48) ; Georges Colombier [3] (8-3-40) ; Jean-François Delahais [1] (30-1-40) ; Michel Destot [1] (2-9-46) ; Jean-Pierre Luppi [1] (app.) (27-4-41) ; Didier Migaud [1] (6-6-52) ; Alain Moyne-Bressand [3] (30-7-45) ; Yves Pillet [1] (13-5-39). S Jean Boyer [d] (1-8-23) ; Guy Cabanel [d] (7-4-27) ; Charles Descours [a] (31-12-37) ; Jean Faure [e] (14-1-37).

Jura. D Alain Brune [1] (2-11-44) ; Jean Charroppin [2] (30-5-38) ; Jean-Pierre Santa Cruz [1] (3-9-38). S Pierre Jeambrun [f] (4-6-21) : André Jourdain [a] (13-6-35).

Landes. D Henri Emmanuelli [1] (31-5-45) ; Jean-Pierre Penicaut [1] (1-8-37) ; Alain Vidaliès [1] (17-3-51). S Yves Goussebaire-Dupin [d] (19-7-30) ; Philippe Labeyrie [b] (29-4-38).

Loire. D Jean Auroux [1] (19-9-42) ; Henri Bayard [3] (13-9-27) ; Christian Cabal [2] (27-9-43) ; Pascal Clément [3] (12-5-45) ; Jean-Pierre Philibert [3] (30-3-48) ; François Rochebloine [4] (31-10-45) ; Théo Vial-Massat [5] (30-8-19). S François Mathieu [e] (1-6-34) ; Louis Mercier [e] (10-5-20) ; Claude Mont [e] (30-6-13) ; Lucien Neuwirth [a] (18-5-24).

Loire-Atlantique. D Jean-Marc Ayrault [1] (25-1-50) ; Marie-Madeleine Dieulengard [1] (19-7-36) ; Jacques Floch [1] (28-2-38) ; Olivier Guichard [2] (27-7-20) ; Élisabeth Hubert [2] (26-5-56) ; Xavier Hunault [3] (app.) (29-7-23) ; Édouard Landrain [4] (app.) (1-7-30) ; J.-H. Maujouan du Gasset [3] (24-1-25) ; Monique Papon [4] (5-10-34) ; Lucien Richard [2] (29-7-19). S François Autain [b] (16-6-35) ; Michel Chauty [a] (11-2-24) ; Ch.-H. de Cossé-Brissac [d] (16-3-36) ; Luc Dejoie [a] (6-2-31) ; Bernard Legrand [f] (15-5-24).

Loiret. D Jean-Paul Charié [2] (25-4-52) ; Xavier Deniau [2] (24-9-23) ; Eric Doligé [2] (25-5-43) ; Jean-Pierre Lapaire [1] (20-3-42) ; Claude Bourdin [1] (3-5-43). S Louis Boyer [d] (13-11-21) ; Kléber Malécot [e] (12-2-15) ; Paul Masson [a] (21-7-20).

Loir-et-Cher. D Jean Desanlis [3] (5-9-25) ; Michel Fromet [1] (4-8-45) ; Jeanny Lorgeoux [1] (2-1-50). S Jacques Bimbenet [f] (2-7-28) ; Jacques Thyraud [d] (2-6-25).

Lot. D Bernard Charles [1] (app.) (16-4-48) ; Martin Malvy [1] (24-2-36). S André Boyer [f] (14-5-31) ; Marcel Costes [b] (5-10-35).

Lot-et-Garonne. D Paul Chollet [3] (app.) (10-4-28) ; Marcel Garrouste [1] (22-4-21) ; Gérard Gouzes [1] (5-6-43). S Jean François-Poncet [f] (8-12-28) ; Raymond Soucaret [f] (27-7-23).

Lozère. D Jacques Blanc [3] (21-10-39) ; Adrien Durand [4] (20-4-27). S Joseph Caupert [d] (4-7-23).

Maine-et-Loire. D Edmond Alphandery [4] (2-9-43) ; Roselyne Bachelot-Narquin [2] (24-12-46) ; Jean Bégault [3] (22-3-21) ; Hervé de Charette [3] (30-7-38) ; Hubert Grimault [4] (7-5-29) ; Marc Laffineur [3] (10-8-45) ; Maurice Ligot [3] (9-12-27). S Auguste Chupin [e] (29-9-19) ; Jean Huchon [e] (4-9-28) ; Charles Jolibois [d] (ratt.) (4-10-28).

Manche. D René André [2] (3-7-42) ; Bernard Cauvin [1] (11-3-46) ; Alain Cousin [2] (8-4-47) ; Jean-Marie Daillet [6] (24-11-29) ; Claude Gatignol [3] (20-11-38) ; S Jean-François Le Grand [a] (8-6-42) ; Jean-Pierre Tizon [d] (26-10-20) ; René Travert [d] (14-10-19).

Marne. D Jean-Pierre Bouquet [1] (27-11-51) ; Bruno Bourg-Broc [2] (25-2-45) ; Georges Colin [1] (27-2-31) ; Jean Falala [2] (2-3-29) ; Bernard Stasi [4] (4-7-30) ; Jean-Claude Thomas [2] (16-3-50). S Jean Amelin [a] (28-5-27) ; Jacques Machet [e] (16-12-23) ; Albert Vecten [e] (16-2-26).

Mayenne. D François d'Aubert [3] (31-10-43) ; Henri de Gastines [2] (6-7-29) ; Roger Lestas [3] (app.) (12-5-32). S Jean Arthuis [e] (7-10-44) ; René Ballayer [e] (2-3-15).

Meurthe-et-Moselle. D Michel Dinet [1] (6-11-48) ; Jean-Paul Durieux [1] (7-11-29) ; Claude Gaillard [3] (15-8-44) ; Jean-Yves Le Déaut [1] (1-2-45) ; Gérard Léonard [2] (1-7-45) ; Daniel Reiner [1] (17-1-41) ; André Rossinot [3] (22-5-39). S Roger Boileau * [e] (1-6-14) ; Claude Huriet [e] (24-5-30) ; Hubert Martin [d] (23-2-12) ; Richard Pouille [d] (15-8-21).

Meuse. D Jean-Louis Dumont [1] (6-4-44) ; Gérard Longuet [3] (24-2-46). S Remi Herment [e] (23-6-32) ; Michel Rufin [a] (app.) (12-8-20).

Morbihan. D. Loïc Bouvard [4] (20-1-29) ; Jean-Charles Cavaillé [2] (17-12-30) ; Jean Giovannelli [1] (4-3-39) ; Aimé Kergueris [3] (3-6-40) ; Raymond Marcellin [3] (19-8-14) ; Pierre Victoria [1] (22-8-54). S Christian Bonnet [d] (14-6-21) ; Henri Le Breton [e] (10-9-28) ; Josselin de Rohan [a] (5-6-38).

Moselle. D André Berthol [2] (10-11-39) ; Jean-Marie Demange [2] (23-7-43) ; René Drouin [1] (26-5-43) ; Denis Jacquat [3] (29-5-44) ; Jean Kiffer [2] (app.) (30-6-36) ; Jean Laurain [1] (1-1-21) ; Jean-Louis Masson [2] (25-3-47) ; Charles Metzinger [1] (13-8-29) ; Jean Seitlinger [3] (16-11-24) ; Aloyse Warhouver [6] (26-2-30). S Jean-Éric Bousch [a] (30-9-10) ; Roger Husson [a] (12-6-24) ; Jean-Pierre Masseret [b] (23-8-44) ; Paul Souffrin [c] (16-5-32) ; André Bohl [e] (26-1-36).

Nièvre. D Bernard Bardin [1] (2-8-34) ; Marcel Charmant [1] (26-7-44) ; Jacques Huyghues des Étages [1] (15-11-23). S Robert Guillaume [b] (25-4-22) ; René-Pierre Signé [b] (16-9-30).

Nord. D Robert Anselin [1] (29-11-38) ; Jean-Pierre Balduyck [1] (15-5-41) ; Christian Bataille [1] (13-5-46) ; Umberto Battist [1] (6-9-39) ; Alain Bocquet [5] (6-5-46) ; Denise Cacheux [1] (18-3-32) ; René Carpentier [5] (2-8-28) ; Bernard Carton [1] (14-1-48) ; Serge Charles [2] (17-11-27) ; Marcel Dehoux [1] (4-9-46) ; André Delattre [1] (27-12-31) ; Albert Denvers [1] (21-2-05) ; Bernard Derosier [1] (10-11-39) ; Claude Dhinnin [2] (11-9-43) ; Marc Dolez [1] (21-10-52) ; Yves Durand [1] (6-6-46) ; Georges Hagé [5] (11-9-21) ; Jacques Houssin [6] (27-7-28) ; Jean Le Garrec [1] (9-8-29) ; Pierre Mauroy [1] (5-7-28) ; Charles Paccou [2] (1-5-24) ; Maurice Sergheraert [6] (28-1-20) ; Fabien Thiéme [5] (11-7-52) ; Gérard Vignoble [4] (29-10-45). S Guy Allouche [b] (27-10-39) ; Jean-Paul Bataille [d] (18-8-29) ; Jacques Bialski [b] (3-10-29) ; André Diligent [e] (10-5-19) ; Marie-Fanny Gournay [g] (6-3-26) ; Roland Grimaldi [b] (16-11-33) ; Arthur Moulin [a] (4-7-24) ; Claude Prouvoyeur [a] (app.) (5-1-27) ; Yvan Renar [c] (26-4-37) ; Maurice Schumann [a] (10-4-11) ; Hector Viron [c] (19-1-22).

Oise. D Jean Anciant [1] (29-3-34) ; Jean-Pierre Braine [1] (14-11-38) ; Olivier Dassault [2] (1-6-51) ; Arthur Dehaine [2] (20-6-32) ; François-Michel Gonnot [3] (15-4-49) ; Michel Françaix [1] (23-5-43). Jean-François Mancel [2] (1-3-48). S Amédée Bouquerel [a] (1-7-08) ; Jean Natali [a] (21-6-05) ; Michel Souplet [e] (3-4-29).

Orne. D Francis Geng [4] (23-9-31) ; Daniel Goulet [2] (28-10-28) ; Michel Lambert [1] (9-10-42). S Hubert d'Andigné [a] (24-4-17) ; Henri Olivier [d] (ratt.) (17-1-17).

Paris. D Jean-Yves Autexier [1] (26-7-44) ; Édouard Balladur [2] (2-5-29) ; Pierre de Bénouville [2] (8-8-14) ; Jean-Christophe Cambadélis [1] (14-8-51) ; Nicole Catala [2] (2-2-36) ; Michel Charzat [1] (25-12-42) ; Alain Devaquet [2] (4-10-42) ; Jacques Dominati [3] (11-3-27) ; Édouard Frédéric-Dupont [2] (app.) (10-7-02) ; René Galy-Dejean [6] (16-3-32) ; Gilbert Gantier [3] (28-11-24) ; Alain Juppé [2] (15-8-45) ; Gabriel Kaspereit [2] (21-6-19) ; Jean-Marie Le Guen [1] (3-1-53) ; Claude-Gérard Marcus [2] (24-8-33) ; Georges Mesmin [3] (15-11-26) ; Françoise de Panafieu [2] (12-12-48) ; Bernard Pons [2] (18-7-26) ; Jean Tibéri [2] (30-1-35) ; Jacques Toubon [2] (29-6-41) ; Daniel Vaillant [1] (19-7-49). S Camille Cabana [a] (11-12-30) ; Michel Caldaguès [a] (28-9-26) ; Jean Chérioux [a] (16-2-28) ; Roger Chinaud [d] (6-9-34) ; Maurice Couve de Murville [a] (24-1-07) ; Claude Estier [b] (8-6-25) ; Philippe de Gaulle [a] (28-12-21) ; Bernard Guyomard [e] (2-6-26) ; Nicole de Hauteclocque [a] (10-3-13) ; Christian de La Malène [a] (5-12-20) ; Roger Romani [a] (25-8-34) ; Pierre-Christian Taittinger [d] (5-2-26).

Pas-de-Calais. D Jean-Claude Bois [1] (16-3-34) ; André Capet [1] (30-11-39) ; Jean-Pierre Defontaine [1] (app.) (4-2-37) ; André Delehedde [1] (2-8-36) ; Léonce Deprez [3] (18-7-27) ; Dominique Dupilet [1] (12-10-44) ; Albert Facon [1] (11-11-43) ; Claude Galametz [1] (13-12-42) ; Roland Huguet [1] (17-10-33) ; Noël Josèphe [1] (25-5-20) ; J.-P. Kucheida [1] (24-2-43) ; Guy Lengagne [1] (11-7-33) ; Philippe Vasseur [3] (31-8-43) ; Marcel Wacheux [1] (28-5-30). S Jean-Luc Bécart [c] (23-8-47) ; Henri Collette [a] (30-5-22) ; Michel Darras [b] (5-3-24) ; Désiré Debavelaere [a] (app.) (18-2-24) ; André Delelis [b] (23-5-24) ; Daniel Percheron [b] (31-8-42) ; Roger Poudonson [e] (14-12-22).

Puy-de-Dôme. D Maurice Adevah-Poeuf [1] (27-3-43) ; Jacques Lavedrine [1] (1-2-25) ; Alain Néri [1] (1-5-42) ; Maurice Pourchon [1] (19-9-36) ; Edmond Vacant [1] (5-4-33) ; Claude Wolff [3] (24-1-24). S Gilbert Belin [b] (22-10-27) ; Marcel Bony [b] (6-7-26) ; Roger Quillot [b] (19-6-25) élu dép. 16-3-86.

Pyrénées-Atlantiques. D Michèle Alliot-Marie [2] (10-9-46) ; François Bayrou [4] (25-5-51) ; René Cazenave [1] (2-7-34) ; Michel Inchauspé [2] (5-11-25) ; André Labarrère [1] (12-1-28) ; Alain Lamassoure [3] (10-2-44). S Auguste Cazalet [a] (7-9-38) ; Franz Duboscq [a] (6-5-24) ; Jacques Moutet [e] (ratt.) (31-3-24).

Pyrénées-Orientales. D Claude Barate [2] (13-12-43) ; Pierre Estève [1] (31-5-39) ; Jacques Farran [3] (19-3-28) ; Henri Sicre [1] (26-6-35). S Paul Alduy [e] (ratt.) (4-10-14) ; André Daugnac [e] (14-12-19).

Rhône. D Raymond Barre [4] (app.) (12-4-24) ; Jean Besson [2] (15-8-38) ; J.-Paul Bret [1] (1-7-46) ; Martine David [1] (19-12-52) ; Jean-Michel Dubernard [6] (17-5-41) ; Bernadette Isaac-Sibille [4] (30-3-30) ; Alain Mayoud [3] (7-12-42) ; Gabriel Montcharmont [1] (7-4-40) ; Michel Noir [6] (19-5-44) ; Francisque Perrut [3] (5-12-20) ; J.-J. Queyranne [1] (2-11-45) ; Jean Rigaud [3] (15-11-25) ; M.-J. Sublet [1] (10-2-36) ; Michel Terrot [2] (18-12-48). S Roland Bernard [b] (11-10-44) ; Francisque Collomb [e] (ratt.) (19-12-10) ; Emmanuel Hamel [a] (9-1-22) ; Serge Mathieu [d] (10-2-36) ; Frank Serusclat [b] (7-7-21) ; René Tregouet [a] (15-10-40) ; Pierre Vallon [e] (10-11-27).

Saône-et-Loire. D René Beaumont [3] (29-2-40) ; André Billardon [1] (22-10-40) ; Didier Mathus [1] (25-5-52) ; Jean-Marc Nesme [3] (23-3-43) ; Dominique Perben [2] (11-8-45) ; Jean-Pierre Worms [1] (16-7-34). S André Jarrot [a] (13-12-09) ; Marcel Lucotte [d] (16-1-22) ; André Pourny [d] (ratt.) (30-11-28).

Sarthe. D Jean-Claude Boulard [1] (28-3-43) ; Gérard Chasseguet [2] (11-3-30) ; Guy-Michel Chauveau [1] (25-9-44) ; Raymond Douyère [1] (25-5-39) ; François Fillon [2] (4-3-54). S Michel d'Aillières [d] (17-12-23) ; Jacques Chaumont [a] (17-11-34) ; Roland du Luart [d] (12-3-40).

Savoie. D Michel Barnier [2] (9-1-51) ; J.-Paul Calloud [1] (14-9-57) ; Roger Rinchet [1] (16-6-33). S Jean-Pierre Blanc [e] (11-9-20) ; Pierre Dumas [a] (15-11-24).

Seine-et-Marne. D Guy Drut [2] (6-12-50) ; Jean-Pierre Fourré [1] (8-12-44) ; Jacques Heuclin [1] (10-7-46) ; Jean-Jacques Hyest [4] (2-3-43) ; Didier Julia [2] (18-2-34) ; Robert Le Foll [1] (25-2-34) ; Jean-Claude Mignon [2] (2-2-50) ; Alain Peyrefitte [2] (26-8-25) ; Jean-Paul Planchou [1] (22-4-48). S Étienne Dailly [f] (4-1-18) ; Philippe François [a] (16-8-27) ; Jacques Larché [d] (4-2-20) ; Paul Séramy [e] (4-2-20).

Seine-Maritime. D Jean-Claude Bateux [1] (26-5-39) ; Jean Beaufils [1] (1-9-36) ; Michel Bérégovoy [1] (20-9-31) ; Pierre Bourguignon [1] (6-2-42) ; Paul Dhaille [1] (12-1-51) ; André Duroméa [5] (5-9-17) ; Laurent Fabius [1] (20-8-46) ; Dominique Gambier [1] (14-8-47) ; Jean-Marie Leduc [1] (17-5-47) ; Alain Le Vern [1] (8-5-48) ; Antoine Rufenacht [2] (11-5-39) ; Jean Vittrant [1] (28-2-44). S André Bettencourt [d] (21-4-19) ; Paul Caron [e] (13-7-21) ; Tony Larue [b] (18-8-04) ; Jean Lecanuet [e] (4-3-20) ; Geoffroy de Montalembert [a] (10-10-1898) ; Robert Pagès [c] (29-6-33).

Seine-Saint-Denis. D François Asensi [5] (1-6-45) ; Claude Bartolone [1] (29-7-51) ; Marcellin Berthelot [5] (9-10-27) ; Jean-Pierre Brard [5] (7-2-48) ; Gilbert Bonnemaison [1] (21-6-30) ; Jacques Delhy [1] (19-5-50) ; Jean-Claude Gayssot [5] (6-9-44) ; Roger Gouhier [5] (26-1-28) ; Muguette Jacquaint [5] (12-5-42) ; Jacques Mahéas [1] (10-7-39) ; Robert Pandraud [2] (16-10-28) ; Louis Pierna [5] (16-1-33) ; Éric Raoult [2] (19-6-55). S Robert Calmejane [a] (19-5-29) ; Ernest Cartigny [f] (18-7-23) ; Claude Fuzier [b] (21-6-24) ; Paulette Fost [c] (18-9-37) ; Jean Garcia [c] (5-6-25) ; Danielle Bidard-Reydet [c] (8-12-39).

Somme. D Gauthier Audinot [2] (6-10-57) ; Jacques Becq [1] (5-4-24) ; Jean-Claude Dessein [1] (31-12-25) ; Jacques Fleury [1] (24-9-41) ; Pierre Hiard [1] (22-1-45) ; Gilles de Robien [3] (10-4-41). S Max Lejeune [f] (19-2-09) ; Charles-Edmond Lenglet [f] (20-12-17) ; Jacques Mossion [e] (25-12-27).

Tarn. D Jacqueline Alquier [1] (29-7-47) ; Pierre Bernard [1] (6-5-34) ; Jacques Limouzy [2] (29-8-26) ; Charles Pistre [1] (18-1-41). S Louis Brives [f] (24-7-12) ; François Delga [g] (14-5-19).

Tarn-et-Garonne. D Hubert Gouze [1] (19-5-38) ; Jean-Paul Nunzi [1] (25-5-42). S Yvon Collin [f] (10-4-44) ; Jean Roger [f] (30-9-23).

Territoire de Belfort. D Jean-Pierre Chevènement [1] (9-3-39) ; Raymond Forni [1] (20-5-41) ; S Michel Dreyfus-Schmidt [b] (17-6-32).

Val-de-Marne. D David Bohbot [1] (24-6-43) ; Michel Giraud [2] (14-7-29) ; Alain Griotteray [3] (15-10-22) ; Jean-Jacques Jegou [4] (24-3-45) ; Jean-Claude Lefort [5] (15-12-44) ; Georges Marchais [5] (7-6-20) ; René Rouquet [1] (15-2-46) ; Roland Nungesser [2] (9-10-25) ; Christiane Papon [2] (3-9-24) ; Roger-Gérard Schwartzenberg [1] (app.) (17-4-43) ; Patrick Sève [1] (14-5-52) ; Robert-André Vivien [2] (24-2-23). S Jacques Carat [b] (21-9-19) ; Jean Clouet [d] (7-5-21) ; Lucien Lanier [a] (app.) (16-10-19) ; Charles Lederman [c] (27-1-13) ; Hélène Luc [c] (13-3-32) ; Alain Poher [e] (17-4-09).

Val-d'Oise. D Bernard Angels [1] (18-9-44) ; Jean-Pierre Bequet [1] (1-9-48) ; Michel Coffineau [1] (4-11-34) ; Jean-Pierre Delalande [2] (21-7-45) ; Francis Delattre [3] (11-9-46) ; Jean-Philippe Lachenaud [3] (22-11-39) ; Marie-France Lecuir [1] (2-5-41) ; Robert Montdargent [5] (7-6-34) ; Alain Richard [1] (29-8-45). S Marie-Claude Beaudeau [c] (30-10-37) ; Hélène Missoffe [a] (15-6-27) ; Louis Perrein [b] (18-1-17) ; Michel Poniatowski [d] (16-5-22).

Var. D. Daniel Colin [3] (30-9-33) ; Louis Colombani [3] (5-5-31) ; Jean-Michel Couve [2] (3-1-40) ; Hubert Falco [3] (15-5-47) ; François Léotard [3] (26-3-42) ; Arthur Paecht [3] (18-5-30) ; Yann Piat [3] (app.) (12-6-49). S Maurice Arreckx [d] (13-12-17) ; René-Georges Laurin [a] (2-5-21) ; François Trucy [d] (9-6-31).

Vaucluse. D André Borel [1] (5-7-35) ; J.M. Ferrand [2] (31-8-42) ; Jean Gatel [1] (10-2-48) ; Guy Ravier [1] (29-11-37). S Jacques Bérard [a] (7-6-29) ; Alain Dufaut [a] (2-1-44).

Vendée. D Pierre Mauger [2] (15-5-23) ; Philippe Mestre [3] (23-8-27) ; Pierre Métais [1] (23-6-30) ; Jean-Luc Préel [3] (30-10-40) ; Philippe de Villiers [3] (app.) (25-3-49). S Michel Crucis [d] (4-1-22) ; Louis Moinard [e] (31-10-30) ; Jacques Oudin [a] (7-10-39).

Vienne. D Jean-Yves Chamard [2] (14-12-42) ; Arnaud Lepercq [2] (9-3-37) ; Guy Monjalon [1] (12-3-47) ; Jacques Santrot [1] (8-7-38). S René Monory [e] (6-6-23) ; Guy Robert [e] (17-9-21).

Vosges. D Serge Beltrame [1] (29-3-44) ; Christian Pierret [1] (12-3-46) ; Philippe Séguin [2] (21-4-43) ; Christian Spiller [6] (15-1-35). S Christian Poncelet [a] (27-3-28) ; Albert Voilquin [d] (17-2-15).

Yonne. D Philippe Auberger [2] (15-12-41) ; Serge Franchis [6] (10-9-33) ; Léo Grézard [1] (31-1-26). S Jean Chamant [a] (23-11-13) ; Henri de Raincourt [d] (17-11-48).

Yvelines. D Franck Borotra [2] (30-8-37) ; Christine Boutin [4] (6-2-44) ; Henri Cuq [2] (12-3-42) ; Jean Guigné [1] (5-3-33) ; Alain Jonemann [2] (24-10-19) ; Pierre Lequiller [3] (4-12-49) ; Guy Malandain [1] (1-6-37) ; Jacques Masdeu-Arus [2] (7-8-42) ; Michel Péricard [2] (15-9-29) ; Étienne Pinte [2] (19-3-39) ; Bernard Schreiner [1] (19-10-40) ; Paul-Louis Tenaillon [3] (14-2-21). S Jacques Bellanger [b] (25-6-31) ; Louis de Catuelan [e] (30-3-20) ; Gérard Larcher [a] (14-9-49) ; Marc Lauriol [a] (18-8-16) ; Nelly Rodi [a] (16-2-18).

Outre-mer

Guadeloupe. D Frédéric Jalton [1] (21-2-24) ; Dominique Larifla [1] (6-7-36) ; Lucette Michaux-Chevry [2] (5-3-29) ; Ernest Moutoussamy [5] (app.) (7-11-41). S Henri Bangou [c] (app.) (15-7-22) ; François Louisy [b] (12-12-21).

Guyane. D Léon Bertrand [6] (11-5-51) ; Élie Castor [1] (app.) (28-4-43). S Georges Othily [b] (ratt.) (7-1-44).

Martinique. D Aimé Césaire [1] (app.) (25-6-13) ; Maurice Louis-Joseph-Dogué [1] (app.) (15-1-27) ; Claude Lise [1] (app.) (31-1-41) ; Guy Lordinot [1] (app.) (30-1-44). S Rodolphe Désiré [b] (app.) (9-2-37) ; Roger Lise [e] (26-7-27).

Mayotte. D Scrutin majoritaire. Henry Jean-Baptiste [4] (3-1-33). S Marcel Henry [e] (30-10-26).

Nouvelle-Calédonie. D 1 Jacques Lafleur [2] (20-11-32) ; Maurice Nenou-Pwataho [2] (25-2-39). S Dick Ukeiwé [a] (13-12-28).

Polynésie française. D 1 Alexandre Léontieff [6] (20-10-48) ; Émile Vernaudon [6] (8-12-44). S Daniel Millaud [e] (26-8-28).

La Réunion. D Élie Hoarau [6] (8-7-38) ; Auguste Legros [6] (30-12-22) ; Alexis Pota [6] (17-7-32) ; André Thien-Ah-Koon [6] (16-5-40) ; Jean-Paul Virapoullé [4] (15-3-44). S Paul Moreau [a] (2-7-29) ; Albert Ramassamy [b] (13-11-23) ; Louis Virapoullé [e] (9-8-34).

Saint-Pierre-et-Miquelon. D Gérard Grignon [4] (16-4-43). S Albert Pen [b] (app.) (1-3-31).

Iles Wallis-et-Futuna. D Kamilo Gata [1] (app.) (12-12-49). S Sosefo Makape Papilio [a] (26-2-28).

Français à l'étranger

• **Sénateurs représentant les Français établis hors de France.** J.-Pierre Bayle [b] (27-9-47) ; Pierre Biarnès [b] (17-1-32) ; Paulette Brisepierre [a] (21-4-17) ; Jean-Pierre Cantegrit [e] (ratt.) (2-7-33) ; Pierre Croze [d] (14-5-21) ; Charles de Cuttoli [a] (15-8-15) ; Hubert Durand-

Chastel [g] (8-8-18) ; Jacques Habert [g] (26-9-19) ; Paul d'Ornano [a] (1-8-22) ; Guy Penne [b] (9-6-25) ; Olivier Roux [e] (10-7-09) ; Xavier de Villepin [e] (14-3-26).

Autres organismes

Conseil constitutionnel

• **Siège.** Palais-Royal, 2, rue de Montpensier, Paris 1er.

• **Composition. Membres** 9, nommés pour 9 ans [par le Pt de la Rép. 3, le Pt du Sénat 3, le Pt de l'Ass. nat. 3], dont le mandat n'est pas renouvelable ; des membres de droit à vie (les anciens Pts de la Rép.). Le Pt de la Rép. nomme le Pt. *Ne peuvent être membres* : les membres du Gouv., du Parlement ou du Conseil écon. et social. **Membres de droit** (anciens Pt de la Rép.). René Coty a siégé régulièrement au Conseil jusqu'à sa mort (22-11-1962). V. Auriol s'est abstenu à partir du 25-5-1960 pour protester contre l'interprétation restrictive des compétences du Conseil, mais revint, en 1962, pour statuer sur le recours formé par Gaston Monnerville (alors Pt du Sénat) contre la loi référendaire modifiant le mode d'élection du Pt de la Rép. De Gaulle n'y vint jamais. V. Giscard d'Estaing s'est abstenu (il a été élu député à l'Assemblée nat. le 23-9-84, réélu les 16-3-86 et 5-6-88, et élu au Parl. Européen en 1989).

État (au 15-4-1990). **Nommés par le Pt de la Rép.** *Par F. Mitterrand :* Robert Badinter (30-3-28), Pt dep. 19-2-86 (prise de fonction 5-3) ; Daniel Mayer (29-4-09) 2-83 (nommé Pt en fin 83, il a démissionné comme Pt le 5-3-86). Maurice Faure (2-1-22) 22-2-89. **Par le Pt de l'Ass. nationale.** *Louis Mermaz :* Robert Fabre (21-12-15) 19-2-86 ; *J. Chaban-Delmas :* Francis Mollet-Viéville (20-3-18) 17-7-87 ; *Laurent Fabius :* Jacques Robert (29-9-28) 22-2-89. **Par le Pt du Sénat** *A. Poher :* Léon Jozeau-Marigné (21-7-09) 2-83. Jacques Latscha (25-9-27) août 88 ; Jean Cabannes (2-3-25) 22-2-89.

Statut des membres. *M. nommés :* devant le Pt de la Rép. ils prêtent serment de bien et fidèlement remplir leurs fonctions, de les exercer en toute impartialité dans le respect de la Constitution, de garder le secret des délibérations et des votes, et de ne prendre aucune position publique, de ne donner aucune consultation sur les questions relevant de la compétence du Conseil. S'ils ne respectent pas ces obligations, la majorité des membres du Conseil peut les déclarer démissionnaires d'office. Ils doivent avertir le Pt du Conseil des changements dans leurs activités extérieures au Conseil. Pendant la durée de leurs fonctions : ils ne peuvent être nommés à aucun emploi public ni, s'ils sont fonctionnaires publics, recevoir une promotion au choix ; ils ne peuvent pas occuper, au sein d'un parti ou d'un groupement politique, un poste de responsabilité ou de direction et, de façon générale, y exercer une activité inconciliable avec l'indépendance et la dignité de leurs fonctions. La fin du mandat ne dépend d'aucune autorité extérieure. *M. de droit :* sont dispensés de serment.

• **Rôle. Élections.** Il veille à la régularité des élections présidentielles et des opérations de référendum : il en proclame les résultats. Il statue, en cas de contestation, sur la régularité de l'élection des députés (685 décisions rendues) et des sénateurs (66 décisions). Il prononce la déchéance ou la démission d'office des parlementaires dans les cas d'incompatibilité ou d'inéligibilité (10 décisions).

Lois et règlements. Il contrôle, avant leur promulgation ou leur mise en application, la conformité à la Constitution des lois organiques (56 décisions) et des règlements des assemblées parlementaires (37 décisions). Les lois ordinaires peuvent lui être déférées par le Pt de la Rép., le Premier ministre, le Pt de l'Assemblée nationale, le Pt du Sénat ou, depuis la réforme d'oct. 1974 (voir p. 674 a), par 60 députés ou 60 sénateurs (150 décisions). Il doit alors statuer dans le délai d'un mois, délai qui peut, à la demande du Gouvernement, être ramené à 8 j. Il peut aussi être saisi par le Pt de la Rép., le Premier ministre ou le Pt de l'Ass. nat. ou du Sénat de la conformité à la Constitution des engagements internationaux (3 décisions). Il statue, à la demande du Premier ministre, sur la nature législative ou réglementaire des textes de forme législative intervenus depuis l'entrée en vigueur de la Constitution (159 décisions). De même si, au cours de la procédure législative, le Gouvernement et le président de l'une des assemblées parlementaires sont en désaccord sur la nature législative ou réglementaire d'une proposition ou d'un amendement, il lui revient de statuer (11 décisions).

Article 16. Il est consulté par le Pt de la Rép. sur la réunion des conditions exigées pour l'application de l'article 16 de la Constitution (pouvoirs exceptionnels) et émet un avis sur chacune des mesures prises en vertu de cet article. Il constate, à la demande du Gouvernement, l'empêchement du Pt de la Rép. d'exercer ses fonctions.

☞ 1962, consulté, avant le référendum prévu par le Gal de Gaulle sur l'élection du Pt de la Rép. au suffrage universel direct, le Conseil émet un avis négatif (secret) ; 5 j après le référendum, le Pt du Sénat, Gaston Monnerville, le saisit pour qu'il déclare la loi adoptée contraire à la Constitution. Le Conseil déclare qu'il « n'a pas compétence pour se prononcer ». Il ajoute qu'il « n'est qu'un organe régulateur de l'activité des pouvoirs publics ». **1971,** Raymond Marcellin, ministre de l'Intérieur, fait interdire le journal « La Cause du peuple ». Simone de Beauvoir prend la tête de l'Association des amis de « La Cause du peuple ». L'Intérieur veille à ce que la préfecture refuse de délivrer le récépissé à cette association. Les gauchistes saisissent le Tribunal administratif de Paris, qui leur donne raison. L'Intérieur convainc l'Assemblée nationale de changer de loi pour que l'on puisse refuser une déclaration d'association ; mais Alain Poher, Pt du Sénat, saisit le Conseil constit., il s'appuie sur le préambule de 1958, se référant à la Déclaration des droits de l'homme et du citoyen ainsi qu'au préambule de la Const. de 1946, lequel se réfère aux « principes fondamentaux reconnus par les lois de la République ». Or la loi de 1901 proclame la liberté d'association. La loi Marcellin est donc inconstitutionnelle, car elle viole le principe constit. en vertu duquel toute association est libre de se créer. Si la justice peut, le cas échéant, la réprimer *a posteriori,* la police ne saurait l'empêcher *a priori.* Le *16-7,* le Conseil décide en ce sens : « Vu la Constitution, et notamment son préambule... » **1973**-*28-11,* le Conseil décide contre la jurisprudence du Conseil d'État et de la Cour de cassation : seule la loi peut assortir les contraventions de peines de prison. *27-12,* il annule un article de la loi de finances privant les gros contribuables d'un moyen de preuve contre la taxation d'office : la discrimination est contraire au principe d'égalité devant la loi, reconnu par la Déclaration des droits de l'homme. **1974** *oct.,* il suffit de 60 députés ou de 60 sénateurs pour déférer une loi au Conseil. Cette proposition de Giscard contestée par la gauche bouleverse le contrôle de constitutionnalité : jusque-là, seuls les 4 principaux personnages de l'État disposaient du droit de saisine. Il avait abouti à 9 décisions en 15 ans. Dep. 1974, 10 par an en moyenne. **1982**-*16-1,* nationalisations : la droite les estime incompatibles avec l'art. 17 de la Déclaration de 1789 : « La propriété privée étant un droit inviolable et sacré, nul ne peut en être privé, si ce n'est quand la nécessité publique, légalement constatée, l'exige évidemment... » Insistant sur l'absence de nécessité publique, le Conseil réplique qu'il appartient au législateur et non au juge constitutionnel de définir la nécessité publique. Il ajoute « sauf erreur manifeste d'appréciation ».

De 1974 à 1981, 1 loi sur 4 est examinée par le Conseil. *De mai 1981 à mars 1986,* 1 loi sur 2. 2 textes ont été totalement annulés. Aucune réforme de la gauche n'a été véritablement empêchée, sauf celle visant le groupe Hersant.

Période	Nombre de décisions	Sens de la décision			
		Conformité à la Constitution		Non-Conformité	Incompétence Irrecevabilité
		Totale	Partielle		
Avant 1974	9	1	7	–	1
1974-1978	21	13	4	2	2
1978-1981	26	17	7	2	–
1981-1986	66	32	31	3	–
Mars 1986/ déc. 1988	28	11	16	1	–
Total	**150**	**74**	**65**	**8**	**3**

☞ **Censures de 1974 à 1988.** Voir Quid 1990, p. 695 b.

Décisions rendues en 1990. Article 37 de la Constitution 2, art. 59 : 2, art. 61, lois organiques 4, règlements des assemblées 3, lois ordinaires 12 ; art. L.O. 151 du Code électoral 2. *1990* 1 décision de non-conformité totale ; 6 décisions de non-conformité partielle.

Conseil économique et social

• **Siège.** 1, avenue d'Iéna, 75775 Paris Cedex 16. **Origine.** *1925 :* Conseil national économique, modifié en 1936. *Const. de 1946 :* Conseil économique. *Const. de 1958 :* Conseil économique et social.

• **Composition.** *231 membres* (désignés pour 5 ans, d'au moins 25 ans, et appartenant depuis au moins 2 ans à la catégorie qu'ils représentent) : 69 représentants des salariés désignés comme suit : 17 C.F.D.T., 6 C.F.T.C., 17 C.G.T., 17 C.G.T.F.O., 7 Confédération fr. de l'encadrement C.G.C., 4 F.E.N. et 1 salarié de l'agriculture et des organismes agr. et agro-alimentaires ; 27 repr. des entreprises privées non agr. désignés par accord entre C.N.P.F., C.G.P.M.E. et A.C.F.C.I. dont 1 sur proposition des jeunes dirigeants d'entreprise ; 10 repr. des artisans ; 10 des entreprises publiques désignés par décret ; 25 des exploitants agr. ; 3 des prof. libérales désignés par l'U.N.A.P.L. ; 10 de la mutualité, de la coopération et du crédit agr. ; 5 des coopératives non agr. dont 2 des coop. ouvrières de production, 2 des coop. de consommateurs et 1 des Stés coop. de H.L.M. ; 4 de la mutualité non agr. désignés par la F.N.M.F. ; 17 des activités sociales telles qu'associations familiales, logement, épargne et 5 désignés sur proposition du Conseil national de la vie associative ; 9 des activités écon. et sociales des départements, territoires et collectivités territoriales à statut particulier d'outre-mer ; 2 des Français établis hors de Fr. et 40 personnalités qualifiées dans le domaine écon., social, scientifique ou culturel désignés par décret. 67 membres sont nommés par le Gouvernement.

Bureau de 18 membres (dont 1 Pt et 4 vice-Pts). *9 sections :* Affaires sociales, Travail, Économies régionales et aménagement du territoire, Cadre de vie, Finances, Relations ext., Activités productives, recherche et technologie, Agriculture et alimentation, Problèmes écon. généraux et conjoncture, auxquelles s'ajoute la commission spéciale du Plan. *Les membres de section (72)* sont des personnalités nommées par décret et appelées en raison de leur compétence à participer aux travaux des sections.

Présidents. *26-3-47/28-4-54* Léon Jouhaux (1-7-1879/28-4-1954). *11-5-54/31-8-74* Émile Roche (1893-1990). *1-9-74/27-4-87* Gabriel Ventejol (16-2-1919/17-7-1987). *Dep. 28-7-87,* Jean Matteoli (n. 20-12-22).

• **Rôle.** Donne son avis sur projets ou propositions de lois, projets d'ordonnances ou décrets qui lui sont soumis par le Gouv. et sur tout problème de caractère écon. et soc. dont il se saisit lui-même ou sur lequel le Gouv. décide de le consulter. Est obligatoirement saisi par le Gouv. des projets de lois de programme ou de plans à caractère écon. et soc. à l'exception des lois des finances. Les avis et études sont publiés au *J.O.*

Conseil d'État

• **Siège.** Palais-Royal, Paris 1er. **Origine.** Créé par la Constitution de l'an VIII.

• **Composition.** 10 auditeurs de 2e classe et 24 de 1re classe ; 81 maîtres des requêtes (dont le secr. général) ; 79 conseillers d'État en service ordinaire ; 6 présidents de section ; 1 vice-président, qui assure en réalité la présidence et la direction effectives, 12 conseillers en service extraordinaire. Choisis parmi « les personnalités qualifiées dans les différents domaines de l'activité nationale » (ils sont nommés pour 4 ans et ne peuvent exercer leurs fonctions que dans les sections administratives). L'Ass. générale peut être présidée par le Premier ministre dont relève le Conseil d'État et, en son absence, par le garde des Sceaux. *6 sections. 5 administratives* (Finances, Intérieur, Travaux publics, Sociale et *1* du Rapport et des Études), *1 du contentieux.* **Recrutement.** *Auditeurs :* exclusivement par le concours de l'École nationale d'adm. *Maîtres des requêtes :* 3/4 parmi les auditeurs, 1/4 parmi les fonctionnaires ayant au moins 10 ans de service public. *Conseillers :* 2/3 parmi les maîtres des requêtes, 1/3 à la discrétion du Gouvernement. Le statut des membres, les usages du corps, l'autonomie de gestion qui lui est reconnue sous l'autorité du vice-président assurent au Cons. d'État son indépendance.

• Fonctions. **Conseiller.** Il est consulté *obligatoirement* par le Gouv. sur ses projets de lois (art. 39 de la Constit.), d'ordonnances (art. 38, prises sur autorisation du Parlement, pour exécution du programme du Gouv.) ; les projets de décrets dits « en Conseil d'État » (réglementaires ou individuels, et portant sur les matières qui ne sont pas du domaine de la loi) ; les projets de décrets (art. 37) tendant à modifier une loi votée avant 1958 dans une matière relevant actuellement du domaine réglementaire ; les projets de décrets individuels relatifs à l'état des personnes ; les projets de décrets reconnaissant d'utilité publique les fondations et associations, certaines expropriations et alignements, etc.

Il peut être consulté sur tous les autres projets de décrets du Gouv. et sur des demandes d'avis.

Juge administratif (Contentieux). Il est : 1°) JUGE EN 1er ET DERNIER RESSORT pour : *a) les recours en annulation* contre les décrets, les actes réglementaires des ministres et les actes administratifs des min. pris obligatoirement après avis du Conseil d'État ; *b) les litiges relatifs à la situation individuelle des fonctionnaires* nommés par décret du Pt de la Rép. (art. 13 de la Constit. et ordonnance du 28-11-1958) ; *c) les recours dirigés contre les actes adm.* dont le champ d'application s'étend au-delà du ressort d'un seul trib. administr. ; *d) les litiges d'ordre adm.* nés dans les territoires non soumis à la juridiction des trib. adm. et des conseils du contentieux adm. ; *e) les recours pour excès de pouvoir* dirigés contre les décisions adm. prises par les organismes collégiaux à compétence nationale ; *f) les recours en interprétation et en appréciation de légalité des actes* dont le contentieux relève du C. d'État directement. 2°) JUGE D'APPEL, notamment à l'égard des jugements des tribunaux adm., juges de droit commun, en 1er ressort. 3°) JUGE DE CASSATION de toutes les décisions des juridictions adm. statuant en dernier ressort.

Autres attributions. Exerce un contrôle sur le fonctionnement des trib. adm. par « la mission permanente d'inspection des juridictions administratives ». S'adresser au Pt de la Section du rapport et des Ét. en cas de difficulté rencontrée par un justiciable dans l'exécution d'une décision de la juridiction administrative rendue en sa faveur.

Les décisions rendues par le Cons. d'État ne sont pas susceptibles de recours, sauf dans des cas exceptionnels : recours en rectification d'erreur matérielle, recours en opposition, recours en tierce opposition, recours en révision.

• Statistiques (1989). Recours enregistrés : 8 200 ; décisions rendues : 8 236 ; aff. en instance à la fin de l'année judiciaire : 2 200.

Conseil supérieur de la magistrature

• Siège. 15, quai Branly, Paris 7e. Bureaux à la Présidence de la République.

• Composition. *9 membres* désignés pour 4 ans par le Pt de la Rép. : 6 magistrats qu'il choisit sur une liste de 18 noms établie par le bureau de la Cour de cassation, 1 conseiller d'État qu'il choisit sur une liste de 3 noms établie par l'assemblée générale du Conseil d'État, 2 personnalités directement choisies par ses soins « en raison de leur compétence ». Le Pt de la Rép. préside le Conseil, mais le min. de la Justice, vice-Pt de droit, peut le suppléer.

• Rôle. Soumet au Pt de la Rép. les propositions de nomination de certains hauts magistrats du siège et donne son avis sur les propositions de nomination faites pas le ministre de la Justice pour les autres magistrats du siège. Statue comme conseil de discipline des magistrats du siège (sous la présidence du Premier Pt de la Cour de cassation).

Haute Cour de justice

• Composition. Constitution de 1958. *24 juges titulaires et 12 j. suppléants élus* au scrutin secret et à la majorité absolue, en leur sein et en nombre égal par l'Assemblée nat. et par le Sénat, après chaque renouvellement général ou partiel de ces assemblées. L'élection doit, d'après la loi organique du 2-1-1959, avoir lieu à l'Assemblée nat. dans le 1er mois de chaque législature, et au Sénat dans le mois qui suit chaque renouvellement triennal. Les candidats doivent obtenir la majorité absolue des voix dans chaque chambre. Une condition qui n'est pratiquement jamais remplie à l'Ass. nat. dont le règlement intérieur n'autorise pas dans ce cas la délégation de vote (qui est permise au Sénat). Entre 1958 et 78, la Haute Cour n'a jamais pu être constituée, la majorité absolue des voix n'ayant jamais été atteinte par les candidats. Depuis les élections de 1988, le Sénat a élu le 26-10-1989, 12 juges (2 PS, 4 UDC, 1 RDE, 3 RPR, 1 URE, 1 PC), mais l'Ass. nat. n'a pas élu les siens (le 19-4-1989, le PS avait présenté 12 candidats cherchant, selon « Le Figaro », à bloquer le système pour éviter la comparution de Christian Nucci, celui-ci sera amnistié en avril 1990).

Après chaque renouvellement de la moitié de ses membres, la Haute Cour élit son Pt et 2 vice-Pts, en scrutin secret et à la majorité absolue. Le ministère public est exercé par le procureur général près la Cour de cassation, assisté du 1er avocat général et de 2 av. gén. désignés par lui. L'instruction est confiée à une commission de 5 magistrats titulaires (et 2 suppléants) désignés chaque année, parmi les mag. du siège de la Cour de cassation, par son Bureau. Le greffier en chef de la Cour de cassation est, de droit, greffier de la Haute Cour de justice. *Pt* Jacques Larché. *Vice-Pts* Pierre Mazeaud, Michel Gonelle.

• Rôle. Elle juge le Pt de la Rép. en cas de haute trahison, les ministres pour crimes ou délits commis dans l'exercice de leurs fonctions, ainsi que leurs complices dans les cas de complots contre la sûreté de l'État. La Hte Cour n'est saisie qu'après mise en accusation votée à la majorité absolue des membres par chaque assemblée. La résolution de saisie doit être signée du dixième des membres de l'Assemblée, examinée par le bureau de celle-ci, soumise à une commission spéciale de 15 membres désignés à la proportionnelle des groupes politiques, qui décidera de la recevabilité, et enfin transmise à la Haute Cour, qui se réunit alors pour juger. Les débats sont publics et les arrêts de la Haute Cour ne sont susceptibles ni d'appel ni de pourvoi en cassation.

Procès en Haute Cour

De 1815 à 1940. Il y eut 14 tentatives. Peu furent acceptées. En 1847, *Jean-Baptiste Teste,* ministre, fut condamné pour corruption par la Chambre de Paris pour un acte commis lorsqu'il était ministre des Travaux publics (les députés n'eurent pas à délibérer de son cas). *Le Pce de Polignac,* dernier Pt du Conseil de Charles X, ses ministres de l'Intérieur, de la Justice et des Affaires ecclésiastiques, furent condamnés pour « trahison » à la prison perpétuelle. IIIe République, *Gal Boulanger* (traduit par défaut, il s'était réfugié en Belgique avec sa maîtresse, Mme de Bonnemain, fut condamné à la déportation en 1889). *Paul Déroulède* (dirigeant de la Ligue des patriotes, condamné pour « avoir concerté et arrêté en 1898 et 1899, avec une ou plusieurs personnes, un complot ayant pour but de détruire ou changer la forme du gouvernement »). *Joseph Caillaux* à qui il était reproché d'avoir mené des tractations secrètes avec l'Allemagne (ministre condamné, févr. 1920, à 3 ans de prison, 10 ans de privation de droits civiques et 5 ans d'interdiction de séjour) ; 1924, après amnistie, il redevient min. des Finances. *Jean-Louis Malvy* accusé d'avoir mené des actions favorables à l'Allemagne [condamné, en 1918, à 5 ans de bannissement pour avoir méconnu les devoirs de sa charge (min. de l'Intérieur pendant la guerre de 1914-18, il avait été impliqué dans l'affaire du « Bonnet rouge », un hebdomadaire antimilitariste) ; à son retour d'Espagne, il fut réélu député, Pt de la commission des finances et fut du 13-3 au 8-4-1928 ministre de l'Intérieur]. *Raoul Péret,* garde des Sceaux, accusé d'être avocat d'Oustric et de l'avoir aidé du temps où il était ministre des Finances (25-3-1931, traduit devant la Cour par un vote, apparemment unanime, de la Chambre des députés ; finalement acquitté faute de preuves). IVe République. Une Haute Cour fut instituée par l'ordonnance du 18-11-1944, pour juger crimes et délits commis par les membres des gouv. de l'État fr., entre le 17-6-1940 et août 1944. Elle a traité 108 affaires. Il y eut 18 condamnations à mort et 25 à des peines de travaux forcés ou de prison. 41 non-lieux furent prononcés par la commission d'instruction et 8 actions publiques éteintes par décès de l'accusé. Au dernier procès (1960), *Abel Bonnard,* l'ancien ministre de l'Éducation nationale de Vichy, a été condamné à 10 ans de bannissement. Sinon la Haute Cour ne fut pas réunie. Les députés rejetèrent les demandes formulées : 1°) par les députés communistes contre *Félix Gouin, Christian Pineau, Jules Moch* (« Scandale du vin » : des collaborateurs de ministres de la SFIO étaient accusés d'avoir profité de la pénurie des lendemains de la Libération) ; 2°) le 29-3-1950 contre *Henri Queuille,* Pt du Conseil, et *Paul Ramadier,* ministre de la Défense. 3°) le 5-5 et le 24-11 contre *Jules Moch* (ministre de l'Intérieur), dans l'affaire dite des « généraux » (le rapport secret du *général Revers* était parvenu au Viêt-minh).

Ve République. La Haute Cour n'a pas encore siégé. *En avril 1980,* la commission de l'Ass. nat. refusa la demande formulée par socialistes et communistes contre *Michel Poniatowski* après la publication de documents tendant à prouver que l'ancien ministre de l'Intérieur avait pu être informé de la menace visant Jean de Broglie, assassiné le 24-12-1976. *En juin 1983 :* le bureau de l'Assemblée jugea irrecevable la demande du R.P.R. contre *Charles Fiterman* et *Jack Ralite* pour leurs déclarations sur les jugements des tribunaux administratifs annulant les élections municipales dans plusieurs communes administrées par le P.C. *En 1986 :* le bureau de l'Assemblée jugea irrecevables les demandes contre *Charles Pasqua* et *Robert Pandraud* (affaire du « vrai faux » passeport). *En 1987* du 7 au 8-10, l'Ass. nat. a rejeté par 340 voix (contre 211) la mise en accusation de *Christian Nucci.*

Médiateur de la République

• Origine. Institution *créée* par la loi du 3-1-1973 et *modifiée* par la loi du 24-12-76 et par la loi du 13-1-89. **Médiateur** (nommé pour 6 ans par décret en Conseil des ministres). *1973* (1-2) Antoine Pinay (30-11-1891). *1974* (21-6) Aimé Paquet (10-5-13). *1980* (20-9) Robert Fabre (21-12-15). *1986* (26-2) Paul Legatte (26-8-16). **Délégué gén.** Maurice Grimaud (11-11-13).

• Personnel. *(Au 1-1-90).* Chargés de mission et conseillers : 13 ; consultants : 10. Des *délégués départementaux* ont pour mission : information, conseil, orientation du public, instruction d'affaires à la demande du médiateur, recherche d'un règlement amiable par intervention auprès des services publics locaux et départementaux. Siègent à la Préfecture.

• Rôle. Intervient lorsqu'il y a litige entre une personne physique et une administration de l'État, une collectivité territoriale, un établissement public ou tout autre organisme investi d'une mission de service public. S'efforce de régler les situations individuelles nées du fonctionnement défectueux d'un service public ou les difficultés résultant des conséquences inéquitables d'une décision administrative. L'organisme mis en cause doit être français. Le médiateur ne peut remettre en cause le bien-fondé d'une décision juridictionnelle mais il peut, parallèlement à la saisie de la Justice, trouver une solution amiable au litige. Mais il est incompétent si l'affaire a fait l'objet d'un jugement, si le litige intéresse les relations des administrations avec leurs agents, si des démarches préalables n'ont pas été entreprises par le réclamant auprès de l'administration ou du service public mis en cause. Lorsqu'une juridiction est saisie ou s'est prononcée, le médiateur peut néanmoins faire des *recommandations* à l'organisme en cause. En cas d'inexécution de justice, il peut adresser une *injonction.* Agit par *recommandation* lorsqu'il s'agit de satisfaire un cas particulier et par *proposition de réforme* lorsqu'il s'agit d'améliorer le fonctionnement d'un organisme. Peut interroger les agents des services en cause et se faire communiquer tout document ou dossier relatif à l'enquête, engager une procédure disciplinaire ou saisir la juridiction répressive contre le responsable.

> On peut rattacher la fonction de médiateur à celle des *« Ombudsman »* (d'origine suédoise) à l'étranger. Leur désignation (de l'élection par le Parlement à la nomination par le Chef d'État) ainsi que leurs pouvoirs et leur nombre varient selon les pays (il existe dans certains pays des médiateurs spécialisés).

Saisine. Une réclamation doit obligatoirement être transmise au médiateur par l'intermédiaire d'un parlementaire (député ou sénateur). Elle doit formellement demander l'intervention du médiateur et être signée de son auteur. Le médiateur peut être saisi au nom d'une personne morale, à condition que la personne physique qui le saisit ait elle-même un intérêt direct à agir. Des démarches préalables doivent avoir été entreprises par le réclamant auprès de l'administration ou du service public mis en cause. Le recours au médiateur est gratuit.

• Quelques chiffres. **Budget en milliers de F.** *1978 :* 3 500. *80 :* 4 651. *85 :* 7 574. *86 :* 10 771. *87 :* 10 900. *88 :* 11 300. *89 :* 12 900. *90 :* 16 700. *91 :* 19 114. **Milliers de dossiers reçus.** *1986 :* 13,9, *87 :* 14,2, *88 :* 16,1, *89 :* 17,7, *90 :* 23. **Propositions de réforme présentées.** *1983 :* 29, *84 :* 30, *85 :* 33, *86 :* 30, *87 :* 38, *88 :* 34, *89 :* 39, *90 :* 28.

Conseil supérieur des Français de l'étranger

Siège. 23, rue La Pérouse, 75775 Paris Cedex 16. **Institué** en 1948. Assemblée consultative, présidée par le min. des Affaires étrangères. Assemblée plénière 1 fois par an. Bureau permanent réuni 3 fois par an.

Composition : dep. mai 1982, 137 membres élus pour 3 ans au suffr. direct et universel, 20 personnalités désignées par le min. et choisies pour leur compétence et 12 sénateurs représentant les Fr. établis hors de France. Les membres élus forment le collège électoral pour cette élection directe (le Sénat n'ayant plus à en approuver le résultat). Au 15-5-1991 : Hubert Durand Chastel (8-8-18), Guy Penne (9-6-25), Xavier de Villepin (14-3-26), Charles de Cuttoli (15-8-15), Jacques Habert (26-9-19), Pierre Croze (14-5-21), Paul d'Ornano (1-8-22), Jean-Pierre Cantegrit (2-7-33), Jean-Pierre Bayle (27-9-47), Olivier Roux (10-7-09), Paulette Brisepierre (21-4-17) et Pierre Biarnès (17-1-32).

Commissions permanentes en 1988. **4 :** aff. sociales ; aff. économiques, fiscales et fin. ; enseignement, culture et information ; représentation et droits des Fr. de l'étr. *1 temporaire :* anciens combattants.

Grands Corps de l'État

Cour des Comptes

• **Siège.** 13, rue Cambon, 75 100 Paris R.P. **Origine.** Loi du 16-9-1807 et loi n° 67-483 du 22-6-1967, et décret n° 85-199 du 11-2-1985.

• **Composition** (au 1-1-88). 1 premier Pt, 1 procureur général, 7 Pts de chambre, 85 conseillers maîtres, 1 secrétaire général, 2 secr. gén. adj. (le secrétariat gén. assiste le 1er Pt dans l'organisation du travail, l'administration et les relations extérieures de la Cour), 112 conseillers référendaires, 1 premier av. gén., 2 av. gén., 49 auditeurs de 1re et 2e cl., 10 conseillers maîtres en service extraordinaire, 24 conseillers maîtres ou référendaires affectés en qualité de Pts des Chambres régionales des comptes. **Recrutement.** *Auditeurs :* parmi les anciens élèves de l'E.N.A. *Conseillers référendaires :* pour 4 nommés, 3 choisis parmi les auditeurs et 1 nommé au « tour extérieur » (choix du Gouv.). *Conseillers maîtres :* pour 3 nommés, 2 choisis parmi les conseillers réf., et 1 au « tour extérieur ». *Pt de chambre :* parmi les conseillers maîtres. **1er Pt :** André Chandernagor (19-9-1921).

• **Rôle.** Contrôle général a posteriori des finances publiques (juridictionnel et de gestion), la Cour est la juridiction financière de droit commun. *Contrôle des communes, départements, régions et établ. publics relevant de ces collectivités* exercé depuis 1983 par *les chambres régionales des comptes* créées par la loi du 2-3-1982 (organisation précisée par la loi du 10-7-1982), modifiée par la loi du 5-1-1988 ; leurs jugements sont susceptibles d'appel devant la Cour des Comptes. Toutefois, les comptes des communes ou groupements de communes d'un max. de 2 000 hab., et dont le montant des recettes ordinaires figurant au dernier compte administratif est inférieur à 2 millions de F, font l'objet d'un apurement administratif par les trésoriers-payeurs généraux ou les receveurs particuliers des finances.

La Cour contrôle la gestion financière des administrations et dénonce les errements préjudiciables aux finances publiques. Elle s'assure notamment du bon emploi des crédits, fonds et valeurs gérés par les services de l'État et par les autres personnes morales de droit public. *Elle contrôle également la Sécurité sociale, les comptes et la gestion des entreprises publiques et de leurs filiales ;* et, sous certaines conditions, des *organisations de droit privé bénéficiant de concours financiers publics.*

Rapport public. Remis chaque année par le Pt au Pt de la Rép. et au Parlement avec les réponses des ministres intéressés, il est publié au *J.O.* Il informe les autorités administratives en leur laissant la responsabilité des sanctions à prendre ou des réformes à accomplir. La publicité qui lui est donnée par la presse incite les administrations à corriger les erreurs qui leur sont reprochées. Une commission interministérielle est chargée d'examiner les suites à donner. Les administrateurs ayant commis des irrégularités budgétaires peuvent, sous certaines conditions, être déférés devant la Cour de discipline budgétaire.

Exécution des lois de finances. La Cour assiste le Parlement dans sa mission de contrôle de l'exécution des lois de fin. en établissant, chaque année, *un rapport* en vue du règlement du budget de l'État pour l'exercice écoulé. Elle répond également aux demandes d'enquêtes qui lui sont présentées par les Commissions des fin. de l'Assemblée nat. et du Sénat.

Organismes siégeant à la Cour des Comptes (et présidés par le 1er Pt de la Cour). *Cour de discipline budgétaire et financière :* peut infliger une amende à tout auteur de fautes de gestion commises à l'égard de l'État et des collectivités publiques dans les conditions définies par la loi du 25-9-1948 modifiée par les lois du 31-7-1963 et du 13-7-1971. *Comité central d'enquête sur le coût et le rendement des services publics :* créé le 9-8-1946. *Conseil des impôts :* créé le 22-2-1971.

Inspection générale des Finances

• **Siège.** Min. de l'Économie et des Finances. **Origine.** Inspection générale du Trésor créée 6-9-1801 ; nom actuel dep. 1816 (fusion avec l'Insp. gén. des Contributions directes et du Cadastre). **Composition** (décret n° 73-276 du 14 mars 1973 modifié par le décret n° 85-219 du 15-2-1985). *2 grades :* inspecteur général (au nombre de 32), inspecteur [4 classes : 1re cl. (19), 2e (25), 3e ou adjoints (34)]. **Recrutement :** *Insp. adjoint :* parmi les anciens élèves de l'É.N.A. *Insp. des Fin. de 2e cl.* 2/3 parmi les insp. de 3e cl., 13 au « tour extérieur ». *Inspecteur général* 1/4 au « tour extérieur ».

• **Rôle.** *Missions de vérification :* vérifications sur place de la gestion des services extérieurs du ministère de l'Éc. et des Fin., de tous les comptables publics et de la comptabilité administrative des ordonnateurs secondaires. Vérif. des organismes soumis au contrôle de l'Insp. gén. des Fin. d'après les textes qui les régissent ainsi que de tous les établissements publics, organismes semi-publics et entreprises soumis au contrôle économique et financier de l'État. *Audit :* de structures ou de procédures pour le compte d'organismes qui font appel à elle. *Évaluation :* de politiques publiques (décret publié au J.O. du 24-1-1990). *Enquête :* sur un grand nombre de problèmes économiques et financiers d'actualité.

Nota. – Les inspecteurs des Fin. sont très souvent détachés dans les administrations publiques, les entreprises financières, industrielles ou commerciales du secteur public, ou les organismes internationaux.

Inspection générale de l'Administration

• **Siège.** 15, rue Cambacérès, Paris 8e. **Origine :** remonte à 1781 (créée par Necker). **Composition :** 22 inspecteurs généraux, 10 inspecteurs, 9 inspecteurs adjoints. **Recrutement :** Insp. adjoint : parmi les anciens élèves de l'É.N.A.

• **Rôle.** Contrôle supérieur sur tous personnels, collectivités publiques, services, établissements ou institutions relevant du min. de l'Intérieur ou sur lesquels les préfets exercent leur contrôle, même s'ils sont soumis aux vérifications d'un autre corps d'inspection ou de contrôle spécialisé. Ses membres peuvent recevoir des lettres de missions signées du Premier ministre, du ou des ministres intéressés et du ministre de l'Intérieur, étendant leurs attributions à des personnels, collectivités publiques, services, établissements ou institutions relevant d'autres départements que celui de l'Intérieur. Effectue en outre des missions permanentes de contrôle (préfectures) et apporte une assistance technique, à leur demande, aux collectivités locales et organismes en relevant.

Diplomatie

Généralités

☞ **Langue diplomatique** voir index.

• **Origine du mot.** Dérivé lointain du grec *diploma,* « feuille pliée en deux », c'est-à-dire les parchemins et, par suite, les actes officiels ou juridiques passés sur parchemin (le sens de « brevet universitaire » ne date que de 1829). Dep. le XVIIe s., on appelle « diplomatique » l'étude des documents historiques [en latin moderne, *res diplomatica* (Mabillon 1681)]. En 1726, le terme s'applique à l'étude des traités internationaux (traditionnellement rédigés sur parchemin) puis, à partir de Vergennes (1774), à l'art de les négocier. En 1791, par analogie avec *aristocratie,* on forge le terme « diplomatie » (légèrement méprisant), et en 1792 le terme « diplomate » (analogique d'*aristocrate*). Le mot *diplomatique* reprend le sens que lui donnait Mabillon.

• **Diplomates et personnel.** Les missions extraordinaires revenant très cher, aux XVe et XVIe s. on envoyait des missions permanentes d'un rang inférieur. En 1815-18, les agents diplomatiques furent divisés en 4 classes.

Corps diplomatique. Ensemble des chefs de mission accrédités auprès du même chef d'État. A sa tête se trouve le doyen (intermédiaire entre le Corps diplomatique, dont il défend les intérêts, et le gouvernement du pays). En principe, le doyen est le chef de mission de la catégorie la plus élevée qui a remis ses lettres de créance à la date la plus ancienne ; mais, dans certains pays catholiques (dont la France), c'est traditionnellement le nonce.

Missions diplomatiques. Comprennent chef de mission, conseillers, secrétaires, attachés d'ambassade, courriers, attachés de Défense, attachés commerciaux, financiers, culturels, de presse, agricoles, etc. On distingue : *les membres du personnel de la mission* (personnels diplomatique, administratif et technique, de service) ; *les m. du personnel diplomatique* (ayant la qualité de diplomate) ; *les agents diplomatiques* (chef de la mission et m. du personnel diplomatique) ; *les m. de la famille d'un diplomate.*

Consul. Leur usage ne s'est généralisé qu'aux XVIe et XVIIe s. (surtout sous Louis XIV). En France, les consulats dépendent du min. des Aff. étr. dep. la Révolution (auparavant, dépendaient du min. de la Marine) ; lorsque, en 1799, les chefs de la Rép. fr. prirent le titre de consuls, les consuls commerciaux devinrent des « agents pour les relations commerciales ». Agent officiel d'un État, le consul exerce dans un territoire étranger déterminé l'autorité que l'État conserve sur ses ressortissants qui y sont établis. Il les assiste, assure leur protection générale et veille au respect des divers traités. C'est un administrateur et un observateur qui, notamment, délivre passeports et visas, exerce les fonctions d'officier d'état civil et de notaire, intervient en matière de succession et pour la protection des incapables, fait représenter les ressortissants nationaux devant les tribunaux et transmet les actes judiciaires, contrôle et assiste les bâtiments de commerce nationaux et exerce la police à bord. En outre, il s'informe sur l'évolution de la vie économique, favorise le développement des relations entre les 2 pays. Ses pouvoirs sont limités par l'État qui l'envoie et par l'État de résidence.

4 classes : *consulats généraux, consulats, vice-consulats* (terme technique français : « chancellerie détachée »), *agences consulaires* (tenus par des délégués des consuls généraux ou des consuls dans certaines villes où la communauté française le justifie).

Attaché. L'usage de détacher dans les missions des officiers chargés d'étudier les questions militaires, d'assister aux manœuvres de l'armée, apparaît sous l'Empire ; l'institution se régularisa et s'étendit surtout à partir de 1860 (exemple : attaché naval en 1885, attaché de l'Air en 1932).

☞ **Ambassades d'obédience.** Exigées autrefois des souverains catholiques par les papes. **Amb. d'excuses.** Ex. : envoi par Gênes à Louis XIV (1685) ; par la G.-B. à Moscou (1709).

Évolution en France

• **Recrutement.** Jusqu'en 1945, la majorité était recrutée par le *grand concours* [pour les attachés d'ambassade (8-10 par an) et, selon le rang, dans la proportion d'1/5 env., les consuls suppléants] ou le *petit concours* [pour les attachés de consulat (12-15 par an, carrière consulaire), avec accession individuelle possible à la carrière dipl.]. Depuis 1945 les 2 concours ont été supprimés. L'accession à la Carrière a lieu notamment par la voie de l'École nationale d'administration (É.N.A.) et par les concours de secrétaires d'Orient et de secrétaires adjoints des Aff. étrangères.

• **Organisation.** Dans le passé, les rapports personnels entre les souverains avaient une grande influence sur les relations internationales (en 1900, il n'y avait que 3 Républiques en Europe : France, Suisse et St-Marin). A côté de la politique officielle de leur gouvernement, ils entretenaient intrigues et manœuvres. Les responsables des Aff. étrangères étaient peu nombreux et le secret était le plus souvent de règle. Les missions dipl. menaient les négociations. Les ambassadeurs recevaient des instructions générales leur permettant de manœuvrer au mieux des circonstances. Les Premiers ministres ou les ministres des Aff. étrangères se déplaçaient rarement et, s'ils le faisaient, leurs voyages, préparés longtemps à l'avance, consacraient seulement des résultats acquis avant leur départ. Avant 1945, seules les personnalités nommées à la tête d'une ambassade avaient la qualité d'*ambassadeur de France,* les titulaires de légation portaient le titre d'*envoyé extraordinaire* et *ministre plénipotentiaire.*

Après 1945, la France éleva par réciprocité certaines de ses légations au rang d'ambassades. Les missions dipl. sont maintenant dirigées par des *ambassadeurs extraordinaires et plénipotentiaires* qui n'ont droit à ce titre que pendant la durée de leur mission. La dignité *d'ambassadeur de France* est conférée dans quelques cas (nombre fixé chaque année par la loi de finances) et seuls peuvent continuer à porter le titre d'amb. lorsqu'ils n'assument plus de fonctions dipl., ceux qui l'ont reçue.

Attaques contre des diplomates français. *1974,* 16-9 Jacques Sénard, ambassadeur à La Haye, séquestré 5 j par un commando japonais. *1975,* 23-3 l'amb. à Mogadiscio (Somalie) séq. 5 j par des indépendantistes djiboutiens. *1976,* 4-5 l'amb. à San Salvador (Salvador) séq. 28 j par des révolutionnaires. *1980,* 4-2 l'ambassade de Tripoli et le consulat de Fr. de Benghazi (Libye) mis à sac par des militants islamiques (le personnel n'est pas molesté). *1981,* 4-9 Louis Delamare, ambass. au Liban, assassiné.

1re femme ambassadrice. *Renée du Bec* (veuve du maréchal de Guébriant) accréditée en 1646 auprès du roi de Pologne (elle accompagnait Marie de Gonzague qui devait épouser le roi). Avant, plusieurs femmes avaient rempli des fonctions diplomatiques. Ex. : la mère de François Ier et la gouvernante des Pays-Bas qui négocièrent le traité de Cambrai (appelé paix des Dames), le 5 août 1529.

Introducteur des ambassadeurs. Charge fixe dep. 1585. M. André Gadaud (20-5-37).

Privilèges et pièces diplomatiques

Lettres de créance. Lettres officielles dont est muni le nouveau chef de mission par son gouvernement ; elles sont placées sous une enveloppe scellée à la cire, en principe ouverte par le chef de l'État lors de sa présentation (y est jointe une copie pour le min. des Affaires étrangères). Les chargés d'affaires avec lettres reçoivent des *lettres de cabinet* adressées par le min. des Aff. étrangères à son collègue. Le consul est muni d'une *lettre de provision* (appelée aussi *patente* ou *commission consulaire*). L'État de résidence lui confère, par l'*exequatur,* le libre exercice des pouvoirs prévus et la jouissance des privilèges et immunités attachés à sa qualité. Il peut, à tout moment et sans avoir à motiver sa décision, déclarer le chef ou tout autre membre du personnel diplomatique de la mission *persona non grata,* ou également décider que tout autre membre du personnel de la mission n'est pas acceptable.

Immunités diplomatiques. Ont existé de tous temps. La convention de Vienne du 18-4-1961 les a codifiées et complétées. Souvent désignées sous le terme d'*exterritorialité,* elles impliquent :

1°) *L'inviolabilité personnelle,* qui interdit toute mesure d'arrestation ou de détention et qui couvre tout le personnel officiel ou non officiel de la mission (y compris sa famille et ses domestiques). 2°) *L'inviolabilité de la correspondance dipl. :* les *valises* dipl., qui ne peuvent contenir que des documents dipl. et des objets à usage officiel, ne doivent être ni ouvertes ni retenues. Elles sont accompagnées par un « courrier de cabinet ». 3°) *L'inviolabilité de l'hôtel* (demeure du chef de mission dipl.). 4°) *L'inviolabilité des archives dipl. :* en cas de rupture dipl., les archives antérieures à la rupture sont inviolables (incertitude pour les archives postérieures).

☞ *Droit d'asile :* l'inviolabilité de l'hôtel a parfois permis de pratiquer le droit d'asile qui a donné lieu à des contestations (la convention de Vienne ne le mentionne pas). De nombreux pays européens (Albanie, Allemagne féd., Biélorussie, France, Hongrie, Italie, Ukraine, U.R.S.S., Yougoslavie) et certains pays d'Amérique latine (tels Cuba, Guatemala, Haïti) garantissent l'asile à toute personne persécutée pour des raisons d'ordre politique. Les missions dipl. françaises ont fréquemment hébergé des réfugiés politiques (ex. Chili, à partir de sept. 1973).

Passeports diplomatiques. Les fonctionnaires des carrières dipl. et consulaires sont titulaires d'un passeport particulier qui, lors de missions à l'étranger, leur permet de justifier de leur qualité et de bénéficier des privilèges et immunités qui y sont attachés. Des *pass. de service* peuvent être donnés aux agents en mission qui n'ont pas droit au pass. dipl.

Préséance officielle. En France, dans une réunion officielle, le Corps dipl. est placé immédiatement après le chef de l'État, le P.M. et les présidents des Assemblées élues. S'il s'agit des ambassadeurs pris individuellement dans une réunion officielle ou privée, ils doivent précéder toutes les autorités nationales, sauf le chef de l'État, le P.M. et le ministre des Affaires étrangères.

Statistiques

• **Nombre de postes. 1816 :** *9 ambassades :* St-Siège, Espagne, Deux-Siciles, Angleterre, Autriche, Portugal, Russie, Sardaigne et Turquie. *14 autres ministres plénipotentiaires* (Bade, Bavière, Danemark, Etats-Unis, Hambourg, Hanovre, Hesse-Darmstadt, Provinces-Unies, Prusse, Suède et Norvège, Suisse, Toscane, Wurtemberg, Confédération germanique).

1914 : *10 amb. ; 49 min. plén.* dont 28 dirigent des légations ; *36 consulats généraux ; 77 consulats.* **1918 à 1940 :** 5 légations transformées en amb. (Bruxelles 1919, Rio de Janeiro 1919, Varsovie 1924, Buenos Aires 1927, Bucarest 1939). **1959,** *15 amb. ; 38 légations ; 27 consulats gén. ; 128 cons.* **1961 :** *94 amb.* et *hautes représentations ; 5 légations ; 70 cons. gén* (Communauté) (58 + 12) ; *110 cons.* (Communauté) (82 + 28). **1988 :** 139 *amb.* et 11 *représentations permanentes :* Bruxelles : C.E.E., O.T.A.N. ; Genève : O.N.U., Comité de désarmement ; Montréal : O.A.C.I. ; New York : O.N.U. ; Paris : O.C.D.E., U.N.E.S.C.O. ; Rome : O.A.A. ; Strasbourg : Conseil de l'Europe ; Vienne : A.I.E.A. ; *237 services consulaires à l'étranger* (dont 128 postes, 6 chancelleries détachées, 103 sections cons.).

• **Effectifs des fonctionnaires du ministère des Affaires étrangères** (1-1-87). Catégories A et B 1 989 (dont 1 134 en poste), catégories C et D 2 883 (1 580). Enseignants et coopérants gérés par la Direction gén. des relations culturelles, scientifiques et techniques 6 889 (30-9-86).

☞ En 1990, 46 chefs d'État, PM et min. des Aff. étr. ont été reçus en France en visite d'État. Le Pt a participé à 7 voyages officiels, 17 sommets et rencontres diverses et 4 voyages de consultation au niveau européen. Le PM a fait 11 voyages.

• **Personnel diplomatique des ambassades les plus nombreuses** (1991). **Ambassades de Fr. à l'étranger :** U.S.A. 54 ; All. féd. 43 ; G.-B. 36 ; U.R.S.S. 33 ; Japon 28. **Ambassades étrangères en France** (153, 20 non résidentes) : U.S.A. 149 ; Chine 84 ; U.R.S.S. 70 ; All. féd. 59 ; Japon 52 ; Égypte 50 ; Israël 49 ; Canada 48 ; G.-B. 44.

Administration locale

Régions

☞ Voir notices par région à l'Index.

Histoire de l'idée régionale

Sous la Révolution. Les *Girondins,* hostiles à la prédominance de Paris sur la province, s'opposent aux *Montagnards* qui s'appuient sur une partie de la population parisienne. *1793,* une partie de la province se révolte (de la Normandie à Lyon, en passant par la Bretagne, Bordeaux, Marseille). Le 13-6, sur l'initiative de Buzot, Guadet et Barbaroux, une assemblée des départements réunis est convoquée à Rouen ; mais elle échoue en raison des dissensions entre républicains fédéralistes et royalistes. Les *Montagnards* triomphent et lèguent à leurs successeurs un régime très centralisé.

XIXe et XXe s. Les *libéraux* réagissent les premiers contre le centralisme napoléonien, notamment : *Benjamin Constant* (1767-1830), *Alexis de Tocqueville* (1805-59) (« l'Ancien Régime et la Révolution »), et *Félicité Robert de Lamennais* (1782-1854) qui écrit dans *l'Avenir.* Pour eux, la décentralisation doit être obtenue en assumant le respect des libertés locales, dans le cadre communal puis dans celui de la province ou région. Les institutions décentralisées permettront aux citoyens de prendre conscience de leurs intérêts communs, de former des administrateurs locaux capables ensuite de se vouer aux tâches d'intérêt national. Elles tempéreront l'individualisme de l'homme exacerbé par l'égalité qui nivelle, et freineront les tendances totalitaires du pouvoir central. *Pierre-Joseph Proudhon* (1809-65), dans « le Principe fédératif », défend le fédéralisme : un contrat lierait les circonscriptions territoriales au pouvoir central auquel elles abandonneraient certaines fonctions mineures. La nation serait répartie en provinces autonomes (12 ou 20). Le pouvoir central aurait un rôle moteur politique, les provinces un rôle administratif. *Auguste Comte* (1798-1857), avec le « Système de politique positiviste », prône une déconcentration plus qu'une décentralisation ; il y aurait 17 intendances (de 5 dép. chacune), érigées en Républiques positivistes, dont les chefs seraient nommés et révoqués par le pouvoir central.

Pour la droite, représentée par *Charles Maurras* (1868-1952), seule la décentralisation peut desserrer le « corset » napoléonien et contribuer au renouvellement des cultures locales, et seule la monarchie peut la réaliser parce que l'absence de tout principe électif lui permet de régionaliser sans être menacée ; au contraire, dans un régime républicain, la décentralisation serait mortelle car la centralisation est la condition de la réélection de l'équipe au pouvoir (elle lui donne une emprise sur la vie locale). Selon *Maurice Barrès,* l'enracinement régional est indispensable à l'épanouissement de l'individu ; la nation est fondée sur la région et le nationalisme est fondé sur le régionalisme et sur la tradition.

Le *catholicisme social,* avec *Henri Lacordaire* (1802-61), *Charles de Montalembert* (1810-70) et *René de La Tour du Pin* (1834-1924), soutient que les institutions locales (de même que la famille et les organisations professionnelles) forment des corps intermédiaires protégeant l'individu face à l'État.

Les *socialistes,* avec *Louis Blanc* (1811-82), *Jules Guesde* (1845-1922) et *Jean Allemane* (1843-1935), soulignent l'importance des libertés locales et la nécessité de la décentralisation, prônant un mutualisme régional et un syndicalisme régional (courants syndicalistes). Dans les années 60, *Pierre Mendès France* (1907-82), *Gaston Defferre* (1911-86) et le club Jean-Moulin sont favorables à la région.

De quand date le mot « régionalisme » ?

Selon Eugène Nolent, il fut inventé en 1899 par Maurice Barrès, et selon Charles Brun, en 1874, par M. de Berluc-Parussis, poète provençal, animateur du Félibrige. Il apparaît vers 1892, année de la déclaration des félibres fédéralistes. Jusqu'à la création de la Fédération régionaliste française (1900-01), il restera un mot technique, érudit.

• **Organisations régionalistes. Programme de Nancy de 1865** (adopté par les diverses tendances de l'opposition) ; « Fortifier la commune, vivifier le canton, supprimer l'arrondissement, élargir le département. »

Fédération régionale française : créée en mars 1900 par *Charles Brun* (1870-1946), publie un manifeste en 1901 et lance le 1er numéro de *l'Action régionaliste* en février 1902 (dernier numéro en déc. 1961 ; servit de tribune libre sous la IIIe Rép.) ; s'oppose au jacobinisme de droite et de gauche et est favorable à la Rép. face au maurrassisme monarchiste : la monarchie n'a pas de contrôle, la diversité de la Rép. favorise le régionalisme qui fournit à la base un soutien réel au pouvoir tant que celui-ci n'empiète pas sur les pouvoirs des collectivités locales ; prévoit 20 régions, chacune ayant une capitale et une assemblée (élue en partie au suffrage universel et par les organes professionnels), un préfet représentant de l'État (tutelle de l'adm. régionale et contrôle des services publics nationaux), un conseil consultatif et juridictionnel ; les départements seraient supprimés ; les arrondissements (rectifiés) et les communes auraient seuls des organes représentatifs (libertés plus grandes, exécutif collégial).

• **Réalisations au XXe s. 1919** (5-4) création de *17 groupements économiques régionaux* fondés sur les chambres de commerce, pour développer le commerce et l'industrie (« régions *Clémentel* »), administrés par un comité rég. (2 délégués par chambre de commerce) ; préfets et sous-préfets siègent au comité avec voix consultative ; rôle restreint : pas de personnalité civile, base juridique insuffisante, peu de moyens financiers. **1922** création de 19 régions écon. douées de la personnalité morale et pourvues de larges attributions dans le domaine industriel et commercial. **1926** caractère interdépartemental donné aux conseils de préfecture. Des *syndicats de départements* sont créés ; échec 4 ans plus tard : hostilité des régionalistes (qui trouvent la mesure insuffisante) et des parlementaires (qui craignent la renaissance des anciennes provinces et sont favorables au cadre départemental pour des raisons électorales). **1930** (loi du 9-1) les départements peuvent constituer des groupements dotés de la personnalité civile, comportant un objet précis (dirigés par un conseil d'administration). **1938** (décret-loi du

14-6) regroupement des chambres de commerce dans le cadre des régions écon. **1941** (loi du 19-4) crée *18 préfets régionaux* (12 en zone occupée et 6 en zone non occupée) qui restent à la tête d'un dép. ; pouvoirs écon., de police et vis-à-vis de la fonction publique ; ils sont assistés par 2 intendants (police et affaires écon.) ; « préfets délégués » à la tête des autres dép. **1944** (ordonnances des 10-1 et 3-6) créent des commissaires rég. de la Rép. avec des pouvoirs importants, pour permettre à la vie administrative, économique et sociale des régions de se poursuivre malgré l'isolement éventuel du siège des pouvoirs publics. **1948** (loi du 21-3) création *des I.G.A.M.E. (Inspecteurs généraux de l'Administration en mission extraordinaire)* pour maintenir l'ordre à la suite des grèves de déc. 1947 (dep. 1962, préfets de zone de défense).

Origine de l'organisation actuelle. 1955 *30-6 :* un décret regroupe les départements dans les régions de programme qui serviront de cadre aux plans rég. de développement écon. et social et d'aménagement du territoire. **1960** *2-6* (décret n° 60-516 mod.) : 21 circonscriptions d'action régionale, non compris la Région parisienne. **1964** *4-3* (décret n° 64-251) : création d'une administration rég. ; le préfet de région est secondé par une mission écon. et assisté par la *Conférence administrative rég.* et la *Commission de développement écon. rég.* (C.O.D.E.R.). **1969** *27-4 :* référendum sur la régionalisation repoussé par 53,17 % de non. **1970** *9-1 :* la Corse est séparée de la « région » Provence-Alpes-Côte d'Azur. **1972** *5-7* (loi) : la région devient un établissement public ; création des conseils rég., assistés d'un comité écon. et soc. **1982** *2-3* et *28-7 :* statut particulier pour la Corse. **1982** *2-3* et **1983** *7-1 :* lois sur la régionalisation et la décentralisation (voir p. 694). **1982** *2-3 :* D.O.M. transformés en régions (loi, voir p. 660 c).

☞ Le découpage est contesté par Basse- et Haute-Normandie, Provence-Côte d'Azur, Rhône-Alpes, Bretagne, Pays de la Loire, Centre, Picardie, Champagne-Ardenne. En 1981, des parlementaires ont proposé l'étude d'un nouveau découpage.

Statistiques

Population (1990). *Moyenne* 2 468 092 h. *Max.* 10 600 660 (rég. d'Ile-de-France). *Min.* 249 737 (Corse). **Densité** (1990). *Moyenne* 101,6 h. au km². *Max.* 887 (Ile-de-France). *Min.* 29 (Corse).

Superficie. *Moy.* 24 725,7 km². *Max.* 45 347,9 (Midi-Pyrénées). *Min.* 8 280,2 (Alsace).

Taille moyenne des régions dans 5 pays de la C.E.E. (superficie moy. en km² et, entre parenthèses, pop. moy. en millions d'h.). Espagne 29 694 (2,3), *France 24 959 (2,5).* All. féd. 23 508 (5,5), Italie 15 059 (2,9), Belgique 10 174 (3,2). Total 22 523 (3).

Statut de la région

Collectivités territoriales de plein exercice (depuis l'élection des conseillers régionaux au suffrage universel direct le 16-3-1986) ; avant (régime transitoire), elles demeuraient des établissements publics (voir loi du 2-3-1982, p. 694).

Compétence. Pour promouvoir le développement économique, social, sanitaire, culturel et scientifique de la région, et l'aménagement de son territoire, elles peuvent engager des actions complémentaires de celles de l'État, des autres collectivités territoriales et des établissements publics situés dans la région. La loi du 6-1-1986 complète et modifie les lois des 5-7-1972, 6-5-1976 et 2-3-1982 pour l'essentiel.

Principes mis en œuvre. 1°) reconnaître à la région une compétence d'attribution définie par 3 séries de lois : *loi de 1972,* complétée par la loi de 1982, notamment études sur le développement régional, participation au financement d'équipements collectifs, interventions dans le domaine économique, coordination des investissements... ; *lois des 7-1-1983 et 22-7-1983* fixant la nouvelle répartition de compétences entre État et collectivités locales : formation profess. continue et apprentissage, enseignement public (lycées), aides à la pêche côtière et aux entreprises de culture marine et ports fluviaux ; *lois spécifiques,* notamment *loi du 15-7-1982* d'orientation et de programmation pour recherche et développement technologique de la France et *loi du 2-7-1982* portant réforme de la planification, ainsi que toute autre loi reconnaissant une compétence aux régions.

2°) L'alignement des règles de fonctionnement (s'applique déjà aux départements). Le Pt du conseil régional est l'exécutif des décisions du conseil. Le conseil rég. (qui délibère), le Pt du conseil rég. (qui instruit les affaires et exécute les délibérations), le comité écon. et social (ass. consultative) concourent à l'administration de la région.

Ressources des régions. Ress. antérieures des établissements publics rég. (taxe additionnelle sur permis de conduire et droits de mutation, taxe régionale sur impôts directs locaux), ress. de compensation des transferts de compétences (carte grise, dotations spécifiques de compensation en matière de formation profess. et d'enseignement public, dotation générale de décentralisation). A partir du 1-1-1987, les ress. fiscales que peuvent percevoir les régions ont cessé d'être limitées par un plafond fixé par la loi.

Préfet de région

Nomination. Par décret en Cons. des min. **Attributions.** Placé sous l'autorité du Premier ministre, il met en œuvre la politique du Gouvernement concernant le développement économique et social, et l'aménagement du territoire. Lui seul s'exprime au nom de l'État devant le conseil rég. Il a la charge des intérêts nationaux, du respect des lois, du contrôle administratif. Sauf dispositions contraires, il exerce les compétences précédentes du préfet de rég. en tant que délégué du Gouv. dans la rég. Il est entendu par le cons. rég. par accord avec le Pt du cons. rég. Il dirige, sous l'autorité des ministres compétents, les services extérieurs des administrations civiles de l'État dans la région. Il est unique ordonnateur secondaire des services extérieurs des administrations civiles de l'État dans la région. Il préside de droit toutes les commissions administratives qui intéressent les services extérieurs de l'État dans la région, à l'exception de celles dont la présidence est confiée statutairement à un magistrat de l'ordre judiciaire ou à un membre d'une juridiction administrative. *Conférence administrative régionale :* elle réunit sous sa présidence : les préfets des départements de la région, le secr. gén. placé auprès du préfet du dép. où est situé le chef-lieu de région, le trésorier-payeur général. La conférence peut faire appel aux chefs des services extérieurs de l'État dans la région.

Pour la défense, il est plus particulièrement chargé des problèmes de défense économique. Il assure la préparation des différentes mesures relatives à la réunion et à la mise en œuvre des ressources et à l'utilisation de l'infrastructure. A cet effet, il dirige l'action des préfets de sa région. *En matière de défense civile,* il peut bénéficier de délégations ou subdélégations des pouvoirs du préfet de zone de défense.

Les préfets de région siégeant au département-chef-lieu des 6 régions militaires, ou zones de défense, reçoivent le titre et les attributions (sauf pour la zone de déf. de Paris) de *préfet de zone de défense.*

Entourage. a) 1 secr. gén. pour les affaires rég. et des chargés de mission placés auprès de lui, choisis parmi des fonctionnaires administratifs ou techniques de catégorie A ; b) des chefs ou responsables des services de l'État dans la région.

Trésorier-payeur général de la région

A la tête de chaque groupement interdépartemental des trésoreries générales, il a succédé au trésorier-payeur coordonnateur institué en 1961. Consulté obligatoirement par le préfet dans 3 domaines : plan national de développement écon. et social, investissements publics, aide à la décentralisation économique.

Assemblées régionales

Origine. Loi du 5-7-1972 [composée d'élus et de membres désignés (40 à 50) pour 5 ans, avait un rôle consultatif sur les questions concernant le développement économique et social de la région].

Conseil régional

• **Conseillers régionaux. Élection.** Loi n° 85-692 du 10-7-1985 et décret n° 85-1236 du 22-11-1985. Élus en mars (pour 6 ans au suffrage universel direct ; rééligibles). *Circonscription :* le département. *Nombre de conseillers par région :* le double de celui des parlementaires de la région (sauf Ile-de-France, Corse et Outre-Mer, Limousin). Chaque département bénéficie d'une attribution d'office de 1 siège, les autres s. étant répartis proportionnellement à la population et au plus fort reste. *Mode de scrutin :* scrutin de liste à la représentation proportionnelle à la plus forte moyenne, sans panachage ni vote préférentiel. Sièges attribués aux candidats d'après l'ordre de présentation sur chaque liste. Les listes qui n'ont pas obtenu 5 % des suffrages exprimés ne sont pas admises à la répartition des sièges. *Conditions d'éligibilité :* être âgé de 21 ans révolus ; en règle avec les obligations du service national ; domicilié dans la région ou, à défaut, y être inscrit au rôle de l'une des contributions directes au 1er janv. de l'année de l'élec. ou devoir y être inscrit à cette date. **Inéligibilités :** les mêmes que pour les élections cantonales. Sont en outre inéligibles les fonctionnaires placés auprès du représentant de l'État dans la région et affectés au Secrétariat général pour les affaires rég. en qualité de secr. général ou de chargé de mission. Nul ne peut être candidat dans plus d'une circonscription électorale ni sur plus d'une liste. **Mandat incompatible :** avec les fonctions de préfet, sous-préfet, secrétaire général et secr. en chef de sous-préfecture et de membre des corps actifs de police (les titulaires de ces fonctions sont, en outre, inéligibles lorsque ces dernières s'exercent dans tout ou partie du territoire de la région), fonctions d'agent salarié de la région, d'entrepreneur des services régionaux et d'agent salarié des établissements publics et agences créées par la région, de membre du comité économique et social.

Cumul (loi organique n° 85-1405 du 30-12-1985 et loi n° 85-1406 du 30-12-1985 tendent à limiter le cumul). Possible : député, sénateur, représentant au Parlement européen, conseiller général, conseiller de Paris, maire d'une commune de 20 000 h. ou + autre que Paris, adjoint au maire d'une commune de 100 000 h. ou + autre que Paris. Dispositions transitoires prévues pour les élus détenant au 31-12-1985 plus de 2 mandats électoraux ou fonctions électives incompatibles.

Effectifs des conseils régionaux. *Alsace* 47 (Bas-Rhin 27, Ht-Rhin 20). *Aquitaine* 83 (Dordogne 12, Gironde 34, Landes 10, Lot-et-G. 10, Pyrénées-Atl. 17). *Auvergne* 47 (Allier 13, Cantal 6, Haute-Loire 8, Puy-de-D. 20). *Bourgogne* 55 (C.-d'Or 16, Nièvre 9, Saône-et-L. 19, Yonne 11). *Bretagne* 81 (Côtes-d'Armor 16, Finistère 25, Ille-et-V. 22, Morbihan 18). *Centre* 75 (Cher 11, Eure-et-L. 12, Indre 8, Indre-et-L. 17, Loir-et-Cher 10, Loiret 17). *Champagne-Ardenne* 47 (Ardennes 11, Aube 10, Marne 18, Hte-Marne 8). *Corse* 61 (Corse-du-S. 28, Hte-Corse 33). *Franche-Comté* 43 (Belfort 6, Doubs 18, Jura 10, Hte-Saône 9). *Guadeloupe* 41. *Guyane* 31. *Ile-de-France* 197 (Essonne 20, Hts-de-Seine 27, Paris 42, Seine-et-M. 18, Seine-St-Denis 26, Val-de-M. 23, Val-d'Oise 18, Yvelines 23). *Languedoc-Roussillon* 65 (Aude 10, Gard 18, Hérault 23, Lozère 3, Pyr.-O. 11). *Limousin* 41 (Corrèze 14, Creuse 8, Hte-Vienne 19). *Lorraine* 73 (Meurthe-et-M. 22, Meuse 7, Moselle 31, Vosges 13). *Martinique* 41. *Midi-Pyrénées* 87 (Ariège 6, Aveyron 10, Hte-G. 29, Gers 7, Lot 6, Htes-Pyr. 9, Tarn 13, Tarn-et-G. 7). *Basse-Normandie* 45 (Calvados 19, Manche 16, Orne 10). *Haute-Normandie* 53 (Eure 15, Seine-M. 38). *Nord-Pas-de-Calais* 113 (Nord 72, Pas-de-C. 41). *Pays de la Loire* 93 (Loire-Atl. 31, Maine-et-L. 21, Mayenne 9, Sarthe 16, Vendée 16). *Picardie* 55 (Aisne 17, Oise 21, Somme 17). *Poitou-Charentes* 53 (Charente 12, Charente-M. 17, Deux-Sèvres 12, Vienne 12). *Provence-Alpes-Côte d'Azur* 117 (Alpes-de-Hte-Prov. 4, Htes-Alpes 4, Alpes-M. 26, B.-du-R. 49, Var 21, Vaucluse 13). *Réunion* 45. *Rhône-Alpes* 151 (Ain 13, Ardèche 9, Drôme 12, Isère 28, Loire 22, Rhône 42, Savoie 10, Hte-Savoie 15).

Candidatures. Déclaration obligatoire. Dans les départements ayant 5 sièges au moins à pourvoir, la liste doit comprendre 2 cand. supplémentaires pour pourvoir aux éventuelles vacances sans recourir à des élect. partielles. Au dépôt de liste, versement d'un cautionnement de 500 F par siège à pourvoir. Le préfet du département exerce un contrôle *a priori* de l'éligibilité des candidats. Le candidat tête de liste ou son mandataire dispose de 48 h pour contester le refus d'enregistrement devant le tribunal administratif.

Campagne, vote et résultats. La propagande électorale est organisée comme pour les autres élect. politiques. Les listes ayant obtenu + de 5 % sont remboursées du cautionnement et de leurs dépenses officielles de propagande.

Remplacement des conseillers. Les suivants de liste non élus sont appelés à remplacer les conseillers régionaux élus sur la même liste dont le siège devient vacant pour quelque cause que ce soit. Si ces dispositions ne peuvent être appliquées, le siège demeure vacant jusqu'aux prochaines élect. Si le tiers des sièges de conseillers rég. élus dans un département vient à être vacant par suite du décès de leurs titulaires, on refait des élect. générales dans ce département dans les 3 mois suivant la dernière vacance pour cause de décès.

L'assemblée de Corse a été élue au suffrage universel le 8-8-1982, puis dissoute par décret le 29-6-1984, renouvelée le 12-8-1984, après le vote d'une loi du

25-6-1984 instituant un seuil de 5 % des suffrages exprimés pour l'accès à la répartition des sièges. Les conseils rég. d'Outre-Mer ont été élus pour la 1re fois au suffrage universel le 16-2-1983. Assemblée de Corse et conseils rég. d'Outre-Mer ont été renouvelés le 16-3-1986, ainsi que les conseils rég. de droit commun, afin d'éviter les chevauchements de mandats et d'affirmer l'unité de la République.

Organisation. Le *conseil rég.* élit un Pt, des vice-Pts et éventuellement les autres m. de son bureau après chaque renouvellement général ou partiel des assemblées dont sont issus les conseillers rég. Il établit son règlement intérieur, se réunit, à l'initiative de son Pt, au moins 1 fois par trimestre, ainsi qu'à la demande du bureau, ou du 1/3 de ses m., sur un ordre du j. déterminé. En cas de circonstances exceptionnelles, il peut être réuni par décret. Le *cons. rég.* peut déléguer une partie de ses attributions à son bureau.

Élection des bureaux. Aussitôt après l'élection du Pt, et sous sa présidence, le Conseil décide de la composition de son bureau. Chaque membre du bureau est ensuite élu au scrutin uninominal, dans les mêmes conditions que le Pt et pour la même durée.

• **Président du conseil régional.** Organe exécutif de la rég., il peut déléguer (par arrêté) l'exercice d'une partie de ses fonctions aux vice-Pts ou, en cas d'empêchement, à d'autres m. du cons. rég. Il prépare et exécute les délibérations du cons. rég. Il est l'ordonnateur des dépenses de la rég. et prescrit l'exécution des recettes rég. Il gère le patrimoine de la rég., est le chef des services que la rég. crée pour l'exercice de ses compétences. Il a autorité sur les services de la mission rég. nécessaires à la préparation et à l'exécution des délibérations du cons. rég. et à l'exercice des pouvoirs et responsabilités de l'exécutif de la région. Provisoirement, il peut disposer de services extérieurs de l'État. Agents d'État et départ. affectés à l'exécution de tâches rég. sont mis à sa disposition et placés sous son autorité, pour l'exercice de leurs fonctions. La coordination entre services rég. et s. de l'État dans la région est assurée par le Pt du cons. rég. et le repr. de l'État.

Compétence de la région : peut procéder à des études sur le développement régional, faire des propositions sur la coordination des investissements publics, participer financièrement à des opérations d'équipement collectif d'intérêt régional, entreprendre l'exécution d'équipements collectifs pour le compte d'autres collectivités locales. Les collectivités locales ou l'État pourront lui transférer certaines de leurs attributions intéressant le développement régional.

3 ou plusieurs régions peuvent, pour l'exercice de leurs compétences, conclure des conventions ou créer des institutions d'utilité commune. Le conseil rég. concourt, par ses avis, à l'élaboration du plan national. Il élabore et approuve le plan rég., en respectant orientations du plan nat. et prescriptions de la loi.

• **État des Conseils régionaux élus en 1986 au 1-5-1991** (D. : droite, G. : gauche). Majorité de droite (UDF-RPR-divers droite) absolue [1], relative [2]. Majorité de gauche, absolue [3], relative [4]. *Alt.* Alternative. *CNIP* Centre nat. des indépendants et des paysans. *E* Écologistes. *MCA* Mouv. corse pour l'autodétermination. *UO* (RPR/UDF) Union de l'opposition. *UPC* Union du peuple corse.

• **Alsace** *47 membres* [1], D. 27 (UDF 15, RPR 10, div. 2), FN 7, G. 11 (PS 10, div. 1), E 2. *Bas-Rhin* UDF 10, RPR 5, FN 4, RPR diss. 2, E 1, div. gauche 1. *Haut-Rhin* PS 6, UDF 5, RPR 5, FN 3, E 1.

• **Aquitaine** *83* [4], D. 40 (UDF 17, RPR 17, div. 6), FN 3, G. 40 (PC 8, PS 30, MRG 2). *Dordogne* UO 16, PS-MRG 13, PC 3, FN 2. *Landes* PS 5, UO 4, PC 1. *Lot-et-Gar.* UO 5, PS 3, PC 1, FN 1. *Pyrénées-Atl.* UO 8, PS 7, FN 1, PC 1.

• **Auvergne** *47* [1] D. 26 (UDF 15, RPR 10, div. 1), FN 2, G. 19 (PC 4, PS 15). *Allier* UO 6, PS 3, PC 3, FN 1. *Cantal* UO 4, PS 2. *Haute-Loire* UO 10, PS 8, PC 1, FN 1. *Puy-de-Dôme* UO 10, PS 8, PC 1, FN 1.

• **Bourgogne** *55* [1] D. 28 (UDF 11, RPR 12, div. 5), FN 3, G. 24 (PC 5, PS 17, MRG 2). *Côte-d'Or* UO 8, PS 5, FN 1, PC 1. *Nièvre* UO 4, PS 4, PC 1. *Saône-et-L.* PS-MRG 6, RPR 5, UDF 5, PC 2, FN 1. *Yonne* UO 6, PS 3, FN 1, PC 1.

• **Bretagne** *81* [1], D. 45 (UDF 24, RPR 13, div. 8), FN 2, G. 34 (PC 4, PS 30). *Côtes-d'Armor* PS 6, UDF 5, RPR 3, PC 2. *Finistère* PS-MRG 10, UO 9, opp. diss. 4, PC 1, FN 1. *Ille-et-V.* UDF 10, PS 8, RPR 4. *Morbihan* UO 10, PS 6, FN 1, PC 1.

• **Centre** *75* [1], D. 38 (UDF 15, RPR 13, div. 10), FN 3, G. 34 (PC 8, PS 23, MRG 3). *Cher* UO 5, PC 3, PS-MRG 3. *Eure-et-L.* Opp. 6, PS-MRG 4, FN 1, PC 1. *Indre* PS 3, RPR 3, PC 1, UDF 1. *Indre-et-L.* PS-MRG 6, div. opp. 5, UO 4, FN 1, PC 1. *Loir-et-Cher* UO 5, PS 4, PC 1. *Loiret* UO 9, PS-MRG 6, FN 1, PC 1.

• **Champagne-Ardenne** *47* [2], D. 23 (UDF 9, RPR 11, div. 3), FN 5, G. 19 (PC 4, PS 15). *Ardennes* UO 5, PS 4, PC 1, FN 1. *Aube* UO 4, PS 3, PC 1, div. opp. 1. *Marne* PS 5, RPR 5, UDF 3, PC 2, FN 2, div. opp. 1. *Hte-Marne* UO 4, PS 3, FN 1.

• **Corse** *61* [2], D. 28 (UDF 6, RPR 12, div. 10), FN 2, G. 25 (PC 7, PS 6, MRG 10, div. 2), Auton. 6. *Corse-du-Sud* UO 11, PS-MRG 5, UPC-MCA 3, PC 3, FN 2, div. g. 2, div. opp. 2. *Hte-Corse* RPR 8, MRG 8, UDF 4, CNIP 3, PS 3, UPC-MCA 3, PC 2.

• **Franche-Comté** *43* [4], D. 19 (UDF 10, RPR 9), FN 4, G. 20 (PC 2, PS 16, MRG-div. 2). *Belfort* PS 3, UO 3. *Doubs* UO 8, PS 7, FN 2, PC 1. *Jura* UO 4, PS 4, FN 1, PC 1. *Hte-Saône* UO 4, PS-MRG 4, FN 1.

• **Ile-de-France** *197* [2], D. 89 (UDF 25, RPR 46, div. 18), FN 23, G. 85 (PC 20, PS 59, MRG-div. 6). *Paris* RPR 17, PS-MRG 15, UDF 5, FN 5. *Yvelines* PS 8, RPR 7, UDF 3, FN 2, UDF-diss. 2, PC 1. *Essonne* PS-MRG 7, RPR 5, UDF 3, PC 2, FN 2, div. opp. 1. *Hauts-de-Seine* RPR 8, PS-MRG 8, UDF 5, FN 3, PC 3. *Seine-St-Denis* PS 7, RPR 6, PC 6, FN 4, UDF 3. *Val-de-M.* PS 7, RPR 5, PC 4, UDF 4, FN 3. *Val-d'Oise* PS-MRG 7, RPR 4, UDF 3, FN 2, PC 2. *Seine-et-M.* PS-MRG 6, RPR 5, UDF 3, FN 2, PC 2.

• **Languedoc-Roussillon** *65* [4], D. 26 (UDF 10, RPR 10, div. 6), FN 8, G. 31 (PC 9, PS 21, MRG 1). *Aude* PS 5, UO 3, div. opp. 1, PC 1. *Gard* PS 5, UDF 4, PC 3, FN 3, RPR 3. *Hérault* PS-MRG 8, RPR 5, UDF 4, FN 3, PC 3. *Lozère* UDF 2, PS 1. *Pyrénées-Or.* UO 4, PS 3, FN 2, PC 2.

• **Limousin** *41* [3], D. 18 (UDF 5, RPR 12, div. 1), G. 23 (PC 8, PS 15). *Corrèze* UO 7, PS 4, PC 3. *Creuse* UO 4, PS-MRG 3, PC 1. *Hte-Vienne* PS 8, UO 7, PC 4.

• **Lorraine** *73* [1], D. 38 (UDF 17, RPR 13, div. 8), FN 7, G. 28 (PC 4, PS 24). *Meurthe-et-M.* PS 8, UDF 7, RPR 3, PC 2, FN 2. *Meuse* UO 4, PS 3. *Moselle* PS 8, UDF 7, RPR 7, FN 4, CNIP 3, PC 2. *Vosges* RPR 6, PS 5, UDF 1, FN 1.

• **Midi-Pyrénées** *87* [2], D. 42 (UDF 11, RPR 16, div. 15), FN 3, G. 42 (PC 5, PS 26, MRG-div. 11). *Ariège* PS 2, UO 2, div. dr. 1, PC 1. *Aveyron* UO 6, PS-MRG 4. *Hte-Garonne* Opp. 13, PS-MRG 11, PC 2, FN 2, RPR-CNIP 1. *Gers* PS 3, Opp. 4. *Lot* UO 3, PS-MRG 2, MRG 1. *Htes-Pyrénées* UO 3, PS 3, MRG 2, PC 1. *Tarn* PS-MRG 5, RPR 4, UDF 2, FN 1, PC 1, E 1. *Tarn-et-G.* UO 4, PS-diss. 2, PS 1.

• **Nord-Pas-de-Calais** *113* [3], D. 43 (UDF 16, RPR 22, div. 5), FN 12, G. 58 (PC 19, PS 36, MRG 3). *Nord* PS-MRG 24, RPR 17, PC 11, UDF 11, FN 9. *Pas-de-C.* PS-MRG 15, PC 8, RPR 6, UDF 4, Opp. diss. 4, FN 4.

• **Basse-Normandie** *45* [1], D. 26 (UDF 10, RPR 10, div. 6), FN 2, G. 16 (PC 1, PS 10, MRG-div. 5), E 1. *Calvados* UO 10, PS 7, PC 1, FN 1. *Manche* UO 7, PS 5, Opp. diss. 2, FN 1, E 1. *Orne* UO 6, PS-diss. 2, PS-MRG 1, Opp. diss. 1.

• **Haute-Normandie** *53* [4], D. 24 (UDF 10, RPR 10, div. 4), FN 3, G. 26 (PC 6, PS 18, MRG 2). *Eure* PS-MRG 6, UDF 4, RPR 3, PC 1, FN 1. *Seine-Mar.* UO 17, PS-MRG 14, PC 5, FN 2.

• **Pays de la Loire** *93* [1], D. 51 (UDF 21, RPR 18, div. 12), FN 3, G. 39 (PC 5, PS 26, MRG-div. 8). *Loire-Atl.* UO 16, PS 12, FN 2, PC 1. *Maine-et-L.* UO 10, PS 8, Alt. 1, PC 1, FN 1. *Mayenne* UO 6, PS-Diss. 2, PS 1. *Sarthe* UO 8, PS 5, PC 3. *Vendée* UO 9, PS 5, Div. opp. 2.

• **Picardie** *55* [4], D. 25 (UDF 12, RPR 9, div. 4), FN 4, G. 26 (PC 8, PS 18). *Aisne* UO 7, PS 6, PC 3, FN 1. *Oise* UO 10, PS 7, FN 2, PC 2. *Somme* UO 7, PS-MRG 5, PC 3, FN 1, RPR-diss. 1.

• **Poitou-Charentes** *53* [1], D. 28 (UDF 13, RPR 9, div. 6), FN 1, G. 24 (PC 3, PS 19, MRG 2). *Charente* UO 6, PS 5, PC 1. *Charente-Mar.* PS-MRG 7, Opp.-RPR 6, UDF 2, PC 1. *Deux-Sèvres* UO 6, PS 5,. Div. opp. 1. *Vienne* UO 7, PS 4, PC 1.

• **Provence-Alpes-Côte d'Azur** *117* [2], D. 47 (UDF 23, RPR 17, div. 7), FN 25, G. 45 (PC 14, PS 31). *Alpes-de-Htes-Prov.* PS 2, PC 1. *Htes-Alpes* UO 3, PS 1. *Alpes-Mar.* UO 12, PS 6, FN 6, PC 2. *Bouches-du-Rh.* PS-MRG 13, FN 12, UDF 12, PC 8, RPR 4. *Var* UDF 8, PS 5, FN 4, RPR 2, PC 2. *Vaucluse* UO 5, PS 4, FN 3, PC 1.

• **Rhône-Alpes** *151* [1], D. 76 (UDF 32, RPR 24, div. 20), FN 14, G. 61 (PC 13, PS 44, div. 4). *Ain* UDF 5, PS-MRG 4, RPR 2, FN 1, PC 1. *Ardèche* PS 3, RPR 3, UDF 2, PC 1. *Drôme* PS 4, UO 4, Opp. diss. 2, FN 1. *Isère* UO 12, PS 10, FN 3, PC 3. *Loire* UO 9, PS 6, PC 3, FN 2, Opp. 2. *Rhône* PS-MRG 13, UDF 11, RPR 10, FN 5, PC 3. *Savoie* UO 5, PS-MRG 3, FN 1, PC 1. *Hte-Savoie* UDF 6, PS 3, RPR-CNIP 2, PS-diss. 2, FN 1, RPR-diss. 1.

Présidents du Conseil régional au 15-5-1991. Alsace : Marcel Rudloff [2] (15-3-23). **Aquitaine :** Jean Tavernier (6-3-28) [7]. **Auvergne :** Valéry Giscard d'Estaing [3] (2-2-26). **Bourgogne :** Raymond Janot [3] (9-3-17). **Bretagne :** Yvon Bourges [7] (29-6-21). **Centre :** Maurice Dousset [3] (26-2-30). **Champagne-Ardenne :** Jean Kaltenbach [7] (5-4-27). **Corse :** Jean-Paul de Rocca-Serra [7] (11-10-11). **Franche-Comté :** Pierre Chantelat [4] (20-9-23). **Ile-de-France :** Pierre-Charles Krieg [7] (18-1-22). **Languedoc-Roussillon :** Jacques Blanc [3] (21-10-39). **Limousin :** Robert Savy [6] (28-10-31). **Lorraine :** Jean-Marie Rausch [2] (24-9-29). **Midi-Pyrénées :** Marc Censi [3] (24-1-36). **Nord-Pas-de-Calais :** Noël Josèphe [6] (25-5-20). **Basse-Normandie :** René Garrec [3] (24-12-34). **Haute-Normandie :** Roger Fossé [7] (23-9-20). **Pays de la Loire :** Olivier Guichard [7] (27-7-20). **Picardie :** Charles Baur [5] (20-12-29). **Poitou-Charentes :** Jean-Pierre Raffarin [3] (3-8-48). **Provence-Alpes-Côte d'Azur :** Jean-Claude Gaudin [3] (8-10-39). **Rhône-Alpes :** Charles Millon [3] (12-11-45).

Nota. – (1) UDF (2) UDF-CDS (3) UDF-PR (4) UDF-Rad. (5) UDF-PSD (6) PS (7) RPR.

☞ Total (métropole) 22 présidents dont UDF 12 (avant 11), RPR 7 (5), PS 2 (6), div. G. 1. 14 présidents sortants ont été réélus.

Comité économique et social régional (C.E.S.R.)

• **Rôle. Statut :** lois des 5-7-1972 (créant les régions), 2-3-1982 (décentralisation), 6-1-1986 (fonctionnement des régions). Assemblées consultatives placées auprès des Conseils régionaux. **Nombre :** 26 dont 4 Outre-Mer. **Composition :** 40 à 110 membres selon les régions dont au moins 35 % de représentants des entreprises et activités prof. non salariées ; au moins 35 % de repr. des organisations syndicales de salariés représentatives au niveau national, et de la fédération de l'Éducation nat ; au moins 25 % de repr. des organismes qui participent à la vie collective de la région ; au plus 5 % de personnalités concourant au développement de la région. **Désignation :** par les organisations et organismes représentatifs, et constatée par les préfets de Région. **Mandat :** 6 ans (Pt et bureau élus pour 3 ans). **Attributions : 1°)** obligatoirement saisis pour avis par le Pt du Conseil régional sur : le plan national et régional, orientations du budget régional. **2°)** peuvent être saisis à l'initiative du Conseil régional sur tout sujet à caractère économique, social ou culturel. **3°)** peuvent émettre de leur propre initiative des avis sur toute question entrant dans les compétences de la région.

• **Fonctionnement.** Préparation des rapports et avis en commissions spécialisées avec l'aide d'un rapporteur choisi en leur sein, discussion et vote en séance plénière ouvertes au public. Les avis sont adoptés à la majorité des suffrages exprimés mais ils peuvent mentionner les positions des minorités. **Moyens :** fixés par le Pt du Conseil régional. Les services régionaux sont à sa disposition à titre permanent ou temporaire ; le personnel dont il dispose constitue le cabinet du Comité (dirigé par un directeur de cabinet, ou un chef de cabinet, ou un secrétaire gén.) comprenant un ou plusieurs chargés de mission. **Finances :** crédits figurant au budget des régions.

Départements

☞ Voir liste p. 698, notices sur chaque département, voir nom à l'Index.

Histoire du département

• **Origine. 1765** d'Argenson demande la division du royaume en départements [le mot signifiait *répartition fiscale* et aussi *division du gouvernement* (chaque min. avait son « département ») ; il avait le sens de *circonscription territoriale* dans l'administration des Ponts et Chaussées (chaque sous-ingénieur avait son « département »)]. **1787** les ass. régionales de la généralité d'Ile-de-France (très vaste) sont convoquées dans plusieurs « départements » différents. **1788** les cahiers de doléances des états généraux souhaitent la formation de circonscriptions uniformes et commodes avec un chef-lieu facilement accessible (le cahier du Puy, art. 42, parle de départements). **1789** *août,* avant d'élaborer la Constitution, la Constituante entreprend la réforme de l'administration locale : les troubles de juillet-août 1789 (la Grande Peur) ont, en effet, désorganisé le système généralité-subdélégation-seigneuries ; *7-9* Sieyès demande la constitution d'un comité (6 membres) chargé de présenter un plan ; *29-9* Thouret, au nom du comité, présente un 1er rapport. Projets en présence : remplacer la généralité par une circonscription commune à tous les services et dont la taille permette, de n'importe quel point, d'aller au chef-lieu et d'en revenir dans les 48 h à cheval, soit un rayon de 30 à 40 km ; remplacer la subdélégation par une circonscription de 15 km de rayon permettant un aller-retour dans la journée. Duport prévoit 70 dép. d'étendue égale ; Lally-Tollendal propose un partage égalitaire d'après la population. Chaque dép. doit être divisé en 9 circonscriptions dénommées « communes », de 6 lieues de côté. Ces « communes » doivent être dotées d'un « corps de municipalité », héritant des anciens pouvoirs seigneuriaux. *Fin sept.,* un 2e comité de constitution élabore une carte en partant d'un quadrillage (la France divisée en 9 grands carrés, eux-mêmes subdivisés en 9) dont l'initiateur paraît avoir été le géographe Robert de Hesseln, en 1780. Mirabeau s'élève contre ce découpage géométrique et propose la constitution de 120 dép. *11-11* après une intervention de Target, l'Assemblée adopte l'ensemble du projet du 2e comité de Constitution ou projet *Thouret-Sieyès,* mais, en rejetant la conception des grandes communes, on reviendra à l'échelon local traditionnel (municipalité de ville ou de village). On pose ainsi le principe d'un découpage en départements dont le nombre devra se situer entre 75 et 85 et qui devront former autant que possible des carrés de 18 lieues de côté. Le département sera lui-même subdivisé en circonscriptions dont la définition géographique est voisine de celle de la grande commune qu'envisageait le comité. Ces circonscriptions, de 6 à 9 par département, porteront le nom de districts. Le district est divisé en cantons. *12-11* il est déclaré que : « Il y aura une municipalité dans chaque ville ou paroisse », et une procédure officielle de découpage est instituée. Les découpages seront faits « autant que possible » en carrés égaux (de 300 lieues carrées). On partira des diverses « régions » (en fait les anciennes provinces, parfois regroupées). Des « conférences » regroupant les députés de chaque région délimitent ces dép. En cas de difficultés, on en référera au comité de constitution devenu « comité de division ». Un appel peut être porté devant l'Assemblée. **1790** *15-1,* on est fixé sur le chiffre de 83 départements. *26-2,* l'Assemblée, synthétisant les décrets particuliers qu'elle avait antérieurement rendus sur la formation des divers départements et de leurs divisions internes, vote le texte « relatif à la division de la Fr. » (sanctionné et promulgué le 4-3).

• **Nom.** Les 83 dép. reçoivent du comité leurs noms (on hésite : nom du chef-lieu, référence au nom de l'ancienne province, numérotage, etc.). Des compétitions opposent souvent plusieurs villes pour le chef-lieu, par ex. entre Avranches et Coutances (on choisit St-Lô), entre Aire et Dax (on choisit Mont-de-Marsan). Les trafics d'influence vont leur cours. L'Assemblée, reconnaissant son impuissance, renvoie parfois aux électeurs de la circonscription le soin de prendre la décision pour la fixation du chef-lieu.

☞ En déc. 1789, on avait estimé que certains chefs-lieux pourraient n'avoir qu'une partie des administrations, tel ou tel établissement (un siège de justice notamment) pouvant être abandonné à une autre localité. Quand les prétentions de 2 villes sont comparables et leurs pressions aussi vigoureuses, un alternat est prévu : le chef-lieu du dép. (ou du district) est établi pour un temps (6 mois ou 1 an) dans une ville, puis pour le même temps dans la ville concurrente.

• **Alternance des chefs-lieux.** Dans la moitié environ des départements, devant les prétentions de diverses localités, on pratiqua l'alternance pour le lieu de réunion des assemblées départementales. Notamment, pour : *Ariège :* Foix, Pamiers, St-Girons. *Ardèche :* Privas, Tournon, Annonay, Aubenas. *Cantal :* St-Flour et Aurillac. *Creuse :* Guéret et Aubusson. *Dordogne :* Périgueux, Bergerac, Sarlat. *Gard :* Nîmes, Alès, Uzès. *Hérault :* Montpellier, Béziers, Lodève, Saint-Pons. *Jura :* Dole, Lons-le-Saunier, Poligny, Salins. *Maine-et-Loire :* Angers et Saumur. *Haute-Marne :* Chaumont et Langres. *Meuse :* Bar-le-Duc et Saint-Mihiel. *Haute-Saône :* Vesoul et Gray. *Tarn :* Castres et Albi. Cet usage dura 1 an. Il subsista jusqu'en 1794 en Ariège, Cantal, Gard, Jura et Haute-Saône.

Droits et libertés et répartition des compétences des communes, des départements et des régions (lois du 2-3-1982 et du 7-1-1983)

La loi du 2-3-1982, modifiée et complétée par la loi no 82-623 du 22-7-1982, a transféré l'exécutif départemental et régional du préfet du département ou de la région aux présidents des assemblées élues, et élargi les possibilités d'intervention des collectivités locales en matière écon., prévoyant la suppression des tutelles, administrative et financière, et de tout contrôle *a priori* sur les actes des autorités communales, départementales et régionales.

Droits et libertés des communes

Suppression de la tutelle administrative. Les actes pris par les autorités communales sont exécutoires de plein droit dès qu'ils ont été publiés ou notifiés aux intéressés, transmis au représentant de l'État dans le département ou à son délégué dans l'arrondissement. *Actes qui doivent être transmis :* délibérations du conseil municipal ou décisions prises par le maire par délégation du conseil mun. en application de l'art. L 122.20 du Code des communes ; décisions réglementaires et individuelles prises par le maire dans l'exercice de son pouvoir de police ; actes à caractère réglementaire pris par les autorités communales dans les autres domaines relevant de leur compétence en application de la loi, certaines conventions (marchés, emprunts, concession ou affermage de services publics locaux à caractère ind. ou commercial), certaines décisions individuelles en matière de personnel communal (nomination, avancement de grade, sanctions soumises à l'avis du conseil de discipline, licenciement).

Quand un de ces actes adm. peut compromettre l'exercice d'une liberté publique ou individuelle, le Pt du trib. administratif prononce le sursis dans les 48 h (appel possible devant le Conseil d'État dans les 15 j). Le Gouv. soumet chaque année (avant le 1-6) au Parlement un rapport sur le contrôle *a posteriori* des délibérations, arrêtés, actes et conventions des com. par les repr. de l'État dans les dép.

La commune peut intervenir en matière écon. et soc. et maintenir des services en milieu rural pour favoriser le développement écon. (ex. : aides directes et indirectes aux entreprises). Sauf autorisation prévue par décret en Conseil d'État, elle ne peut prendre de participations dans le capital d'une Sté commerciale ou d'un organisme à but lucratif n'ayant pas pour objet d'exploiter les services communaux ou des activités d'intérêt général. Elle ne peut accorder à une personne de droit privé sa garantie, ou son cautionnement à un emprunt, que sous certaines conditions.

Suppression de la tutelle financière. *Si le budget de la commune n'est pas adopté avant le 1-1 de l'exercice,* le maire peut, jusqu'à son adoption, mettre en recouvrement les recettes et engager les dépenses de fonctionnement dans la limite de celles inscrites au budget précédent. *Si le budget n'est pas adopté avant le 31-3,* le repr. de l'État dans le département saisit la chambre régionale des comptes qui, dans le mois, formule des propositions pour le règlement du budget. Le repr. de l'État règle le budget et le rend exécutoire (s'il s'écarte des propositions de la ch. rég. des comptes, il motive sa décision). *Si une nouvelle commune est créée,* le conseil mun. adopte le budget dans les 3 mois. A défaut, il est réglé et rendu exécutoire par le repr. de l'État, sur avis public de la ch. rég. des comptes.

Si le budget n'est pas voté en équilibre réel, la chambre rég. des comptes, saisie (dans les 30 j) par le repr. de l'État, le constate et propose à la commune (dans les 30 j à compter de sa saisine) les mesures adéquates. La délibération du cons. mun., rectifiant le budget initial, doit intervenir dans le mois. Si le cons. mun. n'a pas délibéré dans ce délai ou s'il n'a pas effectué un redressement jugé suffisant par la chambre rég. des comptes (qui se prononce dans les 15 j), le budget est réglé et rendu exécutoire par le repr. de l'État dans le dép. (s'il s'écarte des propositions de la ch., il motive sa décision). Si la commune fait défaut pour une dépense obligatoire (v. ci-dessous), le repr. de l'État y procède d'office.

Le comptable de la commune est un comptable direct du Trésor, nommé par le ministre du Budget.

Arrêté des comptes. Constitué par le vote du conseil mun. sur le compte administratif présenté par le maire. Si le déficit dépasse un certain % des recettes de fonctionnement, la ch. rég. des comptes est également saisie par le représentant de l'État et propose à la commune des mesures nécessaires au rétablissement de l'équilibre budgétaire. Le budget primitif de l'exercice suivant est transmis par le repr. de l'État à la ch. rég. des communes. Si celle-ci constate que la commune n'a pas pris de mesures suffisantes pour résorber ce déficit, elle propose des mesures de redressement au repr. de l'État qui est chargé de le régler et de le rendre exécutoire. S'il s'écarte des propositions de la chambre régionale des communes, il doit motiver sa décision.

Dépense obligatoire. Les communes ne sont tenues qu'aux dépenses nécessaires, au paiement des dettes exigibles et aux dépenses prévues par la loi. S'il y a eu défaut d'inscription au budget d'une dépense obligatoire ou si la somme est insuffisante, il peut y avoir saisine de la chambre rég. des comptes par le repr. de l'État, le comptable public concerné, ou par toute personne y ayant intérêt. La chambre adresse une mise en demeure à la commune si, passé 1 mois, elle n'a pas pris les mesures nécessaires ; la chambre demande au repr. de l'État d'inscrire la dépense au budget de la commune et propose, s'il y a lieu, la création de ressources ou la diminution de dépenses facultatives pour couvrir la dépense obligatoire. Le budget rectifié est réglé et rendu exécutoire par le repr. de l'État.

Si le *mandatement* d'une dépense obligatoire n'a pas été effectué, le *repr. de l'État,* après une mise en demeure, y *procède d'office.*

Droits et libertés du département

Suppression des tutelles administratives et financières.

Contrôle de légalité des actes et contrôle budgétaire. Similaires à ceux exercés sur les actes des autorités communales, obligation de transmission, publication ou notification, liste des actes transmis, interventions économiques (sous réserve de la possibilité supplémentaire d'intervention en faveur des entreprises en difficulté), rôle des ch. rég. des comptes.

Le préfet a la charge des intérêts nationaux, du respect des lois, de l'ordre public et du contrôle administratif. Sauf disposition contraire de la loi, il exerce les compétences précédentes du préfet en tant que délégué du Gouv. dans le dép.

Nota. – Ces dispositions sont applicables aux établissements publics départementaux et interdép. et aux établ. publics communs aux communes et aux dép., mais non aux établ. et services publics sanitaires et sociaux.

Droits et libertés de la région

Suppression des tutelles administratives. Voir ci-dessus département et commune. Le préfet représente chacun des min. et dirige les services rég. de l'État (sauf exceptions énumérées par un décret en Cons. d'État).

Suppression de la tutelle financière. Les règles applicables au contrôle budgétaire des départements s'appliquent aux régions ; intervention du repr. de l'État et de la ch. rég. des comptes dans les seuls cas prévus par la loi.

Chambre régionale des comptes

Composée de magistrats inamovibles, intervient dans le cadre de la procédure du contrôle budgétaire lors de l'élaboration et de l'exécution du budget. Elle est à ce titre chargée de conseiller le représentant de l'État et d'organiser une procédure de conciliation préalable.

Mission juridictionnelle visant les comptables de droit ou de fait. Depuis 1984, elle juge en 1er ressort tous les comptes des collectivités locales et de leurs établissements publics, tels qu'ils lui sont soumis par leurs comptables respectifs. Appel possible devant la Cour des comptes.

• Découpage. Il respecta à peu près les données naturelles et historiques. Bretagne et Normandie sont découpées en 5 circonscriptions, Provence et Franche-Comté en 3 ; le Périgord se retrouve en grande partie dans la Dordogne, le Quercy dans le Lot, le Velay dans la Haute-Loire, la Touraine dans l'Indre-et-Loire, le Gévaudan dans la Lozère, le comté de Foix dans l'Ariège, le Bourbonnais dans l'Allier... Par contre, certains dép. sont composites : ex. : Aisne, Oise (enchevêtrant Ile-de-France et Picardie), Charente-Maritime (Aunis et Saintonge), Haute-Vienne (Limousin, Marche, Guyenne et Poitou), Basses-Pyrénées (Pays basque, Béarn et Gascogne), Yonne (Orléanais, Bourgogne et Champagne).

Départements nouveaux sous la Révolution et l'Empire. Voir p. 628.

Changements de limites. 1791 14-9 le comtat Venaissin et Avignon sont annexés et répartis entre Drôme et B.-du-Rh. **1793** formation du Vaucluse, Corse divisée en 2 dép. (Golo et Liamone), Montbéliard annexé et réuni au Doubs ; Rhône-et-Loire scindé en Rhône et Loire. **1798** Mulhouse annexé, réuni au Haut-Rhin. **1808** 4-11 Tarn-et-Garonne créé au détriment des circonscr. limitrophes. H^te^-Garonne, Lot (Aveyron, Gers, Lot-et-Garonne). **1811** 19-4 en Corse le Golo, (préfecture : Bastia) et le Liamone (préf. : Ajaccio) sont réunis en un seul (Corse ; Ajaccio chef-lieu). **1815** les rectifications de frontières modifient 6 dép. : Nord, Ardennes, Moselle, Bas-Rhin, Ht-Rhin, Ain. **1824** 21-07 réunion à la Mayenne de l'enclave de Madré, et à l'Orne de l'enclave de St-Denis-de-Villenette. **1831** 30-03 loi complétée par ordonnance royale du **1832** 5-10, règle définitivement le problème. **1860** 15-6 une fraction du Var est annexée aux Alpes-Mar. **1871** les territoires non annexés de la Meurthe et de la Moselle forment la Meurthe-et-Moselle ; le territoire non annexé du Haut-Rhin forme le Territoire de Belfort, le Bas-Rhin est entièrement annexé. **1919** après le retour de l'Alsace-Lorraine, les anciens dép. ne sont pas reconstitués ; Bas-Rhin, Haut-Rhin et « Moselle » étant restés des territoires concordataires (le nom de Moselle est donné à un dép. différent de celui de 1870). **1947** Tende et La Brigue, détachés de l'Italie, sont rattachés aux Alpes-Marit. **1964** Seine et Seine-et-Oise sont découpés en 7 nouveaux dép. : Paris, Hts-de-Seine, Val-de-Marne, Seine-St-Denis, Val-d'Oise, Yvelines, Essonne. **1967** 23 communes de l'Isère et 6 communes de l'Ain sont rattachées au Rhône. **1975** 15-5 la Corse est redécoupée en 2 : Haute-Corse et Corse-du-Sud.

Changements de préfecture. *Pau* substitué à Navarrenx (fin 1790) [la Constituante avait laissé aux « électeurs » du département le choix du chef-lieu. Les députés des Basques avaient proposé Saint-Palais ; ceux du Béarn et de la Navarre, Navarrenx. Le 17-2-1790, le Comité de la Constitution avait décidé que l'assemblée des électeurs se tiendrait à Navarrenx plus central que Saint-Palais]. *Grasse* à Toulon (1793, Var). *Brignoles* à Grusse (1795, Var). *Montvrison* à Feurs (1795, Loire). *Draguignan* à Brignoles (1800, Var). *Marseille* à Aix (1800, B.-du-Rh.). *Albi* à Castres (1800, Tarn). *Vesoul* à Gray (1801, Hte-Saône). *St-Lô* à Coutances (1801, Manche). *Lille* à Douai (22-7-1802, Nord). *Lille* à Douai (1804, Nord). *La Roche-sur-Yon* à Fontenay (26-5-1804, Vendée). *Mézières* à Charleville (1808, Ardennes). *La Rochelle* à Saintes (19-5-1810, Ch.-Inf.). *St-Étienne* à Montbrison (1855, Loire). *Toulon* à Draguignan (1974, Var).

• Nom. 13 départements eurent des noms de montagnes, 4 des noms de situations géographiques, 60 des noms de rivières.

Changements de nom. *Mayenne-et-Loire :* Maine-et-Loire (12-12-1791). *Charente-Inférieure :* Ch.-Maritime (4-9-1941). *Seine-Inférieure :* S.-Maritime (18-1-1955). *Loire-Inférieure :* L.-Atlantique (9-3-1957). *Basses-Pyrénées :* P.-Atlantiques (10-10-1969). *Basses-Alpes :* A.-de-Haute-Provence (13-4-1970). *Côtes du Nord :* Côtes d'Armor (1990).

Statistiques

• Nombre. **Départements métropolitains :** *1790 :* 83, *1793 :* 88, *1801 :* 100, *1810 :* 130, *1814 :* 87, *1815 :* 86 (suppression du Mt-Blanc), *1860 :* 89 (création de 3 dép. : Savoie, Hte-Savoie, Alpes-Mar.), *1871 :* 87 [perte du B.-Rhin, du Ht-Rhin (moins Belfort), d'une partie de la Meuse et de la Moselle ; création du dép. de Meurthe-et-Moselle et du Territoire de Belfort)]. *1919 :* 90 [(récupération de l'Alsace-Lorraine : B.-Rhin, Ht-Rhin, Moselle)], *1968 :* 95 (loi du 10-7-1964 entrée en vigueur le 1-1-1968, 5 dép. nouveaux dans la région parisienne : Essonne, Hauts-de-Seine, Seine-St-Denis, Val-de-Marne, Val-d'Oise), *1975 :* 96 [(loi du 15-5-1975 : Corse divisée en Hte-Corse et Corse-du-Sud)]. **Départements d'outre-mer :** Martinique, Guadeloupe, Guyane, Réunion (dep. 19-3-1946). **Collectivités territoriales à statut particulier :** Mayotte, St-Pierre-et-Miquelon (19-7-1976).

Nota. – L'Algérie avait été divisée en 3, puis 4, puis 15 dép. (13 + 2 dép. du Sahara) avant 1962.

• Population (au 1-1-1991). *Moyenne :* 565 604 h. *12 départements dépassent 1 000 000* (dont 2 de + de 2 000 000 : Nord, Paris). *1 a* – de 100 000 h. (Lozère). **Les plus peuplés.** Nord 2 531 855. Paris 2 154 678. B.-du-Rh. 1 759 078. Rhône 1 508 967. P.-de-Calais 1 433 203. Hts-de-Seine 1 391 314. Seine-St-Denis 1 381 169. Yvelines 1 307 145. S.-Marit. 1 223 429. V.-de-M. 1 215 538. Gironde 1 213 482. Moselle 1 011 261. **Les moins peuplés.** Lozère 72 814. Htes-Alpes 113 272. Corse-du-Sud 118 174.

Densité (1990) [1]. *Moyenne :* 101,6 h. au km². *Plus fortes :* Paris 20 770 h., Hts-de-Seine 7 923, Seine-St-Denis 5 847, V.-de-M. 4 961, V.-d'O. 842 (7 autres départements ont de 210 à 512 h. ; 29 dép. ont moins de 50 h.). *Plus faibles :* Lozère 14, Alpes-de-Hte-Provence 19. Voir aussi p. 696.

• Superficie [1]. *Moyenne* 5 666,3 km². *7 départements dépassent 8 000 km² :* Gironde 10 000, Landes 9 243. Dordogne 9 060, Côte-d'Or 8 763, Aveyron 8 735, Saône-et-Loire 8 575, Marne 8 162. *12 ont moins de 4 000 km²* dont 7 de l'Ile-de-France, *5 ont moins de 1 000 km² :* Paris 105, Hauts-de-Seine 176, Seine-Saint-Denis 236, Val-de-Marne 245, Terr. de Belfort 609.

Nota. – (1) Départements métropolitains.

☞ *Le plus vaste département hors métropole :* la Guyane : 83 533,90 km² ; *en métropole :* la Gironde : 10 000,14 km².

Préfet

☞ Voir loi du 2-3-1982, p. 694.

• Histoire. **1800** *17-2* préfets créés par la loi du 28 pluviôse an VIII. *11-3* charte de l'administration préfectorale (circulaire de Beugnot). **1808** *A partir du 1-3,* Napoléon crée comtes ou barons préfets et sous-préfets qu'il veut honorer spécialement. **A partir de 1813** il anoblit tous les préfets et sous-préfets. **1814** nombreuses mutations, mais 32 préfets restent (219 sous-préfets sur 340 sont conservés). **1830** *août* Guizot change 83 % des préfets et sous-préfets. **1848** mouvement analogue. **1848** *25-2* préfets et sous-préfets deviennent commissaires de la Rép. **1873** (à partir du 24-5), mise en place de préfets et sous-préf. bien-pensants (orléanistes et cléricaux). **1877** *mai,* 62 préfets et presque tous les sous-préf. sont remplacés. **1941** *4-4* le gouvernement de Vichy renforce les pouvoirs préfectoraux. **1944** (Libération) des commissaires de la Rép. sont nommés dans certains dép. avec des pouvoirs exceptionnels. **1982** *2-3* préfets et sous-préf. deviennent commissaires de la Rép. (lois sur la décentralisation). **1988** *24-2* décret rétablissant l'appellation préfet et sous-préf. **Sous la Ve Rép.** changements importants : *1967 :* 42 ; *74 :* 21 ; *81 :* 79 ; *82 :* 74 ; *83 :* 49 ; *84 :* 34 ; *85 :* 93.

Nota. – Des *préfets de police* furent nommés le 8-3-1800 à Paris, Lyon, Marseille et Bordeaux ; seule la préfecture de police de Paris fut ensuite maintenue (commissaire général de police ailleurs). Il existe actuellement 4 préfets, adjoints pour la sécurité, auprès des préfets à Marseille, Lyon, Lille et en Corse.

• Statut et carrière. Le préfet est nommé par décret du Pt de la République, pris en Conseil des ministres, sur proposition du Premier ministre et du ministre de l'Intérieur. Les 4/5 des postes territoriaux sont réservés à des sous-préfets ou administrateurs civils. Seuls peuvent être choisis ceux qui ont atteint la position hors classe de leur grade. *Avancement* régi par le décret du 29-7-1964 ; classe unique avec 7 échelons de traitement, plus une hors-classe (sous-préfet : 3 classes et plusieurs échelons) ; choix et ancienneté combinés pour l'avancement d'échelon ; hors-classe : liée en général à la nomination dans des préf. importantes figurant sur une liste dressée par décret. *Age de retraite* 65 ans.

Préfets les plus jeunes. *IIe République :* Émile Ollivier, commissaire de la République à 22 ans à Marseille, préfet des Bouches-du-Rhône à 22 ans et 11 mois. *IIIe, IVe* et *Ve Rép. :* il n'y eut, de 1870 à 1944, que 3 préfets de moins de 30 ans, dont Paul Deschanel (1855-1922), qui avait été sous-préfet de Dreux en 1877, à 22 ans.

Records de longévité (dans un même poste). *38 ans :* Claude-Laurent Bourgeois, vicomte de Jessaint (n. 1764-1853), préfet de la Marne (1800-38). *22 ans :* Lefebvre du Grosriez, en Savoie (1883-1905) ; Leroy de Boisaumarie, Seine-Inférieure (1848-70). *21 ans :* Tiburce Foy, Ardennes (1849-70). *20 ans :* d'Arros, Meuse (1828-48).

1re femme préfet : Yvette Chassagne (28-3-22), préfet de Loir-et-Cher, en juillet 1981.

• Attributions. Avant 1982, il était le représentant de l'État et du département (voir Quid 1982), depuis il est seulement le représentant de l'État, du gouv. et de chacun des ministres. Il a plus fréquemment des contacts avec le min. de l'Intérieur, qui est le conseiller des collectivités locales et assure la gestion du personnel du corps préfectoral. Il veille à l'exécution des lois et des règlements et à l'application des décisions du gouv.

Dans le domaine administratif, ses attributions sont variées ; dans les domaines économique et de l'aménagement du territoire, son rôle s'accroît. Il préside de droit toutes les commissions adm. qui intéressent les services de l'État dans le département, à l'exception de celles dont la présidence est confiée statutairement à un magistrat de l'ordre judiciaire ou à un membre d'une juridiction administrative. Il est ordonnateur secondaire unique des services

Préfectures moins peuplées qu'une de leurs sous-préfectures. *Aisne :* Laon 26 490 h. (Saint-Quentin 60 641 h., Soissons 29 829 h.). *Allier :* Moulins 22 799 (Montluçon 44 248, Vichy 27 714). *Ariège :* Foix 9 960 (Pamiers 12 961). *Aude :* Carcassonne 43 470 h. (Narbonne 45 849). *Corrèze :* Tulle 17 164 (Brive-la-Gaillarde 49 714). *Finistère :* Quimper 59 420 (Brest 147 956). *Hts-de-S. :* Nanterre 84 565 (Boulogne-Billancourt 101 743). *Jura :* Lons-le-Saunier 19 144 (Dole 26 577). *Manche :* Saint-Lô 21 546 (Cherbourg 27 121). *Marne :* Châlons-sur-Marne 48 269 (Reims 180 620). *Marne (Hte-) :* Chaumont 27 041 (Saint-Dizier 33 552). *Meuse :* Bar-le-Duc 17 545 (Verdun 20 753). *Morbihan :* Vannes 45 576 (Lorient 59 271). *Pas-de-Calais :* Arras 38 983 (Calais 75 309). *Rhin (Ht-) :* Colmar 63 498 (Mulhouse 108 357). *S.-et-L. :* Mâcon 37 275 (Chalon-sur-Saône 54 575). *Seine-Mar. :* Rouen 102 723 (Le Havre 195 854). *S.-et-M. :* Melun 35 319 (Meaux 48 305). *Val-d'Oise :* Pontoise 27 150 (Argenteuil 93 096).

Préfectures moins peuplées qu'une autre commune du même département. *Alpes-de-Hte-Prov. :* Digne 16 087 (Manosque 19 107). *Ardèche :* Privas 10 080 (Annonay 18 525, Aubenas 11 105). *S.-St-Denis :* Bobigny 44 659 (Aubervilliers 67 557, Aulnay-sous-Bois 82 314, Le Blanc-Mesnil 46 956, Bondy 46 666, Drancy 60 707, Épinay-sur-Seine 48 714, Montreuil 94 754, Saint-Denis 89 988. *Val-de-M. :* Créteil 82 088, Vitry-sur-Seine 82 400).

Préfectures de moins de 50 000 h. Blois, *L.-et-C.* 49 314. Évreux, *Eure* 49 103. Albi, *Tarn* 46 579. Vannes, *Morbihan* 45 576. Évry, *Essonne* 45 531. La Roche-sur-Yon, *Vendée* 45 219. Bobigny, *S.-St-Denis* 44 659. Carcassonne, *Aude* 43 470. Nevers, *Nièvre* 41 968. Bourg-en-Bresse, *Ain* 40 972. Chartres, *Eure-et-Loir* 39 595. Arras, *P.-de-Calais* 38 983. Auxerre, *Yonne* 38 919. Bastia, *Hte-Corse* 37 845. Mâcon, *S.-et-L.* 37 275. Épinal, *Vosges* 36 718. Melun, *S.-et-M.* 35 319. Gap, *Htes-Alpes* 33 438. Aurillac, *Cantal* 30 773. Agen, *L.-et-G.* 30 553. Périgueux, *Dordogne* 30 280. Alençon, *Orne* 29 988. Mt-de-Marsan, *Landes* 28 328. Pontoise, *V.-d'Oise* 27 150. Chaumont, *Hte-Marne* 27 041. Laon, *Aisne* 26 490. Rodez, *Aveyron* 24 701. Auch, *Gers* 23 136. Moulins, *Allier* 22 799. Saint-Lô, *Manche* 21 546. Cahors, *Lot* 19 735. Lons-le-Saunier, *Jura* 19 144. Vesoul, *Hte-S.* 17 614. Bar-le-Duc, *Meuse* 17 545. Tulle, *Corrèze* 17 164. Digne, *Alpes-de-Hte-Pr.* 16 087. Guéret, *Creuse* 14 706. Mende, *Lozère* 11 286. Privas, *Ardèche* 10 080. Foix, *Ariège* 9 960.

Sous-préfectures de + de 50 000 h. Le Havre, *S.-Mar.* 195 854. Reims, *Marne* 180 620. Brest, *Finistère* 147 956. Aix-en-Provence, *B.-du-Rh.* 123 601. Mulhouse, *Rhin (Haut-)* 108 357. Boulogne-Billancourt, *Hts-de-S.* 101 743. Argenteuil, *Val-d'O.* 93 096. Calais, *P.-de-C.* 75 309. Béziers, *Hérault* 70 996. Dunkerque, *Nord* 70 331. Saint-Nazaire, *L.-Atl.* 64 812. Saint-Quentin, *Aisne* 60 641. Lorient, *Morbihan* 59 271. Cholet, *M.-et-L.* 55 524. Chalon-sur-Saône, *S.-et-L.* 54 575. Antony, *Hts-de-S.* 57 771. Arles, *B.-du-Rh.* 52 126.

Source : recensement de 1990. Données métropolitaines.

extérieurs des administrations civiles de l'Etat dans le département.

Conseil général

• **Histoire. 1790** création dans chaque dép. d'une assemblée élue par tous les citoyens versant une contribution au moins égale à 10 j de travail ; mandat de 2 ans pour les élus (renouvellement par moitié). **1800** (17-2) devient le Conseil général du « département » avec la loi du 28 pluviôse an VIII, par opposition au « Conseil de préfecture » (V. Justice) ; entre 16 et 24 conseillers par dép., nommés par le Gouv. pour 3 ans ; le Conseil ne siège que 15 j par an, peut saisir le min. de l'Intérieur des besoins du dép. et a essentiellement des pouvoirs fiscaux (répartit l'impôt entre arrondissements, fixe le montant des centimes additionnels à l'intérieur des limites légales). **1833** chaque canton élit son conseiller. **1838** (loi du 10-5) pouvoirs un peu étendus. **1866** (loi du 18-7) extension des pouvoirs. **1870** (loi du 23-7) élection du bureau. **1871** (10-8) large autonomie et création d'une *commission départementale* (élue par le Conseil en son sein, elle se réunit chaque mois) ; conseillers élus pour 6 ans. **1926** la délibération exécutoire est la règle et l'approbation expresse de l'autorité de tutelle l'exception. **1942** (loi du 7-8) Conseil général remplacé par le Conseil départemental (membres et bureau nommés par le min. de l'Intérieur). **1944** (ordonnance du 21-4) Conseil général rétabli. **1946** la Constitution (art. 87) confie l'exécution des décisions du Conseil gén. à son président ; mais cet article ne sera pas appliqué et ne sera pas repris par la Constitution de 1958. **1959** (ordonnance du 5-1) la plupart des décisions du Conseil sont dispensées de l'approbation de l'autorité de tutelle. **1970** (décret du 13-1) le Conseil participe à titre consultatif à l'élaboration des programmes d'équipement rég. **1982** (loi du 2-3) érige les départements en collectivités locales à part entière, ayant un exécutif élu, le Pt du Cons. général, et remplace la *Commission départementale* (Voir Quid 1983 p. 770) par le bureau du Cons. général. **1983** lois du 7-1 et du 22-7 transfèrent des compétences d'État aux départements, en matière d'agriculture (aide à l'équipement rural), de ports maritimes de commerce et de pêche, de transports scolaires, d'action sociale et de santé, d'environnement et d'action culturelle.

• **Élection.** Élu par tous les électeurs du canton pour 6 ans au scrutin uninominal majoritaire à 2 tours (1 conseiller par canton). La loi nº 90-1103 du 11-12-1990, organisant la concomitance des renouvellements des Conseils généraux et des C. régionaux, a supprimé le renouvellement triennal par moitié. A partir de 1998, les C. généraux se renouvelleront intégralement. Leur nombre est de 15 à 76 (de 25 à 50 m. en général).

Structure des collectivités locales européennes

Pays à 2 niveaux d'administration locale. *Danemark :* 14 comtés (exceptions : Copenhague et Frederiksberg à la fois département et commune) ; 275 communes. *Irlande :* 32 comtés dont 5 bourgs comtés ; 84 communes dont 6 bourgs, 49 districts, 30 municipalités. *Pays-Bas :* 12 provinces ; 702 communes. *Royaume-Uni :* 59 comtés ; 481 districts + 10 000 paroisses, + 800 Community Councils (dépendants des districts). *Angleterre, Pays de Galles :* 47 comtés non métropolitains ; 33 communes à Londres, 333 districts non métropolitains, 36 districts métropolitains. *Écosse :* 9 régions, 3 îles ; 53 districts. *Irlande du Nord :* 26 districts non métropolitains.

Pays unitaires à 3 niveaux d'administration locale. *France :* 26 régions ; 100 départements ; 36 577 communes. *Grèce :* 13 régions ; 54 nomoï ; 6 034 communes.

Pays à 3 niveaux d'administration locale avec forte régionalisation, voire fédéralisme. *Belgique :* 3 régions + 3 communautés linguistiques ; 9 provinces ; 596 communes. *Espagne :* 17 communautés autonomes ; 50 provinces ; 8 027 communes. *Italie :* 20 régions (5 à statut spécial) ; 95 provinces ; 8 074 communes. *R.F.A. :* 8 Länder + 3 villes-États ; 328 kreise et villes assimilées ; 8 514 communes.

Autres. *Portugal :* 2 régions autonomes (Madère, Açores) ; 305 municipalités, 4 100 freguesias (paroisses). *Luxembourg :* 118 communes.

Source : Fondation pour la gestion des villes.

• **Organisation.** Le Conseil élit son Pt et les autres membres de son bureau (le Pt, 4 à 10 vice-Pts et 1 ou plusieurs autres membres). Il siège à l'hôtel du dép., se réunit à l'initiative de son Pt, au moins 1 fois par trimestre. Le préfet est entendu par accord avec le Pt du Conseil gén. et sur demande du 1er min. Le Conseil gén. se réunit aussi à la demande du bureau ou du 1/3 des m. du Cons. gén. sur un ordre du j déterminé. En cas de circonstances exceptionnelles, il peut être réuni par décret. Le Conseil gén. établit son règlement intérieur. Les séances sont publiques sauf s'il en décide autrement. Il ne peut délibérer en l'absence de la majorité absolue de ses m. en exercice. Ses délibérations sont prises à la majorité des suffrages exprimés. Dissolution quand le fonctionnement d'un Conseil gén. est impossible, le Gouv. peut le dissoudre par décret motivé en conseil des min. ; il en informe aussitôt le Parlement. En cas de dissolution du Conseil gén., de démissions de tous ses m. en exercice ou d'annulation de leur élect., le Pt se charge des affaires courantes. Ses décisions ne sont exécutoires qu'avec l'accord du préfet. La réélection du Cons. gén. a lieu dans les 2 mois. Un seul Conseil général a été dissous sous la Ve Rép. (Bouches-du-Rhône en 1974).

Compétence. Délibère et statue sur toutes les affaires d'intérêt départemental. *Fonctions administratives :* administre le personnel et les biens du département (domaine immobilier notamment), entretient la voirie départementale, gère des services départementaux comme les offices d'H.L.M., les transports ou la répartition des crédits d'allocation scolaire, etc. *Économiques et sociales :* apporte son soutien financier aux communes pour leur équipement, établit le programme de création d'infrastructures au sein de la « commission départementale de l'équipement » : routes, électricité, logements, transports, activités sportives ou culturelles ; est associé à la préparation des programmes d'équipements collectifs prévus par le Plan. Ne peut émettre de « vœux politiques ».

Répartition des conseillers généraux (oct. 1988). Sur les 3 808 conseillers généraux il y a 566 enseignants, 521 pensionnés et retraités civils et 59 membres des professions rattachées à l'enseignement, 345 agriculteurs, 335 médecins, 25 chirurgiens, 25 dentistes, 111 vétérinaires, 74 pharmaciens, 2 sages-femmes, 2 ministres du culte, 19 ménagères.

Président de Conseil général. Il est l'organe exécutif du dép. Il prépare et exécute les délibérations du Cons., est l'ordonnateur des dépenses du dép. et prescrit l'exécution des recettes dép. (sous réserve des dispositions du Code gén. des impôts). Il est le chef des services du dép. Il gère le domaine du dép. et, à ce titre, il exerce les pouvoirs de police afférents (ex. police de la circulation). Les services de la préfecture nécessaires à la préparation et à l'exécution des délibérations du Conseil gén. et à l'exercice des pouvoirs et responsabilités de l'exécutif du département sont mis à la disposition du Pt du Conseil gén. Il a autorité sur les services de la préfecture nécessaires à la préparation et à l'exécution des délibérations du Cons. gén. et à l'exercice des pouvoirs et responsabilités de l'exécutif du dép. Il est seul chargé de l'administration, mais peut déléguer une partie de ses fonctions aux vice-Pts ou à d'autres membres du Cons. gén. En cas de vacance, ses fonctions sont exercées par un vice-Pt, à défaut, par un Conseiller gén. désigné par le conseil. Le bureau est renouvelé dans le mois (après d'éventuelles élect. pour compléter le Cons. gén.).

Arrondissements

Généralités

• **Histoire. 1800** *(17-2)* créés par la loi du 28 pluviôse de l'an VIII pour remplacer les districts (créés 22-12-1789, supprimés par la Constitution de l'an III). **1833** *22-6* création du *Conseil d'arrondissement* ; **1940** supprimé. **1982** *2-3* le sous-préfet devient commissaire de la Rép. adjoint. **1988** *24-2* (décret) il redevient sous-préfet.

Changements de chefs-lieux d'arrt (« sous-préfecture »). 1803 *22-7 Dunkerque* substitué à Bergues (Nord) ; **1804** *24-12 Bressuire* à Thouars (Deux-Sèvres) ; **1806** *10-2 Sélestat* à Barr (B.-Rhin) ; **1815** *Grasse* à Monaco ; **1815** *Montbéliard* à St-Hippolyte (Doubs) ; **1817** *Arles* à Tarascon (B.-du-Rh.) ; **1857** *Cholet* à Beaupréau (M.-et-L.) ; **1857** *Cassel* à Hazebrouck (Nord), *Mulhouse* à Altkirch (Ht-Rhin) ; **1868** *St-Nazaire* à Savenay (Loire-Inf.) ; **1941** *24-8 Vichy* à Lapalisse (Allier).

Sont devenues sous-préfectures : 1801 St-Pol (P.-de-C.) ; **1803** Valenciennes (Nord) ; **1811** Cherbourg (Manche) ; **1812** Fontenay (Vendée, remplacée comme préfecture par La Roche-sur-Yon) substituée à Montaigu (1811) ; Rambouillet (S.-et-O.) ; **1815** Gex (Ain) ; **1824** Valenciennes (Nord) ; **1860** Grasse détachée du Var, décrétée s.p. des Alpes-Maritimes ; **1926** Langon substitué à Bazas (Gironde), Montbard, Châtillon-sur-Seine (C.-d'Or) et Cavaillon substitué à Apt (Vaucluse) ; **1933** Apt substitué à Cavaillon (Vaucluse).

Sous-préfectures supprimées : 1880 (2-4) St-Denis et Sceaux, suppression partielle (les arr. sont administrés directement par le préfet de la Seine, il n'y a pas de sous-préfets). **1926** *Par décret-loi du 10-9* (106, sous prétexte d'économie, en réalité pour faciliter un redécoupage électoral) : Ambert, Ancenis, Arcis-sur-Aube, Argelès-Gazost, Barbezieux, Bar-sur-Seine, Baugé, Baume-les-Dames, Bazas, Bourganeuf, Boussac, Bressuire, Brignolles, Calvi, Castellane, Castelnaudary, Château-Gontier, Château-Thierry, Châtillon-sur-Seine, Civray, Clermont, Cosne, Coulommiers, Domfront, Doullens, Embrun, Espalion, Étampes, Falaise, Fontainebleau, Gaillac, Gannat, Gex, Gien, Gray, Hazebrouck, Issoudun, Joigny, Lavaur, Lectoure, Lesparre, Loches, Lodève, Lombez, Loudéac, Loudun, Louhans, Louviers, Mantes, Marennes, Marvejols, Mauléon, Melle, Mirecourt, Moissac, Montélimar, Montfort, Montmédy, Mortagne, Mortain, Moutiers, Murat, Muret, Nérac, Neufchâtel, Nogent-le-Rotrou, Orange, Orthez, Paimbœuf, Pamiers, Pithiviers, Ploermel, Poligny, Pont-Audemer, Pont-l'Évêque, Puget-Théniers, Quimperlé, Remiremont, Ribérac, Rocroi, Romorantin, Ruffec, St-Affrique, St-Calais, Ste-Menehould, St-Jean-d'Angély, St-Julien, St-Marcellin, St-Pol, St-Pons, St-Sever, St-Yrieix, Sancerre, Sedan, Sisteron, Tonnerre, Toul, Trévoux, Ussel, Uzès, Valognes, Villefranche-de-Lauragais, Vitré, Wassy, Yssingeaux, Yvetot. **1934** Metz-ville et Colmar-ville. **1962** St-Denis, Sceaux, Corbeil-Essonne. **1974** Erstein.

Sous-préfectures supprimées en 1926 et réinstaurées : 1933 *(27-7)* Gex, St-Julien-en-Genevois. **1940** *(14-11)* Ste-Menehould. **1942** *(1-6)* Ambert, Argelès-Gazost, Bressuire, Castellane, Château-Gontier, Château-Thierry, Clermont, Issoudun, Lesparre, Lodève, Louhans, Mortagne, Muret, Nérac, Pamiers, Pithiviers, Sedan, Yssingeaux. **1943** *(26-11 et 6-12)* Ancenis, Calvi, Cosne, Loches, Nantes, Nogent-le-Rotrou, Romorantin, St-Jean-d'Angély, Toul, Ussel. **1966** *(2-6)* Étampes. **1974** *(4-12)* Brignoles. **1988** *(26-4)* Fontainebleau.

Créations d'arrondissements. Sous-préfectures : 1962 *(10-1)* Calais, Lens ; *(7-11)* Le Raincy, Montmorency, Palaiseau, St-Germain-en-Laye. **1966** *(2-6)* Argenteuil, Étampes ; *(30-12)* Antony, Nogent-sur-Marne. **1972** *(27-12)* Boulogne-Billancourt, L'Haÿ-les-Roses. **1981** *(23-10, modifié 14-4-82)* Istres. **1984** *(6-4)* Vierzon. **Arrondissements chefs-lieux :** Bobigny, Créteil, Nanterre. **1966** *(2-6)* Évry, Pontoise, Versailles.

Substitution d'un arrondissement chef-lieu à un arrondissement. 1974 *(4-12)* Toulon (arrond. chef-lieu), Draguignan (arrond.).

Suppression d'arrondissement. 1966 *(2-6)* Corbeil-Essonnes. **1974** *(24-5)* Erstein.

• **Statut.** Il n'est pas une personne morale comme le dép. et la commune, et ne peut donc ni acquérir ni posséder. Le sous-préfet est chargé de l'administration de l'arrondissement. Les « arrondissements » qui divisent les grandes villes (Paris, Lyon, Marseille) ne constituent pas des arr. au sens de cette définition. Les arr. de Paris sont des cantons.

• **Statistiques. Nombre** (au 1-1-1990). 335 (y. c. département d'O.-M.) soit par *département :* 2 ou le plus souvent 3 ou 4 (*max. :* Moselle 9, Bas-Rhin et Pas-de-Calais 7, Nord et Haut-Rhin 6 ; *min. :* Paris et Belfort 1).

Nombre de communes par arrondissement. *Maximum :* Arras 397, Vesoul 351, Dieppe 350, Lons-le-Saunier 343, Amiens 314. *Minimum :* Paris, Metz-ville, Strasbourg-ville 1 ; Argenteuil 7 ; Boulogne-Billancourt 9. *Moyenne :* 112.

Population (1990). *Moyenne :* 167 586 h. *Répartition en 1975 des 324 arr. :* – de 10 000 h. : 2. De 10 000 à 19 999 h. : 3. De 20 000 à 49 999 h. : 49. De 50 000 à 99 999 h. : 106. De 100 000 à 149 999 h. : 60. De 150 000 à 199 999 h. : 29. De 200 000 à 299 999 h. : 35. De 300 000 à 499 999 h. : 28. 500 000 h. et plus : 12.

Les plus peuplés : Paris 2 152 333, Lyon 1 346 038, Lille 1 152 883, Marseille 965 318, Bobigny 883 877. *Les moins peuplés :* Castellane 7 970 et Barcelonnette 7 248 (A.-de-Hte-Pr.).

Sous-préfets

• **Nommés** par décret et choisis parmi les administrateurs civils affectés au ministère de l'Intérieur, ou parmi les fonctionnaires des autres corps de l'État recrutés par l'École nationale d'administr., recrutés au « tour extérieur » dans les corps des personnels de préfecture (officiers, commissaires de police...).

• **Rôle.** Relaient l'action du préfet dans leur arrondissement et, outre leurs pouvoirs propres, exercent ceux que le préfet leur délègue. Exercent une fonction de conseil et d'assistance auprès des élus locaux.

• **Nombre de sous-préfets** (1-3-1991) 446.

Cantons

• **Statut.** Il est essentiellement une circonscription électorale dans le cadre de laquelle est élu un conseiller général (voir plus haut) et souvent le siège de certains services de l'État : gendarmerie, ponts et chaussées, services fiscaux...

Canton enclavé. *Valréas* (Vaucluse) enclavé dans la Drôme ; 12 491 hectares, 4 communes (Valréas, Visan, Richerenches, Grillon), ancienne enclave pontificale dans le Dauphiné avant le rattachement du comtat Venaissin à la France (14-9-1791). Il n'était pas enclavé lors de la création du Vaucluse (25-6-1793), mais le canton voisin de St-Paul-Trois-Châteaux voulut rester drômois alors que Valréas tenait à être vauclusien.

• **Statistiques. Nombre** (au 1-1-90). **Total :** 3 808 (n. c. Paris où ce sont les 163 conseillers de Paris). **Par département :** 3 dép. de 13 à 23 cantons [Belfort, Ariège, Corse-du-Sud] ; 30 de 24 à 34 c. ; 40 de 35 à 46 c. ; 16 de 47 à 58 c. ; 6 de 59 à 76.

Nombre de communes par canton (en *1975*). *Moyenne* 10. 2 cantons ont + de 40 communes (Braine, Aisne 41 c. ; St-Pol-sur-Ternoise, P.-de-C. 42). 8 en ont de 35 à 39 ; 36 de 30 à 34 ; 347 de 20 à 29 ; 1 385 de 10 à 19 ; 1 350 de 2 à 9 ; 73 ont une seule c. (entière) ; 306 n'ont qu'une fraction de commune (ex. les 20 c. de Paris, les 6 de Rouen, les 20 de Marseille, les 13 de Lyon, 7 des 15 c. de Toulouse).

Les communes importantes s'étendent généralement sur plusieurs cantons. 164 cantons ne comprennent qu'une portion de commune ainsi découpée (exemple les 20 cantons de Paris, les 6 de Rouen, 11 des 20 cantons de Marseille). Dans d'autres cas, chaque canton comprend, outre une portion de la commune découpée, 1 ou plusieurs autres communes entières de la périphérie.

Population *(rec. 1982). Moyenne* 14 630 h. (en comptant Paris). *Max.* 231 000 (Paris 15e) ; sans compter Paris : *Douai-Ouest* (Nord) 65 742. *Min.* 202 (Senez, Alpes-de-Hte-Provence, 3 communes : Senez-le-Poil 134 h., Bileux 54 h., Majastres 14 h. *Senez,* anc. siège d'un évêché, possède encore une cathédrale ; le canton est coupé par une montagne).

Répartition des cantons par nombre d'habitants avec Paris et (entre parenthèses) sans compter Paris *(en 1975). Total* 3 509 (3 489) dont : 27 cantons avaient – de 1 000 h. ; 248 c. de 1 000 à 2 999 h. ; 488 c. de 3 000 à 4 999 h. ; 1 025 c. de 5 000 à 9 999 h. ; 884 c. de 10 000 à 19 999 h. ; 409 c. de 20 000 à 29 999 h. (407) ; 201 c. de 30 000 à 39 999 h. (201) ; 114 c. de 40 000 à 49 999 h. (112) ; 77 c. de 50 000 à 69 999 h. (74) ; 36 c. de 70 000 h. et plus (23).

Communes

Généralités

Statuts

Toutes sont soumises au Code des communes. Toutefois, certaines dispositions de ce Code ne sont pas applicables en Bas-Rhin, Haut-Rhin et Moselle, qui restent assujettis à la législation locale et notamment à certaines dispositions de la loi du 6-6-1895. Paris, Lyon et Marseille sont divisés en arrondissements, à la tête desquels sont placés des adjoints. Voir loi du 2-3-1982, p. 694.

Statistiques

Nombre de communes. Total : *1921 :* 37 963, *1962 :* 37 962, *1988 (1-1) :* 36 538, soit proportionnellement à la pop. : 3 fois + que dans les autres pays de la CEE (All. féd. 8 514, Espagne 8 027, Italie 8 070, G.-B. 522). **Par dép. :** *minimum* 1 (Paris), *maximum* 898 (Pas-de-Calais), *moyenne* 383.

Nombre de communes selon leur population et % de la population vivant dans celles-ci

Recensement de 1982	Nombre	% pop.
100 000 h. et +	37	16,2
50 000 à 99 999	66	8,1
20 000 à 49 999	285	15,8
10 000 à 19 999	412	10,3
5 000 à 9 999	817	10,1
2 000 à 4 999	2 402	13,1
1 000 à 1 999	3 771	9,4
500 à 999	6 452	8,1
200 à 499	11 127	6,5
100 à 199	6 989	1,9
50 à 99	3 025	0,4
moins de 50[1]	1 053	0,1
Total	*36 436*	

Nota. (1) Dont 25 de moins de 10 h (au total 128 h) et 4 inhabitées (Beaumont-en-Verdunois, Bezonveaux, Haumont-près-Samogneux, Louvemont-Côte-du-Poivre ; toutes dans la Meuse).

• **Population (légale) 1982. Moyenne** 1 491 (6 973 It., 7 134 R.F.A., 103 693 G.-B.). **Max.** Paris 2 188 918, Marseille 878 689, Lyon 418 476. **Min.** 0. *Ornes (Meuse) :* 1 hab. recensé. *Claudies-de-Conflent (Pyr.-Or.) :* 2.

Densité. Moyenne 100 h au km². **Région parisienne** *(pour les comm. de + de 50 000 h.). Max.* Levallois-Perret 22 199 ; Paris 20 647 ; Neuilly-s.-S. 17 204 ; Boulogne 16 626 ; Asnières 14 746 ; Courbevoie 14 348 ; Aubervilliers 11 757 ; Épinay-s.-S. 11 010 ; Montreuil 10 467 ; Colombes 10 087. *Min.* Versailles 3 495. **Province.** *Pour les villes de + de 100 000 h. :* Grenoble 8 640 ; Lyon 8 630 ; Villeurbanne 7 986 ; Lille 6 636 ; Mulhouse 5 057 ; Rouen 4 753 ; Nice 4 687 ; Caen 4 438 ; Le Havre 4 262 ; Bordeaux 4 217 ; Toulon 4 188 ; Rennes 3 863 ; Tours 3 848 ; Reims 3 779 ; Orléans 3 738 ; Nantes 3 690 ; Marseille 3 634 ; Dijon 3 488 ; Montpellier 3 467 ; Clermont-Fd 3 454 ; Angers 3 186 ; Strasbourg 3 178 ; Brest 3 152 ; Toulouse 2 942 ; Le Mans 2 797 ; Metz 2 724 ; Amiens 2 655 ; St-Étienne 2 564 ; Limoges 1 813 ; Besançon 1 741 ; Perpignan 1 641 ; Nîmes 768 ; Aix-en-Pr. 652. *Villes de 50 000 à 100 000 h. :* Tourcoing 6 380 ; Troyes 4 817 ; Vénissieux 4 227 ; Chalon-s.-S. 3 692 ; Cannes 3 683 ; Annecy 3 660. *Min. :* Arles 67 ; Montauban 375 ; Cholet 635 ; Ajaccio 659.

• **Superficie. Moyenne** 14,89 km². **Max.** 770 (Arles, Bouches-du-Rhône). **Min.** 0,0376 [3,76 ha, soit moins que la place Charles-de-Gaulle-Étoile à Paris (4,54 ha)] : Castelmoron-d'Albret, Gironde, 200 m × 180 m, 79 hab. ; son territoire s'étendait jadis sur 650 ha, mais, à la Révolution, lorsqu'on érigea toutes les paroisses en communes, Castelmoron se retrouva simplement avec les 3,76 ha que délimitaient ses remparts. On enterre les morts dans le village voisin.

• **Noms. Le plus court :** 1 seule lettre (Y, dans la Somme). **Le plus long :** 45 caractères (Saint-Rémy-en-Bouzemont-Saint-Genest-et-Isson, dans la Marne). **Comm. homonymes** dans un même dép. (chacune appartenant à un canton différent). Charente : 2 Bors ; 2 St-Médard. Pyrénées-Atl. : 2 Castillon.

Noms commençant par Saint ou Sainte : 4 376 (12 % du total des com., soit 1 sur 8). *Record :* Dordogne 152. *% par rapport au nombre total de leurs communes, max. :* Ardèche et Loire (29) ; Creuse et Haute-Vienne (28) ; *min. :* Bas-Rhin (1) ; Ht-Rhin, Belfort, Doubs (2). **Saints les plus fréquents :** 242 Martin ; 180 Jean ; 163 Pierre ; 130 Germain ; 103 Laurent ; 99 Julien ; 85 Hilaire ; 84 Georges ; 74 Étienne ; 71 André ; 69 Michel ; 65 Maurice ; 61 Paul ; 49 Marie.

☞ **Changement de nom.** Décidé par décret pris sur le rapport du min. de l'Intérieur, sur la demande du conseil municipal, le conseil général consulté et le Conseil d'État entendu. *Ex :* Tremblay-en-France dep. 19-8-1989 (avant : Tremblay-sans-Culottes devenu Tremblay-lès-Gonesse en 1886).

A la Révolution, env. 3 100 communes changèrent de nom. *Bordeaux :* Commune-Franklin. *Boulogne-sur-Mer :* Port-de-l'Union. *Bourg-la-Reine :* Bourg-Égalité. *Bourg-Saint-Maurice :* Nargue-Sarde. *Chantilly :* Champ-Libre, Égalité-sur-Nonette. *Château-Salins :* Salins-Libre. *Château-Thierry :* Château-Égalité. *Compiègne :* Marat-sur-Oise. *Condé-sur-Escaut :* Nord-Libre. *Dunkerque :* Dunes-Libres. *Grenoble :* Grelibre. *Ile de Ré :* Ile Républicaine. *Ile d'Oléron :* Ile-de-la-Liberté. *Ile d'Yeu :* Ile-de-la-Réunion. *Lyon :* Commune-Affranchie. *Marly-le-Roi :* Marly-la-Machine. *Marseille :* Ville-sans-nom. *Montargis :* Mont-Coulounies. *Mont-de-Marsan :* Mont-Marat. *Montmartre :* Mont-Marat. *Montmorency :* Mont-Émile. *Mont-St-Michel :* Mont-Michel, Mont-Libre. *Quimper :* Montagne-sur-Odet. *Ris-Orangis :* Brutus. *St-Amand-Montrond :* Libreval. *St-Cloud :* Pont-la-Montagne, La Montagne-Chérie. *St-Denis :* Franciade. *St-Étienne :* Libre-Ville, Armes-Ville, Commune d'Armes. *St-Germain-en-Laye :* Montagne-du-Bon-Air. *St-Lô :* Rocher-de-la-Liberté. *St-Mandé :* La Révolution. *St-Tropez :* Héraclée. *St-Maxime :* Cassius. *Toulon :* Port-la-Montagne. *Versailles :* Berceau-de-la-Liberté.

• **Agglomérations urbaines.** *Multicommunales :* 830 comprenant 3 936 communes classées comme urbaines au sens de l'I.N.S.É.É. *Villes isolées* 952. *Total, unités urbaines* 1 782 comprenant 4 888 communes urbaines.

• **Villes coupées. En 2 départements.** *Seyssel* [Hte-Savoie et Ain, 2 communes ; en tout 2 500 h. ; avant le rattachement de la Savoie (1860), la frontière passait par le Rhône qui les sépare]. *Le Pont-de-Beauvoisin* et *St-Pierre-d'Entremont* [Savoie et Isère ; la frontière de Savoie passait par le Guiers qui les sépare]. *Avricourt* (Moselle et Meurthe-et-M.). *Pontgivard,* 51 h., coupé en 3 communes [Auménancourt (Marne), Orainville (Ardennes) et Pignicourt (Aisne)], a été rattaché à la Marne en 1986.

En 2 pays. Plusieurs communes du Bas-Rhin : ex. : *Mothern, Scheibenhard* (séparées par la Lauter, une partie française 390 ha, une rhéno-palatine 750 ha) qui, avant le congrès de Vienne (1815), ne faisaient qu'une seule commune. *Rhinau,* propriétaire de 996 ha en All. féd. et 739 ha en France. *St-Gingolph* (Suisse et France) : 1 seule paroisse.

• **Communes enclavées.** Il en existe dans : Pyrénées-Atlantiques, Pas-de-Calais, Nord, Meuse, Saône-et-Loire, et entre Nièvre et Saône-et-Loire.

Autres unités

Unité urbaine (u.u.). Ensemble d'habitations présentant entre elles une continuité et comportant au moins 2 000 hab., peut se situer sur une ou plusieurs communes. Une commune est dite « urbaine » lorsqu'elle appartient à une u.u. Les comm. rurales ne font pas partie d'une u.u.

Zones de peuplement industriel ou urbain (Z.P.I.U.). Couvrent toutes les u.u. et englobent certaines comm. rurales répondant à diverses conditions, constituant ainsi des zones intermédiaires entre les u.u. et les zones purement rurales. *Nombre :* au total 18 956 comm. (4 888 urbaines et 14 068 rurales) (pop. 48 626 595 h., soit 90 % de la pop. totale).

Villes jumelées

Principe. Décret du 24-1-1956, modifié par le décret du 23-6-1956. En principe elles doivent être de population équivalente, de vocation similaire ou complémentaire (style ou niveau de vie, affinités), et ne pas être trop éloignées.

Organismes. Le maire peut signer une charte de jumelage directement, ou par l'intermédiaire d'une association [ex. : le *Conseil des communes d'Europe* (C.C.E.) créé 1951, 3 000 adhérents en France ; la *Fédération mondiale des villes jumelées* (F.M.V.J.), créée 1957, 300 villes en France].

Communes urbaines. Communes dont la population atteint, selon les cas, 2 000 ou 5 000 h., 4 communes, Ergué-Gaberic (Finistère), Haucourt-Moulaine (M.-et-M.), Savigny-le-Temple (S.-et-M.) et Beynes (Yvelines) dont la pop. agglomérée au chef-lieu est inférieure à 2 000 h., sont pourtant considérées comme urbaines.

Conseil municipal

☞ Voir loi du 19-11-1982, p. 694.

• **Élections.** Élu pour 6 ans par tous les électeurs de la commune. *Age minimal :* conseiller municipal : 18 ans ; maire : 21 ans.

Modes de scrutin. 1°) Communes de moins de 3 500 h. *Scrutin majoritaire.* Panachage possible (on peut rayer, ajouter des noms ou modifier l'ordre des candidats). Plurinominal à 2 tours, les voix de chaque candidat sont décomptées individuellement : sur chaque liste sont élus ceux qui ont obtenu la majorité des suffrages exprimés (absolue au 1er tour, relative au 2e). Pour être élu au 1er tour, il faut un nombre de suffrages égal au 1/4 des électeurs inscrits.

Divisions administratives françaises

Voir la carte (page de garde) au début de l'ouvrage

Départements	Académies	Régions militaires (Zones de défense) et divisions mil.	Régions	Régions Sécurité sociale	Départements	Académies	Régions militaires (Zones de défense) et divisions mil.	Régions	Régions Sécurité sociale
01 Ain	Lyon	V 51 Lyon	Rhône-Alpes	Lyon	51 Marne ...	Reims	VI 63 Metz	Champagne	Nancy
02 Aisne	Amiens	II 22 Lille	Picardie	Lille	52 Marne (H.-)	Reims	VI 63 Metz	Champagne	Nancy
03 Allier	Clermont-F.	V 52 Lyon	Auvergne	Clermont-F.	53 Mayenne	Nantes	III 33 Rennes	P. Loire	Nantes
04 Alp.-H.-P.	Aix-en-Pr.	V 53 Lyon	Prov.-C.-d'A.	Marseille	54 M.-et-Mos.	Nancy	VI 61 Metz	Lorraine	Nancy
05 Alpes (H.-)	Aix-en-Pr.	V 53 Lyon	Prov.-C.-d'A.	Marseille	55 Meuse ...	Nancy	VI 61 Metz	Lorraine	Nancy
06 Alpes-Mar.	Nice	V 53 Lyon	Prov.-C.-d'A.	Marseille	56 Morbihan	Rennes	III 31 Rennes	Bretagne	Rennes
07 Ardèche ..	Grenoble	V Lyon	Rhône-Alpes	Lyon	57 Moselle ..	Nancy	VI 61 Metz	Lorraine	Strasbourg
08 Ardennes	Reims	VI 63 Metz	Champagne	Nancy	58 Nièvre ...	Dijon	VI 64 Metz	Bourgogne	Dijon
09 Ariège ...	Toulouse	IV 44 Bordeaux	Midi-Pyr.	Toulouse	59 Nord	Lille	II 21 Lille	Nord	Lille
10 Aube	Reims	VI 63 Metz	Champagne	Nancy	60 Oise	Amiens	II 22 Lille	Picardie	Lille
11 Aude	Montpellier	V 54 Lyon	Languedoc	Montpellier	61 Orne	Caen	III 32 Rennes	Basse-Norm.	Rouen
12 Aveyron ..	Toulouse	IV 44 Bordeaux	Midi-Pyr.	Toulouse	62 Pas-de-C.	Lille	II 21 Lille	Nord	Lille
13 B.-du-Rh.	Aix-en-Prov.	V 53 Lyon	Prov.-C.-d'A.	Marseille	63 Puy-de-D.	Clermont-F.	V 52 Lyon	Auvergne	Clermont-F.
14 Calvados .	Caen	III 32 Rennes	Basse-Norm.	Rouen	64 Pyr.-Atl.	Bordeaux	IV 41 Bordeaux	Aquitaine	Bordeaux
15 Cantal ...	Clermont-F.	V 52 Lyon	Auvergne	Clermont-F.	65 Pyr. (H.-)	Toulouse	IV 44 Bordeaux	Midi-Pyrénées	Toulouse
16 Charente	Poitiers	IV 42 Bordeaux	Poitou-Char.	Limoges	66 Pyr.-Or. ..	Montpellier	V 54 Lyon	Languedoc	Montpellier
17 Ch.-Mar.	Poitiers	IV 42 Bordeaux	Poitou-Char.	Limoges	67 Rhin (B.-)	Strasbourg	VI 62 Metz	Alsace	Strasbourg
18 Cher	Orléans	X 13 Paris	Centre	Orléans	68 Rhin (H.-)	Strasbourg	VI 62 Metz	Alsace	Strasbourg
19 Corrèze	Limoges	IV 43 Bordeaux	Limousin	Limoges	69 Rhône ...	Lyon	V 51 Lyon	Rhône-Alpes	Lyon
20A Corse-du-S.	Corte	V 55 Lyon	Corse	Marseille	70 Saône (H.-)	Besançon	VI 65 Metz	Franche-Comté	Dijon
20B H.-Corse	Corte	V 55 Lyon	Corse	Marseille	71 S.-et-Loire	Dijon	VI 64 Metz	Bourgogne	Dijon
21 C.-d'Or ...	Dijon	VI 64 Metz	Bourgogne	Dijon	72 Sarthe	Nantes	III 33 Rennes	P. Loire	Nantes
22 C.-d'Armor	Rennes	III 31 Rennes	Bretagne	Rennes	73 Savoie ...	Grenoble	V 51 Lyon	Rhône-Alpes	Lyon
23 Creuse ...	Limoges	IV 43 Bordeaux	Limousin	Limoges	74 Savoie (H.-)	Grenoble	V 51 Lyon	Rhône-Alpes	Lyon
24 Dordogne	Bordeaux	IV 41 Bordeaux	Aquitaine	Bordeaux	75 Paris	Paris	I Paris	Ile-de-France	Paris
25 Doubs ...	Besançon	VI 65 Metz	Franche-Comté	Dijon	76 S.-Marit. .	Rouen	II 23 Lille	Haute-Norm.	Rouen
26 Drôme ...	Grenoble	V 51 Lyon	Rhône-Alpes	Lyon	77 S.-et-Mar.	Créteil	I 12 Paris	Ile-de-France	Paris
27 Eure	Rouen	II 23 Lille	Hte-Norm.	Rouen	78 Yvelines ..	Versailles	I Paris	Ile-de-France	Paris
28 E.-et-Loir	Orléans	I Paris	Centre	Orléans	79 Sèvres (D.)	Poitiers	IV 42 Bordeaux	Poitou-Char.	Limoges
29 Finistère ..	Rennes	III 31 Rennes	Bretagne	Rennes	80 Somme ...	Amiens	II 22 Lille	Picardie	Lille
30 Gard	Montpellier	V 54 Lyon	Languedoc	Montpellier	81 Tarn	Toulouse	IV 44 Bordeaux	Midi-Pyr.	Toulouse
31 Gar. (H.-)	Toulouse	IV 44 Bordeaux	Midi-Pyr.	Toulouse	82 T.-et-Gar.	Toulouse	IV 44 Bordeaux	Midi-Pyr.	Toulouse
32 Gers	Toulouse	IV 44 Bordeaux	Midi-Pyr.	Toulouse	83 Var	Nice	V 53 Lyon	Prov.-C.-d'A.	Marseille
33 Gironde ..	Bordeaux	IV 41 Bordeaux	Aquitaine	Bordeaux	84 Vaucluse ..	Aix-en-Pr.	V 53 Lyon	Prov.-C.-d'A.	Marseille
34 Hérault ...	Montpellier	V 54 Lyon	Languedoc	Montpellier	85 Vendée ...	Nantes	III 33 Rennes	P. Loire	Nantes
35 I.-et-Vil. ..	Rennes	III 31 Rennes	Bretagne	Rennes	86 Vienne ...	Poitiers	IV 42 Bordeaux	Poitou-Char.	Limoges
36 Indre	Orléans	I 13 Paris	Centre	Orléans	87 Vienne (H.-)	Limoges	IV 43 Bordeaux	Limousin	Limoges
37 I.-et-Loire	Orléans	I 13 Paris	Centre	Orléans	88 Vosges ...	Nancy	VI 61 Metz	Lorraine	Nancy
38 Isère	Grenoble	V 51 Lyon	Rhône-Alpes	Lyon	89 Yonne ...	Dijon	VI 64 Metz	Bourgogne	Dijon
39 Jura	Besançon	VI 65 Metz	Franche-Comté	Dijon	90 T. Belfort	Besançon	VI 65 Metz	Franche-Comté	Dijon
40 Landes ...	Bordeaux	IV 41 Bordeaux	Aquitaine	Bordeaux	91 Essonne ..	Versailles	I 13 Paris	Ile-de-France	Paris
41 L.-et-Cher	Orléans	I 13 Paris	Centre	Orléans	92 H.-de-Seine	Versailles	I Paris	Ile-de-France	Paris
42 Loire	Lyon	V 51 Lyon	Rhône-Alpes	Lyon	93 Seine-St-D.	Créteil	I Paris	Ile-de-France	Paris
43 Loire (H.-)	Clermont-F.	V 52 Lyon	Auvergne	Clermont-F.	94 Val-de-M.	Créteil	I Paris	Ile-de-France	Paris
44 L.-Atlant.	Nantes	III 33 Rennes	P. Loire	Nantes	95 Val-d'Oise	Versailles	I Paris	Ile-de-France	Paris
45 Loiret	Orléans	I 13 Paris	Centre	Orléans	971 Guadel.	Antilles-Guy.	Antilles-Guyane	Guadeloupe	Fort-de-Fr.
46 Lot	Toulouse	IV 44 Bordeaux	Midi-Pyr.	Toulouse	972 Martiniq.	Antilles-Guy.	Antilles-Guyane	Martinique	Fort-de-Fr.
47 Lot-et-Gar.	Bordeaux	IV 41 Bordeaux	Aquitaine	Bordeaux	973 Guyane .	Antilles-Guy.	Antilles-Guyane	Guyane	Fort-de-Fr.
48 Lozère ...	Montpellier	V 54 Lyon	Languedoc	Montpellier	974 Réunion .	Réunion		Réunion	St-Denis
49 Maine-et-L.	Nantes	III 33 Rennes	P. Loire	Nantes	975 St-Pierre-et-Miquelon				
50 Manche ..	Caen	III 32 Rennes	Basse-Norm.	Rouen					

Académies. – Aix-en-Provence, Amiens, Besançon, Bordeaux, Caen, Clermont-Ferrand, Créteil, Dijon, Grenoble, Lille, Limoges, Lyon, Montpellier, Nancy-Metz, Nantes, Nice, Orléans-Tours, Paris, Poitiers, Reims, Rennes, Rouen, Strasbourg, Toulouse, Versailles, Antilles-Guyane, Réunion.

Chambres régionales de commerce et d'industrie *(appelées Régions économiques avant le décret du 4-12-1964) (sièges).* – Amiens, Besançon, Bordeaux, Bourges, Caen, Clermont-Ferrand, Dijon, Grenoble, Lille, Limoges, Lyon, Marseille, Montpellier, Nancy, Nantes, Paris, Rennes, Rouen, Strasbourg, Toulouse, Versailles.

Régions (sièges). – *Alsace* (Strasbourg). *Aquitaine* (Bordeaux). *Auvergne* (Clermont-Ferrand). *Basse-Normandie* (Caen). *Haute-Normandie* (Rouen). *Bourgogne* (Dijon). *Bretagne* (Rennes). *Centre* (Orléans). *Champagne-Ardenne* (Châlons-sur-Marne). *Corse* (Ajaccio). *Franche-Comté* (Besançon). *Ile-de-France* (Paris). *Languedoc-Roussillon* (Montpellier). *Limousin* (Limoges). *Lorraine* (Metz). *Midi-Pyrénées* (Toulouse). *Nord* (Lille). *Pays de la Loire* (Nantes). *Picardie* (Amiens). *Poitou-Charentes* (Poitiers). *Provence-Côte d'Azur* (Marseille). *Rhône-Alpes* (Lyon). *Guadeloupe* (Basse-Terre). *Guyane* (Cayenne). *Martinique* (Fort-de-France). *Réunion* (St-Denis).

Cours d'appel. – *Agen :* Gers, Lot, Lot-et-G. *Aix :* A.-de-Hte-P., Alpes-M., Bouches-du-Rh., Var. *Amiens :* Aisne, Oise, Somme. *Angers :* Maine-et-Loire, Mayenne, Sarthe. *Bastia :* Corse-du-Sud, Hte-Corse. *Besançon :* Doubs, Jura, Hte-Saône, Terr. de Belfort. *Bordeaux :* Charente, Dordogne, Gironde. *Bourges :* Cher, Indre, Nièvre. *Caen :* Calvados, Manche, Orne. *Chambéry :* Savoie, Hte-Savoie. *Colmar :* Ht-Rhin, Bas-Rhin. *Dijon :* Côte-d'Or, Hte-Marne, Saône-et-Loire. *Douai :* Nord, Pas-de-Calais. *Grenoble :* Htes-Alpes, Drôme, Isère. *Limoges :* Corrèze, Creuse, Hte-Vienne. *Lyon :* Ain, Loire, Rhône. *Metz :* Moselle. *Montpellier :* Aude, Aveyron, Hérault, Pyrénées-Or. *Nancy :* Meurthe-et-Moselle, Meuse, Vosges. *Nîmes :* Ardèche, Gard, Lozère, Vaucluse. *Orléans :* Indre-et-Loire, Loir-et-Cher, Loiret. *Paris :* Paris, Seine-St-Denis, Val-de-M., Seine-et-M., Essonne, Yonne. *Pau :* Landes, Pyrénées-Atlantiques, Htes-Pyrénées. *Poitiers :* Charente-Maritime, Deux-Sèvres, Vendée, Vienne. *Reims :* Ardennes, Aube, Marne. *Rennes :* Côtes-d'Armor, Finistère, Ille-et-Vilaine, Loire-Atlantique, Morbihan. *Riom :* Allier, Cantal, Hte-Loire, Puy-de-Dôme. *Rouen :* Eure, Seine-Maritime. *Toulouse :* Ariège, Hte-Garonne, Tarn, Tarn-et-Garonne. *Versailles :* Eure-et-Loir, Hts-de-Seine, Val-d'Oise, Yvelines. *Basse-Terre :* Guadeloupe. *Fort-de-France :* Martinique, Guyane. *St-Denis :* Réunion.

Régions militaires et zones de défense (sièges). – Bordeaux, Lille, Lyon, Metz, Paris, Rennes, Fort-de-France, St-Denis.

Régions de Sécurité sociale (Sièges). – Bordeaux, Clermont-Ferrand, Dijon, Lille, Limoges, Lyon, Marseille, Montpellier, Nancy, Nantes, Orléans, Paris, Rennes, Rouen, Strasbourg, Toulouse, Fort-de-France.

2°) **Comm. de 3 500 h. et +.** *Scrutin de liste à 2 tours,* avec dépôt de listes comportant autant de candidats que de sièges à pourvoir. Pas de panachage possible (sans adjonction ni suppression de noms, ni modification de l'ordre de présentation). *Scrutin majoritaire* dans les communes associées de – de 2 000 h. et dans les sections électorales de – de 1 000 électeurs.

Au 1er tour, la liste qui a la majorité absolue des suffrages exprimés obtient la moitié des sièges à pourvoir, les autres sont répartis à la représentation proportionnelle suivant la règle de la plus forte moyenne entre les listes qui ont obtenu au moins 5 % des suffrages exprimés. Si aucune liste n'a obtenu la majorité absolue, il y *a un 2e tour.* La liste qui a recueilli le plus de voix obtient la moitié des sièges à pourvoir. En cas d'égalité de suffrages entre les listes arrivées en tête, la moitié des sièges est attribuée à celle dont les candidats ont la moyenne d'âge la plus élevée. Les autres sièges sont répartis à la représentation proportionnelle suivant la règle de la plus forte moyenne entre les listes ayant au moins 5 % des suffrages exprimés.

Régime électoral. 1°) **Communes de moins de 2 500 h.** Aucune déclaration de candidature n'est requise. Candidatures isolées permises. Frais d'impression et d'affichage non remboursés aux candidats.

2°) **Communes de 2 500 à 3 499 h.** Déclaration de candidature facultative, mais nécessaire si les listes veulent bénéficier du concours de la commission de propagande, candidatures isolées interdites, les bulletins des listes doivent comporter autant de noms que de sièges à pourvoir.

3°) **Communes de 3 500 h. et +.** Déclaration de candidature obligatoire pour chaque tour de scrutin.

Cas de Paris, Lyon, Marseille. Les conseillers municipaux élisent les maires de chacune de ces communes. Des conseils d'arrondissement sont créés à Paris, Lyon, Marseille. Les conseillers d'arr. sont élus en même temps que les conseillers mun. (à Paris : conseiller de Paris) et sur les mêmes listes. Le nombre des conseillers d'arr. dans chaque secteur est le double des conseillers mun. sans pouvoir être inférieur à 10 ni supérieur à 40. Pour être complète, une liste doit comprendre autant de candidats qu'il y a à pourvoir de sièges de conseillers mun. Une fois effectuée l'attribution des sièges de membres du conseil mun. les sièges des conseillers d'arrondissements sont répartis dans les mêmes conditions entre les listes (ordre de présentation à partir du 1er des candidats non élu membre du conseil).

Le remplacement d'un conseiller mun. dont le siège devient vacant est assuré par le conseiller d'arr. venant immédiatement après le dernier candidat de la même liste élu. Ce conseiller d'arr. est remplacé par le candidat de la même liste venant après le dernier élu conseiller d'arr.

• **Compétence.** Générale, sauf pour ce qui fait l'objet des pouvoirs propres du maire. **Sessions.** Au moins 1 par trimestre.

• **Délibérations.** Exécutoires sans approbation du préfet dès qu'elles *ont été transmises* et *publiées* ou notifiées mais, délibérations et *actes* du maire sont soumis à un contrôle de *légalité* par le juge administratif, déclenché par le préfet, qui peut demander *le sursis à exécution* (celui-ci peut être accéléré en cas d'atteinte aux libertés publiques).

• **Conseil municipal.** *Adjoints au maire.* Au max. 30 % de l'effectif du conseil. Ils peuvent recevoir *délégation* du maire.

Conseillers municipaux. Nombre total 496 691 (dont 86 % dans des communes de – de 3 500 h.).

• **Statistiques (en 1989). Nombre selon l'importance de la pop.** *Communes de* – de 100 hab. : 9. *100 à 499 :* 11. *500 à 1 499 :* 15. *1 500 à 2 499 :* 19. *2 500 à 3 499 :* 23. *3 500 à 4 999 :* 27. *5 000 à 9 999 :* 29. *10 000 à 19 999 :* 33. *20 000 à 29 999 :* 35. *30 000 à 39 999 :* 39. *40 000 à 49 999 :* 43. *50 000 à 59 999 :* 45. *60 000 à 79 999 :* 49. *80 000 à 99 999 :* 53. *100 000 à 149 999 :* 55. *150 000 à 199 999 :* 59. *200 000 à 249 999 :* 61. *250 000 à 299 999 :* 65. *300 000 et + :* 69. **Paris.** 163 dont par secteurs (correspondant aux arrondissements). *1er* : 3. *2e* : 3. *3e* : 3. *4e* : 3. *5e* : 4. *6e* : 3. *7e* : 5. *8e* : 3. *9e* : 4. *10e* : 6. *11e* : 11. *12e* : 10. *13e* : 13. *14e* : 10. *15e* : 17. *16e* : 13. *17e* : 13. *18e* : 14. *19e* : 12. *20e* : 13. *Total* : 163. **Lyon** 9 secteurs. *1er* : 4. *2e* : 5. *3e* : 12. *4e* : 5. *5e* : 8. *6e* : 9. *7e* : 9. *8e* : 12. *9e* : 9. *Total* : 73. **Marseille** 101 (dont par secteurs) : *1er* 11, *2e* 8, *3e* 11, *4e* 15, *5e* 15, *6e* 13, *7e* 16, *8e* 12.

☞ *Dissolution* de conseils municipaux. Dep. 1977 : 137 dont 65 dans communes de – de 500 h. et 41 entre 500 et 1 500 h. *Suspensions* de maires et d'adjoints : 7. *Révocations* : 7.

Maire

Généralités

☞ Voir loi du 2-3-1982, page 694.

Écharpe. Tricolore à frange d'or (maires) et d'argent (adjoints). Port réglementé notamment par un arrêté du 18-9-1830 et 2 circulaires du 26-2-1849 et du 20-3-1852, lorsque furent définies les modalités du costume officiel des maires dont l'usage est aujourd'hui tombé en désuétude. Avant 1830, elle se portait à la ceinture ; depuis, le port de l'épaule droite au côté gauche a été autorisé. L'ordre des couleurs ne fait pas l'objet de textes spécifiques, mais la définition du drapeau : « bleu, blanc, rouge, à partir de la hampe », fait qu'il est logique de porter l'écharpe avec le bleu dirigé vers le haut. Insigne créé par décret du 22-11-1951 à usage facultatif.

Élection. Le maire est élu par le conseil municipal lors de sa première réunion.

Responsabilité des maires. En règle générale, c'est la commune qui sera déclarée financièrement responsable des actes dommageables commis par le maire dans l'exercice de ses fonctions. Le maire peut néanmoins être reconnu pécuniairement responsable s'il a agi avec malveillance ou commis une faute extrêmement grave, sa responsabilité pénale peut également être reconnue [en cas d'homicide par imprudence, négligence ou inobservation des règlements, art. 319 du Code pénal ; en cas d'ingérence (prise d'intérêt dans des affaires relevant de son administration ou de sa surveillance), art. 175 du Code pénal].

Association des maires de France. Regroupe près de 32 000 maires. Interlocuteur privilégié des pouvoirs publics, aide et conseille les maires. *Congrès annuel* dep. 1907. *Pt* (élu pour 3 ans) Michel Giraud [n. 1929, député-maire du Perreux (V.-de-M.) dep. 1985], qui a succédé en 1983 à Alain Poher, ancien maire d'Ablon (V.-de-M.). Réélu pour la 3e fois en nov. 89 par env. 60 % des 1 815 maires inscrits. *Mensuel* : « Départements et communes ».

Association des maires de grandes villes de France. *Créée* 1974. Ouverte aux maires, pdts de communautés, districts, syndicats d'aggl. nouv. de + de 100 000 h. *But* : échanges d'informations, études, propositions aux pouvoirs publics. *Pdt* : Jean-Marie Rausch (24-9-29) m. de Metz.

Maires des communes de plus de 95 000 h. (au 20-6-1991). *Aix-en-Provence* : Jean-François Picheral (26-2-34) [1]. *Amiens* : Gilles de Robien (10-4-41) [5]. *Angers* : Jean Monnier (3-5-30) [1]. *Argenteuil* : Robert Montdargent (7-6-34) [2]. *Besançon* : Robert Schwint (11-1-28) [1]. *Bordeaux* : Jacques Chaban-Delmas (7-3-15) [3]. *Boulogne-Billancourt* : Paul Graziani (14-2-25) [3]. *Brest* : Pierre Maille (14-6-47) [1]. *Caen* : Jean-Marie Girault (9-2-26) [4]. *Clermont-Ferrand* : Roger Quilliot (19-6-25) [1]. *Dijon* : Robert Poujade (6-5-28) [3]. *Grenoble* : Alain Carignon (49) [3]. *Le Havre* : André Duroméa (5-9-17) [2]. *Le Mans* : Robert Jarry (29-12-24) [2]. *Lille* : Pierre Mauroy (5-7-28) [1]. *Limoges* : Alain Rodet (4-6-44) [1]. *Lyon* : Michel Noir (19-5-44) [3]. *Marseille* : Robert Vigouroux (21-3-23) [1]. *Metz* : Jean-Marie Rausch (24-9-29) [7]. *Montpellier* : Georges Frèche (9-7-38) [1]. *Mulhouse* : Jean-Marie Bockel (22-6-1950) [1]. *Nancy* : André Rossinot (1939) [8]. *Nantes* : Jean-Marc Ayrault (25-1-50) [1]. *Nice* : Honoré Bailet (27-2-20) [3]. *Nîmes* : Jean Bousquet (30-3-32) [7]. *Orléans* : Jean-Pierre Sueur (28-2-47) [1]. *Paris* : Jacques Chirac (29-11-32) [3]. *Perpignan* : Paul Alduy (4-10-14) [5]. *Reims* : Jean Falala (2-3-29) [3]. *Rennes* : Edmond Hervé (3-12-42) [1]. *Roubaix* : André Diligent (10-5-19) [5]. *Rouen* : Jean Lecanuet (4-3-20) [6]. *Saint-Étienne* : François Dubanchet (5-5-23) [6]. *Strasbourg* : Catherine Trautmann (15-1-51) [1]. *Toulon* : François Trucy (1931) [5]. *Toulouse* : Dominique Baudis (14-4-47) [7]. *Tourcoing* : Jean-Pierre Balduyck (15-5-41) [1]. *Tours* : Jean Royer (31-10-20) [7]. *Villeurbanne* : Gilbert Chabroux (21-12-33) [1].

Nota. – (1) P.S. (2) P.C. (3) R.P.R. (4) Rép. ind. (5) U.D.F. (6) C.D.S. (7) non affilié. (8) Radical.

Attributions

• **1°) Représentant de la commune.** Il prépare les séances du conseil mun. et exécute les décisions prises par délibérations. Il gère le domaine public et privé de la comm. Il effectue les actes d'administration et de dispositions décidés par le conseil mun. : signatures de contrats, ventes, partages, échanges, achats, souscriptions de marchés de fournitures, adjudications de travaux publics municipaux. Il assure la représentation de la comm. devant les tribunaux.

a) **Personnel communal.** Il en est le chef hiérarchique. Dans le cadre prévu par le conseil municipal, il est seul compétent pour nommer aux emplois existants quand la loi ou le règlement n'a pas prévu un mode particulier de nomination. Il est seul investi du pouvoir disciplinaire (avancement, sanctions, révocations), sous réserve de respecter les garanties accordées par le statut des fonctionnaires territoriaux.

b) **Établissements publics.** Il est le plus souvent président de droit de la commission administrative ou du conseil d'administration des établissements communaux (hôpitaux et hospices communaux, centres communaux d'action sociale, caisses des écoles, régies dotées de la personnalité civile).

c) **Police municipale et rurale.** Il est chargé d'assurer bon ordre, sécurité, tranquillité et salubrité publics et de prendre pour cela des arrêtés. La police municipale comprend notamment tout ce qui a trait à la circulation sur les voies publiques.

Agents de police et gardes champêtres nommés par le maire doivent être agréés par le procureur de la Rép. Ils peuvent être révoqués par le maire.

Dans les communes de plus de 10 000 h. et celles faisant partie d'agglomérations urbaines, la police est, en principe, étatisée. Le préfet y exerce les pouvoirs nécessaires au maintien de la tranquillité et du bon ordre publics, le maire restant toutefois compétent pour le maintien du bon ordre dans les marchés, foires, spectacles, etc.

d) **Mesures conservatoires.** Le maire peut effectuer des actes conservatoires nécessaires à la sauvegarde du patrimoine ou d'un droit de la commune.

e) **Délégation.** Le conseil mun. peut déléguer certains de ses pouvoirs de décision au maire (affectation des propriétés comm., tarifs de droits prévus au profit de la comm., emprunts, etc.). Le maire peut déléguer certaines de ses fonctions à des adjoints.

• **2°) Agent de l'État. a) Officier de l'état civil.** Il célèbre les mariages, reçoit les déclarations de naissance, de décès, de reconnaissance d'enfants naturels, tient les registres de l'état civil, dont un ex. est conservé à la mairie et l'autre au tribunal de grande instance. Il délivre des extraits des actes de naissance, de mariage et de décès.

Il peut déléguer à un ou plusieurs agents communaux, titularisés dans un emploi permanent, les fonctions qu'il exerce en tant qu'officier d'état civil pour la réception des déclarations citées ci-dessus, pour la transcription, la mention en marge de tous actes et jugements sur les registres de l'état civil, de même que pour dresser tous actes relatifs auxdites déclarations. L'état civil sera chaque année archivé au chef-lieu du dép. (dans les D.O.M.-T.O.M. les registres sont en 3 ex. dont l'un est envoyé en métropole).

Statistiques

Nombre de maires. *1989* : 36 553.

Répartition par âge : *21 à 30 a.* : 230 ; *31 à 40 a.* : 3 705 ; *41 à 50 a.* : 9 329 ; *51 à 60 a.* : 11 518 ; *61 à 70 a.* : 10 431 ; *71 à 80 a.* : 1 181 ; *81 a. et +* : 159. **Femmes.** En avril 1987 : 1 018 maires (*1947* : 250 ; *50* : 300 ; *59* : 381 ; *65* : 421 ; *71* : 677 ; *75* : 717), *mars 83* : 1 496.

Professions. Sur 36 487 élus en 1989 : agriculteurs 10 395, chefs d'entreprise, artisans, commerçants 3 579, prof. libérales 1 901, enseignants 3 253, fonctionnaires (hors ens.) 1 417, salariés privés 5 346, public 612, retraités 8 632, divers 1 352 (dont les moins représentés : sages-femmes 6, greffiers 6, avoués 4, étudiants 4, ministres du culte 4).

Banquets de maires. 1889 *18-8* : Palais de l'Industrie plus de 18 000 maires (sur 36 000). **1900** *2-9* : jardins des Tuileries 22 295 convives (dont plus de 21 000 maires ou conseillers). **1987** *28-10* : 15 000 convives (dont 9 000 maires) à l'occasion du 70e congrès des maires de France sur les pelouses de Reuilly.

b) **Officier de police judiciaire.** Il est (comme ses adjoints) off. de p. jud., ayant à constater les infractions à la loi pénale, à en rassembler les preuves et à rechercher les auteurs tant que la justice n'est pas saisie. Il reçoit plaintes et dénonciations et procède à des enquêtes préliminaires sous la surveillance du procureur de la Rép. auquel il est tenu d'en référer. Il enquête en cas de crime et de flagrant délit.

c) **Ministère public près le tribunal de police.** A titre exceptionnel, et en cas de nécessité absolue pour la tenue de l'audience, le juge du tribunal d'instance peut appeler, pour exercer les fonctions du ministère public, le maire du lieu où siège le tribunal de police ou un de ses adjoints. Le maire exerce alors l'action publique et requiert l'application de la loi contre les contrevenants.

d) **Divers.** Le maire peut être appelé à concourir aux saisies exécutoires.

e) **Autorité administrative subordonnée.** Il est chargé de la publication et de l'exécution des lois et règlements. Il joue un rôle actif dans l'organisation électorale (listes établies et révisées sous son autorité). Il préside les bureaux de vote ; veille à la bonne application des lois scolaires ; peut participer aux réunions des conseils des écoles primaires ou établissements secondaires. Il dresse les tableaux de recensement en vue de l'accomplissement du service national. Il participe à l'instruction des demandes d'aide sociale, qui sont déposées auprès du bureau d'aide sociale de la com. par les intéressés et qui sont ensuite soumises aux commissions d'admission intercantonales par l'intermédiaire de la préfecture. Parfois, il peut être chargé des réquisitions civiles ou mil. et de leur répartition.

Autres attributions. Il contribue à l'internement des aliénés. Il transmet des informations au pouvoir central et lui adresse périodiquement des statistiques. Il délivre des certificats : attestations de résidence, d'indigence... Il légalise les signatures, accorde ou refuse les permis de construire et les autres autorisations d'occupation du sol (permis de lotir), mais il agit en tant que représentant de la commune lorsque celle-ci est dotée d'un plan d'occupation des sols et en tant que représentant de l'État dans le cas contraire, exécute les arrêtés ministériels de classement d'immeubles comme monuments historiques.

Budget des communes

• **Recettes. Dotation globale de fonctionnement** (D.G.F.). Créée par la loi du 3-1-1979, elle remplaçait le V.R.T.S. (versement représentatif de la taxe sur les salaires), les vers. représ. de l'impôt sur les spectacles et la participation de l'État aux dépenses d'intérêt général des collectivités locales.

Dotation globale de décentralisation (D.G.D.). Versée en compensation des transferts de compétences opérés au profit des communes par les lois de décentralisation (concerne essentiellement les dépenses relatives à l'établissement des documents d'urbanisme).

Fonds de compensation de la T.V.A. Remboursement par l'État de la part de T.V.A. acquittée sur les dépenses d'investissement.

Produit de la taxe foncière *sur propriétés bâties et non bâties, de la t. d'habitation et de la t. professionnelle.* Dep. le 1-1-1974, le système des *« centimes additionnels »* a été remplacé par le vote d'un *« produit fiscal global »* réparti entre les 4 taxes. Dep. la loi du 10-1-1980, les communes ont pu, à compter de 1981, fixer directement les taux des 4 taxes directes et répartir elles-mêmes la charge fiscale globale entre les catégories de contribuables ; la taxe professionnelle a été aménagée et une cotisation minimale instituée ; le régime de la taxe d'habitation a été modifié dans le sens d'une plus grande justice.

Autres impôts directs : redevance des mines ; taxe d'enlèvement des ordures ménagères ; de balayage.

Impôts indirects : impôt sur les spectacles ; droits de licence des débits de boissons ; surtaxes sur les eaux minérales ; taxes sur les jeux de boules et les jeux de quilles.

Droits d'enregistrement, *publicité foncière et timbre : 1°) Droits de timbre* sur affiches, sur portatifs spéciaux. *2°) Taxe locale d'équipement (T.L.E.).* Conçue pour faire participer les constructeurs immobiliers aux charges des équipements collectifs rendus nécessaires par les implantations de logements. S'applique de plein droit dans les communes de + de 10 000 h. et dans certaines communes de la région parisienne. Dans les autres, le conseil municipal peut décider de l'instituer. Taux 1 % à 5 % de la valeur de l'ensemble immobilier. *3°) Versement lié au dépassement du plafond légal de densité,* créé (par la loi du 31-12-1975) notamment pour inciter les constructeurs à limiter la hauteur des nouveaux immeubles. *4°) Taxe additionnelle aux droits d'enregistrement* perçus par l'État (mutations à titre onéreux d'immeubles, de fonds de commerce...).

Taxes diverses : t. sur la publicité, t. de séjour, t. sur l'énergie électrique, droits de portes, de voirie, t. de trottoirs, funéraires...

Subventions de l'État. Depuis la loi du 2-3-1982 relative aux droits et libertés des collectivités locales, les subv. d'équipement font l'objet d'une dotation globale d'équipement sans affectation préalable. Les subv. spécifiques ont été maintenues pour les communes de – de 2 000 hab.

Revenus du domaine : vente de biens, dons, legs.

Regroupements de communes

Depuis 1890 les communes ont utilisé la faculté de se regrouper. 5 méthodes :

• 1° – Fusion. **Principes.** Permet de maintenir le nombre d'hab. nécessaire à l'administration d'une vie collective et de réaliser des équipements que les communes n'auraient pu entreprendre isolément. La loi du 16-7-1971 a prévu des incitations financières au bénéfice des communes fusionnées : majoration de 50 % des subventions d'équipement accordées par l'État, aide financière de l'État dans le cas d'intégration fiscale progressive. **a) Fusion simple :** seule usitée jusqu'au 16-7-1971. **b) Fusion comportant création d'une ou plusieurs communes :** institue une collectivité territoriale nouvelle, mais permet aux anciennes communes, sauf à la comm. chef-lieu de la nouvelle entité, de devenir comm. associées sur simple demande de leur conseil municipal, exprimée au moment de la fusion. La comm. associée n'a pas la personnalité morale et, de ce fait, n'a ni budget, ni patrimoine, ni personnels propres, mais elle possède des institutions particulières : de droit, un maire délégué, une mairie annexe, une section de bureau d'aide sociale lorsqu'il en existait un dans l'ancienne commune, et, si la convention passée au moment de la fusion l'a prévue, une commission consultative ; enfin, elle constitue de droit une section électorale si la nouvelle commune a, au plus, 30 000 habitants.

Nombre : dep. la loi du 16-7-1971, 821 f. intéressant 1 894 communes ont été accomplies au 1-11-1980, dont 644 f.-associations regroupant 1 505 communes et 177 f. simples regroupant 379 communes.

• 2° – Communauté urbaine. **Statut.** Établissement public à vocation multiple, administré par un *conseil de communauté* (50 à 90 membres selon le nombre des communes et l'importance de la population), composé des délégués des communes désignés par les conseils municipaux dans ou hors de leur sein.

Compétences transférées à la communauté. *Obligatoirement :* compétences concernant plan de modernisation et d'équipement, plan d'urbanisme, création et équipement de diverses zones (industrielles, habitations, etc.), construction de locaux scolaires (lycées et collèges notamment), H.L.M., lutte contre l'incendie, transports urbains, assainissement, cimetières, abattoirs, voirie et signalisation, parcs de stationnement. *Sur décision du conseil de communauté :* équipements culturel, sportif et socio-éducatif, sanitaire et services sanitaires et sociaux, espaces verts, éclairage public. Les attributions de la communauté urbaine peuvent aussi être étendues (par délibération du conseil de communauté, avec l'accord des conseils municipaux des communes intéressées de la communauté) à la gestion des services communaux et à l'exécution de tous les travaux non prévus ci-dessus. Enfin, des conventions peuvent être passées entre communauté et communes membres. **Principales recettes.** Vote, comme les communes, d'un produit fiscal global ; attribution de la Dotation globale de fonctionnement (D.G.F.) ; produit de taxes pour services rendus ; redevances et taxes diverses ; revenus du domaine ; subventions de l'État et majoration de ces subventions (33 % pour les opérations d'équipement). **Nombre :** 9 regroupaient (au 1-11-80) 251 communes et 3 979 513 hab. : *Bordeaux* (loi du 31-12-66) (27 communes : 595 056 h.), *Brest* (décret du 24-5-73) (8 c. : 213 753 h.), *Cherbourg* (déc. du 2-10-70) (6 c. : 85 726 h.), *Le Creusot-Montceau-les-Mines* (déc. du 13-1-70) (16 c. : 108 887 h.), *Dunkerque* (déc. du 21-10-68) (18 c. : 196 807 h.), *Lille* (déc. du 31-12-66) (86 c. : 1 056 202 h.), *Lyon* (déc. du 31-12-66) (55 c. : 1 134 071 h.), *Le Mans* (déc. du 19-11-71) (8 c. : 190 302 h.), *Strasbourg* (déc. du 31-12-66) (27 c. : 398 709 h.).

• 3° – District. **Statut.** Institué par une ordonnance du 5-1-1959 sous le nom de *d. urbain* (la loi du 31-12-1970 a supprimé le qualificatif urbain : des d. peuvent être créés en milieu rural). Le d. peut voter un produit fiscal global. Il exerce de plein droit, à la place des communes de l'agglomération, la gestion des services du logement, des centres de secours contre l'incendie, et des services assurés antérieurement par les syndicats de communes associant, à l'exclusion de toute autre, les mêmes communes que le d. Il peut recevoir d'autres compétences de par la décision institutive. **Nombre.** Au 1-1-1989 : 168.

• 4° – Syndicat de communes. **Statut.** Permet aux communes de mettre en commun certains crédits pour réaliser des équipements collectifs comme : voirie, adduction d'eau, enlèvement des ordures ménagères, etc. Il n'a pas de compétence obligatoire, il ne peut lever une fiscalité propre. Il ne peut être spécialisé (ex. : syndicat intercommunal d'adduction d'eau ou d'électrification) ou synd. intercommunal à vocation multiple (SIVOM ; dep. l'ordonnance du 5-1-1959).

Nombre. Au 1-1-1980 : SIVOM 1 980 regroupant 19 157 communes (population : 20 324 162 h.) ; et s. intercommunaux spécialisés SIVU 11 664, dont : 3 421 (eau), 2 137 (questions scolaires), 1 574 (électricité), 1 286 (objets divers), 995 (questions agricoles), 481 (ordures), 454 (voirie), 359 (assainissement), 267 (constructions diverses) ; syndicats de syndicats 67.

• 5° – Syndicat mixte. **Statut** Comprend des ententes ou des institutions interdépartementales, des régions, des départements, des communautés urbaines, des districts, des syndicats de communes, des communes, des chambres de commerce, d'agriculture, de métiers et autres établissements publics pour réaliser des œuvres ou services présentant une utilité pour chacune des personnes morales en cause. **Nombre** au 1-1-1981, 542 (dont 171 au titre de l'art. L 166-5 du Code).

☞ A Maincourt-sur-Yvette (Yvelines), mairie et église sont sous le même toit (pour entrer dans l'église, on est obligé de passer par la mairie).

Principaux partis, clubs politiques et mouvements

Partis, clubs et mouvements actuels

Sources : partis politiques.

• **Agir au centre.** 51, rue Greneta, 75002 Paris. *Créé* en 1981. Appelle les socioprofessionnels à s'engager dans la vie publique. *Pt :* Pierre-André Périssol.

Comparaisons internationales (v. 1980). *P.C. :* Italie 1 700 000 adh. (France 700 000) ; *P.S. :* Allemagne (SPD) 1 000 000 (France 200 000) ; *Conservateurs :* G.-B. 2 800 000 ; Italie (Dém.-Chrétien) 1 700 000 ; Allemagne (Dém.-Chrétien) 800 000 ; *R.P.R. :* 700 000 ; *U.D.F. :* 300 000.

Organisations dissoutes sous la Ve République

Le gouvernement peut dissoudre les organisations jugées subversives pour l'ordre public (loi du 10-1-1936 complétée par loi du 1-7-1972). **1958** *27-1* Union générale des étudiants musulmans algériens, *15-5* Front d'action nationale, Mouvement jeune nation, Phalange française, Parti patriote révolutionnaire ; *23-8* Amicale générale des travailleurs algériens résidant en France. **1959** *13-2* Parti nationaliste. **1960** *17-12* Front de l'Algérie française, *23-12* Front national pour l'Alg. fr. **1961** *28-4* Front national combattant, *1-7* Comité d'entente pour l'Algérie fr., *22-7* Front commun antillo-guyanais, *26-7* Mouvement national révolutionnaire, *27-11* Comité de Vincennes. **1962** *20-3* Le Regroupement national. **1963** *5-11* Rassemblement démocratique des populations tahitiennes, Pupu Tiama Maohi. **1967** *13-7* Parti du mouvement populaire de la Côte fr. des Somalis. **1968** *12-6* Féd. de la jeunesse révolutionnaire, Mouvement du 22-Mars, Union des jeunesses communistes marxistes-léninistes, Parti communiste marxiste-léniniste de Fr., Parti comm. internationaliste, Jeunesse comm. révolut., Voix ouvrière, Révoltes, Organisation comm. internationaliste, Féd. des étudiants révolut., Comité de liaison des étudiants révolut. *31-10* Occident. **1970** *27-5* Gauche prolétarienne, *4-7* le Conseil d'État annule le décret de dissolution de 3 organisations : Révoltes, Organisation comm. internationaliste, Féd. des étudiants révolut. **1973** *28-6* Ordre Nouveau, Ligue communiste. **1974** *30-1* Embata (Pays basque), Front de libération de la Bretagne (dite Armée rép. bretonne), Front de libération de la Bretagne pour la libération nationale et le socialisme, Front paysan corse de libération. **1975** *27-8* Action pour la reconnaissance de la Corse. **1980** *3-9* Féd. d'action nationale et europ. (F.A.N.E.). **1982** *28-7* Service d'action civique (S.A.C.), *18-8* Action directe. **1983** *5-1* Front de libération nationale corse (F.L.N.C.), *27-9* Consulte des comités nationalistes corses. **1984** *3-5* Alliance révolut. caraïbe pour les Antilles et la Guyane (A.R.C.), *31-10* le Conseil d'État annule le décret de dissolution de la F.A.N.E. pour vice de forme. **1985** *23-1* F.A.N.E. (2e dissolution). **1987** *21-1* Mouvement corse pour l'autodétermination (M.C.A.), *4-6* Association nationaliste corse « A Riscossa » (Le Renfort), *16-6* le Conseil d'État annule le décret de dissolution de la F.A.N.E., *24-6* Association islamique Ahl El Beit, *15-7* Organisation basque indépendantiste Iparetarrak. *16-9* F.A.N.E. (3e dissolution).

• **Alliance des républicains pour l'avenir.** 137, bd de Sébastopol, 75002 Paris. Association de l'opposition sans distinction de parti. *Pt :* Jacques Dominati (n. 11-3-27). *Secr. gén. :* Xavier de La Fournière (9-1-27).

• **Alliance social-démocrate.** *Fondée* 31-5-1975 sous le nom de *Fédération des socialistes réformistes* (devenue, en sept. 1975, *Féd. des soc. dém.* puis *Parti socialiste démocrate*) par Éric Hintermann (12-12-36). *But :* regrouper les réformistes, instaurer des élections primaires pour le choix des candidats ; libre initiative économique, justice sociale, unification de l'Europe et promotion dans le monde des droits de la personne humaine. *Siège :* 95, rue des Morillons, Paris 75015. *Secr. gén. :* Éric Hintermann dep. 1975. *Membres :* 3 000 (1983). *Cotisation :* 200 F. *Presse :* la Lettre sociale-démocrate.

• **Alternative Rouge et Verte (A.R.E.V.). Siège.** 40, rue de Malte, 75011 Paris. **Fondée** 26-11-1989 à partir de la fusion de la Nouvelle Gauche (issue des comités mis en place lors de la campagne présidentielle de Pierre Juquin en 1988) et du P.S.U. **Objectif :** milite pour une synthèse entre les acquis du mouvement ouvrier traditionnel (lutte contre les inégalités, changement des rapports sociaux) et l'apport des mouvements sociaux en particulier le féminisme et l'écologie. **Organisation :** coordination générale regroupant des délégués des 70 fédérations. Exécutif de 15 personnes. **Porte-parole élus :** Marie-Françoise Pirot, Françoise Galland, J.-P. Lemaire, Jean-Claude Le Scornet. **Adhérents :** *1991 :* 5 000 dont 300 élus locaux. **Presse :** Rouge et Vert (hebdo., 10 000 ex.).

• **Amis de la Terre.** 15, rue Gambey, 75011 Paris. *Fondés* le 10-7-1970 par Alain Hervé, puis animés par Brice Lalonde. *But :* écologique. *Organisation :* réunion d'adhérents directs et de groupes locaux (env. 80), assemblée générale annuelle, secrétariat national et conseil. *Principaux dirigeants actuels :* Pierre Samuel, Dominique Martin, Alain Zolty, Claude Bazin, E. Gabarain, P. Miran, Th. Avramoglon, A. Quévreux, J.-F. Gérak, D. Halloo, P.-E. Martin, D. Bidou, G. Jonot, M.-C. Dupouy. *Publication :* La Baleine (trim.).

• **Association des démocrates.** *Fondée* sept. 1988 par Michel Durafour. *Membres :* Lionel Stoléru, Jean-Marie Rausch, Jean-Pierre Soisson, Thierry de Beaucé, Hélène Dorlhac, Jacques Pelletier, Roger Fauroux, Bernard Kouchner.

• **Association démocratique des Français à l'étranger.** 42, rue La Boétie, 75008 Paris. *Pt d'honneur :* Étienne Manac'h (3-2-10). *Pte :* Édith Cresson. *Publication :* Français du monde (bimestriel).

• **Association nationale des élus de la gauche radicale et républicaine.** *Siège :* 3, rue La Boétie, 75008 Paris. *Fondée* 1974. Regroupe 17 parlementaires, 46 conseillers régionaux, 200 conseillers généraux, 800 maires, plus de 3 000 élus municipaux. *Pt :* François Gayet. *Publ. :* Mairies et Régions de Fr. (trim.).

• **Association nationale d'action pour la fidélité au général de Gaulle.** B.P. 221-07 75007 Paris. *Pt :* Pierre Lefranc (23-1-1922).

• **Autonomes.** Mouvements sans structure ni hiérarchie, *issus* de l'O.C.L. et de différents groupes. S'opposent à l'extrême gauche. Utilisent la violence.

• **Carrefour social-démocrate (C.S.D.).** *Siège :* 18, rue Cardinet, 75017 Paris. *Fondé* 7-7-1977. *Pt : 1977* René Lenoir ; *oct. 79* Jean-Claude Colli ; *oct. 81* René Lenoir. *Secr. gén. :* François Thual. *Personnalités :* Charles Baur, Jacques Pelletier, Olivier Stirn, Lionel Stoléru, Bertrand Schneider, Bernard Stasi. *Adhérents :* 3 000. *Publications :* Bulletin, lettre mensuelle, cahiers.

• **Centre catholique des intellectuels français.** 61, rue Madame, 75006 Paris. *Animateur :* René Rémond (30-9-1918).

• **Centre des démocrates sociaux (C.D.S.).** *Siège :* 133 *bis*, rue de l'Université, 75007 Paris. *Fondé* 23-5-1976 à Rennes par la fusion du *Centre démocrate* [créé 1966, par Jean Lecanuet et Pierre Abelin (1909-77)] et du *Centre Démocratie et Progrès* (C.D.P.) [créé 1969 par Jacques Duhamel (1924-77) et Joseph Fontanet (9-2-21, tué dans la rue 2-2-80)]. Incarne le courant démocrate chrétien qu'exprimait le M.R.P. en 1945 et situe, au plan européen, son action dans le cadre du Parti populaire européen (P.P.E.). Une des principales composantes de l'U.D.F. Constitue le groupe de l'Union du centre (U.D.C.) à l'Ass. nat. *Leaders. Pt :* Pierre Méhaignerie (4-5-39). *Secr. gén. :* Jacques Barrot (3-2-37). *1ers vice-Pts :* René Monory (6-6-23), Bernard Stasi (4-7-30). *Vice-Pts :* E. Alphandéry (2-9-43) ; Jacques Mallet (5-2-24) ; Yves Marchand (22-2-46) ; Jean-Charles de Vincenti (4-7-42). *Secr. gén. adjoints :* Jean Arthuis (7-10-44) ; François Bayrou (25-5-51) ; Loïc Bouvard (20-1-29) ; Pierre Fauchon (23-3-29) ; Jean-Paul Fuchs (6-12-25) ; Jean-Jacques Jégou (24-3-45) ; Jean-François Michel (30-7-50) ; Jean-Jack Salles (17-2-35). *Trésorier :* Robert Parenty (13-8-21). *Organisation :* bureau politique (60 m.), conseil politique (600 m.), congrès tous les 2 ans. *Adhérents :* 49 430 (1990). *Cotisation annuelle :* 120 à 300 F. *Représentation :* 45 dép., 66 sénateurs, 5 dép. à l'Ass. eur., 505 conseillers généraux, 20 Pts de conseils généraux. *Club associé :* France-Forum. *Mouvements rattachés :* Jeunes Démocrates sociaux (J.D.S., *Pt :* Éric Azière, 18 400 adh. en 90), Femmes démocrates, Équipes rurales. Équipes syndicales. *Publications :* Démocratie moderne (hebd., 55 000 ex.), France-Forum.

• **Centre d'études et de recherches constitutionnelles (CERCLE).** 8, place du Palais-Bourbon, 75007 Paris. *Pts :* Charles Millon (12-11-45), Ph. Seguin (21-4-43). *Secr. gén. :* Fr. Froment-Meurice (8-5-49).

• **Centre d'études et de recherches « Égalités et Libertés » (C.E.R.E.L.).** *Siège :* 78, av. Félix-Faure, 75015 Paris. *Fondé* 18-6-1974 par le Dr Claude Peyret (1925-76). *But :* œuvrer pour l'instauration de la « Nouvelle Société » voulue par Jacques Chaban-Delmas. *Principes :* tolérance, solidarité, humanisme. *Secr. gén. :* Jean Guion (4-9-50).

• **Centre indépendant et républicain.** *Siège :* 27, rue du Javelot, 75645 Paris Cedex 13. Issu des comités d'*Union pour la majorité présidentielle* qui, aux législatives de 1973, ont présenté 75 candidats. En 1989 se situe au centre gauche et dans l'actuelle majorité présidentielle. *Bureau exécutif : Pt :* N. Fétiveau (20-1-10) ; *secr. gén. :* G. de Sansac (21-12-22). *Cotisations :* militants 150 F, bienfaiteurs 1 000 F. *Adhérents :* 6 500. *Élus locaux :* 1 500 surtout Nord, région par. et S.-O. *Publication :* la Lettre du Centre indépendant et républicain (bimestriel, 30 000 ex.).

• **Centre national des indépendants et paysans (C.N.I.P.).** *Siège :* 170, rue de l'Université, 75007 Paris. *Fondé* 6-1-1949 par Roger Duchet, sénateur-maire de Beaune, et René Coty. *1951 :* le Parti paysan de Paul Antier et Camille Laurens rejoint le C.N.I. qui devient le C.N.I.P. *IVe Rép. :* illustré par le Pt de la Rép., René Coty (1954-58), et 2 Pts du Conseil [Antoine Pinay (1952) et Joseph Laniel (1953-54)]. *Ve Rép., 1958 :* 2e parti de Fr. avec 120 députés (groupe le plus important au Sénat). Pinay, ministre des Fin. dans le 1er gouv. de Gaulle. *1962 :* Pinay passe dans l'opposition, il est pour l'Algérie française,contre l'élection du Pt de la Rép. au suffrage universel et contre l'Europe. *1963 :* Giscard d'Estaing fonde les Républicains indépendants, accentuant le recul électoral du C.N.I.P. aux élections législatives. *1965 :* soutient la candidature de Jean Lecanuet aux présidentielles. *1966-68 :* coexistence difficile avec le M.R.P. au sein du Centre démocrate. *1968 :* reprend son indépendance. *1969 :* rallié à Pompidou. *1974-81 :* partie intégrante de la majorité, participe aux gouvernements Barre (avec Maurice Ligot, puis Jacques Fouchier), mais refuse d'admettre l'emprise grandissante de l'État et de l'administration sur entreprises et particuliers. *1981 : présidentielles 1er tour :* soutient Chirac. *2e tour :* Giscard d'Estaing. *Rassemble* plusieurs milliers d'élus municipaux, environ 300 conseillers gén., 20 parlementaires. Gal Jeannou Lacaze (n. 11-2-24, ancien chef d'État-major des armées) qui avait adhéré en 1989 le quitte en févr. 1991 pour fonder l'U.D.I. Se présente comme le parti placé au cœur de la droite. *Pt : 1972 :* Bertrand Motte ; *80 :* Philippe Malaud (2-10-25), *87 :* Jacques Féron (11-2-12), *90 :* Yvon Briant. *Secr. gén. :* Jean-Antoine Giensily. *Adhésion :* 200 F. *Publication :* France-Indépendante (mensuel, 100 000 ex.).

• **Centre républicain.** 13, bd Raspail, 75007 Paris, et 4, av. Franklin-Roosevelt, 75008 Paris. *Pt :* André Morice (11-10-1900). *Secr. gén. :* J.-J. Carpentier.

• **Centre des républicains libres (C.R.L.).** (Voir Quid 1983, p. 778 c.)

• **Cercle d'études Montaigne.** Tendances socialiste et radicale. *Pt :* Hugues de Chanterac, 6, rue de la Forêt Verte, 78120 Rambouillet. *Secr. gén. :* Anne-Marie Carli.

• **Cercle d'études et de rencontres « Liberté et Humanisme ».** *Siège :* 21, bd Saint-Germain, 75007 Paris. *Issu* dep. 1977 du Centre d'études et de recherches « Égalités et Libertés » *fondé* 18-6-74 par le Dr Peyret. *Pt :* Roland Nungesser (9-10-25), député-maire et ancien ministre.

• **Cercle Jacques Bainville.** *Siège :* 10, rue Croix-des-Petits-Champs, 75001 Paris. *Créé* 1984. *But :* promouvoir une université autonome et corporative et faire connaître l'idée royaliste aux étudiants. *Secr. gén. :* Nicolas Portier. *Publication :* Le Feu Follet (bimestriel, 15 000 ex.).

• **Cercle Périclès.** 23, rue Vaneau, 75007 Paris. Dans la mouvance du parti gaulliste. *Pt :* Yves Guéna (6-7-22), ancien ministre, sénateur-maire.

• **Cercle Renaissance.** 138, rue de Tocqueville, 75017 Paris. *Pt d'honneur :* Mgr Virgil Gheorghiu. *Co-Pts du comité de parrainage :* Philippe Malaud (2-10-25), ancien min., et Me Jean Moore, dir. de la Gazette du Palais. *Pt-Fondateur :* Michel de Rostolan (8-3-46) ancien député. *Pt national délégué :* J.-J. Boucher. *Fondé* 1970. *Objectif :* promouvoir une renaissance des valeurs culturelles, civiques, morales et spirituelles. **Activités :** conf., dîners-débats, actions humanitaires, 3 Prix annuels : Lettres, Arts, Économie. *Publication :* Renaissance des Hommes et des Idées (mensuel, 7 000 ex.). *Cotisation :* 400 F.

• **Cercle républicain.** 5, av. de l'Opéra, 75001 Paris. *Fondé* 1907 par Alfred Mascuraud, sénateur. *Pt :* Marcel Martin (19-11-16) ; *secr. gén. :* Robert Parenti.

• **C.I.D.U.Na.T.I.** (Comité interprofessionnel d'information et de défense de l'Union nationale des travailleurs indépendants). Déc. 1968, des commerçants et des artisans se regroupèrent sous des sigles différents. Dans l'Isère, le *Mouvement de La Tour-du-Pin,* fondé par Gérard Nicoud (né 5-3-47) à La Batie-Montgascon, fédère ceux-ci dans le C.I.D. (Comité d'information et de défense) devenu C.I.D.U.Na.T.I. En juin 1973, se transforme en Conféd. intersyndicale, et plus tard en assoc. loi de 1901. *Secr. gén. :* André Vonner.

• **Club Aries** (Association de recherches internationales écon. et sociales). *Siège :* 16, av. Pierre-Ier-de-Serbie, 75016 Paris. *Fondé.* 1981. *Objectif :* réflexion sur le libéralisme social. *Pt :* Lionel Stoléru (22-11-37).

• **Clubs Avenir et Libertés.** *Siège :* 18, av. de la Marne, 92600 Asnières. *Fondés* 1972. *But :* combattre collectivisme, lutte des classes, nivellement des individus, emprise de l'État et totalitarisme ; *Pt :* Yves Paris. *Vice-Pt :* Y. Lefebvre. *Secr. gén. :* B.-C. Savy, Y. Jaunaux. *Publications :* Avenir et Liberté (mens. 10 000 ex.) ; L'Essentiel 10 000 ex., Profils médicaux sociaux 25 000 ex. (hebdos).

• **Club Droit et Démocratie.** *Siège :* 1, rue de Cérisoles, 75008 Paris. *Fondé* 1966 par le bâtonnier René William Thorp. *Objet :* études et colloques sur les libertés publiques et la défense des droits des citoyens, dans l'esprit républicain. *Pt :* Jacques Ribs (1-8-25). *Pt d'honneur :* Gaston Maurice (11-1-07). *Leaders :* Louis Pettiti (14-1-16), Roger Chipot (24-6-22), Pr J. Robert (29-9-28), M.Blum, F. Terquem, Jean Kahn, André Braunschweig ; en congé : Robert Badinter (30-3-28) et Yves Jouffa (28-1-20).

• **Club Échange et Projets.** *Siège :* 10, rue des Pyramides, 75001 Paris. *Fondé* 1973 par Jacques Delors (20-7-25). *Pts : 1973* Jacques Delors, *79,* Maurice Grimaud, *81,* José Bidegain, *86,* Pierre Vanlerenberghe. *Membres :* 300.

• **Club Femmes 2000.** 162, bd du Montparnasse, 75006 Paris. *Déléguée gén. :* Yvette Roudy (10-4-29).

• **Clubs Forum.** *Siège :* 103, rue de l'Hôtel-de-Ville 75004 Paris. *Créés* 1985. Issus du Parti socialiste, rocardiens.

• **Club de Grenelle.** *Fondé* 1977. Dissous en 1987.

• **Club de l'Horloge.** 4, rue de Stockholm, 75008 Paris. *Fondé* 1974. *But :* réflexion fondée sur les valeurs libérales et nationales, rejet des principes socialistes. *Dirigeants : Pt :* Henry de Lesquen ; *secr. gén. :* Michel Leroy ; *vice-Pts :* Didier Maupas, Ivan Chiaverini. *Presse :* Lettre (trim.).

• **Club des Jacobins.** *Siège :* 5, av. de l'Opéra, 75002 Paris. *Fondé* 12-12-1951. *Membres :* 1 000. *But :* militer pour l'unification de la gauche. *Pts :* Charles Hernu (1923-89), Marc Paillet (15-10-18), Roger Charny, Gaston Maurice, Guy Penne (9-6-25), Alain Gourdon (16-10-28). « En sommeil ».

• **Club Marianne.** 11, rue Delambre, 75014 Paris. *But :* former de nouveaux responsables pour de nouvelles orientations. *Pt :* Bernard Fraize.

• **Club Nouvelle Citoyenneté.** 17, rue des Petits-Champs, 75001 Paris. Nouvelle Action royaliste. *Publication :* Cité (trim.).

• **Club Nouvelle Frontière.** *Siège :* 9, rue de Bellechasse, 75007 Paris. *Fondé* 1-3-1968. *Objet :* études politiques, recherches dans le cadre des institutions de la Ve Rép. *Leaders :* Jean Charbonnel (22-4-27), Bernard Chenot (20-05-09), Paul-Marie de La Gorce (10-11-28), Rose de Laval, Gilles Le Beguec (1-5-43), Jean-Louis Bourlanges (13-7-46), Paul Benyamine (8-4-33).

• **Club PAGEL** (Pacte d'action gouvernemental et libéral). *Siège :* 4, rue des Érables, 78150 Rocquencourt. *Fondé* 1981 par Jean-Louis Berthet (3-7-41).

• **Clubs Perspectives et Réalités.** *Siège :* 250, bd St-Germain, 75007 Paris. *Fondés* mai 1965. *Membres :* 25 000. *Clubs :* 180. *Pt-Fondateur :* V. Giscard d'Estaing (2-2-26). *Dél. gén. :* Hervé de Charette (30-7-38). *Publication :* Forum (trimestriel, 20 000 ex.).

• **Club 89.** *Siège :* 45, avenue Montaigne, 75008 Paris. *Fondé* 1981 par Michel Aurillac (11-7-28), et Nicole Catala (2-2-36). *Membres :* 6 000. *Clubs :* 163. *Pt :* Michel Aurillac ; *vice-Pte déléguée :* Nicole Catala ; *secr. gén. :* Maurice Robert. Club de réflexion et de propositions, devenu groupement politique. *Publications :* les Nouveaux Cahiers de 89 (trimestriel, 3 000 ex.). Résonances (mensuel, 3 000 ex.), les Cahiers Inter-Clubs (trimestriel, 3 000 ex.).

• **Clubs République et Démocratie.** *Siège :* 21, rue du Rocher, 75008 Paris. *Fondés* 1978 par Jean-Pierre Prouteau, ancien Gd Maître du Grand Orient de Fr. *Pt :* Paul Estienne (2-5-41), ancien Pt nat. de la Jeune Chambre économique, soutenant R. Barre. *Membres :* 4 000 (12 000 sympathisants). *Clubs :* 80. *Publications :* Lettre républicaine et Lettre d'information (mens., 5 000 ex.).

• **Club Victor-Hugo pour les États-Unis d'Europe.** *Fondé* 30-10-1985. *Pt d'honneur :* Maurice Faure. *Pt :* Jean Elleinstein. *Vice-Pts :* Michel Albert, Edgar Morin, Robert Toulemon. *Secr. gén. :* Bernard Barthalay. *Délégué gén. :* Philippe Laurette. 71, bd Richard-Lenoir, 75011 Paris.

• **Club des Vrais Libéraux.** 22, rue Diderot, 91560 Crosne. *Fondé* 1982. *Objet :* promouvoir les idées de liberté. *Pt :* Jacques-Edmond Grangé. *Vice-Pt :* Jean-Paul David. *Publication :* Le Réveil libéral (mensuel, 15 000 ex.).

• **Collège pour une société de participation (C.S.P.).** *Siège :* 15, rue Léon-Delhomme, 75015 Paris. *Fondé* février 1975 par Daniel Richard. Aile gauche du R.P.R. *Pt :* Daniel Richard (8-5-48). *Animateurs :* François Parion, Joël Boillot, Pascal Monier, François de La Vaissière, François Le Romain. *Adhérents :* 5 300. *Cotisation :* 300 F. *Publication :* la Lettre du C.S.P. (mensuel).

• **Comités d'action républicaine (C.A.R.).** *Siège :* 103, rue Réaumur, 75002 Paris. *Fondés* janv. 1982. *Pt :* Jean-Claude Bardet. *But :* combattre le cosmopolitisme, œuvrer au renouveau des valeurs de la droite de conviction.

• **Comités communistes pour l'autogestion (C.C.A.).** *Adresse :* B.P. 162, 75463 Paris Cedex 10. *Fondés* 1977. *Publications :* Commune (mensuel), Mise à jour (revue).

• **Comité d'études pour un Nouveau Contrat social.** *Siège :* 17, bd Raspail, 75007 Paris. *Fondé* 1969 par Edgar Faure (1908-88). *Pt :* Paul Granet, ancien ministre ; *secr. gén. :* Micheline Bleynie.

• **Comité français contre le neutralisme et pour la paix.** *Siège :* 138, rue de Tocqueville, 75017 Paris. *Fondé* oct. 1981. *Pt :* Philippe Malaud (2-10-25). *Membres fondateurs :* Gal M. Bigeard (14-2-16) ; Pierre Chaunu (17-8-23) ; Achille Dauphin-Meunier (28-7-06) ; Alfred Fabre-Luce (1899-1983) ; Jean Grandmougin (25-12-13) ; Pierre Jonquères d'Oriola (1-2-20) ; Michel Jazy (13-6-36) ; Raymond Marcellin (19-8-14) ; Thierry Maulnier (1909-89) ; Louis Pauwels (2-8-20) ; Jean Pouget ; Jean-Marc Varaut (18-2-33) ; Louise Weiss (1893-1983).

• **Comité des intellectuels pour l'Europe des libertés.** 35, av. Mac-Mahon, 75017 Paris. *Pt :* Eugène Ionesco (26-11-12). *Fondateur, secr. gén. :* Alain Ravennes. *Publication :* la Lettre du ciel (trim.).

• **Comité républicain du commerce, de l'industrie, de l'agriculture.** *Siège :* 21, rue du Rocher, 75008 Paris. *Fondé* 1899 par Waldeck-Rousseau. La plus ancienne association économique française. *Pt :* Paul Estienne. *Membres :* 1 000.

• **Confrontations.** 61, rue Madame, 75006 Paris. *Animateur :* Jean-Louis Monneron. *Publications :* Recherches et débats, Bull. de Confrontations.

• **Convention pour la Ve République.** *Créée* 24 mars 1990 par Jean Charbonnel (22-4-27), maire de Brive, après avoir démissionné du groupe RPR de l'Assemblée nat. pour devenir député non inscrit de la Corrèze. Regroupe une dizaine de personnalités qui s'étaient déjà rapprochées de Mitterrand ou du gouv. *André Bord* (30-11-22), ancien min., ancien dép. du Bas-Rhin, *Jacques Trorial* (8-2-32), ancien min., ancien dép. de Meurthe-et-M., anime « l'Action pour le renouveau du gaullisme », *Yves Lancien* (18-1-24), ancien dép. de Paris, avait créé le comité pour le « oui » gaulliste au référendum sur la N.-Calédonie, *Henri Bouvet* (7-8-39), ancien dép. UDF-radical de Hte-Vienne, a fondé « Cadres et citoyens », *Jean-Louis Delecourt* anime le « mouvement gaulliste populaire ».

• **Démocratie chrétienne française.** *Siège :* 50, rue de Berri, 75008 Paris. *Fondée* 1978 par Alfred Coste-Floret (1911-90). *Pt :* Michel-Pierre Barras (12-7-42). *Secr. gén. :* Patrick Simon. *Vice-Pts :* Danielle Milla, Camille Chaffanel, Jean-Yves Durand, Jean-René Guilcher, Marcel Lopez, Jean Vicendo. *Publication :* l'Avenir français (15 000 ex.).

• **Fédération (La).** Mouvement fédéraliste fr., 244, rue de Rivoli, 75001 Paris. *Pt. d'honneur :* Jacques Bassot. *Pt :* Laurent Grégoire. *Secr. gén. :* Joël Broquet. *Comité directeur :* Pierre Bordeaux-Groult., J.-Marie Daillet, Nicole Fontaine. *Revues :* « Les Enjeux de l'Europe » *fondée* 1944, travaille avec de nombreux organismes (CLAR, Comité Hyacinthe Dubreuil, Carrefour des Acteurs sociaux, etc.), trilingue, 10 000 ex. ; « Le XXe Siècle fédéraliste ».

• **Fédération anarchiste.** *Siège :* 145, rue Amelot, 75011 Paris. *Évolution : 1881* (22-5) 1er congrès an. *1885,* fond. du « Libertaire ». *XXe s.,* 3 mouvements essentiels : Féd. communiste libertaire, Union an. et Féd. an. (née 1936 d'une scission de l'Union an.). *1939-45,* éprouvés par la guerre. *1945,* la Féd. reformée, crée le *Mouvement libertaire,* ses militants sont aussi à l'origine de la Confédération nationale du Travail. *1953,* la Féd. an. subsiste seule en tant qu'organisation représentative. *1964,* participe à la rencontre intern. en Allemagne et aux congrès an. intern. : Turin (1964) ; Carrare (1968), où le combat antimarxiste est défini comme principe fondamental. *1973,* création de l'*Organisation révolutionnaire an.* (O.R.A.). *1981,* congrès, à Neuilly-sur-M., réaffirmant que la gauche au pouvoir ne résoudra rien dans le cadre du système inégalitaire actuel et dénonçant le maintien de la répression de l'État socialiste, notamment envers les antimilitaristes. *Doctrine :* l'éthique libertaire (entraide, solidarité) prône action directe et grève gestionnaire expropriatrice pour parvenir à une société fédérative, antiétatique. *Composée* de groupes autonomes et fédérés. Au niveau national, coordination des activités par des secrétariats. *Revues :* la Rue, la Mémoire sociale, Volonté anarchiste, la Revue de la presse anarchiste internationale. *Éditions :* du Monde libertaire, de l'Entraide, le Monde nouveau, la Collection anarchiste. *Journal national :* le Monde libertaire (15 000 ex.) ; *locaux :* la Feuille, la Commune libertaire, l'Anarchie, l'Agitateur, l'Éveil social... *Radio libertaire :* création 1-9-1981, saisie 28-8-83, autorisée 5-11-83 : regroupée avec Radio Pays 30-9-84 ; définitivement légalisée sur 89,4 MHz le 11-1-85 ; auditeurs : 120 000.

• **Fédération des gaullistes de progrès.** *Secr. gén.* Jacques Blache (7-11-44). *Adhérents :* 1 000.

• **Fédération nationale des élus socialistes et républicains.** 12, cité Malesherbes, 75009 Paris. *Pt d'honneur :* Pierre Mauroy (5-7-1928). *Pt :* Jean-Pierre Joseph.

• **Forum.** B.P. 268 04 Paris Cedex 04. Clubs créés 1985. Regroupent des jeunes proches des idées de Michel Rocard. *Pt :* Manuel Valls dep. 1988. *Clubs :* 70, *Adhérents :* 2 000.

• **France demain (ex-Club Horizon 86).** *Siège :* 85, rue de Sèvres, 75006 Paris. *Fondé* 1981 par Me Frédéric Chartier (3-5-27). *Membres :* 100 (1983).

• **Front national.** *Siège :* 8, rue Général-Clergerie, 75116 Paris. **1972** *5-10* fondé par Jean-Marie Le Pen. **1973** François Duprat, collaborateur à « Défense de l'Occident », animateur des « Cahiers européens », fondateur de France-Palestine (assoc. antisémite et antisioniste), rejoint le Front [en oct. 1974 Fredriksen dirigeant de la FANE (Féd. d'action nationale européenne) nationale-socialiste devient le dir. des « Cahiers »]. *4-3* législatives : 108 000 voix, 1,32 % (Le Pen 5,21 % Paris XIVe). **1974** *5-5* 1er tour des présidentielles, Le Pen 0,74 % (appuyé par « Rivarol » et certains proches des « Cahiers européens » de F. Duprat ; « Minute » et « Ordre nouveau » soutiennent Giscard ; « L'Œuvre française » Jean Royer). *11-11* Ordre Nouveau dissous, François Brigneau et Roland Gaucher fondent le Parti des Forces Nouvelles (PFN). **1977** *mars* municipales : le FN s'allie localement avec la majorité (1 élue à Toulouse, 1 maire en Hte-Garonne, Le Pen 1,87 % Paris XIVe), le PFN participe aux listes RPR ; *déc.* L'UNION SOLIDARITÉ (J.-P. Stirbois, M. Collinot) rejoint le FN. **1978** *mars* législatives : FN présent dans 16 circonscriptions (0,33 % des voix), PFN 1,06 % (Le Pen 3,91 % à Paris 5e circ.). *18-3* F. Duprat tué dans une voiture piégée. **1979** européennes. *28-4* PFN et FN annoncent une liste commune conduite par Michel de Saint-Pierre. *25-5* ils renoncent pour problèmes financiers. *27-5* le PFN dépose une nouvelle liste conduite par Jean-Louis Tixier-Vignancour. Le FN, exclu, demande l'abstention. Le PFN obtient 1,31 %. **1980-81** rapprochement avec Intégristes. **1981** *mai* présidentielles, FN (Le Pen) et PFN (Gauchon) n'ont pas obtenu les 500 signatures nécessaires pour présenter un candidat. *Juin* législatives 0,18 %. (Le Pen 4,38 %) ; Pascal Gauchon (porte-parole du PFN) 3,26 %. De nombreux responsables abandonnent ou se rallient au C.N.I.P. Nombreux incidents pendant la campagne du PFN (à Toulouse, 2 bombes détruisent la salle). *Fin 81* un anc. militant quitte le FN et crée début 82 le Regroupement nationaliste avec le MNR (Malliarakis) et l'Œuvre française (Sidos). **1983** *mars* municipales : Le Pen 11 % Paris XXe. *11-2* él. partielle de Dreux : Stirbois, maire adjoint 16,7 %. *4-9* él. partielle du Morbihan : Le Pen 13 %. **1984** *17-6* européennes : F.N. 10,95 %, 10 députés. **1985** *10 et 17-3* cantonales : 1 521 candidats (pour 2 044 cantons) 8,84 % 1 élu (J. Roussel, Marseille). **1986** *16-3* législatives : 9,65 %. *[Région par. :* Seine-St-D. 15,04 ; Val-d'O. 12,24 ; S.-et-M. 12,01 ; H.-de-S. 11,14 ; Paris 10,94 ; Yvel. 10,4. *Province :* B.-du-Rh. 22,53 (Marseille 24,37) ; Alp.-Mar. 20,88 ; Vaucluse 19,49 ; Pyr.-Or. 19,08 (Perpignan 25,09) ; Var 17,77 ; Hérault 15,55 ; Rhône 13,24 (Lyon 13,41) ; Pas-de-Calais 11,35 ; Paris 10,94 ; Yonne 10,36 ; Doubs 10,35 ; Ain 10,13 ; Nord 7,83 ; Creuse 3,95 ; Hte-Vienne 4,23 ; Cantal 3,7]. 35 députés ; 133 conseillers rég. **1988** *25-4* présidentielles (1er tour) Le Pen 14,38 % (4 367 269 v.). *8-5* 2e tour sur 100 lepénistes qui votent, 78 votent Chirac, 22 Mitterrand. *5-6* législatives (1er tour) F.N. 9,65 %. *S. : 12-6* (2e t.) 1 député (Yann Piat, Var, 1er t. 23,6 %, 2e t. 53,71 %, sera exclue du FN en oct. pour indiscipline). Cantonales 9,85 % (sur les cantons où il était présent). *Sept.* F. Bachelot exclu. **1989** municipales : 1 100 conseillers élus. *Voix* (%) : Alpes-Mar. : Nice 19,74 (2e tour), Cagnes 35,74 (2e t.) ; B.-du-Rh. : Marseille 14,32 (2e t.) ; C.-d'Or : Beaune 12,70 ; Eure : Vernon 12,5 ; E.-et-L. : Dreux 22,29 (2e t.) ; Gard : Saint-Gilles 39,05 (2e t.) Charles de Chambrun élu ; Nord : Tourcoing 16,04, Roubaix 17,89 (2e t.) ; Pyr.-Or. : Perpignan 29,25 (2e t.) ; B.-Rhin : Strasbourg 14,49 ; Ht-Rhin : Mulhouse 21,08 ; Rhône : Lyon 9,57 ; Paris : XXe 15,58 ; Var : Toulon 24 (2e t.), Saint-Raphaël 27,16 (2e t.) ; Yonne : Sens 15,57 ; Hts-de-S. 16,94 (2e t.) ; S.-St-Denis : St-Denis 19,8, Sevran 24,09 (2e t.). Européennes 11,73 % (2 129 668 v.) 10 députés. *3-12* législatives partielles Dreux (2e t.) 61,3 % Marie-France Stirbois élue ; cantonale partielle de Salon-de-Prov. 51 % Philippe Adam élu. *11-12* l'Ass. eur. lève l'immunité de Le Pen [inculpé 22-3 pour outrage envers le min. de la Fonction publique (Michel Durafour qu'il surnomme, le 2-9-88, lors d'une réunion publique « Durafour-Crématoire »)]. **1990** *14-1* législ. Chamalières 11,9 % ; *28-1* munic. Cannes 20,6 % ; *18-3* munic. Clichy 25,1 % ; *11-6* canton. Villeurbanne 27,3 % ; *26-11* canton. Salon-de-Provence 23,2 % ; lég. Marseille 33,1 %. *Août* Le Pen s'oppose à intervention armée au Koweit. *22-11* ramène d'Irak 55 otages européens.

Organisation : *Pt :* Jean-Marie Le Pen (20-6-28), Pt du groupe des Droites européennes au Parlement de Strasbourg. *Vice-Pt :* Dominique Chaboche. *Secr. gén. :* Carl Lang (20-9-57) dep. 9-11-88 remplace Jean-Pierre Stirbois (30-1-45) tué accident de voiture le 5-11-88. *Délégué gén. :* Bruno Mégret (4-4-49). *Trésorier :* Christian Baeckeroot. *Dir. nat. du F.N. de la Jeunesse :* Martial Bild. *Exclus. :* Olivier d'Ormesson, Pascal Arrighi, François Bachelot, Yann Piat. *But :* le F.N. se présente comme une alternative face à la fausse droite et à la gauche socialiste et communiste. *Propositions :* mettre fin à l'étatisme bureaucratique et fiscaliste, rétablir la peine de mort, donner priorité de travail, de logements... aux Français et ressortissants de la C.E.E. *Adhérents :* + de 100 000. *Publications :* La Lettre de Jean-Marie Le Pen, Europe & Patries, Le Front (Minitel, 36-15 code Le Pen). *Publications apparentées :* Identités (revue d'idées du F.N.) ; Perspectives (mensuel du F.N.J.) ; Bulletin du Cercle national des femmes d'Europe (P.-D. G. fondatrice : Martine Lehideux, député europ.). *Cotisation :* 250 F/an.

Sondages (21/23-12-88 auprès de 1 000 pers. de + de 18 ans). Sont pour les idées de Le Pen : 16 % (*1984 :* 26, *85 :* 23, *87 :* 18) ; contre 80 % (*84 :* 57) ; le jugent un danger pour la démocratie 67 % (*84 :* 44).

Suffrages d'extrême droite

Légende : (L = législatives, P = présidentielles, Eu = européennes). *Années, élections, nombre de voix et en italique % des inscrits.* **1958 :** L (1er tour) 526 644 *1,9.* **1962 :** Référendum (accords d'Évian) 1 809 074 *6,6.* L (1er t.) 139 200 *0,5.* **1965 :** P (1er t.) 1 260 208 *4,4.* **1967 :** L (1er t.) 124 862 *0,4.* **1968 :** L (1er t.) 18 933 *0,1.* **1973 :** L (1er t.) 122 498 *0,4.* **1974 :** P (1er t.) 190 921 *0,6.* **1978 :** L (1er t.) 210 761 *0,6.* **1979 :** Eu 265 911 *0,8.* **1981 :** L (1er t.) 90 422 *0,2.* **1984 :** Eu 2 210 334 *6.* **1986 :** L (1er t.) 2 760 880 *7,4.* **1988 :** P (1er t.) 4 375 894 *11,5* L (1er t.) 2 391 973 *6,3.*

Vote d'extrême droite en 1988 (%). Sondage 24-4-1988 auprès d'un échantillon de 5 424 électeurs. Ensemble électorat 15 %. **Sexe :** homme 19, femme 11. **Age :** 18-24 a. 17, 25-34 a. 15, 35-49 a. 18, 50-64 a. 14, 65 a. et + 11. **Profession :** patrons ind. et com. 27, ouvriers 20, agriculteurs 20, cadres moyens 15, s.p. 15, employés 14, prof. lib., cadres sup. 11. **Religion :** cath. non prat. 19, prat. irrégul. 13, prat. régul. 12, autres religions 10, sans religion 10. **Secteur d'activité :** indépendants 25, chômeurs 17, salariés du privé 16, public 12.

• **Front révolutionnaire des travailleurs.** *Créé* 1987. *Publication :* « Initiative », 7 800 ex.

• **G.R.É.C.E. (Groupement de recherche et d'études pour la civilisation européenne).** *Secrétariat nat. :* B.P. 300, 75265 Paris Cedex 06. *Fondé* 1968. Mouvance de la Nouvelle Droite. *Publications apparentées* (41, rue Barrault, 75013 Paris) : Nouvelle École [trim., responsable : Alain de Benoist (11-12-43)], Éléments pour la Civilisation eur. (bimestr.), Études et recherches (trim.), Éditions du Labyrinthe, Livre-Club du Labyrinthe.

• **Groupes d'action municipale (G.A.M.).** *Secrétariat nat.* : 16, rue Anatole-France, 92800 Puteaux. *Apparaissent* entre 1967 et 68. 1re rencontre nationale en 1968. Charte nat. actualisée en 1975 (devenue manifeste nat.). Mouv. indépendant de militants désirant prendre en charge les problèmes de leur vie quotidienne (travail, habitat, environnement, éducation, transports, consommation, loisirs, etc.), action fondée sur socialisme et autogestion. *Secr. nat.* : Claudie Boaziz. Dep. juin 1977, rencontres nationales, régionales tous les 6 mois. *Collectif national* (7 groupes élus aux renc. nat.) se réunit tous les 2 mois. *Presse* : bulletin « G.A.M. Info ».

• **G.U.D. (Groupe Union Défense).** *Siège* : 92, rue d'Assas, 75006 Paris. *Créé* 1968. Mouvement étudiant d'extrême droite utilisant la violence. *Adhérents* : plusieurs centaines. *Élus* : 50 dans les facultés.

• **Institut international de géopolitique.** 31, quai Anatole-France, 75007 Paris. *Fondé* 1982. *Pt* : Marie-France Garaud (6-3-34). *Presse* : Géopolitique (trimestriel).

• **Institut de recherches marxistes.** 64, bd Auguste-Blanqui, 75013 Paris. *Dir.* : Francette Lazard. *Publications* : la Pensée, les Cahiers d'histoire de l'I.R.M., Société française, Recherches internationales, Issues, Avis de recherches.

• **Jeune Garde.** *Siège* : 9, rue St-Germain-l'Auxerrois, 75001 Paris. *Fondé* 1984 par des nationalistes opposés au marxisme et au libéralisme. *Adhérents* : 500 (1987).

• **Jeune République.** *Siège* : 9, bd Jean-Mermoz, 92200 Neuilly-sur-S. *Fondée* 1912 par Marc Sangnier (1873-1950) (issue du « Sillon »). *Buts* : socialisme personnaliste (socialisation et gestion démocratique des grands moyens de production et d'échange ; défense et développement des droits de la personne, y compris dans ses dimensions affectives et culturelles ; promotion d'un nouvel ordre économique international respectueux de l'indépendance des nations). *Pt* : Louis Perrin (29-5-20). *Publication* : la Jeune République.

• **Jeunes Démocrates sociaux.** 133 bis, rue de l'Université, 75007 Paris. *Pt* : Éric Azière. *Secr. gén.* : Bernard Sananes. *Publication* : Réflex.

• **Jeunes Européens fédéralistes.** 17, rue du Fg-Montmartre, 75009 Paris. *Pt* : Philippe Laurette. *Publication* : « The New Federalist ».

• **Jeunes rassemblés à gauche.** 29, place du Marché-Saint-Honoré, 75001 Paris. *Fondé* janv. 1988. Proches de Jean Poperen. *Militants* : env. 500. *Publications* : Jeunesses et socialisme (bimensuel, 5 000 ex.), la lettre hebdomadaire de Jeunesse et Socialisme, 2 000 ex.

• **Jeunesses communistes révolutionnaires.** *Créées* 1979, solidaire de la L.C.R. et la IVe Internationale. *Membres* : env. 500. *Siège* : 9, rue de Tunis, 75011 Paris.

• **Justice et Liberté.** *Siège* : 78, av. Félix-Faure, 75015 Paris. *Constitution* : issue du C.E.R.E.L. (fondé 18-6-1974). *Créée* 23-9-1981. Indépendante des partis. *Principes* : maintien de la souveraineté dans le domaine économique et la Défense nationale ; pour une Europe confédérale ; une politique humaniste et solidaire avec le tiers monde. *Pt* : Jean R. Guion (4-9-1950). *Secr. gén.* : Joël Girault (2-2-56). *Rédacteur en chef* : Philippe Fourny (14-7-60). *Adhérents* (au 1-1-1991) : env. 1 300. *Publications* : le Courrier de Justice et Liberté, les Cahiers des Nouveaux Démocrates, Synergie 88 (2 500 ex.).

• **Ligue communiste révolutionnaire (L.C.R.)** [section française de la IVe Internationale]. *Siège* : 2, rue Richard-Lenoir, 93108 Montreuil-sous-Bois. Féd. de Paris : 9, rue de Tunis, 75011 Paris. *Fondée* 1938 en tant que section française de la IVe Internationale, par Léon Trotski. Souvent frappée par la répression, elle s'est appelée P.C.I., puis L.C. après 1968, F.C.R. et L.C.R. depuis 1974. *Direction collective* : comité central, élu par le congrès, et bureau politique élu par le comité central. *Principal porte-parole* : Alain Krivine (n. 10-4-41). *Membres* : env. 2 500 (en % : salariés d'entreprise 60, enseignants 20, jeunes 15) + 2 000 sympathisants organisés dans les groupes d'entreprise, les comités rouges et dans les Jeunesses communistes révol. (J.C.R.). 85 % des militants sont syndiqués dont C.G.T. 30 %, C.F.D.T. 22 %, F.E.N. (tendance « École émancipée ») 22 %. *Doctrine* : « Est la section française de la IVe Internationale, qui se donne pour but la prise du pouvoir par les travailleurs dans le monde entier, afin d'établir la dictature du prolétariat sur les classes exploiteuses et une authentique démocratie socialiste, conditions nécessaires à la construction d'une Sté sans classes, délivrée de toute exploitation et de toute oppression. En solidarité avec la lutte révolutionnaire des peuples, d'Amérique centrale, d'Afrique, comme d'Europe de l'Est. Lutte contre toute forme d'oppression et d'exploitation, de classe, de sexe, nationale, raciale. *Présente des candidats aux élections,* seule ou en commun avec d'autres organisations révolutionnaires (la liste commune aux él. europ. avec *Lutte ouvrière* a obtenu 3 % des voix). A obtenu 0,50 % à 6 % des voix aux législatives et municipales dep. 1969 (a des élus dans plusieurs conseils municipaux). A présenté Alain Krivine à l'élection présidentielle en 1969 et 1974 et soutenu Pierre Juquin en 1980. *Publications* : Rouge [hebdo., créé sept. 1968 (quotidien de mars 1976 à janv. 79), 10 000 ex.], Critique communiste (mensuel, créé 1975), les Cahiers du féminisme (trim.), Autre Chose (JCR, hebdo.) et 300 bulletins d'entreprise. *Librairie* : « La Brèche », 9, rue de Tunis, 75011 Paris.

• **Lutte ouvrière.** B.P. 233, 75865 Paris Cedex 18. *Créée* 1968, succédait à Voix ouvrière (Union communiste internationaliste), créée 1956 et dissoute juin 1968 par le gouv. ; se réclame du trotskisme, « c.-à-d. du communisme révolutionnaire et internationaliste, un communisme qui ne pourra être que démocratique, et qui, en conséquence, n'a rien à voir avec les régimes existant actuellement en U.R.S.S., en Chine ou dans les pays de l'Est, qui n'en sont qu'une sinistre caricature ». « Milite pour le pouvoir des travailleurs, l'expropriation des trusts capitalistes, la socialisation des moyens de production et d'échange sous le contrôle de la pop. laborieuse. » Estime que l'on ne peut atteindre cet objectif qu'en organisant les travailleurs conscients de cette nécessité au sein d'un parti ouvrier révol. Milite en même temps pour la reconstruction de la IVe Internationale. Consacre l'essentiel de son activité à l'intervention dans les grandes entreprises. *Leaders* : François Duburg, Arlette Laguiller (n. 1940), Jacques Morand. *Militants* : salariés 87 %, lycéens, étudiants 13 % ; il y a 40 % de femmes. **Élections** : *Présidentielles 1969* : (1er tour) soutien Krivine 1,06 %. *1974* : Arlette Laguiller 2,33 %. *1981* : 2,26 %. *1988* : 1,99 % ; *Législatives 1973* 171 candidats (194 889 v. et 2,3 % dans les circonscriptions en question) ; *1978,* 470 cand. (1 dans chaque circonscription) (474 378 v. 1,70 %) ; *1981,* 159 cand. (99 185 v. 1,11 %) ; *1986,* listes dans 33 départements (173 686 v. et 1,21 % ; *Régionales 1986* : 226 126 v. 1,59 % ; *Européennes 1979,* liste commune avec la L.C.R. (A. Laguiller tête de liste, Krivine 2e), (3,09 %) ; *1984,* A. Laguiller, tête de liste « Lutte Ouvrière » (414 218 v., 2,07 %) ; *1989,* A. Laguiller, *id.* (258 663 v., 1,44 %). *Publications* : Lutte ouvrière (hebdo.), Lutte de classe (mensuel trilingue, français-anglais-espagnol, édité avec d'autres groupes trotskistes africains et américains), édite près de 400 journaux d'entreprise touchant chaque quinzaine un demi-million de travailleurs.

• **Mémoire courte.** *Créé* 1984. *But* : actions locales en coordination avec les élus pour lutter contre l'abstentionnisme et le Front national. *Adhérents* : *1985* : 12 000, *91* : 6 000.

• **Mouvement d'action et de réseaux pour le socialisme (M.A.R.S.).** 18, r. de Varenne, 75007 Paris. *Créé* 1973, entendait constituer une tendance de gauche au sein du Parti radical valoisien. *1974* rompt avec lui él. présidentielles, soutient Mitterrand. Crée le Comité de coordination du centre gauche. Après les présidentielles, la majorité des membres s'inscrit au M.R.G., la minorité au P.S., quelques-uns demeurent non inscrits. *1981* : présidentielles appelle les écologistes à voter Mitterrand au 2e tour. *1982* relate ses positions et réalisations dans sa revue SIC (Solidarité, Initiative, Convivialité). *1986* prépare un « nouveau contrat avec la gauche » pour les présidentielles (1988) et crée des groupements d'intérêt civique avec d'autres clubs de gauche ou progressistes. *Pt* : Th. Jeantet.

• **Mouvement conservateur français.** *Siège* 23, bd de Verdun, 76200 Dieppe. *Créé* 1989. *Pt* : Patrice Charoulet. *Publication* : la Lettre conservatrice.

• **Mouvement démocrate français (M.D.F.).** *Siège* : 6, rue Pierre-Degeyter, 45400 Fleury-les-Aubrais. *Fondé* juillet 1978. *But* : rassembler autour d'un projet pour une nouvelle société les Français de bonne volonté désireux de prendre en charge leur destin. *Secr. gén.* : Henry Fouquereau.

• **Mouvement des démocrates.** *Siège* : 71, rue Ampère, 75017 Paris. *Créé* 11-6-1974 par Michel Jobert (11-9-21). *But* : préparer le citoyen, en dehors de toute idéologie, à participer directement à une démocratie vivante fondée sur le respect et la responsabilité de l'autre. Refuse l'affrontement de 2 blocs (droite et gauche) et le cadre rigide de partis s'appropriant la représentation de la vie collective. Défense des institutions de la Ve Rép., indépendance de la Fr. et liberté de l'Europe, resserrement des liens avec le tiers monde. Établissement d'un ordre monétaire intern. équitable. Pratique du non-alignement. Sortie à terme de l'Alliance atlantique et négociation d'un nouveau traité européen. Refonte d'un système éducatif à adapter aux besoins collectifs. Maîtrise de notre écon. par une refonte totale de la fiscalité (suppression de l'impôt sur le revenu), indexation de l'épargne, liberté des prix, restauration du Plan, incitation à l'esprit d'entreprise. *Pt* : Michel Jobert. *Conseil national* 25 m. *Comités locaux* 100. *Bureau exécutif* 5 m. (J.-L. Bianquis, A. Delbecq, F. Duhameeuw, G. Fontaine, B. Millet). *Publications* : Petit Livre bleu (Les idées simples de la vie). (52 000 ex.) ; Parler aux Français (1977) ; les Cahiers (semestriel) ; Il faut qu'on se parle (mensuel).

• **Mouvement européen** (organisation française). 24, rue Feydeau, 75002 Paris. *Créé* 1949. *But* : développer dans le peuple français la prise de conscience de l'Europe et contribuer à réaliser les États-Unis d'Europe. Regroupe 15 organisations de but similaire. *Comité d'honneur* : Georges Berthoin, Édouard Bonnefous, Jacques Chaban-Delmas, Maurice Faure, Louis Jung, Alain Poher, Pierre Sudreau, Gabriel Ventejol. *Pt* : Louis Leprince-Ringuet (27-3-1901). *Publications* : Courrier européen ; Via Europe ; Lettre d'information européenne.

• **Mouvement fédéraliste européen.** Branche française de l'Union des fédéralistes européens (présente dans 18 pays). 17, rue du Fg-Montmartre, 75009 Paris. *Pt* : Jean Ordner (11-3-26). *Secr. gén.* : Rudolf Hammerl. *Publication* : Défi pour l'Europe (trim.). *But* : Constitution d'un véritable État fédéral européen.

• **Mouvement gaulliste populaire.** 11, passage Landrieu, 75007 Paris. *Fondé* 13-6-1982 : fusion de la Féd. des républicains de progrès et de l'Union démocratique du Travail (U.D.T.), favorable à la gauche. 1986 rejoint par la Féd. des gaullistes de progrès (en sommeil). *Pt d'honneur* : Pierre Dabezies (9-2-25). *Pt* : Jacques Debu-Bridel (22-8-02). *Secr. gén.* : Jean-Louis Delecourt (27-7-49). *Adhérents* : 2 700. *Élus locaux* : 350. *Publication* : Le Républicain (mens.).

• **Mouvement de la Jeunesse communiste de France (M.J.C.F.).** *Siège* : 19, rue Victor-Hugo, 93170 Bagnolet. *Fondé* 31-10-1920. Jacques Doriot (voir p. 704c) fut à ses débuts un de ses membres les plus notables (en 1928, il se détache du P.C. et est exclu en 1934). *1939* 27-8, le gouv. Daladier interdit son journal, Avant-Garde, 26-9, il dissout la fédération. *1941* la J.C. crée les Bataillons de la Jeunesse. 21-8, Pierre-Félix Georges (futur colonel Fabien), dirigeant de la J.C., abat au métro Barbès un officier all. *1944* devient Jeunesse Rép. de Fr. ; luttera contre le colonialisme en Indochine puis en Algérie, participera au mouvement de mai-juin 68, et organisera la solidarité avec le Viêt-nam ; lutte pour les droits des jeunes, la paix, contre l'apartheid et le racisme. Membre de la Féd. mondiale de la jeunesse démocratique. *Orientation* fondée sur la ligne politique du P.C.F. *Organisations* : l'Union de la Jeunesse C. et l'Union des Étudiants C. *Congrès national* : tous les 2 ans. *Conseil national* : 140 m. *Secr. gén.* : Jacques Perreux (17-7-52). *Adhérents* : 73 000. *Publications* : Avant-Garde, Clarté (mensuels).

• **Mouvement des jeunes pour la démocratie française.** *Siège* : 12, rue François-Ier, 75008 Paris. *Créé* 1-9-1988 (auparavant M. des Jeunes giscardiens). *Secr. gén.* : Vincent Crouzet. *Adhérents* : 17 000, *sympathisants* : 80 000. *Comités* : 250. *Publication* : Tonic, Le Magazine (bimensuel).

• **Mouvement des jeunes radicaux de gauche.** *Siège* : 3, rue La Boétie, 75008 Paris. *Pt* : Daniel Guérin. *Adhérents* : 2 500. *Publications* : Critique radicale (trim.), le Courrier des jeunes.

• **Mouvement des radicaux de gauche (M.R.G.).** *Siège* : 3, rue La Boétie, 75008 Paris. *Fondé* 4-10-1972 (scission du Parti radical) à partir du Groupe d'études et d'action rad.-socialistes (appelé d'abord M. de la gauche rad.-soc., nom actuel dep. 2-12-73.) A signé le Programme commun de la gauche en juillet 1972 et soutenu Mitterrand aux présidentielles. *Bureau national* : élu tous les 2 ans. *Pts d'honneur* : Michel Crépeau (30-10-30), René Billières (29-8-10), Maurice Faure (2-1-22), Roger-Gérard Schwartzenberg (17-4-43), Jean-Michel Baylet (17-11-46), François Doubin (23-4-33). *Pt* : Émile Zuccarelli (4-8-40). *Vice-Pts* : Alain Dutoya (12-2-34), Henri de Lassus (4-4-38), Dominique Saint-Pierre (10-11-40), Yvon Collin (10-4-44), Bernard Charles (16-4-48), Jean-François Hory (15-5-49). *Délégué exéc.* : Michel Scarbonchi. *Adhésions* : 25 000. *Députés* : 9 ; *dép. eur.* : 1. *Sénateurs* : 6. *Élus locaux* : 10 000. *Publication* : Mouvement (mensuel).

Le Programme commun de la gauche (1972-80)

Signé par le Parti socialiste, le Parti communiste et le Mouvement des radicaux de gauche (26-6-1972), fondant ainsi l'Union de la gauche. Contrat pour gouverner ensemble, il prévoyait :

1°) Amélioration immédiate des conditions de vie et de travail : sem. de 40 h avec maintien intégral du salaire ; aucune retraite inférieure à 80 % du S.M.I.C. ; améliorations des cadences et des horaires ; pouvoirs accrus des comités d'entreprise et délégués du personnel.

2°) Sécurité de l'emploi : lutte contre le *chômage* par une nouvelle politique des prix et des marchés ; progression du *revenu* des agriculteurs, artisans, commerçants ; abrogation des ordonnances de 1967 et généralisation de la *Séc. soc.*

3°) Promotion des travailleurs : 9 nationalisations de secteurs clés (Dassault, Roussel-Uclaf, Rhône-Poulenc, I.T.T., Honeywell-Bull, Thomson-Brandt, Péchiney-Ugine-Kuhlmann, Saint-Gobain-Pont-à-Mousson, Compagnie générale d'électricité). Prises de *participation majoritaire* dans 5 sociétés (Usinor-Vallourec, Wendel-Sidelor, Schneider, Compagnie française des pétroles, C.F.R.-Total). Intervention dans le secteur bancaire. Droits syndicaux et droit de grève seront développés et garantis. Création d'*offices ruraux* représentant les agriculteurs.

Indemnisation des actionnaires : le P.S. penchait pour l'attribution aux anciens actionnaires de titres nouveaux non amortissables, participatifs, à revenu indexé, librement échangés à la bourse qui en fixera le cours. Le P.C. optait pour des obligations remboursables sur 20 ans par annuités constantes sur la base du cours des 3 dernières années et produisant un intérêt égal à celui des emprunts obligataires.

4°) Libération du citoyen par une décentralisation réelle : suppression de la tutelle préfectorale ; élection au suffrage universel direct d'assemblées chargées d'administrer les *collectivités locales et régionales ;* attribution de moyens nécessaires aux *communes* en matière d'urbanisme, de contrôle des sols, de fiscalité locale.

5°) Épanouissement de l'individu : organisation rationnelle et démocratique de la *santé ;* refonte de *l'Éducation nationale* (réduction des inégalités et du cloisonnement social) : regroupement de toutes les activités d'éducation dans un service public unique, décentralisé, laïque ; démocratisation en matière de *logement, transports, loisirs ;* promotion de la *femme* et égalité avec l'homme.

6°) Respect des libertés acquises et reconquête des libertés perdues : totale *liberté d'expression ;* protection de la vie privée contre certains développements de l'informatique ; abrogation de la loi « anticasseurs » ; suppression de la Cour de sûreté de l'État et des tribunaux militaires en temps de paix ; institution de l'« habeas corpus » (liberté individuelle garantie) ; disparition de la garde à vue, de la procédure de flagrant délit ; refonte du Conseil supérieur de la magistrature et création d'une Cour suprême chargée d'assurer l'application des règles constitutionnelles.

7°) Instauration d'un « contrat de législature » liant le Gouv. et la majorité parlementaire pour l'application de la politique du Programme commun.

8°) Politique de paix : dissolution du traité de l'Atlantique Nord (O.T.A.N.) et du pacte de Varsovie ; signature d'un traité européen organisant la sécurité collective sur des bases nouvelles ; abandon de la *force de frappe nucléaire* stratégique et signature de traités internationaux d'interdiction des explosions et de non-dissémination des armements nucléaires ; limitation du *service militaire* à 6 mois.

9°) Politique culturelle : attribution de tous les moyens nécessaires.

• **Mouvement royaliste français.** *Fondé* 21-10-1979 [fusion : Féd. des unions royalistes de France (F.U.R.F.) et des Féd. roy. rattachées au Comité provisoire pour la coordination des opérations roy. (COPCOR)]. *Leader :* Fabrice O'Driscoll (20-2-49). *Cotisants* (réguliers) : 2 100. *Dissous* 1984.

• **Mouvement-Solidarité-Participation (M.S.P.).** *Siège :* 11, rue de Solférino, 75007 Paris. *Fondé* 14-11-1971, après fusion des mouvements gauche gaullistes (U.G.5ᵉ, Démocratie et Travail, Front travailliste). *But :* développer le thème de la participation aux bénéfices, au capital et aux responsabilités, seule réponse à l'injustice sociale et surtout argument de productivité dont l'économie moderne ne peut plus se passer. *Pt. :* Bernard Bertry (21-12-29) dep. déc. 1988 [avant : Philippe Dechartre (14-2-19) ancien min. du Travail de de Gaulle]. *Secr. gén. :* Gilles Fauchart. A fait campagne pour Chirac en 1981, au 1ᵉʳ tour des prés. et pour Mitterrand au 2ᵉ t. *Adhérents :* 28 500 [hauts fonctionnaires, cadres, fonctionnaires 21 %, employés (surtout f. publique) 22 %, ouvriers 27 %, prof. libérales 12 %, chefs d'entreprises 10 %, commerçants 7 %]. *Publications :* Nouveau Siècle (semestriel), Lettre du M.S.P. (mens.).

• **Mouvement des sociaux libéraux.** 17, bd Raspail, 75007 Paris. *Secr. gén. :* Olivier Stirn (24-2-36).

• **Mouvement pour l'Indépendance de l'Europe (M.I.E.).** 30, rue St-Dominique, 75007 Paris. *Pt :* Olivier Guichard (8-11-21). *Publication :* la Revue de l'Europe (trim.).

• **Mouvement pour une alternative non violente (M.A.N.).** *Siège :* 20, rue du Dévidet, 45200 Montargis. *Fondé* nov. 1974. *Adhérents :* 700.

• **Mouvement républicain populaire (M.R.P.).** *Fondé* 25/26-11-1945. Héritier des formations démocrates chrétiennes comme le parti démocrate populaire et la Jeune République de Marc Sangnier. *Leaders :* Maurice Schumann (10-4-1911), Georges Bidault (1899-1983). *Elections :* 1945 : 25 %, 1946 : 28 % (parti le plus proche du Gᵃˡ de Gaulle), la référence chrétienne rassurait les conservateurs dont un certain nombre avaient été vichystes (les adversaires du M.R.P. parlaient de machine à ramasser les Pétainistes). Rompt avec de Gaulle quand il dénonce la constitution de 1946. 1951 concurrence avec le R.P.F. 1952 succès d'Antoine Pinay, hostilité à l'égard de Mendès France, jugé pas assez partisan de la Communauté européenne de Défense. Réussit la réintégration des catholiques dans la République.

• **Nouvelle Action royaliste (N.A.R.).** *Siège :* 17, rue des Petits-Champs, 75001 Paris. *Issue* dep. oct. 1978 de la Nouv. Action Française. *Fondée* avril 1971. *But :* favoriser la restauration d'un régime monarchique pop. incarné par le Cᵗᵉ de Paris. *Militants :* 1 500 (env. 15 élus municipaux). *1982 :* fonde les *Clubs Nouvelle Citoyenneté* ouverts à des personnalités d'origines politiques diverses. *1986 (16-3) :* présente 1 liste (M.-et-L.) qui obtient 2 230 voix (0,67 %). *1988,* comme en 1981 se prononce pour Mitterrand aux présidentielles. *Leaders :* Bertrand Renouvin (15-6-43), candidat aux présidentielles en 1974, membre du Conseil Écon. et Social dep. août 84 ; Gérard Leclerc (14-6-42), Yves Lemaignen (19-8-15), Yvan Aumont (19-5-38), Michel Henra. *Publications :* Royaliste (bim.), Cité (trim.), le Lys rouge (trim.).

• **Nouvelle Droite française (N.D.F.).** *Créée* 1973 (Féd. nat. des anarchistes de droite). *Siège :* 23, rue Jean-Giraudoux, 75016 Paris. *Leader :* Michel-Georges Micberth (12-8-45).

• **Nouvelle Gauche pour le socialisme, l'écologie, l'autogestion.** *Créée* 3-12-1988, entraînerait la disparition du P.S.U. et de la F.G.A. (fédération de la gauche alternative).

• **Œuvre française.** *Siège :* 4 bis, rue Caillaux, 75013 Paris. *Fondée* 1968. Nationaliste et antisémite. *Animateur :* Pierre Sidos (6-1-27), qui avait fondé avec son frère Jeune Nation. *Bulletin :* le Soleil (bimens.).

• **Organisation combat communiste (O.C.C.).** *Créée* déc. 74 par des militants exclus de Lutte ouvrière. Léniniste, estime qu'il n'y a aucun pays réellement socialiste. *Publication :* Combat communiste.

• **Organisation communiste de France** (marxiste-léniniste) [(O.C.F.) (m.-l.)]. *Militants :* 500. *Publication :* Drapeau rouge.

• **Organisation communiste libertaire (O.C.L.).** *Adresse :* Egregore, B.P. 1213, 51058 Reims Cedex. *Fondée* avril 1976 par la majorité de l'Organisation révolutionnaire anarchiste (O.R.A.). *But :* participer à tout mouvement social en rupture avec le système capitaliste, oppresseur à l'Est et à l'Ouest. *Publications :* Courant alternatif (mens.).

• **Organisation française de la gauche européenne.** 7 bis, place du Palais-Bourbon, 75007 Paris. *Issue* du Mouvement socialiste pour les États-Unis d'Europe *créé* par André Philip.

• **Parti communiste français (P.C.F.).** *Siège :* 2, place du Colonel-Fabien, 75019 Paris, architecte Oscar Niemeyer (Brés.).

Quelques dates. 1920, 29-12, au congrès du P. socialiste, à Tours, scission : les minoritaires (1 802 mandats) du parti créent la S.F.I.O. (Section fr. de l'Internationale ouvrière), les majoritaires (3 208 mandats) créent la S.F.I.C. [Section fr. de l'Internationale communiste, devenue P.C.F. après la dissolution du Komintern (1943)]. Les adhérents à cette IIIᵉ Internationale doivent admettre 21 « conditions », qui sont la Charte du communisme. **1921,** 21-1, *l'Humanité* se rallie aux communistes. **1922,** exclusion du journaliste Henri Fabre (1876-1969), qui critique la terreur policière en U.R.S.S. [le parti fr. est alors influencé par 2 communistes d'origine russe, naturalisés fr. : Boris Souvarine (1894-1984 ; exclu 1924), et Charles Rappoport (1865-1941, démissionnaire 1938)]. **1923,** 1-1, les francs-maçons sont tenus de choisir entre la F.-M. ou le parti : le secr. gén. Ludovic-Oscar Frossard (1889-1946) quitte le parti, André Marty (1886-1956) et Marcel Cachin (1869-1958) rompent avec les Loges (exception : Zéphirin Camelinat, détenteur des actions de *l'Humanité,* resté comm. et maçon jusqu'à sa mort). Simon Sabiani [(1888-1956) futur dirigeant doriotiste] exclu. **1924,** Louis Sellier (1885-1978) (exclu en 1929) secr. gén. est remplacé par Albert Treint (1889-1971), tendance trotskiste (exclu 1926). **1925,** Jacques Doriot (1898-1945), député de St-Denis, secr. gén. des Jeunesses comm., joue un rôle important dans le sabotage de la guerre du Rif. **1926,** Pierre Sémard (1887-1942, fusillé par All.) remplace Treint comme secr. gén. Accusé de passivité, il est remplacé par un groupe de 4 : Henri Barbé (1902-66) et Pierre Celor (1902-57) [exclus 1929 (futurs dirigeants doriotistes)], Benoît Frachon (1893-1975), Maurice Thorez (1900-64), le principal rival de Doriot. **1929,** Paul Marion (1899-1954), secr. de la section propagande (futur dirigeant doriotiste), exclu.

1930, Thorez nommé (à Moscou) dirigeant unique du parti. **1934,** février, Doriot partisan de l'action directe contre l'agitation fasciste ; juin, exclu, il entraîne de nombreux membres, dont Marcel Marshall (n. 1901) et Pierre Dutilleul (1901-74). Il fonde avec eux le P.P.F. (P. populaire fr., qui se ralliera au nazisme). **1936,** Thorez crée, avec S.F.I.O. et Radicaux, le Front populaire, qui remporte les élect. de mai 1936, mais ne permettra pas aux comm. d'entrer dans le gouv. ; juin, grèves : occupation d'usines. 13-8, envoi de volontaires en Espagne du côté des Rép. ; André Marty (commissaire gén. des brigades intern.), André Malraux (parti de son propre gré), Charles Tillon (3-7-1897 ; exclu 1970), Pierre-Félix Georges [futur combattant de la Résistance, sous les pseudonymes de Frédo, puis de colonel Fabien (1919-44 ; tué accidentellement, en manipulant des grenades en Alsace)]. **1938,** Rappoport rompt avec le parti ; oct., les comm. s'opposent à l'accord de Munich.

1939, 23-8, à l'occasion du pacte germano-soviétique, nombreuses démissions, notamment Marcel Capron (n. 1896), Jean-Marie Clamamus (1879-1973) et l'écrivain Paul Nizan (1905-40, tué à l'ennemi) ; 26-9, le parti est dissous : 35 députés sur 72 (leader : Arthur Ramette, n. 1897) fondent le *Groupe ouvrier et paysan* et sont déférés pour reconstitution de ligue dissoute devant la justice militaire. Les 37 autres quittent le parti ; 4-10, Thorez [mobilisé dep. le 3-9, comme sapeur du 3ᵉ génie à Chauny (Aisne)] quitte son régiment ; 5-10, il est conduit en Belgique en voiture par Arthur Ramette avec sa femme (Jeannette Vermeersch) et une militante, Marthe Desrumeaux ; 7-10, il est déclaré déserteur ; 28-11, condamné à 6 ans de prison par contumace pour « désertion à l'intérieur » en temps de guerre [le tribunal n'ayant pas retenu le passage en Belgique (qui aurait entraîné la peine de mort)]. Déc., M. Desrumeaux est arrêtée par la police belge (incarcérée en Fr.) ; Thorez, J. Vermeersch et Ramette se réfugient à l'ambassade soviét. à Paris, puis en Suisse. Mars 1940, ils demandent au consulat allemand de Zurich un passeport pour l'U.R.S.S. [2 versions : 1°) il fut accordé et ils ont traversé l'Allemagne pour rejoindre Moscou ; 2°) pris en main par l'appareil clandestin soviét., ils ont gagné la Russie par Bruxelles (mai 1940) et Stockholm ; ces 2 versions sont démenties également par le P.C.].

1940, 4-4, procès « des 44 ». 35 députés et 9 sénateurs du « Groupe ouvrier et paysan » sont condamnés de 2 à 5 ans de prison [9 contumaces : Thorez (dont la peine s'ajoute aux 6 ans du 28-11-39), Duclos, Péri, Ramette, Tillon, Monmousseau, Catelas, Rigal, Dutilleul] ; les 38 autres, transférés dans le Sud algérien, seront en 1943 le noyau du groupe comm. de l'Assemblée consultative provisoire. 20-6,

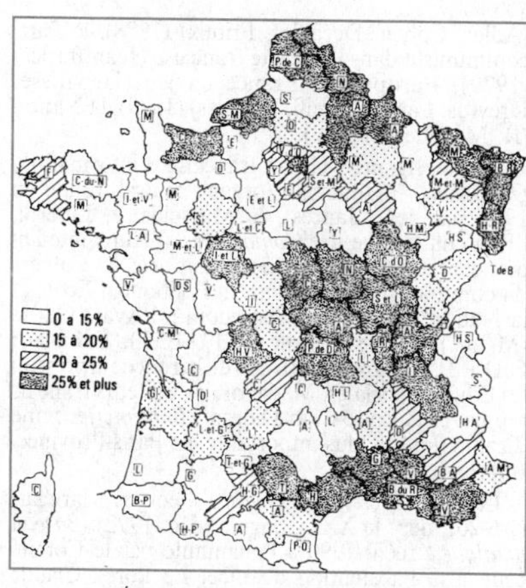

Élections législatives de nov. 1919 :
% d'électeurs socialistes
(par rapport aux suffrages exprimés)
au 1er tour de scrutin.

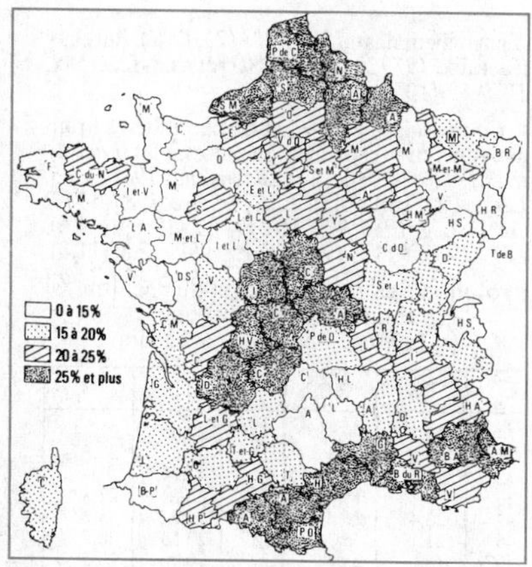

Élections législatives de mars 1978 :
% d'électeurs communistes
(par rapport aux suffrages exprimés)
au 1er tour de scrutin.

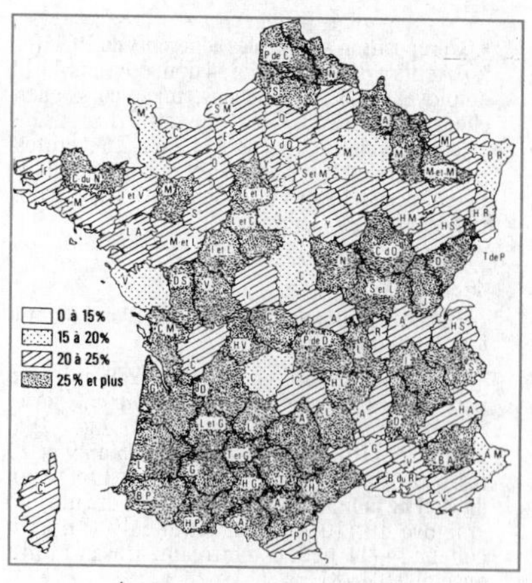

Élections législatives de mars 1978 :
% d'électeurs socialistes
(par rapport aux suffrages exprimés)
au 1er tour de scrutin.

Denise Ginolin et Maurice Tréand obtiennent des All. le droit de faire reparaître à Paris *l'Humanité,* interdite dep. le 26-9-39 ; ils sont arrêtés le soir même par la police fr., sur un ordre venu de Bordeaux (libérés quelques j. après) ; *l'Humanité* devient clandestine et reparaît le 1-7, prenant parti contre Pétain et de Gaulle. 10-7, appel (diffusé en août) de Thorez (d'U.R.S.S.) et Duclos (en Fr.) pour « la constitution du Front de la Liberté, de l'Indépendance et de la Renaissance » ; automne : création des premiers groupes O.S. [(Organisation spéciale) ; principaux responsables : Marcel Paul (1900-82) (Bretagne, puis Paris) ; Auguste Lecœur (Nord) ; Jean-Joseph Catelas (m. de la direction clandestine, arrêté le 16-5-41, guillotiné le 24-9-41)]. **1941,** avril, Georges Maranne contacte Léo Hamon (chef de *Ceux de la Résistance)* pour constituer un Front national ; 21-8, 1er attentat contre l'armée all. : Frédo (futur colonel Fabien) abat un off. de marine (l'aspirant Moser) à la station de métro Barbès-Rochechouart. **1941-44,** les F.T.P. comm. (chef : Charles Tillon) participent à la Résistance. Ils auront des milliers de tués, notamment Jean Catelas (guillotiné), Danielle Casanova († en déportation), Guy Môquet et Gabriel Péri (1902-41) (fusillés) [en 1944, le P.C. revendiquera « 75 000 fusillés » (le chiffre total des fusillés fr. étant alors évalué à 200 000) ; actuellement, le chiffre admis pour le total des fusillés est d'env. 9 000 (H. Amouroux) ; en conservant cette proportion de 3/8, on arrive à env. 3 500 fusillés comm., auxquels il faut ajouter les victimes des massacres, les tués dans la Résistance, les morts en déportation, en nombre indéterminé]. **1943,** janv., Fernand Grenier (n. 1901 ; évadé du camp de Châteaubriant en juin 1941) rejoint à Londres le comité de Gaulle, comme délégué du P.C. 3-6, ordonnance du comité fr. d'Alger amnistiant les parlementaires communistes condamnés le 4-4-40 (ils pourront faire partie de l'Ass. consultative).

1944, 4-4, Grenier (venu de Londres) et François Billoux (1903-78, incarcéré en Algérie) entrent au G.P.R.F. (gouv. provisoire de la Rép. fr.) à Alger. 31-8, le comité central du P.C.F., sorti de la clandestinité le 25-8, et réuni à Paris, se divise en 2 tendances : 1°) Lecœur-Tillon (prise de pouvoir armée immédiate) ; 2°) Duclos-Frachon, ayant l'approbation de Thorez à Moscou (acceptation de l'autorité de de Gaulle) laquelle l'emporte. Sept.-oct., les comm. de métropole participent activement à l'épuration, éliminant de nombreux adversaires politiques. 4-9, Grenier et Billoux font partie du 2e gouv. provisoire de de Gaulle, à Paris. 10-9, *1er ministère de Gaulle :* 2 min. com. sur 23 : Tillon (Air), Billoux (Santé publique) ; 28-10, ordonnance de de Gaulle étendant l'amnistie du 3-6-43 (Alger) à d'autres condamnations militaires (applicable à Thorez). 6-11, décret amnistiant 5 anciens déserteurs, dont Thorez qui rentre d'U.R.S.S. en déc. 1944, et est nommé membre de l'Ass. consultative. **1945.** 21-11, *2e ministère de Gaulle ;* 5 min. com. sur 22 : Thorez (min. d'État), Ambroise Croizat [1901-51 (Travail)], Billoux (Économie nat.), Marcel Paul [1901-82 (Prod. ind.)], Tillon (Armement).

1946, janv., les comm., bien que participant au gouv., s'opposent violemment à sa politique indochinoise (opérations militaires contre Ho-Chi-Minh, secr. gén. du P.C. indochinois, qui a proclamé l'indépendance du Viêt-nam en sept. 1945). Leur attitude provoque, entre autres, le départ de de Gaulle le 20-1-46. Thorez choisit alors le « tripartisme » (alliance avec S.F.I.O. et M.R.P.). Opposition de Tillon (partisan dep. le 31-8-44 d'une prise de pouvoir insurrectionnelle). Participation comm. aux gouv. tripartistes : 26-1, *Ministère Gouin :* 6 min. comm. sur 22 : Thorez (vice-Pt du Conseil), Tillon (Armement), Croizat (Travail), Marcel Paul (Production ind.), Billoux (Reconstruction), Laurent Casanova [n. 1906, frère de Danielle (Anciens Comb.)] ; 2 sous-secr. d'État sur 5 : Marius Patinaud (Travail), Auguste Lecœur [n. 1911 (Prod. ind.)]. 24-6, *Ministère Bidault :* 7 min. comm. sur 24 : Thorez (vice-Pt du Conseil), Tillon (Armement), Marcel Paul (Prod. ind.), Croizat (Travail), Billoux (Reconstr.), René Arthaud (Santé pub.), Casanova (Anciens Comb.) ; 3 sous-secr. d'État sur 9 : Lecœur (Production industrielle), Patinaud (Travail), Georges Gosnat (Armement). **1947,** 22-1, *Ministère Ramadier :* 5 min. com. sur 27 : Thorez (vice-Pt du Conseil), Billoux (Défense nat.), Tillon (Reconstr.), Croizat (Travail), Georges Maranne [1888-1976 (Santé)]. Du 11 au 18-3, l'Ass. nat. discute sur la g. d'Indochine, les com. votent contre le gouv., malgré la participation de min. com. En avril, le parti se prononce contre le plan Marshall, adopté par Ramadier. Le 4-5, celui-ci exclut de son gouv. les 5 min. com. Le P.C. redevient un parti d'opposition. 20-10 : il déclenche une grève nationale (qui, le 10-11, entraîne l'arrêt de la circulation ferroviaire, bloquant le ravitaillement de Paris). 19-12, scission de la C.G.T. : les com. (majoritaires) suivent Benoît Frachon, abandonnant Léon Jouhaux, qui fonde le syndicat Force ouvrière (F.O.). **1948,** 6-10, une grève insurrectionnelle, visant, a-t-on cru, à la prise de pouvoir armée (tendance Tillon), brisée par le min. de l'Intérieur socialiste Jules Moch, à l'aide de troupes rappelées d'Allemagne. La situation redevient normale le 14-11.

1952, 28-5, Jacques Duclos (1896-1975), Pt du groupe parlementaire com. et 2e personnage du parti, est arrêté en « flagrant délit » pour « complot contre la sûreté de l'État » (il avait organisé de violentes manif. contre le Gal américain Ridgway, commandant les forces de l'O.T.A.N. et ancien vainqueur de la g. de Corée : 1 †, 230 blessés à Paris, 518 arrestations). Il est relâché quelques semaines après, ayant pu prouver (après autopsie au Muséum d'hist. nat.) que 2 pigeons qu'il transportait dans le coffre de sa voiture lors de son arrestation n'étaient pas des pigeons voyageurs destinés à assurer la liaison avec les manif. comme l'avait affirmé Charles Brune, min. de l'Intérieur et ancien vétérinaire ; nov., Léon Mauvais (1902-80), secr. à l'organisation du parti, présente un rapport contre Tillon (le vaincu de nov. 1948) et son principal allié Marty, leur reprochant « des activités fractionnelles et policières ». **1953,** janv., Marty exclu ; Tillon déchu de ses responsabilités (réhabilité févr. 1957, puis définitivement exclu 3-7-70, ainsi que sa femme Raymonde, ancienne déportée). **1954,** 30-11, Lecœur exclu (rallié 1958 au P. socialiste. **1956,** oct.-nov., intervention soviét. en Hongrie : de nombreux intellectuels quittent le P.C., notamment Claude Roy, Roger Vaillant, Claude Morgan (n. 1898) ; Jean-Paul Sartre (1905-80), sympathisant, prend position contre le P.C.

1961, 24-2, sanctions contre Laurent Casanova et Marcel Servin [n. 1922 (remplaçant de Lecœur comme secr. de l'organisation du parti)] ; ils restent néanmoins membres du P.C. jusqu'à leur mort. **1962,** le P.C. se prononce pour un *programme commun* de la gauche. **1964,** 11-7, mort de Thorez [remplacé à la tête du parti par Waldeck Rochet (1905-83), secr. gén. dep. mai 64 (Thorez ayant été nommé « président »)]. **1968,** mai-juin, le P.C. évite de se mêler au mouvement insurrectionnel avant le 21-5, date d'une conférence de presse de Georges Séguy (parlant au nom de la C.G.T., et prenant une attitude conciliante : elle fera en sorte que les payes soient assurées malgré les grèves) ; 22-5, les comm. votent la motion de censure contre le gouv. (repoussée par 244 voix contre 233) ; 23-5, le P.C. appelle la gauche à l'élaboration d'un programme commun ; 27-5, la C.G.T., ayant obtenu à Grenelle de grosses concessions sociales du gouv., décide la reprise du travail ; la base ne suit pas (6 000 travailleurs de Renault-Billancourt rejettent le protocole de Grenelle). Les étudiants de l'U.N.E.F. ayant organisé à 17 h 30 une manif. au stade Charléty (avec Mendès France et Rocard), P.C. et C.G.T. refusent d'y participer. La C.G.T. organise 12 contre-manif., notamment place Charles-Michels ; 28-5, Mitterrand s'étant déclaré à 11 h prêt à prendre le pouvoir, Waldeck Rochet déclare à 16 h se ranger à ses côtés ; 30-5, le P.C. accepte la décision de de Gaulle de recourir à des élections anticipées (dissolution de la Chambre) ; 1-6, il conclut avec la F.G.D.S. (Féd. de la gauche démocratique et socialiste) un accord en vue des élections. 23-6, échec électoral du P.C. et de ses alliés ; déc., Manifeste de Champigny pour une démocratie avancée, une France socialiste (actualise les conditions du passage au socialisme en France par la voie pacifique et démocratique).

1970, exclusion de Roger Garaudy (n. 1913), philosophe et dir. du Centre d'études marxistes.

Budget du P.C. Bilan financier du comité central (en millions de F, en 1986). Recettes. Total 123,878 dont parlementaires 66,3, cotisations 21,9, souscription nationale 19,9, matériel de propagande 8,6, recettes diverses 7,2. **Dépenses.** Total 123,85 dont parlementaires 24,5, permanents du comité central 22,2, propagande 37,96 (dont matériels pour élections 24,1, tracts, affiches et brochures 3,9, meetings 3,7, publications 3,5, divers 2,7), presse 5,9 (dont Révolution 5, l'Humanité d'Alsace-Lorraine 0,4, divers 0,5), revues 2 (dont Cahiers du communisme 1, Économie et politique 0,8, école et national 0,2), aides aux fédérations 4,5 (dont directions fédérales 3,8, instructeurs d'organisation 0,7), éducation 1,6, aide à la jeunesse 3,6 (dont subvention à la J.C. 2, avant-garde 0,9, frais du siège de la J.C. 0,7), frais généraux 11,9 (dont fonctionnement du siège 2,7, achats et travaux 2, frais administratifs 5,4, documentation 1,7), congrès et conférences 0,2, subventions 3,5 (dont Institut de recherches marxistes 2,8, diverses 0,6), remboursements emprunts 5,8.

Nota. – Depuis 1975, les cotisations sont proportionnelles, à partir de 500 F de revenus, et par tranche de 500 F, à 1 % du salaire. Pour les revenus inférieurs à 500 F la cotisation est de 1 F. 43,34 % des adh. gagnaient moins de 1 000 F par mois en 1976 et 87,39 % moins de 2 000 F.

Sur son indemnité parlementaire, le député ne touche env. que le quart et verse le reste à la trésorerie du parti qui prend à sa charge les frais professionnels du parlementaire.

• **Composition sociale des adhérents du PCF (en %).** Actifs ayant un emploi 54 dont ouvriers 43,1 ; employés 33,3 ; techniciens, ingénieurs, chercheurs et cadres 8,7 ; enseignants 7,1 ; artisans et commerçants 3,5 ; agriculteurs 2,6 ; professions libérales 1,7. Retraités et préretraités 24,6. Personnes au foyer 14. Chômeurs 5,5. Étudiants et lycéens 1,9.

Âges. – *de 35 ans :* 29,7. *35-45 :* 24,1. *45-60 :* 24,8. *+ de 60 :* 21,4.

(*Source :* sondage réalisé auprès d'un échantillon de 49 000 adhérents).

Vote communiste en 1979 et 1989 et, entre parenthèses **% des électeurs selon leur catégorie. Sexe :** homme 20 (8), femme 21 (8). **Age :** 18 à 25 ans 23 (10), 25 à 34 a. 25 (4), 35 à 49 a. 20 (6), 50 à 64 a. 21 (10), 65 a. et + 15 (9). **Profession du chef de famille :** ouvrier 34 (12), cadre moyen, employé 19 (10), inactif, retraité 17 (9), agriculteur 14 (1), petit commerçant, artisan 11 (4), ensemble 21 (8).

• **Électorat communiste en 1979 et 1989 et,** entre parenthèses **% des élect. selon leur catégorie.** *Sexe :* homme 47 (52), femme 53 (48). *Age :* 18 à 34 a. 41 (24), 35 à 49 a. 25 (21), 50 a. et + 34 (55). *Profession du chef de famille :* ouvrier 47 (30), inactif, retraité 22 (35), cadre moyen, employé 18 (29), commerçant, artisan, cadre sup., prof. lib., gros commerçant, industriel 7 (6), agriculteur 6 (0).

• **Les femmes dans le P.C. Comité central.** *XXe Congrès :* 16 sur 118 membres, *XXIIe Congrès :* 23 sur 121, *XXIIIe Congrès :* 31 sur 145. **Bureau politique.** *XXe Congrès :* 2 sur 20. *XXIIe Congrès :* 2 sur 21. *XXIIIe Congrès :* 4 sur 21. **Secrétariat du Comité central.** *XXIIIe Congrès :* 1 sur 7. **Comités fédéraux (directions départementales).** *1979* 1 224 (23,47 %). **Bureaux fédéraux.** *1979* 286 (18 %). **Secrétariats fédéraux.** *1979* 62 (13 %).

• **Comparaison P.C. et,** entre parenthèses **Front national** (en % exprimés, en métropole). *Législatives 1978 :* 20,6 (0,8). *Présidentielles 1981 :* 15,5. *Lég. 1981* 16,1 (0,3). *Européennes 1984 :* 11,2 (11,1). *Lég. 1986 :* 9,7 (9,9). *Prés. 1988 :* 6,9 (14,6). *Lég. 1988 :* 11,2 (9,9). *Eur. 1989 :* 7,8 (11,8).

Évolution des voix du P.S. et du P.C. (en %)

En métropole au 1er tour
(si les élect. ont eu lieu à 2 tours)

	P.S.	P.C.		P.S.	P.C.
24 [2]	20,1	9,5	73 [2]	20,65 [11]	21,34
28 [2]	18	11,3	73 [3]	21,6	22,6
32 [2]	20,5	8,4	74 [1]	43,24 [8]	–
36 [2,5]	20,8	15,4	76 [3]	26,5	22,8
45 [2]	23,4	26,2	77 [4]	9,9	5,2
46 [2,6]	21,1	25,7	78 [2]	22,58	20,7
46 [2,7]	17,9	28,6	79 [16]	26,96	20,5
51 [2]	14,6	26,9	81 [1]	25,85 [12]	15,34 [13]
56 [2]	15,2	25,9	81 [2]	37,51 [14]	16,17
58 [2,7]	15,5	19,2	82 [3]	29,89	15,87
62 [2]	12,5	21,8	83 [4]	L.c. [15]	L.c. [15]
65 [1]	31,72 [8]	–	84 [16]	20,75	11,28
65 [4]	8,6	3,5	85 [3]	25,01	12,67
67 [2]	18,79	22,46	86 [2]	31,61	9,69
68 [2]	16,5	20	88 [1]	34,10	6,78
69 [1]	5,01 [9]	21,5 [10]	88 [17]	34,76	11,32
71 [4]	9	4,3			

Nota. – (1) Présidentielles. (2) Législatives. (3) Cantonales. (4) Municipales (1er et 2e tours, en % des cons. municipaux). (5) Oct. (6) Juin. (7) Nov. (8) F. Mitterrand, pas de candidat du P.C. (9) G. Defferre. (10) J. Duclos. (11) U.G.S.D. (12) F. Mitterrand. (13) G. Marchais. (14) P.S. = M.R.G. (15) Listes en parties communes. (16) Européennes. (17) Législatives, 1er tour.

1972, retraite de Waldeck Rochet, nommé *Pt d'honneur.* Georges Marchais, secr. gén. [secr. gén. adjoint dep. 1970 (W. R. étant malade)]. **1976,** janv. 22e Congrès, le P.C. renonce à la « dictature du prolétariat ». **1977,** rupture de l'Union de la gauche ; le P.C. propose au P.S. de reprendre la négociation, puis les divergences s'accentuent. Le P.C. s'est prononcé pour une force de dissuasion française indépendante et pour une Europe démocratique respectant la souveraineté et indépendance nationales. **1978,** échec électoral, dû à la rupture de l'Union de la gauche (alliance avec partis socialiste et radical, conclue juin 1972) ; le philosophe André Spire, pour protester contre la tactique électorale de Marchais, démissionne. **1980,** démissions d'intellectuels : Jean Rony (*la France nouvelle*), Michel Cardoze (*l'Humanité*), François Hincker (*la Révolution*), pour protester contre l'alignement des intellectuels du parti. D'autres intellectuels frondent sans démissionner, notamment Jean Ellenstein (n. 1931) et Louis Althusser (1918-90).

1981, juin, perd 42 s. à l'Ass. nat. ; 4 membres au *Gouv. Mauroy* [Charles Fiterman (Transports), Jack Ralite (Santé), Marcel Rigout (Formation profes.), Anicet Le Pors (Fonct. publique)]. Octobre, Henri Fiszbin et 29 autres fondateurs de *Rencontres communistes-Hebdo* mis « hors du parti ». **1982,** févr., 24e Congrès. **1984,** 17-6, recul aux élec. europ. 19-7 ne participe plus au gouv. **1986,** mars, recul aux élec. lég. **1987,** 26e Congrès, 24-6 Pierre Juquin démissionne du comité central après la désignation officielle d'André Lajoinie comme candidat aux présid. **1988,** 24-4. Lajoinie obtient 6,76 % au 1er tour des présidentielles.

• **Statistiques. Adhérents.** *A l'origine :* 110 000 sur 150 000 à la S.F.I.O. avant la scission. **1922 :** 80 000. **23 :** 65 000. **24 :** 57 000. **25** (après le succès du Cartel) : 76 000. **26 :** 55 000. **28 :** 25 000. **30 :** 38 000. **33 :** – de 30 000. **36 :** 280 000. **38 :** 320 000. **44** (déc.) : 384 228. **45 :** 785 292. **46 :** 814 285. **47 :** 474 629, 907 785 [1]. **50 :** 482 700. **52 :** 330 000. **54 :** 358 400. **61 :** 300 000. **69 :** 380 000. **70 :** 491 000. **78 :** 520 000. **84 :** 380 000. **85 :** 352 000. **86 :** 340 000. **87 :** 330 000. **88 :** 702 864 (dont actifs ayant un emploi 54 %).

Nota. – (1) Cartes délivrées.

Départ du P.C. 1949 Marguerite Duras, Jean Duvignaud ; **51** Edgar Morin ; **53** Pierre Seghers ; **56** Alain Besançon, Alphonse Boudard, Aimé Césaire, Jean-Pierre Chabrol, Charles Denner, Jacques Derogy, Dominique Desanti, François Furet, Max Gallo, Pierre Hervé, Lucien Israël, Annie Kriegel, Emmanuel Le Roy Ladurie, François Maspéro, André Salomon, Tim ; **57** André Glucksmann, Louis Mexandeau, Claude Roy, Roger Vaillant ; **58** Jean Poperen, Maxime Rodinson ; **60** Maurice Agulhon, Pierre Georges ; **64** Jorge Semprun, Michel-Antoine Burnier, Serge July, Roger Pannequin ; **65** Claude Angéli, Roland Castro, Régis Debray, Bernard Kouchner, Alain Krivine, Henri Weber ; **67** Jean-François Kahn ; **68** Paul Thorez (fils de Maurice), Jean Chesneaux, Philippe Robrieux ; **69** René Dazy, Roger Garaudy, Madeleine Rebérioux ; **70** Victor Leduc, Charles Tillon (ancien chef des F.T.P., ancien ministre), Jean-Pierre Vernant ; **74** Pierre Daix ; **78** René Zazzo, Jacques Frémontier, Robert Merle, Guy Konopnicki, Antoine Spire ; **79** Pierre Li ; **80** Jean Ellenstein, Antoine Vitez, Jean Kéhayan, Gérard Molina, Édouard Pignon, Hélène Parmelin ; **81** Michel Barak, Marcel Bluwal, Catherine Clément ; **82** Georges Labica, Jean-Louis Moynot ; **86** Michel Naudy.

Organisation. *Comité central* (126 m.) ; *Conseil nat. :* Bureau politique (21 m.) ; *Secrétariat* (7 m). *Fin 1985 :* 27 000 cellules (entreprises 9 000, locales env. 12 000, rurales + de 6 000). *Congrès :* réunit tous les 3 ans les délégués des fédérations (1 par département) dirigées par comité fédéral élu par conférence fédérale, pour fixer les orientations du Parti, élit le comité central (qui élit en son sein bureau politique, secrétariat, secrétaire gén.) et une commission constante de contrôle financier. *Comités régionaux, comités de parti :* dans certaines entreprises ou ensemble d'habitations dans lesquels rayonnent plusieurs cellules.

Objectifs. « ... Le Parti communiste français est le parti de la classe ouvrière de France. Il rassemble les ouvriers, les paysans, les intellectuels, tous ceux qui entendent agir pour le triomphe de la cause du socialisme, du communisme ». Il œuvre pour « ... la transformation de la société capitaliste en une société fraternelle, sans exploiteurs ni exploités... » Cette transformation « exige la conquête du pouvoir politique par la classe ouvrière en alliance étroite avec la paysannerie laborieuse et l'ensemble des masses populaires. » (Cf. Statuts.)

Ouvrages doctrinaux. Les œuvres complètes de Marx (dont le Manifeste du Parti communiste, le Capital), d'Engels, Lénine, Maurice Thorez, Histoire du P.C.F. (manuel), le Manifeste de Champigny du P.C.F. (1968), Changer de cap (1971), le Défi démocratique (1973), le Socialisme pour la France (1976), Vivre libre (charte des libertés) (1975), Parlons franchement (G. Marchais) (1977), les Communistes et l'État (J. Fabre, F. Hincker, L. Sève), Programme commun : l'actualisation à dossiers ouverts (P. Juquin) (1977), Pour une avancée décisive de la démocratie (brochure : La liberté guide nos pas) (1977), Programme commun de gouvernement actualisé (introduction G. Marchais) (1978), le P.C.F. comme il est (P. Laurent) (1978), l'U.R.S.S. et nous (Adler, Cohen, Decaillot, Frioux) (1978), le Parti communiste dans la société française (Jean Burles) (1979), Europe : la France en jeu (Debatisse, Dreyfus, Laprat, Streiff, Thomas) (1979), la Nation (R. Martinelli) (1979).

Presse. *Agence :* Union française d'information. *Quotidiens :* l'Humanité (organe central, fondé en 1904 par Jean Jaurès), la Marseillaise, Liberté, l'Écho du Centre. *Hebdomadaires :* l'Humanité-Dimanche, la Terre, Révolution. *Mensuels :* les Cahiers du communisme, Économie et Politique, l'École et la Nation, Action (Jeunesse com.), l'Avant-Garde (M.J.C.), Clarté (organe de l'U.E.C.). **Éditions :** C.D.L.P. (Centre de diffusion du livre et de la presse), les Éditions sociales, Messidor, les Éditeurs français réunis, et le Livre-Club Diderot. *Imprimeries :* une dizaine dont la plus importante est Paris-Province-Impression.

Leaders. *Secrétaire général :* Georges Marchais (7-6-20), dep. le XXe Congrès (déc. 1972). *Bureau politique :* réélu 1990 à l'unanimité par le Comité central (– l'abstention d'Anicet Le Pors), Claude Billard, Pierre Blotin, Alain Bocquet, Antoine Casanova, François Duteil, Charles Fiterman (28-12-33), Jean-Claude Gayssot (6-9-44), Maxime Gremetz (3-9-40), Guy Hermier (22-2-40), Philippe Herzog (12-4-1913), Robert Hue, Henri Krasucki (2-9-24), André Lajoinie (26-12-29), Francette Lazard (1937), René Le Guen (1921), Roland Leroy (4-5-26), Jean-Paul Magnon, Georges Marchais (7-6-20), Gisèle Moreau (30-6-41), Louis Viannet (4-3-33), Francis Wurtz, Pierre Zarka.

Ont quitté le bureau en mai 1979 : Guy Besse (25-11-18), Jacques Chambaz (12-12-23), Étienne Fajon (11-9-06), André Vieuguet (11-3-17) ; *en février 1982 :* Georges Séguy (16-3-27) ; *en déc. 1990 :* René Piquet (23-10-32), Gaston Plissonnier (11-7-13), Claude Poperen (22-1-31), Madeleine Vincent (4-5-20).

Contestation. Refondateurs : *1989* veulent transformer le P.C. de l'intérieur, siègent dans toutes les instances. Marcellin Berthelot, Jean-Pierre Brard, Charles Fiterman, Guy Hermier, Anicet Le Pors, Roger Martelli, Robert Montdargent, Jack Ralite, Lucien Sève, Marcel Trigon. **Reconstructeurs :** toujours membres du P.C. mais ne siègent plus dans les instances. *Janvier 1987* Claude Poperen démissionne du bureau politique. *Fin 1987* Marcel Rigout se retire du comité central dont Félix Damette est écarté. *Structures :* collectif ARIAS, journal, mouvement d'élus, animé notamment par le maire d'Orly, Gaston Viens. **Rénovateurs :** *Fin 1987* exclusion de Pierre Juquin après l'annonce de sa candidature à l'élection présidentielle. Son échec a entraîné l'éclatement des « comités Juquin ». Claude Labrès, fondateur du Mouvement des rénovateurs communistes (M.R.C.), s'est depuis rapproché du P.S. en créant le Forum progressiste. Le M.R.C., maintenu par Gilbert Wasserman et Louis Aminot, entretient des relations avec les « Reconstructeurs ».

Élus. DÉPUTÉS : *Nov. 1946 :* 166. *Mars 1978 :* 86. *Juin 1981 :* 44. *Mars 1986 :* 35. *Juin 1988 :* 26 (dont ouvriers 10, enseignants 6, employés 4, profession de santé, cadres 2, agriculteur, journaliste 1. *Meilleur % en 1988 :* Cher 24,75 (81 : 25,53, 84 : 17,87) ; Allier 22,22 ; Hte-Vienne 20,87. *% en région paris. :* Seine-St-Denis 18,66, V.-de-M. 15,95, Val-d'O. 11,81, H.-de-S. 10,75, Essonne 10,60, Seine-et-M. 8,77, Yvelines 6,38, Paris 4,56.

Députés au parlement européen 7 (élus 18-6-1989), *Sénateurs* 16, *Conseillers régionaux* 153, *généraux* 290, *municipaux* 21 350, *Pts de cons.-gén.* 2 (Seine-St-Denis, V.-de-M.), *Maires 1978* 1 481, *1983* 1 464. *89* 1 120 (dont 46 de + de 30 000 h. Le Havre (198 875 h.), la plus peuplée.

• **Parti communiste internationaliste (P.C.I.).** 87, rue du Fg-St-Denis, 75010 Paris. Section française de la IVe Internationale, créée févr.-mars 1944 par des militants et des groupes trotskistes dispersés pendant la g. Combat pour la reconstruction de la IVe Internationale créée 1938 par Trotski. *Principal dirigeant :* Pierre Lambert (P. Boussel). Aux présidentielles de mai 1981, a prôné une candidature unique P.S.-P.C.F. dès le 1er tour, puis a appelé à voter pour Mitterrand dès le 1er tour. Aux municipales de mars 1983, a présenté 200 « listes ouvrières d'unité ». Aux présidentielles de mai-juin 1988, Lambert a obtenu 0,38 % des voix au 1er tour et prône l'abstention au 2e. *Adhérents :* 8 000. *Publication :* Informations ouvrières (heb. 30 000 ex.).

• **Parti pour une alternative communiste (P.A.C.).** BP 90 – 75961 Paris Cedex 20. Issu du P.C.M.L.F. (fondé 31-12-1967 par des exclus du P.C.F. dont Jacques Jurquet, rejoint dans les années 70 par de nombreux groupes, actifs en mai 68). *Ligne d'action :* anticapitaliste, anti-impérialiste, contre l'hégémonie des 2 superpuissances ; milite pour une France socialiste, indépendante, solidaire du tiers monde et pour le renouveau du communisme. Pierre Bauby fut candidat aux présidentielles de 1981. *Publications :* Travailleurs (mensuel), Flash-Alternative (hebdo.).

• **Parti communiste révolutionnaire marxiste-léniniste (P.C.R.).** *Fondé* 1974. Maoïste, longtemps hostile au P.C.M.L.F. clandestin dont il était partiellement issu. *Secr. gén. :* Max Cluzot. *Organisation de jeunesse :* Union communiste de la jeunesse révol. *Militants :* env. 2 500. *Publications :* Quotidien du Peuple (env. 10 000 ex.), Front Rouge (n'existe plus).

• **Parti démocrate français (P.D.F.).** *Siège :* 350, rue Lecourbe, 75015 Paris. *Fondé* juin 1982 par Guy Gennesseaux, ancien secr. nat. du M.R.G., et par des femmes et des hommes de gauche venus du M.R.G. et de formations social-démocrates. A signé le 17-6-1985 avec le Parti libéral un accord pour créer le Rassemblement libéral et démocrate, co-présidé par Guy Gennesseaux et Serge Dassault. A signé la plate-forme de gouvernement RPR-UDF le 16-2-1986. *Pt :* Guy Gennesseaux. *Vice-Pt :* Michel Grossmann. *Secr. gén. :* Jean-Henri Ricard. *Adhérents :* 8 000 dont 700 élus municipaux. *Publication :* le Journal des démocrates (mensuel, 8 000 ex.).

• **Parti fédéraliste européen.** *Siège :* 1, résidence Bel Air, 91140 Villebon-sur-Yvette. *But :* fédération europ. de l'Ouest et de l'Est, dans le respect de l'écologisme et du régionalisme. *Devise :* voir clair et loin. Section francophone de l'Internationale fédéraliste. *Pt d'honneur :* Guy Héraud, ancien candidat aux présidentielles. *Pt :* Guy Le Maignan, juriste. *Secr. gén. :* Fabien Régnier.

• **Parti des forces nouvelles.** *Siège :* B.P. 139, 83404 Hyères Cedex. *Fondé* 11-11-1974. Après l'échec d'**Ordre nouveau** (dissous 27-6-1973 par le gouvernement) et du Front national de Le Pen aux présidentielles de 1974 (0,74 % des voix). Parmi les fondateurs, Pascal Gauchon (24-3-50), (normalien), et Alain Robert (9-10-45) (ancien secr. gén. d'Ordre nouveau et du Front national). *Programme :* élections à la proportionnelle, protection des cultures régionales dans une Europe politique, cogestion, contrôle et arrêt de l'immigration. En avril 1978 avec le M.S.I. (Italie : 35 dép. en 1976, 31 dép. et 3 sén. en juin 1979) et Fuerza Nueva (Esp.), fonde l'**Eurodroite,** en vue notamment des élections eur. de 1979 où il obtient 1,31 % des voix. Le Rassemblement national grec (5 dép. en 1977) et les Forces nouvelles belges y adhèrent en nov. 1978. *Adhérents : 1974-76 :* 3 000 ; *76-77 :* 5 000 ; *77-78 :* 11 000 ; *78-79 :* 23 000 ; *79 :* 25 000. *1987 :* 400 (beaucoup ont rejoint le mouvement nationaliste révolutionnaire pour donner corps au mouvement Troisième Voix). *Publication :* la Lettre du PFN.

• **Parti libéral européen.** 30, av. de la République, 91560 Crosne. *Pt :* Jean-Paul David (14-12-1912). *Vice-Pt :* Marie-Thérèse Lançon. *Secr. gén. :* Jacques Grangé. *Publ. :* Le Réveil libéral (mens.) du « Club des Vrais Libéraux », 22, rue Diderot, 91560 Crosne.

• **Parti républicain.** **Siège :** 105, rue de l'Université, 75007 Paris. **Fondé** 15-9-1977 lors de la fusion de la Féd. nat. des Rép. indépendants (F.N.R.I.), de Génération sociale et libérale, et des Comités de soutien à Valéry Giscard d'Estaing. **Objectifs :** parvenir à une société démocratique moderne, libérale, ouverte et généreuse. Promouvoir la performance, l'unification sociale et le développement culturel. Développer le rayonnement international notamment en ce qui concerne les droits de l'homme.

Leaders. *Pt :* Gérard Longuet (24-2-46). *Pdts d'honneur :* François Léotard (26-3-42), Michel Poniatowski (16-5-22). *Secr. gén. à l'organisation :* Hervé Novelli. *Comité de direction :* Gérard Longuet, Pascal Clément (12-5-45), Willy Dimeglio (3-5-34), Jean-Claude Gaudin (8-10-39), Hervé Novelli, Ladislas Poniatowski (10-11-46), Gilles de Robien (10-4-41), Philippe Vasseur (31-8-43), Yves Verwaerde (16-5-47). *Bureau politique, membres de droit :* Valéry Giscard d'Estaing (2-2-26), Jacques Blanc (21-2-39), André Bettencourt (21-4-19), Christian Bonnet (4-6-21), Hervé de Charette (31-7-38), Roger Chinaud (6-9-34), Jean-François Deniau (31-10-28), Jean-Jacques Descamps (20-3-35), Jacques Dominati (11-3-27), Jacques Douffiagues (21-1-41), André Giraud (3-4-25), François Léotard (26-3-42), Gérard Longuet (24-2-46), Marcel Lucotte (16-1-22), Alain Madelin (26-3-48), Claude Malhuret (8-3-50), Raymond Marcellin (19-8-14), Charles Millon (12-11-45), Michel Poniatowski (16-5-22), Alice Saunier-Séité (26-4-25), Pierre-Christian Taittinger (5-2-26), Philippe de Villiers (25-3-49). *Membres élus :* François d'Aubert (31-10-43), Bernadette Bertrix, Philippe de Bourgoing (25-7-21), Janine Cayet, Christine Chauvet, Pascal Clément (12-5-45), Francis Delattre (11-9-46), Hugues Dewavrin, Willy Dimeglio (3-5-34), Renaud Donnedieu de Vabres (13-3-54), Maurice Dousset (26-2-30), Laurence Douvin (5-3-46), Brigitte de Gastines (22-3-44), Jean-Claude Gaudin (8-10-39), Alain Griotteray (5-10-22), Bernard Lehideux (24-9-44), Gérard Longuet (24-2-46), Simone Martin (14-3-43), Anne Meaux, Michel Mouillot, Hervé Novelli, Arthur Paecht (18-5-30), Bernard Plasait, Ladislas Poniatowski, Jean Puech (22-2-42), Jean-Pierre Raffarin, Henri de Raincourt (17-11-48), Gérard Rebreyend, Jean Roatta (13-12-41), Gilles de Robien (10-4-41), José Rossi (18-6-44), André Soulier (18-10-33), Jean-Pierre Thomas (27-3-57), Philippe Vasseur (31-8-43), Yves Verwaerde (16-5-47). *Députés 1981 :* 30, *1986 :* 60. *1988 :* 61. *Adhérents :* 185 000. *Cotisation :* 200 F. *Publications :* le Journal des Républicains, le Cadre républicain, le Point républicain. **Mouvement des Jeunes Républicains. Clubs Perspectives et Réalités :** voir p. 701.

• **Parti républicain radical et radical-socialiste,** dit **Parti radical-socialiste.** **Siège.** 1, place de Valois, 75001 Paris. **Fondé** 21/23-6-1901 (le plus ancien parti de France). **Avant 1940** parti de notables, rôle prépondérant (avec Combes, Clemenceau, Joseph Caillaux, Édouard Herriot, Édouard Daladier, Camille Pelletan, Camille Chautemps, les frères Sarraut, Georges Bonnet, Yvon Delbos, Jules Jeanneney). **Pendant la guerre,** beaucoup de ses dirigeants participent à la Résistance et sont déportés ou assassinés, tels Jean Zay et Jean Moulin. **Après 1944,** bien qu'affaibli, il est associé aux différents gouv. et fournit de nombreux P[ts] du Conseil (André Marie, Henri Queuille, Edgar Faure, René Mayer, Maurice Bourgès-Maunoury, Pierre Mendès France, Félix Gaillard). **Ve République,** longtemps écarté des responsabilités ministér. **1970** *février,* au congrès de Wagram, J.-J. Servan-Schreiber, appelé 3 mois plus tôt au poste de secr. gén., suscite l'intérêt avec la publication du « Manifeste radical ». *Déc.,* il approfondit son programme avec le « Pouvoir régional » (Manifeste municipal). **1971** *oct.,* congrès de Suresnes, il est élu Pt du Parti radical avec 69 % des voix. *3-11, Accords de St-Germain-en-Laye* avec Centre démocrate, Centre républicain et Parti social-démocrate ; participe au *Mouvement réformateur.* **1972,** *26-6,* une minorité, avec Robert Fabre, signe un accord électoral avec le P. socialiste ; suspendue, elle forme un « Groupe d'études et d'action rad.-soc. » qui devient le « Mouvement de la gauche rad.-soc. » (janv. 1973 « Mouv. des Rad. de gauche »). *Déc.,* J.-J. S.-S. propose avec les réformateurs un programme de gouv. inspiré du Manifeste radical, détaillant les moyens financiers nécessaires. **1973,** *mars* élect. législat., le P. rad. investit ou soutient un réformateur dans toutes les circonscriptions. *Nov.,* congrès de Wagram, J.-J. S.-S. réélu Pt du parti. **1974,** él. présidentielles, le Parti rad. soutient Giscard d'Estaing et obtient 2 postes de ministres dans le nouveau gouv. (Gabriel Péronnet, secr. d'État à l'Environnement puis à la Fonction publique et J.-J. S.-S., min. des Réformes, démis le 9-6-74 pour avoir manqué à la solidarité gouvernementale à propos du problème nucléaire). **1975** *janv.,* congrès de Bagnolet : Françoise Giroud, secr. d'État à la Condition féminine, adhère au P. rad. *Juin,* les rad. prennent part à la formation d'une *Féd. des réformateurs. Juill.,* J.-J. S.-S. abandonne la présidence (intérim de Gabriel Péronnet). Michel Durafour, min. du Travail et André Rossi, porte-parole du gouv., adhérent au parti. *Nov.,* congrès de Lyon, Péronnet élu Pt. *Août,* entrée de certains membres au Gouv. **1977** *juin,* le Centre rép. (créé 1955) et *juillet* le Mouv. des sociaux-libéraux (créé par Olivier Stirn) rejoignent le parti. **1978,** *1-2,* s'associe au parti rép. et au C.D.S. au sein de l'U.D.F. *Nov.,* congrès de Versailles. **1979** *oct.,* congrès de Paris [Didier Bariani (n. 16-10-43) devient Pt]. **1980** *oct.,* les rad.-soc. élaborent *« 7 priorités pour un septennat différent ».* **1981** *juin,* législatives, recul. *Nov.,* Bariani réélu Pt. **1983** *mars,* municipales, participation aux listes d'Union de l'opposition. *Nov.,* André Rossinot élu Pt. 3 élus. **1985** *oct.,* Rossinot réélu Pt. **1986,** *mars,* au sein de l'U.D.F., regagne des sièges législatifs et participe au gouv. Chirac (Rossinot, min. chargé des Relations avec le Parlement, Bariani, secr. d'État auprès du min. des Aff. étr., *août,* Y. Galland, min. délégué auprès du min. de l'Intérieur, chargé des Collectivités locales). **1988** 11-11 Yves Galland élu Pt.

Organisation. *Bureau national (1989). Pt :* Yves Galland (8-3-41) dep. déc. 88 [avant, André Rossinot (29-5-39)]. *Secr. gén. :* Aymeri de Montesquiou (7-7-42). *1er Vice-Pt :* Étienne Dailly (4-1-18). *Vice-Pts* André Rossi (16-5-21), Jean-Pierre Cantegrit (2-7-33), Paul Granet (20-3-31), Robert Bataílly (2-3-34). Thierry Cornillet (23-7-51). *Vice-Pt délégué :* Jean-Thomas Nordmann (16-2-46). *Vice-Pt trésorier :* Alain Bloch (14-3-51). *Presse :* Béatrice Abollivier (10-2-54). B.I.R.S. (Bulletin d'information rad.-soc.) ; l'A.I.R.S. (Agence d'inf. rad.-soc.). *Effectifs :* 15 000. *Sénateurs :* 17. *Députés : 1981 :* 2, *1986 :* 6 *1988 :* 3. *Députés européens :* 4.

• **Parti social-démocrate (P.S.D.).** *Siège :* 191, rue de l'Université, 75007 Paris. Composante de l'U.D.F. Continuité du Mouvement démocrate socialiste créé 9-12-1973 par Max Lejeune. Fédère Mouv. soc. libéral, Soc. dém., Soc. pour les libertés et la démocratie et, dep. 1986, le Mouvement des Jeunes sociaux libéraux (Pt : Patrick Tremege). Né du refus du Programme commun et de l'alliance exclusive avec le Parti communiste. *Pt :* Max Lejeune (19-2-09). *Pt délégué :* Georges Donnez (20-2-22). *Secr. gé. :* André Santini (20-10-42). *Secr. gén. adjoints :* Patrick Tremege (14-5-54), Hervé Marseille (25-8-54). *1er vice-Pt :* Charles Baur (20-12-29). *Vice-Pts :* Paul Alduy (4-10-14), Daniel Bernardet (7-6-27), Joseph Klifa (26-7-31), Kléber Loustau (5-2-15), Jean Maran (8-5-20), Georges Mouly (21-2-31), Jean-Pierre Pierre-Bloch (29-1-39), Fernand Demilly (10-12-34), Léonce Deprez (10-7-27).

• **Parti socialiste.** **Siège.** 10, rue de Solférino, 75333 Paris Cedex 07.

Quelques dates. **1893,** il y a en France 4 grandes formations socialistes, plus les indépendants. **1901** *Mai,* 2 partis : *Parti soc. français* regroupant indépendants, broussistes ou possibilistes [fondé en 1882 par Paul Brousse (1844-1912), antimarxiste] et allemanistes (partisans d'Allemane, favorable à la primauté de l'action syndicale révolutionnaire) ; *Parti soc. de France* (partisans de Guesde et de Vaillant, marxistes et hostiles à toute participation à un gouvernement bourgeois de gauche). **1905,** *23/25-4,* union des 2 partis dans *la Section française de l'Internationale ouvrière (S.F.I.O.).* **1914,** *31-7,* Jean Jaurès (n. 1850) assassiné. **1914-18,** 3 courants : *majoritaires :* partisans de l'Union sacrée (avec Guesde) ; *minoritaires* (avec Longuet) votent les crédits de guerre avec les majoritaires, mais veulent renouer avec la minorité pacifiste de la soc.-dém. all. et plaident l'étude de toutes les possibilités de paix sans annexions ; *zimmerwaldiens* (avec Blanc, Brozon et Raffin-Dugens) votent contre les crédits de g. à partir d'avril 1916 (confér. de Kienthal), condamnant la « g. impérialiste » et la « collaboration de classe », mais sans prôner le défaitisme révolutionnaire (comme les bolcheviks). **A partir de 1917,** rassemblement centriste autour du longuettisme : répudiation de l'Union sacrée (la S.F.I.O. ne participe plus au gouv. dep. sept. 1917, mais les députés votent toujours les crédits de g.) et défense d'une politique de rechange fondée sur la constitution d'une force internationale de paix et d'arbitrage dont l'ossature serait soc. (accueil enthousiaste des « 14 points » de Wilson). **1920** *déc., (congrès de Tours),* scission : la majorité (env. 3/4 des membres) fonde le Parti communiste. **1924,** la S.F.I.O., reconstruite par Paul Faure et Léon Blum, s'allie aux radicaux sur le plan électoral et redevient un grand parti parlementaire. **1933,** *5-11,* scission au congrès national : départ d'Adrien Marquet et de Renaudel, création du Parti soc. de France. **1936,** alliée aux communistes et aux radicaux, la S.F.I.O. devient le 2e plus grand parti de Fr. (250 000 m). **1940-44,** participe à la Résistance. **1943,** représentée dans le Conseil national de la Rés. **1956-57,** Guy Mollet, secr. gén. de la S.F.I.O., devient Pt du Conseil en pleine guerre d'Algérie, après les succès du Front républicain aux législatives de janv. 1956. Il rappelle le contingent et déclenche l'opération de Suez. **1965** *Juin,* Congrès de Clichy, Guy Mollet et Gaston Defferre s'opposent, le projet de création d'une Féd. démocrate soc. ouverte notamment vers les radicaux et le M.R.P., échoue. **1967,** création de la *F.G.D.S.* qui regroupe S.F.I.O., parti radical et clubs, mais éclatera en 1968. **1969,** Defferre battu aux présid. (5 %) en dépit d'une campagne menée avec Mendès France. *11/13-7,* congrès d'Issy-les-Moulineaux, le P.S. succède à la S.F.I.O. **1971** *11/12/13-6,* congrès d'Épinay, victoire de Mitterrand (43 926 mandats) allié au C.E.R.E.S. (Chevènement), à la Féd. du Nord (Mauroy) et à celle des B.-du-Rh. (Defferre). Alain Savary (41 527 mandats), 1er secrétaire sortant, allié à Guy Mollet et à Jean Poperen ; nouvelle structure, rassemblant adhérents du P.S., de la Convention des institutions républicaines (Mitterrand) et 3 813 nouveaux adhérents. *16-6* Mitterrand, seul candidat, élu 1er secr. par 43 voix (36 votes blancs), Mauroy 2e secr. (42 voix contre 35 à Poperen). **1972** *27-6,* signature du Programme commun de gouvernement avec le P.C.F. *9-7* approuvé à l'unanimité moins 2 voix. **1973** *(22 au 24-6) :* congrès de Grenoble. La coalition Mitterrand-Mauroy-Defferre (rejointe par Savary, qui rompt son alliance avec Mollet) passe de 44 à

65 %, le C.E.R.E.S. de 8,5 % à 21 % ; Poperen chute de 12 à 5,5 % et Mollet de 33 à 8 %. Avant la synthèse, Poperen se rallie : Mitterrand 92 %, Mollet 8 %. *27-6* Mitterrand réélu 1er secr. à l'unanimité (– 7 abstentions). **1974** *Mai :* présidentielles, Mitterrand a 43,24 % des voix au 1er tour et 49,19 % au 2e. *Oct.* Assises du socialisme. Une partie du P.S.U., avec Rocard, se rallie Adhésions individuelles, comme J. Delors. **1975** *(31-1/2-2) :* congrès de Pau. Motion Mitterrand-Mauroy (propose de rendre au PS une certaine autonomie dans l'union de la gauche) 68 %, C.E.R.E.S. 25,4 %, il n'y eut pas de synthèse, le C.E.R.E.S. devient la minorité. **1977** *(17 au 19-6) :* congrès de Nantes. Mitterrand 75,8 % des mandats, Chevènement 24,21 %, pas de synthèse ; *22-9* rupture avec le P.C. sur la renégociation du programme commun. **1978** *19-3* législatives, la droite reste majoritaire. **1979** *(6 au 8-4) :* congrès de Metz où les différents courants se sont reportés en A (Mitterrand 47 %), B (Mauroy 17 %), C (Rocard 21 %), et E (Chevènement 15 %). A et E forment une nouvelle majorité autour de la ligne « Regarder devant soi et tenir bon ». **1981** *janv.*, congrès extraordinaire de Créteil, Mitterrand désigné comme candidat à la Présidence de la Rép., Lionel Jospin confirmé 1er secr. ; *Mai :* Mitterrand élu au 2e tour des président. avec 51,76 % des voix. *(23 au 25-10) :* congrès de Valence. Les rocardiens ne présentent pas de motion, se rallient à celles des 3 autres courants (mitterrandiste, Mauroy, Chevènement) et acceptent une baisse arbitraire de leur influence de 15 % au sein du parti. Paul Quilès ne veut pas que le gouv. se contente d'annoncer que « des têtes vont tomber » dans l'Administration et les entreprises nationalisables, mais demande qu'il dise « lesquelles et rapidement ». Jospin réélu 1er secr. à l'unanimité. **1983** *mars :* échec du P.S. aux municipales. *28 au 30-10 :* congrès de Bourg-en-Bresse et synthèse (à 9 h du matin après 11 h de discussions) entre 3 courants : Jospin-Mauroy-Rocard 78 % des mandats, C.E.R.E.S. (Chevènement) - de 18 %, Lienemann-Richard - de 5 %, Jospin réélu 1er secr. à l'unanimité. **1985** *(11 au 13-10) :* congrès de Toulouse ; motion 1 : Jospin-Mauroy-Chevènement 71,49 % des mandats ; motion 2 : Rocard 28,51 %. Pas de synthèse, Jospin réélu 1er secr. par acclamation. **1986** : législatives, vict. de la droite, Chirac PM. **1987** *(3 au 5-4) :* congrès de Lille, motion unique adoptée par 98,43 %, abstentions 1,29 %, contre 0,07 %. Synthèse avant congrès. Jospin reproche à Poperen de lui faire concurrence, il veut rénover la direction du parti ; Poperen disparaît au secrétariat national, Rocard refuse d'y entrer, le P.S. sera dirigé par 2 anciens PM (Mauroy et Fabius) et 7 anciens min., Jospin réélu. **1988** *8-5 :* Mitterrand réélu Pt avec 54,02 % au 2e tour, Mauroy élu 1er secr. **1990** *(16 au 21-3) :* congrès de Rennes, courant Mauroy-Mermaz-Jospin 34 % des mandats, Fabius 30 %, Rocard 26 %, Socialisme et république 7 %, Poperen 3 % ; synthèse le 21-3 après 12 h de discussions (rassembler à gauche) ; *21-3* Mauroy réélu 1er secr. à l'unanimité.

Doctrine. Le capitalisme est installé dans l'État, en contrôle l'administration, et c'est là qu'il doit être attaqué. La conquête du pouvoir politique doit ouvrir la possibilité de changements afin d'engager le pays, par des moyens démocratiques et par étapes, dans la voie de la démocratie socialiste.

Organisation au 21-3-1990. Secrétariat national (chiffre entre parenthèses : motion soutenue au congrès de Rennes. *1 :* nouveaux membres). *1er secr.* P. Mauroy (1) (5-7-28). *13 secr. dont les 5 premiers forment le comité de coordination. 2e secr. chargé de la coord. :* Marcel Debarge (5) (16-9-29). *Budget, adm., trésorerie :* Henri Emmanuelli (1) (31-5-45). *Formation :* Gérard Lindeperg (3) [1] (n.c.). *Relations intern. :* Pierre Guidoni (7) (3-10-41). *Entreprises, problèmes de société :* Michel Debout (2) [1] (n.c.). *Féd. :* Daniel Vaillant (1) (19-7-49). *Relations extér. :* Claude Bartolone (5) (29-7-51). *Élections :* Jean-Claude Petitdemange (3) [1] (n.c.). *Information, comm. :* Bernard Roman (1) (15-7-52). *Droits des femmes :* Yvette Roudy (5) (10-4-29). *Aff. sociales, insertion :* Jean-Claude Boulard (3) (28-3-43). *Urbanisme, écologie, coll. loc. :* Christian Pierret (5) [1] (12-3-46). *Études :* Pierre Moscovici (1) [1] (n.c.). + *13 secr. nat. adjoints. Porte-parole :* Jean-Jack Queyranne (1) (2-11-45). **Bureau exécutif. Titulaires (1) :** Pierre Mauroy, Louis Mermaz (20-8-31), Henri Emmanuelli, Claire Dufour [1], Daniel Vaillant, Daniel Roman, Gisèle Stivenard (11-12-50), Claude Allègre [1] (31-3-37). **(2) :** Jean-Marc Ayrault (25-1-50), Michel Debout. **(3) :** Gérard Lindeperg, Jean-Claude Boulard, Pierre Brana (28-5-33), Colette Deforeit (n.c.), Gérard Fuchs (18-5-40), Alain Richard (29-8-45), Daniel Frachon (23-1-32). **(5) :** Claude Bartolone, André Billardon [1] (22-10-40), Marcel Debarge, Laurent Fabius (20-10-46), Daniel Percheron (31-8-42), Christian Pierret [1], Yvette Roudy, Françoise Seligmann (19-6-19). **(7) :** Michel Charzat (25-12-42), Pierre Guidoni. **Suppléants (1) :** Pierre Moscovici [1], Georges Paulangevin [1], Gérard Collomb (20-6-47), Jean Germain [1], Geneviève Doménach-Chich, Gérard Le Gall. **(2) :** Jean-Louis Cottigny [1]. **(3) :** Sylvie François [1], Jean-Pierre Joseph, Michel Sapin [1], Jean-Claude Petitdemange [1], Jacqueline Alquier [1]. **(5) :** Jean Auroux, François Bernardini [1], Jean-Marcel Bichat [1], Frédérique Bredin [1] (2-11-56), Catherine Mabrut-Lissonde [1], Thierry Mandon [1]. **(7) :** Marie-Arlette Carlotti.

Sections (6 000 env.) : commune, canton, université ou entreprise (*1974 :* 250 sections et groupes d'entreprises ; *76 :* 643 ; *79 :* 1 300 ; *83 :* 2 000). **Âge minimal d'adhésion :** 15 ans. **Cotisation :** calculée sur les ressources de chacun et variable selon féd. et sections. **Budget** (1982) : 30 millions de F, basé sur cotisations adhérents (moy. de chaque adh. : 97 F) et c. versées par parlementaires soc. **Publications internes.** *P.S.-Info, Vendredi, Communes de France* (hebdomadaires) ; *Socialisme et Entreprise, Terre et Travail* (mensuels) ; *Le Poing et la Rose* (au moment des congrès) ; *N.R.S., École et Socialisme* (revues).

Organismes intégrés au P.S. : *M.J.S.* Mouvement de la Jeunesse Socialiste), *Étudiants socialistes.* **Associés :** *I.S.E.R.* (Institut Socialiste Études et Recherches), *Solidarités Internationales.* **Proches :** *F.N.E.S.R.* (Féd. Nat. des Élus Soc. et Rép.), *O.U.R.S.* (Office Universitaire de Recherches Soc.), *Fédération Nationale Léo Lagrange.* **Clubs de réflexion proches du P.S. :** *Solidarités Modernes* (club de Laurent Fabius), *République Moderne* (c. de J.-P. Chevènement), *Renouveau Socialiste* (bulletin d'André Laignel), *Synthèse Flash* (bulletin de J. Poperen), *Convaincre* (lettre de Michel Rocard), *Maintenant et Demain* (bulletin de Georges Sarre), *Économie et Liberté* (lettre de Pierre Bérégovoy), *Post-Scriptum* (lettre économique de D. Strauss-Kahn), *La Lettre du G.E.R.M.E.S.* (Groupement d'Études et de Réflexions Militaires et Stratégiques, fondateur : Charles Hernu), *Français du Monde, G.P.L.* (Gais pour les Libertés, club pour la défense des libertés des homosexuels).

Adhérents. 1914 : 72 000. **37 :** 280 000. **44 :** 100 000. **45 :** 335 702. **46 :** 354 878. **50 :** 140 190. **54 :** 105 224. **58 :** 115 000. **68 :** 81 000. **70 :** 70 392. **71 :** congrès d'Épinay (11/13-6) 74 598 (dont 60 869 socialistes, 9 916 conventionnels, 3 813 nouveaux adhérents). **74 :** 137 300. **80 :** 189 580. **81 :** 205 157. **82 :** 213 000. **85 :** 170 000. **86 :** 187 000. **Parlementaires. 81 :** 269 dép. + 3 app. **86 :** 206 dép. + 9 app. **88 :** 258 dép. + 17 app. *Sénateurs :* 67, *conseillers généraux (1981) :* 1 050. *Assemblée européenne (1984) :* 21.

• **Parti socialiste unifié (P.S.U.). Fondé** le 3-4-1960 (regroupait le *Parti socialiste autonome* séparé de la S.F.I.O. en 1958, avec Édouard Depreux, Daniel Mayer, Verdier, Michel Rocard,; l'*Union de la gauche socialiste* de Claude Bourdet et Gilles Martinet, f. 1957 à partir principalement de la *Jeune République,* de la *Nouvelle Gauche* et du *Mouvement de libération du peuple* représentant le courant progressiste chrétien ; et une 3e composante, la tendance *Tribune du communisme* regroupant un groupuscule minoritaire du P.C. recruté pour l'essentiel à la cellule « Sorbonne Lettres ». **1961-68** Mendès France adhère. **1974** *1-6* présidentielles, Rocard a 3,61 % des voix. Conseil national d'Orléans, majorité contre l'intégration au P.S. ; Rocard démissionne et rejoint le P.S. **1981** présidentiellles H. Bouchardeau a 1,11 % des voix. **1983** *mars* H. Bouchardeau, secr. d'État chargée de l'Environnement, (puis min. en juil. 84). **1984** 15e Congrès (Bourges), le P.S.U. revient à une attitude plus critique. H. Bouchardeau et Serge Depaquit démissionnent. **1986** 16e Congrès (Bourg-en-Bresse) se prononce pour son « dépassement » dans le cadre d'un large « mouvement pour une alternative socialiste, autogestionnaire et écologiste ». **1988** *déc.* décide de participer en 1989 (notamment avec la Nouvelle Gauche) à la création d'une nouvelle force « Rouge et Verte » pour le socialisme, l'écologie et l'autogestion. **1989** *24-11* 18e et dernier congrès. *26-11* P.S.U. et Nouvelle Gauche fusionnent pour fonder *l'Alternative Rouge et Verte* (A.R.E.V.), 71,6 % des voix pour la fusion, 16,1 % pour constituer un forum. **1990** *7-4* dissolution administrative décidée par 91 % des voix. **Objectifs.** Voulait garder ouverte la perspective d'une transformation fondamentale de la société fondée sur l'autogestion. Considérait indispensable l'établissement de rapports plus égalitaires avec les pays du tiers monde. **Organisation.** *Secr. nationaux. 1960 :* Édouard Depreux (1908-81) ; *1967 :* Michel Rocard (23-8-30) ; *1973 (26-11) :* Robert Chapuis (7-5-33) ; *1974 (14-12) :* André Barjonet (9-1-21), Pascal Gollet, Victor Leduc, Michel Mousel (11-3-40) et Charles Piaget. *1979 :* Huguette Bouchardeau (1-6-35). *1983 :* Serge Depaquit ; *1984 (16-12) :* Jean-Claude Le Scornet (12-2-43). **Adhérents.** *1981 :* 8 000 (v. Quid 1990 p. 715 b) ; *84 :* 2 500 ; *89 :* 530. **Élus locaux** *1985 :* 250. **Presse.** *2 A Rouge et Vert* (hebdo : 10 000 ex.). *Critique socialiste* (bimestriel), *P.S.U.-Documentation, Tribune internationale,* (trim.), *Germinal* (Commission agricole), *Pour l'Alternative* (lettre hebdo. à la presse).

• **Présence indépendante et libérale.** Bureau 73-08, 101, rue de l'Université, 75007 Paris. *Créée* par d'anciens dirigeants ayant quitté le CNIP. Club de réflexion et d'action politique. *Directoire :* Maurice Ligot (9-12-27), Florence d'Harcourt, Jacques Fouchier, Jacques Ducrocq. *Publication :* le Cahier indépendant (trim.).

• **Rassemblement pour la République (R.P.R.). Siège.** 123, rue de Lille, 75007 Paris.

Origine. *Rassemblement du peuple français (R.P.F.).* **Créé** 8-4-1947 par de Gaulle. *Secr. gén. : 1947* Jacques Soustelle (1912-1990), *1951-54* Louis Terrenoire (10-11-1908). *Principaux thèmes :* l'anticommunisme (les comm. sont qualifiés de séparatistes) ; association capital-travail ; allocation-éducation attribuée à chaque famille. **Adhérents** (oct. 1947) : 1 500 000. **Elections.** *1951* lég. 4 000 000 de v. (16,5 % des inscrits) et 121 députés, qui, ne pouvant dominer l'Assemblée et ne voulant pas s'intégrer au système, font de l'opposition systématique. **1953**-*6-5,* de Gaulle leur rend leur liberté et leur demande de ne plus utiliser l'étiquette R.P.F. dans leur campagne électorale. Le groupe parlementaire devient l'*Union des républicains d'action sociale (U.R.A.S.),* présidée par Jacques Chaban-Delmas. **1955**-*14-9,* de Gaulle met le R.P.F. en sommeil sans le dissoudre.

Union pour la Nouvelle République (U.N.R.). *Créée* 1-10-1958 regroupe le *Centre national des républicains sociaux,* l'*Union pour le renouveau français* et la *Convention républicaine. Secr. gén. :* 4-10-58 : Roger Frey (11-6-13) ; 5-11-59 : Albin Chalandon (11-6-20) ; 15-11-59 : Jacques Richard (23-3-18) ; 3-4-61 : Roger Dusseaulx (18-7-13) ; 9-5-62 : Louis Terrenoire (10-11-08). **1960**-*25-4,* exclusion de Soustelle.

U.N.R.-U.D.T. *Créée* en déc. 1962 par fusion avec *l'U.D.T.* [*Union démocratique du Travail,* créée avril 1959 ; secr. gén. : Louis Vallon (31-8-28)]. *Secr. gén. :* 4-12-62 : Jacques Baumel (6-3-18). Puis *direction collégiale* [Jean Charbonnel (22-4-27), André Fanton (31-3-28), Robert Poujade (6-5-28), Jean Taittinger (25-1-23), René Tomasini (14-4-19)]. **Union des démocrates pour la Ve Rép. (U.D.-Ve Rép.).** *Créée* 27-11-1967 après des ralliements d'éléments venus, notamment du M.R.P. : Maurice Schumann (10-4-11), Marie-Madeleine Dienesch (3-4-14), Charles de Chambrun (16-6-30).

Union pour la défense de la République (U.D.R.). *Créée* 4-6-1968 après les événements de mai et avant les législatives du 23-6. *Secr. gén.* 19-1-68 : Robert Poujade (6-5-28). **Union des démocrates pour la Rép. (U.D.R.).** Nom adopté en 1971. *Secr. gén. :* 14-1-71 : René Tomasini (14-4-19) ; 5-9-72 : Alain Peyrefitte (26-8-25) ; 6-10-73 : Alexandre Sanguinetti (1913-80) qui démissionne le 13-12-74 ; 14-12-74 : Jacques Chirac (29-11-32) élu par 57 voix contre 27 à Jacques Legendre et 4 abstentions ; l'après-midi Chirac et Sanguinetti sont accueillis par des injures « traître, salaud, tartufe », au conseil national de l'U.D.R. (convoqué de longue date et qui les attendait depuis le début de la matinée, porte Maillot à Paris). Mais seul Chaban-Delmas refusera publiquement de voter la motion finale du conseil national soutenant Chirac. 15-4-75 : André Bord (31-12-14) ; 28-6-75 : Yves Guéna (6-7-22). **1974** *27-5* présidentielles, Chaban-Delmas battu, Giscard d'Estaing élu Pt de la Rép. avec le soutien de Chirac qui devient PM. *14-12* le comité central réuni à l'Hôtel Intercontinental par Pasqua (Sanguinetti ayant démissionné) élit Chirac secr. gén. par 57 voix.

Rassemblement pour la République (R.P.R.). *Créé* 5-12-1976 lors des assises extraordinaires réunies au Parc des expositions, Porte de Versailles. **Évolution. 1981**-*juin,* dans l'opposition. **1983**-*23-1,* congrès extraordinaire ; projet politique et plan de redressement économique et social fondés sur l'extension des libertés et des responsabilités du citoyen. **1985** adopte plate-forme commune avec U.D.F. pour les législatives de 86. **1986** *législatives :* obtient avec l'U.D.F. 42,03 % des voix et a 148 élus (l'U.D.F. 129). Chirac devient P.M. **1988** *Présidentielles : 24-4* 1er tour des prés., Chirac 19,85 %, 2e tour 45,98 (battu) ; *législatives : 5-6* 1er t. 19,8 % 39 élus, 2e tour 88 élus. **1990**

11-1 Pasqua et Seguin rendent publique une motion pour renouveler : un rassemblement pour la France. *22-1* ils rejettent la synthèse avec le texte préparé par Alain Juppé. *31-1* réunion du groupe de l'Ass. nat., 40 dép. présents (sur 132) votent un texte de soutien à Chirac et Juppé. *11-2* assises nat. au Bourget, 2 textes, présentés par Alain Juppé, d'une part, par Charles Pasqua et Philippe Seguin, d'autre part, donnent une majorité de 70 % à J. Chirac qui est réélu Pt à la quasi-unanimité. *8-12* Michel Noir (maire de Lyon), Michèle Barzach (n. 1943, min. de la santé en 1986) démissionnent.

Organisation. *Pt :* Jacques Chirac (29-11-32). *Secr. gén. :* 5-12-76 : Jérôme Monod (7-9-30) ; 20-3-78 : Alain Devaquet (4-10-42) ; 2-10-79 : Bernard Pons (18-7-26) ; 18-11-84 : Jacques Toubon (29-6-41) ; 22-6-88 : Alain Juppé (15-8-45).

Bureau politique. 9 m. de droit : *Pt* J. Chirac, *secr. gén.* A. Juppé, Michel Debré (15-1-12), Maurice Couve de Murville (24-1-07), Jacques Chaban-Delmas (7-3-15), Pierre Mesmer (20-3-16), Charles Pasqua (18-4-27), Bernard Pons (18-7-26), Christian de La Malène (5-12-20). **30 m. élus :** *ligne Chirac-Juppé :* Michel Aurillac (11-7-28), Edouard Balladur (2-5-29), Jean Besson (15-8-38), Alain Devaquet (4-10-42), Robert Galley (11-1-21), Michel Giraud (17-11-19), Yves Guéna (6-7-22), Olivier Guichard (27-7-20), Gabriel Kaspereit (21-6-19), Lucette Michaux-Chevry (5-3-29), Jacques Oudin (7-10-39), Christiane Papon (3-9-24), Robert Poujade (6-5-28), Josselin de Rohan (5-6-38), Roger Pomani (25-8-34), Jacques Toubon (29-6-41), Alex Turk (n.c.) ; *Ligne Pasqua-Séguin :* Patrick Balkany (18-8-48), Michel Barnier (9-1-51), Frank Borotra (30-8-37), Xavier Dugoin (27-3-47), François Fillon (4-3-54), Elisabeth Hubert (26-5-56), Jacques Kosciusko-Morizet (20-6-43), Etienne Pinte (19-3-39), Philippe Séguin (21-4-43) ; *Courant « Vie » :* Richard Cazenave (17-3-48), Philippe Dechartre (14-2-19), Maurice Schumann (10-4-11). *Dir. de* « la Lettre de la Nation » : Camille Cabana.

Adhérents. *1981 :* 670 000. *86 :* 885 000 (35 % de femmes). *16 à 29 ans* 28 %, *30 à 39* 25, *40 à 49* 23, *+ de 50* 24. **Élus 90 :** 131 députés, 91 sénateurs, 12 députés eur., 179 maires de communes de + de 9 000 h, 23 Pts Conseil gén., 7 Pts Conseil rég. **Ministres gaullistes.** (1968 à 1978) 3-5-68, 15 (sur 23 du gouv. Pompidou) ; 5-4-78, 6 (sur 19 du gouv. Barre) et secrét. d'État 4 (sur 6) à 4 (sur 18).

☞ **% des voix gaullistes aux législatives.** *Légendes :* L : législative, P : présidentielle.
L 1958 : 20,3 ; *L 62 :* 35,5 ; *P 65 :* 44,64 ; *L 67 :* 37,73 ; *L 68 :* 43,65 ; *P 69 :* 44,46 ; *L 73 :* 23,86 ; *P 74 :* 15,10 ; *L 78 :* 22,62 ; *P 81 :* 18,02 ; *L 81 :* 20,8. *L 86 :* 42,03 (avec l'U.D.F.) ; *P 88* (1er tour) : 19,95 ; *L 88* (1er tour) : 19,8.

• **Rassemblement pour le civisme, le dialogue et le renouveau.** *Siège :* 23, rue Ballu, 75009 Paris. *Créé* mi-mai 1968, par Pierre Lefranc (23-1-22), pour la défense des institutions de la Ve Rép. Instigateur de la manifestation qui rassembla près d'un million de Parisiens le 30-5-68 pour protester contre le désordre. *Devise :* « Civisme, Dialogue, Renouveau ». *Secr. gén. :* Yves Lancien (18-1-24). *Secr. gén. adj. :* Jean-Jacques Damiguet (14-6-24), Jean Defert (29-5-25). *Adhérents :* 13 500. *Publications :* le Citoyen (mensuel, 50 000 ex.).

• **Rencontres communistes.** 19, rue Béranger, 75003 Paris. *Fondé* mai 1981. *Pt :* Henri Fiszbin (1930-90). *Publication :* R.C.H (hebdo).

• **Renouveau nationaliste.** *Fondé* août 1981, après l'autodissolution du G.U.D. (Groupe Union Défense) en juin 81. Dissous.

• **République et démocratie.** 21, rue du Rocher, 75008 Paris. *Créé* oct. 1978 par J.-P. Prouteau. Soutient Raymond Barre. *Pt :* Paul Estienne (2-5-1941). *Clubs :* 80. *Adhérents :* 4 500.

• **Restauration nationale (l'Action française).** 33, Galerie Véro-Dodat, 75001 Paris. **Histoire. 1898** Comité d'Action fr., créé par Maurice Pujo (1872-1955) et Henri Vaugeois (1864-1916), groupant des antidreyfusards et nationalistes, la plupart républicains, qui se rallient au monarchisme sous l'influence de Charles Maurras (1868-1952). **1905,** la Ligue et l'Institut d'Action fr. sont créés. **1907** Léon Daudet (1867-1942) les rejoint et en devient le principal animateur. **1908,** la revue de l'Action fr. devient quotidien. Les *Camelots du roi* se constituent (diffusion du journal et agitation). La doctrine maurrassienne est un nationalisme autoritaire et contre-révolutionnaire, d'où découlent le royalisme (le « nationalisme intégral »), la défense du catholicisme (Maurras lui-même est agnostique à l'époque), l'antisémitisme d'État, la critique de la démocratie, l'acceptation de l'action illégale. **1926,** apogée. La Congrégation du St-Office à Rome décrète, sans préciser les motifs, la mise à l'index (interdiction de lecture) du quotidien et de certains ouvrages de Maurras. **1936,** la Ligue est dissoute et l'A.F. n'est plus représentée que par son journal. **1939** (10-7), Pie XII lève des sanctions prises contre l'A.F. **1940,** l'A.F. soutient Pétain, mais reste hostile à l'Allemagne. **1944,** est interdite à la Libération. Maurras condamné à la détention à vie et à la dégradation nationale. **1952** *mars,* Maurras grâcié ; *nov.* il meurt. **1958-62** participe aux luttes pour l'Algérie française. **1968** riposte aux menées gauchistes. **1974-75** interventions pour que Mayotte reste française. **1989** opposition virulente aux cérémonies du Bicentenaire de la Révolution. **But.** Restauration de la monarchie, organe central fort (armée, police, aff. étrang., coordination de l'économie) et une certaine décentralisation des problèmes régionaux, communaux, universitaires et professionnels. Ne présente pas de candidats aux élections. *Fondateur :* Pierre Juhel (1910-80). *Secr. gén. :* Guy Steinbach (n. 1918). *Dir. :* Pierre Pujo (n. 1929), fils de Maurice, Pt du Comité directeur de l'Action fr. *Publications :* Aspects de la France (hebdo.), Feu follet (bimestriel étudiant), Insurrection (mensuel lycéen).

• **Révolution prolétarienne.** Revue *fondée* 1925 par Pierre Monatte (1881-1960). Estime que le syndicalisme devrait être le cadre unitaire pour les revendications ouvrières, y compris politiques.

• **Service d'action civique (S.A.C.).** *Fondé* 1959. Service d'ordre gaulliste. *Secr. gén. :* Pierre Debizet (20-12-22). *Membres* 10 000 env. Dissous en 1982.

• **Socialisme et République.** *Siège :* 52, rue de Bourgogne, 75007 Paris. Remplace, depuis avril 1986, le C.E.R.E.S. (Centre d'études, de recherche et d'éducation socialiste), *fondé* 1965. A l'origine, club de pensée animé par d'anciens de l'E.N.A. Anime l'aile gauche du Parti socialiste dont il représente 18 % env. Contrôle 5 fédérations du P.S. Au congrès d'Épinay (juin 71) au c. de Pau (janv.75), a participé à la direction du P.S. De janv. 75 au c. de Metz (avril 79), représente la minorité (24,21 % des mandats au c. de Nantes, en juin 77), avec le courant Mitterrand. *Dirigeants :* Jean-Pierre Chevènement (9-3-39), Georges Sarre (26-11-35), Didier Motchane (6-9-31), Michel Charzat (25-12-42), Pierre Guidoni (3-10-41). *Presse :* Socialisme et République (bim., 10 000 ex.).

• **S.O.S.-Racisme.** 64, rue de la Folie-Méricourt, 75011 Paris. *Créé* 1984. *Leader :* Harlem Jean-Philippe Désir (Paris 25-11-59). *Adhérents :* 17 000.

• **Troisième Voie.** *Adresse :* B.P. 227, 75264 Paris Cedex 06. *Fondé* 1985. *But :* édification d'une Europe puissante, indépendante des U.S.A. et de l'U.R.S.S. Se déclare antisioniste, antiaméricain et anticommuniste et se proclame nationaliste révolutionnaire. *Publication :* Troisième Voie (bimestriel) 6 000 ex.

• **Union de défense des commerçants et artisans (mouvement Poujade) (U.D.C.A.).** *Siège :* la Vallée Heureuse, 12200 Labastide-l'Évêque. **1953** *fondée* à St-Céré (Lot) par des commerçants et artisans. **1955** lance des Unions parallèles pour toutes les couches sociales et réclame les états généraux. **1956** *jan.* législatives, sous le titre U.F.F. *(Union et fraternité française),* 2 600 000 suffrages et 53 députés dont Jean-Marie Le Pen (Ve arr. de Paris). **1964** a 5 000 postes d'élus consulaires et sociaux. **1975** Pierre Poujade fonde une centrale d'achat à Herblay (« Confiance ») pour les travailleurs indép. **1978** lance l'*Union de défense des libertés (U.D.L.)* dont il est le secr. gén. **1979** prend la tête de la liste d'*Union des socioprofess.* et de l'*Action civique pour les élections au Parlement eur.*, et fonde l'*Association nat. pour l'utilisation des ressources énergétiques françaises (A.N.U.R.E.F.)* dont il est Pt. **1980** lance *Énergie française* (bimens.), 100 000 ex. (directeur), fonde le Synd. des producteurs de topinambours de l'Aveyron (Pt) ; élu Pt de la Féd. nat. des synd. de prod. de top., réclame un carburant national « essence-alcool ». **1984** membre du Conseil écon. et social (renouvelé 1989). **1985** chargé de mission par le gouv. pour les Caraïbes françaises. **1990** pour les Pays de l'Est. *Presse :* Fraternité-Europe (bimens.), 50 000 ex. *Adhérents :* 160 000 chefs d'entreprise (1972). *Leader :* Pierre Poujade (1-12-20).

• **Union pour la démocratie française (U.D.F.). Siège.** 12, rue François-Ier, 75008 Paris. Fédère *Parti républicain, Centre des démocrates sociaux, Parti radical, Parti social-démocrate* et adhérents directs, *Clubs Perspectives et Réalités. Création :* **1978,** législatives (avec Lecanuet). *Mars* 6 millions de voix, 119 députés, 108 sénateurs, *1re force parlementaire française.* **1979,** *février :* 1er congrès, Paris, *mars :* succès aux cantonales, *juin :* (européennes) : liste Simone Veil 28 % des voix. **1980,** *février :* 2e congrès, Orléans, *juin* 1re fête de la Liberté (200 000 participants). **1981 :** soutient V. Giscard d'Estaing aux *présidentielles,* puis entre dans l'opposition ; *législatives :* 62 députés. **1982,** *mars : cantonales :* en tête par le nombre de conseillers généraux élus ; *nov. :* 3e congrès, Pontoise. **1983,** *mars : municipales :* gère + d'¼ des villes de + de 30 000 h. **1984,** *juin : européennes :* liste Simone Veil 43 % des v. **1986,** *mars : législ. :* 129 dép., 20 min. et secr. d'État participent au gouv. **1987,** *janv. :* convention nat. au Zénith. **1988,** *avril : présid. :* soutient Raymond Barre (16,5 %) ; *5 et 12-6 législatives,* présente avec R.P.R. des candidats d'union (Union du rassemblement et du centre) : 132 députés, *30-6* Valéry Giscard d'Estaing élu Pt. **1989,** *18-6 européennes :* liste Union U.D.F./R.P.R. conduite par Giscard d'Estaing 28,3 % des v., 26 dép.

Députés : *1978 :* 119, *81 :* 62, *86 :* 129, *88 :* 132 (dont 42 U.D.C.) ; **Sénateurs :** 137 ; **Parlementaires européens :** 22. **Pts de cons. régionaux :** 12 ; **cons. généraux :** 46. **Conseillers généraux :** 1 128. **Maires de villes :** *+ de 100 000 hab.* 9, *+ de 30 000 hab.* 39.

Organisation. *Pt :* Valéry Giscard d'Estaing (2-2-26). *Vice-Pts :* Gérard Longuet (24-2-46) (Pt du Parti Rép.), Pierre Méhaignerie (4-5-39) (Pt du C.D.S.), Yves Galland (8-3-41) (Pt du P. Radical), Max Lejeune (19-2-09) (Pt du P.S.D.). *Délégué gén. :* François Bayrou (25-5-51).

Autres membres du bureau politique : Jacques Barrot (3-2-37) (secr. gén. du C.D.S.),, Jacques Blanc (21-10-39), Daniel Hoeffel (23-1-29) (Pt Intergroupe U.D.F. au Sénat), Jean Lecanuet (4-3-20), Philippe Mestre (23-8-27), Marcel Lucotte (16-1-22) (Pt du groupe U.R.E.I. du Sénat), Charles Millon (12-11-45), Hervé de Charette (30-7-38), Didier Bariani (16-10-43), André Santini (20-10-40), Pierre-André Wiltzer (30-10-40), Alain Madelin (26-3-46).

Membres du conseil national (janv. 1990) (+ les membres du bureau). Simone Veil (13-7-27). *Parti Républicain :* Claude Malhuret (8-3-50), Michel Poniatowski (16-6-22). C.D.S. : André Diligent (10-5-19), Bernard Stasi (4-7-30), Jean-Marie Vanlerenberghe (29-3-39), Bernard Bosson. *P. radical :* Paul Granet (20-3-31), Aymeri de Montesquiou (7-7-42), André Rossi (16-5-21). *P.S.D. :* François Favre, Joseph Klifa (26-7-31), Charles Baur (20-12-29), Henri Wolf (29-5-27). *Clubs Perspectives et Réalités :* Jean-Pierre Poltzer (27-12-34), Paul Mentré (26-6-35), Pierre Lequiller (4-12-49), Jean-François Deniau (31-10-28). *Adhérents directs :* André Fourçans (7-3-49), Michel Pinton (23-12-37). Alain Delcamp, Jean-François Poncet.

Représentants du Sénat : Philippe de Bourgoing (25-5-21), Jean-Pierre Cantegrit (2-7-33), Jacques Larché (4-2-20), René Monory (6-6-27), Jacques Moutet (31-3-24). *De l'Ass. nat. :* Jacques Begault (22-3-21), Loïc Bouvard (20-1-29), Léonce Desprez (10-7-27), Jean-Paul Fuchs (6-12-25), Alain Griotteray (15-10-22), Louise Moreau (29-1-29), Gilles de Robien (10-4-41). *Du Parlement europ. :* Alain Lamassoure, Nicole Fontaine (16-1-42), Jean-Thomas Nordmann (16-2-46). *De la Fédération U.D.F. des Français de l'étranger :* Bernard Cariot, Pierre Croze (14-5-21), Xavier de Villepin (14-3-26).

Publications. *U.D.F. Info.*

• **Union de la Gauche.** *Créée* juin 1972 par P.C., P.S. et radicaux de gauche, auteurs de la signature du *Programme commun de gouvernement.* Voir p. 704.

• **Union des Indépendants (U.D.I.).** *Créé* février 1991 par le Gal Jeannou Lacaze (11-2-24), ancien chef d'état-major des armées, après sa démission du C.N.I. *But :* incarner les valeurs et promouvoir la doctrine d'Antoine Pinay.

• **Union des jeunes pour le progrès, Mouvement national des jeunes gaullistes. (U.J.P.).** *Siège :* 8, rue des Prouvaires, 75001 Paris. *Fondée* 18-6-1965 par Jacques Legendre et Michel Cazenave. Réunion des « jeunes de l'U.N.R.-U.D.T. » et de l'« Action étudiante gaulliste ». *Pt nat. :* Georges Tron. *Admission :* 15 à 35 ans. *Cotisation :* 100 F. *Adhérents :* 14 000 (1988), *(en %) :* garçons 65, filles 35 ; lycéens 10,3 ; étudiants 27,3 ; ouvriers ou employés 33,2 ; cadres 9 ; enseignants 9 ; prof. libérales 9 ; agriculteurs 1,5 ; commerçants ou artisans 1 ; serv. milit. 0,6. *Publication :* La Lettre de l'U.J.P. (mens.). Clin d'œil.

• **Union des libéraux indépendants (U.L.I.).** *Créée* 1981 par Serge Dassault (4-4-25). Dissoute 1986.

• **Union pour l'initiative et la responsabilité (U.N.I.R.).** *Fondée* 1982 par Jean-Maxime Lévêque (9-9-1923), ancien P.-D.G. du C.C.F. *1986, janv.,* se rallie au R.P.R.

• **Union travailliste.** *Fondée* oct. 1971 par fusion du *Front du progrès* (Jacques Dauer, 20-1-26), *Union popul. progressiste* (J. Debu-Bridel, 2-8-02) fondée 18-6-69, *Union gaulliste popul.* (Philippe Luc-Verbon) et *Front des jeunes progressistes* fondé 1959 (Dominique Gallet : exclu mars 1972). *Animateur :* Gilbert Grandval (1904-81) (Jacques Dauer démissionne 15-5-73). *Adhérents :* 4 000 (1976).

• **Union des travailleurs communistes libertaires (U.T.C.L.).** *Créée* mars 78, après la scission de l'O.R.A.

• **Verts (les)** (Confédération écologiste-Parti Écologiste). 50, rue Benoît Malou, 94250 Gentilly. *Fondés* janv. 1984 : fusion Écologiste (créé nov. 82) et Confédération écologiste (créée 83).

But : élaborer un projet de société écologiste et œuvrer pour sa réalisation. *Porte-parole :* Andrée Buchmann, Nicole Bouilly, Christian Brodagh. *Secr. nat. interrégional :* Guy Cambot. *Membres :* 6 000 adhérents.

Quelques dates : 1974 1re candidature écolo. (René Dumont, aux *présidentielles :* 200 000 v.). **1977** *municipales :* des centaines d'écologistes se présentent, parfois + de 10 % des suffrages (Paris, Alsace, Manche, Alpes). **1978** *législatives :* une majorité des 200 candidats écologistes se réunissent sous la bannière « Écologie 78 ». Après la rupture de l'Union de la Gauche, certains penchent vers une nouvelle gauche. D'autres se démarquent de l'engagement politique. **1979** *européennes :* avec la liste « Europe Écologie » + de 900 000 v. (4,4 % des suffrages, mais n'ayant pas les 5 % min. ne peut être représentée). A Dijon, le *21-11,* les candidats d'Europe Écologie créent le Mouvement d'écologie politique (MEP). **1980,** 17-2, environ 500 personnes élaborent des bases statutaires. 2-5 à Lyon, congrès commun MEP, Amis de la Terre et Diversitaires (« 3e Collège »). Brice Lalonde tente de s'imposer candidat aux présidentielles. **1981** *présidentielles,* Lalonde a 3,85 % des voix (+ d'1 million). *Législatives :* 180 candidats écol. (40 membres du MEP). **1982** *cantonales :* 120 candidats, les 30 militants du MEP ont 6 % des voix. 1-11, le MEP devient un parti. **1983** une centaine de listes vertes dans des communes de + de 3 500 h., dont 40 animées par le Parti ont près de 6 % des voix et quelques dizaines de conseillers municipaux élus. 27-3 une coordination des partis verts européens et l'adoption d'un préambule commun sont décidées à Bruxelles. **1984** *européennes,* 3,37 % des v. *Cantonales* + de 5 % des v. dans + de 100 cantons, + de 10 % dans une dizaine. **1986** 16-3 *législatives* (1 405 candidats dont 431 femmes) 1,22 % (2,44 % dans les 28 dép. où ils présentent une liste), *régionales* 2,35 % (3,89 % dans les 49 dép.). **1987** campagne sur les problèmes énergétiques (l'an 2000 sans nucléaire en Fr.) et sur l'immigration (Comment peut-on vivre en France ?). **1988** *présidentielles* (1er tour) : Antoine Waechter (conseiller rég. d'Alsace) a 1 150 000 v. (3,78 %). *Législatives :* 42 candidats (dont 14 Verts). *Cantonales :* 340 cand. Verts (6,8 % des v. avec + de 20 % dans 5 cantons et + de 10 % dans 48). Brice Lalonde min. dél. à l'Environnement. **1989** *municipales :* 175 listes dont 50 % à + de 10 %, 500 élus. *Européennes :* Antoine Waechter, 10,6 % et 9 élus. **1990** 15/16-12 assises nat. de Génération Écologie (lancée 1989 par Lalonde). **Sondage (23 au 30-11-90).** *Dirigeant politiques se préoccupant vraiment des problèmes écolo.* Lalonde 86 % des v. Waechter 68. Mitterrand 36. Giscard 25. *Meilleur porte-parole :* Lalonde 40 %. Waechter 22.

Aide attribuée aux partis et groupements politiques

En millions de F. **1989 :** 105,6 dont P.S. 41,6 R.P.R. 26,7, P.R. 11,5, C.D.S. 5,8, Association de gestion des adhérents directs U.D.F. 2,4, M.R.G. 2, P.R. 1,9, U.D.F. 1,7, Clubs perspectives et réalités 0,8, P.S.D. 0,7, C.N.I. 0,7, Union des sénateurs non inscrits 0,4, P.C. réunionnais 0,2, P. progressiste martiniquais 0,1, Associaition des démocrates 0,1. **1990 :** 260,3 dont P.S. 95,5 (323 parlementaires) R.P.R. 64,5 (218), P.R. 26,6 (90), Union centriste 16,9 (57), C.D.S. 14,5 (49), P.C. 12,1 (41), adhérents directs U.D.F. 7,4 (25), M.R.G. 4,1 (14), P. radical 3,3 (11), Clubs perspectives et réalités 2,7 (9), U.D.F; 2,7 (9), P. social-démocrate 1,8 (6), C.N.I. 1,8 (6), sénateurs non inscrits 1,5 (5), P. progressiste martiniquais 0,9 (3).

Loi pour le financement des partis et des campagnes électorales. *22-12-1990* adoptée par l'Assemblée par 277 voix (P.S. et non-inscrits divers gauche) contre 27 (P.C.), U.D.F. et R.P.R. ne participent pas au vote.

Effectifs revendiqués en 1989 par les partis et, entre parenthèses **estimés** (en milliers). P.C. 610 (100 à 240), P.S. 205 (120 à 160), R.P.R. 200 (120 à 180), U.D.F. 150 (80 à 110), F.N. 100 (20 à 40), C.D.S. 49,8 (10 à 13), P.R. 20 (10), M.R.G. 20 (4).

Quelques personnalités

Attali, Jacques (1-11-43, Alger). *Père* commerçant. *Marié,* 2 enfants. *Polytechnicien,* ingénieur du Corps des Mines. *Diplômé* des Sciences po., E.N.A. (1968-70). *Auditeur* au Conseil d'État (1970). Maître de conférences à Polytechnique (dep. 1968). Directeur de séminaire à l'E.N.A. (1974). *Conseiller spécial* du Pt de la Rép. *Conseiller* d'État (1989). Pt de la BERD (1990). *Œuvres :* Analyse économique de la vie politique (1973), Modèles politiques (73), l'Anti-Économique (74), la Parole et l'Outil (75), Bruits (77), la Nouvelle Économie française (78), l'Ordre cannibale (79), les Trois Mondes (80), Histoires du Temps (82), la Figure de Fraser (84), la Vie éternelle, roman (89) Lignes d'horizon (1990), le Premier Jour après moi (1990).

Auroux, Jean (19-9-42, Thizy). *Marié,* 2 enf. *Cons. gén.* du canton de Roanne (dep. 1976). *Maire* de Roanne (dep. 1977). *Dép.* P.S. de la Loire (dep. 1978). Délégué nat. du P.S. pour le logement (1978-81). *Vice-Pt* du cons. rég. Rhône-Alpes (dep. 1977). *Min.* du Travail (1981-82), délégué aux aff. sociales, chargé du travail (1982-83), *secr. d'État,* chargé de l'Énergie (1983-84), des Transports (1984-85), *min. de l'Urbanisme* (1985-86). Pt de la Fédération des villes moyennes (dep. 1988). *Œuvre :* Géographie économique à usage scolaire.

Badinter, Robert (30-3-28, Paris). *Père* pelletier. *Marié,* 1° Anne Vernon (1957). 2° Élisabeth Bleustein-Blanchet (1966), 3 enf. *Licencié* ès lettres, Master of Arts, *agrégé* de droit. *Avocat* à la cour d'appel de Paris (dep. 1951). *Min.* Justice et Garde des sceaux (1981-86). *Pt* du Conseil constitutionnel (19-2-1986). *Œuvres :* l'Exécution (1973) ; Liberté, libertés (76), Condorcet (88), Libres et égaux (1989).

Balladur, Édouard (2-5-29, Smyrne, Turquie). *Marié* à Marie-Joseph Delacour, 4 enf., E.N.A. (1952-57), entre au *Cons. d'État.* Membre du Conseil administratif de l'O.R.T.F. (1967-68). *Conseiller tech.* du 1er min. Pompidou (1966-68). *Secr. gén. de l'Élysée* (1973-74), *P.-D.G.* de Sté dep. 80. Cons. d'État (1984). *Min.* des Fin. (1986-88). *Dép.* de Paris (1988). *Œuvre :* l'Arbre de mai, Je crois en l'homme plus qu'en l'État (1987), Passion et longueur de temps (1989).

Barre, Raymond (12-4-24, St-Denis-de-la-Réunion). *Père* négociant. *Marié* à Eva Hegedüs (orig. hongroise), 2 enf. *Diplômé* des Sciences po., *agrégé* de droit. *Dir. de cabinet* de J.-M. Jeanneney (min. de l'Ind. et du Commerce 1959, min. de l'Ind. 1959-62). *Vice-Pt* français de la Commission unique des communautés eur. (1967-72). *Min.* Com. ext. (31-1-75). *1er min.* du 25-8-76 au 13-5-81. *Prof.* à Paris I (Sc. éco.) et Sciences po. *Député* du Rhône (1978, 1981, 1986, 1988). *Candidat à la prés. de la Rép.* 1988 16,54 % des voix au 1er tour. *Œuvres :* ouvrages d'éc. politique, Une politique pour l'avenir (1982), Réflexions pour demain (84), Question de confiance (1987), Au tournant du siècle (1988).

Bérégovoy, Pierre (23-12-25, Déville-lès-Rouen). *Père* employé à la SNCF. *Marié* à Gilberte Bonnet. 3 enf. Dipl. de l'École d'org. scient. du travail. Ajusteur-fraiseur (1941-42), cheminot (1942-50), carrière à la S.D.I.G. (Sté pour le dév. de l'ind. du gaz en France). Chargé de mission de Gaz de France (1978). *Membre du Cons. éco. et soc.* (1979). *Pol. :* 1958, membre fondateur du P.S.A. Membre du comité directeur et du bureau exécutif du P.S. (1969). *Maire* de Nevers dep. 1983. *Secr. gén. de l'Élysée* (5-1981). *Min.* des Aff. soc. et de la Solidarité nat. (1982-84), de l'Écon., des Fin. et du Budget (1984-86, 1988 mai). *Dép.* de la Nièvre (1986, 1988).

Bergeron, André (1-1-22, Suarce, T. de Belfort). *Marié.* Conducteur typographe 1936-48. Secr. gén. de la Fédération F.O. du Livre 1948. Membre du bureau de la Conféd. F.O. 1956. Membre du comité exécutif de la Féd. graphique intern. 1957. *Pt* de l'UNEDIC dep. 1958. *Secr. gén. de la C.G.T.-F.O.* (1963-89). *Œuvres :* Lettre ouverte à un syndiqué (1975) ; Ma route et mes combats (76) ; 1 500 jours (84), Tant qu'il y aura du grain à moudre (1988).

Bettencourt, André (21-4-19, St-Maurice-d'Ételan S.-Mar.). *Père :* avocat. *Marié* à Liliane Schueller, 1 fille. *Cons. Gal,* Lillebonne 1946, 55, 61, 67, 73. *Maire* de St-Maurice-d'Ételan dep. 1965. *Député* de la S.-M. indépendant 1951-58, 1958-66 ; R.I. 1967, 68, 1973-77. *Sénateur* P.R. de Hte-Normandie dep. 1977. *Secr. d'État* chargé de la coordination de l'inform. 1954-55, aux transports 1966-67, aux Aff. étr. 1967-68. *Ministre* P.T.T. 1968, de l'Industrie 1968-69, (délégué) du Plan et de l'Aménagement du territ. 1969-72, délégué auprès du min. des Aff. étr. *Pt du conseil régional* de Hte-Norm. 1974-81. Membre de l'*Ac. des Beaux-Arts* (1988).

Bidault, Georges (5-10-1899/26-1-83, Moulins, Allier). *Père* directeur d'assurances. *Marié,* sans enfants. *Agrégé* d'histoire. *Pt du Conseil national de la Résistance* 1943 (remplaçant Jean Moulin). *Min.* des Aff. étr. 1944-48. *Pt du Mouvement républicain populaire* (M.R.P.) mai 1949. *Pt du Conseil* oct. 1949-juin 1950. *Min.* des Aff. étr. 1953-54. *Sous la Ve Rép. :* fondateur du Mouvement démocratie chrétienne, juin 1958. Réélu *dép.* de la Loire 30-11-1958. Pt du Bureau provisoire du Rassemblement pour l'Algérie française, oct. 1959. Immunité parlementaire levée juill. 1962. Poursuivi pour complot contre la sécurité de l'État, juill. 1962. Réfugié au Brésil 1963-67, puis en Belgique 1967-68. Rentré en France juin 1968. Fondateur du Mouvement pour la justice et la liberté 1968.

Bouchardeau, Huguette (1-6-35, St-Étienne). *Père* Marius Briaut, employé. *Mariée* en 1955 à Marc Bouchardeau, 3 enf. *Agrégée* de philo., *doctorat* ès sciences de l'éducation. Membre du P.S.U. (1960). *Secr. nat. du P.S.U.* (1979). *Secr. d'État* (1983), *min.* de l'Environnement (1984-86). *Dép.* du Doubs (1986, 88). *Candidate à la prés. de la Rép.* en 1981. *Œuvres :* Pas d'histoire, les Femmes (77), Hélène Brion, la Voie féministe (78), Un coin dans leur monde (80), le Ministère du possible (1986), Choses dites de profil (1988), la Lune et les sabots (1990).

Boulin, Robert (20-7-20, Villandraut, Gironde/29-10-79). *Père* fonctionnaire des tabacs. *Marié,* 2 enfants. *Avocat* au barreau de Libourne ; *député-maire* de Libourne dep. 1959. Membre du comité central U.N.R. 1959. *Secr. d'État* aux Rapatriés 1961-62 ; au Budget 1962-66 ; à l'Écon. et aux Fin. 1967-68. *Min.* de la Fonction publ. mai-juill. 1968 ; de l'Agr. 1968-69 ; de la Santé publ. 1969-72 ; *min. délégué* chargé des rel. avec le Parlement 1972-73 et 1976-77 ; à l'Écon. et aux Fin. mars 1977-mars 1978 ; *min.* du Travail 1978-79. Fait l'objet d'une campagne de presse à propos d'une aff. immobilière (lotissement de Ramatuelle, Var) à partir de l'été 1979. Se suicide dans la forêt de Rambouillet (thèse contestée).

Chaban-Delmas, Jacques (7-3-15, Paris) (Chaban était son nom de résistant). *Père* admin. de Stés. *Marié* 1res noces Mlle Odette Hamelin (3 enf.) (div.), 2es n. Mme Françoise Geoffray (1 enf.) (veuf), 3es n. Mme Micheline Chavelet. *Diplômé* des Sciences po. Licencié en droit. *Diplômé d'études sup.* d'économie pol. et de droit public. Journaliste à *l'Information* 1933. *Délégué militaire du Gouv. provisoire* Alger 1943. *Gén. de brigade* 1944. Compagnon de la Libération. Inspecteur des Finances 1945. Inspecteur gén. des Fin. 1973. *Député* de la Gironde 1946/56. *Maire* de Bordeaux dep. 1947. Pt de Com. urbaine dep. 1967. *Min. sous la IVe Rép. :* Travaux publics 1945/55 ; Défense nat. 1957/58. *Député* U.N.R. de la Gironde dep. 1958 ; dép. R.P.R. (1978, 81, 86, 88). *Pt de l'Ass. nat.* 1958-69, 79-81, 86-88. *1er min.* 1969/72. *Pt du Conseil régional* d'Aquitaine dep. 1974/88. *Candidat à la prés. de la Rép.* mai 1974. *Sports :* tennis (finaliste du double messieurs aux championnats de Fr. 1965, a remporté le double messieurs vétérans aux internat. de Fr. 1970), rugby (ancien internat.), golf. *Œuvres :* l'Ardeur (1975), Charles de Gaulle (80), la Libération (84), les Compagnons (86), la Dame d'Aquitaine (1987).

Chevènement, Jean-Pierre (9-3-39, Belfort). *Père* instituteur. *Marié,* 2 enf. *Diplômé* des Sciences po. *Licencié* en droit et sc. écon. Diplômé d'allemand (univ. de Vienne). E.N.A. (1963-65). *Attaché commercial au min. des Finances* (1965-68). Cons. comm. à Djakarta (1969). Dir. des études à la Sté Eres (1969-71). Secr. gén. du C.E.R.E.S. (1965-71). *Député* socialiste du Terr. de Belfort (1973, 1978, 1981, 1986, 1988, 1991). *Min. d'État* de la Recherche et de la Technologie (1981-82) ; min. d'État de la Recherche et de l'Industrie (1982-83), de l'Éduc. nationale (1984-86), de la Déf. nat. (1988-1991 démissionne, désapprouve l'intervention militaire dans le Golfe). *Œuvres :* l'Énarchie ou les Mandarins de la société bourgeoise (1967), Socialisme ou Social-médiocratie (69), Clefs pour le socialisme (73), le Vieux, la Crise, le Neuf (75), le C.E.R.E.S., un combat pour le socialisme [en coll. (75)], le Service militaire (77), être socialiste aujourd'hui (79), Apprendre pour entreprendre (85), le Pari sur l'intelligence (85).

Cheysson, Claude (13-4-20, Paris). *Père* inspecteur des Finances. *Marié* à Danièle Schwartz (3es noces), 6 enfants (1res n. : 1, 2es n. : 2, 3es n. : 3). E.N.A. *Secr.* des Aff. étrangères (1948). Cons. du Pt du gouv. du Viêt-nam (1952). *Chef de cabinet* de Pierre Mendès France (Pt du Conseil) (1954-55). *Secr. gén.* de la Commission de coop. tech. en Afr. (1957-62). *Min.* plénipotentiaire (1965). *Ambassadeur* en Indonésie (1966-69). *Pt* du directoire et P.-D.G. de la Cie des Potasses du Congo (1970-73). Membre de la Commission des communautés europ. (dep. 1973 et 1985). *Min.* des Relations extérieures (1981-84). *Député* europ. (1989).

Chirac, Jacques (29-11-32, Paris). *Père* admin. de Stés. *Marié* à Bernadette de Courcel, 2 enf. *Diplômé* des Sciences po. Paris et de la Summer School Harvard. E.N.A. 1957/59. Conseiller référendaire à la Cour des comptes dep. 1965. *Député* U.D.R. Corrèze 1967, dep. toujours réélu ; *dép.* R.P.R. (1978). *Conseiller gén.* dep. 1968. *Pt du Conseil gén* dep. 1970. *Secr. d'État* chargé de l'Emploi 1967/68 ; à l'Économie et aux Finances 1968/71. *Min. :* chargé des relations avec le Parlement 1971/72 ; de l'Agriculture 1972/74 ; de l'Intérieur 1974. *1er min.* 27-5-1974, démissionne le 25-8-76. *Secr. gén. de l'U.D.R.* déc. 74. *Fonde le R.P.R.* le 5-12-76 (ex-U.D.R.), en devient le Pt. *Élu maire de Paris* 25-3-77. *Candidat à la prés. de la Rép.* 1981 (18,02 % des voix) et 1988 (19,94 %). *1er min.* 20-3-86/9-5-88. *Œuvres :* Discours pour la France à l'heure du choix (1978) ; la Lueur de l'espérance (78).

Crépeau, Michel (30-10-30, Fontenay-le-Comte). *Père* inspecteur de l'ens. primaire. *Marié* à Pierrette Perès, 2 enf. *Dipl.* d'études sup. de droit privé et d'hist. du droit. Avocat (dep. 1955). *Maire* de La Rochelle (dep. 71), *cons. gén.* de Charente-Mar. (1967, réélu en 73). Pt de la Féd. rég. Poitou-Charentes du M.R.G. (1971). *Député* de la Charente-Mar. (dep. 1973). Vice-Pt nat. du M.R.G. (1976-78). *Pt du M.R.G.* (1978-81). *Ministre* de l'Environnement (5-81-83), du Commerce et de l'Artisanat (1983-86), de la Justice (fév.-mars 86). *Candidat à la prés. de la Rép.* (1981). *Œuvres :* l'Avenir en face (80).

Cresson, Édith (27-1-34, Boulogne-sur-Seine). *Père* Gabriel Campion, inspecteur des Fin. *Mariée. Dipl.* de H.E.C.-J.F. *Maire* de Thuré (dep. 1977), de Châtellerault (dep. 1983). *Membre de l'Ass. europ.* (1979). *Cons. gén.* de la Vienne (dep. 82). *Dép.* de la Vienne (dep. 1986). *Ministre* de l'Agr. (5-1981-82), du Commerce extér. et du tourisme (1983-84), du Redéploiement industr. et du Commerce extér. (1984-86), des Aff. européennes (mai 1988). *1er min.* (mai 1991). *Œuvres :* Avec le soleil (1976).

Debré, Michel (15-1-12, Paris). *Père* médecin, membre de l'Institut. *Marié* à Anne-Marie Lemaresquier, 4 fils. *Docteur* en droit, *diplômé* des Sciences po. Auditeur 1935 puis *maître des requêtes au Conseil d'État* 1942. Commissaire rég. de la Rép. (Angers 1944/45). *Secr. gén.* aux Affaires allemandes et autrichiennes 1947. *Sénateur* d'Indre-et-L. 1948/58. Fondateur de *l'Écho de la Touraine* 1949. Fondateur (1957) et directeur (nov. 57-mai 58) du *Courrier de la colère*. *Conseiller gén.* d'Amboise (1951/70). *Maire* d'Amboise (1966-89). Ancien délégué à l'Ass. parlementaire eur. et à l'Ass. consultative du Conseil de l'Eur. *Sous la Ve Rép. : min.* de la Justice 1958/59. *1er min.* 1959/62, *min.* de l'Économie et des Finances 1966/67-67/68, des Aff. étr. 1968/69, de la Déf. nat. 1969/73. *Dép.* de la Réunion 1963-88 ; *dép.* R.P.R. (1978). *Maître des requêtes* honoraire au Conseil d'État 1974. *Candidat à la prés. de la Rép.* mars 1981. *Œuvres :* plusieurs dont : la Mort de l'État républicain (1947), Ces princes qui nous gouvernent (57), Une certaine idée de la France (72), Une politique pour la Réunion (75), le Pouvoir politique (77), le Gaullisme (78), Français, choisissons l'espoir (79), Lettre ouverte aux Français sur la reconquête de la France (80), Peut-on lutter contre le chômage ? (82), Trois républ. pour une France [t. 1 Mémoires, t. 2 Combattre (1984), t. 3 Agir (1988)], Gouverner (1988). *Dist. :* Docteur honoris causa de l'univ. de Sherbrooke (Québec). Académie française (1988).

Defferre, Gaston (14-9-10, Marsillargues, Hérault/7-5-86). *Père* avocat. *Marié* 1res noces Andrée Aboulker, 2es n. Marie-Antoinette Swaters, 3es n. Edmonde Charles-Roux (n. 17-4-20, journaliste, écrivain, prix Goncourt). Sans enf. *Licencié* en droit. *Diplômé* d'études sup. d'économie pol. *Avocat* à Marseille 1931/51. Membre du comité exécutif du P.S. sous l'occupation. Chef du réseau Brutus 1942/44. *Maire* de Marseille 1944/45, ensuite dep. 1953. *Directeur* du « Provençal » dep. 1951. *Député* aux 2 Ass. nat. constituantes 1945/46. *Député* socialiste des B.-du-Rh. 1946/58 et dep. 1962. *Secr. d'État* à la prés. du Conseil (Cabinet Gouin 1946). *Min.* de la Marine marchande (Cab. Pleven 1950/51, Cab. Queuille 1951) ; de la France d'outre-mer (Cab. Mollet 1956/57) ; *min. d'État* de l'Intérieur et de la Décentralisation (1981-84), du Plan et de l'Aménagement du territ. (1984-86). *Sénateur* des B.-du-Rh. 1959/62. *Pt du Conseil de la région* Provence-Côte d'Azur. *Candidat à la prés. de la Rép.* 1969. *Sport :* yachting. *Œuvres :* Un nouvel horizon ; Si demain la gauche...

Delors, Jacques (20-7-25, Paris). *Père* employé de banque. *Marié* à Marie Lephaille, 2 enf. *Licencié* ès sciences éco. *Diplômé* du Centre d'études sup. de banque. Chef de service à la Banque de Fr. (1945-62). Chef de service des aff. sociales du Commissariat gén. au plan (1962-69). *Cons. de Jacques Chaban-Delmas* (P.M.) pour les aff. soc. et cult. (1969). Chargé de mission auprès du même (1971-72). Membre du Cons. gén. de la Banque de Fr. (1973-79). Fondateur du Club échange et projet (1974). Délégué nat. du P.S. pour les relations écon. intern. (1976). Représentant à l'Ass. des com. europ. (1979). *Maire* de Clichy dep. 1983. *Min.* de l'Écon. et des Fin. (1981-84), Pt de Commission des Com. europ. dep. 1985. *Œuvres :* les Indicateurs sociaux (1971) ; Changer (75) ; En sortir ou pas (85), la France par l'Europe (1988).

Fabius, Laurent (20-8-46, Paris). *Père* antiquaire. *Marié* 17-4-81 à Françoise Castro, 2 fils. *Diplômé* de Sciences Po. *Agrégé* des lettres. E.N.A. Auditeur (73), maître des requêtes au *Conseil d'État* (dep. 81). *Député* de S.-M. (dep. 1978). *Secr. nat. du P.S.,* chargé de la presse (1979). *Pt de cons. gén.* Hte-Normandie. *Min.* du Budget (1981-83) ; de l'Ind. et de la Recherche (1983-1984). *1er min* (19-7-84/3-86). *Pt de l'Ass. nat.* (juin 1988). *Œuvres :* la France inégale (75), le Cœur du futur (85), C'est en allant vers la mer (90).

Fabre, Robert (21-12-15, Villefranche-de-Rouergue, Aveyron). *Père* pharmacien. *Marié* à Christiane Dutilh, 4 filles. Pharmacien dep. 1940. *Maire* de Villefranche-de-R. (1953-83). *Conseiller gén.* de l'Aveyron (1955-80). *Député* de l'Aveyron (1962-80). Cosignataire du Programme commun de gouv. de la Gauche (juill. 1972). *Pt du Mouvement des radicaux de gauche* (1972-78). Chargé de mission (1978) par le Pt de la Rép. (problèmes chômage, emploi, équilibre entre les régions). *Vice-Pt du Conseil de la région* Midi-Pyrénées dep. 1974. *Médiateur* (1980-86). Membre du Conseil constitutionnel (dep. 1986). *Œuvres :* Quelques baies de genièvre (1976) ; Toute vérité est bonne à dire (1978).

Faure, Edgar (18-8-08, Béziers, Hérault/30-3-88). *Père* médecin. *Veuf de* Lucie Meyer, f. de lettres, fondatrice de la revue *la Nef,* 2 enf. *Remarié* (1980) avec Marie-Jeanne Vuez. *Agrégé* de droit (dr. romain et hist. du dr.) 1962. *Diplômé* des Langues orient. *Avocat* dep. 1929. Procureur gén. adj. français au tribunal de Nuremberg 1945. *Député* radical-socialiste du Jura 1946/58 ; du Doubs 1967/68, 1969/72, 1973/78, R.P.R. dep. 1978. *Maire* de Pontarlier 1971/77. *Sénateur* du Jura 1959/66. *Min. sous la IVe Rép. :* Budget 1949/51, Justice 1951, Finances févr. 52, 1953/54, mai 58 ; *sous la Ve Rép. :* Agriculture 1966/68, Éducation nat. 1968/69, chargé des Aff. sociales 1972/73. *Pt du Conseil* févr. 1952, 1955/56. *Pt de l'Ass. nat.* 1973/78. *Pt du Conseil de la région* Franche-Comté dep. 1974. Pt d'honneur du Mouv. pour le socialisme par la participation dep. 1971. *Œuvres :* plusieurs dont : la Disgrâce de Turgot (1961) ; l'Ame du combat ; Pour un nouveau contrat social (73) ; la Banqueroute de Law (77) ; Avoir toujours raison c'est un grand tort (82) ; 1 roman : M. Langois n'est pas toujours égal à lui-même ; et, sous le pseudonyme d'Edgar Sanday, des r. policiers. *Acad. fr.* 1978.

Fiterman, Charles (28-12-33, St-Étienne). *Père* commerçant. *Marié* à Jeanine Poinas. Dipl. : *C.A.P.* Secr. dép. de la Jeunesse communiste (1952), Directeur de l'École centrale du P.C.F. (1963-65), élu au comité central du P.C.F. (1972), au bureau pol. et au secr. du comité central (1976). Représ. du P.C. au comité de liaison des partis du Prog. commun (1977). *Député* du Val-de-M. (1978-81). *Cons. gén.* du Val-de-M. (1973). *Ministre* des Transports (1981-84). *Dép.* du Rhône (1986-88). Maire de Tavernes (1989).

Fontanet, Joseph (9-2-21, Frontenex, Savoie/31-1-80). *Père* industriel. *Marié,* 5 enf. *Docteur* en droit, dir. de cabinet ministériel (Jules Catoire 1950-51). *Conseiller gén.* de Moutiers, Savoie 1951-76 (*Pt du Cons. gén.* de Savoie 1964-76). *Dép.* de la Savoie (M.R.P.) 1956-58. *Secr. d'État* Ind. 1959, Commerce 1959-61. *Min.* de la Santé publ. 1961-62 ; du Travail 1969-72 ; de l'Éduc. nat. 1972-73 et 1975-76. Dir. du quotidien *J'informe,* 1977. Gérant de Stés dep. 1978. Assassiné à Paris 31-1-1980 par des inconnus.

Galley, Robert (11-1-1921, Paris). *Père* médecin. *Marié* à Jeanne de Hauteclocque, fille du Mal Leclerc, 2 enf. *Ingénieur* de l'École centrale. Officier de la division Leclerc 1944-45 ; compagnon de la Libération. Chef du dép. de constr. des usines du Commissariat à l'Énergie atomique (Marcoule 1955-58, Pierrelatte 1958-66). *Pt* de la Commission permanente de l'électronique au commissariat au Plan (dep. 1966). *Min.* de l'Équip. mai-juill. 1968 ; délégué à la Recherche scient. juill. 1968-juin 1969 ; des P.T.T. juin 1969-juill. 1972 ; des Transports, juill. 1972-mars 1973 ; des Armées, avr. 1973-mai 1974 ; de l'Équip. mai 1974-août 1976 ; de la Coopér ; après août 1976 cumulé avec le min. des Armées, en remplacement de Joël Le Theule († 1980) jusqu'en 1981. (Record de longévité ministérielle sans interruption : 13 ans.) Trésorier du R.P.R. (1984). *Dép.* de l'Aube (dep. 1981).

Garaud, Marie-Françoise (6-3-34, Poitiers). *Père* Marcel Quitard, avoué. *Mariée* le 28-12-1959 à Louis G., avocat au Conseil d'État, 2 fils. *Dipl. :* d'études sup. de droit public, privé et d'histoire du droit. Avocate (1954). Attachée juridique au min. de la Marine : 1957-60. Att. parlementaire (1961-62). Avocate en 64. Chargée de mission au cab. de Jean Foyer en 1962-67. Chargée de mission auprès de Pompidou de 1967 à 68. Cons. technique au secr. gén. du Gouv. de 1969 à 74. 1974 (4-5), cons. référendaire à la *Cour des comptes, cons. officieuse auprès de J. Chirac* (P.M.), le suit lorsqu'il démissionne le 25-8-76. Participe à la création du R.P.R., à la campagne des él. lég. de 1978 et europ. de 1979, puis quitte le R.P.R. *Candidate à la prés. de la Rép.* [1981 (2,58 % des v.)]. Préside une liste aux él. lég. de 86, à Paris et n'est pas élue. *Pte* Institut intern. de géopolitique (dep. 82). 1985 réintègre la Cour des Comptes.

Gattaz, Yvon (17-6-25, Bourgoin, Isère). *Père* artiste peintre. *Marié,* 3 enf. *Ingénieur* de l'Éc. centrale des arts et manuf. Administrateur du Centre français du commerce ext. (1979-82), du Conseil national de la recherche scient. (1979-82). Fondateur et corédacteur de la revue les *Quatre Vérités* (1976-81) et Pt d'honneur (dep. 1981) du Mouv. des entreprises à taille humaine, ind. et commerciales. Membre (1976) et *Pt* (1981-86) du *conseil exécutif du C.N.P.F.* et du *Conseil écon. et soc.* (1979-89). *Œuvres :* les Hommes en gris (1970), la Fin des patrons (80), les Patrons reviennent (1988).

Gaudin, Jean-Claude (8-10-39, Marseille). *Père* artisan maçon. Prof. d'hist.-géo. *Cons. gén.* des B.-du-Rh. (dep. 1982), *Maire* de Marseille (4e secteur, 1983-89). *Député* B.-du-Rh. dep. 1978. *Pt du conseil rég.* Prov.-C.-d'Azur (1986), *Pt du groupe U.D.F.* à l'Ass. nat. *Sénateur* des B.-du-R. (1989). *Œuvres :* Ils défont la France (83), Une passion nommée Marseille (83), la Gauche à l'imparfait (85). *Sport :* ski de fond.

Giroud, Françoise (21-9-16, Genève, Suisse). *Père* Salih Gourdji, dir. de l'agence télégr. ottomane. *Mère* de 2 enf. (1 garçon décédé, 1 fille). Bachelière. Script-girl 1932. Assistante-metteur en scène 1937. Directrice de la rédaction de *Elle* (1945/53). Cofondatrice de *L'Express* (1953), dir. de la rédaction puis de la publication 1971/74, Pte d'Express-Union 1970/74 ; membre du Conseil de surveillance (1971/74) du Groupe Express. *Secr. d'État* auprès du 1er min. (Condition féminine, 1974/76, Culture, 1976/77), *vice-Pte de l'U.D.F.* (1978). *Œuvres :* le Tout-Paris (1952), la Nouvelle Vague Portrait de la jeunesse (58), Une poignée d'eau, Si je mens (72), la Comédie du pouvoir (77), Ce que je crois (78), Une femme honorable (81), le Bon Plaisir (82), le Quatrième Pouvoir (85), Alma Mahler (87), Leçons particulières (90).

Giscard d'Estaing, Valéry (2-2-1926, Coblence, R.F.A.). *Père* inspecteur des finances, membre de l'Institut [né Edmond Giscard (1894-1982) ; autorisé, ainsi que son fr. René, par décret du 17-6-1922, à relever le nom de d'Estaing et à s'appeler Giscard d'Estaing (motifs retenus : 1° possession du château de Murol, P.-de-D., propriété de la famille d'Estaing ; 2° liens de parenté avec Lucie-Madeleine d'Estaing, dernière du nom)]. *Marié* (17-12-1952) à Anne-Aymone de Brantes, 4 enf. : Valérie-Anne (ép. 1° Gérard Montassier, div. 2° Bernard Fixot), Henri, Louis-Joachim, Jacinte (ép. Philippe Guibout, div.). *Polytechnicien. E.N.A.* (1949/51). Inspecteur des Fin. 1954. Dir. adj. au cab. d'Edgar Faure (Pt du Conseil juin/déc. 54). *Député* du P.-de-D. 1956, réélu en 58-62, 67-69. *Conseiller gén.* de Rochefort-Montagne 1958/74, de Chamalières 1982/88. *Secr. d'État* aux Finances 8-1-1959 (gouv. Debré). *Min.* des Finances

19-1/nov. 1962 (gouv. Pompidou). *Min.* des Fin. et des Aff. écono. déc. 62-janv. 66 (gouv. Pompidou). *Pt de la Fédération nat. des R.I.* 1966. *Pt de la Commission des Finances* (Ass. nat.) avril 67/mai 68. *Pt du Conseil de l'O.C.D.E.* 1970. *Min.* de l'Écon. et des Fin. 1969/74 (gouv. Chaban-Delmas, puis Messmer). *Maire* 1967/74 puis conseiller municipal de Chamalières 1973. *Pt de la Rép. :* 19-5-1974/21-5-1981. *Candidat à la prés. de la Rép.* en 81. *Député* du Puy-de-D. 84 (23-9)-86, 88. *Pt* de la commission des aff. étr. dep. 7-4-87. *Pt du Conseil régional* d'Auvergne dep. 1986. *Pt* de l'U.D.F. (juin 1988). *Distraction :* accordéon. *Sport :* chasse. *Œuvres :* Démocratie française (1976, 1 185 000 ex.) ; L'État de la France (1981) ; Deux Français sur trois (84) ; le Pouvoir et la vie (88).

Guichard, baron Olivier (27-7-20, Néac, Gironde). *Père* officier de marine. Veuf. 3 filles. *Licencié* ès lettres et en droit. *Diplômé* des Sciences po. *Chargé de mission* au R.P.F. 1945/51. *Chef du cab.* du général de Gaulle 1951/58. *Préfet* de 3e classe hors cadre 1958. *Conseiller* au Secr. gén. de la Prés. de la Rép. 1959/60. *Maire* de Néac, Gironde (1962-71), La Baule (dep. 71). *Député* Ve Rép. 1967 Loire-Atlantique, réélu dep. (en 1978 R.P.R.). *Min.* de l'Industrie 1967, chargé du Plan et de l'aménagement du territoire 1968/69, de l'Éducation nat. 1972, de l'Aménagement du territoire, du logement, du tourisme 1972/74, de l'Équipement et des transports 1974, d'État, garde des Sceaux 1976/77. *Pt du conseil régional* des Pays de la Loire 1974. Conseiller d'État (dep. 1978). *Œuvres :* Aménager la France (1965) ; l'Éducation nouvelle (70) ; Un chemin tranquille (75) ; Mon Général (80).

Hernu, Charles (1923 Quimper, Finistère, 1990). *Père* gendarme. *Marié* 1963 Jacqueline Chabridon, 1975 à Dominique Tréteau. Directeur du journal *Le Jacobin* dep. 1954. *Maire de Villeurbanne* dep. 1977. *Dép.* radical-soc. de la Seine 1951-58 ; du Rhône 1978, 81, 86, 88. *Vice-Pt de l'ex-Féd. de la gauche démocr. et soc.* Délégué gal du Parti soc. aux élus. *Min.* de la Défense (22-5-81), démissionne le 20-9-85 à la suite de l'affaire Greenpeace.

Jobert, Michel (11-9-21, Meknès, Maroc). *Père* ingénieur agronome. *Marié* à Muriel Frances Green, 1 enf. *Diplômé* des Sciences po. *E.N.A.* Conseiller à la Cour des comptes 1953. Membre de cab. ministériels. *Dir. de cab.* de G. Pompidou 1966/68. *Pt du conseil d'admin.* de l'Office nat. des forêts 1966/73. *Secr. gén. de la prés. de la Rép.* 1969/73. *Min.* des Aff. étrangères 5-4-73/27-5-74. Fondateur du Mouv. des démocrates. *Min. d'État* du commerce extérieur (22-5-1981/févr. 1983). *Œuvres :* Mémoires d'avenir (1974), les Idées simples de la vie (75), Lettre ouverte aux femmes politiques (76), l'Autre Regard (76), la Vie de Hella Shuster, Parler aux Français (77), Maroc (78), la Rivière aux grenades (roman), Chroniques du Midi libre (82), Vive l'Europe libre (83), Par 36 chemins (84), Maghreb, à l'ombre de ses mains (85), les Américains (1987), Journal immédiat... et pour une petite éternité (1987), Vandales ! (1990).

Jospin, Lionel (12-7-37, Meudon, Hts-de-S.). *Père* instituteur, militant S.F.I.O. *Marié* à Élisabeth Dannemüller, 2 enf. *Diplômé* des Sciences po. 1959. *E.N.A.* Adhère au P.S.U. 1960. *Secr. des Aff. étrangères* 1965-70. *Prof.* d'économie à l'I.U.T. Paris-Sceaux 1970-81. *Conseiller* de Paris 18e 1977-82. *1er secr. du P.S.* 1981-88. *Min.* de l'Éd. nat. (5-88). *Dép.* de Paris XVIIIe 1981, 86, de la Hte-Garonne 1986, 88. *Sport :* basket.

Joxe, Pierre (28-11-34, Paris). Fils de Louis Joxe (1901-91, qui fut min. de de Gaulle et négociateur d'Évian). *Marié* en 3es noces à Valérie Crayeuse, 1 enf. *Licencié* en droit. *E.N.A.* Cons. référendaire à la Cour des comptes (1968). Chargé de mission auprès du min. des Aff. étrang. (1967-70). Membre du bureau nat. du P.S. (1971). *Dép.* Saône-et-Loire (dep. 1973). Membre Parlement europ. (1977-79). Vice-Pt du groupe socialiste (1978). *Pt du cons. rég.* de Bourgogne (1979-82). *Min.* de l'Industrie (1981), de l'Intérieur et de la Décentralisation (1984-86), de l'Intérieur (1988-91), de la Défense nat. (1991). *Pt du groupe parlementaire socialiste* (1981-84). *Œuvres :* Parti socialiste (1973) ; Atlas du socialisme (73).

Juppé, Alain (15-8-45, Mont-de-Marsan). *Père* propriétaire agricole. *Marié* 2 enf. Sciences po., agrégé lettres, *E.N.A.*, Inspecteur des Fin. (1972). Conseiller de Paris R.P.R. *Député* européen 1984. *Maire* adjoint de Paris. *Min.* du Budget (1986-88), *porte-parole* du gouvernement (1986). *Dép.* de Paris (1986, 88). *Secr. gén.* du R.P.R. (juin 1988).

Krivine, Alain (10-7-41, Paris). *Père* médecin. *Marié* à Michèle Martinet, 2 filles. *Licencié* en histoire. Militant au Parti communiste depuis 1959. Exclu en 1966, il crée la Jeunesse communiste révolutionnaire ; cette organisation dissoute, il crée la Ligue communiste. Nouvelle dissolution et fondation, le 12 avril 1974, du Front communiste révolutionnaire remplacé par la Ligue communiste révolutionnaire. 3 emprisonnements pour raisons politiques. *Candidat à la prés. de la République* en 1969 (2,33 % des voix) et en 1974 (2,32 %). *Œuvres :* Questions sur la révolution (1973), les Chemins de la révolution (coll. 77), Mai si ! (1988).

Laguiller, Arlette (18-3-1940). *Célibataire.* Syndicaliste Force ouvrière. Membre de la direction politique du mouvement trotskiste Lutte ouvrière. *Candidate aux législ.* 1973, *à la prés. de la Rép.* 1974, 81, 88 (1,99 %). *Œuvres :* Moi, une militante (1973), Une travailleuse révolutionnaire dans la campagne présidentielle (1974), Il faut changer le monde (1988).

Lajoinie, André (26-12-1929, Chasteaux en Corrèze). *Père* agriculteur. *Marié* (10-8-1960) à Paulette Rouffiange, 1 enf. : Laurent. *Carrière au P.C. :* membre du P.C.F. (1948). Secr. gén. de l'U.J.R.F. (1956). Blessé (1958-30-7) au cours d'une manifestation à Brive, soigné en Tchécoslovaquie (trépané ?). Suit des cours à Moscou ? (1966-67). Membre du Comité central (1972). Secr. de la Commission paysanne (1973). Membre du Bureau politique, responsable de la section agricole (1976). Directeur de *La Terre* (hebdo.) (1977). *Conseiller régional* (1978). *Député* (1978-19-3) de Gannat (Allier, 52,05 % des voix). Réélu (1981-21-6, Pt du Groupe communiste à l'Assemblée nat.). Réélu (1986-16-3/1988-12-6). *Candidat à la prés. de la Rép.* 1988 (6,76 % des voix).

Lalonde, Brice (10-2-46, à Neuilly-s-S.). Journaliste. 1966-68, Pt de l'U.N.E.F.-Sorbonne. Adhère au P.S.U. et en 71 aux Amis de la Terre. Exclu du P.S.U. pour s'être présenté contre un P.S.U. à l'él. lég. partielle du 14-11-1976. *Candidat à la prés. de la Rép.* (1981). *Secr. d'État* à l'environnement (5-88) puis min. dél. et min. (5-91).

Lang, Jack (12-9-1939, Mirecourt, Vosges). *Père* directeur commercial. *Marié* (13-3-1961) à Monique Buczynski, 2 enf. *Diplômé* de Sc. po. *Agrégé* de droit public. Créateur et directeur du Festival mondial du théâtre universitaire à Nancy (1963-72). Directeur du théâtre universitaire de Nancy (1963-72) du Th. du palais de Chaillot (ex. T.N.P.) (1972-74). Professeur de droit international (1976). Directeur d'U.E.R. à Nancy (1977). Conseiller de Paris (1977). *Min.* de la Culture (1981-86 et mai 1988). *Dép.* socialiste du Loir-et-Cher (dep. 1986).

Laurent, Paul (1-5-25, Génélard, S.-et-L., 8-7-90) *Père* ajusteur. *Marié. Brevet* élémentaire. Agent technique des Travaux publics. *Secr. gén.* de la Jeunesse communiste (1954-62). Membre du bureau pol. du P.C. (1961). Secr. du Comité central du P.C. (1973). *Député* de Paris (1967-81). *Conseiller* de Paris (1983).

Lecanuet, Jean (4-3-1920, Rouen). *Père* représentant. *Marié* en 2es noces à Jacqueline Pannier ; 3 enfants de son 1er mariage. *Diplômé* d'études sup. de lettres. *Agrégé* de philo. Professeur agrégé à Douai 1942. Inspecteur gén. au min. de l'Information 1944. *Directeur de plusieurs cab. ministériels* (Information, Marine marchande, Économie nat., Intérieur, Finances). *Député* de la Seine-Mar. 1951/55. *Maire* de Rouen dep. 1968. Maître des requêtes au Conseil d'État 1956. *Directeur du cab.* de P. Pflimlin, min. d'État 1958/59. *Sénateur* de Seine-Mar. (avr. 59/mars 73). *Pt nat. du M.R.P.* 1963/65. *Candidat à la prés. de la Rép.* 1965. *Pt du Centre démocrate* 1966. *Cofondateur du Mouv. réformateur* 1972. *Député* de la Seine-Mar. 1973/77. *Pt du conseil régional* de Hte-Normandie 1974. *Min. d'État,* garde des Sceaux 1974/75, chargé du Plan et de l'Aménagement du territoire 1976/77. *Sénateur* de Seine-Mar. dep. sept. 1977/86. *Pt de l'U.D.F.* 1978-88. *Dép.* européen dep. 84. *Dép.* de Seine-Maritime (1986). *Sénateur* de S.-Mar. (1986). *Œuvre :* le Projet réformateur (1973) (en coll. avec Jean-Jacques Servan-Schreiber).

Léotard, François (26-3-42, Cannes). *Père :* conseiller à la Cour des Comptes. *Marié* à France Reynier (qui a eu 3 enf. de son 1er mariage). *Diplômé* de l'I.E.P. de Paris, *E.N.A. Sous-préfet,* dir. de cab. du préfet de Dordogne 1974, hors cadre au cab. du min. de l'Intérieur 1975-77. *Maire* de Fréjus dep. 77. *Député* U.D.F.-P.R. du Var dep. 78. *Conseiller général* du Var (83). Secr. gén. du P.R. (82). *Vice-Pt de l'U.D.F.* 1983-84. *Min.* de la Culture (1986-88). *Œuvres :* A mots découverts (1987), les Chemins de printemps (1988), la Ville aimée, Pendant la crise le spectacle continue (1989).

Le Pen, Jean-Marie (20-6-28, La Trinité-sur-Mer, Morbihan). *Père* patron pêcheur. Marié 1res n. à Pierrette Lalanne, 3 filles, 2es n. à Jeanne Paschos. *Licencié* en droit. *Diplômé* des Sciences po. *Pt de la Corporation des étudiants* en droit de Paris 1949/51. Sous-lieutenant, para en Indochine (1954). *Député* de la Seine 1956, se met en congé et va 6 mois en Algérie (1er R.E.P.), réélu 1958/62-1986. *Secr. gén. du Front nat. combattant* dep. 1956. Dir. de Sté de relations pub. dep. 1963. *Pt du Front nat.* dep. 1972. *Candidat à la prés. de la Rép.* 1974 (0,74 % des voix), 1988 (14,39 %). *Conseiller munic. du XXe arr.* (Paris) mars 1983. *Dép.* européen dep. 84. *Dép.* de Paris (1986-88). *Œuvres :* les Français d'abord (1984), la France est de retour (1985).

Leroy, Roland (4-5-26, St-Aubin-lès-Elbeuf). *Père* cheminot. *Marié* 3 fois, 2 enf. d'un 1er mar. *C.E.P.* Employé à la S.N.C.F. 1942-1945/47. Secr. fédéral du P.C.F. 1948/60. Membre du bureau polit. dep. 1964. *Député* Seine-Mar. 1956-58, 1967-81. *Dir.* de « l'Humanité » dep. 1974. *Conseiller municipal* de St-Étienne-du-Rouvray. *Dép.* de Seine-Mar. (1986/88). *Œuvres :* essais politiques et littéraires.

Madelin, Alain (26-3-46, Paris). *Père* ouvrier. Avocat, ancien militant d'Occident. Membre du secr. nat. de la Fédération nationale des Républicains indépendants (1977), délégué national du Parti Républicain (dep. 1977), *député* I.-et-V. (dep. 1978), délégué général du P.R. (1985), *min.* de l'Ind. (1986-88). *Œuvre :* Pour libérer l'école, l'enseignement à la carte (1984).

Maire, Edmond (24-1-31, Épinay-sur-S.). *Père* cheminot. *Marié,* 3 enf. Chimiste chez Péchiney 1954/58. Secr. permanent du syndicat C.F.D.T. de la chimie 1958/60. *Secr. gén.* de la Féd. des industries chimiques 1964/70. *Secr. gén. de la C.F.D.T.* (1971-89). Membre du *Conseil économique et social* 1969-74. *Œuvres :* la C.F.D.T. et l'autogestion (1973) ; Lip (73, avec C. Piaget) ; Demain l'autogestion (76).

Marchais, Georges (7-6-20, La Hoguette, Calvados). *Père* mineur. *Marié* 1res n. à Paulette Noetinger, 3 enf., 2es n. à Liliane Grelot, 1 enf. Mécanicien ajusteur 1940. Travailleur volontaire en Allemagne (contrat signé 12-12-1942). 1942-43. Secr. du syndicat des métaux d'Issy-les-Moulineaux 1946. Membre du P.C.F. dep. 1947. Membre titulaire du comité central et du bureau politique du P.C.F. 1959. *Secr. gén. adj.* 1970, puis *secr. gén. du P.C.F.* dep. 1972. Cosignataire du Programme commun de gouv. 1972. *Député* du Val-de-Marne dep. 1973. *Candidat à la prés. de la Rép.* 1981. *Dép.* européen dep. 84. *Œuvres :* les Communistes et les Paysans (1972) ; le Défi démocratique (73) ; la Politique du P.C.F. (74) ; Communistes et/ou chrétiens (77) ; Parlons franchement, Réponses (77) ; l'Espoir au présent (80) ; Démocratie (90). *Sport :* marche à pied.

Mauroy, Pierre (5-7-28, Cartignies, Nord). *Père* instituteur. *Marié* à Gilberte Deboudt, 1 fils. Professeur de l'enseignement technique 1952. Secr. nat. des Jeunesses socialistes 1950/58. Secr. gén. de la fédération S.F.I.O. du Nord dep. 1963. Membre du bureau politique 1963 et *secr. gén. adj.* 1966 *de la S.F.I.O.* Membre du comité exécutif de la F.G.D.S. 1965/68. *Conseiller gén.* du Cateau 1967/73. *Maire* de Lille dep. 1973. *Dép.* du Nord dep. 1973. *Dép.* européen (1979-84). *Pt du conseil régional* du Nord-Pas-de-C. (1974-81). *1er min.* (1981-84). *Secr. gén.* du P.S. (5-88). *Pt* de la Communauté urbaine de Lille (1989). *Sport :* aviation. *Œuvres :* Héritiers de l'avenir (1977) ; C'est ici le chemin (82), A gauche (85).

Mayer, René (1895-1972). Homme d'affaires, cousin des Rothschild. 1925 membre du cab. de Pierre Laval. 1928-40 administration des chemins de fer du Nord et de la banque Rothschild Frères. 1940-42 protégé par Laval, demeure en France. 1942 rejoint le général Giraud en Algérie (commissaire aux communications). 1946-56 *dép.* radical de Constantine, 4 fois *min.* 1953 *Pt du Conseil.* 1955-57 *Pt de la Haute Autorité* à Bruxelles.

Mendès France, Pierre (1907-82). *Origine du 2e patronyme :* francisation de Franco [(Franco de Mendez), nom judéo-esp. (donné par les Turcs aux réfugiés hispano-portugais parlant une « lingua franca »)]. *Père* confectionneur. 1° Marié à Lily Cianel, 2° à Marie-Claire Servan-Schreiber (ex-Mme de Fleurieu). *1926* avocat (le + jeune de Fr.). *1928 doct. en droit* (id.). *1932 député* rad. de l'Eure, Louviers (id.). *1938 sous-secr. d'État* au Trésor (id.). *1939-40* aviateur en Syrie. *1940,* juin, embarqué à Bordeaux sur le Massilia ; 31-8 arrêté pour désertion. *1941,* mai, condamné à 6 ans de prison au procès de Riom ; juin, s'évade. *1942,* 1-3 rejoint Londres, off. d'aviation. *1943-44 Commissaire* aux Finances de De Gaulle à Alger, puis à Paris. *1944,* sept. *min.* de l'Économie nationale. *1945,* avr. démissionne (motif : pour tarir l'inflation, il voulait l'échange des billets de banque et le blocage des comptes bancaires. Refus de De Gaulle). *1946-58 député* de l'Eure. *1947-58* gouverneur du Fonds monétaire internat. *1953,* 3/4-6 investiture refusée pour la présidence du

Conseil. *1954,* 18-6 *Pt du Conseil :* 20-7 signe le tr. de Genève (paix en Indochine) ; 31-7 se rend en Tunisie, à Carthage, annonce l'autonomie interne de la T. ; 30-8 fait échouer la C.E.D. *1955,* 5-2 renversé (prend la parole après la fin de son mandat, ce qui paraît scandaleux). *1956,* 1-2 *min. d'État* sans portefeuille (démissionne 23-5). *1958-69* opposant au régime gaulliste. *1961* rejoint le P.S.U. *1967 dép.* de Grenoble. *1968, 27-5* cautionne par sa présence la manifestation gauchiste de Charlety, se dit prêt à assurer le pouvoir ; juin battu aux législatives. *1969* soutient Gaston Defferre, candidat à la prés., se présentant comme son futur 1er min. (échec : 5,07 % des voix). *1971* atteint d'un cancer. *1981* honoré par Mitterrand après la victoire de la gauche aux présidentielles (accolade à l'Élysée).

Mermaz, Louis (20-8-31, Paris). *Agrégé* d'histoire. Assistant d'histoire à la faculté de Clermont-Ferrand. *Député* de l'Isère (1967-68 puis dep. 1973). *Pt du cons. gén.* de l'Isère (dep. 1976). *Maire* de Vienne (dep. 1971). *Ministre* de l'Équipement et des Transports (5-6-1981), des Transports (5-88), de l'Agriculture (1990). *Pt de l'Ass. nationale* (1981-86). *Pt du groupe socialiste à l'Ass. nat.* (5-88). *Œuvres :* Mme Sabatier, les Hohenzollern, l'Autre volonté (1984), Madame de Maintenon (85).

Messmer, Pierre (20-3-1916, Vincennes). *Père* industriel. *Marié* à Gilberte Duprez. *Docteur* en droit. *Diplômé* des Langues orientales. Élève administrateur des colonies 1938. Rejoint les F.F.L. 1940. Participation aux campagnes d'Afrique, d'Italie, de France et d'Allemagne. Prisonnier du Viêt-minh 1945. Secr. gén. du comité interministériel de l'Indochine 1946. Admin. en chef de la France d'outre-mer 1950. *Gouverneur* de la Mauritanie 1952, de la Côte-d'Ivoire 1954/56. *Dir. du cabinet* de G. Defferre (min. de la France d'outre-mer) janv.-avr. 1956. *Ht Commissaire de la Rép.* au Cameroun 1956/58, en A.E.F. 1958, en A.O.F. juill. 1958-déc. 1959. *Min.* des Armées 1960/69, chargé des T.O.M. 1971/72. *1er min.* 1972/74. *Député* U.D.R. de la Moselle dep. 1968 ; dép. R.P.R. (1978), non réélu 1988. *Conseiller gén.* dep. 1970. *Pt du cons. rég.* de Lorraine depuis 1978. *Maire* de Sarrebourg dep. 1971. *Pt du groupe parlementaire R.P.R.* (1986). Membre de l'*Ac. des sciences morales et politiques* (1988). *Sports :* tennis, voile.

Mestre, Philippe (23-8-27, Talmont, Vendée). *Père* médecin. *Marié* 3 enf. École nat. de la Fr. d'O.M. Adm. de la Fr. d'O.M. (1951), cons. tech. au cabinet de Pierre Messmer (1964-69), au cab. de J. Chaban-Delmas (1969-72). *Préfet* (dep. 1970). *Dir. du cabinet* du 1er min. R. Barre (1978-81), *Dép.* de la Vendée 1981-84, 86, 88.

Moch, Jules (1893, Paris/1985). *Père :* officier. *Marié* en 1res n. à Germaine Picard, 2 enf. (veuf), 2es à Elliane Bickert. *Polytechnique,* ing. de la marine. *Dir.* des services de restitution ind. et agr. en All. 1918-20. *Ingénieur* 1920-27. *Député* Drôme 1928-36, Hérault 1937-40, 1946-58, 1962-67. *Secr. gal* de la Présidence du Cons. 1936. *Sous-secr. d'État* 1937. Rejoint les forces navales fr. en 1943. *Membre* de l'Ass. consultative d'Alger. *Min.* des Travaux publics 1938, des Tr. publics et des Transports, de l'Écon. nation. et de la Reconstruction 1947, *vice-Pt du Conseil* et *min.* de l'Intérieur 1947-50, 14-5/31-5-1958, de la Défense 1950-51. *Représentant permanent de la Fr.* à la commission du désarmement de l'O.N.U. 1951-61. Démission du P.S. en 1974. *P.-D.G.* de la Sté d'études du pont sur la Manche 1960. *Œuvres :* plusieurs dont : Rencontres avec Darlan et Eisenhower, Destin de la paix (1969), Rencontres avec Léon Blum (70), le Front populaire, grande espérance (71), Rencontres avec de Gaulle (71), Socialisme de l'ère atomique (74), Une si longue vie (76), le Communisme, jamais ! (78).

Monory, René (6-6-23, Loudun). *Père :* garagiste. *Marié* à Suzanne Cottet, 1 fille. *Études :* école primaire supérieure. Commerçant en automobiles et machines agricoles. 1952, Pt de Sté de machines agricoles et de pétrole. *Maire* de Loudun dep. 1959. *Conseiller gal* de Loudun dep. 1961. *Sénateur,* Union centriste des démocrates de progrès, de la Vienne, 1968-77 et dep. 1981. *Min.* Ind., Commerce et Artis. 1977-78, Écon. 1978, Éduc. nat. (1986-88). *Pt du Comité intérimaire* du F.M.I., du conseil gal de la Vienne (78). *Pt du conseil rég.* de Poitou-Charente (85). *Œuvre :* Combat pour le bon sens (1983).

Ornano, Cte Michel d' (12-7-24, Paris-8-3-91). *Père* industriel. *Marié* à Anne de Contades, 2 enf. Cofondateur de la Sté Jean d'Albret-Orlane. Conseiller du commerce extérieur (1957-73). *Maire* de Deauville (1962, 1965, 1971-77). *Pt du cons. rég.* de Basse-Normandie (1974 et dep. 83). *Député* du Calvados (1967, 68, 73-74, 78, 81, 86, 88). *Vice-Pt de la Fédération nationale des Rép. indép.* (1975). *Min.* de l'Industrie et de la Recherche (1974-77), de la Culture et de l'Environnement (30-3-1977), de l'Env. et du Cadre de vie (1978-81). *Vice-Pt* du groupe Hersant (1988). *Sports :* équitation, tennis. *Œuvres :* Une certaine idée de Paris (1976) ; la Manipulation des médias (83).

Peyrefitte, Alain (26-8-25, Najac, Aveyron). *Père :* enseignant. *Marié* à Monique Luton, 5 enf. *Normalien, licencié* Lettres et Droit, *E.N.A. Secr. aux Aff. étr.* 1947. *Secr. d'ambassade* à Bonn 1949-52. *Consul général* à Cracovie 1954-56. *Conseiller des Aff. étr.* 1958. *Ministre plénipotentiaire* 1975. *Député* U.N.R. de S.-et-M. 1958, 62, 67, 68, 73, 78, réélu le 17-1-1982 après annulation de l'élec. du 21-6-81 où il avait été battu, 86 et 88. *Parlem. europ.* 1959-62. *Délégué* à l'Ass. gén. de l'O.N.U. 1959-61 et 69-71. *Secr. d'État* chargé de l'Information 1962. *Min.* des Rapatriés 1962, de l'Information 1962-66, de la Recherche scient. et des questions atomiques et spatiales 1966-67, de l'Éd. nat. 1967-68, des Réformes adminis. et du Plan 1973-74, des Aff. culturelles et de l'Environnement 1974, de la Justice, garde des Sceaux 1977-81. *Conseiller gal* de Bray-sur-Seine dep. 1964. *Maire* de Provins dep. 1965. Membre de l'*Académie fr.* 1977, de *l'Ac. des Sciences morales et pol.* 1987. *Œuvres :* Rue d'Ulm (1946), le Sentiment de confiance (47), les Roseaux froissés (roman 48), le Mythe de Pénélope (49), Faut-il partager l'Algérie ? (essai 61), Quand la Chine s'éveillera (73), le Mal français (76, tiré à 1 200 000 ex.), Réponses à la violence (77), les Chevaux du lac Ladoga (81), Quand la rose se fanera (83). Encore un effort Monsieur le Pt (85), Chine immuable et changeante (84), l'Hôtel de Ville de Paris (86), l'Empire immobile (89), la Tragédie chinoise (1990).

Pflimlin, Pierre (5-2-1907, Roubaix). *Père :* directeur de filature. *Marié* à Marie-Odile Heinrich, 3 enf. *Docteur en droit.* Avocat 1933 (démissionnaire 1964). Conseiller municipal 1945-59 puis *maire* de Strasbourg 1959-83. *Conseiller gal* de Haguenau 1951-70, Strasbourg 1971-76. *Pt du conseil gal* du Bas-Rhin 1951-60. *Membre* des 2 Ass. constituantes 1945-46. *Député* du Bas-Rhin 1946-71. *Pt national du M.R.P.* 1956-59. *Sous-secr. d'État* à la Santé publique 1946, à l'Économie nation. 1946. *Min.* de l'Agriculture 1948-51, Commerce 1951-52, d'État chargé du Conseil de l'Europe 1952, France d'O.-M. 1952-53, Finances 1955-56, Finances, Aff. écon. et Plan 1957-58, d'État 1957-58, d'État chargé de la Coopération 1962. *Pt du Conseil* 14-5/31-5-1958. Pt du port autonome de Strasbourg 1970-77. *Membre du conseil rég.* d'Alsace dep. 1973. *Pt* du Cons. de la Communauté urbaine de Strasbourg 1967-83, *dép. européen* 1979, 84 (Union pour la F. en Europe). *Vice-Pt* de l'Ass. eur. (79) puis Pt (84-87).

Philip, André (1902-70). Famille protestante (huguenots exilés en Écosse), militant S.F.I.O. 1920. *Agrégé* de droit 1926. *Prof.* d'économie politique à Lyon. *Député* S.F.I.O. 1936, antimunichois 1938. Résistant, *dir.* du journal clandestin *Libération* 1940 ; rejoint de Gaulle à Londres 1942. *Commissaire* à l'Intérieur du Gouv. d'Alger, organise l'épuration 1943. *Commissaire* du G.P.R.F. chargé des rapports avec le Parlement 1944. *Député* U.D.S.R. (avec Mitterrand) 1945. *Min.* de l'Économie 1946-47, des Finances 13-2-47, de l'Économie 1947. Exclu de la S.F.I.O. 1958, participe à la création du Parti soc. autonome, futur P.S.U., qu'il quitte en 1962.

Pinay, Antoine (30-12-1891, St-Symphorien-sur-Coise, Rhône). *Père :* fabricant de chapeaux. *Marié* à Marguerite Fouletier (veuf), 3 enf. *Dir.* des tanneries Fouletier 1919-48. *Maire* de St-Chamond 1928-77. *Conseiller gal* de St-Chamond dep. 1934. *Pt du conseil gal* de la Loire 1949-79. *Député* de la Loire 1936-38, 46-58 ; 1958 laisse son siège à son suppléant E. Hemain. *Sénateur* de la Loire 1938-40. *Membre* de la 2e Ass. constituante 1946. *Pt* d'honneur du Centre nat. des indépendants et paysans d'action sociale à l'Ass. nat. 1956-58. *Pt* du Mouvement nat. des élus locaux. *Secr. d'État* aux Aff. écon. 1948. *Min.* des Travaux publics 1950-52. *Pt du conseil, min.* des Finances 6-3/23-12-1952. *Min.* des Aff. étr. 1955-56, des Finances et des Aff. écon. 1958-60. *Médiateur* 1973-74 (démission).

Pisani, Edgard (9-10-18, Tunis). *Marié* 4 fois (4 enf.). *Sous-préfet,* puis *préfet* (Hte-Loire 1946, Hte-Marne 1947). *Sénateur* de la Hte-Marne 1954-61. *Min.* Agriculture 1961-66, Équipement 1966 ; démissionne le 28-4-1967. *Dép.* du M.-et-L. (Ve Rép.) mars 1967, démissionne 27-5-1968. *Maire* de Montreuil-Bellay (M.-et-L). 1965, démission 1975. *Sénateur* de la Hte-M. 1974-81 (socialiste), membre de la commission des Com. Europ. (1981). *Délégué du gouv.* en Nlle-Calédonie (1-12-84). *Min.* chargé de la Nlle-Calédonie (1985). Chargé de mission auprès du Pt de la Rép. (1986). *Pt* de l'Institut du monde arabe (1988). *Œuvres :* la Région, pour quoi faire ? (1969) ; le Général indivis (74) ; l'Utopie foncière (77) ; Socialiste de raison (78) ; Défi du monde, campagne d'Europe (79), la Main et l'Outil (84).

Pleven, René (15-4-1901, Rennes). *Père :* officier. *Marié* à Anne Bompard (veuf), 2 filles. *Docteur en droit. Diplômé* des Sciences pol. *Dir. gal* pour l'Europe de l'Automatic Telephone Cie 1929-39. Rejoint le Gal de Gaulle 1940. *Secrétaire gal* de l'A.E.F. 1940. *Commissaire* aux Finances et à l'Écon., aux Colonies, aux Aff. étr. *Pt* de la conférence africaine de Brazzaville 1944. *Ministre* Colonies 1944, Finances 1945, Écon. nat. 1945, Défense nat. 1949, Aff. étr. 1958, Justice 1969-73. *Député* des C.-du-N. 1945-58 (Progrès et démocratie moderne), 1958-69. *Pt du conseil* 1950-52, désigné le 23-4-58, renonce le 8-5-58. *Pt du conseil gal* des C.-du-N. 1948-76. *Directeur politique* du journal le Petit Bleu des C.-du-N. dep. 1945. *Cofondateur et Pt* du C.E.L.I.B. 1951-72. *Pt du conseil de la région Bretagne* 1974-76. *Membre* de l'Académie des Sciences d'O.-M. dep. 1948. *Œuvre :* Avenir de la Bretagne.

Poher, Alain (17-4-1909, Ablon-sur-S.). *Père* ingénieur. *Marié* à Henriette Tugler, 1 enf. *Ingénieur* civil des mines. *Licencié* en droit. *Diplômé* des Sciences po. Administrateur civil 1re classe 1946. *Chef de cabinet* du min. des Finances 1946. *Sénateur* de S.-et-O. 1946/48-1952/68. *Secr. d'État* aux finances sept. 48, au budget nov. 48. *Pt* de la Commission du Marché commun 1955/57. *Pt* de l'Association des maires de France dep. 1974. *Parlementaire européen* dep. 1958. *Pt* de l'Ass. parlementaire européenne 1966/69. *Sénateur* du Val-de-M. dep. oct. 68, Union centriste. *Pt du Sénat* dep. le 3-10-68. *Candidat à la prés. de la Rép.* 1969. *Intérim de la prés. de la Rép.* 28-4/19-6-69 lors du départ du Gal de Gaulle et 2-4/27-5-74 lors de la mort du Pt Pompidou. *Maire* d'Ablon-sur-S. 1945-83. *Sports :* aviation, tennis.

Poniatowski, Pce Michel (16-5-22, Paris). *Marié* à Gilberte de Chavagnac, 4 enf. *Licencié* en droit. Higher certificate Cambridge, *E.N.A. Chef de cab.* du directeur des Finances du Maroc 1949/52. Attaché financier à Washington 1956. *Député* R.I. du Val-d'O. (1967-73). *Sous-directeur* au min. des Finances 1962. *Directeur de cab.* de V. Giscard d'Estaing 1959/62. *Secr. gén.* puis *Pt* des R.I. 1967/77. *Maire* de L'Isle-Adam dep. 1971. *Min. :* de la Santé publique et de la Séc. soc. 73/74 ; *d'État,* de l'Intérieur 1974/77. Ambassadeur, représentant person. le Pt de la Rép. (1977-81). *Dép.* europ. dep. 84. *Origine :* en 1650, Joseph Torelli (famille ital. émigrée au XVIe s. d'Ital.), époux de la fille du Cte Poniatov, prit le nom de Poniatowski ; la famille a donné à la France 1 maréchal (Joseph, 1763-1813) et à la Pologne son dernier roi (Stanislas II, 1732-98, roi de 1764 à 1795). *Œuvres :* Avenir des pays sous-développés (1954) ; Hist. de la Russie d'Amér. et de l'Alaska (59) ; Talleyrand aux États-Unis (67) ; les Choix de l'espoir (70) ; Cartes sur table (72) ; Conduire le changement (75) ; Cadoudal, Moreau et Pichegru (77) ; L'avenir n'est écrit nulle part (78) ; L.-Philippe et Louis XVIII (80) ; L'Histoire est libre (82) ; Talleyrand et le Directoire 1796-1800 (82) ; Garnerin ; Lettre ouverte au Pt de la Rép. (83) ; l'Europe ou la mort, le Socialisme à la française (85) ; les Technologies nouvelles (86) ; plusieurs ouvrages sur Talleyrand. *Sports :* ski, natation, chasse.

Queuille, Henri (1884-1970). Médecin, *maire* d'Ussel dep. 1912. *Dép.* de la Corrèze 1914-35. *Sén.* de la Corrèze 1935-40 et 1946-58, toujours sous l'étiquette radical-socialiste. 12 fois *min.* ou *chef du Gouvernement* sous la IVe Rép., écarté de l'Élysée en 1954, à cause de sa mauvaise santé.

Ramadier, Paul (1888-1961). Avocat, militant socialiste dep. 1904, franc-maçon dep. 1913. *Maire* de Decazeville 1919. *Député* S.F.I.O. de l'Aveyron 1928. Quitte la S.F.I.O. 1933. Avec Marcel Déat f. l'Union socialiste et rép. Redevient S.F.I.O. 1945. *Pt du Conseil* 1947, rompt avec communistes (qu'il chasse de son gouv.). Battu aux él. dans l'Aveyron 1951, le Lot 1952 ; devient *Pt* du B.I.T. (à Genève).

Rocard, Michel (23-8-30, Courbevoie). *Père* professeur. *Marié* 1res noces 2 enf. ; 2es n. 2 enf. *Licencié* ès lettres. *Diplômé* de l'I.E.P. Paris. *E.N.A.* Inspecteur des finances 1958. Secr. gén. de la Commission des comptes et des budgets écon. de la nation 1965. *Secr. nat. du P.S.U.* 1967/73. *Candidat à la prés. de la Rép.* 1969. *Député* des Yvelines 1969/73, 78, 81, 86, 88. Quitte le P.S.U. et s'inscrit au P.S., 1974. (Membre du bureau exécutif dep. févr. 1975). *Min. d'État* du Plan et de l'Aménagement du terr. (22-5-1981), *min.* de l'Agr. (14-3-1983, démissionne 4-4-85), *1er min.* (5-88/5-91). *Sports :* ski, yachting. *Œuvres :* le P.S.U. et l'Avenir socialiste de la France

(1969) ; Des militants du P.S.U. (71) ; Questions à l'État socialiste (72) ; Un député, pour quoi faire ? (73) ; le Marché Commun contre l'Europe (73) ; l'Inflation au cœur (75) ; Parler vrai (79) ; A l'épreuve des faits ; le Cœur à l'ouvrage (87), Un pays comme le nôtre, textes politiques 1986-89 (1989).

Royer, Jean (31-10-20, Nevers, Nièvre). *Père* employé de banque. *Marié,* 4 enf. *2 certificats de licence* ès lettres. Instituteur 1945/54. Professeur 1955/58. Délégué R.P.F. 1947/58. *Député* d'Indre-et-L. dep. 1958. *Maire* de Tours dep. 1959. *Conseiller général* dep. 1961. *Min. :* Commerce et Artisanat 1973/74, P.T.T. 1-3 au 11-4-74, démissionne. *Candidat à la prés. de la Rép.* mai 1974, obtient 2,64 % des voix.

Savary, Alain (25-4-18/17-2-1988). *Père* ingénieur des chemins de fer. *Marié* à Hélène Borgeaud. *Dipl.* des Sciences po. *Licencié* en droit. *Gouverneur* de St-Pierre-et-Miquelon (1941-43), Compagnon de la Libération. Commissaire de la Rép. (1945-46). *Député* de St-Pierre-et-Miquelon, *Secr. d'État* aux Aff. étr. (1956). *Secr. gén. adjoint* de la S.F.I.O. (1959). Membre du bureau nat. du P.S.U. (1960). *1er secr. du P.S.* (1969-71). *Député* de la Hte-Garonne (dep. 1973). *Pt du cons. rég.* Midi-Pyrénées (dep. 1974). *Ministre* de l'Éduc. nat. (1981-84). *Œuvres :* Nationalisme algérien et Grandeur française (60) ; Pour le nouveau Parti socialiste (70) ; En toute liberté (85).

Séguy Georges (16-3-27, Toulouse, Hte-G.). *Père* cheminot. *Marié,* 3 enf. *C.E.P.* Ouvrier imprimeur 1942-44. Responsable F.T.P. Déporté à Mauthausen 1944. Ouvrier électricien S.N.C.F. 1946/70. Membre du P.C.F. dep. 1942, du comité central du P.C.F. dep. 1954. *Secr. gén.* de la Féd. des cheminots C.G.T. 1961-65, de la C.G.T. 1967-82. Membre du bureau politique du P.C.F. de 1956 à févr. 1982 ; du bureau exécutif de la Féd. syndicale mondiale 1970/78. *Œuvres :* le Mai de la C.G.T. (1972) ; Lutter (75), 1er mai les 100 printemps (89).

Servan-Schreiber, Jean-Jacques (13-2-24, Paris). *Père* (Émile 1888-1967), journaliste. *Frère* de Brigitte Gros (1925-85), Christiane Collange (29-10-30, ép. en 2es noces de Jean Ferniot), Jean-Louis S.-S. (31-10-37). Cousin de Jean-Claude (11-4-18, fils de Robert, fondateur des Échos). *Marié* 1res noces Madeleine Chapsal (div.), 2es n. Sabine Becq de Fouquières (4 fils). Journaliste. Ancien él. de *Polytechnique. Rédacteur politique* au Monde 1948-53. *Fondateur* de l'Express (avec F. Giroud) 1953. Soutient M. X. (Gaston Defferre) aux él. prés. de 1965, *Secr. gén. du Parti radical-socialiste* 1969 puis *Pt. Député* de Meurthe-et-M. 28-6-70 (él. partielle ; 55 % des voix) ; se présente à Bordeaux contre Chaban-Delmas, est battu. Réélu les 11-3-73 et 19-3-78, invalidé le 28-6 et non réélu le 24-9. *Fondateur* (avec J. Lecanuet) du *Mouvement réformateur* 1972. *Min.* des Réformes 28-5/9-6-1974. *Pt du conseil régional* de Lorraine, 1976-78. *Pt* du Centre mondial pour l'informatique 1982-85. *Chargé de mission* par le Pt de la Rép. févr. 1977 ; démissionne le 28-4-77. *Œuvres :* Lieutenant en Algérie (1957) ; le Défi américain (67) ; le Réveil de la France (68) ; Ciel et Terre (manifeste du Parti radical) avec M. Albert (70) ; Forcer le destin (70) ; le Pouvoir régional (71) ; Appel à la réforme (72) ; le Projet réformateur (73) ; le Bataillon de la paix (avec le Gal de Bollardière) (74) ; l'Arme de la confiance (76) ; le Défi mondial (80), le Choix des juifs (88), Passions (91).

Soisson, Jean-Pierre (9-11-34, Auxerre, Yonne). *Marié* à Catherine Lacaisse, 1 enf. *Licencié* en droit. *Diplômé* des Sciences po. *E.N.A.* (1959-61). *Auditeur* à la Cour des comptes (1961). *Conseiller technique* aux cab. de Jean Morin (1964-65), d'Yvon Bourges (1966-67), d'Edgar Faure (1967-68). *Cons. référendaire* à la Cour des comptes (dep. 1968). *Député* de l'Yonne (1968, 73/74, 78, 81, 86). *Maire* d'Auxerre (dep. 1971). *Vice-Pt de la Féd. nat. des Rép. indép.* (1975). *Secr. gén. du P.R.* (1977-78). *Secr. d'État* aux Universités (8-6-1974/11-1-1976), à la Formation prof. (12-1/25-8-1976), auprès du min. de la Qualité de la vie (1976), *min.* de la Qualité de la vie (1976), *min.* de la Jeunesse, des Sports et des Loisirs (1978-81), du Travail (5-88), de la Fonction publ. (5-91). *Vice-Pt* de l'U.D.F. (1978). *Sports :* tennis, ski. *Œuvres :* le Piège (73) ; la Victoire sur l'hiver (78) ; l'Enjeu de la formation professionnelle (86).

Soustelle, Jacques (3-2-12, Montpellier, Hérault, 6-8-90). *Père* ouvrier. *Marié* à Georgette Fagot, sans enf. *Normalien, agrégé* de philo. Anthropologue en Amér. centrale (1932-39) ; rejoint de Gaulle à Londres 1940, *Commissaire nat.* à l'information de la France libre 1942. Dir. des services spéciaux à Alger 1942-44. *Com. de la Rép.* à Bordeaux 1944. *Min.* des Colonies 1945. *Député* de la Mayenne 1945-46. *Secr. gén. du R.P.F.* (1947-51). *Dép.* R.P.F. puis rép. social du Rhône 1951-58. *Gouv. gén* de l'Algérie (1955-56). *Min.* de l'Information 1958-59 (échappe à un attentat F.L.N. 1959). Réélu dep., mais laisse son siège pour être *min. délégué* 1959-60. Rompt avec de Gaulle à l'occasion du putsch des généraux (avr. 1961). Mandat d'arrêt lancé contre lui (8-12-1962), en exil à l'étranger (1961-68), rentre après l'amnistie générale et un non-lieu (oct. 1968). Fonde le mouvement Progrès et Liberté (1970). *Député* (Réformateur) du Rhône 1973-78. Membre de l'*Académie fr.* 1983. *Œuvres :* la vie quotidienne des Aztèques ; Aimée et Souffrante Algérie ; l'Espérance trahie (1962) ; l'Art du Mexique ancien (66) ; les Quatre Soleils (67) ; Lettre ouverte aux victimes de la colonisation (73) ; Archéologie et Anthropologie (76) ; l'Univers des Aztèques (79) ; les Olmèques (80) ; la Civilisation des Mayas (82).

Tixier-Vignancour, Jean-Louis (1907-89). *Père* médecin. *Veuf* de Janine Auriol, 1 fils. *Docteur* en droit. *Avocat* 1927. *Député* des Basses-Pyr. 1936/42 puis 1956/58. *Secr. gén. adj.* à l'Information 1940. *Pt du Rassemblement nat.* 1954. *Candidat à la prés. de la Rép.* 1965. *Pt de l'Alliance rép. pour les libertés et le progrès* 1966. *Œuvres :* J'ai choisi la défense (1964) ; le Contre-mal français (77) ; Si j'avais défendu Dreyfus (78).

Toubon, Jacques (29-6-41, Nice). *Père :* employé d'administration. *Marié* 1res n. à Béatrice Bernarscon (divorcé), 2es n. à Lise Weiler. *Licencié* en droit, *diplômé* de l'I.E.P. Lyon, *E.N.A.* Administrateur civil au min. de l'Intérieur 1965. Dir. de cabinet du préfet des Basses-Pyr. 1965-68, chef de cabinet du secr. d'État aux D.O.M.-T.O.M. 1968-69, du min. de l'Agriculture 1972-74, de l'Intérieur 1974. *Conseiller technique* Rel. avec le Parlement 1969-72, auprès du Premier min. *Dir.* de la Fondation Claude-Pompidou 1970-77. *Secr. gén. adjoint du* R.P.R. 1977 puis *secr. gén.* 1984-88. *député* R.P.R. Paris 1981, 86, 88. *Maire* du XIIIe arrond. et *adjoint au maire* de Paris dep. 1983. *Œuvre :* Pour en finir avec la peur (84).

Veil, Simone (née Jacob, 13-7-27, Nice, A.-M.). *Père* architecte. *Mariée* à Antoine Veil (n. 28-8-26), inspecteur des fin., dir. gén. de l'U.T.A. (1971-80), P.-D.G. de Manurhin (1982), administrateur délégué des Wagons-lits (1985-89). 3 enf. *Licenciée* en droit, *diplômée* de l'I.E.P. de Paris. *Attachée* tit. au min. de la Justice 1957/59. Substitut détaché au min. de la Justice 1959/65. Conseiller technique de René Pleven (garde des Sceaux) 1969. *Secr. gén.* du Conseil sup. de la magistrature 1970. Membre du conseil d'admin. de l'O.R.T.F. 1972. *Min.* de la Santé (1974-78). *Dép. eur.* 1979, 84. *Pte de l'Ass. eur.* (1979-82). *Pte* de la Commission juridique de l'Ass. eur. (1982-84). *Pte* du groupe Libéral et Démocrate du Parlement eur. (dep. 1984). *Œuvre :* L'Adoption (69).

Élections

Droit de vote

• **Que faut-il pour voter ?** *Être Français* (les femmes ont le droit de vote dep. le 21-4-1944) (Voir à l'Index). *Avoir 18 ans* (dep. la loi du 5-7-1974). Dep. la loi du 9-7-1970, les 21 ans n'étaient plus exigés pour les jeunes gens ayant accompli le service national actif. L'âge minimal était de 18 ans pour les titulaires de la Légion d'honneur, de la médaille militaire et de la croix de guerre à titre personnel. *Ne pas être majeur en tutelle. Ne pas avoir été :* déclaré en faillite par un tribunal ; condamné pour crimes ou pour délits à certaines peines (dans les cas graves, l'incapacité électorale sera permanente ; dans les autres, temporaire). Dans chaque cas, les personnes ayant été amnistiées ou réhabilitées retrouvent le droit de vote. *Être inscrit sur une liste électorale* (article L. 9 du Code électoral). On doit s'inscrire dans les mairies avant le 31-12 de l'année qui précède celle du 18e anniversaire, si l'on est né en janvier ou février ; au 31-12 de l'année du 18e anniv., si l'on est né dans les 10 mois suivants. Toutefois, les jeunes qui atteindraient 18 ans entre le 1er mars et la date d'une élection peuvent obtenir leur inscription sur décision du juge d'instance, mais leur demande n'est recevable que jusqu'au 10e j. précédant celui du scrutin (doit être déposée à la mairie).

Nota. – Les *militaires* peuvent voter (ordonnance du 17-8-1945). Les *Français à l'étranger* immatriculés au consulat de Fr. peuvent être inscrits sur les listes de certaines communes (voir plus loin). Les *étrangers naturalisés* peuvent voter (avant la loi du 9-1-1973, ils ne pouvaient le faire que 5 ans après leur naturalisation).

• **Inscription. Conditions.** Être domicilié dans la commune ou y résider depuis 6 mois ; ou figurer pour la 5e fois sans interruption au rôle d'une des contributions directes communales ; ou être assujetti à résidence obligatoire (fonctionnaire public). Art. L. 11 du Code électoral : « Tout électeur ou électrice peut être inscrit sur la même liste que son conjoint si celui-ci est inscrit en qualité de contribuable ».

Demandes d'inscriptions. Reçues toute l'année jusqu'au dernier jour ouvrable de décembre inclus. Pour être inscrit sur la liste électorale, il faut en faire la demande : en se présentant, en adressant sa demande par correspondance (en recommandé de préférence), ou en la faisant présenter par un tiers dûment mandaté.

Délai de réclamation devant le juge d'instance, du 11 au 20 janv. Les décisions du tribunal d'instance sont notifiées au requérant, au préfet du département, au maire et, s'il y a lieu, à l'électeur interessé (art. R. 15 du code électoral). Le délai pendant lequel un pourvoi en cassation est possible est de 10 jours.

Fournir : 1° pour prouver l'identité l'une des pièces suivantes : livret militaire ou carte du service national, livret de famille ou fiche d'état civil, carte nat. d'identité même périmée, passeport même périmé délivré ou renouvelé après le 1-10-1944 ; décret de naturalisation ; carte de naturalisation ; carte d'immatriculation et d'affiliation à la Séc. soc. ; carte du combattant, avec photographie ; permis de conduire ; titre de réduction à la S.N.C.F., non périmé ; carte d'identité de fonctionnaire avec photo, délivrée après le 1-10-1944 ; carte d'identité ou carte de circulation délivrée par les autorités militaires ; titres de pension ou permis de chasser avec photographie ; *2° l'attache* avec la circonscr. du bureau de vote : domicile (par tous moyens) ; résidence : quittances de loyer, enveloppes postales, etc. ; qualité de contribuable : certificat du percepteur ou de l'inspecteur des impôts ; résidence obligatoire : carte professionnelle ou attestation de l'administration.

Une personne qui possède depuis 6 mois une résidence dans une commune dans laquelle elle n'est pas domiciliée ne peut être inscrite sur la liste électorale de la commune si elle ne peut justifier qu'elle y habite d'une façon continue depuis 6 mois au moins au dernier jour de février.

Pour les Français à l'étranger, des centres de vote peuvent être organisés dans les ambassades ou consulats, mais l'inscription sur les listes de ces centres ne permet d'y voter que pour les présidentielles, les référendums et les él. européennes. Pour les autres él. politiques, ils doivent être inscrits sur la liste électorale d'une commune de France, précisée à l'art. L. 12 du Code électoral.

• **Statistiques. Taux d'inscription sur les listes électorales en mars 1986** (âge, hommes et, entre parenthèses, femmes). *19-21 ans* 71,9 (73). *22-23 ans* 85,3 (84,9). *24-28* 87 (87,3). *29-33* 88,1 (88,9). *34-38* 91,1 (91,9). *39-43* 93,8 (93,1). *44-48* 93,8 (94,1). *49-53* 93,3 (94,2). *54-58* 94,6 (95,3). *59-63* 92,5 (93,4). *64-68* 96,1 (95,4). *69-73* 95,7 (96,7). *74-78* 96,7 (96,4). *79-83* 96,1 (95,7). *84 et +* 96,9 (93,8). *Total 90,5 ;* (91,4).

Nota. – Les *non-inscrits* représentent de 3 % (12-3-1978) à 10 % (31-3-1955) des électeurs potentiels. 5 520 électeurs ont été radiés sur 206 000 inscrits en Corse (dont 250 décédés, 820 frappés d'incapacité électorale et 4 500 pour inscriptions multiples).

Nombre total des électeurs inscrits au 28-2-1989 (y compris DOM-TOM et collectivités territoriales). 38 438 908 dont sexe masculin (18 060 513), féminin (20 378 395).

• **Vote par procuration. Mandant.** Il doit justifier son appartenance à une catégorie bénéficiaire de la procuration. Il peut toujours résilier sa procuration devant l'autorité qui la lui a délivrée. Il peut voter personnellement s'il se présente au bureau de vote avant le mandataire. **Mandataire.** Il doit jouir de ses droits électoraux et être inscrit dans la même commune que son mandant. Il ne peut disposer de plus de 2 procurations dont une seule établie en France.

Procurations. *En France :* établies devant un magistrat ou un officier de police judiciaire (l'électeur qui ne peut manifestement pas se déplacer, en raison de son état de santé, peut obtenir l'établissement de la proc. à domicile) ; *à l'étranger :* dans les consulats. *Validité :* au choix du mandant, limitée à un seul scrutin ou fixée à 1 an ; pour les Français hors de Fr., peut aussi être établie pour la durée de l'immatriculation au consulat avec une validité max. de 3 ans.

Bénéficiaires. Électeurs éloignés de leur commune. *Marins du commerce* (inscrits maritimes, agents du service général et pêcheurs), *militaires, fonctionnaires, cheminots* et *agents des services publics appelés en déplacement* par leur service, *navigants de l'aéronautique civile. Français se trouvant hors de France, mariniers,* artisans ou salariés, et les membres de leur famille habitant à bord, *femmes en couches, malades, infirmes ou incurables en traitement ou en pension* dans les établissements publics de soins ou d'assistance, ou privés de même nature (liste fixée par arrêté min. de la Santé), *journalistes* professionnels en déplacement pour leur service, *voyageurs et représentants* exerçant leur activité dans les conditions prévues par les articles L. 751-1 et suivants du Code du travail, *agents commerciaux, commerçants et industriels ambulants et forains* et le personnel qu'ils emploient, travailleurs employés à des travaux *saisonniers agricoles, industriels ou commerciaux* en dehors du département de leur domicile, *personnels de l'industrie utilisés sur des chantiers éloignés* du lieu normal de leur travail, *entrepreneurs de transport public routier* de voyageurs ou de marchandises et les membres de leur personnel roulant appelés en déplacement par leur service, *personnes suivant, sur prescription médicale, une cure* dans une station thermale ou climatique, *personnes qui, pour leurs études ou leur formation professionnelle,* sont régulièrement inscrites hors de leur domicile d'origine dans les universités, écoles, instituts et autres établissements d'enseignement ou de formation publics ou privés, *artistes en déplacement* pour l'exercice de leur profession dans un théâtre national ou dans un théâtre municipal en régie directe ou dans une entreprise dirigée par un responsable titulaire de la licence d'entrepreneur des spectacles, *auteurs, techniciens et artistes portés sur la liste contenue dans le dossier de l'autorisation de tournage de films* délivrée par le Centre national de la cinématographie, *membres des assoc. et fédér. sport. en déplacement* pour des manif. sport., *ministres des cultes en déplacement* pour leur ministère ecclésiastique, *personnes qui ont quitté leur résidence habituelle du fait des événements de guerre* et ne l'ont pas regagnée à la date du scrutin, *citoyens qui établissent que des raisons professionnelles ou familiales* les empêchent d'être présents le jour du scrutin, *citoyens qui ont quitté leur résidence habituelle pour leurs vacances.*

Électeurs se trouvant ou non dans leur commune le jour du scrutin. *Fonctionnaires* de l'État exerçant leur profession *dans les phares, titulaires d'une pension militaire d'invalidité ou de victime civile de guerre* dont le taux est égal ou supérieur à 85 %, *titulaires d'une pension d'invalidité* [1] notamment assurés sociaux du régime général de Séc. soc. placés dans le 3e groupe, *de vieillesse, victimes d'accidents du travail* bénéficiant d'une rente correspondant à un taux égal ou supérieur à 85 %, *personnes âgées et infirmes* bénéficiant d'une prise en charge pour aide d'une tierce personne, *personnes qui assistent les invalides, vieillards ou infirmes* visés ci-dessus, *malades, femmes en couches, infirmes ou incurables* qui, en raison de leur état de santé ou de leur condition physique, ne pourront se déplacer le jour du scrutin, *personnes placées en détention provisoire et détenus* purgeant une peine n'entraînant pas une incapacité électorale, jusqu'au 1-3-1990 : *électeurs qui ont leur résidence et exercent leur activité professionnelle hors du département* où se trouve leur commune d'inscription, ainsi que leur conjoint, disposition abrogée à compter du 1-3-1990 (loi du 30-12-88, art. 13).

Nota. – (1) Allouée au titre d'une législation de Sécurité sociale bénéficiant de la majoration pour assistance d'une tierce personne.

• **Droit de vote des étrangers en France.** *Selon la Constitution du 24-6-1793,* art. 4, tout étranger âgé de 21 ans accomplis, domicilié en France depuis 1 an, qui y vit de son travail, ou acquiert une propriété, ou épouse une Française, ou adopte un enfant, ou nourrit un vieillard, tout étranger enfin qui sera jugé par le corps législatif avoir bien mérité de l'humanité, est admis à l'exercice des droits de citoyen français. *Mons-en-Barœul (19-5-1985)* 3 représentants élus par les étrangers siègent sans droit de vote au conseil municipal. *Amiens (19-12-1988)* 4 représentants associés au cons. mun., élus par les étrangers. *Mulhouse* (Ht-Rhin) *(mai 1990)* 6 arrondissements ont été créés où sont élus des conseillers d'arrondissements. Les immigrés peuvent voter (instances consultatives). **Dans les autres pays de la C.E.E.** Droit de vote et éligibilité des étrangers aux élections locales : Danemark, P.-Bas, Irlande, G.-B. (pour les seuls ressortissants du Commonwealth).

Centre d'information civique (C.I.C.). 242 *bis,* bd St-Germain, 75007 Paris. *Créé* le 3-10-1960. *Pt :* J.-C. Barbé. *Minitel :* 36.15 – CICINFO.

Nota. – Le *vote par correspondance* avait été admis temporairement en 1919 pour les réfugiés des régions envahies n'ayant pas regagné leur commune, et en 1924 pour les agents civils en service en Allemagne occupée. Institué en 1946, il fut supprimé par une loi du 31-12-1975, en raison d'abus et de fraudes.

Circonscription électorale

Définition. Division électorale dans laquelle se déroulent les élections pour un nombre déterminé de sièges. Ce peut être : la *nation,* tous les électeurs votant ensemble pour tous les députés (système difficile dans un grand État) ; le *département* (ex. : 1817, 1848, sous le IIe Empire, sous la IVe Rép. ; sauf pour les dép. les plus peuplés, divisés en plusieurs circ.) ; l'*arrondissement* (1830, sous la IIIe Rép. les arr. trop grands sont découpés par une loi) ; ou des *circonscriptions souvent découpées* d'une autre façon (Ve Rép.).

Découpage des circonscriptions. On appelle *gerrymandering* la pratique des découpages abusifs, du nom d'Elbridge Gerry (1744-1814), gouverneur de l'État du Massachusetts (U.S.A.), qui avantagea en 1814 son parti grâce à un découpage tendancieux pour les élections au Sénat. En France, sous le IIe Empire, où chaque dép. était divisé en autant de circonscriptions qu'il y avait de députés, le Gouv. remaniait à son gré tous les 5 ans ces circonscriptions.

En 1958, on a pris soin, en dehors des métropoles, d'avoir le moins possible de circonscriptions purement urbaines ; on a donc souvent accouplé les quartiers d'une ville découpée en étoile à des cantons ou à des arrond. ruraux limitrophes, espérant que les ruraux tempéreraient les ouvriers. *De 1958 à 1981,* malgré d'importants mouvements de population, la carte électorale a été peu modifiée.

Le *16-3-1986* les élections législatives se déroulant au scrutin de liste proportionnel selon la loi électorale 85-690 du 10-7-1885, la circonscription se confondait avec le département. La majorité (de droite) élue rétablit le *scrutin majoritaire uninominal à 2 tours* (loi 86-825 du 11-7-1986). L'art. 7 créait une Commission des « sages » (comprenant 7 magistrats), chargée de donner son avis sur le découpage. Selon celle-ci le *25-8-1986 :* « Aucune circonscription ne présentait d'écart, par rapport à la moyenne démographique départementale, supérieur à 20 %. » Des réserves étaient faites pour 62 dép. et la Polynésie. Le ministère de l'Intérieur suivit les avis concernant 47 dép. Les avis concernant 24 circonscriptions ne furent pas suivis en raison d'inconvénients géographiques sérieux. Le *18-9* le Conseil d'État examina le projet. Le *24-9* il fut adopté par le Conseil des ministres. Le *2-10* le Pt Mitterrand refusa de signer l'ordonnance. Le *15-10* le gouvernement engagea sa responsabilité devant l'Assemblée nat. Une motion de censure déposée par les socialistes fut rejetée (288 voix contre 281). Le *22-10* 2e lecture, le gouv. engagea sa responsabilité, les socialistes ne déposèrent pas de motion de censure. Le texte fut alors adopté selon l'art. 49-3. Le *27-10* 60 députés socialistes s'adressèrent au Conseil constitutionnel pour 47 départements (325 circonscriptions). Le *18-11* le Conseil constitutionnel déclara le texte de loi conforme à la Constitution.

Coût des élections pour l'État

• **Principe.** L'État supporte la charge de la propagande officielle. C'est ainsi que pour les élections législatives, il prend en charge les dépenses de fonctionnement des commissions de propagande (chargées de l'envoi à domicile des bulletins de vote et des circulaires des candidats), et rembourse aux candidats ayant obtenu au moins 5 % des suffrages exprimés le coût du papier, de l'impression des bulletins de vote et des circulaires adressées aux électeurs, ainsi que leurs affiches et les frais d'affichage aux emplacements officiels.

Partis et groupements politiques peuvent utiliser gratuitement les antennes de la radiodiffusion-télévision française dans les conditions fixées par l'article L. 167-1 du Code électoral.

• **Coût** (millions de F). **Cantonales.** *8 et 15-3-70 :* 24,85 ; *23 et 09-9-73 :* 38,81 ; *7 et 14-3-76 :* 52 ; *18 et 25-3-79 :* 77 ; *14 et 21-3-82 :* 153 ; *88 :* 209.

Européennes. *10-6-79 :* 110,26 ; *17-6-84 :* 196,06 ; *89 :* 314.

Législatives. *23 et 30-6-68 :* 42,25 ; *4 et 11-3-73 :* 70,04 ; *12 et 19-3-78 :* 140 ; *14 et 21-6-81 :* 216,30. *Législatives et régionales du 16-3-1986 :* 517 (dont remboursement de frais de propagande aux listes ayant obtenu au moins 5 % et 2/3 versés aux communes). Coût supplémentaire pour les 4 grandes formations (R.P.R., U.D.F., P.S., P.C.) 600 (pour chacune en moyenne 150 dont 50 au niveau national) *88 :* 578.

Municipales. *14 et 21-3-71 :* 36,79 ; *13 et 20-3-77 :* 72 ; *6 et 13-3-83 :* 190 ; *89 :* 263.

Présidentielles. *1 et 15-6-69 :* 58 ; *1 et 15-6-74 :* 121,67 ; *26-4 et 10-5-81 :* 312,30 ; *88 :* 774. Voir p. 719.

Référendum. *27-4-69 :* 22,8 ; *23-4-72 :* 24,91 ; *8-11-88 :* 209.

☞ **Coût du matériel.** *Urne* (1 urne par bureau de vote et pas plus de 1 500 inscrits par bureau) simple acier 400 F, transparente avec compteur et sonnette 1 500 F. *Case d'isoloir* (1 pour 300 élect.) 700 à 1 000 F. (*Isoloirs et urnes* en carton renforcé et ignifugé 335 F et 140 F.) *Panneau d'affichage* 500 à 800 F.

Campagne électorale

Affichage. Seule est admise en principe la propagande officielle. Le candidat doit formuler la *demande d'attribution* d'emplacements le mardi précédant le 1er scrutin au plus tard, et le mercredi précédant le 2e tour s'il y en a un. S'il n'utilise pas l'emplacement qu'il a réservé, il doit rembourser les frais d'établissement à la commune. *Nombre max. d'emplacements réservés* (en dehors de ceux établis à côté des bureaux de vote) : 5 par candidat dans les communes de 500 électeurs et – ; 10 dans les autres, + 1 par 3 000 él. ou fraction sup. à 2 000 dans les communes de plus de 5 000 él. Les affiches bleu, blanc, rouge sont interdites. Seules les affiches annonçant exclusivement la tenue de réunions électorales peuvent être apposées après le jeudi (1er tour) et le vendredi (2e tour). Chaque candidat dispose de 4 affiches par tour de scrutin : 2 grand format (594 × 841 mm) pour exposer le programme ; 2 petit format (297 × 420 mm) pour annoncer les réunions électorales.

Nota. – L'attribution des panneaux se fait dans l'ordre d'enregistrement des candidatures.

Circulaires. Chaque candidat ne peut envoyer aux électeurs avant chaque scrutin que 1 circulaire, format maximal 21 × 29,7 cm.

Bulletins. Nombre pour chaque candidat ne pouvant être supérieur de plus de 20 % à 2 fois le nombre d'él. inscrits dans la circonscr. Format réglementé selon le nombre de noms inscrits sur 1 bulletin. Chaque candidat peut faire imprimer un emblème sur ses bulletins de vote.

Commissions de propagande (dans la plupart des circonscr. électorales). Composées de magistrats et fonctionnaires, elles sont chargées : *1º* de dresser la liste des imprimeurs agréés pour procéder à l'impression des doc. électoraux ; *2º* d'adresser, au plus tard le mercr. précédant le 1er tour de scrutin, et éventuellement le jeudi précédant le 2e tour, à tous les électeurs de la circonscr., dans une enveloppe fermée envoyée en franchise, la circulaire et le bulletin de vote de chaque candidat ou liste ; *3º* d'envoyer dans chaque mairie et dans les mêmes délais les b. de vote (nombre au moins égal à celui des él. inscrits).

Nota. – La diffusion électorale de la propagande officielle n'existe pas lors des él. municipales dans les communes de – de 9 000 hab.

Interdictions. Distribution par tout agent de l'autorité publique ou municipale de bulletins de vote, professions de foi et circulaires des candidats ; utilisation, à des fins de propagande électorale, de tout procédé de publicité commerciale par la voie de la presse ; distribution, le jour du scrutin, de bulletins, circulaires et autres documents.

Modalités du vote

Bureau de vote. A chaque bureau de vote est affecté un périmètre géographique. **Salle :** table de vote où siègent les membres du bureau. Sont installées dessus, l'urne (transparente dep. le 1-1-1991) avec 2 serrures ou cadenas dissemblables, la liste d'émargement (copie certifiée par le maire, de la liste électorale du bureau de vote) ; diverses pièces permettant l'information du bureau et des électeurs ; les cartes électorales qui n'ont pu être remises à leurs titulaires ; tables de décharge à l'entrée du bureau pour les bulletins de vote fournis par les candidats et les enveloppes électorales (couleur obligatoirement différente de celle du vote précédent). Isoloirs : au moins 1 isoloir pour 300 élect. inscrits.

Constitution. *Pt :* maire, adjoint, cons. municipal dans l'ordre du tableau (rang attribué par l'élect. mun.) ou Pt désigné par le maire parmi les électeurs de la commune ; 4 *assesseurs* et 1 *secrétaire* avec voix consultative. Durant les opérations électorales, au min. 3 membres du bureau doivent être présents en permanence : le Pt (ou son suppléant, ou le plus âgé des assesseurs) et 2 assesseurs titulaires. Le Pt peut désigner parmi les conseillers municipaux ou les électeurs de la commune 1 suppléant qui, en cas d'absence, le remplacera. Chaque candidat ou chaque liste en présence peut désigner 1 seul assesseur pris parmi les électeurs du département. Il peut aussi désigner 1 suppléant commun à plusieurs assesseurs. Désignations notifiées au maire par pli recommandé au plus tard le vendredi précédant le scrutin à 18 h. S'il y a moins de 4 assesseurs, on recourt aux cons. mun. dans l'ordre du tableau puis aux élect. présents sachant lire et écrire, en prenant le plus âgé puis le plus jeune. Le secrétaire est désigné par le Pt et les assesseurs parmi les électeurs de la commune.

Délégués des candidats : chaque candidat ou chaque liste peut exiger la présence dans chaque bureau de vote d'1 délégué désigné par ses soins parmi les électeurs du département, habilité à contrôler le déroulement des opérations électorales. Il peut exiger l'inscription au procès-verbal avant ou après la proclamation du résultat, de toutes observations, contestations...

Machines à voter. Autorisées par la loi du 10-5-1969 dans les communes de + de 30 000 hab., mais l'expérience réalisée dep. les législatives de 1973 est peu concluante (défaillance, coût élevé de maintenance). En déc. 1988 ne subsistaient qu'à Ajaccio et Bastia (où il y eut cependant des fraudes en mars 1986 qui ont conduit à l'annulation des législatives et régionales de Haute-Corse). Peuvent maintenant être utilisées dans les communes de + de 3 500 hab. (1 liste fut fixée par décret en Conseil d'État), permettant plusieurs élections de type différent le même j (à compter du 1-1-1991).

Carte d'électeur (demande, voir ci-dessus). Établie par le maire. Elle est distribuée au domicile de l'électeur au plus tard 3 j avant le scrutin. Les cartes non distribuées sont gardées à la mairie ou au bureau de vote de l'électeur. Pas indispensable pour voter.

Jour du vote. Toujours un dimanche (obligatoire dep. le 5-10-1946) ; entre 8 h et 18 h (jusqu'à 19 h dans certaines grandes villes, 20 h à Paris et dans certains dép. limitrophes). De 8 h à 18 h, les préfets peuvent, par arrêté, avancer l'heure d'ouverture dans certaines communes ou la retarder dans toutes les communes d'une même circonscription électorale (commune, canton, département...). S'il y a 2 tours : 2 semaines d'intervalle entre 2 t. (élect. présidentielles), 1 semaine (autres élect.).

Opérations de vote. En cas de difficultés, le bureau tranche à la majorité par des décisions motivées. La minorité peut faire inscrire ses observations au procès-verbal. Le Pt du bureau a seul la police de l'assemblée. Il fait expulser les perturbateurs mais ne peut empêcher les candidats ou délégués d'exercer leur pouvoir de contrôle. Si l'expulsion d'un délégué est justifiée, son suppléant le remplace.

Ouverture du scrutin : le Pt constate l'heure d'ouverture du scrutin (mentionnée au procès-verbal) et que l'urne est vide ; puis il la ferme, garde une clef et donne l'autre à un assesseur tiré au sort parmi les assesseurs. *Réception des votes :* prennent part au vote les électeurs : inscrits sur la liste électorale ; porteurs d'une décision de justice leur reconnaissant le droit d'y figurer ; porteurs d'un mandat de procuration régulièrement établi ; qui ont donné procuration mais qui se présentent au bureau de vote avant leur mandataire. Au 2e tour : les électeurs inscrits sur la liste électorale qui a servi au 1er tour et certains électeurs dont l'inscription a été ordonnée entre les 2 tours par voix judiciaire (art. L. 34). *Vote :* après avoir fait constater son inscription, l'électeur retire à la table de décharge l'enveloppe et les bulletins de vote, se rend obligatoirement dans l'isoloir (sous peine de nullité) pour y mettre son bulletin dans l'enveloppe. Ceux dont l'état physique justifie l'assistance d'une tierce personne pour voter (personne ne pouvant introduire seule son bulletin dans l'enveloppe et la glisser dans l'urne) peuvent se faire accompagner dans l'isoloir par un électeur de leur choix. Le Pt vérifie l'identité de l'électeur. La production d'une pièce d'identité n'est obligatoire que dans les communes de + de 5 000 hab., mais l'absence de contrôle d'identité, même dans les communes de +de 5 000 hab. n'entraîne l'annulation des suffrages ainsi émis que s'il est établi que les personnes ont voté sous de fausses identités. L'électeur fait ensuite constater qu'il ne détient qu'une enveloppe (que le Pt ne doit pas toucher), puis la met dans l'urne. Le vote est mentionné, en face du nom de l'électeur, sur la liste d'émargement par la signature ou le paraphe de l'assesseur chargé de cette tâche, inscrit à l'encre (stylo à bille admis). Chaque électeur signe à l'encre en face de son nom sur la liste d'émargement (loi du 30-12-1988). Un timbre à date est apposé sur la carte électorale ou l'attestation d'inscription détenue par l'électeur (art. R. 61).

Clôture du scrutin : tous les assesseurs titulaires doivent être présents. Le Pt constate publiquement l'heure de clôture, qui est portée au procès-verbal. Seuls peuvent être recueillis les votes des électeurs ayant pénétré dans la salle avant la clôture.

Scrutin (durée). Très longue sous la Révolution (ex. : 37 j à Paris en sept.-oct. 1791) car il fallait vérifier les titres des électeurs ; appel nominatif sous le Directoire ; loi du 15-3-1849 et décret de 1852 : 2 j ; dep. 1875 : 1 j.

Secret. Autrefois le vote était public [ainsi en 1793 pour l'adoption de la Constitution : à haute voix ; sous le Consulat : 2 registres (oui et non)]. Il est implicitement secret dep. 1817 et explicitement dep. 1875, mais les garanties de ce secret sont restées insuffisantes jusqu'à l'adoption de l'enveloppe officielle uniforme, de l'isoloir et de l'urne en 1913-14.

Dépouillement

Principe. Effectué en public, en présence des délégués des candidats et des électeurs. **Scrutateurs** (au moins 4 par table, le nombre de tables ne pouvant être supérieur au nombre d'isoloirs) : doivent savoir lire et écrire. Présents, au moins 1 h avant la clôture du scrutin, ils sont normalement désignés par chacun des candidats ou mandataires de liste en présence ou par chacun des délégués parmi les électeurs de la commune. En aucun cas, 2 scrutateurs d'un même candidat ne doivent être à la même table.

En cas d'insuffisance, des scrutateurs sont nommés par le bureau parmi les électeurs présents de la commune. A défaut, les membres du bureau peuvent participer au dépouillement.

Dénombrement. Le bureau détermine le nombre des votants en totalisant les paraphes portés sur la liste d'émargement. Puis l'urne est ouverte et le nombre d'enveloppes et de bulletins sans enveloppe est décompté. En cas de différence entre le nombre de votants figurant sur la liste d'émargement et celui des enveloppes trouvées dans l'urne, un nouveau décompte est effectué. Si une différence subsiste, elle est mentionnée au procès-verbal.

En cas de contentieux, le juge administratif retient toujours comme valable le plus faible des 2 nombres. Les enveloppes sont regroupées par paquets de 100 dans des enveloppes spéciales aussitôt cachetées. Le Pt du bureau de vote y appose sa signature ainsi que 2 assesseurs au moins, représentant (sauf liste ou candidat unique) des listes ou des candidats différents.

Ouverture des enveloppes. Le Pt les répartit entre les tables. A chaque table, un scrutateur extrait le bulletin et le passe déplié à un autre scrutateur, qui le lit à haute voix. Les noms portés sur le bulletin sont relevés, par 2 scrutateurs au moins, sur les feuilles de pointage prévues. Si l'enveloppe contient 2 ou plusieurs bulletins identiques, 1 seul est pris en compte ; si les bulletins portent des listes et des noms différents, le vote est nul.

Le bureau statue sur la validité des bulletins et enveloppes. Puis il arrête le nombre des suffrages obtenus en fonction des feuilles de pointage et des rectifications qu'il a éventuellement opérées.

Procès-verbal. Le secr. le rédige (sur un formulaire fourni par l'État) dans la salle de vote, en présence des électeurs. Il est établi en 2 ex. signés de tous les m. du bureau. Les délégués des candidats ou des listes en présence sont invités à le contresigner. 1 ex. est déposé en mairie, l'autre transmis au bureau centralisateur le cas échéant, puis à la sous-préfecture (élections munic. et cantonale) ou la préfecture (autres élect.). Sont aussi transmis à l'autorité préfectorale : bulletins et enveloppes déclarés nuls ou blancs, ceux contestés ou litigieux, paraphés par les m. du bureau avec mention de la cause d'annulation et de la décision prise ; les listes d'émargement.

Bulletins blancs ou nuls (n'entrent pas en compte, lors du dépouillement, dans les suffrages exprimés) : b. *blancs ;* b. trouvés dans l'urne *sans enveloppe ;* b. ne contenant pas une *désignation suffisante ;* b. et enveloppes, *sur lesquels les votants se sont fait connaître ;* b. trouvés dans des enveloppes *non réglementaires ;* b. écrits sur papier *de couleur ;* b. portant des *signes intérieurs ou extérieurs de reconnaissance ;* b. déchirés aux 4 angles ; nom des candidats entouré d'un trait d'encre ou de crayon ; b. portant des numéros ; b. accompagnés d'autres documents tels que billets de train, tickets de métro...) ; b. contenus dans des *enveloppes portant des signes ;* b. portant des *mentions injurieuses* pour les candidats ou pour des tiers, et b. contenus dans des *enveloppes portant ces mentions ;* enveloppes *sans bulletin.* **Ne doivent pas être annulés,** s'ils ne constituent pas des signes de reconnaissance : b. portant des taches accidentelles : encre, graisse, rouge à lèvres... ; b. accompagnés de la profession de foi du candidat ; professions de foi mises à la place des b. eux-mêmes.

Certains partis préconisent l'emploi de bulletins blancs ou nuls lors de certaines élections (par exemple, lorsque la question posée lors d'un référendum demande une seule réponse à des questions différentes).

Fraude électorale (principaux cas)

• **Lors des inscriptions.** *Inscriptions irrégulières* de gens qui n'habitent pas la commune, ou *radiation d'office* d'électeurs dont on connaît les opinions.

• **Campagne.** *Propagande irrégulière, affichage sauvage :* condamnations très rares. *Utilisation à des fins électorales d'un fichier informatisé :* les candidats peuvent être autorisés par le maire à prendre copie des supports informatisés de la liste électorale, à condition que ces facilités soient accordées à tous, et que nul ne soit dispensé de payer le prix de ces prestations (arrêt du Conseil d'État du 3-1-1975, élect. municipales de Nice).

• **Jour du vote.** 1°) *Avant l'ouverture du scrutin :* 1. Il manque des pages au cahier d'émargement. 2. Le cahier d'émargement comporte déjà des signataires. 3. L'urne n'est pas conforme (1 seul cadenas ou 2 cadenas identiques, double fond, etc.). 4. Des bulletins de vote comportent des signes distinctifs rajoutés, pouvant les rendre nuls. 5. Le nombre d'enveloppes n'est pas conforme à celui des inscrits. 6. Un paquet d'enveloppes est jeté dans l'urne au moment de sa fermeture.

2°) *Pendant le vote :* 7. Un assesseur émarge sans justification. 8. Une identité n'est pas contrôlée (villes de + de 5 000 hab.). 9. Un électeur non inscrit vote. 10. Un électeur glisse plusieurs bulletins dans l'urne ou le Pt du bureau glisse des bulletins dans une urne truquée munie de 2 fentes. 11. Le Pt prétend expulser un assesseur ou un délégué. 12. Il manque des bulletins de vote et/ou des enveloppes dans le bureau de vote.

3°) *Après la clôture du scrutin :* 13. L'urne est ouverte avant la fin du décompte du cahier d'émargement. 14. L'ouverture de l'urne donne lieu à une bousculade. 15. Le nombre des enveloppes ne correspond pas au nombre d'émargements. 16. Les paquets de bulletins comptés sont placés sur les bords des tables (risque de substitution). 17. Les scrutateurs ont tous été désignés par le Pt. 18. Certains bulletins sont abusivement considérés comme nuls. 19. Le procès-verbal comporte des ratures non signalées. Les résultats sont inscrits au crayon. 20. Le fraudeur falsifie les résultats (fraude relevant de la Cour d'assises). 21. Une urne est substituée à une autre.

☞ Des commissions de contrôle des opérations de vote sont instituées dans les communes de + de 20 000 hab. Entre 1976 et 1980, les cantonales ont été annulées 3 fois à Fontenay-sous-Bois. En 1988, 700 à 800 procurations sur les 1 200 établies dans le 9e arrondissement de Marseille l'ont été par des personnes qui n'avaient pas qualité pour le faire.

Contestation des élections

Recours. Doit : avoir un objet, contester l'élection elle-même, en demandant l'annulation de l'élection du candidat proclamé élu, ou la proclamation d'un autre candidat.

La contestation d'une irrégularité n'est sanctionnée que si elle est de nature à jeter un doute sur le résultat du scrutin. Il faut alors que l'écart de voix entre les candidats soit faible, et que l'élu ait commis (ou bénéficié), même involontairement, de la ou des irrégularités constatées. Parfois, le juge relève des irrégularités ou annule les résultats d'un bureau de vote entier sans prononcer l'annulation du scrutin. Fréquemment le dossier est transmis au procureur de la Rép. qui peut engager des poursuites pénales envers les auteurs des irrégularités.

Contentieux des élections. Est de la compétence des juridictions administratives ou du Cons. constitutionnel. Les tribunaux adm. doivent statuer dans les 3 mois de leur saisine. Le Conseil d'État se prononce presque toujours dans l'année suivant le scrutin. Le Cons. constitutionnel juge en 2 mois env.

Délais pour saisir les tribunaux : quelques jours. *Délai d'appel :* 1 mois ; l'appel est toujours suspensif. Les actes pris entre l'élection et son annulation restent valables (sauf s'ils sont illégaux pour d'autres raisons que l'élection elle-même).

L'annulation du 2e tour oblige à refaire l'ensemble des opérations électorales, 1er tour inclus.

En cas d'annulation d'une élection cantonale ou municipale pour manœuvres dans l'établissement de la liste électorale ou irrégularité dans le déroulement du scrutin, le tribunal administratif peut décider, nonobstant appel, la suspension du mandat de celui ou de ceux dont l'élection a été annulée. En ce cas, le Conseil d'État décide dans les 3 mois. A défaut de décision définitive au bout de ce délai, la suspension est interrompue.

Modes de scrutin

Définitions

Majorité. Relative (ou simple) : maj. du candidat (ou de la liste) réunissant plus de voix qu'aucun autre concurrent. **Absolue :** majorité réunissant plus de voix que la moitié des suffrages exprimés.

Scrutin uninominal. Vote par bulletins comportant un seul nom. Utilisé quand 1 seul siège est offert par circonscription. *Peut être à 1 tour :* le candidat arrivant en tête étant élu (système utilisé en G.-B.) ; *à 2 tours :* si le candidat n'a pas obtenu la maj. absolue au 1er, on procède à un 2e tour où la maj. relative suffit (système utilisé en France pour les cantonales, les législatives, une partie des sénatoriales, les présidentielles) ; *à 3 tours* (en France pour les Pts des Assemblées parlementaires).

Scrutin de liste. Utilisé quand plusieurs sièges sont offerts par circ. (ex. : IVe République). *Listes bloquées :* l'électeur ne peut modifier la liste qu'il choisit. *Panachage :* l'électeur compose un bulletin en altérant comme il l'entend la liste de son choix : soit en prenant des noms sur une ou plusieurs autres listes, soit en ajoutant le nom de personnes qui n'ont pas fait acte de candidature. *Vote préférentiel :* l'électeur peut changer l'ordre des candidats d'une même liste.

Effets des modes de scrutin

Amplification des mouvements d'opinion. *Le scrutin à la majorité relative (à 1 tour)* amplifie les mouvements d'opinion : les élections législatives de 1979, en G.-B., ont donné aux Conservateurs 53,4 % des sièges avec 43,9 % des voix. Cette amplification est moins évidente quand il s'agit d'un *scrutin majoritaire à 2 tours,* étant donné que les sièges sont attribués lors des 2 tours. *Le scrutin de liste proportionnel* peut, lui aussi, amplifier les mouvements d'opinion, surtout dans le cas où les circonscriptions sont petites (4-5 députés par circonscription). Ex. : le scrutin proportionnel a, en 1986, donné en France, à l'Union de la droite (R.P.R.-U.D.F.-Divers droite) 50,3 % des sièges pour 44,9 % des voix.

Étant donné qu'un parti européen n'atteint qu'exceptionnellement 50 % des voix aux législatives, l'élimination de l'accentuation des mouvements d'opinion empêche la formation de gouvernements homogènes (comprenant 1 seul parti).

Effet sur l'électorat. Un changement du mode de scrutin modifie, à terme, la perception de l'enjeu électoral. *Le scrutin à la majorité relative (à 1 tour)* présente des cas de quasi-bipartisme (États-Unis, G.-B). *Le scrutin majoritaire à 2 tours* donne des multipartismes variés pouvant aller jusqu'au bipartisme mais tend, dans tous les cas, à des bipolarisations électorales (France, IVe et Ve Rép.). *Le scrutin de liste proportionnel* fournit des exemples divers allant du multipartisme (Finlande) au bipartisme (Autriche), en passant par des cas de partis dominant largement les autres (Suède, Norvège).

Modes de scrutin en France

1791-1817 : 2 degrés, scrutin de liste à 1 tour ; **1817 :** suppression des 2 degrés ; **1820 :** 2 listes (département et arrondissement) ; **1831 :** d'arrondissement ; **1848 :** suffrage universel, scrutin plurinominal majoritaire à 1 tour (dans le cadre du département) ; **1852 :** uninominal maj. à 2 t. (cadre des circonscriptions) ; **1871 :** plurinominal maj. à 1 t. (département) ; sont élus les candidats ayant eu le + grand nombre de voix, à condition qu'ils aient obtenu les suffrages de + du 1/8e des élect. inscrits ; candidatures multiples autorisées. Devant le succès des républicains à de nombreuses élect. partielles, la majorité monarchiste de la Chambre institue l'obligation d'une majorité absolue pour être élu au 1er tour ; ainsi fut créé le mécanisme du 2e tour. **1873 :** pluri. maj. à 2 t. (dép.) ; **1875 :** uni. maj. à 2 t. (arrondissement) ; **1885 :** pluri. maj. à 2 t. (dép.) ; **1889 :** uni. maj. à 2 t. (arr.) ; **1919 :** liste majoritaire et proportionnelle à 1 t. avec panachage (dép.) ; **1927 :** uni. maj. à 2 t. (arr.) ; **1945 :** liste proportionnelle avec liste bloquée (dép.) ; **1951 :** liste avec apparentement et panachage, maj. et proportionnelle (dép.) ; **1958 :** uni. maj. à 2 t. (circonscription) ; **1985 (loi du 10-7) :** pluri. à la repr. proportionnelle à 1 tour ; **1986 (loi du 11-7) :** uninominal majoritaire à 2 tours.

☞ Avec le scrutin de liste proportionnel appliqué sous la IVe Rép. de 1945 à 1956, il y eut des fluctuations électorales considérables (sauf pour le P.C.). A partir de 1947, les gouv. de coalition se sont formés en dehors du P.C. et la faiblesse des partis a mené à une instabilité gouvernementale. Devant cette faiblesse de l'exécutif, on a parlé, dans un sens péjoratif, du « régime des partis ».

Positions diverses

De Gaulle, en 1958, est tenté par la proportionnelle mais Pompidou, directeur de son cabinet le convainc de retenir le scrutin d'arrondissement ; Guy Mollet joue un rôle important dans le choix du Gal et dans le découpage des circonscriptions. **Giscard d'Estaing,** en 1957, député du P.-de-D., défend un système mixte où « la moitié des députés à l'Assemblée nationale est élue au scrutin uninominal majoritaire à 2 tours. L'autre moitié est élue au scrutin proportionnel à 1 tour sur le plan national ». En 1977, il songe encore à une réforme. En 1984, dans *Deux Français sur trois,* il propose de « transposer pour l'Assemblée nat. le mode d'élect. pratiqué pour le Sénat » : dans les départements où la population est inférieure à un certain chiffre ; scrutin d'arrondissement. Dans ceux dont la pop. est supérieure, où les électeurs se sentent moins proches de leurs élus : scrutin proportionnel départemental. En fixant la limite à 1 million d'hab., 2/3 des députés seraient élus au scrutin majoritaire et 1/3 au scrutin proportionnel. Tous resteraient élus à un « scrutin local ». **Mitterrand,** en 1958, réclame le retour au scrutin d'arrondissement et préside l'association parlementaire qui défend cette idée. Le système électoral Weill-Raynal est inscrit dans le programme socialiste dep. 1972 (jusqu'en 1980) sous le terme de *« représentation proportionnelle intégrale »* (en fait, il s'agit d'un système mixte proche de l'All. féd.). En 1981, la représentation proportionnelle (sans autre précision) figure parmi les 110 propositions de Mitterrand, alors candidat soc. à l'élect. présidentielle. En 1984, après la rupture de l'union de la gauche (juillet), le P.S., voulant limiter ses pertes prévisibles si l'on maintenait le scrutin majoritaire et se libérer de l'obligation de négocier avec le P.C. des accords de désistements pour le 2e tour, propose la proportionnelle à l'Assemblée. Ce choix provoque le départ de Michel Rocard du gouvernement. **Centristes et radicaux.** En 1978, ils réclament un scrutin proportionnel pour les législatives de 1978. En 1986, ils préfèrent le scrutin majoritaire. **Parti communiste.** A toujours été pour la proportionnelle.

☞ En 1985, **Maurice Duverger** a prôné une proportionnelle à 2 tours : le 1er aurait révélé la force respective de tous les partis, sans donner lieu à une répartition des sièges. Au 2e tour, seules les 4 listes en tête au 1er tour dans le département se seraient affrontées, telles quelles, sans apparentement ni modification, les citoyens décidant eux-mêmes des regroupements de voix.

Différents systèmes de scrutin de liste

• **Scrutin de liste majoritaire. A 1 tour :** la liste arrivant en tête est élue. **A 2 tours :** au 1er, seuls les candidats ou la liste ayant obtenu la maj. absolue sont élus ; dans le cas contraire, il y a *ballottage* jusqu'au 2e tour ; au 2e, la majorité relative suffit (élections municipales).

• **Scrutin de liste à la représentation proportionnelle. Intégrale :** on divise le nombre de suffrages exprimés par le nombre de sièges à pourvoir. Le *quotient électoral* ainsi obtenu correspond au nombre de voix nécessaires pour obtenir un siège. Les listes obtiendront autant de sièges que le nombre de voix recueillies contiendra de fois le quotient électoral. Les voix qui restent seront rassemblées par partis à l'échelon national, et il leur sera attribué proportionnellement les sièges non pourvus (système utilisé en Italie).

Approchée : les restes sont attribués entre les listes au sein même de la circonscription d'après : 1° soit *le plus fort reste :* les listes ayant le plus fort reste recevront dans l'ordre les sièges non pourvus ; 2e soit *la plus forte moyenne* [utilisé en Belgique, P.-Bas, Scandinavie ; pour partie aux sénatoriales et aux municipales (loi du 19-11-1982) en France] : différents modes possibles, dont celui qui consiste à attribuer fictivement les sièges restant à chaque liste, puis à calculer combien chaque siège représente alors de voix. La liste offrant la plus forte moyenne pour chaque s. se voit attribuer le s. restant ; s'il y a plus d'un s. en cause, on recommence l'opération.

Le système de la représentation proportionnelle a été appliqué pour les municipales dans les villes de 3 500 h. et + pour l'attribution de la moitié des sièges. La liste qui a obtenu 50 % des voix au 1er tour et celle arrivée en tête au 2e tour, qu'elle ait obtenu ou non la majorité absolue, recueillent la moitié des sièges. L'autre moitié des sièges est répartie à la proportionnelle selon « la plus forte moyenne ».

Exemple : secteur électoral où 5 sièges sont à pourvoir, 20 000 suffrages exprimés, 4 listes en présence : *Liste A :* 8 600 voix (43 %), *L. B. :* 5 600 v. (28 %), *L. C. :* 3 800 v. (19 %), *L. D. :* 2 000 v. (10 %).

Calcul du quotient électoral. On divise le nombre des suffrages exprimés (20 000) par le nombre de sièges (5). Ce qui donne un quotient de 4 000. On divise ensuite le nombre de voix obtenues pour chaque liste par le quotient (4 000) et on attribue à chacune autant de sièges qu'elle a atteint de fois le quotient. *Liste A :* (8 600 divisé par 4 000) 2 sièges. *L. B. :* (5 600) 1 siège. *L. C. :* (3 800) 0 siège. *L. D. :* (2 000) 0 siège. 3 sièges sont donc attribués. Pour les 2 restants, on ajoute fictivement à chaque liste un siège à ceux dont elle bénéficie déjà, et on divise le nombre de voix que la liste a recueilli par le nombre ainsi obtenu. Le parti qui a la plus forte moyenne obtient le siège. On recommence la même opération pour l'attribution du dernier siège. Soit ici pour le 4e siège : *Liste A :* 8 000 voix divisé par 3 (2 sièges déjà attribués plus 1 s. fictif). Soit 2 866. *L. B. :* 5 600 div. par 2 (1 + 1) 2 800. *L. C. :* 3 800 div. par 1 (0 + 1) 3 800. *L. D. :* 2 000 div. par 1 (0 + 1) 2 000. *L. C.* qui a la plus forte moyenne reçoit 1 siège. Pour le 5e et dernier siège, on recommence : *L. A. :* 8 600 div. par 3 : 2 866. *L. B. :* 5 600 div. par 2 : 2 800. *L. C. :* 3 800 div. par 2 (1 s. attribué par le calcul précédent + 1 fictif) : 1 900. *L. D. :* 2 000 div. par 1 : 2 000. La *L. A.* qui a la plus forte moyenne reçoit un 3e siège. *Répartition définitive. A. :* 3 sièges. *B. :* 1 s. *C. :* 1 s. *D. :* 0 s.

• **Systèmes mixtes.** Combinant représentation proportionnelle et scrutin majoritaire. Ex. : les *apparentements* en France en 1951 et 1956 (plusieurs listes peuvent se grouper pour le décompte des voix, afin de gagner des sièges au détriment des adversaires communs), le *double vote* en All. fédérale.

Que faut-il faire pour se présenter ?

Conditions générales d'éligibilité

Être Français ou Française. Avoir satisfait aux obligations imposées par le Code du service national ; n'être sous le coup d'aucune cause d'inéligibilité prévue par la loi (mêmes conditions que l'inscription sur les listes électorales, voir p. 714c). Art. 80 du Code de la nationalité française (loi du 8-12-1983) : la personne qui a acquis la nat. fr. jouit de tous les droits

Quelques comparaisons

Allemagne de l'Ouest. Élections législatives au Bundestag, tous les 4 ans, le dimanche. « Représentation proportionnelle personnalisée », chacun des électeurs a 2 voix. La moitié des députés est élue au scrutin uninominal à la majorité simple ; l'autre moitié, selon un système de représentation proportionnelle. On vote pour un homme et pour une liste établie à l'échelon des Länder (on peut aussi choisir le candidat d'un parti et la liste d'un autre). Ce système mixte agit comme un scrutin à la majorité relative (1 tour) sans amplifier les mouvements d'opinion d'où un quasi-bipartisme sans qu'un parti obtienne, à lui seul, la majorité absolue des sièges. *Vote non obligatoire. Droit de vote* à 18 ans, depuis 1972. *Âge minimal des députés* au Bundestag : 21 ans. *Référendum* prévu par la Constitution fédérale.

Belgique. Élections législatives à la représentation proportionnelle (à 1 tour) après dissolution du Parlement, le 4e dimanche de mai ; si c'est celui de Pentecôte, elles ont lieu le dimanche suivant. Élections législatives et conseils provinciaux sont en général groupés. *Vote obligatoire* depuis 1893. L'abstention non justifiée auprès du juge de paix est punissable. 1re fois : selon les circonstances, réprimande ou amende de 30 à 90 FB. 2e fois : dans les 6 ans, amende de 90 à 750 FB. 3e fois : amende et affichage du nom un mois à la maison communale. 4e fois : l'électeur est rayé pour 10 ans des listes électorales, et ne peut recevoir aucune nomination, promotion ou distinction du Gouvernement ou des administrations publiques. *Référendum* non prévu dans la Constitution. Cependant, la loi du 11-2-1950 permit d'organiser une consultation populaire exceptionnelle, le 12-3-1950, sur la question royale.

Danemark. *Droit de vote* à 18 ans, depuis septembre 1978. Vote en général le mardi. 9 à 21 h (20 h dans les campagnes). Seuls sont en congé les écoliers, les écoles étant transformées en bureaux de vote. *Référendum possible* pour ratifier un traité international déléguant certains pouvoirs à un organisme extérieur.

États-Unis. *Droit de vote* à 18 ans. *Sénat* : 2 sénateurs (*min.* : 30 ans) par État, élus pour 6 a. au suffr. universel. Réélu par 1/3 tous les 2 a. *Ch. des représentants* : repr. (*min.* : 25 ans) élus pour 4 a. au scrutin uninominal à 1 tour.

Grande-Bretagne. *Droit de vote* à 18 ans (dep. 1970). Élections en semaine de 7 h à 22 h. *Vote non obligatoire. Référendum* : rejeté par les conservateurs et les travaillistes comme contraire aux traditions du Parlement ; adopté pour l'Ulster.

Irlande. *Droit de vote* à 21 ans. Vote en semaine. Représentation proportionnelle. Vote transférable selon le principe de Jean-Charles Borda (1791) et Thomas Hare (1857). L'électeur procède à un classement des candidats : 1er choix, 2e choix, etc. Système utilisé pour quelques élect. locales aux U.S.A. à la fin des années 30 et abandonné (municipalités ingouvernables). En 1969, pour 4 sièges de la circonscription de « Dublin central », et 14 candidatures, il a fallu 12 tours de scrutin.

Italie. *Droit de vote* à 18 ans. Vote en général le dimanche et le lundi matin. *Abstention* en principe inscrite au casier judiciaire, en fait jamais. Les candidats peuvent se présenter dans 3 circonscriptions différentes. *Référendum* possible pour l'abrogation partielle ou totale d'une loi déjà votée par le Parlement. Pour le provoquer, il faut réunir au moins 500 000 signatures légalisées. Le 1er fut sur le divorce.

Luxembourg. *Droit de vote* à 18 ans. Élections ordinaires pour renouveler la Chambre tous les 5 ans, le 1er dimanche du mois de juin (si c'est la Pentecôte, le dernier dimanche du mois de mai). *Vote obligatoire sinon amende* : 1re fois : 5 à 20 F français. 2e fois (dans les 6 ans) : 10 à 31 FF. 3e fois (dans les 9 ans) : 30 à 50 FF, et radiation des listes électorales pour 6 ans. *Référendum* possible depuis 1919.

Norvège. *Droit de vote* à 18 ans. Vote le lundi de 9 h du matin à 20 h (évent. le dim. d'avant). Él. législatives tous les 4 ans, en sept.

Pays-Bas. *Droit de vote à* 18 ans. Él. législatives tous les 4 ans. Vote en semaine un jour non choisi, mais le 43e j après le dépôt des candidatures. La Couronne fixe la date des élections en cas de dissolution. Le vote n'est plus obligatoire. *Référendum* : il n'y en a jamais eu.

Suède. *Droit de vote* à 18 ans. Riksdag élu au suffr. universel direct pour 3 ans.

Majorité électorale

21 ans. Belgique (élections municipales 18). Grèce. Irlande. **20 ans.** Suisse (Conseil national). **18 ans.** All. féd. Autriche. Bulgarie. Canada. Danemark. États-Unis. Finlande. France (voir p. 714). G.-B. Irlande. Italie. Luxembourg. Norvège. Pays-Bas. Suède. **16 ans.** Iran (depuis 1979).

et est tenue à toutes les obligations attachées à la qualité de Français à dater du j de cette acquisition. Pendant leur période d'activité, les militaires de carrière ou assimilés doivent, s'ils sont élus, choisir entre leurs fonctions et leur mandat.

Conditions particulières

Présidence de la République. Voir p. 674.

Assemblée nationale. Avoir la qualité d'électeur ; 23 ans accomplis ; définitivement satisfait aux prescriptions légales concernant le service militaire actif [mais on peut ne pas être encore libéré de ses obligations militaires (ce fut le cas pour A. Krivine qui se présenta en 1969, quoique encore sous les drapeaux)]. En outre, la loi prévoit divers cas d'inéligibilité. Avoir versé un cautionnement de 1 000 F (remboursé aux candidats ayant obtenu 5 % au moins des suffrages exprimés).

Avant la loi du 10-7-1985 instaurant la représentation proportionnelle, les députés étaient élus au scrutin majoritaire, uninominal à 2 tours, en vertu de l'ordonnance du 13-10-1958 (le département forme une circonscription électorale). *Pour pouvoir se présenter au 2e tour,* il fallait avoir recueilli au 1er tour un nombre de suffrages au moins égal à 12,5 % du nombre des inscrits. Si un seul candidat remplissait cette condition, le candidat ayant obtenu après lui le plus de suffrages au 1er tour pouvait se maintenir au 2e ; si aucun candidat ne remplissait cette même condition, les 2 candidats ayant obtenu le plus de suffrages au 1er tour pouvaient se maintenir au 2e.

Sénat. Avoir 35 ans au moins. Sinon mêmes conditions d'éligibilité et inéligibilité que pour l'Ass. nat.

Conseil général. Être inscrit sur une liste électorale ou justifier que l'on devait y être inscrit avant l'élection ; avoir au moins 21 ans ; être domicilié dans le département ou y être inscrit au rôle des contributions directes au 1er janvier de l'année de l'élection, ou justifier devoir y être inscrit à cette date, ou avoir hérité dans le département d'une propriété foncière depuis le 1er janvier de l'année de l'élection. En outre, la loi prévoit divers cas d'inéligibilité.

Pour pouvoir se présenter au 2e tour, il faut avoir recueilli au 1er tour un nombre de suffrages au moins égal à 10 % du nombre des inscrits. Si un seul candidat remplit ces conditions, le candidat ayant obtenu après lui le plus de suffrages au 1er tour peut se maintenir au 2e. Si aucun candidat ne remplit ces conditions, les 2 candidats ayant obtenu le plus de suffrages au 1er tour peuvent se maintenir au 2e.

Conseiller régional. Avoir au moins 21 ans, être domicilié dans la région ou y être inscrit au rôle des contributions directes au 1-1 de l'année de l'élection. L'élection a lieu au scrutin de liste (nul ne peut être candidat sur plus d'une liste), à la représentation proportionnelle, à la plus forte moyenne, sans panachage ni vote préférentiel.

Conseil municipal. Avoir au moins 18 ans. Être électeur de la commune ou inscrit dans la commune au rôle des contributions directes au 1er janvier de l'année des élections, ou justifier devoir y être inscrit à cette date (art. L. 228 du Code élect.). Les jeunes bénéficiant d'un sursis d'incorporation sont éligibles (Conseil d'État, 13-7-1967). En outre, la loi prévoit divers cas d'inéligibilité. Dans les communes de 3 500 h. et plus, seuls peuvent se présenter au 2e tour les candidats des listes qui ont obtenu au 1er t. un nombre de suffrages au moins égal à 10 % du total des suffrages exprimés (loi du 19-2-82, art. 4).

Nota. – Le 18-11-1982, le Conseil constitutionnel a déclaré inconstitutionnelle la disposition prévoyant un minimun de 25 % de femmes pour les listes électorales.

Élections professionnelles. Voir Index.

Élections présidentielles

• **IIe République. Élection au suffrage universel. Louis-Napoléon Bonaparte** (10-12-1848). Inscrits 9 977 452, abstentions 24,9 %. 5 434 226 voix ; contre Cavaignac 1 448 107, Ledru-Rollin 370 119, Raspail 36 920, Lamartine 17 910, Changarnier 4 790.

• **IIIe République. Élections par l'Assemblée nationale. Thiers** (1871). Par acclamations au Grand Théâtre de Bordeaux. **Mac-Mahon** *1873* à Versailles ; 391 voix (1 à Jules Grévy, 300 abstentions).

Par le Congrès (Chambre et Sénat réunis à Versailles). **Grévy** *1879 ;* 1er tour à 563 (Chanzy 99, Gambetta 5, Gal de Ladmirault 1, Duc d'Aumale 1, Gal de Galliffet 1). *1885 ;* 1er tour. 457 (Brisson 68, Freycinet 14, A. de La Forge 10). **Sadi Carnot** *1887 ;* 2e tour. 616 (Gal Saussier 188, J. Ferry 11, Freycinet 5). **Casimir-Perier** *1894 ;* 1er tour. 451 (Brisson 195, Dupuy 97, Gal Février 53, Arago 27). **Faure** *1895 ;* 2e tour. 430 (Brisson 361). **Loubet** *1899 ;* 1er tour. 483 (Méline 279, Cavaignac 23, Deschanel 10). **Fallières** *1906 ;* 1er t. 449 (Doumer 371). **Poincaré** *1913 ;* 2e t. 383 (Pams 296, Vaillant 64). **Deschanel** *1920 ;* 1er t. 734 (Jonnart 66, Clemenceau 56, L. Bourgeois 6, Mal Foch 2). **Millerand** *1920 ;* 1er t. 695 (Delory 69, bulletins blancs 106). **Doumergue** *1924 ;* 1er t. 515 (Painlevé 309, Camélinat 22). **Doumer** *1931 ;* 2e t. 504 (Marraud 334). **Lebrun** *1932 ;* 1er t. 633 (Faure 114, Painlevé 12, Cachin 8). *1939 ;* 1er t. 506 (Bedouce 151, Cachin 74, Herriot 53, Godart 50, Bouisson 16, Piétri 10).

• **IVe République. Par le Congrès. Auriol** *1947 ;* 1er tour. 452 (Champetier de Ribes 242, Gasser 122, Michel Clemenceau 60, divers 7). **Coty** *17 au 23-12-1953 ; 1er t.* (votants : 932) Naegelen 160, Laniel 155, Bidault 131, Delbos 129, Kalb 114, Cachin 113, J. Fourcade 62, J. Médecin 54, divers 10. *11e t.* Naegelen 372, Jacquinot 338, Coty (non candidat) 71. *12e t.* Coty 431, Naegelen 333, Jacquinot (non cand.) 26. *13e t.* (votants : 884, suffr. expr. : 871, majorité : 436 voix) Coty 477, Naegelen 329, Jacquinot (non cand.) 21, divers 44.

Par des électeurs présidentiels. De Gaulle 1958. 62 394 voix sur 81 290 votants (81 764 inscrits) Georges Marrane (P.C.) 10 355 ; Albert Chatelet (Union des forces dém.) 6 721.

• **Ve République. Au suffrage universel. 1965** De Gaulle, **1969** Pompidou, **1974** Giscard d'Estaing. Voir tableau p. 720.

Élections de 1981

• **Parrainages.** Le Conseil constitutionnel a reçu 16 443 présentations de candidats. 175 n'ont pas été retenues, en raison d'irrégularités substantielles, sans entraîner l'élimination d'une candidature. 64 personnes avaient fait connaître leur souhait d'être candidats. Voir Quid 1983, p. 805.

• **Électeurs.** Sur 38 470 507 *Français de 18 ans et +* au 1-1-1981, 7 % n'étaient pas inscrits (au 1-3-1980 : 9,93 ; au 1-3-1977 : 6,51). Sur 1 300 000 à 1 500 000 *Français résidant à l'étranger,* 900 000 se sont faits immatriculer dans les consulats, dont 870 000 électeurs potentiels. La loi du 19-7-1977 (votée à main levée par tous les partis politiques sauf par le P.C.) leur permet de choisir leur circonscription électorale parmi n'importe quelle ville de + de 30 000 hab.

• **1er tour. Meilleurs %** (par rapport aux suffrages exprimés) **Droite.** *Giscard d'Estaing, Chirac, Debré et M.-F. Garaud* : Bas-Rhin 64,32 ; Mayenne 62,83 ; Cantal 61,19 ; Lozère 61,18 ; Vendée 61,03 ; Manche 60,91 ; Haut-Rhin 60,44 ; Maine-et-L. 58,76 ; Orne 58,48 ; Corse-du-S. 57,70 ; Hte-Loire 57,51 ; Paris 56,50 ; Hte-Savoie 56,40 ; Ille-et-V. 56,12 ; Morbihan 55,90 ; Alpes-M. 55,06. *Debré* (maire d'Amboise) : Indre-et-L. 4,33 ; Hte-Savoie 2,50 ; Loir-et-C. 2,39 ; Jura 2,33 ; Maine-et-L. 2,18 ; Réunion (il est député) 6,62. *M.-F. Garaud.* Yvelines 2,01 ; Hte-Savoie 1,88 ; Hts-de-Seine 1,86 ; Deux-Sèvres (elle y possède une résidence) 1,85 ; Paris 1,85. **Gauche.** *Mitterrand, Marchais, Crépeau, A. Laguiller et H. Bouchardeau* : Aude 59,50 ; Nièvre 58,90 ; Ariège 58,42 ; Seine-S.-Denis 57,94 ; Htes-Pyrénées 55,45 ; Pas-de-C. 55,15 ; Hte-Garonne 55,15. *H. Bouchardeau.* Finistère 2,06 ; Paris 1,79 ; Rhône 1,86 ; Loire (d'où elle est origin.) 1,68 ; Doubs 1,62. *Crépeau.* Charente-Maritime (député) : 11,94 ; Hte-Corse 9,84 ; Tarn-et-G. 5,88 ; Charente 4,83 ; Deux-Sèvres 4,25. *A. Laguiller.* Vosges 3,21 ; Belfort 3,13 ;

Creuse 2,99 ; Oise 2,96 ; Somme 2,94. *Lalonde.* Essonne 5,35 ; Hte-Savoie 5,29 ; Ht-Rhin 5,25 ; Val-d'O. 5,08 ; Htes-Alpes 5,05.

Évolution des intentions de vote au 1er tour

Sondages Figaro-SOFRES	Rappel enquête déc. 1980	Rappel enquête janvier 1981	Rappel enquête février 1981	Rappel enquête 11 mars 1981	Rappel enquête 25 mars 1981	16 avril 1981
G. Marchais	17	16	17	16	16,5	18,5
A. Laguiller	2	2	1	1	1	2
A. Krivine	0,5	0,5	1	0,5	1	-
H. Bouchardeau	0,5	0,5	0,5	0,5	1	1,5
R. Garaudy	1	1	1	1	1	-
F. Mitterrand	19	23	25	25	24	22
M. Crépeau	1,5	2	1,5	2	1	1,5
B. Lalonde	3	3	3,5	3,5	3,5	3,5
J.-C. Delarue	-	-	-	-	-	-
V. Giscard d'Estaing	35	31	28	29	29	27,5
J. Chirac	11	11	13	15	16	19,5
M. Debré	6	5,5	4	3,5	3	2
M.-F. Garaud	2,5	2,5	3	2	2	2
M. Jobert	0,5	1	1	0,5	0,5	-
J.-M. Le Pen	0,5	0,5	0,5	0,5	0,5	-
P. Gauchon	-	0,5	-	-	-	-
Sur 100 suffrages exprimés	100	100	100	100	100	100

• **2e tour. Outre-mer :** *Giscard d'Estaing :* Wallis-et-Futuna 97,68 %. Mayotte 89,93. Martinique 80,56. Guadeloupe 78,48. Polynésie 76,71. St-Pierre-et-Miquelon 69,47. Guyane 66,35. N.-Calédonie 65,50. La Réunion 63,17. *Mitterrand :* La Réunion 36,82 %. St-Pierre-et-Miquelon et N.-Calédonie 34,94. Mitterrand l'emporte dans les îles Loyauté et la côte est. Guyane 33,64. Polynésie 23,28. Guadeloupe 21,51. Martinique 19,43. Mayotte 10,06. Wallis-et-Futuna 2,31.

Évolution des intentions de vote au 2e tour
(selon les différents sondages Ifop-Le Point)

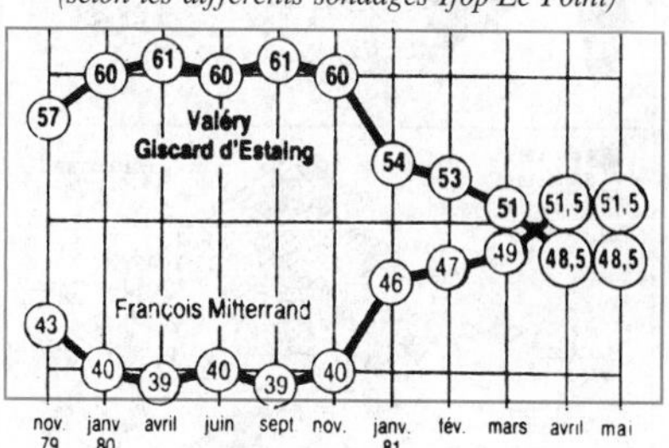

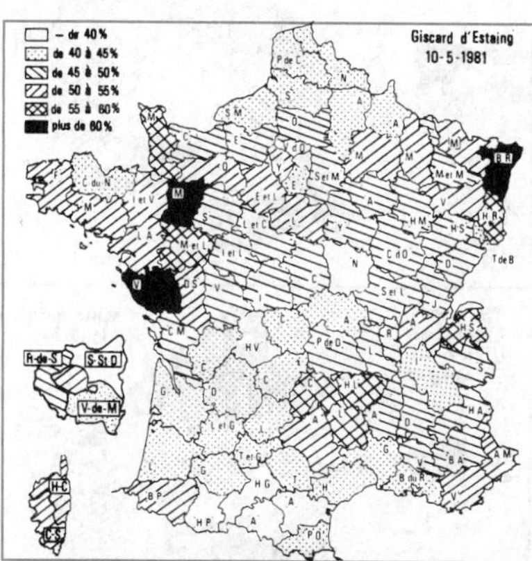

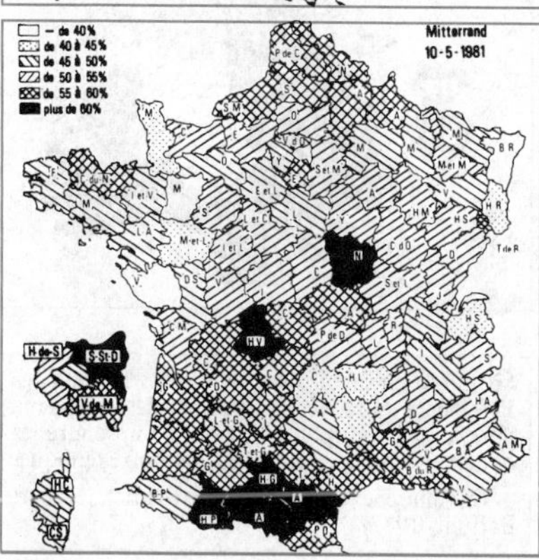

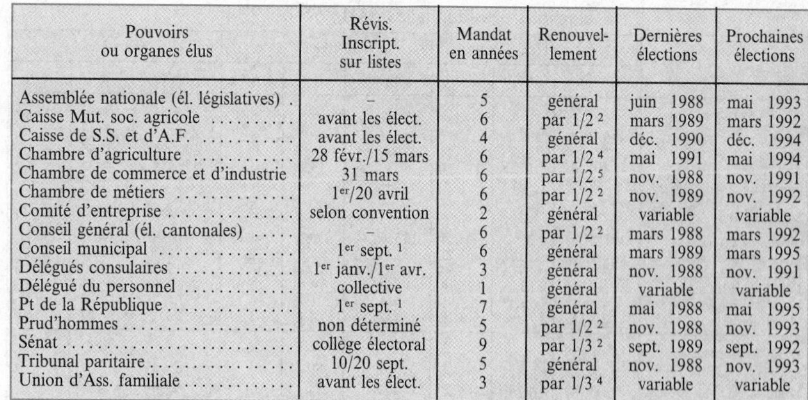

Pouvoirs ou organes élus	Révis. Inscript. sur listes	Mandat en années	Renouvellement	Dernières élections	Prochaines élections
Assemblée nationale (él. législatives)	–	5	général	juin 1988	mai 1993
Caisse Mut. soc. agricole	avant les élect.	6	par 1/2 [2]	mars 1989	mars 1992
Caisse de S.S. et d'A.F.	avant les élect.	4	général	déc. 1990	déc. 1994
Chambre d'agriculture	28 févr./15 mars	6	par 1/2 [4]	mai 1991	mai 1994
Chambre de commerce et d'industrie	31 mars	6	par 1/2 [5]	nov. 1988	nov. 1991
Chambre de métiers	1er/20 avril	6	par 1/2 [2]	nov. 1989	nov. 1992
Comité d'entreprise	selon convention	2	général	variable	variable
Conseil général (él. cantonales)	–	6	par 1/2 [2]	mars 1988	mars 1992
Conseil municipal	1er sept. [1]	6	général	mars 1989	mars 1995
Délégués consulaires	1er janv./1er avr.	3	général	nov. 1988	nov. 1991
Délégué du personnel	collective	1	général	variable	variable
Pt de la République	1er sept. [1]	7	général	mai 1988	mai 1995
Prud'hommes	non déterminé	5	par 1/2 [2]	nov. 1988	nov. 1993
Sénat	collège électoral	9	par 1/3 [2]	sept. 1989	sept. 1992
Tribunal paritaire	10/20 sept.	5	général	nov. 1988	nov. 1993
Union d'Ass. familiale	avant les élect.	3	par 1/3 [4]	variable	variable

Nota. – (1) Au dernier jour ouvrable et décembre inclus. (2) Tous les 3 ans. (3) Dans le collège des chefs d'exploitation : élections au niveau de l'arrondissement, renouvellement par moitié tous les 3 ans ; autres collèges : élections au niveau départemental, renouvellement général tous les 6 ans. (4) Tous les ans. (5) Tous les 3 ans ; général si modification de la structure de la chambre.

Élections de 1988

• **Sondages. Avant le 1er tour.** *Boussel* 0 [1]. *Laguiller* 0,5 [1] à 2 [2]. *Juquin* 2 [2, 3] à 3 [4]. *Lajoinie* 5 [5, 6] à 7,5 [7]. *Mitterrand* 34 [7] à 40 [2]. *Waechter* 2 [1, 2, 4, 5] à 2,5 [3, 7, 8]. *Barre* 16 [2, 7] à 19 [1]. *Chirac* 21 [2, 5, 7] à 24,5 [5, 7]. *Le Pen* 9,5 [6] à 12 [7].

Nota. – (1) IFOP-Libération, 16-4. (2) Louis Harris-L'Express, 15-4. (3) SOFRES-Nouvel Observateur, 15-4. (4) IPSOS-VSD, 14-4. (5) IPSOS-Le Point, 11-4. (6) IPSOS-Libé, 16-4. (7) BVA-Paris-Match, 14-4. (8) CSA-La Vie, 11-4.

Avant le 2e tour. *Mitterrand* 53 (IPSOS-Le Point, 25-4) à 57 (BVA-P.Match, 28-4). *Chirac* 43 (BVA-P. Match, 28-4) à 47 (IPSOS-Le Point, 25-4).

• **Popularité (en %). Mitterrand.** *1981 :* 48, *82 :* 47, *83 :* 37, *84 :* 32, *85 :* 33, *86 :* 51, *87 :* 52, *88 :* 56. **Chirac.** *1986 2e trim. :* 54, *3e :* 47, *4e :* 53. *1987 1er :* 44, *2e :* 43, *3e :* 42, *4e :* 42. *1988 1er :* 46 (SOFRES, moyenne trim.).

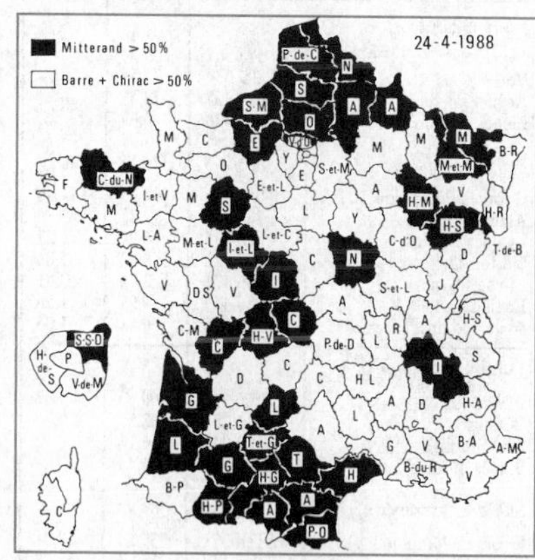

Coût de la campagne présidentielle

Source : Journal officiel du 16 juillet 1988.

• **Mitterrand. Recettes.** 64 900 485 F dont contribution partis et groupements politiques 37 299 000, dons reçus par chèques (avec délivrance d'un reçu) 16 143 347, dons en espèces 11 458 138. **Dépenses et charges de campagne**. 99 842 170 F dont services extérieurs 98 630 009, frais financiers 1 000 441, de personnel 211 720. **État des dettes**. 42 001 870 F dont fournisseurs et prestataires de services 40 927 197, frais financiers 1 000 000, Sécurité soc. 53 532, retraite complémentaire 11 225, G.A.R.P. (Assedic) 9 916. Parmi ces dettes, 9 800 000 F (provisions) dont fournisseurs et prestataires 8 800 000, frais financiers 1 000 000.

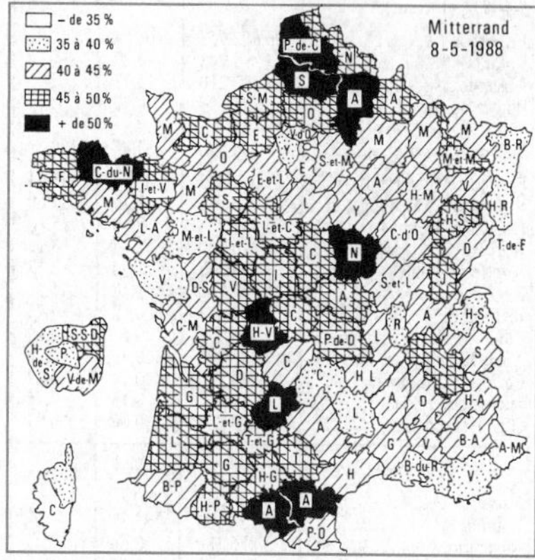

• **Chirac. Ressources** 95 984 005 F dont dons des partis et groupements politiques 40 307 359, dons reçus par l'assoc. pour l'él. de Chirac 20 676 646, contribution à recevoir de l'État 35 000 000. **Dépenses**. 95 984 005 F dont : *publicité :* presse 19 548 593, affiches 17 745 693, *campagne :* réunions publ. 27 576 508, frais de déplac. 4 164 986, *matériel de campagne :* film, vidéo, imprimés 15 895 524,

Vote socialiste	1981 Mitterrand Crépeau	1988 Mitterrand	Écart
Ensemble	28	34	+ 6
Homme	31	33	+ 2
Femme	26	35	+ 9
Age			
18-24 ans	24	36	+ 12
25-34 ans	29	41	+ 12
35-49 ans	29	33	+ 4
50-64 ans	29	33	+ 4
65 et plus	29	30	+ 1
Catégorie socio-profess.			
Agriculteur, salarié agricole	25	30	+ 5
Petit commerçant, artisan	17	23	+ 6
Cadre sup. prof. lib., industriel, gros commerçant	21	28	+ 7
Cadre moyen, employé	33	37	+ 4
Ouvrier	34	40	+ 6
Inactif, retraité	27	34	+ 7

Sources. 1981 : sondage SOFRES 15/20-5. *1988 :* CSA 24-4.

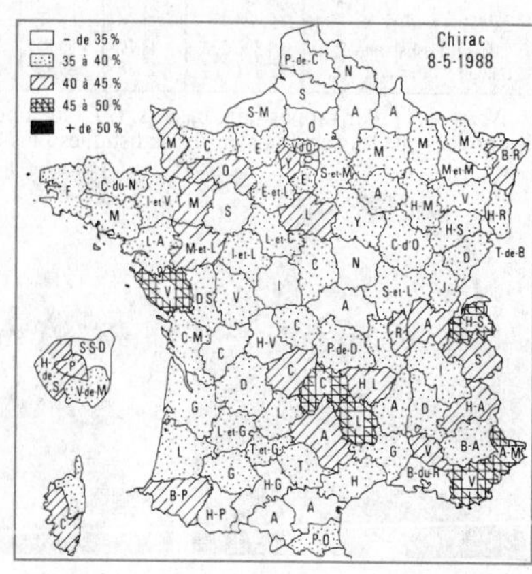

☞ Suite p. 722.

Élections présidentielles de 1965 à 1974

	Total			Métropole			Outre-Mer		
	Nombre	% [1]	% [2]	Nombre	% [1]	% [2]	Nombre	% [1]	% [2]
5-12-1965 (1er tour)									
Inscrits	*28 913 422*	*100*		*28 233 167*	*100*		*680 255*	*100*	
Votants	24 502 957	84,8		24 001 961	85,01		500 996	73,65	
Abstentions	4 410 465	15,25		4 231 206	14,98		179 259	26,35	
Bulletins blancs et nuls	248 403	0,85		244 992	0,86		4 111	0,60	
Suffrages exprimés	*24 254 554*	*83,88*	*100*	*23 757 669*	*84,2*	*100*	*496 885*	*373,05*	*100*
Charles de Gaulle	10 828 523	37,45	44,64	10 386 734	36,78	43,73	441 789	64,94	88,91
François Mitterrand	7 694 003	26,61	31,72	7 658 792	27,12	32,23	35 211	5,17	7,08
Jean Lecanuet	3 777 119	13,06	15,57	3 767 404	13,34	15,86	9 715	1,42	1,95
J.-L. Tixier-Vignancour	1 260 208	4,35	5,19	1 253 958	4,44	5,27	6 250	0,91	1,25
Pierre Marcilhacy	415 018	1,43	1,71	413 129	1,46	1,73	1,889	0,27	0,38
Marcel Barbu	279 683	0,96	1,15	277 652	0,98	1,16	2 031	0,29	0,40
19-12-1965 (2e tour)									
Inscrits	*28 902 704*	*100*		*28 223 198*	*100*		*679 506*	*100*	
Votants	24 371 647	84,4		23 862 653	84,6		508 994	74,9	
Abstentions	4 531 057	15,6		4 360 545	15,4		170 512	25	
Bulletins blancs et nuls	688 213	2,3		665 141	2,3		3 072	0,4	
Suffrages exprimés	*23 703 434*	*82,1*	*100*	*23 197 512*	*82,19*	*100*	*505 922*	*374,5*	*100*
Charles de Gaulle	13 083 699	45,2	55,1	12 643 527	44,79	54,50	440 172	64,77	87
François Mitterrand	10 619 735	36,7	44,8	10 553 985	37,39	45,49	65 750	9,67	12,99
1-6-1969 (1er tour)									
Inscrits	*29 513 361*	*100*		*28 774 041*	*100*		*739 320*	*100*	
Votants	22 899 034	77,58		22 492 059	78,16		406 975	55	
Abstentions	6 614 327	22,41		6 281 982	21,83		332 345	44,9	
Blancs ou nuls	295 036	0,99		287 372	0,99		7 664	1,03	
Suffrages exprimés	*22 603 998*	*376,58*	*100*	*22 204 687*	*77,16*	*100*	*399 311*	*54*	*100*
Georges Pompidou	10 051 816	34,05	44,46	9 761 267	33,92	43,96	290 519	39,2	72,75
Alain Poher	5 268 561	17,85	23,30	5 201 133	18,07	23,42	67 428	9,12	16,88
Jacques Duclos	4 808 285	16,29	21,27	4 779 539	16,61	21,52	28 746	3,88	7,19
Gaston Defferre	1 133 222	3,83	5,01	1 127 733	3,91	5,07	5 489	0,74	1,37
Michel Rocard	816 471	2,76	3,61	814 051	2,82	3,66	2 420	0,32	0,60
Louis Ducatel	286 447	0,97	1,26	284 697	0,98	1,28	1 750	0,23	0,43
Alain Krivine	239 106	0,81	1,05	236 237	0,82	1,06	2 869	0,38	0,71
15-6-1969 (2e tour)									
Inscrits	*29 500 334*	*100*		*28 761 494*	*100*		*738 840*	*100*	
Votants	20 311 287	68,8		10 854 087	69		457 200	61,8	
Abstentions	9 189 047	31,14		8 907 407	30,96		281 640	38,11	
Blancs ou nuls	1 303 798	4,41		1 295 216	4,50		8 582	1,16	
Suffrages exprimés	*19 907 489*	*64,43*	*100*	*19 458 871*	*64,52*	*100*	*448 618*	*60,71*	*100*
Georges Pompidou	11 064 371	37,50	58,21	10 668 183	37,16	54,9	376 188	50,91	83,85
Alain Poher	7 943 118	26,92	41,78	7 870 688	27,36	40,44	72 430	9,80	16,14
5-5-1974 (1er tour) [2]									
Inscrits	*30 602 953*	*100*		*29 778 550*	*100*		*824 403*	*100*	
Votants	25 775 743	84,22		25 285 835	84,91		489 908	59,42	
Abstentions	4 827 210	15,77		4 492 715	15,08		334 495	40,57	
Blancs ou nuls	237 107	0,77		228 264	0,76		8 843	1,07	
Suffrages exprimés	*25 538 636*	*83,46*	*100*	*25 057 571*	*84,14*	*100*	*481 065*	*58,35*	*100*
François Mitterrand	11 044 373	36,08	43,24	10 863 402	35,48	43,35	180 971	21,95	37,61
V. Giscard d'Estaing	8 326 774	27,20	32,60	8 253 856	27,71	32,93	72 918	8,84	15,15
J. Chaban-Delmas	3 857 728	12,60	15,10	3 646 209	12,24	14,55	211 519	25,65	43,96
Jean Royer	810 540	2,64	3,17	808 825	2,71	3,22	1 655	0,20	0,34
Arlette Laguiller	595 247	1,94	2,33	591 339	1,98	2,35	3 908	0,47	0,81
René Dumont	337 800	1,10	1,32	336 016	1,12	1,34	1 784	0,21	0,37
Jean-Marie Le Pen	190 921	0,62	0,74	189 304	0,63	0,75	1 617	0,19	0,33
Émile Muller	176 279	0,57	0,69	175 142	0,58	0,69	1 137	0,13	0,23
Alain Krivine	93 990	0,30	0,36	92 701	0,31	0,36	1 289	0,15	0,26
Bertrand Renouvin	43 722	0,14	0,17	42 719	0,14	0,17	1 003	0,12	0,20
Jean-Claude Sebag	42 007	0,13	0,16	39 658	0,13	0,15	2 349	0,28	0,48
Guy Héraud	19 255	0,06	0,07	18 340	0,06	0,07	915	0,11	0,19
19-5-1974 (2e tour)									
Inscrits	*30 600 775*	*100*		*29 774 211*	*100*		*826 564*	*100*	
Votants	26 724 595	87,33		26 168 242	87,88		556 353	67,30	
Abstentions	3 876 180	12,66		3 605 969	12,11		270 211	32,69	
Blancs ou nuls	356 788	1,17		348 629	1,17		8 159	0,98	
Suffrages exprimés	*26 367 807*	*86,17*	*100*	*25 819 613*	*86,71*	*100*	*548 194*	*66,32*	*100*
V. Giscard d'Estaing	13 396 203	43,77	50,81	13 082 006	43,93	50,66	314 197	38,01	57,31
François Mitterrand	12 971 604	42,38	49,19	12 737 607	42,78	49,33	233 997	28,30	42,68

Nota. – (1) Par rapport aux inscrits. (2) Par rapport aux suffrages exprimés. (3) Voir dans Quid 1975 les notices sur les candidats et des statistiques plus détaillées.

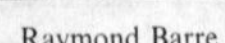

Raymond Barre

Valéry Giscard d'Estaing
(*photo : Patrice Bouvier*)

François Mitterrand
(*photo : Gisèle Freund*)

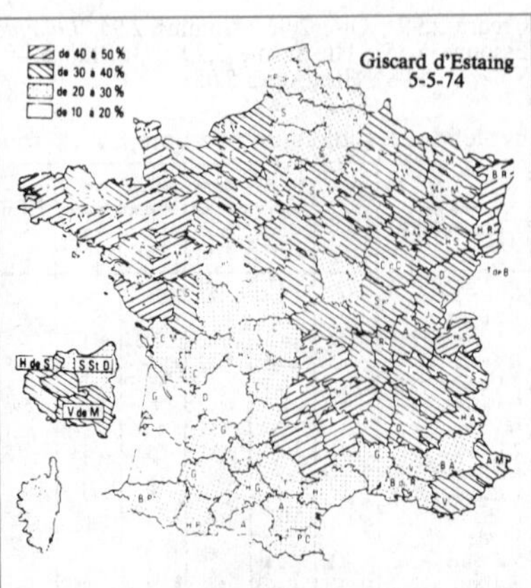

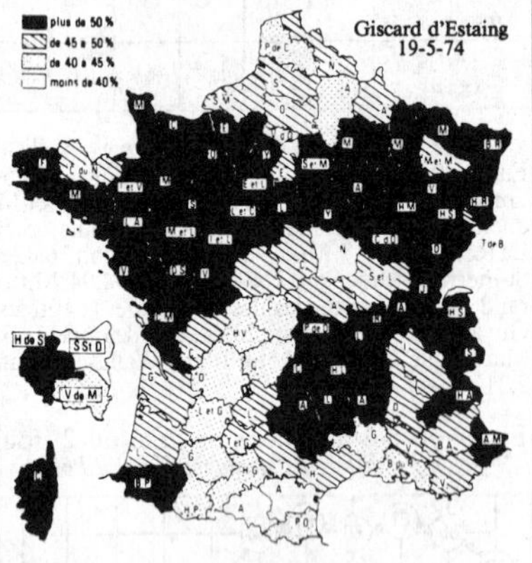

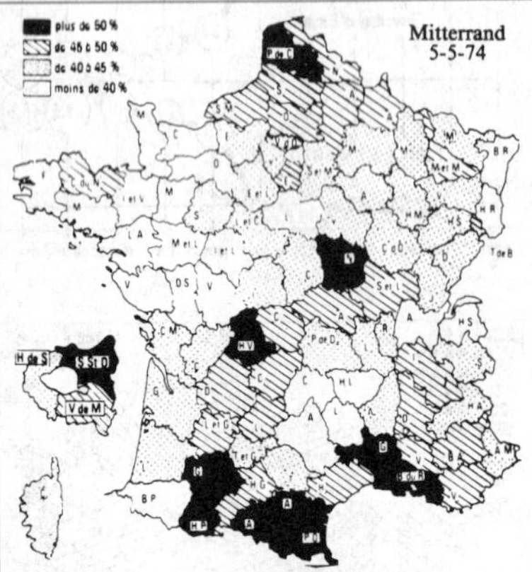

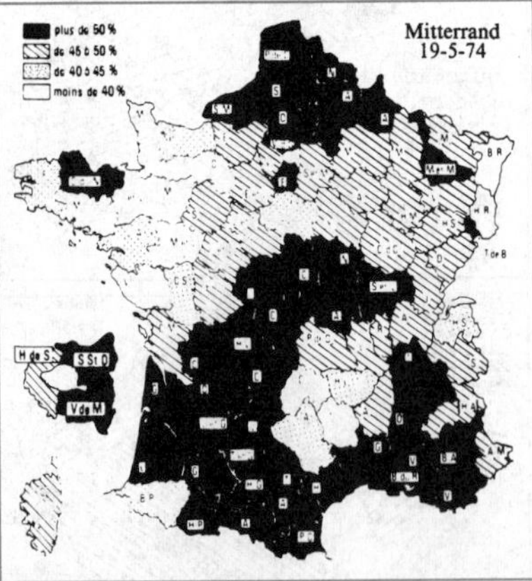

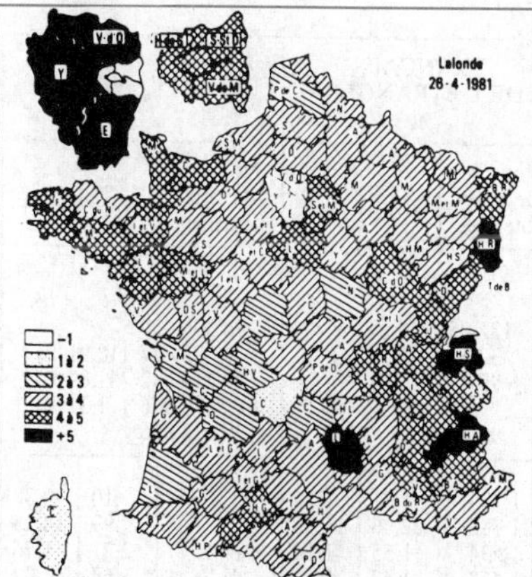

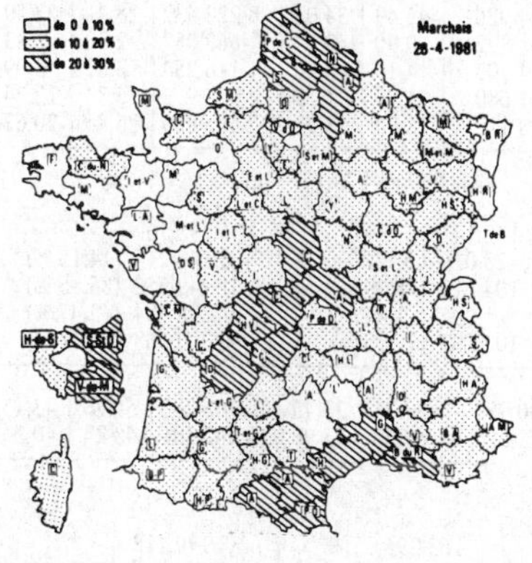

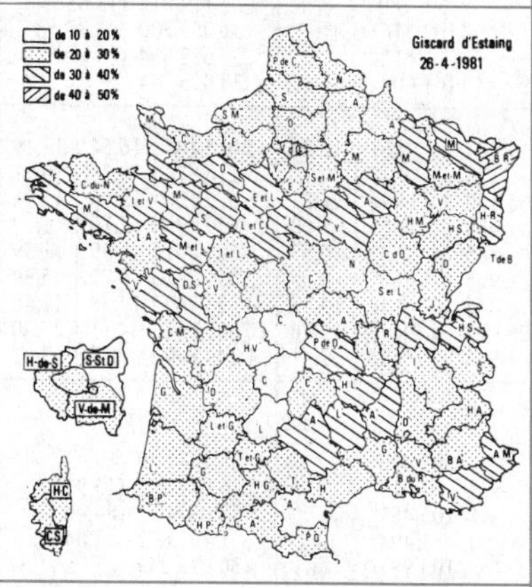

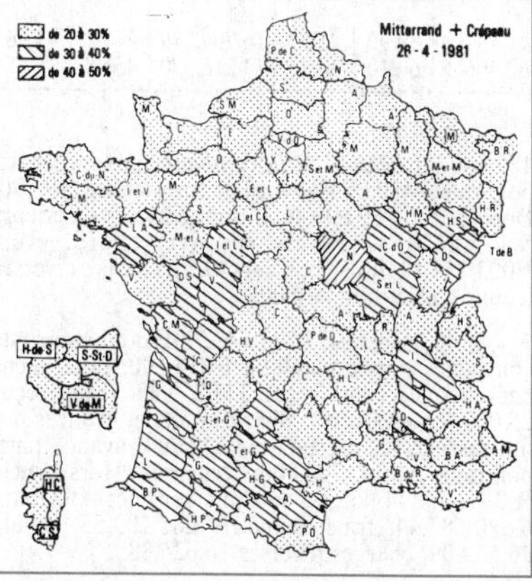

Élections présidentielles des 26 avril et 10 mai 1981
% des voix par département

DÉPARTEMENTS	10 mai 1981		26 avril 1981					ABSTENTIONS	
	Mitterrand	Giscard d'Estaing	Mitterrand	Giscard d'Estaing	Chirac	Marchais	Lalonde	26-4	10-5
AIN	47,77	52,22	25,34	31,66	17,89	11,34	4,23	20,89	13,32
AISNE	56,68	43,31	25,34	25,49	16,28	21,69	3,25	15,32	11,38
ALLIER	56,04	43,95	23,81	25,36	17,97	22,83	3,11	16,63	12,78
ALPES-DE-HAUTE-PROVENCE	53,53	46,46	25,09	27,16	15,65	19,25	4,36	19,08	12,60
HAUTES-ALPES	51,22	48,77	24,32	29,83	16,31	15,39	5,05	21,08	13,31
ALPES-MARITIMES	45,62	54,37	21,16	32,18	20,29	16,24	3,73	20,74	15,72
ARDÈCHE	50,61	49,38	25,21	31,54	15,74	15,80	3,96	18,99	12,90
ARDENNES	55,97	44,02	26,79	25,53	16,36	19,63	3,34	17,23	11,81
ARIÈGE	63,22	36,77	32,41	20,79	15,45	20,46	3,21	19,51	13,09
AUBE	50,06	49,93	24,65	30,06	17,26	15,62	3,75	18,06	13,64
AUDE	63,66	36,33	34,40	25,52	16,20	20,39	3,17	16,51	11,40
AVEYRON	48,11	51,88	25,86	30,26	21,94	9,63	3,83	17,03	11,31
BOUCHES-DU-RHONE	56,10	43,89	23,84	19,13	14,82	25,55	3,64	21,60	17,37
CALVADOS	50,40	49,59	26,84	29,32	19,27	11,46	4,24	17,31	13,11
CANTAL	43,06	56,93	22,10	25,91	33,44	10,59	2,14	18,82	13,84
CHARENTE	56,11	43,88	27,84	24,22	18,55	15,99	2,88	17,98	12,29
CHARENTE-MARITIME	53,52	46,47	24,42	26,35	16,36	12,86	2,93	20,20	14,48
CHER	52,81	47,18	22,82	27,66	17,51	20,25	3,26	16,94	12,40
CORRÈZE	59,73	40,26	20,52	9,17	41,43	21,85	1,95	13,39	11,06
CORSE-DU-SUD	45,88	54,11	23,01	28,89	27,37	15,45	1,69	32,95	25,11
HAUTE-CORSE	49,48	50,51	17,69	24,11	27,26	16,78	1,71	36,50	27,67
COTE-D'OR	52,53	47,46	30,62	26,82	18,95	10,10	4,07	19,45	13,50
COTES-DU-NORD	55,53	44,46	27,97	27,23	17,05	16,20	3,83	15,37	10,07
CREUSE	56,35	43,64	23,17	19,38	28,17	20,32	2,13	20,09	14,87
DORDOGNE	57,89	42,10	26,08	20,86	21,64	20,44	2,87	15,27	10,88
DOUBS	52,39	47,60	28,94	25,86	19,86	11,29	4,54	18,40	12,93
DROME	54,10	45,89	28,25	27,20	15,48	15,02	4,79	19,79	13,70
EURE	51,01	48,98	26,64	28,68	18,78	13,53	3,54	16,26	11,88
EURE-ET-LOIR	49,20	50,79	26,02	30,60	17,48	11,98	3,82	16,37	12,00
FINISTÈRE	49,06	50,93	27,20	30,64	19,54	9,98	4,27	17,47	12,77
GARD	57,46	42,53	24,18	25,36	13,93	25,13	3,87	18,74	14,04
HAUTE-GARONNE	60,78	39,21	33,75	22,03	16,02	15,35	4,14	19,41	13,96
GERS	59,02	40,97	34,13	22,94	17,44	13,62	3,44	17,61	11,64
GIRONDE	57,72	42,27	33,23	23,35	16,66	14,06	3,32	18,91	26,55
HÉRAULT	56,35	43,64	26,38	25,30	16,61	20,92	3,76	19,39	13,91
ILLE-ET-VILAINE	45,81	54,18	25,74	32,97	20,20	7,37	4,48	17,38	12,03
INDRE	53,29	46,70	23,50	26,66	19,23	19,28	2,75	17,11	12,25
INDRE-ET-LOIRE	52,58	47,41	28,59	27,67	15,29	11,97	3,69	18,62	13,73
ISÈRE	55,88	44,11	28,47	25,86	15,11	16,54	4,88	20,73	13,80
JURA	52,45	47,54	26,55	28,12	16,62	13,69	4,57	18,67	11,61
LANDES	56,16	43,83	34,02	25,66	16,78	14,24	2,58	15,16	10,92
LOIR-ET-CHER	50,53	49,46	25,53	31,25	15,16	14,51	3,40	16,31	11,51
LOIRE	51,89	48,90	24,71	29,28	17,26	15,84	4,09	18,86	15,21
HAUTE-LOIRE	43,97	56,02	25,15	36,90	18,05	8,68	3,65	18,85	12,36
LOIRE-ATLANTIQUE	40,90	50,09	28,47	29,80	17,91	9,33	4,40	18,56	15,13
LOIRET	47,81	52,18	24,13	30,63	18,26	12,61	4,30	16,56	11,98
LOT	59,57	40,42	30,96	18,71	23,30	13,67	3,65	15,47	9,89
LOT-ET-GARONNE	56,62	43,37	27,37	24,59	17,52	18,08	3,76	16,44	11,49
LOZÈRE	40,57	59,42	22,21	39	19,37	8,48	3,41	19,38	13,08
MAINE-ET-LOIRE	42,35	57,64	23,90	35,25	20,02	7,01	4,35	16,65	12,82
MANCHE	40,86	59,13	22,33	36,39	21,80	7,07	4,78	17,49	13,08
MARNE	49,60	50,39	24,20	29,87	18,15	15,51	3,97	18,61	13,86
HAUTE-MARNE	51,97	48,02	27,97	28,69	17,53	13,35	3,51	18,62	13,07
MAYENNE	39,93	60,06	22,85	36,28	23,70	5,27	3,79	14,84	11,56
MEURTHE-ET-MOSELLE	54,18	45,81	26,64	29,50	13,78	17,74	3,60	19,44	14,52
MEUSE	48,83	51,16	27,06	33,15	15,73	12,19	3,50	16,86	11,83
MORBIHAN	46,02	53,97	25,16	34,35	19,15	9,62	4,00	16,68	12,77
MOSELLE	48,9	51,05	26,25	34	16,22	11,79	3,77	18,60	13,90
NIÈVRE	62,91	37,08	39,32	22,61	13,63	15,13	2,68	18,52	12,83
NORD	55,35	44,64	25,91	27,36	14,62	21,44	3,47	14,78	11,75
OISE	54,60	45,39	25,54	26	17,39	18,15	3,79	16,99	11,56
ORNE	45,02	54,97	23,55	30,67	24,94	8,64	3,75	16,55	12,36
PAS-DE-CALAIS	58,20	41,79	27,71	26,14	13,78	23,15	2,65	13,60	10,78
PUY-DE-DOME	51,92	48,07	27,99	31,84	14,54	13,70	3,76	17,04	12,08
PYRÉNÉES-ATLANTIQUES	49,57	50,42	28,56	28,74	20,78	10,55	3,70	18,07	12,59
HAUTE-PYRÉNÉES	60,05	39,94	30,97	23,20	15,67	19,02	3,09	20,52	14,31
PYRÉNÉES-ORIENTALES	56,30	43,69	25,58	26,52	15,37	20,87	3,72	22,27	15,43
BAS-RHIN	34,88	65,11	22,04	45,84	15,14	4,55	4,71	19,44	14,53
HAUT-RHIN	40,28	59,71	23,16	38,83	18,02	5,84	5,25	19,95	14,73
RHONE	50,70	49,29	26,15	28,79	17,58	13,28	4,73	21,95	15,66
HAUTE-SAONE	52,66	47,33	29,26	28,31	18,23	11,94	3,26	17,88	10,64
SAONE-ET-LOIRE	53,15	46,84	28,19	28,96	16,25	15,13	3,44	20,31	14,78
SARTHE	50,69	49,30	25,61	30,84	17,32	14,17	3,47	16,47	12,60
SAVOIE	50,44	49,55	25,25	27,98	19,11	13,85	4,93	21,80	14,99
HAUTE-SAVOIE	44,21	55,78	23,32	31,44	20,56	9,24	5,29	22,17	15,16
SEINE-MARITIME	55,46	44,53	26,57	28,08	14,19	19,14	3,73	16,39	12,58
DEUX-SÈVRES	47,56	52,43	27,02	33,24	16,98	8,15	3,32	15,94	11,59
SOMME	55,08	44,91	23,61	26,48	16,48	22,38	3,23	13,30	9,70
TARN	55,12	44,87	29,52	25,12	18,50	14,39	3,82	14,69	10,13
TARN-ET-GARONNE	55,96	44,03	27,71	22,96	19,79	13,62	3,90	15,86	10,82
VAR	48,30	51,69	22,90	31,38	17,35	17,97	3,68	19,25	13,74
VAUCLUSE	54,25	45,74	25,86	26,79	16,25	19,03	4,19	17,66	13,22
VENDÉE	39,61	60,38	21,61	36,95	20,85	6,71	3,54	14,24	10,69
VIENNE	52,98	47,01	26,79	27,57	18,83	13,33	3,44	16,90	12,28
HAUTE-VIENNE	62,18	37,81	25,88	17,26	23,20	24,26	2,69	14,90	11,54
VOSGES	49,83	50,16	27,11	29,92	18,30	11,50	3,74	17,59	12,20
YONNE	50,09	49,90	25,15	30,23	17,72	13,98	3,86	18,26	12,96
TERRITOIRE DE BELFORT	56,42	43,57	33,40	24,81	16,33	11,87	4,03	18,53	12,24
PARIS	46,43	53,56	24,58	25,96	26,96	9,18	4,06	22,43	17,30
SEINE-ET-MARNE	52,63	47,36	25,29	25,91	19,18	15,36	4,72	18,57	13,85
YVELINES	48,90	51,09	24,36	26,93	20,68	12,50	5,02	18,02	13,50
ESSONNE	56,51	43,48	26,66	22,89	18,11	16,80	5,35	17,91	13,55
HAUTS-DE-SEINE	51,18	48,81	23,52	24,94	20,61	16,14	4,82	19,77	15,31
SEINE-SAINT-DENIS	62,97	37,02	24,47	19,47	15,48	27,29	4,46	20,76	17,02
VAL-DE-MARNE	56,72	43,77	24,64	21,81	18,14	21,38	4,72	19,01	15,91
VAL-D'OISE	56,83	43,16	25,78	23,29	17,29	18,80	5,08	17,79	14,03

Résultats des élections présidentielles

	MÉTROPOLE %			DÉPARTEMENTS D'OUTRE-MER %			TERRITOIRES D'OUTRE-MER %			FRANÇAIS DE L'ÉTRANGER %			TOTAL %		
	Nombre de voix obtenues	% expr.	% inscr.	Nombre de voix obtenues	% expr.	% inscr.	Nombre de voix obtenues	% expr.	% inscr.	Nombre de voix obtenues	% expr.	% inscr.	Nombre de voix obtenues	% expr.	% inscr.
1er tour, 26 avril 1981															
Inscrits	35 558 985			525 274			182 541			132 059			36 398 859		
Abstentions	6 586 886 (18,52 %)			200 406 (38,15 %)			62 920 (34,46 %)			32 565 (24,66 %)			6 882 777 (18,91 %)		
Votants	28 972 099 (81,47 %)			324 868 (61,84 %)			119 621 (65,53 %)			99 494 (75,34 %)			29 516 082 (81,09 %)		
Blancs ou nuls	467 464 (1,31 %)			8 256 (1,57 %)			1 506 (0,82 %)			739 (0,56 %)			478 046 (1,31 %)		
Suffrages exprimés	28 504 635			316 612			118 115			98 755			29 038 036		
H. BOUCHARDEAU	318 113	1,11	0,89	1 083	0,34	0,20	363	0,30	0,19	1 794	1,81	1,35	321 344	1,10	0,88
J. CHIRAC	5 138 571	18,02	14,45	34 490	10,89	6,56	30 999	26,24	16,98	21 788	22,06	16,50	5 225 846	17,99	14,35
M. CRÉPEAU	638 944	2,24	1,79	1 513	0,47	0,28	856	0,72	0,46	1 534	1,55	1,16	642 777	2,21	1,76
M. DEBRÉ	468 780	1,64	1,31	10 745	3,39	2,04	843	0,71	0,46	1 453	1,47	1,10	481 821	1,66	1,32
M.-F. GARAUD	380 797	1,33	1,07	2 184	0,69	0,41	1 169	0,99	0,64	2 473	2,50	1,87	386 623	1,33	1,06
V. GISCARD D'ESTAING	7 929 850	27,82	22,30	185 079	58,45	35,23	62 577	52,98	34,28	44 926	45,49	34,02	8 222 432	28,31	22,59
A. LAGUILLER	661 119	2,32	1,86	4 471	1,41	0,85	1 575	1,33	0,86	892	0,90	0,67	668 057	2,30	1,83
B. LALONDE	1 118 232	3,92	3,14	2 512	0,79	0,48	1 407	1,19	0,77	4 103	4,15	3,10	1 116 254	3,87	3,09
G. MARCHAIS	4 412 949	15,48	12,41	40 231	12,70	7,66	2 062	1,74	1,13	1 680	1,70	1,27	4 456 922	15,34	12,24
F. MITTERRAND	7 437 282	26,09	20,91	34 302	10,83	6,53	16 264	13,77	8,91	18 112	18,34	13,71	7 505 960	25,85	20,62
2e tour, 10 mai 1981															
Inscrits	35 459 328			624 996			182 297			132 141			36 398 762		
Abstentions	4 810 396 (13,57 %)			252 988 (40,48 %)			57 797 (31,70 %)			28 029 (21,21 %)			5 149 210 (14,15 %)		
Votants	30 648 932 (84,43 %)			372 008 (59,52 %)			124 500 (68,30 %)			104 112 (78,79 %)			31 249 552 (85,85 %)		
Blancs ou nuls	887 976 (2,50 %)			7 428 (1,19 %)			1 675 (0,92 %)			1 905 (1,44 %)			898 984 (2,47 %)		
Suffrages exprimés	29 760 956 (83,93 %)			364 580 (58,33 %)			122 825 (67,38 %)			102 207 (77,35 %)			30 350 568 (88,38 %)		
F. MITTERRAND	15 541 905	52,22	43,83	103 564	28,41	16,57	31 810	25,90	17,45	30 983	30,31	23,45	15 708 262	51,76	43,15
V. GISCARD D'ESTAING	14 219 051	47,78	40,10	261 016	71,59	41,76	91 015	74,10	49,93	71 224	69,69	53,96	14 642 306	48,24	40,23
1er tour, 24 avril 1988															
Inscrits	37 048 689			735 930			231 203			163 296			38 179 118		
Abstentions	6 667 123			296 471			95 444			60 780			7 119 818 (18,65 %)		
Votants	30 381 566			439 459			135 759			102 516			31 059 300 (81,35 %)		
Blancs ou nuls	606 555			18 201			2 188			612			622 564 (2 %)		
Suffrages exprimés	29 780 011			421 258			133 571			101 904			30 436 744		
R. BARRE	4 914 548	16,50	13,27	80 474	19,10	10,93	20 135	15,07	8,70	19 987	19,61	12,24	5 035 144	16,54	13,19
P. BOUSSEL	115 356	0,39	0,31	1 044	0,25	0,14	299	0,22	0,13	175	0,17	0,1	116 874	0,38	0,31
J. CHIRAC	5 883 857	19,76	15,88	84 528	20,07	11,49	71 125	53,25	30,76	35 650	34,98	21,83	6 075 160	19,96	15,91
P. JUQUIN	634 913	2,13	1,71	2 071	0,49	0,28	509	0,38	0,22	1 640	1,61	1,00	639 133	2,10	1,67
A. LAGUILLER	601 098	2,02	1,62	3 402	0,81	0,46	836	0,62	0,36	865	0,85	0,53	606 201	1,99	1,59
A. LAJOINIE	2 042 473	6,94	5,51	11 991	2,85	1,63	892	0,67	0,39	905	0,89	0,55	2 056 261	6,75	5,39
J.-M. LE PEN	4 351 465	14,61	11,75	7 168	1,70	0,98	8 364	6,26	3,62	9 745	9,56	5,97	4 376 742	14,38	11,46
F. MITTERRAND	10 094 408	33,90	27,25	227 600	54,03	30,93	30 320	22,70	13,11	29 004	28,46	17,76	10 381 332	34,11	27,20
A. WAECHTER	1 141 893	3,83	3,08	2 980	0,71	0,40	1 091	0,82	0,47	3 933	3,86	2,41	1 149 897	3,77	3,01
2e tour, 8 mai 1988															
Inscrits	37 039 196			735 992			231 185			162 496			38 168 869		
Abstentions	5 689 959			246 161			90 663			57 015			6 083 798 (15,93 %)		
Votants	31 349 237			489 831			140 522			105 481			32 085 071 (84,06 %)		
Blancs ou nuls	1 144 853			14 072			140			1 494			1 161 822 (3,04 %)		
Suffrages exprimés	30 204 384			475 759			139 119			103 987			30 923 249		
F. MITTERRAND	16 304 512	53,98	44,02	309 425	65,04	42,04	48 861	35,12	21,13	41 481	39,90	25,53	16 704 279	54,02	43,76
J. CHIRAC	13 899 872	46,02	37,53	166 334	34,96	22,60	90 258	64,88	39,04	62 506	60,10	38,46	14 218 970	45,98	37,25

☞ Suite de la page 719.

dépenses état-major : loyers, électricité, P.T.T., journaux, etc. 5 661 181, *sondages :* 2 265 734, *routage :* 2 723 915, *agios bancaires :* 401 871.

• Barre. **Recettes**. 64 145 185,29 F dont emprunts bancaires au 31 mai 1988 : 16 636 154,49, contribution groupement politique RÉEL 13 900 000, prêts et avances des fournisseurs au 31 mai 1988 : 13 408 184,58, dons en espèces 11 251 790, par chèques 8 949 056,22. **Dépenses**. Article R.39 : 19 027 702,23 F ; hors article R.39 : 64 145 185,29 F dont services extérieurs 63 085 239,52, achats 725 648,17, frais de personnel 334 297,60.

• Le Pen. **Recettes**. 37 886 119,25 F dont prêts et avances des fournisseurs et prestataires 28 671 601,52, avance parti politique 6 257 850,03, dons par chèques (sans reçu) 2 956 667,70. **Dépenses**. Hors article R.39 : 36 506 312,74 F dont services extérieurs 35 777 161,18, achats 729 151,56.

• Lajoinie. **Recettes**. 33 345 146 F dont avance P.C.F. 17 797 959, dettes aux fournisseurs 15 080 645, dons par chèques (avec reçu) 466 542. **Dépenses.** 33 345 146 F dont services extérieurs 28 356 792, achats 3 903 327, frais de personnel 1 040 337, frais financiers 47, charges diverses 44 643. **Dettes**. 32 878 604 F.

• Boussel. **Recettes**. 3 996 295 F dont dons reçus par chèques (avec reçu) 0, contribution parti politique 0, emprunts contractés par le candidat 0, avance parti politique 2 150 851, prêts et avances des fournisseurs et prestataires de services 1 845 444. **Dépenses**. Article R.39 : 12 667 218 F ; hors article R.39 : 3 996 295 F dont frais de propagande 045 141, réunions publiques 1 366 916, frais de gestion 309 219, services extérieurs 132 000, fournisseurs 131 361, frais divers 11 658.

• Waechter. **Recettes**. 6 898 709 F dont emprunts contractés par le candidat 3 501 643, prêts et avances des fournisseurs et prestataires 2 570 902, avance parti politique 606 603, dons reçus par chèques (sans reçu) 64 784, produits d'activités annexes 154 777. **Dépenses**. 6 898 709 F dont services extérieurs 6 628 810, frais financiers 195 779, charges diverses 54 144, frais de personnel 19 976.

• Laguiller. **Recettes**. 6 926 930,70 F dont *contributions :* dons reçus par chèque (sans reçu) 429 140,70 ; *dettes de la candidate :* avance parti politique 6 480 000, avance des prestataires 17 790. **Dépenses**. 6 869 690,46 F dont services extérieurs 5 855 858,84, achats (papier, encre, etc.) 1 003 781,81, frais financiers 49,81, charges diverses (caution électorale) 10 000.

• Juquin. **Recettes**. 7 831 541,73 F dont emprunts contractés par le candidat 6 854 500, dons reçus par chèques (sans reçu) 374 259,33, (avec reçu) 25 000, en espèces 25 078,40, prêts et avances des fournisseurs et prestataires 622 704, avance parti politique P.S.U. 200 000. **Dépenses**. Hors article R.39 : 6 844 952,96 F dont service extérieurs 6 520 683,44, frais financiers 281 709,55, achats 26 534,09, charges diverses 16 025,88.

Nota. – La loi obligeant les candidats à déclarer le montant des sommes engagées n'étant entrée en vigueur que le 11-3-1988, alors que la campagne était déjà ouverte, de nombreuses dépenses déjà engagées n'apparaissent pas ici. La campagne d'affichage sur le thème de « Continuons ensemble », lancée par J. Chirac, alors Premier ministre, avait été financée par le Service d'information et de diffusion (S.I.D.) dépendant de Matignon.

Élections présidentielles des 24 avril et 8 mai 1988
% des voix par départements

Départements	24 avril 1988								8 mai 1988		Abstentions	
	Barre	Chirac	Juquin	Lajoinie	Le Pen	Mitterrand	Waechter	Chirac + Barre + Le Pen	Chirac	Mitterrand	24 avril 1988	8 mai 1988
Ain	21,21	19,12	1,81	4,43	16,08	31,40	4,05	56,42	50,71	49,28	18,95	15,67
Aisne	13,32	17,17	1,39	8,96	13,41	39,53	3,26	43,89	38,37	61,62	16,20	13,59
Allier	14,99	19,45	2,13	18,11	10,14	30,27	2,99	44,59	42,08	57,91	17,28	15,06
Alpes-de-Haute-Provence	15,68	18,34	3,07	9,18	16,71	30,36	4,51	50,75	46,91	53,08	17,77	13,99
Hautes-Alpes	19,81	20,61	2,85	6,45	13,69	29,06	5,32	54,13	50,32	49,67	18,46	13,50
Alpes-Maritimes	14,96	24,29	1,49	6,19	24,23	24,38	3,02	63,50	59,02	40,97	19,91	15,93
Ardèche	19,03	19,99	2,88	8,03	12,89	30,64	4,13	51,92	47,69	52,30	17,32	13,66
Ardennes	14,22	17,32	1,66	8,20	15,06	37,19	3,56	46,62	40,46	59,53	18,42	15,09
Ariège	10,41	18,18	3,17	10,53	10,29	41,39	3,52	38,88	36,06	63,93	18,29	13,40
Aube	17,79	20,50	1,32	6,49	14,41	33,67	3,50	52,68	47,75	52,24	18,77	16,11
Aude	10,33	17,64	2,58	10,30	13,71	40,12	3,15	41,69	38,77	61,22	15,24	12,33
Aveyron	18,49	25,76	2,31	4,47	8,86	33,57	3,93	53,13	49,48	50,51	16,49	11,60
Bouches-du-Rhône	13,89	14,77	2,26	11,19	26,39	26,96	2,93	55,06	49,51	50,48	20,01	18,11
Calvados	18,20	19,89	2,04	4,55	11,05	37,40	4,09	49,14	44,18	55,81	18,01	15,42
Cantal	11,52	37,44	1,81	5,67	7,10	31,78	2,44	56,07	54,29	45,70	17,30	12,83
Charente	15,29	19,56	2,02	7,02	8,89	41,39	3,22	43,74	40,16	59,83	17,34	14,13
Charente-Maritime	18,07	20,18	1,95	5,97	11,16	36,43	3,66	49,42	45,59	54,40	19,48	16,10
Cher	16,57	18,72	2,10	11,78	11,56	33,28	3,24	46,86	42,93	57,06	17,75	15,09
Corrèze	4,84	39,17	3,17	13,66	5,92	28,92	2,41	49,95	49,10	50,89	12,47	9,50
Corse-du-Sud	14,19	31,73	1,78	8,49	14,81	25,83	2,38	60,73	57,41	42,58	31,65	23,12
Haute-Corse	12,04	30,38	3,08	7,85	12,01	31,17	2,63	54,44	51,76	48,23	33,19	23,68
Côte-d'Or	16,01	22,04	1,84	3,94	13,91	35,75	4,09	51,98	47,40	52,59	18,49	14,79
Côtes-du-Nord	17,22	18,91	2,79	7,61	8,23	38,26	4,11	44,37	40,63	59,36	14,44	11,41
Creuse	9,95	28,20	2,80	11,18	7,78	34,81	2,52	45,95	44,09	55,90	19,77	15,50
Dordogne	12,09	23,76	2,77	11,34	9,81	34,84	3,21	45,67	43,38	56,61	14,61	11,41
Doubs	15,62	21,51	2,16	3,44	14,41	34,95	4,89	51,56	46,54	53,45	16,65	13,24
Drôme	17,10	18,34	2,95	6,38	16,69	31,60	4,57	52,14	47,52	52,47	17,90	14,82
Eure	16,35	19,67	1,63	5,72	14,04	36,51	3,44	50,06	44,42	55,57	15,65	14,59
Eure-et-Loir	17,61	19,30	1,57	4,54	15,39	35,73	3,37	52,31	46,21	53,78	16,62	14,30
Finistère	19,56	20,92	2,77	4,33	9,91	35,70	4,26	50,40	45,58	54,41	16,75	13,86
Gard	14,56	15,35	2,94	12,08	20,58	29,04	3,29	50,51	45,65	54,34	17,39	14,89
Haute-Garonne	14,73	16,78	3,02	5,90	13,15	40,34	3,70	44,67	40,32	59,67	18,48	15,21
Gers	14,45	20,29	2,41	5,94	10,68	40,15	3,77	45,43	42,47	57,52	17,57	13,38
Gironde	15,59	19,35	2,18	6,29	12,29	38,85	3,02	47,24	43,04	56,95	17,50	15,06
Hérault	13,64	17,32	3,53	9,03	19,91	31,11	3,34	50,88	46,68	53,31	18,22	14,81
Ille-et-Vilaine	20,40	20,94	2,14	2,83	8,63	37,61	4,41	49,98	45,78	54,21	17,02	13,89
Indre	14,65	19,87	2,12	8,40	11,34	37,64	2,90	45,86	41,47	58,52	16,24	13,14
Indre-et-Loire	18,74	18,29	2,03	4,96	12,22	37,53	3,45	49,27	43,97	56,02	18,55	15,92
Isère	16,92	16,60	2,83	6,84	16,09	33,90	4,59	49,62	44,39	55,60	18,07	15,08
Jura	17,42	18,76	1,99	5,57	14,52	33,42	5,35	50,72	45,60	54,39	17,40	13,31
Landes	14,96	20,99	1,96	6,94	8,96	42,07	2,32	44,92	42,34	57,65	14,63	11,97
Loir-et-Cher	18,22	19,35	1,93	6,40	12,78	35,54	3,12	50,36	45,04	54,95	15,44	12,97
Loire	18,50	17,92	2,25	6,98	17,36	30,41	4,05	53,80	48,07	51,92	20,25	17,33
Haute-Loire	21,42	20,99	2,30	4,44	14,08	29,97	3,99	56,50	51,24	48,75	17,62	13,63
Loire-Atlantique	19,89	19,76	2,37	3,97	10,03	36,79	4,26	49,68	45,22	54,77	18,55	16,06
Loiret	18,28	21,02	1,78	5,96	14,92	31,82	3,73	54,22	48,93	51,06	16,26	13,72
Lot	12,11	23,82	2,99	7,07	8,33	38,77	4,40	44,27	42,03	57,96	14,78	10,78
Lot-et-Garonne	16,03	18,53	2,33	8,49	15,41	33,62	3,47	49,97	45,98	54,01	15,58	12,92
Lozère	21,59	26,93	2,58	4,87	11,63	26,83	3,42	60,15	56,94	43,05	17,65	10,98
Maine-et-Loire	24,27	22,05	1,59	2,74	9,52	32,63	4,14	55,86	51,01	48,98	15,87	14,07
Manche	20,88	23,25	1,52	2,82	10,77	33,78	4,31	54,92	50,69	49,30	17,45	14,67
Marne	17,21	20,49	1,41	5,84	14,02	34,60	3,95	51,73	46,12	53,87	19,30	16,34
Haute-Marne	15,62	19,60	1,42	5,37	15,63	35,25	4,20	50,83	45,29	54,70	19,08	15,91
Mayenne	23,44	24,10	1,60	2,17	8,19	33,61	4,05	55,74	51,78	48,21	14,82	12,73
Meurthe-et-Moselle	17,97	15,63	2,35	6,80	14,84	35,08	4,20	48,45	41,71	58,28	19,94	16,67
Meuse	18,41	18,06	1,36	4,53	14,99	35,11	4,47	51,48	46,27	53,72	16,68	13,87
Morbihan	19,67	19,91	1,74	4,35	12,98	34,98	3,90	52,57	47	52,99	16,02	13,98
Moselle	16,66	16,25	1,40	4,08	19,90	33,34	4,82	52,83	44,34	55,65	17,81	16,14
Nièvre	12,45	17,02	1,76	9,59	9,72	44,52	2,80	39,19	36,03	63,96	18,11	14,18
Nord	15,58	15,02	1,53	10,34	15,15	36,74	2,92	45,77	39,47	60,52	16,78	15,13
Oise	14,05	17,74	1,57	7,31	16,72	36,50	3,33	48,52	41,87	58,12	15,53	13,57
Orne	19,32	23,39	1,66	2,98	11,79	34,12	4,00	54,51	49,26	50,73	16,24	13,17
Pas-de-Calais	13,95	14,50	1,43	11,58	11,39	41,22	2,75	39,86	35,33	64,66	14,66	13,45
Puy-de-Dôme	17,46	19,60	3,18	7,11	11,57	34,20	4,03	48,64	45,12	54,87	17,56	13,95
Pyrénées-Atlantiques	18,10	24,46	2,32	4,94	10,68	33,82	3,40	53,25	49,88	50,11	17,38	14,24
Hautes-Pyrénées	15,61	18,34	3,11	9,75	9,93	37,85	3,19	43,89	40,68	59,31	19,16	15,39
Pyrénées-Orientales	13,39	17,81	2,42	9,38	20,52	31,40	3,18	51,72	47,38	52,61	20,67	15,85
Bas-Rhin	18,60	17,59	0,87	1,30	21,93	28,19	9,37	58,13	51,60	48,39	18,42	17,05
Haut-Rhin	17,97	16,97	0,74	1,50	22,15	29,43	9,24	56,85	49,84	50,15	17,84	16,91
Rhône	21,98	17,36	2,17	5,45	18,03	29,32	3,80	57,37	51,57	48,42	19,74	17,54
Haute-Saône	15,48	20,12	1,64	4,62	13,85	37,42	4,10	49,46	44,86	55,13	15,98	11,77
Saône-et-Loire	17,17	20,56	1,62	6,45	11,11	37,56	3,26	48,85	44,63	55,36	20,09	16,64
Sarthe	18,14	19,32	2,15	6,16	9,34	38,09	3,64	46,81	42,06	57,93	17,86	15,25
Savoie	18,04	20,95	2,22	5,89	15,20	30,36	5,00	54,20	49,81	50,18	20,06	16,33
Haute-Savoie	22,81	22,52	1,62	3,21	15,47	27,15	5,38	60,81	56,30	43,69	19,75	16,34
Paris	13,59	31,57	2,75	3,65	13,38	29,47	3,64	58,55	54,67	45,32	23,06	19,72
Seine-Maritime	16,04	16,75	2,06	8,66	11,22	39,04	3,35	44,06	39,33	60,66	17,74	15,70
Seine-et-Marne	15,11	19,85	1,89	6,29	17,75	33,00	3,81	52,72	46,94	53,05	18,48	16,15
Yvelines	18,48	24,48	2,02	4,68	15,05	29,38	3,95	58,02	53,73	46,26	17,92	15,69
Deux-Sèvres	21,14	21,20	1,79	3,18	7,49	37,47	4,46	49,83	46,33	53,66	15,81	13,44
Somme	14,85	16,89	1,81	10,07	13,79	36,68	2,86	45,54	39,95	60,04	14,28	11,88
Tarn	14,74	19,15	2,30	6,17	14,77	36,53	3,87	48,66	44,62	55,37	14,72	11,41
Tarn-et-Garonne	13,70	20,40	2,11	5,94	15,18	36,37	3,93	49,30	45,02	54,97	16,06	12,25
Var	16,17	19,91	1,92	7,12	25,08	25,45	2,84	61,16	56,33	43,66	18,89	15,99
Vaucluse	15,20	16,75	2,02	7,84	23,15	29,46	3,70	55,03	49,65	50,34	16,12	14,02
Vendée	24,01	24,51	1,36	2,71	8,69	32,18	3,91	57,22	53,92	46,07	13,90	12,33
Vienne	16,38	21,77	2,25	5,84	9,30	37,86	3,83	47,46	43,79	56,20	16,40	14,05
Haute-Vienne	10,98	22,13	4,05	11,36	7,83	37,85	3,08	40,95	37,99	62	15,57	12,70
Vosges	17,36	19,18	1,44	3,92	14,88	35,37	4,81	51,43	45,22	54,77	17,26	14,22
Yonne	17,23	19,96	1,69	6,30	15,72	33,15	3,62	52,92	47,86	52,13	17,78	14,07
Territoire de Belfort	13,89	17,29	2,07	4,48	16,76	36,78	5,28	47,96	42,46	57,53	18,10	14,54
Essonne	15,84	19,33	3,42	6,86	14,98	32,94	4,33	50,16	45,04	54,95	18,22	15,82
Hauts-de-Seine	16,51	24,72	2,41	6,86	14,77	29,10	3,67	56	51,43	48,56	19,09	15,96
Seine-Saint-Denis	11,09	14,61	2,55	13,50	19,81	32,91	3,26	45,51	39,09	60,90	22,23	20,76
Val-de-Marne	13,99	19,32	2,69	11,03	15,62	31,46	3,80	49,04	44,57	55,42	19,91	18,15
Val-d'Oise	14,53	18,00	2,23	7,89	18,07	33,19	3,80	50,61	44,46	55,53	19,07	17,13
Guadeloupe	10,56	25,31	0,41	5,46	1,68	55,01	0,58	37,55	30,59	69,40	58,12	47,88
Guyane	9,15	30,55	0,64	0,68	4,71	51,93	1,16	44,41	39,61	60,38	43,99	36,43
Martinique	16,35	19,86	0,29	1,98	1,16	58,87	0,58	37,37	29,10	70,89	42,37	37,67
La Réunion	24,50	17,45	0,61	2,54	1,77	51,14	0,78	43,72	39,73	60,26	26,36	20,56
Nouvelle-Calédonie	6,14	74,62	0,18	0,33	12,39	4,98	0,60	93,15	90,29	9,70	41,84	38,30
Polynésie française	10,09	39,91	0,51	0,86	2,91	43,87	0,93	52,91	45,68	54,31	43,89	41,23
Wallis-et-Futuna	39,31	52,27	0,06	0,03	0,61	7,21	0,19	92,19	73,47	26,52	27,60	22,88
Mayotte	54,86	36,88	0,58	1,24	1,28	4	0,24	93,02	49,66	50,33	30,95	43,62
St-Pierre-et-Miquelon	14,13	34,97	0,93	0,93	4,93	32,23	8,41	54,03	56,21	43,78	43,96	28,29

Élections législatives
(Résultats depuis 1789)

☞ **Principaux sigles.** *A.D.S.* Action démocratique sociale. *A.M.A.* Amis du manifeste algérien. *A.R.S.* Groupe de l'action républicaine et sociale. *C.D.P.* Centre Démocratie et Progrès. *C.D.S.* Centre des démocrates sociaux. *C.N.I.* Centre national des indépendants. *C.R.A.P.S.* Centre républicain d'action paysanne et sociale. *E.R.D.* Entente rép. et démocratique. *F.I.* Français indépendants. *F.R.* Fédération rép. *F.R.F.* Fédération rép. de France (gr. de l'U.R.D.). *G.P.* Groupe paysan. *G. Rad.* Gauche radicale. *G. Rép.* Gauche rép. *Ind.* Indépendants. *I.O.M.* Indépendants d'outre-mer. *I.P.* Indépendants paysans. *I.R.* Indépendants rép. *M.I.* Musulmans indépendants. *M.R.P.* Mouvement rép. populaire. *M.T.L.D.* Mouvement pour le triomphe des libertés démocratiques (Alg.). *P.C.* Parti communiste. *P.C.F.* Pc. français. *P.D.M.* Progrès et démocratie moderne. *P.R.* Parti rép. *P.R.L.* Parti rép. de la Liberté. *P.S.* Parti socialiste. *P. Soc. F et R.S.* Parti socialiste français et Rép. socialistes. *P.S.U.* Parti socialiste unifié. *R.A.P.S.* Rép. d'action paysanne et sociale. *R.D.A.* Rassemblement démocratique africain. *R.G.* Rép. de gauche. *R.G.R.* Rassemblement des gauches rép. *R.I.* Rép. indépendants. *R.I. et A.S.* Rép. indépendants et d'action sociale. *R.P.F.* Rassemblement du peuple français. *R.P.R.* Rassemblement pour la République. *R. et R.-S.* Rép. et Radicaux-socialistes. *R.S.* Rép. socialistes. *S.F.I.C.* Section française de l'Internationale communiste. *S.F.I.O.* Section française de l'Internationale ouvrière. *U.D.F.* Union pour la démocratie fr. *U.D.I.* Union des démocrates indépendants. *U.D.Ve* Union de défense de la Ve Rép., qui devient en avril 1968 *U.D.R.* Union de défense de la Rép. (devenue à son tour Union des démocrates pour la Rép. en 1971 et *R.P.R.* en 1976). *U.D.S.R.* Union démocratique et sociale de la Résistance. *U.D.T.* Union démocratique du travail. *U.G.S.D.* Union de la gauche socialiste et démocratique. *U.N.R.* Union pour la nouvelle Rép. (devenue *U.D.Ve* en 1967). *U.R.D.* Union rép. et démocratique. *U.R.P.* Union rép. du progrès. *U.R.R.* Union des rép. et résistants.

Monarchie

• **Mai 1789. États généraux.** *Élection par ordres* (noblesse et clergé électeurs, tiers état, suffrage à plusieurs degrés) : noblesse 270 s. (dont 90 libéraux), clergé 300 (dont + de 200 curés), tiers état 600 (hommes de loi, propriétaires, négociants..., 3 ecclésiastiques, 11 nobles). Les états généraux se transformèrent, le 17-6-1789, en *Ass. nationale constituante,* qui siégea jusqu'au 30-9-1791.

• **Août-sept. 1791. Assemblée législative.** *Suffr. censitaire* (il faut justifier d'un minimun de 3 jours de travail pour être électeur) et indirect (4 300 000 citoyens actifs désignent 40 000 él.). 745 députés : indépendants (Marais) 345, monarchistes constitutionnels (inscrits au club des Feuillants créé en juillet 1791) 264, gauche (Jacobins modérés et Cordeliers extrémistes) 136.

Ire République

• **Août-sept. 1792. Convention nationale.** *Suffr. universel* (env. 700 000 votants) : abstentions 90 % ; 760 députés : 400 Marais ou Plaine, 200 Montagnards, 160 Girondins.

• **Oct. 1795. Conseil des Cinq-Cents et Conseil des Anciens** pour 1/3 des membres. *Suffr. censitaire* (revenu égal au moins à 150 j de travail) : 6 000 000 de citoyens actifs désignèrent 30 000 électeurs. Députés : républicains 305, modérés 266, royalistes 158.

• **Mars-avril 1797. Conseil des Cinq-Cents et Conseil des Anciens** pour 1/3. *Suffr. idem.* Aux Cinq-Cents : monarchistes ou modérés 182, indépendants 44, républ. 34 (sur 216 conventionnels sortants, 16 réélus). Après le coup d'État du 18 fructidor an V (4-9-1797), 167 dép. furent invalidés (60 furent condamnés à la déportation).

• **Avril-mai 1798. Conseil des Cinq-Cents et Conseil des Anciens** pour 1/3, et remplacement des députés éliminés lors du coup d'État du 18 fructidor. *Suffr. idem.* Gain des jacobins [cependant le Directoire remplaça 106 opposants (qu'il invalida le 11-5-1798) par des hommes à lui].

Vote au 1er tour (24 avril 1988)

Catégories	Mitterrand	Chirac	Barre	Le Pen	total Gauche	total Waechter	total Droite
Hommes	33	19,5	15	16	46	3,5	50,5
Femmes	25	20	18	13	45	4	51
18-24 ans	33	18	16	17	42	7	51
25-34 ans	38	12	15,5	14	53	6	41
35-49 ans	35	18	16	16	47	3	50
50-64 ans	32	24	16,5	15,5	42	2	56
65 ans et plus	30	26,5	19,5	11	40,5	2,5	57
Professions libérales	8,5	43	30	7,5	10,5	9	80,5
Artisans, commerçants	23	29,5	17	22	29,5	2	68,5
Agriculteurs	27	36,5	20,5	5,5	34,5	3	62,5
Cadres supérieurs	29	24,5	22	10,5	37	6	57
Cadres moyens	32,5	18	18,5	14,5	44,5	4,5	51
Employés	38,5	13	17	14,5	51,5	4	44,5
Ouvriers	41,5	9,5	9	19,5	58,5	3,5	38
Femmes au foyer	32	22	16	17	40,5	4,5	55
(Femmes actives)	(35,5)	(18,0)	(16,5)	(13,5)	(47,5)	(4,5)	(48)
Étudiants	34	23,5	17	9,5	43	7	50
Retraités	33	23,5	18	12,5	44	2	54
Ruraux	37,5	20	17,5	12	47,5	3	49,5
2 000-20 000 h.	36	19,5	17	12,5	47	4	49
20 000-100 000 h.	31	19,5	18	15	44	3,5	52,5
Plus de 100 000 h.	33,5	17,5	15,5	18	45	4	51
Paris-Région parisienne	28,5	25	12	14,5	42	4,5	53,5
ENSEMBLE	33,9	19,8	16,5	14,6	45,3	3,8	50,9

Source : IFRES, sortie des bureaux de vote, 4 109 votants interrogés.

• Printemps 1799. **Conseil des Cinq-Cents et Conseil des Anciens** pour 1/3. *Suffr. idem.* Aux Cinq-Cents : montagnards 240, « directoriaux » 150, droite 80, extrême gauche 30.

Cent-Jours

• Mai 1815. **Chambre des représentants.** *Suffr. cens. Inscrits :* collèges dép. 19 500 (abstentions 60,9 %), coll. d'arrondissement 27 000 (46,9 %). 629 dép. (libéraux, 80 bonapartistes convaincus, jacobins). Dispersée le 8-7-1815.

Restauration

Chambre des députés

• 14 et 28 août 1815. Les collèges d'arrondissement élisaient un nombre de candidats égal au nombre de dép. du département. Les coll. de dép. devaient choisir la 1/2 des *dép.* parmi ces candidats ; pour l'autre 1/2, totale liberté de choix. Abstentions + de 30 %. 70 000 élect. (+ 4 000 à 5 000 élect. suppl. choisis par les préfets). 40 000 votants. 400 dép. : ultras 350 (appelée *Chambre introuvable,* cette assemblée sera dissoute le 5-9-1816).

• 25 sept. et 4 oct. 1816. *Suffr. cens.* 258 dép. : royalistes modérés 136, ultras 92, républicains ou bonapartistes 20, libéraux 10.

• 20 sept. 1817. Portant sur 1/5 des sièges. *Suffr. cens.* (revenu égal au minimum à 300 F, âge min. 30 ans) 100 000 électeurs. Députés (au min. 40 ans, payant plus de 1 000 F de contributions directes, env. 15 000 éligibles) : modérés 150, ultras 80, indép. 20 à 25.

• 20 et 26 oct. 1818. Portant sur 1/5 des sièges ; 54 s. à pourvoir. *Suffr. cens.* Ultras 4, libéraux gagnent 25, constitutionnels perdent 12.

• 4 et 13 nov. 1820. Portant sur 223 s. *Suffr. cens.* et double vote favorisant les grands propriétaires terriens (loi du double vote du 12-6-1820 : l'ensemble des él. élisait les 3/5 des dép. soit 258 dép., puis le quart des él. les + imposés votaient une 2e fois pour élire les 2/5 restants, soit 172 dép. : en dégrevant d'impôt 14 000 contribuables « suspects », le gouv. éliminait une partie des él. rép.). 220 dép. : droite 187, gauche lib. 33. L'opposition (80 dép.) sera réduite par les élections partielles de 1821 (60 ultras élus en 1822 et 198 en 1823).

• 25 févr. et 6 mars 1824. *Suffr. cens.* et double vote. 431 dép. : droite 411, libéraux 17 (appelée *chambre retrouvée ;* le 9-6-1824, la durée de la législature était portée à 7 ans mais la Ch. fut dissoute le 6-11-1827).

• 17 et 24 nov. 1827. *Suffr. cens.* et double vote. 430 dép. : gauche 170, ministériels ou gouvernementaux (en majorité ultras) 125, droite 75. Dissoute le 16-5-1830.

• 23 juin, 13 et 19 juillet 1830. *Suffr. cens.* et double vote. 94 000 él., 430 dép. élus : gauche 274, gouvernementaux 143.

Monarchie de Juillet

Chambre des députés

• 5 juillet 1831. *Suffr. cens.* (contribution 200 F). Électeurs : 166 583 inscrits, 125 090 votants, 459 dép. : libéraux 282, légitimistes 104, rép. et gauche dynastique 73.

• 21 juin 1834. *Suffr. cens.* 171 015 inscrits, 129 211 votants. Conservateurs, centre droit (Guizot), tiers parti (Dupin), centre gauche (Thiers). Selon le Moniteur : majorité 320, opposition 90 (dont 15 légitimistes), tiers parti 50.

• 4 nov. 1837. *Suffr. cens.* 198 836 inscrits, 151 720 vot. 450 dép. Dissoute 2-2-1839.

• 2 et 6 mars 1839. *Suffr. cens.* 201 271 inscrits, 164 852 votants. 459 dép. : coalition tiers parti et républicains (Guizot, Dupin, Thiers, Barrot) 240, légitimistes 20.

• 9 juillet 1842. *Suffr. cens.* Succès mitigé du gouv. : 266 s. (gain : 15 ; républicains 5 ; à Paris : gouv. 2, opposition 10 dont rép. 3).

• 1er août 1846. *Suff. cens.* Conservateurs ministériels 290, opposition 168 (– 55).

IIe République

• 23 et 24 avril 1848. **Assemblée nationale constituante.** *Suffr. univ.* Scrutin de liste dép. à 1 tour. Électeurs : 9 395 035 inscrits (sur 33 500 000 hab.), 7 835 327 votants. Abst. 16 %. 880 dép. : modérés 600, légitimistes et cathol. 200, socialistes 80.

• 13 mai 1849. **Assemblée nationale législative.** *Suffr. universel.* Abstentions 40 %. 750 sièges (713 pourvus en raison d'él. multiples) : parti de l'ordre (légitimistes, orléanistes, cathol., conservateurs) 450, démocrates ou montagnards 180, rép. modérés 75. Dissoute par le coup d'État du 2-12-1851.

• 29 févr. et 14 mars 1852. **Corps législatif.** *Suffr. univ.* Scrutin uninominal. Électeurs inscrits 9 836 043 [durée minimale du domicile dans la commune : 6 mois (décret du 2-2-1852), au lieu de 3 ans (loi du 31-5-1850)] ; votants 6 222 983. Candidatures officielles, circonscr. arbitraires. 261 dép. : bonapartistes 253, royalistes 5, républicains 3. Voix bonapartistes 5 218 602, opposition 810 962.

IIe Empire

• 21 juin et 5 juill. 1857. **Corps législatif.** *Suffr. univ.* Abst. 25 %. Cand. officiel. 5 471 000 v. Opposition 665 000 v. (7 élus dont 5 à Paris).

• 31 mai et 14 juin 1863. **Corps législatif.** *Suffr. univ.* 283 dép. : candidat. off. 5 308 000 v. (251 sièges), union libérale (légitimistes, orléanistes, cathol., républicains) 1 954 000 v. (républicains 17 s., royalistes-catholiques 15).

• 23 mai et 6 juin 1869. **Corps législatif.** *Idem.* Au 1er tour, candidatures officielles 4 438 000 v., opposition 3 355 000 v. 295 dép. : bonapartistes libéraux 120 (tiers parti), bonap. autoritaires 92, légitimistes 41, républicains 30.

IIIe République

Nota. – (1) Suffrage universel, scrutin uninominal par arrondissement à 2 tours. (2) Scrutin de liste à 2 tours. (3) Scrutin de liste départemental à 2 tours (représentation proportionnelle). (4) Scrutin de liste départemental à 1 tour (repr. prop.).

Assemblée nationale

• 8 févr. 1871. [43 départements étaient occupés (réunions interdites), pas de campagne électorale sauf à Paris] : *suffr. univ., scrutin de liste* dép. à 1 tour. Sur 768 sièges prévus par le décret du 29-1-1871 (dont 753 pour la métropole), 675 furent pourvus en métropole (dont 30 en Alsace-Lorraine) par suite de la pluralité d'élections de certains candidats (Thiers élu dans 86 dép., Trochu 10, Gambetta 8, Favre 5...) ; Républicains env. 150 (Modérés 112 ; Radicaux, moins de 40) ; Conservateurs monarchistes, env. 400 (214 Orléanistes, 182 Légitimistes) ; 78 Libéraux centre gauche, 20 Bonapartistes. 175 avaient appartenu aux assemblées de la monarchie de Juillet, de la IIe Rép. et de l'Empire. *Composition sociale :* 250 députés ruraux (hobereaux, propriétaires terriens) ; 200 avocats, juristes, magistrats ; 100 anciens officiers ; 90 de prof. industrielle ou commerciale.

• 2 juill. 1871. 114 députés à remplacer dans 46 dép. (élections multiples, décès, démissions) : Républicains 99 (35 Radicaux, 38 Modérés, 26 Ralliés), 12 Monarchistes (dont 3 Légitimistes), 3 Bonapartistes. 40 % d'abstentions. Échecs de Victor Hugo, Clemenceau, Floquet. 195 dép. furent élus au cours des élections partielles qui eurent lieu de 1871 à 1875 ; sur 184 s. à pourvoir en métropole et 11 en Algérie : Extr. gauche 64, Gauche 62, Centre gauche 37, Centre droit 12, Bonapartistes 11, Droite 6, Extr. droite 3. En fait, il n'y eut que 182 députés élus en raison des élections multiples ou successives. *Composition (févr. 1875) :* 727 députés (10 sièges vacants ; les 30 s. des dép. alsaciens et lorrains et 2 de Meurthe-et-Moselle étaient laissés volontairement vacants) : Centre droit 165, Gauche 153, Centre gauche 132, Droite 122, Extr. gauche 71, Extr. droite 52, Bonapartistes 32. L'*Ass. nat.* se sépare le 31-12-1875.

• 20 févr. et 5 mars 1876. **Chambre des députés** [1] *Inscrits* 9 733 734 (militaires exclus du vote). *Votants* 7 388 234. *Abstentions* + de 25 %. *Sièges* 533 : *Républicains* 4 028 153 voix : 393 s. (Union rép. 98, Gauche rép. 193, Centre gauche 48, Centre droit 54 dont 17 Rép. modérés, 15 indéterminés, 22 Constitutionnels) ; *Conservateurs* 3 202 335 v. : Bonapartistes 76 s., Légitimistes 24, Orléanistes 40. *Élus célèbres :* Gambetta (4 fois), Félix Faure, Émile Loubet, Armand Fallières, Sadi Carnot, Casimir-Perier.

Dissolution de la Chambre le 25-6-1877 par Mac-Mahon : la Chambre avait refusé, par 363 voix contre 143, la confiance au nouveau ministère du duc de Broglie (à la suite du renvoi de Jules Simon).

• 14 et 28 oct. 1877 [1]. *Inscrits* 9 948 449. *Votants* 8 087 323. *Abstentions* 20 %. Presque tous les sièges furent attribués dès le 1er tour : il y avait en général

2 candidats par circonscription (1 Rép. et 1 Monarchiste). 10 députés furent élus au 2e tour. *Républicains* 4 307 202 v. (313 s.) ; *Conservateurs* 3 577 282 v. : Bonapartistes 104 et s., Légitimistes 44, Orléanistes 11, divers 49.

• **21 août et 4 sept. 1881** [1]. Inscrits 10 179 345. *Votants* 7 181 443. *Abst.* 29,45 %. Rivalité entre Gambetta (programme opportuniste) et Clemenceau avec les « Radicaux » reprenant le programme de Belleville. *Sièges* 545 : *Républicains* 5 128 142 v. : Extrême gauche 46 s. (dont 1 socialiste), Union rép. (Gambetta) 204, Gauche rép. (Ferry) 168. Centre gauche 39 ; *Conservateurs* 1 789 767 v. : Bonapartistes 46 s., Royalistes 42. Effondrement de la droite conservatrice et monarchiste, apparition d'un groupe d'extrême gauche avec le *1er élu socialiste* Clovis Hugues (député de Marseille).

• **14 et 18 oct. 1885** [1]. *Inscrits* 10 278 979. *Votants* 7 929 503. *Abst.* 29,6 %. *Sièges* 584 : *Républicains* 4 327 162 v. : Radicaux-socialistes 60 s., Radicaux 40, Opportunistes 200, Républicains modérés 83 ; *Union des droites* 3 541 384 v. : Conservateurs 63 s., Bonapartistes 65, Monarchistes 73. L'extrême gauche renforce ses positions (100 sièges) surtout dans le Midi, le nord du Massif central et la Région parisienne.

• **22 sept. et 6 oct. 1889** [1]. *Inscrits* 10 387 330. *Votants* 7 953 382. *Abst.* 23,4 %. *Sièges* 576 : *Républicains* 4 350 000 v. : Républicains socialistes et Radicaux-socialistes 12 s., Radicaux 100, Républicains 216, Centre gauche 38 ; *Droite* 3 600 000 v. (dont 700 000 Boulangistes) : Royalistes 86, Bonapartistes 52, Boulangistes 72.

• **20 août et 3 sept. 1893** [1]. *Inscrits* 10 443 378. *Votants* 7 425 354. *Abst.* 28,8 %. *Sièges* 581 : *Républicains :* Socialistes 49 s. (dont Radicaux-socialistes 16, socialistes indépendants 15, Socialistes 18), Radicaux 122, Rép. modérés 317 (Opportunistes et Progressistes 3 181 670 v.) ; *Droite :* Ralliés 35 (458 416 v.), Monarchistes 58 (1 000 381 v.). A la suite du scandale de Panamá, 50 % des dép. sont nouveaux.

• **8 et 22 mai 1898** [1]. *Inscrits* 10 779 123. *Votants* 8 106 123. *Abst.* 24 %. *Sièges* 585 : *Gauche :* Socialistes 57 (791 148 v.), Rad.-soc. 74 (629 572 v.), Radicaux 104 (1 293 507 v.), Progressistes 254 (3 262 725 v.) ; *Droite :* Ralliés 32, Nationalistes 6 (250 101 v.), Révisionnistes 4, Monarchistes 44 (887 759 v.), divers 10. Jules Guesde et Jean Jaurès battus.

• **27 avril et 11 mai 1902** [1]. *Inscrits* 11 058 702 (Fr. métropolitaine, Réunion et 3 circonscrip. des Antilles). *Votants* 8 412 727. *Abst.* 25 %. *Sièges* 589 : *Gauche :* Socialistes 43 (875 532 v.), Rad.-soc. 104 (853 140 v.), Radicaux 129 (1 413 931 v.), Rép. de gauche 62 (2 501 429 v.), Rép. progressistes (modérés) 127 ; *Droite :* Libéraux 35 (885 615 v.), Conservateurs 89 (2 383 080 v.). Les Radicaux avec 233 s. étaient au centre de la majorité qui pouvait s'appuyer sur Socialistes ou Rép. de gauche. Jaurès et Briand élus. *Le Bloc des gauches* (ou Bloc de défense républicaine), formé juin 1899 contre Ligues et Conservateurs, se dissocia 1906 (les Soc. l'avaient quitté en 1906 après le Congrès d'Amsterdam).

• **6 et 20 mai 1906** [1]. *Inscrits* 11 341 062 (Fr. métrop. et Algérie). *Votants* 8 812 493. *Abst.* 21 %. *Sièges* 585 : *Gauche :* Socialistes 54 (877 221 v.), Soc. ind. 20 (205 081 v.), Rad.-soc. 132 (2 514 508 v.), Rad. ind. 115 (692 029), Rép. de gauche 90 (703 912 v.) ; *Droite :* Libéraux 66 (1 238 048 v.), Conservateurs 78 (2 571 765 v.), Nationalistes 30.

• **24 avril et 8 mai 1910** [1]. *Inscrits* 11 326 828 (Fr. métrop. et Algérie). *Votants* 8 396 820. *Abst.* 22 %. *Sièges* 590 : *Gauche :* Socialistes 75 (1 110 561 v.) Soc. ind. 32 (345 202 v.), Rad.-soc. (1 727 064 v.) et Indép. (966 407 v.) 149, Rép. de gauche 113 (1 018 704 v.), Union rép. 72 (1 472 442 v.) ; *Droite :* Libéraux 20 (153 231 v.), Conservateurs 129 (1 602 209 v.).

• **26 avril et 10 mai 1914.** *Inscrits* 11 305 986. *Votants* 8 431 056. *Abst.* 22 %. *Sièges* 601 : *Gauche :* Socialistes 102 (1 413 044 v.), Rép.-soc. 24 (326 927 v.), Rad.-soc. (1 530 188 v.) et Indépendants (1 399 830 v.) 195, Rép. de gauche 66 (819 184 v.), Union rép. 88 (1 588 075 v.) ; *Droite :* Conservateurs (1 297 722 v.) 120 s. (dont Fédération rép. 37, Action libérale 23, divers droite 15, non-inscrits 45). La gauche obtenait presque la majorité absolue.

• **16 et 30 novembre 1919** [3]. *Inscrits* 11 604 322 (Fr. métrop. et Algérie). *Votants* 8 148 090. *Abst.* 28 %. *Sièges* 613 : *Bloc national* (433 s. ; présentait des listes uniques des partis de droite et du centre, sous l'impulsion de l'Alliance démocratique) : Indépendants 50 (1 139 794 v.), Union rép. et démocratique 183 (1 819 691 v.), Gauche rép. et dém. 93, Rép. de gauche 61 (889 177 v.), Groupe d'action rép. et sociale 46 ; *Gauche* (180 s.) : Républicains et Rad.-soc. 86 (1 420 381 v.), Rép.-soc. 26 (283 001 v.), S.F.I.O. 68 (1 728 663 v.). On l'appelle Chambre *bleu horizon,* (couleur de l'uniforme de beaucoup d'anciens combattants). Il est difficile de compter le % des suffrages du Bloc national : dans certains départements, les listes du Bloc présentaient des Radicaux. Son succès s'explique par le mécontentement contre les députés en place (rendus responsables de la préparation insuffisante de la guerre), la peur du « péril bolchevique » et la popularité de Clemenceau bénéficiant aux partis du centre ; le Bloc bénéficia ainsi de la division de la gauche.

• **11 et 25 mai 1924** [4]. *Inscrits* 11 187 745 (Fr. métrop. et Algérie). *Votants* 9 000 091. *Abst.* 16 %. *Sièges* 581 : *Droite et Centre :* Indépendants 29 (375 806 v.), Union rép. et dém. 104 (3 190 831 v.), Démocrates populaires 14, Gauche rép. et dém. 43, Rép. de gauche 38, Gauche rép. 40 (Rép. gauche et Gauche rép. 1 058 293 v.) ; *Gauche* [*Cartel* (287) dont : Rad.-soc. 139 (1 612 581 v.), Rép.-soc. et Soc. français (non S.F.I.O.) 44, S.F.I.O. 104 (1 814 000 v.)] ; *S.F.I.C.* (Parti communiste) : 26 (885 993 v.).

• **22 et 29 avril 1928** [1]. *Inscrits* 11 557 764 (Métrop. et Algérie). *Votants* 9 469 861. *Abst.* 16 %. *Sièges* 606 : *Droite et Centre :* Indép. et Conservateurs 37 (215 169 v.), Union rép. et dém. 102 (2 082 041 v.), Action dém. et sociale 29, Dém. populaire 19, Rép. de gauche 64, Gauche unioniste et sociale 18, Gauche radicale 54, Indép. de gauche 15 (R.G. et G.R. 2 196 243 v.) ; *Gauche :* Rép.-rad. et Rad.-soc. 125 (1 682 543 v.), Rép.-soc. et Soc. français 31 (R.-S. 432 045 v.), S.F.I.O. 100 (1 708 972 v.), S.F.I.C. 12 (1 066 099).

• **1er et 8 mai 1932** [1]. *Inscrits* 11 740 893 (Métropole et Algérie). *Votants* 9 579 482. *Abst.* 16 %. *Sièges* 614 : *Droite et Centre :* Isolés 3, Rép. du centre 6, Indép. d'action éco. sociale et paysanne 7, Indép. 16, Groupe rép. et social 18 (582 095 v.), Féd. rép. du centre 41, Démocrates pop. 17 (309 336 v.), Centre rép. et Rép. de gauche 76 (1 299 936 v.), Gauche radicale et Indép. de gauche 74 (955 990 v.) ; *Gauche :* Gauche indép. 15, Rép.-rad. et Rad.-soc. 160 (1 836 991 v.), Parti social français et Rép.-soc. 29 (515 176 v.), S.F.I.O. 132 (1 964 384 v.), Unité ouvrière 9, S.F.I.C. 11 (796 630 v.). La majorité revient au cartel des Gauches avec 345 v., renforcé à l'extrême gauche par les voix de l'Unité ouvrière (détachée de la S.F.I.C. depuis l'élimination de Trotski par Staline). Les communistes obtiennent 8 % des suffrages exprimés contre 12 % en 1928. Le recul de la droite est important dans le Sud.

• **26 avril et 3 mai 1936** [1]. *Inscrits* 11 971 923 (Fr. métrop. et Algérie). *Votants* 9 847 266. *Abst.* 15 %. *Sièges* 612 : *Front populaire* (386 s.) : S.F.I.O. 149 (1 955 306 v.), 1er parti de la coalition ; les Rad.-soc. perdent le contrôle de la gauche pour la 1re fois, mais conservent un rôle d'arbitrage. Rép.-radicaux et Rad.-soc. 111 (1 422 611 v.), S.F.I.C. 72 (1 502 404 v.), divers gauche 28 (748 600 v.), Union soc. rép. (néo-socialistes) 29. *Opposition :* Centre et Centre droit 95 (2 536 294 v.), Droite 128 (dont Féd. rép. de France 59) (1 666 004 v.).

☞ **Statistiques.** Les 2/3 des députés de la IIIe République n'ont siégé qu'une ou 2 législatures. En effet, 2 271 députés sur un total de 4 892, soit 46 %, furent élus une seule fois et 1 032 députés, soit 21 %, 2 fois. La plupart d'entre eux se représentèrent à l'expiration de leur mandat et échouèrent.

IVe République

Assemblée nationale constituante

• **21 octobre 1945. Élections à la 1re Ass. Scrutin :** représentation proportionnelle suivant la plus forte moyenne dans le département, sans panachage ni vote préférentiel. Femmes et militaires ont le droit de vote. Siégea du 6-11-1945 au 26-4-1946. **Résultats** (Métrop.). *Inscrits* 24 622 862. *Votants* 19 657 603. *Abst.* 4 965 259 (20,1 %). *Suffrages exprimés* 19 152 716. **Voix** (% des suffr. expr. entre parent.). P. C. et apparentés 5 024 174 (26,2 %), S.F.I.O. 4 491 152 (23,4 %), Radicalisme et U.D.S.R. (Union démocratique et socialiste de la Résistance) 2 018 665 (10,5 %), M.R.P. 4 580 222 (23,9 %), Modérés 3 001 063 (15,6 %), divers 37 440 (0,7 %).

Effectif des groupes parlementaires [1]. P. Communiste et apparentés (gr. des Républicains et Résistants) 159, Socialiste et appar. (gr. musulman algérien) 146, Radical et Rad.-socialiste et appar. 29, U.D.S.R. et appar. (dont Gr. paysan) 42, M.R.P. 150, Républicains indépendants 14, Unité républicaine et appar. 39, non-inscrits 7.

• **2 juin 1946. Élections à la 2e**, le projet de Constitution de la 1re Const. ayant été rejeté. **Scrutin :** idem. **Résultats** (Métrop.). *Inscrits* 24 696 949. *Votants* 20 215 200. *Abst.* 4 481 749 (18,1 %). *Suffr. expr.* 19 805 330. **Voix.** P. C. et appar. 5 145 325 (25,9 %), S.F.I.O. 4 187 747 (21,1 %), R.G.R. (regroupe dep. 1946, Radicalisme et U.D.S.R.) 2 299 963 (11,6 %), M.R.P. 5 589 213 (28,2 %), Modérés 2 538 167 (12,8), div. 44 915 (0,1).

Effectif des groupes parlementaires [1]. P. C. et appar. (Union rép. et résistante) 153, Socialiste et appar. 128, Radical et Rad.-soc. 32, U.D.S.R. 20, M.R.P. et appar. 166, Rép. indépendants et appar. 32, P.R.L. 35, U.D.M.A. 11, non-inscrits 9.

Assemblée nationale

• **10 novembre 1946** (le projet de la 2e Constituante ayant été adopté par référendum le 13-10-1946 et promulgué le 27-10-1946). **Scrutin :** idem, mais vote préférentiel admis. **Résultats** (Métrop.). *Inscrits* 25 083 039. *Votants* 19 578 126. *Abstentions* 5 504 913 (21,9 %). *Suffr. exprimés* 19 216 375. **Voix obtenues.** P. Communiste et apparentés 5 430 593 (28,3 %), S.F.I.O. 3 433 901 (17,8 %), R.G.R. 2 136 152 (11,1 %), M.R.P. 4 988 609 (25,9 %), Union gaulliste 585 430 (3 %), Modérés 2 487 313 (12,9 %), divers 154 377 (0,8 %).

Effectif des groupes parlementaires [1]. P. Communiste et apparentés 182, Socialiste 102, Rép. radical et Rad.-soc. 43, U.D.S.R. 26, M.R.P. et apparentés 173, Rép. indépendants et appar. 29, P.R.L. et appar. 38, M.T.L.D. 5, Groupe musulman indép. pour la déf. du fédéralisme alg. 8, non-inscrits 21.

• **17 juin 1951.** *Référendum* (l'Ass. élue en 1946, dissoute le 11-5-1951, a fixé la fin de la législature au 4-7-1951). *Scrutin* (loi du 9-5-1951) : scrutin de liste dans le cadre départ. ; les listes sont autorisées à conclure entre elles des accords préalables *(apparentements).* Si aucun n'est conclu ou si des listes apparentées n'obtiennent pas la majorité absolue des suffr. exprimés, la répartition des sièges a lieu à la représentation proportionnelle, mais si des listes apparentées obtiennent la majorité absolue, elles se voient attribuer la totalité des sièges qui sont répartis entre elles à la repré s. prop. Le but était de permettre aux partis centristes de s'unir pour tenir en échec les partis extrémistes. **Résultats** (Métrop.). *Inscrits* 24 530 523. *Votants* 19 670 655. *Abstentions* 4 859 869. *Suffr. exprimés* 19 129 424. **Voix** [2]. P. Communiste et apparentés 5 056 605 (26,9 %), S.F.I.O. 2 744 842 (14,6 %), R.G.R. 1 887 583 (10 %), M.R.P. 2 369 778 (12,6 %), R.P.F. 4 058 336 (21,6), Modérés 2 656 995 (14,1).

Effectif des groupes parlementaires [1]. P. Communiste et Rép. progressistes 103, Socialiste et apparentés 107, Rép. radical et Rad.-soc. et appar. 74, U.D.S.R. et appar. 16, M.R.P. et Indép. d'O.-M. 95, R.P.F. et appar. 121, C.R.A.P.S. et Démocrates ind. et appar. 43, Rép. ind. et appar. 53, R.D.A. 3, non-inscrits 10, sièges non pourvus (T.O.M.) 2.

Le R.P.F. subit, entre 1951 et 1955, des scissions : formation de l'A.R.S. (1952) et, après que le général de Gaulle lui eut retiré son patronage, de l'U.R.A.S. et du Groupe des rép. sociaux (1954).

• **2 janvier 1956.** Remplacement de l'Ass. élue en juin 1951, dissoute le 1-12-1955. **Scrutin. Résultats** (Métrop.). *Inscrits* 26 774 899. Votants 22 171 957. *Abstentions* 4 602 942 (17,20 %). *Suffr. exprimés* 21 500 790. **Voix** [2]. P. Communiste et apparentés 5 514 403 (25,9 %), S.F.I.O. 3 247 431 (15,2 %), Radicaux et U.D.S.R. (Front républicain qui regroupait également la S.F.I.O.) 2 389 163 (11,3 %), Rép. sociaux (ex-R.P.F.) 585 764 (2,7 %), M.R.P. 2 366 321 (11,1 %), Modérés 3 259 782 (15,3 %), Poujadistes 2 483 813 (11,6 %), Extrême droite (P. rép. paysan, Rassemblement nat., Réforme de l'État) 260 749 (1,2 %), div. 98 600 (0,4 %).

Effectif des groupes parlementaires [1]. P. Communiste et appar. (dont Rép. progressistes) 150, Socialiste 94, Rép.-radical et Rad.-soc. et appar. 58, U.D.S.R. et R.D.A. 19, M.R.P. et Ind. d'O.-M. 83, Rép. sociaux 21, Rassemblement des gauches rép. et du Centre rép. et appar. 14, Indépendants et Paysans d'action sociale et appar. 95, Union et Fraternité franç. 52, non-inscrits 7, non-autorisés à siéger 2, sièges non pourvus (Algérie) 32.

Voix obtenues en % par rapport aux suffrages exprimés en 1978 (au 1er tour) [France entière]

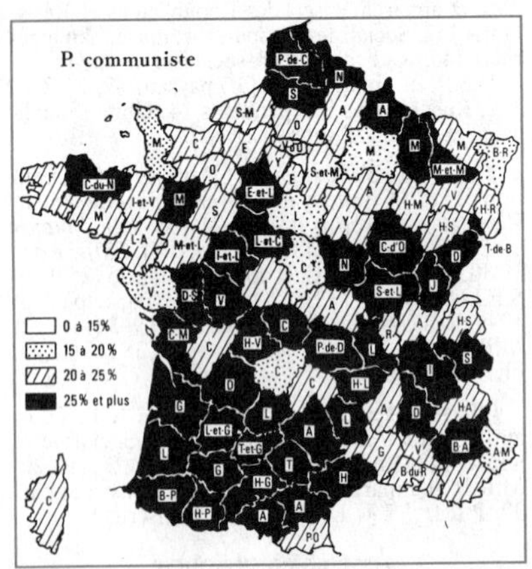

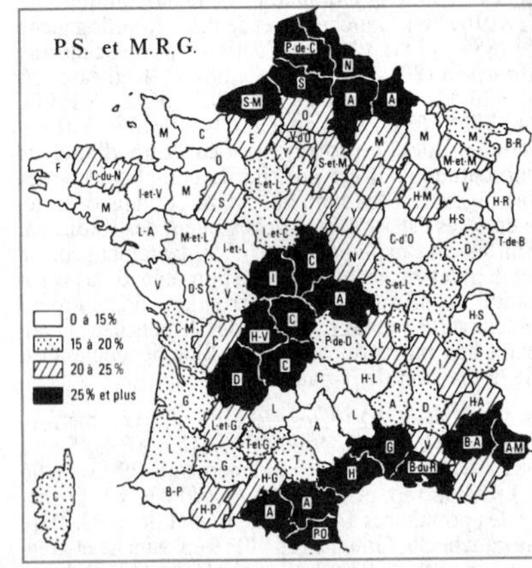

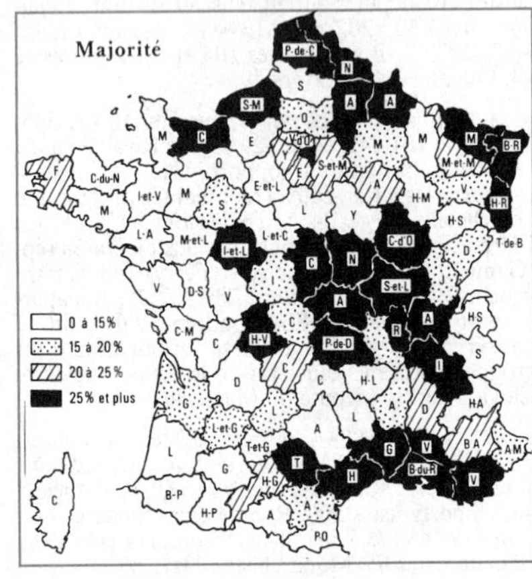

Nota. – (1) Y compris les députés d'outre-mer. Les effectifs retenus sont ceux établis immédiatement après les élections. (2) % du total des moyennes des listes : les bulletins incomplets étaient valables, le total des moyennes des listes était donc inférieur à celui des suffrages exprimés.

En juin 1958. Communistes 138, Progressistes 6, Socialistes 91, Radic. valoisiens 42, Radic. moriciens 13, U.D.S.R. 9, R.G.R. 13, M.R.P. 71, Indépend. et Paysans 97, Paysans 10, Républic. sociaux 13, Poujadistes 30, non-inscrits 7. *Total 540.*

☞ Statistiques. Des 1 112 députés élus sous la IVe Rép. dans la métropole, 446, soit 40 %, furent élus une seule fois, et 190 (17 %), 2 fois.

Ve République

Élections à l'Assemblée nationale

Élections des 23 et 30 novembre 1958

Circonstances. A la suite de la nouvelle Const. promulguée le 4-10-1958. **Scrutin :** uninominal majoritaire à 2 tours en métropole (465 circonscriptions découpées exprès) et dans les D.O.M. (10 s.). Seuls les candidats inscrits au 1er tour et ayant obtenu au moins 5 % des suffr. expr. peuvent se présenter au 2e t. En Algérie (30 nov. ; 67 s. : 21 pour les citoyens de statut civil de droit commun et 46 pour ceux de statut civil local), au Sahara (30 nov. ; 4 s.) : scrutin de liste majoritaire à 1 tour. Dans les T.O.M. : avril-mai 1959 ; 5 s. Chaque député est assisté d'un suppléant de son choix appelé à lui succéder dans certains cas, notamment s'il entre au gouv.

Résultats (métropole)	1er tour [1]		2e tour	
	Voix	%	Voix	%
	27 236 491	*100*	*27 013 390*	*100*
Votants	20 999 797	77,1	19 108 791	70,7
Abstentions	6 241 694	22,9	7 904 599	29,3
Blancs ou nuls	652 889	2,3	468 017	1,7
Suffrages exprimés	*20 346 908*	*75,2*	*18 640 774*	*69*
Répartition des suffrages exprimés				
Communistes	3 882 204	18,9	3 833 418	20,6
Divers gauche	347 298	1,7	146 016	0,7
S.F.I.O.	3 167 354	15,5	2 574 606	13,8
Radicaux	983 201	4,8	619 784	3,3
R.G.R.	716 869	3,5	439 517	2,3
U.N.R.	3 603 958	17,6	5 249 746	28,2
M.R.P.	1 858 380	9,1	1 370 246	7,4
Dém.-chrétiens	520 408	2,5	343 292	1,8
Centre républicain	647 919	3,2	451 810	2,4
C.N.I.	2 815 176	13,7	2 869 173	15,4
Modérés	1 277 424	6,2	570 775	3,1
Extrême droite	669 518	3,3	172 3610	0,9

Nota. - (1) Résultats publiés par le min. de l'Intérieur. *Résultats calculés à la Fondation des Sciences politiques* (d'après les résultats par circonscription communiqués par le min. de l'Intérieur) : Communistes 3 907 763 (19,2 %), Union des forces démocratiques 261 738 (1,2 %), S.F.I.O. 3 193 786 (15,7 %), Radicaux 1 503 787 (7,3 %), M.R.P. 2 273 281 (11,1 %), Gaullistes (U.N.R., C.R.R. et divers) 4 165 453 (20,4 %), Modérés 4 502 449 (22,1 %), Extrême droite 533 651 (2,6 %).

Sièges. Après les élections, l'Assemblée comptait en fait 546 députés et 33 représentants des T.O.M. siégeant au Parlement : 28 représentaient des territoires devenus États membres de la Communauté, ces mandats prenant fin le 16-7-1959 ; 5 restaient acquis aux T.O.M. ; un 6e fut créé dans les Comores.

Répartions des 465 sièges au 30-11-1958 (métropole) : Communistes 10, Divers gauche 2, S.F.I.O. 40, Radicaux et autres gauche 35, U.N.R. et Rép. indépendants 189, Indép. 132, M.R.P. 57. **Des 552 sièges au 27-7-1959** (y compris ceux d'outre-mer) : P.C. 10, S.F.I.O. 44, Entente dém. (rassemblement des élus de tendance radicale) 33, Centre rép. 4, M.R.P. 56, I.P. 118, U.N.R. 212, Unité de la Rép. (élus d'Algérie) 48, isolés 27.

Élections des 18 et 25 novembre 1962

Circonstances. Remplacement de l'Ass. dissoute par le Pt de la Rép. après l'adoption, le 5-10-1962, de la motion de censure contre le gouv. de G. Pompidou. **Scrutin :** voir 1958.

Résultats Métropole	1er tour		2e tour	
	Voix	%	Voix	%
Inscrits	*27 526 358*	*100*	*21 957 468*	*100*
Votants	18 918 159	68,7	15 824 990	72
Abstentions	8 608 199	31,3	6 132 478	27,9
Blancs ou nuls	584 368	2,1	616 889	
Suffr. exprimés	*18 333 791*	*66,6*	*15 208 101*	*69,26*
Répartition des suffr. expr.				
P.C.	4 003 553	21,84	3 195 763	20,94
Extr. gauche et P.S.U.	427 467	2,33	138 131	0,90
S.F.I.O.	2 298 729	12,54	2 264 011	14,83
Rad. et Centr. g.	1 429 649	7,79	1 172 711	7,68
U.N.R.-U.D.F. et divers gaullistes	5 855 744	31,94	6 169 890	40,36
M.R.P.	1 665 695	9,08	821 635	5,45
Indépendants	1 089 348	5,94	1 444 666	9,46
C.N.I.	1 404 177	7,66		
Extrême droite	159 429	0,87	52 245	0,34

Sièges (25-11-62)	Sortants	Total	1er T	2e T	Solde
U.N.R.-U.D.T.	165	229	46	183	+ 64
S.F.I.O.	41	65	1	64	+ 24
Rad. et c. gauche	41	42	8	34	+ 1
Communistes	10	41	9	32	+ 31
M.R.P.	56	36	14	22	– 20
Indép. (C.N.I.)	106	28	6	22	– 78
Rép. ind.	28	20	12	8	– 2
P.S.U.	–	2	0	2	+ 2
Centre républ.	3	1	0	1	– 2
Extr. droite	12	0	0	0	– 18
Sans étiquette	–	1	0	1	+ 1
Total	*462 [1]*	*96*	*369*	*465*	

Nota. – (1) Métropole : 3 sièges vacants au moment de la dissolution de l'assemblée.

Effectif des groupes parlementaires, y compris députés apparentés (au 10-12-1962). Métropole, D.O.M. et T.O.M. entre parenthèses, total en italique : U.N.R.-U.D.T. 220 (13), *233.* Socialiste 64 (2), *66.* Centre démocratique 51 (4), *55.* Communiste 41, *41.* Rassemblement démocratique 38 (1), *39.* Rép. ind. 33 (2), *35.* Non-inscrits 9 (4), *13. Total :* 465 (dont 8 femmes : 2 U.N.R., 2 Centre dém., 3 Comm., 1 Rass. dém.) (10,7), *482.*

Élections des 5 et 12 mars 1967

Scrutin : Comme en 1958, mais il faut avoir obtenu un minimum de suffrages correspondant à 10 % des inscriptions pour se présenter au 2e tour.

Résultats Métropole	1er tour		2e tour	
	Voix	%	Voix	%
Inscrits	*28 291 838*	*100*	*27 526 358*	*100*
Votants	22 887 151	80,89	18 918 159	68,72
Abstentions	5 404 687	19,10	8 608 199	31,27
Blancs ou nuls	494 834	2,16	584 368	3,09
Suffr. exprimés	*22 392 317*	*79,10*	*18 333 791*	*66,60*
Répartition des suffr. expr.				
P.C.	5 029 808	22,46	3 998 790	21,37
Extr. gauche (dt P.S.U.)	506 592	2,26	173 466	0,93
Féd. gauche	4 207 166	18,79	4 505 329	24,08
Ve Républ.	8 453 512	37,75	7 972 908	42,60
Centre dém.	2 864 272	12,79	1 328 777	7,10
Divers	1 136 191	5,08	702 352	3,73
Alliance rép.	194 776	0,87	28 347	0,15
Extr. droite	–	–	–	–

Élections des 23 et 30 juin 1968

Scrutin : comme en 1967.

Résultats Métropole	1er tour		2e tour	
	Voix	%	Voix	%
Inscrits	*28 171 635*	*100*	*19 266 974*	*100*
Suffr. exprimés	*22 138 657*	*78,5*	*14 577 412*	*75,6*
Répartition des suffr. expr.				
Communistes	4 435 357	20,03	2 935 775	20,13
Extr. gauche (dt P.S.U.)	874 212	3,94	87 777	0,60
F.G.D.S. (Soc. S.F.I.O. et Radicaux)	3 654 003	16,5	3 097 338	21,2
U.N.R.-U.D.Ve U.D.R. et Rép. indép.	9 663 605	43,6	6 762 170	46,38
Centre démocratique (indép. et M.R.P.)	2 290 166	10,3	1 141 305	7,8
Divers	1 192 444	5,3	557 076	3,8
Extr. droite	28 871	0,13		

Sièges (30-6-1968)	Sortants	Élus		Total	Gains ou pertes
		1er tour	2e tour		
P.C.F.	73	6	28	34	– 39
P.S.U.	3	–	–	–	– 3
Fédération	118	–	57	57	– 61
U.D.-Ve Rép.	197	124	170	294	+ 97
R.I.	43	28	36	64	+ 21
Centre P.D.M.	42	5	22	27	– 15
Divers	9	3	8	9	–
Total	*485*	*166*	*319*	*485*	

Effectif des groupes parlementaires (y compris dép. d'outre-mer). P. communiste et apparentés 73. Fédération de la Gauche démocrate et socialiste et apparentés 121. Progrès et Démocratie moderne 41. Union démocr. pour la Ve Rép. et appar. 200. Rép. ind. 44. Non-inscrits 8.

Élections des 4 et 11 mars 1973

Scrutin : comme en 1967.

Résultats Métropole	1er tour		2e tour	
	Voix	%	*Voix*	%
Inscrits	*29 865 345*	*100*	*29 666 161*	*100*
Votants	24 262 822	81,24	24 294 033	81,89
Abstentions	5 602 623	18,75	5 372 128	18,11
Blancs ou nuls	541 877	1,81	804 390	2,71
Suffr. exprimés	*23 720 945*	*79,42*	*23 489 643*	*79,18*
Répartition des suffr. expr.				
P.C.	5 063 981	21,34	4 893 876	20,83
P.S.U. et Extr. g.	781 976	3,29	114 540	0,47
U.G.S.D.	4 899 965	20,65	5 564 610	23,68
Divers gauche	299 938	1,26	191 441	0,81
Réformateurs	2 967 481	12,50	1 631 978	6,94
U.R.P.	8 242 661	34,74	10 701 135	45,54
Divers majorité	779 259	3,28	337 399	1,43
Divers droite	679 684	2,86	21 053	0,08

Sièges (11-3-1973)	Sortants	Élus		Total	Gains ou pertes
		1er tour	2e tour		
P.C.F.	34	8	65	73	+ 39
P.S.U. et Extr. g.	1	–	3	3	+ 2
U.G.S.D.-P.S.	41	1	88	89	+ 48
U.G.S.D.-Rad. g.	8	–	12	12	+ 4
Réformateurs	15	–	31	31	+ 16
U.R.P.-U.D.R.	273	26	158	184	– 89
U.R.P.-Rép. ind.	61	13	41	54	– 7
U.R.P.-C.D.P.	26	6	17	23	– 3
Divers	24	6	13	19 (4)	– 5
Total	*483*	*60*	*428*	*488*	

Sièges à pourvoir : 491 dont *Métropole* 474 [dont 1 siège supplémentaire en Corse (4 au lieu de 3)]. *D.O.M.* 11 au lieu de 10 (dont 1 pour St-Pierre-et-Miquelon devenu D.O.M.). *T.O.M.* 6 s. au lieu de 5 [2 au lieu de 1 en N.-Calédonie et en Polynésie Fr. ; 3 supprimés : Comores 2 et Afars et Issas 1, (territoires devenus indépendants) ; 1 s. a été créé : Mayotte, pourvu une 1re fois le 13-3-77] ; 1 s. pour Wallis-et-Futuna.

● **Bilan 1er tour.** *Gauche :* succès global moindre que celui prévu par sondages. P.S. et M.R.G. progressent par rapport à l'U.G.S.D. de 1973 sauf dans 18 dép., mais reculent à Paris et dans la Région par. (sauf dans la 9e circonscription de la Seine-St-Denis).

Répartition des élus si le scrutin uninominal à un tour, ou (entre parenthèses) **si la représentation proportionnelle, avait été adopté, le 5 mars 1967 :** Ve Rép. 307 (177). Centre démocrate 31 (60). Fédération et P.S.U. 66 (98). P. commu. 56 (105). Divers 5 (15).

Élections des 12 et 19 mars 1978

Scrutin : comme en 1967, mais le minimum est porté à 12,5 % des inscrits pour le 2e tour.

Résultats Métropole	1er tour		2e tour	
	Voix	%	*Voix*	%
Inscrits	*35 204 152*	*100*	*30 956 076*	*100*
Votants	29 141 979	82,77	26 206 710	84,60
Abstentions	6 062 173	78,22	4 749 366	15,34
Blancs ou nuls	–	–	–	–
Suffr. exprimés	*28 560 243*	*81,12*	*25 475 802*	*82,20*
Répartition des suffr. expr.				
Extrême gauche	953 088	3,33	–	–
P.C.	5 870 402	20,55	4 744 868	18,62
P.S.	6 451 151	22,58	7 212 916	28,31
M.R.G.	603 932	2,11	595 478	2,36
R.P.R.	6 462 462	22,62	6 651 756	26,11
U.D.F.	6 128 849	21,45	5 907 603	23,18
Majorité présidentielle	684 985	2,39	305 763	1,20
Écologistes	621 100	2,14	–	–
Divers	793 274	2,77	57 418	0,22

Sièges (19-3-1978)	Sortants	Élus		Total	Gains ou pertes
		1er tour	2e tour		
P.C.F.	74	4	82	86	+ 12
Parti socialiste	95	1	103	104	+ 9
Radic. de gauche	13	–	10	10	– 3
Divers opposition	2	–	1	1	– 1
R.P.R.	173	31	119	150	– 23
P.R.	61	16	55	71	+ 10
C.D.S.	28	6	29	35	+ 7
Maj. prés.	17	6	10	16	– 1
Radicaux	7	3	4	7	– 1
M.D.S.F.	6	1	8	9	+ 2
C.N.I.P.	8	–	1	1	– 5
P.S.D.	4	–	1	–	– 3
Divers	3	–	–	–	– 3
	491	*68*	*423*	*490*	

L'extrême gauche, très divisée (elle avait 1 000 candidats), progresse légèrement (3,33 % des suffrages contre 3,29 % en 1973). Le *Front autogestionnaire* (1,22 % des suffrages, 348 527 voix) et les organisations groupées dans les listes *« Pour le socialisme, le pouvoir aux travailleurs »* perdent env. 25 % des voix P.S.U. de 1973. *Lutte ouvrière* (470 candidats, 1,7 %, 500 000 voix) recule par rapport aux présidentielles de 1974 (Arlette Laguiller avait 2,33 % des voix). *L.C.R., O.C.T. et C.C.A.* (250 cand.) obtiennent 0,33 % sur les cand. de gauche. Par contre *l'U.O.P.D.P. (Union ouvrière et paysanne pour la démocratie prolétarienne,* 28 000 voix dans 115 circ.), qui regroupe les 2 principales formations maoïstes, le P.C.R.M.L. (Parti comm. révol. marxiste-léniniste) et le P.C.M.L.F. (Parti comm. marxiste-lén. de France) donne des consignes d'abstention. *Écologistes* 1er tour : 2,14 % de voix (Hts-de-S. 5,80, Yvelines 5,90, Val-d'O. 6,15).

2e tour. *La baisse des abstentions* a profité à la majorité. *Les reports de voix* socialistes sur des communistes se sont mal effectués (dans 7 cas sur 8). Ceux de voix comm. sur les socialistes ou radi. de gauche ont été meilleurs (dans 19 cas sur 30). 57 députés ont été élus avec une marge *inférieure* à 1 % : 15 R.P.R. (dont Ch. de La Malène, A. Jarrot, Y. Guéna, X. Deniau, R. Boulin), 13 U.D.F. (dont J.-J. Servan-Schreiber 50,01) ; 11 P.S. (dont L. Mexandeau), 1 M.R.G., 17 P.C.

● **Bilan général.** *Le Pt de la Rép. Valéry Giscard d'Estaing est vainqueur.* Il avait refusé en 1976 de dissoudre l'Ass. nat. [comme on le lui demandait alors à droite (Chirac) et à gauche]. L'U.D.F. a repris une place importante en face du R.P.R. *La gauche est battue.* Cependant le P.C. gagne 12 s. (86 s. au lieu de 74), obtient tous ceux de 3 dép. (Gard, Seine-St-Denis, Hte-Vienne) ; le P.S., 9 (104 s. au lieu de 95) ; le M.R.G. en perd 3 (10 au lieu de 13). *La majorité gagne* mais perd 10 s. (290 au lieu de 300). Le R.P.R. représente le 1er parti de France malgré les pertes gaullistes de 23 s. (150 au lieu de 173). Il n'a plus que 51 % des élus de la majorité au lieu de 57 %, mais il est en tête de la majorité devant le P.R. qui a 71 s. (+ 10 s.), ou même devant l'ensemble de l'U.D.F. (138 s. en regroupant P.R., C.D.S., majorité présid., radicaux, M.D.S.F., C.N.I.P.).

Composition professionnelle. 102 enseignants, 81 fonctionnaires, 40 médecins, 29 avocats, 30 ouvriers, 20 exploitants agricoles, 8 patrons, 13 journalistes, 12 employés, 7 pharmaciens, 6 vétérinaires, 28 divers et sans profession...

Élections des 14 et 21 juin 1981

Scrutin : Comme en 1978.

Candidats. Sur 2 719, 1 584 parrainés par des formations politiques. **Femmes candidates :** 128 dont P.C. 64, P.S. 37, ancienne majorité 15 ; (en %) P.C. 13,5, P.S. 8, M.R.G. 6,7, U.D.F. 3,2, R.P.R. 2 ; *élues :* P.C. 3, P.S. 5,9 ; *suppléants :* P.C. 23,8. **Age :** R.P.R. 49 ans et 2 m., U.D.F. 47 a. et 3 m., P.C. 46 a. et 3 m., P.S. 44 a. et 7 m., M.R.G. 44 a. et 5 m. *Candidats de moins de 30 ans* (en %) : C.D.S. 3,4, R.P.R. 3,1, P.S. 3 ; *de plus de 65 ans :* Rad. de gauche 11,6, R.P.R. 8,4, P.C. 4,4. Les candidats du P.R. au sein de l'U.D.F. avaient plus de 30 a., 1 sur 5 avait plus de 60 a. **Origine sociale.** Couches aisées (cadres sup., chefs d'entr., hauts fonct., prof. libérales en %) R.P.R. 64,4 (dont cadres sup. et chefs d'entr. 33,3), M.R.G. 62,1, U.D.F. 59, P.S. 30,5, P.C. 5,1.

● **Bilan : 1er tour.** *L'U.N.M. (Union pour la nouvelle majorité,* créée le 15-5) a investi 385 candidats uniques (158 en mars 1978 pour les R.P.R./U.D.F.) et organisé 88 primaires. A gauche, le *P.C.* étant demandeur, le P.S. n'a accepté qu'un simple accord électoral. Abstentions 29,65 %. Souvent dans le camp de la majorité sortante probablement en raison du nombre des cand. uniques.

Entre les 2 tours. L'U.N.M. fait campagne sur le thème de l'excès de puissance dont disposerait le pouvoir avec un parti dominant à l'Ass. nat.

2e tour. *A droite,* les reports de voix R.P.R./U.D.F. s'effectuent correctement. 255 des 305 candidats uniques de l'U.N.M. obtiennent un % de voix supérieur à celui totalisé au 1er tour par l'ensemble des candidats de la majorité sortante. *A gauche,* la poussée socialiste s'effectue aux dépens des formations et des bastions traditionnels de la droite (2 élus en Alsace, 13 en Lorraine au lieu de 3, 7 en Champagne-Ardennes, dont 2 aux dépens du P.C., 6 au lieu de 2 dans le Finistère, etc.). *Taux de participation* plus

Élections des 14 et 21 juin 1981

1er tour : 14 juin [1]	TOTAL			OUTRE-MER			MÉTROPOLE		
Inscrits	36 257 433			721 392			35 536 041		
Votants	25 508 800 (70,25 %)			326 538 (45,26 %)			25 182 262 (70,86 %)		
Abstentions	10 748 633 (29,65 %)			394 854 (54,73 %)			10 353 779 (29,13 %)		
Suffr. expr.	25 141 190			318 125			24 823 065		
PARTIS	Nombre de candidats	Nombre de voix obtenues	%	Nombre de candidats	Nombre de voix obtenues	%	Nombre de candidats	Nombre de voix obtenues	%
Extr. gauche	503	334 674	1,33	5	4 330	1,36	498	330 344	1,33
P.C.	483	4 065 540	16,17	9	62 515	19,65	474	4 003 025	16,12
P.S. + M.R.G.	532	9 432 362	37,51	10	55 509	17,44	522	9 876 853	37,77
Div. gauche	130	183 010	0,72	14	41 372	13	116	141 638	0,57
Écologistes	174	271 688	1,08	2	896	0,28	172	270 792	1,09
R.P.R.	299	5 231 269	20,80	10	38 375	12,06	289	5 192 894	20,91
U.D.F.	280	4 827 437	19,20	7	70 934	22,29	273	4 756 503	19,16
Div. droite	148	704 788	2,80	13	43 798	13,76	135	660 990	2,66
Extr. droite	170	90 422	0,35	1	396	0,12	169	90 026	0,36
TOTAL	2 719			71			2 648		
2e tour : 21 juin [2]	TOTAL			OUTRE-MER			MÉTROPOLE		
Inscrits	25 757 374			653 294			25 104 080		
Votants	19 177 706 (74,46 %)			342 025 (52,35 %)			18 835 681 (75,03 %)		
Abstentions	6 579 668 (25,54 %)			311 269 (47 63 %)			6 268 399 (24,96 %)		
Suffr. expr.	18 665 028			331 757			18 233 271		
PARTIS	Nombre de candidats	Nombre de voix obtenues	%	Nombre de candidats	Nombre de voix obtenues	%	Nombre de candidats	Nombre de voix obtenues	%
Extr. gauche	1	3 517	0,01	1	3 517	1,06	0	0	0
P.C.	41	1 303 587	6,98	4	75 369	22,71	37	1 228 218	6,69
P.S. + M.R.G.	286	9 198 332	49,28	5	57 806	17,42	281	9 140 526	49,85
Div. gauche	6	97 066	0,52	4	42 630	12,84	2	54 436	0,29
Écologistes	0	0	0	0	0	0	0	0	0
R.P.R.	165	4 174 302	22,46	4	58 946	17,76	161	4 115 356	22,44
U.D.F.	140	3 489 363	18,64	4	44 491	13,41	136	3 434 872	18,73
Div. droite	17	408 861	2,19	3	48 998	14,76	14	359 863	1,96
Extr. droite	0	0	0	0	0	0	0	0	0
TOTAL	656			25			631		

Nota. – (1) Résultats communiqués le 15 juin, par le ministère de l'Intérieur, portant sur les 488 circonscriptions où le scrutin était organisé le 14 juin. Dans les 3 autres (2 en Polynésie française et 1 à Wallis-et-Futuna) le 1er tour était fixé au 21 juin. (2) 322 circonscriptions (dont 12 outre-mer) étaient concernées.

élevé démentant la thèse selon laquelle les abst. se situent plutôt à droite.

Bilan général. La *gauche* + de 67 % des s. ; (avait *61,71 %* aux élections du Front populaire des 26-4 et 3-5-1936 et *60,15 %* le 21-10-1945, élection de l'Ass. constituante), *39,84 %* les 5 et 12-3-1967, *40,94 %* les 12 et 19-3-1978. *Le P.S.* détient tous les sièges dans 21 départ. *La nouvelle opposition n'a que 12 nouveaux élus :* 7 U.D.F. et 5 R.P.R. Tous [sauf Jacques Toubon (R.P.R.) à Paris, et Marcel Esdras (U.D.F.) en Guadeloupe] ont été élus dans des circonscriptions où le sortant ne se représentait pas.

Raisons du succès socialiste. 1) *L'évolution sociologique* (urbanisation, développement du salariat, chômage, travail des femmes). 2) *Le fait présidentiel :* pour la 1re fois, des él. législatives ont eu lieu immédiatement après une él. présidentielle. 3) *Le fait majoritaire :* la majorité va à la majorité, le scrutin apparaissant comme la confirmation de l'él. présidentielle. 4) *Le fait sociologique :* le 1er tour des législatives est une 2e défaite pour Valéry Giscard d'Estaing ; après le rejet de l'homme, il confirme le rejet d'une politique et le désir de changement.

Sièges (21-6-1981)	Sortants	Élus		Total	Gains ou pertes
		1er tour	2e tour		
P.C.F.	86	7	37	44	– 42
P.S. et appar. ...	107	47	222	269 (1)	+ 162
Radic. de g.	10	1	13	14	+ 4
Divers gauche ...	1	1	5	6 (2)	+ 5
R.P.R.	153	50	33	85	– 70
U.D.F.-P.R.	65	23	9	32	– 33
U.D.F.-C.D.S. ...	36	13	6	19	– 17
U.D.F.-rad.	8	2	–	2	– 6
U.D.F.-M.D.S.	2	–	–	–	– 2
U.D.F.	5	5	3	9	+ 3
C.N.I.P. (3)	9	5	–	5	– 4
Divers droite	9	2	4	6	– 3
Total (4)	491	156	332	491	–

Nota. – (1) Aux 266 socialistes sont ajoutés Césaire, apparenté P.S., réélu, Dabezies, F.R.P., et Mme Halimi, Choisir, présentés par le P.S. (2) Pidjot, réélu, Giovannelli et Patriat non investis par le P.S., et Pen, Castor et Hory. (3) *9 sortants :* 4 (Ginoux, d'Harcourt, Pineau et Liogot) U.D.F., 3 (Delprat, Florence d'Harcourt et Malaud) non-inscrits et 2 (Féron et Frédéric-Dupont) apparentés R.P.R. 5 sont élus ou réélus : Fouchier, d'Harcourt et Ligot U.D.F., Florence d'Harcourt et Frédéric-Dupont. (4) Restent à pourvoir 2 sièges en Polynésie fr., 1 aux îles Wallis-et-Futuna.

• **Élus. Benjamin :** François Fillon (n. 4-3-1954) député R.P.R. de la Sarthe. **Doyen :** Édouard Frédéric-Dupont (n. 10-7-1902), appartenance R.P.R. Paris. **Femmes élues :** 26 soit 5 de plus qu'en 1978 (5,3 % de l'Assemblée). **E.N.A. (anciens élèves) :** P.S. 13 (1978 : 8), U.D.F. 7 (78 : 15), R.P.R. 3 (78 : 10). **Maires :** 246 dont P.S. 141, P.C. 25, R.P.R. 43, U.D.F. 31, non-inscrits 6. **Conseillers généraux :** 249 dont P.S. 156, P.C. 16, R.P.R. 39, U.D.F. 31, non-inscrits 7. **Conseillers de Paris :** 19 dont P.S. 6, R.P.R. 10, U.D.F. 3.

☞ Il y a 1 écrivain, 1 magistrat, 1 professeur de l'enseignement privé, 1 notaire rural, 1 sous-chef de gare, 1 employé de la Sécurité sociale, 2 douaniers, 4 employés des P.T.T.

• **Élections partielles du 17-1-1982.** Suite à l'annulation de l'élection de 4 départements par le Conseil constitutionnel le 3-12-81, l'opposition (R.P.R. et U.D.F.-P.R.) gagne les 4 s. (contre 1 s. en juin 81) : J. Dominati (U.D.F.-P.R.), Paris 2e circonscription. A. Peyrefitte (R.P.R.), S.-et-M. 4e circ. P. de Bénouville (R.P.R.), Paris 12e circ. B. Bourg-Broc (R.P.R.), Marne 3e circ.

Élections du 16 mars 1986

Scrutin. *De liste à la proportionnelle* dans 102 circonscriptions (100 départements et 2 T.O.M.) 826 listes, 6 965 candidats, 574 sièges. *Scrutin majoritaire uninominal à 2 tours* dans 3 circonscriptions n'ayant qu'un seul siège à pourvoir (Mayotte, St-Pierre-et-Miquelon, Wallis-et-Futuna, 13 candidats.

Sondages avant les élections, 25/30-1-86. *Droite :* 57 % des voix, 339 s. (310 R.P.R.-U.D.F., 27 F.N., 2 divers). *Gauche :* 41 %, 216 s. (169 P.S.-M.R.G., 45 P.C., 2 Écol.). **B.V.A.-Paris Match,** févr. 86. *Droite :* 56 %, 333 s. (317 R.P.R.-U.D.F., 16 F.N.). *Gauche :* 41,5 %, 222 s. (178 P.S.-M.R.G., 41 P.C., 3 Écol.)

• **Candidats France + D.O.M.-T.O.M.** 6 978 pour 577 sièges (majorité absolue 289). **Métropole** 6 944 pour 555 sièges, dont 1 740 femmes (Extrême gauche 490, Divers droite 302, P.C. 203, P.S. 134, U.D.F. 76, R.P.R. 74) ; dont 1 184 enseignants, 249 médecins (dont 2/3 sur des listes de droite), dont 37 ministres [tout le gouv. sauf 4 : Hubert Curien (Recherche), Georges Fillioud (Communication), Haroun Tazieff (Risques naturels), Raymond Courrière (Rapatriés)] ; 13 sénateurs, 33 Pts de Conseil général, 379 députés sortants.

	1er tour			2e tour		Total sièges attribués		
	Voix	%	Sièges attribués	Voix	%	Sortants	Élus	Balance
Inscrits	37 945 582			30 045 772				
Votants	24 944 792	67,73		20 998 081	69,88			
Exprimés	24 432 095	63,38		20 303 575	67,57			
Abstentions	13 000 790	34,26		9 047 691	30,11			
Extrême gauche	89 065	0,36	0	0	0,00	0	0	0
P.C.F.	2 765 761	11,32	1	695 569	3,42	35	27	– 8
P.S.	8 493 702	34,76	37	9 198 778	45,30	202	260	+ 58
Maj. présidentielle	403 690	1,65	1	421 587	2,07	6	7	+ 1
M.R.G.	279 316	1,14	2	260 104	1,28	7	9	+ 2
Écologistes	86 312	0,35	0	0	0,00	0	0	0
Régionalistes	18 498	0,07	0	0	0,00	0	0	0
U.D.F.	4 519 459	18,49	38	4 299 370	21,17	131	129	– 2
R.P.R.	4 687 047	19,18	38	4 688 493	23,09	151	126	– 25
Divers droite	697 272	2,85	3	522 970	2,57	12	16	+ 4
F.N.	2 359 528	9,65	0	216 704	1,06	31	1	– 30
Extrême droite	32 445	0,13	0	0	0,00	0	0	0
Gauche + Maj	12 031 534	49,24		10 576 038	52,08	250	303	+ 53
Autres	104 810	0,42		0	0,00	0	0	0
Droite	12 295 751	50,32		9 727 537	47,91	325	272 (1)	– 53

Nota. – (1) Y compris F.R.N. *Source :* Ministère de l'Intérieur.

Moyenne d'âge : 44 ans (Extrême gauche 36 a., U.D.F. 49 a.).

Listes répertoriées 807 dont 164 Extrême gauche, 117 Divers droite, 96 P.C.F., 95 Front nat., 94 P.S., 62 d'union R.P.R.-U.D.F., 34 Écologistes, 34 R.P.R., 32 Divers gauche, 31 Extrême droite [dont 1 royaliste (Bertrand Renouvin, en M.-et-L.)], 30 U.D.F., 12 M.R.G., 6 régionalistes.

Dans l'opposition, l'union a prévalu dans 2 départements sur 3. *A Paris :* 16 listes, 368 candidats pour 21 sièges.

Statistiques du ministère de l'Intérieur (métropole + D.O.M. : 575 sièges, les députés de Wallis-et-Futuna, St-Pierre-et-Miquelon devant être élus le 23 mars).

LISTES	VOIX	%	ÉLUS
Inscrits	36 614 738		
Votants	28 736 080		
Exprimés	37 490 874		
Blancs et nuls	1 245 206	3,4	
Abstentions	7 878 658	21,5	
P.C.	2 663 259	9,7	35
L.O.	173 759	0,6	
M.P.P.T.	181 490	0,7	
L.C.R.	29 719	0,1	
Extrême gauche	35 364	0,1	
P.S.	8 477 883	30,8	206
M.R.G.	210 151	0,8	2
P.S. dissidents	126 413	0,4	
M.R.G. dissidents	98 568	0,4	
Divers gauche	105 986	0,4	5
Total gauche	12 102 592	44	
U.D.F. liste séparée	2 580 121	9,6	53
R.P.R. liste séparée	3 153 522	11,5	76
U.D.F. – liste commune	1 622 610	5,9	147
R.P.R. – liste commune	4 150 565	15,1	
Total UDF-RPR	11 506 818	42,1	
U.D.F. dissidents	148 687	0,5	
R.P.R. dissidents	75 413	0,3	
Divers droite	365 883	1,1	14
Intérêts locaux	73 392	0,3	
C.N.I.P.	89 233	0,3	
F.N.	2 701 701	9,8	35
F.N. dissidents	20 878	0,1	
P.O.E.	42 820	0,2	
Total droite	15 024 825	54,7	
Écologistes	341 239	1,2	
Régionalistes	22 218	0,1	

• **Bilan. Sur 100 électeurs ayant voté à gauche en 1981 au 1er tour des présidentielles.** 82 ont revoté à gauche, 17 à droite, 1 écol. *Sur 100 jeunes de 18 à 20 ans :* 82 ont voté à gauche, 16 à droite, 1 écol.

• **Élus. Femmes :** 33 sur 577 députés (1981 : 28). *Socialistes* 20 dont Yvette Roudy, Édith Cresson, Georgina Dufoix, Catherine Lalumière ; *Divers gauche* Huguette Bouchardeau (ancien ministre) ; *P.C.* 3 ; *R.P.R.* 4 ; *U.D.F.* 3 ; *Barriste* 1 ; *Front nat.* 1. **Nouveaux :** 281 dont nouveaux élus : 190 ; revenants (battus en 1981) 91. **Le plus jeune.** *Jérôme Lambert* (n. 7-6-1957), P.S. Charente. Il avait créé la Fédération des motards en colère (responsable de 1976 à 82), puis animateur du mouvement Motard. **Les plus âgés.** *Marcel Dassault* (1892-1986) né Bloch, sorti de Supaéro, construction d'avions dep. 1918 ; admin. et rédacteur en chef de Jours de France, dép. R.P.F., puis rép. social des A.-M. (1951-55), sénateur rép. soc. de l'Oise (1957-58), député U.N.R. puis R.P.R. de l'Oise dep. 1958, Gd-Croix de la Légion d'h, à sa mort le 17-4-86, *Édouard Frédéric-Dupont* (n. 10-7-1902 à Paris) deviendra le doyen.

Membres du gouvernement. 4 n'étaient pas candidats (Hubert Curien, Georges Fillioud, Raymond Courrière, Haroun Tazieff) ; 2 ont été battus (Jean-Michel Baylet, M.R.G., Jean Gatel, P.S.) ; 35 élus.

Sénateurs élus députés. 4 (Marc Becam, ex-R.P.R., Maurice Janetti, P.S., Jean Lecanuet, U.D.F.-C.D.S., Roger Quilliot, P.S.).

Mouvement des voix en 5 ans (en milliers)

Partis	1981 (1)	1984 (2)	1986 (3)	écart 1986/1981
Inscrits	36 257	36 423	37 162	+ 905
Abstentions	10 748	15 861	8 067	– 2 681
P.C.	4 050	2 260	2 724	– 1 326
P.S.-M.R.G.	9 411	4 160	8 843	– 568
R.P.R. + U.D.F.	10 015	8 591	11 378	+ 1 368
Front national	90	2 204	2 705	+ 2 615

Nota. – (1) 1981 élect. législatives, 1er tour. (2) élect. européennes. (3) élect. législatives.

Vote à droite (en %). **Hommes** et entre parenthèses **femmes :** *1967 :* 48 (65), *73 :* 50 (59), *78 :* 45 (51), *81 :* 41 (44), *86 :* 55 (55).

Vote P.S. selon la pratique religieuse : aux législatives (en %) en 1986 et entre parenthèses au 1er tour en 1978. Catholiques pratiquants réguliers 16 (15), occasionnels 23 (20), non pratiquants 33 (30), sans religion 44 (29), ensemble 31 (25).

Vote à gauche (en %). **Travailleurs indépendants :** *1978 :* 27, *86 :* 20. **Salariés :** *1978 :* 63, *86 :* 50.

Élections des 5 et 12 juin 1988

Scrutin. Majoritaire uninominal à 2 tours.

• **Résultats. 1er tour. Candidats.** 2 880 (métropole 2 789, dép. d'outre-mer 62, territoires d'outre-mer 29) dont P.C. 565, Front nat. 552, PS 540, R.P.R. 312, U.D.F. 295, divers droite 243, extrême droite 105, extrême gauche 100, divers majorité présidentielle 71, écologistes 51, M.R.G. 23, régionalistes 23. L'Union du Rassemblement et du Centre (U.R.C.) regroupant R.P.R. et U.D.F. a été créée le 17-5-1988. Sur 575 circonscriptions [la Polynésie (2 circonscr.) votant les 12 et 26-6], 122 sièges attribués au 1er tour.

2e tour. Ballottages. 453 dont 20 candidatures uniques (11 PC, 9 PS), 425 duels gauche-droite (mais dans 9 circonscriptions des B.-du-Rh. et du Var la droite est absente au profit du Front national ; dans 2 en Moselle et Hte-Savoie duel entre candidats de droite), 8 triangulaires (4 dues au maintien du FN, 2 de divers droite, 1 d'un PS et 1 d'un PC). 894 candidats en lice. La *gauche* est majoritaire dans 215 circonscriptions, la *droite* dans 31 c. L'*extrême droite* arbitrera dans 209.

Nota. – Non compris les 2 sièges de la Polynésie.

Sondages

Origine. 1824 2 journaux américains, *le Harrisburg Pennsylvanian* et *le Raleigh Star,* publient des sondages sur l'élection présidentielle. **1916** *le Literary Digest* envoie des bulletins de vote factices à des millions de personnes : *1920* 11 millions, *1924* 16, *1928* + de 18, *1932* 20 dont 3 sont revenus au journal. Ces méthodes peu scientifiques évaluent les erreurs à : *1920* 6 %, *1924* 5,1 %, *1928* 4,4 %, *1932* 0,9 %. **1933** George Gallup (n. 1901), de l'université d'Iowa, mène 2 séries de sondages. Une pour la campagne électorale de sa belle-mère Ola Babcock Miller, candidate au poste de secrétaire d'État de l'Iowa, l'autre pour mesurer l'audience de journaux et magazines. **1935** fonde l'Institut américain d'opinion publique de Princeton (New Jersey) qui depuis publie *les Gallup Polls.* **1936** Gallup, grâce à un échantillon scientifiquement (de 4 500 individus), prévoit la victoire de Roosevelt aux présidentielles. **1938** Jean Stœtzel (1910-87) crée *l'IFOP* (Institut français d'opinion publique). **1962** création de *la SOFRES* (Sté française d'études par sondages).

Constitution d'échantillons d'individus représentatifs de la population (techniques). *Tirage aléatoire* sur une liste exhaustive de la population dont on cherche à connaître l'opinion. *Méthode des quotas* lorsqu'on ne dispose pas de liste fiable de la population : on donne à l'échantillon la structure de la population que l'on cherche à étudier ; par des critères socio-démographiques (sexe, âge, c. profession., habitat).

Marge d'erreur. Si l'on sort au hasard 100 billes d'un sac contenant autant de billes noires que blanches, on a 95 chances sur 100 de tirer entre 45 et 55 billes noires. La marge d'erreur est divisée par 10 quand la taille de l'échantillon est multipliée par 100, mais la précision additionnelle est de plus en plus coûteuse.

Les sondages courants portent sur environ 1 600 personnes. Marge + ou – 2,5 %. Si par ex. le sondage donne 40 % de votants pour la majorité, on pourra seulement en déduire qu'il y a 95 % de chances que 37,5 % à 42,5 % voteront pour la majorité.

Échecs fameux. *Élections présidentielles américaines de nov. 1948 :* les sondages donnaient Dewey gagnant, or Truman fut réélu. L'impact de la campagne avait été négligé, les prévisions établies trop tôt, les abstentions sous-estimées et 4 instituts auraient fait des erreurs d'échantillonnage.

Élections britanniques du 18-6-1970 : les sondages donnaient gagnant le P.M. travailliste Harold Wilson qui avait choisi la date des élect., abaissé l'âge du vote à 18 ans, reporté la fermeture des bureaux de vote de 21 à 22 h. 1 seul institut de sondage avait prévu une avance des conservateurs de 1 % (elle fut de 2,4 %). Les instituts avaient déduit du petit nombre de sans-réponse (8 à 10 %) qu'il y aurait peu d'abstentions (or il y en eut 28,5 %).

Élections lég. françaises de 1978 : l'avance des socialistes avait été surestimée.

☞ On doit répondre au sondage d'un organisme officiel (I.N.S.É.É.). En cas de non-réponse ou de réponse volontairement inexacte, on risque une amende. Par contre, on n'est pas tenu de répondre à un sondage d'opinion organisé par un institut privé (IFOP, IPSOS, B.V.A., SOFRÈS).

• En 1980, dans l'Iowa, un journaliste demanda à la radio aux électeurs de tirer chez eux la chasse d'eau par vagues successives : 15 h pour Carter, 15 h 10 pour Ted Kennedy, 15 h 20 pour les hésitants. On peut alors constater dans le château d'eau local une forte baisse du niveau pour Carter et une très faible pour Ted Kennedy.

19 députés (10 PC, 9 PS) en ballottage, restés seuls en lice, pouvaient se considérer comme élus (1 voix leur suffisait). En effet pour se maintenir au 2e tour, il faut avoir obtenu au 1er 12,5 % des inscrits. Cependant, si un seul candidat atteint les 12,5 %, le 2e qui le suit peut se présenter au 2e tour. Si aucun candidat n'atteint 12,5 %, les 2 arrivés en tête peuvent se présenter. Si sur 2 candidats restant en lice au 2e tour, un seul a obtenu 12,5 %, celui qui le suit avec moins de 12,5 % se désiste en sa faveur, un 3e candidat ne peut se présenter (décision jugée par le Conseil constitutionnel en 1978). Il n'y a donc qu'un candidat pour le 2e tour. Déjà, en 1981, cela avait été le cas dans 10 circonscriptions.

☞ **Élections en Polynésie. 1er tour** (12-6). Papeete inscrits 64 075, votants 32 766, exprimés 32 354, abstentions 48,45 %, Léontieff (R.P.R.) 40,87 %. Pirae in. 43 856, v. 24 725, expr. 24 245, abst. 43,62 %, Flosse (R.P.R.-U.R.C.) 47,08 %.

2e tour (26-6). Papeete ins. 63 894, v. 30 752, expr. 29 903, abst. 51,87 %, Léontieff (R.P.R.) 64,38 %. Pirae inscrits 43 850, v. 27 993, expr. 27 563, abst. 36,16 %, Vernaudon (div. g.) 50,51 %.

• **Élus. Doyen :** Édouard Frédéric-Dupont (n. 10-7-02) (U.R.C. VIIe) 85 ans et 11 mois, élu pour la 1re fois en 1936.

Benjamin : Thierry Mandon (n. 30-12-1957, PS Essonne), 30 ans 6 mois.

Meilleurs scores. *France métropolitaine.* Gilbert Gantier (Paris 16e, U.R.C.-U.D.F.-P.R.) : 75,64 % ; Philippe de Villiers (Mortagne-sur-Sèvre, Vendée, U.R.C.-U.D.F.) : 74, 56 %. *DOM-TOM.* Gérard Grignon (St-Pierre-et-Miquelon, U.R.C.-U.D.F.) : 90,32 % ; Maurice Nenou-Pwataho (N.-Cal., U.R.C.-U.D.F.) : 86,17 %.

Membres non élus de l'ancien gouvernement Chirac. Claude Malhuret, Camille Cabana, Georges Fontès, Michel Aurillac, Jacques Douffiagues, François Guillaume, Didier Bariani. **Du gouvernement Rocard.** Georgina Dufoix, Catherine Trautmann, Brice Lalonde, Thierry de Beaucé, Roger Bambuck.

• **Élections partielles** (le Conseil constitutionnel a annulé 7 élections législatives). **1988** *18-9 : Oise (Beauvais Nord)* Olivier Dassault R.P.R. 2e tour (51,64 %). *Beauvais Sud* Jean-François Mancel R.P.R. 2e t. (54,37 %). *11-12 : Meurthe-et-M. (2e circ.)* Gérard Léonard R.P.R. 2e t. (50,92 %). *19-12 :* Isère (1re circ.) Richard Cazenave R.P.R. 2e t. (64,94 %). *Seine-St-Denis (9e circ.)* Roger Gouhier P.C. 2e t. (100 %).

1989 *29-1 : Seine-St-Denis (11e circ.)* François Asensi P.C. 2e t. 100 %. *B.-du-R (6e circ.)* Bernard Tapie (maj. prés.-P.S.) 18 478 voix (50,86 %), devance Guy Teissier (U.D.F.-P.R.) 17 855 (49,14 %) (au 1er t. Tapie 41,75 %, Teissier 39,12, Perdomo F.N. 9,14, Boët P.C. 7,92).

1991 *3-2 : Lyon (2e circ.)* Michel Noir ex. R.P.R. (74,46 %) devance Bruno Gollnisch F.N. (25,53 %). Au 1er t. Noir 8 481 (43,6 %) Gollnisch 3 108 (16), Raveaud P.S. 2 355 (12,1) Fabre-Aubrespy R.P.R. 2 180 (11,2), Brunat Verts 1 192 (6,1). En 1988 au 2e t. Michel Noir R.P.R. 58,8 %, Lareal P.S. 41,1. *Lyon (3e circ.) :* Jean-Michel Dubernard ex. R.P.R. (71,20 %) devance Alain Breuil F.N. (28,30). Au 1er t. Dubernard 6 380 (40,1 %), Breuil 2 964 (18,6), Deschamps P.S. 2 247 (14,1), Botton R.P.R.. 1 852 (11,6), Chevalier P.C. 986 (6,2). *Paris (13e circ., partie du XVe arr.) :* René Galy-Dejean R.P.R. (100 %). Au 1er t. Galy-Dejean 10 885 (40,1 %), Barzach ex. R.P.R. 7 022 (26,56), Hubert P.S. 2 710 (10,25), Martinez F.N. 2 385 (9,02).

Répartition professionnelle des candidats. *Professions agricoles : 1981* 2, *86* 4, *88* 3,1 ; *industrielles et commerciales : 81* 6, *86* 9,3, *88* 9,2 ; *secteur privé : 81* 29,4, *86* 30, *88* 23,4 ; *professions libérales : 81* 14,7, *86* 11,9, *88* 15,7 ; *enseignement* (en activité ou en retraite) : *81* 24,8, *86* 18,1, *88* 21,2 ; *autres fonctionnaires : 81* 8,6, *86* 8,6, *88* 8,1 ; *secteur public : 81* 3,5, *86* 3,8, *88* 2,7 ; *divers : 81* 11, *86* 14,3, *88* 16,6. *Total : 1981* 2 715, *86* 6 804, *88* 2 788.

Évolutions électorales (avril 1988-décembre 1989). Suffrages exprimés (en %), partielles et entre parenthèses **législatives (1988).** *Total droite* 55,1 (53,8) dont UDF/RPR/Div. dr. 47,2 (42,7), FN/Extr. droite 7,9 (11,1) ; *total gauche* 40,7 (45,5) dont PS 28,8 (35,4), PC 11,4 (9,6), divers gauche 0,4 (0,1), extrême gauche 0,1 (0,5) ; *écologistes* 4,1 (0,6) , *autres* 0,1 ; *abstentions* 52,7 (34,8).

Élections sénatoriales depuis 1980

28-9-1980. *Série A :* 100 sièges dont *dép. métropolitains* [de l'Ain à l'Indre 95 s. pour 38 dép.] : P.S. 30, U.C.D.P. 18, U.R.E.I. 16, R.P.R. 13, G.D. 10, G.D.-S.R.G. 5, P.C. 1, non-inscrits 2. *D.O.M.-T.O.M.* [Guyane 1 s., Polynésie fr., Wallis-et-Futuna 2 s.]. App. P.S. 1, U.C.D.P. 1, R.P.R. 1. *Français de l'étranger* (2 s.) dont U.R.E.I. 1, non-inscrit 1.

25-9-1983. *Série B :* 98 sièges à pourvoir [dont 11 s. nouveaux en application de la loi du 16-7-1976 assurant l'adaptation du nombre de sénateurs à la croissance de la population, et 2 s. vacants (1 dans le Morbihan, 1 dans les Pyr.-Atl.)] : *dép. métropolitains* 94 ; D.O.M.-T.O.M. 4 dont : R.P.R. 23, C.D.S. 17, P.S. 16, P.R. 13, Rad. 8, U.D.F. 6, P.C. 4, C.N.I.P. 4, Divers droite 4, M.R.G. 3 ; 4, représentant les Français de l'étranger. *Total* 102 dont 53 nouveaux.

6-10-1986. *Série C :* 119 sièges à pourvoir : *dép. métropolitains* 110 ; *D.O.M.-T.O.M.* 6 ; 4 *représentant les Français de l'étranger* dont R.P.R. 34, U.C. 29, U.E.R.I. 20, P.S. 19, P.C. 10, G.D. 6, N.I. 1. *Total* 119 dont 51 nouveaux.

Élections locales

Élections régionales

Élections du 16 mars 1986

Candidats 13 870 (dans les 96 départements de métropole : 12 806, les 4 D.O.M. : 1 061) dont 2 028 enseignants. *Age moyen* 44 ans (extrême gauche 36, U.D.F. 49). **Listes** 694 (métropole 666, D.O.M. 27). *Record de listes déposées* (par partis) F.N. dans 99 dép. sur 100 : P.C. 98 ; Socialistes 95 ; R.P.R. 84 ; R.P.R.-U.D.F. 65 ; U.D.F. 31 ; Mouv. régionaliste 15, Union de la Gauche 1 (Martinique). *Record max. listes en présence :* 12 (Hte-Corse) ; *min.* : 4 (Ardennes, Cantal, Corrèze, Hte-Marne, Meuse, Nièvre, Hte-Saône). **Sièges à pourvoir** 1 840 dans 26 conseils rég. (métropole 22, D.O.M. 4).

Listes	Voix	%	Élus
Extrême gauche	315 446	1,13	
P.C.	2 873 234	10,35	178
P.S.	8 095 315	29,13	552
Union de la gauche	50 372	0,18	21
M.R.G.	162 947	0,58	17
Divers gauche	430 142	1,54	42
Écologistes	667 581	2,40	4
Régionalistes	88 434	0,31	6
R.P.R.	2 803 929	10,09	182
U.D.F.	2 451 432	8,82	157
Union U.D.F.-R.P.R. ..	5 672 449	20,41	451
Divers droite	1 495 166	5,38	93
Front national	2 658 500	9,56	137
Extrême droite	24 154	0,08	

Nombre de communes	Conseillers municipaux	
	Par commune	Total
4 104 de – de 100 h	9	36 936
18 209 de 100 à 499 h	11	200 299
8 090 de 500 à 1 499 h	15	136 635
2 049 de 1 500 à 2 499 h	19	38 931
935 de 2 500 à 3 499 h	23	21 505
660 de 3 500 à 4 999 h	27	17 820
799 de 5 000 à 9 999 h	29	23 171
388 de 10 000 à 19 999 h	33	10 476
162 de 20 000 à 29 999 h	35	5 670
68 de 30 000 à 39 999 h	39	2 652
51 de 40 000 à 49 999 h	43	2 193
29 de 50 000 à 59 999 h	45	1 305
24 de 60 000 à 79 999 h	49	1 176
11 de 80 000 à 99 999 h	53	583
19 de 100 000 à 149 999 h	55	1 045
8 de 150 000 à 199 999 h	59	472
4 de 200 000 à 249 999 h	61	244
0 de 250 000 à 299 000 h	65	
2 300 000 h et +	69	138
Lyon (418 476 h)	73	73
Marseille (878 689 h)	101	101
Paris (2 188 918 h)	163	163

Élections cantonales

Mode d'élection aux conseils généraux. Scrutin uninominal majoritaire à 2 tours : nul n'est élu membre du conseil général au 1er tour de scrutin s'il n'a réuni : 1° la majorité absolue des suffrages exprimés ; 2° un nombre de suffrages égal au quart de celui des électeurs inscrits.

☞ Voir les résultats détaillés des élections de 1976 (8 et 15-3) ; 1982 (14 et 21-3) ; 1985 (10 et 17-3) dans Quid 1989, p. 733.

Élections de 1985 et 1988

Partis ou courants	% des suffrages exprimés				Nombre d'élus	
	1985		1988		1985	1988
	1er tour	2e tour	1er tour	2e tour		
Extrême gauche	0,60	0,06	0,47	0,25	1	6
P.C.F.	12,63	11,31	13,39	9,82	149	175
P.S. et apparentés	24,58	31,21	29,98	37,23	424	592
M.R.G. et apparentés	1,48	1,79	1,42	1,52	57	44
Divers gauche	2,06	1,78	2,60	2,35	59	68
Total gauche			47,87	51,20	*690*	*885*
U.D.F. et apparentés	17,89	17,77	16,92	18,12	525	441
R.P.R. et apparentés	16,56	21,15	15,92	18,61	400	365
Divers droite	14,64	13,04	12,08	11,50	425	328
Extrême droite	8,68	1,82	5,40	0,42	2	2
Total droite			50,33	48,67	*1 352*	*1 136*
Écologistes	0,78	0,03	1,60	0,11	2	1

Nota. – (1) Divers droite = modérés + CNIP en 1982.

Élections municipales

☞ Voir résultats détaillés des élections de 1965 (14 et 21-5), 1971 (14 et 21-3), 1977 (13 et 20-3), 1983 (6 et 13-3) dans Quid 1990 p. 737.

Élections des 12 et 19 mars 1989

• **Communes (métropole).** 36 433 dont 34 147 de – de 3 500 hab. (dont 4 104 de – de 100 hab.) et 2 286 de + de 3 500 hab. (dont 36 de + de 100 000 hab. et 3 de + de 400 000 : Paris, Lyon, Marseille).

• **Statistiques du ministère de l'Intérieur, France métropolitaine. 1er tour :** inscrits 35 373 549, votants 27 214 831, exprimés 26 186 678, abstentions 27,18 %. **2e tour :** inscrits 16 741 619, votants 12 236 708, exprimés 11 859 830, abstentions 26,90 %.

☞ **Annulation.** Le Conseil d'État a annulé 609 listes sur les 806 de Paris dont Pierre Joxe, min. de l'Intérieur, demandait l'annulation. La révision des listes électorales est de la compétence d'une commission administrative comprenant pour chaque bureau de vote un représentant du préfet de Paris, un représentant du tribunal de grande instance et un représentant du maire de Paris. P. Joxe, par l'intermédiaire du préfet de Paris, a saisi le tribunal administratif qui a relevé que sur les tableaux ne figuraient pas toujours les signatures des 3 membres de la commission. La mairie de Paris a convoqué les 579 membres des commissions administratives qui n'ont procédé qu'à la régularisation de 70 cas sur un total de 1 200 000 électeurs inscrits à Paris.

• **Métropole (villes de + de 30 000 h.). Gains et Pertes des partis :** P.S., M.R.G., divers gauche et majorité présidentielle : 84 (+ 27 et – 7). P.C.F. : 46 (+ 1 et – 8). R.P.R. : 43 (+ 4 et – 10). U.D.F. : 44 (+ 11 et – 14). Divers droite : 10 (+ 2 et – 5).

Villes de + de 9 000 h. Sur 896, 203 ont changé de majorité. Le P.C. détenait 82 villes de + de 20 000 h. dont 47 en Ile-de-France. Il n'en a plus que 68 dont 41 en Ile-de-France. A Paris avec 35 000 suffrages (il obtient 3 sièges contre 6 dep. 1983). A Marseille il passe de 17 s. à 8 (dont 6 « reconstructeurs pro-Vigouroux »).

DOM-TOM (113 communes) : *Gauche* 59 (+ 5). *P.S. + div. gauche + maj. prés. :* 43 (+ 7). *P.C. autonomes :* 14 (– 1). La gauche dirigera 7 des 11 villes de + de 30 000 h. ; St-Denis-de-la-Réunion (maire : M. Annette, P.S.) ; Fort-de-France (Martinique, M. Césaire, P.P.M., app. P.S.) ; Les Abymes (Guadeloupe, Jalton, P.S.) ; St-Pierre-de-la-R. (Hoareau, P.C.R., app. P.C.) ; Cayenne (Guyane, Holder, P.S.G., app. P.S.) ; St-Louis-de-la-R. (Horeau, P.C.R., app. P.C.). Les 4 autres demeurent contrôlées par la droite : Nouméa (Lèques, R.P.C.R.) ; St-Paul-de-la-R. (Moussa, div. droite) ; Le Tampon (La Réunion, Thien-Ah-Koon, div. droite) ; St-André-de-la-R. (Jean-Paul Virapoullé, U.D.F.-C.D.S.). **Guadeloupe :** 20 (7 P.C.G., 7 P.S., 6 maj. prés.). Droite : 13 (7 div. droite, 5 R.P.R., 1 U.D.F.). **Guyane :** Gauche 13 (11 P.S.G., 2 maj. prés.). Droite : 7 (4 R.P.R., 2 div. droite, 1 U.D.F.). **Martinique :** Gauche 16 (8 maj. prés., 4 P.S., 2 P.C.M., 2 extr. g.). Droite : 18 (11 R.P.R., 5 div. droite, 2 U.D.F.). **Mayotte :** M.P.M. 11. R.P.R. 5, div. droite 1. **Nouvelle-Calédonie :** Union calédonienne (J.-M. Tjibaou) 13, R.P.C.R. et div. droite 11. **Réunion :** Gauche 10 communes (5 P.C.R., 4 P.S., 1 maj. prés.). Droite : 14 (11 div. droite, 2 R.P.R., 1 U.D.F.).

Nombre total des voix

1er tour	1989		Rappel 1983	
	Voix	%	Voix	%
Extrême gauche	82 766	0,34	138 056	0,54
PCF	925 324	3,85	599 511	2,36
Union gauche	4 419 750	18,39	7 201 133	28,36
PS	2 557 298	10,64	1 206 162	4,75
Divers gauche	1 202 205	4,99	948 442	3,73
Gauche-centr.	2 357 609	9,81	2 226 919	8,77
Écologistes	353 416	1,47	147 884	0,58
Régionalistes	37 646	0,16		
Droite	11 328 216	47,13	12 894 312	50,78
Droite-FN	150 941	0,63		
FN	608 796	2,53		
Extrême droite	11 417	0,05	27 970	0,11
Gauche	11 544 952	48,02	12 320 223	48,51
Autres	391 062	1,63	147 884	0,58
Droite	12 099 370	50,34	12 922 282	50,89
2e tour				
Extrême gauche	11 945	0,10	3 336	0,03
PCF	191 973	1,61	125 907	1,28
Union gauche	2 257 532	19,03	2 779 334	28,43
PS	965 402	8,14	381 891	3,90
Divers gauche	794 512	6,69	577 113	5,90
Gauche-centr.	1 049 073	8,84	1 015 455	10,38
Écologistes	112 684	0,95	7 913	0,08
Régionalistes	10 077	0,08		
Droite	5 332 764	44,96	4 878 356	49,90
Droite-FN	73 561	0,62		
FN	258 401	2,17		
Extrême droite	1 106	0,00	6 525	0,06
Gauche	4 221 364	35,59	3 867 581	39,54
Autres	1 171 834	9,88	1 023 368	10,46
Droite	5 665 832	47,77	4 884 881	49,96

Nota. – Les pourcentages des listes sont calculés sur la somme des voix des listes qui n'est pas égale au nombre des suffrages exprimés en raison du mode de scrutin dans les communes de – de 3 500 h, qui autorise le panachage.

Nombre de sièges

1er tour	1989		Rappel 1983	
	Sièges	%	Sièges	%
Extrême gauche	705	0,17	888	0,21
PCF	16 791	4,07	21 647	5,26
PS	37 323	9,04	41 441	10,07
MRG	2 591	0,62	4 365	1,06
Majorité	103 542	25,16	88 544	21,53
Écologistes	926	0,22	550	0,13
Régionalistes	343	0,08		
RPR	18 274	4,43	20 132	4,98
UDF	17 577	4,26	25 495	6,19
Divers droite	213 242	31,77	207 999	50,57
FN	526	0,12		
Extrême droite	103	0,02	175	0,04
Total	411 842	81,48	411 236	81,71
Ballottages	93 671	18,52	92 061	18,29
Gauche	160 861	39,05	156 885	38,15
Autres	1 269	0,3	550	0,13
Droite	249 722	60,64	253 801	61,72
2e tour				
Extrême gauche	929	0,18	1 177	0,23
PCF	21 351	4,24	26 906	5,36
PS	46 520	9,24	50 959	10,15
MRG	2 983	0,59	5 036	1,00
Majorité	127 118	25,26	109 261	21,78
Écologistes	1 369	0,27	757	0,15
Régionalistes	428	0,08		
RPR	23 272	4,62	24 787	4,94
UDF	21 512	4,27	30 128	6,00
Divers droite	256 625	51,01	252 369	50,31
FN	804	0,15		
Extrême droite	159	0,03	211	0,04
Total	503 070		501 591	
Gauche	198 901	39,53	193 339	38,54
Autres	1 797	0,35	757	0,15
Droite	302 372	60,10	307 495	61,30

Communes sans habitants. *Exemple : Commune de la Meuse* détruite en 1914-18, le maire est nommé par le préfet.

Plus petites mairies. *St-Germain* (chapelle construite en 1952) 3 × 2,7 m. Les élections ont lieu à la salle des fêtes.

A Lemesnil-Mitry (près de Nancy) Henri de Mitry est maire dep. 1977 (il y a 3 électeurs : lui, sa femme, son fils).

☞ *500 candidats d'origine maghrébine,* parrainés par l'association France-Plus, auraient été élus les 12 et 19-3-1989 dans des conseils municipaux (dont 42 femmes).

Kofi Yamgnane (43 ans, marié à une Bretonne), Togolais naturalisé français en 1975, ancien élève de l'école des Mines de Nancy, ingénieur de l'équipement, m. P.S., a été élu le 25-3-89 maire de St-Coulitz (Finistère), commune de 354 h. Il était conseiller municipal dep. 1983.

Plébiscites et référendums

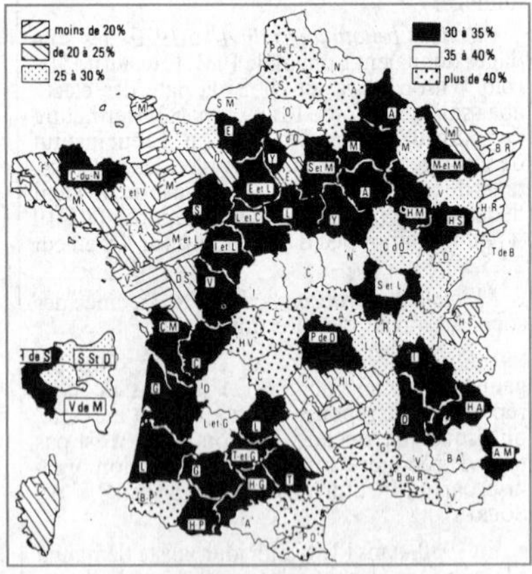

Référendum du 27-4-1969. Les « oui »

☞ Voir page suivante le tableau récapitulatif des résultats des plébiscites et référendums de juillet 1791 au 6 novembre 1988.

Objet du référendum	date	Résultats en France (métropole seule)				Résultats hors de France (dans les DOM et TOM) [18]			
		oui	non	bulletins nuls	abstentions	oui	non	bulletins nuls	abstentions
Annexion d'Avignon et du Comtat	juillet 1791	102 000	17 000		≈ 31 000				
Constitution de l'an I [1].	juillet 1793	1 801 918	11 610		≈ 4 000 000				
Constit. de l'an III. Directoire.	sept. 1795	1 057 380	49 957	2 206	≈ 5 000 000				
Décret des deux tiers [2].	sept. 1795	167 758	95 373						
Constit. de l'an VIII. Consulat [3].	janvier 1800	3 011 007	1 562		≈ 3 500 000				
Constit. de l'an X.	10-5-1802	3 568 885	8 374		≈ 3 500 000				
Constit. de l'an XII. 1er Emp. [4]	nov. 1804	3 572 329	2 579		≈ 4 000 000				
Acte additionnel de l'Empire [8]	avril 1815	1 305 206	4 206		≈ 4 500 000				
Pouvoirs à L.N. Bonaparte [5]	21-12-1851	7 436 216	646 737	36 880	≈ 1 500 000				
Sénatus-consulte du 07-11-1852	21-11-1852	7 824 189	253 145	63 326	≈ 2 000 000				
Rattach. de Nice à la France [6]	1860 (15-4)	25 743	160	30	4 773				
Rattach. de la Savoie	(22-4)	130 533	235	71	4 610				
Sénatus-consulte du 20-4-1870 [7]	8-5-1870	7 350 142	1 538 825	112 975	≈ 2 000 000				
Paris pour le gouv. provisoire [8]	3-11-1870	557 996	62 638						
Nouv. Constit. [19] (1re question) [9].	21-10-1945	17 957 868	670 672	1 025 744	4 968 578	626 878	28 464	44 359	422 429
– – (2e question)	–	12 317 882	6 271 512	1 064 890	4 968 578	477 061	177 694	44 946	422 429
Projet de Constit. de 1946 [19]	5-5-1946	9 109 771	10 272 586	513 054	4 761 717	344 263	311 773	15 931	500 330
Constit. de la IVe Rép. [19]	13-10-1946	9 039 032	7 830 369	323 390	7 880 119	258 438	335 090	5 689	639 516
Rattach. de Tende à la France [10]	12-10-1947	2 603	218	24	137				
Constit. de la Ve Rép. [11,20]	28-9-1958	17 668 790	4 624 511	303 549	4 006 614	13 454 693	1 931 562	114 749	5 144 674
Autodéterm. en Algérie [19,20]	8-1-1961	15 200 073	4 996 474	594 699	6 393 162	2 247 596	821 301	126 770	2 140 158
Accords d'Évian [13,21]	8-4-1962	17 508 607	1 795 061	1 098 238	6 589 837	357 816	14 013	5 568	212 932
Loi constitut. du 6-11-1962 [14]	28-10-1962	12 809 363	7 932 695	559 758	6 280 297	341 153	41 843	9 751	210 618
Projet de loi constitut. [15]	27-4-1969	10 512 469	11 945 149	635 678	5 562 396	389 284	61 953	8 078	277 383
Élargissement de la C.É.E. [16]	23-4-1972	10 502 756	5 008 469	2 070 615	11 489 230	344 798	22 465	15 504	366 627
Statut de la N.-Calédonie [17]	6-11-1988	9 714 487	2 428 273	1 653 191	22 900 425	181 811	46 470	18 902	1 096 176

Nota. – (1) Juillet à décembre. Résultat global annoncé dès le 10-8-1793. Les 2/3 du territoire sont en rébellion armée. (2) Pour décider que les 2/3 des députés des Assemblées du Directoire seront d'anciens conventionnels. (3) Résultats proclamés le 7-2-1800 ; env. 700 000 électeurs (y compris départements annexés dep. 1975). (4) Pour ratifier le sénatus-consulte du 28 floréal an XII (18-5-1804) et rétablir l'Empire. (5) Accorde à Louis-Napoléon le pouvoir constituant et la présidence pour 10 ans. (6) Dont pour la ville de Nice : 6 810 oui, 11 non et 27 nuls. Plus tard s'ajoutèrent aux résultats officiels proclamés les voix des militaires niçois en Italie (1 912 inscrits, 1 851 votants, 1 648 oui). (7) Empire libéral (ratification des réformes de la Constitution second Empire). (8) Référendum parisien pour le maintien du gouvernement provisoire et des pouvoirs délégués, après la chute du second Empire. (9) Pour déterminer si les Français désirent une nouvelle Constitution après 1945. (10) Après le traité de Paris du 10-2-1947, organisé dans les communes de Tende et de La Brigue, dans les hameaux de Libre, Piène (c. de Breil-sur-Roya), Molières (c. de Valdebore) pour demander aux habitants s'ils acceptent le rattachement à la Fr. Les habitants de Realdo, commune voisine, ne purent malgré leur demande participer à ce référendum, ils n'étaient pas sur les territoires visés par le traité. (11) Algérie 3 357 763 oui et 118 631 non. Tous les États de la Communauté votèrent oui (ce qui impliquait leur rattachement), sauf la Guinée (56 981 oui et 1 136 324 non). (12) Pour l'institution d'un État indépendant algérien (en Algérie et au Sahara : 1 198 532 oui, 786 516 non). (13) Pour l'acceptation des accords terminant la guerre d'Algérie. L'Alg. ne vote pas. (14) Pour l'élection du Pt de la rép. au suffrage universel direct. (15) Pour la création des régions et la rénovation du Sénat. (16) Entrée de G.-B., Irlande, Danemark. (17) Pour l'adoption de la loi qui fixe un statut à la Nouvelle-Calédonie (Nouvelle-Calédonie 29 284 oui, 22 065 non, 4 559 bulletins nuls et 493 abstentions). (18) A ajouter à ceux de la métropole. (19) En Algérie seuls votent les citoyens français. (20) En Algérie les musulmans votent aussi. (21) L'Algérie ne vote plus.

☞ **Autres référendums particuliers.** Togo 5-5-1956. Wallis-et-Futuna 27-12-1959. Algérie 1-7-1962. Côte française des Somalis 19-3-1967. Comores 22-12-1974. Mayotte 8 et 11-4-1976. Territoire des Afars et des Issas 8-5-1977. Nouvelle-Calédonie 13-9-1987.

Justice

Organisation

• **Juridiction.** Depuis la séparation des pouvoirs, établie au moment de la Révolution française, qui interdit aux magistrats des cours et tribunaux de connaître des actes de l'Administration, il existe en France 2 ordres de juridictions autonomes.

1°) **Les juridictions judiciaires** qui appliquent le droit en 2 domaines : *civil* et *pénal,* dont chacun possède une législation propre (voir Code), une compétence différente et une procédure particulière. *LES JURIDICTIONS CIVILES* font appliquer le droit privé qui règle les rapports des particuliers entre eux (ou des particuliers avec l'État considéré comme une personne privée). *LES JURIDICTIONS PÉNALES* font appliquer les lois et textes répressifs édictés par l'État. Il est parfois difficile de déterminer de quel domaine, civil ou pénal, relève une cause.

2°) **Les juridictions administratives** chargées de trancher les litiges nés à l'occasion du fonctionnement des services publics, ainsi que la plupart de ceux opposant les citoyens à l'Administration.

• **Magistrature.** Comprend *les magistrats amovibles* du parquet (*magistrature dite debout :* ils requièrent debout) et *les magistrats du siège inamovibles (dite assise :* ils rendent leurs jugements assis).

☞ **Budget de la justice (1991).** 18 milliards de F (selon certains, 72 milliards seraient nécessaires).

Juridictions judiciaires

Justice civile

A) Tribunaux de droit commun

• **Juridictions du 1er degré. Tribunaux d'instance. Composition :** juge unique. Ont en 1958 remplacé les 2 918 *justices de paix.* **Compétence :** toutes actions personnelles ou mobilières, en dernier ressort jusqu'à 13 000 F, et à charge d'appel jusqu'à 30 000 F depuis le 30-4-85 (art. R. 321 et suiv. du Code de l'organisation judiciaire), en matière de baux à loyer d'habitation professionnel. 3 trib. d'inst. (à Paris, Lyon et Marseille) ont une compétence exclusive pénale concernant l'étendue de leur compétence. **Statistiques :** *tribunaux* 473. **Activité (1988) :** 449 253 affaires civiles.

Nota. – 5 tribunaux de 1re instance dans les T.O.M.

Tribunaux de grande instance. Compétence exclusive : les affaires civiles non attribuées à d'autres juridictions (jusqu'à 13 000 F), appel à partir de 13 001 F. En principe toutes les aff. mettent en jeu des sommes de + de 20 000 F (pour des affaires déterminées : art. L-311-10 à L-311-12 Code de l'organisation judiciaire), ou qui ne sont pas attribuées à une autre juridiction. **Composition :** collégiale (3 magistrats), sauf exception. **Statistiques :** *tribunaux* 181 ; au moins 1 par département (1 au chef-lieu, + 1 dans les arrondissements importants). Exceptions (Manche 3, à Cherbourg, Coutance et Avranches qui sont des sous-préf.). **Activité (1988) :** affaires (civiles, commerciales, sociales et pensions) nouvelles 450 112, jugées 450 710, à juger 392 442.

• **Juridictions d'appel. Cours d'appel. Compétence :** décisions rendues par trib. d'instance et de grande instance, de commerce, paritaires des baux ruraux, conseils de prud'hommes (24 % des appels), commissions de 1re instance de la Séc. sociale (art. R. 211-1 Code de l'org. judiciaire). **Statistiques :** *cours* 35 : Agen, Aix, Amiens, Angers, Basse-Terre (Guadeloupe), Bastia, Besançon, Bordeaux, Bourges, Caen, Chambéry, Colmar, Dijon, Douai, Fort-de-France (Martinique), Grenoble, Limoges, Lyon, Metz, Montpellier, Nancy, Nîmes, Nouméa (N.-Cal.), Orléans, Papeete (Polynésie), Paris, Pau, Poitiers, Reims, Rennes, Riom, Rouen, St-Denis (Réunion), Toulouse, Versailles. Tribunal supérieur d'appel à St-Pierre-et-Miquelon et à Mamoutzou (Mayotte). *Activité (1988) :* affaires nouvelles 153 509, jugées 158 271, à juger 219 345.

• **Cour de cassation. Origine :** créé *1790* (27-11/1-12), loi créant tribunal de c. *1804* devient Cour. **Composition :** 1er Pt, 6 Pts de chambre, 84 conseillers et 37 conseillers référendaires qui siègent avec voix consultative. Le ministère public est représenté par le *procureur général,* 1 premier *avocat gén.,* 19 *avocats généraux (18 auditeurs :* n'appartiennent pas au parquet, composent le service de documentation et d'études de la Cour). *Chambres.* La Cour comprend : ch. civiles 3, commerciale 1, sociale 1, criminelle 1. Chacune siège isolément et ne peut rendre son arrêt que si 5 membres au moins ayant voix délibérative sont présents.

Compétence : n'est pas juge du fait, mais, en dernier ressort, de la légalité des décisions qui lui sont déférées par pourvoi. Elle peut rejeter le pourvoi, casser la décision rendue sans renvoi, ou renvoyer éventuellement l'affaire devant une juridiction de même degré (loi du 3-1-1979). Si celle-ci ne s'incline pas et s'il y a nouveau pourvoi, la Cour statue alors en assemblée plénière (25 membres, y compris le 1er Pt), sans renvoi, ou en renvoyant devant une juridiction qui doit se conformer à la décision de droit de l'assemblée plénière. Si une affaire pose une question de principe ou si sa solution risque de causer une contrariété de décision, une chambre mixte composée de magistrats appartenant à 3 chambres au moins de la Cour peut en être saisie. Enfin, la Cour de cassation statue sur les demandes de renvoi d'un tribunal à un autre pour cause de suspicion légitime (art. 356 et suiv. du Code de procédure civile) et pour cause de récusation contre plusieurs juges (art. 364). **Statistiques :** *1800 :* 200 pourvois pour 53 magistrats, *1978 :* + de 14 000 pour 108 conseillers, *89 :* 27 184 (32 520 dossiers en instance au 31-12).

B) Juridictions spécialisées

• **Tribunaux de commerce. Compétence :** pour toutes les contestations relatives aux actes de commerce et à l'exercice du commerce, en dernier ressort (sans possibilité d'appel) jusqu'à 13 000 F (au-delà, la cour d'appel est juge d'appel) et pour les procédures de redressement et liquidation judiciaires des entreprises (loi 85-98 du 25-1-1985 et décret 85-1388 du 27-12-1985). Dans les D.O.M. (Guadeloupe, Guyane, Martinique, Réunion), des tribunaux mixtes de com. peuvent être créés (Pt : celui du tribunal de grande instance assisté de 2 assesseurs, élus dans les mêmes conditions que les juges consulaires). En Alsace-Lorraine (Colmar, Metz, Mulhouse, Sarreguemines, Saverne, Strasbourg, Thionville), il y a dans les tribunaux de grande instance des chambres commerciales (Pt 1 magistrat, 3 assesseurs élus comme les juges consulaires). Lorsqu'il n'y a pas de trib. de commerce, le trib. de grande instance en tient lieu. **Référés.** Le Pt du trib. de commerce ou le juge qui le remplace peut statuer en référé, pour ordonner des mesures urgentes (par ex., la conservation de marchandises, une expertise en cas d'avaries de celles-ci, ou accorder une provision).

Composition (loi du 16-7-1987) : 1 président élu pour 4 ans, rééligible, et un nombre variable de juges élus pour 2 ans lors de la 1re élection et pour 4 ans (max. 14 ans, à nouveau éligibles après 1 an d'interruption) lors des élect. suivantes par un collège électoral restreint composé de : *délégués consulaires* (élus pour 3 ans par les commerçants, chefs d'entreprise, cadres de dir. et membres et anciens membres des trib. de commerce et des ch. de com. et d'ind.) ; *membres en exercice* des ch. de com. et des trib. de com. ; *anciens membres* des trib. de com. et des ch. de com. qui ont demandé à être inscrits sur la liste électorale ; 1 greffier. Les juges-commissaires doivent avoir exercé des fonctions + de 2 ans. **Élections** (au scrutin plurinominal majoritaire à 2 tours) : tous les ans dans les trib. de commerce dans la 1re quinzaine du mois d'oct., pour renouveler les mandats arrivés à échéance ou devenus vacants. *Sont éligibles* les électeurs de + de 30 ans, inscrits sur la liste électorale de la circonscription du trib. de com. justifiant de 5 ans consécutifs d'activité commerciale. Le Pt du trib., choisi parmi les juges du trib., est élu par l'assemblée générale du trib. entre le 20-10 et le 10-11. En cas d'empêchement, un juge désigné dans la 1re quinzaine de janvier le remplace. Il doit avoir exercé des fonctions au – 3 ans et des fonctions dans un trib. de commerce pendant 6 ans. **Statistiques :** *Nombre de tribunaux* 222 ; *effectifs* 2 247 hommes, 56 femmes ; *par catégories :* 781 Pts et directeurs gén. de S.A., 772 commerçants en nom et patrons d'entreprise, 397 gérants de S.A.R.L., 353 cadres sup. **Activité (1988) :** 300 598 affaires nouvelles, 300 163 terminées, 127 682 affaires restent à juger au 31-12-1988.

• **Conseils de prud'hommes. Compétence :** pour les instances introduites, à compter du 15-1-1990, taux de compétence en dernier ressort à 17 400 F. **Statistiques :** *conseils* 282 ; *conseillers* 14 872 (décret du 17-8-1987). *Activité (1988) :* affaires nouvelles : 145 522, jugées : 147 733, restant à juger : 115 475.

• **Tribunaux paritaires des baux ruraux.** 437. *Créés* au siège de chaque trib. d'instance (sauf région paris.). **Composés** en nombre égal (2 pour chaque catégorie) de propriétaires et de fermiers ou métayers. Présidés par le juge d'instance. **Compétence :** ils jugent les contestations entre fermiers, métayers et bailleurs, relatives au statut du fermage.

• **Commissions techniques de Sécurité sociale. Compétence :** litiges d'ordre médical concernant le degré d'invalidité ou d'incapacité (région dans laquelle est domicilié l'affilié). Délai pour la saisine : 2 mois à partir de la notification par lettre recommandée avec accusé de réception. *Appel :* 1 mois devant la Commission nationale. *Recours possible :* pourvoi en cassation. **Nombre :** *commissions* 110 ; *décisions rendues* 100 000 par an.

• **Tribunaux des affaires de Sécurité sociale. Composition :** Pt magistrat du T.G.I. ou mag. honoraire, 2 assesseurs (1 pour travailleurs salariés, 1 pour les employeurs). **Statistiques :** *tribunaux* 110, *affaires* 100 000 par an. **Compétence :** contentieux général de la Séc. soc. *Appel* devant la cour d'appel. *Recours possible :* pourvoi en cassation.

• **Juge des loyers commerciaux.** Pt du trib. de grande instance ou un juge délégué par lui. **Compétence :** contestations relatives à la fixation du prix des baux commerciaux, ind. ou artisanaux, renouvelés ou révisés.

• **Juge des référés.** Pt du tr. de grande instance ou un juge délégué par lui. **Compétence :** ordonne des mesures d'urgence qui ne préjugent pas du fond d'un litige (mesures conservatoires). En matière d'accident de la circulation, il peut accorder à la victime une indemnité provisionnelle lorsque l'auteur de l'acc. ne conteste pas sa responsabilité.

• **Juge des tutelles.** Au trib. d'instance. **Compétence :** organise et fait fonctionner la tutelle des mineurs et des incapables majeurs et des régimes de protection aménagés en leur faveur.

• **Juge aux affaires matrimoniales.** Un ou plusieurs dans chaque trib. de grande instance, désigné par le Pt. **Compétence :** exclusive pour prononcer le divorce demandé par consentement mutuel (sur requête conjointe) ; statue, après le divorce (quelle qu'en soit la cause), sur la garde des enfants et la modification de la pension alimentaire ; tente une conciliation entre les époux.

• **Juge de l'expropriation.** Juge du trib. de grande instance. **Compétence :** chargé de rendre l'ordonnance d'expropriation et de fixer le montant des indemnités en réparation du préjudice causé.

Justice pénale

A) Tribunaux de droit commun

• **Juridictions du 1er degré. Tribunaux de police. Composition :** juge du trib. d'instance ; ministère public peut être représenté par le commissaire de police ou exceptionnellement le maire. *Avant 1958* appelés trib. de simple police. **Compétence :** jugent les contraventions (infractions sanctionnées par peine maximale de 2 mois d'emprisonnement ou par 10 000 F d'amende). **Statistiques :** *tribunaux* 453. **Activités** (1988, prov.) : 5 079 637 condamnations dont 3 881 204 amendes pénales fixes et 814 776 ordonnances pénales.

Tribunaux correctionnels. Composition : trib. de grande instance dans sa formation pénale. **Compétence :** juge les délits (infractions punies d'une peine de plus de 2 mois d'emprisonnement ou amende). **Activité** (1988, prov.) : 303 316 condamnés.

• **Juridictions d'appel. Cours d'appel. Composition :** *formation pénale :* une *juridiction d'instruction* (la chambre d'accusation, qui est la chambre d'appel des ordonnances du juge d'instr.) et une *juridiction de jugement* (la chambre des appels correctionnels). **Compétence :** *sur le seul appel du prévenu,* elle ne peut aggraver le sort de celui-ci ; *sur l'appel du min. public,* elle peut modifier le jugement du trib. correctionnel dans un sens plus favorable ou défavorable au prévenu (art. 515 du Code de procédure pénale). C'est pourquoi, en général, sur l'appel du prévenu, le min. public fait également appel de son côté, pour lui permettre de demander éventuellement une augmentation de la peine prononcée par le trib. correctionnel. **Statistiques :** *cours* 35. **Activité** (1987) : 33 347 condamnés.

• **Cour de cassation** (chambre criminelle). **Compétence :** juge tous les pourvois en matière pénale (contraventions, délits ou crimes). **Activité** (1988) : affaires à juger : 11 635, affaires nouvelles reçues dans l'année : 7 678, jugées 7 662.

• **Cours d'assises.** 102. **Composition :** Pt, 2 assesseurs (magistrats) et 9 jurés. *Organisation :* 1 par département. **Compétence :** jugent les crimes, peuvent aussi condamner à l'interdiction de séjour et à la confiscation des biens. Compétence départementale. *Elles ne sont saisies qu'après une instruction préalable à 2 degrés :* le juge d'instruction et la chambre d'accusation. *Recours :* pourvoi en cassation.

Crimes contre la sûreté de l'État. Sont jugés par une cour d'assises sans jurés composée d'un président et de 6 assesseurs, tous magistrats professionnels (dep. la loi du 21-7-1982). La peine prononcée est une peine de détention criminelle.

Crimes et délits commis au cours d'actes de « terrorisme », c'est-à-dire infractions « en relation avec une entreprise individuelle ou collective ayant pour but de troubler gravement l'ordre public par l'intimidation ou la terreur » (Loi du 9-9-1986). Juge de même. *La Cour de sûreté de l'État* a été supprimée par la loi du 4-8-1981.

B) Juridictions spécialisées

• **Juridictions pour enfants. Juge des enfants. Compétences :** pénales et civiles. Il est à la fois une juridiction d'instruction et une jur. de jugement. Il statue dans son cabinet sur le cas des moins de 18 ans, auteurs d'infractions pour lesquelles il n'envisage pas une mesure les séparant de leur famille autrement qu'à titre provisoire. Il peut, en audience de cabinet, ordonner des mesures d'assistance éducative à l'égard des mineurs non émancipés dont la santé, la sécurité ou la moralité sont en danger ou dont les conditions d'éducation sont compromises. Il doit s'efforcer de recueillir l'adhésion de la famille à la mesure envisagée, et maintenir le mineur dans son milieu familial avec, le cas échéant, un soutien éducatif. Il peut, en cabinet, ordonner une mesure de protection judiciaire à l'égard des 18 à 21 ans, éprouvant des difficultés d'insertion sociale lorsqu'ils en font la demande.

Tribunaux pour enfants. Composition : présidés par le *juge des enfants,* assisté de *2 assesseurs* nommés pour 4 ans, âgés de + de 30 ans et choisis pour leur compétence parmi les personnes s'intéressant à l'enfance. **Compétence :** peuvent prendre une mesure éducative, de placement, ou prononcer une sanction pénale à l'encontre des mineurs de 18 ans ayant commis un délit. **Nombre de tribunaux :** 135.

Cour d'assises des mineurs. Composition : Pt, 2 assesseurs (juges des enfants), 9 jurés. **Compétence :** juge les mineurs 16-18 ans qui ont commis un crime.

☞ Les tribunaux pour enfants et la cour d'assises des mineurs (1 par dép.) ne peuvent prononcer des peines qu'à l'égard des mineurs de + de 13 ans. Ils peuvent ordonner des mesures de rééducation qui peuvent durer jusqu'à la majorité. Ils peuvent, à l'égard des mineurs délinquants de + de 16 ans, prononcer la *mise sous protection judiciaire* pour au max. 5 ans (un placement décidé ne se poursuivra au-delà de la majorité de l'intéressé qu'à la demande de celui-ci).

Appels. Chambre spéciale des mineurs (de la cour d'appel). Un magistrat, président ou conseiller, « délégué à la protection de l'enfance », doit obligatoirement y siéger. Les affaires sont jugées suivant des règles de publicité restreinte.

• **Juge de l'application des peines.** Un ou plusieurs dans chaque trib. de grande instance, chargé notamment, auprès des établissements pénitentiaires de suivre l'exécution des peines des condamnés, et du contrôle des condamnés sursitaires avec mise à l'épreuve (chargé notamment de statuer sur les obligations imposées aux probationnaires).

Nota. – Tribunaux militaires aux armées, haut tribunal permanent des forces armées, tribunaux maritimes commerciaux : supprimés en 1982, voir Quid 1982, p. 1643.

Juridictions administratives

Conseil d'État

☞ Voir Institutions françaises p. 688.

Tribunaux administratifs

Origine. Les *conseils de préfecture,* créés dans chaque département par la loi du 28 pluviôse, an VIII, ont été transformés en conseils de préfecture interdépartementaux en 1926. Le décret du 30-9-1953 leur a donné le titre de tribunaux administratifs, et la qualité de juge de droit commun du contentieux adm., qui appartenait jusqu'alors au Conseil d'État (inamovibilité partiellement consacrée). **Recrutement.** Par l'École nationale d'adm. + un recrutement

« au tour extérieur ». **Statistiques :** *tribunaux* 33. **Effectifs :** 395 fonctionnaires au 1-1-1988. **Compétences :** *juridictionnelles* ils sont, sous réserve de la compétence en 1er et dernier ressort du Conseil d'État, juges de droit commun sur tous les litiges administratifs (sauf si un texte spécial en a attribué connaissance à une autre juridiction) ; *appel :* possible devant le Cons. d'État ; *administratives :* ils peuvent être appelés à donner des avis sur des questions soumises par les préfets des départements de leur ressort.

Cours administratives d'appel

Origine. Loi du 31-12-1987 et décret du 15-2-1988. **Sièges** avec tribunaux adm. de leur ressort. *Paris*[1] (Paris, Versailles, Basse-Terre, Cayenne, Fort-de-France, Nouméa, Papeete, St-Denis-de-la-Réunion, St-Pierre-et-Miquelon) ; *Lyon*[1] (Lyon, Bastia, Clermont-Ferrand, Grenoble, Marseille, Nice) ; *Bordeaux*[1] (Bordeaux, Limoges, Montpellier, Pau, Poitiers, Toulouse) ; *Nancy*[2] (Nancy, Amiens, Châlons-sur-Marne, Dijon, Lille, Strasbourg) ; *Nantes*[2] (Nantes, Caen, Rennes, Rouen). **Compétences.** Présidées par un conseiller d'État, elles statuent sur les appels formés contre les jugements des trib. adm. à l'exception des recours en appréciation de légalité, des litiges relatifs aux élections locales et des recours pour excès de pouvoir contre des actes réglementaires.

Nota. – (1) 3 chambres. (2) 2 chambres.

Tribunal des conflits

Origine. Loi du 24-5-1872, décret du 25-7-1960.

Composition. Un Pt [le ministre de la Justice ; il ne préside qu'en cas de partage des voix (dernier cas le 8-12-1969)] ; 10 membres (8 titulaires, dont 1 v.-Pt et 2 suppléants) élus pour 3 ans et rééligibles, comprenant, en nombre égal, des conseillers à la Cour de cass. et des conseillers d'État ; 4 commissaires du Gouv. (2 titulaires et 2 suppléants pour chaque corps) choisis parmi les avocats généraux à la Cour de cassation, et les commissaires du Gouv. auprès de la Section du contentieux du Conseil d'État.

Rôle. 1°) *Régulateur des compétences* entre les juridictions de l'ordre judiciaire et celles de l'ordre administratif : il doit résoudre les conflits découlant des difficultés que présente l'application de certaines règles de répartition des compétences. 2°) *Juge sur le fond :* quand les juridictions administrative et judiciaire ont rendu dans la même affaire entre les mêmes parties des jugements présentant contrariété conduisant à un déni de justice (loi du 20-4-1932).

Activité. *1988 :* 39 affaires enregistrées, 58 jugées.

Quelques définitions

• **Action en justice.** Droit pour une personne de s'adresser aux trib. pour faire juger le bien-fondé de son droit ou de ses intérêts. Désigne également le caractère de l'action par laquelle on exerce son droit en justice. A ce titre, les actions sont dites *réelles,* si elles relèvent d'un droit immobilier ; *personnelles,* s'il est demandé la reconnaissance d'un droit personnel quelle qu'en soit la source (une convention, un droit de créance) ; *mixtes,* si elles relèvent des deux ; (par ex. la reconnaissance d'un droit réel et l'exécution d'une obligation) ; *pétitoires,* si elles mettent en cause l'existence d'un droit réel immobilier ; *possessoires,* si elles garantissent une possession paisible.

• **Amnistie.** Décidée par une loi. Efface les conséquences pénales d'une infraction, mais ne remet pas en cause les réparations civiles envers la victime.

• **Arrêts.** Décisions des cours d'appel, d'assises, de la Cour de cassation et du Conseil d'État.

• **Avocats. Définition.** *Auxiliaire de justice,* l'av. jouit d'un certain monopole (devant les tribunaux de grande instance). *Nul ne peut, s'il n'est avocat, assister* ou *représenter les parties ; postuler,* c'est-à-dire procéder à l'ensemble des actes nécessaires pour introduire et préparer l'instance judiciaire (ce qui était l'ancien monopole des avoués) et *plaider* devant les juridictions et les organismes juridictionnels ou disciplinaires. La loi du 15-6-1982 a modifié la discipline des avocats à l'audience (ancien statut, voir Quid 1982, p. 1644). Le décret 83-1036 a modifié certaines dispositions du décret 80-234 du 2-4-1980 relatif à la formation des futurs avocats et au C.A.P.A. (notamment art. 3 « admission 2° » du décret du 2-4-80 et les 2 derniers alinéas de l'art. 4 (30-5/12-83).

Aide judiciaire

Instituée par les lois du 3-1-1972 et du 31-12-1982.

Plafond des ressources pour l'obtenir. Fixé par décret et révisable selon les fluctuations économiques. Au 14-3-1986 pour ceux qui disposent de – de 3 465 F par mois, aide totale ; – de 5 250 F, aide partielle, pour les affaires où un avocat est obligatoire, 4 225 F dans les autres cas (trib. d'instance, prud'hommes), majoré de 390 F par personne à charge. Les bénéficiaires de l'allocation supplémentaire du Fonds national de solidarité sont dispensés de justifier de l'insuffisance de leurs ressources.

Demande sur imprimé réglementaire, avec une déclaration de revenus devant le bureau de la juridiction de l'ordre judiciaire territorialement compétent (art. 18 et 25 du décret), au siège du trib. de grande instance du domicile ou, en cas de recours près de la Cour de cass. ou au Pt du bureau d'aide judiciaire, près le Cons. d'État et le trib. des conflits. La demande interrompt éventuellement certains délais. Le bénéficiaire de l'aide judiciaire choisit librement ses auxiliaires de justice. Lorsque ces derniers refusent de prêter leur concours, le bâtonnier ou le président de l'organisme professionnel concerné désigne respectivement un avocat ou un officier public ou ministériel. L'avocat désigné perçoit une *indemnité* forfaitaire de l'État.

Indemnité versée par l'État. *Décret du 28-12-1984.* **Aide judiciaire totale.** *Avocat, tribunal de grande instance,* avocat obligatoire 2 250 F, divorce, séparation de corps 2 250, av. non oblig. 915, *tribunal administratif* (avocat ou avocat conseil) 2 250, *cour d'appel* 1 590, référé 450, *commerce et prud'hommes* 1 120, *tr. d'instance, tr. paritaire des baux ruraux* 915, *cour d'assises* (partie civile civilement responsable) 2 250, *Conseil d'État, Cour de cassation, tr. des conflits* 2 250. **Partielle.** Indemnité égale à la moitié ou au quart selon la moyenne mensuelle des ressources du bénéficiaire, comprise entre 3 465 et 4 357 F, 4 358 et 5 250 F (sans tenir compte des prestations familiales). **Huissier.** 43 F par acte effectivement délivré, 100 F par procès-verbal, 102 F pour l'exécution d'une décision relative à un droit de garde ou de visite, 193 F pour l'exécution d'une décision et expulsion.

Huissiers de justice et *greffiers :* perçoivent aussi une indemnité forfaitaire à la charge de l'État.

Statistiques. *1989 :* 301 693 demandes d'aide judiciaire, 254 964 admissions définitives, 42 974 rejets.

Avocats commis d'office. 1984 : 50 823 missions, *1989 :* 107 917 (coût 31,61 millions de F) dont : devant trib. correct. 60 % (19 MF), trib. pour enfants 15 % (4,7 MF), cours d'assises 13 %, juge d'instr. ou des enfants 12 % (2,7 MF). *Indemnité versée à l'avocat :* varie de 209 à 1 160 F. Moyenne (en F constants) *1984 :* 282, *1989 :* 293.

Consultations juridiques gratuites. *1° Au Palais de justice.* Anciennes cons. « d'indigence ». *En 1988 :* 17 000 personnes reçues par 1 350 avocats. *2° S.O.S. avocats. En 1988 :* 450 avocats de permanence ont répondu à plus de 14 000 appels téléphoniques. *3° Consultations en mairie, Asep, Ligue contre le cancer.*

L'Ordre assure une permanence au moins 2 soirs par semaine dans chacune des mairies d'arrondissement. Soit env. 2 000 permanences assurées par plus de 9 500 avocats ayant reçu 14 403 personnes (1988). En général, il est recommandé de s'adresser au Bureau d'aide sociale de son arrondissement pour un rendez-vous.

Effectifs. 18 500 env. (6 836 à Paris dont 2 087 stagiaires et 2 800 femmes au 1-3-90). *Avocats honoraires :* 2 400, env.

Accès à la profession : maîtrise en droit. Admission à un centre de formation professionnelle (auprès de chaque cour d'appel) ; délivrance du C.A.P.A. (décret du 2-4-1980) ; puis stage obligatoire. Les cabinets d'avocats groupés sont en augmentation (153 env.).

Rémunération : *actes de procédure :* sont tarifés, les *honoraires de consultation et de plaidoirie* sont fixés librement avec le client. Si, le procès achevé, le client refuse de régler, le bâtonnier de l'ordre examine le litige et rend une sentence, et le président du tribunal est saisi comme juridiction d'appel. Un av. ne peut pas fixer à l'avance ses honoraires en fonction du résultat à intervenir. Le montant varie suivant juridictions, difficultés rencontrées, spécialité et renommée de l'avocat.

Secret professionnel : l'avocat y est tenu. Ce secret couvre la correspondance entre l'avocat et son client (elle ne peut être ni saisie, ni consultée par des tiers). Même si elles sont devenues la propriété d'un héritier, ces lettres ne peuvent être produites sans l'accord de l'avocat. Le personnel de l'avocat, les collaborateurs non avocats, secrétaires ou dactylos sont tenus à une obligation civile de discrétion n'entrant pas dans le cadre de 378 CP. *Perquisitions et saisies* ne sont pas interdites chez un avocat, mais la police et le parquet ne peuvent y rechercher que ce qui peut constituer le corps même de l'acte coupable. Le juge d'instruction qui envisage d'opérer une perquisition chez un avocat prévient le procureur général et le bâtonnier de l'Ordre. Ce dernier ou son représentant assiste à la perquisition qui doit être faite par un magistrat, mais pas obligatoirement un juge d'instruction. Le juge examine les dossiers de l'avocat, pour rechercher s'il découvre le corps du délit et, le cas échéant, procède à la saisie qui doit être opérée selon les dispositions du Code de procédure pénale art. 56-1. Le bâtonnier ou son représentant est saisi de toutes réclamations de l'avocat soulevant le secret professionnel. Il doit s'opposer aux investigations qui compromettraient ses droits, et éventuellement faire noter au procès-verbal sa protestation pour permettre à la juridiction compétente de déterminer si la pièce saisie était ou non couverte par le secret professionnel. En cas d'une saisie irrégulière, l'instruction sera nulle.

Organisation d'avocats. Barreaux. *Origine :* espace isolé de l'audience par une barre et réservé aux avocats dans le prétoire ; ensemble des avocats établis près de chaque tribunal de grande instance. Le Pt du conseil de l'Ordre des avocats inscrits à un même barreau est appelé *bâtonnier* [élu pour 2 ans au scrutin secret par tous les av. du barreau (autrefois élu pour 1 an, il avait chez lui le bâton de la conférence de St-Nicolas)]. *Nombre :* 180 indépendants. La conférence des bâtonniers regroupe l'ensemble des bâtonniers de France à l'exception de celui de Paris.

Confédération syndicale des av. (C.S.A.). 34, rue de Condé, 75006 Paris. *Créée* 1921 (A.N.A.) ; 1978 fusion de l'A.N.A., du R.N.A.F. et de l'A.N.A.S. 6 000 adhérents ; **Fédération nat. des unions de jeunes av. (F.N.U.J.A.),** Palais de justice de Paris, bd du Palais, 75001 Paris. *Créée* 1946. Limite d'âge 40 ans, env. 5 000 m. ; **Syndicat des av. de France** 21 bis, rue Victor-Massé, 75009 Paris. *Créé* 1973, 2 000 adhérents.

• **Avocats près le Conseil d'État et la Cour de cassation.** Dits av. aux conseils (titre donné sous la monarchie). *Nombre (au 1-4-1989) :* 60 charges, 89 avocats. **Nomination :** par arrêté sur présentation du prédécesseur. Il faut avoir 25 ans révolus, être avocat, inscrit depuis 3 ans ; avoir suivi un stage de 3 ans dans un cabinet d'avocat aux conseils avec exercices (travaux pratiques et dirigés) ; avoir passé un examen à la fin de chaque année de stage et un examen définitif à la fin de la 3e année pour obtenir le diplôme de fin de stage. **Statut :** *avocats et officiers ministériels :* ils sont constitués en ordre et titulaires d'une charge pour laquelle ils doivent verser (comme pour toute cession d'office ministériel) un « droit de présentation » à leur prédécesseur. Ils peuvent être nommés avocats honoraires après 20 ans d'inscription au tableau et remise de leur démission. **Compétence :** ils ont le monopole devant la Cour de cassation et le Conseil d'État et peuvent aussi plaider devant les tribunaux administratifs. *A la Cour de cassation :* le ministère est obligatoire pour un pourvoi, sauf en matière pénale, prud'homale et pour les matières concernant les mineurs. *Au Conseil d'État,* ce n'est pas obligatoire pour un recours pour excès de pouvoir (demande d'annulation de toute décision administrative). Ils ont le libre choix des moyens (de cassation s'ils sont chargés de former un pourvoi, de défense pour répondre à un pourvoi), mais doivent avertir leur client des raisons pour lesquelles ils estiment ne pas devoir soulever un des moyens proposés. Ils présentent des observations essentiellement écrites. **Honoraires :** fixés librement (le recouvrement forcé est interdit).

• **Avoués. Près des tribunaux de grande instance.** Dep. le 15-9-1972, ils ont fusionné avec les avocats (voir avocats ci-dessus) et ont été indemnisés par l'État du prix de leurs charges (*coût total :* 950 millions de F).

Près les cours d'appel. Nombre : 330. **Recrutement :** officiers ministériels nommés par arrêté du garde des Sceaux, ministre de la Justice (exercent souvent dans le cadre de Stés civiles professionnelles). **Compétence :** ils ont le monopole de la représentation des parties devant les juridictions civiles du 2e degré. Mandataires de leurs clients, ils ont exclusivement le droit de postuler et de prendre des conclusions au nom de leurs clients qu'ils représentent devant la cour auprès de laquelle ils sont établis.

• **Casier judiciaire.** *Créé* 6-11-1850. Regroupé à Nantes et informatisé en 1981 (loi n° 80-2 du 4-1-1980). Il reçoit notamment les fiches des condamnations et décisions énoncées par le Code de procédure pénale (art. 768, 769, R.69, R.88). Il communique ces informations sous forme d'extraits appelés « bulletins ». *Bulletin N° 1 :* contient toutes condamnations, délivré aux seules autorités jud. qui ont besoin de connaître le passé judiciaire des personnes qui leur sont déférées ; *N° 2 :* contient les condamn. criminelles ou correctionnelles à une peine ferme d'emprisonnement ou d'amende, fourni sur leur demande aux administrations publ. et à diverses personnes morales déterminées par décret ; *N° 3 :* contient notamment les condamn. à des peines privatives de liberté (2 ans de prison) non assorties du sursis (ou sursis révoqué) ; barré transversalement lorsque la personne concernée n'a subi aucune de ces condamn. ; doit permettre aux condamnés à des peines légères de se reclasser. Il n'est remis qu'à l'intéressé qui peut le demander en s'adressant au *Casier judiciaire national, 44 079 Nantes Cedex 01.* Pour favoriser la réinsertion des jeunes délinquants, la loi du 7-7-1970 permet au trib. pour enfants (mineurs), et aux trib. correctionnels (pers. de 18 à 21 ans) de faire supprimer une fiche de casier jud. sous certaines conditions. Le trib. peut décider de ne pas inscrire la condamnation des condamnés au bulletin N° 2 et au N° 3.

Aucune copie n'est délivrée. Le sommier de police technique (condamnations à l'emprisonnement pour crime ou délit) peut être consulté en s'adressant au min. de l'Intérieur. Si on veut contester une mention portée sur son casier, il faut en saisir le procureur de la République.

• **Codes.** Recueils de lois, de règlements et d'arrêtés réunis d'une manière cohérente et logique, concernant une branche déterminée du droit. On trouve notamment : *C. civil* ou *C. Napoléon* (1804) ; *C. de procédure civile* (1806) ; *C. de commerce* (1807) ; *C. pénal* (1810 ; réforme en cours) ; *C. d'instruction criminelle* (1811) devenu le *C. de procédure pénale* (1959) ; *C. forestier* (1791-1827) ; *C. rural* (1791-1864) ; *C. de justice militaire* pour l'armée de terre (1857) ; et pour l'armée de mer (1858) ; *C. du travail et de la prévoyance sociale* (1901-1924) ; *C. du travail maritime* (1926) ; *C. disciplinaire et pénal de la marine marchande* (1926) ; *C. du travail d'outre-mer* (1932) ; *C. général des impôts* (1949 ; pas achevé).

• **Commission rogatoire** (appelée souvent, à tort, *mandat de perquisition*). Délégation par laquelle un juge demande à un officier de police judiciaire ou à un autre magistrat de procéder à sa place à tel ou tel acte d'instruction. Doit : être datée et signée par le juge et revêtue de son sceau ou de son cachet, mentionner la nature de l'infraction motivant les poursuites, et indiquer avec précision l'opération ou la série d'opérations auxquelles il y a lieu de procéder.

• **Conciliateur.** *Créé* par le décret du 20-3-1978, modifié par le décret n° 81-583 du 18-5-1981. *Chargé* de faciliter le règlement amiable des différends ; saisi sans conditions de forme. *Nommé* à titre bénévole parmi d'anciens magistrats, membres des prof. libérales, du secteur privé ou de l'enseignement, pour 1 an (éventuellement reconduit pour une période renouvelable de 2 ans). *Nombre : 1981* 1 200, *1986* 400, *1989* (objectif fixé par A. Chalandon) 3 800 (1 par canton).

• **Conseil juridique ou fiscal.** Titre réglementé par la loi du 31-12-1971 (et les décrets d'application) qui énumère la liste des diplômes nécessaires et le temps de pratique professionnelle. Profession organisée et placée sous le contrôle du procureur de la Rép. Sanctions pénales en cas d'usage illégal du titre de conseil juridique ou d'un titre de nature à créer une confusion. Décret du 29-10-1986 (J.O. du 31) sur l'honorariat des conseils juridiques.

• **Contrôle judiciaire.** Institué par la loi du 17-7-1970 (art. 138 et suiv. du Code de procédure pénale) pour permettre la limitation des cas de détention. L'inculpé doit se présenter périodiquement au parquet, à la mairie, à la police ou à la gendarmerie. Il doit répondre aux convocations de toute autorité ou de toute personne désignée par le juge d'instruction, et se soumettre à un contrôle de son travail ou de ses études. On peut lui demander de remettre à la police ses papiers d'identité, notamment passeport et permis de conduire (il recevra un récépissé), de se soumettre à des examens médicaux ou des traitements dans un hôpital, et exiger de lui un cautionnement fixé par le juge d'instruction. On peut lui interdire de se déplacer en dehors d'un certain périmètre, s'absenter de chez lui, se rendre dans certains lieux, rencontrer certaines personnes, conduire certains véhicules, exercer certaines professions. Le contrôle peut être transformé à tout moment en mandat de dépôt ou mandat d'arrêt.

• **Crimes et délits.** *Infraction* (avec indication de l'article du *Code pénal*) et *peine encourue.*

Crimes. 1°) Contre la chose publique : *crimes contre la sûreté de l'État :* trahison (art. 70-72) [1], espionnage (art. 73) [1], attentat en vue de détruire ou de changer le régime constitutionnel (art. 86) [1], complot (art. 87) [2] ; participation à un mouvement insurrectionnel (art. 97) [3] contre la paix publique, fausse monnaie (art. 132) [1], faux en écriture publique ou authentique par un fonctionnaire ou officier public dans l'exercice de ses fonctions (art. 145) [2].

2°) Contre les personnes : meurtre (art. 304) [1] ou [2], assassinat (meurtre commis avec préméditation ou guet-apens) (art. 296) [1], castration (art. 316) [1], coups et blessures volontaires avec mutilation, amputation ou privation de l'usage d'un membre ou, s'il a occasionné la mort sans intention de la donner (art. 309) [5], viol (art. 309) [1], attentat à la pudeur consommé ou tenté avec violence (art. 332) [4], attentat à la pudeur sans violence sur mineurs de quinze ans (art. 331) [4].

3°) Contre les biens : vol par porteur d'une arme apparente ou cachée (art. 381) [1], autres vols aggravés par la réunion de certaines circonstances (art. 381 et suiv.) [1], incendie volontaire de la chose d'autrui (art. 434) : dans le cas d'incendie de maisons habitées, de wagons en convoi ou lorsque l'incendie a entraîné mort d'homme [1], dans les autres cas [1].

Nota. – (1) Réclusion criminelle à perpétuité ou détention criminelle à perpétuité s'agissant des crimes contre la sûreté de l'État. (2) R. c. 0 à 20 ans. (3) R. c. 10 à 20 ans. (4) R. c. 5 à 10 ans. (5) R. c. 5 à 20 ans.

Délits. 1°) Contre la chose publique : participation à un attroupement sans abandon après la 1re sommation (art. 105) (2 mois à 1 an de prison), fraudes électorales (art. s. 111 du Code électoral et 113 du Code pénal) (1 m. à 2 a., interdiction des droits de citoyen et de toute fonction publique de 5 à 10 a.), rébellion, résistance avec violence et voies de fait envers les officiers ministériels et les agents de l'autorité par moins de trois personnes (art. 212) (6 j à 2 a.), bris de scellés par négligence (art. 249) (6 j à 2 m.), bris de scellés volontaire (art. 251) (1 a. à 5 a.), outrage à magistrat dans l'exercice de ses fonctions (art. 222) (5 j à 5 a.), violences sur la personne d'un officier ministériel ou d'un fonctionnaire (art. 230) (1 m. à 3 a.), faux en écriture privée ou de commerce (art. 150) (1 a. à 5 a.), faux certificat délivré par un médecin (art. 160) (1 a. à 3 a.), usurpation de titre ou de fonction (art. 258) (2 a. à 5 a.), destruction ou dégradation de monument public (art. 257) (1 m. à 2 a.).

2°) Contre les personnes : coups et blessures volontaires avec incapacité de travail personnel de plus de 8 j (art. 309) (2 m. à 5 a.), coups et blessures involontaires (art. 320), homicide involontaire (accidents de la circulation, du travail) 3 m. à 2 a. (art. 319), blessure par imprudence avec incapacité de travail de + de 3 m. (15 j à 1 a.), abstention de porter secours (art. 63) (3 m. à 5 a.), abandon de famille (art. 357-1 et 357-2) (3 m. à 1 a.), enlèvement ou détournement de mineur de 15 à 18 ans, sans fraude ni violence (art. 356) (2 m. à 5 a.), non-représentation d'un mineur dont la garde a fait l'objet d'une décision de justice (art. 357) (1 m. à 1 a.), menaces (art. 305 et suiv.) (6 j à 5 a.), outrage public à la pudeur (art. 330) (3 m. à 3 a.).

3°) Contre les biens : vol sans violence (vol simple, larcins, filouteries, art. 401) (1 a. à 5 a.), escroquerie (art. 405) (1 a. à 5 a.), émission d'un chèque sans provision (décret-loi 30-10-35, art. 66) (1 a. à 5 a.), abus de confiance (art. 406 et 408) (2 m. à 2 a.), chantage (art. 400) (1 a. à 5 a.), grivèlerie (art. 401, al. 3 et suiv.) (6 j à 6 m.), entraves à la liberté du travail (art. 414) (6 j à 3 a.) ; banqueroute simple (art. 402) (1 m. à 2 a.), frauduleuse (art. 402) (1 a. à 5 a.).

• **Crimes de droit international.** Définis par l'Assemblée générale des Nations unies en 1945.

Crimes de guerre (prescriptibles). Violations des lois et coutumes de la guerre (pillage, assassinat, déportation des civils et prisonniers de guerre, exécution des otages). Répression organisée par les conventions de La Haye (1907), Genève (1949) et le statut du Tribunal intern. de Nuremberg du 8-8-1945 (ordon. du 28-8-1944 et du 15-9-1948).

Crimes contre l'humanité (imprescriptibles). Violation des règles de droit international sanctionnées pénalement, commises par les gouvernants ou les citoyens des États (par ex. : déportation, réduction en esclavage, extermination, persécution). Le *génocide* est un crime contre l'humanité. Pas de prescription (loi du 26-12-1964). C'est ainsi que le seul motif qui a pu être retenu contre Klaus Barbie, ancien chef de la Gestapo de Lyon et tortionnaire de Jean Moulin, est celui de la déportation d'une cinquantaine d'enfants israélites.

Crimes contre la paix. Violation des règles établissant la paix (agressions) : ex. en 1919 et 1945 l'All. a été accusée d'avoir porté atteinte « à la morale internat. et à l'autorité sacrée des traités de paix ».

• **Demande de mise en liberté.** L'inculpé, directement ou par l'intermédiaire de son avocat, peut la demander à tout moment. Lorsque l'inculpé est détenu, la demande peut être faite auprès du dir. de l'établissement pénitentiaire (art. 146-7 Code procédure pénale). Le juge d'instruction doit statuer dans les 5 j. Son refus est susceptible d'appel dans les 10 j (de la part de l'inculpé ou de la partie civile) ; la chambre d'accusation statue alors. Un inculpé libéré doit s'engager à répondre à toutes les convocations qui lui seraient adressées et à tenir informé le juge d'instruction de tous ses déplacements (voir également art. 148, 148-1, 148-7 C.P.P.).

• **Démence.** Selon l'art. 64 du C. pénal, il n'y a ni crime ni délit lorsque le prévenu était en état de démence au temps de l'action, ni lorsqu'il y a été contraint par une force à laquelle il n'a pas pu résister (Voir Médecine à l'Index). Il s'agit d'une maladie mentale au sens large du terme, et à laquelle on assimile, sous certaines conditions, des états voisins (somnambulisme, ivresse).

• **Détention provisoire.** (Art. 144 et suivants du C.P.P.). Possible en matière correctionnelle si la peine encourue est de 2 ans de prison ou +, ou de 1 an ou + en cas de délit flagrant, si les obligations du contrôle judiciaire sont insuffisantes pour les autorités judiciaires, ou si la personne a été appréhendée au cours d'une enquête dans les conditions prévues par l'art. 53 et 73 (seuls outrages à agents, blessures par imprudence, vagabondage ou mendicité et certains délits de presse n'autorisent pas la détention provisoire). *Durée maximale :* 4 mois, mais le juge d'instruction peut prolonger ce délai par une ordonnance motivée considérée souvent comme nécessaire pour préserver l'ordre public dans certains crimes et délits (sa durée est alors indéterminée). Délai max. de la prolongation : 2 mois pour les délinquants primaires (1 seule prolongation). Pas de délai max. pour les récidivistes (renouvellement par périodes de 4 mois). Lorsque l'inculpé encourt une peine de + de 5 ans, la prolongation de détention est possible (sans tenir compte de la limite de 2 mois).

Le *détenu provisoire* peut conserver ses habits personnels, recevoir des visites plus nombreuses que les autres détenus et écrire davantage de lettres, communiquer librement avec ses avocats, sans témoin, dans une cellule du parloir, et leur écrire sans que les lettres soient ouvertes ni au départ ni à l'arrivée. Le reste du courrier est soumis à la censure. Le juge d'instruction peut, dans certains cas, interdire visites et courrier, pendant 10 j, renouvelables une fois. Le *détenu* n'est pas astreint au travail (obligatoire pour les condamnés, dans la mesure où il y a du travail à leur donner). S'il demande à travailler, il est mieux rémunéré qu'un condamné. Les policiers ne peuvent procéder à son interrogatoire, ni aux confrontations.

Détentions suivies d'un non-lieu, d'un acquittement ou d'une relaxe (équivalent de l'acquittement devant les tribunaux correctionnels) ; peuvent donner droit à une indemnisation (une détention de 2 ans suivie d'une condamnation à 3 mois de prison avec sursis ou d'une simple amende ne permet aucun recours). Une commission d'indemnisation (composée de 3 magistrats de la Cour de cass.) étudie la demande de dommages et intérêts si la détention a causé un préjudice « manifestement anormal et d'une particulière gravité ». [Jean-Marie Deveaux, accusé du meurtre d'une fillette et qui, après une première condamnation, fut acquitté en sept. 1969, a obtenu une indemnité de 125 000 F pour 8 années de prison subies à tort. Guy Mauvillain 400 000 F (18-1-1987)].

• **Diffamation.** Affirmation publique (tract, journal, livre, affiche, réunion publique) concernant une personne ou un corps constitué d'un *fait précis* qui porte atteinte à son honneur ou à sa considération, même sous forme interrogative ou dubitative. La reproduction publique d'une diffamation, même en citant la source, est une diffamation. Le diffamateur est condamnable même s'il a dit la vérité, lorsque les faits concernent la vie privée, s'ils remontent à plus de 10 ans ou s'ils ont été effacés par amnistie ou prescription.

Injure. Expression outrageante, un terme de mépris ou une invective qui n'attribue *aucun fait précis* à l'injurié. Injure et diffamation sont des délits. La victime doit porter plainte dans les 3 mois.

• Droits de l'homme. Voir Index. **Ligue des droits de l'homme** 27, rue Jean-Dolent 75014 Paris. *Créée* juin 1898 pour défendre les victimes de l'arbitraire, de l'injustice ou de discrimination et pour promouvoir l'application des principes affirmés dans les Déclarations révolutionnaires de 1789 et 1793. A fondé la Fédération internationale des droits de l'homme en 1921. René Cassin, membre du Comité central, fut l'un des principaux auteurs de la déclaration universelle de 1948. *Présidents.* 1898 Ludovic Travieux ; 1903 Francis de Pressenssé ; 1914 Ferdinand Buisson ; 1926 Victor Basch ; 1944 Paul Langevin ; 1946-48 Docteur Sicard de Planzoles ; 1953 Émile Kahn ; 1958 Daniel Mayer ; 1975 Henri Noguères ; 1984 Yves Jouffa. *Revues.* Hommes et Libertés, Après-demain. *Adhérents* 10 000.

• Ester en justice. Intenter une action en justice ou y défendre.

• Experts. Auxiliaires de justice qui peuvent être désignés par toute juridiction pour les éclairer sur les questions techniques. Organisation établie par la loi du 29-6-1971 et le décret du 31-12-1974. **Nombre.** Cour d'appel de Paris (1989) : 2 095 en activité ; 6 520 expertises civiles traitées.

• Flagrant délit. **Définition.** Infraction qui est en train de se commettre ou qui vient de se commettre. L'auteur peut être « quelqu'un poursuivi par la clameur publique ou trouvé porteur d'indices ». Sont assimilés : crimes, délits et infractions commis à l'intérieur d'une maison. La *procédure de flagrant délit* ou *procédure de comparution immédiate :* elle peut être appliquée dans tous les cas sauf pour délits de presse, délits politiques, délits non punissables de prison et délits commis par des mineurs (art. 71 à 71-3 du Code de procédure pénale abrogés par la loi n° 81-82 du 2-2-1981). Elle autorise la police à arrêter un particulier dans la rue ou un lieu public (gare, métro, café), à perquisitionner chez un particulier « paraissant avoir participé à l'infraction ou détenir des pièces et objets relatifs aux faits incriminés », et à fouiller une voiture. La police conduit la personne devant le procureur de la Rép. Celui-ci peut décider qu'un juge d'instruction sera chargé de l'affaire ou le présenter immédiatement devant le tribunal ou un magistrat délégué par le président.

A l'audience : le président du tribunal doit, sous peine de nullité du jugement, avertir l'accusé qu'il a le droit de demander un délai d'au moins 5 j, pour préparer sa défense et se faire assister éventuellement par un avocat. Une convocation de police *(citation à témoin)* dans le cadre d'une enquête de police est obligatoire.

Flagrant délit de vol. Selon l'art. 73 du Code de procédure pénale, toute personne peut appréhender l'auteur d'un crime ou d'un flagrant délit punissable d'une peine d'emprisonnement et la conduire devant l'officier de police judiciaire le plus proche. Un commerçant peut donc se saisir d'une personne surprise en train de voler (adage : « Tout citoyen est sergent de flagrance »).

Un client a, par contre, le droit de refuser de se soumettre à un contrôle par le commerçant (par ex. : présenter le contenu de son sac) et d'intenter une action en dommages et intérêts contre le commerçant s'il a appelé la police sans raison.

• Fouilles. Voir Perquisition.

• Garde à vue. *Durée :* 24 h (48 h si le procureur de la Rép. l'autorise par écrit, peut aller au-delà de 48 h pour les affaires de trafic de drogue ou d'atteinte à la sûreté de l'État ou de terrorisme). Le *délai* part (en cas d'arrestation ou de flagrant délit) de l'heure d'arrivée au commissariat ou à la gendarmerie, ou, s'il y a eu convocation, du début de l'interrogatoire. *Conditions :* ne peut être prolongée que par un officier de police judiciaire, ou par le juge d'instruction, le procureur de la Rép. Ni libre, ni détenue, la personne arrêtée est à la disposition de la police. Elle n'a pas le droit à l'assistance d'un avocat. Elle peut demander un examen médical (de droit après 24 h). Après 24 h, elle doit être obligatoirement conduite au procureur qui peut accorder une autorisation écrite prolongeant la garde à vue. Elle peut faire l'objet d'une *fouille corporelle* (f. « de sûreté ») pour lui retirer les objets utiles à la manifestation de la vérité ou dangereux pour elle-même ou pour autrui. La *fouille-perquisition,* ayant pour but la saisie d'objets et de documents, ne peut être effectuée qu'en flagrant délit ou en application d'une commission rogatoire avec accord de l'intéressé. La durée des interrogatoires et des repos doit être portée sur le registre des gardes à vue et des procès-verbaux d'interrogatoire.

Garde à vue des mineurs. Doit être réduite au strict minimum et entourée des précautions destinées à éviter toute promiscuité.

• Grâce (droit de). Survivance de l'Ancien Régime. Appartient au Pt de la Rép. (de 1946 à 58, le Pt l'exerçait en Conseil supérieur de la magistrature). Remise de tout ou partie de la peine prononcée contre un individu par un tribunal répressif. Le PM et le garde des Sceaux donnent leur contreseing. Peut être collective ou individuelle. Grâce collective à l'occasion du 14 juillet. Auriol : *1949, 51, 53.* Giscard d'Estaing : *1980.* Mitterrand : *1981 :* 4 775 libérés, *85 :* 2 763, *88 :* 4 230, *89 (bicentenaire) :* 3 091. *1989 :* Mitterrand a accédé à 408 requêtes sur 55 779 présentées. **Grâce amnistiante.** Mesure intermédiaire entre grâce et amnistie. La loi définit les catégories de condamnés susceptibles d'être amnistiés ; le Pt de la Rép. individualise ensuite les bénéficiaires par décret.

• Greffier. Assiste les magistrats à l'audience, dresse les actes du greffe, délivre des expéditions des jugements ou des arrêts. Il est le dépositaire des minutes et des archives. Dep. 1965, les greffiers titulaires de charges sont devenus fonctionnaires. Il existe désormais un secrétariat-greffe, dirigé par un greffier en chef, assisté de greffiers. *Au trib. de commerce :* le greffier, officier ministériel, titulaire d'une charge, a été maintenu.

• Habeas corpus (en latin « que tu aies ton corps », sous-entendu *ad subjiciendum,* « pour le produire devant le tribunal »). Nom d'un des textes les plus célèbres dans l'histoire de la liberté, adopté par le Parlement anglais en 1679. Sur une demande qui leur est faite, les juges doivent délivrer un *writ of habeas corpus,* acte délivré par la juridiction compétente enjoignant au greffier de faire paraître le détenu devant la Cour, qui statuera alors sur la validité de l'arrestation.

• Huissier de justice. *Statut :* officier ministériel nommé par le garde des Sceaux, chargé de signifier aux intéressés les actes et exploits, de procéder à l'exécution des décisions de justice ainsi que des actes ou titres en forme exécutoire. Il exerce, sauf exception, dans le ressort du tribunal d'instance de sa résidence, chargé souvent de faire des constats à la demande des particuliers ou magistrats. Il existe également des *huissiers-audienciers* choisis parmi les huissiers pour assister les juges pendant les audiences des tribunaux. *En dehors de son monopole,* l'huissier peut procéder au recouvrement amiable des créances, à des ventes publiques de meubles et d'effets mobiliers (sauf dans la commune où est installé un commissaire-priseur), à des constats matériels. Il peut être administrateur d'immeubles, agent d'assurances, correspondant de Caisse d'épargne, secrétaire de coopérative agricole, en dehors de ses prérogatives d'officier ministériel. Un candidat doit (dep. 2-10-1986) être licencié en droit, suivre un stage de 2 ans et passer un examen organisé par la Ch. nationale. Un clerc doit avoir exercé 10 ans et avoir un diplôme (capacité en droit, DEUG ou ENP).

Le constat : peut être demandé par un particulier ou ordonné par un tribunal, il n'implique aucune conséquence juridique mais atteste un fait matériel. En cas de chèque sans provision, l'h. délivre un titre exécutoire 20 j après la signification demeurée infructueuse du certificat de non-paiement de la banque (11-7-1985). *Saisie mobilière :* l'h. est choisi en fonction de son ressort territorial, il est muni du « titre exécutoire ». S'il n'y a rien à saisir, il établit un procès-verbal de carence ; s'il y a des biens à saisir, il dresse un procès-verbal de saisie pour procéder ensuite à la vente. *Nombre* (en 1990) : 2 961 répartis en 2 063 études, assistés de 12 000 clercs et employés.

Honoraires : variables selon le montant de la créance, le temps passé lors d'un constat, et les conditions de travail. *Ex :* recouvrement d'une créance de 5 000 F : sommation 211 F, assignation 141 F, signification 178 F, commandement 324 F, procès-verbal de saisie 240 F (T.V.A. 18,6 % incluse). État des lieux 900 à 1 200 F, constat d'adultère 2 500 à 3 000 F, constat d'audience 1 500 à 2 000 F.

• Identité (pièces). Carte d'identité nationale (non obligatoire, mais la moins contestée), passeport, permis de conduire, livret de famille, carte d'électeur, de Sécurité sociale. *Etrangers :* ils doivent établir la régularité de leur séjour en France (visa sur leur passeport). La vérification des cartes de travail et des bulletins de paie par la police est un abus de droit.

Automobiliste : le permis suffit à établir son identité. Le contrôle de l'identité des *passagers* est un abus de pouvoir, sauf s'ils ont commis une infraction (par ex. : ceinture de sécurité non bouclée). Le *passager d'un taxi* peut être contrôlé selon les règles applicables aux vérifications dans la rue.

Vérification d'identité (procédure de). Toute personne dont il apparaît nécessaire au cours de recherches judiciaires d'établir ou de vérifier l'identité doit, à la demande de tout officier de police judiciaire ou de l'un des agents de police judiciaire, se prêter aux opérations qu'exige cette mesure ; la prise d'empreintes digitales ou de photographies n'est autorisée que si elle est « impérativement nécessaire à l'établissement de l'identité de la personne interpellée », et est pratiquée dans le cadre d'une enquête pour crime ou délit flagrant, ou d'une enquête préliminaire, ou d'une commission rogatoire, ou de l'exécution d'un ordre de recherche demandé par une autorité judiciaire.

• Incompétence d'un tribunal. Défaut d'aptitude d'une juridiction à connaître d'une demande ; peut être relative, absolue, d'ordre public. *Motifs : ratione materiae,* si le tribunal n'est pas habilité à juger cette matière (ex. : le tribunal de commerce pour une affaire civile portée à tort devant lui) ; *ratione loci,* si le trib. n'est pas territorialement compétent (ex : il n'est pas celui du lieu du domicile du défendeur, ou du lieu de commission d'une infraction) ; *ratione quantitatis,* si le litige dépasse un certain montant (voir trib. d'instance).

• Inculpé d'une infraction, poursuivi devant une juridiction répressive. Ses déclarations sont consignées par écrit : le juge d'instruction en dicte un résumé à son greffier. L'inculpé a intérêt à le relire soigneusement avant de le signer, il peut faire ajouter ou retrancher certains éléments (voir Détention provisoire).

• Injonction (ou obligation) de faire. Concerne les litiges d'un montant inférieur à 300 000 F. Procédure gratuite qui permet à tout bénéficiaire d'une obligation de faire non exécutée d'obtenir du tribunal d'instance, sur simple requête, une ordonnance enjoignant son débiteur de respecter ses engagements (appareils ménagers ou meubles non livrés à la date prévue, travaux commencés et non terminés dans le délai convenu, etc.). Le litige doit être signifié au greffe du tribunal d'instance. Au vu des documents produits (contrats, bons de commande, devis, photos de travaux en cours, mise en demeure envoyée au propriétaire...), le juge peut, si la requête lui paraît fondée, demander au professionnel de s'exécuter dans des délais donnés et assortir ou non son ordonnance d'une astreinte (amende à payer par jour de retard). Si l'exécution n'a pas eu lieu ou n'a pas été appliquée, le tribunal d'instance juge la demande du plaignant comme dans une audience ordinaire. Le recours à un avocat n'est jamais obligatoire devant le tribunal d'instance, mais le plaignant peut se faire représenter. A compter de la date du jugement, le « gagnant » a 6 mois pour signifier le jugement à la partie adverse.

• Instance. **Durée moyenne des instances en mois, en 1983 et, entre parenthèses, en 1988.** *Cour de cassation :* civile 13,2 (18,1)[2], pénale 6,8 (6,5)[2] ; *cour d'appel :* civile 19,1 (16,9), pénale 4,1 (4,4)[2] ; *tribunal de grande instance :* civile 12,1 (11,2)[2], pénale 4 (4,5)[1] ; *instruction pénale :* 11 (11)[1].

Nota (1) 1986. (2) 1987.

• Instruction. 1) **Enquête préliminaire.** *En cas de contravention, crime ou délit,* le procureur (parquet) ordonne une enquête préliminaire qu'il confie à la police judiciaire ; celle-ci agit parfois d'elle-même, si elle n'est pas encore requise par le parquet (voir ci-dessous).

2) **Au reçu de l'enquête.** Le procureur peut la classer sans suite, ou saisir le *tribunal de police* ou renvoyer les auteurs devant le *tribunal correctionnel* en cas de délit dont les preuves lui paraissent suffisamment établies. S'il s'agit d'un crime ou d'un délit sur lequel la lumière n'a pas encore été faite, il requiert le juge d'instruction. L'instruction est obligatoire pour les contraventions de 5e classe commises par un mineur.

3) **Le juge d'instruction** (juge du tribunal de grande instance délégué dans ces fonctions par décret). Procure à la juridiction de jugement les éléments nécessaires pour statuer. Délivre mandat de dépôt de l'inculpé à la maison d'arrêt si la détention préventive lui semble nécessaire à la manifestation de la vérité. Dep. le 8-12-1897, l'avocat de l'inculpé peut avoir accès au dossier ; dep. le 17-7-1970, le juge doit (sauf en matière criminelle spécialement art. 144 C.P.P.), motiver la mise en détention provisoire (délai limité à 6 mois dep. 6-8-1975 pour certains inculpés). Dep. le 9-7-1984, un débat contradictoire a lieu à cette occasion (art. 148).

4) **L'inculpé.** Peut demander d'être mis en liberté provisoire. Le parquet doit donner son avis, disant ne pas s'y opposer. Cet avis ne lie pas le juge d'instruction qui peut par ordonnance accepter la demande

ou la rejeter. Si l'inculpé ou la partie civile ou le *ministère public* (le procureur) font appel de l'ordonnance du juge, la chambre d'accusation en connaît. (Section de la cour d'appel : elle comprend 3 magistrats et 1 membre du parquet général pour le ministère public.)

5) **Pendant l'instruction.** Le *procureur* peut exercer un contrôle sur la procédure. Il peut demander le dossier et réclamer au juge certains actes d'instruction (ex. : perquisitions, auditions de témoins, inculpations nouvelles). Le juge peut toujours refuser de donner suite à ces demandes et prendre par ordonnance une décision contraire.

6) **Le juge clôt l'instruction.** S'il estime l'inculpation non fondée, il rend une ordonnance de non-lieu ou, au contraire, une ordonnance de transmission au parquet général (s'il s'agit d'un crime) qui saisira la chambre d'accusation. La chambre complète éventuellement le travail du juge instructeur avant de renvoyer l'accusé devant la cour d'assises. Si le juge d'instruction estime que les charges retenues contre l'inculpé sont suffisantes, il rend une ordonnance de renvoi devant le *tribunal de police* en cas de simple contravention (ex. : coups et blessures légers) ; ou le *trib. correctionnel,* en cas de délit (ex. : violences à agents ou détention d'explosifs) ou *la cour d'assises,* en cas de crime (ex. : homicide ou vol qualifié) ou le *trib. pour enfants* si l'inculpé a moins de 18 ans.

• **Internement psychiatrique.** Le préfet de police à Paris et les préfets dans les départ. prononcent par arrêté, au vu d'un certificat médical circonstancié, l'hospitalisation d'office des personnes dont les troubles mentaux compromettent l'ordre public ou la sûreté des personnes (art. L. 342 du Code de la santé publique). Dans les 24 h suivant l'admission, un certificat médical établi par un psychiatre de l'établissement est transmis au préfet par le directeur de l'établ. En cas de danger imminent pour la sûreté des personnes, attesté par un avis médical ou, à défaut, par la notoriété publique, le maire et, à Paris, les commissaires de police arrêtent les mesures provisoires nécessaires, à charge d'en référer dans les 24 h au préfet qui statue sans délai et prononce, s'il y a lieu, un arrêté d'hospitalisation d'office (L. 343). Dans les 15 j., puis 1 mois après hospitalisation et ensuite au moins tous les mois, un certificat médical est transmis au préfet (L. 344). Le maintien de l'hospitalisation d'office peut être prononcé par le préfet, après avis motivé d'un psychiatre, dans les 3 j. précédant l'expiration du 1er mois d'hospitalisation, pour une nouvelle durée de 3 mois ; au-delà, l'hosp. peut être maintenue pour des périodes de 6 mois maximum, renouvelables selon les mêmes modalités (L. 345).

Protection et droits des internés. Dans les 24 h, le procureur de la Rép., le maire et la famille sont avisés par le préfet de toute hospitalisation d'office, de tout renouvellement et de toute sortie (L. 349). Commission départementale des hosp. psychiatriques : visite les établ., reçoit les réclamations et peut proposer au Pt du tribunal la sortie immédiate de toute personne hospitalisée sans son consentement. La personne hospitalisée ou sa famille peut se pourvoir, sur simple requête, devant le Pt du trib. de grande instance (L. 351). Le Pt du trib. de grande instance peut également se saisir d'office à tout moment (L. 351). Un hospitalisé d'office peut prendre conseil auprès d'un médecin ou d'un avocat de son choix, écrire ou recevoir du courrier, consulter le règlement intérieur de l'ét., se livrer aux activités religieuses ou philosophiques de son choix (L. 326-3).

• **Interpellation.** On peut demander à toute personne qui vous interpelle de présenter sa carte officielle de police et refuser de lui montrer ses papiers s'il refuse. On peut ne pas répondre à une *convocation* du commissariat sans donner d'explication, sauf en cas de procédure de flagrant délit. Dans ce cas, le procureur de la Rép. peut contraindre par la force les personnes convoquées à comparaître et à déposer. Selon l'art. 109 du Code de procédure pénale, toute personne citée pour être entendue comme témoin est tenue de comparaître, de prêter serment et de déposer, sinon le juge d'instruction peut, sur les réquisitions du procureur de la Rép., l'y contraindre par la force publique et le condamner à une amende de 2 500 à 5 000 F. *Si l'on se rend au commissariat,* on peut refuser de répondre, et se contenter de donner son identité en ajoutant : « Je n'ai rien à déclarer. » On peut ne pas signer le procès-verbal. *Un policier ou un gendarme ne peut pénétrer dans un domicile* s'il n'est porteur d'une autorisation du juge d'instruction ou sans accord exprès de l'occupant. L'officier de pol. judiciaire peut pénétrer d'initiative au domicile d'une personne dans le cadre d'une enquête en flagrant délit. Les officiers et les agents de police judiciaire qui les secondent peuvent relever les empreintes digitales ou prendre des photos, soit d'initiative au cours d'une enquête judiciaire dans le cadre de la garde à vue ; soit, hors de ce cadre, avec l'autorisation de la personne concernée en vue de la réunion d'éléments de preuves d'un crime ou d'un délit ; soit avec l'accord de l'autorité judiciaire, en vue d'établir l'identité d'une personne.

• **Juge.** Voir Magistrat.

• **Jugement.** Décision des tribunaux (voir p. 738).

• **Juré. Recrutement.** Tout citoyen français inscrit sur les listes électorales, âgé de plus de 23 ans, sachant lire et écrire en français, peut être juré.

Cas d'incapacité et d'incompatibilité : personnes ayant fait l'objet d'une peine criminelle ou d'une condamnation à 1 mois d'emprisonnement pour crime ou délit ; officiers ministériels destitués de leur fonction ; fonctionnaires et agents de l'État, des départements et communes révoqués ; interdits (majeurs en tutelle, en curatelle) ; personnes placées dans des établissements psychiatriques ou occupant certaines hautes fonctions politiques, administratives ou de police. *Sont dispensés :* septuagénaires et +, et ceux qui ont été jurés pendant l'année courante ou l'année précédant l'inscription, ou jurés dans le dép. depuis + de 5 ans.

Liste annuelle : en avril, un arrêté préfectoral de répartition indique pour chaque commune le nombre de jurés éventuels à inscrire et demande au maire une liste préparatoire comportant 3 fois plus de noms. Cette liste est établie sur tirage au sort public à partir de la liste électorale. Le maire doit avertir les personnes tirées au sort. A partir de ces listes, une liste annuelle est établie par une commission comprenant le 1er Pt de la cour d'appel, ou le Pt du trib. de grande instance où siège la cour d'assises, 3 magistrats du siège désignés chaque année par l'assemblée générale de la juridiction, le procureur général ou le proc. de la Rép., le bâtonnier de l'Ordre des avocats, 5 conseillers généraux désignés chaque année par le Conseil général (à Paris, par le Conseil de Paris). *La liste annuelle* est établie par tirage au sort (nombre de jurés : Paris 1 800, ailleurs 1 juré pour 1 300 hab. ; minimum 400 par département), ainsi qu'une *liste de jurés suppléants* (Paris 600, Bouches-du-Rh. 200, autres dép. 100). *Liste de session :* 30 j au moins avant l'ouverture des assises. Le 1er Pt de la cour d'appel ou le Pt du trib. de grande instance du siège de la cour d'assises tire au sort, en audience publique, sur la liste annuelle, les noms de 35 jurés (+ 10 jurés suppléants sur la liste spéciale). Le préfet avertit les jurés désignés 15 j avant l'ouverture de la session. Pour chaque affaire criminelle, le *jury* (9 jurés) est tiré au sort sur cette liste de session. La défense peut récuser 5 jurés, le représentant de l'accusation 4. Tout juré qui, sans motif légitime, ne se présente pas à la session d'assises peut être condamné à une amende de 100 F la 1re fois, 200 F la 2e, 500 F la 3e.

Le juré est tenu par le secret (le 31-3-89, un juré a été condamné à 1 mois de prison avec sursis et 10 000 F d'amende pour avoir violé le secret des délibérations).

Quelques dates

1791 (loi des 16/29-9) jury populaire institué (12 jurés statuent sur les faits, c.-à-d. sur la seule culpabilité). **1832** les jurés peuvent reconnaître des circonstances atténuantes. **1853** (loi du 4-6) impose des conditions d'âge, de moralité et crée des commissions de sélection établissant des listes pour le tirage au sort. **1878** (loi du 28-7) rétablit le système initial du tirage au sort à partir des listes électorales (appliqué dep. le 1-1-1980). **1932** (loi du 5-3) conserve aux seuls jurés la reconnaissance de la culpabilité mais les réunit aux magistrats pour déterminer la peine. **1941** (loi du 25-11) associe magistrats (3) et jurés (6) dans la détermination de la culpabilité et de la peine. **1945** (loi du 20-4) 7 jurés, majorité de 6 voix peut être obtenue par 3 voix de magistrats et 3 voix de jurés. **1958** (loi du 23-12) 9 jurés, majorité de 8 voix pour les votes sur la culpabilité (art. 359 C.P.P.).

• **Légitime défense.** Droit de riposter par la violence à une infraction actuelle, injuste et non provoquée, dirigée contre soi-même ou autrui : coups ou violences graves envers des personnes ; escalade ou effraction, de jour ou de nuit des clôtures, murs ou entrée d'une maison ou d'un appartement ; de nuit, défense contre les auteurs de vols ou de pillages exécutés avec violence. La riposte doit être immédiate et proportionnée à l'agression ; les actes sont alors « excusables ». L'agressé doit faire la preuve de la légitime déf. (art. 328-329 Code pénal).

• **Libération conditionnelle.** Réservée aux condamnés ayant accompli la moitié de leur peine (3 mois si la peine est inf. à 6 m.), ou : 2/3 en cas de récidive (6 m. si peine de – de 9 m.). *Réclusion criminelle à perpétuité :* ils doivent avoir accompli 15 ans. Un condamné à perpétuité bénéficie au bout de 10 ans de détention d'un décret de grâce commuant sa peine en 20 ans de prison. Il fera donc au max. 30 ans de prison. Après 15 ans il pourra espérer la lib. cond. *Modalités* fixées dans la décision : nature et durée des mesures d'assistance et de contrôle (visa régulier du carnet du libéré par la gendarmerie, assignation à domicile, visites au juge de l'application des peines, traitements anti-alcooliques, remboursement de la victime de l'infraction). En cas d'inobservation, la libération peut être révoquée. *Décision :* condamnés à – de 3 ans de prison, par le juge de l'application des peines après avis d'une commission ; c. à + de 3 ans, par le min. de la J. sur proposition établie par une commission locale dont fait partie le J.A.P. (juge de l'application des peines). *En 1988,* le juge de l'application des peines a accordé 8 167 mesures de lib. cond. et le min. de la J. 704.

• **Loi anticasseurs** (8-6-1970) : abrogée, voir Quid 1982. **Loi sécurité et liberté** (2-2-1981) : abrogée ou révisée par la loi 83-446 du 10-6-1983.

• **Magistrats. Effectif** budgétaire (au 1-1-1990) 6 006. **Administration centrale.** 159. **Cour de cassation.** 169 dont siège 148, parquet 21. **Cours d'appel.** *Métropole :* 1 125 (s. 812, p. 237), *DOM-TOM :* 50 (s. 36, p. 14). **Trib. supérieurs d'appel.** *St-Pierre-et-Miquelon, Mayotte :* s. 2, p. 2. **Trib. de grande instance.** *Métropole :* 4 341 (s. 3 279, p. 1 003), *DOM :* 114 (s. 82, p. 25), *TOM :* 54 (s. 29, p. 10).

Juges d'instruction. *Métropole :* 555, *DOM :* 13, *TOM :* 5. **Juges des enfants.** *Métropole :* 262, *DOM :* 7, *TOM :* 2.

Magistrats détachés : 145.

Effectifs à la sortie de l'École nationale de la magistrature (E.N.M.). *1983 :* 235. *84 :* 320. *85 :* 246. *86 :* 231. *87 :* 221. *88 :* 246. *89 :* 242. *90 :* 225.

Recrutement en 1991. 190 par concours dont 150 étudiants et 40 fonctionnaires.

Fonctionnaires (métropole et DOM). Effectifs budgétaires en 1990. 23 920 dont *cours et tribunaux* 18 133 [dont personnel de bureau, de service et ouvriers de catégories C et D 11 206, greffiers divisionnaires, 1ers greffiers et greffiers 4 046, greffiers en chef 1 142, *conseils de prud'hommes* 1 797 (dont pers. de bureau 1 061, greffiers div., 1ers greffiers et greffiers 473, greffiers en chef 269).

Il existe plusieurs syndicats de magistrats dont l'Union syndicale des magistrats (U.S.M., 52 % aux élections professionnelles), le Synd. de la mag. (S.M., 36 %), l'Association prof. des mag. (A.P.M.) (12 %).

• **Majorité (pénale et civile).** 18 ans. *Cas de mineurs* de 16 à 18 a. : ils relèvent du tribunal pour enfants ou de la cour d'assises des mineurs. Au-dessous de 16 a. : (à l'époque de l'infraction), ils relèvent du trib. pour enf., même s'ils ont commis un crime. Avant 13 a., aucune condamnation ne peut être prononcée ; le mineur bénéficie d'une irresponsabilité légale absolue. Le Pt de la cour d'assises doit obligatoirement demander aux jurés s'il y a lieu d'appliquer à l'accusé une condamnation pénale et de l'exclure de l'excuse atténuante de minorité.

• **Mandats.** Délivrés par un juge d'instr. Une copie du mandat doit être remise à la personne qui en est l'objet. Ils ne peuvent jamais être collectifs, et doivent préciser l'identité exacte, la nature des faits et les articles de loi applicables.

De comparution : ordre adressé à une personne de se rendre au cabinet du juge d'instruction à un jour et une heure déterminés. La personne se présente librement. Si elle fait défaut, le juge peut lancer contre elle un mandat d'amener. **D'amener :** ordre donné à la force publique, par le juge d'instruction, de conduire immédiatement une personne devant lui, mais non de la détenir de façon prolongée. La police ou la gendarmerie est chargée de notifier et d'exécuter ce mandat. **De dépôt :** ordre donné par le juge au directeur ou au surveillant-chef d'une maison d'arrêt de mettre un inculpé en état de détention. **D'arrêt :** permet de rechercher et d'arrêter une personne en fuite et de la détenir d'une façon prolongée. Ne peut être lancé que si le délit est punissable d'une peine de prison de 2 ans ou plus.

Mandats d'arrêt et d'amener autorisent la police à pénétrer de force dans le domicile d'une personne (entre 6 et 21 h). Une fois incarcérée, la personne doit être interrogée dans les 48 h par le juge d'instruction, sinon elle est considérée comme arbitrairement détenue.

Si la personne recherchée se trouve à l'étranger, on lance un *mandat d'arrêt international* ou on entame une *procédure d'extradition.* En général, crimes et délits de caractère politique ne peuvent donner lieu à extradition. Pour un *étranger* réfugié en France, la chambre d'accusation de la cour d'appel se prononcera sur le bien-fondé de la demande d'extradition formulée par le gouvernement étranger.

• **Marque au fer rouge.** Exemptions individuelles ou oublis étaient fréquents. Antérieure au XVe s. (supprimée Code pénal de 1791 jusqu'à 1802, maintenue pour les forçats dans le Code pénal de 1810, puis abolie par la loi de 1932). Apposée sur les joues, le front ou l'épaule. Au XVIIIe s., lettres apposées : *V* et *W* vol et vol en récidive, *M* mendiant, *G* (gabelle) faux-sauniers, *P* déserteur, *E* double engagement simultané, *D* responsable du complot de désertion, *F* faussaire et faux monnayeur, *S* menaces d'incendie, *R* récidiviste, *GAL* condamnation aux galères, *T* travaux forcés à perpétuité. Les nobles et certains miséreux étaient exemptés.

• **Parquet (ou ministère public).** Terme de *parquet,* conservé en souvenir de l'époque où le représentant du roi ne prenait pas place, comme aujourd'hui, sur l'estrade, non loin des juges. Désigne aujourd'hui la partie du palais de justice où se trouvent bureaux et services du ministère public : ensemble des magistrats chargés de requérir l'application de la loi et de veiller aux intérêts généraux de la société. Ils sont amovibles et placés sous les ordres du garde des Sceaux, min. de la Justice ; ils reçoivent des instructions écrites auxquelles ils sont obligés de se conformer (« La plume est serve »), mais peuvent parler selon leur conscience à l'audience (« La parole est libre »). *Composition* (suivant les tribunaux) : *Cour de cassation :* 1 procureur général, 1 premier avocat gén. et des avocats gén. *Cour d'appel :* 1 procureur général, des avocats gén. et des substituts gén. *Trib. de grande instance :* le procureur de la Rép., parfois un proc. adjoint et 1 ou plusieurs substituts et premiers subst.

• **Peines. Criminelles :** *à perpétuité* assortie éventuellement d'une période de sûreté (max. 30 ans) pendant laquelle le condamné ne peut bénéficier d'aucune mesure telle que la permission de sortir, la semi-liberté ou la libération conditionnelle ; conformément à la loi du 31-12-1985, la France a ratifié le protocole no 6 additionnel à la Convention européenne des droits de l'homme relatif à l'abolition de la peine de mort ; selon l'art. 65 de la Convention, ce protocole ne peut être dénoncé dans un délai de 5 ans à compter de sa ratification. *Réclusion criminelle ou à temps limité* (la peine de mort a été abolie le 9-10-1981 et les travaux forcés en 1960). **Correctionnelles :** emprisonnement de plus de 2 mois à 5 ans (ou plus élevé pour des affaires de drogue et de proxénétisme) ; amende. **De simple police :** emprisonnement 2 mois max. ou 10 000 F d'amende max. (art. 465, 466 Code pénal). **Accessoires :** dégradation civique, interdiction légale, interdiction de séjour, suppression de certains droits civils, suspension du permis de conduire.

Un condamné est généralement obligé de payer les frais de justice (assez élevés quand l'instruction a été longue et a donné lieu à des expertises) et, s'il y a une partie civile, les dommages et intérêts. S'il bénéficie d'un *sursis,* il n'effectue sa condamnation que si, dans les 5 ans qui suivent, il encourt une nouvelle peine.

Dispense. Le trib. peut dispenser de peine ou ajourner le prononcé de peine lorsque le reclassement du prévenu est (ou est en voie d'être) acquis, que le dommage causé est (ou est en voie d'être) réparé et que le trouble résultant de l'infraction a cessé (ou *va cesser*). **Sursis.** Le juge peut le prononcer pour tous les prévenus sauf ceux condamnés depuis 5 ans. Le sursis peut être assorti du régime de la **mise à l'épreuve** (mesures de surveillance, d'assistance, d'obligations particulières). La soumission à ces mesures et leur exécution sont une condition supplémentaire de la dispense d'exécution de la peine.

Mesures de remplacement. *Emprisonnement* (15 j à 6 mois) ; il peut, à la discrétion du juge, être remplacé par des mesures liées à la nature de l'infraction (suspension du permis de conduire pour une durée déterminée, interdiction pendant 5 ans de détenir ou porter une arme, retrait du permis de chasse...), travail d'intérêt général (T.I.G.).

Remise de peine. Décision administrative accordée généralement pour bonne conduite et dispensant d'une partie de la peine.

Exécution des peines (enquête sur les condamnations enregistrées au Tribunal de Paris en 1977 mais dont les résultats sont encore valables). 56 190 condamnations dont 23 450 à une peine de prison ferme (42 %) dont 5 470 déjà détenus. Sur 17 710 libres, 11 350 ont utilisé les recours légaux (opposition, appel, grâce), 6 360 auraient dû être arrêtés. Or, 4 660 (soit 3 sur 4) ne l'ont pas été dont 80 % n'ont jamais été recherchés.

• **Perquisitions. Cas possibles : 1) Crime ou délit flagrant.** L'O.P.J. (officier de police judiciaire) peut perquisitionner au domicile de toutes les personnes « qui paraissent avoir participé au crime ou détenir des pièces ou objets relatifs aux faits incriminés » (art. 56, al. 1, C.P.P.). *L'enquête de flagrance* peut se prolonger après la constatation des faits, avant l'ouverture d'une information, le temps nécessaire à des investigations complètes et ininterrompues (notion de continuité et d'enchaînement des procès-verbaux) ; la loi fixe le départ de l'enquête, mais pas sa durée. L'accord de la personne chez qui l'on perquisitionne n'est pas nécessaire. **2) Enquête préliminaire.** Menée par O.P.J., et agents de police judiciaire, sur les instructions du procureur de la Rép. ou d'office. Le responsable de l'enquête doit obtenir préalablement une autorisation écrite et signée de la personne chez laquelle a lieu la perquisition (art. 75 et 76 C.P.P.). Dans le domaine de la lutte antiterroriste, par dérogation à l'art. 76, les perquisitions peuvent être effectuées en enquête préliminaire sans l'assentiment de la personne chez laquelle elles ont lieu (art. 706-24 C.P.P. loi du 9-9-1986). **3) Enquête en vertu d'une commission rogatoire.** Délivrée par un juge d'instruction à un O.P.J., cette pièce n'est pas un « mandat » (elle ne mentionne généralement personne nommément et se contente d'autoriser « tous actes utiles à la manifestation de la vérité, y compris perquisitions, saisies ou autres actes prévus par le C.P.P. »). Dans certains cas particuliers (pour complément d'enquête), elle pourra être plus précise. S'il y a une commission rogatoire et si l'on s'oppose à la perquisition avec violences et voies de fait, on commet un délit de rébellion (art. 209 C. pénal). A l'issue de la perquisition, seul l'O.P.J. peut procéder à la saisie des pièces à conviction (art. 97 C.P.P.).

Cas spéciaux. *Perquisitions dans un cabinet d'avocat* (voir p. 733 c) ; *de médecin :* si la question du secret prof. se pose, le magistrat effectuera lui-même la perquisition. *Dans un local universitaire :* l'O.P.J. peut perquisitionner sans l'autorisation écrite du procureur gén. ou de l'un de ses substituts ou du procureur de la Rép. après avoir requis le chef d'établissement. *Dans une ambassade* l'O.P.J. ne peut perquisitionner sans la réquisition de l'ambassadeur. *Fouille-perquisition.* Voir Index.

Fouille d'un véhicule. Assimilée à une perquisition. **Fonctionnaires autorisés à fouiller les véhicules.** *O.P.J., police nationale ou gendarmerie :* en cas de crime ou délit flagrant, ou dans l'exécution des commissions rogatoires (dep. le 12-1-1977). *Agents des douanes* (conditions territoriales variables). *Fonctionnaires des P.T.T., employés des douanes aux frontières, gendarmerie nationale, et tous les agents de l'autorité* ayant qualité de constater délits et contraventions, et pouvant opérer saisies et perquisitions sur tous ceux qui, en raison de leur profession ou de leur commerce, font habituellement des transports d'un lieu à l'autre. Ils peuvent se faire assister, en cas de nécessité, de la force armée ; le refus de fouille en matière douanière est un délit d'opposition à fonctionnaire. *Agents des contributions indirectes :* constatations des contraventions sur les alcools.

Perquisitions nocturnes. Interdites entre 21 h et 6 h (mais une perquisition commencée avant 21 h peut se poursuivre au-delà). *Cas d'exception :* réclamation venant de l'intérieur d'une maison, incendie, inondation, péril certain, consentement écrit et donné librement par l'intéressé, maisons d'accouchement et de jeux, lieux publics (cafés, hôtels, théâtres, salles de réunions), lieux ouverts au public ou utilisés par le public lorsqu'il a été constaté que des pers. se livrant à la prostitution y sont reçues habituellement, lieux livrés notoirement à la débauche, établissements industriels, commerciaux ou agricoles où l'on travaille la nuit (il s'agit alors de visites et non de perquisitions), lieux où l'on use de stupéfiants.

En cas d'état de siège, l'autorité militaire peut perquisitionner de jour et de nuit ; *d'état d'urgence,* les autorités administratives (min. de l'Intérieur, et préfet) peuvent être autorisées à perquisitionner de jour et de nuit.

Perquisitions et saisies. Doivent se dérouler *en présence de celui chez qui elles ont lieu.* S'il est : détenu, il peut être conduit sur les lieux (perquisitions) ; absent, il peut se faire représenter. Sinon, l'O.P.J. désigne 2 témoins pris en dehors des policiers ou du personnel judiciaire. Les *saisies* sont inventoriées dans un procès-verbal et placées sous scellés, qui seront ensuite ouverts, et, s'il s'agit de documents, dépouillés dans le cabinet du juge d'instruction, en présence de l'intéressé, assisté éventuellement d'un avocat. L'intéressé peut par l'intermédiaire de son avocat : obtenir la photocopie des documents dont la saisie est maintenue ; réclamer la restitution des objets saisis, sauf si la confiscation en a été ordonnée.

• **Prescription.** Écoulement d'un délai pendant lequel un droit reste en vigueur, pendant lequel (en matière pénale) les infractions peuvent être poursuivies et sanctionnées ou des actions exercées.

P. acquisitive. Peut être invoquée par tout possesseur d'un bien immobilier (sans qu'on puisse exiger de lui la production d'un titre quelconque, ou lui opposer sa mauvaise foi), si sa possession a duré 30 ans au moins de façon continue, paisible (sans aucune réclamation), publique, non équivoque et à titre de propriétaire. La durée de la possession exigée, s'il y a bonne foi et juste titre, est *abrégée (usucapion),* réduite à 10 ans, si le véritable propriétaire habite dans le ressort de la cour d'appel de l'immeuble ; à 20 ans s'il est domicilié dans un autre ressort. Elle est *interrompue* par la perte de la possession plus d'un an [plus, en cas d'un certain nombre d'actes *du créancier :* citation en justice, assignation ; demandes (incidentes, reconventionnelles, en intervention ou garantie, formées par acte d'avocat à avocat, ou par simples conclusions) ; commandement (un huissier met le débiteur en demeure de s'exécuter) ou saisie (peut se faire sur salaire, meubles ou bien mobilier du débiteur) ; *du débiteur :* s'il a reconnu le fait]. Ne pas confondre l'*interruption* [arts 2242 et suiv. (civ.)] avec la *suspension* (mineurs et majeurs en tutelle, art. 2252).

P. extinctive. Éteint une dette, ou facilite au débiteur la preuve de sa libération. Les prescriptions de 6 mois à 2 ans, fondées sur une présomption de paiement, ne constituent pas un moyen de libération pour le débiteur s'il résulte de ses déclarations ou de son système de défense qu'il n'a pas payé ce qu'on lui réclame. S'il n'avoue pas sa dette, le créancier peut lui déférer le serment, c.-à-d. l'obliger à affirmer si la chose a réellement été payée.

• **Prescriptions les plus courantes. Trentenaire (30 ans) :** s'applique à : *tous les droits* (sauf le droit de propriété imm. qui ne se perd pas par le non-usage) ; actions dérivant d'un *contrat d'assurances* (prescriptions ne jouant que dans les rapports entre l'assuré et l'assureur). **20 ans :** peines prononcées par une cour d'assises. **10 ans (décennale)** (action) : crimes, responsabilité extracontractuelle contre *architectes et entrepreneurs ;* en *nullité d'un contrat ;* entre copropriétaires ou entre copropriétaires et syndics ne visant pas à contester une décision d'assemblée générale ; contre les banques (elles doivent conserver leurs archives 10 ans). **5 ans (quinquennale) :** action du *mineur* contre son tuteur légal, les organes de tutelle ou l'État (le délai court à compter de la majorité) (art. 475 C. civ.) ; salaires et heures supplémentaires, indemnités de préavis ; *créances payables à terme périodique,* notamment arrérages des *rentes perpétuelles et viagères et des pensions alimentaires, loyers* des immeubles bâtis ou non bâtis et *fermages, intérêts* des sommes prêtées, et généralement, tout ce qui est payable par année ou à terme plus court, peines correctionnelles. **4 ans :** pensions publiques, allocations chômage, d'aide publique, impôts non payés par le contribuable (toutes créances sur l'État, les départements, les communes, les établ. publics). **3 ans :** validité d'un chèque bancaire ; action en responsabilité contre les gérants de SARL ; action en nullité ou en remboursement de sommes perçues malgré des interdictions prévues par la loi de 1948 ; action en appel de garantie du fond de garantie auto, après un accident mettant en cause un automobiliste non assuré, délits. **2 ans :** action des *médecins, chirurgiens, chirurgiens-dentistes, sages-femmes* et *pharmaciens* pour leurs visites, opérations et médicaments, accidents du travail, prestations des caisses d'all. fam. et vieillesse, all. chômage ASSEDIC ; *mandats postaux* (si le paiement ou remboursement n'a pas été réclamé dans les 2 ans à partir du versement des fonds, ils sont définitivement acquis à l'Administration) ; *réclamation d'un commerçant* pour les marchandises vendues à des particuliers (et réciproquement), notamment dans le domaine de la facturation ; *actions entre les Stés d'assurances* et leurs assurés ; *réclamations concernant une facture E.D.F. ou G.D.F. ; action des assurés sociaux* pour le paiement de prestations dues par la Séc. soc. ; actions se rapportant aux *baux commerciaux ; contraventions* prononcées par le tribunal de police. **1 an :** actions des *huissiers* pour le salaire des actes qu'ils signifient et des commissions qu'ils exécutent ; des *maîtres de pension,* pour le prix de pension de leurs élèves, et des autres maîtres pour le prix de l'apprentissage ; *contrat de transport* de marchandises par terre ; *du porteur d'une lettre de change* à l'encontre du tireur ou de l'endosseur, contraventions. **6 mois :** action des *maîtres et institu-*

Procès en 1re instance

• **Tribunaux compétents.** **Un procès civil** se juge devant une juridiction civile : soit le *tribunal d'instance,* soit une *chambre civile du tribunal de grande instance.* Il permet d'obtenir d'éventuels dommages et intérêts, mais pas de condamnation pénale de son adversaire (amende ou emprisonnement). **Un procès pénal** se juge devant une juridiction pénale : s'il s'agit d'une contravention, s'adresser au *tribunal de police ;* s'il s'agit d'un délit, *tribunal correctionnel* (chambre pénale du tribunal de grande instance) ; s'il s'agit d'un crime, à la *cour d'assises.* Le procès pénal présente certains avantages : *plus rapide ; moins coûteux ; plus efficace* car il peut permettre, grâce aux moyens d'investigation du juge d'instruction, d'apporter plus facilement la preuve des faits reprochés à un adversaire, aussi la menace d'une sanction pénale peut contribuer au règlement anticipé du préjudice par l'auteur de l'infraction ; *plus intéressant :* le tribunal peut attribuer des dommages et intérêts aux victimes (ex. : même lorsque l'auteur d'un accident de la circulation est relaxé). On peut aussi obtenir, dans certains cas, le règlement par l'État de tout ou partie du préjudice. Cependant, si l'adversaire bénéficie d'un non-lieu ou est acquitté, il peut demander au tribunal de vous condamner à des dommages et intérêts pour action abusive ou même à une peine de prison pour dénonciation calomnieuse. Si l'on a engagé un procès pénal, on peut toujours y renoncer et continuer son procès devant une juridiction civile. Si le procès pénal n'a pas abouti à une condamnation, on peut, dans certains cas, obtenir réparation du préjudice. Si l'on engage un procès civil, on ne peut plus ensuite porter cette même action devant une juridiction pénale. *L'assistance d'un avocat n'est pas obligatoire :* au tribunal de police, d'instance, dans toute procédure en référé (quel que soit le tribunal).

• **Début de la procédure.** **En matière civile,** il a lieu en principe devant le tribunal de grande instance. Demande en justice : formée par assignation (huissier de justice) avec, sauf exception, constitution obligatoire d'avocat.

Le demandeur doit alors *constituer avocat* dans le délai de 15 j à compter de l'assignation. Le tribunal est saisi par la remise au secrétariat-greffe d'une copie de l'assignation. Les conclusions sont notifiées et les pièces communiquées par l'avocat de chacune des parties à celui de l'autre partie. Le déroulement de la procédure est surveillé étroitement par le juge de la mise en état qui a des pouvoirs très étendus.

En matière pénale, la citation est délivrée par huissier à la requête du ministère public (art. 550 et suivants du Code de procédure pénale) avant l'audience ; elle énonce les faits reprochés et vise le texte qui les réprime. La procédure de *saisine directe* a été substituée à celle de flagrant délit.

• **Audiences.** **En matière civile** *(non publiques) :* pour certains litiges (divorce, désaveu de paternité, reconnaissance d'enfants naturels...). L'emploi de magnétophones, d'appareils photo ou de caméras est interdit.

En matière pénale *(publiques) :* l'accusé qui trouble l'ordre peut être expulsé : les débats se poursuivent sans lui. Il reviendra pour entendre le jugement. S'il résiste lors de son expulsion ou injurie le tribunal, il peut être condamné immédiatement. Les portes doivent être laissées ouvertes. Le tribunal ordonne le *huis clos* s'il estime que la publicité des débats est dangereuse pour l'ordre public et les bonnes mœurs, ou si l'accusé a – de 18 ans. Le Pt peut interdire la salle aux mineurs ou à certains d'entre eux. Il assure la police de l'audience. Il peut : faire expulser tout spectateur qui troublerait les débats (si celui-ci résiste ou cause du tumulte, il peut être sur-le-champ arrêté, jugé et condamné), faire évacuer la salle en cas de troubles graves ou de manifestations favorables ou défavorables à l'accusé.

• **Débats.** **En matière civile,** le président donne la parole successivement aux avocats des parties. Il est assez rare qu'il admette la réplique d'un avocat après une plaidoirie. S'il l'estime nécessaire, le plus souvent dans l'intérêt de la loi, le représentant du ministère public peut demander à être entendu, à une audience ultérieure, dans le développement de ses conclusions.

En matière pénale, le président dirige les débats. Il s'assure de l'identité exacte des prévenus et des accusés. Il fait procéder à l'appel des témoins de l'accusation et de la défense, qui passent ensuite dans une pièce qui leur est réservée. Il rappelle les faits reprochés et interroge l'accusé. Le ministère public, la partie civile (s'il y en a une) et l'avocat de la défense peuvent aussi interroger l'accusé, mais par l'intermédiaire du président (un étranger peut demander un interprète). Après l'interrogatoire, le président passe à l'audition des témoins. Il peut leur poser des questions. Le procureur et les avocats de la partie civile et de la défense peuvent le faire aussi par son intermédiaire. La parole est ensuite donnée à l'avocat de la partie civile (s'il y en a une), qui précise la nature et le montant de la réparation que la victime réclame. Puis le ministère public prononce son réquisitoire, réclame les peines ou « l'application de la loi ». L'avocat de la défense et l'accusé lui-même ont ensuite la parole (le ministère public et la partie civile peuvent leur répondre mais l'accusé et son avocat doivent toujours avoir la parole en dernier). Les débats sont alors clos.

• **Jugement.** **Formalités. En matière civile,** les jugements sont presque toujours rendus à une date ultérieure, après les plaidoiries des avocats. **En matière pénale,** *pour des affaires simples,* le président se tourne vers ses assesseurs et prononce aussitôt le jugement. *Pour des affaires plus compliquées,* le tribunal se retire dans une pièce attenante. Souvent, le président annonce que le jugement sera rendu lors d'une audience ultérieure dont il fixe la date (l'affaire est *mise en délibéré*). *En cour d'assises,* le jury de 9 citoyens assistés du président et de ses 2 assesseurs doit, immédiatement et sans interruption, délibérer et répondre, dans la salle réservée à cet effet, aux questions écrites de l'arrêt de renvoi posées par le président. **Décision. En matière pénale.** Le tribunal peut décider soit une *condamnation,* soit l'*acquittement* (devant la cour d'assises) ou la *relaxe.* Dans ce cas, les poursuites intentées sont considérées comme mal fondées et l'accusé n'a ni peine, ni amende ; les frais de justice sont à la charge de l'État ou de la partie civile. **Rédaction.** Les *motifs* répondent point par point aux conclusions sous forme *d'attendus* et le *dispositif* contient la décision. Le greffier transcrit le texte de la décision sur les *minutes.* **Exécution.** Le jugement ne peut être *mis à exécution* que sur présentation d'une *expédition* revêtue de la formule exécutoire, sauf si la loi en décide autrement (art. 502 du Code de procédure). La remise du jugement à l'huissier de justice vaut pouvoir pour toute exécution pour laquelle il n'est pas exigé de pouvoir spécial (art. 507). Le jugement est alors signifié par un huissier. Le juge peut déclarer *les décisions du jugement exécutoires par provision nonobstant appel.* En matière civile, le tribunal peut rendre des *jugements « avant dire droit »* ne préjugeant pas du fond. Provisoires, ils permettent d'ordonner des mesures urgentes (ex. : mise sous séquestre) ou d'instruction (enquête, expertise, etc.).

Appel

• **Objet.** Un plaideur mécontent d'une décision rendue en 1er ressort peut soumettre l'affaire à la juridiction du 2e degré (cour d'appel).

• **Délais.** **En matière civile :** 1 mois à compter de la signification de la décision rendue en 1re instance ; pour certaines matières 15 j : ordonnance de référé, jugement prononçant le règlement judiciaire ou la liquidation de biens. **En matière pénale :** 10 j à compter du prononcé du jugement (mais ce délai ne court qu'à partir de la signification du jugement pour le prévenu qui ne s'est pas présenté bien que cité régulièrement), 2 mois pour le procureur général à compter du prononcé du jugement.

• **Jugement :** l'affaire est plaidée à nouveau devant la cour d'appel.

Pourvoi en cassation

• **Objet.** Les parties au procès (y compris le ministère public) peuvent pour des motifs énumérés par la loi (erreur de droit, incompétence de la juridiction...) se pourvoir en cassation. La Cour de cassation n'est pas un 3e degré de juridiction, elle juge le droit et non les faits.

• **Délais.** *En matière civile* 2 mois, *en matière pénale* 5 jours francs.

• **Décision.** La Cour peut rejeter le pourvoi (la décision rendue par les juges du fond acquiert la force de la chose jugée) ou casser la décision attaquée, elle renvoie alors devant une autre juridiction.

teurs pour des leçons qu'ils donnent au mois ; des *hôteliers* et *restaurateurs* pour le logement et la nourriture qu'ils fournissent. **2 mois :** *reçu pour solde de tout compte* signé par un salarié à son employeur ; *chèque postal ;* décision prise en assemblée générale *de copropriétaires.*

Nota. – Sauf pour les courtes prescriptions (2 ans et moins), la p. ne court pas à l'encontre : des *mineurs non émancipés* et des *majeurs* en tutelle, des *mineurs émancipés jusqu'à leur majorité* pour les actions relatives à la tutelle ou à l'adm. légale dirigées contre le tuteur, l'adm. légale, les organes tutélaires de l'État, ni *entre les époux. La suspension* ne joue pas au profit de *la femme mariée* à l'égard des tiers ; ceux-ci peuvent par la suite prescrire utilement contre elle, pendant le mariage, pour les biens dont elle conserve l'administration et pour ceux administrés par le mari. La *prescription* ne court pas *contre l'héritier* qui a accepté une succession sous bénéfice d'inventaire, à l'égard des créances qu'il a contre la succession.

• **Procureur.** Voir parquet.

• **Racisme ou discrimination raciale.** *Injures et diffamations* en matière raciale constituent un délit. *Refus de vente* à des personnes d'une nation, d'une ethnie, d'une race, d'une religion déterminées, puni de 2 mois à 2 ans de prison et (ou) de 3 000 à 40 000 F d'amende. *Refus d'embauche ou licenciement,* passible de la correctionnelle. *Refus, par un représentant de l'autorité publique, d'un droit* auquel une personne peut prétendre, amende de 3 000 à 40 000 F et/ou 2 mois à 2 ans de prison.

• **Référés.** Procédure sommaire permettant de prendre des mesures conservatoires. Ex. Expertise.

• **Réhabilitation.** *En matière pénale,* réhabilitation de droit pour certaines peines (art. 784 et suiv. du Code de procédure pénale), et réhab. judiciaire accordée par la chambre d'accusation ; la demande ne peut être formulée qu'après 5 ans (p. criminelle), 3 ans (p. correctionnelle). Permet de relever un failli des déchéances prononcées contre lui. Le procès, après décision de la Cour de cassation, peut être rouvert et aboutir à une décision de réhabilitation du condamné.

• **Révision.** Voie de recours extraordinaire tendant à faire redresser une erreur judiciaire par la Cour de cassation.

• **Saisie.** **Saisie-arrêt :** moyen pour le créancier de rendre disponible, entre les mains d'un tiers qui les détient, des sommes d'argent appartenant à son débiteur (voir Salaires à l'Index).

Saisie conservatoire : procédure par laquelle les biens d'un débiteur sont mis sous la main de la justice, afin d'empêcher ce débiteur d'en disposer au détriment d'un créancier tant que la créance n'a pas été définitivement établie par le tribunal.

Saisie-exécution : permet, à tout créancier muni d'un titre exécutoire, de poursuivre la vente des biens mobiliers de son débiteur pour le règlement de sa créance. Le Trésor public, l'Administration, les victimes d'un chèque sans provision peuvent procéder à la saisie-exécution sans décision des tribunaux. **Gagerie :** saisie conservatoire, pratiquée par le bailleur sur les meubles garnissant les lieux loués. **Immobilière :** pratiquée par un créancier sur un immeuble de son débiteur. **Séquestre :** saisie conservatoire. Nécessite l'autorisation du juge. Le débiteur doit payer les frais de garde des objets saisis (art. 1961 du Code civil).

Position du saisi : le saisi ne peut légalement s'opposer à l'action de l'huissier sauf le dimanche, les jours de fête et entre 21 h et 6 h. En cas d'absence, l'huissier peut requérir un serrurier en présence d'un commissaire de police ou du maire. La valeur des objets saisis ne doit pas dépasser le montant de la dette augmenté des frais.

Entre la saisie et la vente des objets saisis, 8 j au moins doivent s'écouler. Pendant ce délai, il est interdit de faire disparaître les objets saisis, ce serait un délit passible de 2 m. à 2 ans de prison et 3 600 à 2 500 000 F d'amende en cas de détournement ou de destruction d'objets saisis.

Ne peuvent être saisis : biens mobiliers nécessaires à la vie et au travail du saisi et de sa famille (si ce n'est pour paiement de leur prix), biens de l'employeur, biens loués, pensions alim., biens insaisissables (par testateur ou donateur) par les créanciers postérieurs à l'acte de donation ou à l'ouverture de legs (sauf permission du juge).

• **Témoins.** Un juge d'instruction n'a pas le droit d'entendre comme témoin une personne qui apparaît être auteur ou complice de l'infraction qui a nécessité l'ouverture d'une information. Il doit l'inculper et l'interroger en lui accordant les garanties de la défense, et notamment l'assistance d'un avocat. **Témoin assisté.** Selon l'art. 104 nouveau du Code de procédure pénale, toute personne nommément visée par une plainte assortie d'une constitution de partie civile a droit, sur sa demande, lorsqu'elle est entendue comme témoin, au bénéfice de l'assistance de son conseil. Le juge d'instruction l'en avertit lors de sa 1re audition après lui avoir donné connaissance de la plainte, mention de cet avertissement est faite au procès-verbal. La loi du 30-12-1987, n° 87-1062, parle de « témoin assisté ». A mi-chemin entre l'inculpé et le simple témoin, il peut accéder à son dossier sans être inculpé. Cette innovation évite ainsi l'inculpation aux seules fins d'accession au dossier.

Peines encourues par un témoin. Une personne qui a été témoin d'un crime ou d'un délit est « tenue de comparaître, de prêter serment et de déposer ». Si le témoin ne comparaît pas, « le juge d'instruction peut l'y contraindre par la force publique » et le condamner à une amende de 3 000 à 6 000 F (même amende infligeable à celui qui refuse de déposer). *Faux témoignage :* en cas de délit : peine de 2 à 5 ans d'emprisonnement, éventuellement assortie d'une amende ; crime : le faux témoignage est lui-même un crime « commis contre l'accusé ou en sa faveur » (art. 361 du C.P.) passible de 5 à 10 ans de réclusion criminelle. Selon une jurisprudence ancienne, les déclarations mensongères faites devant un juge d'instruction ne seraient pas concernées par cet article. *Menaces exercées sur un témoin* pour l'empêcher de déposer ou l'obliger à mentir : 6 mois à 3 ans d'emprisonnement et amende de 1 500 à 20 000 F.

• **Torture.** Interdite par l'art. 5 de la Déclaration universelle des droits de l'homme, et, en France, depuis la loi du 6-10-1791. Selon Amnesty International, elle serait pratiquée couramment dans plus de 60 pays, en particulier sur des prisonniers d'opinion.

• **Victimes.** *AVAD* (Association d'aide aux victimes d'actes de délinquance) et *INAVEM* (Institut national d'aide aux victimes et de médiation). *Siège social :* 7, rue du Jura, 75013 Paris.

Comment porter plainte

Toute personne qui se prétend lésée par un crime ou un délit peut, en portant plainte, *se constituer partie civile* devant le juge d'instruction compétent.

On peut porter plainte :

• **Par lettre au procureur de la République.** La plainte doit être rédigée sur papier libre, signée et datée avec nom, prénom, date et lieu de naissance du plaignant. Elle doit exposer les faits et leur donner une qualification pénale (ex. : coups et blessures, arrestation illégale, voies de fait). Elle peut être acheminée par un avocat ou adressée directement au procureur qui peut la classer immédiatement ou la transmettre au commissariat de police de la localité du plaignant. Parfois, la police judiciaire sera chargée de l'enquête. Si les policiers sont en cause, ce sera l'Inspection générale des services (voir Police). L'ensemble des procès-verbaux résultant de l'enquête est retourné au procureur qui peut décider de : classer le dossier sans suite ; faire procéder à un supplément d'enquête ; renvoyer l'affaire devant le trib. correctionnel (de police, etc.) ; transmettre le dossier à un juge d'instruction.

Si le dossier est classé sans suite, le plaignant peut se constituer *partie civile.*

• **Par lettre adressée au doyen des juges d'instruction en se « constituant partie civile ».** Consignation à prévoir.

• **Par citation directe, par exploit d'huissier, devant le tribunal de police ou correctionnel.** Il faut payer aussi une consignation au greffe. La citation directe rend les poursuites obligatoires. Si une plainte ou une citation ont été engagées avec légèreté ou de mauvaise foi, le plaignant s'expose à une condamnation, à des dommages et intérêts.

☞ Si l'on n'a pas de preuves suffisantes pour faire condamner quelqu'un de précis, il faut *porter plainte contre X.* Pour obtenir des *dommages et intérêts* en réparation de préjudice subi, il faut *se constituer partie civile* ou attaquer le responsable devant la juridiction civile.

Nota. – Si l'on est avisé par lettre recommandée émanant d'un huissier, qu'un *exploit* a été « déposé en mairie » à son nom, il faut rapidement, muni de pièces d'identité, se faire remettre le pli, les délais de procédure (assez courts dans certains cas) courant à partir du jour où le pli a été « déposé en mairie ».

Peine de mort

Dans le monde

• **États abolitionnistes. En droit.** Venezuela 1863, Portugal 1867 [1] et 1977 (totalement), Costa Rica 1882, Équateur 1897, Panamá 1903, Norvège 1905 [1] et 1979, Uruguay 1907, Colombie 1910, Autriche 1920 [1] et 1968, Suède 1921 et 1973, Italie 1924 [1] et 1948, Islande 1928, Rép. Dominicaine 1930, All. féd. 1949, Finlande 1949 [1] et 1972, Honduras 1965, Danemark 1978, Luxembourg, Nicaragua, Cap-Vert, îles Salomon 1979, Kiribati, Vanuatu 1980, *France 1981,* Pays-Bas 1982 (pour civils 1870). **En fait** (date de la dernière exécution). Liechtenstein 1795, Surinam 1927, Andorre 1944, Mexique 1946, Belgique 1950, Israël 1962, Grèce 1972. **Partiellement** (sauf pour crimes militaires ou politiques). St-Marin 1848, Suisse 1942, Monaco, Irlande 1964 (sauf pour meurtres de policiers, gardiens de prison, représentants de gouv. étrangers), Roy.-Uni 1969 (dernière exécution 1964), Vatican 1969, Malte 1971, Espagne 1978 [1].

Nota. – (1) En temps de paix.

Dans la plupart des États abolitionnistes, la peine capitale est remplacée par une réclusion ou par des travaux forcés à perpétuité, ou par une privation de liberté à temps (20, 25 ou 30 ans) dont la durée est déterminée par la loi ou par le juge.

• **États non abolitionnistes. U.S.A.** [39 États sur 50. 15 utilisent la chaise électrique dite *Old Sparky* (« la vieille étincelle »), inventée en 1888 ; électrocution en 2 mn avec du courant de 2 500 V (il faut parfois 5 décharges), 10 la chambre à gaz, 4 la pendaison, 3 l'injection [le 7-12-1983 (C. Brooks, à Huntsville, Texas) : 1re exécution par injection intraveineuse d'un produit chimique]. 1 (l'Utah) offre le choix entre la pendaison et le peloton d'exécution. 1 465 condamnés attendaient leur exécution ou le résultat de leur appel, en janv. 1985 ; 28 personnes ont été exécutées entre 1976 et le 30-11-1984 [dont 18 en 84, dont 1 femme (1re exécutée dep. 1962)]. L'été 1983 : 73,21 % des Américains étaient pour la peine de mort (Blancs 80 %, Noirs 50 %)]. **Nombre d'exécutions capitales.** *1983* (Chine, Irak, Iran) 1 500 exécutions sommaires. Selon l'Association américaine pour les libertés civiques, 25 innocents ont été, depuis 1900, exécutés par erreur aux U.S.A. **Japon, U.R.S.S.** (abolie par les bolcheviques en 1917, elle fut rétablie ensuite, puis de nouveau abolie 2 fois et rétablie en 1950 ; 18 crimes sont passibles de la peine de mort en temps de paix dont trahison, assassinat, contrefaçon, corruption, vol. ; il y a environ 30 exécutions par an. Il n'y a pas eu d'exécution de dissidents politiques depuis 1977 et 1979), **Afrique du Sud** (172 exéc. en 1987), **Chine, nombreux pays socialistes, d'Afrique et d'Asie.**

En France

• **Quelques dates. Jusqu'au milieu du XVIIIe s.** le noble est décapité, le voleur de grand chemin roué en place publique, le régicide et le criminel d'État écartelés, le faux-monnayeur bouilli vif dans un chaudron, l'hérétique brûlé, le domestique voleur pendu, etc. **1791,** loi du 6-10, supprimant la torture préalable et uniformisant les peines : « tout condamné à mort aura la tête tranchée ». **1792** (23-4) 1er guillotiné, Nicolas Pelletier, voleur (place de Grève à Paris) ; la *guillotine* connue en Italie et en Allemagne au XVIe s., avait été réinventée par les docteurs Joseph Guillotin (Saintes, 1738-1814) et Antoine Louis (Metz, 1723-92). On l'appela aussi *« louisette ».* **Convention** supprime la peine capitale « à dater du jour de la publication de la paix générale » (loi du 4 brumaire an IV). **Consulat** proroge temporairement cette mesure (loi du 4 nivôse an X). **Empire** oublie l'abolition (Code des délits et des peines, 12-2-1810). **1939** (29-6) le public n'a plus le droit d'assister aux exécutions. **1951** (11-2) la presse ne peut plus commenter les exécutions et doit s'en tenir aux procès-verbaux. **1977** (10-9) utilisée pour la dernière fois aux Baumettes (Marseille). **1981** (9-10) loi d'abolition (vote à l'Assemblée nationale : 369 pour l'abolition, 113 contre, 5 abstentions, 3 dép. n'ayant pas pris part au vote, 1 député excusé). **1985** conformément à la loi du 31-12, la France a ratifié le protocole n° 6 additionnel à la Convention européenne des droits de l'homme relatif à l'abolition de la peine de mort. Selon l'art. 65 de la Convention, ce protocole ne peut être dénoncé dans un délai de 5 ans à compter de sa ratification.

Le 26-11-1988, le Front national a organisé à Paris une manif. pour la peine de mort (env. 30 000 manif.).

Amnesty International

Siège *international* à Londres. **Créée** 1961 à la suite de l'appel de l'avocat britannique Peter Berenson en faveur des « prisonniers oubliés » et sous l'impulsion de Sean MacBride (prix Nobel de la paix, prix Lénine, anc. min. des Aff. étr. d'Irlande, ancien secr. gén. adj. de l'O.N.U., † le 15-1-1988 à 83 ans). **Statut** consultatif auprès des Nations unies, de l'UNESCO et du Conseil de l'Europe, coopère avec la Commission interaméricaine des droits de l'homme de l'OEA, et bénéficie du statut d'observateur auprès de l'OUA.

But : mouvement mondial de défense des droits de l'homme, indépendant de tout gouvernement, groupe politique, intérêt économique ou confession religieuse. Agit pour la libération de toute personne emprisonnée, du fait de ses opinions, de son origine ethnique, de sa couleur ou de sa religion, pourvu qu'elle n'ait pas usé de violence ni incité à la violence. S'oppose à la peine de mort et à la torture en toute circonstance. Réclame que tout prisonnier politique soit jugé dans un délai raisonnable, et qu'il ait un procès loyal et public. S'efforce de faire en sorte que soient observées partout la Déclaration universelle des droits de l'homme et les règles minimales à observer pour le traitement des prisonniers, telles qu'elles ont été définies par les Nations unies. **Action :** fondée principalement sur l'engagement individuel en faveur de cas personnels, sur le respect du droit international (qui en matière de droits de l'homme prime les droits nationaux). Chaque groupe travaille pour plusieurs prisonniers choisis dans des zones d'influences idéologiques différentes. **Budget :** *1961 :* 700 000 F, *90 :* 110 000 000 F.

Membres + de 1 100 000 adhérents et donateurs dans + de 150 pays et territoires, et + de 4 200 groupes de bénévoles dans 70 pays. Des sections ont été implantées dans 44 pays dont 23 hors Europe et Amér. du N.

Section française : 4, rue de la Pierre-Levée, 75011 Paris (*fondée* en 1971, 22 000 membres et 415 groupes).

Nota. – En 1989 Amnesty International avait été informée de 2 229 exécutions de prisonniers dans 34 pays et de 2 826 condamnations à mort dans 62 pays. Des prisonniers d'opinion étaient détenus dans 71 pays, des pris. politiques dans au moins 92 pays, et des procès inéquitables avaient été constatés dans 31 pays. Des cas de torture et de mauvais traitements de prisonniers avaient été signalés dans 96 pays. Amnesty avait lancé des appels à des actions urgentes en faveur de 2 886 pris. dans 87 pays.

• **Crimes qui étaient passibles de la peine de mort.** Voir Quid 1982, p. 1649.

• **Statistiques. Du 1-1-1968 au 31-12-1978.** *Personnes ayant comparu sous l'accusation d'un crime punissable de la peine de mort* 9 231, d'assassinat, empoisonnement ou parricide 524 ; *peines capitales requises* par le ministère public 163 ; *condamnations* à la peine de mort prononcées 38 (dont 4 l'ont été par une 2e cour d'assises après cassation d'une 1re condamnation à mort) ; *pourvois* en cassation 37, rejetés 22 ; *cassations* prononcées 15 ; *peines capitales prononcées* ayant un caractère définitif 23 ; *exécutées* 7. **Moyenne par année :** 850 peines de mort encourues, 15 requises, 3 ou 4 prononcées et 1 exécutée tous les 2 ans. Rapport incriminations-condamnations définitives 2,5 pour 1 000 ; incriminations-exécutions 0,7 pour 1 000.

La Cour de cassation a cassé en moyenne 5 fois plus les arrêts de condamnation à mort que les autres arrêts criminels.

Moyenne annuelle des condamnations et, entre parenthèses, exécutions. *1803-07 :* 419 c. *1826-30 :* 111 c. (72 e.). *1851-55 :* 56 c. (31 e.). *1876-80 :* 25 c. (6 e.). *1901-05 :* 15,6 c. (2 e.). *1926-30 :* 24,8 c. (9,6 e.). *1951-55 :* 15,6 c. (5,4 e.). *1976-80 :* 1 c.

Taux d'exécution pour 1 million d'habitants. *1826-30 :* 2,25. *1851-55 :* 0,86. *1876-80 :* 0,16. *1901-05 :* 0,05. *1926-30 :* 0,23. *1951-55 :* 0,13. *1976-80 :* 0.

Dernières femmes exécutées. *1887-24-1 :* Mme Thomas. *1941-8-1 :* veuve Ducourneau. *1942 :* 1 femme. *1943 :* 3 [dont le *30-7* 1 avorteuse, Marie-Louise Giraud (n. 17-11-1903)]. *1947 :* 2. *1948 :* 1. *1949-21-4 :* Germaine Godefroy (assassinat de son mari à coups de hache). 9 f. condamnées à mort par les cours de justice pour intelligence avec l'ennemi et trahison ont été exécutées depuis 1944 : *1944 :* 3, *46 :* 1, *47 :* 1, *48 :* 3, *49 :* 1. *De 1949 à l'abolition (1981),* les femmes condamnées à mort ont toutes été graciées [notamment la dernière condamnée (26-6-1973) : Marie-Claire Emma (assassinat de son amant à coups de marteau)].

Condamnations à mort sous la Ve République. *De 1958 à 81 :* 19 exécutions (dont 5 d'étrangers). Soit *sous de Gaulle* (1959-69) 11 droit commun exécutés (19 graciés dont 2 femmes) ; *Pompidou* (1969-74) 3 ex. (12 gr.) ; *Giscard d'Estaing* (1974-81) 3 ex. (4 gr.), Jérôme Carrein (le 23-6-1977) et Hamida Djandoubi (le10-9-1977) furent les derniers exécutés ; *Mitterrand :* aucune exéc. entre sa prise de fonction (mai 81) et l'abolition (oct. 81). Le 21-5, André Pauletto, accusé du viol et du meurtre de sa fille de 10 ans avait été condamné à mort. 1er gracié par Mitterrand, le 25-5-1981 : Philippe Maurice.

D'après un sondage de la Sofrès (réalisé du 20 au 22-11-1984), 61 % des Français pensaient que la peine de mort serait une mesure efficace pour faire diminuer l'insécurité (74 % des agriculteurs, 35 % des cadres supérieurs, 72 % des U.D.F., 67 % des R.P.R., 49 % des socialistes), 60 % estimaient que la police n'avait pas les moyens nécessaires pour faire son travail, 45 % que la justice était de même privée de moyens.

• **Exécuteurs des hautes œuvres.** Il y eut la dynastie des Sanson [6 générations : Charles dit Charles Ier (1635-1707), Charles II (1681-1726), Charles-Jean-Baptiste (1719-78), Charles-Henri dit le Grand (1739-1806), Henri (1767-1840), Henri-Clément (1799-1889)], puis celle des Deibler. En 1871, un décret supprima les exécuteurs de province et n'en garda qu'un seul « national » : Deibler no 3, Louis, † en 1904, à 81 ans, après avoir exécuté plus de 1 000 condamnés. En 1899, son fils Anatole le remplaça ; † le 2-2-1939 à 75 ans, encore en activité. Son beau-frère Henri Desfourneaux lui succéda. Sa 1re exécution (Weidmann, le 16-6-1939), devant la prison St-Pierre à Versailles, fut la dernière exécution publique. Son neveu, André Obrecht, lui succéda en 1951, puis le 1-10-1976, le mari de la nièce de ce dernier, Marcel Chevalier.

Quelques causes célèbres

Assassinats non politiques

Fualdès (Joseph-Bernardin). Né 1761. Accusateur public, juge du tribunal criminel de l'Aveyron, procureur impérial en 1811. Assassiné la nuit du 19/20-3-1817 dans le bouge des époux Bancal à Rodez. L'agent de change Jausion, Bastide-Grament, beau-frère et filleul de la victime, Collard, locataire des Bancal, le contrebandier Boch et la femme Bancal sont condamnés à mort. Les 3 premiers furent exécutés en 1818, les 2 autres eurent leur peine commuée en travaux forcés à perpétuité.

Lacenaire (Pierre-François). Né 1800. Clerc d'avoué ou de notaire, employé de banque, déserte lors de l'expédition de Morée (1829). Inculpé de l'assassinat de la veuve Chardon et de son fils Jean-François, ainsi que de faux. Condamné à mort en 1835 avec Victor Avril et François Martin, et exécuté avec Victor Avril le 9-1-1836. François Martin eut sa peine commuée en travaux forcés à perpétuité.

Mgr Sibour. Assassiné 3-1-1857 dans St-Étienne-du-Mont par Jean Verger (né 20-1-1826), prêtre qu'il avait interdit. Verger sera exécuté le 30-1.

Troppmann (Jean-Baptiste). Né 1849. Inculpé de l'assassinat du ménage Kinck et de leurs 6 enfants. Condamné le 30-12-1869, exécuté le 19-1-1870.

Pranzini (Henri-Jacques-Ernest). Né 1856. Employé des Postes égyptiennes, puis sans profession ni domicile fixe. Inculpé de l'assassinat de la courtisane Claudine-Marie Regnault, dite Régine de Montille. Condamné le 13-7-1887, exécuté le 31-8.

Gouffé. Huissier de justice dont le cadavre en putréfaction est découvert le 13-8-1889 à Millery (Rhône). Attiré sous un prétexte galant dans l'appartement de Gabrielle Bompart (née 1868), il est étranglé par l'amant de celle-ci, Michel Eyraud (né 1842), qui lui dérobe 250 F, une montre et une chaîne en or, 1 bague ornée de 2 diamants. Eyraud, condamné le 20-12-1890, est exécuté le 3-1-1891. Gabrielle Bompart, condamnée à 20 ans de travaux forcés, est libérée en 1903.

Landru (Henri-Désiré). Né 12-4-1869. Inculpé de l'assassinat de 10 femmes et d'un jeune garçon qu'il avait étranglés et dont il avait brûlé les corps dans la cuisinière de sa villa de Gambais (Yvelines). Condamné le 30-11-1921, exécuté le 22-2-1922.

Bougrat (Docteur Pierre). Né 1890. Exerce à Marseille depuis 1920. Inculpé d'avoir assassiné dans son cabinet Jacques Rumèbe, commis aux écritures d'une usine de céramique, pour lui dérober la paye des ouvriers. Condamné le 27-3-1927 aux travaux forcés à perpétuité, il s'évade de Cayenne le 23-8-1928. S'établit médecin au Venezuela où il se marie et a 2 filles. Meurt en 1961. Me Stefani-Martin ne cessera de proclamer son innocence.

Manda (Joseph Pleigneur dit). Guillotiné en 1904 à Paris. En 1933, mort, à Paris, d'Amélie Hélie, dite **Casque d'Or,** maîtresse qu'il partageait avec son complice **Leca,** une prostituée accusée de l'avoir poussé au crime.

Nozière (Violette). Née 1915. Inculpée d'avoir assassiné ses parents en leur faisant avaler des barbituriques (sa mère sera sauvée). Condamnée à mort le 24-12-1934, peine commuée en travaux forcés à perpétuité. Une succession de grâces amène sa libération. Mariée, elle meurt en 1966.

Weidmann (Charles). Né 1908. Accusé avec ses complices (Roger Million et sa maîtresse Colette Tricot, Jean Blanc) de l'assassinat d'un chauffeur routier et d'une jeune Américaine, prof. de danse. Condamné à mort, exécuté le 16-6-1939 (dernière exécution publique, à la suite de la « kermesse » qu'elle occasionna, toute la nuit, à Versailles, aux pieds de la guillotine). (Million : travaux forcés à perpétuité ; Blanc : 20 ans, C. Tricot : acquittée).

Petiot (Docteur Marcel). Né 1893, ancien maire et conseiller général de Villeneuve-sur-Yonne. Durant l'Occupation, il promettait aux personnes menacées d'arrestation de les faire passer en Amérique du Sud. Il demandait à ses victimes de se rendre dans son hôtel de la rue Lesueur à Paris en n'emportant qu'une valise contenant ce qu'elles avaient de plus précieux. Les parties des corps ayant échappé à l'action de la chaux vive étaient brûlées dans un calorifère. 27 cadavres purent être identifiés. Condamné à mort, il fut exécuté le 25-5-1946.

Bernardy de Sigoyer (Alain). Né 1905. Déjà condamné 7 fois quand il est accusé d'avoir étranglé sa femme, aidé par Irène Lebeau, sa maîtresse. Bien qu'interné 2 fois, il est reconnu pleinement responsable. Condamné à mort et exécuté le 11-6-1947.

Fesch (Jacques). Accusé d'avoir assommé un changeur de la rue Vivienne pour lui dérober 300 000 F et d'avoir tué un gardien de la paix. Condamné puis exécuté le 1-10-1957.

Jaccoud (Pierre). Né 24-11-1905, avocat, ancien bâtonnier du barreau de Genève, accusé d'assassinat et du délit manqué d'assassinat, condamné le 4-2-1960 par la Cour d'assises de Genève à 7 ans de réclusion et à 10 ans de privation des droits civiques.

Rapin (Georges) dit **« M. Bill ».** Condamné à mort, refusa la grâce présidentielle, exécuté 1962.

Buffet (Claude) – Bontemps (Roger). Purgeaient à Clairvaux une peine de réclusion à perpétuité (Buffet) et une peine de 20 ans (Bontemps). Le 21-9-1971, ils s'enferment dans l'infirmerie avec 2 otages (infirmière et gardien) et exigent de pouvoir quitter la prison. Les autorités refusent et donnent l'assaut. Ils assassinent les 2 otages. Condamnés à mort, ils sont exécutés le 28-11-1972.

Henry (Patrick). Né 1954. Condamné le 21-2-1977 par la Cour d'assises de l'Aube, à Troyes, à la réclusion perpétuelle pour l'enlèvement et l'assassinat le 30-6-1976 du jeune Philippe Bertrand.

Barbeault (Marcel). Accusé d'avoir tué 5 femmes entre 1973 et 76. Condamné à la réclusion à perpétuité en 1983.

Paulin (Thierry). Martiniquais, 24 ans († du sida en prison le 16-4-1989). **Mathurin (Jean-Thierry).** Guyanais, 22 ans. Arrêtés 1-12-1987. Inculpés pour le meurtre de 21 vieilles dames d'oct. 84 à nov. 87.

Affaires passionnelles

Rainouard (Henriette). Née 1874, elle épouse en secondes noces Joseph Caillaux. Assassine le 16-3-1914 Gaston Calmette, directeur du Figaro. Acquittée le 29-7-1914, elle décède en 1943.

Dubuisson (Pauline). Née 1927. Assassine Félix Bailly (étudiant en médecine dont elle avait été la maîtresse), qui allait se marier. Condamnée aux travaux forcés à perpétuité le 20-11-1953, libérée en 1959, se suicide en 1962.

Desnoyers (Guy). Né 1920. Ordonné prêtre en 1946, curé d'Uruffe depuis 1950. Accusé d'avoir tué d'une balle de revolver dans la nuque sa maîtresse de 16 ans. Il l'éventre pour en retirer l'enfant presque à terme qu'elle portait. Il baptise l'enfant en lui traçant une croix sur le front, le taillade pour le défigurer et l'achève d'un coup de couteau. Condamné aux travaux forcés à perpétuité 26-1-58. Libéré août 1978.

Russier (Gabrielle). Née 1937. Professeur au lycée mixte de Marseille. Devient, lors des événements de 1968, la maîtresse d'un de ses élèves de 16 ans. Inculpée de détournement de mineur, condamnée, le 10-7-1969, à 1 an de prison avec sursis et 500 F d'amende. Le Parquet fait appel a minima. G. Russier se suicide le 1-9 pour ne pas comparaître devant la cour d'appel d'Aix.

Affaires mal élucidées

Auberge de Peyrebeille (Ardèche). Accusés par la rumeur publique de l'assassinat de 53 voyageurs, les époux Martin et leur domestique furent condamnés à mort et guillotinés le 2-10-1833, pour le meurtre d'un seul, sur la foi d'un unique témoignage. Inspira le film « L'Auberge rouge » (Cl. Autant-Lara).

La Roncière (Lt de). Né 1804. Accusé de tentative de viol sur Marie, fille du Gal baron de Morel. Condamné à 10 ans de réclusion le 5-7-1835. Libéré en 1843, il décédera en 1874. Le docteur Récamier, témoin, avait déclaré que la victime avait des crises d'hystérie régulièrement chaque mois.

Choiseul-Praslin (duc de). Né 1805. Décède le 24-8-1847 de l'ingestion d'une préparation à base d'arsenic à la prison du Luxembourg. Il devait comparaître devant la cour des Pairs pour répondre de l'assassinat de sa femme. Une légende veut que l'on ait substitué un cadavre pour permettre au coupable de disparaître (La Varende en a fait le sujet de son roman « L'Homme aux gants de toile »).

Bonafous (Louis) (1812-50). Frère Léotade pour l'Institut des frères de la doctrine chrétienne. Reconnu coupable de tentative de viol et de meurtre avec circonstances atténuantes sur Cécile Combette. Condamné aux travaux forcés à perpétuité le 4-4-1848, décédera au bagne de Toulon en 1850. L'attitude suspecte et maladroite de sa communauté (rétractations, subornation de témoins) laisse supposer que le coupable était connu (fr. Ludolphe Aspe, cuisinier).

Japy (Marguerite, épouse du peintre Steinheil). Née 1869, la « Belle Mag », égérie de Félix Faure (Pt de la Rép.), accusée d'avoir assassiné sa mère et son mari, dans son hôtel, impasse Roncin, acquittée le 13-11-1909, épouse un lord et meurt en 1954.

Vinikova (Nadeja, dite la Plevitskaïa). Née 1883 en Ukraine. Chanteuse. Condamnée à 20 ans de réclusion le 14-12-1938, par la Cour d'assises de la Seine, pour avoir participé avec son mari (le général Skobline), en fuite, à l'enlèvement du gén. de Miller, Pt de l'Union des anciens comb. russes à l'étranger. Morte 1940 à la prison de Rennes.

Crime de Bruay-en-Artois. Le 5-4-1972, Brigitte Dewevre (16 ans) est retrouvée morte, à moitié dévêtue. Le juge Henri Pascal (1920-89) inculpe le notaire Me Leroy (non-lieu en 1974). Jean-Pierre X... (17 ans) avoue le crime, revient sur ses aveux et sera acquitté (1975).

Juge François Renaud. Tué à Lyon le 3-7-1975.

Gérard Lebovici. Tué le 7-3-1984 dans le parking de l'av. Foch à Paris.

Jacques Perrot. Mari de Darie Boutboul, jockey, tué en déc. 1985.

Disparus de Mourmelon. 6 appelés ont disparu de 1980 à 87. Un adjudant-chef (arrêté en août 1988) est soupçonné.

Médecins de Poitiers. Nicole Berneron est morte le 30-10-1984 en cours d'opération. 2 tuyaux du respirateur amenant oxygène et protoxyde d'azote ont été inversés. Le 3-3-1988 : 3 docteurs acquittés (Denis Archambault, Bakari Diallo, prof. Pierre Mériel).

Villemin (Grégory). Retrouvé mort dans la Vologne, à Lépanges (Vosges), le 16-10-1984. Bernard Laroche, cousin germain du père, accusé par sa belle-sœur (qui se rétractera) sera tué le 29-3-1985 par Jean-Marie Villemin, le père (détenu puis libéré sous caution en déc. 1987). Le 5-7-1985 Marie-Christine Villemin, la mère, est inculpée par le juge Lambert, le 9-12 la chambre d'accusation de la cour d'appel de Nancy la renvoie devant la cour d'assises où elle est condamnée à 20 ans de réclusion criminelle. Le 17-3-1987 l'arrêt est cassé par la Cour de cassation qui renvoie l'affaire devant la chambre d'accusation de la cour de Dijon.

Saint-Aubin (Jean-Claude). (23 ans) tué avec sa passagère Dominique Kaydash (16 ans) à la suite d'un accident provoqué par un camion militaire le 5-7-1966. Après 24 décisions de justice ses parents ont obtenu en sept. 90, sur recommandation du Médiateur, 800 000 F en compensation des conséquences inéquitables provoquées par le mauvais fonctionnement des services de la justice.

☞ François Girard et Francis Checchi, assassins du juge Pierre Michel (tué le 21-10-1981 à Marseille), ont été condamnés en 1988 à la réclusion criminelle à perpétuité.

Erreurs judiciaires possibles ou établies

Lesurques (Joseph). Né 1763. Accusé du meurtre du postillon et de l'employé de poste du courrier de Lyon, aux environs de Lieusaint (S.-et-M.), pour leur voler le numéraire et les lettres de change contenus dans la malle. Condamné le 5-8-1796 avec ses complices David Bernard et Couriol. Exécutés le 30-9. Malgré le rejet par la Cour de cassation le 17-12-1868 du pourvoi en révision de la famille Lesurques, la participation de J. Lesurques reste à démontrer.

Peytel (Sébastien-Benoît). Né 1805. Accusé du meurtre de son couple de domestiques. Condamné le 30-8-1839, exécuté le 28-10. Balzac et l'illustrateur Gavarni soutiendront son innocence.

Bruneau (abbé). Condamné à mort et exécuté le 30-8-1894 pour avoir tué, le 2-1-1894, l'abbé Fricot, curé d'Entrammes (Mayenne). Plus tard, la bonne du curé aurait avoué l'avoir accusé pour couvrir son neveu, le véritable assassin.

Dreyfus (Alfred) (1859-1936). Voir p. 638.

Seznec (Joseph-Marie). Né 1878. Accusé d'avoir assassiné le marchand de bois Pierre Quémeneur, conseiller gén. du Finistère, disparu dans la nuit du 25 au 26-5-1923 durant un voyage effectué avec le prévenu. Condamné 4-11-1924 aux travaux forcés à perpétuité. Gracié en 1947, meurt le 14-2-1954, il n'a cessé de clamer son innocence. La commission de révision des condamnations pénales a entamé le réexamen du dossier en 1989.

Deshays (Jean). Docker accusé d'avoir assassiné un fermier et tenté d'assassiner sa femme. Condamné à 20 ans de travaux forcés le 9-12-1949. La décision est cassée : acquitté le 1-2-1955, il reçoit 1 233 414 AF de dommages et intérêts.

Dominici (Gaston) (1877-1965). Accusé de l'assassinat (le 5-8-1952 à Lurs) de M. et Mme Drummond et de leur fille (campeurs anglais). Condamné à mort le 29-11-1954, sera gracié en raison de son âge, puis libéré le 14-7-1960. Sa culpabilité n'a jamais été formellement établie.

Devaux (Jean-Marie). Né 1942. Garçon boucher, accusé d'avoir assassiné la fille de ses employeurs âgée de 7 ans. Condamné le 7-2-63 à 20 ans de réclusion. Jugement cassé 30-4-69. Acquitté le 27-9-69. Obtient 125 000 F de dommages et intérêts.

Agret (Roland). Condamné en 1973 pour assassinat d'un garagiste à 15 ans de réclusion criminelle (il passe 6 ans en prison). Acquitté le 26-4-1985.

Meauvillain (Guy). Condamné le 25-11-1975 à 18 ans de réclusion pour le meurtre d'une vieille femme. Peine suspendue en 1981. Rejugé et acquitté par la c. d'assises de Gironde le 29-6-1985. Obtient (18-1-87) 400 000 F de dommages et intérêts.

Ranucci (Christian). Condamné à mort 10-3-1976 pour l'assassinat d'une fillette de 8 ans par la cour d'assises des B.-du-Rh. Exécuté 28-7-1976.

Empoisonnements

Cappelle (Marie, ép. Charles Lafarge). Née 1816. Accusée d'avoir empoisonné son mari. Condamnée 19-9-1840 aux travaux forcés à perpétuité. Libérée 1852, décédera le 6-9. L'enquête effectuée pour l'émission télévisée « De mémoire d'homme » du 9-2-78 laisse à penser qu'il serait mort de la typhoïde.

Couty de La Pommerais (Edmond). Né 1830. Accusé d'avoir empoisonné sa belle-mère et sa maîtresse. Condamné à mort 16-5-1864, exécuté 8-6.

Marty (Marguerite). Née en 1925. Accusée d'avoir empoisonné sa cousine Jeanne Candela, épouse de son amant. Acquittée le 21-1-1955.

Davaillaud (Marie, ép. de Léon Besnard) (1896-1980), dite l'empoisonneuse de Loudun. Accusée de 11 empoisonnements, sera, après un long procès, acquittée le 12-12-1961.

☞ Voir Index : affaire des Poisons, Brinvilliers.

Hérésies, procès de sorcellerie ou religieux

Grandier (Hubert-Urbain). Né 1590. Curé à Loudun. Reconnu coupable de magie, maléfices et possession, condamné 18-8-1634 à être brûlé vif.

Sirven (Pierre-Paul). Né 1709. Feudiste (archiviste et notaire). Accusé de la mort de sa fille cadette, malade et fantasque. Condamné à mort le 29-3-1764. Reconnu innocent le 16-11-1769.

☞ Voir Index : Chevalier de La Barre, Jeanne d'Arc, Gilles de Rais, Sirven, Templiers.

Affaires politiques

☞ Voir Index : Abetz (Otto), Abrial (Jean-Marie), Algérie, assassinats, attentats, Babeuf, barricades (procès des), Bazaine, Benoît-Méchin (Jacques), Béraud (Henri), Bolo, Bonnot, Boulanger, Boulin (Robert), Brasillach (Robert), Brinon (Fernande), Broglie (Jean de), Cadoudal, Caillaux, Cartouche (Louis-Dominique), Caserio, Chack (Paul), Cinq-Mars, Claude (Georges), Cœur (Jacques), collaboration, collier (affaire du), Corday (Charlotte), coup de force militaire du 22-4-1961, Darnand (Joseph), Dentz (Henri-Fernand), Duroy de Chaumareys (Jean-Hugues), Enghien (duc d'), Esteva (Jean-Pierre), Fieschi, Flandin (Pierre-Étienne), Fouquet (Nicolas), Freeman, fuites (affaires des), de Gaulle, Girondins, Gorguloff, Hanau (Marthe), Hoff (Otto), Humbert (Thérèse), Laborde (Jean de), Lally-Tollendal, Laval (Pierre), Louis XVI, Louvel, Luchaire (Jean), Malvy, Mandrin (Louis), Marie-Antoinette, Marquis (André), Mata-Hari, Maurras (Charles), Naundorff, Ney (Michel), Oustachis, Oustric, Panamá, Pétain (Philippe), Pucheu (Pierre), Ravachol, Ravaillac, Riom (procès de), Rochelle (sergents de La), Rochette (Henri), Stavisky, Talleyrand de Chalais, Vaillant, Weygand (Maxime), Wulff (Heinrich).

Affaires de trafic d'influence

Teste (Jean-Baptiste) (1780-1852), ancien ministre des T.P. **Despans de Cubières (Amédée-Louis)** (1786-1853), ancien ministre. Condamnés respectivement à 3 ans de prison, à la dégradation civique et à 10 000 F d'amende pour concussion lors d'une concession d'une mine de sel gemme.

Péret (Raoul) (1870-1942) ancien Garde des Sceaux. **Besnard (René)** (1879-1952), ancien ambassadeur. Accusés d'avoir fait admettre des actions de la Sté italienne « La Snia Viscosa » à la Bourse de Paris, acquittés 21-6-1931.

☞ Plusieurs affaires en cours en 1991 non jugées.

Procès de presse

Le 11-6-1851, **Victor Hugo** défend son fils, Charles, qui a fondé le journal *L'Événement*, inculpé d'outrage à la loi, parce qu'il s'est élevé avec force contre la peine de mort après une exécution capitale (condamné à 6 mois de prison et 500 F d'amende).

Plusieurs journalistes furent poursuivis pour avoir, en 1868, à Paris, pratiqué des manœuvres à l'intérieur dans le but de troubler la paix publique, dont **Delescluze,** journaliste du *Réveil,* condamné à 6 mois de prison et d'interdiction de droits civiques et 2 000 F d'amende.

Procès en diffamation intenté le 26-10-1925 par le chauffeur de taxi Bajot à **Léon Daudet** qui l'avait accusé de complicité dans l'assassinat de son fils Philippe Daudet. L. Daudet condamné à 5 ans de prison et 1 500 F d'amende ; s'évadera après 15 j de détention (juin 1927).

Crimes de guerre jugés par les tribunaux militaires

9 Allemands, accusés d'avoir fusillé 46 personnes en représailles d'un attentat contre un train militaire, sont jugés. 8 condamnés à mort et 1 à 15 ans de travaux forcés le 6-8-1944.

Commandant Heinrich Wulff et **adjudant Otto Hoff,** accusés d'avoir participé le 9-6-1944 à la pendaison de 99 hommes et jeunes gens à Tulle. Le 5-7-49, Wulff condamné à 10 ans de travaux forcés et Hoff aux travaux forcés à perpétuité. Peine réduite le 27-5-1952 à 5 ans et 10 ans d'interdiction de séjour. Libérés en 1955.

25 Allemands accusés le 12-1-1953 pour leur participation, le 10-6-1944, à l'incendie d'*Oradour-sur-Glane* et au massacre de la population. 13-2, plusieurs cond. à mort, travaux forcés et peines de prison. Certains étaient des Alsaciens enrôlés d'office.

Abetz (Otto) (1903-58). Condamné le 22-7-1949 à 20 ans de travaux forcés et à 20 ans d'interdiction de séjour pour déportation d'israélites, arrestation d'otages et complicité dans actes de pillage, séquestrations, tortures et assassinats. Libéré en 1955.

Statistiques de la justice

Crimes et délits

• **Total constaté et taux de criminalité** (entre parenthèses pour 1 000 hab.). *1963 :* 581 618 (13,58). *73 :* 1 763 372 (33,68). *77 :* 2 097 919 (39,22). *80 :* 2 627 508 (49,03). *81 :* 2 890 020 (53,67). *82 :* 3 413 682 (62,83). *83 :* 3 563 975 (65,58). *84 :* 3 681 653 (67,14). *85 :* 3 579 194 (65). *86 :* 3 292 189. *87 :* 3 170 970 (57). *88 :* 3 132 694 (56,19). *89 :* 3 266 442 (58,31).

Faits de grande criminalité. Nombre en 1989. Homicides crapuleux 375, règlements de comptes 122, affaires de racket 1 338 (1988), vols à main armée, hold-up 7 523, enlèvements et séquestrations de personnes 1 107, vols avec d'autres violences que les armes à feu 45 469, proxénétisme 1 033, trafic de stupéfiants 7 123.

• **Infractions dans les départements en 1989** (du ressort des cours d'appel suivantes) : Agen 23 408, Aix-en-Provence 363 615, Amiens 84 859, Angers 52 148, Bastia 19 050, Besançon 41 493, Bordeaux 101 897, Bourges 29 504, Caen 63 802, Chambéry 56 082, Colmar 87 130, Dijon 51 834, Douai 230 754, Grenoble 87 549, Limoges 22 733, Lyon 167 521, Metz 36 034, Montpellier 125 381, Nancy 53 313, Nîmes 84 741, Orléans 59 039, Paris 626 051, Pau 51 507, Poitiers 63 836, Reims 54 718, Rennes 140 619, Riom 46 688, Rouen 91 433, Toulouse 86 054, Versailles 262 505, non ventilées 1 404.

Comparaisons internationales

Taux de criminalité pour 1 000 h. dans la C.E.E. (1988)

Pays	Crim. glob.	Homic.	Viols	Stupéf.	Cambr.
All. Féd.	71,1	0,04	0,09	1,4	19,2
Angl. + Galles	74,4	0,02	0,06	0,2	16,4
Belgique	30,4	0,03	0,04	0,6	6,2
Danemark	105	0,05	0,11	2,5	24,1
Espagne	25,2	0,02	0,04	0,6	12,3
France	*58* [1]	*0,05*	*0,07*	*0,9*	*6,8*
Grèce	31,2	0,02	0,02	0,2	2,6
Irlande	25,3	0,01	0,02	0,01	8,6
Italie	33	0,02	n.c.	0,5	n.c.
Luxembourg	62,8	0,11	0,05	2,5	9,8
Pays-Bas	n.c.	n.c.	n.c.	n.c.	n.c.
Portugal	7,1	0,05	0,01	0,2	8,7

Nota (1). – 1989.

Villes. Stockholm 233,13 [3], Copenhague 220,94 [6], Hambourg 172,90 [6], *Paris 135,6* [7], Los Angeles 103,28 [5], New York 97,03 [3], Londres 89,39 [2], Munich 73,99 [6], Chicago 60,42 [5], Jérusalem 52,46 [5], Bruxelles 36,28 [5], Tōkyō 21,39 [5].

Nota. – (1) 1978. (2) 1981. (3) 1983. (4) 1982. (5) 1984. (6) 1987. (7) 1989.

Évolution annuelle (en %)

Année	Total des crimes et délits	Total sans les chèques sans provision	Ensemble des vols
1977	+ 15,02	+ 10,96	+ 9,74
1978	+ 2,38	+ 1,89	+ 1,14
1979	+ 8,51	+ 8,42	+ 8,93
1980	+ 12,74	+ 10,97	+ 10,37
1981	+ 9,99	+ 9,63	+ 9,02
1982	+ 18,12	+ 19,10	+ 17,52
1983	+ 4,40	+ 4,57	+ 3,94
1984	+ 3,30	+ 5,14	+ 5,28
1985	– 2,78	– 1,03	+ 1,10
1986	– 8,02	– 6,42	– 7,87
1987	– 3,68	– 3,19	– 4,38
1988	– 1,21	– 6,57	– 0,58
1989	+ 4,27	– 2,99	+ 5,46
1990	+ 7,00	–	+ 8,40

• Crimes élucidés (1989). 1 267 916. **% des faits élucidés par rapport aux faits constatés [1].** Délits de police générale 104,87, infanticides 82,19, homicides non crapuleux 87,22, infractions astucieuses 100,76, délits contre l'enfant et la famille 84,98, vols à l'étalage 92,68, viols 85,19, attentats à la pudeur 76,4, crimes crapuleux 79,06, vols à main armée 39,65, règlements de comptes 53,28, vols violents 20,01, petites destructions et dégradations 18,54, attentats par explosifs 20,28, cambriolages 15,26, vols d'autos et 2 roues 9,09, vols à la roulotte 7,37.

Nota. – (1) Les faits élucidés peuvent porter sur des faits constatés les années antérieures.

• Butin emporté total, entre par., moy. par vol à main armée (en millions de F). *1975* : 72,2 (0,02). *76* : 86 659 995 (23 295). *77* : 153 832 765 (33 588). *78* : 146 677 265 (31 168). *79* : 191 662 170 (38 386). *80* : 164 377 905 (33 955). *81* : 202 459 650 (37 437). *82* : 224 143 170 (40 495). *83* : 450 176 165 (73 330). *84* : 432 459 890 (56 449) *85* : 451 000 000 (50 605). *86* : 560 770 136 (70 087). *87* : 470 796 566 (73 309). *88* : 312 209 583 (51 827). *89* : 483 554 023 (75 982).

Justice pénale

Infractions constatées

Nombre d'infractions en métropole par la gendarmerie nationale et la police nationale en 1989 et, entre parenthèses, chiffres 1977.

• Total. 3 266 442 (2 097 919).

• Contre les personnes. 132 321 (48 902), dont infractions contre la famille 29 192 (29 387), outrages publics et attentats à la pudeur 22 628 (14 590), viols 4 342 (1 531), homicides non crapuleux 1 992 (1 485), proxénétisme 1 033 (1 275), enlèvements et séquestrations de personnes 1 107 (282), coups et mauvais traitements à enfants 3 639 (1 596), homicides crapuleux 375 (195), infanticides 73 (62).

• Contre les biens. 2 675 327 (1 802 462) dont vols à la roulotte 642 119 (282 973), d'automobiles 243 593 (199 691), chèques sans provision 181 287 (177 550), escroqueries 87 513 (24 631), recels 29 180 (8 671), abus de confiance 20 757 (18 643), filouteries 15 855 (13 251), incendies 9 307 (3 528).

• Contre la réglementation et la chose publique. 458 794 (65 893) dont toxicomanie 50 680 (4 318), délits à la police des étrangers 39 223 (8 983), outrages et violences à dépositaires de l'autorité 23 368 (15 064), port et détention d'armes prohibés 14 653 (7 964), trafic de stupéfiants 7 123 (437), faux documents d'identité 8 800 (4 135), faux documents de circulation de véhicules 7 272 (3 118), délits des débits de boissons 1 939 (1 869), autres infractions à la police générale 2 202 (8 531), incendies de biens publics 1 842 (535), attentats par explosifs contre biens publics 115 (162), autres destructions et dégradations contre biens publics 18 335 (10 534), atteintes à la sûreté de l'État et à la Défense nationale 5 028.

• Économiques et financières. Faux en écritures publique et privée 23 302 (5 171), fausse monnaie et faux moyens de paiement 183 493 (5 332), fraudes ind. et com. et contrefaçons 3 730 (3 630), contrefaçons litt. et art. 2 095 (299), délits de sociétés 4 133 (975), banqueroutes 2 216 (5 027), fraudes fiscales 2 142 (50), infractions à l'exercice d'une profession réglementée 1 924 (1 278).

• Infractions aux règles de la circulation routière (en milliers). *1988.* 12 652 (12 100) dont conduite 10 236 (9 891) [dont stationnement 8 151 (8 117), excès de vitesse 1 174 (942), conduite en état d'ivresse 69 (55)], état ou équipement des véhicules 1 008 (737), règles administratives 772 (385) [dont défaut de permis de conduire 31 (35)], autres infractions 636 (1 085) [dont défaut d'assurance 28 (69), de vignette fiscale 132 (152), délit de fuite 42 (23)].

• Personnes mises en cause (délinquants). **Total** 768 890 dont hommes 635 050, femmes 133 840, majeurs 674 588, mineurs 94 302, Français 637 362, étrangers 131 528. *Criminalité de profit* 474 600 dont en % hommes 77,17, femmes 22,83 ; *de comportement* 295 556 dont hommes 86,66, femmes 13,34.

• Participation féminine. *Moyenne* : 17,41 %. *Forte* : délits relatifs au droit de garde des mineurs 61,32, vols à l'étalage 37,9, infanticides 76,6, chèques sans provisions 37,51, délits contre l'enfant et la famille 36,3, trafic de la prostitution 24,01, utilisations de chèques volés 28,83, trafic de la fausse monnaie et des faux moyens de paiement 28,56.

• Participation des étrangers **(%).** *Moyenne* : 17,11. *Forte* : délits à la police des étrangers 97,4, faux documents d'identité 64,34, vols à la tire 48,11, trafic de stupéfiants 38,36, interdiction de séjour et de paraître 30,89, délits de courses et de jeu 27,69, vols à l'étalage 22,14, fausse monnaie 21,73, vols avec violences 21,67, délits de police générale (mendicité, vagabondage) 20,4, contrefaçons littéraire et artistique 18,83, tentatives d'homicide 18,21, viols 17,87, règlements de comptes 17,44, trafic de la prostitution 17,38, coups et blessures volontaires 16,21, port et détention d'armes prohibées 15,98. *Départements à participation la plus forte* : Alpes-Mar. 52,33, Paris 38,72, Pyrénées-Orient. 37,64, Seine-St-Denis 30,54, Bouches-du-Rh. 29,06, Hts-de-S. 28,62, Val-d'Oise 27,37, Val-de-M. 26,36, Rhône 25,68.

Décisions des juridictions

En 1988 et, entre parenthèses, en 1977.

• Parquet (en milliers). **Procès-verbaux orientés dans l'année** 4 825 [dont renvoyés devant le tribunal de police 122, classés sans suite 3 606 (3 292), portés aux tribunaux correctionnels par le Ministère public 440 (527), communiqués aux juges d'instruction 57 (67), aux juges des enfants 41 (53)].

• Juridiction d'instruction. **Affaires à étudier** 120 828[4] (114 836) [dont nouvelles 57 023 (66 817), anciennes 59 685[4] (48 019)], *terminées* 55 965 (66 506) [dont ordonnance de renvoi 35 672 (49 174) (dont : devant le tribunal correctionnel 35 073 (43 674), tribunal pour enfants 967 (3 168), chambre d'accusation 1 740 (1 535), autre juridiction 167 (797)), ordonnance de non-lieu 12 817 (13 589), jonctions, dessaisissements, incompétence 4 611 (3 663)].

• Cour de cassation. *Affaires à juger* : 11 635 [5] (6 098) dont anciennes 3 924 [5] (2 181), nouvelles 7 678 (3 917). *Aff. jugées dans l'année* : 7 662 (3 728). *Arrêts rendus dans l'année* : 8 098 (3 868) dont irrecevabilité ou déchéance 1 302 (569), non-lieu à statuer 66 (11), rejet 4 432 (2 114), cassation 588 (468), désistement 716 (374), action publique éteinte 183 (11).

• Cours d'assises. **Condamnés** 3 013 [1] (1 867) dont 2 774 (1 715) hommes et 239 (152) femmes.

Selon l'infraction. Atteintes à la personne. *Homicides volontaires* [1] 684 (dont meurtres 444, assassinats 200, infanticides 16, autres 24). *Coups et violences volontaires* [1] 283 (dont mort non intentionnelle 206, infirmité permanente 32, envers mineurs 24, autres 21). *Viols* [1] 711 (dont commis par plusieurs personnes 171, avec circonstances aggravantes 186, sur mineurs de – de 15 ans 167, viols simples et autres 187). **Aux biens** [1] 1 311 (dont vols avec port d'arme 1 116, autres vols qualifiés 110, recel qualifié 80, destructions et dégradations 5). **A la sûreté publique** [1] 14 (dont faux monnayage 2, autres 14). **Autres crimes** 10.

Nota. – (1) Provisoire.

Selon la nature de la peine. *Réclusion et détention criminelle* à perpétuité 92 (53), à temps 1 944 (1 034). *Emprisonnement* 778 (778). *Amende* seulement 6 (0). *Total* 3 013 [1] dont peines fermes ou avec sursis partiel 2 824 [1] (1 649), avec sursis total 182 (155), probatoire 59 (63).

• Tribunaux correctionnels. **Condamnés** 345 660 [1] (405 372).

Selon la nature de l'infraction. Contre les personnes. 44 896 [1] (63 392) dont [*homicides involontaires* (circulation) et autres h. 3 089 (3 456), *coups et blessures volontaires* 20 721 (22 026), *blessures involontaires* (circulation) et autres bl. 15 507 (14 319), *coups et mauvais traitements à enfants* 664 (1 022, avortement 1 (33), autres 12 (56)]. *Attentats aux mœurs* : 5 357 [1] (4 469) [outrage public et attentat à la pudeur 4 082 (2 891), outrage aux bonnes mœurs 75 (94), proxénétisme 1 092 (1 338), autres 108 (146)]. *Infractions contre l'enfant* : 13 213 [1] (10 679) [abandon, exposition d'enfant 5 (13), enlèvement, détournement de mineurs 323 (419), non-représentation d'enfant 1 395 (949), abandon de famille 11 437 (9 285), autres 53 (13). *Autres infractions* : 2 953 [1] (2 326), [violation de domicile 1 393 (1 187), refus de porter secours 186 (152), arrestation illégale et séquestration de personne 124 (24), autres 1 250 (963)].

Contre les biens. 209 863 [1] (155 605) dont *vol* 111 641 (87 128), *escroquerie* 6 411 (3 947), *abus de confiance* 5 259 (5 657), *chantage* 29 (53), *filouterie* 2 813 (2 887), *recel* 16 742 (7 133), *émission de chèques* sans provision ou en violation de l'interdiction d'émettre 51 228 (38 713), *infractions violentes* contre les animaux 726 (184), *autres* 15 014 (9 903).

Selon la nature de la peine. *Emprisonnement* [2] 116 791 [1] dont : – de 3 mois 45 398, de 3 m. à – de 1 an 51 064, de 1 an à – de 3 a. 16 802, de 3 a. à – de 5 a. 2 590, 5 a. et plus 937. *Amende seulement* [2] 112 248 [1]. *Peine de substitution* [2] 33 485 [1]. *Total* 450 357 [1] (dont peines fermes [2] 262 524 [1], avec sursis simple total 150 983, probatoire total 25 952 [1], dispense de peine 10 898 [1]).

• Tribunaux de police. Condamnés 9 594 172 [1]. Pour contraventions de 1re à 4e classe 355 249 [1]. Emprisonnement 613 [3], amende seulement 359 533 [3]. *Contrav. 5e cl.* 95 895 [1] dont après appel 3 307 [1] [dont blessures inv. 22 678, violences et voies de fait 10 231, outrages envers citoyen chargé d'un ministère public 641 [1], défaut de carte de séjour d'un étranger 8, police des chemins de fer 42, infractions contre la législation du travail 2 315 [1], de la Sécurité sociale 1 061 [1], circulation routière et coordination des transports 43 139 [1], législation de chasse, pêche, forêts 5 221, autres 1 833 (dont selon la peine : fermes 85 575 [1], amende seulement 81 513 [1], p. avec sursis simple total 7 211 [1], emprisonnement 2 327 [1], dispenses de peine 1 109 [1], p. de substitution 1 735 [1]]. *Amendes pénales fixes* 7 745 168. *Ordonnances pénales* 1 399 860.

• Tribunaux maritimes commerciaux. Condamnés 154 dont infractions aux règles de circulation 141, négligence de l'équipage 13.

• Juridictions de la jeunesse. **Jeunes ayant fait l'objet d'une décision** 159 585 dont *mineurs délinquants* 73 164 (dont filles 7 235) selon l'infraction : crimes, attentats aux mœurs 61, coups et blessures 31, contre les biens 27, divers 5 ; délits : contre les biens 55 991, coups et blessures 6 014, attentats aux mœurs 874, contre santé publique 859, divers 6 311 ; contraventions 2 991.

Selon la décision : *mesures éducatives* 41 424 [dont admonestation 29 289, remise aux parents, tuteur, gardien ou personne digne de confiance 11 462, à un établ. d'éducation, de rééducation ou de soins 470, protection judiciaire 156, remise à l'aide sociale à l'enfance 47] ; *acquittement ou relaxe* 3 960 ; *peines* 27 780 dont emprisonnement 19 997 (dont avec sursis 13 639, sans 6 358, – de 4 mois : 5 497, de 4 mois à – d'1 an : 687, 1 an et + : 174), amende 6 775 (avec sursis 1 198, sans 5 577), autres 1 008. Mesures complémentaires [(mineurs mis en liberté surveillée) 3 328]. **Selon l'âge :** *de 6 à* – de 13 ans : 3 056, *13 à – de 16 a.* : 23 287, *16 à* – de 18 a. : 45 148. **Mineurs protégés** 82 299 dont mesure prise : remise aux parents, tuteur, gardien ou personne digne de confiance 38 019, aucune mesure 25 391, remise à l'aide sociale à l'enfance 11 525, remise à un établ. d'éducation, de rééducation ou de soins 7 364 ; **majeurs protégés** 4 122.

Juridiction saisie. *Sur 159 585 jeunes* : juges pour enfants 125 545, tribunal pour enfants 33 971, cour d'assises des mineurs 69.

Établissements et services. *Secteur public* : 196 [3]. *Associatif habilité* 957 dont établ. 634, services 323.

Personnel. *Secteur public* : 5 881, *associatif habilité* 25 029 [3].

Prise en charge (1983). Nouvelles 127 319. *Secteur public* : 52 760, *associatif habilité* : 74 559.

Jeunes suivis au 31-12-1984. *Total* 142 488 (dont secteur public : 32 787, associatif : 109 701) dont garçons 82 942, filles 59 546.

Selon l'âge (1984). – de 10 ans : 40 701, *10 à* – de 16 a. : 60 790, *16 à* – de 18 a. : 33 229, *18 a. et +* : 7 768.

Nota. – (1) Chiffres provisoires. (2) Peines comportant au moins une partie ferme. (3) 1984. (4) 1986. (5) 1987.

Quelques crimes et délits

☞ Attentats. Voir terrorisme p. 744 a. **Récents.** Voir p. 659.

• Automobiles (1989). Vols et tentatives 245 657 soit 0,91 % du parc auto français (*1987 :* 244 585 dont 196 582 retrouvées). Deux-roues à moteur (1989). Vols et tentatives 134 027 (*1988 :* 126 241 dont 8 103 retrouvés, 10 408 non retrouvés).

• Autoradios (1986). Vol 400 000 (sur 670 000 vols à la roulotte dans les véhicules) soit 1 app. sur 5.

• Banques. *1985 :* 815 hold-up (735 réussis, 72 millions de F perdus) dont région parisienne 394 ; *86 :* 838 (766 réussis, 81 millions de F) dont rég. paris. 335. *1987 :* 1456. *1988 :* 1105. *1989 :* 1 240.

Caisses d'épargne (hold-up). *1981 :* 140, *82 :* 146, *83 :* 216, *84 :* 266.

Coffres cambriolés. Butins en millions de F. **Quelques cas. 1971**-*30-6* poste de Strasbourg 12. **1972**-*28-10* p. de Mulhouse 11,7. **1974**-*13-8* Banque Rothschild (av. de Suffren, Paris) 10. **1976**-*10-1* B. Hervet Paris (tunnel creusé de 5 m) 0,06. *-15-6* Sté Générale (îleSt-Louis, Paris ; tunnel de 6 m) plusieurs dizaines de MF. *-17/18-7* Sté Générale (Nice ; 339 coffres et 2 armoires blindées) 47, arrivée des cambrioleurs par les égouts ; Albert Spaggiari, le « cerveau », arrêté, s'évade en sautant par la fenêtre du cabinet du juge d'instruction. **1979**-*15-8* Sté Générale (rue St-Louis-en-l'Ile, Paris) butin non communiqué. *-28-8* Sté Générale (6, rue de Sèvres, Paris ; tunnel de 20 m creusé en plusieurs mois, 8 voleurs arrêtés). *-28-8* Condé-sur-l'Escaut (Nord), paie des retraites des mineurs 16,3 (anarchistes arrêtés, procès avr. 1989). **1980**-*3/4-11* Caisse d'épargne (pl. de Mexico, Paris), un cambrioleur se laisse enfermer dans la salle des coffres avant la fermeture le vendredi soir et ouvre la porte à des complices (250 c.) 50. **1981**-*17-5* Crédit Agricole (Marseille) 232 c. *-12-7* Monte Carlo Beach Hôtel : bijoux 6,2, devises 0,15. *-15-8* Mas d'Artigny (St-Paul-de-Vence) 46 c. *-30-9* Banque Populaire (rue de Crimée, Paris, 70 c.) 0,1. *-7-10* Ritz (Paris ; bijoux) 20. **1982**-*12-4* Crédit Lyonnais (Bastia) 40. *-9-7* C. d'épargne (H.-de-S.) 250 c. **1983**-*16-3* Crédit Lyonnais (Neuilly) 118 c. *-17-11* Crédit du Nord (Paris) 120 c. **1984**-*25-5* C. d'épargne (Chatou) 350 c. *-25-6* C. d'épargne (Berre, 250 c.) 25 à 30. *-27-11* B. Hervet (Suresnes) 66 c. *-20-12* Crédit Lyonnais (Bordeaux) 43 c. (voleurs arrêtés). **1985**-*1-2* Crédit Agricole (Paris) 120 c. *-25-2* Bonnasse (Marseille) 200. *-23-4* C. d'épargne (Mortagne) 80 c. *-19-12* Sté Générale (St-Cloud) 125 c. **1986**-*3-2* C. d'épargne (Salon-de-Provence ; 620 sur 699 c.) 50 (?). *-17-2* Établiss. de crédit (Paris) 16 (gang arrêté). *-4-3* B. de France (Niort) 29. *-3-7* B. de France (St-Nazaire) 88. **1987**-*9-2* C. d'épargne (Marseille, 303 sur 2 800 c.) 30 à 50 [après avoir pris des otages pendant 11 h, les voleurs se sont enfuis par les égouts (la plupart seront arrêtés en 1988)].

• Banqueroutes. Agissements frauduleux d'un commerçant en état de cessation de paiement. *1975 :* 2 862, *80 :* 4 455, *81 :* 4 713, *82 :* 3 853, *83 :* 4 035, *84 :* 4 288, *85 :* 4 252, *86 :* 2 666, *87 :* 2 325, *88 :* 2 449, *89 :* 2 216.

• Bijouterie. **Attaques à main armée :** *1980 :* 216, *81 :* 220, *82 :* 174, *83 :* 237, *84 :* 274, *85 :* 268, *86 :* 164, *87 :* 193, *88 :* 164, *89 :* 154, *90 :* n.c. (dont *4-8* Chaumet, Paris 10 MF). Chaque jour, en France, sur 8 700 bijoutiers, 1 bijoutier est victime d'une agression. *Depuis 1980 :* 2 bijoutiers sur 3 ont été attaqués au moins 1 fois, 3 sur 7 au moins 2 fois, et 4 sur 10, 3 fois ou plus. *Entre 1981 et 1985 :* 20 bijoutiers ont été pris en otages, dont 9 à leur domicile. *De 1981 à 1986 :* 53 bijoutiers ont été tués, 600 ont été blessés dont 180 très grièvement.

• Bureaux de poste. Attaques à main armée. *1980 :* 288, *81 :* 385, *82 :* 254, *83 :* 284, *84 :* 370, *87 :* 222, *88 :* 186, *89 :* 227.

• Chauffeurs de taxis agressés. *Nombre : 1971* 33. *1980* 153. *1981* 96. *1982* 123. *1983* 147, *84 :* 161, *87 :* 289, *88 :* 316, *89 :* 275.

• Chèques (usage frauduleux). *1975 :* 60 655, *80 :* 101 024, *84 :* 197 053, *85 :* 172 980, *86 :* 167 439, *87 :* 154 035, *88 :* 141 539, *89 :* 142 508.

• Convoyeurs. *Att. à main armée. 1983 :* 22, *84 :* 29, *87 :* 25, *88 :* 33.

Fourgons blindés attaqués (butin : millions de F). **1977**-*28-7 Paris :* 17,5 camion contenant 17,7 t de pièces de 10 F destinées à la Banque de France (les malfaiteurs arrêtés et une partie récupérée). **1979**-*2-1 Nantes :* 4,3. **1980**-*2-5 Creutzwald* (Moselle) : 4. Directeur de la Sté et 3 de ses employés démasqués quelques mois plus tard. *-24-7 Cannes :* 10, bande démantelée 1 mois plus tard. **1983**-*24-5 Massy :* 20 par 3 faux policiers. **1984**-*12-3 Marseille* 14. *-15-6 Nice* 4. **1985**-*21-1 Vitrolles* (B.-du-R.) 20. *-31-5 Paris* 40 (1 convoyeur, 2 pol. tués). *-2-12* dépôt de la Sté Brink's *Colombes* (Hts-de-S.) 73. **1988**-*8-4* Sté Brink's *Pontes* 20 à 30 (plusieurs arrestations). *-27-4 Toulouse* 12, dépôt de la Brink's ; en sept., 8 voleurs arrêtés. **1989**-*29-1 Firminy* (Loire), 2 convoyeurs tués. *-1-2* fourgon Brink's 20. **1990**-*1-3 Mulhouse* 40. *13-3 Marseille* 2 convoyeurs tués. *1-6 Marseille. 27-7 Écully* 1 conv. tué. *17-9 Choisy-le-Roi* 0,45, 2 conv. tués. *9-10 Lentilly* (Rhône).

• Train postal. (France). **1985** *29-5* Bordeaux-Vintimille, entre Saint-Chamas et Rognac (B.-du-Rh.) ; 40 sacs postaux dont plusieurs contenant des valeurs déclarées. *2-12* près de Marseille 0,75 MF en pièces. **1986** *20/21-8* près d'Arles, 20 sacs avec des valeurs déclarées. Voleurs repérés, prennent la fuite et abandonnent leur butin. **1990** *12-7* Vintimille-Bordeaux 50 sacs.

• Enlèvements pour rançon. *Nombre. 1975 :* 13, *76 :* 13, *77 :* 8, *78 :* 3, *79 :* 2, *80 :* 8, *81 :* 3, *82 :* 2, *83 :* 1 (manqué), *84 :* 1 (manqué), *86 :* 1, *87 :* 5, *88 :* 3 tentatives, 1 (réussi).

Quelques cas (MF = millions de F). **1960**-*12-4 Éric Peugeot* (4 ans) sur le terrain de jeux du golf de St-Cloud, relâché 3 j après paiement de 0,5 MF, en 1961. 2 complices arrêtés en 1961. **1963**-*1-5 Thierry Destarches* (12 ans), rançon versée, squelette retrouvé 10 mois plus tard. **1974**-*3-5 Angel Balthazar Suarez* (dir. de la banque de Bilbao à Paris) par « groupes d'action révolutionnaires internationalistes », libéré 22-5 contre 3 MF qui seront récupérés. La plupart des responsables appréhendés. **1975**-*24-5 Jean Bitan,* 83 ans, négociant en tapis. Arrêté, Jean-Pierre Herbet révèle l'avoir tué au cours d'une altercation et que la rançon n'a été demandée qu'ensuite ; condamné 8-3-78 à 11 a. de réclusion criminelle. *-19-6 Maxime Cathalan* (20 mois), fille du P.-D.G. des laboratoires Roussel, retrouvée après versement de 1,5 MF. *-30-9 Valérie Ruppert,* 12 ans, rendue contre 2 MF, récupérés (ravisseurs arrêtés). *-9-12 Christophe Mérieux,* 9 ans, libéré contre 20 MF en partie récupérés (ravisseurs arrêtés). *-31-12 Louis Hazan* (P.-D.G. de Phonogram) libéré *7-6-1976* contre 15 MF récupérés ; 6 inculpés. **1976**-*30-1 Philippe Bertrand* (7 ans) ; rançon demandée 1 MF ; étranglé par son ravisseur, Patrick Henri, arrêté 18 j après. *-4-2 Guy Thodorof* (dir.-adjoint de Saab-France) relâché après 34 j, contre 10 MF, 12 inculpés. *-11-5 Philippe Chareyre* (dir. gén. de la S. A. de gestion immobilière) retrouvé 1/2 h plus tard, dans une camionnette. *-25-9 François Périel* (banquier) enlevé dans la villa du compositeur Francis Lopez, relâché 4-10 ; rançon de 0,8 MF jamais versée (affaire non éclaircie). *-2-12 Henri Hottinguer* (banquier) la tentative échoue en raison de sa résistance. **1977**-*11-1 Richard Frojo* (bijoutier à Marseille) libéré 4 j plus tard, rançon 3 MF jamais versée. *-13-4 Lucchino Revelli-Beaumont* (P.-D.G. de Fiat-France) libéré après 89 j, contre 10 MF (récupérés en partie après l'arrestation des ravisseurs tous argentins). *-6-7 Roland Simon* (dir. de régie immobilière) libéré 9-7, sans rançon. *-9-8 Bernard Mallet* (banquier) libéré par la police quelques h plus tard. **1978**-*23-1 Baron Édouard-Jean Empain* (Pt du groupe Empain-Schneider) libéré 26-3 (après 63 j) après l'arrestation des ravisseurs (qui lui ont coupé un doigt), rançon de 100 MF non versée. **1979**-*21-6 Henri Lelièvre* († 1985) (homme d'aff. de 82 ans de la Sarthe) enlevé par Jacques Mesrine, libéré le 25-7 contre 6 MF. **1980**-*25-1 Paloma Donzeau,* délivrée le jour même contre 30 lingots d'or (2,5 MF). *-29-1 Guy Bitoun,* 41 a., (administrateur de la Sté Global à Antibes), libéré 13-2, contre 6 MF (récupérés), 5 ravisseurs arrêtés, 1 policier tué par méprise par un collègue. *-26-3 Olivier Bréaut,* fils d'un notable de Tahiti tué, rançon 11 MF non versée, ravisseurs condamnés. *-28-6 Michel Maury-Laribière* (60 ans, P.-D.G. des Tuileries et Briqueteries françaises et vice-Pt du CNPF) rançon demandée 3 MF non payée libéré après 11 j ; ravisseurs arrêtés (dont Jacques Hyver qui s'évadera 10-11-87). *-22-9 Bernard Galle* (34 ans, clerc de notaire chez son beau-père, maître Chaîne, à Lyon) rançon de 5 MF payée ; non libéré, déclaré décédé. **1981**-*18-4 Huguette Kluger* (43 ans), libérée 3 j après, rançon de 8 MF non versée, 2 ravisseurs antillais condamnés à 10 et 11 ans. **1982**-*25-4 Jean-Edern Hallier* retrouvé. *-26-5 Bruno Bouvet,* 12 a., retrouvé 29-5 ; rançon de 0,7 MF récupérée. **1983**-*23-3 Joséphine Dard* (12 ans) [fille de Frédéric Dard, auteur de San Antonio] en Suisse, rançon de 2 MF suisses (récupérés), ravisseurs arrêtés. **1988**-*20-3 Hervé Tondu,* 19 ans, tué après paiement de rançon 0,35 MF. Assassin présumé arrêté, condamné à perpétuité. *Déc.* employée de maison enlevée par erreur (prise pour l'épouse de Louis Réginald De Poortere), relâchée sans paiement des 30 MF prévus. **1990**-*29-10 Monique Pelège* (51 ans) rançon demandée 12 MF, retrouvée 30-10, 2 ravisseurs arrêtés (étudiants en droit à Toulouse).

Rançons records. **1973,** juillet *Paul Getty III* (USA) (2,8 millions de $) 10 MF. **1974**-*29-4 Victor Sammuelsson,* directeur d'Esso à Buenos Aires, 4,2 millions de $ (75 MF). **1975**-*14-4 Gianni Bulgari,* bijoutier romain, 17 millions de $ (85 MF). *-21-6* Jorge Born, industr. argentin, 60 millions de $ (300 MF). **1976**-*1-1 Carla Ovazza,* belle-mère de la fille de Giovanni Agnelli, P.-D.G. de Fiat, 10 milliards de lires (60 MF, on ignore le montant versé). *-14-12 Richard Detker,* fils d'un milliardaire all., 21 millions de marks (42 MF). **1977**-*28-10 Maup Caransa* libéré contre 20 MF. **1982**-*22-11 Antonia Van der Valk* (P.-B.) libérée 17-12 12 millions de florins (32 MF). **1983**-*1-11 Freddy Heineken* (P.-B.) 95 MF récupérés en partie. **1985** *oct. Gijs Van Dam* (P.-Bas) 9 millions de florins (24,3 MF). **1986**-*8-4 Jennifer Guinness* (Irl.) 2,5 millions de £ irl. (20 MF). **1987**-*9-9 Gerrit Jan Heyn,* 8,4 millions de florins (21 MF) demandés et payés en partie, tué le jour du rapt par un architecte au chômage. *-9-11 Mélodie Nakachian* (5 ans), rançon demandée 5 millions de $ (30 MF), délivrée 20-11, 7 inculpés arrêtés. **1988** Van den Boynants (ancien PM belge).

• Fugueurs mineurs. *1978 :* 26 673. *79 :* 30 555. *81 :* 32 437. *83 :* env. 30 000 (2 300 cas non résolus).

• Grands magasins (vols). Montant total en millions de F. *1977 :* 75, *80 :* 400, *82 :* 169, *85 :* 1 100 (env. 2,5 % de C.A.).

• Homicides volontaires (1988). Répartition en % (sondage sur échantillon de 1 231 cas). **Mobiles :** ignoré 14,05, différends divers et vengeance 36,23, crapuleux 27,13, passionnel 8,20, alcoolisme 4,39, démence 3,33, crimes sexuels 3,98, règlements de comptes 2,19, autodéfense 0,32, mobile racial ou politique 0,16. **Moyens (%) :** arme à feu 46,14, arme blanche 26,56, divers (coups, mains nues, strangulation, objets divers) 27,30.

• Magistrats attaqués. **1972**-*10-4 : Robert Magnan* (J. d'instruction à Paris) pris en otage par 2 détenus, Christian Jubin et Georges Segard, qui le relâchent, et sont repris 32 h après leur évasion du Palais de Justice. **1973**-*6-6 : M. Guérin* (Pt du tribunal de Compiègne) pris en ot. au cours d'une audience, par Jacques Mesrine qui le relâche. **1974**-*3-5 : Maurice Balauge* (1er J. d'instruction à Paris) attaqué dans son cabinet par André Bodet, voleur de voitures. *29-5 : Gérard Nedelec* (substitut du procureur de la Rép.), enlevé à son domicile, échappe peu après à ses ravisseurs. **1975**-*3-7 : François Renaud* (J. d'instruction) assassiné à Lyon (ses meurtriers n'ont pas été arrêtés). *-8-7 : André Cozette* (vice-Pt du tribunal de Paris) et *Antoine Michel* (substitut) pris en ot. par Jean-Charles et Martine Willoquet qui les relâchent 1 h 1/2 plus tard. Repris après quelques mois. **1977**-*5-12 : épouse de Jacques Blanc-Jouvan* (substitut du procureur gén. à la Cour d'appel de Lyon) *et une femme de ménage* brutalisées à leur domicile. **1978**-*6-2 : Noël Daix* (1er J. d'instruction à Lyon), enlevé, retrouvé 48 h plus tard, attaché à un arbre. *10-11 : épouse, fille et gendre de Charles Petit* (Pt de la C. d'assises de Paris) séquestrés par Jacques Mesrine (qui disparaît) et Jean-Luc Coupé (arrêté en tentant de fuir). **1979**-*31-1 : Michel Berger* (substitut) *et son épouse* (substitut à Bourges), *François Billy* (conseiller à la C. de cassation) agressés chez M. Berger à Paris, par 3 hommes armés se réclamant d'un « groupe autonome » protestant contre la politique répressive envers les contestataires. Ils partent après avoir saccagé et volé l'appartement. **1985**-*19/20-12 :* 32 personnes dont *Dominique Bailhache* (Pt de la C. d'assises de Nantes) prises en ot. par Georges Courtois, Patrick Thiolet et Abdelkarim Khalki qui se rendent après 34 h de négociations.

• Morts suspectes (1984). 15 858 (dont suicides 53,30 %, morts naturelles 28,14, accidentelles 15,63, non élucidées 2,93).

• Œuvres d'art. *France (1989) :* 1 625 vols traités par l'Office central de répression des vols d'œuvres et d'objets d'art. dans maisons individuelles et appartements 1 391, lieux de culte 72, châteaux 45, musées 34, magasins de vente 49, galeries 34.

• Pharmacies (agressions). *1971 :* 48, *1982 :* 302, *1983 :* 284 (butin moyen : 1 983 F). *1984 :* 392. *1987 :* 432. *1988 :* 384. *89 :* 395. *Cambriolages pour drogue : 1980 :* 822, *81 :* 795, *82 :* 926, *83 :* 740, *84 :* 700.

• Piraterie aérienne. On découvre chaque année + de 3 200 armes à feu et + de 14 000 armes blanches lors des contrôles effectués à l'embarquement dans les avions.

• Pompistes (agressions). *1971:* 70, *1981:* 536, *1982:* 414, *1983 :* 577 (butin moyen 5 552 F), *1984 :* 615, *1987 :* 447, *1988 :* 439, *1989 :* 490.

• Recels. *1982:* 15 148 délits enregistrés, *85:* 26 209, *86 :* 29 517, *87 :* 35 983, *88 :* 26 963, *89 :* 29 180.

• Recherches dans l'intérêt des familles. *1976 :* 22 599. *81 :* 13 790. *86 :* 11 220. *87 :* 10 326 dont 4 071 retrouvés et 2 369 adresses communiquées.

• Terrorisme de 1974 à 1985. 6 023 (dont de 1981 à 1985 : 3 246) [*à l'explosif :* 5 601 (dont terrorisme d'origine nationale 5 367, internationale 234) ; *par armes à feu :* 422 (or. nat. 378, intern. 44)]. *Tués :* 201 (dont de 1981 à 85 : 144), or. nat. 124, intern. 77. *Blessés :* 993 (dont de 1981 à 85 : 716) or. nat. 441, intern. 492. Voir attentat à l'Index. **Actions violentes y compris DOM/TOM.** Attentats par explosifs, armes à feu, incendies volontaires : *1987 :* 581 (465, 53, 63) ; *88 :* 403 (279, 38, 86) ; *89 :* 305 (190, 44, 71).

Mobiles : à caractère politique ; vengeance, racket, extorsions ; ignoré : *1985 :* 678 (359, 14, 305) ; *89 :* 305 (86, 8, 211) dont terrorisme : *international* (destruction d'avion d'U.T.A. au dessus du Niger), plusieurs interpellations dans les milieux proches du Parti des Travailleurs du Kurdistan *P.K.K.* et des extrémistes italiens des Brigades rouges et du Parti communiste combattant ; *national :* mouvements extrémistes (*1988 :* 33, *89 :* 25) dont extrême gauche (*1988 :* 13, *89 :* 25), attentats par explosifs (*1988 :* 5, *89 :* 20) ; séparatistes Corse : attentats par explosif (*1988 :* 274, *89 :* 227), armes à feu (*1989 :* 35), incendies volontaires (*1989 :* 43). Pays basque (*1988 :* 9, *89 :* 22), E.T.A. militaire, placés 78 militants interpellés, 20 placés sous mandat de dépôt. Bretagne (*1988 :* 13, *89 :* 5 dont 4 attentats par explosif), interpellations de 2 membres de l'« Armée révolutionnaire bretonne » (A.R.B.).

Terrorisme international. *Dans le monde.* (1985 année record), 782 affaires de 800 † et 1 200 blessés dont terrorisme proche-oriental 441 affaires (230 tués et 820 blessés).

• Tueries. **1964** *Austin* (Texas), un étudiant tire d'une tour, 16 †, 31 blessés. **1969**-*8-85* 5 † (dont l'actrice Sharon Tate) par Charles Manson (n. 12-11-34) femmes et 1 homme de sa « secte », condamnés à la détention à vie en 1972. **1973**-*31-3 Bar du Tanagra* (Marseille) 4 † (affrontement entre truands). **1978**-*3-10 Bar du Téléphone* (Marseille). 4 hommes tuent 10 consommateurs. **1981**-*18-7 Auriol* (B.-du-R.), 6 † (1 inspecteur de police Jacques Massié, ancien du SAC et 5 membres de sa famille) [3 tueurs condamnés à perpétuité]. **1983**-*5-8 Hôtel Sofitel* (Avignon) 7 † au cours d'un hold-up. **1984**-*21-7 San Ysidro* (Californie, U.S.A.), 21 † et 19 bl. par un forcené (il est tué à son tour). **1989** *avr. Texas* découverte de 13 corps au Texas (secte anthropophage). *12-7 Luxiol* (Doubs) 15 † et 7 bl. par un tireur fou (jugé irresponsable). *31-8 Ris-Orangis* (Essonne) 2 inspecteurs † et 2 bl. par un forcené. *7-12 Montréal* (Québec) 14 étudiantes † et 13 bl. à l'université par un tireur fou qui se suicide.

• Viols. *1972 :* 1 417, *82 :* 2 459, *83 :* 2 803, *84 :* 2 859, *87 :* 3 196, *88 :* 3 776, *89 :* 4 342. En 1984, un soldat et un ouvrier condamnés à 14 ans de réclusion en Grèce pour avoir violé une femme de 105 ans.

• Vols (1989). Répartition en %. Sans violence 97,47, avec violence 2,53.

Vols à main armée. *1980 :* 4 841, *81 :* 5 408, *82 :* 5 535, *83 :* 6 139, *84 :* 7 661, *87 :* 6 422, *88 :* 6 024 (dont Paris 951), occasionnant 15 meurtres, 88 prises d'otage. *89 :* 6 364 dont établ. de crédit 1 240, voie publique 975, stations services 490, particuliers à domicile 487, pharmacies 395, taxis ou véhicules 275, magasins à grande surface 236, bureaux de poste 227, bijouteries 154, casinos et jeux 113, établ. ind. et commerciaux 80, transport de fonds inorganisés 40, transport de fonds 30, prof. libérales 18, préposés des postes 13, trésor public 8. Autres commerces 1 414 ; autres établ. publics 45 ; divers 124. **Butin (millions de F).** *1980 :* 164, *81 :* 202, *82 :* 224, *83 :* 450, *84 :* 432, *85 :* 450,8, *86 :* 560,8, *87 :* 470,8, *88 :* 312,2, *89 :* 483,6.

Autres vols avec violence. *1979 :* 27 053, *80 :* 30 404, *81 :* 35 669, *82 :* 40 540, *83 :* 44 745, *84 :* 50 246, *85 :* 50 233, *86 :* 42 739, *87 :* 41 750, *88 :* 43 609, *89 :* 45 469.

Cambriolages (vol avec effraction). *1972 :* 147 495, *78 :* 200 811, *80 :* 267 860, *81 :* 301 436, *82 :* 365 184, *83 :* 392 092, *84 :* 436 435, *86 :* 401 970, *87 :* 367 004, *88 :* 361 396, *89 :* 370 606. *Taux pour 10 000 h. :* 70 ; [P.-Bas 240, All. féd. 192, G.-B. 160].

Résidences (principales). *1980 :* 135 098, *84 :* 236 631, *87 :* 188 832, *88 :* 178 810, *89 :* 187 427 dont : Paris 29 892, B.-du-Rh. 11 966, Nord 8 639, Val-de-M. 8 405, Alpes-M. 8 106, Rhône 7 508, Hts-de-S. 7 046, S.-St-Denis 6 924, Val-d'O. 5 679, Yvelines 5 662. *Affaires élucidées (89) :* 10,7 %.

Résidences secondaires. *1980 :* 14 409, *81 :* 14 718, *82 :* 17 204, *83 :* 18 223, *84 :* 20 841, *89 :* 20 217 dont : Var 1 876, Alpes-Mar. 1 477, Hérault 857, Gironde 536, Eure 488, Calvados 448, S.-et-M. 447, B.-du-R. 433, Pyr.-Or. 337.

Locaux industriels et commerciaux. *1985 :* 96 679, *86 :* 88 620, *87 :* 84 232, *88 :* 87 717, *89 :* 91 702.

Quelques records (MF : millions de F). **France.** *1980-24-7 : Bijoux :* 80 MF dans la chambre du P[ce] Abdel Aziz Ben Ahmed Althani du Qatar près de Cannes. *1986-3-7 : Banque de France St-Nazaire :* 12 MF récupérés (10 personnes mêlées à l'affaire arrêtées). **G.-B.** *1963-8-8 :* train postal Glasgow-Londres intercepté par une bande qui prend 120 sacs contenant 30 MF (4 seront retrouvés) ; le cerveau (Ronald Briggs) condamné à 30 ans, évadé 1964, vit au Brésil. *1975 :* Bank of America à Londres 96 MF. *1983-26-11 :* 6 hommes prennent 317 MF [3 t d'or (6 800 barres de 440 g), quelques barres de platine, plusieurs diamants, des travellers chèques] dans le dépôt de la Ste Brinks à Heathrow. Les Cies d'assurances ont offert une récompense de 24 MF pour des renseignements. *1990-3-5 :* 2 700 MF, titres au porteur numérotés, jeu négociable). **Irlande.** *1974-26-4 :* 19 tableaux valant 94 MF (dont 1 Vermeer de + de 30 MF) chez sir Alfred et lady Beit à Blessington (tableaux retrouvés, coupable arrêtée). **Liban (Beyrouth).** *1976-22-1 :* 100 à 250 MF de la Banque britannique du Moyen-Orient. **U.S.A.** *1978 :* coffre de la Lufthansa à l'aéroport Kennedy : bijoux 30 MF. *1982-12-12 :* S[té] de convoyage de fonds : 37 MF.

Prisons (en France)

Établissements pénitentiaires

Catégories

1°) Maisons d'arrêt : reçoivent les prévenus et condamnés dont le reliquat de peine est inférieur à 2 ans. Il existe normalement 1 maison d'arrêt auprès de chaque tribunal de grande instance. **Au 1-1-1991 :** 139.

2°) Établissements affectés à l'exécution des peines (sup. à 3 ans) dont **maisons centrales** (possédant un régime de sécurité) 16 soit 2 862 places, et **centres de détention** (orientés vers le reclassement) 36 soit 8 444 places. Dans les 2 cas, quartiers réservés aux personnes dont la peine expirera avant qu'elles aient 28 ans et aux malades (ex. Fresnes, hôpital de 255 lits).

Taux d'occupation des établissements pénitentiaires (au 1-1-1991) : Nice 274, Bois-d'Arcy 258, Lyon 248, Bordeaux-Gradignan 175, Paris-La Santé 164.

☞ *Jusqu'en 1939 :* 500 personnes par an étaient déportées en Guyane.

Construction (1988-91). *Coût :* 4,05 milliards de F, 15 000 places revenant à 270 000 F la place ; 1 surveillant pour 4 détenus. Programme revu par Pierre Arpaillange 13 000 places sur 25 sites.

☞ *De juin 1986 au 1-1-1991 :* 10 982 places créées.

Personnel de l'administration pénitentiaire

Nombre total. *1975 :* 11 352. *1980 :* 14 115. *1985 :* 16 044. *1987 :* 17 230. *1989 :* 18 779 (dont 306 directeurs et sous-directeurs, 14 836 agents de surveillance, 1 527 agents administratifs, 471 techniques, 816 éducatifs, 133 contractuels), 521 assistantes sociales et 169 infirmières.

☞ *En janvier et février 1989,* nombreux mouvements revendicatifs du personnel pénitentiaire.

Vie pénitentiaire

• Coût moyen journalier d'un détenu (au 1-4-89). 188 F, dont en 1986 : frais de personnel 121,43 F, alimentation 16,03, habillement et couchage 1,85, frais médicaux 6,33, cotisations de Séc. soc. 1,54, dépenses de fonctionnement (entretien des bâtiments) 21,61 F (selon l'Inspection des Finances, coût moyen : 62,18 F). Le détenu participe aux frais de son entretien (300 F par mois). Les prélèvements ne peuvent excéder 30 % du salaire.

• Études. *Enseignement* primaire assuré dans tous les établissements. Tout détenu peut demander à poursuivre des études par correspondance et passer des examens. Sur env. 100 000 détenus transitant chaque année dans les prisons, 1 sur 5 suit un enseignement. *Formation professionnelle* permet à env. 600 détenus par an d'obtenir un diplôme professionnel, à 1 000 de s'initier à la pratique d'un métier. *Rémunération des stagiaires* (1988) : 54 % du SMIC ; des employés au service général : 11,74 en moy.

• Grève de la faim. Le Code pénal autorise « l'alimentation forcée d'un détenu seulement sur décision et sous surveillance médicales lorsque ses jours sont mis en danger » (art. D. 390). Le code de déontologie médicale indique que « la volonté du malade doit toujours être respectée ». La déclaration de 1975 de la 2e Assemblée mondiale de la médecine pénitentiaire autorise le médecin à ne pas alimenter artificiellement un prisonnier lorsque « celui-ci est en état de formuler un jugement conscient et rationnel quant aux conséquences qu'entraînerait son refus de se nourrir ».

• Lettres. *Les détenus* peuvent écrire tous les jours et sans limitation à toute personne de leur choix et recevoir des lettres de toute personne, mais pour certains prévenus, le magistrat chargé du dossier de l'information peut interdire ou suspendre certaines correspondances et demander la communication des lettres aux fins de contrôle. *Pour les condamnés :* l'établissement peut contrôler leurs correspondances à l'arrivée et au départ. Le chef d'établissement peut interdire tout échange de lettres avec des personnes autres que le conjoint et les membres de la famille lorsque cela peut nuire à la réadaptation sociale du détenu ou à la sécurité et au bon ordre de l'établissement, ou contient des menaces précises contre les personnes. Les détenus peuvent écrire sous pli fermé à leur défenseur, aux autorités administratives et judiciaires françaises dont la liste est fixée par le ministère de la Justice, à l'aumônier et aux travailleurs sociaux de leur lieu de détention.

• Mères de jeunes enfants (détention). Les détenues enceintes et celles auxquelles est laissé leur enfant peuvent être transférées dans un établissement disposant d'un quartier spécialement aménagé. Les enfants sont laissés en principe auprès de leur mère jusqu'à 18 mois (ou +, après décision du Garde des Sceaux après avis d'une commission consultative et renouvelable tous les 2 ans). *En 1985 :* 188 femmes détenues ont accouché en France.

• Période de sûreté. Les condamnés pour faits particulièrement graves ne peuvent bénéficier de mesures individualisées comme permissions de sortie ou libération conditionnelle (loi du 2-2-1981 modifiée le 10-6-83) qu'après avoir accompli au moins la moitié de leur peine (sur décision de la juridiction, délai portable aux 2/3 et jusqu'à 30 ans dans certains cas de réclusion criminelle à perpétuité).

• Permissions de sortie. Permettent à un détenu, condamné définitif, de s'absenter de la prison pendant une courte période. Peuvent être accordées par le juge ou la commission de l'application des peines aux détenus ayant déjà purgé une partie de leur condamnation (fixée par la loi selon la gravité de l'infraction et la nature de l'établissement pénitentiaire). La décision est prise en tenant compte de la personnalité du détenu, de sa conduite en détention et de l'objet de la permission. *Catégories de permissions :* en vue du maintien des liens familiaux ou de la préparation à la réinsertion sociale, au max. 3 j (sauf pour les condamnés incarcérés dans les centres de détention) ; en cas de circonstances familiales graves (décès, maladie d'un proche), max. 3 j ; permettant d'accomplir une obligation (examen scolaire, médical ou psychologique, présentation à une autorité judiciaire ou administrative), max. 1 j.

L'État est responsable, même sans faute, des dommages causés aux tiers par des détenus bénéficiant d'une permission de sortie.

• Punition de cellule infligée pour indiscipline grave jusqu'à 45 j de suite dans une cellule spéciale (seuls meubles : un tabouret et un matelas), privation de visite (sauf avocat), restriction de correspondance. Elle n'entraîne pas de restriction alimentaire et ne supprime pas la faculté de lecture, ni de tabac.

• Réductions de peine. *Pour bonne conduite :* 3 mois max. par an, accordée par le juge de l'application des peines après avis de la commission d'application des peines. *En cas de mauvaise conduite,* elle peut être retirée en totalité ou partiellement. *Exceptionnelle pour réussite à un examen. Except. pour effort sérieux de réadaptation* (en passant des examens) :

après 1 an de détention : 1 mois par an et 2 j par mois si le condamné est en état de récidive légale. 2 mois par an ou 4 j par mois s'il ne l'est pas. Un condamné à perpétuité accomplit, en général, 18 ans de prison avant de pouvoir être libéré ; un cond. à 20 ans fait les 2/3 de la peine. En Italie, un cond. à perpétuité fait 28 ans, en Scandinavie, All. féd., G.-B. env. 10 ans. *Lois d'amnistie :* grâces diverses (ex. du 14 juillet) pouvant libérer par anticipation des milliers de condamnés.

• **Régime pénitentiaire spécial** (décret du 23-10-1975) : plus libéral que le régime de droit commun (ex. : droit de visite plus large, droit de réunion, pas d'obligation au travail). *En bénéficient :* les personnes poursuivies pour atteinte à la sûreté de l'État ou pour un délit de presse (sauf outrages aux bonnes mœurs, actes de chantage ou provocations au meurtre). Dans la mesure du possible, les détenus qui en bénéficient doivent être incarcérés dans une prison ordinaire. Quand les installations le permettent, ils doivent être placés dans une cellule ou une chambre individuelle.

• **Télévision.** Dep. le 15-12-1985, moyennant env. 100 F par mois de frais de location, les prisonniers peuvent avoir la T.V.

• **Travail pénitentiaire.** Seuls les condamnés sont astreints au travail. Les éléments dangereux n'y ont pas droit. *Détenus au travail (1990) :* 19 445 dont entreprises concessionnaires 8 106, service général 6 192, R.I.E.P. [Régie ind. des établ. pénitentiaires : 1 925 C.A. (1990) : 162,8 millions de F (H.T.) ; bénéfices : 11,2 millions de F ; rémunération brute moyenne journalière (1990) : service gén. 33,80 F, atelier R.I.E.P. 108 F, exploitation agricole R.I.E.P. 68,80 F (1986), concession 91 F, form. prof. 13,27 F] 2 224, formation prof. rémunérée 1 444, travail ou formation rémunérée en semi-liberté 780. *Taux d'emploi :* 43,2 %. *Chantiers extérieurs : 1986* (août) : mise en place. *1987 (30-6) :* 8 965 journées de travail effectuées.

Séc. soc. (maladie-maternité) est allouée à la famille du prisonnier travailleur. Le travail effectué en prison est pris en compte pour les droits à la retraite ; à sa sortie, le détenu peut bénéficier des allocations de chômage. Dep. le 1-1-1981, le détenu travailleur bénéficie de l'assurance veuvage.

• **Visites.** Jours, heures, durée et fréquence des visites sont déterminés par le règlement intérieur de l'établissement soumis à l'approbation de l'administration centrale. Celle-ci veille notamment à ce que les prévenus soient visités au moins 3 fois par semaine et les condamnés au moins 1 fois. Les visites ont lieu en principe dans un local sans dispositif de séparation, quel que soit le type d'établissement. Le responsable de la prison peut décider que la visite aura lieu dans un parloir avec séparation dans 3 cas limitatifs : s'il existe des raisons graves de redouter un incident ; en cas d'incident en cours de visite ; à la demande du visiteur ou du visité. Sauf autorisation spéciale, le détenu et ses visiteurs doivent s'exprimer en français. Excepté lors des entrevues avocats-détenus, un surveillant est présent au parloir. Il doit pouvoir entendre la conversation et veiller au bon déroulement de l'entretien. Tout incident survenu à l'occasion d'un parloir doit être signalé à l'autorité qui a délivré le permis afin que celle-ci apprécie si l'autorisation accordée doit être supprimée ou suspendue. L'octroi éventuel de parloirs intimes est toujours à l'étude en France.

Pour visiter un prévenu : déposer une demande de permis de visite auprès du juge d'instruction (avec carte d'identité et 2 photos). *Pour un condamné :* délivré par le directeur de la prison, sauf cas d'hospitalisation ou d'internement (préfet de police).

Associations de réinsertion. ACEP 247, rue St-Honoré, Paris 8e. Alcooliques anonymes 31, rue de la Procession, Paris 15e. ARAPEJ 32, rue Olivier-Noyer, Paris 4e. Armée du Salut 76, rue de Rome, Paris 8e. Association FAIRE 91, rue d'Alésia, Paris 14e. AUXILIA (enseignement par correspondance) 102, rue d'Aguesseau, 92100 Boulogne. Centre nat. de Défense contre l'alcoolisme 20, rue St-Fiacre, Paris 2e. Courrier de Boyet, B.P. 117, 75763 Paris Cedex 16. Croix-Rouge française 1, place Henry-Dunant, Paris 8e. GENEPI 14, rue Ferrus, Paris 14e. ICRA (connaissance langue arabe) 21, rue Provence ou 9, rue Cadet, Paris 9e. Le Yerlan (foyer d'hébergement) 48, rue de la Santé, Paris 14e. MRS 4, rue Mondovi, Paris 1er. Secours catholique 106, rue du Bac, Paris 7e.

Organismes

O.V.D.P. La visite des détenus dans les prisons. 5, rue du Pré-aux-Clercs, Paris 7e. *Fondée* 1932. Reconnue d'utilité publique en 1951. *Membres :* 950.

Population pénale

☞ **Nombre de prisonniers pour 100 000 hab. en sept. 1988.** U.S.A. 291,7 [1], Canada 107,8 [2], Portugal 98,7 [3], G.-B. 97,4, Turquie 95,6, Lux. 86,5, All. Féd. 84,9, Portugal 83, *France 80,3,* Autriche 77, Esp. 75,8, Suisse 73,1, Finlande 73, Danemark 68, Malte 67, Belgique 65,4, Italie 60,4, Suède 56, Irlande 55, Norvège 48,4, Grèce 44, P.-Bas 40, Chypre 39,3, Islande 35,6.

Nota. – (1) 1985. (2) 1986. (3) 1987.

Population pénale totale

• **Population pénale** (au 1-1). **Métropole + DOM-TOM.** *1975 :* 75 176, *81 :* 112 813, *82 :* 77 393, *83 :* 91 329, *84 :* 104 344, *87 :* 135 248, *88 :* 149 047.

Population pénale en milieu fermé

• **Total** *(au 1-1). 1852 :* 51 300. *1870 :* 40 000. *1906 :* 21 000. *1914 :* 25 000. *1945 :* 60 051. *1946 :* 60 000 (46 % pour collaboration). *1973 :* 31 512. *1975 :* 27 032. *1981 :* 38 957. *1982 :* 30 340. *1985 :* 42 937. *1987 :* 47 694. *1988 :* 49 328. *1989 :* 44 981. *1990 :* 43 913. *1991 :* 47 160 dont 28 113 condamnés (1 951 femmes), 19 047 prévenus. -1-5 (avec DOM-TOM) 52 326 (dont 32 039 cond., 20 159 prévenus). *Détenus en isolement (au 1-6-88) :* 309 (dont 285 en métropole). *Détenus politiques (au 1-1-88) :* sur 54 000 détenus en métropole et outre-mer, 281 se « réclamaient d'idéaux politiques », 33 étaient isolés dont 16 dep. 87 (dont 9 dep. + d'1 an, 2 dep. juillet 86), l'un avait été isolé à sa demande, 4 sur décision de juges d'instruction, les autres par mesure d'ordre et de sécurité.

• **Personnes écrouées.** *1989 :* 78 043 (dont 51 530 étrangers). *1990 :* 78 444 (dont 53 801 étr.). **Sorties.** *1989 :* 79 138. *1990 :* 75 193.

• **Durée moyenne de détention.** *1980 :* 4,6 mois, *1985 :* 6,2, *1989 :* 7.

• **Lieux de détention** (1990). Maisons d'arrêt + centres de semi-liberté 36 750, centres de détention 7 695, maisons centrales 2 353, établissements spécialisés 377.

Nombre de détenus. Fresnes 3 750, les Baumettes 2 100, Lannemezan (inaugurée 1987) 200.

• **Détenus. Age. Au 1-1-1991.** Sur 47 160 détenus (dont femmes 1 951) : – *de 16 ans :* 25 (2), *16 à 18 :* 371 (10), *18 à 21 :* 4 743 (120), *21 à 25 :* 8 758 (327), *25 à 30 :* 11 185 (492), *30 à 40 :* 13 161 (612), *40 à 50 :* 6 462 (274), *50 à 60 :* 1 980 (81).

Évolution. Age. – *de 18 ans : 1986 :* 965, *87 :* 989, *88 :* 816, *89 :* 493, *90 :* 500, *91 :* 371. *60 ans et + : 86 :* 390, *87 :* 448, *88 :* 515, *89 :* 516, *90 :* 424, *91 :* 47.

Il y a dans les prisons 30 % d'étrangers (38 % en région parisienne) alors qu'ils ne représentent que 7,7 % de la population. Mais les immigrés se trouvent le plus souvent dans la tranche d'âge des actifs où la criminalité est la plus forte. Le chiffre obtenu pour les Français intègre des populations à l'âge de la retraite, où la criminalité est plus faible.

Femmes détenues (% par rapport au total des détenus). *1855-60 :* 20, *1912 :* 12, *58 :* 5, *85 :* 3,3, *90 :* 4,5, *91 :* 4,1.

Toxicomanes : sur un flux de 80 000 à 100 000 détenus par an. *1976 :* 930 ; *79 :* 2 639 ; *81 :* 3 835 ; *83 :* 7 005 ; *84 :* 8 900 ; *87 :* 9 320 dont 343 femmes ; *88 (%) :* 13 (Fleury-Mérogis 50).

• **Hospitalisation.** *1989 :* 2 508 détenus hospitalisés (78 771 journées). *Coût :* 721 F/jour à Fresnes, 2 500 F à l'extérieur.

• **Condamnés** (au 1-1-91). 28 113 dont 912 femmes. **Selon les infractions** (en % dont, entre parenthèses % commis par des femmes) : Crimes de sang 17,1 % (33,7 %). Coups et blessures volontaires, coups à enfant 5,7 (4,5). Viols, attentats aux mœurs 8,4 (2,4). Proxénétisme 1,6 (0,4). Homicide, blessures volontaires 1,7 (4,1). Vol qualifié 8,3 (2,1). Escroquerie, abus de confiance, recel, faux et usage 6,8 (7,7). Vol simple 23,3 (19,15). Infraction à la législation sur les stupéfiants 17,1 (33,7). Autres 15 (8,9). **Selon les peines.** En %, hommes, entre parenthèses femmes. Contrainte par corps : 0,5 (1,1), – de 3 mois : 17 (15,5), 3 à – de 6 mois : 35,9 (43,4), 6 mois à – 1 an : 47 (41), 1 à 3 ans : 25,9 (20,45), 3 à 5 ans : 11 (14,4), peines correctionnelles de 5 ans et + : 25,3 (34,4), réclusion criminelle 5 ans à – 10 ans : 32,7 (28,4), 10 ans à – 20 ans : 36,7 (32,6), à perpétuité 5,3 (4,5). **Le niveau d'instruction** (hommes, au 1-1-1991) : primaire 31 447, secondaire ou supérieur 10 118. Illettrés 5 595. **La situation professionnelle** (au 1-1-1985, en métropole, en %) : 45,6 sans profession, 33,8 ouvriers, 4,1 employés, 5,7 patrons, 3,3 personnel de service, 1,8 cadres moyens, 1,1 cadres supérieurs ou profession libérale, 1,5 agriculteurs et salariés agric. **L'activité professionnelle des parents** (hommes, au 1-1-1988) : 30 % des pères étaient ouvriers, 15 % employés, 10 % patrons. 53 % des mères étaient inactives, 31 % femmes de ménage, concierges, gardiennes.

Étrangers. *1975 :* 4 645, *80 :* 7 070, *83 :* 9 114, *86 :* 13 152, *87 (1-4) :* 13 834, *88 :* 13 191, *89 :* 12 642, *90 :* 12 937, *91 :* 14 259 [dont 13 740 hommes, 519 femmes (+ 214 Maghrébins)].

• **Mesures individuelles accordées** (au 1-1 de chaque année). **Libérations conditionnelles.** *Accordées par le garde des Sceaux : 80 :* 534, *81 :* 559, *82 :* 719, *83 :* 668, *84 :* 591, *85 :* 712, *87 :* 520, *88 :* 97, *89 :* 124, *90 :* 138, *91 :* 163 ; *par le juge de l'application des peines : 80 :* 5 327, *81 :* 4 124, *82 :* 3 876, *83 :* 4 044, *84 :* 4 243, *85 :* 5 206, *87 :* 8 357, *88 :* 2 159, *89 :* 1 377, *90 :* 1 120, *91 :* 1 472.

Réductions de peine. *1980 :* 50 132, *81 :* 50 038, *82 :* 43 626, *83 :* 46 900, *84 :* 52 145, *85 :* 56 056, *86 :* 54 823, *87 :* 65 317, *88 :* 65 510, *89 :* 64 598, *90 :* 60 952. **Suspensions de peine :** *80 :* 592, *81 :* 405, *82 :* 361, *83 :* 349, *84 :* 613. *85 :* 517, *86 :* 485, *87 :* 597, *88 :* 539, *89 :* 539, *90 :* 352. **Permissions de sortie :** *80 :* 39 576, *81 :* 29 802, *82 :* 26 653, *83 :* 32 139, *84 :* 35 530, *85 :* 41 789, *86 :* 20 961, *87 :* 41 570, *88 :* 25 130, *89 :* 29 066, *90 :* 29 371.

Population pénale en milieu ouvert

Condamnés (au 1-1). *1981 :* 73 448. *1983 :* 55 453. *1986 :* 79 130. *1987 (31-12) :* 98 173. *1988 :* 72 494. *1989 :* 72 491. *1990 :* 92 337 dont : *probationnaires* 62 182, *libérés conditionnels* 5 618. *Travail d'intérêt général (T.I.G.) : 1989 :* 3 684, *90 :* 7 707.

Protection judiciaire de la jeunesse

Populations concernées. Jeunes délinquants. Contrôle judiciaire ; condamnation assortie du sursis avec mise à l'épreuve ; mesure éducative en application de l'ordonnance du 2-2-1945 relative à l'enfance délinquante ; mise sous protection judiciaire conformément à l'art. 16 *bis* de l'ordonnance précitée. « Si la prévention (au sens pénal) est établie à l'égard d'un mineur âgé de 16 ans, le Tribunal pour enfants et la Cour d'assises des mineurs pourront aussi prononcer, à titre principal et par décision motivée, la mise sous protection judiciaire pour au max. 5 ans. Les mesures de protection, d'assistance, de surveillance et d'éducation seront déterminées par un décret en Conseil d'État. Le juge des enfants pourra, à tout moment jusqu'à l'expiration du délai de mise sous protection judiciaire, prescrire une ou plusieurs mesures mentionnées. Il pourra en outre, dans les mêmes conditions, soit supprimer une ou plusieurs mesures auxquelles le mineur aura été soumis, soit mettre fin à la mise sous protection judiciaire. A sa majorité, l'intéressé continuera d'être placé s'il en fait la demande (loi du 11-7-1975) ». **Mineurs en danger** (au sens de l'article 375 du Code civil) : « Si la santé, la sécurité ou la moralité d'un mineur non émancipé sont en danger ou si les conditions de son éducation sont gravement compromises, des mesures d'assistance éducative peuvent être ordonnées par justice, à la requête des père et mère, conjointement ou de l'un d'eux, du gardien ou du tuteur, du mineur lui-même ou du ministère public. Le juge peut se saisir d'office à titre exceptionnel. » **Jeunes majeurs** 8 563 jugés en 1988, visés par le décret no 75-96 du 18-2-1975 : « jusqu'à 21 ans, toute personne majeure ou mineure émancipée éprouvant de graves difficultés d'insertion sociale peut demander au juge des enfants la prolongation ou l'organisation d'une action de protection judiciaire. Le juge des enfants peut alors prescrire, avec l'accord de l'intéressé, la poursuite ou la mise en œuvre, à son égard, d'une ou de plusieurs des mesures suivantes : observation par un service de consultation ou de milieu ouvert ; action éducative en milieu ouvert ; maintien ou admission dans un établissement spécialisé assurant des fonctions d'accueil, d'orientation, d'éducation ou de formation professionnelle. Il peut modifier les modalités d'application de la mesure. »

Jeunes jugés (en 1988). *En danger* 22 799, *délinquants* 179 596, *jeunes majeurs* 8 563.

Jeunes pris en charge par les établissements et services de la Protection judiciaire de la jeunesse. *En 1987 : Total* 206 035 dont *secteur public :* 67 228, *secteur associatif habilité :* 138 807. *En 1988 : Secteurs :*

public 34 091, *associatif* 89 734, *total* 123 825 dont 8 774 hébergés.

Durée de prises en charge. Secteur associatif (1987) et, entre parenthèses, public (1988). – *de 1 mois :* 3,2 (9,6), *1 à 5 :* 18 (21,4), *6 à 12 :* 33,7 (27,9), *1 à 2 ans :* 18,5 (25,5), *2 et + :* 26,6 (15,6).

Tranches d'âge (au 31-12-1987, en %). - *de 10 ans :* secteur public 13,2 (associatif 41), *10 à 13 :* 8,2 (17,1), *13 à 16 :* 24,7 (22,2), *16 à 18 :* 43,3 (16,5), *+ de 18 :* 10,6 (3,1).

Hébergement public (au 31-12-88) et, entre parenthèses, associatif au 31-12-87 (en %). Établissements de nuit 3,5 (14,8), de jour 3,2 (0,5), extérieurs financés par la structure 1,6 (6,2), externat 91,7 (78,5).

Services secteur public *(au 1-7-1989)* 424 établissements dont 129 services éducatifs auprès des tribunaux de grande instance pourvus d'un tribunal pour enfants (S.E.A.T.) ; 86 centres d'orientation et d'action éducative (C.O.A.E.) ; 54 institutions spéciales d'éducation surveillée (I.S.E.S.) ; 43 consultations d'orientation éducative (C.O.E.) ; 21 foyers d'action éducative (F.A.E.) ; 90 directions départementales de l'éducation surveillée ; 73 dir. départ. disposant d'hébergement en famille d'accueil ; 11 délégations régionales de l'éducation surveillée.

Secteur associatif. Prend en charge les jeunes après décision des juridictions de l'enfance (mineurs délinquants, mineurs en danger et jeunes majeurs), des jeunes confiés par les services de l'aide sociale et dans certains cas, par la Sécurité sociale, les tribunaux civils ou la famille. Associations : 430 gérant 900 établissements et services. Établissements : 642 ; 24 services d'observation en milieu ouvert (O.M.O.) ; 22 d'orientation et d'action éducative (O.A.É.) ; 150 d'action éducative en milieu ouvert (A.É.M.O.) ; 50 de placements familiaux (S.P.F.) ; 82 d'enquêtes sociales (E.S.) ; 10 de consultations spécialisées.

Effectifs de l'Éducation surveillée (1989). 5 199 agents publics dont 2 197 éducateurs et 315 professeurs techniques.

Incidents

Agressions graves commises par les détenus sur le personnel. *80 :* 35. *85 :* 73 ; *86 :* 118 ; *88 :* 98 ; *89 :* 90 ; *90 :* 95. Autoagressions diverses. *80 :* 1 588. *82 :* 2 157. *83 :* 3 148. *84 :* 3 662. *85 :* 3 548. *86 :* 2 677. *87 :* 3 552 ; *88 :* 1 729 ; *89 :* 1 645 ; *90 :* 1 723.

Évasions. *1976 :* 31. *80 :* 6. *81 :* 6 (sur 56 centres) dont 2 de Fleury-Mérogis le 27-2-81 par hélicoptère : Daniel Beaumont et Gérard Dupré, repris. *82 :* 11. *83 :* 21. *84 :* 18. *85 :* 26. *86 :* 27 dont 1 de la Santé le 26-5 : Michel Vaujour (condamné le 8-3-85 à 18 ans de réclusion criminelle) s'évade par hélicoptère (piloté par sa femme Nadine) [repris le 27-9-86]. *87 19-7* Philippe Truc de St-Roch (Nice) par hélicop. (repris 20-7). *90 1-3 :* 35. *5-11* 4 évadés en hélicoptère de Lannemezan (3 repris).

Fugues en milieu ouvert. Détenus et, entre parenthèses, incidents : *85 :* 39 (31). *86 :* 43 (32). *87 :* n.c. *88 :* 1 (1). *89 :* 2 (2). *90 :* 3 (2).

Incidents collectifs. *1974 :* 152, *78 :* 38, *80 :* 25, *81 :* 30, *82 :* 26, *83 :* 67, *84 :* 50, *85 :* 113, *86 :* 36, *87 :* 86, *88 :* 108, *89 :* 123, *90 :* 198.

Mutineries. **1971**-*8-2* 2 détenus à Aix-en-Pr. blessent 1 gardien et prennent 1 infirmière et 1 assistante sociale en otages, sont tués au moment où ils s'apprêtent à quitter la prison. *-21/22-9* Clairvaux, Claude Buffet et Roger Bontemps prennent en otages 1 infirmière, Nicole Comte, et 1 surveillant, Guy Girardot, que l'on retrouvera égorgés, seront exécutés le 28-11-1972. *-14-10* Les Baumettes, 1 détenu tente de s'évader après avoir pris 1 infirmière en otage, tué par surveillant. *-5/13-12* Toul. **1972**-*15-1* Charles-III de Nancy. **1973**-*8-5* Saint-Paul de Lyon. **1974** (19-7 au 5-8) : 6 personnes †, 11 prisons dévastées (dégâts 200 millions de F). Voir Quid 1982, p. 1653 b. **1978**-*28-1* 1 sous-directeur et 2 gardiens de Clairvaux pris en otages par 2 prisonniers qui sont tués par des tireurs d'élite. *-16/17-7 et -13-8* Les Baumettes. **1985**-*5/19-5* dans 40 prisons, dégâts importants à Fleury-Mérogis et Montpellier, coût 18 millions de F. **1987**-*12/13-11* St-Maur (Indre) 6 blessés, dégâts plusieurs dizaines de millions de F. *-4/5-12* Besançon. **1988**-*16/17-4* Ensisheim (Haut-Rhin) prise d'otages, incendie des bâtiments, 10 blessés, des millions de F de dégâts. **1990** *juillet* dans env. 20 établ. (dégâts à St-Paul de Lyon, Oermingen).

Récidives. 34 % des détenus (sur un temps d'observation de 4 ans) condamnés à des peines de prison importantes (3 ans et +) récidivent après leur libération et sont à nouveau condamnés à une peine de prison ferme pour crime ou délit.

Refus d'aliments (grève de la faim de 1 j à plusieurs semaines). *66 :* 352. *77 :* 1 209. *78 :* 1 233. *79 :* 1 218. *80 :* 1 054. *81 :* 1 320. *82 :* 1 703. *83 :* 1 615. *84 :* 1 713. *85 :* 1 682. *86 :* 1 409. *87 :* 3 552. *88 :* 1 243.

Suicides. *De 1962 à 72 :* 20 par an en moyenne. *72 :* 36. *73 :* 42. *74 :* 25. *75 :* 47. *76 :* 40. *77 :* 40. *78 :* 46. *79 :* 36. *80 :* 39. *81 :* 41. *82 :* 54. *83 :* 57. *84 :* 58. *85 :* 63. *86 :* 63. *87 :* 60. *88 :* 77. *89 :* 62. *90 :* 59. **Tentatives :** *82 :* 221. *83 :* 430. *84 :* 235. *85 :* 269. *86 :* 458. *87 :* 361. *88 :* 365. *89 :* 313. *90 :* 336 (pendaisons 199, automutilations graves 40, produits toxiques 59, autostrangulations 17, feu et divers 21).

Forces de police

☞ Selon le tribunal correctionnel de Nancy (18-9-87), traiter les policiers de « guignols », de « mannequins » ou de « flics » ne constitue pas un outrage à agents de la force publique.

Police nationale

Historique. **580** le « guet » est chargé de la surveillance nocturne. **1306** commissaires-enquêteurs créés par Philippe le Bel. **1791** les commissaires de police sont élus. **1796** création du ministère de la Police. **1800** loi du 28 pluviôse An VIII créant la préfecture de police et les commissaires de police dans les villes de + de 5 000 h. **1851** étatisation de la police de Lyon. **1908** de celle de Marseille. **1934** création de la Sûreté nationale. **1941** la loi du 23-4 prévoyant l'étatisation du pouvoir de police dans les communes de + de 10 000 h. crée la police d'État, constituant ainsi les polices urbaines. **1944** création des C.R.S. (Voir ci-contre). **1968** création de la Police nat. **1985**-*15-11* nouvel uniforme, conçu par P. Balmain, pour la Police nat. (corps urbains) : casquette plate et blouson remplacent képi et vareuse.

☞ Il y a en France (au 1-1-1988) 110 787 policiers et 90 566 gendarmes soit un policier pour 275 habitants (en Allemagne 1 pour 322 h., en Hollande 1 pour 385, en Belgique 1 pour 303, en Suède 1 pour 400, en G.-B. 1 pour 454, au Canada 1 pour 476).

Organisation

Direction générale. *Directeur gén. :* François Roussely (n. 9-1-1945) dep. 1989.

Directions d'administration centrale

2 directions : personnel et formation, logistique (moyens matériels-immeubles).

Directions et services actifs spécialisés

• 1) Inspection générale de la Police nationale (I.G.S., dite police des polices). **Mission.** Assume le contrôle et la discipline. Intégration en oct. 1986 de l'Inspect. gén. des services de la Préf. de Police de Paris en tant que sous-direction déconcentrée, et création de 2 délég. à vocations équivalentes sur le territoire national. **Effectifs :** 1 dir., 2 inspect. gén., 10 contrôleurs gén., 23 commissaires de tout grade, 64 inspecteurs et officiers de tout grade, 55 gradés, gardiens et fonct.

Faits dénoncés (dossiers réglés en 1987). 1 306. **Atteintes aux personnes** 339 dont blessures volontaires 10, violences, coups et blessures volontaires envers une personne appréhendée 214, personne non appréhendée 81, homicides involontaires 13, viols 2, attentats-outrages à la pudeur 6, proxénétisme 2, menaces 11 ; **aux biens** 211 dont vol et recel 157, faux et usage de faux 5, escroqueries 16, chèques sans provision 6, corruption, trafic d'influence 14, dégradation volontaire à véhicule auto 2, divers 11. **Fautes d'ordre professionnel** 643 dont incorrection et insulte 3, usage irrégulier de l'arme administr. 28, abus d'autorité 73, arrestation et détention arbitraire 14, armes personnelles, détention, usage irrégulier 25, ivresse ou fait de boisson en service 12. **Incidents de vie privée** 95 dont différends, violences avec conjoint 20 ; fréquentations scandaleuses 4 ; ivresse publique, alcoolisme hors service 7 ; dettes impayées 11. **Autres** 18 dont conduite en état d'ivresse 10, délit de fuite 2, défaut d'assurance auto 2. Sur 1 306 dossiers réglés en 1987 la justice est intervenue 58 fois. En 1987, 54 fonctionnaires de police ont quitté l'Administration (radiés, licenciés ou révoqués). Sur 30 720 personnels du SGAP de Paris, tous corps confondus 3,3 % ont été sanctionnés en 1987. Pour l'ensemble de la police nationale 2,6 % (sur 121 102).

• 2) Direction centrale des polices urbaines. **Créée** 13-3-1986.

Services extérieurs (subdivisions : département, district, circonscription) : 477 avec DOM-TOM sauf Paris intra-muros. **Missions.** *Police judiciaire :* recherche, interpellation et présentation à la Justice des auteurs de crimes et délits commis en zone urbaine ; exécution des délégations des juges d'instruction et des réquisitions des magistrats. *Administrative :* préventive et dissuasive, assure maintien de l'ordre et de la tranquillité publique : surveillance de la voie publique, îlotage, opérations « tranquillité vacances », etc. **Moyens** (au 1-1-1988) : 64 533 fonctionnaires en civil et en tenue contrôlent 27 800 000 hab. sauf Paris. 1 préfet directeur central, 8 contrôleurs généraux, 751 commissaires, 5 867 inspecteurs, 1 572 enquêteurs, 636 commandants et officiers de paix, 51 752 gradés et gardiens de la paix, 3 945 agents administratifs, 228 agents de surveillance, 635 policiers auxiliaires.

Activités. *Judiciaire* (1987) : crimes et délits constatés 1 747 221 (22,1 % élucidés), personnes placées en garde à vue 147 310. *Surveillance générale de la voie publique* 3 316 îlots surveillés par 4 135 îlotiers. 666 fonctionnaires (maîtres-chiens, moniteurs, dresseurs), 100 véhicules, 338 chiens formant 75 unités ont constaté 95 361 accidents ayant provoqué 2 398 † et 124 509 blessés. 1 557 fonct. de 160 brigades de surveillance nocturne ont appréhendé 35 932 personnes en flagrant délit et découvert 4 890 véhicules volés. 1 623 153 interventions de Police Secours ont été enregistrées exceptés accidents de la circulation. *Circulation routière :* 4 157 519 infractions, 272 139 véhicules ont subi un contrôle technique (59 901 infractions relevées). Les unités motocyclistes (1 468 fonctionnaires, 939 motos) ont parcouru 10 493 125 km.

Armes utilisées dans la police. Armes de poing : *pistolets 7,65 mm* (Unique, Heistal FN 10 et FN 22) ; *9 mm parabellum* (MAC 50, Walther P 38, CZ 75, Beretta) ; *11,43 mm* (COLT 45 mod. 1911). *Revolvers 9 mm,* 38 spécial, 357 magnum (Manurhin RMR 73) ; *38 sp. 357 mag.* (Smith and Weston) ; *38 sp. et 357 mag.* (Ruger, Manurhin, Spécial police). **Armes d'épaule :** *pistolets mitrailleurs* (MAT 49 et 49/54 9 mm) ; *fusils mitrailleurs* (arsenaux d'État, Tulle, Châtellerault, St-Étienne) (mod. 24/29 7,5 mm) ; *fusils lance-grenades* (MAS 36/51 7,5 mm, MAS 49/56 7,5 mm, HK 33 5,56 mm) ; *mousquetons* (MAS 92/16 8 mm, Ruger AMD 5,56 mm, MAS 92/16 transformé 22 LR) ; *carabines* (Steyr 7,62 mm, Herstal BAR cal. 7,62 mm, Unique cal. 22 L.R.)

• 3) Compagnies républicaines de sécurité (C.R.S.). **Historique. 1936** expérience en S.-et-O. des G.M.R. **1941** généralisation à l'ensemble de la Fr. **1944**-*8-12* dissolution des G.M.R. et création des C.R.S. placées sous les ordres des secrétariats généraux pour la Police, 70 Cies dans les 20 régions (personnels d'exécution recrutés localement). **1947** grèves et troubles insurrectionnels, le gouv. Schuman et son min. de l'Int., Jules Moch, font voter le 27-12 une loi réduisant le nombre de Cies à 60. **1948**-*26-3* décret, fait des C.R.S. les réserves gén. de la Police d'État. **1954** rébellion algérienne, 19 Cies créées en Algérie, dirigées par un groupement central installé à Alger. **1962** ces Cies rentrent en France et reçoivent une affectation métropol. **1963** effectifs 15 000, 10 groupements (Paris-Ile-de-France, Lille, Rennes, Bordeaux, Toulouse, Metz, Dijon, Lyon, Marseille, Tours), 60 Cies (actuellement 63) + Guadeloupe (dep. 1948) et Réunion (1949). **1977** (décr. 28-12) création du service central des C.R.S. **Moyens** (1988). 46 commissaires, 424 commandants et officiers, 13 644 gradés et gardiens.

État-major. Chaque Cie (230 h.) comprend : 1 section de commandement et des services (30 h.), 4 sections de service général (45 h. chacune, organisées en 4 brigades par section), 1 section motocycliste (1 à 3 pelotons). Des Cies ont 1 à 2 sections de montagne. Une Cie implantée à Vélizy, à la disposition du Service des voyages officiels, comprend 1 section moto, chargée des escortes officielles ; la musique de la Police nationale (130 musiciens) lui est rattachée.

Missions. Unités mobiles, participant au maintien de l'ordre, à la police générale et des autoroutes, surveillance des plages, sauvetage en montagne.

Activités (1987). *Police de la route :* autoroutes surveillées 1 375 km, accidents corporels constatés

3 177 (197 †, 4 822 blessés) ; *plages :* secourisme 93 545, réanimations 209, interventions baigneurs 2 361, opérations sauvetage 1 581, postes de secours 370, maîtres nageurs sauveteurs 743 ; *montagne :* interventions 400 (42 †, 268 blessés). *Renfort P.A.F. :* 6 Cies. *Service des voyages officiels :* 1 Cie en renfort. Préf. de Police de Paris (sec. gén.) 12,7 Cies.

• 4) Direction centrale de la police judiciaire (DCPJ). A 19 services régionaux. Exclusivement chargée, sous le contrôle de l'autorité judiciaire, de coordonner et d'assurer la lutte contre le crime organisé (grand banditisme, terrorisme, stupéfiants, objets d'art, fausse monnaie et haute délinquance financière).

OIPC-Interpol (Organisation internationale de police criminelle). *Créée* 1923 à Vienne, contrôlée par les Nazis de 1938 à 1945. *Pays membres :* 150. *Pt :* Ivan Barbot (n. 5-1-1937), élu 23-11-88 pour 4 ans, *siège :* Lyon. Bureau central national France de l'OIPC Interpol. *Mission :* sous le contrôle de l'autorité judiciaire met en application l'article 14 du CPP. *Effectifs au 1-1-88 :* 1 directeur central, 3 contrôleurs généraux, 219 commissaires, 2 010 inspecteurs, 412 enquêteurs, 12 gradés et gardiens, effectifs PJ de la Préf. de Police de Paris et 371 fonct.

• 5) Direction centrale des renseignements généraux (DCRG). **Organisation :** 4 sous-directions (information politique sociale et écon. générale, étrangers, affaires administratives, courses et jeux), 23 directions régionales, 103 services départementaux. *Missions :* renseigne autorités gouv. sur éléments qui concourent au maintien de l'ordre ; établit des notes d'information (sondages d'opinion, prév., réactions, commentaires). **Effectifs** *au 1-1-88 :* 1 directeur, 2 contrôleurs gén., 220 commissaires de tout grade, 1 733 inspecteurs de tout grade, 359 enquêteurs, 19 gradés et gardiens, les fonct. de la DRG, de la Préf. de Police de Paris, et 805 fonct. **Directeur :** Jean-Jacques Marchal, préfet dep. 6-6-90.

• 6) Direction de la surveillance du territoire (DST). Recherche et poursuite des manœuvres d'espionnage et d'ingérence étrangère dirigées de l'extérieur contre la France. Surveille 30 000 personnes couvertes par l'immunité diplomatique [5 700 diplomates, 4 000 assimilés (organisations internationales et délégations étrangères), 1 680 agents consulaires, 17 820 employés administratifs et techniques] ; personnel diplomatique (ambassades et missions) des pays de l'Est : U.R.S.S. 600, autres pays 600 (sans familles). **Effectifs :** 1 préfet directeur, 4 contrôleurs généraux, 113 commissaires, 827 inspecteurs, 210 enquêteurs, 24 gradés et gardiens et 329 fonct. **Directeur :** Jacques Fournet (n. 7-2-1948), préfet dep. 1990.

• 7) Service central de la police de l'air et des frontières (PAF). **Missions :** enquêtes judiciaires et administratives : contrôle de la circulation des personnes venant de l'étranger ou y allant, mise en œuvre de la politique gouvernementale d'immigration, surveillance de l'activité aérienne civile, enquêtes sur accidents d'avion et de chemins de fer. 156 postes fixes et 33 brigades mobiles pour 3 035 km de côtes, 2 875 km de frontières terrestres, 24 ports principaux et 686 aérodromes dont 115 ouverts au trafic international. **Effectifs** *au 1-1-88 :* 1 inspecteur gén., 1 contrôleur gén., 67 commissaires, 682 inspecteurs, 194 enquêteurs, 56 C[dts] et officiers de paix, 3 663 gradés et gardiens, Cies rép. de sécurité et appelés du contingent faisant leur serv. dans la police, et 311 fonct.

Nota. – 4 fichiers informatiques de ce service contiennent les noms de 237 000 Français recherchés pour des délits divers (dont 26 000 soumis à la contrainte par corps).

• 8) Service central des voyages officiels et de la sécurité des hautes personnalités. 330 fonctionnaires de tous grades au 1-1-88.

• 9) Service de coopération technique internationale de police (SCTIP). Formation professionnelle des policiers étrangers à la demande des États.

Services rattachés au cabinet du Directeur général

UCLAT, Unité de coordination de la lutte antiterroriste Jean Dikran Tchividjian (n. 1940) dep. 17-3-1990. **RAID,** Unité de recherche, d'assistance, d'intervention et de dissuasion de la Pol. nat. créée 1985, dir. Louis Bayen. **SSMI,** Service de sécurité du min. de l'Intérieur. **Service central automobile.**

Préfecture de Police de Paris

Intégrée au sein de la Police nat. dep. 1969, placée sous l'autorité d'un préfet sous le contrôle du ministre de l'Intérieur. **Missions.** Autorité sur tous les services de police dans le ressort de Paris, y exerce les pouvoirs de police municipale conférés en régime de droit commun aux maires (circulation, hygiène, sécurité) et de police gén. conférés aux préfets : préfet de la zone de défense de Paris (régions de Paris et centre). **Moyens** (au 1-1-88), *Paris intra-muros :* 19 447 fonct. (dont : 17 directeurs et contrôleurs généraux, 282 commissaires, 2 777 inspecteurs, 902 enquêteurs, 338 C[dts] et off. de paix, 15 496 gradés et gardiens) répartis sur 20 commissariats d'arrondissement, 54 c. spéciaux de gare, le parquet du Tribunal de Police, 6 divisions de police judiciaire, les brigades criminelles, des mineurs, des stupéfiants et du proxénétisme (B.S.P.), de répression du banditisme (B.R.B.), de recherche et d'intervention (B.R.I.), 1 unité cynophile de 55 personnes, 30 chiens (15 affectés aux patrouilles et au pistage, 9 spécialisés dans recherche d'explosifs, 6 de stupéfiants), les 10 cabinets de délégation judiciaire, les Renseignements généraux de la Préf. de Police, l'Inspection gén. des services (I.G.S.) et l'École nat. de Police de Paris.

☞ Bordeaux, Lille, Lyon, Marseille, Nice, Corse, Pyr.-Atlantiques : préfets délégués n'exerçant pas les pouvoirs étendus alloués au préfet de police de Paris.

Effectifs

• Total **(effectifs budgétaires 1990) :** *personnels actifs* 131 374 (*1968 :* 84 684, *73 :* 97 876, *75 :* 101 581, *82 :* 108 316, *83 :* 110 153, *85 :* 110 182) ; *agents administratifs :* 10 293, ouvriers 1 471.

• Personnel en civil. **Effectifs (au 1-4-1990).** Total : 116 651 dont *hauts fonctionnaires :* 77, *commissaires :* 2 048 (dont c. divisionnaires 385, c. principaux 770, c. de police 893). *Inspecteurs :* 15 520 (dont divisionnaires chefs 305, divisionnaires 2 940, principaux 4 084, de police 8 132). *Enquêteurs :* 3 944. *Commandants et officiers :* 1 704. **Recrutement sur concours :** enquêteurs (B.E.P.C.), inspecteurs (bac), commissaires (licenciés). **Rôle.** Commissaires, inspecteurs principaux et divisionnaires, inspecteurs titulaires depuis + de 2 ans sont *officiers de police judiciaire (OPJ).* Ils peuvent, par exemple, procéder à des auditions, perquisitions et saisies, garder à vue un citoyen 24 ou 48 h, ordonner le feu après sommations en cas d'émeute, etc. Les autres fonctionnaires sont tous *agents de police judiciaire (APJ).* Ils assistent les OPJ, leur rendent compte, constatent les infractions par procès-verbal. Les *inspecteurs* peuvent effectuer des enquêtes préliminaires et recueillir les déclarations par procès-verbal.

• Personnel en tenue. **Effectifs (au 1-1-1988, gradés et gardiens) :** brigadiers-chefs 4 060, brig. 9 655, gardiens 73 947. Tous sont affectés : dans les corps urbains de province (env. 47 000) ; à la préfecture de Police (env. 16 000) ; dans les compagnies républicaines de sécurité (C.R.S.).

Nota. – Des agents de formation ou d'instruction (ou spécialistes) sont détachés dans divers pays dans le cadre du *Service de coopér. technique intern. de police.* Du personnel (P.J.) est délégué à l'Organisation internationale de police criminelle, *Interpol.*

• Recrutement. **1971 :** 62 000 candidats, 20 000 stagiaires admis. **75 :** 26 223 c., 8 722 ad. **81 :** 31 061 c., 4 849 ad. **82 :** 43 711 c., 7 002 ad. **83 :** 78 978 c., 4 841 ad. **84 :** 88 575 dont : 565 c. commissaires (taux de sélection 1/92), 4 786 c. inspecteurs (1/23), 854 officiers de police (1/13), 55 000 gardiens (1/17), 27 370 personnel administratif (1/32).

Taux de sélection au concours de gardiens de la paix : **75 :** 1/3, **81 :** 1/6.

• Effectifs féminins **(1-1-1988).** 12 702 dont commissaires 118 (dont 28 élèves), chefs inspecteurs divisionnaires 3, inspecteurs div. 37, principaux 155, inspecteurs 640, élèves inspecteurs 185, enquêteurs, gardiens de la paix 3 119, personnel adm. 8 181.

Quotas réservés aux femmes (en %, 1986). Commissaires de police 30, inspecteurs 25, officiers de paix 10, gardiens de la paix 15.

• Effectifs des policiers par villes **(1-10-1985).** Paris 16 249, Marseille 3 224, Lyon 2 836, Bordeaux 1 489, Lille 1 353, Strasbourg 788.

• Service national dans la Police. Dep. oct. 1986, les appelés du contingent peuvent effectuer leurs obligations militaires dans la Police nationale comme gardiens de la paix auxiliaires. Ils reçoivent une formation spécifique à l'École nat. de Police de Fos-sur-Mer, puis sont affectés en Police urbaine dans les grandes villes, au Service central de la Police de l'air et des frontières, dans les Cies autoroutières de C.R.S. *1986 :* 600, *87 :* 1 700, *88 :* 2 569, *89 :* 3 650 présents dans 124 villes dont 1 400 à Paris, *90 :* 3 825.

• Principaux syndicats. **F.A.S.P.** (Féd. autonome des syndicats de pol.). Proche du P.S. *Secr. gén. :* Bernard Deleplace. **F.N.A.P.,** créée oct. 1990. **F.P.I.P.** (Féd. interprof. indépendante de la pol.). **S.N.C.H.F.P.** (Syndicat national des commissaires et des hauts fonctionnaires de la police nationale), adhère à la F.N.A.P. **S.C.O.** (Syndicat des C[dts] et officiers). *Pt :* Paul Florentz. **S.N.A.P.C.** (Syndicat nat. autonome des pol. en civil). *Secr. gén. :* Alain Brillet. **S.N.E.P.** (Syndicat nat. des enquêteurs de police). *Secr. gén. :* Claude Thomas. **U.S.C.P.** (Union des Syndicats catégoriels de pol.). *Secr. gén. :* Rémy Halbwax.

Résultats des élections (en %). Gardiens et gradés : F.A.S.P. *1978 :* 66,97 ; *82 :* 57 ; *85 :* 53. U.S.C.P. *78 :* 19,28 ; *82 :* 21,93 ; *85 :* 6,93. F.P.I.P. *78 :* 0,82 ; *82 :* 2,83 ; *85 :* 5,2. C.F.T.C. *78 :* 2,34 ; *82 :* 3,27 ; *85 :* 2,19. C.F.D.T. *78 :* 1,26 ; *82 :* 3,61 ; *85 :* 1,07. C.G.T. *78 :* 4,48 ; *82 :* 5,02 ; *85 :* 1,41. **Inspecteurs.** S.N.A.P.C. *78 :* 74,52 ; *82 :* 68,20 ; *85 :* 59. F.O. *78 :* 10,51 ; *82 :* 14,54 ; *85 :* 16 %. C.G.C. *82 :* 2,27 ; *85 :* 9,8. C.F.T.C. *78 :* 6,22 ; *82 :* 8,79 ; *85 :* 7,5. F.P.I.P. *85 :* 4,69. C.F.D.T. *78 :* 8,32 ; *82 :* 4,48 ; *85 :* 2,11. C.G.T. *82 :* 1,72 ; *85 :* 0,47. **Enquêteurs.** S.N.A.P.C. *80 :* 62,63 ; *84 :* 45,14. **Commandants et officiers.** S.C.O. *84 :* 49,64. **Personnels administratifs et techniques.** S.N.I.P.A.T. *84 :* 67,12 ; *85 :* 28,91. F.O. *78 :* 6,48 ; *82 :* 6,17.

• Policiers tués en service. *1986 :* 19.

• Policiers suspendus. *1989 :* 151 dont 130 gardiens de la paix, 13 insp. et 1 commissaire. *1990 :* 144 dont 117 gardiens, 19 insp., 1 commissaire, 1 officier de paix et 6 enquêteurs.

Budget

Police nationale (1991). Crédits de paiement (en millions de F) 24 483 (*85 :* 17 075), dont personnel 23 476,7 (*85 :* 15 756), équipement 1 006,3 (*85 :* 1 319). *Créations d'emplois : 1982 :* 5 617, *1983 :* 2 687, *1990 :* 1 325.

Contribution aux dépenses de fonctionnement de la police. Montant : Voir Quid 1983 p. 1625.

La loi du 2-3-1982 a supprimé, à compter du 1er-1-1982, la contribution communale aux dépenses de police dans les communes où a été instituée une police d'État (en 1982, 680 communes de + de 10 000 hab. sur 767 + nombreuses communes urbaines périphériques plus petites). Le régime de police d'État est de droit si le cons. mun. le demande, dans les communes dotées d'un corps de pol. mun. qui réunissent les conditions prévues (effectifs et qualifications professionnelles ou seuil dém.).

Police municipale

Statut. *En métropole* 36 394 communes dont *étatisées* 1 765 [dont, disposant d'une police municipale 591 (policiers municipaux 2 186)] ; *non étatisées* 25 disposant d'un corps de police municipale dirigée par des policiers d'État (62 policiers d'État y sont détachés). Comprenait au 8-10-1984 : 14 413 (avec D.O.M.-T.O.M.) personnes dont 5 217 gardiens de police (dont 558 g. principaux), 1 322 gradés (dont brigad.-chefs principaux 220, brigad.-chefs 244, brigadiers 858), 7 874 gardes champêtres à temps complet ou partiel (en 1977, 9 362 dont 7 881 dans les communes de moins de 2 000 h.). Au 1-1-1988, 708 communes dépendant de 345 des 477 circonscriptions de police urbaine employaient + de 5 000 agents. *Villes ayant les effectifs les plus importants :* Nice 193, Marseille 109, Cannes 91, Lyon 84.

Gardes champêtres. En 1984, 7 874 (temps complet ou partiel) exerçaient dans les communes de moins de 2 000 hab. Dans certains cas un agent d'entretien de la voie publique assure les fonctions de garde champ.

Groupes d'autodéfense. Les lois du 1-7-1901 et du 10-1-1936 les interdisent et prévoient des sanctions pénales. En 1969 à St-Priest (Rhône) et en 1972 à St-Georges-d'Orques (Hérault), des milices communales avaient été créées par arrêté municipal. Dans les 2 cas, l'arrêté a été annulé par l'autorité préfectorale et la milice dissoute.

Polices privées. Elles ne sont régies par aucun texte législatif ou réglementaire et n'ont pas juridiquement qualité pour se comporter comme un agent des pouvoirs publics. Un policier privé ne peut par ex. exiger la présentation de papiers d'identité, procéder à une fouille ou interroger un suspect. S'il est armé, il ne peut utiliser son arme qu'en cas de légitime défense, sous peine de s'exposer à des poursuites pénales pour coups et blessures ou homicide volontaire.

Gendarmerie nationale

Généralités

• **Historique.** *Maréchaussée* (dépendait des maréchaux de France) : **1536** police militaire, joue le rôle des prévôtés modernes. Chargée également de la protection des civils dans les zones des armées. **1720** étendue à tout le territoire (une maréchaussée par généralité). **1791** appelée *gendarmerie.*

• **Missions.** Force de police à statut militaire relevant du ministère de la Défense, instituée pour veiller à la sûreté publique (elle garantit la protection des personnes et des biens, renseigne, alerte et porte secours) et pour assurer le maintien de l'ordre et l'exécution des lois. Par ailleurs, elle participe à la défense militaire de la nation. Son action s'exerce sur l'ensemble du territoire national ainsi qu'aux armées, au profit de tous les départements ministériels et plus spécialement de ceux de la Défense de l'Intérieur et de la Justice.

• **Organisation** (1990). *Gendarmerie départementale : unités territoriales* (3 653 brigades, 153 pelotons de surveillance et d'intervention, en principe, 1 compagnie par arrondissement et 1 groupement par département) et *spécialisées :* pelotons motocyclistes, unités d'autoroute, unités de montagne et de haute montagne, unités d'hélicoptères, sections et brigades de recherches. *Gendarmerie mobile* articulée en escadrons. *Garde républicaine* (services d'honneur et de sécurité à Paris). *Groupement de sécurité et d'intervention de la Gend. nat.* [comprend le Groupe d'intervention, l'Escadron parachutiste d'intervention de la Gend. nat. et le Groupe de sécurité de la présidence de la République (GSPR)].

Toutes les unités de gendarmerie d'une zone de défense sont placées sous l'autorité d'un général commandant de région de gendarmerie.

• **Statistiques. Effectifs** (1990). 94 650 dont 2 688 officiers, 78 337 sous-officiers, 12 050 gendarmes auxiliaires, 605 pers. mil. de la spécialité « EAEM », 967 civils.

Gendarmes tués en service : *80 :* 25, *81 :* 22, *82 :* 18, *83 :* 17, *84 :* 25, *85 :* 25, *86 :* 23, *87 :* 17, *88 :* 19, *89 :* 23, *90 :* 10. **Blessés :** *80 :* 1 164, *81 :* 1 277, *82 :* 1 325, *83 :* 1 481, *84 :* 1 615, *85 :* 1 448, *86 :* 1 387, *87 :* 1 299, *88 :* 1 316, *89 :* 913, *90 :* 775.

Candidats à l'engagement. *Sous-officiers : 1980 :* 11 374, *81 :* 12 095, *82 :* 11 760, *83 :* 12 630, *84 :* 12 650, *85 :* 9 439, *86 :* 10 752, *89 :* 13 367, *90 :* 11 987. *Candidatures féminines* (dep. 1983) : *1983 :* 1 790, *84 :* 2 806, *85 :* 3 247, *86 :* 4 007, *89 :* 3 814, *90 :* 2 750. *Gend. auxiliaires : 80 :* 3 461, *81 :* 3 548, *82 :* 3 453, *89 :* 14 600, *90 :* 14 397.

Retraités de la gendarmerie (au 31-12-1990). 63 917 et 33 010 veuves de gend.

Casernes. 4 250 (offrant 64 657 logements).

Écoles

• **École des off. de la Gendarmerie nationale** à Melun dep. 1945. *Recrutement* à la sortie des grandes écoles militaires parmi sous-lieutenants et lieutenants de réserve, capitaines des 3 armées sur concours et sous-off. de gendarmerie. *Officiers de gendarmerie recrutés en 1990 :* 116 au total. Grandes éc. mil. : 16 (E.S.M. : 13, éc. de l'Air : 2, éc. navale : 1) ; officier de réserve sur titre : 2 ; capitaines des 3 armées : 21 ; éc. de form. des off. de gend. : 77 (off. de réserve : 10, s.-off. bacheliers : 33, s.-off. + 10 ans de service : 34).

• **Écoles de sous-off. de gendarmerie à Chaumont, Châtellerault, Maisons-Alfort, Montluçon, Le Mans et Berlin.** *Recrutement :* au long de l'année. *Engagements* à partir de 18 ans et avant 36 ans. 3 500 emplois pour un Bac ou niveau Bac. Dossiers à déposer à la brigade de gendarmerie du domicile. *Hiérarchie des sous-off. :* gendarme, maréchal des logis-chef, adjudant, adjudant-chef, major. Les sous-off. les plus brillants peuvent devenir off. *Limite d'âge des s.-off. de la gend. :* 55 ans.

• **Centres d'instruction de gendarmes auxiliaires** à Auxerre, Saint-Astier-Bergerac, Tulle. **Compagnies d'instruction** à Melun (2) et Fontainebleau (1).

Rôle

• **Police judiciaire.** Exercée, dans chaque ressort de trib. de grande instance, sous la direction du procureur de la République. Relève du min. de la Justice. Constate les atteintes à la loi pénale (crimes, délits et contraventions), rassemble les preuves, recherche les auteurs (flagrant délit et hors flagrant délit). Exécute les délégations des juges d'instruction (commissions rogatoires) et les réquisitions des magistrats. *Effectifs.* 18 000 officiers, gradés et gendarmes sont officiers de police judiciaire, ils exécutent des enquêtes de flagrant délit ou sur commission rogatoire. Les autres gendarmes sont **agents de police judiciaire** et effectuent des enquêtes préliminaires. **Organisation.** *Brigades de recherches* (222) et *sections de recherches* (30) se consacrent exclusivement à la police judiciaire. Dans chaque département équipe de techniciens en identification criminelle. *Service technique de recherches judiciaires et de documentation* et *institut de recherche criminelle* fonctionnent à l'échelon central (information, analyses et examens scientifiques). *Centre de perfectionnement de police judiciaire* forme et recycle les spécialistes. **Statistiques (1990).** 1 074 685 crimes et délits constatés.

• **Police administrative.** Maintien de l'ordre et de la tranquillité publique. Elle a un caractère essentiellement préventif. Relève du min. de l'Intérieur.

• **Police militaire.** Surveillance des installations militaires et des mil. isolés, police de la circulation mil., police judiciaire mil. (pour les infractions au Code de justice mil.). Missions de défense : participe à l'administration des réserves et à la préparation de la mobilisation des armées, concourt à la sécurité des moyens de la force nucléaire stratégique, participe aux opérations militaires en cas de mise en œuvre de la défense opérationnelle du territoire (notamment garde des points sensibles civils importants et intervention immédiate).

• **Police de la route.** Surveillance du trafic, police de la circulation et des transports, constatation des accidents corporels de la circulation, services d'ordre, escortes, éducation des enfants et des adolescents, information des usagers de la route. *Effectifs :* 56 036 militaires dont 6 358 gendarmes auxiliaires. *Gendarmerie départementale :* 93 pelotons motorisés (3 962 militaires dont 3 300 motocyclistes), 26 escadrons de gendarmerie d'autoroute (3 187 militaires dont 1 200 motocyclistes). *Gendarmerie mobile :* 14 brigades motorisées créées 1990 (210 militaires motocyclistes).

• **Concours aux administrations de l'État.** Pour l'application de la réglementation, l'exécution d'enquêtes, la recherche et la diffusion de renseignements divers. S'intègre dans les plans d'assistance et de secours (ex. plan ORSEC, voir Index), en liaison étroite avec le service national de la sécurité.

Gendarmerie de l'air. Créée à Alger le 15-9-1943. **Effectifs :** active 794 ; 344 gendarmes auxiliaires, en 5 groupements et 62 brigades.

Gendarmerie maritime. Créée 1791 comme g. des ports et arsenaux, remonte à une compagnie « d'archers de la Marine » dont l'existence est attestée depuis 1337. **Missions.** Police propre aux 100 000 personnes (civils et militaires) fréquentant arsenaux et établissements de la Marine nationale. **Spécialisations.** Brigades des grands ports, service d'ordre des arsenaux, brigades de recherches, brigades d'affaires mar., postes d'outre-mer, services saisonniers à bord des vedettes de sauvetage, opérations ponctuelles à bord d'unités de la Marine nationale, services semi-permanents en zones de pêche. **Effectifs (1990) :** active 917 ; 278 gendarmes auxiliaires.

Garde républicaine. Créée 1813 avec des vétérans des unités de gendarmes rapatriés d'Espagne, transformée 1816 en « Gendarmerie royale de Paris » (elle se rattache aux anciens « archers du guet » qui faisaient la police à Paris depuis 1254, mais elle a été séparée des « sergents de ville », c'est-à-dire des policiers, en 1830). **Missions :** services d'honneur ; sécurité des établissements publics (Élysée, Palais-Bourbon, etc.) ; escortes et service d'ordre ; missions de police de la route (motocyclistes), prestige (concerts, démonstrations). **Organisation :** commandée par un général : 1 rég. de cavalerie (3 escadrons à cheval) ; 2 rég. d'infanterie ; 1 escadron motocycliste ; des formations spéciales (musique, batterie-fanfare, fanfare de cavalerie, chœur de l'armée française). **Effectifs (1990) :** active 2 892 ; 193 gend. auxiliaires.

Gendarmerie des transports aériens. Créée 1946 pour la « surveillance des aérodromes ressortissant de la Direction générale de l'aviation civile ». **Effectifs (1990) :** active 637 ; 447 gend. auxiliaires.

Gendarmerie de l'armement. Créée 1973, 1 état-major et 3 Cies. **Effectifs (1990) :** active 278 ; 121 gend. auxiliaires.

Gendarmerie des forces françaises en Allemagne. Effectifs (1990) : active 350 ; 18 gend. auxiliaires.

Gendarmerie outre-mer. Effectifs (1990) : active 2 766 ; 240 gend. auxiliaires.

☞ L'art. 174 du décret du 20-5-1903, toujours en vigueur, fixe l'ouverture du feu par les gendarmes dans 3 circonstances : 1°) lorsque des violences ou des voies de fait sont exercées contre eux ; 2°) quand les lieux ou les personnes confiés à leur garde ne peuvent être défendus autrement que par l'usage des armes ; 3°) si la résistance opposée par autrui est telle qu'elle ne puisse être vaincue que par la force des armes.

Régions

Légende. En majuscules : *chef-lieu du département (préfecture).* Signalé par un astérisque : *chef-lieu d'arrondissement (sous-préfecture). Population.* Pop. municipale du recensement de 1990 sans les doubles comptes (on ne compte qu'une fois les personnes ayant des résidences dans plusieurs communes), entre parenthèses : pop. de l'agglomération (dans et hors du département ; pour les villes frontalières il s'agit de la partie française). La pop. active comprend : la pop. occupée (ayant un emploi) et les demandeurs d'emploi. *Taux de chômage :* rapport entre le nombre des demandeurs d'emploi et la population active. *Superficie donnée :* comprend toutes les surfaces du domaine public et privé, cadastrées ou non cadastrées, à l'exception des lacs, étangs et glaciers de + de 1 km², ainsi que des estuaires. *Agriculture. 1) Chiffres* provisoires. *2) Terres. Superficie des territoires non agricoles :* ne comprend pas les surfaces boisées, peupleraies, étangs et autres eaux intérieures. *Céréales, oléagineux et pommes de terre :* comprend les semences. *Légumes :* comprend les pommes de terre, légumes frais et secs. *Cultures fruitières :* y compris châtaignier, olivier et noyer. *Jardins :* comprend jardins familiaux des exploitants et des non-expl. *S.A.U. :* Surface agricole utile. *3) Production.* Il s'agit de la prod. récoltée. *Céréales :* ne comprend pas le riz. *Maïs :* uniquement maïs-grain.

Alsace

Généralités

• **Nom.** Celui des Alsaciens *(Alesaciones)* apparaît en 610 apr. J.-C. ; du nom de la rivière Ill, d'origine préceltique (signifiant peut-être « forêt »). Il semble que le nom du *pagus* où l'Ill prend sa source, l'Ajoie (germ. : *Elsgau*), ait donné son nom à la province ; le nom d'Altkirch serait en réalité Alskirch. **Sainte patronne.** Odile († 720).

• **Costume. Après 1871** en signe de résistance, les femmes portent de plus en plus le costume dit alsacien : coiffe avec grand nœud noir, jupe rouge bordée de velours noir et boléro de velours noir à paillettes sur la blouse blanche. Dans les campagnes et en semaine : jupe et blouse noires. VARIANTES : *protestantes :* nœuds noirs à pans plus longs par-derrière ; familles aisées : nœuds blancs. A Geispolsheim : nœud rouge ; à Bitschhoffen : écossais ; ailleurs : couleurs claires, imprimé de fleurs. Le grand nœud noir se portait aussi outre-Rhin (Bade) avec des variantes. Dans le Sundgau : bonnet avec paillettes et dentelles.

• **Climat.** Semi-continental : hivers assez froids (60 à 70 j de gelée par an), étés chauds et secs. Précipitations 600 à 700 mm par an. A l'abri des vents humides de l'ouest grâce aux Vosges ; ensoleillement plus important qu'en Lorraine.

• **Divisions.** La région a 200 km de long sur 30 à 40 km de large. *Vosges, versant oriental :* massif cristallin (ballons de Guebwiller 1 424 m, d'Alsace 1 247 m, Hohneck 1 361 m) ; vallées profondes (Doller, Thur, Fecht, Weiss, Liepvrette). *Collines « sous-vosgiennes » :* env. 500 m d'alt. ; vignoble renommé et cultures fruitières. *Vosges gréseuses :* tables massives au nord de la Bruche ; forêts. *Plaine :* terre de lœss (blé, betterave à sucre, plantes fourragères, vergers, houblonnières, tabac). *« Rieds » :* basses plaines humides derrière la levée alluviale du Rhin ; 30 000 ha entrecoupés de bosquets, étangs et rivières. Nombreuses forêts sur les sols les moins fertiles (Hardt, Haguenau). *Propriétaires :* communes 53,4 %, État 21,5 %, privés 25,1 %. La plus belle région de chasse de France avec la Sologne.

• **Langue.** Dialecte germanique, que les Allemands appellent *Elsaesserdeutsch* (all. d'Alsace) ; fait partie des parlers alémaniques. Sa pratique recule dans les villes et chez les jeunes ; l'all. tend à ne plus être que la 2e langue dans les collèges derrière l'anglais ; le tirage de l'édition bilingue des quotidiens baisse. En 1979, 75 % des + de 15 ans résidant en Alsace déclaraient parler ou savoir parler l'alsacien [(en 1962, 87 %) ; il ne s'agissait pas de langue usuelle ou de pratique courante]. En 1982, 81,7 % des ménages de + de 75 ans utilisaient l'alsacien comme langue principale à la maison (34,5 % des mén. de – de 25 a.). *Dialecte roman* dans la *vallée de Kaysersberg,* le *val de Lièpvre,* le *val de Villé* et la *haute vallée de la Bruche ;* origine : zones de montagne ayant échappé à la germanisation depuis le Ve s.

• **Principales dispositions administratives.** *1o Régime foncier :* terres et constructions immatriculées dans un livre foncier avec mention de tout ce qui les concerne (propriétaire, usufruit, hypothèque, etc.) et indications cadastrales. *2o Régime des tutelles :* l'époux survivant reste seul tuteur légal sous la surveillance du juge des tutelles ; en cas de décès des 2 époux, le juge des t. nomme un tuteur (généralement du côté paternel). Pas de subrogé tuteur ni d'obligation de vendre le patrimoine pour le convertir en placements de l'État. *3o Assurances sociales.* Remboursements plus élevés, régimes de retraites plus avantageux que dans le reste de la France. Depuis 1889, assurance obligatoire pour les accidents agricoles : reposent sur les salaires payés en agriculture par une cotisation additionnelle (taux 5 %) ; employés forestiers : reposent sur la valeur cadastrale forestière par commune, cotisation prélevée sur le produit annuel de la location chasse, complément perçu par un % sur le salaire (taux 11 %) ; pour les gardes-chasses : taux 6,6 % du salaire brut. *4o Maintien du bilinguisme. 5o Régime particulier des associations. 6o Loi de chasse locale. 7o Concordat religieux :* écoles primaires confessionnelles ; un crucifix figure toujours dans la cour d'assises ; le clergé des 3 principales religions est payé par l'État ; direction des cultes à Strasbourg ; lendemain de Noël et vendredi saint chômés. *8o Droit commercial :* plusieurs dispositions particulières. *9o Notaires :* assermentés et nommés par le ministre de l'Intérieur ; il leur est interdit de conserver dans leurs coffres liquidités et titres de leurs clients (ils doivent être versés dans un ét. bancaire). *10o Circulation à droite des trains* sauf sur la ligne de Paris au départ de Mulhouse ; près de l'ancienne frontière franco-allemande, un « saut-de-mouton » permet le passage des trains de gauche à droite pour leur entrée en Alsace. *11o « Indemnité de difficultés administratives »* pour les personnels civils de l'État [montant non modifié depuis le décret (17-9-1946)].

• **Histoire. Av. J.-C. XIIe s.** occupation celte. **Période gauloise :** Médiomatriques et Séquanes. **65** occupation par les Suèves d'Arioviste [une des tribus suèves, les Triboques (en réalité *Tri-broques,* « tribu du blaireau »), germano-celtique, s'installe dans la région de Brumath (*Broco-Magus,* « village du blaireau ») et y demeure après la fuite d'Arioviste]. **58** Arioviste chassé d'Alsace par César. **Après J.-C.** Domination romaine jusqu'au début du IVe s. Invasions des Alamans qui l'occupent malgré la victoire de Julien remportée devant Argentoratum (Strasbourg) en 357. **VIIe s.** rechristianisation. Duché sous les Mérovingiens. **843** attribuée à Lothaire Ier. **870** au roi de Germanie (tr. de Meersen). Intégrée au duché de Souabe.

XIIe et XIIIe s. grande prospérité, Haguenau, résidence du Grand Bailli impérial ; Strasbourg, cité importante de l'Empire ; commerce avec Suisse et Allemagne moyenne. **1262** bataille de Hausbergen. Strasbourg se libère de la tutelle de son évêque, qui va résider à Saverne. Mosaïque territoriale surtout en Basse-Alsace, morcelée entre le domaine des évêques de Strasbourg, une dizaine de princes (notamment le Cte de Hanau-Lichtenberg, bailli à Bouxwiller, et le Cte de Deux-Ponts, b. à Bischwiller), 6 villes libres et quelques dizaines de chevaliers, alors que la Hte-Alsace, qui sur le plan ecclésiastique relève de l'évêque de Bâle, comporte 3 grands fiefs : principauté abbatiale de Murbach, Sundgau habsbourgeois (bailli à Ensisheim), bailliage wurtembergeois de Horbourg-Riquewihr. **1268** le duc Conrad V partage son fief en 2 : au N., landgraviat (comté souverain) de Nordgau ou Basse-Alsace (aux év. de Str. après 1365) ; au S., comté de Sundgau (aux Habsbourg). **XIVe s.** grâce à la navigation du Rhin, exportation vers Lorraine, P.-Bas, Angleterre et la Hanse, de vins, draps, céréales, semences d'oignon. Morcellement politique du fait de l'effacement du pouvoir impérial et de l'enrichissement de la bourgeoisie urbaine. **1354** *Ligue des 10 villes marchandes* les plus importantes ou *Décapole,* placée sous la protection impériale [Mulhouse, Colmar, Munster, Turckheim, Kaysersberg, Sélestat, Obernai, Rosheim, Haguenau, Wissembourg (en 1511, Landau y entre pour remplacer Mulhouse, qui s'allie en 1515 à la Ligue suisse)]. **1439** Gutenberg invente l'imprimerie à Strasbourg.

XVIe s. 1530 foyer de l'humanisme et de la Réforme. Bucer rédige la Confession tétrapolitaine pour Strasbourg et 3 autres villes de l'Allemagne du Sud (Memmingen, Constance, Lindau) ; Calvin nommé pasteur de l'Église française de Strasbourg. **1549** après sa victoire sur la ligue de Smalkalde (dont Strasbourg faisait partie), Charles Quint impose le maintien dans la ville de 3 paroisses catholiques. Strasbourg est réputée pour la qualité de son artillerie (dépôt impérial). Son magistrat, Jacques Sturm († 1553), est un des mentors de la politique européenne. **1580** l'évêque Jean de Manderscheidt appelle les Jésuites en Alsace [collèges à Molsheim (devenu université 1617), Haguenau et Sélestat ; puis Rouffach et Ensisheim (dioc. de Bâle)]. **1630** champ de bataille de la g. de Trente Ans (notamment suédois) ; grosses destructions. **1634** le comté de Hanau, puis certaines des villes de la Décapole se mettent sous le protectorat fr. **1638-39** Louis XIII reconnaît son général mercenaire Bernard de Saxe-Weimar comme landgrave d'A. ; mais celui-ci meurt. **1639-43** tout le pays, sauf Strasbourg et Mulhouse, est occupé. Louis XIII revendique pour lui-même le titre de Landgrave. **1648** tr. de Westphalie transfère au roi de Fr. « les droits de l'empereur sur l'A. », c.-à-d., en possession directe, les terres habsbourgeoises (compren. la plus grande partie de la Hte-Alsace) et une autorité de tutelle (appelée préfecture) sur la *Décapole.* Repeuplement par une immigration importante, surtout suisse. De 1673 à 1681, Louis XIV assure sa suzeraineté sur le reste du pays, et en dernier lieu à Strasbourg. Mulhouse, alliée aux cantons suisses dep. 1515, reste indépendante. **1697** le *tr. de Ryswick* reconnaît la complète suzeraineté du roi de Fr. (les seigneuries locales dureront jusqu'à la Révolution). **XVIIIe s.** construction le long du Rhin d'un réseau de forteresses par Vauban. Exportation de bois de marine. Assèchement de marais et reconstruction du réseau routier. Politique religieuse favorisant le catholicisme. Prospérité : commerce de transit, industries (Mulhouse). Rayonnement de l'université de Strasbourg en Europe protestante (étudiants : Metternich, Cobenzl, Gœthe, nombreux Russes). Essor de l'orfèvrerie strasb. et des faïences de Hannong. **1793** *2-3* rattachement de la principauté de Salm-Salm à la France. **1798** *28-1* incorporation volontaire de la rép. de Mulhouse.

1815 nord, avec Landau, annexé à la Bavière rhénane. **1839-41** voies ferrées Mulhouse-Thann et Strasbourg-Bâle par Nicolas Koechlin. **1871** annexée sans plébiscite à l'Empire allemand avec la Lorraine thioise, mais sans la région de Belfort ; devient territoire d'Empire. **1872** 128 000 Alsaciens-Lorrains (8,5 % de la pop. dont env. 50 000 jeunes gens de 17 à 20 ans) optent pour la France ; 70 000 s'installeront en Algérie. [Sur 1 800 000 h. en Alsace-Lorraine, en 40 ans, 260 000 émigrés vers la France (rég. industrialisées), 330 000 vers l'Amérique, 400 000 immigrés allemands.] **1877-1914** élaboration, dans le cadre de l'Empire, de plusieurs lois particulières : chasse (1881), caisses de maladie obligatoires (1883), ass. accidents obl. (1884), ass. invalidité-vieillesse obl. (1889), loi municipale (1895), chambres de commerce (1897), code professionnel (1900), loi sur l'aide sociale et le domicile de secours (1908), code des ass. soc. (1911), réglementation du travail des mineurs et du repos dominical, organisation de la justice. Les lois antérieures à 1870 (abrogées en France entre 1870 et 1918) sont en vig. en A. comme faisant partie du droit local (ex. : législation concordataire et réglementation de l'école primaire par les lois Guizot et Falloux). **1911** l'Alsace-Lorraine reçoit une Constitution. Le Landtag (avec 2 chambres) s'installe à Strasbourg. **1914-18** dictature militaire. 250 000 Als. et Lorrains mobilisés dans l'armée all., généralement sur le front russe ; env. 30 000 †.

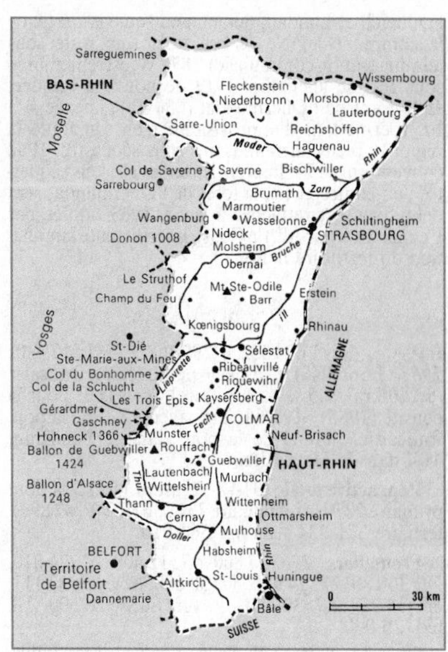

1918 *nov.* retour à la France. **1919** plusieurs milliers d'All., d'Als. et Lorrains jugés indésirables sont expulsés. **1926** réagissant à la politique d'assimilation et aux maladresses de l'administration française, une centaine d'Als.-Lorrains constituent le *Heimatbund* (Ligue de la patrie), réclamant l'autonomie dans le cadre fr. et le bilinguisme franco-all. **1927** perquisitions et arrestations dans les milieux autonomistes. Plusieurs journaux interdits. **1928** procès à Colmar de 22 autonomistes (quelques semaines plus tôt 2 avaient été élus aux législatives) : 4 condamnations ; agitation autonomiste.

1939 374 000 Alsaciens évacués dans le S.-O. et le Centre, notamment 80 000 Strasbourgeois en Dordogne (11 000 à Périgueux). **1940** *7-2* Karl Roos (un des chefs autonomistes) exécuté à Nancy pour espionnage ; *mai à juin* plusieurs autonomistes als.-lorr. internés St-Dié et à Arches. Après l'armistice, l'Als. est rattachée au pays de Bade et placée sous l'autorité d'un *gauleiter* (gouverneur). Les Als. sont considérés comme « Volksdeutsche », faisant partie de la nation all. (citoyens all. à part entière) ; *20-6* Robert Wagner *gauleiter* de la « province de Bade-Alsace » ; *21-6* il destitue le préfet du Ht-Rhin ; *1-7* l'Als.-Lor. passe officiellement sous administration all. (Joseph Burkel *gauleiter* de la « province Lorraine-Palatinat »). **1941** implantation du parti nazi, de la D.A.F. (Front all. du travail) et de la Hitlerjugend (Jeunesse hitlérienne). **1942** *20-1* les Als. peuvent obtenir le passeport all. ; Jeunesse hitlérienne obligatoire pour jeunes de 10 à 18 ans. *24-8* service militaire obligatoire pour les hommes nés de 1922 à 1924 et ayant accompli le service du travail. 130 000 Als. et Lorr. incorporés dans la Wehrmacht, les « malgré nous », appelés à rejoindre les fronts orientaux (40 000 tués) ; échec de la campagne en faveur de l'engagement volontaire dans l'armée. **1943-44** incorporation des classes nées de 1908 à 1927. **1944** *janvier* appel des Als. officiers de réserve de l'armée fr., exclus jusque-là du service armé. **1944-45** libération de Strasbourg (23-11), Mulhouse (19-11), Colmar (2-2), Wissembourg et Lauterbourg (18-3). **1945** 45 000 Als. internés dans les camps de Schirmeck et Struthof ; l'enseignement de l'all. est supprimé à l'école primaire. **1951** l'autonomiste Joseph Rossé, condamné pour collaboration, meurt en détention. **1953** procès de Bordeaux, l'Als. obtient que le cas des Als. et Mosellans soit disjoint de celui des militaires all. impliqués dans le massacre d'Oradour-sur-Glane.

☞ Depuis une dizaine d'années, le régionalisme a connu un regain (défense de la langue) : *Cercle Schickelé,* nouvelle génération d'écrivains et de chanteurs (R. Siffer). *Circulaire de juin 1982* sur la langue et la culture régionale dans l'éducation, financement du programme « langue et culture », par les collectivités territoriales, enseignement de l'allemand dans les classes de cours moyen 1 et 2, puis dès le CE2 ; mouvement *« Initiative alsacienne »* fondé par le député Zeller ; *mouv. écologique* important (atteintes au paysage dans les Vosges, multiplication des gravières, disparition progressive des rieds et des forêts rhénanes, pollution du Rhin).

Cas de Wissembourg. 1815 tr. de Paris : la Fr. cède à la Bavière 400 km² de terr. als. entre la Lauter, la Queich et Landau, notamment toute la partie de la commune au N. de la Lauter (qui reste sous administration communale). **1871** W. est remembrée sous régime allemand. **1919** de nouveau scindée. **1946** forêt de l'Obermundat (650 ha) annexée à la Fr. (permettant d'approvisionner en eau toute la région) ; biens allemands mis sous séquestre. **1962** convention : la Fr. libérera les terres all. sous séquestre ; en contrepartie, la forêt de l'Obermundat sera définitivement rattachée à la Fr. **1963** ratifiée par Fr. mais non par All. (la Const. interdit toute amputation du territoire national).

Économie

• **Population.** 1 624 382 h. (1990), *(1975 :* 1 517 330 ; *1982 :* 1 566 048). C'est la + petite région française (8 220 km², 1,5 % du territoire), mais la 3e pour la densité (1985) : 197,6 h./km² avec 2,8 % de la pop. française. 58,6 % de la pop. dans le Bas-Rhin, 41,4 dans le Haut-Rhin.

Pop. active totale (31-12-87, estim.) 625 374 dont primaire 22 910, secondaire 231 230 (B.T.P. 42 890), tertiaire 371 234 ; *salariée* 564 916.

Frontaliers : *1962 :* 7 800. *68 :* 12 400. *72 :* 24 010. *74 :* 30 180. *77 :* 24 960. *80 :* 30 680. *Nov. 83 :* 37 117. *86 :* 34 254. *88 :* 30 200. *89 :* vers Suisse 26 500, All. féd. 20 000.

Causes : salaires plus élevés, concentration industrielle autour de Karlsruhe (All. féd.) et autour de Bâle (Suisse), les régions voisines étant peu industrialisées.

• **Échanges** (en milliards de F, 1989). **Importations :** 77,3 dont (en %) biens d'équip. profess. 20,4, prod. chim. et 1/2 prod. divers 20,3, biens de consomm. courante 16,6, métaux et prod. du trav. des métaux 11,1, pièces détachées et matér. utilit. de transp. terr. 9,2, équip. autom. des ménages 7,5, ind. agro-alim. 6, énergie 3,8, électroménager, électron. grand public 2,2, prod. de l'agric., sylvicult. et pêche 2,1, mat. 1res minérales 0,2, divers 0,5. **Exportations :** 73 dont (en %) prod. chim. et 1/2 prod. div. 18,6, biens d'équip. profess. 18, équip. autom. des ménages 16,6, biens de consomm. courante 15,6, métaux et prod. du trav. des métaux 9,7, ind. agro-alim. 5,8, prod. de l'agric., sylvicult., pêche 5, pièces détachées et matér. utilit. de transp. terr. 4,7, électroménager, électron. grand public 2,7, énergie 2,4, mat. 1res minérales 0,1, divers 0,7.

• **Agriculture.** **Terres** (en milliers d'ha, 1-1-90, estim.). 833,2 dont *S.A.U.* 335,1 [t. arables 227,2 (dont blé 54,7, orge 17, maïs-grain 90,2, avoine 2,1, bett. ind. 4,4, tabac 1,7, houblon 0,4), herbe 91,8, vignes 14,3] ; *bois* 306,2 ; *t. agr. non cult.* 13,5 ; *autres t. non agr.* 167,5. **Prod. végétale** *récoltée* (milliers de t, 1989, prov.) blé 351,5, orge et escourgeon 82,3, maïs-grain 857,1, avoine 7,2, seigle 2,8, pommes de t. 37,9, bett. ind. 252,4, bett. fourr. 104,7, tabac 6, houblon 0,8, choux à choucroute 52,5, pommes de table 8,7, prunes 2,6. Vignes A.O.C. (1989) 1 277 560 hl. **Animale** (en milliers de tête, au 1-1-90, estim.) bovins 223,5, porcins 111,5, ovins 45,1. *Prod. de viande* (en t, 1985) gros bovins 25 315, porcins 15 188, volailles 6 234, lapins 3 699. *Œufs de poules* 279 232 000. *Lait* (1-1-90, estim.) 3 219 436 hl. **Exploitations :** *1955 :* 64 614, *1970 :* 35 306, *1980 :* 27 166, *1985 :* 23 000, *1986 :* 23 280. En moy. 14 ha. **Forêts** 305 910 (36,7 % du territoire). Boisement (1988) : 41 %.

• **Industrie.** **Salariés** (1987, prov., y compris tucistes) : 564 916 dont biens d'équip. 64 782, biens intermédiaires 49 421, biens de consomm. 40 925, B.T.P. 37 232, ind. agro-alim. 22 577, énergie 5 410, agriculture 4 777. **Potasse** (1987) : extraction nette (milliers de t) 10 716. Rendement fond : 27,75 t/homme. **Électricité** (1987, millions de kWh) : 20 206,7 (dont nucléaire 11 180,6). Consomm. régionale 9 453. **Coton** (1987, entre parenthèses % de la prod. fr.) : filature 16 000 t (8,1), tissage 16 800 t (12,3) ; 2 842 ouvriers. **Papiers, cartons** (1986, en milliers de t) : 345,3 (6,1 % de la prod. fr.). **Bière** (1987, milliers d'hl) : 10 750 (50,3 % de la prod. fr.).

• **Trafic du port de Strasbourg** (en t, 1986, trafic rhénan plus trafic canaux, plus trafic ferroviaire) : 12 140 279 t. *Passagers* (1987) : 65 248.

Départements

Voir légende p. 748.

• **Bas-Rhin** (67) 4 755 km² (110 × 10 à 90 km). *Alt.* max. : Champ-du-Feu 1 100 m, min. 110 m (sortie du Rhin dans le Palatinat). Partie nord de l'Alsace ; ancienne Basse-Alsace + vallée supérieure de la Bruche (cantons de Saales et de Schirmeck qui faisaient partie avant 1870 du département des Vosges) et Alsace bossue (cantons de Drulingen et de Sarre-Union, géographiquement rattachés au plateau lorrain). Dep. 1974, 6 sous-préfectures : Haguenau, Molsheim, Saverne, Sélestat-Erstein, Strasbourg-Campagne, Wissembourg. 953 053 h. (1990) [*1821 :* 521 400 ; *1841 :* 581 200 ; *1866 :* 610 000 ; *1871 :* 600 400 ; *1875 :* 598 200 ; *1910 :* 700 900 ; *1921 :* 652 000 ; *1936 :* 711 800 ; *1946 :* 673 300 ; *1962 :* 770 200 ; *1975 :* 882 121 ; *1980 :* 910 500 ; *1982 :* 915 676]. D. 200,4 (1990). *Pop. dans communes urbaines* (1990) : 683 277. *Pop. active* (fin 1985) : 366 000 dont agric. 14 000, ind. 103 000, B.T.P. 25 000, tertiaire 223 000.

Villes. STRASBOURG-VILLE *1684 :* 22 000 ; *1789 :* 49 943 ; *1851 :* 75 565 ; *1871 :* 85 654 ; *1900 :* 151 041 (dont 3 470 de l. française, 1 128 bilingues) ; *1910 :* 178 891 ; *1921 :* 166 767 ; *1936 :* 193 119 ; *1946 :* 175 515 ; *1954 :* 200 921 ; *1962 :* 233 549 ; *1975 :* 253 384 ; *1982 :* 248 712 ; *1990 :* 252 338 [ag. 388 483 dont *Bischheim* 16 308 ; meubles, confiserie, jouets, manufacture de cigares. *Eckbolsheim* 5 253. *Hoenheim* 10 566. *Illkirch-Graffenstaden* 22 307. *Lingolsheim* 16 480. *Ostwald* 10 197. *Reichstett* 4 640. *Schiltigheim* 29 155 ; brass. *Souffelweyersheim* 5 591 ; alt. max. 148,7 m, min. 136,7 m. Const. méc., élect., siège de l'Ass. parlementaire du Conseil de l'Europe (des 23) ; lieu de réunion du Parlement européen (des 12) ; 1er port exp. de Fr., 8e port de Fr., port autonome : 4e port rhénan [visite, longueur 10 km, 1 093 ha, rives 37 km, fréquenté par flotte internationale, 24 300 bateaux (1982), trafic (1983) : 10,9 millions de t] ; aérodrome de Strasbourg-Entzheim ; cathédrale (XIe-XVe s., grès rose, terminée en 1439, flèche de 142 m), musées alsacien, de l'Œuvre Notre-Dame, du château des Rohan (1730-42, R. de Cotte), historique ; chambre de commerce (1582-85), hôtel de ville (1730-36), parc de l'Orangerie 25,25 ha. – *Barr* 4 839 h. (ag. 6 343). *Benfeld* 4 330 h. (ag. 6 329). *Bischwiller* 10 969 h. (ag. 13 899) ; text., métall., confect. *Brumath* 8 182 h. *Drusenheim* 4 363 h. *Erstein* 8 600 h. ; sucreries, text. *Eschau* 3 828 h. [ag. 9 553, dont *Fegersheim* 3 953]. *Geispolsheim* 5 546 h. *Haguenau** 27 675 h. [ag. 33 724, dont *Schweighouse-sur-Moder* 4 354] ; constr. méc. et élec., papiers, forêt de 13 900 ha (une des communes de Fr. les plus étendues, 18 265 ha), incendiée 2 fois en 1677 ; égl. XIIe-XIIIe s., musées historique et d'Art populaire alsacien. *Ingwiller* 3 753 h. (ag. 4 259). *La Broque* 2 628 h. (ag. 11 858). *Le Hohwald* 360 h. ; station climatique à 580 m. *Marckolsheim* 3 306 h. ; mémorial de la ligne Maginot. *Marmoutier* 2 235 h. ; abb. bénédictine, + ancien couvent d'Alsace. *Molsheim** 7 973 h. (ag. 10 101) ; constr. méc. *Mutzig* 4 552 h. (ag. 7 008). *Natzwiller* 634 h. ; camp de Struthof. *Niederbronn-les-Bains* 4 372 h. [ag. 12 841, dont *Reichshoffen* 5 092] ; mat. fer., app. de chauf., mat. de génie civil. *Obernai* 9 610 h. (ag. 10 666). *Pfaffenhoffen* 2 285 h. (ag. 4 912) ; musée de l'imagerie als. *Sarre-Union* 3 159 h. (ag. 4 146). *Saverne** 10 278 h. (ag. 14 969) ; constr. méc., horlogerie ; châteaux des Rohan, de Haut-Barr, m. Claude Chappe. *Sélestat** 15 538 h. ; métall., text., maroquinerie, brosserie (Le Celluloïd), bibliothèque humaniste, égl. XIIe-XIVe s., collège des Jésuites. *Soufflenheim* 4 369 h. ; poteries. *Vendenheim* 5 193 h. *Wasselonne* 4 916 h. *Wissembourg** 7 443 h. ; méc. et chim. ; ensemble architectural.

Régions naturelles. *Plaine du Rhin* 1 472 km² (houblon, betterave sucrière, asperges, tabac, choux à choucroute, petits fruits, cultures maraîchères, élevage, forêt, maïs, céréales). *Région sous-vosgienne* 1 113 km². *Montagne vosgienne* 1 169 km². *Ried* 596 km². *Plateau lorrain* 40 km².

Divers. Agriculture. 1er prod. de houblon et de choux à choucroute de Fr. **Géographie.** *Lauterbourg :* com. la plus orientale de Fr. **Industrie.** *Reichstett :* raffineries de pétrole. **Tourisme.** *La Petite Pierre :* parc naturel régional des Vosges du Nord. *Haut-Kœnigsbourg* (alt. 755 m) : château fort, restauré en 1907, cité en 774, forteresse de 1147 à 1250. *Mont Ste-Odile* (alt. 762 m) : anc. monastère.

• **Haut-Rhin** (68) 3 525 km² (100 × 50 km). *Alt.* max. 1 424 m (ballon de Guebwiller), min. 195 m (sortie du Rhin). *1851 :* 436 744 ; *1901 :* 495 209 ; *1911 :* 517 865 ; *1921 :* 468 943 ; *1936 :* 507 551 ; *1946 :* 471 705 ; *1982 :* 650 372 ; *1990 :* 671 319]. D. 190,4 (1990). *Pop. dans communes urbaines* (1990) : 497 590. En 1870, 2 sous-préfectures : Altkirch, Belfort. *Pop. active* (fin 1987) : 250 905 dont primaire 10 127, industrie 85 793, B.T.P. 15 914, tertiaire 139 071.

Villes. COLMAR alt. 197 m. 63 498 h. [ag. 83 816, dont *Horbourg-Wihr* 4 518 ; fouilles romaines, cimetière mérovingien. *Ingersheim* 4 063. *Wintzenheim* 6 554] ; ind. text., alim., constr. méc. ; musées Bartholdi, Unterlinden (peintures gothiques, retable d'Issenheim de Mathias Grünewald 1511-16). – *Altkirch** 5 090 h. (ag. 7 376) ; textiles. *Bollwiller* 3 194 h. (ag. 4 029). *Eguisheim* 1 530 h. ; vestiges préhistoriques, vignoble. *Ensisheim* 6 164 h. (ag. 7 621). *Guebwiller** 16 806 h. [ag. 26 020, dont *Soultz-Ht-Rhin* 5 867 h. ; filatures, constr. méc.] ; égl. XIe s., vignoble. *Kaysersberg* 2 755 h. (ag. 6 488). *Landser* 1 941 h. (ag. 4 000). *Mulhouse**, alt. 233 à 338 m, sup. 2 236 ha, 108 357 h. [*1699 :* 3 302 ; *1798 :* 6 018 ; *1844 :* 20 547 ; *1871 :* 52 892 ; *1910 :* 95 041 ; *1975 :* 117 013 ; *1982 :* 112 157] [ag. 223 856, dont *Brunstatt* 5 160. *Illzach* 15 485 ; thermes romains. *Kingersheim* 11 258. *Lutterbach* 5 325. *Pfastatt* 8 061. *Riedisheim* 11 868. *Rixheim* 11 669. *Sausheim* 4 748. *Wittelsheim* 10 452. *Wittenheim* 14 324] ; potasse, coton, ind. chim., polygraphique, méc., électro-méc. et auto. ; artisanat ; musées du Chemin de fer, de l'Automobile, historique, des Beaux-Arts, de l'Impression sur étoffes, du Sapeur-pompier, du Papier peint. *Munster* 4 657 h. (ag. 11 123) ; textile ; musée de la Schlitte. *Neuf-Brisach* 2 092 h. [ag. 4 787] ; zone ind. *Ottmarsheim* 1 897 h. *Ribeauvillé** 4 774 h. ; vins ; château St-Ulrich (XIIe et XIIIe s.). *Riquewihr* 1 076 h. ; vins ; musées postal, archéologique. *Rouffach* 4 303 h. ; vins ; fresques romaines, égl. XIIIe s., Commanderie des Chevaliers Teutoniques. *St-Amarin* 2 400 h. (ag. 9 888). *St-Louis* 19 547 h. [ag. *Bâle (CH)-St-Louis (p. fr.)* 33 509, dont *Huningue* 6 252 ; zone ind. avec *Ottmarsheim*]. *Ste-Marie-aux-Mines* 5 767 h. ; mines d'argent du XIVe s. *Thann*-Cernay* [ag. 28 885 dont *Cernay* 10 313 ; ind. méc., text., chim., monument du Vieil-Armand, l'Ochsenfeld (champ de bataille), où César battit Arioviste. *Thann* 7 751 ; collégiale St-Thiébaut (pèlerinage)].

Régions naturelles. *Montagne vosgienne* 888 km² (Grand Ballon 1 424 m) : forêts, élevage, fabrication du fromage de munster. *Région sous-vosgienne* 456 km² : vignes, fruits. *Plaine du Rhin* 673 km² : céréales, maïs, légumes de plein champ, *forêt de la Hardt. Ried* 45 km² ; tabac, choux à choucroute, prairies. *Sundgau* 833 km² : polyculture, arboriculture, bovins, tabac. *Jura alsacien* 167 km². *Hardt* 409 km². *Ochsenfeld* 55 km².

Divers. *Plus ancienne usine chimique* d'Europe (produits chimiques de Thann et Mulhouse), env. 160 ans d'existence. La *plus forte cage de laminage d'aluminium* du monde (Rhenalu, près de Neuf-Brisach). Le *seul bassin potassique* de France (épuisé dans env. 30 ans). Le *grand canal d'Alsace* est presque aussi large que le canal de Suez (180 m), accessible aux automoteurs rhénans de 1 350 t et aux convois poussés de 4 000 t. *Nécropoles militaires :* Sigolsheim, Wettstein-Linge, site du Vieil-Armand ou Hartmannswillerkopf. Cimetières militaires allemands, américains, roumains. **Tourisme.** La Petite Camargue (réserve naturelle de 104 ha), lacs vosgiens. *Site néolithique* d'Oberlag (– 100 000 a.) : fouilles de 1876, reprises 1970. *Route du vin :* 120 km de Thann (Ht-Rh.) à Clerbourg (B.-Rh.).

Aquitaine

Généralités

• **Nom.** Du latin *Aquitania,* dérivé de 2 racines préceltiques (liturgiques ou ibériques), signifiant « proche de la mer », et désignant le quart sud-ouest de la Gaule. A partir du XIIIe s., le nom de *Guyenne,* mot de langue d'oïl dérivé de Aquitania, devient d'usage courant pour désigner le duché, bien moins étendu que l'ancienne province.

• **Situation.** Grande région naturelle s'étendant sur le bassin sédimentaire compris entre le Massif armoricain et le Massif central au N. et à l'E., et les Pyrénées au S. 80 000 km² (1/7 de la France environ). Région actuelle : 41 408 km² (soit 8 % de la superficie fr.). Le *seuil du Poitou* la relie au Bassin parisien et le *seuil de Naurouze,* au S.-E., au Languedoc méditerranéen. Bassin presque entièrement drainé par la Garonne et ses affluents ; rivières pyrénéennes, de régime nivo-pluvial, aux débits relativement faibles, et 3 grandes rivières issues du Massif central, aux débits très élevés. **Divisions.** *Terrains secondaires* très relevés au S., adossés au Massif central au N.-E. (plateaux calcaires, causses du Quercy) ; *jurassiques et crétacés* au N. (Charentes, Poitou). *Terrains tertiaires* très étendus (souvent collines). **Climat.** Humide, surtout sur la zone littorale et sur les bordures, aux hivers frais (longues gelées parfois) ; inégalité des pluies (printemps et hiver) selon les années.

Guyenne

• **Histoire.** **Du VIe s. à 56 av. J.-C.** les Aquitains, appelés parfois les Proto-Basques, de race et de langue ibériques, occupent la rive gauche de la Garonne, jusqu'à l'Espagne. **56** le lieutenant de César, Crassus, fait un raid sur leur territoire, sans le conquérir. **52** les Aquitains ne participent pas à la révolte gauloise. **38** soumis par Agrippa. **27** forment une des 3 provinces de la *Gallia Nova* (des Pyrénées et de l'Atlantique à la Loire). Au Bas-Empire, devenue Provincia Aquitania, est incorporée au diocèse de Vienne, et partagée en 3 : *Novempopulanie* (cap. Eauze), *Aquitaine Seconde* (Bordeaux), *Aquitaine Première* (Bourges). **Fin IIIe s.** les Romains évacuent les Pyrénées. **IVe s.** ils établissent un *limes* sur l'Adour et les Gaves (forteresse principale : Bayonne ou *Lapurdum*). **Début Ve s.** possession des Wisigoths, rattachée au royaume wisigothique d'Esp. **507** intégrée au « Regnum Francorum » après la victoire de Clovis à *Vouillé.* Pratiquement indépendante pendant la décadence mérovingienne, elle est dominée par une série de ducs « nationaux » vascons, venus du sud des Pyr. ; elle s'appelle alors Vasconia (Gascogne). **Au VIIIe s.** le duc Waifre ou Gaifier tente d'assurer son autonomie. **760-68** campagnes de Pépin le Bref assurant son autorité (organisation de l'Aquitaine franque par le capitulaire de Saintes). **778** Charlemagne crée un royaume d'Aq. au profit de son fils Louis (futur Louis le Pieux). Pépin II, Charles l'Enfant, Louis le Bègue lui succèdent. **877** après l'avènement de L. le Bègue au trône franc, constitution d'un « Ducatus Aquitaniae » comprenant Berry, Poitou, Auvergne, Toulousain, mais contrôlant mal le pays gascon. **IXe et Xe s.** appartient successivement aux *comtes de Poitiers* (Rannoux II), à la *maison d'Auvergne* (Guillaume le Pieux), à celle de *Toulouse* (Raimond III Pons), de nouveau aux *Poitevins* (Guillaume Tête d'Étoupes, Guillaume Fierebrace reconnu par les Capétiens après 987). *Guillaume IX de Poitiers,* troubadour, protecteur des arts et des lettres, règne 41 ans. **1137** mort de Guillaume X ; sa fille *Éléonore* ép. *Louis VII,* roi de Fr. (dont le domaine est ainsi quadruplé). **1152** Louis VII la répudie, Éléonore se remarie avec *Henri II Plantagenêt,* héritier des territoires anglo-normands et angevins (auquel elle apporte tous ses territoires). Henri II réorganise ses acquisitions aquitaines sur le modèle normand : sénéchaux superposés aux prévôts (6 sénéchaussées). Philippe Auguste conquiert des fragments de l'héritage d'Éléonore ; il est reconquis progressivement au XIIe et XIIIe s. par les rois de Fr. **1259** le *duché de Guyenne* (déformation du mot Aquitaine) est érigé au profit du roi d'Angl., vassal du roi de Fr. : il comprend Gascogne (au sud), Bordelais, Bazadais, Limousin, Périgord, la moitié du Quercy et la suzeraineté sur l'Agenois (paix de Paris). **XIVe et XVe s.** Guyenne et Gasgogne sont âprement disputées. **1453** reconquis par Charles VII. **1469** duché de Guyenne amputé du Limousin et donné en apanage par Louis XI à son frère Charles. **1472** revient définitivement à la Couronne à la mort de Charles. **A la fin de l'Ancien Régime,** Guyenne et Gascogne sont réparties entre les généralités de Bordeaux, Auch et Montauban. *Divisées par la Révolution* en 6 départements (Gironde, Gers, Lot-et-Garonne, Dordogne, Lot, Aveyron), plus quelques éléments des départements des Landes et du Tarn-et-Garonne.

Agenais ou Agenois

• **Situation.** Rive droite de la Garonne couvrant une partie des départements du Lot-et-Garonne et du Tarn-et-Garonne.

• **Histoire.** Peuplé dès le paléolithique ; occupé par des Ligures jusqu'au VIe s. av. J.-C., par des Ibères au Ve s., puis par les Celtes Nitiobriges qui fondent l'oppidum d'Aginnum. Intégré à l'Aquitaine Seconde à l'époque romaine. Réuni aux duchés de Gascogne (Xe s. à 1052) puis d'Aquitaine (1052-1196). **1196** donné en dot à Jeanne d'Angl. qui épouse Raymond VI de Toulouse. **1259** donné à Alphonse de Poitiers par la paix de Paris sous la suzeraineté du duc (anglais) de Guyenne. **1271 :** réuni à la Couronne avec le domaine d'Alphonse de Poitiers. **1271-1444** disputé entre l'Angl. suzeraine et la France (restitué de 1279 à 1303, de 1360 à 1444 à l'Angl.). **XVIe s.** rattaché au gouv. et à la généralité de Guyenne. Comprend dans ses fiefs la baronnie de Lauzun, érigée en duché en 1692 pour l'époux de la Grande Mademoiselle.

• **Ressources.** Agriculture : Vignes, arbres fruitiers, pruneaux introduits au XVIe s.

Béarn

• **Situation.** Entre Chalosse, Pyrénées et P. basque.

• **Histoire.** Nom d'origine ibérique : *Beneharnum* qui contient la racine basque *harri,* pierre. Il désigne le bourg de Lescar, et apparaît au Ve s. comme nom de cité aquitano-romaine (démembrement de la cité des Tarbelli, qui fait partie de la Novempopulanie). Après les invasions wisigothiques, vasconnes et peut-être musulmanes, constitution d'une vicomté au IXe s., qui s'étend par des conquêtes. **1256** un arbitrage du Cte de Foix déboute Gaston VII le Grand de ses prétentions sur la Bigorre. Après sa mort (il ne laissait que des filles), union de la vicomté au comté de Foix sous *Gaston Ier de Foix,* son gendre. **XIVe s.** querelle, à propos de cette succession, entre les maisons de *Foix-Béarn* et d'*Armagnac.* **1398** Béarn et comté de Foix passent dans la maison de *Grailly,* à laquelle succède, à partir de 1485, celle d'*Albret* (souveraine de Navarre). **1512** les Albret-Béarn perdent la Hte-Navarre ; la Basse-Navarre, qui leur reste, devient une annexe du Béarn, leur fief principal : nécropole dynastique à Lescar (Béarn). **1555** les *Bourbons-Vendôme* leur succèdent. **XVIe s.** *Henri IV,* dernier Cte de Béarn. **1620** réuni à la Couronne.

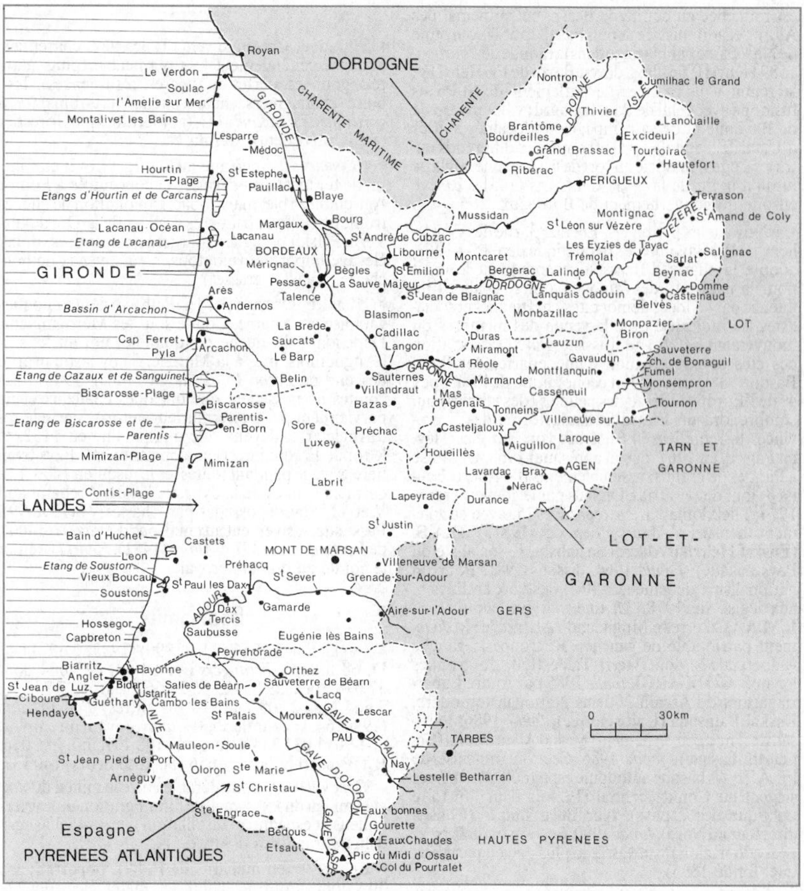

• **Institutions.** Dès le XIe s., « fors » ou chartes de coutumes reconnaissent aux sujets du vicomte beaucoup de libertés. Les états « de Béarn », qui résultent de la fusion entre la « Cour Majour » et la « Cour des Communautés » et sont composés de clercs, de nobles et de représentants des villes et des communautés, jouent un rôle capital dans le gouvernement. Parlement constitué à Pau en 1620. Le Béarn garde ses états jusqu'en 1789, date à laquelle il perd ses 2 évêchés de Lescar et d'Oloron (dont les titulaires avaient joué un grand rôle au Moyen Age). **Capitales successives.** Lescar (Beneharnum) (jusque vers 850), Morlaas (850-1242), Orthez (1242-1460) et Pau (1460-1830).

• **Langue.** Dialecte gascon, considéré longtemps comme un parler particulier, mais classé de nouveau actuellement dans le sous-groupe gascon pyrénéen. *Différences avec le g. de la plaine : 1°) phonétique :* le *t* final, venant du *ll* latin, se prononce *tch* et non *t* (betch, « beau » ; vedetch, « veau ») ; *2°) articles définis :* masculin, etch « le » ; féminin, era « la » (venant du lat. *ille, illa*) ; *3°) conjugaisons :* existence de conditionnels marquant l'éventualité et l'irréalité de façon plus nuancée. Emploi d'un « futur du passé » distinct des conditionnels.

Pays basque français

• **Situation.** Entre Pyrénées et Atlantique, sur la rive gauche du gave d'Oloron, des gaves réunis et de l'Adour. *3 provinces :* la *Soule* au S.-E. ; la *Basse Navarre* au centre ; le *Labourd* au N.-O. Avec les 4 provinces basques espagnoles *(Navarre, Guipuzcoa, Biscaye, Alava)* constituent le Pays basque ou *Euzkadi.* Les nationalistes basques n'emploient jamais les expressions *Pays basque français* ou *espagnol.* Jusqu'en 1970 env., ils disaient *Pays basque continental* ou *péninsulaire ;* depuis, ils préfèrent : *Euzkadi nord* et *Euzkadi sud.*

• **Ethnologie.** Ethnie attestée en Navarre v. 8000 av. J.-C. (complexe azilien). Dans l'ensemble, les B. se différencient des autres Européens par la fréquence des groupes sanguins O rhésus nég., groupe B pratiquement nul et par leur morphologie (taille moyenne entre 1,60 m et 1,70 m, épaules larges, thorax allongé, hanches étroites, face triangulaire). Du point de vue physique, ils seraient proches des Géorgiens mais il s'agirait d'une coïncidence. On conclut actuellement à l'origine navarraise des B., qui ont su préserver pendant 100 siècles leur double particularisme : caractéristiques corporelles, langage.

• **Langue.** *Basque* ou *euskarien :* viendrait d'une langue parlée en Navarre dès la fin du quaternaire, et répandue en Euzkadi à l'âge du Bronze. *Souletin :* diffère notamment par ses accents toniques. *Bas-navarrais :* groupe commun avec le *labourdin. Langue littéraire navarro-labourdine :* élaborée v. 1940, utilisée par quelques écrivains, remplacée dep. 1960-70 par le *basque unifié (eskuara batua),* tenant compte des dialectes péninsulaires (70 % des écrivains basques).

Bascophones : Espagne 600 000 à 750 000, France 40 000 (20 % à 33 % des Basques français).

• **Drapeau.** Rouge avec croix verte et croix blanche en sautoir passant sur elle ; arboré dans les 7 prov. b., conçu par Sabino de Arana-Goiri (Biscayen, fondateur du nationalisme), apparu publiquement la 1re fois le 14-7-1894 à Bilbao.

• **Histoire.** **Vicomté de Soule** ou **Zuberoa** (capitale Mauléon), quasi indépendante jusqu'au XIIIe s. par un jeu de bascule entre Béarn, Navarre et Guyenne (anglaise), entre ensuite dans l'orbite des rois de Fr. devenus Ctes de Toulouse ; 1306 confisquée par Philippe le Bel, occupée par les Anglais qui tiennent garnison à Mauléon de 1330 à 1437. **Basse-Navarre :** partie du roy. de Navarre, cap. Pampelune, au S. des Pyrénées ; passée par mariage en 1485 dans la famille française d'*Albret ;* 1512 les rois catholiques (espagnols) conquièrent tout le roy., mais Charles Quint évacue la B.-Nav., qui se constitue en roy. indépendant [siège du Parlement : alternance entre St-Palais et St-Jean-Pied-de-Port (en fait, la B.-Nav.

est rattachée au comté de Béarn, fief principal des Albret, et administrée depuis Pau)]. 1555 la couronne de Nav. passe par mariage dans la famille de *Bourbon.* 1589 Henri III de Nav., devenu le roi de Fr. Henri IV, la réunit à la France. Le parlement de St-Palais fusionne avec celui de Pau. **Labourd :** ville épiscopale de Bayonne et de sa campagne, et localités autour d'Ustaritz, capitale forale (nombreux différends entre les 2 cités) ; associé au sort de la Guyenne anglaise jusqu'à la fin de la g. de Cent Ans (1451). Relève ensuite du gouvernement de Bordeaux.

• Mouvements politiques. **Enbata,** 3, rue des Cordeliers, 64100 Bayonne. Parti politique dep. 15-4-1963, adopte la charte d'Itxassou revendiquant le droit pour la nation b. de s'autogouverner. D'abord influencé par les idées démocrates-chrétiennes et socialistes, se radicalise avec la venue des membres du mouvement E.T.A., qu'il assiste. *But :* 1° association des élus b. ; 2° création d'un département Pays-Basque ; 3° d'une région économique de l'Europe ; 4° de l'Europe fédérée des peuples (des ethnies) qui comprendra un État d'Euskadi, formé des 7 provinces b. réunifiées. 4,61 % des voix aux élect. lég. en Pays b. en 1967, déclin après mai 1968. Organise à Pâques de grands rassemblements (l'« Aberri Eguna » : jour de la Patrie). Dissous par le gouvernement 1974, l'hebdomadaire a reparu 1975, avec supplément mensuel « Aburu » dep. oct. 1981. **E.H.A.S. (Euskal Heirriko Alderdi Sozialista,** P. socialiste du Pays basque). *Fondé* 1964, dissous 1981. Pour un nationalisme de gauche 3,90 % des voix en Pays b. aux législ. de 1978. *Mensuel :* « Euskaldunak ». **E.M.A.** (Ezkerreko Mugimendu Aberztale : Mouvement patriotique de gauche). Regroupe la gauche « abertzale » dont **Herri Talde** (féd. de groupes locaux). **GOIZ-ARGI,** *fondé* 1985 par André Luberriaga, maire d'Ascain. 200 élus. Nationaliste modéré. **Euskal Batasuna (Unité basque),** *fondé* 1986. Parti-san de l'autogouvernement. **Euskal Alkartasona (Solidarité basque),** *fondé* 1986. Section française de l'E.A. (Pays basque autonome espagnol). 3 membres siègent au Comité central (1re fois dans l'histoire politique des 2 pays). **Ipar Buru Batrar (Conseil directeur du Nord),** *fondé* 1990. Section fr. du P.N.V. (Partido nacionalista vasco, le plus ancien parti basque, fondé 1895).

Aux élections législatives (juin) et cantonales (sept. 1988), **E.M.A., Euskal Batasuna** et **Euskal Alkartasona** ont présenté des listes communes et obtenu + de 5 % des voix en juin et 7 % en sept. En mars 1989, aux municipales, la « Coalition abertzale » a présenté des listes communes presque partout et obtenu env. 10 % des voix.

Mouvements « terroristes ». Hordago, quelques plasticages en 1978-80, puis disparaît. **Iparretarrak** (ceux du Nord), naît en 1973 : plasticages, attentats. *1982 :* 2 C.R.S. †, *1983 :* 2 gendarmes †, *13-12-86 :* fait évader 2 détenus de la prison de Pau. *1987 :* 1 gendarme et 1 militante †, *20-2-88 :* Philippe Bidart (n. 1953), fondateur d'Iparretarrak, et 3 autres militants arrêtés. *29/30-6-89 :* attentat manqué contre le train « Puerta del Sol ».

Mouvements administratifs. Association pour la création d'un nouveau département. *Fondée* en 1976. *Pt :* Albert Viala. **Association des élus pour un département Pays-Basque.** Mairie de Helette (64640). *Fondée* en 1980. *Pt :* Jean Aniotzbehere, maire de Sare. 50 maires et 200 conseillers municipaux y adhèrent.

Mouvements économiques. Hemen, 50, allées Marines, 64100 Bayonne. **Herrikoa,** Le Forum, zone industrielle des Poutots, 64100 Bayonne.

Mouvements culturels. Euskalzaindia, 37, rue Benneceau, 64100 Bayonne. Section du Pays basque nord de l'Académie basque (siège à Bilbao). **Ikas,** 37, rue Benneceau, 64100 Bayonne. **Seaska,** 8, rue Thiers, 64100 Bayonne. Fédération des *ikastolas* (écoles maternelles) du Pays basque nord ; 800 enfants scolarisés (primaire et secondaire). **Euskal Dantzarien Biltzarra,** M.J.C. du Polo-Beyris, 64100 Bayonne. Fédér. des groupes de danse du Pays basque nord. **Orai-Bat,** 18, rue Benoît-Sourigues, 64100 Bayonne. **Oldarra,** rue Duler, 64200 Biarritz, groupe folklorique. **Institut culturel du Pays Basque,** Château Lota, 64480 Ustaritz. *Dir. :* Txomin Héguy. *Pt :* Ramuntxo Camblong. Financé par État, dép. des Pyr.-Atl., ville de Bayonne. Animé par *Pizkundea* (Féd. d'assoc. culturelles b.).

Nota. – En Espagne, voir Index. Les B. espagnols des « commandos autonomes anticapitalistes » auraient eu leur P.C. fr. à Ciboure jusqu'au 13-2-1981 : base des raids contre les anti-autonomistes d'Esp. ; racket des commerçants b. fr. Leur groupe a été démantelé par la police fr. (17 arrestations).

Périgord

• Situation. Continue vers l'E. les pays charentais. Sous-sol généralement très perméable (puits naturels, gouffres, pertes de rivières, résurgences). Très boisé (châtaigniers, chênes, chênes verts, pins). *Périgord noir* à l'E., *blanc* à l'O. (aujourd'hui plus forestier que le précédent), *vert* au N.

• Ressources. Ancienne métallurgie (forêt et minerai de fer local), modernisée et concentrée à Fumel. Agriculture : blé, maïs, tabac, exploitation de chênes truffiers, cultures fruitières (vallées de la Dordogne, Vézère, Isle) et vignes (Bergeracois), fraises, noix ; élevage important (moutons, bœufs, veaux de boucherie, volailles grasses).

• Histoire. Occupé par les Petrocorii aux époques gauloise et romaine. Comté sous les Mérovingiens. Dépendant du duché d'Aquitaine, uni au Xe s. à l'Angoumois, puis à la Marche. Sa dynastie propre descend de *Boson Ier, Cte de la Marche* (968) ; ses comtes ne possèdent que quelques châteaux et ne parviennent pas à affermir leur autorité entre le roi d'Angleterre, devenu duc d'Aquitaine en 1152, et le roi de Fr. qui intervient constamment. Pays frontière, ravagé pendant toutes les g. jusqu'en 1453. Les derniers comtes de la dynastie locale, Archambaud V et VI, sont dépossédés par Charles VI (1398-99). Passe successivement aux maisons d'*Orléans* (1400), de *Penthièvre* (1437), d'*Albret* (1481). *Henri IV* réunit le comté au domaine royal.

Économie

• Population 2 795 757 h. (1990) [*1982 :* 2 657 084]. D. 68 h./km². *Étrangers* (au 1-1-90) 125 064 dont 37 078 Port., 29 837 Esp., 23 567 Maroc., 7 942 It., 7 664 Alg., 2 209 Tun., 16 767 autres). *Pop. urbaine* (1990) 64,7 %, rurale 35,3 %, *active* (ayant un emploi) (1-1-90) 1 031 334 dont agric. 108 401, ind. 186 066, B.T.P. 80 011, tertiaire 656 856. Chômeurs : 140 137.

Dépeuplement considérable entre le milieu du XIXe et le milieu du XXe s. malgré l'immigration d'ouvriers italiens et espagnols. Installation d'env. 45 000 agriculteurs rapatriés d'Afr. du N.

• Échanges (en milliards de F, 89). **Importations :** 30,9 dont autom. 3,7, chim. 3,1, matér. électron. 2,6, énergie 2,3, métaux et prod. non ferreux 1,3, prod. de l'agri. 1,2, papier-carton 1,1, prod. alim. divers 1,1, équip. ind. 1, mat. textiles prépar. fils 0,9, prod. travail des métaux 0,8, prod. trav. mécan. bois 0,7, prod. constr. aéron. 0,7, boissons et alcools 0,6, machines-outils 0,6, prod. ind. diverses 0,6, prod. transf. mat. plast. 0,6, mat. constr. et céramique 0,5, conserves 0,4, prod. sidér. 0,4, autres 6,8 ; *de :* All. féd. 5,3, Espagne 4,2, Italie 3,7, G.-B. 2,1, Belg.-Lux. 1,8, U.S.A. 1,7 [1], Portugal 1,6, P.-Bas 1,5, Brésil 0,7 [1], Irlande 0,3, Danemark 0,2, Grèce 0,08. **Exportations :** 45 dont prod. de l'agri. 11,6, mach. de bureau, inform. 6,3, automobiles 4,4, prod. chim. de base 4,2, prod. constr. aéron. 3,1, papier-carton 2,6, mat. électron. 1,7, équip. ind. 1, récupération 0,9, prod. trav. mécan. bois 0,8, prod. pharm. 0,7, lait et prod. lait. 0,6, viandes et cons. de viandes 0,6, boissons et alcools 0,5, prod. alim. divers 0,5, mat. élect. 0,5, prod. trav. grain 0,4, prod. parachimie 0,4, prod. trav. métaux 0,4, prod. pêche 0,3, autres 3,7 ; *vers :* All. féd. 6,7, G.-B. 6,3, U.S.A. 5,6 [1], Espagne 4,7, Italie 4,2, Belg.-Lux. 3,3, P.-Bas 3, Portugal 1,1, Suisse 1 [2], Suède 0,8 [1], Danemark 0,5, Grèce 0,2, Irl. 0,1.

Nota. – (1) 1988.

• Agriculture. **Terres** (milliers d'ha, 1-1-1990, estim.). 4 183,4 dont *S.A.U.* 1 658,5 [t. arables : 926,4 (dont céréales 581,8, oléagineux 81,2, fourrages annuels 53, p.-de-t. et légumes frais et secs 30,8, jachères 22,3), herbe 566,2, vignes 140,4, cult. fruitières 24,1] ; *bois* 1 835. *Exploitations* (1988) : 77 590.

Produits (récolte en milliers de t, 1989). *Céréales :* maïs-grain 3 092,7, blé tendre 392, orge 154,8. *Oléagineux :* tournesol 116,7, soja 41,6. Tabac 9,1. *Légumes :* tomates 109,5, haricots verts 26. *Truffes* (1985) : 5 t. *Fruits :* pommes 185, prunes à pruneaux 53,8, fraises 48,6, poires 18,8, melons 21,2, pêches, nectarines 22,6.

Vignoble (raisins de cuve + r. de table, en milliers d'ha, 1989). 140,4 (dont Gironde 110, Dordogne 16,5, Lot-et-G. 8,3, Landes 3,8, Pyr.-Atl. 2,3). *Production (en milliers d'hl) :* 7 227,1 dont 6 220 d'A.O.C., 89,2 pour eau-de-vie, 60,5 de V.D.Q.S., 857,4 vins de pays et autres vins. *Exportation (1988) :* vins de Bordeaux 1 777 000 hl (4 356 millions de F).

• Élevage (milliers de têtes, 1989). *Bovins* 885,3 ; *ovins* 1 008,7 ; *porcins* 597,7 ; *caprins* 41,4 ; *équidés* 21,6 ; *volailles* (production de viande, en t, 1988) 94 484 dont v. gallus 47 104, canards gras 34 250, à rôtir 2 500, dindes, pintades 6 776, oies grasses 3 383, à rôtir 147, pigeons 324.

• Pêche (1989, prov., milliers de t et, entre parenthèses, millions de F). Bayonne 8,7 (212,1), Arcachon 1,6 (51,3), Bordeaux 0,2 (11,1). *Ostréiculture :* 11,2 (92,5).

• Forêts-bois (milliers d'ha, 1989). 1 835 dont Landes 631, Gironde 485, Dordogne 394, Pyr.-Atl. 200, Lot-et-G. 125.

• Énergie (1988). *Production en Aquit.* (milliers de t) : pétrole brut 994, lignite 589, (millions de m³) gaz naturel brut 4 514, gaz épuré commercialisable 3 096 ; (millions de kWh, 1987) énergie électrique nucléaire 21 994, thermique 809, hydraulique 1 900. *Consommation par l'ind. en Aquit.* électricité (1987) 5 927 millions de kWh ; fuel 165 000 t ; gaz naturel 810 000 000 m³. *Ventes de prod. pétr.* (en milliers de m³) *1989 :* carburant 1 468 (dont essence 103, super 1 365), gasoil 1 172 ; (milliers de t) fuel domestique 779, fuel lourd ind. 165, fuel lourd hors EDF 188.

• Secondaire. **Industrie agro-alim.** 1re ind. de la région. Boulangerie-pâtisserie, ind. de la viande, boissons et alcools, trav. du grain, conserveries, prod. aliment. divers, transf. du tabac.

Salariés (1-1-90, prov.). 824 074 dont agriculture 24 334, ind. agro-alim. 24 963, prod. et distr. d'énergie 16 233, ind. des biens intermédiaires 37 386, d'équipement 43 037, des biens de consommation 47 933, B.T.P. 57 510.

• Tertiaire. **Commerce intérieur** (1-1-90). *Établ. de gros :* alimentaire 3 249, non alim. 1 954. *De détail :* alim. 8 464, non alim. 18 603. Supermarchés 387, hypermarchés 48. *Entreprises artisanales* (1989) : 50 186.

Tourisme (1-1-90). Hôtels homologués 1 472 (33 296 chambres) ; gîtes ruraux et communaux (1986) 2 909 ; chambres d'hôtes (1986) 331 ; camping 663 (97 412 emplacements). *Fréquentation* (milliers de nuitées, mai à sept. 89) campings 16 206, hôtels 6 989. *Permis de chasse* (1989-90) 196 777 ; *de pêche* (1989) 127 772. *9 stations thermales* (Dax, 2e station fr. après Aix-les-Bains). *Stations de ski (hiver et été) :* Gourette près d'Eaux-Bonnes (Pyr.-Atl.), alt. 1 350-2 400 m, 30 km de pistes.

Aménagement de la côte aquitaine (620 000 ha, 64 communes) : schéma adopté en 1972 (1973 pour les Pyr.-Atlant.). Voir Quid 1986, p. 672a.

• Transports-communications. Trains (mise en service du TGV en sept. 90), routes (au 1-1-87) 1 440,4 km de routes nat., 416,2 km d'autoroutes ; aéroport de Bordeaux-Mérignac (1989) 2 500 000 passagers (arrivées, départs, transits) ; trafic des ports de Bordeaux (1990) 9 645 000 t, Bayonne-Boucau (1990) 3 300 000 t.

Départements

Voir légende p. 748.

• Dordogne (24) 9 060 km² (136 × 117 km). *Alt.* max. : forêt de Vieillecour 478 m, min. 41 m sortie de la Dordogne, alt. moy. 200 m. [*1801 :* 409 475 ; *1851 :* 505 789 ; *1901 :* 425 951 ; *1936 :* 386 963 ; *1968 :* 376 073 ; *1975 :* 373 179 ; *1982 :* 377 356 ; *1990 :* 386 354]. D. 43 (1990). *Pop. active* (1990) 155 651 dont *ayant un emploi* agric. 23 405, ind. 24 749, B.T.P. 13 364, tertiaire 76 690. *Chômeurs* 17 443.

Villes. PÉRIGUEUX 30 280 h. [*1811 :* 6 862 ; *1830 :* 8 452 ; *1876 :* 24 169 ; *1921 :* 33 144 ; *1982 :* 32 916] [ag. 59 842, dont dans le dép. *Coulounieix-Chamiers* 8 403. *Trélissac* 6 660] ; alt. 98 m ; matér. ferr. ; ind. alim., truffes, foie gras ; confect., chaussure ; imprimerie timbres-poste. Cath. St-Front, XIIe s. (partiellement reconstruite au XIXe s.), Tour de Vésone (27 m de haut. ; 20,70 m de diam.), musée du Périgord (lapidaire), abb. de Chancelade. – *Bergerac** 26 899 h. [*1811 :* 8 665 ; *1876 :* 13 120 ; *1921 :* 17 156 ; *1982 :* 30 902] (ag. 31 794) ; vins, conserves ; poudrerie, métall. ; man. de tabac ; ind. du bois, des papiers et cartons ; ind. chim. ; musée du tabac. *Boulazac* 5 996 h. *Brantôme* 2 080 h. ; abbaye médiévale ; gastronomie ; ind. textile ; festival (juillet-août). *Montcaret* 1 099 h. ; musée (gallo-romain). *Montpon-Ménestérol* 5 481 h. ; briqueteries, menuiseries, scieries. *Mussidan* 2 985 h. *Nontron** 3 558 h. [*1811 :* 2 990] (ag. 4 413) ; fabr. d'articles chaussants, ind. du bois et alim. *Ribérac* 4 118 h. (ag. 4 426) ; text. ; festival « Musique et Paroles en Ribéracois ». *St-Astier* 4 416 h. ; chaussure. *Sarlat-la-Canéda** 9 909 h. [*1811 :* 5 263 ; *1921 :* 6 541 ; *1975 :* 9 765 ; *1982 :* 9 670] ; centre comm., conserves ; ind. chim., élect., méc. gén., plast. ; festival de théâtre, centre culturel occitan ; lanternes des Morts, musée, ensemble architectural du M.A. *Sorges* 1 074 h. ; écomusée de la truffe. *Terrasson-la-Villedieu* 6 004 h. (ag. 10 628) ; caoutchouc et plast., métall., papet., ind. alim. *Thiviers* 3 590 h. ; papet., bois, électron.

Régions naturelles. *Périgord blanc* (Périgueux et sa région) : tourisme, fraisiculture (Vergt), bovins, caprins, oies et canards gras, noyers, tabac, vignobles. *P. noir* (Sarlat et sa région) : tourisme, préhistoire, élevage (ovins, porcins, oies et canards gras), forêt de Villefranche, noix, truffes. *Bergeracois* (fruits, légumes, tabac, vins fins, bovins, grande culture, tourisme). *Ribéracois* (grande culture, élevage, bovins, oies et canards gras, tourisme). *Nontronnais* (élevage, bovins, porcins, ovins, tourisme). *Double* (forêt, étangs, pisciculture, bovins). *Landais* (vignoble, culture, élevage, forêts). *Causse* (tourisme, élevage, céréales, forêts). *Vallées de l'Isle, de la Dronne, de la Vézère, de la Dordogne* (céréales, fruits, primeurs, vigne, tabac, élevage, bovins). **Forêts** (ha). Forêt de la Bessède 4 500, de Barade 3 100, de Lagudal 2 200, de Monclar 2 100 [80 % appartiennent à des personnes possédant – de 50 ha)].

Divers. Agriculture. 1er dép. producteur de fraises (48 606 t), 2e de noix en coques et cerneaux, 1er de tabac (2 000 ha), articles chaussants, truffes (5 t en 90), foie gras (230 000 oies grasses, 500 000 canards gras), bois de noyer. **Tourisme** (1990) : 252 hôtels homologués, 800 gîtes ruraux et communaux. *Grottes préhistoriques :* Montignac-Lascaux (v. – 17000 av. J.-C. ; + de 600 peintures, + de 1 500 gravures ; découverte 12-9-1940 par 4 adolescents, ouverte du 14-7-48 à 63 ; fac-similé ouvert 18-7-83) ; Les Eyzies : Font-de-Gaume, du Grand-Roc, la Mouthe (déc. 1895), les Combarelles (déc. 8-9-1901), abri du Cap-Blanc, gisements des Laugeries, de la Micoque, de Cro-Magnon (musées) ; Rouffignac, grotte au 100 mammouths de la Madeleine à Tursac (déc. 1863-64) (connue 1575, authentifiée 1956) ; la Tour-Blanche (déc. 1983) ; égl. de Tayac ; Thonac, musée d'art du Thot. *Châteaux :* 1er département pour la densité de châteaux et manoirs (1 001) : Beynac, Bourdeilles, Castelnaud, Fages, Fénelon, Hautefort (1640-80, incendie 1968, restauré), Eymet (musée), Mareuil, Montbazillac, Montaigne, Montfort, Puyguilhem, etc. *Bastides* (de Montpazier). *Églises romanes. Gisement de bentonite* (rég. de Beaumont).

• **Gironde** (33) 10 000 km^2, dép. français le plus étendu (166 × 120 km). *Côtes* 175 km. *Alt.* max. : colline de Samazeuil 163 m. 1 213 482 h. (1990) [*1801 :* 502 723 ; *1851:* 614 387 ; *1901 :* 823 131 ; *1936 :* 850 567 ; *1975 :* 1 061 474 ; *1982 :* 1 127 546]. D. 121 (1990). *Pop. active* (1-1-1989, estim.) : 447 540 dont *ayant emploi* agric. 29 496, ind. 75 540, B.T.P. 31 616, tertiaire 310 888.

Villes. BORDEAUX alt. moy. 20,25 m, max. 23,5 m. Sup. 4 454 ha, 210 336 h. [*1876 :* 215 140 ; *1911 :* 261 678 ; *1936 :* 258 348 ; *1946 :* 253 751 ; *1962 :* 278 403 ; *1968 :* 266 662 ; *1975 :* 223 131 ; *1982 :* 208 159]. Port, imprim., presse, édition, matér. élec. *Espaces verts :* 4 millions de m^2 dont (en ha) bois de Bordeaux 110, golf public 100, Parc bordelais 30, jardin public 10, parc de Monséjour 5, esplanade Charles-de-Gaulle/Mériadeck 4, bois de Rivière 4 ; cath., théâtre, quartier des chartrons (de Chartreux), place des Quinconces [ag. 685 456, dont *Ambarès-et-Lagrave* 10 195 ; ind. pharm. *Artigues-près-Bordeaux* 5 530. *Bassens* 6 472, chim. de base. *Bègles* 22 604. *Blanquefort* 12 843 h. *Bruges* 8 753. *Carbon-Blanc* 5 842. *Castillon-la-Bataille* 3 207 (ag. 4 738). *Cenon* 21 363. *Cestas* 16 768 ; électron, informatique, équip. ind., travail du grain. *Eysines* 16 391. *Floirac* 16 834. *Gradignan* 21 727. *Le Bouscat* 21 538. *Léognan* 8 008. *Le Taillan-Médoc* 6 815 h. *Lormont* 21 591. *Mérignac* 57 273 ; aéroport, constr. aéro., 1er centre fr. pour constr. de missiles balistiques, propulsion et avionique ; constr. élec., verre, textile, cuir ; ind. pharm. vins rouges du Médoc. *Pessac* 51 055 h. ; grands vins, ind. électro. *St-Loubès* 6 207. *St-Médard-en-Jalle* 22 064 h. ; poudrerie. *Talence* 34 485 h. *Villenave-d'Ornon* 25 609]. – *Andernos-les-Bains* 7 150 h. *Arcachon* 11 770 h. [ag. 39 931, dont *Gujan-Mestras* 11 433. *La Teste* 20 331 ; ostréiculture, conserv., constr. nav., stat. baln.]. *Arès* 3 911 h. [ag. 9 475, dont *Lège-Cap-Ferret* 5 564]. *Bazas* 4 704 h. *Biganos* 5 908 h. (ag. 8 889) ; ind. papier, carton. *Blaignac* 203 h. ; égl. St-Jean. *Blaye** 4 286 h. (ag. 5 084) ; port pétr., machines agr., vins. *Cadillac* 2 582 h. (ag. 4 482) ; château (1588-1600). *Coutras* 6 689 h. *La Brède* 2 846 h., château où naquit Montesquieu en 1689. *Langoiran* 2 024 h. (ag. 4 250). *Langon** 5 842 h. (ag. 8 480) ; vignobles du Sauternais. *La Réole* 4 273 h. (ag. 5 364). *Lesparre-Médoc** 4 217 h. (ag. 5 699) ; vins. *Libourne** 21 012 h. [ag. 26 597, dont *St-Denis-de-Pile* 3 909. *Pomerol* 867] ; vignobles de St-Émilion (env. 1 978 ha), métall. *Martignas-sur-Jalle* 5 732 h. *Parempuyre* 5 481 h. *Pauillac* 5 670 h. ; vign. de Mouton-Rothschild ; raff. de pétrole ; port de plaisance en cours. *Plan-Médoc* 5 078 h. *Portets* 2 008 h. (ag. 5 160). *St-André-de-Cubzac* 6 341 h., église, pont métallique de 552 m (1882) par Gustave Eiffel. *Ste-Foy-la-Grande* 2 745 h. (ag. 6 646) ; bonneterie.

Régions naturelles. *Plaines des Landes* (cultures maraîchères, maïs, tabac ; zone de Lacq : gaz nat., électrométall., prod. chim.). *Bordelais* Entre-Deux-Mers. **Forêt** (pins) : 479 500 ha (46,4 % du dép.), papeteries à Facture et Bègles.

Divers. Agriculture. 1re prod. de vins A.O.C. 4 500 000 hl (en 88). **Tourisme (1989).** 372 hôtels homologués, 157 campings, 6 108 000 nuitées de mai à septembre. Plages, parc nat. régional des Landes de Gascogne, base dép. de sports et de loisirs de Bombannes. *Lacs :* Carcans-Hourtin (3 625 ha, prof. 10 m) et Lacanau (1 973 ha, 7 m).

• **Landes** (40) 9 243 km^2 (144 × 116 km), 2e dép. pour la superficie. *Alt.* max. : colline de Lauret 227 m, min. 20 m. 311 458 h. (1990) [*1801 :* 224 272 ; *1851 :* 302 196 ; *1901 :* 291 586 ; *1936 :* 251 438 ; *1946 :* 248 397 ; *1975 :* 288 800 ; *1982 :* 297 424]. D. 34 (1990). *Pop. active* (1-1-89, estim.) : 111 896 dont *ayant un emploi* agric. 14 784, ind. 21 516, B.T.P. 10 620, tertiaire 64 975.

Villes. MONT-DE-MARSAN 28 328 h. [*1862 :* 4 082 ; *1939 :* 13 009 ; *1954 :* 17 120 ; *1962 :* 23 254 ; *1982 :* 27 326] [ag. 35 403, dont *St-Pierre-du-Mont* 7 075] ; constr. méc., ind. du bois, plast. ; musées Despiau-Wlérick, Dubalen (Hist. nat.), parc Jean-Rameau, arènes. – *Aire-sur-l'Adour* 6 205, alt. 85 m ; constr. aéro. ; c. de lancement de ballons du Centre d'études spatiales ; cath. St-Jean-B., hôtel de ville. *Biscarrosse* 9 054 h. ; c. d'essais d'engins balistiques, c. nat. de parachutisme sportif. *Capbreton* 5 089 h. (ag. 8 404). *Dax** 19 309 h. musée de Borda [ag. 35 701, dont *St-Paul-les-Dax* 9 452] ; stat. thermale. *Hagetmau* 4 449 h ; ind. alim. div. *Mimizan* 6 710 h. ; papeterie ; pétrole. *Morcenx* 4 332 h. *Parentis-en-Born* 4 056 h. ; pétrole. *St-Sever* 4 536 h. *St-Vincent-de-Tyrosse* 5 075 h. ; cuir. *Solférino* 403 h. ; musée Napoléon III. *Soustons* 5 283 h. ; plast. *Tarnos* 9 099 h. ; ind. méc., aéro., chim., engrais ; centrale thermique d'Arjuzanx (1989) 293 168 MWh, lignite (extraits) 480 561 t.

Régions naturelles. *Lande forestière :* 645 000 ha (2/3 du dép.). Grandes Landes, Petites Landes de Roquefort, pays de Born, Marensin, Maremne. 250 000 ha fin XVIIIe s., 1780-1857 travaux de fixation des dunes, assainissement et ensemencement des terres, aujourd'hui env. 1 000 000 ha sur Landes, Gironde, L.-et-G., considérée comme la 1re forêt d'Europe occid. Sols dunaires récents (15 km de large) ; 70-75 % de sable mi-grossier et 15-20 % de sable fin, et sols très sableux (podzoliques à podzols évolués à alios). Sylviculture, maïs, asperges. *Bassin de l'Adour : Chalosse* et *bas Adour :* maïs (60 % de la SAU), fourrages (28 %), vigne (2 %), céréales, élevage (bovins, porcins, canards et oies, poulets jaunes, pintades, dindes), plumes et duvets. *Tursan :* maïs (58 %), fourrages (30 %), vigne (3 %), vins d'appellation. *Marsan :* maïs (65 %), fourrages (24 %). *Bas Armagnac :* maïs (55 %), fourrages (26 %), vigne (11 %).

Divers. Agriculture : 1er prod. de foie gras de canard et oies (2 363 t en 89) de maïs-grain (12,9 millions de q en 89), un des premiers prod. d'asperges et de miel de Fr., poulet jaune sous label, vieil armagnac, 2/3 de la prod. fr. de résine, 1er centre européen pour la prod. de pâte « fluff » (142 000 t en 89) à Tartas ; pâte à papier (124 253 t en 89) et papier (129 481 t en 89) à Mimizan. Pétrole (369 166 t 1989), sel gemme (St-Pandelon, 46 000 t 1989). **Tourisme :** Hossegor, Cap-Breton, Biscarrosse, Mimizan, Seignosse, Contis, Vieux-Boucau, Côte d'Argent ; *lacs* intérieurs [(en ha) Cazaux-Sanguinet 5 608, prof. 22 m (Gironde et Landes), Biscarosse-Parentis 3 450, prof. 20 m, Mimizan-Aureilhan 660, prof. 6 m, Soustons 650, prof. 4 m, Léon 600. Hossegor (eau de mer) + de 100, Port-d'Albret (lac marin artificiel) 25 (1980), puis 55].

• **Lot-et-Garonne** (47) 5 361 km^2 (105 × 87 km). *Alt.* max. : coteau de Bel-Air 273 m, min. 5 m. 305 988 (1990) [*1801 :* 298 940 ; *1891 :* 341 345 ; *1901 :* 278 740 ; *1921 :* 239 972 ; *1936 :* 252 761 ; *1975 :* 292 696 ; *1982 :* 298 522]. D. 57 (1990). *Pop. active* (1-1-1989, estim.) : 113 500 dont *ayant un emploi* agric. 21 546, ind. 18 160, B.T.P. 8 594, tertiaire 65 200.

Villes. AGEN 30 553 h. [ag. 60 684, dont *Le Passage* 8 875], alt. 48 m ; aérodrome dép. ; M.I.N., station de condit., séchage de prunes, entrepôts frig., centre d'expédition de fruits et lég., vins, ind. alim. ; ind. chim. à Boé (furfurol), entreprises de transp., chaussure, text., ind. pharm., machines agr., tuileries, musée. – *Aiguillon* 4 169 h. ; tuiles et tuyaux ciment. *Bon-Encontre* 5 362 h. *Casteljaloux* 5 048 h. ; vins des coteaux de Buzet, ind. méc. et fonderie, verrerie, ind. pharm., ind. du bois (contre-plaqués et agglo.). *Duras* 1 200 h. ; vins des coteaux. *Fumel* 5 882 h. [ag. 13 689, dont *Montayral* 3 094] ; sid., fonderie, ind. chim. et laitière ; château de Bonaguil. *Marmande** 17 568 h. (ag. 23 439) ; prod. fruits et légumes, vins, tabac, ameublement, ind. alim., électroméc., matériel médico-chirur., mat. de constr. *Miramont-de-Guyenne* 3 450 h. (ag. 4 798) ; chaussure, mat. de constr. *Nérac** 7 015 h. ; céréales, melons, armagnac, vins des côtes de Buzet ; ind. alim., mach. agr., chaudronnerie, verrerie (à Vianne) ; château, musée. *Ste-Livrade* 5 938 h. (ag. 9 762). *Tonneins* 9 334 h. ; man. des tabacs, constr. préfabr., chaussure, mach. agr. *Villeneuve-sur-Lot** 22 782 h. [ag. 29 422, dont *Pujols* 3 608] ; M.I.N., fruits et lég., condit. et séchage de prunes, musée.

Régions naturelles. *Plateaux et coteaux marneux, mollassiques ou calcaires* (330 000 ha) ; polyculture, pruniers d'ente, vins, armagnac, raisins de table, chasselas, élevage. *Vallées de la Garonne, du Lot et affluents (Lémance, Gers, Baïse, Avance),* 110 000 ha, tapissées d'alluvions : fruits, maraîchage, primeurs, serres, tabac. *Zone sableuse des Landes* (80 000 ha siliceux) : forêts de pins, pommiers, poiriers, pêchers, pruniers d'ente à pruneaux. *Régions agr. :* plaines de la Garonne et du Lot ; pays des Serres et Causses (entre L. et G.) ; coteaux Nord du L.-et-G. et Bergeracois ; coteaux Sud Garonne (Néracais) ; grandes landes ; Périgord noir ; Duras. **Forêts.** 127 000 ha dont massif landais 50 000, forêt Campet 1 685, forêt du Mas-d'Agenais 1 600.

Divers. Agriculture : 1er prod. de pruneaux, de semence de betterave industrielle, d'haricots verts fins et de noisettes. 2e prod. de fraises. 3e prod. de tabac. Berceau de la race bovine blonde d'Aquitaine. **Tourisme :** *Églises et cloîtres* romans et gothiques, *bastides* médiévales (Villeneuve-sur-Lot, Beauville, Lauzun...). *Cassignas :* le plus bel orme de France (1 000 ans), 15 m de circonférence. *Lacs :* 19 (101 ha).

• **Pyrénées-Atlantiques** (64) [anc. Basses-Pyrénées] 7 645 km^2 (110 × 75 km). *Côtes* 32 km. *Alt.* max. : pic Pallas 2 974 m. 578 475 h. (1990) [*1801 :* 355 573 ; *1851 :* 446 997 ; *1901 :* 426 347 ; *1921 :* 420 981 ; *1954 :* 420 017 ; *1975 :* 524 748 ; *1982 :* 555 696]. D. 75,7 (90). *Pop. active* (1-1-90) : 241 200 dont *ayant un emploi* agric. 23 600, ind. 50 200, B.T.P. 18 300, tertiaire 149 100. Env. 70 000 basquisants d'origine (dont 45/50 000 bascophones) sur les 240 000 h. de l'ouest du dép. (P. basque).

Villes. PAU alt. 172 à 239 m, 82 157 h. [*1801 :* 8 585 ; *1901 :* 24 268 ; *1982 :* 83 790] [ag. 134 625, dont *Billère* 12 570. *Bizanos* 4 298. *Jurançon* 7 538. *Lescar* 5 793, ancien évêché (titre porté par l'év. de Bayonne), cathédrale N.-D. (XIIe s.) avec les tombes des rois de Navarre (surnommée « le St-Denis du Béarn »). *Lons* 9 254] : pétrole, gaz naturel (Elf), S.N.E.A., méc., métall., ind. lait., chaussure ; château, musées des Beaux-Arts, béarnais, Bernadotte, du Château, université. – *Arudy* (vallée d'Ossau), 2 537 h. (ag. 4 049) ; métall. *Bayonne** alt. 11 m., 40 051 h. [*1718 :* 16 000 ; *1886 :* 17 289 ; *1926 :* 31 436 ; *1952 :* 41 149 ; *1975 :* 42 938 ; *1982 :* 41 381] [ag. 124 135, dont dans le dép. *Anglet* 33 041 h. ; port, constr. aéron., métall., prod. chim. ; musées basque (arts et traditions pop.) et Léon-Bonnat (peint. du XVe au XIXe s.), cath. N.-D. (XIIIe-XVIe s., cloître gothique et tombeaux). *Boucau* 6 814 h]. *Biarritz* 28 742 h. ; stat. baln. et hydrominérale, musée de la Mer. *Bidart* 4 123. *Bordes* 1 652 h. (ag. 3 858) ; constr. aéro. (TURBOMECA). *Cambo-les-Bains* 4 128 h. ; stat. therm., musée Edmond-Rostand (villa Arnaga). *Hasparren* 5 399 h., chaussure, méc., électrothermie. *Hendaye* 11 578 h. *Lacq* 657 h. ; gaz, chimie, soufre (S.N.E.A.). *Mauléon-Licharre* 3 533 h. (ag. 6 155) ; caoutchouc, chaussure, espadr. *Mourenx* 7 460 h. [ag. 11 102, dont *Artix* 3 038] ; text., méc., cosmétique (Stendhal). *Nay-Bourdettes* 3 591 h. [ag. 7 753, dont *Coarraze* 2 047 ; ind. bois et ameubl., text.]. *Oloron-Ste-Marie** 11 067 h. (ag. 15 842) ; constr. aéro. (Messier), bois, cuir, confiserie ; église romane de Ste-Croix (XI-XIIe s.), cath. Ste-Marie. *Orthez* 10 159 h. ; text., papet., chaussure ; tour Moncade, maison de Jeanne d'Albret, Pont-Vieux. *Pardies* 1 029 h. ; chimie. *St-Jean-de-Luz* 13 031 h. [ag. 24 978, dont *Ciboure* 5 849] ; port sardinier et thonier, conserv., stat. baln. ; maison de l'Infante (XVIIe s.), égl. St-Jean-Baptiste (XIV-XVe s., buffet d'orgue, retable du XVIIe s.). *St-Jean-Pied-de-Port* 1 432 h. (ag. 3 058) ; remparts, citadelle XVIIe s. *St-Palais* 2 055 h. *St-Pierre-d'Irube* 3 676. *Salies-de-Béarn* 4 974 h. ; sel gemme, chaussure, ind. de l'ameubl., stat. therm., château de Bellocq (XIVe s.). *Sauveterre-de-Béarn* 1 366 h. ; salaisonnerie (ch. de Laas). *Urrugne* 6 098 h. *Ustaritz* 4 263 h.

Régions naturelles. *Superficies* (en ha, 1988) : coteaux du Pays basque 149 805, montagnes du Béarn 123 263, coteaux du Béarn 101 454, montagne basque 102 437, coteaux entre les gaves 73 695, vallée du gave de Pau 64 657, v. du gave d'Oloron 54 014, v. de l'Adour 22 657, côte basque 22 460, Vic Bilh 18 400, Chalosse 11 755.

Divers. Agriculture : Un des 1ers prod. de maïs. 2e de lait de brebis. *Vignobles A.O.C. :* Jurançon (blanc moelleux ; b. sec), Irouleguy (rouge, rosé, blanc), Béarn (rouge, rosé, blanc), Madiran (rouge), Pacherenc (blanc). **Industrie :** 1er prod. de gaz naturel (Lacq). **Tourisme :** *Parc nat. des Pyrénées occ.* (Pyr.-Atl. et Htes-Pyr.). *Ski :* Gourette, Artouste, Arette-Pierre-St-Martin. *Stations thermales :* Cambo-les-Bains, Eaux-Bonnes, Eaux-Chaudes, Lurbe-Christau, Salies-de-Béarn ; *balnéaires :* Anglet, Biarritz, Bidart, Ciboure, Guéthary, Hendaye, St-Jean-de-Luz. *Port d'Ibañeta* (ou Roncevaux), 1 057 m d'alt., bataille en 778 dans le vallon voisin.

Auvergne

☞ Voir Occitanisme p. 782.

Généralités

Régions. *S.A.U.* (en ha, 1980) : plaines d'Auvergne (val d'Allier, bassin de Massiac, Limagne, plaine du Lembron) 222 332 ; Combrailles 177 724 ; Velay-Planèzes 169 028 ; Livradois-Forez 248 909 ; Monts d'Auvergne 305 460 ; Margeride-Aubrac 82 757 ; Chataîgneraie 64 255 ; Sologne bourbonnaise 116 573 ; Bocage bourbonnais 199 345.

Auvergne

• Situation. Comprend 3/5 montagnes, 2/5 vallées et gorges. 4 ensembles géographiques naturels : **plateaux cristallins** formant transition avec le Limousin (500 à 1 000 m environ du N. au S.), découpés par la Sioule et ses affluents (qui rejoignent le Bourbonnais). Céréaliculture améliorée par chaulage, et élevage bovin. **Grands massifs volcaniques** (vers l'E.) : « chaîne des *puys* » (80 volcans, env. 1 200 m ; puy de Dôme : 1 465 m, avec observatoire et relais télévision, du sommet vue à 300 km sur 75 000 km²), massif des *monts Dore* (puy de Sancy : 1 886 m), massif du *Cantal* (puy Mary : 1 785 m ; plomb du Cantal : 1 858 m) séparé des monts Dore par les plateaux du *Cézallier ;* foyer d'émigration aux XVIIIe et XIXe s. ; élevage bovin (transhumance saisonnière), stations thermales, tourisme. **Limagne :** chapelet de plaines réunies par l'Allier ; agriculture relativement riche : céréales, oléagineux, betteraves ind., vigne. *« Varennes »* de l'Allier : bois et prairies ; Clermont-Ferrand. **Plateaux** *cristallins élevés* (extrémité or.), boisés, découpés par la Dore, qui draine le bassin du *Livradois.* Monts du Livradois à l'O. (1 210 m), du *Forez* à l'E. (1 610 m à Pierre-sur-Haute).

• Histoire. Peuplée dès le paléolithique. Menhirs et dolmens du néolithique. **Av. J.-C. : Ve s.** Installation de Celtes : les *Arvernes* (une des plus brillantes civilisations gauloises : métallurgie du fer, du bronze, de l'or et de l'argent ; mise en valeur agricole de la Limagne, frappe de statères de type hellénistique) dirigent à 2 époques la lutte contre les Romains. **Fin du IIe s.** Bituit est vaincu en 121 par Fabius Maximus. **Ier s.** Vercingétorix bat les Romains à Gergovie, avant d'être vaincu et pris à Alésia (**52** av. J.-C.). **Après J.-C.** *Civitas Arvernorum* prospère à l'époque gallo-romaine, partie de la province d'Aquitaine jusqu'à Dioclétien, puis de l'Aq. Première (chef-lieu : Bourges), au Bas-Empire. La capitale devient Augustonemetum (future Clermont). Sources thermales et centres religieux (temple de Mercure arverne du puy de Dôme) réputés. Production, durant les 2 premiers siècles, de céramiques répandues dans tout l'Occident (Lezoux). **Ve s.** un des derniers bastions de la romanité sous l'égide d'une dynastie militaire épiscopale ; Avitus (un moment empereur), son fils Ecdicius (maître des milices) et surtout son gendre Sidoine Apollinaire (préfet de Rome, puis évêque de Clermont) maintiennent l'autonomie de l'Auvergne face aux Wisigoths. L'empereur Julius Nepos la cède à Euric en **475.** *Rattachée au royaume de Clovis en 507,* après Vouillé. **Du VIe au VIIe s.** dépendant successivement de divers Mérovingiens : ravagée par Thierry, fils de Clovis, disputée entre souverains francs et ducs d'Aquitaine. **761** Pépin le Bref l'enlève au duc d'Aq. Waifre (ou Gaifier) en s'emparant de Clermont. Incluse dans le royaume d'Aq. organisé 781 pour le fils de Charlemagne, le futur empereur Louis le Pieux. Disputée entre Pépin II et Charles le Chauve, forme un comté divisé en 4 *pagi* (Clermont, Tallende, Turluron, Brioude). **IXe s.** Bernard Plantevelue, Cte d'Auvergne en 872, et son fils Guillaume le Pieux, duc d'Aq., contrôlent tout le quart S.-O. de la Fr. A la mort de Guillaume (918) et de ses 2 neveux (sans postérité), morcellement. Dépend tour à tour d'Eble de Poitiers, de Raymond Pons de Toulouse, de Guillaume Tête d'Étoupes, Cte de Poitiers. Ensuite, confiée par les Ctes de Poitiers à des vicomtes ; l'un d'eux, Gui Ier, vers 980, commence à se qualifier « comte d'Auv. ». Plusieurs morcellements. **1167** Guillaume VIII dépouille son neveu Guill. VII, héritier légitime, mais une seigneurie est cédée à celui-ci (au centre du comté, avec Montferrand et une partie de Clermont) ; les descendants de Guill. le Jeune conservent le titre de dauphin [en souvenir de leur grand-père maternel Guigues VIII, dauphin de Viennois (V. Dauphiné), d'où le nom de « dauphiné d'Auv. » donné à leur seigneurie. **1209** Philippe Auguste confisque les biens du Cte Gui II (qui a des démêlés avec son frère Robert, évêque de Clermont), ne lui laissant en 1230 qu'un petit territoire au S.-E. de Clermont. L'Auv. forme alors 4 seigneuries :

Comté d'Auvergne. 1501 à la mort du Cte Jean III, revient à ses 2 fils, puis à sa petite-fille Cath. de Médicis (1536), qui le lègue en 1589 à Charles de Valois, bâtard de Charles IX ; 1608 arrêt du Parlement le donnant à la fille de Catherine, Marguerite de Fr., qui le donne au dauphin (futur Louis XIII). 1651 Louis XIV l'échange contre principauté de Sedan avec Frédéric-Maurice de La Tour d'Auvergne, duc de Bouillon ; conservé par cette maison jusqu'à la Révolution (mais plus en tant qu'apanage, le comté étant soumis au sort commun des territoires de la généralité d'Auv.).

Dauphiné d'Auvergne (les dauphins prenaient également le titre de Cte de Clermont). Comprend les fiefs de Roanne et Thiers. En 1371, la dernière héritière, Anne, fille de Béraud, épouse le « Bon Duc », Louis de Bourbon ; leur descendant, Charles III, connétable de Bourbon, le réunit en 1503 au duché d'Auv., hérité de son oncle et beau-père Pierre de Beaujeu. A la suite de sa trahison, ses biens sont confisqués, mais le dauphiné d'Auv., avec le comté de Montpensier, est rendu en 1560 à Louis, fils de sa sœur Louise. Dernière héritière, Anne-Marie-Louise d'Orléans, la Grande Mademoiselle, laisse ces domaines à la Couronne.

« Terre » (ou duché) d'Auvergne. Partie du comté conquise en 1209 par Philippe Auguste sur Gui II, réunie à la Couronne et administrée par le connétable Gui de Dampierre, sire de Bourbon (capitale : Riom) ; en 1226, elle est donnée en apanage par le testament de Louis VIII à son 4e fils, Alphonse de Poitiers. Revient à la Couronne en 1271. En 1360, Jean II le Bon en fait de nouveau un apanage pour son 3e fils, Jean, duc de Berry. Mais en 1425, 9 ans après la mort du duc de Berry, Charles VII, par une entorse à la loi sur les apanages, remet le duché à Jean Ier, duc de Bourbon, gendre du duc de Berry ; il passera à Charles, connétable de Bourbon, en 1503, séquestré en 1521. Il sera uni au domaine royal en 1527.

Seigneurie épiscopale de Clermont. Comprenant notamment la ville et un terr. à l'est de celle-ci, la viguerie de Billom. Catherine de Médicis, devenue Ctesse d'Auv., obtient du Parlement, en 1551, la ville de Clermont. Sur le plan spirituel, l'évêque de Clermont avait déjà perdu autorité sur une partie de la Hte-Auv. (diocèse de St-Flour créé 1317).

• Institutions. Après 1360, lors de la création du 2e apanage, le bailli royal est remplacé par un sénéchal ducal ; du fait de l'incurie du duc de Berry, les états de Basse et de Hte-Auvergne acquièrent une influence politique, financière et militaire. L'autorité royale est alors déléguée pour l'Auv. au bailli de St-Pierre-le-Moûtier, assisté de lieutenants généraux et de lieutenants particuliers. En 1510, sous l'influence du chancelier Antoine Duprat (originaire d'Issoire), Louis XII fait rédiger la coutume d'Auv., qui unifie la province sur le plan juridique.

XVIIe s. La féodalité auv. s'insurge lors de la Fronde : pour limiter son pouvoir, Louis XIV réunit en 1665-66 les *Grands Jours d'Auv.,* dernier exemple d'une juridiction d'exception, remontant au XIIIe s. ; 16 conseillers du parlement de Paris envoyés en mission à Clermont examinent la conduite des nobles pendant la g. civile, et prononcent sans appel des sentences (amendes, confiscation, emprisonnement). **A la Révolution** divisée en : Puy-de-Dôme et Cantal, plusieurs paroisses du S.-E. étant jointes au Velay qui va former la Hte-Loire.

Bourbonnais

• Situation. Au N. du Massif central. S'étend sur le département de l'Allier, de la Loire au Cher. **Ressources agricoles.** Élevage bovin (charolais) et ovin (agneau du Bourbonnais), aviculture.

• Histoire. Partagé entre 3 cités gauloises et gallo-romaines (Bituriges, Eduens, Arvernes), puis entre 3 diocèses (Bourges, Autun, Clermont). *Sires de Bourbon :* le premier aurait été un Aimard ou Adhémar, fidèle de Charles le Simple et fondateur (début Xe s.) du prieuré de Souvigny. Peu après, acquisition du château de B., auquel les *Archambault,* descendants d'Aimard, donnèrent leur nom (Bourbon-l'Archambault). Forteresse imprenable, elle permet aux sires de B., vassaux des Ctes de Bourges, de s'affranchir de leur vassalité et de s'imposer comme suzerains aux seigneuries voisines. **XIe s.** extension vers l'Ouest sur les rives du Cher. Gui de Dampierre, époux de l'héritière Mahaut de B., agissant en Auv. pour le compte de Philippe Auguste, recueille Montluçon et d'autres terres, qui donnent à la province ses limites à peu près définitives. **XIIIe s.** fief important du royaume avec son sénéchal, son « maréchal de Bourbonnais », puis son « bailli de Bourbonnais », qui tient en main la justice. Il échoit à Robert de Clermont (fils de St Louis) quand il épouse Béatrice de Bourbonnais (v. 1276). Son fils, Louis Ier, est sire de B. en 1310, créé duc de B. en 1327 et pair en 1328. Louis II (petit-fils de L. Ier), surnommé le Bon Duc (qui règne de 1357 à 1410), épousant Anne « dauphine » d'Auv., recueille Forez et dauphiné d'Auv., auxquels il ajoute le Beaujolais en 1400. Un grand conseil ducal coiffe les conseils « exécutifs » du Forez et du Beaujolais, prééminence de la chambre des comptes de Moulins (créée en 1374) sur celles de Montbrison (Forez), de Villefranche (Beaujolais), puis de Riom (Auvergne ducale) (« Grands Jours de Bourbonnais »). **XVe s.** le duché dispose de diverses seigneuries, directement ou par apanages aux branches cadettes (Cté de Montpensier notamment). Le duc Charles Ier, époux d'une fille de Jean sans Peur, duc de Bourgogne, dirige la *Praguerie* contre Charles VII, mais doit signer la paix à Cusset en 1440. Son fils cadet, le duc Pierre II dit de *Beaujeu,* ép. Anne de Fr. (fille de Louis XI), régents pendant la minorité de Charles VIII, puis pendant ses campagnes d'Italie, gouvernent la Fr. Leur fille Suzanne transmet leurs biens à son cousin et mari Charles III, le *connétable,* qui s'opposera à François Ier et perdra ses domaines († au siège de Rome 1527). Le B. est rattaché à la Couronne ; *1531,* le titre de B. est transmis à la branche cadette de La Marche-Vendôme d'où est sorti le roi Henri IV. *1661,* Louis XIV cède le duché de B. à Louis II, Pce de Condé, en échange de divers domaines. Brillante cour de Moulins.

Velay

• Situation. Ancien diocèse du Puy, moitié est de la Hte-Loire. A l'O., coulée de laves de la chaîne du Devès (1 423 m), bordée par les gorges de l'Allier. Au centre, bassin du Puy (600 m). A l'E., ensemble volcanique : Mézenc (1 753 m), Gerbier-de-Jonc (1 551 m), coulée du Coiron. **Ressources.** Élevage bovin et ovin, légumes secs (lentilles). Dep. le XIVe s., fabrication de dentelles, dont les blondes (écrues) aux fuseaux (lin, laine, soie, lamés or et argent).

• Histoire. Peuplé dès le paléolithique. **IIIe s. av. J.-C.** les Vellaves, clients des Arvernes, fondent l'oppidum de Ruessio (St-Paulien) et donnent leur nom à la région. Leur cité est rattachée à l'Aquitaine romaine (Aq. Première après Dioclétien). **475** invasion du Nord (Wisigoths), puis échec d'une attaque burgonde, du Sud (Arabes). La capitale devient alors Le Puy (siège d'un comté). **VIe s.** rattaché à l'Austrasie. **613-877** réuni au domaine royal, Mérovingiens et Carolingiens nomment des comtes bénéficiaires ; le sanctuaire marial est déjà célèbre (sa « pierre des fièvres » est fréquentée notamment par les Musulmans d'Espagne). **Xe s.** le titre de comte est usurpé par les évêques du Puy. **994** le concile du Puy proclame la « Paix de Dieu ». **1162** le roi accorde officiellement le titre comtal à l'évêque. Le fief le plus puissant est celui des Polignac, qui disputent à l'év. le droit de monnayage. **XIIe s.** les Ctes de Toulouse sont suzerains du comté, mais en 1209, l'évêque-comte du Puy prend part à la croisade contre Albigeois toulousains. **1271** le Velay passe avec le Languedoc sous l'administration royale, mais reste autonome de fait ; rattaché à la généralité et au gouv. du Languedoc, il est le siège d'une lieutenance et d'une sénéchaussée et conserve ses états particuliers jusqu'en 1789.

Économie

• Population. 1 321 214 h. (1990) [*1982 :* 1 332 678]. *Pop. active* (1-1-90) 496 150 dont primaire 56 450, secondaire 153 530, tertiaire 286 170.

• **Échanges** (en milliards de F, 87). **Importations :** 9,2 (741 129 t). **Exportations :** 13,3 (897 868 t) dont (en %) pneumatiques et autres caoutchoucs 31,4, biens d'équipement 13,2, biens de consomm. 13,1, prod. chim. de base 10,4, ind. agroalim. 9,3, prod. et 1/2 prod. non-ferreux 7,7, agric., sylvicult. 6,5, div. 0,8 ; *vers* (en %) C.E.E. 56,7, Amér. du Nord 10,2, Asie 10,2, reste de l'Europe 10, Afrique 8, Amér. centr. et du Sud 3,2, Océanie 1,4.

• **Agriculture. Terres** (en milliers d'ha, au 1-1-90, estim.) 2 617 dont *S.A.U.* 1 604,1 [t. lab. 501,5 (dont jardins 8,3), herbe 1 097,5, vignes 3,6, cult. fruit. 1,1] ; *bois* 712,8 ; *t. agr. non cult.* 125,7 ; *t. non agr.* 150,1. **Prod. végétale** (en milliers de t, 1989) : blé 617,7, orge 185,8, maïs-grain 183,6, seigle 49,1, avoine 42,2 ; p. de t. 40,1, colza 27,1. **Animale** (en milliers de têtes, au 1-1-89, estim.) bovins 1 409,3, ovins et caprins 828,3, porcins 290,9. *Lait* (vache, au 1-1-90, estim.) 11 547 200 hl. **Exploitations agr.** (1988) : 43 747.

• **Industrie** (salariés au 1-1-90) : 111 320 dont ind. agro-alim. 12 860, prod. et distr. d'énergie 3 880, biens intermédiaires 52 950, d'équipement 19 130, de consomm. 22 500. Houillères (au 31-12-1984) 472 salariés (224 à l'Aumance, 203 à Messeix, 45 aux serv. centraux), dont 280 au fond. 653 entr. ont + de 50 salariés. *Production nette d'électricité* (en 83, MWh) 1 679 200, thermique 58 700, hydraulique 1 620 500. *Consommation* (en 83, MWh) *gaz* 4 998 878, *électr.* (1985) 4 500 000 ; (en milliers de t) *charbon* 152,6, *butane propane* 62,6, *fuel lourd* 129,1 ; (en m³) *fuel domestique* 669 252.

• **Tourisme** (1989). *Nuitées dans l'hôtellerie homologuée* (en milliers) 3 217 dont Puy-de-Dôme 1 677, Allier 842, Cantal 1 549, Hte-Loire 149. *Campings* 344 (23 232 emplacements), 2 330 000 nuitées. *Résidences secondaires* 398 045. *Thermalisme :* Bourbon-l'Archambault, Néris-les-Bains, Vichy (Allier) ; Châtelguyon, La Bourboule, Le Mont-Dore, St-Nectaire, Royat, Châteauneuf-les-Bains (P.-de-D.) ; Chaudes-Aigues (Cantal) ; 115 685 curistes (1986) dans les 10 stations. *Sports d'hiver :* stations classées 3 (Le Mt-Dore, Super-Besse, Super-Lioran) ; centres de ski (desc.) 10 ; foyers de ski de fond 68 ; zones nordiques 5. *Parcs naturels régionaux :* des Volcans d'Auvergne (345 816 ha) ; du Livradois-Forez (300 000 ha). *Châteaux et églises romanes.*

Départements

Voir légende p. 748.

• **Allier** (03) 7 340,11 km² (131 × 90 km). *Alt.* max. Puy de Montoncel 1 292 m ; min. vallée du Cher 160 m. 357 710 h. (1990) [*1801 :* 248 854 ; *1851 :* 336 758 ; *1886 :* 424 582 ; *1901 :* 422 029 ; *1926 :* 370 562 ; *1936 :* 368 778 ; *1954 :* 372 689 ; *1962 :* 379 024 ; *1968 :* 386 533 ; *1975 :* 378 500 ; *1982 :* 369 580]. D. 49. Estim. au 1-1-1987 : *pop. active* 130 100 dont primaire 15 900, secondaire 29 800, B.T.P. 9 100, tertiaire 74 900.

Villes. MOULINS. Alt. 220 m, 22 799 h. [*1806 :* 14 015 ; *1936 :* 22 369 ; *1982 :* 25 159] [ag. 41 715, dont *Avermes* 3 892. *Yzeure* 13 461 h.], alt. 221 m ; constr. méc., élec., électron., chaussure, instrum. de mus., alim. du bétail, serrurerie ; cathédrale (N.-Dame, XVe-XVIe-XIXe s., triptyque de Jean Hey, dit le « Maître de Moulins » XVIe s., vitraux), mausolée de Henri de Montmorency (lycée Banville), restes du ch. des ducs « Mal Coiffée » (donjon XVIe s.), musée (pavillon d'Anne de Beaujeu), bibliothèque (bible de Souvigny, XIIe s.), Jacquemart (beffroi), musée folkl. – *Bourbon-l'Archambault* 2 630 h., alt. 260 m ; stat. thermale ; inst. chirurgicaux ; restes du ch. des ducs de Bourbon, tour « Quiqu'en grogne », logis du Roi : faïences de Nevers. *Châtel-Montagne* 400 h., alt. 526 m ; église. *Commentry* 8 021 h. (ag. 8 843), alt. 385 m ; boulonnerie, sid., text., chim., prod. pharm., confection ; ancien bassin houiller. *Couleuvre* 716 h., porcelaines. *Dompierre-sur-Besbre* 3 807 h., alt. 234 m ; fonderies. *Gannat* 5 919 h., alt. 337 m ; élect.-métall., prod. pharmac., sid. ; égl. romane Ste-Croix. *Huriel* 2 606 h. *Lapalisse* 3 603 h. (ag. 4 443) ; alt. 299 m ; alim., maroquinerie ; château. *Lurcy-Lévis* 2 080 h. *Montluçon** 44 248 h. [*1801 :* 5 194 ; *1861 :* 16 121 ; *1891 :* 28 078 ; *1954 :* 48 743 ; *1982 :* 49 912] [ag. 63 018, dont *Désertines* 4 961 h., *Domérat* 8 875 h.], alt. 230 m ; aciers spéc., prod. chim., pneum., constr. méc., élec., électro., confection, meubles ; musée de la Vielle, château des ducs de Bourbon, égl. St-Pierre. *Néris-les-Bains* 2 831 h., alt. 354 m ; stat. thermale, cité gallo-rom. *St-Bonnet-Tronçais* 913 h., alt. 230 m ; ébénisterie ind. *St-Germain-des-Fossés* 3 727 h. (ag. 4 734) ; centre ferr. *St-Pourcain-sur-Sioule* 5 159 h., alt. 237 m ; vignoble, élec., sid., musée de la Vigne. *St-Yorre* 3 003 h ; commune hydrominérale, une des plus riches grâce à une redevance de 5 centimes sur les bouteilles vendues (embouteillage). *Souvigny* 2 024 h. ; abb., tombeaux de Charles Ier et d'Agnès de Bourgogne, égl. prieurale St-Pierre, musée lapidaire ou m. St-Marc (colonne zodiacale ou « calendrier de Souvigny »). *Varennes-sur-Allier* 4 413 h., alt. 248 m ; ébénisterie ind., plastique. *Vichy** (sous-préfecture substituée à La Palisse en 1941 ; siège du gouvernement du Mal Pétain du 1-7-1940 au 20-8-1944) ; 27 714 h. [*1801 :* 976 ; *1861 :* 3 740 ; *1891 :* 10 870 ; *1921 :* 17 501 ; *1982 :* 30 527] (ag. 61 566, dont *Abrest* 2 544. *Bellerive-sur-Allier* 8 543. *Cusset* 13 567 ; métall., meubles, confection, musée de la Tour prisonnière) ; alt. 258 m ; station thermale, centre sportif ; confiserie, prod. de beauté ; lait, viandes en gros, salaisons ; maroquinerie, constr. élec. et électro., plastique ; plan d'eau, 100 ha, 2,8 km de long ; musée de Chastel Franc.

Régions naturelles et agricoles. *Combrailles bourbonnaise* (plateau) 81 189 ha (11,5 %) : petites cultures (familiales), bovins, ovins, volailles, lait, porc. *Bocage b.* 261 364 ha (37,1 %) : bovins, ovins, céréales, lait, porc. *Sologne b.* 147 833 ha (20,9 %) (landes, étangs, bois) : bovins, ovins, céréales, lait, porc, volailles. *Val d'Allier* 125 463 ha (17,8 %) (vals de l'Allier et de la Sioule) : céréales, bovins, bett. ind., oléagineux, vigne, lait, porc, volailles. *Montagne bourbonnaise* alt. 1 165 m, 88 357 ha (12,5 %) : bovins, lait, porc, volailles, forêt, tourisme.

Divers. Parcs zoologiques : châteaux de St-Augustin à Château-sur-Allier, Pal à St-Pourçain-sur-Besbre, les Gouttes à Thionne. **Arboretum** de Balaine. **Étangs** Ébreuil 3,2 ha ; *de Sault* 25 ha, prof. 16 m (digue 5 m) ; *Vichy* 100 ha ; *Goule* 128 ha ; *Rochebut* 172 ha. **Rouzat :** 1er viaduc ferroviaire d'Eiffel. **Ski :** La Loge-des-Gardes, alt. 1 000/1 165 m ; La Font-Blanche. **Forêt :** Tronçais (du vieux français : tronce, grosses futaies), la plus belle chênaie de France (10 520 ha, 20 × 5 à 6 km) ; les Colettes 1 225 ha.

• **Cantal** (15) 5 726 km² (110 × 95 km). *Alt.* max. Plomb du Cantal 1 858 m, min. 210 m (sortie du Lot). 158 723 h. (1990) [*1801 :* 220 304 ; *1836 :* 262 117 ; *1851 :* 253 329 ; *1901 :* 230 511 ; *1936 :* 190 888 ; *1975 :* 166 540 ; *1982 :* 162 838]. D. 28. Est. 1990 : *pop. active :* 61 584 dont primaire 17 400, secondaire 7 876, B.T.P. 6 432, tertiaire 29 876.

Villes. AURILLAC. Alt. 631 m, 30 773 h. [*1831 :* 9 576 ; *1891 :* 15 824 ; *1954 :* 22 224 ; *1975 :* 30 863 ; *1982 :* 30 963] [ag. 36 069, dont *Arpajon-sur-Cère* 5 296] ; centre comm. (bestiaux), ind. lait, fromage ; parapluies ; prod. pharm., mobilier scol. et jeux de bois ; musées ; parc Hélitas 113 589 m². – *Mauriac** 4 224 h. [*1831 :* 3 604] (ag. 5 081), alt. 722 m ; artisanat, marché agric. *Maurs* 2 350 h., alt. 280 m. *Murat* 2 409 h., alt. 917 m, site bordé par 3 dykes : Bonnevie (1 070 m, Vierge de 14 m de haut.), Chastel (1 193 m ; église romane XIIe s.), Bredons (égl. prieurale du XIe s.). *Pleaux* 2 328 h. *Riom-ès-Montagnes* 3 225 h., alt. 850 m ; alim. (maison de la gentiane). *Saint-Flour** 7 417 h. [*1831 :* 6 640], alt. 881 m ; maroquinerie, hôtellerie, marché agr., petite ind. locale ; musée de Hte-Auvergne, cath. goth. XIVe s. *Salers* 439 h ; alt. 390 m, ville forte. *Vic-sur-Cère* 1 968 h.

Régions naturelles. *Massif du Cantal* et partie de l'*Aubrac* et *Cézallier* (volcaniques, basaltiques). *Margeride, Châtaigneraie, Artense* (cristallins).

Barrages : hydroélect. sur Truyère et Dordogne. **Plans d'eau :** lacs de Bort-les-Orgues (1 400 ha, prof. max. 80 m) ; Garabit-Grandval (1 070 ha, prof. max. 80 m) ; Sarrans et Pierrefort (900 ha) ; St-Étienne-Cantalès (560 ha, prof. max. 70 m) ; Enchanet (500 ha) ; Lastioulles (210 ha) ; Lanau (158 ha) ; La Crégut (126 ha). **Ski :** Super-Lioran, St-Urcize (1 250 m), Le Falgoux (1 737 m), Le Claux, Col de Legal (1 300 m). **Thermalisme :** Chaudes-Aigues, alt. 750 m, sources les plus chaudes d'Europe (82 ° C à la source du Par). **Parc régional** des volcans d'Auv., Maison des Volcans. **Divers.** Un des 1ers *dép. fromagers.* 1er prod. de parapluies en bois. *Loubaresse :* écomusée de la Margeride. *Garabit :* viaduc, plans de Boyer, construit (1872-84) par Eiffel, long. 564 m (tablier 448 m), haut. 123 m sur la Truyère. *Château de Val.*

• **Haute-Loire** (43) 5 002 km² (75 × 110 km). *Alt.* max. Mezenc 1 753 m, min. 400 m (sortie de l'Allier). 206 568 h. (1990) [*1801 :* 229 773 ; *1836 :* 295 384 ; *1851 :* 304 615 ; *1886 :* 320 063 ; *1901 :* 314 058 ; *1921 :* 268 910 ; *1936 :* 245 271 ; *1968 :* 208 337 ; *1975 :* 205 491 ; *1982 :* 205 895]. D. 42. Au 1-1-1987 : *pop. active* (ayant un emploi) 75 972 dont primaire 13 973, secondaire 25 845, tertiaire 36 154.

Villes. LE PUY 21 743 h. [*1806 :* 12 318 ; *1891 :* 20 308 ; *1921 :* 18 488 ; *1982 :* 24 064] (ag. 40 937 dont *Brives-Charensac* 4 399, *Chadrac* 3 075, *Espaly-St-Marcel* 3 516, *Vals-près-le-Puy* 3 426), alt. 629 m ; marché agr., ind. agro-alim., text., dentelles, tanneries, chaussures, vanneries, scieries, meubles, ind. chim., plast., caout., minéraux, trav. des métaux, méc., élec., électron., imprim., cartons, distilleries, liqueurs du Velay ; cathédrale, cloître, statue de N.-D. sur le rocher Corneille, aiguille de lave sur le rocher St-Michel (chap. St-Michel-d'Aiguilhe, Xe s.), égl. St-Laurent, musée Crozatier (dentelles), donjon de Polignac, abb. de la Chaise-Dieu. – *Aurec-sur-Loire* 4 510 h., alt. 432 m ; trav. du grain, lentilles, pneu., élec., électron., exp. d'armes blanches, mécan. *Bas-en-Basset* 2 955 h. *Brioude** 7 285 h., alt. 427 m ; centre agr., constr. méc., ind. chim., bijouterie, ind. du bois, briqueteries, trav. des métaux, élec., électron., imprim. ; tourisme, pêche au saumon, basilique St-Julien (XIIe s., nef 75 m, + vaste égl. d'Auvergne). *Coubon* 2 562 h. *Craponne-sur-Arzon* 3 008 h. ; ind., viande, bois, bonneterie. *Dunières* 3 009 h. *Langeac* 4 195 h., alt. 507 m ; ind., viande, plast., trav. bois, métaux. *Le Chambon-sur-Lignon* 2 854 h. *Monistrol-sur-Loire* 6 180 h. ; text., meubles, visserie, boulonnerie, cycles. *Retournac* 2 270 h. *Saugues* 2 089 h. *St-Didier-en-Velay* 2 723 h. (ag. 3 797). *Ste-Florine* 3 021 h. *St-Just-Malmont* 3 668 h. *Ste-Sigolène* 5 236 h. ; ind., viande, meubles, équip. autom., mach.-outils, text., plast. *Tence* 2 716 h. *Yssingeaux** 6 118 h. [*1861 :* 7 971 ; *1954 :* 5 653 ; *1975 :* 5 878 ; *1982 :* 6 228], alt. 880 m ; marché agr., ind. du bois, text., métall. et méc., chimie, mat. plast., salaisons.

Régions naturelles. *Velay granitique* (177 511 ha) : ondulé (800-1 000 m), traversé par la Loire. Pluies 700 à 900 mm. Sol granitique, acide. Lait, veaux de boucherie, porcs, moutons. *Margeride* (63 902 ha) : varié (900-1 300 m). Climat rigoureux, pluies 900 à 1 000 mm. Sol granitique, acide. Ovins. *Velay volcanique* (76 272 ha) : plateau (900-1 000 m), peu boisé, venté. Climat rigoureux, pluies 700 à 900 mm. Sol basaltique, riche (orge, blé, lentilles). *Bassin du Puy* (40 925 ha) : mouvementé (600-800 m). Pluies 600 à 700 mm. Sols volc., sédimentaires, d'alluvions. Lait, veaux de boucherie, céréales. *Mézenc-Meygal* (44 012 ha) : Mézenc : haut plateau (1 000-1 400 m) ; pluies 1 000 mm. Meygal : 850 m. Sols volc. Climat rude (5 mois de végétation). Herbages, élevage. *Brivadois* (61 760 ha) : transition à pentes assez fortes (700-900 m). Climat froid et sec, pluies 500 à 700 mm. Sol granitique, acide. Polyculture, céréales, veaux de boucherie, ovins, porcins. *Limagne* (12 367 ha) : plaine (450-600 m). Climat sec, pluies 450 à 600 mm. Sol : alluvions et sédiments. Polyculture (céréales). *Cézallier* (à la limite du dép., 2 communes) (2 549 ha) : 800-1000 m. **Principales régions forestières** (en milliers d'ha) : Mézenc-Meygal 16,4, Devès et Velay 12,6 dont f. du lac du Bouchet 0,6, Margeride-Cézallier 32,8, Velay granitique 42,9, plateau de La Chaise-Dieu 28,5, Brivadois 25,1.

Lacs : de *St-Front* (30 ha, prof. max. 10 m), du *Bouchet* (44 ha, prof. max. 28 m, cratère), de *Lavalette* (barrage sur le Lignon, 200 ha, prof. max. 50 m), plans d'eau de *Malaguet* (22 ha), de *Saugues* (28 ha), d'*Alleyras* (25 ha), de *St-Prejet-d'Allier* (43 ha). *Ski : Les Estables* 1 346-1 753 m. **Divers.** *Mazet-Saint-Voy :* com. la plus protestante de Fr. 95 % des h. (1/3 sont darbystes et ravinistes). *La Chaise-Dieu* [abb., alt. 1 085 m, de *casa dei*, maison de Dieu, peinture murale de *la Danse macabre* (haut. 2 m, long. 26 m), 144 stalles du XVe s., tapisseries)]. *Lavaudieu* (cloître XIe-XIIe s.). *Chavaniac La Fayette* (chât. XIVe-XVIIe s., dem. du G[al] Mis de La Fayette, Mémorial franco-amér.). *Le Mont-Mouchet* (1 465 m, m. de la Résistance). *Polignac* (donjon).

• **Puy-de-Dôme** (63) 7 954 km² (140 × 82 à 100 km). *Alt.* max. Puy de Sancy 1 886 m, min. 268 m (sortie de l'Allier). 598 213 h. (1990) [*1801 :* 509 128 ; *1851 :* 696 897 ; *1901 :* 544 194 ; *1921 :* 490 560 ; *1938 :* 486 130 ; *1946 :* 478 903 ; *1954 :* 481 380 ; *1962 :* 506 541 ; *1968 :* 544 568 ; *1975 :* 577 347 ; *1982 :* 594 365]. D. 75 (90). Est. au 1-1-1987 *pop. active* 232 700 dont primaire 20 000, secondaire 64 500, B.T.P. 15 300, tertiaire 132 100.

Villes. CLERMONT-FERRAND 136 181 h. [*1801 :* 30 379 ; *1891 :* 50 119 ; *1921 :* 82 577 ; *1954 :* 113 391 ; *1975 :* 156 900], alt. 385 m ; imprimerie de la Banque de France ; centre univ. (+ de 15 000 étudiants) ; pneum. Michelin, ind. caoutchouc-tuyaux Bergougnan, atelier de Mécanique du Centre (A.M.C.), ind. métall., biophysique médicale, constr. méc., électro., élec., alim., cycles, confection, matér. de transp., de mesure, tourisme ; égl. N.-D. du Port (XIᵉ-XIIᵉ s.), cath. XIIIᵉ s. en lave noire, fontaine d'Amboise (1515), fontaine pétrifiante, musées des Beaux-Arts, Bargoin, du Ranquet (quartiers sauvegardés), Lecoq (zool., bot.), Cité de Montferrand [ag. 254 416, 17 communes dont : *Aubière* 9 106, alt. 348 m. *Aulnat* 4 944, alt. 320 m, aéroport. *Beaumont* 9 465, alt. 427 m. *Blanzat* 3 522. *Cébazat* 7 562, alt. 354 m. *Ceyrat* 5 283. *Chamalières* 17 301, alt. 420 m. *Cournon d'Auvergne* 19 156, alt. 352 m. *Gerzat* 9 229. *Le Cendre* 5 013. *Lempdes* 8 591, alt. 320 m. *Romagnat* 8 268, alt. 468 m. *Royat* 3 950, alt. 450 m, st. thermale (cœur, artérite oblitérante)], S.I.A.C. – *Ambert** 7 420 h., alt. 535 m ; ind. plast., petite méc., papeterie tradit., text., métall., bijout., art relig., auto ; moulin à papier Richard de Bas XIVᵉ s. (papier fait main) ; musée de la machine agricole et à vapeur. *Billom* 3 968 h. ; centre agric. (aulx et dérivés), céramique, béton. *Brassac-les-Mines* 3 446 h. ; musée de la Mine. *Châtelguyon* 4 743 h., alt. 430 m ; st. therm. (appareil digestif). *Courpière* 4 674 h., alt. 325 m. *Effiat* 730 h. château (1627). *Égliseneuve-d'Entraigues* 694 h. Maison des fromages d'Auv. *Gergovie* plateau (700-720 m) à 14 km de Cl.-Ferr., vestiges de l'oppidum gaulois, bâti 53 av. J.-C. (4 km de long, 75 ha, abritait 80 000 soldats). *Issoire** 13 559 h. [*1921 :* 5 660 ; *1954 :* 8 541], alt. 386 m ; métall. (aluminium), constr. méc., aéro., élec. ; égl. XIIᵉ s. *La Bourboule* 2 113 h., alt. 850 m ; stat. therm., eau riche en arsenic. *La Monnerie-Le Montel* 2 594 h. (ag. 4 634). *Le Mont-Dore* 1 975 h., alt. 1 000 m ; st. therm. (voies respir.). *Lezoux* 4 819 h. ; cité de la poterie. *Murol* 606 h., alt. 830 m. *Pont-du-Château* 8 562 h., alt. 340 m ; méc. ; musée de la Batellerie. *Riom** 18 793 h. [*1801 :* 13 295 ; *1921 :* 10 435 ; *1975 :* 17 071] [ag. 25 110, dont *Mozac* 3 496], alt. 340 m ; tabac, ind. pharm., méc., métall., élec., alim. ; capitale de l'Auv. au Moyen Age, églises, fontaines, musées d'Auv. et Mandet. *St-Éloy-les-Mines* 4 721 h. (ag. 7 071), alt. 500 m ; fonderie, méc., mat. constr., plastique. *St-Georges-de-Mons* 2 451 h. [ag. 4 361, dont *Les Ancizes-Comps* 1 910 ; aciérie]. *St-Nectaire* 664 h., alt. 700 m ; st. therm. (affections rénales, métabolisme), fontaine pétrifiante. *Thiers** 14 832 h. [*1801 :* 10 627] (ag. 16 688), alt. 350 à 470 m ; coutellerie (75 % de la prod. nat.), forges, ind. méc., plast., vêtements, décolletage, estampage, plâtrerie, orfèvrerie ; Maison des couteliers (musée). *Vic-le-Comte* 4 155 h. ; fabrique papier-monnaie. *Volvic* 3 930 h., alt. 491 m ; eaux min., carrière, ind. de la lave ; musée de la Pierre.

Régions naturelles. *Limagne* (250 km², alt. moy. 400 m) : céréales, oléagineux, bett. ind., ail. Parc naturel du *Livradois/Forez,* chaîne des Puys (sommet du Puy de Dôme 1 465 m) et monts Dore ; parc naturel des *Volcans :* bovins pour l'embouche et fromages. *Combrailles, plateaux granitiques de l'Ouest :* élevage.

Parc régional des volcans d'Auvergne ; *naturel* Livradois-Forez ; *p. zoologique* du Bouy (50 ha) ; *p. animalier* du Cézallier (25 ha) ; *p. des Dômes* (2 ha). **Lacs** (alt.) : *Aydat* (825 m) ; *Chambon* (877 m) ; *Chauvet* 52 ha, 63 m ; *Godivelle* (1 225 m) 14 ha, 43 m de prof. ; *Guéry* (1 260 m) 37 ha, 11 m ; *Montcineire* 38 ha, 18 m ; *Pavin* (1 197 m) ; *La Cassière* (13 ha) ; *St-Rémy-sur-Durolle* (14 ha) ; plan d'eau des *Fades-Besserve* 38 ha, 18 m ; *Servière* (1 200 m) 15 ha, 26 m ; *Tazenat* (600 m) 33 ha, 66 m. **Ski :** *Mont-Dore* (1 050-1 846 m), *Super-Besse* (1 350-1 850 m), *Chambon-des-Neiges* (1 250 m), *Chastreix* (1 350-1 700 m), *St-Antheme-Praboure* (940-1 400 m), *Latour-d'Auvergne-Chambourguet* (1 000 m-1 300 m). **Divers.** Au XIXᵉ s. : 3ᵉ département prod. de vin (vignoble détruit par le phylloxéra). *Anzat-le-Luguet :* 1 140 m, commune la plus ventée, perchée. *Viaduc des Fades* (1901-09) le plus haut de France (132 m). **Industrie :** Iᵉʳ prod. de pneus (Michelin) et de coutellerie. *Vertolaye :* capitale du soufflet, ind. chim. **Thermalisme :** établissements servant sur place l'eau minérale (45). **Art roman.** *Églises* (Orcival, St-Nectaire, Issoire, N.-D.-du-Port à Clermont-Fd, St-Saturnin, Mozac), *châteaux* (Chazeron, Cordès, Villeneuve, Lembron, Parentignat, Ravel, Aulteribe, La Batisse). *M. vivants* de Livradois. *Forêts* fossiles, grottes du Perrier (P.-de-D.). **Minéralogie :** agates et diamants noirs de Charbonnières-lès-Varennes, zircons et grenats, calcédoines de la Mine des Roys et lussatite de Lussat, spath-fluor de Lastic, tourmalines de Berset, domite et hématite, améthystes de St-Germain-l'Herm, topazes, béryls, bombes volcaniques (renfermant parfois de l'olivine).

Bourgogne

Généralités

La région « Bourgogne », créée en 1960, comprend l'ancien duché de B. avec des parties des anciennes provinces de Champagne, d'Ile-de-France, d'Orléanais et le Nivernais.

Bourgogne

• **Situation.** Appartient à des ensembles géographiques très différents : **Au N., basse B. :** moyennes vallées de l'*Yonne* et de l'*Armançon,* en amont d'Auxerre et de Tonnerre ; entre ces vallées (prairies, cultures maraîchères), bas plateaux calcaires et dénudés, avec quelques reliefs de côte (cultures de céréales). *Au centre,* partie du massif boisé du Morvan et plaines argileuses qui le ceinturent : *Bazois, Terre plaine, Auxois,* plaine d'*Autun* (élevage). **Haute B.,** entre la région des sources de la Seine et le plateau de Langres : hauts plateaux calcaires, boisés et dépeuplés, climat rude (la « Montagne », qui s'abaisse par paliers au-dessus des plaines de la Saône). *Côte d'Or,* dernier escarpement (sur ses premières pentes, vignobles). *Pays bas,* plaines alluviales entourant la Saône (polyculture ; forêts, dans le val de Saône, cultures maraîchères). **Au sud-est et au sud :** *Bresse* et bordure est du Massif central (massif cristallin de l'*Autunois,* et dépression de Montceau-les-Mines et du Creusot) ; *Charolais* calcaire à l'ouest, cristallin à l'est, grande région d'élevage ; *Mâconnais,* polyculture et élevage. **A l'ouest :** *Nivernais,* élevage, forêts, coteaux à vignes au bord de la Loire (Pouilly).

☞ Vignoble du sud de Dijon au Beaujolais (côtes de Nuits, de Beaune, chalonnaise, mâconnaise).

• **Histoire.** **Av. J.-C. Depuis le VIIᵉ s.,** la future B. participe aux systèmes d'échanges lointains ainsi qu'en témoigne le trésor de Vix : mobilier funéraire, fin VIᵉ s. av. J.-C. composé de pièces d'origine grecque (dont un grand cratère), scythe, étrusque et celtique. **121** les Eduens, qui en occupent une grande partie (Nièvre, S.-et-L. et C.-d'Or actuelles), sont alliés de Rome. **61** battus par les Germains d'Arioviste, ils appellent les Romains à leur aide. **58-52** alliés de César dans la g. des Gaules. **52** juil. ils se rallient à Vercingétorix qui, proclamé chef de la révolte à Bibracte, doit capituler à *Alésia.* **13** rattachée à la Lyonnaise par la réforme administrative d'Auguste. **Apr. J.-C. 21** révolte de Sacrovir ; Autun devient un des principaux centres intellectuels de l'Empire. **IIIᵉ s.** sac d'Autun par Tetricus (269), ravages des Alamans (276), puis pays partagé entre Iʳᵉ et IVᵉ Lyonnaise (Sénonaise) dans le diocèse des Gaules. **IVᵉ et Vᵉ s.** régression de l'autorité romaine ; expansion du christianisme (St Germain, évêque d'Auxerre en 418). Multiples invasions, notamment celles des Burgondes fuyant devant les Huns, après celles de 355 et de 406 ; occupation du nord-est de la région par les Alamans. **443** le nom de *Burgondia* apparaît. Il désigna des entités différentes. **443-75** la B. est la Suisse romande actuelle, où les Burgondes, envahisseurs germaniques, ont été établis comme colons. **475-534** la B. est le roy. de Gondebaud qui a refoulé les Alamans, pris Dijon en 479, puis a étendu son domaine jusqu'à la Saône, au Rhône et à la Provence intérieure. Gondebaud promulgue une « Lex burgundionum » *(loi « Gombette »)* et, pour les « Romains », une « Lex romana burgundionum », mais perd Auxerrois et Champagne en luttant contre Clovis. Son fils Sigismond (vénéré comme un saint) se convertit au cathol., les Burgondes étant ariens.

534-843 conquête du pays par les Francs : fils et petits-fils de Clovis : Clotaire, Childebert, Thierry. Le nom de B. n'est plus qu'une appellation géographique sans limite administrative précise. Sous les Mérovingiens, puis les Carolingiens, le royaume bourguignon est à peu près le quart S.-E. de l'Hexagone, sur le même plan que l'Aquitaine, la Neustrie et l'Austrasie. Roi le plus notable : Gontran (mérovingien 525-93) ; maire du Palais le plus notable : St Léger, év. d'Autun (616-78). **843-1032** le mot a simultanément plusieurs sens différents : le duché de B. est la partie occidentale de l'ancienne Burgondie, à l'O. de la Saône, demeurée dans le royaume de Fr. après le partage de Verdun (843). La Saône devient la frontière entre B. royale à l'O. et B. impériale à l'E. [Jusqu'au XIXᵉ s., les bateliers parlent de la rive du Riaume (droite) et de la rive d'Empi (gauche).] 1ᵉʳ duc : Richard le Justicier, Cᵗᵉ d'Autun, beau-frère de Charles le Chauve (v. ci-dessous). A l'E. de la Saône et au S.-E. du Rhône, on continue à nommer B. certaines terres, partie du lot de l'empereur Lothaire, notamment le comté palatin de B. (v. Franche-Comté) ; la B. transjurane (Suisse romande actuelle), devenue royaume en 888 ; et le royaume d'Arles (cap. Arles ou Vienne), appelé souvent roy. de Provence-Bourgogne, parce qu'il a été conquis en 933 par le roi de B. transjurane, Rodolphe II. A partir de 1032, le titre de « roi des Burgondes » passe à l'empereur germanique Henri III neveu et héritier de Rodolphe III, roi de B. transjurane. Cela implique la souveraineté directe sur la Suisse, et la suzeraineté sur la Franche-Comté et le royaume d'Arles, mais aucun droit sur la B. capétienne.

Duché de Bourgogne. **IXᵉ s. 843** séparé des autres terres bourg. ; disputé par les Carolingiens de *Francia occidentalis* et les rois possédant le reste de la B. **Fin IXᵉs.** la B. franque devient duché avec le frère de Boson, Richard le Justicier (qui profite des invasions scandinaves pour prendre le titre de duc). A sa mort, il possède les comtés d'Autun, d'Auxerre et de Sens, et contrôle, avec ses comtes, presque toute la B. au sens actuel, de Langres à Dijon, de Troyes à Chalon, de Tonnerre à Brienne. **956-1002** aux mains des Robertiens (ancêtres des Capétiens). **1002-16** occupé par Robert le Pieux, roi de Fr., qui empêche Otto Guillaume de s'en emparer. **1031** à sa mort, inféodé par son fils, le roi Henri Iᵉʳ, à son frère Robert Iᵉʳ de B. (tige de la maison capétienne de B. s'éteint 1361) ; parmi les branches cadettes, celles du *Viennois* (issue du duc Hugues III) et de *Portugal* (issue de Henri, Cᵗᵉ de Lusitanie, frère des ducs Hugues Iᵉʳ et Eudes Iᵉʳ). **Du IXᵉ au XIᵉ s.** indépendant de fait, mais empiétements des nombreux seigneurs laïcs et ecclésiastiques. **XIIᵉ s.** le duc Hugues III (1162-92) se heurte à Philippe Auguste, et meurt isolé en Terre sainte, puis les ducs, fidèles vassaux du roi de Fr., assurent leur domination sur tout le duché et accroissent leur domaine propre.

XIIIᵉ-XIVᵉ s. interventions de plus en plus nettes de la monarchie fr. **1315 :** une ligue arrache la *« charte aux Bourguignons » :* le roi reconnaît les coutumes locales de B. et s'engage à ne pas modifier la fiscalité sans accord avec les états. Placé sous la tutelle de Jean le Bon sous *Philippe de Rouvres ;* création d'une Chambre des comptes de type parisien, tenue des *Grands Jours* (session temporaire d'une cour de justice d'appel dans le ressort du Parlement de Paris, puis tribunal permanent). **1352** réunion des premiers états de B. **1361** meurt de la peste à 17 ans (Charles le Mauvais, héritier le plus direct, est écarté), le roi de Fr. Jean le Bon, époux en 2ᵉ noces de sa mère, prend possession du duché et le donne en apanage à son 4ᵉ fils Philippe le Hardi, le duché est complété d'enclaves royales, rattaché à la Couronne, et doté d'un gouverneur. **1364-1477** prospérité sous les ducs de Valois grâce à des mariages et de nombreuses g. *Philippe le Hardi* (n. 1336-1404), frère du roi Charles V, gouverneur en 1363 et reçoit le duché en apanage le 2-6-1364. **1369** Philippe le Hardi épouse Marguerite de Flandre, veuve de Philippe de Rouvres et recueille en 1384, à la mort de *Louis de Mâle,* les comtés de Flandre, Bourgogne, Artois, Nevers, les seigneuries de Salins, Malines et Anvers. **1392** folie du roi Charles VI, son neveu ; il est corégent avec le duc d'Orléans, son neveu, et le duc de Berry, son frère. **1404** *Jean sans Peur* (1371-1415), son fils, duc de B., fait tuer son cousin germain Louis (corégent et duc d'Orléans) en 1407 à Paris mais il est assassiné par les Armagnacs, partisans de Charles d'Orléans fils de Louis, au pont de Montereau. *Philippe le Bon* (1396-1469), son fils, passe dans le camp des Anglais (1420-35). **1435** *tr. d'Arras,* il se réconcilie avec le roi mais est dispensé à titre personnel de prêter hommage (le roi Ch. VII était tenu pour responsable de l'assassinat de Jean sans Peur). Il accroît ses domaines par achats, mariage et héritages ; comtés de Namur (1421), Hainaut, Hollande, Frise et Zélande (1428), duchés de Brabant, Lothier, Limbourg (1430), Luxembourg (1431). **1459** promulgue les « Coutumes générales du pays et duché de B. ». **1468** **Charles le Téméraire** (1438-77) reçoit le pouvoir temporel dans la princ. ecclésiastique de Liège. Il ne peut relier les « Pays-Bas » et les B. ducale et comtale en s'emparant de la Champagne et de la

Lorraine (il meurt devant Nancy en 1477) ; l'État bourg. est démembré ; ruinée par les guerres du Téméraire, la B. ducale est envahie par les troupes royales et conquise après la mort du duc par Louis XI, et, au *tr. d'Arras,* l'empereur Maximilien renonce aux droits de sa femme, Marie de B., fille du Téméraire, sur le duché. L'échec du projet de mariage entre Charles VIII et Marguerite d'Autriche fait perdre à la Fr., en 1493, la dot prévue en 1482 (Comté et Charolais). **1559** *tr. du Cateau-Cambrésis :* contestations entre Fr. et Habsbourg à propos du duché prennent fin.

Le duché de B., à partir de Louis XI, ne sortira plus du domaine royal ; le titre honorifique de duc de B. ne sera plus porté que par Louis († 1712), petit-fils de Louis XIV, fils du Gd Dauphin, et par le frère aîné de Louis XVI († 1761).

• **Institutions.** Chacun des États avait ses traditions et ses institutions, mais les ducs menèrent une politique inlassable d'unification : territoires découpés en *bailliages* à la fin du règne de Philippe le Bon (5 dans le duché, 3 en Comté...) ; 3 *Chambres des comptes* (Dijon, Lille, Bruxelles) ; justice répartie entre les *Jours généraux* de Beaune et de Dole, le *conseil* des Flandres de Gand, la *cour* de Brabant et la cour de Hollande ; réunions d'*états* en B. ducale, en Comté et en Flandres ; coutumes de plusieurs pays collationnées et promulguées ; abolition, par Charles le Téméraire, de plusieurs organes locaux au profit des *conseils de Malines* (Parlement souverain créé en 1473 par Charles le T. pour les Pays-Bas pour supprimer l'appel au Parlement de Paris) ; structuration du pouvoir central, qui se déplace de Dijon à Bruges, Gand, Hesdin ou Lille : duc assisté d'un *grand conseil* présidé par le chancelier (*Nicolas Rolin* fut le plus célèbre), entouré de grands officiers ; gestion des finances dirigée par un « receveur de toutes finances », contrôlée par un trésorier-gouverneur et supervisant 2 receveurs généraux qui nomment des receveurs particuliers ; armée régulière de 32 compagnies d'ordonnances organisée par Philippe le Bon (s'y ajoutent contingents féodaux et levées de mercenaires) ; à partir de 1429, l'ordre de chevalerie de la *Toison d'or* symbolise la puissance et le rayonnement du « grand duc d'Occident ».

Après Louis XI, XVI-XVIIe s. le parlement de Dijon (définitivement établi 1480) et la Chambre des comptes subsistent ; un gouverneur remplace le gouverneur ducal ; les États de B. continuent à se réunir (l'hostilité des B. fait rapporter, en 1631, un édit de 1629 transformant la province en pays d'élection). Généralité de B., avec un bureau des finances, est créée ; **1621** sont installés les « commissaires départis », bientôt « intendants de justice, police et finances ». Province progressivement unifiée et étendue : **1561** annexions des 3 élections, anciennes enclaves royales, **1639** du Cté d'Auxonne, **1671** de l'élection d'Auxerre, **1721** de Bar-sur-Seine, **1751** du Cté de Charolais (récupéré sur Habsbourg en 1684) ; seul le Mâconnais conserve son élection et ses États jusqu'à la Révolution. Le ressort du parlement de Dijon a des limites différentes (ne contrôle pas Auxerre, Bar et Mâcon, mais englobe successivement Bresse, Bugey, pays de Gex et Valromey, puis principauté des Dombes). Ébranlée par les guerres de Religion en 1562, 67, 89, et 95, la B. voit la défaite des Esp. et des ligueurs par Henri IV (Fontaine-Française, 1595). En **1601** Bugey, Valromey et pays de Gex (Ain actuel) sont annexés à la B. De nouveau ruinée par la guerre de Trente Ans ; à partir de 1678, protégée par le bastion de la Franche-Comté. Prospérité au XVIIIe s. Création d'une faculté de droit en 1722, d'une académie en 1740, à Dijon. *A la Révolution,* divisée en départements : Saône-et-L., Côte-d'Or, Ain, une partie de l'Yonne.

Chalonnais

Comté héréditaire dep. 968. *1237 :* le Cte Jean le Sage l'échange avec le duc de B., Hugues IV, contre la seigneurie de Salins ; ses descendants gardent le titre de Cte de Chalon, devenus en 1393 Pce d'Orange.

Charolais

• **Situation.** S.-O. de la S.-et-L. Forêts, élevage bovin d'embouche pour régions voisines, poterie, forges.

• **Histoire.** *IIIe s. :* occupé par la tribu gauloise des Aulerques Brannovices de la confédération des Éduens. Suit le sort de la cité d'Autun, de la conquête romaine à l'époque franque. *Haut Moyen Age :* fait partie du Brionnais (*pagus Brionnensis,* dont la cap. était la commune de Briant). *Xe s. :* fondation de riches monastères, et naissance des bourgs de Charolles, Paray-le-Monial et Marcigny. *973 :* le Ch. appartient à Lambert, Cte de Chalon, fondateur de Paray-le-Monial. *1005 :* fondation du prieuré clunisien de Charolles. *1237 :* le comté de Chalon est cédé à Hugues IV de Bourgogne qui en 1272 crée une baronnie du Ch. pour sa petite-fille Béatrix de B. *1316 :* érigé en comté avec états particuliers pour Béatrix de Ch. qui épouse Jean d'Armagnac. *1390 :* vendu par Bernard d'Arm. à Philippe le Hardi. *1477 :* conquis par Louis XI, qui y établit un bailliage royal. *1493 :* cédé par Charles VIII (tr. de Senlis) qui conserve sa suzeraineté, à Philippe, archiduc d'Autriche. Fief personnel des Habsbourg d'Autriche, puis d'Espagne (1558). Plusieurs fois saisi par le roi, au cours des g. contre les Habsbourg, notamment en 1674 (restitué en 1679, par le tr. de Nimègue). *1684 :* enlevé au roi d'Esp. et donné au Pce de Condé. *1751 :* échangé à Louis XV, par Mlle de Sens, contre la terre de Palaiseau ; les États particuliers sont alors réunis aux États de Bourgogne.

Nivernais

• **Situation.** *Est Morvan* (du celtique, « mont Noir », à cause de la forêt qui le recouvre), granitique, humide et forest. (100 000 ha, hêtre et chêne), élevage ; bordé par le *Bazois,* plaine bocagère ondulée, sols gras et humides (marnes), herbages (région d'embouche). **Centre,** du Bazois à la Loire, plateaux de calcaires jurassiques hachés de failles (dalles rocheuses, alt. moy. 400 à 500 m) ; forêt. **Nord.,** *Puisaye* (sol argileux imperméable) prairies d'élevage. **Est,** *Val de Loire nivernais* entre La Machine et Decize ; herbages.

• **Histoire.** Partie du territoire des Éduens. César vient à Decize (Decetia) pour une entrevue avec leurs chefs. Nevers est considéré généralement comme l'ancien Noviodunum gaulois (cité des Éduens), point d'appui des légions de César, pris d'assaut par les Éduens, lors de la révolte de 52 av. J.-C. *Période gallo-romaine :* partie de la cité d'Auxerre. *V. 490 :* Auxerre étant cédé aux Francs par Gondebaut (avec la moitié nord de sa cité), Nevers devient évêché (burgonde) pour la moitié sud [suffragant de Sens (1re mention : concile d'Epaone 517)] ; Xe s. comté, XIe s. fief puissant, qui passe à Pierre II de Courtenay grâce à son mariage avec Agnès de Nevers en 1184. Échoit ensuite aux maisons de Flandre, de Bourgogne (Philippe le Hardi), de Clèves (1504). Duché-pairie en 1538. Transmis à la famille de Gonzague en 1565. Vendu à Mazarin (1659), qui le donne aux Mancini. Le dernier duc mourut en 1798. La majeure partie forme la Nièvre.

Économie

• **Population.** 1 609 654 h. (1990) [*1982 :* 1 596 054]. *Active* (1-1-88) : 601 295 dont primaire 59 349, secondaire 148 976, tertiaire 350 726. *Salariés :* 489 975. *Chômeurs* (1987) : 71 000.

• **Échanges** (milliards de F, 87). IMPORTATIONS : 16,2 dont prod. chim. et demi-prod. div. 3,9, biens d'équip. profess. 3,2, métaux et prod. des métaux 2,8, biens de consom. courante 2,7, autom. et transp. terrestre 1,5, ind. agroalim. 1, prod. agric. 0,7, électroménager, électron. grand public 0,3, divers 0,2. EXPORTATIONS : 25,6 dont biens d'équip. profess. 5,7, prod. agric. 5,5 (dont vins 3,5), métaux et prod. du travail des métaux 4,5, biens de consom. courante 4, ind. agroalim. 2,2, prod. chim. et demi-prod. div. 2, autom. et transp. terrestre 0,8, électroménager, électron. grand public 0,6, divers 0,1.

• **Agriculture. Terres** (en milliers d'ha, au 1-1-90, estim.) 3 175,2 dont *S.A.U.* 1 919,4 [t. lab. 1 015,8 (dont jardins 17,1), herbe 875, vignes 26,1] ; *bois* 983 ; peupleraies 11,8 ; *étangs* 5,2 ; *t. agric. non cult.* 51,1 ; *t. non agric.* 177,2.

Production végétale (en milliers de t) : blé tendre 2 138, orge et escourgeon 851,8, betterave ind. 473,2, oléagineux 438,8 (dont colza 262,7). *Vins* (en milliers d'hl) 1 345,1 (dont d'A.O.C. autres que vins doux naturels 1 221,7).

Production animale (en milliers de têtes, au 1-1-89, estim.) : bovins 1 354,3, ovins 461,2, caprins 52,6, porcins 130, équidés 10,9. *Lait* (en milliers d'hl, production totale vaches lait. + nourrices, au 1-1-90, estim.) : 4 267,6. *S.A.U.* (moy. par expl., 1983) : 45,5 ha.

• **Industrie.** *Salariés* (1-1-88) : 140 709 dont ind. agro-alim. 13 905, énergie 5 749, biens intermed. 42 561, biens d'équip. 42 596, biens de consom. 33 576. B.T.P. 31 401, papier, carton 2 322.

Départements

Voir légende p. 748.

• **Côte-d'Or** (21) 8 763 km² (125 × 108 km). *Alt.* max. 720 m (Les Tronçois), min. 178 m (Chivres).

493 867 h. (1990) [*1801 :* 340 500 ; *1851 :* 400 297 ; *1901 :* 361 626 ; *1921 :* 321 088 ; *1936 :* 334 386 ; *1954 :* 356 839 ; *1975 :* 456 070 ; *1982 :* 473 548]. D. 56 *Pop. active :* (1-1-88) : 193 022 ayant un emploi dont secteur primaire 13 827, secteur secondaire 54 835, secteur tertiaire 124 360. *Salariés* (1-1-88) : 165 391.

Villes. DIJON. 146 703 h. [*Moyen Age :* 10 000 ; *XVIe s. :* 15 000 ; *1789 :* 22 000 ; *1801 :* 20 000 ; *1870 :* 40 000 ; *1914 :* 75 000 ; *1936 :* 95 000 ; *1954 :* 110 000 ; *1975 :* 151 705] [ag. 226 025 dont *Chenôve* 17 721, constr. méc., prod. chim. *Chevigny-St-Sauveur* 8 223. *Daix* 862. *Fontaine-lès-Dijon* 7 856. *Longvic* 8 273. *Marsannay-la-Côte* 5 216. *Plombières* 2 123. *Perrigny* 1 381. *Quétigny* 9 230. *St-Apollinaire* 5 577. *Talant* 12 860], alt. 245 à 390 m, 4 151 ha ; ind. pharm. alim. (moutarde), tabac, plast., caout., constr. méc. et élec., ind. électro., équip. mén., fonderies, matér. de précision, optique, cuir, centre ferrov., autom., imprim., carton. ; ville d'art [palais des ducs de Bourg., églises, musée (des Beaux-Arts), vieux hôtels particuliers XVe-XVIIIe s.]. Lac Kir 37 ha, 1 520 × 250 m, prof. 3,50 m. Le chanoine, Félix Kir (1876-1968), maire de 1945 à 68 et député 1946-67, a donné son nom à l'apéritif 1/3 cassis – 2/3 vin blanc aligoté. – *Alise Ste Reine* 172 h. ; site d'Alésia, statue de Vercingétorix 7 m (Aimé Millet 1865). *Arnay-le-Duc* 2 040 h. ; meubles de bureau. *Auxonne* 6 781 h. ; marché de lég., ind. alim., matér. élec. mén. et profess., électro., métall. – *Beaune** 3 129 ha, 21 289 h., alt. 224 m ; vin (vente annuelle des Hospices), matériel vitic., imprim. et carton., ind. électro., mat. plast., bijouterie ; carrières de Comblanchien ; Hôtel-Dieu (fondé 1443) et musée du Vin ; collégiale XIIe et XVe s., hôtels part., archéodrome (reconstitution maison néolithique, siège d'Alésia, etc.) ; parcs : du ch. de Vignolles (21 ha), de la Bouzaize (4 ha) ; plan d'eau de Gigny (créé en 1978, 10 ha). *Brazey-en-Plaine* 2 500 h. ; text. *Châtillon-sur-Seine* 6 862 h. ; fonderie mécanique, ind. du bois, métall. ; musée (vase de Vix : Ve s. av. J.-C.). *Genlis* 5 241 h. ; outillage, électro., et optique. *Gevrey-Chambertin* 2 825 h. ; vins, ind. alim. *Is-sur-Tille* 4 050 h. (ag. 5 453) ; articles de mén. et div. en plast. *Montbard** 7 108 h. (ag. 7 456) ; métall. *Nuits-Saint-Georges* 5 569 h. ; vins, jus de fruits, liqueurs, imprim. et carton., cuivre et alliages. *Saulieu* 2 917 h. ; hôtellerie-restauration. *Selongey* 2 386 h. ; trav. des métaux, électromén. *Semur-en-Auxois* 4 545 h. ; alim., cuir, orgues électron. ; monuments du XIIIe au XVe s. *Seurre* 2 728 h. (ag. 3 164) ; électron. *Venarey-les-Laumes* 3 544 h. ; métall.

Régions naturelles. *Châtillonnais* (céréales, forêts), plateau de *Langres,* 271 819 ha (céréales), *Auxois,* 193 798 ha (élevage), partie du *Morvan,* 47 790 ha (élevage, forêts), *Val de Saône,* 57 268 ha (cult. maraîch.), *Côte,* 73 118 ha (vignobles, v. Index), *Tonnerrois,* 19 307 ha, *Vingeanne,* 24 364 ha, *La Plaine,* 14 797 ha, *La Vallée,* 40 880 ha.

Divers. *St-Germain-Source-Seine :* une partie de la commune, les Sources de la Seine, est un territoire parisien dep. le XIXe s. (acheté par la Ville de Paris). *Santenay :* le plus gros platane de France (haut. 39 m, circonf. au sol 13,77 m, à 1 m du sol 8,22 m) ; il fut planté sous Henri IV (1599).

Tourisme : *Abbayes* de *Fontenay* et *Flavigny. Lacs :* Grosbois, Panthier, Chazilly, Marcenay, Marcilly et Kir.

• Nièvre (58) 6 816,71 km^2 (125 × 100 km). *Alt.* max. 855 m (Mt Préneley), min. 135 m (sortie de la Loire). *Climat :* Val de Loire et centre : océanique. Morvan : semi-continental. 233 278 h. (1990) [*1801 :* 232 990 ; *1841 :* 305 406 ; *1881 :* 347 576 ; *1901 :* 323 783 ; *1936 :* 249 673 ; *1954 :* 240 078 ; *1975 :* 245 212 ; *1982 :* 239 635]. D. 34. *Actifs* (1-1-88) : 82 422 ayant un emploi dont primaire 9 428, secondaire 25 024, tertiaire 47 970. *Salariés* (1-1-88) : 65 146.

Villes. NEVERS 41 968 h. [*1801 :* 11 200 ; *1841 :* 13 995 ; *1866 :* 20 700 ; *1911 :* 27 706 ; *1936 :* 33 699 ; *1962 :* 41 103 ; *1975 :* 45 480] [ag. 58 915, dont *Coulanges-lès-Nevers* 3 544. *Varennes-Vauzelles* 10 602] ; chaudronn., matér. pour ind. laitière et alim., constr. électr., équip. mén., fabr. d'antivols, fixations skis, faïencerie, caoutchouc, fabr. luminaires ; aérodrome ; siège social du Herd-Book (reproducteurs charolais) ; égl. St-Étienne (XIe s.), cath., palais ducal Renaissance, m. de la Porte du Croux, châsse de Ste Bernadette au couvent St-Gildard, musée, faïences (bleu intense dit « au grand secret » introduit par les Gonzague). – *Château-Chinon** 2 502 h., alt. 610 m ; plast. et thermoplast., ind. text., musées (costumes fr. du XVIe au XIXe s., mobilier du Morvan, m. du septennat de F. Mitterrand). *Cercy-la-Tour* 2 258 h. ; cycles. *Clamecy** 5 284 h. (ag. 5 528) ; ind. chim., mat. élec. pour cycles et cyclomoteurs, musée (peint. et faïences, donation Romain Rolland). *Corbigny* 1 802 h. ; constr. méc., ind. bois. *Corvol-l'Orgueilleux* 776 h. ; scierie, constr. méc. et caoutchouc. *Cosne-Cours-sur-Loire** 12 123 h. (ag. 13 184) ; quincaillerie, mat. de forage pétrolier, câblerie, mach. agr., ind. polygraphique, liasses mécanogr., musée de la Batellerie de la Loire. *Decize* 6 876 h. (ag. 9 057) ; métall., caoutchouc, céramiques. *Donzy* 1 719 h. ; chalumeaux en plastique, traitement des plumes. *Fourchambault* 5 037 h. [ag. 8 976, dont *Garchizy* 3 939] ; constr. méc., élec., électro., pièces pour camions. *Guérigny* 2 414 h. (ag. 4 147) ; expo. sur la métall. (en été). *Imphy* 4 478 h. (ag. 6 069) ; aciers sp. (invar cryogénique). *La Charité-sur-Loire* 5 686 h. (6 931) ; vins, antiquités, constr. méc., literie, bonneterie ; prieuré clunisien, musée (ethnographie, arts déco.). *La Machine* 4 191 h. ; ind. du bois ; avant houille ; anciens gisements de fer exploités à fleur de terre, de l'Antiquité au XIXe s. *Luzy* 2 422 h., alt. 273 m ; ind. text., méc. de précision. *Magny-Cours* 1 483 h. ; circuit de vitesse (4,2 km) technopole axée sur compétition auto et industries de pointe (Ligier, Snobeck, Sodemo-Octane) ; école de pilotage de course. *Marzy* 3 032 h. ; musée d'hist. locale et d'ornithologie. *Moulins-Engilbert* 1 711 h., alt. 225 m. *Pougues-les-Eaux* 2 358 h., alt. 190 m ; diabétologie. *Pouilly-sur-Loire* 1 708 h. ; vignobles : « P.-sur-L. » et « P. fumé ». *Prémery* 2 377 h. ; ind. chim., abbatiale. *St-Amand-en-Puisaye* 1 361 h. ; poterie, grès, parqueterie. *St-Honoré-les-Bains* 754 h., alt. 320 m ; station thermale. *St-Pierre-le-Moûtier* 2 091 h. ; confection, carrières kaoliniques. *Varzy* 1 455 h. ; musée de peint., faïences et verreries.

Régions agricoles (en ha). *Nivernais* central, 260 023 (élevages de charolais, forêts), *Morvan,* 179 908 (alt. max. 852 m, min. 400 m), *Bourgogne niv.,* 150 087 (élevage), *Entre-Loire et Allier,* 70 850, *Puisaye,* 14 413, *Sologne nivernaise* 6 389, vignoble, 1 200 ha (9 000 fin XIXe) dont 587 A.O.C. Pouilly et 60 V.D.Q.S.

Divers. Lacs : *Pannessière* (540 ha, digue de 304 m de long et 53 m de haut), *Les Settons* (360 ha, digue de 267 m de long et 19 m de haut). *Baye et Vaux* (200 ha). *Crescent* (165 ha). *St-Aignan* (140 ha). **Beuvray :** alt. 821 m, ancienne Bibracte, oppidum des Éduens (5 km de long, 136 ha).

• Saône-et-Loire (71) 8 575 km^2 (100 × 140 km). *Alt.* max. 902 m (Bois du Roy, du Haut-Folin). *Temp.* 1° à 24 °C. 559 413 h. (1990) [*1801 :* 452 673 ; *1881 :* 625 589 ; *1901 :* 620 360 ; *1936 :* 525 676 ; *1946 :* 506 749 ; *1962 :* 535 772 ; *1968 :* 550 362 ; *1975 :* 569 810 ; *1982 :* 571 852]. D. 65. *Pop. active* (1-1-88, estim.) : 238 500, ayant un emploi 209 588 dont primaire 24 047, secondaire 74 400 (B.T.P. 14 059), tertiaire 111 141. *Salariés* 165 610.

Villes. MACON 26,78 km^2, 37 275 h. [*1801 :* 11 520 ; *1866 :* 19 175 ; *1946 :* 22 198 ; *1962 :* 30 671 ; *1975 :* 39 344 ; *1982 :* 38 404] [ag. 45 004, dont *Charnay-lès-Mâcon* 6 102] ; alt. 182 m ; imprimerie, parachimie, constr. méc. et élec., matér. profess., confection, ind. alim. et bois, marché vinicole, foire nat. des vins de Fr. ; port fluvial, bassin d'aviron (1 des plus grands bassins naturels d'Eur.) ; musée Lamartine, maison de bois ; espaces verts 500 ha. – *Autun** alt. 335 m (fusionné 1973 avec *St-Pantaléon* et *St-Forgeot,* défusionné avec St-Forgeot 1985), 17 906 h. ; métall., text., hab., équip. mén., matér. élec., constr. méc., ameubl. ; cath. St-Lazare, vestiges gallo-romains, musées Lapidaire, hist. nat. ; foire du meuble. *Blanzy* 7 642 h. *Bourbon-Lancy* 6 178 h., alt. 240 m ; autom. (moteurs camions), thermalisme, musée, plan d'eau, base de loisirs. *Chagny* 5 346 h. ; radiateurs, minoterie, tuilerie. *Chalon-sur-Saône** 54 575 h. [ag. 77 498, dont *Châtenoy-le-Royal* 5 689, *St-Marcel* 4 118, *St-Rémy* 5 627]. Plasturgie, transport, logistique nucléaire, tertiaire. Théâtre municipal. Musées Niepce (photo.), Denon (peinture holl.) Championnats du monde de motonautisme, coupe des nations de pêche au coup. *Charolles** 3 048 h. ; foire aux bovins. *Chauffailles* 4 485 h. ; musée voitures anc., tissage. *Cluny* 4 430 h. ; fabrique de fenêtres, haras, hippodrome, abbaye, égl. romane, musée Ochier. *Digoin* 10 032 h. (ag. 13 114) ; sanitaires (ALIA), grès et poteries, faïenceries, musée céramique, pont-canal, port de plaisance. *Givry* 3 340 h. ; vignoble, scieries, hôtel de ville (1771), halle ronde (1830). *Gueugnon* 9 697 h. ; sidérurgie (acier inox.), musée archéol. *Le Creusot* [1] 28 909 h. (1793 : 1300) [ag. 40 903, dont *Le Breuil* 3 741. *Torcy* 4 059] ; charbon exploité XVI-XXe s., usine Schneider 1836-1969. Usinor CLI (sidér.), Framatone (mécan.), SNECMA (turbines, moteurs d'avions), écomusée (château de la Verrerie). *Louhans** 6 140 h. (ag. 9 926) ; marché agr., manif. pour volaille de Bresse, équip. autom., textile, bonneterie, Hôtel-Dieu, Apothicairerie, musées de l'imprimerie, municipal, arcades. *Montceau-lès-Mines* [1] 22 999 h. [ag. 47 283, dont *Blanzy* 7 642. *St-Vallier* 9 977 ; matér. profess., caout., bassin houiller, élect., text., bonneterie. *Sanvignes-lès-Mines* 4 918] ; télématique, bonneterie, élec., caout. (Michelin), textile, musées de la mine, des fossiles. *Montchanin* 5 960 h. (ag. 7 942) constr. pylônes E.D.F., décharge de 1 200 000 t de déchets toxiques ; tourisme fluvial, canal du Centre. *Paray-le-Monial* 9 859 h. ; Cérabati (carrelages), Eternit (fibrociment), Fauchon-Baudot (prod. réfractaires), tourisme fluvial, musée de la faïence de Charolles, basilique romane, pèlerinage. *Romanèche-Thorins* 1 710 h. ; musée Guillon (chefs-d'œuvre des Compagnons du Tour de Fr.), moulin à vent. *Tournus,* alt. 193 m, 6 568 h. ; plast., app. mén., constr. élec., parachim. ; abbaye romane St-Philibert ; musées Bourguignon, Greuze, Perrin de Puycousin ; Hôtel-Dieu.

Nota. – (1) Communauté urbaine : *Le Creusot-Montceau-les-Mines* 16 communes, 389,47 km^2.

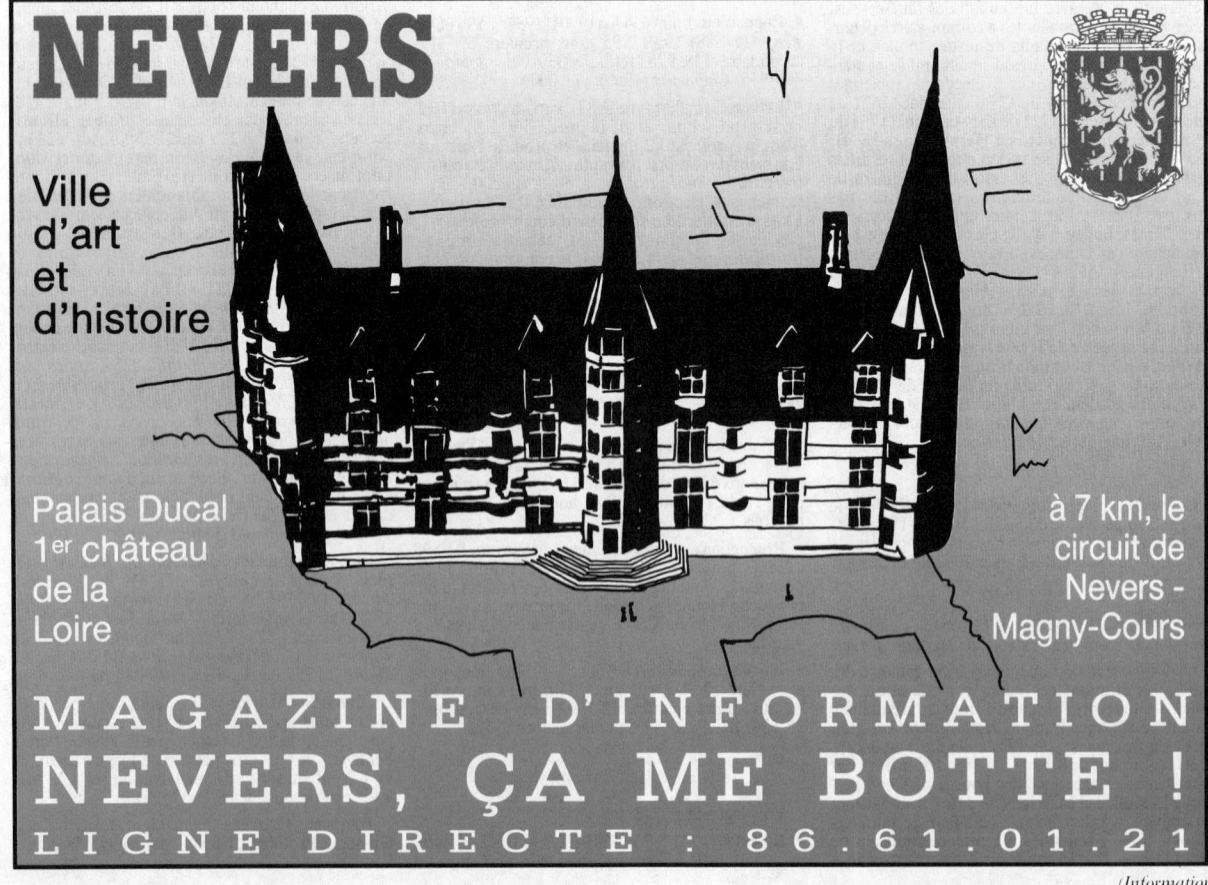

Régions naturelles. *N. de la Bresse* (bovins, volailles, polyculture). *Vallée de la Saône,* 36 750 ha dont bois 24,3 %, et *Brionnais* 44 900 ha dont bois 16,9 % (céréales, betteraves, cult. maraîchères, prairies). *N.-E. du Massif central : côte chalonnaise* et monts du *Mâconnais,* alt. 500 à 761 m (Signal de Mère Boîtier), 50 000 ha (vignoble, polyculture). *Charollais* (élevage pour embouche). *Autunois* et *Morvan,* 36 800 ha dont bois 47,6 %, alt. max. 902 m, très arrosé (1 100-1 200 mm de pluie par an).

Régions agricoles (en ha, forêts entre parenthèses) : Morvan 50 288 (20 592), Autunois 139 120 (27 455), Charolais 128 399 (24 262), Bresse louhannaise 107 518 (18 960), Sologne bourbonnaise 105 733 (14 686), Mâconnais 66 893 (15 870), Bresse chalonnaise 60 002 (10 958), Chalonnais 52 111 (11 991), Clunysois 49 632 (11 130), côte Chalonnaise 49 634 (9 485), Brionnais 39 532 (4 402).

Sites touristiques. *Solutré,* traces d'occupation à l'âge du renne (1 300 000 visiteurs en 1987), (musée de la Préhistoire) *Bibracte,* capitale des Gaules (site national). *Grottes préhistoriques :* Blanot, Aze. *Art roman :* abbaye Cluny, Tournus, basilique Paray-le-Monial, cath. St-Lazare Autun, et plus de 250 églises dont Anzy-le-Duc, Montceaux-l'Etoile, Chapaize (clocher pyramidal de 35 m), Semur-en-Brionnais, Berzé-la-Ville... *Châteaux :* 189 dont Cormatin, Couches, Pierreclos, Saint-Point, Sully, Brancion... *Musées :* 53 dont m. Rollin (Autun), Niepce (photo, Chalon-sur-S.), Ochier (Cluny), Lamartine (Mâcon), de la faïence charolaise (Paray-le-M.), m. (enterré) de la phéhistoire au pied de la Roche de Solutré ; 2 écomusées : Le Creusot (château de la Verrerie), Pierre-de-Bresse (château). *Lacs :* plans d'eau (Vallon Autun, Breuil Bourbon-Lancy), lacs (Plessis Montceau-lès-Mines, Montaubry St-Julien-sur-Dheune, St-Point, Le Rousset, Laives...). *Parc rég.* du Morvan. *Station thermale* à Bourbon-Lancy.

• **Yonne** (89) 7 424 km² (135 × 115 km). *Alt.* max. 609 m (bois du Roi), min. 33 (Cuy). *Temp.* moyennes 9 à 12 ° C, *pluies* 600 à 1 100 mm. 323 096 h. (1990) [*1801 :* 320 596 ; *1851 :* 381 133 ; *1901 :* 321 062 ; *1936 :* 271 685 ; *1946 :* 266 014 ; *1975 :* 299 851 ; *1982 :* 311 019]. D. 44. *Pop. active* (1-1-88) : 116 263 ayant un emploi, dont secteur primaire 12 047, secondaire 36 961, tertiaire 67 255. *Salariés* (1-1-88) : 93 828.

Villes. AUXERRE 38 919 h. [*1851 :* 14 166 ; *1936 :* 24 282 ; *1954 :* 26 583 ; *1975 :* 38 342] [ag. 42 005, dont *St-Georges-sur-Baulches* 3 186], alt. 102 m ; ind. du bois, transf. des métaux, méc. gén., mach.-outils, mach. agr., T.P., constr. élect., panneaux de particules, mat. de transp., ind. du livre, ind. alim., confect., accum., pompes, mat. de précision, électro., cartonnage, impr., pav. industrialisés, prod. pharm., entr. nett. ; cath. (XIIIe s.), abb. St-Germain, maison du Coche d'Eau, musées ; parc de l'Arbre sec (3 ha) ; conservatoire de la nature, cons. sup. de musique, école Beaux-Arts. – *Appoigny* 2 755 h. ; abattage volailles, hôtel., restauration, conserveries condiments. *Avallon** 8 617 h [*1906 :* 5 848 ; *1975 :* 8 814] ; caout., roulements à billes, bonneterie, mat. plast., cartonnages, verrerie-cristal., cravates « Cardin », B.T.P., prod. lait. surgelés, épicerie en gros, prod. pétr., mat. agric. *Brienon-sur-Armançon* 3 088 h. : scierie, sucrerie, raffinerie, lustrerie, B.T.P., isolation. *Chablis* 2 569 h. ; viticulture, imprimerie (dep. 1478), cartonnage, biscuiterie, gadgets de cuisine, bâtiment. *Joigny* 9 697 h. [*1906 :* 6 057 ; *1975 :* 10 972] ; constr. méc., tôlerie, matér. de transp., de garage, emballages plast., mat. de manut., bâtim., papet. scol., gaines de stylo, imprim., bois, accessoires autom. et naut., circ. imprimés. *Migennes* 8 235 h. [*1906 :* 2 473 ; *1975 :* 8 315] [ag. 13 321, dont *Charmoy* 1 192, *Cheny* 2 521, *Laroche-St-Cydroine* 1 373] ; chaudronn., tôlerie et béton ind., méc. gén., signalisation élec. et tél., mat. médic. de sauvetage, emballages plast., meubles, B.T.P., confect., abattoirs, ind. alim. (traitement saumon et foie gras), bouteilles métall., tringles à rideaux ; centre ferr. *Monéteau* 4 239 h. ; ind. laitière, méc. gén., équip. frigor., matér. de magasins, scierie, cartonnages. *Pontigny* 737 h. ; tuileries-briq. ; abbatiale (XIIe s.). *Pont-sur-Yonne* 3 212 h. ; verrerie médic., cartonnage, bâtim., brosses ind., expl. forest. *St-Fargeau* 1 884 h. ; confect., charpentes, bât. métall., mat. de manut., instal. électr., génie climat., galvanisation à chaud, embal. métal., mat. frig., mat. plastiques ; château (spectacle estival). *St-Florentin* 6 433 h. ; transp. des métaux, tôlerie ind., extincteurs, B.T.P., confiserie, garniture de freins, caout., amiante, confect., bois, bracelets-montres. *St-Julien-du-Sault* 2 161 h. ; rouleaux télétypes, panneaux isolants, remorques, agrafes, boucles métall., rasoirs et lames, volailles en gros. *Sens** 2 191 ha, 27 082 h. [*1906 :* 15 007 ; *1946 :* 17 329 ; *1962 :* 20 351 ; *1975 :* 26 463 ; *1982 :* 26 602] [ag. 33 621 dont *Paron* 4 537 et *St-Clément* 2 776] ; constr. élec., méc. gén., fonderie, chaudronnerie, matériaux préfabriqués, T.P., charpentes métall., matér. de transp. terr., minoterie, vêtements,, revêtements de sol, mat. de camping, imprim., laiterie ind., brosserie, mobilier, mat. plast., prod. pharm., peint., chaussures, battage d'or, galvanoplastie sur mét. et plast. ; cathédrale et trésor, musée municipal. *Tonnerre* 6 008 h. ; tubes acier, matér. élec., constr. électro., bonneterie, B.T.P., méc. gén., literie, informatique, logiciels agri., injection, plast., plumes et duvets, agro-alim. ; Hôtel Dieu (XIIIe s.), fosse d'Ionne. *Toucy* 2 590 h. ; mat. plast., matér. élec., prod. phytosanitaires, jeux électron., bois, menuiserie, B.T.P., méc. gén., couvre-pieds. *Vézelay* 571 h., alt. 302 m ; basilique (1104-1205), pèlerinage. *Villeneuve-sur-Yonne* 5 054 h. ; imprimeries, B.T.P., distillerie, méc. gén., échelles, confection, diables, prod. d'entretien, chim., mat. de manut., gaines de ventilation, art. puéricult., engrais.

Régions naturelles. *Plateaux de Bourgogne :* 229 599 ha, alt. 250 m, céréales, vigne, cerises, élevage, scieries, ind. du bois, poterie. *Champagne crayeuse :* 30 577 ha, alt. 150 m, céréales, bois. *Pays d'Othe :* 38 587 ha, alt. 250 m, fruits, forêts, scieries. *Basse Yonne :* 50 943 ha, alt. 50 m, céréales, bett. à sucre, bois, chim., minoterie, fonderie, métall., ind. du cuir, carrières. *Vallées :* 142 070 ha, alt. 150 m, céréales, vigne, cult. maraîchères, élevage, lait, minoterie, mécan., mach. à bois, carrières chaux et ciment. *Gâtinais pauvre :* 84 778 ha, alt. 150 m, céréales, ind. alim., apiculture. *Puisaye :* 115 194 ha, alt. 200 m, élevage, mécan., scieries, ind. du bois, poterie, briqueterie. *Terre plaine :* 26 767 ha, alt. 250 m, élevage, carrières, scieries, rechapage, roulements à billes, tannerie, biscuiterie. *Morvan :* 24 210 ha, alt. 450 m, élevage, forêts, scieries, meubles. **Forêts** (en ha). F. d'Othe (13 000), de Vézelay-Asnières (6 000), de Frétoy (3 000), de St-Fargeau (2 700), de Vauluisant (2 000).

Divers. Vins : Chablis, vallée du Serein, côteaux du Vézelien, côte de St-Jacques à Joigny, Auxerre (clos de la Chaînette), St-Bris, Irancy (côte de Palotte), Chitry, Coulanges-la-Vineuse, Tonnerrois (Epineuil) **Cerisaies :** Champs, Coulanges-la-Vineuse, Jussy, Vaux, Irancy, Escolives-Ste-Camille. **Plans d'eau :** Sens, Armeau, Étigny, Véron, Villeneuve-sur-Yonne, Joigny, Auxerre, Moutiers (50 ha, 1,2 km sur 0,4 km), Crescent (165 ha, 2 km × 1 km), Vaux, Merry-sur-Yonne, réservoirs du Bourdon (220 ha, 4 × 1,5 km), de Malassis (2 ha), rivières de l'Armançon, du Serein, de la Cure, du Cousin, canal de Bourgogne, canal du Nivernais. **Parc** rég. du Morvan. **Rochers** du Saussois à Merry-sur-Y. (60 m). **Grottes préhistoriques :** Arcy-sur-Cure. **Fouilles gallo-rom. :** Fontaines salées à St-Père-sous-Vezelay, Escolives. **Cités médiévales :** Noyers-sur-Serein, Montréal. **Châteaux :** Ancy-le-Franc (1546-90, Serlio), Druyes-les-Belles-Fontaines (XIIe s., chât. de Courtenay), Fleurigny/Oreuse (XVIe s.), Meaulnes (pentagonal), Ratilly (centre d'art), St-Fargeau (Moyen Age et XVIIe s.), Tanlay (1610-42, Le Muet), Tremblay (c. d'art), Vallery (détruit au XVe s., reconstruit XVIe s., famille de Condé). **Monastère** *de la Pierre-qui-vire* (forêt de St-Léger Vauban). **Musées :** Villiers-St-Benoît (rég.), Laduz (arts et trad. pop.), Saints (ferme et moulin Vanneau), Dicy (La Fabuloserie).

Bretagne

Généralités

• **Cadre géographique.** Comprend Finistère, Côte d'Armor (ex C.-du-Nord, Ille-et-Vilaine, Morbihan ; la Bretagne historique comprend en outre la Loire-Atlantique dep. l'an 851 (Cté de Nantes) (Voir Pays de la Loire). La plus grande partie de la région appartient au *Massif armoricain* (de *ar :* la, et *mor :* mer) (alt. moy. 104 m) ; plateaux du *Léon, Trégorrois, Penthièvre, monts d'Arrée* (Signal de Toussaines : 384 m) à l'O. ; de *Cornouaille* au N. ; landes de *Lanvaux* (150 m) et *Montagnes Noires* (326 m) au S. encastrent le bassin de *Châteaulin* (240 à 280 m), plateaux, collines douces et gorges des rivières. *Centre : plateau de Rohan* (200 à 250 m) ; zone déprimée : marais de *Dol* (N.), *bassin de Rennes* (25 m), *Grande Brière* (S.) (env. 150 km² ; 18-20 km N.-S. ; 14-15 km O.-E.). *Côtes :* au N., élevées, découpées par des rias profondes et étroites ; au S., plus basses, tracé plus accidenté : presqu'îles *(Quiberon)* ; golfes étendus *(golfe du Morbihan)* ; baies formées par des abers s'élargissant à l'intérieur. *Rade de Brest* et *baie de Douarnenez* (Finistère ; Menez-Hom : 330 m).

Superficie. 27 184 km² (5 % du territoire national) ; ne comprend pas les lacs, étangs de + de 100 ha, ni les estuaires des fleuves : 1 116 km². **Côtes.** 1 100 km (3 500 si l'on compte rias et îles). *Plages de sable :* 1 080 km². **Iles principales.** *Côtes-d'Armor :* Bréhat. *Finistère :* Batz, Glénan, Molène, Ouessant, Sein. *Morbihan :* Groix, Belle-Ile, Hoedic, Houat.

• **Climat. Températures.** Ouest : océanique (amplitudes faibles 9-10 °C, gel rare). *Intérieur et E. :* amplitudes augmentent (12-13 °C) ; minima plus faibles (0,6 °C à Merdrignac dans le Méné), maxima forts (24 °C à Rennes). **Pluies.** 1 453 mm à Brennilis (monts d'Arrée), 600 mm sur le littoral. **Vent.** Plus de 60 % de temps « perturbé » en hiver, 40 à 50 % en été. Suroît (S.-O.) : automne et hiver : pluies fines ; parfois violent, souvent tenace et continu. Noroît : tempête, averses froides. La Bretagne peut être atteinte toute l'année par les perturbations qui circulent sur le front polaire séparant les masses d'air polaire et tropical.

• **Découpage administratif.** Le découpage actuel des circonscriptions d'action régionale date du 30-6-1941 (décret du gouv. de Vichy et repris par la Ve Rép.) Il sépare Nantes et la Loire-Atlantique de la Bretagne, allant à l'encontre de l'histoire, de l'économie et de la géographie. Le 9-11-1984, le Conseil d'État a considéré que l'Assemblée constituante ayant, en août 1789, fait table rase des privilèges des anciennes provinces, on ne pouvait se prévaloir de l'édit de 1532 fixant les contours historiques de la Bretagne.

• **Langue bretonne.** Celtique, issue du britonnique (parlé autrefois en G.-B. dont dérivent aussi gallois et cornique). Proche du celtique continental ou gaulois (v. langues, à l'Index). *Dialectes principaux :* trégorrois, léonard, cornouaillais, vannetais. *La Bretagne « bretonnante »* (actuellement à l'ouest d'une ligne Plouha-Corlay-Elven-Muzillac) atteignait au IXe s. une ligne Mt-St-Michel-St-Nazaire. *Statistiques* (Bretonnants : parlant le br.). *1886* 1 200 000, *1952* 1 100 000, *1990* 655 000 comprenant le breton, 250 000 le parlant sur 1 500 000 h. (Basse Bretagne à l'Ouest d'une ligne courant de Paimpol à Vannes).

Nota. – BZH : abréviation de Breizh [après l'unification de l'orthographe bretonne : Breiz en K.L.T. (Cornouaille, Léon, Trégor) et Breih (Vannetais)], signifient Bretagne.

Principaux toponymes. *Beg :* pointe, cap. *Coat, coet, goat :* bois. *Gwic, gui, guic :* bourg au centre de la paroisse. *Ilis ou iliz :* église. *Kastell :* forteresse. *Ker :* forteresse, puis ville, village, groupe de maisons. *Lan :* terre consacrée, ermitage. *Lann :* lande, ajoncs. *Loc :* ermitage. *Menez :* montagne. *Penn :* tête, bout. *Plou :* paroisse (formes dérivées *plo, ple, plu, ploe, pleu, poul*). *Tre :* trève (subdivision de paroisse). *Ty :* maison. *Epithètes : Bihan :* petit. *Braz :* grand. *Hen :* ancien. *Meur :* vaste. *Nevez :* nouveau.

• **Drapeau** (nommé *Gwen a Du :* noir et blanc). *Traditionnel :* blanc avec croix noire. *Récent* (dessiné par Morvan Marchal). 9 bandes horizontales, 5 noires (5 évêchés de Hte-Bret.), 4 blanches (évêchés de Basse-Bret.) et un canton aux armes du duché (blanc avec queues d'hermine). Généralement 11 queues (4, 3, 4) ; drapeau arboré avant 1937 (Exposition universelle) : dont bandes bretonnantes Bro Leon (St-Pol), Bro Dreger (Tréguier), Bro Gerne (Quimper), Bro Gwened (Vannes) ; gallaises : Bro Sant Brieg B/G (St-Brieuc), Bro Sant Malo (St-Malo), Bro Roazhon (Rennes), Bro Naoned (Nantes), Bro Zol (Dol).

Nota. – Depuis le XVe s. les pavillons maritimes de la Bretagne étaient blancs avec des croix noires.

• **Hymne.** *Bro Gozh ma zadou* écrit par Taldir et inspiré de l'hymne national gallois *Hen Wlad fy Nhadau* dont il partage la mélodie.

• **Dicton.** « Qui voit Ouessant voit son sang, qui voit Sein voit sa fin. Qui voit Groix voit sa joie. »

Histoire

Entre 3500 et 1700 av. J.-C. civilisation « armoricaine » : érection des mégalithes (dolmens et tumulus, allées couvertes, menhirs). **2e millénaire av. J.-C.** développement de la civ. du bronze (contact par mer avec les Campaniformes fondeurs de cuivre). **V. 850 av. J.-C.** établissement des Celtes. **350 av. J.-C.** industrie de l'argent, grande prospérité (monnaies). A l'arrivée des Romains, plusieurs peuples : Namnètes, Redons, Coriosolites, Osismes et Vénètes (prédominants dans le Morbihan, d'où ils contrôlent mines d'étain et trafic atlantique des « Cassitérides » ; trafic maritime intense avec l'archipel britannique). **57 av. J.-C.** Crassus bat les Vénètes ; ceux-ci se révoltent, mais Brutus, en présence de César, détruit leur flotte au nord de l'ancienne île de Batz (actuellement marais salants). Sous l'Empire romain, l'Armorique est incluse dans la Lyonnaise, puis au Bas-Empire, dans la IIIe Lyonnaise du diocèse des Gaules. **Ve s. apr. J.-C.** l'Armorique (chrétienne et latinophone), peu touchée par les invasions, devient progressivement le refuge de nombreux Bretons d'outre-Manche qui fuient Angles et Saxons et la receltisent, d'où son nouveau nom de Bretagne (« Britannia Minor »).

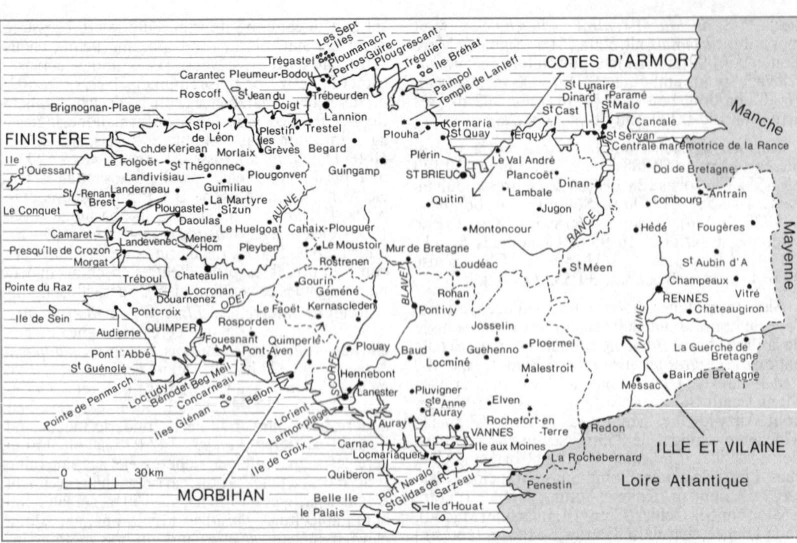

V^e^ au IXe s. les parlers celtiques atteignent une ligne St-Nazaire-Mont-St-Michel. Bien qu'incluse nominalement dans la Gaule mérovingienne, la Br. est indépendante. 2e évangélisation et défrichement du pays ; de cette époque date la toponymie celtique et religieuse : *plou* (paroisses), *tré* (sections de paroisses), *lan* (ermitages). *A l'époque carolingienne,* création d'une « Marche de Br. », confiée un moment à Roland ; nombreuses révoltes rendant le contrôle du pays difficile. Le duc *Nominoë* († 851) profite des conflits entre les fils de Louis pour affermir son indépendance. Sa politique est poursuivie par son fils Érispoë et son neveu Salomon. **Xe s.** anarchie. *Alain Ier le Grand* et son petit-fils *Alain II Barbetorte* sont les seuls à tenir tête aux envahisseurs normands, mais ils doivent s'allier aux Francs ; recul de la langue celtique qui disparaît progressivement du tiers oriental du « duché ». **Fin du Xe s.** le Cte de Rennes, *Conan Ier le Tors,* rétablit son autorité nominale sur l'ensemble du duché, alors que celui-ci est disputé entre les *Foulques d'Anjou* et les *ducs de Normandie.* **XIe s.** succession d'Alain III mort en 1040. **1113** *« traité » de Gisors :* la Br., définie comme un « comté », devient fief vassal de la Normandie (arrière-fief de la couronne de Fr.). **1166** passe dans la maison des Plantagenêt, par mariage de Geoffroi, 4e fils de Henri II, avec Constance, fille et héritière de Conan IV. **1186** conflit entre Henri II Plantagenêt et Geoffroi (Geoffroi promulgue la 1re loi br., affirmant le droit d'aînesse et le non-partage dans les fiefs bretons : « Assise du comte Geoffroi ») : institution de grands officiers, constitution d'un hôtel, apparition d'embryons de chambres des comptes et de « parlement » (au XIIIe s.), division du pays en 8 « baillies » (régies par un sénéchal). **1203** le fils posthume de Geoffroi, Arthur Plantagenêt, est assassiné par son oncle Jean sans Terre. Philippe Auguste confisque la Br. et y installe la famille de *Dreux,* de souche royale, en la personne de *Pierre Ier Mauclerc,* beau-fr. d'Arthur (1213-37) ; redevient fief direct de la couronne de Fr., érigée en duché (1297). La dynastie de Dreux renforce l'organisation anglo-norm. **1341** mort du duc Jean III ; 2 prétendants : sa nièce Jeanne de Penthièvre (fille de son frère puîné Gui), mariée à Charles de Blois, et son frère cadet Jean de Montfort ; la Coutume de Br. puis la cour des pairs adjuge le duché à Jeanne, mais Jean de Montfort ne s'incline pas, et la g. éclate ; Jean de M. (soutenu par Édouard III d'Angl.) s'appuie sur la Br. bretonnante, et Jeanne (soutenue par Philippe VI de Fr.) sur la Br. fr., avec Rennes et Nantes, et presque toute la noblesse ; alors que des victoires semblent assurer le succès de Charles de Blois, il est tué à la bataille d'Auray [29-9-1364 (Du Guesclin prisonnier)] ; *tr. de Guérande* (12-4-1365) reconnaît Jean de Montfort comme duc de Br., et celui-ci prête l'hommage direct simple au roi de Fr. Sous *Jean V de Montfort* (1399-1442), fils de Jean IV (surnommé le « Conquéreur »), la Br. acquiert une quasi-indépendance maintenue jusqu'à la fin du XVe s. Son dernier duc, *François II* (1458-88), s'allie contre les rois Valois avec les Anglais et le Téméraire, puis avec l'empereur Maximilien et les Grands de la « Guerre folle ». **1490** mort de François II ; Anne, sa fille, est unie à Maximilien par procuration. **1491** Anne doit rompre et épouser Charles VIII ; veuve, elle épouse (1499) Louis XII qui, pour l'épouser, a fait annuler son 1er mariage avec Jeanne de France. **1514** Anne meurt ; sa fille Claude qu'elle a eu de Louis XII hérite du duché et épouse François d'Angoulême qui, en 1515, devient le roi François Ier. **1524** Claude meurt léguant la Br. au dauphin François. **1532** François Ier unit indissolublement la Br. à la France par l'Acte d'Union à la Couronne de Fr. (« aucune imposition ne pourra être faite en Br. qu'elle n'ait été préalablement demandée aux états et par eux consentie » ; justice maintenue « en la forme et manière accoutumée » ; nominations aux charges ecclésiastiques attribuées aux seuls Bretons). Les autres privilèges « dont ils ont les chartes anciennes et jouissance immémorable jusques à présent » sont confirmés. Les Bretons conservent donc leurs États, leur Parlement, leur autonomie administrative, bien que le dauphin François en reste duc et prince propriétaire. **1536** François meurt ; son frère Henri (en 1547 le roi Henri II) devient dauphin et est couronné duc de Br. (ce sera le dernier à être couronné). **1539** il reçoit l'usufruit du duché, dont il fait hommage. A partir de 1554, installation d'un véritable parlement, siégeant d'abord, partie à Nantes, partie à Rennes, puis à Rennes seulement ; Nantes conserve sa chambre des comptes. Les États siègent chaque année à Vannes ou à Rennes et consentent l'impôt. Un gouverneur représente le roi (au XVIIIe s., les « Cdts en chef » résident sur place). **1559** mort de Henri II. **1589-98** troubles de la Ligue ; le duc de Mercœur, gouverneur de la Br. vaincu par Henri IV, doit se soumettre. Restaurée et enrichie par Richelieu, qui en fut gouverneur, la Br. échappe à la Fronde. Dès le XVIe s. les marins malouins pêchent en Islande et à Terre-Neuve, ceux de St-Pol atteignent le Brésil, Jacques Cartier (1491-v. 1554) reconnaît le St-Laurent.

1675 révoltes des « Bonnedou Ruz (Bonnets Rouges) » des paysans de Hte et Basse Cornouailles, et révolte du « papier timbré » dirigée contre les abus des impôts indirects ; répression. **XVIIe s.** l'intendant de Br. s'installe à Rennes, d'abord en missions temporaires (à partir de Richelieu), puis à demeure (à partir de 1689). Les Nantais vont en Guinée et aux Antilles, les Malouins au Pérou et en Chine. Duguay-Trouin (1673-1736) s'empare de Rio de Janeiro en 1711. Lorient, fondé par Colbert en 1666, devient le grand port des Indes orientales.

Début du XVIIIe s. Lutte de Montesquiou contre les états (commandant en chef pour le gouverneur 1717-18). **1718** *déc. conspiration de Pontcallec,* appelée aussi conspiration de *Cellamare.* Formée par le prince de Cellamare, ambassadeur d'Espagne, pour détrôner le régent au profit du roi d'Esp. Le duc du Maine et la noblesse bretonne s'y associent. Les Bretons voulaient retrouver l'autonomie de leur province [4 conjurés (Mis Armand de Pontcallec ; C^tes^ de Talhouët, du Couëdic, de Montlouis) exécutés en 1721]. **De 1715 à 1735** l'intendance renforce son autorité, mais les états obtiennent en 1733 la création de la « Commission intermédiaire » qui les représente pendant les intersessions et dont les correspondants contrecarrent l'action des subdélégués. **1753-89** opposition parlementaire à la monarchie ; lutte de *La Chalotais,* procureur général, contre le *duc d'Aiguillon* (gouverneur de 1753 à 1768), qui utilise les services de l'intendance pour son propre compte. **1768** d'Aiguillon devient min. à Versailles. **1771-74** l'intendance de Br. retrouve son autorité grâce aux réformes du Triumvirat (Maupeou, Terray et d'Aiguillon min. de Louis XV). **1774** avènement de Louis XVI, abandon de ces réformes ; l'opposition des états aux impôts renaît. La nomination de *Bertrand de Molleville* à l'intendance et la reconstitution de la subdélégation générale au profit de Petret n'empêchent pas l'effritement du pouvoir royal. **1785** La Chalotais et le parlement br. (85 voix contre 12) protestent contre la mauvaise foi française et démissionnent. **1788** l'agitation suscitée par la réforme de Lamoignon contraint l'intendant à s'enfuir. **1789** fin de l'autonomie de la Br. Division en 5 départements (actuellement : Finistère, Côte d'Armor, Ille-et-Vilaine, Loire-Atlantique et Morbihan). **1790** le duché de Br. disparaît officiellement sans pour autant entraîner l'abolition du traité d'Union. Sous la Révolution, foyer de la chouannerie (Cadoudal) qui naît dans le Léon en 1793 et ne disparaît qu'avec le Concordat. **1791-93** conjuration bretonne de *La Rouërie* (il meurt de maladie ; on décapitera son cadavre). (Voir Histoire de France.) **XVIIIe s.** essor des villes adm. : Vannes, Nantes et, plus encore, Rennes. *Mahé de La Bourdonnais* (1699-1753) parcourt l'océan Indien ; la marine française est commandée par Luc-Urbain *du Bouëxic, Cte de Guichen* (1712-80), Louis-Charles *du Chaffault de Besné* (1708-93), le chevalier *du Couëdic* (1739-80), Toussaint de *La Motte-Picquet* (1726-91) ; Robert *Surcouf* (1773-1827) s'illustre sous la Révolution et l'Empire. 5 ports s'imposent progressivement : Nantes métropole du commerce « triangulaire » (ses navires transportent les Noirs d'Afrique aux Antilles d'où ils rapportent du sucre, du rhum, du tabac) ; St-Malo et Morlaix (pêche lointaine et campagnes des corsaires) ; Brest (doté d'un arsenal par Richelieu) ; Lorient [siège de la Compagnie des Indes (vendue 1770 à la Couronne par les Rohan].

Mouvements régionalistes et « nationalistes » bretons

• **Histoire. XIXe s. : 1805** Académie celtique fondée par Le Gonidec, Cambry et Le Brigant. **1843 :** fondation de l'Association br. pour améliorer l'économie de la Br. **Après 1898** mouvements politiques et régionalistes, notamment : à la suite d'un « appel au peuple breton », fondation de l'*Union régionaliste bret.,* à Morlaix, par le Mis de l'Estourbeillon ; demandant une « région distincte ».

XXe s. : 1900 *Féd. socialiste de Br.* fondée à Nantes par Charles Brunellière et les socialistes br. **1911** *Féd. régionaliste br.* et *Parti nationaliste br.* fondés par Le Mercier d'Erm, Le Rumeur, Gueguen pour l'indépendance politique. **1918** *Unvaniez Yaouankiz Breiz* (Union de la jeunesse br., UJB) fondée par Job de Roincé (militant de l'Action française), H. Prado, M. Marchal. **1925** revue « *Gwalarn* » (vent de Nord-Ouest), porte-parole de la littérature br. (Roparz Hémon, J. Riou, Y. Drezen, Abéozen). **1927,** août : transformation de l'UJB en *Parti autonomiste br.* (PAB). **1930** démission de fédéralistes et de gauchisants : fondation de la *Ligue fédéraliste de Br.* (M. Duhamel). **1931** éclatement du P.A.B. au congrès de Rennes (février). **1932** *Parti national br. (PNB)* fondé par Fanch Debauvais et Olier Mordrel, chef du mouvement *Breiz atao* (Bretagne toujours) ; attentat de la sté secrète Gwenn-ha-Du contre le monument commémorant à Nantes l'Union de la Br. à la France (en août) et contre la voie ferrée Paris-Nantes lors de la venue d'Édouard Herriot (en nov.). **1939,** oct. : PNB dissous après le départ des leaders pour l'Allemagne. **1940,** mai : Mordrel et Debauvais condamnés à mort. Juill. : le PNB clandestin crée le *Conseil national br.* et publie une déclaration pour la création d'un État br. autonome. S'appuie d'abord sur les Allemands contre Vichy, puis à partir de déc. Delaporte demande à Pétain un statut autonome. **1942-43** Le parti se divise. Le *Comité consultatif de Br.* (fondé oct. 1942) regroupe la plupart des « modérés » (Yann Fouéré, Joseph Martray...), obtient des concessions dans le domaine culturel. Le *Bezen Perrot* regroupe les plus durs, fondé 1943, sous le nom de Lu Brezhon, la milice br. (avec Célestin Lainé et Ange Péresse, n. 1910), rattachée au Sicherheitsdienst (S.D.), police politique all., prend le nom de Bezen Perrot en 1943 en mémoire de l'abbé Perrot (fondateur 1905 du Bleun-Brug, assassiné 12-12-1943 par des résistants). Comprend 50 h. portant faux noms, organisés en 2 sections de 4 groupes chacune, basés à la caserne Colombier de Rennes. **1944,** août, Péresse se réfugie en All. (il obtint la nationalité all.) et Lainé se réfugie en Irlande. 20 nationalistes condamnés à mort (8 exécutés). **1946** reprise du mouvement culturel. **1950** CELIB fondé. **1957** *Mouvement pour l'Organisation de la Br.* fondé. **1964** échec du CELIB (refus de la loi-programme br.) ; *Bretagne-Action* fondée (devenu *Jeune Bretagne* en 1971) ; UDB fondé. **1969** *Galv.* fondé (Comité d'action progressiste pour la langue br. à

Brest, sur l'initiative d'Ar Falz, de l'UDB et de la Jeunesse étudiante br.).

• Organisations actuelles. **Comité d'étude et de liaisons des intérêts bretons (CELIB) :** *fondé* 1950, composé surtout de notables régionalistes. **Organisation des Bretons émigrés (OBE). Bretagne-Europe :** B.P. 95, 22404 Lamballe, *créé* 1979, vise à la reconnaissance de la Br. au sein d'une Europe des peuples. **Comité pour l'unité administrative de la Bretagne (CUAB) :** 12, rue des Renards, 44300 Nantes. *Créé* avril 1976. Partisan du retour de la Loire-Atlantique dans la région Bretagne.

Mouvements politiques actuels. Union démocratique bretonne (UDB) : B.P. 304, 29273 Brest Cedex. *Fondé* 1964. 12 fédérations, un millier de militants (marxistes, socialistes, chrétiens de gauche, syndicalistes). Soutient les initiatives du CUAB et de Diwan. Seule organisation à avoir des élus au niveau local. Congrès tous les deux ans. *But :* libération sociale et nationale du peuple br. A signé le 3-2-74 une déclaration de lutte contre le colonialisme en Europe occidentale avec le Mouv. républicain irlandais (Sinn Fein et I.R.A. official), Cymru Goch (Pays de Galles), E.H.A.S. (Pays Basque), U.P.G. (Galice), E.C.T. et P.S.A.N.P. (Catalogne). A signé avec 10 mouv. culturels, en juillet 1975, la déclaration culturelle de Brest pour « obtenir un statut officiel de la langue br. ». *Revues :* « Peuple breton » (mens.), 8 000 à 12 000 ex. en français. **Parti socialiste unifié (PSU) Bretagne :** 34, rue de Gouët, B.P. 329, 22006 St-Brieuc. Possède une direction politique autonome. *Revue :* « Vivre au pays » (mens.). **Emgann (Bataille) :** nationaliste révolutionnaire. *Créé* 1982. **Peuple (POBL) :** B.P. 103, 22001 St-Brieuc Cedex. *Créé* juin 1982. *But :* autonomiste ; soutient le CUAB. *Revue :* « l'Avenir de la Bretagne ». **B.5 :** 10, rue de l'Atlantique, 44700 Orvault. Pour le rattachement de la Loire-Atl. **Bureau régional d'étude et d'information socialiste (BREIS) :** regroupe les fédérations dép. du P.S. **Comité régional d'action et de concertation. M.I.B.-Nac'h Sentin :** indépendantiste, prônant l'insoumission au serv. milit. **Mouvement des Radicaux de gauche :** pour le rattach. de la Loire-Atl. **KAD (Kuzul an distaoleg) :** *créé* 1978, pour l'amnistie des prisonniers pol. br.

Organisations clandestines. Front de libération de la Bretagne (FLB) : *créé* 1964. Devient le *FLB-ARB (Armée républicaine br.)* en 1968, 1res arrestations couvertes par l'amnistie de juin 1969. **1971** l'ARB devient l'Armée révolutionnaire br. **1972** 1er procès en Cour de Sûreté de l'État, apparition d'un *FLB-LNS (Libération nationale et Socialisme)* et de sa branche militaire, l'Armée de libération de la Br. **1974,** 30-1 : dissous sur décision du Conseil des ministres en même temps que le FLB-ARB, 4 membres arrêtés (procès en Cour de Sûreté de l'État). 1972, 1975, 1977, 1979, peines allant jusqu'à 15 ans de réclusion pour Lionel Chenevière et Patrick Montauzier, coresponsables de l'attentat contre le château de Versailles.

> **Attentats. 1966 :** *17-6* bidon d'essence devant mairie de St-Brieuc. **1968 :** nombreux attentats. **1974 :** *févr. :* émetteur ORTF de Roc-Trédudon détérioré. **1977 :** *12-6* laboratoire du Centre commun d'études de télévision et de télécomm. à Cesson-Sévigné ; *22-10* destruction d'un relais de TDF à Pré-en-Pail. **1978 :** *15-6* préfecture de Rennes ; *26-6* Versailles (10 salles du château). **1979 :** *24-2* tentative contre bât. de l'E.D.F. ; *6-3* camp d'instruction mil. à Lannion ; *6-3* et *29-5* immeuble des Renseignements généraux à St-Brieuc (auteurs condamnés à 5 a., 6 a. et 7 a. de réclusion criminelle) ; *30-5* camp d'instruction mil. à Aucaleuc. **1981 :** *juin* trêve (rompue 1983). **1983 :** *11-10* futur Palais de justice de Rennes ; *22-12* Trésorerie générale de Rennes. **1984 :** *1-5* agence de trav. temporaire de St-Brieuc ; tentative Dir. départ. du Trav. de Rennes ; *1-8* Radio Bret. Ouest à Quimper ; *5-8* relais EDF à Arzon ; *nov.* ANPE de Lannion et de Brest ; *déc.* locaux de la COGEMA. **1985 :** *juin* ANPE, palais de Justice et permanence P.S. de Guingamp. **1988 :** *21-1* rectorat de Rennes et l'URSSAF de Quimper ; *20/21-12* usine Doux Châteaulin. **1989 :** *7-5* hôtel de région des Pays de la Loire (Nantes). **Victimes des att. de l'ARB :** 3 militants, Yann-Kel Kernaleguen (sept. 76), Patrick Gardin (août 84), Christian Le Bihan (tué par sa bombe).

• Mouvements culturels. **Ar Falz (La Faucille) :** 6, rue Longue, 29210 Morlaix. Mouvement des Instit. et prof. laïques br. (IPLB), *fondé* 1933 par Yann Sohier. *Revues :* cahiers pédagogiques « Skol Vreizh » « Ar Falz ». 3 thèmes : Bretagne, socialisme, laïcité. **Bleun-Brug (Fleur de bruyère) :** 5, rue Francis-Jammes, 29200 Brest. *Fondé* 1905 par l'abbé J.-M. Perrot, catholique, à gauche. *Revue :* « Bretagne aujourd'hui » : 2 branches : gauchiste, traditionaliste (revue « Bleun-Brug, Feiz ha Breitz » : Foi et Bretagne), Chanoine Mévellec, 30, route de Bertheaume, Plougonvelin, 29217 Le Conquet (Cahiers du Bleun-Brug, 5 rue Francis-Jammes, 29 Brest) ; **Kendalc'h :** Le Pradi-Trédion, 56250 An Elven, Elven : confédération des Stés culturelles, artistiques et sportives (8 000 adhérents, 180 associations). *Revue :* « Breizh », (10 000 ex.). **War'l-Leur et Al leur nevez :** fédérations de cercles celtiques (danseurs). **B.A.S. (Bodadeg ar Sonerion) :** rue de la Marne, 22100 Rostrenen. Fédération des Sonneurs de bombarde et de cornemuse. *Pt :* Martial Pezennec. **Skol an Emsav :** 8, rue Hoche, 35000 Rennes ; mouvement de renaissance pour la formation de jeunes militants bretonnants, à gauche. **Stourm ar Brezhoneg :** dissident de Skol an Emsav, milite pour le bilinguisme dans la vie publique (plusieurs militants condamnés). **Emgleo Breiz :** 6, rue Beaumarchais, 29200 Brest. *Fondés* 1953. Défend l'enseignement de la langue, civilisation br. et libertés régionales. **Tud ha Bro,** maison d'édition. **Fédération des Amis de la lutte et des sports athlétiques br. :** *fondée* 1930 par le Dr Cotonnec. **Radio-Télé-Brezhoneg** (Y. Gwernig). **Diwan** (germe) : Diwan Treglonou, 29214 Lannilis. *Créé* 1977, a mis en place et fait fonctionner des écoles maternelles et primaires en br. *Revue :* An Had. **Kuzul ar Brezhoneg :** 28, rue des Trois-Frères-Le Goff, 22000 St-Brieuc ; regroupement d'associations utilisant le breton unifié.

• Principales revues en breton. *Al Liamm, Al Lann, An Had, An Here* (pédagogie), *Breman, Brud Nevez, Dalc'homp Sonj* (histoire bret.), *Evit ar Brezhoneg* (mensuel bilingue, 200 à 2 000 ex.), *Imbourc'h, Hor Yezh, Planedenn, Skol, Skrid, Choldri, Ere* (bimestr., littér. et pol., dep. 1981). Env. 60 à 80 livres par an paraissent en breton (500 à 4 000 ex.).

Économie

• Population. 2 795 554 h. (1990) [*1826 :* 2 065 441 ; *1911 :* 2 602 000 ; *1946 :* 2 336 820 ; *1962 :* 2 397 000 ; *1982 :* 2 706 230] 5 % de la pop. nat. D. 102 (1990, estim.). *Population des ménages non bretons* (en Bretagne) : 206 635 dont 35 550 nés en Bretagne. *Personnes appartenant à un ménage br. (1975) :* 1 404 805 (685 000 h., 719 005 f.) dont en Ile-de-Fr. 651 895 (Paris 125 065). *Pop. urbaine (estim. 1990) :* 1 540 945.

Actifs (au 31-12-89). 1 152 888 dont *ayant un emploi :* agric.-pêche 129 081, ind. 197 230, B.T.P. 76 901, commerces 122 386, services 498 799. *Salariés :* 800 834.

Émigration. Solde migratoire (moyenne par an). *1850-1960 :* – 8 700, *46-54 :* – 18 000, *75-82 :* + 11 000, *82-89 :* + 4 600. **Total vivant hors de Bretagne** (1975) : 692 530 (nés en Br.).

Bretons d'origine en région parisienne. *1975 :* 324 260 (3 % des hab. de la région). En *1954 :* 29 % des Bretonnes étaient employées de maison ou femmes de ménage ; en *1975 :* 5,9 %.

• Échanges (milliards de F, 89). **Importations :** 25,3 (6 153 234 t) dont agr. et agro-alim. 8,8, constr. autom. et matér. de transp. 3,4, constr. élec. et électron. 2,5, constr. méc. 2, chimie de base 1,4, bois et ameubl. 1,1 ; *de :* C.E.E. 15,3 dont Esp. 3,5, All. féd. 2,4, R.-U. 2,4, Italie 2,1, U.E.B.L. 2, P.-Bas 1,6 ; reste de l'Eur. 2,1, Amér. du N. 1,7 (U.S.A. 1,4), Amér. centr. et du S. 2, Afrique 1,1, Pr. et Moy.-Or. 0,09, reste de l'Asie 3. **Exportations :** 30,1 (2 571 181 t) dont agr. et agro-alim. 12,5, constr. autom. et matér. de transp. 8,1, constr. élec. et électron. 3,9 ; *vers :* C.E.E. 21,4 dont Esp. 5,2, Italie 4,8, P.-Bas 2,8, All. féd. 2,7, R.-U. 2,4, U.E.B.L. 2,3 ; reste de l'Europe 2, Pr. et Moy.-Or. 1,4, reste de l'Asie 1,6.

• Agriculture. **Terres** (en milliers d'ha, au 1-1-90, estim.). 2 750,7 dont *S.A.U.* 1 857,5 [t. lab. 1 553,5 herbe 300] ; *bois* 320,6, *t. agr. non cult.* 235,1, *t. non agr.* 306,1. **Prod. végétale** (en milliers de t) : céréales 2 173,1, fourrages annuels 25 216,7, p. de t. 434,3, choux-fleurs 424,9, petits pois 52,5, artichauts 75, haricots verts 60,6. **Animale** (en milliers de têtes, 1989) : porcins 6 289, bovins 2 580,2 (dont veaux 774,5), ovins 170,5, équidés 16,4. *Lait* (1-1-90, estim.) 49 211 100 hl.

• Forêt. Paimpont (avant : Brocéliande) (8 000 ha sur Morbihan et I.-et-V.) ; forêt au N. de Rennes (7 000 ha). *Futaies rares :* 80 % de taillis avec des révolutions courtes de 15 à 20 ans (chêne, hêtre, châtaignier). Résineux dep. XVIIe s. (pin sylvestre) et récemment (pin Douglas, sapin de Vancouver).

• Pêche (1989). 159 507 t (poissons frais, crustacés, coquilles St-Jacques) ; valeur 2,4 milliards de F (en 1989, 46,3 % de la prod. nat. en valeur).

• Industrie. *Effectifs salariés* (31-12-89) : 184 530 dont ind. agro-alim. 53 510, constr. élec. et électro. 19 569, constr. navale et aéro., autom. et autres matér. de transp. terr. 15 741, armement 14 153, bois, meubles 12 451, fonderie et trav. des métaux 10 352, constr. méc. 9 855, text. et habill. 7 500.

Prospection *(pétrole en mer d'Iroise).* Bassin sédimentaire (épaisseur : 1 500 à + de 5 000 m), profondeur 50 à 200 m d'eau, distance des côtes 50 et 300 km. Prix de revient élevé au forage : 1 million de F par j. La S.N.E.A. (Production) réalise les recherches. *Mines :* Bodennec (Fin.) et La Porte-aux-Moines (C. d'A.), estim. à 200 000 t de cuivre-plomb-zinc-argent.

• Trafic maritime (1989). *Marchandises débarquées* (en milliers de t, n.c. prod. de la pêche) : Lorient 3 067,3, Brest 1 299,7, Saint-Malo 1 444,8. *Passagers* (navigation côtière, total entrées, sorties) : Lorient 346 036, Saint-Malo 84 684, Brest 21 518 ; (moyenne navigation) Saint-Malo 932 420. *Transmanche* (82) : Saint-Malo 731 000 ; Roscoff 299 000.

• Tourisme (au 1-1-1990). Hôtels homologués 1 103 (25 833 chambres), campings hom. 855 (90 239 places). En 1990 : auberges de jeunesse 2 145 lits, gîtes ruraux 4 594, V.V.F. 16 828 lits, ch. d'hôtes 762. *Résidences secondaires* 15 500. *Vacances d'été* (1989) : 3 549 773 nuitées. *Bateaux de plaisance immatriculés* (au 1-10-82) : 115 500 (20,9 % de la Fr.).

• Projets. *Eau :* pour remédier à la sécheresse et à la pollution, 400 millions de F seront consacrés à la formation des agriculteurs, 875 millions à l'assainissement du littoral (eaux usées), 700 millions env. à l'interconnexion des réseaux de distribution d'eau (Bretagne et Loire-Atl.). *Transports :* métro VAL à Rennes (coût : 2 milliards de F).

Départements

Voir légende p. 748.

• Côtes-d'Armor (22) 6 878 km² (80 × 130 km). [Dep. 1990, avant : Côtes-du-Nord]. *Alt.* max. Mt Méné 340 m. *Côtes* 347 km. *Climat* 900 à 1 000 mm de pluie par an, temp. moy. ann. à Bréhat 11°3 C. 538 423 h. (1990) [*1801 :* 504 303 ; *1831 :* 598 872 ; *1866 :* 641 210 ; *1901 :* 609 349 ; *1921 :* 557 824 ; *1954 :* 503 178 ; *1962 :* 501 923 ; *1975 :* 525 556 ; *1982 :* 539 660]. D. 78. *Actifs* (31-12-89) : 218 430 dont 197 486 ayant un emploi : primaire 33 572, secondaire 31 598, B.T.P. 15 799, tertiaire 116 517.

Villes. SAINT-BRIEUC 44 762 h. [ag. 83 871, dont *Langueux* 5 938 ; *Plérin* 12 108 ; *Ploufragan* 10 583 ; *Trégueux* 6 970 ; *Yffiniac* 3 510], alt. max. 60 m ; port du Légué, métall., chauffe-eau, joints en caout., ind. agroalim. ; 2e centre mondial du pinceau et de la brosserie après Nuremberg ; cath. St-Étienne (fin XIIe, déb. XVIIe s.), hôtels des Ducs de Bret. (1572), de Bellescize (fin XVIIe s.), Maison de la Barrière (16, rue du Gouët, XVIe s.), fontaine N.-D. (fin XVe s.). – *Bégard* 4 906 h. ; menhir de Kerguézennec, égl. St-Meen de Lanneven (XVIe s.). *Binic* 2 798 h. [ag. 7 937, dont *St-Quay-Portrieux* 3 018 ; port de pêche], base de loisirs nautiques. *Callac* 2 594 h. ; ruines de l'égl. de Botmel (XVIe-XVIIe s.). *Corseul* 1 983 h. ; cap. de la tribu gauloise des Curiosolites. *Dinan** 11 591 h. [ag. 23 416, dont *Lanvallay* 3 310, *Lehon* 3 219, *Quévert* 3 007], alt. 20 à 120 m ; ind. méc., confect., textile ; chât. de la Duchesse Anne (1380), tour de l'Horloge (XVe s.), collège des Cordeliers (1241), remparts XIIIe s. *Erquy* 3 568 h. ; port coquillier, chât. de Bienassis (XVe-XVIIe s.). *Guingamp** 7 905 h. [ag. 22 416, dont *Ploumagoar* 4 567], alt. 60 à 120 m ; marché agr., ind. agroalim. ; basilique N.-D. de Bon Secours (XVe-XVIe s.), fontaine dite de Plomée (1626), restes du chât. (1440) et des anciens remparts, abbaye de Ste-Croix. *Hillion* 3 601 h. *Lamballe* 9 894 h. ; ind. agroalim. ; haras, égl. N.-D. (XIIe et XIVe s.), maison dite « du Bourreau ». *Langueux* 5 938 h. *Lanleff* 101 h., égl. circulaire (XIe s.). *Lannion** 16 958 h., alt. max. 60 m. ; matér. électron., B.T.P. ; égl. de la Trinité de Brélévenez (XVe s.), couvent des Ursulines (1667-90). *Loudéac* (sous-préf. jusqu'en 1926) 9 820 h., alt. 120 à 240 m ; ind. alim., carrières de granit et ardoisières. *Merdrignac* 2 791 h. *Paimpol* 7 856 h. ; port de plaisance, ruines de l'abbaye de Beaufort, musée de la Mer. *Perros-Guirec* 7 497 h. ; réserve ornithologique des 7 Iles. *Plaintel* 3 557 h. *Plédran* 5 395 h. *Pléneuf-Val-André* 3 600 h. ; port de Dahouet. *Plestin-les-Grèves* 3 237 h. *Pleubian* 2 963 h. ; sillon du Talbert. *Pleumeur-Bodou* 3 677 h. ; Centre nat. d'études des télécomm. [l'antenne cornet (haut. 29 m, long. 54 m, diam. d'ouverture 20 m) fonctionne à l'abri d'un radôme (haut. 50 m, diam. 64 m, poids 57 t, résiste à des vents de 160 km/h bien que sans armature). V. Index], planétarium. *Ploeuc-sur-Lié* 2 932 h. *Plouha* 4 197 h. *Ploubazlanec* 3 725 h. ; « Croix des Veuves » et « Mur des Disparus ». *Plouguernével* 3 255 h. *Ploumagoar* 4 567 h. *Pontrieux* 1 050 h. *Pordic* 4 635 h. *Quintin* 2 602 h. ; chât. (1640), vestiges de remparts. *Rostrenen* 3 664 h., alt. 120 à 240 m ; égl. XIIIe-XVIIIe s. *St-Cast-le-Guildo* 3 093 h. *St-Quay-Portrieux* 3 018 h. *Trébeurden* 3 094 h. *Tréguier* 2 799 h. [ag. 5 878] ; cath. St-Tugdual (XIVe-XVe s.), ville natale de St Yves (pardon le 19-5) et d'Ernest Renan (maison natale transformée en musée). *Le Vieux-Marché* 1 187 h., chapelle des Sept-Saints (pardon islamo-chrétien en l'honneur des Sept dormants d'Éphèse).

Régions naturelles. Est des *monts d'Arrée, Landes du Mené, Côte à rias (Trégor),* baie de *St-Brieuc. Ile de Bréhat :* 309 ha, 32 îlots, périmètre 18 km, à 2,5 km de la côte (10 min de traversée), alt. max. 30 m, 461 h. *Ile Grande* (commune de Pleumeur-Bodou), presqu'île, 150 ha, 790 h. **Bois** (au 1-1-90, estim.) 80 000 ha [dont (en 81) f. de Beffou 600, la Hunaudaye 600, Coat an Noz 700, Loudéac 1 300].

Ressources. Céréales, fourrage, légumes (Paimpol, Tréguier), bovins, porcins (1er producteur fr.), aviculture, volailles, œufs (1er prod. fr.), pêche [*Erquy, Binic, Saint-Quay-Portrieux :* 1ers ports de pêche du dép. : huîtres ; *baie de St-Brieuc :* coquilles St-Jacques (30 % de la prod. nat.), crustacés, moules]. Carrières (granit, kaolin, ardoises). Chauffe-eau (50 % de la prod. fr.). Électro., métall., méc., scieries, meubles, text., chimie.

Sites touristiques. 90 îles. **Littoral** (flore méditerranéenne) : *côte de granit rose* (Perros-Guirec) 110 km ; *d'Émeraude* (St-Cast) 130 km ; *vallée de la Rance.* **Villes :** St-Brieuc, Dinan, Guingamp, Lamballe, Lannion, Moncontour, Pontrieux, Quintin, Paimpol, Tréguier. **Lacs :** Guerlédan (400 ha, prof. 50 m), Bosméléac (60 ha), Jugon-les-Lacs (100 ha), Glomel (90 ha). *Retenues d'eau :* Gouët et Arguenon. **Réserves** *ornithologiques* des Sept Iles et du cap Fréhel. **Sites naturels :** rivières, rias, « montagnes », chemins creux, etc. **Calvaires et mégalithes.**

• **Finistère** (du latin *Finis terrae,* extrémité de la terre) (29) 6 733 km^2 (102 × 93 km). *Côtes* 795 km. *Alt.* max. Roc Trevezel 384 m. *Pluies* (mm, 1984) Brennilis 1 578, Coray 1 452, Guipavas 1 224, Quimper 1 126. *Population* 838 662 h. (1990) [*1801 :* 439 046 ; *1901 :* 773 016 ; *1946 :* 724 735 ; *1982 :* 828 364]. D. 125, *rurale* (90) 312 450 ; *active* (31-12-89) : 334 791 dont 302 021 ayant un emploi (1988) : primaire 37 096, secondaire 52 712, B.T.P. 21 495, tertiaire 184 317.

Villes. QUIMPER 59 420 h. [*1801 :* 9 915 ; *1861 :* 16 637 ; *1911 :* 28 610 ; *1946 :* 40 345 ; *1975 :* 55 977] ; port, centre de distribution, services, ind. agroalim., faïences, électron., presse, édition ; cath. gothique XIIIe et XIVe s., égl. romane XIIe s., m. dép. Breton, des B.-Arts, océanogr. – *Audierne* 2 746 h. [ag. 9 181, dont *Plouhinec* 4 524] ; port, conserverie. *Bannalec* 4 840 h. *Bénodet* 2 436 h. *Brest** 147 956 h. [*1801 :* 30 937 ; *1831 :* 41 590 ; *1861 :* 84 332 ; *1911 :* 125 909 ; *1926 :* 100 365 ; *1936 :* 118 700 ; *1946 :* 74 991 ; *1954 :* 110 713 ; *1968 :* 159 857 ; *1975 :* 166 826] [ag. 201 480 dont *Bohars* 3 043, *Guipavas* 11 956, *Gouesnou* 5 417, *Le Relecq-Kerhuon* 10 569 (*1911 :* 4 376 ; *1946 :* 6 021 ; *1975 :* 8 499). *Plougastel-Daoulas* 11 139 (*1954 :* 6 709 ; *1975 :* 8 138) ; pardon célèbre. *Plouzané* 11 400] ; superficie 4 951 ha, alt. 50 à 100 m ; rade de 15 000 ha [goulet : larg. 3 km, forme de radoub pour les 35 000 tpl, 250 000 tpl et 500 000 tpl (dep. 1980)], 1er port militaire fr. (effectif 6 500 pers.) ; métall. arsenal, réparat. nav., ind. alim., text., électro. (C.S.F.), presse, éd., centre océanographique, université ; château (origine : camp fortifié romain du IVe s.) ; détruite aux 2/3 en 1944. *Briec* 4 556 h. *Carhaix-Plouguer* 8 198 h. [*1801 :* 1 734 ; *1861 :* 2 197 ; *1911 :* 3 493 ; *1975 :* 8 210 ; *1982 :* 8 591] ; ind. agroalim., ardoisière. *Châteauneuf-du-Faou* 3 777 h. *Châteaulin** 4 965 h. [*1801 :* 3 172 ; *1861 :* 2 892 ; *1911 :* 4 271 ; *1975 :* 4 711] ; comm., ind. viande. *Concarneau* 18 630 h. [*1801 :* 1 561 ; *1861 :* 2 767 ; *1911 :* 7 263 ; *1962 :* 16 271 ; *1975 :* 18 759] [ag. 24 760, dont *Trégunc* 6 130] ; pêche (3e port fr. selon la valeur des prod. débarqués), conserv., constr. naut., stat. baln. ; « Ville-close », remparts. *Crozon* 7 705 h. [*1801 :* 6 592 ; *1861 :* 8 651 ; *1911 :* 8 323 ; *1975 :* 7 297 ; *1982 :* 7 525] ; conserv. *Douarnenez* (de *« douar an enez »,* la terre de l'île) 16 457 h. [*1801 :* 5 434 ; *1861 :* 4 870 ; *1901 :* 12 800 ; *1946* (après fusion avec Ploaré, Pouldavid et Tréboul en 1945) : 20 564 ; *1975 :* 19 096] ; pêche, conserves de poissons et de légumes, boîtes métall., électron. ; égl. de Ploaré XVIe s. *Ergué-Gabéric* 6 517 h. ; mat. plast. *Fouesnant* 6 524 h. *Guilers* 6 785 h. *Guilvinec* 3 365 h. [ag. 5 698, dont *Treffiagat* 2 333]. *Landerneau* (sous-préf. jusqu'en 1926) 14 269 h. [*1801 :* 3 669 ; *1861 ;* 6 959 ; *1911 :* 8 252 ; *1962 :* 12 952 ; *1975 :* 14 541] ; ind. agroalim., papeteries, ind. méc. *Landivisiau* 8 254 h. [*1801 :* 2 124 ; *1861 :* 3 317 ; *1911 :* 4 713 ; *1975 :* 7 605] ; commerce (marché aux bestiaux aux enchères), ind. agroalim. ; base aéronavale imp. *Lannilis* 4 272 h. *Lesneven* 6 250 h. [ag. 9 344, dont *Le Folgoet* 3 094]. *Moëlan-sur-Mer* 6 596 h. *Morlaix** 16 701 h. [*1801 :* 9 351 ; *1861 :* 14 008 ; *1911 :* 15 262 ; *1962 :* 20 248 ; *1975 :* 19 237] [ag. 25 810, dont *Plourin-lès-Morlaix* 4 176. *St-Martin-des-Champs* 4 933] ; port, man. des tabacs, ind. agroalim., électron., presse, éd. ; viaduc de 58 m de haut. (1864), maisons du XVIe s. *Penmarch* (Tête de cheval) 6 272 h. [*1801 :* 1 166 ; *1861 :* 2 029 ; *1911 :* 5 051 ; *1975 :* 6 921] ; pêche, conserv. ; m. Préhistorique. *Plabennec* 6 600 h. *Plonéour-Lanvern* 4 611 h. *Ploudalmézeau* 4 874 h. *Plouescat* 3 689 h. *Plouguerneau* 5 255 h. *Pont-l'Abbé* 7 374 h. [*1801 :* 1 884 ; *1861 :* 4 286 ; *1911 :* 6 652 ; *1975 :* 7 325] ; conserv., confect. ; chât. des Barons du Pont (XIVe s., remanié au XVIIIe s.), m. Bigouden. *Pont-Aven* 3 031 h. ; musée Gauguin. *Quimperlé* 10 748 h. (sous-préf. jusqu'en 1926) ; papeterie, ind. alim., conserv., B.T.P. *Riec-sur-Belon* 4 014 h. *Roscoff* 3 711 h. ; institut biologique, port. *Rosporden* 6 485 h. ; conserves de viande. *Scaër* 5 555 h ; papeterie, mat. plast. *St-Pol-de-Léon* 7 261 h. [*1954 :* 8 585 ; *1975 :* 8 044] ; marché au cadran, légumes. *St-Renan* 6 576 h. ; granit.

Iles. *Batz :* en face de Roscoff, 305 ha, long. 4 km, larg. max. 1,5 km ; 807 h. *Béniguet* (commune du Conquet), 80 ha, inhabitée. *Glénans (Les)* (9 îles : St-Nicolas, Le Loch, Penfret, Banannec, Drennec, Fort-Cigogne, Guiautec, Guirinec, Les Moutons-du-Loch, réparties sur 10 km de long et 6 km de large sur la commune de Fouesnant). *Ile-Tudy* (presqu'île) 126 ha, long. max. 1,2 km, larg. max. 0,8 ; 552 h. *Molène* 75 ha, long. 1,2 km, larg. max. 0,8 km, 30 min de traversée ; 397 h. *Ouessant* 1 558 ha, long. 8 km, larg. max. 4 km, alt. 65 m, 1 h 30 de traversée ; 1 450 h. *Sein* 5,6 ha, long. 2 km, larg. max. 0,8 km ; 607 h. ; Compagnon de la Libération. Voir Index.

Régions naturelles. *Littoral breton Nord :* 48 489 ha dont (en %) : cult. fourr. 21,7, céréales 12, surface toujours en herbe 13,5, divers 52,8. *Pénéplaine bretonne Nord :* 135 358 ha dont (en %) : cult. fourr. 45,9, céréales 19,5, surf. touj. en herbe 14,1, div. 20,5. *Monts d'Arrée :* 16 321 ha dont (en %) : cult. fourr. 38,9, céréales 10,7, surf. touj. en herbe 28,2, div. 22,2. *Bassin de Châteaulin et presqu'île de Crozon :* 105 698 ha dont (en %) : cult. fourr. 46,5, céréales 24,5, surf. touj. en herbe 12,3, div. 16,7. *Zone légumière et pénéplaine bretonne Sud :* 145 917 ha dont (en %) : cult. fourr. 44,2, céréales 25,8, surf. touj. en herbe 10,5, div. 19,5. **Bois** (au 1-1-90, estim.) 69 000 ha [dont (en 84) f. domaniale de Clohars-Carnoet 800, du Cranou 600, de St-Ambroise 600, du Fréau 700, d'Huelgoat 600, de Landevennec 500.

Ressources. *En 1989 :* 1er dép. pour artichauts (66 % de la prod. fr.) et choux-fleurs (45 %), 3e pour haricots verts (9,3 %) et petits pois (10,5 %) ; 6e pour carottes (4,1 %). *En 1988 :* 1er dép. pour crustacés (55,5 %) et poissons frais (24 %). *Cassitérite* près de St-Renan, épuisée. *Kaolin* près d'Huelgoat-Berrien. *Ostréiculture :* Abers, rivière du Belon.

Sites touristiques. Parc naturel régional d'Armorique (créé 1969), regroupe 28 communes rurales, 65 000 ha. **Presqu'île du cap Sizun,** terminée par la pointe du Raz (réserve ornithologique de Goulien). **Réservoir de St-Michel Brennilis** 800 ha. **Parc de Trevarez** 80 ha (pépinières, château). **Côtes** (500 km) : *« Ceinture dorée »* de la pointe de Locquirec à Plouescat ; *« Circuit des Légendes »* de Goulven à Guisseny-sur-Mer, *« C. des Abers »* de l'Aber-Wrac'h (8 km dans les terres) à la pointe de St-Mathieu [*abers,* estuaires de rivières remontés par la marée : Dossen, Aber-Wrac'h, Aber-Ildut, Aber-Benoît, Elorn, Aulne, Goyen, Odet qui traverse Quimper, Aven et Laïta, confluent de l'Isole et de l'Ellé] ; *« C. Sud-Finistère et de Cornouaille »,* de la pointe de St-Mathieu à Port-Manech. *Lac :* Brennilis (500 ha). **Enclos paroissiaux :** Guimiliau (1581-1648) [calvaire (1581-88) représentant l'enfance de Jésus (200 personnages)], St-Thégonnec (1587-1610), Pleyben (1555-1725).

Tourisme (1989). Hôtels homologués 316 (7 608 chambres), campings homol. 303 (34 015 pl.). (87). Hôtels non homol. 218 (2 494 ch.), aires nat. de camp. 36, gîtes ruraux 795, villages de vacances 16, meublés de tourisme 97.

• **Ille-et-Vilaine** (35) 6 775 km^2 (130 × 80 km). *Côtes* 72 km. *Alt.* max. La Haute Forêt 256 m. 798 715 h. (1990) dont pop. agricole 780 000 h. (estim. 1-1-89) [*1801 :* 488 846 ; *1891 :* 626 875 ; *1911 :* 608 021 ; *1921 :* 558 574 ; *1975 :* 702 199 ; *1982 :* 748 272]. D. 118. *Actifs* (31-12-89) : 347 131 dont 302 021 ayant un emploi (1988) : primaire 33 809, secondaire 65 075, B.T.P. 23 154, tertiaire 190 292. *Langue :* pays « gallo-francophone ».

Villes. RENNES 197 536 h. [*1833 :* 29 408 ; *1866 :* 49 231 ; *1901 :* 74 673 ; *1946 :* 113 731 ; *1975 :* 198 305] [ag. 245 065, dont *Bruz* 8 114. *Cesson-Sévigné* 12 708. *Chantepie* 5 898. *Chartres-de-Bretagne* 5 543. *St-Grégoire* 5 809. *St-Jacques-de-la-Lande* 6 189], alt. 25 à 54 m, sup. 5 039 ha (1975) ; constr. méc., autom. (PSA), imprim., papeterie, électron., informatique et télématique (réseau Transpac et vidéotex Antiope) ; m. des B.-Arts ; m. de Bretagne. – *Acigne* 4 361 h. *Argentré-du-Plessis* 3 329 h. *Bain-de-Bretagne* 5 257 h.] *Betton* 7 013 h. *Cancale* 4 910 h. ; ostréiculture (1 250 t/an). *Châteaubourg* 4 056 h. *Châteaugiron* 4 166 h. *Combourg* 4 843 h. ; château de Chateaubriand. *Dinard* 9 918 h. [*1936 :* 7 721 ; *1975 :* 9 234] [ag. 15 707, dont dans le dép. *La Richardais* 1 801. *St-Briac-sur-Mer* 1 825. *St-Lunaire* 2 163] ; stat. baln. *Dol-de-Bretagne* 4 629 h. *Fougères* * 22 239 h. [*1936 :* 20 432 ; *1975 :* 26 610] [ag. 25 066, dont *Lécousse* 2 827] ; chaussures, confect., constr. électroméc., méc. de précision, optique, verrerie ; marché aux bestiaux, (3 400 têtes de bétail par semaine). *Guichen* 5 891 h. *Janzé* 4 500 h., abattage de volailles. *La Guerche-de-Bretagne* 4 123 h. ; chaussures. *Le Rheu* 5 027 h. *Liffré* 5 659 h. ; ind. viande, mach. de bureau, chaussures. *Louvigné-du-Désert* 4 260 h. *Martigné-Ferchaud* 2 920 h. ; ind. lait. *Melesse* 4 675 h. *Montauban* 3 883 h. ; ind. lait. *Montfort* 4 675 h. *Mordelles* 5 362 h. *Noyal-sur-Vilaine* 4 089 h. *Pacé* 5 556 h. *Pleugueneuc* 1 132. Château et zoo de La Bourbansais. *Pleurtuit* 4 428 h. *Redon* * 9 260 h. [*1936 :* 6 565 ; *1975 :* 9 649 ; *1982 :* 9 170] ; métall., fonderie ; électron., briquets, matér. agr. ; agroalim. *Retiers* 3 306 h. *St-Malo* * 48 057 h. [*1936 :* 13 836 ; *1962 :* 17 107 ; *1975 :* 45 030 ; *1982 :* 46 347] ; armement à la grande pêche en déclin, remplacé par la pêche fraîche ; ind. lait., constr. naut., ferronnerie ; chimie de base, prod. d'engrais ; importation de bois ; écoles nat. de la marine march. et de l'administr. des aff. marit. ; m. de la Ville, Internat. du long-cours cap-hornier. *St-Méen-le-Grand* 3 729 h. ; ind. de la viande. *Thorigne-sur-Vilaine* 5 257 h. *Vern-sur-Seiche* 5 602 h. *Vitré* 14 486 h. [*1936 :* 8 506 ; *1975 :* 12 318 ; *1982 :* 13 042] (s.-préf. jusqu'en 1926) ; ind. de la viande, mach. agr., chaussures, confect., ameubl.

Régions naturelles. *Bassin de Rennes :* blé, plantes fourragères, bovins, légumes, produits laitiers. *Pays de Redon :* élevage (bovins), lait, polyculture. *Côte :* polders : marais de *Dol. Région de Combourg :* carrières. **Bois** (au 1-1-90, estim.) 61 600 ha [dont (en 81) Gael-Paimpont 7 670 (14 étangs), Rennes 2 938, Fougères 1 500, Liffré 900, Villecartier 900, St-Aubin-du-Cormier 800, Le Mesnil 500, Mautauban 500].

Ressources. Agriculture (principaux prod. en milliers de t, en 1989) : choux fourragers 1 200, maïs fourr. 2 835, betteraves fourr. 112,5, blé tendre 401,1, maïs-grain 130, orge et escourgeon 88,9, p. de t. 62 (dont primeurs 41,2). **Élevage** (*effectifs animaux,* en milliers, 1989) : porcs 983 dont truies mères 78, bovins 803,2, ovins 55, volailles (1983) 6 400, équidés 5,2 ; viande 233 574 t, lait (1989) 16,3 millions d'hl (1er dép.). **Industrie extractive** (1988) : minerai de fer 29 870 t (*1984 :* 22 773 t ; *1985 :* 26 850 t), kaolin 296 365 (87 % de la prod. nat.). **Industries agroaliment.**

Sites touristiques. Forêt de Paimpont, de Rennes et de Brocéliande. **Étangs** de Paimpont et du Pas-du-Houx (80 ha). **Côte** *d'Émeraude.*

• **Morbihan** (du breton *Mor-bihan,* petite mer, par rapport à *Mor-Bras,* grande mer ou océan) (56) 6 823 km^2 (138 × 84 km). *Côtes* 513 km : 288 km le long du continent, 89 km pour le contour des îles, 136 km pour celui des estuaires. Temp. moy. mens. 7 °C 6 (janv.) à 18 °C 3 (juil.), pluie 800 mm, insolation 2 000 h. *Alt.* max. Mont-St-Joseph 297 m. 619 754 h. (1990) [*1801 :* 401 215 ; *1891 :* 544 470 ; *1921 :* 456 047 ; *1946 :* 506 884 ; *1954 :* 520 978 ; *1975 :* 563 388 ; *1982 :* 590 889]. D. 91. *Actifs* (31-12-89) : 252 536 dont 225 329 ayant un emploi (1-1-89) : primaire 30 876, secondaire 61 139, B.T.P. 18 130, tertiaire 124 836.

Villes. VANNES 45 576 h. [*1840 :* 11 623 ; *1901 :* 23 375 ; *1954 :* 28 403 ; *1975 :* 40 359] ; tréfileries, ind. alim., plast. (Michelin) ; m. des B.-Arts. – *Auray* 10 323 h. [ag. 14 313, dont *Brech* 3 990] ; bois, plastique ; champ des Martyrs. *Baud* 4 658 h. *Belz* 3 372 h. *Carnac* 4 243 h. ; alignements. *Caudan* 6 674 h. ; fonderie. *Elven* 3 312 h. *Etel* 2 318 h. (ag. 4 670). *Gourin* 4 734 h. ; conserves. *Grand-Champ* 3 897 h. *Guer* 5 794 h. (ag. 6 184). *Guidel* 8 241 h. ; base aéronavale de Lann-Biharé. *Hennebont*

19 165 h. [*1936 :* 8 690 [1] ; *1962 :* 11 960 ; *1968 :* 12 011] [ag. 19 165, dont *Inzinzac-Lochrist* 5 541]. *Josselin* 2 338 h. ; ind. alim. ; constr. méc. et élect. ; château. *Languidic* 6 350 h. ; ind. agroalim. *Le Faouet* 2 869 h. *Locminé* 3 346 h. ; ind. de la viande. *Locmiquélic* 4 094 h [ag. 12 774, dont *Port-Louis* 4 846. *Riantec* 4 846]. *Lorient** 59 271 [de *an oriant,* l'Orient, nom d'un grand bateau construit par la Cie des Indes sur les chantiers en 1666 ; 1790 : l'Orient devient Lorient ; 1940 : grande base de sous-marins allemands ; 1943 : destruction presque totale ; 1945 : dernière ville de France libérée] (*1709 :* 6 000 ; *1733 :* 20 000 ; *1946 :* 19 066 ; *1954 :* 47 095 ; *1975 :* 69 769) [ag. 107 088, dont *Lanester* 22 102. *Larmor-Plage* 8 078. *Ploëmeur* 17 637], alt. 20 à 40 m, sup. 1 748 ha ; 2e port de pêche français (69 444 t en 86), arsenaux, aéronavale, constr. navale, méc., élect., électron., conserv. Fest. interceltique des cornemuses. *Muzillac* 3 471 h. *Plouay* 4 834 h. *Ploërmel* 6 996 h. (s.-préf. supprimée en 1926) ; ind. alim., parachimie. *Pluvigner* 4 872 h. *Pontivy** 13 140 h. [*1936 :* 9 300 ; *1975 :* 12 578] ; ind. alim., bois ; château. *Port-Louis* 2 986 h. *Questembert* 5 076 h. *Quéven* 8 400 h. *Quiberon* 4 623 h. ; thalassothérapie. *St-Avé* 6 929 h. *Sarzeau* 4 972 h. *Séné* 6 180 h.

Nota. – (1) Pop. totale (avec doubles comptes).

Régions naturelles. *Golfe du Morbihan* (70 îles). *Plateaux et collines. Landes de Lanvaux.* **Iles :** *Groix* à 45 min de Lorient, 7,7 km × 2 km, 1 452 ha, côtes 18 km, alt. max. 46 m, 2 605 h. *Ile aux Moines,* 320 ha, 590 h. ; *Arz,* 330 ha, 277 h. *Belle-Ile* à 15 km au S. de Quiberon (20 × 10 km), 8 563 ha, côtes 50 km, alt. max. 57 m, 4 191 h. *Houat* à 10 km, long. 4 500 m, larg. 500 à 1 200 m, haut. max. 30 m, 291 ha, 390 h. *Hoëdic* à 16 km, long. 1 200 m, larg. 2 000 m, haut. max. 25 m, 208 ha, 126 h.

Ressources. *Agricoles :* 20 877 exploitations (sup. moy. 19,6 ha). Céréales, cult. fourragères dont maïs, pommes de terre, primeurs. (1989) : lait 11 650 000 hl (5e dép.) ; 1 050 000 porcins (3e rang nat.), 510 000 bovins, 40 500 ovins, 10 700 caprins (1-1-89) ; volailles (en 1988) : 1er prod. dindes (118 900 t), poulets de chair (143 600 t). Zone maraîchère de Lorient à Auray. *Ostréiculture. Pêche. Kaolin* (1er en Fr.).

Sites touristiques. Golfe du Morbihan. **Ports de plaisance :** La Trinité-sur-Mer, Le Crouesty. **Châteaux et manoirs :** Lehelec à Beganne, Kerguehennec à Bignan, Le Largoët à Elven, des Rohan à Josselin, forteresse des Rohan à Pontivy, Rochefort-en-Terre, Kerlevenan Suscinio à Sarzeau, Crévy à La Chappelle Caro, Le Plessis-Josso à Theix, Remparts de Vannes. **Musées :** Éco-musée de St-Degan-en-Brech, préhistorique de Carnac + mégalithes, préhistorique au château Gaillard à Vannes, Port-Louis, Belle-Ile, Groix, de Lorient (m. de la Résistance à St-Marcel). **Abbayes :** Kergonan à Plouharnel, Timadeuc à Brehan, Langonnet. **Calvaire** de Guehenno. **Thalassothérapie :** Quiberon, Carnac, Arzon-Le Crouesty.

Centre

Généralités

Berry

• **Situation.** S'étend sur la plus grande partie du Cher et de l'Indre ; quelques parcelles en Loiret, Indre-et-Loire et Creuse. **Centre :** *Champagne berrichonne,* plaine de calcaire jurassique (moutons, céréales). **S. et S.-E.,** *Boischaut* et vallée de *Germigny* autour de la Champagne berr. terres argileuses ou calcaires (lias) vallonnées ; zone bocagère, prairies. **Est,** *Val de Loire berrichon :* terres alluviales (limon et surtout sable) : bois, landes et parfois prairies et cultures. **N.-E.,** *collines du Sancerrois* (431 m), les marnes couronnées de calcaire y affluent, vignes. **Nord,** *partie de la Sologne* (ancien territoire des Bituriges Segalauns, qui habitaient aussi Drôme et Ardèche), sol de sable et d'argile, bois et étangs. **S.-O.,** *Brenne* (sup. : 1 000 km²) occupe une partie déprimée : sols d'argile et de sable, nombreux étangs et terres ; landes et halliers. **Ouest,** *Pays de Valençay,* suite de la *Champagne de Châteauroux.*

• **Ressources.** *Cher et Indre :* blé tendre, orge et escourgeon, maïs en grain, blé dur, avoine, colza, tournesol, bett. ind., légumes secs, vigne, vergers, tabac. Bovins, ovins, porcins, caprins, équidés, volailles.

• **Histoire.** A l'époque gauloise, *Avaricum* (Bourges), capitale des Bituriges Cubi, métropole du Massif central ; assiégée par Jules César, elle résista énergiquement en 52 av. J.-C. **Période gallo-romaine** Bourges est capitale de l'Aquitaine, puis de l'Aqu. Seconde (après Dioclétien). **VIe s.** La *civitas* de Bourges est amputée d'une partie de son territoire solognot, en faveur de la *civitas* (nouvelle) d'Orléans. **469 à 507** fait partie du royaume wisigothique (bat. de *Vouillé*). **Jusqu'au XIIe s.,** le Berry reste avant tout le domaine des archevêques de Bourges, métropolites d'Aquitaine ; ils en laissent l'administration à des comtes et vicomtes, souvent des seigneurs voisins (notamment Gérard de Roussillon, Guillaume d'Auvergne). **1102** partant pour la croisade, Eudes Harpin vend sa vicomté de Bourges au roi Philippe Ier ; le reste du Berry est lentement acquis par les rois. **1137** Louis VII se fait couronner duc d'Aquitaine à Bourges par le métropolite. **1152** Henri II Plantagenêt, 2e époux d'Éléonore, revendique Bourges comme capitale religieuse du duché. **1170** Louis VII repousse une attaque d'Henri II et garde le Berry dans la mouvance capétienne. **1360** Jean II le Bon l'érige en duché et le donne en apanage à son 3e fils, Jean (1340-1416), qui y crée une riche principauté (Ste-Chapelle de Bourges, château de Mehun-sur-Yèvre). **1418** l'apanage échoit à son neveu Charles, futur Charles VII, centre de la résistance des Valois contre les Anglais au cours de la g. de Cent Ans (alors appelé le « roi de Bourges »). Plusieurs princes portèrent le titre de « duc de Berry », notamment le frère de Louis XI, la sœur de Henri II, le 2e fils de Charles X.

Orléanais

• **Situation.** S'étend sur Loiret, Loir-et-Cher, Eure-et-Loir, quelques parties de l'ancienne Seine-et-Oise, Yonne, Nièvre et Cher. La « généralité d'Orléans », moins étendue au N. (elle ne possédait rien de l'ancienne S.-et-O.), était plus vaste au S. (elle atteignait l'Yonne et dépassait le Cher). **Est :** *Gâtinais* (de part et d'autre du Loing), petite culture (céréales, pommes de terre, plantes fourragères), élevage (gros bétail et volailles), apiculture. **Centre et Ouest :** *Beauce,* vaste plaine calcaire découverte avec gros villages et riches cultures (blé, orge, maïs, betterave à sucre, graines de semence, plantes fourragères) ; se prolonge au S.-O., vers Vendôme et Blois, par la *Petite Beauce,* plus ondulée et moins riche. **Plus à l'O. :** *partie or. du Perche,* bocage, herbages gras (cheval) et habitat dispersé. **N. de la Loire :** *forêt d'Orléans* entre la Beauce et le Gâtinais. **S. de la Loire :** *Sologne* (sol imperméable), mise en valeur au XIXe s. [En 1980, 440 000 ha dont environ 50 % appartenait à des non-résidents (15 % à des Parisiens des 7e, 8e, 16e et 17e arr.) et 10 % à l'État. Il y avait env. 1 000 grands domaines de chasse (moy. : 220 ha)]. *Val de Loire :* partie la plus riche (alluvions et climat) blé, betteraves, plantes fourragères, vigne, arbres fruitiers, cult. sous serres, pépinières, roseraies. Le long de la Loire, petits marchés ou gros centres (souvent anciennes étapes de batellerie) : Gien, Châteauneuf-sur-Loire, Orléans, Blois.

• **Histoire.** *Genabum* (Orléans) est avec *Autricum* (Chartres) une des 2 capitales des Carnutes, dont le territoire va de Sully-sur-Loire à Mantes. **IVe s.** Genabum, rebaptisée *Aurelianum,* devient une cité épiscopale dépendant de Sens ; son territoire est augmenté, au S., d'une partie de la Sologne biturige (rive dr. de la Sauldre). **54** elle est la capitale du royaume de Clodomir, fils de Clovis. **573** le roy. d'Orl. est annexé à la Neustrie. Partie du domaine royal dès l'époque d'Hugues Capet, détachée 4 fois à titre d'apanage : Philippe, frère de Jean le Bon (1311-75) ; Louis (1372-1407), frère de Charles VI, son fils Charles (le poète), son petit-fils Louis XII (1392-1498) ; Gaston (1608-60), fr. de Louis XIII ; Philippe (1640-1701), duc d'Orléans, fr. de Louis XIV, tige des princes d'Orléans (dont le roi Louis-Philippe Ier) encore représentés (Philippe VIII, fils du Cte de Paris porte le titre de duc d'Orléans). Voir Index.

Touraine

• **Situation.** Plateau (craie, recouverte d'une carapace argilo-siliceuse) avec bois et landes (landes du Ruchard) coupés de clairières cultivées (*Gâtine tourangelle,* entre Loire et Loir ; plateau d'*Amboise* et de *Pontlevoy,* entre Loire et Cher ; *Champeigne,* entre Cher et Indre ; plateau de *Sainte-Maure,* entre Indre et Vienne). *Vallées : Val de Loire* et vallées fertiles du *Cher,* de l'*Indre,* de la *Vienne* (alluvions épaisses ou « varennes » et climat doux et ensoleillé). Cultures maraîchères, arbres fruitiers. Vins de Bourgueil, Vouvray, Chinon. Habitations troglodytes.

• **Histoire.** Pays des Turones ou Turons (VIe s. av. J.-C.) intégré par les Romains à la IIIe Lyonnaise. Tours *(Caesarodunum).* V. 300 devient évêché, puis centre religieux de l'Ouest. **397** (8-11) St Martin meurt (né Hongrie 316, év. de Tours, 317 fondation de l'abb. de Marmoutier à 3 km de Tours) ; sa tombe devient lieu de pèlerinage. **VIe-VIIe s.** base militaire des Francs dans l'Ouest [**507** Clovis y a son camp (île St-Jean en face d'Amboise, il y reçoit Alaric, avant de le battre à Vouillé)]. **732** Charles Martel devance les Arabes, qui veulent attaquer Tours (il les écrase à Poitiers). **Xe s.** Louis le Débonnaire fait de Tours la capitale adm. de l'Ouest *(missaticum Turonicum)* et un archevêché. Administration confiée à un comte. **940** le Cte Thibaut le Tricheur transforme en fiefs héréditaires ses comtés de Chartres, Blois, Touraine ; cédé en fief au Cte d'Anjou, Geoffroi Ier Martel (1044), tige de la famille des Plantagenêts. **1206** Philippe Auguste s'empare des domaines plantagenêts au N. de la Loire, plus Loches et Chinon. **1259** Henri III d'Angl. en reconnaît la possession au roi de Fr. (tr. de Paris).

XIVe-XVe. 1332 apanage confié à Jean II le Bon. Érigée en duché-pairie, passe à ses fils Phil. le Hardi (1360-63), futur duc de Bourgogne, et Louis (1370-84), duc d'Anjou, puis à son petit-fils Louis (1386-92) qui devient le duc d'Orléans (1392). Le futur Charles VII en est investi (1416-18 ; 1419). Après son avènement (1422), il confie le duché (qui fait partie du roy. de Bourges) à sa femme Marie d'Anjou, puis au Cte écossais Douglas, et ensuite au duc Louis III d'Anjou (1425). De Charles VII à Henri IV, les rois de Fr. résident dans leurs châteaux de la Loire. **1542** centre de la généralité de Tours-Poitiers-Bourges. **XVIIe-XVIIIe s.** abandonnée au profit de Paris et de Versailles, la Touraine devient une simple province (dernier duc : François d'Alençon, 1576-84).

Blésois

• **Situation.** Des 2 côtés de la Loire (moitié N.-O. du Loir-et-Cher).

• **Histoire.** Marche non déboisée entre la cité des Carnutes (Chartres-Orléans) et celle des Turons. Peut-être centre de la religion druidique à Suèvres *(Sodobriga).* **Période gallo-romaine** partie de la cité d'Autricum (Chartres). **Jusqu'en 940** la forteresse de Blois, construite au VIe s., appartient aux Ctes de Paris, seigneurs du Chartrain (futurs rois capétiens). **940** Thibaut le Tricheur transforme en fief héréditaire les comtés qu'il administre. **1023** son petit-f., Eudes Ier, devenu Cte de Champagne, fonde la maison de Blois-Champagne. **1334-1397** le Bl. reste un fief distinct, dans la maison de Châtillon. **1397** Louis d'Orléans, fr. de Charles VI, achète le comté de Blois. **1440** Charles d'Orléans, le poète, fils de Louis, établit sa cour à Blois. **1498-1588** Louis II d'Orléans (né à Blois), devenu le roi L. XII, puis ses successeurs font de Blois la principale résidence de la cour jusqu'à l'assassinat du duc de Guise. **1697** Blois, siège d'un évêché, détaché de Chartres.

Chartrain, Dunois, Drouais

• **Situation.** Constituent à eux 3 (avec une partie du Perche, le Thymerais) l'Eure-et-Loir. Plateaux de la Beauce, plats, calcaires, sablonneux ; alt. 130 à 150 m ; cultures céréalières, gagnées sur la forêt, défrichée au Moyen Age.

• **Histoire.** Territoire des Celtes *Carnutes* (fidèles du dieu Cernunos, aux cornes de taureau) qui ont donné leur nom à Chartres vers le IIIe s. apr. J.-C. [nom primitif : l'adjectif *aturicum,* tiré du nom de l'Eure *(Atura)* et déformé ensuite en *Autricum*]. Une sous-tribu des Carnutes, les *Durocasses,* a donné son nom à Dreux [étymologie : les combattants *(cassi)* de la colline fortifiée *(durum)*]. *Dunum,* la « ville artisanale », sur le Loir, a été protégée (au Moyen Age) par une forteresse, devenant Châteaudun *(Castellum Duni).* **Période gallo-romaine** la cité de Chartres réduite à la moitié nord du territoire des Carnutes (amputée de l'Orléanais autour de *Genabum*) fait partie de la Lyonnaise Quatrième (métropole : Sens) ; évangélisée au IVe s. par 3 missionnaires senons : Potentien, Altin et Santin. **Sous les Mérovingiens,** division en 3 *pagi :* Chartrain, Dunois, Drouais. **Sous les Capétiens,** *Le Chartrain,* terre en grande partie épiscopale, reste sous l'autorité des ducs capétiens puis passe à la fin du Xe s., avec Blésois et vicomté de Châteaudun, dans la famille de Thibaut le Tricheur qui deviendra celle des Blois-Champagne. *Le Drouais* est vendu au roi de Fr., Robert le Pieux, vers 1020 et servira plusieurs fois d'apanage à des princes capétiens. *Le Chartrain,* aux mains de Ctes vassaux de la maison de Champagne, devient fief direct de la couronne en 1234 et est annexé au domaine royal en 1280, à l'extinction des Châtillon. Des vidames de Chartres (ducs de Saint-Simon) continueront jusqu'à la Révolution à administrer les terres épiscopales de la région. *Le Dunois,* les Vtes de Châteaudun (ou de *Dunois*), qui ont été plusieurs fois en même temps Ctes du Perche, sont vassaux des Blois-Champagne puis des rois de France à partir de 1234. Leur fief est réuni en 1391 à l'apanage du duc d'Orléans ;

passe en 1407 à son fils naturel, le Bâtard d'Orléans, tige des C[tes] de Dunois, P[ces] de Longueville (éteints 1696).

Économie

• **Population** 2 371 036 h. (1990) *1982 :* 2 264 000. *Pop. active occupée* (31-12-88, semi-définitifs) *au lieu de travail :* 910 500 (dont salariée 764 100) dont agric. 79 100, ind. 233 400, B.T.P. 70 600, tertiaire 527 400 ; *au lieu de résidence :* 939 200 (sur 1 030 500 actifs disponibles). *Étrangers* (au 31-12-89) : 131 537.

• **Échanges** (milliards de F, 1989). **Importations :** 35,7 dont biens d'équip. profess. 9,8, prod. chim. et 1/2 prod. div. 9,4, biens de consomm. courante 7,1, métaux et prod. du trav. des métaux 4,6, ind. agro-alim. 1,7, pièces détachées et matér. transp. terr. 1, prod. agric. 0,8, électromén., électron. grand public 0,7, équip. autom. des mén. 0,3, mat. 1res min. 0,07, énergie 0,07, div. 0,02, *de :* C.E.E. 24,7 dont All. féd. 8,2, Italie 5, U.E.B.L. 3,9, R.-U. 3, P.-Bas 2,3, Esp. 1,4 : O.C.D.E. (hors C.E.E.) 7,9 dont Eur. occ. 4, U.S.A. 2,5. **Exportations :** 33 dont biens d'équip. profess. 9,6, de consomm. courante 6,4, prod. chim. et 1/2 prod. div. 4,9, prod. agric. 3,4, ind. agro-alim. 2,3, pièces détachées et matér. transp. terr. 1,9, équip. autom. des mén. 1,8, électromé., électron. grand public 1,3, métaux et prod. du trav. des métaux 1,1, mat. 1res min. 0,04, énergie 0,002, div. 0,1 ; *vers :* C.E.E. 23,3 dont All. féd. 6, Italie 4,4, U.E.B.L. 4,1, R.-U. 3,8, Esp. 2, P.-Bas 1,8 ; O.C.D.E. (hors C.E.E.) 5,1 dont Eur. occ. 2,9, U.S.A. 1,7.

• **Agriculture** (au 1-1-90, estim.). Terres (en milliers d'ha) 3 953,6 dont *S.A.U.* 2 519,1 (t. lab. 2 109,7, herbe 373,5, vignes 25,8) ; *t. non agr.* 333,4 ; *t. agr. non cult.* 143,7 ; *bois* 873,4. **Prod. végétale** (en milliers de t) : céréales 8 542,6 dont blé tendre 5 027,1, maïs (graines et semences) 1 469,7, bett. ind. 1 941,3 ; *vins* 1 408 090 hl. **Animale** (en milliers de têtes, au 1-1-89) : bovins 707,8, ovins 500,9, porcins 288,9. *Lait* (au 1-1-90, estim.) 5 120 240 hl (prod. totales vaches laitières).

• **Énergie nucléaire** (1988). 27,3 % (53 357 GWh) de l'énergie nucl. franç. Centrales en service (puissances installées en MWe) : *Chinon-Avoine* (*1966 :* 610 ; *73 :* 540 ; *82 :* 1 410 ; *83 :* 2 280 ; *86 :* 3 150 ; *87 :* 4 020). *St-Laurent-des-Eaux* (*1969 :* 390 ; *71 :* 450 ; *81 :* 1 760). *Dampierre-en-Burly* (*1980 et 81 :* 4 tranches de 890 MWe en service). *Belleville-sur-Loire* (tranche 1, sept. 1987 ; tr. 2, août 1988) (puissance max. possible en MW et entre parenthèses durée d'utilisation en h) 1988 : *Chinon B* 3 500 (5 300), *Dampierre-en-Burly* 3 560 (5 200), *St-Laurent-des-Eaux A* 840 (6 550), *St-Laurent-des-Eaux B* 1 760 (6 100). **Autres sources d'énergie.** *Héliogéothermie* à Blois (associe captage de l'énergie solaire et stockage des calories des nappes d'eau souterraines). *Biomasse* (sous-produits des cultures, de l'élevage et de la forêt) pour l'agriculture.

Départements

Voir légende p. 748.

• **Cher** (18) 7 310 km² (175 × 100 km). *Alt.* max. (Mont de St-Marun, près de Préveranges) 504 m, min. 89 m (sortie du Cher). 321 548 h. (1990) [*1891 :* 359 276 ; *1911 :* 337 810 ; *1954 :* 284 376 ; *1962 :* 293 514 ; *1975 :* 316 350 ; *1982 :* 320 174]. D. 44. *Actifs* (31-12-88) : occupés 121 500 (dont salariés 101 500) ; *au lieu de résidence* 122 900 (sur 134 800 actifs disp.). *Étrangers* (31-12-89) 15 770.

Villes. BOURGES 75 609 h. [*1800 :* 16 000 ; *1866 :* 30 119 ; *1911 :* 45 735 ; *1936 :* 49 263 ; *1962 :* 62 239 ; *1975 :* 77 300] [ag. 92 719 dont *St-Doulchard* 9 149. *St-Germain-du-Puy* 5 085. *Trouy* 2 876], alt. 153 m ; fonderie, constr. méc. et aéro., caoutchouc, pneumat., établissement milit., armes, munitions de guerre, Aérospatiale (SNIAS), imprimerie, éditions ; palais Jacques-Cœur (XVe s.), cath. St-Étienne XIIIe s., hôtels Lallemant (XVe s.) et Cujas (XVIe s.), musée du Berry, m. Estève ; festivals de mus. – *Argent-sur-Sauldre* 2 525 h., m. Ivanoff, m. des métiers et traditions de France. *Aubigny-sur-Nère* 5 803 h. ; mécan., bijouterie, confection, constr. élec. et mécan. de précision ; égl. St-Martin (en partie XIIe s.), château des Stuart (XVIe s.), hôtel de ville, vieilles maisons. *Avord* 2 078 h. *Dun-sur-Auron* 4 261 h. [*1851 :* 4 948 ; *1975 :* 4 154] ; text., bâtiment, habillement ; égl. romane. *La Chapelle-St-Ursin* 2 890 h. *La Guerche-sur-l'Aubois* 3 220 h. ; métaux, imprimerie, papier-carton, bois, habill., bâtiment ; égl. romane St-Étienne-du-Gravier. *Les Aix-d'Angillon* 2 160 h. *Mehun-sur-Yèvre* 7 227 h. ; porcelaine, céramique, métaux, bâtiment, text., habill., imprimerie ; château de Charles VII (en ruines), égl. du XIe s. *Nançay* 784 h. ; radiotélescopes. *St-Amand-Montrond* * 11 937 h. [*1851 :* 8 232 ; *1926 :* 8 858 ; *1975 :* 12 278] [ag. 13 961, dont *Orval* 2 024] ; métall., bonneterie, bijouterie, cartonnages, imprimerie, édition, bâtiment, habill., cuirs et peaux, bois, ind. alim., céramique, mat. de constr. ; égl. *St-Florent-sur-Cher* 7 360 h. [*1926 :* 3 852 ; *1975 :* 6 535] [ag. 9 025, dont *Lunery* 1 665] ; métall., plastiques ; château (XVe-XVIe s.). *St-Germain-du-Puy* 5 085 h. *Sancerre* 2 059 h. [*1851 :* 3 703 ; *1926 :* 2 337 ; *1975 :* 2 460] ; vigne, mécanique, ind. alim., bâtiment, artisanat ; tour des fiefs (XIVe s.), vestiges du château féodal, porte César, place de la Halle (tourelles XVe-XVIe s.). *Sancoins* 3 634 h. *Vierzon* * 32 235 h. [*1851 :* 11 553 ; *1901 :* 22 937 ; *1926 :* 25 778 ; *1975 :* 35 699] (ag. 35 049) ; métall., habill., porcelaine, bâtiment, chimie, céramique, text., bois, cuirs et peaux, mat. de constr., imprimerie, ind. alim., papier, carton ; église (partie XVe s.), ch. de la Noue (XVe s.).

Régions naturelles. *Champagne berrichonne :* 299 300 ha, céréales (46,7 %). *Sologne :* 113 200 ha, polyculture, élevage. *Pays-Fort, Sancerrois :* 97 100 ha, polyculture, élevage, vigne, fruits. *Boischaut :* 75 800 ha, polyculture, élevage, tabac. *Marche :* 34 000 ha, polyculture, élevage, vigne, tabac. *Vallée de Germigny :* 85 900 ha, élevage. *Val de Loire :* 25 300 ha, primeurs, tabac. **Bois** 160 100 ha (env. 21,9 % du dép.) [dont (1981) f. de Vierzon 5 281, d'Allogny 2 300, Vouzeron 2 166, St-Palais 1 902].

Agriculture (en milliers de t, au 1-1-90, estim.). *Céréales :* 1 279,5 dont blé tendre 798,5, maïs (graines et semences) 182. *Vins* 176 900 hl. *Élevage* (milliers de têtes, 1988) : bovins 177,4, ovins 110,8, caprins 46,3, porcs 38,7. 1er prod. de colza, et de lait de chèvre (crottin de Chavignol), 3e tournesol. **Industrie :** ciments à *Beffes.* **Tourisme : châteaux** (itinéraire touristique : route Jacques-Cœur) : Menetou-Salon (XIXe s.), Boucard (XVIe-XVIIe s.), Culan (X[e]-XVe s.), Jussy-Champagne (XVIe s.), Maupas (XIVe s.), Blancafort (XVe-XVIe s.), La Chapelle-d'Angillon (XIe-XVe, XVIe s.), La Verrerie (XVe-XVIe s.), Ainay-le-Vieil (XIVe-XVe s.), Apremont-sur-Allier (XVe s.), Meillant (XVe-XVIe s.). **Abbaye** *cistercienne :* Noirlac (XIIe-XIIIe-XIVe s.). **Étangs** (en ha) : de Goule 135, du Puits 180 (dont 15 dans le Cher), plan d'eau du Val d'Auron 82, retenue du barrage de Sidiailles 90, de Mareuil-sur-Arnon 33.

• **Eure-et-Loir** (28) 5 929 km² (110 × 93 km). *Alt.* max. 287 m (butte de Rougemont près de Vichères), min. 48 m (sortie de l'Eure). Peu arrosé, 447 mm (Chartres), 520 mm (Châteaudun) de pluie par an (1960/79). 396 064 h. (1990) [*1801 :* 257 793 ; *1851 :* 294 862 ; *1921 :* 251 255 ; *1975 :* 335 151 ; *1982 :* 362 813]. D. 67 (estim. 1990). *Actifs occupés* (au 31-12-89) 139 600 (dont salariés 117 300) et 88 *au lieu de résidence* 161 300 (sur 175 200 actifs disponibles). *Étrangers* (au 31-12-89) 26 423.

Villes. CHARTRES 39 595 h. [*1851 :* 18 234 ; *1901 :* 23 431 ; *1936 :* 32 255 ; *1954 :* 38 341 ; *1975 :* 38 928] [ag. 84 627, dont *Lèves* 3 920. *Lucé* 18 796, aluminium ; *Luisant* 6 411 ; *Mainvilliers* 9 956], alt. 158 m ; constr. méc., électro., produits de beauté ; cathédrale, musée des Beaux-Arts. – *Auneau* 3 098 h. *Bonneval* 4 420 h. ; chaudronnerie, app. ménagers. *Brou* 3 803 h (ag. 5 283). *Châteaudun* * 14 511 h. [*1851 :* 6 745 ; *1954 :* 9 687 ; *1975 :* 15 338] ; constr. méc., élec. et électro., château (XIIe et XVIe s.), musée. *Dreux* * 35 230 h. [*1851 :* 6 764 ; *1901 :* 9 697 ; *1954 :* 16 818 ; *1975 :* 33 102] [ag. 48 191 dont *Vernouillet* 11 680] ; électro., méc., prod. pharm., chimie ; beffroi, musée, chapelle royale. *Epernon* 5 097 h. (ag. 6 785). *Ezy-sur-Eure* [ag. 3 787, dont dans le dép. *Anet* 2 696 ; château (1548 : Philibert Delorme, restent aile gauche, chapelle et portique de la cour)]. *Gallardon* 2 576 h. (ag. 4 089). *Illiers-Combray* 3 329 h. ; constr. métal., mach. agr., chaudronnerie, souvenir de M. Proust (maison de sa tante). *La Loupe* 3 819 h. *Maintenon* 4 161 h. (ag. 6 559) ; château. *Nogent-le-Roi* 3 832 h. (ag. 5 638). *Nogent-le-Rotrou* * 11 591 h. [*1851 :* 6 983 ; *1854 :* 8 765 ; *1975 :* 12 806] (ag. 12 745) ; électro., mécanique, prod. pharm., donjon, musée St-Jean. *St-Lubin-des-Joncherets* 4 403 h. *St-Rémy-sur-Avre* 3 568 h. *Senonches* 3 171 h.

Régions naturelles. *Thymerais* et *Drouais* 98 807 ha, env. 300 m d'alt., 245 m près de Senonches, plateau 150 000 ha, *collines du Perche* 110 000 ha (bovins). *Beauce* 320 000 ha, alt. moy. 130-200 m (blé, bett. à sucre, maïs, orge). **Bois** (en milliers d'ha, 89). 70,5 dont (en ha, 1981) f. de Senonches 4 301,96, f. de La Ferté-Vidame 3 198,7, f. Champrond 1 500, f. domaniales de Châteauneuf-en-Thymerais 1 751,6, Dreux 3 308,65, Montecot 639,56. **Divers.** 1er prod. de blé (250 000 ha en 1989) et de protéagineux (52 800 ha) en 1989.

• **Indre** (36) 6 790 km² (100 × 100 km). *Alt.* max. : colline du Fragne 459 m, min. 65 m (sortie de l'Anglin et de la Creuse). 237 505 h. (1990) [*1801 :* 205 628 ; *1886 :* 296 147 ; *1936 :* 245 622 ; *1954 :* 252 075 ; *1975 :* 248 523 ; *1982 :* 243 191]. D. 34,3. *Pop. active occupée* (au 1-1-90) 91 500 (salariée 71 200) ; *au lieu de résidence* 93 500 (sur 102 800 actifs disp.). *Étrangers* (1-1-90) 5 510.

Villes. CHATEAUROUX alt. 154 m, 50 969 h. (ag. 67 090, dont *Déols* 7 875. *Le Poinçonnet* 4 660 ; trav. routiers, confect. *St-Maur* 3 646) ; tabac, constr. méc., produits chim., text. (confection), céramique, biscuiterie ; musée Bertrand. – *Ardentes* 3 511 h. *Argenton-sur-Creuse* 5 193 h. (ag. 8 767) ; ind. aéron., confection, poterie ; site gallo-romain Argentomagus. *Buzançais* 4 749 h. ; constr. méc., confect. *Châtillon-sur-Indre* 3 262 h. ; ind. du caout., confect. ; donjon. *Diors* 617 h. ; *Issoudun* * 13 859 h. ; métall., mégisseries, imprimerie, constr. élec., engrais, maroquinerie, malterie, confect. ; musée St-Roch, tour Blanche. *La Châtre* * 4 622 h. (ag. 7 143) ; marché agr., ind. pharm., du bois, text., informatique ; musée George-Sand ; circuit auto. (école de pilotage). *Le Blanc* * 7 361 h. ; confect., mat. plast., ind. du bois, constr. aéron. *Levroux* 3 045 h. ; ind. du froid. *St-Maur* 3 646 h., ind. du bois. *Valençay* 2 912 h. ; château (XVe-XVIIIe s.) ; chaudronnerie, tôlerie, musée de l'aut., confection. *Vatan* 2 022 h. (ag. 2 460) ; confection.

Régions naturelles. *Champagne berrichonne :* 109 000 ha, céréales (blé, orge), prairies artificielles, oléagineux ; maïs, moutons (presque disparus). *Boischaut,* bocage ; *B. Sud :* 173 000 ha, élevage, lait, viande ; *B. Nord :* 124 000 ha, élevage, lait, viande, fromages de chèvre (Levroux, Valençay), céréales, vignes. *Brenne* 89 000 ha, alt. max. 110 m ; sols sableux et boisés, monticules gréseux, étangs, polyculture, élevage (porcelets, bovins, volailles) ; pisciculture.

Tourisme. Châteaux : Valençay (XVIe s.), Sarzay, Bouges, Villegongis, Azay-le-Ferron, Le Bouchet à Rosnay, St-Chartier, Argy. **Domaine** de George Sand à Nohant. *Maison* de George Sand et *égl.* de Gargilesse-Dampierre. **Sites :** la Boucle du Pin, Argentomagus à St-Marcel. **Lac :** Éguzon (600 ha). **Abbaye :** Fontgombault.

• **Indre-et-Loire** (37) 6 150 km² (110 × 100 km). *Alt.* max. : Signal de la Ronde 188 m, min. 28 m (sortie de la Loire à Candes-St-Martin). 529 328 h. (1990) [*1801 :* 268 924 ; *1901 :* 335 541 ; *1946 :* 349 685 ; *1962 :* 395 210 ; *1968 :* 437 870 ; *1975 :* 478 601 ; *1982 :* 506 097]. D. 86. *Actifs occupés* (au 31-12-88) 204 600 (dont salariés 167 500) ; *au lieu de résidence* 201 500 (sur 225 600 actifs disp.). *Étrangers* (au 1-1-90) 20 618.

Villes. TOURS alt. 55 m, 129 509 h. [*1801 :* 21 413 ; *1851 :* 33 530 ; *1901 :* 69 044 ; *1954 :* 95 903 ; *1975 :* 140 686] [ag. 270 019, dont *Ballan-Miré* 5 937. *Chambray-lès-Tours* 8 190. *Fondettes* 7 325. *Joué-lès-Tours* 36 798 ; caoutchouc, métall. *La Membrolle-sur-Choisille* 2 644. *La Riche* 8 838. *La Ville-aux-Dames* 4 193. *Luynes* 4 128 ; château XIIIe s. *Montbazon* 3 354 ; château. *Rochecorbon* 2 685. *St-Avertin* 12 187. *St-Cyr-sur-Loire* 15 161 ; méc. de précision ; *St-Pierre-des-Corps* 17 947 ; centre ferr. *Veigné* 4 520. *Vouvray* 2 933] ; desserte ferr. ; constr. méc., aéro. ; prod. pharm. (institut du médicament dep. 1980), métall., électro., ind. méc. et chim., ameublement ; rillettes ; université ; cathé., château XIIe s., cloître, Prieuré St-Cosme, basili. St-Martin (1885-1925), musées des Beaux-Arts, du Compagnonnage, Grévin, des vins de Touraine, du Gemmail, hôtel Goüin (musée) ; tourisme. – *Amboise* 4 085 ha, 10 982 h. [*1813 :* 4 613 ; *1954 :* 6 736 ; *1975 :* 10 680] [ag. 14 529, dont *Nazelles-Négron* 3 547] ; ind. div. ; château XVIe s. (Charles VIII y naquit et y mourut, Abd el-Kader y fut interné 1848-52), Clos-Lucé, musée de la Poste, parc forestier de la Moutonnerie (120 ha), Chanteloup : pagode (1775-78). *Azay-le-Rideau* 3 053 h. ; château XVIe s. *Beaumont-en-Véron* 2 569 h. (ag. 4 233). *Bléré* 4 388 h. (ag. 6 186). *Bourgueil* 4 001 h. *Château-Renault* 5 787 h. [*1851 :* 3 270 ; *1975 :* 6 043] (ag. 7 029) ; métall., cuir, prod. chim. *Chinon* * 3 908 ha, 8 627 h. [*XVe s. :* env. 5 000 ; *1851 :* 6 774 ; *1975 :* 8 014) ; centrale nucléaire (à Avoine), château XVe s., musée de Cires. *Descartes* 4 120 h. [*1851 :* 1 663 ; *1975 :* 4 446] ; charpentes métall. ; papeteries ; musée ; patrie de Descartes. *Esvres* 4 234 h. *Langeais* 3 960 h. ; château XVe s., m. de Cires. *Ligueil* 2 201 h. *Loches* * 6 544 h. [*1851 :* 5 191 ; *1975 :* 6 738] (ag. 8 408) ; château (donjon et logis royal, XIe s. au XVIe s.). *Montlouis-sur-Loire* 8 309 h. ; viticulture. *Monts* 6 221 h. ; centre d'études atomiques. *Richelieu* 2 223 h. (ville géométrique du XVIIe s.). *Ste-Maure-de-Touraine* 3 969 h. *Villaines-les-Rochers* 930 h. ; vannerie.

Régions naturelles (S.A.U., en ha). *Gâtine tourangelle :* 77 133, *Gâtine de Loches et de Montrésor* 78 160, *région de Ste-Maure* 53 547, *Champeigne* 49 026, *Val de Loire* 26 833, *Richelais* 36 587, *région viticole à l'est de Tours* 11 042, *plateau de Mettray* 9 585, *bassin de Savigné* 10 129, région *forêt d'Amboise* 2 681. **Bois** 155 000 [dont f. d'Amboise 4 200, f. domaniales de Chinon 5 200, de Loches 5 600].

Tourisme. Châteaux : plus de 300 : Chenonceau (XVe s. ; musée de Cires), Saché (XVIe s., XIXe s., m. Balzac), Le Grand-Pressigny (XVIe s. ; m. de la Préhistoire), Seuilly-la-Devinière (maison natale de Rabelais), La Riche (XVe s., prieuré St-Cosme, tombe de Ronsard), Villandry (XVe s. ; jardins français), Ussé (XVe s.), Montsoreau (XVe s.), Lémeré (XIIIe-XVe s.), Montrésor (XIe-XVIe s.). **Grotte préhistorique :** de La Roche-Cotard près de Langeais. **Maisons troglodytiques :** Vouvray, Rochecorbon.

• **Loir-et-Cher** (41) 6 422 km² (125 × 97 km). *Alt.* max. 256 m. 305 925 h. (1990) [*1801 :* 209 957 ; *1891 :* 280 392 ; *1954 :* 239 824 ; *1975 :* 283 686 ; *1982 :* 296 220]. D. 48. *Actifs occupés* (31-12-88) 121 500 (dont sal. 101 500) ; *au lieu de résidence* 123 100 (sur 134 100 actifs disp.). *Étrangers* (31-12-89) 13 874.

Villes. BLOIS 49 314 h. [*1800 :* 10 000 ; *1851 :* 17 749 ; *1861 :* 20 331 ; *1872 :* 19 860 ; *1936 :* 26 025 ; *1954 :* 28 190 ; *1962 :* 36 426 ; *1968 :* 44 762 ; *1975 :* 49 778] [ag. 65 131, dont *La Chaussée-St-Victor* 4 036. *Vineuil* 6 254], alt. 73 m ; ind. métall., constr. méc. et élec., équip. aéron., text., chocolaterie, chaussures, imprimerie, tapisserie, céramiques, prod. pharm. ; égl. St-Nicolas, château, cath., m. (fresques, œuvres d'artistes régionaux, faïences et céramiques, souv. napoléoniens, costumes, coll. préhistoriques et gallo-romaines). – *Contres* 2 979 h. *Lamotte-Beuvron* 4 247 h. ; app. d'éclairage et de protection. *Mer* 5 950 h. ; mat. agr., literie, fonderie. *Montoire-sur-le-Loir* 4 065 h. (ag. 4 367). *Montrichard* 3 786 h. (ag. 7 536) ; mat. d'isolation et de plein air ; donjon carré (XIIe s.), musée. *Onzain* 3 080 h. (ag. 3 956). *Romorantin-Lanthenay* *, alt. 87 m, 4 452 ha, 17 865 h. ; ind. text., imprimerie, bâtiment, ind. de précision, constr. auto. (Matra) ; musée de Sologne, musée auto. *St-Aignan* 3 672 h. (ag. 7 311) ; trav. publ., textile. *St-Laurent-Nouan* 3 399 h. *Salbris* 6 083 h. ; constr. méc., électro. *Selles-sur-Cher* 4 751 h. ; céramique. *Vendôme* * 17 525 h. (ag. 22 338) ; imprimerie, ganterie, ind. méc., élec., équip. aéron., métall. et alim. ; égl. de la Trinité, château, musée.

Régions naturelles (S.A.U., en ha). *Perche* (62 894) : région bocagère de polyculture. *Beauce* (99 970) : céréales (blé, orge, maïs). *Sologne* (57 101) : bois, polyculture et élevage, chasse, pêche. *Sologne viticole* (23 965) (à l'O. : vignes, légumes), asperges (1er producteur de Fr.), fraises. *Vallées et coteaux du Loir* (38 048) : petites exploitations de polyculture, vignobles, champignonnières. *Gâtine tourangelle* (27 326). *Champagne berrichonne* (4 821). *Plateaux bocagers de la Touraine méridionale* (26 915).

Tourisme. Centrale nucléaire de *St-Laurent-des-Eaux,* réservoir souterrain de gaz de Lacq à *Chémery. Châteaux* [*Blois* 128 × 88 m, domaine 4 800 ha, 56 m de haut au clocheton central, 28 m au niveau des terrasses, 440 pièces, 365 cheminées, 74 escaliers ; *Chambord* (1519-44) plans italiens dont un de Léonard de Vinci ; maître d'œuvre Pierre Trinqueau (1 800 ouvriers pendant 15 ans), le plus grand château de la Renaissance, 58 m de haut (33 m pour la lanterne), 365 cheminées, 63 escaliers ; appartenait en 1914 au P^ce Élie de Bourbon-Parme (de nationalité esp. mais servait comme colonel autrichien), mis sous séquestre 22-4-1915. *Chaumont* (1465-1510), gothique. *Cheverny* (1634), *Ménars* (XVIIe s.), *Talcy* (XIIIe s.), *Vendôme* (XIVe-XVe s.), *Villesavin* (XVIe s.), *Fougères-sur-Bièvre* (XIe s., Renaissance)..., *Gué-Péan* (XVIIe-XVIIIe s.), *Selles-sur-Cher* (XIIIe-XVIIe s.). **Course autos anciennes :** « les 3 heures de *Contres* ».

• **Loiret** (45) 6 813 km² (120 × 80 km). *Alt.* max. 275 m, min. 68 m, 580 601 h. (1990) [*1801 :* 286 050 ; *1901 :* 366 660 ; *1926 :* 337 224 ; *1975 :* 490 189 ; *1982 :* 536 000]. D. 86. *Pop. active occupée* (1-1-88) 221 700 (dont sal. 191 800) ; *au lieu de résidence* (31-12-88) 233 300 (sur 255 900 actifs disp.). *Étrangers* (31-12-89) 49 148.

☞ Le Loiret (long. 12 km) est une résurgence de la Loire qui apparaît à la Source dans le parc floral d'Orléans.

Villes. ORLÉANS 105 111 h. [*XVIe s. :* env. 20 000 ; *1762 :* env. 36 000 ; *1800 :* 41 579 ; *1900 :* 66 699 ; *1920 :* 72 096 ; *1954 :* 76 439 ; *1975 :* 106 246] [ag. 243 148, dont *Chécy* 7 177 ; assurances. *Fleury-les-Aubrais* 20 672 ; nœud ferr. *Ingré* 5 880 ; mat. de télécom. *La Chapelle-St-Mesmin* 8 207. *Olivet* 17 572. *St-Denis-en-Val* 6 596. *St-Jean-de-Braye* 16 387. *St-Jean-de-la-Ruelle* 16 335. *St-Jean-le-Blanc* 6 806. *St-Pryvé-St-Mesmin* 5 463. *Saran* 13 436], alt. 92,9 à 124,9 m, sup. 2 823,17 ha ; ind. alim. (vinaigre, conserves, chocolat), équip. aéron., ind. méc., ind. pharm. et cosmétique, ind. text., bâtiment, métall., matér. agr., élec., chimie, pneumatique, IBM, ateliers d'art Mailfert Amos (ébénisterie), fonderie de cloches Bollée ; cath., musées des Beaux-Arts, historique, Jeanne-d'Arc, Sciences nat. – *Beaugency* 6 917 h. (ag. 8 022) ; matelasserie, méc. ; musée des Arts et Traditions de l'Orléanais, château. *Beaune-la-Rolande* 1 877 h. *Bellegarde* 1 442 h. ; circuits imprimés, tréfilerie. *Briare* 6 070 h. ; pont-canal (construit par Eiffel), émaux. *Chaingy* 2 641 h. (ag. 5 620, dont *St-Ay* 2 979). *Châteauneuf-sur-Loire* 6 558 h. ; château XVIIIe s., musée de la marine de Loire et du vieux Châteauneuf, ponts suspendus, expl. forestière. *Châteaurenard* 2 302 h. *Châtillon-Coligny* 1 903 h. (ag. 2 855). *Châtillon-sur-Loire* 2 822 h. *Chevilly* 2 485 h. *Courtenay* 3 289 h. ; mat. élec. *Gien* 16 477 h. (ag. 18 758) ; faïencerie, bandes magnét. ; château, musée de la Chasse. *Jargeau* 3 561 h. (ag. 7 777). *La Ferté-St-Aubin* 6 414 h. ; usine Thomson ; château XVIIe s. *Malesherbes* 5 778 h. ; reliure ind. et imprimerie ; château. *Meung-sur-Loire* 5 993 h. (ag. 7 450) ; fonte, constr. élec. métallique ; château. *Montargis* * 15 020 h. [*1851 :* 7 527 ; *1936 :* 13 887 ; *1975 :* 18 380] [ag. 52 518, dont *Amilly* 11 029 h. ; constr. méc., élec. et électro., pharm. *Châlette-sur-Loing* 14 591 h. ; mat. plast., imprimerie, caoutchouc] ; musée Girodet. *Villemandeur* 5 131]. *Neuville-aux-Bois* 3 870 h. *Nogent-sur-Vernisson* 2 357 h. ; arboretum des Barres [10 000 arbres, 2 500 espèces (3 500 en 1962)]. *Pithiviers* * 9 325 h. ; prod. alim., pâté d'alouette, gâteaux « pithiviers » (aux amandes) » ; train touristique à vapeur, musée des Transports. *Puiseaux* 2 915 h. ; condensateurs. *Sully-sur-Loire* 5 806 h. ; autom., verre, château.

Régions naturelles. *Beauce* (petite : 42 300 ha et grande : 89 000 ha) : plateau calcaire, alt. 120-135 m, cult. industrialisées (blé, orge, betterave, prairies artif.). *Orléanais* (111 450 ha) (forêt d'Orléans) : sables rouges originaires du Massif central, recouverts de forêt, alt. 182 m, + grande forêt domaniale de France, polyculture, volailles. *Gâtinais* (est : 122 300 ha et ouest : 54 650 ha) : argiles à silex, sables, graviers, relief vallonné, alt. min. du dép. 68 m, polyculture, petit élevage (vaches laitières), blé, orge, betterave. *Puisaye* (63 150 ha) : terres humides, polyculture, bovins, ovins, porcs, volailles. *Val de Loire* (63 300 ha) : alluvions, plateau boisé, alt. 110-250 m, vignes, légumes, pommes de terre, tabac, fruits. *Sologne* (106 000 ha) : longtemps stérile et marécageuse (S.A.U. 38 200 ha), bois, landes, terres incultes, étangs, chasse. *Berry* (29 150 ha) : plat pays calcaire, souvent dénudé, bois au S., céréales, oléagineux. **Bois** 170 600 ha dont (1981) f. domaniale d'Orléans (la plus grande de Fr.) 34 600 [3 massifs : Lorris 14 400, Ingrannes 13 600 (centre), Orléans 6 600 (ouest)], de Montargis 4 110, Sologne 32 000.

Tourisme. Abbaye : St-Benoît-sur-Loire (abb. de Fleury, tour porche XIe). **Arènes romaines :** Montbouy. **Églises :** Cortrat, Ferrières, Germigny-des-Prés (la plus vieille de Fr.), N.-D. de Cléry. **Châteaux :** Châtillon-Coligny (orangerie long. 112 m, donjon), La Bussière (musée de la Pêche), Gien (XVe s. ; musée de la Chasse), Sully-sur-Loire (XIVe s.), Beaugency (XVe s. ; musée de l'Orléanais), Malesherbes (XIVe-XVIIe s.), Meung-sur-Loire (XIIe-XVIIIe s.).

Champagne-Ardenne

Généralités

• **Situation. Ouest :** *côte de l'Ile-de-Fr.* (frontière avec la Brie) s'élevant du S. (75 m à Montereau) au N. (montagne de Reims, 280 m), percée au N. par l'Aisne, la Vesle et la Marne ; domine la Seine au S. ; boisée ; vignobles. *Champagne crayeuse* (dite aussi *pouilleuse)* au pied de la côte de l'Ile-de-Fr. ; plaine de craie limitée à l'E. par la côte de Champagne ; pays nu et sec à l'origine, reboisé avec des pins (arrachés maintenant à plus de 60 %), amendé (céréales, betteraves à sucre, fourrages artificiels) ; vallées humides de la Suippe, de l'Aube, de la Seine (Troyes). **Est :** *Champagne humide* (15 à 20 km de large au pied de la côte de Champagne) : prairies (vaches laitières, bétail de boucherie). **Sud :** *côte des Bars,* vignoble. **Nord :** massif forestier de l'Argonne.

• **Histoire.** Limites fixées tardivement. **Après la conquête romaine,** dépend de la Gaule Belgique (Remi : Reims ; Catalauni : Châlons ; Meldi : Meaux), ou de la Gaule Celtique (Senones : Sens ; Tricasses : Troyes ; Lingons : Langres). **Empire,** Tricasses et Senones relèvent de la Lyonnaise, Lingons de la Germanie supérieure. **Bas-Empire** cités belges du N. incluses dans la Belgique Seconde, dont Reims (Durocorterum) est la métropole. Tricasses et Senones dans la Senonia, Lingons dans la 1re Lyonnaise. Prospérité des villes, nœuds de communication importants (monuments de Reims, Langres, Sens). Ravagée par Alamans, Vandales (qui ont sans doute fait périr saint Didier vers 411) et Huns. **451** coup d'arrêt donné aux Huns en 451 dans les *Champs catalauniques.* Morcellements continuels à l'époque mérovingienne (en général, séparation entre « Belgique » et « Celtique »). **496** baptême de Clovis à Reims qui prend son essor, l'archevêque étant feudataire doté de privilèges régaliens (droit de battre monnaie, d'exercer toute justice, de lever des impôts et une armée, etc.) et soustrait à toute obligation vis-à-vis de l'État (il ne verse aucun impôt, ne relève pas de la justice du souverain). Apparition de la famille qui va constituer la Champagne : le *Cte de Troyes, Robert,* lègue le comté à *Herbert de Vermandois* († 943), son gendre, qui réunit le comté de Meaux à celui de Troyes (la « Ch. » sera essentiellement ce double comté). **1023** avènement de la maison de Blois, qui possède Chartres, Sancerre et Châteaudun : les Ctes de Blois-Ch. Son fils Hugues, également archevêque (à 5 ans) et Cte de Reims en 940, perd ces titres en 949 : le Rémois échappera toujours à la Ch. seigneuriale. Séparés après la mort d'Herbert, les 2 comtés sont de nouveau réunis par son fils cadet.

XIIe s. Les Ctes de Ch. sont parmi les grands feudataires (ayant un grand nombre de fiefs aux suzerains différents, ils ne dépendent vraiment d'aucun). Fortune fondée sur les foires de Champagne nées spontanément au haut Moyen Age (Reims, Châlons, Troyes, Provins, villes drapantes), qui permettent les échanges entre pays méditerranéens et flamand. La Ch. est un grand centre religieux avec les abbayes cisterciennes de Morimond, Pontigny et surtout Clairvaux (fondée 1115 par saint Bernard), est aussi le berceau de l'ordre des Templiers (fondé 1125 par un petit seigneur des environs de Troyes, Hugues de Payns, et consacré au concile de Troyes 1128). **1234,** le Cte de Ch. renonce à ses droits sur les Ctés de Blois, Chartres et Sancerre et la Vté de Châteaudun, unis dep. 1023 aux Ctés de Troyes et de Meaux. La cour de Ch. est un des premiers centres intellectuels de l'Europe médiévale [poésie : Chrétien de Troyes, familier de la Ctesse Marie de France, elle-même fille d'Éléonore ; le Cte Thibauld IV surnommé le roi-chansonnier ; histoire : Villehardouin (maréchal de Ch.) et Joinville (sénéchal de Ch.), chroniques des Croisades]. Accédant au trône de Navarre, la famille de Blois-Cha. néglige Troyes et Provins pour Pampelune ; les interventions royales se font plus fréquentes. **1285** Jeanne de Navarre ép. Philippe le Bel et lui apporte la Ch. **XIVe s.** déclin (concurrence de la route maritime Italie-mer du N., guerre de Cent Ans. **XVIe s.** apogée du gouvernement de Ch. et de Brie, quand, au milieu des g. de Religion, les Guise gouvernent. **1542,** les élections champenoises forment la généralité de Châlons (sauf 10 allant à celle de Paris). **XVIIe et XVIIIe s.** intendants installés à Châlons, à partir de Colbert, essor de la métallurgie, du textile ; **fin XVIIe s.** naissance du « champagne ».

Rethélois et **Porcien 974** Ctés qui par le jeu de l'« avouerie », démembrés des possessions de l'abbaye St-Rémy de Reims. Passèrent de la famille de Bourgogne, au Moyen Age, à Charles de Gonzague puis à Mazarin au XVIIe s., avant d'être réunis à la Couronne.

Principauté de Sedan (appelée jusqu'en 1520 **« comté de Mouzon »**). **843** attribuée à la Lotharingie par le tr. de Verdun, mais dépendant de l'arch. de Reims (royaume de Fr.). **843-1195** g. incessantes entre arch. de Reims et évêques de Liège (impériaux), qui prétendent rattacher ce fief impérial à leur diocèse. **1195** le card. Guillaume de Cha., arch. de Reims, obtient la création d'un évêché de Mouzon, séparé de Liège. **1202** il meurt avant d'avoir réalisé cette séparation. **1260** comté indivis entre Reims et Liège. **1379** l'arch. Richard Pigue cède ses droits au roi de Fr. qui, pour ne pas être vassal de l'empereur, nomme son fils le dauphin (seigneur impérial) gouverneur de Mouzon (titre conservé par les dauphins jusqu'en 1490). **1520** François Ier (qui n'avait pas été dauphin) érige le Cté en Pté souveraine (dite « Pté de Sedan ») en faveur des comtes de La Marck, ducs de Bouillon (seigneurs de la ville de Sedan dep. 1424). **1591** passe par mariage à Henri de La Tour d'Auvergne, chef huguenot, qui en fait un bastion protestant. **1642** revient au royaume de France.

Économie

• **Population.** 1 348 042 (1990). *1982 :* 1 345 935. *Actifs* (1-1-89, prov.) 499 768 dont primaire 51 555, secondaire 134 945, B.T.P. 27 197, tertiaire 261 162. *Salariés* (au 1-1-89, prov.) 422 160. *Étrangers* (1-1-84) 78 902.

• **Échanges** (en milliards de F, 88). IMPORTATIONS : 17,9 *dont* (%) prod. finis sidérurgiques 8,52, aciers bruts 6,25, mat. plastiques 3,52, pièces et équip. spéc. autom. 2,27, autres mét. non ferreux 2,03, prod. phytosanitaires 1,97, filés de coton 1,79, ouvrages en caoutchouc 1,63, demi-prod. en alu. et autres métaux légers 1,59, papiers et cartons 1,54. *de* (%) All. féd. 25,95, U.E.L.B. 22,96, Italie 14,17, P.-Bas 5,73, G.-B. 5,38, Espagne 3,08, U.S.A. 2,99, Suède 2,31, Suisse 1,84, Autriche 1,48. EXPORTATIONS : 25 *dont* (%) Champagne 22,73, pièces et équip. spéc. autom. 6,58, sucre 5,72, blé tendre 3, pneumatiques et chambres à air 2,45, malt 2,16, prod. finis sidérurg. 2,12, demi-prod. en cuivre 1,95, mat. de travaux publics 1,87, oléagineux autres que tropicaux 1,82 *vers* (%) All. féd. 19,62, U.E.L.B. 15,41, Italie 13,13, G.-B. 9,49, P.-Bas 7,5, U.S.A. 6,72, Suisse 4,17, Espagne 3,35, Suède 1,79, Tunisie 0,94.

• **Agriculture** (au 1-1-91, estim.). Terres (en milliers d'ha) 2 572 dont *S.A.U.* 1 579,4 [t. arables 1 193,6 (dont jardins 5,9), herbe 357,9, vignes 27] ; *bois* 676,5 (26,3 % de la région) ; *peupleraies* 29,6 ; *étangs* 3,5 ; *t. agr. non cult.* 56,2 ; *t. non agr.* 226,2. **Prod. végétale** (en milliers de t) : céréales 5 123 (y c. maïs 336,5) ; bett. ind. 7 010,9 ; luzerne 1 012,3 ; *vins* (en milliers d'hl) 2 004 ; expédition de champagne en bouteilles 232,4 millions de bout. dont France 147,6, export 84,8. **Animale** (en milliers de têtes, au 1-1-89) : bovins 673,8, ovins 214, porcins 133,2, équidés 9,3 ; *lait* (prod. totale vaches laitières + nourrices, en milliers d'hl, 1990) 7 457 (dont livraison à l'ind. 7 228,4).

• **Industrie.** *Effectifs* salariés (1-1-89 prov.) : 426 778 dont : agroalim. 18 341, biens intermédiaires 45 722, biens de consom. 35 394, B.T.P. 27 197. **Tourisme** (1988) : 328 [1] hôtels homologués, 8 auberges de Jeunesse, 95 [1] terrains de camping-caravaning, 264 gîtes ruraux.

Nota. – (1) 1989.

Départements

Voir légende p. 748.

• **Ardennes** (08) 5 246 km² (105 × 102 km). *Alt.* max. : La Croix Scaille 501 m, min. 37 m (sortie de l'Aisne). 296 333 h. (1990) [*1801 :* 246 925 ; *1881 :* 333 675 ; *1921 :* 277 811 ; *1936 :* 288 632 ; *1946 :* 245 335 ; *1968 :* 309 380 ; *1975 :* 309 306 ; *1982 :* 302 338]. D. 57. *Actifs ayant un emploi* (1-1-89, prov.) 99 173 dont primaire 8 974, secondaire 29 527, B.T.P. 6 288, tertiaire 55 522. *Salariés* (1-1-89, prov.) 83 048.

Villes. CHARLEVILLE-MÉZIÈRES 57 008 h. [*Charleville : 1806 :* 8 430 ; *1911 :* 22 634 ; *1962 :* 25 915. *Mézières : 1806 :* 3 380 ; *1911 :* 10 403 ; *1962 :* 12 015. *Charleville-Mézières : 1968 :* 58 874 ; *1975 :* 60 176] [ag. 67 213, dont *Les Ayvelles* 816. *La Francheville* 1 375. *Montcy-Notre-Dame* 1 419. *Prix-les-Mézières* 1 472. *Villers-Semeuse* 3 595. *Warcq* 1 528], alt. 140 à 210 m ; préfecture créée An VIII à Mézières. Transf. des métaux, fonderies, ind. méc., B.T.P., ind. alim., confection-bonneterie ; place Ducale (1608, Cloître Métezeau, réplique de la place des Vosges à Paris) ; musées : municipaux, de l'Ardenne, Rimbaud ; remparts, tours Milard (XIVe s.), du Roy (XVIe s.), basil. N.-D. (vitraux modernes : + de 1 000 m² sur 66 verrières par Durbach). – *Bogny-sur-Meuse* 5 981 h. [ag. 8 847, dont *Monthermé* 2 866 ; site des boucles de la Meuse, égl. St-Léger (1453 : fresques, baptistère, monolithique) ; égl. St-Rémy-de-Laval-Dieu (1128 : boiseries XVIIe s.) ; monument des 4 Fils Aymon, près des roches de ce nom] ; métall., B.T.P. *Carignan* 3 359 h. (ag. 4 741) ; métall., appareils élec. et électro., coffres-forts et armoires réfractaires. *Donchery* 2 362 h. ; métall., verre, prod. chim., appareillages élec., B.T.P. *Fumay* 5 363 h. (ag. 7 434) ; fils et câbles pour élec., B.T.P., fonderie. *Givet* 7 775 h. (ag. 10 017) ; métall., fabrique de prod. autoadhésifs, de fils cellulosiques et fibres synthét. ; silos à blé (860 000 q). *Mouzon* 2 986 h. ; laminage, fabrication de feutre, revêtement sols et murs et insonorisants pour auto. ; égl. abbatiale N.-D. (XIIIe s.). *Nouvion-sur-Meuse* 2 256 h. (ag. 4 421). *Nouzonville* 6 970 h. (ag. 8 174) ; métall., transf. des métaux. *Rethel* * alt. 80 à 130 m, 7 923 h. [*1831 :* 6 595 ; *1962 :* 8 059 ; *1975 :* 8 361] (ag. 10 462) ; papeterie, cartonnerie, B.T.P., ind. agroalim., ind. méc., confection ; égl. St-Nicolas (XIIIe et XIVe s.). *Revin* alt. 130 à 180 m, 9 371 h. [*1826 :* 2 133 ; *1921 :* 5 513 ; *1962 :* 11 260 ; *1975 :* 11 607] ; électromén. ; centrale hydroélec. souterraine, 1re station de transfert d'énergie par pompage, transform. des métaux, céramique sanitaire. *Rocroi* alt. 370 à 385 m, frontière belge à 2,5 km, 2 555 h. [*1806 :* 2 558 ; *1962 :* 2 284 ; *1975 :* 2 911] (ag. 3 080) ; fonderie, B.T.P., transf. du bois ; remparts (un des plus anciens bastions introduits en Fr. par les Italiens). *Sedan* * alt. 155 à 200 m, 21 667 h. [*1806 :* 11 290 ; *1936 :* 18 559 ; *1946 :* 13 279 ; *1962 :* 22 284 ; *1975 :* 23 995] (ag. 28 992, dont *Bazeilles* 1 599 ; château) ; text., métall., ind. méc., fonderie, métaux ; château fort (XIVe et XVe s.) le plus étendu d'Europe (35 000 m²), égl. St-Charles (1695) ; à Dijonval, manufacture du XVIIIe. *Vireux-Molhain Vireux-Wallerand* 2 020 h. (ag. 3 943). *Vouziers* * alt. 95 à 130 m, 4 807 h. [*1806 :* 1 951 ; *1962 :* 4 880 ; *1975 :* 5 069] ; ind. méc., marché agr. *Vrigne-aux-Bois* 3 771 h. (ag. 7 259, dont *Vivier-au-Court* 3 488) ; métall.

Régions naturelles. *Plateau ardennais ou Ardenne* (au N.), 107 143 ha (dont S.A.U. 22 812) : accidenté et boisé, vallées de la Meuse et de la Semoy, forêts, élevage, agric. d'appoint. *Crêtes préardennaises,* 208 243 ha (dont S.A.U. 131 665) : terrains vallonnés, herbages. *Champagne* (au S.) 135 001 ha (dont S.A.U. 119 516) : céréales, betteraves, luzerne. *Thiérache,* 25 188 ha (S.A.U. 15 602). *Argonne,* 49 025 ha (dont S.A.U. 26 837). **Bois** (1988) 150 000 ha soit env. 28 % du dép. dont f. domaniales 30 900 [Château-Regnault 5 500, Sedan 4 200, Signy-l'Abbaye 3 500, La Croix-aux-Bois (Argonne) 3 200, Potées 1 300, Hargnies-Laurier 1 300, Mont-Dieu (crêtes préardennaises) 1 100, Francbois 1 000, Elan 800], f. communales 40 000, f. privées 79 100.

Divers. *Pauvres :* plus grande usine de déshydratation de luzerne d'Europe. *Chooz :* 1re centrale nucléaire fr.-belge de 305 MGW ; 2e en construction (2 1450 MW). *Bel-Val-Bois-des-Dames :* parc de vision (élans, bisons, ours, mouflons, sangliers, etc.). *Montcornet :* château. *Signy-l'Abbaye* (rivière souterraine) : fosse Bleue, trou du Gibergeon.

• **Aube** (10) 6 027 km² (115 × 50 km). *Alt.* max. 367 m à Arconville (Bois du Mont), min. 60 m à La Motte-Tilly. 289 145 h. (1990) [*1801 :* 231 455 ; *1851 :* 265 247 ; *1901 :* 246 163 ; *1921 :* 227 839 ; *1936 :* 239 563 ; *1954 :* 240 797 ; *1975 :* 284 823 ; *1982 :* 289 300]. D. 48. *Actifs* (1-1-89, prov.) 117 083 dont primaire 11 175, secondaire 38 486, B.T.P. 8 650, tertiaire 58 772.

Villes. TROYES 59 228 h. [*1482 :* 15 309 et + de 3 000 mendiants ; *1504 :* 23 083 ; *1551 :* 37 000 ; *1764 :* 12 560 ; *1790 :* 23 391 ; *1851 :* 25 656 ; *1901 :* 53 146 ; *1936 :* 57 961 ; *1968 :* 77 009 ; *1975 :* 72 167] [ag. 122 725 h., dont *La Chapelle-St-Luc* 15 809 ; *Les Noë-près-Troyes* 3 398 ; *Pont-Ste-Marie* 4 856 ; *St-André-les-Vergers* 11 329 ; *St-Julien-les-Villas* 6 027 ; *St-Parres-aux-Tertres* 2 410 ; *Ste-Savine* 9 491], alt. moy. 109 m ; bonneterie, constr. méc., pneumatiques, élec., quincaillerie ; musées : des Beaux-Arts, de la bonneterie, d'Art moderne, du Compagnonnage ; jubé de Ste-Madeleine (XVIe s.) ; St-Pantaléon ; cath. ; maisons à pans de bois. – *Aix-en-Othe* 2 257 h. *Arcis-sur-Aube* 2 854 h. (ag. 3 268) ; bonneterie, agroalim. (1 sucrerie, 1 malterie, usine de déshydratation, 1 coop. agr.) ; pays natal de Danton. *Bar-sur-Aube* * 6 705 h. [*1860 :* 17 552 ; *1946 :* 12 835 ; *1975 :* 7 265] (ag. 6 984), alt. 166 m ; meubles, bonneterie. *Bar-sur-Seine* 3 630 h. *Brienne-le-Château* 3 752 h. (ag. 4 199), choucrouteries ; musée Napoléon Ier, château (XVIIIe s.). *Estissac* 1 611 h. ; champs catalauniques. *Mailly-le-Camp* 1 374 h. ; camp mil. 12 000 ha dont 1/3 dans la Marne. *Nogent-sur-Seine* * 5 500 h. [*1860 :* 10 535 ; *1946 :* 8 038 ; *1975 :* 4 671] ; minoteries, port céréalier ; centrale nucléaire. *Romilly-sur-Seine* 15 555 h. (ag. 17 789) ; ind. méc., ateliers S.N.C.F., bonneterie, ind. du bois. *St-Lyé* 2 496 h. *Vendeuvre-sur-Barse* 2 792 h. *Villenauxe-la-Grande* 2 135 h.

Régions naturelles. *Vignoble du Barrois* 134 638 ha ; S.A.U. 69 535 ha, vignoble, céréales. *Vallée de la Champagne crayeuse* 59 449 ha (S.A.U. 44 981), céréales, betteraves, peupleraies. *Plaine de Brienne* 21 634 ha (S.A.U. 13 102), céréales, prairies. *Plaine de Troyes* 26 247 ha (S.A.U. 19 822), céréales, betteraves, maraîchage. *Vallée du Nogentais* 9 288 ha (S.A.U. 5 163), céréales, betteraves, peupleraies. *Vallée de la Champagne humide* 5 140 ha (S.A.U. 2 314) céréales, prairies. *Champagne crayeuse* 152 606 ha (S.A.U. 120), céréales, betteraves, luzerne ; moutons. *Champagne humide* 115 517 ha : argilo-sableuse, alt. 92 m, vestiges de la forêt de Der, étangs ; lac de la forêt d'Orient ; S.A.U. 52 675 ha, prairies, céréales. *Pays d'Othe* 57 787 ha : massif crayeux, argile, limons, forêts, prairies, alt. max. 303 m ; S.A.U. 32 445 ha, céréales, prairies. *Nogentais* 18 110 ha : plaine, alt. moy. 100 à 200 m ; S.A.U. 14 730 ha, céréales, betteraves. **Bois** 139 000 ha dont f. domaniales 14 000, communales 28 000.

Divers. Abbaye : *Clairvaux* reconstruite XVIIIe s., maison centrale de détention. **Châteaux :** *Chacenay* (Moyen Age), *Rumilly-les-Vaudes* (XVe s.), *La Motte-Tilly* (XVIIIe s.), *St-Benoist-sur-Vanne* (XVIe s.), *Pouy-sur-Vanne* (XVIIe s.), *Arcis-sur-Aube* (XVIIIe s.). **Parc naturel** *régional de la forêt d'Orient* (64 000 ha). **Réservoir** *de Seine* ou *lac de la forêt d'Orient* (2 300 ha, 1966). *Aube* (2 500 ha, en projet). **Bercenay-en-Othe :** centre radio-tél. **Fromage :** le chaource.

• **Marne** (51) 8 196 km². *Alt.* max. : Montagne de Verzy 340 m, min. 50 m (au N. de Cormicy). 558 309 h. (1990) [*1801 :* 304 396 ; *1896 :* 439 386 ; *1921 :* 366 592 ; *1936 :* 410 094 ; *1946 :* 386 766 ; *1975 :* 530 399 ; *1982 :* 543 627]. D. 68. 619 communes. *Actifs ayant un emploi* (1-1-89, prov.) 211 235 dont primaire 23 299, secondaire 46 643, B.T.P. 14 175, tertiaire 127 118.

Villes. CHÂLONS-SUR-MARNE 2 229 ha, 48 269 h. [*1788 :* 6 000 ; *1836 :* 12 952 ; *1911 :* 31 358 ; *1975 :* 52 275] [ag. 61 298, dont *Fagnières* 4 949. *St-Memmie* 6 070], alt. 83 m ; ind. alim., méc. autom., ind. agr., text., papiers peints ; cloître et basilique N.-D.-en-Vaux, cath. St-Étienne (XIIIe et XVIIe s., vitraux). – *Ay* 4 318 h. (ag. 5 595) ; vin (champagne). *Courtisols* 2 400 h. (ag. 3 031). *Dormans* 3 125 h. *Épernay* * 26 682 h. [*1836 :* 5 457 ; *1911 :* 21 811 ; *1975 :* 29 677] [ag. 34 062, dont *Magenta* 1 876] ; vin (champ.), musée du vin de Champagne, caves Moët et Chandon (143 383 m²). *Fère-Champenoise* 2 362 h. *Fismes* 5 286 h. ; métall. *Mourmelon-le-Grand* 4 240 h. ; camp militaire (1 200 ha). *Montmirail* 3 812 h. ; château XVIe et XVIIe s. *Pargny-sur-Saulx* 2 333 h. – *Reims* * alt. max. 86 m, 180 620 h. [*1600 :* 12 000 ; *1680 :* 33 000 ; *1790 :* 30 000 ; *1881 :* 94 508 ; *1911 :* 116 085 ; *1921 :* 76 785 ; *1936 :* 117 229 ; *1954 :* 121 753 ; *1975 :* 178 381] [ag. 206 363, dont *Bétheny* 6 487, *Cormontreuil* 5 745. *St-Brice-Courcelles* 3 357. *Tinqueux* 10 154] ; métaux, équip. auto., méc. ; app. mén., pharm., préparation du champagne, ind. alim. ; aviation ; verrerie ; cath. (XIIIe s.), basilique St-Remi, porte de Mars (haut. 13,50 m, long. 33 m), musée St-Denis, palais du Tau, hôtel Le Vergeur, musée de l'Automobile (avant à St-Dizier). – *Bazancourt* 1 877 h. ; ind. alim., métall., text. ; patrie hist. de la filature mécanique en France (1806) ; clocher du XIIe s. *Sainte-Menehould* * 5 177 h. ; méc. de précision. *Sézanne* 5 829 h. ; optique, prod. réfractaires, bonneterie. *Suippes* 3 106 h. ; camp militaire. *Vertus* 2 495 h. ; vin (champagne). *Vitry-le-François* * 17 033 h. [*1836 :* 6 822 ; *1911 :* 8 511 ; *1975 :* 19 372] [ag. 19 920] ; faïences, ind. du bois, métall. *Witry-lès-Reims* 4 572 h.

Régions naturelles. *Vallée de la Marne* 55 840 ha (dont S.A.U. 44 807). *Vignoble* 51 233 ha (S. 25 827). *Pays rémois* 42 507 ha (S. 32 857). *Argonne* 31 167 ha (S. 10 726). *Champagne humide* 75 257 ha (S. 43 653) : élevage laitier. *Perthois* 41 604 ha (S. 22 370). *Brie champenoise* 99 579 ha (S. 59 686). *Tardenois* 55 644 ha (S. 32 011). *Champagne crayeuse* 363 337 ha (S. 283 642) : céréales, bett. sucrières, luzerne, oléoprotéagineux. **Bois** 140 000 ha dont f. domaniales 16 800, f. communales 11 000, f. privées 260.

Divers. *Grottes préhistoriques* (Coizard-Joches). **Églises** basilique de l'Épine (XVe et XVIe s.), Orbais (1180-1210), à pans de bois (Arrigny, Outines, Drosnay, Nuisement-au-Lac). *Châteaux. Sites militaires :* Valmy, Champaubert, Fort de la Pompelle, Argonne, Marais de St-Gond. **Commune qui a le nom le plus long :** St-Rémy-en-Bouzemont-St-Genest-et-Isson. **Parc régional** de la *Montagne de Reims.* **Caves** à champagne.

• **Haute-Marne** (52) 6 220 km². *Alt.* max. : Le Haut-du-Sec 523 m, min. 110 m (sortie du Vone). 204 255 h. (1990) [*1851 :* 268 208 ; *1891 :* 243 322 ; *1901 :* 226 367 ; *1946 :* 181 792 ; *1968 :* 214 340 ; *1975 :* 212 304 ; *1982 :* 210 670]. D. 33. *Actifs ayant un emploi* (1-1-89, prov.) 76 895 dont primaire 8 107, secondaire 21 327, B.T.P. 4 461, tertiaire 43 000.

Villes. CHAUMONT 27 041 h. [*1881 :* 12 713 ; *1936 :* 19 126 ; *1954 :* 20 930 ; *1975 :* 27 226] (ag. 27 988) ; centre commercial, sacherie, transformat. du bois, profilés pour autom., B.T.P. ; collégiale St-Jean, viaduc du XIXe s. (55 m de haut). – *Bourbonne-les-Bains* 270 m, 2 764 h. ; thermalisme (14 386 curistes en 1988), fonderies, B.T.P. *Chalindrey* 2 818 h. (ag. 4 056). *Joinville* 4 754 h. *Fayl-la-Forêt* (anc. Fayl-Billot) 1 511 h. ; vannerie. *Froncles* 2 026 h. ; Sid. *Langres* * 9 981 h. [*1881 :* 12 195 ; *1936 :* 8 180 ; *1954 :* 8 739 ; *1975 :* 11 437] (ag. 10 399) ; constr. méc., mat. plast., joints, résines extrudées, plus importante cave d'affinage d'emmenthal de Fr. ; remparts, égl. St-Mammès (arch. XIIIe et XVe s.). *Montier-en-Der* 2 023 h. (ag. 2 631). *Nogent* 4 753 h. ; coutellerie. *St-Dizier* * 33 552 h. [*1881 :* 13 171 ; *1954 :* 25 811 ; *1975 :* 37 266] (ag. 35 838) ; ind. métall., matériel agr., crèmes glacées, bonneterie, émaux, industrie du froid. *Wassy* 3 291 h. (ag. 4 214).

Régions naturelles (en ha). *Polyculture, élevage :* Barrois (277 500 S. 128 840), vallée de l'Yonne à la Marne (37 500 S. 19 586), Vallage (20 600 S. 9 482), Perthois (19 400 S. 6 550), Montagne (88 100 S. 42 218) ; *élevage laitier dominant :* Champagne humide ou Der (20 000 S. 11 358), Bassigny (83 100 S. 56 680), Apance (14 400 S. 6 234), Amance (25 600 S. 11 356), Vingeanne (38 800 S. 20 979). **Forêts** (milliers d'ha). 247 dont soumises 130 (domaniales 31,6, communales 99) et privées 0,7, soit 39,7 % du dép. (1,17 ha de forêt/h.) (feuillus, hêtres et chênes) dont (en 81) f. domaniales d'Arc-en-Barrois 11 (gros gibier), d'Auberive 5,4 (parc à sangliers), du Der 3,1 ; f. privées du Val 3,5, de Cirez 2,5, d'Écot 2,3 ; f. communales de Bettaincourt et Roches 2,25, de Doulaincourt 2,15.

Divers. Grotte de Sabinius et Éponine, résistants gaulois. **Lac** *du Der-Chantecoq* (Marne et Hte-M.), écrêtement des crues du bassin de la Seine et réserve d'eau pour la région parisienne durant l'étiage. Le plus grand lac de Fr. (4 800 ha, 350 millions de m³ d'eau à la cote max. ; 77 km de berges, dont 16 endiguées) ; voile, ski nautique, plages. *Colombey-les-Deux-Églises,* mémorial, château de la Boisserie du XIXe s. (musée dep. 1979 ; 86 318 visiteurs en 1986). **Sites historiques :** Langres, Bourmont, Andilly (fouilles romaines) ; **églises romanes :** Vignory, Montier-en-Der ; **châteaux :** Arc-en-Barrois, Le Pailly, Joinville (Renaissance), Cirey-sur-Blaise (Voltaire). *Abbayes, basiliques, égl. :* Chaumont, forêt de Trois-Fontaines, Montier-en-Der.

Corse

Généralités

• **Situation.** 8 681 km² (long. N.-S. 183 km, larg. 50 à 83 km). *Alt.* max. Monte Cinto 2 710 m [8 sommets dépassent 2 500 m ; 50, 2 000 m]. A 160 km de la France (cap Menton), 82 de l'Italie, 14 de la Sardaigne ; Ajaccio-Marseille 320, A.-Toulon 260, A.-Nice 240, Bastia-Gênes 190, B.-Livourne 115.

• **Massif corse.** Entre la Méditerranée à l'O. et la plaine d'Aléria à l'E. a) **Crêtes « alpines » du N.-E. :** du Golo au Bravone, chaîne de l'E. (long. 30 km, larg. 10 km env., alt. max. : Mt Olmelli 1 285 m) ; du cap Corse au Tavignano, chaîne principale [long. 80 km, larg. 20 km, points culminants, dans le cap Corse (moitié nord), Mt Stello 1 305 m ; dans la Castagniccia ou « Pays des Châtaigniers » (moitié sud), Mt San Pietro 1 767 m]. Terrains sédimentaires relevés lors du plissement alpin (le 1/4 du massif corse). b) **« Dépression médiane » :** couloir (long. 70 km, larg. 5 à 13 km) dirigé N.-O./S.-E. de l'Ile-Rousse à la Solenzara. c) **« Monts » ou le « Château d'eau » :** longtemps appelés « épine dorsale » ou « arête centrale », 7 massifs indépendants et parallèles, orientés S.-O./N.-E. et venant buter contre la « dépression médiane » qui leur est perpendiculaire. Ligne de séparation des eaux entre versants méditerranéen et tyrrhénien. Du N. au S. : Monte Cinto (2 710 m), prolongé jusqu'au Capo a Cavallo (30 km) ; massif du Niolo (Paglia Orba, 2 525 m), prolongé jusqu'à la Punta Palazzo (40 km) ; Monte Rotondo (2 622 m), point d'aboutissement de plusieurs chaînes secondaires, dont l'une est reliée au cap Rosso (60 km) ; Monte d'Oro, prolongé jusqu'à la Punta della Parata (70 km) ; plateau d'Ese, au sud du Monte Renoso (2 352 m), prolongé jusqu'au cap de Muro (80 km) ; l'Incudine (2 136 m) et la pointe de l'Anercitella (1 486 m), prolongés par la péninsule de Sartène (40 km) ; la montagne de la Cagna (1 217 m), prolongée par la pointe de Figari (20 km). En outre, 2 petites chaînes parallèles tout à fait au sud de l'île vont du cap de Feno (rive ouest) à la pointe de la Chiappa (rive est) : 35 km, et du cap Pertusato (rive ouest) à la pointe de Capicciola (rive est) : 10 km. d) **Contreforts du S.-O. :** longtemps appelés chaînes transversales : prolongement vers la mer des 7 massifs du « Château d'eau » ; forment 7 caps s'avançant parallèlement dans la Méditerranée (et séparant 8 bassins fluviaux communiquant mal entre eux par voie de terre).

Parc naturel régional. *Créé* 1971. 300 000 ha (138 communes). **Réserves naturelles** Scandola (Calvi), îles Cerbicales (mars 1981, Porto-Vecchio), Lavezzi (Bonifacio, en cours de création). **Le Conservatoire du Littoral** créé 10-7-1975 possède 9 606 ha en Corse.

• **Côtes.** 1 000 km dont 300 de plages. **Du cap Corse au cap de Bonifacio :** côte occidentale de Corse (250 km en arc de cercle, avec 40 km N.-S. au cap Corse), 7 massifs montagneux anciens (cristallins) tombant perpendiculairement dans la mer : série de promontoires escarpés, séparés par des golfes (golfes de Porto, Sagone, Ajaccio, Valinco) ; péninsule d'Ajaccio avec îles Sanguinaires, cap Senetosa.

Du cap Corse au cap Pertusato (180 km N.-S.). *Du cap Corse à l'étang de Biguglia* (38 km N.-S.). Côte orientale du cap Corse : falaises calcaires, presque rectilignes. *De l'étang de Biguglia au golfe de Porto-Vecchio* (100 km N.-S.) : côte alluviale, marécageuse, avec des étangs le long de la plaine d'Aléria. *Au sud de Porto-Vecchio* (40 km N.-S.) : 2 chaînes cristallines tombant à pic sur la mer : rochers escarpés et découpés ; échancrures : golfes de Sta-Giulia et de Sta-Manza ; promontoires : pointe de Capiciolo ; péninsule de Porto-Vecchio avec les îles Cerbicales.

• **Climat** (Ajaccio). *Temp. moy. :* janvier 8,4 °C, juillet 21,9 °C. *Eau de mer* (1979) : janv. 13,1 °C, févr. 13 °C, mars 13,9 °C, avr. 15 °C, mai 17,6 °C, juin 22,8 °C, juill. 24,8 °C, août 24,5 °C, sept. 21,8 °C, oct. 20,2 °C, nov. 17,1 °C, déc. 14 °C. **Pluviosité** (moy. 1975-86) 694 mm. **Insolation.** *1984 :* 2 483 h., *1987 :* 2 692 h.

• **Ressources** (au 1-1-1990, estim.). Vigne (prod. totale de vin : env. 467 950 hl dans la zone orientale et les régions de Balagne, Ajaccio, Sartène, Porto-Vecchio, Figari, Patrimonio), agrumes (clémentines 30 000 t en 1987, plaine orient.), élevage extensif.

• **Langue.** Corse. Dérivée du latin, mais 40 % du vocabulaire est non latin. Phonétique souvent proche des langues pyrénéennes. 2 dialectes principaux : Nord-Est (influencé par le toscan) et Sud-Ouest (plus de traits préromans).

• **Population.** *1793 :* 150 000. *1881 :* 273 000. *1962 :* 176 000. *1975 :* 227 425. *1982 :* 240 178. *1990 :* 249 737. Recensement souvent imprécis ; ex. en 1982 : on estimait le recens. presque correct dans 161 communes. Dans 172, il restait gonflé : de moins de 50 % pour 94 communes, de plus de 50 % pour 78 (parfois 300 % ou 400 %). **Densité.** 29 (Sicile 180, Baléares 120), – de 5 sur la dorsale Monte Cinto-Coscione ; beaucoup de villages élevés ont perdu 60 à 80 % de leur pop. v. 1900 ; 239 sur 348 ont – de 200 h, mais certains en ont – de 10 en hiver. **Résidents en Corse (1982). Lieu de naissance** 48 888 en Fr. continentale, 43 234 à l'étranger, 147 840 en Corse. **Nationalité (1982).** 208 160 Français de naissance, 5 972 Français par acquisition, 25 880 étrangers.

Nota. – FONCTIONNAIRES C. (sans militaires) (1-1-1989) : *22 707. Ministères :* 11 207 (dont Éduc. nat., Jeunesse et Sports 4 549, P.T.T. 2 513, Équipement-Logement-Transport-Mer 1307, Écon. et Finances 1 021, Intérieur 815. *Collectivités territ. :* 5 696 (communes, départ., régions, serv. incendie 1 405). Communes, regroupements, bureau d'aide sociale 4 291. *Ets publics de soins* 2 995.

Émigration. XVIIe et XVIIIe s. : très forte. **XIXe s. :** baisse. **Après 1918 :** augmente surtout vers colonies (100 000 en Algérie, 25 000 en Tunisie : les C. fournissent 40 à 50 % des cadres subalternes). *Principales régions d'émigration :* Castagniccia, cap Corse, Balagne. **1939 :** 300 000 (+ région paris. 12 000, marseillaise 100 000). **1968-75 :** 23 280 dont 44 % d'actifs et 29 % de 20-30 ans. 8 905 nés sur place partis en Fr., 7 345 venus de Fr. (solde : – 1 560). **1975 :** 94 660 nés en C. vivent en métropole [Marseille est la plus grande ville (*1851 :* 10 120 C. *1931 :* 122 500. *1981 :* 207 250)]. **1990 :** 400 000.

Immigration. Échecs de tentatives d'installation de Lorrains (au S. de Bastia) à partir de 1773, d'Alsaciens (près d'Ajaccio et de Bonifacio) v. 1838. *1954-65* perte de l'Afr. du N. : 17 000 C. rentrent en C. (140 000 regagnent la métropole). *Actifs étrangers* (1982) : 15 948 sur 88 264.

• Histoire. Non peuplée au Paléolithique. **V. 3000 av. J.-C.** civilisation néolithique (notamment Bologne et Sartène). **V. 2000** civ. mégalithique (notamment Filitosa). **V. 1200** peuplement d'Ibères et de Celto-Ligures, venus du continent. **900** arrivée des Étrusques qui fondent Corte, dont le nom rappelle celui des Quirites (Romains). Appelée Kyrnos (ou Cyrnos) : abordée par Phéniciens, Phocéens (fondent 564 Alalia, près du Tavignano), Carthaginois ; tous n'occupent que les rivages. **260 à 162** après résistance acharnée, conquise par Romains. **VI**^e^ **et VII**^e^ **s.** domination byzantine. Influence pontificale (création de basiliques et d'évêchés par St Grégoire le Grand). **IX**^e^ **au XI**^e^ **s.** Sarrasins pillent et s'installent dans les régions les plus accessibles. **1078** expulsés ; le St-Siège confie l'administration de la C. à l'archevêque de Pise. Reconstruction entreprise par les Pisans : églises de Nebbio, Murato (XIIe-XIVe s.). **A partir de 1132** les Génois se substitueront aux Pisans malgré les efforts de Sinucello della Rocca (Giudice de Cinarca) en faveur de l'unité et de l'indépendance.

A partir de 1347 administrée par Gênes, mais résistance constante sans unité. **1359** sur l'initiative de Sambucuccio d'Alando, le N.-E. de l'île (qui devient la Terra del commune : Terre du commun) conclut un accord avec Gênes qui, aidée d'un conseil de 6 Corses, assure sécurité et justice contre un tribut annuel ; le S. conserve une organisation féodale. Puis Gênes confie l'adm. de la C. à une société privée, la *Maona,* qui reçoit le monopole du commerce avec le continent. Gênes se heurte à des difficultés. **1396-1409** intervention fr. (maréchal Boucicaut). **Début XV**^e^ **s.** intervention des rois d'Aragon soutenus par Vincentello d'Istria, Cte de Cinarca, qui fait édifier la citadelle de Corte. **1434** l'Aragon abandonne. **1453** Gênes confie l'admin. à la Banque de St-Georges qui laisse la C. à l'abandon. **1463** souveraineté milanaise. **1478** la Banque de St-Georges lutte contre féodaux du S. Des Corses émigrent en France. **1553** Sampiero conquiert la C. sur Génois, alliés de Ch. Quint. **1559** *tr. du Cateau-Cambrésis,* la C. leur est rendue. Sampiero reprend la lutte, appelé Sampiero Corso. **1562** Gênes reprend l'admin. à la Banque de St-Georges, ruinée par la négligence de ses représentants sur place et les pillages barbaresques. **1567** Sampiero meurt. **1571** « Statuti civili e criminali » règlent les rapports entre C. et Gênes. **1646-1729** épidémie de peste.

1731-32 révolte, Gênes recherche l'aide de l'Empire germanique. **1736** royauté éphémère de *Théodore de Neuhof* (1694-1756). **1738-40** et **1743-52** Gênes recherche l'aide de la Fr. qui cherche à rallier les Corses. **1739** création du Royal-Corse pour désamorcer la résistance organisée méthodiquement par Pascal Paoli [(1725-Londres 1807) élu gén. en chef en 1755]. **1764** *15-5 convention de Compiègne* et **1768** *15-5 tr. de Versailles :* Gênes confie à la Fr. sa souveraineté sur la C. jusqu'à ce qu'elle puisse rembourser le prix de l'aide fr. Corte reste capitale administrative. **1769** *8-5* Paoli, battu à Pontenuovo, quitte la C. Création d'états provinciaux et d'une cour souveraine de justice. **1780-85** Marbeuf, commandant en chef. **1790** lois des *3-2* et *4-3* forme un département (chef-lieu Bastia). **1793** 2 dép., Golo (94 779 h.) et Liamone (55 879 h.). **1793-96** tentative de sécession menée par Paoli (amnistié en 1789, il était retourné en C. en 1790), soutenue par Angl. **1794** *19-6* George III d'Angl. proclamé souverain du « roy. anglo-corse » (vice-roi : Gilbert Elliot). **1796** *19-10* Angl. évacuent C. **1797** Miot de Melito rétablit l'administration républicaine. **Consulat** un administrateur général « coiffe » préfets d'Ajaccio et Bastia.

XIX-XXe **s.** crise économique ; émigration vers la métropole ou territoires d'outre-mer. **1811** département unique (chef-lieu Ajaccio). *Maintien de l'ordre :* confié à l'armée ; régime fiscal et douanier privilégié instauré. **1896** 1er journal en langue c. : *« A Tramuntana »* de Santu Casanova. **1920**-*15-5* 1er numéro de « A Muvra » (*dir. :* Petru Rocca). **1922** l'Italie revendique la C. en tentant d'exploiter le particularisme. **1923** création du « Partitu Corsu d'Azione ». Dissous en 1926, devient le « Partitu Corsu Autonomista ». **1942** *11-11* occupation italienne. Résistance (10 000 h.). **1943** *9-9* soulèvement de Bastia ; les Allemands, chassés, reviennent le *13* (bombardements) ; *10-9* soulèvement d'Ajaccio ; 20 % des troupes ital. (l'Ital. a capitulé le 8-9) se joignent aux résistants contre Allemands ; *13-9* débarquement (décidé par gén. Giraud contre l'avis des Alliés) de 100 h du sous-marin Casabianca ; *14-9 :* 500 h débarqués ; *4-10* Bastia reprise, fin des combats ; *5-10* arrivée du gén. de Gaulle. *Pertes françaises :* 75 †, 239 blessés, 12 disparus. *Résistance Corse :* 21 fusillés ou tués avant l'insurrection, 69 tués pendant les combats, nombreux blessés. *P. italiennes :* 245 †, 557 bl. *P. allemandes :* 200 †, 500 bl., 351 prisonniers ; *p. aériennes :* 60 appareils, env. 270 h. ; *p. maritimes :* 13 bateaux et embarcations. *Destructions :* voie ferrée, 113 ponts routiers, partie de Bastia. **1946** *sept.-oct.* procès des autonomistes accusés d'irrédentisme. **1960** *juillet* « l'Union C. » créé (paraîtra jusqu'en 1968). **1961** *janv.* « l'Association des Étudiants C. » créé (*Pt :* Dominique Alfonsi). **1962** *juillet* à Vivario : naissance de « l'Union nat. des Étudiants C. » (UNEC). **1964** *avril* « Comité d'Étude et de Défense des Intérêts de la C. » (CEDIC). Réactions aux problèmes de l'arrivée des Pieds-Noirs, des modalités de mise en valeur, des transports. Union C. et Ass. des Étudiants C. deviennent « l'Union C.-l'Avenir ». **1965** consignes abstentionnistes pour l'élection présidentielle. 1ers attentats contre le Somivac, à Ghisonaccia. **1966**-*31-7* le Front Rég. C. (FRC) regroupe l'Union Corse-l'Avenir (Charles Santoni), le CEDIC (Paul-Marc Seta, Edmond et Max Siméoni) et l'UNEC. *Déc.* parutions de « la C.-hebdomadaire », de « Arritti ». **1967** Max Siméoni a 2,3 % des voix aux législatives. *3-9* les frères Siméoni créent « l'Action Régionaliste C. » (ARC). **1969**-*27-4* référendum sur réforme rég., 54 % pour. **1970** l'ARC pour l'autonomie interne, lutte contre vignette auto, défend ch. de fer. Détachée de la région Provence-Côte d'Azur, C. constitue une région. **1973** *avril* Front Rég. C. devient « Partitu Di U Populu Corso (PPC). *Août* ARC devient « l'Azzione Per A Rinascita Corsa » pour l'autonomie interne. *Déc.* après déversement des « boues rouges » de la Montedison italienne dans le canal de C., attaque de la sous-préfecture de Bastia. **1974**-*22-3* attentat contre caravelle d'Air-Inter à Bastia. *27-10* création du « Partitu Corsu Per l'Autonomia » (PPCA) : fusion du PPC et du Parti C. pour le progrès. **1975**-*21/22-8* Aleria, des militants ARC occupent Sté vinicole de la C. (2 gendarmes †) [Edmond Siméoni condamné 24-6-75 à 5 ans de prison dont 2 avec sursis ; libéré conditionnellement 14-1-77, se constitue prisonnier 27-9 à la suite d'attentats (remis en lib. prov. le 17-12)]. *27-8* le conseil des min. dissout l'ARC ; *28-8* fusillade à Bastia (1 CRS † ; Serge Cacciari, condamné 10-7-76 à 10 a. de réclusion criminelle). **1976** *1-1* C. divisée en 2 départements. Jean Riolacci, préfet d'Ajaccio (1er préfet corse dep. 150 a.). Charte de développement. Nombreux groupes nouveaux, autonomistes et antiautonomistes (Francia : Front d'Action Nouvelle contre l'Indép. et l'Auton.). *4-5* l'ARC renaît sous le sigle APC (Associu Di Patrioti Corsi). *5-5* FNLC (Front nationaliste de Libération de la C.) fondé. *7-7* destruction à Ajaccio d'un Boeing 707 [avant arrivée de P. Messmer, PM]. *22-8* cave d'Aghione dynamitée. **1977**-*17-7* APC devient « l'Unione Di U Populu Corsu » (UPC). *17-8 :* relais TV dynamité. **1978**-*13-1* destruction radars Solenzara ; *4-7* dynamitage château de Fornali ; *10-8* att. à Ajaccio. **1979**-*20-7* locaux EDF incendiés à Bastia ; *8-8 :* 9 transformateurs EDF détruits (4 leaders FLNC arrêtés dont Jeannick Leonelli et Yves Stella condamnés à 15 a. de réclusion criminelle en 1978, amnistiés après 37 mois). *2/4-12 :* 3 att. à Paris. *20-12* att., organisations de voyage à Marseille. **1980**-*16-1* att. ministère de l'Éd. nat. à Paris. *11-2* 40 att. *13-2 :* 3 att. Paris (office de tourisme ital., gare de Lyon, Orly). *2-3* att. village de vacances des PTT (87 % détruits). *8/9-3* att. Montpellier. **1981**-*16-4* att. Ajaccio (j. d'arrivée du Pt Giscard) 1 †. **1982**-*11-2 :* 1 légionnaire tué à Sorbo par FLNC. *14-2* att. Calvi. *16-2 :* 17 att. Paris et banlieue contre banques et gouv. militaire. *2-3* loi sur organisation admin. de la C. ; *2-4* att. à Ajaccio, annulation visite Pt Mitterrand ; *30-7* vote sur compétences de la C. ; *22-8* assemblée rég. élue ; *19-8* 100 att. Commissaire Robert Broussard nommé Préfet, délégué pour la police, FLNC dissous. **1983** *9-2* Schoch (commerçant à Ajaccio) tué par racketteurs (arrêtés mars). *13/14-6* Pt Mitterrand en C. *17-6* disparition du militant Guy Orsoni. *24-7 et 2-9* événements de Cargese. *12-9* Rosso et Pierre Massimi, secr. gén. de Hte-C., abattus par FLNC (suite aff. Orsoni). *27-9* Consulte des Comités Nationalistes dissoute. *2-10* Ass. pour la C. française et républ. (CFR) créée. **1984** *8-2* Mouvement C. pour la Démocratie (MCD) créé. *31-3 :* 19 att. *17/18-4 :* 9 att. à Ajaccio. *25-4* Noël Luciani arrêté. *7-6 :* Marc Leccia et Salvatore Contini, ravisseurs présumés de Guy Orsini, assassinés dans la prison d'Ajaccio. *30-6 :* 20 000 manif. pour CFR contre violence. *10/11-7 :* 30 att. *12-8* élections rég. *25/26-8 :* 8 att. **1985**-*31-1* Jean Dupuis, hôtelier à Sagone tué. *-6-2* Georges Bastelica remplace Broussard. *-29-3* et *-7-4* att. à Solaro, *-15-4* att. préfecture Bastia. *-2-6* att. à Lava contre village de vac. **1986**-*23-3* att. au S. d'Ajaccio centre de vac. *-23-4* att. près Bastia camping. *-15-5* att. Cargese, 2 †. **1987**-*2-1* Marc Garguy, commerçant réfractaire tué. *-21-1* Mouvement corse pour l'autodétermination (MCA) dissous. *-4-3* att. hôtel des impôts Bastia. *Mars* att. centre touristique. *-21-5* 20 poseurs de bombes FLNC arrêtés. *23-5* 11 nationalistes inculpés. *-17-6* Dr Jean-Paul Lafay, vétérinaire, Pt de l'Association d'aide aux victimes du terrorisme en Corse, tué par FLNC. *-12-7* att. contre gendarmerie de Boulogne-Billancourt. *-25-7* villa du Pr Paul Aboulker détruite. *-4-8* att. à Bastia, 1 gendarme †, 3 bl. *-18-10* 2 villas plastiquées près d'Ajaccio. *24-11* 8 militants arrêtés. **1988**-*24-1* 10 villas plastiquées. *-13-2* 1 villa plastiquée. *-27-2* 4 responsables FLNC arrêtés dont Jean-André Orsini. *-8-3* att. à Ajaccio, 1 gendarme †. *31-5* suspension des actions militaires FLNC. *22-10* Félix Tomasi et Charles Pieri acquittés des poursuites criminelles. *-31-12* att. contre confiserie de Soveria (Hte-C.). **1989** *avril* grèves de fonctionnaires, troubles. **1990**-*26-5* Jules Gaffory, maraîcher, assassiné. *-6-6* Jean-Pierre Maisetti, horticulteur, ass. *-9/10/11-9* série de destruction de villas dont celle de Jean-Marc Vernes. *-26-9* attentat à Aubagne contre filiale de la Sté nat. Corse-Méditerranée revendiqué par FLNC. *-19-12* Lucien Tirroloni, Pt de la Chambre d'Agriculture, ass. *-21-12* 2 jeunes tués à Propriano. *-31-12* Paul Mariani, attaché au cabinet de François Doubin min. du Commerce et maire de Soveria (Hte-C.) ass. **1991**-*2/3-1* 7 attentats revendiqués par FLNC. *-12-2* dissensions dans FLNC. *-11-3* hôtel détruit à Calcatoggio. *-29-5* attentat Bastia, bâtiment Conseil gén.

• Vie politique. **XIX**^e^ opposition du clan Pozzo di Borgo (pour Louis XVIII) aux sébastianistes (monarchie de Juillet). **III**^e^ **Rép.** des piétristes (droite) aux landristes (gauche modérée). Dominée par des clans plus que des partis politiques ; les élections les plus passionnées sont les municipales et les cantonales (les cantons actuels correspondant aux *pièves* génoises, dont les administrateurs étaient élus et jouissaient d'un pouvoir pratiquement sans contrôle). 40 % des Corses continentaux restent inscrits sur les listes électorales de leur commune et y reviennent voter régulièrement. Le contrôle exceptionnel mené en 1981 a opéré 5 520 radiations (électeurs décédés, incapacité), + 8 500 autres interdictions (électeurs inscrits sur le continent et votant en C.). **Front national de la Corse (FLNC).** Fusion de 2 mouv. clandestins : Ghiustizia paolina et Front paysan pour la Corse libre. 1976 1re manifestation. *1983-5-1* dissout. *1988-1-6* à *1990-15-11* décrète une trêve. *1990-26-11* scission en *canal habituel* (militants à l'origine de la trêve, majoritaires pour la loi Joxe), et *canal historique* (pour la lutte armée ; le *26-11-90,* réunissent 400 h. en armes près de Bastia).

• Vendettas. Considérées longtemps comme des « affaires d'honneur » de famille à famille, on les rattache maintenant à la tradition judiciaire des temps anciens, notamment à l'occupation génoise. L'île étant sous-administrée, il était devenu inutile de recourir en justice, les sentences n'étant pas appliquées. La justice privée a donc remplacé la justice publique [*vendetta* signifie « revendication en justice » (latin *vindicta*)]. Les Corses contemporains sont revenus à la notion de procès réguliers.

• Bandits. Appelés traditionnellement « bandits d'honneur », car ils prenaient en principe le maquis pour des affaires de vendettas où était impliqué souvent l'honneur familial. En fait, les malfaiteurs de droit commun étaient la majorité, mais on mettait un « point d'honneur » à ne pas les dénoncer, surtout quand on faisait partie du même clan. Les dénonciateurs étaient généralement dénoncés à leur tour aux *bandits,* qui les exécutaient. **Principaux « bandits »** *des XIX*^e^ *et XX*^e^ *s. :* les frères Bellacoscia (de Bocognano), Jean-Camille Nicolaï (de Carbini), François Bocognano (de Cuttoli-Corticchiato), Matteo Poli (de Balogna), François-Marie Castelli (de Carcheto), Romanetti (de Calcatoggio), Joseph Bartoli (de Palneca), François Caviglioli (de Guagno), André Spada (de Lopigna) et Feliciolo Micaelli (d'Isolaccio-di-Fiumorbo). En nov. 1931, une opération militaire (gendarmerie mobile) a attaqué et détruit les groupes de bandits encore existants dans les montagnes. Le nom de « maquis » a servi ensuite pendant la Seconde G. mondiale à désigner les réfractaires armés.

• Actions violentes. De *1964* à *70 :* 100 env. *71 :* 9. *72 :* 18. *73 :* 42. *74 :* 111. *75 :* 226. *76 :* 298 dont 246 attentats (223 réussis). *77 :* 230. *78 :* 379. *79 :* 329 (dont 1ers plasticages revendiqués par les antiautonomistes). *80 :* 463 (env. 50 % attribués au F.L.N.C.). *81 :* 236. *82 :* 806 (*août :* 150, dont 107 à Bastia ; *19-8 :* + de 70 attentats). *83 :* 591. *84 :* 468. *85 :* 371. *86 :* 542 (dont oct. : 116). *87 :* 449 (dont F.L.N.C 405). *88 :* 224. *89 :* 222. *90 :* 197. **Hold-up. :** *1988 :* 225, *89 :* 180, *90 :* 160. **Assassinats.** Morts violentes

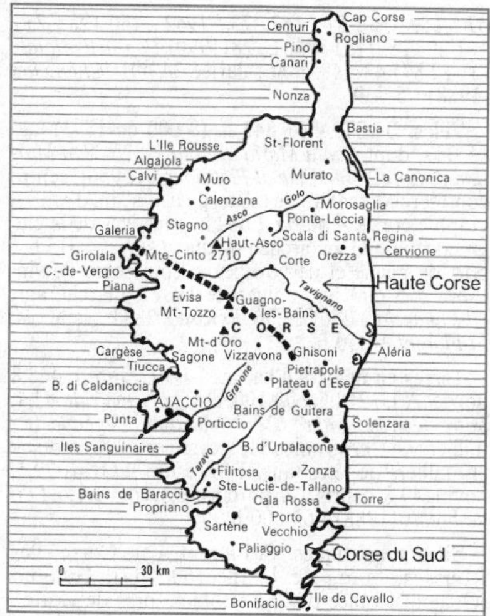

début XVIIIe, par an, 900 (soit 1 % pour 100 000 h.), *vers 1840* : 100, *v. 1880* : 40, *v. 1938* : 4. *88* : 20 et 33 tentatives, *89* : 14 et 20 t. *90* : 28 (dont 3 hommes publics et 10 règlements de comptes) et 13 t.

• **Police.** Au 2-1-1991, 2 423 personnes soit 1 pour 103 hab. (1 pour 290 ailleurs en France) dont 1 660 permanents (790 policiers et 763 gendarmes, plus 763 CRS). **SRPJ.** 120 fonctionnaires.

Loi du 2-3-1982 sur l'organisation administrative

La région est une collectivité territoriale s'administrant librement. Elle est assistée par des établ. publics, par ex. les agences, qu'elle crée ; elle peut, en outre, participer à des institutions spécialisées.

• **Assemblée. Membres :** 61 conseillers élus pour 6 ans au suffrage universel direct (rep. proportionnelle, règle de la plus forte moyenne) : âge min. 21 ans. **Bureau :** Pt, 4 à 10 vice-pts et éventuellement d'autres membres. **Fonctionnement :** établit son règlement intérieur ; se réunit de plein droit au moins 1 fois par trimestre sur l'initiative de son Pt et à la demande de son bureau ou du 1/3 des m. de l'ass. sur un ordre du jour déterminé, pour une durée max. de 2 j. En cas de circonstances exceptionnelles, peut être réunie par décret. Séances publiques, sauf décision contraire à la majorité absolue des m. Pt et autres m. du bureau élus pour 3 ans (mandat renouvelable). **Dissolution :** si le fonctionnement normal est impossible, le gouv. peut la dissoudre par décret motivé en Cons. des min. ; il en informe le Parlement. Une autre Ass. est élue dans les 2 mois. Ses pouvoirs prennent fin à la date prévue pour ceux de l'Ass. dissoute. **Attributions :** règle les affaires de la région. Vote budget et arrête compte administratif. Peut proposer au PM (Premier ministre) des modifications ou adaptations des lois ou règlements en vigueur ou en cours d'élaboration sur les compétences, l'organisation et le fonctionnement de l'ensemble des collectivités terr. de C., et des mesures relatives au dével. écon., social et culturel de la C. Peut faire au PM remarques ou suggestions sur le fonctionnement des services publics de l'État en C. (le PM accuse réception dans les 15 j et fixe le délai dans lequel il apportera une réponse au fond).

• **Exécutif.** Exercé par le Pt de l'Ass. Il peut déléguer une partie de ses fonctions aux vice-pts ou à d'autres m. de l'ass. Il prépare et exécute ses délibérations ; ordonne des dépenses, prescrit l'exécution des recettes de la C. Il gère le patrimoine de la C., est le chef des services qu'elle crée pour l'exercice de ses compétences, et des services relevant avant de l'établ. public régional de C. Chaque année, il rend compte à l'ass. de la situation de la C., de l'activité et du financement de ses services et des organismes qui en dépendent et de l'état d'exécution de son plan, des délibérations de l'ass. et de la situation fin. de la rég. Le rapport est soumis pour avis au Cons. écon. et soc. et au Cons. de la culture, de l'éducation et du cadre de vie, avant son examen par l'assemblée. En cas de dissolution de l'Ass., de démission de tous ses m. en exercice, ou d'annulation des opérations électorales, le Pt se charge des affaires courantes. Ses décisions ne sont exécutoires qu'avec l'accord du repr. de l'État.

• **Conseils consultatifs. Économique et social :** obligatoirement consulté par l'Ass. lors de la préparation du plan de dév. et d'équipement ou de toute étude d'aménagement et d'urbanisme, sur la préparation du plan national en C. et sur les orientations gén. du projet de budget. Peut être saisi de demandes d'avis et d'études sur tout projet écon. ou soc. Peut émettre des avis sur toute question de la compétence de la C. en matière écon. et soc. et des agences ou institutions spécialisées.

De la culture, de l'éducation et du cadre de vie : obligatoirement consulté par l'ass. lors de la préparation du plan de dév. et d'équipement et de toute étude d'aménagement et d'urbanisme, sur les orientations gén. du projet de budget pour l'action culturelle et éducative.

• **Représentant de l'État (préfet).** Nommé par décret en cons. des min., il représente chacun des min. et dirige les services de l'État. Lui seul s'exprime au nom de l'État devant les organes de la C. A la charge des intérêts nationaux, du respect des lois et du contrôle administratif. Veille à l'exercice régulier de leurs compétences par les autorités de la C. ; entendu par l'Ass. par accord avec le Pt de l'Ass. et sur demande du PM ; fait un rapport annuel à l'Ass. sur l'activité des services de l'État en C. *La chambre rég. des comptes* de C. participe au contrôle des actes budgétaires de la C. (1-1-83).

Loi n° 82-659 du 30-7-1982 sur les compétences

Complète les lois sur les compétences attribuées à l'ensemble des communes, des départements et des régions, et la *l. n° 82-214 du 2-3-1982 :* organisation administrative sur la région Corse.

• **Identité culturelle. Éducation et formation :** sur proposition du repr. de l'État (après consultation des collectivités territoriales et des conseils concernés), l'Ass. fixe la carte des établ. d'enseign. Sur proposition de son Pt (après consultations) l'Ass. fixe les activités éducatives complémentaires facultatives (par ex. l'ens. de la langue et de la culture). Elle se prononce aussi sur les propositions de l'université de C. relatives aux formations sup. et à la recherche univ. dont la carte est arrêtée par l'État. La région finance, construit, équipe et entretient collèges, lycées, établ. d'ens. prof., d'éd. spécialisée et les centres d'information et d'orientation. L'État leur assure les moyens fin. liés à leurs activités pédagogiques. **Communication, culture et environnement :** *comité rég. de la communication audiovisuelle :* présente à l'Ass. un rapport annuel sur les programmes de radio-télé après avis du Conseil de la culture. L'Ass. définit les actions culturelles à mener (après consultation des départ. et au vu des propositions des communes). Dotation annuelle de l'État : la région définit les actions pour la protection de l'envir. de la même façon.

• **Développement. Comité de coordination pour le dév. industriel de la C.** (regroupant entreprises publ. et S[tés] nat. concernées) : créé auprès du PM (repr. des min. de ces S[tés], de l'Ass. de C.) ; responsable des actions de S[tés] nat. en C. pour les projets d'intérêt rég. intégrés dans le plan national. **Aménagement du territoire et urbanisme :** la région adopte un schéma qui prend en compte les programmes de l'État et harmonise ceux des coll. loc. et de leurs établ. et services publ. Adopté après avis, par l'Ass. des cons. rég., et présentation au public (2 mois). Approuvé par décret en Cons. d'État. La région procède aux modifications demandées par le repr. de l'État pour conformité aux règles. **Agriculture :** *Office du dév. agric. et rural de C.* anime et contrôle la pol. foncière agr. et la modernisation des exploitations. Coordonne les actions de dév. de l'agr. et y participe. Consulté par le repr. de l'État et par le repr. de l'Ass. Soumet à l'Ass. son projet de budget. *Office d'équip. hydraulique de C.* (gestion). **Logement :** la région définit ses priorités après consultation des collectivités loc. Elle répartit les aides de l'État (bonific. d'intérêts ou subventions).

• **Transports.** L'Ass. établit un schéma rég. après consultation des collectivités et organismes intéressés (convention avec les dép.). Peut organiser les liaisons non urbaines routières de voyageurs. Se substitue à l'État pour l'exploitation des tr. ferroviaires (reçoit un concours budgétaire). État et région définissent (tous les 5 ans) l'organisation des tr. mar. et aériens entre l'île et le continent ; dotation de l'État. Création d'un *Office des transports.*

• **Emploi.** Programme préparé par une commission mixte (repr. État et région). Convention annuelle entre État et région pour mise en œuvre.

• **Énergie.** La région élabore et met en œuvre le programme de prospection, d'exploit. et de valorisation des ressources locales. Avec les établ. publ. nat. élabore et met en œuvre le plan tendant à couvrir les besoins et à diversifier les ressources.

• **Ressources.** Celles dont dispose l'établ. publ. rég. (l. n° 72-619 du 5-7-1972). La région reçoit de l'État des ressources d'un montant égal aux dépenses effectuées par l'État au titre des compétences transférées : par ex. transfert d'impôts d'État (sur les véhicules à moteur immatriculés en C.) et divers concours, produit du droit de consommation (l. du 21-12-1967) à concurrence (3/4 de son montant). Les établ. publ. créés par la loi reçoivent aussi de l'État des ressources. La région finance les agences qu'elle crée. Le régime fiscal applicable en C. est maintenu (adaptation ultérieure). Les services de l'État qui participent à l'exercice des compétences transférées, des biens meubles et immeubles utilisés par l'État pour l'exercice de ces compétences.

Nouveau statut (loi Joxe)

Adopté à l'Ass. nat. en 1re lecture les 23/24-11-90 (275 v. pour, 265 contre) et en 2e lecture le 4-4-91 (274 v. pour, 262 contre), puis au Sénat le 22-3-91 (229 v. pour, 86 contre, suppression de la notion de « peuple corse » et du conseil exécutif, le pouvoir appartenant au Pt de l'Ass.).

Remplace celui de 1982 et prendra effet en 1992. La Corse reste une collectivité territoriale, les 2 départements demeurent. Reconnaît la notion de « peuple corse composante du peuple français ».

Assemblée corse. 51 membres élus au scrutin proportionnel à 2 tours, dans une circonscription unique. Pt élu au scrutin majoritaire. *Sessions :* 2 ordinaires au min. par an. Responsable de la politique écon. et culturelle. Peut censurer le conseil.

Conseil exécutif. 7 membres dont 1 Pt désignés par l'ass. en son sein (ils sont alors remplacés par le suivant de liste).

Préfet. Contrôle l'application du statut.

Selon un sondage Louis Harris (22 au 24-1-1991 sur 808 résidents corses), 66 % des C. sont tout à fait favorables ou plutôt favorables au projet, 16 plutôt très opposés, 18 sans opinion. 51 sont pour et 37 contre la formule « peuple corse ».

Élections

• **Assemblée régionale. 1982 (8-8).** 200 855 inscrits, 137 642 votants, 136 063 suffr. exprimés ; *abstentions:* 31,47 % ; 3 037 cand., 17 listes, 61 s. *Rass. pour la Corse dans l'Unité nat.* (RPR, UDF, bonapartistes) (J.-P. de Rocca-Serra, RPR) 19 sièges (28,12 % des suffr. exprimés) ; *Action pour une Corse nouvelle* (PCF) (D. Bucchini, PCF) 7 (10,89) ; *Union di u populu corsu* (UPC, autonomiste, soutien du PSU) (E. Simeoni, UPC) 7 (10,61) ; *Mouvement des radicaux de gauche pour une région démocratique* (MRG, Hte-Corse) (P. Alfonsi) 7 (10,35) ; *Union rég. pour le progrès* (UDF dissidents) (J. Rossi, PR) 6 (9,34) ; *Unité et démocratie* (MRG Corse-du-Sud) (N. Alfonsi) 4 (6,69) ; *PS* (A. Pantaloni) 3 (5,39) ; *Défense des intérêts de la C.* (div. droite) (J. Colonna, RPR) 2 (3,11) ; *Renouveau de la région* (div. droite, gaulliste) (J.-L. Albertini, ex-RPR) 1 (2,66) ; *Rass. démocr. pour l'avenir de la C.* (div. droite) (D. de Rocca-Serra) 1 (2,43) ; *Liste soc. et dém.* (ex-PS) (C. Santini, ex. PS) 1 (2,41) ; *Partitu populare corsu* (PPC nat.) (D. Alfonsi) 1 (2,12) ; *Renaissance corse* (sans étiq.) (P. Ceccaldi) 1 (2,11) ; *Union rép. de défense et de promotion de la C.* (MRG dissidents) (Dom P. Semidel) 1 (1,68) ; *Union pour la défense de l'écon. C.* (sans étiq.) (S. Cruciani) 0 (0,98) ; *Gestion et justice pour tous* (ex-PCF) (C. Simonpieri) 0 (0,70) ; *Corse voix nouvelle* (sans étiq.) (J.-G. Susini) 0 (0,33).

1984 (12-8). Inscrits 203 609, votants 139 356, abstentions 31,43 %, suffr. exprimés 137 048. *Union de l'opposition* 19 sièges (29,15 % des suffr. exprimés) (Union de l'opp., RPR, UDF, bonapartistes et indépendants : J.-P. de Rocca-Serra, RPR) ; *MRG* 9 (14,15) (MRG de Hte-C. : F. Giacobbi, sénateur) ; MRG-PS 9 (13,79) (MRG de C.-du-S. et P.S. : N. Alfonsi, député) ; *PCF* 9 (13,79) (PCF : D. Bucchini, maire de Sartène) ; *FN* 6 (9,21) (FN : P. Arrighi) ; *CNIP* 5 (7,86) (CNIP et dissidents RPR : J. Chiarelli) ; *MCA* (Mouv. corse pour l'autodétermination) 3 (5,22) : P. Poggioli ; *UPC* (Union pour le peuple c.) 3 (5,21) : M. Siméoni ; *Divers* (2,67) (Rassemblement démocratique pour l'avenir de la C. D. de Rocca-Serra) ; *MCS-PPC* (0,96) (Parti du peuple c. : C. Santoni).

1986 (14-3). Inscrits 114 683, votants 87 847, abstentions 23,4 %. *RPR* (Colonna) : 8 élus (19,2 % des suffr. exprimés). *MRG* (Giacobbi) : 8 (19,1). *UDF* (Arrighi de Casanova) : 4 (10,4). *CNI* (Chiarelli) :

3 (9,1). *PS* (Motroni) : 3 (8,8). *Nationalistes* (Simeoni) : 3 (8,4). *PCF* (Stefani) : 2 (6,9). *Divers G.* (Padovani) 2 (5,2). *FN* (Calendin) : 0 (4,8). *Dv. G.* (Colonna) : 0 (3,6). *Dv. G.* (Orsatelli) : 0 (2,6). *Div. D.* (Bartoli) : 0 (1,9).

1987 (12-3). A la suite de l'annulation pour fraude des élections du 14-3-86 en Corse-du-S. Inscrits 114 142, votants 66 579, abstentions 41,67 %. *RPR-CNI* (Colonna) : 10 sièges (28,52 % des suffr. exprimés). *MRG* (Giacobbi) : 8 (24,20). *UDF* (Baggioni) : 4 (13,75). *PS* (Motroni) : 3 (9,14). *PCF* (Stefani) : 3 (8,55). *Nationalistes* (Max Simeoni) : 3 (8,45). *FN* (J.-Bapt. Biaggi) : 2 (7,39).

Présidents. *1982* Prosper Alfonsi (1921-91), MRG. *1984* (24-8) Jean-Paul de Rocca-Serra (11-10-11), RPR.

• Présidentielles 1988 (en %). Corse-du-S. et, entre parenthèses, Hte-Corse. *1er tour :* Chirac 31,73 (30,39), Mitterrand 25,83 (31,18), Le Pen 14,81 (12,01), Barre 14,19 (12,05), Lajoinie 8,5 (7,86), Waechter 2,38 (2,63), Juquin 1,79 (3,09), Laguiller 0,62 (0,66), Boussel 0,15 (0,14), *2e tour :* Mitterrand 42,58 (48,23), Chirac 57,41 (51,76).

• Législatives 1986 (mars). *C.-du-Sud :* abst. 23,28 % ; RPR-UDF 52,4 % (1 élu) ; PS-MRG 27,94 (1) ; .P.C 9,67 ; UPC-MCA 7,62 ; FN-dissid. 2,39. *Hte-Corse. :* abst. 23,76 % ; RPR 28,17 (1 élu) ; MRG 24,03 (1) ; UDF 17,83 (1) ; PS 9,73 ; PC 8,16 ; UPC-MCA 6,5 ; FN 5,55. **1988 (juin) :** *Corse-du-Sud :* Ajaccio, abst. 32,12 %, José Rossi (URC-UDF, 58,60 %) ; Ajaccio-Sartène, abst. 39,36 % ; Jean-Paul de Rocca-Serra (URC-UDF, 60,38 %). *Hte-Corse :* Bastia, abst. 29,13 %, Émile Zuccarelli (maj. prés.-MRG, 51,94 %) ; Corte-Calvi, abst. 32,14 %, Pierre Pasquini (URC-UDF, 51,28 %).

Européennes (1989). Inscrits 206 764, votants 79 632, suffr. exprimés 78 732, abst. 61,48 %. *Résultats :* Giscard (RPR-UDF) 28 750 (37 %), Fabius (PS-MRG) 15 329 (19 %), Waechter (Verts) 12 197 (15 %), Le Pen (FN) 8 597 (11 %), Herzog (PCF) 8 517 (11 %), Veil (Centre) 2 181 (3 %), Goustat (Chasse-Pêche) 1 047 (1 %), Labres 782, Alessandri 699, Laguiller 254, Gauquelin 122, Biancheri 88, Touati 75, Joyeux 58, Cheminade 32.

Économie

• Population. 249 596 (au 1-1-90) (*1975 :* 227 425 ; *1982 :* 240 012). D. 28,7 (estim. 1-1-90). **Active** (1-1-89) : 82 264 dont agric. 8 154, industrie 6 411, B.T.P. 9 965, tertiaire 57 734. *Salariée :* 65 843 dont agric. 4 027, industrie 4 713, B.T.P. 7 787, tertiaire 29 535. *Chômeurs insulaires :* 10 400 (taux : 10,7 %). **Étrangers** (1982) : 25 880. A fourni à la France beaucoup de hauts fonctionnaires, de parlementaires, de ministres, d'hommes d'État, de cadres de l'armée, de la police et des douanes (50 % du personnel).

• Échanges marchandises (1989, en milliers de t). Entrées de Fr. continentale + Étranger : 1 095,7 + 19,5 dont prod. alim. et agric. (y compris text., bois, fleurs) 251,4 + 2,6, prod. pétroliers 410,5, min., matér. de constr. 258 + 13,1, prod. chim., 7,7 + 0,002, articles manufacturés div. 153,1 + 3,8, engrais 15,2. Sorties : vers Fr. continentale + Étranger : 150,1 + 31,2 dont prod., alim. et agric. (y c. bois, text., fleurs) 85,1 + 16,6 (dont vin 39,2 + 1,2, agrumes 27,1 + 5,6), prod. pétroliers 30,5 + 5,8, ferrailles 4,4 + 8, pierres de taille 5,1 +0,3, déchets de papier 0,3, divers 24,6 + 0,5.

• Terres en milliers d'ha (au 1-1-90, estim.) 871,7 dont *S.A.U.* 359,3 [t. lab. 15, herbe 326,4, vignes 11,9, cult. fruit. 8,2] ; *bois* 231,3 ; *t. agr. non cult.* 169,7 ; *t. non agr.* 105,9. Châtaigniers *1897 :* 25, *1967 :* 31, *prod. 83 :* 2,2 (ils ont perdu leur rôle écon. dep. 1920) ; oliviers 12 ; olives (*prod. 83*) 1,3 ; vignes (*1867 :* 18 ; *1913 :* 11 ; *29 :* 3,1 ; *60 :* 5,5 ; *83 :* 20,1 ; *89 :* 9,6). **Terres cultivées (en % du sol).** *Fin XVIIIe s. :* 30,3 ; *1913 :* 36,5 ; *29 :* 7,4 ; *46 :* 7,6 ; *57 :* 6,8 ; *67 :* 5,3. **Matériel** (1988). 2 563 tracteurs, 1 391 motoculteurs, 684 pulvérisateurs tractés et automoteurs, 88 machines à vendanger. **Exploitations** (1985). 33,1 % ont – de 5 ha, 3,2 + de 100. **Prod. végétale en milliers de t** (en 1989). Agrumes 33, pêches, nectarines 57,8, châtaignes 9,4, pommes de t. 31,5, céréales 81,5, olives 1, kiwis (87) 560. *Vins* (en milliers d'hl) 467,9. **Animale** (en milliers de têtes, au 1-1-89, estim.) bovins 60,5, porcins 55,5, ovins 129,5, caprins 47,5. *Lait* (au 1-1-90, estim.) 55 000 hl.

• Pêche (1988). 1 949 t dont poissons 807 t, langoustes 83 t (89) ; 266 embarcations, 439 marins (89). **Énergie** (1988). *Production :* électricité d'origine hydraulique (Gwh) : 255,5 ; prod. nette : 787,2.

• Industrie. *Évolution :* concessions accordées de 1850 à 1920 : fer et sulfure d'antimoine (cap Corse), plomb argentifère (l'Argentella, 1874), cuivre (Ponte-Leccia, 1881, et Tox), anthracite (Osani, 1889) ; 21 gisements exploités puis abandonnés (en dernier la mine d'amiante de Canari, ouverte 1949, la seule en France). Disparition des usines d'extraits tannants (châtaigniers) ; dernière (Ponte-Leccia) en 1963. *Établissements* (6-1-89) : 19 745 dont 1 371 à caractère industriel (dont ind. agroalim. 492, des biens de consom. 406, des biens intermédiaires 222), 2 774 du B.T.P.

• Tertiaire (6-1-89). *Établissements :* 14 991, dont services marchands 7 858 ; commerce 4 501, transp.-télécom. 761.

• Tourisme. *Installation de clubs de vacances : 1948 :* c. olympique (Calvi), *1957 :* c. Méditerranée (S. de Porto-Vecchio). *Touristes* (milliers) : 1970 : 500 ; *80 :* 1 200 ; *82 :* 1 739 ; *84 :* 1 571 ; *85 :* 988 ; *88* (mai à sept., estim.) 1 222 ; *89* (mai à sept., estim.) : 1 240 ; *90* (mai à sept.) : 1 310. *Équipement (1-10-89) :* 455 hôtels (12 077 ch.), 182 campings (59 639 pl.) ; 89 villages de vac. (32 250 pl.). **Flotte de plaisance** (1986). 3 620 bateaux de + de 2 tonneaux immatriculés en C. 47 700 passages de bat. dans les ports c.

• Transports (1989). **Capacités.** *Maritimes :* voyageurs 2 944 992, voitures 937 830, marchandises (mètres de roll offerts sur Marseille-Corse 2 118 100 ; *aériens :* voyageurs (1987) 1 680 277. **Trafic** (entrées + sorties de passagers, en milliers, 1989). *Maritimes :* 2 254,8 dont Bastia 1 207, Ajaccio 502,3, Bonifacio 178, L'Ile-Rousse 129,3, Calvi 112,8, Propriano 88,1, Porto-Vecchio 37,4. *Aériens :* 1 802,5 dont Ajaccio 750,1, Bastia 662,2, Calvi 250,6, Figari 139,6. *Ferroviaires :* passagers 645,2, marchandises 3 729 t. **Réseau routier** (1989) : 7 371 km dont routes nat. 555, ch. départ. 4 416, communaux 2 400.

• Logement. *Parc* (1987) : 151 500 (58 700 en communes urbaines, 92 800 en c. rurales) dont 87 000 résidences principales ; *confort* (%) : eau courante à l'intérieur 99,1, baignoire ou douche 91,5, W.-C. intérieur 87,7, ch. central 43,1, tout confort 40,2.

• P.I.B. (1990) 75 400 F (155 700 en Ile-de-France). **Revenu** (1983). 7,1 milliards de F. Revenu annuel par habitant : 30 000.

• Budget de l'État (en millions de F, budget primitif 1989). *Recettes réelles totales* 481 (dont en %) : recettes fiscales 37,8 transferts reçus 48,8, emprunts 13,3. *Dépenses totales* 485 dont : de fonctionnement 185,2 (dont en % transferts versés 72,1, frais de personnel 8,9, intérêts versés 8,3, gestion 7,1), d'investissement 300,7 (dont en %) subventions versées 54,2, équip. brut 37,4, remboursement dettes 2,9.

Nota. – L'écart entre recettes et dépenses mesure le fonds de roulement du budget, d'autant plus élevé que le taux de réalisation des dépenses est faible.

• Aide (millions de F, 1990) État 700, État-région 800, C.E.E. 2 000 (1989-93).

Départements

Voir légende p. 748.

• Corse-du-Sud (20 A). 4 014,22 km². Long. 137 km, larg. 83 km. *Alt.* max. 2 357 m. 118 174 h. (1990) [*1841 :* 78 260 ; *61 :* 93 573 ; *81 :* 110 366 ; *1962 :* 125 337 ; *75 :* 128 634 ; *82 :* 108 604]. D. 29 (1990). *Pop. rurale* (1990) : 48 810, *active totale* (au 31-12-87) 37 772 dont *salariée :* 30 320.

Villes. AJACCIO 58 315 h. (4 000 en 1793) ; musées : Fesch (primitifs et XVIIe s. italiens), Napoléon, maison Bonaparte ; cath. N.-D. de la Miséricorde (1554-1593), château de la Punta, chapelle impériale (XIXe s.) ; bibl. admin., tourisme, commerce, B.T.P. – *Bonifacio* 2 683 h. ; port de pêche. *Cargèse* 915 h. ; peuplé 1675 par des hab. de Vitylo (Péloponnèse), fuyant la tyrannie turque. Quelques vieillards utilisent encore le grec. *Porto-Vecchio* 9 307 h. ; ind. liège. *Propriano* 3 217 h. ; port pêche, commerce, plaisance. *Sartène* * 3 044 h. ; centre com. ; m. Préhistoire.

Terres (en milliers d'ha, 1988). 401,4 dont *S.A.U.* 52,4 [t. lab. 2,6 (dont jardins 0,1), herbe 47,1, vignes 1,5] ; *bois* 4,8 dont (1981) f. d'Aïtone 1,67, f. du Libbio 1,6 ; *t. agr. non cult.* 84,1 ; *t. non agr.* 0,09. **Ressources.** Vins, agrumes, bois, cultures maraîchères, légumières et florales. Bovins, ovins, caprins, porcins. 2 017 exploitations. **Pêche** (1987) : 322 t.

Sites touristiques. *Forêts :* Aïtone, Libbio. *Calanques :* Piana. *Golfes :* Porto, Girolata. *Station préhistorique :* Filitosa. *Alignements :* région de Sartène. *Falaises calcaires :* Bonifacio.

• Haute-Corse (20 B). 4 665,57 km². *Alt.* max. Monte Cinto 2 710 m. 131 563 h. (1990) [*1841 :* 143 203 ; *61 :* 159 316 ; *81 :* 162 273 ; *1962 :* 150 128 ; *75 :* 161 208 ; *82 :* 131 574]. D. 28 (1990). *Pop. active totale* (31-12-87) 43 448 dont salariée 34 491. *Chômeurs* (1988) : 5 739.

Villes. BASTIA 37 845 h. (8 000 en 1793) [ag. 45 087, dont *Santa-Maria-di-Lota* 1 826. *San-Martino-di-Lota* 2 466. *Ville-di-Pietrabugno* 2 950] ; centre commercial, manuf. de tabac, apéritifs ; m. d'ethnographie corse. – *Aléria* 2 022 h. ; vestiges de la cité gréco-romaine, m. archéologique. *Calvi* * 4 815 h. ; port de pêche et de voyageurs, commerce de vin. *Corte* * 5 693 h. ; université 1981 ; marché agr. *Ghisonaccia* 3 270 h. *L'Ile-Rousse* 2 288 h., laiteries. *St-Florent* 1 350 h.

Terres en milliers d'ha (au 1-1-90, estim.). 468,8 dont S.A.U. 218,5, *bois* 100, *terr. agr. non cult.* 84,4, *autre terr. non agr.* 62. **Production.** *Végétale* (en milliers de t.) Agrumes 31,6, céréales 71,8 ; *animale* en milliers de têtes (au 1-1-89, estim.). Ovins 79,5, bovins 49,8, caprins 34, porcins 12,5, équins 1,4. *Lait de brebis* (1988) : 63 000 hl.

Sites touristiques. St-Florent, cap Corse, îles Rousses, étang de Diane (600 ha), Guagno (Guagnu), vallée de la Restonica (près de Corte).

Franche-Comté

Généralités

• Cadre géographique. **Superficie** 16 202 km² (3 % du terr. nat.). Correspond en gros à l'ancien comté de Bourgogne (le terr. de Belfort rattaché à la région est devenu un dép. depuis 1922).

• Régions naturelles. *Montagne jurassienne* (alt. 500 à 1 700 m), forêt, lait. Chaînes les plus importantes (du N. au S.) : Lomont (840 m), Crêt Monniot (1 142 m), Mont Chateleu (1 277 m), Larmont (1 323 m), Risoux (1 419 m), Mont d'Or (1 423 m), Crêt Pela (1 495 m), Crêt d'eau (1 621 m), Colomby de Gex (1 689 m), Reculet (1 717 m), Crêt de la Neige (1 723 m). *Zone des plateaux et des plaines :* alt. 250-450 m (du N. au S.) : Sundgau, plateaux de Haute-Saône, plaines du Doubs, de l'Ognon et de la Saône, le vignoble et la Bresse. Polyculture, élevage bovin, lait et vignes. *Montagne vosgienne et Vôge* (bordure des Vosges), alt. 700 à 1 100 m. **Forêt.** 698 860 ha (env. 42 % de la rég.), dont résineux (sapin et épicéa) : 171 000 ha (24,9 %) ; feuillus (chêne, hêtre, charme, frêne) à basse alt. : 445 000 ha (64,8 %).

Climat. Humide et froid (montagne) ou tempéré (plaines). *Pluviosité* (an.) 700 à 1 700 mm. *Temp. :* janv. à juin – 2 à + 12 °C, juillet + 15 à + 19 °C. *Records :* – 34 °C en janv. 1963 à Mouthe (alt. 935 m), + 38,8 °C en juil. 1983 à Besançon.

Sites touristiques. *Forêts :* f. de La Joux 2 650 ha (la plus importante f. de sapins de France), de Chaux 20 000 ha dont forêt domaniale 13 000 ha. *Vallées et plateaux pittoresques :* Loue, Dessoubre (cirque de Consolation), bassins du Doubs, sources du Lison, vallée de la Bienne, sous-vosgiennes.

Histoire

Comté palatin de Bourgogne ou Franche-Comté [1]. Après la conquête romaine, le territoire des *Séquanes* devient une *civitas* (qui donnera naissance à l'archevêché de Besançon) : ce sont déjà les limites du comté. **475-80** occupation des Burgondes, venus de la Suisse romande actuelle. **843** partie des pays situés entre Rhin, Seine et Saône, qui reviennent à Lothaire ; sous le nom de comté d'Outre-Saône, elle devient 2 fois vassale du duché : **936-52** (duc : Hugues le Noir) et **982-1002** (duc : Henri Ier). **1002** Henri Ier désigne son vassal et beau-fils Otte-Guillaume (Otton Ier), Cte d'Outre-Saône, comme héritier du duché. Mais Otte-Guillaume est battu par le Capétien Robert le Pieux : comté et duché demeurent définitivement séparés. **1043** par privilège de l'emp. Henri III le Noir (mari d'Agnès de Poitiers, p.-fille d'Otte-Guillaume), les archev. de Besançon deviennent princes d'Empire (3e rang à la Diète d'All.) ; *métropole religieuse :* Besançon ; *cap. civile :* Dole. **1057** Guillaume Ier le Grand reçoit le Cté de Mâcon [sa famille prend le nom de Mâcon (1re branche cadette : Étienne, tige de la maison de Chalon ; 2e : Raymond, tige de la maison d'Amous, et père du roi de Castille Alphonse VIII)]. **1156** Frédéric Barberousse reçoit par mariage le Cté qui passe à son 3e fils, Otton (II) de Franconie, Cte palatin de B. en 1169. **1208** Béatrice (II) de Franconie ép. un Pce bavarois, Otton (III) de Méranie. **1226** Jean de Mâcon-Chalon, dit le Sage, refuse l'hommage à Otton III (g. féodale, 1227). **1248**

il proclame Cte de B. son fils aîné, Hugues, marié à l'héritière Alix de Méranie (Hugues Ier) ; il reçoit la régence du comté. **1257** il devient seigneur de Salins et prête l'hommage à son fils Hugues (son fils cadet, Jean dit Brichemail, est la tige des Chalon-Arlay, devenus Pces d'Orange en 1418). **1316** réunion provisoire du Cté à la France par le mariage (1307) de Jeanne de B., fille d'Otton de Chalon (Otton IV), avec Philippe, Cte de Poitiers, qui devient Philippe V de Fr. en 1316. Veuve, la reine laisse le Comté à sa fille, Jeanne, qui épouse Eudes IV, duc de Bourgogne. **1361** le Cté entre dans les domaines de Marguerite de Flandre, dont le suzerain est l'empereur germanique. **1366** apparition du nom de « Franche-Comté ». **1384** réunification du Duché et du Cté par le mariage de Marguerite, Ctesse de Flandre, et de Philippe le Hardi, duc de Bourgogne. **1477** mort de Charles le Téméraire ; le Cté entre dans les domaines des Habsbourg (mariage de Marie, sa fille, et de Maximilien d'Autriche). **1500** partie du Cercle de Bourgogne, division administr. du St Empire. **1556** à la branche espagnole des Habsbourg. Prospérité (foires de Besançon) et grande autonomie. Plusieurs invasions fr. sous Henri IV et pendant la g. de Trente Ans ; pour l'Esp., c'est un 3e front contre la Fr. (avec Pyrénées et Pays-Bas) et une plaque tournante pour acheminer des renforts entre Pays-Bas et Italie. **1665** Louis XIV réclame la Fr.-Comté à la mort de Philippe IV, roi d'Esp., au nom de Marie-Thérèse. **1668** occupée par Condé, rendue à l'Esp. par *le traité d'Aix-la-Chapelle*. **1678** *(tr. de Nimègue)* annexée définitivement par la Fr. Dole, qui a résisté aux troupes fr., est remplacée par Besançon comme capitale civile.

Nota. – (1) *Comté* a été tantôt masculin (latin : *comitatus*), tantôt féminin (latin : *comitas*). Le féminin, qui s'est imposé au XIVe s., pouvait être une allusion à l'alliance du comté avec les Suisses *(comitas* signifie également « alliance »).

Principauté de Montbéliard

• **Situation.** N.-E. de la Franche-Comté (cantons de Montbéliard, Audincourt, Blamont et Pont-de-Roide) : 469 km².

• **Histoire. Époque celtique :** sous-tribu des Epomandui (« les dompteurs de chevaux ») faisant partie des Éduens [cap. : Mandeure (Epomanduodurum)]. **Époque romaine :** station sur la voie romaine de Besançon au Rhin ; important centre urbain à l'époque des Antonins. **VIe s.** pagus d'Elsgau [*latin :* Alsegaudia ; *fr. :* Ajoie (le nom venu des sources de l'Ill a été rapproché du germ. *elz* « alose » ou « barbeau », et les armes de Montbéliard ont 2 poissons)]. **750** 1re mention de Montbéliard qui deviendra capitale au XIe s., après la destruction de Mandeure par les Hongrois. **IXe-Xe s.** subdivision de la Lotharingie. **1024** mention du 1er comte, Louis de Mousson. **1162** un Montfaucon, baron de « Bourgogne » (c.-à-d. de Franche-Comté), acquiert par mariage le comté qu'il agrandit de ses 4 seigneuries de mouvance « bourguignonne » (comtoises) : Blamont, Clémont, Héricourt, Châtelot. **1273** Thierry III est reconnu vassal direct de l'Empire (affranchi de la suzeraineté comtoise, sauf pour les 4 seigneuries). **1283** passe par mariage à la Maison de Chalon et en **1407** à celle de Wurtemberg. **1473** Charles le Téméraire tente de réunir le comté à ses États mais est défait. **1525** gagné par le Luthéranisme (favorisé par Ulrich de Wurtemberg), sert de refuge aux protest. des pays voisins. **1534-35** vendu 8 mois par Ulrich à François Ier qui devient Cte de Montbéliard, puis est forcé par Charles-Quint de revendre le comté. **1587-88** le duc de Guise attaque la ville sans succès. **1597** l'emp. Rodolphe érige le comté en principauté. **1607** Albert d'Autriche en réclame la souveraineté. **1676** Louis XIV occupe la principauté (Montbéliard pris et démantelé par Mal de Luxembourg). **1679** *tr. de Nimègue* les 4 seigneuries sont reconnues comme vassales de Louis XIV, devenu souverain de Fr.-Comté ; il doit rendre la Pté au Wurtemberg, mais n'en fait rien. **1697** *tr. de Ryswick :* Pté rendue à Georges II, qui se reconnaît vassal de L. XIV pour les 4 seigneuries (où le catholicisme est réimplanté). **1793-***10-10* réuni à la Fr. (reconnu par Wurtemberg 1796), intégré à Hte-Saône, puis au Mont-Terrible (1794), Ht-Rhin (1800), Doubs (1814).

Économie

• **Population** 1 097 185 h. (1990) [*1982 :* 1 085 118]. D. 67 (90). *Active ayant un emploi* (estim. 1987) : 395 280 dont primaire 28 584, secondaire 153 649, tertiaire 213 047. *Salariée* (1990) : ind. 128 832, services 71 597, commerce 40 993, BTP 18 673. Taux de chômage (sept. 90) : 7,1 %.

• **Échanges** (en milliards de F, 89). IMPORTATIONS : 18,5 dont équip. prof. 5,1, automobile 2,9, prod. chim. et 1/2 prod. divers 2,3, transp. terr. 1,4, ind. agro-alim. 1,1, prod. sidér. 0,9, habil. 0,5, 1re transf. de l'acier 0,3, outil. quinc. 0,3, agri. 0,2, ameubl. 0,2, scierie et trav. mécan. bois 0,2, autres 3,1 ; *de* C.E.E. 12,4 dont All. féd. 4,5, R.-U. 3,3, Italie 1,9, Belg.-Lux. 1,5, P.-Bas 0,6, Esp. 0,4, autres pays C.E.E. 0,2, ; Suisse 1,6, Amér. du N. 0,8, Japon 0,7, pays du Maghreb 0,2, Chine 0,1, Moy.-Or. 0,02, reste du monde 2,9. EXPORTATIONS : 31,4 dont autom. 11,6, équip. prof. 8,1, transp. terr. 3,8, prod. chim. et 1/2 prod. divers 2, ind. agro-alim. 1, 1re transf. de l'acier 0,7, scierie et trav. mécan. du bois 0,4, agri. 0,4, outil. quinc. 0,3, prod. sidér. 0,3, ameubl. 0,2, habil. 0,1, autres 2,5 ; *vers* C.E.E. 18,5 dont Italie 5,3, R.-U. 3, Esp. 2,9, All. féd. 2,6, Belg.-Lux. 2, P.-Bas 1,6, autres pays C.E.E. 1,1 ; Suisse 2,4, Amér. du N. 1,4, pays du Maghreb 0,8, Moy.-Or. 0,8, Chine 0,4, Japon 0,3, reste du monde 6,9.

• **Agriculture. Terres** (en milliers d'ha au 1-1-1990, estim.) 1 630,8 dont *S.A.U.* 778,7 (t. lab. 243,5, herbe 532,5, vignes 2,2) ; *bois* 701,3 ; *étangs et eau intérieure* 13,3 ; *t. agr. non cult.* 34,1 ; *t. non agr.* 99,7. **Prod. végétale** (en milliers de t) blé tendre 258,3, orge 224,2, maïs 158,1, avoine 42,8. *Bois* (en milliers de m³, 1986) : Grumes feuillus 432, G. résineux 939, bois d'ind. et de chauffage 407. *Vin* (prod. tot. au 1-1-90, estim.) 101 200 hl. **Animale** (milliers de têtes, 1-1-89, estim.) bovins 683 dont vaches 291, veaux 158, ovins-caprins 110, équidés 11, coqs et poules 1 027 ; lapins 83,1. *Abattage* 71 200 t. *Lait* (de vache, prod. tot. au 1-1-90, estim.) 11 239 464 hl. *Comté* (prod. tot., 1-1-89) 36 941 t. **Exploit. agric.** (nombre) 19 740.

• **Industrie.** *Effectifs* (salariés, 1-1-90) : 128 832 dont auto-cycle 35 723, constr. méc. 19 334, fonderie-trav. des métaux 17 305, constr. élec. et électron. 12 543, ind. agro-alim. 8 460, bois-ameublement 7 049, caout.-mat. plastiques 5 261, text.-habillement-cuir-chaussures 4 911, chimie 4 028, autres 14 218. **B.T.P.** (1990) : 18 673.

Départements

Voir légende p. 748.

• **Doubs** (25) 5 258,9 km² (130 × 100 km). *Alt.* max. Mt d'Or 1 464 m, min. 200 (sortie de l'Ognon). 484 770 h. (1990) [*1810 :* 216 226 ; *1861 :* 296 280 ; *1886 :* 310 963 ; *1911 :* 299 935 ; *1936 :* 304 812 ; *1946 :* 298 255 ; *1968 :* 426 458 ; *1975 :* 471 082 ; *1982 :* 477 163]. D. 93. *Actifs ayant un emploi* (estim. 1987) : 186 016 dont primaire 10 293, secondaire 73 840, tertiaire 101 882 ; *salariés* 161 404 dont primaire 836, secondaire 69 708, tertiaire 90 833. Taux de chômage (sept. 1990) : 7,4 %.

Villes. BESANÇON 113 828 h. [*1810 :* 28 436 ; *1861 :* 46 786 ; *1921 :* 55 652 ; *1954 :* 73 445 ; *1975 :* 120 315] [ag. 122 623, dont *Thise* 2 856], alt. 242 à 270 m ; ind. micromécan. et horlogère (Fralsen, Yema), text. artif. ; festival de musique en sept. ; citadelle de Vauban (1674-1711), m. des B.-Arts, palais Granvelle (1534-40, par Hugues Sambin), théâtre (1778-84), vestiges d'arènes romaines, amphithéâtre romain (IIe s. apr. J.-C.), Porte Noire (arc de triomphe, IIe s. apr. J.-C.), cath. St-Jean, maison natale de Victor Hugo. – *Baume-les-Dames* (sous-préf. jusqu'en 1926), alt. 280 m, 5 237 h. ; méc. *Beaucourt* (ag. 2 928). *Charquemont* 2 205 h. *Fesches-le-Chatel* 2 118. *Hérimoncourt* 3 923 h. *Isle-sur-le-Doubs (L')* 3 203 h. (ag. 3 560) ; horl. *Maîche* alt. 800 m, 4 168 h. *Montbéliard* * alt. max. 395 m, moy. 316,9, sup. 1 500,56 ha, 29 005 h. [*1598 :* 2 355 ; *1712 :* 2 644 ; *1801 :* 3 558 ; *1861 :* 6 353 ; *1921 :* 10 063 ; *1954 :* 117 510] [ag. 117 510, dont *Audincourt* 16 361. *Bavans* 4 144. *Béthoncourt* 7 448. *Étupes* 3 603. *Exincourt* 3 445. *Grand-Charmont* 5 605. *Hérimoncourt* 3 923. *Mandeure* 5 402. *Seloncourt* 5 613. *Sochaux* 4 419 ; autom. *Valentigney* 13 113 ; château. *Vieux-Charmont* 2 571. *Voujeaucourt* 3 176] ; métall., auto, cycles, outill. *Morteau* alt. 750 m, 6 458 h. (ag. 8 899) ; horlogerie. *Ornans* alt. 340 m, 4 016 h. ; constr. élec. ; m. Courbet. *Pontarlier* * alt. 820 m, 18 104 h. [*1801 :* 3 771 ; *1921 :* 10 203] (ag. 19 781) ; ind. alim., constr. méc., élec., bois ; égl. N.-D., Hôtel-Dieu. *Pont-de-Roide* alt. 340 m, 4 983 h. (ag. 6 348) ; métall. méc. *Pouilley-les-Vignes* 1 707 h. (ag. 4 516). *Saint-Vit* 3 774 h. *Valdahon* alt. 670 m, 3 534 h. ; horlogerie, bois, camp milit. *Villers-le-Lac* alt. 740 m, 4 203 h. ; horlogerie, mécanique de précision.

Régions naturelles (en ha). *Montagne jurassienne* (alt. 1 100-1 460 m), 35 058 ha. *Plateaux supérieurs* (750-1 100 m), 148 767 ha. *Moyens* (400-750 m), 171 882 ha. (bovins pour fromages de comté et emmenthal, Mont d'Or, forêts, tourisme). *Zone des plaines et basses vallées* (200-400 m), 167 657 ha. (polyculture, bovins pour fromages et boucherie). **Bois** (en milliers d'ha). 221 [dont (1981) feuillus 126,95, résineux 80,5, forêt de protection 6,6 (f. domaniale de Levier 2,7 : sapins)].

Tourisme. *Sports d'hiver :* massif du Mont d'Or 1 000-1 464 m, Métabief-Jougne ; ski de fond : Chapelle-des-Bois 1 077 m (éc. nat.), Mouthe 935 m, les Fourgs 1 108 m. *Voile :* lac St-Point (398 ha, profondeur max. 45 m). *Sites :* saut du Doubs (cascade de 27 m), sources de la Loue et du Lison (résurgences) ; *salines royales* d'Arc-et-Senans, *abbaye* de Montbenoît, *cirque* de Consolation.

☞ **République du Saugeais.** *Origine :* XIIe s. franchise et privilèges de l'abbaye de Montbenoît. *Composition :* 12 communes de la vallée du haut Doubs (dont Gillers), 1 950 habitants. *1947 :* dotée d'une présidence reconnue par les autorités (tourisme, sports, culture). *Drapeau :* noir, rouge et or.

• **Jura** (39) 5 048,82 km² (115 × 66 km). *Alt.* max. Crêt Pela 1 495 m [alt. moy. 400 à 900 m]. 248 759 h. (1990) *[1801 :* 288 151 ; *1861 :* 298 053 ; *1911 :* 252 713 ; *1936 :* 220 797 ; *1946 :* 216 386 ; *1968 :* 233 441 ; *1975 :* 238 856 ; *1982 :* 242 925]. D. 50. *Actifs ayant un emploi* (1987, estim.) : 90 686 dont primaire 8 470, secondaire 35 174, tertiaire 47 042. *Salariés :* 73 078 dont primaire 1 028, secondaire 31 538, tertiaire 40 512. *Chômage* (sept. 1990) : 5,2 %.

Villes. LONS-LE-SAUNIER alt. 249 m, 19 144 h. [*1800 :* 6 070 ; *1890 :* 12 610 ; *1954 :* 15 030 ; *1975 :* 20 942] [ag. 25 189, dont *Montmorot* 257 m, 3 177 h.] ; lunetterie, ind. alim. et méc. ; station thermale ; égl. St-Désiré (crypte du XIe s. et restes des XIe-XIIe, XVIIIe et XIXe s.), égl. des Cordeliers (XVIe-XVIIe s.), hôpital (Hôtel-Dieu du XVIIIe s.), maisons à arcades (XVIIIe s.) de la rue du Commerce, statue de Rouget-de-Lisle (1882 Bartholdi). – *Arbois* alt. 297 m, 3 900 h. (ag. 4 389) ; égl. St-Just, maison de Pasteur, vieilles maisons, musée. *Baume-les-Messieurs :* reculée (vallée en cul-de-sac) et grottes ; abbaye (XIIe et XIIIe s.) avec m. de la Forge et de la Tonnellerie. *Champagnole* alt. 545 m, 9 250 h. [*1800 :* 1 548 ; *1891 :* 3 588] (ag. 10 208) ; métall., mobilier, jouets. *Château-Chalon :* égl. (XIe-XIIe s.), vieilles maisons. *Dole* * alt. 245 m, 26 577 h. [*1800 :* 8 235 ; *1891 :* 14 253] (ag. 31 904, dont *Fouchérans* 1 710) ; sous-préfect., chim., métall., électro., ciments, ind. alim. et text. *Moirans-en-Montagne* 2 018 h. *Morez* alt. 700 m, 6 957 h. [*1800 :* 1 218 ; *1891 :* 5 124] (ag. 8 921) ; horl., lunetterie, éc. nat. d'optique, plast. *Mouchard* 997 h. ; lycée du bois. *Poligny* (sous-préf. jusqu'en 1926) alt. 327 m, 4 714 h. [*1831 :* 6 005] ; fromage (comté), éc. nat. de l'ind. laitière, lycée hôtelier ; collégiale St-Hippolyte, vieilles maisons, hôtels anciens. *Saint-Amour* 2 200 h. *St-Claude* * alt. 418 m, 12 704 h. [*1800 :* 3 579 ; *1891 :* 9 782] (ag. 13 292) ; sous-préfect., évêché ; travail du bois, fabrique de pipes, mat. plast., horl., lunetterie, taille du diamant ; cath. St-Pierre, m. de la pipe. *Salins-les-Bains* alt. 354 m, 3 629 h. [*1800 :* 8 125 ; *1891 :* 6 068] ; anciennes salines, station thermale, faïencerie, casino ; égl. St-Anatoile. *Tavaux* alt. 202 m, 4 387 h. [ag. 7 091, dont *Damparis* 2 704] ; ind. chim., aérodr.

Régions naturelles. *Plaine* (région doloise, 57 430 ha, et Bresse, 56 429 ha) : à l'O., fraction de la Bresse louhannaise, dépression lacustre comblée d'alluvions ; terrasses de 170 à 250 m d'alt. en montant vers Dole. Blé, maïs, bovins, porcins, volaille, 850 ha d'étangs dans la Bresse. *Côte (Revermont)* (59 341 ha) : bord du 1er plateau jurassien (vignoble : Arbois, Château-Chalon, l'Étoile, Poligny) de St-Amour à Salins-les-Bains, termine les plateaux au centre et E., gradins séparés par des vallées (Combe d'Ain) ; fromageries, ind. du bois, cartonneries, tissage, ind. méc. *La Montagne : 1er plateau* (alt. 550 à 650 m ; 65 134 ha) [le Jura plissé du Sud ou « petite montagne », climat sec ; au N. plus riche : céréales et élevage (comté)] ; *2e plateau* (séparé du 1er par les vallées de l'Ain et de l'Angillon ; 700 à 1 000 m ; 99 576 ha) : lacs, résineux (La Fresse, La Joux), pâturages ; *Haut-Jura* près de la Suisse (p. culmin. au Crêt Pela, alt. 1 495 m, 54 611 ha) : forêts, pâturages, ind. de précision (taille de diamant, horlogerie, lunetterie) et diverses (pipes, boîtes en épicéa). *Val d'Amour et Forêt de Chaux* (25 765 ha). *Finage* (18 583 ha). *Combe d'Ain* (19 863 ha). *Plateaux inférieurs du Jura* (43 188 ha). P. culmin. de tout le massif : Crêt de la Neige (alt. 1 723 m). **Bois** (milliers d'ha). 230 (taux de boisement 45,5 %) dont (1981) feuillus 154,6, résineux 59,8, forêt de protection 3,95 [*forêt de Chaux :* 20 dont 13 de forêt domaniale ; *f. de la Joux :* 2,65 (arbres souvent de + de 50 m de haut.)], *f. privées* (1981) 43 %.

Ressources. *Céréales* (plaine du Doubs). *Bois :* résineux (Ht-Jura). *Ind. laitière :* comté, morbier, bleu. *Vignobles* réputés du Revermont (Arbois, Château-Chalon, l'Étoile).

Tourisme. Lacs : Chalain, 232 ha, prof. 34 m, alt. 526 m ; Clairveaux-les-Lacs, alt. 540 m, 63 ha. **Plans d'eau :** Vouglans : 1 600 ha, Coiselet, Les Rousses. **Ski :** Les Rousses, Lamoura (ski de piste et de fond, alt. 1 100 à 1 200 m), vallée des Rennes à Prémanon (école nat. de ski de fond, alt. 120 m). **Châteaux :** Arlay, Pin (XIIIe, XIVe et XVIIe s.). **Orgelet :** égl. fortifiée. **Planches** (près d'Arbois) : grottes.

• **Haute-Saône** (70) 5 390,17 km² (116 × 100 km). *Alt.* max. Ballon de Servance 1 210 m, min. 185 m (confluence Saône/Ognon). 229 659 h. (1990) [*1801 :* 291 579 ; *1861 :* 317 183 ; *1886 :* 290 954 ; *1911 :* 257 606 ; *1936 :* 212 829 ; *1946 :* 202 573 ; *1968 :* 214 296 ; *1975 :* 222 254 ; *1982 :* 231 962]. D. 43. *Actifs ayant un emploi* (1988, estim.) 73 898 dont primaire 8 100, secondaire 27 042, tertiaire 38 756. *Salariés :* 57 831 dont primaire 666, secondaire 24 396, tertiaire 32 769. *Chômage* (sept. 1990) : 8 %.

Villes. VESOUL alt. 220 m, 907 ha, 17 614 h. [*1876 :* 9 206 ; *1911 :* 10 539 ; *1954 :* 12 038 ; *1975 :* 18 173] [ag. 26 266, dont *Échenoz-la-Méline* 2 445] ; métall., auto. – *Arc-les-Gray* 3 121 h. *Bellevaux* (ancienne abbaye XVIIe-XVIIIe s.) château. *Champagney* 3 283 h., musée de la négritude Albert-Demard. *Champlitte* 1 906 h., église des XVe-XIXe s., château, musée d'hist. et folklore. *Cirey-les-Bellevaux* 225 h. *Fougerolles* 4 167 h., musée rural de plein air. *Gray* (sous-préf. jusqu'en 1926), 6 916 h. [ag. 12 017, dont *Arc-les-Gray* 3 121] ; métall., électro., coton, musée Baron-Martin. *Haut-du-Them* 465 h., musée de la montagne. *Héricourt* 8 742 h. ; ind. text., constr. métall. *Lure* * 8 843 h. (ag. 11 062) ; constr. méc., confect., ind. du bois. *Luxeuil-les-Bains* 8 790 h. (ag. 12 850), alt. 295 m ; métall., text., ind. du bois ; station thermale ; maison carrée, tour du Bailly, abbaye, musée archéol. *Mélisey* 1 805 h. (ag. 3 158). *Pesmes* 1 006 h., fortifications. *Plancher-les-Mines* 1 644 h. (ag. 2 822). *Port-sur-Saône* 2 521 h. *Ray-sur-Saône* 201 h., hôtel de ville et basilique XVIe s. de Gray. *Ronchamp* 3 088 h., chapelle (Le Corbusier, 1955). *St-Loup-sur-Semouse* 4 677 h. (ag. 5 117) ; ind. du bois.

Régions naturelles. *Plaine grayloise :* 55 712 ha, alt. 200 à 250 m, boisée, cult. ind. *Plateaux :* 273 692 ha, alt. moy. 250 à 300 m, 2/3 du dép. ; vallées riches dont celle de la Saône ; bovins. *Basse vallée du Doubs et de l'Ognon :* 28 522 ha, v. alluvionnaire, bovins, p. de terre. *Trouée de Belfort,* 19 310 ha et *région sous-vosgienne,* 79 646 ha : 300 à 350 m, pâturages. *Rég. vosgienne :* 36 114 ha, 400 à 800 m, forêts et étangs. *Hautes-Vosges :* 24 351 ha, 500 à 1 200 m, forêts, prairies, ind. (filatures, tissages, mec.). *La Vôge :* 18 661 ha, 400 à 500 m, sols pauvres souvent humides, céréales secondaires, p. de terre, élevage. Cerises (kirsch, Fougerolles). **Bois** (milliers d'ha). 225 dont (en %, en 1988) feuillus 88, résineux 12, taux de boisement 41,8 %, forêts de protection 2,87 [f. domaniale de Luxeuil (hêtres) 1,25].

Ressources. *Agriculture :* lait, fromage (1988) 1 978 470 hl (dont 14 247 t d'emmenthal) ; bovins (1988) : 215 500 têtes. Cultures principales : blé, orge, colza, maïs. *Industrie* (1982) : métallurgie 6 %, textile 4,5 %, B.T.P. 6,8 %, ameublement 6 %.

Ski. La Planche des Belles-Filles (1 148 m), Belfahy (950 m). **Lacs.** Vesoul et Champagney, région des mille étangs au pied des Vosges.

• **Territoire de Belfort** (1990) 610,6 km² (3,8 % de la sup. de la région) (45 × 22 km). *Alt.* max. Ballon d'Alsace 1 248 m, min. 325 m (confluent Allaine/Bourbeuse). 134 097 h. (1990) [*1801 :* 31 439 ; *1861 :* 56 248 ; *1886 :* 79 758 ; *1911 :* 101 386 ; *1936 :* 99 497 ; *1946 :* 86 648 ; *1968 :* 118 450 ; *1975 :* 128 125 ; *1982 :* 131 999]. D. 220 (1990). 1 seul arrondissement. *Cantons :* 15. *Communes :* 101. Seule partie du Haut-Rhin restée fr. en 1871 (traité de Francfort) après le siège de Belfort où la garnison de 30 000 h. commandée par le Cel Denfert-Rochereau résista 103 j aux Allem. ; Belfort avait déjà été assiégée en 1813-14 et 1815. *Pop. active ayant un emploi* (1989, estim.) : 46 149 dont primaire 1 096, secondaire 17 700, tertiaire 27 283 ; *salariée :* 41 646 dont primaire 159, secondaire 16 829, tertiaire 24 658. *Chômage* (sept. 1990) : 8,3 %.

Villes. BELFORT alt. 359 m, 50 125 h. [ag. 74 443, dont dans le dép. *Bavilliers* 4 408. *Danjoutin* 3 103. *Offemont* 4 213. *Valdoie* 4 314] ; constr. élec., motrices ferrov., turbines à gaz (G.E.C. Alsthom, A.T.G.), périphériques d'ordinateurs (Bull), text. ; château et fortif. de Vauban, musée, Lion de Belfort (par Bartholdi : long. 22 m, haut. 11 m). *Beaucourt* 5 569 h. ; constr. électr., méc. *Chatenois-les-Forges* 2 517 h. (ag. 3 625). *Delle* 6 992 h. [ag. 11 166, dont *Grandvillars* 3 061] ; constr. méc., art. métall. *Giromagny* 3 226 h. (ag. 5 787). *St-Dizier-l'Évêque* 346 h., tombeaux VIIe s.

Régions naturelles. 61 060 ha dont *Sundgau* 21 979 ha. *Montagne et zone sous-vosgienne* 17 980 ha. *Trouée de Belfort* 15 835 ha, altitude moyenne 440 m, largeur 30 km. *Plateaux moyens du Jura* 5 266 ha. **Bois.** 25 271 ha dont (en 1985) feuillus 19 000, résineux 4 240, forêts de protection 740.

Divers. Ballon d'Alsace (ski, randonnées pédestres). **Plans d'eau** de Malsaucy. **Terrain de Chaux** (vol à voile, aviation).

Ile-de-France

Généralités

• **Nom.** Apparaît en 1387 dans le chronique de Froissart. Remplace le nom ancien du *pays de France* (21 villages autour de St-Denis, par ex. Roissy-en-France), lorsque *pays* a pris le sens de *nation,* et *Fr.* le sens de *royaume français. Île de* signifierait *presqu'île de* et désignerait la langue de terre délimitée par Oise, Seine et Marne-Ourcq.

A partir de 1419, les « gouverneurs de l'île-de-France » ont autorité sur l'ancien *pays de France* (Paris, Argenteuil, St-Denis), sur les 6 pays faisant encore partie de la région parisienne (V. ci-dessous) et sur 5 pays picards : Laonnais, Noyonnais, Soissonnais, Valois et Beauvaisis (V. Picardie). La « généralité d'Ile-de-France » (ou de Paris), organisée en 1542, était encore plus vaste.

• **Paris et sa banlieue. Situation.** Sur la Seine, en aval du confluent avec la Marne (centre de navigation fluviale). Le petit bras de la Seine (au S. de la « Cité ») est l'ancien cours de la Bièvre. **Époque celtique** fraction du territoire des Parisii, sous-tribu des Sénons [cap. *Lucotetia* ou *Lutèce,* du grec « ville des blancheurs » (**leukos,** « blanc ») ou « v. des loups » (**lukos,** « loup ») ou « v. du dieu Lug » (douteux : Lug est un dieu irlandais)]. Les Parisii (déformation de Kwarisii) tireraient leur nom des carrières de Montmartre (à rapprocher de l'angl. quarr). **53 av. J.-C.** les Sénons sont battus par César dans la plaine du Champ de Mars et se replient dans les collines boisées de Meudon. **Période romaine** Lutèce fait partie de la Lugdunaise Quatrième (cap. Sens). **Période franque 508** Clovis établit sa capitale à Paris, après la victoire de Vouillé. **Sous les Carolingiens** remplacée par Laon comme capitale. **861** échoit à Robert, « duc de France », fondateur des Capétiens. **Après 888** centre du domaine royal capétien. Les ducs, puis rois « de France », étaient en même temps seigneurs des deux autres fractions de l'ancien territoire gaulois des Parisii : la Goële (N.E.) et le Parisis (S.).

• **Brie. Situation.** Plateau de 150 à 180 m d'alt. à l'est de la Seine, en arc de cercle (125 km sur 60) et séparant bassin de Paris (calcaires) et Champagne (craie) : céréales et élevage, buttes et tertres boisés (sables de Fontainebleau). Dép. de Seine-et-Marne débordant sur Aisne et sur Marne. **Histoire.** Ancienne marche non déboisée *(Brigius Saltus),* servant de limites entre les tribus et les sous-tribus celtiques des Sénons, Parisii, Meldi, Tricassi et Suessiones. Cap. *Briga* (« forteresse ») devenue au M. A. Brie-Comte-Robert qui a donné son nom au fief : la Brie signifie la *(Comté) Brie,* c.-à-d. *de Brie.* Les 2 villes principales portent le nom des *Meldi :* Meaux *(Meldi)* évêché et Melun *(Meldodunum).* Acquis par Herbert de Vermandois en 998, le comté devient l'un des 2 éléments constitutifs de la Champagne (comtés de Brie et de Troyes). Entre dans le domaine royal en 1336. Disputée entre les gouvernements de Champagne et d'Ile-de-France, la Brie est coupée en 2 en 1693 : la région de Meaux reste champenoise, la région de Melun forme la Brie française. Les 2 Bries sont réunies en 1791, dans le dép. de Seine-et-Marne, les Meldois ne voulant pas dépendre de Château-Thierry. On appelait Multien (Meldianus) la partie N.-O. du pays des Meldi, non rattachée à la Brie et appartenant aux ducs de France depuis le IXe s. Les hauteurs boisées, séparant Multien et pays de France (canton de Dammartin), formaient le « petit pays » de *Goële* (cap. ancienne : Montjé) ; nom voisin du celtique *coat* ou *goat,* forêt.

• **Étampois.** *Étampes* est un doublet de Étapes. Ville mentionnée depuis 604 ; siège d'un palais royal depuis 1005, séparé du domaine royal et érigé en comté au XIIIe s., puis en duché pour Anne de Pisseleu, maîtresse de François Ier.

• **Gâtinais français. Situation.** Nord d'un plateau de 5 600 km², entre l'Essonne et l'Yonne ; du sud de la Loire à la Sologne. Dép. de l'Essonne et de la Seine-et-Marne (débordant sur Loiret et Yonne). **Histoire.** L'ancien *pagus Vastinensis* avait pour cap. Vatan (Indre). Marche non déboisée entre Carnutes et Sénons, il appartient au IXe s. aux comtes de Blois-Chartres (famille de Thibaut le Tricheur) qui fixent sa cap. à Château-Landon. Acquis par le domaine royal en 1090 par Philippe Ier, coupé en 2 en 1453 : Gâtinais français (cap. Nemours) en Ile-de-Fr. ; Gâtinais orléanais (cap. Montargis) en Orléanais.

• **Hurepoix. Situation.** Série de collines boisées formant le bassin de l'Orge (Orobia), de Rambouillet à la forêt de Fontainebleau. L'expression *pagus Orobiensis* (déformée en *Huripensis*) a désigné depuis le XIIe s. un ensemble plus vaste, englobant Gâtinais français jusqu'à Montargis et Étampois. **Histoire.** Partie des marches non déboisées séparant Sénons et Carnutes. Défriché aux VIIIe-IXe s. et peuplé de petits seigneurs turbulents (Montfort-l'Amaury, Rochefort-en-Yvelines, Montlhéry, etc.), vassaux des ducs-rois de France, et soumis seulement vers le XIIe s. après de nombreuses guerres féodales.

• **Mantois. Situation.** Rive g. de la Seine, Yvelines ; formé essentiellement du bassin de la Mauldre et du Pinceray, autour de Poissy (déborde sur l'Eure-et-Loir). **Histoire.** *Pagus* celtique de Medunta, transformé en « marche » (région militaire) lors des invasions normandes, sous l'autorité d'un comte de Mantes. Dans le domaine capétien dès le IXe s.

• **Vexin français. Situation.** Au N. de la Seine, entre l'Oise et l'Epte : extrémité ouest du Val-d'Oise, mais débordant sur l'Oise (Picardie). **Histoire.** Ancienne cité celtique des *Veliocassi,* devenue sous Charles le Chauve (v. 850) domaine de l'abbaye de St-Denis. En 911 : rive droite de l'Epte au duc Rollon (Vexin normand), rive g. au roi de France. Gardant le titre d'« avoué de St-Denis », le roi adopte comme emblème l'oriflamme rouge et or des abbés.

☞ **Iles** 123 : dans Seine 54, Marne 60, Oise 9.

Organisation

• **Histoire. 1961**-*2-8* loi créant le district de la *Région parisienne.* **1964**-*10-7* loi réorganisant la Région parisienne. De 3 départements (Seine, Seine-et-Oise, Seine-et-Marne), on passe à 8, la *Seine* éclatant en 4 (Paris, Hauts-de-Seine, Val-de-Marne, Seine-St-Denis), la *Seine-et-Oise,* un peu amputée, éclatant en 3 (Val-d'Oise, Yvelines, Essonne), la *Seine-et-Marne* restant inchangée. **1976**-*6-5* loi substituant la Région d'Ile-de-France au district. **1982**-*2-3* région d'Ile-de-France devient collectivité territoriale. **1986** *mars* élection au suffrage universel des Conseillers régionaux (mandat de 6 ans).

• **Organes. Conseil régional :** 197 membres. Paris 42, Hts-de-Seine 27, Seine-St-Denis 26, V.-de-Marne 23, Yvelines 23, Essonne 20, Seine-et-Marne 18, Val-d'Oise 18. *Bureau :* 16 membres. *Pt :* Pierre-Charles Krieg (18-1-1922) dep. oct. 1988. *Budget 1991 :* 10,6 milliards de F. *Répartition en % :* P.S. 65, R.P.R. 60, U.D.F. 32, P.C. 19, F.N. 19, N.I. 2. **Comité économique et social :** 110 membres dont 39

Années	Paris	Région parisienne [1]
59 av. J.-C.	25 000	–
1200	70 000	–
1328	250 000	–
1475	300 000	–
1684	425 000	–
1762	600 000	–
1784	620 000	–
1791	630 974	–
1801	547 766	1 353 000
1817	713 966	–
1831	785 862	1 722 000
1841	935 261	–
1851	1 053 262	2 240 000
1861	1 696 141	–
1866	1 825 000	3 039 000
1872	1 851 792	–
1881	2 269 023	3 726 000
1891	2 424 705	–
1901	2 714 068	–
1906	2 763 393	–
1911	2 888 110	5 336 000
1921	2 906 472	5 683 000
1931	2 891 020	–
1936	2 829 753	6 785 000
1946	2 725 374	6 597 000
1954	2 850 189	–
1962	2 790 000	8 469 600
1968	2 590 771	9 250 400
1975	2 299 830	9 878 631
1982	2 176 243	10 073 059
1988	2 127 000	10 320 000
1990	2 154 678	10 650 000

Nota. – (1) Seine dont Paris, Seine-et-Oise et Seine-et-Marne jusqu'en 1964. Ultérieurement Paris + 7 départements (voir p. 772c).

représentants des entreprises et activités non salariées de la région, 39 repr. des syndicats de salariés, 28 repr. d'organisations participant à la collectivité de la région, 4 personnalités qualifiées. *Pt :* Roger Courbey (1-8-1911) depuis déc. 1982.

Économie de l'Ile-de-France

• **Superficie.** 12 012,3 km² (2,2 % du territoire).

• **Population.** 10 660 600 (1990) [*1962 :* 8 469 863 ; *1968 :* 9 248 631 ; *1982 :* 10 074 100 ; *prév. an 2000 :* 11 600 000] ; 18 % de la population fr. **Densité** (1990) : 887 h/km². **Solde des naissances** *sur les décès :* + 80 100 (86). **Rythme de croissance** (1975-1982) : + 0,3 % (moy. nat. 0,4 %). **Étrangers** *(1982) :* 1 339 944 dont Portugais 337 400, Algériens 295 948, Marocains 123 872, Espagnols 85 704, Tunisiens 70 420, Italiens 65 088, autres 361 512. **Pop. des ménages** [catégories socio-professionnelles (1982)] : Agr. exploitants 34 020 ; artisans, com., chefs d'entreprise 643 720 ; cadres, prof. intell. sup. 1 669 100 ; prof. intermédiaires 1 698 040, employés 1 476 660, ouvriers 2 536 680. Non actifs 1 763 400. *Total 9 831 620.*

Répartition par âge (en %). *0 à 14 ans :* 19,8 ; *15 à 24 a. ;* 15,4 ; *25 à 64 a. :* 53,3 ; *65 a. et + :* 11,5.

Salariés (au 31-12-89). 3 603 848. **Agriculture** 504. **Industrie :** 908 711 dont constr. élec. et électron. 178 459, imprimerie, presse, édition 100 761, autom. 80 783, parachimie, pharm. 77 615, constr. méc. 77 259, fonderie et trav. des métaux 66 087, prod. alim. autres que viande et lait 55 585, text., habill. 54 743, constr. navale et aéron. 50 078.

• **Population active salariée.** Bât. génie civil et agric. 298 226. Commerce 600 236. Transports et télécom. 145 667. Services marchands 1 178 411. Assurances 75 914. Organismes financiers 157 602. Location, crédit-bail immobilier 11 638. Services non marchands 207 864.

☞ *Place de l'Ile-de-France (en %) :* superficie 2 de la Fr., population active 22, valeur ajoutée 27, cadres d'entreprise 45, exportations 27, importations 21, prof. libérales 25, effectifs universitaires 31.

Personnel de l'État et des services publics affecté dans la région (au *31-12-87*). *Personnels de l'État rémunérés par les trésoreries générales de la Région* (tous services confondus, 1986) 444 984. *Principaux serv. publ. :* 329 839 dont P. et T. 126 133, Assistance publ. 62 118, S.N.C.F. 52 171, E.D.F.-G.D.F. 42 371, R.A.T.P. 39 438, Banque de France 7 608.

• **Produit intérieur brut** (1988). 1 610 863 millions de F (28,2 % du P.I.B. national), soit 156 091 F/hab. (*1982 :* 986 590 MF).

Échanges (en milliards de F, 89). Importations 379,8 (31,2 % des imp. nat.) dont (en %) matér. de traitement de l'information 9,4, autom. 7,2 pièces et équip. autom. 2,8, matér. audio-visuel 2,7, véhicules utilitaires 2,1 ; *de* (en %) All. 17, U.S.A. 12,7, Italie 9,9, G.-B. 8,7, Japon 8, U.E.B.L. 6,7, P.-Bas 5,1, Esp. 4,6. Exportations 221,4 (20,1 % des exp. nat.) dont (en %) autom. 11,2, pièces et équip. autom. 5,8, matér. de traitement de l'information 3,8, parfumerie 3, pharm. 2,5, tube électron. et semi-conducteurs 2,1, objets d'art, collections et antiquités 2 ; *vers* (en %) G.-B. 10,5, All. 10, Italie 8,8, U.E.B.L. 7,3, U.S.A. 7, Suisse 5, P.-Bas 3,9, Esp. 3,7, Japon 3,5.

Villes qui paieront plus de 1 million de F

Commune	Prélèvement total [1]	DGF [2] 1990	Budget 1990	Produit 4 taxes 1989
75 Paris	373,2 (8 %)	4 015,6	18 016,3	5 933
78 Aubergenville	2,3 (8 %)	8,1	75,2	44
78 Buc	1,8 (9 %)	3,9	36,2	19
78 Coignières	1,3 (9 %)	3,6	34,4	18,9
78 Porcheville	1,2 (10 %)	1,2	24,9	17,5
78 Vélizy-Villacoublay	7,9 (9 %)	19,8	158,9	95
91 Morangis	1,6 (8 %)	7,5	38,5	19,7
91 Paray-Vieille-Poste	2,7 (10 %)	13,8	53,6	25,5
91 Villebon-sur-Yvette	1,6 (8 %)	6,7	73,2	37,4
91 Wissous	1,5 (9 %)	7,2	32,1	11,6
92 Boulogne-Billancourt	19,4 (8 %)	100,8	581	250,7
92 Courbevoie	19,8 (10 %)	50,4	395,8	201,7
92 Levallois-Perret	9,2 (8 %)	52,5	358,1	171,8
92 Neuilly	12,9 (9 %)	60,7	259,3	81,7
92 Puteaux	22 (10 %)	42,2	440,7	219,5
92 Saint-Cloud	5,9 (8 %)	33,6	135,5	53
94 Chevilly-Larue	2,7 (8 %)	15,7	104,5	54,1
94 Rungis	3,8 (10 %)	2,9	75,4	46,4
95 Roissy-en-France	1,5 (10 %)	1,6	30,5	21,6

Nota. – (1) Entre parenthèses, taux de l'écrêtement. (2) Dotation globale de fonctionnement.

• **Budget** (1991). 10,6 milliards de F dont transports et circulation 39,5 %, formation 40,8, dépenses de fonctionnement 4,5. *Recettes :* impôts directs 20,9, indirects, contribution de l'État – de 25.

• **Fiscalité locale.** Dès 1991, 500 millions de F devront être prélevés sur les 56 communes les plus riches d'Ile-de-France, en application de la réforme Rocard (prélèvement direct sur les recettes fiscales des communes riches).

• **Agriculture. Terres** (en milliers d'ha, au 1-1-1990, estim.). 1 196,5 dont *S.A.U.* 596,8 [t. arables 572,5, herbe 20,3, jardins familiaux 7,8 ; + de 6 000 ha (8,54 m² par h.) ouverts au public ou en cours d'aménagement ; acquisitions prévues : 3,5 ha au N. de Paris entre la forêt de Bondy et celle de Montmorency (espaces existants 0,6)], cult. fruitières 2,8, lég. frais et secs 64,8 ; *bois* 255,9 (80 ouverts au public soit 74 m² par hab., 156 millions de promeneurs en 1980) ; *t. agr. non cult.* 14 ; *t. non agric.* 303,4. **Prod. végétale** (milliers de t) blé tendre 1 914,4, better. ind. 2 631,9, maïs-grain 584,9, orge et escourgeon 297,7. **Prod. animale** (milliers de têtes, au 1-1-89, estim.) bovins 52,3, ovins 27,2, porcins 19,1, équins 4,4, caprins 2. *Lait* (au 1-1-90, estim.) 472 455 hl.

• **Tourisme** (au 31-12-90). Hôtels classés 2 126 (101 183 ch.). Campings-caravanings 136 dont 101 classés (17 186 empl.). Auberges et Logis de France 48 (603 ch.). Gîtes 185 (1 421 pl.). Hébergements pour jeunes : UCRIF 16 centres (1 095 ch., 3 343 lits) ; auberges de jeunesse 4 (587 lits). *Part fréquentation hôtelière (en nuitées) en Ile-de-Fr. par rapport à la France entière (en %) :* 1 étoile 19,2, 2 ét. 20,3, 3 ét. 30,2, 4 ét. et luxe 60,1.

• **Transports.** Voyageurs (en millions, 89). Métro 1 221,1. R.A.T.P. 808,1 (dont lignes régulières de jour 779,1). R.E.R. 325,9. S.N.C.F. banlieue 524 (banlieue/Fr. entière 63,5 %, 61,6 % en 87) ; (en 1991, estim.) 550. *Longueur des réseaux S.N.C.F.* (en km, au 1-1-1991) : 1 282 km avec gares ; lignes R.E.R. 273,5 km (soit totalité ligne C : 169 km, partie Ouest ligne A : 35,5 km, partie Nord ligne B : 54 km, totalité ligne D : 15 km). *Taxis :* 14 300 voitures. *Nombre de déplacements par jour* (1988) : 19 232 000 (1965 : 11 400 000) dont effectués en voiture 60 %, transports en commun 30 % (Paris 60 %), deux-roues, marche 10 %. *Projets :* électrification Tournan-Coulommiers (1991), La Ferté-Alais-Malesherbes (1992). Ouverture de la gare Porte de Clichy ligne C du R.E.R. (1991). Prolongement ligne A du R.E.R. à Cergy-le-Haut (1993). Tunnel entre Châtelet et Gare de Lyon pour prolonger ligne D du R.E.R. sur les lignes du S.-E. (1995). Ligne EOLE (future ligne E du R.E.R.) entre banlieue Est et 2 gares nouvelles Nord-Est et St-Lazare-Condorcet (1997).

Achèvement de l'autoroute A 86 vers l'Ouest d'ici 1998. Création d'autoroutes à péage à l'Ouest et au Sud-Est pour décongestionner Paris ; la « Francilienne » reliera les 5 villes nouvelles. Création d'une ligne régulière de 25 km de bateaux-bus entre Alfortville et Suresnes.

Aéroports de Paris (trafic commercial passagers (1989, en millions) 45 dont Orly 24,3, Roissy 20,7.

• **Logements. Parc** (1984). *Paris* 1 264 244. *Petite-Couronne* 1 647 008 dont Hauts-de-Seine 625 961, Seine-St-Denis 524 415, Val-de-Marne 481 948. *Grande-Couronne* 1 552 542 dont Yvelines 449 126, Essonne 364 820, Seine-et-Marne 356 690, Val-d'Oise 340 258. *Total* 4 463 794 (comprenant rés. principale, rés. secondaire + log. vacants). Paris (1990) 1 305 518.

50 000 personnes au moins sont sans domicile dont 15 000 dorment dehors, les autres étant hébergées par des tiers ou dans des foyers surpeuplés.

Équipement (1984, en %). Rés. principales sans confort (sans eau ou eau froide seulement) 6,6 ; de confort insuffisant (eau, W.C., sans installations sanitaires ou bien eau, sans W.C., avec install. san.) 6,6 ; de confort acceptable (eau, W.C., I.S., sans chauffage central) 8,8 ; avec tout le confort 78,8. Il y avait en 1982 (entre parenthèses, pop. concernée) 306 400 logements sans confort (eau froide seulement) (512 000), 51 820 ch. meublées (66 200), 4 660 habitations de fortune (12 360). *Principaux biens d'équipement* (milieu 87, taux d'équipement) : réfrigérateur 95,7, téléphone 92,7, téléviseur 91,8, tél. couleur 79,2, lave-linge 79,7, automobile 68,2, lave-vaisselle 27,3, congélateur 22,5. **Nombre de pièces** (1984, en %), *1 :* 12, *2 :* 22,4, *3 :* 27,3, *4 :* 21,7, *5 :* 10, *6 :* 6,6. **Logements mis en chantier** (en milliers) : *1982 :* 43 (individuels 15, collectifs 28), *83 :* 40 (i. 15, c. 25), *84 :* 37 (i. 17, c. 20), *85 :* 39 (i. 16, c. 23), *86 :* 40 (i. 16, c. 24), *87 :* 49,2 (i. 21,8, c. 27,4).

• **Ceinture verte.** 118 700 ha (entre 10 et 30 km du centre de Paris) dont : espaces verts publics ou privés d'usage public 57 880, esp. ouverts d'usage privé dont la protection est à renforcer 52 820, esp. d'accompagnement 8 000.

Départements

Voir légende p. 748.

Paris (75)

Place de Paris dans la vie nationale (en %). Terr. national 0,022 : population 4 ; sièges sociaux des banques 96 ; s. des Stés d'assurance 70 ; s. d'autres entreprises 45 ; prof. libérales 39 ; emplois tertiaires 25 ; recettes fiscales 45.

Description

• **Situation.** A 372 km en amont de l'embouchure de la Seine. *Lat.* N. 48°50′*11″*, *long.* 0° [long. françaises : à partir du méridien passant à l'Observatoire de Paris (2°20′14″ E. du méridien de Greenwich)]. *Alt.* (m) Montmartre 130 (max.), Télégraphe 129, Ménilmontant 118, Belleville 115, Buttes-Chaumont 101, Montsouris 78, Charonne 65, Butte-aux-Cailles 60, Montagne-Ste-Geneviève 60, Maison-Blanche 53, Grenelle 26 (min.). *Périmètre :* 36 km, *long.* (est-ouest) : 12 km, *larg.* (nord-sud) : 9 km.

• **Seine.** *Superficie.* 140 ha. *Longueur* (dans la traversée de Paris) 13 km. *Niveau* à peu près constant (cote env. 26,39 m). *Crue la plus forte* 8,76 m en 1910 (7,13 m en 1955).

• **Enceintes.** *Superficie en ha.* **1re** *enc.* : (sous Jules César, 43 av. J.-C.) 45,28 ; **2e :** (375 apr. J.-C.) 38,78 ; **3e** : (Philippe Auguste, 1211) 252,85 ; **4e** : (1385) 439,20 ; **5e** : (1581) 483,60 ; **6e** : (1634) 567,80 ; **7e** : (1686) 1 103,70 ; **8e** : (Fermiers généraux, 1788) 3 370,45 ; **9e** : (1840) 3 450 [12 arrondissements, 48 quartiers]. **1898** : 7 802 ha (dont zone annexée 4 352) ; **1925** : 8 622 ; **1947** : 10 516 ; **1982** : 10 539,7 (dont Paris 8 692,8, bois de Vincennes 994,7, de Boulogne 845,9, Seine 6,3) dont *habitations* 3 949 ha.

• **Arrondissements.** *Superficie en ha et,* entre parenthèses, *population* (1990). **1er** : 182,6 ha (18 697) ; **2e** : 99,2 (20 595) ; **3e** : 117,1 (35 014) ; **4e** : 160,1 (32 246) ; **5e** : 254,1 (61 187) ; **6e** : 215,4 (48 104) ; **7e** : 408,8 (63 259) ; **8e** : 388,1 (41 279) ; **9e** : 217,9 (58 137) ; **10e** : 289,2 (90 112) ; **11e** : 366,6 (153 780) ; **12e** : 637,7 (131 476) ; **13e** : 714,6 (170 856) ; **14e** : 562,1 (136 611) ; **15e** : 850,2 (224 790) ; **16e** : 784,6 (169 429) ; **17e** : 567 (161 955) ; **18e** : 600,5 (187 497) ; **19e** : 678,6 (163 893) ; **20e** : 598,4 (185 761).

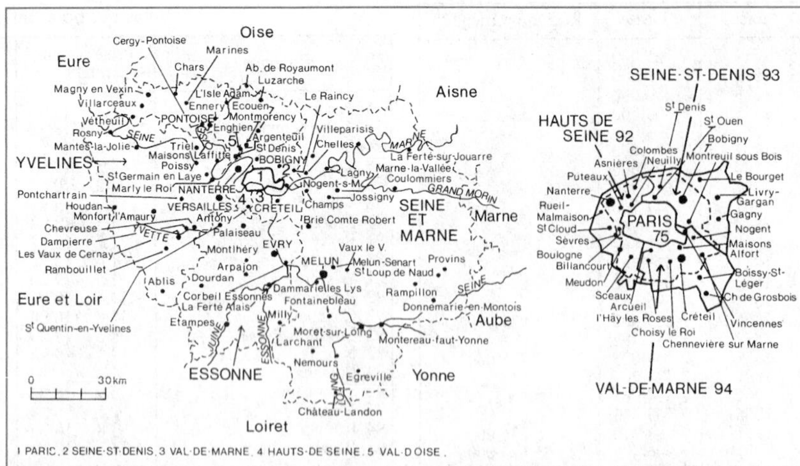

• **Population.** Voir p. 773a. **Densité :** *1975 :* 21 820 ; *82 :* 20 647 ; *89 :* 20 770. **Répartition par âge (en %, au 1-1).** *0 à 4 ans :* 4,4 ; *5 à 14 a. :* 7 ; *15 à 24 a. :* 14,1 ; *25 à 34 a. :* 19,4 ; *35 à 64 a. :* 36,1 ; *65 a. et + :* 17. **Étrangers :** env. 361 572 selon la préfecture dont 356 544 ayant une carte de séjour.

Familles. *Nombre :* 1 097 452. *En % :* cadres et prof. intellectuelles supérieures 23,2, retraités 17,6, ouvriers 17,2, employés y compris personnel des particuliers 14,1, prof. intermédiaires, anciennement cadres moyens, plus contremaîtres 13,7, artisans, commerçants et chefs d'entreprises 8,3.

• **Population active** (1982). 1 016 748 dont (en %) employés 24,1, ouvriers 19,7, cadres sup., profess. libérales 18,8, cadres moyens 17,6, personnel de service 10,2, patrons de l'ind. et du comm. 6,6, salariés agric. 0,1, exploitants agric. 0,04, autres catégories 2,8.

Personnel de l'État et des services publics affecté à Paris (au 31-12-86). 373 410 dont *rémunérés par les trésoreries générales de la région :* 193 793 (tous services confondus). *Services publics :* 179 899 dont P. et T. 66 392, Assistance publ. 37 837, S.N.C.F. 30 601, R.A.T.P. 23 758, E.D.F.-G.D.F. 15 101, Banque de Fr. 6 210.

Quelques dates

56 av. J.-C. la 1re enceinte de Paris renferme 15,28 ha. **52-51** les Romains conquièrent le village des Parisii et l'appellent Lutèce. **IIIe ou IVe s.** ap. J.-C. Paris. **V. 280** après l'invasion germanique, 1re enceinte (île de la Cité). **355** l'empereur Julien, nommé César des Gaules, réside à P. (357-358). **375** 2e enceinte. **451** Ste Geneviève détourne Attila de P. **V. 508** Clovis à P. Fondation de l'église des Saints-Apôtres (Ste-Geneviève). **VIIIe s.** les Carolingiens délaissent P. **IXe s.** invasions normandes. **888** Eudes, Cte de P., élu roi de France. **957** 1re foire du Trône. **987** Hugues Capet, Cte de P., élu roi de Fr. **1163** début de la construction de N.-D. **1183** 1er pavage des rues [*Croisée de Paris :* 4 voies se croisant à partir du Châtelet ; dalles de grès ou de pierre, carrées (1,50 m de côté et 0,35 à 0,40 m d'épaisseur)] ; construction des Halles. **1180-1210** enceinte de « Philippe Auguste » (252,85 ha). **1254** St Louis fonde l'hôpital des Quinze-Vingts. **1257** Sorbonne créée. **V. 1260** prévôts et jurés de l'Association des marchands de l'eau deviennent les prévôts des marchands et échevins. **1268** les marchands de l'eau adoptent la devise « Fluctuat, nec mergitur » (il flotte et ne coule pas), devenue celle de P. **1356-57** captivité de Jean le Bon. États généraux dirigés par Étienne Marcel, prévôt des marchands de P. E. Marcel installe la municipalité dans la Maison aux Piliers, place de Grève. **1367-83** enceinte de Charles V (rive droite) (439,20 ha). **1420-36** les Anglais à P. **1436** P. se rend à Charles VII, qui s'installe en 1437 dans les dépendances de l'hôtel St-Pol. **V. 1470** Louis XI quitte P. et s'installe à Plessis-lez-Tours. **1489** parution du 1er indicateur des rues. **1533** le prévôt des marchands Pierre Viole pose la 1re pierre du nouvel Hôtel de Ville à l'emplacement de la Maison aux Piliers. **1546** début des travaux du Louvre. **1581** enceinte de Henri II. **1594**-*22-3* Henri IV rentre à P. **1605** il fait construire la place Royale, future pl. des Vosges. **1610** H. IV assassiné. **1622** l'évêché de P. devient archevêché et cesse de dépendre de Sens. **1634** H. IV étend l'enceinte v. l'ouest. **1670** construction des Invalides. **1680** L. XIV abandonne P. pour Versailles. **1686** nouvelle enceinte. **1717** extension de l'enceinte. **1728** au coin de chaque rue, plaques de fer-blanc avec son nom. **1753** aménagement de la place L. XV, future pl. de la Concorde. **1764** L. XV pose la 1re pierre du Panthéon. **1782** 1ers trottoirs (rue de l'Odéon). **1784-91** enceinte des *Fermiers Généraux* avec pavillons d'octroi de Ledoux. **1786** destruction des maisons qui subsistaient sur 4 ponts. **1787-97** construction du mur d'octroi des Fermiers Généraux. **1789**-*25-6* constitution de la Commune de P., les électeurs parisiens occupent l'H. de Ville et remplacent l'ancienne municipalité (1 prévôt des m., 4 échevins, 36 conseillers, 16 quarteniers) par une assemblée générale comprenant, en outre, 12 électeurs des 3 ordres ; *13-7* 1re réunion de cette ass. ; elle prend comme force armée les gardes-françaises ; *14-7* celles-ci s'emparent de la Bastille ; *15-7* Jean-Sylvain Bailly 1er maire de P. ; *6-10* la famille royale ramenée à P. s'installe aux Tuileries. **1792**-*9-8* Danton chasse le Comité de 1789 et le remplace par une commune révolutionnaire, dont les troupes renverseront la monarchie le lendemain. **1793**-*21-1* exécution de Louis XVI ; *2-6* la Commune de Paris (*maire :* Pache) renverse les Girondins pour le compte des Montagnards ; *23-11* elle se rallie aux « Enragés » (Hébertistes). **1794**-*10-5* Robespierre met fin à son pouvoir politique (Pache remplacé par Fleuriot-Lescot) ; *28-7* celui-ci est guillotiné avec Robespierre ; *31-8* explosion de la poudrerie du château de Grenelle (1 000 †). **1795**-*22-8* constitution de l'An III divise Paris en 12 municipalités indép.

1800 début de la suppression des ruisseaux au milieu des rues ; *17-2* la Loi du 28 pluviôse an VIII crée dans chacun des 12 arr. un maire et 2 adjoints, notables nommés par le gouvernement. Le préfet de la Seine réside à l'hôtel de ville ; le conseil général de la Seine (Paris, Sceaux, St-Denis) y siège : pas de conseil municipal. **1804**-*2-12* sacre de Napoléon Ier à N.-D. **1805** érection de la colonne Vendôme. Numérotage régulier des maisons (pair à droite et impair à gauche, en partant de la Seine ou en suivant son cours). **1810** 1re carte géologique des environs de Paris (par Cuvilier et Brongniart). **1814**-*31-3* capitulation, entrée des Coalisés ; *3-5* entrée de Louis XVIII. **1815**-*20-3* entrée de Nap. Ier ; *7-7* occupation par les Coalisés ; *8-7* retour de Louis XVIII. **1825** 1er essai d'éclairage au gaz par la Cie du Gaz (place Vendôme). **1830**-*27/28/29-7* révolution. **1832** choléra ; combat de la rue du Cloître-St-Merry. **1833** sondage de Grenelle à l'angle des rues Haüy et Bouchot (1er s. profond du Bassin parisien) : atteint 548 m en 1841. **1834** colonnes-urinoirs [*« rambuteaux »*, du nom du préfet qui les implanta, Claude Berthelot, Cte de Rambuteau (1833-46) ; appelées *vespasiennes* vers 1834-55, du nom de l'empereur Vespasien (9-79 apr. J.-C.) qui créa un impôt sur les urinoirs] ; *15-4* combats de la rue *Transnonain ; 20-4* loi créant un conseil municipal de 36 membres élus (3 par arr.). **1837** 1er chemin de fer p. : P. à St-Germain. **1840** nouvelle enceinte militaire construite par le Gal Guillaume Dode de La Brunerie (1775-1851, Mal de Fr. 1847). **1842** essais de pavage en bois (1881 : rue Montmartre et bd Poissonnière sur 3 000 m²). **1844** 1ers essais d'éclairage électrique, place de la Concorde (puis 1878 : av. de l'Opéra, pl. du Théâtre-Français). **1848**-*23/24-2* révolution ; *23/26-6 :* insurrection ouvrière. **1850** installation des égouts ; eau potable. **1851**-*2-12* coup d'État du Pce Louis-Napoléon. **1852** Haussmann, préfet de la Seine ; travaux (3 tranches qui coûtèrent 272 millions de F, 410 m. et 300 m.). **1854** Baltard construit les pavillons des Halles. **1859** annexion de 11 communes à P. : nombre d'arrondissements porté à 20 (526 000 h., 7 800 ha). **1860** *travaux d'Haussmann :* voies rayonnantes de la place de l'Étoile ; achèvement Louvre-Opéra ; aménagement de bois et de jardins ; construction de 10 nouveaux ponts ; fontaines, construction de 14 bassins et de 1 500 km de conduites d'eau potable alimentées par les pompes de l'usine hydraulique de St-Maur et par 2 grands aqueducs qui amènent de l'eau de 131 km dans le réservoir de Ménilmontant et de 140 km dans le réservoir de Montsouris ; grand collecteur d'égouts. **1868** 150 colonnes commandées à *Morris,* imprimeur des affiches théâtrales (en 1986 concession renouvelée pour 224 col.). **1870**-*4-9* proclamation de la République. *Sept.* siège et bombardement par les All. (émeutes). **1871**-*janv./mars/mai* fin du siège, insurrection de la Commune, incendie (Tuileries, Hôtel de Ville). **1874-82** Hôtel de Ville reconstruit. **1878** exposition universelle ; palais du Trocadéro. **1884** obligation de déposer les ordures dans des récipients [appelés plus tard *« poubelles »,* du nom du préfet Eugène Poubelle (1831-1907) qui en prit l'initiative]. **1889** exposition univ. ; Tour Eiffel. **1900** 1re ligne du métro : « Porte Maillot-Porte de Vincennes » ; exposition univ. ; Grand Palais, Petit Palais, pont Alexandre-III. **1910** inondations. **1920-21** démolition de l'enceinte de Louis-Philippe. **1937** exposition univ. **1940-44** occupation allemande. **1944**-*25-8* libération ; *26-8* de Gaulle défile sur les Champs-Elysées. **1964**-*10-7* découpage du département de la Seine en 4 départ. dont Paris (effet au 1-1-1968). **1968**-*mai* insurrection des étudiants. **1975**-*31-12* réforme du régime administratif. **1977** *mars* élection du 1er maire de Paris (J. Chirac) dep. la Commune. **1983** nouveau statut de Paris.

Statut

• **I – Anciens statuts. 1°) Loi du 5-4-1884.** *Exécutif :* préfet de Paris (distinct du prés. du Conseil de Paris) ; préfet de Police. *Conseil de Paris* (élu pour 6 ans au scrutin de liste majoritaire à 2 tours) : compétences limitées prévues par la loi ; son Pt (élu tous les ans avec les autres membres du bureau) : dirige les débats et représente la ville dans les cérémonies officielles. Le *budget d'investissement* doit être approuvé par arrêté du min. de l'Intérieur et du min. de l'Écon. et des Finances.

2°) Loi du 31-12-1975. Le territoire de Paris recouvre 2 collectivités distinctes ; la commune et le département, de limites identiques.

a) Commune de Paris (20 arr., 80 quartiers). Dep. le 20-3-1977, Paris est soumis, à l'exception des pouvoirs de police, au code des communes. **Conseil municipal :** 109 m., fait son règlement intérieur, peut être dissous par décret motivé en Conseil des min. Ne peut être suspendu. **Maire :** élu par scrutin de listes bloquées majoritaires à 2 tours, 18 *secteurs électoraux* comprenant de 1 à 2 arrond., et de 4 à 11 sièges. **Adjoints :** 18 réglementaires, 9 supplémentaires max. **Commission d'arrondissement** (composée à part égale de conseillers élus dans la circonscr. élect., d'officiers municipaux nommés par le maire, de membres élus par le Conseil de P.) : se réunit à la mairie d'arr. qui prend le nom de *mairie annexe.* Donne son avis sur les affaires soumises par le Conseil de P. ou le maire, assiste maire et Conseil pour animer la vie locale. **Préfet de police.** Voir plus loin.

b) Département de Paris. Conseil de Paris. Exerce les attributions dévolues aux conseils généraux. **Préfet de la Région Ile-de-France est aussi Préfet de P.** Il est l'exécutif du dép. à côté du maire, Pt du Conseil de P. et exécutif de la ville.

• **II – Nouveau statut.** Loi du 31-12-1982 appliquée dep. mars 1983. Le 4-10-82 le conseil municipal de Paris avait marqué son opposition (par 71 voix contre 36), et le Conseil d'État avait donné un avis défavorable, mais le texte, adopté le 23-10-82 à l'Ass. nat. par 322 voix contre 159 a été déclaré conforme à la const. par le Conseil constitutionnel (saisi par l'opposition) le 28-12-82.

• **Conseil de Paris : siégeant en formation de conseil municipal.** Élit un maire. Pouvoirs (voir ci-contre). Vote le budget. Seul habilité à lever l'impôt, décide des grands équipements, des transports. Le maire de Paris réunit à sa demande les conseillers d'arrondissements. **Siégeant en formation de conseil général.** Attributions dévolues aux conseils généraux. Son Pt (le maire de Paris) est l'exécutif du département. *Membres* (1990) : 163. R.P.R. 92, U.D.F. 51, P.S. 16, P.C. 3, non inscrits et écologistes 1.

Listes à Paris en 1977 : 149, 875 candidats pour 109 sièges ; *en mars 83 :* 131, 3 422 cand. pour 163 s. de conseillers de Paris et 354 s. de conseillers d'arrondissement ; *en 1989 :* 123, 3 257 candidats.

• **Arrondissements.** 20.

• **Élections.** *Conseillers d'arr. et conseillers municipaux sont élus en même temps sur une liste unique, au suffr. univ. direct et à la représentation proportionnelle.* **Scrutin ;** majoritaire et proportionnel. Si une liste obtient + de 50 % des suffrages exprimés au 1er tour, elle reçoit 50 % des sièges ; le reste est réparti à la proportionnelle entre toutes les listes (y compris la majoritaire). Si un 2e tour est nécessaire, la liste arrivant en tête obtient 50 % des s., le reste étant réparti à la proportionnelle entre toutes les listes qui ont obtenu plus de 5 % des voix. Chaque arr. a obligatoirement 3 sièges, les 103 autres sièges étant répartis proportionnellement au nombre d'habitants de chaque arr. dépassant 39 813 h. (chaque conseiller représentant 13 271 h.). **Répartition des sièges par secteurs** (coïncidant avec les arr., entre parenthèses n° des secteurs) 3 s. (1er, 2e, 3e, 4e, 6e, 8e), 4 s. (5e, 9e), 5 s. (7e), 6 s. (10e), 10 s. (12e, 14e), 11 s. (11e), 12 s. (19e), 13 s. (13e, 16e, 17e, 20e), 14 s. (18e), 17 s. (15e). Les membres du conseil mun. élus dans l'arr. sont membres de droit du conseil d'arr.

Maires d'arrondissement élus dans chaque arr. par les conseillers d'arr. (8 j après l'élection du maire de Paris) ; adjoints territoriaux au maire de P. Officiers municipaux inéligibles au Conseil de Paris pendant 1 an, après avoir cessé leurs fonctions.

Adjoints élus par le conseil d'arr. : nombre max. : 30 % du nombre des membres du conseil d'arr.

Vacance. Le renouvellement intégral du conseil d'arr. est obligatoire dès qu'il existe 1/3 de vacances qui ne peuvent plus être pourvues par suite de l'épuisement des listes de candidats. La dissolution du Conseil de Paris entraîne celle des conseils d'arr.

• **Conseils d'arrondissements. Composition.** 354 conseillers (max. 40 par arr.). Ne peut demander l'inscription à l'ordre du jour du conseil mun., de propositions de délibérations intéressant les affaires de l'arr., mais peut poser au conseil mun. des questions orales avec débat et adresser des questions écrites au maire de la commune sur les affaires intéressant l'arr. (si pas de réponse dans les 3 mois, questions inscrites de droit à l'ordre du jour de la 1re séance du conseil mun.). Peut émettre des vœux sur tout ce qui concerne l'arrondissement. Avant examen par le conseil mun., est saisi pour avis des rapports de présentation et projets de délibération concernant les affaires dont l'exécution est prévue dans l'arr. Est consulté par le maire de la commune avant délibérations du conseil mun. sur les plans d'occupation des sols et les projets de zones d'habitation, de rénovation, réhabilitation, de zones ind. et artisanales concernant l'arr.

Délibère sur l'implantation et le programme d'aménagement de divers équipements publics : crèches, maisons de jeunes et de la culture, gymnases, bains-douches, petits espaces verts (moins d'un hectare). Il en fixe les conditions de gestion. Possède des attributions dans le domaine social pour les logements répartis pour moitié par le maire de la commune et pour moitié par le maire d'arr. **Pouvoirs.** Le représentant de l'État maintient certains équipements dans la compétence du conseil mun. ; les dépenses de fonctionnement des équipements transférés seront supportées par le conseil d'arr.

• **Maire. Élections.** Élu par les conseillers d'arr., il est membre du conseil mun. de P. **Pouvoirs.** Prépare et exécute les délibérations du conseil d'arr. Il est officier d'état civil mais n'exerce pas les attributions d'officier de police judiciaire. Il donne son avis « sur toute autorisation d'occupation ou d'utilisation du domaine public dans l'arr. délivrée par le maire de la commune sauf si la commune exerce son droit de préemption ». Répartit la moitié des logements attribués par la commune de l'arr.

Personnel. La création des conseils d'arr. n'entraîne la mise en place d'aucun service nouveau, ni le recrutement d'aucun personnel supplémentaire. Certains agents de la com. sont mis à leur disposition. Les personnels de la com. exercent leurs activités dans le cadre des compétences du conseil d'arr. et sont affectés auprès du maire d'arr.

Budget. Le conseil d'arr. ne peut lever l'impôt (voir Conseil municipal). Pour assurer son financement, il adopte chaque année un budget annexé au budget de la commune. Le conseil mun. arrête le montant total des dotations des arr. Les modalités de calcul de la dotation de chaque arr. sont fixées par accord entre le conseil mun. et les conseils d'arr. ; sinon, la dotation est fixée selon des règles définies par décret en Conseil d'État, en fonction de l'importance démographique de l'arr., de ses caractéristiques socio-professionnelles, de ses équipements. Le maire de l'arr. engage les dépenses inscrites à l'état spécial quand celui-ci est devenu exécutoire ; à défaut de mandatement obligatoire, le maire de la commune y procède d'office (après mise en demeure).

Associations : le Conseil mun. doit consulter le conseil d'arr. sur le montant des subventions que le conseil mun. attribue aux associations exerçant dans le seul arr. ou au profit des seuls habitants de l'arrondissement.

Un comité d'initiative et de consultation d'arr. réunit les représentants des associations locales ou membres de fédérations, ou confédérations nationales qui en font la demande et qui exercent leur activité dans l'arr., au cours d'une séance par trimestre au moins. Les représentants de ces associations participent, s'ils le sollicitent, aux débats du conseil d'arr. avec voix consultative.

• **Préfet de Paris.** Est également préfet de la Région Ile-de-France.

• **Préfet de police.** Institué par une loi du 28 pluviôse an VIII (17-2-1800). Détient les pouvoirs de police générale et de police municipale. Veille à la sûreté de l'État dans Paris, assure ordre, tranquillité et salubrité publiques.

Compétence territoriale : limitée d'abord à P., puis étendue à toute la Seine (avec certaines restrictions), puis à 3 départ. créés le 10-7-1964 (Hts-de-Seine, Seine-St-Denis, Val-de-Marne) ; puis limitée à nouveau à P. les 31-7-1970 et 20-7-1971 (police), mais conservée [gestion administrative des personnels de la police, incendie (la brigade de sapeurs-pompiers étant à la disposition du préfet de police) et protection civile].

Exerce aussi les pouvoirs de préfet de zone de défense dans les 14 dép. de la 1re région militaire (Paris, H.-de-Seine, S.-St-Denis, Val-de-M., Essonne, Yvelines, Val-d'O., Seine-et-M., Eure-et-L., Loiret, Loir-et-Cher, Indre-et-L., Indre, Cher).

Forces politiques

	Députés					Conseillers généraux (conseillers de Paris pour Paris)								
	F.N.	P.C.	P.S.	R.P.R	U.D.F.	P.C.	P.S.	R.P.R.	U.D.F.	U.D.F. apparentés [7]	M.R.G.	C.N.I.	div. d.	Vert
Paris [1,8]	0	0	5	13	3	3	18	74	5	48		7	9	1
Val-de-Marne	1	2	4 [2]	3	2	20	9	9	2	5		2	2	
Seine-St-Denis	2	3	4	3	1 [3]	21	7	9	3					
Hauts-de-Seine	1	1	4	4	3	10	3	1	4	9		1		
Yvelines [4]	1	1	4	4	2	1	5	13	5	10			5	
Val-d'Oise [4]	1	1	3	2	2	9	5	4	2	11	1		7	
Essonne [4]	1	1	4	2	2	7	6 [5]	16	2	4		2	5	
Seine-et-Marne [4]	1	1	3	3	1	2	10	13 [6]	2	4	1		7	
Total Ile-de-France	10	10	34	29	16	73	63	139	25	91	2	12	35	1

Nota. – (1) Le nombre de députés a été ramené de 31 à 21 (1981-86). (2) Dont Roger-Gérard Schwartenberg, Pt du M.R.G. (3) Membre du C.D.S. (4) Communes de plus de 3 500 h. (5) Dont I.P.S.-diss. (6) Dont 1 R.P.R.-C.D.S. (7) Dont U.D.F.-P.R. 41, U.D.F.-C.D.S. 31, U.D.F.-Rad. 13, U.D.F.-Parti Social-démo 2, U.D.F.-Club Perspectives et Réalités 2, U.D.F. diss. 1, U.D.F.-P.R. diss. 1. (8) En 1991. *Conseillers de Paris :* P.C. 2, P.S. 19, R.P.R. 78, U.D.F. 51, div. D. 12, Vert 1. *Députés :* P.S. 5, R.P.R. 12, U.D.F. 3, div. D 1. *Sénateurs :* P.S. 1, R.P.R. 8, U.D.F. 3. *Conseillers régionaux élus dans le département de Paris :* P.S. 15, R.P.R. 12, U.D.F. 5, div. D. 7, F.N. 3.

• **Maires de Paris. Ancien Régime.** 2 magistrats (prévôt de Paris, prévôt des marchands).

• **Révolution [13-7-1789 au 9 thermidor an II (27-7-1794)].** *Jacques de Flesselles* (1721-89) [nommé prévôt des marchands 21-4-1789 (après démission de Le Peletier) ; élu Pt de l'assemblée gén. créée le 26-6 (municipalité + 12 électeurs des 3 ordres), fonction équivalente à celle de maire, massacré le 14-7]. *Jean-Sylvain Bailly* (1736-93) : 16-7-1789 au 14-11-1791, exécuté 12-11 ; *Jérôme Pétion de Villeneneuve* (1769-93) : 14-11-1791 au 6-7-1792, puis du 13-7 au 30-11-1792, se suicida 1794 ; *Philibert Borie* (intérim du 7 au 13-7-1792) ; *René Boucher* († 1811, intérim du 15-10 au 2-12-1792) ; *Nicolas Chambon de Montaux* (1748-1826) : 30-11-1792 au 2-2-1793 ; *Jean-Nicolas Pache* (1746-1823) : mars 1793 au 10-5-1794 ; *Jean-Baptiste Fleuriot-Lescot* (1761-94) : 10-5 au 28-7-1794 [après son exécution, la Convention administra directement la Ville. 20-3-1795, émeutiers nomment provisoirement maire *Joseph Cambon* (1750-1820)]. **Ier Empire.** Athanase Bricogne, maire du 6e arr., doyen des 12 maires de Paris, tient, au cours des cérémonies officielles, un rôle d'apparat. **IIe République. 1848** (24-2) *Louis-Antoine Garnier-Pagès* (1803-78) au 10-3-1848 ; *Armand Marrast* (1801-52) au 19-7-1848. **Gouvernement de la Défense nationale. 1870** (4-9) *Etienne Arago* (1802-92) au 18-3-1871 ; *Jules Ferry* (1832-93) « Délégué à la préfecture de la Seine ». **IIIe et IVe Républiques.** Pas de maire, mais 1 Pt du Conseil municipal (élu pour 1 an). **Ve République. 1977** (25-3) *Jacques Chirac* (n. 29-11-32), réélu 21-3-1983 et 19-3-89.

• **Préfets de la Seine (depuis 1944). 1944** (19-8) Marcel Flouret (1892-1971), **1946** (30-8) Roger Verlomme (1890-1950), **1950** (10-7) Georges Hutin (1899-1978) (intérim), **1950** (22-8) Paul Haag (1891-1976), **1955** (2-9) Emile Pelletier (1898-1975), **1958** (1-6) Richard Pouzet (1904-71) (intérim), **1958** (1-10) Jean Benedetti (n. 3-6-1902), **1963** (12-9) Raymond Haas-Picard (1906-71).

• **Préfets de Paris. 1964** Raymond Haas-Picard (1906-71), **1966** (10-8) Maurice Doublet (n. 8-4-14), **1969** (21-2) Marcel Diebolt (n. 7-2-12), **1971** (29-11) Jean Verdier (1915-74), **1974** (27-11) Jean Taulelle (n. 15-4-14), **1977** (25-3) Lucien Lanier (n. 16-10-19), **1981** (8-8) Lucien Vochel (n. 19-7-19), **1984** (14-9) Olivier Philip (n. 31-8-25), **1991** (1-1) Christian Sautter (n. 9-4-40).

• **Préfets de la région Ile-de-France.** *16-3-77* Lucien Lanier, *8-8-81* Lucien Vochel, *23-8-84* Olivier Philip, *1-1-91* Christian Sautter.

• **Préfets de police (depuis 1944). 1944** (19-8) Charles Luizet (1903-47), **1947** (20-3) Armand Ziwès (1887-1962) (intérim), **1947** (9-7) Roger Léonard (n. 1898), **1951** (12-4) Jean Baylot (1897-1976), **1954** (13-7) André-Louis Dubois (n. 8-3-03), **1955** (12-11) Roger Génébrier (n. 16-5-01), **déc. 1957** André Lahillonne (n. 17-9-02), **1958** (15-3) Maurice Papon (n. 3-9-10), **1966** (27-12) Maurice Grimaud (n. 11-11-13), **1971** (13-4) Jacques Lenoir (n. 13-8-18), **1973** (2-7) Jean Paolini (n. 3-3-21), **1976** (3-5) Pierre Somveille (n. 12-11-21), **1981** (8-8) Jean Périer (n. 28-5-25), **1983** (9-6) Guy Fougier (13-3-32), **1986** (17-7) Jean Paolini, **1988** (16-8) Pierre Verbrugghe (n. 8-4-29).

• Personnel de la Ville de Paris (1990). *Total :* 35 049 dont Cabinet du maire 354, Secrétariat gén. du Conseil 558, Direction gén. de l'Information et de la Communication 93, de l'Inspection générale 44 ; Administration gén. 2 566. Mairies 1 037. Direction des Finances et Affaires éco. 368, de l'Action sociale, enfance et santé 4 737, des Aff. culturelles 1 856, des Aff. scolaires 4 678, de l'Aménagement urbain 141, de la Protection de l'Environnement 8 676, secrétariat général 68, de l'Informatique et télécomm. 335, délégation gén. à la prévention et à la protection 31, de la Construction et logement 774, de la Jeunesse et des Sports 2 059, des Parcs, jardins et espaces verts 3 961, de la Voirie 1 266, de l'Architecture 1 374, des Relations intern. 26. *Agents catégorie C :* + de 22 000, *cat. A :* 3 000. 45 % des emplois A et B sont occupés par des femmes. En 1989, 834 postes pourvus par 81 concours externes ou internes. *Salaires mensuels :* 5 000/7 500 F : + de 50 %, 7 500/10 000 F : 30 %.

Journaux : 16 dont 4 créés en 1989.

Budget 1990 de la Ville de Paris

• Budget de fonctionnement. **Recettes :** 18 016 millions de francs. *Répartition (en %).* Impôts directs : produits des rôles 37,4, dotation de compensation 7,1 % ; dotation globale de fonctionnement versée par l'État 23,3 ; recettes perçues pour services rendus (ordures ménagères, balayage) 7,9 ; impôts et taxes indirects 7,4 ; revenus des domaines 9,2 ; divers 8,7. Perte d'impôts compensée par une dotation de l'État de 1 195 millions de F.

Dépenses. 18 016 millions de F. *Répartition (en %).* Fonctionnement des services 23,2 ; département de Paris 14,4 ; police 4,6 ; bureau d'aide sociale 4,9 ; autofinancement 9,1 ; charge de la dette 7,4 ; divers 1,7. *Par action municipale (en %) :* action scolaire 17,5 ; eau et propreté 19,7 ; action culturelle et sportive 11,3 ; assainissement et voirie 9,8 ; moyens des services 15,3 ; environnement et urbanisme 10,2 ; action sociale (hors subvention au bureau d'aide sociale) 7,3 ; divers 8,9.

Priorités du budget 1991 *(en milliards de F).* Voirie 243 (+ 27,5 %), logement 1 552 (+ 46,4 %), politique sociale 5 300, environnement 297, budget de fonctionnement 18 601 (+ 4 %), contribution au budget spécial de la police 920 (+ 12,7 %).

• Budget d'investissement (recettes) : 47 020,2 millions de F. Autofinancement des investissements 1 430 ; emprunts 1 551 ; recettes foncières 2 255 ; compensation de TVA 395 ; subventions 223,5 ; dotation globale d'équipement 100, contribution du département 100 ; amendes de circulation 60.

Dépenses principales : urbanisme, construction, logement : 2 675, voirie, propreté, espaces verts : 1 434,5, équipements sociaux, scolaires, sportifs, culturels : 1 346,8.

• Fiscalité (en %). *1978 :* 17,6 , *1979 :* 20 , *1980 :* 13, *1981 :* 13, *1982 :* 13, *1983 :* 13,2, *de 1983 à 1989 :* + 15 (prix : + 36, dépenses + 27, investissements + 63). *Sur 100 F d'impôts locaux, la Ville de Paris perçoit (en 1990) :* taxe professionnelle 56,80 F, t. d'habitation 25,40 F, t. foncière 17,80 F.

Sur 100 F payés par un contribuable parisien, la Ville de Paris consacre (en 1990) : action sociale 15,20 F, autofinancement d'une partie des investissements destinés à la réalisation d'équipements publics et les charges et dettes 18,70, aux moyens administratifs des services 13, à l'action scolaire, sportive et culturelle 15,90, à l'environnement (eau, propreté, espaces verts) 18,90, à la police 4,60, à la voirie 3,70, aux transports 8,30, divers 1,70.

Assainissement et propreté

Voies publiques. *Longueur :* 1 574,5 km, caniveaux 2 800 km. Trottoirs 9,3 km², chaussées à nettoyer 17,5 km². **Ordures ménagères.** 1 216 000 t par jour (soit 1,4 kg/j et par hab.). **Feuilles mortes :** *ramassage :* 12 000 m³ par an. **Affichage sauvage et graffiti** (1988) : surfaces désaffichées 389 402 m², nettoyées de graffiti 173 119 m², candélabres nettoyés 202 520. **Chiens (nombre).** 200 000 (1 000 t de déjections par an sur les trottoirs). **Pigeons** *(nombre) :* 35 000, graines contraceptives distribuées 15 t, pigeons déplacés 20 703. **Verre perdu :** 86 000 t par an ; récupéré : 18 000 t, cartons collectés 1 250 t, journaux, magazines 1 250 t, bois 800 t (déchetterie), métaux 1 000 t (déchetterie). **Engins :** *bennes* 516, *triporteurs* 180, *engins spécialisés* 8, *engins utilitaires polyvalents* 522, *engins de nettoiement* 336 dont 100 caninettes 70. **Chaussées :** engins de nettoiement des chaussées 157. **Caniveaux :** balayeuses-ramasseuses 24. 1 689 361 t d'ordures ménagères ont été incinérées dans 3 usines.

Cimetières

Nombre. 20 cimetières (421,98 ha), représentant 667 025 concessions. **Intra-muros (en ha, 1982) :** *20e :* Père-Lachaise (1804) 43,20 ; Charonne (avant 1791) 0,42. *19e :* Belleville (1808) 1,65 ; La Villette (1828) 1,13. *18e :* Montmartre (1825) 10,48 ; St-Vincent (1831) 0,59 ; Calvaire (av. 1791) 0,06. *17e :* Batignolles (1833) 10,42. *16e :* Auteuil (1800) 0,72 ; Passy (1820) 1,75. *15e :* Grenelle (1835) 0,64 ; Vaugirard (1798) 1,50. *14e :* Montparnasse (1824) 18,72. *12e :* Bercy (1816) 0,62. **Extra-muros :** *94 :* Thiais 103,36 ; Ivry (1874) 28,39. *93 :* Pantin (1886) 107,6 ; St-Ouen (1872) 27,08 ; La Chapelle (1850) 2,10. *92 :* Bagneux (1886) 61,52.

Nota. – 1989 : 12 756 inhumations, 3 129 *incinérations,* 11 898 exhumations.

Circulation et voies publiques

• Quelques dates. **1893** plaques minéralogiques. **1896** bâton blanc. **1900** sifflet. **1910** sens unique. **1923** feu rouge (carrefour Strasbourg-St-Denis) : le feu vert puis le feu orange sont ajoutés plus tard. **1954-55** interdiction de l'utilisation des avertisseurs.

• Autobus. 57 lignes d'autobus (réseau 518,07 km). Voyages effectués sur les lignes régulières : 315 millions. Nombre moyen de parcours par jour ouvrable en période de plein trafic : 1,12 million. Nombre de voyageurs/par km effectué : 725 millions. **Couloirs réservés aux autobus** (créés le 24-2-1964). 362 sur 115 km dont 31 à contresens.

• Axes rouges. 27 km dans Paris, mis en service 1991. Il est interdit de s'y arrêter et même parfois d'y stationner. Coût de l'opération 24 millions de F (22 000 panneaux de signalisation, peinture sur chaussée). Sur l'axe nord-sud, la vitesse moyenne est passée de 13 km/h à 16 km/h.

• Circulation. **Entrées et sorties dans Paris** (moyennes journalières de 6 à 21 h) 2 650 000, dont *entrées* 1 350 000, *sorties* 1 300 000 (*1963 :* 664 294 e. et 652 314 s.). 2 % seulement des Parisiens sont très satisfaits des conditions de circulation à Paris ; 19 % plutôt satisfaits, 72 % pas satisfaits du tout (sondage « Le Point », sept. 89).

Débit sur les axes principaux (véhic. par j ouvrable, et dimanche et fêtes, en milliers). Champs-Élysées (Rond-point) 75, av. du Gal-Leclerc (Victor-Basch) 55, voie Georges-Pompidou (pont Royal au pont du Carrousel) 53,5 (39), rue de Rivoli (1er) 56,8 (44,5), bd St-Germain (7e) 45, voie sur berge rive gauche (7e) 39,9 (25), bd de Sébastopol 38,9 (34) [*périphérique :* 7 000 000 par km/j].

• Déplacements (nombre par an) 7 000 000 entre Paris et sa banlieue (voitures part. 35 %, transports en commun 59 %, 2-roues 2 %, taxis 4 %). Les 1 200 km de voirie ne peuvent accueillir que 120 000 voitures à la fois. *Seuil de paralysie :* À partir de 2 voitures sur 20 en Ile-de-Fr., circulant au même moment.

• Embouteillages. + 400 % en 10 ans. 100 millions d'heures gaspillées dans les embouteillages en 1985 (perte de 5 milliards de F).

• Infractions (1987). *Contraventions :* 7 550 382 dont 6 451 284 aux règles du stationnement. *Couloirs d'autobus :* 50 574 procès-verbaux pour stationnement, 10 882 pour circulation. *Vitesse :* 115 251 contrôles d'excès de vitesse (traffipax et radars).

• Signalisation. Mobilier urbain pour l'inform. (MUPI) 1 600. Panneaux d'inform. locales et touristiques (MILT) 112. Plaques de rues 70 000 dont éclairées 1 300. Plans d'arrondissement 460, touristiques 112. Panneaux de sign. réglementaires 60 000 ; feux tricolores 10 000. Carrefours équipés en sign. tricolore 1 350 dont 1 090 coordonnés et 260 régulés. Caissons indicatifs bicolores pour piétons 9 000. Éclairage : 60 000 supports (candélabres et appliques murales). Niveau d'éclairement (lux) : *1940 :* 1 ; *1980 :* 13 ; *1988 :* 15-16.

• Stationnement. **Quelques dates. 1930 :** stationnement à durée limitée dans certaines voies ; interdit dans les voies étroites où un véhic. à l'arrêt ne permet pas le libre passage d'une file de voitures dans les voies à sens unique et de 2 files dans les autres voies. **1937 :** trottoirs utilisés pour le stationnement à l'occasion de l'Exposition. **1939 :** st. sur les trottoirs des Champs-Élysées. **1948 :** st. des véhic. autorisé d'un côté de la chaussée au cas où le st. des 2 côtés ne pourrait laisser passage à 2 files de voitures : du côté des nos pairs les jours pairs, des nos impairs les jours impairs. **1949 :** st. *en épis* autorisé sur certaines voies ; interdit sur les voies larges où le trafic ne permet pas le libre passage de 1 ou 2 files de voitures. **1957** *(4-11) :* création de la *zone bleue* (hachurée de bleu sur les plans) après des expériences avec des papillons de couleur collés sur les pneus. Adoptée dans de nombreuses villes en France et à l'étranger. **1971** *(15-9) :* 1er stationnement payant à Paris. **1981 (24-7) :** suppression de la zone bleue.

Capacité de stationnement (1990). 791 808 places dont : *sur la voie publique* 84 808 ; *dans les parcs publics de la ville* 52 000 ; *les garages commerciaux* 305 000 ; *les cours et garages privatifs* 350 000.

Nombre de véhicules en stationnement. Env. 700 000 à l'h. de pointe. *Sur la voie publique :* stat. autorisé 215 000 à 225 000 ; interdit 45 000 à 70 000.

Infractions. Env. 68 000 voitures stationnent chaque jour en infr., 425 sont emmenées à la fourrière.

Stationnement payant. Rapporte env. 400 millions par an. **Parcmètre :** *coût* 1 600 F. En général payant de 9 h à 19 h sauf dimanche et jours fériés (et pour certains en août) : durée max. autorisée 2 h sauf abonnement. Si le parcmètre est en panne, mettre un disque, stationnement limité à 1 h 1/2. **Horloge horodatrice :** *coût* 25 000 F (pose comprise). *Nombre* (févr. 1985) 42 033. **Tarif** (Paris) *par heure :* zone centrale : 5 F, Champs-Élysées : 6 F, z. périphérique : 4 F, z. extér. : 3 F. Abonnement résidents (10 à 12 F par j en 1982 pour 10 h de stationnement et au max. 24 h consécutives ; ils doivent prendre un ticket chaque jour) ; V.R.P. 700 F.

Agents de surveillance (dites contractuelles, « aubergines » puis « pervenches »). *Créées* 1971 (nouvel uniforme à partir du 3-3-1978). *Nombre :* 1 500 pour 53 000 places payantes.

Lieux de stationnement. Parisiens (en %) *la nuit.* Voie publique 48 dont situation licite 28, illicite 24,2, zone payante 9 ; hors voirie 52 dont emplac. privé loué 30, acheté 10, parc public ou commercial 7.

• Véhicules. **Parc automobile :** 848 218 véhicules immatriculés « 75 » (1987).

• Voies. **Longueur (v. publiques).** 1 574,5 km (*1817 :* 220 km ; *1892 :* 823 km), *v. privées* ouvertes à la circulation 36,2 km ; *v. piétonnières* 14 km (créées 28-5-1964) : *3 secteurs :* Halles (18 v.), Beaubourg (13 v.), St-Séverin (7 v.), 29 voies-marchés, 20 v. touristiques à titre temporaire. **Boulevard périphérique** 35 km (débit 1 000 000 véh./j), **des Maréchaux** 33,7 km, **Voie express** *r. droite* 13 km (débit max. 94 573 véh./j) dont v. sur berges 5,03 km, v. sur quai eau 5,1 km, passage et v. en souterrain 2,87 km (7

Cité des Sciences et de l'Industrie

Superficie. Parc de La Villette 30 ha (conçu par Bernard Tschumi). Cité 160 000 m² dont 30 000 d'exposition permanente. **Bâtiment.** Au sol 3 ha, long. 270 m, larg. 120 m, haut. 147 m (hall haut. 40 m) aménagé par Adrien Fainsilber. **Géode.** Trame porteuse de tubes d'acier, recouverte de 6 433 triangles galbés en acier inox. Diam. 36 m. 370 places, écran hémisphérique de 1 000 m² (long. 26 m), film 70 mm (il y a environ 50 géodes dans le monde). **Employés.** 290 permanents, 134 contrats, 41 mis à la disposition.

Budget de fonctionnement. *1986 :* 625 millions de F (dont État 545). *87 :* 700. *88 :* 800 (dont recettes 240).

Quelques dates. 1955 : projet de rénovation des abattoirs, 1er devis : 120 millions de F. **1958 :** projet d'abattoirs modernes, 2e devis : 600 MF. **1959 :** création d'un marché d'intérêt nat. de la viande. **1974 :** dépenses engagées 1 100 MF, fermeture le 15-3. **1977 :** le Pt Giscard d'Estaing fait étudier la réalisation d'un musée des Sciences et de l'Industrie et l'aménagement d'un parc de 25 ha, nomme Roger Taillibert architecte en chef, charge Maurice Lévy d'une étude sur l'intérêt et le contenu du musée. **1979 :** établissement public créé (Pt Paul Delouvrier), décembre Taillibert et M. Lévy sont « remerciés ». **1980 :** Adrien Fainsilber nommé arch. du musée. **1983 :** comité d'orientation (J.-Cl. Pecker, Pt, renvoyé 7-7), *nov.* M. Lévy nommé dir. du musée. **1985 :** coût total 4 450 MF [total à l'achèvement 10 000 MF en valeur 84 (dont contenant 2 890, contenu 1 560)], *6-5* Pt Mitterrand inaugure la Géode, *23-5* M. Lévy nommé Pt de la Cité. **1986** *14-3 :* 50 % des équipements permanents sont ouverts au public. **1987** *nov. :* Christian Marbach Pt. **1989 :** Roger Lesgards Pt.

Visiteurs. 1985 : 3 500 000. **86 :** 890 000. **87 :** 2 700 000. **88 :** 3 700 000 ; **89 :** 2 980 000 ; Géode 1 776 345 spectateurs (remplissage 80 %) ; total fréquentation : 5 000 000.

☞ **Coût budgétaire total des grandes opérations :** voir p. 361 c.

sout.) ; *r. gauche* 3,3 km dont sur berges 2,206 km, passage et v. en sout. 247 m (3 sout.).

Noms. Attribués (une dizaine par an) par une Commission municipale chargée d'examiner les centaines de propositions faites chaque année. La désignation d'une desserte déjà existante n'est jamais changée. (1 exception, la place de l'Étoile devenue Charles-de-Gaulle en 1970). Le nom d'une personnalité décédée depuis – de 5 ans n'est jamais attribué. On cherche souvent à donner une unité thématique à un quartier. (Noms de musiciens pour les rues proches de la Cité de la Musique dans le 19e.) *Attributions récentes :* Nijinsky (4e), Gaby Silvia (11e), Max-Ernst (20e).

Passages souterrains 41 dont bd des Maréchaux 17. 11 construits avant *1939 :* porte Dauphine, porte Maillot (2 passages), portes Champerret, de Clichy, Clignancourt, la Chapelle, la Villette et Italie, pont du Carrousel et quai de New York. *1950 :* 28 dont 10 pour la voirie des Halles (4,2 km).

Périphérique. Voie la plus chargée de France : chaque jour 1 100 000 véhicules. + 6 % par an. Vitesse moyenne : – de 30 km/h aux heures de pointe. Projet : doublement de la porte de Bagnolet – porte d'Auteuil [tunnel à env. 30 m sous terre (longueur + de 5 km)].

Places. *Concorde* 360 × 210 m ; *Vendôme* 313 × 22 et 124 ; *Charles-de-Gaulle* (Étoile) diam. 240 m.

Plaques commémoratives. Env. 1 630 (+ 8 plaques en 91) dont 1 215 répertoriées. 76 consacrées à une femme (dont résistantes 23, femmes de lettres 13). 610 retracent les actions de la g. 1939-45 (max. dans le XVe ; min. dans les IIe et IXe), 266 rappellent hommes ou femmes de lettres.

Ponts. 35 (5 km mis bout à bout) dont 30 routiers (37 traversées de Seine), 3 passerelles (piétons, cyclistes), 3 ponts ferroviaires (métro, S.N.C.F.). **Pont le plus ancien :** Pont Neuf [(1578-1604) long. 238 m, larg. 20 m, consolidé de 1887 à 1890)], **le plus large :** Alma [(1970-74) larg. 42 m]. **Ponts métalliques** : Viaduc d'Austerlitz (R.A.T.P.), P. Sully, P. Saint-Louis, P. au Double, P. d'Arcole, P. Notre-Dame, Passerelle des Arts (1802-04), P. de Solférino (Etat), P. Alexandre III, P. de l'Alma, Passerelle Debilly, P. de Bir-Hakeim, P. Rouelle (S.N.C.F.), P. de Grenelle, P. Mirabeau, P. du Garigliano.

Rues. Nombre : *sous Louis XIV* 653 ; *1898 :* 2 545 rues, 82 boulevards, 31 ponts ; *1967 :* 5 300 rues ; *1990 :* 6 400 (dont 110 *boulevards*). **Les plus longues :** *Vaugirard* 4 360 m (407 n[os]), *Pyrénées* 3 515 (403 n[os]), *St-Germain* (bd) 3 150 (288 n[os]), *Rivoli* 3 070 (252 n[os]), *Lafayette* 2 980, *Voltaire* (bd) 2 850 (294 n[os]), *Malesherbes* (bd) 2 600, *St-Dominique* 2 430, *Raspail* (bd) 2 370 (255 n[os]), *St-Honoré* 2 120, *Flandre* 2 000, *Champs-Élysées* 1 910, *St-Jacques* 1 530. **La plus courte :** *des Degrés* 5,75 m. **Les plus larges :** *Foch* (av.) 120 m, *de Vincennes* (cours) 83. **La plus étroite :** rue du Chat-qui-pêche (2,50 à 7 m). **Passage le plus étroit :** de la Duée (0,60 m). **Superficies.** *Chaussées :* 1 412 ha. *Trottoirs :* 1 020 ha.

Concessions

• **Grandes concessions.** *Tour Eiffel,* voir Index, *Parc des expos.* de la porte de Versailles (220 000 m²), *3 hippodromes* (Auteuil, Longchamp, Gravelle), *Jardin d'acclimatation, Parc zoologique* du bois de Vincennes, *Palais des sports* (porte de Versailles), *Centre international* de Paris, *4 théâtres* (Gaité Lyrique, Cartoucherie, Marigny, Th. du Rond-Point), *musées* des Arts et Traditions populaires, des Colonies, *Jardin* Agronomie tropicale, *Résidence de Windsor, hôt. Sofitel, Institut bouddhique, Bourse des valeurs, Champ de Mars, École de chiens* guides d'aveugles, *Grand Palais, terrain de camping* du Bois de Boulogne et terrain du Grand Palais, *Pavillon de l'Ass. française d'Astronomie, Huit jardinets, Avenue Gabriel, terrain du musée des Arts africains et océaniens, Station météo* du Parc Montsouris, *Centre de l'Enfance* du Château de Longchamp, *Poney Club* du Domaine de Beauregard.

• **Concessions diverses.** *25 restaurants et cafés,* dans les jardins des Champs-Élysées 5, bois de Boulogne 10, de Vincennes 4, Buttes-Chaumont 3, Montsouris 1, Arsenal 1. *356 kiosques* à journaux ou à fleurs. *147 postes de journaux* du soir. 220 *bouquinistes,* 32 *boules oranges. Terrasses* de cafés et restaurants, 16 500 permissions d'étalages. La Bourse du Travail est un établissement public municipal.

• **Trottoirs** (prix du m²). 4 100 rues de Paris réparties en 6 catégories tarifaires. Prix pour le 1er tiers du trottoir par jour et par m² : 10 à 85 centimes (Champs-Élysées) pour une terrasse ouverte ; 7 fois plus si la terrasse est fermée (elle doit être démontable en 8 h). Au-delà les tarifs triplent. Pour un étalage, un commerçant paye de 8 à 60 centimes par m² par jour. *Revenu total* (en millions de F, par an) : pour 15 500 terrasses et étalages 42,5, objets en saillie 76 (balcon, avenue Foch : 563 F à sa construction et 73 F par m² chaque année ; enseigne perpendiculaire lumineuse : 200 à 594 F le m²).

Consommation (annuelle)

• **Alimentaire.** Fruits et légumes 1 540 956 t, prod. de la mer et d'eau douce 104 813 t, prod. carnés 482 854 t, prod. laitiers et avicoles 224 418 t, eau potable 869,38 m³/j, non potable 389,34 m³/j. *Énergie* (1981) : 2 tep/hab. (moy. nat. 3,4 tep/hab.) ; *gaz* 11,6 milliards de kW dont usage domestique 4,7, commercial 6,8, industriel 0,1 ; *combustibles minéraux solides* 186 000 t ; *carburants* (m³) : essence 81 000, super 697 500, gas-oil 336 000, fuel-oil domestique 492 000 t, lourd 248 000 ; *électricité,* consom. intérieure 327 milliards de kWh.

• **Eau. Réseau :** *eau potable :* 1 758 km, *non potable :* 1 620 km. **Volume d'eau usée épurée** par jour : 2 500 000 m³. **Capacité de stockage de l'eau potable :** 1 200 000 m³ en 9 réservoirs dont : St-Cloud 426 000, L'Hay-les-Roses 200 000, des Lilas 208 000, Montsouris 202 000, Ménilmontant 92 000, Belleville 6 800, Montmartre 6 300. **Consommation d'eau brute :** 400 000 m³, (de source 60 %, de rivière 40).

Eglises

Env. 150 dont 96, construites avant la loi de 1905 sur la séparation de l'Église et de l'État, appartiennent à la ville. Env. 50 protégées au titre des Monuments Historiques. En 10 ans, Paris a consacré près d'1 milliard de F à leur restauration. (*1990 :* 67 millions. *1991 :* 80 millions pour la restauration de St-Gervais, St-Germain-l'Auxerrois, St-Jacques-du-Haut-Pas, St-Thomas d'Aquin, St-Roch et l'achèvement des travaux à la Trinité et St-Augustin).

Espaces verts

• **Total** (1990) : 2 860 ha env. de jardins publics municipaux dont bois de Vincennes et bois de Boulogne, de l'État 135 ha, privés 212,4 ha ; 377 jardins, squares ou parcs ouverts au public (335,2 ha) ; 118 jardinets décoratifs (10,9 ha) ; 366 ensembles décoratifs sur la voie publique (8,7 ha) ; 20 cimetières (422 ha) dont 14 à Paris (92 ha) ; espaces verts dans les établissements sportifs, scolaires (37,7 ha) ; talus du périphérique (58,5 ha). **Création.** *1985 :* 1,5. *86 :* 5 (dont ZAC Gare de Charonne 1,5). *87 :* 1,9. *88 :* 6,3 (dont promenade quai de Grenelle 1,4). *89 :* 3,7 (dont promenade Bastille-Bois de Vincennes 1,1). **Chaussées** 1 412 ha. **Trottoirs** 1 020 ha. **Nombre de m² par hab.** Paris 11,55 (Rome 9, Londres 9, Berlin 13, Vienne 25).

• **Principaux parcs et jardins publics municipaux intra-muros** (en ha). Buttes-Chaumont 24,7 ; Champ-de-Mars 24,3 ; Montsouris 15,5 ; Champs-Élysées 13,7 ; Parc Omnisport Suzanne-Lenglen 13,4 ; André Citroën 13 ha ; Trocadéro 9,4 ; Monceau 8,5 ; Georges-Brassens 8,4 ; Ranelagh 6 ; Chapeau Rouge 4,7 ; j. des Halles 4,10 ; Belleville 4 ; Gare de Charonne 1,5 ha.

Espaces verts publics appartenant au domaine de l'État. Tuileries 30 (min. de la Culture) ; Louvre-Palais Royal 2,09 (min. de la Culture) ; Jard. des Plantes 23,5 (Muséum d'Hist. nat.) ; Luxembourg 22,5 (Sénat) ; jard. de l'Hôtel des Invalides, de l'Observatoire, de la Cité internat. univ., Parc de la Villette 30.

Projets. Parc de Bercy 13 ha, jardin sur dalle de la ZAC Pasteur-Montparnasse 3,42 ha, promenade plantée Bastille-Bois de Vincennes 6,5 ha, jardin de Reuilly 1,5 ha.

• **Arbres. Plantations d'alignement par essence** (en %, au 1-9-1990). Platanes 35 000 (40,9), marronniers 13 500 (15,9), sophoras 7 500 (8,8), tilleuls 7 540 (8,07), érables 5 300 (6,2), robiniers 2 580 (3), frênes 2 300 (2,7), cédrelas 2 180 (2,6), peupliers 1 400 (1,6), ormes 1 350 (1,6), paulownias 1 130 (1,3). 1 arbre sur 5 a + de 70 ans. 17 000 sont susceptibles de dépérir dans les 10 ans (1 700 à remplacer chaque année).

Nombre total : 478 000 dont alignements 85 000, parcs et jardins 32 000, cimetières (intra et extra-muros) 31 700, boulevard périphérique 13 000, cours d'écoles 6 000.

Records. *Arbres les plus vieux :* robiniers ou faux acacias, Jardin des Plantes et square Viviani (plantés en 1601). *Le plus haut :* platane hybride avenue Foch, 42 m de haut. *Le plus gros :* platane d'Orient du parc Monceau (circonférence 7,05 m à 1 m du sol).

• **Bois de Boulogne. Surface** 845,9 ha (massif boisé 327,6 ha, parties jardinées et squares 85,3 ha ; pelouses rustiques 93 ha, voirie 106,4 ha, plan d'eau 27,7 ha, plaines de jeux Parc de Bagatelle 24 ha. Concessions 160 ha). **Routes** 57,10 km (dont fermées à la circulation autom. 19,4 km). **Allées** cavalières 31,38 km. **Pistes cyclables** 13,9 km.

Histoire. *1852 :* la Ville de Paris acquiert le bois (partie de l'ancienne forêt de Rouvray) ; Alphand (Directeur du service des promenades de Napoléon III) chargé par Haussmann d'aménager le bois. *Travaux :* 14 ans. 420 000 arbres plantés, 17 lacs créés reliés par des rivières, etc.

Animaux. Quelques faisans (1 000 lâchés en 1945), cygnes, canards, écureuils, paons à Bagatelle, quelques lapins, taupes, hérissons, mulots, rats, souris, oiseaux, etc. (La dernière biche a été capturée en 1936.)

Arbres. Massifs boisés 315 ha. Chênes 54 à 58 %, érables 10 à 11 %, pins 6 %, marronniers 5 %, robiniers 4 %, divers 13 %. *Le plus vieux :* hêtre pourpre de 206 ans, 27 m de haut, 5,06 m de circonférence (Pré-Catelan). *Le plus haut :* platane de 141 ans, 39 m de haut, 4,46 m de circonférence (Bagatelle). *Le plus gros :* chêne rouvre, 201 ans, 26 m de haut., 6,60 m de circonférence (Pré Catelan).

Concessions. *2 hippodromes :* Longchamp 58 ha, Auteuil 36 ha. *Jardin d'acclimatation* 19 ha ; musée des Arts et traditions populaires 5,7 ha ; 13 restaurants, 6 buvettes. *9 concessions sportives* 34 ha dont *Racing* 6,65 ha, *Tir aux Pigeons* 8,1 ha ; *Centre international de l'Enfance* (château de Longchamp) ; *Polo* de Paris 8,7 ha ; *Étrier* 1,64 ha ; *Stade Roland-Garros* 4 ha ; *camping* 3,5 ha ; *cercle hippique* du bois de Boulogne 2 ha ; *tir à l'arc* 1,6 ha ; *tennis-club-house Jean-Bouin* 0,4 ha ; *2 jeux de boules* 5,3 ha.

Entretien. (1990) 336 personnes, dont 82 cantonniers (voirie), 128 jardiniers, 19 bûcherons, 33 gardes, 4 fontainiers, 14 forestiers (Eaux et Forêts dont 4 détachés de l'O.N.F.), 13 personnels administratifs et techniques (dont 3 ingénieurs), 43 personnels d'architecture.

Bagatelle. 24 ha ; rosiers 10 000 dont 900 variétés, roseraie 1 ha ; 1 400 000 bulbes lors de l'exposition de printemps, jardin d'iris et collection de clématites, nymphéas et pivoines ; 1,5 km de buis taillés, 5 000 m² de plans d'eau ; *visiteurs :* env. 470 000 par an.

Jardin du Pré Catelan. 8,1 ha ; comprend le jardin Shakespeare.

• **Bois de Vincennes. Surface** 994,7 ha [massifs forestiers 352 ha, pelouses rustiques 156,9 ha, plaines de jeux 43,3 ha, voirie 134,6 ha, lacs et pièces d'eau (n.c. îles) 23,43 ha, rivières 3,5 ha. Enclos de reboisement fermés 70 ha. **Routes** 74,89 km (dont fermées à la circulation autom. 29,6 km). *Allées cavalières* 18,8 km. *Pistes cyclables* 9,1 km. **École d'horticulture du Breuil** 22,5 ha (Arboretum 13 ha).

Histoire. *1858-66* aménagé par Jean-Charles Alphand. *1860* cédé à la Ville de Paris ; création du lac Daumesnil. *1931* exposition coloniale. *1934* inauguration du zoo. Dep. *1954* démolition de bâtiments militaires Napoléon III et IIIe Rép., création de l'allée Royale prévue dans les plans du XVIIIe s. *1982* chênaie reconstituée.

Animaux. Quelques faisans, cygnes, 100 canards, écureuils, quelques lapins, taupes, mulots, rats, souris, hérissons, fouines, chauves-souris, une centaine d'espèces d'oiseaux.

Arbres. Massifs boisés 467 ha. En % : chênes 40, érables, robiniers, hêtres, pins et marronniers 60. *Total* 150 000 arbres dont 36 700 plantés de 1983 à 85. **Le plus haut :** cyprès chauve de la Louisiane de 131 ans, 35 m de haut., 3,85 m de circonf. **Le plus gros :** platane Orientalis de 129 ans, 29 m de haut., 4,46 m de circonf. **Le plus vieux :** chêne rouvre 206 ans, haut 29 m, circonf. 4,07 m.

Concessions. 72,60 ha : 4 *Jeux de boules* (2,66 ha) ; *5 restaurants, 9 buvettes* (3,98 ha) ; *10 équipements sportifs ;* tir à l'arc (0,18 ha) ; Tennis Club de Joinville (0,40 ha) ; *Institut bouddhique* (0,82 ha) ; *INSEP* (29,4 ha) ; *Club équestre* Bayard-U.C.P.A. (2,84 ha) ; *hippodrome* (50 ha) ; *stade de Joinville* (5,5 ha) ; *carrière hippique* (0,9 ha) ; *chiens guides d'aveugles* 0,28 ha ; *cartoucherie* 5,94 ha.

Entretien (1990). 277 personnes dont 85 cantonniers, 100 jardiniers, 23 bûcherons ; 33 gardes (surveillance), 6 cultivateurs, 1 fontainier, 4 détachés de l'O.N.F., 4 forestiers, 3 ingénieurs, 18 personnels d'architecture.

Parc Floral. 30,8 ha dont 21 jardinés, 5 833 arbres ; vallée de fleurs (0,9 ha, 100 000 plantes) ; jardins du dahlia (0,5 ha), de plantes de terre de bruyère

(3,2 ha) : rhododendrons, azalées, hydrangéas... ; de plantes vivaces (jardin des 4 saisons, j. de senteurs, j. de plantes médicinales) ; massifs d'arbustes et arbres (11 ha), floraux (2,2 ha), pelouses (7 ha), bassins et fontaines (0,8 ha). *Visiteurs :* 1 548 000 en 1990.

• **Ceinture verte.** Au début du XXe s. on envisage d'aménager 780 ha sur la zone des fortifications et sur un espace de 250 m en avant des murs. Cependant, dès la destruction des murs, en 1919, on commença par construire les HBM (Habitations à Bon Marché) au lieu de planter. En 1939, il ne restait déjà plus que 270 ha pour cette ceinture.

En 1953, la *loi « Bernard Lafay »* autorisa les constructions à condition d'aménager des espaces verts équivalents à l'intérieur de la cité. 50,7 ha ont été construits dont 38,6 ha pour des équip. publics, 44 ha d'esp. verts ont été réalisés dans Paris au titre de la compensation, 90,8 ha sont en cours de réalisation ou en projet, soit 134,85 ha d'esp. verts. Entre les HBM et le boulevard périphérique, la Ceinture verte se présente comme une chaîne fragmentée de squares et jardins (parc Kellermann, square de la Butte du Chapeau Rouge), de stades, groupes scolaires, hôpitaux et cimetières.

Logement

• **Immeubles d'habitation.** 77 000 dont appartenant à des particuliers 44 100, Stés commerciales diverses 12 000, Ville de Paris 5 000, S.C.I. 6 000, Cies d'assurances 2 000, Office public des H.L.M. 1 766, E.D.F.-G.D.F. 964, État 798, S.N.C.F. 782, banques 600, Assistance publique 458, Institutions religieuses 400, R.A.T.P. 195, Banque de Fr. 100. Tous les 10 ans, 10 % des immeubles sont achetés par des Stés commerciales diverses. 55 % des immeubles sont acquis en simple propriété, 45 % par des copropr. *Source :* Annuaire des propriétaires par rue.

• **Hôtels** (1990). 1 449 hôtels de tourisme dont 1 étoile : 299, 2 ét. : 369, 3 ét. : 442, 4 ét. luxe : 4.

• **Logements** (1988). 4 502 831. *Selon l'occupation (en %)* résidence principale 92, secondaire 2,3, logements vacants 5,7. *Selon la date d'achèvement (en %) avant 1949* 40, *de 1949 à 74* 42,6, *de 75 à 81* 11,2, *depuis 82* 6,1. *Selon le nombre de pièces (en %) 1 p.* 11,2, *2* 20,9, *3* 26, *4* 22,8, *5* 11, *6 et +* 8,1.

Confort (1989). 21 % sans sanitaires individuels et salles d'eau.

• **Statut des occupants** (en %, 1984). *Propriétaires* 24,2 (dont : propr. non accédants 15,3 accédants à la propr. 8,9). *Locataires* 61,2 (dont : HLM 9,8, non H.L.M. 51,4). *Sous-locataires et locataires de meublés* 5,2. *Logés gratuitement* 9,4.

• **Maisons.** *La plus vieille :* 51, rue de Montmorency (1407) ; construite par Nicolas Flamel. (Le 3 rue Volta est un pastiche du XIVe s. construit au XVIIe s.). *La plus petite* (m. du Grand Pignon) : 39, rue du Château-d'Eau (X^e arr.) ; 1,10 m de façade, 5 m de haut ; 1 rez-de-ch. et 1 étage.

Sécurité publique

• **Lutte contre la délinquance** (1989). *Anticambriolage :* 212 814 immeubles, caves, parkings visités. *Contre la drogue :* 8 166 mises à disposition de la P.J. dont 546 mineurs. *Contre l'alcoolisme :* 3 352 prélèvements sanguins enregistrés. *Sécurité métro :* 272 420 rames contrôlées, 268 895 stations visitées, 12 767 mises à disposition de la P.J., 72 177 conduites au poste. *Total des conduites au poste* 174 922 dont 33 901 mises à la disposition de la P.J.

• **Police judiciaire** (1989). 295 196 faits délictueux constatés, 25 806 individus conduits au dépôt.

• **Rondes et patrouilles** (1989). 109 580 sorties de véhicules, 1 748 876 km parcourus.

Seine

Crues. Cotes du Zouave [échelle du Pont de l'Alma ; le Zouave (œuvre de Georges Diébolt), en compagnie d'un grenadier, d'un chasseur à pied et d'un artilleur, ornait le 1er pont de l'Alma, construit en pierre de 1854 à 56. Lorsqu'un pont plus large a été construit, en acier, de 1970 à 74, le Zouave a été réinstallé au pied d'une des piles, le plus près possible de son niveau d'origine]. *1910 :* 8,62 m (8,03 m : rails noyés en gare d'Austerlitz). *1924 :* 7,52 m. *1955 :* 7,12 m. *1945 :* 6,85 m. *1972 :* 6,16 m (5,95 m : fermeture de la gare des Invalides). *1978 :* 5,73 m. *1988* (15-2) : 5,37 m. A 3,70 m, la voie express rive gauche est fermée et à 4,10 m pour la rive droite.

Pêche. *1900 :* 15 000 pêcheurs à la ligne en 350 associations ; au concours international entre l'île des Cygnes et la rive gauche, 57 concurrents prirent en 2 h 1/2 881 poissons (878 ablettes, 1 gardonneau, 2 chevesnes).

Sous-sol

Égouts : 2 100 km de galeries dont 1 600 km d'égouts, 500 km d'ouvrages secondaires (visite publique, circuit de 400 m, entrée pont de l'Alma). **Conduites :** *eau potable* 1 788 km transit et distribution ; *air comprimé* 781,675 km, dont 751,25 en égouts, 26,448 en terre (au 31-12-88) ; *gaz* 2 054 km (à moy. pression 266, à haute pression 20) ; *câbles électr.* 10 282 km (basse tension 3 372, moy. 6 772, haute 138). Réseau réalisé par l'ingénieur Belgrand et ses successeurs, essentiellement après 1850. Rénovation prévue : 20 ans. Coût 4 à 5 milliards de F financés par une augmentation du coût du m³ d'eau (*1990 :* 6,70 F, *1991 :* 7,03 F). **Réseau C.P.C.U.** (Cie parisienne de chauffage urbain) : 320 km. **Catacombes :** ossuaire de 11 000 m² appelé improprement catacombes, occupant 1,7 km de galeries d'env. 2,30 m de haut (sur 300 km d'anciennes carrières de pierres à bâtir). *Squelettes déposés :* 5 à 6 millions. *Temp. moy. :* 11 °C. *Accès :* escalier en colimaçon de 91 marches, prof. 19 m. *Origine :* fin XVIIIe s. Sous la plaine de Montsouris, au lieu-dit de la Tombe-Issoire (ou Issouard) on déposa des ossements du grand charnier des Innocents (dans le 1er arr., contenant les corps de 20 générations des 20 paroisses de la ville ; fin 1779, des caves voisines s'étaient effondrées sous le poids des corps).

Vie culturelle

Monuments et jardins 137, musées 97 dont municipaux 14, bibliothèques municipales 56, cirques 2, théâtres 93 (16 241 représentations en 1979), cafés-théâtres 32, cabarets-dancings 95, music-halls 27, orchestres 10, salles de concert 48, de concert de jazz 28, discothèques 27, salles de cinéma 336, galeries env. 300, maisons et clubs de jeunes 30, ateliers d'art et d'expression culturelle 425 (175 disciplines enseignées ; 250 000 utilisateurs).

Nota. – Sur 1 800 chansons à succès, 30 ont Paris dans leur titre *(Sous les ponts de Paris, Un gamin de Paris,* etc.).

Chiffres divers

Cafés env. 11 248. *Cliniques et hôpitaux* 407. *Colonnes-affiches* (470 lumineuses et 300 Morris). *Commerces* 98 217 dont : hypermarchés 22, supermarchés 72, grands magasins 44, magasins populaires 111, commerces non alimentaires 45 149, de détail 42 555, de gros 14 856. *Crèches collectives municipales* 190, *privées* 45, *familiales municipales* 39. *Fontaines Wallace* [de Lebourg ; 1872, par Richard Wallace (1818-90) philanthrope et collectionneur] grands modèles 60, petits 28. *Gymnases et établissements couverts* 285. *Haltes garderies* municipales 38, privées 84, jardins d'enfants municipaux 28, privés 14. *Hôpitaux publics* 44. *Kiosques à journaux ou à fleurs* 357. *Monuments et fontaines illuminés* 168. *Parcs et promenades ouverts au public* 377. *Piscines* 38 dont 33 municipales [dont piscine Molitor (arch. Lucien Pollet) depuis nov. 1989 à l'ISMH, doit être rénovée], 3 privées, 2 départementales. *P.T.T.* On distribue par jour : 15 068 493 *lettres,* 5 479 452 *journaux* et *périodiques,* 10 410 958 *télégrammes et plis non urgents. Restaurants, cafés, boîtes de nuit* env. 20 000. *Salons de coiffure* 5 150. *Stades et jardins de plein air municipaux* 257.

☞ On dénombre 30 253 *fonctionnaires de police,* 15 300 *médecins,* 4 115 *dentistes,* 30 993 *infirmiers,* 6 443 *masseurs kinésithérapeutes,* 1 809 *pédicures,* 980 *orthophonistes,* 1 117 *pharmaciens.*

Cité financière

3 projets. *Tolbiac :* 130 ha dont 50 de bureaux ; 900 000 m² de planchers. *La Défense :* 160 ha (+ 27 hors Défense-Ouest), 2 200 000 m² (+ 600 000 m² Défense-Ouest et 500 000 m² Zac-Danton et Valmy). *Intra-muros* (Bd des Capucines, Bonne-Nouvelle, Sentier) : 150 000 m² disponibles.

Essonne (91)

Superficie. 1 804,4 km² (50 × 40 km). **Alt.** max. 170 m (bois de Verrières), moy. 105 m (vallée de la Seine à Vigneux). **Population.** 1 084 827 h. (1990) [*1876 :* 135 911 ; *1911 :* 177 385 ; *1936 :* 286 896 ; *1954 :* 350 987 ; *1962 :* 478 521 ; *1968 :* 673 325 ; *1975 :* 923 061 ; *1982 :* 987 988]. D. 601 (90). *Répartition par âge (82) : 0-19 ans :* 312 620 (31,6 %) ; *20-64 a. :* 591 304 (59,9 %) ; *65 a. et + :* 84 064 (8,5 %). **Pop. active.** Ayant un emploi (82) 442 544 ; *pop. rurale :* 5,3 % de la pop. totale. *Salariés* (au 31-12-85) : 297 972 dont agric. 2 143, ind. (1986) 69 266, B.T.P. 22 567, tertiaire marchand 117 050, services non marchands 84 009.

Personnel de l'État et des services publics affecté en Essonne. *Rémunérés par les trésoreries générales de la région* (au 31-12-86) : 33 452 (tous services confondus). *Effectifs des principaux serv. publ. :* (au 31-12-87) : 14 403 dont P. et T. 8 344, S.N.C.F. 2 094, Assistance publ. 1 818, E.D.F.-G.D.F. 1 652, R.A.T.P. 422, Banque de France 73.

Villes. ÉVRY (ville nouvelle), 4 communes (50 675 h.), 2 000 ha dont env. 30 ha d'espaces verts, commune d'Évry 45 531 h. [*1831 :* 518 ; *1921 :* 1 146 ; *1954 :* 1 879 ; *1975 :* 17 803 ; *1982 :* 29 471] ; aéro. ; lac et parc urbain (13 à 30 ha). – *Angerville* 3 012 h. *Arpajon* 8 713 h. *Athis-Mons* 29 123 h. ; métall. *Ballancourt-sur-Essonne* 6 174 h. [ag. 15 191, dont *Itteville* 4 685, *St-Vrain* 2 307]. *Bièvres* 4 209 h. *Bondoufle* 7 719 h. *Boussy-St-Antoine* 5 924 h. *Brétigny-sur-Orge* 19 671 h. *Breuillet* 7 321 h. ; CNES. *Brunoy* 24 468 h. *Bures-sur-Yvette* 9 246 h. [1]. *Chilly-Mazarin* 16 939 h. *Corbeil-Essonnes* 40 345 h. [fusion en 1951 ; Corbeil *1831 :* 3 708 ; *1891 :* 8 184 ; *1946 :* 10 966 ; Essonnes *1831 :* 2 717 ; *1946 :* 10 032 ; Corbeil-Essonnes *1954 :* 22 891] ; minoteries, électro. métall. et prod. chim. constr. aéro. *Courcouronnes* 13 262 h. *Crosne* 7 966 h. *Dourdan* 9 043 h. *Draveil* 27 867 h. *Égly* 4 774 h. *Épinay-sous-Sénart* 13 374 h. *Épinay-sur-Orge* 9 688 h. *Étampes* * 21 457 h. [ag. 25 981 dont *Morigny-Champigny* 3 656 (*1831 :* 1 809 ; *1954 :* 11 890)]. *Étréchy* 5 950 h. (ag. 7 843) ; alum. *Fleury-Mérogis* 9 677 h. *Gif-sur-Yvette* 19 754 h., énergie atom. (C.E.A.). *Grigny* 24 920 h. *Igny* 9 425 h. *Juvisy-sur-Orge* 11 816 h. (5 299 h/km², la plus forte dens. du dép.). *La Ferté-Alais* 3 211 h. [ag. 7 949, dont *Cerny* 2 774]. *Lardy* 3 658 h. (ag. 7 078). *La Ville-du-Bois* 5 404 h. *Le Plessis-Paté* 2 798 h. *Les Ulis* 27 164 h. *Limours* 6 324 h. *Linas* 4 767 h. *Lisses* 6 860 h. *Longjumeau* 19 864 h. *Longpont-sur-Orge* 4 807 h. *Marcoussis* 5 680 h. *Marolles-en-Hurepoix* 4 126 h. *Massy* 38 574 h. [*1831 :* 1 080 ; *1921 :* 2 566 ; *1954 :* 11 890] ; matér. informat. *Mennecy* 11 048 h. *Méréville* 2 844 h. *Milly-la-Forêt* 4 307 h. (ag. 5 006). *Montgeron* 21 677 h. *Montlhéry* 5 195 h (autodrome). *Morangis* 10 043 h. *Morsang-sur-Orge* 19 387 h. *Nozay* 2 636 h. *Ollainville* 3 555 h. *Orsay* 14 863 h. [1]. *Palaiseau* * 28 395 h. *Paray-Vieille-Poste* 7 214 h. *Quincy-sous-Sénart* 7 079 h. *Ris-Orangis* 24 677 h. *Saclay* 2 894 h. ; Centre d'études nucléaires, 60 % des grandes écoles (CEA, CNRS, Centrale, HEC, Orsay, Polytechnique), 43 % des laboratoires de recherche. *St-Chéron* 4 082 h. *St-Germain-lès-Arpajon* 7 607 h. *St-Germain-lès-Corbeil* 6 141 h. *St-Michel-sur-Orge* 20 771 h. *Ste-Geneviève-des-Bois* 31 286 h. *Saintry-sur-Seine* 4 929 h. *Saulx-les-Chartreux* 4 141 h. *Savigny-sur-Orge* 33 295 h. *Soisy-sur-Seine* 7 145 h. *Verrières-le-Buisson* 15 710 h. *Vigneux-sur-Seine* 25 203 h. *Villabé* 2 995 h. *Villebon-sur-Yvette* 9 080 h. *Villemoisson-sur-Orge* 6 404 h. *Villiers-sur-Orge* 3 704 h. *Viry-Châtillon* 30 600 h. *Wissous* 4 888 h. *Yerres* 27 136 h.

Nota. – (1) Amputées depuis la création de la commune des Ulis en 1977.

Régions naturelles. *Hurepoix* 44 554 ha (cult. fruitières et maraîchères). *Beauce* 54 290 ha (céréales). *Gâtinais* 32 439 ha. *Ceinture de Paris* 25 704 ha. *Brie* 20 630 ha. **Bois** (en milliers d'ha, au 1-1-90, estim.) 39,5 dont forêts de Dourdan, Milly, Sénart, Verrières ; *t. non agr.* 47,6.

Ressources. Blé, maïs, cresson (1er prod. de France). **Enseignement, recherche.** Laboratoires, centres d'essais et grandes écoles (C.E.A., C.N.R.S., faculté des Sciences d'Orsay. *Grandes écoles sur le plateau de Saclay :* Polytechnique, Éc. sup. d'Électricité, Éc. centrale des Arts et Manufactures, Éc. nat. sup. des Ind. agroalimentaires, Institut d'Optométrie, Éc. sup. des Géomètres et Topographes, Inst. des Htes Ét. scientifiques, Centre techn. des Ind. aéronautiques et thermiques, Instit. nat. de Recherche chimique appliquée. **Zones industrielles.** Évry, Massy, Morangis, Ste-Geneviève-des-Bois, Étampes. *Centres industriels :* SNECMA, IBM, Hewlett Packard France, Cie générale de Géophysique, CGEE Alsthom, CIT Alcatel, General Biscuit France, Digital.

Tourisme. Villes d'art : Montlhéry, Étampes. **Architecture moderne** (Grigny-la-Grande-Borne). **Églises :** St-Vrain (XIIIe s.), Villeconin (XVe-XVIe s.), Étrechy (XIIe-XIIIe s.). **Châteaux :** Ballancourt (ch. du Saussaye), Chamarande, Courances, Courson, Dourdan, Jeurre (parc), Le Marais, Montlhéry (féodal), Villeconin. **Musées :** Bièvres, Boussy-St-Antoine, Brunoy, Dourdan, Étampes.

Hauts-de-Seine (92)

Histoire. Formé (loi du 10-7-1964) de 36 communes (27 issues de l'ancien département de la Seine, 9 de l'ancien dép. de la S.-et-O.). Le 1er préfet portait le titre de préfet délégué. *1965 (25-2)* Nanterre chef-lieu. *1966* arrondissement d'Antony créé. *1967 (20-7)* 40 cantons créés. *Septembre* 1res élections. *1970* délégation de la préf. des Hauts-de-S. à Boulogne. *1972* arrondissement de Boulogne créé.

Superficie. 175,6 km² (35 × 6 à 12 km) (le plus petit dép. français après celui de Paris). **Alt.** max. Vaucresson 182 m, min. 25 m. **Population.** 1 391 314 h. (1988) [*1876 :* 208 482 ; *1901 :* 467 391 ; *1911 :* 614 862 ; *1936 :* 1 019 627 ; *1946 :* 992 859 ; *1968 :* 1 461 619 ; *1975 :* 1 438 930 ; *1982 :* 1 387 039]. D. 7 923. *Actifs ayant un emploi* (1982) 649 000 dont secteur tertiaire 435 000, industrie 176 000, B.T.P. 37 000. **Salariés** (31-12-89) : 653 629.

Villes. NANTERRE 84 565 h. [*1900 :* 14 110 ; *1936 :* 45 065 ; *1962 :* 83 416 ; *1968 :* 90 332 ; *1975 :* 95 032 ; *1982 :* 88 578] ; ind. méc., élec., agroalim., constr. mat. informatique, B.T.P., université (Paris X, 21 871 étudiants). – *Antony* * 57 771 h. [*1962 :* 46 483 ; *1968 :* 56 638] ; ind. polygraphiques. *Asnières-sur-Seine* 71 850 h. [*1968 :* 80 113] ; alim. (Astra), aéro. (Air Equipement), auto. (Citroën, Chausson). *Bagneux* 36 364 h. ; électro. (Thomson CSF), presse-polygraphie. *Bois-Colombes* 24 415 h. [*1962 :* 29 938] ; aéro. (Hispano-Suiza). *Boulogne-Billancourt* * 101 743 h. [*1968 :* 109 008] ; auto (Renault), aéro., élec., électro. ; maison de la nature, parc Rothschild, jardins Albert-Kahn. *Bourg-la-Reine* 18 499 h. *Châtenay-Malabry* 29 197 h. [*1962 :* 24 756] ; maison de Chateaubriand. *Châtillon* 26 411 h. ; aéro. (SNIAS), recherche (ONERA). *Chaville* 17 784 h. *Clamart* 47 214 h. ; alim., méc. de précision, B.T.P. *Clichy* 48 030 h. [*1962 :* 56 316] ; B.T.P., parachimie (L'Oréal). *Colombes* 78 513 h. ; électro. (SINTRA) ; parc de l'Ile-Marante. *Courbevoie* 65 389 h. [*1962 :* 59 491] ; nombreux sièges sociaux : Cies pétrolières, assurances, agroalim., chim., para-chim., pharma., constr. méc., mat. informat., étude, conseil et assistance. *Fontenay-aux-Roses* 22 992 h ; recherche (centre d'études nucléaires) ; École normale sup. de jeunes filles. *Garches* 17 957 h. ; pharm. *Gennevilliers* 44 818 h. ; métal. (Aubert et Duval), auto. (Chausson, Gal Motors), aéro. (Snecma), électro. (Thomson), parachimie ; port de 380 ha. (1,4 million de t en 1987). *Issy-les-Moulineaux* 46 127 h. ; électron. (Thomson), recherche (C.N.E.T.), héliport (surveillance des routes) ; parc de l'île St-Germain. *La Garenne-Colombes* 21 754 h. ; auto. (Peugeot). *Le Plessis-Robinson* 21 289 h. ; alim. (Gervais-Danone), électro. (T.R.T.), ingénierie (Sodeteg) ; parc. *Levallois-Perret* 47 548 h. [*1962 :* 61 804] ; B.T.P., élec. et électro. (Thomson), auto. ; parc de la Planchette. *Malakoff* 30 959 h. ; électro (Thomson). *Marnes-la-Coquette* 1 594 h. ; Institut Pasteur ; haras de Jardy (84 ha). *Meudon* 45 339 h. ; auto (Citroën), électro. (Thomson), aéro. ; observatoire astronomique, musée de l'Air, m. Rodin. *Montrouge* 38 106 h. [*1962 :* 45 260] ; aéro., électro. (Thomson), BTP. *Neuilly-sur-Seine* 61 768 h. [*1962 :* 72 773] ; pharm., parachim., Sté de services (Havas), auto. (Citroën) presse-édition ; musée (automates, coquillages). *Puteaux* 42 756 h. [*1962 :* 39 640] ; cies d'assurances, organismes financiers, stés de transport, d'assistance et de conseil aux entreprises, constructeurs informatique ; sièges entreprises chim. et sidérurg., constr. élec., B.T.P. *Rueil-Malmaison* 66 401 h. [*1962 :* 54 786] ; élec., méc., auto. (Renault), parachimie, pharm., B.T.P., recherche (Institut français du pétrole). *Saint-Cloud* 28 597 h. [*1962 :* 26 472] ; électron. (Dassault-électronique), aéro. (Dassault-Aviation) ; École Normale Supérieure. *Sceaux* 18 052 h. ; parc, musée de l'Ile-de-Fr. ; festival. *Sèvres* 21 990 h. ; porcelaine, musée nat. de Céramique ; Centre intern. d'ét. pédagog. *Suresnes* 35 997 h. [*1968* 40 616] ; auto., aéro., électro. ; parc des Landes et terrasse du Feucheray. *Vanves* 25 967 h. [*1962 :* 25 585] ; presse-polygraphie ; parc Falret. *Vaucresson* 8 118 h. [*1962 :* 6 690] ; aréo. (Dassault-Aviation). *Ville-d'Avray* 11 616 h. [*1961 :* 5 802] ; étangs. *Villeneuve-la-Garenne* 23 824 h. [*1962 :* 13 780] ; constr. navales.

Nota – Sur 36 communes, 8 ont + de 50 000 habitants. 17 côtoient la Seine sur 40 km.

Répartition du territoire. *Voies urbaines* 410 km de long (1988). *Forêts, parcs et espaces verts urbains* 2 500 ha : forêts de Meudon (1 100 ha dont 776 dans Hts-de-S.), Fausses-Reposes (627 ha dont 380 dans les Hts-de-S.), parcs de La Malmaison et de Bois-Préau (32 ha) à Rueil-Malmaison ; bois de Verrières (587 ha dont 116 ha dans les Hts-de-S.) ; parc de St-Cloud (415 ha), de Sceaux (158 ha), des Chanteraines (66 ha) à Villeneuve-la-Garenne et Gennevilliers, de la Malmaison et de Bois-Préau (32 ha), Henri-Sellier (26 ha) au Plessis-Robinson, André-Malraux (25 ha) à Nanterre, de l'Ile-Marante (24 ha) à Colombes, de l'Ile-St-Germain (10 ha) à Issy-les-Moulineaux ; jardins de la Vallée aux Loups (31 ha à Châtenay-Malabry, de l'Étang Colbert (3 ha) au Plessis-Robinson, Albert-Kahn (3 ha) à Boulogne, haras de Jardy (76 ha) à Marnes. *Exploitations agricoles* (1987). Nombre : 40. Surface : 56 ha dont : légumes 23, pépinières 20, fleurs 9, vergers 4. Vigne à Suresnes (1 ha).

La Défense. **Construit** autour de l'emplacement du monument érigé en 1883, commémorant la défense de Paris en 1870-71. **Surface :** 80 ha répartis sur Puteaux et Courbevoie (quartier d'affaires). 600 ha sur Nanterre (quartier du parc). **C.N.I.T. (Centre des nouvelles industries et techniques)** [(8-5-1956/sept. 1958, Camelot, de Mailly, Zehrfuss) : voûte d'arête inscrite dans un triangle équilatéral de 818 m de côté, hauteur au centre 46,30 m, repose sur 3 points d'appui au sol qui supportent une couverture de 7 500 m² développés, 6 800 m² en plan ; record mondial des plus grandes portées pour une structure voûtée en coque mince (206 m de façade, 238 m sur l'arête de voûte), 22 000 m²]. **Préfecture des Hauts-de-Seine** (1967, Wogensky). **Immeubles de bureaux** (1989) : *quartier d'affaires :* 55 construits dont tour Esso (63), Aquitaine et Nobel (66), Roussel (67), Europe (69), Aurore et Atlantique (70), Franklin et Septentrion (72), Crédit Lyonnais (73), Winterthur, GAN et Fiat (74), Neptune, Générale et Manhattan (75), Technip (78), Pascal (83), PFA (84), Elf Aquitaine et Total (85), Descartes (87), soit 1 719 700 m² en service sur 1 942 000 m² prévus. *En projet :* la Japan Tower (50 000 m² utilisables ; coût 1,5 milliard de F). *Quartier du parc :* 19 construits (169 450 m² sur 343 850 prévus). **Tour la plus haute :** ELF (180 m). **Logements** *(1989 quartier d'affaires) :* 7 991 construits, 8 256 prévus. *Q. du parc :* 4 430 construits, 5 504 prévus. **Centre commercial des 4 Temps :** 105 000 m² de magasins et grandes surfaces, 9 cinémas, 1 discothèque, 1 studio de danse. **Grande Arche :** voir p. 367b. **Projets.** *Cinéma Omnimax* (470 places). *Cité de l'automobile* (20 000 m²). *Musée d'art forain. Axe Louvre-Etoile-Grande Arche :* prolongement de 3 300 m vers l'ouest par une avenue de + de 120 m de large, doublement de la superficie urbanisée (de 80 ha à 160-180 ha), construction de 60 000 m² supplémentaires de bureaux et de 1 200 000 m² de logements (env. 12 000 dont 60 à 80 % de logements sociaux ou de catégorie intermédiaire). *Université Paris X-Nanterre :* extension sur 300 000 m², recevra la nouvelle école d'architecture, et les centres de formation E.D.F. et S.N.C.F. *Autoroute A 14 :* enterrement sur 2 km. *R.N. 314 :* déplacement.

Tourisme. 38 édifices classés Monuments Historiques, 95 Inventaire Supplémentaire des Mon. Hist. **Châteaux.** La Malmaison, Gennevilliers, Asnières, Vanves, Ville d'Avray. Maison d'Armande Béjart à Meudon. **Églises.** Boulogne (N.-D.), Bagneux (St-Hermeland), Puteaux (N.-D. de la Pitié), Clichy (St-Vincent-de-Paul), Rueil (St-Pierre-St-Paul). **Musées.** Manufacture de Sèvres. La Vallée-aux-Loups (ancienne demeure de Chateaubriand). Sceaux (musée et parc avec pavillons de Hanovre et de l'Aurore). *Observatoire* de Meudon.

Parcs départementaux. *Chanteraines :* 36 ha (66 prévus). *Pierre-Lagravère* (Ile Marante, Colombes) : 25 ha en bordure de l'A 86, sur un bras de la Seine comblé. *André Malraux* (Nanterre) : 24 ha. *Mont Valérien :* 3,5 ha, altitude 125 m ; ouvert 1979 sur des terrains achetés à l'Armée. *Haras de Jardy* (Vaucresson, Marnes-la-Coquette) : 76 ha dans l'ancien domaine de Marcel Boussac. *Pré Saint-Jean* (ouest de St-Cloud) : 8 ha. Parc de sports. *Albert Kahn* (Boulogne-Billancourt) : 4 ha. Fondé 1913 par Akahn (1860-1940). *Ile St-Germain* (Issy-les-Moulineaux) : 10 ha + 10 prévus, créée 1980. *Tour aux figures de Jean Dubuffet :* 24 m, fondations à 35 m ; 1988). *Étang Colbert* et *Henri Sellier* (Le Plessis-Robinson) : 3,5 ha et 27 ha. *La Vallée-aux-Loups* (Châtenay-Malabry) : 52 ha + 31 en projet. *Sceaux :* 152 ha. *Total :* 421 ha (492 à terme).

Seine-et-Marne (77)

Superficie. 5 915,29 km² (env. 100 × 60 km). **Alt.** max. Butte St-Georges 215 m. min. Seine-Port 32 m. **Population.** 1 078 145 h. (1990) [*1801 :* 299 160 ; *1851 :* 345 076 ; *1901 :* 358 325 ; *1936 :* 409 311 ; *1954 :* 524 486 ; *1968 :* 604 340 ; *1975 :* 755 762 ; *1982 :* 887 112]. D 182. *Actifs* (1982) 412 180 dont ayant un emploi 384 000 (tertiaire 239 000, industrie 102 000, BTP 31 000). *Salariés* (31-12-1986) : 267 485.

Villes. MELUN alt. 54 m 803,9 ha, 35 319 h. [*1789 :* 5 158 ; *1901 :* 13 059 ; *1936 :* 17 499 ; *1954 :* 20 129 ; *1975 :* 37 705 ; *1982 :* 35 005] (ag. 92 433, dont *Dammarie-les-Lys* 21 148. *Le Mée-sur-Seine* 20 934. *Vaux-le-Pénil* 8 116 ; constr. méc. et aéro. (SNECMA-Villaroche), ind. chim. et alim. – *Bois-le-Roi* 4 744 h. (ag. 7 634). *Bourron-Marlotte* 2 424 h. (ag. 4 977). *Brie-Comte-Robert* 11 501 h. *Brou-sur-Chantereine* 4 469 h. *Champagne-sur-Seine* 6 092 h. [ag. 22 536, dont *Veneux-les-Sablons* 4 298. *Moret-sur-Loing* 4 174] ; constr. électr. *Champs-sur-Marne* 21 611 h. *Chelles* 45 365 h. [*1936 :* 14 658] ; pâtes alim. *Claye-Souilly* 9 750 h. *Combs-la-Ville* 19 974 h. [*1936 :* 2 386 ; *1954 :* 2 833]. *Coulommiers* sous-préf. jusqu'en 1926) 13 087 h. [*1936 :* 7 510] ; (ag. 20 338) ; ind. alim., mét., élec., édition. *Courtry* 5 503 h. *Crécy-la-Chapelle* 3 222 h. (ag. 6 191). *Dammartin-en-Goële* 6 620 h. (ag. 10 668). *Emerainville* 6 766 h. *Esbly* 4 488 h. [ag. 19 290, dont *Quincy-Voisins* 3 969]. *Fontainebleau* (sous-préf. jusqu'en 1926 et dep. le 26-4-88) 17 m, 15 714 h. [*1936 :* 17 724 ; *1962 :* 20 583] [ag. 35 706, dont *Avon* 13 873 h.] ; château, forêt. *Fontenay-Trésigny* 4 518 h. *Gretz-Armanvilliers* 7 246 h. [ag. 12 774, dont *Tournan-en-Brie* 5 528]. *La Ferté-Gaucher* 3 924 h. (ag. 5 730) ; céram. (Villeroy et Boch). *La Ferté-sous-Jouarre* 8 236 h. [*1936 :* 4 726] [ag. 12 018, dont *Jouarre* 3 274]. *Lagny-sur-Marne* 18 643 h. [*1936 :* 8 310 ; *1954 :* 8 982] [ag. 46 147, dont *St-Thibault-des-Vignes* 4 207 ; conserv. *Thorigny-sur-Marne* 8 326] ; ind. diverses. *Le Châtelet-en-Brie* 3 980 h. *Lesigny* 7 865 h. *Lieusaint* 5 200 h. *Lognes* 12 973 h. *Meaux* * 48 305 h., 1 477 ha [*1911 :* 13 600 ; *1936 :* 14 429 ; *1954 :* 16 767 ; *1962 :* 23 305 ; *1968 :* 31 967] [ag. 63 006, dont *Nanteuil-lès-Meaux* 4 339 ; édition (« Messageries du Livre ») ; *Trilport* 3 825 ; ind. chim. *Villenoy* 2 719 ; sucrerie] ; ind. text. et méc. ind. et comm. agr. et alim. (brie, moutarde, pavé) ; cathédrale. *Mitry-Mory* 15 205 h. [*1936 :* 7 148 ; *1954 :* 8 697] ; ind. alim. *Moissy-Cramayel* 12 263 h. *Montereau-Faut-Yonne* 18 655 h. [*1936 :* 9 322] (ag. 26 035) ; ind. méc., élec. et diverses. *Nandy* 5 429 h. *Nangis* 7 013 h. *Nemours* 12 072 h. [*1936 :* 5 154] [ag. 18 962, dont *St-Pierre-lès-Nemours* 5 374] ; ind. du verre. *Noisiel* 16 525 h. *Othis* 5 591 h. *Ozoir-la-Ferrière* 19 031 h. [*1936 :* 4 124 ; *1954 :* 4 552]. *Pontault-Combault* 26 804 h. [*1936 :* 1 544 ; *1954 :* 2 050]. *Provins* * 11 608 h. [*1936 :* 9 226] (ag. 12 771) ; mat. de constr., optique, centre touristique, fête médiévale (juin). *Roissy* 18 688 h. *St-Fargeau-Ponthierry* 10 560 h. [*1936 :* 2 833 ; *1954 :* 3 088] (ag. 15 939). *St-Pathus* 4 515 h. (ag. 5 980). *Savigny-le-Temple* 18 520 h. *Souppes-sur-Loing* 4 851 h. *Thorigny* 8 326 h. *Torcy* 18 681 h. *Vaires-sur-Marne* 11 194 h. *Verneuil-l'Étang* 2 577 h. ; meunerie. *Vert-St-Denis* 7 368 h. [ag. 15 242, dont *Cesson* 7 874]. *Villeparisis* 18 790 h. [*1936 :* 14 658 ; *1954 :* 19 539].

Villes nouvelles. *Melun-Sénart* (syndicat d'aggl. nouvelle formé par 10 communes dont 8 en S.-et-M., 2 dans l'Essonne). *Marne-la-Vallée* [26 communes en 4 secteurs (*I :* 3 com. en Seine-St-Denis et V.-de-M. ; *II Val-Maubuée :* 6 com. ; *III sect. de Bussy-St-Georges :* 12 com. ; *IV Portes de la Brie :* 5 com.)].

Régions naturelles. *Brie* 8 800 ha ; plateaux creusés de nombreuses vallées (blé, maïs, betteraves à sucre, bovins pour viande et fromages ; forêts). *Plateaux de Goële et Multien* env. 50 000 ha (céréales). *Gâtinais* 80 000 ha (betteraves, maïs, cult. légum., élevage). *Forêt de Fontainebleau et pays de Bière* 35 000 ha (forêts, sables). *Vallée du Grand et du Petit Morin.* **Bois** (en milliers d'ha, au 1-1-90, estim.) 119 dont forêts domaniales 25, forêt de Fontainebleau 20 (1 800 km de routes et chemins), de Villerfermoy 2,3, de Jouy 1,4, d'Armainvilliers 1,26, des Trois-Pignons 1,02. **Territoires agricoles non cultivés** (au 1-1-90, estim.) 6 ; **non agr.** 100,8.

Ressources. Un des 5 premiers départements prod. de blé (1 150 700 t en 1988). *Fromages* de Brie (meaux, melun et coulommiers).

Tourisme. **Châteaux.** Fontainebleau, Vaux-le-Vicomte (1656-60, Le Vau ; ch. de Fouquet), Annet-sur-Marne, Champs (1703-07, arch. Bullet de Chambain), Guermantes. **Collégiales.** Champeaux, Dammartin-en-Goële. **Remparts et donjon.** Provins. **Son et lumière.** Moret-sur-Loing. *Eurodisneyland :* voir Index.

Seine-Saint-Denis (93)

Superficie. 236,2 km² (21,5 × 22 km). **Alt.** max. Montfermeil 130 m, min. 25 m. **Population.** 1 381 169 h. (90). [*1876 :* 138 099 ; *1911 :* 411 443 ; *1936 :* 777 378 ; *1946 :* 730 361 ; *1954 :* 845 231 ; *1968 :* 1 249 606 ; *1975 :* 1 322 127 ; *1982 :* 1 324 301]. D. 5 847 (90). *Pop. active* (12-90) : 320 628 (dans 24 258 établissements) : dont ind.

97 882, B.T.P. 37 118, tertiaire 179 442. Artisanat : 19 400 entreprises (39 825 emplois).

Villes. BOBIGNY 44 659 h. (90) [*1954* : 18 521, *82* : 42 723] ; access. auto, moto, (Cibié), maroquinerie (Delsey), centre comm., maison de la cult. – *Aubervilliers* 67 557 h. [*1954* : 58 740] ; ind. pharmaceutique, centre de recherches (St-Gobain, Rhône-Poulenc) ; théâtre de la Commune, égl. N.-D.-des-Vertus (XV-XVIe s.). *Aulnay-sous-Bois* 82 314 h. [*1954* : 38 534] ; auto. (Citroën), prod. chim. (L'Oréal) ; méd. de contraste (Guerbet), centre d'aff. Paris-Nord, centre de stockage marchandises (Garonor). *Bagnolet* 32 600 h. [*1954* : 26 779] équip. ind. app. ménag. (Moulinex), informatique (Bull). *Bondy* 46 666 h. [*1954* : 22 411], comm. électro-ménager (Darty). *Clichy-sous-Bois* 28 180 h. [*1954* : 5 105]. *Coubron* 4 784 h. *Drancy* 60 707 h. (camp de rassemblement des déportés 1940-44) ; pièces auto (Bendix), app. mén. (E.L.M. Leblanc). *Dugny* 8 361 h. *Epinay-sur-Seine* 48 714 h. [*1954* : 18 349] ; labo photo (Éclair). *Gagny* 36 064 h. [*1954* : 15 255]. *Gournay-sur-Marne* 5 486 h. *La Courneuve* 34 139 h. [*1954* : 18 349] ; parachimie, chaudronnerie, fonderie (Babcok), aéro. (SNIAS), constr. élec. (Alsthom Atl.), primistères, fabric. d'alcool (Cusenier) ; parc départ. (260 ha). *Le Blanc-Mesnil* 46 956 h. [*1954* : 25 363] ; informat. (Electronic Data System). *Le Bourget* 11 699 h. ; aéroport, musée de l'Air ; entretien av. (Transair-France). *L'Ile-St-Denis* 7 413 h. *Le Pré-St-Gervais* 15 373 h. *Le Raincy* * 13 478 h ; égl. N.-D. (1923). *Les Lilas* 20 118 h. *Les Pavillons-sous-Bois* 17 375 h. *Livry-Gargan* 35 406 h ; plomberie (Zell). *Montfermeil* 25 556 h. [*1954* : 8 271]. *Montreuil* 94 754 h. ; chocolaterie (Krema-Hollywood) ; recher. tech. (SOFRESID, U.R.S.S.A.F.). *Neuilly-Plaisance* 18 195 h. *Neuilly-sur-Marne* 31 461 h. ; prod. d'eau automatisée (capacité max. 1 200 000 m³/j). *Noisy-le-Grand* 54 032 h. [*1954* : 10 398] ; mat. de traitement de l'information (I.E.M.) et financier (D.I.A.C.), Cité scientifique Descartes. *Noisy-le-Sec* 36 315 h. [*1954* : 22 337]. *Pantin* 47 303 h. ; Grands Moulins, cosmétiques (Bourjois), cuir (Hermès). *Pierrefitte-sur-Seine* 23 822 h. [*1954* : 12 867]. *Romainville* 23 563 h. ; chimie (Roussel-Uclaf), accumulateurs (S.A.F.T.), fort (lieu de détention et d'exécution 1940-44). *Rosny-sous-Bois* 37 489 h. [*1954* : 16 491] ; 90 000 m² de centre comm. ; aménagement terres et voiries (SADF). *St-Denis* 89 988 h. [*1954* : 80 705] ; électron. (Thomson C.S.F.) ; mat. élec. et électron. (Siemens), orfèvrerie (Christofle) ; tour Pleyel ; basilique (25 rois et 17 reines inhumés), nécropoles mérovingiennes ; musée d'Art et d'Hist. ; université Paris VIII ; théâtre Gérard-Philipe. *St-Ouen* 42 343 h. [*1954* : 48 112] ; constr. élec. (Alsthom, Wonder), I.S.M.C.M., mat. électr. et électron. (Sony France, Rank Xerox), inform. (Bull), *Sevran* 48 478 h. [*1954* : 12 956] ; constr. méc. (Westinghouse), chim. (Kodak) ; parc nat. forestier (116 ha), ouvert 1981. *Stains* 34 879 h. *Tremblay-en-France* 31 385 h. *Vaujours* 5 214 h. *Villemomble* 26 863 h. *Villepinte* 30 303 h. [*1954* : 5 503] ; parc des Expositions (ouvert 2-12-1982) de 164 000 m², informatique (Hewlett Packard). *Villetaneuse* 11 177 h. ; univ. Paris XIII ; quincaillerie (Castorama), assainissement (S.A.R.P.).

Espaces verts. *1986* : 900 ha ouverts au public, (541 aménagés) avec 11 parcs, dont La Courneuve 260, Parc du Sausset 153, la Forêt de Bondy, Le Blanc-Mesnil 30, Aulnay-sous-Bois 29, La Bergère 24, Parc national forestier de Sevran, Villetaneuse 14, Romainville 8, Clichy-sous-Bois 8, Bagnolet 7,5, Promenade de la Dhuys 6,9.

Val-de-Marne (94)

Superficie. 245,03 km² (21 × 14,5 km). **Alt.** max. Villejuif 120 m, min. Charenton 25 m. Population. 1 215 538 h. (1990) [*1876* : 136 600 ; *1911* : 386 073 ; *1936* : 685 299 ; *1954* : 767 529 ; *1968* : 1 121 319 ; *1975* : 1 215 674 ; *1982* : 1 193 655]. D. 4 961. *Pop. active au lieu de résidence* (1988) 589 520 dont 539 208 ayant un emploi. *Salariés* (31-12-88) : 283 278.

Villes. CRÉTEIL 82 088 h. [*1936* : 11 755 ; *1962* : 30 031 ; *1979* : 65 447 ; *1982* : 71 693] ; ind. div., centre commercial régional (100 000 m², ouvert 1974, le plus grand d'Europe). – *Ablon-sur-S.* 4 938 h. *Alforville* 36 119 h. ; centrale gazière (50 % des besoins de la région paris.). *Arcueil* 20 334 h. ; télécom. et électron. (Alcatel). *Boissy-St-Léger* 15 120 h. ; capitale de l'orchidée ; entraînement des chevaux de trot (château de Gros-Bois). *Bonneuil-sur-Marne* 13 626 h. *Bry-sur-Marne* 13 826 h. *Cachan* 24 666 h. *Champigny-sur-Marne* 74 486 h. [*1936* : 28 866] ; métall. *Charenton-le-Pont* 21 872 h. *Chennevières-sur-Marne* 17 857 h. *Chevilly-Larue* 16 223 h. [*1936* : 3 332]. *Choisy-le-Roi* 34 068 h. [*1936* : 28 476] ; usine de traitement des eaux (plus de 600 000 m³/j) ; Renault. *Fontenay-sous-Bois* 51 868 h. [*1936* : 31 596]. *Fresnes* 26 959 h. *Gentilly* 17 093 h. [*1936* : 18 172]. *Ivry-sur-Seine* 53 619 h. [*1936* : 44 859] ; T.I.R.U. : traitement ind. des résidus urbains (la plus grande usine d'incinération d'ordures ménagères du monde). Schneider, pétrole. *Joinville-le-Pont* 16 657 h. *La Queue-en-Brie* 9 897 h. *L'Haÿ-les-Roses* * 29 746 h. *Le Kremlin-Bicêtre* 19 348 h. *Le Perreux-sur-Marne* 28 477 h. *Le Plessis-Trévise* 14 583 h. *Limeil-Brévannes* 16 070 h. *Maisons-Alfort* 53 375 h. ; école vétérin. *Mandres-les-Roses* 3 703 h. *Marolles-en-Brie* 4 606 h. *Nogent-sur-Marne* * 25 248 h. ; pavillon Baltard, venant des Halles de Paris et remonté à Nogent, classé monument historique le 21-10-1982. *Noiseau* 2 831 h. *Orly* 21 646 h. [*1936* : 6 132] ; aéroport. *Ormesson-sur-Marne* 10 038 h. *Périgny* 1 681 h ; centre des métiers d'art, domaine agrotouristique. *Rungis* 2 939 h. [*1936* : 518] ; marché d'intérêt nat. (le plus imp. de pr. alim. en gros du monde). *St-Mandé* 18 684 h. *St-Maur-des-Fossés* 77 206 h. [*1936* : 56 740] ; tr. publics, Quillery. *St-Maurice* 11 157 h. ; Tréfimétaux. *Santeny* 2 810 h. *Sucy-en-Brie* 25 839 h. *Thiais* 27 515 h. ; centre commercial « La Belle Épine ». *Valenton* 11 110 h. *Villecresnes* 7 921 h. *Villejuif* 48 405 h. [*1936* : 27 590]. *Villeneuve-le-Roi* 20 325 h. *Villeneuve-St-Georges* 26 952 h. ; gare de triage (la plus moderne d'Europe). *Villiers-sur-Marne* 22 740 h. *Vincennes* 42 267 h. [*1936* : 48 967] ; produits pharm. ; château, hippodrome. *Vitry-sur-Seine* 82 400 [*1936* : 46 945] ; centrale therm. E.D.F., métall., bâtiment, chimie (Rhône-Poulenc), prod. chim. et pharm.

☞ Voir Musées à l'Index.

Régions naturelles. *Ceinture de Paris, Vallées de la Seine, de la Marne, Plat. de Brie. Massifs forestiers* 2 550 ha dont 1 700 ha ouverts au public (bois Notre-Dame, Gros-Bois, bois de la Grange).

Ressources. *Industries* agroalim. surtout à la périphérie de Paris et le long de la Seine. Une dizaine d'entreprises ont + de 500 salariés. *Cultures spécialisées : horticulture :* fleurs coupées, plantes en pots et à massifs : 70 ha répartis entre 150 horticulteurs, 39 ha de serres dont 24 ha de roses (Mandres-les-Roses, Santeny, Périgny, Villecresnes (3e rang après les Alpes-Mar. et le Var) ; orchidées à Boissy-St-Léger : 1er centre mondial pour la création de variétés nouvelles exotiques (500 plants/an) ; *maraîchage et cultures légumières de plein champ :* 160 ha (surtout Périgny et Mandres-les-Roses) ; *arboriculture :* 13 ha (La Queue-en-Brie) ; *pépinières :* 63 ha (Plateau de Vitry, Mandres-les-Roses, Périgny/Yerres).

Val-d'Oise (95)

Superficie. 1 245,9 km² (70 × 30 km). **Alt.** max. Forêt de Carnelle 210 m, min. vallée de l'Epte 50 m. Population. 1 049 598 h. (1990) [*1876* : 129 655 ; *1911* : 196 599 ; *1936* : 350 487 ; *1954* : 412 658 ; *1968* : 693 269 ; *1975* : 840 885 ; *1982* : 920 598]. D. 842. *Pop. rurale* : 55 779. *Actifs ayant un emploi* (1982) 407 000 dont industrie 110 000, B.T.P. 31 000, tertiaire 217 545. **Salariés** (31-12-84) : 165 997.

Villes. PONTOISE 27 150 h. [*1982* : 28 220] ; m. Tavet Delacour ; foire de St-Martin (dep. 798 ans). – *Argenteuil* * 93 096 h. ; cult. maraîchères, métall., chimie ; musée Vieil Argenteuil, basil., remparts. *Arnouville-lès-Gonesse* 12 223 h. *Auvers-sur-Oise* 2 321 h. *Beauchamp* 8 934 h. *Beaumont-sur-Oise* 8 151 h. [ag. 28 482, dont dans le dép. *Persan* 10 659. *Bessancourt* 6 429 h. *Bezons* 25 680 h. ; métall., ind. chim. *Bouffemont* 5 700 h. *Cergy* 48 226 h. *Cergy-Pontoise* (ville nouvelle) 11 communes, 139 121 h., 7 767 ha (dont 11,8 % d'espaces verts ; 65 ha de plans d'eau). *Cormeilles-en-Parisis* 17 417 h. *Deuil-la-Barre* 19 062 h. *Domont* 13 226 h. *Eaubonne* 22 153 h. *Écouen* 4 846 h. ; château (1532-67 par Ch. Billard puis J. Bullant), musée de la Renaissance. *Enghien-les-Bains* 10 077 h. *Éragny* 16 941 h. *Ermont* 27 947 h. *Ézanville* 9 153 h. *Fosses* 9 620 h. [ag. 18 409, dont *Marly-la-Ville* 5 128]. *Franconville* 33 802 h. *Garges-lès-Gonesse* 42 144 h. ; verrerie. *Gonesse* 23 152 h. ; ind. diverses. *Goussainville* 24 812 h. (ag. 28 324). *Groslay* 5 910 h. *Herblay* 22 135 h. *Jouy-le-Moutier* 16 910 h. *Le Plessis-Bouchard* 6 138 h. *L'Isle-Adam* 9 979 h. *Louvres* 7 508 h. (ag. 10 629). *Luzarches* 3 371 h. (ag. 6 304). *Magny-en-Vexin* 5 050 h. (ag. 5 753). *Ménucourt* 4 592 h. *Méry-sur-Oise* 6 179 h. *Montigny-lès-Cormeilles* 17 012 h. *Montmagny* 11 505 h. *Montmorency* * 20 920 h. ; arboricult., musée J.-J. Rousseau. *Montsoult* 3 523 h. (ag. 6 100). *Osny* 12 195 h. *Parmain* 5 155 h. *Persan* 10 659 h. *Pierrelaye* 6 251 h. *St-Brice-sous-Forêt* 11 662 h. *St-Gratien* 19 338 h. *St-Leu-la-Forêt* 14 489 h. *St-Ouen-l'Aumône* 18 673 h. *St-Prix* 5 623 h. *Sannois* 25 229 h. *Sarcelles* 56 833 h. *Soisy-sous-Montmorency* 16 597 h. *Taverny* 25 151 h. *Viarmes* 4 315 h. *Villiers-le-Bel* 26 110 h.

Régions naturelles. *Vexin français* (l'Epte forme dep. 911 la limite entre V. français et V. normand) : plateau limoneux, 55 % de la surf. agricole du dép. (blé, céréales, bett., pommes de t., élevage associé ; horticulture et champignons). *Vieille France ou plaine de France* (ancien domaine de la famille Montmorency) : limons profonds, meilleurs sols de la France ; 25 % de la surf. agr. du dép. ; mêmes cult. que dans le V. français. *Parisis* (ceinture Nord de Paris) ancien domaine des Parisii (20 % de la surf. agr.) : v. de Montmorency, plaine alluviale de la Seine d'Argenteuil à Bezons ; v. de l'Oise, buttes boisées de Cormeilles-en-Parisis, Montmorency et L'Isle-Adam ; au N., polyculture et élevage ; au S., cult. maraîchères et arboriculture ; en pleine urbanisation.

Tourisme. **Forêts** (en milliers d'ha, au 1-1-90, estim.) 20,430 ha dont forêts de Montmorency 3,5, L'Isle-Adam 1,6, Chantilly 1,3, Carnelle 1 ; *t. non agr.* 35,5. *Espaces verts ouverts au public :* Écouen, Cormeilles, Boissy, Beauchamps, Taverny, Bessancourt. **Lac.** *Enghien :* 14 ha (long. 800 m, larg. 6,30 m au milieu du lac et 300 m au bout, prof. max. 3 m, min. 0,70 m). **Parc.** Étangs de Cergy-Pontoise (400 ha) : plan d'eau 60 ha (voile, aviron), bassin (10 ha, pêche), aire de baignade (5 ha) ; jardin d'aventure pour enfants (19 ha). **Abbayes.** Royaumont (XIIIe s.), Maubuisson. **Musée.** Nat. de la Renaissance (château d'Écouen) ; site archéologique de Guiry-en-Vexin. **Châteaux.** Vigny, Villarceaux, Écouen. **Villages.** Luzarches, Pontoise. **Monuments mégalithiques.** Menhirs de Cergy, Ennery, Bellefontaine, la Pierre Turquaise (forêt de Carnelle). **Fouilles gallo-romaines.** Epiais-Rhus, Genainville, Taverny, Sarcelles.

Yvelines (78)

Nom. Tiré de l'ancien massif forestier qui allait du confluent de l'Oise et de la Seine à la forêt de Fontainebleau.

Superficie. 2 284,43 km² (depuis le rattachement, par décret du 21-11-1969, de Châteaufort et Toussus-le-Noble appartenant avant à l'Essonne) (45 × 40 km). **Alt.** max. Lainville 200 m ; min. Port-Villez 10 m, moy. 150 m. Population. 1 307 145 h. (1990) [*1876* : 235 511 ; *1911* : 297 562 ; *1936* : 428 166 ; *1954* : 519 176 ; *1968* : 854 382 ; *1982* : 1 196 111]. D. 572. *Actifs ayant un emploi* (86) : 406 954 dont tertiaire 256 345, industrie 115 592, B.T.P. 29 589. **Salariés** (31-12-85) : 272 247.

Villes. VERSAILLES 87 789 h. [*1790* : 51 085 ; *1901* : 54 982 ; *1926* : 68 574 ; *1954* : 84 650] ; ville résidentielle, centre admin. et culturel ; imprimerie ; pépinières ; château, Trianons, voir Index ; musées : le château Lambinet ; ind. légères : électro., électroméc., aéro., informatique, labor. et bureaux d'études. – *Achères* 15 039 h. ; gare de triage. *Andrésy* 12 548 h. *Aubergenville* 11 776 h. [ag. 13 906, dont *Flins-sur-Seine* 2 130 ; usines Renault] ; autom. *Bailly* 4 145 h. *Beynes* 7 445 h. *Bois-d'Arcy* 12 693 h. *Bonnières-sur-Seine* 3 437 h. [ag. 11 417, dont *Freneuse* 3 694]. *Bougival* 8 552 h. *Buc* 5 434 h. *Carrières-sous-Poissy* 11 353 h. *Carrières-sur-Seine* 11 469 h. *Chambourcy* 5 163 h. *Chanteloup-les-Vignes* 10 175 h. *Chatou* 29 977 h. *Chevreuse* 5 027 h. *Conflans-Ste-Honorine* 31 467 h. ; batellerie. *Croissy-sur-Seine* 9 098 h. *Élancourt* 22 584 h. *Épone* 6 706 h. (ag. 9 432). *Fontenay-le-Fleury* 13 196 h. *Gambais* 1 730 h. ; ch. de Neuville. *Guyancourt* 18 307 h. *Houilles* 29 650 h. ; ind. div. *Jouy-en-Josas* 7 687 h. *La-Celle-Saint-Cloud* 22 834 h. *La Verrière* 6 187 h. *L'Étang-la-Ville* 4 567 h. *Le Chesnay* 29 542 h. *Le Mesnil-le-Roi* 6 206 h. *Le Mesnil-Saint-Denis* 6 528 h. *Le Pecq* 17 006 h. *Le Perray-en-Yvelines* 4 645 h. *Le Vésinet* 15 945 h. *Les Clayes-sous-Bois* 16 819 h. ; informatique. *Les Essarts-le-Roi* 5 565 h. (ag. 7 158). *Louveciennes* 7 446 h. *Magny-les-Hameaux* 7 800 h. *Maisons-Laffitte* 22 168 h. ; château (1642-50 Mansart) ; hippodrome. *Mantes-la-Jolie* * 48 087 h. ; collégiale (XII-XIIIes), abbaye de Port-Royal, [ag. 189 103, coop. céréalière, cimenterie, Dunlopillo ; foire-expo. dont *Gargenville* 6 202. *Les Mureaux* 33 089 ; constr. aéron. (S.N.I.A.S.). *Limay* 12 660. *Magnanville* 6 265. *Mantes-la-Ville* 19 081. *Meulan* 8 101. *Triel-sur-Seine* 9 615 ; gare de triage, autom. *Verneuil-sur-Seine* 12 499. *Vernouillet* 8 676] ; *Marly-le-Roy* 16 741 h. ; résidence présidentielle (château 1679, arch. Mansart) ; forêt. *Maule* 5 751 h. (ag. 9 583). *Maurepas* 19 718 h. *Montesson* 12 365 h. ; cult. maraîchères. *Montigny-le-Bretonneux* 31 687 h. *Noisy-le-Roi* 8 095 h. [ag. 17 311, dont *Bailly* 4 145]. *Orgeval* 4 509 h. *Plaisir* 25 877 h. *Poissy* 36 745 h. ; autom. Villa Savoye (Le Corbusier et P. Jeanneret,

POISSY

Carrefour de la vallée de la Seine à 22 km à l'ouest de Paris (A 13, RN 13, RER, future A 14).

Chef-lieu de canton des Yvelines.

36 738 habitants.

1 320 ha.

Ville natale de Saint Louis.

Maire : Jacques MASDEU-ARUS, Député des Yvelines.

Jumelée depuis 1965 avec PIRMASENS (RFA).

Sites et monuments

Collégiale Notre-Dame, XIIe et XIIIe siècles ; pont ancien, XIe siècle ; porterie de l'abbaye, XVe siècle ; octroi, XIXe siècle ; villa Savoye de LE CORBUSIER, 1929 ; musée d'art et d'histoire, musée du jouet ; parc Meissonnier, 10 ha ; parc de la Charmille, 16 ha.

Vie scolaire

- 11 000 enfants pour une trentaine d'établissements.
- 12 écoles maternelles.
- 9 écoles élémentaires.
- 3 collèges.
- 2 lycées (BTS).
- 4 écoles privées.
- Pour 1991 un lycée technologique et scientifique avec sections de BTS et le Centre de préparateurs en pharmacie des Yvelines.

Vie culturelle et sportive

- Un théâtre de 1 200 places.
- Des clubs de quartiers.
- Bibliothèque.
- Un conservatoire municipal de musique et de danse.
- Plus de 80 associations culturelles et sportives.
- 2 piscines dont une dans un parc paysagé de 4 ha sur une île et agrémentée de 2 toboggans géants.
- Stades et terrains de sport.
- Complexe omnisports Marcel CERDAN conçu pour la pratique du sport de haut niveau, il permet l'organisation de compétitions internationales.
- Un golf privé de 18 trous aménagé dans le parc de 63 ha du domaine du château de Bèthemont

Vie économique

Une zone agricole principalement occupée par des vergers et des champs de graminées (775 ha)

Un bassin d'emploi réputé de l'industrie automobile PEUGEOT-TALBOT (10 000 emplois).

D'importants équipementiers automobiles GLAENZER-SPICER – FLOQUET MONOPOLE.

Des entreprises prestigieuses Parfums ROCHAS (500 emplois) – Environnement S.A., leader dans le domaine du contrôle atmosphérique.

Plus de 200 PME.

D'ici 1992, le TECHNOPARC accueillera sur 27 ha paysagés une quarantaine d'entreprises jouant la carte de la diversification et du tertiaire de haut niveau (2 000 emplois).

(Information)

1928-30) ; collégiale XII-XIIIes s. *Port-Marly* 4 181 h. *Rambouillet* * 24 443 h. ; château : une des résidences off. du Pt de la Rép. ; la Laiterie (Mique) ; forêt, parc animalier des Yvelines. *Rocquencourt* 3 871 h. *Rosny-sur-Seine* 4 606 h. *St-Arnoult-en-Yvelines* 5 811 h. *St-Cyr-l'École* 14 829 h. *St-Germain-en-Laye* * 39 926 h. [*1790* : 12 838 ; *1901* : 17 297 ; *1926* : 22 180 ; *1954* : 29 429] ; château (1539-1610, P. Chambige arch. Ph. Delorme, le Primatice, Androuet Du Cerceau, Métezeau) ; musées des Antiquités nat., du Prieuré, départemental des Yvelines ; cult. maraîchères et fruit. ; forêt. *St-Quentin-en-Yvelines* ville nouvelle 120 559 h. (1988). 7 communes. 7 500 ha dont 40 d'espaces verts ; plan d'eau (120 ha). *St-Rémy-lès-Chevreuse* 5 589 h. *Sartrouville* 50 329 h. *Trappes* 30 878 h. *Vélizy-Villacoublay* 20 725 h. ; zone ind. *Verneuil-sur-Seine* 12 499 h. *Villepreux* 8 776 h. *Viroflay* 14 689 h. *Voisins-le-Bretonneux* 11 220 h.

Régions naturelles (% de la sup. du dép. entre parenthèses). *Beauce* 10 996 ha (4,8) : plate et sèche, grandes cultures céréalières. *Hurepoix* 1 925 ha (0,8) ; petite agriculture, forêts (2 communes). *Yvelines* 72 645 ha (31,5) : rég. de forêts (f. de Rambouillet 13 300 ha). *Plaine de Versailles* 53 533 ha (23,2) : vallées (cult. fruitières, maraîchères et céréal.), ind. div., forêts de Marly et des Alluets. *Drouais* 25 429 ha (11) : à l'O. du dép., rég. cloisonnée, céréales, petites forêts. *Vallée de la Seine* 33 902 ha (14) : zone d'habitat. ; métallurgie (auto. : Flins, Poissy) ; produits chim. ; matériaux de constr. ; raffinerie de pétr. : Elf-Érap à Gargenville ; centrale thermo-électr. : Porcheville ; carrières, cult. céréal. et maraîchères. *Vexin* 4 517 ha (2) : cultures et forêts. *Ceinture de Paris* 27 746 ha (12,1) : cult. fruit. et maraîchères.

Forêts (en milliers d'ha, au 1-1-90, estim.) 72,1 (31,7 % du terr.) dont ouverts au public 40 % de la surf. boisée ; *f. domaniales* : Rambouillet 14 470 ha, St-Germain-en-Laye 3 533 ha, Marly-le-Roi 1 975 ha, Versailles 1 056 ha, Beynes 435 ha, L'Hautil 379 ha, Bois-d'Arcy 342 ha, Meudon 327 ha, La Houssaye (Bonnières) 96 ha, Claireau 86 ha, Flins-les-Mureaux 58 ha, Les Alluets 54 ha, **Terres. agr. non cult.** 5,3 ; *t. non agr.* 54,3.

Tourisme. Forêts. *Parcs :* Thoiry (zoologique), St-Quentin-en-Yvelines (loisirs). Marly-le-Roi **Architecture.** 365 mon. classés ou inscrits, 130 sites classés ou inscrits (vallée Chevreuse...). **Abbayes.** Port-Royal-des-Champs (démolie 1710, musée, ch. des Granges), Les Vaux-de-Cernay. **Châteaux.** Dampierre, Maisons-laffitte, Rambouillet, St-Germain-en-Laye. *Églises :* Gaillon, Mantes. **Musées.** Conflans-Ste-Honorine (batellerie), Jouy-en-Josas (toile de Jouy), Médan (Zola), St-Germain-en-Laye (Antiquités Nati.), Giverny (Claude Monet) Versailles.

Languedoc-Roussillon

Généralités

Cévennes

Situation. Corne ouest du dép. du Gard et partie sud du dép. de la Lozère.

Histoire. Noms : « principauté des Cévennes » ou « principauté, marquisat, franc-alleu d'Anduze ». **534 :** Théodebert Ier, roi d'Austrasie, petit-fils de Clovis, conquiert sur les Goths une partie des C., correspondant à peu près à l'arrondissement du Vigan ; il y nomme un évêque résidant sans doute au Vigan et un comte. Le territoire est appelé cité d'Arisitum [actuellement Arphy, anciennement Arfy (*Arsy,* « Arisitum » : le s hasté ayant été lu comme un f)]. **654 :** Pépin le Bref, maître de la Septimanie, réunit la cité épiscopale d'Arisitum à celle de Nîmes ; le comté est maintenu. **V. 900 :** il échoit à Foucault II, seigneur d'Anduze (883-915), chef d'une branche cadette de la maison souveraine de St-Gilles. Les « comtes d'Anduze » refusent l'hommage à la branche aînée, se comportant en seigneurs souverains et battant monnaie, les « sous d'A. » **1220 :** Pierre-Bermond VII (dernier Pce souverain) vaincu par Amaury de Montfort (fief confisqué). **1226 :** prête l'hommage direct à Louis VIII (fief récupéré). **1242 :** s'allie au roi d'Angl. contre St Louis (fief confisqué définitivement après la bat. de Taillebourg, et rattaché à la sénéchaussée de Beaucaire). **1622 :** Louis XIII reconnaît aux Mis de Roquefeuil, descendants directs des Pces d'Anduze, « le titre immémorial des Mis, nûment immédiat de la couronne ».

Gévaudan

Situation. Ancien diocèse de Mende ; département de la Lozère, cantons de Saugues (Hte-Loire), Chaudes-Aigues et Ruynes (Cantal) ; au nord des Cévennes, échancrure de hauts plateaux *(Aubrac, Margeride, Causses).* Cisaillé de profondes vallées.

Ressources. Élevage bovin (fourme fabriquée déjà par les Gabales), caprin et ovin (transhumance dès le néolithique). Sériciculture au XVIe s., châtaigniers, céréales pauvres. Mines dans l'Antiquité (argent, or), distillation des résineux, textiles (serges).

Histoire. Densément peuplé dès le paléolithique. Nombreux mégalithes du néolithique. Occupé par les *Gabales* (Celtes), clients des Arvernes, en relation avec la Méditerranée et fortement hellénisés. **52 av. J.-C.** César les soumet : leur capitale Anderitum, Oppidum Gabalorum (d'où Javols), et la Civitas Gabalitana (Gévaudan) sont incorporées à l'Aquitaine. **408** les Vandales tuent l'évêque St Privat au pied du mont Mimate (tombeau devient centre pèlerinage à Mende). **472** les Wisigoths, **507** les Francs conquièrent le pays. **561** les Mérovingiens nomment un comte de Gévaudan. **732** les Sarrasins détruisent Javols, capitale militaire transférée à Grèzes où siègent des Ctes nommés par les Carolingiens tandis que l'autorité administrative reste aux évêques, qui résident à Mende dep. 998 (892-XIIe s.). **1112** les titres vicomtaux de Grèzes et de Millau (Rouergue) passent aux Ctes de Barcelone et rois d'Aragon qui s'intitulent dès lors « Ctes de Gévaudan ». Autorité effective des évêques de Mende, dont les rois d'Aragon se déclarent vassaux. **1161** l'évêque rend hommage à Louis VII. A la suite de la g. des Albigeois, la vicomté est enlevée aux rois d'Aragon et remise à Louis IX qui se trouve le vassal de son vassal.

1306 Philippe le Bel met fin à la division du Gévaudan (Ouest « comté » royal, capitale Grèzes, Est comté épiscopal), en reconnaissant le titre comtal de l'évêque et en l'associant à tous les droits régaliens ; l'évêque touche la moitié des revenus, mais le sénéchal royal de Beaucaire a toute la juridiction d'appel. Le titre comtal des évêques subsiste jusqu'en 1789, mais le pouvoir est diminué au XVIe s. par le rattachement du comté au gouv. du Languedoc, en 1632 à la lieutenance des Cévennes, au XVIIe s. à la généralité de Montpellier. Le comté possède depuis 1360 ses états particuliers. A l'édit de Nantes, les protestants du pays, nombreux dans l'ex-vicomté, obtiennent la place forte de Marvejols. A sa révocation, nombreuses émigrations et formation des assemblées du *« Désert ».* **1702-04** g. des *« Camisards »* (chefs : Pierre Laporte dit Roland et Jean Cavalier, armés par les escadres anglaises contre les armées royales de Montrevel, puis de Villars). **1710** lutte terminée ; Antoine Court organise l'*Église du Désert* qui se maintient malgré les persécutions (107 pasteurs exécutés). **1765-68** bête du Gévaudan, voir Index.

Languedoc

Situation. Ouvert sur la Méditerranée, limité à l'est par vallée du Rhône, au nord par Massif central, sud par la plaine du Roussillon : *côte* basse et sablonneuse jusqu'aux Albères, avec bassins et étangs ; *basses plaines côtières ; plaines intérieures* bas plateaux cuirassés de cailloutis (les *Costières*) ou de collines de molasse (les *Soubergues*) ; *plates-formes calcaires* des garrigues et *basses montagnes ;* dominé par Pyrénées et Massif central. *Climat* méditerranéen (sécheresse l'été, pluies abondantes l'automne) : érosions, inondations. Programme d'équipement pour la défense contre les eaux et pour l'irrigation (Cie nat. d'aménagement du Bas-Rhône-Languedoc).

Histoire. Origine du nom au sens large : les provinces où l'on parlait la langue d'oc au XIIIe s., y compris le comté de Toulouse. Au sens restreint : la moitié occidentale de ces provinces, qui, contrairement au comté de Toulouse, ont été incorporées au domaine royal, formant 2 sénéchaussées : Beaucaire et Carcassonne. Les fonctionnaires royaux y étaient tenus de savoir l'occitan : sénéchaussées de langue d'oc, d'où par ellipse : Languedoc.

Période préromaine habitées par des Ligures jusqu'au VIe s. av. J.-C., les plaines sont conquises par des Ibères venus d'Espagne, qui fusionnent avec la population primitive et forment le peuple *élysique* ou *élyséen* (pasteurs, bûcherons, menuisiers), qui a donné son nom aux Champs Élysées des Grecs (terre des Bienheureux) ; oppidum principal : *Enserune,* près de Nissan (Hérault). Les colons grecs sont nombreux sur les côtes, où ils fondent notamment Agde (Agathè Tuchè ou Bonne Fortune). **350 av. J.-C. :** Belges ou Bolges ou Volques Tectosages, ayant traversé le Massif central, s'installent dans le pays, qui devient celtophone. **IIe s. av. J.-C.** Volques s'allient aux Carthaginois, fournissent des contingents à Hannibal. **Province romaine : avant J.-C. 121** Romains (Domitius Ahenobarbus) s'emparent de la

L'OCCITANISME

• **Définition.** Mouvement de défense de la langue et de la culture d'oc, se manifestant en Aquitaine, Languedoc-Roussillon, Limousin, Midi-Pyrénées, Provence-Côte-d'Azur et (partiellement) en Auvergne et Rhône-Alpes.

• **Origine.** Au XIIIe s., les officiers de la couronne donnent au Languedoc récemment annexé au domaine royal le nom d'*Occitania.* Le terme, équivalent, dans les textes rédigés en « latin de chartes », de *Languedoc,* a été repris au XIXe s. ; on en a tiré l'adjectif *occitan* qui désigne les parlers méridionaux appelés au XIIIe s. *limousin* ou *provençal,* au XIVe s. *roman,* au XVIe s. *gascon.* L'adjectif « provençal » a été réutilisé souvent au XIXe s.

L'occitanisme est, depuis 1962, un mouvement d'inspiration aussi idéologique et politique que culturelle. Il envisage parfois, en passant par l'étape intermédiaire de l'autonomie des provinces, une structure fédérative de la France. Certains extrémistes appellent même au séparatisme et proclament leur solidarité avec les indépendantistes corses, basques, bretons, flamands, etc. ; et avec les catalans.

• **Culture.** Sur 13 millions de « Méridionaux », 2 millions pratiquent réellement la langue d'oc en France ainsi que dans le val d'Aran espagnol et dans les vallées « vaudoises » d'Italie. *Principaux dialectes : 1) occitan méridional :* gascon, à l'ouest (avec le béarnais, variante du gascon mais ayant affirmé longtemps son autonomie), languedocien (centre), provençal (est du Rhône et majeure partie du Gard) ; quant au roussillonnais, il est à rattacher au catalan ; *2) nord-occitan :* limousin, auvergnat, dauphinois (frange nord). Une tendance unificatrice s'est révélée, s'appuyant en gros sur les parlers du Quercy, de l'Albigeois et du Rouergue (*occitan central* considéré comme « référentiel ») et préconisant une graphie « typisante » traditionnelle dep. le Moyen Age, respectant les traits fondamentaux des principaux dialectes mais adoptant partout les mêmes principes graphiques. Ainsi, le *a* final atone, à l'instar de la tradition occitane et romane, a été repris pour noter d'un signe unique les réalisations phonétiques diverses de la langue parlée (*a, o,* ou *oe*) : ex. *lenga* « langue » (pron. *lenga, lengo, lengoe*). *L'occitan moderne* a pu être présenté au bac comme langue facultative jusqu'en 1983 (*Nice, Aix, Clermont :* langues rég.). Dep. 1984, on peut choisir comme langue vivante (2e ou 3e selon les sections) une variété rég. de la langue d'oc. Acad. d'Aix-Marseille : 1 300 candidats.

• **Histoire linguistique.** **XIe-XIIIe s.** les troubadours du Midi créent une poésie lyrique et amoureuse (codifiée XIVe s. par les Leys d'Amor), modèle de poésie courtoise en Europe. Les parlers d'oc sont en outre une langue véhiculaire (éloquence, commerce, diplomatie) dans le bassin méditerranéen (on parle catalan en Grèce). **XIIIe-XVIe s.** recul comme langue littéraire. La production des lyriques provençaux cesse en territoire français, mais se maintient en Espagne. **Fin XVIe s.** renaissance de la poésie dialectale, notamment avec l'Aixois Louis Bellaud de La Bellaudière (1532-88) ou le Toulousain Pierre Goudouli (1580-1649), mais les parlers méridionaux cessent d'être utilisés dans les actes juridiques privés ou publics depuis 1539 [édit de Villers-Cotterêts]. Certains parlements provinciaux gardent néanmoins leurs parlers plus longtemps : Navarre jusqu'en 1660 env. (Roussillon jusqu'en 1738). **1790** 90 % du Midi les utilisent encore ; les Constituants doivent traduire en dialectes la Constitution et les Droits de l'Homme. **XIXe s.** renaissance de la littérature d'oc, notamment avec l'Agenais Jasmin (1798-1864) et le Nîmois Jean Reboul (1796-1864). **1847** dictionnaire provençal-français d'Honnorat (65 000 mots). **1854** fondation en Provence par Frédéric Mistral (1830-1914) et 6 compagnons du Félibrige [organisme académique devenu une fédération de Stés culturelles, d'abord en Provence, puis dans tout le Midi : création d'un « provençal littéraire » avec un système orthographique d'un phonétisme « modéré » (les mots féminins se terminent par un *o* inaccentué)]. **1878** *Tresor dóu Felibrige,* de Mistral (somme des parlers d'oc : dictionnaire de 80 000 mots). **1899** le chanoine limousin Roux crée la graphie néoromane, remplaçant le o par un a. **1919** « Schisme occitan » : les instituteurs Antonin Perbosc et Prosper Estieu créent *l'Escola occitana,* qui rompt avec les Provençaux « mistralistes » ou « félibréens » pour 2 raisons : *1° politique* (hommes de gauche, s'opposant au conservatisme des f.) ; *2° linguistique :* ils créent le système Perbosc-Estieu, base de l'« occitan » moderne. **1931-39** autonomie de la Catalogne, qui soutient l'occitanisme. **1935** Louis Alibert publie à Barcelone la *Gramatica occitana segon los parlars lengadocians,* perfectionnant le système précédent. **1945** création à Toulouse de l'Institut d'études occitanes (IEO, reconnu d'utilité publique, 1949). **1951** Robert Lafont applique au dialecte provençal la graphie des occitanistes toulousains, en publiant *Phonétique et graphie du provençal* (essai d'adaptation de la réforme linguistique occitane aux parlers de Provence). **1952** Louis Alibert, Pierre Bec et Jean Bouzet lancent le principe d'une application de cette même réforme au gascon. **1983** *12-7* à côté du terme « occitan », employé d'abord exclusivement dans les textes ministériels [rapport Giordan (1981)], on emploie désormais le terme « langue d'oc ».

• **Organisations occitanistes.** **1959** PNO (Parti nationaliste occitan) créé par François Fontan ; il reproche aux intellectuels de l'IEO leur fidélité tactique à la France. **1960** GREC (Grup Rossellonès d'Estudis Catalans) : association culturelle ; plusieurs centaines de membres. **1962** COEA (Comité occitan d'études et d'action) fondé, remplacé 1971 par Lutte occitane ; programme : séparer le politique du culturel et soutenir notamment les viticulteurs (s'oppose apparemment à l'IEO). **1964** Yves Rouquette (membre du COEA) lance le thème de la reconquête occit. (revanche contre la suppression entre 1223 et 1271 du comté toulousain). **1967** Grup cultural de la Joventut Catalana ; se disloque 1970 après être devenu le *Front de la Joventut Catalana.* **1968** *IREC (Institut Rossellonès d'Estudis Catalans)* : scission d'avec le GREC ; extrême droite. Pierre Maclouf lance la revue *Lu Lugar* (nationaliste-révolutionnaire), défendant l'ethnie occitane. **1969 (?)** *ARC (Acció Regionalista Catalana).* **1970** *CREA (Comitat Rossellonès d'Estudis i d'Animació) ;* révolutionnaire. **1972** *ECT (Esquerra Catalana dels Treballadors* – Gauche catalane des travailleurs) ; marxiste-léniniste. *GOP Rosselló* (Gauche ouvrière et paysanne). *Comité pour la régionalisation ;* réformateur. **1974** P. Maclouf crée le mouvement *Volem viure al païs,* qui succède au PNO à la tête de l'action revendicatrice. **1975** création, à l'est du Rhône, ***Parlaren,*** qui, conservant la graphie de F. Mistral, soutient parfois des revendications proches de celles des occitanistes. **1980** *(nov.)* scission au congrès d'Aurillac : Pierre Bec démissionne de la présidence (l'IEO se met en veilleuse). **1981** *(mai)* Toulouse ; 1re manif. de masse dans les rues (*mai 82 :* Marseille, *mai 83 :* Montpellier, *mai 84 :* Toulouse). **1984** Montpellier, « *Mouvement du 11 avril* » créé, lié à l'expansionnisme catalan.

Quelques adresses : *IEO :* Espace St-Cyprien, 1, rue J.-Darré, 31300 Toulouse. *Pt :* Robert Marti. *IEO-Paris :* 6, rue René-Villermé, 75011. *Centre de documentation provençale Parlaren :* Mairie, 84500 Bollène. *Centre internat. de doc. occit.* (CIDO) : B.P. 4 202, 34325 Béziers. *Volem Viure al Païs :* B.P. 69, 83502 La Seyne. *Association internat. des études occit. :* Liège (Belgique), fondée 1981. Pt. Peter Ricketts (G.-B.). *Parlaren :* Flora parc, Bt D, traverse Paul, 13008 Marseille. *Pt :* B. Giely. Publie « Prouvènço d'aro », seul mensuel entièrement écrit en langue d'oc. *L'Astrado prouvençalo :* 7, les Fauvettes, 13130 Berre-l'Étang. Fondé 1965 par Louis Bayle. *Pam-de-Nas* (librairie occit.) : 30, rue des Grands-Augustins, 75006 Paris.

• **Enseignement universitaire.** *Centres univ. d'ens. :* Avignon, Aix, Montpellier et Toulouse. *Centre d'ens. et de recherche d'Oc* 16, rue de la Sorbonne, 75005 Paris.

• **Organisations indépendantes.** **Bizà Neirà :** éditions en auvergnat ; *Pt fond. :* Pierre Bonnaud (1, rue des Allées, Ceyrat, 63110 Beaumont). **La France latine,** f. 1954 ; *dir. litt. :* S. Thiolier-Méjean (16, rue de la Sorbonne, 75005 Paris). **Le Félibrige,** f. 1854 [*capoulier :* Paul Pons (5, bd A.-Daudet, 05000 Gap)]. **Lou Felibrige,** f. 1887 (5, pl. des Héros, 13013 Marseille). **Lou Prouvençau à l'Escolo :** 5, impasse du jardin des plantes, 13004 Marseille. *Fondé* par Ch. Mauron et C. Dourguin. **CACEO** (Conféd. des Associations culturelles et enseignantes d'oc), anti-occitaniste, défend la tradition régionaliste (29, bd Gergovia, 63037 Clermond-Ferrand). **La Pervenquiero** (98, av. Ledru-Rollin, 75005 Paris) ; *capoulier :* A. Costantini. **Centre de Recherches et d'Études méridionales** (Claude Mauron, chemin de Roussan et Cornud, 13210 St-Rémy).

Gaule méditerranéenne, de Toulouse aux Alpes ; y ouvrent la voie *Domitia,* d'Italie en Esp., et y organisent une Province, la *Gallia transalpina* ou *Gallia braccata* (pays des Gaulois à pantalons, sans toge romaine) ; pays fortement romanisé. **118** Narbonne, Narbo Martius, remplace Enserune comme capitale (colonie de vétérans). **56** Gaulois romanisés de la Province fournissent à César la majeure partie de ses troupes pour conquérir le reste de la Gaule (56-52). **46** les vétérans de César s'installent en masse. **27** la Province est supprimée : Narbonne devient la capitale de la Narbonnaise, une des entités de la Gaule romaine. **Après Dioclétien** Narbonne capitale de la *Narbonnaise 1re* (le Languedoc actuel, du Rhône aux Pyrénées), que l'on appelle couramment la Septimanie, car elle est colonisée par les vétérans de la Septième Légion. **Période wisigothique** pénétrant en Gaule en 412, les Wisigoths (roi : Ataulfe) de religion arienne y fondent en 419 (roi : Wallia) un royaume où ils s'implantent fortement. Chassés du Sud-Ouest en 507 (défaite de Vouillé), ils se maintiennent contre les Mérovingiens en Septimanie, où ils tiennent pendant 3 siècles les 7 cités de Narbonne, Béziers, Nîmes, Agde, Maguelonne, Elne et Carcassonne. Leurs ducs sont les premiers lieutenants des rois wisigothiques d'Espagne. **673** le duc Paul se proclame roi, mais il est battu par Wanba. **Période musulmane : 719** les mus., maîtres de l'Esp., pénètrent en Septimanie. **725** Ambiza occupe le pays jusqu'au Rhône ; il a l'appui de la noblesse « gothique », demeurée secrètement arienne. **752** le seigneur goth Ansemond (Cte de Nîmes et gouverneur d'Agde, Béziers, Maguelonne, Uzès) s'allie à Pépin le Bref et chasse les musulmans. Chargé d'enlever Narbonne en 753, il y est tué. Ses descendants, gouverneurs de Septimanie et futurs « Mis de Gothie », obtiennent l'autonomie politique et (peut-être aussi) religieuse. **Période carolingienne : 801** le marquisat de Gothie s'agrandit de la Gotholonia ou Catalogne, au sud des Pyrénées. **865** la marche de Catalogne, ou comté de Barcelone, en est détachée, isolant la Septimanie du monde musulman. **Xe s.** exposé à la piraterie sarrasine et peu touché par le mouvement de renaissance culturelle. **Période féodale** le titre de marquis de Gothie est porté de 865 à 918 par les comtes d'Auvergne, puis par la famille de St-Gilles, comtes de Toulouse (ou de Rouergue, branche cadette). **Au XIe s.** Raymond de St-Gilles s'intitule duc de Narbonne, et le titre de Gothie disparaît. **A la fin du XIIe s.** une branche cadette des St-Gilles, les comtes d'Albi, possède en fief le duché de Narbonne et la vicomté de Béziers, d'où le nom de *« g. des Albigeois »* donné à la croisade lancée 1208 contre les cathares languedociens. Les coutumes sont influencées par le droit romain. De bonne heure, usage écrit des dialectes (en raison de l'oubli du latin classique), assez proches du latin toutefois pour les documents juridiques (mi-Xe s.) et la littérature (début XIe s.). Organisation rurale fondée sur l'assolement biennal. Importance de la vie urbaine ranimée depuis le XIe s. ; autonomie urbaine (apparition de consulats à partir de 1130 environ) acquise généralement de façon pacifique. L'aristocratie, très mêlée à cette vie urbaine, fournit le public raffiné des troubadours. Développement largement toléré d'hérésies, héritières de l'ancien arianisme (celle des *cathares* notamment). **1209**-*22-7* sac de Béziers par Croisés.

Période royale (de 1229 à 1523). 1229 *tr. de Paris* rattache au domaine royal les territoires formant les sénéchaussées de Beaucaire et Carcassonne. **1255** chute du dernier château cathare. **1271** les territoires laissés au Cte de Toulouse *Raymond VII,* et passés ensuite à son gendre *Alphonse de Poitiers,* frère de Louis IX, reviennent à la Couronne. Le L. royal a ses institutions propres : à la base, *sénéchaussées* organisées au XIIIe s. (à partir de St Louis, personnel contrôlé par des enquêteurs) ; à partir de Philippe le Bel, réunions par les rois d'assemblées de nobles, de prélats et de délégués des communautés pour les consulter et leur demander des subsides ; au XIVe s., apparition des *états du Languedoc ;* le *lieutenant du roi* (ou « capitaine » ou « gouverneur ») détient l'autorité royale (1296), puis il sera réduit à un rôle militaire. La royauté lutte contre l'hérésie, mais respecte langue, coutumes et privilèges ; le français reste une langue étrangère ; les privilèges urbains, bien que sévèrement contrôlés, se maintiennent (multiplication des consulats) ; nombreuses rédactions de coutumes.

XIVe s. prospérité jusqu'au milieu du XIVe s. : fondation de plusieurs centaines de villages *(bastides),* développement des foires, surtout drapières.

Guerre de Cent Ans. Pillages des compagnies de routiers ; le L., après 1420, fournit à Charles VII son premier soutien. **1433** le L. ressort au parlement de Toulouse (l'ancien comté de Toulouse formant le *Ht-L.*, l'ancienne Septimanie formant le *Bas-L.*). **1478** *Cour des aides* à Montpellier à partir de 1478. **1523** *Chambre 19 des comptes* à Montpellier.

Guerres de religion : les protestants l'emportent en Bas-L. Nîmes, Montpellier, Alès sont « protestantisés ». **1632** la monarchie absolue s'impose avec l'échec de la révolte dirigée par Henri de Montmorency, gouverneur du L. (exécuté 1632) ; dès lors, les gouverneurs ne résident plus dans la province ; le pouvoir passe à l'intendant qui s'établit à Montpellier. **1789-94** avec la Révol., les institutions propres au L. disparaissent. **1875-90** crise du phylloxera. **1907** manif. viticoles (voir Index).

Roussillon

Situation. Correspond à peu près au département des Pyrénées-Or. (qui englobe en plus les cantons de Sournia, Latour-de-France et Saint-Paul au N., c.-à-d. l'ensemble du Fenouillèdes languedocien). Situé entre le col de Puymorens et la mer. Comprend : *à l'O. et au S.-O. :* derniers grands sommets pyrénéens (Carlitte 2 921 m, Canigou 2 785 m), leur prolongement des *Albères* (pic Neulos 1 256 m), les bassins effondrés en contrebas des grands massifs *(Capcir, Cerdagne française)* et les profondes vallées de la *Têt* et du *Tech (Conflent, Vallespir) ; à l'E. :* plaine du *Roussillon,* limitée au N.-O. par la chaîne montagneuse de Saint-Antoine.

Histoire. *Nom* venant de Ruscino (Château-Roussillon, à 5 km de Perpignan), antique capitale. **VIe s. av. J.-C.** Phéniciens fondent Port-Vendres. **350-218** arrière-pays occupé par 2 sous-tribus des Volques Tectosages, Céretans (Cerdagne) et Sordons, qui se rallient à Hannibal. **121 av. J.-C.** les Romains s'installent (via Domitia). **406** traversé par Vandales, Alains et Quades. **414** englobé dans le roy. des Wisigoths. **719** occupé par Arabes, ensuite chassés par Carolingiens qui organisent la marche d'Espagne (Charlemagne). Refuge pour Wisigoths d'Esp. fuyant les Sarrasins. Administré par des comtes (de Cerdagne et de R.), devenus héréditaires depuis 915 (Gaucelin) ; le dernier Cte de R., Guinard II, lègue le fief, en 1172, à Alphonse II d'Aragon. Le dernier Cte de Cerdagne, Bernard-Guillaume, l'imite en 1177. L'hommage au roi de France devient purement formel. **1250** *tr. de Corbeil,* Louis IX abandonne ses droits souverains sur le R. Sous la domination aragonaise, essor des villes (notamment Perpignan), développement écon. (commerce et industrie des étoffes). **1285** échec de l'expédition de Philippe III le Hardi, appelée « croisade », parce que son adversaire, Pierre III d'Aragon, était excommunié. **1262-1374** Perpignan devient capitale des rois de Majorque, cadets des Aragonais. **1463** occupation et annexion par Louis XI. **1493** *tr. de Barcelone,* Charles VIII remet le R. aux Rois Catholiques, qui en font une province esp., administrée directement (les rois d'Aragon, au contraire, y avaient appliqué le droit public catalan, où le pouvoir royal était partagé avec une assemblée de Cortes). **1640** alliance des Catalans et de la France contre l'Esp. **1642-9-9** l'armée de Louis XIII prend Perpignan. **1659** *tr. des Pyrénées,* rattachement définitif à la France. **1681** Vauban construit Mont-Louis, capitale stratégique du R.

Économie

Population 2 114 971 (1990) [*1982 :* 1 926 500] D. 76. *Actifs* (1-1-89) : 803 530 dont (en %) agric. 10,3, industrie 13,6, B.T.P. 8,6, tertiaire 67,5. *Salariés :* 541 280 dont (en %) agric. 3, 8, industrie 15,3, B.T.P. 7,7, tertiaire 73,2. *Saisonniers* (1987) : 38 466 dont 36 450 Espagnols.

Agriculture (au 1-1-90, estim.). **Terres** (en milliers d'ha) 2 776,1 dont *S.A.U.* 1 139,1, 42,9 % de la superficie rég. [t. arab. 276,4 (dont céréales 115,5, oléagineux 30,7 légumes 25,2, fruits 34,3, herbe 478,2)] ; *bois* 796,3 ; *t. agr. non cult.* 525,8 ; *étangs et autres eaux intérieures* 47,1 ; *autres terr. non agr.* 265,8. **Production végétale.** *Vin* (en millions d'hl) : 21,1 dont A.O.C. 2,8, V.Q.P.R.D. 3,3, vins de pays 17,7 ; *fruits* (milliers de t) : pêches, nectarines 200,5, pommes 154,9, abricots 51,1, raisins de table 33, cerises 10,5 ; *légumes :* tomates 166,5, p. de t. 59,1, salades 78,3, melons 38,1, oignons 23,2. **Production animale** (en milliers de têtes, 1-1-89, estim.) bovins 147, porcins 79,4, ovins 508,5, caprins 38,9, équidés 10,7. *Lait* (prod. finale, au 1-1-90, estim.) : 995 875 hl. Nombre d'exploitations (1986) : 71 030.

Échanges (en milliards de F, 1988). IMPORTATIONS : 26,3 dont (en %) prod. agric. 17,7, métaux et prod. non ferreux 15,3, matér. traitement inform. 9,1 ; *de* Espagne 22,7, All. féd. 14,9. EXPORTATIONS : 17,3 dont (en %) matér. traitement inform. 32,7, prod. agric. 21,4 ; *vers* Italie 21,4, All. féd. 17.

Nota. – Achats de terres par les étrangers (1963-84). *Source* SAFER : 42 900 ha dont Aude 7 300 (– 178 ha en 84), Gard 6 500 (+ 57), Hérault 12 900 (– 509), Pyr.-Or. 16 200 (– 390).

Pêche. Tonnage débarqué (Sète et Port-Vendres) (en milliers de t et, entre parenthèses, en millions de F, 1989) : 26,5 (337,4) dont sardines 5,6 (18,9), maquereaux 0,88 (6,6), anchois 6,9 (70,9), anguilles 0,4 (10,2). *Conchyliculture :* huîtres creuses et plates 12,5 (119,4), moules 16 (96,5), mollusques (1988) 11,6 (11,7).

Industrie. *Salariés :* 82 550 dont (en %) agro-alim. 16,5, constr. méc., électr. électron. 18,2, text. et cuirs 12,6. **B.T.P.** *Salariés :* 41 900.

Tourisme (au 1-1-89). *Gîtes ruraux* 2 870. *Hôtels* homologués 1 066 dont 14 % de 3 et 4 ét. (25 295 ch.), non homologués 844. *Campings 810 (324 000 pl.). Villages de vac.* 73 (26 396 lits). *Stations thermales* 12 (81 000 curistes/an env.). *Centres de thalassothérapie* 4. *Ports de plaisance* 25 (19 900 mouillages). – 14 384 personnes travaillaient dans l'hébergement et la restauration (hôtels, cafés, restaurants, traiteurs, etc.) au 31-12-1988.

Départements

Voir légende p. 748.

• **Aude** (11) 6 343 km² (100 × 50 km). *Côtes* 48 km. *Alt.* max. Pic de la Fajeolle 2 027 m (pays de Sault). 298 712 h. (1990) [*1801 :* 225 228 ; *1851 :* 289 747 ; *1886 :* 332 080 ; *1901 :* 313 531 ; *1936 :* 285 115 ; *1946 :* 268 889 ; *1954 :* 268 254 ; *1968 :* 278 323 ; *1975 :* 272 366 ; *1982 :* 280 686]. D. 49. *Pop. active* (1989) : 98 120, ayant un emploi 74 290 dont primaire 4 100, secondaire 16 310, tertiaire 53 850.

Villes. CARCASSONNE (basilique Sts-Nazaire-et-Celse : vitraux XIIe-XIVe s., orgue XVIe s., carillon 36 cloches ; église St-Vincent : orgue XIXe s., carillon de 47 cloches), alt. 111 m, 6 508 ha, 43 470 h. [*1806 :* 12 494 ; *1881 :* 27 512 ; *1911 :* 30 689 ; *1931 :* 34 921 ; *1946 :* 38 139 ; *1954 :* 37 035 ; *1968 :* 46 329 ; *1975 :* 42 154] ; ind. chim. (caout.), agro-alim., marchés (vins, primeurs) ; cité [2 enceintes (XIIe, XIIIe, XIVe s.) de 26 tours chacune, intérieure 1 287 m, extérieure 1 672 m, château 80 × 40 m], cath. (trésor), musée des Beaux-Arts, hôtels (XVIIe-XVIIIe s.). – *Bram* 2 899 h. *Castelnaudary* (collégiale St-Michel : XIIIe, XIVe s. ; orgue, carillon 36 cloches) 10 970 *[1881 :* 10 059 ; *1921 :* 7 921 ; *1954 :* 8 765 ; *1968 :* 10 844 ; *1975 :* 10 118] (ag. 12 023) ; tuileries, briqueteries, coopératives agric., foires, marchés ; « cassoulet », céréales. *Couiza* 1 287 h. *Coursan* 5 137 h. *Cuxac-d'Aude* 3 998 h. *Espéraza* 2 250 h. [ag. 4 043, petits centres ind. ; usines hydroélect. ; stations thermales : Alet-les-Bains (ruines cath. St-André, XIVe s.), Rennes-les-Bains]. *Fleury* 2 264 h. (ag. 3 537). *Lézignan-Corbières* 7 881 h. *Limoux* * alt. 172 m, 9 665 h. ; centre comm., ind. (tuilerie, bât. préfabriqués, chaussures) ; musée Petiet. *Narbonne* * (cath. St-Just, carillon 36 cloches ; basil. St-Paul-St-Serge, XIe, XIIe s.) alt. 6 m, sup. 17 554 ha, 45 849 h. [*1806 :* 9 464 ; *1881 :* 28 134 ; *1921 :* 28 956 ; *1968 :* 40 035] ; centre viticole et marché de départ ; ind. chim., répar. de matériel ferr., mach. agric., engrais, emballages, distilleries ; miel ; ancien palais des archevêques, musées Lapidaire et d'Archéol. ; traitement uranium. *Port-la-Nouvelle* 4 822 h., port (hydrocarbures, céréales, engrais, pêche) ; conchyliculture sur étangs de *Sigean* et *Gruissan. Quillan* 3 818 h. (ag. 4 175) ; plastiques, chaussures, chapellerie, distilleries, bois de charpente [haute vallée de l'Aude]. *Rieux-Minervois* 1 868 h. (ag. 2 921). *Salsigne* 372 h. ; 1re mine d'or et d'arsenic d'Europe. *Sigean* 3 373 h. *Trèbes* 5 575 h. ; ind. du bois.

Régions naturelles. *Montagne Noire* 27 656 ha (alt. max. Pic de Nore 1 210 m). *Razès* 98 721 ha, *pays de Sault* 107 854 ha, *seuil du Lauragais* 55 825 ha *et vallée de l'Aude. Plaine littorale narbonnaise* 46 913 ha, *et montagne. Corbières* 22 981 ha [1], *Minervois* 6 677 ha [1], *Fitou* 1 377 ha, *Clape* 805 ha [1] (viticulture). *Petites Pyrénées* (plateaux de 800 m : *Sault, les Fanges* 1 185 ha ; chaîne de *St-Antoine-de-Galamus*).

Nota. – (1) Surfaces plantées en vigne. 2e dép. pour vin (Corbières, Minervois, Fitou, Clape).

Tourisme. Abbayes : Fontfroide, St-Papoul, St-Hilaire, Lagrasse, Caunes-Minervois, St-Polycarpe (XIIIe et XIVe s.). **Châteaux cathares :** Puylaurens, Lastours, Aguilar, Quéribus, Peyrepertuse, Puivert. **Grottes** de Limousis, gouffre géant de Cabrespine. **Gorges** de Galamus (entre A. et P.-O., vallée de l'Agly) et de l'Aude. **Défilé** de la Pierre Lys. **Stations balnéaires :** Leucate, Gruissan, Narbonne-Plage, St-Pierre-la-Mer, Port-la-Nouvelle, Fleury d'Aude. **Ski :** Camurac (1 200 m d'alt.). **Étangs :** Bages et Sigean (4 500 ha, prof. 2 m), l'Ayrolle et Campignol (1 600 ha), Gruissan (2 500 ha).

• **Gard** (30) 5 835 km² (25 × 130 km). *Côtes* 20 km. *Alt.* max. Mt Aigoual 1 567 m. 585 049 (1990) [*1801 :* 300 144 ; *1886 :* 417 099 ; *1911 :* 413 458 ; *1936 :* 395 299 ; *1946 :* 380 337 ; *1968 :* 478 544 ; *1975 :* 494 575 ; *1982 :* 530 478]. D. 100. *Actifs* (1982) : 179 900 dont commerce, transp., services 102 440, ind., bât., génie civil et agr. 56 720, services marchands 33 460, non marchands 32 360, commerce 21 640, agr., sylv., pêche 19 740, bât. et génie civil et agr. 18 540, ind. des biens intermédiaires 13 760, de consommation 11 040, transp. et télécom. 10 260. *Salariés* (1982) : 142 680.

Villes. NÎMES alt. 46 à 116 m, 128 471 h. [*1596 :* 11 000 ; *1783 :* 39 650 ; *1846 :* 44 657 ; *1911 :* 80 437 ; *1954 :* 89 121 ; *1962 :* 105 199 ; *1975 :* 127 933] [ag. 138 527, dont *Milhaud* 4 855] ; agro-alim., bonneterie, confect., chaussures, constr. méc. ; Maison carrée (an 4 apr. J.-C. ; long. 26,3 m, larg. 13,55 m, haut. 17 m), arènes (68-70 apr. J.-C. ; 131 × 104 m, 365 m de tour ext., haut. 21 m, 25 000 pl.), tour Magne, musées des Beaux-Arts, du Vieux-Nîmes. *Projets :* centre d'art contemporain ; grand stade conçu par Gregotti (25 000 places, coût 100 millions). – *Aigues-Mortes* 4 999 h. ; salines ; remparts (XIIIe s.), Tour de Constance. *Alès** alt. 141 m, 41 037 h. [*1806 :* 9 387 ; *1881 :* 22 255 ; *1946 :* 34 731 ; *1975 :* 42 450] ; [ag. 71 585, dont St-Christol-lès-Alès 4 973] ; mines, métal., chim., électroméc., méc. de précision ; musée de la Mine, m. du Colombier, Pierre-André Benoit (art moderne). *St-Hilaire-de-Brethmas* 3 470. *St-Martin-de-Valgalgues* 4 487. *St-Privat-des-Vieux* 3 892. *Salindres* 3 213] ; houille, métall., méc. (Alsthom), électro. (Crouzet), chim. ; musée du Colombier]. *Anduze* 2 913 h. (ag. 4 461). *Aramon* 3 344 h. *Bagnols-sur-Cèze* alt. 51 m, 17 872 h. ; ind. atom., centre de retraitement *(Marcoule),* chim., ferrochromes ; musée de peinture. *Beaucaire* 13 400 h. ; port fluvial, ciment, chim. et ind. des boissons ; musées de la Foire, d'Archéol. ; château. *Bellegarde* 4 508 h. *Bessèges* 3 635 h. ; métal. (ag. 5 146). *Bouillargues* 4 336 h. *Caissargues* 3 292 h. *Garons* 3 648 h. *Genolhac* alt. 470 m, 827 h. *La Grand-Combe* 7 107 h. (ag. 11 991). *Laudun* 4 408 h. ; sidérurgie, verre. *Le Grau-du-Roi* 5 253 h. ; port de pêche, stat. tourist. *Le Vigan* * alt. 231 m, 4 523 h. [*1881 :* 5 268 ; *1936 :* 3 704 ; *1975 :* 4 293] (ag. 6 193) ; bonneterie, filatures de soie, confection ; Musée cévenol. *Les Angles* [1] 6 838. *Manduel* 5 579 h. (ag. 7 812). *Marguerittes* 7 548 h. *Mialet* 511 h. ; musée du Désert ; *Molières-sur-Cèze* 2 151 h. (ag. 3 011). *Pont-St-Esprit* 9 277 h., collégiale ; *Remoulins* 1 771 h. *Roquemaure* 4 647 h. *St-Ambroix* 3 517 h. (ag. 4 129). *St-Florent-sur-Auzonnet* 1 363 h. (ag. 2 879). *St-Gilles* 11 304 h. ; abbatiale. *St-Hippolyte-du-Fort* 3 515 h. ; chauss. *Sommières* 3 250 h. (ag. 4 280) ; terre employée comme détachant ; pont romain, basilique St-Gilles. *Sumène* 1 917 h., informatique. *Uzès* 7 649 h. : confiserie, château ; duché, tour Fenestrelle. *Valleraugue* alt. 438 m, 1 091 h. *Vauvert* 10 296 h. *Vergèze* 3 135 h. (ag. 4 895) ; source Perrier. *Villeneuve-lès-Avignon* [1] 10 730 h. ; chartreuse, fort St-André.

Nota. – (1) Communes faisant partie de l'unité urbaine d'Avignon (Vaucluse).

Régions naturelles. *Causses :* moutons ; brebis : lait pour le roquefort. *Montagnes des Cévennes :* forêt, châtaignes, pommiers, moutons ; élevage du ver à soie ; tourisme. *Collines calcaires des Garrigues :* vigne, élevages avicoles. *Vallées et coteaux du Rhône :* vigne, arbres fruitiers. *Costières et plaine méridionale :* viticulture (costières du Gard, Tavel, etc.) ; rizières. *Petite Camargue (2 000 ha) :* rizière, vignes, salins. – 2e dép. prod. de riz, 3e de fruits, asperges, vins.

Tourisme. *Pont du Gard* à Remoulins [sur le Gardon, commencé en Vers. 16-13 av. J.-C. ; long. 273 m ; haut. 48,77 m (1er ét. 21,87 m, 2e 19,5 m, 3e 7,40 m), aqueduc (49 km), amenait l'eau d'Uzès à Nîmes]. *Port* fluvial de l'Ardoise. *Station thermale* des Fumades. *Grottes* de la Cocalière près de St-Ambroix, Trabuc près d'Anduze. *Bambouseraie* de Prafrance près d'Anduze. *Parc national des Cévennes* (V. Index). *Train* des Cévennes.

• **Hérault** (34) 6 224 km² (130 × 65 km). *Côtes* 87 km. *Alt.* max. Mt de l'Espinouse 1 126 m. 794 603 h. (1990) [*1801 :* 275 449 ; *1851 :* 384 286 ; *1901 :* 489 421 ; *1946 :* 461 100 ; *1967 :* 591 397 ; *1975 :* 648 202 ; *1982 :* 706 499]. D. 130. *Pop. active* (1982) : 236 340 dont primaire 22 640, secondaire 55 380 (dont B.T.P. 25 380), tertiaire 158 320 ; *salariée* (31-12-82) : 118 137.

Villes. MONTPELLIER alt. 37 à 59 m, 207 996 h. [*1806 :* 33 090 ; *1846 :* 45 828 ; *1906 :* 77 114 ; *1946 :* 93 102 ; *1962 :* 118 864 ; *1968 :* 161 910 ; *1975 :* 191 354 ; *1982 :* 197 231] [ag. 236 788, dont *Castelnau-le-Lez* 11 043. *Juvignac* 4 221. *Le Crès* 6 601] ; constructions méc. et électr., électro., ind. text. et alim. ; faculté de médecine la plus ancienne (1021, statuts 1220), ensembles du Polygone (tours de + de 50 m) et d'Antigone (habitations) ; place de la Canourgue ; musées Fabre (Francis-Xavier 1766-1837 peintre), Atger ; jardin des Plantes créé 1593 par Henri IV (1er d'Europe). – *Agde* 17 583 h. ; commerce de vins ; cath. St-Étienne (XIIe s. musée). *Assignan* 145 h. ; aqueduc romain, long. 170 m. *Baillargues* 4 375 h. (ag. 6 333). *Bédarieux* 5 997 h. *Bessan* 3 356 h. *Béziers** alt. 5 à 68 m, 70 996 h. [*1806 :* 15 000 ; *1861 :* 24 270 ; *1906 :* 52 268 ; *1946 :* 64 561] (ag. 76 304) ; marché de vins, ind. méc., alim. ; musées municipal, hist. nat. *Capestang* 2 903 h. *Castries* 3 992 h. *Cazouls-lès-Béziers* 3 251 h. *Clermont-l'Hérault* 6 041 h. *Cournonterral* 4 095 h. *Fabrègues* 4 089 h. *Florensac* 3 583 h. *Ganges* 3 343 h. (ag. 5 375). *Gignac* 3 652 h. *La Grande-Motte* 5 016 h. *Lattes* 10 203 h. *Le Bousquet-d'Orb* 1 702 h. (ag. 2 741). *Lodève* * 7 602 h. (arrondissement rétabli sept. 1943) [*1846 :* 10 178 ; *1946 :* 6 242] ; bonneterie, text. *Lunel* 18 404 h. (ag. 20 705) ; vins, tonnellerie, confiturerie. *Marseillan* 4 950 h. *Marsillargues* 4 386 h. *Mauguio* 11 487 h. *Mèze* 6 502 h. *Montagnac* 2 953 h. *Palavas-les-Flots* 4 748 h. *Pérols* 6 595 h. *Pézenas* 7 613 h. ; musée Vulliod. *Pignan* 4 097 h. *Poussan* 3 505 h. *St-André-de-Sangonis* 3 472 h. *St-Gély-du-Fesc* 5 936 h. *St-Georges d'Orques* 3 567 h. *St-Jean-de-Védas* 5 390 h. *St-Pons-de-Thomières* (sous-préf. jusqu'en 1926) 2 566 h. ; cath. (XIIIe-XVIIIe s.), f. domaniale (env. 1 000 ha). *Sérignan* 5 173 h. *Servian* 3 056 h. *Sète* alt. 182 m, 41 510 h. [*1806 :* 8 506 ; *1851 :* 18 064 ; *1881 :* 35 571 ; *1921 :* 36 503 ; *1954 :* 33 454] [ag. 62 768 dont *Balaruc-les-Bains* 5 013. *Frontignan* 16 245 ; vins, muscats, raffineries de pétr., ind. chim., salines] ; port : 8e métropolitain, 2e non autonome, 1er à vins, 2e du littoral méditerr. ; pêche, ind. chim., habill., pétr., vins ; musée P. Valéry (tombe au cimetière Marin). *Vias* 3 517 h. *Villeneuve-les-Maguelonne* 5 081 h.

Régions naturelles (en ha.). *Plaine viticole* 188 747 : vignobles, cult. fruit. et légum. *Minervois* (Corbières, Minervois, Montagne Noire) 68 341. *Soubergues* 211 510. *Garrigues* 79 765. *Plateau du Sommail et l'Espinouse* (1 206 m) *et Mts de Lacaune* (peu dans le dép.) 65 423. *Causses du Larzac* 34 180 (900 m). *Caroux. Escandorgue. Lodevois. Serane. Le plus grand vignoble du monde :* (1-1-90, estim.) 8 800 000 hl (14,6 % de la récolte fr.). Coteaux du Languedoc, Faugères, Minervois, Mireval ; clairette du Languedoc, muscats de Frontignan, St-Chinian, Lunel.

Tourisme. Étangs : Thau 7 600 ha, 20 × 5 à 8 km, prof. 30 m, 2e étang de Fr., 2e prod. de coquillages fr. ; Mauguio (étang d'Or) 3 000 ha, prof. 2 m ; Vic 1 320 ha. **Lacs :** La Raviège 403 ha, prof. max. 33 m, d'Avène ; retenue de Salagou 750 ha, prof. max. 55. **Grottes :** des Demoiselles, de la Clamouse, de la Devèze ; Minerve, St-Guilhem-le-Désert. **Oppida :** D'Ensérune, d'Ambrussum (Lunel). **Cirques.** De Navacelles, de Mourèze. **Parc :** National régional du Ht-Languedoc. **Stations thermales :** Avène, Balaruc-les-Bains, Lamalou-les-Bains (1709). *Aménagement du littoral :* La Grande-Motte (constr. dep. 1965), Carnon, Palavas, Sète, Marseillan, Cap d'Agde (1er centre naturiste d'Europe constr. dep. 1965 sur 600 ha : 30 000), Valras, Frontignan. **Abbayes :** St-Félix-de-Montceau, Maguelone, Valmagne, prieuré de Grandmont. **Églises :** Florensac (XIIe s.), Loupian (XIIe s.), Capestang, Quarante, St-Martin de Londres. **Châteaux :** Montlaur, seigneurs de Mirepoix (an 1400) ; Castries, Flaugergues.

• **Lozère** (48) 5 180 km² (115 × 68 km). *Alt.* max. Mont Lozère 1 702 m. 72 814 h. (1990) [*1801 :* 126 503 ; *1851 :* 144 705 ; *1901 :* 128 866 ; *1936 :* 98 480 ; *1954 :* 82 391 ; *1968 :* 77 258 ; *1975 :* 74 825 ; *1982 :* 74 294]. D. 14. *Actifs* (1982) : 29 000, occupés 27 000 dont primaire 7 000, sec. 6 000, tert. 14 000. *Salariés* (1982) : 9 403.

Villes. MENDE sup. 350 ha, alt. 731 à 900 m, 11 286 h. [*1806 :* 5 752 ; *1826 :* 5 445 ; *1886 :* 8 033 ; *1926 :* 6 056 ; *1975 :* 10 451] ; musée. – *Florac* * 2 065 h. *Langogne* 3 380 h. ; ind. du bois. *Marvejols* 5 476 h. *St-Chély-d'Apcher* 4 570 h. ; ferro-alliages.

Régions naturelles. *Margeride* 227 932 ha (granit). *Aubrac* 32 758 ha (basalte) : bovins, fourme. *Cévennes* 93 625 ha (schistes) : caprins, from. Pélardon. *Causses-Vallées* 126 373 (calcaire), alt. moy. 1 000 m : Sauveterre. *Méjean :* ovins (lait pour roquefort) ; *v. du Lot :* bovins (from. bleu des Causses).

Tourisme. Parc national des Cévennes, des Loups (Marvejols). **Ski** de randonnée et de fond. **Gorges** du Tarn. **Aven** Armand. **Grotte** de Dargilan. **Lacs** de Naussac, Villefort. **Châteaux** de la Baume, de Castanet. **Village** fortifié de La Garde-Guérin, écomusée du Mont-Lozère.

• **Pyrénées-Orientales** (66) 4 116 km² (120 × 56 km). *Alt.* max. Carlitte 2 921 m, Puigmal 2 909 m, Canigou 2 785 m. ; min. plages du littoral. *Temp.* moy. juillet 24,1 °C, moy. févr. 7,6 °C. *Pluies* (haut. moy. 15 ans) 615,5 mm. *Côtes :* sablonneuse (40 km), rocheuse « C. vermeille » [rocheuse, composée de schistes, 20 km (fin des Albères)]. 363 793 h. (1990) [*1801 :* 110 732 ; *1851 :* 181 955 ; *1901 :* 212 121 ; *1931 :* 238 647 ; *1946 :* 228 776 ; *1968 :* 281 976 ; *1975 :* 299 506 ; *1982 :* 334 557]. D. 88 (1990). *Pop. active* (1989) : 109 936 dont primaire 14 280, secondaire 24 564, tertiaire 71 092 ; *salariée* (1985) : 86 300.

Villes. PERPIGNAN alt. 20 m, 105 983 h. [*1800 :* 11 500 ; *1851 :* 21 783 ; *1911 :* 39 510 ; *1931 :* 73 962 ; *1954 :* 70 051 ; *1968 :* 104 095 ; *1975 :* 106 426] (ag. 137 915, dont *Bompas* 6 323. *Cabestany* 7 513. *Pia* 4 105. *St-Estève* 9 856 (*1946 :* 1 370 ; *1968 :* 2 589). *Toulouges* 4 955] ; marché de vins, fruits et légumes ; jouets, bonneterie ; église St-Jacques, loge des marchands, palais des Rois de Majorque, le Castillet, musées H. Rigaud, Casa Pairal. – *Amélie-les-Bains-Palalda* 3 239 h. *Argelès-sur-Mer* 7 188 h. *Arles-sur-Tech* 2 837 h. ; monuments (église et cloître, sarcophage se remplissant d'eau). *Banyuls-sur-Mer* 4 662 h. ; vin doux. *Canet-en-Roussillon-St-Nazaire* 7 575 h. ; musée du Père Noël ; tourisme. *Canohes* 3 568 h. *Cerbère* 1 461 h. *Céret* * alt. 170 m, 7 285 h. [*1936 :* 5 118 ; *1962 :* 5 527] ; espadrilles ; musée d'Art mod. *Elne* 6 262 h. ; cult. maraîchères, lég., ind. div. (cons. alim., embal., constr. métall., B.T.P.) ; cloître roman. *Estagel* 2 038 h. *Eus* 361 ha ; commune la plus ensoleillée (2 644 h/an). 2e département prod. d'abricots. *Font-Romeu* alt. 1 800 m, 1 857 h. ; sports d'hiver. *Ille-sur-Têt* 5 095 h. ; cult. maraîch., lég. *Lamanère* 37 ha ; commune la plus méridionale de la France continentale. *Le Barcarès* 2 422 h. *Le Boulou* 4 436 h. *Le Soler* 5 147 h. *Millas* 3 091 h. *Molitg-les-Bains* 185 h. *Port-Vendres* 5 370 h. [*1881 :* 3 311 ; *1954 :* 4 180] [ag. 8 096, dont *Collioure* 2 726] ; port (fruits, légumes, vins ; pêche). *Prades* * alt. 348 m. 6 609 h. [*1936 :* 4 946 ; *1962 :* 5 899] (ag. 7 355) ; vin, miel. *Prats-de-Mollo-la-Preste* 1 102 h. *Rivesaltes* 7 107 h. [*1881 :* 6 980] ; vin doux. *Saint-André* 2 123 h. *Saint-Cyprien* 6 892 h. *St-Génis-des-Fontaines* 1 744 ha ; plus ancien linteau roman daté (1020). *St-Laurent-de-la-Salanque* 7 186 h. (ag. 8 961). *Salses* 2 422 h ; château fort. *Thuir* 6 638 h. ; caves Byrrh, cuve en bois 10 000 hl. *Vernet-les-Bains* 1 489 h.

Régions naturelles. *Plaine du Roussillon :* collines et terrasses d'alluvions anciennes entre la Têt et le Tech notamment ; bordée au centre et à l'est près de la mer par la Salanque (anciens marais troués d'étangs), vignoble derrière un maigre cordon littoral ; au nord par le Fenouillèdes et les derniers contreforts des Corbières ; au sud par les Aspres et les Albères (vignobles, vin doux naturel : Banyuls, Rivesaltes) ; prolongée au nord par côte sablonneuse et au sud par côte Vermeille (étangs nord). *Zone montagneuse* (contreforts Pyrénées) comprenant Cerdagne (plateau alt. 1 000 à 1 800 m encastré entre Andorre, massif du Carlitte, Puigmal, Capcir). *4 vallées* (d'ouest en est) : Vallespir, Tech (climatisme), le Conflent (lit de la Têt), vallée de l'Agly (cult. fruitières et légumières). **Bois** (en milliers d'ha, 89). 89,8 [dont (1981) f. domaniales : Camporeills 4,1, Canigou 8,3, Conflent 2,2, Ht-Vallespir 10,5, Boucheville 1,2, Albères 2,1, Barres 2,2, Font-Romeu 1,8, Osséja 1,2, La Massane 0,3 (réserve naturelle)].

Langues. 200 000 h. des Pyr.-Or. parlent catalan (évolution locale du bas latin, langue officielle dep. 1977 de la Catalogne, en Espagne) ; le c. se distingue de la langue d'oc par la prononciation « ou » du u ; la réduction de la diphtongue « au » à o ; l'absence des diphtongues « ue » et « ie » (réduites à u et i) et de la diphtongue « ei » (remplacée par eu). Surtout, l'accent tonique se maintient parfois sur l'antépénultième, notamment dans les formes verbales. Le roussillonnais parlé se distingue du catalan officiel : terminaison i du présent de l'indicatif et de la 1re personne de l'imparfait *(parlavi) ;* le « ó » accentué final est prononcé « ou » *(Canigou) ;* le pluriel des mots en « àn » est en « às » au lieu de « ans » (hortolàs, màs).

Tourisme. Lacs et plans d'eau : *de montagne :* le Lannoux 160 ha (le plus grand des Pyrénées fr.), des Bouillouses 142 ha. Barrages de Matemale, de Puyvalador, étangs des Camporeills. Villeneuve-de-la-Raho 234 ha, Vinca-les-Escoumes 177 ha (voile). *Sur le littoral :* étangs de Salses-Leucate 110 km² (prof. 12 m), St-Nazaire et Canet 900 ha (prof. 30 à 80 cm). **Fours solaires :** Mont-Louis et Font-Romeu-Odeillo Via. **Ski.** Font-Romeu 1 800 m, Les Angles 1 600-2 400 m, Porté Puymorens 1 600-2 400 m, Pyrénées 2 000-2 910 m, Le Puigmal 1 800-2 600 m, Osséja 1 250 m, Mont-Louis 1 600 m, Formiguères 1 500 m. **Stations thermales :** Le Boulou, Amélie-les-Bains, Prats-de-Mollo-la-Preste, Vernet-les-Bains, Molitg-les-Bains. **Ports de plaisance.** Le Barcarès, Canet, St-Cyprien, Argelès-sur-Mer, Collioure, Banyuls et Cerbère. **Art roman** (+ de 100 églises). **Abbayes :** St-Michel-de-Cuxa, St-Martin-du-Canigou, prieuré de Serrabonne, cloître d'Elne. *Fouilles préhistoriques* (paléolithique inférieur moyen) : crâne de l'homme de Tautavel (450 000 ans).

Limousin

Généralités

Situation. Partie N.-O. du Massif central. 160 km (N.-S.) sur 150 km (O.-E.), 17 000 km².

Reliefs. Plateaux granitiques ou schisteux s'abaissant d'E. en O. et étagés en gradins concentriques : *Montagne limousine* (200 000 ha, entre 800 et près de 1 000 m) ; *plateaux de Millevaches* (alt. max. Mt Bessou, 978 m) et *des Monédières* (alt. max. Puy des M., 911 m) ; haute terre vallonnée couverte de landes et de marécages ; aménagement forestier et touristique ; élevage du bétail, notamment du mouton. *Au*

N., O. et S., talus découpé par les rivières en gorges sauvages. Entre 600 et 400 m (Mts d'Ambazac, de Blond, de la Marche), prairies et forêts (châtaigniers) ; bovins (limousins), ovins, chevaux (anglo-arabe du Limousin). Villes dans les vallées (Limoges, Tulle, Uzerche, Guéret...). *Pays bordiers :* bassins et dépressions périphériques : région industrielle de Montluçon et de Commentry ; Boischaut au N. ; bassin de Brive au S.

Climat. Ensemble frais. Altitude et vents atlantiques (moy. 8/12 °C), étés chauds, parfois très secs. En altitude : quelquefois plus de 100 j de gel, neige pendant 4 mois. *Pluviosité :* 750 mm (1 200 à 1 500 en montagne, – de 700 dans vallées de la Marche). *Ilot méridional :* bassin de Brive (palmiers).

Histoire. Avant J.-C. homme de La Chapelle-aux-Saints, de type néandertalien. Plusieurs migrations néolithiques (dolmens et menhirs). **Protohistoire** des Ligures (avec, au VIIe s., un passage de Celtes de Halstatt se rendant en Espagne), Ibères, Aquitains venus du sud au VIe s., puis, après 350, des Celtes de La Tène. Habité par les *Lémovices* (Gaulois), conquis par les Romains (prise d'Uxellodunum 51 av. J.-C.), **IIIe s.** pacifié puis christianisé par St Martial (IIIe s., 1er év. de Limoges) ; sous Dioclétien, cité gallo-romaine de Limoges (Augustoritum), partie de l'Aquitaine Première. **Invasions barbares.** Relèvement sous Clotaire II et Dagobert ; St Éloi (Limousin d'origine) fonde le monastère de Solignac. Isolement du comté à l'époque carolingienne. **Vers le Xe s.** divisé en vicomtés (Limoges, Aubusson, Bridiers, Comborn, Rochechouart, Turenne). La seigneurie de Chambon, acquise par les Ctes d'Auvergne, devient la baronnie de Combrailles ; le Cte de la Marche (arr. actuels de Bellac, Guéret, Aubusson) est gouverné par les seigneurs de Charroux au Xe s., ceux de Montgomery au XIe s., et les Lusignan au XIIIe s. Puis les fiefs se regroupent ; seuls subsistent les Ctés de la Marche, Combrailles, Limoges et Turenne ; la vicomté de Ventadour est créée dans la montagne limousine, autour d'Ussel. Le L. relevant d'Éléonore d'Aquitaine, après le 2e mariage de celle-ci avec Henri II Plantagenêt, reste pendant 3 siècles dans le roy. anglo-angevin, mais est occupé par les Capétiens de 1204 à 1259, puis de 1286 à 1360 ; au N. de la Dronne, des monts de Blond et de Guéret, la langue d'oïl remplace la langue d'oc ; droit écrit et droit coutumier se partagent la région. **XIVe s. :** fournit plusieurs centaines de prélats et 3 papes : Clément VI, Innocent VI, Grégoire XI. **1360** abandonné aux Anglais (tr. de Brétigny). **1370-74** reconquis par l'armée de Charles V. **1477** Louis XI confisque la Marche (pour félonie) au comte de Nemours et la donne à son gendre, Pierre de Beaujeu. **1523** François Ier la confisque (pour félonie) au connétable de Bourbon, héritier des Beaujeu. **1527** passe à Charles de Bourbon-Vendôme, gd-père d'Henri IV. **1598** réunie au domaine royal. **1607** Henri IV s'assure la vicomté de Limoges. Seules la vicomté de Turenne (qui réunit ses états jusqu'en 1738) et la seigneurie de Ventadour conservent leurs privilèges jusqu'au XVIIIe s. **1761-74** Turgot (intendant) transforme économiquement la région. **Sous la Révolution :** 3 départements (Creuse, Hte-Vienne, Corrèze), le *Confolentais* est donné à la Charente, et le *Nontronnais* à la Dordogne.

Économie

Population. 722 791 h. (1990) [*1801 :* 706 845 ; *1861 :* 899 768 ; *1891 :* 985 689 ; *1936 :* 798 176 ; *1946 :* 779 556 ; *1962 :* 733 955 ; *1968 :* 736 323 ; *1975 :* 738 726 ; *1982 :* 737 153]. D. 43,1 (86). *Active* (ayant un emploi, au 1-1-90) : 274 674 dont (au 1-1-89) primaire 41 253, secondaire 74 127 (B.T.P. 19 163), tertiaire 159 953. *Salariés :* 216 579.

Population active ayant un emploi (au 1-1-1988). Total 275 748. Agr., sylvicult. et pêche 42 637, ind. agro-alim. 7 635, prod. distr. énergie 2 216, biens intermédiaires 16 978, biens d'équipement 13 502, biens de consomm. 14 956, bâtiment, génie civil et agr. 19 253, commerce 30 147, transports et télécomm. 17 807 ; services marchands 51 928, financiers 6 138 (dont banques 4 015, assurances 1 408), non marchands 52 551 (dont T.U.C. 3 345).

Échanges (en milliards de F, 1988). IMPORTATIONS : 3,7 dont (en %) prod. chim 24,2, biens de consomm. courante 18,9, métaux et prod. du trav. des métaux 18,8, biens d'équip. 15,8, prod. des ind. agro-alim. 12,7, prod. de l'agric., de la sylvicult. et de la pêche 4, pièces détachées et matér. utilit. de transport terr. 2, équip. autom. des ménages 1, électroménager, électron. grand public 0,3, mat. 1res min. 0,2, énergie 0,1, divers 1,4. EXPORTATIONS : 4,4 dont (en %) prod. chim. 31, biens d'équip. 21, prod. de l'agr., de la sylvicult. et de la pêche 17,7, biens de consomm. courante 12,8, prod. des ind. agroalim. 10,8, métaux et prod. du travail des métaux 3,9, pièces détachées et matér. utilit. de transport terr. 1,6, électroménager, électron. grand public 0,1, mat. 1res min. 0,09, énergie 0,05, équip. autom. des ménages 0,05, divers 0,8.

Agriculture (au 1-1-90, estim.). **Terres** (en milliers d'ha) 1 705,8 dont *S.A.U.* 899,4 [t. lab. 276,1, herbe 618,3, cult. fruit. 3,8] ; *bois* 565 (dont 265 en Corrèze) ; *t. agr. non cult.* 120 ; *étangs et eaux intérieures* 15,4 ; *autre t. non agr.* 104,9. **Prod. végétale** (en milliers de t) céréales 344,1 dont blé tendre 121,6, orge et escourgeon 52, maïs-grain 42,5, avoine 28,5. **Animale** (en milliers de têtes, prov. 1988) bovins 981,1, porcins 176,7, ovins 1 204,1. *Lait* (vache, 1-1-1990, estim.) : 2 095 800 hl.

Production. *Uranium :* réserves économiquement exploitables 5 000 t (1991). Product. de la COGEMA/Division minière de la Crouzille (Hte-V.) : 900 t (1991). *Porcelaine de table* (1982) 169 138 m³. *Pâte à papier* (1982) 110 000 t ; *papier d'emballage* (1982) : 143 700 t ; *carton et carton ondulé* (1982) : 128 400 t.

Tourisme (nombre d'établissements et, entre par., capacité, au 1-1-1989). *Hôtels* 764 (9 185) dont *homologués* 342 (6 149) [dont *classés* 337 (6 097)]. *Campings-caravanages* 194 (12 613 pl.). *Gîtes ruraux* 1 735, *villages de vac.* 31 (8 481).

Projets *E.D.F. :* (4 barrages en escaliers dans les gorges de la Vézère, en Corrèze, et de Chamboucharð, en Creuse) ; hauteur : – de 20 m chacun ; product. globale : 79 millions de kWh par an.

☞ Voir Occitanisme p. 782.

Départements

Voir légende p. 748.

• **Corrèze** (19) 5 857 km². *Alt.* max. Mt Bessou 978 m, min. 80 m (sortie de la Vézère). 237 859 h. (1990) [*1801 :* 243 654 ; *1851 :* 320 866 ; *1872 :* 302 746 ; *1891 :* 328 151 ; *1936 :* 262 743 ; *1954 :* 242 798 ; *1968 :* 237 858 ; *1975 :* 240 363 ; *1982 :* 241 448]. D. 41. *Pop. active* (ayant un emploi au 1-1-90) : 89 315 dont (au 1-1-89) primaire 14 681, secondaire 24 154, tertiaire 51 237. *Salariés* 68 484.

Villes. TULLE alt. 212 à 347 m, 17 164 h. [*1846 :* 11 646 ; *1906 :* 17 245 ; *1975 :* 21 634] (ag. 18 631) ; ind. agro-alim., manuf. nat. d'armes, méc. gén., fabrication d'accordéons ; cathédrale. – *Argentat* alt. 188 m, 3 189 h. *Bort-les-Orgues* alt. 430 m, 4 208 h. ; tannerie, confect., maroquinerie, barrage (ht 120 m). *Brive-la-Gaillarde* * alt. 142 m, 49 714 h. [*1846 :* 8 829 ; *1906 :* 20 636 ; *1954 :* 36 088 ; *1975 :* 54 730] [ag. 63 760 dont dans le dép. *Malemort-sur-Corrèze* 6 484. *St-Pantaléon-de-Larche* 3 478] ; métall., électro., mobilier, marché agr., ind. alim. *Egletons* alt. 650 m, 4 487 h. ; écoles ; salaisons, ind. de la viande. *Objat* 3 163 h. ind. agro-alim. et méc. ; meubles en rotin. *Pompadour :* haras créé par Colbert, seule jumenterie nationale appartenant à l'État ; matér. élec., ind. méc. *Ussel* * alt. 631 m, 11 448 h. [*1846 :* 4 544 ; *1906 :* 4 942 ; *1936 :* 6 392 ; *1954 :* 7 202 ; *1968 :* 8 985 ; *1975 :* 11 391] ; fonderie d'alum., menuis., bonneterie, panneaux, salaisons. *Uzerche* alt. 334 m, 2 813 h ; cartonnerie, papeterie.

Régions naturelles. *Bassin de Brive* 88 999 ha, alt. 90 à 300 m : tabac, cult. légum. et fruit., élev. intensif (bovins, ovins, porcins, équidés, caprins). *Plateau corrézien* 308 861 ha, alt. 300 à 650 m : vergers, élev. extensif (bovins, ovins, porcins). *Montagne corrézienne* 188 174 ha, alt. 650 à 1 000 m : élev. extensif (bovins, ovins), résineux. *Hydrographie :* vallées profondes formant des gorges (Corrèze, Vézère, Dordogne, Triouzoune). Rivières venant de la Montagne (Millevaches vient du celtique « mille batz » : mille sources) : Vézère, Corrèze vers le S.-O. ; Doustre, Luzège, Triouzoune, Diège, affluents de la Dordogne vers le S. ; Vienne vers le N.-O.

Régions agricoles. *Bas pays de Brive* (78 220 ha), *Causse* (7 208 ha), *Périgord Blanc* (3 945 ha), alt. – de 300 m (jusqu'à 90 m), climat doux et peu humide (900 à 1 000 mm). *Haut Limousin : plateaux du S.-O.* (142 724 ha), alt. 300 à 650 m, climat humide (pluies 1 m et +), polycult., élevage ; *plateaux du S.-E.* (119 145 ha). *Cantal* (6 940 ha), idem aux plateaux du S.-O., mais landes + étendues (1/3 de la surface). *Xaintrie* (40 052 ha), relief + accentué, bois. *Montagne ou plateau de Millevaches* (186 782 ha dont 67 480 consacrés à la culture et l'élevage), alt. 850 à 984 m, climat rude et humide (1,20 à 1,80 m), bois, landes (bruyères, genêts), seigle, avoine, pommes de terre, bovins, ovins. *Artense* (1 510 ha), alt. 650 m.

Tourisme. Aménagement hydroélectrique *des bassins de la Dordogne* [Bort-les-Orgues (10,73 km²),

L'Aigle (7,5 km²), Chastang (7,06 km²), Argentat (106 ha)] *et de la Vézère* [Monceaux-la-Virolle (183 ha), Vaud (101 ha)]. **Sites :** Aubazine (abbaye) Uzerche, Argentat, Beaulieu, Collonges, Treignac, Turenne ; cascades de Gimel, Puy de Pauliac. **Châteaux :** Sedières, Pompadour, Merle (ruines), Val, Seilhac. **Son et lumière :** St-Geniez-ô-Merle (Tours de Merle), St-Pantaléon de Lapleau (la vieille église).

• **Creuse** (23) 5 601 km² (110 × 80 km). *Alt.* max. Forêt de Châteauvert 978 m, min. 175 m (sortie de la Creuse). 131 346 h. (1990) [*1801 :* 218 041 ; *1851 :* 287 075 ; *1872 :* 274 663 ; *1891 :* 284 860 ; *1936 :* 201 844 ; *1954 :* 172 702 ; *1968 :* 156 876 ; *1975 :* 146 214 ; *1982 :* 139 968]. D. 24. *Pop. active* (ayant un emploi au 1-1-90) : 46 947 dont (au 1-1-89) primaire 13 060, secondaire 9 262, tertiaire 25 143. *Salariés :* 31 573.

Villes. GUÉRET alt. 450 m, 14 706 h. [*1846 :* 5 404 ; *1906 :* 8 058 ; *1936 :* 8 789 ; *1954 :* 10 131 ; *1968 :* 14 080 ; *1982 :* 15 720] ; meubles, bijoux, quincaillerie, bâtiment. – *Aubusson* * alt. 430 m, 5 097 h. [*1846 :* 5 436 ; *1906 :* 7 015 ; *1936 :* 5 830 ; *1954 :* 5 595 ; *1968 :* 6 761 ; *1975 :* 6 824] ; tapisserie, bâtiment, voilerie, matér. de bureaux ; école nat. de la Tapisserie : m. de la Tapisserie, maison du Vieux-Tapissier. *Auzances* 1 536 h. *Bourganeuf* (ancienne sous-préf.) alt. 449 m, 3 385 h. ; scierie, tôlerie ; château, collection archéol. *Boussac* (ancienne sous-préf.) alt. 390 m, 1 652 h. ; chambres froides, bâtiment, confection ; château. *Chambon-sur-Voueize* 1 105 h ; chaudronnerie ; église. *Évaux-les-Bains* 1 716 h ; église. *Felletin* alt. 587 m, 1 985 h. ; tapisserie, bâtiment, chaudronnerie. *La Souterraine* alt. 366 m, 5 459 h. ; mécanique, électro., confect., papeterie ; église.

Régions agricoles (en ha). 560 115 ha dont *haut Limousin* 31 500 (élevage), *Marche-Nord* 144 850, *M.-Sud* 118 850, *Plateau de Millevaches* 80 506 (élevage), *bas Berry* (élevage, céréales), *Combraille bourbonnaise* 78 200 (élevage). **Bois** (milliers d'ha, 1-1-90, estim.), dont (1981) 108 forêts appartenant à des sections de communes 3,216 ; 12 forêts communales (forêts de Feniers 0,13, Royère 0,031, St-Quentin-la-Chabanne 0,031, Gentioux 0,057, des Hospices de Dun-le-Palestel 0,112, de St-Pardoux-Morterolles 0,058), f. domaniale de Chabrière 0,144.

Tourisme. Vassivière (1 100 ha). *Lacs de retenue :* Lavaud-Gelade (275 ha), Chammet (60 ha). Eaux les plus radioactives de France (2,34 milli-microcuries), de 15 à 48 °C. *Pierres Jaumâtres* (mégalithes de plusieurs centaines de t). *Boiseries* (église du Moutier-d'Ahun). *Châteaux :* Boussac, St-Germain-Beaupré, Villemonteix.

• **Haute-Vienne** (87) 5 520,13 km² (120 × 36 à 110 km). *Alt.* max. Puy-de-Crozat 777 m, min. vallée de la Vienne en aval de Saillat 155 m. 353 586 h. (1990) [*1801 :* 245 150 ; *1851 :* 319 379 ; *1872 :* 322 447 ; *1891 :* 372 878 ; *1936 :* 333 589 ; *1954 :* 324 429 ; *1968 :* 341 589 ; *1975 :* 352 149 ; *1982 :* 355 737]. D. 64. *Pop. active* (ayant un emploi au 1-1-90) : 138 412 dont (au 1-1-89) primaire 13 512, secondaire 40 711, tertiaire 83 573.

Villes. LIMOGES alt. moy. 300 m, max. 428 m, superficie 7 747,70 ha, 133 463 h. [*1698 :* 10 500 ; *1789 :* 32 856 ; *1801 :* 20 550 ; *1851 :* 41 630 ; *1901 :* 84 721 ; *1936 :* 95 217 ; *1954 :* 106 805 ; *1968 :* 135 945 ; *1975 :* 147 442] [ag. 170 064, dont *Condat-sur-Vienne* 4 090. *Couzeix* 6 151. *Feytiat* 4 430. *Isle* 7 292. *Le Palais-sur-Vienne* 6 085 ; 1re usine de Fr. de raffinage électrolytique du cuivre. *Panazol* 8 553] ; porcelaines et émaux, chaussures, métaux, B.T.P., constr. méc. et élec., habillement, mobilier ; imprimerie, ind. autom. et poids lourds ; musées Adrien-Dubouché, de l'Évêché ; cath. St-Étienne (XIIIe-XVe-XIXe s). Institut de gestion des énergies. H. de ville (1883, campanile de 42,40 m). – *Aixe-sur-Vienne* 5 574 h. *Ambazac* 4 889 h. *Bellac* * alt. 250 m, 4 924 h. [*1846* : 3 724 ; *1911* : 4 875 ; *1982* : 5 079] (ag. 6 061) ; tanneries, ind. métall. *Bessines-sur-Gartempe* 2 988 h. ; traitement de l'uranium. *Razès* 919 h. ; mine d'uranium. *Rochechouart** 3 991 h. [*1846* : 4 415 ; *1975* : 4 200] ; chaussures, cartonnerie ; château. *Saillat-sur-Vienne* 962 h. ; pâte à papier, prod. chim. *St-Junien* alt. 160 m, 10 604 h. [*1968* : 11 674] ; ganterie, mégisserie, prod. chim. et cellulosiques, papeteries. *St-Léonard-de-Noblat* alt. 350 m, 5 024 h. [*1846* : 6 117] ; chaussures, papeteries ; cité médiévale et collégiale romane. *St-Yrieix-la-Perche* alt. 369 m, 7 342 h. [*1846* : 7 515 ; *1901* : 8 363] ; porcelaine, imprimerie.

Régions agricoles (en ha). *Haut-Limousin* 376 185, *Marche* 139 004, *Plateau de Millevaches* 36 054.

Divers. *Magnac-Laval* : la plus longue procession de France (« Proc. des 9 lieues »), le lundi de Pentecôte, 54 km, dure 17 h. **Circuits** des puys et grands monts, Val de Briance, Vienne et Gorre, Monts de Châlus, de Blond, route Arédienne, route Richard Cœur de Lion, Basse Marche. **Lacs** de Vassivière (1 100 ha), St-Pardoux (330 ha), St-Laurent-les-Églises (135 ha), Bujaileuf (60 ha). *Oradour-sur-Glane* : ruines (V. à l'Index). *Dorat* : son et lumière.

Lorraine

Généralités

Situation. Bordée par *Vosges* à l'*E.* et au *S.-E., Massif schisteux rhénan* au *N.* Au *S.*, cloisonnement en buttes et collines (certaines à plus de 500 m). Au centre, côtes en arc et buttes isolées le long des talus. Plus au *N.*, dislocations moins nombreuses mais beaucoup plus marquées : *Warndt, côtes de Moselle* et de *Meuse.*

Climat. Océanique atténué, amplitude annuelle supérieure à 18 °C, diurne de 15 à 20 °C ; nombreux climats locaux dus aux expositions variées (vignoble le long des côtes de Moselle). Moyenne des temp. : 10,5 °C (1988).

Activités. Lorraine du S. et de l'O. : plaines surtout consacrées à l'élevage et séparées par des forêts (plus importantes à l'E.). Quelques industries : verreries, cristalleries (Gironcourt, Baccarat, Vannes, Le Châtel), eaux minérales (Vittel, Contrexéville). Nombreuses usines dans les vallées vosgiennes (Moselle, Meurthe, Vologne, Rabodeau) : papeterie, filature, tissage, bonneterie, imprimerie, matières plastiques, automobile, métaux, électron., chaudronnerie, etc. Activités industrielles dans la Meuse : vallée de l'Ornain (métall., textile, optique-lunetterie, meubles) et de la Meuse (chaux d'aciérie, fromageries, industrie du bois, papeterie). Transition avec la L. du N. : grandes salines et soudières, mines de fer, pneumatiques, cristalleries, élec., chaudronnerie, imprimerie, brasserie, laiterie, bonneterie. **Lorraine du N. :** industrialisée depuis un peu plus de 100 ans. *Bassin houiller* fournissant gaz, coke, électricité et la matière 1re de la carbochimie, mais le secteur en récession a profité de la pétrochimie (Carling). *Fer* : minerai sur 1 150 km², sur une épaisseur de 10 à 40 m, de Longwy (N.) à Dieulouard (S.), avec interruption de Pont-à-Mousson ; réserves 2 milliards de t, soit env. 40 ans d'exploitation. Régions sidérurgiques : Longwy, Orne, Fensch, Thionville ; sud (Pont-à-Mousson, Pompey, Neuves-Maisons). Aciéries modernes : Sollac et Sacilor. Chimie, pneumatiques, métaux, constr. auto, plastiques, agro-alim., mécan., élec.

Langues. Dialectes germaniques (apparentés au luxembourgeois, sarrois, alsacien), langues familiales d'une très petite minorité.

Histoire

Lorraine ducale

Époque celtique peuplement dense à l'époque de Hallstatt ; nombreuses collines fortifiées à l'époque de la Tène ; 2 peuples : *Leuques* au S., *Médiomatriques* au N. ; industrie du fer autour de la forêt de Haye, du sel entre Marsal et Vic (briquetages de la Seille). **Paix romaine** fait partie, après Dioclétien, de la Belgique, 1re cap. Trèves. 1er évêque de Trèves : St Euchaire (v. 250). Défrichements, urbanisation : Divodurum (Metz), Scarpone (Dieulouard), Tullum (Toul), Verodunum (Verdun). Prospérité croissante autour de la vallée de la Moselle (axe de communications Cologne-Lyon). **406** chute de Trèves et invasions des Barbares ; introduction des dialectes alémaniques au N.-E. d'une ligne Thionville-Dieuze-Le Donon. **VIIe s.** fondation d'abbayes ; la Mosellane devient le noyau du royaume d'*Austrasie.* Arnoul, fondateur de la dynastie carolingienne, y possède des domaines considérables ; Pépin le Bref puis Charlemagne y résident volontiers, favorisant la formation d'une aristocratie de fonctionnaires et de propriétaires. Privilège de l'immunité pour les évêques et leurs possessions. Multiplication des abbayes (Remiremont, St-Dié, St-Mihiel, Gorze...). Verdun et Metz, cités florissantes, sont les centres de la renaissance culturelle. **843** *tr. de Verdun,* création du royaume de *Lotharingie* d'où vient le nom de Lorraine, partagé à *Meersen* (870) entre Charles le Chauve et Louis le Germanique, abandonné au roi de Germanie en 880. Arnoul de Carinthie fait *duc de Lorraine* (Grande Lorraine, compr. Lorraine actuelle, Wallonie, Rhénanie) son bâtard *Zwentibold ;* après l'assassinat de celui-ci (900), duché disputé entre France et Germanie, qui l'emportera (925). **958** après une période d'anarchie, Brunon, archev. de Cologne, duc de Lotharingie et fr. de l'emp. Othon Ier, divise son duché en *Basse* et *Haute-L.* (forme le duché de L., appelé aussi « Mosellane » et donné à Frédéric d'Ardennes, leur neveu commun). **1048** Gérard d'Alsace (duc de Hte-L.). Fonctionnaires investis par le souverain, les ducs profitent de son éloignement pour s'émanciper. Luttes avec leurs propres vassaux, dont certains se rendent indépendants (*Barrois,* voir ci-dessous), et contre les évêques de *Metz.* Foires importantes à Metz, Toul, Verdun. La *querelle des Investitures* (1076-1122) met fin à la prépondérance spirituelle des évêques de Metz ; les ducs se fortifient à Nancy et Prény ; les foires sont détournées vers la Champagne ; malgré la fondation d'abbayes cisterciennes, décadence des écoles de Metz et de Toul. La bourgeoisie de Metz acquiert des libertés communales et fait de la cité un centre économique comparable aux villes de Flandre et d'Italie ; en 1234 elle obtient le gouvernement de la cité.

De 1220 à 1303 les ducs Mathieu II et Ferry III profitent de l'affaiblissement des empereurs germaniques pour regrouper les terres ducales ; Ferry III fixe sa capitale à Nancy. **XIVe s.** la décadence des foires de Champagne attire les marchands en L. où St-Nicolas-de-Port devient le marché le plus important. **1431** gendre et successeur du duc Charles II, René d'Anjou, fait prisonnier à Bulgnéville (par le Cte de Vaudémont, branche cadette, appuyée sur les ducs de Bourgogne), doit donner en gage aux Bourguignons des localités sur la Meuse, ce qui occasionne une expédition de Charles VII. **1473** les Vaudémont acquièrent le duché, et le duc René II s'oppose à Charles le Téméraire, qui meurt devant Nancy en 1477. Metz et certains seigneurs de la L. allemande sont favorables à la *Réforme,* tandis que le duc Antoine favorise la Contre-Réforme et écrase les *« Rustauds »* à Saverne. **1552** il obtient de Charles Quint la reconnaissance de son duché comme « État libre et non incorporable ». **1552** Henri II s'assure de la neutralité de la L. pour s'emparer des *3 Évêchés* (Metz, Toul et Verdun), qui seront intégrés au roy. en 1648. **1560-98** pendant les g. de Religion, le duc Charles III pose sa candidature au trône de France (1584), puis essaie vainement de s'emparer des 3 Évêchés. Demeurée à l'écart des conflits internationaux, la L. connaît un siècle de prospérité ; accession à la propriété rurale des marchands enrichis, floraison artistique. Les relations entre le duc Charles IV et Gaston d'Orléans déclenchent l'intervention fr. qui livre le duché aux dévastations ; guerre et peste déciment la population. Charles IV recouvre une partie de ses États aux *tr. des Pyrénées* (1659) et de *Vincennes* (1661) : comme il refuse en 1670 le protectorat de Louis XIV, le duché est de nouveau occupé par les troupes fr. **1697** *tr. de Ryswick* rend la L. au duc Léopold, qui doit céder à la Fr. 2 territoires (annexés aux 3 Évêchés) : Longwy et Dillingen (ville universitaire, près de laquelle Vauban construit, de 1681 à 1687, la place-forte de Sarrelouis) ; Léopold épouse une nièce de L. XIV et transporte sa capitale à Lunéville. **1729** son fils, François III, lui succède. **1736** il épouse Marie-Thérèse, fille de l'empereur ; en échange de la couronne impériale et du duché de Toscane, il cède son duché à Stanislas Leczinski, beau-père de Louis XV et ex-roi de Pologne (28-8 ratification au tr. de Vienne, 1738). 30-9 Stanislas cède à son gendre l'administration de la L. **1766**-23-2 à sa mort, la L. devient une intendance française. 3 seigneuries appartenant à des familles allemandes constituent des enclaves étrangères : abbaye de Senones (aux princes de Salm), Dalo (aux Ctes de Leiningen), Druligen (aux Ctes de Nassau-Sarrebruck).

Au XVIIIe s. colonisation agricole des terres abandonnées, création d'une industrie sidérurgique à Hayange, de cristalleries, faïenceries... La L. reste une province « réputée étrangère », c.-à-d. séparée du royaume par une barrière douanière.

A la Révolution, division en 4 dép. : Moselle, Meurthe, Meuse et Vosges. **1793** enclaves étrangères annexées. **1815** perte de Sarrelouis et de Sarrebruck. **1848** essor industriel. **1870** annexion par l'Allemagne de presque toute la Moselle et d'une grande partie de la Meurthe. Exploitation de la minette du bassin de Briey et du sel autour de St-Nicolas-de-Port. **1914-18** la g. dévaste les régions agricoles de Verdun et Pont-à-Mousson, mais épargne les industries. **1918** la L. redevient fr. **1940-44** Moselle annexée de fait à l'Allemagne, les Mosellans francophones sont expulsés. **1963** ralentissement de la prod. minière. **1966** *1er « plan acier »* : 15 000 suppressions d'emplois annoncées. **1968** *plan Bettencourt* : réduction de la prod. charbonnière, fermetures de sites. **1970** Wendel-Sidélor annonce 10 800 suppr. d'emplois. **1977** *2e « plan acier »* : 10 200 suppr. d'emplois annoncées. **1978** *février « plan Vosges »* : aides aux activités traditionnelles, à l'investissement et au désenclavement de la région. *Août* groupe Boussac (env. 5 000 salariés dans les Vosges) mis en règlement judiciaire. Agache-Willot prend la relève. *Décembre 3e « plan acier »* : Sacilor-Sollac annonce 8 500 suppr. d'emplois et Usinor 12 500. *-19-12* opération « Longwy ville morte », tensions sociales. **1979**-*12-1* Metz : 50 000 manif. pour « défendre la L. ». *-17-3* la CGT lance, à Longwy, Radio Lorraine Cœur d'acier. *-23-3* marche sur Paris. **1982** *4e « plan acier »* : 7 700 suppr. d'emplois annoncées. *Juin* les ouvriers de « Pompey » montent à Paris défendre leurs emplois. *Décembre* Mauroy en Lorraine, manif. **1984** plan de modernisation : 2 pôles de conversion sont créés. *-18-3* grève des sidérurgistes. *-31-3* 8 500 nouvelles suppr. d'emplois. *Avril* Fabius annonce les mesures d'accompagnement. 3 députés PS démissionnent de leur groupe parlementaire. *-4-4* grève générale et manif. à Metz, Nancy. *-13-4* grève gén. et marche sur Paris.

☞ Le dernier Pce de Lorr. des branches françaises fut Charles IV, Eugène de Lorr., Pce de Lambesc, † sans postérité 21-11-1825.

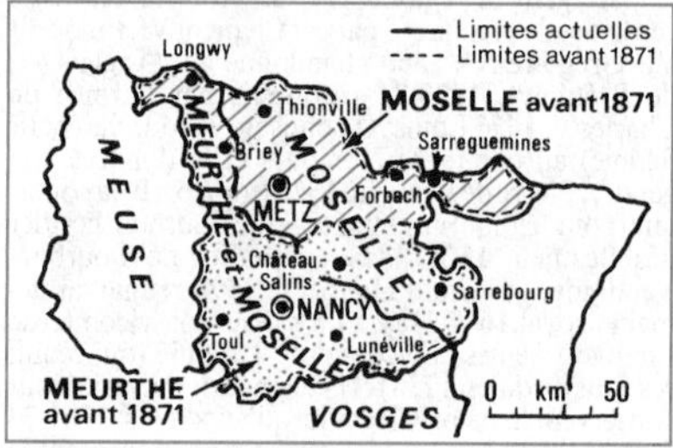

Barrois

958 comté héréditaire de Bar érigé, donné au nouveau duc de Hte-Lorraine, Frédéric d'Ardennes. **1034** Sophie, héritière du Barrois, apporte le comté en dot à Louis de Montbéliard, seigneur de Pont-à-Mousson. **1301** Henri III de Bar (1297-1302), gendre d'Édouard Ier d'Angl., battu par Philippe le Bel, doit lui rendre hommage pour ses terres de l'O. de la Meuse (« Barrois mouvant »). **1354** érigé en duché (accord entre Jean le Bon, roi de Fr., et Charles IV, roi de Luxembourg, emp. d'All.), en faveur de Robert (1352-1411), gendre de Jean le Bon. **1415** Édouard III de Bar est tué à Azincourt, sans héritier. **1419** René de Guise, fils cadet de Louis II d'Anjou-Provence (roi titulaire de Naples), désigné comme héritier du duché de B. **1420** il épouse Isabelle de L., héritière du duché de L. **1431** les 2 duchés sont réunis. **1575** en épousant Louise de Vaudémont, nièce du duc de Bar-L., Henri III de Fr. renonce à l'hommage du « Barrois mouvant ».

Économie

Population. 2 305 791 h. (1990) [*1975* : 2 330 822 ; *1982* : 2 319 905]. D. 98. *Active totale* (31-12-87) : 786 480 dont primaire 34 740, secondaire 280 500, tertiaire 471 240. *Étrangers* résid. (31-12-85) : 184 082. *Salariés* (31-12-1988) 696 100 dont primaire 5 400, secondaire 259 000, tertiaire 431 700. *Chômage* (1989) : 9,5 %.

Échanges (en milliards de F 1989). IMPORTATIONS : 52,9 dont autom. et autres matér. de transports 9,3, pétrole, gaz 5,1, sidérurgie 4,6, prod. chim. de base

3,3, équip. ind. 2,8, papier-carton 2,8, prod. du trav. des métaux 1,5, text. 1,2, pneum. et caout. 1,2, mat. électron. 1,1, machines-outils 1,1, métaux et 1/2 prod. non ferreux 1,1, comb. min. solides 1,1, prod. de la transf. mat. plast. 1. EXPORTATIONS : 51,8 dont prod. sid. 8,7, prod. chim. de base 5,5, prod. agric. (hors viande et lait) 4, autom. et autres matér. de transp. 4, élec. 3,1, prod. 1re transf. acier 2,6, papier-carton 2,4, équip. ind. 2,4, lait et prod. lait. 1,9, prod. trav. métaux 1,5, pneum. et caout. 1,4, text. 1,3, prod. fonderie 1,2, mat. élec. 1.

Agriculture (1-1-90, estim.). **Terres** (en milliers d'ha) 2 366,9 dont *S.A.U.* 1 200,8 [t. lab. 596,2 (dont céréales 366,6, fourr. annuels 69,6, oléagineux 93,9, jardins 12,3), herbe 601,3] ; *bois* 862,1 ; *t. agr. non cult.* 73,4 ; *étangs et autres eaux intérieures* 23,3 ; *autre t. non agr.* 202,6. **Prod. végétale** (en milliers de t) céréales 2 068 dont orge 802,7, blé tendre 1 133,8, colza 264,7, maïs-grain 79,2, avoine 37,9. **Prod. animale** (en milliers de têtes, au 1-1-89, estim.) bovins 1 012,5 dont vaches laitières 312,8, ovins 273,6, porcins 104,9. *Prod. de viande* (en milliers de t, 1989, estim. ; abattages contrôlés) bœuf 54,9, porc 13,7, veau 2,9, mouton 1. *Lait* (vache, 1-1-90, estim.) 12 530 950 hl.

Tourisme (31-12-1989). *Hôtels* classés 538 (12 736 ch.). *Campings-caravanages* agréés 158 (44 871 pl.). *Gîtes ruraux* 684. **Thermalisme :** *nombre de curistes :* 31 899 dont Amnéville 10 304, Vittel 7 682, Plombières-les-Bains 6 495, Contrexéville 4 980, Bains-les-Bains 2 438. **Ski :** *nombres de skieurs :* alpin 213 900 (peu d'enneigement 1988 : 626 000) dont à Vologne 154 000 et à Gérardmer 22 000 ; fond 45 500 (1988 : 171 500) dont à La Bresse 35 000, à Gérardmer 7 000.

Départements

Voir légende p. 748.

• **Meurthe-et-Moselle** (54) 5 240 km² (135 × 8 à 103 km). 593 communes. *Alt.* max. Roc de Taurupt 730 m, min. Arnaville 171 m. 711 952 h. (1990) [*1800 :* 338 115 ; *1836 :* 423 366 ; *1856 :* 364 623 ; *1872 :* 365 137 ; *1911 :* 564 730 ; *1921 :* 503 810 ; *1931 :* 592 632 ; *1946 :* 528 805 ; *1954 :* 607 022 ; *1962 :* 678 078 ; *1968 :* 705 413 ; *1975 :* 722 588 ; *1982 :* 716 846]. D. 134,5 (au 1-1-89, estim.). *Pop. active totale* (88) : 294 956 ; *emplois salariés* (au 31-12-88) : 216 625.

Villes. NANCY 99 297 h. [*1836 :* 31 445 ; *1872 :* 52 978 ; *1901 :* 102 559 ; *1936 :* 121 301 ; *1962 :* 130 893 ; *1975 :* 107 902 ; *1982 :* 96 317] [ag. 310 659, dont *Bouxières-aux-Dames* 4 392. *Champigneulles* 7 543 ; bières. *Dombasle-sur-Meurthe* 9 137. *Essey-lès-Nancy* 7 379. *Frouard* 7 374. *Heillecourt* 6 391. *Jarville-la-Malgrange* 9 969, métall., constr. méc. *Laneuveville-devant-Nancy* 4 912 ; château. *Laxou* 15 582 ; centre psychothér. *Liverdun* 6 435 ; égl. St-Pierre XVIIe s. *Ludres* 6 236. *Malzéville* 8 099. *Maxéville* 8 663, Ferme St-Jacques-Thomson, semi-conducteurs électroniques. *Nancy-Essey* aéroport. *Pompey* 5 144. *St-Max* 11 076. *St-Nicolas-de-Port* 7 702 ; text. ; musée de la Bière, basil. de pèlerinage XVIe s. *Saulxures-lès-Nancy* 4 124. *Seichamps* 5 780 ; bonneterie. *Tomblaine* 7 956. *Vandœuvre-lès-Nancy* 33 991 ; complexe hosp. d'activité tertiaire de Nancy-Brabois. *Varangéville* 4 001 ; seule mine de sel gemme, 272 600 t (1976) ; église St-Gergoult, cloîtres, remparts. *Villers-lès-Nancy* 16 528] ; ancienne capitale des ducs de Lorraine ; place Stanislas (architectes Boffrand et Héré, *1752-60,* ancienne place Royale et de l'Hémicycle) 124 m × 106 m, palais ducal (1502-44), égl. des Cordeliers, musées historique lorrain, de l'école de Nancy (mobilier), Bx-Arts, du fer (Jarville-la-Malgrange), zoologie et aquarium, jardin botanique, automobile (Velaine-en-Haye) ; centre comm., Bourse ; constr. méc. text., cristallerie, chaussures, ind. alim. ; la plus longue façade de Fr., 400 m (immeuble du Haut-du-Lièvre). – *Auboué* 3 192 h. *Baccarat* 5 015 h. [ag. 5 524] ; cristallerie (musée). *Blainville-sur-l'Eau* 3 653 h. [ag. 6 532, dont *Damelevières* 2 879]. *Briey* * 4 506 h., ind. diverses (sous-traitance autom.), constr. méc., égl. XVIIIe s. *Dieulouard* 4 902 h. *Haucourt-Moulaine* 3 328 h. *Homécourt* 7 101 h. ; s. *Jarny* 8 401 h. : ind. diverses. *Jœuf* 7 874 h. ; sid., métall. *Longuyon* 6 072 h. *Longwy* 15 428 h. [ag. 39 243, dont *Herserange* 4 246. *Mont-St-Martin* 8 661 ; égl. XIIe s. *Rehon* 3 168] : métall., sidérurgie et ind. diverses ; forts de Vauban. *Lunéville* * 20 682 h. [*1836 :* 12 798 ; *1901 :* 23 269 ; *1931 :* 24 668] (ag. 23 626) ; château (1702-06), égl. St-Jacques (XVIIIe s.), synagogue (XVIIIe s.), électro., ind. méc. *Neuves-Maisons* 6 432 h. (ag. 15 462). *Pagny-sur-Moselle* 4 227 h. *Piennes* 2 388 h. (ag. 4 439). *Pont-à-Mousson* 14 647 h. [*1836 :* 7 261 ; *1936 :* 11 347] [ag. 22 657, dont *Blénod-lès-Pont-à-Mousson* 4 768] ; fonderies, tuyaux ; abbaye des Prémontrés (XVIIIe s., centre culturel), égl. St-Martin et St-Laurent, place Duroc. *Toul* * 17 311 h. [*1836 :* 7 333 ; *1901 :* 12 287 ; *1982 :* 17 406] [ag. 22 639, dont *Écrouves* 3 689] ; pneum. ; cath. XIIIe-XVe s. ; imprimeries, fonderie. *Tucquegnieux* 3 031 ; ind. diverses. *Villerupt* 10 054 h.

Régions naturelles. *Pays-Haut* 55 489 ha : plateau, céréales. *Plaine de Woëvre* 23 387 ha (alt. moy. 250 m) : céréales, vergers, élevage. *Côtes de Meuse* (alt. moy. 400 m, max. 434 m) 8 579 ha et plateau de *Haye* 31 765 ha (alt. moy. 300 m, max. 491 m) : céréales, vergers, vignes. *Plateau lorrain* (Saulnois, Xaintois, Vermois, région de la Seille) 147 625 ha : élevage, céréales, fourrage, vergers. *Montagne vosgienne* 4 150 ha : forêt (300 à 732 m). *Bassins industr. : Nancy* (sid., métall., ind. chim., alim.) ; *Longwy* (sidér., métall.) ; *Briey* (plateau alt. moy. 270 m, max. 390 m) : mine de fer (à Mairy-Mainville), sidér.

Tourisme. *Blénod-lès-Pont-à-Mousson :* la plus puissante centrale thermique de France (1 million de kWh). **Parc :** *naturel régional de Lorraine* (40 000 ha en M.-et-M.), *de la forêt de Haye.* **Plans d'eau :** Villey-le-Sec 8 ha. *Forêt des Basses-Vosges.* **Châteaux :** à Haroué (1720, Boffrand), Thorey-Lyautey, Cons-la-Grandville (XVIIIe s.), Preny (ruines XIIIe), Jaulny (XIIe s., restauré XVe et XVIIIe s.). **Lac :** Pierre-Percée (barrage et lac du Vieux-Pré). **Églises :** St-Nicolas-de-Port (flamboyant). Écrouves (XIIe-XIIIe s.). **Musée :** de la guerre 1870-71, Mars-la-Tour. **Cimetière :** all. (1940-44), Andilly. **Cristallerie de Sèvres :** Vannes-le-Châtel. **Faïencerie :** St-Clément. **Ligne Maginot** à Fermont.

• **Meuse** (55) 6 216 km² (133 × 75 km). 499 communes dont 7 inhabitées (« Zone rouge »). *Alt.* max. Buisson d'Amanty 483 m, min. 115 m (sortie de la Saulx). 196 344 h. (1990). [*1801 :* 269 522 ; *1851 :* 328 657 ; *1911 :* 277 955 ; *1946 :* 188 786 ; *1968 :* 209 513 ; *1975 :* 203 904 ; *1982 :* 200 101]. D. 32. *Pop. active totale* (82) : 81 406 (65 600 au 1-1-90) ; *salariée* (au 31-12-87) : 53 090 (53 545 au 1-1-90).

Villes. BAR-LE-DUC 2 361,8 ha, 17 545 h. [*1881 :* 15 617 ; *1901 :* 17 693 ; *1946 :* 14 383 ; *1976 :* 19 288 ; *1982 :* 18 441], (ag. 18 941), alt. 189 à 239 m ; text., habill., laine, méc., imprimeries, placage de bois décoratif, confit. de groseilles ; centre expérimental de découpe par jets d'eau ; égl. St-Étienne, ville haute Renaissance, tour de l'horloge, musée du Barrois. – *Ancerville* 2 869 h, *Bouligny* 2 951 h. (ag. 3 656). *Commercy* * 6 404 h. ; tréfileries, métall. ; 1re prod. de madeleines ; château Stanislas ; la plus ancienne maréchalerie de Fr. (1847) ; bois. *Cousances-les-Forges* 1 828 h. ; poterie culinaire, pièces pour auto. *Dieuc-sur-Meuse* 1 471 h. ; laiteries et fromageries. *Étain* 3 577 h. (ag. 3 884) ; mat. plast., métall. *Fains-Véel* 2 447 h. *Gondrecourt-le-Château* 1 622 h. ; meubles de style, musée du Cheval. *Ligny-en-Barrois* 5 342 h. ; optique et lunetterie (45 % de la prod. fr., Essilor), instruments de mesure, meubles, construct. d'autobus ; tour Valeran de Luxembourg, porte Dauphine. *Marville* 518 h. ; électronique. *Montmédy* 1 943 h. ; citadelle de Charles Quint, remaniée par Vauban (XVIe.XVIIe s.) ; m. Bastien-Lepage. *Revigny-sur-Ornain* 3 528 h. ; 1re usine fr. d'étirage d'acier, laminage et galvanisation. *St-Mihiel* 5 367 h. (ag. 6 181) ; optique et lunetterie (Essilor), luminaire, méc., meubles, chim. ; palais de justice (L. XIV), hôtel de v. (L. XVI), églises St-Michel et St-Étienne, abbaye, maison de Ligier Richier. *Sampigny,* musée Poincaré. *Sorcy-St-Martin* 994 h. ; laiteries et fromageries. *Stenay* 3 202 h. (ag. 3 641) ; papeteries, fabrication de fonte graphite spiroïdale ; musée de la Bière. *Tronville-en-Barrois* 2 111 h. (ag. 2 556) ; textile synth., câbles méc. (2e prod. fr. de fil métall. pour pneum.), méc., transports frigorifiques, ind. alim. *Vaucouleurs* 2 401 h. ; méc., chemiseries, sous-vêtements ; musée johannique (Jeanne d'Arc). *Velaines* 1 140 h. *Verdun* * 3 102 ha, 20 753 h. [*v. 950 :* 13 000 ; *1803 :* 9 221 ; *1936 :* 19 640 ; *1968 :* 24 716 ; *1982 :* 21 516] [ag. 26 711, dont *Belleville-sur-Meuse* 3 163. *Thierville-sur-Meuse* 2 795] ; méc., chaux, chim., imprimeries ; fromageries, dragées, lactosérums, télécom. électro. ; hôtel de v. (1625) et musée de la Guerre, palais épiscopal, cath. (crypte XIIe s., cloître XIVe s.), musée de la Princerie (hôtel XVIe s.), tour Chaussée. *Vigneulles-les-Hattonchâtel,* laiteries et fromageries.

Régions naturelles. *Barrois* 348 724 ha : céréales et forêts. *Vallée de la Meuse :* bovins. *Woëvre et Côtes de Meuse* 127 169 ha, alt. max. 412 m, élevage, forêts, céréales, fruits (mirabelles). *Argonne* 83 514 ha, alt. max. 483 m, forêts, élevage. *Pays de Montmédy* 43 992 ha.

Tourisme. Parc *naturel régional* de Lorraine (67 600 ha dans la Meuse). **Lac** de la *Madine,* 1 100 ha. **Églises** Hattonchatel, Avioth (basil. gothique). **Musées** de l'Art et de la Faïencerie à Rarecourt, des Arts et des Traditions populaires à Hannonville-sous-les-Côtes. **Pressoir** XIIIe s. à Beaulieu-en-Argonne. **Sépulture** *du Pt Poincaré* à Nubécourt. **Soirées** *de Jean d'Heurs* (spectacle historique) à Lisle-en-Rigault (en juillet).

Bataille de Verdun (21-2/15-12-1916) : 9 villages ont disparu ; ossuaire de Douaumont [restes anonymes, cimetières américains (Romagne, 20 000 tombes), allemands (55 000), français (80 000)] ; champs de bataille : forts de Vaux et Douaumont, tranchée des Baïonnettes, cote 304, Monfaucon (mon. commémoratif amér., tour 58 m), butte de Vauquois, circuit des Éparges, Montsec, bois des Caures, Mort-Homme, voie Sacrée ; mémorial de Fleury-devant-Douaumont ; galeries souterraines de la citadelle ; crypte du Monument de la Victoire.

• **Moselle** (57) 6 216 km² (169 × 66 km). 718 communes. *Alt.* max. 983 m (au Grossmann, montagne vosgienne), min. 140 m (à Sierck-les-Bains, vallée de la Moselle). 1 011 261 h. (1990) [*1801 :* 397 217 ; *1851 :* 525 593 ; *1876 :* 480 250 ; *1911 :* 655 211 ; *1921 :* 589 120 ; *1936 :* 696 246 ; *1946 :* 622 145 ; *1954 :* 769 388 ; *1962 :* 919 412 ; *1968 :* 971 314 ; *1975 :* 1 006 373 ; *1982 :* 1 007 189]. D. 163 (1990). *Pop. active totale* (82) 402 861 ; *emplois salariés* (au 31-12-88) 305 220.

☞ En 1870, la Moselle avait 3 sous-préfectures : Briey, Thionville, Sarreguemines.

Villes. METZ sup. 4 122 ha, alt. 175 m, 119 594 h. [*1552 :* env. 60 000 ; *1696 :* 22 000 ; *1813 :* 14 102 ; *1866 :* 57 738 ; *1910 :* 179 138 ; *1921 :* 62 311 ; *1936 :* 83 119 ; *1946 :* 70 105 ; *1954 :* 85 701 ; *1975 :* 111 869] [ag. 193 117, dont *Longeville-lès-Metz* 4 134, *Marly* 9 511, *Montigny-lès-Metz* 21 983, *Moulins-lès-Metz* 4 827, *Woippy* 14 325] ; cathédrale St-Étienne, église St-Pierre-aux-Nonnains (IVe s., une des plus vieilles de Fr.) ; musées archéol. (collections gallo-rom.), d'Art et d'Histoire ; métall., constr. autom. Citroën, brasserie, malterie, port céréalier 384 223 t en 1977 (1er port fluvial de Fr.) ; institut europ. d'écologie – *Ars-sur-Moselle* 5 084 h. (ag. 7 916). *Audun-le-Tiche* 5 959 h. *Bitche* 5 517 h. ; musées (fortifications de Vauban). *Boulay-Moselle* 4 422 h. ; orgues. *Bouzonville* 4 148 h. (ag. 4 678). *Château-Salins* 2 437 h. *Creutzwald* 15 169 h. (ag. 18 849) ; houille, ind. transf. *Dieuze* 3 566 h. *Farebersviller* 6 835 h. (ag. 8 894). *Faulquemont* 5 432 h. (ag. 10 028). *Fénétrange* 807 h. ; musée. *Forbach* * 27 076 h. [*1802 :* 1 769 ; *1936 :* 12 167 ; *1982 :* 27 187] [ag. 97 847, dont *Behren-lès-Forbach* 10 291. *Freyming-Merlebach* 15 224 ; musée. *Hombourg-Haut* 9 580. *Petite-Roselle* 6 944. *Stiring-Wendel* 13 743 ; houille]. *Guénange* 6 794 h. *Hagondange-Briey* [ag. 112 080, dont dans le dép. *Amnéville* 8 926. *Hagondange* 8 222 (*1910 :* 548 ; *1931 :* 6 424), alt. 146 à 202 m, sup. 550 ha. *Lemberg* 1 596 h. ; cristallerie. *Maizières-lès-Metz* 8 901 h. *Marange-Silvange* 5 674. *Mondelange* 5 808. *Moyeuvre-Grande* 9 203. *Rombas* 10 844. *Talange* 7 755]. *Hettange-Grande* 5 734 h. *L'Hôpital* 6 385 h. [ag. 10 094, dont *Carling* 3 709]. *Longeville-lès-St-Avold* 3 690 h. *Marsal* 284 h. ; sel, musée. *Metz-Campagne* (administré par un sous-préfet à Metz). *Metz-Ville* *. *Morhange* 4 460 h. (ag. 5 030). *Phalsbourg* 4 189 h. ; musée Erckmann-Chatrian. *Sarrebourg. Sarreguemines* 23 117 h. [*1801 :* 2 529 ; *1920 :* 14 680 ; *1982 :* 24 719] [ag. 25 593] ; faïences, pneum. ; musée d'archéol. *St-Avold* 16 533 h. ; basil. N.-D., abbaye [ag. 26 962, dont *Folschviller* 4 581]. *Sarralbe* 4 487 h. *Sarrebourg* 13 311 h. [*1800 :* 1503 ; *1900 :* 5 058 ; *1936 :* 9 561 ; *1982 :* 12 699] (ag. 16 464) ; verrerie, chaussures, musée archéol. *Sérémange-Erzange* 4 143 h. *Thionville* 4 986 ha, 39 712 h. [*1901 :* 5 438 ; *1920 :* 10 062 ; *1936 :* 18 934 ; *1954 :* 23 054 ; *1982 :* 40 573] [ag. 132 386, dont *Algrange* 6 325. *Fameck* 13 895. *Florange* 11 304. *Hayange* 15 638. *Nilvange* 5 583. *Uckange* 9 189. *Yutz* 13 920] ; sid., ind. chim., brasserie, Sollac (aimant permanent le plus puissant de la sid. : 4,5 t, soulève jusqu'à 20 t) ; musée de la Tour-aux-Puces (ou aux-Puits) (archéol. et céram.).

Régions naturelles. *Montagne Vosgienne* 12 489 ha (3,6 % de la S.A.U.) : alt. 500 à 980 m, flancs et sommets boisés, collines sous-vosgiennes (polyculture, élevage). *Plateau Lorrain Sud* 151 007 ha (44,4 %) : 200 à 400 m, élevage, céréales, sel gemme (Saulnois). *Nord* 141 019 ha (42,1 %) : 200 à 400 m, céréales, élevage, pays de Bitche (parfois + de 400 m, bois, tourisme, partie du parc naturel des Vosges du N.). *Pays Haut* 18 554 ha (5,5 %) : 300 à 400 m, céréales, mines de fer, sidérurgie. *Warndt* 4 190 ha (1,2 %) : polyculture, élevage, charbon. *Vallée de la Moselle* 10 517 ha (3,2 %) : céréales, légumes, fruits, sidérurgie (Thionville).

Ressources. *Agriculture :* blé, orge, avoine, maïs, seigle, p. de t. *Élevage :* bovins, porcins, ovins, che-

vaux, poules, lapins, lait. *Ind.* : houille (43,55 % de la prod. fr.), fer (50,9), acier (27,1), fonte (23,7).

Sites touristiques. Parc naturel régional *de Lorraine* : 180 000 ha [Meuse, Meurthe-et-M., Moselle (43 000 ha)] ; triangle Vic-sur-Seille, côte St-Jean, Marsal (musée du Sel), massif forestier de Bride et Koecking, forêt de Rechicourt, *des Vosges du N.* : 120 000 ha (Moselle 47 000, Bas-Rhin 77 000) ; 50 % en forêts aux essences variées. **Étangs** : 130 dont la Mütche à Morhange 96 ha (prof. 7 m), Gondrexange 672 ha (5,5 m), Lindres 6,7 km² (prof. 3,5), le Bischwald à Bistroff 222 ha (3,50 à 4 m), le Stock 750 ha (3 m), Rechicourt 40 ha (3 m) (à l'or. 161 ha, asséchés), plans d'eau de la ligne Maginot ou de Puttelange-aux-Lacs (Diffembach, Welschoff, Marais, Hirbach, Hoste-Haut, Hoste-Bas), au total 290 ha (3,50 à 9,50 m) ; d'Olgy et du Saulcy sur la Moselle près de Metz. Ligne Maginot, musée de 1870 à **Gravelotte. Château** : Sierck-les-Bains, Grange à Manom (mobilier ancien), Falkestein. *Arzviller* : plan incliné, ascenseur à péniches remplaçant 17 écluses. *Plus longue autoroute urbaine* de France (Thionville-Metz-Nancy 84 km sans péage).

• **Vosges** (88) 5 874 km² (40 × 132 km). 516 communes. *Alt.* max. Le Hohneck (1 362 m), min. 233 (sortie de la Saône). 386 234 h. (1990) [*1801* : 308 920 ; *1851* : 406 518 ; *1911* : 433 914 ; *1936* : 376 926 ; *1946* : 342 315 ; *1975* : 397 957 ; *1982* : 395 769]. D. 66. *Pop. active totale* (82) 172 474 ; *emplois salariés* (au 31-12-88) 124 480.

Villes. ÉPINAL alt. 325 à 450 m, 36 718 h. [ag. 50 895, dont *Golbey* 7 892 ; coton] ; coton, bonneterie, confect., métall., imagerie (musée). – *Anould* 2 960 h. (ag. 6 328). *Arches* 1 737 h. (ag. 2 775) ; papeteries. *Bains-les-Bains* 1 466 h. ; centre therm. *Bruyères* 3 368 h. (ag. 4 518). *Chamagne* 441 h. [maison de Claude Gellée (XVIIe s.) ; vestiges gallo-romains à Grand (amphithéâtre et mosaïques)]. *Charmes* 4 721 h. (ag. 5 515). *Châtel-sur-Moselle* 1 838 h. ; forteresse bourguignonne. *Cheniménil* 1 131 h. [ag. 2 155, dont *Docelles* 1 024 ; confection, lingerie]. *Contrexéville* 3 945 h. ; centre therm. *Darney* 1 534 h. ; musée franco-tchéc. *Domrémy* 182 h. (lieu de naissance de Jeanne d'Arc). *Éloyes* 3 152 h. *Fraize* 3 049 h. (ag. 4 997). *Granges-sur-Vologne* 2 485 h. (ag. 2 921). *Gérardmer* 8 951 h. (ag. 10 366), alt. 670 ; bois, text., tourisme. *La Bresse* 5 188 h. [ag. 13 084, dont *Cornimont* 4 042] ; ski alpin (4 centres), de fond ; sports d'été : forêts, lacs, randonnée pédestre ; produit son électricité dep. 1905. *Le Thillot* 4 246 h. (ag. 13 875) ; tannerie. *Le Val-d'Ajol* 4 877 h. *Liffol-le-Grand* 2 812 h. ; meubles de style. *Mirecourt* 6 900 h. (ag. 9 322) ; text., lutherie. *Moyenmoutier* 3 304 h. [ag. 6 294, dont *Étival-Clairefontaine* 2 328 ; papeteries]. *Neufchâteau* * 7 803 h. ; meubles. *Nomexy* 2 242 h. (ag. 4 624). *Plombières-les-Bains* 2 084 h. ; stat. therm. *Rambervillers* 5 919 h. (ag. 6 219) ; papeterie, text. *Raon-l'Étape* 6 780 h. (ag. 7 357) ; bois, text. *Remiremont* 9 068 h. (ag. 18 721) ; text., métall. *Rupt-sur-Moselle* 3 464 h. *St-Dié* * 22 635 h. (ag. 27 461) ; text., métall., électro-méc. *St-Nabord* 3 805 h. *Senones* 3 157 h. (ag. 4 427) ; confection ; abbaye et palais des Pces de Salm (XVIIIe s.). *Thaon-les-Vosges* 7 504 h. (ag. 11 231) ; text. *Vagney* 5 805 h. (ag. 8 239). *Vittel* 6 296 h. ; centre thermal et touristique. *Xertigny* 2 971 h.

Régions naturelles. Ligne de partage des eaux entre mer du Nord (bassin de la Moselle) et Méditerranée (b. de la Saône). **Ouest,** *plateau lorrain* (53 % de la sup.) : calcaire et marnes irisées, élevage, polyculture, céréales. **Sud,** *Vôge* (11 %) : plateau forestier, gréseux, sommet à 450 m, fonds de vallée à 350 m. **Est,** *Vosges* (36 %) : gréseuses (basses Vo.) et granitiques (hautes Vo.), élevage, forêts.

Lacs. *Retournemer* : 18 ha, prof. 10 m ; *Longemer* : 75 ha, prof. 35 m ; *Gérardmer* : 122 ha, 2 000 × 650 m (alt. 660 m, prof. 36 m) ; *Bouzey-Sanchey* : réserve de 136 ha. Construction d'un barrage hydroélectrique « Vieux Pré ». Plan d'eau 269 ha. Retenue 50 000 000 m³ d'eau.

Sports d'hiver : stations les plus proches de Paris ; Schlucht 1 139 m, Mauselaine et Gérardmer 666 m, Ventron 800-1 100 m, St-Maurice-sur-Moselle (le Rouge Gazon) 560-1 247 m, Valtin, Bresse 630-1 350 m, Bussang 620-1 220 m.

Midi-Pyrénées

Généralités

Bigorre

Situation. Htes-Pyr., des Pyr. à l'Armagnac. *Plaine* (Tarbes) ; *Montagne* (Argelès) ; *Rivière-Basse* (Vic) ; *Rustan* ou *Rivière-Haute* (St-Sever).

Histoire. VIe s. av. J.-C. occupée par des « Aquitains » (Ibères), les Bigerri (*cap.* : Cieutat). **56** soumise par Crassus, lieutenant de César. **27** révoltés contre Auguste, les Bigerri sont écrasés par le proconsul Messala, au pied du col d'Aspin (camp Batalhé). **420 apr. J.-C.** christianisation (St Justin). **466** occupation vandale. **507** franque. **819** Loup Donat, duc de Gascogne, reçoit la B. comme fief héréditaire. **945** Raymond Ier, Cte héréditaire. **1080** Béatrix Ire apporte le fief en dot à Centulle, Cte de Béarn. **1097** rédaction des Coutumes (« For de B. » ou « Charte de Bernard II ») : 1re mention des États de B., autorité législative du comté. **1142** fondation de l'abbaye cistercienne d'Escaledieu, d'où est sorti l'ordre militaire espagnol de Calatrava. **1256-83** g. de « la succession de B. » entre les héritiers de la Ctesse Pétronille, mariée 5 fois. **1292** confisquée par Philippe le Bel. **1361** livrée aux Angl. (tr. de Brétigny). **1407** conquise par Jean de Foix, héritier du Béarn. **1429** réunie au Béarn. **1611** l'év. de Tarbes remplace le sénéchal de B. comme Pt des États. **1631-1716** intendance spéciale avec le Béarn. **1716** rattachée à Auch. **1784** à Bayonne.

Comminges

Situation. Massif pyrénéen de la hte Garonne et de l'Ariège (2 755 km²), centré sur la haute vallée de la Garonne (arr. actuel de St-Gaudens).

Histoire. VIe s. av. J.-C. habité par des Ibères (de la fédération des Garumni), de nom inconnu. **IIIe s.** soumis par des Gaulois, les Volques Tectosages, dont ils forment une sous-tribu. *Cap.* : Lugdunum (St-Bertrand-de-C.). **115** annexé avec les Tectosages à la *Provincia Romana.* **72** détaché par Pompée de la *civitas* des Tectosages (révoltés et vaincus) et constitué en *civitas* indépendante, la capitale Lugdunum est repeuplée de colons (anciens soldats de Sertorius) et appelée L. Convenarum [« Lyon des Nouveaux Venus » (mais, étymologiquement, le nom correspond mieux à *Conventia,* « installation amicale »)]. **17** Auguste le rattache à la *Novempopulanie* et crée 2 centres urbains monumentaux : Lugdunum et Calagorris (Martres). **347 apr. J.-C.** création du 1er diocèse chrétien (évêque : Patroclus). **406** Lugdunum est détruit par les Vandales. **418** conquis par Wisigoths (ariens). **585** annexé par Francs. **Xe s.** les Ctes de Comminges conquièrent de nombreux fiefs en dehors de l'évêché de Lugdunum (leurs terres sont réparties en 7 diocèses). **V. 1110** l'évêque St Bertrand reconstruit Lugdunum et lui donne son nom (désormais ville épiscopale). **1213** Bernard V, Cte de C., allié des Toulousains, battu à Muret. **1226** son fils Bernard VI rend hommage au roi de Fr., mais sa maison restera souveraine jusqu'en 1453 [branches cadettes les plus connues : les Montespan, les Couserans (voir ci-dessous)]. **1317** la partie du comté dépendant du diocèse de Toulouse (bas-pays) est érigée en diocèse autonome : Lombez. **1453** réunion temporaire à la couronne de Fr. (le fief sera attribué 3 fois à des seigneurs particuliers aux XVe et XVIe s.). **1540** annexion définitive. **1603** forme une « élection » (parlement de Bordeaux, intendance de Montauban). **1642** l'évêque transféré à St-Gaudens ; rattaché à la généralité de Montauban (puis à celle d'Auch).

Langue. Commingeois forme avec couseranais (voir ci-dessous) un groupe particulier des langues d'oc (considéré longtemps comme du gascon montagnard ou du languedocien).

Couserans

Situation. Massif pyrénéen (haut et moyen bassin du Salat) ; arr. actuel de St-Girons (Ariège), moins le canton de Ste-Croix.

Histoire. Les *Consoranni* se distinguent peu des Convenae (dans le Comminges) jusqu'à la christianisation (vers la fin du IVe s.). **506** ont un évêque indépendant à St-Lizier. Le fief fait partie de celui de Comminges. **Fin XIIe s.** Bernard III, Cte de Comminges, le coupe : il conserve le Castillonnais et érige le reste (St-Girons, Massat, Oust) en comté indépendant, qui dure jusqu'en 1789. L'évêché de St-Lizier conserve sa juridiction sur l'ancien fief.

Comté de Foix

Situation. Forme, avec le Couserans et une partie du Languedoc, le département de l'Ariège.

Histoire. Peuplé d'Ibér. **350 av. J.-C.** colonisé par des Celtes (Belges Tectosages). **121 avant J.-C.** intégré à la Provincia Romana. Partie de la *Civitas tolosatium* qui dépend, après Dioclétien, de la Narbonnaise Première. Appartient ensuite aux Wisigoths, qui s'y maintiennent 3 siècles. Les Carolingiens fondent et protègent l'abbaye de St-Vulpien (sur l'emplacement futur de Foix), qu'ils confient à l'évêque d'Agde. **940** le Cte Arnaud de Couserans et Comminges devient Cte de Carcassonne et se taille un fief important, englobant la région de St-Vulpien ; il est un vassal théorique de Toulouse. **1002** Foix est mentionné pour la 1re fois : donné par Roger le Vieux, Cte de Carcassonne, à Bernard-Roger, son 2e fils, 1er prince de la « Maison de Foix », qui comptera 17 souverains. **1209-23** le Cte Raymond-Roger, chef de la résistance cathare. **V. 1250** Roger IV échappe à la suzeraineté toulousaine et devient vassal direct du roi de Fr. **1290** réunion du Cté de Foix, de la Vté de Béarn et de la Bigorre à la mort de Gaston VII de Moncade, dont Roger-Bernard III avait épousé (1252) la fille, Marguerite. **1391** mort de *Gaston Phébus* sans héritier direct : le Cté passe à son cousin Mathieu de Castelbon, puis 1399 au beau-frère de ce dernier, Archambaud de Grailli, captal de Buch. **1458** érigé en Cté-pairie par Charles VII au profit de Gaston IV. **1479** la maison de Foix-Béarn obtient, par mariage de Gaston IV avec Éléonore de Navarre (1434), la couronne de Nav. **1484** acquis par la maison d'Albret (mariage de Catherine de Foix avec Jean III d'Al.). **1548** Jeanne d'Albret ép. Antoine de Vendôme, passe à la maison de Bourbon. **1607** réuni à la Couronne par Henri IV, fils de Jeanne.

Gascogne

Situation. A cheval entre les régions d'Aquitaine et de Midi-Pyr. Le mot « Gascogne » ne s'applique qu'à l'aire des parlers gascons : de la Garonne aux vallées pyrén. (Pays basque et Béarn exceptés) et de l'Atlantique au méridien de Toulouse (Gers, Landes, Htes-Pyr., sud du Lot-et-G., du Tarn-et-G., de la Hte-Gar., de l'Ariège). En Aquitaine : Landes, sud de la Gironde et du Tarn-et-G. Collines (160 à 400 m), faites de dépôts descendus des Pyrénées, où les eaux ont creusé un réseau de vallées en éventail aboutissant au sillon de la Garonne.

Histoire. Jusqu'au VIe s. av. J.-C. peuplée par les Ligures, puis colonisée par les Ibères, venus d'Espagne, qui couvrent le pays de villages enclos et d'oppidums, commandant les routes de transhumance vers le sud des Pyrénées. **350** résistent à l'invasion gauloise et maintiennent leur parler et leur civilisation ibériques. Partie de l'Aquitaine à partir de la conquête romaine. Lors du morcellement de l'Aquitaine, forme la *Novempopulanie* [métropole : Éluza, l'actuelle Eauze dans le Gers, région aquitano-romaine (opposée aux 2 « Aquitaine » gallo-romaines, latinisées et christianisées au IVe s.)]. **Ve s.** conquise par Wisigoths, puis Clovis, occupée en grande partie par Vascons ou Basques, Ibères non latinisés venus du S. (d'où le nom de *Vasconia* et celui de duché de Gascogne en 602). **660-70** duché de G., vassal de Dagobert depuis 635, reprend son indépendance. **720** détruit par les musulmans. **735** renaît, comme duché vassal des Francs. **745-68** vaine tentative de retrouver l'indépendance (par le duc Gaïfre ou Waïfre). **926** morcelée entre *Béarn, Astarac* et *Fezensac* (lui-même subdivisé en *Armagnac* et *Pardiac*). **1036** les fiefs gascons deviennent vassaux du duché d'Aq. à la suite du mariage de la fille du duc Sanche-Guillaume avec le duc Eudes d'Aq. **1154** (mariage d'Éléonore avec Henri II d'Angl.) : possession anglaise, exportation de vins vers îles Britan. **1450** redevient française, entre les mains de 3 puissantes familles : Armagnac, Albret, Béarn. **1473** Armagnac confisqué par Louis XI pour félonie des derniers Ctes (Jean V, tué à Lectoure ; son fr. Charles, mort en prison) ; annexé au domaine royal. **1589**

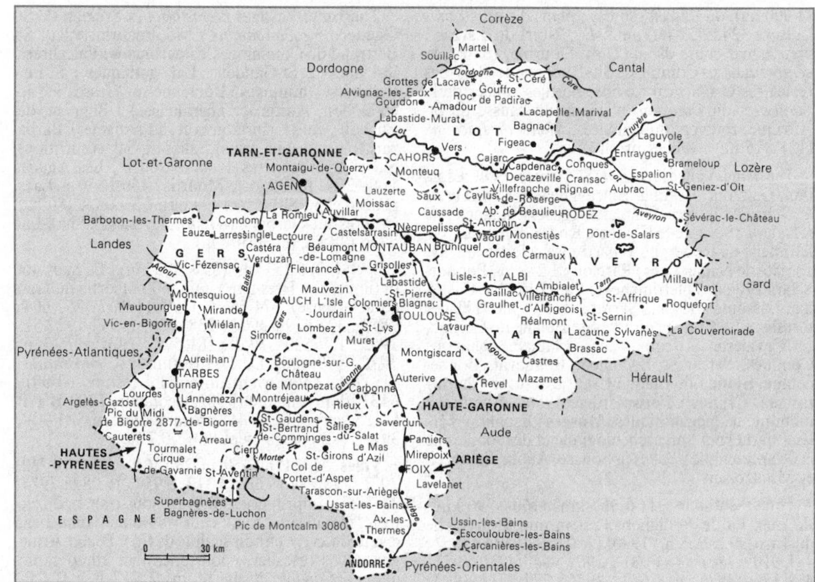

Henri IV (héritier des Albrets et des Foix-Béarn) roi de Fr. ; réunie à d'autres fiefs (Landes, Chalosse, Armagnac, Labourd, Bigorre, Comminges et Couserans), dépend de la généralité de Pau. **1716** création de la généralité d'Auch, qui s'identifie à la G. jusqu'en 1789.

Ressources. Armagnac, foies gras à Gimont et conserves, laiteries, minoteries, constr. méc. destinées à l'agr., ind. du bois (Eauze-Condom), charpentes métall. (Fleurance), matériel électron., confection (à Lannepax et L'Isle-Jourdain).

Haut Languedoc ou Toulousain

Situation. Bassin moyen de la Garonne, et basses vallées : Ariège, Agout, Tarn, Aveyron. *Départements :* Hte-Garonne, Tarn-et-G., Tarn.

Histoire. Peuplement ligurique, puis peut-être ibérique. **V. 350 av. J.-C.,** colonisée par les Belges (ou « Volques ») Tectosages (capitale : Tolosa, vieille ville-étape sur la route de l'étain). **121 av. J.-C.** cité des Tolosates, intégrée à la *Province Romaine,* puis à la Narbonnaise (Narbonnaise 1re apr. Dioclétien). **260** St Sernin fonde le diocèse de Toulouse (le plus grand de Gaule), suffragant de Narbonne. **419-508** capitale du royaume wisigothique au N. des Pyrénées. **778** organisation d'un comté du Toulousain, dont le chef (avec le titre de duc) est chargé de contenir Vascons et musulmans. **888** les comtes deviennent héréditaires (famille des Raymond, appelés aussi les Saint-Gilles). **XIIe s.** Raymond V est l'un des plus puissants seigneurs de l'Occident : suzerain du Bas-Languedoc et marquis de Provence ; feudataire direct du roi de France. **1206-15** Raymond VI battu par Simon de Montfort, à l'occasion de la « guerre des Albigeois ». **1222-29** le comté est reconstitué, mais réduit à la région de Toulouse. **1229** *tr. de Meaux :* Raymond VII prend pour héritier un Capétien, son gendre, Alphonse de Poitiers. **1271** à la mort d'Alphonse, le roi Philippe III hérite du C^té^ ; les capitouls toulousains prêtent serment au sénéchal de Carcassonne. **1317** le diocèse de Toulouse est découpé en 7 nouveaux diocèses ; devient archevêché, détaché de Narbonne. **1443** création du Parlement de Toulouse. **1561-89** Toul., catholique, reconquiert une grande partie du C^té^ gagné au protestantisme. **1632** Montmorency, « gouverneur du Lang. » et chef des révoltés du Midi, est décapité à l'hôtel de ville de Toul. **1635** la généralité de Montauban est créée, avec plus d'1/3 de l'ancien C^té^ de Toul.

Ressources. Construction aéron., textile-habillement, constructions él. et électron., ind. chimique, matériaux de constr., constr. méc., B.T.P. (+ 1/3 de Midi-Pyrénées), tertiaire développé (Hte-G.). Ovins, fruits et légumes, agro-alim. (T.-et-G.). Ind. textile (Castres-Mazamet) : 1re place pour le « cardé », ind. du cuir (Graulhet).

Quercy

Situation. Département du Lot, moitié N. du Tarn-et-Garonne et N.-O. de l'Aveyron. Ancien diocèse de Cahors. Vastes plateaux calcaires des Causses entaillés des vallées fertiles du Lot et de la Dordogne. A la périphérie, dépression bocagère du Limargue.

Histoire. Peuplé dès le mésolithique. **IIIe s. av. J.-C.** occupé par la puissante tribu gauloise des Cadurques (d'où Cahors et Quercy), qui édifie l'oppidum d'Uxellodunum (puy d'Issolu ?). **118 av. J.-C.** une partie des *Cadurques* fait partie de la *Provincia.* **56 av. J.-C.** résistance à la conquête (siège d'Uxellodunum). **Période romaine.** Rattaché à l'Aquitaine 1re, Divona Cadurcum fondée (Cahors). Ravagé par Vandales et Quades, puis Wisigoths. **VIe-VIIIe s.** attribué à divers royaumes mérovingiens qui y installent des comtes. **714** partie du duché d'Aquitaine. **Xe s.** les C^tes^ de Toulouse s'arrogent des droits, les seigneurs du C^té^ leur prêtent hommage au lieu de reconnaître la suzeraineté du duc de Guyenne. De puissantes abbayes (Figeac, Souillac, Moissac, Rocamadour) s'érigent sur la route de Compostelle. **1223** l'évêque-comte de Cahors prête hommage au roi de Fr. Fondation de nombreuses bastides. Disputé entre rois de Fr. et d'Angl. **1259** *tr. de Paris :* exclu du duché (anglais) de Guyenne. **1360** *tr. de Brétigny :* donné à l'Angl. Mais les Quercinois refusent cette domination. **1368** les habitants de Montauban et de Cahors livrent leur ville aux Français. **1382** les charges imposées par Bernard d'Armagnac provoquent la révolte des *Tuchins.* **1440** les derniers soldats anglais sont chassés. Le Q. est marqué par les g. de religion, Montauban est un foyer réformé important (siège 1562 par Monluc, combats jusqu'à l'édit d'Alais 1629, émeutes 1659). **1551** Cahors, siège de présidial. Des états particuliers siègent jusqu'au XVIIe s. Rattaché au gouv. et à la généralité de Guyenne, en 1635 à celle de Montauban. **1624** *et* **1637** misère paysanne : révolte des *Croquants.*

Ressources. Élevage ovin depuis l'Antiquité (développement actuel de l'élevage ovin). Volailles (foies gras). Polyculture (céréales, tabac, arbres fruitiers, vignes). Truffes, textiles (lin, chanvre). Au Moyen Age, de nombreux Cadurciens sont banquiers.

Rouergue

Situation. Aveyron et N.-E. du Tarn-et-Garonne. Comprend Comté (Rodez), la Hte-Marche (Millau), Basse-Marche (Villefranche). Au N. : massif volcanique de l'Aubrac ; Centre et S. : plateaux calcaires des Causses et schisteux du Ségala.

Histoire. Peuplé dès le mésolithique (grottes de la vallée du Lot). **V. 350 av. J.-C.** occupé par la tribu gauloise des Ruthènes (d'où Rodez et Rouergue) qui fondent les oppidums de Condatomagus (Millau) et Legodunum (Rodez). **118 av. J.-C.** repoussent une attaque des Romains, maîtres de la *Provincia.* **58-51** tentent de ravager la Provence pour paralyser la conquête romaine. Intégré à l'Aquitaine (Aq. 1re après Dioclétien). **506 apr. J.-C.** réuni au royaume de Clovis. **VIIe s.** disputé entre Neustrie, Austrasie et Burgondie. Les Carolingiens nomment le 1er Cte, Gilbert, dont les descendants deviennent C^tes^ de Toulouse. **918-1066** appartient à une branche cadette. **1066** héritage recueilli par Raymond de St-Gilles. **1096** vendu au Cte de Millau. **1209** Raymond VII de Toulouse le rachète à Gui II d'Auvergne, héritier du C^té^. **1214** racheté à Simon de Montfort par la famille de Millau. **1302** passe par mariage à Bernard VI d'Armagnac. **1481** Louis XI s'en empare, après la trahison de Jean V. **1484** restitué. **1525** passe à Marguerite d'Angoulême par mariage. **1551** présidial à Villefranche (créé au XIIIe s. par Alphonse de Poitiers sur le front anglais, siège de sénéchaussée royale en 1250). **1589** réuni à la Couronne ; a des états particuliers jusqu'en 1651 ; forme une lieutenance de gouv. de la Guyenne et 2 élections rattachées jusqu'en 1635 à la généralité de Guyenne puis de Montauban. **1645** donné à Henri de Lorraine, Cte d'Harcourt, dont la famille garde les droits jusqu'à la Révolution.

Ressources. Céréales, fromage de Roquefort. Industrie lourde (Decazeville), tourisme, ganterie, mégisserie, tannerie (Millau).

Économie

Population. 2 427 400 h. (estim. 1990) [*1982 :* 2 326 037 h.]. D. 52,6 (1-1-89, estim.). *Pop. active* ayant un emploi (1-1-90, estim.) : 903 215 dont primaire 105 177, secondaire 166 886, B.T.P. 69 201, tertiaire 561 951 ; *salariée* (1-1-90, estim.) : 700 203. *Chômage* (sept. 90) : 8,7 %.

Échanges (millions de F, 1989). IMP. : 32 336,85 dont constr. aéron. 15 018,5, matér. électron., profess. et ménager 2 060,7, viandes et conserves de viande 1 712,3, mat. text. 1 073,2, prod. chimiques de base 954,9, équip. ind. 862,7 ; *de* (en %) C.E.E. 60,3 dont All. féd. 20,3, R.-U. 15,3, Italie 9,9, Espagne 7,1, U.E.B.L. 3,5, P.-Bas 2,3, U.S.A. 21,2, Australie 2,5, Canada 1,9, Japon 1,2. EXP. : 54 030,4 dont constr. aéron. 33 231,3, prod. agr. 4 211,3, matér. électron. 2 157,9, mat. text. 1 662,5 ; prod. chim. de base 1 591,5, cuirs et art. en cuir 1 331,8 ; *vers* (en %) C.E.E. 37,7 dont All. féd. 13,1, Italie 7,9, Espagne 5,3, R.-U. 4,8, U.E.B.L. 2,5 ; U.S.A. 19,8, Inde 6,1, Taïwan 2,9, Corée du S. 2,7, All. dém. 2,6.

Agriculture (1-1-90, estim.). **Terres** (en milliers d'ha) 4 559,7 dont *S.A.U.* 2 652,3 [t. lab. 1 585,2, herbe 994,4, vignes 50,9] ; *bois* 1 176,7 ; *t. agr. non cult.* 277,5 ; *autres terr. non agr.* 399,2. **Prod. végétale** (1989, en milliers de t) blé tendre 1 079,5, maïs-grain 1 581,4, orge 668,2, sorgho 194,6, colza 47,4, tournesol 291,7, tabac 4,2. *Fruits :* pommes 214,2, pêches 45,9, poires 27. *Vins* (en milliers d'hl) : 3 318,7, dont A.O.C. 661,7, V.D.Q.S. 52,4. *Armagnac* (1985-86) : 33 887 hl. **Prod. animale** (en milliers de têtes, 1988) : bovins 1 340,5, ovins 2 567,9, porcins 71,3. *Foie gras* (1986) : canard 821 t, oie 305 t. *Lait* (en milliers d'hl, au 1-1-90, estim.) vache 9 818,3 ; (1-1-89) chèvre 166,5, brebis 1 071,8. **Prod. agricole finale** (1986) 17,7 milliards de F. **Actifs** agricoles (1987) 171 000 (dont salariés : 6 550).

Industrie. *Effectifs* (1-1-1986) : agro-alim. 23 046, constr. navale et aéron., armement 20 881, électr. et électron. 15 474, text. 13 850, bois-ameubl. 12 694, fonderie-trav. des métaux 10 618, habill. 9 838, mat. de constr. 9 100, chimie, parachim. et pharm. 9 017, cuir et chauss. 6 794. **Énergie :** recherches de *pétrole* (plateau de Lannemezan) et de *gaz, géothermiques et hydroélectr. ; centrale nucléaire* de Golfech (4 tranches 1 300 MW, 1re couplée au réseau 1990 ; 2e avril 1993 ; coût total 13,7 milliards de F). **Communications :** canal Latéral et c. du Midi (modification du gabarit des écluses) ; 1re mondiale d'un système de pente d'eau pour péniches à Montech.

Tourisme (au 31-12-1988). Hôtels de tourisme 1 510 (42 589 ch.), campings-caravanages 599 (109 692 pl.), meublés touristiques 16 245, auberges de jeunesse 11, campings à la ferme 528, gîtes ruraux 4 539, gîtes d'étapes et refuges 202, centres familiaux 178, chambres d'hôtes 1 159.

☞ Voir Occitanisme p. 782.

Départements

Voir légende p. 748.

• **Ariège** (09) 4 890 km² (150 × 130 km). *Alt.* max. Pic d'Estats 3 115 m. 136 483 h. (1990) [*1801 :* 196 454 ; *1851 :* 267 435 ; *1901 :* 210 527 ; *1936 :* 155 134 ; *1962 :* 137 192 ; *1968 :* 138 478 ; *1975 :* 137 857 ; *1982 :* 135 725]. D. 27,7 (estim. 89). *Actifs* ayant un emploi (estim. 1-1-90) : 45 231 dont primaire 5 431, secondaire 10 426, B.T.P. 3 464, tertiaire 25 910. *Salariés* (estim. 1-1-90) : 34 351. *Chômage* (sept. 90) : 8,2 %.

Villes. FOIX 9 960 h. (ag. 10 620), alt. 400 m ; tourisme, donjon de Gaston Phébus 42 m, château-musée. – *Auzat* 760 h. ; usine électro., chim. *Ax-les-Thermes* 1 488 h., alt. 720 m ; géothermie (chauffage de l'hôpital) ; thermalisme (alt. 720 m) ; ski. *La Bastide-sur-l'Hers* 733 h. ; peignes en corne. *Laroque-d'Olmes* 3 106 h. *Lavelanet* 7 737 h. (ag. 8 603) ; textiles. *Le Mas-d'Azil* 1 307 h. ; meubles, grotte préhistorique. *Le Peyrat* 401 h. ; peignes en corne. *Luzenac* 690 h., alt. 610 m ; talc (mine à ciel ouvert, à 1 800 m, la plus importante du monde). *Mazères* 2 519 h. *Mirepoix* 2 993 h. ; cath. fondée 1298, nef ogivale la plus large de France, la 2e en Europe (22 m). *Pamiers* * 12 961 h. (ag. 17 060) ; aciers spéciaux (Creusot-Loire) ; cath. XIVe s. *St-Girons* * 6 594 h. (ag. 9 875) ; papeterie, fromages. *Saverdun* 3 565 h., alt. 235 m. *Tarascon-sur-Ariège* 3 532 h. (ag. 3 919), alt. 474 m ; aluminium ; égl. Notre-Dame de Sabart. *Varilhes* 2 327 h.

Régions naturelles. *Zone pyrénéenne* 240 247 ha (dont S.A.U. 100 000 ha, y compris les estives) ; bois, forêts. *Zone sous-pyrénéenne* 128 131 ha (dont S.A.U. 49 000) : élevage. *Coteaux* 97 887 ha (dont S.A.U. 56 000) : céréales. *Plaine* 29 700 ha (*S.A.U.* 25 000).

Tourisme. Sports d'hiver. *Ski alpin :* Guzet-Neige 1 500 à 1 800 m, Mijanes-Latrabe : 1 530 à 2 010 m, Saquet-Bonascre 1 400 à 2 300 m, les monts d'Olmes 1 500 à 2 100 m, Ascou, Pailhès 1 500 à 2 300 m. *Ski de fond :* Seix, Massif de l'Arize, Vicdessos, Plateau de Beille, le Couserans, Prades, Quérigut, Massat. **Rivières :** *canoë kayak :* l'Hers, bassin de Salat ; l'Ariège et affluents (Oriège et Vicdessos), le Salat et 4 affluents (Lez, Arac, Garbet, Alet), et l'Arize. **Lacs et plans d'eau :** étangs de Lers (2,32 ha), de Bethmale (9,86 ha), Mondely, Labarre (Foix), Montbel, Bompas, Ste-Croix-Volvestre. **Églises romanes :** St-Jean-de-Verges, St-Lizier, Unac (XIe s., XIIe s.), Axiat, N.-D.-du Camp-Pamiers (XIIe s.), Mirepoix, cath. gothique Vals. **Châteaux :** Roquefixade (XIIe s.), abbaye bénédictine ; Lagarde (1229 et XVIIe s.) ; Lordat (XIIIe s.). **Pog de Montségur** (ou Puy, du latin *podium* et du celtique *puich, puech, pech :* montagne d'alt. moy. plus ou moins attaquée par l'érosion) 1 207 m ; haut lieu de la résistance cathare ; Foix (XIe et XVe s.). **Grottes** *préhistoriques :* Le Mas-d'Azil, Niaux [dessins (10 000 à 14 000 a. av. J.-C.)], Le Portel, Bedeilhac, Les Trois-Frères, Lombrives (long. 5 km, la plus grande d'Europe), la Vache à Alliat (gisement magdalénien), Fontanet (12 000 av. J.-C.). **Rivière** *souterraine* de Labouiche 4,5 km (la plus longue et navigable du monde), nombreuses grottes (spéléologie). **Thermalisme :** Ussat-les-Bains, alt. 480 m ; Aulus-les-Bains, 810 m ; Ax-les-Thermes, 720 m.

• **Aveyron** (12) 8 771 km² (135 × 108 km). *Alt.* max. Truques d'Aubrac 1 442 m, min. 144 m à Salvagnac-Cajarc (vallée du Lot). *Pluies :* 720 mm par an (v. du Tarn), 1 500 (au Clapier). *Temp. moy. :* Est 8 °C, vallée du Lot 12 °C. 270 054 h. (1990) [*1801 :* 318 340 ; *1851 :* 394 183 ; *1886 :* 415 826 ; *1936 :* 314 682 ; *1975 :* 278 306 ; *1982 :* 278 654]. D. 31,4 (estim. 1989). *Pop. rurale* 153 306 h., *urbaine* 116 748 h. (1990). *Actifs* ayant un emploi (estim. 1-1-90) : 100 738 dont primaire 21 071, secondaire 17 262, B.T.P. 8 858, tertiaire 53 547 ; *salariés* (estim. 1-1-90) : 67 227. *Chômage* (sept. 90) : 5,6 %.

Villes. RODEZ 24 701 h. [*1936 :* 18 450 ; *1962 :* 20 924 ; *1975 :* 2 555] (ag. 39 011), alt. 632 m ; équipement autom. ; cathédrale, musée Fenaille, des Beaux-Arts. – *Capdenac-Gare* 4 818 h. *Conques* 362 h. ; abbatiale du XIIe s., trésor, église romane Ste-Foy. *Decazeville* 7 754 h. [*1936 :* 12 365] [ag. 19 170, dont *Aubin* 4 846. *Firmi* 2 728] ; charbon, métall., ind. chim. ; musée géologique et de la mine. *Espalion* 4 614 h. ; musée d'arts et traditions populaires. *Millau* * 21 788 h. [*1936 :* 16 437] (ag. 23 189), alt. 379 m ; ganterie, mégisserie, imprimerie ; musée d'archéologie [fouilles de la Graufesenque (céramique antique)]. *Naucelle* 1 929 h. *Onet-le-Château* 9 699 h. *Réquista* 2 243 h. *Rieupeyroux* 2 348 h. *Roquefort* 789 h. ; fromage. *St-Affrique* 7 798 h. *St-Geniez-d'Olt* 1 988 h. *Salles-la-Source* 1 594 h. ; musée du Rouergue. *Séverac-le-Château* 2 486 h. *Villefranche-de-Rouergue* * 12 291 h. [*1936 :* 8 479] (ag. 12 959) ; conserves, habillement.

Régions naturelles. *Aubrac* (alt. max. 1 442 m, sup. 50 556 ha), terrains granitiques : prairies nat., pâturages d'estive à + de 900 m (bovins). Forêts domaniales (Aubrac et Laguiole). *Viadène et Barrez* (54 918 ha) : plateau granitique et basaltique ; alt. 750 m ; pâturages. *Vallée du Lot et Rougier de Marcillac* (88 995 ha) : grès et schistes ; vignobles (A.O.C. de Marcillac), élevage caprin, primeurs. *Bassin houiller d'Aubin-Decazeville* (17 918 ha) : exploitation à ciel ouvert du charbon (« Découvertes »), prod. 462 500 t de brut (1987), métallurgie. *Bas Rouergue* (sols argilo-calcaires, alt. moyenne 300 à 400 m, 48 842 ha ; climat tempéré ; diversité de cultures). *Ségala* (sup. 195 381 ha) : plateaux granitiques dans le N., plus schisteux au S. de la vallée de l'Aveyron. *Lévezou* (62 896 ha) : hauts plateaux 800 m, gneiss ou schistes des Palanges, du Lagast et du Lévezou : élevage, forêt des Palanges (4 000 ha), du Lagast (86 ha) ; plans d'eau. *Grands Causses* (242 522 ha) au *S.-E. :* Noir, du Larzac ; creusés par cours d'eau (Tarn, Dourbie, Jonte), *au centre :* causses Comtal, de Ste-Radegonde. Sols secs (calcaires et marnes) : ovins. Fertiles vallées de la *Sorgue* et du *Dourdou*, plateau du causse de St-Affrique, rougiers du Camarès. *Monts de Lacaune* (121 875 ha) : vallées productives.

Tourisme. Vallées : *du Lot :* St-Geniez-d'Olt, Espalion, Calmont, Estaing, Entraygues ; *du Tarn et de la Dourbie :* gorges, châteaux, églises romanes ; *de l'Aveyron :* Séverac-le-Château, Rodez, Belcastel, Villefranche-de-Rouergue (chartreuse, cloître du XVe s.) ; site de Najac. **Lacs :** Pareloup 1 259 ha, Pont-de-Salars 190 ha, Villefranche-de-Panat 178 ha, Castelnau-Lassouts 218 ha, Sarrans 1 000 ha. **Villages fortifiés :** La Couvertoirade, Ste-Eulalie-de-Cernon, La Cavalerie, St-Jean-d'Alcas, Flaujac. **Abbayes :** Conques, Sylvanès, Loc-Dieu, Bonneval, Bonnecombe. **Station thermale :** Cransac, étuves (rhumatismes). **Grottes :** Foissac (déc. 1959). Nombreux monuments mégalithiques. **Musées :** Espalion, Millau (m. du gant ; m. archéologique et des fouilles de la Granfesenque), Salles-la-Source, Aubin, Salmiech et Montrozier.

• **Haute-Garonne** (31) 6 367 km² (160 × 96 km). *Alt.* max. Pic de Perdighero 3 220 m, min. 75 m (sortie du Tarn). 925 958 h. (1990) [*1801 :* 339 574 ; *1851 :* 481 610 ; *1861 :* 484 081 ; *1901 :* 448 481 ; *1911 :* 432 126 ; *1936 :* 458 647 ; *1975 :* 777 431 ; *1982 :* 824 501]. D. 137,3 (estim. 89). *Actifs* ayant un emploi (estim. 1-1-90) : 361 864 dont primaire 13 396, secondaire 68 207, B.T.P. 26 667, tertiaire 253 594. *Salariés* (estim. 1-1-90) : 314 110. *Chômage* (sept. 90) : 9,6 %.

Villes. TOULOUSE alt. 146 m, sup. 11 843 ha, 358 688 h. [*1800 :* 50 171 ; *1831 :* 59 630 ; *1851 :* 95 277 ; *1872 :* 126 936 ; *1911 :* 149 000 ; *1936 :* 213 220 ; *1946 :* 264 411 ; *1962 :* 330 570 (+ de 30 000 rapatriés) ; *1968 :* 380 340 ; *1975 :* 373 796] [ag. 608 427, dont *Balma* 9 506. *Blagnac* 17 209 ; aéroport, constr. aéron. (Rockwell-Collins, AOIP) ; capteurs solaires (logements) ; géothermie dep. 1975. *Beauzelle* 5 405. *Boussens* 797 ; raffin. de pétrole, chim. *Castanet-Tolosan* 7 697. *Castelginest* 6 757. *Colomiers* 26 979 ; constr. aéron., briqueterie, mat. plast., électron., cartonnages, hab. *Cugnaux* 11 301. *Fenouillet* 3 426. *Frouzins* 3 941. *Launaguet* 3 768. *L'Union* 11 751. *Martres-Tolosane* 1 929 ; cim., fabrique de faïences d'art. *Pibrac* 5 876. *Plaisance-du-Touch* 10 075. *Portet-sur-Garonne* 8 030. *Ramonville-St-Agne* 11 834. *St-Jean* 7 168. *St-Orens-de-Gameville* 9 703. *Seysses* 5 074. *Tournefeuille* 16 669. *Villeneuve-Tolosane* 7 759], aéron., complexe aérospatial (C.N.E.S., C.E.R.T., C.E.S.R.), chimie, engrais, agro-alim., électron. (Logabax, Motorola), bonneterie, confection, briqueterie, pharmacie, parfumerie, etc. ; université (2e centre fr. de recherche, 45 000 étudiants), 7 écoles nat. (aéron. et espace, chimie, informatique, hydraulique, agronomie, agriculture, vétérinaire, laboratoires) ; cath. St-Étienne, basil. St-Sernin, ensemble des Jacobins (a reçu en 1974 les restes de St Thomas d'Aquin), le Capitole (actuel hôtel de ville), cloîtres, musées, hôtel d'Assézat (1555-60, Ac. des Jeux floraux) et Felzins (1556), une cinquantaine d'hôtels particuliers (XVIe et XVIIe s.). Espaces verts et aires de loisirs : Pech-David 275 ha, La Ramée 230 ha (lac 38 ha), Les Argoulets 75 ha, Sesquière 83 ha (lac 13 ha), jardin royal et Grand-Rond, berges de la Garonne. Jardin des plantes 7,6 ha. – *Aussonne* 4 000 h. *Auterive* 5 814 h. *Bagnères-de-Luchon* 3 094 h. (ag. 4 350), alt. 630 m ; thermalisme, ski (à Superbagnères, Le Mourtis et Les Agudes). *Bruguières* 3 056 h. *Carbonne* 3 795 h. (ag. 4 567). *Cazères* 3 155 h. (ag. 4 117). *Escalquens* 4 323 h. *Fonsorbes* 4 252 h. *Grenade* 5 026 h. *Montréjeau* 2 857 h. (ag. 4 506). *Muret* 18 134 h., alt. 166 m ; usines de seringues hypodermiques, text., agro-alim. (salaisons, pâtes alim.), eaux minérales Montégut (Perrier), briqueteries, constr. méc. *Revel* 7 520 h., alt. 213 m ; meubles, maroquinerie, distilleries, liqueurs, agro-alim. *Roquettes* 2 801 h. *Saint-Gaudens* 11 266 h. (ag. 13 604), alt. 405 m ; cellulose, centre agricole, marché de bétail. *Saint-Lys* 4 565 h. *Vernerque* 2 158 h. (ag. 4 173). *Villefranche-de-Lauragais* 3 316 h. *Villemur-sur-Tarn* 4 840 h. ; construction méc., élec., agro-alimentaire.

Régions naturelles. *Région pyrénéenne et Piémont pyrénéen* (Luchonnais, Comminges) (19 % de la sup.) : forêts (ovins, bovins). *Région des coteaux* (Lauragais, Volvestre, Gers, Gascogne) (30 %) : céréales (blé, maïs), polyculture, viticulture, cult. fruitières, bovins, vaches laitières, porcins, oies, etc. *Vallées* (Garonne, Gers, Tarn, Rivière) (42 %) : céréales (blé, maïs), polyculture, maraîchage, cult. fruit., horticulture.

Tourisme. Vestiges *préhistoriques :* région de St-Gaudens ; *gallo-romains :* Montmaurin (villa), St-Bertrand-de-Comminges. **Sites romans :** Valcabrère, St-Plancard, St-Gaudens. **Égl. gothiques :** St-Bertrand-de-Comminges, Boulogne-sur-Gesse, L'Isle-en-Dodon, Aurignac. **Thermalisme :** Bagnères-de-Luchon (voies respiratoires et rhumatismes), Barbazan (foie, intestins, reins), Salies-du-Salat (nutrition). **Ski :** Superbagnères 1 800-2 260 m, Les Agudes 1 600-2 241 m, Boutx-le-Mourtis 1 460-1 850 m. **Lacs, plans d'eau :** St-Ferréol (90 ha), Carbonne (80 ha), Cazères-sur-Garonne (80 ha), Peyssies (22 ha), Lac d'Oô (38 ha, alt. 1 504 m).

• **Gers** (32) 6 253 km² (85 × 145 km). *Alt.* max. 400 m (limite des Htes-Pyr.), min. 60 m (sortie du Gers et de la Baïse). 174 566 h. (1990) [*1801 :* 257 604 ; *1851 :* 307 479 ; *1901 :* 238 448 ; *1936 :* 192 451 ; *1962 :* 179 520 ; *1968 :* 181 577 ; *1975 :* 175 366 ; *1982 :* 179 100]. D. 27,9 (estim. 89). *Pop rurale :* 112 766. *Actifs* ayant un emploi (estim. 1-1-90) : 64 317 dont primaire 18 502, secondaire 7 223, B.T.P. 5 125, tertiaire 34 467. *Salariés* (estim. 1-1-90) : 39 672. *Chômage* (sept. 90) : 6,7 %.

Villes. AUCH alt. 136 m, 23 136 h. [*1886 :* 14 782 ; *1921 :* 11 825 ; *1936 :* 13 313 ; *1954 :* 16 382 ; *1975 :* 23 185] ; imprimeries, B.T.P., sous-traitance électron., menuiseries ind. ; cath. XVe-XVIIe s. (plus beau chœur du XVIe s. en bois sculpté de Fr.). Tour d'Armagnac XIVe s. (escalier, « pousterles », m. ethnographique). – *Condom* * alt. 81 m, 7 717 h. ; B.T.P., menuiserie ind., coop. agr. (Armagnac) ; cath. XVIe s., cloître gothique, hôtels XIIe et XVIIIe s., musée de l'Armagnac. *Eauze* 4 137 h. ; menuiserie, ind., B.T.P., coop. viticole (Armagnac) ; cath. XVe s. *Fleurance* alt. 98 m, 6 368 h. ; charpentes métall., mat. de constr., B.T.P., coop. agr., laiterie, conserverie, prod. diététiques ; égl. XVe s. *Gimont* 2 819 h. *Lectoure* 4 034 h. ; sanitaires, taille de la pierre, coop. et négoce de primeurs (melons), biscuiterie, sous-traitance électron. ; cath. XVe, XVIe s., h. de ville XVIIIe s., musée lapidaire. *L'Isle-Jourdain* 5 029 h. ; constr. préfabr., mat. de constr., entreprise d'élec., confection ; tour XIIe s. *Mirande* * alt. 240 m, 3 565 h. ; biscuiterie, matériel de forage, B.T.P. ; égl. fortif., musée des Beaux-Arts. *Plaisance* 1 657 h. *Vic-Fezensac* 3 683 h. ; emb. plastique, coop. agr., mat. de constr. ; égl. XVe s.

Régions naturelles. *Haut Armagnac* (137 478 ha) : céréales, fourr., vignes, eaux-de-vie, bovins, oléagineux. *Ténarèze* (96 915 ha) : céréales, vignes, eaux-de-vie, bovins. *Astarac* (95 528 ha) : céréales, fourr., porcins, ovins. *Lomagne* (41 463 ha) : céréales, oléagineux, melon, ail. *Coteaux du Gers* (76 981 ha) : céréales, oléagineux, bovins. *Bas-Armagnac* (68 850 ha) : céréales, vignes, eaux-de-vie. *La Rivière Basse* (54 500 ha) : céréales (maïs), vignes, porcins.

Tourisme. Vestiges romains : Séviac à Montréal. **Églises** *romanes et gothiques, bastides, châteaux, abbaye* de Flaran, *collégiale* de La Romieu. **Village fortifié :** Larressingle. **Stations thermales :** Barbotan-les-Thermes, Castéra-Verduzan (base de loisirs, 7 ha), Aurensan. **Plans d'eau et lacs :** « 3 vallées » (5 ha, prof. 6 m, à Lectoure), L'Isle-Jourdain (4 ha et 24 ha), Marciac (25 ha), Uby (70 ha, 6 m, à Cazaubon), Thoux-Saint-Cricq (70 ha, 8 m), Miélan (77 ha, 8 m), retenue de l'Astarac (180 ha), lac de Samatan (9 ha).

• **Lot** (46) 5 226 km² (90 × 85 km). *Alt.* max. Signal de la Bastide-du-Haut-du-Mont 781 m, min. 65 m (sortie du Lot, Sotural). 155 813 h. (1990) [*1801 :* 261 207 ; *1851 :* 296 224 ; *1901 :* 226 720 ; *1936 :* 162 572 ; *1954 :* 147 754 ; *1968 :* 151 198 ; *1975 :* 150 778 ; *1982 :* 154 533]. D. 30 (1990). *Pop. active* ayant un emploi (1-1-90, estim.) : 55 921 dont primaire 10 966, secondaire 8 446, B.T.P. 5 302, tertiaire 31 207 ; *salariée* (estim. 1-1-90) : 37 713. *Chômage* (sept. 90) : 7,9 %.

Villes. CAHORS alt. 170 m, 19 735 h. [*1800 :* 11 728 ; *1926 :* 11 775 ; *1975 :* 20 226] ; constr. méc. et élec. auto, coop. agr., truffes ; cloître de la cath., ruines romaines, musée, pont Valentré (XIVe s.), maison Henri IV. – *Biars-sur-Cère* 2 023 h. (ag. 3 234). *Figeac* * 9 549 h. ; équip. aéronaut., conserves alimentaires ; hôtel de la Monnaie XIIIe s. (soleilhos et maisons médiévales). *Gourdon* * 4 851 h. ; centre com. ; vieux quartiers. *Gramat* 3 526 h. ; agr., com., tourisme. *St-Céré* 3 760 h. ; prod. alim., centre com. et cult. ; tours de St-Laurent (atelier de J. Lurçat). *Souillac* 3 459 h. ; agr., tourisme ; égl. romane.

Régions naturelles. *Causses du Quercy* (Ht-Quercy) (2 156 km²), divisés en *C. de Martel, C. de Limogne, C. de Gramat* (agneaux de Causse, chèvres et cabécous). *Limargue* (576 km²) : élevage laitier, céréales, vergers. *Vallées de la Dordogne* (156 km²) *et du Lot* (504 km²) : céréales, tabac, vignes, vin de Cahors, A.O.C., fruits, élevage, tourisme. *Quercy Blanc* (576 km²), le S.-O. (collines cultivées) forme le *bas Quercy* (fruits, truffes, foie gras). *Bouriane* (560 km^2) : sablonneuse (chênes verts sur les hauteurs ; seigle, châtaigniers, noyers, bois dans les creux). *Ségala* (697 km^2) ou *Châtaigneraie* (hautes terres : châtaigniers, blé, bois, élevage). **Terres.** Voir Index.

Sites touristiques. *Grottes et gouffres :* Padirac, Cabrerets, Lacave (m. de la Préhistoire), Presque, Marcilhac, Cougnac. *Villages et sites :* Rocamadour, St-Cirq-Lapopie, Carennac, Martel, vallées du Lot [navigable de Bouziès à Luzech (65 km)], du Célé, de l'Alzou, du Vers, de la Dordogne ; saut de la Mounine. *Station thermale :* Miers-Alvignac (affections de l'appareil digestif, du foie et du système nerveux). *Châteaux :* Rocamadour, Castelnau-Bretenoux, Montal (1523), Assier (1525-35), Cenevières. *Musées :* Lurçat (St-Céré), Zadkine (Les Arques), automates (Souillac), de la Préhistoire à Cabrerets, Champollion (Figeac), de plein air de Cuzals à Sauliac-sur-Célé.

• **Hautes-Pyrénées** (65) 4 534 km^2 (100 × 60 km). *Alt.* maximale Vignemale 3 298 m, minimale 120 m (à la sortie de l'Adour). 224 754 h. (1990) [*1801 :* 174 741 ; *1851 :* 250 934 ; *1901 :* 215 546 ; *1921 :* 185 760 ; *1936 :* 188 504 ; *1975 :* 227 222 ; *1982 :* 227 922]. D. 51,1 (estim. 89). *Actifs* ayant un emploi (estim. 1-1-90) : 82 106 dont primaire 7 877, secondaire 13 012, B.T.P. 6 220, tertiaire 54 997. *Salariés :* (estim. 1-1-90) : 62 497. *Chômage* (sept. 90) : 10,7 %.

Villes. TARBES alt. 320 m, 47 566 h. [*1821 :* 8 035 ; *1891 :* 25 087 ; *1954 :* 40 242 ; *1975 :* 54 897] [ag. 74 639 dont *Aureilhan* 7 454. *Barbazan-Debat* 3 536. *Borderès-sur-l'Échez* 3 893. *Séméac* 4 428] ; constr. méc., élec., aéron., école nat. d'ing. et I.U.T., arsenal ; musées : Massey, du M^{al} Foch. – *Argelès-Gazost* * alt. 450 m, 3 229 h. [*1821 :* 878 ; *1954 :* 2 556] (ag. 4 448) ; station therm. *Bagnères-de-Bigorre* *, alt. 530 m, 8 423 h. [*1821 :* 6 834 ; *1954 :* 11 044] (ag. 11 805) ; constr. méc., bonneterie, therm. *Barèges* 257 h. ; station therm. *Capvern* 1 025 h. ; station therm. *Cauterets* 1 201 h. ; station therm. *Ibos* 2 309 h. *Juillan* 3 483 h. *Lannemezan* 6 704 h. ; usine d'alum., ind. chim. *Lourdes* alt. 425 m, 16 300 h. [*1821 :* 3 393 ; *1891 :* 6 976 ; *1921 :* 8 736 ; *1954 :* 15 829] ; pèlerinages (5 500 000 vis. en 1989). Voir Index ; 3e ville hôtelière de France après Paris et Nice ; basilique (1876) et nouvelle basilique souterraine St-Pie-X, la plus grande église de France (12 000 m^2) construite 1958 par Vago, Le Donne, Pinsart ; musée du Gemmail ; appareils élec. *Luz-St-Sauveur* 1 173 h. ; station therm. avec église « porte des cagots », tenue à l'écart de la chrétienté établie (gitans, lépreux, « patarins »). *Maubourguet* 2 472 h. *Ossun* 2 083 h. (aéroport intern.). *Pierrefitte-Nestalas* 1 527 h. (ag. 1 899) ; ind. chim. *Rabastens-de-Bigorre* 1 284 h. *St-Pé-de-Bigorre* 1 296 h. *Sarrancolin* 684 h. ; abrasifs. *Soues* 3 179 h. *Trie-sur-Baïse* 1 011 h. (1er marché de porcelets de Fr.). *Vic-en-Bigorre* 4 893 h.

Régions naturelles. *Pyrénées centrales* (2 500 km^2), *au S. :* élevage, tourisme. 2/3 des 45 807 ha du *parc national des Pyrénées. Cirques :* Gavarnie (40 sommets à plus de 3 000 m), Troumouse. *Plateau de Lannemezan* (389 à 679 m, landes) et *collines au N.* (678 km^2, polyculture, céréales, volailles, foie gras, porcelets). *Vallée de l'Adour à l'O.* (1 356 km^2, céréales, vergers, prairies), dont la *Rivière-Basse* (45 787 ha ; cap. Castelnau) : vins de Madiran. **Bois** (en milliers d'ha, au 1-1-90) 126,6 dont (1982) forêt de l'O.N.F. 68, privées 65,7 (en 1981, chênes 33, résineux 25, hêtres 4, divers 42) (en 1981, f. de Payolle 2,5, La Barousse 4,1, Néouvielle 2, Lesponne 3, Aragnouet 1,5, Le Marmajou 0,5, Ibos 0,7).

Tourisme. Ski (alt. des stations et entre parenthèses des pistes, en m) : Aragnouet-Piau 1900 (1 450 à 2 500), Cauterets 932 (1 350 à 2 350), Luz-Ardiden (1 700 à 2 450), Gavarnie-Gèdre (1 400 à 2 400), Hautacam (1 500 à 1 800), Barèges 1 250 (1 250 à 2 340), Bagnères-La Mongie (1 800 à 2 500), St-Lary-Soulan (830 à 2 450), Val-Louron (1 600), Peragudes 2 400, Campan-Payolle 1 220. Val-d'Azun. **Thermalisme :** Argelès-Gazost, Bagnères, Barèges, Beaucens, Capvern, Cauterets, Luz-St-Sauveur. **Observatoire** *du pic du Midi :* télévision la plus haute de Fr. (2 865 m).

Enclaves dans les Pyrénées-Atlantiques. *Escaunets* (6,24 km^2, 100 h.) et *Villenave-près-Béarn* (3,09 km^2, 59 h.), rattachées au canton de Vic-en-Bigorre ; *Gardères* (15,23 km^2, 396 h.), *Seron* (9,29 km^2, 240 h.) et *Luquet* (8,17 km^2, 296 h.) au canton d'Ossun.

• **Tarn** (81) 5 780 km^2 (90 × 105 km). *Alt.* max. Pic de Montalet 1 266 m, min. 88 m (sortie du Tarn). 342 741 h. (1990) [*1801 :* 270 908 ; *1851 :* 363 073 ; *1901 :* 332 093 ; *1921 :* 295 588 ; *1936 :* 164 629 ; *1968 :* 183 572 ; *1975 :* 338 024 ; *1982 :* 339 345]. D. 59,1 (estim. 89). *Actifs* (estim. 1-1-90) : 123 061 dont primaire 14 404, secondaire 30 705, B.T.P. 8 501, tertiaire 69 451. *Salariés* (estim. 1-1-90) : 94 355. *Chômage* (sept. 90) : 9,1 %.

Villes. ALBI alt. 174 m, 46 579 h. [*1800 :* 9 649 ; *1901 :* 22 571 ; *1954 :* 31 943 ; *1975 :* 46 162] (ag. 62 182, dont *St-Juéry* 6 730) ; marché agric., houille, métall., équip. industr., text. artif., centrale thermique (250 MW), verrerie ouvrière, usine Éternit ; le plus vaste ensemble de peintures murales de Fr. : orgue, voûtes de la cath. Ste-Cécile (XIIe s.), peintes bleu et or début XVIe s. par des artistes italiens ; musée Toulouse-Lautrec (anc. palais épiscopal ou de la Berbie), égl. St-Salvy (cloître), vieux ponts, vieilles maisons. – *Ambialet* 386 h. (méandres du Tarn sur 3 km (haute vallée : « vallée de l'Amitié »). *Carmaux* 10 957 h. [ag. 17 307, dont *Blayes-les Mines* 3 227 ; charbon, ind. chim., confection, mat. plastiques, meubles. *St-Benoît-de-Carmaux* 2 431]. *Castelnau-de-Lévis* 1 308 h. (tour carrée). *Castres* * alt. 172 m, 44 811 h. [*1800 :* 15 171 ; *1901 :* 27 308 ; *1954 :* 31 903] (ag. 46 481), chef-lieu de 1790 à 1797 ; constr. méc. et élec., mach.-outils, granit, ind. text., habillement, ameublement, prod. pharm., draperie ; la plus grande toile peinte par Goya, « la Junte des Philippines » (musée Goya). *Cordes* 932 h. ; ville médiévale (maison du Grand-Fauconnier, XIVe s.). *Durfort* 300 h. ; cuivre d'art, salaisons. *Ferrières* 180 h. ; musée du Protestantisme. *Gaillac* 10 378 h. (ag. 11 742) ; mat. plastiques, vins blancs. *Graulhet* 13 523 h. ; mégisserie, maroquinerie, bonneterie, apprêts, colles et gélatines. *Labruguière* 5 486 h. *Lacaune* 3 117 h. ; charc., salaison, conserves. *Lavaur* 8 147 h. (ag. 9 210) ; confection, textiles, haut lieu du catharisme, jacquemart, cathédrale St-Alain. *Lisle-sur-Tarn* 3 588 h. *Mazamet* 11 481 h. [ag. 25 484, dont *Aussillon* 7 673] ; délainage (60 % des peaux commercialisées dans le monde dont 83 % d'Austr.), filature et tissage de la laine importée d'Austr. et d'U.R.S.S., mégisserie, méc. de précision, ind. du bois, jouets, prod. chim., ind. autom., cuir, chaussures, constr. méc. *Puycelsi* 453 h. (remparts XIIIe et XIVe s.). *Rabastens* 3 825 h. (ag. 5 812). *St-Salvy-de-la-Balme* 590 h. (mines zinc et plomb). *St-Sulpice* 4 384 h. ; travail métaux, confect. *Sorèze* 1 954 h., école célèbre.

Régions naturelles. *Ségala tarnais* 98 092 ha : polyculture, bovins, porcins. *Mts de Lacaune* 103 266 ha : ovins. *Montagne Noire et v. du Thoré* 67 603 ha : prod. viticole et arboricole. *Coteaux molassiques* 17 000 ha : polyculture et élevage. *Plaine de l'Albigeois-Castrais* 128 512 ha : céréales, veau de boucherie, aviculture. *Causses du Quercy* 24 947 ha : élevage extensif. *Lauragais tarnais* 54 933 ha. **Bois** (en milliers d'ha, au 1-1-1990, estim.). 165 dont (1984) forêt de la Montagne-Noire 18, de la Grésigne 3,5, de Nore 1,6, de Labruguière 1,4 ; *t. agr. non cult.* 33,7 ; *t. non agr.* 37,3.

Tourisme. *Châteaux :* villages fortifiés : Castelnau-de-Montmiral, Penne ; St-Géru. *Plateau du Sidobre* (100 km^2, 650 m d'altitude, lac du Merle). *Gorges du Viaur :* viaduc haut. 120 m.

• **Tarn-et-Garonne** (82) 3 730 km^2. *Alt.* max. 498 m, min. 50 m (sortie de la Garonne). 200 220 h. (1990) [*1801 :* 228 000 ; *1851 :* 237 553 ; *1901 :* 165 669 ; *1921 :* 159 559 ; *1936 :* 164 629 ; *1968 :* 183 572 ; *1975 :* 183 314 ; *1982 :* 190 485]. D. 52,9 (estim. 89). Dép. formé en 1808, avec des territoires détachés de Lot, Aveyron, Lot-et-Garonne, Haute-Garonne (2 arrond. : Montauban, Castelsarrasin). *Actifs* ayant un emploi (estim. 1-1-90) : 69 977 dont primaire 13 530, secondaire 11 605, B.T.P. 5 064, tertiaire 39 778. *Salariés* (estim. 1-1-90) : 50 278. *Chômage* (sept. 90) : 8,6 %.

Villes. MONTAUBAN alt. 104 m, 51 224 h. (+ 59 % de 1911 à 1975) [*1975 :* 48 028] ; centre expéditeur de primeurs, fruits ; volailles, meubles, luminaires, électroacoustique, chaussures, ind. alim. ; musée Ingres (œuvres d'Ingres et Bourdelle). – *Beaumont-de-Lomagne* 3 488 h. *Castelsarrasin* * alt. 83 m, 11 317 h. ; fonderie. *Caussade* 6 009 h. ; chapeaux, conserveries, truffes et foies gras. *Moissac* 11 971 h. ; chasselas, caoutchouc moulé ; abbatiale XIIe s. et cloître roman. *Montech* 3 091 h. *Nègrepelisse* 3 326 h. *Valence* 4 901 h. *Verdun-sur-Garonne* 2 872 h.

Régions naturelles. *Bas Quercy de Monclar* 10 238 ha : polyculture, élevage ; *de Montpezat* 84 127 ha : polyculture, élevage. *Lomagne* 43 936 ha : blé, maïs, oies grasses, ail. *Coteaux du Gers* 6 154 ha. *Vallées et terrasses* 77 000 ha : peupleraies, blé, maïs, prunes, chasselas, poires, nectarines, cerises, pêches, pommes, melons, oignons, artichauts..., prairies. *Lauragais* 16 734 ha. *Causses du Quercy* 33 435 ha. *Rouergue* 10 807 ha. *Coteaux du Néracois* 1 841 ha. *Pays de Serres* 20 817 ha. *Quercy Blanc* 6 693 ha.

Tourisme. Cath. N.-D. (Vœu de Louis XIII, d'Ingres). **Pont-Vieux** XVIe s., place Nationale et couverts, ancien collège des jésuites. **Abbaye** de Beaulieu : centre d'art contemporain, Moissac. **Château :** Gramont (Renaissance). **Vallée** de l'Aveyron. **Plan d'eau :** Malause-Golfech. **Villages médiévaux et bastides :** St-Antonin-Noble-Val, Bruniquel, Caylus, Penne, Lauzerte.

Nord-Pas-de-Calais

Généralités

Flandre, Hainaut et *Cambrésis* constituent à peu près le département du Nord. *Artois, Boulonnais* et *Ternois* à peu près celui du Pas-de-Calais.

Artois

Situation. Pas d'unité géographique. Seuil entre Picardie, au S., et plaine flamande, au N., sur laquelle il s'étend en partie (extrémité occidentale du bassin houiller). **Sud :** collines s'abaissant d'O. (+ de 200 m) en E. (150 m dans le *Cambrésis*), souvent crayeuses, avec plaques de limon (céréales, betteraves à sucre, plantes fourragères) ; vers le *Boulonnais,* argile à silex : herbages (bêtes à cornes). **Nord :** collines dominant la plaine flamande (100 à 150 m) ; *« pays noir »* sur la rive droite de la Lys ; à l'E., plaines au milieu des collines sableuses : *Gohelle* (région de Lens), plaine agricole d'Arras (limon).

Histoire. D'abord partie intégrante de la Flandre (Pagus Atrebatensis) sous la maison comtale issue de Baudouin Ier, gendre de Charles le Chauve. **1180** donné en dot par le Cte de Flandre Philippe d'Alsace à sa nièce, Isabelle de Flandre et de Hainaut, qui épouse Philippe Auguste. **1223** incorporé au domaine royal (en même temps que Boulonnais et Ternois) par Louis VIII, à son avènement (il en avait hérité de sa mère Isabelle de Flandre-Hainaut, morte le 15-3-1190). **1237** Saint-Louis l'a donné en apanage à son frère puîné Robert Ier. **1309 et 1318** la cour des Pairs reconnut à 2 reprises les droits de Mahaut, déboutant son neveu Robert III. Par mariage, passe successivement dans la maison comtoise de Bourgogne, dans celle de Dampierre-Flandre et dans la 2e maison capétienne de Bourgogne. **1477** mort de Charles le Téméraire ; incorporé avec la Flandre aux biens des Habsbourg (mariage de sa fille avec Maximilien d'Autr.). **1482** *tr. d'Arras :* cédé à Louis XI. **1493** *tr. de Senlis :* rendu par Charles VIII à la maison d'Autr., tout en continuant à relever de la couronne de Fr. **1526** *tr. de Madrid.* **1529** *tr. de Cambrai :* la Fr. perd la suzeraineté. Appartient alors aux Habsbourg d'Esp. **1640** conquis. **1659** *tr. des Pyrénées :* revient à la Fr. sauf Aire et St-Omer, qui constituent l'« Artois Retenu » (cap. St-Omer), conquis en 1677 et réuni au *tr. de Nimègue* (1679). **1757** Louis XV donne le titre de Cte d'Artois à son petit-fils Charles-Philippe, futur Charles X. Siège de nombreux combats pendant les 2 g. mondiales.

Flandre

Situation. *Marge méridionale* du delta de l'Escaut, de la Meuse et du Rhin ; petits fleuves orientés sud-ouest-nord-est. Plusieurs sous-régions du nord-ouest au sud-est. *Flandre maritime* de Calais à la frontière belge : plaine sablonneuse d'alluvions quaternaires, très basse. *Flandre intérieure :* région agricole (alt. env. 40 m), avec monts des Flandres (130 à 175 m) : séparée de la région lilloise, sur larg. de 15 km, par bassin de la Lys ou Weppes. *Région lilloise :* plaine basse et marécageuse de la Deûle, urbanisée, et comprenant les pays du Ferrain (au N.), du Mélantois et du Pévèle (au S.).

Histoire. La Fl. française est la partie sud de l'ancien comté de Fl. (1/5 env.). Territoire celtique des *Menapii* et des *Morins* (Belgique Seconde), germanisé par les Francs saliens à partir de 430. **VIe et VIIe s.** christianisé. **Période mérovingienne** luttes contre Frisons, venus du Nord. **843** malgré son caractère germanique, fait partie du roy. de Fr. au tr. de Verdun. **883** Baudouin II (fils de Baudouin Ier Bras-de-Fer, gendre de Charles le Chauve nommé comte de la « marche de Fl. » 879) se rend maître de la région et devient le 1er comte de Fl., au sud de l'embouchure de l'Yser. **1056** Baudouin V acquiert vers le N.-E. de nombreux territoires situés dans l'empire et devient à la fois Cte français et Cte impérial (quasi autonome). Liens étroits entre comtés de Fl. et de Hainaut. **1076** soulèvement de *Cambrai* contre son évêque (tentative de constitution d'une commune française). **1214** *Bouvines* Philippe Auguste bat Ferrand, Cte de Flandre et de Hainaut, et ses alliés : triomphe de l'influence fr. **1297** la Fl.

wallonne (Lille, Douai, Orchies) est rattachée au domaine de la Couronne après la défaite du Cte de Fl. devant Philippe le Bel ; perdue 1302, recouvrée en 1304 (bataille de *Mons-en-Pévèle).* **1369** Louis le Mâle, Cte de Fl., obtient de Charles V la réunion de son comté et de la Fl. wallonne. **XIIe et XIIIe s.** essor économique fondé sur l'achat des laines anglaises ; Dunkerque port ; Douai, ville drapière, une des résidences favorites du Cte, foire connue à partir de 1127 ; tissage à Bailleul et Orchies. **16-6-1369** Philippe II le Hardi, duc de Bourgogne, ép. Marguerite III, Ctesse de Fl. et d'Artois ; rattachement de tous les « P.-Bas » à la maison de Bourg. **1477** Marie de Bourg., fille unique de Charles le Téméraire, dernier duc de Bourg., ép. le futur empereur Maximilien d'Autriche ; la Fl. passe sous domination impériale (cause de conflit entre Fr. et Autr.). **1519** Charles Quint confie le gouvernement des Pays-Bas à Marguerite d'Autr. **1526** *tr. de Madrid :* la Fl. affranchie de tout lien de vassalité vis-à-vis de la Fr., cessant d'être « terre de Royaume ». A partir de **1555** la monarchie espagnole (Philippe II) règne en Fl. ; tentative de remplacer les laines angl. par les esp. Insurrection calviniste et lutte contre Esp. **1559** *tr. du Cateau-Cambrésis* fait des P.-Bas esp. un fief autonome (gouverné par les archiducs Albert et Isabelle d'Autriche) ; pape Paul IV crée à Douai une université. **1658** *14-6* Turenne bat Espagnols aux *Dunes ;* Dunkerque capitule. **1659** *tr. des Pyrénées :* l'Esp. abandonne partie de l'Artois, du Hainaut et villes de Flandre. **1662** achat de Dunkerque. **1667-68** *g. des Flandres ou de Dévolution. Tr. d'Aix-la-Chapelle* laisse à Louis XIV les territoires flamands conquis. **1678** *tr. de Nimègue :* fin de la g. de Hollande ; la Fr. acquiert Gravelines, Bailleul, Armentières. **1700** *g. de la Succession d'Espagne ;* Lille, Douai et Bouchain momentanément perdues. **1712** Villars bat Impériaux et Hollandais à *Denain ; tr. d'Utrecht :* la Fr. récupère ses conquêtes flamandes, sauf Furnes, Ypres, Menin ; la frontière de l'époque correspond à peu près à l'actuelle. **XVIIIe s.** divisée en 2 intendances : Fl. maritime (Dunkerque), jusqu'à la Lys ; Fl. wallonne (Lille).

Boulonnais

Situation. *Bas Boulonnais :* bande littorale du Pas-de-Calais, de Guines à Étaples. *Haut B. :* demi-boutonnière argileuse, fermée par un demi-cercle de crêts calcaires.

Histoire. Occupé dès le mésolithique. **Néolithique** 1re relation avec la G.-B. **VIe s. av. J.-C.** peuplement hallstattien. **IIIe s.** fixation belge, les *Morins* (pêcheurs et commerçants). **58** César prend leur port (Portus Itius), mais ils ne sont vaincus qu'en 30 av. J.-C. *Bononia,* l'oppidum celtique, est doublé par le port romain de Gesoriacum où résident fonctionnaires, commerçants et industriels (chantiers navals, briqueterie). **V. 300 apr. J.-C.** cité des Morins dédoublée entre Thérouanne et Boulogne qui deviendront tous 2 des évêchés. **IVe s.** Francs établis comme alliés dans le B. **Ve s.** invasions saxonnes. **VIe s.** partie de la Neustrie, **843** de la Francie occidentale. **882** Hennequin, neveu de Baudouin de Flandre, reçoit le B. en fief, vassal du comté de Fl. ; confirmé au milieu du xe s. **988** comté de Guines s'en détache puis en 1065 celui de Hesdin. Comté de Boulonnais passe par mariage aux familles de Blois (1150), Dammartin (1186) et par héritage à Robert d'Auvergne (1260). **1196** passe avec l'Artois au futur Louis VIII, fils mineur de Philippe Auguste et d'Élisabeth de Hainaut ; administré par le roi, il cesse de relever des comtés de Fl. **1419** enlevé à Bertrand d'Auvergne par Philippe le Bon ; confirmé par la paix d'Arras (1435). **1482** annexé, en même temps que l'Artois, par Louis XI, qui désintéresse Bertrand II d'Auvergne en lui donnant le Lauragais. **1493** détaché définitivement de l'Artois qui devient espagnol. **1544-50** conquis par Henri VIII d'Angl. qui le restitue contre 400 000 écus. **1551** Henri II confirme les privilèges du Boulon. (exemption d'impôts, états particuliers) et crée une sénéchaussée relevant de Paris. Dépend de l'intendance d'Amiens et du gouvernement de Picardie. **XVIIIe s.** forme un gouvernement particulier. **1762** soulèvement des *Lustucrus* contre la violation des privilèges. **1766** obtient une assemblée provinciale particulière.

Cambrésis

Situation. S. du département du Nord, S.-E. du Pas-de-Calais, N.-O. de l'Aisne. Vallonné et fertile (de 60 à 150 m d'alt.).

Histoire. Peuplé dès le paléolithique inférieur. **VIe s. av. J.-C.** peuple celtique (hallstattien). **IIIe s.** Belges, dont la tribu des Nerviens occupe la région. **Époque romaine** l'oppidum de Camaracum devient une ville, forêt défrichée en partie ; la cité libre des

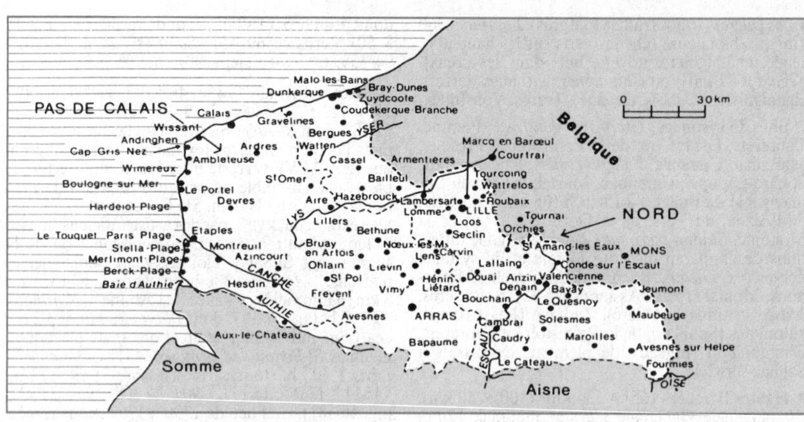

Nerviens est rattachée à la province de Belgique. **IIe au Ve s.** ravagé par invasions germaniques. **Ve s.** création de l'évêché de Cambrai. **511-660** partie du royaume de Soissons. **IXe s.** raids des Normands. **843** *tr. de Verdun :* fait partie de la Lotharingie (intégrée à l'Empire germ. 923). **1007** l'évêque reçoit les droits comtaux sur le C., et la dignité de P[ce] d'Empire (souverain). **XIe s. au XIIIe s.** important mouvement communal (en 1284, l'emp. Rodolphe Ier confirme la charte des libertés). **1476** Louis XI prend Cambrai, repris en 1479 par Bourguignons. **1510** Charles Quint érige la ville épiscopale en duché et y établit une citadelle. **1543** fin de la souveraineté : annexé aux Pays-Bas esp. **1565** l'év. de Cambrai devient arch. et métropolitain de tous les P.-B. **1580** il cesse de frapper monnaie. **1677** Louis XIV conquiert la ville. **1678** *tr. de Nimègue* l'accorde à la France. **1686** pape reconnaît au roi de Fr. le droit de nommer les archev. de Cambrai (qui demeurent P[ces] d'Empire, ducs de Cambrai, comtes du C.). Rattaché au gouv. de Flandre et à la généralité de Lille (subdélégué à Cambrai), puis à la généralité de Hainaut, conserve ses états jusqu'en 1789 (Pt-né : l'arch.).

Hainaut

Situation. S.-E. du Nord, limité au N. par la province belge de Hainaut. Nombreuses forêts ; alt. s'élevant vers l'est (283 m au sud de Trélon).

Histoire. Même peuplement que le Cambrésis sauf à l'E. (tribu belge des Éburons). **Ier s. av. J.-C.** émigration partielle en G.-B. devant la menace germanique. Résistance aux Romains (César engage 7 légions contre eux) jusque sous Tibère qui fonde Bavay qui devient le 1er nœud routier de la province de Belgique. **IIe au Ve s. apr. J.-C.** invasions germaniques. **VIe s.** partie de la Lotharingie. **843** attribué à l'Empire germanique. **IXe s.** 1er Cte de Hainaut (en germ., Hennegau : pays de la Haine, affl. de l'Escaut) : Régnier au Long Col, petit-fils de Lothaire. Alliances réunissent Hainaut et Flandre de 1067 à 1071 et de 1191 à 1279. **XIIe-XIVe s.** mouvement communal. **1214** Fernand de Portugal, Cte de H. par mariage, vaincu à Bouvines, le pays passe dans l'orbite française. **1299** passe par mariage dans la maison de Hollande et Zélande. **1345** dans la maison de Bavière. **G. de Cent Ans** soutient Angl. et Flandre contre France. Relève de l'Empire jusqu'en 1418 (les états provinciaux le proclament libre de tout lien vassalique). **XIIIe-XIVe s.** apogée des draperies. **1433** Jacqueline de Bavière dépouillée de son héritage qui passe à la maison de Bourgogne, puis aux Habsbourg. Sous la domination bourguignonne, gouv. par un régent, et des conseils nobles et bourgeois, le H. envoie des délégués aux états généraux de Bruxelles. **XVIe s.** Réforme se répand dans l'Ostrevant ; Contre-Réforme menée de Douai (université créée 1559). **1585** toutes les places calvinistes reprises. **1659** *tr. des Pyrénées,* cédé en partie (Le Quesnoy, Avesnes, Landrecies) à la Fr. **1678** cession de l'Ostrevant au *tr. de Nimègue.* **1668** création du conseil souverain de Tournai (érigé en parlement en 1686, transféré à Cambrai 1705 et Douai 1714). Rattaché au gouv. de Flandre (lieutenant à Valenciennes). **1676** création de la généralité de H. (chef-l. : Mons, puis Maubeuge, 1713 Valenciennes). **1733** découverte du gisement d'Anzin.

Économie

Population 3 965 058 h. (1990) [*1982 :* 3 919 240 (7,2 % de la pop. nationale)]. D. 317. *Pop. urbaine* (1990) 86 %. *Moins de 20 ans* 33 %. *Active ayant un emploi* (estim. au 1-1-89) 1 261 500 dont primaire 55 560, secondaire (avec B.T.P.) 422 600, tertiaire 783 390 ; *salariée* (estim. 1-1-88) : 1 113 300.

Échanges (en milliards de F, 1990). IMPORTATIONS : 194,8 dont (en %, 1989) biens de consomm. courante 19,1, prod. chim. et demi-prod. divers 19,1, énergie 13,1, métaux et prod. du travail des métaux 11,6, prod. des ind. agro-alim. 9,5, biens d'équip. profess. 9,2, prod. de l'agric. 7,9 ; *de* (en %) C.E.E. 61,7, (dont U.E.B.L. 23,1 All. féd. 11,8, P.-Bas 8,7, Italie 6,2, G.-B. 6, Espagne 2,7), O.C.D.E. hors C.E.E. 20,1 dont Norvège 5,2, U.S.A. 4, pays hors O.C.D.E. 15,5. EXPORTATIONS : 99,4 dont (en %, 1989) prod. chim. et demi-prod. divers 29,9, biens de consom. courante 19,7, métaux et prod. du travail des métaux 18,7, prod. des ind. agro-alim. 10,8, biens d'équip. profess. 8,7, équip. autom. des ménages 8,7 ; *vers* (en %) C.E.E. 70,8 (dont U.E.B.L. 19, All. féd. 14,3, G.-B. 12,3, Italie 10,4, P.-Bas 8,6, Espagne 2,9), O.C.D.E. hors C.E.E. 12,8 dont U.S.A. 4,4, pays hors O.C.D.E. 13,6.

Agriculture. Terres (en milliers d'ha, 1-1-90, estim.) 1 244,9 dont *S.A.U.* 929,3 [t. arab. 687,4 (dont céréales 402,8, légumes 93,2, bett. ind. 68,7, fourr. ann. 69, plantes text. 13,8, jardins 10,6), herbe 241] ; *bois* 90,6 ; *t. agr. non cult.* 4,2 ; *étangs et autres eaux intérieures* 6,9 ; *autres t. non agr.* 204. **Prod. végétale** (en milliers de t) bett. ind. 4 246,5, p. de t. 1 479,9, blé tendre 1 994, orge et escourgeon 882,1. **Prod. animale** (en milliers de têtes, au 1-1-89) bovins 783,1, porcins 707. *Viande finie* (en milliers de t, 87) 158,4 ; volailles 24. *Lait* (prod. totale vaches laitières + nourrices, 1-1-90, estim.) 13 284 713 hl. **% de la prod. nat.** (1989) chicorée 92,1, endives et chicons 54,6, p. de t. 31,6, petits pois 25,1, lin text. 20,9, bett. ind. 15,3, houblon 12,6, lait 5,4, céréales 5,1. **Exploitations** (1989) *nombre :* 30 452, *S.A.U. moy. par expl.* 28 ha.

Pêche. 2e région après la Bretagne [1/4 de la pêche fr., 2/3 de la prod. de surgelé et 3/4 du salage et saurissage (250 000 t de poissons transformés à Boulogne)].

Ports. *Calais :* 1er port de voyageurs d'Europe (10 682 281 passagers en 1990), *Boulogne :* 2e port fr. de voy. *Dunkerque :* 3e port de commerce fr.

Industrie. *Effectifs* (au 1-1-90, prov.) : ind. de transformation 335 200, biens intermédiaires 101 000, b. de consomm. 93 500, b. d'équip. 79 700, agro-alim. 42 000, énergie 18 900. B.T.P. 84 400. *Diminution : 1975-90 :* agr. 28 500, ind. de transform. 223 400, b. intermédiaires 74 300, b. de consomm. 77 500, b. d'équip. 24 900, énergie 39 200, agro-alim. 7 600), B.T.P. 19 000. *Augmentation (tertiaire) : 1968-73 :* 73 000 ; *1975-90 :* 165 000.

Production (en % de la prod. nationale). *Ind. agro-alim.* (1988) : chicorée-café 100, amylacés 67, sauces et mayonnaises 63, malt 38, plats cuis. surgelés 32, légumes surg. 30, huiles et margarines 28, conserves de légumes 21, bière 19. *Métallurgie* (1989) : acier 25, fonte 15. *Textile :* (1989) : filatures de lin 95, coton 42, laines peignées 85, filterie 83, tissage de laine 40, tapis-moquette 30, teintures et apprêts 31, maille et bonneterie 15. *Énergie :* charbon (1987) 8,6, (1991) toute extraction a cessé avec la fermeture de la fosse 9 à Oignies (21-12-90), électricité (1989) 9.

Vente par correspondance (1989) : 17 000 salariés. Concentration dans le Nord-Pas-de-Calais (La Redoute, Trois Suisses, Damart, Textiles de la Blanche Porte, Quelle, Vert Baudet, Willems-France) : 75 % du C.A. nat. de la branche.

Tourisme (1987). Hôtels 1 754 (29 350 lits, estim.), dont homologués (1990) 404 (12 500 chambres). Campings-caravanages 478 (125 650 pl.) dont homologués (1990) 400. Accueil jeunes 110 (5 600 lits).

Auberges de jeunesse (1990) 7. Maisons familiales de vacances, villages de vac. 11 (1 900 lits) ; gîtes ruraux 282 (973 pl.), de groupes 14 (488 pl.).

Départements

Voir légende p. 748.

• **Nord** (59) 5 742 km² (184 × 6 à 87 km, dép. le + long). *Côtes* 35 km. *Alt.* max. Bois St-Hubert 266 m, min. – 5 m. 2 531 855 h. (1990) [*1801 :* 765 001 ; *1851 :* 1 158 885 ; *1901 :* 1 867 408 ; *1911 :* 1 962 115 ; *1921 :* 1 788 193 ; *1936 :* 2 022 436 ; *1946 :* 1 917 694 ; *1954 :* 2 098 805 ; *1975 :* 2 511 478 ; *1982 :* 2 512 900]. D. 441 (90). *Actifs* en % (1982) primaire 3,4, secondaire 41,4, tertiaire 55,2.

Enclaves du Nord en Pas-de-Calais. Avant la Révolution, Boursies (en partie), Dolgnies et Mœuvres relevaient du Cambrésis ; Graincourt-les-Havrincourt, qui les sépare du Nord, et Boursies (en partie) dépendaient de l'Artois, subdélégation de Bapaume, et du bailliage de Bapaume.

Villes. LILLE (chef-lieu dep. 1804, avant : Douai ; a absorbé en 1958 Wazemmes, Esquermes, Fives et Moulin-Lille ; fusion en 1977 avec Hellemmes-Lille) ; alt. moy. 23 m, max. 40,76 m, sup. 2 521 ha, 172 142 h. (dont Hellemmes-Lille 16 356) [*1455 :* 15 000 ; *1653 :* 40 000 ; *1700 :* 53 000 ; *1800 :* 52 234 ; *1841 :* 72 537 ; *1936 :* 200 619 [1] ; *1954 :* 194 628 [1] ; *1962 :* 193 096 ; *1968 :* 190 170 ; *1975 :* 189 942]. D. 77 994 (1975) [ag. 950 265, dont *Bondues* 10 281. *Croix* 20 231 ; mat. agr., vente par corresp. *Faches-Thumesnil* 15 774. *Halluin* 17 629 ; text., transform. du papier. *Haubourdin* 14 321 ; savonnerie, prod. amylacés. *Hem* 20 200. *La Madeleine* 21 601 ; ind. chim. lin. *Lambersart* 28 275. *Leers* 9 627. *Lomme* 26 549 ; coton. *Loos* 20 657 ; filterie. *Lys-Lez-Lannoy* 12 300. *Marcq-en-Barœul* 36 601 ; bât., ind. élec., inform., alim. *Mons-en-Barœul* 23 578 ; brasserie. *Mouvaux* 13 566. *Neuville-en-Ferrain* 9 895. *Ronchin* 17 937. *Roncq* 12 035. *Roubaix* 97 746 ; brasseries, text., matér. text., presses hydraul., caout., vente par corresp., santé. *St-André* 10 098. *Seclin* 12 281 ; méc. *Tourcoing* 93 765 ; ind. text., papier carton, vente par corr., imprim. *Villeneuve-d'Ascq* 65 320 ; ville nouvelle née 1970 de la fusion d'Ascq, Flers et Annappes (*1801 :* 3 718 ; *1921 :* 10 680 ; *1962 :* 19 612 ; *1968 :* 26 288 ; *1975 :* 36 769), sup. 2 746 ha ; alim., cartonnerie, université, musée d'Art moderne du Nord (fondation J. et G. Masurel). *Wambrechies* 8 250. *Wasquehal* 17 986 ; bâtiment. *Wattignies* 14 533. *Wattrelos* 43 675 ; text.] ; admin., univ., aéroport (Lesquin), ind. élec., autom., équip. autom., cigarettes, alim., text., presse ; palais Rihour, hospice Comtesse, musée B.-A., citadelle Vauban, Vieille Bourse (1652, Julien Destré), Nouvelle Bourse. Espaces verts (1975) 292 ha (13,40 % de la sup. totale) dont bois de Boulogne et de la Deûle, promenades de la Citadelle 52, jardin des Plantes 11, parc des expositions 2,2, jardin du loisir des Dondaines 13. *Rue la plus longue :* r. du Fbg-d'Arras (1 940 m) ; *la plus courte :* r. de l'Entente-Cordiale (7) ; *places les plus importantes* (en m²) : Rihour 19 360, de la Rép. 18 900, de la Nouvelle-Aventure 18 700, du Mal-Leclerc 15 990, Philippe-le-Bon 12 650, Sébastopol 11 280. – *Anhiers* 954 h. ; 1re égl. solaire de Fr. (1980). *Annœullin* 8 787 h. (ag. 11 560). *Armentières* 25 219 h. (ag. 57 738) ; ind. méc., coton, lin, brasserie, hôp. psych. *Aulnoye-Aymeries* 9 882 h. (ag. 20 802) ; transf. acier. *Avesnes-sur-Helpe* 5 108 h. (ag. 8 448). *Bailleul* 13 847 h. (ag. 17 198) ; alim., text. *Bavay* 3 751 h. (ag. 4 874) ; vestiges gallo-romains. *Bergues* 4 163 h. (ag. 11 113). *Cambrai* alt. 53 m, sup. 1 812 ha, 33 092 h., absorbe 1971 Morenchies [*1801 :* 15 010 ; *1841 :* 20 141 ; *1861 :* 22 557 ; *1921 :* 26 023 ; *1936 :* 29 655 ; *1946 :* 26 129 ; *1962 :* 35 373 ; *1968 :* 39 974] (ag. 47 719) ; machines-outils, text., bât. *Caudry* 13 579 h. (ag. 14 273) ; cosmétique et dent. – *Douai* * 42 175 [*1720 :* 13 048 ; *1801 :* 17 433 ; *1841 :* 25 203 ; *1861 :* 24 486 ; *1921 :* 34 131 ; *1936 :* 42 021 ; *1946 :* 37 258 ; *1962 :* 50 104 ; *1968 :* 51 657] [ag. 160 343 dans le dép. dont *Auby* 8 442. *Cuincy* 7 204 ; Renault. *Flers-en-Escrebieux* 5 344 ; imprimerie nat. *Lallaing* 8 001. *Sin-le-Noble* 16 472 ; métal. *Waziers* 8 824 ; ind. chim.] ; houillères, métall., ind. chim., matér. ferrov., alim. ; cour d'appel. – *Dunkerque* * alt. 4 m, sup. 2 863 ha, 70 331 h. (*1981 :* 74 794, retranchement d'un quartier de Petite-Synthe) [*1600 :* 51 004 ; *1770 :* 15 900 ; *1801 :* 22 270 ; *1841 :* 27 047 ; *1861 :* 32 113 ; *1921 :* 34 748 ; *1936 :* 31 017 [1] ; *1954 :* 21 136 [1] ; *1962 :* 27 616], fusionne 1970 avec Malo-les-Bains, 1972 avec Petite-Synthe et Rosendaël et en 1980 avec Mardyck ; 3e port français en 1981 [ag. 190 879 dans le dép. dont *Capelle-la-Grande* 8 908. *Coudekerque-Branche* 23 644 ; huilerie. *Grande-Synthe* 24 362 ; centre commercial, sid., ind. méc. *Gravelines* 12 336 ; centr. nucléaire. *St-Pol-sur-Mer* 23 832] ; raffin., chimie, alim. – *Estaires* 5 434 h. (ag. 13 639) ; text. *Fourmies* 14 505 h. (ag. 18 049) ; métall., text., hab. *Hazebrouck* 20 567 h. ; hab., bonneterie. *La Bassée* 6 017 h. *Le Cateau-Cambrésis* 7 703 h. (ag. 8 027) ; céram. *Maubeuge* sup. 1 885 ha, 34 989 h. [*1801 :* 4 784 ; *1841 :* 7 431 ; *1861 :* 10 557 ; *1921 :* 21 173 ; *1946 :* 20 859 ; *1962 :* 27 287 ; *1968 :* 32 172] [ag. 102 772, dont *Feignies* 7 269. *Ferrière-la-Grande* 5 746 ; équip. industriel. *Hautmont* 17 475 ; sid., transf. de l'acier, métall. ; *Jeumont* 11 048 ; ind. élec. *Louvroil* 7 349 ; sid.] ; métall., céram., mach.-outils, autom. – *St-Amand-les-Eaux* 16 776 h. (ag. 19 979) ; céram., équip., ind. – *Valenciennes* sup. 1 384 ha, 38 441 h. [*1801 :* 9 118 ; *1861 :* 10 210 ; *1921 :* 13 394 ; *1936 :* 42 564 [1] ; *1954 :* 43 434 [1] ; *1962 :* 45 379] [ag. 336 481, dont *Aniche* 9 672 ; verre. *Anzin* 14 064. *Aulnoy-lès-Valenciennes* 8 029 ; bât. univ. *Beuvrages* 8 042. *Bruay-sur-l'Escaut* 11 771. *Crespin* 4 553 ; mat. ferrov. *Denain* 19 544. *Douchy-les-Mines* 10 931. *Escaudin* 9 328. *Fenain* 5 639. *Fresne-sur-Escaut* 8 107. *Haulchin* 2 651. *Marly* 12 081 ; mat. ferrov. *Onnaing* 9 173. *Prouvy* 2 474 ; céram. *Quivrechain* 6 456. *Raismes* 14 099 ; mat. ferrov. *St-Saulve* 11 122 ; tubes acier. *Saultain* 2 037 ; peint. *Somain* 11 971. *Trith-St-Léger* 6 208. *Vieux-Condé* 10 859. *Wallers* 5 862] ; houillères, métall. de transform., autom., prod. résines, tôlerie, textile, peint.

Nota. – (1) Pop. totale (avec doubles comptes).

Régions naturelles. *Flandre intérieure* et *Cambrésis* (céréales, pommes de t., betteraves). *Flandre maritime* (c. maraîchères). *Hainaut, Avesnois* (bovins).

Économie. Énergie. *Houillères* fermées, diversification (mat. de constr., plastiques). *Pétrole* (raffinage). *Gaz de cokerie :* Waziers, Lourches ; (imp. de Groningue). *Électricité thermique :* Pont-sur-Sambre, Dunkerque, Bouchain ; *nucléaire :* Gravelines. **Textile :** Lille, Roubaix, Tourcoing, Armentières. *Laine. Lin. Tapis. Rubanerie :* Comines. *Coton, jute, tissage, fils à coudre, teinture, apprêt, bonneterie. Broderies, dentelles :* Cambrésis (Caudry, Villers-Outreau). *Confection et habill. :* ag. lilloise, Armentières, Hazebrouck, Valenciennes. **Sidérurgie :** littoral (Usinor et Creusot-Loire à Dunkerque), bassin de la Sambre. *Métall. et mécanique :* fonderie, chaudronnerie, tubes d'acier (Vallourec), matériel roulant (Valenciennes, Douai), mach.-outils (vallée de la Sambre), grands ensembles ind. (Fives-Lille). **Autom. :** Maubeuge (Chausson), Douai (Renault), Valenciennes (Chrysler), Trith-St-Léger (Peugeot), Lille (Peugeot). **Chimie :** produits de base, engrais, pharm. (Lille : Ugine-Kuhlmann, Unilever), de beauté (L'Oréal à Caudry et Revlon à Seclin), peintures et vernis (Corona à Valenciennes et Saultain). **Agro-alim. :** sucreries, distilleries, meuneries, brasseries, conserveries, raffineries de chicorée, huileries (Dunkerque), produits laitiers (Steenvoorde, Bailleul, Avesnois), fromage (Maroilles). **Papier carton, verre** (Masnières et Boussois). **Mat. de construction :** tuiles, briques, ciment. **Bâtiment** et T.P. **Vente par corresp.** (8 000 sal.) : 2/3 du C.A. français.

Sites touristiques. *Stations balnéaires. Parc naturel régional* de St-Amand (5 000 ha). *Plan d'eau* du val Joly. *Forêt* de Mormal (10 000 ha). *Villes :* Lille, Le Quesnoy, Douai, Bergues, Bavay, Avesnes.

• **Pas-de-Calais** (62) 6 672 km² (140 × 82 km). *Côtes* 105 km (C. d'Opale, de la couleur du ciel et de l'eau). *Alt.* max. 212 m (Mt Boulonnais). 1 433 203 h. (1990) [*1801 :* 505 615 ; *1851 :* 694 294 ; *1906 :* 1 013 492 ; *1921 :* 900 704 ; *1926 :* 1 172 723 ; *1946 :* 1 169 196 ; *1954 :* 1 227 467 ; *1975 :* 1 402 295 ; *1982 :* 1 412 413]. D. 215 (90). *Actifs résidents ayant un emploi* (1984) : 456 440 dont (en %) primaire 8,1, secondaire 41,8, tertiaire 50. *Femmes :* 35 % de la pop. active occupée.

Villes. ARRAS, sup. 1 163 ha, alt. max. 72 m, 38 983 h., D. 3 352 [*1801 :* 19 958 ; *1851 :* 25 271 ; *1936 :* 31 488 ; *1946 :* 33 345 ; *1958 :* 53 574 ; *1975 :* 46 483] [ag. 79 607, dont *Achicourt* 7 959. *Dainville* 5 693. *St-Laurent-Blangy* 5 358. *St-Nicolas* 6 121] ; équip. ind., chaudron., ciments, ind. alim., text., chim., B.T.P. ; palais St-Vaast (musée des Beaux-Arts), hôtel de ville (beffroi), grand-place (XIIe au XVIIIe s.) – *Aire-sur-la-Lys* 9 529 h. (ag. 10 571). – *Ardres* 3 936 h. (ag. 5 200). *Audruicq* 4 586 h. *Bapaume* 3 509 h. *Berck* 14 162 h. (ag. 19 693]. – *Béthune* * sup. 943 ha, alt. moy. 25 m, max. 35, 24 556 h. [*1698 :* 3 748 ; *1801 :* 13 228 ; *1836 :* 20 856 ; *1866 :* 40 251 ; *1926 :* 52 839 ; *1946 :* 34 885 ; *1968 :* 28 379 ; *1975 :* 26 982] [ag. 244 719 dans le dép. dont *Annezin* 8 859. *Auchel* 11 813. *Barlin* 7 948. *Beuvry* 8 744. *Bruay-la-Buissière* 24 927 ; text. *Calonne-Ricouart* 6 586. *Divion* 7 642. *Douvrin* 5 442. *Hersin-Coupigny* 6 679. *Houdain* 7 930. *Lillers* 9 666. *Marles-les-Mines* 6 790. *Nœux-les-Mines* 12 351 ; mat. plast. *Sains-en-Gohelle* 6 031. *Wingles* 8 742 ; autom.] ; caout., confection, mat. de précision, chim. – *Biache-Saint-Vaast* 3 981 h. – *Boulogne-sur-Mer* sup. 764 ha, alt. 6 à 66 m, 43 678 h. [*1801 :* 10 685 ; *1851 :* 30 784 ; *1901 :* 49 949 ; *1936 :* 52 371 ; *1946 :* 34 885 ; 1954 : 43 936 ; *1968 :* 50 150 ; *1975 :* 48 440] [ag. 95 930, dont *Le Portel* 10 615. *Outreau* 15 279, métall. fond. *St-Martin-Boulogne* 11 054] ; port de pêche [2e p. de la C.E.E. après Hull (G.-B.)], commerce et voy. (2e p. de voyageurs), ind. métall., conserves et surgelés (70 000 t/an), faïencerie d'art ; château d'Aumont, porte des Degrés, égl. N.-D. ; espaces verts 23 ha. – *Calais* * sup. 2 937 ha, alt. moy. 5 m, max. 18 m, 75 309 h. [*1801 :* 9 667 ; *1851 :* 22 517 ; *1901 :* 59 793 ; *1921 :* 73 001 ; *1936 :* 67 568 ; *1946 :* 50 048 ; *1954 :* 60 340 ; *1968 :* 74 908 ; *1975 :* 78 820] [ag. 101 768, dont *Coulogne* 5 809. *Marck* 9 069] ; port de commerce, port voyageurs [1er de Fr. (10 534 501 pass. en 1989), 3e du monde, 1er hoverport du monde par les dimensions et l'importance des installations] ; chim., mach.-outils, mat. élec., dentelles, confection, jouets, fibres synth. (Coquelles) ; égl. N.-D., tour du Guet. – *Desvres* 6 318 h. (ag. 6 536). *Étaples* 11 305 h. [ag. 23 412, dont *Le Touquet-Paris-Plage* 5 596] ; accessoires autom., pêche. *Frévent* 4 121 h. *Hesdin* 2 713 h. (ag. 7 674). *Isbergues* 5 145 h. (ag. 12 726). *Leforest* 7 193 h. *Lens* * sup. 1 087 ha, alt. 21 à 66 m, 35 017 h. [*1801 :* 2 365 ; *1851 :* 2 796 ; *1901 :* 24 370 ; *1921 :* 14 259 ; *1936 :* 32 730 ; *1946 :* 34 342 ; *1968 :* 42 019 ; *1975 :* 40 199], [ag. 323 174, dont *Avion* 18 534. *Billy-Montigny* 8 126. *Bully-lès-Mines* 12 577. *Carvin* 17 059. *Courcelles-lès-Lens* 6 343. *Courrières* 11 376. *Fouquières-lès-Lens* 7 038. *Grenay* 6 213. *Harnes* 14 309. ; chim., confection, ind. alim. *Hénin-Beaumont* 26 257 ; génie thermique et solaire, métall., accessoires autom., confection, fabrication de bagages. *Liévin* 33 623. *Loison-sous-Lens* 5 688 ; transform. de l'acier. *Loos-en-Gohelle* 6 561. *Mazingarbe* 7 829 ; chim. *Méricourt* 12 330. *Montigny-en-Gohelle* 10 629. *Noyelles-Godault* 5 655 ; métaux non ferreux. *Noyelles-sous-Lens* 7 687. *Rouvroy* 9 208. *Sallaumines* 11 036. *Vendin-le-Vieil* 6 938 ; chim.] ; houilles, confection. *Lumbres* 3 944 h. (ag. 7 989). *Marquise* 4 453 h. (ag. 12 678). *Libercourt* 9 760 h. *Montreuil* 2 450 h. (4 312). *Oignies* 10 660 h. *St-Omer* sup. 1 641 ha, alt. max. 26 m, 14 434 h. [ag. 53 062, dont *Arques* 9 014 ; cristallerie, cartonnerie. *Blendecques* 5 210 ; cartonnerie. *Longuenesse* 12 604. ; ind. téléphonique. ; confection. *Oye-Plage* 5 678]. – *St-Pol-sur-Ternoise* 5 215 h. (ag. 8 400). *St-Venant* 3 887 h. *Vitry-en-Artois* 4 732 h. *Wimereux* 7 109 h.

Régions naturelles. *Pays d'Aire* 34 795 ha ; céréales. *Collines guînoises* 19 303 ha : céréales, lin, bett. *Boulonnais* 64 670 ha : vallons, élevage. *Ht pays d'Artois* 95 055 ha : céréales, herbages. *Béthunois* 29 087 ha : céréales, cult. légumières. *Ternois* 130 519 ha : céréales, herbages. *Pays de Montreuil* 58 114 ha : céréales, herbages. *Bas champs picards* 19 494 ha : herbages, céréales. *Plaine de la Lys* (Flandre intérieure) 16 754 ha : céréales, bett., p. de terre. *Wateringues* (canaux) 37 033 ha : horticult., cult. maraîch. *Artois* (collines) 138 447 ha, alt. max. N.-D.-de-Lorette 170 m : céréales, betteraves.

Économie. Agriculture : 2,5 % de la prod. fr. pour 1,73 % de la S.A. nat. N. et O. : cult. fourr., prod. anim. (Boulonnais, Marquenterre). S. et E. (col. de l'Artois, Flandre mérid.) : céréales, plantes sarclées, cult. légumières, prod. lait. ; légumes frais (2e rang en Fr.) ; betteraves fourragères (1er, av. C.-du-N.), industrielles (4e) ; chicorée à café (50 % de la prod. fr., 1er rang) ; blé (8 %) ; orge + escourgeon (1er rang) ; lin (Ardrésis, vallée de la Ternoise) ; tabac (7e, 3 régions : Hesdins-Montreuil, pays d'Aire, Béthunois) ; endives (secteur de Marquion). Bovins, chevaux (du Boulonnais), porcs (6e en Fr.). **Pêche :** 3/4 de la prod. française (72 087 t en 1989) en harengs, lieus noirs, merlans, cabillauds.

Énergie. Charbon : dernier puits fermé 21-12-90 (Oignies, fosse 9). **Gaz** *venant du charbon gras :* 1 cokerie (Drocourt), *naturel :* (Groningue ; P.-Bas). **Électricité :** centrales therm. (Violaines, Courrières). **Eau lourde** : Mazingarbe (Sté chim. des Charbonnages).

Industrie. Chimie (carbo-chimie) : *Calais-Mazingarbe* (ammoniac, acide nitrique, amonitrates, nitrate d'ammoniaque et engrais complexes, méthanol et formol, polyéthylène), *Drocourt* (trait. des benzols, résines polyesters), *Douvrin* (engrais) et *Wingles* (carbure de calcium), *Vendin* (résines et trait. des goudrons de houille, chimie organique fine), *Libercourt* et *Loison* (benzoïques et benzyliques et antioxydants), *Harnes* [méthanol, ammoniaque, formol, alcools oxo, plastifiants (Kuhlmann)], *Chocques* (engrais, synthèse organique, acide sulfurique), *Liévin* (engrais), *Isbergues* (air liquide, hydrogène), *Ca-*

lais, Wingles, Nœux-les-Mines et *Hénin-Beaumont* (plastiques), *Feuchy* et *Harnes* (engrais), *Billy-Berclau* (explosifs), *Ruitz* [peinture (Ripolin)]. **Sidérurgie** : *Boulogne-sur-M.* (aciéries et fonderies, ferromanganèse) et *Isbergues* (aciérie électr.), *Biache-St-Vaast* (laminage à froid), *Noyelles-Godault* [plomb et zinc (Penarroya, 1er prod. européen)], *Marquise* (fonderie), *Béthune* (chaudronnerie et mécanique), *Carvin* (Poclain) et *Lens* (laminoirs et tréfileries). **Métallurgie :** *Calais* et *Lens* (câbleries). **Chantiers navals :** *Étaples, Boulogne, Calais.* **Constr. élec. et électron. :** *Longuenesse, Boulogne, Le Portel, St-Omer, Nœux-les Mines.* **Auto** : *Douvrin* (fabr. de moteurs Renault-Peugeot), *Ruitz* (boîtes de vitesses), *Harnes* (intérieurs de carrosserie), *Calais* (chaînes de transmission), *Calais, Étaples* (équip. électr.). **Pneus :** *Béthune* et *Lens.* **Papeteries-cartonneries :** *vallée de l'Aa, Corbehem, Maresquel, Calais.* **Textiles :** *Hénin-Beaumont, Nœux-les-Mines, Lens, Bruay, St-Omer, Calais* (dentelles) ; synthétiques : *Arras, Calais;* bonneterie et confection : *St-Omer, Boulogne* et *Calais* (axe St-Omer-Arras). **Verrerie-cristallerie :** *Arques* (cristal industriel), *Wingles* (BSN). **Chaux, ciments :** *Dannes, Lumbres, Barlin, Pont-à-Vendin, Biache-St-Vaast, Marquise.* **Marbre :** région de *Marquise* (10 000 t/an). **Céramiques** et faïenceries : *Desvres.* **Agro-alim. :** *Arras, St-Pol-sur-Ternoise, Vieil-Moutier, Verton* (laitiers), *Boulogne* (conserveries, surgélation), *Corbehem, Lillers, Marconnelle, Attin, Pont-d'Ardres* (sucreries), *Calais* (biscuiterie), *Lestrem* (féculerie, amidon de maïs et blé), *Harnes* (frites surgelées), *Béthune et Violaines* (lég. surgelés), *Hesdin* (distilleries), *Vaulx-Vraucourt, Duisans* (conserves légumes).

Tourisme. Stations balnéaires : Le Touquet-Paris-Plage (aéroport), Berck, Stella-Plage, Hardelot, Le Portel, Wimereux. **Forêts :** Boulogne, Hardelot, Clairmarais. **Parc régional :** du Boulonnais. **Sites des caps :** Blanc-Nez et Gris-Nez. **Art roman :** collégiale de Lillers. **Gothique :** hôtels de ville et beffrois (Arras, Béthune, cath. de St-Omer). **Gothique anglais :** Calais, St-Omer. **Musées :** Arras, Berck, Béthune (m. des arts et des traditions pop.), Boulogne, Calais, Rixent (m. du marbre), St-Omer (hôtel Sandelin, m. Henri-Dupuis). **Villes historiques :** Arras, Boulogne, St-Omer, Montreuil. **Ports de plaisance :** Calais, Boulogne, Étaples.

(Basse-) Normandie

Généralités

Alençon

Situation. « Campagne d'Alençon » : campagne signifie « labours » (en fait, semi-bocage ; mais sol calcaire, favorable à la céréaliculture). Partie S. du dép. de l'Orne.

Histoire. Avant la conquête romaine : zone frontière (non déboisée) entre les Aulerques Sagii (cap. Sées : *Sagiensis civitas*, et Saosne : Sagono) et les Aulerques Cennomans. **57 av. J.-C.** vaincus par Crassus et Titurius Sabinus, lieutenants de César. Fait partie successivement des deux Lyonnaises Secondes (cap. Rouen). **Sous les Carolingiens** subdivision du pays d'Exmes. **920-24** conquis sur Bretons et Normands païens, par Rollon, duc de Normandie dep. 911. **943** attribué par Rollon au seigneur du Saosnois, qui prend vers 1000 le titre comtal. **1023-1199** la suzeraineté sur Al. est disputée entre les C[tes] du Perche, du Maine et le duc de Normandie. **1219** cédé à Philippe Auguste à la mort du dernier Cte héréditaire Robert IV. **1269** apanage de Pierre, fils de Louis IX. **1293** apanage de Charles Ier de Valois. **1367** érigé en pairie. **1414** érigé en duché, usurpé par le Cte de Bedford. **1449** reconquis par Jean II d'Al., rattaché à la couronne en 1549, à la mort de la veuve du 4e duc, Charles IV de Valois. Remis en douaire ou en apanage jusqu'en 1696 (Catherine de Médicis, duc de Wurtemberg, Gaston d'Orléans). Simple titre honorifique (1710-14) pour le duc de Berry, (1785) pour le Cte de Provence.

Ressources. Manufactures de drap fermées à la révocation de l'édit de Nantes. **XVIIIe s.** manufactures royales de dentelles et métallurgie. Polyculture (céréales, herbages), élevage laitier.

Basse Normandie

Situation. Baignée par la Manche, entre l'embouchure de la Risle (estuaire de la Seine) et celle du Couesnon (baie du Mt-St-Michel). *Départements :* Calvados, Manche, Orne. Partie occidentale de l'ancienne province de Normandie. *Basse* signifiait plus éloignée de la capitale, Rouen, que la haute Norm. *Pays d'Ouche :* plus argileux et humide. *Pays d'Auge :* prairies (fromages : Livarot, camembert...).

Plus à l'ouest : campagne de Caen : table de calcaire très perméable ; céréales et plantes fourragères. *Bessin :* collines argileuses ; élevage laitier (beurre d'Isigny). Petites plaines calcaires et découvertes de *Falaise* et d'*Argentan. A l'ouest du Bessin,* E. : *péninsule du Cotentin :* 191 m au Nord (massif granitique, falaises de La Hague et du Nez de Jobourg) ; au S., collines s'abaissant, paysage bocager avec élevage de bovins et petites fermes dispersées. *Bocage normand :* 417 m à la forêt d'Écouves. Au S. de la Seine : mines de fer.

Histoire (haute et basse Normandie). Pays peuplé faiblement, jusqu'au **IVe s. av. J.-C.,** de Ligures et peut-être d'Ibères. **IVe-Ier s.** colonisation par les Celtes (de La Tène). Tribus gauloises : Calètes (Caux) et Véliocasses (Vexin), faisant partie des Belges ; Lexovii (Lisieux), Baïocasses (Bayeux et Bessin), Viducasses (Vieux), Abrincates (Avranches), Aulerques Eburovices (Évreux), Unelli (presqu'île du Cotentin), Sagii (Sées), Ésuviens et une partie des Diablinthes (Jublains) dans l'Orne faisant partie des Celtes « chevelus ». *Conquis* par un lieutenant de César, Titurius Sabinus, en *56 av. J.-C. :* participation à la révolte de 52. **Époque gallo-romaine** 7 cités (Rouen, Évreux, Lisieux, Sées, Coutances, Bayeux, Avranches) avec Rouen pour métropole (Lyonnaise Seconde). **IVe-VIe s.** la future basse N. fait partie de l'État de Syagrius, puis des territoires de Childebert (capitale Paris). **VIe s.** chaque cité se fractionne en 2 ou plusieurs *pagi.* L'ensemble (archevêché de Rouen) constitue la Neustrie occidentale, dont les limites sont quasi identiques à celles du futur duché de N. Principales abbayes : St-Wandrille, 649, Jumièges, v. 650, Fécamp, v. 660, Mont-St-Michel, 709. **IXe s.** dévasté par les invasions normandes. **911** *tr. de St-Clair-sur-Epte* constituant une « marche de Normandie » (cap. Rouen) en faveur de Rollon († 927) : chef militaire d'une partie des envahisseurs fixés dans le pays. **X[e]-XIe s.** ses successeurs, devenus « ducs », conquièrent la basse N. sur Bretons, Normands païens (princes quasi indépendants, prêtant un hommage purement formel aux rois de France) et les autochtones. Essor économique et religieux : *Guillaume Longue-Épée* (v. 907-assass. 942), *Richard Ier* (v. 920-96), après avoir défait Louis IV à Varaville (945) et s'être fait remettre le duché, se déclare « roi en N. ». *Robert le Magnifique,* duc de 1027 à 1035, obtient momentanément la suzeraineté sur Bretagne, Vexin français, Pontoise (1031). *Guillaume le Conquérant* (v. 1027-1087), fils de Robert le Magnifique et de son « épouse secondaire » Arlette, duc dès 1035, devient plus puissant que le roi de Fr., quand il s'empare de la couronne d'Angleterre en 1066. **XIe-XIIe s.** luttes incessantes entre les Anglo-Normands et leur suzerain capétien. **1077** Guillaume perd le Vexin français. **1078** Philippe Ier soutient Robert Courteheuse, 2e fils du Conquérant, héritier de la N., qui veut s'affranchir de la couronne anglaise. Mais Robert est battu à *Tinchebray* en 1106, et Henri Beauclerc, son frère, réunit les 2 couronnes ducale et royale. **1120** naufrage de la Blanche Nef, décès des héritiers d'Henri I Beauclerc. **1132** Mathilde, fille d'Henri, épouse *Geoffroi Plantagenêt,* Cte d'Anjou, du Maine et de la Touraine, fondant « l'empire Plantegenêt » dont la N. ne sera qu'un élément (v. Grande-Bretagne, Index). **1196** *le tr. de Gaillon* entre Richard Cœur-de-Lion et Philippe Auguste, attribue au Roi de F. le Vexin normand, les châtellenies de Neufmarché, Gaillon, Vernon, Pacy, Ivry et Nonancourt. **1200** *le tr. du Goulet* entre Jean sans Peur et Philippe Auguste fait perdre à la N. Aumale, Gournay, l'Évrecin et le comté du Perche. **1202-04** Philippe Auguste confisque la N. à Jean sans Terre, puis l'annexe, amenant la ruine des seigneurs laïcs et ecclésiastiques normands, dont la fortune était de type « colonial » (vastes domaines « outre-mer », c.-à-d. en G.-B.). De nombreux serfs saxons restent fixés sur les terres normandes (sauf lieux saxons ou sainsaulieux ?). **1219** comté d'Alençon réuni à la couronne de France à la mort du Comte *Robert IV.* **1259** *tr. de Paris* réunit définitivement la N. au domaine royal. **1266** St Louis reconnaît les anciennes coutumes anglo-norm. et angevines sous le nom de *Grand Coutumier.* **1283-86** révoltes contre Philippe le Bel ; contraindront Louis X à concéder la Charte aux Normands (1315, confirmée 1339), qui fixe les libertés provinciales (consentement aux impôts), et sera renouvelée à chaque règne jusqu'au XVIIe s. La g. de Cent Ans met fin à la prospérité. **1346** le roi d'Angl. Édouard III décide de débarquer en Normandie où il a un partisan, Godefroy d'Harcourt (riche seigneur du Cotentin, rebelle au roi de Fr., et espérant recevoir du roi d'Angl. le duché de Normandie) ; *13-2 :* Éd. III débarque à St-Vaast ; *fin juillet* conquiert Cotentin avec l'aide de God. d'Harcourt ; Charles le Mauvais, Cte d'Évreux (et roi de Navarre), se rallie à lui ; la N. est déchirée entre Navarrais, Anglais, Français, aidés des milices communales, dévastée par les grandes compagnies. **1359** accords de Londres, sous obédience anglaise. **1360** *tr. de Brétigny* revient sur l'accord précédent. Progressivement reconquise par *Du Guesclin* sur les Navarrais battus à *Cocherel* (16-5-1364), par Jean de Vienne sur les Anglais (prise de St-Sauveur-le-Vicomte, 1375). **1382** paix rétablie après répression révolte de la Harelle, à Rouen. **1394** Cherbourg rachetée aux Anglais. **1417** Henri V débarque à l'embouchure de la Touques, prend Rouen en 1419, et soumet toute la N., sauf le Mont-St-Michel, en 1420. Henri V, puis le régent Bedford essaient de la détacher de la Fr., en respectant les « libertés » de la province et en ménageant les susceptibilités locales ; ils rétablissent l'Échiquier à Caen (1436) et fondent une université (1432, droit canon et droit civil ; 1437, théologie ; 1438, médecine). **1431** *Jeanne d'Arc* jugée et brûlée à Rouen. **1450** *18-4 Formigny :* dernière bat. normande de la g. de Cent Ans. Charles VII reprend possession de la province, confirmant les libertés. **XVe s.** restauration économique et développement ind. **1517** *fondation du Havre.* Réforme accueillie très tôt (bûcher d'E. Lecourt en 1533, exécutions de 1555 et 1559) ; les réformés prennent la plupart des grandes villes (1562). Paix (édit de Nantes, 13-4-1598). **XVIIe s.** prospérité. Particularisme réduit. **1651** division en 3 généralités, Rouen, Caen et Alençon. **1666** suppression des états provinciaux. Sous Colbert, développement du textile (Rouen, Elbeuf, Cotentin), des faïenceries (Rouen), des forges... **1685** forte émigration (révocation de l'édit de Nantes). **XVIIIe s.** développement d'une bourgeoisie d'affaires (Feray au Havre, Houël à Caen). **1793** la N. adopte une attitude anticentralisatrice ; *13-6* insurrection « girondine », sous la direction de Roland ; *30-6* réunion à Caen d'une assemblée antijacobine de 9 départements ; *28-7* les administrateurs du Calvados se soumettent à la Montagne, après la défaite du chef militaire girondin, le royaliste La Puisaye.

Perche

Situation. Confins Maine, Normandie, Orléanais ; S.-E. de l'Orne (haut Perche), S. de l'Eure, O. de l'Eure-et-Loir (Faux Perche), N.-O. du Cher (Perche vendômois), E. de la Sarthe (Perche-Gouet). Hauteurs humides et boisées (Mts d'Amain 321 m).

Histoire. Occupé dès le néolithique, marche boisée entre les territoires des tribus gauloises des Carnutes, Éburovices et Aulerques Cenomans. Échappe à l'implantation romaine. Défriché sous les Mérovingiens et rattaché à l'Hiémois (pays d'Exmes). **Xe s.** le Cte du Corbonnois, hostile au duc de Normandie Rollon, fortifie Mortagne et prend le titre de Cte de Mortagne. **XIe s.** Rotrou, Cte de Mortagne, construit la citadelle de Nogent et y prend le titre de « Cte du Perche ». **1113** 2 autres « comtés du P. » sont créés dans les zones nouvellement déboisées : Montmirail (ou bas Perche ou Perche-Gouet) et Bellême. **V. 1200** les 3 comtés sont réunis en 1 seul (cap. Nogent-le-Rotrou) et entrent dans la dot de *Blanche de Castille* (tr. du Goulet), qui épouse *Louis,* fils de Philippe Auguste. **1257** Louis IX rachète les droits des héritiers et cède le comté à son fils Pierre. **1293** apanage de Charles Ier de Valois. **1525** mort du dernier Valois-Alençon et retour à la Couronne. Attribué plusieurs fois à titre honorifique. **1610** rattaché au gouv. du Maine. **XVIIIe s.** élection de la généralité d'Alençon (*Perche-Gouet :* gouv. d'Orléans ; *Thimerais :* Ile-de-France ; *Haut Perche :* gouv. du Maine).

Ressources. Forêt, agriculture, pommiers. Élevage de chevaux à partir du XVIIIe s. remplacé par l'élevage de bovins au XXe s. (veaux pour Paris).

Économie

Population. 1 390 508 h. (estim. 1990) [*1982 :* 1 350 979]. D. 78,1 (estim. 89). *Pop. active* ayant un emploi (estim. au 1-1-1990) : 540 659 dont primaire 71 430, secondaire 160 542 (dont B.T.P., génie civil et agric. 39 433), tertiaire 308 687 (dont services 244 925) ; *salariée* 423 980.

Échanges (en milliards de F, 1987). IMPORTATIONS : 9,9 (14,3 en 1989), dont (en %) matér. électron., profess. et mén. 11,9, autom. et autres matér. de transp. terr. 9,3, machines de bureau et matér. informatique 8,4, papier, carton 5,5, chim. de base 5, prod. agric. 4,5, équip. ind. 4,4, prod. de la sylvicult. et de l'exploitation forestière 3, parachim. 2,7, combustibles min. solides et prod. de la cokéfaction 2,7, métaux et ½ prod. non ferreux 2,5, prod. du travail méc. du bois 2,5 ; *de* (en %) C.E.E. 58,3 (All. féd. 39,7, Belg.-Lux. 14,6, Italie 13,5, G.-B. 13,4, P.-Bas

9,3, Espagne 5,1, Irlande 2,1), autres pays d'Europe 9,1, pays d'Asie 22, Amér. du N. 4,2 Afr. occid. 2,6, du N. 0,5, reste Afr. 1,3 (1988) : 12,01. EXPORTATIONS : 11,5 (15,9 en 1989), dont (en %) autom. et autres matér. de transp. terr. 17,7, équip. mén. 15, lait et prod. lait. 12,9, matér. électron. profess. et mén. 9,6, prod. agric. 5,8, prod. sid. 5,5, prod. du trav. des métaux 3,1, équip. ind. 3, viandes et conserves de viandes 2,7, métaux et ½ prod. non ferreux 2 ; *vers* (en %) C.E.E. 62,8 (All. féd. 25,2, Italie 22, Belg.-Lux. 13,1, P.-Bas 12,3, G.-B. 12,1, Espagne 7,5, Danemark 2,5, Grèce 2,1, Portugal 2,1, Irlande 1), autres pays d'Europe 6,7, Amér. du Nord 11,1, Afr. du N. 3,9, Afr. occid. 2,3, reste Afr. 1,8, Proche et Moy.-Or. 2,5, reste Asie 4,3. (1988) : 14,1.

Agriculture (1-1-90, estim.). **Terres** (en milliers d'ha). 1 774 dont *S.A.U.* 1 409,3 [t. lab. 562,8 (dont jardins 7), herbe 844,4] ; *bois* (y c. peupleraies) 193 ; *t. agr. non cult.* 41,3 ; *étangs et autres eaux intér.* 8,2 ; *autre t. non agr.* 117,8. **Prod. végétale** (en milliers de t) : blé tendre 1 081,2, orge 222,4, fourr. annuel en vert 6 064,1, pomme à cidre 11,2, maïs grain 80,7, p. de t. 72,1, avoine 37,3. **Prod. animale** (en milliers de têtes au 31-12-89, estim.) : bovins 1 907, porcins 414, ovins 187, équidés 44, caprins 12. *Lait* (1-1-90, estim.) : 25 989 900 hl. **Bois** (en 1987) : 609 000 m³. **Pêche** (en t, au 31-12-89) 64 380 dont Manche 40 359, Calvados 24 021.

Industrie. *Salariés* (estim. au 1-1-1990) : 115 043 dont ind. agro-alim. 19 350, ind. des biens intermédiaires 26 968, des biens d'équip. 43 670, des biens de consom. 20 861. *Production* (1988) : acier 606 500 t ; fonte, affinage et moulage 578 200 t ; véhicules R.V.I. (87) 20 179. **Artisanat** (1988) : 22 241 entreprises, 36 535 salariés. **B.T.P.** *Salariés* (estim., au 1-1-90) : 30 368.

Trafic maritime (en milliers de t, 1989). *Marchandises :* Caen 3 407,6, Cherbourg 2 411,6, Honfleur 399,5 (1983 : 530,7), Granville 158,5. *Passagers* (1989) : Cherbourg 1 204 000 ; Caen-Ouistreham 870 000.

Tourisme. *Parc régional* Normandie-Maine (234 000 ha). *Résidences secondaires :* 91 002. *Campings* 252. *Gîtes ruraux* 1 454. *Hôtels* 565.

Départements

Voir légende p. 748.

• **Calvados** (14) 5 547,92 km² (128 × 90 km). *Côtes* 120 km. *Alt.* max. : Mt Pinçon 365 m. 618 468 h. (1990) [*1801:* 451 851 ; *1851:* 491 225 ; *1901:* 410 193 ; *1921 :* 384 745 ; *1936 :* 404 916 ; *1968 :* 519 716 ; *1975;* 560 967 ; *1982:* 599 066]. D. 111. *Actifs* (1-1-88, estim.) ayant un emploi : 228 044, dont primaire 20 799, secondaire 65 462, tertiaire 141 783. *Salariés* (1-1-90) : 198 554. *Communes* (rec. 1990) : rurales 632, urbaines 73.

Nom. Appelé d'abord Orne inférieure puis Calvados, du nom d'une ligne de rochers d'env. 25 km de long à 2 km de la côte entre l'Orne et la Vire ; dite roches du Lion, Essarts de Langrune, îles Bernières, rocher Germain, roches de Ver et roches du Calvados (de *caballi dorsum* « dos de cheval » : forme savante de Quevaudos). Le navire amiral San-Salvador de l'Invincible Armada y échoua.

Villes. CAEN 112 846 h. [*1789 :* 31 902 ; *1901 :* 44 794 ; *1939:* 62 000 ; *1945:* 40 000 ; *1960:* 89 000 ; *1975 :* 119 640], alt. 4,40 à 71,50 m ; métall., activités port., constr. élec. et électro., ind. méc., auto ; univ., grand accélérateur national à ions lourds (GANIL), Service d'étude des Postes et Télécom. (SEPT), centre hosp. univ. ; musées de Normandie, des Bx-Arts, m. mémorial de la 2ᵉ G. mondiale, mémorial m. pour la paix, château féodal, églises et abbayes [ag. 188 799, dont *Bretteville-sur-Odon* 3 623. *Colombelles* 5 695. *Cormelles-le-Royal* 4 604 ; constr. électr., électro., auto. *Fleury-sur-Orne* 3 861. *Giberville* 4 574. *Hérouville St-Clair* 24 795. *Ifs* 6 974. *Mondeville* 9 488 ; sidér., chim.]. – *Argences* 3 048 h. (ag. 3 967). *Aunay-sur-Odon* 2 878 h. *Bayeux** 14 704 h. (ag. 17 223) ; activ. bancaire ; cathédrale, musée, tapisserie, mémorial. *Blainville-sur-Orne* 4 341 h. *Condé-sur-Noireau* 6 309 h. ; amiante. *Courseulles-sur-Mer* 3 182 h. *Dives-sur-Mer* 5 344 h. [ag. 11 179, dont *Cabourg* 3 355 ; station baln.] ; port. *Falaise* 8 119 h. ; app. mén. ; château féodal. *Honfleur* 8 272 h. (ag. 9 856) ; port, musée Boudin. *Isigny-sur-Mer* 3 018 h. ; beurre. *Lisieux** 23 703 h. (ag. 28 028) ; ind. autom., élec., du bois, méc. ; pèlerinage (Ste Thérèse) ; basilique. *Livarot* 2 469 h. ; fromage, cidre, ind. du bois. *Luc-sur-Mer* 2 902 h. (ag. 11 513, dont *Douvres-la-Délivrande* 3 983). *Mézidon-Canon* 5 622 h. (ag. 4 845) ; centre ferr., biscuiterie. *Orbec* 2 642 h. (ag. 3 525) ; fromage. *Ouistreham* 6 709 h. (ag. 12 834) ; car-ferry, stat. baln. de Riva-Bella. *Pont-l'Évêque* 3 843 h. ; fromage, distil. de calvados. *St-Pierre-sur-Dives* 3 993 h. ; ind. du bois ; église abbatiale. *Trouville-sur-Mer* 5 607 h. [ag. 18 963, dont *Deauville* 4 261 (*1860:* 100 ; *1876:* 1 514 ; *1911:* 3 546 ; *1975:* 5 664) ; 357 ha ; stat. baln. (1860), casino, courses, marché intern. du yearling] ; casino, cures maritimes. *Villers-Bocage* 2 845 h. ; ind. de la viande. *Vire** 12 896 h. (ag. 15 924) ; marché agr., confect., auto., ind. méc., lait [l'Union laitière normande (dont fait partie Elle-et-Vire et Prévol) est le 1ᵉʳ groupe laitier eur. et le 1ᵉʳ exp. fr.].

Régions naturelles. *Bessin :* 80 400 ha ; alt. – de 100 m ; herbages, v. bovine. *Plaine de Caen et de Falaise :* 137 000 ha ; alt. + de 200 m au sud, – de 100 m au nord ; céréales et bett. *Pays d'Auge :* 186 700 ha ; alt. 200 à 100 m du S. au N. ; herbages, lait, cidre, fromages. *Bocage :* 156 400 ha ; alt. + de 200 m (365 m au mont Pinçon) ; herbages, lait. **Bois** (milliers d'ha, 1-1-90, estim.) 47,8 [dont (en 1981) f. de St-Sever 1,5, de Balleroy 2,1].

Ressources. *Agricoles* (89) : viande gros bovins 40 000 t, porcins 9 000 t, veaux 4 000 t. *Lait* (1989) : 6 870 000 hl. *Pêche :* 24 021 t débarquées. *Mines :* fer (Soumont-St-Quentin), calcaires (rég. de Caen) ; granit (rég. de Vire).

Sites touristiques. *Côte fleurie* (Honfleur à Cabourg). *Côte de Nacre* (Ouistreham à Courseulles-sur-Mer). *Côte ouest (musées de g.) :* Arromanches, pointe du Hoc. *Pays d'Auge :* manoirs à colombages du XVᵉ s. ; la Brèche du Diable (gorge du Laizon). *Étouvy :* la plus ancienne foire (50 à 60 av. J.-C.) la dernière semaine d'octobre. *Pain de Sucre de Clécy. Vendeuvre :* musée du mobilier miniature.

• **Manche** (50) 6 412 km² (140 × 54 km). *Côtes* 330 km. *Alt.* max. : St-Martin-de-Chaulieu 368 m. 479 630 h. (1990) ; *1801 :* 530 631 ; *1851 :* 600 882 ; *1901 :* 491 372 ; *1921 :* 415 512 ; *1936 :* 431 367 ; *1968 :* 451 939 ; *1975 :* 451 662 ; *1982 :* 465 948]. D. 81. *Communes* (rec. 1990) : rurales 562, urbaines 40. *Actifs ayant un emploi* (estim. 1-1-88) : 187 780 dont primaire 37 664, secondaire 55 241, tertiaire 95 146. *Salariés* (1-1-90) : 139 428.

Villes. SAINT-LÔ 2 320 ha, 21 546 h. [*1803:* 6 987 ; *1901 :* 11 604 ; *1946 :* 6 010 ; *1954 :* 11 804 ; *1962 :* 16 072 ; *1968:* 18 348 ; *1975 :* 23 221 ; *1982 :* 23 212] [ag. 26 567, dont *Agneaux* 4 163] ; marché agr., haras, créé 1806, 118 étalons, musée (tapisserie de 32 m « les Amours de Gombault et Macée »), confect., imprimerie, prod. de beauté, électromén., carr., auto. – *Avranches** 8 638 h. [*1851 :* 8 932 ; *1921 :* 6 597 ; *1975 :* 10 136 ; *1982 :* 9 468] (ag. 14 575) ; marché agr., carr. auto, confect., ind. agro-alim., galvanoplastie, poterie, orn. religieux. *Bricquebec* 4 363 h ; marché agr. *Carentan* 6 300 h. (ag. 7 519) ; ind. agro-alim., constr. naut. et élec., verreries. *Cherbourg** 27 121 h. [*1851 :* 28 012 ; *1901 :* 42 938 ; *1975 :* 32 536 ; *1982 :* 28 442] [ag. 92 045, dont *Equeurdreville-Hainneville* 18 256, *La Glacerie* 5 576, *Octeville* 18 120, *Querqueville* 5 456, *Tourlaville* 17 516] ; arsenal, constr. naut., méc., électro., matériel télécom. et ciném., confect., usine atom. de retrait. des déchets (La Hague à 15 km), ; préfecture maritime, port (milit., de pêche, commerce et voy.), 2ᵉ port de plais. de Fr. (après Cannes). *Condé-sur-Vire* 3 000 h. ; ind. lait. *Coutances** 9 715 h. [*1851 :* 8 064 ; *1921 :* 6 248 ; *1975 :* 9 869 ; *1982 :* 9 930] ; marché agr., constr. méc., confect., prod. pharm., impr. et papet. ; cath. N.-D. XIIIᵉ s., égl. St-Pierre XVᵉ s. *Graignes* 534 h. ; hippodrome, école de jockeys. *Granville* 12 413 h. [*1851 :* 11 035 ; *1921 :* 9 489 ; *1975 :* 13 330 ; *1982 :* 13 546] [ag. 16 860, dont *Donville-les-Bains* 3 199] ; port (pêche, plaisance, commerce) ; stat. climatique et baln. ; fonderie ; prod. chim., constr. naut. et méc., ind. alim., confection ; église N.-D. XVIᵉ s. et XVIIᵉ s., remparts. *Pontorson* 4 376 h. *St-Germain-des-Vaux* 489 h. (le plus petit port homologué : le port Racine, 45 m de long, 20 m de large, avec une entrée de 8 m). *St-Hilaire-du-Harcouët* 4 489 h. ; foires. *Torigny-sur-Vire* 2 659 h. (ag. 4 464). *Valognes* 7 412 h. ; ville ancienne. *Vauville* 372 h. (microclimat ; ensoleillement important, végétation spécifique). *Villedieu-les-Poêles* 4 356 h. ; cuivre (musée), fonderie, confection.

Régions naturelles. Fait partie du *Massif armoricain. La Hague :* 20 500 ha ; alt. 180 m. *Bocage de Valognes :* 77 700 ha ; alt. 100 m. *Val-de-Saire :* 25 500 ha ; alt. 80 m. *Cotentin :* 64 900 ha ; alt. 30 m. *Bocage de Coutances-St-Lô :* 234 000 ha ; alt. 120 m. *Avranchin :* 96 500 ha ; alt. 100 m. *Mortainais :* 80 700 ha ; alt. 250 m. *Iles Chausey :* 300 îles dont une habitée et rattachée à Granville (1 h de traversée). **Bois** (milliers d'ha, 1-1-90, estim.). 44,6 [dont (1981) f. de Cerisy et Balleroy 2,1, de la Lande Pourrie ou f. de Mortain 1].

Ressources. *Agricoles* (89) : viande gros bovins 39 002 t, porcins 31 017 t, veaux 9 461 t. Pommiers, cultures légumières (1ᵉʳ prod. fr. de carottes). *Lait.* (1989) : 13 934 000 hl. Produits alim. à base de lait. *Pêche :* 40 359 t débarquées. *Industrielles :* métall., méc., prod. chimiques, textiles. Haras de pur-sang dans le Calvados, d'anglo-normands dans l'Orne.

Sites touristiques. Baie du Mt-St-Michel et marais de Dol forment 30 000 ha de vasières marécageuses, avec marais intercotidal (passages de limicoles, hivernage d'anatidés). **Mont-Saint-Michel** 72 h. (90) [*1800 :* env. 340, *1975 :* 144] ; îlot : haut. 170 m, env. 3 ha, bois 86,7 ares, circonférence 900 m, amplitude des marées 14 m [record en France, les bancs de sable se découvrant en vive eau jusqu'à 15 km du rivage ; ensablement irréversible à partir de 1991 si travaux non entrepris ; en projet : remplacer la digue par une passerelle (coût 250/500 milliards de F) ; abbaye (cloître du XIIIᵉ s.). **Falaises** *les plus hautes d'Europe* dont le Nez de Jobourg (125 m). **Lacs** de Vézins 110 ha, prof. 19 m, de La Roche qui boit 40 ha, prof. 8 à 10 m. **Étangs** de Torigni-sur-Vire 7 ha (prof. 10 m). **Cascades** de Mortain. **Château** Matignon. **Musées :** Mont-St-Michel, Hambye (abbaye, folklore), Cherbourg (toiles de Millet), St-Sauveur-le-Vicomte (Barbey d'Aurevilly), Villedieu-les-Poêles (cuivre), Valognes (cidre) ; *de la guerre :* Ste-Mère-l'Église, Ste-Marie-du-Mont, Carentan, Fort-du-Roule, Cherbourg.

• **Orne** (61) 6 103 km² (100 × 140 km). *Alt.* max. : Signal d'Écouves (f. d'Écouves) 417 m. 293 183 h. [*1801 :* 395 723 ; *1851 :* 439 869 ; *1901 :* 326 937 ; *1936 :* 269 316 ; *1954 :* 274 848 ; *1975 :* 293 523 ; *1982:* 295 472]. D. 48. *Communes* (rec. 1990) : rurales 482, urbaines 25. *Actifs ayant un emploi* (estim. 1-1-88) : 114 824 dont primaire 20 669, secondaire 35 593, tertiaire 58 562. *Salariés* (1-1-90) : 85 998.

Villes. ALENÇON 29 988 h. [*1861 :* 16 110 ; *1901 :* 17 240 ; *1954 :* 21 893 ; *1975 :* 33 680] [ag. dans le dép. 39 176, dont *Damigni* 2 495. *St-Germain-du-Corbéis* 4 176] ; dentelles, app. mén., électro. ; égl. N.-D. (porche du XVIe s.), musée de peinture d'Ozé, atelier nat. de la dentelle, maison natale de Ste Thérèse. – *Argentan* * 16 413 h. [*1861 :* 5 638 ; *1901 :* 6 291 ; 1954 : 8 339 ; *1975 :* 16 774] ; ind. alim., fonderies, électroménager, app. de levage, carburateurs. *Athis-de-l'Orne* 2 395 h. *Bagnoles-de-l'Orne* 875 h. [*1921 :* 371, *1960 :* 727 ; *1975 :* 651], thermalisme. *Bellême* 1 788 h. [*1861 :* 3 153 ; *1901 :* 2 627 ; *1975 :* 1 843] (ag. 2 829). *Carrouges* 760 h. ; château. *Domfront* 4 410 h. [*1861 :* 2 909 ; *1961 :* 4 801 ; *1975 :* 4 354]. *Flers* 17 888 h. [*1861 :* 10 054 ; *1901 :* 13 680 ; *1975 :* 20 486] (ag. 24 357) ; confect., équip. auto., abattage, mat. plast., fonderies. *Gacé* 2 247 h. *La Ferté-Macé* 6 913 h. [*1861 :* 7 011 ; *1901 :* 6 467 ; *1975 :* 6 899] ; prod. pharm., confect., chaussures. *L'Aigle* 9 466 h. [*1861 :* 5 676 ; *1901 :* 5 205 ; *1975 :* 9 619] (ag. 12 663) ; prod. pharm. ; m. « Juin-44 ». *Le Theil-sur-Huisne* 1 836 h. ; équip. auto., ouate de cellulose. *Messei* 1 964 h. ; sous-traitance auto. *Mortagne-au-Perche* * 4 584 h. [*1861 :* 4 887 ; *1901 :* 3 967 ; *1975 :* 4 877] (ag. 5 472) ; équarrissage, climatisation, prod. pharm. *Randonnai* 935 h. *St-Cyr-la-Rosière* 210 h. ; musée des traditions populaires. *Sées* 4 547 h. [*1861 :* 5 045 ; *1901 :* 4 165 ; *1975 :* 4 706] ; cath. XIIIe et XVe s. *Tinchebray* 2 955 h. [*1861 :* 4 365 ; *1901 :* 4 421 ; *1975 :* 3 202] ; chocolaterie. *Vimoutiers* 4 715 h. [*1861 :* 3 698 ; *1901 :* 3 546 ; *1975 :* 5 019] ; agro-alimentaire.

Régions naturelles. Ouest : *bocage* 221 800 ha, herbages, vergers (climat pluvieux : 727 mm de pluie par an).

Centre : *plaines d'Argentan et d'Alençon* 84 800 ha, polyculture.

Nord-est : *Pays d'Auge* 35 600 ha, pommiers et herbages ; *P. d'Ouche* 68 800 ha, polyculture ; *Le Merlerault* 14 750 ha, chevaux, bovins (embouche) ; *Le Perche* 188 600 ha, chevaux, prairies artificielles. *Suisse normande* vallonnée. **Bois** (milliers d'ha, 1-1-90, estim.). 100,6 [dont (1981) f. d'Écouves 15, d'Andaine 8, Gouffern 3,4, Le Perche et La Trappe 4,7, Bellême 2,5, Longny 2,3, St-Évroult 3, Réno-Valdieu 1,5, Moulins-Bonsmoulins 1,5, Bourse 1,1].

Ressources. *Agriculture :* axée à 81 % sur la prod. animale (sauf plaine d'*Argentan* plus céréalière). Chevaux réputés (haras du Pin), camembert, cidre, calvados du *Perche*, du *Domfrontais*, du *Houlme*.

Sites touristiques. Parc naturel régional Normandie-Maine. **Châteaux** (Carrouges, Flers, ch. d'O à Mortrée) et manoirs. **Plans d'eau** de Rabodanges, Le-Mêle-sur-Sarthe, Soligny-la-Trappe, Vimoutiers.

(Haute-) Normandie

Généralités

Situation. Baignée par la Manche, entre l'embouchure de la Bresle et celle de la Risle (estuaire de la Seine). **Nord de la Seine :** *Confins picards : pays de Bray. Pays de Caux et Vexin normand, vallée de la Seine.* **Sud :** *Roumois : le marais Vernier. Lieuvin. Campagnes du Neubourg et de St-André.* **Histoire.** Voir p. 794b.

Économie

Population. 1 737 247 h. (1990) [*1982 :* 1 654 600]. D. 140,9. *Actifs ayant un emploi* (au 1-1-1990) : 653 103 dont primaire 32 341, secondaire 180 215, B.T.P., génie civil et agric. 49 012, tertiaire 391 535. *Salariés :* 572 292.

Échanges (en milliards de F, 1989). IMPORTATIONS : 65,2 dont prod. énergét. 25,8, chim. et ½ prod. divers 11,9, biens d'équip. profess. 7, biens de consom. cour. 5, prod. de l'agr., sylvicult., pêche 3,9, métaux et prod. du trav. des métaux 3,6, ind. agro-alim. 3,1, équip. autom. des ménages 1,8 ; *de* C.E.E. 39, O.C.D.E. hors C.E.E. 22,1 (dont Eur. occ. 11,6, Amér. du N. 8), pays hors O.C.D.E. 38,9 (dont Moy-Or. 17,3). EXPORTATIONS : 69,6 dont chim. et ½ prod. divers 18,3, prod. de l'agr., sylvicult. et pêche 10,4, pièces détachées et matér. utilitaire de transp. terr. 8,1, équip. autom. des ménages 6,8, biens d'équip. profess. 8,7, biens de consom. cour. 5,5, ind. agro-alim. 4,9, prod. énergét. 3,6, métaux et prod. du trav. des métaux 2,8 ; *vers* C.E.E. 59,1, O.C.D.E. hors C.E.E. 12,8 (dont Eur. occ. 6,6, Amér. du N. 4,7), pays hors O.C.D.E. 28,1 (dont Moy.-Or. 2,2).

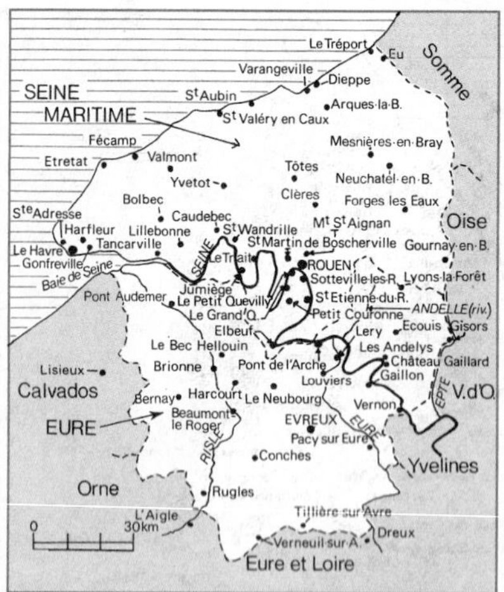

Agriculture (au 1-1-1990, estim.). **Terres** (en milliers d'ha). 1 233,4 dont *S.A.U.* 862,3 (t. arabl. 545,8, herbe 314,5, cult. fruit. 0,1) ; *bois* 222,2 ; *étangs et autres eaux intér.* 11,3, *autre t. agr. non cult.* 13,2 ; *terr. non agr.* 122,3. **Prod. végétale** (en milliers de t) : céréales 2 296,2 (dont blé tendre 1 683,8, orge et escourgeon 483,3, avoine 52,9, maïs-grain 71,2) ; bett. fourr. 505, maïs-fourr. (en vert) 1 805 ; cult. ind. 1 877,1 dont bett. 1 720, lin text. 154 ; p. de t. 147,2, pois secs et protéagineux 229,7. **Prod. animale** (en milliers de têtes, 1-1-89, estim.) : bovins 855 (dont vaches lait. 57), ovins 173, porcins 148. *Lait* (prod. finale, 1-1-90, estim.) 8 396 000 hl.

Pêche (1987). 19 633 t débarquées (189 021 000 F) dont poissons frais 13 485 t, grande pêche 5 528, coquillages et mollusques 454, crustacés 166.

Secondaire. Industrie. *Salariés* (au 1-1-1990) : 174 784 dont ind. agro-alim. 14 830, énergie 11 167, biens d'équip. 66 637, intermédiaires 54 018, de consomm. 28 132. B.T.P. 40 784. *Production :* électr., prod. de raffinage, engrais, mécanique, composants électron.

Tertiaire. *Salariés* (au 1-1-90) : services non marchands 119 376, marchands 108 138, commerce 58 306, transports et télécommunications 51 052.

Trafic portuaire (1989, en milliers de t). *Maritime :* Le Havre 52 239,3, Rouen 20 930,6, Dieppe 2 053,6 ; *voyageurs* (en milliers) : Le Havre 904,8, Dieppe 937,2. *Fluvial* (en millions de t) : Rouen 2,5, Le Havre 1,8.

Tourisme (1990). 675 hôtels de préfecture (1989) (6 348 ch.), 335 h. classés (7 646 ch.), 21 h. de tourisme (276 ch.), 399 gîtes ruraux (2 177 l.), 153 campings-caravanages (34 317 l.), 386 chambres d'hôtes (866 l.), 17 campings à la ferme, 15 aires naturelles de camping, 5 maisons familiales de vac. (1989) (332 l.), 5 villages de vac. (1989) (980 l.), 7 auberges de jeunesse (1989) (360 l.), 19 gîtes d'enfants (208 l.), 20 gîtes d'étape (359 l.), 11 fermes-auberges, 19 centres de vac. (1989) (1 580 l.), 44 352 résidences secondaires (221 760 l.).

Départements

Voir légende p. 748.

• **Eure** (27) 6 037 km² (115 × 110 km). *Alt.* max. St-Antonin de Sommaire 257 m. *Côtes* 3,5 km. 513 818 h. [*1801 :* 402 796 ; *1851 :* 415 777 ; *1901 :* 384 781 ; *1921 :* 303 159 ; *1954 :* 332 514 ; *1962 :* 361 943 ; *1968 :* 383 385 ; *1975 :* 422 952 ; *1982 :* 462 300]. D. 85,1. *Pop. rurale :* 49,1 % de la pop. totale. *Actifs ayant un emploi* (1-1-90) : 186 229 dont primaire 12 564, secondaire (y compris B.T.P.) 75 567, tertiaire 98 098 [*1962 :* 150 169 ; *1968 :* 161 880]. *Salariés* 158 459.

Villes. ÉVREUX 49 103 h. [ag. 54 654 dont *Gravigny* 3 113, *St-Sébastien-de-Morsent* 4 181] (détruite à 60 % par les bombardements, 1940 et 1944), alt. 65 m ; constr. élec. et méc., prod. pharm., caout., plast., imprimerie, fonderie ; tour de l'Horloge, cath., couvent des Capucins, ruines gallo-rom. – *Andelys* * *(Les)* 8 455 h. (ag. 8 262) ; verre, électro., confect., art. de pêche, Château-Gaillard (XIIe s., alt. 100 m). *Beaumont-le-Roger* 2 694 h. *Bernay* * 10 582 h. (ag. 11 873) ; confect., prod. de beauté, marché agr., constr. méc. (ag. 3 474). *Beuzeville* 2 702 h. *Bourgtheroulde-Infreville* 2 742 h. *Breteuil* 3 351 h. *Brionne* 4 408 h. *Conches-en-Ouche* 4 009 h. *Étrépagny* 3 671 h. *Gaillon* 6 303 h. [ag. 9 826, dont *Aubevoye* 3 879]. *Gasny* 2 957 h. *Gisors* 9 481 h. (ag. 10 359) ; donjon. *La Forêt-du-Parc* 457 h. ; vénerie de 1 300 à 1 805. *Le Bosc-Roger-en-Roumois* 2 895 h. (ag. 7 823). *Le Neubourg* 3 639 h. (ag. 3 884). *Le Val-de-Reuil* 11 373 h. *Le Vaudreuil* 3 079 h (ex. ens. urbain 4 524 ; ag. 8 914). *Louviers* 18 658 h. (ag. 20 705) ; ind. élect., textiles, filature, laine, confect., constr. méc., disques. *Nonancourt* 2 184 h. (ag. 9 989). *Pacy-sur-Eure* 4 295 h. (ag. 5 342). *Pont-Audemer* 8 975 h. (ag. 12 913) ; papier, tannerie, fonderie. *Romilly-sur-Andelle* 2 658 h. (ag. 3 908). *Rugles* 2 416 h. (ag. 3 640). *St-André-de-l'Eure* 3 110 h. *Verneuil-sur-Avre* 6 446 h. ; mach.-outils, emboutissage, moulage de plast., alim. *Vernon* 23 659 h. [ag. 28 416, dont *St-Marcel* 4 398] ; recherche aérospatiale, constr. élec., méc. et industrie.

Régions naturelles. *Pays d'Auge* (partie : 130 km²), herbages, élevage, lait. *Lieuvin* (637 km²), élevage, petite culture, céréales, lin, colza. *Marais Vernier* (70 km²) [dép. début XVIIe s. assèchement (digue des Hollandais), repris 1950], élevage. *Roumois* (478 km²), herbages, élevage, lait, petite culture. *Pays d'Ouche* (864 km²), petite et moy. cult. ; bovins et porcins, le minerai de fer (faible teneur) n'est plus exploité. *Plateau d'Évreux-St-André* (1 267 km²), céréales (blé, escourgeon, maïs). *Plateau du Neubourg* (709 km²) et *Vexin normand* (531 km²), *bossu* (191 km²) : grande cult. céréalière et ind. ; élevage en régression. *Pays de Lyons* (264 km²), futaies, céréales. *Plateau de Madrie* (265 km²), céréales. **Bois** (en milliers d'ha, 1-1-1990, estim.). 127,2 [dont (1981) f. de Lyons (hêtres) 10,6, Conches et Breteuil (chênes) 15]. **Sept villes de Bleu :** Mainneville, Hébécourt, Tierceville, St-Denis-le-Ferment, Saucourt, Heudicourt et Amécourt qui jouissaient de droits sur l'ancienne forêt de Bleu.

Tourisme. *Parc naturel régional de Brotonne* (en S.-M. également). **Abbayes :** Bec-Hellouin (fondée 1034, entrée XVe s., cloître XVIIe s., bâtiments conventuels XVIIe s., tour St-Nicolas XVe s.) ; Bernay (abbatiale XIe s.) ; Mortemer (XIIIe s.). **Châteaux :** Harcourt (XIIe s.), Champ de Bataille (1696-1702), Gisors (XIe et XIIe s.), Vascœuil, Gaillard (Andelys) (1197), Bizy (Vernon) (1741), Beaumesnil (1633-1640), musée de la reliure. **Giverny,** maison de Claude Monet. **Divers.** *Thierville :* seul village français à n'avoir jamais eu de morts à la guerre, ni en 1870, ni en 1914, ni en 1939 ; *La Couture-Boussey :* dernière entreprise de lutherie de France.

• **Seine-Maritime** (76) 6 295 km² (125 × 80 km). *Côtes* 130 km dont *côte d'Albâtre* (de « craie blanche ») du Havre au Tréport. *Alt.* max. Conteville 246 m. 1 223 429 h. [*1801 :* 609 843 ; *1851 :* 762 039 ; *1901 :* 853 883 ; *1936 :* 915 628 ; *1946 :* 846 131 ; *1975 :* 1 172 743 ; *1982 :* 1 192 300]. D. 194,3. *Pop. rurale :* 26,3 % de la pop. totale. *Actifs ayant un emploi* (1-1-90) : 466 866 dont primaire 19 777, secondaire (y compris B.T.P.) 153 660, tertiaire 293 429. *Salariés :* 413 823.

Villes. ROUEN 102 723 h. [*1806 :* 80 775 ; *1911 :* 124 987 ; *1936 :* 122 832 ; *1946 :* 107 739 ; *1962 :* 120 831 ; *1975 :* 114 834] [ag. 379 879, dont *Bihorel* 9 358. *Bois-Guillaume* 10 159. *Bonsecours* 6 898. *Canteleu* 16 090. *Darnétal* 9 779. *Déville-lès-Rouen* 10 521. *Grand-Couronne* 9 792. *Le Grand-Quevilly* 27 658 ; papeterie, ind. chim., métall. *Le Petit-Couronne* 8 122 ; raff. de pétrole. *Le Petit-Quevilly* 22 600 ; métall., ind. text., chim. *Maromme* 12 744. *Mont-Saint-Aignan* 19 961. *N.-D.-de-Bondeville* 7 584. *Oissel* 11 444. *St-Étienne-du-Rouvray* 30 731 ; text., métall., papeterie. *Sotteville-lès-Rouen* 29 544 ; métall.] ; musées des Beaux-Arts, des Antiquités et Le Secq des Tournelles (ferronnerie) ; cath., aître St-Maclou (ancien charnier XVIe et XVIIe s.), Gros-Horloge (XVIe s.), palais de justice (XVe s.), vieux quartiers ; métall., raff. de pétr., constr. nav. (en déclin), élec., électro., méc., papeterie, text., chim. et alim. ; port (trafic de bois, papier, fruits trop., vins, hydroc., prod. chim. ; 1er port céréalier d'Europe, 5e du monde ; 1er du monde pour l'exp. des farines et phosphates). – *Aumale* 2 690 h. (ag. 3 253). *Barentin* 12 721 h. (ag. 19 499). *Blangy-sur-Bresle* 3 447 h. (ag. 4 384). *Dieppe* * 35 894 h. (ag. 41 812) ; port (pêche, voyag., comm.), métall., ind. alim., constr. nav. *Elbeuf* 16 604 h. [ag. 51 083, dont dans le dép. *Caudebec-lès-Elbeuf* 9 902. *St-Aubin-lès-Elbeuf* 8 671. *St-Pierre-lès-Elbeuf* 8 411] ; ind. text., élec., mat. plast., auto. Renault (Cléon), prod. chim. *Étretat* 1 565 h. [*1876 :* 2 033 ; *1975 :* 1 525]. *Eu* 8 344 h. [ag. 20 506, dont dans le dép. *Le Tréport* 6 227 ; verrerie, port, tourisme]. *Fécamp* 20 808 h. (ag. 23 096) ; grande pêche (morue) pour congélation ; ind. alim. (Bénédictine), imp. du bois de Scandinavie, aciers, sel, musée Bénédictine. *Forges-les-Eaux* 3 376 h. (ag. 4 375) ; thermalisme ; casino. *Gournay-en-Bray* 6 147 h. (ag. 7 921). *Le Havre* * alt. 4 à 103 m, 195 854 h. [ag. 254 595, dont *Gonfreville-l'Orcher*

10 202 (raff. de pétr. et pétrochimie), *Harfleur* 9 180, *Montivilliers* 17 067, *Ste-Adresse* 8 047] ; métall., port de voyageurs et de comm. (2e de Fr., écluse la plus importante d'Europe), imp. de pétrole (Antifer), de prod. trop., raff., constr. méc., auto., ind. chim., alim., ciments, 1er port pétrolier de Fr. pour les conteneurs (536 000 en 1982) ; pendant la g. de 1939-45, 132 bombardements, 12 500 immeubles et 18 km de quais détruits (5 126 †). *Le Trait* 5 485 h. ; chantiers navals (ne sont plus en activité). *Lillebonne* 9 310 ; ind. chim. et pétrochim. *Neufchâtel-en-Bray* 5 322 h. (ag. 5 872) ; fromages. *Notre-Dame-de-Gravenchon* 8 901 h. *St-Nicolas d'Aliermont* 4 055 h. (ag. 4 935). *St-Valéry-en-Caux* 4 595 h. *Yvetot* 10 807 h. [ag. 13 972].

Régions naturelles. Plateau de craie (alt. moy. 100 à 239 m à l'E.) : *Pays de Caux* (287 539 ha) (majeure partie du dép.), limon épais ; polyculture intensive (blé, fourrages, bett. à sucre, lin), élevage (porc, veau, volaille et surtout bœuf). *Pays de Bray* (116 207 ha) (dépression argileuse en boutonnière, imperméable et humide), herbages clos (vaches laitières), céréales, fourrages. Entre *Bray* et *Picardie* (55 991 ha). *Vallée de la Seine* (67 600 ha) (failles, terres sablonneuses et cailloutées), arbres fruitiers, cult. maraîchères, prairies, forêts. *Petit Caux* (47 286 ha) (au N.-E. de Dieppe), polyculture intensive. Entre *Caux* et *Vexin* (50 786 ha), plateau moins fertile que le p. de Caux. *Côte* (130 km) : falaises (dont Étretat, percées d'arches naturelles) de craie blanche (hauteur 80 à 120 m), coupées par des « valleuses ». **Bois** (en milliers d'ha, 1-1-1990, estim.). 95 [dont (1981) Lyons 10,6, Eu 9,3, Brotonne 6,7, Eawy 6,5, Roumare 4].

Tourisme. Abbayes : Jumièges, St-Martin de Boscherville, St-Wandrille, Valmont (chapelle Renaissance). **Châteaux :** Arques-la-Bataille, du Bec, Martainville-Étreville, Mesnières-en-Bray, Auberville-la-Manuel, Angerville-Bailleul, Cany, Dieppe (coll. d'ivoires), Eu (1578, construit pour Henri de Guise, restauré 1661 et 1821, incendié 1902, restauré, appartint à Louis Phil. puis aux Orléans), Miromesnil (où est né Maupassant), de Robert le Diable. **Manoirs :** de Pierre Corneille à Petit-Couronne, d'Agnès Sorel près de Jumièges, donjon du XIe s. (en pierre) de Valmont. **Maison :** de Victor Hugo à Villequier. **Stations balnéaires :** Étretat, St-Valery-en-Caux, Veulettes, Yport, Veules-les-Roses (la *Veules*, le plus petit fleuve de France y a sa source et son embouchure), St-Aubin, Dieppe, Fécamp, Pourville, Berneval, Criel-Plage, Quiberville. **Beautés naturelles :** aiguille marine de Belval et valleuse du Curé à Bénouville ; porte d'Amont, porte d'Aval (avec l'Aiguille), Manne porte et pointe de Courline à Étretat ; falaise du Heurt à Fécamp ; cap d'Ailly (phare) à Ste-Marguerite. **Parc zoologique :** Clères.

Pays de la Loire

Généralités

Anjou

Situation. Département du Maine-et-Loire, arrondissements de Château-Gontier (Mayenne) et de La Flèche (Sarthe), 5 cantons d'Indre-et-Loire. Appartient au Massif armoricain *(Anjou noir)* et au Bassin parisien *(Anjou blanc)*. Comprend : *Segréen* au N.-O. : sol schisteux, plateau bocager ; grandes propriétés ; élevage ; minerai de fer (exploité). *Mauges,* au S.-O. : sous-sol schisteux, paysage vallonné ; grosses propriétés ; élevage ; vieilles industries : filatures de tissage de lin et de coton (Cholet). *Baugeois,* au N.-E : région la plus pauvre ; forêts ou landes sur le sable (plaques) du plateau : élevage et exploitation du bois. *Vallées* (Loir, Sarthe, Mayenne) : gros pâturages. *Saumurois,* au S.-E. : forêts et landes (massif de Gennes, forêt de Fontevrault) sur sables, marnes et grès ; plaines calcaires au S. de Saumur (petites propriétés et riches cultures) ; coteaux de la Loire, du Layon, de l'Aubance et du Thouet (beaux vignobles). *Vallée* ou *val d'Anjou :* de Candes aux Ponts-de-Cé : climat doux ; petites propriétés ; riches prairies et grandes cult. maraîchères, fruit. et florales.

Histoire. Peuplé au néolithique, puis peuplement ligure à partir du *VIe s. av. J.-C.* **V. 350** colonisation gauloise (tribu des *Andegavi*). Conquis par Crassus, lieutenant de César en 57, puis soulevé en 52, reconquis par César en 51 (défaite de Doué-la-Fontaine). Création de *Juliomagus* (future Angers). Partie de la prov. celtique ou lyonnaise sous le Ht-Empire, puis de la IIIe Lyonnaise, cap. Tours, après Dioclétien. **Ve s.** *Saumurois* rattaché au roy. wisigoth du S.-O. **Période mérovingienne** relève de la Neustrie et en partie de la Bretagne (Mauges). **V. 800** érigé en « marche de Bret. » et confié au Cte Roland. **2e moitié du IXe s.** création du *Cté d'Angers,* défendu par Robert le Fort contre les Normands. Son fils Robert, roi de Fr., y installe un vicomte, Enjeuger, fondateur de la 1re dynastie angevine, comtale dès son successeur. **987** le comté devient l'un des fiefs directs de la Couronne, *Foulques Nerra* ou le *Noir* (972-1040) prend la couronne comtale et, avec son fils Geoffroi Martel, étend le Cté aux Mauges, au Saumurois, à une partie de la Touraine, à Vendôme et au Maine. Anarchie féodale sous *Foulques IV,* en lutte avec son frère Geoffroi le Barbu. *Foulques V* et *Geoffroi Plantagenêt* [qui épousera Mathilde, (1068-1135) fille d'Henri Ier d'Angl., héritière de Normandie et d'Angleterre] réorganisent le Cté. Ayant leur propre cour, ils exercent droit de justice et sont assistés d'un connétable et du sénéchal d'Anjou, grand personnage qui acquiert au XIIe s. pouvoir de justice. **Sous Henri II Plantagenêt,** roi d'Angl., fait partie d'un vaste ensemble (Angl., Normandie, Bret., Aquit., Gascogne). Après 1175, le sénéchal, dont la fonction devient héréditaire, est investi d'une véritable délégation permanente. Quand Philippe Auguste s'empare de l'Anjou en 1205 (V. Grande-Bretagne à l'Index), il maintient en place le sénéchal d'Arthur de Bretagne, Guillaume Desroches. **1246** apanage (avec le Maine et cités et châtellenies dépendantes) pour son frère cadet, *Charles d'Anjou* (1re Maison d'A.). *Charles II,* son fils, abandonne Anjou et Maine en dot à sa fille Marguerite, qui les donne à son époux *Charles de Valois.* **1328** *réuni à la Couronne* avec l'accession au trône de Philippe VI de Valois. **1356** à nouveau séparé, comme duché, par Jean le Bon, au profit de son fils cadet *Louis Ier d'Anjou* (2e Maison d'A.), reste l'apanage de cette dynastie jusqu'à la mort du roi *René* (1409-1480) et de *Charles du Maine* (1481) qui le lègue à Louis XI (définitivement rattaché à la Couronne). La fille de René, Marguerite d'Anjou (1424-82), mariée 1444 à Henri VI de Lancastre, roi d'Angl. (assassiné 1471), emprisonnée à Londres, délivrée 1475 contre rançon de 50 000 écus d'or par Louis XI, dut abandonner ses droits. Apogée d'Angers aux XVe et XVIe s. **1560-98** dévasté durant les guerres de Religion. **1652** relèvement compromis à nouveau lors de la Fronde. **Fin XVII-XVIIIe s.** prospérité rétablie (dépend de la généralité de Tours). **1793** théâtre des principaux combats de la guerre de Vendée.

Maine

Situation. Bas Maine et comté de Laval correspondent à la Mayenne [moins l'arr. de Château-Gontier (Anjou)], et le ht Maine à la Sarthe [moins l'arr. de La Flèche (Anjou)].

Comté de Laval : baronnie dépendant du comté du Maine, érigée en comté-pairie par Charles VII en 1429, et demeurée fief distinct jusqu'à la Révolution (famille de La Trémoille). Le comté de Laval appartenait historiquement à la Bretagne. La famille de Laval, détachée de la lignée des Montmorency, était bretonne et siégeait aux états de Bretagne.

Bas Maine : partie du Massif armoricain. *Au N.-E.,* crêtes gréseuses [forêts d'*Écouves* (417 m), de *Mulhouse* (417 m), de *Pail,* des *Coëvrons* (332 m)] traversées par des rivières encaissées. *N.-O.* très accidenté mais moins élevé (forêt de Mayenne, 215 m), le relief s'abaisse vers le S. (bassin de Laval). *Bocage :* élevage des jeunes animaux et cult. de blé et d'orge. *Villes* princ. sur la Mayenne : Mayenne, Laval ; Château-Gontier est une ville angevine.

Haut Maine : séparé de la Normandie, au N., par le massif de la forêt de *Perseigne* (340 m). Au S., terrains sédimentaires du Bassin parisien. Argile de décomposition ou « graie » dans les régions de *Mamers* et de *Conlie :* bocage, élevage et céréales. Chanvre sur les argiles imperméables au S. des grès de Mamers et dans la « boutonnière » du *Belinois. Pays manceau :* terrains sableux, pins ; cultures maraîchères près du Mans. *A l'est et au sud* du pays manceau, entre l'Huisne et le Loir, plateau : landes et forêts (argile et silex), sauf dans parties recouvertes de limon. *Extrémité sud :* limons de la vallée du Loir (céréales dominantes).

• **Histoire.** Peuplé dès le *paléolithique.* **Époque gauloise** cités des Aulerques (Aulerci) divisées en plusieurs peuples : Diablintes, Cénomani, Ambarres. **Époque romaine** Vindinum (Le Mans) et Noviodunum (Jublains) sont les villes principales. Christianisé du *IVe au VIe s.* **Haut Moyen Age** Pagus Cenomanensis. **IXe s** incursions bretonnes et normandes. **955** héréditaire au profit de Hugues Ier. Ctes d'Anjou et ducs de Normandie s'en disputent la suzeraineté. **1126** rattaché par mariage à l'Anjou. Devient anglais quand le Cte d'Anjou Henri Plantagenêt devient roi d'Angl. **1203** pris par Philippe Auguste à Jean sans Terre. **1228** administration royale. Destructions pendant la g. de Cent Ans ; théâtre des luttes entre le duc d'Alençon et Louis d'Anjou. **1481** à la mort de Charles V d'Anjou (Charles du Maine), rattaché au domaine royal. **XVIe et XVIIe s.** sert d'apanage à des Pces du sang, au XVIIIe s., avec le titre ducal (le dernier duc du Maine est un Pce légitimé).

Nantais

Situation. Partie du Massif armoricain ; plaines alluviales (marécageuses) dans les dépressions.

Histoire. Époque celtique occupé par Namnètes et en partie par Vénètes, au N. de la Loire, par Pictons au S., tribus de Gaulois navigateurs et commerçants dont le port principal est Corbilo (près de Guérande), 3e ville de Gaule par la population. Autres villes importantes : Portus Namnetum (Nantes), Ratiatum (Rézé, au pays de Retz), Gronnona (Guérande). Principal produit exporté : l'étain. **56 av. J.-C.** Brutus (futur assassin de César) détruit la flotte gauloise au N. de Batz (marais salants actuels) ; la population est exterminée. **Période gallo-romaine** la côte de Nantes fait partie de la Lugdunaise IIIe (cap. Tours). Christianisée au IIIe s. (St Rogatien), mais repaganisée par des Saxons débarqués au IVe s. **Ve s.** conquise par les Bretons (Bubic). **818** Louis le Débonnaire installe à Nantes un comte breton qui se rend rapidement indépendant et prend le titre de roi de Bretagne. Nantes est dès lors partie intégrante du royaume ou du duché breton (Voir Bretagne).

Bocage vendéen

Situation. Constitue avec le Marais poitevin et les îles d'Yeu et de Noirmoutier le dép. de Vendée. Le Marais breton est un ancien golfe (au N.-O.) comblé par les alluvions de la Loire. **Histoire.** Noirmoutier est attesté en *680,* Fontenay-le-Comte en *841.* Relèvent du comté de Poitiers (V. Poitou-Charentes).

Économie

Population. 3 058 901 h. [*1982 :* 2 930 398]. D. 95. *Pop. active ayant un emploi salarié* (1-1-90, estim.) : 950 958 dont primaire 22 460, secondaire 340 444 (industrie 272 133, B.T.P. 68 311), tertiaire 588 054.

Échanges (milliards de F, 1989). IMPORTATIONS : 44,9 dont prod. énergét. 11,1, biens d'équip. profess. et ménager 10,3, b. intermédiaires 9,7, biens de consomm. 6,8, ind. agro-alim. 5,4, prod. de l'agric. 1,7. EXPORTATIONS : 36,1 dont biens d'équip. profess. et ménager 15,7, ind. agro-alim. 8, b. intermédiaires 6,1, b. de consomm. 4,6, prod. de l'agric. 3,6, prod. énergét. 1,3.

Agriculture (au 1-1-90, estim.). **Terres** (en milliers d'ha) 3 240,4 dont *S.A.U.* 2 405,8 [t. arab. 1542,4, vignes 42,7, cult. fruit. 12,3, herbe 806,2)] ; *bois* 311,1 ; *t. agr. non cult.* 47,8 ; *étangs et autres eaux intér.* 56 ; *autre t. non agr.* 406,8. **Prod. végétale** (en milliers de t, au 1-1-1989, estim.) céréales 2 982,8 (dont blé tendre 1 786,2, maïs 776,2, orge 205,3), p. de t. 65,3. *Vins* (en milliers d'hl) : 2 508,8 dont A.O.C. 1 435,8. **Prod. animale** (en milliers de têtes, au 1-1-1989, estim.) volailles 45 304 (en 87), lapins 3 652 (en 87), bovins 3 168,5, porcins 1 054,9, caprins et ovins 424, équidés 27,1. *Lait* (prod. finale, 1-1-90, estim.) : 35 063 789 hl. *Œufs* (1987) : 904 000 000.

Pêche (en milliers de t, 1989). 73 882 débarquées dont poissons frais 27 523, mollusques 10 645 (huîtres 15 515, moules 1 035), crustacés 2 961, coquillages de pêche 4 086, de culture 28 667. *Navires immatriculés* (au 31-12-1989) : 2 461 (dont 2 264 jusqu'à 24 tonneaux). *Marins-pêcheurs* (au 31-12-1989) : 3 382 (dont petite pêche 1 945).

Industrie. *Effectifs salariés* (au 1-1-1990) : agro-alim. 42 326, constr. méc. 24 052, fonderie et trav. des métaux 23 683, bois, meubles, ind. diverses 23 439, text., habill. 23 596, matér. électr. et électron. 20 735, caout. et mat. plast. 17 771, autom., autres matér. transp. terr. 16 859, cuir, chauss. 15 318, constr. navale, aéron., armement 12 964, équip. ménager 10 557, énergie 9 277, imprimerie, presse, édition 8 358, matér. de constr., minerais, verre 7 093, chim. de base, fibres artif. et synth., parachim., pharmacie 6 348, papier, carton 5 916, minerais, métaux ferreux et non ferreux 3 841.

Trafic portuaire. (Port autonome de Nantes-Saint-Nazaire, en millions de t, 1989.) *Entrées* 19,54 (prod. pétroliers 13,9, agro-alim. 2, combust. et minéraux solides 2,4) ; *de* Afr. du N. 5 ; reste Afr. 3,1, C.E.E. 2, reste Europe 2,5, Amér. 3,9, France 0,7, Moy.-Or. 1,9). *Sorties* 4,4 (prod. pétroliers 2,8, agro-alim. 1,1) ; *vers* France 1,6, C.E.E. 1,3, reste Europe 0,2, Amér. 0,7).

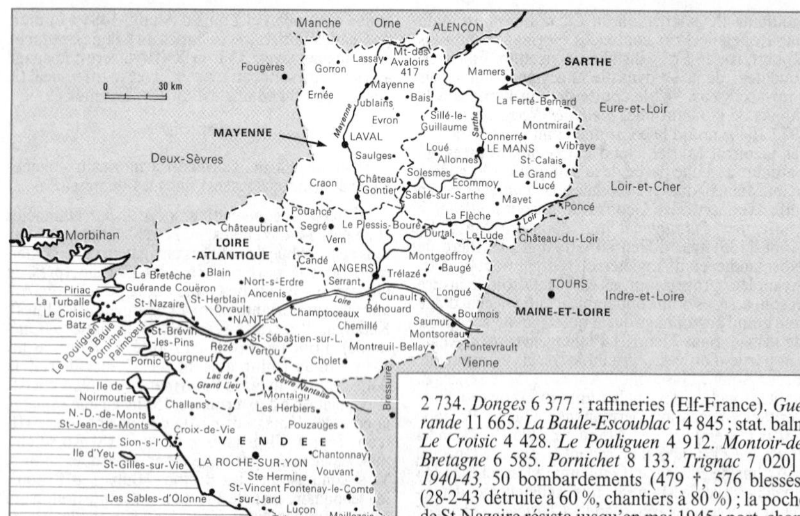

Tourisme. *Au 1-1-1989 :* hôtels classés 767 (32 912 pl.), campings cl. 676 (232 653 pl.). *Au 1-1-1986 :* hôtels de préfecture 1 140 (8 577 ch.), camping à la ferme 124 (2 881 pl.), gîtes ruraux 1 251 (6 255 pl.), chambres d'hôtes 166 (499 pl.), centres familles vacances 77 (13 979 pl.), centres d'accueil 17 (1 597 pl.), autres centres de vac. 412 (41 200 pl.).

Départements

Voir légende p. 748.

• **Loire-Atlantique** (44) 6 956 km² (107 × 123 km). *Côtes* 133 km dont 85 au nord de la Loire, 48 au sud ; *c. d'Amour* (nom d'un bois de sapins près de La Baule), *de Jade* (couleur de l'eau). *Alt.* max. colline de La Bretèche 115 m. 1 052 109 h. (1-91) [*1801 :* 369 305 ; *1851 :* 535 664 ; *1901 :* 664 971 ; *1921 :* 649 691 ; *1936 :* 659 428 ; *1962 :* 803 372 ; *1975 :* 934 499 ; *1982 :* 995 448]. D. 154. **Population.** *Salariés* (1-1-90, estim.) : 334 309 dont primaire 4 843, secondaire 103 814 (dont ind. 79 523, B.T.P. 24 291), tertiaire 225 652.

Villes. NANTES, alt. 45 à 50 m, sup. 6 523 ha. 244 952 h. [*1700 :* 42 309 ; *1800 :* 70 000 ; *1860 :* 108 530 ; *1931 :* 187 343 ; *1946 :* 200 265 ; *1968 :* 265 009], [ag. 492 212, dont *Basse-Goulaine* 5 910. *Bouguenais* 15 099. *Carquefou* 12 877. *Couëron* 16 319 ; métall. (Tréfimétaux). *Indre* 3 262. *La Chapelle-sur-Erdre* 14 830. *La Montagne* 5 555. *Les Sorinières* 5 174. *Orvault* 23 115. *Rezé* 33 262 ; confection. *St-Herblain* 42 774. *St-Jean-de-Boiseau* 4 120. *St-Sébastien-sur-Loire* 22 202. *Ste-Luce-sur-Loire* 9 648. *Sautron* 6 026. *Thouare-sur-Loire* 5 140. *Vertou* 18 235. *Doulon et Chantenay* rattachées en 1908] ; port avec St-Nazaire, 4ᵉ de Fr. ; 2ᵉ pour imp. de bois ; port autonome 200 000 ha ; constr. nav. (Chantiers de l'Atl.) et aéron. (Airbus), arsenal, armement, chimie, caoutchouc, sid., métall., chaudronnerie, méc. [Creusot-Loire, Alsthom, Ateliers et Chantiers de Bret. (ACB)], équip. ménager (Saunier-Duval), électron. (téléphones LMT, Matra-Harris), ind. alim. (biscuiteries, conserveries, raff. de sucre, brasseries), INRA (Institut nat. de la recherche agron.), vêtements ; 7 musées, dont le 2ᵉ de Fr. pour la peinture après le Louvre (2 000 toiles) ; le plus haut et le plus vaste des sanctuaires fr., verrière ; château des Ducs ; île Feydeau. *Parcs* (env. 182 ha) ; Petit Port 72 ha, Grand Blottereau 45 ha, Beaujoire 19 ha ; squares et jardins 42 ha (env.). Rues les plus longues : quai de la Fosse (2 045 m), route de St-Joseph de Porterie (5 542 m) ; la plus courte : rue Travers (12 m). – *Ancenis* * 6 896 h. (ag. 9 258) ; élec., motocult. et mach. agr., mat. de T.P. (engins de levage), ind. papier et cartons, coop. agr. ; château XVᵉ-XVIIᵉ s. *Blain* 7 434 h. *Bouaye* 4 815 h. *Châteaubriant* * 12 782 h. ; fonderie, mach. agr., vêtements. *Clisson* 5 495 h. (ag. 11 010). *La Turballe* 3 587 h. (ag. 5 029). *Le Loroux-Botteraux* 4 353 h. *Machecoul* 5 072 h. *Nort-sur-Erdre* 5 362 h. *Paimbœuf* 2 842 h. *Pontchâteau* 7 549 h. *Pont-St-Martin* 3 835 h. (ag. 6 868). *Pornic* 9 815 h. *St-Brévin-les-Pins* 8 664 h. *St-Étienne-de-Montluc* 5 759 h. *St-Joachim* 3 994 h. *St-Julien-de-Concelles* 5 418 h. *St-Michel-Chef-Chef* 2 663 h. (ag. 5 624). *St-Nazaire* * alt. 12 m. 64 812 h. [*1791 :* 904 ; *1856 :* 5 424 ; *1944 :* 15 000 ; *1955 :* 41 750 ; *1962 :* 59 181] [ag. 131 511, dont *Batz-sur-Mer* 2 734. *Donges* 6 377 ; raffineries (Elf-France). *Guérande* 11 665. *La Baule-Escoublac* 14 845 ; stat. baln. *Le Croisic* 4 428. *Le Pouliguen* 4 912. *Montoir-de-Bretagne* 6 585. *Pornichet* 8 133. *Trignac* 7 020] ; *1940-43,* 50 bombardements (479 †, 576 blessés) (28-2-43 détruite à 60 %, chantiers à 80 %) ; la poche de St-Nazaire résista jusqu'en mai 1945 ; port, chantiers nav., méc. (SIDES), outillage lourd et chaudronnerie (Alsthom-Atl.), constr. aéronaut. (SNIAS). *Savenay* 5 314 h. (ag. 7 563). *Vallet* 6 116 h.

Régions naturelles. *Plateaux* au N. de la Loire 3 600 km² (50 à 115 m). *Régions de l'estuaire,* dont zone de Nantes et *Sillon de Bretagne* 860 km² : collines 60 à 91 m. *Presqu'île guérandaise* 670 km² dont la *Grande Brière* 150 km² : marécages (tourbières, marais salants ; plan d'eau 250 km (1948 : 700). *Pays de Retz* 1 125 km², dont le *lac de Grandlieu* (67 km², prof. 1 712 : 3 à 6 m, 1990 : 0,70 à 1,20 m) : plaine et plateaux. *Pays de Sèvre et Maine* 685 km².

Tourisme. Châteaux : Ancenis (XVᵉ-XVIIᵉ), Clisson (ruines fort. médiévale), Goulaine (XVIᵉ-XVIIᵉ), Nantes (XVᵉ, forteresse cour Renaissance). **Stations balnéaires :** Le Croisic, Le Pouliguen, La Baule-Pornichet, St-Brévin, Pornic, La Bernerie.

Divers. 1ᵉʳ dép. pour : construction navale (50 %), encres d'héliogravure (50 %), tapioca (70 %), plomb tétraéthyle, conserves de thon, chauffe-eau, petits-beurres.

Langue. Le parler « gallo » atteignait la ligne Donges-Blain-Rennes (limite E. des parlers bretons).

• **Maine-et-Loire** (49) 7 145 km² (125 × 110 km). *Alt.* max. colline du Bois de la Gaubretière (comm. de St-Paul-du-Bois) 214 m, min. La Varenne 3 m 705 869 h. (1990) [*1801 :* 375 873 ; *1851 :* 515 200 ; *1886 :* 524 028 ; *1911 :* 508 383 ; *1921 :* 474 786 ; *1936 :* 477 690 ; *1975 :* 629 849 ; *1982 :* 675 321]. D. 99. *Salariés* (1-1-90, prov.) : 221 001 dont primaire 9 500, secondaire 81 394 (dont ind. 66 786, B.T.P. 14 608), tertiaire 130 107.

Villes. ANGERS 13,59 à 48,67 m, sup. 4 306 ha, 141 404 h. [*1790 :* 31 500 ; *1861 :* 51 797 ; *1901 :* 82 398 ; *1936 :* 87 948 ; *1954 :* 102 141 ; *1975 :* 131 591] ; centre comm., métall., méc. autom. (freins DBA, alternateurs Aleo, phares Cibié), mach. agr. (International Harvester), ordinateurs Bull, élec. Motorola, électron., télév. Seipel, pharmacie et herboristerie Jouveinal, distillerie (Cointreau) ; château du roi René (XIIIᵉ s.) ; cath., XIIᵉ s. [flèches 70 et 77 m, intérieur long. 90 m, haut. 25 m, nef (larg. 16,38 m)] ; musées des tapisseries de Lurçat (Le Chant du Monde) dans l'hôpital St-Jean (XIIᵉ s.), des tapiss. de l'Apocalypse (XIVᵉ s., plus important ensemble mondial), des Bx-Arts, égl. St-Serge (nef XVᵉ s.) ; hôtels des Pénitentes, Pincé (1532) ; maison d'Adam (XVᵉ). [ag. 206 276, dont *Avrillé* 12 878. *Bouchemaine* 5 799. *Les-Ponts-de-Cé* 11 032. *St-Barthélemy-d'Anjou* 9 369 ; méc. autom. (D.B.A.), ascenseurs Soretex. *St-Gemmes-sur-Loire* 3 803. *Trélazé* 11 009, ardoisières]. – *Baugé* (ancienne sous-préf.) 3 748 h. (ag. 4 920) ; pharmacie XVIIᵉ s. *Beaufort-en-Vallée* 5 364 h. ; cons. de champignons. *Beaupréau* (ancienne sous-préf.) 5 937 h. ; confection, chaussures. *Brain-sur-l'Authion* 2 622 h. (ag. 4 707). *Candé* 2 540 h. *Chalonnes-sur-L.* 5 354 h. *Châteauneuf-sur-Sarthe* 2 370 h. *Chemillé* 6 016 h. *Cholet* * 8 472 ha, alt. 125 m, 55 524 h. [*1791 :* 8 444 ; *1796 :* 2 162 ; *1846 :* 10 102 ; *1901 :* 19 352 ; *1946 :* 26 086] ; marché agr., text. (le mouchoir rouge, emblème de la ville, date de la chanson interprétée la 1ʳᵉ fois par Théodore Botrel), confection, électron. de communications (Thomson-CSF), chaussures, constr. méc., chimie (pneus Michelin), plast. pour le bât. ; espaces verts urbains 636 000 m² ; plans d'eau : lac de Verdon 280 ha, Ribou 80 ha, étang des Noues 30 ha. *Doué-la-Fontaine* 7 260 h. *Durtal* 3 195 h. ; rosiéristes. *La Pommeraye* 3 564 h. *La Seguinière* 3 482 h. *La Tessouale* 2 781 h. *Le Lion d'Angers* 3 095 h. *Le May-sur-Evre* 3 914 h. *Les Rosiers* 2 204 h. (ag. 4 071, dont *Gennes* 1 867). *Longué-Jumelles* 6 781 h. *Montreuil-Bellay* 4 041 h. *Montreuil-Juigné* 6 451 h. *Pouancé* 3 279 h. *St-Macaire-en-Mauges* 5 543 h. *St-Pierre-Montlimart* 3 137 h. (ag. 5 724). *Saumur* * 6 597 ha, 30 131 h. [*1801 :* 9 585 ; *1911 :* 16 198] (ag. 31 612) alt. 30 m ; vins blancs mousseux, conserves champignons, constr. méc. de précision et électron. ; château (musée), égl. N.-D.-de-Nantilly, musée des Blindés, maison de la Reine de Sicile ; école d'équitation (Cadre noir, fondé 1814), éc. d'application de l'Arme blindée et cavalerie. *Segré* * 6 434 h. (ag. 7 705) ; ind. alim. (Teisseire). *Trémentines* 3 034 h. *Vihiers* 4 131 h.

Régions naturelles. *Baugeois :* 4 143 ha, alt. 56 m, élevage, blé, maïs, forêts. *Choletais :* 7 319 ha, alt. 125 m, élevage (bovins), polyculture. *Saumurois :* 6 727 ha, alt. 76 m, polyculture, céréales, vignobles, vergers, forêts. *Segréen :* 6 430 ha, alt. 29 m, élevage (bovins), polyculture. *Vallée de la Loire :* 4 725 ha, alt. 40 m, vergers, prairies, vignes, plantes fourragères (trèfle incarnat), semences (Vilmorin, horticulture). **Bois** (en milliers d'ha, 1-1-90, estim.) 80,5. [dont forêts (1973) de Vezins 1,8, Chandelais 1, Ombrée 1, Chambier 1, Beaulieu 0,9] ; (1-1-90, estim.) *étangs* 6,3 ; *t. agr. non cult.* 8 ; *t. non agr.* 73,9.

Tourisme. Châteaux : Angers, Baugé, Boumois, Brissac [XIIᵉ (cave), XVᵉ (voûte), 1606-21, par Corbineau d'Angluze], Brézé, Doué-la-Fontaine, Haute-Guerche, Montreuil-Bellay [XIIIᵉ-XVᵉ (vue sur le Thouet)], Montgeoffroy (XVIIIᵉ), Montsoreau (XVᵉ), Le Plessis-Bourré (XVᵉ), Le Plessis-Macé (XIVᵉ), Saumur, Serrant (XVIᵉ-XVIIIᵉ). **Abbayes :** Fontevrault (ou Fontevraud, XIIᵉ), Asnières (partie détruite). **Village fortifié :** Coudray-Macouard. **Musée troglodyte :** Louresse-Rochemenier. **Moulin :** la Herpinière. **Dolmen :** plus grand de Fr. à Bagneux. **Églises :** St-Florent-le-Vieil, Champtoceaux, La Roche-de-Murs et Denée. **Lac** du Verdon (réservoir créé 1979, 280 ha).

Divers. 1ᵉʳ dép. producteur d'*ardoises :* 55 900 t en 1984. 1ᵉʳ de champignons de couche. *Choletais :* 1ᵉʳ centre d'Europe pour articles chaussants.

• **Mayenne** (53) 5 213,5 km² (82 × 62 km). *Alt.* max. Mt des Avaloirs 417 m, min. 20 m (sortie de la Sarthe). 278 016 h. (1990) [*1801 :* 305 654 ; *1851 :* 374 566 ; *1866 :* 367 855 ; *1901 :* 313 103 ; *1936 :* 251 348 ; *1962 :* 250 030 ; *1975 :* 261 789 ; *1982 :* 271 784]. D. 54. *Salariés* (1-1-90, prov.) : 86 063 dont primaire 1 609, secondaire 35 034 (dont ind. 29 381, B.T.P. 5 653), tertiaire 49 420.

Villes. LAVAL sup. 335 ha, alt. 70 m, 50 473 h. [*1801 :* 14 199 ; *1886 :* 30 627 ; *1931 :* 27 792 ; *1962 :* 39 283 ; *1975 :* 51 544 ; *1982 :* 50 360] (ag. 56 855) ; mat. téléphon., électron. (téléviseurs, équip. tél.), constr. méc. (engins milit.), auto. et cycles, confection, textiles, imprimerie ; quartiers des XIᵉ, XIIᵉ et XVᵉ s. ; vieux château, donjon (XIIᵉ s.), égl. d'Avesnières (romane), St-Vénerand, chapelle de Pritz, musées archéol., d'art naïf du douanier Rousseau ; jardins publics de la Perrine (5,2 ha). – *Ambrières-les-Vallées* 2 841 h. *Bonchamp-lès-Laval* 3 832 h. *Change* 4 323 h. *Château-Gontier* * 11 085 h. [*1801 :* 4 770 ; *1886 :* 7 334 ; *1926 :* 6 280] [ag. 13 755, dont *Bazouges* 2 660] ; ind. métall. et électron. ; laiterie, fromagerie, le plus important marché de veaux d'Europe ; égl. St-Jean (XIᵉ s.), musée, quartiers XVᵉ. *Cossé-le-Vivien* 2 806 h. ; musée Robert-Tatin. *Craon* 4 767 h. ; abattoir, volailles, laiterie ; courses hippiques. *Ernée* 6 046 h. ; chaussures. *Évron* 6 904 h. ; abattoir, fromagerie, confection ; basilique N.-D., abbatiale bénédictine, tour-donjon et nef XIᵉ s. *Fougerolles-du-Plessis* 1 745 h. ; confection. *Gorron* 2 837 h. *Lassay-les-Châteaux* 2 459 h. ; château (XVᵉ s.), maisons anc. *Mayenne* * alt. 124 m, 13 549 h. [*1801 :* 7 679 ; *1881 :* 11 188 ; *1931 :* 8 238] ; imprimerie, textiles, constr. méc., produits pharm. ; château (XIIIᵉ s.), hôtels (XVIᵉ, XVIIᵉ, XVIIIᵉ s.). *Pontmain* 935 h. ; pèlerinage. *Pré-en-Pail* 2 422 h. *Renazé* 860 h. ; ardoises des XVᵉ et XXᵉ s. *St-Berthevin* 6 382 h. *Villaines-la-Juhel* 3 171 h.

Régions naturelles. *Zone d'élevage* (au N.) 214 817 ha : vallonnée et morcelée, prod. laitière. *Embouche de l'Erve* (centre et S.-E.) 82 000 ha : terres humides et riches, élev. bovin extensif, embouche. *Zone de polyculture de Laval* (centre-O.) 129 642 ha : céréales, etc., herbages sur terres difficiles. *Bocage angevin* (au S.) 91 000 ha : plus chaud et sec, élevage. **Bois** (en milliers d'ha, 1-1-90, estim.) 35. (1984) 34 dont forêts de Mayenne 3,3, Pail 2,6, Grande Charnie 1,6, Bourgat 1,2, Hermet 1,2, Vallons 1,1 ; (1-1-90, estim.) *étangs* 3,4 ; *t. agr. non cult.* 2,3 ; *t. non agr.* 44,7.

Tourisme. *Vallée de l'Erve. Jublains :* fortifications gallo-romaines, castellum, IIIᵉ s. *Abbayes :* N.-D. de Clermont (cistercienne, v. 1150), Port-Salut (à Entrammes, trappe cistercienne, fromage). *Mortiercrolles :* château fin XVe s. *Corniche de Pail. St-Denis-d'Anjou* (maisons). *Ste-Suzanne :* cité fortifiée. *Saulges :* grottes préhistoriques.

Divers. *Chevaux de course :* 1er dép. pour les trotteurs. *Festival :* nuits de la May. (théâtre, chorégraphie).

• **Sarthe** (72) 6 210 km^2 (95 × 80 km). *Alt.* max. 340 m, min. 20 m. 513 614 h. (1990) [*1801 :* 388 143 ; *1851 :* 473 071 ; *1901 :* 422 699 ; *1931 :* 348 619 ; *1936 :* 388 519 ; *1962 :* 443 019 ; *1968 :* 461 839 ; *1975 :* 490 385 ; *1982 :* 504 768]. D. 83 (1990). *Salariés* (1-1-90) : 164 130 dont primaire 2 859, secondaire 58 814, tertiaire 102 457.

Villes. LE MANS, alt. 50 à 110 m, 5 281 ha. 145 465 h. [*1328 :* 5 200 ; *1806 :* 18 506 ; *1891 :* 57 412 ; *1920 :* 71 783 ; *1954 :* 111 988] [ag. 189 070, dont *Allonnes* 13 561. *Arnage* 5 600. *Changé* 4 428. *Coulaines* 7 370. *Sargé-lès-Le Mans* 2 870. *Yvré-l'Évêque* 2 682] ; autom., tracteurs (Renault), pièces et équip. autom. (Glaenzer-Spicer), aéron., mat. agr., électron., télév., répondeurs téléphon. (Radiotechnique) ; confection, man. des tabacs ; agro-alim. ; Union des coop. laitières ; capitale des assurances ; cathédrale St-Julien, égl. N.-D.-de-la-Couture, prieuré St-Martin, abbaye de l'Épau ; musées de la reine Bérangère, Tessé (émail Plantagenêt : 0,63 × 0,34 m, 63 kg) et de l'Autom., collégiale St-Pierre-la-Cour ; course des « 24 h ». – *Auvours* camp mil., vol de Wright. *Beaumont-sur-Sarthe* 1 874 h. (ag. 3 231). *Bessé-sur-Braye* 2 814 h. ; filature, tissage, papier, carton ; château Courtanvaux. *Bonnétable* 3 899 h. ; agro-alim., électron., bois, méc., ameubl. ; château. *Champagne* 3 307 h. *Château-du-Loir* 5 473 h. (ag. 6 177) ; méc. électron., viticulture, fruits (pommes). *Conlie* 1 642 h. *Connerré* 2 545 h. ; rillettes, conserves. *Écommoy* 4 235 h. ; transf. du bois. *Fresnay-sur-Sarthe* 2 452 h. (ag. 3 844) ; électroménager (Moulinex) ; musée des coiffes, château. *La Ferté-Bernard* 9 355 h. (ag. 11 269) ; métall., électron. ; agro-alim. (Socopa) ; Musée sarthois, portes fortifiées, égl. *La Flèche* * 14 953 h. [*1806 :* 5 473 ; *1891 :* 10 249 ; *1954 :* 11 275] ; constr. élec., édition, emballages, alum. ; prytanée milit. ; collège Jésuite 1604, éc. militaire 1 762, Pères de la doctrine chrétienne 1776, École centrale 1793, prytanée 1808 ; zoo. *La Suze-sur-Sarthe* 3 614 h. ; mat. plastiques. *Le Grand-Lucé* 1 961 h. *Le Lude* 4 424 h. ; bois, ameub. ; château (1520), son et lumière. *Mamers* * 6 071 h. [*1806 :* 5 461 ; *1891 :* 6 016] (ag. 6 578) ; électroménager, mat. de camping ; halles. *Mayet* 2 877 h. *Mulsanne* 5 058 h. *Parigné-l'Évêque* 4 324 h. *Sablé-sur-Sarthe* 12 178 h. ; métall., agro-alim., électron. ; château. *St-Calais* 4 063 h. ; électron. méc. ; musée. *Sillé-le-Guillaume* 2 583 h. ; électron., château. *Vibraye* 2 609 h.

Régions naturelles. *Vallée de la Sarthe, région mancelle :* 143 803 ha, élevage au N., pins et cult. au S. (sableux). *Champagne mancelle :* 45 022 ha, collines, élevage, cult. *Belinois :* 8 357 ha, plaine, bovins, plantes sarclées (p. de t.), légumes, maïs, grain. *Plateau calaisien :* 60 422 ha, forêt de Bercé à l'O., céréales. *Bocage des Alpes mancelles :* 27 690 ha, vallonné, forêt de Sillé-le-Guillaume, cult., élevage. *Saôsnois :* 17 813 ha, plaine, forêts, peupleraies, cult. (maïs, grain, bett. à sucre). *Bocage sabolien :* 33 219 ha, élevage, cult. *Vallée du Loir :* 51 347 ha, cult., vergers, vignes. *Baugeois :* 4 293 ha, pauvre, pins, landes. *Plaine d'Alençon :* 27 800 ha, vallonnée, élevage bovin. *Perche :* 74 958 ha, vallonné, forêts de Perseigne, Bonnétable, Vibraye, élevage, polyculture. **Bois** (en milliers d'ha, 1-1-90, estim.) 104,5 ; (1985) 104 [dont forêts de Perseigne 5,8, Bercé 5,6, Sillé 3,8, Vibraye 3,1]. **Étangs.** 1,5 [dont (en ha 1985) Sillé 43, Tuffé 18, St-Calais 8, Les Sablons 7, Marçon 30, Mansigné 27, La Ferté-Bernard 13].

Tourisme. *Châteaux :* Le Lude, Verdelles (à Poillé-sur-Vègre), Courtanvaux (à Bessé-sur-Braye), Sablé-sur-Sarthe (bibliothèque nat.), Montmirail, Poncé, Bazouges-sur-le-Loir, Pescheray (au Breil-sur-Mérize), Ballon. *Musée de la guerre :* à Lavardin. *Belvédère* de Perseigne. *Ateliers d'Art* Tessier (à Malicorne). *Prieurés :* St-Martin, Vivoin. *Abbaye :* Solesmes (XIe s., chant grégorien, égl. actuelle XVe s., bibliothèque 300 000 vol.). *Pèlerinage :* chapelle du Chêne. *Centre artisanal* à Poncé. *Site* de St-Léonard-des-Bois. *Parcs* zoologique de La Flèche 7 ha, des oiseaux à Spay.

• **Vendée** (85) 6 720 km^2 (115 × 90 km). *Côtes* 200 km. *Alt.* max. le puy Crapaud 295 m, min. 0 m près de l'océan. 509 293 h. (1990) [*1801 :* 243 426 ; *1851 :* 383 734 ; *1896 :* 441 735 ; *1906 :* 442 777 ; *1936 :* 389 211 ; *1962 :* 408 928 ; *1968 :* 421 250 ; *1975 :* 450 641 ; *1982 :* 483 027]. D. 76. *Salariés* (1-1-90) : 145 455 dont primaire 3 649, secondaire 61 388 (dont industrie 48 636, B.T.P. 12 752), tertiaire 80 418.

Villes. LA ROCHE-SUR-YON [noms successifs : La Roche-s-Yon *1804* Napoléon ; *1814* (15 j) La Roche-s-Yon, *avril* Bourbon Vendée ; *1815* Napoléon ; *avril-juin* Bourbon Vendée ; *1848* Napoléon ; *1852* Napoléon Vendée ; *1870 (27-9)* La Roche-s-Yon] alt. 74 m, 45 219 h. [*1851 :* 7 498 ; *1936 :* 16 073 ; *1975 :* 44 713 ; *1982 :* 45 098] ; appareils ménagers, confection, abattoirs, ind. chim., pneus ; musée. – *Aizenay* 5 344 h. ; confection, bois. *Beauvoir-sur-Mer* 3 277 h. *Brétignolles-sur-Mer* 2 165 h. *Challans* 14 203 h. ; aviculture, bateaux de plaisance. *Chantonnay* 7 458 h. ; mach. agr. *Fontenay-le-Comte* *, alt. 23 m, 14 456 h. [*1936 :* 9 836 ; *1975 :* 15 275] (ag. 16 246) ; roulements, contre-plaqués, ind. méc., man. de tabac ; château de Terre-Neuve XVIe, cath. N.-D., musée, usine Georges Mathieu (1973). *Ile d'Yeu* 4 491 h. ; château. *La Châtaigneraie* 2 904 h. (ag. 4 239). *La Flocelière* 1 958 h. ; château, égl. *La Verrie* 3 497 h. *Les Essarts* 3 907 h. *Les Herbiers* 13 413 h. ; text., confection, chaussures, bateaux plaisance, voiturettes ; château de Boitissandeau. *Les Sables-d'Olonne* *, alt. 3 m, 15 830 h. [*1936 :* 14 536 ; *1975 :* 17 463] [ag. 35 352, dont *Château-d'Olonne* 10 976. *Olonne-sur-Mer* 8 546] ; port de pêche, de comm., de plaisance, constr. nav., conserverie ; musée de l'abbaye Ste-Croix. *Luçon* 9 099 h. ; laiterie coop., conf., mat. de constr. ; cath., flèche 85 m, parc 4 ha, orgue Cavaillé Coll 1857 (40 jeux, 2 241 tuyaux). *Montaigu* 4 323 h. ; confection, chaussures, ameubl. *Mortagne-sur-Sèvre* 5 724 h. ; château (XIVe-XVe s.). *Mouchamps* 2 398 h. ; tombe de Clemenceau. *Mouilleron-le-Captif* 3 238 h. *Noirmoutier-en-l'Ile* 4 846 h. ; château. *Pouzauges* 5 473 h. ; conserverie de viande, charcuterie ind. (Fleury-Michon), chaussures ; égl., donjon. *St-Fulgent* 2 932 h. *St-Cyr-en-Talmondais* 274 h. ; château de la Court d'Aron, parc floral. *St-Gilles-Croix-de-Vie* 6 296 h. [ag. 16 614, dont *St-Hilaire-de-Riez* 7 416] ; chantiers nautiques. *St-Hermine* 2 285 h. *St-Jean-de-Monts* 5 898 h. (ag. 8 958). *St-Laurent-sur-Sèvre* 3 247 h. *St-Michel-en-l'Herm* 1 999 h. *Saint-Michel, Mont Mercure* 1 798 h., alt. 285 m ; égl. statue de St Michel (copie de celle de Fourvière à Lyon). *St-Philbert-de-Bouaine* 2 105 h. ; électron. (Tronico), équip. mén. *Vauvant* 829 h. ; fortifié XIe, tour Mélusine 45 m.

Régions naturelles. Bocage vendéen : 450 422 ha, élevage. **Plaine :** 52 887 ha. **Entre plaine et bocage :** 30 871 ha. **Marais :** *breton* (nord) 48 077 ha ; *poitevin* (sud) 77 236 ha (desséché 60 330, mouillé 16 906). **Côte** *« de Lumière »* (à cause de l'ensoleillement). Insolation : 2 065 h/an. 140 km, pêche. **Ile d'Yeu** (2 332 ha, long. 9,5 km, larg. 4 km, alt. max. 35 m, distance de la côte 20 km, 4 766 h.) : tombe du Mal Pétain. **Ile de Noirmoutier** (4 883 ha, long. 18 km, larg. max. 12 km, min. 1 km, alt. max. 2 à 3 m, périmètre 50 km, 4 070 h.), cantons de la commune Barbâtre : La Guérinière, l'Épine, Noirmoutier-en-l'Ile ; reliée au continent par le Gois (forme ancienne de gué, goiser : « passer en se mouillant les pieds »), la plus longue chaussée submersible d'Europe (4 km) et par un pont de 583 m (ouvert le 7-7-1971) entre La Fosse (sur l'île) et Fromentine (sur le continent). **Bois** (en milliers d'ha, 1-1-90, estim.) 45,6 [dont forêts (1981) de la côte 5 (Noirmoutier 0,401, côte de Monts 2,3, Olonne 1, Longeville 1,2), f. du bocage 0,8, f. de Mervent-Vouvant 2,3, peupleraies (1989) 2,1] ; (1-1-90, estim.) *étangs* 11 ; *t. agr. non cultivées* 18 ; *t. non agr.* 68,3.

Ressources. *Agriculture :* (1988) polyculture, élevage bovin, porcin, lait, pêche. *Ostréiculture. Mytiliculture. Industrie :* agro-alim. (char. indust. et salaison), confection, meubles, nautisme (1er dép. pour bateaux de plaisance), métallurgie, électroménager.

Tourisme. Côte : grandes digues, polders, plages. **Iles :** Yeu et Noirmoutier. **Baie :** Bourgneuf-en-Retz (hibernation de 5 000 bernaches chaque année). **Forêts côtières :** Monts, Olonne-sur-Mer et Longeville. **Bassin forestier :** Mervent-Vouvant. **Venise verte** (partie N.-E. du Marais poitevin). **Lacs** (artificiels) : Marillet (160 ha, prof. 20 m), Mervent (128 ha, 24 m), Apremont (167 ha, 5 m), Angle Guignard à Chantonnay (55 ha, 8 m), Moulin-Papon à La Roche-sur-Yon (108 ha, 10 m), St-Vincent-sur Graon (68 ha, 18 m), Albert (104 ha, 9,5 m), Sorin (13,79 ha, 12 m), Jaunay (112 ha, 8 m), Pierre Brune (62 ha, 11 m), Rochereau (127 ha). **Abbayes :** Chassay-Grammont (à St-Prouant) prieuré de l'ordre de Grandmont 1 196, Maillezais (XIe, XIIIe, XVe s.), Nieul-sur-l'Autize (cloître), La Grainetière (XIIe s.), Lieu-Dieu (Jard-sur-Mer), St-Michel-en-l'Herm, St-Jean-d'Orbestier. **Abbatiale :** Fontenelles (XIIIe s.). **Eglises :** Vouvant, Benet, Fousais-Payre, La Chaize-le-Vicomte, Pouzauges, Mesnard-la-Barotière, Mareuil-sur-Lay-Dissais. **Châteaux :** Apremont (XVIe s.), Beautour (La Chaize-le-Vicomte), Fontenay-le-Comte (Terre Neuve XVIe s.), Pierre-Levée (Olonne-sur-Mer), Les Essarts (XIIe s.), Montaigu (XVe s.), Mougarny (Yeu, XIIe et XIIIe s.), Noirmoutier (XIIe s.), Pouzauges (XIIIe s.), Puy-du-Fou aux Épesses (son et lumière), Sigournais (XVe s.), St-Mesmin, Talmont-St-Hilaire, Tiffauges (XIIe s.). **Musées :** Aubigny (des Records), Brem-sur-Mer (du Vin), Challans (ornithologique), Chantonnay (de la Nature), Fontenay-le-Comte, La Barre-de-Monts, La Roche-sur-Yon, Les Sables-d'Olonne, Monsireigne (de la France protestante), Montaigu, Mouchamps (tombe de Clemenceau), Mouilleron-en-Pareds (des Deux-Victoires), Noirmoutier, Sallertaine (Maraichin), Soullans, St-Vincent-sur-Jard (maison de Clemenceau), Talmont-St-Hilaire (de l'Automobile).

Picardie

Généralités

Nom. Ni géographique ni historique. Apparaît en 1248, dérivé du mot *picard,* c.-à-d. « piocheur ». Les Parisiens appelaient « piocheurs » tous les agriculteurs vivant au N. des zones forestières du Senlisis et du Valois (où les paysans étaient bûcherons), et dans le Nord on appelait « Picards » tous ceux qui ne parlaient pas flamand : Arras, Boulogne, Calais, Tournai étaient des villes « picardes » ; leurs étudiants formaient à Paris et à Orléans la « Nation picarde ».

Dialecte picard (différent du « francien » de l'Ile-de-Fr. qui s'imposa comme langue nationale). Apogée au XIIIe s. : parlé alors dans toute la P. actuelle (sauf au S. de l'Oise et de l'Aisne), dans les dép. actuels du P.-de-Calais, du Nord (sauf Dunkerque), une partie du Hainaut belge (rég. de Mons et Tournai). Au déb. du XIXe s., le p. n'était plus parlé dans les rég. du S. de Beauvais, Noyon, Vervins et devint un patois campagnard.

Amiénois. Situation. Région de la Somme moyenne, entre Péronne et Abbeville ; limité N. : Authie, S. : Bresle (dép. de la Somme). **Histoire.** Territoire de la tribu celtique (belge) des Ambiani, dont le nom signifie « des 2 côtés » (de la Somme). Cap. : Samarobriva ou *Pont-sur-Somme,* actuellement Amiens. Rattachée à la IIe Belgique sous les Romains. **Haut Moyen Age,** féodalité puissante, surtout ecclésiastique (abbayes de St-Riquier, St-Valéry, Corbie...). Immigration de nombreuses colonies de Flamands qui introduisent, dans la vallée de la Somme notamment, l'industrie drapière, origine d'une bourgeoisie riche et remuante qui fait la prospérité des communes fondées au XIIe s. (Noyon, St-Quentin, Amiens, Ham, Corbie, Abbeville). Sous Philippe Auguste, bailliage d'Amiens. Réunion progressive au domaine royal du **XIIe au XIVe s.** Pendant la g. de Cent Ans, disputée par les rois d'Angl. et ducs de Bourgogne, Ctes de Flandre et d'Artois, qui obtiennent en **1435** *(1er tr. d'Arras)* les « villes de la Somme » (St-Quentin, Amiens, Doullens, Montreuil, Rue, St-Valery, Le Crotoy, Crèvecœur-en-Cambrésis, Mortagne), avec faculté de rachat. **1464** Louis XI rachète ces 10 villes pour 400 000 écus. **1465** cédées sans conditions *(tr. de St-Maur)* à Charles le Téméraire. **1482** récupérées sur Maximilien d'Autriche *(2e tr. d'Arras).* **V. 1500** gouvernement militaire d'Amiens dont les Condé furent longtemps titulaires. Région frontière jusqu'en 1659 ; nombreuses invasions, notamment esp. (1577, 1595, 1636...). **1558** Henri II constitue le régiment de Picardie. **1597** création de la généralité d'Amiens avec 6 élections : Abbeville, Amiens, Doullens, Montdidier, Péronne, St-Quentin.

• **Ponthieu. Situation.** Région côtière de la Manche (embouchure de la Somme), de la Bresle à la Canche. Cap. Abbeville (dép. de la Somme). **Histoire.** *Pontivus pagus,* tirant son nom de Pont-Rémy où la route de Beauvais franchit la Somme. Comté héréditaire au Xe s., passe par mariage : en **1251** dans la famille royale de Castille et, en **1279,** dans celle d'Angleterre (dot d'Éléonore de Castille, épouse d'Édouard Ier). **1369** conquis par Charles V ; **1417** de nouveau aux Anglais. **1430** Jeanne d'Arc est gardée prisonnière au Crotoy. **1435** cédé au duc de Bourgogne, comte d'Artois, qui le récupère sur les Anglais. **1482** annexé par Louis XI *(2e tr. d'Arras).*

• **Vermandois. Situation.** Plateau (36 × 24 km). Alt. 80 m, aux sources : Escaut, Somme, Sambre ; rive droite de l'Oise. Dép. de l'Aisne, arr. de St-Quentin. **Histoire.** Cité celtique des *Veromandui* (Belges), cap. Vermand, à 11 km de St-Quentin. Comté carolingien, devenu héréditaire au XIe s. dans la famille d'Herbert, petits-fils du roi Bernard d'Italie. **1186** cédé à Philippe Auguste et incorporé au domaine de la Couronne (prévôté de St-Quentin, dépendant du grand bailliage de Laon). **1693** réuni à la généralité d'Amiens (chef-lieu d'élection).

• **Laonnois. Situation.** Région de collines au nord du bassin de l'Aisne. Dép. de l'Aisne. **Histoire.** Soustribu des Rémois, les *Alauduni,* dont le symbole était l'alouette, Laon est l'ancienne citadelle de Bibrax assiégée par les Suessions en **57 av. J.-C.** et délivrée par César, car les Rémois (Reims) étaient alliés des Romains. Sous les Mérovingiens, Laon devient évêché, résidence royale des souverains austrasiens (Louis IV y est sacré en *940*). **988** conquis par les Capétiens, il demeure dans le domaine royal, mais son évêque est un des grands feudataires du royaume avec le rang ducal.

• **Noyonnais. Situation.** Angle N.-E. du dép. de l'Oise, de part et d'autre de l'Oise. **Histoire.** *Noviomagus* (Noyon) est la cap. d'une sous-tribu des Veromandui. **VIe s.** résidence de l'év. de Vermand dont la cathédrale avait été détruite par les Francs. Palais royal sous les Carolingiens **768** Charlemagne y est sacré. **Ap. 987,** les évêques sont Ctes du Noyonnais (le châtelain royal représente dans la ville épiscopale le pouvoir capétien).

• **Soissonnais. Situation.** Bassin inférieur de l'Aisne, entre son confluent avec l'Oise (Compiègne) et les sources de la Vesle (pointe sud de l'Aisne). Plateaux calcaires et sablonneux (nummulitiques), faisant partie du Bassin parisien. **Histoire. Périodes : celtique :** la tribu gauloise des Suessions se compose de 3 cités : les *Suessions,* autour de la cap. *Noviodunum* qui deviendra Soissons ; les *Silvanectes,* autour de Senlis (v. ci-dessous) ; les *Meldi* en Brie (v. Ile-de-France). **Romaine :** Noviodunum, devenu *Augusta Suessionum,* est un centre routier important (bifurcation des routes Reims-Amiens et Reims-Thérouanne) ; fait partie de la Belgique seconde (cap. Reims). **Franque :** divisé en 4 *pagi :* Soissons, Valois (v. ci-dessous), Tardenois et Omois. Les Ctes de Soissons deviennent héréditaires au **Xe s. ;** le titre passe successivement aux familles de Bar, Nesles, Châtillon, Coucy, Luxembourg, St-Pol, puis, en **1487,** aux Bourbons-Vendôme, en **1530** aux Condé, en **1625** aux Savoie-Carignan.

• **Valois. Situation.** Région forestière et vallonnée, à cheval entre l'Oise et l'Aisne (une fraction en S.-et-M.). Capitale primitive *Vadum* (Vez) qui lui a donné son nom *(pagus Vadensis);* actuelle : Crépy-en-Valois. **Histoire.** Fraction de la cité des *Suessions,* avec 4 bourgades : Crépy, Villers-Cotterêts, La Ferté-Milon, Nanteuil-le-Haudouin. Donné en fief par les Ctes de Vermandois à une branche cadette. **1214** entre dans le domaine royal par donation de la Ctesse Éléonore. **1285** apanage du prince Charles, 2e fils de Philippe le Hardi. **1328** réintégré au domaine royal à l'avènement de Philippe VI « de Valois ». **1392** redevenu apanage. **1630** donné aux Orléans qui le conservent jusqu'à la Révolution.

• **Senlisis. Situation.** Région forestière (64 communes) au S.-O. du Valois (dép. de l'Oise) ; bassin des rivières Nonette et Aunette. **Histoire.** Territoire des Gaulois *Silvanectes* (Belges), sous-tribu des *Suessions* ou peut-être des *Bellovaques* (v. ci-dessous). Leur capitale, Senlis, s'est appelée *Augustomagus* sous les Antonins ; devenue évêché au IVe s. Après **406,** peuplé de Lètes. **987** partie du domaine royal. Les Capétiens y résident fréquemment et Philippe Auguste y crée un grand bailliage. A partir de **1576,** érigé plusieurs fois en apanage royal, notamment 1622 pour Gabrielle de Verneuil, légitimée de Henri IV et duchesse d'Épernon.

• **Beauvaisis. Situation.** Moitié ouest du dép. de l'Oise (rive droite de l'Oise) à plaine crétacée monotone, drainée par le Thérain. Cap. Beauvais. **Histoire.** Gaulois *Bellovaques,* les plus belliqueux de Belgique, avaient pour oppidum Bratuspantium (Gratepanche, Somme) ; leur chef Correus, vaincu et tué en 51 av. J.-C., a été un des principaux adversaires de César. **Période romaine :** capitale déplacée à Beauvais (Caesaromagus Bellovacorum), devenu évêché au IVe s. (Belgique Seconde, cap. Reims). **IXe-Xe s.** siège d'un comté, chargé de la lutte contre les Normands. **1015** titre comtal conféré à l'évêque, vassal des Capétiens ducs de France. **XIIIe s.** les coutumes, rédigées par Philippe de Beaumanoir, servent de modèle au droit coutumier français. **1452** intégré au gouv. de l'Ile-de-F.

• **Côte d'Opale.** De la Belgique à la Normandie (180 km de Bray-Dunes au Tréport ; régions : Nord et Picardie ; dép. : Nord, P.-de-Calais, Somme).

• **Comté de Clermont. Situation.** Centre du dép. de l'Oise : bassin de la Brèche (affl. de l'Oise). Arrt de Clermont. **Histoire.** Fief détaché du Beauvaisis sous Hugues Capet. **1218** vendu à Philippe Auguste par le dernier héritier, Raoul d'Ailly. **1223** érigé en pairie. **1269** donné en apanage à Robert, 6e fils de St Louis, tige de la maison royale de Bourbon. **1488** à la mort du dernier Cte de Clermont-Bourbon (Jean II), le Cté-pairie passe aux Bourbon-Montpensier. **1524** confisqué au connétable de Bourbon (condamné pour félonie). **1539** nouvelle rédaction des « Coutumes du Clermontois » approuvée par référendum. **1562** fief donné en dot à Catherine de Médicis. **1610** cédé à Charles de Bourbon, Cte de Soissons, et confisqué une 2e fois pour félonie (Soissons ayant pris le parti du duc de Savoie). **1702-15** vendu à la Pcesse d'Harcourt. **1719** acheté par les Condé, qui le gardent jusqu'à la Révolution.

Économie

Population. 1 807 900 h. [*1982 :* 1 740 321] dont étrangers (31-12-88) 77 928. D. 93,2 (90). *Active totale* (1-1-84) : 626 300 ; taux de chômage (mars 86) : 10,9 %. *Active salariée* (31-12-88) : 528 779 dont primaire 18 208, secondaire 202 645 (dont ind. 172 490, B.T.P. 30 155), tertiaire 307 926.

Échanges (en milliards de F, 1989). IMPORTATIONS : 46,5 dont (en %) autom. et autre matér. de transp. terr. 22,2, chim. de base 14,3, métaux et ½ prod. non ferreux 13,7, parachim. 5,5, équip. ind. 4,5, papier-carton 3,9, sid. 2,8, pneum. et autres prod. en caout. 2,6, text. 2,5 ; *de* (en %) All. féd. 33,7, U.E.B.L. 18,5, Italie 8, G.-B. 7,6, P.-Bas, 6,8, Europe hors C.E.E. 6,5, autres p. d'Asie 3,2, Amér. centr. et du S. 3,2, Amér. du N. 4. EXPORTATIONS : 43,8 dont (en %) chimie de base 11,9, parachim. 9,7, métaux et ½ prod. non ferreux 7,9, autom. et autre matér. de transp. terr. 7,7, alim. divers 7,2, équip. ind. 5,6, sid. 4,9, prod. agric. 4,5, matér. manutention, mines, sid. et génie civil 3,6, pneum. et autres prod. en caout. 3,4 ; *vers* (en %) All. féd. 18,2, U.E.B.L. 14,1, Italie 10,8, G.-B. 10,6, Europe hors C.E.E. 9,4, Amér. du N. 5,5, Espagne 5,2, reste Asie 2,8, Afr. du N. 2,5.

Agriculture. Terres (en milliers d'ha) 1 951,8 dont *S.A.U.* 1 378,1 [t. arab. 1 160,8 (dont céréales 688,9, bett. ind. 161,3, légumes 167, jardins 10,7, vignes 2,4, cult. fruit. 2,1, herbe 212,3] ; *bois* 288,9 ; *terr. agr. non cult.* 31,1 ; *étangs et autres eaux intér.* 17,3 ; *autre terr. non agr.* 204,5. **Prod. végétale** (milliers de t) : blé tendre 3 864, orge 1 033,5, bett. ind. 9 907, p. de t. 1 361,3 endives et chicons 156,3, petits pois (grain) 62,4, carottes 88,7, haricots verts (y compris beurre) 35. **Prod. animale** (en milliers de têtes, 1-1-89, estim.) : bovins 638, porcins 192,9, ovins 135,6. *Lait* (prod. finale, 1-1-90, estim.) : 9 394 973 hl.

Industrie. *Effectifs salariés* (31-12-87) : 172 843 dont agro-alim. 24 738, biens intermédiaires 60 782, biens d'équip. 43 774, biens de consom. 39 655.

Tourisme (1-1-89). Nombre et, entre parenthèses, nombre de places : hôtels homologués 255 (5 569), campings (au 1-1-90) 224 (17 998), gîtes ruraux 281 (561 ch.), auberges rurales et logis de France 46 (741), gîtes d'étape 25, villages de vac. (1-1-90) 3 (469), chambres d'hôtes 202, auberges de jeunesse 7 (387), gîtes d'enfants 28, maisons familiales de vac. 2 (90).

Départements

Voir légende p. 748.

• **Aisne** (02) 7 369 km² (140 × 85 km). *Alt.* max. bois de Watigny 284 m, min. 37 m (sortie de l'Oise). 537 222 h. [*1801 :* 425 326 ; *1851 :* 558 334 ; *1866 :* 564 370 ; *1901 :* 535 114 ; *1936 :* 484 329 ; *1975 :* 533 862 ; *1982 :* 533 970]. D. 73. *Pop. active salariée* (31-12-87, estim.) 154 758 dont primaire 7 487, secondaire 57 412 (dont industrie y compris énergie 49 641, bât., génie civ. et agric. 7 731), tertiaire 89 859.

Villes. LAON, alt. 180 m, 4 423 ha, 26 490 h. [*1851 :* 10 098 ; *1931 :* 19 125] (ag. 27 431) ; constr. élec., métall., bonneterie ; cath. gothique ; anc. cap. de la France du VIIIe au Xe s., cité royale des derniers Carolingiens ; abbayes, couvents. – *Bohain-en-Vermandois* 6 955 h. *Charly* 2 475 h. (ag. 4 731). *Château-Thierry* * 15 312 h. [*1851 :* 5 269 ; *1931 :* 8 154] [ag. 22 696, dont *Essomes-sur-Marne* 2 479] ; ind. métall., méc., champagne, instr. de mus., biscuits ; B.T.P. ; maison de Jean de la Fontaine. *Chauny* 12 926 h. (ag. 20 078, dont *Sinceny* 2 078] ; métall., fonderie, méc., chimie, plastique, textile, habillement, verrerie, B.T.P. *Coucy-le-Château-Auffrique* 1 058 h. *Étreux* 1 754 h. (ag. 3 294, dont *Boué* 1 369). *Fère-en-Tardenois* 3 168 h. ; métall. ; château féodal, église XVIe s. *Fresnoy-le-Grand* 3 581 h. ; complexes textiles, métall., fonderie. *Guise* 5 976 h. ; fonderies, meubles, métall., ind. méc., textile, habillement, carton, constr. élec., B.T.P. ; château féodal (donjon du XIe s.). *Hirson* 10 173 h. (ag. 12 205) ; métall., textiles, ind. alim., B.T.P. *La Capelle* 2 149 h. ; brosserie, text. ; foire int. aux fromages en sept. *La Ferté-Milon* 2 208 h. ; menuiserie, fabr. jouets en polyester, confect. ; château XVe s. *Le Nouvion-en-Thiérache* 2 905 h. ; laiterie. *Liesse-Notre-Dame* 1 411 h. *Marle* 2 669 h. *Montcornet* 1 755 h. (ag. 2 569). *Montescourt-Lizerolles* 1 460 h. (ag. 2 679). *Origny-Ste-Benoîte* 1 822 h. (ag. 3 600) ; sucrerie, cimenterie. *Pinon* 1 773 h. (ag. 3 867) ; métallurgie. *St-Gobain* 2 321 h. ; verrerie. *St-Michel* 3 783 h. ; domaine abbatial. *St-Quentin* * 60 641 h. [*1851 :* 24 953 ; *1931 :* 49 448 ; *1964 :* 62 000] [ag. 71 887, dont *Gauchy* 5 736] ; textiles, constr. méc. et élec., sid., ind. chim., confection, bois, ind. alim., métall., B.T.P. ; enseignement sup. scient. ; collégiale (XIIe-XIIIe s.), hôtel de v. flamand (XIVe-XVIe s.) ; musée Antoine-Lécuyer (pastels de M. q. de La Tour), m. d'Entomologie. *Sissonne* 2 315 h. ; camp militaire. *Soissons* * 29 829 h. [*1851 :* 9 477 ; *1931 :* 18 705] [ag. 47 305, dont *Belleu* 4 083. *Courmelles* 1 915. *Crouy* 2 819. *Villeneuve-St-Germain* 2 580] ; constr. méc., caout., marché agr., verre, cartons, ind. alim., bois ; cath. gothique, abbayes St-Léger, St-Jean-des-Vignes et St-Médard. *Tergnier* 11 668 h. [ag. 25 056, dont *Beautor* 3 114 ; *La Fère* 2 930 ; *Quessy* 3 212]. *Vénizel* 1 522 h. (ag. 2 799) ; sidérurgie, gare de triage. *Vervins* * 2 663 h. (ag. 3 543) ; biscottes, pain grillé ; parfumerie ; musée de la Thiérache, château Neuf. *Vic-sur-Aisne* 1 775 h. *Villeneuve-sur-Fère* 239 h. ; musée (maison natale de Paul Claudel). *Villers-Cotterêts* 8 867 h. ; autom. ; maison natale d'Alexandre Dumas.

Régions agricoles (en ha). *St-Quentinois et Laonnois* 235 300 : céréales, bett. sucrières. *Soissonnais* 171 500 : cér., bett. sucrières. *Thiérache* 123 500 : prod. laitière. *Tardenois* et *Brie* 109 100 : élevage, vignes. *Champagne crayeuse* 54 500 : cér., élevage. *Valois* 43 100 : cér. **Forêts domaniales** (en ha) de Retz 13 300, St-Gobain 6 000, St-Michel 2 900, Coucy-Basse 2 300, Andigny 1 400, Samoussy 1 300, Vauclair 1 000.

Divers. 1er dép. prod. de bett. sucrières. 1er pour les peupliers. 2e pour les voies navigables (310 km), 478 monuments classés. *Commune enclavée* du Catelet dans celle de Gouy. Chemin des Dames. *Églises :* fortifiées (Thiérache), romanes et gothiques (Laonnois). *Parc nautique* de l'Ailette.

• **Oise** (60) 5 860 km² (120 × 50 à 70 km). *Alt.* max. 235 m (dans le Thelle), min. 20 m (sortie de l'Oise). 725 575 h. [*1801 :* 350 854 ; *1851 :* 403 857 ; *1901 :* 407 808 ; *1921 :* 387 760 ; *1936 :* 402 669 ; *1946 :* 396 724 ; *1982 :* 661 781]. D. 124. *Pop. active salariée* (31-12-87, estim.) 210 554 dont primaire 5 926, secondaire 86 041 (dont ind. y compris énergie 72 403, bât., génie civ. et agric. 13 638), tertiaire 118 587.

Villes. BEAUVAIS, alt. 60 m, 3 247 ha, 54 190 h. [*1699 :* 2 460 ; *1790 :* 3 241 ; *1831 :* 12 867 ; *1936 :* 27 127 ; *1962 :* 34 055] (ag. 55 817) ; manuf. de tapis, ind. chim., méc., tracteurs, brosserie, ind. alim. ; enseignement sup. agr. et élec. ; cath. au chœur gothique le plus haut du monde (1225-1324), horloge monumentale (XIXe) ; m. de la Tapisserie. – *Bethisy-Saint-Pierre* 3 140 h. (ag. 3 880). *Bornel* 2 988 h. (ag. 3 074). *Bresles* 3 653 h. *Breteuil* 3 879 h. ; m. archéol. *Chambly* 7 140 h. *Chantilly* 11 341 h. [*1906 :* 5 083 ; *1954 :* 7 065] [ag. 28 128, dont *Gouvieux* 9 756. *Lamorlaye* 7 709 ; château (m. Condé), hippodrome et élevage du cheval]. *Cires-lès-Mello* 3 458 h. *Clermont* * 8 934 h. (ag. 17 447) ; ind. alim. et chim. ; hôtel de ville. *Compiègne* * 41 896 h. [*1936 :* 18 885 ; *1962 :* 24 427] [ag. 62 778, dont *Margny-lès-Compiègne* 5 625. *Thourotte* 5 256] ; ind. méc. et chim., verre, caout. ; univ. de technologie ; clairière de l'Armistice (à Rethondes), château (1750-70, Gabriel, néoclassique), m. de la Figurine hist., m. Vivenel. *Coye-la-Forêt* 3 199 h. *Creil* 31 951 h. [*1962 :* 19 235] [ag. 82 505, dont *Montataire* 12 353 ; sid.,

m. Gallé-Juillet. *Nogent-sur-Oise* 19 537 (*1962 :* 8 808). *Verneuil-en-Halatte* 3 614. *Villers-St-Paul* 5 384 ; ind. chim.] ; sid., ind. métall., méc., chim. *Crépy-en-Valois* 13 222 h. ; méc. ; m. de l'Archerie. *Estrées-St-Denis* 3 497 h. *Grandvilliers* 2 761 h. (ag. 3 301). *Hermes* 1 964 h. (ag. 3 538). *Lacroix-St-Ouen* 3 754 h. *Le Plessis-Belleville* 2 580 h. (ag. 3 435). *Liancourt* 6 298 h. (ag. 10 638). *Maignelay-Montigny* 2 273 h. *Méru* 11 928 h. ; mat. plastiques, méc. *Mouy* 5 034 h. (ag. 8 493) ; pièces auto. *Noyon* 14 426 h. [*1936 :* 6 335 ; *1962 :* 9 317] (ag. 15 660) ; métall., méc. ; cath. gothique, musées du Noyonnais, Calvin. *Orry-la-Ville* 3 159 h. (ag. 4 362). *Plailly* 1 636 h. ; parc Astérix. *Pont-Ste-Maxence* 10 934 h. (ag. 12 718) ; céramique. *Précy-sur-Oise* 3 137 h. (ag. 3 583). *Ribécourt-Dreslincourt* 3 706 h. (ag. 5 339). *St-Just-en-Chaussée* 4 928 h. *St-Leu-d'Esserent* 4 288 h. (ag. 6 316). *Senlis* * 14 432 h. [*1936 :* 7 549 ; *1962 :* 9 371] ; ind. méc. ; cathédrale gothique, musée de la Vénerie, du Haubergier ; fondation Cziffra. *Trosly-Breuil* 2 034 h. [ag. 5 313, dont *Cuise-la-Motte* 2 381].

Régions naturelles (en ha). *Plateau picard* 198 900 : bett. sucrières, cér. *Noyonnais* 72 200 : culture, élevage. *Valois* et *Multien* 112 300 : cér. *Vexin français* 29 400 : cér. *Clermontois* 47 300 : cér. *Pays de Thelle* 47 900 : élevage, cér. *Pays de Bray* 41 500 : prod. laitière. *Soissonnais* 36 400 : cér., bett. sucrières. **Forêts domaniales** (en ha) de Compiègne 14 400, Halatte 4 200, Laigue 3 800, Ermenonville 3 200, Hez-Froidmont 2 700, Ourscamp-Carlepont 1 500, f. com. de Chantilly 6 200.

Divers. 3e dép. pour les voies navigables.

Tourisme. *Châteaux :* Chantilly, Compiègne, Pierrefonds (XIVe s.) ; Champlieu à Ourrouy. *Cathédrales gothiques :* Beauvais, Noyon, Senlis. *Village :* Gerberoy. *Champ de courses :* Chantilly. *Parc Astérix.*

• **Somme** (80) 6 170 km² (116 × 74 km). *Côtes* 60 km. *Alt.* max. 212 m à Arguel et Gauville. 547 825 h. [*1801 :* 458 153 ; *1851 :* 569 341 ; *1861 :* 571 346 ; *1911 :* 518 961 ; *1921:* 451 887 ; *1936 :* 466 750 ; *1946 :* 440 717 ; *1975 :* 538 462 ; *1982 :* 544 570]. D. 88. *Pop. rurale* (82, en %) : 41. *Active salariée* (31-12-87, estim.) 159 223 dont primaire 4 960, secondaire 58 999 (dont ind. y compris énergie 50 759, bât., génie civ. et agric. 8 240), tertiaire 95 264.

Villes. AMIENS, alt. 27 à 102 m, sup. 50,1 km², 131 872 h. [*1851 :* 52 149 ; *1901 :* 90 758 ; *1936 :* 106 177 ; *1946 :* 94 988 ; *1962 :* 105 433 ; *1968 :* 177 888 ; *1976 :* 131 476] [ag. 154 498, dont *Camon* 3 920. *Longueau* 4 940. *Rivery* 3 366. *Salouël* 3 679] ; ind. text. (soie, velours des ét. Cosserat), métall., chim., alim. (Yoplait), pneum., constr. méc. et élec., équip. mén. ; cath. gothique, égl. St-Leu et St-Germain, St-Acheul (1752), le Logis du Roy (XVe s.) et maison du Sagittaire (XVIe s.), quartier St-Leu ; site des hortillonnages et promenade de la Hotoie ; univ., musée de Picardie (XIXe s.) ; zoo, tour Perret, hôpital. Détruite à 50 % en 1940, reconstruite par P. Dufau et A. Perret ; lieu du partage du manteau de St Martin. – *Abbeville* * 23 787 h. [*1911 :* 20 373 ; *1946 :* 16 780 ; *1975 :* 25 398] (ag. 26 405) ; ind. sucrière, text., métall. ; « folie » de Bagatelle, beffroi, égl. St-Vulfran XVIe s. ; musée Boucher-de-Perthes. *Ailly-sur-Noye* 2 647 h. *Ailly-sur-Somme* 3 505 h. (ag. 5 816) ; jute. *Airaines* 2 175 h. ; ind. laitière ; prieuré, égl. N.-Dame (XIIe s.), château (XIIe s.). *Albert* 10 010 h. ; ind. laitière, mach.-outils, constr. méc. et aéron., vérins et élévateurs ; basilique N.-D.-de-Brebières. *Beauchamps* 1 011 h. ; ind. sucrière. *Beauval* 2 286 h. *Béthencourt-sur-Mer* 1 024 h. (ag. 2 794). *Boves* 2 964 h. *Cayeux-sur-Mer* 2 856 h. *Corbie* 6 152 h. (ag. 7 834) ; abb. St-Pierre fondée au VIIe s., lieu natal de Ste Colette. *Crécy-en-Ponthieu* 1 491 h. ; bataille célèbre en 1346. *Dompierre-sur-Authie* 436 h. ; ind. sucrière. *Doullens* (sous-préf. jusqu'en 1926) 6 615 h. ; text., carton, chim. ; citadelle, beffroi, hôtel de v. *Estrées-Mons* 596 h. ; conserverie (Bonduelle). *Flixecourt* 2 931 h. (ag. 3 788) ; jute. *Fressenneville* 2 422 h. [ag. 4 986, dont *Feuquières-en-Vimeux* 2 428] ; app. chauff. *Friville-Escarbotin* 4 737 h. (ag. 7 184). *Gamaches* 3 099 h. (ag. 3 941). *Hallencourt* 1 374 h. *Ham* 5 532 h. [ag. 9 034, dont *Eppeville* 2 127 ; ind. sucrière] ; métall., sucrerie, robinetterie, chimie, mat. plastique. *Hornoy-le-Bourg* 1 448 h. *Longpré-les-Corps-Saints* 1 519 h. (ag. 2 419). *Mers-les-Bains* 3 540 h. ; verrerie. *Montdidier* * 6 262 h. ; maroquinerie, élec. ; égl. St-Pierre, lieu natal de Parmentier. *Moreuil* 4 156 h. (ag. 4 54). *Nesle* 2 642 h. ; chimie. *Péronne* * 8 497 h. (ag. 10 988) ; text., métall., ind. alim. ; château (XIIIe s.). *Rosières-en-Santerre* 3 107 h. (ag. 3 400). *Roye* 6 333 h. ; sucreries, cons. métall., cartonnerie, text. *Rue* 2 942 h. ; chap. du St-Esprit, beffroi. *St-Léger-lès-Domart* 1 716 h. [ag. 6 388, dont *St-Ouen* 2 186]. *St-Valery-sur-Somme* 2 769 h. ; port de pêche, chaudr. ind., imprimerie, méc. ; remparts (XIIe s.), portes (XIVe s.). *Vignacourt* 2 294 h. *Villers-Bretonneux* 3 686 h. *Villers-Faucon* 662 h. ; ind. sucrière.

Régions naturelles. *Santerre* 150 000 ha : limons fertiles (pouvant atteindre 6 à 8 m d'épaisseur), bett. à sucre, pommes de t., blé, petits pois, bonneterie. *Vermandois :* plus vallonné, limons (moins épais), bett. à sucre, blé. *Amiénois* (centre du dép.) : plateau, nombreuses vallées sèches. *Vimeu* 78 000 ha : serrurerie, robinetterie, fonderie. *Ponthieu* 95 000 ha : au N. du Vimeu. *Marquenterre et Bas-Champs* 16 000 ha : protégés par digues et dunes de la baie de Somme. **Forêt domaniale :** Crécy 4 300 ha.

Tourisme. *Abbayes* Valloires (XVIIIe s.), du Gard (St-Pierre-à-Gouy), St-Riquier (détruite, reconstruite aux XIIIe et XVIe s.). *Châteaux :* Rambures, Bagatelle (à Abbeville), Long et Bertangles. *Littoral picard :* Le Hable d'Ault, pointe de Hourdel, Marquenterre (parc ornithologique 2 300 ha, Aqualand), baies d'Authie et de la Somme. *Plages :* galets à Cayeux, sable à Fort-Mahon ; falaises à Ault et Mers. *Grottes :* Naours. *Parc archéologique et botanique :* Samara à La Chaussée-Tirancourt.

Poitou-Charentes

Généralités

Angoumois

Situation. Au N. et au S. d'Angoulême et de Cognac. *Angoumois du N. :* élevage (prod. laitiers, beurre) ; *du S. :* plus pauvre, sols maigres ; boisements clairs et pâturages à moutons.

Histoire. Fin IVe s. création d'Angoulême (raisons militaires), soumise aux Wisigoths au Ve s., occupée par Clovis après 507 et érigée en pays *(Pagus Engolismensium)*, détachée de la cité des Santons. **541** 1re mention d'un évêque d'Angoulême, Aptome. **839** 1re mention d'un Cte d'A., Turpion, nommé par Louis le Pieux. **866** Walgrin *(Bougrin)*, nommé Cte par Charles le Chauve, devient tige des Ctes héréditaires, les Taillefer (surnom de Guillaume Ier, adversaire des Normands, 916-62). Dans la mouvance des Ctes de Poitiers, ducs d'Aquitaine, à l'époque capétienne. Expansion sous les Ctes *Guillaume III Taillefer* (988-1028) et *Guillaume VI* (1087-1120), puis indépendance menacée par les Plantagenêts (quelques annexions). **1220** passe à la famille de Lusignan jusqu'en 1302. **1308** isolé entre les domaines capétien et angevin, le Cté est démembré, puis incorporé par Philippe le Bel au royaume de Fr. (mai-juin 1308). **1360** cédé à l'Angl. *(tr. de Brétigny)*. **1373** *reconquis* par Charles V, concédé à une branche cadette des Valois-Orléans. **1515** *réuni définitivement à la Couronne,* érigé en duché-pairie d'Angoulême en faveur de Louise de Savoie, mère de François Ier. Rattaché à la généralité de Bordeaux, puis de Limoges (1558).

Aunis

Situation. Entre Poitou et Saintonge. Plaine sur plate-forme calcaire dont les abrupts dominent le Marais poitevin au N., le Marais charentais au S. Musoir (extrémité d'une digue ou d'une jetée) de La Pallice. Falaises entre le *Pertuis breton* (détroit entre Ré et la côte) et le *Pertuis d'Antioche* (entre Ré et Oléron). Cultures et prairies (élevage laitier). Pêche et stations balnéaires sur la côte.

Histoire. Un des deux anciens « pagi » de la cité de Saintes (son nom vient de Châtelaillon, longtemps son principal centre : *Castrum Alionis,* devenu *Pagus Alienensis*). Partie de l'Aquitaine romaine, puis de l'Aquit. Seconde au Bas-Empire. **Ve s.** aux Wisigoths. **507** incorporé au Regnum Francorum. **Xe s.** séparé de la Saintonge dépendant du Poitou jusqu'en 1360 (un sénéchal distinct de celui du Poitou apparaît). **XIe et XIIe s.,** rôle principal joué par les sires de Châtelaillon. **1144** possession de la maison de Mauléon. **1205** obtient la charge de sénéchal du Poitou. **1224** revenu à l'allégeance des rois de Fr., reste un temps aux Lusignan. **1242** récupéré par Alphonse de Poitiers. **1271** réuni au domaine royal à sa mort. **1360** cédé aux Anglais *(tr. de Brétigny) ;* sénéchal de La Rochelle, propre à l'Aunis. **1373** Du Guesclin entre à La Rochelle, Charles V reprend le territoire, le gouvernement de La Rochelle va former la province d'Aunis. Sur le plan judiciaire, dépend du parlement de Paris (sauf sous Louis XI, dépend quelque temps de Bordeaux). **1551-52** établissement d'un présidial, révolte de La Rochelle contre François Ier lors de l'extension des gabelles. Ravagé par guerres de Religion. La R., place de sûreté (édit de Nantes 1598), fait figure de capitale des protestants. **1620** reprise des luttes à la suite de l'assemblée gén. des prot. à La R. après le rétablissement en Navarre du culte cath. **1627-28** siège et prise de La R. par Richelieu. La R. devient le siège d'une généralité englobant Aunis et Saintonge.

Poitou

Situation. Sur Vienne ; Deux-Sèvres ; quelques communes rattachées à la Hte-Vienne, Charente et Charente-Marit. La Vendée, partie O. de l'ancien Bas-Poitou, fait partie des pays de Loire. Comprend : *Seuil du Poitou :* plaine secondaire reliant Bassin parisien et Aquitaine, et séparant Massif armoricain du Massif central. Céréales entre vignobles de Touraine et des pays charentais. *Brandes* sur quelques revêtements tertiaires : élevage. *Vallées de la Vienne et du Clain :* humides et verdoyantes.

Histoire. Tire son nom d'un peuple gaulois, les *Pictons,* sans doute marins et commerçants, car il y a des Pictes dans les îles Britanniques. Leur chef Duratius, soumis aux Romains dès 56 av. J.-C., leur reste fidèle pendant l'insurrection de *52,* malgré l'attitude hostile de son peuple. **IIIe s.** apparition du christianisme. Affermi par St Hilaire († v. *367*), évêque de Poitiers, et par St Martin, fondateur de Ligugé. **Ve s.** cité des Pictons occupée par les Wisigoths. **507** possession des Francs après Vouillé. Partagé entre successeurs de Clovis, retrouve son unité dans le 1er duché d'Aquitaine (fin IIIe s.-*768*). **Sous les Carolingiens,** administré par Cte de Poitiers, qui profite des incursions normandes pour en devenir le seigneur. *Rannoux Ier (839-66)* fonde une dynastie consolidée au Xe s. *Rannoux II († 890)* est le 1er de la lignée à se dire duc d'Aquitaine (v. Aquitaine). **989** trêve de Dieu instituée à *Charroux.* **Xe-XIe s.** les Ctes de Poitiers, rivaux des Ctes d'Auvergne et de Toulouse, s'efforcent de faire reconnaître leur suzeraineté jusqu'aux Pyrénées ; mais ils ne peuvent empêcher les empiètements des Ctes d'Anjou, ni se faire obéir des dynasties féodales qui se forment dans le comté (vicomtés de Thouars, de Châtellerault ; seigneuries de Parthenay, de Talmont, de Mauléon). **1152** mariage d'Éléonore d'Aqu., héritière de Guillaume X, avec Henri II Plantagenêt (après avoir été répudiée par le roi de Fr.) ; le Poitou sous influence anglaise. Maîtresse en droit du comté, Éléonore, brouillée avec son mari, s'établit à Poitiers et le gouverne au nom de son fils Richard *(1169-73),* puis en son nom jusqu'à sa mort *(1204)* et le transmet à Jean sans Terre. Conquis par Philippe Auguste. **1224** Louis VIII l'annexe. **1225** le donne en apanage à son 5e fils, Alphonse (1220-71). **1241** révolte de la noblesse locale, menée par les Lusignan, avec l'appui de Henri III d'Angl. qui, battu par Louis IX à *Taillebourg (1242),* renonce au P. en 1259. **1271** mort d'Alphonse de Poitiers ; réuni au domaine royal, forme la sénéchaussée de Poitiers. **1311-16** aliéné en faveur du futur Philippe V le Long. **1316** retourne à la Couronne. **1357** ravagé au début de la g. de Cent Ans, en apanage à Jean, 3e fils de Jean le Bon. **1360** *tr. de Brétigny,* cédé à l'Angl. **1369-73** restitué en apanage à Jean, duc de Berry (v. *1370-73 à 1416*). **1417** le futur Charles VII devient dauphin et Cte de P. **1422** installe capitale et parlement à P. jusqu'à la libération de Paris (1436). **1542** intendance, siège à Poitiers. Les limites de la généralité ne coïncident plus avec celles du Poitou traditionnel. **1773** on tente de fixer des Acadiens rapatriés du Canada en Poitou. Le marquis de Pérusse des Cars leur offre des terres à défricher dans les Brandes : l'expérience échoue ; il en reste des maisons, dites acadiennes (communes d'Archigny, La Puye, St-Pierre-de-Maillé).

Saintonge

Situation. S'étend essentiellement sur la Charente-Maritime (les 2/3 sud). **Au N. :** bas plateaux calcaires, arides et boisés. **Plus au S. :** prairies artificielles (marnes). Sur la *rive gauche de l'embouchure de la Charente,* anciens marécages couverts d'herbages sur le littoral ; ostréiculture (Marennes). *Vallée de la Charente* bordée de coteaux calcaires : prairies d'élevage (lait et beurre). **Au S. de la rivière :** coteaux recouverts de terres de « champagne » (blé et vigne : cognac) ; sur les « chausses », à genévriers (terrains secs), pâturages à moutons. **Au S.** (*Double saintongeaise) :* pins, landes et marécages sur sol sableux.

Histoire. Pays des *Santons,* dont Saintes *(Mediolanum Santonum)* était la capitale. Cité de l'Aquitaine Seconde (cap. Bordeaux). Pillée par Alains et Vandales. **419** occupée par Wisigoths. **507** par Clovis. Partie du duché d'Aqu., morcelée en nombreux fiefs. **1152** possession anglaise (mariage d'Aliénor d'Aqu.). **1204-10** rive droite de la Charente reconquise sur Jean sans Terre. **1258** partie du « duché de Guyenne », laissé à Henri III d'Angl. par St Louis. **1371** reconquise par Du Guesclin. **1375** réunie à la Couronne par Charles V.

Économie

Population. 1 595 871 h. (1990) [*1982 :* 1 568 230]. D. 62 (88). *Pop. active ayant un emploi* (y compris T.U.C.) (1-1-89) : 581 535 dont primaire 77 987, secondaire 160 993 (dont ind. 115 947, B.T.P. 45 046), tertiaire 342 555 ; *salariée :* 450 391. *Chômage* (1987) : 14,5 %.

Échanges (en milliards de F, 1988). IMPORTATIONS : 10,5 dont (en %) chim. et ½ prod. divers 24,5, biens de consom. 17,5, b. d'équip. 16,3, prod. énerg. 12, ind. agro-alim. 10, métaux 7,6, prod. agric. 6,4, autom. et autres matér. de transp. terr. 3,1, divers 2,6. EXPORTATIONS : 21,8 dont (en %) ind. agro-alim. 43, prod. agric. 20,5, chim. et ½ prod. divers 11,9, biens d'équip. 10,2, b. de consomm. 7,4, autom. et autre mat. de transp. terr. 5, divers 2.

Agriculture. Terres (en milliers d'ha, 1-1-90, estim.). 2 594,6 dont *S.A.U.* 1 813,2 [t. arab. 1 344,9 (dont céréales 675, oléagineux 223,9, fourrages annuels 120,5, prairies temp. 241, herbe 371,8, vignes 93,2 ; *étangs et autres eaux intérieures* 20,3 ; *bois* 440,1 ; *peupleraies* 15,8 ; *t. agr. non cult.* 66,2 ; *t. non agr.* 238,9. **Production végétale** (en milliers de t) : céréales 3 923,8, dont blé tendre 1 848,2, maïs-grain 1 319,9, orge 602,6, avoine 58,2 ; oléagineux 493,9 dont tournesol 423,2, colza 69,4, tabac 1,9, fourr. annuels 2 472,1. *Vins* (1988, en milliers d'hl) : 7 539 dont vins aptes pour le cognac 7 067. Prod. de cognac (1987-88) 465 985 hl, de pineau des Charentes 58 462 hl. **Prod. animale** (en milliers de têtes, au 31-12-88) : bovins 903 (dont vaches lait. 178, nourrices 191), ovins 1 464 (dont brebis mères 927), porcins 321, caprins 349 (dont chèvres 251), équins 11, lapines mères 201, poules et poulets 6 906. *Lait* livré à l'ind. en 1988 (en milliers d'hl) : vache 7 419, chèvre 1 400. *Viande* (en milliers de t, 1988) : bovins 93,3 (dont jeunes bovins 32,4, veaux 13,4), volailles 71,3, porcins 41, ovins 24,4, lapins 11,6, caprins 2,6, équins 0,4. *Œufs* (de consomm.) : 448 530 000.

Pêche (en t, 1985). 67 779 dont huîtres et moules 55 581, poissons, crustacés et céphalopodes 12 198.

Industrie. *Salariés* (au 1-1-1989) : 108 676 dont ind. agro-alim. 18 671, ind. du bois et ameubl., ind. diverses 12 395, constr. électr. et électron. 11 237, constr. méc. 8 535, constr. d'autom. et mat. transp. 7 774, text., habill. 7 381, fonderie et trav. des métaux 7 059.

Tourisme (en 1988). Résidences secondaires 364 195 pl. Hôtels 1 222 (30 632 pl.), dont h. de préfecture 695 (9 696 pl.). Campings-caravanages 459 (153 165 pl.). Meublés touristiques et chambres d'hôtes 67 876 pl., colonies de vac. 18 845 pl., villages de vac. 13 877 pl., campings à la ferme et aires nat. de camping 8 853 pl., gîtes ruraux 7 222 pl., maisons familiales 1 206 pl., auberges de jeunesse 1 866 pl. *Thermalisme* (1988) : 17 424 curistes.

Départements

Voir légende p. 748.

• **Charente** (16) 5 956 km^2 (119 × 85 km). *Alt.* max. 345 m (« L'Arbre, Montrollet »), min. 8 m (à Merpins, sortie de la Charente). 342 268 h. (1990) [*1801 :* 299 020 ; *1851 :* 382 912 ; *1911 :* 347 061 ; *1921 :* 316 279 ; *1936 :* 309 279 ; *1975 :* 337 064 ; *1982 :* 340 770]. D. 57 (90). *Pop. active ayant un emploi* (1-1-1991) : 134 332 dont primaire 17 784, secondaire 46 920 (dont B.T.P. 9 730), tertiaire 69 628 ; *salariée :* 114 992.

Villes. ANGOULÊME, alt. 100 m, sup. (73) 2 144 ha, 42 875 h. [*1801 :* 14 600 ; *1881 :* 32 567 ; *1921 :* 34 895 ; *1962 :* 48 190] ; [ag. 101 107, dont *Champniers* 4 358. *Fléac* 2 704. *La Couronne* 6 295 ; fabr. d'enveloppes. *Le Gond-Pontouvre* 6 019. *L'Isle-d'Espagnac* 4 795. *Magnac-sur-Touvre* 2 843. *Ruelle* 7 203 (*1876 :* 2 039 ; *1962 :* 5 855). *Soyaux* 10 353 (*1876 :* 793 ; *1962 :* 6 588). *St-Michel* 3 125. *St-Yriex-sur-Charente* 6 436] ; papeteries, constr. élec., électron. et méc. (moteurs, piles et accumulateurs), matériaux de constr., parachimie, chimie, équip. ind., papier, carton, feutre, bijoux, chaussures, constr. et armes navales ; cath. St-Pierre, h. de ville, maison St-Simon, remparts ; Salon de la bande dessinée dep. 1974, festival jazz, circuit des remparts (voitures de course anciennes). – *Barbezieux-St-Hilaire* 4 774 h. ; papier emballage, vêtements de scène. *Châteauneuf-sur-Charente* 3 522 h. *Cognac* * 19 534 h. [*1876 :* 14 900 ; *1962 :* 20 798] [ag. 27 474, dont *Châteaubernard* 3 769] ; cognac, verrerie, cartonnerie, tonnellerie, imprim., matér. élec., autom. ; château François Ier, musée ; festival du film policier. *Confolens* * 2 904 h. [*1876 :* 2 827 ; *1962 :* 2 736 ; *1975 :* 2 865 ; *1982 :* 3 009] ; marché, tuiles, briques, ind. élec. ; festival de folklore en août ; château. *Jarnac* 4 786 h. *La Rochefoucauld* 3 448 h. ; feutres pour draperies, text., chaussures, plast. pour articles chaussants ; château. *Roumazières-Loubert* 3 002 h. ; briqueteries. *Ruffec* 3 893 h. ; robinetterie ; égl. St-André.

Régions naturelles. *Confolentais* ou *« Charente limousine »* au N.-E. : 151 148 ha, terrain granitique (élevage bovin, prod. viande et lait). *Angoumois-Ruffécois* au N. et au C. : 164 624 ha, plateau calcaire, région du Karst (terres de groie : sol argileux et fertile né de la décomposition du calcaire) (élevage, prod. lait., céréales : blé, maïs, tournesol ; vignobles). *Cognaçais* à l'O. : 148 651 ha. *Montmorélien* au S. (se rattachait au Périgord) : 131 270 ha, vallonné (« terres de landes » et « t. à châtaigniers », polyculture, élevage laitier). **Bois** (en milliers d'ha, 1-1-90, estim.) 129,5, (1981) 145,6 dont forêts domaniales 5,6 (La Braconne 4, La Rochebaucourt 1,1, Bois-Blanc 0,7, La Mothe et Le Clédou 0,9), f. communales 1.

Divers. *Aubeterre-sur-Dronne* 388 h. : grande église monolithe. *Chassenon* 964 h. : ruines gallo-romaines. *Sers :* gisements préhistoriques, La Quina (déc. 1872). *Églises romanes :* Bassac, Montmoreau, Lichères, Plassac, Ste-Colombe, Puypéroux, Callefrouin, Lesterps, Bourg-Charente, Mouthiers-sur-Boëme, Châtres, Châteauneuf, Courcôme, St-Michel-d'Entraigues, Chalais, Condéon, La Couronne...

• **Charente-Maritime** (17) 6 848 km^2 (170 × 80 km). *Côtes* 463 km dont les îles 230 km. *Alt.* max. 167 m. 527 142 h. (1990) [*1801 :* 399 162 ; *1851 :* 469 992 ; *1861 :* 481 060 ; *1911 :* 451 044 ; *1931 :* 415 249 ; *1936 :* 419 021 ; *1946 :* 416 187 ; *1968 :* 483 622 ; *1975 :* 497 859 ; *1982 :* 513 220]. D. 77 (90). *Pop. active ayant un emploi* (1-1-89) : 176 109 dont primaire 24 205, secondaire 40 306 (dont B.T.P. 15 698), tertiaire 111 598 ; *salariée :* 133 088.

Villes. LA ROCHELLE, alt. 9,9 à 23 m (au 1-1-76 après modifications territoriales), sup. 2 927 ha, 71 094 h. [*fin XVIe s.* env. 20 000 ; *1628 :* 5 400 ; *1810 :* 14 000 ; *1872 :* 20 637 ; *1921 :* 39 770 ; *1962 :* 66 590 ; *1968 :* 73 347 ; *1975 :* 75 367] [ag. 100 264, dont *Aytre* 7 786. *Châtelaillon-Plage* 4 993. *Lagord* 5 287. *Périgny* 4 129. *Puilboreau* 4 067] ; port de commerce, pêche, plaisance, constr. méc., élec., matér. ferroviaire (Alsthom-Atlantique), autom. (Peugeot), équip. aéron., chimie ; tour des Quatre-Sergents, tours du Vieux Port, Grosse Horloge, maisons à arcades, hôtel de ville (1544-1607) ; fest. de mus. contemp., musée du Nouveau Monde, de la Voile et de la Régate, aquarium géant, palais des Congrès. – *Aigrefeuille-d'Aunis* 2 944 h. *Clérac* 961 h. ; matér. de constr. *Fouras* 3 238 h. *Jonzac* * 3 998 h. (ag. 5 164) ; vins mousseux, eaux-de-vie ; thermalisme. *La Tremblade* 4 623 h. [ag. 8 770, dont *Arvert* 2 734]. *Le Château-d'Oléron* 3 544 h. *Loulay* 786 h. ; panneaux agglo. *Marans* 4 170 h. ; activité portuaire, élevage. *Marennes* 4 634 h. [ag. 7 485, dont *Bourcefranc-le-Chapus* 2 851] ; ostréiculture ; égl. goth., château XVIIIe s. *Montendre* 3 140 h. ; matér. élec. pour T.G.V. *Nieul-sur-Mer* 4 957 h. *Pons* 4 861 h. ; donjon du Xe s. – *Rochefort* * 2 195 ha, 25 561 h. [*1669 :* 2 725 ; *1685 :* 10 775 ; *1821 :* 12 389 ; *1872 :* 28 299 ; *1962 :* 28 648] [ag. 35 047, dont *Échillais* 2 672. *Tonnay-Charente* 6 814] ; port de commerce, école militaire, garnison, bois et déroulés, constr. aéron., bateaux (Zodiac), fonte en coquilles, métaux ; marais ; corderie royale (XVIIe s.), maison de Pierre Loti, m. Naval (XVIIe s.), palais des Congrès ; thermes. – *Royan* 16 837 h. [*1821 :* 2 339 ; *1921 :* 10 242] [ag. 29 194, dont *St-Georges-de-Didonne* 4 705, *St-Palais-sur-Mer* 2 370. *Vaux-sur-Mer* 2 481] ; fest. de mus. contemp. – *Saintes* * 25 874 h. [*1821 :* 10 274 ; *1921 :* 19 152] (ag. 27 003) ; maté. tél. (CIT-Alcatel) ; coopérative ; arènes, arc de triomphe ; château XVIIe s., grotte préhistorique ; fest. de mus. ; chef-lieu jusqu'au 19-5-1810. *St-Aigulin* 2 040 h. *St-Jean-d'Angély* * 8 060 h. ; centre com., eau-de-vie, biscuiterie ; forteresse XIVe s. *St-Martin-de-Ré* 2 512 h. ; ancien pénitencier, lieu de rassemblement des prisonniers vers la N.-Calédonie jusqu'en 1897, puis vers la Guyane jusqu'en 1938, Dreyfus y fut emprisonné du 18-1 au 21-2-1895. *St-Pierre-d'Oléron* 5 365 h. *St-Xandre* 3 279 h. ; monastère. *Saujon* 4 891 h. *Surgères* 6 049 h. ; ind. laitière, parachimie, constr. méc., moteurs ; château XVIe s.

Régions naturelles. Nord de la Charente et de la Boutonne : *Aunis* et *île de Ré* 73 992 ha (plaine calcaire et marais) : céréales, oléagineux, vignes et cult. maraîchères (Ré) ; **Sud :** *Saintonge agricole :* vallonnée. 128 694 ha, céréales, lait, vignes ; *viticole* (avec île d'Oléron) 181 976 ha : viticulture, céréales, lait ; *Double Saintongeaise* 18 843 ha : sablonneuse ; polyculture et élevage, landes, forêts résineux surtout. *Littoral :* marais et prairies entre Charente et Seudre, élevage bovin extensif et céréales ; *Marais poitevin* desséché 24 358 ha (herbages, lég.) et *m. de Rochefort-Marennes* 30 535 ha (agr., ostréiculture, mytiliculture) ; au S. de la Seudre, massif forestier de la Coubre.

Iles : protègent la côte des tempêtes d'ouest. **Aix :** 120 ha ; périmètre 8 km, long. 3 km, larg. max. 800 m, 173 h., à 3,5 km de Fouras-la-Fumée, alt. max. 9 m. Comprenant à l'origine Châtelaillon et Fouras, s'en sépare vers le VIe s. mais on pouvait encore aller à pied de Châtelaillon à Aix au XVe s. Napoléon y passa ses derniers jours en France du 12 au 15-7-1815. **Madame** (appelée Citoyenne pendant la Révolution) : 78 ha, larg. 750 m, long. 1,5 km, 10 h., dist. 500 m de la côte, reliée au continent par la Passe aux Bœufs (submersible, long. 1 km, larg. 6 m) : cimetière des prêtres déportés en 1791, « Croix des Galtes ». **Oléron :** 17 439 ha ; 32 × 2 à 11 km ; 16 360 h. Séparée du continent par le coureau : larg. 1 200 m à marée basse et le Pertuis de Maumusson (larg. 600 m). Reliée au continent dep. 1966 par un viaduc de 2 862 m ; 45 piles en mer ; larg. hors-tout 10,9, utile 10,6, (chaussée 9, 2 trottoirs 0,8) ; 8 communes libérées 30-4/1-5-1945 (All. 300 †, Français 18 †). **Ré** (appelée Républicaine à la Révolution) : 8 532 ha ; 32 × 0,07 (dans le Martray) à 5 km ; alt. max. 5 m (max. 19 m, peu des Aumonts) ; 12 communes, à 4 km de La Pallice ; 10 274 h. ; *pont :* coût 538 millions de F (devis initial 385), long. 2,9 km, haut. max. 32 m, 28 piles, ouvert 1-7-1988, capacité 1 250 à 2 300 voitures/h [bacs env. 260 à 500 v./h] ; phare des Baleines (1854) 57,10 m, portée 29 milles.

Divers. 1er dép. prod. d'huîtres : 60 % de la prod. fr. 1er pour le nombre de ses églises romanes et 3e pour le nombre de monuments historiques classés.

• **Deux-Sèvres** (79) 6 039 km^2 (125 × 68 km). *Alt.* max. 272 m (Terrier de St-Martin-du-Fouilloux), min. 3 m (sortie de la Sèvre niortaise). 346 280 h. (1990) [*1801 :* 241 916 ; *1851 :* 323 615 ; *1891 :* 354 282 ; *1911 :* 337 627 ; *1936 :* 308 841 ; *1962 :* 320 321 ; *1975 :* 335 829 ; *1982 :* 342 812]. D. 57,6. *Pop. active ayant un emploi* (au 1-1-90) : 134 807 dont primaire 20 355, secondaire 36 781 (dont B.T.P. 9 918), tertiaire 77 671 ; *salariée :* 102 553.

Villes. NIORT, alt. 28 m, 57 012 h. [*1901 :* 29 491 ; *1921 :* 29 112 ; *1946 :* 40 406 ; *1968 :* 55 984 ; *1975 :* 62 267] [ag. 61 131, dont *Aiffres* 4 119] ; contreplaqués, panneaux de particules, matériel élec., électron., chamoiserie, ganterie, constr. méc., pharm. ; siège nat. de 5 mutuelles d'assurances ; m. du Pilori (numismatique, préhistoire, coll. lapidaires). – *Airvault* 3 230 h. ; ciment, brioches, abattoirs ; m. de l'Abbaye. *Bressuire* * 17 827 h. ; abattoirs, ind. de la viande, constr. métall., carrosserie, confection, bois. *Cerizay* 4 787 h. ; constr. métall., confection. *Chauray* 4 661 h. ; pharm. *La Crèche* 4 467 h. *Les Aubiers* 2 924 h. [ag. 5 080, dont *Nueil-sur-Argent* 2 156] ; cuir, agro-alim. *Mauléon* 8 779 h. *Melle* 4 003 h. (ag. 5 694) ; ind. chim. ; mine d'argent ; ancien centre de fabr. des monnaies franques. *Moncoutant* 3 163 h. *Parthenay* * 10 809 h. [ag. 17 214, dont *Châtillon-sur-Thouêt* 2 769] ; marché de bestiaux, abattoirs, constr. métall. et méc., élec. ; m. de la Faïence. *St-Maixent-l'École* 6 893 h. (ag. 9 315) ; école mil., chaussures. *Secondigny-en-Gâtine* 1 907 h. *Thouars* 10 905 h. (ag. 15 921) ; mach. agr., ind. alim., pharm., fabr. emballages ; m. de la Céramique.

Régions naturelles. *Thouarsais :* 53 691 ha : semences fleurs, légumes, céréales, prairies artificielles, vignoble. *Bocage :* 127 412 ha, fourr., viande. *Gâtine :* 122 409 ha, élevage (marché de Parthenay), pommes. *Plaines du S., de Niort-Brioux :* 103 512 ha, *plaine de Lezay :* 37 699 ha, céréales, lait, fourr. artificiels. *Plateau Mellois :* céréales, lait. *Marais poitevin* (la « Venise verte ») : 12 194 ha, lait, cult. maraîchères, pêche anguilles ; tourisme. **Bois** (milliers d'ha, au 1-1-1990, estim.). 67,9. (1984) Forêt de Chizé 5, l'Hermitain 0,52.

Sites touristiques. Marais poitevin, vallée de la Sèvre (en partant de Niort), v. de l'Argenton (roches de Grifférus), rochers de l'Absie (près de Secondigny), *lac artificiel* d'Hautibus 8 ha (Argenton-Château), *cascade* des Pommiers et *cirque* de Missé (près de Thouars), commune de Ste-Blandine : env. 2 200 cimetières familiaux, *tumulus* de Bougon, *château* d'Oiron, *égl. romanes* de Melle, Airvault, St-Jouin-de-Marnes, Parthenay, *abbayes* de Celles-sur-Belle et St-Maixent-l'École.

• **Vienne** (86) 6 990 km^2 (130 × 95 km). *Alt.* max. 233 m (Signal de Prun), min. 35 m (confluent Vienne et Creuse). 380 181 h. (1990) [*1801 :* 240 990 ; *1851 :* 317 305 ; *1891 :* 344 355 ; *1906 :* 333 621 ; *1931 :* 303 072 ; *1946 :* 313 932 ; *1975 :* 357 366 ; *1982 :* 371 428]. D. 54. *Pop. active ayant un emploi* (1-1-1989) : 138 612 dont primaire 15 102, secondaire 38 694 (dont B.T.P. 9 609), tertiaire 84 816 ; *salariée :* 111 494.

Villes. POITIERS 78 894 h. [ag. 105 269, dont *Buxerolles* 1 264. *Jaunay-Clan* 4 928. *Migné-Auxances* 5 000. *St-Benoît* 5 843] ; univ. ancienne, école d'ingénieurs, métall.-constr. méc., élec., aéron., compteurs pneu., parachim.-électron. ; N.-D.-la-Grande, cath. St-Pierre, égl. Ste Radegonde (sœur de Clotaire II † 787), palais de justice [XIXe s. englobant grande salle et donjon de l'ancien palais ducal (XIVe)], futuroscope 1987 – *Châtellerault* * 34 678 h. [*1821 :* 9 524 ; *1891 :* 22 868 ; *1946 :* 23 162 ; *1968 :* 35 793 ; *1975 :* 37 080] ; constr. méc. et élec., électron, aéron., fonderie, papier, chauss., conserveries. ; pont Henri-IV. *Chauvigny* 6 572 h. ; faïencerie, confect. ; châteaux (XIe, XIIe et XIIIe s.). *Civray* 2 814 h. ; façade de St-Nicolas (XIIe s.), maisons du XVe s. *Dangé-St-Romain* 3 150 h. *La Roche-Posay* 1 444 h., pharm. ; stat. thermale. *Ligugé* 2 771 h. [ag. 4 860, dont *Smarves* 2 089]. *Loudun* 7 854 h. ; mach. agr. ; porte du Martray. *Lusignan* 2 749 h. ; confection. *Lussac-les-Châteaux* 2 297 h. (ag. 2 994) ; meubles. *Mirebeau* 2 299 h. *Montmorillon* * 6 667 h. ; meubles-art. de ménage, bonneterie ; égl. N.-D. XIIe s. (fresques XIIIe). *Naintré* 4 718 h. *Neuville-du-Poitou* 3 840 h. ; vins du haut Poitou. *St-Savin* 1 089 h. ; égl. XIe et XIIe s. (fresques XIIe s.). *Vivonne* 2 955 h. ; égl. XIIe et XIVe s.

Régions naturelles. *Plaine du haut Poitou :* Nord Poitou, pluies de 700 à 800 mm [bovins, ovins et porcs sur les brandes du S.-E. ; céréales, fourrages, vigne à l'ouest du Clain ; forêts (117 000 ha) et clairières avec cultures maraîchères et fruitières au N.].

Touristiques. *Nécropole* mérovingienne : Civaux (16 000 sarcophages). *Abbayes :* Nouaillé-Maupertuis, Villesalem, Ligugé et La Réau. *Églises :* Charroux (tour romane XIe s.), Civray (XIIe s.). *Châteaux :* Montcontour (donjon XIIe s.), Dissay (XVe s.-XVIIIe s.), Larcher (Lanterne des morts XIIe s.). *Musée* de l'Ordre de Malte, ch. de la Roche à Gençay. *Sites* d'Angles-sur-l'Anglin (ch. XIe, XIIe et XVe s.), La Roche-Posay.

Provence-Alpes-Côte-d'Azur

Généralités

1790 *(26-2/4-3)* division en 3 départements ; des *Bouches-du-Rhône* 7 districts : (Aix, Arles, Marseille, Tarascon, Apt, Salon et Orange) ; du *Var* 9 : Toulon, Hyères, St-Maximin, Brignoles, Barjols, Fréjus, Draguignan, Grasse et St-Paul-de-Vence) ; des *Basses-Alpes* 5 : (Forcalqier, Sisteron, Digne, Castellane et Barcelonnette). **1793** *26-6* formation du Vaucluse, comprenant Avignon et Comtat, le district d'Apt et d'Orange. **1860** formation des Alpes-Maritimes avec les districts empruntés au Var de Grasse et St-Paul, le Comté de Nice réuni à la France au traité de Turin.

Provence

Situation. *Haute Provence :* massifs préalpins du S. des Baronnies aux Alpes mar. *Basse Prov. :* intérieure : plaines du Rhône inférieur (en aval du défilé de Donzère) jusqu'en Camargue (maraîchères du Vaucluse, rizières de Camargue ou « déserts humains » : Crau, S. de la Camargue) ; collines, chaînons calcaires et bassins ; massifs hercyniens des Maures et de l'Esterel. *Prov. maritime :* littoral varié, du delta du Rhône à la fr. italienne ; régions ind. de Toulon, Marseille-Fos et de l'étang de Berre. *Côte d'Azur* 115,5 km ; nom lancé par Stephen Liégeard (*la Côte d'Azur,* paru 1888). **Climat** Etés secs, hvers humides.

Ressources. *Agriculture :* traditionnelle, culture discontinue blé et olivier, associée à l'élevage du petit bétail ; fleurs, plantes à parfum, serres, fruits, légumes. Fin du XIXe s., exode des régions pauvres vers plaines, jusqu'alors insalubres, et régions côtières. Vins : côtes du Rhône, Bandol, Cassis, côtes de Provence, Ventoux...

Histoire. Occupation à l'E. du Rhône par les *Ligures.* **VIe s. av. J.-C.** les *Phocéens* (de Grèce) fondent *Massilia* (Marseille) qui diffuse leur agriculture (vigne et olivier) et leur industrie (poterie). Par elle, l'influence grecque et méditerr. rayonne sur la Gaule. **IVe-IIIe s. av. J.-C.** les Celtes, venus du N., se mêlent aux Ligures et forment la confédération des *Salyens.* **181 et 154 av. J.-C.** leurs rapports se tendant avec les Celto-Ligures, les Massaliotes appellent leurs alliés romains. **125-121** une coalition gauloise décide les Romains à occuper militairement le pays (destruction d'*Entremont,* forteresse salyenne). **122** *fondation d'Aix* pour s'assurer le passage vers l'Esp. (construct. de la via Domitia) : fond. de la 1re prov. transalpine *(Provincia Romana),* qui laissera son nom à sa moitié orientale (Provence), mais sera appelée *Narbonnaise* (fond. de Narbonne en 118) ; afflux de marchands et de chevaliers après la défaite des Teutons (Aix, 102). **90-93** achèvement de la pacification. César installe ses vétérans à Arles, Béziers, Fréjus. **27-22** Auguste fonde d'autres colonies (Orange, Vienne, Avignon...) et fixe le statut de la province : partie alpestre (Alpes-Mar.) placée sous l'autorité directe de l'empereur ; reste du pays, déjà latinophone, érigé en province sénatoriale et administré par un gouverneur et par une assemblée (qui siègent à Narbonne) ; toutes les colonies ont un régime municipal de droit romain ou latin. **V. 250 apr. J.-C.** après les premières inv. barbares, Narbonnaise scindée en 2. **293-305** l'E. du Rhône devient la « Viennoise ». **381** la Viennoise est démembrée : création de la *Narbonnaise Seconde,* de Fréjus à Gap (cap. Aix) ; le christianisme s'est implanté très tôt (légende du débarquement, aux Stes-Maries-de-la-Mer : St Lazare, Ste Marie-Madeleine, Ste Marie-Jacobé, Ste Marie-Salomé, Ste Marthe chassés de Judée). **IVe et Ve s.** vie monastique (couvent de St-Victor à Marseille, monastère des îles de Lérins). **419-78** Wisigoths assiègent plusieurs fois Arles, et l'enlèvent, occupant le S. de la Durance (les Burgondes s'installent au N. **507** battus à Vouillé, remplacés par Ostrogoths. **536** conquise par fils de Clovis sur Ibba ostrogoth ; partagée entre Bourgogne et Austrasie, administrée par des patrices austrasiens, conserve une certaine indépendance. **591** peste à Marseille. **736-39** invasion arabe, Charles Martel soumet les Provencaux, qui ont pris leur parti. Déclin sous *Carolingiens.* **843** *traité de Verdun,* donnée à Lothaire. Son fils Charles en hérite avec Lyon, Maurienne et Viennois. **855-63** *1er royaume de Provence.* **879** *Boson,* beau-frère de Charles le Chauve, élu roi de Bourg. et de Prov. après 15 ans de lutte entre héritiers ; son fils, *Louis l'Aveugle (890-928),* élu après la mort de l'emp. Charles le Gros (roi de Prov. 884). **905,** régence confiée à Hugues d'Arles, qui cède le territoire au roi de Bourg. **934-35** *Rodolphe II.* **947** formation d'un roy. de Bourgogne-Prov. à la mort d'*Hugues ; Conrad,* son souverain, établit de nouveaux comtés (bientôt secondés par des vicomtés) à Arles (Boson), Apt et Avignon. **973** *Guillaume Ier,* fils de Boson, expulse les Sarrasins de Fraxinetum (La Garde-Freinet ?). **1032** *Rodolphe II* lègue le roy. de « Bourg. transjurane » à l'emp. *Conrad le Salique,* qui revendiquera le titre de roi de Bourg.-Prov. ; mais l'autorité reste à la descendance de Guillaume, qui exerce les droits régaliens et s'allie à plusieurs familles comtales. **1125** *Raimond-Bérenger III, Cte de Barcelone* et époux d'une des héritières (Douce de Gévaudan, 1112), et *Alphonse Jourdain, Cte de Toulouse* (époux d'une autre héritière, Étiennette), se partagent la Prov. ; le 1er reçoit les terres entre Rhône, Durance, Alpes et la mer (comté), le 2e les terres au nord de la Durance (marquisat), Avignon et quelques villes restant indivises. Les Ctes catalans de Prov. sont aux prises avec les seigneurs des Baux *(guerres « baussenques », 1142-62),* les Ctes de Forcalquier et les Ctes de Toulouse ; vainqueurs, ils s'unissent par mariage aux Ctes de Forcalquier, dont ils héritent (1196). Lutte contre Arabes d'Esp. aux Baléares ; participation aux croisades. Le commerce du Levant enrichit la bourgeoisie. **1150,** apparition de consulats à Marseille, Arles, Tarascon, Avignon...

XIIIe s. Le Cte *Raimond-Bérenger V (1209-45),* aidé de conseillers remarquables (dont Romée de Villeneuve, « baile de Prov. »), assisté en matière judiciaire par le « juge de Prov. », divise la Prov. en plusieurs « baillies ». Marseille, qui échappe à l'autorité du Cte, doit reconnaître sa suzeraineté 1243. **1246-85** *Charles Ier d'Anjou,* gendre de Raimond-B., lui succède, crée un gouv. central ; conquête du royaume de Naples (1266), ce qui fait revivre l'expression « rois de Pr. ». **1285-1309** *Charles II* 1ers états de Prov. réunis. **1348** droits indivis sur Avignon cédés au pape (V. Comtat Venaissin). **1380** *Louis Ier d'Anjou,* adopté par Jeanne. **1383-84** prend possession de la Prov. Après sa mort, sa veuve cède Nice à la Savoie (V. comté de Nice). **1384-1417** *Louis II* et **1417-34** *Louis III* épuisent les finances en tentant de reconquérir leur roy. **1434-80** *René* perd Naples définitivement 1442 et réside en Prov. à partir de 1471. A sa mort, lutte entre son petit-fils et son neveu Charles III du Maine au profit duquel il l'a déshérité (1474). **1481** *11-12* Charles meurt lépreux, lègue la Prov. à Louis XI qui est reconnu Cte de Provence (15-1-1482). **1486** *(août)* édit de Charles VIII confirme l'union de la Prov. avec la F. (juxtaposition des deux royaumes). **1489** un gouverneur royal à côté du sénéchal (cumule les 2 charges en 1493), le *parlement d'Aix* en 1501. **1524** troupes impériales envahissent le pays (dirigées par le connétable de Bourbon, par Charles Quint en 1536) chassées par un soulèvement populaire. Luttes religieuses contre Vaudois et protestants. Fronde. **1545** 3 000 Vaudois du Luberon massacrés ou envoyés aux galères. **1641-60** rébellion générale, animée par le parl. d'Aix (fronde parlementaire). **1660** *mars* Marseille se rend. **1707** invasion autr. repoussée. **1720** *peste ;* Mgr de Belsunce (1670-1755) organise la lutte contre l'épidémie. **1746** invasion autr. repoussée. **1771** parlement d'Aix supprimé par Maupeou ; **1775** restauré, ne joue plus qu'un rôle effacé sur le plan politique. **1789** on appelle Marseille « ville sans nom » pour avoir animé la révolte fédéraliste. (V. Index)

Comtat Venaissin

Nom. Vient de Venasque. **Situation.** Plaines fertiles du Vaucluse (basse Durance, Ouvèze, Sorgue), sur la rive g. du Rhône, au N. de la Durance. Cultures maraîchères et fruitières grâce à l'irrigation.

Histoire. Territoire de plusieurs tribus ou sous-tribus gauloises ou celto-ligures, notamment *Cavares* (Cavaillon), *Tricastins* (St-Paul-Trois-Châteaux), *Voconces* (Vaison). Partie de la *Provincia Romana,* puis de la *Viennoise.* Capitale : Carpentras (évêché), mais Avignon (Avenio Cavarum) est le grand centre régional. Lié au sort de la Provence jusqu'en *1125.* **1125** marquisat de Prov. au profit des Saint-Gilles, Ctes de Toulouse (sans Avignon, qui reste indivise entre marquis et Ctes de Prov.). **1126** Avignon est pour Raymond VII dans l'affaire albigeoise ; assiégée puis prise par Louis VIII. **1237** marquisat de Prov. donné avec le Cté de Toulouse à Alphonse de Poitiers, le roi de Fr. devient coseigneur d'Avignon. **1271** rattaché au domaine royal. **1274** Philippe III le Hardi cède Comtat Venaissin et droits français sur Avignon au pape Grégoire X (voir Index : *Pape*). **1309-76** 7 papes résident à Avignon. **1348** la reine Jeanne Ire d'Anjou-Naples (pour obtenir une dispense lui permettant d'épouser Louis de Tarente) accepte de vendre aux papes les droits des Ctes de Prov. sur la ville, et l'empereur renonce à sa suzeraineté ; Avignon devient, de fait, capitale du Comtat (en droit : République libre enclavée dans le Comtat). **1433-1593** Comtat administré par des légats envoyés de Rome et ayant, en outre, l'autorité spirituelle sur les diocèses du Midi (les rois de Fr. cherchent à faire diminuer leurs pouvoirs). **1593** les légats, toujours italiens, sont remplacés par des vice-légats. **1768-74** annexion provisoire à la France par Louis XV. **1790** *12-6* ses habitants demandent à être rattachés à la Fr. **1791** *14-9* décret l'intégrant au territoire national, en même temps qu'Avignon : le dernier vice-légat quitte Avignon. **1793** *25-6* forme le département du Vaucluse avec Cte de Sault et région d'Apt et de Pertuis. **1794** *9-2* le pape accepte l'annexion. **1815** il essaye en vain de récupérer ses droits, lors du Congrès de Vienne.

Comté d'Orange

Situation. Sur la rive g. du Rhône, à 30 km au N. d'Avignon.

Histoire. Ancienne ville celto-ligure d'Arausio, dans la cité des *Cavares.* Suit le sort de la Provence. **720** invasion musulmane, qui en fait une place forte sur la rive g. du Rhône. **793** reconquise par Guillaume-au-Courb-nez (appelé plus tard « au-Courtnez »), érigée semble-t-il en fief direct de la couronne royale. **1125** ne fait partie ni du marquisat, ni du Cté de Prov. **1181** Bertrand Ier reçoit de l'empereur Frédéric Ier le titre de Pce d'Empire ; refuse l'hommage au Mis de Prov., Raymond V de Toulouse, qui le fait assassiner. **1237** rejet définitif de la suzeraineté

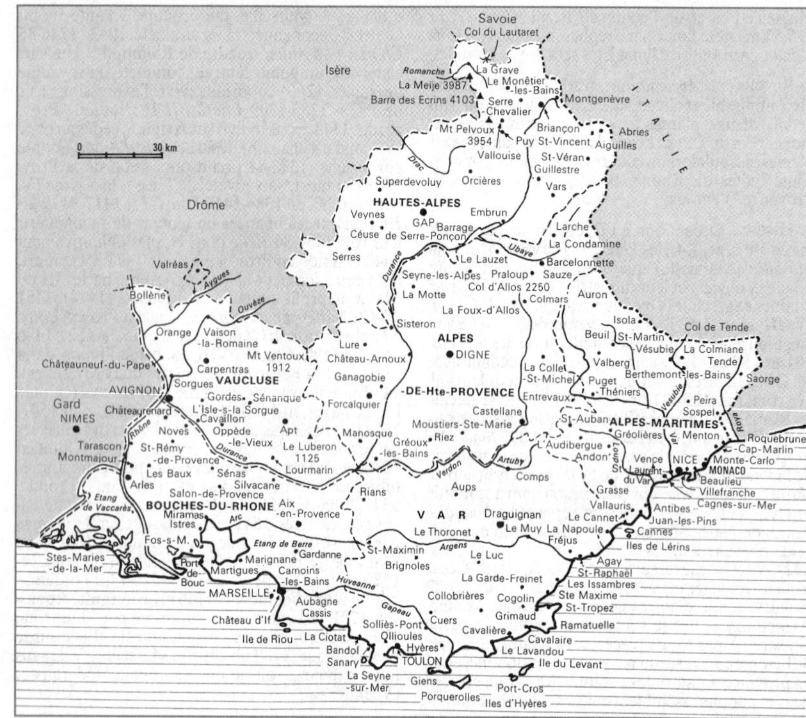

toulousaine, sous Alphonse de Poitiers (Jean II porte depuis 1214 le titre de roi d'Arles). **1389** Jean de Chalon-Arlay, devenu par mariage prince d'Orange, se reconnaît vassal des ducs de Bourgogne. **1422** Louis Ier refuse l'hommage à Henri V d'Angleterre et reste fidèle au dauphin. **1475** Guillaume VII rend hommage au dauphin de Fr., et aux rois de Fr. comme dauphins, mais garde le titre de *P^ce^ souverain* (battant monnaie). **1544** passe par héritage dans la maison de Nassau, qui régnera en Hollande à partir de 1647. **1713** tr. d'Utrecht, annexé à la Fr.

Comté de Nice

Situation. Entre le Var et la ligne de faîte des Alpes. Montagneux (alt. max. le Mercantour 3 167 m), collines préalpines ensoleillées.

Histoire. Prépaléolithique : grotte du Vallonnet, à Roquebrune ; **Paléol. inf. :** site de Terra Amata à Nice ; **Chalcolithique :** peuplement ligure jusqu'au IIe apr. J.-C., notamment Cimiez (Cemenetum, cap. des Vedianti, à 2 km au N. de Nice). Colonies grecques sur les côtes, notamment Antibes (Antipolis) et Nice (Nikaia). **154-125 av. J.-C.** conquis par Romains, alliés aux Grecs de Marseille. **13 av. J.-C.** Nice fait partie de la préfecture d'Italie, Antibes de la Narbonnaise, Vence et Cimiez (évêchés aux Ve-VIe s.) des Alpes Maritimes. **Fin Xe s.** les seigneurs locaux reconnaissent la suzeraineté du Cte de Prov. Guillaume, fils de Boson II (notamment les C^tes^ de Nice, les seigneurs de Monaco, les évêques de Vence). **1388** pendant la minorité de Louis II de Prov. (1376-1417), sa mère, Marie de Bretagne, régente, vend Cté de Nice et seigneurie de Barcelonnette au Cte de Savoie, Amédée le Rouge (vente nulle en droit féodal). Les seigneurs de Monaco demeurent indépendants. **1406** La Brigue est rattachée au C^té^. **XVe-XVIIIe s.** tentatives des rois de Fr., devenus C^tes^ de Prov., pour récupérer les territoires aliénés. **1713** *tr. d'Utrecht.* Barcelonnette redevient française. **1793** annexion à la Fr. **1815** retour au royaume sardo-savoyard. **1848** Victor-Emmanuel II annexe au Cté de Nice les fiefs monégasques de Menton et Roquebrune, (22 km²). **1860** Nice cédée à la Fr. par Emmanuel II après plébiscite (sur 30 706 votants 25 933 pour) ; partie du Var est annexée aux Alpes-Maritimes. **1862** Roquebrune et Menton rachetés au prince de Monaco, qui reste indépendant dans sa seigneurie (1,5 km²).

Comté de Tende

Situation. Angle N.E. des Alpes-Mar. ; hautes vallées de la Roya et de la Tinée (env. 1 000 km²), au S. du col de Tende.

Histoire. XIIIe s. *Chalcolithique :* vallée des merveilles (Mt Bego), env. 100 000 gravures. S'étend sur les 2 versants des Alpes, comprenant les villes de Limone et de Vernante. **1259** Guillaume-Pierre de Vintimille ép. Eudoxie, fille de l'Empereur d'Occident. **1285** est autorisé à ajouter le nom de Lascaris à celui de sa famille. **1265** *12-10* rend hommage au Cte de Prov. **1418** Béatrice de Tende (B. Lascaris), épouse du duc de Milan Philippe-Marie Visconti, est exécutée, sans doute injustement, pour adultère. **1486** vassal du roi de Fr. **1500** René de Savoie, fils naturel du duc Philippe II, épouse Anne Lascaris, héritière des 2 fiefs, et devient Cte de Tende et de Vintimille. **XVIe-XVIIe s.** C^tes^ de Tende servent les rois de Fr. contre la Savoie, notamment Honorat, M^al^ de France en 1570 (1509-80). **1579** *21-10* Charles-Emmanuel Ier, duc de Savoie rachète le C^té^ qui est rattaché au C^té^ de Nice. **1691** extinction des C^tes^ de Tende. Tende et Vintimille sont annexés au C^té^ de Nice (savoyard). Les Fr. occupent le C^té^ de Nice. Louis XVI devient Cte de Nice et seigneur de Saorge. **1794** Tende, La Brigue, Breil et Saorge intégrés au dép. des Alpes-Mar. **1814** rendus au roy. de Sardaigne à la 1re abdication de Napoléon. **1947** *16-9* Sud du comté (Tende et La Brigue) après référendum (2 603 oui contre 248 non) rendu à la Fr. (annexé aux Alpes-Mar.).

Économie

Population. 4 256 822 h. (1990) [*1982:* 3 965 209]. D. 135,4. 3e région fr. (7,4 % de la pop. nat.). *Active* ayant un emploi (31-12-89) 1 490 000 dont primaire 59 500, secondaire 326 800 (B.T.P. 124 000), tertiaire 1 103 500. *Chômeurs :* (au 31-12-89) : 223 888.

Échanges (en milliards de F, 1989). IMPORTATIONS : 75 dont (en %) : énergie 40,1 %, biens de consomm. 12,9, prod. chim. et parachim. 10,5, ind. agroalim. 9,3 prod. de l'agr. 6,4, *de* (en %) pays du Maghreb 8,8, Moy.-Or. 11,9, reste de l'Afr. 11,8 CEE 40,6, reste de l'Eur. 11,3, reste de l'Asie 5,9, Amér. centr. et du Sud 1,7, Amér. du N. 5,9, Australie, Océanie 0,8. EXPORTATIONS : 51,8 dont (en %) prod. chim. et ½ prod. divers 29,7, métaux 15,5, biens d'équip. profess. 16,8, biens de consomm. 11,5 ; *vers* (en %) pays du Maghreb 3,8, Moy.-Or. 1,9, reste de l'Afr. 5,6 ; CEE 59,6, reste de l'Eur. 10,9, Amér. du N. 7,8, reste de l'Asie 6, Amér. centr. et du Sud 2, Australie, Océanie 0,4.

Agriculture (1-1-1990, estim.). **Terres** (en milliers d'ha) 3 180,4 dont S.A.U. 965,4 [t. lab. 257,6, légumes 25,4, cult. fruit. 52,1, vignes 114, herbe 538,5] ; *bois* 1 187,6 ; *t. agr. non cult.* 320,4 ; *t. non agr.* 672. *Nombre d'exploitations agr. (1987) :* 48 433. **Production végétale** (en milliers de t.) : céréales 838,3, légumes frais, p. de terre 815,4, dont tomates 265,9, melons 91,9 ; fruits frais 1 427,8 dont pommes de table 466,2, raisin 681,9, olives 50,7 ; lavandin 52,3. *Bois (1989) :* 573 150 m³, Vins : 6 277 278 hl. **Prod. animale** (têtes, 1989) : ovins, caprins 962 200, porcins 111 300, bovins 57 100. *Lait* (1988 hl) : vache 471 000, chèvre 89 000. *Œufs :* 274 millions. *Volailles (y. c. lapins) :* 9 300 t. *Sel marin (1989) :* 1 140 000 t.

Pêche (en milliers de t, 1989). 19,3 dont Martigues 13,1, Marseille 4,5, Toulon 1,4, Nice 0,4.

Actifs en milliers, au 31-12-89). **Industrie** 326,8 dont agro-alim. 31,4, énergie 18,9, min., métaux ferreux et non ferreux, 1re transform. acier 9,9, matér. de constr. et min. divers ind. du verre 1, chim., parachim., caout. 22,9, fonderie, trav. des métaux 11,6, constr. méc. 14,8, électr. et électron. 19,2, autom. et transp. terr. 2,1, nav. et aéron., armement 20,6, text., habill. 6,9, ind. du cuir et de la chauss. 1,4, du bois et de l'ameubl., ind. div. 16,1, papier, carton 3,2, imprim., presse, édition 11,4, **B.T.P.** 124.

Production. Part dans la production française (en %, 1989). *Agroalim. :* fruits confits 90 (16 816 t), huile d'olive 72,2, olives à huile 71,6, concentré de tomates 65,5 (28 799 t), semoules 52,3, pâtes 44,6, olives de table 27,4, confiserie 23,8, farines 4,9. *Energie* (1989) : prod. finis sortis 29,9 (21 799 000 t), pétrole brut traité 29,3, élec. hydraulique 15,2, thermique 0.

Tourisme (au 1-1-88). Hôtels homologués : 2 828 (68 208), campings-caravanages (au 1-1-89) 738 (283 893 pl.), auberges de jeunesse (au 1-1-86) 34 (2 309 pl.), gîtes ruraux 2 733, maisons familiales de vac. 107 (16 482 pl.), villages de vac. (au 1-1-88) 104 (39 481). *Plaisance* (au 1-1-90) : 140 ports aménagés ou concédés, 51 895 postes de mouillage et autres, 301 335 bateaux. *Sports d'hiver* (au 1-1-87) : 39 stations dont 17 classées ; 247 850 lits.

☞ Voir Occitanisme, p. 782.

Départements

Voir légende p. 748.

• **Alpes-de-Hte-Provence** (04) (de 1790 au 13-4-1970 : Basses-Alpes). 6 925 km² (144 × 90 km). *Alt.* max. Aiguilles de Chambeyron 3 400 m, min. 250 m (sortie de la Durance). 130 883 h. (1990). [*1801 :* 133 966 ; *1836 :* 159 045 ; *1851 :* 152 070 ; *1901 :* 115 021 ; *1946 :* 83 354 ; *1975 :* 112 178 ; *1982 :* 119 068]. D. 19 (90) ; 22 communes de – de 50 h. (80). *Pop. active* ayant un emploi (au 31-12-89, prov.) : 47 000 dont primaire 4 200, secondaire 11 200 (dont B.T.P. 5 100), tertiaire 31 600.

Villes. DIGNE, alt. 600 m, 16087 h. ; centre comm. de lavande ; cath., musée ; thermalisme. – *Barcelonnette* * alt. 1 135 m, 2 976 h. *Castellane* * alt. 723 m, 1 349 h. *Château-Arnoux* alt. 440 m, 5 109 h. [ag. 6 878, dont *Volonne* 1 387] ; ind. chim. (Atochem). *Forcalquier* * alt. 550 m, 3 993 h. *Gréoux-les-Bains* 1 718 h. ; stat. thermale. *Manosque* alt. 370 m, 19 107 h. ; Géostock, le plus grand dépôt pétrolier souterrain du monde (6,6 millions de m³). *Les Mées* alt. 410 m (rocher des Pénitents), 2 601 h. *Oraison* alt. 380 m, 3 509 h. ; c. postales, dépliants publicit. *Riez* alt. 528 m, 1 707 h. ; colonnes romaines, baptistère mérovingien. *Ste-Tulle* 2 855 h. *Seyne-les-Alpes* alt. 1 200 m, 1 222 h. *Sisteron* alt. 485 m, 5 025 ha, 6 594 h. ; ind. chim., citadelle. *Valensole* alt. 569 m, 2 202 h. ; lavande. *Volx* 2 516 h.

Régions naturelles. *Val de Durance et basses v. confluentes* (58 500 ha) : polyculture (céréales, légumes, fruits avec irrigation, pommiers). *Plateau de Valensole* (81 400 ha) : cult. du lavandin, céréales (blé dur) [amandiers et élevage ovin disparaissent], truffes. *Plateau de Forcalquier* (92 800 ha) : polyculture (céréales, fourrages), ovins, lait, lavande et lavandin (au pied de la montagne de Lure). *Sisteronnais* (61 400 ha) : céréales, fourr., ovins, cult. fruitière avec irrigation (pommiers, poiriers : Motte du Caire, Sisteron, Mison). *Montagne de Hte-Provence :* Préalpes de Digne et Barrême (108 500 ha) : garrigue, pâturages à moutons ; reboisements, lavande fine (Barrême) ; bassin de Seyne et hautes vallées de l'Ubaye et du Verdon (210 000 ha) : massifs montagneux (f. d'épicéas, sapins, mélèzes ; alpages pour transhumants) ; Seyne-les-Alpes (bovins et ovins). *Région de Castellane-Entrevaux* (82 000 ha) : lavande fine et ovins (Castellane), fruit. et lég. avec irrigation (Entrevaux). **Prod. agricoles spécifiques :** lavandin (crise due aux importations d'Europe de l'Est et aux essences synthétiques) et lavande, sauge et menthe ; miel de lavande ; fromage de chèvre de Banon ; truffes de Riez et de Banon ; viande d'agneau de Sisteron.

Sites touristiques. Gorges du Verdon (20 km de long ; à-pic de 300 à 700 m) ; *cañon* de l'Oppedette (2 km de parois rocheuses hautes de 120 m). **Montagnes :** de l'Ubaye, de Lure. *Vallée* **Lacs de barrage** (pêche et sports nautiques) : *sur le Verdon,* Ste-Croix-du-Verdon (22 km²), 780 millions de m³, 2e barr. de Fr.), Chaudanne, Gréoux-les-Bains, Quinson ; *sur la Durance :* l'Escale (2 km²), Sisteron. Castillon (6 km², alt. 850 m), Gréoux (3 km², alt. 360 m), La Laye (3 km², alt. 525 m), Allos (0,7 km², alt. 2 237 m).

Parc *naturel régional* du Luberon (1 200 km^2, créé 31-1-77). **Architecture :** *Prieuré* Ganagobie (XIIe s.). *Citadelle* Entrevaux. *Vieux villages :* Simiane, Dauphin, Banon, Moustiers-Ste-Marie (faïence d'art), Lurs, Annot, St-Martin-de-Brômes, Colmars-les-Alpes, Villars-Colmars, Senez 224 h. (canton le moins peuplé de France). **Ski :** *vallée de l'Ubaye :* Sauze inférieur (1 350 m), supérieur (1 690 m), Pra-Loup (1 635 m), La Condamine Ste-Anne (1 655 m) ; *du haut Verdon :* La Foux d'Allos (1 800 m), Le Seignus d'Allos (1 500 m), vallée de la Blanche (Chabanon 1 600 m), col de St-Jean (1 330 m), Le Grand Puy (1 250 m). Observatoire astronomique de Hte-Provence à St-Michel l'observatoire (près Forcalquier).

• **Hautes-Alpes** (05) [faisaient partie du Dauphiné ; (la « Barre des Écrins » 4 103 m) était le point culminant de la France avant l'annexion de la Savoie]. 5 549 km^2 (137 × 100 km). *Alt.* min. 470 m (rivière de Buech) [dép. le plus élevé de Fr. ; alt. moy. des communes 1 050 m (*St-Véran :* commune la plus haute d'Europe 2 042 m, clocher de l'église à 2 071 m, territoire communal entre 1 800 et 3 800 m)]. 113 272 h. (1990) [*1801 :* 112 510 ; *1851 :* 132 038 ; *1901 :* 115 021 ; *1946 :* 83 354 ; *1975 :* 97 358 ; *1982 :* 105 070]. D. 20. 176 communes ; 7 ont – de 30 h. (80). *Actifs* (au 31-12-89, prov.) : 47 800 dont primaire 4 100, secondaire 8 300 (dont B.T.P. 4 600), tertiaire 35 300.

Villes. GAP, alt. 775 m, 33 438 h. [*1846 :* 8 724 ; *1877 :* 8 927 ; *1936 :* 13 600 ; *1962 :* 20 478 ; *1968 :* 23 994] ; travail du bois, prod. alim., text., imprim. de labeur. – *Briançon* * 11 038 h. [*1846 :* 4 309 ; *1871 :* 4 169 ; *1936 :* 7 543 ; *1968 :* 8 215] [ag. 15 073, dont *St-Chaffrey* 1 424] ; ville la plus haute d'Europe, 1 324 m ; citadelle, remparts, église fortifiée. *Embrun* alt. 871 m, 5 793 h. (ag. 6 149) ; stat. tourist. ; cath. N.-D. XIIe-XIVe s. ; cité fortifiée. *L'Argentière-la-Bessée* alt. 976 m, 2 191 h. *Laragne-Montéglin* 3 371 h. *St-Bonnet* 1 371 h. *Serres* 1 106 h. *Veynes* 3 148 h.

Régions naturelles. *Préalpes* au S.-O., de 2 000 m ; *Grandes Alpes* au N.-E. + de 2 000 m. **Climat.** *vents :* la « bise », apportant le beau temps ; « bise de Manosque », « traverse » (du S.-E. ou du S.-O.) apportant la pluie (3 fois moins fréquents) ; la « lombarde » souffle surtout dans Briançonnais et Queyras. *Neige* (hauteur moy. en cm) : Laragne 30, Gap 60, Dévoluy 200, Vallouise, Névache, Le Monétier 300, St-Véran 400. **Régions agricoles** : *Briançonnais* (109 389 ha, alt. moy. 1 424 m), *Queyras* (63 281 ha, alt. moy. 1 572 m ; région pilote de l'élevage de hte montagne), *Champsaur-Valgaudemar* (74 849 ha, alt. moy. 1 100 m), *Embrunais* (alt. moy. 1 119 m), *Ht-Embrunais* (42 018 ha, moy. 1 045 m), *Dévoluy* (18 258 ha, alt. moy. 1 200 m), *Gapençais* (59 154 ha, alt. moy. 849 m), *Bochaîne* (18 227 ha, moy. 908 m), *Serrois-Rosanais* (73 427 ha, moy. 776 m), *Laragnais* (33 162 ha, moy. 679 m, Préalpes du S.).

Ressources. Élevage : bovins, ovins. **Cultures :** fruitières. **Bois** (en milliers d'ha, au 1-1-1990, estim.) : 162,3. (1981) : forêts du Pelvoux. 5,7, Chaillol 5,2, Le Drac 4,3, Les Sauvas 3,5, Val-Gaudemar 3,1. Prod. : 114 342 m^3. **Industries** *alim., text., cuirs et peaux, bois* (114 342 m^3 par an ; 40 % en bois de charpente, 23 % pâte à papier et panneaux, 22 % b. pour caisserie, emballages, palettes). *Hydroélectricité :* 34 micro-centrales et centrales. Puissance installée 993 263 KW. Barrage de Serre-Ponçon (780 m d'alt., 3 000 ha (plein), larg. moy. 2 km, long. 20 km, 100 km de rives ; construit 1959, Puissance moyenne installée 370 000 kW/h. *Solaire :* 3 500 m^2 de capteurs en 1989.

Sites touristiques. Massifs : Pelvoux, Meije, Champsaur, Dévoluy [+ de 700 grottes et « chourums » (gouffres)]. **Parc** *national* des Écrins (91 800 ha, zone périphérique 178 600, alt. 800 à 4 000 m ; appelé aussi m. du Pelvoux ou « Oisans » créé 27-3-73) ; *régional* du Queyras (60 000 ha, créé 31-7-77). **Réserves** *naturelles* (créées 15-5-74) : Hte vallées de la Séveraisse (155 ha), de St-Pierre (20 ha), cirque du grand lac des Estaris (145 ha), versant nord des pics du Combeynot (285 ha). **Rivières** (canoë-kayak) : Durance, Drac, Buëch, Guil, Séveraisse, Cerveyrette. **Lacs :** Savines-le-Lac (2 700 ha), Serre-Ponçon (2 825 ha). **Ski :** Briançon-Prorel 1 200 à 2 800 m, Serre-Chevalier 1 350 à 2 800 m, Vars 1 650 à 2 550 m, Orcières Merlette 1 850 à 2 650 m, Ceüze 1 540 à 1 850 m, Montgenèvre 1 860 à 2 700 m, Super-Dévoluy 1 500 à 2 500 m, Puy-St-Vincent 1 650 à 2 250 m, Risoul 1 850 à 2 650 m, Les Orres 1 550 à 2 800 m. **Château :** Tallard. **Cité fortifiée :** Montdauphin. **Abbaye :** Boscodon (XIIe s.) près de Serre-Ponçon.

• **Alpes-Maritimes** (06) 4 299 km^2 (100 x 70 km). *Alt.* max. Le Gelas 3 143 m [Le Clapier (3 045 m), Le Mt-Mounier (2 818 m), le Dôme de Barrot (2 144 m), l'Authion (2 074 m)]. *Côtes* 115 km (plus longue distance de la c. 95 km, plus courte 40 km). 971 763 h. (1990) [*1821 :* 161 886 ; *1851 :* 192 062 ; *1901 :* 293 213 ; *1911 :* 356 338 ; *1936 :* 518 083 ; *1946 :* 453 073 ; *1968 :* 722 070 ; *1982 :* 881 198]. D. 226. *Actifs* ayant un emploi (au 31-12-89, prov.) : 344 000 dont primaire 7 300, secondaire 74 500, tertiaire 262 200.

Villes. NICE, 342 391 h. [*1600 :* 13 000 ; *1734 :* 15 000 ; *1822 :* 26 000 ; *1860 :* 50 000 ; *1911 :* 143 000 ; *1921 :* 156 000 ; *1931 :* 220 000 ; *1954 :* 244 000 ; *1975 :* 344 481 ; *1982 :* 337 085] [ag. 475 459 (90), dont *Beaulieu-sur-Mer* 4 013, villa Kerylos. *Cagnes-sur-Mer* 40 902, alt. 20 à 160 m ; électron. appliquée à l'océanologie (Thomson-C.S.F.) ; stat. baln. ; chât. XIVe et XVe s., maison de Renoir. *Contes* 5 867. *Drap* 4 267. *La Colle-sur-Loup* 6 025. *La Trinité* 10 197. *St-André* 4 151. *St-Jean-Cap-Ferrat* 2 248, Villa Ile-de-France construite 1912, léguée à l'Institut par Béatrice de Rothschild (1859-1934), ép. du Bon Ephrussi. *St-Laurent-du-Var* 24 426. *St-Paul* 2 903. *Tourrette-Levens* 3 412. *Villefranche* 8 080, alt. 30 à 577 m ; centre d'océanographie. *Villeneuve-Loubet* 11 539 ; électron. (Texas Instruments F.), équip. autom.], alt. 11 à 222 m (collines environnantes : Cimiez 100/120 m, Mt Boron 178 m, Mt Alban 222 m, Mt Gros 374 m), sup. 7 192 ha. *Climat : temp. moy. :* janv./mars + 11 °C, avr./mai 14, juin 19, juill./août 24, sept. 23, oct. 18, nov./déc. + 12 ; *eau de mer :* jan./mars + 16 °C, avr./mai 19, juin 22, juill./août 26, sept. 24, oct. 21, nov./déc. 18 ; ensoleillement 2 500 à 2 800 h par an (290 à 320 j sereins ou sans pluie ; gelée 5 j, brouillard 5 j). Constr. méc., élec., électron. BTP ; SEITA, mat. plast. (Deltachimie) ; text., habill. ; impression et édition de journaux ; aéroport [2e de Fr., (passagers) 1er de province, 200 ha sur la mer] ; centre de congrès ; recherche : observatoire astronomique [coupole : 24 m de diamètre, la plus grande d'Europe (1885, Eiffel)], C.E.R.B.O.M. (biologie et océanographie médicale) ; tourisme [vieux Nice : cath. de Ste-Réparate, palais Lascaris, château ; arènes, thermes, cloître et jardins de Cimiez ; promenade des Anglais (7 km) ; égl. russe ; musées : Masséna, des Beaux-Arts (Chéret), du Vieux Logis, d'Art naïf, Matisse, d'Archéologie ; Terra Amata (traces de présence humaine : 300 000 avant J.-C.) ; d'Hist. nat., de Malacologie, de la Marine ; sites : Mt Boron, Mt Chauve (ancien fort) ; carnaval (dep. 1294 puis 1879 : 900 000 spectateurs en 1990). Le *16-10-1979,* une partie du futur port et les remblaiements sous-marins se sont effondrés : vagues (10 †). *Breil-sur-Roya* 2 058 h. ; élec., chauss. ; architect. romane, fortifications. – *Carros* 10 747 h. ; insecticides, meubles. *Grasse-Cannes-Antibes* [ag. 335 647 (90), dont *Antibes,* 70 005 (*1800 :* 5 270 ; *1901 :* 10 945 ; *1936 :* 25 014), alt. 147 à 282 m ; port ; équip. autom. ; stat. baln. et hivern. ; cult. fruit. et florales, parfumerie ; aqueduc romain, fortifications de Vauban, château, m. archéol. d'Antipolis. *Biot* 5 575 ; CERGA (rech. géodynamiques et astronomiques) ; m. nat. Fernand-Léger. *Cannes* 68 676 (*1982 :* 72 259), alt. 2 à 255 m, réparation de matér. ferrov. ; stat. baln. et hivern. ; m. de la Castre. Palais des festivals (1982 ; coût 700 millions de F). *Grasse* * 41 388 (*1841 :* 11 381 ; *1901 :* 15 429) ; alt. 350 à 400 m, sup. 4 015 ha ; cult., fleurs, essences pour parfum, huiles... ; m. Fragonard, m. d'art et d'histoire de Provence. – *Le Cannet* 41 842. *Mandelieu-La Napoule* 16 493. *Mouans-Sartoux* 7 989. *Mougins* 13 014. *Peymeinade* 6 293. *Valbonne* 9 514 ; ind. élec., électron. ; technopole de Sophia-Antipolis (2 400 ha +2 200 prévus) : haute technologie, informatique, électronique. *Vallauris* 24 325 ; musée Picasso, château, ancienne cath. de la Nativité-de-N.-D., poteries]. – *La Colle-sur-Loup* 6 025 h. *La Gaude* 4 951 h. ; électron., informatique (I.B.M.). *La Trinité* 10 197 h. ; mach.-outils. *La Turbie* 2 609 h. ; trophée d'Auguste (m. Tuck), 6 av. J.-C. ; haut. 50 m, aujourd'hui 35 m ; larg. 34 m. *La Brigue* 618 h. – *Menton-Monaco* [ag. 66 251, dont *Beausoleil* 12 326. *Cap-d'Ail.* 4 859. *Èze* 2 446. *Menton* 29 141 (*1755 :* 2 431 ; *1901 :* 9 944 ; *1921 :* 18 645), alt. 600 m, 1 386 ha ; m. du Palais Carnolès, Jean-Cocteau. *Roquebrune-Cap-Martin* 12 358]. – *Puget-Théniers* 1 703 h. *St-Étienne-de-Tinée* 1 783 h. (des confréries de pénitents blancs et noirs y subsistent). *St-Martin-du-Var* 1 869 h. *St-Martin-Vésubie* 1 041 h. *St-Paul-de-Vence* 962 ha., 2 903 h. ; enceinte bastionnée, égl. gothique, fondation Maeght. *Sospel* 2 592 h. *Tende* 2 089 h. : dernier accroissement territ. franc. *Vence* alt. 320 m, 15 330 h. (ag. 18 779).

Régions naturelles. *Préalpes du S. :* de Grasse et de Nice, avec vallées du *Var* 2 820 km^2, de la *Tinée* 720 km^2, de la *Vésubie* 400 km^2, de l'*Esteron* 460 km^2, de la *Siagne* 530 km^2, du *Loup* 300 km^2, de la *Cagne,* la *Brague,* la *Roya,* la *Bévéra,* du *Magnan,* des *Paillons* 250 km^2, massif du *Mercantour* 70 000 ha. *Côte d'Azur.* **Iles** *de Lérins* (monastère) : *Ste-Marguerite,* long. 3 240 m, larg. 920 m, sup. 210 ha, périmètre 7 km, alt. max. 28 m, 1 km de la côte, 28 h. (fort du XVIIe s.) ; *St-Honorat,* long. 1 500 m, larg. 430 m, sup. 60 ha, périmètre 3,3 km, 5,1 km de la côte par bâteau à 700 m de Ste-Marguerite, 1,54 km à vol d'oiseau, 57 h.

Bois (en milliers d'ha, au 1-1-1990, estim.). 192,8. (1987) : dont forêts de Breuil-sur-Roya 1,8, Lucéram 3,1, St-Auban 3,5, St-Étienne-de-Tinée 3,4, St-Martin-Vésubie 3,5, Saorge 2, La Brigue 5,5, Tende 5,5. *Production* (90) : 54 587 m^3. **Horticulture :** Ier département exportateur de fleurs coupées, 49,5 % des exportations. **Tourisme.** Industrie hôtelière la plus importante de Fr.

Tourisme. Côte (route N 564 : Nice-Monaco). **Baies :** des Anges, de Cannes. **Route** de la Bonette : 2 826 m d'alt., la plus haute de Fr. **Vallées :** *des Merveilles* (plus de 10 000 gravures préhistoriques à ciel ouvert) ; *de la Roya.* **Parc** *national du Mercantour* (685 km^2 créé le 18-8-1979). **Ski :** Auron (1 650) m), Gréolières-les-Neiges (1 400 m), Isola 2 000 (2 000 m), Peira-Cava (1 450 m), Valberg (1 600 m). **Villages** *fortifiés :* Èze, Luceram, St-Paul, St-Jeannet, Vence. **Châteaux :** Gourdon (XIIe s.), Saorge (vestiges), Villeneuve (XIIIe-XVIIe s.).

• **Bouches-du-Rhône** (13) 5 088 km^2 (132 × 58 km) (étang de *Berre* inclus : 16,3 km^2). *Alt.* max. Baou de Bretagne 1 043 m. *Côtes* 190 km. 1 759 098 h. (1990) [*1801 :* 285 012 ; *1851 :* 428 989 ; *1901 :* 734 347 ; *1936 :* 1 224 802 ; *1946 :* 971 935 ; *1982 :* 1 724 199]. D. 346. *Actifs* ayant un emploi (au 31-12-89, prov.) : 619 800 dont primaire 15 000, secondaire 135 700, tertiaire 469 100.

Villes. MARSEILLE 800 550 h. [*1801 :* 111 100 ; *1851 :* 195 350 ; *1881 :* 360 100 ; *1911 :* 550 600 ; *31 :* 606 000 ; *46 :* 636 300 ; *54 :* 661 500]. D. 3 327 [sup. totale de la commune 24 000 ha dont (en 1982) surf. agricole utilisée 787 ha (534 ha irrigués ; herbe 176, cult. maraîchères 280, vignes 39), forêts 2 000 ha ; 491 expl. (5 % du dép.)] ; raff. de pétrole, métall., sidérur. (Sollac), aluminium (Péchiney) ; prod. alim., matér. de constr. (Lafarge) ; prod. chim., parachimie, caout., mat. plast. ; méc., chaudronnerie, diesel, matér. méc. de précision ; réparation ferrov. et navale (80 % de l'activité nat.) ; B.T.P. ; élec., électron. ; biotechnologies ; text., habill., bijoux, luminaires ; imprim., journaux, papeterie ; 1er port de la Méditerranée (bassins de Marseille, Lavéra, Caronte, Fos, Pt-St-Louis. Vieux port (ancien comptoir phocéen du VIIe s. av. J.-C.) ; Canebière (champ de chanvre) avenue célèbre ; château du Pharo (1858-60), palais Longchamp (Espérandieu, 1869) : Muséum et m. des Beaux-Arts ; château d'If (1524-28), abbaye de St-Victor (église XIIIe s., abside fortifiée 1365), N.-D. de la Garde (140 m) ; centre universitaire et grandes écoles ; centre commercial (foire intern.) ; tourisme d'affaires [ag. 1 087 276, dont *Allauch* 16 092. *Aubagne* 41 100 ; poteries, colorants, maraîchage, charcuterie et salaisons, santons. *Auriol* 6 788. *Bouc-Bel-Air* 11 512, jardins d'Albertas. *Cabriès* 7 720. *Gardanne* 17 864 ; prod. combustibles, minéraux (Houillères de Bassin du Centre et du Midi), aluminium (Péchiney). *Gémenos* 5 025 ; ch. du XVIIIe s. *La Penne-sur-Huveaune* 5 879. *Les Pennes-Mirabeau* 18 499. *Marignane* 32 325 ; aéroport (2e de Fr.), constr. aéron. *Plan de Cuques* 9 847. *Rognac* 11 099 ; mat. plast. pour bâtiment. *Roquevaire* 7 061. *St-Victoret* 6 047. *Septèmes-les-Vallons* 10 415. *Vitrolles* 33 397 ; mat. hydraulique]. – *Aix-en-Provence* * alt. moy. 180 m, sup. 18 608 ha, 123 601 h. [*1765 :* 25 464 ; *1821 :* 22 414 ; *1901 :* 28 460 ; *1936 :* 42 615 ; *1954 :* 54 217 ; *1962 :* 72 696 ; *1968 :* 93 671] [ag. 130 647, dont *Venelles* 7 046] ; ind. agroalim. ; briqueteries, tuileries ; constr. élec. et électron. ; université ; cath. St-Sauveur XIe-XIIe s. (baptistère Ve s.), hôtels particuliers XVIIe s. et XVIIIe s., fontaines, cours Mirabeau ; fest. de mus. ; station thermale. – *Arles* * 52 126 h. ; centre rizicole, ind. chim. et métall., méc., papier, carton ; ruines romaines thermes (palais Constantin (98 × 45 m, IVe s. apr. J.-C.), arènes (186 × 107 m, 21 000 pl., 80 à 90 apr. J.-C.) ; théâtre (103,8 m diam., 1 600 pl.) ; commune la plus étendue de Fr. (758 km^2, 40 × 30 km, 1 200 km de chemins communaux). – *Barbentane* 3 273 h. *Berre-l'Étang* 12 672 h. ; étang salé 160 km^2, prof. 10 m ; raff. de pétrole et chimie de synthèse (Shell), équip. ind., méc. *Carnoux-en-Provence* 6 363 h. *Carry-le-Rouet* 5 224 h. [ag. 10 765]. *Cassis* 7 967 h. ; port de pêche pittoresque. *Châteauneuf-les-Martigues* 10 911 h. ; raff. de pétrole. *Châteu-Renard* 11 790 h. ; marché d'intérêt nat. *Éguilles* 5 950 h. *Eyguières* 4 491 h. *Fontvieille* 3 642 h. *Fos-sur-Mer* 11 605 h. ; zone ind. pétrole, minerais, sid. (Sollac, Ugifos, Somer) ; mat. ferrov. *Istres* 35 163 h. ; chantiers nav., constr. aéron., ind. chim. *La Ciotat*

30 620 h. ; port, stat. baln. *La Fare-les-Oliviers* 6 095 h. *La Roque-d'Anthéron* 3 923 h. *Lambesc* 6 698 h. *Lançon-Provence* 6 224 h. *Mallemort* 4 366 h. *Martigues* 42 678 h. [ag. 72 375, dont *Port-de-Bouc* 18 786 ; chimie (Atochem), pêche, fortif. de Vauban] ; port pétrolier, cons. de poisson, raff. pétrole, chim. de synthèse (Naphtachimie), métall. ; hôtel de ville XVIIe s. *Miramas* 21 602 h. [ag. 26 998, dont *St-Chamas* 5 396, gare de triage 900 000 wagons par an et centre de réparation ferrov.] ; métall. *Port-St-Louis-du-Rhône* 8 624 h. ; pêche, fabr. de goudron, act. commerciales liées au port. *Sausset-les-Pins* 5 541 h. *Stes-Maries-de-la-Mer* 2 232 h. *St-Martin-de-Crau* 11 040 h. *St-Mitre-les-Remparts* 5 139 h. *St-Rémy-de-Prov.* 9 340 h. ; légumes, fruits, graines ; vestiges romains [arc 1er s. av. J.-C. long 12,40 m, épaisseur 5,60 m, haut. sous voûte 7,50 m ; mausolée des Jules (IIe s. apr. J.-C., haut 19,30 m)], m. archéologique. *Salin de Giraud* sel : 1 080 500 t/an (1987). *Salon-de-Prov.* 6 979 ha, 34 054 h. [*1765 :* 4 928 ; *1911 :* 14 019 ; *1954 :* 21 321] [ag. 41 395, dont *Pélissane* 7 341] ; centrale hydr. ; École militaire de l'air. *Sénas* 5 113 h. *Tarascon* 10 826 h. ; ind. de la cellulose ; château. *Trets* 7 900 h. (ag. 10 375). *Velaux* 7 265 h.

Régions naturelles. Plaines : *Crau* (ancien delta de la Durance ; cult. fruitières et maraîchères, élevage ovins, « foin de Crau ») ; *Camargue* (75 000 ha dont 29 000 de marais, lagunes, étangs, rizières ; vignes ; élevage de taureaux et chevaux). **Chaînes calcaires :** à l'E. de Marseille : massifs de *Carpiagne* (550 m d'alt.), de *Marseilleveyre* (alt. 365 m), collines de *Cassis, La Ciotat, Ceyreste* (alt. 472 m) ; en parallèle, S.-O./N.-E. : chaînes de *la Nerthe* (alt. 264 m), de l'Étoile (alt. 710 m), de la *Ste-Baume* (alt. 1 043 m), falaises de *Vitrolles* et de l'*Arbois* ; au N. : collines d'*Istres*, de *St-Chamas* (alt. 200 m), de *la Fare* (alt. 287 m), d'*Éguilles* (alt. 380 m), de *la Trévaresse* (alt. 500 m), de la montagne *Ste-Victoire* (alt. 1 011 m), chaînes des *Alpilles* et des *Costes* (alt. 500 m). **Sur la mer,** falaises et calanques. **Iles** *Archipel du Frioul :* îles Ratonneau, Pomègues et d'If. *Calanques :* île Maire, de Jarre, Calseraigne, de Riou.

Ressources. Agriculture : (1989) : valeur de la prod. 3,8 milliards de F. 1er dép. prod. de riz (49 300 t en 88), légumes sous serre (22 300 t), huile d'olive (420 t) ; laitues (33 600 t), tomates (15 860 t), poires (66 600 t) ; blé dur (63 000 t). *Vigne :* 14 700 ha dont 5 000 ha en A.O.C. Côtes-de-Prov., Cassis, Palette ; Coteaux d'Aix-en-Prov., des Baux. *Élevage :* bovins et taureaux de Camargue 8 900 têtes, ovins 204 000 (mérinos, transhumance dans les Alpes), porcins 65 800 (élevages ind.). **Industrie** (entre parenthèses % de la prod. fr.) : B.T.P., métall. avec réparations navales (70), aéron. (Marignane, Istres), ind. alim. [semoule (70), huiles vég. (35), sucre raff. (25)] ; ind. chim. [acide tartrique (95), alumine (80), savon (45), pesticides (30)]. Électron., ingénierie dans la haute vallée de l'Arc. **Énergie :** *pétrole* raff. (1989) 26,8 millions t/an, 31,6 % prod. fr., pétrochimie. **Gisements :** *lignite,* Gardanne-Meyreuil, 1 750 350 t en 1990 (+ fort rendt de France : 11 t/mineur de fond/j ; 12 % de la prod. nat.) ; *bauxite.* **Recherche :** centre d'études nucléaires à Cadarache, Institut médit. de Technologie de Château-Gombert.

Sites touristiques. Calanques (Cassis : falaises les plus hautes de France, 400 m). *Montagne Ste-Victoire. Villages* Allauch, Les Baux. **Moulin** d'A. Daudet à Fontvieille-la-Tour (il y soufflerait 32 vents différents). Maillane (souvenirs de Frédéric Mistral, prix Nobel 1904). **Abbaye** Sylvacane (cistercienne). **Parc** *naturel régional* (820 km², créé 25-9-1970) *Réserve naturelle* de Camargue (13 117,5 ha, créée 24-4-1975). *Jardins d'Albertas* à Bouc-Bel-Air.

• **Var** (83) 5 992 km² (100 × 95 km). *Alt.* max. Pyramide de Lachens 1 713 m. *Côtes* 300 km. 814 731 h. (1990) [*1801 :* 271 704 ; *1851 :* 216 481 ; *1861 :* 315 526 ; *1880 :* 283 689 ; *1911 :* 330 755 ; *1936 :* 398 662 ; *1948 :* 370 688 ; *1982 :* 708 331]. D. 136. Seul département dont le nom évoque une entité géographique se situant dans un département voisin : jusqu'en 1860, le Var coulait dans le dép. à la limite de l'arr. de Grasse et de Nice. Mais dep. l'arr. de Grasse a été réuni au comté de Nice formant le dép. des Alpes-Mar. où coule le Var. *Actifs* ayant un emploi (au 31-12-89, prov.) : 261 000 dont primaire 12 100, secondaire 57 400, tertiaire 191 500.

Villes. TOULON 4 712 ha, 167 550 h. [*1471 :* 2 000 ; *1531 :* 7 000 ; *1698 :* 25 000 ; *1721 :* 10 493 (peste) ; *1746 :* 30 000 ; *1794 :* 15 000 (Révolution) ; *1801 :* 20 000 ; *1866 :* 30 148 ; *1901 :* 101 602 ; *1936 :* 150 310 [1] (*24-11-1943 :* bombardement, env. 500 †) ; *1954 :* 141 117 ; *1962 :* 161 786 ; *1975 :* 181 801] ; [ag. 437 493 (90) dont *Bandol* 7 431. *Carqueiranne* 7 118. *Hyères* 48 043, alt. 16 à 110 m ; salines, primeurs, fleurs, stat. baln., hôpitaux, maisons de retraite, base aéronav., pharm. *La Crau* 11 257, alt. 35 m. *La Farlède* 6 491. *La Garde* 24 412 ; métall. *La Seyne-sur-Mer* 59 977 ; chantiers nav., fort Balaguier. *La Valette-du-Var* 20 687. *Le Pradet* 9 704. *Le Revest-les-Eaux* 2 704. *Ollioules* 10 398 ; édit. du « Var Matin République ». *St-Mandrier-sur-Mer* 5 175. *Sanary-sur-Mer* 14 730. *Six-Fours-les-Plages* 28 957. *Solliès-Pont* 9 525, alt. 83 m. *Solliès-Toucas* 3 439. *Solliès-Ville* 1 895, alt. 224 m ; santons, cult. fruit.] ; arsenal (le plus important de Fr.), port militaire, de commerce et croisière (1 138 ha), répar. d'avions de la Marine ; munitions et artifices ; métall. ; exploitation des océans (CNEXO) ; Tour Beaumont (mémorial du Mont-Faron, alt. 542 m) ; musées des Beaux-Arts, naval ; tour Royale ; cath. XIe et XIIe s. ; chef-lieu du Var le 28-1-1797 transféré à Draguignan (Bonaparte voulant punir les Toulonnais de s'être livrés aux Anglais en 1793), puis de nouveau le 4-12-1974. – *Artignosc-sur-Verdon* 201 h. *Brignoles* * (sous-préf. rétablie dep. 1974) alt. 220 m, 11 239 h. ; bauxite (en déclin) (Péchiney) ; foire viticole. *Cavalaire-sur-Mer* 4 188 h. (ag. 6 822) ; tourisme. *Cogolin* alt. 50 m, 7 976 h. ; pipes, tapis. *Cuers* 7 027 h. *Draguignan* * alt. 182 m, 30 183 h. (ag. 34 186) ; services, admin., Éc. d'application de l'artillerie ; foire aux olives ; ex-chef-lieu (1797-1974). *Fayence* 3 502 h. *Fréjus* (forum Julii) 41 008 h. (port projeté sur 7 ha) [ag. 73 489, dont *Puget-sur-Argens* 5 865, alt. 65 m ; tourisme, viticulture, ind. *St-Raphaël* 26 616 ; stat. baln.] ; pêche, cath., cloître, nécropole (2 500 tués en Indochine). *Gonfaron* 2 566 h. *La Croix-Valmer* alt. 100 m, 2 634 h. *La Garde-Freinet* alt. 360 m, 1 465 h. *La Londe-les-Maures* 7 151 h. *Le Beausset* 7 114 h. *Le Lavandou* 5 212 h. (ag. 10 295). *Le Luc* alt. 150 m, 6 929 h. [ag. 10 055, dont *Le Cannet-des-Maures* 3 126]. *Le Muy* alt. 30 m, 7 248 h. *Les Arcs* 4 744 h. *Lorgues* alt. 214 m., 6 340 h. *Pierrefeu-du-Var* 4 040 h. *Plan-de-la-Tour* alt. 71 m., 1 991 h. *Ramatuelle* 1 945 h. *Roquebrune-sur-Argens* 10 389 h. *St-Cyr-sur-Mer* 7 033 h. *Ste-Maxime* 9 670 h. [ag. 12 992, dont *Grimaud* 3 322, alt. 150 m] ; stat. baln. *St-Maximin-la-Ste-Baume* alt. 303 m., 9 594 h. ; abbaye. *St-Tropez* (ancienne colonie grecque) 1 117 ha, 5 754 h. [*1831 :* 3 600 ; *1915 :* 3 700 ; *1936 :* 4 102] [ag. 8 376, dont *Gassin* 2 622, alt. 180 m] ; stat. balnéaire ; usine de torpilles ; musée de l'Annonciade ; fête de « la Grande Bravade » (16 au 18 mai). *Salernes* alt. 262 m, 3 012 h. *Vidauban* alt. 65 m, 5 460 h.

Nota. – (1) Pop. totale (avec doubles comptes).

Régions naturelles. *Massifs des Maures* (du latin *maurus,* brun foncé, pour désigner des collines foncées ; alt. max. 779 m à La Sauvette) et *de l'Esterel* (alt. max. 616 m au Mt Vinaigre). *Dépression* permienne (100 km × 5 à 10 km) contournant les Maures de Toulon à Fréjus (fruits, légumes). *Plateaux* (« plans ») et *chaînons* (« barres ») *calcaires du N.* [Mt de Bovrès (1 597 m), Mt de Margès (1 577 m), pyramide de Lachens (1 715 m)] (irrigation par le canal de Prov. : fruits et légumes en plus des ovins). *Côte varoise* entre Toulon et St-Tropez : partie du territoire français la plus ensoleillée (3 000 h par an). *Iles :* Bendor face à Bandol. **Iles d'Hyères :** *Porquerolles* (1 254 ha dont 1 050 appartiennent à l'État dep. janv. 1971, alt. 150 m, 20 mn de traversée ; inscrite à l'inventaire des sites) ; *Port-Cros* (640 ha, alt. 196 m, 2e parc national de France, 890 ha, traversée 35 mn, créé le 14-12-63), et îlots de *Bagaud* du *Levant* (996 ha, alt. 140 m, richesses minéralogiques) ; *Rascas* et *La Gabinière* (54 ha).

Ressources. *Vignes :* Côtes de Provence, Bandol, coteaux varois. 2 250 000 hl (1990). *Ovins. Cult. florales, maraîchères, fruitières. Chèvres* dans le Haut-Var. *Bois* (en milliers d'ha, au 1-1-1990, estim.) : 328 (1981) : massif des Maures 80 (pins, chênes-lièges, châtaigniers, maquis, eucalyptus), m. de l'Estérel 30, f. de la Ste-Baume (forêt « primaire ») 30 (hêtres, érables, ifs) [2e dép. forestier de Fr.]. Production : 111 520 m². **Industrie.** Nav., méc. **Mines.** Bauxite à Cabasse et au Thoronet (70 % de la prod. fr. traitée dans les B.-du-Rh.).

Sites touristiques. Massifs. Gorges : *Ollioules (3 km).* **Lacs :** *Carcès* (94 ha, 2,8 × 0,2 km), *St-Cassien* (430 ha, 6 × 0,04 km), retenue de *Fontaine-l'Évêque* (partagée avec les Alpes-de-Hte-Pr., 2 300 ha, 12 × 2 km), barrage de *Ste-Croix.* **Cascades :** *Sillans-la-Cascade, Trans, Callas* (c. de Pennafort). **Rade :** *Toulon.* **Châteaux :** *Entrecasteaux.* **Ports :** *St-Tropez, Port-Grimaud* [construit 1966-91, sup. : 80 ha dont port 28, quais : 14 km, amarrage : 2 200 postes, logements : 1 868 dont 1 100 maisons (30 premières livrées en 1967), habitants : hors saison 800, en saison 8 000, visiteurs : 1,5 à 2 millions par an]. **Stat. baln. :** *Cavalaire, Ste-Maxime, Bandol, Sanary, Hyères.* **Abbaye :** *Le Thoronet* (fin XIIe s.) ; chartreuse *la Verne* (Collobrières). *Six-Fours :* collégiale (XIe, XIIe s.), N.-D. de Pépiole (VIe s.). **Monuments romains :** *Fréjus* [arènes fin Ier s. après J.-C., 113 × 85 m, 10 000 places) ; théâtre (Ier s. après J.-C. ; 72 m de diamètre)].

• **Vaucluse** (84) 3 578 km² (110 × 60 km). *Alt.* max. Mt Ventoux 1 912 m, min. 12 m (confluent Rhône et Durance). 467 075 h. (1990) [*1851 :* 264 618 ; *1891 :* 235 411 ; *1911 :* 238 656 ; *1921 :* 219 602 ; *1982 :* 427 343]. D. 131. *Actifs* ayant un emploi (au 31-12-89, prov.) : 170 400 dont primaire 16 700, secondaire 39 700, tertiaire 113 900.

Villes. AVIGNON, alt. 16 à 55 m, sup. intra-muros (enceinte du XIVe s.) 150 ha, sup. urbanisée (non compris Montfavet) env. 1 305 ha, 86 939 h. [*1790 :* 26 000 ; *1810 :* 21 412 ; *1851 :* 35 880 ; *1911 :* 49 304 ; *1936 :* 59 472 ; *1954 :* 67 768] [ag. 145 147, dont *Bédarrides* 4 816. *Entraigues-sur-Sorgues* 5 788. *Le Pontet* 15 688 ; prod. réfractaires, papiers d'impression et de produits filtrants. *Montfavet* technopole, laboratoires de l'I.N.R.A. *Morières-lès-Avignon* 6 405. *Sorgues* 17 236 ; parachimie (Sté nat. des poudres et explosifs). *Vedène* 6 675] ; métall., text., ind. alim. ; emballages. 1er fest. de théâtre fr. (1947) ; 1er marché d'intérêt nat. (1961) ; palais des Papes (XIVe s.,), N.-D.-des-Doms (romane), rocher des Doms, remparts, musées (Calvet, Lapidaire, du Petit-Palais), pont St-Bénézet [à l'origine 22 arches (850 m env.), reconstruit XIIIe, subsistent 4 arches], le Châtelet (XIVe et XVe s.), la chapelle St-Nicolas (romane, remaniée XIIIe s. et déb. XVIe s.). – *Apt* * 11 506 h. (ag. 14 381) ; fruits confits (90 % de la prod. fr.). *Beaumes-de-Venise* 1 784 h. *Bollène* 13 907 h. ; usine hydroélec., combustibles nucléaires, métall., meubles, briques réfractaires 20 000 t/an. *Camaret-sur-Algues* 3 121 h. agro-alim. (plus grande conserverie de tomates de Fr.), pâtes alim. Buitoni. *Carpentras* * 24 212 h. [ag. 40 673, dont *Monteux* 8 157, pyrotechnie (Ets Ruggieri), épices (Ets Ducros). *Pernes-les-Fontaines* 8 304] ; marché d'intérêt nat. agr., conserveries ; arc romain (Ier s. apr. J.-C. ; haut. 10 m, larg. 5,90 m, prof. 4,54 m), cath. St-Siffrein, synagogue la + ancienne de France (1743), musée. *Cavaillon* 23 102 h. [ag. 31 193, dont *Robion* 3 417] ; marché d'intérêt nat. fruits et primeurs ; anc. cath. romane, arc romain (Ier s. apr. J.-C.), synagogue. *Châteauneuf-de-Gadagne* 2 619 h. *Châteauneuf-du-Pape* 2 062 h ; vignes (grand cru). *Courthézon* 5 166 h. *Jonquières* 3 780 h. *Lapalud* 3 332 h. *Le Thor* 5 941 h. *L'Isle-sur-la-Sorgue* 15 564 h. *Orange* 26 964 h. ; base aérienne ; laine pour isolation, chauss. ; arc de triomphe [arc de Tibère (haut 22,73 m, larg. 21,45 m, prof. 8,50 m)], théâtre antique (début Ier s. apr. J.-C., diam. 103 m, haut. 36 m, 12 000 pl., le mieux conservé), chorégies. *Pertuis* 15 791 h. *Piolenc* 3 830 h. *St-Saturnin-lès-Avignon* 2 941 h. (ag. 4 029). *Sarrians* 5 094 h. *Vaison-la-Romaine* 5 663 h. ; th. antique (5 000 pl.). *Valréas* 9 069 h. [arrondissement d'Avignon (à 65 km d'Av. et 14 km de Nyons) enclavé dans la Drôme, ancienne judicature majeure des États du Pape dep. 1317] ; 1er centre français du cartonnage ; matér. techn. de classement ind.

Régions naturelles. *Plaine du Comtat* (80 000 ha), fraises, melons, pêches, pommes, poires, asperges, raisins de table, abricots, tomates, vignobles de Châteauneuf-du-Pape. Vents : bise ou mistral, env. 120 j/an à plus de 50 km/h (max. 140 km/h.). *Hauteurs calcaires : Ventoux, monts de Vaucluse, Luberon* (124 000 ha), ovins, truffes, lavande, cerisiers. *Basse vallée de la Durance* (29 000 ha), polyculture : céréales, maraîchage et vergers. *Tricastin* (56 000 ha, partagé avec la Drôme), vignes, céréales, fruits. *Les Baronnies* (14 000 ha, partagées avec la Drôme), vignes, vergers. *Plateau de St-Christol* (26 000 ha), lavande, céréales, ovins.

Ressources. Agriculture. Vins : Châteauneuf-du-Pape, Côtes-du-Rhône, Coteaux-du-Mont-Ventoux, Coteaux-du-Luberon, muscat de Beaumes-de-Venise, vin doux naturel du Rasteau. *Divers :* 1er prod. de pommes (195 000 t), tomates (120 000 t), raisins de table (54 000 t), melons (52 000 t), cerises (32 300 t). **Bois** (en milliers d'ha, au 1-1-1990, estim.) 107,6. (1983) : forêts domaniales 10,4 (4 massifs dans le Mt Ventoux, les Mts de Vaucluse et le Luberon, massif d'Uchaux-Sérignan), f. communales 38,8, privées 57,7 (1981). Production : 77 014 m³. **Hydroélectricité :** barrage sur le canal Donzère-Mondragon (2 200 millions de kWh). Caderousse : sur le Rhône. **Industrie.** *Agro-alimentaire. Chimie* (Sorgues).

Tourisme. Villes : *Avignon, Orange, Vaison* (vestiges gallo-romains, bourg médiéval, festival), *Gordes* [musée Vasarely, village des Bories (borie : maison de pierres sèches)], *Bollène* [village troglodyte de Bàrri, canal de Donzère-Mondragon (plus haute écluse de Fr., 25 m)], *Montmirail* (dentelles), *Sérignan* (souvenirs de J.-H. Fabre, entomologiste). **Abbaye :** *Sénanque* (cistercienne). **Vallées :** *Durance, Calavon.* **Parcs :** *Luberon* (naturel régional, 1 200 ha. **Mont :** *Ventoux* 1 912 m. **Étangs :** de la *Motte d'Aigues* (10 ha). *Fontaine-de-Vaucluse* [source résurgente, d'origine inconnue, débit 4,5 (15-12-1884) à

200 m^3/s. (moy. 15) ; gouffre – 308 m (atteint 3-8-1985 par appareil Modesca) ; maison de Pétrarque, égl. romane, expo. spéléol. Norbert-Casteret]. **Divers :** *base de fusées :* plateau d'Albion (près d'Apt), voir Index).

Rhône-Alpes

Généralités

● **Dauphiné. Situation.** Ancien Dauphiné de Viennois, qui s'étendait sur une partie des Alpes et jusqu'au Rhône, entre Savoie au N., Provence et comtat Venaissin au S. Se divisait en *bas Dauphiné* (basses vallées : Royannais ou Royans, Grésivaudan ; bords du Rhône : Viennois, Valentinois, Triscastin et Baronnies) et en *haut Dauphiné*, plus montagneux (Champsaur, Embrunais, Oisans, Briançonnais, Trièves, Matheysine, Rueras...) ; capitale : Grenoble.

Régions. *D'E. en O. :* massifs centraux des *Alpes*, du *Queyras* à la chaîne de *Belledonne. Sillon alpin : Grésivaudan,* pays du *Drac. Préalpes :* allant de la vallée de la Durance à la Chartreuse. *Bas Dauphiné :* entre Isère et Rhône : plateaux et collines entaillés par des dépôts tertiaires. *Au S., plaine de l'Isère* (céréales dont maïs, tabac ; vaches laitières : fromage ; culture de noyers). *Plateau de Chambaran,* au-dessus de St-Marcellin, boisé. *Plaines de la Bièvre et de la Valloire,* riches (amendées) (céréales, betteraves à sucre, prairies naturelles et artif., cult. fruitières). *Au N., collines* sols humides dominant la *vallée marécageuse de la Bourbre* (lait, textile).

Histoire. Territoires tour à tour aux mains des Ligures, des Celtes (Caturiges à Embrun ; Ségusiens à Briançon ; Uceni dans l'Oisans), des Romains. **121 av. J.-C.,** *Province Romaine* entre Léman et mer. Ségusiens (cap. Suse), résistent jusqu'en 13 av. J.-C. Leur roi Cottius se soumet alors à Auguste qui transforme leur cité en royaume tributaire, à cheval sur les Alpes et dépendant de l'Italie. La rive gauche du Rhône forme la Viennoise (cap. Vienne ; ville princ. *Cularo,* devenue en 325 Grenoble, *Gratianopolis).* **480-523** roy. burgonde, **524** Burgondes battus à Vézeronce et occupation franque. **VIe-Xe s.** fait partie successivement de différents royaumes [Provence-Viennois, Provence bosonienne, Bourgogne-Provence (ou Arles)] ; **dep. 843** *(tr. de Verdun),* intégrée à l'Empire germanique. **Vers 1029-30** l'archevêque Brochard, ayant reçu de la reine de Bourg. le comté de Vienne, en inféode le N. à *Guigues,* 1er Cte d'Albon. **V. 1098** le Cte d'Albon Guigues VII prend le titre de dauphin qui est un ancien prénom (Delfinus). 3 familles se succèdent à la tête du Dauphiné : maisons d'*Albon* (1029-1162), de *Bourgogne* (1192-1282), de *La Tour-du-Pin* (1282-1349). Les P^{ces} de Dauphiné accroissent leurs possessions [Briançonnais (1039), Grésivaudan (v. 1050), Embrunais et Gapençais (1202), Faucigny (1241)] contrôlant ainsi les principaux cols des Alpes du S. Pas de capitales fixes jusqu'au XIIIe s. (ensuite, Grenoble). **XIIIe s.** divisée en 7 bailliages, dirigés chacun par un bailli assisté des juges mages. **XIVe s. Humbert II (1333-49)** crée Conseil delphinal (1336), Chambre des comptes (1340) et université de Grenoble (1339) et, par le statut delphinal de 1349, codifie le privilège de ses sujets. Privé de descendance par la mort de son fils et endetté, il vend son État au roi de Fr. : le *tr. de Romans (30-3-1349)* transfère immédiatement, moyennant 200 000 florins, le Dauphiné à Charles, fils de Jean, duc de Normandie, et petit-fils du roi Philippe VI ; Humbert II se fait dominicain. Non incorporé au domaine royal, le D. devient l'apanage traditionnel du fils aîné du roi. **1356** le dauphin Charles (futur Ch. V) reçoit l'investiture impériale (maintenant fictivement les droits de l'emp.). **1357** il crée les états provinciaux du D. **1355**-*5-1 tr. de Paris* fixe les limites avec la Savoie : le Faucigny est abandonné en échange de terr. situés à l'ouest du Guiers. Pendant la g. de Cent Ans, tentatives d'inv. du duc de Savoie et du P^{ce} d'Orange. **1378** l'emp. Charles IV institue fictivement le fils du roi de Fr. « vicaire d'Empire » en D. **1389** le dauphin Charles (futur Ch. VI) arbore en D. l'aigle impériale des « vicaires » (dernière manifestation de la suzeraineté impériale). **1419-26** annexion du Valentinois et du Diois. **XVe s.** les Vaudois (s'implantant en Briançonnais et Vallouise) jouent un rôle important. **1440-57** le dauphin Louis II s'efforce de faire reconnaître l'autonomie de son apanage, renforce son autorité, soumet étroitement clergé et noblesse, rétablit le Grand Conseil, crée une chancellerie, réduit les bailliages de 7 à 3, achète au pape la suzeraineté sur Montélimar (1447). Devenu le roi de Fr. Louis XI, il ne donne pas le D. à son fils et en conserve l'admin. Ses successeurs, tout en garantissant les privilèges

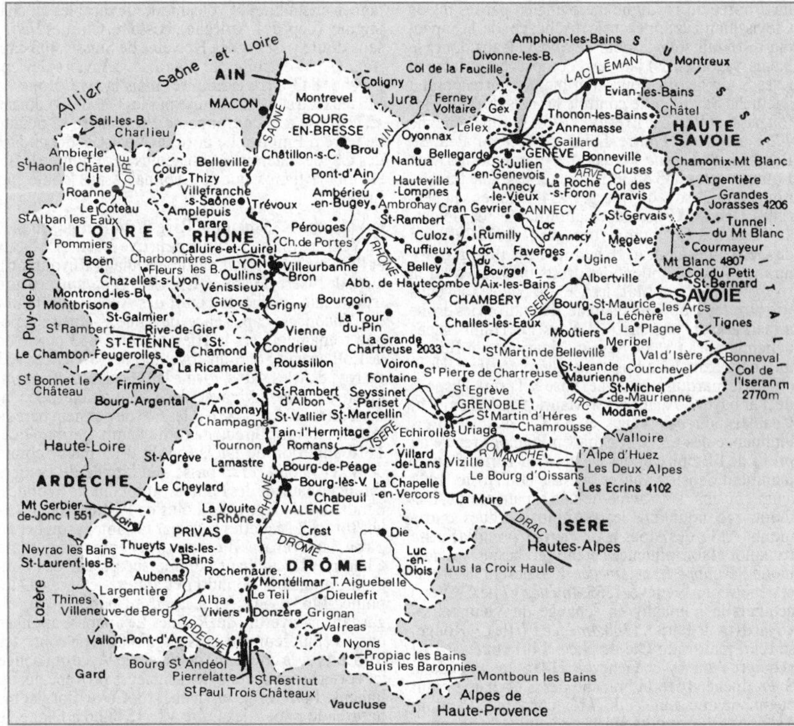

de la province, en font autant. **1523** la Réforme rallie les Vaudois. Principaux chefs protestants : baron des Adrets, Dupuy-Montbrun. **1577** Lesdiguières, gouv. de la province sous Henri IV et jusqu'à sa mort (1526). **1560** *union définitive proclamée* (pas de modifications profondes de l'admin.). **1628** suspension des états du D., apparition des intendants. Inv. savoyardes au cours des guerres de la ligue d'Augsbourg et de la Succession d'Esp. **1713** *tr. d'Utrecht :* le duc de Savoie reçoit les vallées briançonnaises du versant E. des Alpes en échange de la haute vallée de l'Ubaye (Barcelonnette). **1788**-*21-7 assemblée de Vizille* réclamant des états généraux.

● **Forez. Situation.** De part et d'autre de la Loire, du S. de St-Rambert au N. de Roanne. *Forez* devrait être écrit *Forais,* c.-à-d. « Pays de Feurs » (les 2/3 du dép. de la Loire). Comprend : *monts du Forez* et de *la Madeleine* à l'ouest de la vallée de la Loire, du *Lyonnais* et du *Pilat* entre Loire et Rhône (Primaire) ; plaines de *Roanne* au nord, et du *Forez* au centre (Tertiaire). Gisement houiller (abandonné), uranium dans 3 vallées autour de St-Étienne.

Histoire. Occupation très ancienne (Sinanthropiens, Néandertaliens). Domination celte à partir du Ve s. *(Ségusiaves).* **Epoque romaine :** urbanisation (Forum Segusiavorum, Feurs ; Rodumna, Roanne ; etc.). **Après les Carolingiens** (843), appartenance à l'Empire « lotharingien », puis au royaume de Bourgogne-Provence, puis à l'Empire germanique. **1167** entrée dans la mouvance française. **1173** Lyonnais et Forez se séparent. Les nouveaux « comtes de Forez » ont comme principaux vassaux les seigneurs de Roanne. **1531** passe à la couronne de Fr. Les seigneurs de Roanne deviennent vassaux directs de la Couronne ; **1566** ils obtiennent le titre de « ducs de Roannais » (éteint 1725). **1790** département de Rhône-et-Loire (chef-lieu Lyon), regroupe Forez, Roannais et Lyonnais ; il est en majorité jacobin à l'Ouest, girondin à l'Est. **1793** la Convention le divise en 2 : Montbrison devient chef-lieu de la Loire.

● **Lyonnais. Situation.** Rive dr. de la Saône et du Rhône, au sud de l'Azergues, jusqu'aux monts du Lyonnais et du Pilat (alt. de 1 000 à 1 400 m). Collines de 600 m d'alt. entre le sillon Saône-Rhône (sablonneux) et la montagne, favorable à la viticulture.

Histoire. Partie O. du territoire des Ségusiaves. **43 av. J.-C.** L. Manatius Plancus, ancien lieutenant de César, fonde Lyon. **13 av. J.-C.** capitale des « Trois Gaules » (Narbonnaise, Aquitaine et Lugdunaise), point de convergence des routes gallo-romaines. **Après Dioclétien,** Lyon métropole de la Lugdunaise Première, et cap. de l'ancienne cité des Ségusiaves (pas d'évêques à Feurs ni à Roanne, qui dépendent du métropolite de Lyon). **478** Lyon, cap. du roy. burgonde. **Sous les Carolingiens,** le Cte est nommé aux côtés de l'archev. **V. 1000** l'archev. Burchard, fr. de Rodolphe III, repousse le Cte vers Feurs et Roanne et agit comme seigneur du Lyonnais. **1157** l'archev. reçoit un titre comtal pour le Lyonnais (partition définitive en 1173). **1290** les Lyonnais, révoltés contre l'archev., demandent un « gardiateur » mandaté par le roi de Fr. **1310** Louis X le Hutin assiège et prend Lyon (réuni à la Couronne en 1312). À la fin de l'Ancien Régime, le gouv. du Lyonnais comprend *Lyonnais, Forez* et *Beaujolais.* Sous la Révolution, Lyon est appelé « commune affranchie » (V. Index).

● **Beaujolais. Situation.** Rive dr. de la Saône, au N. de la vallée de l'Azergue. Montagnes culminant à 1 012 m (Mt St-Rigaud). Collines viticoles.

Histoire. 843 fraction du territoire des Ségusiaves, attribuée au royaume de Fr. Les seigneurs de Beaujeu étaient sans doute vassaux des ducs capétiens de Bourgogne en fait indépendants, pratiquant un jeu de bascule entre le royaume et l'Empire, et possédant de nombreuses terres « en Empire », notamment les Dombes et le massif des Bauges en Savoie. **1400** Édouard II vend ses domaines au duc de Bourbon. **1523** confisqué au connétable. **1531** réuni à la Couronne, dépend de Lyon pour justice et finances. **1560** rendu aux Bourbon-Montpensier. La Grande Mademoiselle le lègue aux ducs d'Orléans qui le posséderont encore à la Révolution.

● **Savoie. Situation.** Comprend d'E. en O. : *massifs intra-alpins* (aiguilles d'*Arves,* massifs du *Mont-Cenis* et de la *Vanoise*), traversés par la Maurienne et la Tarentaise ; *hauts massifs cristallins (Grand Arc, Beaufortin, Mt Blanc)* ; *sillon alpin,* avec la *combe de Savoie* et le *val d'Arly ; massifs* (Bauges, Bornes, Chablais) et *cluses préalpines* (rive g. du Rhône, jusqu'à la crête frontière des Alpes depuis le lac Léman jusqu'au S. de la cluse de Chambéry).

Histoire. Chasseurs magdaléniens (l'âge de la pierre taillée). Les populations de Maurienne et de Tarentaise montagneuses (Ligures ?) où pénétrent un peu Celtes et Romains, diffèrent de celles du bas Pays, où se sont installés les Celtes allobroges. **122 av. J.-C.** le consul Domitius Ahenobarbus bat les Allobroges que les Arvernes tentent vainement de sauver. Leur cité (cap. *Genaba,* Genève) est annexée à la *Provincia Romana.* **69 et 61 av. J.-C.** tentatives de soulèvement contre exactions du gouv. Fonteius et lors de la g. des Gaules. *Sous Auguste,* la Tarentaise fait partie des Alpes Grées, roy. relevant de l'Italie. **Fin IVe s.** 1er évêque de Genève connu. Le terme *Sapaudia* apparaît la 1ère fois chez Ammien Marcellin (354 ? ou v. 370-80 ?) : désigne actuelle Savoie et partie de l'Helvétie. **485** Burgondes, venus du N. du Léman, occupent la région. **V^e et VIe s.** christianisation pénètre Tarentaise et Maurienne, vie religieuse autour du monastère de St-Maurice-d'Agaune et des nouveaux évêchés de Grenoble et Belley. **534**

incorporée au royaume mérovingien par les fils de Clovis quand ils annexent le roy. burgonde, la Sapaudia se réduit sous le nom de *Saboia* (sans doute le pagus Sagoniensis) aux terr. compris entre Isère et rives S. du lac du Bourget et bientôt correspond à l'actuelle Savoie. Elle contrôle les cols du Mt-Cenis (où passent Pépin le Bref 755 et 756, et Charlemagne 773, en guerre contre Lombards) et du Petit-St-Bernard. **843** *tr. de Verdun,* fait partie des terr. de Lothaire, puis **888** du 1er roy. de Bourgogne transjurane et du 2e roy. de Bourg. ; **934-35** luttes seigneuriales. **Déb. du XIe s.** émancipation des C[tes] de Genève au N. et des C[tes] humbertiens au S. **1032-38** le roi de Germanie, Conrad II, héritier de la Bourg. transjurane (Suisse), obtient des droits théoriques sur la rive g. du Rhône. Mais les C[tes] de Savoie, devenus vassaux de l'empereur en Italie, défendront les droits impériaux sur l'ancien roy. d'Arles. Les Humbertiens détiennent les C[tés] de Savoie, Maurienne et Bugey, une partie du Viennois et acquièrent par mariage (1044) le marquisat en Italie (Susc et Turin). Dispose de l'abbaye d'Agaune (St-Maurice-en-Valais), du Chablais, du bas Valais et du C[té] d'Aoste. Puis l'influence des C[tes] de Savoie en Piémont recule au profit de l'Empire et des évêques de Turin, mais se maintient dans les vallées de Suse et d'Aoste. **1294** leurs cousins, les Savoie-Achaïe, apanagés du Piémont, reconquièrent les positions perdues outre-monts. A l'O. des Alpes, le Cte *Pierre II* prend la Suisse romande et son influence s'étend vers la Suisse alémanique ; *Philippe Ier* et *Amédée V* annexent la Bresse et pénètrent à Genève. **1355** *Amédée VI* (le Cte Vert) acquiert le Faucigny en échange du Viennois savoyard (tr. de Paris). **1388** *Amédée VII* (le Cte Rouge) se rend maître du Cté de Nice. **1401** *Amédée VIII* acquiert Annecy et Genevois. **1416** érection de la S. en duché. **1418** la branche des S.-Achaïe s'étant éteinte, le duc *Amédée VIII* réincorpore le Piémont à ses possessions personnelles ce qui facilite l'entrée des Piémontais dans l'adm. des États savoyards. **XVe et XVIe s.** déclin territorial à l'O. des Alpes, accroissant l'infl. du Piémont. S'étant rapprochés de Charles le Téméraire, puis de Charles Quint contre la Fr. et les cantons suisses, les ducs perdent Bas-Valais (1477) et pays de Vaud (1536). **1559** *Emmanuel-Philibert* transfère sa capitale de Chambéry à Turin. Désormais, la S. conserve ses institutions particulières (Sénat de S. et jusqu'en 1720 chambre des comptes de Chambéry) au sein d'un État qui s'italianise. **1601** *tr. de Lyon* cède à Henri IV Bresse, Bugey et pays de Gex. La Savoie a été occupée par la Fr. sous François Ier et Henri II (1536-59) et 2 fois sous Louis XIV (1690-96 et 1703-13). **1713** *Victor-Amédée II* ajoute la Sicile à ses États et devient roi. **1720** doit échanger Sicile contre roy. de Sardaigne. **1792** la S. rattachée à la Fr. forme un dép. (le Mt-Blanc). **1798** 2 dép. (Mt-Blanc : ch.-l. Chambéry, et Léman : ch.-l. Genève). **1814** restituée en partie, puis **1815** en totalité aux rois de Sardaigne. **1860** incorporée à la Fr. (sans Genève et environs). Après plébiscite (inscrits 135 449, votants 130 839, oui 130 533, non 235, nuls 34), divisée en 2 dép. (Savoie et Hte-Savoie). **1947**-*10-2 tr. de Paris* frontière avec Italie modifiée (près du Petit-St-Bernard et sur plateau du Mt-Cenis) en faveur de la Fr.

• **Bresse, Bugey, pays de Gex. Situation.** Sur la rive dr. du Rhône et g. de la Saône, entre monts du Jura et Saône. Forment avec les Dombes le dép. de l'Ain. **Histoire. Époque celtique :** les *Séquanes* (v. Franche-Comté) occupent le Jura. Les *Ambares* (cap. Ambérieu) la basse vallée de l'Ain avec une ville fortifiée à Bourg *(Briga)* qui a donné son nom à la Bresse *(Bricia)*. **Époque gallo-romaine :** le pagus d'*Isarnodorum,* Izernore, cap. régionale. **V. 485 :** conquis par Burgondes venus du N. du Léman. **843 :** terre d'Empire. Acquis progressivement par la Maison de Savoie entre XIIe et XIVe s. **1601** annexés par Henri IV (tr. de Lyon).

• **Dombes. Situation.** Région marécageuse entre Ain, Rhône et Saône, au S.-O. du dép. de l'Ain. **Histoire.** Zone non peuplée à l'époque celtique, servant de limites entre Ambares et Ségusiaves. **843** terre d'Empire. **V. le Xe s.** acquise par les seigneurs de Beaujeu qui sont de la mouvance française. Les Beaujeu, puis les Bourbons sont donc seigneurs impériaux en même temps que feudataires français. **1601** après l'annexion de Bresse et Bugey, la Dombes reste une enclave impériale, sans statut défini, à l'intérieur des terres fr. Les ducs de Montpensier s'intitulent « princes de Dombes » pour montrer qu'ils ne relèvent pas du roi sur la rive g. de la Saône. Leur cap. est Trévoux. **XVIIIe s.** les jésuites y établissent leur maison d'édition sous la suzeraineté des princes légitimés, héritiers des Montpensier.

• **Vivarais. Situation.** Rive dr. du Rhône, au sud du Lyonnais, jusqu'au confluent de l'Ardèche. Montagnes cristallines et volcaniques favorables au châtaignier (dép. de l'Ardèche). **Histoire.** Cité des *Helvii,* sans doute parents des Helvètes de Suisse. **405** cap. *Alba* (Aps) détruite par Vandales ; Viviers devient évêché. **843** terre d'Empire, mais la rive droite de l'Érieux, au sud, est acquise par les C[tes] de Toulouse. **1271** passe à la couronne de Fr., malgré sa qualité de terre d'Empire. Le nord du Vivarais, dépendant des C[tes] de Valentinois, est acquis par Philippe le Bel en même temps que le Lyonnais, sans doute par rachat.

• **Valentinois. Situation.** Rive g. du Rhône, en face du Vivarais (35 communes de la rive dr. entre le Doux et l'Érieux en ont fait partie jusqu'à la Révolution), au S. de l'Isère. **Histoire.** Cité des *Ségalaumes* (petite tribu gauloise, cliente tantôt des Allobroges, tantôt des Voconces ; cap. Vence, devenue Valence à l'époque romaine). **Vers le IIIe s.** évêché. **843** partie de la Lotharingie. **855** du royaume de Provence. **933** du roy. d'Arles. **XIe s.** forme le C[té] valentinois *(comitatus valentinensis),* avec des C[tes] movibles, dépendant du roi d'Arles. **XIIe s.** les C[tes] deviennent héréditaires, relevant directement de l'emp. germanique. **1116** annexion du Diois (on dit désormais : comté de V. et Diois). **1125** passe à la famille de Poitiers (branche bâtarde des Poitiers-Aquitaine) : 10 comtes, pendant 4 siècles. **1423** Louis de Poitiers-Saint-Vallier (branche cadette) cède par testament son fief au pape, souverain du comtat Venaissin ; mais Charles VII, agissant comme successeur des dauphins, annule la donation et annexe le V. au Dauphiné. **1463** Louis XI le rend au pape Pie II, en gardant la rive dr. du Rhône. Les papes, appuyés par les empereurs, ne cessent, dès lors, de contester les droits de la couronne de Fr. sur le V., ce qui oblige les rois à le concéder à des seigneurs provençaux ou italiens. **1498** (érigé en duché) : à César Borgia, fils naturel du pape Alexandre VI ; **1548-66** à Diane de Poitiers-Saint-Vallier, héritière de l'ancienne famille et maîtresse d'Henri II ; **1642** duché-pairie pour Honoré II, Grimaldi P[ce] de Monaco, qui devient l'allié de la Fr. **1715** passe par mariage à la famille de Matignon (les princes héritiers de Monaco portent le titre, voir Monaco p. 1023).

• **Diois. Situation.** Bassin de la Drôme, S.-E. du Valentinois. **Histoire.** Tribu des Voconces. Leur capitale, Die, porte le nom de la déesse Andarta *(Dea Antarta),* remplacé par celui de l'épouse d'Auguste à l'époque romaine (Dea Augusta Vocontiorum). **325** évêché. **X[e]-XIIe s.** comté souverain. **1189** donné en fief à Aymar II de Poitiers, qui le réunit au comté de Valentinois. **1275** diocèse fusionné avec celui de Valence : l'év. de V. est év.-comte de Die jusqu'en 1687. **1687-1790** restauration de l'évêché de Die (l'év. est Cte de Die).

Économie

Population. 5 029 944 h. (1990) [*1800 :* 1 825 265 ; *1830 :* 2 362 223 ; *1860 :* 3 385 359 ; *1890 :* 3 561 472 ; *1920 :* 3 453 494 ; *1954 :* 3 629 722 ; *1975 :* 4 779 600 ; *1980 :* 4 930 800 ; *1982 :* 5 015 947]. D. (90) 131,7 h/km². *Actifs* (emploi total, 1989, estim.) 2 071 119 dont primaire 94 927, secondaire 718 128, tertiaire 1 258 064. *Salariés* (au 1-1-89, prov.) 1 760 606 dont primaire 11 993, secondaire 652 381, tertiaire 1 096 232. *Étrangers* (31-12-82) : 546 750.

Échanges (en milliards de F, 1989). IMPORTATIONS : 103,7 dont équip. profess. 20,7, prod. chim. et 1/2 prod. 18,4, biens de consomm. 17,7, métaux 17,4, autom. 9,6, pièces détachées et matér. de transp. 5,5, agro-alim. 5,3, énergie 3,9, prod. agric. 2,2, équip. mén. 2,2, mat. 1res 0,4, divers 0,4 ; *de :* Italie 29,3, All. 18,8, Belg.-Lux. 9,7, U.S.A. 5,4, G.-B. 4,6, P.-B. 4, Suisse 3,8, Espagne 2,9, Japon 2,3, Autriche 1,3. EXPORTATIONS : 115,1 dont équip. profess. 31,7, prod. chim. et 1/2 prod. 22,7, biens de consomm. 20,3, métaux 18,9, pièces détachées et matér. de transp. 6,1, prod. agric. 4,5, énergie 4,2, agro-alim. 3,5, équip. mén. 0,8, autom. 0,5, mat. 1res 0,1, divers 1,6 ; *vers :* Italie 18,6, All. 17,9, G.-B. 9,8, Belg.-Lux. 9,7, U.S.A. 8,3, Suisse 7,2, Espagne 5,9, P.-B. 4,3, Japon 3,1, Suède 2,2.

Agriculture (au 1-1-1990, estim.). **Terres** (en milliers d'ha). 4 496,7 dont *S.A.U.* 1 839,1 [t. lab. 703,3 (dont céréales 358,6, oléagineux 80,3, légumes 18,8 dont p. de t. 6,5, racines et tubercules fourr. 7,5, fourrages annuels 65,3, jardins 18,5, cult. fruit. 42,7 dont noyeraies 5,4, vignes 61,8, herbe et prairies 1 166,3] ; *bois, forêts et peupleraies* 1 540,4 ; *t. agr. non cult.* 312,8 ; *t. non agr.* 721,1. **Prod. végétale** (en milliers de t) : blé 708,8, orge 266, maïs 699,6. Fruits (prod. totale) : pêches 189,1, pommes de table 109,4, poires de table 50,9. *Vin :* 3 486 525 hl. **Prod. animale** (en milliers de têtes, au 1-1-1989, estim.) : bovins 1 158,3, ovins 508,6, porcins 463,9, caprins 193,8. *Lait (au 1-1-90, estim.) :* 15 779 540 hl.

• **Industrie et B.T.P.** *Effectifs salariés* (au 1-1-1989, prov.) : B.T.P. 125 808. Constr. méc. 73 557, fonderie, trav. des métaux 69 686, constr. élec.,électron. 52 644, text., habill. 50 300, agro-alim. 43 212, bois, meubles, ind. div. 34 651, autom., cycles pièces autom. 31 548, caout., mat. plast. 26 423, élec., gaz, eau 22 449, chimie, fils, fibres artific. et synth. 19,2, imprim., presse, édition 15 665, papier, carton 13 208, mat. constr. div. 12 246, min. et métaux non ferreux 11 846, cuir et chauss. 7 736, constr. aéron., armement 6 378, min. et métaux ferreux 6 323, verre 4 967, équip. mén. 4 891, pétrole, gaz nat. 1 484, combustibles, min. solides 709.

• **Énergie.** Prod. totale au 1-1-90. **Électricité** (en milliards de kWh : 105 dont nucléaire 82, hydraulique 22, thermique 1. Centrales du Bugey (*1972/78/79 :* 4 180 MW), Cruas (*1984 :* 3 520 MW), surrégénérateur Creys-Malville (*1986 :* 1 200 MW), St-Alban-St-Maurice (*1986 :* 2 600 MW), Tricastin (programme Eurodif, *1980/81 :* 3 680). Barrages de Grand-Maison (*1985 :* 1 800 MW), Super-Bissorte, Isère, Moyenne-Aval. **Pétrole raffiné** (1989, milliers de t) : 4 384. **Charbon** (1-1-90, milliers de t) : 328. **Divers :** solaire, biomasse, géothermie à Bourg et Valence.

• **Tourisme.** 2e région touristique après Paris. 15 % de la capacité hôtelière française. 2/3 des stations de sports d'hiver. *Au 1-1-86 :* hôtels non homologués 2 637, homologués (au 1-1-90) 2 988 (74 082 ch.) ; campings-caravanages : terrains homologués 877 (72 058 pl.), auberges de jeunesse 35 (2 849 pl.), villages de vac. 220 (44 460 pl.), maisons familiales de vac. 188 (19 165 pl.), gîtes ruraux 6 520 (17 040 ch.), ch. d'hôtes 1 195 (2 774 ch.), campings à la ferme et aires naturelles 620 (8 296 pl.).

☞ Voir Occitanisme p. 782.

Départements

Voir légende p. 748.

• **Ain** (01) 5 756,10 km² (100 × 80 km). *Alt.* max. Crêt de la Neige 1 723 m, min. 170 m (sortie du Rhône). 471 016 h. (1990) [*1801 :* 297 071 ; *1851 :* 365 939 ; *1901 :* 343 048 ; *1921 :* 309 486 ; *1936 :* 306 718 ; *1946 :* 298 556 ; *1975 :* 376 477 ; *1982 :* 418 516]. D. 82 (90). *Pop. rurale* (1990) 203 504, *urbaine* 267 512. *Salariés* (au 1-1-1988, prov.) 128 382 dont primaire 1 651, secondaire (y.c. B.T.P.) 56 079, tertiaire 70 652.

Villes. BOURG-EN-BRESSE, alt. 241 m, 40 972 h. [*1926 :* 20 364 ; *1962 :* 32 596 ; *1975 :* 42 181 ; *1982 :* 41 098] [ag. 55 784, dont *Péronnas* 5 352. *Viriat* (90) 4 701. *St-Denis-lès-Bourg* (90) 4 145] ; ind. métall., constr. méc., véhic. util., foires importantes ; église de Brou. – *Ambérieu-en-Bugey* alt. 260 m, 10 455 h. [*1806 :* 2 892 ; *1926 :* 5 705] (ag. 12 235) ; nœud ferroviaire, terrain d'aviation ; château. *Bellegarde-sur-Valserine* alt. 400 m, 11 153 h. [*1806 :* 172 ; *1926 :* 4 664] (ag. 11 968) ; électrométall., imprimerie, confect. *Belley* * alt. 220 m, 7 801 h. [*1806 :* 3 775 ; *1926 :* 4 739] ; constr. métall., joints métall., maroquinerie Le Tanneur. *Châtillon-sur-Chalaronne* 3 786 h. [*1806 :* 3 194 ; *1926 :* 2 732] ; ind. pharm., marché agr. ; halles. *Culoz* 2 639 h. *Divonne-les-Bains* alt. 500 m, 5 580 h. [*1806 :* 1 296 ; *1926 :* 1 721] ; casino, thermes. *Ferney-Voltaire* alt. 423 m, 6 408 h. (90) [*1804 :* 920 ; *1926 :* 1 209] ; CERN (Centre europ. pour la rech. nucléaire), secteur fr. de l'aéroport Genève-Cointrin. *Gex* * alt. 575 m, 6 615 h. [*1806 :* 2 325 ; *1926 :* 2 065] (ag. 8 378) ; fromages. *Hauteville-Lompnes* alt. 850 m, 3 895 h. *Izieu* 161 h. ; mémorial (6-4-1944) (gestapo déporte 44 enfants juifs : 41 † Auschwitz). *Jassans-Riottier* (90) 4 609 h. *Lagnieu* 5 686 h. (ag. 6 518). *Lélex* 232 h. ; lapidaireries et stat. de ski. *Meximieux* (90) 6 230 h. [ag. 7 081, dont *Pérouges* 851 ; cité médiévale]. *Mijoux* 258 h. *Miribel* 7 683 h. *Montluel* 5 954 h. ; ind. frigorifique. *Montmerlé-sur-Saône* (90) 2 596 h. (ag. 3 591). *Montréal-la-Cluse* 3 496 h. (ag. 4 269). *Montrevel-en-Bresse* 1 973 h. (ag. 3 247). *Nantua* * alt. 479 m, 3 602 h. (ag. 4 217). *Oyonnax* alt. 540 m, 23 869 h. [*1906 :* 1 275 ; *1926 :* 11 617] (ag. 30 471) ; mat. plast., lunetterie. *Pont-de-Vaux* 1 913 h. (ag. 2 425) ; m. Chintreuil. *Pont-de-Veyle* 1 421 h. (ag. 3 540). *St-Genis-Pouilly* (90) 5 696 h. (ag. 9 912). *St-Maurice-de-Beynost* 3 468 h. *St-Vulbas* (90) 710 h. ; centrale nucléaire de Bugey. *Seyssel* 817 h. (ag. 1 658). *Thoissey* 1 306 h. (ag. 3 371). *Trévoux* 6 092 h. ; plan d'eau, palais du Parlement (XVIIe s.). *Villars-les-Dombes* 3 415 h. ; parc ornithologique.

Régions naturelles. *Bresse :* 1 317 km², alt. 100 à 300 m ; céréales, prairies, bovins, seules volailles d'appellation contrôlée. *Dombes :* 886 km², alt. 100

à 300 m ; pisciculture (Le Grand Birieux : 300 ha) ; chasse, céréales, prairies, petites cult., parc ornithologique. *Vallée de la Saône :* 336 km², alt. 100 à 280 m ; pépinières, vergers, jardins, filières de diamant. *Bugey (bas Bugey* et *Revermont) :* 1 458 km², alt. 800 à 2 300 m ; élevage, fromageries, polyculture, maroquinerie, textiles. *Jura (haut Bugey-pays de Gex) :* 1 347 km², alt. 800 à 1 700 m (crêt du Nu 1 351 m) ; plastiques, textiles, scieries, tourneries, appareillages électr., forêts, élevage, vignes.

Tourisme. Lacs : Nantua (150 ha, alt. 475 m, prof. 43 m), Massignieu-de-Rives (110 ha), Silan (50 ha), Génin (4 ha). **Forêts :** de Seillon (650 ha), de Portes. **Stations** *thermales et climatiques :* Divonne-les-Bains, Hauteville-Lompnes. **Ski** *nordique :* La Faucille 1 320 m, Le Poizat 1 250 m, Hotonnes 1 350 m, Brenod 1 200 m. **Architecture :** Brou (égl.), Ambronay (abbaye), cheminées « sarrasines » sur l'ancien domaine des Sires de Bâgé [une trentaine (XVIIe et XVIIIe s.), rég. de St-Trivier-de-Courtes, Courtes, St-Nizier-le-Bouchoux, Vernoux, Vescours]. **Pèlerinage** Ars. **Festival** musique Ambronay ; Printemps chorégraphique d'Oyonnax (biennale).

• **Ardèche** (07) 5 556 km² (120 × 70 km). *Alt.* max. Mt Mézenc 1 754 m, min. 40 m (sortie du Rhône). 277 579 h. (1990) [*1801 :* 266 656 ; *1851 :* 386 559 ; *1861 :* 388 529 ; *1911 :* 331 801 ; *1936 :* 272 698 ; *1962 :* 245 597 ; *1975 :* 257 065 ; *1982 :* 267 970]. D. 50. *Salariés* (au 1-1-1988, prov.) 65 951 dont primaire 1 411, secondaire (y.c. B.T.P.) 26 780, tertiaire 37 760.

Villes. PRIVAS, alt. 300 m, 10 080 h. [*1806 :* 3 080 ; *1936 :* 7 733] (ag. 14 473) ; marrons glacés, text., constr. élec., m. du Vivarais protestant. *Annonay* alt. env. 350 m, 18 525 h. [*1661 :* 3 800 ; *1803 :* 6 000 ; *1936 :* 15 669 ; *1962 :* 18 434 ; *1975 :* 20 832] (ag. 25 123) ; text. cuir, autocars R.V.I. (Renault Véhicules Ind.), papier de luxe (Canson et Montgolfier). – *Aubenas* alt. 300 m, 11 105 h. [ag. 24 052, dont *Vals-les-Bains* 3 661, alt. 250 m ; station therm.] ; text., constr. méc. et élec., prod. pharm. ; château. *Bourg-St-Andéol* alt. 100 m, 7 795 h. *Guilherand* alt. 108 m, 10 492 h. *Lamastre* alt. 400 m, 2 717 h. *Largentière* * alt. 224 m, 1 990 h. (ag. 2 920). *La Voulte-sur-Rhône* alt. 100 m, 5 116 h. *Le Cheylard* alt. 500 m, 3 833 h. *Le Teil* alt. 73 m, 7 779 h. *St-Péray* alt. 128 m, 5 886 h. ; vin. *Tournon* * alt. 120 m, 9 546 h. (ag. 11 861) ; constr. élec., chaussures, text., articles de sport et de camping, caravanes ; château. *Viviers* alt. 71 m, 3 407 h. ; bâtiments XIIe au XIXe s.

Régions naturelles. *Monts du Vivarais* (forêt, élevage). *Bas Vivarais* (collines arides : vignes, cult. fruitières). *Vallées :* Eyrieux, Ouvèze, Ardèche, Rhône (cult. fruitières, cimenterie, carrelages, centrale nucléaire de Cruas). **Bois** (en milliers d'ha, au 1-1-1990, estim.). 260 (1981) : forêt privée (groupement forestier) Bozon 1,1, f. domaniales, Mazan l'Abbaye 1,2, Les Chambons 1,2, Bonnefoi 1,1, Mayres 1,05.

Tourisme. Dolmens (1er dép.). **Architecture.** *Château :* Alba. *Vieux villages :* Balazuc, Beauchastel. **Musées** *agricole* de Verdus à St-Priest ; *archéologique* Soyons ; *des Mariniers* du Rhône à Serrières ; *du Vivarais protestant* (Pranles) à Privas ; *de la Préhistoire* à Bidon. *Pont d'Arc, Gorges de l'Ardèche* (réserve naturelle), canoë-kayak. **Mt** *Gerbier-de-Jonc :* sources de la Loire (1 550 m). **Ski :** Areilladou 1 200 m, Ste-Eulalie 1 200 m, Borée 1 132 m, Croix-de-Bauzon 1 511 m. **Lacs** Issarlès alt. 1 000 m, 90 ha (prof. 132 m) ; *de retenue* Viviers-Donzère-Mondragon (2,1 km²). **Plans d'eau :** St-Martial 13 ha, alt. 860 m, et Devesset 48 ha, alt. 1 100 m, Le Cheylard (en cours), 60 ha, Coucouron 10 ha. **Parc zoologique :** safari-parc de Peaugres, alt. 379 m. **Grottes :** Ebbou (Vallon Pont-d'Arc), La Vache (Bidon), *avens* d'Orgnac, Marzal (St-Remèze). **Chemin de fer** *à vapeur touristique :* Tournon (Lamastre). **Parc d'attraction sur l'aéronautisme :** Lanas.

• **Drôme** (26) 6 525,13 km² (150 × 85 km). *Alt.* max. Crête des Aiguilles 2 400 m, min. 50 m (sortie du Rhône). 371 communes, 414 072 h. (1990) [*1801 :* 235 357 ; *1851 :* 326 846 ; *1901 :* 297 321 ; *1921 :* 263 509 ; *1936 :* 267 281 ; *1975 :* 361 847 ; *1982 :* 389 781]. D. 63. *Salariés* (au 1-1-1989, prov.) 127 300 dont primaire 3 600, secondaire (y. c. B.T.P.) 48 100, tertiaire 75 400.

Villes. VALENCE, alt. 124 m, 63 437 h. [ag. 89 485, dont dans le dép. *Bourg-lès-Valence* 18 230 ; centrale hydroélec., ind. chim., électron. *Portes-lès-Valence* 7 818] ; horlogerie, méc. de précision, petite métall., semences, bijouterie, text., cartoucherie, meubles, papeteries, aérodrome Valence-Chabeuil ; cath. St-Apollinaire, maison des Têtes, abb. N.-D.-de-Soyons. – *Chabeuil* 4 790 h. *Crest* 7 583 h. (ag. 9 403). *Die* * 4 230 h. ; vin blanc (Clairette) ; remparts, cath., porte St-Marcel, m. lapidaire. *Dieulefit* 2 924 h. (ag. 3 576). *Donzère* 4 265 h. *La Roche-de-Glun* 2 800 h. [ag. 5 570, dont *Pont-de-l'Isère* 2 770]. *Livron-sur-Drôme* 7 294 h. [ag. 12 903, dont *Loriol-sur-Drôme* 5 609]. *Montélimar* 47 km² alt. 82 à 157 m, 29 982 h. [*1724 :* 3 946 ; *1836 :* 7 560 ; *1911 :* 13 281 ; *1954 :* 16 639] (ag. 31 260) ; nougats ; château. *Nyons* * 6 353 h. ; lavande, truffes, m. archéol., de l'Olivier. *Pierrelatte* 11 770 h. ; centrale nucl. *Romans-sur-Isère* 32 734 h. [ag. 49 212, dont *Bourg-de-Péage* 9 248] ; chaussures, tanneries, maroquineries ; cath. St-Bernard, musées d'ethnographie régionale et de la chaussure. *St-Jean-en-Royans* 2 895 h. *St-Marcel-lès-Valence* 3 719 h. *St-Paul-Trois-Châteaux* 6 789 h. *St-Rambert-d'Albon* 4 176 h. *St-Uze* 1 846 h. (ag. 3 483). *St-Vallier* 4 115 h. (ag. 5 723). *Tain-l'Hermitage* 5 003 h.

Régions naturelles. *Vercors drômois* (46 % de la sup. du dép.) : forêts et pâturages, bovins, parc rég. *Diois :* vignobles, lavande, élevages ovins, caprins, aviculture. *Nyonsais :* olives, vin. *Baronnies :* lavande, oliviers, amandiers, vignobles, fruits, caprins, ovins. *Plaines rhodaniennes* (15 à 25 km de larg.) : aviculture, céréales, semences, vins (Côtes-du-Rhône, Ermitage), prod. arboricole très importante.

Tourisme. *Ski :* Font-d'Urle, col de Rousset, Valdrôme, Lus-la-Jarjatte. *Sites. Forêts :* de Marsanne (1 134 ha), Saou (2 000 ha). *Cirque* d'Archiane. *Route* des Grands-Goulets. *Gorges* d'Omblèze, de la Roanne et de l'Escharis, de St-Moirans, défilé de Trente-Pas (St-Ferréol-Trente-Pas). *Grotte* de la Luire. *Points de vue :* nombreux cols. **Vieux villages :** Ste-Jalle, Poët-Laval, Clansayes, Montbrun-les-Bains, Mirmande, La Garde-Adhémar, Saint-May, St-Restitut, Châteauneuf-de-Mazenc (alt. 353 m), Pontaix, Valaurie. **Palais Idéal** du facteur Cheval à Hauterives (1879-1912). **Châteaux :** Grignan, Suze-la-Rousse, des Adhémars (à Montélimar), Aulan, Crest (plus haut donjon d'Europe, 49 m). **Abbayes :** Aiguebelle, Léoncel, Valcroissant (cisterciennes, XIIe s.). **Musée** d'Art sacré à Mours-St-Eusèbe. **Festival** de musique de St-Donat.

• **Isère** (38) 7 467,18 km² (150 × 80 km). *Alt.* max. Barre des Écrins 4 102 m (limite de l'Isère et des Htes-Alpes), min. 134 m (bord du Rhône). 1 016 227 h. (1990) [*1801 :* 410 688 ; *1851 :* 578 297 ; *1901 :* 544 223 ; *1921 :* 502 007 ; *1936 :* 540 881 ; *1954 :* 859 800 ; *1975 :* 860 339 ; *1982 :* 936 771]. D. 137. *Actifs* (1990, estim.) 446 000. Au 1-1-88 : 311 415 salariés dont primaire 1 162, secondaire (y.c. B.T.P.) 122 414, tertiaire 187 839.

Villes. GRENOBLE, alt. 213 m, 150 758 h. [ag. 400 141, dont *Claix* 6 960. *Corenc* 3 356. *Domène* 5 775 ; papeteries. *Échirolles* 34 435 ; constr. méc., matér. de broyage, chaudronnerie, constr. métall., mach.-outils, électron. *Eybens* 8 013. *Fontaine* 22 853 ; métall., chaudronnerie, app. de broyage et traitement. *Gières* 4 373. *La Tronche* 6 454. *Le Pont-de-Claix* 11 871. *Meylan* 17 863 ; ZIRST (Zone pour l'innovation et les réalisations scientifiques et techniques électron., CNET). *St-Égrève* 15 891 ; électron., papeterie, transf. des métaux, B.T.P. *St-Ismier* 5 292. *St-Martin-Le-Vinoux* 5 139. *St-Martin-d'Hère* 34 341. *Sassenage* 9 788 ; chât., église (tombeau Mal de Lesdiguières). *Seyssins* 7 028. *Seyssinet-Pariset* 13 241. *Villard-Bonnot* 6 382. *Voreppe* 8 446 ; constr. méc., élec., électron. ; informatique ; cimenteries, ganterie, centres de rech. nucléaires, ind. alim., papeterie, habillement, confection, métall., chaudronnerie, briqueterie, sidér., chimie, plast.] ; université, Et. sup. d'électron. en partic. ; cath. St-André ; quartier et crypte de l'église St-Laurent (fin Ve s.), Palais de Justice (XVe s.), préfecture ; musées autom., des Beaux-Arts, Dauphinois, Stendhal, de la Résistance et de la Déportation ; quartier St-Laurent. – *Allevard* 2 558 h. (ag. 4 743), alt. 475 m. *Beaurepaire* 3 735 h. (ag. 4 409). *Bourgoin-Jallieu* 22 392 h. (ag. 31 375) ; text., métall., prod. pharm., papeterie, maçonnerie, confection, habillement, chimie, minerai non métall., transf. des mét. *Champ-sur-Drac* 3 044 h. [ag. 6 853, dont *Jarrie* 3 809]. *Charvieu-Chavagneux* 8 126 h. [ag. 21 342, dont *Chavanoz* 3 900. *Pont-de-Chéruy* 4 700. *Tignieu-Jameyzieu* 4 616]. *Chasse-sur-Rhône* 4 566 h. *Crémieu* 2 855 h. (ag. 4 160) ; halles. *Crolles* 5 829 h. (ag. 8 302). *Heyrieux* 3 872 h. *La Côte-St-André* 3 966 h. (ag. 4 670) ; m. Berlioz. *La Mure* 5 480 h. (ag. 6 910). *La Tour-du-Pin* * 6 770 h. (ag. 11 564) ; chaussures, text., méc., élec., électron. *La Verpillière* 5 595 h. *Le Bourg-d'Oisans* 2 911 h. *Le Pont-de-Beauvoisin* 2 369 h. (ag. 2 978). *L'Ile-d'Abeau* (ville nouv.) 5 554 h. *Les Abrets* 2 804 h. (ag. 4 587). *Les Avenières* 3 933 h. *Montalieu-Vercieu* 2 076 h. (ag. 4 160). *Morestel* 2 972 h. (ag. 7 419). *Poncharra* 5 824 h. *Rives* 5 403 h. [ag. 10 960 dont *Renage* 3 318]. *Roussillon* 7 635 h. [ag. 27 841, dont *Le Péage-du-Roussillon* 5 879. *St-Maurice-l'Exil* 5 218. *Salaise-sur-Sanne* 3 511]. *St-Jean-de-Bournay* 3 764 h. *St-Laurent-du-Pont* 4 061 h. *St-Martin-d'Uriage* 3 678 h. (ag. 7 211). *St-Quentin-Fallavier* 4 977 h. *St-Marcellin* (sous-préf. jusqu'en 1926) 6 696 h. (ag. 11 872). *Tullins* 6 269 h. ; chât. et prieuré. *Varces-Allières-et-Risset* 4 592 h. – *Vienne* * 29 449 h. [ag. 39 738, dont *Pont-Évêque* 5 385] ; métall., text., outill. autom., électro-ménager, mach.-outils, méc., prod. pétroliers, chaudronnerie, confection ; fouilles romaines (temple d'Auguste et de Livie 27 av. J.-C. à 11 apr. J.-C. ; théâtre Ier s. av. J.-C., début Ier s. apr. J.-C., diam. 103,40 m) ; cath. (XIIe et XIIIe s.). *Vif* 5 788 h. – *Villard-de-Lans* 3 346 h. *Villefontaine* 16 171 h. *Vinay* 3 410 h. (ag. 4 305). *Vizille* 7 094 h. (ag. 9 051) ; château (1611-19), m. de la Révolution. *Voiron* 18 686 h. [ag. 36 349, dont *Coublevie* 3 335. *La Buisse* 2 238. *Moirans* 7 133. *St-Jean-de-Moirans* 2 399] ; métall., skis, papeteries, B.T.P., text., prod. min., boissons, méc., instr. de précision.

Régions naturelles. *Chartreuse* et *Vercors* (alt. max. 2 346 m) (bovins, exploitations forestières). *Vallée du Rhône* et *Grésivaudan* (vignes, arbres fruitiers, céréales, tabac, bovins, noix).

Tourisme. *Ski :* Chamrousse (1 650-2 250 m), L'Alpe-d'Huez (1 850-3 350 m, ski d'été), Les Deux-Alpes (1 660-3 423 m, ski d'été), Les Sept-Laux (1350-2120 m), Villard-de-Lans (1 050-1 926 m), Autrans (fond). **Parcs** *régional* du Vercors. *National* des Écrins. **Correrie** de la Grande Chartreuse. **Châteaux :** Vizille ; Septème ; Le Touvet (chât. et parc). *Maisons* sur la Bourne à Pont-en-Royans. **Abbayes :** St-Antoine. St-Pierre-de-Chartreuse. **Lacs :** Laffrey (2,8 km²), Paladru (3,9 km²). **Grottes** Choranges. **Pèlerinage** de N.-D.-de-la-Salette. **Festivals :** Chamrousse (film d'humour), Vienne (jazz). **Fouilles archéologiques :** Hyères-sur-Amby.

• **Loire** (42) 4 773,74 km² (125 × 70 km). *Alt.* max. Pierre-sur-Haute, Mts du Forez 1 640 m ; Mt Pilat 1 414 m ; massifs montagneux : 60 % du dép. 746 288 h. (1990) [*1801 :* 290 903 ; *1851 :* 472 588 ; *1901 :* 647 633 ; *1921 :* 637 130 ; *1936 :* 650 226 ; *1946 :* 631 591 ; *1962 :* 696 248 ; *1975 :* 742 396 ; *1982 :* 739 521]. D. 156 (90). *Immigrés* (31-12-1988) : 57 344 dont Algériens 15 751, Portugais 9 724, Marocains 8 656, Italiens 7 434. *Salariés* (au 1-1-1989) : 174 877 dont primaire 1 608, secondaire 92 960 (y. c. B.T.P.), tertiaire 81 917.

Villes. SAINT-ÉTIENNE, alt. 517 m, sup. 7 827 ha (chef-lieu dep. le Second Empire, auparavant Feurs 1793 et Montbrison 1857). 199 396 h. [*1697 :* 14 000 ; *1762 :* 18 000 ; *1790 :* 28 140 ; *1801 :* 16 259 ; *1851 :* 56 003 ; *1876 :* 126 019 ; *1911 :* 148 656 ; *1926 :* 193 737 ; *1946 :* 177 966 ; *1962 :* 203 633 ; *1968 :* 216 020] [ag. 313 338, dont *Fraisses* 3 897. *Firminy* 22 123 ; ind. text., sid., métall., méc. ; v. nouv. *Firminy-Vert* (Le Corbusier). *La Ricamarie* 10 246 ; métall., méc. *La Talaudière* 5 935. *Le Chambon-Feugerolles* 16 070. *Roche-la-Molière* 10 103 ; fonderie, aéron., sellerie. *St-Genest-Lerpt* 5 482 *St-Jean-Bonnefonds* 6 412. *St-Priest-en-Jarez* 5 673. *Sorbiers* 7 101. *Unieux* 8 064. *Villars* 8 189] ; université, Ec. des mines, d'ingénieurs ; productique ; aciers spéciaux, fonderie, métall., mach.-outils, électron., outillage, armes, cycles, pièces autom., rubans, tresses et lacets, tissus élastiques, velours, foulards, cravates, verrerie, optique, élec., électron., meubles métall., ind. alim., informatique, textile, habill., B.T.P., bois, papier, carton ; principales Stés : Casino, Berthiez, Rockwell SVI, Peugeot, Renault, Schlumberger, Usinor, Union Carbide, Chambourcy, Marcelle Griffon ; musées d'Art et d'Ind., de la Mine, de l'arme « Alexis-Rivolier », d'Art moderne. – *Ambierle* 1 763 h., musée forézien. *Balbigny* 2 415 h. ; carosserie ind. *Boën* 3 256 h. (ag. 4 594) ; méc. *Bourg-Argental* 2 877 h. *Charlieu* 3 727 h. (ag. 5 023) ; mach., matér. méc. *Chazelles-sur-Lyon* 4 895 h. ; autom. ; musée de la Chapellerie. *Commelle-Vernay* 2 872 h. *Feurs* 7 803 h. ; fonderies et aciéries, cartonneries ; m. archéol. *Montbrison* * 14 064 h. (ag. 16 455) ; mach., constr. méc. ; m. d'Allard (minéralogie, numism., poupées), m. de la Diana (archéol., hist.). *Montrond-les-Bains* 3 627 h. (ag. 4 778) ; autom. (Bendix). *Panissières* 2 867 h. *Pélussin* 3 132 h. *Pouilly-sous-Charlieu* 2 834 h. (ag. 4 413). – *Roanne* * 41 756 h. [*1962 :* 51 731] [ag. 77 160, dont *Le Coteau* 7 469. *Mably* 8 291. *Riorges* 9 868] ; 2e centre fr. de la maille et du tricot, confect. tissage coton, text. artificiels ; constr. méc., mat. d'armement, fonderie, B.T.P., verre, céramique, papeteries ; Institut du sous-vide ; musée Joseph-Déchelette (archéol., faïences). – *Régny* 1 805 h. *St-Bonnet-le-Château* 1 687 h. ; autom. *St-Chamond* 38 878 h. [ag. 81 795, dont *Châteauneuf* 1 351. *La Grand-Croix* 4 983. *L'Horme* 4 689. *Lorette* 5 082. *Rive-de-Gier* 15 623. *St-Paul-en-Jarez* 4 179] ; mach., constr. méc., élec., électron., métall., autom. habill. *St-Denis-de-Cabanne* 1 357 h. ; méc. *St-Gal-*

mier 4 272 h. (ag. 5 372). *St-Héand* 3 625 h. ; optique. – *St-Just-St-Rambert* 12 999 h. [ag. 43 500, dont *Andrézieux-Bouthéon* 9 407 ; agro-alim., autom. *La Fouillouse* 4 035. *Veauche* 7 282] ; métaux, méc., autom. (Renault) ; constr. élec., électron., verre (St-Gobain) ; m. de St-Rambert-sur-Loire (sciences humaines, ethnologie). – *St-Marcellin-en-Forez* 3 133 h. *St-Martin-la-Plaine* 3 168 h. ; ind. agro-alim. *St-Pierre-de-Bœuf* 1 174 h. ; text. (D.M.C.). *St-Romain-le-Puy* 2 616 h. (ag. 3 651). *Savigneux-en-Forez* 2 391 h. ; mach. ; constr. méc. *Sury-le-Comtal* 4 592 h. Château XVIIe s., incendié 1937. *Violay* 1 425 h. ; text.

Régions naturelles. Plaines : *Forez* [drainée par Loire et affl. ; rég. : les Chambons (alluvionnaires), terre de Varenne, les Chanonats ; irrigation (canal du Forez, Loire) ; céréales (blé, maïs), polyculture, embouche] ; de *Roanne* [herbages, embouche (Charolais)]. *Côtes roannaise* et du *Forez* (vignobles et arboriculture). **Massifs montagneux** (60 % du dép.) : *Mts de la Madeleine et du Forez* [alt. moy. 900 m ; forêts : 30 % du terr. ; prod. laitière, fromages (fourme d'Ambert et de Montbrison) ; tourisme], les *bois Noirs* à l'O. ; *Mts du Beaujolais, du Lyonnais* (alt. moy. 600 m ; prod. laitière) à l'E. ; massif du Pilat [forêts : 38 % du terr. ; lait ; fruits (rég. de Pelussin) ; tourisme], au S. **Dépression carbonifère** (S.-O./N.-E.) au N. du Pilat (40 × 5 à 6 km) [régression de l'extraction minière : effectifs 1954 : 17 827, *1966 :* 9 911, *1976 :* 1 813, *1978 :* 948 (dont min. de fond 449), *1988 :* 193 à la direction].

Tourisme. Parc *naturel régional* du Pilat : 59 000 ha, station de ski : Le Bessat (1 170-1 430 m). **Lacs** de Grangent : 365 ha, long. 23 km, port de plaisance de St-Victor-sur-Loire (égl. du XIe s., château) ; Villerest. *Cascades :* Saut-du-Gier (30 m). **Abbayes :** La Benissons-Dieu, Charlieu. **Châteaux :** Sury-le-Comtal, La Bastie d'Urfé (Renaissance). **Prieuré :** Ambierle. **Vieux villages :** Pommiers, St-Bonnet. **Stations** *thermales :* Sail-les-Bains, Montrond-les-Bains, *hydrominérale et climatique :* St-Galmier. **Sites préhistoriques :** Saut-du-Perron, La Vigne-Brun, La Goutte-Roffat, rocher de la Caille. **Festival :** Rive-de-Gier (jazz).

• **Rhône** (69) 3 214,97 km² (93 × 46 km). *Alt.* maximum Mt-St-Rigaud 1 012 m, minimum 140 m (sortie du Rhône). 1 508 967 h. (1990). [*1801 :* 299 390 ; *1851 :* 606 945 ; *1901 :* 875 017 ; *1931 :* 1 089 764 ; *1946 :* 959 229 ; *1975 :* 1 429 647 ; *1982 :* 1 445 208]. D. 464. *Salariés* (au 1-1-1988, prov.) : 586 691, dont primaire 2 153, secondaire (y.c. B.T.P.) 198 163, tertiaire 386 375.

Villes. LYON, alt. 225 m, superficie : communauté urbaine 50 000 ha, Lyon Centre 4 875 ha (dont superficies construites et constructibles 3 595, voies 600 dont voies d'eau Rhône et Saône 300, espaces verts 250), 415 487 h. [*1801 :* 109 500 ; *1866 :* 324 000 ; *1901 :* 459 100 ; *1911 :* 523 800 ; *1936 :* 570 600 ; *1946 :* 460 700 ; *1954 :* 471 300 ; *1975 :* 456 716] ; centre comm., foire intern., centre de recherches sur le cancer ; chimie, constr. méc., élec. et électron., jouets, text. ; *musées :* Beaux-Arts, Tissus, Arts déco., Imprimerie et Banque, gallo-romain, Marionnette (Gadagne) ; théâtre romain de Fourvière (Ier s. av. J.-C., diam. 103 m, le plus ancien de Gaule), cath. St-Jean ; traboules du vieux Lyon et Croix-Rousse ; abb. St-Martin d'Ainay (XIIe) ; basil. de Fourvière (XIXe s.) ; La Part-Dieu, nouveau quartier (28 ha)] [ag. 1 214 869, dont *Brignais* 10 036. *Bron* 39 683 ; fonderie, aéroport. *Caluire-et-Cuire* 41 311 ; ind. diverses. *Champagne-au-Mont-d'Or* 4 934. *Chaponost* 6 911. *Charbonnières-les-Bains* 4 033. *Chassieu* 8 508. *Corbas* 8 101. *Craponne* 7 048. *Dardilly* 6 688. *Décines-Charieu* 24 565. *Ecully* 18 360. *Feyzin* 8 520. *Fontaines-sur-Saône* 2 124. *Francheville* 10 863. *Génas* 9 316. *Givors* 19 777 ; métall., verrerie, text., chim. *Grigny* 7 498. *Irigny* 7 955. *La Mulatière* 7 296. *Limonest* 2 459. *Méyzieu* 28 077. *Mions* 9 145. *Neuville-sur-Saône* 6 762. *Oullins* 26 129 ; constr. méc., text. *Pierre-Bénite* 9 574. *Rillieux-la-Pape* 30 791. *St-Cyr-au-Mont-d'Or* 5 318. *St-Didier-au-Mont-d'Or* 5 967. *St-Fons* 15 735. *Ste-Foy-lès-Lyon* 21 450. *St-Genis-Laval* 18 782. *St-Priest* 41 876. *St-Symphorien-d'Ozon* 5 167. *Sathonay-Camp* 4 673. *Sathonay-Village* 1 401. *Tassin-la-Demi-Lune* 15 460. *Ternay* 4 085. *Vénissieux* 60 444 ; véhicules lourds, ind. chim. *Villeurbanne* 116 872 ; ind. métall., text. et chim.]. – *Amplepuis* 4 839 h. *Anse* 10 307 h. (ag. 17 762). *Beaujeu* 1 874 h. ; musée, égl. (XIIe s.). *Belleville* 5 935 h. *Cours-la-Ville* 4 637 h. *Éveux* 817 h. [couvent de la Tourette (Le Corbusier)]. *Jonage* 5 076 h. *L'Arbresle* 5 199 h. (ag. 12 625). *Lentilly* 3 819 h. *Marcy-l'Étoile* 2 599 h. [musée de la Poupée (château de Lacroix-Laval)]. *Mornant* 3 900 h. *Odenas* 750 h. (ch. de la Chaize). *Salles-en-Beaujolais* 507 h. (cloître). *St-Georges-de-Reneins* 3 509 h. *St-Germain-au-Mont-d'Or* 2 429 h. (ag. 4 729). *St-Laurent-de-Mure* 4 513 h. [ag. 9 117, dont *St-Bonnet-de-Mure* 4 604]. *St-Pierre-la-Palud* 1 804 h. (musée de la Mine). *St-Romain-en-Gal* 1 341 h. (site arch. gallo-romain). *St-Symphorien-sur-Coise* 3 211 h. *Tarare* 10 720 h. ; textiles. *Thizy* 2 855 h. (ag. 6 232). *Vaugneray* 3 553 h. *Vaulx-en-Vélin* 44 174 h. ; verrerie. *Villefranche-sur-Saône** 29 542 h. [ag. 48 223, dont *Gleize* 8 317. *Limas* 3 652] ; métallurgie, ind. textiles, chim. ; collégiale N.-D.-des-Marais (XIIIe-XVIe).

Régions naturelles. *Beaujolais* (alt. moy. + de 800 m) et *Lyonnais* (alt. moy. 700 m) (élevage, vignobles). *Collines du bas Dauphiné* (extrémité). *Vallée de la Saône. Régions agricoles (S.A.U. en ha) :* Beaujolais viticole 44 700, Mts du Lyonnais 67 900, vallée de la Saône 9 200, plateau du Lyonnais 39 700.

Tourisme. *Circuit des « Pierres dorées »* en Beaujolais (Le Bois-d'Oingt, Anse, Theize, Charnay).

• **Savoie** (73) 6 035,57 km² (100 × 100 km). *Alt.* moy. 1 500 m, max. pointe de la Grande Casse 3 852 m, min. 212 m (confluent du Rhône et du Guiers) ; 36 somm. de + de 3 500 m (dép. le plus montagneux). 305 118 h. (1990). [*1801 :* 220 895 ; *1851 :* 275 459 ; *1901 :* 254 781 ; *1921 :* 225 034 ; *1936 :* 239 115 ; *1946 :* 235 939 ; *1962 :* 266 678 ; *1968 :* 288 921 ; *1975 :* 305 118 ; *1982 :* 323 675]. D. 58. *Salariés* (au 1-1-1988) : 114 003 dont primaire 496, secondaire (y.c. B.T.P.) 34 436, tertiaire 79 071.

Villes. CHAMBÉRY, alt. 270 m, 2 109 ha, 54 120 h. [*1861 :* 21 470 ; *1911 :* 24 245 ; *1954 :* 34 438 ; *1962 :* 44 246 ; *1968 :* 51 056 ; *1975 :* 54 415 ; *1982 :* 53 427] [ag. 102 548, dont *Barberaz* 4 195. *Bassens* 3 577. *Cognin* 5 779. *La Motte-Servolex* 9 349. *La Ravoire* 6 689] ; métall., prod. chim., ind. alim., verre, confection, centre commerc. ; château des ducs de Savoie, cath. St-François, fontaine des Éléphants ; les Charmettes ; musée d'Art et d'Histoire. – *Aix-les-Bains* alt. 260 m, 24 683 h. [*1861 :* 4 253 ; *1911 :* 8 934 ; *1954 :* 15 680] (ag. 35 472) ; stat. therm. [le plus important établ. de Fr. (61 319 curistes en 1982)] ; chaudronnerie, constr. élec. et téléph. ; musée Faure. *Albertville* * 17 411 h. [*1861 :* 4 458 ; *1911 :* 7 071 ; *1954 :* 9 730] (ag. 26 513) ; centre commercial, confection, bâtiment et travaux publics. *Bourg-St-Maurice* alt. 815-842 m, 6 056 h. ; musée du Costume. *La Rochette* 3 124 h. *Le Pont-de-Beauvoisin* 1 426 h. (ag. 2 697). *Modane* alt. 1 057 m, 4 250 h. (ag. 5 328) ; gare intern., électrométall., soufflerie. *Montmélian* 3 930 h. (ag. 5 311). *Moutiers* 4 295 h. (ag. 5 297). *St-Étienne-de-Cuines* 2 791 h. (ag. 3 721). *St-Génix-sur-Guiers* 1 735 h. *St-Jean-de-Maurienne* * 9 439 h. (ag. 10 263) ; aluminium (Péchiney, la plus grande usine), T.P. ; cloître, stalles de l'égl. *St-Michel-de-Maurienne* 2 919 h. (ag. 3 252). *St-Pierre-d'Albigny* 3 151 h. (ag. 3 751). *Ugine* 7 248 h. (ag. 8 541) [*1861 :* 3 356 ; *1946 :* 6 463] ; électrométall., artisanat, aciéries, B.T.P.

Régions naturelles. *Massifs centraux (Beaufortin),* zone intra-alpine *(Vanoise),* vallées de l'*Isère* supérieure *(Tarentaise :* élevage) et de l'*Arc (Maurienne :* élevage). *Préalpes du Nord* (élevage). **Forêts** (en ha) : Maurienne 211 800, Tarentaise 191 500, combe de Savoie 47 000, Bauges 35 900, cluse de Chambéry 33 500, Quatre-Cantons 29 500, Beaufortin 27 100, Chartreuse 14 700, val d'Arly 20 800, Albanais 8 500, Chautagne 6 700, voir ci-dessous.

Tourisme. Lacs (en ha) : Le Bourget (4 330, prof. max. 145 m, alt. 231 m ; le plus grand lac français ; sports nautiques), d'Aiguebelette (550, prof. 71 m), de Chevelu (11), St-André (7,58), de Roselend (320), du Presset, du Mt-Cenis (665), de Tigne (270), de Bissorte (150, alt. 2 430 m). *Quelques sommets* (en m) : la Grande Casse 3 852, Grand Pic de la Lauzière 3 829, le Mt Pourri 3 779, la Pointe de Charbonnel 3 750, la Dent-Parrachée 3 684, la Grande Motte 3 656, Aiguilles d'Arves 3 510, Aiguille du Grand-Fond 2 889, le Grand Arc 2 482, le Pécloz 2 260, l'Arcalod 2 217, Mt Granier 1 938, Croix-du-Nivolet 1 547, Dent du Chat 1 390. *Parc national* de la Vanoise [alt. de 1 800 m à 3 852 m (la Grande Casse), 1er parc nat., 52 840 ha ; zone périphérique 143 600 (28 communes)]. **Stations de ski** (les plus vastes domaines skiables de Fr. et sans doute du monde) : Val d'Isère 1 850 m, Tignes 1 550-3 500 m, Les Arcs 1 600-1 800-2 000 m, les Trois Vallées (Courchevel 1 100-1 850 m, Méribel-les-Allues 1 450-1 700 m, Les Ménuires-vallée de Belleville 1 850-3 400 m : 300 km² skiables), La Plagne 1 250-3 250 m (avec Aime 2 000), Le Corbier 1 550 m, La Toussuire 1 800 m, Val-Cenis 1 400-2 800 m, Val-Thorens 2 300-3 400 m. **Grotte** de Lamartine (lac du Bourget). **Abbaye :** Hautecombe. **Châteaux :** La Bathie, Miolans, Rochette. *Basilique* St-Martin à Aime. **Chapelle :** N.-D.-de-Vie (pèlerinage) à St-Martin de Belleville. **Fresques :** Bessans, Lanslevillard. **Cité** *médiévale* de Conflans. **Village** *de montagne typique :* Bonneval-sur-Arc. **Stations** *thermales :* Aix-les-Bains, Brides-les-Bains, La Léchère, Challes-les-Eaux. **Festival :** La Plagne (film d'aventure).

• **Haute-Savoie** (74) 4 391,37 km² (95 × 75 km). *Alt.* moy. 1 160 m, max. Mt Blanc 4 808,4 m, min. 250 m (confluent du Rhône et du Fier) 568 256 h. (1990) [*1851 :* 269 513 ; *1886 :* 275 018 ; *1911 :* 255 137 ; *1921 :* 235 668 ; *1936 :* 259 961 ; *1975 :* 447 795 ; *1982 :* 494 505]. D. 130. *Actifs* (au 1-1-1988, estim.) : 208 900 (dont 82,1 % salariée) dont primaire 9 500, secondaire 80 000 (dont B.T.P. 18 100), tertiaire 119 500. *Frontaliers* (1-1-1988) : 28 000.

Villes. ANNECY, alt. 446 m, sup. 13,7 km², lac 2 800 ha, 49 644 h. [*1561 :* 2 775 ; *1635 :* 4 500 ; *1734 :* 4 991 ; *1861 :* 10 737 ; *1936 :* 23 296 ; *1962 :* 43 255] [ag. 122 622, dont *Annecy-le-Vieux* 17 520. *Cran-Gevrier* 15 566. *Meythet* 7 581. *St-Jorioz* 4 178. *Seynod* 14 764] ; métall., méc., ind. du bois et papier, comb. nucléaire, aéro-chim., coutellerie, bijouterie, roulements, électron. (C.I.T.-Alcatel), art. sports, ind. alim. ; cath., égl. St-Maurice ; musée, château, conservatoire d'art et d'hist. ; rénovation de la vieille ville (lac 2 800 ha). – *Annemasse* 27 669 h. *Genève (CH)-Annemasse (p. fr.)* [ag. 70 989, dont *Ambilly* 5 904. *Gaillard* 9 592. *St-Julien-en-Genevois* * 7 922 ; électr. *Vetraz-Monthoux* 4 311. *Ville-la-Grand* 6 469] ; horl., app. de mesure, prod. pharm., bij., méc. *Bonneville* * 9 998 h. (ag. 15 317) ; régie électrique. *Bons-en-Chablais* 3 275 h. (ag. 3 929). *Chamonix-Mont-Blanc* alt. 1 050 m, 9 701 h. (ag. 11 648) ; musée alpin. *Cluses* 16 358 h. [ag. 34 753, dont *Marignier* 4 322. *Marnaz* 4 019. *Scionzier* 5 945. *Thyez* 4 109] ; éc. d'horlogerie, décolletage. *Collonges-sous-Salève* 2 696 h. (ag. 4 252). *Faverges* 6 334 h. (ag. 7 092). *La Roche-sur-Foron* 7 116 h. (ag. 9 264). *Megève* alt. 1 113 m, 4 750 h. *Morzine* 2 967 h. (ag. 3 620). *St-Gervais-les-Bains* alt. 860 m, 5 124 h. *Reignier* 4 067 h. *Rumilly* 9 991 h. (ag. 11 379) ; ind. alim., musée. *Sallanches* 12 767 h. (ag. 14 294) ; text., alim. *Thones* 4 619 h. (ag. 5 320). *Thonon-les-Bains* * alt. 435 m, 29 677 h. [ag. 55 078, dont *Évian-les-Bains* 6 895 (*1901 :* 3 105), alt. 475 m, 429 ha ; station thermale] ; électr. (Thomson-C.S.F.), fonderie, bois ; station thermale ; égl. St-Hippolyte : château de Sonnaz, ch. et forêt de Ripaille ; musée du Chablais. *Veyrier-du-Lac* 1 967 h. (ag. 4 771).

Régions naturelles. *Massifs centraux alpins* à l'E. *(Mt-Blanc), préalpins du Chablais* et *Bornes* à l'O. : élevage. *Vallées* du *Fier,* de l'*Arve* (industrialisée à partir de Cluses) et du *Giffre* (Faucigny) : céréales, vergers. **Principales régions agricoles** (en ha) : bas Genevois 14 394, Sémine 4 683, vallée des Usses 23 286, région d'Annemasse 15 277, région d'Annecy 36 200, cluse d'Arve 26 790, Giffre 45 552, Chablais 62 727, plateau des Dranses 9 260, bas Chablais 25 091, pays de Thones 53 009, plateau des Bornes 26 034, Sillon Alpin 26 311, Albanais 26 147, Bauges 7 946, Grandes Alpes 51 126.

Tourisme. Lacs : Annecy (alt. 446 m, 27 km², long. 14 km, larg. max. 3,3 km, prof. 64 m), Léman [le plus grand des l. alpins : 235 km en terr. fr., prof. 310 m (sup. totale 582 km²], Montriond 22 ha (10 m), Mole (Viuz-en-Sallaz) 12 ha (3 m), Machilly 10 ha (3 m), Plagnes (Abondance) 12 ha (6 m), Balme de Silligny 10 ha (3 m), Mines d'Or (Morzine) 3 ha (3 m), Chavanette (Morzine) 3 ha (6 m), des Dronières 6 ha (1,50 m), de la Chartreuse du Reposoir (ou étendue du Carmel) 1 ha (4 m). *Cols :* Voir p. 63. **Sommets** (en m) : Mt Blanc 4 808,4, Dôme du Goûter 4 304, les Grandes Jorasses 4 208, Aiguille verte 4 122, Aiguille du Midi 3 842, les Dômes de Miage 3 670, Aiguille du Tour 3 544, Aiguille de Blaitière 3 522, le Grépon 3 482, les Grands Charmoz 3 443, Mt Buet 3 094, Pointe du Tenneverge 2 985, Pointe Percée 2 752, Pointe de Platé 2 553, Aiguille de Varan 2 541, Mt Joly et le Brévent 2 525, les Hautforts 2 464, la Dent d'Oche 2 222, Pointe de Miribel 1 586. **Ski :** Megève 1 113-2 040 m, Chamonix 1 035-3 520 m, Morzine-Avoriaz 1 000-2 460 m, La Clusaz 1 100-2 600 m, Flaine 1 600-2 500 m, St-Gervais 1 400-1 950 m, Les Houches 1 800-1 900 m, les Gets 1 172-1 850 m. **Réserves :** des Aiguilles Rouges, des Marais du bout du lac d'Annecy, du Roc de Chère, de Sixt ; du Delta de la Dranse, des Contamines-Monjoie (créée 1979), Passy (créée 1980), Carlaveyron (créée 5 mars 1991). **Châteaux :** Annecy, Montrottier à Lavagny, Menthon, Sales à Thorens, Clermont, Yvoire, Ripaille à Thonon-les-Bains. **Abbaye :** Abondance (cloître et fresques). **Église :** Veroce (St-Nicolas). **Chapelle :** Assy (tapisseries de Lurçat). **Chartreuses :** de Mélan (XVe) à Taninges, le Reposoir. **Ponts :** de la Caille (1838 ; sur le canyon des Usses, 150 m), de l'Abîme sur le Chéran. **Architecture contemporaine :** Avoriaz, Flaine. **Festivals :** Avoriaz (film fantastique), Évian (musique).

Population de la France métropolitaine par régions (recensement 1990). *Source* : INSEE

Régions	1851	1901	1936	1968	1990
Alsace	**1 045 069**	**1 154 641**	**1 219 381**	**1 412 385**	**1 624 372**
Bas-Rhin	608 325	659 432	711 830	827 367	953 053
Haut-Rhin	436 744	495 209	507 551	585 018	671 319
Aquitaine	**2 210 714**	**2 270 755**	**2 155 138**	**2 460 170**	**2 795 757**
Dordogne	505 789	452 951	386 963	374 073	386 354
Gironde	614 387	821 131	850 567	1 009 390	1 213 482
Landes	302 196	291 586	251 438	277 381	311 458
Lot-et-Garonne	341 345	278 740	252 761	290 592	305 988
Pyrénées-Atlantiques	446 997	426 347	413 409	508 734	578 475
Auvergne	**1 491 599**	**1 510 787**	**1 291 067**	**1 311 943**	**1 321 214**
Allier	336 758	422 024	368 778	386 533	357 710
Cantal	253 329	230 511	190 888	169 330	158 723
Haute-Loire	304 615	314 058	245 271	208 337	206 568
Puy-de-Dôme	596 897	544 194	486 130	547 743	598 213
Bourgogne	**1 683 311**	**1 626 831**	**1 381 420**	**1 502 904**	**1 609 654**
Côte-d'Or	400 297	361 626	334 386	421 192	493 867
Nièvre	327 161	323 783	249 673	247 702	233 278
Saône-et-Loire	574 720	620 360	525 676	550 364	559 413
Yonne	381 133	321 062	271 685	283 376	323 096
Bretagne	**2 294 113**	**2 559 398**	**2 396 647**	**2 468 227**	**2 795 554**
Côtes-d'Armor	632 613	609 349	531 840	506 102	538 423
Finistère	617 710	773 014	756 793	768 929	838 662
Ille-et-Vilaine	574 618	613 567	565 766	652 722	798 715
Morbihan	478 172	563 468	542 248	540 474	619 754
Centre	**1 791 423**	**1 887 264**	**1 714 893**	**1 990 238**	**2 371 036**
Cher	306 261	345 543	288 695	304 601	321 548
Eure-et-Loir	294 662	275 214	252 527	302 064	396 064
Indre	271 938	288 768	245 622	247 178	237 505
Indre-et-Loire	315 641	335 541	343 276	437 870	529 328
Loir-et-Cher	261 892	275 538	240 908	267 896	305 925
Loiret	341 029	366 660	343 865	430 629	580 601
Champagne-Ardenne	**1 237 798**	**1 220 848**	**1 126 718**	**1 279 271**	**1 348 042**
Aube	265 247	246 163	239 563	270 325	289 145
Ardennes	331 296	315 589	288 632	309 380	296 333
Marne	373 047	432 729	410 094	485 226	558 309
Haute-Marne	268 208	226 367	188 429	214 340	204 255
Corse	**236 251**	**295 589**	**322 854**	**273 958**	**249 737**
Corse-du-Sud	84 743	125 193	144 824	121 608	118 174
Haute-Corse	151 508	170 396	178 030	152 350	131 563
Franche-Comté	**1 015 350**	**919 447**	**838 170**	**992 745**	**1 097 185**
Doubs	296 759	298 953	304 892	426 458	484 770
Jura	313 199	261 179	220 704	233 441	248 759
Haute-Saône	347 989	267 011	213 077	214 396	229 659
Territoire-de-Belfort	57 403	92 304	99 497	118 450	134 097
Ile-de-France	**2 239 925**	**4 735 819**	**6 785 913**	**9 248 631**	**10 660 600**
Ville de Paris	1 277 064	2 714 068	2 829 753	2 590 771	2 152 333
Yvelines		270 228	428 166	854 382	1 307 145
Essonne		164 617	286 896	673 325	1 084 827
Hauts-de-Seine		467 391	1 019 627	1 461 619	1 391 314
Seine-Saint-Denis	617 785	307 329	776 378	1 249 606	1 381 169
Val-de-Marne		288 879	685 295	1 121 319	1 215 538
Val-d'Oise		164 982	350 487	693 269	1 049 598
Seine-et-Marne	345 076	358 325	409 311	604 340	1 078 145
Languedoc-Roussillon	**1 413 856**	**1 564 775**	**1 504 284**	**1 707 498**	**2 114 971**
Aude	289 747	313 531	285 115	278 323	298 712
Gard	408 163	420 836	385 299	478 544	585 049
Hérault	389 286	489 421	502 043	591 397	794 603
Lozère	144 705	128 866	98 480	77 258	72 814
Pyrénées-Orientales	181 955	212 121	233 347	281 976	363 793

Régions	1851	1901	1936	1968	1990
Limousin	**927 318**	**978 006**	**798 176**	**736 323**	**722 791**
Corrèze	320 864	318 422	262 743	237 858	237 859
Creuse	287 075	277 831	201 844	156 876	131 346
Haute-Vienne	319 379	381 753	333 589	341 589	353 586
Lorraine	**1 645 282**	**1 754 135**	**1 866 147**	**2 274 441**	**2 305 791**
Meurthe-et-Moselle	384 514	484 722	576 041	705 413	711 952
Meuse	328 657	283 480	216 934	209 513	196 344
Moselle	525 593	564 829	696 246	971 314	1 011 261
Vosges	406 518	421 104	376 926	388 201	386 234
Midi-Pyrénées	**2 598 491**	**2 249 558**	**1 934 590**	**2 184 846**	**2 430 589**
Ariège	267 435	210 527	155 134	138 478	136 483
Aveyron	394 183	382 074	314 682	281 568	270 054
Haute-Garonne	481 610	448 481	458 647	690 712	925 958
Gers	307 479	238 448	192 451	181 577	174 566
Lot	296 224	226 720	162 572	151 198	224 754
Hautes-Pyrénées	250 934	215 546	188 604	225 730	155 813
Tarn	363 073	332 093	297 871	332 011	342 741
Tarn-et-Garonne	237 553	195 669	164 629	183 570	200 220
Nord-Pas-de-Calais	**1 853 179**	**2 823 874**	**3 202 632**	**3 815 946**	**3 965 058**
Nord	1 158 885	1 867 408	2 022 436	2 418 165	2 531 855
Pas-de-Calais	694 294	956 466	1 180 196	1 397 781	1 433 203
Basse-Normandie	**1 531 976**	**1 228 502**	**1 112 771**	**1 260 158**	**1 391 281**
Calvados	491 225	410 193	404 916	519 716	618 468
Manche	600 882	491 372	438 539	451 939	479 630
Orne	439 869	326 937	269 316	288 503	293 183
Haute-Normandie	**1 177 816**	**1 188 664**	**1 219 457**	**1 497 362**	**1 737 247**
Eure	415 777	334 781	303 829	383 385	513 818
Seine-Maritime	762 039	953 883	915 628	1 113 977	1 223 429
Pays-de-la-Loire	**2 283 332**	2 357 515	2 166 910	2 582 866	3 058 901
Loire-Atlantique	535 664	664 971	659 428	861 452	1 052 109
Maine-et-Loire	516 197	515 431	478 404	585 563	705 869
Mayenne	374 566	313 103	251 348	252 762	278 016
Sarthe	473 071	422 699	388 519	461 839	513 614
Vendée	383 734	441 311	389 211	421 250	509 293
Picardie	**1 531 532**	**1 479 695**	**1 353 648**	**1 578 508**	**1 810 622**
Aisne	558 334	535 114	484 329	526 029	537 222
Oise	403 857	407 808	402 569	540 988	725 575
Somme	569 341	536 773	466 750	511 491	547 825
Poitou-Charente	**1 493 079**	**1 480 498**	**1 343 247**	**1 480 502**	**1 595 871**
Charente	382 912	350 305	309 279	331 016	342 268
Charente-Maritime	469 992	452 149	419 021	483 622	527 142
Deux-Sèvres	322 870	341 701	308 127	325 608	346 280
Vienne	317 305	336 343	306 820	340 256	380 181
Provence-Alpes-Côte-d'Azur	**1 459 991**	**1 815 424**	**2 560 355**	**3 298 836**	**4 256 822**
Alpes-de-Hte-Provence	152 070	115 021	85 090	104 813	130 883
Hautes-Alpes	132 038	109 510	88 210	91 790	113 272
Alpes-Maritimes	192 062	293 213	518 083	722 070	971 763
Bouches-du-Rhône	428 989	734 347	1 224 802	1 470 271	1 759 098
Var	290 214	326 384	398 662	555 926	814 731
Vaucluse	264 618	236 949	245 508	353 966	467 075
Rhône-Alpes	**3 282 146**	**3 579 390**	**3 607 112**	**4 423 055**	**5 350 717**
Ain	365 939	343 048	306 718	339 262	471 016
Ardèche	386 559	353 564	272 698	256 927	277 579
Drôme	326 846	297 321	267 281	342 891	414 072
Isère	578 297	544 223	540 881	767 678	1 016 227
Loire	472 588	647 633	650 226	722 443	746 288
Rhône	606 945	875 017	1 070 232	1 326 383	1 508 967
Savoie	275 459	254 781	239 115	288 921	348 312
Haute-Savoie	269 513	263 803	259 961	378 550	568 256
France métropolitaine	**36 452 451**	**40 681 415**	**41 911 530**	**49 780 543**	**56 363 644**

La Politique

Définitions

☞ Pour en savoir plus, lisez le Quid des Présidents de la République et des candidats (éd. Robert Laffont, 1987). Voir l'histoire des partis p. 723.

Quelques définitions politiques

Anarchisme

Principes

Du grec *anarkhia :* absence de commandement. Refus de l'autorité de l'État, revendication de l'initiative individuelle, de la liberté absolue et de la spontanéité, mais aussi de la solidarité. « La future organisation sociale doit être faite seulement de bas en haut, par la libre réunion et fédération des travailleurs dans les associations, puis dans les communes, les régions, les nations, et finalement dans une grande fédération internationale et universelle » *(Bakounine).* Pour Bakounine, le passage à la nouvelle société s'effectuera par la violence. Le contrat an., selon Proudhon, est librement conclu entre ses membres ; chacun de ceux-ci reçoit autant qu'il donne, et jouit de sa liberté et de sa souveraineté, que rien ne vient limiter sauf les obligations précisées par le contrat (il y a en fait une multiplicité d'accords portant sur les besoins de chacun et non pas un seul contrat). *Programme de la Fédération an. :* il prévoit : socialisation des moyens de production, création de coopératives de production et d'associations artisanales, répartition égalitaire des richesses.

Mouvements et organisations

Organisations

• **Organisations internationales. Internationale « antiautoritaire » :** créée 15-9-1872 au congrès de St-Imier (Suisse) (après l'exclusion de Bakounine de l'Association internat. des travailleurs le 7-9-1872 au congrès de La Haye). Dissoute après 3 congrès : Bruxelles 1874, Philadelphie 1876, Verviers 1877. **Internationale des Fédérés anarchistes (I.F.A.) :** issue de l'Intern. anarchiste créée à Amsterdam en 1907 et réaffirmée à Berlin en 1921. Programme de Carrare 1968, précisé par le congrès de Paris 1971. Sections nationales (fédérations géographiques ou ethniques), autonomes et solidaires.

• **Organisations nationales. France :** *F.C.R.A. (Fédération communiste révolutionnaire an.)* créée août 1913, après le congrès nat. organisé par la F.C.A. (Féd. de Paris et de sa banlieue), Le Libertaire, Les Temps nouveaux, Le Réveil anarchiste ouvrier. A partir de 1920 (congrès de Paris en nov.), l'organisation tient plusieurs congrès sous divers noms (Unions an., Union an. communiste, Union an. communiste révolutionnaire...) ; congrès clandestin à Toulouse en 1944 ; 1946, février, unité rétablie ; *C.N.T.* française créée à Toulouse (hebdomadaire : « Espoir »). **Espagne :** *1881 (sept.)* Féd. des travailleurs de la région esp. ; *1908* Féd. régionale Solidaridad Obrera. *1927* Féd. an. ibérique (F.A.I.) ; *1936* (1-8) la C.N.T.-F.A.I. (Confederación nacional del trabajo-Federación anarquista ibérica) participe au gouvernement républicain avec 4 ministres. **Italie :** *Féd. an. it.* créée 1920-21, reconstituée sept. 1945.

Nota. – Voir Anarcho-syndicalisme ci-contre.

Essais de sociétés anarchistes

• **Amérique latine. Brésil** (colonie Cecilia, dans le Paraná, en 1891), **Paraguay** (coopérative Cosme, en 1896), **Mexique** (Métropole socialiste d'Occident en 1881)... ; échec d'une création d'une « République socialiste de Basse-Californie » en 1911.

• **Europe. Ukraine** Nestor Makhno (1884-1935), été 1918 à août 1921, à la tête d'une armée paysanne libertaire et disciplinée. **Bavière :** 1919, les an. Gustav Landauer et Erich Müsham (1878-1934) dirigent quelques j la Rép. soviétique. **Espagne :** les an. de la C.N.T.-F.A.I. tentent (à partir de juill. 1936) en certaines régions (Catalogne, Andalousie, Levant et Aragon) des essais de vie libertaire : collectivisation des terres (jusqu'en août 1937), socialisation des usines (jusqu'en août 1938). Ces essais furent décriés par leurs adversaires marxistes. **Italie :** création d'une République libertaire, près de Carrare, par des résistants durant la guerre de 1939-45.

Drapeau noir. *1830,* juillet apparaît sur l'Hôtel de Ville de Paris. *1831,* nov. apparaît à Reims, Grenoble, Lyon lors du mouvement des canuts. *1883* adopté par le mouvement anarchiste. On le retrouve en *1917* en Russie, en *1936* en Espagne et en *1968* à Paris.

Principaux anarchistes

William Godwin (Angl., 1756-1836), Friedrich Hegel (All., 1770-1831), Pierre-Joseph Proudhon (Fr., 1809-65), Max Stirner (All., 1806-56), Michel Bakounine (Russe, 1814-76), Camillo Berneri (It., 1897-1937), Pierre Besnard (Fr.), Carlo Cafiero (It., 1846-92), Buenaventura Durruti (Esp., 1896-1936), Sébastien Faure (Fr., 1858-1942), Pietro Gori (It., 1865-1911), Jean Grave (Fr., 1854-1939), Piotr Alexandrovitch Kropotkine (Ru., 1842-1921, « Paroles d'un révolté »), Ricardo Flores Mâgon (Mex., 1873-1922), Enrico Malatesta (It., 1853-1932), Saverio Merlino (It.), Fernand Pelloutier (Fr., 1867-1901), Émile Pouget (Fr., 1860-1931), Manuel Gonzales Prada (Pérou, 1848-1918), François-Claudius Kœnigstein dit Ravachol (Fr., 1859-92), Élisée Reclus (Fr., 1830-1905), Lev Tolstoï (Ru., 1828-1910), Auguste Vaillant (Fr., v. 1861-94), Luigi Fabbri (It., 1877-1935), James Guillaume (Suisse, 1844-1919).

Journaux anarchistes

• **Argentine.** *La Questione sociale* (Malatesta, 1885). *La Protesta* (1903, dirigée par G.I. Lafarga, puis D. Abad de Santillan) ; entre 1890 et 1904, 64 périodiques (en espagnol, italien et français) et 6 revues d'art et de littérature.

• **France. Avant 1914.** *Le Libertaire* (hebdo. fondé 1895 par Sébastien Faure). *Les Temps nouveaux :* f. 1895 par Jean Grave (faisait suite au Révolté et à la Révolte). *L'Anarchie :* f. 1905 par Libertad, hebdo. anarcho-individualiste (y collaborent notamment O. Mirbeau, G. Lecomte, L. Descaves, P. Adam, C. et L. Pissarro, Van Dongen, P. Signac). **Pendant la g. de 1914-18 :** *Par-delà la mêlée :* f. 1916 (succédant à *Pendant la mêlée* de E. Armand et P. Chardon). *Ce qu'il faut dire :* f. 1916 par Faure et Mauricius.

Entre les 2 guerres : *L'En-Dehors* (1922-39, d'E. Armand). *Plus Loin* (1926-39). *Le Libertaire* (reparu de 1919 à 1939). *La Voix Libertaire* organe de l'A.F.A. (Association des fédéralistes an., 1928-39). **Après 1945 :** *l'Unique* (1945-56 d'E. Armand) ; *le Monde libertaire :* 1954 (faisant suite au Libertaire), hebdo. dep. 1977.

• **Italie.** *Volontà* f. 1913 par Malatesta, *Umanità nova* f. 1920 par Gigi Damiani, *Pensiero e volontà* f. 1924-26 par Malatesta.

Attentats anarchistes

Nombreux dans la 2e moitié du XIXe s. et au début du XXe s. : **Russie** (entre 1865 et 1881). **Allemagne** (contre l'empereur Guillaume Ier). **Italie** (assassinats : 1898 impératrice Élisabeth d'Autr. par Luigi Lucheni, 1900 roi Humbert Ier d'It. par Gaetano Brecci). **Espagne** (attentat de Mateo Morral contre Alphonse XIII en mai 1906). **États-Unis** 1901 Pt MacKinley assassiné. **France** [attentats : de Ravachol (condamné à mort 23-6-1892, exécuté 11-7), bombe lancée par Auguste Vaillant (n. 1861, exécuté 5-2-1894), dans la salle des séances de la Chambre des députés en déc. 1893, assassinat à Lyon le 24-6-1894 du Pt de la Rép. Sadi Carnot par Jeronimo Santo Caserio (n. 1873, exécuté 16-8-1894)].

Anarcho-syndicalisme

• **Europe. France :** début XXe s., courant favorable au synd. révolutionnaire (charte d'Amiens en 1906) et à la grève générale, avec notamment Fernand Pelloutier (1867-1901) à la Féd. des Bourses du Travail (de 1894 à 1901), et Émile Pouget (1860-1931), secrétaire adjoint de la C.G.T. à partir de 1900. **Italie :** une partie des an. organisent mouvements revendicatifs et grèves violentes : 1894 Carrare, 1906 grève des travailleurs de la mer, juin 1908 grève et soulèvement de Parme, et constituent une organisation synd. révolutionnaire : congrès de l'Action directe à Bologne 1910, création de l'Union synd. it. au congrès de Modène 1912 (le synd. des cheminots, anarcho-synd. dep. 1906, reste autonome) ; Malatesta considère la grève générale comme un moyen insurrectionnel. Les an. participent aux mouvements sociaux (émeutes, grèves) entre 1917 et 1922 ; août-sept. 1920, ils ne peuvent transformer les occupations d'usines en mouvement révolutionnaire. **Espagne :** 1911 création de la Confédération nat. du travail (C.N.T.) (1 200 000 m. en 1936) ; clandestins de mai 1924 à janv. 1930, soutiennent la Rép. proclamée 12-4-1931, décrètent la grève générale du 13 au 15-4.

• **Amérique latine.** A partir de la fin du XIXe s., syndicats et mouvements de lutte de tendance an. : **Cuba, Mexique, Bolivie, Chili, Pérou. Argentine :** essor avec l'arrivée des Italiens Malatesta (1885) et Pietro Gori (1898) ; mai 1901 création de la Féd. ouvrière régionale argentine (F.O.R.A.) ; janv. 1919 participation aux grèves (chantiers métallurgiques de Vasena, « semaine sanglante »), février-mars 1920 (grève maritime), 1921 (en Patagonie).

☞ Les *Brigades rouges* en Italie et la *Bande à Baader* en Allemagne fédérale se réclament du marxisme-léninisme et n'ont aucun point commun avec l'anarchisme.

Bolchevisme

Mot employé souvent dans un sens polémique pour désigner le communisme russe. En fait, le bolchevisme fut une tactique adoptée (à partir de 1900-03) par la majorité *(bolchinstvo)* des socialistes russes, groupée derrière Lénine, opposée à celle de la minorité *(menchinstvo),* groupée derrière Martov (Jouli Ossipovitch Cederbaum, dit ; 1873-1929) et Paul Axelrod (1850-1928). Cette majorité voulait un parti centralisé, composé de révolutionnaires professionnels, et refusait l'adhésion d'éléments *progressistes* bourgeois. En 1912 les bolcheviks se séparèrent des mencheviks (les 2 groupes coexistaient au sein du P.O.S.-D.R., Parti ouvrier social-démocrate de Russie, depuis 1902) et constituèrent un parti marxiste indépendant qui, vainqueur en oct.-nov. 1917, deviendra en 1918 le Parti communiste.

Capitalisme

Définition

Régime économique et social qui s'est constitué dans l'ouest de l'Europe entre la fin du Moyen Age et le XVIIIe s., puis s'est développé à la suite de la « révolution industrielle » anglaise. Cette expression a été utilisée par les économistes John Stuart Mill (1806-73), Karl Marx (1818-83) et Arnold Toynbee (1852-83). Elle désigne 3 grands changements dans la vie économique : 1°) *révolution agricole* (vers 1760) : suppression des vaines pâtures *(open fields)*, qui obligeaient les propriétaires terriens à laisser paître dans leurs domaines les bêtes d'autrui (résultat : disparition de l'éleveur non propriétaire terrien ; progrès de la zootechnie : le poids moyen du bétail triple) ; 2°) *révolution démographique* (entre 1751 et 1801) : chute de la mortalité infantile ; multiplication de la main-d'œuvre ; 3°) *révolution manufacturière* (fin du XVIIIe s.) : création de la machine à vapeur (houille), des machines textiles, des hauts fourneaux.

Les bouleversements de la technologie et de l'organisation du travail se traduisent par la parcellarisation des tâches, une intensification croissante du rythme du travail et par des gains de productivité. Concentration et centralisation des moyens de production et financiers, apparition de nouvelles industries, énorme augmentation de la production, grand développement des services.

En régime capitaliste de marché : *Les détenteurs des moyens de production* (terres, mines, usines) – *les capitalistes* – louent, en vue de la réalisation d'un profit, la force de travail d'autres personnes rémunérées par un salaire (les salariés). *Les biens produits font l'objet d'un échange généralisé :* ce sont des marchandises dont les prix sont confrontés sur un marché (concurrence). *L'économie a une forme monétaire,* la monnaie est à la fois un moyen de paiement des marchandises et l'unité qui permet d'exprimer le prix de ces marchandises ; le crédit, devenu source de création de moyens de paiement, y joue un rôle essentiel. *Les capitaux ont une forme :* 1°) *physique* (capital réel : biens matériels qui constituent les moyens de production et d'échange) ; 2°) *monétaire et financière* (valeur de ces biens en unités monétaires et titres juridiques de propriété). *La circulation,* généralisée à l'ensemble de l'économie, a également une forme : 1°) *matérielle* (transport et stockage des biens produits) ; 2°) *monétaire et financière* (circulation des moyens de crédit et de paiement, des titres financiers).

☞ Voir aussi Économie (définitions), Finances (définitions), Crises à l'Index.

Critiques

Critiques « réformistes » du capitalisme. Les secteurs les moins rentables sont délaissés même s'ils sont essentiels pour la collectivité (certaines mines, chemins de fer...), le fonctionnement incontrôlé du marché, de la concurrence et du crédit est source de déséquilibre (crises qui empêchent une utilisation rationnelle des moyens de production et une croissance régulière de la production) et source de nombreux gaspillages ; les investissements sociaux sont sacrifiés. Ces critiques prônent notamment une intervention croissante de l'État, un développement de la planification, un contrôle plus ou moins important des entreprises par les salariés, etc.

Critiques « révolutionnaires » du capitalisme. Voir aussi Anarchisme p. 812, Communisme ci-contre, Marxisme p. 815, Socialisme p. 815.

Défense du capitalisme

Certes, le capitalisme repose sur un défaut de l'homme, la soif de puissance qui se traduit par l'appât du gain ; mais cet appât peut être un moteur du progrès. Certes, le capitalisme s'intéresse aux secteurs rentables, mais ceux-ci sont la plupart du temps les secteurs les plus utiles.

L'homme est peut-être un instrument mais un instrument qu'il faut « soigner » pour qu'il fonctionne convenablement : on doit donc lui accorder du repos, un meilleur salaire et lui faciliter les conditions de travail. Mais il n'est pas qu'un instrument : tout salarié d'une entreprise est, sinon le client de l'entreprise, du moins celui de multiples autres entreprises. Or, pour que le capitalisme « tienne », il faut vendre. Comme les salariés forment l'essentiel des acheteurs, pour qu'ils puissent acheter, il faut leur verser un salaire suffisant. Un État capitaliste ne peut donc négliger le niveau de vie de ses salariés ; sinon, c'est la ruine et la faillite de la chaîne [*objection* des critiques du capitalisme : l'exploitation du prolétariat n'a pas disparu, mais certaines de ses formes ont changé : l'augmentation des salaires, la réduction du temps de travail... ont eu pour contrepartie une augmentation du rendement imposé aux travailleurs ; d'autre part, l'augmentation du niveau de vie (mesuré en valeurs d'usage : quantité de marchandises que les travailleurs peuvent consommer avec leur salaire) n'exclut pas la paupérisation (diminution du nombre d'heures de travail incorporées dans la consommation des salariés) ; cette tendance ne peut être contrecarrée que si la pression des travailleurs permet d'obtenir une élévation du salaire réel au moins égale à celle de la productivité].

Le capitalisme a permis l'industrialisation et le niveau de vie actuel. Cela n'a pas été sans mal pour la classe ouvrière qui a connu famines et misères, mais un autre système eût-il fait mieux et plus rapidement ? Ce n'est pas sûr, si l'on en juge par l'expérience soviétique qui a délibérément sacrifié plusieurs générations et pris plusieurs fois des retards considérables par suite d'erreurs [l'expérience soviétique n'est pas considérée comme probante par certains critiques marxistes pour qui le système instauré en U.R.S.S., dans les démocraties populaires et en Chine n'est qu'une variante du mode de production capitaliste (capitalisme d'État) : il s'agit toujours de sociétés de classes où subsiste l'exploitation du prolétariat (maintien du salariat) et dont le fonctionnement est toujours réglé par la loi de la valeur (voir Marxisme p. 815), la force de travail y étant achetée en vue de l'extorsion d'une plus-value destinée à valoriser le capital. Dans ces sociétés, les fonctions habituellement assurées par le marché le sont par la planification (un capital social, centralisé, ayant remplacé une multitude de capitaux autonomes), et la gestion du capital est le fait non plus des capitalistes privés, mais d'une « bureaucratie »].

Collectivisme

Principes. Mise en commun des moyens de production (soit au niveau de la nation en général ou de l'ensemble des travailleurs, soit à un niveau plus restreint : village, communauté d'agriculteurs).

Quelques dates. 1869, au congrès de Bâle de la Ire Internationale, la tendance collectiviste (Français, Belges, Suisses), hostile au socialisme d'État des marxistes allemands, préconise une collectivisation décentralisée au bénéfice de communautés de travailleurs autonomes pouvant se fédérer. **1879,** le congrès ouvrier de Marseille demande « la collectivité du sol, du sous-sol, des instruments de travail, des matières premières ». Par la suite, le socialisme réformiste d'Alexandre Millerand (1859-1943) souhaite la réalisation progressive et légale de la propriété collective des moyens de production.

Communisme

Évolution des idées communistes

• **Antiquité : Antisthène** (444-365). **Platon** (428-347) : « La République ». **Diogène** (413-327) préconisent la mise en commun de tous les biens (ainsi que des femmes et des enfants), ces projets ne concernent qu'une catégorie d'hommes libres au sein d'une société esclavagiste qui n'est pas remise en cause.

• **De la Renaissance au XVIIIe s. : Thomas More** (saint anglais 1478-1535) : « Utopie » (1516), **Tommaso Campanella** (moine it. 1568-1639) : « La Cité du Soleil », **Meslier** (curé fr. 1664-1729) : « Mon testament », **Gabriel Bonnot de Mably** (Fr. 1709-85) : « Droit public de l'Europe », **Morelly** (Fr. XVIIIe s.) : « Code de la nature » ; communisme « utopique » d'inspiration religieuse ou morale, préconise l'établissement d'une société égalitaire et sans propriété privée. *XVIIIe, fin :* **François-Noël** dit **Gracchus Babeuf** (Fr. 1760-97) élabore la théorie communiste matérialiste (qui privilégie la notion de lutte de classes).

• **XIXe** : *1re moitié : socialistes utopiques :* **Claude-Henri, Cte de Saint-Simon** (Fr. 1760-1825) : « Système industriel », **Robert Owen** (Angl. 1771-1858) : crée les coopératives de production, **Charles Fourier** (Fr. 1772-1837) : prévoit des *phalanstères* regroupant harmonieusement les individus (voir Socialisme, p. 815), *Courants communistes* d'inspiration religieuse avec **Étienne Cabet** (Fr. 1788-1856) : « Voyage en Icarie » (1840), fonde une colonie communiste aux États-Unis (à La Nlle-Orléans), abolition de la propriété privée, fédération de communes ; babouviste et jacobine avec **Albert Laponneraye** (Fr. 1808-48) : « Lettre aux prolétaires » (1833) et **Jean-Jacques Pillot** (Fr. 1809-77) : « Ni châteaux ni chaumières » (1840) ; matérialiste et plus scientifique avec **Théodore Dézamy** (Fr. ?-1850) : « Code de la communauté » (1842) et Auguste Blanqui (qui précise la notion de lutte de classes et analyse les rapports de classes au niveau de la production) (Fr. 1805-81), **Armand Barbès** (Fr. 1809-70). **Louis Blanc** (Fr. 1811-82). **Lahautière** (Fr.) : « Petit Catéchisme de la réforme sociale » (1839). Avec **Karl Marx** [(All. 1818-83) : « Manifeste du parti communiste » (1848), « Le Capital » (1867-83)] et **Friedrich Engels** [(All. 1820-95) : en coll. avec Marx, « Manifeste du parti communiste » (1848)] une conception s'impose, se fondant sur une analyse du mouvement réel des différentes sociétés et de la dernière en date (la société capitaliste). Elle établit que l'existence des classes est liée au développement de la production, que la lutte de ces classes conduit nécessairement à la dictature du prolétariat (la classe ouvrière étant seule capable de surmonter les contradictions qui mènent le capitalisme à sa destruction), et que cette dictature est une phase transitoire vers le communisme (société sans classes qui met fin aux conflits entre l'homme et la nature, l'homme et l'homme, l'individu et l'espèce, l'existence et l'essence, l'objectivation et l'affirmation de soi, la liberté et la nécessité).

☞ Voir également Marxisme p. 815, Socialisme p. 815, Léninisme p. 814, Stalinisme p. 816. Trotskisme p. 816. Et consulter les livres : **Lénine** (Russe, 1870-1924) : « L'État et la Révolution » (1917). **Trotski** (Russe, 1879-1940) : « La Révolution trahie » (1937). **Staline** (Russe, 1879-1953) : « Les Fondements du léninisme » (1924). **György Lukacs** (Hongrois, 1885-1971) : « Histoire et Conscience de classe » (1923). **Mao Tsé-toung** (Mao Zedong) (Chinois, 1893-1976) : « De la pratique » (1937).

Selon la thèse avancée notamment par Lewis H. Morgan, puis Marx et Engels, la société de classes ne serait apparue qu'au Néolithique et aurait été précédée par une société sans classes, celle du communisme primitif.

De la fin du Moyen Âge au XVIIIe s., plusieurs mouvements de lutte populaires d'inspiration chrétienne ont été animés par le désir d'abolir la société inégalitaire de classes : ainsi, au XVe s. (1420-37), insurrection en Bohême de *Taborites,* plébéiens et paysans de tendance hussite, dirigés par Ziska puis Procope, contre la féodalité et l'Église catholique (écrasée par la bourgeoisie et la noblesse) ; au XVIe s. (1513-25), insurrection des paysans d'Allemagne dirigés par le prédicateur Thomas Münzer (1489-1525) (écrasée par les princes, les Églises et la bourgeoisie coalisées) ; au XVIIe s., en Angleterre, mouvement urbain des *« Niveleurs »* (1646-50), dirigé par John Lilburne (1614-57), Richard Overton (1642-63) et William Walwyn (1600-80) qui réclament la souveraineté pour le seul peuple et l'égalité pour les biens et pour les terres.

En outre, à la fin du XVIIIe s., « conspiration des Egaux » *babouviste.* [Animateur à Paris du journal *Le Tribun du Peuple* et du Club du Panthéon (fermé en févr. 1796 par Bonaparte), puis agissant dans la clandestinité, Gracchus Babeuf (1760, exécuté en 97), qui préconisait la production en commun et l'obligation au travail, voulait organiser un mouvement de masse capable de s'emparer du pouvoir (« fondateur du 1er parti communiste agissant », d'après Marx)].

Principes

Sur le plan économique. Mise en commun de tous les biens (moyens de production et biens de consommation). Il se distingue donc du collectivisme (mise en commun des seuls biens de production), du socialisme agraire (mise en commun des terres seules) et du socialisme d'État, mise en commun de ce que seul l'intérêt général exige (ex. ressources énergétiques).

Sur le plan social. La part de chacun varie selon les théoriciens : « A chacun selon ses capacités, à chaque capacité selon ses œuvres », dit Saint-Simon. « De chacun selon ses capacités, à chacun selon ses besoins », dit Fourier.

Sur le plan philosophique. Le communisme a actuellement pour théorie le matérialisme dialectique (Voir Marxisme). En raison de sa position philosophique et sociale (en tant qu'elle nie parfois la famille ou les droits de l'individu), le communisme est rejeté en général par l'Église catholique. Dans certains pays, celle-ci a pu parvenir à une certaine entente avec le parti communiste (ex. en Pologne).

Grandes dates

• **1848-1917.** Parution du *Manifeste du parti communiste* (1848) et du *Capital* (1867) de Marx. 1864, *Ire Internationale* (Voir Index). *Apparition de partis socialistes nationaux :* Allemagne 1863-69. France 1874-82-90. Danemark 1878. Espagne 1879. P.-Bas 1881. Russie 1883. Belgique et Suède 1885. Norvège 1887. Italie 1891. G.-B. 1893-1900. Suisse 1893. U.S.A. 1900, etc.

• **1917-1928. U.R.S.S. :** prise du pouvoir par le parti bolcheviste en nov. 1917 (Voir Index). Création (à Moscou) de la IIIe Internationale le 2-3-1919 ; organe exécutif : le Komintern (voir p. 832 a). 1921-28 : N.E.P. (Nouvelle Politique Économique) inaugurée par Lénine, qui rétablit provisoirement et partiellement le capitalisme privé. **Allemagne :** le groupe Spartakus, avec Karl Liebknecht (1870-assassiné 1919) et Rosa Luxemburg (1871-assassinée 1919) essaie de prendre le pouvoir à Berlin, mais échoue (répression de Noske, semaine rouge du 6 au 11-1-1919). **Hongrie :** action de Béla Kun (1886 exécuté 1937 en U.R.S.S. pour déviationnisme) du 21-3 au 1-8-1919. **Chine :** échec d'un coup de force à Canton (1927).

Création de partis communistes : *1919* Bulgarie, Norvège ; *1920* France ; *1921* Italie, Chine, Japon. **Interdiction :** Yougoslavie *(1921),* Finlande *(1923),* Bulgarie *(1923).*

• **1928-1943.** Renforcement de la discipline imposée par le Komintern aux P.C. nationaux. *1936, participation de certains P.C. à des fronts populaires :* Espagne (févr.), France (mai), Chine (mai). *1939 août* le pacte germano-soviétique, le partage de la Pologne, la guerre de Finlande déroutent les militants communistes des pays européens. *1941 juin,* attaque allemande en Russie, alliance de mouvements de résistance communistes et d'autres tendances dans les pays occupés par l'Allemagne (et le Japon en Chine). *1943 dissolution du Komintern.*

• **1944-1953.** *Victoire des partis comm. :* Albanie (1945), Corée (1945), Hongrie (1945), Youg. (1945), Allemagne orientale (août 1946), Roumanie (nov. 1946), Pologne (janv. 1947), Tchécoslovaquie (févr. 1948), Chine (1949), Mongolie extér. *Création du Kominform* 5-10-1947 pour assurer l'unité d'action des P.C. nationaux sous le contrôle de l'U.R.S.S. (la Yougoslavie en sort en juin 1948). Des purges suivent ; Hongrie : Rajk exécuté (oct. 1949) ; Pologne : Gomulka chassé du parti (nov. 1949) ; Tchécoslovaquie : Slansky arrêté (1951).

• **1953-1957.** Après la mort de Staline : *détente internationale,* armistice en Corée (1953), en Indochine (1954). *Destalinisation* progressive amorcée au XXe Congrès, le 25-2-1956, quand Khrouchtchev (1894-1971) dénonce à huis clos devant les délégués soviétiques les crimes de Staline ; le passage au socialisme par la voie légale et parlementaire est admis, ainsi que la collaboration avec les autres partis ouvriers ou socialistes. *Dissolution du Kominform* (avril 1956). *Victoire des partis communistes :* Viêtnam (1954, Viêt-n. du N.) reconnu, Cuba (1959-65). *Soulèvements réprimés dans plusieurs démocraties populaires : All. dém.* ; Berlin-Est (17-6-1953) ; *Pologne,* Poznan (28-6-1956) ; *Hongrie* (23-10/4-11-1956). Mais l'U.R.S.S. renonce aux contrôles économiques asservissants (comme les sociétés mixtes) et négocie.

• **1957-1973.** *Divergence entre U.R.S.S. et Chine* (V. Index). Succès d'un courant prochinois en Occident. Création de groupements maoïstes contestataires dans divers pays. Émeutes diverses en 1966. *Intervention soviétique en 1968 en Tchécoslovaquie* lors du printemps de Prague (V. Index).

En 1958-59, en Inde, le P.C. gouverne l'État de Kerala.

• **1974-1980.** Extension du communisme. *1974-75* au Portugal, gouvernements procommunistes du général Vasco Gonçalves, le P.C. soutient le Mouv. des Forces armées et propose un « grand mouvement unitaire de masse ». *1975* Viêt-nam du Sud, Laos, Cambodge ; *1976* Angola ; *1977* Éthiopie ; *1978* Afghanistan.

• **1980-90** *Retournement. 1°)* Contestations « feutrées » puis plus véhémentes au sein de différents P.C. occidentaux (en particulier italien et français), affirmant que chaque pays pouvait avoir sa propre voie vers le socialisme (eurocommunisme). Mouvements dissidents en *U.R.S.S.* (milieux intellectuels : Andreï Sakharov, Alexis Soljenitsyne, Leonid Pliouchtch, Sergeï Koraliev, Vladimir Boukovski...) et dans plusieurs démocraties populaires ; *en Pologne :* création d'un syndicat indépendant (Solidarité) en 1980, *Tchécoslovaquie... 2°) Après l'arrivée de Gorbatchev au pouvoir, glasnost* (transparence, publicité) et *perestroïka* (restructuration) entraînent le retrait soviétique d'Afghanistan, la négociation du départ des Cubains d'Angola, une remise en cause radicale du régime communiste en Eur. de l'Est (rejet des dogmes, des hommes, élections libres). Voir chacun de ces pays, p. 837.

☞ Parlant du communisme en Hongrie, Imre Poszgay déclare en oct. 1989 : « C'était une impasse. Il enseignait la propriété collective, il a créé la propriété bureaucratique. Toutes les fonctions économiques et sociales ont été remplacées par une coordination bureaucratique. Il a tué l'initiative individuelle et la passivité est devenue le comportement dominant. »

☞ Dans le Quid des Présidents de la République (éd. Robert Laffont, 1987), vous trouverez la vie de Jacques Duclos et de Georges Marchais.

Démocratie

• **Définition.** Du grec *kratos* et *dêmos :* « pouvoir du peuple ». S'oppose à l'*aristocratie (aristos :* excellent, gouv. d'une classe privilégiée), la *théocratie* (l'autorité émane de Dieu), la *monarchie* (gouvernement d'un seul, du grec *monos* « seul », *arkhein* « commander ») et l'*oligarchie* (gouvernement d'un groupe, *oligoï :* peu nombreux).

• **Types. Démocratie directe :** les citoyens votent directement les principales lois ou principaux règlements (réalisable dans des petits pays, ex. certains cantons suisses) ; **indirecte :** le peuple délègue des pouvoirs à des élus (députés, sénateurs, etc.). **Démocraties parlementaires :** ministres responsables devant le Parlement (ex. : France, G.-B.). Aux U.S.A., la démocratie n'est pas parlementaire ; les ministres sont responsables devant le président et non devant le Parlement.

Démocratie chrétienne. *Origine.* Terme apparu en 1891 après la publication de l'encyclique *Rerum Novarum* de Léon XIII sur la condition des ouvriers. **Principes :** le pouvoir appartient au peuple qui applique les principes chrétiens des *Évangiles.* **Applications : en France,** il y a eu avant 1939 2 partis démocrates chrétiens : P.D.P. (Parti démocrate populaire), avec G. Champetier de Ribes (1882-1947), et J.R. (Groupement Jeune République), avec Marc Sangnier (1873-1950) ; après 1944, il y a eu le M.R.P. (V. Index.). **Italie :** au pouvoir depuis 1945.

Démocratie populaire. Nom donné (qu'il figure ou non dans leur dénomination) avant 1990 à : Afghanistan, Albanie, Algérie, Allemagne de l'Est, Angola, Bénin, Bulgarie, Chine, Congo, Corée du Nord, Cuba, Hongrie, Laos, Mongolie extérieure, Mozambique, Pologne, Roumanie, Sud-Yémen, Tchécoslovaquie, Yougoslavie, Viêt-nam.

Pour tous ces pays, le peuple ne représentait pas l'ensemble des citoyens, mais le *prolétariat* au nom duquel avait été faite la révolution qui avait donné naissance au régime. Les autres citoyens ne devaient pas pouvoir s'exprimer (ils étaient des ennemis ou tout au moins des obstacles au bonheur du peuple).

Le peuple donnait naissance au Parti appelé à le diriger. Le Parti était contrôlé par la « base » qui faisait part de ses désirs. Étaient transmis par une pyramide des cellules, fédérations, comités, congrès, aux dirigeants qui en appliquaient la synthèse.

Il n'y avait pas d'opposition tolérée (s'opposer au Parti ce serait s'opposer au peuple). Une liste unique (souvent de coalition) était proposée aux électeurs et obtenait généralement de 90 à 99,99 % des voix.

Droite et gauche

Le 11-9-1789, les défenseurs d'un pouvoir monarchique fort se groupèrent à la droite du président de l'Assemblée nationale constituante. Depuis, les expressions droite et gauche ont vu leur contenu évoluer. Les libéraux de gauche sont devenus la droite sous Louis-Philippe, et des idées de gauche ou d'extrême gauche ont été, après un certain temps, inscrites au programme de la droite dont les différents groupes ont souvent adopté un langage « révolutionnaire ».

Fascisme

De l'italien *fascio :* « faisceau ». Nom du régime établi par Benito Mussolini (1883-1945) en Italie (de 1922 à 45), reposant sur la dictature d'un parti unique, le corporatisme et le nationalisme. Il rejetait la croyance au progrès, la démocratie, le pacifisme, et cultivait l'obéissance au chef du parti, Mussolini, « le Duce qui a toujours raison ». Aujourd'hui, le qualificatif *fasciste* est employé le plus souvent dans un dessein injurieux, pour fustiger racisme, totalitarisme, impérialisme ou des procédés comme le recours à la terreur, la restriction de certaines libertés, etc.

Gauchisme

Courant doctrinaire du communisme se caractérisant, selon Lénine, par le refus du compromis, l'usage des seuls moyens illégaux, la contestation du Parti au nom de la spontanéité des masses. Horner (1873-1960), Estelle Sylvie Pankhurst (1882-1950), Herman Gorter (1864-1927) et Alexandra Kollontaï (1872-1952) furent gauchistes.

Aujourd'hui, on englobe souvent sous ce terme *communistes libertaires, maoïstes* et *trotskistes.*

Léninisme

Origine. Terme utilisé par les adversaires de Lénine 1903, puis repris notamment par Staline en 1924, Zinoviev en 1925 (et Mao Tsé-toung en 1960) pour désigner les théories de Lénine [(Vladimir Ilitch Oulianov, dit) 1870-1924, qui publia : « le Développement du capitalisme en Russie » (1899), « Que faire ? » (1902), « Matérialisme et Empiriocriticisme » (1909), « l'Impérialisme, stade suprême du capitalisme » (1917), « l'État et la Révolution » (1917), « le Socialisme et la Guerre » (1917), « la Dictature du prolétariat et le renégat Kautsky » (1919), « le Gauchisme, maladie infantile du communisme » (1920)].

Principes. Le léninisme, qui se présente comme le développement du marxisme, se caractérise notamment par : l'importance accordée au rôle dirigeant de l'avant-garde, et en particulier du parti, qui doit préparer la révolution prolétarienne et organiser le pouvoir après la conquête de celui-ci (dictature du prolétariat) ; l'importance de l'alliance avec les masses paysannes pour la classe ouvrière révolutionnaire ; l'analyse de l'impérialisme, considéré comme stade ultime du capitalisme avant la révolution prolétarienne. Pour Lénine, l'aggravation des *contradictions internes du capitalisme* devenu monopoliste (entre le capital et le travail, entre les métropoles impérialistes et leurs colonies, entre les capitalismes nationaux) conduit inéluctablement à la guerre mondiale, puis à la révolution qui en résultera. Cette révolution, qui peut triompher dans un seul pays, le plus faible maillon du capitalisme, soutiendra ensuite les mouvements de lutte des classes ouvrières nationales et de libération des peuples colonisés contre l'impérialisme.

Aujourd'hui, le p. soviétique et le p. chinois se réclament du marxisme-léninisme mais l'interprètent d'une façon différente. (Voir Index : Chine et U.R.S.S.)

Libéralisme

Origine. XVIIIe s. philosophes (Voltaire, Diderot...) et physiocrates français (Quesnay, Gournay...). XIXe s., école économique libérale classique représentée par les Anglais Adam Smith (1723-90), Thomas Malthus (1766-1834), David Ricardo (1772-1823), John Stuart Mill (1806-73), et les Français Jean-Baptiste Say (1767-1832) et Frédéric Bastiat (1801-50). En France, depuis l'instauration de la IIIe Rép., des formations politiques, de droite ou de gauche, se sont réclamées du libéralisme.

Principes. Courant philosophique, politique et économique recouvrant des tendances de diverses origines et au contenu variable selon les époques. Sur le plan politique, le libéralisme défend les droits de l'individu à l'intérieur de la société, face notamment à l'État, dont les pouvoirs doivent être limités. Dans le domaine économique, le libéralisme est partisan de la libre entreprise et de la concurrence, l'intervention de l'État, lorsqu'elle est considérée comme nécessaire, ayant pour seul rôle de corriger les abus des « lois du marché ».

Maoïsme

Origine. Doctrine des partisans de Mao Tsé-toung [(1893-1976) qui publia : « Problèmes stratégiques de la guerre révolutionnaire en Chine » (1936), « De la pratique » (1937), « Des contradictions » (1937), « la Démocratie nouvelle » (1940), de nombreux traités et textes de circonstance ; le « Petit Livre rouge », qui est censé exprimer sa pensée, a été composé et publié par le maréchal Lin Piao, min. de la Défense, dans les années 60].

Principes. Se présente comme le développement du marxisme-léninisme à l'époque actuelle, en fonction de la révolution chinoise. Ses partisans accusent principalement les « révisionnistes soviétiques » : 1°) De trahir les luttes de libération nationale des peuples du tiers monde en ne les soutenant pas dans leurs combats contre l'impérialisme américain sous le prétexte de vouloir maintenir la coexistence pacifique. 2°) D'avoir une politique « social-impérialiste », notamment vis-à-vis des pays de l'Europe orientale (invasion de la Tchécoslovaquie). 3°) De restaurer le capitalisme en U.R.S.S. en y réinstallant la notion de profit.

Pour le maoïsme, adepte de la « révolution permanente » (exemple de la « révolution culturelle » chinoise de 1966-69), il faut lutter sans cesse contre l'embourgeoisement du Parti et transformer les mentalités du peuple, notamment par la lutte idéologique, afin d'améliorer la production (importance des stimulants idéologiques).

« Aussi longtemps que la lutte de classes continue, aussi bien dans l'ordre spirituel que matériel, le danger de restauration capitaliste subsiste, et par conséquent la dictature du prolétariat doit être maintenue. La victoire complète du socialisme n'est pas l'affaire de 1 ou de 2 générations ; pour être définitive, elle exige 5 ou 6 générations, voire davantage. »

Applications. A influencé différents partis communistes, notamment ceux d'Asie du Sud-Est et une partie de l'extrême gauche occidentale (France, Italie...).

Marxisme

Origine. Théorie de Karl Marx [(Allemand, 1818-83) qui rédigea : « la Sainte Famille » (1845), « Misère de la philosophie » (1847), « le Manifeste du parti communiste » (1848, avec Engels), « Contribution à la critique de l'économie politique » (1859), « Salaire, prix et profit » (1865), « le Capital » (1867 à sa mort, inachevé), « la Guerre civile en France » (1871)] (avec la collaboration partielle de Friedrich Engels, Allemand, 1820-95). Reprise notamment par Lénine, Rosa Luxemburg, Staline, Mao Tsé-toung (voir Communisme).

Principes. Analyse globale (philosophique, sociale et politique, économique) de l'histoire des sociétés, qui est celle de la lutte des classes. A chaque société correspond un mode de production où les rapports sociaux de production déterminent les superstructures : politiques, juridiques. C'est notamment le cas pour la dernière société apparue, le capitalisme. C'est aussi une théorie du devenir de l'humanité débouchant sur la société sans classes du communisme.

Aspects. Philosophique : voir Matérialisme dialectique p. 323, Communisme p. 813. **Social et politique :** voir Communisme p. 813, Socialisme ci-dessous. **Économique :** Selon Marx, le mode de production capitaliste se distingue fondamentalement des différents modes de production antérieurs (communauté primitive, puis sociétés de classes – donc d'exploitation – issues de la décomposition de celle-ci : esclavagisme, féodalité...).

– Les biens ne sont pas produits en fonction de leur utilité immédiate *(valeur d'usage)*, mais en fonction de leur aptitude à être substitués les uns aux autres (mesurée par la *valeur d'échange,* qui fait abstraction de leurs particularités). Une valeur d'usage, pour être reconnue en tant que telle, doit d'abord être reconnue en tant que valeur d'échange. La valeur d'échange des marchandises est mesurée par la quantité (durée et intensité) de travail abstrait (social) que leur production a nécessitée.

– La production capitaliste tend (en moyenne) à réduire en permanence le temps de travail nécessaire à la production de chaque valeur d'usage. Il s'ensuit une dépréciation continuelle, en termes de valeur d'échange, des éléments de la production : pour une même quantité de travail, la quantité de valeur d'usage produite augmente. C'est la *loi de la valeur* – ou de l'élévation de la productivité.

– Les rapports de production capitalistes sont caractérisés par une aliénation : les travailleurs – qui ne disposent plus que de leur *force de travail* – sont contraints de vendre (aliéner) l'usage de celle-ci aux capitalistes (qui se sont approprié les *moyens de production :* machines, bâtiments, matières 1res...). Ils reçoivent en échange un *salaire* qui leur permet de se procurer les moyens d'existence dont ils ont besoin. Leur force de travail est devenue ainsi une *marchandise.* Ces rapports sont maintenus par la domination des moyens de production *(capital constant)* – détenus par les capitalistes – sur le *travail vivant* (travailleurs salariés vendant leur force de travail) qui permet d'imposer aux travailleurs la discipline du travail et une productivité supérieure.

– La force de travail crée de la valeur ; elle produit une quantité de valeurs d'usage supérieure à celle qui lui est strictement nécessaire pour se maintenir en vie et assurer la production. Les capitalistes s'approprient les résultats de la production. La différence entre le salaire qu'ils versent et la valeur globale des marchandises représente le *surtravail* (ou temps de travail non payé). Celui-ci devient la *plus-value* que s'attribuent les capitalistes.

– Capitalistes et travailleurs (producteurs) sont en lutte permanente à propos du salaire et de la productivité. Pour élever celle-ci, les capitalistes doivent continuellement moderniser le capital constant. Pour cela, ils utilisent la plus grande partie de la plus-value afin d'accroître le capital. Ce mécanisme de l'accumulation *(reproduction élargie)* a pour but, à son tour, d'extraire une plus-value supplémentaire, et ainsi de suite.

– Mais le mouvement du capital – inséparable de la lutte du prolétariat contre son exploitation – engendre ses propres contradictions. D'une part, il entraîne une concentration croissante du capital ; celle-ci renforce l'opposition entre le caractère social (collectif) du processus de production – qui devrait logiquement aboutir à la propriété collective des moyens de production – et l'appropriation privée de ces mêmes moyens. D'autre part, il détruit les formes d'économie antérieures et accroît ainsi l'importance (quantitative) de la classe (antagoniste) des salariés. En outre, la modernisation des moyens de production implique l'élévation tendancielle de la *composition organique,* du rapport entre le capital constant et le capital variable, élévation qui entraîne une baisse tendancielle du taux de profit. Pour combattre cette baisse, le capital est contraint à une « fuite en avant », chaque étape de l'accumulation crée les besoins d'une accumulation encore plus forte. Ainsi, pour augmenter le *taux d'exploitation* (rapport de la plus-value au capital variable), il faut accroître la productivité, donc élever la composition organique du capital ; celle-ci entraîne à son tour une baisse du taux de profit, et ainsi de suite. Ces efforts du capital pour contrecarrer cette tendance contribuent à aggraver la condition du prolétariat (travailleurs en surnombre et exploitation accrue, se traduisant par une dévalorisation de la force de travail). Les antagonismes se renforcent donc. A terme, le développement de ces contradictions aboutira à une crise plus grave que les précédentes ; le prolétariat s'appropriera alors l'usage des conditions de production pour lui-même.

National-socialisme

Origine. Doctrine composite exposée en 1920 par l'ouvrier Anton Drexler, puis par Adolf Hitler (1889-1945) dans « Mein Kampf » (1925-27), reposant sur : un État autoritaire [Johann Gottlieb Fichte (1762-1814), Friedrich Hegel (1770-1831), Bismarck (1815-98)] ; une nation supérieure (gardant pure sa race, en rejetant notamment les Juifs) ; le recours à la guerre et à la violence (culte de la force).

Applications. Hitler négligea l'aspect socialiste de la doctrine, il s'en tint à la lutte contre le marxisme « générateur de conflits sociaux », les Juifs « exploiteurs », le parlementarisme « source de faiblesse », à la planification autarcique et à la lutte pour « l'espace vital » en Europe. L'abréviation allemande *Nazi* désignait les partisans du national-socialisme. Elle est très utilisée comme injure politique.

Nihilisme

Origine. Du latin *nihil,* « rien ». Apparu en Russie après l'échec des réformes d'Alexandre III (1845-94), il voulait repartir sur des bases neuves, à la lumière des sciences nouvelles et en balayant toutes les idées acquises. Souvent confondu avec l'anarchisme. **Principaux nihilistes :** Nicolaï Dobrolioubov (1836-61), Dimitri Pissarev (1841-68), Nicolaï Tchernychevski (1828-89).

Progressisme

Professe des idées politiques ou sociales avancées. De 1893 à 1914, l'Union progressiste désire être en dehors de toute idéologie et faire progresser le régime en matière économique et sociale. Aujourd'hui, les progressistes défendent souvent des idées soutenues par les marxistes.

Prolétariat

Ensemble des prolétaires, c'est-à-dire des salariés qui n'ont que leur salaire pour vivre (à l'opposé des propriétaires de moyens de production ou de moyens d'échange, comme les commerçants). La prolétarisation réduit à l'état de salariés les indépendants (petits exploitants agricoles, artisans, détaillants). Selon Marx et Engels (« Manifeste du parti communiste », 1848), c'est la classe qui, dans la société capitaliste, crée la plus-value appropriée par les capitalistes. Par la révolution, le prolétariat créera une société sans classes en se libérant de son exploitation.

Le *lumpenproletariat* (de l'allemand) est la partie la plus misérable du prolétariat, incapable de se révolter.

Radicalisme

État d'esprit plutôt que doctrine immuable, demandant une rupture avec les institutions passées. Le radicalisme a beaucoup évolué dans la vie politique française. Les radicaux ont combattu pour le suffrage universel et les grands principes des droits de l'homme. Les radicaux-socialistes ont mis l'accent sur les réformes sociales tandis que d'autres radicaux ont pu se rapprocher des républicains modérés en prônant le libéralisme.

Socialisme

Origine. Le socialisme a commencé par condamner les inégalités sociales et l'exploitation de l'homme par l'homme, et par demander que l'intérêt général prime en tout l'intérêt individuel. On distingue habituellement le socialisme :

– **utopique** [Thomas More (Angl. 1478-1535), Campanella (It. 1568-1639), Cte de Saint-Simon (Fr. 1760-1835)] : dénonçant les impostures sociales et imaginant des sociétés idéales parfaites.

– **associationniste :** Charles Fourier (Fr., 1772-1837), Louis Blanc (Fr., 1811-82) Pierre-Joseph Proudhon (Fr., 1809-65, en fait anarchiste qui crée en 1848 une Banque du peuple, établissement « mutuelliste » dont s'inspireront plus tard coopératives et Stés de secours mutuel), Robert Owen (G.-B., 1771-1858, qui créa les 1res coopératives de production et de consommation en 1832).

– **d'État :** Léonard Simond de Sismondi (Suisse, 1773-1842), Johann Karl Rodbertus (All., 1805-75), Ferdinand Lassalle (All., 1825-64, qui énonça la *loi d'airain* sur les salaires, selon laquelle le salaire de l'ouvrier ne pourra dépasser le montant minimal dont il a besoin pour survivre), Ch. Dupont-White (Fr., 1807-78).

– **de la chaire** [expression créée par Henri-Bernard Oppenheim (1819-80)] : Congrès d'Eisenach (1872) où les professeurs universitaires étaient nombreux : Gustav Schmoller (All., 1838-1917), Adolphe Wagner (1835-1917).

– **chrétien :** Félicité de Lamennais (1782-1854, abbé français qui, désavoué par le pape en 1832, rompit avec l'Église), Philippe Buchez (Fr., 1796-1865), Cte Charles de Coux (1787-1864).

scientifique : Marx (qui doit beaucoup à Sismondi et Rodbertus), pour qui le socialisme devient inéluctable avec la disparition des classes (disparition que l'on peut hâter).

Applications. Le socialisme recouvre (ou a recouvert) des réalisations diverses [(les Républiques populaires, les États scandinaves (sauf la Finlande) qui se sont dits socialistes ; les États fascistes et nazis (socialismes nationaux)] et des doctrines souvent opposées quant à leurs objectifs et à leurs moyens. Le socialisme a pu être « de gauche » ou modéré (ex. : la social-démocratie allemande ou scandinave).

– *La plupart des partis socialistes des pays développés* (Europe occidentale, Australie, N.-Zélande), plus ou moins réformistes, insistent sur la lutte progressive contre les inégalités économiques et sociales et les défauts du capitalisme de marché. Ils préconisent des mesures sociales et fiscales, des nationalisations, la planification, la réforme ou la transformation légale de l'État, le respect de la démocratie pluraliste, le soutien au mouvement coopératif... De nombreux partis socialistes ont été ou sont au pouvoir (pays scandinaves, Allemagne fédérale, Autriche, France).

– *Le camp dit socialiste,* divisé par la rivalité entre l'U.R.S.S. et la Chine. Avant 1990, comprenait l'U.R.S.S. et diverses républiques socialistes (Europe de l'Est, certains pays du tiers monde), la Chine. Un parti unique se réclamant du marxisme-léninisme détenait le pouvoir.

Selon la thèse officielle, le maintien de l'État – devenu socialiste – correspondait à la phase de dictature du prolétariat. Pour la Yougoslavie, voir Titisme à l'Index.

– *Certains pays du tiers monde* se sont réclamés d'un socialisme « adapté à leurs particularités ».

Stalinisme

Origine. Doctrine et méthode de Staline [(1879-1953) qui publia : « les Fondements du léninisme » (1924), « les Questions du léninisme » (1926), « Matérialisme historique et Matérialisme dialectique » (1938), « les Problèmes économiques du socialisme » (1952)]. Staline s'opposa à Trotski (1879-1940) pour instaurer le socialisme dans un seul pays et en acceptant temporairement la N.E.P. (Nouvelle Politique économique). Il lança le 1er plan quinquennal en 1928 et la collectivisation des terres en 1929.

Principes. Doctrine caractérisée d'abord par l'opportunisme, la centralisation, l'autoritarisme et, après 1945, l'intransigeance (refus de la coexistence pacifique). Voir U.R.S.S. à l'Index.

Totalitaire (régime)

Régime où une équipe dirigeante et une organisation monolithique (parti de masse) détiennent tous les pouvoirs. L'opposition est privée d'existence légale. Étaient totalitaires les régimes fasciste et national-socialiste. Sont aujourd'hui considérés comme totalitaires un certain nombre de régimes (« communistes », ou du tiers monde).

Trotskisme

Origine. Doctrine de Trotski [(Lev Davidovitch Bronstein, dit) (1879-1940)] qui publia : « Histoire de la révolution russe » (1932), « la Révolution permanente » (1932), « la Révolution trahie » (1937), « l'École stalinienne de falsification » (1937), « Staline » (1940)]. Appelée aussi bolchevisme-léninisme.

Avant la révolution d'Octobre, Trotski prône la révolution permanente. Partout où la révolution bourgeoise est impossible (pays arriérés et coloniaux), seul le prolétariat – même s'il est très minoritaire – peut, après s'être organisé en parti de classe, entreprendre la lutte révolutionnaire contre la bourgeoisie en entraînant la paysannerie (qui est potentiellement révolutionnaire). La dictature du prolétariat assure la victoire de la révolution socialiste permanente (elle se poursuit par la suite), mais cette révolution ne peut s'achever qu'au niveau mondial.

A partir de 1936, Trotski analyse notamment le stalinisme (excroissance bureaucratique de l'économie collectiviste dans un État ouvrier arriéré, que la poursuite de la révolution détruira), le fascisme (dernière solution de la bourgeoisie avant la révolution), et élabore une stratégie « de transition » qui constituera le fondement théorique de la IVe Internationale (voir p. 832 b).

Après la guerre de 1939-45. Les idées de Trotski sont reprises par la IVe Internationale. Plusieurs courants s'en réclament aussi (Amérique Latine : Posadas ; Europe : P. Frank, P. Lambert et G. Healy, et M. Raptis dit Pablo). Le trotskisme influence les expériences chinoise et cubaine. Depuis 1968, les mouvements trotskistes se sont développés dans les pays occidentaux (notamment en France, voir p. 700 et suivantes).

☞ Définitions politiques, voir p. 812.

Organisations internationales

Organisation des Nations unies (O.N.U.)

Premières ententes universelles. 1864 (24-8) Croix-Rouge intern. **1865** Union télégraphique intern. (U.T.I.). **1874** (9-10) Union postale universelle (U.P.I.). **1875** (20-5) Bureau intern. des poids et mesures. **1910** (23-9) Convention sur le sauvetage en mer. **1919** (26-7) Bureau intern. de l'heure (décidé 1913). **1934** (1-1) Union intern. des télécommunications (U.I.T.) succède à l'U.T.I. **1944** (22-7) Banque intern. pour la reconstruction et le développement (B.I.R.D.). Fonds monétaire intern. (F.M.I.). **1944** (7-12) Organisation de l'aviation civile (O.A.C.I.). **1945** (26-6) Charte des Nations unies.

L'O.N.U. a succédé à la *Société des nations* (S.D.N.) qui, proposée par le Pt des U.S.A. Wilson, prit corps dans le traité de Versailles de 1919 et s'installa à Genève au palais Wilson puis au palais des Nations (construit de 1929 à 1937). Elle comprit au max. 60 États (45 au début, 44 en 1939). Les U.S.A. avaient refusé d'en faire partie. Le Brésil s'en retira en 1926, le Japon et l'Allemagne (admise en 1925) en 1933, l'Italie en 1937 et l'U.R.S.S. (admise en 1936) en fut exclue en 1939. Sa dissolution effective date du 3-7-1947, mais elle était déjà remplacée officiellement par l'O.N.U. depuis octobre 1945. Elle avait défini (article 22 de la Charte) des pays sous mandat comme « des colonies ou territoires qui, à la suite de la guerre, ont cessé d'être sous la souveraineté des États qui les gouvernaient précédemment et sont habités par des peuples non encore capables de se diriger eux-mêmes dans les conditions particulièrement difficiles du monde moderne. Le bien-être et le développement de ces peuples forment une mission sacrée de civilisation ». Elle considérait que « la meilleure méthode est de confier la tutelle de ces peuples aux nations développées qui, en raison de leurs ressources, de leur expérience et de leur position géographique, seront le mieux à même d'assumer cette responsabilité et qui consentent à l'accepter ».

Données générales

• **Siège :** Manhattan, New York (U.S.A.).

• **Création :** *Déclaration interalliée, Londres,* 12-1-1941 (14 États). *Charte de l'Atlantique,* 14-8-1941 (U.S.A. et G.-B.). *Décl. de Washington,* 1-1-1942 (26 États). *Décl. de Moscou,* 30-10-1943 (U.R.S.S., G.-B., U.S.A., Chine). *Décl. de Téhéran,* 1-12-1943 (U.S.A., U.R.S.S., G.-B.). Conférences : *Dumbarton Oaks* (G.-B., U.S.A., U.R.S.S., Chine, 27-8 au 17-10-1944). *Yalta* (G.-B., U.S.A., U.R.S.S., févr. 1945). *San Francisco* (25-4 au 26-6-1945). Élaboration définitive de la Charte et du Statut de la Cour intern. de justice, ratifié par 51 pays (dont la France) en guerre contre l'Axe.

• **Budget des Nations unies. Participation** fixée par un comité de contribution (réuni tous les 2 ans) en fonction de la population, du niveau d'industrialisation et du P.I.B. de chaque membre. *Montant (en %) :* U.S.A. 25 (avant 1970 : 30), U.R.S.S. (y compris Biélorussie et Ukraine) 11,57, Japon 11,38, All. féd. 8,08, *France 6,25,* G.-B. 4,86, Italie 3,99, Canada 3,09, Espagne 1,95, P.-Bas 1,65, Australie 1,57, Brésil 1,45, All. dém. 1,28, Suède 1,21, Belgique 1,17, Arabie S. 1,02, Mexique 0,94, Chine 0,79, Autriche 0,74 (78 pays en voie de développement contribuent pour 0,01 % chacun au budget).

Budget brut (en milliards de $) : 2 134 (1990-91). *Déficit* 400 (dont 16 d'arriérés, dû au refus de certains pays de participer au financement d'opérations spéciales (Congo, Chypre, Moyen-Orient) et au retard de paiement des contributions.

Répartition du budget (en millions de $, 1990-91). Administration et gestion 434. Conférences et bibliothèques 384. Contributions du personnel 310. Affaires politiques et du Conseil de sécurité, maintien de la paix 91. Conférence sur commerce et développement 84. Information 91. Commissions écon. pour Afrique 59, Amér. latine et Caraïbes 57. Affaires écon. et soc. intern. 49. Haut-Commissariat pour réfugiés 39. Commissions écon. pour Europe 37,6, Asie et Pacifique 41, Asie occid. 44. Programme ordinaire de coop. technique 37,5. Affaires polit., tutelle et décolonisation 24. Coop. technique pour développement 25. Travaux (locaux) 72. Activités juridiques 20. Droits de l'homme 19. Cour intern. de justice 14. Centre du commerce intern. 16. Programme pour environnement 11,5. Stés transnationales 11,5. Affaires de désarmement 12. Contrôle intern. des drogues 10,5. Centre pour établissements humains (Habitat) 10,6. Bureau du Coordinateur pour secours en cas de catastrophe 7. Centre pour science et technique au service du développement 4,5. Politique, direction et coordination d'ensemble 76. *Total :* 2 134 072 millions de $.

Dette (1-1-1991) : U.S.A. 296, Afr. du S. 40,8, Iran 6,5, Brésil 13, Argentine 9.

• **But.** Maintien de la paix et de la sécurité intern. Coopération pour le développement économique et social de tous les peuples et le respect des droits de l'homme et des libertés fondamentales. Favoriser le désarmement et la réduction des budgets militaires.

• **Nombre de membres.** *1945 :* 51 originaires. *50 :* 60. *55 :* 76. *60 :* 100. *65 :* 118. *70 :* 125. *75 :* 144. *80 :* 154. *84 :* 159. *90 :* 159. *Derniers inscrits : 1980 :* St-Vincent-et-Grenadines, Zimbabwe ; *81 :* Antigua-et-Barbuda ; Belize ; Vanuatu ; *83 :* St-Kitts-et-Nevis ; *84 :* Brunei. *90 :* Namibie, Liechtenstein.

États membres des Nations unies (159 au 15-5-1991 : en italique, fondateurs) : Afghanistan [2]. *Afrique du Sud* [1]. Albanie [7]. Algérie [13]. Allemagne fédérale [22]. Angola [25]. Antigua-et-Barbuda [30]. *Arabie Saoudite* [1]. *Argentine* [1]. *Australie* [1]. Autriche [7]. Bahamas[22]. Bahreïn [21]. Bangladesh [23]. Barbade [17]. *Belgique* [1]. Belize [30]. Bénin [11]. Bhoutan [21]. *Biélorussie* [1]. Birmanie [4]. *Bolivie* [1]. Botswana [17]. *Brésil* [1]. Brunei [32]. Bulgarie [7]. Burkina-Faso [11]. Burundi [13]. Cambodge (Kampuchéa) [7]. Cameroun [11]. *Canada* [1]. Cap-Vert [23]. Rép. Centrafricaine [11]. *Chili* [1]. *Chine* [1]. Chypre [11]. *Colombie* [1]. Comores [24]. Congo [11]. *Costa Rica* [1]. Côte-d'Ivoire [11]. *Cuba* [1]. *Danemark* [1]. Djibouti[26]. Dominique [27]. *Égypte* [1]. *El Salvador* [1]. Émirats arabes unis [21]. *Équateur* [1]. Espagne [7]. *États-Unis* [1]. *Éthiopie* [1]. Fidji [20]. Finlande [7]. *France* [1]. Gabon [11]. Gambie [16]. Ghana [9]. *Grèce* [1]. Grenade [23]. *Guatemala* [1]. Guinée [10]. Guinée équat [19]. Guinée-Bissau [23]. Guyana [17]. *Haïti* [1]. *Honduras* [1]. Hongrie [7]. Iles Maldives [16]. *Inde* [1]. Indonésie [6]. *Irak* [1]. *Iran* [1]. Irlande [7]. Islande [2]. Israël[5]. Italie [7]. Jamaïque [13]. Japon [8]. Jordanie [7]. Kenya [14]. Koweït [14]. Laos [7]. Lesotho [17]. *Liban* [1]. *Liberia* [1]. Libye [7]. Liechtenstein [33]. *Luxembourg* [1]. Madagascar [11]. Malawi [15]. Malaysia [9]. Mali [11]. Malte [15]. Maroc [8]. Maurice [19]. Namibie [33]. Mauritanie[12]. *Mexique* [1]. Mongolie [12]. Mozambique [24]. Namibie [1]. Népal [7]. *Nicaragua* [1]. Niger [11]. Nigeria [11]. *Norvège* [1]. *Nouvelle-Zélande* [1]. Oman [21]. Ouganda [13]. Pakistan [3]. *Panamá* [1]. Papouasie-Nouvelle-Guinée [24]. *Paraguay* [1]. *Pays-Bas* [1]. *Pérou* [1]. *Philippines* [1]. *Pologne* [1]. Portugal [7].

Qatar[21]. *Rép. Dominicaine*[1]. Roumanie[7]. *Royaume-Uni*[1]. Rwanda[13]. Saint-Kitts-et-Nevis[31]. Sainte-Lucie[28]. Saint-Vincent-et-Grenadines[29]. Salomon[27]. Samoa[25]. São Tomé-et-Príncipe[24]. Sénégal[11]. Seychelles[25]. Sierra Leone[12]. Singapour[16]. Somalie[11]. Soudan[8]. Sri Lanka[7]. Suède[2]. Surinam[24]. *Syrie*[1]. *Tanzanie*[12]. *Tchad*[11]. *Tchécoslovaquie*[1]. Thaïlande[2]. Togo[11]. Trinité-et-Tobago[13]. Tunisie[8]. *Turquie*[1]. *Ukraine*[1]. *U.R.S.S*[1]. *Uruguay*[1]. Vanuatu[30]. *Venezuela*[1]. Viêt-nam[26]. Yémen (Rép.)[3]. *Yougoslavie*[1]. Zaïre[11]. Zambie[15]. Zimbabwe[29].

Nota. – (1) 1945. (2) 1946. (3) 1947. (4) 1948. (5) 1949. (6) 1950. (7) 1955. (8) 1956. (9) 1957. (10) 1958. (11) 1960. (12) 1961. (13) 1962. (14) 1963. (15) 1964. (16) 1965. (17) 1966. (18) 1967. (19) 1968. (20) 1970. (21) 1971. (22) 1973. (23) 1974. (24) 1975. (25) 1976. (26) 1977. (27) 1978. (28) 1979. (29) 1980. (30) 1981. (31) 1983. (32) 1984. (33) 1990.

États non membres de l'O.N.U. Andorre, Anguilla, Corées Nord et Sud, Kiribati, Monaco, Nauru, St-Marin, Suisse, T'ai-wan, Tonga, Tuvalu, Vatican.

• Langues. **Officielles.** Anglais, arabe, chinois, espagnol, français, russe. **De travail :** anglais, français.

• Opérations de l'O.N.U. **Grèce** *(1947-51).* Comité spécial des Nations unies sur les Balkans (COSNUB) observe les infiltrations étrangères.

Corée *(1950-53).* 15 nations : U.S.A. 7 divisions d'infanterie ; G.-B. 2 brigades ; Canada 1 ; Turquie 1 ; Australie 1 bataillon, Thaïlande 1 ; Philippines 1, Éthiopie 1 ; Grèce 1 ; Colombie 1. L'O.N.U. a perdu 38 500 h. Un commandement existe encore en Corée du S.

Suez *(1956-67).* Après l'expédition de Suez, l'Assemblée générale de l'O.N.U. envoya en nov. 1956 une Force d'urgence des Nations unies de 6 000 hommes (FUNU I) pour surveiller le cessez-le-feu (le terme de « casque bleu » apparaît). 10 États ont participé au début (à la fin 7). Nasser obtint le retrait de cette force en mai 1967. Peu après éclata la g. israélo-arabe des 6 Jours. *Effectif max. févr. 1957 :* 6 073 ; *juin 1967 à la dissolution :* 3 378. *Pertes :* 90 † (dont 64 par fait de guerre ou accident). *Coût :* 220 millions de $.

Liban *(juin 1958).* Groupe d'observateurs des Nat. u. au Liban (GONUL) pour surveiller 6 mois les ingérences de la Rép. arabe unie. *Effectif max.* 591 (dont 501 observateurs et 90 aviateurs) de 20 États. *Pertes :* néant. *Coût :* 3,7 millions de $.

Zaïre (ex-Congo-belge) *(1960-64).* A la demande du gouvernement, le Conseil de sécurité envoie 20 000 h. (Opérations des Nations unies au Congo : ONUC) rétablir l'ordre et maintenir l'unité du pays. Ils interviennent contre la rébellion katangaise et partent 30-6-1964.

Nouvelle-Guinée occidentale (Irian Jaya) *(1962-63).* Octobre 1962 : les P.-Bas remettent à l'O.N.U. l'administration du pays. Une force intérimaire (Force de sécurité des Nat. u. en N.-G. occ. : UNSF) facilite la transition des P.-Bas à l'Indonésie.

Yémen du Nord *(1963-64).* Mission d'observation des Nat. u. au Yémen : UNYOM. Patrouille le long d'une partie de la frontière Yémen/Arabie Saoudite afin d'éviter que celle-ci ne fournisse des armes aux yéménites monarchistes. Mission dissoute fin 1964 ; elle n'avait pas obtenu de résultats.

Mission de bons offices des Nations unies en Afghanistan et au Pakistan (UNGOMAP). *Créée* 1988 pour surveiller l'application de l'Accord de Genève du 14-4-1988 sur retrait soviét. 35 obs. milit. *Sièges* Kaboul et Islamabad. *Coût* 8 millions de $ par an. Retrait 15-3-90.

Réfugiés dans le monde en 1990 (en milliers)

Afrique : 4 609 (dont Malawi 822,5, Soudan 767,7, Éthiopie 710,2, Somalie 600, Zaïre 340,7, Burundi 267,5, Tanzanie 265,2, Zimbabwe 175,4, Algérie 169,1, Zambie 137, Ouganda 130, Sénégal 53,3, Cameroun 48,7, Mauritanie 15, Angola 12,9). **Amér. latine :** 1 196,5 (dont Mexique 356,4, Costa Rica 278,6, Honduras 237,1, Guatemala 223,1). **Amér. du Nord :** 1 447,2 (dont U.S.A. 1 000, Canada 447,2). **Asie :** 6 725,3 (dont Pakistan 3 275,7, Iran 2 850, Chine 280,5, Thaïlande 99,9, Hong Kong 49,5, Malaysia 20,5). **Europe :** 828,5 (dont *France 194,9,* All. 150,7, Suède 139,8, G.-B. 100, Danemark 33, Suisse 29,3, P.-Bas 27,2, Italie 27, Belgique 25,5, Norvège 18,5, Autriche 18,2, Espagne 8,7, Grèce 7,5, Finlande 2, Youg. 0,9, Portugal 0,6). **Océanie :** 110,3.

Dates d'entrée en vigueur des conventions adoptées sous les auspices de l'O.N.U. *Génocide* (prévention et répression du crime de) : 12-1-1951. *Crimes de guerre et contre l'humanité* (imprescriptibilité) : 11-11-1970. *Discrimination raciale :* 4-1-1969. *Crime d'apartheid* (élimination et répression) : 18-7-1976. *Réfugiés* (statut) : 21-4-1954, protocole : 4-10-1967. *Apatrides* (statut) : 6-6-1960, réduction des cas : 13-12-1975. *Femme* (droits politiques) : 7-7-1954, élimination de toutes formes de discrimination : 3-9-1981, nationalité de la f. mariée : 11-8-1958. *Mariage* (âge minimal et enregistrement) : 9-12-1964. *Rectification* (droit international) : 24-8-1962. *Esclavage* (Convention amendée) : 7-12-1953, abolition : esclavage, traite et institutions et pratiques analogues : 30-4-1957. *Traite des êtres humains et prostitution d'autrui* (répression) : 25-7-1951. *Torture :* 26-6-1987. *Droits de l'enfant :* 2-9-1990. *Pacte droits civils et politiques :* 23-3-1976. *Pacte droits écon., sociaux et culturels :* 3-1-76.

Proche-Orient *(25-10-1973/24-7-1979).* Après la guerre du Kippour, en oct. 1973, 2e Force d'urgence des Nat. u. (FUNU II) sur la rive ouest du canal entre Égyptiens et Israéliens. Après le dégagement des forces, 7 000 h. sont redéployés le 25-10-73 au Sinaï dans une zone tampon. Mission achevée 24-7-79 (force dissoute 30-4-80) ; 4 mois après : paix isr.-ég. *Effectif max.* 6 973 (févr. 1974) (dont Canada 1 097, Pologne 820, Finlande 640, Autriche 600, Kenya 600). Juin 1976 : 4 200 h. *Pertes :* 52 † (dont 30 par accident + 9 acc. aériens). *Coût :* 446 millions de $.

Nicaragua (1989-90). Mission ONUVEN (120 fonctionnaires, 40 observateurs) chargée de vérifier le bon déroulement de la campagne électorale et des élections présidentielles et générales du 25-2.

Groupe d'assistance des Nations unies pour la période de transition (GANUPT). *Créé* 1989, pour maintenir l'ordre en Namibie pendant le retrait des Sud-Afr. et assurer un scrutin libre lors de l'élection d'une ass. constituante. *Début* 1-4-89, *fin* 21-3-90 ; *durée :* 51 semaines. *Effectif* 6 700 h. (4 300 milit., 1 500 policiers, 900 civils) appartenant à 109 nationalités. *Pertes* 17 †. *Déficit :* 23 millions de $. *Coût :* 383,5 millions de $.

• En cours (1990-91).

Groupe d'observateurs des Nations unies en Amérique centrale (ONUCA) (260 observateurs militaires, 120 personnels d'appui, 150 fonctionnaires civils). *Créé* 1989 pour vérifier la cessation de l'assistance financière et en armement aux forces irrégulières et insurrectionnelles. *Coût* 57 millions de $.

Organisation des Nations unies chargée de l'observation de la trêve en Palestine (ONUST). *Créée* 11-6-1948. 299 h. *Siège* Jérusalem. 20 pays participants dont U.S.A. et U.R.S.S. Présente dans le Sinaï, à Beyrouth, à Damas, à Tibériade et à Amman. *Coût* 20 millions de $ par an. 28 tués au 30-4-90.

Groupe d'observateurs militaires des Nations unies en Inde et au Pakistan (UNMOGIP). *Créé* 24-1-1949. *Sièges* Rawalpindi (Pakistan) et Srinagar (Inde). Patrouille le long de la ligne de cessez-le-feu (Jammou-Cachemire). 36 h. *Coût* 7 millions de $ par an.

Force des Nations unies chargée du maintien de la paix à Chypre (UNFICYP). *Créée* 1964, surveille cessez-le-feu entre chypriotes grecs et turcs 2 176 h. *Coût* 31 millions de $ par an, *déficit* + de 168 millions de $ accumulés depuis 1964.

Force des Nations unies chargée d'observer le dégagement (FNUOD). *Créée* 3-6-1974, surveille cessez-le-feu et zone de séparation Syrie/Israël (Golan). *Eff. début :* 1 250 h., *août 1979 :* 1 450, *avril 90 :* 1 337. *Siège :* Damas. *Coût* (3-6-74 au 30-11-90) 850 millions de $ (arriérés 16). 24 tués au 30-4-90.

Force intérimaire des Nations unies pour le Liban (FINUL). *Créée* 1978, pour confirmer le retrait des Israéliens, rétablir la paix et la sécurité au Sud Liban. *Effectif prévu* 4 000 [*3-5-78 :* 6 000, *25-2-82 :* 7 000, *mai 87 :* 5 660 (dont Norvège 882, Ghana 873, France 530)] de 14 pays en 6 bataillons. *Siège :* Nakoura. *Pertes* (au 22-1-91) 177 † (dont actions de guerre 67, accidents auto, hélicoptère 75, causes diverses 35) dont 25 † français. *Coût* (1978 au 22-1-91) 1 700 millions de $ (arriérés 307).

Groupe d'observateurs militaires des Nations unies pour l'Iran et l'Irak (GOMNUII). *Créé* 9-8-1988, pour surveiller le cessez-le-feu Iran-Irak. 140 h. (dont 119 obs. milit.). *Sièges* Téhéran et Bagdad. *Coût* 7 millions de $ par an. *Déficit* 1,7 million de $.

Mission de vérification des Nations unies en Angola (UNAVEM). *Créée* 1988 pour vérifier retrait des Cubains. Début 1-1-89 ; durée prévue : 31 mois. 60 obs. milit. *Coût :* 10,5 millions de $ (arriérés 1,5).

UNIKOM. *Créé* avril 1991 après la guerre du Golfe pour la libération du Koweït. Stationnée en zone démilitarisée entre Irak et Koweït, sur la frontière. 300 observateurs milit. et 680 officiers et soldats.

• Pertes françaises. **Corée** 262 † sur 3 241 volontaires qui se sont succédé. **Israël** 1 † (colonel Serat) sur 125 observateurs en 1948 (25 obs. en 1967). **Liban** 1978-89 120 milit. + 3 C.R.S. † sur 25 000 qui se sont succédé (ONUST).

• État au 1-4-1989. Env. 10 000 hommes dont 5 844 au Liban. 500 000 h. de 58 pays ont participé à ces missions. *Pertes* 733 (Corée exclue) dont 166 FINUL.

Organes principaux

• Assemblée générale. **Organisation :** 159 États m. en 1990 (à l'origine 51). Aucun membre n'a été exclu. L'Indonésie se retira en mars 1965 pour protester contre l'admission de la Malaysia, mais revint le 28-9-1966. Chaque membre dispose de 1 voix (l'U.R.S.S. en a 3 : Biélorussie, Ukraine et U.R.S.S.). 1 Pt élu pour chaque session. 1 session annuelle (commençant en sept.), des sessions extraordinaires si le Conseil de sécurité ou la majorité des m. le demande. Des commissions spécialisées (politique et sécurité, économique, sociale, de décolonisation, coopération écon. internat., administrative, juridique) préparent les délibérations. L'Ass. élit sur proposition du Conseil de séc. le secr. gén. ; les m. non permanents des différents organes et les juges de la Cour intern. ; vote l'admission des nouveaux m. ; arrête le budget de l'organisation.

Les recommandations sont votées à la majorité simple, les questions importantes (paix et sécurité, admissions, budget) à la majorité des 2/3. Les résolutions adoptées par l'Ass. gén. n'ont pas un caractère obligatoire et prennent la forme de recommandations aux États membres.

• Conseil de sécurité. **Organisation :** *Membres :* 15 dont *5 permanents :* U.S.A., U.R.S.S., France, G.-B., Chine, et *10 non perm.* élus pour 2 ans par l'Ass. générale : Côte d'Ivoire, Cuba, Roumanie, Yémen, Zaïre, jusqu'au 31-12-91 ; Autriche, Belgique, Équateur, Inde et Zimbabwe jusqu'au 31-12-92. En dehors des questions de procédure, la majorité de 9 voix comprenant obligatoirement celles des 5 m. permanents est requise. *Comités :* du désarmement ; pour l'admission de nouveaux m. ; des Nat. unies pour le contrôle de la trêve en Palestine.

Droit de veto : permet aux grandes puissances de paralyser le Conseil. En cas de veto, l'Ass. gén. peut faire des recommandations par un vote à la majorité des 2/3. L'abstention et l'absence ne sont pas considérées comme un veto. **Ont fait usage du droit de veto** (au 1-1-89) : U.R.S.S. 116 fois. U.S.A. 63 (2 pour la Rhodésie, 29 pour le Moyen-Orient, 3 pour l'admission du Viêt-nam à l'O.N.U. et 16 pour Afr. du S., Namibie, apartheid). G.-B. 32 (dont 2 fois avec la France dans l'affaire de Suez, 9 fois pour la Rhodésie). France 18 [enquête sur le régime de Franco 26-6-46, question indonésienne 25-8-47, 2 fois dans l'affaire de Suez, le 30-10-56 (contre un projet américain et un projet soviétique demandant un cessez-le-feu immédiat entre Israël et Égypte), 31-10-74 (expulsion de l'Afrique du Sud), 6-2-76 sur Comores]. Chine 4 (conflit indo-pakistanais 5-12-71, admission du Bangladesh en 1972). En juin 1950 (guerre de Corée), le Conseil n'a pu décider l'aide militaire à la Corée du Sud qu'en raison de l'absence de l'U.R.S.S. En 1990 et 91, le Conseil de sécurité, sans qu'aucun des 5 m. permanents n'oppose son veto, a pu après l'invasion et l'annexion du Koweït par l'Irak, adopter un embargo contre l'Irak et autoriser implicitement la tenue d'un conflit armé contre cet État pour la libération du Koweït et la restauration de son gouvernement légitime.

But : responsable de la sécurité intern., il prend toutes mesures pour la maintenir ou la restaurer. En cas de menaces de guerre, il décide de l'envoi de forces de maintien de la paix. Il recommande à l'Ass. gén. l'élection du Secrétaire gén. et la candidature de nouveaux États. L'application des résolutions votées par le Conseil est obligatoire.

• Conseil économique et social. **Organisation :** 54 m. élus par l'Ass. gén. pour 3 ans, renouvelables par tiers chaque année. Les 5 Grands ont toujours été réélus. **But :** coopération écon. et sociale. Coordination des activités des organisations spécialisées

(O.I.T., F.A.O., UNESCO, etc.). Contrôle 5 commissions économiques régionales : Europe (C.E.E. à Genève), Asie et Pacifique (C.E.S.A.P. à Bangkok), Amér. latine (C.E.P.A.L.C. à Santiago du Chili), Asie occid. (C.E.A.O. à Bagdad), Afrique (C.E.A. à Addis-Abeba) ; d'autres commissions (Statistiques, Droits de l'homme, Sociale, Condition de la femme, Stupéfiants, Population).

• Conseil de tutelle. **Organisation :** composé de membres du Conseil de sécurité qui n'ont pas de territoire sous tutelle, et de membres chargés d'administrer des territoires sous tutelle dont les U.S.A. chargés d'administrer les terr. sous tutelle des îles du Pacifique, anciennement sous mandat japonais. **But :** n'administre plus que les îles sous tutelle du Pacifique (U.S.A.). Examine rapports de la puissance adm. et pétitions des terr. administrés.

• Cour internationale de Justice. **Siège :** La Haye (P.-Bas). *Pt :* Sir Robert Yewdall Jennings (19-10-13, G.-B.). *Vice-Pt :* Shigeru Oda (22-10-24, Japon). **Organisation :** membres : 15 de nationalités différentes élus pour 9 ans par l'Ass. gén. et le Cons. de sécurité (rééligibles). Renouvelables par tiers tous les 3 ans. Env. 1/3 des 159 États membres de l'O.N.U. ont accepté sa juridiction. **But ;** juge les différends que peuvent lui soumettre les États. Lorsque ceux-ci y recourent, le jugement rendu par la Cour est obligatoire pour eux. Donne des avis consultatifs en matière juridique à la demande de certains organes, en particulier de l'Ass. gén. ou du Conseil de sécurité et des Institutions spécialisées.

Depuis le *10-1-1974*, Paris ne reconnaît plus la juridiction obligatoire de la Cour de justice de La Haye, celle-ci ayant examiné les plaintes australiennes et néo-zélandaises contre les essais nucléaires français. La France a dénoncé l'acte d'arbitrage de 1928 et récusé la compétence de la Cour en matière de défense nationale. Elle distingue sa participation au statut de la juridiction de la Cour et l'acceptation de sa juridiction obligatoire.

• Secrétaire général. *1946* 1-2 Trygve Lie (Norvégien, n. 1896 ; démissionne 10-11-52) ; *1953* 10-4 Dag Hammarskjöld (Suédois, n. 1905 ; sept. 61, † accident d'avion au Congo) ; *1961* 3-11 U. Thant (Birman, 1909-74) ; *1972* (1-1) Kurt Waldheim (Autr., n. 1918) ; *1982* (1-1) Javier Pérez de Cuellar, réélu pour 5 ans le 1-1-87 (Pérou, n. 19-1-1920). **Organisation :** élu pour 5 ans par l'Ass. gén. sur recommandation du Cons. de sécurité ; rééligible. Il peut être chargé, en plus de ses fonctions adm., de n'importe quelle fonction, même politique, de médiation et de bons offices. Il soumet à l'Ass. gén. un rapport annuel sur les activités de l'O.N.U. *Services relevant du Secrétariat gén. :* cabinet du Secr. gén., Service juridique. *Départements dirigés par des sous-secrétaires :* Affaires pol. et Cons. de sécurité, Aff. écon. et sociales, Tutelle et Terr. non autonomes, Information, Administration et Gestion, Conférence, Serv. gén. *Services extérieurs du Secrétariat :* Centres d'information des Nat. unies [Genève ; Vienne et Paris (1, rue Miollis 75015) et 65 autres centres répartis dans le monde]. *Fonctionnaires :* l'O.N.U. en emploie environ 20 000 dans le monde entier.

Programme des Nations unies pour le développement (PNUD)

Origine : né en nov. 1965, de la fusion du Fonds spécial (institué 1959) et du Programme élargi d'assistance technique (institué 1950). **But :** assistance technique multilatérale et investissement dans les pays en voie de dévelop. **Budget 1989 :** + de 1 300 millions de $ (contributions volontaires).

Autres organes des Nations unies

• H.C.R. (U.N.H.C.R.). **Haut-Commissariat des Nations unies pour les réfugiés (Office of the United Nations High Commissioner for Refugees). Siège :** Palais des Nations, Genève. Plus de 90 bureaux dans le monde. *Haut-commissaire :* Mme Sadako Ogata (n. 1927, Japon) dep. 1-1-91, pour 4 ans. Protection internationale et assistance à 15 millions de réfugiés dans le monde. **Création :** 14-2-1950 (entrée en vigueur : 1-1-1951). Mandat du Haut-Commissaire : 4 ans à partir du 1-1-1991 ; du Haut-Commissariat : 5 ans à partir du 1-1-1989. **Budget :** dépenses administratives partiellement couvertes par budget ordinaire de l'O.N.U. Assistance matérielle financée par des contributions volontaires, gouvernementales ou privées. *Budget 1990 :* 340,8 millions de $. *Besoins 1991 :* 345,5 millions de $.

• U.N.I.C.E.F. (F.I.S.E.). **Fonds des Nations unies pour l'enfance (United Nations International Children's Emergency Fund). Création :** 11-12-1946 par l'Ass. gén. des Nations unies. A l'origine Fonds international de secours à l'enfance. **Siège :** New York. **Organisation.** *Conseil d'administration :* 41 représentants de gouv., sous contrôle du Conseil économique et social de l'O.N.U. *Dir. :* James P. Grant. *Bureau européen :* Genève. *Dir. :* Reinhard Freiberg. 88 bureaux extérieurs. Centre d'emballage et d'emmagasinage (U.N.I.P.A.C.), à Copenhague (Danemark). *Intervention :* dans 121 pays en voie de développement (PVD) en faveur de 1,5 milliard d'enfants de 0 à 15 ans [il y a, dans le monde, 100 millions d'enfants abandonnés (dont 50 millions d'exploités). 3 500 000 meurent de faim chaque année].

Recettes (1990) : 667 millions de $ venant de contributions volontaires gouvernementales et inter-gouv., 75 % ; non gouv. 25 %. **Contribution française** (en millions de $, 1989) : gouvernementale 7,096 ; non gouvernementale 13,133 (y compris cartes de vœux). **Dépenses des programmes** (en millions de $, 1989) : santé 203, approvisionnement en eau 76, services sociaux en faveur des enfants 35, nutrition 28, éducation formelle et non formelle 37, planification et services d'appui aux programmes 74, secours d'urgence 48.

En France : Comité français F.I.S.E./U.N.I.C.E.F. : 35, rue Félicien-David, 75781 Paris Cedex 16. Minitel : 36-15 code UNICEF.

• U.N.R.W.A. **Office de secours et de travaux des Nations unies pour les réfugiés de Palestine dans le Proche-Orient (United Nations Relief and Works Agency for Palestine Refugees in the Near East). Siège :** Centre international de Vienne. B.P. 700, A-1400 Vienne (Autriche) et P.O. Box 484, Amman (Jord.). *Bureaux de liaison :* Caire, New York. **Création :** 8-12-1949 (début des activités le 1-5-1950). **But :** dispenser des services d'éducation, de santé et de secours aux réfugiés palestiniens victimes du conflit israélo-arabe de 1948 (+ de 50 % du budget pour l'éducation) : *Réfugiés immatriculés* auprès de l'Office (au 30-6-90) 2 422 514 dont env. 33,5 % dans des camps. L'U.N.R.W.A. vient aussi en aide à des personnes déplacées pour la 1re fois lors de la g. de 1967. *Élèves* (1989-90) : 358 000 dans 631 écoles. *Étudiants* 5 000 dans 8 centres de formation professionnelle et pédagogique. Bourses universitaires 450. Centres de santé 104. **Financement :** principalement par contributions gouvernementales volontaires. *Budget 89* (en millions de $) : 227 (dont contributions : U.S.A. 61,3, C.E.E. 42,5, R.F.A. 5,4, Arabie S. 1,2, *France 1,5*). *Budget 90 :* 230.

• Centre O.N.U. de Vienne. *Inauguré* 23-8-1979. 80 000 m² de bureaux. *Agence internationale de l'Énergie atomique* (1 600 agents) dep. 1957 ; *Organisation des Nations unies pour le développement industriel* (1 200) depuis 1967 ; *Division de stupéfiants ; Centre pour le développement social et les affaires humanitaires ; UNRWA* (230).

Charte internationale des Droits de l'homme

Se compose de 5 textes :

• **La Déclaration universelle des droits de l'homme.** N'a pas la forme d'une convention internationale conclue sous les auspices des Nations unies, mais celle d'une simple résolution adoptée par l'Assemblée générale le 10-12-1948 à Paris (par 48 voix avec 8 abstentions, 2 absents : Honduras, Yémen). Juridiquement, elle n'a qu'une force morale, mais son influence considérable n'a cessé de s'accroître. Voir p. 819.

• **Deux pactes internationaux.** Destinés à donner une forme juridiquement obligatoire aux droits reconnus dans la Déclaration universelle des Droits de l'homme.

Le *Pacte international relatif aux droits économiques sociaux et culturels* (entré en vigueur le 3-1-1976). Au 31-12-1987, 91 États parties (pour lesquels ratifications et adhésions sont entrées en vigueur après expiration du délai de 3 mois prévu par les Pactes et le Protocole) s'engagent à assurer progressivement le plein exercice des droits reconnus dans le Pacte, et à présenter des rapports sur les mesures adoptées et les progrès accomplis (examinés par le Conseil économique et social).

Le *Pacte international relatif aux droits civils et politiques* (entré en vigueur le 23-3-1976) ; les États parties s'engagent à respecter et à garantir à tous les individus se trouvant sur leur territoire et relevant de leur compétence les droits reconnus dans ce pacte, et à présenter des rapports sur les mesures adoptées (examinés par un Comité des droits de l'homme composé de 18 pers.). Au 31-12-1987, 87 États parties.

• **Protocole facultatif se rapportant au Pacte international relatif aux droits civils et politiques** (entré en vigueur le 23-3-76). Le Comité des droits de l'homme a compétence pour recevoir et examiner les communications émanant de particuliers qui relèvent de la juridiction d'un État partie au Protocole et qui prétendent être victimes d'une violation par cet État de l'un des droits énoncés dans le Pacte. Au 31-12-1987, 40 États parties.

• **2e protocole facultatif se rapportant au Pacte international relatif aux droits civils et politiques** visant à abolir la peine de mort adopté 15-12-89, non encore en vigueur. 6 États parties au 31-3-91.

Institutions spécialisées des Nations unies

• A.I.D. (I.D.A). **Association intern. de développement (International Development Association). Siège :** 1818 H Street, N.W. Washington D.C. 20433, U.S.A. **Création :** sept. 60, filiale de la B.I.R.D. **Organisation :** même cons. d'adm. et même Pt que la B.I.R.D. 138 États m. **Ressources :** 15,5 milliards de $ de 1991 à 1993. **But :** crédits de développement à 35 ou 40 ans, sans intérêts.

• A.I.E.A. (I.A.E.A.). **Agence internationale de l'énergie atomique (International Atomic Energy Agency). Siège :** Vienna Intern. Centre, P.O.B. 100, A-1400 Vienne. **Création :** Conférence de New York oct. 56, établie en oct. 57. **Organisation :** *Conférence générale annuelle. Conseil des gouverneurs* de 35 m. *Secrétariat* dirigé par un dir. gén. Hans Blix (Suède, n. 1928), dep. 1-12-1981. *112 États m. Budget ordinaire* (1990) 162,83 millions de $. (contributions des États membres). **But :** accélérer l'utilisation pacifique de l'énergie atomique. Établir des normes de protection radiologique et de l'environnement ainsi que des mesures de sûreté et de protection de la population. Servir d'intermédiaire pour les matières nucléaires. Favoriser l'échange de connaissances atomiques et prévenir le détournement des matières fissiles et d'installations nucléaires à des fins militaires. Appliquer les garanties dans le cadre du traité sur la non-prolifération des armes nucléaires.

• B.I.R.D. (I.B.R.D.). **Banque internationale pour la reconstruction et le développement (International Bank for Reconstruction and Development)** ou **Banque mondiale (World Bank). Siège :** Washington V.I.D.A. **Création :** 1946. Origine : Conf. de Bretton Woods, juill. 44. **Organisation :** *Ass.* des 154 États m. *Conseil des gouverneurs* réuni tous les ans, délègue une partie de ses pouvoirs à des administrateurs (22 m. : 5 représentant les 5 États ayant la plus forte participation et 17 élus par les 147 autres États). *Pt* choisi par les administrateurs, jusqu'au 30-6-1991 : Barber C. Conable. **But :** financer, dans ses États m. les moins favorisés, des projets ou programmes de développement économique et des programmes d'ajustement par des prêts aux gouvernements, à des organismes publics ou des entreprises privées, avec la garantie du gouvernement intéressé. **Capital autorisé :** 171 milliards de $. L'essentiel des ressources prêtées par la B.I.R.D. (15,2 milliards de $ d'engagements pour 1990) vient d'emprunts sur les marchés des capitaux (11,7 milliards de $ en 1990).

• C.N.U.C.E.D. **(Conférence des Nations unies sur le commerce et le développement). Créée** 1964 en tant qu'organe permanent de l'Assemblée gén. des Nations unies. *Membres :* 166 ; *secr. gén. :* M. Kenneth K.S. Dadzie (Ghana) ; *budget* annuel de fonctionnement (1990) : 35 millions de $, + 20 millions de $ de contributions extra-budgétaires pour des activités d'assistance technique. **But :** favoriser l'expansion du commerce international en vue d'accélérer le développement économique, surtout celui des pays en développement.

• F.A.O. **Organisation pour l'alimentation et l'agriculture (Food and Agriculture Organization). Siège :** via delle Terme di Caracalla, Rome 00 100. **Création :** 16-10-45. *Orig. :* Conf. de mai 1943 à *Hot Springs* (U.S.A.). **Budget :** *programme ordinaire (1990-91) :* 568,8 millions de $, financé par les 157 États m. selon un barème fixé par la Conférence. Contributions du P.N.U.D. (43,6 %), des fonds fiduciaires nationaux (46,5 %) et du Programme de coopération technique (P.C.T.) du budget ordinaire de la F.A.O. (9,6 %) :

Déclaration universelle des droits de l'homme (adoptée à Paris le 10-12-1948)

PRÉAMBULE

Considérant que la reconnaissance de la dignité inhérente à tous les membres de la famille humaine et de leurs droits égaux et inaliénables constitue le fondement de la liberté, de la justice et de la paix dans le monde,

Considérant que la méconnaissance et le mépris des droits de l'homme ont conduit à des actes de barbarie qui révoltent la conscience de l'humanité et que l'avènement d'un monde où les êtres humains seront libres de parler et de croire, libérés de la terreur et de la misère, a été proclamé comme la plus haute aspiration de l'homme,

Considérant qu'il est essentiel que les droits de l'homme soient protégés par un régime de droit pour que l'homme ne soit pas contraint, en suprême recours, à la révolte contre la tyrannie et l'oppression,

Considérant qu'il est essentiel d'encourager le développement de relations amicales entre nations,

Considérant que dans la Charte les peuples des Nations Unies ont proclamé à nouveau leur foi dans les droits fondamentaux de l'homme, dans la dignité et la valeur de la personne humaine, dans l'égalité des droits des hommes et des femmes, et qu'ils se sont déclarés résolus à favoriser le progrès social et à instaurer de meilleures conditions de vie dans une liberté plus grande,

Considérant que les États membres se sont engagés à assurer, en coopération avec l'Organisation des Nations Unies, le respect universel et effectif des droits de l'homme et des libertés fondamentales,

Considérant qu'une conception commune de ces droits et libertés est de la plus haute importance pour remplir pleinement cet engagement,

L'ASSEMBLÉE GÉNÉRALE

Proclame : LA PRÉSENTE DÉCLARATION UNIVERSELLE DES DROITS DE L'HOMME comme l'idéal commun à atteindre par tous les peuples et toutes les nations afin que tous les individus et tous les organes de la société, ayant cette Déclaration constamment à l'esprit, s'efforcent, par l'enseignement et l'éducation, de développer le respect de ces droits et libertés et d'en assurer, par des mesures progressives d'ordre national et international, la reconnaissance et l'application universelles et effectives, tant parmi les populations des États membres eux-mêmes que parmi celles des territoires placés sous leur juridiction.

Article 1er : Tous les êtres humains naissent libres et égaux en dignité et en droits. Ils sont doués de raison et de conscience et doivent agir les uns envers les autres dans un esprit de fraternité.

2 : Chacun peut se prévaloir de tous les droits et de toutes les libertés proclamés dans la présente Déclaration, sans distinction aucune, notamment de race, de couleur, de sexe, de langue, de religion, d'opinion politique ou de toute autre opinion, d'origine nationale ou sociale, de fortune, de naissance ou de toute autre situation.
De plus, il ne sera fait aucune distinction fondée sur le statut politique, juridique ou international du pays ou du territoire dont une personne est ressortissante, que ce pays ou territoire soit indépendant, sous tutelle, non autonome ou soumis à une limitation quelconque de souveraineté.

3 : Tout individu a droit à la vie, à la liberté et à la sûreté de sa personne.

4 : Nul ne sera tenu en esclavage ni en servitude ; l'esclavage et la traite des esclaves sont interdits sous toutes leurs formes.

5 : Nul ne sera soumis à la torture, ni à des peines ou traitements cruels, inhumains ou dégradants.

6 : Chacun a le droit à la reconnaissance en tous lieux de sa personnalité juridique.

7 : Tous sont égaux devant la loi et ont droit sans distinction à une égale protection de la loi. Tous ont droit à une protection égale contre toute discrimination qui violerait la présente Déclaration et contre toute provocation à une telle discrimination.

8 : Toute personne a droit à un recours effectif devant les juridictions nationales compétentes contre les actes violant les droits fondamentaux qui lui sont reconnus par la constitution ou par la loi.

9 : Nul ne peut être arbitrairement arrêté, détenu ou exilé.

10 : Toute personne a droit, en pleine égalité, à ce que sa cause soit entendue équitablement et publiquement par un tribunal indépendant et impartial, qui décidera, soit de ses droits et obligations, soit du bien-fondé de toute accusation en matière pénale dirigée contre elle.

11 : (1) Toute personne accusée d'un acte délictueux est présumée innocente jusqu'à ce que sa culpabilité ait été légalement établie au cours d'un procès public où toutes les garanties nécessaires à sa défense lui auront été assurées. (2) Nul ne sera condamné pour des actions ou omissions qui, au moment où elles ont été commises, ne constituaient pas un acte délictueux d'après le droit national ou international. De même, il ne sera infligé aucune peine plus forte que celle qui était applicable au moment où l'acte délictueux a été commis.

12 : Nul ne sera l'objet d'immixtions arbitraires dans sa vie privée, sa famille, son domicile ou sa correspondance, ni d'atteintes à son honneur et à sa réputation. Toute personne a droit à la protection de la loi contre de telles immixtions ou de telles atteintes.

13 : (1) Toute personne a le droit de circuler librement et de choisir sa résidence à l'intérieur d'un État. (2) Toute personne a le droit de quitter tout pays, y compris le sien, et de revenir dans son pays.

14 : (1) Devant la persécution, toute personne a le droit de chercher asile et de bénéficier de l'asile en d'autres pays. (2) Ce droit ne peut être invoqué dans le cas de poursuites réellement fondées sur un crime de droit commun ou sur des agissements contraires aux buts et aux principes des Nations Unies.

15 : (1) Tout individu a droit à une nationalité. (2) Nul ne peut être arbitrairement privé de sa nationalité, ni du droit de changer de nationalité.

16 : (1) A partir de l'âge nubile, l'homme et la femme, sans aucune restriction quant à la race, la nationalité ou la religion, ont le droit de se marier et de fonder une famille. Ils ont des droits égaux au regard du mariage, durant le mariage et lors de sa dissolution. (2) Le mariage ne peut être conclu qu'avec le libre et plein consentement des futurs époux. (3) La famille est l'élément naturel et fondamental de la société et a droit à la protection de la société et de l'État.

17 : (1) Toute personne, aussi bien seule qu'en collectivité, a droit à la propriété. (2) Nul ne peut être arbitrairement privé de sa propriété.

18 : Toute personne a droit à la liberté de pensée, de conscience et de religion ; ce droit implique la liberté de changer de religion ou de conviction ainsi que la liberté de manifester sa religion ou sa conviction seule ou en commun, tant en public qu'en privé, par l'enseignement, les pratiques, le culte et l'accomplissement des rites.

19 : Tout individu a droit à la liberté d'opinion et d'expression, ce qui implique le droit de ne pas être inquiété pour ses opinions et celui de chercher, de recevoir et de répandre, sans considérations de frontières, les informations et les idées par quelque moyen d'expression que ce soit.

20 : (1) Toute personne a droit à la liberté de réunion et d'association pacifiques. (2) Nul ne peut être obligé de faire partie d'une association.

21 : (1) Toute personne a le droit de prendre part à la direction des affaires publiques de son pays, soit directement, soit par l'intermédiaire de représentants librement choisis. (2) Toute personne a droit à accéder, dans des conditions d'égalité, aux fonctions publiques de son pays. (3) La volonté du peuple est le fondement de l'autorité des pouvoirs publics ; cette volonté doit s'exprimer par des élections honnêtes qui doivent avoir lieu périodiquement, au suffrage universel égal et au vote secret ou suivant une procédure équivalente assurant la liberté du vote.

22 : Toute personne, en tant que membre de la société, a droit à la sécurité sociale ; elle est fondée à obtenir la satisfaction des droits économiques, sociaux et culturels indispensables à sa dignité et au libre développement de sa personnalité, grâce à l'effort national et à la coopération internationale, compte tenu de l'organisation et des ressources de chaque pays.

23 : (1) Toute personne a droit au travail, au libre choix de son travail, à des conditions équitables et satisfaisantes de travail et à la protection contre le chômage. (2) Tous ont droit, sans aucune discrimination, à un salaire égal pour un travail égal. (3) Quiconque travaille a droit à une rémunération équitable et satisfaisante lui assurant ainsi qu'à sa famille une existence conforme à la dignité humaine et complétée, s'il y a lieu, par tous autres moyens de protection sociale. (4) Toute personne a le droit de fonder avec d'autres des syndicats et de s'affilier à des syndicats pour la défense de ses intérêts.

24 : Toute personne a droit au repos et aux loisirs et notamment à une limitation raisonnable de la durée du travail et à des congés payés périodiques.

25 : (1) Toute personne a droit à un niveau de vie suffisant pour assurer sa santé, son bien-être et ceux de sa famille, notamment pour l'alimentation, l'habillement, le logement, les soins médicaux ainsi que pour les services sociaux nécessaires ; elle a droit à la sécurité en cas de chômage, de maladie, d'invalidité, de veuvage, de vieillesse ou dans les autres cas de perte de ses moyens de subsistance par suite de circonstances indépendantes de sa volonté. (2) La maternité et l'enfance ont droit à une aide et à une assistance spéciales. Tous les enfants, qu'ils soient nés dans le mariage ou hors mariage, jouissent de la même protection sociale.

26 : (1) Toute personne a droit à l'éducation. L'éducation doit être gratuite, au moins en ce qui concerne l'enseignement élémentaire et fondamental. L'enseignement élémentaire est obligatoire. L'enseignement technique et professionnel doit être généralisé ; l'accès aux études supérieures doit être ouvert en pleine égalité à tous en fonction de leur mérite. (2) L'éducation doit viser au plein épanouissement de la personnalité humaine et au renforcement du respect des droits de l'homme et des libertés fondamentales. Elle doit favoriser la compréhension, la tolérance et l'amitié entre toutes les nations et tous les groupes raciaux ou religieux, ainsi que le développement des activités des Nations Unies pour le maintien de la paix. (3) Les parents ont, par priorité, le droit de choisir le genre d'éducation à donner à leurs enfants.

27 : (1) Toute personne a le droit de prendre part librement à la vie culturelle de la communauté, de jouir des arts et de participer au progrès scientifique et aux bienfaits qui en résultent. (2) Chacun a droit à la protection des intérêts moraux et matériels découlant de toute production scientifique, littéraire ou artistique dont il est l'auteur.

28 : Toute personne a droit à ce que règne, sur le plan social et sur le plan international, un ordre tel que les droits et libertés énoncés dans la présente Déclaration puissent y trouver plein effet.

29 : (1) L'individu a des devoirs envers la communauté dans laquelle seule le libre et plein développement de sa personnalité est possible. (2) Dans l'exercice de ses droits et dans la jouissance de ses libertés, chacun n'est soumis qu'aux limitations établies par la loi exclusivement en vue d'assurer la reconnaissance et le respect des droits et libertés d'autrui et afin de satisfaire aux justes exigences de la morale, de l'ordre public et du bien-être général dans une société démocratique. (3) Ces droits et libertés ne pourront, en aucun cas, s'exercer contrairement aux buts et aux principes des Nations Unies.

30 : Aucune disposition de la présente Déclaration ne peut être interprétée comme impliquant pour un État, un groupement ou un individu un droit quelconque de se livrer à une activité ou d'accomplir un acte visant à la destruction des droits et libertés qui y sont énoncés.

419,8 millions de $ en 1990 pour les opérations du programme de terrain. **Organisation :** *conf. bisannuelle* des 157 États m. Conseil de 49 m. élus par la Conf. *Directeur gén.* avec un personnel adm. permanent (secrétariat) : Edouard Saouma (Liban, n. 1926), depuis 1975. **But :** améliorer le développement agric., des pêches, des forêts ; assistance techn. aux pays en voie de développ. ; amélioration revenu, niveau de vie et alimentation des milieux ruraux.

• F.M.I. (I.M.F.). **Fonds monétaire international (International Monetary Fund). Siège :** Washington, D.C. *Dir. gén. :* Michel Camdessus (France, n. 1933) depuis janvier 1987, succédant à Jacques de Larosière (n. 12-11-29) (1978-86). **Création :** déc. 1945 ; homologuée par l'O.N.U. nov. 1947. *Origine :* Conf. de Bretton Woods, juil. 1944. **Organisation :** *Cons. des gouverneurs* (154 pays membres, soit 1 par État m.)

conseil d'administration : 5 repr. perm. des 5 plus forts souscripteurs (U.S.A., G.-B., France, All. féd., Japon). Normalement, 16 représ. des autres États m. élus pour 2 ans. Actuellement, un administrateur supplémentaire (Arabie Saoudite) en vertu de la règle que les 2 créanciers principaux du Fonds ont le droit de nommer 1 administrateur chacun s'ils ne figurent pas parmi les 5 mentionnés ci-dessus. **But :** faciliter expansion et accroissement harmonieux du commerce intern., promouvoir stabilité et liberté des changes ; système de prêts [capital équivalant à 91 milliards de droits de tirages spéciaux (D.T.S.)] et création de liquidités intern. sous forme de D.T.S. **Réserves en or (1990).** 938 millions d'onces.

• G.A.T.T. **General Agreement on Tariffs and Trade (Accord général sur les tarifs douaniers et le commerce). Siège :** Centre William Rappard, 154, rue de Lausanne, 1211 Genève 21. *Dir. gén. :* Arthur Dunkel (Suisse, n. 1932), depuis 1980. **Création :** élaboré lors de la conf. de Genève (oct. 1947), entré en vigueur 1-1-1948. *Membres :* 101 États parties contractantes, 29 autres avec des relations spéciales. Les 2/3 sont des pays en voie de développement. *Grandes négociations commerciales et multilatérales : Kennedy Round* (1964-67), *Tokyo Round* (1973-79), *Uruguay Round* [(engagée dep. sept. 1986, élargissant le champ des sujets négociés au G.A.T.T., 1) libéralisation du commerce (tarifs, mesures non tarifaires, agriculture, textiles, produits tropicaux, etc.) ; 2) adaptation des règles de l'Accord général et des Codes du Tokyo Round (sauvegardes, subventions, dumping, obstacles techniques, etc.) ; 3) nouveaux domaines (services, aspects commerciaux de la propriété intellectuelle et des investissements)]. *Centre de commerce international* créé 1964, géré dep. 1968 par G.A.T.T. et C.N.U.C.E.D. pour aider les pays peu développés à trouver des débouchés. **Ressources :** contribution correspondant aux parts dans l'ensemble des échanges commerciaux entre les membres. **Budget :** 74 570 000 F suisses en 1990. **But :** contribuer à élever les niveaux de vie, réaliser le plein emploi, mettre en valeur les ressources mondiales, développer production et échanges de marchandises, encourager le développement économique. Constitue un *ensemble de règles* et une *tribune* où les pays peuvent discuter et régler leurs problèmes comm. et négocier entre eux des possibilités d'élargissement du comm. mondial (accords sur droits de douane et diverses mesures non tarifaires ; agriculture, cadre juridique amélioré pour la conduite du comm. mondial ; traitement spécial et plus favorable accordé au comm. des pays en voie de développement).

• O.A.C.I. (I.C.A.O.). **Organisation de l'aviation civile internationale (International Civil Aviation Organization). Siège :** place de l'Aviation-internationale, 1000 Sherbrooke Street West, Montréal, Québec, Canada H2A 2R2. *Pt :* Assad Kotaite (Liban). *Secr. gén.* H.R. Rochat (Suisse) dep. 1-8-91. *Bureaux régionaux :* Bangkok, Le Caire, Dakar, Lima, Mexico, Nairobi, Paris. **Création :** 7-12-1944 : Conf. de Chicago. Organ. provisoire juin 1945 ; définitive avril 1947. **Organisation :** *Membres* 162 États, *conseil permanent* de 36 m. élus pour 3 ans. *Commissions et comités spécialisés :* navig. aérienne, transport aérien, aide collective pour les services de nav. aér., juridique. *Secrétariat.* **But :** uniformiser les normes, pratiques recommandées et procédures ; promouvoir des mesures de sécurité aérienne ; assistance technique aux P.V.D.

Nota. – 1919 : *Commission intern. pour la navigation aérienne.* 1928 : *Convention panaméricaine de La Havane.*

• O.I.T. (I.L.O.). **Organisation internationale du travail (International Labour Organization). Siège :** 4, route des Morillons, CH-1211 Genève 22. *Dir. gén.* Michel Hansenne (Belg., n. 1940), dep. 1989. **Création :** agence autonome de la S.D.N. (1919), associée à l'O.N.U. (1946). **Budget :** 330,5 millions de $ (1990-91). **Organisation :** *Membres* 148 Etats. *Conf. int. du travail* annuelle comprenant, pour chaque État, 2 repr. du gouv., 1 des employeurs et 1 des trav. *Conseil d'adm.,* réuni 3 fois par an, de 56 m. élus pour 3 ans (28 m. gouvernementaux, dont 10 m. de droit, repr. les principales puissances industrielles ; 14 repr. les employeurs et 14 les trav.). *Bureau int. du travail (B.I.T.) :* constitue le secrétariat permanent. **But :** contribuer à établir une paix durable par le progrès social et l'amélioration des conditions de travail. *Activités :* élaboration d'un droit intern. du trav. par voie de conventions que les pays sont invités à ratifier ; coopération technique (org. et planif. de la main-d'œuvre, formation professionnelle, perfectionnement des cadres, services de l'emploi, coopératives, petites industries, sécurité sociale, administration du travail) ; travaux de recherche. Exécution du Programme mondial de l'emploi pour lutter contre le chômage dans les pays en voie de développement ainsi que du Programme international pour l'amélioration des conditions et du milieu de travail (P.I.A.C.T.).

• O.M.I. **(anciennement O.M.C.I.). Organisation maritime internationale (International Maritime Organization). Siège :** 4 Albert Embankment, Londres. *Secr. gén. :* W.A. O'Neil (Canada), dep. 1990. **Création :** Conf. maritime de l'O.N.U., 2-3-1948. **Budget :** 26,8 millions de £ (1990-91). **Organisation :** *Ass. des États* m. se réunissant tous les 2 ans. Conseil de 32 m. *Comité de la Sécurité mar.* se composant de tous les membres. Secrétariat. **But :** traiter des problèmes techniques maritimes, recommander l'adoption des normes de sécurité, lutter contre la pollution des mers, convoquer des conférences maritimes internationales, élaborer des conventions internationales, échanger des informations techniques maritimes sur le plan intergouvernemental.

• O.M.M. (W.M.O.) **Organisation météorologique mondiale (World Meteorological Organization). Siège :** 41, av. Giuseppe-Motta, Genève. *Secr. gén. :* Prof. G.O.P. Obasi (Nigeria) dep. 1-1-1984. **Création :** 1951. Succède à l'Org. météor., intern. existant depuis 1873. **Budget biennal :** 87,87 millions de FS (1990-91). **Organisation :** *Membres* 159 États et territoires. *Congrès* météor. mondial tous les 4 ans, comprenant tous les m. *Conseil exéc.* de 36 m. réuni au moins 1 fois par an. *Assoc. météor. région.* 6 (Asie, Afrique, Am. du S., Am. centrale et du Nord, Europe, S.-O. Pacifique). *Commissions techn.* 8 *Secrétariat.* **Historique :** *1854* réseau d'informations météo transmises télégraphiquement, sur l'initiative de l'astronome français Urbain Le Verrier (1811-77). *1871* Comité météorologique international. *1951* O.M.M. **But :** faciliter la coopération intern. dans le domaine de la météo et de l'hydrologie opérationnelle.

• O.M.S. (W.H.O.). **Organisation mondiale de la santé (World Health Organization). Siège :** avenue Appia, 1211 Genève 27. *Dir. gén. :* Dr Hiroshi Nakajima (Jap.) nommé pour 5 ans en 1988. **Création :** juin 1946, Conf. int. de la santé, N. York ; avril 1948, entrée en fonction. **Budget :** 763,76 millions de $ (1992-93). **Organisation :** *Membres* 166 États. *Assemblée mondiale* de la santé réunie 1 fois par an. *Conseil exéc.* de 31 m. renouvelable par tiers chaque année, se réunissant au moins 2 fois par an. *Secrétariat. Bureaux régionaux :* Afrique (Brazzaville), Amériques (Washington), Asie du S.-Est (N. Delhi), Europe (Copenhague), Méditerr. orientale (Alexandrie), Pacifique occid. (Manille). **But :** amener tous les peuples au niveau de santé le plus élevé possible. **Précédents :** *1853,* Convention sanitaire intern. (guerre de Crimée). *1864,* Conv. de Genève : création de la *Croix-Rouge* (voir Index). *1907,* Office intern. d'hygiène publique (Paris). *1923,* Organisation d'hygiène de la S.D.N. (Genève).

• O.N.U.D.I. (U.N.I.D.O.) **Organisation des Nations unies pour le développement industriel (United Nations Industrial Development Organization). Siège :** P.O. Box 300, A-1400 Vienne (Autriche). *Dir. gén. :* Domingo Siazon (Philippines). **Création :** 1985 (ancien organe subsidiaire de l'Assemblée générale des Nations unies créé 1967 et transformé en organisation intergouvernementale en 1985 ; devenu institution spécialisée des Nations unies le 1-1-86). **Organisation :** *Membres* 152 États (janv. 89). *Conférence générale* tous les 2 ans. *Conseil du développement industriel* 2 fois par an.

• S.F.I. (I.F.C.). **Société financière internationale (International Finance Corporation). Siège :** Washington. **Création :** affiliée à la B.I.R.D. créée en juill. 1956. **Organisation :** *Membres* 139 États. *Conseil de Dir.* (celui de la B.I.R.D.). *Pt* (celui de la B.I.R.D.). **Capital autorisé :** 1,3 milliard de $. *Capital souscrit :* env. 850 millions de $ au 30-6-88. **But :** promouvoir le développement de ses États membres en finançant des entreprises privées par des prises de participation ou des prêts à long terme. *Montant des financements :* 1 milliard de $ dans 95 investissements.

• U.I.T. (I.T.U.). **Union internationale des télécommunications (International Telecommunication Union). Siège :** place des Nations, 1211 Genève 20. *Secr. gén. :* Dr. Pekka Tarjanne (Finlande, n. 1937). **Création :** *1865* création de l'Union télégraphique intern. *1932* devenue Union int. des télécommunications, *1947* institution spécialisée de l'O.N.U. **Budget :** 139 millions de F suisses (1990). **Organisation :** *Membres* 164 p. ; *Conf. de plénipotentiaires,* conf. admin. ; *Conseil d'adm.* de 43 m. élus par la conf. de plénipotentiaires. 4 *comités :* intern. d'enregistrement des fréquences (I.F.R.B.) ; consultatif intern. des radiocommunications (C.C.I.R.) ; intern. télégraphique et téléphonique (C.C.I.T.T.). *Bureau de développement des télécommunications* (B.D.T.). **But :** réglementer, planifier, coordonner et normaliser les télécommunications internationales de toutes sortes. Répartit les fréquences radio entre les services (une cinquantaine), établit les règlements, accorde une assistance technique pour les télécomm. internat., y compris radiocommunications ; étudie les tarifs, adopte des recommandations (i.e. normes).

• U.N.E.S.C.O. **Organisation des Nations unies pour l'éducation, la science et la culture (United Nations Educational, Scientific and Cultural Organization). Siège :** pl. de Fontenoy, 75700 Paris. *Dir. gén. :* Federico Mayor (Espagne, n. 1934), dep. 14-11-1987. **Création :** 4-11-1946. **Budget :** voté pour une période de 2 ans. En millions de $: *1977-78 :* 224,4 ; *79-80 :* 303 ; *81-83 :* 629,4 ; *84-85 :* 374,4 ; *86-87 :* 289,3. *88-89 :* 350,4. + 60 (ressources extra-budgétaires venues de l'O.N.U. et des pays riches) ; *90-91 :* 378,7. **Organisation :** *Membres* 161 États. *Conférence gén.* tous les 2 ans. *Conseil exéc.* de 51 m. élus par la Conf. gén. *Commissions nationales.* **But :** contribuer au maintien de la paix en resserrant, par l'éducation, la science, la culture, les sciences sociales et la communication, la collaboration entre les nations (ex. pour alphabétisation, droits de l'homme, programme « L'homme et la biosphère », océanographie, développement culturel et préservation du patrimoine culturel). Les U.S.A. (en 1984) et la G.-B. (en 1985) ont quitté l'U.N.E.S.C.O. (en restant observateurs) désapprouvant la déformation idéologique, la politisation excessive et la gestion « inepte » lorsque Amadou Mahtar M'Bow (Sénégalais) en était le dir. gén. (la bureaucratie engloutissait, selon les U.S.A., 70 % des ressources, alors que 7 % seulement étaient consacrées à la lutte contre l'illettrisme). Ils reprochaient de voir se poursuivre les débats sur le Nouvel Ordre Mondial de l'information et de la communication dit Nomic (attaque contre la libre circulation de l'information et contre les médias occidentaux) imaginé dans les années 70, soutenu par l'URSS, promu par M'Bow.

• U.P.U. **Union postale universelle (Universal Postal Union). Siège :** Weltpoststrasse 4, 3000 Berne 15, Suisse. *Dir. gén. :* M.A.C. Botto de Barros (Brésil, n. 1925), dep. 1-1-1985. **Création :** traité de Berne 1874, entrée en vigueur le 1-7-1875. **Budget :** 24 389 550 F suisses (1990). **Organisation :** *Membres* 168 États en déc. 90. *Congrès postal univ.* tous les 5 ans. *Conseil exécutif* de 40 m. élus par le Congrès. *Conseil consultatif des études postales* de 35 m. élus par le Congrès. *Bureau intern.* servant d'organe de liaison, d'information et de consultation aux administrations postales membres de l'Union. **But :** assurer, organiser et perfectionner les services postaux, développer la collaboration postale intern., participer à l'assistance techn. demandée par les pays membres.

O.C.D.E.

Organisation de coopération et de développement économiques (Organisation for Economic Development and Cooperation)

Siège. Château de la Muette, 2, rue André-Pascal, 75775 Paris Cedex 16. **Langues officielles.** Anglais, français.

Création. 14-12-1960 : signature à Paris de la Convention de coopération et de développement économiques, entrée en vigueur 30-9-61 ; succède à l'O.E.C.E. (Organisation européenne de coopération économique), instituée 1948 après les propositions du général *George C. Marshall* (1880-1959), secrétaire d'État améric., à Harvard (5-6-1947). Elle avait pour but la mise sur pied d'un programme de coopération pour reconstruire l'Europe grâce à l'aide américaine (« Plan Marshall »).

Membres. 24 : All., Austr. (dep. 1971), Autr., Belgique, Canada, Danemark, Esp., Finlande (dep. 1969), France, Grèce, Irlande, Islande, Italie, Japon (dep. 1964), Luxemb., Norvège, N.-Zélande (dep. 1973), P.-Bas, Portugal, R.-U., Suède, Suisse, Turquie et U.S.A. ; la Youg. participe aux travaux avec un statut spécial. La Commission des Communautés Européennes participe généralement aux travaux de l'O.C.D.E.

Nature. Forum au sein duquel ses 24 membres s'efforcent de coordonner leurs politiques économiques et sociales en vue de promouvoir leur bien-être écon. et de contribuer au bon fonctionnement de l'économie mondiale, notamment en stimulant et en harmonisant les efforts de ses membres en faveur des pays en voie de développement.

Organisation. Conseil : (un représentant de chaque pays membre). Siège soit au niveau des chefs des délégations permanentes (1 fois par semaine) sous la présidence du secr. gén., soit au niveau des ministres (1 fois par an) sous la présidence du min. d'un pays membre désigné annuellement ; le Conseil peut prendre à l'unanimité des décisions engageant la responsabilité des gouvernements membres. **Comité exécutif :** Chefs de délégations permanentes de 14 pays membres désignés annuellement. Prépare les travaux du Conseil. **Comités et groupes de travail spécialisés principaux** (+ de 200) : Politique économique, Examen des situations écon. et des problèmes de développement, *Aide au développement* (*C.A.D*, qui a un statut et un fonctionnement particulier), Échanges, Mouvements de capitaux et transactions invisibles, Marchés financiers, Investissement intern. et entreprises multinationales, Aff. fiscales, Droit et politique de la concurrence, Politique à l'égard des consommateurs, Tourisme, Transports maritimes, Politique énergétique, Industrie, Construction navale, Acier, Politique scientifique et technologique, Politique de l'information, de l'informatique et des communications, Recherches routières, Éducation, Main-d'œuvre et Aff. soc., Environnement, Affaires urbaines, Produits chimiques, Agriculture, Pêcheries, Matières 1res, Gestion publique, etc. **Délégations permanentes** des pays membres sous forme de missions diplomatiques dirigées par des ambassadeurs (Ambassades économiques). **Secrétariat international :** env. 1 700 pers., structuré en Directions et Divisions, adaptées aux besoins des Comités et autres organes. *Secr. gén. :* Jean-Claude Paye (n. 26-8-34) ; *Secr. gén. adjoints :* R.A. Cornell (U.S.A., n. 1936) ; Pierre Vinde (Suède, n. 1931) ; Makoto Taniguchi (Jap., n. 1930) ; *secr. gén. suppléant :* Salvatore Zecchini (It., n. 1943).

Relations avec une trentaine d'autres organisations internationales intergouvernementales (O.I.G.). Quelques rares organisations non gouvernementales (O.N.G.) jouissent d'un statut consultatif dont : le Comité consultatif économique et industriel auprès de l'O.C.D.E. (B.I.A.C., représentant les groupements d'employeurs dans les pays m.) et la Commission syndicale de consultation auprès de l'O.C.D.E. (T.U.A.C., représentant les syndicats). **Publications.** Env. 130 titres par an.

Organismes autonomes ou semi-autonomes établis dans le cadre de l'O.C.D.E. (chacun possédant son propre Comité directeur).

Agence internationale de l'énergie de l'O.C.D.E. (A.I.E.). *Créée* en nov. 1974. *But :* améliorer la structure de l'offre et de la demande mondiales d'énergie. *Membres :* tous les pays m. de l'O.C.D.E. sauf Finlande, France, Islande. La commission des Communautés europ. participe aux travaux de l'Agence. *Directeur exécutif :* Mme Helga Steeg (All.).

Agence de l'O.C.D.E. pour l'énergie nucléaire (A.E.N.). *Créée* déc. 1957 sous le titre *Agence europ. pour l'énergie nucléaire,* nom actuel dep. 1973, après l'adhésion du Japon. *Banque de données* à Saclay (France). *Membres :* pays de l'O.C.D.E., sauf N.-Zél. *Directeur général :* Dr K. Uemutsu (Jap.).

Centre de développement. *Créé* 1962. *But :* développer des actions de recherche, de communication et de liaison dans tous les domaines du développement économique et social des pays en développement. *Membres :* pays de l'O.C.D.E. sauf Australie et N.-Zélande. *Pt :* Pr Louis Emmerij (P.-Bas).

Centre pour la recherche et l'innovation dans l'enseignement (C.E.R.I.). *Créé* en juillet 1968. *Membres :* pays de l'O.C.D.E. et Yougoslavie. *Directeur :* Thomas Alexander (G.-B.), dep. 1968.

Communautés européennes

Histoire

Quelques dates

• **Origines. V. 1310** Pierre Dubois, légiste de Philippe le Bel, propose d'instituer la république des chrétiens et l'arbitrage internat. **1693** W. Penn (G.-B.) publie l'*Essai pour la paix présente et future de l'Europe,* envisage un parlement eur. et le français comme langue eur. **1805** Napoléon Ier déclare qu'une seule loi doit régir l'Empire. **1851** Victor Hugo parle des États-Unis d'Europe. **1925**-*29-1* Édouard Herriot publie un livre remarqué, « Europe ». **1926** Gaston Riou crée l'*Union économique et douanière européenne.* Publication « Europe, ma patrie ». **1927** Louis Loucheur préconise la constitution – par les gouvernements – de cartels européens du charbon, de l'acier et du blé. **1929** Aristide Briand, Pt de l'Union paneuropéenne, dépose à la S.D.N. un projet pour les États-Unis d'Eur. (avec lien fédéral et coopération économique). **1943**-*21-3* W. Churchill propose un *Conseil de l'Europe.* **1946**-*19-9* discours de Churchill à Zurich suggérant à la France et à l'Allemagne de construire les États-Unis d'Eur. **1947**-*5-6* annonce du plan Marshall d'aide américaine à la reconstruction de l'Europe. **1948**-*17-3* tr. de Bruxelles créant **l'Union occidentale.** Tr. de coopération essentiellement militaire entre G.-B., France et Benelux, pour compenser le danger allemand à partir de 1950, dans le cadre de l'O.T.A.N., tout en se prémunissant contre une invasion soviétique. **1949**-*5-5* création du **Conseil de l'Europe. 1950**-*9-5* Robert Schuman (1886-1963), Pt du Conseil, propose une fédération eur. fondée sur l'unification éco. **1951**-*18-4 traité de Paris* instituant la **C.E.C.A. :** All. féd., Belgique, France, Italie, Lux., P.-Bas. **1952**-*25-7 entrée en vigueur de la C.E.C.A.* Jean Monnet, 1er Pt. **1953** *18-2 :* ouverture du Marché commun pour charbon et minerai de fer. *1-5 :* pour l'acier. **1954** *20-5 :* Benelux propose un Marché commun. *31-8 :* l'Assemblée nationale rejette la C.E.D. *23-10 :* accords de Paris créant **l'Union de l'Europe occidentale (U.E.O.)** modifiant le tr. de Bruxelles de 1948 : All. féd. et Italie en deviennent membres. Protocole d'accession de l'All. féd. à l'O.T.A.N. **1955** *1/3-6 :* à Messine les ministre des Aff. étr. des Six envisagent un Marché commun élargi à toute l'économie, et à l'énergie nucléaire. Un comité d'experts, présidé par M. Spaak, prépare un rapport. La G.-B., invitée à y participer, cesse rapidement de prendre part aux travaux. **1956** *Mai :* à Venise, conférence intergouvernementale préparatoire pour la création de C.E.E. et Euratom. **1957**-*25-3 tr. de Rome* créant **C.E.E. (Marché commun)** et **Euratom.**

> **Communauté européenne de défense (C.E.D.). 1950** *26-10 : Plan Pleven* approuvé par l'Ass. nationale par 343 voix contre 225 (communistes et R.P.F.). Il prévoit l'intégration des futures forces armées all. au sein d'une armée multinationale eur. aux ordres de la C.E.D. Celle-ci aurait eu des objectifs exclusivement défensifs et aurait coopéré étroitement avec l'O.T.A.N. **1951** *15-2 : Conférence de Paris :* France, Italie, Benelux et All. féd. acceptent le principe de la C.E.D. **1952** *27-5 : Tr. de Paris :* signé par les 6 États instituant la C.E.D. L'art. 38 stipule que la C.E.D. doit aboutir à une structure politique communautaire. Ce tr. doit être ratifié par les Parlements respectifs des pays membres, ce qui est fait par tous, sauf la France. **1954** après 2 ans, Pierre Mendès France, chef du gouv., propose aux 3 États intéressés un protocole visant à modifier le tr., mais il est rejeté le 31-8, le tr. non modifié est alors soumis à l'Ass. nat. qui refuse sa ratification. Ont voté pour : M.R.P. ; contre : Républ. sociaux (ex-R.P.F.), P.C. ; Socialistes, Radicaux et Rép. indép. se sont partagés.

• **Ratification par la France. Assemblée nationale** *(9-7-1957) : 345 pour,* dont 99 socialistes (sur 100), 25 radicaux (sur 45), 18 U.D.S.R.-R.D.A. (sur 20), 11 radicaux dissidents (sur 13), 12 R.G.R. (sur 13), 6 I.O.M. (sur 7), 74 M.R.P. (sur 74), 81 ind. (sur 89), 11 paysans (sur 17), 1 poujadiste (sur 38), 2 non-inscrits (sur 11) ; *236 contre,* dont 143 communistes (sur 143), 6 progressistes ; *7 abstentions volontaires* (1 rad., 1 R.G.R., 3 ind., 1 U.D.S.R., 1 paysan) ; *6 n'ont pas pris part au vote, 6 absents pour congé.*

Sénat *(23-7-1957) : 219 pour,* dont 59 de gauche dém. (sur 76), 49 R.I. (sur 62), 15 I.O.M.-R.D.A. (sur 23), 3 C. Rép. (sur 3), 17 C.R.A.R.S. (sur 22), 21 M.R.P. (sur 21), 55 socialistes (sur 56) ; *68 contre,* dont 14 communistes (sur 14), 4 gauche dém., 7 R.I., 7 I.O.M.-R.D.A., 25 Rép. sociaux (sur 33), 4 C.R.A.R.S., 7 Rass. d'O.M. sur 8) ; *14 abstentions volontaires* (4 R.I., 1 I.O.M.-R.D.A., 7 Rép. sociaux, 1 C.R.A.-R.S., 1 R.O.M.) ; *15 n'ont pas pris part au vote, 2 absents pour congé.*

• **De 1958 à nos jours. 1958** *1-1 :* à Bruxelles, installation de la Commission exécutive du Marché commun. *19-3 :* 1re réunion du Parlement européen à Strasbourg. **1961** *9-8 :* candidature de la G.-B. **1962** *Avril :* échec du « plan Fouchet » d'Union politique eur. *4-7 :* Pt Kennedy propose un *partnership* atlantique. **1963** *14-1 :* conférence de presse du Gal de Gaulle : l'Angl. n'est pas prête à entrer dans le Marché commun. Arrêt des négociations. *22-1 :* à Paris tr. de coopération fr.-all. *20-7 :* Yaoundé, convention d'association avec pays d'outre-mer. **1964** *5-2 :* adoption de règlements sur 1res organisations communes de marchés pour certains produits agr. et du règlement financier agr. ; avancement au 1-7-1968 de l'Union douanière. *15-12 :* plan d'unification du prix des céréales. Nouveaux règlements (85 % de la production est sous organisation commune des marchés). **1965** *8-4 :* tr. de fusion des institutions eur. *Juin :* crise (7 mois) pour financement de l'Europe verte, ouverte par Paris. **1966** *25-1 :* arrangements de Luxembourg sur fonctionnement de la Communauté. *10-3 :* la France quitte l'O.T.A.N. *11-5 :* décision sur financement de l'exportation des excédents agr. ; avancement au 1-7-1968 de l'Union douanière. **1967** *11-5 :* candidatures de G.-B., Irlande, Danemark, Norvège. *1-7 : tr. de fusion des exécutifs* de C.E.E., C.E.C.A. et Euratom. *Sept :* 2e refus fr. d'ouvrir des négociations avec G.-B. **1968** *1-7 :* Union douanière. **1969** *29-7 :* Convention de Yaoundé avec 18 États afr. et malgache. *24-9 : convention d'Arusha* avec pays de l'Est afr. *Août et oct. :* dévaluation du franc, réévaluation du mark ; montants compensatoires aux frontières. *1/2-12 :* réunion à La Haye des chefs d'État et de gouv. des Six : accord de principe sur règlement financier agr. ; décision d'engager négociations avec pays candidats (G.-B., Irl., Dan., Norv.). *10-12 :* mémorandum de la Commission sur l'amélioration des structures agr. (plan *Mansholt*).

1970 *26-1 :* accord entre les Six sur un mécanisme de soutien monétaire à court terme. *7-2 :* adoption définitive du système de financement de la Communauté. *22-4 :* tr. relatif à l'accroissement des pouvoirs budgétaires de l'Ass. eur. et créant des ressources propres pour la Communauté. *30-6 :* ouverture des négociations pour adhésion de G.-B., Dan., Irl. et Norvège. *27-7 :* accord sur réforme du Fonds social eur. *15-10 : plan Werner* relatif à l'Union économique et monétaire en vue de créer une monnaie commune aux Six. *27-10 :* adoption du rapport Davignon sur unification pol. **1971** *9-2 :* accord sur mise en œuvre par étapes de l'Union écon. et monétaire. *25-3 :* accord sur prix agr. et réforme des structures agr. *Mai :* All. féd. et P.-B. font flotter leur monnaie. Fin de l'Union éco. et monét. La livre anglaise flotte, puis la lire, le mark sera réévalué 2 fois, le franc décroche de sa parité. *22-6 :* accord sur principales conditions d'adhésion de la G.-B. *12-9 :* les 6 définissent une position commune à l'égard des mesures arrêtées par U.S.A. (non-convertibilité du dollar, surtaxe de 15 % sur importations) et sur la réforme du système monétaire intern. **1973** *1-1 : communauté des 9 ;* All. féd., France, Belgique, Lux., P.-Bas et Dan. décident de maintenir un écart maximal de 2,25 % entre leurs monnaies *(serpent monétaire). 12/14/15-1 :* conférence de Copenhague. Déclaration sur l'identité eur. *17-1 :* ouverture des négociations entre les 9 et les ACP (Afrique, Caraïbes, Pacifique) pour renouveler la Convention de Yaoundé. *11-3 :* les 9 décident de ne plus soutenir le dollar et de rester liés par une marge restreinte de fluctuation (après réévaluation de 3 % du DM). G.-B., It. et Irl. restent provisoirement en dehors du système. *15-3 :* ouverture des négociations commerciales dans le cadre du G.A.T.T. à Genève. *1-4 :* entrée en vigueur de la T.V.A. en G.-B. (les 9 ont tous ce système). *3-4 :* le Conseil adopte règlement et statuts du Fonds eur. de coopération monét. *27-6 :* accord des 9 pour une position commune au Nixon Round. *3/7-7 :* 1re phase de la *Conf. d'Helsinki* sur sécurité et coopération en Eur. où les 9 ont parlé d'une seule voix. **1974** *Janv. :* échec des 9 sur politique régions eur. malgré sommets de Paris et Copenhague. *Févr. :* la Fr. se sépare de ses partenaires lors de la Conf. de Washington sur le pétrole. *4-3 :* le Conseil décide de préparer une conférence devant aboutir à une large coopération entre les 9 et 20 pays arabes. *Avril :* la G.-B. demande officiellement de renégocier ses conditions d'entrée. *30-4 :* à la demande de la Fr., le Conseil agr. prend des mesures de restriction des importations de viande de bœuf. *8-5 :* le Dan. prend les mesures destinées à réduire ses imp., par une fiscalité indirecte. *4-6 :* M. Callaghan, min. brit. des Aff. étr., écarte l'idée d'une vaste renégociation officielle de l'adhésion angl. à la Communauté ; l'It. accepte de supprimer le système de caution sur ses imp. agr. *15-6 :* le Conseil ministériel de l'O.T.A.N. adopte à Ottawa *la nouvelle « Charte atlantique ». 15-7 :* fermeture jusqu'au 1-11 des frontières communautaires aux imp. de bovins venant des pays tiers. *29-8 :* à Bonn, sur l'initiative de la Bundesbank, création d'une « banque des banques » envisagée. *Déc. :* 7e sommet (Paris) : discussions sur la contribution brit. au budget eur. et l'élection au suffr. univ. de l'Assemblée. **1975** *28-2 :* *1re Convention de Lomé. 5-6 :* référendum en G.-B., (2/3 pour maintien dans la communauté). **1977** *1-1 :*

zone de pêche étendue à 200 milles. *1-7 :* achèvement de l'union douanière. *31-12 :* fin de la période de transition pour Dan., Irl. et G.-B. **1978** *5-12 :* accord sur Système monétaire eur. (S.M.E.). **1979** *13-1 :* entrée en vigueur du S.M.E.. *28-5 :* tr. d'adhésion de la Grèce à la C.E.E. *7/10-6 :* 1re élection au suffr. univ. du Parlement eur. *31-1 : 2e Convention de Lomé. 13-12 :* rejet du projet de budget par le Parlement.

1980 *30-5 :* accord budgétaire : contribution de la G.-B. réduite des 2/3 pour 80 et 81 ; le Parlement adopte le budget. *Déc. :* conflit budgétaire entre Parlement et Conseil des ministres. **1981** *1-1 :* entrée effective de la Grèce. Remplacement effectif de l'U.C.E. par l'ECU (European Currency Unit) dans le budget communautaire. Les volontés de relance de la Communauté se heurtent au problème budgétaire brit. *5-10 :* réaménagement des parités monétaires au sein du S.M.E. (voir Index). **1982** *21-2 :* 2e réaménagement. *18-5 :* prix de la campagne agr. 1982-83 adoptés malgré désaccord brit. Dégradation des rapports commerciaux entre Eur. et U.S.A. *13-6 :* 3e réaménagement monétaire. **1983** *25-1 :* naissance de *l'Europe de la pêche (Europe bleue) :* quotas de pêche répartis entre pays membres selon besoins et capacités et système de soutien des prix minimaux. *3-2 :* avis favorable de la C.E.E. au retrait du Groenland (terre danoise) de la C.E.E. *21-3 :* 4e réaménagement monétaire. *6-5 :* nouvelles propositions de financement du budget commun., à décider avant fin 1984. *5* et *6-12 :* sommet des 10 à Athènes : échec des négociations sur problèmes de fond de la C.E.E. **1984** *19/21-3 :* sommet des 10 à Bruxelles : échec (désaccord sur le montant de la compensation à accorder à la G.-B.). *4-12 :* la Grèce menace de bloquer l'élargissement à l'Esp. et au Port. si elle n'obtient pas de contreparties financières pour régions méditer. de la C.E.E. *3e convention de Lomé.* **1985** *30-3 :* accord des 10 sur le financement de « programmes intégrés méditerranéens » (la Grèce lève son opposition à l'entrée de l'Esp. et du Port.). *12-6 :* tr. d'adhésion de l'Esp. et du Port. à la C.E.E. *17-7 :* création d'*Eurêka,* projet d'une Eur. de la technologie. **1986** *1-1 :* entrée de l'Esp. et du Port. *18-2 :* signature de « l'acte unique européen » modifiant le tr. de Rome et élargissant les compétences de la C.E.E. pour réaliser, d'ici à 1992, un véritable marché intérieur. 3 pays s'abstiennent : Dan. (se prononcera après référendum le 27-2), It. et Grèce. *28-2 :* après le référendum danois (56,2 % pour) signature de l'acte unique européen par Danemark, Italie, Grèce. *20-7 :* le Maroc demande d'adhérer à la C.E.E. **1987** *4/7-12 :* échec du sommet de Copenhague. **1988** *24-8 :* libération des mouv. de capitaux à partir du 1-7-90. *2/3-12 :* accord de Rhodes sur le projet audiovisuel *Eurêka.* **1989** *18-6 :* 3es élect. au suffrage universel du Parlement eur. *17-7 :* l'Autr. dépose sa demande officielle d'adhésion à la C.E.E. *15-12 : 4e convention de Lomé.*

1990 *5-4 :* 12 sessions plénières ordinaires se tiendront chaque année à Strasbourg ; les sessions extraordinaires auront lieu à Bruxelles (vote : 181 oui, 155 non, 18 abst.). *Dublin 21-4 :* des discussions sur l'union politique seront entamées par un traité qui entrera en vigueur le 1-1-93. L'intégration de la R.D.A. en 3 étapes sera étudiée. *27-4 :* conférence sur les prix agr. *Rome 27/30-11 :* 1ere Conférence des Parlements de la C.E.E. réunissant 85 délégués de l'Ass. des communautés et 173 dél. des 20 chambres des Parlements des 12 États.

Population et accroissement naturel en Europe, comparaison avec certains États développés

États	Population (milliers) 1989	Naissances (milliers) 1989	Décès (milliers) 1989	Natalité et Mortalité pour 1 000 hab. 1989		Nombre moyen d'enf. par femme 1988	Mortalité infantile pour 1 000 naissances 1988	Vie moyenne (en années) 1987	
				N	M			Hommes	Femmes
Europe du N.									
Danemark [8]	5 133	61,5	59,4	12,0	11,6	1,62 [1]	7,6	71,8	77,6
Finlande	4 960	63,3	49,0	12,8	9,9	1,59	5,4	70,7	78,7
Irlande [8]	3 511	51,4	31,1	14,6	8,9	2,11 [1]	7,6 [1]	71,0	76,7
Islande	250	4,7 [2]	1,8 [2]	18,7 [2]	7,3 [2]	2,27	6,2	75,0	80,1
Norvège	4 228	59,2	45,0	14,0	10,6	1,84	8,0	72,8	79,6
Roy.-Uni [8]	57 243	777,3	657,7	13,6	11,5	1,85 [1]	8,4 [1]	71,9	77,6
Suède	8 493	115,9	92,1	13,6	10,8	2,02 [1]	5,8	74,2	80,2
Europe de l'O.									
All. (RFA) [8]	62 200	681,5	692,7	11,0	11,1	1,39 [1]	7,5 [1]	71,5	78,1
All. (RDA) [8]	16 555	198,9	205,7	12,0	12,4	1,67	7,6 [1]	69,7	76,0
Autriche	7 631	88,8	83,4	11,6	10,9	1,45 [1]	8,3 [1]	71,5	78,1
Belgique [8]	9 938	121,1	107,6	12,2	10,8	1,58 [1]	8,6 [1]	70,0 [7]	76,8 [7]
France [8]	56 161	765,0	528,0	13,6	9,4	1,81 [1]	7,5 [1]	72,0	80,3
Luxembourg [8]	377	4,7	4,0	12,4	10,6	1,52 [1]	9,9 [1]	70,6	77,9
Pays-Bas [8]	14 848	189,0	128,9	12,7	8,7	1,55 [1]	6,8	73,5	80,1
Suisse	6 650	80,3 [2]	60,6 [2]	12,2 [2]	9,2 [2]	1,51 [3]	6,8	73,8	80,5
Europe de l'E.									
Bulgarie	9 000	116,7 [3]	107,2 [3]	13,0 [3]	12,0 [3]	1,96 [3]	14,7 [3]	68,2 [6]	74,4 [6]
Hongrie	10 583	120,6	140,9	11,4	13,3	1,80	15,8 [1]	65,7	73,7
Pologne	37 850	562,5	381,2	14,9	10,1	2,15 [3]	16,0 [1]	66,8	75,2
Roumanie	23 152	369,5	247,3	16,0	10,7	2,31 [4]	26,9 [1]	67,3	72,8
Tchécoslov.	15 629	208,6	181,6	13,3	11,6	1,95	11,3 [1]	67,6	75,1
Europe du S.									
Albanie	3 208	79,7 [3]	17,1 [3]	25,9 [3]	5,6 [3]	3,16	28,2 [3]	68,5	73,9
Espagne [8]	38 889	410,1	323,9	10,5	8,3	1,30 [1]	8,3 [1]	73,1 [6]	79,0 [6]
Grèce [8]	10 033	101,0	92,0	10,1	9,2	1,50 [1]	9,9 [1]	72,6 [6]	77,6 [6]
Italie [8]	57 541	555,7	526,0	9,7	9,1	1,29 [1]	8,3 [1]	72,6	79,2
Malte	350	5,5 [2]	2,7	15,8 [2]	7,9 [2]	2,15 [2]	7,9	72,5	77,0
Portugal [8]	10 320	113,7	96,2	11,0	9,3	1,53	12,2 [1]	70,7	77,5
Yougoslavie	23 690	335,9	215,5	14,2	9,1	1,98	23,7 [1]	68,6	73,8
Europe des 12	326 190	3 832	3 247	11,7	10,0	1,58 [1]	8,2 [1]	72,0	78,6
(y compris RDA)	342 745	4 031	3 453	11,8	10,1 [2]	–	–	–	–
États-unis	248 870	4 021,0	2 155,0	16,2	8,7	1,77	9,7 [1]	71,3	78,3
Union soviét.	286 717	5 381,0 [2]	2 889,0 [2]	18,8	10,1	2,53 [3]	24,7	65,0	73,8
Japon	123 116	1 269,3	794,0	10,1	6,4	1,70 [4]	4,8	75,6	81,4
Canada	26 250	375,7 [2]	189,1 [2]	14,5 [2]	7,3 [2]	1,66 [3]	7,3 [3]	73,0 [6]	79,8 [6]
Australie	16 810	246,2 [2]	119,9 [2]	14,9 [2]	7,2 [2]	1,87	8,7	72,8	79,1
Nlle-Zélande	3 310	58,1	27,0	17,5	8,2	2,02 [3]	–	71,0	77,3

Nota. – (1) 1989. (2) 1988. (3) 1987. (4) 1986. (5) 1985. (6) vers 1985. (7) vers 1980. (8) Europe des 12.

Membres non fondateurs

• **Danemark. 1961**-*31-7 :* 1re demande d'adhésion. **1967**-*11-4 :* 2e demande. **1971**-*16-12 :* le Folketing autorise le gouv. à signer le traité d'adhésion (141 voix pour, 32 contre et 2 abstentions). Le D. a obtenu que la zone côtière des 12 milles soit réservée jusqu'en 1982 aux pêcheurs du Groenland (30 % de la population active) et des îles Féroé (24 %). **1972**-*22-1* tr. signé, *-2-10* ratifié par référendum par 57 % des inscrits, soit 63,7 % des votants ; participation au vote de 89,4 % (la + élevée depuis 1945).

• **Espagne. 1977**-*28-7 :* demande d'adhésion. **1979** *février :* ouverture des négociations. **1985**-*12-6 :* traité d'adhésion. **1986**-*1-1 :* entrée dans la C.E.E. **Industrie :** transition de 7 a. sauf : automobile [contingent à droit réduit (17,4 %) élargi pendant 3 a.], textiles (régime de surveillance de 4 a.), sidérurgie (3 a.), monopoles nation. (6 a. pour tabac et pétrole). **Agriculture :** transition de 7 a. sauf : vin (product. fixée à 27,5 millions d'hectol., distillation oblig. à 85 % de ce montant), matières grasses végétales (10 a.), fruits et légumes (10 a. en 2 étapes : 4 a. pour amélioration des infrastructures puis 6 a. pour démobilisation tarifaire). **Pêche :** transition de 7 a. (+ aide de 28,5 millions d'ECU pour restructuration de la flotte). **Budget :** transition de 7 a. avec solde neutre des paiements et des versements. **Fiscalité :** introduction de la T.V.A. au 1-1-86.

• **Grèce. 1981**-*1-1* **Adhésion. Commerce extérieur :** transition de 5 ans pour : abolition totale des droits de douane sur les importations ind. de la C.E.E., suppression des restrictions quantitatives et autres mesures de protection contre imp. de la C.E.E., tarif extérieur commun aux imp. de pays tiers, adhésion aux accords préférentiels de la C.E.E. avec pays tiers. **Agriculture :** trans. de 5 a. pour alignement des prix grecs sur prix communautaires (possibilité d'appliquer des montants complémentaires et d'évoquer la clause de sauvegarde) ; 7 ans pour pêches et tomates. *Mesures d'encouragement* spéciales pour coton, figues sèches et raisins secs (pour lesquels la Gr. sera le seul producteur eur.). **Activités professionnelles :** transit. de 7 a. pour libre circulation des travailleurs ; prestations sociales identiques à celles des nationaux pour les trav. gr. se trouvant déjà dans la C.E.E., au bout de 3 a. **Finances :** la Gr. sera bénéficiaire nette du budget de la C.E.E. les 1res années ; transition de 3 ans pour adopter la T.V.A.

• **Irlande. 1972** *mai :* vote pour l'adhésion (80 % de oui). L'Irl. peut protéger son ind. autom. et subventionner pendant plusieurs années ses autres secteurs.

• **Portugal. 1977**-*28-3 :* demande d'adhésion. **1978** *oct. :* ouverture des négociations. **1985**-*12-6 :* tr. d'adhésion. **1986**-*1-1 :* entrée dans la C.E.E. **Industrie :** transition de 7 a. sauf : automobile (accord C.E.E.-Port. en vigueur av. 1986 valable encore 2 a.), textiles (surveillance de 3 ou 4 a. pour les export. port. vers les autres m. de la C.E.E.). **Agriculture :** trans. en 2 étapes pour 85 % de la prod. port. : 5 a. pour l'adaptation des structures du marché port., puis 5 a. pour l'application de nouveaux mécanismes. Pour les fruits et légumes transformés, le sucre et l'isoglucose : 7 a. **Pêche :** 7 a. pour Port., 6 a. pour autres m. de la C.E.E. (régime partic. pour produits à base d'anchois et de thon, conserves de maquereaux et sardines). **Budget :** 7 a. au bout desquels le Port. devrait recevoir au min. 1,2 à 1,6 million d'Ecus de + qu'il ne versera au budget communautaire. **Fiscalité :** T.V.A. introduite en 1990.

• **Royaume-Uni (Grande-Bretagne). 1971**-*28-10 :* les Communes votent pour l'adhésion (356 pour, 244 contre et 22 abstentions). **1972**-*20-1 :* gouvernement autorisé à signer le tr. d'adhésion (298 voix pour, 277 contre). *-17-10 :* la Chambre des Lords approuve la signature du tr. (161 voix pour, 21 contre). **1973**-*1-1 :* entrée de la G.-B. dans la C.E.E. **Industrie :** transition 4 a. en 5 étapes (1er abattement tarifaire de 20 % : 1-4-73 ; 2e : 1-4-74 ; ensuite à chaque début d'année). G.-B. s'alignera progressivement sur le tarif extérieur et bénéficiera de contingents tarifaires pour certains produits. *C.E.C.A. :* adhésion en 5 a. et versement de 57 millions de $ comme participation au patrimoine de la C.E.C.A. **Agriculture :** transition 5 a. La référence communautaire entre immédiatement en vigueur. La G.-B. applique en 6 étapes égales les prix agr. du Marché commun. *Produits laitiers importés de N.-Zélande* par la G.-B. (1re période de transition de 5 a. : les exp. n.-zél. de beurre diminuent de 20 %, les exp. de fromage de 80 %). **Pêche :** trans. de 10 ans avant de se plier à la règle communautaire, libérale, en matière de droit d'accès aux zones de pêche côtière. Dans certaines régions de pêche importante, régime except. (comme dans 5 départ. atlantiques français). **Budget :** trans. de 5 a. (éventuellement 10). *Contribution* au financement communautaire : *1973 :* 8,6 %, soit 220 millions de $, *5e année :* 18,9 %. *1980* et *1981 :* réduction de 1 175 et 1 410 millions d'u.c. *Fiscalité :* T.V.A. introduite en avril 73. *Monnaie :* abandon progressif du rôle de monnaie de réserve de la livre, diminution des balances sterling, pour être en règle avec objectifs de l'Union écon. et monétaire eur.

Étrangers dans l'Europe communautaire

Population (en milliers)	Nationalités		% hors Comm. [1]
	Des Douze	Autres	
R.F.A. 1986	1 364,7	3 148	5,1
Belgique 1985	583,9	313,7	3,2
Danemark 1986	25,7	91,3	1,8
Espagne 1984	134,2	93,3	0,2
France 1982	*1 577,9*	*2 102,2*	*3,8*
Grèce 1985	228,5	67,4	0,7
Irlande	n.c.	n.c.	n.c.
Italie	n.c.	n.c.	n.c.
Luxembourg 1981	88,6	7,2	2
Pays-Bas 1986	161,5	391	2,7
Portugal 1986	22,5	64,5	0,6
Roy.-Uni 1984	754	982	1,7
Ensemble [2]	4 941,4	7 259,4	2,2

Nota. – (1) % de nationalités hors Communauté dans la population totale. (2) Chiffres indicatifs (dates différentes). *Source :* Eurostat.

I. Les communautés

Généralités : *comprennent :* C.E.C.A., C.E.E. ou Marché commun, Euratom ou C.E.E.A. Depuis le 1-7-1967, Commission et Conseils de ces 3 communautés ont fusionné laissant subsister les 3 traités existants. Un traité unique est envisagé. **Membres :** All. féd., Belgique, Danemark, Espagne, France, Grèce, Irlande, Italie, Luxembourg, P.-Bas, Portugal, Royaume-Uni. **Siège :** 200, rue de la Loi, 1049 Bruxelles, et Bâtiment Jean-Monnet, rue Alcide-de-Gasperi, Luxembourg-Kirchberg.

Maurice Allais (prix Nobel d'économie) estime nécessaire un territoire fédéral propre à la Communauté européenne et indépendant de tout pays membre pour localiser les institutions eur. Deux implantations possibles. 200 km² sur 3 zones contiguës en All., France et Lux. incluant les villes de Perl (All.), Sierck-les-Bains (Fr.) et Burmerange (Lux.). Ou 400 km² sur env. 20 km le long de la Lauter et sur 10 km de part et d'autre de la frontière franco-all.

C.E.C.A. (Communauté européenne du charbon et de l'acier)

Siège : rue A.-de-Gasperi, 2920 Luxembourg-Kirchberg. **Création :** Plan Schuman du 9-5-1950 ; signature du traité de Paris : 18-4-51 ; entrée en vigueur : 10-8-52. **Organisation :** avant le 1-7-1967 (voir *Quid 1968*). **But :** permettre un rapprochement politique entre les pays en créant un marché commun du charbon et de l'acier, et en abolissant tout obstacle à la circulation des marchandises et toute discrimination. Abolition des droits de douane pour charbon, minerai de fer et ferraille, 10-2-53 ; acier, 1-5-53 ; aciers spéciaux, 1-8-54. Dep. 1980, contingentement autoritaire de la production. Disparition des aides publiques à la sid. depuis fin 1985.

C.E.E. (Communauté économique européenne dite Marché commun)

Siège : 170, rue de la Loi, 1048 Bruxelles. **Création** (voir quelques dates p. 821) : *1957* 25-3 signature du tr. de Rome instituant la C.E.E. ; *1958* 1-1 entrée en vigueur ; Conférence de Bruxelles *1972* 1/22-1, signature du tr. d'adhésion par Danemark, G.-B., Irlande et Norvège. *1973* 1-1 : entrée de Danemark, G.-B., Irlande (le peuple norvégien n'a pas ratifié l'accord au référendum). *1981* 1-1 : entrée de la Grèce. *1986* 1-1 : entrée de l'Esp. et du Portugal. **Membres :** All. féd., Belgique, Dan., Esp., France, G.-B., Grèce, Irlande, Italie, Lux., P.-Bas, Portugal. **But :** expansion continue et équilibrée, et relèvement accéléré du niveau de vie par la libre circulation des marchandises, libre établissement des personnes et des capitaux, création d'un tarif ext. commun et mise en place de politiques communes : agriculture, commerce, concurrence, énergie et transports.

Marché commun agricole, dit **Europe verte.** *Fondé* 1-4-1962 sur : libre-échange des produits, niveau commun des prix pour les producteurs, solidarité financière, libre accès du consommateur aux meilleurs produits et préférence communautaire. Relève, par un système de taxes variables *(prélèvements),* les prix des produits importés au niveau des prix pratiqués dans le Marché commun. A l'inverse, accorde des restitutions à l'exportation des produits agricoles européens afin de permettre aux agriculteurs de pratiquer des prix concurrentiels sur le marché mondial. (Voir Index).

Désarmement douanier par étape et par palier (tarifs industriels) en %. *1-1-59 :* 10 ; *1-7-60 :* 20 ; *1-1-62 :* 10 ; *1-7-62 :* 10 ; *1-7-63 :* 10 ; *1-1-65 :* 10 ; *1-1-66 :* 10 ; total : 80 ; abolition complète entre 6 premiers membres ; *1-7-68* (date prévue 1-1-70).

Territoire douanier de la C.E.E.

• **Régime normal.** Territoire des États signataires du traité de Rome. *Allem. fédérale* (sauf l'île de Héligoland et le territoire de Büsingen), *Belgique, Danemark* (sauf îles Féroé), *France* (sauf Territoires d'outre-mer), *Grèce, Irlande, Italie* (sauf communes de Livigno et Campione d'Italia, eaux nationales du lac de Lugano comprises entre la rive et la frontière politique de la zone située entre Ponte Tresa et Porto Ceresio), *Luxemb., P.-Bas, R.-Uni* (sauf îles Anglo-Normandes et île de Man).

• **Régimes d'exception.** 1° *Jungholz et Mittelberg* (Autriche, rattachés au domaine douanier allemand par les traités germano-autr. de 1868 et 1890) ; *Monaco* (en union douanière avec la France : convention du 18-5-1963) ; *St-Marin* (conv. du 31-3-1939). 2° *Zones franches : du pays de Gex et de la Hte-Savoie* régies par un statut particulier (origine : tr. de Paris du 20-11-1815 et de Turin du 16-3-1816 ; consacré par l'arrêt de la Cour de justice int. du 7-6-1932 et la sentence arbitrale du 1-12-1933). Les opérations effectuées en z. fr. doivent être soumises à des conditions très proches de celles de l'entrepôt pour le stockage, de celles du perfectionnement actif pour la transformation sous sujétion douanière. Il est interdit de consommer en z. fr. ou d'utiliser des biens d'équipement, outillage, énergie, n'ayant pas acquitté les droits de douane. *Le port franc de Hambourg* a hérité certains privilèges de son passé hanséatique : les opérations de perfectionnement actif qui y sont effectuées ne sont pas soumises à des conditions d'ordre économique tant que la concurrence dans la Communauté n'en sera pas affectée.

☞ Fin 1988, les entraves économiques qui subsistaient encore entre les 12 États de la C.E.E. coûtaient chaque année au moins 120 milliards d'ECU (840 milliards de F environ).

Euratom ou C.E.E.A. (Communauté européenne de l'énergie atomique)

Siège : 200, rue de la Loi, 1049 Bruxelles. **Création :** tr. de Rome signé le 25-3-1957 (entré en vigueur : 1-1-1958). **But :** promouvoir le développement de l'énergie nucléaire dans les 10 États membres. A facilité la réalisation d'un certain nombre de centrales nucléaires dont : Chooz (France), Grundremmingen, Lingen, Obrigheim (All. féd.) et l'installation expérimentale JET dans le domaine de la fusion. *Centre commun de recherches :* quelque 2 000 chercheurs en 4 établissements : Ispra (It.), Peten (P.-B.), Karlsruhe (All. féd.), Geel (Belg.).

Budget des Communautés

Origine et évolution : *1er impôt européen, le prélèvement CECA :* la CECA fut autorisée à percevoir des prélèvements sur la production de charbon et d'acier et à contracter des emprunts. Outre l'aide aux investissements, système d'aide financière pour la reconversion professionnelle, le versement d'indemnités transitoires aux travailleurs des industries du charbon et de l'acier mis en disponibilité (jusqu'à leur réemploi), et d'autres mesures d'accompagnement, enfin un large financement pour la construction de logements destinés aux travailleurs.

Pour financer ses politiques communes, présentes et futures, la Communauté dispose de ressources propres qui remplacent peu à peu les contributions nationales, et qui, dep. 1975, font de son budget l'amorce d'un « budget fédéral européen ». Ce budget doit être intégralement financé par des ressources propres venant de la totalité des droits de douane (29,6 % des recettes en *85*) et prélèvements agricoles (4 %) perçus aux frontières extérieures de la Communauté, et d'une fraction (jusqu'à 1 %) du produit de la T.V.A. (55,5 %) dans l'ensemble des pays.

• **Comparaisons entre États membres. Ressources propres** (1990, en %). All. 25,9, *France 19,87* (91 : 20,53), Italie 15,35, G.-B. 15,14, Espagne 7,99, P.-Bas 6,17, Belgique 4,02, Danemark 2,04, Grèce 1,3, Portugal 1,16, Irlande 0,84, Luxembourg 0,16.

Position financière (en milliards d'Écus courants), 1986-89. Grèce + 6,3, Irlande + 4,8, P.-B. + 3, Esp. + 1,67, Port. + 1,6, Dan. + 1,2, Lux. – 0,25, Italie – 1,4, Belg. – 3,1, *France – 5,8,* G.-B. – 9,4, All. – 21,2.

Structure de financement des dépenses des communautés européennes en 1991

En %	Moyenne C.E.E.	All.	France	Italie	G.-B.
Prélèv. agric.	4,2	2,8	4	5,4	3,1
Droits de douane	22,9	25,3	15,1	13,6	41,5
T.V.A.	57,4	57,5	66,5	62,3	35,2
P.N.B.	15,5	14,4	14,4	18,7	20,2
Total	100,0	100,0	100,0	100,0	100,0

• **Part de la France. Ressources affectées par la France aux communautés** (prévision 1991, en milliards de F). 73,76 [dont prélèvements budgétaires nets 69,22 (70,75 – frais de perception 1,53 remboursés à l'État), versements directs hors budget 4,54 (1989)].

• **Évolution des prélèvements sur les recettes de l'État** (en milliards de F). *1988, loi de finance initiale* 54,77 (révisée 64,48), *89 :* 64,49 (61,44), *90 :* 63,5 (60,2), *91 :* projet de loi de fin. 70,75.

Prélèvements. Évolution (en F courants). *1982* indice 100. *88 :* 176,1, *89 :* 161,6, *90 :* 153,2, *91 :* 175,3. (En % du P.I.B.) : *1970-74 :* 0,2, *75-85 :* 0,8, *88-91 :* 1,1.

☞ Le prélèvement C.E.E. représente 4,7 % des recettes fiscales de l'État, 10,5 de la T.V.A., 14 de l'I.R.P.P.

• **Répartition du prélèvement** (en milliards de F, projet 1991). Soutien marchés agricoles 41,9, politique des structures agricoles 3,3, de la pêche 0,6, développement régional et transport 8,4, pol. sociale 5,9, recherche, énergie et industrie 2,3, coopér. et développ. 2,3, fonctionnement des institutions 3,5, remboursement aux États membres et crédits provisionnels 2,7. *Total* 70,75.

Dépenses des Communautés européennes en France (est. 1990, en milliards de F). Total 46,1 dont dépenses du FEOGA garantie hors budget 38,4, fonds de concours budgétaires 6,2, remboursement à l'État 1,6.

FEOGA garantie (1989, en milliards de F). *Dépenses totales* 34,4 dont ONILAIT 6,3, ONIFLHOR 1,4, ONIC 9, FIRS 2,1, SIDO 6,2, FIOM 0,04, OFIVALS 7,2, ONIVINS 2,1. *Retenues* 1,4 dont MCM 0,8, Apurement 0,6. *Total net* 33.

Répartition des dépenses du FEOGA garantie (1988, en %). Céréales et riz 20,4. Sucre 10,9. Matières grasses et protéagineux 16,1. Fruits et légumes 1,3. Vins 8,5. Tabac 1,3. Produits laitiers 20,3. Viandes, œufs, volailles 16,1. Marchés divers 1,5. Mesures agrimonétaires 1. Autres dépenses 2,5.

☞ En 1988 pour 100 Écus versés à la Communauté, les pays ont reçu : Irlande 453, Grèce 446, Portugal 228, Esp. 150, P.-Bas 141, Danemark 135, Italie 102, France 80, G.-B. 61, Belgique 49, All. féd. 47, Luxemb. 17.

Organismes d'action des communautés

• **Fonds européen de développement (F.E.D.). But :** faciliter les concours financiers des États membres aux États associés. **Sommes octroyées :** *1°) dans le cadre des 3 premiers Fonds de développement* de 1958 au 31-1-1975 : 2 211,25 millions d'unités de compte aux associés d'Afrique et de Madagascar. *2°) 4e Fonds* élargi à 46 pays d'Afrique et des Caraïbes et du Pacifique (A.C.P.). *1re Convention de Lomé* (28-2-1975) du 1-4-1975 au 28-2-1980 : 3 150. *2e Conv. de Lomé* (C.E.E. et 58 pays) de 1980 à 1985 : 5 900. *3e conv. de Lomé* (66 pays) de 1986 à 1990 : 8 500.

Répartition (en %) : All. féd. 25,95 ; *France 25,95 :* G.-B. 18,7 ; Italie 12 ; P.-Bas 7,95 ; Belgique 6,25 ; Danemark 2,4 ; Irlande 0,6 ; Luxembourg 0,2.

• **Fonds européen de développement régional (F.E.D.E.R.). Création :** décidée 10-12-1974 (réunion de Paris). *Mise en œuvre :* 1-1-1975. **But :** corriger les déséquilibres régionaux de la C.E.E. (résultant d'une prédominance agricole, des mutations industrielles et du sous-emploi) en fournissant une aide complémentaire aux actions menées par les pouvoirs publics nationaux. Doté au départ de 1 300 millions d'u.c. (7,15 milliards de F), dont en *1975 :* 300 millions, *76 :* 500, *77 :* 500, *78 :* 581, *79 :* 620, *85 :* 1 652.

Dep. 1978, quote-part nationale pour 95 % des ressources et sections, « hors quote-part » pour 5 % (dont en % : Italie 39,39 ; G.-B. 27,03 ; *France 16,86 ;* Irlande 6,46 ; All. féd. 6 ; P.-Bas 1,58 ; Belgique 1,39 ; Danemark 1,20 ; Luxembourg 0,09). *Taux d'intervention :* en général 20 % de l'investissement pour les activités ind., artisanales ou de services, 30 % des dép. publiques pour les inv. en infrastructures (10 à 30 % si inv. de 10 millions ou + d'u.c.).

75 % des ressources vont à l'Italie, G.-B., Irlande, Grèce ; 15 % à la France (Bretagne, S.-Ouest, Nord, Est, Corse et D.O.M.-T.O.M.).

• **Fonds européen d'orientation et de garantie agricole (F.E.O.G.A.)** (voir Index.)

• **Fonds social européen. Créé** 1958. Fonctionne dep. 1960. **Buts :** accompagnement des décisions sur l'emploi prises au niveau européen (reconversions par ex.), promouvoir les facilités d'emploi et la mobilité géographique et professionnelle des travailleurs à l'intérieur de la Communauté. **Taux d'intervention :** pour les actions entreprises par le secteur public, 50 % des dépenses ; pour le secteur privé : somme égale à celle dépensée par les pouvoirs publics (majoration de 10 % quand déséquilibre grave et prolongé de l'emploi dans une région).

Aides en millions d'u.c. : *1975 :* 371,83, *76 :* 436,37, *77 :* 615,70, *78 :* 568, *80 :* 1 014,2, *82 :* 1 533,9, *83 :* 1 876,25, *84 :* 1 854,25 (France 214,53), *85 :* 1 596.

II. Institutions communes

Commission des Communautés européennes

• **Organisation.** 17 *membres* (désignés pour 4 ans) dont 2 p. Espagne, France, G.-B., Italie et R.F.A., et 1 p. Belgique, Danemark, Grèce, Irlande, Luxembourg, P.-Bas et Portugal, désignés par les 10 gouvernements.

• **Organigramme en juin 1991.** *Pt, aff. monétaires :* Jacques Delors (20-6-1925, Fr.). *Vice-Pts : Rel. ext. et politique commerciale, Coopération :* Frans Andriessen (2-4-1930, P.-Bas). *Aff. éco. et financ., Coordination des politiques structurelles, Statistiques :* Henning Christophersen (8-10-1939, Dan.). *Coopération et développement, Pol. de la pêche :* Manuel Main (1949, Esp.). *Science, Recherche et développement, Télécom., Industries de l'information et Innovation, Centre commun de recherche :* Filippo Maria Pandolfi (1-11-1927, It.). *Marché intérieur, Aff. industrielles, Relations avec le Parlement europ. :* Martin Bangemann (15-11-1934, All.). *Pol. de la concurrence, Institutions financières :* Sir Leon Brittan (25-9-1939, G.-B.). *Membres de la Commission : Environnement, Sécurité nucléaire, Protection civile :* Carlo Ripa di Meana (15-8-1929, It.). *Personnel, Administration et traduction, Énergie et agence d'approvisionnement de l'Euratom, PME, Artisanat, Commerce et tourisme, Économie sociale (coopération, mutualité :* Antonio José Baptista Cardoso e Cunha (Port.). *Pol. méditerranéenne, Relations avec l'Amérique latine et l'Asie, relations Nord-Sud :* Abel Matutes (31-11-1941, Esp.). *Budget, Contrôle financier :* Peter Schmidhuber (All.). *Fiscalité et union douanière, Prélèvements obligatoires (fiscaux et sociaux) :* Christiane Scrivener (1-9-1925, Fr.). *Pol. régionales :* Bruce Millan (5-10-1927, G.-B.). *Aff. audiovisuelles et culturelles, Information et communication, Europe des citoyens, Publications :* Jean Dondelinger (Lux.). *Agriculture, Développement rural :* Ray Mac Sharry (29-4-1938, Irl.). *Transports, Crédits et investissements, Protection et promotion des intérêts des consommateurs :* Karel Van Miert. *Emploi, Rel. industrielles et aff. sociales, Ressources humaines, Éducation, Formation et jeunesse, Rel. avec le Comité Économique et Social :* Vasso Papandreou (Gr.).

• **Buts :** elle propose au Conseil des ministres de la Communauté les mesures à prendre dans l'intérêt de la Communauté. Gardienne des traités et des dispositions prises par les institutions communes, elle rend compte de sa tâche dans un rapport annuel soumis à l'examen de l'Assemblée parlementaire eur. Elle informe et donne aux gouv. les éléments d'appréciation dont ils ont besoin en conseil. Elle dispose de certains pouvoirs de décision. Enfin, elle cherche à concilier les points de vue des États membres et joue ainsi un rôle important dans les négociations (en fait continuelles) entre les Dix.

Parlement européen (Assemblée des Communautés européennes)

Organisation

Secrétariat général : Luxembourg (Centre européen). **Organisation :** 518 m. élus au suffrage universel direct (All. féd. 81, *France 81,* G.-B. 81, Italie 81, Espagne 60, P.-Bas 25, Portugal 24, Grèce 24, Belgique 24, Danemark 16, Irlande 15, Luxembourg 6). Travail parlementaire préparé par des commissions spécialisées et par les groupes politiques. Groupes : voir tableau p. 825. *Sessions plénières :* en général 1 fois par mois à Strasbourg, au Palais de l'Europe. **Pts.** *1979 :* Simone Veil, *1982 :* Piet Dankert, *1984 (juil.)* Pierre Pflimlin, *1987 (janv.)* Lord John Plumb, *1989 (juil.)* Enrique Baron Crespo. *Bureau d'information :* 288, bd St-Germain, 75007 Paris. Minitel 36-15 code C.E.E.

Pouvoirs de contrôle : motion de censure contre la Commission ; recours à la Cour de justice si la Commission et le Conseil s'abstiennent de statuer ; questions écrites, orales, avec débat au Conseil, à la Commission et aux ministres des Aff. étr. réunis dans le cadre de la coop. politique ; débat sur le rapport général d'activité de la Commission ; rapport de la Communauté sur les suites données aux avis du Parlement eur. ; colloque trimestriel de la commission politique avec le Pt. de la coopération politique ; rapport du Conseil eur. au Parlement eur.

Pouvoirs budgétaires : arrête le budget de la Communauté après l'avoir établi avec le Conseil (58,5 milliards d'ECU en 1991 – crédits d'engagement). Peut le rejeter. Cas en 1979 pour l'exercice 1980 et en 1984 pour 1985, forçant le Conseil à reprendre la procédure. Contrôle son exécution.

Participation au processus législatif : consulté dans la majorité des cas. Si le Conseil n'entend pas l'avis du Parlement, son acte est annulé. Établissement des rapports d'initiative ; concertation avec le Conseil dans le domaine législatif pour les actes ayant des incidences financières notables. Coopère avec le Conseil dans les domaines du marché intérieur.

Élections au Parlement européen

Généralités

• **Mode. Avant 1979 :** les membres étaient désignés par les Parlements nationaux. **Depuis 1979 :** élections au suffrage universel. **All. féd.** Proportionnel à l'échelon fédéral. Seules les listes ayant au moins 5 % des voix participent à la répartition des sièges. Les députés de Berlin sont élus par la chambre des députés du Land. **Belgique.** Prop. 3 circonscriptions (Flandre, Wallonie, Bruxelles). 2 collèges électoraux (Français, Néerlandais). Vote obligatoire. Panachage interdit. **Danemark.** Prop. national. **Espagne.** Prop. dans le cadre des provinces. **France.** Prop. national. **G.-B.** Majoritaire pour les 66 circonscriptions anglaises, les 8 écossaises et les 4 du pays de Galles. Prop. en Irlande du N. **Grèce.** Prop. national. Listes bloquées. Vote obligatoire. **Irlande.** 4 circonsc. prop. **Italie.** Prop. dans les 5 circonsc. région. : N.-E. 17 sièges, N.-O. 25, Centre 17, Sud 15, Sicile et Sardaigne 7. Vote préférentiel et panachage possibles. **Luxembourg.** Prop. national. **Pays-Bas.** Prop. national. **Portugal.** Prop. national.

Élections européennes de 1979

Dates. *7-6 :* Danemark, G.-B., Irlande, P.-Bas ; *10-6 :* All. féd., Belgique, France, Italie, Lux. Les Grecs ont voté la 1re fois le 18-10-81 (la Grèce venant d'entrer à la C.E.E.).

Résultats en France	Voix	%
Inscrits	35 180 531	100
Votants	21 356 960	60,77
Suffrages exprimés	20 242 347	57,53
U.F.E. [1]	5 588 851	27,61
P.S. et M.R.G. [2]	4 763 026	23,53
P.C.F. [3]	4 153 710	20,52
D.I.F.E. [4]	3 301 980	16,31
Écologistes [5]	888 134	4,39
Extrême gauche trotskiste [6]	623 663	3,08
Emploi-Égalité-Europe [7]	373 259	1,84
Défense interprofessionnelle [8]	283 144	1,40
Eurodroite [9]	265 911	1,31
Régions-Europe [10,12]	337	0
P.S.U. [10,11,12]	332	0

Nota. – (1) S. Veil. (2) F. Mitterrand. (3) G. Marchais. (4) J. Chirac. (5) Mme Fernex. (6) A. Laguiller. (7) J.-J. Servan-Schreiber. (8) Ph. Malaud. (9) J.-L. Tixier-Vignancour. (10) J.-E. Hallier. (11) Mme Bouchardeau. (12) N'avaient pas déposé de bulletins de vote dans les bureaux.

☞ Voir détails dans Quid 1985, page 728.

Élections européennes de 1984

Dates. *14-6 :* G.-B., Irlande, Danemark et P.-Bas ; *17-6 :* France, All. féd., Italie, Grèce, Belgique et Luxembourg. En Espagne et au Portugal (nouvellement admis). Les représentants sont d'abord désignés par les parlements nationaux, avant d'être élus au suffrage universel en 1987 : le *10-6 :* Esp. (60 repr.) ; le *19-7 :* Port. (25 repr.).

Résultats

Allemagne fédérale. CDU 37,5 %/CSU 8,5 % (total) 46 % (41 s.). SPD (P. social-démocrate) 37,4 (33 s.). FDP (P. libéral) 4,8. Verts (écolog.) 8,2 (7 s.). Liste pour la paix 1,3. Divers 2,4.

Belgique. Parti social-chrétien flamand (CVP) 19,8 (4 s.). P. social-chrétien wallon (PSC) 7,6 (2 s.). P. socialiste wallon (PSP) 13,4 (5 s.). P. socialiste flamand (PS-SP) 17,1 (4 s.). Libér. flam. (PVV) 8,6 (2 s). Libér. wall. (PRL) 9,5 (3 s.). Volksunie 8,5 (2 s.). Écologistes (Wall.) 3,9 (1 s.). AGALEV (Écol. fl.) 4,3 (1 s.). Rassemblem. wallon n.c.

Danemark. SD (social-démocrate) 19,5 (3 s.). Mouvement populaire anti-CEE 20,8 (4 s.). CD (Centre démocratique) 6,6 (1 s.). VENSTRE (libéral) 12,4 (2 s.). PPC (Centre chrétien) 2,8. Konservative (conservateur) 20,8 (4 s.). Radikal 3,1. PPS (socialiste anti-CEE) 9,2 (1 s.). Venstresocialisterne (marxiste) 1,3. Fremskridtspartiet (libéral) 3,5.

Espagne. PSOE (P. S. ouvrier) 39,10 (28 s.). AP (All. populaire) 24,7 (17 s.). CDS (Centre démocrate et soc.) 10,2 (7 s.). IU (gauche unie) 5,2 (3 s.). CIU (Convergence et Union) 4,4 (3 s.). HB (Herri Batasuna, bras politique de l'ETA) 1,9 (1 s.) EP (Europe des peuples) 1,7 (1 s.).

Grèce. PASOK (soc.) 41,58 (10 s.). Nouvelle Démocratie 38,11 (9 s.). P. communiste grec (prosoviétique) 11,62 (3 s.). P. communiste « de l'intérieur » 3,40 (1 s.). Union politique nationale (extrême droite) 2,29 (1 s.). Divers 2,48 (1 s.).

Irlande. Fianna Fail 39,2 (8 s.). Fine Gael 32,2 (6 s.). P. travailliste 8,4. P. ouvrier 4,3. Sinn Fein 4,8. Non inscrits 8,1 (1 s.).

Italie. DC 33 (27 s.). PCI 33,3 (27 s.). PSI + Unité prolét. 11,2 (9 s.). MSI (néo-fasciste) 6,4 (5 s.). PSM (social-dém.) 3,5 (3 s.). P. radic. (libert.) 3,4 (3 s.). PLI (libéral) 6,2 (5 s.). PRI (républicain) 6,2 (5 s.). Démocratie prolét. n.c. (1 s.). Union valdotaine/P. d'action sarde n.c. (1 s.). Démocratie nation. n.c.

Luxembourg PCS (chr.-s.) 35,33 (3 s.). POSN (social.) 30,28 (2 s.). PD (démocr.) 21,15 (1 s.). Verts 6,13 (0 s.). PCL (commun.) 4,11 (0 s.). PSI (soc. indép.) 2,59 (0 s.). LCR (lig. commun. révol.). 0,38 (0 s.).

P.-Bas. CDA (dém. chrét.) 30,03 (8 s.). PUDA (sociaux-dém.) 33,72 (9 s.). VVD (libéraux) 18,90 (5 s.). Démocratie 66 (radicaux) 2,28. Alliance progress. verte (extr. gauche) 5,60 (2 s.). SGP, RPF, GPV (calvinistes, conservateurs) 5,21 (1 s.). Divers 4,26.

Portugal. PSD (P. S. démocrate) 37,42 (10 s.). PS (soc.) 22,46 (6 s.). CDS (P. du Centre démocr. et soc.) 15,4 (4 s.). CDU (Convergence démocr. unitaire) 11,51 (3 s.). PRD (P. rénov. démocr.) 4,43 (1 s.).

R.-U. Conservateurs 41,3 (45 s.). Travaillistes 36,4 (32 s.). Alliance (soc.-dém. et libéraux) 19,1 (0 s.). Nationalistes écossais 2,5 (1 s.). **Irl. du N.** P. unioniste officiel n.c. (1 s.). P. démocratique unioniste n.c. (1 s.). SDLP (soc.-dém.) n.c. (1 s.).

Résultats en France	Voix	%
Inscrits	36 836 544	100
Votants	20 879 760	56,68
Suffrages exprimés	20 119 200	54,62
PCF (1)	2 262 532	11,24
PS (2)	4 179 593	20,77
UDF-RPR (3)	8 644 002	42,96
PCI	161 277	0,90
LO	414 465	2,06
PSU-CDU	145 415	0,72
ERE	667 152	3,31
VERTS	677 754	3,36
EUE	78 767	0,39
RÉUSSIR	380 341	1,89
UTILE	137 474	0,68
I 84	122 438	0,60
FN (4)	2 261 299	10,98
POE	17 691	0,08

Nota. – (1) Liste Marchais. (2) Liste Jospin. (3) Liste Veil. (4) Liste Le Pen.

Élections européennes de 1989

Dates. *15-6 :* Danemark, Espagne, Irlande, G.-B., P.-Bas. *18-6 :* All. féd., Belgique, France, Grèce, Italie, Luxembourg, Portugal.

Résultats

Allemagne fédérale. CDU-CSU 37,7 % (32 sièges), SPD (P. social-démocrate) 37,3 (31), Verts (écolog.) 8,4 (8), Républicains (extr. droite) 7,1 (6), FDP (libéraux) 5,6 (4).

Belgique. *Collège Néerlandophone :* CVP (P. social chrétien flamand) 34,1 % (5 sièges), SP (P. socialiste flamand) 20,6 (3), PVV (libéraux flamands) 17,1 (2), AGALEV (écolog. fl.) 12,2 (1), Volksune (fédéraliste fl.) 8,7 (1), Vlaamse Blok (ext. droite) 6,6 (1) ; *collège Francophone :* PS 38 (5), PSC (P. social-chrétien) 21,3 (2), PRL (Libéraux) 18,9 (2), Écologistes 16,6 (2).

Danemark. SD (social-démocrate) 23,3 % (4 sièges), Mouvement populaire anti-CEE 18,9 (4), VENSTRE (libéral) 16,6 (3), Konservative (conservateurs) 13,4 (2), SF (socialistes populaires) 9,1 (1), CD (centre démocrate) 7,9 (2), Frenrskyidts partiet (ext. droite) 5,3 (0), Radikal 3,1 (0).

Espagne. PSOE (P. socialiste) 39,6 % (27 sièges), PP (P. populaire) 21,4 (15), CDS (Centre démocrate et social) 7,1 (5), Izquierda Unida (gauche unie, communiste) 6 (4), CIU (centre droit catalan) 4,2 (2), Liste Ruiz Mateos 3,8 (2), IP (izquierda de los pueblos, gauche nationaliste) 1,8 (1), PA (p. andalou) 1,8 (1), PNV (P. nationaliste basque) 1,9 (1), Herri Batasuna (proche de l'ETA) 1,5 (1), PEP (nationalistes) 1,5 (1).

Grèce. ND (conservateurs) 40,8 % (10 sièges), PASOK (soc.) 35,2 (9), Rassemblement des forces de gauche et de progrès (PC et gauche ind.) 14,5 (4), DIANA (centre-droit) 1,4 (1).

Irlande. Fiana Fail 31,5 % (6 sièges), Fine Gael 21,7 (4), Indépendants 11,9 (2), Prog. démo. P. 11,9 (1), Labour P. 9,5 (1), Workers P. 7,6 (1).

Italie. DC (Démocratie chrétienne) 32,9 % (27 sièges), PCI (P. communiste) 27,6 (22), PSI (P. socialiste) 14,8 (12), MSI-NDI (mouvement social-droite nationale) 5,5 (4), PLI-PRI (libéraux républicains) 4,4 (4), Verdi (verts-écolog.) 3,8 (3), Arcobaleno (verts-écolog.) 2,4 (2), Ligue lombarde 1,8 (2), DP (Ligue prolétarienne) 1,3 (1), Ligue antiprohibition 1,2 (1), Fédéralistes 0,6 (1).

Luxembourg. PCS (chrétiens sociaux) 34 % (3 sièges), POSL (socialistes) 22,4 (2), PD (démocrates) 19,5 (1).

P.-Bas. CDA (chrétiens démocrates) 36,4 % (10 sièges), PVDA (socialistes) 30,7 (8), VVD (libéral) 13,6 (3), Arc-en-ciel (écolog.) 7 (2), SGP, RPF, GPV (confessionnels) 5,9 (1), Démocratie 66 (centre gauche) 5,9 (1).

Portugal. P. social-démocrate 32,25 % (9 sièges), P. socialiste 28,5 (7 ou 8), Centre démocratique et social 14,2 (3 ou 4), Coalition démocratique unitaire (communistes) 14 (4).

R.-U. Travaillistes 40,3 % (45 sièges), Conservateurs 34,15 (32), Verts 14,99 (0), P. démocrate, social et libéral 6,4 (0), Nationalistes écossais 2,65 (1), Plaid Cymrus 0,75 (0), P. social-démocrate 0,49 (0). **Irlande du N.** P. unioniste démocratique (protestants) 30,2 (1), P. social démocratique et travailliste (cathol. modérés) 25,49 (1), P. unioniste officiel (protestants) 22,1 (1), Sinn Fein (nationalistes cathol.) 9,1.

Résultats en France [1]	Voix	%
Inscrits [1]	36 297 496	
Votants	18 690 692	(48,80 %)
Abstentions	19 606 804	(51,19 %)
Suffrages exprimés	18 151 416	(97,10 %)
UDF-RPR (M. Giscard d'Estaing)	5 242 038	(28,87 %)
PS (M. Fabius)	4 286 354	(23,61 %)
FN (M. Le Pen)	2 129 668	(11,73 %)
Verts (M. Waechter)	1 922 945	(10,59 %)
Centre (Mme Veil)	1 529 346	(8,42 %)
PC (M. Herzog)	1 401 171	(7,71 %)
Chasse (M. Goustat)	749 741	(4,13 %)
LO (Mme Laguiller)	258 663	(1,42 %)
Protection Anim. (Mme Alessandri)	188 573	(1,03 %)
Alliance (M. Joyeux)	136 230	(0,75 %)
MPPT (M. Gauquelin)	109 523	(0,60 %)
Ren. (M. Llabres)	74 327	(0,40 %)
Gén. Europ. (M. Touati)	58 995	(0,32 %)
RFL (M. Cheminade)	32 295	(0,17 %)
IDE (M. Biancheri)	31 547	(0,17 %)

Nota. – (1) Ce total ne comporte pas les résultats de la Polynésie française ni ceux de certains bureaux de vote des Français établis à l'étranger.

Députés Français au 1-2-1991

Groupe libéral, dém. et réformateur. *13 élus.* Charles Baur (1929), Yves Galland (1941), Valéry Giscard d'Estaing (1926), Robert Hersant (1920), Jeannou Lacaze (1924), Alain Lamassoure (1934), Claude Malhuret (1950), Simone Martin (1943), Aymeri de Montesquiou (1942), Jean-Thomas Nordmann (1946), Jean-Pierre Raffarin (1948), Simone Veil (1927), Yves Verwaerde (1947).

Groupe du Rassemblement des Démocrates eur. *13 élus.* Michèle Alliot-Marie (1946), Yvon Briant (1954), Henry Chabert (1945), François Guillaume (1932), Pierre Lataillade (1933), Louis Lauga (1940), Christian de La Malène (1920), Alain Marleix (1946), François Musso (1935), Jean-Claude Pasty (1937), Alain Pompidou (1942), Dick Ukeiwe (1928), Jacques Vernier (1944).

Groupe du P. populaire eur. *6 élus.* Pierre Bernard-Reymond (1944), Jean-Louis Bourlanges (1946), Philippe Douste-Blazy (1953), Nicole Fontaine (1942), Marc Reymann (1937), Adrien Zeller (1940).

Groupe socialiste. *22 élus :* Laurent Fabius (1945), Catherine Trautmann (1951), Claude Cheysson (1920), Alain Bombard (1924), Léon Schwartzenberg (1923), Jean-Pierre Cot (1937), Jean-Marie Alexandre (1946), Henri Saby (1933), Nicole Pery (1943), Jean-François Hory (1949), Michel Hervé (1945) remplace Claude Allègre (1937), Martine Buron (1944), Gérard Fuchs (1940), André Sainjon (1943), Max Gallo (1932), Frédéric Rosmini (1940), Marie-Claude Vayssade (1936), Marie-Jo Denys (1950), Jean-Paul Benoit (1936), Gérard Caudron (1945), Bernard Thareau (1936).

Groupe technique des droites eur. *10 élus :* Jean-Marie Le Pen (1928), Martine Lehideux (1933), Bruno Mégret (1949), Jean-Marie Le Chevallier (1936), Yvan Blot (1948), Bernard Antony (1944), Bruno Gollnisch (1950), Pierre Ceyrac (1946), Jean-Claude Martinez (1945), Jacques Tauran (1930).

Groupe des Verts. *8 élus :* Antoine Waechter (1949), Solange Fernex (1934), Claire Schlecht-Joanny (1951), Yves Cochet (1946), Marie-Christine Aulas (1945), Gérard Monnier-Besombes (1953), Djida Tazdait (1957), Didier Anger (1939).

Groupe de coalition des Gauches. *7 élus :* Philippe Herzog (1940), Sylviane Ainardi (1947), René Piquet (1932), Sylvie Mayer (1946), Francis Wurtz (1948), Maxime Grémetz (1940), Mireille Elmalan (1949).

Groupe Arc-en-ciel. Max Simeoni (1929).

Non inscrit. Jean-Louis Borloo (1951).

Conseil des ministres

Siège : *sessions* à Bruxelles 9 mois ; Luxembourg en avril, juin et octobre. *Secr. gén.* à Bruxelles. **Organisation :** réunit les représentants des 12 gouv. en plusieurs compositions (relations ext., agriculture, problèmes écon. et fin., budget, énergie, environnement, pêche, transport, affaires sociales, etc.). Présidence confiée à tour de rôle pendant 6 mois à chaque État m. Préparation des travaux : assurée par le Comité de représentants permanents ayant rang d'ambassadeurs (COREPER), de chaque État membre auprès de la Communauté eur. Le COREPER est assisté par une centaine de groupes de travail composés de diplomates ou fonctionnaires de divers ministères des États m. **Rôle :** organe de décision de la Communauté, il statue sur les propositions de la Commission après consultation du Parlement eur. (si prévue par les traités) et du Comité économique et social. Décisions prises à la majorité simple, à la majorité qualifiée ou à l'unanimité. Il ne peut amender les propositions de la Commission qu'à l'unanimité. Il peut inviter la Commission à lui soumettre des propositions (art. 152 du traité).

Cour de justice

Siège : Plateau de Kirchberg. 2925 Luxembourg-Kirchberg. **Pt :** Ole Due, dep. le 7-10-88. **Organisation :** 13 juges et 6 avocats généraux nommés par les gouvernements pour 6 ans et renouvelables. **Compétence :** juge les différends nés de l'application des traités de la Communauté et du droit dérivé. Peut être saisie par les États membres, une institution de la Communauté, ou d'un recours formé par une personne physique ou morale contre une décision qui lui est adressée par le Conseil ou la Commission des Communauté eur. Les juridictions nationales ayant à trancher des litiges relatifs au droit communautaire peuvent saisir la Cour d'une demande d'avis préjudiciel. La Cour a, en outre, d'autres compétences spécifiées dans le Traité.

Arrêts rendus (1990). 193 dont recours préjudiciels 113, directs 73, de fonctionnaires 7. **Affaires réglées (1990).** 302 dont moyennant arrêts 227, ordonnances mettant fin à l'instance 75. **Affaires introduites (1990).** 384 (dont recours préjudiciels 141, directs 222, pourvois 16, procédures particulières 5). **Demandes en référé (1990).** 12. **Affaires pendantes (au 31-12-90).** 583. **Durée moyenne des procédures** (vacances judiciaires comprises ; excluant les aff. dans lesquelles la procédure a été formellement suspendue). *Recours préjudiciels* 17,4 mois, *directs* 25,5, *de fonctionnaires* 24,9.

☞ **Tribunal de 1re instance. Créé :** 24-10-1988. *Entré en fonction* 1-11-1989. **Compétence :** exerce en 1re instance les compétences conférées à la Cour de Justice pour les recours de fonctionnaires, de particuliers en matière de concurrence et les affaires relatives aux quotas de production d'acier et quelques autres affaires CECA. Egalement compétent pour statuer sur certains recours tendant à la réparation de dommages. Un pourvoi (limité aux questions de droit) peut être formé devant la Cour de Justice. **Composition :** 12 membres. **Siège :** normalement en chambres. **Procédure :** les parties autres que les institutions doivent être représentées par un avocat inscrit au barreau de l'un des États membres. **Arrêts rendus** (1990). 58 dont recours de fonctionnaires 51, directs 6, procédures particulières 1. **Affaires réglées** (1990). 82 dont moyennant arrêt 61, moyennant ordonnance mettant fin à l'instance 21. **Affaires introduites** (1990). 59 dont recours de fonctionnaires 43, directs 12, procédures particulières 4. Demandes en référé (1990). 5. **Affaires pendantes** (1990). 145. **Durée moyenne de procédures** (vacances judiciaires comprises, 1990). Recours directs 19,4 mois. Recours de fonctionnaires 17,8 mois.

Comité économique et social

Siège : 2, rue Ravenstein, Bruxelles. *Pt :* François Staedelin (n. 9-12-1928 , Fr., dep. oct. 1990). **Membres :** 189 (24 All., 24 Brit., 24 Fr., 24 It., 21 Esp., 12 Bel., 12 Néerl., 12 Port., 12 Grecs, 9 Dan., 9 Irl., 6 Lux.) nommés pour 4 ans à titre personnel par le Conseil des ministres sur proposition des gouvernements. *Secr. g^{al} :* Jacques Moreau (n. 1933, France). **Rôle :** obligatoirement consulté par le Conseil et la Commission avant l'adoption d'un grand nombre de décisions importantes. Peut émettre des avis de

Composition du Parlement européen au 1-1-1991	TOTAL	All. féd.	Belg.	Dan.	Esp.	France	Grèce	Irl.	It.	Lux.	P.-Bas	Port.	R.-U.
Socialistes	180	31	8	4	27	22	9	1	14	2	8	8	46
P.P.E. [1]	122	32	7	2	7	6	10	4	27	3	10	3	1
L.D.R. [2]	49	4	4	3	6	13	–	2	3	1	4	9	–
D.E. [3]	34	–	–	2	–	–	–	–	–	–	–	–	32
Verts	29	7	3	–	1	8	–	–	7	–	2	1	–
G.U.E. [4]	28	–	–	1	4	–	1	–	22	–	–	–	–
R.D.E. [5]	22	–	–	–	2	13	1	6	–	–	–	–	–
D.R. [6]	17	6	1	–	–	10	–	–	–	–	–	–	–
A.R.C. [7]	14	1	1	4	2	1	–	1	3	–	–	–	1
C.G. [8]	14	–	–	–	–	7	3	1	–	–	–	3	–
N.I. [9]	19	–	–	–	1	1	–	1	5	–	1	–	–
TOTAL	528	81	24	17	50	81	24	16	81	6	25	24	80

Nota. – (1) Parti populaire européen ; démocrates chrétiens. (2) Libéral, démocratique et réformateur. (3) Démocrates européens, conservateurs. (4) Gauche unitaire européenne. (5) Rassemblement des démocrates européens. (6) Groupe technique des droites européennes. (7) Groupe Arc-en-Ciel. (8) Coalition des gauches. (9) Non-inscrits.

Que réserve l'Europe en 1993 ?

Accises. Droits d'accises sur tabacs, alcools et huiles minérales devraient être harmonisés au 1-1-1993 (d'où en France baisse des carburants et hausse des tabacs et alcools).

Alcool. Voir accises.

Additifs alimentaires (colorants, conservateurs etc.). Seront classés en 3 catégories : autorisés, interdits et autorisés sous conditions.

Aéroports. Vols et passagers européens seront traités de la même manière que les nationaux.

Agences de voyages. Les voyageurs hors Communauté ne paieront plus de TVA sur service rendu par l'agence. Les prix baisseront. A l'intérieur de la Communauté, ils monteront.

Agents immobiliers. Concurrence des professionnels étrangers plus vive.

Allocations familiales. Droits aux prestations et à la retraite courent entre les différents pays de la Communauté.

Animaux. Règles sanitaires harmonisées. Vaccinations et bon état sanitaire seront de la responsabilité de chacun des États.

Architectes. Doivent être assujettis à la TVA dans tous les pays.

Artisans. Bénéficient déjà du droit d'établissement. Reconnaissance mutuelle des qualifications avec introduction d'une carte de formation professionnelle européenne en 1992.

Asile (droit d'). Unification des mesures prévues.

Assistance pour automobilistes et touristes. Liberté de prestations de service.

Assurances. Libres prestations de service : règles et principes de protection des consommateurs pour assurances vie et automobile, et pour les petits risques industriels seront harmonisés.

Auteur (droits d'). Protection des microcircuits (effective à partir du 1-1-1989), logiciels, enregistrements digitaux (DAT) et œuvres audiovisuelles. Réglementation en cours d'élaboration.

Automobiles. Importations parallèles par d'autres que des concessionnaires officiels. En 1993, les frontières doivent être supprimées et les taxes seront acquittées dans le pays d'achat. Harmonisation des règles techniques pour obtenir une réception unique des voitures dans la Communauté.

Avocats. Dep. 1977, prestations de service d'un État à l'autre autorisée, mais l'établissement dans un pays communautaire autre que le sien sera possible. Reconnaissance mutuelle des diplômes. Devront être assujettis à la TVA.

Banques. Une banque autorisée dans un pays pourra, sans autorisation préalable, ouvrir des filiales et fournir des services transfrontaliers dans les 12 États membres. Pour les pays tiers, le principe de la réciprocité sera la règle. Le pays d'origine des banques en assurera le contrôle.

Bateliers. Les transporteurs établis dans un pays pourront faire du cabotage au-delà des frontières.

Biotechnologies. Inventions couvertes par les règles communautaires, relatives aux brevets.

Brevets. Création d'un brevet communautaire ; un office communautaire en aurait la gestion.

Bruit. Mesures prises : 1°) motocycles ; 2°) tondeuses à gazon (émission sonore entre 96 et 105 décibels, selon leur largeur de coupe).

Cadeaux. Montants expédiables d'un pays à l'autre sans taxes : de 75 à 100 ECU (env. 700 F).

Capitaux. Circuleront librement dans 8 pays de la Communauté à partir du 1-7-1990 et chez les 12 à partir du 16-1-1993 (Espagne, Portugal, Irlande et Grèce ayant obtenu un délai supplémentaire). Chacun pourra ouvrir un compte bancaire ou contracter un emprunt où bon lui semblera. Harmonisation de la fiscalité de l'épargne : à l'étude.

Cartes bancaires. Seront utilisées dans tous les pays membres. Les banques devront se mettre d'accord pour la protection des utilisateurs. Norme européenne pour les cartes à puce (à mémoire) en cours d'élaboration. Un réseau de lecteurs ouvert à tous les usagers sera établi.

Catastrophes naturelles. Dep. fin 1987, un plan Orsec peut être déclenché au niveau communautaire (il a joué pour un séisme en Grèce).

Chasse. Règles communes pour la vente des armes à feu. On pourra chasser avec ses propres armes dans les autres pays membres.

Chèques. On pourra libeller les chèques en ECU.

Chimie. Interdiction de vente pour des produits dangereux (ex. : certains à base d'amiante ou le PC Benzène). Étiquetage strict.

Circulation. *Convention de Schengen* (19-6-1990) signée par All. féd., Belgique, France, Luxembourg, Pays-Bas et 27-11 Italie de libre circulation, applicable en 1992. Voir Index.

Commissaires-priseurs. À partir de 1993, concurrence des revendeurs d'occasion des autres pays.

Compagnies aériennes. Libéralisation progressive du transport aérien. Dep. nov. 1988, les Cies européennes reliant 2 pays entre eux ont le droit de prendre des passagers lors d'une étape dans un 3e pays. TVA sur le transport des personnes appliquée au point de départ.

Consommateurs. La concurrence entraînera une baisse générale des prix d'env. 8 %.

Construction. Normalisation en cours.

Crédit. Réglementations sur les fonds propres des établissements, à l'étude.

Départements d'outre-mer. Octroi de mer (droit de douane à l'importation datant du début du XIXe s.) disparaîtra. Pour équilibrer les finances locales on créera des taxes sur des productions locales dont les prix devraient augmenter.

Diplômes. A partir de janv. 1991, tout diplôme obtenu dans la Communauté et sanctionnant au moins 3 ans d'études supérieures devra être reconnu dans les 12 États. Principe de base : 1 personne qualifiée peut aller travailler ailleurs. Si l'État d'accueil peut démontrer que de grandes différences existent, il peut avec l'accord de Bruxelles proposer 1 stage ou 1 examen, au choix du candidat, sauf s'il s'agit d'une profession juridique (pour lesquelles l'État d'accueil impose le stage ou l'examen).

Douanes. Suppression aux frontières séparant les pays de la Communauté. Sur 21 000 agents français dont 3 000 aux frontières, il en restera en 1993 : 19 000. Les frontières intérieures de la Communauté s'effaceront avec l'harmonisation des taux de T.V.A. Des douaniers surveilleront les marchandises venant des pays extérieurs. D'autres continueront à établir les statistiques.

Drapeau. A partir de 1993 le drapeau bleu frappé de 12 étoiles flottera à côté du drapeau national à toutes les frontières extérieures.

Duty-free-shops. Appelés à disparaître pour les voyages intérieurs à la Communauté.

ECU. Utilisation privée développée, sert de monnaie de réserve.

Électricité. T.V.A. pour chauffage et éclairage aux taux réduits comme pour gaz, charbon et fuel.

Emplois publics. Tout ressortissant de la Communauté pourra travailler dans n'importe lequel des 12 pays. Seuls les emplois donnant compétence d'autorité publique peuvent être réservés aux nationaux (militaires, policiers, magistrats, préfets, diplomates, etc.).

Énergie. Les producteurs d'électricité pourront être mis en concurrence (chacun pourra utiliser le réseau de distribution des autres).

Enseignement. A équivalence des diplômes on pourra enseigner dans chacun des pays.

Environnement. Dans certains cas, les min. des 12 peuvent adopter, à la majorité, des mesures minimales destinées à protéger la santé des citoyens. Parfois, il s'agit de permettre la libre circulation des marchandises, de prendre des mesures obligatoires et uniformes, comme pour l'émission de gaz des automobiles ; l'unanimité des États membres, dans ce cas, est requise.

Épargne. Certains pays imposent plus les revenus des capitaux que les revenus du travail, d'autres non. Une harmonisation des retenues à la source sur les intérêts perçus est à l'étude.

Étiquetage. 1993, réglementation commune des produits alimentaires. Dispositions particulières prises pour produits diététiques et indications sur la valeur nutritive des produits.

Étudiants. Pourront résider dans le pays de leur choix, mais certains États comme la France n'accordent ce droit qu'aux étudiants prouvant qu'ils ont des moyens de subsistance suffisants.

Experts-comptables (et conseillers fiscaux). Dispositions à l'étude.

Extradition. Opération administrative à l'étude.

Franchise. 390 à 400 ECU. A partir de 1993, disparition des franchises.

G.I.E. (groupements d'intérêts économiques). 1-7-1989 admis au niveau européen.

Immigrés. Les règles nationales relatives aux immigrés doivent être notifiées à la Commission.

Imposition (double). Doit être supprimée (seule la différence entre 2 taux de T.V.A. doit être acquittée).

Impôts (sur les Stés). Harmonisation prévue de l'assiette fiscale de façon que la base imposable soit équivalente dans toute la Communauté.

Infirmiers (et sages-femmes). Directives spécifiques : infirmiers (dep. 1977), sages-femmes (1980).

Jouets. A partir de 1990, devront être conformes à une directive destinée à renforcer la protection des enfants.

Location (de voitures). Abolition des frontières. D'où baisse envisageable de 20 %.

Machines industrielles. Directive proposée définissant des principes communs de sécurité et organisant la reconnaissance mutuelle des normes nationales.

Marchés publics. Ne seront plus réservés aux entreprises nationales. Procédures d'appel d'offres plus transparentes pour les contrats de fournitures supérieurs à 200 000 ECU et pour les contrats de travaux publics supérieurs à 5 millions d'ECU. Les secteurs de l'eau, énergie, télécom. et transports feront l'objet de décisions séparées.

Marques. Harmonisation des législations nationales sur les marques pourrait être requise par une directive. Statut de la marque européenne, géré par un Office des marques, prévu.

Masseurs-kinésithérapeutes (et autres professions paramédicales). Peuvent exercer dans tous les pays européens (équivalence des diplômes) s'ils bénéficient d'une formation supérieure de 3 ans.

Médecins. Réglementation spécifique.

Médicaments. Spécification technique des produits, directive prévue. *Sécurité sociale :* proposition de mesures afin d'éviter des distorsions de prix et, en 1990, des règles communes sur la prescription médicale. *Mise sur le marché :* on choisira entre la reconnaissance mutuelle des autorisations nationales et un système d'autorisation communautaire.

Normes techniques. Reconnaissance mutuelle de normes nationales ou établissement de normes européennes.

Notaires. Comme huissiers, avoués, commissaires-priseurs, etc., exonérés du droit général car leur fonction participe à l'exercice de l'autorité publique.

OPA. Achat ou vente de participations dans une sté cotée en Bourse doivent être obligatoirement signalés aux stés concernées puis rendus publics dans un délai de 7 j (ces seuils sont de 10 %, 20, 33,3, 50, 66,6 et 90). Directive « anti-raiders » en 1991.

Permis de conduire. Modèle communautaire.

Pharmaciens. Directive spécifique en 1985.

Pilotes. Normes de qualifications requises seront harmonisées. Reconnaissance mutuelle des licences administratives automatique.

Pompes à essence. A partir du 1-10-1989, on devait pouvoir trouver partout de l'essence sans plomb. L'All. et le Lux. interdisent déjà la vente d'essence normale avec plomb (la plus polluante).

Pots catalytiques. Normes adoptées.

Prêtres. Ne font l'objet d'aucune réglementation (sauf au Danemark où 5 années d'études et un stage d'aptitude ou un examen sont nécessaires).

Produits alimentaires. Voir étiquetage et additifs.

Publicité. Réglementation envisagée vers 1993.

Qualité (contrôles de). La plupart des règles existantes seront édictées au niveau communautaire. Une norme européenne de fonctionnement des laboratoires devra être respectée. L'installation d'un réseau de laboratoires agréés est prévue. Cela permettra d'abolir les contrôles vétérinaires et phytosanitaires aux frontières (qui constituent souvent un protectionnisme déguisé).

Retraités. Peuvent séjourner dans les pays membres de la Communauté comme les étudiants.

Sang. Directive entrant en vigueur au début 1991 pour les médicaments dérivés du sang qui sont des produits stables, préparés de façon industrielle, ex. : l'immunoglobine, facteur 8 de coagulation et albumine. Mêmes principes de base que pour les produits pharmaceutiques. Procédure de validation particulière permettant d'éviter tout risque de contamination. Les autorités publiques du pays de fabrication pourront les contrôler avant leur mise en circulation. Pour la collecte du sang, seuls les donneurs ayant subi des tests appropriés peuvent être retenus.

Stés anonymes. Statut européen à l'étude pour garantir le libre exercice des activités sans avoir d'obligation d'établissement, et sans avoir à répondre aux différentes règles d'enregistrement.

Syndicats. Controverses entre États membres.

Tabac. 1°) harmonisation des droits d'accises prévue pour 1993 (le prix devrait augmenter en France) ; 2°) pour protéger la santé : mesures diverses et normes communautaires (taux de goudron).

Taxis. Harmonisation de la TVA en 1993 permettant la libre prestation des services de transport. Les taxis pourront franchir librement les frontières.

Télécommunications. Libre prestation des services.

Téléphonie. Une directive fixe une norme européenne qui organise la répartition des canaux et autorise des téléphones mobiles.

Télévision. Harmonisation des réglementations nationales prévue pour 1993. Permet de diffuser et de recevoir librement les émissions. Fixera des principes communs touchant publicité, droits d'auteur et préférence pour les productions d'origine communautaire. Normes européennes garantissant la comptabilité des standards. Directive existante concernant la future norme D2 Mac Paquet. Travaux en cours pour la future télévision à haute définition (TVHD).

Textiles. Une commission veut supprimer toutes les formalités aux frontières liées à l'article 115 du traité de Rome (qui prévoit des mesures de protection pour éviter que certains produits importés par un pays membre ne viennent ensuite inonder un autre pays européen). Prévu pour 1991.

Transitaires (en douane). Appelés à disparaître.

Transports routiers. Bénéficieront de la suppression, au 31-12-1992, des quotas nationaux existant dans le transport des marchandises. La commission doit faire des propositions sur les conditions sociales de la profession, sur la fiscalité et sur la couverture des coûts d'infrastructure (certains pays sont favorables à une taxe sur l'utilisation des autoroutes).

TVA. Taux prévus : 4 à 9 % et 14 à 20 %. Tous les produits achetés en France ou à l'étranger le seront TVA incluse. Il n'y aura plus de taxation à l'importation ou de détaxation à l'exportation dans le commerce intérieur à l'Europe. Pour les entreprises françaises, la TVA acquittée sur les achats à l'étranger sera déduite de la TVA appliquée en France aux mêmes produits : la neutralité de la TVA sera ainsi maintenue. Réforme peut-être achevée au 31-12-1992.

Vétérinaires (médecins). Couverts par une directive particulière (adoptée le 23-12-1978).

Viande. Réglementations sanitaires harmonisées. L'utilisation des hormones pour engraisser les animaux est interdite dep. le 1-1-1989.

Visas. Même politique à l'égard des visas et de leur obtention : adoptée.

Loi européenne

On distingue : *1) Règlement :* s'impose à tous les gouvernements ; directement et immédiatement applicable ; Commission et Conseil des ministres peuvent en émettre. *2) Directive :* généralement émise par le conseil des ministres, s'impose aux États qui doivent la traduire dans leurs législations nationales. *3) Décision :* s'impose de façon contraignante sans que la législation nationale soit nécessaire pour cela. *4) Recommandation :* faite par la Commission ou le Conseil, elle n'a pas force de loi.

☞ *L'Acte unique européen* prévoit que de nombreuses décisions nécessaires à la réalisation du marché intérieur sont prises à la majorité qualifiée (54 voix sur 76) dont All. féd., *France,* G.-B., Italie 10 voix chacun, Espagne 8, Belgique, Grèce, P.-Bas et Portugal 5, Danemark et Irlande 3, Luxembourg 2. D'autres, telle la fiscalité, à l'unanimité.

sa propre initiative (175 avis en moyenne par an, publiés au J.O. des Communautés européennes).

Cour des comptes

Créée 22-7-1975 ; fonctionne dep. oct. 1977. **Siège :** 29, rue Aldringen, 1118 Luxembourg. *Pt :* Pierre Lelong (Fr.) dep. le 8-10-81. **Organisation :** 12 membres nommés pour 6 ans par le Conseil des C.E. après consultation de l'Assemblée (au début, 4 m. ont été choisis par tirage au sort pour 4 ans). **Rôle :** contrôle légalité, régularité et gestion financière des ressources prélevées sur les contribuables européens et gérées par les 3 Communautés. Peut présenter, à tout moment et sur son initiative, des observations sur des points particuliers et rendre des avis à la demande des institutions de la C.E. Rapport annuel.

Banque européenne d'investissement (B.E.I.)

Siège : 100 Bd Konrad-Adenauer L 2 950 Luxembourg. **Créée** en 1958. Instituée par le tr. de Rome (25-3-1957). **But :** contribuer par des prêts et des garanties au développement équilibré de la Communauté. Institution financière de la C.E., elle emprunte l'essentiel de ses ressources sur les marchés des capitaux. Intervient, sans but lucratif, dans tous les secteurs de l'économie quels que soient le statut de l'emprunteur (public ou privé) et la taille du projet : les petits investissements (PME, PMI, collectivités locales) sont financés par le biais des prêts globaux à des banques ou instituts de financement (début 1991, S.D.R., Crédit national, Crédit Lyonnais, C.I.C., Banques populaires, Caisse Centrale de Crédit Coopératif, Société Lyonnaise de Banque, Crédit local de France, Crédit Mutuel, Compagnie du B.T.P., Locafrance, Immoffice, Locamur, Immobanque, Bail Equipement, Interbail...). **Capital :** 28,8 milliards d'ECU, souscrits par les États membres de la C.E.E. (7,5 % env. effectivement versés) ; le solde constitue un capital de garantie.

Prêts (en 1990) : + de 13,4 milliards d'ECU (+ de 90 % dans la C.E.E. où 61 % des financements concernaient le développement régional). *Principaux inv. :* industriels ou agro-ind. et services liés ; infrastructures de transport, de télécommunications et énergétiques (production, transport, économies d'énergie) ; aménagement urbain (réseaux de distribution et collecte des eaux, chauffage urbain, transports, aménagements des centres, zones industrielles) ; renforcement de la compétitivité économique de la Communauté, notamment par le financement de petits et moyens investissements des PME, PMI et collectivités locales (7 800 crédits accordés en 1990) ; protection de l'environnement (assainissement de l'air, de l'eau, des fleuves, reforestation). *En France en 1990 :* + de 11,7 milliards de FF.

La B.E.I. est associée à la mise en œuvre des plans de développement définis par la Communauté pour la mise en œuvre des « fonds structurels communautaires ». Son intervention dans ce cadre vise à obtenir le maximum d'effet d'entraînement à la combinaison des prêts accordés par la B.E.I. et des subventions financées par le budget communautaires. La B.E.I. gère, sous mandat, certains instruments communautaires, notamment dans le cadre des prêts consentis dans les pays ACP (ressources du F.E.D.) ou dans les pays méditerranéens (ressources du budget communautaire). La B.E.I. est actionnaire de la B.E.R.D.

Conventions avec des pays d'Afrique, des Caraïbes et du Pacifique (A.C.P.)

1re convention (Lomé I). Le 28-2-75, avec 46 pays A.C.P. **2e (Lomé II).** Le 31-10-79, avec 58 pays. Valable du 1-3-1980 au 28-2-1985. Quid 1990 p. 835. **3e (Lomé III).** Négociations de fin 1983. *Coût :* 9,5 milliards de $. **4e (Lomé IV) :** 1989-90.

☞ Accords avec d'autres pays tiers (voir Quid 1983).

Conseil de l'Europe

Création : 5-5-1949 (signature du statut). **Siège :** Conseil de l'Europe, B.P. 431 R6, 67006 Strasbourg Cedex. **Secr. gén. :** Catherine Lalumière (France) (n. 3-8-1935), dep. mai 1989. Env. 900 fonctionnaires internationaux recrutés parmi les ressortissants des États membres. *Bureaux Paris :* 55, av. Kléber 75016. *Bruxelles :* Résidence Palace, 155, rue de la Loi. **Représentant de la France** (avec rang d'ambassadeur) : Pierre Renaud de Boisdeffre (11-7-1926) dep. 10-8-1988.

Membres : tout État européen peut devenir membre à condition de reconnaître les principes. *États membres au 1-4-1990 :* 25 (en italique membres fondateurs en 1949). All. féd. (1951), Autr. (1956), *Belgique,* Chypre (1961), *Danemark,* Espagne (1977), Finlande (1989), *France, G.-B.,* Grèce [1949 (s'est retirée en déc. 1969 parce qu'elle ne satisfaisait plus aux conditions ; réadmise en nov. 1974 après avoir changé de régime politique)], Hongrie (6-11-1990), *Irlande,* Islande (1950), *Italie,* Liechtenstein (1978), *Luxembourg,* Malte (1965), *Norvège, P.-Bas,* Portugal (1976). St-Marin (1988), *Suède,* Suisse (1963), Tchécoslovaquie (21-2-1991), Turquie (1949).

Organisation : Comité des ministres réuni 2 fois par an, au niveau des ministres des Aff. étr. des États, et, mensuellement, au niveau des délégués des ministres. **Assemblée parlementaire** (1 session en 3 parties par an) : 192 représentants. De 2 à 18 par pays, selon la population. Siègent selon l'ordre alphabétique des noms de pays suivant l'orthographe anglaise. Il existe des groupes politiques multinationaux : libéral, dém.-chrétien, socialiste, communiste et dém. eur. (conservateur). En oct. 1973, la *France* a été le 1er pays membre à désigner des représentants communistes à l'Assemblée. **Langues** *officielles :* français et anglais ; *de travail* à l'Ass. parlementaire : allemand et italien. **Drapeau européen :** azur à 12 étoiles d'or disposées en cercle [nombre invariable, symbole de la perfection et de la plénitude], adopté le 8-12-1955. **Hymne européen :** prélude à « l'Ode à la joie » de la 9e symphonie de Beethoven, adopté en janv. 1972. Herbert von Karajan a réalisé pour l'hymne un arrangement musical spécial. **Journée de l'Europe :** 5 mai.

But : réaliser une union plus étroite entre les membres afin de sauvegarder et de promouvoir idéaux et principes qui sont leur patrimoine commun et de favoriser leur progrès économique et social. Examen des questions d'intérêt commun, conclusion d'accords et de conventions, adoption d'une action commune dans les domaines économique, social, culturel, scientifique, juridique et administratif et de l'environnement, sauvegarde et développement des droits de l'homme et des libertés fondamentales. Plus de 135 accords et conventions, y compris la Convention eur. des droits de l'homme qui a institué la Commission et la Cour eur. des droits de l'homme, la Convention eur. d'établissement, la Charte sociale eur. et la Convention sur le statut du travailleur migrant, la Convention eur. pour la répression du terrorisme, la convention relative à la conservation de la vie sauvage et du milieu naturel de l'Eur., la Convention pour la sauvegarde du patrimoine architectural de l'Eur., la Charte de l'autonomie locale, la Convention eur. pour la prévention de la torture et des peines ou traitements inhumains ou dégradants, la Convention eur. sur la télévision transfrontière. **Budget** ord. (1990), y compris traitements du personnel : 477 000 000 F, répartis entre les États membres au prorata de leur population et de leur P.N.B.

Conférence permanente des pouvoirs locaux et régionaux de l'Europe. *Créée* 1957. Siège une fois par an à Strasbourg. Réunit des élus des collectivités locales et régionales. Adresse des avis et des résolutions au comité des ministres et à d'autres organismes européens et internationaux.

Accords partiels. Regroupent une partie des États membres. **Toxicomanie.** Groupe Pompidou, *créé 1971.* **Pharmacopée :** normes juridiquement applicables pour env. 500 substances médicinales. **Transfusion sanguine.** Réseau de centres nationaux de transfusion et banque européenne de sang congelé de groupes rares à Amsterdam. **Fond de développement social du Conseil de l'Eur.** *Créé* 1956, finance jusqu'à 40 % des projets destinés à aider réfugiés, régions

Convention européenne des droits de l'homme

Création. *Signée* le 4-11-1950, entrée en vigueur le 3-9-53, *complétée* et amendée par 8 protocoles additionnels ; vise avant tout les droits civils et politiques ; institue un mécanisme judiciaire de garantie internationale. Ratifiée par tous les États membres du Conseil de l'Europe (All. féd., Autriche, Belgique, Chypre, Danemark, Espagne, *France*, Grèce, Irlande, Islande, Italie, Liechtenstein, Luxembourg, Malte, Norvège, P.-Bas, Portugal, R.-U., Saint-Marin, *Suède*, Suisse et Turquie) sauf le dernier venu : Finlande. *Le droit de recours individuel* et la juridiction obligatoire de la Cour européenne des droits de l'homme ont été acceptés par tous ceux qui ont ratifié la Convention, sauf la Finlande.

Droits garantis. Droit à la vie, liberté, sûreté ; une bonne administration de la justice (cas le plus fréquemment invoqué) ; au respect de la vie privée et familiale, du domicile et de la correspondance. Liberté de pensée, de conscience et de religion ; d'expression et d'opinion y compris le droit de recevoir et de communiquer des informations ; de réunion pacifique et d'association (y compris le droit de fonder des syndicats). Droit de se marier et de fonder une famille. Interdiction de la torture et de peines ou traitements inhumains ou dégradants. Interdiction de l'esclavage, de la servitude, du travail forcé et obligatoire. Interdiction de la rétroactivité des lois en matière pénale. Interdiction de la discrimination dans la jouissance des droits et libertés garantis par la Convention. Droit au respect des biens ; à l'instruction ; engagement par les États contractants à organiser, à des intervalles raisonnables, des élections libres au scrutin secret, dans des conditions qui assurent la libre expression de l'opinion du peuple sur le choix du corps législatif. Droit de circuler librement et de choisir sa résidence ; de quitter un pays y compris le sien. Interdictions d'emprisonnement pour manquement à une obligation contractuelle ; d'expulsion individuelle ou collective de ses propres ressortissants, du refus d'entrée et d'expulsions collectives d'étrangers ; droit pour les étrangers à des garanties procédurales en cas d'expulsion du territoire d'un État ; droit d'un condamné à faire réexaminer sa condamnation par une juridiction supérieure ; droit à ne pas être poursuivi ou condamné, en matière pénale, en raison d'une infraction pour laquelle on a déjà été acquitté ou condamné ; égalité de droits et de responsabilités des époux dans le mariage.

• **Contrôle. Commission européenne des droits de l'homme** Strasbourg. *Membres* en nombre égal à celui des États contractants, élus par le Comité des ministres du Conseil de l'Eur. et agissant à titre individuel. *Compétence :* peut être saisie de toute violation prétendument commise par l'un des États contractants. Tout État contractant peut introduire une requête, ainsi que tout individu, groupe d'individus ou organisation non gouvernementale (si l'État mis en cause a accepté le droit de recours individuel). Décide de la recevabilité des requêtes, se met ensuite à la disposition des parties pour un règlement amiable de l'affaire ; si la tentative de règlement amiable échoue, elle rédige un rapport qui contient son avis et est transmis au Comité des ministres du Conseil de l'Eur.

Cour européenne des droits de l'homme. *Membres :* juges en nombre égal à celui des États membres du Conseil de l'Eur., et élus par l'Ass. parlementaire du Conseil de l'Eur. *Compétence :* peut être saisie de l'affaire dans les 3 mois suivant la transmission du rapport de la Commission. Seuls les États intéressés et la Commission peuvent la saisir (si l'État mis en cause a accepté la juridiction obligatoire de la Cour ou, à défaut, avec son consentement).

Comité des ministres du Conseil de l'Europe. N'intervient que si la Cour n'est pas saisie et doit alors décider, par un vote à la majorité des 2/3, s'il y a eu ou non une violation de la Convention. Est également appelé à surveiller l'exécution des arrêts rendus par la Cour européenne.

• **Statistiques.** *Au 31-12-1990,* 17 568 requêtes individuelles enregistrées par la Commission, dont 321 déclarées recevables. 18 requêtes soumises à la Commission par des États contractants. La Cour eur. des droits de l'homme a été saisie de 252 affaires et a constaté une ou plusieurs violations dans 130 aff. 67 aff. sont actuellement pendantes devant elle. Le Comité des ministres du Conseil de l'Europe a adopté 101 résolutions sur la violation ou non-violation de la Convention dont 5 relatives à des affaires interétatiques.

dévastées par des tremblements de terre ou inondations, réintégrer socialement et économiquement des chômeurs en créant emplois et centres de formation prof. Permet la construction de logements sociaux et le financement de projets d'éducation et de santé publique. *Capacité de prêt du Fonds* (1990) : 800 millions d'ÉCU. *Prêts accordés* (dep. 1956) : + de 8 milliards de $ US. **Eurimages.** Fonds européens destinés à développer la coproduction et la diffusion des œuvres de création cinématographiques et audiovisuelles, *créé* 1988 ; dotation (1990) : env. 90 millions de F.

Activités de documentation. Service de l'édition et de la documentation.

Centre de documentation pour l'éducation en Europe. *Créé* 1964. Bibliothèque spécialisée. Producteur de la base de données EUDISED (European Documentation and Information System for Education) accessible en ligne par l'intermédiaire de l'Agence spatiale européenne. *Publication :* News-Letter/Faits Nouveaux (5 par an, gratuit).

Centre européen de la jeunesse (C.E.J.). *Créé* en 1972. *Siège :* Strasbourg. Cogéré entre les gouvernements et les organisations de jeunesse. Établissement éducatif résidentiel qui permet aux jeunes Européens de se rencontrer et de se former aux relations internationales. Il a accueilli, en 1990, 1 428 jeunes venant des pays européens et de pays non européens. *Budget 1991 :* 19 956 000 F (inclus dans le budget ordinaire).

Fonds européen pour la jeunesse (F.E.J.). *Créé* 1972. *Siège :* Strasbourg. Cogéré comme le C.E.J. soutient financièrement des organisations de jeunesse. Placé sous la haute autorité d'un Comité intergouvernemental qui lui est propre. *Budget 1991 :* env. 13 000 000 F.

Centre Naturopa. *Créé* 1967 sous le nom de Centre de documentation et d'information sur l'environnement et la nature. *Publications :* Naturopa – Faits Nouveaux, bibliographies générales et spécialisées, etc. Service de documentation, campagnes d'information.

Autres organisations européennes

• **A.E.L.E. (E.F.T.A.). Association européenne de libre-échange (European Free Trade Association). Siège :** 9-11, rue de Varembé, Genève. **Secr. gén. :** Georg Reisch (n. 1930, Autriche) dep. le 16-4-1988. **Création :** Convention de Stockholm 20-11-1959, en vigueur 3-5-1960. **Membres :** Autriche, Islande (dep. 1-3-1970), Norvège, Suède, Suisse. Finlande associée dep. 26-6-1961, membre dep. le 1-1-1986. Étant entrés dans la C.E.E., ont quitté l'A.E.L.E. : R.-U. et Danemark (31-12-1972), Portugal 1985. Les autres pays ont signé des accords de libre-échange bilatéraux avec la C.E.E.

Organisation : Conseil : 1 représentant par État membre ; présidé alternativement tous les 6 mois par l'un d'eux. **Comités permanents** (économique, experts commerciaux, experts en matière d'origine et de douane, obstacles techniques au commerce, experts juristes, consultatif, parlementaires des pays de l'A.E.L.E., agriculture et pêche, développement économique, budget).

But : abolition des obstacles aux échanges en Europe occidentale et maintien des pratiques libérales, non discriminatoires du commerce mondial. 31-12-1966 : abolition complète avec 3 ans d'avance des droits de douane et des restrictions quantitatives sur les produits industriels, dans l'A.E.L.E. Pas de tarif extérieur commun. En application des accords de libre-échange conclus avec la C.E.E., les derniers obstacles tarifaires subsistants et les restrictions quantitatives dans le commerce A.E.L.E.-C.E.E. étaient éliminés au début de 1984. La Déclaration de Luxembourg de 1984 arrête des directives pour développer les relations A.E.L.E.-C.E.E.

• **Banque européenne pour la reconstruction et le développement (BERD). Siège** à Londres. **Pt :** Jacques Attali (n. 1-11-1943, Fr.). **Créée** 29-5-1990. Inaugurée 15-4-1991. **But :** aider les pays de l'Est dans leur transition vers une économie de marché. **Capital :** 10 milliards d'écus (170 milliards de F). Interviendra dans de nombreux domaines (conseils, capitaux, financement de programmes de formation, coordination de la politique de privatisation et de programmes régionaux de développement). *Actionnariat (en %) :* C.E.E. 51 (dont France 8,58, All. féd. 8,58, G.-B. 8,58, Italie 8,58, Commission de la C.E.E. 3, BEI 3) ; pays emprunteurs 13,5 (dont U.R.S.S.) 6 ; U.S.A. 10, Japon 8,58 ; divers 16,92.

• **Conférence sur la sécurité et la coopération en Europe (C.S.C.E.).** Pour faire le bilan sur les Accords d'Helsinki (juill.-août 1975). **Conférences de Belgrade** (1977-78), **Madrid** (1980-83), **Vienne** (nov. 1987). Recherchait un accord sur 3 points (appelés « corbeilles ») : 1°) la sécurité en Europe ; 2°) la coopération en matière économique, scientifique, technique et d'environnement ; 3°) la coopération en matière humanitaire et de droits de l'homme. U.R.S.S. et pays de l'Est mettaient l'accent sur la 2e « corbeille », les pays de l'Ouest sur la 3e. 19 signataires du 1er Traité de désarmement conventionnel en Europe (C.F.E.) adopté le 15-11 à Vienne et prévoyant des réductions substantielles des armes classiques de l'Atlantique à l'Oural. A **Paris** (19 au 21-11-1990), 34 chefs d'État (dont Mitterrand, Bush, Gorbatchev) et de gouv. signent la **Charte de Paris pour une nouvelle Europe** (l'Albanie est représentée par son min. des Aff. étr. ; assistent comme observateurs les représentants des 3 pays baltes « invités de la République », qui n'ont pu assister aux débats : l'U.R.S.S. s'y étant opposée).

Grands principes affirmés et contenus dans 2 chapitres intitulés :

1° *Une nouvelle ère de démocratie, de paix et d'unité :* droits de l'homme, démocratie et État de droit (Les droits de l'homme et les libertés fondamentales sont inhérentes à tous les êtres humains, inaliénables et garantis par la loi. La responsabilité première des gouvernements est de les protéger et de les promouvoir. Identité ethnique, culturelle, linguistique et religieuse des minorités nat.), liberté économique et responsabilités (croissance économique durable, prospérité, justice sociale, développement de l'emploi et de l'utilisation rationnelle des ressources économiques), relations amicales entre les États participants (progrès de la démocratie, respect et exercice effectif des droits de l'homme sont indispensables au renforcement de la paix et de la sécurité entre les États), sécurité (liberté aux États de choisir leurs propres arrangements en matière de sécurité), unité (réalisation de l'unité nationale de l'All. afin d'instaurer une paix juste et durable dans une Europe unie et démocratique) ;

2° *Orientations pour l'avenir :* dimension humaine (liberté de circulation et de contact entre les hommes, les informations et les idées, ce qui est essentiel à la pérennité et au développement), sécurité (poursuivre la négociation sur les mesures de confiance et de sécurité, s'efforcer de les conclure d'ici à la réunion de la C.S.C.E. qui aura lieu à Helsinki en 1992,

Prix international Charlemagne

Fondé 1949 par des notables d'Aix-la-Chapelle. **Attribué** chaque année, le jour de l'Ascension, par la ville d'Aix-la-Ch., à la personnalité qui a le plus contribué à l'entente et à la coopération internationale sur le plan européen. **Prix :** document-parchemin et médaillon (sur une face, sceau du XIIe s.) d'Aix-la-Chapelle, et 5 000 DM.

Lauréats. 1950 Richard Coudenhove-Kalergi (Autr.). **51** Hendrik Brugmans (Belg.). **52** Alcide De Gasperi (It.). **53** Jean Monnet (Fr.). **54** Konrad Adenauer (All. féd.). **55** Sir Winston S. Churchill (G.-B.). **57** Paul Henri Spaak (Belg.). **58** Robert Schuman (Fr.). **59** George C. Marshall (U.S.A.). **60** Joseph Bech (Lux). **61** Walter Hallstein (All. féd.). **63** Edward Heath (G.-B.). **64** Antonio Segni (Ital.). **66** Jens Otto Krag (Dan.). **67** Joseph Luns (P.-B.). **69** Commission des Communautés europ. **70** François Seydoux de Clausonne (Fr.). **72** Roy Jenkins (G.-B.). **73** Don Salvador de Madariaga (Esp.). **76** Leo Tindemans (Belg.). **77** Walter Scheel (All. féd.). **78** Constantin Karamanlis (Grèce). **79** Emilio Colombo (It.). **81** Simone Veil (Fr.). **82** S.M. Juan Carlos I (Esp.). **84** Karl Carstens (All. féd.). **86** ensemble des citoyens luxembourgeois. **87** Henry Kissinger (U.S.A.). **88** François Mitterrand (Fr.), Helmut Kohl (All. féd.). **89** Frère Roger (Fr., Taizé). **90** Gyula Horn (Hong.). **91** Václav Havel (Tch.).

☞ Prix non décerné : 1956, 1962, 1965, 1968, 1971, 1974, 1975, 1980, 1983, 1985.

conclusion le plus tôt possible de la convention sur l'interdiction universelle, globale et effectivement vérifiable des armes chimiques, détermination à œuvrer à l'élimination du terrorisme tant sur le plan bilatéral que par la coopération multilatérale).

Institutions nouvelles : conseil des min. des Affaires étr. qui se réunissent au moins une fois par an. Secrét. : à Prague. Centre de prévention des conflits : à Vienne. Bureau des élections libres chargé de faciliter les contacts et l'échange d'informations sur les élect. dans les États participants : à Varsovie. Ass. parlementaire.

• Pacte balkanique. **Création :** signé le 9-8-1954. Développe le traité d'amitié et de coopération signé à Ankara en févr. 1953. **Membres :** Grèce, Turquie, Yougoslavie. N'est plus en vigueur.

• U.E.O. (W.E.U.). **Union de l'Europe occidentale (Western European Union). Siège :** 9, Grosvenor Place, Londres. **Origine :** 17-3-1948 : tr. de Bruxelles et Roy.-Uni qui se transforma en U.E.O. le 23-10-1954. **Membres** au 1-4-1991 (en italique signataires du tr. de Bruxelles) : All. féd. (6-5-1955) ; *Belgique ;* Espagne (27-3-1990) ; *France ;* Italie (6-5-1955) ; *Luxembourg ; Pays-Bas ; Portugal* (27-3-1990) ; *R.-U.* **Organisation :** *Conseil* (1 représentant de chaque pays membre) se réunissant au niveau des min. des Aff. étr., de la défense ou des ambassadeurs. **Assemblée :** siège à Paris (repr. des 7 États à l'Ass. consultative du Conseil de l'Europe). **Pt :** M. Robert Pontillon (France). *Secrétariat général.* **Agences :** ag. pour l'étude des questions de contrôle des armements et du désarmement ; ag. pour l'étude des questions de sécurité et de défense ; ag. pour le développement en matière d'armement.

But : intégration progressive de l'Europe, légitime défense collective, coopération et consultation dans les domaines politique, de défense et de sécurité. Seule organisation proprement européenne compétente en matière de défense.

Organisations africaines

• O.U.A. **Organisation de l'Unité Africaine. Création :** 25-5-1963. **Siège :** Addis-Abeba (Éthiopie). **Président :** Pt d'un État membre désigné chaque année [1991-92 : Ibrahim Babangida (Nigéria) élu au 26e sommet à Addis-Abeba]. **Secr. gén. :** Salim Ahmed Salim (Tanzanie, n. 1942). **Membres :** 51 États [Algérie, Angola, Bénin, Botswana, Burkina Faso, Burundi, Cameroun, Cap-Vert, Rép. centrafricaine, Comores, Congo, Côte-d'Ivoire, Djibouti, Égypte, Éthiopie, Gabon, Gambie, Ghana, Guinée, Guinée-Bissau, Guinée équat., Kenya, Lesotho, Liberia, Libye, Madagascar, Malawi, Mali, RASD (Rép. arabe sahraouie dém.), Maurice, Mauritanie, Mozambique, Namibie, Niger, Nigeria, Ouganda, Rwanda, São Tomé et Principe, Sénégal, Seychelles, Sierra Leone, Somalie, Soudan, Swaziland, Tanzanie, Tchad, Togo, Tunisie, Zaïre, Zambie, Zimbabwe]. **Organisation.** *Conférence des chefs d'État et de gouv.* au moins 1 fois par an, *Conseil des min.* 2 fois par an. *Bureaux régionaux : New York* (O.N.U.), *Genève* (O.N.U.), *Dar es-Salaam* (Comité de coordination pour la libération de l'Afrique), *Lagos* (Commission scient., techn. et de recherche). *Bruxelles* (Bureau permanent), *Niamey* (Centre d'études linguistiques et histor. par tradition orale), *Nairobi* (Bureau inter-afr. pour les ressources animales), *Yaoundé* (Conseil phytosanitaire inter-afr.), *Conakry* (Bureau de coordination pour l'aménagement intégré du Fouta-Djalon), *Tunis* (Délégation permanente auprès de la Ligue des États arabes).

Nota. – Le 15-4-1958, 1re Conférence des États indépendants d'Afrique à Accra (Ghana). 8 États (Égypte, Éthiopie, Ghana, Libéria, Libye, Maroc, Soudan, Tunisie). L'Afr. du Sud, invitée, refusa, ne consentant à y siéger qu'en la compagnie de toutes les puissances coloniales exerçant des responsabilités sur le continent. En avril 1961, à la Conf. d'Accra, Ghana, Mali et Guinée formèrent une *Union des États africains.* Quand l'O.U.A. fut créée, ils la rejoignirent. Le Maroc a quitté l'O.U.A. le 12-11-1984, quand celle-ci a accueilli la RASD.

• B.Af.D. ou B.A.D. Banque africaine de développemt. **Création :** 4-8-1963. **Siège :** Abidjan (Cote-d'I). **Membres :** 75 États d'Afrique, d'Amérique, d'Asie et d'Europe.

• C.E.A.O. **Communauté économique de l'Afrique de l'Ouest. Création :** 16-4-1973. Entrée en vigueur du tr. le 1-1-1974, successeur de l'UDEAO [Union douanière des États de l'Afr. de l'Ouest (qui remplaçait l'UDAO créée 1959)]. **Siège :** Ouagadougou (Burkina). **Membres :** Bénin, Burkina, Côte-d'Ivoire, Mali, Mauritanie, Niger, Sénégal. *Observateurs :* Guinée, Togo. **Budget** (1990) : 1,2 milliard de F CFA. **Buts :** promouvoir une politique active de coopération et d'intégration écon., (agriculture, élevage, pêche, industrie, transports et communications, tourisme) ; développer les échanges commerciaux des États membres, en établissant entre eux une zone d'échanges organisée. **Organisation :** *Conférence des chefs d'État* (organe suprême se réunissant 1 fois tous les 2 ans). *Conseil des ministres. Cour arbitrale. Secrétariat général.* **Secr. gén. :** Mamadou Haïdara (Mali, n. 1940), dep. mars 1986. **Fonds de solidarité et d'intervention pour le développement économique communautaire (F.O.S.I.D.E.C.)** *créé* oct. 1978, intervient par garantie et contre-garantie des emprunts, octroi de prêts, prises de participations, financement d'études communautaires, subventions. *Capital :* 13,5 milliards de F CFA. **Accord de non-agression et d'assistance en matière de défense (ANAD)** *signé* juin 1977, entre CEAO et Togo. **Accord pour la libre circulation** des personnes et le droit d'établissement à l'intérieur de la Communauté signé oct. 1978.

• C.E.D.E.A.O. **Communauté économique des États de l'Afrique de l'Ouest. Création :** 18-5-1975. Entrée en vigueur du tr. : mars 1977. **Siège :** Lagos (Nigeria). **Membres :** Bénin, Burkina, Cap-Vert, Côte d'Ivoire, Gambie, Ghana, Guinée, Guinée-Bissau, Liberia, Mali, Mauritanie, Niger, Nigeria, Sénégal, Sierra Leone, Togo.

• Communauté est-africaine. **Création :** 1-12-1967. **Siège :** P.O.B. 1001 Arusha (Tanzanie). **Membres :** Kenya, Ouganda, Tanzanie. **But :** Marché commun.

• Conférence de coordination pour le développement de l'Afrique australe **(Southern African Development Coordination Conference, SADCC). Création :** 1-4-1980 (Lusaka). **Siège :** Gaborone (Botswana). **Membres :** Angola, Botswana, Lesotho, Malawi, Mozambique, Swaziland, Tanzanie, Zambie, Zimbabwe. **But :** renforcer l'indépendance économique de ses membres principalement vis-à-vis de l'Afr. du Sud.

• Conseil de l'entente. **Création :** 29-5-1959. **Siège :** Abidjan (Côte-d'Ivoire). **Membres :** Bénin, Burkina, Côte-d'Ivoire, Niger, Togo (dep. 9-6-1966). **Organisation :** *Conférence des chefs d'État* 1 fois par an (précédée par un *Conseil des ministres*). *Secrétariat administratif* du Fonds d'entraide et de garantie des emprunts du C.E., est aussi celui du C.E. **Secr. admin. :** Paul Kaya (n. 1933), dep. 1966. **But :** organiser et développer la solidarité et la coopération économique entre les États membres. **En milliards de F CFA :** capital (au 31-12-90) 16,8 ; budget de fonctionnement (1991) 1,808.

• Groupe de Casablanca. **Création :** Conférence de Casablanca (1961). **Membres :** Algérie, Égypte, Ghana, Guinée, Libye, Mali, Maroc.

• Groupe de Monrovia. **Création :** Conf. de Monrovia (Liberia), 1961. Signature de la Charte à Lagos en 1962. **Membres :** 12 États de l'Union afric. et malg., plus Éthiopie, Liberia, Nigeria, Sierra Leone, Somalie, Togo, Tunisie, Zaïre. **But :** coopération pol., écon., diplom., culturelle et de défense.

• Union douanière d'Afrique australe (Southern African Customs Union). **Création :** 11-12-1969. **Siège :** Pretoria (Afrique du S.). **Membres :** Afr. du S., Botswana, Lesotho, Swaziland (fondateurs) ; Transkei, Venda, Bophuthatswana, Ciskei.

• U.D.E.A.C **Union douanière et éc. de l'Afr. centrale. Création :** 8-12-1964 (a remplacé l'Union douanière équatoriale créée 23-6-1959). **Membres :** Cameroun, Rép. centrafricaine, Congo, Gabon, Guinée équatoriale (dep. 19-12-1983) ; Tchad (avait quitté l'Union 1-1-1969 réintégré 18-12-1984). **Institutions :** *Conseil des chefs d'État* (au moins 1 fois par an). *Comité de direction :* 2 ministres par État, chargé des Affaires écon. et fin. Se réunit au moins 2 fois par an, ses décisions prises à l'unanimité ont force de loi dans les 6 États. **Secr. gén. :** Ambroise Foalem (Cameroun, n. 15-6-1934).

• U.M.A. **Union du Maghreb arabe. Création :** 17-2-1989 à Marrakech au 2e sommet du Maghreb (1er : Alger 1980). **Membres :** Algérie, Égypte, Libye, Maroc, Mauritanie, Tunisie.

• Union monétaire ouest-africaine. **Création :** 12 mai 1962. **Membres :** Bénin, Burkina, C.-d'Ivoire, Mauritanie, Niger, Sénégal, Togo (dep. 27-11-1963). Unité monétaire : le Franc de la Communauté financière africaine (FCFA : 0,02 F), émission confiée à la Banque centrale des États de l'Afr. de l'Ouest.

☞ Organisations disparues. **Comité permanent consultatif du Maghreb.** Créé oct. 1964, n'a jamais eu d'activités. *Membres :* Algérie, Maroc, Mauritanie, Tunisie. *Buts :* coordination économique, échange d'informations techniques. **Conférence des chefs d'État de l'Afr. équatoriale :** créée 24-6-1959 par les États de l'ancienne A.E.F. (Afrique équatoriale française), dissoute 28-5-1970 (voir *Quid 72,* p. 328). **U.A.M.C.E.** *(Union afr. et malg. de coopération économique).* **O.A.M.C.E.** *(Organisation afr. et malg. de coopération économique)* (voir *Quid 74,* p. 435 b). **U.E.A.C. Union des États d'Afrique centrale.** Créée février 1968. *Membres :* Tchad, Zaïre. En déc. 1968, l'Emp. centrafricain l'avait quittée. **U.R.A.C.** *(Union des Rép. d'Afr. centrale) :* créée juin 1960 (Rép. centrafr., Congo, Tchad). **O.C.A.M.** *Organisation commune afric. et mauricienne :* siège : Bangui (Rép. centrafr.), créée juin 1966 à Tananarive, dissoute 25-3-1985 (v. *Quid 86,* p. 747).

Organisations américaines

• Alliance pour le progrès. **Création :** 17-8-1961 à Punta del Este (Uruguay), dissoute 1975. **Membres :** U.S.A. et pays d'Am. latine, sauf Cuba. **But :** programme d'assistance (10 ans) à l'Amér. latine.

• A.L.A.D.I. **Association latino-américaine d'intégration. Création :** tr. de Montevideo (12-8-1980). **Siège :** Montevideo (Uruguay). **Membres :** Argentine, Bolivie, Brésil, Chili, Colombie, Equateur, Mexique, Paraguay, Pérou, Uruguay, Venezuela. Remplace l'A.L.A.L.E. (Assoc. latino-amér. de libre-échange, créée 18-2-1960), dep. le 18-3-1981. **But :** intégration économique régionale et, à long terme, formation d'un marché commun latino-amér. **Organisation :** *Conseil des ministres des Affaires étrangères, Conférence d'évaluation et convergence, Comité de représentants. Organe technique :* Secr. gén. *Plusieurs organes auxiliaires.*

• B.I.D. (I.A.D.B.) **Banque interaméricaine de développement (Inter-American Development Bank). Création :** 8-4-1959. **Siège :** Washington. **Membres :** 44 [27 pays américains (+ Canada), 15 européens (dont All. féd., G.-B., France), Israël, Japon].

• CARICOM **(Caribbean Community). Communauté des Caraïbes. Création :** 4-7-1973. A remplacé la Caribbean Free Trade Association (CARIFTA) créée 1965. **Siège :** Georgetown (Guyane). **Membres :** Barbade, Guyane, Jamaïque, Bahamas, Trinité-et-Tobago (fondateurs) ; Antigua et Barbuda, Belize, Dominique, Grenade, Montserrat, St Christopher and Nevis, Ste-Lucie, St-Vincent et les Grenadines (ont adhéré en 1974). **But :** union économique.

• C.B.I. **Caribbean Basin Initiative. Création :** 1982 par le Pt Reagan. **Principe :** exonérer de droits de douane les produits de 22 pays des Caraïbes et de l'Amér. centrale, exportés vers les E.-U. Reagan espérait renforcer le secteur privé local et attirer les investisseurs. Mais, entre 1983 et 88, les ventes des pays bénéficiaires aux E.-U. sont passées de 9,2 milliards de $ à – de 6,5 (comprenant les produits pétroliers dont les prix ont baissé). La zone a bénéficié dep. 1984 de 1,5 milliard de $ de nouveaux investissements (dont 50 % d'origine nord-amér.).

• Conseil de coopération de la région des Amazones **(Amazonian Cooperation Council). Création :** 1978. **Siège :** Brasilia. **Membres :** Bolivie, Brésil, Colombie, Equateur, Guyane, Pérou, Surinam, Venezuela.

• Groupe de Cantadora. **Création :** janv. 1983. **Membres :** Colombie, Mexique, Panama, Venezuela. **But :** recherche de paix en Amérique centrale. S'élargit avec le groupe d'appui de Lima (Argentine, Brésil, Pérou, Uruguay) au sommet d'Acapulco (1987).

• Mercosur. **Création :** 26-3-1991. **Membres :** Argentine, Brésil, Paraguay, Uruguay. **But :** marché commun du sud de l'Amérique latine qui prévoit la libre circulation des biens, capitaux, services et personnes à partir de 1995. 1re étape : réduction immédiate de 47 % des taxes à l'importation.

• O.D.E.C.A. **Organizacion de Estados centro-americanos. Création :** Charte de San Salvador (14-10-1951 et 12-12-1962 à Panama). **Siège :** San Salvador. **Membres :** Guatemala, El Salvador, Honduras, Nicaragua, Costa Rica. **Organisation :** *Réunion des Présidents* (1re en 55). *Conseil Exécutif. 1 Secr.*. gén. (l'Office Centre-Amér.). **Siège :** San Salvador. **But :** unité centraméricaine ; coopération écon., culturelle et sociale. **Administrateur du Secr. gén. et Secr. du Conseil exécutif :** Ricardo Juarez Marques (Guat.).

• O.E.A. (O.A.S.). **Organisation des États américains (Organization of American States). Création :** *1890* 1re Conférence intern. amér. à Washington fonde l'Union intern. des Rép. amér. ; *1948* 9e Conf. de Bogota adopte la Charte de l'Org. de l'O.E.A. ; *1970-88* Charte réformée. **Siège :** Washington, D.C. **Membres :** Antigua et Barbuda, Arg., Bahamas, Barbade, Belize, Bolivie, Brésil, Canada, Chili, Colombie, Costa Rica, Cuba (le gouvernement a été expulsé en 1962 ; le pays reste membre), Dominique, Rép. dom., Équateur, El Salvador, Grenade, Guatemala, Guyane, Haïti, Honduras, Jamaïque, Mexique, Nicaragua, Panama, Paraguay, Pérou, St Christopher and Nevis, Ste Lucie, St-Vincent et Grenadines, Surinam, Trinité et Tobago, U.S.A., Uruguay, Venezuela. **Organisation :** *Assemblée générale* (chaque année). *Consultation des ministres des Relations extérieures* pour problèmes d'urgence. 3 *Conseils* responsables devant l'Ass. : C. permanent (Washington, D.C. ; 1 représentant par pays), C. écon. et social interaméricain et C. interamér. pour l'éducation, la science et la culture. *Comité juridique interamér. Commission interamér. des Droits de l'homme. Cour interamér. des Droits de l'homme. Secrétariat général. Conférences et organismes spécialisés* (santé, agriculture, etc.). **Secr. gén. :** (jusqu'au 6-02-94) : Joâo Clemente Baena (Brésil). **Budget :** 80,2 millions de $ (1991).

• Pacte Amazonien. **Création** 3-7-1978. **Membres :** Bolivie, Brésil, Colombie, Équateur, Guyane, Pérou, Surinam, Venezuela. **But :** une politique commune de mise en valeur et d'exploitation de l'Amazone.

• Pacte Andin. **Création :** accord de Carthagène (26-5-1969). **Siège :** Lima. **Membres :** Bolivie, Chili (se retire en 1976), Colombie, Équateur, Pérou, Venezuela (1973). Création d'un véritable marché commun avant 1995.

• Sommet des présidents Centro-Américains (Costa Rica, El Salvador, Guatemala, Honduras, Nicaragua). 1er au 4e : sans Nicaragua. *1°)* 1986 (mai) Esquipulos I (Guatemala). *2°)* 1987 (févr.) : Esquipulos II : accord élaboré à partir du plan Arias C. *3°)* 1988 : San José : déclaration d'Alajuela (16-1). *4°)* 1989 : Salvador : déclaration de Costa del Sol (14-2). *5°)* 1989 : Honduras : accord de Tela (7-8).

• T.I.A.R. **Tratado Internamericano de Assistencia Reciproca (Traité panaméricain d'assistance mutuelle). Création :** Rio 2-9-1947. **Membres :** tous les États amér., sauf Canada. **But :** tr. d'assistance réciproque en cas d'agression contre un État américain. La décision d'intervenir ne peut être prise qu'à la majorié des États réunis en conférence (jusqu'au 17-5-1975, majorité des 2/3).

Autres organisations

Organisations politiques et économiques diverses

☞ Voir aussi Index (ex. pour OPEP, OPAEP...).

• A.N.Z.U.S. **Australia, New Zealand, United States. Création :** San Francisco 1-9-1951 pour une durée illimitée. **Siège :** min. des Affaires étrangères. **Membres :** Australie, Nouvelle-Zélande, U.S.A. **But :** tr. de sécurité militaire dans le Pacifique.

• A.P.E.C. **Asia-Pacific Economic Cooperation. Origines :** 1989 à l'initiative de l'Australie (préside dep. 1986 le groupe Cairns, ville du Queensland où le groupe a été créé). **Membres :** Australie, Brunei, Canada, Corée du S., Indonésie, Japon, Malaisie, N.-Zélande, Philippines, Singapour, Thaïlande, U.S.A.

• A.N.S.E.A. **(Association des Nations du Sud-Est asiatique). Association of South East Asian Nations (A.S.E.A.N.). Siège :** Jakarta. **Création :** 8-8-1967. **Membres :** Indonésie, Malaisie, Philippines, Singapour, Thaïlande, Brunei (dep. 7-1-1984). **Organisation :** *secr. général* à Jakarta : Rusli Noor. **But :** coopération régionale.

• B.A.D.E.A. **(Banque arabe pour le développement économique en Afrique). Création :** 1974 (le Caire). **Siège :** Khartoum (Soudan). **Membres :** 17 pays arabes d'Afrique et d'Asie.

• B.AS.D. **(Banque asiatique de développement). Création :** 1966 (Manille). **Siège :** Manille (Philippines). **Membres :** 49 pays et territoires d'Asie, d'Australie, d'Amérique du Nord et d'Europe.

• B.I.D. **(Banque islamique de développement). Création :** 1974. **Siège :** Djedda (Arab.). **Membres :** 44.

• C.A.E.M. dit Comecon. **Conseil d'assistance économique mutuelle (Council for Mutual Economic Assistance). Création :** janv. 1949. **Siège :** Moscou. **Membres :** All. dém. (jusqu'à oct. 1990), Bulgarie, Cuba, Hongrie, Mongolie, Pologne, Roumanie, Tchécosl., U.R.S.S., Viêt-nam. La Yougoslavie participe aux travaux de certains organes dep. 17-9-1964. **Convention avec des États non-membres :** Finlande (16-5-73), Irak (4-7-75), Mexique (13-8-75), Nicaragua (16-9-1983), Mozambique (17-5-1985), Angola (1986), Éthiopie (1986), Yémen (1986), Afghanistan (1987). **Observateurs :** Afghanistan, Angola, Éthiopie, Laos, Rép. dém. pop. du Yémen. **Organisation,** *en 1987 :* session 1 fois par an. *Comité exécutif* de représentants des pays membres au niveau des chefs adjoints des gouvernements, *bureau* permanent, *commissions permanentes* sectorielles, *conférences* du C.A.E.M. **Secrétariat :** V.V. Sytchev (U.R.S.S.). **Buts :** coordonner les efforts des pays membres pour perfectionner la coopération, développer l'intégration écon. socialiste, assurer la croissance écon. et réduire les inégalités de développement écon. Doit être remplacé par des accords bilatéraux à partir de 1991. Les règles d'échanges entre l'U.R.S.S. et ses anciens satellites sont maintenant soumises aux lois du marché. Paiements en $ ou mark. Matières 1res et biens ind. sont échangés au cours du marché. Réforme progressive. Des accords de troc avec Tchécosl., Hongrie, Pologne, Viêt-nam et Cuba seraient maintenus. **Dissolution** 28-6-1991.

• C.C.G. (C.C.A.S.G.). **Conseil de Coopération des États arabes du Golfe (Cooperation Council for the Arab States of the Gulf). Création :** 1981 (Abu Dabi). **Siège :** Riyad (Arabie S.). **Membres :** Arabie S., Bahreïn, Émirats Arabes Unis, Koweït, Oman, Qatar.

• C.E.N.T.O. **Central Treaty Organisation. Création :** 24-2-1955 [pacte de Bagdad entre Turquie et Irak auxquels s'associèrent G.-B. (4-4), Pakistan (23-9), Iran (3-11)]. Le 24-3-59, l'Irak se retira ; le 21-8-59, le nom de CENTO fut adopté. Le 15-3-1979, la Turquie se retira à la suite du Pakistan et de l'Iran, et l'assoc. fut dissoute. **But :** défense mutuelle et programme de développement économique.

• COCOM **(Comité de coordination pour le contrôle multilatéral des exportations). Création :** 27/28-2-1991 à Paris. Regroupe 17 pays (membres de l'OTAN sauf l'Islande), Japon, Australie. **Mission :** contrôler les ventes de technologies vers les pays de l'Est.

• Commission du Pacifique Sud **(SPC South Pacific Commission). Création :** 1947 (convention de Canberra). **Siège :** Nouméa (N.-Calédonie). **Membres :** 27 [Australie, France, G.B., N.-Zélande, U.S.A. (fondateurs), et 22 pays de la région Pacifique (devenus membres à part entière en accédant à l'indépendance ou à l'autonomie)]. Les P.-Bas (fondateurs) se sont retirés en 1962. La N.-Guinée néerlandaise s'est rattachée à l'Indonésie sous le nom d'*Irian Jaya.* **But :** assistance technique et développement.

• Conférence de Bandung. Du 18 au 25-4-1955 (Indonésie) : réunit 24 pays (dont 16 anciens États « coloniaux » devenus indépendants : Afghanistan, Arabie Saoudite, Cambodge, Chine, Côte-de-l'Or (futur Ghana), Égypte, Éthiopie, Irak, Iran, Japon, Jordanie, Laos, Liban, Liberia, Libye, Népal, Philippines, Siam, Soudan, Syrie, Turquie, Viêt-nam-Nord, V.-Sud, Yémen. **Résultats.** Formula les *10 principes de la coexistence :* 1) Respect des droits humains fondamentaux en conformité avec les buts et les principes de la charte des Nations unies ; 2) Respect de la souveraineté et de l'intégrité territoriale de toutes les nations ; 3) Reconnaissance de l'égalité de toutes les races et de l'égalité de toutes les nations, petites et grandes ; 4) Non-intervention et non-ingérence dans les affaires intérieures des autres pays ; 5) Respect du droit de chaque nation de se défendre individuellement et collectivement conformément à la Charte des Nations unies ; 6) a. Refus de recourir à des arrangements de défense collective destinés à servir les intérêts particuliers des grandes puissances, quelles qu'elles soient ; b. Refus par une puissance quelle qu'elle soit d'exercer une pression sur d'autres ; 7) Abstention d'actes ou de menaces d'agression ou de l'emploi de la force contre l'intégrité territoriale ou l'indépendance politique d'un pays ; 8) Règlement de tous les conflits internationaux par des moyens pacifiques, tels que négociation ou conciliation, arbitrage et règlement devant des tribunaux, ainsi que d'autres moyens pacifiques que pourront choisir les pays intéressés, conformément à la Charte des Nations unies ; 9) Encouragement des intérêts mutuels et coopération ; 10) Respect de la justice et des obligations internationales.

Conférences. Sommets des grands pays industriels occidentaux (G 7)

Origine : 1975 : proposition d'un sommet monétaire, par le Pt Giscard d'Estaing.

Participants : chefs d'État ou de gouvernement des 7 premiers pays industriels occidentaux (All. féd., Canada, U.S.A., France, G.-B., Italie, Japon) qui assurent plus de 50 % de la production mondiale, près des 4/5 de la production des pays industriels.

Objet : étude des grands problèmes économiques, monétaires et politiques.

Lieux : 1975 Rambouillet, **1976** Porto Rico, **1977** Londres, **1978** Bonn, **1979** Tokyo, **1980** Venise, **1981** Ottawa, **1982** Versailles, **1983** Williamsburg, **1984** Londres, **1985** Bonn, **1986** Tokyo, **1987** Venise, **1988** Toronto, **1989** Paris, **1990** Paris.

• Conférences « au sommet » des pays non-alignés. **Belgrade** (1 au 6-9-1961) : 25 pays +pays observateurs. Invite États-Unis et U.R.S.S. à « entrer en contact » pour éviter un conflit mondial, rejette le système des « blocs » et la thèse selon laquelle la guerre, même « froide », serait inévitable, la coexistence pacifique étant le seul choix devant la « guerre froide » et le risque d'une catastrophe nucléaire universelle ; affirme le droit des peuples à l'autodétermination, à l'indépendance et à la libre disposition de leurs richesses ; demande la création d'un fonds d'équipement contrôlé par l'O.N.U. pour fournir une aide économique aux pays en voie de développement ; préconise le « désarmement complet et général ». **Le Caire** (5 au 10-10-1964) : 7 pays + 10 pays observateurs, l'O.U.A., la Ligue arabe et divers mouvements de libération nationale. **Lusaka** (Zambie) (8 au 10-9-1970) : 65 pays, 10 observateurs (Viêt-nam Sud et 9 pays d'Am. latine). **Alger** (5 au 10-9-1973) : 65 + 6 pays observateurs (Amérique latine) et 3 pays invités (Autriche, Finlande, Suède), 4 organisations intern. : (O.N.U., O.U.A., Ligue arabe et O.S.P.A.A.A.) et 15 mouvements de libération. **Colombo** (Sri Lanka) (16 au 19-8-1976) : 86 pays, 17 pays observateurs et 12 organisations. **La Havane** (Cuba) (3 au 8-9-1979) ; 92 pays (le Kampuchéa n'est pas représenté) et 3 organisations membres (O.L.P., Org. des peuples du S.-O. africain, Fr. patriotique du Zimbabwe), 9 pays observateurs, 8 invités. **Delhi** (7 au 11-3-1983). 97 pays (sur 164 États alors indépendants, dont 157 membres de l'O.N.U.). **Harare** (Zimbabwe). (1 au 7-9-1986) : 102 pays. *Afrique :* 50 ; *Amérique latine et Caraïbes :* 18 ; *Asie et Proche-Orient :* 30 ; *Océanie :* (Vanuatu) ; *Europe :* 3 (Chypre, Malte, Yougoslavie). **Belgrade** (1 au 7-9-1989). 102 pays membres, 10 observateurs, 20 invités.

• Conférence islamique **(Organization of the Islamic Conference, OIC). Création :** 1971. **Siège :** Djedda (Arabie Saoudite). **Membres :** 44 (+ O.L.P.). *Conférence des chefs d'État :* tous les 3 ans ; *des ministres des Affaires étrangères :* 1 fois par an. *Comité al-Quds,* pour la libération de Jérusalem.

• C.U.E.A. **(Conseil de l'unité économique arabe). Création :** 1957 (Le Caire). **Siège :** Ammān (Jordanie). **Membres :** 11 (Égypte, Émirats arabes unis, Irak, Jordanie, Koweït, Mauritanie, Somalie, Soudan, Palestine, Syrie, Yémen). Est à l'origine de la création du marché commun arabe.

• Forum du Pacifique Sud. **Création :** 1971. **Membres :** 13 pays mélanésiens (Australie, îles Cook, Fidji, Kiribati, Nauru, île de Niue, N.-Zélande, Papouasie-N.-Guinée, îles Salomon, Samoa occid., Tonga, Tuvalu, Vanuatu).

• Ligue des États arabes. **Création :** 7-10-1944 (Alexandrie) ; à l'initiative du Pt du Conseil égyptien Moustapha el-Nahhas Pacha. 22-3-1945 pacte signé par 7 pays. **Siège :** Le Caire (temporairement transféré à Tunis entre 1979 et le 31-10-1990). **Membres** (fondateurs en italique) : Algérie, *Arabie Saoudite,* Bahreïn, Djibouti, *Égypte* (après la signature du tr. de paix israélo-ég. du 26-3-1979, écartée de 1979 à 1989), Émirats arabes unis, *Irak, Jordanie,* Koweït, *Liban,* Libye (1953), Maroc, Mauritanie, Oman, Palestine, Qatar, Somalie, Soudan (1956), Syrie, Tunisie, *Yémen.* **Organisation :** 1 conseil, 5 comités permanents, 1 secr. gén., 1 conseil de déf. et 1 conseil écon. et soc. **Secr. gén. :** *1945* Abdel Rahman, Azzam, *52* Abdel Khalek Hassouna, *72* Mahmoud Riad, *79* Chedli Klibi (Tunisie, n. 1925), *91 (15-5)* Esmat Abdel Méguid (Ég.). **But :** défense des intérêts et resserrement des rapports entre États membres, coordination de leur action politique en vue de réaliser une collaboration étroite entre eux, de sauvegarder leur indépendance et leur souveraineté.

• Ligue des peuples islamiques et arabes. **Secr. gén. de l'Ass. Constit. :** Sayed Nofal (Égypte, n. 1910).

• Marché commun arabe **(Council of Arab Economic Unity). Création :** 1964. **Siège :** 20, rue Aisha el Taymouria, Garden City, Le Caire, Égypte. **Membres :** Égypte, Émirats arabes unis, Irak, Jordanie, Koweït, Libye, Mauritanie, Organisation de libération de la Palestine, Yémen (Rép. arabe), Yémen (Rép. démocratique pop.). **Organisation :** 1 conseil, 6 comités permanents, 1 secr. gén. *Secr. gén. :* Badr el-Din Abou Ghazi, dep. 1978 ; avant : 1965 Dr Abdel Moneim el-Banna, 1973 Dr Abdel al-Saghban. **But :** favoriser le développement social, promouvoir l'essor économique des parties contractantes, et asseoir l'unité économique sur des assises saines en réalisant la complémentarité entre les pays membres.

• O.C.I. **Organisation de la Conférence islamique.** 1987 janvier, réunion à Koweït.

• O.I.M. **Organisation internationale pour les migrations. Création :** 5-12-1951 sous le nom de CIME, devenu en 1980 le CIM, puis O.I.M. en nov. 1989. **Siège :** 17, route des Morillons, CH-I211, Genève 19. **Membres** (39 États) : All. féd., Argentine, Australie, Autriche, Bangladesh, Belgique, Bolivie, Canada, Chili, Chypre, Colombie, Corée (Rép. de), Costa Rica, Danemark, Rép. Dominicaine, El Salvador, Équateur, Grèce, Guatemala, Honduras, Israël, Italie, Kenya, Luxembourg, Nicaragua, Norvège, Panamá, Paraguay, P.-Bas, Pérou, Philippines, Portugal, Sri Lanka, Suède, Suisse, Thaïlande, Uruguay, U.S.A., Venezuela (25 gouvernements observateurs associés aux travaux, dont la France). **Directeur G**[al] **:** James N. Purcell Jr. (U.S.A., n. 1938), dep. 1988. **Budget :** contributions annuelles des gouv. membres, et contributions ad hoc des gouv. non membres utilisant les services de l'organisation. **But :** transfert organisé de migrants et de réfugiés, personnes déplacées et autres personnes ayant besoin de services internat. de migration, vers des pays leur offrant des possibilités de réinstallation ou des facilités d'immigration ordonnée ; transfert de technologie en faveur de pays en développement par la migration de personnel qualifié de pays industrialisés, retour et placement de nationaux afr. et latino-amér. formés dans ces pays industrialisés. **Réalisations :** en 39 ans, a pris en charge 3 400 269 réfugiés et 1 075 030 émigrants nationaux. Du 3-9 au 31-12-1990, a rapatrié 156 000 étr. bloqués dans la région du Golfe.

• O.S.P.A.A. **Organisation de solidarité des peuples afro-asiatiques. Création :** 1957 au Caire. **Siège :** Le Caire. En sommeil. **But :** lutter contre le néocolonialisme, libérer les peuples et contribuer à leur développement. **Membres :** 78 pays d'Afrique et d'Asie.

• O.S.P.A.A.A.L. **Organisation de solidarité des peuples d'Afrique, d'Asie et d'Amérique latine. Création :** 1966 à la 1re Conférence tricontinentale réunie par Fidel Castro à La Havane. **Siège :** La Havane. Inluence en déclin depuis 1972. **But :** soutenir la lutte des peuples contre impérialisme, colonialisme et néocolonialisme. **Membres :** 9 (Angola, Congo, Guinée, Chili, Cuba, Porto Rico, Corée du N., Viêt-nam).

• O.T.A.N. (N.A.T.O.). **Organisation du traité de l'Atlantique Nord (North Atlantic Treaty Organization)** (V. Index). **Création :** 4-4-1949. **Siège :** 1110 Bruxelles, Belgique (avant le 1-11-1967 à Paris). *Traité de Washington.* **Membres.** *A l'origine :* Belg., Canada, Danemark, France (membre de l'alliance politique, ne participant plus au système de défense intégré dep. 10-3-1966, a cependant demandé de participer en mars 91 aux travaux du comité des plans de défense de l'OTAN portant sur l'évaluation de la menace à l'Est après le démantèlement du Pacte de Varsovie), G.-B., Islande, Italie, Luxembourg, Norvège, P.-Bas, Portugal, U.S.A., *1952 :* Grèce et Turquie. *1955 :* All. féd. *1982 :* Espagne.

Organisation : Conseil de l'Atlantique Nord, composé des représentants des 16 gouvernements (les chefs d'État ou de gouvernement peuvent y siéger eux-mêmes), se réunit en principe 2 fois par an à l'échelon ministériel et toutes les semaines à l'échelon des ambassadeurs. Il est assisté par de nombreux comités et par un *secrétariat international.* **Secrétaires généraux de l'Alliance :** *1952* (mars) : Lord Ismay (1887-1965, G.-B.). *1957* (mai) : Paul-Henri Spaak (1899-1972, Belg.). *1961* (avril) : Dirk Stikker (1897-1979, P.-Bas). *1964* (août) : Manlio Brosio (1897-1980, It.). *1971* (oct.) : Joseph Luns (n. 28-11-1911, P.-Bas). *1984* (25-6) : Lord Carrington (n. 6-6-1919, G.-B.). *1988* (juillet) : Manfred Wörner (n. 1934, R.F.A.). **Comité militaire** (siège en permanence à l'échelon des représentants des chefs d'états-majors, qui eux se réunissent en principe 2 fois par an) émet des avis. **Grands commandements de l'O.T.A.N. :** *Shape* (Supreme Headquarters Allied Powers Europe) commandé par le *Saceur* (Supreme Allied Commander Europe) : *18-12-1950 :* Gal Dwight D. Eisenhower (1890-1969 – U.S.A.). *30-5-1952 :* Gal Mathew B. Ridgway (n. 1895 – U.S.A.). *11-7-1953 :* Gal Alfred B. Gruenther (n. 1899 – All. féd.). *20-11-1956 :* Gal Lauris Norstad (n. 1907 – U.S.A.). *1-1-1963 :* Gal Lyman L. Lemnitzer (n. 1899 – U.S.A.). *1-7-1969 :* Gal Andrew J. Goodpaster (n. 1915 – U.S.A.). *15-12-1974 :* Gal Alexander M. Haig (n. 1929 – U.S.A.). *1-7-1979 :* Gal Bernard Rogers (n. 1921 – U.S.A.). *30-6-1987 :* Gal John R. Galvin (n. 1929 – U.S.A.). *Aclant* (Allied Commander Atlantic) comm. par le *Saclant* (Supreme Allied Commander Atlantic) : Amiral Leon A. Edney (U.S.A.) ; *Cinchan* (Commander in Chief Channel) : Amiral Sir Jock Slater, KCB, LVO (G.-B.) (dep. avril 1989) et *Groupe de planification régional États-Unis-Canada.* A part quelques unités de défense aérienne en état d'alerte permanent, la Force navale permanente de l'Atlantique *(Stanavforlant)* et celle de la Manche *(Stanavforchan),* les forces des pays de l'O.T.A.N. demeurent, en temps de paix, sous commandement national.

But : maintenir une puissance militaire et une solidarité politique suffisante pour décourager agression et autres formes de pression. Poursuivre l'établissement de relations Est-Ouest plus stables qui permettront de résoudre les problèmes politiques fondamentaux. Dep. les bouleversements récents en Europe de l'Est, l'U.R.S.S. revoit sa conception de la Défense selon les directives de la Déclaration de Londres de 1990.

• O.T.A.S.E. (S.E.A.T.O.). **Organisation du traité de l'Asie du Sud-Est (South East Asia Treaty Organization). Création :** traité de Manille 8-9-1954. Siège : Bangkok (Thaïlande). **Dissous** le 30-6-1977. **Membres** Australie, G.-B., N.-Zélande, Philippines, Thaïlande, U.S.A. Le Pakist. s'était retiré le 7-11-1973. **But :** pacte de défense contre l'agression communiste à l'extérieur, assistance aux pays membres contre la subversion interne, coopération économique et culturelle.

• Plan de Colombo (pour la coopération économique et le développement social en Asie et dans l'océan Pacifique). **Création :** 1-7-1951. **Siège :** Colombo (Sri Lanka). **Membres :** Afghanistan, Australie, Bangladesh, Birmanie (Myanmar), Bhoutan, Cambodge, Canada, Corée (du Sud), îles Fidji, G.-B., Inde, Indonésie, Iran, Japon, Laos, Malaisie, Maldives, Népal, N.-Zélande, Pakistan, Papouasie-N.-Guinée, Philipp., Singapour, Sri Lanka, Thaïlande, U.S.A. **Organisation :** *Comité consultatif. Colombo Plan Council, Bureau du Plan de Colombo. Institut d'enseignement technique* (Manille). Aide économique et technique assurée par des accords bilatéraux. Drug Advisory Program.

• S.A.A.R.C. **Association sud-asiatique de coopération régionale. Création :** décembre 1985. **Membres :** Bangladesh, Bhoutan, Inde, Maldives, Népal, Pakistan et Sri Lanka.

• Traité de Varsovie. **Création :** 14-5-1955. Dissous 25-2-1991. **Siège :** Moscou. **Membres :** All. dém., Bulgarie, Hongrie, Pologne, Roumanie, Tchéc., U.R.S.S. **Organisation :** 1 comité consultatif politique, 1 commiss. permanente, 1 secrétariat. 1 commandement mil. avec état-major à Moscou. **But :** traité d'assistance en cas d'agression armée. D'autres pays peuvent adhérer, indépendamment de leur régime politique et social.

Organisations atomiques internationales

• C.E.R.N. **Laboratoire européen de physique des particules. Création :** 15-2-1952, organisation provisoire : le Conseil européen pour la recherche nucléaire (C.E.R.N.) ; 29-9-1954 : permanente. **Siège :** Genève, Suisse. **Membres :** Allemagne, Autriche, Belgique, Danemark, Espagne, Finlande, *France,* Grèce, Italie, Norvège, P.-Bas, Pologne (1-7-91), Portugal, Roy.-Uni, Suède, Suisse. **Organisation.** *Conseil :* 2 délégués par Etat m. [*Pt :* Sir William Mitchell (Roy.-Uni)]. *Dir. gén. :* Carlo Rubbia (It.) **Laboratoires** de part et d'autre de la frontière franco-suisse (Suisse 109 ha, France 487,5 ha). **Grandes machines :** 1 anneau à antiprotons de basse énergie (LEAR), 1 synchrotron à protons (28 GeV), 1 super synchrotron à protons de 6,4 km de circonférence (450 GeV), 1 collisionneur électrons-positons L.E.P. (Large Electron Positon collider) (50 GeV par faisceau) de 27 km de circonférence creusé côté Jura, à cheval sur la frontière franco-suisse. **Budget de base** (1991) : 908,95 millions de FS.

• Eurochemic. **Société européenne pour le traitement chimique des combustibles irradiés. Siège :** Mol (Belgique). **Création :** 20-12-1957, entrée en vigueur : 27-7-59. **Membres :** All. féd., Autriche, Belgique, Danemark, Espagne, *France,* Italie, Norvège, Portugal, Suède, Suisse. **Évolution :** *1974,* arrêt de l'usine de retraitement et programme sur le conditionnement et le stockage des déchets provenant du retraitement des combustibles irradiés. *1982* 27-7 entrée en liquidation. *1985* 1-1 exploitation du site reprise par la Belgoprocess S.A., filiale à 100 % de l'Organisme national des déchets radioactifs et des matières fissiles (O.N.D.R.A.F.). *1990* liquidation terminée.

• European Atomic Energy Society. **Siège :** Bonn, All. féd. **Membres :** All. féd., Autriche, Belg., Danemark, Espagne, Finlande, *France,* Italie, Norvège, P.-Bas, Portugal, Roy.-Uni, Suède, Suisse. **But :** échange de renseignements.

• Institut unifié des recherches nucléaires. **Création :** 1956. **Siège :** Dubna, près de Moscou. **Membres :** All. dém. (avant oct. 1990), Bulgarie, Corée du N., Cuba, Hongrie, Mongolie, Pologne, Roumanie, Tchéc., U.R.S.S., Viêt-nam. **Directeur :** Prof. D. Kiss.

• Nordita. **Institut nordique de physique théorique. Création :** 1957. **Siège :** Copenhague. **Membres :** Dan., Finlande, Islande, Norv., Suède. **Directeur :** Pr. C. J. Pethick dep. le 1-1-89. **But :** recherche et enseignement spécialisés. **Budget** (1991) : 15,9 millions de couronnes dan.

Nota. – Voir aussi A.I.E.A. (O.N.U.), A.E.N. E.N.E.A. (O.C.D.E.), EURATOM (Communauté européenne). BREVATOME est une société française pour la gestion des brevets d'application nucléaire (24 % des parts sont détenues par le C.E.A. ; 5 % par E.D.F. ; le reste par des sociétés françaises).

Club de Rome

Origine : *7/8-4-1968 :* réunion à Rome, à l'académie des Lincei de Bertrand de Jouvenel, Jean Saint-Geours, Alexander King, M. Guernier, etc., invités par A. Peccei. **Statut :** association de droit helvétique. **Siège :** *Secrétariat g*[al] *:* 34, av. d'Eylau, 75116 Paris. **Membres :** 100 [chercheurs, professeurs, décideurs, publics et privés, du monde entier ; 8 femmes : E. Mann-Borghese (Canada), E. Masini (Italie), M.-L. Pintasilgo (Portugal), W. Maathaï (Kenya), Hélène Ahrweiler (Fr.), Lilia Ramos (Philippines), Peggy Dulany (E.-U.), Ruth Bamela Engo-Tjega (Cameroun) ; *Français :* A. Danzin, P. Piganiol, E. Pisani, J. Lesourne, B. Schneider]. **Organisation.** *Bureau exécutif :* 7 m. *Conseil :* 15 m. *Pt :* Ricardo Díez Hachleitner. *Secr. gén. :* Bertrand Schneider. **Cellules :** Canada, Venezuela, Maroc, Finlande, Autriche, Égypte, Turquie, All. féd., N.-Zélande, Japon, Espagne, U.S.A., Belgique, Suisse, Pologne, Colombie, Australie, U.R.S.S., Ukraine, Yougoslavie, P.-Bas, Tchécoslovaquie, Italie. **Sous-traitants :** au titre d'un organisme (Inst. intern. pour les applications de l'analyse des systèmes, Centre d'analyse des systèmes de Cleveland, Inst. de technologie de Hanovre...) ou à titre personnel (J. Tinbergen, Thierry de Montbrial, U. Columbo, O. Giarini).

Buts : étude de l'activité de l'humanité envisagée comme un système global à l'échelon mondial pour résoudre les problèmes nationaux.

Rapports : *Halte à la croissance ?* (D. Meadows, 1972) : d'ici à 100 a. (chute de la population et de la capacité ind.) ; les limites de la planète étant atteintes (non-renouvellement des ressources natur.), sauf si l'on utilise de façon sélective les progrès de la technologie et si l'on agit immédiatement sur les niveaux de pop. et du capital. *Stratégie pour demain* (Mesarovic et Pestel, 1974) : prévoit plusieurs scénarios et des crises graves dans certaines régions provoquant des réactions en chaîne. *RIO (Reshaping International Order : Du défi au dialogue)* (J. Tinbergen, 1976) : nécessité du dialogue Nord-Sud. *Goals for Mankind* (E. Laszlo, 1977), *Beyond the Age of Waste* (Sortir de l'ère du gaspillage) (D. Gabor, 1978), *Énergie, le compte à rebours* (T. de Montbrial, 1978), *On ne finit pas d'apprendre* (J. Botkin Malitza, M. Elmandjra, 1980), *Dialogue sur la richesse et le bien-être* (O. Giarini, 1981), *les Itinéraires du futur : vers des sociétés plus efficaces* (Hawrylyshyn, 1980), *l'Impératif de coopération Nord-Sud, la Synergie des Mondes* (J. Saint-Geours, 1981), *Microelectronics and Society* (A. Schaff, G. Friedrichs, 1982), *Le tiers monde peut se nourrir* (René Lenoir, 1984), *La Révolution aux pieds nus* (B. Schneider, 1985), *L'Afrique face à ses priorités* (B. Schneider, 1987), La Première Révolution globale (A. King et B. Schneider, 1991).

Critiques : Émises notamment par P. Braillard (*l'Imposture du Club de Rome,* 1982). Option mondialiste et conception technocratique de la planification qui privilégient le rôle des firmes multinationales et ne remettent pas en cause le statu quo social et politique. Les moyens « scientifiques » utilisés contrarient une analyse fondée sur le mythe de la catastrophe, et les conclusions sont déjà contenues dans les postulats choisis.

Commission trilatérale

Créée oct. 1973. **Statut en Europe :** fondation de droit néerlandais. Bureaux Paris (35, avenue de Friedland, 75008), New York et Tokyo.

Membres : 140 européens, 100 américains et canadiens, 85 japonais. **Co-présidents :** 3 élus par leurs régions respectives ; *Europe :* Georges Berthoin (n. 17-5-1925), Pt international d'honneur du Mouvement européen, anc. ambassadeur des Communautés eur. à Londres (dep. 1975) ; *Amér. du Nord:* David Rockefeller, anc. Pt Chase Manhattan Bank (dep. 1977) ; *Japon :* Isamu Yamashita, Pt Mitsui Engineering & Shipbuilding (dep. 1985). **Comité exécutif** (40 membres) dont Giovanni Agnelli, Zbigniew Brzezinski, Jaime Antonio Garrigues, Garret Fitzy Gerald, Jacques Groothaert, Yusuke Kashigawi, Lane Kirkland, Henry Kissinger, Robert McNamara, Yohei Mimura, Yoshio Okawara, Akio Morita, Saburo Okita, Sir Michael Palliser, Jake Warren, Otto Wolff von Amerongen. Membres des partis démocratiques de toutes les tendances, chefs d'entreprises privées et publiques, dirigeants d'organisations professionnelles, patronales et syndicales ouvrières, diplomates et hauts fonctionnaires. **Comité français** (23 membres) : Michel Albert, Raymond Barre, Georges Berthoin, Marcel Boiteux, Hervé de Carmoy (Pdt), Jean-Claude Casanova, Alain Chevalier, Alain Cotta, Paul Delouvrier, Michel David-Weill, Jean Deflassieux, Jean Dromer, Alain Gomez, Claude Imbert, Alain Joly, Jacques Julliard, André Lévy-Lang, Gilles Martinet, Thierry de Montbrial, Jean Peyrelevade, François de Rose, Michel Vauzelle, Simone Veil. **Durée :** décision de renouvellement et poursuite des activités tous les 3 ans.

But : mener toutes réflexions ou études tendant à l'harmonisation des relations politiques, écon., sociales et culturelles entre les 3 régions démocratiques et industrialisées à économie de marché. **Objectif :** intégrer le Japon dans un dialogue d'égal à égal avec les 2 autres pôles industrialisés du monde démocratique (Europe de l'Ouest, USA/Canada) en raison de sa nouvelle puissance économique, établir des relations entre partenaires égaux en vue de dégager, si possible, des points de convergence ou des zones d'accords sur les grands problèmes et défis internationaux d'intérêt commun, sans pour autant gommer différences et aspirations nationales ; développer le sens d'une responsabilité commune vis-à-vis du reste du monde et plus particulièrement à l'égard des pays en développement, et maintenir un dialogue constructif mais ferme sur les principes avec les pays socialistes.

Rapports annuels : 41 rédigés pour la Trilatérale dep. 1973 [3 auteurs venant de chacune des régions formulent conjointement des recommandations d'actions à l'attention des décideurs publics (gouvernements) et privés (entreprises...)]. *Thèmes principaux :* rénovation du système intern. écon., monétaire, institutionnel (15 rapports) ; relations Nord-Sud (7) et Est-Ouest (5) ; questions énergétique (3) ; défense et sécurité régionale (Proche-Orient/Asie du Sud-Est (6) ; problèmes de société et transitions sociales (6) ; environnement (1).

Réunions : *plénières, annuelles* notamment à San Francisco (1987), Tokyo (1988), Paris (1989), Washington (1990), Tokyo (1991), Lisbonne (1992) ; *européennes, annuelles* notamment à Munich (1987), Oslo (1988), Londres (1989), Venise (1990), Bruxelles (1991) ; *nationales, à intervalles réguliers.*

Internationales ouvrières

Ire Internationale. Nom officiel : Association internationale des travailleurs (A.I.T.). *Création :* 28-9-1864 à Londres. **Congrès :** Genève 1866, Lausanne 1867, Bruxelles 1868, Bâle 1869, La Haye 1872 (d'où les anarchistes sont exclus), Philadelphie juillet 1876, où elle est dissoute.

IIe Internationale. *Secrétariat :* Londres. **Création :** 14-7-1889 (Congrès de Paris). **Congrès :** Bruxelles 1891, Zurich 1893, Londres 1896, Paris 1900, Amsterdam 1904, Stuttgart 1907, Copenhague 1910, Bâle 1912.

IIIe Internationale. Création : mars 1919 par Lénine, sous le nom de **Komintern** (Kommounistitcheski Internatsional) dissous le 15-5-1943, complété par l'*Internationale syndicale rouge (I.S.R.)* créée juillet 1920, disparue 1934, après le refus de la F.S.I. (Féd. synd. intern.) d'admettre les syndicats soviétiques.

IVe Internationale. Création : 1938 par Trotski († 1940). Poursuit son activité notamment en Amérique latine, en Extrême-Orient et depuis les années 60 en Europe occidentale avec l'essor de certains mouvements trotskistes (France, Italie, Portugal notamment).

Internationale socialiste. Origine : *1919 :* après la dislocation de la IIe Intern., les communistes ayant organisé le Komintern (mars), des socialistes indépendants allemands, autrichiens et suisses se groupèrent dans l'*Union de Vienne ; 1923 :* au Congrès de Hambourg (423 délégués de 43 partis), réunification des diverses tendances socialistes à l'exclusion des communistes. L'Internationale soc. devient l'*Internationale ouvrière et soc. (I.O.S.),* qui siège à Londres, Zurich, puis Bruxelles.

1939 interruption due à la guerre, *1944 Office de liaison et d'information socialistes* (S.I.L.O.) constitué sous les auspices du parti travailliste anglais. *1947* (mars) réunion d'Anvers, le S.I.L.O. devient le *Comité de la conférence socialiste internationale (COMISCO),* il exclut les partis sociaux-démocrates de l'Europe de l'Est qui ont fusionné avec les P.C. *1951* congrès de Francfort, Intern. soc. reconstituée. **Congrès :** 14 depuis 1951 : Milan (1952), Stockholm (1953), Londres (1955), Vienne (1957), Hambourg (1959), Rome (1961), Amsterdam (1963), Stockholm (1966), Eastbourne (1969), Vienne (1972), Paris (1973 ; 35 délégués, vice-Pt de l'Intern : F. Mitterrand), Genève (1976), Vancouver (1978), Madrid (1980). En 1982, l'Internat. soc. représentait 16 millions de socialistes et sociaux-démocrates appartenant à 62 formations différentes, près de 80 millions d'électeurs, la direction de 13 gouvernements (All. féd., Antilles holl., Autriche, Barbades, Costa Rica, Danemark, Rép. Dominicaine, Finlande, *France,* Grenade, Malte, Maurice, Sénégal) et la participation dans 3 autres (Italie, St-Marin, Suisse), représentant 220 millions de personnes.

Internationale d'Amsterdam. Origine *1903* (7-7) Secrétariat syndical international (S.S.I.) fondé à Dublin. *1919* (juillet) congrès d'Amsterdam, effectivement créée. On la désigna alors sous le nom d'Int. d'Amsterdam. **Conférences syndicales internationales du S.S.I.** *1901* (août) Copenhague, *1902* (17-6) Stuttgart, *1905* Amsterdam, *1907* Christiania, *1909* Paris, *1911* Budapest, *1913* Zurich [le S.S.I. se transforme en Fédération syndicale intern. (F.S.I.)]

Francophonie

☞ Il y a env. 3 000 langues dans le monde. *Langues parlées en % de la population mondiale.* **Langues maternelles les plus importantes.** *Mandarin* 14, *hindi* 9, *anglais* 8. **Langues véhiculaires.** *Anglais* 30, *portugais* 7, *russe* 6. L'anglais était, en 1979, la langue de publication de 22 % des ouvrages édités dans le monde, de 50 % des revues scientifiques et techniques (UNESCO). 13 langues dépassent les 10 000 titres par an (dont ouvrages en anglais 120 000, russe 60 000, allemand 50 000, français 30 000, espagnol 30 000, italien, néerlandais, suédois, polonais, hongrois, tchèque, coréen 10 000). *Langues les plus parlées* en Europe (C.E.E.) : Anglais (Européens la pratiquant 35,5 %, Français 26,5, Allemands 25,2, Italiens 19,3, Espagnols 13,6).

Textes officiels

☞ Nul texte de loi, nulle constitution ne dispose que le français est la langue officielle ou nationale de la France. Cependant, certains textes se réfèrent au français.

• **Ordonnance de Villers-Cotterêts.** En 192 articles, datée et signée de François Ier le 5-8-1539, rédigée par le chancelier Guillaume Poyet, enregistrée par le Parlement de Paris le 6-9-1539 ; elle a établi les registres d'état civil pour constater naissances et décès ; déterminé les limites précises entre la juridiction ecclésiastique et la jur. séculière ; décidé, en matière pénale, que l'accusé répondrait lui-même aux interpellations qui lui seraient faites, qu'il pourrait entendre les dépositions avant de proposer ses répliques ; a institué les « amendes de fol appel », pour dissuader les plaideurs d'interjeter des recours abusifs ; ordonné que les actes notariés, procédures et jugements se feraient en français.

Article 110 : « Afin qu'il n'y ait cause de douter sur l'intelligence des arrêts de justice, nous voulons et ordonnons qu'ils soient faits et écrits si clairement, qu'il n'y ait, ni puisse avoir, aucune ambiguïté ou incertitude, ni lieu à demander interprétation. »

Article 111 : « Et pour ce que telles choses sont souvent advenues sur l'intelligence des mots latins contenus dans lesdits arrêts, nous voulons dorénavant que tous arrêts, ensemble toutes autres procédures, soit de nos cours souveraines et autres subalternes et inférieures, soit de registres, enquêtes, contrats, commissions, sentences, testaments, et autres quelconques actes et exploits de justice, ou qui en dépendent, soient prononcés, enregistrés et délivrés aux parties, en langage maternel français et non autrement. »

• **Loi du 2 thermidor an II et arrêté consulaire du 24 prairial an XI.** Ils imposent aux magistrats, fonctionnaires, agents du gouvernement et officiers publics « d'écrire en français tous actes publics, jugements, contrats ou autres actes généralement quelconques ».

• **Arrêté du Pt du Conseil du 2-2-1919.** Il déclare que le français est la langue judiciaire des départements du Bas-Rhin, du Haut-Rhin et de la Moselle.

• **Décret du 2-5-1953 relatif à l'Office français de protection des réfugiés et apatrides.** Il prévoit que le recours formé contre la décision du directeur de l'Office devant la commission compétente doit être établi en français.

• **Loi du 31-12-1975.** Elle déclare l'emploi du français obligatoire dans la désignation, l'offre, la présentation, la publicité écrite ou parlée, les modes d'emploi d'un article ou d'un produit.

• **Position de la Cour de cassation.** Elle a énoncé qu'à peine de nullité, tout jugement doit être motivé en langue française (Cass. 2e civ., 11-1-1989, Bull. II, page 5). **Position du Conseil d'État.** Il a rappelé que n'est pas recevable une requête qui n'est pas rédigée en français (C.E., 22-11-1985, Requête Quilleveret).

Quelques dates

• **Avant le XVIIIe s. Le latin,** langue de l'Église cath., reste également longtemps la langue officielle dans certains pays d'Europe [France, pour la justice, jusqu'à Charles VIII ; pour les actes publics, jusqu'à François Ier (édit de Villers-Cotterêts, 10-8-1539) ; Hongrie, jusqu'au XVIIIe s.]. Lettrés et savants publient en latin (jusqu'au début du XIXe s).

• **Au XIIIe s. Le français** prend de l'importance, puis son influence décroît, mais reprend à la fin du XVIe s. Le 1er acte notarié en français (1532) est rédigé à Aoste en Italie (le latin étant encore utilisé à Paris).

• **Du XIVe au XVIIe** s. En Angleterre, Édouard III, le vainqueur de Crécy, ne savait pas un mot d'anglais. Lois et protocoles sont libellés en latin et français jusqu'au XVe s. Henri IV (1367-1413) est le 1er roi dont l'anglais est la langue maternelle. Les procès-verbaux des séances du Parlement sont en français jusqu'en 1422 env. Dans la juridiction, le français est employé jusqu'au XVIIIe s., sauf une courte éclipse sous Cromwell. En 1689, dans son « Essai pour une paix présente et future en Europe », William Penn (Anglais, 1644-1718) propose de choisir le français comme l. européenne.

• **XVIIIe s.** En 1714, au *traité de Rastatt,* le français est adopté pour la 1re fois dans la rédaction d'un tr., (jusqu'à la g. de 1914-18 il restera la langue diplomatique). Il n'est pas une cour allemande ou italienne où l'on ne trouve des Français ministres, ingénieurs, fonctionnaires, chambellans, maîtres de ballet, académiciens, peintres ou architectes ; Frédéric II, le prince de Ligne, Casanova, Grimm, l'abbé Galiani, Walpole, Catherine II, Marie-Thérèse, Joseph II écrivent un français excellent. Paris est la capitale universelle. Des écrivains allemands s'indignent que les Allemands réservent le français pour la conversation et ne parlent allemand « qu'à leurs chevaux ».

• **XIXe s.** 1800 marque peut-être l'apogée du français, servi par les émigrés comme par les conquêtes intellectuelles ou territoriales de la Révolution. Czartoryski, ministre des Affaires étrangères d'Alexandre Ier, en rend l'usage obligatoire dans la correspon-

L'Internationale

Écrite au lendemain du 4-9-1870 (et non en juin 1871, comme on l'a écrit) par Eugène Pottier (1816/6-11-1887 à Lariboisière), ouvrier (alors dessinateur sur étoffe dans son propre atelier) ; membre de la Commune et chansonnier populaire. Mise en musique à Lille en 1888 par Pierre Degeyter (Gand 8-10-1848/hôpital de St-Denis sept. 1932), ouvrier tourneur sur bois à Fives-Lille (Lille), et membre de la chorale du Parti ouvrier français, « La Lyre des Travailleurs », qui l'a entonnée pour la 1re fois le 23-7-1888. [En 1910, son frère Adolphe (1859-se pend en 1916) revendiqua la paternité de cette musique. Pierre lui intenta, en avril-juin 1901, un procès en contrefaçon jugé à Paris le 17-1-1914 au bénéfice d'Adolphe ; le 27-4-1915 Adolphe écrivit à son frère, reconnaissant avoir menti. Pierre reçut cette lettre le 20-12-1918 et la cour d'appel de Paris lui donna raison le 23-11-1922.] Hymne révolutionnaire international, hymne international des partis socialistes et communistes, hymne national soviétique de 1917 à 1941. Droits d'auteur (4 000 à 8 000 F par an jusqu'en 1992) versés à Marguerite Eckert (petite-fille d'Eugène Pottier, n. 1903).

1re version

C'est la lutte finale.
Groupons-nous et demain
L'Internationale
Sera le genre humain.

Debout ! l'âme du prolétaire !
Travailleurs, groupons-nous enfin.
Debout ! les damnés de la terre !
Debout ! les forçats de la faim !
Pour vaincre la misère et l'ombre
Foule esclave, debout ! Debout !
C'est nous le droit, c'est nous le nombre :
Nous qui n'étions rien, soyons tout.

Il n'est pas de sauveur suprême :
Ni Dieu, ni César, ni tribun.
Travailleurs sauvons-nous nous-mêmes :
Travaillons au Salut Commun.
Pour que les voleurs rendent gorge,
Pour tirer l'esprit du cachot,
Allumons notre grande forge !
Battons le fer quand il est chaud !

Les rois nous soûlaient de fumée,
Paix entre nous ! guerre aux tyrans !
Appliquons la grève aux armées,
Crosse en l'air ! et rompons les rangs !
Bandit, prince, exploiteur ou prêtre
Qui vit de l'homme est un criminel ;
Notre ennemi, c'est notre maître
Voilà le mot d'ordre éternel.

L'engrenage encor va nous tordre ;
Le Capital est triomphant ;
La mitrailleuse fait de l'ordre
En hachant la femme et l'enfant.
L'Usure folle en ses colères,
Sur nos cadavres calcinés,
Soudée à la grève des Salaires
La grève des assassinés.

Ouvriers, paysans, nous sommes
Le grand parti des travailleurs :
La terre n'appartient qu'aux hommes.
L'oisif ira loger ailleurs.
C'est de nos chairs qu'ils se repaissent !
Si les corbeaux, si les vautours,
Un de ces matins disparaissent...
La terre tournera toujours.

Qu'enfin le passé s'engloutisse !
Qu'un genre humain transfiguré
Sous le ciel clair de la Justice
Mûrisse avec l'épi doré !
Ne crains plus les nids de chenilles
Qui gâtaient l'arbre et ses produits.
Travail étends sur nos familles
Tes rameaux tout rouges de fruits.

C'est la lutte finale.
Groupons-nous et demain
L'Internationale
Sera le genre humain.

2e version

C'est la lutte finale :
Groupons-nous, et demain,
L'Internationale
Sera le genre humain.

Debout ! les damnés de la terre !
Debout ! les forçats de la faim !
La raison tonne en son cratère :
C'est l'éruption de la fin.
Du passé faisons table rase,
Foule esclave, debout ! debout !
Le monde va changer de base :
Nous ne sommes rien, soyons tout !

Il n'est pas de sauveurs suprêmes :
Ni Dieu, ni César, ni tribun,
Producteurs, sauvons-nous nous-mêmes !
Décrétons le salut commun !
Pour que le voleur rende gorge,
Pour tirer l'esprit du cachot,
Soufflons nous-mêmes notre forge,
Battons le fer quand il est chaud !

L'État opprime et la loi triche ;
L'Impôt saigne le malheureux ;
Nul devoir ne s'impose au riche ;
Le droit du pauvre est un mot creux.
C'est assez languir en tutelle,
L'Égalité veut d'autres lois ;
« Pas de droits sans devoirs, dit-elle,
« Égaux, pas de devoirs sans droits ! »

Hideux dans leur apothéose,
Les rois de la mine et du rail
Ont-ils jamais fait autre chose
Que dévaliser le travail ?
Dans les coffres-forts de la bande
Ce qu'il a créé s'est fondu.
En décrétant qu'on le lui rende
Le peuple ne veut que son dû.

Les Rois nous soûlaient de fumées.
Paix entre nous, guerre aux tyrans !
Appliquons la grève aux armées,
Crosse en l'air et rompons les rangs !
S'ils s'obstinent, ces cannibales,
A faire de nous des héros,
Ils sauront bientôt que nos balles
Sont pour nos propres généraux.

Ouvriers, paysans, nous sommes
Le grand parti des travailleurs ;
La terre n'appartient qu'aux hommes,
L'oisif ira loger ailleurs.
Combien de nos chairs se repaissent !
Mais, si les corbeaux, les vautours,
Un de ces matins, disparaissent,
Le soleil brillera toujours !

C'est la lutte finale :
Groupons-nous, et demain,
L'Internationale
Sera le genre humain.

dance diplomatique de l'*État russe*. La *Prusse* l'adopte pareillement jusqu'en 1862. Les souverains d'Europe correspondent entre eux en français. Le maréchal Bernadotte peut régner en *Suède*, sous le nom de Charles XIV, jusqu'à sa mort en 1844, sans apprendre le suédois : toutes les affaires de l'État sont traitées en français. Par contre, en 1800, le ministre anglais des Affaires étrangères, Lord Grenville, recommande « à ses collaborateurs du Foreign Office de s'exprimer en anglais et non plus en français, dans leurs échanges de vues avec les représentants diplomatiques accrédités à Londres ». En 1887, la *Triple Alliance*, dirigée contre la France et rassemblant deux États de langue allemande et un de langue italienne, est rédigée en français. En 1896, le français est adopté comme langue officielle des *jeux Olympiques*, restaurés à l'initiative d'un Français, le baron Pierre de Coubertin. La charte olympique (art. 18) dit : « les langues officielles du Comité international olympique sont le français et l'anglais (...). En cas de désaccord entre les textes français et anglais de ces règles, le texte français fera autorité ». Il est d'usage que les cérémonies d'ouverture et de clôture des jeux se déroulent en français (quitte à être traduites ensuite dans la langue du pays d'accueil)].

• **1900-20.** En 1914, le tsar *Nicolas II* écrit en français à la tsarine. Le français est reconnu comme langue diplomatique, l'anglais comme langue commerciale outre-mer, mais l'allemand, utilisé dans les relations administratives et commerc. du Proche-Orient, prend une importance croissante. En 1919, Clemenceau, en acceptant que le *traité de Versailles* soit bilingue, laisse porter un premier coup au prestige diplomatique du français. Mais les *traités de St-Germain, Sèvres et Neuilly* stipulent que le texte français serait la seule version de référence au cas où surgiraient des contestations.

• **1920-40.** L'enseignement du français devient obligatoire dans lycées et collèges de Pologne, Tchécoslovaquie, Hongrie, Roumanie. La Suède concède des privilèges uniques au français. Les élites des nations latines d'Europe et d'Amérique restent sous l'influence intellectuelle fr. Le français règne aussi en Égypte, Syrie, Perse... Il y a en outre les Empires coloniaux français et belges centrés sur l'Afrique, mais cette primauté est attaquée. La *Conférence navale de Washington*, en 1921, prétend adopter l'anglais comme seule langue de travail. En *Italie*, Mussolini proteste auprès du roi contre le maintien du français comme langue de la Cour.

• **1940 à nos jours.** En sept. 1940, l'Argentine abolit la primauté du français dans ses universités. L'Amérique latine suit (une réaction à ce mouvement s'est dessinée et, maintenant, le français est à égalité avec l'anglais). Les *tr. de paix* (Paris, février 1947, avec Italie, Hongrie, Roumanie, Bulgarie et Finlande) sont rédigés en anglais, en russe et en fr., mais les deux premières versions seules font loi. Le *tr. de San Francisco* (1946), rétablissant l'état de paix avec le Japon, ne connaît qu'un texte officiel : l'anglais. La *convention d'armistice en Palestine* (1948) est rédigée en fr., ainsi que tous les tr. conclus entre pays balkaniques depuis la fin de la g. (2-9-1945). A la *conférence de Bandung*, en avril 1955, le fr., accepté comme 3e langue de travail après l'anglais et l'arabe, n'est presque pas employé par les représentants de 62 % de la pop. mondiale.

A l'O.N.U. On distingue les langues officielles dans lesquelles sont traduits tous les documents des assemblées plénières, soit, depuis la création : anglais, espagnol, français, russe, arabe et chinois, et les langues de travail (anglais et français), en théorie à parité, mais en fait l'anglais domine. 90 % env. des documents préparés par le secrétariat de l'O.N.U. sont rédigés en anglais ; dans les institutions spécialisées, le français vient en 2e place, mais ne dépasse 10 % du total qu'à l'O.M.C.I., à l'Office de l'O.N.U. à Genève, à l'U.I.T. (24,5 %) et à l'U.N.E.S.C.O. (29 %).

Répartition des discours du débat général en 1989 (en %). Anglais 44,8. Français 16,88. Espagnol 12,98. Arabe 11,68.

Dans quelques organisations, le français jouit d'un statut privilégié par rapport aux autres langues. A l'U.I.T. il est l'une des 3 langues de travail, avec l'anglais et l'espagnol, et constitue la langue de référence en cas de contestation ; à l'U.P.U., il demeure la seule langue officielle.

Conférence d'Helsinki sur la sécurité et la coopération en Europe en 1975 (C.S.C.E.). 6 langues en usage : anglais, français, allemand, russe, espagnol et italien. Lors de la 10e réunion anniversaire de l'acte d'Helsinki (30-7-1985) sur 35 pays représentés, 6 délégations se sont exprimées en français, 18 en anglais, notamment les délégations polonaise, grecque et portugaise.

Communauté européenne. Le français est la langue de travail et de communication, mais dep. l'entrée de la G.-B., l'anglais tend à le supplanter.

Nombre de francophones

Francophones réels et, entre crochets, fr. occasionnels, dans le monde en 1989. Nombre en milliers et, entre parenthèses, %.

• États ou régions de la francophonie. **Afrique** 22 486 (9,6) [33 147 (14,1)]. Égypte 215 (0,4) [1 700 (3)]. *Maghreb* 6 980 (21) [9 560 (28)] : Maroc 4 610 (18) [6 400 (25)], Tunisie 2 370 (30) [3 160 (40)]. *Afrique subsaharienne* 13 441 (10,1) [19 745 (14,9)] : Bénin 470 (10) [940 (20)], Burkina-Faso 610 (7) [1 300 (15)], Burundi 165 (3) [550 (10)], Cameroun 1 940 (18) [2 160 (20)], Cap-Vert 0,5 (0,1), Centrafrique 140 (5) [365 (13)], Congo 770 (35) [660 (30)], Côte-d'Ivoire 3 630 (30) [3 630 (30)], Djibouti 29 (7) [100 (24)], Gabon 300 (30) [400 (40)], Guinée 355 (5) [710 (10)], Guinée-Bissau 1 (0,1), Guinée équatoriale 0,5 (0,1), Mali 890 (10) [890 (10)], Mauritanie 120 (6) [(4)], Niger 520 (7) [1 110 (15)], Ruanda 210 (3) [350 (5)], Sénégal 720 (10) [1 100 (14)], Tchad 150 (3) [980 (20)], Togo 680 (20) [1 020 (30)], Zaïre 1 740 (5) [3 500 (10)]. *Océan Indien* 1 850 (13,2) [2 142 (15,2)] : Comores 35 (8) [120 (27)], Madagascar 1 060 (9) [1 300 (11)], Maurice 270 (25) [600 (55)], Mayotte 20 (33) [20 (35)], Réunion 460 (80) [87 (15)], Seychelles 5 (7) [15 (20)].

Amérique 8 054 (15,4) [3 565 (6,8)]. *Amérique du Nord* 6 886 (15,4) [3 200 (7,1)]. Canada 6 580 (25) [3 000 (11)], Québec 5 620 (82,9), Nouveau-Brunswick 245 (33,6), Louisiane 100 (2,2) [200 (4,4)], Nouvelle-Angleterre 200 (1,4), St-Pierre-et-Miquelon 6 (100). *Caraïbes* 1 168 (15,8) [365 (4,9)] : Dominique 1 (1,1), Haïti 570 (9) [250 (4)], Guadeloupe 270 (80) [50 (15)], Guyane fr. 55 (73) [15 (20)], Martinique 270 (80) [50 (15)], Ste-Lucie 2 (1,4).

Asie 968 (1,3) [800 (1,1)]. Liban 894 (27) [800 (23)]. *Extrême-Orient* 74 (0,1) : Laos 4 (0,1), Viêt-nam 70 (0,1).

Europe 61 059 (83,5) [5 200 000 (7,1)]. Belgique 4 500 (45,5) [3 200 (32)], France métropolitaine 55 000 (98), Luxembourg 300 (80), Monaco 27 (90), Suisse 1 220 (18,5) [2 000 (30)], Val d'Aoste 12 (10).

Océanie 300 (64,5) [33 (7,1)]. Nouv.-Calédonie 120 (80) [15 (10)], Polynésie fr. 128 (80) [16 (10)], Vanuatu 45 (31), Wallis et Futuna 7 (70) [2 (20)].

Communauté francophone 92 867 (21,4) [42 745 (9,8)].

• Pays ou régions à tradition francophone ou francophile. **Afrique** 7 475 (10) [7 470 (10)]. Algérie 7 470 (30) [7 470 (30)], Éthiopie 4 (0,008), Saint-Thomas et du Prince 1 (0,7).

Amérique 168 (0,08). *Amérique centrale, Caraïbes* 80 (0,2) : Costa Rica 1 (0,03), Grenade, Saint-Vincent, Trinité et Tobago 7 (0,5). *Amérique du Sud* 160 (0,08) : Brésil 100 (0,07), Argentine, Chili, Venezuela 60 (0,1).

Asie 584 (0,5) [10 (0,008)]. *Proche et Moyen-Orient* 572 (0,5) : Iran 50 (0,09), Israël 500 (11), Syrie 12 (0,1), Turquie 10 (0,02). *Extrême-Orient* 12 (0,2) [10 (0,1)] : Cambodge 10 (0,1), Pondichéry 2 (0,2) [10 (1)].

Europe 2 373 (1,3) [4 000 (2,1)]. Andorre 13 (29), Espagne, Grèce, Italie, Portugal 1 300 (0,1), Bulgarie, Pologne 60 (0,1), Roumanie 1 000 (4) [4 000 (17)].

Total 10 600 (1,7) [11 480 (1,9)].

• Reste du monde. **Afrique** 40 (0,02). **Amérique** 460 (0,1). *Amérique du Nord* 400 (0,2). *Amérique centrale, Caraïbes* 40 (0,02). *Amérique du Sud* 20 (0,03). **Asie** 75 (0,003). *Proche et Moyen-Orient* 25 (0,04). *Extrême-Orient* 50 (0,002). **Europe** 520 (0,1). *Europe de l'Ouest* 500 (0,3). *Europe de l'Est et URSS* 20 (0,006). **Océanie** 50 (0,2). **Total** 1 145 (0,03).

Statut du français

Généralités

35 États et 3 parties d'État attestent de leur caractère francophone, même très partiellement, par le statut particulier réservé au français. Dans quelques autres pays (Égypte, Syrie, Viêt-nam, Cambodge, Laos, Dominique, Grenade, Ste-Lucie, St-Vincent) ou régions (Jersey, Val d'Aran, vallées Vaudoises, Nouvelle-Angleterre, Pondichéry) subsiste un attachement variable au français sans que celui-ci jouisse de statut privilégié.

Certains États sans réel passé francophone utilisent régulièrement le français dans les instances internationales : Angola, Guinée-Bissau, Cap-Vert, St-Thomas et du Prince, Grèce, Italie, Pologne, Portugal et Vatican.

Enseignement dans les pays non francophones. Le français est enseigné comme langue étrangère à plus de 25 millions d'élèves ou étudiants par env. 250 000 professeurs. Près de 100 millions de personnes apprennent ou ont appris le français comme langue étrangère, que ce soit ou non dans le système scolaire (v. Index enseignement).

La loi Bas-Lauriol du 31-12-1975 impose notamment l'emploi du français dans l'offre, la présentation, la publicité écrite ou parlée, le mode d'emploi ou d'utilisation, l'étendue et les conditions de garantie d'un bien ou d'un service.

• États totalement ou partiellement francophones. *Légende :* Langue officielle ou administrative de fait (éventuellement avec d'autres langues) : o. Langue d'enseignement (système public) exclusive : e. Non exclusive : n.e. Enseignée à statut privilégié : p.

Afrique. Sud du Sahara : *Bénin,* o, e ; *Burkina* o, e ; *Burundi* o (kirundi n.e.) ; *Cameroun* o (anglais), e (oriental), n.e. (anglais) ; *Centrafrique* o, e (secondaire), n.e. (sango, primaire) ; *Comores* o (arabe), e (secondaire), n.e. (comorien, primaire) ; *Congo* o, e ; *Côte-d'Ivoire* o, e ; *Djibouti* o (arabe), e (secondaire), n.e. (arabe, primaire) ; *Gabon* o, e ; Guinée o, e ; *Madagascar* o (malgache), n.e. (malgache), p (primaire) ; *Mali* o, e ; *Maurice* o (anglais), n.e. (supérieur) p ; *Mauritanie* o (arabe), n.e. (arabe) ; *Niger* o, e ; *Rwanda* o (kinyarwanda), n.e. (kinyarwanda) ; *Sénégal* o, e, n.e. (en projet) ; *Seychelles* o (créole anglais), p ; *Tchad* o (arabe), e ; *Togo* o, e ; *Zaïre* o, e (secondaire), n.e. (4 langues nationales). **Maghreb :** *Algérie* o (arabe), n.e. (arabe), p. (filières arabisées) ; *Maroc* o (arabe), n.e. (arabe), p (filières arabisées) ; *Tunisie* o (arabe), n.e. (arabe).

Amérique. *Canada* o (Québec), o (anglais), e (Québec), p (hors Québec) ; *Louisiane* (U.S.A.) o (anglais), p ; *Haïti* o, e (secondaire), n.e. (créole primaire).

Asie. *Proche et Moyen-Orient ; Liban* o (arabe), n.e. (arabe), p.

Europe. *Andorre* o (catalan), n.e. ; *Belgique* o, e (Wallonie), p (région flamande) ; *France* (avec D.O.M.-T.O.M.) o (tahitien Polynésie), e ; *Luxembourg* n.e. (allemand) ; *Monaco* o, e ; *Suisse* o (allemand italien), e (pour les francophones), p (pour les non francophones) ; *Val d'Aoste* o (italien), p.

Océanie. *Vanuatu* o (anglais), n.e. (anglais).

Quelques précisions

Amérique du Nord

• Départements d'outre-mer français : seule langue officielle. **Guadeloupe** 350 000 h. et dépendances (Marie-Galante 16 341, Les Saintes 2 772, Désirade 1 592, St-Barthélemy 2 176, St-Martin 4 502) ; **Guyane** 33 698 ; **Martinique** 342 000 ; **St-Pierre-et-Miquelon** 6 000.

• Ile St-Martin : officielle avec le néerlandais : divisée entre France (52 km², 4 500 h.) et P.-Bas (34 km², 1 000 h.) depuis 1648.

• Canada : v. Index.

• États-Unis : **Louisiane :** colonisée par la France puis par l'Esp. L'est du Mississippi a été cédé à l'Angl. (sauf La N[elle]-Orléans) au traité de Paris (1763), et l'O. à l'Esp. (tr. secret, 3-11-1762). Le tr. secret de Ste-Ildefonse (1800) rendit la partie esp. à la Fr. qui n'en prit possession que 20 j, après l'avoir déjà vendue pour 80 millions de F aux États-Unis (1803). Les limites occidentales de la Louisiane d'alors (elle représentait en gros 13 États actuels des États-Unis sur 50) restaient d'ailleurs inconnues.

Au recensement de 1980, 291 137 Louisianais parlaient ou comprenaient le français, souvent sans pouvoir le lire ou l'écrire. Ils comprenaient 4 groupes. 1°) *Acadiens* (Cadiens) ou Cadjins (*Cajuns* en anglais), descendant principalement des 8 000 Acadiens du Nouveau-Brunswick et de Nouvelle-Écosse, déportés par les Anglais en 1755 et arrivés en Louisiane, après de nombreuses pérégrinations, jusqu'en 1785. Les Cadjins avaient ensuite assimilé les descendants d'immigrants, en particulier espagnols et allemands. Le cadjin, proche du français du XVIIIe s. (postillon = facteur), essentiellement parlé d'où d'importantes variations d'ordre interne (palatisation : dièpe = guêpe) et externe (emprunts à l'anglais, au créole et aux langues indiennes). 2°) *Créoles,* descendant pour la plupart de colons, surtout français, venus en Louisiane aux XVIIIe et XIXe s. ; quelques milliers parlent encore un français assez pur. 3°) *Mulâtres et Noirs* (également appelés Créoles), descendant des esclaves africains de Sénégambie, protégés par le Code Noir (1724), ou d'Haïti après la révolution de Toussaint Louverture ; leur parler (français gombo, creole french), proche du créole haïtien, est largement utilisé dans la musique zydeco. 4°) *Indiens,* env. 3 000, descendant des tribus Houma, Chitimacha.

État actuel : la constitution de 1921 (en vigueur jusqu'en 1975) et le développement économique (découverte du pétrole en 1901) avaient conduit à la disparition du français. Mais une loi de 1968 du Parlement louisianais, créant le Conseil pour le développement du français en Louisiane (CODOFIL), a redonné au français un statut officiel. Fondé par James Domengeaux († 1988) et présidé par John Bertrand (217, West Main Street, Lafayette, Louisiana, 70501), le CODOFIL a institué des programmes d'enseignement du français dans les écoles primaires et développé les relations culturelles avec le monde francophone.

Bilan de l'action en faveur du français (1990-91) : Enseignement élémentaire : 420 enseignants (dont 180 venus de France, du Québec et de Belgique), 64 000 élèves ; secondaire : 460 enseignants. *Revue* universitaire en français : « Revue francophone de Louisiane ». *Radio :* 168 h par semaine. *Télévision :* 23 h par semaine. *Messe* parfois célébrée en français.

Nouvelle-Angleterre (Connecticut, Maine, Massachusetts, New Hampshire, New York, Rhode Island, Vermont) : au recensement de 1980, il y avait 1 991 000 Franco-Américains d'ascendance française, la majorité descendant d'émigrés canadiens. Plusieurs milliers parlaient encore le français.

Californie et **Oregon :** il y a env. 250 000 francophones sur la côte. **Idaho :** quelques milliers de Basques. **Autour des Grands Lacs :** 200 000 à 300 000 Canadiens.

Amérique latine

• Argentine, Chili (villages de vignerons français au sud, importantes colonies basques dans la région de Temuco).

• Mexique *État de Veracruz :* environ 10 000 descendants d'émigrants français francs-comtois et bourguignons. *Hauts Plateaux :* les Barcelonnettes, spécialisés dans le commerce des tissus (du nom de Barcelonnette dans les Alpes-de-Hte-Provence, d'où émigrèrent un certain nombre d'habitants à partir de 1821, quand la filature des Arnaud – de Jusiers – ferma ses portes).

Asie

• Inde. Langue officielle avec le tamoul : **Pondichéry** (territ. de l'Inde, 471 507 h., 481,74 km², ancien établissement français avec **Karikal, Mahé, Yanaon** et **Chandernagor ;** traité de cession 28-5-1956, ratifié 16-8-1962). Le fr. est très peu enseigné (en dehors des établissements fr.). Communauté française : 20 000 personnes.

• Syrie et Liban : il y a un certain nombre d'habitants descendant des Poulains, « pieds-noirs » du temps des Croisades : ex. les Douahy descendant du sire de Douai, les Frangié, les Duras. Grâce aux écoles missionnaires. A partir du XIXe s., les langues eur. (fr. surtout, italien et anglais) sont enseignées comme l. de culture. A la fin du XIXe s., l'usage du fr. l'emporte. Le mandat français (1920-43) favorise son extension. Turquie : un certain nombre de Smyrniotes sont citoyens fr.

Europe

• Seule langue officielle. **France, Monaco, Luxembourg** (85 % des h. savent le français, mais parlent un dialecte).

• Langue officielle avec d'autres. **Belgique** (voir Index). **Suisse :** *seule langue off. :* cantons de Vaud, Neuchâtel, Genève et Jura (seul canton monolingue ayant disposé dans sa constitution que le fr. serait langue off.). *Une des langues officielles :* cantons de Fribourg (majoritaire), Valais et Berne (en concurrence avec l'allemand) (majoritaire).

• Autres cas. **Allemagne :** env. 300 000 réformés descendent des huguenots (30 000 sont inscrits à l'Association des huguenots). **Espagne :** 12 000 « pieds-noirs » d'Algérie, vivant notamment autour d'Alicante.

☞ Les Églises réformées dites Égl. françaises, ou Égl. wallonnes, ou Égl. vaudoises, ont leur culte en français : Pays-Bas (la famille royale appartient à l'Église « wallonne », dont le culte est en français), Allemagne (Taunus, Berlin-Est), Italie (Piémont), Danemark, Suède, Irlande.

Océanie

• Nouvelle-Calédonie. Le parler populaire, marqué par les origines des 1ers colons fr., le bagne et l'infanterie coloniale, ne se distingue plus aujourd'hui du français international que par un accent « caldoche » et quelques expressions locales.

• Polynésie française. Le tahitien (dep. 1980 l. officielle à côté du fr.) progresse au détriment des autres dialectes locaux. Il est utilisé par 80 % de la pop.

Nota. – 3 247 villes étrangères ont un nom de localité française.

Organisations

• Conférence des chefs d'État de France et d'Afrique. **Origine. 1973 :** à l'issue du « sommet » africain à Paris autour de M. Pompidou (13-11), il est décidé que les réunions regroupant des chefs d'État africains francophones auront lieu chaque année. **1988** (déc.) 15e à Casablanca (22 chefs d'État).

Sommets de la francophonie. 1986 (17/19-2) 1er, Versailles. **1987** (2/4-9) : 2e Québec, 36 pays représentés + 3 communautés invitées [Louisiane (U.S.A.), N.-Angleterre (U.S.A.), Val d'Aoste (Italie)]. **1989** (24/26-5) : 3e Dakar.

Organisation intergouvernementale

Agence de coopération culturelle et technique. 13, quai André-Citroën, Paris 15e. **Créée** le 20-3-1970 à Niamey (Niger). **Secr. gén.** : Jean-Louis Roy (Canada) élu pour 4 ans en déc. 1989. **Membres :** 32 États (Belgique, Bénin, Burkina, Burundi, Canada, Congo, République centrafricaine, Comores, Côte-d'Ivoire, Djibouti, Dominique, *France*, Gabon, Guinée, Guinée équatoriale, Haïti, Liban, Luxembourg, Madagascar, Mali, Maurice, Monaco, Niger, Rwanda, Sénégal, Seychelles, Tchad, Togo, Tunisie, Vanuatu, Viêt-nam, Zaïre). 7 États associés (Cameroun, Égypte, Guinée-Bissau, Laos, Maroc, Mauritanie, Ste-Lucie). 2 gouvernements participants (Nouveau-Brunswick, Québec). *But :* coopération dans les domaines de l'éducation et de la formation, de la culture et de la communication, des sciences et techniques pour le développement. Devenue l'un des principaux opérateurs des actions décidées par chefs d'État et de gouv. des pays ayant en commun l'usage du fr. lors des sommets francophones. **Budget** *1988-89 :* 215 465 410 F.

Organismes publics

• **Ministre délégué auprès du ministre des Affaires étrangères chargé de la francophonie.** Alain Decaux (n. 1925) dep. le 28-6-1988. Succède à la secrétaire d'État auprès du Premier ministre chargée de la francophonie [Lucette Michaux-Chevry (n. 5-3-1929), nommée le 2-5-1986]. **Mission :** exerce, par délégation, les attributions du ministre des Affaires étrangères, relatives à la promotion de la francophonie dans le monde et à la politique de coopération avec les organismes internationaux à vocation francophone. En ce domaine, il propose toutes mesures, anime et oriente l'action des administrations intéressées à la préparation et au suivi des Conférences des chefs d'État et de gouvernement des pays ayant en commun l'usage du français. Il a été en outre chargé, par lettre de mission du Premier ministre du 17-3-1989, de coordonner l'action télévisuelle extérieure de la France.

• **Haut Conseil de la francophonie.** 72, rue de Varenne, 75007 Paris. **Créé** 12-3-1984. **Pt :** F. Mitterrand. **Pt d'honneur :** Léopold Sédar Senghor (ancien Pt du Sénégal). **Secr. gén. :** Stélio Farandjis (n. 16-4-1937). **Mission :** préciser le rôle de la francophonie et de la langue fr. dans le monde. Propose des perspectives d'actions.

Conseil supérieur de la langue française. 1, rue de la Manutention, 75008 Paris. **Créé** 2-6-1989, présidé par le P.M. *Vice-Pt :* Bernard Quemada. **Mission :** étudie les questions relatives à l'usage, l'aménagement, l'enrichissement, la promotion et la diffusion de la langue fr. en Fr. et hors de Fr., et la politique à l'égard des langues étrangères ; présente des recommandations au gouvernement et suit l'action de la Délégation générale à la langue française.

• **Délégation générale à la langue française.** 1, rue de la Manutention, 75008 Paris. **Créée** 2-6-1989, placée auprès du P.M. *Délégué général :* Bernard Cerquiglini. *Secrét. gén. :* Maurice Zinovieff. **But :** promouvoir et coordonner les actions des administr. et des organismes publics et privés qui concourent à la diffusion et au bon usage de la langue fr., notamment dans l'enseignement, la communication, les sciences et techniques.

Organismes privés

Principales associations francophones

• **Association francophone d'amitié et de liaison (A.F.A.L.).** 18, rue Brillat-Savarin, 75013 Paris (a succédé dep. août 1983 à l'Association francophone d'accueil et de liaison, créée 1974, restructurée 1983). *Pt :* Xavier Deniau (24-9-1923). *Vice-Pts :* Martial de la Fournière (1-4-1918), Jacques Rabemananjara (23-6-1913), Paul Fahy (20-2-1922) et Alain Plantey (19-7-1924). **Membres :** 76. Réunion internat. d'associations et organisations non gouvernementales, couvrant des domaines divers de la francophonie ayant pour objet de contribuer à la défense et à l'expansion de la langue et de la culture fr.

Alliance française. 101, bd Raspail, Paris 6e. *Création :* 1883. *Pt :* Marc Blancpain (n. 1909). *Secr. général :* Jean Harzic (n. 1936). *Objectif :* diffusion de la langue et de la civilisation fr. dans le monde par l'intermédiaire de 1 010 comités ou associations affiliées (conférences, réunions, bibliothèques et surtout cours de langue et de civilisation). *Activité enseignante* dans plus de 600 centres. *Étudiants (1986-87) :* 288 416 dont (en %) : Amér. latine et Caraïbes 52,6, Europe occ. 14,8, Asie et Océanie 14,6, Afrique française non francophone 8,1, Afr. francophone 2,6, Europe de l'Est 1,2. *Pays ayant le plus d'étudiants en 1987 :* Brésil 49 201, Argentine 30 535, Pérou 17 992, Mexique 17 686, Portugal 12 742, États-Unis 12 000. *Villes comptant le plus d'étudiants en 1987 :* Rio de Janeiro 14 186, Lima 13 870, Buenos Aires 13 683, São Paulo 13 505, Mexico 9 075, Hong Kong 6 680, Séoul 5 460, Lisbonne 4 594, Bogota 3 725, New York 3 500. *École de Paris :* fonctionne toute l'année et reçoit 4 000 élèves par jour (dep. débutants jusqu'aux prof. de français stagiaires de langue étrangère).

Ass. intern. des parlementaires de langue fr. (A.I.P.L.F.) 235, bd St-Germain, 75007 Paris. *Fondée* 1967. *Pt :* Martial Asselin (Can.). *Publication :* Parlements et Francophonie (trim.).

Ass. des écrivains de langue fr. (A.D.E.L.F.). *Créée* 1926 (2 200 écrivains de 67 nationalités, *Pt :* Edmond Jouve, décerne 15 prix littéraires). **Ass. intern. des maires et responsables des capitales et métropoles** partiellement ou entièrement francophones (A.I.M.F.). Pt Jacques Chirac. **Association des universités partiellement ou entièrement de langue française – Université des réseaux d'expression française (A.U.P.E.L.F.-U.R.E.F.).** 3 032, bd Édouard-Montpetit, Montréal, Québec, Canada. Fondée 1961 à Montréal. Direction générale, Rectorat : B.P. 100 succ. Côte-des-Neiges, Montréal Qc, Canada H35 257, Bureaux régionaux : Antananarivo, Dakar, Montréal, Paris, Port-au-Prince. Directeur général Recteur : Michel Guillou (France). Président : Abdellatif Benabdeljlil (Maroc) élu pour 3 ans en déc. 1990. Budget 1991 (millions de F.) **Fonds international de coopération universitaire (F.I.C.U.)** 6,9 ; **Université des réseaux d'expression française (U.R.E.F.)** 14,5. Membres : 219 institutions et réseaux institutionnels d'enseignement supérieur d'expression française dans 33 pays et 400 départements d'études françaises d'universités non francophones. Opérateur des sommets des pays francophones pour l'enseignement et la recherche dans l'espace scientifique francophone.

Conseil international de la langue française (C.I.L.F.). 142 bis, rue de Grenelle, 75007 Paris. *Créé* sept. 1967. Association intern. chargée de maintenir l'unité de la langue et de contribuer à la mise à jour de la terminologie scientifique et technique. 75 membres titulaires (26 Français, 10 Canadiens, 7 Belges, 3 Suisses, 20 Africains, etc., linguistes qualifiés). *Pt :* Joseph Hanse, de l'Ac. roy. de Belg. *Secr. gén. :* Hubert Joly. *Publications :* dictionnaires, revues : la Banque des mots (semestrielle), le Français moderne (sem.), collection de tradition orale monolingue et bilingue (80 fascicules publiés) et de manuels de formation en agronomie tropicale, mécanique et architecture (78 publiés). *Budget 1990 :* 6 000 000 F. Dispose d'une Maison de la francophonie, 11, rue de Navarin, 75009 Paris (siège d'une vingtaine d'associations littéraires et culturelles) ; de la librairie de la Francophonie, 21 bis, rue Cardinal-Lemoine, 75005 Paris ; d'une Maison de l'Europe, 10, rue Sainte-Odile, 71250 Cluny, pour former des étrangers à la langue fr. et les francophones aux langues européennes (organise chaque année, les 11, 12, 13 sept. les Entretiens européens de Cluny). La marquise de Bérenger lui a légué le château de Sassenage (classé), près de Grenoble (Centre de colloques et de séminaires pour la région Rhône-Alpes). Banque de données orthographiques et grammaticales par Minitel « 3615 ORTHOTEL » et Banque de terminologie industrielle (« 3615 Mitrad »). Service « Orthofax 45 55 41 16 ».

Union internationale des journalistes et de la presse de langue française (U.I.J.P.L.F.). 3, cité Bergère, Paris 9e. *Fondée* 1952. *Pt intern. :* Auguste Miremont (Abidjan). **Comité international pour le français langue européenne.** 70, av. de la Gde-Armée, Paris 17e. *Fondé* 1957. *Pt intern. :* S.A.R.I. l'archiduc Otto de Habsbourg. *Fondateur et Pt* de la Sect. française : Hervé Lavenir de Buffon (n. 1930). **Conseil international des radios-télévisions d'expression française (C.I.R.T.E.F.).** 23, rue Groujas, CH-1205 Genève, Suisse. *Créé* 1978. *Pt :* Robert Stéphane (Belge). **Fédération internationale des professeurs de français (F.I.P.F.).** 1, av. Léon-Journault, 92311 Sèvres Cedex. *Créée* 1969. *Pt :* Jean-Claude Gagnon. **Institut international de Droit d'expression française (I.D.E.F.).** 27, rue Oudinot, 75007 Paris. *Créé* 1961. *Pt :* Raymond Barre. **Institut pour la coopération audiovisuelle francophone (I.C.A.F.).** *Créé* 1982. 9, rue de Civry, 75016 Paris. *Pt :* André Delehedde. **Office de coop. et d'accueil univ. Richelieu International.** *Créé* 1944 à Ottawa. *Origine du nom :* « Maison Richelieu » établie en Amérique par la Dcesse d'Anguillon, nièce du Gal de Richelieu. *But :* accueillir les orphelins de soldats et de colons. *Objectifs :* permanence entre les responsables du monde francophone. *Dél. gén. :* Grégoire Pagé, 445, rue Comberland, Case postale 2, Ottawa Canada K1N 8V1. **Richelieu France.** *Gouv. exécutif :* Bernard Laurence, 1, rue Jean-Moulin, 35000 Rennes. **Union culturelle et tech. de langue fr. (U.C.T.F.).** 47, bd Lannes, Paris 16e. *Créée* en févr. 1954. *Pte :* Mme Serieyx-Prom. *Décerne* tous les 2 ans le prix Jean-Mermoz pour des Fr. de l'étranger, ayant servi la Fr. Congrès des villes-sœurs (3 247 dans le monde portant un nom fr.). Bibliothèque internat. de langue fr. à la Bibl. Ste-Geneviève. **Centre international de documentation et d'échanges de la francophonie (C.I.D.E.F.).** 100, rue de Lille, 59200 Tourcoing.

• **Revues, journaux écrits en français paraissant à l'étranger (estim. 1984).** Suisse 225, Canada 180, Belgique 160, Maroc 32, Algérie 19, Sénégal 18, Tunisie 18, Roumanie 15, Israël 15, U.S.A. 15, Pologne 14, île Maurice 14, Liban 3, Italie 12, Yougoslavie 11, Luxemb. 10, Tchécosl. 9, Hongrie 9, Zaïre 8, All. féd. 7, G.-B. 6, Égypte 5, Dan. 5, Madagascar 5, Albanie 4, Tchad 4, Japon 4, Seychelles 3, Cameroun 2, Côte-d'Ivoire 2, U.R.S.S. 2, Grèce 2, Autriche 2, Chine 2, Cuba 2, Iran 2, Portugal 2, Venezuela 2. *Source :* U.C.T.F.

☞ **Grand Prix de la francophonie.** *Créé :* 1986. *Montant :* 400 000 F. *Lauréats : 1986* Georges Schéhadé (lib.) ; *1987* Yoichi Maeda (jap.) ; *1988* Jacques Rabémananjara (Madag., 23-6-1913) ; *1989* Hubert Reeves (Canad.).

Latinité

☞ Les langues néolatines (espagnol, italien, français, portugais, roumain, catalan, galicien, occitan, provençal, romanche) sont issues du bas-latin, lui-même issu du latin, langue d'un petit peuple fixé dans la région de Rome (Latium).

Organisations

Organismes intergouvernementaux

• **Union latine.** **Siège :** 8, rue Colón-Santo-Domingo, Rép. dominicaine. France : 65, bd des Invalides, Paris 7e. Autres bureaux : Rome, Lisbonne, Buenos Aires, Lima, Bucarest. **Pt du Congrès :** José Augusto Seabra (Port.) **Vice-Pts du Congrès :** Félix Fernandez Shaw (Esp.), Salvador Romero Pittari (Bol.). **Pt du Conseil Exécutif :** Giacomo Ivanchich Biaggini (It.) **Secr. gén. :** Philippe Rossillon (Fr., 10-8-1931). **États membres (févr. 1991) :** Argentine, Bolivie, Brésil, Chili, Cuba, Équateur, Espagne, *France*, Guatemala, Guinée-Bissau, Haïti, Honduras, Italie, Monaco, Nicaragua, Paraguay, Philippines, Portugal, Pérou, Rép. dominicaine, Roumanie, St-Marin, St-Siège (statut partic.), Uruguay, Venezuela. **Histoire :** fondée par Pierre Cabanes (Fr.) après 1945 sous forme d'association privée. Transformée en organisme intergouvernemental par le traité de Madrid de 1954. Sans grande activité pendant 1/4 de siècle, elle disparut en 1979, mais fut relancée par un congrès le 17-10-1983. **Objectifs :** *enseignement des langues latines* dans les pays latins pour éviter le monopole de l'anglais (enseign. secondaire notamment), *collecte, informatisation, enrichissement des vocabulaires* scientifiques et techn. des langues latines, utilisation des progrès de la linguistique informatique (dictionnaires informatisés, etc.), *collecte, comparaison, renforcement des législations* en réglementations tendant à : la protection linguistique des consommateurs (étiquettes, modes d'emploi, publicités en fr., esp., it., etc.), la protection des productions culturelles latines dans les médias (quotas à la télévision, radio, etc.), *activités culturelles tendant à favoriser la connaissance mutuelle des peuples latins.* **Langues officielles :** espagnol, italien, français, portugais, roumain.

• **Oficina de educación ibero-americana (O.E.I.).** **Créée** 1949. **Siège :** Madrid. **Membres :** tous les pays hispanophones d'Amérique, le Brésil, la Guinée équatoriale, les Philippines. **Secr. gén. :** Simon Romero. **Objectifs :** coopération en matière éducative à tous niveaux. Nombreuses publications.

• **Istituto italo-latino americano (I.I.L.A.).** **Créé** 1966 sur l'initiative d'A. Fanfani. **Siège :** Rome. **Membres :** pays d'Am. latine (dont Brésil et Haïti) ; **langues officielles :** italien, espagnol, portugais, français. **Objectifs :** développement et coordination des recherches en matière culturelle, scientifique et technique. **Secr. gén. :** ambassadeur Magliano.

Organismes privés

Cultura latina. Association fondée pour la promotion en France des langues et des cultures latines. *Créée* 1981. *Siège :* 65, bd des Invalides, Paris 7e. *% Pt :* Philippe Rossillon. Anime des radios (Radio Latine, 101.8 FM à Paris, Radio Cora Latina à Arles, Nîmes, Montpellier), un cinéma, une galerie et un bistrot (le Latina, 20, rue du Temple, Paris 4e). Organise expositions et colloques.

Association des professeurs de langues romanes.

Centro d'Azione Latino. Association privée pour le développement des échanges entre l'Italie et les pays d'Amérique latine. *Siège :* Rome.

Fundación latina (Argentine).

Helvetia latina. Suisses francophones et italiens.

Espagnol

• **Pays où l'espagnol est la langue officielle et (ou) maternelle. Europe :** Espagne ; **Amérique du Sud :** tous les pays sauf Brésil, Guyane, Guyana, Surinam ; **centrale :** tous les pays sauf une partie de Bélize ; **du Nord :** Mexique ; *Caraïbes :* Cuba, Rép. Dominicaine, Porto Rico ; **Afrique :** Guinée équatoriale. Ces pays occupent 12 006 026 km².

• **Pays marqués par une influence espagnole :** Philippines, Maroc (Rif).

• **Pays où résident d'importantes communautés hispaniques.** *U.S.A. :* 6 États regroupent 3/4 de la population d'origine hispano-américaine : N.-Mexique 36,6 (% d'hispanophones) ; Texas 21 ; Californie 19,2 (dans le Sud 22,6) ; Arizona 16,2 ; New York 9,5 (ville de New York 19,9) ; Floride 8,8 (division administrative de Miami 35,7). *France.*

• **Locuteurs parlant seulement une langue amérindienne.** Effectifs en milliers, % monolingues et bilingues en 1974. Paraguay 1 185 (44) *52,* Bolivie 1 477 (27) *42,* Guatemala 1 250 (24) *8,8,* Pérou 1 846 (12) *22,1,* Équateur 626 (9) *8,7,* Mexique 930 (1,6) *4,7,* Nicaragua 33 (1,6) *0,8,* Argentine 175 (0,7) *0,6,* Chili 40 (0,4) *1,9.*

• **Population hispanique en 1980 et,** entre parenthèses **en 2000** (en milliers). *Pays de langue officielle et (ou) maternelle :* Espagne 37 378 (43 362), Amér. latine hispanique 228 561 (352 974), Guinée équatoriale 363 (613). *Minorités esp. :* U.S.A. 19 600 (32 400), Philippines 2 461 (6 100). *Total :* 288 788 (435 449).

Portugais

• **Pays de langue officielle ou maternelle. Europe :** Portugal. **Amérique :** Brésil. **Afrique :** Angola, Mozambique, Guinée-Bissau, îles du Cap-Vert et São Tomé. **Asie :** Macao.

• **Pays où résident des minorités « lusophones » :** France, Afrique du Sud, U.S.A., Canada, Venezuela, R.F.A.... ; zones d'émigration massive des Cap-Verdiens (U.S.A., Sénégal), Inde (Goa).

• **Population des pays de langue officielle et (ou) maternelle portugaise en 1980 et,** entre parenthèses, **en 2000** (en milliers). **Europe :** Portugal 9 836 (11 154). **Amérique :** Brésil 122 320 (187 493). **Afrique :** Angola 7 078 (12 376), Guinée-Bissau 573 (859), Mozambique 10 472 (18 701), Cap-Vert 324 (427), São Tomé et Príncipe 85 (88). **Total :** pays lusophones 150 688 (231 099).

• **Population portugaise vivant hors du Portugal en 1980** (en milliers). **Europe :** *France* 857, R.F.A. 110. **Amérique :** Venezuela 140, Canada 204, U.S.A. (Cap-Verdiens compris) 470. **Afrique :** Afr. du S. 500. **Total :** 2 281.

• **Lusophones en 1980 et,** entre parenthèses **en 2000,** (en milliers). **Pays de langue maternelle** 132 156 (198 647) : Portugal 9 836 (11 154), Brésil 122 320 (187 493). **Afrique** *lusophone* 2 350 (11 200) : Mozambique, Guinée-Bissau 1 350 (6 300), São Tomé, Cap-Vert, Angola 1 000 (4 900). **Minorités** *(France,* Afr. du S., etc.) 2 281. **Total :** 136 787 (210 000).

Italien

• **Pays de langue officielle et maternelle, pop., en 1980 et,** entre parenthèses **en l'an 2000** (en milliers) : Italien 56 108 (57 400) ; Suisse ital. 644 (640) ; St-Marin 20 (22).

• **Communautés italiennes et italophones hors des pays où l'italien est langue officielle en 1980** (en milliers). **Amérique** *du Nord* 1 874, U.S.A. 1 354, Canada 520 ; **Amérique** *latine* 1 639, Argentine 1 216, Brésil 255, Venezuela 168 ; **Europe :** 1 900, *France* 922, R.F.A. 618, Belgique 360 ; **Océanie** *(Australie) :* 530. **Total :** 5 943.

Roumain

• **Pays de langue officielle et maternelle, population** (en milliers) **en 1980 et,** entre parenthèses **en 2000.** Roumanie 22 268 (25 728), Moldavie (U.R.S.S.) 3 972 (3 709). Importantes minorités : Hongrie, Yougoslavie, diaspora roumaine (U.S.A., *France,* Israël).

Statistiques des langues néolatines

Effectifs. *Locuteurs* de 10 ans et + (en millions en 1980 et, entre parenthèses, en 2000). **L. néo-latine :** Espagnol 339 (403), Portugais 163 (261), Français 151 (231), Italien 51 (58), Roumain 24 (31), *Total* 728 (984). **L. germanique** (en 2000) : Anglais 431, Allemand 77, Néerlandais 27.

Croissance (de 1980 à 2000). Francophones (réels, c.à.d. de langue maternelle ou sachant lire, écrire et parler leur langue off. : le français) + 67 % ; Hispanophones + 66 % ; Lusophones + 65 % ; Roumanophones + 15 % ; Italophones 0. *% des Latins dans le P.I.B.* mondial v. 2000 : 22 à 24 %.

Concordances lexicales entre langues latines (selon Henri Guiter, en %) : **Espagnol** portugais 93, italien 82, roumain 75, français 72. **Portugais** italien 84, roumain 77, français 74. **Italien** français 81, roumain 76. **Français** roumain 67.

Énigmes

☞ Suite de la page 355.

Bruits et explosions

BONI (Bruits d'origine et de nature inconnues). Appelés aussi brontides. Semblables à un coup de canon dans le lointain, ils se transmettent parfois sur des centaines de kilomètres. *Causes envisagées :* émissions gazeuses d'origine volcanique, tassement du plateau continental avec rejet des gaz contenus dans les sédiments, microséismes. En 1976, on avait parlé de la répercussion possible des bangs du Concorde sur les masses d'eaux océaniques. Des brontides précurseurs furent ainsi entendus avant le tremblement de terre de San Francisco (1906). De nombreux marins ont signalé, depuis le XVIIe siècle, que mers et océans peuvent être agités par des explosions (détonations sourdes, émission de brumes, formation de dômes d'eau). Lieux de ces observations : côtes de la Belgique (où le phénomène est nommé «mistpouf»), golfe du Bengale («canons de Barisal»), golfe de Gascogne, côtes atlantiques des U.S.A. («canons de Séneca»).

Disparitions

Jean Salvator, archiduc d'Autriche. Fils du grand duc Léopold II et de Marguerite des Deux-Siciles, il avait obtenu (1880) de l'empereur François-Joseph d'abandonner ses privilèges et titres d'archiduc pour devenir un simple particulier sous le nom de Jean Orth. Officiellement, il disparut en juillet 1890 dans le naufrage de la *Santa-Margarita* au large du Cap Horn. Il semble en fait qu'il ait fini ses jours dans un ranch au pied de la Cordillère des Andes, sous le nom de Fred Otten.

☞ **Voir à l'index.** Baudouin de Flandres, empereur de Constantinople.

Empoisonnement

Boris de Bulgarie (roi). Mort le 28-8-1943, au retour d'une entrevue avec Hitler. La reine et Hitler étaient convaincus qu'il fut empoisonné, les Alliés, mais aussi les Soviétiques et les Allemands ayant intérêt à sa disparition. Pour certains, le masque à oxygène utilisé par le roi lors de son vol de retour d'Allemagne, aurait contenu une substance toxique. Plus vraisemblablement, le roi est mort d'une thrombose coronaire provoquée par son entrevue difficile avec Hitler.

Duparc, Thérèse (1633-68). Maîtresse de Racine, elle mourut en pleine Affaire des Poisons. La Voisin accusa Racine de l'avoir assassinée à l'instigation de la Champmeslé. On prétendit aussi qu'enceinte du poète, elle était morte des suites d'un avortement.

Lecouvreur, Adrienne (1692-1730). Tragédienne, morte en quelques jours, à 37 ans, elle aurait été empoisonnée par la duchesse de Bouillon qui voulait lui enlever son amant, le maréchal de Saxe. Cependant, l'autopsie ne montra pas trace de poison et, à son lit de mort, la duchesse protesta de son innocence.

☞ **Voir à l'index.** Affaire des poisons (1673-79). Besnard, Marie (1896-1980). Couty de la Pommerais (1830-64). Lafarge Marie (1816-52). Marty, Marguerite (1925). Louvois.

Enlèvements

☞ **Voir à l'index.** Koutiepoff (Général). Miller (Général).

Espace

☞ Voir à l'index. OVNI.

Hommes sauvages

Bigfoot. Homme sauvage des montagnes Rocheuses, ainsi nommé en raison de la taille de ses empreintes, parfois extrêmement nettes (dermatoglyphes visibles). Assimilé au gigantopithèque. **Homme sauvage de Chine.** On en possède des mains et des pieds (rapportées à un macaque géant).

Monstre (homme singe) de Vichy. En 1897, la fille d'un montreur de singes, qui vivait dans une roulotte avec son père et un chimpanzé, mit au monde un fœtus monstrueux, sans cerveau, avec de longs bras et une forte pilosité. Il mourut dès sa naissance. S'agissait-il d'un cas d'hybridation homme-singe ?

Toutes les tentatives faites (notamment en U.R.S.S. et en Afrique) pour féconder une femme par un singe ou une guenon par un homme sont demeurées vaines, pour une raison d'ordre chromosomique.

Enfants sauvages. Auraient été élevés par des louves ou d'autres femelles animales (guenon, truie, gazelle, etc.). Des enfants sauvages vécurent aussi seuls en pleine nature, sans l'aide d'animaux. **Allemagne :** *enfant-loup de Hess* (1344), *de Wettereau* (1344). *Pierre le sauvage* trouvé 1724 en Hanovre, + de 80 ans, on ne put jamais lui apprendre à parler. **Autriche :** *fille-porc* de Salzbourg (1830). **France :** *jeune fille* de Songi, trouvée 1731, se fit religieuse. *Victor,* de l'Aveyron, trouvé 1799, + de 40 ans, ne put apprendre que quelques mots. **Grèce :** à Metsova, une ourse aurait élevé un enfant. **Inde :** plusieurs cas. 2 sœurs recueillies en 1920 à Midnapore : *Amala* (2 ans) mourut au bout d'un an, *Kamala* (8 mois) pleura (seule manifestation d'un sentiment humain) et vécut encore 9 ans : elle apprit à boire dans un bol, à dire 40 mots, à se tenir debout (mais elle circulait toujours à 4 pattes), et à porter quelques vêtements. *Ramu,* enfant-loup de Lucknow, recueilli en 1954 à 10 ans env., vécut 14 ans à l'hôpital, sans quitter son lit. On ne put lui apprendre ni à marcher, ni à parler. Il souriait seulement à l'infirmière lui apportant ses repas (viande crue, eau qu'il lapait dans une assiette) ; il mourut en 1968 d'une affection respiratoire. *Enfant-léopard* du Cachari (1920), enlevé par un léopard et retrouvé 3 ans plus tard. **Irlande :** enfant-brebis (1672). **Lituanie :** enfant-ours (1661).

☞ Suite voir à l'index.

États et territoires

Légende. a. : ans ; D. : densité ; él. : élections ; Ép. : épouse ; Exp. : exportations ; F : francs ; f. : fils ou fille ; g. : guerre ; h. : habitants ; Imp. : importations ; m. : membre ; nat. : naturel ; off. : officiel ; par. : parenthèse ; PM : Premier ministre ; Pt : Président ; r. : recensement ; Rép. : République ; s. : son ; tr. : traité. – La capitale est en italique. Entre parenthèses, distance des principales villes à la capitale.

Si l'on veut d'autres détails, voir aussi à l'index le nom du pays (où l'on trouvera, pour certains, des renvois à littérature, cinéma, armée, etc.), le nom des produits (ex. : charbon, pétrole, blé...), les mots : monnaie, devises, P.N.B., commerce extérieur, transports.

AFGHANISTAN

V. légende ci-dessus.

Situation. Asie. 652 225 km². *Frontières :* avec U.R.S.S. 2 384 km, Iran 1 500, Pakistan 2 432, Chine 100. *Alt. max.* 7 500 m, Naoshakh (Pamir), *min.* 270 m, désert du Seistan. *Sol :* Nord, steppes ; Centre, montagnes calcaires couvertes de lœss ; Est, Hindou-Kouch, primaire siliceux, env. 6 000 m ; Sud, sable et désert. **Climat** *continental* [de – 30 °C à + 40 °C à Kaboul ; record : – 46 °C en 1972 ; neige et pluies (350 mm, insuffisantes) en hiver et au début du printemps.] *des steppes* au N. de l'Hindou-Kouch ; *désertique* au S., max. + 50 °C . Vents durant 120 j (juin à sept.) dans le Seistan et le bas du bassin du Helmand.

Population (en millions). *1979 :* 17 (dont 1,5 à 2 nomades), *1989 :* 16, *2000 :* 24,18. - *de 15 a.* 46 %, *+ de 65 a.* 4 %. *Accroissement* 0 %. *Espérance de vie :* 39 ans (60 % touchés par la tuberculose). *Mortalité infantile :* 200 pour 1 000. D. 24,5 (295 à Kaboul, 5 dans le Helmand). **Villes** (82) : *Kaboul* 1 036 407 *1988* + 3 000 000 , *90* 1 500 000, Kandahar 191 345, Hérat 150 497, Mazar-i-Sharif 110 367, Kunduz 57 112, Baghlan 41 240. *Alphabétisation* 12 %. *Immigration :* hindoue dep. plusieurs siècles. *Émigration (avant 1979) :* Arabie S., Irak, Émirats, All. féd. *Réfugiés,* voir ci-contre (bilan).

Nota. – En ville, les femmes portent le « tchadril », voile les recouvrant jusqu'aux chevilles (avec un treillis à hauteur des yeux).

Races. *Pachtounes* (5 à 6 millions dont 2 nomades) : Est et Sud. 3 groupes : P. de l'Est, Ghilzai, Durrani ; langue : pachtô (à Kaboul, persan). *Tadjiks :* Perses d'Asie centrale ; langue : persan, 2 à 3 millions. *Hazaras* (2 à 3 millions) : d'origine mongole, Centre et Kaboul ; langue : persan. *Ouzbeks* (2 millions). *Turkmènes :* Turcs du Nord. *Nouristanis :* Est. *Baloutches :* Sud : langue : turc oriental.

Langues. Pachtô et dari (persan) *(off.)* ; env. 30 autres langues et dialectes. **Religions.** Islam : officielle, 80 % sunnites, 20 % chiites [Hazaras (15 % de la pop. totale avant la guerre) et Tadjiks]. Hindouistes env. 30 000.

Histoire. Siège de civilisations très anciennes. **329 av. J.-C.** arrivée d'Alexandre le Grand sur le territoire actuel. **Apr. J.-C. : 50** les Kouchans prennent Kaboul. **652** arrivée des Arabes à Hérat. **698** à Kaboul. **971** dynastie ghaznévide fondée. **999-1030** sultanat de Mahmoud Ghaznévide. **1221** dévastations mongoles (Gengis Khân). **1370-1405** Tamerlan envahit Hérat. **1404-1506** règnes des sultans timourides de Hérat. **1506-1722** partage entre Inde et Iran. **1520** Baber couronné (fonde la dynastie des Grands Moghols de l'Inde). **1708** fond. de la dynastie des Hotaks. **1722** révolte contre l'Iran. **1747** dyn. durrani fondée. **3 g. anglo-af. : 1re : 1838-42,** défaite des Angl. (1839 : une armée de 20 000 h) ; **2e : 1878** (interrompue par épidémie de choléra) **1880,** tr. limitant la souveraineté externe de l'Af. (les Angl. versent une « pension » au roi) ; **3e : 1919,** aboutit à l'indépendance (8-8). **1865-85** les Russes prennent pied dans le N. jusqu'à Hérat. **1880** l'émir Abdur Rahman (n. 1844) prend le pouvoir. **1893** tr. anglo-ar., la ligne Durand délimite A. et (futur) Pakistan, coupant en 2 les Pachtounes (appelés Pathans au Pak.). **1895-96** G.-B. et Russie attribuent à l'A. le corridor du Wakhan (conduisant au Petit Pamir, peuplé de Kirghizes et d'Ismaéliens), ainsi les 2 empires ne se touchent pas. **1901** Abdur Rahman meurt. Habiboullah Khan, son fils (n. 1872), lui succède. **1919** il est assassiné par un inconnu. Amanoullah Khan (1892), s. f., prend le titre de roi. **1921-24** la Russie lui verse 500 000 $ par an. **1926** 1er tr. d'amitié avec Russie, 1re opposition. **1928** palais royal incendié à Djalalabad. **1929**-*17-1* Amanoullah abdique (meurt en 1960). Des musulmans intégristes dirigés par Habiboullah, dit Batcha-é-Saqao (le « fils du porteur d'eau »), prennent le pouvoir, anarchie. *-16-10* ordre rétabli ; le Gal Mohammad Nadir devient roi. Batcha exécuté. **1933**-*8-11* Nadir assassiné d'un coup de pistolet par un étudiant lors d'une distribution de prix ; son fils Mohammad Zahir Chah lui succède (1933-46 : régence de Hachem, 1946 de Chah Mahmoud). Mohammed Aziz, fr. de Nadir et père de Daoud (futur Pt de la Rép.) assassiné à Berlin. **1939-45** neutralité. **1946** tr. avec l'U.R.S.S. **1947** l'A. (contestant la ligne Durand de 1893) vote contre l'admission du Pakistan à l'O.N.U. **1951** l'A. adhère au plan de Colombo. **1953** Chah Mahmoud démissionne pour Mohammed Daoud (1909-78), PM qui cultive l'amitié soviét., se brouille avec le Pak. (question du Pachtounistan). **1955** Daoud décide de faire équiper et entraîner l'armée a. par l'U.R.S.S. **1963** Daoud démissionne, Zahir règne seul. **1964** Constitution. **1970-72** disette. **1973**-*17-7* roi détrôné (exil à Rome). Daoud Pt. **1975** constitution Daoud crée un parti unique. **1976**-*1-12* coup d'État du Gal Mir Ahmed Shah échoue. **1977**-*14-2* nouvelle Const. ; partis interdits. Accord commercial de 30 a. avec U.R.S.S. **1978**-*mars* Mir Akbar Khyber (n. 1925, du P.D.P.A.), assassiné. *-27-4* coup d'État mil., prosoviét. sous l'influence du P.D.P.A., env. 3 000 † (dont le Pt Daoud) ; troubles en province. *-30-4* Noor Mohamad Taraki (1917-79) du Khalq Pt. *Été :* coup d'État du Gal Abdul Kader (n. 1944) échoue ; nationalisations, réforme agraire *(2-12),* remise des dettes des paysans envers grands propr., abolition de l'achat de l'épouse, nouveau drapeau rouge *(19-10)* ; le PM s'appuyant sur le Khalq (parti du peuple) évince (en juil.) les min. du Parcham (p. du drapeau). – *août* Babrak Karmal (n. 1929) exilé à Prague comme ambassadeur. *-5-12* tr. avec U.R.S.S. (amitié, coopération).Taraki, poussé par les Sov. va tenter d'éliminer PM Hafizullah Amin. (1929-79, communiste radical et nation. pachtoune ; condamné par U.R.S.S. pour son sectarisme). **1979**-*14-2* Adolf Dubs, amb. amér. assassiné. *Mars* soulèvement de l'Hérat, env. 30 000 †. *-11-3* action du Hezb-i-Islami (parti islamique) et du Jamiyat-i-Islami (rassemblement isl.). – *été* tentative d'insurrection de chiites hazaras, alliés au Hezb-i-Islami, annulée ; répression : ayatollahs Sayyed Sarurei Wahez et Akaï Alim tués (liés aux ayatollahs Khuï en Irak et Khomeyni en Iran). Début rupture chiites/communistes. *-5-8* mutinerie garnison de Bala-Hisar (Kaboul). *Août* 5 000 mil. soviét. en A. ; *-14-9* coup d'État, Amin fait étrangler Taraki rentrant de Moscou. *-15-12* 1 500 parachutistes soviét. occupent base de Begram. *-24-12* **intervention mil. soviét.,** 40 000 h (à « l'appel du gouvernement Karmal » (qui n'était pas encore en place). « 14 requêtes », et en vertu du tr. d'amitié [en fait l'U.R.S.S. n'admet pas sur sa frontière Sud un régime « progressiste » et nationaliste (les visées stratégiques : descente vers les mers chaudes, lutte contre l'intégrisme, n'auraient pas joué). L'état-major aurait désapprouvé l'invasion, à l'inverse du K.G.B. qui constituera le *Khâd* (services secrets afghans)]. Aucune résistance af. (les conseillers sov. avaient fait enlever les batteries des tanks, pour vérifier leur résistance au gel) *-28-12* Karmal (revenu avec les Sov.) remplace Amin exécuté le 27. **1980** *-1-1* 50 000 mil. sov. *janv.* l'O.N.U. condamne l'intervention soviét. par 104 voix contre 18 et 16 abst. ; guérilla. *-21/25-2* grève du Bazar à Kaboul et émeutes ; + de 500 civils †. *-4-3* union de 5 des 6 organis. en lutte : Jamiyat-i-Islami, Front de libération islam. d'A., Mouv. de la névol. islam., Mouv. révol. islam. d'A., Hezb-i-Islami. *-8-10* attentat à Kaboul 50 †. *-11-11* O.N.U. vote pour le retrait soviét. (123 voix pour, 19 contre, 11 abstentions). *-20-11* id. (111 voix pour, 22 contre et 12 abst. **1981** *1-1* 115 000 mil. sov. *-1/3-5* le tribunal permanent des peuples, réuni à Stockholm, condamne l'U.R.S.S. *-16-6.* sultan Ali Keshtmand (n. 1936) PM. *Déc.* O.N.U. vote pour le retrait (114 voix pour, 21 contre et 13 abst.). **1982** A. cède à U.R.S.S. corridor de Waksan, 200 km de long, reliant le N.-E. de l'A. à la Chine. *Mai-juin* offensive soviét. et gouv. (20 000 h.) au Panchir (100 km au N.-E. de Kaboul). *-30-10* attentat dans tunnel de Salang (2 675 m, 3 363 m d'alt., reliant Kaboul au N. et à l'U.R.S.S., réparé 1987), env. 700 Russes et 100 civils tués. **1983**-*16-1* docteur Philippe Augoyard (Fr.) capturé ; *mars* condamné à 8 ans de prison, *juin* gracié. **1984** fédération de la résistance dans le Nord : Ahmed Shah Massoud (Panshir), Ismaël Khan (Hérat) et Zabiullah (Mazar-i Sharif) ; offensives soviét. au Panchir. Zabiullah délogé de son Q.G. (tué déc. par le *Khâd*). *Sept.* Jacques Abouchar (Fr., journaliste, condamné à 18 ans de prison, gracié 25-10). **1985**-*7-1* mutinerie de soldats soviét. tadjiks (80 † ?). *-13-11* O.N.U., vote pour le retrait (pour 122, contre 19, abstentions 12). **1986** la résistance reçoit les missiles portatifs Stinger permettant d'abattre nombre d'hélicoptères soviét. *-4-5* Karmal démissionne du secr. gén. du parti. *-20-11* de ses fonctions de chef d'État (raisons de santé). *-8-12* bombardement soviét. au Pakistan (Kandahar) 450 †. **1987**-*15-1* Najibullah annonce un programme de réconciliation nationale, décrète un cessez-le-feu unilatéral, ignoré. Nouvelle Constitution permettant aux non-communistes de jouer un rôle. *Nov.* le frère du Pt et le demi-frère de Karmal rejoignent la résistance. **1988** *janv.* succès gouvernemental à Khost. *-4-1* Alain Guillo, journaliste fr., condamné à 10 ans de prison pour espionnage (libéré 28-5). *-11-2* Sayd Bahodine Majrouh, poète, assassiné. *-14-4* Genève, accord sur retrait soviét. (entre A., Pakistan, U.R.S.S., U.S.A.) ; les résistants le rejettent. *-28-5* Hassan Sharq PM. *-24-6* 8 Sukhoi SU-25 détruits sur aéroport de Kaboul. *-10-8* départ du 1er convoi soviét. de Kaboul (500 h., 100 véh.). *-16-8* l'U.R.S.S. annonce le retrait de 50 000 h. *-18-8* résistance attaque base sov.-afghane (600 à 700 †). - *Fin août* prend Bamiyan. *-24-12* Vorontsov (vice-min. soviét. des Aff. étr.) rencontre ex-roi Zahir Shah. L'U.R.S.S. est pour son retour. *-30-12* Najibullah ordonne une trêve de 4 j. **1989** *-3-1* cessez-le-feu rompu par résist. *-15-2* retrait soviét. total. *-20-2* PM Sharq révoqué. *Déc.* complot échoue. **1990**-*1-1* offensive moudjahidine sur Jalalabad. *-11-1* compromis de la résistance pour faire élire un gouv. en exil par une assemblée élue de 3 000 représ. 216 districts. *-6-3* échec complot. ; gén. Shah Nawaz Tanaï (du Khalq, min. de la Défense) fait bombarder palais présidentiel, puis s'enfuit au Pakistan : 100 à 300 †. *-6-4* 3 000 combattants et 7 000 résistants devant se rendre officiellement au gouvernement ouvrent le feu : 12 † (dont 2 généraux). *4-5* levée de l'État d'urgence. **1991** combats sporadiques. *Avril* Asadabad 400 † (scuds lancés par armée). **Roquettes sur Kaboul. 1989 :** *10-7* 30 †, *22-7* 44 †. **1990 :** *27-3* 27 †.

• Bilan *(1979-89).* **Forces en présence** (mai 1988). *Parti gouvernemental soviét.* 115 000 + 50 000 en U.R.S.S., Afghans 20 000 à 30 000 (90 000 en 79, nombreuses désertions), *résistants* 100 000. **Pertes (1979-89) :** Russes 13 833 † (dont 2 343 en 1984), Afghans 1 242 000 (80 % civils). *Pertes matérielles russes (79-86) :* 800 hélicopt. et avions, 1 500 blindés, 3 000 camions. *Déportés* 50 000 (dont 10 000 enfants) selon « Die Welt ». *Prisonniers politiques* env. 50 000. *Réfugiés* (en millions) : AU PAKISTAN : *avr. 1978 :* 0,1 ; *janv. 80 :* 0,5 ; *août :* 1 ; *mai 81 :* 2 ; *87 :* 3,5 à 5 (dont Pachtounes 85 %) dont 14 % nés au Pakistan. IRAN : *janv. 85 :* 2. **Coût pour l'U.R.S.S. :** 2 à 3 milliards de $ par an. **Aide soviétique au gouvernement (1990) :** plusieurs centaines de conseillers, transports (Aeroflot).

Aide à la résistance (millions de $). *U.S.A. : 1984 :* env. 250, *85 :* 470 (50 % des armes fournies sont détournées par corruption), *91 :* réduction progressive. *Proche-Orient et Asie :* 200 (?). *1987 :* 725. **Aide humanitaire américaine** (millions de $, 1991) 60.

• Statut. République. État islamique. *Constitution :* 29-11-1987. *Gouvernement* et *Conseil révolutionnaire* (11 m.), Pt Mohammed Najibullah (n. 1947) dep. 23-11-86 ancien chef du Khad (police secrète). *PM* Mahmoud Baryalai dep. 24-6-89. *Partis :* P. de la Patrie, nouveau nom, dep. juin 1990, du P. démocratique pop. af. (P.D.P.A.) f. 1965, *secr. gén. :* Mohammed Najibullah dep. 4-5-86. 2 tendances : *Parcham* (drapeau, Karmal Keshtmand ; divisé en Najibis, Keshmandis Karmalistes), *Khalq* (peuple, Taraki ; gén. Gulabzoï), *Front de la Paix* (avant juin 1990, appelé Front national). **Drapeau.** Bandes horizontales (noire, rouge et verte) avec emblème étoilé à gauche.

Forces gouvernementales. *(Mars 1989) :* mobilisés 170 000 (dont armée régulière 40 000), Sarandoys (gendarmes locaux) 80 000, police secrète (Khad) 50 000. Garde spéciale 20 000, soldats de la Révolution, miliciens [issus de tribus ralliées (dont les Jozjanis 6 000 (Tadjiks et Ouzbeks du N.)].

• Résistance. **Chourade Kandakar.** *Chef de l'État :* Ahmed Chah, élu 18-2-89 par la choura. *Gouvernement provisoire :* Pt Sibghatullah Mojaddedi (F.L.N., modéré) élu dep. 23-2-89 par la choura : 174 voix contre 173 à Abdul Rasul Sayyaf, chef de l'Ittihad-i-Islami (Alliance islamique, fondamentaliste) qui devient PM. Assemblée de 480 membres (dont 210 commandants de l'intérieur). **Conseil de surveillance, ou du Nord (Shura-ye Nazar) :** créé 1984 par le commandant Ahmed Shah Massoud. Contrôle 15 des 31 provinces. **Émirat** d'Ismaël Khan.

Nota. – Wahabites : combattants non afghans venus en A. pour participer à la *Jihad* (guerre sainte). Payés par l'Arabie S.

• Mouvements. SUNNITES (7 organisations alliées en mai 1985) FONDAMENTALISTES : *Hezb-i-Islami* (parti islamique) de Gulbuddin Hekmatyar (pachtoune) ; le mieux implanté parmi les réfugiés du Pakistan. Dep. 1979 utilisé par l'armée et les serv. secrets pak. qui lui ont fourni l'aide amér. [car opposé à la revendication des Pachtouns afghans sur la N.W.F.P. (prov. du N.-O du Pak.)]. En déclin dep. 1980 (composé de Pachtounes Ghizlay et de l'Est). *Hezb-i-Islami* de Yunus Khales : séparé en 1979 du précédent ; commandants Abdul Haqq (région de Kaboul) et Jalaludin Haqani (province du Paktya). *Jamiat-i-Islami* (Sté de l'islam) de Burhannudin Rabbani : le mieux implanté ; commandants Ahmed Shah Massoud (dans le Panshir) et Ismaël Khan (autour de Hérat), surtout influente parmi Tadjiks, Ouzbeks et Turkmènes du N, Alam Khan et Khalil (autour de Mazar-i Sharif). *Ittihad-i-Islami* (Alliance islamique) d'Abdul Rasul Sayyaf, wahabite, le moins puissant. TRADITIONALISTES : *Harakat-i-Inqelab-i-Islami* (mouvement de la révolution islam.) de Nabi Mohammedi. Modérés : Pachtounes. Implantés au Sud souvent pour le roi Zaher Shah. *Jabha* (Front de libération nationale) de Sigbatullah Mojadaedi (royaliste). *Majaz-i-Islami* (Front national islamique) de Pir Sayyed Ahmad Gaylani (royaliste pachtoune).

Chiites. *Harakat-i-Islami* du cheikh Assef Mohseni : commandant Anouari. *La Shura* (f. 1979) de Sayyed Beheshti (modéré). *Le Nasr* (f. 1979). Prokhomeyniste. *Le Sepah-i-Pasdaran :* créé par les pasdarans (gardiens de la révolution) iraniens en 1983 (extrémiste). *Mustazafin :* intellectuels *Kezelbash* de Kaboul (région de Bamiyan).

☞ Différend frontalier. L'Afg. revendique les territoires pachtounes rattachés au Pakistan (origine : tr. du 12-11-1893 entre roi d'Afg. Émir Abdour Rahman et Sir Mortimer Durand, coupant en 2 les territoires pachtounes). **Hazarajat :** centre de l'A. *1979* autonomie de fait (les grands propriétaires, inquiets des réformes agraires, chassent les repr. de l'État et rejoignent la résistance). *1984* influence du Nasr et du Sepah-i-Pasdaran. *1986* tentatives d'assimilation (création du conseil de la nationalité hazara, nomination de chiites au gouv. – Sultan Ali Keshmand). Les Ismaéliens (régions du Badakhshan et du Baglan) seront les seuls intéressés (double jeu). *1989* autonomie adm. et pol. accordée.

Économie

P.N.B. (millions de $) *1978 :* 4 335, *1985 :* 3 438 ; *par hab. 1988 :* 260 $ **Pop. active** (% et, entre parenthèses part du P.N.B. en %) : agr. 58 (50), ind. 8 (10), services 32 (30), mines 2 (10).

Dépenses militaires *(85).* 5,7 % du P.N.B.

Agriculture. **Terres** (millions d'ha, 81) : 64,7 dont pâturages 30, t. arable 7,9 (13 % de la sup., env. 52,4 % irriguées), forêts 1,9, divers 24,7 [30 % des terres non exploitées (récoltes en baisse de 50 % dep. 1978)]. *Production* (milliers de t, 88) blé 2 900, riz 490, maïs 30, coton 50 (87), fruits, légumes, sésame, orge, sainfoin, vigne, raisins secs, betteraves à sucre. Parfois 2 récoltes par an dans les zones irriguées. **Élevage** (millions de têtes, 88) : 32,1 dont moutons 17, volaille 7, bovins 3,6, chèvres 2,8, chevaux, ânes et mules 1,7. Surtout extensif, nomade et transhumant. Laine et peaux (astrakan *Karakul*).

Industrie. Artisanale : tissage, tapis, peaux, lingerie. Ciment 103 000 t (86-87), engrais. Mines. *Charbon* 151 000 t (85), 30 000 (88). *Gaz* (milliards de m³, 88) production 3 (97 % exporté v. U.R.S.S.), réserves 60. *Sel* 10 000 t (87). *Lapis-lazuli* 8 000 kg/an (trafic avec Pak.). *Mica, talc, uranium, or, cuivre, fer* (teneur 72 %), *abeste, sulfure, chrome.* Électricité. Hydraul. : 1 390 000 kWh (1986). Transports. Pas de ch. de fer, étude d'une ligne Iran-Hérat-Kandahar-Kaboul-Pakistan. Tourisme. *Saison :* mai à oct. (inclus), avril et nov. (possible). *Lieux visités :* sites gréco-bouddhiques [Bamiyàn (bouddhas géants), Hadda] ; mosquées de Kandahar et Hérat ; Mazar-i-Sharif : m. et pèlerinage du Now-Roz (nouvel an afghan le 21-3) ; ruines de Bost (Lachkargah) et de Bactres (Balkh). *Curiosités naturelles :* 7 lacs suspendus de Band-é-Amir (3 000 m d'alt. ; se déversent les uns dans les autres), vallées d'Adjar et du Panjü, forêts du Paktya, Nouristan. *Jeu* du Bozkachi.

Commerce (millions de $ 1986). *Exportations* 466 (88) *dont* gaz 260, fruits secs 135, coton 9,8, tapis, fourrures 50, fruits frais (82) 53,3 *vers* U.R.S.S. (84) 401, *Imp.* 765 (88) *dont* céréales, textiles, pétrole, thé, caout., sucre *de* U.R.S.S. (84) 526, 70 % des échanges avec pays de l'Est.

Rang dans le monde (88). 11ᵉ ovins.

Structures agraires et sociales. *Métayers :* donnent 3/4 de la récolte au propriétaire (qui leur en rend 1/4 comme semences, en garde 1/4 pour lui et met le dernier 1/4 en réserve, qui sert à entretenir la mosquée et son mollah, et à payer le *Dirab* ou « émir des eaux » qui répartit l'eau et entretient le système d'irrigation). Les propriétaires de plus de 35 ans peuvent participer à la *djirga* (conseil tribal élisant le chef appelé *khan, arbad* ou *malek).*

AFRIQUE DU SUD

Carte p. 839. V. légende p. 837.

Nom. En bantou : *Azanie.* Jusqu'en 1910 *Afrique du S. britannique.* 1910-61 *Union d'Afrique du S.* Dep. 1961 *République d'Afrique du S.*

Situation. *Superficie :* 1 127 662 km² (non compris Transkei, Bophuthatswana, Venda, Ciskei). **Côtes** 2 954 km dont Atlantique 872 km, o. Indien 2 082. **Frontières :** avec Mozambique 480 km, Swaziland 470, Zimbabwe 250, Botswana 1 550, S.-O. afr. (Namibie) 920, Lesotho (enclave) 780. **Capitale :** Pretoria (l'été austral, le gouv. se déplace au Cap où se tient la session parlementaire de janv. à juin).

Relief-végétation. Drakensberg (*alt. max.* Mt aux Sources 3 282 m). Chaîne (de 1 200 km de long, 60 km de large) en direction S.O.-N.E., parallèle à la côte, à 200 km env. à l'intérieur : coupe le pays : les 2/3 au N.-E. [plateau, alt. moy. 1 200 m, quasi désertique, au S.-O. (Grand Karoo), couvert de prairies au centre (Highveld), type semi-tropical (savane épineuse) au N. (Bushveld du Transvaal)] ; 1/3 au S.-O. [pentes vers la mer (Grand Escarpement), avec végétation méditerranéenne près du Cap, forêt subtropicale vers l'océan Indien].

Climat. *Intérieur du Highveld :* hivers courts, t. descendant en dessous de 0 °C, pluies 375 à 750 mm/an ; *littoral oriental :* étés chauds et humides (1 000 mm/an) ; *côte occ. (Le Cap) :* pluies en hiver (mai et août) ; *littoral sud :* pluies en toutes saisons. En moyenne 464 mm/an.

Distances de Johannesburg (en km). **Par la route :** Le Cap 1 452, Durban 642, East London 602, Gaborone 347, Maputo (ex-Lourenço Marques) 593, Maseru 430, Mbabane 371, Pretoria 56, Umtata 882, Windhock 1 805. **Par avion :** Le Caire 6 265, Dakar 6 716, Kinshasa 2 788, Londres 8 500, Moscou 9 170, New York 12 830, Paris 8 200, Rio de J. 6 700, Singapour 8 647, Tōkyō 13 522.

Démographie

• Origine de la population. **Noirs** (de type négroïde). 4 groupes linguistiques (Nguni, Sotho, Tsonga, Venda) et 9 nations ou tribus (Zoulous, Xhosas, Tswanas, Sothos du N., Sothos du S., Ndebeles, Shangaans, Swazis, Vendas), viennent des grands lacs du centre de l'Afr. et ont émigré vers le S. 1ᵉʳ groupe arrêté dans le bassin du Congo, en Angola, et plus au sud. 2ᵉ (Sothos) fixé au Lesotho, au Botswana et dans certaines parties du Transvaal et du Cap (au N.). 3ᵉ (Ngunis) au Natal le long de la côte est, jusqu'au N.-E. de la prov. du Cap, entré en contact avec les Blancs venant de l'ouest (1750-70). Une part des foyers nationaux Tswana, Swazi et Basotho a formé plus tard Botswana, Swaziland et Lesotho. Des peuples (Xhosas, Zoulous, Sothos du N. et Vendas) ont été inclus dans l'Union sud-afr., avec certains Tswanas, Swazis, Basothos et Tsongas Shangaans dans la partie la plus riche, le *« Triangle Bleu »* (à l'est d'une ligne allant du Blouberg, Transvaal N. à Port Elizabeth).

Asiatiques : originaires d'Inde, Malaysia, Indonésie, Chine (10 000). *Indiens :* v. 1860, travailleurs sous contrat pour la canne à sucre du Natal, puis négociants, marchands ou artisans. *1927,* « Cape Town Agreement » entre Inde et Afr. du Sud, prévoyant un plan d'aide aux candidats au rapatriement en Inde (passage gratuit et prime de départ) ; peu d'amateurs. *1949,* augmentation de la prime n'augmente pas les retours. Aujourd'hui, les I. sont marchands, courtiers, avocats (Gandhi le fut), médecins, entrepreneurs de travaux publics, industriels prospères, maraîchers, planteurs de canne à sucre, ouvriers spécialisés ou non.

Afrikaners : descendants des pionniers du XVIIᵉ s. 20 % descendent des huguenots.

Indigènes : *Hottentots,* décimés très tôt par 2 épidémies de variole, dont les survivants se mêlèrent aux autres races, pour constituer le noyau métis actuel. Les *Namas* de Namibie sont les plus authentiques Hottentots primitifs. **Boschimans :** petits groupes dans les régions semi-désertiques du Cap occid. et des contrées voisines.

Métis du Cap (Cape Coloured ou Bruns) : de souche surtout hottentote mélangée avec des Blancs, Asiatiques et Noirs.

• Nombre d'habitants en millions. *1904 :* 5,17 (Noirs 3,49, Blancs 1,12, Métis 0,44, Asiatiques 0,12). *1911 :* 5,97 (N. 4,02, Bl. 1,28, M. 0,52, A. 0,15). *1921 :* 6,93 (N. 4,7, Bl. 1,52, M. 0,54, A. 0,16). *1936 :* 9,59 (N. 6,6, Bl. 2, M. 0,77, A. 0,22). *1946 :* 11,42 (N. 7,83, Bl. 2,31, M. 0,93, A. 0,29). *1960 :* 15,1 (N. 10,93, Bl. 3,08, M. 1,51, A. 0,48). *1970 :* 21,79 (N. 15,34, Bl. 3,77, M. 2,05, A. 0,63). *1980 :* 25,08 (N. 17,06, Bl. 4,5, M. 2,7, A. 0,8). *1989 :* 30,19 (N. 21,1, Bl. 4,9, M. 3,1, A. 0,9). *2000 :* 50,29 (N. 37,92, Bl. 6,89, M. 4,9, A. 1,21). *2035 :* 95,3 (N. 81,9, Bl. 5,7, M. 5,2, A. 1,4) à 118,3 (N. 105,9, Bl. 6,1, M. 5,6, A. 1,5). – *15 a.* 35 %, *+ 65 a.* 4,7 %. D. 26,7.

• Immigration mozambicaine. 150 000 réfugiés mozambicains en 1989 (en % : hommes 10, femmes 30, enfants 60) dont 60 000 arrivés entre 1984 et 1989. **Travailleurs étrangers** (1986) : Botswana 28 244, Lesotho 138 193, Malawi 31 411, Mozambique 73 186, Swaziland 21 914, autres 85 177.

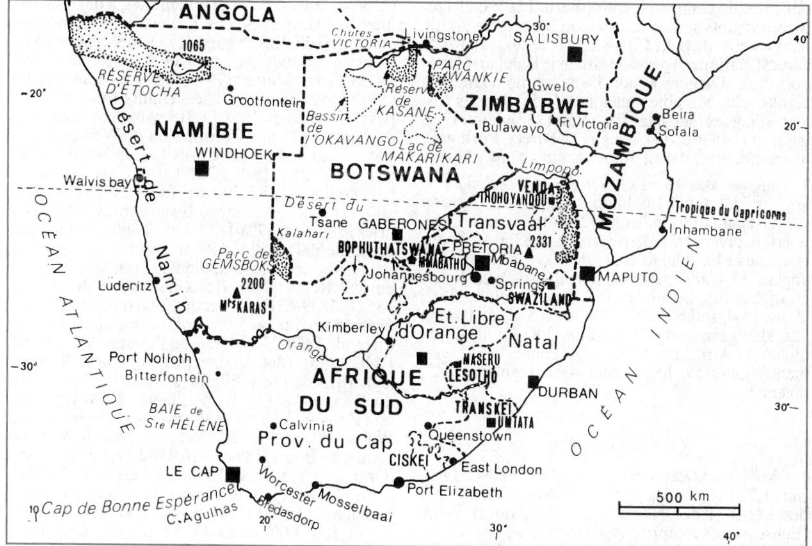

• **Émigration** (en milliers). *1924-38* : 51,42, *39-45* : 18,89, *46-60* : 162,12, *61-80* : 224,55, *81* : 10,51, *82* : 6,83, *83* : 7,63, *84* : 8,55, *85* : 11,4, *86* : 12,81, *87* : 11,17, *88* : 7,2, *89* : 4,5, *90* : 4,7. **Immigration** (en milliers). *1924-38*: 92,39, *39-45*: 16,68, *46-60*: 252,45, *61-80*: 681, *81*: 42,93, *82*: 45,78, *83*: 30,38, *85*: 17,2, *86* : 6,52, *87* : 7,95, *88* : 9,5, *89* : 11, *90* : 14,5. **Noirs étrangers** (1990) : 2 millions de réfugiés des pays voisins (dont 1,5 viennent chercher du travail). **Taux démographique** (‰) *(1989)*. **Natalité** : Noirs 39,1, M. 25,9, A. 22, Bl. 15,4. **Mortalité** : N. 12, M. 9,2, Bl. 8,1, A. 6,2. **Croissance annuelle** (en %) **en 1980-87** : N. 2,39, M. 1,88, A. 1,88, Bl. 1,19. **1989** : 2,5.

Nota. – Solde migratoire dans la pop. blanche. 1988 : 2 500, *90* : 10 000.

• **Espérance de vie** *(1984-86)* (en italique, âge moyen pour les femmes). Blancs 68,3, *75,8*, Asiatiques 64,1, *70,7*, Métis 57,9, Noirs 58, *61 (1979-81)*. **Maladies transmissibles** *(1988)*: 44 714 cas de tuberculose respiratoire chez les Noirs (70 fois plus que chez les Blancs).

• **Superficie habitable.** 28 % (13,7 % occupée par les foyers noirs, 14,3 par les Blancs, Métis ou Coloured (surtout Hottentots), Indiens et Bantous (hors de leur propre territoire).

Répartition. *Vers 1900* : 75 % des Noirs résidaient dans les territoires nationaux (10 % dans les centres urbains des Blancs) ; *en 1960* : 62 % et 38 % ; *en 1985* : 35,8 % des Noirs vivaient dans les territoires nat. et 41,7 % dans les centres urbains blancs.

Une émigration s'est faite progressivement du S. vers le N. Ainsi, en 1985, la province du Cap abritait 21,55 % de la pop. totale (*1904*: 46,6 %) et le Transvaal 32,2 % (24,5 %).

• **Principales agglomérations** en milliers (1985). Le Cap 1 911 (dont Métis 1068), Johannesburg (y compris Soweto) 1 609 (dont Noirs 1 500), East Rand (avec Brakpan, Boksburg, Benono, Nigel et Germiston) 1038 (dont Noirs 587), Durban-Pinetown 982 (dont Indiens 490), Pretoria 823 (dont Noirs 351), Port Elizabeth-Uitenhage 651 (dont Noirs 299, Métis 172), West Rand (avec Krigersdorp, Randfontein, Roodepoort, Carletonville) 647 (dont Noirs 387), Vanderbijlpark-Vereeniging-Sasolburg 540, Free State Goldfields 320, Bloemfontein 232, East London 193, Pietermaritzburg 192, Kimberley 149. *Townships noirs* : Alexandra et Soweto (est.) 5 000 (à Johannesburg), Crossroads (Le Cap) 100, Mamelodi (Pretoria), New Brighton (Port Elizabeth).

• **Urbanisation** (en %, 1990). Asiat. 90, Blancs 90. *2000* (est.) : Asiat. 92, Blancs 93, Métis 86, Noirs 75. 80 % de la pop. urbaine vit sur 4 % du territoire (conurbations de Pretoria-Witwatersrand-Vereeniging, péninsule du Cap, Durban-Pinetown et Port Elizabeth-Uitenhage.

Apartheid (développement séparé)

• **Définition.** Développement séparé des races et progressivement création d'États fondés sur les groupes linguistiques et culturels. L'évolution politique est voulue en termes de multinationalismes sans domination d'un groupe sur l'autre.

• **Structures politiques. 1951** *Black Authorities Act* : reconnait les structures politiques et administratives traditionnelles des Noirs, le pouvoir territorial repose sur des autorités tribales et régionales. **1959** *Black Self-Government Act.* : reconnaît les 9 groupes ethniques noirs comme des entités nationales, et établit les fondements de l'autonomie, puis progressivement de l'indépendance totale. **4 États indépendants** (TBVC) sont constitués : *Transkei* (qui regroupe la majorité des Xhosas, 1963 autonome, 1976 indépendant). *Bophuthatswana, Venda, Ciskei.* **6 États autonomes** : *Gazankulu, Kangwane, Kwandebele, Kwazulu, Lebowa, Qwaqwa.*

• **Étapes. 1911** *Bantu Labour Regulation Act* : oblige les travailleurs afr. à accepter un emploi sous peine de poursuites pénales. **1913,** *Native Land Act* : divise l'Afr. du S. en 2, laissant 7,3 % du territoire (12,7 % en 1936) aux Afr. ; sur le reste, seuls les Blancs peuvent posséder la terre. 50 % des terres arables sont en territoire noir. **1927,** *loi Hertzog* prohibant tout rapport sexuel hors mariage entre Blancs et Noirs. *Mines and Works Amendment Act* (Colour Bar Act) : réserve des emplois aux Bl. et interdit la délivrance de certificats d'aptitude aux Afr. et aux Asiatiques. **1944,** *Apprenticeship Act n° 37* : refuse aux Afr. la possibilité de recevoir une formation. **1945,** *Bantu Consolidation Act* : habilite les inspecteurs du travail à délivrer et révoquer les permis de travail aux Afr. **1949,** loi de prohibition des mariages mixtes. **1950,** les dispositions de 1927 sont appliquées aux Indiens et aux Métis. *Group Areas Act n° 41* : astreint la population à résider dans des zones distinctes. *Population Registration Act* : classe les Sud-Africains à la naissance, selon la couleur de peau. **1952,** *Native Act n° 67* : oblige les Afr. de 16 ans et + à porter sur eux un *pass book* contenant leurs pièces d'identité, avec mention de l'origine tribale, leurs quittances d'impôts, etc. (interdiction de séjourner + de 3 j. en zone urbaine sans autorisation spéciale). **1953,** *Bantu Labour Act* : interdit aux Afr. de faire grève et de se syndiquer. **1956,** *Industrial Conciliation Act* : interdit les syndicats ouvriers « mixtes ». **1957,** *Immorality Amendment Act* : interdit tout rapport sexuel entre personnes de races différentes. **1964,** *Bantu Law Amendment Act* : prive les Afr. de leurs droits dans les zones hors des bantoustans. **1966,** *Group Areas Act* : amendé.

« Reflux » 1974, *29-12 1er match à Johannesburg opposant une équipe blanche à une éq. noire.* **1975,** 1ers officiers métis. **1976,** plage multiraciale à Port Elizabeth. **1977,** ségrégation supprimée par 12 firmes américaines, modification des églises réservées. **1978,** crématoire multiracial au Transvaal. **1980,** 200 000 Noirs syndiqués, mariage mixte entre un Bl. et une métisse. **1981,** *Manpower Training Act, loi 56* sans discrimination d'ordre sexiste ou racial. *Labour Regulations Amendment Act, loi 57* supprime les emplois réservés, ouvre syndicalisme et centres d'apprentissage et de formation aux travailleurs de toutes races. **1982,** réunion entre le gouv. des 4 États indép. et celui de l'Afr. du S. pour faciliter la coopération. **A partir de 1982,** octroi d'un statut municipal aux zones urbaines noires. **1984,** *27 et 28-8* élection des chambres métisse et indienne. *17-8* 1re grève légale lancée par syndicat noir. *Black Communities Development Act, loi 4* remplace Black Labour Act (1964), Black (Urban Areas) Consolidation Act (1945), sections de lois ayant remplacé Black Land Act (1913) et celle de 1952 (n° 67) sur l'abolition des pass laws et la coordination des documents, sections du Bantu Law Amendment Act (n° 44) de 1964 et d'amendements ultérieurs. *Bilan du Group Areas Act* : 126 000 familles expulsées (66 % métisses, 32 % indiennes, 2 % blanches). **1985,** l'apartheid est désigné comme un « concept dépassé » par le Pt Botha. Seule s'y réfère l'extrême droite sud-afr. *avril* abolition des dispositions raciales de l'*Immorality Act* et de celles interdisant les mariages mixtes. *1-9* abolition de la ségrégation dans bus et trains. **1986,** *Juillet* reconnaissance du droit de pleine propriété aux Noirs. Instauration d'une direction multiraciale des aff. régionales avec création des conseils chargés des services régionaux à partir du 1-7-1987, et des conseils exécutifs (remplace les conseils provinciaux). L'Église réformée hollandaise (NGK) condamne toute tentative de justification biblique de l'apartheid. Abandon des laissez-passer *(passes)*, pièce unique d'identité ne comportant aucune référence raciale (800 000 Noirs auraient été arrêtés entre 1981 et 1984 pour infraction au système des *passes*). Restitution de la citoyenneté sud-africaine aux ressortissants des États TBVC (Transkei, Bophuthatswana, Venda, Ciskei) après 5 ans de résidence permanente en Rép. sud-afr. Reconnaissance du droit de pleine propriété aux Noirs. Instauration d'une direction multiraciale des affaires régionales. **1987**-*12-8* : disparition des dernières dispositions discriminatoires en matière d'emploi dans l'industrie minière. *5-10* : principe accepté : ouverture à toutes les races de certaines zones de résidence. **1988,** *oct.* élections municipales pour tous (Noirs compris) prévues le 26-10-1999. *3-11* entrée en fonction de l'Autorité exécutive conjointe du Kwazulu-Natal : 5 Noirs (Pt : Oscar Dhlomo) 3 Blancs et 2 Indiens. *29-6* Conseil national multiracial créé pour doter le pays d'une nouvelle constitution, au min. 46 m. dont 30 Noirs. **1989,** *févr.* 1er pilote non blanc (indien-métis) à la S.A.A. *-29-6* Johannesburg ouvre à tous piscines, lignes d'autobus et centres de loisirs. *-16-11* ouverture des plages à tous, loi sur les lieux et serv. publics séparés (*Separate Amenities Act* de 1953 sera abrogée). *-24-11* libre accès à 4 zones résid. **1990**-*16-5* suppression de la discrimination raciale dans les hôpitaux. *-15-7* loi sur la ségrégation raciale dans les lieux publics (*Separate Amenities Act*) supprimée (officiellement abrogée 15-10). **1991** abrogation prochaine des lois sur l'apartheid : *Group Areas Act, Land Act* et *Population Registration Act.*

De 1928 à 1982, 20 600 Sud-Afr. ont été poursuivis.

Nota. – **1973.** L'Afr. du S. exclue de l'O.N.U. pour non représentativité de son peuple.

• **Enseignement.** *Taux d'alphabétisation (1990)* : 49,2 % des Noirs de + de 13 ans finissent le primaire. *Nombre d'élèves noirs scolarisés (1989)* 5 125 905 (dont 75 % dans le primaire, 25 % dans le secondaire). *(1988)* 87 % des enfants noirs de 6 à 16 ans sont scolarisés (contre 36,7 % en 1951). 312 000 nouveaux élèves par an. *Élèves par professeur (1988)* : Noirs 39, Blancs 18. *Taux de réussite (examen de fin d'ét. sec). 1988* : Noirs 54 %, *1990* : Noirs 36,4 % (absentéisme) (Soweto : taux d'échec de 74 %), Blancs 95 %. *Enseignement supérieur (1989)* : 143 076 ét. noirs (dont universités et écoles normales 123 784, instituts de technologie : 19 292). *En 1988* : 56 662 ét. noirs inscrits dans universités blanches et 34 800 dans univ. noires. *En 1989* : 143 076 (dont univ. et écoles normales 123 784, inst. de techn. 19 292). *Dépenses pour l'éducation des Noirs* (total en millions de rands). *1972-73* : 32,9 ; *1991-92* : 6 833 ; *des Blancs* (1991-92) : 5 950. Le ratio 1 rand par élève noir pour 10 rands par élève blanc (1980) est devenu 1 pour 3,6 en 1989. *Écoles multiraciales* : sept.-déc. 1990, 205 écoles sur 18 533 s'ouvrent.

• **Domaine économique** (1988-89). **Revenus et impôts.** *Blancs* : perçoivent 54 % de l'ensemble des revenus des ménages (mais constituent 67,6 % de l'ensemble des contribuables sud-afr. et paient 81 % du montant total recouvert au titre de l'impôt sur le revenu). *Noirs* : 36 (14,7 et 7,7). *Métis* : 7 (11,58 et 6,8). *Asiatiques* : 3 (6,03 et 7).

• **Lutte politique. 1950,** *Communism Act n° 44* : la police peut assimiler l'opposition à l'apartheid à la poursuite d'objectifs « communistes ». **1953,** *Public Safety Act n° 3* : autorise le gouvernement à déclarer l'état d'urgence et à agir par voie de décrets. *Criminal Amendment Act n° 8* : réprime l'opposition pol., notamment la liberté d'expression, visant à modifier la pol. du gouvernement. **1955,** *Criminal Procedure Act n° 56* : modifié 1965, autorise la détention 180 j sans jugement. **1956,** *Riotous Assembly Act n° 17* : autorise de sévères restrictions à la liberté de réunion. **1960,** *Unlawful Organizations Act n° 34* : le chef du gouv. peut déclarer des organ. illégales et les dissoudre. **1963,** *Publications and Entertainment Act n° 26* : assimile à une infraction pénale l'exercice de la liberté de la presse lorsqu'un journal critique l'apartheid comme injuste. **1967,** *Terrorism Act n° 83* : crée l'infraction de « terrorisme » (le gouv. peut poursuivre qui bon lui semble). **1976,** *Internal Security Act :* vise toute organisation, publication ou personne mettant en danger la sécurité de l'État ou le maintien de l'ordre. **1982,** *Intimidation Act :* loi sur la contrainte.

International Security Act nº 74 : on peut déclarer illégale toute organisation dont les activités constituent une menace à la sûreté de l'État ou qui prône le communisme, interdire la fabrication ou la diffusion de publications contenant des informations susceptibles de porter atteinte à la sûreté de l'État. Toute personne s'étant engagée dans des activités destinées à porter atteinte à la sûreté de l'État ou à l'ordre public peut être interdite de participation à certaines organisations, réunions ou frappée d'interdiction de séjour dans certains endroits déterminés. Toute personne soupçonnée de terrorisme ou de subversion peut être détenue pour interrogatoire. **1987**- *5-11 :* libération de 7 pris. incarcérés pour atteinte à la sûreté de l'État [dont John Wkosi, ancien dirigeant du PAC (Congrès panafricain), et Govan Mbeki, ancien secr. du commandement de la branche armée de l'ANC, condamnés en 1963 et 64 à la réclusion à perpétuité], réductions de peines de 3 mois applicables à plusieurs pris. **1988**-24-2 : restrictions sur activités de 17 organisations (dont l'UDF, quelques-uns de ses affiliés et l'Azapo), accusées de fomenter un climat de haine. La centrale syndicale Cosatu est tenue à des activités purement syndicales. *-20-6* amnistie des exilés politiques (ANC compris) renonçant à la violence. **1990**-*6-8* accords de Pretoria : 20 000 exilés autorisés à rentrer. *-21-12* retour de 11 exilés pol. **1991**-*22-3* 1 800 exilés et détenus amnistiés. *-11-4* 119 détenus libérés (total : 439 pers.) et 1 208 exilés admis au retour (total : 3 692 pers.).

• **Assignation à résidence.** *« Banning »* ou *interdiction :* est signifiée directement à l'intéressé sans que le ministère de la Justice ait à motiver sa décision, ni à prouver le bien-fondé de l'accusation. Aucun recours possible ; peut être renouvelée au terme de 5 ans. Une personne assignée doit rester dans une région éloignée, s'abstenir de participer à des réunions pol. ou autres de plus de 2 personnes, et se présenter à la police 1 ou 2 fois par j. Nul ne peut publier ses écrits ou les citer. *Entre le 12-6-1986* (proclamation de l'état d'urgence) et le *12-2-1987,* 3 857 personnes avaient fait l'objet, à un moment ou à un autre, d'une détention de plus de 30 j, en vertu de la loi sur la sécurité publique de 1953.

Terrorisme. *Attentats : 1976 à 85 :* 400, *1987 :* 234, *1988 :* 291. *1989 :* 27 bombes et 673 † violentes. *1990 :* 2 330 † violentes. *1991 (janv.-mai) :* + de 700 † violentes.

Langues

• **Langues officielles. Anglais.** 40 % des Blancs et une partie des Asiatiques. *1795,* 1re occupation brit. *1806,* 2e 80 anglophones. *1820,* 5 000 colons débarquent baie d'Algoa, 43 000 anglophones. *1822,* langue du gouv. et de l'Administration. *1901,* langue officielle. **Afrikaans.** Issu du hollandais du XVIIe s. avec influences hottentote, allemande, franç., angl., bantoue et orientale. Des mots d'origine holl. ont souvent changé de sens, la prononciation diffère, des consonnes ont disparu, la syntaxe est modifiée. *1925,* l. officielle. 60 % des Bl. et de nombreux Métis. 2e l. de nombreux immigrants et de Noirs.

• **Autres langues. Bantoues** (1989). 23 050 000 : *1º) Nguni* (13 300 000) : E. et S.-E. du pays (+ Zimbabwe, Swaziland), regroupe : *Zoulou* (6 400 000) : Kwazulu et Natal ; *Xhosa* (6 200 000) : Le Cap, Ciskei, Transkei ; *Swazi* (650 000) : KaNgwane ; *Sindebele* (500 000) : Centre du Transvaal. *2º) Sotho* (10 500 000) à l'O. et N.-O. de la zone ngunie : *Sotho méridional* (3 600 000), Qwaqwa (2 000 000), bordure État d'Orange (+ Lesotho 1 600 000) ; *Sot. occidental* ou *tswana* (1 300 000) : au Bophutatswana (+ Botswana) ; *So. du Nord* ou *pédi :* Lebowa (2 700 000), N. du Transvaal. *3º) Tsonga* (1 500 000) : Gazankoulou (+ Mozambique). *4º) Venda* (550 000) : N. du Transvaal, Venda (+ Zimbabwe).

Fanakalo. 300 mots et expressions. A base de zoulou, d'anglais et d'afrikaans. **Langues khoe ou hottentot.** Namibie 112 833 et N.-O. de la province du Cap 10 000. 5 groupes : *Nama* (ou namaqua), *Xiri* (ou griqua), *Iora* (ou korana), *Tschu-khwe* et *Hai-num* (ou heikom). **Langues boschimanes.** « Boschiman » (Bushmen) signifie « gens de la brousse » et désigne plutôt un mode de vie (chasse, cueillette, nomades). Les l. boschimanes sont peu parlées. 3 familles : *Ixû* (ou *ju boschiman*) : Namibie 6 549. D'autres groupes de Boschimans : env. de Grootfontein. Le *hûa* (ou *!ô,* ou *ta'a*) : Namibie 20 ; N. de la province du Cap 230. Le *!wi* (ou *kwi* ou *boschiman du Cap*) : parlé par 30 personnes, des Kwi. Les 1ers hab. du Cap, de l'Orange et du Transvaal oriental ont presque complètement disparu. Les 2 dialectes !wi survivants sont le lexegwi, ou !wi oriental, parlé dans les env. de Lake Chrissie, et le n/huki, ou !wi de l'Ouest, parlé par 3 personnes dans le Kalahari Gemsbok Park. **Langues kwadi.** Dans les montagnes du Kaokoveld, Namibie : quelques Tschimbas les parlent. **Langues indiennes (%).** Tamil (37), hindi (33), gujarati (14), urdu (9), telugu (7). **Divers.** Portugais, allemand, grec, italien, français, hollandais, chinois.

• **Langues usuelles.** *En 1980* (en %). *Asiatiques :* anglais 73,4, tamil 1,6, hindi 1,8, gujarati 2,2, urdu 0,9, afrikaans 1,2, indiennes 2,4, afrikaans 0,7, chinois 0,6, divers 1,2 ; *Métis :* afrikaans 83,3, afrikaans et anglais 14,8, anglais 10,3 ; *Blancs :* afrikaans 54,1, anglais 35,4, allemand 0,9, portugais 1,2, afrikaans et anglais 5,1, hollandais 0,3. *Noirs :* zoulou 36,2, xhosa 16,4, sotho du N. 14,4, s. du S. 11,3, tswana 7,9, shangaan-tsonga 5,4, swazi 3,8. *En 1980* (en milliers) : Afrikaans 2 360, anglophones 1 652, germanophones 59, lusophones 47,2, bilingues 47,2, divers 107,9.

Religions

• **Chrétiens. Statistiques** (en millions, 1988) : *Anglicans* 1,92 (6,5 % de la pop. ; 10,1 % des Blancs, 13,8 des Métis, 4 des Noirs, 1 des Asiatiques), *NGK* (Églises sœurs comprises 4,4) (15 % de la pop. ; 45,8 % des Bl., 25,9 des M., 6,7 des N., 0,5 des A.), *Méthodistes* 2,6 (8,8 % de la pop. ; 9,7 % des N., 9,2 des Bl., 5,7 des M., 0,5 des A.), *Catholiques romains* 2,8 (9,6 % de la pop. ; 10,2 % des N., 10,1 des M., 8,5 des Bl., 2,5 des A.), *Églises indépendantes noires* 6,3 (21,2 % de la pop. ; 30,1 % des N.), *autres* 4,9 (16,6 % de la pop. ; 14,4 % des N., 19,7 % des Bl., 30,4 % des M., 8,1 % des A.). 78 % de la pop. est chrétienne.

Organisation. Églises réformées afrikaans : Égl. réformée holl. *(Nederduits Gereformeerde Kerk),* Égl. réformée *(Gereformeerde Kerk)* et Égl. de nouveau réformée holl. *(Nederduits Hervormde Kerk).* **Égl. anglicanes :** Égl. d'Angleterre d'Afr. du S. et Égl. de la Province d'Afr. australe, dirigée par Mgr Desmond Tutu (n. 7-10-31, Noir, prix Nobel de la paix 1984, archev. dep. 7-9-86). **Égl. indépendantes noires :** 2 courants : c. éthiopien et c. sioniste ou apostolique (la plus importante : Égl. chrét. de Sion) ; plusieurs appartiennent à l'Association des Égl. réformées indép. [R.I.C.A., fondée 1970 par Mgr Isaac Mokoena ; regroupe 4 millions de fidèles. Affiliée au conseil intern. des Égl. chrétiennes (I.C.C.), elle a, en 1981, quitté le S.A.C.C. jugé trop politisé] présidée par Mgr Isaac Mokoena.

☞ *Le Conseil sud-afr. des Églises (S.A.C.C.),* (créé 1968, secr. gén. : révérend Frank Chikane, ancien vice-pt de l'U.D.F.) groupe 17 Églises et 48 % de la pop. En mai 1987, le conseil œcuménique des Égl., auquel il appartient, s'est prononcé à Lusaka pour la lutte armée contre le gouv. sud-afr.

• **Autres confessions.** Hindous 595 000 (tous asiatiques soit 64,1 % des A. et 2 % de la pop.). Musulmans 402 000 (dont 210 000 métis soit 6,7 % de la pop. métisse et 187 000 asiatiques soit 20,2 % de la pop. asiatique). Juifs 127 000 (tous blancs, 2,6 % de la pop. blanche et 0,4 % de la pop. totale).

Histoire

500 000 ans habitée. Peuplement khoisan (r. non noire, réduite à quelques îlots dans le désert). **Ier millénaire après J.-C.** immigration des Boschimans. **XIe s.** des Hottentots ou Namas (peut-être croisement de pasteurs hamites et de Boschimans). **1488** le Portugais Bartolomeu Diaz (embarqué avril 1487) atteint Le Cap, débarque à Mossel-Bay sur l'océan Indien. **1497** le Port. Vasco de Gama double le cap de Bonne-Espérance. **1652**-*6-4* 1er colon holl., Jan Van Riebeeck, s'installe au Cap en vue de ravitailler les bateaux de la Cie des Indes. **1688** établissement d'env. 150 huguenots fr. **1707** 800 colons blancs. **1713** 95 % des Namas meurent (variole) ; immigration bantoue. **1722** 1er immigrant port., Ignacio Ferreira. **1779** g. entre Boers et envahisseurs bantous *(« g. cafres »).* **1795** 15 000 colons blancs.

XIXe s. g. entre Bantous ; les Zoulous (chef Chaka) s'imposent. **1806** *janv.* les Angl. occupent Le Cap. **1814** Le Cap officiellement cédé à G.-B. **1815** 3 despotes dévastent la moitié S.-E. (Chaka, né v. 1787, roi des Zoulous ; *1818* tué par son demi-frère et successeur Dingaan). **1820** 3 500 colons anglais arrivent. **1828** Mzilikazi, ancien commandant des Zoulous sous Chaka et fondateur de la dynastie Matabélé ; Mantatisi, reine sotho des Batlokoas. **1835-37** *Grand Trek :* 14 000 Boers (25 % des Blancs du Cap) vont vers le N.-E. (Natal connu comme fertile), fuyant l'admin. brit. Raisons : fermiers harcelés par tribus xhosas et hottentotes, à qui les Angl. interdisent les représailles. 1ers départs : 200 pionniers conduits par Louis Trigardt (1783-1838) et Hans Van Rensburg, suivis plus tard de Piet Retief (1780-1838), Gerrit Maritz (1797-1838), Andries Potgieter (1792-1852) et Sarel Cilliers (futurs fondateurs du pays). **1836**-*16-10 Vegkop :* Boers battent Matabélés du Nord. **1837** *juin* Constitution de Winburg (propose création de la libre province de Nelle-Holl. du S.-E. de l'Afr.). **1838**-*4-2* Retief et 60 h. massacrés par Zoulous. *-17-2* 300 Bl. (dont 50 % d'enf.) et 200 serviteurs assassinés à Blaauwkraus. *-16-12* Andries Pretorius (1798-1853) bat 12 000 Zoulous avec moins de 500 h. à Blood River (rivière Ncome rougie par le sang des Z.). Fondation du Transvaal [en 1849 devient Rép. sud-afr. (reconnue par G.-B. le 17-1-1852)]. **1839-43** Rép. boer du Natal reprise par G.-B. **1848-58** arrivée de 5 000 colons brit. dans Le Cap oriental. **1854**-*23-2* indép. de l'Orange (fondé par Holl., 1836). **1866** découverte du diamant (Kimberley). **1873** de l'or à Pilgrim's Rest. **1877** annexion du Transvaal par G.-B., puis indép. **1879** Angl. battent Zoulous à Ulindi. **1886** *ruée vers l'or* (mines du Witwatersrand). **1895-96** échec du *raid de Jameson* contre les Boers. **1899**-*11-10*/**1902**-*31-5 g. des Boers* [Orange et Transvaal, Pt Paul Krüger (1825-1904), contre G.-B.], qui sont vaincus par Horatio Herbert Kitchener (1850-1916) (sur 448 000 Brit. engagés, 7 792 †, 6 000 Boers †). La plupart des armes (allemandes) destinées aux Boers transita par la Namibie, d'où une sérieuse rivalité entre G.-B. et All. **1900**-*01* 118 000 Européens, 43 000 Noirs ou Métis dans les camps de concentration anglais (25 camps en 1901) (20 000 †) sous la responsabilité de Baden-Powell. **1902**-*31-5 paix de Vereeniging.* **1904** Africains exclus des emplois qualifiés ; Pt Krüger meurt à Clarens (Suisse). **1906** soulèvement manqué du chef Dinizulu. **1910**-*31-5* Le Cap, Natal, Transvaal et Orange forment l'Union sud-afr. et deviennent un dominion ; Lesotho, Botswana et Swaziland : protectorats exclus de l'Union. **1913** *Native Land Act :* possession garantie des terres ancestrales aux Afr. qui ne peuvent posséder des terres dans les zones blanches ; pour eux sont délimités 8 900 000 ha. **1914-18** participe à la guerre, 200 000 volontaires, 12 452 † (8 551 Blancs, 709 Métis, 3 192 Noirs). **1915** *mai* occupation du S.-O. afr. appartenant à l'All. **1921** *mai* massacre de Bulhoek, 163 Noirs †. **1922** *mars* émeutes à Witwatersrand, 153 †, 534 bl., 4 000 arrestations, 18 condamnations à mort. *Oct.* la Rhodésie du S. refuse de se joindre à l'Union s.-afr. **1930** droit de vote accordé aux femmes. **1931** statut de Westminster, indép. législative comme dominions. **1936** territoires alloués aux Noirs portés à 15,3 millions d'ha. **1939**-*6-9* déclare la g. à l'All. [218 260 participants (dont 135 172 h. blancs, 12 878 f. blanches, 27 583 Métis, 42 627 Noirs, 6 000 †)]. **1947** prise des îles Edward et Marion. **1948** application de l'*apartheid ;* développement des régions autonomes bantoues. **1949**-*15-1 émeutes à Durban,* 149 †. **1950**-*1-5* grève nat. *-26-6* 1re journée de désobéissance civ. **1955** pétrole produit par Sasol à partir de charbon. **1957** base de *Simonstown* revient à l'A. du S. **1960**-*21-1* catastrophe minière à Clydesdale Colliery. *-21-3* émeutes noires contre les passeports intérieurs à *Sharpeville,* 69 † ; *-8-4* loi sur les org. illégales (adoptée par 128 v. contre 16) : le P.A.C. (Pan African Congress, f. par Robert Sobukwe en 1958) et l'A.N.C. (African National Congress, qui avait pris la suite du South African National Congress f. en 1912) sont interdits. *-5-10 référendum pour la Rép.* [1 800 748 inscrits, 1 626 336 votants, 850 458 oui (52 %), 775 878 non (48 %)]. **1961**-*14-2 système décimal.* L'Union se détache du Commonwealth et devient Rép. ; *-31-5* République ; *déc.* l'A.N.C. (clandestin) crée l'Umkoto we Siz we (Fer de lance de la nation). (Pt de l'A.N.C., Albert Luthuli, prix Nobel de la Paix, non consulté). **1962**-*5-8* Nelson Mandela arrêté. **1963**-*12-7* 10 pers., dont W. Sisulu, arrêtées dans la ferme de Rivonia, louée par Arthur Goldreich, communiste blanc, qui en a fait le Q.G. du P.C. sud-afr. [cache d'armes : l'A.N.C. en voie d'acquérir ou de fabriquer 210 000 grenades à main, 1 500 dispositifs à retardement, 48 000 mines anti-personnel ; plan de renversement du gouv. par la force : « Opération Mayibuye » (Retour)]. **1964** *mai procès de Rivonia* (12-6 Sisulu, Mbeki, Mandela emprisonnés à vie). Les bases opérat. d'Umkoto avaient été achetées par des fonds du P.C. sud-afr. **1966**-*6-9* PM *Verwoerd assassiné* à l'Assemblée par Dinitei Tsafendas (déséquilibré). **1967** 1re greffe mondiale du cœur au Cap par le Pr Barnard. **1974** élect. générales, victoire des nationalistes. *-22-9* PM Vorster en Côte-d'Ivoire. **1975**-*12-2* rencontre Vorster-Tolbert (Pt du Liberia) à Monrovia. **1976** *janv.-mars* opérations milit. sud-afr. dans le S. de l'Angola ; *-16-6* au *28-2-77 émeutes à Soweto* 575 † (dont 5 Blancs) dont 441 tués par police. **1977** 1re expérience atomique dans le Kalahari, répression contre partisans de la violence ; *sept.* Steve Biko (leader noir) meurt en prison. *-19-10* 17 mouv. anti-apartheid dissous. Winnie Mandela bannie de Soweto pour activités illégales. **1979** Gatsha Buthelezi, chef de l'Inkatha rencontre A.N.C. à Londres. *-4-6* Pt Vorster, malade, démissionne.

1980-*2-6* incendie terroriste de 2 complexes pétrochimiques à Sasolburg. *-17/20-6* émeutes au Cap, 30 à 60 †. **1981** *janv.* raid au Mozambique, près de Maputo, 13 † m. de l'A.N.C. ; *mai-juin* attentats de l'A.N.C. *-24-8* raid en Angola contre la SWAPO qui a 450 à 500 † (8 † S.-Afr., 2 † Namibiens). *-1/20-11* raid id. contre PC de la SWAPO à Chitequeta, 71 †. **1982** Attentat contre les locaux de l'A.N.C. à Londres. *Févr.* id. contre la SWAPO, 201 †. *-13-6* + de 200 arrêtés dont des syndicalistes noirs et des journalistes, à Soweto. *-1/2-7* grèves dans mines d'or (11 †, 5 000 licenciements). *Août* raid en Ang. contre SWAPO (314 † et 15 soldats sud-afr.). *-2-12* libération de Breyten Breytenbach (n. 1939), poète-peintre condamné à 9 ans de prison pour sympathie envers l'A.N.C. *-8-12* 2 m. de l'A.N.C. réfugiés au Swaziland tués. *-9-12* raid au Lesotho, 30 † dont 4 chefs de l'A.N.C. *-19-12* attentat A.N.C. contre la centrale nucléaire de Koeberg (2 réacteurs touchés). **1983**-*4-1* Parti travailliste métis accepte de participer à la réforme constitutionnelle. *-20-5* attentat A.N.C. (voiture piégée) à Pretoria (17 †, 200 bl.). *-23-5* représailles de l'aviation sud-afr. sur quartier résidentiel de Maputo censé abriter des bases A.N.C. (64 †, 44 bl.). *-2-11 référendum* approuvé par 65,95 % des votants (uniquement blancs), prévoyant la présidentialisation du régime, et l'association partielle et séparée des Métis et Indiens au pouvoir. *-4-11* création d'un front démocr. (500 org. anti-apartheid). **1984**-*16-3 tr. de N'komati* de non-agression avec Mozambique. *-3-4* voiture piégée (3 †, 16 bl.) à Durban. *-14-7* attentat (5 †, 19 bl.) à Durban. *-22/28-8* él. de députés métis et indiens. *-3-9* nouvelle Constitution en vigueur. *-5-9* Pieter Botha élu Pt. *-15-9* 1er gouv. comprenant un min. métis et un min. indien. *-16-10* Mgr Tutu, prix Nobel. *-11-11* P. Botha en Fr. à Longueval. **1985**-*10-2* Mandela refuse sa libération conditionnelle. *Févr.* arrestation de leaders du Front démocratique uni (U.D.F.) ; lib. de Dennis Goldberg (cond. à la prison à vie en juin 1964) ; Pt Botha en France (visite privée). *Sept. 84 à mars 85* violences dans townships, + de 200 † (notamment à Crossroads, Langa, le 21-3, 20 N. †). *-13/14-4* émeutes près de Port Elizabeth, 8 N. †. *-avril* retrait s.-afr. du S. angolais. *-28-5* bombe A.N.C. à Johannesburg (16 bl.). *-14-6* raid au Botswana (13 † à Gaborone). *-21-7* état d'urgence dans 36 districts sur 265 (1/10e du territoire). *-24-7* la France rappelle son ambassadeur, saisit Conseil de sécurité de l'O.N.U. d'un projet de résolution condamnant l'A. du S., suspend nouveaux investissements. *-1-8* Victoria Mxenge, avocate noire, assassinée par des N. près de Durban. *-7/10-8* Durban : N. et Indiens s'affrontent, 73 †. *-28-8* manif au Cap pour Mandela (9 †). *-5-9* agitation (Noirs et Métis) dans quartiers blancs du Cap et de Port Elizabeth. *Sept.* l'Europe envisage des sanctions. *-10-9* Reagan, contre l'apartheid, annonce des sanctions (vente de matériel informatique et de technologie nucléaire interdite). *Oct.* Botha menace d'arrêter export. de chrome (l'Afr. fournit 88 % des imp. amér. et 48 % des europ. ; 1 000 000 d'Amér. perdraient leur emploi). *-18-10* Benjamin Moloïse (28 ans) de l'A.N.C. accusé d'avoir participé au meurtre d'un policier n. est pendu. *-19-10* à Johannesburg 2 500 N. saccagent voitures et boutiques et molestent des Bl. *-13-12* 6 N. condamnés à mort pour le lynchage du maire-adjoint n. de Sharpeville. *-15-12* attentat (6 Bl. †). *-20-12* raid au Lesotho (9 † dont 6 A.N.C. et 1 Bl.). *-22-12* attentats à Amanzimtoti (5 Bl. † dans centre commercial). Winnie Mandela rentre à Soweto. *Du 27-11-85 au 4-1-86* 13 Bl. † dans 8 attentats au N. du Transvaal. *Bilan 1985 :* 22 000 incarcérés (629 encore en prison en janv. 86) ; 879 tués (par la police 2/3, affrontements entre N. 1/3) + 25 policiers (la plupart N. assassinés par des N.). **1986**-*4-1* attentat (2 Bl. †). *-7-3* état d'urgence levé. *-14/17-3* affrontements (Xhosas/Basothos) dans mine d'or de Val-Reef (7 †), entre policiers et N. (9 N. †). *26/27-3* 30 †. *-14-4* Mgr Tutu élu chef de l'Égl. anglicane d'Afr. australe et archevêque du Cap. *Avril :* Winnie Mandela lance le *necklace* (le collier : pneu arrosé d'essence placé autour du cou et enflammé). *-18-5* troubles à Crossroads 40 †. *19-5* raids contre Harare (Zimbabwe), Gaborone (Botswana), Lusaka (Zambie). *-31-5* manif. 10 000 Bl. à Pretoria contre réformes pour N. *-9/10-6* troubles à Crossroads 17 †. *-12-6* état d'urgence *-16-9* incendie, mine d'or de Kinross, 177 †. *-30-9* Reagan nomme un N., Edward Perkins, ambassadeur. *-2-10* Congrès américain vote sanctions contre l'Afr. du S. *-20-10* grève de 275 000 mineurs. *-21-10* Masabata Loate (28 ans), militante noire, pacifiste, tuée par extrémistes noirs. *Bilan 1986 :* 906 Noirs † (dont 655 du 1-1 au 31-6), 70 % victimes de violences entre N. [dont 50 % brûlés vifs (pneu enflammé autour du cou)]. **1987** *janv.-févr.* affrontements Xhosas (du Transkei) et Basothos (du Lesotho) à la mine d'or du Pt Steyn, 39 †. *-7-1* rentrée des écoliers noirs après 2 ans de boycottage. *-23-1* 12 † dont 7 enfants près de Durban (m. Inkhata mis en cause). *Janv.* U.S.A., Olivier Tambo (Pt de l'A.N.C.) déclare que « le meurtre de civils bl. aura un effet bénéfique : celui d'habituer les Bl. à saigner ». *-7-12* le gouv. rejette la fusion de Natal et Kwazulu. *Févr.* U.S.A. retirent plusieurs minerais stratégiques des produits frappés par les sanctions. *-20-3* Pierre-André Albertini (prof. fr. coopérant, arrêté 23-10-86), condamné, au Ciskei, à 4 ans de prison pour transport d'armes (il avait avoué avoir aidé l'A.N.C., accepté puis refusé de témoigner contre ses amis). *-20-3* sac de la chancellerie s.-afr. à Paris (dégâts : 500 000 F). *-6-5* élections législatives (pour les Bl.). *Mars* accord avec Mozambique pour rénover port de Maputo. *Avr.* violences à l'université du Cap. *Mai* élec. législ., succès du P. national et du P. conservateur. *-20-5* Johannesburg : voiture piégée par A.N.C., 4 †. *-27-6* Pt Mitterrand refuse de recevoir les lettres de créance de l'amb. d'Afr. du S. *Juil.* Johannesburg, attentat A.N.C. 68 bl. *7/30-8* grèves des mines (21 j) 300 000 grévistes, 10 †, coût 100 millions de $. *-7-9* Albertini libéré par échange (l'Unita relâche 133 soldats angolais, laisse partir 1 Néerlandais reclus dans son ambassade ; l'Angola relâche le major Du Toit). *Sept.* Natal, affrontement U.D.F. contre Inkhata. *-5-11* Govan Mbeki (77 ans), communiste, ancien Pt de l'A.N.C., libéré après 24 ans. **1988** *févr.* plan de restructuration de l'économie, privatisation (électricité, PTT, transports, sidérurgie). Au Natal, affrontements U.D.F.-Inkhata (plus de 400 † dont env. 100 dep. 1-1-88). *-24-2* interdiction activité politique pour 17 organisations anti-apartheid (dont U.D.F., A.Z.A.P.O., D.P.S.C.). *-25-3* 7 N. exécutés pour meurtre. *-29-3* Dulcie September (métisse, n. 1935) représentante A.N.C., tuée à Paris ; Joseph Clue (agent sud-afr.) soupçonné. *-21/22-5* un député métis et 9 personnes †. *-26-5* 2 policiers Bl. condamnés à mort pour le meurtre d'un N. *-3-6* attentat près de Johannesburg : 4 †. *-8-6* mobilisation des réservistes (325 000 h., qui appuient les 97 000 soldats réguliers) car menace cubaine sur la frontière angolo-namibienne. *-9-6* état d'urgence reconduit pour un an. *Août* Pt Botha reconnaît l'existence d'un « potentiel nucléaire » militaire. *-12/13-9* Botha reçu par Pt Chissano (Mozambique) et Pt Banda (Malawi). *-14-9* l'avion du pape Jean-Paul II contraint d'atterrir à Johannesburg. Botha reçu par Mobutu ; *-15-10* Botha en Côte-d'Ivoire. *-Sept.* municipales : maintien du P. national face à l'extr.-droite : participation des N. : 26 % (Soweto : 11). *-15-11* 1 ancien policier bl. abat 6 N. à Pretoria. *-17-11* le B.B.B. (Mouv. de lib. des Blancs) interdit. *-23-11* Botha gracie les « 6 de Sharpeville ». *-26-11* libération de 2 condamnés pour terrorisme, pour raisons de santé : Z. Mothopeng, 75 ans, Pt du P.A.C. (Congrès panafricain), condamné 1979 à 15 ans, et H. Gwala, 79 ans, A.N.C., cond. à perpétuité en 1977. *-7-12* Mandela en résidence surveillée à Paarl. *-10-12* procès de « Delmas » : sur 22 dirigeants de l'U.D.F. (branche légale A.N.C.), 11 acquittés et 6 condamnés avec sursis. *-20-12* le seul min. non blanc, Amichand Rajbansi limogé (pour irrégularité). *-22-12* 2 tr. : avec Angola et Cuba, garantissant retrait des Cubains d'Angola, en échange de l'indép. de la Namibie (prévue 1-11-1989). *-25-12* Natal : affrontements Inkhata/Front démocratique (9 †). Les luttes pour le contrôle des cités n. ont fait 3 500 † dep. 1987, dont 1 150 dans la région de Durban, et 2 288 dans celle de Pietermarisburg. **1989**-*8-1* A.N.C. se retire d'Angola. *-18-1* Botha victime d'une congestion cérébrale. *-19-1* Chris Heunis (n. 1927), Pt par intérim *-17-2* Winnie Mandela exclue du mouvement anti-apartheid [soupçonnée d'avoir couvert l'assassinat, en janv., d'un activiste de 15 ans, Stompie Mokhesti « Seïpeï », qui avait participé aux émeutes de 1986 (enlevé, amené au domicile de W. Mandela et battu à mort par ses gardes du corps, membres du Mandela Football Club). Le médecin qui examine la victime est assassiné, un membre du club sera poignardé : 9 inculpés]. *-15-3* Pt Botha reprend ses fonctions. *-4-6* écrivain Richard Rive assassiné. *-1-7* émeutes à Leeuwfontein (Bhophutatswana). *-13-7* Mpumalanga, 22 †. *-19-7* Frederik De Klerk au Mozambique. *-14-8* Botha démissionne. *-15-8* De Klerk Pt par intérim. *-18-8* « Pik » Botha au Mozambique. *-25-8* De Klerk rencontre Mobutu au Zaïre. *-28-8* Kaunda, Pt de la Zambie. *-30-8* reçoit Gal Metsing Lekhanya, Pt Lesotho. *-4-9* déclare que l'apartheid doit disparaître. *-6-9* législatives : 68,5 % des électeurs bl. pour des réformes ; grève gén. lancée par synd. noirs et mouv. anti-apartheid : 39 % d'abstentions au Transvaal, 5 % des 500 000 mineurs noirs absents (68 000 selon le Synd. des mineurs), 100 % dans le Natal. Selon Mgr Tutu, 23 manif. tués par la police lors d'émeutes au Cap. *-13-9* marche pour la paix au Cap (autorisée) 20 000 à 100 000 pers. *-15-9* nouvelle marche de protestation. *-16-9* nouv. gouv. : Rina Venter, 1re femme min. dep. 41 ans (santé et population). *-29-9* 2 cond. à mort pendus (dont Bosman Jeffrey Mangena, 36 a., A.N.C., pour meurtre, en 1985, d'un professeur n.). *-15-10* libération de 8 dirigeants nation. : Elias Motsoaledi, Ahmad Kathrada, Raymond Mhlaba, Andrew Mlangeni, Walter Sisulu, Jafta Masemula (P.A.C.), Wilton Mkwayi (A.N.C., successeur de Mandela à la tête de la branche mil.) et Oscar Mheptha (90 ans), libérés. *-17-10* A.N.C. demande au Commonwealth d'accroître les sanctions écon. *-24-10* A.N.C. veut intensifier la lutte armée. *-29-10* 1re réunion publique de l'A.N.C. et du P. comm. dep. 30 ans (50 000 à 70 000 pers.). *-7-12* service mil. réduit à 12 mois. *-8-12* complot d'extrême-droite déjoué. *-9/10-12* 4 600 délégués, repr. plus de 200 org. anti-apartheid à la Conf. pour un avenir dém. (C.A.D.), rejettent le programme de De Klerk. **1990** *-2-2* De Klerk annonce la libération sans condition de Mandela et la légalisation de l'A.N.C. et du P.C. *-11-2* Mandela libéré, incidents (60 †) dans le ghetto de Thokoza au Ciskei, au Cap et au Natal (heurts Zoulous/membres U.D.F. : 48 †). *-12-2* procès des membres du Mandela Football Club ; W. Mandela n'assiste pas au procès. Mme Thatcher propose la levée des sanctions contre l'Afr. du S., puis les maintient après le refus de Mandela de renoncer à la lutte armée. *-24-2* De Klerk participe à un sommet de chefs d'État afr. *-20-2* la G.-B. lève ses sanctions écon. *-25-2* à Durban (Natal), devant 100 000 pers., Mandela demande aux factions noires de renoncer à la violence. *26-2* réaffirme vouloir nationaliser banques et mines. *-12-3* Nelson et Winnie Mandela en Suède (1er pays à interdire les investissements en Afr. du S. dans les années 70). *-19-3* mandat d'arrêt contre Winnie et Mandela pour défaut de paiement de cotisations sociales (du 1-1 au 7-12-89). *-26-3* fusillade à Sebokeng (11 †) au Natal. *-28/30-3* affrontements U.D.F./Inkatha (40 †). *-2/4-5* 1re rencontre officielle entre A.N.C. et gouv. *-10-5* Pt De Klerk en France. *-16-5* suppression de la discrimination raciale dans les hôpitaux. 2 Blancs tués à Welkom. *-20-5* 3 Noirs tués par la police. *-25-5* garde du corps de Winnie Mandela condamné pour meurtre. *-6-8* rencontre gouv.-A.N.C. (accord sur le retour de 20 000 exilés). *-8-8* Jerry Richardson, ancien garde du corps de W. Mandela et ex-entraîneur du Mandela Football Club condamné à mort pour le meurtre de M. Seïpeï (15 ans). *-18-9* W. Mandela poursuivie pour enlèvement et coups et blessures. *-23/26-9* Pt De Klerk aux É.-U. *-18-10* levée de l'état d'urgence au Natal. *Bilan des affrontements A.N.C.-Inkatha :* 8 000 depuis 1984. *-13-9* 26 † (train Johannesburg-Soweto). *-1/5-12* 80 †. **1991** *-1-2* manifeste pour la nouvelle Afr. du S. *-4-2* 1re rencontre dep. 30 ans entre A.N.C. et P.A.C. *-12-2* accords A.N.C.-gouv. sur l'abandon de la lutte armée. *-4-3* dissolution du Front dém. uni (U.D.F.) qui regroupe 600 associations et organisations d'opposition dont la COSATU, le P.C., l'A.N.C. et des assoc. civiques, religieuses et estudiantines. *-16-4* réunion A.N.C.-P.A.C. à Harare. *Avril* 933 prisonniers pol. libérés, 3 692 poursuites levées. *-15-4* la C.E.E. lève une partie des sanctions écon. *-12-5* 27 † dans un ghetto noir. *-13-5* Winnie Mandela reconnue coupable (enlèvement et coups et blessures sur 4 jeunes le 28-12-88) ; condamnée le *14-5* à 6 ans de prison. *-30-6* fin officiellement prévue de l'apartheid.

Politique

• **Statut.** Rép. *Const.* (approuvée par référendum le 4-11-1983) promouvant les valeurs chrétiennes et civilisées, et garantissant l'égalité de tous devant la loi. **Législatif.** *Parlement* composé de 3 chambres élues pour 5 ans [(*Assemblée* 178 députés bl. (166 élus, dont 76 du Transvaal), *Ch. des représentants* 85 métis (dont 80 élus), *Ch. des délégués* 45 indiens (dont 40 élus). Les lois doivent être votées par les 3 ch. pour les questions d'intérêt général, par chaque chambre concernée pour les autres questions. Si un désaccord survient entre les Chambres, le Conseil présidentiel tripartite décide en dernier ressort. *Conseil présidentiel* 60 m. dont 35 élus par les Chambres (20 bl., 10 métis, 5 indiens) et 25 nommés par le Pt, dont 10 parmi les représentants des partis d'opposition, et 15 autres relevant de sa décision personnelle. Le Conseil de sécurité de l'O.N.U. (par 13 voix et 2 abstentions, U.S.A. et G.-B.) a jugé la Const. contraire aux principes de la charte de l'O.N.U. **Exécutif** Pt de la Rép. [élu pour 5 ans par un collège électoral (50 Blancs, 25 Métis, 13 Indiens) choisis par leurs propres ch. parlementaires ; les membres des 3 communautés (les Noirs sont exclus) peuvent devenir m. sans être m. du Parlement], assisté d'un cabinet (15 m. nommés par lui, 35 membres élus par les différentes ch., et 10 nommés par l'opposition).

Élections 6-9-1989: les 3 communautés votent ens. pour la 1re fois dep. la création des Chambres métisse et indienne en 1984. *Candidats:* 763 pour 286 sièges. *Électeurs :* 5 600 000, dont 3 170 667 Bl. (68 % de part.) [dont P. nat. 1 036 499 (48 % des voix – 58 % en 81, 52 % en 87), P. cons. 673 302 (31,2 %), P. dém. 441 371 (20,4 % – 27 % en 81, 17 % en 87)], métis 1 775 751 (17,5 % de part.), Indiens 665 870 (20 % de part.).

• Composition du Parlement tricaméral. **Assemblée :** 178 m ; P. national 103, P. conservateur 41, P. démocrate 34, vacant 1. **Chambre des représentants.** 85 m ; P. travailliste 74, P. démocrate de la réforme 4, P. démocrate uni 3, P. de la liberté 1, indépendants 3. **Chambre des délégués.** 45 m ; Solidarité 23, P. national du peuple 10, P. du peuple du mérite 4, P. démocrate 3, P. national fédéral 1, P. du peuple d'Afr. du S. 1, indépendants 3. **Élection 22/26-8-84.** *Ch. métis* 270 469 votants sur 917 966 inscrits. *Ch. indienne* 83 320 vot. sur 411 711 inscr.

• Justice. *Exécutions : 1986 :* 120 (N. 89, M. 24, Bl. 6, Asiatique 1). *1987 :* 164 (N. 102, M. 53, Bl. 9). *1988 :* 117 (N. 76, M. 38, Bl. 3). *1989* (oct.) : 39 (N. 29, M. 8, Bl. 2). *Peine de mort* suspendue le 2-2-1990 (en 1991, 302 condamnés, pas d'exécution dep. 14-11-89). *Amnistie* le 18-12-1990 pour ceux qui ont quitté l'Afr. du S. illégalement avant le 8-10-1990. *Retour des exilés* dep. 7-3-1991, 170 personnes, 5 967 demandes. En mai 1991, 981 prisonniers pol. libérés et, pour 3 692, levée des poursuites judiciaires (73 %). *Violences pol. 1985 :* 879, *86 :* 1 298, *87 :* 661, *88 :* 114, *89:* 1 403, *90:* 3 699 dont 1 224 au Natal-Kwazulu et 68 policiers. *Meurtres à Soweto 1984:* 1 454 (record du monde de criminalité). *1985 :* 137. *1986 :* 2 638. *1987 :* 1 130. *1988 :* 100.

Police. *Effectifs :* 64 201 (dont 32 260 non-Blancs) (1 pour 452 hab.).

• Partis blancs. **P. nationaliste.** *Fondé* 1912 par J.B.M. Hertzog, issu de la scission 1934 du Dr Malan ; *leader :* Frederik De Klerk dep. 3-2-1989 ; conservateur (au pouvoir dep. 1948). **P. de la Nouvelle République (NRP).** *Fondé* 1977, issu du P. uni fondé 1934 (fusion du P. nat. – tendance Hertzog – avec le South African Party de J. Smuts) ; *leader :* W.M. Sutton ; divisé, anglophone et africanophone ; conservateur. **P. démocrate (DP).** *Fondé* 8-4-1989, fusion du P. fédéral progressiste (PFP), du Mouvement nat. démocratique (NDM), des Indépendants (IP). *Leaders:* Zaach De Beer, Denis Worrall, Wynand Malan (NDM : aile gauche). Financé par milieux d'affaires (De Beer : diamant). Domine 75 % de la presse. **Herstigte Nasionale Party.** *Fondé* 25-10-1969 par des exclus du P. national ; *leader :* Jaap A. Marais. **Parti conservateur.** *Fondé* 1982 ; *leader :* Andries Treurnicht (partisan de la partition). **Mouvement de résistance Afrikaner (AWB).** *Fondé* 1973 ; extr.-droite néo-nazie ; *leader :* Eugène Terreblanche. **Mouvement de défense blanc (BBB).** Extr.-droite ; *leader :* Dr Schabort. Prône le renvoi des immigrés. **Front sud-africain.** Anglophones, Afrik., membres du P. conservateur et du HNP. **Forum for Five Freedoms (FFF).** Lié à l'UDF.

Métis. **P. travailliste** (LP). *Leader :* pasteur Allan Hendrickse. **P. du congrès du peuple** (PCP). *Leader :* Peter Marais. **P. de la liberté** (FP). *Leader :* Arthur Booysen. **P. réformé de la liberté** (RFP). *Leader : Charles Julies.*

Indiens. **P. nat. du peuple** (NPP). *Leader :* Mohamed Yacoob Baig. **P. du peuple** (PP). *Leader :* Achmed Lambat. **Solidarité.** *Leader :* Jayaram Reddy. **P. indépendant progressiste** (PIP). *Leader :* F.M. Khan.

Noirs. **African National Congress** (A.N.C.). *Fondé* 8-1-1912. *Drapeau :* vert, jaune et noir. *Hymne :* Nkosi Sikéléle y Africa (Dieu sauve l'Afrique). *1949 à 1952 :* tente de s'unir avec les org. d'oppos. métisse et indienne. *1950 :* principe de collaboration avec P.C. et Congrès indien dans le cadre d'un progr. de désobéissance civ. *1953 :* propose un « Congrès du peuple », chargé de définir une « Charte de la liberté » (adoptée 26-6-1955, malgré l'opp. du courant africaniste de l'ANC, qui dénonce la mainmise du P.C. sud-afr.). *-Déc. :* Albert Luthuli Pt (avant Dr Moroka). L'ANC a 100 000 m. *1959-avril :* scission courant africaniste qui crée le **PAC.** *1960-8-4 :* ANC interdit ; s'installe à Lusaka (Zambie). Lutte armée clandestine, avec le PAC et le Mouv. de la rés. afr. (ARM, composée d'univ. blancs) : 400 opér. de sabotage (100 †). *1984* ANC chassé du Mozambique, et en *1989* d'Angola et de Zambie. *1990-2-2 :* ANC légalisé. **Leaders :** *Nelson Mandela* originaire d'une famille princière du Transkei (tribu des Xhosas), arrêté 5-8-62, condamné 7-11-62 à 5 ans de prison pour incitation à la grève et pour avoir quitté illégalement le territoire sud-afr., et 12-6-64 à vie pour trahison, et *Walter Sisulu* emprisonné ; dep. 1964 *Oliver Tambo,* en exil à Dar Es-Salam, en liaison avec des organisations terroristes internationales aidées par les pays de l'Est et des pays nordiques, chef d'état-major de la branche militaire [Umkhonto We Sizwe (le Fer de lance de la nation en zoulou ; créé nov. 1961 ; env. 10 000 h. (camps d'entr. en Libye, Ghana, Éthiopie, Tanzanie, Ouganda) dont 500 actifs en Afr. du S.], malade, remplacé août 1989 par *Alfred Nzo* (64 ans) secr. gén. de l'ANC Joe Slovo (Blanc d'origine lituanienne) dep. 1964 en Zambie. 1987 : quitte la dir. de la branche mil., remplacé par Chris Hani) ; secr. gal du PC sud-afr. et ex-colonel du KGB. **Inkatha.** 8/9-12-1990 lancement du **P. de la liberté Inkhata,** ouvert à toutes les races, en mai 1991, 100 000 Blancs m. Pt Gatsha Buthelezi (27-8-28), hostile à l'ANC, qui l'a condamné à mort (ses chefs sont des Xhosas en conflit avec les Zoulous). **U.D.F. Front démocratique uni.** *Fondé* 1983, regroupe environ 700 organisations anti-apartheid, soupçonné d'être la branche interne de l'ANC (interdit en Afr. du S. et passé à la guérilla) ; *leader :* révérend Allan Boesak, métis, Pt de l'Alliance mondiale des Églises réformées, 8-7-1990 démissionne après révélations sur liaison extra-conjugale. Remplacé par Nick Abraham Apollis. 4-3-1991 : arrêt des activités, dissolution prévue en août 91. **SACP (P. communiste sud-afr.).** 1921 : *fondé* (CPSA), interdit 1950, reformé (clandestin) sous son nom actuel 1953. Autorisé fév. 1990. *Leader :* Dan Tloome, trésorier gén. de l'ANC [avant Yusuf Dadoo († 1983) dep. 1972, vice-Pt du cons. rév. ; de l'ANC dep. 1969]. *Secr. gén. :* Joe Slovo (avant Moses Kotane de 1939 à 1978). **P. Sofasonke.** *Leader :* Ephraïm Tsabalala. **AZAPO (Azanian People's Organization) :** *fondée* 1978. Membre du National Forum *fondé* 1983 pour une Rép. socialiste. **UCCP (Parti chrétien uni de la conciliation).** *Fondé* 1986 par Mgr I. Mokoena et M. Tamasanja Linda. **PAC (Pan African Congress).** Organisation africaniste plus radicale que l'ANC dont elle s'est scindée en 1959. Campagnes contre les pass. 1960-21-3 incidents de Sharpeville, 69 Noirs †. 1960-28-3 interdit. Création d'une branche armée clandestine Pogo dirigée par Potlako Leballo et établissement de branches en exil. 1990-2-2 légalisation. *Pt :* Clarence Makwethu remplace Zaphania « Zeph » Mothopeng (élu 1986 en prison et libéré en 1988). *Secr. gén. :* Benny Alexander. **PAM (Mouvement panafricaniste).** *Fondé* déc. 1989 (branche interne et légale du PAC).

• Syndicats (1989). **Syndiqués :** 2 130 000 (dont 63 % de Noirs). **Principales centrales :** *COSATU (Congrès des synd. sud-afr.) :* affilié UDF, fondé 1985. 924 497 membres. *CUSA/AZACTU (Conseil des synd. d'Afr. du S./Conféd. azanienne des synd.) :* proche du mouvement de la conscience noire. 350 000 m. *SACOL (Conféd. sud-afr. du travail) :* fondée 1956, 12 synd. (blancs). 100 000 m. *NUM (National Union of Mineworkers).* 170 000 m. *NUMSA (métallurgistes).* 220 000 m. **Synd. non enregistrés :** 1990 : 330 000 m.

• Présidents de la République. *1961 (31-5)* Charles-Robert Swart (1894-1982) [1]. *1967 (31-5)* Theophilus Ebenhaezer Donges (8-3-1898, † 10-1-1968) [1], malade, il ne peut tenir son poste. *1968 (10-4)* Jim Fouché (6-6-1898) [1]. *1975 (19-4)* Nicolaas Diederichs (1903-78) [1]. *1978 (28-9)* John Balthazar Vorster (1915-83) [1]. *1979 (19-6)* Marais Viljoen (2-12-1915) [1]. *1984 (5-9)* Pieter Willem Botha (12-1-1916). *1989 (14-9)* Frederik De Klerk, dit FW (18-3-36).

• Premiers ministres. *1910* Gal Louis Botha (1862-1919) [2]. *1919* Gal Jan Christiaan Smuts (1870-1950) [3]. *1924* Gal James Barry Munnik Hertzog (1866-1942) [1]. *1939* Mal Jan Chr. Smuts (1870-1950). *1948* Dr Daniel François Malan (1874-1959) [4]. *1954* (30-11) Johannes Gerhardus Strijdom (1901) [1]. *1958* (24-8) Dr Hendrik Frensch Verwœrd (1901-assassiné le 6-9-1966 par un Blanc) [1]. *1966* (13-9) John Balthazar Vorster (1915-83) [1]. *1978* (28-9) Pieter Willem Botha (12-1-1916) [1]. Fonction supprimée par la nouvelle Constit. (3-9-1984).

Nota. – (1) Parti nationaliste. (2) Union sud-africaine. (3) P. républicain. (4) P. nationaliste unifié.

• Fêtes nat. 6-4 (découverte de l'Afr. du S.). 31-5 (proclam. de la Rép.), 10-10 (naissance de Krüger), 16-12 (bataille de Blood River). Drapeau. Origine 1928, revu 1961. Bandes horizontales orange, blanche, bleue avec motif central aux couleurs de la G.-B., du Transvaal et de l'État libre d'Orange.

Provinces

Le Cap *(Le Cap)* 645 767 km², 4 901 261 h. (1986) dont 1 264 040 Bl., 1 569 040 Noirs, 2 226 160 Métis, 32 120 Asiatiques.

Natal *(Pietermaritzburg)* 86 967 km², 2 145 018 h. en 1985 dont 1 358 120 Noirs, 665 340 Asiatiques, 91 020 Métis.

Orange (État libre d') *(Bloemfontein)* 127 993 km², 1 863 327 h. en 1987 dont 1 549 600 Noirs, 56 040 Métis.

Transvaal *(Pretoria)* 262 499 km², 7 532 179 h. en 1985 dont 5 644 660 Noirs, 115 560 Asiatiques, 228 220 Métis.

Ile Marion à 1 920 km au sud du Cap dans l'océan Indien. 388,5 km². Long. 22 km ; larg. 12 km. *Alt. max.* 1 200 m. Base météo centre d'essais nucléaires.

Ile du Prince-Édouard à 20 km de l'île Marion. 47 km². Circulaire, 10 km de diam. *Alt. max.* 1 280 m. Possession fr. cédée à la G.-B. sous la IIIe Rép., annexée avec l'île Marion par l'Union sud-afr. en 1948. Inhabitée.

États noirs (bantoustans)

Leurs droits territoriaux furent reconnus par le *Bantu Land Act* de 1913, et élargis par le *Bantu Trust and Land Act* de 1936. Lorsque les parcelles de terres supplémentaires accordées aux Bantous seront rattachées à celles qu'ils possèdent déjà, les possessions bantoues seront d'env. 15,4 millions d'ha. L'attribution des terres n'est pas définitive. Le Parlement examine la possibilité de les remembrer. Subventions s.-afr. (1987-88) : 5 milliards de rands.

États noirs indépendants (non reconnus par l'ONU ou l'OUA)

Bophuthatswana (ex-Tswanaland). 42 147 km², 7 parties disséminées en Afr. du S. et au Botswana indépendant dep. 66. **Population :** 1 929 383 h. (89), en % (est. 82) : Tswanas 70, Sothos du N. 7,4, Shangaans 6,3, Xhosas 3,1, Sothos du S. 3, Zoulous 3. Sur 2 000 000 de Tswanas, 65 % vivent hors du B.D. 42,5. **Capitale :** *Mmabatho* (cap.) Garankuwa, Mabopane. *Siège du gouv. Ramitsogo.* **Ressources :** mines [platine (2e du monde), chrome, vanadium, amiante, chaux, fluor, calcite, manganèse (58 % des réserves naturelles)] et salaires des migrants (28 %). *PNB* (85) : 2,376 milliards de R. **Statut :** République : *Aut.* 1-6-1972 (partielle dep. déc. 1968). *Indép.* 6-12-1977, *Pt, PM,* min. des Finances : chef Lucas Mangope (n. 27-12-1923) dep. 6-12-1977. *Assemblée* légale 108 m. [12 désignés (chefs et personnalités), 96 élus]. **1987** *27-10 :* élections lég. (72 sièges : P. démocratique du Bophuthatswana (BDP). *Pt :* L. Mangope : 66 ; P. progressiste du peuple (PPP) de Rocky Malebana-Metsing : 6 ; P. national Seoposengwe : 0. **1988** *10-2 :* échec du coup d'État de R. Malebana-Metsing. **1990** *mars* manif., dem. la démission du Pt *-15-3* état d'urgence (levé 9-3-91).

Ciskei. 7 948 km². *Côtes* 60 km. **Population :** 836 657 h. (89) (surtout Xhosas, 500 000 vivent hors du C., principalement en Afr. du S.). D. 96,6. **Villes** [*Bisho* (capitale avant Swelitsha)] : 8 000 h. (87), Mdantsane 350 000 h. **Ressources :** économie de subsistance (ananas, blé, légumes) ; élevage ; pas de mines ; début d'agriculture ind. et d'industrialisation. 95 % du revenu nat. vient des salaires des migrants. *PNB* (85) 0,82 milliard de R. **Statut.** *1980 4-12* référendum, 98,7 % pour l'indép. *1981 4-12* indép. ; Pt Dr Lennox Sebe (n. 1926). *1986 sept.* Charles Sebe, frère du Pt, emprisonné dep. 1984 pour complot, libéré par commando. *19-2* coup de force contre Pt : échec (1 †). **Statut** *1968 déc.* autonomie partielle. *1972* aut. *1990 -4-3* Pt Lennox Sebe renversé par Gal Josh « Oupa » Gqozo (n. 1954) (27 †), soutenu par ANC, *-6-3* état d'urgence. Conseil militaire. *1991-21-1* et *-9-2* échec de 2 tentatives de coup d'État. *-27-2* traité avec Afr. du S. qui nomme hauts fonctionnaires.

Transkei. 42 870 km². **Population :** 3 143 585 h. (89). **Forces armées :** 3 000 h. (1985), 9 000 frontaliers et 342 000 travailleurs émigrés, D. 71. **Villes :** *Umtata* (cap.) 32 500 h., Butterworth (Gcuma) 24 000 h. **Ressources.** *Terres* (en %) : pâturages et autres terres non productives 76, terres sèches 18,5, terres irriguées 0,1, forêts 5,1. Les Blancs possédant des terres ne peuvent plus en acheter. 95 % des h. sont des agriculteurs (95 % des champs ne dépassent pas 5 ha env.), méthodes agraires archaïques. Maïs, sorgho, thé, café, fibres végétales (*1976 :* bovins : 1 300 000, ovins : 3 750 000). *Minerais :* faibles gisements de cuivre, nickel, platine, charbon encore inexploités. 360 000 pers. travaillent au-dehors. *PNB total* (85) : 2,112 milliards de R. *Situation en 1990 :* mauvais état des écoles, hôpitaux et routes. **Statut :** *République. Aut.* dep. 23-12-72. *Indépendant* dep. 26-10-76. Le 10-5-78 le T. rompit momentanément ses relations dipl. avec l'Afr. du S., celle-ci lui refusant la souveraineté sur l'East Griqualand. *Constitution* de 1976. *Pt* élu pour 7 ans : *1979* (19-2) chef Kaiser

Daliwanga Matanzima. *1986* (20-2) Tutor Nyangilizwe Ndamase. *PM:* George Mantazima. *2-10-1987* accusé de malversations, démissionne. *5-10* Mlle Stella Sigcau élue PM par l'Ass. *30-12* renversée, conseil militaire présidé par le Gal Bantu Holomisa. *1990-7-2 :* Gal Holomisa légalise ANC et critique la politique « démodée et impraticable » des bantoustans. *-22-11* échec d'un coup d'État (chef Craig Dulit). *Ass.* 150 m. dont 75 chefs traditionnels nommés (5 chefs souverains et 70 chefs) et 75 élus pour 5 ans. **Élections** (oct. 86) : P. nat. de l'indépendance du Transkei (T.N.I.P.) 48, Indépendants 16, P. démocratique progressiste 2. *Partis :* T.N.I.P. f. 1964, leader Tutor Ndamase ; P. démocratique progressiste f. 1976, l. Caledon Mda ; P. de la liberté f. en 1976, l. Cromwell Diko.

Venda. 7 088 km² divisés en 3 parties qui forment une entité. **Climat :** modéré subtropical. Températures moyennes : 24 °C à 26 °C (été), 15 °C à 18 °C (hiver). Précipitations : 350 à 500 mm par an (1 000 mm dans les chaînes montagneuses). Sols généralement très fertiles. **Population :** 528 333 h. (89) dont Vendas 90 % ; Shangaans 7 % ; Pedis 3 %. 27 tribus. Environ 150 000 Vendas vivent hors du pays, principalement en Afrique du Sud D. 75,4. **Villes :** *Thohayandou,* Makearela 2 500 (est. 80). **Langues :** luvenda, anglais, afrikaans. **Ressources :** *agriculture* trad. (80 % de la pop.), mangues, citrons, agrumes, coton, café, thé, maïs, agave, fruits. *Forêts* 14 600 ha. *Minerais :* charbon, or, cuivre, phosphate, graphite, magnésite. *Routes :* 1 226 km. *Ch. de fer :* 30. *Revenu national:* 78 % vient des salaires des migrants. *PNB* total (85) 0,44 milliard de R. **Statut :** *autonomie* dep. 1973 (partielle dep. oct. 1969). *Rép. indép.* dep. 13-9-1979. *Partis :* P. pour l'indép. nat. Venda (VNIP), leader Patrick Mphephu ; P. des peuples pour l'indép. du Venda (VIPP), leader G.M. Bakane. *Chef d'État:* Pt, nommé par l'Ass. nat., Frank Ravele, dep. mai 1988 (avant Patrick R. Mphephu, dep. 13-9-1979), renversé 5-4-90 par col. Gabriel Ramushwana. *Conseil exécutif :* Pt et 9 min. nommés. *Ass. nat. :* 42 m. élus au scrutin pop., 28 m. traditionnels (chefs) et 15 m. nommés par les conseils régionaux, 3 m. nommés par le Pt.

États noirs autonomes (bantoustans)

Gazankulu. 7 967 km² en 4 parties (3 après une 1re consolidation). **Population :** 700 349 h. (89) (dont 88 % de Shangaans et 12 % de Tsongas, Sothos du N., Vendas, Swazis). Sur 750 000 Shangaans, 47 % vivent en zone blanche, 21,5 % dans les autres bantoustans. D. 72. **Capitale :** *Giyani* 476 694 h. (80). *1990 mars* 28 † dep. la libération de N. Mandela le 11-2. **Ressources :** agriculture, magnésite, or, prod. manuf., 69 % du revenu national vient des salaires des migrants. *P.N.B.* (85) 530 millions de rands. **Statut :** *autonomie* dep. févr. 1973 (partielle dep. oct. 1969). *Ass. lég.* 43 élus, 43 nommés. *PM* Dr Hudson Ntsanwisi dep. 1973.

Ka Ngwané. 5 056 km². **Population :** 583 535 h. (89) (Swazis 82 %, Shangaans 18 %). D. 110,3. (Sur 439 000 Swazis, 20 % vivent au Swazi, 23 % vivent dans les autres bantoustans, 57 % dans la zone blanche du Transvaal). **Capitale :** *Louisville.* L'Afr. du S. envisagea en juin 1985 de céder ce territoire au Swaziland mais la Cour suprême sud-afr. s'y opposa. **Ressources :** sisal, café, charbon. *P.N.B.* (85) 485 millions de rands. **Statut :** *1977 1-10* autonomie. *PM* Enos Mabuza (démissionne le 1-4-1991) remplacé par M.C. Zitha le 15-4.

Lebowa. 25 276 km². Composé de 2 grands territoires et 17 petits (7 après une 1re consolidation). **Population :** 2 591 541 h. (89) (Sothos du N. : 56 % habitent sur place, 38 % en zone blanche, 6 % dans d'autres bantoustans.). D. 92,6. **Capitale :** *Lebowakgomo,* Seshego 29 000 h. **Ressources :** agriculture, mines (amiante, platine, chrome), à l'étude (chrome, diamants). 58 % du revenu nat. vient des salaires des migrants. *P.N.B.* (89) 2 milliards de rands. **Statut :** *autonomie* dep. oct. 1972 (partielle dep. août 1969). 70 à 80 % des revenus dépensés en territoire blanc. *PM* Noko Ramodike.

Qwaqwa. 902 km². Dans les monts Drakensberg, entre 1 700 et 2 500 m d'alt. **Population :** 286 205 h. (89) (Sothos du S.). Sur plus de 1 500 000 Sothos du S., 98,3 % vivent au Transkei, au Bophuthatswana et en zones blanches. D. 138. **Ressources :** prod. manuf. *P.N.B.* (89) 404 millions de rands. **Capitale :** *Witsieshoek.* **Statut :** *autonomie* dep. 25-10-1974. *PM* T.Kenneth Mopeli.

Kwazulu. 32 395 km². Dans Natal, 70 parcelles, représentant 35 % de la province. Une consolidation entraînerait la disparition des zones blanches (Durban ou Pieter Maritzburg disparaîtraient). **Population** (89) : 4 867 063 h. (Zoulous 98 %, Xhosas, Sothos du S. et Swazis 2 %) ; 4 000 000 de Zoulous (2 000 000 résident dans le K., 500 000 au Transvaal, 1 100 000 aux env. de Durban et 500 000 dans la zone blanche du Natal.). D. 140. **Villes.** *Capitale : Ulundi,* Umlazi 177 000, Kwamashu 188 000, Madadeni 61 000, Ozizweni 56 000. **Histoire :** *début XIXe s.* roy. sous l'autorité de Chaka (1786-1828), dit le « Napoléon noir », qui s'impose au Natal. *1838* vaincu par les Boers. *1879-80* annexion du reste du roy. au Natal par les Anglais. **Ressources :** cultures de subsistance et sucre, coton, sisal, prod. manuf. ; env. 50 % du revenu nat. vient des salaires des migrants. *P.N.B.* (89) 4,9 milliards de rands. **Statut :** *aut.* dep. juin 1970. *Roi :* Goodwill Zwelithini. *Chef ministre :* Mangosotho Gathsa Buthelezi (n. 27-8-28) (dep. 1965, descendant de Chaka et oncle du roi). *Parti :* l'Inkhata (« conférence » en Zoulou, créé 1920, 1 700 000 m.). **1984** *-28-8* début de l'affrontement entre partisans du PM et de l'U.D.F.

KwaNdebele. 2 399 km². **Capitale :** *Sivabusha* (future : *Kwanhlanga*). **Population.** *1982 :* 156 260 h., 1989 : 469 898. D. 86,7 **Ressources :** prod. manuf. *P.N.B.* (89) 515 millions de rands. **Statut.** Autonomie dep. 1-10-1979. *PM* James Mahlangu dep. 30-4-90. **1985** *déc.* Moutsé (120 000 h. Pédis du groupe Sotho détachés du Lebowa et rattachés au K se soulèvent : 160 †). **1986** *30-7* Piet Ntuli, min. de l'Intérieur, chef des Imbokothos (organis. para-milit.) tué (voiture piégée). *12-8* l'Ass. législative repousse l'indépendance proposée par l'Afr. du S. **1988** *déc.* majorité écrasante contre indép. aux élect.

Économie

☞ **Place en Afrique** (1989). *Superficie :* 4 %. *P.N.B. :* 20 %. *Prod. ind. :* 40 %. *Minière :* 45 %. *Électrique :* 75 %. *Réseau ferré :* 30 %. *Parc autom. :* 46 %. **Part des besoins des pays voisins couverts par l'Afr. du S. Botswana.** 88 % des imp. viennent d'A. 30 000 frontaliers y travaillent. **Lesotho.** Transit 95 % des imp. et des exp. 100 % de l'énergie vient d'A. 150 000 personnes y travaillent et fournissent 60 % du P.N.B. **Malawi.** Transit 60 à 70 % des imp., 6 % des export. 30 000 Mal. y travaillent. **Mozambique.** 260 000 Moz. y travaillent (dont 200 000 clandestins), 90 % de l'électricité vient d'A. Crédit de 3 millions de rands accordé fin 88 par l'Afr. du S. et remboursable à partir de 1994, en vue de l'augm. du trafic de Maputo. **Swaziland.** 90 % des imp. viennent d'A. 130 000 frontaliers y travaillent. **Zaïre.** Transit 75 % des imp. alim. et énergétique. **Zambie.** Transit par A. : 60 à 70 % des imp., 1 % des exp. **Zimbabwe.** Transit 60 à 70 % des importations et 17 % des exportations.

• **P.N.B.** (88) : 2 954 $ par h. (en baisse dep. 10 ans). Blancs 15 000 r./an (33 000 F), Asiatiques 4 600, Métis 3 000, Noirs 1 200. *Total* (88) : 87,5 milliards de $. **Pop. active** (89) : 10 856 000 (Blancs 2 033 000, Métis 1 223 000, Asiat. 344 000, Noirs 7 256 000). *Emploi* (89) : agriculture (n.c.), mines 706 810, ind. de transformation 1 458 821, bâtiment 417 200, commerce 819 667, autres 1 873 497. *Chômage, 1986 :* 875 075, *87 :* 1 055 982, *88 :* 931 340, *89 :* 839 077. **Travailleurs étrangers (30-6-86) :** 378 125 (dont 138 193 du Lesotho, 78 186 Mozambique, 31 411 Malawi, 28 244 Botswana, 21 914 Swaziland, 7 304 Zimbabwe, 2 421 Zambie), autres 75 452 + 1 300 000 clandestins. (*En 1986 :* 32 216 clandestins reconduits aux frontières, dont 19 081 du Mozambique, 7 289 Botswana, 2 596 Lesotho, 2 538 Zimbabwe, 671 Swaziland, 35 Malawi, 3 Tanzanie, 2 Zaïre, 1 Zimbabwe. 300 Mozambicains par mois entrent clandestinement en Afr. du S.).

Agriculture. **Terres** (millions d'ha, 86) 85,8 dont forêts 1,1, réserves naturelles 3, terres arables 10,5, pâturages naturels 70,6. *Production* (millions de t, 89) maïs 12,06 (36 % des terres arables), blé 2,7 sucre 18,7, sorgho 0,47, arachides 0,15, tournesol 0,4, tabac, seigle, avoine, orge 0,3, p. de terre 1,2, coton, vignes (vin 9 440 480 hl), fruits, légumes 0,5. L'Afr. du S. est le 7e exp. mondial de prod. agric. **Élevage** (millions de têtes, 89) : moutons 28,6, poulets 38, bovins 8,5, chèvres 2,8, porcs 1,1. Laine mohair, fourrures, cuir, peaux, viande, lait. **Forêts.** Production 4 306 700 m³ (88). **Pêche.** 918 987 t (88).

Mines. *1989* 1 098 mines en activité extrayant plus de 60 minéraux différents, 740 804 employés dont 520 023 dans les mines d'or, 103 065 charbon, 117 716 divers. **Or** (bassin du Witwatersand). 77 mines en activité. Prod. (t) : *1890 :* 13,7, *1910 :* 234, *70 :* 1 000, *81 :* 657, *82 :* 664, *83 :* 678, *84 :* 679, *85 :* 670, *86 :* 638, *87 :* 602, *88 :* 617, *89 :* 607, *90 :* 602. 1er prod. mondial (30 % du marché, 50 % du monde non communiste). 44 % des réserves mondiales. *Prix de l'once (en $). 1987 :* 500 $, *88 :* 436, *89 :* 381. Problèmes : épuisement des filons, forages plus profonds (1 500 à 4 000 m) et hausse des coûts d'exploitation (salaires). **Diamants.** Prod. 9 115 880 carats (1989). 66 mines en activité. 5e prod. mondial de gemmes. 24 % des réserves mondiales. **Charbon.** Prod. (millions de t). *1983 :* 146, *84 :* 162, *85 :* 173, *86 :* 176, *87 :* 176, *88 :* 181,4, *89 :* 176. 6e prod. mondial. 102 mines en activité. *Réserves.* 10 % du monde, 92,3 milliards de t dont 58 récupérables économiquement. **Minerai de Chrome.** Prod. 4,27 millions de t (1989). 1er prod. mondial, 55,9 % des réserves mondiales. (Bophuthatswana 18,6 % non compris) 22 mines en activité. **Manganèse** (minerai). Prod. 4,83 millions de t (1989). 1er exportateur mondial, 28 % du marché, 81,7 % des réserves mondiales, 13 mines en activité. **Vanadium.** Prod. (89) 33 144 t. 32,6 % des réserves mond. (71 % du monde non communiste, 1er prod. mondial et 1er exp. mondial de pentoxyde de vanadium). **Uranium (U308).** Prod. 3 472 t. (1989) 5e prod. mond., 14 % des réserves du monde non communiste. **Platine et métaux associés.** 1er prod. du monde non communiste. Seul producteur de platine primaire, 68,9 % des réserves mond. (82 % du monde non communiste). **Fer, titane, zirconium, antimoine, spath-fluor, amiante, andalousite, sillimanite, vermiculite,** etc. **Ferrochrome :** 1er prod. mondial 993 920 t en 1989 (29 %). **Ferromanganèse et ferro-silico-manganèse :** 1er exp. mondial 625 500 t (1988). **Manganèse métal :** 1er prod. et 1er exp. mondial 37 100 t. (1988). (Ces chiffres n'incluent pas la S.-Namibie.)

☞ Harry Oppenheimer (n. 28-10-1908). Opposé à l'apartheid. Responsable du 1er groupe industriel d'Afr. du S., dont De Beers (diamants) et l'Anglo-American Corp. (or, charbon, platine, uranium...) Aurait des intérêts dans 45 % des Stés cotées à la Bourse de Johannesburg. Filiale : Central Selling Org. (CSO), contrôle 85 % de la commercialisation mondiale des diamants de qualité « gemme » (joaillerie) ; Pt : Nicholas Oppenheimer, fils de H.

Besoins français couverts par l'Afr. du S. (1987) : minerai de chrome (56 %), ferrochrome (54 %), minerai de manganèse (3 %), manganèse métal (31 %), oxyde d'uranium (16 %), pentoxyde de vanadium (24 %), minerai de titane, de zirconium, de plomb, antimoine, granite, andalousite, vermiculite, etc. **Charbon importé en Fr.** 1985 : 21,3 millions de t, *86 :* 18,6, *87 :* 0,73, *88 :* 0,91.

Gaz naturel. Off-shore au large de Mossel Bay dep. nov. 1985 (potentiel 3 millions de m³/jour), à 2 500 m, projet de complexe (1992) pour transformer le gaz en pétrole.

Carburants synthétiques. Les usines de SASOL sont les seules au monde produisant rentablement du pétrole à partir du charbon. Secunda, qui alimente SASOL II (1980) et III (1982) est une des plus importantes mines souterraines du monde (30 millions de t par an).

Électricité. *1882 :* réverbères él. à Kimberley (1er réseau él. en 1890). *1923 :* création de la Sté Escom. *1990 :* 27 centrales él. (33 176 MW) dont 19 alim. au charbon, 3 par turbines à gaz, 2 hydroél., 2 centr. de pompage et stockage, 1 nucléaire. **Koeberg** (province du Cap) (1er réacteur dep. 1984 et 2e dep. nov. 85). Capacité 1 844 MW (10 % des besoins du pays). **2 centres de recherche nucléaire :** Valindaba Pelinbada (Valindaba) et un autre à 45 km de Mossel Bay. **Prod.** (milliards de kWh). *1984 :* 3,9 ; *85 :* 5,3 ; *86 :* 8,8 ; *87 :* 6,1, *88 :* 10,4.

Industrie. *4 grandes régions ind. : Transvaal :* i. lourde ; *Le Cap :* i. alimentaire ; *Durban* (satellite « Pinetown ») : chantiers navals, raffinage du pétrole et pâte à papier ; *Port Elizabeth* et *Pretoria :* usines de montage automobile. I. alimentaires, textiles, chimiques, engrais, sidérurgie.

Transports. *Chemins de fer* 23 821 km (dont 11 270 électrifiés) ; *routes* 185 000 km (dont 89 000 bitumés) ; *maritimes* 27 600 bateaux (dont 7 200 supertankers) empruntent chaque année la route du Cap ; voie de transit large de 250 milles nautiques, – de 50 % font relâche en Afr. du S. **Tourisme.** *Visiteurs* (86) 644 502, (87) 703 356, (88) 804 935, (89) 930 393. *Musées.* Le Cap, Johannesburg, Port Elizabeth, Kimberley, East London, Pretoria. *Mines.* Or de Johannesburg, diamants de Kimberley. **Sport.** Grand prix de Formule 1.

Taux de croissance (%). *1981 :* 4,8 ; *82 :* – 0,8 ; *83 :* – 2,1 ; *84 :* 5,1 ; *85 :* – 1,5 ; *86 :* 1 ; *87 :* 2,6 ; *88 :* 3,5 ; *89 :* 2,2 ; *90 (est.) :* 1 [5 % sont nécessaires pour absorber les 300 000 pers. (noires) qui arrivent sur le marché du travail]. **Inflation** (%). *1981 :* 13,8 ; *82 :* 10,9 ; *83 :* 12,3 ; *84 :* 12,7 ; *85 :* 16,2 ; *86 :* 18,6 ; *87 :* 16,1, *88 :* 12,9 ; *89 :* 14,7. **Dette extérieure** (milliards de $). *1980* 7,2, *85* 23,5 [l'Afr. du S. arrête le remboursement en capital de sa dette ext. privée], *86* 22,6, *87* 22,6, *88* 21,2 [les intérêts de remboursement représentent, en 1988, 6,5 % du revenu des export.]. *89 :* 21 (dont 8 prêtés par des banques privées, exigibles en juin 1990), *oct.* paiement rééchelonné en 8 versements dès déc. 1993 [car la dette à court terme de l'A. du S. dépasse de 500 millions de $ ses res. fin]. **Réserves** *(fév. 90) :* 3 milliards de rands, rés. d'or 8,3 milliards ; *(nov. 89 en $) :* 2,12 milliards, rés. d'or : 1,16 milliard. **Cours du rand.** *1980 :* 5,90 $ (l'once d'or valait 850 $) ; *1981 :* 6,19 F ; *82 :* 6,04 F ; *83 :* 6,82 F ; *84 :* 5,94 F ; *85 :* 3,46 ; *86 :* 3,03 F ; *87 :* 2,95 F (once 457 $), *88 :* 2,62 F ; *89 :* 2,50 F (once 371 $). *Affaires à capitaux noirs :* C.A. inf. à 2 % du P.N.B. Bourgeoisie noire urbaine (buppies, ou black yuppies). *Pouv. d'achat des Noirs :* 5 fois inf. à celui des Blancs, mais progresse sur longue période.

Budget. *1988-89 :* + 12,6 %. *1989-90 :* 63,57 milliards de rands (+ 15 %). *1990-91 :* 72,93 milliards de rands (+ 14,7 %), déficit prévu de 8 milliards de rands, révisé à la baisse.

Commerce (milliards de rands, 89). *Exportations* 58,5 dont métaux de base 9,1, prod. miniers 6,6, pierres précieuses 5,4, prod. agric. 4,6, prod. chimiques 1,9, textiles 1,5, papier 1,5, mach. et mat. électr. 1, mach. et équip. de transport 0,7, prod. alim. 0,5 *vers (88) France 2,* Italie 2, Japon 1,8, All. féd. 1,6, U.S.A. 1,5, G.-B. 1,3, *Importations* 44,4 dont mach. et mat. de transport 6,9, prod. chim. 4,7, prod. miniers 3,4, prod. agric. 2,4, textiles 1,9, papier 1,1 *de (88)* All. féd. 3,3, Japon 2, G.-B. 1,9, U.S.A. 1,7, *France 1,7,* Italie 0,5. *Excédent commercial : 1985 :* 12,88 ; *86 :* 16,25 ; *87 :* 14,62 ; *88 :* 11,92 ; *89 :* 14,04 ; *90 (janv.-oct.) :* 12,98. L'Afr. du S. a des rel. commerciales avec 43 États africains.

Ports sud-africains. *La Zambie* expédie par ceux-ci 95 % de ses export. de cuivre et cobalt ; *le Zaïre,* 45 % de son cuivre, 60 % de son zinc et 40 % de son cobalt.

Sanctions économiques occidentales. Mesures. *1985 :* U.S.A. embargo sur pièces d'or (Kruggerrands), ordinateurs et techn. nucléaire. *1986 :* interdit d'importer charbon, fer, acier, uranium, fruits et prod. man. sud-afr. ; blocus pétrolier ; départ de grandes entr. amér. Mêmes mesures de la part de la C.É.E. et du Commonwealth (sauf G.-B.). *déc. 1990 :* C.É.E. lève l'interdiction de tout investissement en Afr. du S. **Conséquences économiques :** faibles. Les prod. frappés par l'embargo (fer, acier, charbon, pétrole) sont excédentaires dans le monde. Les cours de l'or sont en baisse dep. 1980. Blocus pétrolier est théorique (pétrole en excédent). Les métaux stratég. pour l'Occ. (non-ferreux : manganèse, platine, chrome, rhorium, vanadium, cobalt) ne sont pas soumis à embargo. **Conséquences financières :** plus imp. *Pertes estimées dep. 1985 :* 12 à 30 milliards de $ [désinvestissement et fuite des capitaux étr. ; 50 % des 1 121 Stés étr. parties (mais rachetées dans 2/3 des cas par des groupes sud-afr., parfois comme prête-noms pour les anc. Stés)]. *Manque à gagner :* 15 % du revenu moyen.

Rang dans le monde (89). 1er or. 4e uranium. 5e charbon. 6e réserves charbon. 7e exportateur agricole. 8e ovins, fer, phosphate. 9e vin. 10e maïs. 11e cuivre. 12e canne à sucre, argent.

ALBANIE

Carte p. 1119. V. légende p. 837.

Nom. « Albania » apparut au XIe s. ; il vient d'une tribu illyrienne, située entre Krujë et Lezhë, appelée « Albanoï » par le grec Ptolémée (IIe s. apr. J.-C.) [ce nom semble être d'origine géographique (signifiant peut-être « montagne » et se rapprochant du mot *Alpe*)] : le nom moderne « Shqipëria » apparaît après l'occupation ottomane (pays de ceux qui parlent « shqip » c.-à-d. « clairement »).

Situation. Europe. 28 748 km². *Alt. max.* mont Korab 2 751 m, *moy.* 708 m. *Frontières :* avec Grèce 271 km, Yougoslavie 529. *Régions :* Alpes albanaises (N.), montagnes (Centre), montagnes (S.), Bas-pays (O.). *Climat :* littoral, hiver humide et été sec ; en montagne, hiver plus froid et averses orageuses l'été. *Pluies :* 1 400 mm en moy./an (Alpes du N. + de 2 200 mm/an). *Forêts :* 35 % de la superficie. *Faune :* il reste 800 ours ; 120 loups tués par an.

Population. 3 199 200 h. (89). *1927* 833 000 ; *1939* 1 200 000. 98 % d'Albanais, Grecs (50 000 off., 400 000 selon Grecs), Roms, Aroumains, Macédoniens. D. 111. *Pop. urb.* 35,8 %. **Villes** (89) : *Tirana* 239 400, Durrës (Durazzo) 83 300, Elbasan 81 100, Shkodër (Scutari) 80 200, Vlorë 72 100, Korçë (Koritza) 64 100, Fier 43 800. **Albanais en Yougoslavie :** Cossove ou Cassovie (Kossovo) env. 1 500 000, Macédoine 380 000, Monténégro 40 000, autres régions 88 000. **A l'étranger** [Turquie, Grèce (1 000 000), Syrie, Égypte, Italie (appelés Arbëresh), U.S.A. Argentine] : 2 000 000 à 3 000 000.

Langues off. Albanais dep. 1912 [1. indo-européenne du groupe thraco-illyrien, relativement proche du groupe gréco-arménien (on lui a découvert de nombreuses analogies avec l'ancien étrusque) ; – unifié progressivement de 1908 à 1972, synthèse de 2 dialectes : geg au N. et tosk au S. (le radical *tosk* se retrouve dans *Toscane,* pays des Étrusques)], grec. **Religions.** Musulmans 73 %, orthodoxes 17,1 % (Église autocéphale au S.), catholiques 10,1 % au N. (relations rompues avec Vatican depuis 1946 ; de 22 à 27 prêtres et 1 évêque encore en vie), juifs. Pratique interdite dep. 1967, restaurée 1990. (A Tirana, cathédrale transformée en cinéma, mosquée en dépôt et église orthodoxe en club de sports).

Histoire. Pop. préhistorique pélasgienne, puis à la fin du **IIIe millénaire av. J.-C.** remplacée par les Illyriens. **Ve s.-168 av. J.-C.** États illyriens indép. **229, 219** et **168 av. J.-C.** gu. illyro-romaines. Province romaine. **395-1347** prov. byzantine. **852-996** occupation bulgare dans le Centre ; **1050** serbe au N. **1190-1216** principauté indép. d'Arbërie. **1347-55** domination serbe (tsar Stefan Dushan), sauf région de Durrës (Anjous de Naples). **Fin XIVe s.** 3 grandes familles : Balsha (N.), Muzakaj (S.), Topia (Krujë et Durrës), qui finit par dominer. Occupation vénitienne à Durrës, Lezhë et Skhodër. **1385** arrivée des Turcs. **1444**-*2-3* Ligue de Lezhë. Résistance animée par Georges Skanderbeg (1405-68). Révoltes épisodiques aux XVIe et XVIIe s. ; les montagnes échappent à l'autorité turque. Pachaliks autonomes de Shkodër (famille des Bushatlli) et de Joannina (Ali, Pascha de Tepelenë, ass. en 1822) du XVIIIe s.-début XIXe s. **1878** à la suite du congrès de Berlin, soulèvement dirigé par la Ligue alb. de Prizren (auj. en Youg.) revendiquant « l'union des terres d'A. en un État unique ». **1912**-*28-11* ind. avec Ismaïl Qemal à Vlorë. **1914**-*7-3/3-9* règne du P[ce] all. Guillaume de Wied (26-3-1876/18-4-1945) sur l'intervention des grandes puissances. **1915** tr. secret de Londres prévoyant démembrement de l'A. (au profit des voisins). *Rép. de Korçë* (chef Themistokli Gërmenji, fusillé par le tribunal militaire de l'armée d'Orient 1917). **1920** Italiens refoulés. **1922** Ahmet Zogu PM. **1924** Zogu s'enfuit en Youg. *-16-6/24-12* gouv. démocratique de Fan Noli. *-déc.* Zogu revient. **1927**-*22-11* tr. d'alliance avec l'Italie. **1928** *-1-9* Zogu se proclame roi des A., Zogu Ier. **1939**-*7-4* invasion it. Zogu Ier s'enfuit en G.-B. Le roi d'It. se proclame roi d'A. Le P.C. alb. fondé *8-11-1941* Hodja anime le Front de libération nationale. **1944**-*29-11* libération ; Hodja prend le pouvoir, tente de constituer une Église cathol. nat. détachée de Rome ; 28 000 † et 70 000 blessés sur 1 125 000 h. **1945** Zogu 1er en Égypte. *-2-12* élections procommunistes : victoire du Front démocratique (P.C.) d'E. Hodja avec 93 % des voix (seul candidat). Arrestation de nombreux prêtres et religieux opposés à l'Église nat. **1946**-*2-1* Zogu Ier déposé. *11-1* Rép. pop. proclamée. Staline interdit à la Youg. d'annexer l'A. Exécution de Koci Xoxe, 2e secr. du P.C. partisan de Tito. **1947** 1re ligne de chemin de fer. **1948** rupture avec Youg. **1951** persécution contre croyants, malgré un compromis promulgué par le gouv. **1952** Zogu Ier en France. **1955** entrée à l'O.N.U. **1961** *-9-12* relations dipl. rompues avec U.R.S.S. ; privilégiées avec Chine communiste. **1967** l'A. devient offic. un « État athée ». Env. 2 200 édifices rel. saccagés. **1968** l'A. quitte pacte de Varsovie. **1974** incarcération des 3 derniers évêques alb. **1977** rupture avec Chine. **1979**-*15-4* séisme (100 000 sans-abri, 17 000 maisons et édifices détruits). **1981**-*18-12* Mehmet Shehu (n. 1913), PM dep. 20-7-54, se suicide (ou est abattu au cours d'une altercation avec Hodja). **1982**-*26-9* échec d'un débarquement de partisans de Leka Ier (prétendant au trône). *-10-10* Hodja accuse Shehu d'avoir été agent secret. **1983** reprise des relations commerc. avec Chine. *Déc.* ferry-boat Durrës-Trieste. **1984-85** rapprochement avec voisins ; ouverture de 2 postes-frontière avec Grèce. **1985**-*11-4* Hodja meurt. *-10/13-9* Jean-Michel Baylet, secr. d'État fr. aux relations ext., en A. **1986** *-mars* ouverture ligne aér. Suisse-A. *-6-8* chemin de fer de 55 km dont 35 en A. reliant Shkodër à Titograd (Youg.) et au réseau européen (fermée 1988 : trafic nul). **1987**-*28-8* état de guerre avec Grèce levé. La Grèce a renoncé à ses revendications sur Gjirokastër et Korçë. *-2-10* rel. dipl. avec All. féd. **1988**-*7-3* 1re fois dep. 1954, anniversaire de la mort de Staline non célébré. *-17-3* loi interdisant de donner des prénoms chrétiens ou musulmans, les prénoms devant être « politiquement, idéologiquement et ethniquement » conformes à la loi [Ainsi : Illy (étoile) ou Miri (le bon)]. *Oct.* libération de Mgr Troshani, dernier évêque cathol. en A. Il y aurait 500 prisonniers polit. (Amnesty International a parlé de plusieurs milliers). **1990**-*janv.* réformes écon. (accès à la propriété autorisé). *Févr.* troubles à Shkodër, Korçë et Sarande. *Juin* plusieurs milliers de réfugiés dans les ambassades d'All., de France et d'Italie. *-13-7* 4 786 évacués (vers Italie 3 500, France 544). *-10-7* observateur au sommet de la C.S.C.E. (Paris, nov.). *-30-7* reprise des relations diplomatiques avec U.R.S.S. (interrompues 1961). *Août* réfugiés en France (+ de la moitié veulent partir aux E.-U.) *-25-10* Kadaré réfugié en Fr. *-19/20-12* plusieurs Alb. abattus en voulant fuir en Yougoslavie. *-21-12* gouv. décide suppression de tous symboles de Staline (retire statue de 10 m de haut à Tirana). *-30-12* autorise le droit de grève (sauf politique), liberté religieuse, droit à la propriété privée et de créer des partis indépendants ; les juifs alb. peuvent émigrer vers Israël. **1991** *-12-1* légalisation du Forum des Droits de l'homme, créé 19-12-90. *-23-1* retour de + de 1 500 Alb. réfugiés en Grèce. *-4-2* contestation étudiante. *-8-2* possession de voitures privées autorisée. *-20-2* statue d'Enver Hodja déboulonnée par manifestants à Tirana. *-21-2* manifestations. *-22-2* affrontements à Tirana. *-4-3* sur 20 641 réfugiés alb. en Grèce dep. janv. 1990, 6 500 revenus. *-6-3* 25 000 pers. de souche serbe et monténégrine autorisées à émigrer vers la Youg. *-10-3* + de 1 000 entrent au Monténégro. 19 275 réfugiés alb. arrivés en Italie depuis le 20-2 (dont 4 500 le 7-3). *-14-3* reprise des relations dipl. avec U.S.A. *-4 à 17-3* « libération » officielle de tous les prisonniers pol. (64 encore détenus). *-31-3* et *-7-4* 1res législatives dep. 1946 : victoire du P. du Travail alb. *-15-4* projet de Constitution présenté au Parlement instaurant une Rép. non socialiste.

Nota. – Zogu Ier (8-10-1895/9-4-1961) marié à Géraldine (6-4-1917 à Budapest), fille du Cte Jules Apponyi de Nagy Apponyi († 1924) et de Gladys Virginia Steward (Amér.). *Fils unique : Leka* [5-4-39, filleul du roi Fayçal, taille 2,10 m, investi 15-5-61 ; 1962 vit en Espagne ; épouse 10-10-75 Susan Cullen-Ward, Australienne ; 1977 arrêté en Thaïlande pour trafic d'armes ; 1979 quitte l'Esp. (accusé de détention d'armes)] ; vit en Afr. du S. (Un fils : Leka, n. 1982).

Statut. Rép. pop. soc. *Const.* du 27-12-1976. *Chef d'État* (Pt du praesidium de l'Ass. populaire) Ramiz Alia (n. 1925) dep. 22-11-82. *Praesidium de l'Ass. populaire :* 1 Pt, 3 vice-Pts, 10 m. élus pour 4 a. par l'Ass. et responsables devant elle. *Conseil des min. :* 1 Pt, 3 vice-Pts et min. nommés par l'Ass. et responsables devant elle, ou entre les sessions devant le Praesidium. *PM 1982 (15-1)* Adil Carçani (n. 1922), *91 (22-2)* Fatos Nato ; *(5-6)* Yili Bufi (n. 1949) PTA. *1er secr. du Comité central du Parti* (f. 1941 sous le nom de P. communiste, devenu ensuite P. du travail alb., env. 147 000 m.) Ramiz Alia dep. 13-4-85 [avant : Enver Hodja (16-10-1908/85) dep. nov. 41]. *Ass. pop.,* 250 m. élus p. 4 a. au suffr. univ. direct. 2 sessions par an (élections 1-1-87, 100 % des inscrits ont voté à 100 % pour les candidats du Front démocratique dépendant du PC et présidé dep. mars 1986 par la veuve Nexhmije Hodja (n. 1921), écartée le 22-12 et remplacée par PM). *Élections du 31-3* au *7-4-1991. P. du travail alb.* 168 s., *P. démocratique* 75, *mouv. Omonia* (grec) 5, *Union des vétérans* (pro-P.C.) 1. *Conseils populaires* (villages, villes, districts), élus tous les 3 ans au suffr. univ. direct. *Armée :* 48 000 h. (1 « mouchard » pour 8 soldats, chargé de rapporter au commissaire pol.). *Police politique* (Sigurimi) : 8 000 h + 4 000 en civil. **Opposition.** *P. démocratique. Autorisé* 18-12-90. *Pt* Sari Belisha (n. 1944).

Fêtes nat. 1er janv., 11 janv. (proclamation de la Rép. pop. en 1946) ; 1er mai (solidarité intern. des travailleurs) ; 28 nov. (indép. nat., en 1912) ; 29 nov. (libération en 1944). **Drapeau.** Rouge, avec aigle noir à 2 têtes surmonté d'une étoile dorée (ajoutée 1946).

• **Économie. P.N.B.** *(88) :* 800 $ par h. **Pop. active** (% et entre parenthèses part du P.N.B. en %) agr. 60 (35), ind. 10 (20), services 15 (25), mines 15 (20). Appareil industriel obsolète.

Agriculture. *Terres* (milliers d'ha, 89) : 2 874 dont terres arables 706 (24,5 %), forêts 1 046, pâturages 570, eaux intérieures 135, divers 258. Agr. socialisée à 100 %. Secteur d'État 29,8 % de la prod., coopérateur 70,2 % (89). *Production* (milliers de t, 88) blé 637, maïs 237, légumes 253, betterave à sucre 125, p. de terre 60, coton, tabac, haricots, vigne, mûrier, orge, riz, fruits. **Élevage** (milliers de têtes, 89) : poulets 5 590, moutons 1 598, chèvres 1 151, bovins 700, porcs 182. Viande, laine. **Mines.** *Pétrole* (3 000 000 t en 88, réserves env. 20 000 000 t). *Gaz* [400 000 m³]. *Chrome* [1 200 000 t (89), exporté à 70 %]. Cuivre. Nickel. **Électricité.** 6 000 000 kWh (88) dont 80 % hydraulique. **Tourisme.** Ouverture aux Occidentaux en 1988. *1989 :* 20 000 t. (en groupes org.).

Commerce (%, 1989). *Exportations vers* All. féd. Tchécosl. 11,4, Bulgarie 10,3, Roumanie 9,1, Italie 7,9, Chine 5,6, Yougosl. 4,9.

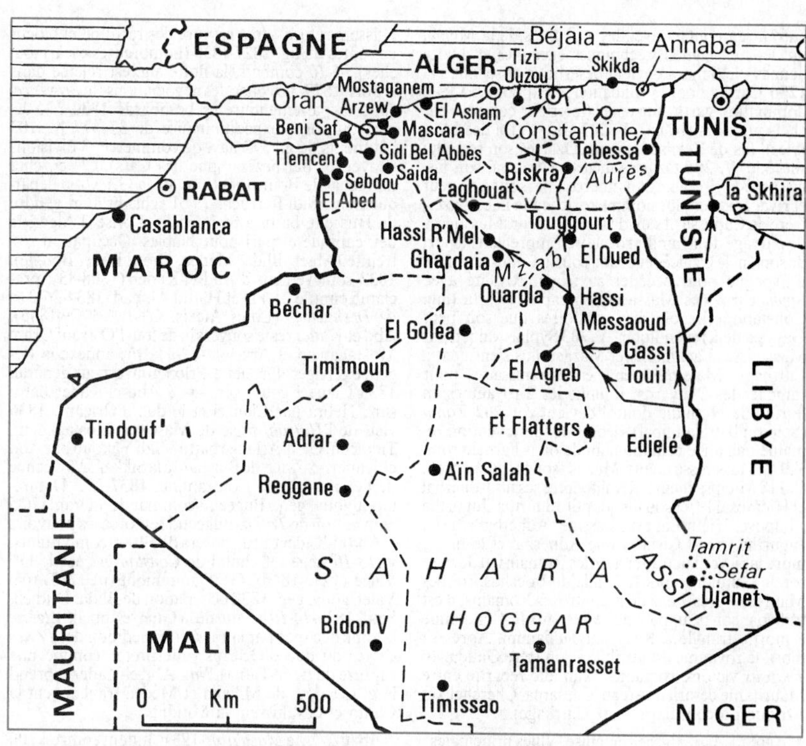

ALGÉRIE

Carte p. 845. V. légende p. 837.

• **Situation.** Afrique. 2 381 741 km². **Alt. max.** Tahat (Hoggar) 3 010 m, **min.** chott Melghir – 30 m, **moy.** 900 m. **Frontières :** Maroc 1 350 km, Sahara occidental 60, Mauritanie 450, Mali 1 100, Niger 1 180, Libye 1 000, Tunisie 1 140.

• **Régions.** **Algérie du nord :** 381 000 km², 3 zones parallèles au rivage s'étageant du N. au S. : *chaîne du Tell* (1 000 km × 125 km) entre mer et hautes plaines avec d'O. en E. : monts de Tlemcen : alt. max. Djebel Kouabet 1 621 m ; massif des Beni Snouss : Dj. T'chouchfi 1 842 m ; Ouarsenis : Œil du Monde 1 985 m ; massif algérois : Mouzaïa 1 608 m ; Djurdjura : Lalla Khédidja 2 308 m ; M^ts^ du Constantinois [entrelacés, rejoignant au S. l'Atlas saharien (Aurès) : Djebel Chelia 2 328 m] ; *plaines attenantes* [d'O. en E. : pl. du Sig et du Chlef (Chélif) (Oranais) ; haute vallée du Chlef ; pl. de la Mitidja (Algérois), pl. de l'Isser ; pl. d'Annaba (pluies 300 à 1 000 mm, surtout févr.-mars et oct.-nov.)] ; *hautes plaines intérieures :* dépressions du Chott el Chergui, du Chott el Hodna et du Tarf, zone steppique, pluie 100 à 300 mm ; *Atlas saharien* [d'O. en E. : massifs des Ksour (Djebel Mzi 2 200 m) ; de l'Amour (Djebel Touilet 1 977 m) ; des Ouled Naïl (Bou Kahil 1 500 m)].

Algérie saharienne : 2 000 000 km², plaines et montagnes, parallèles à la côte. Vallées sèches : N.-S. Principales : Oued Saoura ; O. Tafassasset. Dépression max. : Chott Melghir : – 30 m ; hauteur max. : Hoggar : 3 000 m (mont Tahat 3 010 m, massifs volcaniques dominant le socle primaire, lui-même recouvert de calcaires crétacés).

☞ **Grande Kabylie :** massifs montagneux bordés au nord par la mer ; à l'ouest par l'oued Isser, de son embouchure à Palestro ; au sud par la route Palestro, Bouïra, Maillot, Akbou ; à l'est par la vallée de la Soummam. **Petite Kabylie :** à l'est.

Côtes. 1 200 km, montagneuses, chaîne calcaire (nord de l'Atlas tellien) parallèle au rivage. 5 échancrures correspondant aux fleuves côtiers : golfe d'Oran, baie d'Alger, g. de Béjaïa, g. de Skikda (baies de Collo et Stora), g. d'Annaba. Nombreux récifs.

• **Climat.** Méditerranéen. Au N., hiver pluvieux et froid, été chaud et sec. Au S., climat sec et tropical, grands écarts de température en hiver. Sahara (pluie < 100 mm ; temp. moy. 36 °C le jour, 5 °C la nuit).

	Températures moy.		*Pluies*
	janvier	*juillet*	*ann. mm.*
Oran	10,5 °C	23,1 °C	253
Alger	12,2 °C	24,5 °C	691
Annaba	12,9 °C	24,5 °C	476
Skikda	13,5 °C	25,7 °C	621
Béchar	12,1 °C	31,7 °C	70

• **Distance d'Alger** (en km) : Ain Salah 1 388, Annaba 600, Béchar 965, Bejaïa 263, Biskra 425, Constantine 431, El Goléa 968, Ghardaïa 600, Laghouat 400, Oran 432, Ouargla 800, Skikda 510, Souk Ahras 623, Tamanrasset 1 970, Tlemcen 540, Touggourt 767.

Démographie

• **Population. Total** (en millions) : *1835 :* 1,87 dont Maures d'Espagne et arabophones (cultivateurs et ouvriers) 1,2, nomades 0,4, Kabyles 0,2, juifs 0,03, Turcs et renégats 0,02, Koulouglis 0,02. *1856* 1er recensement : 2,31 (+ non-musulmans 0,16). *1881 :* 2,86 (0,41). *1901 :* 3,781 (0,63). *1921 :* 4,92 (0,79). *1936 :* 6,2 (0,83). *1954 :* 8,67 (0,98). *1962 :* 10,24. *1966 :* 11,98. *1970 :* 13,75. *1975 :* 16,02. *1980 :* 18,67. *1984 :* 20,9. *1985 :* 21,76. *1987 :* 23,10. *1988 :* 23,84. *1989 :* 24,45. *1990* (prév.) : 27,6. *2000* (hypothèse moy.) : 35,2 (haute) : 36,5. *V. 2025 :* 57,3 à 65,4. **Densité.** 10,2 hab./km². **Répartition.** 96 % de la pop. dans le N. sur 17 % des terres. *– de 5 a.* 16,5 %, *– de 15 a.* 46 %, *– de 20 a.* 55 % (57 en 1966), *+ de 65 a.* 4 %. **Pop. urbaine** (%). *1966 :* 31, *1987 :* 49. **Étrangers :** *Marocains* 300 000 (en 1975, 30 000 expulsés). *Français* (1986) : 51 924 (dont 2 300 Pieds-Noirs). *Américains :* 2 000/3 000. *Soviétiques :* 1 500. **Émigrés.** 1 800 000 (dont en France 900 000).

Naissances. *1963 :* 503 000. *1970 :* 603 000. *1975 :* 500 000. *1985 :* 846 000. *1987 :* 782 000. *1988 :* 788 000. *1989 :* 1 000 000. *95 :* 1 300 000. **Décès.** *1976 :* 163 000. *1985 :* 137 974. *1988 :* 117 000. *De moins d'un an. 1976 :* 59 000. *1986 :* 37 000. **Mariages** *1985 :* 123 688. **Espérance de vie.** 63 ans (H. 59, F. 62). **Analphabètes** (1982) *– de 17 ans :* 20,4 %, *17 à 60 :* 51,6, *+ de 60 :* 90,7. (1987) 46 %.

Taux brut (en %). **Natalité** *1967 :* 5,01, *80 :* 4,27, *85 :* 3,95, *86 :* 3,4, *87 :* 3,4, *88 :* 3,3. **Mortalité** *1970 :* 1,4, *80 :* 1, *87 :* 0,8, *88 :* 0,8 ; infantile *1962 :* 16, *76 :* 8,5, *86 :* 7, *88 :* 6. **Accroissement** *1967 :* 1,59, *80 :* 3,2, *85 :* 3,1, *86 :* 2,7, *87 :* 2,7, *88 :* 2,5. **Fécondité :** 5,9 enfants par femme (1,8 en Fr.). **Médecins par habitant** *90 :* 1 pour 2 000.

• **Villes** (est. 87). *El-Djezaïr* (Les Iles, ex-Alger) 1 483 000, Wahran (ex-Oran) 590 818, Qacentina (ex-Constantine ; antique Cirta) 438 717, Annaba (ex-Bône ; antique Hippone) 310 106, Batna 182 375, Tizi-Ouzou 100 749 *(83)*, Sétif 168 295, Blida 165 541, Sidi-bel-Abbès 151 397, Ech-Cheliff (ex-El-Asnam, ex-Orléansville) 129 127, Biskra 128 707, Skikda (ex-Philippeville) 118 848, Mostaganem 112 820, Bejaïa (ex-Bougie ; car dans cette ville on exploitait la cire dont on faisait les chandelles) 112 693, Tébessa 107 391, Béchar 105 907, Tilimcin (ex-Tlemcen) 100 405.

Code	Tél.	Wilaya	Superficie km²	Popul. (est. 1987)	Densité Hab./km²
01	7	Adrar	464 900	216 931	0,47
02	3	Chlef	4 651	680 000	146
03	9	Laghouat	25 052	215 067	8,5
04	4	Oum-el-Bouaghi	7 638,12	402 674	52,72
05	4	Batna	12 028,24	752 422	62,5
06	5	Bejaïa	3 328,5	694 695	213
07	4	Biskra	21 671,20	429 217	20,3
08	7	Béchar	161 400	183 896	1,14
09	3	Blida	1 540,6	699 804	454,2
10	3	Bouira	4 517,10	525 715	98,81
11	9	Tamanrasset	556 000	26 114	0,15
12	8	Tebessa	13 878	409 320	49,48
13	7	Tlemcen	9 017,69	707 453	78,45
14	7	Tiaret	20 087	574 786	28,6
15	3	Tizi-Ouzou	2 992,96	935 141	315
16	2	Alger	272,97	1 699 043	6 187,3
17	3	Djelfa	29 035	491 677	13
18	5	Jijel	2 398,69	471 319	274
19	5	Sétif	6 504	997 396	153
20	7	Saïda	6 631	235 240	35,5
21	8	Skikda	4 137,24	618 761	149
22	7	Sidi-Bel-Abbès	9 150,63	452 058	49
23	8	Annaba	1 412	453 951	321
24	8	Guelma	3 910,51	361 441	92
25	4	Constantine	2 288	662 330	289,5
26	3	Medea	8 700	650 940	74,82
27	6	Mostaganem	2 269	504 124	222
28	5	M'Sila	18 446,6	615 000	33
29	6	Mascara	5 962,08	562 569	94
30	9	Ouargla	270 030	286 547	01
31	6	Oran	2 114	926 383	438,2
32	7	El-Bayadh	70 539	154 945	2,18
33	9	Illizi	284 618	27 036	0,067
34	5	Bordj Bou-Arreridj	3 920,42	429 009	109
35	2	Boumerdès	1 558,39	646 462	415
36	8	El-Tarf	2 998,22	276 836	92,33
37	7	Tindouf	214,50	16 339	0,08
38	7	Tissemsilt	3 151,37	227 542	72
39	4	El-Oued	80 000	380 000	4,75
40	4	Khenchela	9 810,64	244 982	26
41	8	Souk-Ahras	4 359,65	293 644	67
42	2	Tipaza	2 219	614 449	256,3
43	4	Mila	3 407,60	510 435	149
44	3	Aïn Defla	4 260	536 522	126
45	7	Naâma	30 644	112 858	3,68
46	7	Aïn Témouchent	2 630	271 252	105
47	9	Ghardaïa	86 105	216 059	2,51
48	6	Relizane	4 840,40	545 061	112,6
–	–	Total	2 381 741	21 472 356	9

• **Algériens en France. V. 1900 :** arrivée des 1ers travailleurs. **1914-18 :** 90 000 réquisitionnés [*volontaires : 1914 :* 7 000, *1915 :* 20 000, *1916 :* 30 000, *1917 :* 35 000. **1919 :** 68 000 (la plupart rentreront)]. **1922 :** 50 000 entrées. **1922-24 :** 90 000. **1929-30 :** crise ; 42 000 retours. **1930 :** 43 000. **1945-62 :** émigration reprise (sauf 1958). **1954 :** env. 212 000. **1962 :** 400 000. Indépendance : les Alg. sont considérés comme citoyens fr. avec droit de libre circulation. **1964 :** accord fr.-alg. permettant 12 000 sorties par an en moy. **1965 :** remises en cause par l'A. **1968 :** contingent 35 000 par an de 1969 à 1971 et 25 000 de 1972 à 1973. **1971 :** 750 000. **1973** (19-9) : incidents à Marseille, l'A. suspend l'émigration. **A partir de 1975 :** retours plus importants que les entrées en Fr. **1977 :** *aide au retour* (10 000 F et transport gratuit). **1980 :** négociations fr.-alg. sur les retours. But : 35 000 départs/an jusqu'en déc. 1983. La carte de résidence des 280 000 installés en Fr. avant le 1-7-1962 sera renouvelée pour 10 ans à son échéance, celle des 400 000 arrivés après le 1-7-1962 sera prorogée automatiquement pour 3 ans et 3 mois si elle expire entre le 1-10-80 et le 31-12-83 (ensuite pas de renouvellement). **1983** (1-1) : 816 000 en Fr. y compris femmes et enfants, 120 000 en cours de régularisation, 100 000 anciens harkis (70 000 en 1962), 400 000 jeunes nés en Fr. et ayant la nationalité fr.

• **Religions. Islam** *(off.)* 19 000 000. **Catholicisme** 60 000, dont env. 5 000 pratiquants, 280 prêtres, 1 000 religieuses (dont enseignantes 500, soignantes 200). **Juifs** 1 000 (1962 : 150 000).

• **Langues.** Arabe *(off., 75 %)*, français *(l. admin.)*, parlers berbères (25 %) [kabyle, chaouia, mozabite (du dialecte zenatyia), chenoui, targui (touareg ou tamahaqt)].

Histoire

• **Avant Jésus-Christ. Paléolithique moyen** (chaud, et humide), peuplement atérien (gisement de Bir el Ater, dans les Némentchas, à 70 km au S. de Tébessa, à l'extrémité E. du Djebel Onk) ; **Néolithique ancien :** « escargotières » du Constantinois et du Sahara : collines de pierres, les Capsiens (Capsa, auj. Gafsa, Tunisie) sont mangeurs d'escargots. **N. récent** au Sahara (humide) : civilisation brillante (gravures et peintures rupestres du Tassili des Adjers). **XVIe au IXe s.** Berbères (descendants probables des Capsiens) entrent en contact avec les « peuples de la Mer », qui leur enseignent techniques égéennes et anatoliennes ; le Sahara devient désertique et se vide. **V. 1250** Carthaginois ; fondation d'Hippone ; **IXe s.** domination carth. sur côtes (intérieur contrôlé par chefs numides rivaux). **V. 207** Gayya (roi des Massyles), fils de Zelalsen, meurt. Ozalcès son frère lui succède. **V. 206** Ozalcès meurt ; Capussa, son fils, lui succède ; il est tué dans une bataille ; son vainqueur et rival Mazaetullus nomme roi le jeune Lacumazès, frère de Capussa, il s'en déclare le tuteur. Massinissa (le plus âgé de la famille royale), en apprenant la mort de son oncle Ozalcès et de son cousin Capussa, rentre d'Espagne pour accéder au trône. Rivalité avec *Syphax* [roi des Massaessyles, capitale Cirta (auj. Constantine)], pour des territoires que son père Gayya a déjà revendiqués. **V. 203** Syphax vaincu par Massinissa. Lacumazès et Mazaetullus s'enfuient à Carthage. Massinissa envoie des émissaires pour ramener les 2 fuyards. Il unifie les 2 royaumes en le roy. de Numidie dont il devient roi. **202** *Zama* (Scipion bat Hannibal), débuts de l'intervention romaine ; alliance romano-numide dans l'armée rom. **V. 149** Massinissa meurt. Micipsa son fils lui succède. **V. 118** Micipsa meurt. Rivalité entre ses fils Adherbal et Hiempsal Ier, et son fils adoptif Jugurtha. Jugurtha s'impose. Hiempsal est assassiné, Adherbal résiste, Jugurtha prend Cirta, arrête Adherbal et le met à mort car il voulait traiter avec les Romains. Il devient roi de Numidie, épouse la fille de Bocchus, roi des Maures. Après 7 ans de g. contre les Romains, il est trahi par son beau-père qui le livre aux R. Condamné à mort, étranglé à Rome au Tullianum. Après sa mort, le royaume est attribué à son frère Gauda. **46** *Thapsus* victoire romaine : Numidie répartie entre Mauritanie césarienne (cap. Caesarea, Cherchell) et Afrique proconsulaire (cap. Carthage).

• Après J.-C. l'Alg. se romanise. Villes principales : Timgad, Tipasa, Tebessa, Hippone [Bône puis Annaba ; évêque *St Augustin* (354-430)]. **429** invasion vandale. **533** domination byzantine. **680** débuts de la conquête arabe. Invasion d'Oqba ibn Nafaâ. Résistance berbère jusqu'au début XIIIe s., islamisation puis arabisation. **VIIIe-début XVIe s.** dynasties musulmanes d'origine berbère : Rustémides, Aghlabides (750-910 englobant Tunisie), Kharidjites (Hauts Plateaux, cap. Tiaret VIIIe-910) ; Fatimides (Alg., Tun. 910-73), Zirides (Alg., Tunisie), Hammadites (partie de l'Alg.), domination almohade (en partie 1060, en totalité 1147-1269), hafside (Tun. et Constantinois), zianide (Tlemcen). **Xe s.** invasion des Beni Hillal. **XVIe-XVIIIe s.** les deys d'Alger, quasi indépendants de la Turquie, pratiquent la g. de course contre les Eur. ; représailles esp. 1541, 1774 ; franç. 1665, 1682-83, 1685, 1688. **1515** corsaires turcs restaurent l'unit. Protectorat nominal du sultan de Constantinople. **1535** Charles Quint prend Tunis. **1541**-*21-10* arrive devant Alger (+ de 500 navires, 12 000 marins, 22 000 h.) ; des intempéries le mettent en déroute. **1553** la compagnie marseillaise des « Concessions d'Afrique » obtient du dey de pêcher le corail sur la côte ; elle construit, à 12 km à l'O. de La Calle, le « Bastion de France ». Plusieurs fois détruit et relevé, ce comptoir sera évacué de 1799 à 1816, et détruit sur l'ordre du bey de Constantine en 1827. **1643**-*31-10* le duc de Beaufort (ancien « roi des Halles ») débarque à Djidjelli et l'évacue. **1659** l'*agha* des janissaires turcs détient le pouvoir en A. **1681** les A. prennent un bâtiment de la marine royale fr., le chevalier de Beaujeu est vendu comme esclave. **1682** Duquesne bombarde Alger en représailles. **1684**-*2-4* Tourville devant Alger. *-28-4* paix proclamée pour 100 ans ; g. recommence. **1708** Turcs prennent Oran. **1732**-*30-6* Esp. débarquent près du cap Falcon. *-1-7* prennent Oran, s'y maintiennent ainsi qu'à Mers-el-Kébir jusqu'en 1792. (Pénon d'Alger et Bougie repris par les Barberousse). **1797** 2 négociants algérois, Bacri et Busnach (israélites détenant un monopole de vente), vendent (au triple du prix et avec des intérêts usuraires) pour 24 millions de F de blé à la Rép. fr. (impayés). **1798** projet d'expédition à Alger, Tunis, Tripoli pour lutter contre l'influence brit.

1808 projets d'expédition. **1816**-*27-8* les Anglais bombardent Alger. **1818**-*1-3* Hussein, créditeur de Bacri et Busnach, réclame 24 millions de F de blé à Louis XVIII. **1819**-*28-10* transaction, dette réduite à 7 millions. **1820** Hussein en reçoit 4. **1821** les 3 restants sont réclamés par d'autres créanciers et mis à la Caisse des dépôts, en attendant le jugement (devant la cour d'Aix). **1826** Hussein écrit à Charles X pour se plaindre de la longueur du procès ; pas de réponse. **1827**-*27-4* à la réception officielle du Baïram, Hussein demande à Pierre Deval, consul de Fr., s'il a une lettre de Ch. X. Réponse négative. *-29-4* Hussein furieux frappe Deval d'un coup de chasse-mouches. *-12-6* le cap. de vaisseau Collet (avec 4 navires) arrive devant Alger exigeant des excuses, Hussein refuse. *-16-6* rupture des rel. dipl. et blocus des côtes d'Alg. **1827-1830** (nombreuses escarmouches). *-5-10* combats, la flotte alg. est rejetée dans le port. **1829**-*3-8* échec des négociations ; le *Provence,* vaisseau parlementaire, est bombardé. **1830**-*25-5* départ du corps expéditionnaire de 37 577 h., 103 bâtiments de g., 572 nav. de commerce, 3 divisions (Loverdo, Berthezène, duc des Cars), Cdt en chef maréchal de Bourmont (min. de la G.). *-14-6* débarquement à Sidi-Ferruch. *-19-6* l'agha Ibrahim, gendre de Hussein, battu à Staouëli. *-5-7* prise d'Alger, le dey capitule et part pour Naples. Occupation restreinte (Alger, Blida, Médéa, Oran, Bône, Bougie). **1832** soulèvement d'Abd el-Kader (1808-83 ; proclamé émir le 21-11) et Hadjd Ahmad. **1834**-*26-2 tr. de Desmichels* (Louis Alexis, Gal-Bon 1779-1845), Abd el-Kader reste souverain de tout l'O. (sauf Oran, Mostaganem et Arzew). *-22-7* la Fr. annexe la Régence d'Alger. Drouet d'Erlon gouverneur général. **1835** Clauzel gouv. gén. *-3-12* Abd el-Kader battu sur l'Hébra par Clauzel et le duc d'Orléans. **1836** vict. de l'*Hafrah,* prise de Mascara, Mostaganem, Tlemcen. Gal d'Arlange battu à Sidi Yakoub par Abd el-Kader. *-6-7* vict. de Bugeaud à la Sikkak. *Nov.* échec de l'expédition de Constantine. **1837**-*12-2* Damrémont gouv. gén., Bugeaud commande à Oran. *-20-5* convention de *Tafna.* Bugeaud renforce les pouvoirs d'Abd el-Kader qui disposera de 59 000 combattants. *-6/13-10* siège (et chute) de *Constantine* par le Gal Valée (1773-1846). Gal Damrémont (n. 1783) tué. Valée gouv. gén. **1838** occupation de Blida, Djidjell, Sétif. **1839**-*14-10* le min. de la Guerre appelle *Algérie* la zone occupée par la Fr. *Oct.* expédition des *Portes de fer* du duc d'Orléans (interprétée comme une rupture du tr. de Tafna). *Nov.* Abd el-Kader reprend la g. Les deys de Miliana et Médéa franchissent la Chiffa et envahissent la Mitidja.

1840-*2/7-2* à *Mazagran,* 123 h. luttent contre 1 200 Arabes. Conquête totale décidée. *-1-11* arrêté confisquant les biens des Arabes ayant lutté contre la Fr. *-29-12* Bugeaud remplace Valée au gouv. gén. **1841** Mascara occupée. **1842** Tlemcen occupée. **1843**-*16-5* prise de la *smala d'Abd el-Kader* par le duc d'Aumale. **1844**-*1-2* arrêté organisant les bureaux arabes. *-30-5* victoire de Lamoricière à la Mouila. *-6/25-8* hostilités contre Maroc ; Tanger et Mogador bombardés par le Pce de Joinville. *-14-8* vict. de Bugeaud sur l'armée marocaine à *l'Isly. -10-9 tr. de Tanger.* **1844-47** 3 campagnes de Bugeaud en Kabylie. **1845**-*18-3* convention de *Lalla Maghnia* ratifiée 6-8 à Larache. Révolte de Bou Maâza dans l'Ouarsenis et la Dahara. *-22-9* affaire du marabout de Sidi Brahim. *-27-9* reddition de la garnison fr. d'Aïn Temouch. **1847**-*13-4* Bou Maâza se rend au Cel de Saint-Arnaud. Prise de Sétif. *-Juill.* Abd el-Kader repoussé de la Mitidja rentre au Maroc par Figuig. *-11-9* duc d'Aumale gouv. gén. *-23-12* Abd el-Kader se rend à Lamoricière (emprisonné fort Lamarque à Toulon jusqu'en avr. 1848, Pau jusqu'en nov. 1848, Amboise jusqu'en oct. 1852 ; quitte la Fr. 1852, meurt à Damas 1883). **1848** *-févr.* à **1851** *-déc.* Cavaignac, Changarnier, Charon, Pélissier, d'Hautpoul commandants en chef. **1848** l'A. forme 3 départements fr. **1849** *-nov.* prise de l'oasis de Zaatcha. **1850** révolte kabyle matée. Pélissier et Bosquet dévastent la Grande Kabylie, Saint-Arnaud la Petite. **1851-58** le Mal Randon gouv. gén. **1852**-*4-12* prise de Laghouat par Yusuf et Pélissier. **1853** soumission de la Kabylie des Babors. **1857** pacification de la Kabylie par Mac-Mahon et Yusuf. *-Mai* construction du Fort-Napoléon (Fort-National). Prise d'Icheriden. *-Juill.* campagne du Djurdjura. Reddition de la femme du marabout *Lalla Fadhma.* Napoléon III, influencé par Ismail Urbain (1812-84), hésitera entre l'assimilation et un « Royaume arabe ». **1858**-*24-6* création d'un ministère de l'A. et des Colonies (Pce Jérôme Napoléon). *-9-8* Randon démissionne. **1859** Cte de Chasseloup-Laubat min. de l'A. (Pce Jérôme a démissionné). **1860**-*25-7* décret organisant la vente des terres. *-17/19-9* visite de Napoléon III. *-24-11* gouv. gén. rétabli. Pélissier gouv. gén. Politique du « Royaume arabe ». **1864** Mac-Mahon gouv. gén. **1865** 2e voyage de Napoléon III. **1868** famine, 35 000 †. **1870**-*24-10 décret Crémieux* accordant la citoyenneté fr. aux Israélites alg. **1871** révolte de Mokrani et du cheik El Haddad. *Juin* Kabylie reconquise après des combats au Fort-National et à Icheriden. Accélération du peuplement européen. Islamisation et arabisation des régions berbères favorisées par l'admin. fr. **1881** assassinat au Hoggar du Cel Flatters, révolte des Ouled-Sidi-Cheibh.

1901 installation à Béni-Abbès (Sud-Oranais) de l'oratoire du Père Charles de Foucauld (1858-1916), désireux de convertir les musulmans au christianisme (alors l'administration fr. refuse le prosélytisme chrétien chez les musulmans). **1905** se fixe à Tamanrasset (Hoggar), aumônier des milit. fr. et missionnaire auprès des Touareg (tué 1-12-1916 par des Senoussis venant de Libye et armés par les services secrets allemands). **1914-18** 173 000 Algériens mobilisés. **1925** *mai* Maurice Viollette (1870-1960) gouverneur général. **Après les années 20** mouvements nationalistes : Émir Khaled, Messali Hadj (1898-1974) qui créera l'Étoile nord-africaine [(1926, dissoute 20-11-1929 (jug. cassé pour vice de forme) et 26-1-1937 (6 000 adhérents en 1936)], l'Union nationale des musulmans nord-afr. (1935-37), le Parti populaire alg. (11-3-1937, interdit 26-9-1939), l'Union populaire alg. (UPA en 1938 après scission avec Ben Djelloul), le Mouvement pour le triomphe des libertés démocratiques [(MTLD) fondé 1946 qui deviendra le Mouvement nationaliste alg. (MNA)] ; Cheikh Abdelhamid Ben Badis (1899-1940), fondateur de l'association des Oulémas, P. communiste (1935), Farhat Abbas (1899-1985). **1930** fête du centenaire de la conquête. *-4/12-5* Pt Doumergue en A. **1931**-*5-5* association des Oulémas (Abdel. Ben Badis). **1934**-*4/5-8* Constantine, un zouave israélite ivre ayant insulté des musulmans dans la mosquée, représailles : 27 † (25 juifs, 2 Arabes), 40 blessés. **1936**-*30-12* projet Blum-Viollette : droits politiques pour 20/25 000 Alg. en vue d'un collège unique (soldats, diplômés, élus locaux, médaillés du travail et secrétaires des syndicats ouvriers. A l'époque, députés et sénateurs d'Algérie sont désignés par 200 000 citoyens français : colons d'origine française, Européens naturalisés en Algérie et « indigènes » juifs naturalisés par le décret Crémieux de 1870) rejeté par le PPA et les Européens. **1938** scission entre Ben Djelloul et Abbas qui fonde l'Union Populaire Algérienne (UPA). **1940**-*17-4* mort d'Abdel. Ben Badis (lui succède Bachir Brahimi). **1942**-*8-11* débarquement allié. Alger, siège du Gouv. prov. de la Rép. fr. **1943**-*10-2* manifeste du peuple alg. de Ferhat Abbas. **1944**-*7-3* certains Alg. reçoivent la nationalité fr. **1945**-*8-5* échec d'un soulèvement dans le Constantinois (Guelma, Sétif, etc.). 109 Européens massacrés, répression jusqu'au 26-5 (1 500 musulmans tués selon le chiffre off., 45 000 selon les nationalistes, 6 000 selon Robert Aron, 10 000 selon Jean Lacouture). **1946**-*4-3* loi d'amnistie. F. Abbas libéré reconstitue l'UDMA (Union démocratique du manifeste algérien) qui a 11 élus sur 13 s. pour le collège des non-citoyens aux élections à la 2e Ass. constituante du 2-6. *Avril* Union démocratique du manifeste algérien (F. Abbas). *Oct.* Messali Hadj libéré. *Nov.* le MTLD a 5 élus à l'Assemblée nat. **1947**-*15/16-2* 1er congrès du PPA-MTLD : maintien clandestin du PPA, constitution d'un appareil légal, le MTLD, et celle d'une organisation armée, l'OS (organisation spéciale) noyau de la future Armée de Libération Nationale (ALN). **1948**-*4/14-4* élection à l'Ass. alg. truquées (plus de 50 % des candidats MTLD sont arrêtés). **1950** *mars/avril* démantèlement de l'OS par forces coloniales. **1951**-*5-8* Front Algérien pour la Défense et le Respect des Libertés avec le PPA-MTLD, l'UDMA, les Oulémas et le PCA. **1952**-*14-5* arrestation de Messali Hadj, mis en résidence surveillée à Niort (France). **1953**-*1/6-4* 2e congrès du PPA-MTLD. **1954** *janvier* 2 tendances du PPA-MTLD : Comité Central et Messali Hadj (majoritaires). *Mars* 3e tendance : le Comité Révolutionnaire pour l'Unité et l'Action, composée de membres du CC et d'anciens de l'OS. *Juin* direction collégiale du CRUA des « 6 » présidée par Boudiaf. *9-9* séisme à *Orléansville,* 1 450 †. *Oct.* les « 6 » du CRUA fixent au 1-11-1954 la date du déclenchement de l'Insurrection. *31-10/1-11 début de la guerre d'A.* (70 attentats, 7 †). *-12-11* le Pt du Conseil (Mendès France) déclare « l'A. c'est la Fr. », « On ne transige pas lorsqu'il s'agit de défendre l'intégrité de la République. » *-29-11* Grine Belkacem † dans l'Aurès. *Déc.* MNA (Mouvement National Algérien) fondé par Messali Hadj.

1955-*26-1* Jacques Soustelle gouv. gén. *-31-3* état d'urgence (Aurès, Kabylie). *-16-5* effectifs mil. portés à 100 000 h. *-20-8* insurrection généralisée de la wilaya 2 (N.-Constantinois) avec Zighout Youssef : 39 localités attaquées à midi (171 civils fr. égorgés, dont 1/3 d'enfants, notamment à El Halia, 35 †) ; représailles : 1 273 musulmans exécutés. *30-8* état d'urgence pour toute l'Alg. *Nov.* création des S.A.S. *-21-12* ralliement de Kerbadou Ali avec 500 h. (Aurès).

1956-*12-1* décrets sur pouvoirs spéciaux. *2-2* Soustelle quitte Alger. *-6-2* manif. hostile des Européens à Alger contre G. Mollet. Gal Catroux démissionne (min. résident dep. 8 j), remplacé par R. Lacoste. *-21-2* Ferhat Abbas et Ahmed Francis passent en Fr. *-24-2* naissance de l'Union Générale des Travailleurs Algériens (UGTA). *-12-3* 455 voix (communistes compris) contre 76 (poujadistes et droite) votent les pouvoirs spéciaux au gouv. *-4-4* l'aspirant communiste Maillot déserte. *-6-4* bataille du Djeurf. *-11-4* rappel de 70 000 disponibles. *-12-4* dissolution de

Statut, de 1830 à l'indépendance

1830-*5-7*/**1834**-*22-7* territoire étranger occupé par des troupes françaises. Le général cdt en chef détient tous les pouvoirs. **1831**-*1-12* ordonnance créant le poste d'intendant civil. **1834**-*22-7* commandement et administration « des possessions fr. dans le N. de l'Afr. » confiés à un gouverneur général assisté d'un Conseil consultatif ; il dépend du ministre de la Guerre. **1845** ses attributions sont révisées. **1848** réduites (service des cultes, de l'instruction publique, de la justice et des douanes). **1852** renforcées. **1858**-*24-6* le min. de l'Alg. et des Colonies, Cdt supérieur des forces militaires de terre et de mer, remplace le gouv. général. -*27-10* décret centralisant à Paris l'administration de l'Alg. et attribuant aux préfets les pouvoirs que détenait le gouv. gén. **1860**-*10-12* poste de gouv. général rétabli, instruction publique et service des cultes demeurent rattachés à Paris. **1870** chute de Napoléon III ; gouv. gén. supprimé. **1871**-*29-3* gouv. gén. civil établi : relève du min. de l'Intérieur (les 2 premiers seront, en fait, un amiral et un général). **1881**-*26-8* décret confiant à chacun des ministères intéressés les différents services de l'A. Le gouv. gén. ne statue plus que par délégation des ministres sur des affaires limitativement énumérées. **1896**-*31-12* décret complété par celui du 25-8-1898, supprimant les rattachements ; le gouv. gén. est nommé par décret du Pt de la Rép. rendu en conseil des ministres, sur propositions du min. de l'Intérieur. **1947**-*27-8* l'Ass. nat. adopte, par 320 voix contre 88 et 186 abstentions, un nouveau statut de l'A. « groupe de départements dotés de la personnalité civile et de l'autonomie financière ». Une Ass. alg. [120 m. en 2 sections (1er collège : citoyens de statut civil fr. ; 2e de statut musulman)] sera chargée de « gérer, en accord avec le gouv. gén., les intérêts propres de l'A. ».

1955 *loi du 7-8, décrets du 23-8 et du 11-1-1958 :* dép. de Bône ; nombre d'arrond. créés : 32 (avant 20). **1956**-*28-6* 12 dép. réunis en 3 groupes : Alger (Alger, Médéa, Orléansville et Tizi-Ouzou), Oran (Oran, Mostaganem, Tiaret et Tlemcen), Constantine (Constantine, Batna, Bône et Sétif). **1957**-*10-1 :* les 4 territoires du S. sont englobés dans l'Organisation commune des régions sahariennes, puis découpés (*décret 7-8-1957*) en 2 dép. (Oasis et Saoura). *Décrets de mai* **1957**, *févr.* **1958** *et nov.* **1959 :** 76 arrond. **1958** *décret du 17-3 :* création de 3 dép. : Bougie, Aumale et Saïda. *Décret du 14-4 :* dép. regroupés en 5 terr. autonomes (non appliqué ?) : Alger (dép. d'Alger, Médéa et Aumale), Oran (dép. d'Oran, Tlemcen et Saïda), Constantinois (dép. de Constantine, Batna, Bône et Sétif), Chélif (dép. de Mostaganem, Orléansville et Tiaret), Kabylies (dép. de Bougie et Tizi-Ouzou). **1959** *décret des 4 et 6-7 :* les 3 groupes de dép. deviennent circonscription d'action régionale. *Décret du 7-11 :* abroge décret du 17-3-1958 : dép. de Bougie et d'Aumale supprimés (Saïda conservé). **1960** *décret du 3-12 :* dép. des Oasis 9 arr. (3 avant), de la Saoura 6 (4 avant).

L'Algérie en 1954

• **Agriculture.** 7 200 000 ha (500 000 en 1830). Terres irriguées 50 000 ha. Sur 600 000 ha de bonnes terres : vigne 400 000, cult. mar. et ind. 100 000, agrumes 30 000, arbres fruitiers 26 000, oliviers à gros rendement 25 000. *Répartition des terres :* Autochtones 47,3 % de la superficie (10 107 000 ha de terres agricoles, 274 000 ha de forêts), État 9 412 579 ha. Européens : 2 818 000 ha de terres agr. *Exploitation moyenne* europ. 109 ha, autochtone 14 ha (73 % des expl. aut. ont moins de 10 ha). **Forêts** 210 000 ha (1 million d'ha de terres colonisées venaient du domaine public, hérités du gouvernement turc, dont 500 000 ha attribués gratuitement). **Routes** 58 000 km. **Réseau ferré** 4 375 km, dont 1 812 à voie étroite. **Téléphone** 12 600 postes principaux. **Consommation d'électricité** 827 M de kWh (dont 356 d'origine hydraulique). **Revenu** (annuel moy. par pers., en AF) : France : 350 000, Algérie : moins de 50 000.

• **Population. Active** mus. : 3 156 000 (87,8 % agriculture), eur. 331 000 (14,4 % agriculture, 28,6 % industrie, 8 % commerce et service). **Scolarisation :** 1 garçon sur 5, 1 fille sur 16. Illettrés en français : hommes 94 %, femmes 98 % (*en 1961,* enseignement primaire : élèves européens 109 300, musulmans 735 474). **Hygiène :** médecins 1 p. 5 137 h. (1 p. 1 091 en Fr.) ; dentistes 1 p. 19 434 h. (1 p. 3 199 en Fr.) ; taux de mortalité infantile 13 % (Fr. 12 ‰).

Accords d'Évian

• **1°) Déclaration générale.** « L'indépendance de l'A. en coopération avec la Fr. répond aux intérêts des deux pays. » L'A. s'engage à garantir les intérêts de la Fr. et les droits acquis des personnes physiques et morales. En contrepartie la Fr. accorde son assistance technique et culturelle et s'engage à apporter pour le développement écon. et social une aide financière privilégiée.

• **2°) Textes concernant la période intérimaire.** Jusqu'à l'organisation d'un référendum d'autodétermination en A. le 1-7-1962, la Fr. continuait à exercer sa souveraineté sur l'A.

• **3°) Autres textes.** Sur les garanties dont doivent jouir, dans l'A. indépendante, les « citoyens de statut civil de droit commun » (Alg. d'origine fr. et gardant la double nationalité), les modalités d'une coopération privilégiée entre Fr. et Alg.

Après l'exode des « pieds-noirs », la plupart de ces dispositions n'ont jamais été appliquées. En 1971, les hydrocarbures étaient nationalisés et la coopération privilégiée en matière économique s'effondrait. Boumediene, chef d'état-major en 1962, avait désapprouvé les accords d'Evian.

Bilan de la guerre d'Algérie

• **Bilan en Algérie** *(du 1-11-1954 au 19-3-1962).* **Forces de l'ordre. Effectifs engagés** 2 000 000. **Morts** 24 614 dont *Armée de terre :* 23 716 [dont 15 000 tués (combat ou attentat), 7 678 accidents, 1 038 par maladie, suicide ou noyade] ; *de l'air :* 898 [dont 583 tués (opérations et accidents aériens), 239 acc. divers, 76 de maladie]. **Blessés** 64 985 (dont 35 615 au combat ou par attentat, 29 370 par acc.). **Disparus ou prisonniers** 1 000. **Expédition de Suez** (nov. 1956) : 15 tués français.

A.L.N. Morts : 158 000 (au combat 141 000, victimes des purges 15 000 au min., tués par les armées maroc. et tunis. 2 000).

Pertes civiles. Européens. *Du 1-11-1954 au 19-3-1962 :* tués 2 788, disparus 875. *Du 19-3 au 31-12-1962 :* 2 273 disparus (dont 50 % officiellement décédés). **Musulmans.** *Du 1-11-1954 au 19-3-1962 :* tués 16 378, disparus 13 296 (sans tenir compte des blessés décédés, des victimes de ratissages et regroupements). *Après le 19-3-1962,* 30 000 à 100 000 supplétifs musulmans tués. *Nombre global de morts toutes pertes confondues :* 500 000 à 600 000 (d'après *Le Monde*, sept. 1985).

☞ D'après la charte d'Alger, il y avait, lors de l'indépendance (1962) 300 000 orphelins dont 30 000 complets, env. 1 000 000 de martyrs, 3 000 000 de personnes déplacées, 400 000 détenus et internés, 300 000 réfugiés (Maroc et Tunisie surtout), 700 000 émigrés vers les villes.

• **Coût de la guerre. Coût total** pour l'État français : env. 50 milliards de F (*1956 :* 5. *1957 :* 7,5. *1958 :* 8. *1959 :* 9. *1960 :* 10. *1961 :* 9,5). **Pertes de devises.** 1,5 milliard de $ (achats supplémentaires, manque à exporter, rapatriement en Italie des salaires des immigrés italiens venus remplacer les maintenus sous les drapeaux...).

• **Terrorisme algérien en France** *(du 1-1-1956 au 23-1-1962).* 4 176 † et 8 813 blessés (musulmans 3 957 †, blessés 7 745 ; métropolitains civils 150 †, bles. 649 ; militaires 16 †, bles. 140 ; policiers 53 †, bles. 279).

• **Biens français. Abandonnés :** valeur 25 à 50 milliards de F. Après le départ des Français, leurs biens ont pu être nationalisés (entraînant l'expropriation ou la dépossession), parfois avec indemnisation, ou déclarés vacants et récupérés. Un bien était considéré vacant après 2 mois depuis le 1-6-1962. 220 000 locaux ont ainsi été déclarés vacants. En 1980, le régime a été assoupli.

• **Bilan de la colonisation. Pour la France.** Selon Jacques Marseille, l'A. n'a pas été rentable pour la Fr. sur une longue durée (mais elle a pu l'être pour certains Français). *1952-62* l'A. achète à la Fr. 3 350 milliards d'AF mais la Fr. transfère en A. 3 528 md. *1961* l'A. achète pour 421 md, la Fr. lui verse 638 md pour rétablir la balance des paiements. Le vin représente 55 % des exportations (payé 25 % plus cher que le cours mondial). *Charges pour la France* (services civils et dépenses militaires) en millions de F or. *1831-34 :* 52,2, *1835-40 :* 227,4, *1841-47 :* 561,9, *1848-71 :* 1 669, *1872-90 :* 2 472. Total *1831-1900 :* 4 981, *1901-13 :* 875, *1919-39 :* env. 8 000 (F courants). *Commerce extérieur de l'A. 1830-1900* 18 milliards dont + de 12 avec la Fr. *1919-39* 60 md de F courants (l'A. paraît rentable).

l'Ass. alg., beaucoup de musulmans ayant démissionné. *Avr. arrivée du contingent,* échec de négociations secrètes. -*22-4* Ferhat Abbas et le chef des Oulémas rallient le F.L.N. au Caire. *Mai* quadrillage de l'A. -*18-5* embuscade de *Palestro* (19 Fr. †). -*2-6* Maillot tué. *20/21-6* bombe à Alger. -*20-8* congrès du F.L.N. à *La Soummam* (Kabylie) ; affirme la primauté du politique sur le militaire et de l'intérieur sur l'extérieur (rédacteur principal Abane Ramdane) ; la reconnaissance de l'indép. est un préalable à l'ouverture de négociations ; désigne un Conseil nat. de la révolution qui désigne un comité de coordination et d'exécution de 5 m. -*1/5-9* négociations secrètes échouent à Rome, la Fr. ne voulant pas aller au-delà de la personnalité alg. -*15-9* contacts Yazid-Comin à Rome. -*2-10* bataille du Djebel Amour. -*22-10* l'avion d'Air Maroc conduisant de Rabat à Tunis Ben Bella, Aït Ahmed, Boudiaf, Khider, Lacheraf est détourné sur Alger ; ils sont prisonniers ; *conséquences :* plusieurs dizaines de Français tués à Meknès (Maroc) ; le roi du Maroc soutient le F.L.N. ; les Fr. établissent un barrage à la frontière algéro-maroc. -*5-11 expédition de Suez.* -*1-12* g^al^ Salan, commandant en chef, remplace Lorillot. -*28-12* Amédée Froger, maire de Boufarik, assassiné.

1957-*7-1* Gal Massu, C^dt^ de la 10e division de parachutistes, chargé du maintien de l'ordre à Alger : début de la *bataille d'Alger* gagnée en juillet. -*16-1* attentat au *bazooka* contre bureau de Salan (Cdt Rodier tué). -*28-1* grève gén. décidée par le F.L.N., brisée par l'armée. -*17-2* les chefs du C.E.E. partent au Maroc et en Tunisie. -*9-5* bataille de Collo. -*28-5* massacre de *Melouza* (douar pro-MNA) par le F.L.N. (315 †). *Juin* attentats, manif., incidents à Alger ; combats dans le Constantinois. -*15-6* bataille de Chéria. -*21-6* Maurice Audin (assistant à la faculté des sciences d'Alger), arrêté 11-6, disparaît. -*19-7* bat. de Bouzegza. -*20-7* ralliement de Si Chérif avec 300 h. -*29-7* bat. de Ferna. -*4-8* bat. de Bouzegza. -*24-9* Yacef Saadi arrêté. -*30-9* projet de loi-cadre repoussé par l'Ass. nat. (279 v. contre 253). -*15-10* Massu liquide la « zone autonome d'Alger » (arrestation du réseau de Yacef Saadi). -*3-11* bataille de Timimoun. -*6-11* accord avec Gal Mohammed Bellounis. -*11-11* bat. de Aïn Tame. -*26-11* projet amendé de loi-cadre (adopté par 269 v. contre 200). -*26-12* Boussouf tue Abane Ramdane, attiré au Maroc.

1958 janv. frontière tunis. bouclée par la *ligne Morice* (barrage électrifié mis en place à partir de juin 1957). -*7-1* début de l'exploitation pétrolière au Sahara. -*11-1* bataille de Djebel Alahoun. -*31-1* loi-cadre adoptée. -*8-2* l'aviation fr., ayant été attaquée par des tirs de mitrailleuses F.L.N., bombarde en représailles le village tunisien de *Sakhiet-Sidi-Youssef* (70 †). -*18/19-3* bataille de *Guelma.* -*9-5* exécution de 3 militaires fr. par le F.L.N. ; télégramme de Salan à l'état-major gén. exprimant l'appréhension de l'armée devant l'éventualité de négociations. -*13-5* Alger : grève générale décrétée par les anciens combattants ; les manifestants prennent l'immeuble du gouvernement gén., création d'un Comité de salut public (Pt : Gal Massu). Salan nommé délégué gén. du gouv. et C^dt^ en chef. -*14-5* à Alger : Salan conclut une harangue au cri de « Vive de Gaulle ». -*1-6* de Gaulle investi à Paris. -*2-6* reconduction des pouvoirs spéciaux. -*4-6* de Gaulle à Alger, « Je vous ai compris » ; à Mostaganem, il emploie pour la seule fois l'expression « Alg. française ». -*6-6* Salan concentre pouvoirs civils et militaires. -*1/5-7* de Gaulle en A. -*16-7* Gal Bellounis tué. -*19-9 gouv. provisoire de la Rép. alg. (G.P.R.A.)* formé au Caire, Pt Ferhat Abbas. -*28-9* référendum sur la Const. 98 % de oui en A. -*28/29-9* de Gaulle à Alger. -*2/5-10* de Gaulle en A. : annonce à Constantine un plan de 5 a. de développement. -*14-10* les militaires quittent les Comités de salut public. -*15-10* Gal Jouhaud limogé. -*15/17-10* combats de l'Akfadou. -*23-10* conf. de presse, de Gaulle propose *« la paix des braves »,* rejetée 25 par G.P.R.A. -*17-11* Azzedine capturé. -*28-11* Gal Vanuxem limogé. -*23/30-11* élections lég. en A. au collège unique, vict. des partisans de l'intégration. -*3/7-12* de Gaulle en A. -*12-12* Salan remplacé : Delouvrier délégué g^al^, Gal Challe C^dt^ en chef.

1959-*3-1* bataille de Berrouaghia. -*Févr.* début du *plan Challe* (opérations héliportées menées d'E. en O., d'un barrage électrifié à l'autre). -*28-3* colonels Amirouche (wilaya III) et Si-Haouès (w. IV) tués. Gal Allard limogé. Si Salah remplace Si M'Hamed († 5-5) (W. IV). -*Juill.* début opérations *« Jumelles »* et *« Pierres précieuses ».* -*27/31-8* de Gaulle en A.

« 1re tournée des popotes » (« Moi vivant, jamais le drapeau F.L.N. ne flottera sur l'A.»). *-16-9* allocution ; de Gaulle propose sécession, francisation, association. *-28-9* refus du G.P.R.A. qui exige, préalablement à toute discussion, l'indépendance totale. *-28-10* de Gaulle dit à l'armée d'A. : « Après un délai de l'ordre de plusieurs années » viendra l'autodétermination ; Massu dit : « La pacification continue » ; Delouvrier : « Nous nous battons pour une A. française. » *-28-11* le F.L.N. désigne comme négociateurs Ben Bella et 4 dirigeants arrêtés en 1956.

1960-*19-1 Massu rappelé. -22-1* Gal Crépin le remplace. *-24-1/1-2 semaine des barricades* à Alger avec Pierre Lagaillarde (n. 1931, député d'Alger) et Joseph Ortiz (n. 1917, patron du « Bar du Forum », Pt fondateur du Front national français) (22 †, 150 blessés le 1er j). *-4-2* mouvement activiste dissous. *-Févr.* Bigeard et Godard limogés. *-13-2* 1re bombe atomique fr. à Reggane. *-3/5-3* de Gaulle en A. ; 2e tournée des popotes, insiste sur la nécessité d'une victoire complète des armes fr. et le droit de la Fr. à rester en A., mais parle d'une « A. algérienne liée à la Fr. », renouvelle l'offre de négociations. *-23-4* Crépin remplace Challe. [Il restait alors 22 000 combattants de l'A.L.N. (46 000 en mai 1958)]. *-Mai* Si Salah, chef de la Wilaya d'Alger, battu par Challe, rencontre de Gaulle secrètement (10-6 à Paris). Il est abattu en juill. *-6-5* bataille de Djebel M'zi. *-20-6* le G.P.R.A. accepte de négocier. *-25-6 entretiens de Melun,* rupture des négociations (le G.P.R.A. constate qu'il s'agit de négocier le cessez-le-feu). *-30-10* Salan en Espagne. *-3-11* début du *procès des barricades de Paris. -16-11* de Gaulle annonce un référendum sur l'autodétermination. *-21/22-11* batailles de Bab B'har, Oum Teboul, La Croix, Rouh el Souk. *-23-11* Jean Morin remplace Delouvrier. *-5-12* Lagaillarde (en liberté provisoire) rejoint l'Espagne. *-9/13-12* de Gaulle en A., violentes manif. à Alger et Oran (plusieurs †). *-19-12* l'O.N.U. reconnaît le droit du peuple alg. à l'autodétermination.

☞ **Putsch d'Alger et complot de Paris. Condamnations fermes.** *15 ans de détention criminelle :* Généraux Challe, Zeller, Bigot. *12 ans :* Gal Nicot. *10 ans :* Cdt Denoix de Saint-Marc, Gal Faure, Cel Vaudrey. *8 ans :* Cels Masselot et Lecomte. *7 ans :* Gal Gouraud, Cel de La Chapelle, Bernard Sabouret Garat de Nedde.

A mort, par contumace (7-7-1961). Généraux Salan, Jouhaud, Gardy ; Cels Argoud, Broizat, Gardes, Godard, Lacheroy ; Cdt Vailly.

Nota. – Capitaine Sergent (par contumace) 20 ans de détention criminelle.

1961-*8-1* référendum sur l'autodétermination : oui 75 % en métropole et 70 % en A. *-Fin janv.* contact avec G.P.R.A. *-Févr.* Lagaillarde fonde en Espagne l'O.A.S. (Organ. de l'armée secrète). *-20/22-2* entretiens secrets en Suisse : Pompidou/Bruno de Leusse/G.P.R.A. *-2-3* fin du procès des barricades (ouvert 3-11), les présents sont acquittés. *-30-3* annonce des pourparlers d'Évian. *-22/25-4 putsch des généraux* (Challe, Jouhaud, Zeller et Salan) à Alger (Morin, Buron, Gal Gambiez arrêtés par des insurgés), Gal Gouraud se rallie à Constantine. *-26-4* Challe se rend. *-6-5* Zeller se rend. *-20-5* ouverture de la *conférence d'Évian. -31-5* commissaire Gavoury, assassiné à Alger. *-7-6* Gal Ailleret remplace Gambiez († 1989). *-13-6* rupture des pourparlers d'Évian à cause du statut du Sahara et des garanties de la minorité eur. *-11-7* contumace des auteurs du putsh, V. + haut. *-20-7 reprise des négociations à Lugrin* (Hte-Savoie). *-28-7* ajournement à cause du Sahara. *-Août* Salan dirige l'O.A.S. *-Août/sept.* en Alg. nombreux attentats F.L.N. et O.A.S. *-5-9* conf. de presse, de Gaulle admet qu'une A. indépendante et associée à la Fr. aura vocation à revendiquer le Sahara. *Oct.* contacts secrets. *-20-10* Bidault fonde le C.N.R. (Conseil nat. de la Résistance) avec Soustelle et Gal Gardy. *-4-11* Abderhamane Farès arrêté à Paris. *-21/22-11* bat. de Bab'B'har, Oum Teboul.

1962-*8-1* purge interne dans l'OAS. *-13-1* Cel Château-Jobert rallie l'O.A.S. *-29-1* à El Biar l'O.A.S. fait sauter la villa des « barbouzes » (plusieurs dizaines de †). *-11-2 négociations aux Rousses. 26-2* Cel Argoud s'évade des Canaries, rejoint Alger. *-7/18-3 Conf. d'Évian. -15-3* Mouloud Feraoun, écrivain, tué par O.A.S. *-19-3* cessez-le-feu à 12 h. *-23-3* fusillades O.A.S./forces de l'ordre à Bab el Oued. *-25-3* Jouhaud arrêté à Oran. *-26-3* fusillade *rue d'Isly* (49 †, 200 bl.), la troupe tire pour briser une manif. O.A.S. *-29-3* l'O.A.S. tente de soulever les Eur. d'Oranie, « chasse aux musulmans » dans les villes. *-30-3* C.N.R. créé en France sur l'initiative de Salan. *-2-4* Cel Gardes ne peut implanter un maquis O.A.S. dans l'Ouarsenis (40 O.A.S. arrêtés). *-7-4* installation de l'exécutif provisoire, lieutenant Degueldre, chef des commandos O.A.S. Delta, arrêté. *-8-4* référendum en Fr. sur accords d'Évian, 90 % de oui. *-13-4* Jouhaud condamné à mort. *-20-4* Salan arrêté. *-26-4* fusillades à Oran gendarmes/O.A.S. *-Mai* politique de la terre brûlée par O.A.S. *-2-5* voiture piégée à Alger, 62 †. *-19-5* pont aérien pour les rapatriés. *-20-5* début des négociations Louis Joxe/Krim Belkacem. *Juin* programme de Tripoli, dénonce l'indigence idéologique du F.L.N. (réd. par Mostefa Lacheraf, Ridha Malek, Mohammed Harbi, M. Benyahia). *-26-5* 1re rencontre secrète J.-J. Susini (O.A.S.)-Farès (Pt provisoire). *-1-6* O.A.S. annonce la trêve des attentats. *-6-6* reprise (opération terre brûlée). *-17-6* accords de cessez-le-feu à Alger entre O.A.S. et F.L.N. (Susini-Mostefai). *-17-6* accords Susini-Farès, capitulation de l'O.A.S. à Oran. *-25-6* Gardy et Dufour arrêtent le combat. *-28-6* dernier groupe O.A.S. quitte Oran. *-1-7* référendum pour l'autodétermination.

Les 9 chefs historiques de la Révolution fondateurs en mars 1954 du Comité révolutionnaire d'unité et d'action (C.R.U.A.)

Hocine Aït-Ahmed (n. 1926). Membre du F.L.N. au Caire, membre du C.N.R.A. (1956), 1er responsable de l'O.S. (Organisation spéciale), arrêté dans l'avion de Ben Bella 22-10-56. Libéré 1962. Arrêté 19-10-64 pour avoir créé le 29-9-63 le F.F.S. (Front des Forces socialistes), levé des troupes et organisé l'« insurrection kabyle » (au moment où les Marocains lançaient « la guerre des sables » pour reprendre la région de Tindouf), et condamné à mort pour « menées contre-révol. », gracié, s'évade de la prison d'El Harrach (30-4/1-5 1966), exilé. Amnistié 1989 (15-12, retourne en A.).

Ahmed Ben Bella. Voir ci-contre.

Mohamed Larbi Ben M'hidi (1923-57). Responsable de l'insurrection en Oranie. Exécuté 4-3-1957.

Rabah Bitat (n. 1926). Responsable de l'Algérois. Arrêté févr. 1955. Libéré 1962. Min. d'État du G.P.R.A., vice-Pt de l'Alg. dep. 1966, min. des Transports. Pt de l'Ass. pop. nat. de 1977 à 1990.

Mohamed Boudiaf (23-6-1919). Chargé des relations maquis/Le Caire, Pt du C.R.U.A. (3-6-54). Arrêté avec Ben Bella (22-10-56), vice-Pt du G.P.R.A. Dans l'opposition après 62. Vit en exil. Créa le P.R.S. (marxiste).

Mustapha Ben Boulaïd (1917-56). Membre du Comité central du M.T.L.D., responsable de l'Aurès en 1954, tué 22-3-1956 (poste radio piégé).

Didouche Mourad (1927-55). Responsable du maquis Nord-Constantinois. Tué 18-1-1955 au cours d'un engagement.

Mohamed Khider (1912-67). *Nov. 1946* député M.T.L.D. d'Alger. *1951* s'enfuit au Caire, membre de la délégation du F.L.N. au Caire *22-10-1956,* arrêté avec Ben Bella. *1963* dans l'opposition, quitte l'Alg. Détenteur du trésor de guerre du F.L.N. *3-1-1967* assassiné à Madrid.

Belkacem Krim (1922-70). Responsable de la Kabylie au début de la guerre, avec son adjoint Ouamrane. Colonel. *1956* m. du C.C.E. *1958* vice-Pt du G.P.R.A. à sa création. *1960* min. des Forces armées, min. des Aff. étrangères, *1961* de l'Intérieur. *1962* signataire des accords d'Évian, opposé à Ben Bella. *1967-19-10* crée M.D.R.A. (Mouvement démocratique de la Rép. alg.). *1969-7-4* condamné à mort par contumace pour avoir inspiré un complot découvert en févr. 1968 (attentat contre Kaïd Ahmed, responsable du F.L.N.). *1970-20-10* assassiné à Francfort.

Nota. – M.T.L.D. (Mouvement pour le triomphe des libertés démocratiques).

Autres chefs

Aït Homouda Amirouche (colonel). Tué 29-3-1959. Décima ses maquis qu'il crut infestés de traîtres. **El-Haouès Ben Abdelkader.** Tué 29-3-1959. Chef de la zone III de la wilaya I, puis de la wilaya VI. **Amar Ouamrane** (n. 1919). **Abane Ramdane** (n. 1920). Assassiné au Maroc, en déc. 1957. **Yacef Saadi,** garçon boulanger, militant du M.T.L.D., 1955 rallié F.L.N. 1956-57 rôle important dans la bataille d'Alger, 1957 *mai* capturé, condamné à mort ; 1962 gracié, libéré, a épousé Djamila Bouhired. **Zighout Youcef** (1921-56). Organise la résistance dans le Constantinois, puis commande wilaya II. Tué 25-9-56 dans une embuscade.

Algérie indépendante

• **Youssef Ben Khedha** (1920). **1962**-*5-7 indépendance ;* Ben Khedha, Pt du G.P.R.A., s'installe à Alger. Massacre à Oran : 1 500 pieds-noirs, Gal Katz n'intervient pas. *-22-7* bureau pol. constitué par Ben Bella à Tlemcen. *-3-8* Ben Bella et Boumediene à Alger ; le G.P.R.A. s'incline. *-3-9* prise d'Alger par les troupes soutenant Ben Bella. *-20-9* 1re Ass. nat. élue et référendum sur ses pouvoirs (5 265 377 oui, 18 637 non).

• **Farhat Abbas** [(1899, près de Taher -1985, Alger), Pt de l'Assoc. des Ét. musulmans. *1931* publie un livre, « le Jeune Algérien ». *1933* pharmacien à Sétif, fonde un journal, « l'Entente ». *1937* fonde l'Union populaire alg. *1939* s'engage (service sanitaire). *1940* rentre à Sétif. *1943 10-2* publie avec Ahmed Boumendjel « Amis du manifeste et de la liberté » ; envoyé en résidence forcée. *1944* crée les Amis du manifeste et de la lib. *1945* fonde avec Ahmed Boumendjel, le Dr Saadane, Ahmed Francis l'U.D.M.A. (Union démocratique du manif. alg.). *1946 juin* député de Sétif ; *nov.* battu. *1954* pris de court par le soulèvement. *1955* (début) contact avec maquis. *1956 22-4* rejoint au Caire le F.L.N., Pt du C.C.E. (Comité de coordination et d'exécution). *1958 sept.* Pt du G.P.R.A. *1961* Ben Khedda le remplace. *1962* se rallie au groupe de Tlemcen. 1er Pt de l'Ass. *1964* en résidence forcée. *1965 janv.* libéré. *1976* s'élève contre le pouvoir personnel, placé sous surveillance. *1984 nov.* rétabli dans ses droits. *1985 24-12* meurt]. **1962**-*25-9 proclamation de la Rép. -29-9* Ben Bella PM, Boumediene min. de la Défense. *-nov* P. comm. interdit. *-19-3* au *-31-12,* 3 018 Français officiellement disparus (1 245 retrouvés ou libérés, 1 125 probablement décédés). **1963**-*26-3* autogestion des exploit. agricoles vacantes. *Avril* Ben Bella secr. gén. du bureau pol. du F.L.N. (remplace Khider). *-17-5* Boumediene 1er vice-Pt du Conseil. *-8-9 Constitution* adoptée par référendum (5 166 185 oui, 105 817 non), rég. présidentiel, F.L.N. parti unique. *-15-9* Ben Bella élu Pt de la Rép.

• **Ahmed Ben Bella** (n. 25-9-1918) [fils d'un paysan de Marnia, adjudant des tabors marocains ; *1944,* décoré de la médaille mil. *1949* chef pour l'Oranie de l'O.S. (Organisation spéciale), attaque la poste d'Oran pour remplir la caisse du parti, incarcéré à Blida, s'en évade en *1952,* se réfugie au Caire. Responsable du F.L.N. au Caire (chargé des relations extérieures *1956*), arrêté 22-10, après détournement de son avion, détenu jusqu'au 18-3-62. Devient secr. gén. du F.L.N. *1963*-15-9 Pt. Interné juillet *1979,* puis en résidence surveillée à M'Sila (en compagnie de sa femme Zohra, épousée en captivité, et de leurs 2 filles adoptives). *1980* libéré, vit en Suisse puis revient en A.]. **1963**-*29-9* « dissidence » en Kabylie [Cel Mohand Ou el-Hadj (1911-72), plus tard rallié à Ben Bella] et Aït-Ahmed leader du Front des forces socialistes (F.F.S.). *-1-10* nationalisation des propriétés des colons fr. *-3-10* Const. suspendue, Ben Bella prend les pleins pouvoirs. *-8/9-10* combats près de Tindouchi : 15 †. *-4-11* fin de la dissidence (cessez-le-feu). **1964**-*20-2* accord avec Maroc sur une zone démilitarisée. *-Mars Charte d'Alger* votée par le congrès du F.L.N., se réfère au socialisme scientifique. *-10-4* le dinar remplace le franc. *-14-4* début des nationalisations (minoteries, ind. alim.). *-Juillet* opposition : Khider en Suisse, Aït-Ahmed et Cel Chaabani forment le « Comité de défense de la révol. ». *-15-6* départ de l'armée française. *-20-9* él. d'une *Ass. constitutionnelle :* 85 % pour les listes uniques F.L.N. **1965**-*16-6* accord F.L.N.-Front des forces socialistes (Aït-Ahmed) pour mettre fin à la lutte armée. *-19-6* prise du pouvoir par un Conseil de la révol. de 26 m. (*1968* 10 m., *1977* 8 m.). Ben Bella arrêté.

• **Colonel Houari Boumediene** [Mohamed Brahim Boukharrouba (1932-78)]. **1965**-*10-7* Pt du Conseil de la révol., chef du gouv., min. de la Défense. *-29-7* accord fr.-alg. sur hydrocarbures et dévelop. ind. **1966**-*8-4* convention fr.-alg. de coop. culturelle et techn. *-7-5* nationalisation des Stés minières étr. **1967**-*3-1* Khider assassiné à Madrid. *-Janv.* code communal. *-5-2* élect. des 1res ass. pop. communales. *Mai-juin* évacuation bases fr. de Reggane et Colomb-Bechar. *-5-6* « état de g. avec Israël », rupture relat. dipl. avec U.S.A. *-24-8* nationalisation d'Esso et Mobil. *-15-12* putsch du colonel Zbiri, chef d'état-major, échoue. **1968**-*1-2* évacuation base fr. Mers-el-Kébir. *-25-4* Boumediene blessé (attentat). *-13-5* nationalisation du marché des produits pétroliers et du gaz (49 Stés nation. dont 48 fr.). *-12-6* de chimie, mécanique, ciment, alimentation. *-11-7* la Fr. restitue 300 œuvres d'art venant du musée d'Alger. **1969**-*1-1* entrée en vigueur de l'accord sur la main-d'œuvre alg. en France. *-15-1* accord avec Maroc qui renonce à Tindouf. *-26-3* charte de la Wilaya. *-19-6* complexe sidérurgique d'Annaba inauguré. **1970**-*1-1 1er plan quadriennal* de développement. *-6-1* tr. de coop. tuniso-alg. *-27-5* accord de Tlemcen (sur frontières alg.-maroc.). *-20-10* Krim Belkacem assassiné. **1971**-*24-2* nationalisation des oléoducs, du gaz naturel et de 51 % des avoirs des Stés pétr. fr. *-16-4* service nat. oblig. à partir de 19 ans. *-30-6* accord C.F.P.-Sonatrach. *-14-7* réforme agraire. *-21-9* accord Elf-ERAP-Sonatrach. *-8-11* ordonnance sur la réforme agraire. *-16-11* sur la gestion socialiste des entreprises. **1972**-*15-6* accord alg.-maroc. (coop. et règlement du litige frontalier). *-20-12* Kaïd Ahmed (1924-78), alias Cdt Slimane, resp. du F.L.N. dep. déc. 1967, décharge de ses fonctions. **1973** mouvement clandestin : *Soldats de l'opposition algérienne S.O.A.* lancé par Mouloud Kaouan (ancien dirigeant F.L.N., créateur en 1963 du Front démocr. et social alg., emprisonné de juillet 1965 à 1968). *-1-5* discours annonçant la nationalisation du pétrole. *-19-6* inauguration de la grande raffinerie d'Arzew. *-19-9* l'A. décide de ne plus envoyer de travailleurs en Fr. à cause d'incidents racistes. *-28-12* médecine gratuite. **1974** *2e plan quadriennal. -3-6* Messali Hadj (n. 1898, dep. 1952 en France) meurt. **1975**-*10-4* visite du Pt Giscard (1er Pt fr. en vis. off.). *Déc.* nationalisation des dernières Stés fr. importantes. **1976**-*janv.* tension avec Maroc à propos du Sahara occid. ; destruction d'une colonne alg. par l'armée maroc. Plusieurs attentats en Fr. contre des organismes alg. (Off. nat. de tourisme, journal *El Moudjahid)* par les S.O.A. *-12-5* enseignement privé payant supprimé (env. 38 000 élèves concernés). *-27-6 référendum pour Charte nationale* (98,51 % pour). *-19-11 référ. pour Constitution* (99,18 % pour) 7 708 954 inscrits, 7 163 007 votants. *-10-12 Boumediene élu Pt* par 99 % des voix. **1977** relations diplom. rompues avec Égypte (cause : visite Pt Sadate à Jérusalem). *-27-4* nouveau gouv. à base de gestionnaires. *-23-12* libération de 6 Fr. pris à Zouérate le 1-5 par le Polisario (détenus en A.). **1977-78** rapports tendus avec Fr. qui reproche à A. d'aider le Polisario. **1978**-*20-11* Boumediene dans le coma, meurt *27-12* (enterré *29* au « carré des Martyrs » de l'indépendance à la droite d'Abd el-Kader). Rabah Bitat, Pt de l'Ass. pop. nat., chef de l'État par intérim. **1979**-*7-2* **Colonel Chadli Bendjedid** (n. 14-4-1929) (candidat unique : 99,5 % des v.) élu Pt. *-8-3* Ahmed Abdel Ghani (n. 18-3-27) PM. *-4-7* Ben Bella en résidence surveillée à M'Sila. *-1-11* Bruno de Leusse (secr. général du Quai d'Orsay), Georges Gorse (ancien min.) en A. pour le 25e anniversaire de la rébellion. *-30-11* l'A. récupère une partie du « trésor de g. du F.L.N. » (placé en Suisse : 6 milliards de FF de l'époque) et devient propriétaire d'une banque en Suisse. **1980** *avril* émeutes, grèves, plusieurs morts à Tizi-Ouzou (Kabylie). *-10-10* tremblement de terre à El Asnam 3 000 †, 55 000 logements détruits (80 % de la ville, coût 10 milliards de dinars) ; pertes pour l'économie : 30 milliards. **1981** Bouteflika, anc. min. des Aff. étr. exclu du Comité central du F.L.N. *-Mars* affrontements à Tizi-Ouzou et Alger (problèmes berbères). *-19-5* à Alger et Annaba, affrontements avec étudiants intégristes (plusieurs †) et à Beiaia (problèmes berbères). *-28-9* heurts à Laghouat entre intégristes et policiers, 1 †. *-Oct.* problème du rapatriement des archives conservées à Aix-en-Pr. (env. 200 t, 7 km, période 1830-1962), 134 caisses avaient été restituées en 1975 lors du voyage de Giscard. *-30-11* Pt Mitterrand en A. **1982**-*3-2* accord sur le gaz (l'A. livre 9,15 milliards de m³ par an à partir de 1983), à un prix supérieur au marché d'env. 20 % (l'A. sera payée par Gaz de Fr. et le min. de la Coopération). *-8-2* † du Bachaga Benaïssa Saïd Boualem [(n. 1906) ancien chef de l'Ouarsenis, Cel de l'armée fr., 1958 député d'Orléansville, vice-Pt de l'Ass. nat. ; réfugié dep. 1962 à Mas Thibert près d'Arles]. *-9-2* découverte de 926 cadavres à Khenchela (Aurès) près d'une caserne qui abritait un centre de transit. *-19-5* Pt Mitterrand fait escale en A. *-Juin* protocole de coopération avec la Fr. *-Juill.* peines de 3 à 12 ans de prison pour les 6 « comploteurs du cap Sigli ». *-17-12* Pt Chadli en Fr. (1re visite d'un Pt alg. dep. l'indép.). **1983**-*26-2* Pt Chadli rencontre Hassan II. *-7-4* libre circulation avec Maroc. *-7-11* Pt Chadli en Fr. **1984**-*13-1* Chadli réélu [inscrits 10 154 715, votants 9 776 952 (non 56 482, nuls 36 322)]. *19-10* Pt Mitterrand en A. *-23-10* réhabilitation posthume de 21 anciens chefs du F.L.N. dont Khider, Krim, Ramdane, Col, Chaabana, Si Salah (Mohammed Zaamour). *-24-10* création du grade de général. *-1-11* Cl. Cheysson en A. pour le 30e anniv. de la rébellion. **1985**-*4-5* émeutes casbah d'Alger (1 †). *Juillet :* 14 arrest. (dont Pt de la Ligue des droits de l'homme, Ali Yahia, et chanteur Ferhat Mehenni) pour avoir tenté de célébrer le 5-7 le 23e anniv. de l'indép. en marge des cérémonies officielles. *-5-7* arrestation d'une trentaine de fils de Chouhades (martyrs de la g. d'indép.) après une manif. *-21-10* combat à Laarba (5 gendarmes et 1 intégriste tués). *-29-10* Aït Menguellet, chanteur kabyle, condamné à 3 ans de prison pour détention d'armes. *-31-10* échauffourées à Tizi Ouzou. *-8-12* jeunes manif. à Constantine et Sétif contre modification du bac (4 †). *-15-12* procès des membres de la LADH et des fils de Chouhades. *-24/26-12* congrès FLN : projet de *Nouvelle Charte nationale* réhabilitant secteur privé. *-25-12* procès des partisans de Ben Bella arrêtés 1983 pour détention d'armes [sur 37 accusés : 21 acquittés, 3 (en fuite) condamnés à 20 ans de réclusion, les autres à des amendes et 13 ans de prison ferme]. **1986**-*21-5* 15 000 Touareg en situation irrégulière reconduits vers Niger et Mali. *-17-12* Abdennour Ali-Yahia, Pt de la LADH, arrêté. *8 nov./10-1-1987* manif. étudiants à Constantine (2 †) et 11/12-11 Sétif (1 †). **1987** *Janv.* Mustapha Bouyali, activiste islam., abattu par police. *16-2* retour de Bouteflika. *-7-4* Ali Mecili assassiné à Paris. *-28-6/1-7* visite impromptue de Kadhafi. **1988**-*6-2* Kadhafi en A. *-16-5* reprise des relations dipl. avec Maroc (rompues par Maroc en févr. 76 à cause du conflit du Sahara occidental). *-5-6* réouverture progressive de la frontière avec Maroc. *-28-6* projet d'union A.-Libye. *-5-10* émeutes à Bab el-Oued : lycéens et écoliers (env. 2 000). *-6-10* état de siège ; révolte gagne 80 % des villes (sauf Est et Kabylie). *-7 au 10-10* manif. (20 000 à 30 000), à l'initiative des mosquées. *-12-10* état de siège levé. *-21-10* bilan : 159 † (selon certains + de 500 † dont 250 à Alger), 3 743 arrêtés, 923 libérés et 721 jugés (dont 153 relaxés). *-29-10* M. Messaadia (FLN) et Gal Lakehal-Ayat (chef de la sécurité mil.) limogés. *-2-11* 694 lib. *-3-11* référendum pour la nouvelle Constit. *-5-11* Kasdi Merbah (n. 1938) PM. *-12-11* retour de partisans de Ben Bella, après rupture avec le Mouvement pour la Démocratie en Alg. (en exil). *-16-11* la LADH dénonce l'utilisation de la torture. *19/23-11 :* 233 conflits sociaux en cours. *-24-11* rel. diplom. rétablies avec Égy. après 11 ans de rupture. *-22-12* Chadli réélu : avec 81,47 % des voix (88,56 % de part.). **1989**-*12-1* accord sur prix du gaz avec la Fr. (rétroactif au 1-1-87). *-6-2* Pt Chadli au Maroc (1re visite d'un Pt alg. dep. 1972). *-23-2* référendum pour la Const. *-9/10-3* visite du Pt Mitterrand. *-3-4* l'Ass. pop. supprime la Cour de sûreté de l'État. *-2-7* loi autorisant le multipartisme. *Mai* émeutes à Souk-Ahras. *-Juillet-sept.* manif. et grèves. *-8-9* LADH reconnue, dir. par M. Ben-Yahyia. *-10-9 Mouloud Hamrouche* (n. 3-9-1943) PM, remplace Kasdi Merbah (qui conteste la constitutionnalité de la décision du Pt). *-29-10* séisme à Alger (magn. 6). *-20-11* agrément du PPA rejeté (déposé 28-8 par Mohammed Memchaoui, n. 1917, neveu de Messali Hadj). *-6-12* serv. mil. ramené de 24 à 12 mois. *-21-12* + de 100 000 femmes en *hidjab* et *khimmar* (foulard islam.) manif. devant l'Ass. pop. nat. à l'appel de la Ligue de la daawa islam. (org. et partis rel.) pour dénoncer « la recrudescence des agressions contre l'islam et les musulmans ». *-27-12* vente et cons. d'alcool interdites à Khenchela (Est algérien). **1990**-*10-1* env. 100 Frères musulmans attaquent comm. de police à Alger pour obtenir la lib. de l'un deux pour « commerce illégal sur la voie publique ». *-16-1* commando chiite attaque palais de justice de Blida. *-25-1 Alger :* manif. du mouvement culturel berbère. *-31-1* Pt Chadli autorise retour des exilés pol. *-14-2* Hocine Aït Ahmed, rentré 15-12, dem. la diss. de l'Ass. pop. nat. *-8-3* journée de la femme : des millions de femmes manif. pour l'abrogation du code de la famille voté 1984. *Mars* selon Abdelhamid Brahimi (PM 1978-88), des « opérateurs économiques » auraient touché 20 % (soit 26 milliards de $) de commission sur les marchés d'État signés dep. 10 ans. *-20-4* manif. du FIS, plusieurs milliers. **1991** troubles, élections (voir Index).

Politique

Statut. République démocratique et populaire. *Constitution de 1988* approuvée par référendum le 3-11-88 par 92,27 % des voix (abstentions 16,92 %) et le 23-2-89 par 73,43 % des voix (abst. 19,76 %) : ne se réfère plus au socialisme. Pouvoirs séparés. Il n'y a plus de parti unique. Le rôle de l'armée est limité. Régime présidentiel. [*Charte nationale* adoptée par référendum par 98,51 % des voix le 27-6-76. *Nouvelle Charte nationale* (affirmant le peuple a. arabe et musulman) approuvée par référendum (oui 98,37 %) le 16-1-86 (11 218 398 inscrits, 10 761 462 votants). *Pt :* élu au suffr. univ. p. 5 ans, rééligible].

PM : Mouloud Hamrouche (n. 3-1-43) dep. le 9-9-89 ; *M. d'État :* Mohamed Benahmed Abdelghani ; *Affaires étrangères :* Sid-Ahmed Ghozali (n. 31-3-37) ; *Intérieur et environnement :* Mohamed Salah Mohammedi (n. 1939) ; *Économie :* Ghazi Hidouci (n. 23-6-39) ; *Défense :* Gal Khaled Nezzar (dep. le 25-7-90 ; poste détenu avant par Pt dep. 1965) ; *Justice :* Ali Benflis (n. 8-9-44) ; *Agriculture et pêche :* Abdelkader Bendaoud (n. 15-5-55) ; *Postes et télécom :* Mohammed Serradj ; *Transports :* Hassen Kahlouche (n. 8-11-41) ; *Protection sociale :* Mohamed Ghrib (n. 24-5-43) ; *Affaires religieuses :* Dr Saïd Chibane (n. 2-4-25) ; *Éducation :* Ali Ben Mohammed ; *Universités :* Mustafa Cherif ; *Jeunesse :* Abdelkader Boudjemaa ; *Équipement et Industrie :* Mohammed Kehifed ; *Mines :* Saddek Boussena (n. 14-3-48) ; *Santé :* Hamid Sidi Saïd ; *Secr. d'État aux Aff. maghrébines :* Abdelaziz Khellef. *Assemblée populaire nationale* 295 m. élus p. 5 ans. Pt Rabah Bitat (démissionne 3-10-90). *Élections 26-2-87 :* participation 87,29 % (*1977 :* 72,65 % ; *82 :* 71,74 %), les 295 sièges vont au F.L.N., parti unique (il présentait 3 candidats dans chaque circonscription). **Organisation administrative :** 48 *wilayas* (31 avant le 15-12-83) (*wali :* préfet de w.), 160 *dairates* (sous-préfectures). 1 541 *communes.* Dep. le 4-2-1984, *Assemblées populaires communales* (A.P.C.), élues au suffr. univ. pour 5 a. *Ass. pop. de wilayas ou départementales* 35 à 55 m., élues pour 5 a. [dernières élections (déc. 1984), 80 % de votants choisissant entre 2 candidats présentés par le parti unique pour chaque siège].

Résultats nationaux du 12-6-1990. Élections communales et, entre parenthèses **départementales. En voix.** *Inscrits :* 12 841 769 dont en % : votants 65,15 (64,16), abstentions 34,85 (35,84), blancs ou nuls 2,97 (2,87), exprimés 62,18 (61,28). **En % :** FIS 33,73 (35,20), FLN (Front de Libération Nationale) 17,49 (16,87), Indépendants 7,25, RCD (Rassemblement pour la Culture et la Démocratie) 1,29, PNSD (Parti National pour la Solidarité et le Développement) 1,02, autres petits partis 1,39, (Ind. + RCD + PNSD + autres : 9,21). **En sièges.** FIS 45,66 (55,04), FLN 36,60 (35,61), Ind. 10,88 (5,29), RCD 4,75 (2,94), PNSD 1,02 (0,43), autres 1,09 (0,69).

Fêtes nat. *1er mai* (Travail), *5 juillet* (Indépendance, FLN, Jeunesse), *19 juin, 1er novembre* (Révolution). **Fêtes religieuses :** Aid el Fitr, Aid el Adha, Awal Moharram, Achoura, El-Mawlid Ennabawi. *Devise :* la Révolution par le peuple et pour le peuple.

Partis et organisations. « Al-Irchad Wal Aslah » : Mouv. islamique ; **Alliance nat. des Indép. :** *légalisée* 4-7-1990 ; **El-Oumma :** *légalisé* 18-7-1990, *Pt* Ben Khedda ; **FFS (Front des forces socialistes) :** *reconnu* 20-11-1989, *Pt* Hocine Aït-Ahmed (n. 1936) ; **FIS (Front islamique de salut)** créé févr. 1989, *reconnu* 14-9-1989, *Pt* Cheikh Abassi Madani (n. 1939). Prône l'interdiction de l'alcool. Aile dure autour de Ali Belhadj, imam de la mosquée El-Sunna à Bab-El-Oued (condamné en juillet 1987 pour appartenance à un groupe intégriste) ; **FLN (Front de libération nat.)** *fondé* 1-10-1954 (parti unique). *Pt* Chadli Bendjedid, *secr. gén.* Abdelhamid Mehri dep. 29-10-1988, 258 702 militants, 10 709 cellules en 1983 [3 réunions en Congrès extr. : 1980 (adoption du plan quinq.), 1986 (nouv. charte nat.), 28 au 30-11-1989 (attitude du FLN dans une sit. pluraliste) ; 6 réunions ordinaires entre 1956 (Soummam) et 1988 (3e mandat du Pt Chadli)] ; **MAJD (Mouvement algérien pour la justice et le développement) :** Kasdi Merbah ; **MDA (Mouvement pour la démocratie en A.) :** A. Ben Bella, légalisé 11-3-1990 ; **Mouv. démocratique pour le renouveau alg. :** *Pt* Slimane Amirat ; **PAGS (P. de l'avant-garde socialiste) :** *créé* janv. 1966, *reconnu* 12-9-1989, *Pt* Sadek Hadjeres, remplace P.C. ; **PNSD (P. nat. pour la solidarité et le développement) :** *créé* 1989 ; **PRS (P. de la révolution socialiste) ; PSD (P. social-démocrate) :** *reconnu* 4-9-1989, *Pt* Abderrahmane Adjérid ; **PST (P. socialiste des travailleurs) :** *Pt* Salhi Chawki ; **RAI (Rassemblement arabo-islamique) :** légalisé 7-8-90. *Pt* Laid Grine. Pour l'usage de l'arabe dans l'administration et l'économie ; **RCD (Rassemblement pour la culture et la démocratie)** (berbériste) : *créé* 11-2-1989, *secr. gén.* Dr Saïd Saadi (n. 1947) ; **UFD (Union des forces démocratiques) :** *créée* 23-1-1989.

Organisations de masses. UGTA (Union générale des travailleurs alg.) *fondée* févr. 1956. **UNPA** (Union nat. des paysans alg.). **UNFA** (Union nat. des femmes alg.). **UNJA** (Union nat. de la jeunesse alg.). **ONM** (Organisation nat. des moudjahidines, anciens combattants). **OST** (Organ. socialiste des travailleurs), trotskyste.

Enseignement. En arabe (avant 1990, seulement les 2 premières années du primaire, puis bilingue). **Pop. scolarisable.** *1983-84 :* 4 888 925, *89-90 :* 6 390 000. *Taux de scolarisation* (1986-87) 83,3 %. *Effectifs* (1986-87) : primaire 3 635 000, moyen 1 472 000, secondaire et technique 503 000, supérieur 140 000 (*1963 :* 3 000, *1970 :* 10 000). **Baccalauréat** (1983) 18 000 reçus sur 100 000 candidats. **Enseignants :** (1986-87) : primaire 133 250 (99,72 % d'Alg.), moyen 68 875 (98,63), secondaire et technique 26 238 (85,4), supérieur (82-83) 120 000.

Gouvernements du 1-11-1954 à l'indépendance

Comité national de la révolution algérienne *(C.N.R.A.)* dont l'exécutif est le Comité de coordination et d'exécution (C.C.E.).

Gouvernement provisoire de la république algérienne *(G.P.R.A.)*. **1er :** *1958* (19-9) Ferhat Abbas (n. 1899) Pt, Krim Belkacem (1922-70) vice-Pt. **2e :** *1960* idem. **3e :** *1961* (27-4) Youssef Ben Khedda.

Exécutif provisoire. *1962* (7-4) Pt Abderrahmane *Farès* (n. 1911). Vice-Pt Roger Roth (n. 1912).

Économie

• **P.N.B.** (89) 1 960 $ par h. (croissance, en %) *1985 :* + 2 ; *86 :* – 2,8 (– 8 selon sources) ; *87 :* – 0,4 ; *88 :* – 2,8 ; *89 :* + 2,8. **Pop. active** (*% et* entre parenthèses *part du P.N.B. en % pour 89*). Agr. 25 (12), ind. 26 (26), services 45 (45), mines 4 (17). *En 1988 : actifs* 4 118 000 (dont *en 83 :* 2 321 895 sal., 1 310 690 ind. ou employeurs) dont administration 1 020 000, agr. 1 019 000, services 834 000, BTP 685 000, ind. 540 000. *Chômeurs* (en %) : *1983 :* 15,5 ; *87 :* 23,7 ; *89 :* 22 (1 033 000, dont 83 % de – de 30 ans).

SMIG. 1990 : 807 dinars/mois ; *1-5 :* 1 000 ; **1991 :** *1-1 :* 1 800 ; *1-7 :* 2 000. **Salaire minimum d'activité. 1991 :** *1-1 :* 2 100 dinars/mois ; *1-7 :* 2 500.

• **Agriculture. Terres** (milliers d'ha, 81) 238 174 dont arables 7 513, pâturages maigres (brousse épineuse) 36 318, forêts 4 384, divers 189 959. *Utilisation (1963-64 et* entre parenthèses *1988).* Céréales 2 802 (3 200), légumes secs 58 [141 (87)], cult. maraîchères 84 (287), cult. industrielles 17 (21), fourrages artificiels 61 (811), naturels 151 (187), viticulture 351 (157), agrumes complantés 45 (44), en rapport 0 (39), olives 106 (163), dattes 48 (71), figues 34 (38), autres fruits complantés 23 (120), en rapport 0 (82). *Culture sous serre. 1986 :* 3 500 ha, *prév. 89 :* 9 000.

Le désert (90 % de la superficie) conquiert chaque année plusieurs dizaines de milliers d'ha. Projet de reboisement de 3 millions d'ha sur 1 500 km de long et 10 à 20 km de large pour arrêter le désert.

Population agricole en 1987. 724 699 dont indépendants 390 093, salariés permanents 197 852, saisonniers 61 961, aides familiaux 61 119, employeurs 11 424, apprentis 314, non déclarés 1 936.

Production (en millions de t). Céréales 1,8 (89) (1985-86 : 2,5, 86-87 : 3,8, 87-88 : 1,8) dont blé dur 0,9 (88), blé tendre 0,5, orge 0,7 (89), avoine 0,05 (89), maïs 0,012, sorgho 0,004. Cultures maraîchères 2,2 dont p. de terre 1,1 (89), tomates 0,5 (89), oignons 0,1, haricots verts 0,001, carottes 0,1, melons et pastèques 0,3, divers 0,5. Tabac 0,640. Tomates ind. 0,1. Fourrages artificiels 1, naturels 0,3. Agrumes 0,2 dont oranges 1,7 (89), mandarines, clémentines 0,8 (89), citrons 0,006 (89), pomelos et divers 0,001. Olives 0,1. Dattes 0,17 (7 500 000 palmistes sur 60 000 ha). Figues 0,06. Autres fruits 0,1.

Vignes. *Superficie* (milliers d'ha) V. à vin : *1939* 400 (de table 5), *1962 :* 351, *70 :* 292, *80 :* 199, *84 :* 153 (à vin 123, de table 30), *87 :* 119 (à vin 79, de table 40). *Production* (millions d'hl, à vin) *1939 :* 17, *64 :* 10,5, *65 :* 14, *80 :* 2,8, *84 :* 1,4, *85 :* 0,94, *87 :* 0,91. *Rendement* (hl à l'ha) *1962 :* 45, *83 :* 10, *85 :* 15,8, *86 :* 20,1, *87 :* 11,5.

Révolution agraire. 1962, 22 000 domaines abandonnés par les Européens sont transformés en coopératives de moudjahidin ou en domaines autogérés. **1970-71** révol. agraire entraînant un morcellement excessif. Plus de 1 million d'ha (dont 0,4 de bonnes terres) redistribués. **1re phase (14-7-70) :** porte sur terres collectives [communales, domaniales, religieuses (habous)]. Bilan au 1-1-73 : 1 232 dons (600 000 ha), 50 000 attributaires (35 % des cand.) avaient reçu 700 000 ha, groupés en coopératives de prod. (CAPRA). Coop. polyvalentes de services (CAPCS), 600 prévues, 1 000 villages agr. social. à réaliser av. 1980. **2e phase (15-9-72/mars 73) :** recensement des terres. Suppression de la grosse propriété. Création de l'UNPA (Union nat. des paysans alg.) (1 000 000 m. env. en 75). **3e phase :** réglementation : eaux, forêts, pastoralisme. Concerne 35 000 à 40 000 petits éleveurs, 4 000 gros propr. qui emploient 120 000 à 130 000 bergers. L'ordonnance de nov. 1971 avait interdit toute transaction foncière entre particuliers et toute aliénation à des particuliers, aux fins d'exploitation privée, des terres appartenant à l'État ou aux collectivités locales. **1983** transactions entre particuliers possibles à certaines conditions, et le domaine public peut être redistribué, s'il s'agit de terres non exploitées situées « en zone saharienne ou présentant des caractéristiques similaires ». Plus de 40 000 ha de terres vierges attribués à 5 000 personnes dans le S. (lots de moins de 5 ha) deviendront pleine propriété des attributaires si une prod. significative est constatée dans les 5 ans. **1988** (loi du 8-12-1987) libéralisation. Regroupement des producteurs. Libre association des paysans auxquels l'état consent un droit de jouissance perpétuel sur les terres (moyennant redevance), et un droit de propriété sur tous les biens de l'exploitation autres que la terre (cession à titre onéreux). Droits cessibles. Objectif : 26 000 exploitations au lieu de 3 159. *Bilan au 31-12-1988 :* 99,68 % des domaines agricoles concernés, 25 375 expl. nouvelles. Manque de techniciens. 98 % des fermes autogérées sont déficitaires. En 15 ans, 4 barrages édifiés (1,5 milliard de m³ d'eau). *Coût de distribution :* 65 % du prix des prod. alim. (en 1962, 35 %). **1990** 13 500 faux paysans auraient profité de la loi de 1987.

Secteur privé et, entre parenthèses, **secteur socialiste (1986).** *Surfaces utiles* (millions hectares) 5,1 (2,8). *Exploitations.* Nombre : 800 000 (3 415), moyenne des superficies 6 ha (830 ha) ; des effectifs 2 actifs (40 actifs) ; superficie par actif 3,2 ha (20,6 ha). *Secteur privé :* 60 % des terres cultivées (en général les bonnes) produisant 60 % des céréales, fruits et légumes et 90 % de la viande. **Secteur socialiste** 33 %, avec 1 873 domaines autogérés, 390 CAPAM (Coopératives agricoles de production des anciens moudjahidin) occupant 235 000 trav. et faisant vivre 1 140 000 pers. : 25 % de grosses exploitations ; 42 % fellahs. *Agriculteurs : 1975* (60 % de la pop. active) : 1 500 000 ; *1985 :* 39 % (700 000 travaillent à leur compte ; 60 % ont + de 50 ans) ; *1988 (24,7 %) :* 1 019 000.

Autonomie alimentaire (en %). *1962 :* 70, *82 :* 30, *88 :* 25. *Couverture des besoins par la production nationale* (en %). Céréales 60 (25 en 88), produits laitiers 90, matières grasses 30, sucre 5. **Part de l'agriculture.** *Plan quinquennal 1985-89.* Investissements : 115 milliards de dinars (210 milliards de F), notamment pour l'irrigation de 420 000 ha.

Élevage (milliers de têtes, 88). Poulets 23 000 (œufs 2,9 milliards, viande 57 000 t), moutons 14 325, chèvres 3 570, ânes 475, bovins 361, mulets 160, chevaux *1962* 105, *88* 187, chameaux 130. L'Alg. importe 1/3 de sa viande. **Pêche** (milliers de t). *1970 :* 25,7. *75 :* 37,7. *80 :* 33,3. *84 :* 63,5. *85 :* 66. *86 :* 70. *87 :* 70.

Forêts superficie (milliers d'ha). *1830 :* 5 000. *1988 :* 4 000. Forêt proprement dite 1 794 (dont pin d'Alep 1 058, chêne-liège 287, thuya 108) ; maquis 1 876. *Production* bois d'œuvre 60 056 m³ (84), de chauffage 54 750 stères (85), charbon de bois 1 270 t (82), liège brut 13 848 t, alpha 34 705 t. **Parcs nationaux :** 9. *El-Kala :* 78 400 ha. *Djurdjura :* 18 500 ha. *Chréa :* 26 000 ha. *Theniet El-Had :* 3 616 ha. *Tassili :* 100 000 ha. *Bellezma :* 26 250 ha. *Taza :* 3 807 ha. *Gouraya :* 2 080 ha. *Hoggar :* 4 500 000 ha.

Barrage vert : opération lancée 1971 sur une zone de 3 millions d'ha (larg. 20 km, long. 1 500 km).

• **Énergie. Consommation** (en milliers de Tep). *1970 :* 4 000, *80 :* 14 000, *84 :* 10 500, *87 :* 13 000, *90 (prév.) :* 42 000. **Part des hydrocarbures (en %)** *dans le P.I.B. 1975 :* 31, *81 :* 37,54, *84 :* env. 40 ; *dans les ressources en devises :* 98 ; *dans le budget :* 43.

Électricité. *Capacité de prod.* (en mégawatts). *1962 :* 342, *80 :* 1 825. *86 :* 1 241. *Nombre d'abonnés* (en millions). *1982 :* 1,7, *1988 (prév.) :* 2,8. *Construction de lignes élec.* (80-84) : 26 000 km. **Pétrole.** *Prod.* (millions de t) : *1980 :* 51,5, *81 :* 40, *82 :* 45, *83 :* 43,7, *84 :* 44, *85 :* 44. *86 :* 46. *87 :* 49,8. *88 :* 53. *89 :* 52. Gisement d'Hassi Messaoud découvert août 1956, apprécié pour sa pureté et sa légèreté. *Réserves* 1 146 (89). *Ventes :* 73 milliards de F, soit 26 % du P.N.B. Les U.S.A. achètent env. 50 % de la prod. **Gaz.** *Prod.* (milliards de m³) : *80 :* 11 ; *81 :* 12,85 ; *82 :* 15,5 ; *83 :* 35,6. *84 :* 44. *85 :* 40. *86 :* 37. *87 :* 42. *88 :* 93. Gisement d'Hassi R'Mel découvert nov. 1956. *Réserves* 3 000 milliards de m³ (89). Liquéfié dans usines de Skikda ou d'Arzew, ou transporté par oléoduc (2 500 km) vers l'Italie. *86 (prév.) :* 920. *Abonnés au gaz* (en milliers). *1969 :* 16,8. *82 :* 590. *86 (prév.) :* 920. *Modules de traitement du gaz* 5 (capacité annuelle : 92 milliards de m³ de gaz, 18,2 millions de t de condensats, 3,4 millions de t de G.P.L.). *Capacité de transport* (61 millions de t de brut, 61,5 milliards de m³ de gaz). *Transformation* (21,5 millions de t de prod. raffinés, 31 milliards de m³ d'équivalent-gaz sous forme de G.N.L., 1,5 million de t d'engrais, 600 000 t de prod. pétrochimiques). *Employés : 1975 :* 57 122, *1981 :* 103 186 (dont env. 80 000 à la Sonatrach). *Prix du gaz payé par la France. 1988 :* 1,97 $ par million de B.T.U. (25 m³), *89 :* 2,28 $. **Charbon.** Réserves : 40 millions de t (bassin d'Abadla). **Nucléaire.** Draria, réacteur Nur (Nuclear Research) 4-4-1989 (IMW). **Énergie solaire.** Potentiel 5,2 millions de terawath/h.

☞ SONATRACH (Cie nationale pour recherche, transport, transformation et commercialisation des hydrocarbures). *Fondée* 31-12-1963. 12 Stés. Dep. les nationalisations de 1971, chargée de l'exploitation ; *production* (1981) : 98,5 % du pétrole alg. (31 % en 1971). *Export. de gaz* (milliards de m³, 1987) : G.N.L. 13,4, par gazoduc 10,06.

• **Autres ressources minières** (en millions de t, en 87). *Fer* 3,38. 80 % d'ouenza exploité dep. 1921. *Plomb* 0,003. *Zinc* 0,017. *Cuivre* 0,001 (85). *Mercure* 0,02. *Phosphates* 1,2. *Uranium.*

• **Industrie.** Raffinage du pétrole, Skikda (capacité 20 000 000 t). Liquéfaction du gaz, Arzew (cap. 12 milliards de m³). Aciérie d'El Hajar (cap. 2 000 000 t/an). Projet de complexe sidér. à Bellara. Électricité, ind. alimen. (surtout farine et semoule). Ciment (7,5 milliards de t en 87). Engrais 771 900 t en 1987. Textile. Automobiles (Licence FIAT).

• **Transports** (km). Routes bitumées 24 000, ch. de fer 3 761 dont 298 électrifiés. Flotte importante.

• **Tourisme.** *Visiteurs : 86 :* 596 000. Monuments romains, voir p. 992, 993.

• **Commerce** (milliards de dinars, 88). *Exportations 1984 :* 63,76 (dont fuel et lubrifiants 62,3), *85 :* 67 (65,8), *86 :* 36,85 (35,87), *87 :* 39,84 (38,75), *88 :* 41,8 (41), approvisionnement ind. 0,51, produits alim. 0,13 *vers* C.E.E. 68,5, Amér. du N. 18,8, reste Europe 3, Japon 2,5, pays arabes 2,5, pays socialistes d'Europe 2,4. *Importations 1984 :* 51,26, *85 :* 49,49, *86 :* 43,1, *87 :* 34,2, *88 :* 43,4 *dont* machines et biens d'équipement 27, demi-prod. 25,8, alim. de base 24,6, biens de cons. 11,9 *de* C.E.E. 58,6, Amér. du N. 13, reste Europe 7,7, pays socialistes d'Europe 5,3, Japon 4,2, Amér. lat. 2,9.

Pays fournisseurs (1985) : France 12,8 (11,8 en 87), All. féd. 5,6, Italie 5,4, U.S.A. 3,2, Japon 2,9, U.R.S.S. 2,2, Canada 2 ; *clients :* France 19,3 (8,5 en 87), Italie 14,9, pays socialistes d'Europe 4, Esp. 3,8, U.S.A. 6,5, All. féd. 2,2.

Échanges franco-algériens (en milliards de F). *Exportations* d'Algérie vers France. *1970 :* 3,5. *71 :* 1,3. *72 :* 1,7. *73 :* 3,3. *74 :* 4,6. *75 :* 3,2. *76 :* 3,3 (93 % hydrocarbures). *77 :* 3,9. *78 :* 3,2. *79 :* 4,7. *80 :* 7,3. *81 :* 13. *82 :* 25,9. *83 :* 23,4. *84 :* 24,8. *86 :* 11,7. *88 :* 8. *Importations de France. 1970 :* 3,1. *71 :* 2,8. *73 :* 2,1. *74 :* 6,2. *75 :* 8. *76 :* 7. *77 :* 8,8. *78 :* 6,9. *79 :* 8,2. *80 :* 11. *81 :* 12,9. *82 :* 14. *83 :* 18,6. *84 :* 23,6. *86 :* 15,9. *88 :* 9,5. La France achète 72,3 % du gaz liquéfié malgré un surcoût par rapport au prix moyen des autres gaz. V. Index.

• **Finances** (en milliards de dinars). **Budget** (1988). *Dépenses :* 112 (fonctionnement 64,5, équipement 47,5) dont (1984) éducation nat. 18,1, soutien des produits alim. de large consommation (céréales, huile, semoule, farine, sucre) 3,86. *Recettes* 103 (dont (86) taxes pétrolières 32,2 %). *1989 :* dépenses 121, recettes 114,7 (pétrole 25 %). *Recettes en devises (milliards de F). 1985 :* 13, *88 :* 8.

Balance des paiements (milliards de $). *1983 :* + 11,2, *85 :* 0,5, *86 :* – 2, *87 :* 0,1, *88 :* 0,7.

Inflation (%). *1979 :* 11,3. *80 :* 9,6. *82 :* 18. *83 :* 4,6. *84 :* 6,6. *85 :* 10,8. *86 :* 2,5. *87 :* 7,5. *88 :* 8,6. *89 :* 12 à 30. **Dette ext.** (milliards de $) : *1980 :* 17, *85 :* 5, *86 :* 21, *87 :* 21, *88 :* 22,8, *89 :* 23 (40 % du P.I.B.), *90 :* 25, *91 :* 25,3. *Service : 1987 :* 5,20, *88 :* 5,80, *89 :* 7,54 (70 % des rec. en devises, 20 % en 1978), *91 :* 8. *Au marché noir,* le dinar est échangé à 20 % de sa valeur officielle. *Prêts* (en milliards de $). *1988 :* Banque mondiale : 15,11 (dinars), Fonds mon. arabe 26,11. *1989 : France (9-1) :* 1 (soit 7 milliards de F, dont 4 pour 1989-90 pour équilibrer la bal. des paiements et le financement de projets), *1990 :* aide reconduite ; *Arabie S. :* 0,8. **Argent des immigrés.** Transferts des trav. alg. en France (en millions de F). *1973 :* 640. *76 :* 1 000. *80 :* 97.

• **Plans de développement** (en milliards de dinars) : *préplan (1967-69)* 12 (priorité sidérurgie) ; *1er plan (1970-73)* 36 (priorité ind. méc.) ; *2e plan (1974-77)* 110 (priorité ind. méc.) ; *3e plan (1978-81)* 160 à 250. *Plans quinquennaux : 1er (1980-84)* priorité aménagements sociaux et ind. *2e (1985-89)* 550 d'investissement prévus (dont 300 pour les programmes non achevés du 1er plan, industrie 174, agriculture et hydraulique 79, habitat 76, éducation 45, équipement collectif 45, santé 8).

• **Rang dans le monde** (88). 8e rés. gaz nat., 14e rés. pétrole, 19e pétrole.

ALLEMAGNE

Carte p. 851. V. légende p. 837.

☞ **Nom allemand.** Deutschland. *Deutsch* vient de l'évangélisateur de la Germanie Théodiscus, qui a donné *tudesque* en vieux français et *tedesco* en italien. Forme altérée en *théodischus* puis *teudischus* puis *deutsch.*

Nom officiel. République fédérale allemande [comprenant, depuis la réunification, l'Allemagne

de l'Ouest (République fédérale all.) et l'All. de l'Est (Rép. démocratique all.)].

• **Situation.** Europe. 357 041 km² [dont ex. R.F.A. 248 708, ex. R.D.A. 108 333] (le Reich en 1937 : 470 622 km²). **Longueur max.** 853 km. **Largeur max.** 453 km. **Alt. max.** Zugspitze (massif du Wetterstein) 2 962 m.

Frontières : 3 158 km (dont Tchécoslovaquie 810, Autriche 801, P.-Bas 574, France 450, Pologne 450, Suisse 367, Luxembourg 124, Belgique 124, Danemark 67). *Côtes :* 907 km (m. du Nord 477, Baltique 430). La frontière entre l'All. de l'Ouest (R.F.A.) et l'All. de l'Est (R.D.A.) était de 1 381 km. Elle était matérialisée par le *rideau de fer* [bande large de 246 m occupant 344 km² en All. de l'E., séparant les 2 All. *Coût de construction :* 35 milliards de F, 80 500 km de fil de fer barbelé, des tours de garde, les troupes est-all. (14 000 h. et 600 chiens) tiraient sans sommations, 2 230 000 mines auraient été posées le long, puis elles furent retirées (la dernière le 1-11-85)]. **Passages forcés de la frontière.** *Nombre de morts de 1961 à 89 :* 190.

• **Régions.** ALL. OUEST. **Extrême-Sud :** Alpes bavaroises (alt. max. Zugspitze 2 962 m). **Sud :** plateau bavarois (Préalpes, avec élevage laitier). **S.-O. :** Forêt-Noire (montagne hercynienne ; forêts de résineux, élevage laitier). **S.-E. :** monts de Bohême (montagne hercynienne ; avec forêts, seigle, pommes de terre) ; entre les 2 massifs hercyniens : plateaux calcaires de Souabe et de Franconie (jurassique, non plissé ; porcs, céréales). **Centre-Ouest** (rive g. du Rhin) : 3 parties, du S. au N. : plateau du Palatinat (sédimentaire ; cultures fourragères), bordé à l'E. par la plaine du Rhin (riches cultures intensives, vignes sur les coteaux) ; massif schisteux rhénan (pauvre, boisé ; vignes dans la vallée de la Moselle et du Rhin) ; bassin de Cologne. **Centre-Est :** prolongation des massifs rhénans (élevage laitier, forêt ; céréales dans le bassin de la Weser). **Nord :** grande plaine ; bords de terrasses de lœss (blé) au pied des massifs centraux. **Extrême-N.-O. :** polders, vers la m. du Nord. **Extrême-N.-E. :** dépôts glaciaires et moraines (landes buissonneuses et caillouteuses, seigle ; dunes vers la Baltique). Les bassins de Cologne et de Westphalie sont en grande partie urbanisés (Ruhr).

ALL. EST. **Nord.** Plaine formée d'anciens dépôts morainiques et de sable. **S. et O.** Montagne (Thuringe, Mittelgebirge, Erzgebirge). *Alt. max.* Fichtelberg (Erzgebirge) 1 214 m, Brocken (Harz) 1 142 m.

• **Iles les plus grandes** (en km²). Rügen 926,4, Usedom 445, Fehmarn 185,1 (Baltique), Sylt 99,2 (mer du Nord), Poel 37, Ummanz 19,7, Hiddensee 18,6.

• **Principaux lacs** (en km²). ALL. OUEST : Bodensee (lac de Constance) 538,5 dont partie allemande 305, Chiemsee (Bavière) 82, Starnberger See 57,2, Ammersee (Bavière) 46,6. ALL. EST : Müritz 115,3, Schweriner See 65,5, Plauer See 38,7, Kummerower See 32,9, Kölpinsee 20,5.

• **Fleuves** (longueur en km). ALL. OUEST : Rhin 865 (dont navigable 778). Weser 440 (440). Main 524 (396). Danube 647 (386). Moselle 242 (242). Ems (jusqu'au Dollart) 371 (238). Elbe 227 (227). Neckar 367 (203). ALL. EST : Elbe 566 (sur 1 165), Saale 427. Spree 382. Havel 343. Neisse 199 (sur 256). Oder 162 (sur 912).

• **Canaux de navigation** (longueur en km). *Mittellandkanal* (depuis 1938) 321,3 ; *de Dortmund à l'Ems* (1899) 269 ; *latéral de l'Elbe* (canal Nord-Sud, 1976) 112,5 ; *de Kiel* (Mer du Nord-Baltique, 1895) 98,7 ; *du Main au Danube* (1987) 106 ; *Küstenkanal* (canal côtier, 1935) 69,6 ; *hanséatique* (Elbe-Lübeck, 1900) 62 ; *de Wessel à Datteln* (1929) 60,2.

• **Climat.** Tempéré de type maritime au N. et N.-O. (0,3 °C janv., 17,1 °C juill.), continental au S. (1 °C janv., 19,1 °C juill.). Temps instable, pluies réparties sur toute l'année : Alpes 2 000 mm, Centre (surtout orages d'été) 800 mm, N. (min. en févr.) 600 mm. Rhénanie, hivers relativement doux (1,9 °C à Cologne), étés très lourds. *Jours de gel :* Hambourg 62, Mayence 62, Munich (518 m d'alt.) 105.

Population

• ALL. OUEST. **Nombre d'habitants** (millions). *1939* (territoire de 1945 à 1990) : 42,8. *46 :* 44,2 h. (dont 6,5 réfugiés). *60 :* 55,1 ; *70 :* 60,4 ; *74 :* 62,1 ; *80 :* 61,4 ; *85 :* 61,01 ; *89 :* 62,5 (– de 15 a. : 15 %, + de 65 a. : 15 %). *Prévision an 2000 :* 49,2 à 59,7 s'il y a un redressement de la natalité ; *2050 :* 35 (sans redressement). **Solde des naissances moins les décès (en milliers).** Positif de 1945 à 1972 (*1960 :* 336, *64 :* 421, *70 :* 76, *71 :* 48) ; puis négatif (*72 :* 30, *75 :* 149, *80 :* 93, *84 :* 124, *85 :* 118, *86 :* 75, *87 :* 45, *88 :* 10, *89 :* 16), le vieillissement s'accentue.

Mariages (1989) 398 000, *âge moyen* (1989) hommes 31, femmes 27,9. **Divorces** (1988) 129 000 (20,6 %). **Naissances** (par an en milliers) *1948-54 :* 808, *55-64 :* 954, *65-69 :* 997, *70-74 :* 711, *80 :* 621, *85 :* 586, *86 :* 626, *88 :* 677, *89 :* 682.

Taux natalité (‰) : *79 :* 9,5, *82 :* 10,1, *85 :* 9,6, *89 :* 11 ; **mortalité (‰) :** *80 :* 11,6, *89 :* 11,3. **Fécondité (naissance par femme) :** *1948-56 :* 2,09 ; *65-69 :* 2,43 ; *80 :* 1,45 ; *85 :* 1,28 ; *87 :* 1,3 (le + faible du monde) ; *88 :* 1,4 ; **mort. infantile :** *87 :* 10, *89 :* 7,5. **Accroissement** (87) – 0,1 % par an. **Espérance de vie** 75. **Densité** 251 (Ruhr + de 1 000). **Suicides (1989) :** 14 000.

• ALL. EST. **Nombre d'habitants** (en millions). *1949 :* 18,8, *60 :* 17,1, *70 :* 17,1, *80 :* 16,78, *83 :* 16,70 (dont femmes 56 %), *88 :* 16,6, *2000 (prév.) :* 16,55. *Accroissement :* – 0,1 par an. D. 154. **Population urbaine :** 75 %. **Minorité nationale :** 150 000 Sorabes de Lusace, descendants des Slaves. **Age.** *- de 15 a.* 19 %. *+ de 60 a.* 17 %. **Espérance de vie :** H. 69 ans, F. 75. **Naissances** vivantes : *1950 :* 303 866, *74 :* 179 127, *80 :* 245 132, *86 :* 222 269. **Décès :** 225 521. **Mariages :** *1986* 137 208. **Divorces :** *1986* 52 439. **Taux (‰) :** natalité 12,9, mort-nés 4,7, mortalité 12,8, infantile 8,7.

Migrations

Allemands à l'étranger. *1989 : U.R.S.S.* 1 820 000, *Pologne* 800 000 soit 2 % de la pop. (90 % des Pol. d'or. all. ne parlent pas l'all.), *Roumanie* 220 000 à 300 000 (Saxons de Transylvanie et Souabes du Banat), *Hongrie* 200 000, *Tchécoslovaquie* 50 000, *Yougoslavie* 15 000. Les associations de réfugiés de l'Eur. de l'Est comprenaient en 1985 2 200 000 m. (dont 300 000 de Silésie, 140 000 Sudètes, 125 000 de Hte Silésie).

Allemands de l'O. émigrés à l'E. *1955-61 :* 279 000. *1962-77 :* RDA 51 000 (*1984 :* 36 000, *1985 :* 25 000, *1986 :* 19 982, *1987 :* 12 958), Pol. 96 200, U.R.S.S. 7 000.

Allemands venus de l'E. en All. de l'O. (Übersiedler). Origines : 1) All. des prov. orientales expulsés (*Vertriebene*) des pays sous tutelle sov., et réfugiés dans les zones occ. (dès 1944-45). 2) All. de l'Est réfugiés (*Flüchtlinge*) ayant fui le régime comm. dans leur zone d'occ. (1947) et en R.D.A. (1949). **De 1949 à la construction du mur de Berlin.** *49 :* 129 245, *50 :* 197 788, *51 :* 165 648, *52 :* 182 393, *53 :* 331 390, *54 :* 184 198, *55 :* 252 870, *56 :* 279 189, *57 :* 261 622, *58 :* 204 092, *59 :* 143 917, *60 :* 199 188, *61 :* 155 402 (dont 30 415 en juillet, dont 51,4 % de – de 25 ans). *Total :* 2 686, 942 (dont par Berlin Ouest 1 649 070). **Après la construction en mars.** *Du 15-8-1961 au 31-12-1977 :* 177 204 ; *1981 :* 12 650 ; *1982 :* 13 208 (9 113 légalement, 4 095 fugitifs) ; *1984 :* 40 974 (dont 34 982 lég., 3 651 fug., 2 341 rachats) ; *1988 :* 39 832 ; *1989 :* 343 854 ; *1990 janv. :* 58 000, *mars* 37 021 [total de 150 000], *avril* 18 071. **Retour de la R.F.A. vers la R.D.A.** *1964-75 :* 33 000, *75-84 :* 14 314.

Autres pays de l'Est (Aussiedler). *Pologne 1951-84 :* 718 300, *89 :* 250 340. *Roumanie 1988 :* 13 000, *89 :* 23 397 (200 000 All. de Transylvanie prêts à partir). *U.R.S.S. 1962-77 :* 51 000, *86 :* 753, *87 :* 15 000, *88 :* 30 000, *89 :* 98 134. *Total 1945-46 :* 6 000 000, *47-49 :* 2 000 000, *50-60 :* 1 900 000, *88 :* 203 055, *89 :* 377 055, *90-95 (prév.) :* 500 000 à 700 000, *90-2000 (prév.) :* 2 500 000.

Étrangers

• ALL. OUEST. **Nombre** (en millions, sans déduction des naturalisations et entre parenthèses avec). *1960 :* 0,7 (0,7). *71 :* 2,74 (2,74). *75 :* 4,02 (3,99). *80 :* 4,23 (3,96). *82 :* 4,71 (4,41). *85 : 4,41 (4,07). 88 :* 4,48 (n.c.).

% par rapport à la population totale. *1974 :* 4, *88 :* 7,6 (Francfort 21, Munich 18, Berlin 13). *86 :* 4,51 (4,10). *88* (juin) : 4,71 (dont 0,7 demandeurs d'asile). *2000 :* 13 (?). **Solde migratoire** (en milliers) : *1971 :* + 0,37. *75 :* – 0,23. *80 :* + 0,25. *81 :* + 0,09. *82 :* – 0,11. *84 :* – 0,21. *85 :* – 1,19.

Nombre par nationalité (en milliers) : Turcs *1967 :* 0,17. *70 :* 0,47. *75 :* 1,08. *80 :* 1,46. *82 :* 1,58. *84 :* 1,43. *85 :* 1,40. *86 :* 1,43. *88 :* 1,51. *89 :* 1,43. **Youg.** *1967 :* 0,14. *70 :* 0,51. *75 :* 0,68. *85 :* 0,60. *86 : 0,59. 88 :* 0,61. *89 :* 0,6. **Italiens** *1961 :* 0,20. *67 :* 0,41. *75 :* 0,60. *86 :* 0,53. *88 :* 0,56. *89 :* 0,54. **Grecs** *1967 :* 0,20. *71 :* 0,38. *73 :* 0,41. *85 :* 0,28. *86 :* 0,27. *88 :* 0,28. **Espagnols** *1967 :* 0,18. *71 :* 0,27. *73 :* 0,29. *85 :* 0,15. *88 :* 0,14. **Autrichiens**

1967 : 0,12. *71 :* 0,16. *74 :* 0,18. *78 :* 0,16. *85 :* 0,17. *88 :* 0,18. **Polonais** *1988 :* 0,16. **Portugais** *1967 :* 0,02. *74 :* 0,12. *85 :* 0,07. **Néerlandais** *1961 :* 0,07. *67 :* 0,10. *75 :* 0,11. *84 :* 0,11. **Français** *1961 :* 0,02. *67 :* 0,04. *75 :* 0,06. *84 :* 0,07.

Dep. 1973, entrée interdite aux travailleurs venant d'autres pays que la C.E.E. *Aide au rapatriement :* 30 000 F (+ 4 500 F pour chaque membre de la famille, cotis. sociale remboursée après 2 ans d'attente).

Demandes d'asile *1980 :* 107 818, *83 :* 19 737, *84 :* 35 000, *85 :* 75 660 (dont 22 908 à Berlin O.), *86 :* 99 000 (dont 30 000 à Berlin O.), *87 :* 53 779, *88 :* 103 076 (dont Europe de l'E. 35 %, Turquie 15 %). **Expulsés de Berlin-O.** 998 immigrés dont 440 candidats à l'asile (dont 307 inculpés de délits). **Migrations** favorisées par U.R.S.S. et R.D.A. (qui a consenti contre un crédit de 500 millions de marks à ne plus accepter de Tamouls s'ils n'ont pas de visas occidentaux). **Aide aux réfugiés pour subsister.** 5 milliards de marks (1988).

• ALL. EST. **Ouvriers étrangers :** 85 000 à 100 000, de Pologne (25 000), Hongrie, Mozambique, Viêt-nam (60 000).

Villes

ALL. OUEST. (agg. 31-12-87) : Berlin O. 2 028 716, Hambourg 1 594 190, Munich 1 201 479, Cologne 930 907, Essen 621 436, Francfort 621 379, Dortmund 583 793, Düsseldorf 565 545, Stuttgart 556 302, Brême 532 686, Duisbourg 524 502, Hanovre 495 867, Nuremberg 474 673, Bochum 386 638, Wuppertal 366 546, *Bonn* (siège du gouv. féd.) 278 180.

Communes (nombre) *1968 :* 29 000, *1978 :* 8 500.

ALL. EST (89) : *Berlin* (Pankow, quartier de Berlin-E.) 1 279 200, Leipzig 530 000, Dresde 501 400, Karl-Marx-Stadt 301 900 (ex. Chemnitz), Magdebourg 288 400, Rostock 253 000, Halle 230 700, Erfurt 217 000, Potsdam 141 400, Gera 132 300, Schwerin 129 500, Cottbus 128 900, Zwickau 118 900, Jena 105 800, Dessau 101 300.

Langue

Officielle. **Allemand.** Les langues germaniques sont une des branches du groupe indo-européen. Le *germanique ancien* (né v. 1200 av. J.-C. dans la région du Jutland) a gardé plusieurs traits de l'indo-eur. primitif : déclinaisons avec le génitif en *s,* alternance vocalique dans les racines, notamment dans les verbes (conjugaison « forte ») ; lexique commun, notamment les relations de famille : *Vater,* latin : *pater,* « père », et les formes verbales essentielles : *ist* « est », *sind* « sont ». Beaucoup de ses mots ne viennent pas directement de l'indo-européen primitif, mais ont été empruntés aux Celtes, voisins des Germains pendant 2 millénaires : *rix : Reich ; durum : thür.* Ils ont été modifiés par la force de l'accent tonique (sur la 1re syllabe) et par la « 1re mutation consonantique » : le *p* devient *f ;* le *g* devient *k ;* le *ph* devient *b.* Au IVe s. av. J.-C. le germanique se coupe en 3 groupes : *oriental* (gothique, burgonde, vandale) aujourd'hui disparu ; *nordique* (devenu le groupe scandinave) et *occidental* ou *westique,* dont font partie l'anglais, le néerlandais, l'allemand. Au VIIe s. apr. J.-C. une « 2e mutation consonantique » différencie les langues westiques en 2 groupes : *bas-allemand,* au Nord et en G.-B., garde les consonnes *p, t, k,* qui deviennent dans le Sud *(haut-allemand) f* ou *pf, tz, ch* [angl. : pan, sleep (all. : Pfanne, schlaf-) ; angl. : set (all. : sitz-) ; angl. : book (all. : Buch)]. Le *haut-all.* devient langue culturelle et littéraire à partir de 1200. Le *bas-all.* reste la l. commerciale et maritime. La *Hoch-Sprache* (l. off.) est une l. moyenne faisant partie du haut-all., mais relativement proche du bas-all. ; elle était parlée en Thuringe au XVIe s. Répandue par Luther qui était Thuringeois, elle a été codifiée par les grammairiens pour la 1re fois en 1663. La syntaxe est influencée par celle du latin classique. Son vocabulaire n'a cessé d'adopter des mots étrangers, surtout français, puis latins et grecs. Il compte actuellement 1/6 de racines étrangères assimilées et servant à former des mots composés. Ex. : mechanisieren (franco-grec) = *mécaniser ;* Mechanisierung = mécanisation (on ne dit pas mechanisazion).

Dialectes allemands modernes. *Haut-all. :* 2 sous-groupes, Midi (all. supérieur) et Centre (all. moyen). 4 dialectes méridionaux : alémanique (avec notamment parlers alsacien et suisse), souabe, austro-bavarois, franconien supérieur. 2 centraux : franconien moyen et haut-saxon. *Bas-all. :* un seul dialecte, le « bas-saxon », son dialecte occidental étant devenu le néerlandais. Sorabe (en Lusace). *En All. de l'Ouest* 47 % des All. sont bilingues et pratiquent quotidiennement leur dialecte.

Langues étrangères. *En All. de l'Ouest* 58 % des All. parlent l'anglais (85 % des 14-34 ans), 22 % le français, 7 % l'italien, 5 % l'espagnol et 1,6 % le russe.

Religions

• Allemagne réunifiée. Protestants 40 %, catholiques 35 %, 25 % sans confessions (70 % issus des nouveaux Länder de l'Est).

• Protestants. **Grandes dates de la Réforme. 1517** (31-10) à Wittenberg (Saxe), le moine allemand (thuringien) *Martin Luther* (1483-14/2/1546) rédige 95 thèses sur les Indulgences, et les aurait affichées sur la porte de l'église. **1520** il publie les « Écrits réformateurs » : *l'Appel à la noblesse allemande, la Captivité de Babylone et la Liberté chrétienne ;* la bulle « Exsurge Domine » l'excommunie mais il la brûle solennellement à Wittenberg. **1521** la Diète de Worms le met au ban de l'Empire ; l'Électeur de Saxe l'abrite dans le château de la Wartburg où il traduit la Bible en allemand. **1522** Luther retourne à Wittenberg où, en 1525, il épousera une ancienne religieuse, Katharina von Bora. **1529** au colloque de Marbourg, désaccord des luthériens et des zwingliens (Zurich) sur la Sainte Cène. **1530** *Melanchthon* (1497-1560) présente, à la Diète d'Augsbourg la *Confession de Foi* de l'Égl. luthérienne (Confessio Augustana). **1542** union des hussites de Bohême et des luthériens. **1555** *Paix de religion d'Augsbourg :* Charles Quint reconnaît l'existence du protest. allemand selon le principe de l'unité confessionnelle des États *(cujus regio, ejus religio :* tel royaume, telle religion). **1563** publication en français du catéchisme de Heidelberg exposant la doctrine calviniste. **1648** traités de Westphalie fixant la carte confessionnelle de l'Europe. **1660** fondation de la 1re communauté piétiste à Francfort, par l'Alsacien Philippe Spener (1635-1715). **1733** 1re Sté missionnaire, créée par les Frères Moraves ou Herrnhuters [disciples de Spener (piétistes), regroupés en 1721 à Berthelsdorf (Lusace), par le Cte Nicolas de Zinzendorf (1700-60)].

Statistiques. All. de l'Ouest : 41,6 % (25 401 000 fidèles) des h. (surtout en All. du Nord, Hesse, Bade-Wurtemberg). **Égl. évangélique en Allemagne (Evangelische Kirche in Deutschland, E.K.D.),** comprend 17 égl. régionales *(Landeskirchen) :* 5 forment l'*Union des Égl. évangéliques luth. d'All.* (Vereinigte Ev.-Luth. Kirche Dtlds., V.E.L.K.D.) ; 3 forment *l'Égl. évangélique de l'Union* (E.K.U.) ; 9 autres dont 2 luthériennes, 5 unifiées et 2 réformées. **Total égl.** luthériennes 12 236 000, unifiées 12 730 000, réformées 435 000. *Paroisses (autonomie juridique) :* 10 714 dont 1 995 sans presbytère au 1-1-1988. *Pasteurs :* 18 040 [dont 1 987 (11,9 %) sont des femmes]. *Districts :* 503. *Inspections :* 35. En 1987, 140 638 prot. sont « sortis de l'Église ». **All. de l'Est :** 6 950 000 (41,6 %) (7 267 paroisses, 3 954 pasteurs). En 1969, les 8 Églises évangéliques provinciales ont formé la Féd. des Égl. évangéliques en All. dém. (séparée de l'Égl. év. d'All. féd.).

• Catholiques romains (y compris uniates). *All. de l'Ouest :* 44,6 %, 26 400 000 (Sarre, Bavière, Rhénanie-Westphalie). 22 évêchés (avec Berlin-O.). 13 253 prêtres (au 1-1-78). En 1987, 81 598 cath. sont « sortis de l'Église ». *All. de l'Est :* 1 200 000, 7 % (1 037 églises et chapelles, 1 300 prêtres, 130 pr. réguliers, 35 ordres

Les Princes Électeurs (Kurfürsten)

Nombre d'électeurs (nobles). Jusqu'au XIIIe s. : de 10 à 100, prépondérance des grands-ducs et archevêques.

Bulle d'Or de 1356 : 7 : 3 ecclésiastiques (archev. de Cologne, Mayence, Trèves), 4 laïcs dont 3 deviennent protestants au XVIe s. [margrave de Brandebourg, duc de Saxe, comte palatin du Rhin (à Heidelberg)] et 1 demeure catholique (roi de Bohême). **1623** le vote du Cte palatin (protestant) est attribué au duc de Bavière (catholique). **1648** le Cte palatin redevient électeur, mais le duc de Bavière conserve son vote. **1697** le duc de Saxe se fait cath. **1708** un 9e vote est créé pour le duc de Hanovre (prot.). **1778** le vote du Cte palatin (Mannheim devient cap.), duc de Bavière et cath., est attribué rétroactivement au duc de Hanovre qui reçoit sa charge honorifique de grand sénéchal. **1803** la Fr. annexe les 3 électorats eccl. (Mayence, Trèves, Cologne) et les 4/5e de l'ancien Palatinat devenu bavarois (rive gauche du Rhin). L'électorat eccl. de Mayence est transféré à Ratisbonne. 4 nouveaux électeurs laïcs : duc de Salzbourg (ancien évêché) remplacé dès 1804 par le Gd-duc de Wurzbourg (ancien archevêché), Gds-ducs de Hesse-Cassel, de Bade, de Würt qui a pris le titre de roi. La Confédération du Rhin est proclamée ; la dignité électorale abolie.

Royaumes allemands

Autriche. Voir Index. **Bavière. 788** Charlemagne crée un duché de B. **1070** dynastie des Welf (Guelfes), hostile aux Hohenstaufen. **1180** donné à la famille de Wittelsbach par Frédéric Barberousse. **1648** reçoit dignité électorale et Haut-Palatinat ; plusieurs fois la dignité impériale (notamment Charles VII, allié de Louis XV, 1742-45). **1779** *tr. de Teschen :* unie au Palatinat rhénan. **1801** perd Palatinat rhénan. **1803** reçoit plusieurs évêchés en compensation au Recez (voir plus loin). **1806** royaume (alliance de Napoléon). **1815** récupère Palatinat rhénan. **1866-70** indépendance de fait, mais alliance militaire avec Prusse.

Hanovre. Primitivement duché de Brunswick-Lunebourg. **1692** prend le nom de sa capitale en recevant la dignité électorale. **1714** l'électeur devient roi d'Angleterre. **1803** occupé par les Fr. (Richelieu) **1805** cédé à la Prusse. **1807-14** divisé entre roy. de Westphalie (Jérôme Bonaparte) et départements fr. **1837** séparé de l'Angl., l'électeur garde la dignité royale (roi du Hanovre).

Prusse. 1134 Albert l'Ours acquiert seigneurie de Branibor en pays slave, sur rive droite de l'Elbe ; prend le titre de marquis de Brandebourg. **1235** dignité électorale. **1242** Berlin fondé. **1414** électorat et margraviat donnés au burgrave de Nuremberg, Frédéric VI de Hohenzollern. **1472** suzeraineté sur Poméranie. **1521** le grand maître des Chevaliers Teutoniques (Pr. polonaise), Albert de Hohenz., cadet de Brandebourg, devient protestant ; transforme sa seigneurie ecclésiastique en duché héréditaire, vassal du roi de Pologne (hors d'Empire). **1618** Jean-Sigismond de Hohenz., électeur de Brand, hérite de la Pr. **1657** ducs de Pr. s'affranchissent de la suzeraineté polonaise. **1701** deviennent « rois en Pr. » (c.-à-d. hors d'Emp.). Frédéric Ier, couronné 18-1-1701, reconnu « roi de Pr. » au tr. d'Utrecht (1713). **1713-40** Frédéric-Guillaume Ier, le roi-sergent, organise un État milit. puissant. **1740-86** Fréd. II le Grand ; apogée de la puissance. **1742** Fréd. II annexe Silésie autrich. **1786-97** Fréd.-Guillaume II : g. contre Fr. révolutionnaire. **1772-93-95** reçoit de vastes territoires polonais (restitués en partie, 1807). **1795** *tr. de Bâle.* Fréd.-Guillaume II abandonne possessions de la rive gauche du Rhin. **1803** Recez (voir ci-dessus) échange Clèves contre 5 évêchés, 6 villes, 5 abbayes. **1805** échange Neuchâtel et Anspach contre Hanovre pris aux Anglais. **1807** Fréd.-Guillaume III perd ses territoires à l'O. de l'Elbe. **1814** échange Han. contre Rhénanie. **1866** Pr. récupère Han., atteint 400 000 km² d'un seul tenant, garde province de Posen, renonce à la Saxe.

Saxe. IXe-Xe s. duché, comprend presque tout le N. de l'All. **1165** 1re foire à Leipzig. **1180** vaincu par Frédéric Barberousse, et démantelé. Plus tard se développent Basse-Saxe (futur Hanovre) et Hte-Saxe. **1356** duc de Hte-Saxe (ou Saxe-Wittenberg) électeur (bulle d'Or). **1697** élu roi de Pologne. **1806** Napoléon nomme Frédéric-Auguste Ier roi de Saxe. **1807** nommé grand-duc de Varsovie. **1815** amputé de plus d'un tiers (Saxe prussienne), titre royal confirmé.

Wurtemberg. IXe s. partie du « duché de Souabe ». **1135** comté. **1310** bailliage de Basse-Souabe (cap. Stuttgart). **1495** duché ; vassal du duc d'Autr. **1599** devenu protestant et fief direct de l'Empire. **1803** électeur au Recez. **1805** roi indép. du St Empire. **1815** royauté confirmée.

Anciennes colonies

Superficie en km² ; population de couleur, entre parenthèses population blanche : **Afrique orientale** (actuels Rwanda, Burundi et Tanzanie) 995 000 km², 7 661 000 h. (5 336). **Sud-Ouest africain** (actuelle Namibie) 835 000 km², 83 300 h. (14 830). **Cameroun** 790 000 km², 2 751 000 h. (1 871). **Togo** 87 200 km², 1 032 000 h. (368). **Congo** 275 000 km² cédés par Fr. **Nouvelle-Guinée orientale** (Terre de l'Empereur Guillaume) (arch. Bismarck, Carolines or. et occid., Mariannes) 242 476 km², 601 700 h. (1 427). **Iles Samoa** 2 572 km², 37 540 h. (557). **Kiao-Tchéou** (en Chine) 552 km², 37 540 h. (350).

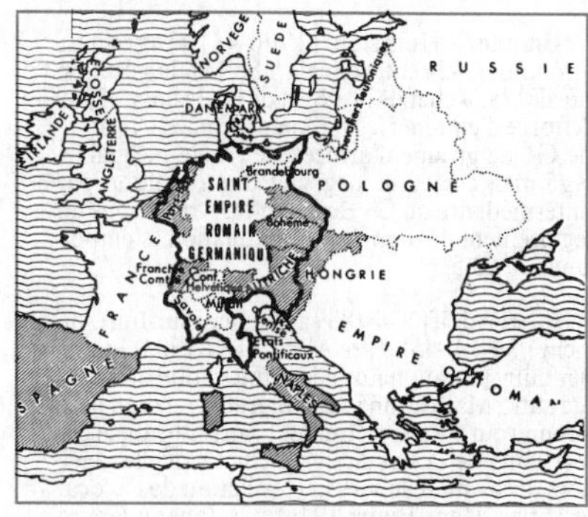

Le Saint Empire au XVIe s.

religieux, 300 couvents et cloîtres). Seul le diocèse de Meissen était situé entièrement en All. dém., ceux de Görlitz, Schwerin, Magdebourg et Erfurt étaient des circonscriptions d'évêchés d'All. féd. dirigés par des administrateurs apostoliques. L'évêché de Berlin couvrait les 2 parties de la ville (474 000 cath. dont 120 000 en All. dém. et 80 000 à Berlin-Est).

• **Juifs** *1933 :* 503 000 (dont 160 000 à Berlin). *All. de l'Ouest : 1988 :* 27 552 (dont 6 199 à Berlin). *All. de l'Est : 1946 :* 3 100. *52 :* 2 600. *81 :* 448. *85 :* 394. *87 :* 475. *89 :* 800 (off.) et 2 000 à 3 000 d'origine juive non recensés. Un rabbin (poste vacant dep. 1966) (8 synagogues, 1 oratoire).

• **Musulmans** 2 %. **Divers** 2 %.

☞ Impôt d'Église. Après la sécularisation des biens d'Église le 25-2-1803, les autorités civiles prélevèrent sur les fidèles 8 à 10 % de leur impôt sur le revenu. *Produit (All. de l'Ouest)* en milliards de DM pour les protestants (déduction faite des frais administratifs, civils et ecclésiastiques) : 6,46 (1988). Pour les catholiques, 6,3 (1988).

Histoire

• **Avant J.-C. Protohistoire :** faiblement peuplée de Ligures à l'O. jusqu'au XVe s. av. J.-C. **1500 à 109** population celtique dense, créant les civilisations du bronze récent, de *Hallstatt* (âge du fer, 1000 av. J.-C.), de *La Tène.* Contact étroit avec Germains en Thuringe et dans le bassin de l'Elbe (frontière à env. 100 km à l'O. de l'Elbe). Certaines tribus sont dites germano-celtiques, (ex. Cimbres et Teutons). **V. 400** (La Tène I) les Belges (N. du Main) émigrent sur la rive g. du Rhin, ils sont remplacés par des tribus germaniques. Au S. du Main, les Celtes construisent des forteresses et résistent aux Germains jusqu'en 113 av. J.-C. **113-109** Cimbres et Teutons occupent la rive dr. du Rhin jusqu'à l'Helvétie (Suisse) ; battus par Marius à Aix (103 av. J.-C.), ils sont exterminés, mais les Celtes sont chassés d'All., ne conservant que Norique (Sud-Bavière et Autriche) et Bohême. **85** le Celte Arioviste devient le chef des Germains de la rive dr. du Rhin (Conféd. des Suèves ou Souabes) ; il les emmène à l'attaque de la Gaule, occupant l'Alsace v. 61. **58** César bat *Arioviste* et rejette les Germains sur la rive dr. du Rhin. **15** les Romains prennent Rhétie et Norique.

• **Apr. J.-C. 8** les Romains attaquent l'All. du Nord, mais *Arminius* (Herrmann) bat Varus au Teutoburgerwald. **A partir de 90** ils construisent un *limes* (fortification continue) du confluent Main-Rhin jusqu'au Danube. Au S. du *limes* est organisée la province des *Champs Décumates* (Celtes et légionnaires romains ; cap. Augusta Raurica, près de Bâle). Augsbourg devient un évêché chrétien au début du IVe s. **405** les Germains franchissent le limes et envahissent l'Empire romain. Resteront germanisés : Norique et Rhétie (par Bavarois), Champs Décumates et Helvétie (par Alamans), N.-E. de la Belgique sur la rive g. du Rhin (par Francs et Saxons). **496** Clovis, roi des Francs (rive g. du Rhin), bat Alamans, annexe future « Franconie » et vassalise terr. alémaniques jusqu'en Autriche. **531** fils de Clovis, alliés aux Saxons (All. du N.), conquièrent et annexent Thuringe. **A partir de 535** les Slaves occupent l'E. de la Germanie jusqu'à la Saale. **782-85** Charlemagne conquiert et annexe la Saxe au N. de la Thuringe ; baptise les habitants. **816** Louis le Pieux couronné emp. pour Gaule, Germanie (« Francie occidentale » et « orientale ») et Italie. **843** *tr. de Verdun, la Francie occid.* (futur roy. de France) est détachée de l'Emp. *La Lotharingie* (au centre) et *la Francie orientale* demeurent unies. **Xe s.** la Lotharingie se disloque en Basse-Lorraine, Hte-Lorraine, royaumes de Bourgogne et de Provence, Italie du N. Tous ces territoires restent dans la mouvance du roi de Germanie.

• **Saint Empire romain germanique (Ier Reich). 962** Otton Ier le Grand, couronné comme chef du St-Empire romain germanique. **XIe s.** *querelle des investitures* entre Henri IV et papauté, qui désire intervenir dans la nomination des clercs et juges. **1077** *Canossa,* Henri IV, excommunié, s'incline devant le pape Grégoire VII, puis reprend la lutte. **1122** *Concordat de Worms,* l'emp. garde l'investiture des biens temporels. Frédéric Barberousse essaye de soumettre l'Italie (qui dépend théoriquement de lui), puis y renonce (paix de Constance 1183). **XIIIe s.** rivalité des *Guelfes* (partisans d'Othon de Brunswick ; en Italie : pour les libertés locales et le pape, contre l'empereur) et des *Gibelins* (pour Philippe de Souabe et la centralisation impériale). **1215-50** Frédéric II de Hohenstaufen (petit-fils de Fréd. Barberousse, 3 fois excommunié, emp. d'All.) hérite du roy. de Naples-Sicile, et veut soumettre toute l'Italie (voir croisades p. 602), vaincu par papes Grégoire IX et Innocent IV. **XIVe s.** luttes féodales ; la *bulle d'Or* (1356) fixe la Constitution de l'Emp. (3 princes ecclésiastiques, 4 princes laïques élisant l'emp., dont le pouvoir est surtout honorifique). **XVe s.** Habsbourg deviennent en fait emp. héréditaires. **1474** Confédération suisse cesse de faire partie de l'Emp. **XVIe s.** Réforme : *Ligue de Smalkalde* obtient de Charles Quint (élu emp. 1519) la liberté religieuse (*Paix d'Augsbourg* 1555). Ch. Quint réunit monarchie espagnole aux héritages bourguignon et autrichien, en plus de la dignité impériale ; doit lutter contre les rois de Fr. François Ier et Henri II ; abdique (1556) : l'Emp. est de nouveau séparé de la monarchie esp. ; l'emp. Ferdinand Ier, fr. de Charles V, garde seulement l'héritage autrichien (dans l'Emp. : duchés d'Autr. et Silésie, roy. de Bohême ; hors d'Emp. : roy. de Hongrie). **1618-48** *g. de 30 ans* entre emp. (cath.) et princes protestants seuls (1618-23) puis aidés par Danemark (1625-29), Suède (1630-48), France (1635-48). **1648** 24-10 *tr. de Westphalie* réduisant le pouvoir de l'Emp. et attribuant la souveraineté à 343 États all. (villes, évêchés, seigneuries). Les Provinces-Unies (P.-Bas) cessent de faire partie de l'Emp. **1648-1714** l'Emp. participe aux g. contre Louis XIV, surtout celle de la succession d'Esp. Les princes « vendent » leur alliance au plus offrant. **1713-14** *tr. d'Utrecht et de Rastadt :* plusieurs États importants (dont 2 roy.) émergent parmi les 343 États all. **XVIIIe s.** les États all. prennent part aux nombreuses g. européennes. Dans l'ensemble, Bavière, Saxe et Cologne sont alliés de la Fr. ; le Hanovre est lié à l'Angl. ; Prusse et Autriche sont rivales.

• **De la fin du St Empire au IIe Reich. 1792-1815** g. de la Révolution et de l'Empire. **Recez de 1803** (du latin *recessus,* « action de se retirer » : procès-verbal d'une séance voté au moment de se séparer ; désigne les textes juridiques adoptés par les Diètes d'Empire) : Bonaparte annexe la rive g. du Rhin et ramène les États souverains all. de 343 à 39 ; les autres sont *« médiatisés »* (voir Index) ; principautés épiscopales supprimées. **1806** *fin officielle du St Emp. -6-8* François II abdique et devient emp. d'Autr. [Autr. et Bohême sont détachées de l'All., la Prusse (qui a refusé l'offre de Nap. de créer une Confédération des États du Nord en majorité protestants) devient un État étranger], les 37 autres États sont groupés en une *« Confédération du Rhin »* [dont fait partie le « roy. de Westphalie » (Jérôme Bonaparte, 1784-1860)] ; protecteur : Napoléon Ier. Diète à Francfort sous la présidence d'un Pce primat, conseil des princes. Après Iéna (14-10-1806), la Conféd. comprend l'ensemble de l'All. (sauf Prusse, Autr., Holstein danois, Frise). **1810** (à partir de) flambée nationale contre le blocus continental et la domination franç. **1813** *« Bataille des nations »* à Leipzig : fin de la domination fr. en All. **1815** *Congrès de Vienne. -8-6* création de la *Confédération germanique* [Deutscher Bund, présidée par l'empereur d'Autriche, et une Diète siégeant à Francfort formée de représentants des gouvernements (et non d'élus des peuples), dépourvue de pouvoirs, sorte de congrès de diplomates)]. **1819**-*23-3* Karl Sand tue Kotzebue ; le Burschenschaft (Assoc. gén. des étudiants) dissous. **1834** sous la direction de la Prusse, *Union douanière all.* [39 États : un empire (l'Autriche), 5 royaumes (Prusse, Saxe, Hanovre, Wurtemberg, Bavière), 1 électorat (Hesse-Cassel), 7 grands-duchés (Bade, Luxembourg, Hesse-Darmstadt, Saxe-Weimar, Mecklembourg..), 20 duchés et principautés, 4 villes libres (Lübeck, Hambourg, Brême, Francfort-sur-le-Main)] le *Zollverein* (sans l'Autriche). **1848-49** tentatives pour reconstituer une Allemagne unitaire. Parlement convoqué à Francfort. Fréd.-Guillaume IV de Pr. élu empereur le 28-3-1849, refuse le 3-4 la couronne de l'Empire. *-19-6* Parlement dispersé. **1850** *Olmütz* 28/29-11 entrevue Manteuffel (Prusse)/Schwarzenberg (Autr.). *-15-7* la Pr. doit renoncer à son projet d'union restreinte et accepter le rétablissement de la Confédération. **1850-71** formation de l'unité all. sous la direction prussienne. **1861-88** Guillaume Ier, roi de Pr. **1862** Bismarck PM de Pr. **1864** Pr. et Autr. déclarent la g. au Danemark pour éviter que le D. annexe Holstein et Lauenbourg (qui appartenaient à la Conf. germ. mais étaient dep. 1815 des fiefs de la famille royale danoise et formaient avec le Schleswig, province danoise, une unité administrative). *Conséquences :* le D. cède Schleswig et Lauenbourg à Pr., Holstein à Autr. **1865** l'Autr. laisse les Holsteinois choisir comme duc Frédéric d'Augustenbourg. **1866**-*11-6* g. contre l'Autr., la Pr. (victorieuse à *Sadowa* le 3-7) exclut l'Autr. de l'All. ; annexe Schleswig-Holstein, Francfort, Hanovre et Hesse ; impose son protectorat aux petits États du Nord. **1867**-*17-4* la Pr. crée *la Confédération de l'All. du N.* qui réunit les États all. (22), sauf Bade, Wurtemberg, Bavière, Hesse. Napoléon III, inquiet, voulait imposer à la Conféd. du Nord la limite du *Main,* puis offrit en secret à la Pr. de sacrifier des États du S. en échange de la Belgique. **1870-71** g. franco-all., voir Index. Pt à titre héréditaire assisté d'un Parlement (Reichstag) composé de députés élus au suffrage universel. A son propre budget. Les États qui en faisaient partie gardaient leurs souverains et leur politique intérieure indépendante, mais la Conféd. formait désormais un État, avec un chef et une armée.

• **IIe Reich. 1871**-*18-1* (j anniversaire du couronnement du 1er roi de Prusse, Frédéric Ier à Koenigsberg en 1701) le 2e Emp. all. (IIe Reich) est proclamé dans la galerie des Glaces à Versailles. Il comprend tous les États all. (sans l'Autriche) [*4 royaumes* (Prusse, Bavière, Saxe, Wurtemberg) ; *6 grands-duchés* (Bade, Hesse-Darmstadt, Mecklembourg-Schwerin, Saxe-Weimar, Mecklembourg-Strelitz, Oldenbourg), *5 duchés* (Brunswick, Saxe-Meiningen-Hildburghausen, Saxe-Altenbourg, Saxe-Cobourg-Gotha, Anhalt), *7 principautés* (Schwarzbourg-Rudolfstadt, Schwarzbourg-Sondershausen, Waldeck, Reuss-Greitz, Reuss-Géra-Ebersdorf, Lippe-Schaumbourg, Lippe-Detmold), *3 villes libres* (qui étaient d'anciennes villes hanséatiques : Hambourg, Brême, Lübeck)]. *-16-4* constitution monarchie fédérale héréditaire ayant à sa tête un empereur [le roi de Pr. (1er emp. protestant)]. Parlement *(Reichstag)* élu au suffrage univ. et un Conseil fédéral *(Bundesrat)* (avec 58 représentants, dont Prusse 17, Bavière 6, Saxe 4, Wurtemberg 4, etc.) ; l'Alsace-Lorraine devient « terre d'Emp. », commune à tous les États [elle n'aurait pas été autrefois allemande, mais terre d'Empire (comme Pté de Liège, Franche-Comté, Provence), la moitié de la Moselle relevait de la France dep. 1559]. **1873-79** *Kulturkampf* [lutte en fait pour la civilisation contre le catholicisme (pour Bismarck, luthérien, les cath. sont des barbares)]. **1882**-*20-5 Triplice* (alliance All.-Autriche-Italie). **1884** début de l'expansion coloniale. **1890**-*20-3* Bismarck disgracié. *-14-6* l'All. acquiert de G.-B. l'île d'*Heligoland* contre 4 millions de marks. **1895** ouverture du canal de Kiel (début de la rivalité navale anglo-all.). **Fin XIXe,** naissance du pangermanisme, revendiquant l'hégémonie en Europe centrale. **1900** loi militaire permettant un réarmement intensif (renforcée 1911). **1905-11** rivalité franco-all. au Maroc, l'All. abandonne ses droits, la Fr. lui cède 275 000 km^2 en A.E.F.

1914-18 guerre (voir Index). **1918**-*7-11* révolte à Munich par Kurt Eisner. *-8-11* Proclame la rép. en Bavière. *-9-11* révolution à Berlin, le P[ce] Max de Bade (1867-1929 ; héritier du duché, chancelier du Reich dep. le 3-10) démissionne, Guillaume II abdique. Rép. proclamée et gouvernée par un Conseil de députés du peuple. *-10-11* les sociaux-démocrates et l'extrême-gauche *(spartakiste)* menée par Karl Liebknecht (n. 1871) et Rosa Luxemburg (n. 1870) s'affrontent. *-11-11* armistice. *-12-11* après l'abdication de l'emp. Charles Ier, l'Autriche signe un tr. d'union avec l'All. *-6-12* Alliés occupent Cologne. *-27-12* Polonais occupent Posen. **1919**-*5-1* le gouv. provisoire écrase la révolte *spartakiste* de Berlin. *-15-1* Liebknecht et Rosa Luxemburg arrêtés et assassinés. *-19-1* élection de l'Ass. nat. constituante (socialistes 163, centre 88, démocrates 75, nationalistes 42, socialistes indépendants et divers 31). *-28-1* reprise de *Brême* (aux mains d'un conseil d'ouvriers et de soldats 9-11-18 ; érigée en Rép. socialiste indépendante 10-1-19) par le C[el] Gerstenberg. *-6-2* l'Ass. se réunit à *Weimar. -11-2* Friedrich Ebert, soc., élu Pt de la Rép. (le matin, il n'a pas convaincu Max de Bade d'accepter le titre de régent). *-21-2* Kurt Eisner (n. 1867), PM bavarois assassiné, par off. monarchiste. *Févr.-mars* soulèvements communistes à Berlin, Munich, etc. réprimés par Gustav Noske (1868-1946) au nom du gouv. *-4-4 Rép. soviétique en Bavière,* écrasée le *1-5* par l'armée fédérale. *-1-6*

Quelques personnages

Bismarck, Otto, Pce von (1815-98). Propriétaire terrien (noble) en Prusse. Vit jusqu'en 1847 sur son domaine de Kniephof. Élu député au Landtag de Pr. 1847, chef du groupe d'extrême droite 1848. Ambassadeur en Russie (1859-62), à Paris 1862. 1er min. de Pr. et min. des Aff. étr. (8-10-1862). *Dessein :* 1° faire de la Pr. la seule grande puissance d'All. : a) élimine l'Autriche de l'All. en l'attirant dans la g. contre le Danemark 1864, puis en lui confiant l'administration du Holstein, d'où sortit un *casus belli* en 1866 [les Autr. sont écrasés à Sadowa (3-7-1866)] mais B. épargne l'Autr. à la paix de Prague (23-8-1866), pour conserver son alliance : il l'oblige à quitter la confédération all. et se paye sur d'autres États all. : annexion de Schleswig-Holstein, Hanovre, Hesse et Francfort. b) ramène dans l'ensemble germanique Bavière et États du Sud (indépendants de fait depuis 1866, mais unis à la Prusse par un tr. d'alliance devant expirer le 1-8-1870), en déclenchant la g. franco-all. en juill. 1870 ; le 18-1-1871 fait proclamer par les Princes all. l'Empire d'All., la couronne impériale étant offerte à Guillaume Ier de Pr. 2° faire de l'All. la 1re puissance d'Europe : *1878* congrès de Berlin ; *1882,* avec Autriche et It. tr. de la Triple-Alliance (*Triplice*) qui isole la France. Soutenu par l'emp., favorise le développement industriel de l'Empire (surtout la Prusse : Ruhr, Silésie), mais est réticent devant l'expansion coloniale (1re annexion : S.-O. africain 1884). En 1888, Guillaume II entreprend de faire de l'All. une puissance mondiale (flotte, colonies, commerce extérieur) ; Bismarck, qui craint l'hostilité angl., tente de s'y opposer ; disgracié le 20-3-1890, se retire dans ses domaines (Friedrichsruhe, Varzin).

Frédéric II (1712-86), dit Fréd. le Grand, roi de Prusse 1740. Haï par son père le roi Fr.-Guillaume Ier (dit le « Roi-Sergent »), il est emprisonné et très surveillé ; se forme à la culture française ; entre dans la franc-maçonnerie en 1736 ; cherchant à faire de la Prusse le 1er État d'All., en oct. 1740 agresse l'Autriche. Conquiert la Silésie (qu'il se fait attribuer au tr. de Dresde 25-12-1745). En 1743, fonde l'Académie de langue fr. de Berlin (protestante, devant contrebalancer les ac. catholiques et latinophones de Munich et de Vienne). S'allie à l'Angl. en 1756 contre Fr. et Autr., subit de graves revers pendant la g. de Sept Ans [notamment Künersdorf, devant les Russes (12-8-1759) : armée anéantie, les Russes à Berlin], mais conserve la Silésie en 1763 ; reconstruit son royaume ravagé et prend part en 1772 au 1er partage de la Pologne. Considéré comme le type même du « despote éclairé » du XVIIIe s. (culture raffinée jointe à l'étatisme totalitaire).

Goebbels, Joseph (1897-1945). Fils d'ouvrier, fait des études de philosophie. De tendance socialiste, s'inscrit au parti nazi en 1922 (à l'aile gauche). Fonde le journal nazi *Der Angriff* (« L'Attaque »), 1927. Chef de la propagande du parti 1928, ministre de la Propagande 1933. Promoteur de la « guerre totale » 13-2-43. Chef de la répression après le putsch manqué du 20-7-44. Chargé de la direction de la guerre totale août 44. Se suicide dans le bunker de Hitler le 29-4-45, avec sa femme et ses 5 enfants.

Goering, Hermann (1893-1946). Fils d'un haut fonctionnaire colonial, as de l'aviation de g. (1914-18 : 30 victoires). Épouse une Suédoise 1920. Appelé au parti nazi 1922, et blessé lors du putsch de Munich (9-11-23). Assure le financement du parti par l'aristocratie et la haute finance. Min. de l'Air 1933. Crée la Gestapo (avril 1933), mais doit en laisser la direction à Himmler. Crée l'aviation de g. all. 1933-39. Remarié à l'actrice Emmy Sonnemann en 1935, mène un train de vie fastueux. Perd son influence auprès de Hitler après l'échec de la bataille d'Angl. 1940. Le 23-4-45, tente de prendre en main le pouvoir, Hitler étant incapable de l'exercer. Accusé de trahison, il doit abandonner ses fonctions. Arrêté par les Américains, condamné à mort comme criminel de guerre, il s'empoisonne le 15-10-1946.

Guillaume II (1859-1941). Fils de l'emp. Frédéric III, petit-fils par sa mère de la reine Victoria Ire d'Angl. *1888 juin* emp. d'All. et roi de Prusse. *1890 mars* oblige Bismarck à démissionner de la chancellerie et se lance dans une politique de prestige et d'expansion économique, « le nouveau cap » *(Neue Kurs). 1898* important programme de constructions navales (amiral Tirpitz). *1905* essaye à Björkö de s'allier avec son cousin, le tsar Nicolas II (échec). *1911* succès de prestige en Afrique (obtient de la Fr. une partie du Congo). *1913 juill. la loi militaire* renforce armée et marine de g. *1914 juill.-août* entraîné dans la g. mondiale, sans l'avoir désirée vraiment (influence de l'État-major all. ; sottise du chancelier Bethmann-Hollweg). *1914-18* Comm. suprême des armées all., joue surtout un rôle d'apparat. *1918*-9-11 se réfugie en Hollande (abdique 28-11). *1919* déclaré responsable de la g. par les signataires du tr. de Versailles, reste en Hollande, protégé par la reine. *1920-41* écrit ses mémoires.

Hess, Rudolf (26-4-1894/7-8-1987). Aviateur, membre du parti nazi 1922 ; participe au putsch de Munich 1923 : devient l'ami intime de Hitler. Min. sans portefeuille et suppléant de Hitler 21-4-1933. Féru d'astrologie, tente, pour des raisons astrales, de négocier la paix avec l'Angl. en se rendant, à bord de son avion personnel, en Écosse (10-5-41) (il saute en parachute sur la propriété du duc de Hamilton). Prisonnier, jugé à Nuremberg et condamné à la prison à vie. Incarcéré à Spandau où il était le seul dep. le 30-9-66, il n'obtint jamais sa grâce (opposition des Russes). Se suicide (certains ont parlé d'assassinat). Spandau conçue en 1882 pour 600 détenus sera détruite. Sa captivité, surveillée par 50 soldats, revenait à 8 millions de F par an à l'All.

Himmler, Heinrich (1900-45). Ingénieur agronome. *1924* entre dans la S.S. Pour la sélection raciale. *1934* chef de la S.S. et de la Gestapo. *1939* s'efforce d'éliminer les Juifs européens. *1944* nommé Gal de groupe d'armées, se révèle incapable. *1945* mai, essaye de négocier une reddition par l'intermédiaire du Cte Bernadotte. Arrêté sous un déguisement 15 j après la capitulation, s'empoisonne le 23-5.

Hitler, Adolf [20-4-1889 à Braunau-sur-Inn (Autriche)/30-4-1945]. *Père* Aloïs (1837-1903) [douanier autr. (enfant naturel légitimé d'une domestique autr., Maria-Anna Schicklgruber, et d'un père inconnu qui aurait pu être soit 1° un fils Franberger de 19 ans de la famille juive chez laquelle, âgée alors de 40 ans, elle servait (révélation de l'avocat de Hitler, Hans Frank 1946) ; 2° Johann Georg Hiedler, ouvrier meunier qu'elle épousa 5 ans après la naissance d'Aloïs. 3° le frère de celui-ci, le paysan Johann Nepomuk Huttler]. *Mère* Clara Poelz († 1908). *1904* échoue à l'examen d'entrée des Beaux-Arts (section architecture). *1905-12,* vit comme peintre à Vienne, puis *1912-14,* à Munich (on connaît 2 000 aquarelles, 200 dessins, des centaines de croquis). *1914,* févr. réformé 3-8, engagé volontaire dans l'armée bavaroise, croix de fer de 2e cl. Nov. blessé : gazé et brûlé aux yeux. *1918,* août croix de fer de 1re cl. *1919,* janv. démobilisé, chômeur ; mai « officier politique » (responsable de propagande anticommuniste du gouv. bavarois) ; membre du parti ouvrier all. (extrême droite). *1920,* 5-1 responsable de la propagande ; 24-2 au Hofbraü de Munich fondation du *Parti national-socialiste* dont il est le leader, « Führer » ; 4-2 quitte l'armée. *1921,* 21-1 1er congrès du P. nat.-soc. (3 000 m.) ; 29-7 Pt du Parti. *1922,* 22-1 : 2e congrès (6 000 m.). *1923,* 27-1 3e congrès (22 000 m.). *1923-24* rédige en prison *Mein Kampf* « Mon combat », exposant sa doctrine (nationalisme all. conquérant, racisme germanique, socialisme, totalitarisme). *1928* 12 députés nazis au Reichstag. *1930* succès électoral dû à la crise économique. *1932,* 24-2 conseiller de l'État de Brunswick à sa légation de Berlin (acquiert par là la nationalité all.) ; 10-4 : 13 millions de suffrages (36,8 %) contre Hindenburg aux él. présidentielles ; *juill.* 230 députés nazis, *décembre* après dissolution : 196 dép. *1933,* 30-1 nommé chancelier par Hindenburg ; 23-3 pleins pouvoirs pour 4 ans. *1934,* 19-8 élu Pt du Reich en conservant le titre de chancelier (Reichsführer-Kanzler). *1938* chef suprême de l'armée. *1939,* 1-9 déclenche la g. mondiale. *1941* quitte Berlin et vit dans un Q. G. (la « tanière du loup » : *Wolfsschanze)* en Russie, puis en Prusse-Orientale. *1944,* 20-7 échappe à l'attentat du colonel von Stauffenberg. *Nov.* se réfugie dans un bunker sous la chancellerie de Berlin ; abusant de médicaments, il perd peu à peu la raison. *1945,* 30-4 se suicide en compagnie d'Eva Braun (n. 1912), sa maîtresse dep. 1932, épousée le 28-4-45.

Rép. de Rhénanie proclamée à l'instigation de la France sans succès auprès de la population. *-20-6* le PM Scheidemann démissionne pour protester contre les clauses du tr. de paix. *-21-6* Gustav Bauer, soc., P.M. La flotte all. se saborde à *Scapa Flow* (G.-B.) *-28-6* **tr. de Versailles :** l'All. perd Moresnet, Eupen, Malmédy (cédés à Belgique), Sarre (soumise à plébiscite 1935), Alsace-Lorraine (Fr.), Hte-Silésie (Pologne), Memel (Lituanie), Prusse-Occ. et Posnanie (Pologne), Schleswig (Danemark) ; renonce à son Emp. colonial : Canton (Angl.), Chan-Toung (Japon), Togo (Angl.-Fr.), Cameroun (Angl.-Fr.), S.-O. africain (Union s.-afr.), Afrique orientale [divisée entre Rwanda-Burundi (Belg.), Tanganyika (G.-B.)], îles Carolines (Jap.), îles Marshall (Jap.), N.-Guinée (Austr.), îles Bismarck (Austr.), Samoa (N.-Zél.). *-12-7* les Alliés lèvent le blocus ; Angl. et Fr. rétablissent leurs relations commerciales avec l'All. *-31-7 Constitution de Weimar. -22-9* les Alliés contraignent l'All. à garantir le respect de l'ind. autr. *-28-11* la Lettonie souhaitant l'indépendance confisque terres et biens immobiliers all. et déclare la g. à l'All. *-16-12* troupes all. évacuent Lettonie et Lituanie.

1920-*10-2 Schleswig-N.* plébiscite pour l'union avec le Danemark (75 431 oui ; 25 329 non). *-24-2 fondation du Parti national-socialiste. -24-3 Schleswig-S.* avec Flensbourg opte pour l'All. par 248 148 voix contre 13 029. *-12-2 Hte-Silésie* placée sous la tutelle de l'armée fr. et de la Commission de contrôle alliée. *-13/17-3* tentative de coup d'État monarchiste à Berlin par Wolfgang *Kapp* (24-7-1858/12-6-1922). Le gouv. se réfugie à Stuttgart mais la grève gén. ordonnée par les syndicats fait avorter le putsch. *-3-4* l'armée écrase la révolte de la Ruhr. *-16/17-4* les Fr. occupent Francfort, Darmstadt et Hanau jusqu'à ce que l'armée all. évacue la Ruhr. *-5-5* All. et Lettonie signent *tr. de Berlin. -6-6* élection d'un Reichstag remplaçant l'Ass. nat. ; Parti du peuple (libéral), centre et démocrates forment la nouvelle coalition. *-5/16-7 conférence de Spa* (Alliés et All.) sur dommages de guerre. *-11-7* plébiscite en Prusse-Or. et -Occ. (Allenstein et Marienwerder) ; 97 % pour rattachement à l'All. **1921**-*24/29-1 Confédération de Paris :* montant des indemnités dues par l'All. (269 milliards de marks-or). *-8-3* en représailles contre non-paiement des premières indemnités, *les troupes fr. occupent* Düsseldorf et d'autres villes de la Ruhr. *-20-3* plébiscite en Hte-Silésie, 63 % pour l'All. *-27-4* la Commission des dommages de g. réduit la dette all. à 132 milliards de marks-or. *-6-5 tr. de paix germ.-sov. -28-5* Walter *Rathenau* (1867-1922) min. des Réparations. *-25-8 tr. de paix germ.-américain* (le Sénat amér. ayant rejeté le tr. de Versailles le 19-11-1919). Mathias *Erzberger* (n. 1875), min. des Fin. assassiné. *-30-9 les Fr. évacuent la Ruhr. -6-10* accord franco-all. pour paiement en nature des indemnités. *-25-10* All. et Pologne acceptent principe du partage de la Hte-Silésie proposé par la S.D.N. *-12-11* effondrement du mark all. **1923**-*20-3* rappel des troupes amér. de Rhénanie. *-16-4* All. et U.R.S.S. signent *tr. de Rapallo.* L'A. renonce à ses droits sur les entreprises all. de Russie nationalisées par l'U.R.S.S. En échange de crédits bancaires et d'un appui technique des ingénieurs all., l'U.R.S.S. autorise l'All. à expérimenter en U.R.S.S. les armes interdites par le tr. de Versailles, et à former les personnels destinés à les utiliser. Les *Panzer* s'entraîneront à Kama, la future *Luftwaffe* à Lipietzk, et de nouveaux gaz de combat seront testés à Saratov. *-24-6* assassinat de Rathenau. -13-8 Gustav Stresemann chancelier et min. des Aff. étr. *-15-9* taux d'escompte de la Banque d'All. à 90 %. *-26-9* fin de la résistance passive. *-1-10* échec du coup d'État de la Reichswehr noire. *-11-10* 1 £ vaut 10 000 millions de marks. *-21-10 Rép. de Rhénanie* proclamée à Aix-la-Chapelle par Léo Deckers, pour la zone d'occupation belge. *-22-10* 2 autres rép. rhénanes proclamées en zone fr. : Dorten (cath. libéral) à Bad Ems, Matthes (révolutionnaire) à Coblence. Émeutes communistes en Saxe et désordres monarchistes en Bavière. *-2-11* Matthes liquide la Rép. rhénane d'Aix-la-Ch. *-9-11* échec du *putsch de la Brasserie* à Munich (par Adolf Hitler et Gal Ludendorff ; Hitler incarcéré). *-15-11* création du *Rentenmark. -23-11* Wilhelm Marx (centre-cath.) PM. *-30-11* son mouvement se désagrège à Coblence. **1924**-*1-1* sur ordre de Poincaré, Dorten est exilé à Nice. *-31-1* Heinz, Pt du gouv. autonomiste du Palatinat assassiné. *-12-2* massacre de *Pirmassens* (40 autonomistes rhénans tués par un corps franc nazi venu de la rive dr. du Rhin ; Poincaré interdit aux Fr. d'intervenir : fin de l'autonomisme rhénan). *-1-4* Hitler condamné à 5 ans de prison (relâché 12-12). *-4-5* succès des nationalistes (32 s.) et des comm. aux él. du Reichstag. *-30-8* fin du contrôle naval de l'All. *-30-11* les troupes fr.-belges *évacuent la Ruhr. -7-12* él., les soc. reprennent des sièges aux nationalistes et comm.

1925-*15-1* Hans Luther, indépendant, chancelier, conserve Stresemann aux Aff. étr. *-28-2* mort d'Ebert, Pt du Reich. *-12-5 Hindenburg* élu Pt. *-8-6* pacte

Svastika (ou croix gammée)

Origine. *Inde :* le symbole de bon augure, utilisé par hindous, jaïns et bouddhistes. Dans le jaïnisme, emblème du 7e Tîrthamkara : ses 4 branches sont supposées rappeler au croyant les 4 domaines dans lesquels l'homme peut renaître : le monde animal ou végétal ; l'enfer ; la terre ; le monde de l'esprit. On distingue le *svastika sinistrogyre* ou *sauvastika* (figurant une roue tournant vers la gauche), symbolisant plus fréquemment la nuit, la déesse Kâlî et certaines pratiques magiques, et le *svastika dextrogyre* (tournant vers la droite), imitant par la rotation de ses branches la course quotidienne apparente du Soleil ; utilisé par des civilisations non indo-européennes, notamment en Amérique du N. et dans le monde méditerranéen. Hitler prit comme emblème un svastika dextrogyre noir, le considérant comme un symbole « aryen », remontant aux Indo-Européens primitifs. **Le mot « croix gammée »** est d'origine gréco-phénicienne (allusion aux 4 branches, qui ont chacune la forme d'un gamma majuscule, tournant vers la droite). On en trouve sur les poteries grecques. Au début du scoutisme, elle était décernée à ceux qui avaient rendu service au mouvement.

Procès de Nuremberg

Intenté devant le Tribunal international à 24 dirigeants et 8 organisations nazis (14-11-45/25-10-46). *Robert Ley* (suicidé 25-10-45), *Gustav Krupp* (cas disjoint, raisons de santé), *Martin Bormann* (1900, disparu dep. 2-5-45) ne comparurent pas.

Condamnés à la pendaison. *Maréchal Hermann Goering* (n. 12-1-1893 ; 53 ans), successeur désigné de Hitler (de 1 h à 3 h du matin, leurs cendres seront dispersées avec celles de Goering), se suicide avant, le 15-10. **Exécutés le 16-10-46.** *Joachim von Ribbentrop* (n. 30-4-1893 ; 53 a.), min. des Aff. étr. ; *maréchal Ernst Keitel* (n. 22-9-1882 ; 64 a.), chef du ht-com. ; *Ernst Kaltenbrunner* (n. 1903 ; 43 a.), chef des camps de concentration ; *Alfred Rosenberg* (n. 12-1-1893 ; 53 a.), min. des Terr. occupés de l'Est ; *Hans Frank* (n. 23-5-1900 ; 46 a.), gouv. gén. de Pologne ; *Wilhelm Frick* (n. 12-3-1877 ; 69 a.), min. de l'Intérieur ; *Julius Streicher* (n. 12-2-1885 ; 61 a.), propagandiste de l'antisémitisme ; *Fritz Sauckel* (n. 27-10-1894 ; 51 a.), organisateur du travail oblig. ; *Alfred Jodl* (n. 10-5-1890 ; 56 a.), chef d'é.-major gén. ; *Arthur Seyss-Inquart* (n. 1892 ; 54 a.), gouv. des P.-Bas.

Prison. A vie : *Rudolf Hess* (n. 22-7-1892 ; 54 a.), délégué du Führer, malade mental (?), suicidé 7-8-1987 ; *Walter Funk* (56 a., 1890-1960), Pt de la Reichsbank, libéré 1957 ; *Erich Raeder* (70 a., 1876-1960), amiral all., libéré 1955. **20 ans :** *Baldur von Schirach* (39 a., 1907-74), Führer de la jeunesse, libéré 1966 ; *Albert Speer* (40 a., 1905-Angl. 1981), architecte, min. de l'Armement [responsable de la politique (fin 1942) et de l'Économie de g. (sept. 1944)], libéré 1966. **15 ans :** *von Neurath* (72 a., 1873-1956), min. des Aff. étr. **10 ans :** *Karl Dönitz* (55 a., 1891-1980), gd amiral, libéré 1954.

Acquittés. *Horace Schacht* (69 a., 1877-1970), min. de l'Écon., *Franz von Papen* (66 a., 1879-1969), chancelier du Reich, *Fritzsche* (46 a., † n.c.), adjoint de Goebbels.

Nazis poursuivis

Du 8-5-1945 à août 1986, 91 000 personnes ont été poursuivies en Allemagne. 6 479 ont été condamnées dont 12 à mort, 160 à la prison à vie, et 6 192 à des peines de prison à temps. De leur côté, les 3 occidentaux (U.S.A., France, G.-B.) ont prononcé 5 025 autres condamnations, dont 806 à mort. De 1945 à 1955, les tribunaux ont surtout examiné les crimes commis contre des citoyens allemands : assassinats des adversaires du nazisme après 1933, exécutions sommaires pratiquées par les fanatiques de la dernière heure, personnel médical responsable du programme d'« euthanasie ». Depuis 1956, les tribunaux, assistés à partir de 1959 par l'Office central de recherche contre les criminels nazis, installé à Ludwigsbourg, examinent le dossier des camps de concentration et des massacres commis sur le front de l'Est. En 1986, 1 300 procès étaient en cours en Allemagne. Sur 120 000 criminels *nazis* vivants, 20 000 avaient été jugés ; 7 500 vivaient en Argentine. Disparus : Heinrich Müller (2-5-1900), Richard Rucks et Josef Mengele [n. 1911 ; médecin-chef d'Auschwitz, responsable de 300 000 †, réfugié au Paraguay puis au Brésil, † 1979 ; corps exhumé 6-6-1985 à Embu (Brésil), reconnu comme le sien].

rhénan de sécurité : l'All. garantit l'inviolabilité des front. fr. et belge. *-13-7* les Français commencent à *évacuer la Rhénanie*. *-5/16-10 conférence de Locarno* sur sécurité europ. : tr. de garantie mutuelle entre France, Belg., Tchéc., Pologne et All. *-12-10* accord commercial germ.-soviét. *-1-12* les Britanniques évacuent Cologne. **1926**-*24-4* tr. d'amitié avec U.R.S.S. *-17-5* Wilhelm Marx, centriste, redevient chancelier. *-8-9* All. entre à la S.D.N. *-23-9* rencontre A. Briand et Gustav Stresemann à *Thoiry*. **1927**-*31-1* fin du contrôle interallié du désarmement. *-13-5 vendredi noir* et effondrement économique (*chômeurs : 1927 :* 380 000, *29 :* 1 200 000, *31 :* 3 000 000, *33 :* 5 500 000). **1928**-*28-6* Hermann Müller (soc.) chancelier. **1929**-*7-6 plan Young :* l'All. paiera 34,5 milliards de marks-or en 59 ans, en engageant les Chemins de fer all. jusqu'en 1988 auprès d'une banque internationale. *-6/13-8* conférence de La Haye ; All. accepte plan Young et *Alliés évacuent Rhénanie*. *-3-10* Stresemann meurt. *-30-11* 2e zone de Rhénanie évacuée. *-22-12* référendum all. : acceptation du plan Young. **1930**-*23-1* Wilhem Frick, nazi, PM de Thuringe. *-27-3* chute du gouv. social-démocrate d'Hermann Müller. *-30-6 évacuation totale de la Rhénanie*. *-14-9* él. au Reichstag : soc. 143 s. et comm. 77, nazis 107 (6 401 000 voix). *-12-1 évacuation totale de la Sarre*. **1931**-*21-3* publication d'un projet d'union douanière austro-all. : la Fr. proteste. *-13-7* banqueroute de la Danatbank all. : fermeture des banques all. jusqu'au 5-8. **1932**-*13-3 élec. présid.* 1er tour, majorité requise 18 830 000 v. Mal von Hindenburg 18 661 000 voix, Hitler 11 338 000, Ernst Thaelman (communiste) 4 982 000, colonel Duesterberg 2 557 000, Winter 111 000. 2e tour Hindenburg élu 19 367 000, Hitler 13 419 000, Thaelman 3 706 000. *-24-4* nazis vainqueurs des él. rég. de Prusse, Bavière, Wurtemberg et Hambourg. *-16-6/9-7 Conférence de Lausanne* sur Réparations, l'All. fait un dernier versement de 3 milliards de reichsmarks. *-31-7 él. au Reichstag :* nazis 230 s., soc. 133, centristes 97, comm. 89. *12-9* dissolution du Reichstag. *-6-11* nouvelles él. : les comm. reprennent quelques sièges aux nazis qui perdent 200 000 v. *-17-11* von Papen démissionne. *-24-11* Hitler refuse le poste de chancelier, Hindenburg lui refusant les pleins pouvoirs. *-2-12* Kurt von Schleicher, chancelier.

1933-*28-1* chute de von Schleicher. *-30-1 Hitler chancelier*. *-1-2* Hindenburg dissout Reichstag. *-22-2* Goering crée une force de police regroupant SA, SS et Stahlhelm. *-27-2 incendie du Reichstag* (les nazis accusent les communistes et proclament l'état d'urgence ; allumé par Martin Van der Lubbe, Néerlandais, exécuté 10-1-1934, acquitté à titre posthume en 1980). *-5-3* succès nazi aux *élections lég.* (44 % des voix, 288 s.) ; coalition avec le parti national de Hugenberg (DNVP). *-6-3* occupation des sièges des partis soc. et comm., des syndicats et des maisons d'édition. *-22-3* construction de Dachau. *-2-4* dissolution des synd. Fondation du Deutsche Arbeitsfront (Front all. du travail). *-26-4* création de la *Gestapo*. *-10-5* la littérature *non conforme* est brûlée. *-5-6* dissolution des partis pol. (sauf P. nat.-soc.). *-14-10* All. quitte S.D.N. et conférence du désarmement. *-17-10* 1re élection pour le parti unique national (92 % des voix). **1934**-*30-1* fin de la souveraineté des Länder all. *-30-6 (Nuit des longs-couteaux)* arrestation puis exécution (1-7) de Ernst Roehm (n. 1884), des principaux chefs SA, du Gal von Schleicher, du Gal von Bredow, et d'env. 1 000 personnes (Hitler, s'appuyant sur l'armée, a voulu liquider une opposition révolutionnaire). Lutze devient chef des SA. *Juillet* les SS deviennent une organisation autonome relevant de Hitler. *-2-8* Hindenburg meurt.

● **IIIe Reich. 1934**-*2-8* Hitler nommé chef de l'État : les membres du gouv. prêtent serment. *-19-8 plébiscite :* 90 % des suffrages pour Hitler. **1935**-*13-1* plébiscite 90,7 % pour le *rattachement de la Sarre à l'All.*, 0,4 pour l'union avec la Fr., 8,9 pour le statu quo. *-15-3* conscription rétablie. **1936**-*7-3* L'All. réoccupe *la zone démilitarisée* [à l'est du Rhin, une bande de 50 km de large allant de la frontière suisse à la front. hollandaise et à l'ouest du Rhin, l'ancienne zone d'occupation des armées alliées s'étendant du Rhin au front. de la France, du Lux., de la Belg. et de la Hollande (total 56 400 km², dont 26 900 km² à l'ouest du Rhin)]. 30 000 hommes de la Wehrmacht s'installent en zone démilitarisée, quelques bataillons poussent jusqu'à Sarrebruck, Trèves et Aix-la-Chapelle. *-23-4* tr. de commerce avec U.R.S.S. *Juill.* intervention en Espagne. *-1-11* Mussolini parle de l'*axe* Rome-Berlin. *-25-11 pacte anti-Komintern*.

1938 *janvier :* expulsion des Juifs russes ; expropriation des biens juifs. *-12-3* annexion de l'Autriche *(Anschluss)*. *-4-4* statut légal enlevé aux institutions communautaires juives ; *mai :* déportations à Dachau ; *juin :* destruction de la synagogue de Munich ; *juillet :* carte d'identité spéciale pour les Juifs. *-6/15-7 conférence d'Évian,* réunie à l'initiative du Pt Roosevelt, pour trouver des pays d'accueil (hors des U.S.A.) pour 650 000 Juifs que l'All. veut expulser. 32 États représentés : échec. *-22/24-9* Hitler et Chamberlain se rencontrent à Godesberg. *-30-9 accord de Munich* (Hitler, Daladier, Chamberlain, Mussolini) : attribution des terr. des *Sudètes* à l'All. qui les occupe le *1-10*. *-28-10* Gestapo arrête 17 000 Juifs et les refoule dans le no man's land entre All. et Pologne. *-7-11* Herschel Grynspan (17 ans, Juif polonais) abat Ernst von Rath, secr. d'ambassade d'All. à Paris (mort le 8-11). *-8-11* manif. antijuives. *-9-11* Hitler apprend la mort de Rath et laisse Goebbels organiser un pogrom qui débute à Berlin le 10-11 au matin *(« Nuit de Cristal ») :* bris des devantures de 7 500 magasins juifs, incendie et pillage de 267 synagogues (91 †), arrestation et internement des Juifs [30 000 à Dachau, Buchenwald et Sachsenhausen (dont 2 000 mourront)]. *-6-12* déclaration de coopération. **1939**-*14-3 Slovaquie* proclame son indép. *-15-3* Pt Hacha remet Bohême et Moravie sous la protection du Reich. Les All. les occupent. *-18-3* Neurath nommé Protecteur du Reich pour Bohême et Moravie. *-23-3* All. entrent à Memel. Slovaquie devient protectorat all. *-22-5* alliance militaire germ.-ital. *(Pacte d'acier)*. *-23-8 pacte de non-agression* avec U.R.S.S. (des articles secrets prévoient le partage de la Pol.). *-1-9 invasion de la Pol.* *-3-9* **déclaration de g.** angl. et fr. (voir Index). *8/9-11* Georg Elser (n. 1903) tente de tuer Hitler à Munich (6 † et 63 bl.). **1941**-*21-6* Solution finale (extermination des Juifs d'Eur.) mise en application en U.R.S.S. **1942**-*20-1* conférence des S.S. à *Wannsee* sur la « Solution finale ».

1944-*20-7 « opération Walkyrie »* [tentative d'assassinat de Hitler par le colonel Cte von Stauffenberg (dépose une bombe dans une serviette placée sous la table de Hitler, au Q.G. [Wolfschanze (la Tanière du loup) près de Rastenburg] : 12 h 42 explosion, plusieurs †, H. a seulement les tympans crevés), le Gal Beck devait devenir chef d'État et le Mal von Witzleben commandant en chef de la Wehrmacht. A Paris, le Gal Stülpnagel, croyant Hitler tué, fait arrêter les 1 407 membres des SS et de la police. Stauffenberg est fusillé, Beck qui s'est raté en se suicidant est achevé, von Kluge et Rommel seront contraints de se suicider ; 7 000 arrêtés (dont 5 000 seront exécutés)]. *-12-9* protocole et *14-11* accord de Londres déterminant 4 zones d'occupation et 1 territoire spécial de Berlin. **1945**-*1-5* suicide de Hitler et Goebbels. *-2-5 capitulation de Berlin*. Nouveau gouv. à Flensburg (Pt du Reich : amiral Dönitz). *-9-5 reddition sans condition* des forces all.

● **De la fin du IIIe Reich à nos jours. 1945**-*23-5* Commission de contrôle alliée prend le contrôle de l'All. Dissolution du gouv. all. et du Parti nazi. *-14-11* ouverture du procès de Nuremberg. **1948**-*27-2 accord de Londres* sur la dette all. : 14 millions de marks dont 7 datant d'avant-guerre (remboursement des emprunts Young et Dawes, dette de la Prusse) et 7 d'après-guerre (*plan Marshall,* aide brit. et franç.). *24-6-48 au 12-5-49* **blocus de Berlin** par Russes. Communic. terr. Berlin-O./All. occid. coupées. Un pont aérien (277 728 vols en 322 jours) achemine 1 600 000 t de vivres et charbon ; record 16-4-1949 : 1 344 appareils transportent 12 940 t (l'équivalent de 22 trains de 50 wagons). *Coût* 76 tués (31 Amér., 40 Brit., la plupart pilotes, 5 civils all.), U.S.A. 350 millions de $, G.-B. 17 millions de £, All. 150 millions de DM.

1949-*23-5 loi fondamentale* (le nouvel État correspond à 52 % de la superficie et à 62 % de la pop. de 1937). *-14-8* 1res élections au Bundestag. *-21-9 fin du gouv. milit.* **1951** *mai* révision du statut d'occupation. **1952**-*22-1* fin de la dénazification. *-26-5 convention de Bonn* rétablissant souveraineté (Adenauer aurait reconnu secrètement la ligne Oder-Neisse). *-1-6* création du *rideau de fer*. **1953**-*23-10 accords de Paris,* tr. provisoire mettant fin à l'état de g. entre All., U.S.A., France et G.-B. **1955**-*5-5* entrée en vigueur des accords de Paris, statut d'occupation aboli, All. adhère à UEO et entre à l'OTAN. *-9-5* reconnaissance diplomatique. *Sept.* adopte la *« doctrine Hallstein »*. La reconnaissance diplomatique de la RDA (All. de l'Est) par tout État autre que l'URSS entraînera la rupture des relations dipl. de l'All. féd. avec cet État. **1957**-*1-1 Sarre rattachée* à All. (après plébiscite 23-10-55 : pour l'All. 423 440 v. ; p. un statut européen 201 975). **1958**-*8-9* attentat anti-amér. à Francfort (2 †, 11 bl.). **1961** *août* **mur de Berlin** (voir p. 859). **1963**-*22-1 tr. d'amitié et de coopération franco-all.* **1967**-*2-6* Benno Ohnesorg, étudiant, abattu par un policier à Berlin, lors d'une manif. contre la visite du Chah d'Iran. Cette date donnera son nom au groupe de résistance dit « mouvement du 2-Juin ». **1968**-*2-4* incendie d'un grand magasin à Francfort ; Andreas Baader, Gudrun Ensslin et 2 autres camarades sont condamnés à 3 ans de prison. *-11-4* attentat contre Rudi Dutschke ; manif. **1969** All. renonce à doctrine Hallstein ; commence à négocier avec RDA sur circulation et trafic postal. **1970**-*19-3* rencontre à Erfurt du chancelier Willy Brandt et du Pt du Conseil des min. de la RDA, Willi Stoph. **1970**-*14-5* Andreas Baader libéré par un commando de la FAR. *-12-8 tr. germano-soviétique de Moscou :* URSS et All. féd. considèrent inviolables les frontières de tous les États en Europe. *-7-12 tr. germano-polonais :* la ligne Oder-Neisse constitue la frontière occ. de la Pol. **1971**-*3-9* accord quadripartite (France, G.-B., URSS, USA) sur Berlin. *-17-12* accord avec RDA sur circulation entre Berlin-O. et All. féd. **1972**-*26-4* tr. inter-all. sur circulation. *-17-5* Bundestag ratifie tr. de Moscou et de Varsovie. *Juin-juillet* arrestations des terroristes Andreas Baader (1943-suicidé 17/18-10-77), Jan-Karl Raspe (1944-suicidé 17/18-10-77) et Holger Meins (1941-† 19-11-74 après 53 j de grève de la faim) à Francfort ; de Gudrun Ensslin à Hambourg ; d'Ulrike Meinhof (1934-suicidée 8/9-5-76) à Hanovre. *-7-11* tr. inter-all. normalisant rapports entre All. féd. et RDA. *Juin :* arrestation d'*Andreas Baader,* chef terroriste.*-20-12* accord Sénat de Berlin-O. et RDA sur laissez-passer. *21-12 tr. fondamental* entre les 2 All. reconnaissant l'existence de la RDA repoussé par Bundesrat par 21 v. contre 20 le 3-4-73 (n'empêche pas sa ratification, le Bundestag l'ayant approuvé), accepté 25-5. **1973**-*11-12* tr. sur normalisation des rapports avec Tchécoslov. *-18-12 entrée à l'ONU.* **1974**-*7-5* W. Brandt démissionne (à la suite d'espionnage : arrestation de son conseiller Günter Guillaume n. 1-2-27). Helmut Schmidt chancelier. *-15-5* Walter Scheel élu Pt., le mouvement du 2 juin tue Gunter von Drenkmann Pt de la Cour d'appel de Berlin-O., pour venger Holger Meins mort 2 j avant en prison, après 2 mois de grève de la faim. **1975**-*30-1 Convention de Bonn* du 2-2-71 (permettant de poursuivre, en All., les nazis condamnés par contumace en France) ratifiée. *-23-2* enlèvement du candidat à la mairie de Berlin-O. Peter Lorenz (leader CDU), relâché 5-3 contre libération de 6 m. du mouv. du 2-6. *-24-4* un commando essaie de prendre des otages à l'amb. d'All. (Stockholm). Le gouv. all. refuse de négocier (3 †). *-9-10* accords germ.-pol. (ratifiés au Bundesrat le 19-2 par 276 voix contre 191) : l'All. verse un crédit d'un milliard de marks à taux symbolique, octroie une compensation forfaitaire de 1,3 milliard de marks aux Polonais ayant travaillé dans des entreprises nazies ; 125 000 Pol. de souche all. pourront émigrer en All. féd. dans les 4 ans (+ de 250 000 demandent à partir). **1976** plusieurs attentats. **1977**-*7-4* procureur gén. tué. *-28-4* prison à vie pour Baader (et 2 accusés). *-5-9* l'organisation Matin rouge enlève *Hans-Martin Schleyer* (n. 1915), Pt du patronat (3 gardes du corps et chauffeur tués), et le tue 42 j plus tard. *-13-10* détournement d'un Boeing 737 de la Lufthansa ; le commando demande la libération de 11 détenus de la bande à B., les passagers sont libérés à Mogadiscio. *-18-10* suicide dans la prison de Stammheim de Baader, Gudrun Ensslin, Jan-Carl Raspe (*la bande à B.* aura commis 16 meurtres + 100 tentatives, et blessé 88 personnes) ; la Fraction Armée Rouge (FAR) menace de faire 100 000 attentats. *-11-11* suicide d'Ingrid Schubert (33 ans) en prison à Stadelheim. **1978** affaire Lutze (espionnage). **1979** *juin* échec, attentat FAR contre Gal Haig, Cdt OTAN (Europe).

1980-*26-9* attentat à Munich à la fête de la Bière, 13 †, 211 bl. *Déc.* émeutes du mouvement alternatif à Berlin-O., 120 bl. **1981**-*28-2* manif. antinucléaire à Brokdorf (50 000). *-10-5* Heinz Herbert Karry, min. des Finances de Hesse, favorable au nucléaire, assassiné. *Mai* manif. de squatters à Berlin-O., Göttingen, Heidelberg, Fribourg. *-31-8* attentat de FAR (base OTAN de Ramstein, 20 bl.). *-15-9* Gal Frederick James Kroesen, Cdt des forces terrestres amér. en Europe, blessé par la FAR, 1 †. *-28-9* Guillaume gracié, échangé contre 34 agents occidentaux détenus à l'Est (en nov. 81, 9 sont relâchés) et l'émigration de 3 000 personnes moyennant paiement ; Guillaume expulsé 1-10. *-10-10,* 250 000 pacifistes manif. à Bonn. **1982**-*1-10* le Bundestag adopte la « motion de défiance constructive » déposée par l'opposition (256 v. pour, 235 v. contre, 4 abst., 2 députés absents) ; *Helmut Kohl chancelier.* *-11-11* Brigit Mohnhaupt et Adelheid Schulz et *-16-11* Christian Kalr, dirigeants de la FAR, arrêtés. **1984**-*18-12* attentat manqué contre l'école militaire OTAN à Oberammergau. *Nov.* groupe Flick accusé de corruption : avait en 10 ans donné + de 25 millions de marks aux partis [Cte de Lambsdorff (n. 10-12-26), min. de l'Économie, compromis, démissionne 26-6-84 ; Rainer Barzel, Pt du Bundestag, démissionne]. **1985**-*7-1* bombe près d'un oléoduc OTAN. *-3-2* Ernst Zimmermann, industriel, assassiné par FAR *-30-5* attentats anti-OTAN à Francfort (gros dégâts matériels). *-19-6* bombe à l'aéroport de Francfort (3 †, 32 bl.). *-8* Hans Jachim Tiedgen, chef du contre-espionnage all. passe à l'Est. *-19/21-9* Willy Brandt en RDA. *-30-9* incidents à Francfort, Hambourg, Munich, Munster, Wassertal après la mort d'un manif. antinazi écrasé par un véhicule de la police. *-27-10* en Hesse, 3 écologistes, 1 ministre (Joscha Fischer, min. de l'Environnement) et 2 secr. d'État au gouv. *-24-11* attentat anti-amér. à Francfort (23 bl.). **1986**-*19/21-2* visite de Horst Sindermann, Pt de la Chambre du Peuple de RDA. L'affaire Flick ébranle les partis. *-5-4* bombe dans discothèque à Berlin-O. 2 †, 118 bl. *-18-5* manif. antinucléaires à Wackersdorf [usine de retraitement des combustibles irradiés (1 350 t/an) prévue en 1993, à 150 km de l'Autriche], 300 bl. *-7-6* à Broksdorf 27. *-9-7* Heinz Beckurts, dir, gén. de Siemens et son chauffeur tués par gauchistes. *-13-10* élections Bavière, recul SPA (– 4,2 %), CSU (– 2 %), succès des Verts (passent de 2,7 à 7,3 % des voix et ont 16 dép.). **1987** *févr.* Lambsdorff condamné (amende 180 000 DM) pour fraude fiscale. *-7/11-9* Honecker en All. O. *-10-10* suicide d'Uwe Barschel [chef du gouv. du Schleswig-Holstein (avait démissionné après scandale)]. *-19/21-10* Pt Mitterrand en All. **1988** *mai* l'ancien Pt de la communauté juive, Werner Nachmann, aurait détourné 110 millions de F. *-3-10* F. J. Strauss meurt. *-11-10* Cte Lambsdorff élu Pt du FDP. *-11-11* P. Jenninger Pdt du Bundestag ; démissionne à la suite d'un discours ambigu sur la « Nuit de Cristal ». *-25-11* Rita Süssmuth (CDU) élue Pte du Bundestag. *-3-12* démission de la dir. collective des Verts (parti condamné pour détournement de fonds). **1989**-*1-1* suppression des contrôles aux frontières physiques de l'All. féd. *-29-1* poussée extrême droite et écolo. aux él. du Parlement de Berlin-O. *-12-3* municipales en Hesse (Francfort), poussée extrême droite et écolo. (Daniel Cohn-Bendit adjoint au maire). *-23-5* Richard von Weizaecker réélu Pt de la Rép. avec 86,2 % des voix (881 voix sur 1 022). *-1-7* réforme des P.T.T. *-3-8* le min. des Af. interallem. met en garde All. de l'E. contre tentatives de fuite à l'O. *-7-8* l'A. ferme son ambassade à Berlin-Est (130 All. de l'E. à l'int.), le *13-8* celle de Budapest, occupée dep. une sem. par 180 All. de l'E. *-21-8* Heiner Geissler, secr. gén. CDU, limogé. *-23-8* celle de Prague. *-3-9* les 3 500 All. de l'E. qui y sont réfugiés sont autorisés à émigrer. *-8-9* fusion Daimler-Benz/Messerschmidt Bolkow Blohm (400 000 sal., C.A. de 2,70 milliards de F). *-19-9* l'A. ferme son ambassade à Varsovie (occupée par 110 All. de l'Est). *-31-10* député vert Otto Schily rejoint le SPD. *-9-11* ouverture du mur de Berlin et d'autres passages frontaliers avec RDA ; Hans-Josef Vogel, Pt du SPD, propose de faire du 9 nov. la fête nat. des 2 All. *-9/14-11* Helmut Kohl en Pologne. *-24-11* Genscher remet à la Roumanie aide de 500 millions de DM. *-30-11* Alfred Herrhausen, dir. de la Deutsche Bank, assassiné par FAR (commando Wolfgang Beer) (charge télécommandée). *déc.* l'A. refuse de signer la conv. de Schengen [du 14-6-85, qui préconise la libre circ. des pers. entre All. féd., France, Benelux] car elle n'est pas autorisée aux All. de l'E. *-18-12* SPD se prononce dans la « Déclaration de Berlin » pour l'unité du peuple all. *-22-12* Berlin, ouverture de la Porte de Brandebourg. *-29-12* le gouv. rejette une prop. de Rita Suessmuth (CDU.), Pte du Bundestag, de confirmer frontière Oder-Neisse par déclar. commune des 2 All. **1990**-*28-1* él. régionales en Sarre : SPD 54,4 % des voix. *-8/9-2* 17e congrès : l'Union des partis soc. affirme l'« inviolabilité des frontières existantes ». *-10-2* Kohl à Moscou. *19-2* refuse l'extension vers l'est du terr. mil. de l'OTAN à l'occasion de sa réunification. *-20-2* les 12 de la CEE se prononcent pour la réunification. *-22-2* l'A. rejette la demande de la Pol. d'un tr. de paix sur la frontière Oder-Neisse avant la réunification. *-25-4* Oskar Lafontaine échappe à un attentat à Cologne [agresseur : Adelheid Streid (n. 1948)]. *-18-5* traité d'union monétaire économique et sociale (DM unique le 1-7). *-21-6* Bundestag ratifie tr. du 18-5 (les dép. de Berlin votent également). *-1-7* entrée en vigueur de l'union monétaire. *-16-7* accord Kohl-Gorbatchev : future All. unifiée restera dans l'OTAN. *-27-7* attentat manqué contre Hans Neusel, secr. d'État à l'Intérieur, revendiqué par la FAR. *-12-8* fusion FDP/BFD (ancien P. libéral est-all.). *-31-8* **traité d'unif. RFA/RDA** signé à Berlin Est (Palais Unter den Linden). *Sept.* les Verts décident de voter contre la ratification du traité. *-12-9 signature à Moscou de l'accord « 2 + 4 »,* rétablissant la souveraineté pleine et entière de l'All. unifiée et réglant le retrait des troupes soviétiques de RDA (achevé le 31-12-94). *-13-9* service mil. 12 mois (avant 15), et civil 15 mois. *-18-9* traité de coopération franco-all. du 22-1-1963 et son protocole additionnel du 22-1-1988 sont appliqués à l'All. unie. *-20-9* tr. d'unification approuvé par le Parlement est-all. [299 voix pour (sur 380), 80 contre (P. comm. et extr.-gauche), 1 abstention] et à Bonn par le Bundestag [442 voix pour, 47 contre (Verts et ultra-cons. représentant les All. expulsés des territoires de l'Est en 1945), 3 abstensions]. *-21-9* adopté à l'unanimité par le Bundesrat. *-27-9* congrès d'unification du PSD. *-1-10* à New York, déclaration officielle des min. des Aff. étr. de France, G.-B., URSS, USA, affirmant suspendre, à partir du 3-10-1990, leurs droits issus de la victoire de 1945. *-3-10* réunification officielle à 0 h, la RDA adhère à la RFA, + de 1 000 000 de manif. à Berlin. *-4-10* séance constitutive du Bundestag de l'All. unie, à Berlin, avec 144 dép. de la Ch. du peuple de l'ex.-RDA. *-9-10 tr. germano-sov. sur le retrait des troupes soviétiques* (l'All. versera 40 milliards de F sur 4 ans). *-10-10* 8 espions de la Stasi arrêtés après la reddition de Klaus Kuron du contre-espionnage fédéral. *-12-10* réunion du Bundesrat participation [avec voix consultative des envoyés des 5 nouveaux Länder (ex.-RDA)]. *-14-10* élections régionales dans les 5 Länder. *-19-10* siège du PSD perquisitionné : 107 milliards de marks auraient été illégalement virés en Norvège et aux P.-B., via la Sté est-all. Putnik. *-26-10* Wolfgang Pohl, Pt du PSD arrêté après ses aveux. *-31-10* vote des étrangers aux municipales déclaré anticonstitutionnel. *Nov.* aide alimentaire à l'URSS (700 millions de DM de vivres stockés à Berlin). *-2-12* 1res législatives panallemandes : succès CDU/CSU. *-3-12* Erich Honecker admis dans hôpital soviétique. *-15-12* dernier réacteur nucléaire de RDA arrêté (Greifswald) après plusieurs incidents. *-17-12* accusé d'avoir renseigné la Stasi, Lothar de Maizière (ministre et vice-Pt de la CDU) démissionne. *-20-12* 1re réunion du Parlement (662 députés, dont 144 de la partie est). *21-12* la France réclame à l'All. le remboursement de dettes de la 2e Guerre mondiale (37 milliards de F de 1945 + 261 millions de reichsmarks). **1991** *janv.* Honecker incarcéré quelques h, puis relâché pour raisons de santé. *-18-2* coût du transfert de la capitale à Berlin. Selon Bonn : 50 à 60 milliards de DM (dont rénovation et construction de bâtiments officiels 28,6, manque à gagner pour Bonn et les régions proches 20 à 30, déménagement de 100 000 pers. 760 millions) ; selon Berlin : 7 à 10 milliards de DM. *-6-3* l'All. versera 1 milliard de F à la France pour les dépenses de l'armée française dans le Golfe, en plus des 17,1 milliards de DM déjà octroyés à la coalition (3,3 seulement versés en oct.). *Mars* Honecker transféré clandestinement en URSS dans avion sov. *-12-3* gouv. all. demande la restitution d'Honecker. *-17-3* Genscher à Moscou (refus de livrer Honecker pour raisons médicales). *-18-3* manif. dans plusieurs villes est-all. contre le chômage. *-20-3* 70 000 manif. à Leipzig, *-25-3* 40 000 à 50 000. *-26-3* 4 anciens responsables de la Stasi arrêtés. *-1-4* Detlev Rohwedder (n. 1933), responsable de la privatisation des entreprises de l'ex-RDA, assassiné par FAR. *-8-4* visa aboli pour Polonais : 91 000 franchissent la frontière (500 000 étaient prévus). *-20-6* Berlin sera la capitale (vote Bundestag : 337 v. contre 320).

☞ Actions violentes : *1983* de gauche 1 540 (dont 215 attentats), *84* de gauche 1 269 (dont 148 att.), néonazies 74 (dont 11 att.).

Nobiliaire allemand

● **Origine. Saint Empire.** L'ancienne noblesse (*Uradel*) était divisée en haute et moyenne noblesse : *empereur, roi, grand-duc, duc, prince régnant (Fürst), prince (Prinz)* et les titres « ministériaux » *landgrave* (Cte d'un pays, assez rarement porté), *margrave* (Cte d'une *marche,* frontière, d'où est venu « marquis » en France), *comte palatin* (d'abord juge à la cour impériale, dénommée le Palais et aussi juge pour les pays de droit saxon, d'où le terme de Palatinat ; ces juges étaient aussi gouverneurs nés et receveurs des Finances de l'Emp.), *burgrave* (Cte d'une forteresse ou burg, gouverneurs des châteaux et maisons royales), *comte* (avec traitement d'altesse), *comte* (de haute naissance), *baron, chevalier, noble* portant le « von », *rhingrave* (C[tes] du Rheingau), et *wildgrave* (C[tes] forestiers) dans la région du Rhin.

En 1521, le *Reichsmatrikel* (registre d'immatriculation impérial) reconnaissait comme *Reichsfürsten* (princes d'Emp.) 7 électeurs *(Kurfürsten),* 4 archevêques, 46 évêques, 28 princes laïcs *(Weltfürsten),* 64 prélats, 13 abbesses d'Emp., 4 grands maîtres des Ordres, 135 comtes, et des chevaliers nobles libres *(Edelherren),* tous exerçant une souveraineté. Par ailleurs, des « titres du Saint Empire » furent conférés par les emp., titres d'honneur sans base de souveraineté territoriale. Ils subsistent encore en Europe (France, Espagne, Italie...) et l'on indique alors « P[ce] de X... Saint Empire ». En 1806, date de la fin du St Empire (347 États et 1 740 territoires semi-indépendants), on estimait à 350 000 le nombre de nobles (y compris 50 000 nobles polon. du fait des 3 partages de la Pol.). Les chevaliers du St Empire comptaient 350 lignées et possédaient 668 domaines « immédiats » (ne relevant que de l'autorité impériale, sans interposition d'un autre État entre leur domaine et l'emp.).

Après la dissolution du Saint Empire (1806) : l'All. a connu diverses transformations, notamment en 1815, la *médiatisation* (voir ci-dessous) d'une cinquantaine d'États souverains dont les dynasties ont gardé certains privilèges (égalité de naissance avec les maisons souveraines, exemptions d'impôts, statut pour la gestion de leurs biens), constituant le *Fürstenrecht* ou droit des Princes ; ces dispositions sont toujours en vigueur bien que l'art. 109 de la Constitution de Weimar ait prescrit leur suppression (seule une loi prussienne du 23-6-1920 fut prise en exécution de cet art.).

Elles posent un problème juridique quant à l'égalité devant la loi inscrite dans l'art. 3 de la loi fondamentale (Grundgesetz). Le transfert des biens de la haute noblesse à une fondation de famille demeure autorisé avec des avantages fiscaux.

☞ *Le titre fait partie du nom* mais les « traitements » de *Durchlaucht* (Altesse Sérénissime, etc.) ont été supprimés (11-3-1966), par le Trib. adm. fédéral.

• **Nombre de titres portés.** 90 maisons subsistantes avec titre de prince (y compris maisons médiatisées) ; 555 avec titre de comte ; 835 de baron. Pas de statistiques pour chevaliers *(Ritter)* et nobles (avec le « von »).

• **Titres. 1° Maisons ayant régné jusqu'en nov. 1918. Titre dignitaire** porté par le chef de chaque maison. *Anhalt* (duc). *Bade* (margrave ou grand-duc). *Bavière* (duc). *Brünswick-Lunebourg* (P^ce^ de Hanovre, duc de B.-L.). *Hesse* (landgrave et P^ce^ de H.). *Lippe* (P^ce^ de L.). *Mecklembourg-Schwerin* (duc de M.-S., titre porté par la reine de Hollande). *Oldenbourg* (grand-duc). *Prusse* (P^ce^ de P.). *Reuss* (P^ce^ héréditaire de R.). *Saxe* (grand-duc de Saxe-Weimar-Eisenach). *Saxe-Cobourg-Gotha* (P^ce^ et duc de S.-C.-G. et margrave de Meissen). *Schleswig-Holstein* (duc de S.-H.-Sonderburg-Glücksburg.). *Schwarzburg* (P^ce^ de S.). *Waldeck-Pyrmont* (P^ce^ de W.-P.). *Wurtemberg* (duc de W.). Les membres de ces familles portent tous la qualification de Prince.

2° Princes, ducs et comtes des États médiatisés en 1815. En réorganisant la Confédération germanique, le Congrès de Vienne, en 1815, laissa subsister 83 États (appartenant à 50 maisons) qui avaient été souverains dans le St Empire. Ces États devinrent alors les premiers vassaux des 39 États souverains subsistant en 1815, puis des États membres de l'Emp. all. institué en 1871. On pouvait relever, en 1845, 1 titre d'archiduc (pour *Schaumbourg*, alors à l'Autriche), 4 de duc (*Arenberg*, *Croÿ*, *Looz-Corswarem*, *Dietrichstein*), 36 de prince, 40 de comte, 2 de baron. Il s'y ajoutait 11 autres maisons médiatisées (5 princes, 6 comtes) dont les possessions n'avaient pas formé des États : titulaires de hautes dignités ou suzerains à titre personnel. 49 familles médiatisées subsistaient en 1977 (représentant env. 700 descendants masculins), ayant donné naissance à 78 maisons : 3 titres de duc (Arenberg, Croÿ et Looz-Corswarem), 1 prince et comte, 52 princes et 32 comtes. En outre, ces chefs de maisons médiatisées peuvent porter des titres historiques datant du Saint Empire : duc (7) ou autres titres de prince, comte, baron, anciens titres tels que comte palatin (1), seigneur (1), comte et seigneur, comte et noble seigneur, comte (féodal), landgrave (2, pour les Fürstenberg).

3° Ducs, princes et comtes sans souveraineté. Titres de haute dignité venant du Saint Empire (6 princes et 1 comte), datant du XVIIIe s. ou venant de Bavière (1 prince *Wrede* 1814, 1 comte *Rechtern-Limpurg* 1819) et les autres, tous princes, créés en Prusse aux XIXe et XXe s. (12 dont : *Bismarck* 1871, *Blücher* 1861, *Eulenburg* 1900, *Pless* 1850, etc.).

Chefs d'État

Saint Empire romain germanique

Carolingiens. 768 CHARLEMAGNE (742-814), f. de Pépin le Bref, roi des Francs. **814** LOUIS Ier le Pieux ou le Débonnaire (778-840), s. f., roi (de France), empereur 28-1-814. **840** LOTHAIRE Ier (795-855), s. f. **855** LOUIS II (825-875), s. f., empereur. **875** CHARLES II le Chauve (823-877), f. de Louis Ier, roi (de France de 840 à 877). **881** CHARLES III le Gros (839-888), f. de Louis Ier, déposé. Roi (de Fr. 884-887). **887** ARNULF († 899), f. illég. de Carloman, lui-même f. de Louis le Germanique, élu. **901** LOUIS III l'Aveugle (880-928), s. f., roi d'Allemagne. **911** CONRAD Ier († 918), duc de Franconie, élu roi d'Allemagne.

Maison de Saxe. 919 HENRI Ier l'Oiseleur (v. 876-936), f. du duc de Saxe. **962** OTHON Ier le Grand (912-973), s. f. **973** OTHON II (955-983), s. f. **996** OTHON III (980-1002), s. f. **1002** HENRI II le Saint (973-1024), pet.-f. d'Henri Ier.

Saliens et Franconiens. 1027 CONRAD II le Salique (v. 990-1039), f. d'Henri, Cte de Spire. **1039** HENRI III le Noir (1017-56), s. f. **1056** HENRI IV (v. 1050-1106), s. f. **1106** HENRI V (v. 1081-1125), s. f.

Maison de Saxe. 1125 LOTHAIRE III (v. 1060-1137).

Maison Hohenstaufen. 1138 CONRAD III (1093-1152), duc de Franconie. **1152** FRÉDÉRIC Ier BARBEROUSSE (1122-1190), s. neveu. **1190** HENRI VI le Cruel (1165-1197), s. f. **1198** OTHON IV (1175 ou 1182-1218), f. d'Henri le Lion, duc de Saxe. **1220** FRÉDÉRIC II (1194-1250), f. d'Henri VI. **1250** CONRAD IV (1228-1254), s. f. **1250-1273 : interrègne.** ALPHONSE X le Sage, de Castille, a été de janv. à avril 1257 élu roi (Richard de Cornouailles, prétendant).

Maison de Bohême. 1253-78 OTTOKAR II (1230-78), f. de Venceslas Ier roi de Bohême (1205-1253); seul roi couronné de l'Empire, lutte contre Alphonse et Richard, chassé par Rodolphe de Habsbourg (1218-91) et tué à Dürnkrut.

Maison de Habsbourg. 1273 RODOLPHE Ier (1218-1291), roi des Romains. **Maison de Nassau. 1292** ADOLPHE (1248 ou 1255-98), roi d'Allemagne, déposé. **Maison de Habsbourg. 1298** ALBERT Ier (1255-1308), f. de Rodolphe Ier. **Maison de Luxembourg. 1308** HENRI VII (v. 1269-1313), f. du Cte de Luxembourg.

Maison de Bavière. 1314 LOUIS IV (1287-1347), f. du duc de Bavière, roi des Romains 1314 ; empereur 1328, déposé 1346.

Maison de Luxembourg-Bohême. 1346 CHARLES IV (1316-78), f. de Jean l'Aveugle, roi de Bohême, roi des Romains 1346, couronné empereur 1355. **1378** VENCESLAS (1361-1419), f. du précédent et roi de Bohême, abdique 1411.

Électeur palatin. 1400 RUPERT (1352-1416), roi des Romains, compétiteur de Venceslas.

Maison de Luxembourg. 1410-*20-9* SIGISMOND (1368/9-12-1437), fr. de Venceslas, roi de Hongrie 31-3-1387, roi des Romains 20-9-1410, couronné emp. des Romains 31-5-1433.

Maison de Habsbourg. 1438-*18-3* ALBERT II (1397/27-10-1439), gendre de Sigismond, roi des Romains ; non couronné par le pape. **1452**-*19-3* FRÉDÉRIC III (1415/19-8-93), f. d'Ernest, duc d'Autriche, emp. des Romains. **1493** MAXIMILIEN Ier (1459/12-1-1519), s. f., 1er emp. des Romains élu 10-2-1508, 1er roi de Germanie. **1519**-*28-6* CHARLES V, Charles Quint (1500/21-9-58), f. de Philippe le Beau, Cte de Flandres (f. de Maximilien Ier), roi d'Esp. sous le nom de Charles Ier (1516-56), emp. 24-2-1530, abdique. **1556**-*24-2* FERDINAND Ier (1503/25-7-1564), s. fr. **1564**-*24-7* MAXIMILIEN II (1527/12-10-1576), s. f. **1576**-*12-10* RODOLPHE II (1552/20-11-1612), s. f. **1612** MATHIAS (1557/20-3-1619), s. fr. **1619** FERDINAND II (1578/15-2-1637), f. de Charles, duc de Styrie (f. de Ferdinand Ier). **1637**-*27-11* FERDINAND III (1608/2-4-1657), s. f. **1657** LÉOPOLD Ier (1640/5-5-1705), s. f. **1705** JOSEPH Ier (1678/17-4-1711), s. f. **1711** CHARLES VI (1685/20-10-1740), s. fr., emp., roi de Hongrie et de Bohême, dernier Habsbourg mâle.

Maison de Bavière. 1742 CHARLES VII (1697-1745), électeur de Bavière.

Maison de Habsbourg-Lorraine. 1745-*13-9* FRANÇOIS Ier (1708/18-3-65), f. de Léopold, duc de Lorraine, mari de Marie-Thérèse (f. de Charles VI). **1765**-*18-8* JOSEPH II (1741/20-2-90), s. f. **1790**-*30-9* LÉOPOLD II (1747/1-3-1792), s. fr. **1792**-*5-7* FRANÇOIS II (5-7-1768/2-3-1835), s. f., couronné roi de Hongrie 6-6-1792, élu roi des Romains 7-7-1792, cour. à Francfort 14-7-1792, cour. à Prague, roi des Romains 5-8-1792, emp. élu des Romains, roi de Germanie, archiduc d'Autr., prit 1804 le titre d'emp. héréditaire d'Autr., puis 1806 (le *St Empire romain germanique* est aboli) celui d'emp. d'Autr. (Voir Index.)

Nota. – Après 1493, les empereurs ne seront plus couronnés par le pape, sauf Charles Quint.

Rois de Prusse

Maison de Hohenzollern. Les *Hohenzollern* (du château de H., près de Sigmaringen) descendent de Burchard de Zollern (v. 1061), dont l'aîné des descendants fut Cte en 1111 et un autre, Frédéric, burgrave de Nuremberg v. 1200. En 1363, le burgrave fut reconnu P^ce^ du St Empire, et, en 1415, un de ses descendants recueillit le margraviat de Brandebourg avec la dignité électorale. En 1613, Jean-Sigismond de H. (1572-1619) hérite le duché de Prusse.

1701 FRÉDÉRIC Ier (1657-1713) (Fréd. III comme P^ce^ électeur), f. de Fréd.-Guillaume, électeur de Brandebourg, se nomme roi en Prusse, puis est reconnu par l'emp. Léopold Ier et se dit roi de Prusse. Ép. 1679 Élisabeth-Henriette de Hesse-Cassel, 1684 Sophie-Charlotte de Hanovre, 1708 Sophie-Louise de Mecklembourg-Schwerin. **1713** FRÉDÉRIC-GUILLAUME Ier (1688-1740), le roi-sergent, s. f. Ép. Sophie-Dorothée de Hanovre. **1740** FRÉDÉRIC II LE GRAND (1712-86), s. f. Ép. 1733 Élisabeth-Christine de Brunswick-Bevern. **1786** FRÉD.-GUILLAUME II (1744-97), s. nev. Ép. 1° Élisabeth de Brunswick (mariage dissous 1769) ; 2° Frédérique-Louise de Hesse-Darmstadt. **1797** FRÉD.-GUILL. III (1770-1840), s. f. Ép. 1793 Louise de Mecklembourg-Strelitz (1776-1810). **1840** FRÉD.-GUILL. IV (1795-1861), s. f. Ép. Élisabeth de Bavière (1801-73). **1861** GUILLAUME Ier (1797-1888), 2e fils de F.-G. III et de la reine Louise, régent dep. 1858. Ép. 1829 Augusta de Saxe-Weimar.

Empire allemand (IIe Reich)

1871 GUILLAUME Ier (1797-1888). **1888** FRÉDÉRIC III (1831-88), s. f. (règne 99 j). Ép. 1858 P^cesse^ Victoria d'Angleterre. **1888**/*9-11*-**1918** GUILLAUME II (1859-1941), s. f. Ép. 1882 Augusta-Victoria de Schleswig-Holstein (1858-1921).

☞ Chef de famille actuel. *P^ce^ Louis-Ferdinand de Prusse* (1907), 2e f. du Kronprinz Frédéric-Guillaume (1882-1951) et de la Kron. née D^esse^ Cécile de Mecklembourg (1886-1954). Son fr. aîné, le P^ce^ Guillaume (1906-40), renonça en 1933 à ses droits. Vit à Brême. *Ép.* 2-5-38 Gde-Duchesse Kyra (1909-1967), f. du Gd-Duc Cyrille, chef de la maison imp. de Russie (1876-1938). *Enfants : Fréd.-Guill.* (9-2-39) ; *Guill.-Henry* (22-3-40) ; *Marie-Cécile* (28-5-42) ép. 1965 duc Fréd.-Auguste d'Oldenbourg (1936) f. de Nicolas, Gd-Duc héritier d'Oldenbourg ; *Kyra* (1943) ; *Louis-Ferdinand* (1944-77) ép. Ctesse Donata Castell-Rudenhausen ; *Christian-Sigismond* (1946) ; *Xénie* (1949).

République allemande (dite de Weimar)

1919 Friedrich EBERT (1871-1925). **1925** Maréchal Paul VON HINDENBURG (1847-1934).

IIIe Reich

1934 Adolf HITLER (1889-1945), Führer. **1945** Grand Amiral Karl DÖNITZ (1891-1980). **1945-49 :** *Occupation alliée.*

République fédérale allemande (Présidents)

1949, 12-9 Theodor HEUSS (1884-1963). **1959**, 1-7 Heinrich LÜBKE (1894-1972). **1969**, 5-3 Gustav HEINEMANN (1899-1976). **1974**, 15-5 Walter SCHEEL (8-7-1919). **1979**, 23-5 Karl CARSTENS (14-12-1914). **1984**, 23-5 Richard von WEIZSAECKER (15-4-1920).

Chanceliers

1871 *21-3* Otto P^ce^ VON BISMARCK (1815-98). **90** *23-3* Cte Leo VON CAPRIVI (G^al^) (1831-99). **94** *29-10* P^ce^ Clodwig ZU HOHENLOHE (1819-1901). **1900** *17-10* P^ce^ Bernhard VON BÜLOW (1849-1929). **09** *14-7* Theobald VON BETHMANN-HOLLWEG (1856-1921). **17** *14-7* Georg MICHAELIS (1857-1936). *25-10* Cte Georg VON HERTLING (1843-1919). **18** *3-10* P^ce^ Maximilien DE BADE (1867-1929). *9-11* Friedrich EBERT (1871-1925). SPD. **19** *13-2* Philipp SCHEIDEMANN (1865-1939). SPD. *21-6* Gustav BAUER (1870-1944). SPD. **20** *27-3* Hermann MÜLLER (1876-1931). SPD. *25-6* Constantin FEHRENBACH (1852-1926). Zentrum (catholique). **21** *10-5* Dr Joseph WIRTH (1879-1956). Zentrum. **22** *22-11* Dr Wilhelm CUNO (1876-1933). Sans parti. **23** *13-8* Dr Gustav STRESEMANN (1878-1929). Deutsche Volkspartei. *30-11* Dr Wilhelm MARX (1863-1946). Zentrum. **25** *15-1* Dr Hans LUTHER (1879-1969). Sans parti. **26** *16-5* Dr Wilhelm MARX. Zentrum. **28** *28-6* Hermann MÜLLER. SPD. **30** *30-3* Dr Heinrich BRÜNING (1885-1970). Zentrum. **32** *1-6* Franz VON PAPEN (1879-1969). N.P. *3-12.* Gal Kurt VON SCHLEICHER (1882-assassiné 30-6-34). **33** *30-1* Adolf HITLER (20-4-1889/30-4-1945). Nazi. *1945-49 Occupation alliée.* **49** *15-9* Konrad ADENAUER (1876-1967) démissionne 15-10-63. CDU. **63** *16-10* Ludwig ERHARD (1897-1977). CDU démissionne 30-11-66. **66** *1-12* Kurt Georg KIESINGER (6-4-1904/9-3-1988). CDU. **69** *21-10* Willy BRANDT (18-12-1913, vrai nom : Frahm). SPD démissionne 6-5-74. **74** *6-5* Helmut SCHMIDT (23-12-1918). SPD (vote de défiance). **82** *1-10* Helmut KOHL (3-4-1930) CDU (mesure 1,93 m ; 118 kg).

Statut

Traité d'unification du 30-8-1990. **Capitale** (art. 2) : Berlin. La question du siège du Parlement et du gouv. sera décidée après la réalisation de l'unité (par un vote du Parl.). **Constitution.** Entrée en vigueur le 3-10-90 (art. 3). La loi fondamentale, conçue comme une Constitution provisoire lors de sa rédaction en 1949, est modifiée, pour signifier clairement que l'unification de l'All. est terminée, excluant explicitement les territoires allemands cédés après la guerre à la Pologne et à l'URSS [Nouveau préambule : ... *le peuple allemand (...) disposant librement de lui-même, a achevé dans la libre autodétermination l'unité et la liberté de l'All.*]. L'art. 23, qui permet le rattachement d'*une partie de l'Allemagne* à la RFA, est supprimé (après avoir été utilisé par la Sarre en 1956 et la RDA le 23-8-1990). Sa suppression interdit par exemple à la Silésie (Pologne) de demander son rattachement à la RFA, comme elle pouvait le faire jusqu'ici. **Finances.** L'art. 7 étend l'ensemble de la structure fiscale de la RFA à la RDA (dispositions transitoires pour la répartition du produit des impôts entre l'État fédéral et les Länder de RDA). **Droit.** L'art. 8 étend l'ensemble du droit ouest-allemand à la RDA (bien que certaines lois est-all. demeurent compatibles avec la Constitution et les directives européennes. Le droit est-all. sera considéré comme un droit régional des Länder. L'art. 10 étend l'ensemble du droit communautaire à la RDA. **Traités internationaux.** Ceux de la RFA s'appliquent, sauf exception. **Réhabilitation.** L'art. 17 prévoit une réhabilitation des « *victimes du régime d'injustice du parti communiste* » et prescrit qu'il leur soit versé une indemnisation. Les décisions de la justice et de l'admin. est-all. restent cependant en vigueur. Les All. de l'Est peuvent demander leur révision. **Économie.** L'All. unie s'engage à poursuivre et à intensifier les relations économiques avec le Comecon développées par la RDA, dans le respect des règles de l'économie de marché et des compétences de la CEE (art. 29). Les dettes de la RDA seront transférées sur un fonds spécial, puis réparties dès 1994 à parts égales entre l'État fédéral et les Länder de l'ex-RDA. Les recettes des privatisations des entreprises est-all. devront uniquement servir au désendettement des Länder de l'ex-RDA ou à prendre des mesures d'aides financières sur ce territoire (art. 21 à 25). **Députés.** Jusqu'aux élections du 2-12-1990, la Chambre du Peuple est-all. délègue 144 députés au Bundestag ouest-all. (art. 42).

Rép. fédérale qui n'est pas juridiquement un État souverain (art. II Const. : les 3 grandes puiss. USA, Fr., G.-B., se réservent les droits et responsabilités antérieurement détenues par elles). L'All. est juridiquement toujours en guerre (aucun traité de paix n'ayant encore été signé avec ses anciens ennemis). Elle n'a pas d'autonomie militaire (arme nucléaire interdite, absence de contrôle sur les armes étrangères). **Const.** du 23-5-1949 (révision en cours). **Pt** (élu par le *Bundesversammlung* ou Ass. féd. comprenant les 520 m. du *Bundestag* et les 518 délégués élus par les diètes des *Länder,* pour 5 ans, renouvelables 1 fois). **Chancelier** (élu par le Bundestag sur proposition du Pt) v. ci-dessous. **Ministres (principaux) :** *Vice-ch. et min. des Affaires étr.* Hans Dietrich Genscher (dep. 1974) [1,90 m, n. 31-3-27 à Reideburg (Thuringe), quitte RDA 1952, avocat] FDP, *Économie* Jurgen Möllenmann, *Finances* Theo Waigel (1940) (CDU), *Défense* Gerhard Stoltenberg (1929) (CDU), *Intérieur* Wolfgang Schaeuble (1943) (CDU), *Justice* Hans Engelhard (FDP), *Agriculture* Ignaz Kiechle(1930) CSU, *Travail* Norbert Blüm (1935) (CDU).

Nota. – 8 CDU, 4 CSU, 4 FDP.

Fête nat. 17-6, journée de l'unité all. (commémoration émeutes du 17-6-1953 à Berlin-Est).3-10 fête de la Réunification (3-10-1990).

Hymne. *Origine : 1797* mélodie « *Gott erhalte Franz den Kaiser* » composée pour l'anniv. de l'empereur François Ier le 12-2 [paroles de Léopold Haschka (1749-1827)]. *1841* Henri Hoffmann von Fallensleben (1798-1874) adapte à la mélodie les paroles de son « *Lied der Deutschen* » (la 1re strophe commence par « *Deutschland über Alles* »). *1922* hymne nat. all. (jusqu'en 1914, les États all. avaient leur hymne propre). *1945* interdit par les Alliés, l'hymne actuel se limite au 3e couplet.

• Chambres. Bundestag (Ch. des députés). *Membres avant la réunification :* 520 (dont 22 députés de Berlin-O.), participant à l'él. du *Pt de la Rép. et du Bundestag,* mais pas à celle du chancelier. *Dep. la réunification :* 662 m. *Pte :* Rita Süssmuth (n. 1937), dep. 88, réélue en 1990, CDU. *Députés* (sauf ceux de Berlin-O.) : sont élus pour 4 ans, une moitié directement, l'autre au niveau des Länder, à la *représentation proportionnelle personnalisée.* Chaque électeur dispose de 2 voix : la 1re pour un des candidats de sa circonscription (élu à la majorité simple ou relative : *mandat direct*) ; la 2e, au *niveau du Land,* d'après les listes présentées par les partis dans les Länder. La répartition globale des sièges dans les Länder accorde à chaque parti des sièges directs et mandats de liste (parti). Les députés de Berlin-O. sont désignés par le Sénat de Berlin, sur proposition des groupes parlementaires. Seuls les partis qui ont au moins 5 % des suffr. ou ont obtenu 3 mandats directs peuvent être représentés. *Pouvoir législatif* exclusif pour : affaires étrangères, défense, questions de nationalité, d'immigr. et d'émigr., change, crédit, monnaie, tr. de commerce, P. et T. ; concurremment avec les diètes des Länder en matière de droit civil et pénal, état civil, dommages de guerre, droit écon., prévoyance soc., etc.

Répartition des sièges au Bundestag
(y compris les députés de Berlin)

	S.P.D.	C.D.U.	C.S.U.	F.D.P.	Divers
1949	136	117	24	53	80
1953	162	198	57	48	44
1957	181	225	55	41	17
1961	203	201	50	67	–
1965	217	202	50	49	–
1969	237	201	50	30	–
1972	242	186	49	41	–
1976	224	201	53	40	–
1980	228	185	52	54	–
1983	202	202	53	35	28
1987 [1]	186	174	49	46	42 [2]
1990	239	268	51	79	25 [3]

Nota. – (1) Dont Berlin (C.D.U. 11, S.P.D. 7, F.D.P. 2, Verts 1) compris. (2) Verts. (3) P.D.S. (ex-communistes) 17, Alliance 90 (Écologistes et gauche alternative) 8.

Voix en % (18-12 1990). C.D.U. 36,7, S.P.D. 33,5, F.D.P. 11, C.S.U. 7,1, Verts 3,8, P.D.S. 2,4, Alliance 90 : 1,2.

☞ Le Deutsche Reichspartei (D.P.R.) comprenant d'anciens nazis a eu 1,8 % des voix et 5 députés. Le Parti communiste (K.P.D.), qui avait 15 sièges et 5,7 % des voix en 1949, a disparu du Bundestag en 1953, n'ayant que 2,2 % des v. (car dep. 1953 il faut au min. 5 % des voix pour être représenté au Bundestag) et a été interdit en 1956.

Bundesrat (Conseil fédéral), *Membres :* 68. Avant la réunification, 41 m. + 4 m. consultatifs pour Berlin-O. (C.D.U. 21 voix). *Pouvoirs :* tous les projets de loi du gouvernement doivent d'abord lui être soumis.

• Cours suprêmes de la Fédération. Tribunal constitutionnel féd., Cour de cassation, Tribunal administratif fédéral, Cour fédérale d'arbitrage social, Tribunal fédéral du travail, Cour fédérale en matière fiscale.

• Occupation alliée (1989). 488 000 h. dont 245 000 Amér., 60 000 Brit., 50 000 Fr., 26 800 Belges, 7 100 Canadiens, 5 500 Holl. **Berlin-O.** 9 200 Amér., Brit. et 2 800 Fr. *Coût* 1 384 millions de marks par an.

• Structure administrative (1988). *Länders* 10 + Berlin-Ouest. *Districts* adm. 26. *Cercles (Kreise)* 328 (*1960 :* 565, *70 :* 542). *Communes* 8 506 (*1960 :* 24 505, *70 :* 22 510) dont 4 644 de – de 2 000 h., 3 791 de 2 000 à – de 100 000, 68 de + de 100 000.

Droit de vote. A 18 ans (dep. 1971) (ex., en RDA dep. 1949). Éligibilité à 18 ans dep. 1-1-1975. A Hambourg, les étrangers résidant dep. 8 ans en All. peuvent participer aux votes des assemblées d'arrondissement. Au Schleswig-Holstein, les immigrés (dep. 5 ans) dont le pays d'origine accorde la réciprocité aux All. émigrés peuvent voter au scrutin communal.

Länder

Généralités

Institutions. États (15 + Berlin-Ouest) qui ne détiennent leurs droits souverains que d'eux-mêmes. *Domaine de la Fédération :* politique étrangère, y compris la défense, poste fédérale, chemins de fer fédéraux, monnaie, politique douanière et commerciale, unification du système judiciaire, charges issues de la guerre (frais de stationnement des forces d'occupation, d'où devait naître ensuite la contribution allemande à la défense ; charges sociales résultant de la guerre). *Domaine des Länder :* enseignement, police, maintien de l'ordre, sécurité, soin de faire appliquer les lois fédérales.

Les Länder sont divisés en *Landkreise.* Le *Landrat* exerce les fonctions d'un sous-préfet (en All. du N.-O., l'Oberkreisdirektor), contrôle l'administration communale et l'admin. étatique du *Kreis.* Le *Kreistag,* parlement à l'échelle de l'arrondissement, est compétent pour les tâches intercommunales : ponts et chaussées, chemins de fer d'intérêt local, assistance aux mineurs, hôpitaux, assistance sociale, etc., mais le Kreis n'a pas d'instructions à donner aux communes qui ne lui sont pas subordonnées. Les *Regierungspräsidenten* contrôlent le Landrat et l'admin. urbaine pour le compte du Land. Les Länder peuvent prescrire aux communes la forme que doit prendre leur autonomie, contrôler leur budget et même modifier les limites territoriales des communes.

Liste des Länder

Superficie, population et densité (1988), religion (entre parenthèses : % protestants et cath. 1-5-1970), *capitale* et villes principales (31-7-1987).

Nota. – (1) 1982.

Ex-« Allemagne de l'Ouest »

• Bade-Wurtemberg (formé 1951 par fusion de 3 Länder formés 1945 : Bade, Wurtemberg-Bade, Wurtemberg-Hohenzollern), 35 752 km², 9 432 709 h., D. 264 (1-1-80 p. 44,4 ; c. 47,2), *Stuttgart* 556 302, Mannheim 297 197, Karlsruhe 267 600, Fribourg-en-Brisgau 180 528, Heidelberg 133 200 [1].

• Basse-Saxe (formé 1-2-1946 par l'ancien Hanovre et les Länder de Brunswick, Oldenbourg et Schaumbourg-Lippe), 47 438 km², 7 184 943 h., D. 151 (p. 74,6 ; c. 19,6), *Hanovre* 495 867, Brunswick 252 822, Osnabrück 157 400 [1], Oldenbourg 136 800 [1].

• Bavière 70 553 km², 11 049 263 h., D. 156 (p. 25,7 ; c. 69,4), *Munich* 1 201 479, Nuremberg 474 673, Augsbourg 244 300.

• Berlin. *Superficie* (km²) : 883 (Arrondissement O. 480, 54,3 % ; A.-Est 403). Surface habitée commerciale et industrielle 232,84, réservée aux transports 107,97, espaces verts 107,04, agriculture 69,39, forêts 156,95, eau 55,55, autres activités 3,13. *Étendue :* Nord-Sud 38 km, Est-Ouest 45 km (Arr.-Ouest 32 et 29 km) (le *1-7-1988* la partie occ. avait reçu 96,7 ha et donné 87,3 ha à l'Est). *Alt. max. :* le Grand Müggelberge 115 m (Arr.-E.), le « Teufelsberg » composé des décombres de la g. de 1939-45 115 m (O.). *Arbres :* dans les forêts 35 millions, les rues 244 414. *Répartition du territoire :* (%, entre parenthèses % des arr. O. et E.) surface bâtie 42,9 (42,6 ; 43,3) dont habitations 26,3 (25 ; 27,9) et industries 9,5 (4,5 ; 15,4), eaux, forêts 24,1 (22,8 ; 25,6), parcs, terrains de jeu et squares 11,4 (10,9 ; 11,9), voies de transport 12,2 (17 ; 6,6), autres surfaces 9,5 (6,8 ; 12,7), *Lacs les + grands :* Grand Müggelsee (Arr.-E., 750 ha), Tegeler See (408 ha), Grand Wannsee (260 ha). *Lacs les + profonds :* Tegeler See (16 m) (la plupart : 2 à 8 m de prof.), *voies navigables :* 197 km. *Réseau routier :* 4 895 km (*O :* 2 937, *E :* 1 858). *Véhicules* (31-12-89) : 1 197 428 (820 323, 377 105). *Climat :* moy. ann. : 10,9 °C ; pluies : 461,5 mm par a. (449,474). *Population (milliers) : 1 600 :* 9, *1614 :* 12, *1648* (après la g. de Trente Ans) : 6, *1710 :* 57, *1800 :* 172, *v. 1840 :* 400, *1871 :* 932, *1900 :* 2 712, *1914 :* 1 900, *1936 :* 4 300, *1943 :* 4 490, *1945* (guerre) : 2 800, *1989 :* 3 413 (dont étrangers 314), dont Arr.-E. 1 279,2 (dont étr. 20,7), Arr.-O. 2 134 [dont étr. : 293,3 (128,1 Turcs, 34,1 Yougoslaves, 21,2 Polonais, 8,7 Grecs, 8,4 Italiens)]. *Arrondissements :* 23 dont Arr. O. 12 (de 93 992 à 305 130 h.) ; E. 11 (de 52 484 à 172 277 h.).

Berlin-O. avait 117 km de frontières et communiquait avec la RFA par des autoroutes de transit [vers Helmsted (Basse-Saxe) 172 km (la plus courte), Hambourg, Francfort et Nuremberg/Munich] ; des lignes ferroviaires de transit, des jonctions aériennes [mais Lufthansa n'était pas autorisée à desservir B.-O. ; en 1988 avait été créée Euroberlin-France (Air France 51 %, Lufthansa 49)].

Aéroport civil central Tegel (remplaçant Tempelhof dep. 1974). 6 millions de passagers en 1989 (compagnies : Panam 50 %, British Airways 21, Euroberlin-France 18, TWA 6, Air France 5). *Bases militaires : Tegel* (franc.), *Tempelhof* (améric.), *Gatow* (Brit.).

Histoire. 1237 1re mention de Berlin dans un document. **1451** résidence permanente des P[ces] Électeurs de Hohenzollern. **1539** réforme. **1685** (à partir de) accueil des Huguenots (20 % de la pop. en 1720). **1701** capitale du roy. de Prusse. **1710** les 5 villes résidentielles autonomes de Berlin, Cölln, Friedrichswerder, Dorotheenstadt et Friedrichstadt sont réunies. **1809** 1re assemblée de députés et 1er maire élus. **1871** cap. du IIe Reich. **1920** création du Grand

Berlin (incorporation de 8 villes, 59 villages et 27 domaines). **1945** *-2-5* capitulation ; bilan : 20 % des bâtiments détruits, 50 % endommagés (sur 250 000), 75 millions de m³ de décombres ; 100 000 tués, 20 000 morts violentes, 6 000 suicides, au moins 20 000 viols. **1947**-*11-7* partagé en secteurs d'occupation et administré par un commandement allié (la Kommandatura), formé par URSS, USA, G.-B. France. **1948**-*16-6* le représentant soviétique quitte la Kommandatura, *-1-7* il déclare que l'administration conjointe de Berlin a cessé d'exister. *-23-6 au 12-5-***1949** blocus de B.-O. *-30-11* le SED (P. socialiste unifié) nomme un nouveau Magistrat « démocratique » à l'Est. **1950**-*1-10* Constitution de B. **1953**-*17-6* insurrection à B.-Est. **1958**-*27-11* ultimatum soviétique : les Occidentaux devront quitter B.-O. dans les 6 mois ; une « ville libre de B.-O. » démilitarisée sera établie. **1961**-*13-8* construction du Mur, voir ci-contre. **1984**-*22-10* Mur abattu sur quelques m pour laisser passer un gazoduc de 60 cm de diam. venant de RDA. **1987** *déc.* « initiative de Berlin », Pt Reagan prévoit l'amélioration de la desserte de B. et des manif. intern. comme les J.O. **1989**-*29-1* l'extrême droite a 7,5 % des voix et 11 dép. à la Chambre des députés. *-9-11* l'All. dém. décide l'ouverture du Mur. *-11-11* des centaines de milliers d'All. de l'E. le franchissent par 22 points de passage. *-13-11* un Amér. propose de racheter le Mur pour 50 millions de $. *Nov.* une brique de Mur se vend 50 à 70 $. *21/22-12* ouverture de 2 passages à la porte de Brandebourg, inaugurée par Kohl et le PM Modrow [le périmètre devient zone de promenade, mais l'axe formé par l'avenue Unter den Linden et celle du 17-Juin reste fermé (protection bétonnée antichar de 3 m d'épaisseur devant la porte)]. **1990**-*1-1* exactions porte de Brandebourg : aile endommagée, chute d'un écran géant (1 †, 50 bl.). *Fév.* démantèlement du Mur : moyenne 100 m par nuit (un pan de 3,6 m de haut sur 1,2 m de large, pesant 2,6 t atteint 50 000 DM ; une Sté est-all. recueille les fonds pour les services de santé de l'All. dém.) ; 39 points de passage. *-19/20-2* 3 km de Mur détruits entre Reichstag et Checkpoint Charlie (remplacés par une clôture mét.). *-12-6* le Magistrat de B.-E. et le Sénat de B.-O. tiennent leur 1re réunion commune dans l'Hôtel de Ville Rouge. *-3-10* Berlin capitale. *-2-12 législatives :* C.D.U. 40 % des voix et 84 s. ; S.P.D. 30,5 ; P.D.S. 10 (24 dans la partie est) ; Alternatifs 9 ; F.D.P. 7,2. **1991**-*24-1* Eberhard Diepgen, Pt du P. chrétien-dém., élu maire par le Parlement régional, à la tête d'un Sénat de 15 membres.

Statut. *1944-45* accords de Londres ; divisé en 4 secteurs qui devaient être occupés et administrés en commun [(*France 11,8 %* de la superficie, G.-B. 18,7 %, USA 23,9 %, URSS 45,6 % ; garnisons à Berlin-O. : 2 700 Fr., 3 300 Brit., 6 200 Amér.)]. *1948* l'URSS ayant quitté la Kommandatura interalliée, les 3 Alliés occidentaux exercent ensemble à Berlin-O. leurs droits de réserve en détenteurs de la souveraineté suprême. *1955* (5-5) accords de Paris, intégration pratique de B.-O. à la RFA limitée en droit international.

Les 22 membres du Bundestag (élus par la Chambre des députés de B.) n'ont pas plein droit de vote ; les lois fédérales sont adoptées à Berlin avec l'accord des Alliés par un acte formel de la Chambre des députés. B.-O. étant démilitarisé, il n'y existe pas de service militaire obligatoire ; le port d'uniformes de la Bundeswehr y est interdit. B.-O. est intégré aux Communautés européennes. *1971* (3-9) accord quadripartite confirme le statut ; l'URSS reconnaît les liens de fait unissant B.-O. à l'All. féd. *1990* (2-10) dissolution du commandement militaire allié (suite du traité « 2 + 4 » signé à Moscou le 12-9 mettant fin à la tutelle des 4 alliés sur l'Allemagne).

Budget de Berlin (en milliards de DM, 1989) 25,1. *P.I.B.* 84,5. *Imp.* 29,43 (en %, Rép. féd. 66,6, ex-R.D.A. 5,4, étranger 28). *Export.* 38,68 (en %, Rép. féd. 70,7, ex-R.D.A. 1,9, étranger 27,5).

Activités culturelles (Arr. O. et E. entre parenthèses). Universités 8 (4,4) [132 212 (107 961, 24 251) étudiants] ; musées privés et d'État 78 (42,36) ; théâtres d'État 31 (5,26), privés 18 (18,0) ; Philharmonie ; zoo le plus riche en espèces d'Europe ; bibliothèques publiques 295 (139,156).

☞ **Porte de Brandebourg.** *Larg. :* 65,5 m, *haut. :* 28 m. Ouverte 1791. Style néoclassique (modèle : Propylées de l'Acropole) par architecte Karl Gothard Langhans dans l'axe de l'avenue Unter den Linden (Sous les tilleuls). Passage sous l'arche centrale réservé au roi, puis à l'empereur. Défilé des troupes les j de victoire. *Quadrige et déesse de la Paix.* Enlevés par Napoléon Ier, rapportés 1814, détruits 1945. Refondus 1958 et remis en place (sauf aigle prussienne et Croix de Fer). Limite des secteurs sov. et brit. (avant le 2-10-90).

Mur de Berlin. Origine. Le 13-8-1961, sur les instances du pacte de Varsovie, la RDA construit un mur autour de Berlin-O. Avant le 13-8, il y avait 81 points de passage ; 69 furent fermés (barbelés ou murs de briques) le 13-8, et 4 autres le 23-8 (porte de Brandebourg le 14-8). 7 points de contrôle restèrent, dont Checkpoint Charlie ouvert en permanence. Dep. sept. 1949 env. 3 600 000 personnes avaient fui la RDA pour l'Ouest, la plupart passant la ligne de démarcation à B.-O. (500 000 pers. la traversaient par j). Réseau de communication ferroviaire et métropolitain fermé ; 63 000 Berlinois de l'E. perdent leur emploi à B.-O. et 10 000 B. de l'O. le perdent à B.-E. Après l'accord quadripartite de 1971 et des arrangements interallemands, 10 points de passage furent établis dont 1 réservé aux étrangers (« Checkpoint Charlie »), les autres en partie pour les All. de l'O. seulement, ou les Berlinois de l'O. uniquement. **Caractéristiques :** 107,6 km de plaques en béton qui auraient été destinées à l'autoroute Berlin-Rostock (jamais construite). Haut. min. 3,50 m, 61 km de palissades en grillage métallique, 9 km de murs divers, 106 km de fossés interdisant la circulation automobile, 293 miradors, 25 abris bétonnés, 293 postes de chiens de garde ; mines au sol jusqu'en 1985 et dispositifs automatiques de tir jusqu'en 1984. 500 000 m³ de forêts rasés et transformés en no man's land, réseaux électrifiés, barrages antichars et sous-marins au fond des rivières. **Passages :** août 1961 au 8-3-1989 : 80 tués à la frontière dont 59 par balles ; 115 blessés par balles ; 38 818 ont pu passer (dont par escalade 4 000, ou par souterrains (le + long 145 m sur 0,70, prof. 12 m : 57 passèrent) ou traversée de la Spree à la nage) dont 561 soldats (30-5-88). *1res victimes* 19-8-61 : Rudolf Urban (47 ans), tombé en s'échappant ; *par balle* 24-8-61 : Günter Liftin (24 ans). *Dernière victime*, un homme mort de froid dans la nacelle d'un ballon en plastique qu'il avait fabriqué.

Vente du Mur. Des fragments ont été vendus en 1990 de 50 250 F pour un panneau de béton nu à 301 500 F avec des graffiti. Pour un mot courant sur 8 fragments : 1 200 000.

• **Brême** (ville libre hanséatique) 404 km², 661 845 h., D. 1 638 (p. 82,4 ; c. 10,22), *Brême* 532 686.

• **Hambourg** (ville libre hanséatique fondée 889) 755 km² (y compris îles de Neuwerk et Scharhörn, 7 km²), 1 603 070 h., D 2 123 (p. 73,6 ; c. 8,1), Bremerhaven 138 700 [1].

• **Hesse** 21 114 km², 5 568 892 h., D. 263 (p. 60,5 ; c. 32,8). Francfort-sur-le-Main 621 379, *Wiesbaden* 252 461, Cassel 188 096, Darmstadt 138 000 [1].

• **Rhénanie-Palatinat** (en all. Rheinland-Pfalz) 19 848 km², 3 653 155 h., D. 184 (p. 40,7 ; c. 55,71), *Mayence* 173 282, Ludwigshafen 158 900 [1], Coblence 113 300 [1].

• **Rhénanie-Westphalie** (en all. Nordrhein-Westfalen) 34 068 km², 16 874 059 h., D. 495 (p.41,9 ; c. 52,5), *Düsseldorf* 565 545, Cologne 930 907, Essen 621 436, Dortmund 583 793, Duisbourg 524 502, Bochum 386 638, Wuppertal 366 546.

• **Sarre** 2 569 km², 1 054 142 h., D. 410 (p. 73,8 ; c. 24,1), *Sarrebruck* 188 488.

• **Schleswig-Holstein** 15 727 km², 2 564 565 h., D. 163 (p. 86,3 ; c. 6), *Kiel* 238 306, Lübeck 210 356.

Nouveaux Länder issus de l'ancienne RDA

• **Brandebourg.** Nom venant de Brennaburg, forteresse des Slaves vaincus 1 157 par le Cte et margrave Albert l'Ours. 29 059 km², 2 641 152 h., D. 91. *Postdam* 141 430, Cottbus 128 943, Brandebourg/Havel 93 441, Frankfurt/Oder 87 126.

• **Mecklembourg-Poméranie** 23 838 km², 1 963 909 h., D. 82. Rostock 252 956, *Schwerin* 129 492, Wismar 58 000, Neubrandenburg 90 953.

• **Saxe** 18 337 km², 4 900 675 h., D. 267. Leipzig 530 010, *Dresde* 501 417, Chemnitz 301 918, Zwickau 118 914, Görlitz 74 766.

• **Saxe-Anhalt** 20 445 km², 2 964 971 h., D. 145. *Magdebourg* 288 355, Halle/Saale 230 728, Dessau 101 262, Halle/Neustadt 90 956.

• **Thuringe** 16 251 km², 2 683 877 h., D. 165. *Erfurt* 217 035, Gera 132 257, Iéna 105 825, Weimar 61 583.

Districts de RDA avant la réunification (pop. en 1987 et superficie en km²). Berlin (Est) 1 236 248 (403), Cottbus 883 591 (8 262), Dresde 1 768 990 (6 738), Erfurt 1 235 785 (7 349), Francfort-sur-l'Oder 710 634 (7 186), Gera 739 856 (4 004), Halle 1 783 987 (8 771), Karl-Marx-Stadt 1 866 321 (6 009), Leipzig 1 371 427 (4 966), Magdebourg 1 249 636 (11 526), Neubrandenburg 620 057 (10 948), Potsdam 1 121 640 (12 568), Rostock 909 550 (7 074), Schwerin 592 519 (8 672), Suhl 549 636 (3 856).

Partis et mouvements

Action directe. Orientée vers le terrorisme.

C.D.U. (Union chrétienne-démocrate d'Allemagne). *Créé* 1945 par des résistants antinazis et anciens membres du P. cath. Zentrum. *1er leader* Konrad Adenauer (1876-1967). *Pt* Helmut Kohl (3-4-1930) ; *secr. gén.* Volker Rühé. *Membres : 89* 668 000, *90* 800 000. Parti gouvernemental de 1949 à 69 et dep. 1982. Pour l'intégration européenne, l'alliance atlantique, une économie de marché sociale.

C.S.U. (Union sociale chrétienne en Bavière) : *leader* Theo Waigel (22-4-1939) ; 185 853 m. (1989), 186 198 (1990). *Fondé* 1946. Indépendant, allié du C.D.U. Dep. 1949 forme un groupe parlementaire ; en 1983 fait partie de la coalition gouvernementale, et dep. les él. du 2-12-1990. Parti au pouvoir en Bavière. 54,9 % des v. aux él. du 14-10-90 au Parlement de l'État.

D.K.P. (Parti communiste allemand) : *Pt* Herbert Mies (dém. en fév. 90) ; *Membres : 1979* 49 000, *89* 20/30 000. *Fondé* avril 1969 (s'était présenté sous le sigle A.D.F.), marxiste. Héritier du K.D.P. déclaré inconstitutionnel en 1956. Hebdomadaire « Notre Temps ». Y sont rattachés Jeunesse ouvrière soc. all. (20 000 m.) et groupe Spartakus (2 000 m.). Aurait reçu en 1988 70 millions de DM de l'All. de l'Est, où ont été formés 5 000 cadres.

D.V.U. (Union pop. allemande) : *leader* Gerhard Frey. *Membres :* 25 000. Extrême-droite.

F.D.P. (Parti libéral) : *Pt* Dr Otto Cte Lambsdorff (20-12-26). *Secr. gén.* Cornelia Schmalz-Jacobsen. *Membres : 1989* 65 000, *90* 200 000. *Fondé* 11/12-12-1948 à Heppenheim (Hesse). Fusion des P. libéraux des 3 secteurs d'occupation occid. sous la présidence de Theodor Heuss (1884-1963) ; *1949-56* et *1961-66* coalition gouv. avec C.D.U./C.S.U. ; *1969-82* coalition gouv. avec P. soc.-démocrate ; *dep. 1982,* avec le C.D.U./C.S.U. A fourni les 1er et 3e Pts de la Rép. Theodor Heuss (1949-59) et Walter Scheel (1974-79). Pour l'intégration européenne, l'alliance atlantique et une économie de marché sociale. 1990-12-8 fusionne avec le P. libéral de l'ex-R.D.A. (B.F.D.).

Groupes trotskistes. Groupe des marxistes internat., Internationale des communistes all.

Grüne (les Verts. Parti écologiste). *Fondé* 1980, entre autres par Petra Kelly. *Membres :* 41 000. *Porte-parole* Renate Damus, Heide Rühle, Hans-Christian Ströbele ; représenté depuis 1983 au Bundestag.

Jeunes Démocrates. Proches du F.D.P. **Jeunes Libéraux.** Proches du F.D.P. 14 à 35 a. *Membres :* 6 000. *Pt* Guido Westerwelle. **Jeunesse socialiste allemande.** *Membres :* 10 000. **Junge Union.** Jeunes chrétiens démocrates de – de 35 a. *Membres : 1984* 265 000. **Jungsozialisten (dits Jusos).** Jeunes socialistes de 16 à 35 a. *Membres :* 186 000. *Pt* Michael Guggemos.

N.P.D. (P. national-démocrate). *Leader :* Bachmann. *Membres : 1988* 15 000. *Fondé* 1964. Représenté aux él. locales.

R.P. (Republikaner Partei). *Fondé* 27-11-1983 par 2 anc. dép. de la C.S.U opposés à Franz-Josef Strauss, opportuniste vis-à-vis de la R.D.A., et par Franz Schönhuber, ancien Waffen-SS, seul chef du parti en 1985 (démissionne mai 90). *Membres :* 25 000. Nationaliste : rétablissement de l'A. dans ses terres et ses droits ant. à 1945. *Représentation. 1986 oct. :* 3 % des voix aux régionales de Bavière. *1989-29-1 :* 7,5 % aux rég. de Berlin-O. *-18-6 :* 7,1 % aux européennes. *-1-10 :* 4,1 % aux municipales de Rhénanie-Westphalie (+ de 5 % dans grandes villes). *Implantation.* All. du S. (Bavière 14,6 % et Bade-Wurtemberg 8,7 % aux europ. apportent + de la moitié des voix pour 1/3 de l'électorat).

Rote Armee Fraktion (Fraction de l'Armée rouge) ou *Bande à Andreas Baader* (arrêté 1968, libéré par un commando le 14-5-70, repris 72, † suicidé 18-10-77). 26 % de femmes. Groupe terroriste internationaliste. Attaques contre banques, préfectures, camps militaires, supermarchés. Dirigeant présumé : Helmut Pohl (n. 1940), emprisonné à vie à Schwalmstadt. **Roter Morgen** (Matin rouge) : 2 000 m.

S.P.D. (Parti social-démocrate). *Créé* 23-5-1863 par Ferdinand Lassalle (comme « Association gén. des ouvriers all. »), interdit sous Bismarck, puis sous Hitler ; abandonne le 13/15-11-1959 à Bad-Godesberg toute référence au marxisme. *Leaders* Ferdi-

Élections fédérales du 25-1-1987. Résultats par Land (en % des suffrages exprimés) sans Berlin

Land	C.D.U.-C.S.U.			S.P.D.			F.D.P.			Verts		
	%	Gain perte	Sièges	%	Gain perte	Sièges	%	Gain perte	Sièges	%	Gain perte	Sièges
Schleswig-Holstein	42	– 4,5	9	39,8	– 1,9	9	9,4	+ 3,1	2	8	+ 2,8	2
Hambourg	37,4	– 0,2	5	41,2	– 6,2	6	9,6	+ 3,3	1	11	+ 2,8	2
Basse-Saxe	41,5	– 4,1	26	41,4	– 0,1	26	8,8	– 1,9	6	7,5	+ 1,8	5
Brême	28,9	– 5,3	2	46,5	– 2,2	3	8,8	+ 2,3	1	14,5	+ 4,8	1
Rhénanie du Nord-Westphalie	40,1	– 5,1	58	43,2	+ 0,4	62	8,4	+ 2	12	7,5	+ 2,3	11
Hesse	41,3	– 3	19	38,7	– 2,9	18	9,1	+ 1,5	4	9,4	+ 3,4	4
Rhénanie-Palatinat	45,1	– 4,5	15	37	– 1,4	12	9,1	+ 2,1	3	7,5	+ 3	2
Bade-Wurtemberg	46,7	– 5,9	36	29,3	– 1,8	22	12	+ 3	9	10	+ 3,2	7
Bavière	55,2	– 4,3	49	27	– 1,9	24	8,1	+ 1,9	7	7,7	+ 3	7
Sarre	41,2	– 3,6	4	43,5	– 0,3	4	6,9	+ 0,9	1	7,1	+ 2,3	1
TOTAL	44,3	– 4,9	223	37	– 1,8	186	9,1	+ 1,8	46	8,3	+ 2,9	42

Nota. – % régionaux calculés sur le 2e vote, qui permet à chaque électeur de se prononcer pour un parti, tandis qu'il choisit un homme avec le 1er vote. Nombre de sièges : 496 + 2 supplémentaires pour le S.P.D. gagnés sur la base du 1er vote à Brême et Hambourg.

Élections aux Parlements des Länder

Land	Date des élections	Députés (total)	C.D.U.	S.P.D.	F.D.P.	Verts	Divers
Bade-Wurtemberg	20- 3-88	125	66	42	7	10	–
Basse-Saxe	13- 5-90	155	67	71	9	8	–
Bavière	12-10-86	204	128 [1]	61	–	15	–
Brême	13- 9-87	100	25	54	10	10	1
Hambourg	17- 5-87	120	49	54	8	9	–
Hesse	5- 4-87	110	47	44	9	10	–
Rhénanie du Nord-Westphalie [3]	13- 5-90	227	89	122	14	12	–
Rhénanie-Palatinat	17- 5-87	100	48	40	7	5	–
Sarre	28- 1-90	51	18	30	3	–	–
Schleswig-Holstein	8- 5-88	74	27	46	–	–	1 [2]
Berlin (-Ouest)	29- 1-89	144	55	55	–	17	11 [4]

Nota. – (1) En Bavière : C.S.U. (2) *Südschleswigscher Wählerverband :* Union d'électeurs du Sud-Schleswig. (3) S.P.D. 50 % des voix, C.D.U. 36,7 %, F.D.P. 5,8 %, Verts 5. (4) Dont Rép. 7,5 %.

☞ **Liste des Länder.** Voir pages 858 et 859.
Elections 1991 (Hambourg, Hesse, Rhénanie-Palatinot) voir index.
Elections nouveaux Länder (ex-RDA) voir index.

nand Lassalle (1825-1864), August Bebel (1840-1913), Friedrich Ebert (1871-1925), Kurt Schumacher (1895-1952), Erich Ollenhauer (1901-1963), Willy Brandt (18-12-1913, démissionne de la présidence 23-3-87), Hans-Jochen Vogel (3-2-1926). Björn Engholm dep. mai 91. *Vice-Présidents :* Johannes Rau (16-1-1931), Oskar Lafontaine (1943, dit le « Napoléon de la Sarre »), Herta Däubler-Gmelin (1943), Wolfgang Thierse (1943) ; Bjorn Engholm (n. 1939) Pt en mai 91 ; 921 000 m. (89) (ouvriers 27 %, employés et fonctionnaires 37 %). Au pouvoir de 1969 à 1982. Partisan de l'intégration européenne et de la coopération avec l'Est. Fusionne 27-9-90 avec le S.P.D. est. allemand (35 000 m.).

Économie

• **P.N.B.** (1989) 19 610 DM par h. *Croissance* (en %) *1981 :* – 0,2 ; *82 :* – 1,1 ; *83 :* + 1,3 ; *84 :* + 2,7 ; *85 :* 2,4 ; *86 :* + 2,5 ; *87 :* + 1,7 ; *88 :* + 3,6 ; *89 :* 3,9 ; *90 :* 4,6. **Emploi** (en milliards de DM, 1989). 2 260,4 : dépenses de consomm. priv. 1 213,4 ; formation de capital fixe 418,3 (équipement 207,6 ; bâtiment 255,3) ; contributions ext. + 140,7 ; variations des stocks + 25,1. *Exp.* de biens et services 778,2. *Imp.* de biens et services 637,6.

Produit intérieur brut (contributions des secteurs, en milliards de DM). *1982 :* 1 602,5, *1985 :* 1 830, *1986 :* 1 950, *1987 :* 2 012, *1988 :* 2 110,9, *1989 :* 2 237 ; agriculture et sylviculture 35,7 ; ind. productrices de marchandises 896,3 ; comm. et transp. 320,7 ; services 627,3 ; État, ménages part., etc. 285,1.

• **Pop. active** (% et, entre parenthèses, part du P.N.B. en %). Agr. 5,3 (1,9) [en 1950, 24,8 (9)], mines 2 (0,8, ind. 38,5 (38,2), services 54,3 (58,8). *Emploi* (1989) : 27 742 000 actifs dont hommes 16 948 000, femmes 10 794 000. Indépendants 2 463 000, aides familiaux 561 000, salariés 24 718 000. Agriculture et sylviculture 1 039 000, ind. productrices 11 337 000, commerce, transports 4 970 000, autres branches 10 397 000. *1989 :* 330 000 nouveaux venus, 430 000 emplois créés. *Chômeurs* (millions) : *1980 :* 0,9 ; *81 :* 1,2 ; *82 :* 1,6 ; *83 :* 2,26 ; *85 :* 2,3 ; *86 :* 2,22 ; *88 :* 2,24 ; *89 :* 2 (7,9 % des actifs, 14 % dans la Ruhr, 3,5 % en Bavière) ; *90* 1,88 (7,2 % des actifs) , *91 janv. :* 1,78. **Salariés étrangers ayant un emploi** (milliers) : *1973 :* 2 515 (dont Turcs 605, Youg. 535, Ital. 450), *1982 :* 1 784 (Turcs 554, Youg. 313, Ital. 259, Grecs 116, Esp. 76, Port. 51), *1985* (30-6) : 1 584, *1989* (30-6) : 1 689. **Assurances sociales** (1988). Excédent de 1 milliard de DM (*1987 :* 6,7 milliards de DM). **Assurances retraite.** Déficitaires en 1990 ; bénéf. dès 1995 (3,6 milliards de DM en l'an 2000). *Apport des réfugiés (hyp. de 2 millions de pers.).* P.N.B. accru de 84 milliards de DM entre 1989 et l'an 2000, réduction de l'endettement de l'État et des Länder par l'augmentation des recettes fiscales. *Bilan budgétaire jusqu'en 1991 :* négatif ; *1992 à l'an 2000 :* + 98 milliards de DM (+ 135 s'il y a 3 500 000 réfugiés).

• **Agriculture.** Intensive. Souvent plus compétitive que l'agriculture fr. Prédominance des entreprises familiales. Orientée de plus en plus vers l'élevage. Utilisation massive des engrais (239 kg/ha contre 180 en France) : rendements élevés. *Actifs :* 1 511 000 (89). Élevage 68 % de la prod. agricole, végétaux 32 % (bœuf, volaille insuffisant). Couvre les 3/4 des besoins. Déficit en légumes frais, fruits et oléagineux. Excédent pour produits laitiers. Déficit de la balance agricole (86) 15,85 milliards de $.

Régions agricoles. Riches terres des Börde, du bassin de Cologne, du fossé rhénan et des basses terrasses danubiennes : culture intensive du blé et des plantes ind. (betterave, houblon), élevage à l'étable du gros bétail. Moyennes montagnes humides, N.-O. océanique, plateau bavarois : beaucoup d'herbages pour l'élevage laitier. Ailleurs, en général polyculture : blé, céréales secondaires, p. de terre, bovins, porcs, volailles. Près des villes : vignobles (coteaux de la Moselle et du Rhin, du Neckar, du Kocher), légumes (Palatinat). *Utilisation des terres* (milliers d'ha, 1989). S.A.U. 11 885 dont terres arables 7 273, jardins et vergers 118 (en 81), pâturages 4 407, vigne 77,8 (81). Territoire rural 24 744 (81). Bois 7 401. Bâtis et divers 4 350 (81).

Exploitations agricoles (1989) : 649 000 dont : *1 à – de 2 ha :* 80 000 ; *2 à – de 5 ha :* 116 000 ; *5 à – de 20 ha :* 247 000 ; *20 à – de 100 ha :* 199 000 ; *100 ha et + :* 6 000. Taille moy. 18 ha (8 en 1949). *Production* (milliers de t, 1989) : céréales 26 114 (68,4 qu. par ha, contre 25,4 en 1949), p. de terre 7 451, betteraves à s. 19 300, fruits 924, légumes 1 494, moût de vin 13 226.

Élevage (millions de têtes, 1989). Bovins 14,6, porcins 22,6, chevaux 0,37, moutons 1,4, poulets 72, dindes 3,1 (88), canards 1 (88). **Lait.** 24 243 000 t (4 717 kg par an en 86 contre 2 469 en 1949). **Œufs.** 262 œufs par an (120 en 1949). **Forêts.** 28 693 000 m³ (87). 35 % des forêts sont atteintes par la pollution (pluies acides) ; en Bavière 5 à 75 %. **Pêche.** 167 000 t (89).

• **Mines. Houille** (bassins de la Ruhr, d'Aix-la-Chapelle et de la Sarre, réserves 230 milliards de t, soit pour + de 600 ans). Prod. (millions de t) *1960 :* 142, *70 :* 111, *85 :* 89, *86 :* 87, *87 :* 76, *88 :* 73, *89 :* 71, *95 (obj.) :* 65 (30 000 lic. prévus). *Subventions :* 11 à 13,5 milliards de DM en 88. **Lignite** (à l'ouest de Cologne, un peu en Hesse et Bavière, réserves : 61 milliards de t exploitables à ciel ouvert, soit pour 50 ans) prod. (millions de t) *1970 :* 107,8, *85 :* 120, *86 :* 114, *87 :* 108, *88 :* 108, *89 :* 109. **Sel. Potasse** (Basse-Saxe, Hesse, Bade-Wurtemberg, réserves : 2 milliards de t, couvre 6,6 % des besoins). **Plomb** (30 % des besoins couverts). **Zinc** (50 %). **Fluospath, feldspath, baryte, graphite, fer (Salzgitter)** 68 000 t (87), **cuivre, pétrole** 3 937 000 t (88, réserves 47 000 000 t en 82). **Gaz nat.** 17,5 milliards de m³ en 87 (réserves 175 milliards de m³ en 82). 30-11-1981, signature avec l'U.R.S.S. d'un contrat d'achat de 10,5 milliards de m³ de gaz par an, pendant 25 ans). **Nucléaire** 21 centrales. **Uranium** importé (mais des gisements ont été découverts).

• **Énergie. Consommation** (1982). 363 millions de tec dont *pétrole* 44,2, *houille* 21,2, *gaz. nat.* 15,2, *lignite* 10,6, *nucléaire* 5,7, *autres* 3,1. **Approvisionnement en énergie.** *Électricité* (milliards de kWh) *1960 :* 116, *70 :* 243, *85 :* 409, *86 :* 408, *87 :* 418 (dont nucléaire : 130,6 ; 21 centrales), *88 :* 431, *89 :* 435. *Gaz* (milliards de m³) *1960 :* 28, *70 :* 41, *85 :* 34, *87 :* 33, *88 :* 33. **Barrages** (retenues en millions de m³ d'eau). *Schwammenauel* (Roer, y compris le barrage d'entrée) 205,5 ; *Edersee* (Eder, Fulda) 202,4 ; *Bigge* (Bigge, Lenne, Ruhr) 171,8 ; *Forggensee* (Lech) 165. Abandon en août 1989 du réacteur à haute temp. (HTR) de Hamm-Uentrop (300 MW, coût 4 milliards de DM). **Nucléaire.** 21-3-91, arrêt définitif du surgénérateur nucléaire de Kalkar [à 70 km de Düsseldorf (construit 1972-87), coût 7 milliards de DM (23,8 milliards de F), puissance 300 MGW (devait être l'équivalent du réacteur français Phénix, en attendant la construction d'une centrale analogue au réacteur de 1 200 MGW Super-Phénix)].

• **Industrie.** Concentrée, très moderne. Une certaine cogestion est souvent appliquée. Taux d'autofinancement élevé. Petites et moyennes entreprises (1 800 000) occupent 60 % de la pop. active. L'État intervient peu : ni nationalisations, ni planification. Mais il y a des Stés d'État souvent puissantes, et l'État et les Länder contrôlent de larges secteurs (gaz, électricité, transports, crédit, minerai de fer, constructions navales). Ces entreprises d'État sont gérées comme des Stés privées dep. 1960. Certaines ont été vendues au secteur privé : ind. métallurgiques en tête, constructions navales, automobiles, gros matériel d'équipement mécan., électrique et électron. Certaines fabrications ont quasi disparu : optique de précision, appareils photo et transistors. Ind. chimique puissante : caoutchouc et textiles synthétiques, engrais, colorants, produits pharmac., matières plastiques. Ind. du cuir, des textiles et de la confection en déclin. La part des industries de consommation a décru : coût élevé de la main-d'œuvre, concurrence des pays de l'Est et du tiers monde.

ZONES INDUSTRIELLES. *Basse-Saxe* (Hanovre, Brunswick) : ind. chimiques et mécan. (Volkswagen) profitent du Mittelland Canal. *Sarre :* sidérurgie, chimie, céramique. *Carrefour Rhin-Main-Neckar* (Francfort, Ludwigshafen, Mannheim) : ind. de transformation. *Ruhr :* 8 000 km², 15 millions d'hab. : mines, terrils, hauts fourneaux, aciéries, usines de toutes sortes. Bassin houiller le plus riche d'Europe occid., qui a donné naissance à une puissante ind. lourde, métallurgique et chimique, fournit 4/5 du charbon allemand, 3/4 de l'acier, 50 % de la prod. chimique. Important chômage. *Au Sud :* extraction ancienne abandonnée, textiles, métallurgie regroupés dans les vallées (Wuppertal). Düsseldorf : métropole financière et commerciale. Cologne : nœud de communications, centre d'affaires, industries variées. Krefeld et Mönchengladbach : coton et fibres artificielles. *Au Centre :* charbon peu profond, métallurgie lourde, industrie chimique, ind. diversifiées (Dortmund, Bochum, Gelsenkirchen, Essen). Port : Duisbourg-Ruhrort. *Au Nord :* couches plus profondes, extraction récente, usines isolées.

Quelques chiffres (1989). *Industrie :* établissements 45 997 ; personnes occupées 7 213 000 ; chiffre d'affaires (en milliards de DM) 1 704 dont 525 avec l'étranger. *Production* (milliers de t, 1989) : ciment 28 499 ; fonte et alliages de fer 32 777 ; lingots d'acier brut 41 073 ; aluminium de 1re fusion 734 ; essences (moteur et spéciales) 20 470 ; fuel-oils 28 320 ; matières plastiques 9 176 ; fibres synthétiques 1 015 ; papier et carton 11 241 ; acier laminé 31 702 ; bois de sciage 11 330 (m³). Voitures particulières 4 536 000 (dont 2 500 600 exp. en 1985) ; cigarettes 159 milliards. App. radiorécepteurs 4 975 000 (1970 : 6 729 000), téléviseurs 3 236 000. *Bière* 89 167 000 hl. *Artisanat :* personnes occupées 3 668 000 ; chiffre d'affaires 395 milliards de DM. *Logements terminés* (en milliers) : *1961 :* 566 ; *64 :* 624 ; *70 :* 478 ; *73 :* 714 ; *82 :* 347 ; *85 :* 312 ; *88 :* 208 ; *89 :* 239.

Salaire horaire ouvrier brut (dans l'ind.). *1989 :* 19,16 DM. **Durée du travail par an.** *1989 :* 1 669 h (France : 1 756 h, Japon : 2 104 h).

• **Transports.** *Fluviaux :* importants ; Rhin et prolongements (Moselle, Main, Neckar, canal de l'Ems, la Weser, l'Elbe et le Mittelland Canal). 4 400 km de voies navigables dont 640 recevant des convois de + de 3 000 t. *Ferroviaires :* denses (12 km pour

100 km²). *Routiers :* réseau autoroutier le plus dense du monde après P.-Bas. **Tourisme** (88). Nuitées (étrangers) 30 millions.

Quelques chiffres (89). *Voies de communication* (km) : réseau ferroviaire 30 045 ; routes (hors agglomération) 173 652 dont autoroutes 8 721 ; autobus-cars (trafic régulier) 513 575 (88). *Moyens de transport :* locomotives et autorails 8 617 ; wagons à marchandises 261 000 ; voitures particulières 29 755 000 ; camions 1 345 000 ; bateaux fluviaux 2 990 ; navires marchands 4 005 000 tjb ; avions 8 811. *Voyageurs transportés* (millions, 89) : chemin de fer 1 127 ; trafic routier 5 542 (88) ; trafic aérien : 55 972. *Marchandises transportées* (millions de t) : chemin de fer 315 ; camionnage à longue distance 414 ; voie fluviale 235 ; navires de mer 141 ; pipe-lines 59 ; voie aérienne 1 117. *Communications* (millions) : lettres 13 886 ; comm. téléphoniques 31 710.

• **Budgets publics** (milliards de DM, 1989). **Dépenses** 675,4. Bund 292,4. Länder 280,6. Communes/coll. multicommunales 193,1, dont Défense nat. 53,1 ; Sûreté publique, justice 29,8 ; écoles, établ. d'enseign. sup., etc. 88,1 ; science, recherche 11,9 ; sécurité soc. 140,9 ; santé, sports, loisirs 40,6 ; logement, aménagem. du territ. 35,8 ; encouragement à l'économie 28 ; transports et communications 29,4. **Déficit budgétaire** (1990). 50 millions de DM (3 % du P.N.B.).

Recettes fiscales encaissées (en milliards de DM, 1989) 535,5 ; impôts en commun 397 dont sur salaires 181,8 ; revenu perçu 36,7 ; revenu du capital 12,6 ; revenu des Stés 34,1 ; T.V.A. 67,9 ; chiffre d'aff. des prod. importés 63,4 ; Bund 61,3 ; des Länder 24,2 ; communaux 46,2 ; *1989 :* 22 milliards de DM d'excédent. **Déficit public** (en milliards de DM). *86 :* 43 (2 % du P.N.B.) ; *87 :* 52 (dont État féd. 28. Länder 20. Communes 4) (2,5 % du P.N.B.) ; *88 :* 45,2. *89 :* 25.

Réforme fiscale (1-1-1990). Taux d'imposition. *Particuliers :* min. 19 % ; max. [applicable aux revenus annuels de 120 000 DM et + (400 000 F)] 53 %. *Sociétés.* Sur bénéfices non distribués 50 %, distribués 36 %.

1res entreprises allemandes. Chiffres d'affaires (milliards de DM, 1988) : Daimler-Benz 73,4 (1er groupe automobile eur.), Siemens 59,4 (173 usines dans 35 pays, 373 000 salariés, dont 240 000 en All.), Volkswagen 59,2, Veba 44,4, BASF 43,87, Hoechst 40,96, Bayer 40,5, RWE 39,8, Thyssen 29,2, Bosch 27,7.

Revenu national (milliards de DM, 1989). 1 751,1 : rémunération des salariés 1 176,1, revenu de l'entreprise et de la propriété 575. **Inflation** (en %) *1978 :* 2,5 ; *79 :* 4,1 ; *80 :* 5,5 ; *81 :* 5,9 ; *82 :* 4,9 ; *83 :* 3,3 ; *84 :* 2,4 ; *85 :* 2,2 ; *86 :* – 0,2 ; *87 :* + 0,3 ; *88 :* 1,3 ; *89 :* 2,8 ; *90 :* 2,7. **Dette. Globale :** *1991 :* 1 600 milliards de DM. **Publique.** *1969 :* 19 % du P.N.B. ; *78 :* 28 % ; *81 :* 34,5 % ; *90 :* 100 milliards de DM. **Épargne des ménages.** *1986 :* 2 260 milliards de marks (soit 91 000 marks par ménage). **Avoirs nets à l'étranger** (en milliards de DM). *1985 :* 125, *89 (juil.) :* 427 (R.F.A. 2e créancier du monde). **Exportations de capitaux** (en milliards de DM). *1989 :* 120.

Banques. Part de marché en 1988. % des dépôts, entre parenthèses % des valeurs mobilières, et en italique % des crédits. 3 grandes (Deutsche, Dresdner, Commerz) 10,1 (6,5) *9,2.* B. étrangères 1,5 (4,9) *2,6.* Autres b. 9,5 (7,3) *11,9.* B. hypothécaires 10 (1,5) *18,3.* B. coopératives 20,5 (24,2) *13,9.* Caisses d'épargne 40,3 (50,3) *37,3.* Poste 2,9 (3,1) *1,1.* Divers 5,2 (2,2) *5,7.*

• **Échanges.** L'All. féd. réalise 12 % du commerce mondial, et en 1985-86-87 est devenue le 1er exportateur du monde devant les U.S.A. Les exp. font travailler 1 All. sur 5 (produit national). Balance excédentaire. Vieille tradition commerciale, réputation de qualité, infrastructure efficace (foires, maisons spécialisées, services après-vente), monnaie forte (on importe à bon compte), taux d'inflation faible, production ind. spécialisée en fonction de la concurrence. L'All. a une flotte peu importante. Les échanges stagnent avec Europe de l'Est (5 %, dont 1,6 % avec la RDA) car fort endettement de ces pays, mais augmentent avec les pays en voie de développement et ceux de l'OPEP. La C.E.E. absorbe 55 % des échanges, les pays développés d'Europe 70 %, mais les E.-U. seulement 7 %.

Commerce extérieur (millions de DM, 1989). *Importations :* 506 648 dont alimentation 56 140 (prod. alim. d'origine animale 14 892, végétale 32 319, boissons et tabacs 8 204) ; prod. ind. 442 158 [prod. manuf. de base 73 404 (86), machines et mat. de transport 108 954 (86), prod. manuf. divers 55 928 (86)]. *Principaux groupes :* pétrole, gaz nat., schistes bitumineux 22 714 ; prod. chimiques 51 798 ; constr. méc. 30 951 ; textiles 25 431 ; art. électro. 49 089 ; prod. pétroliers 12 881 ; matériel de transport routier 40 781 ; métaux 22 816 ; *de : France 60 422,* P.-Bas 51 972, Italie 45 197, U.S.A 38 266, Belg.-Lux. 34 975, G.-B. 34 698, Japon 32 186, Suisse 21 249, Autriche 20 995. *Exportations* 641 342 dont alimentation 32 044 ; prod. ind. 607 236, prod. manuf. 563 506. *Principaux groupes :* matériel de transport routier 115 540, matériel électrique et électronique 71 785, fer et acier 25 971, textile 22 182, instr. de précision et d'optique, horlogerie 11 746, métaux non ferreux 14 791 ; *vers : France 84 358,* Italie 59 830, G.-B. 59 364, P.-Bas 54 422, U.S.A. 46 659, Belg.-Lux. 45 979, Suisse 38 149, Autriche 35 275, Suède 18 354.

Échange avec l'Europe de l'Est (Exp., et entre parenthèses imp., en million de $). U.R.S.S. 5 366,4 (3 912,2), Pologne 1 641,6 (1 657,2), Hongrie 1 572 (1 286,4), Tchéc. 1 384,9 (1 251,6), Bulgarie 891,6 (182,4), Roumanie 789,6 (327,6).

Montant des surplus commerciaux (en milliards de F). *1982 :* 40, *83 :* 45, *84 :* 95, *85 :* 160, *86 :* 270, *87 :* 265, *88 :* 280, *89 :* 450, *90 (est.) :* 420.

Balance (en milliards de DM). **Commerciale :** *1974 :* + 51 ; *75 :* + 37,3 ; *80 :* + 8,9 ; *81 :* + 27,7 ; *82 :* + 51,3 ; *83 :* + 42,1 ; *84 :* + 54,1 ; *85 :* + 73,4 ; *86 :* + 112,2 ; *87 :* + 117,6 ; *88 :*+ 128 ; *89 :* + 135 ; *90 :* + 92,1. **Paiements :** *1985 :* + 35 ; *86 :* + 28,5 ; *87 :* + 37 ; *88 :* + 46,7 ; *89 :* + 19 ; *90 (janv.) :* + 1. **Des capitaux :** *1987 :* – 44,02, *88 :* – 119,9. **Opérations courantes.** *1980 :* – 28,6, *81 :* – 12,4, *82 :* + 8,2, *83 :* + 10,5, *84 :* + 17,8, *85 :* + 38,9, *86 :* + 77,9, *87 :* + 80,8, *88 :* + 85, *89 :* + 104,2, *90 :* + 71,9.

Rang dans le monde (89). 3e lignite. 4e rés. lignite, potasse. 5e rés. charbon, porcins. 7e p. de t., vin, orge. 8e charbon. 11e blé. 13e céréales. 14e gaz nat. 16e bovins. 19e bois.

Ex-ALLEMAGNE DE L'EST
(République démocratique allemande)

Histoire

• **De 1945 à 1990 (réunification). 1945** zone d'occupation soviétique (108 780 km² et 30 % du potentiel écon. du Reich). *-8-5* capitulation allemande. *-9-6* constitution de l'administration militaire soviétique. *-14-7* KPD (Parti communiste d'All.) Parti social-démocrate d'All. (SPD), Union chrétienne-démocrate (CDU) et Parti libéral-démocrate (LDP) forment le Bloc démocratique. *Août* constitution d'organismes administratifs démocratiques. *Septembre* début d'une réforme agraire (expropriation des propriétaires possédant + de 100 ha et des responsables nazis et des criminels de guerre). Réforme judiciaire. **1945-50** 11 camps d'internement sov. dont anciens camps nazis [Buchenwald (32 000 pris. dont 6 à 12 000 †; détruit janv.-févr. 1950) Sachsenhausen, Bautzen] ; 200 000 à 250 000 détenus [dont anciens nazis, collaborateurs, adolescents soupçonnés de sabotage, adhérents des partis non communistes (6 000 sociaux-démocrates)], 90 000 †. **1948** amnistie partielle : 28 000 libérés ; 13 945 transférés à la Stasi, 20 000 à 30 000 déportés en URSS. **1946**-*21/22-4* KPD et SPD fusionnent et forment le Parti socialiste unifié d'All. (SED). *-30-6* après plébiscite en Saxe, expropriation sans indemnisation des grandes entreprises et anciennes entreprises d'armement. **1948** les « Recommandations de Londres » des 3 puissances (USA, G.-B., France) en vue de la constitution d'un État fédératif ouest-all. et la réforme monétaire séparée du 20-6 dans les zones occidentales accélèrent la division de l'All. (après la fusion économique des zones amér. et britann. en 1946). **1949**-*30-5* IIIe Congrès populaire all. adopte Constitution et élit le Conseil pop. all. qui, après la fondation de l'All. féd. en sept., devient le *7-10* Chambre pop. provisoire et constitue un gouvernement **(fondation de la RDA). 1950**-*6-6 tr. de Zgorzelec* (Görlitz) avec Pol. établit ligne Oder-Neisse comme frontière commune (9-6 R.F.A. refuse de reconnaître l'accord) *29-9* admission au CAEM *-15-10* 1re Chambre du peuple, élue sur liste unique. **1951**-*27-1* protocole avec Pol. sur frontière Oder-Neisse. Accord inter-zones réglant les rel. entre les 2 All. **1952** *juillet 15 districts (Bezirke)* (regroupant 36 *arrondissements urbains et* 191 *ruraux)* remplaçant les 5 *Länder* (Mecklembourg, Saxe-Anhalt, Brandebourg, Saxe, Thuringe). **1953**-*17-6* émeutes réprimées par l'Armée rouge [Berlin : 25 † (des centaines selon les Occidentaux), 4 000 emprisonnés]. **1954**-*23-3* l'URSS octroie la souveraineté à RDA. **1955**-*14-5* membre du pacte de Varsovie. *-20-9* tr. avec URSS mettant fin à l'occupation sov. (maintien du régime provisoire dans le secteur sov. du Gd Berlin). *Sept.* l'URSS laisse à la RDA le contrôle de ses frontières. **1956** entrée dans le pacte de Varsovie. **1960**-*12-9* après la mort du 1er Pt, Wilhelm Pieck, constitution d'un Conseil d'État de 28 m. élus pour 5 ans qui remplace le Président de la Rép. (Pt : Walter Ulbricht). **1961**-*30-7* sén. amér. Fulbright déclare ne pas comprendre pourquoi la RDA ne ferme pas ses frontières. *13-8/29-11* construction du mur de Berlin. *17-8* protestation USA, Fr., G.-B. *Sept.* retraités est-all. peuvent visiter leur famille à l'Ouest 1 fois par an. **1963** *déc.* Berlinois de l'O. peuvent visiter leur famille à l'Est. **1964**-*12-6* tr. d'amitié avec URSS garantissant l'intégrité territoriale. **1968**-*6-6* constitution adoptée par référendum (94,5 % des voix). **1970**-*19-3* rencontre Pt du Conseil Willi Stoph/chancelier RFA Willy Brandt, à Erfurt, et en mai à Kassel. **1972**-*24-11* entrée à l'UNESCO. *-21-12 tr. fondamental* avec RFA, début de normalisation des relations. **1973**-*9-2* relations dipl. avec France et G.-B. *-3-7* RDA et RFA participent ensemble pour la 1re fois à une conf. intern. (celle de la CSCE à Helsinki). *-18-9* entrée à l'ONU. **1974**-*2-5* représ. diplom. perm. à Bonn. *-9-10* loi complétant la constitution. **1975** *déc.* incendie à Lubmin (centr. nucléaire type WWER-40, de conception sov.). **1976-77** développement de l'opposition au régime (30-6 le pasteur Oskar Bruesewitz s'immole par le feu). **1976**-*16-11* Wolf Biermann, chanteur contestataire émigré 1953 en All. dém., est privé de sa nationalité est-all. **1977**-*11-10* manif. antisoviét. de 1 000 jeunes à Berlin-E. **1978**-*28-5* heurts jeunes/police à Erfurt. **1979**-*1-8* nouveau Code pénal (amendes décuplées ; 5 à 8 ans de réclusion pour ; crimes contre l'État, résistance aux mesures de l'État, délit commis par plusieurs personnes à la fois ; 5 ans de prison pour All. de l'Est répandant à l'étranger des nouvelles portant préjudice à l'All. dém.) ; *-11-10* amnistie pour Rudolf Bahro (économiste condamné 30-6-78 à 8 ans de prison pour espionnage) et Nico Hüber. **1981**-*14-6* él. au suffr. univ. à la Chambre pop. de Berlin-E., condamnées par Occidentaux (selon l'accord quadripartite de 1971, les représentants de Berlin-O. et E. ne doivent pas être élus directement). *-11/13-12* Helmut Schmidt en RDA. **1982**-*7-2* manif. pacifiste à Berlin, puis *13-2* à Dresde (organisée par Églises évangéliques et intellectuels). **1983**-*avril* après la mort de 2 All. de l'O. lors de contrôles en RDA, Honecker annule projet de visite à Bonn. *-27-7* Franz Josef Strauss rencontre Honecker à Berlin-E. *1-9* journée mondiale de la Paix, manif. devant amb. amér. et sov. **1984** 40 800 départs autorisés. **1987**-*17-7* peine de mort abolie. *7/11-9* Honecker en All. féd. **1988**-*7/8-1* Honecker en France. *19-6* Berlin-Est : plusieurs dizaines d'interpellés pour être venus écouter le concert que Michael Jackson donnait à l'Ouest. **1989** élections munic. : Front nat. (SED) 98,85 % des voix, score contesté par opp. (1,15 % des voix, 1,37 % à Berlin-Est, 2,33 % à Leipzig). *-2-5* Hongrie commence à démanteler le Rideau de fer (entre 1966 et 1968, sur 13 500 tent. de fuite recensées, 300 passages réussis) ; exode accentué en été par les ambassades ouest-all. de Prague et Varsovie. *-4-7* Mig-23 sov. parti de Pol. survole RDA 25 min sans être détecté et tombe en Belg. *-19-8* à l'occasion d'un pique-nique, 500 All. de l'E. passent la frontière hongr. à Sopron, vers l'Occ. (200 000 All. sont en vacances en H.). *-23-8* fuite massive vers Autriche. *-10-9* frontière hongroise ouverte aux All. de l'Est (10 000 passent). *-12-9* RDA accuse Hongrie de porter atteinte à sa souveraineté en permettant à ses ressortissants de quitter la H. vers l'Autriche. *-13-9* 13 000 réfugiés en Bavière (camps submergés). *-19-9* nouvelle occupation de l'amb. d'All. féd. à Prague et Varsovie. *-25-9* départ de 20 000 All. de l'Est (10 meurent noyés en traversant le Danube entre Tchéc. et Hongrie) ; 8 000 manif. à Leipzig. *-26-9* 200 des 1 200 réfugiés à l'amb. de Prague retournent en RDA (on leur promet de pouvoir émigrer légalement dans les 6 mois). *-29-9* + de 2 500 réfugiés à l'amb. de Prague. *-1-10* 8 000 venant de Prague et Varsovie en RFA (« trains de la liberté »). *-2-10* amb. de Prague à nouveau occupée par 500 réfugiés, celle de Varsovie par 300. *-3-10* RDA suspend libre accès à Tchéc., mais autorise sortie des 10 000 réfugiés des amb. *-5-10* 8 nouv. trains de réfugiés en Bavière. *-6-10* Gorbatchev à Berlin-E. *-7-10* manif. à Berlin-E. lors du 40e anniv. de la RDA. *-9-10* 70 000 manif. à Leipzig, (Krenz, vice-Pt, annule l'ordre d'Honecker d'autoriser la police à tirer). *-16-10* 150 000 manif. *-17-10* pont aérien Pol./RFA pour 1 600 réfugiés à Varsovie. *-18-10* Honecker abandonne ses fonctions ; Krenz secr. gén. du SED, 300 000 manif. à Leipzig. *-24-10* Krenz élu Pt du Cons. d'État et responsable des armées ; manif. dans plusieurs villes. *-26-10 Dresde,* 100 000 manif. *-27-10* amnistie pour condamnés pour franchissement illégal de la frontière. *31-10/1-11*

Krenz à Moscou. *Leipzig* et *Dresde* centaines de milliers de manif. réclament liberté de la presse et abolition du monopole du P.C. *-2-11* Harry Tisch, chef du synd. unique EDGB, et Margot Honecker, min. de l'Éduc. (femme d'Erich) démissionnent. *-3-11* + de 100 000 manif. dans les villes. *-4-11* 1 million à Berlin-Est. *-5-11* passage libre à l'Ouest, 10 000 pers. arrivent en RFA par la Tchéc. *-6-11 Leipzig et Dresde* 300 000 manif. pour la démission du gouv. ; projet de loi autorisant All. de l'Est à voyager librement 30 j par an. *-7-11* Willi Stoph, PM, démissionne, remplacé par Hans Modrow. *-8-11* bureau pol. du SED démissionne (nouv. bur : 11 membres). *-9-11* **ouverture des frontières.** *-11-11 :* des centaines de milliers franchissent le Mur de Berlin ; 22 points de passage entre les 2 All. *-12-11* 3 millions passent à l'O. en 72 h. *-13-11* Modrow élu PM à l'unanimité (à bulletin secret et non à main levée) ; Günther Maleuda (n. 1931) élu Pt du Parl. (246 voix sur 478). 1/3 des All. de l'E. ont obtenu leur visa pour voyager en RFA (5 188 510 visas délivrés, dont 2 700 000 le 12) ; de fin juin au 13-11, 153 000 ont choisi de rester en RFA. *-13-11* 300 000 manif. à Leipzig. *14-11* Lothar de Maizière, cand. des réformateurs, élu Pt CDU [92 voix sur 118 ; remplace Gerald Götting (n. 1933)]. *16-11* 8 500 All. de l'E. déclarent vouloir s'installer à Berlin-O. *17-11* Modrow s'oppose à la réunification, mais envisage une nouvelle entente *(Vertragsgemeinschaft)* entre les 2 A., allant « bien au-delà du tr. fondamental » de 1972. Nouveau gouv. (28 m., appartiennent aux 4 partis associés). *-19-11* 1,7 à 3 millions All. de l'E. en visite en RFA ; dizaines de milliers manif. *-20-11* 6 000 anarchistes et gauchistes manif. à Berlin-O. *-24-11* SED prêt à abandonner son rôle dirigeant (selon l'art. Ier de la Constit.), la RDA étant un État soc. dirigé par la « classe ouvrière et son parti marxiste-lén. »). *-1-12* Krenz mis en cause à la Ch. du peuple dans un débat sur la corruption. *-3-12* direction du SED démissionne. *-5-12* anc. dir, dont Honecker, assignés à rés. ; locaux de la sécurité d'État occupés par manif. *-6-12* Alexander Schalck-Golodkowski, ex-secr. d'État au Comm. ext., accusé de trafic d'armes et de détournement de devises, se livre à la police. *-7-12* Manfred Gerlach Pt du Cons. d'État ; plusieurs centaines d'All. de l'E. pénètrent en zone mil. sov. du Harz. *-8-12* Congrès extr. du SDE : Gregor Gysi élu secr. gén. ; Wolfgang Berghofer, maire de Dresde et chef de file des rénovateurs, vice-Pt (refuse présidence). *-9/10-12* 1 million de vis. est-All. en RFA. *-19-12* Willy Brandt à Magdebourg (50 000 pers.). *-19/22-12* Helmut Kohl en RDA [100 000 pers. à Dresde (drapeaux sans leur emblème)]. *20/22-12* Mitterrand reçu par Manfred Gerlach (va à Leipzig). *-22-12* ouverture de la porte de Brandebourg (2 passages piétonniers inaugurés par Kohl et Modrow). **1990** *janv.* salaires des dir. du SED réduits de 1 000 marks. *-3-1* dizaines de milliers de manif. à Berlin-E. à l'appel du SED contre extr.-droite. *-5-1* Joachim Heusinger, min. de la Justice, remplacé. *-7-1* 15 000 artisans manif. à Halle. *-8-1* 80 000 manif. à Leipzig critiquent PM et chef du SDE. *-10-1* Honecker opéré (tumeur aux reins). *-11-1* grèves pour démocratisation plus rapide. *-15-1* Berlin-E. ; siège de la Stasi saccagé par manif. ; grèves contre lenteur des réformes et pour référendum sur réunification. *-22-1* Uta Nickel, min. des Fin. (SED), dém. (accusée de paiements illégaux) ; 200 000 manif. dans grandes villes. *-25-1* crise (départ des 4 min. CDU). *-30-1* Honecker libéré après 1 j de prison (accusé de haute trahison, conspiration anticonstit., abus de pouvoir et corruption). *-6-2 Leipzig* 100 000 manif. contre Gysi et l'Église prot. (pour avoir donné asile à Honecker). *-7-2* Honecker aurait eu un compte de 100 millions de marks (350 millions de F.) ; enseignement du russe n'est plus oblig. à l'école. *-8-2* RDA reconnaît sa resp. dans l'holocauste ; accepte de verser 100 millions de $ d'indemnités. *-13/14-2* PM Modrow et 14 min. à Bonn. *-16-2* Honecker admet avoir approuvé le truquage des élections comm. du 7-5-89. *-20-2* Kohl lance à Erfurt devant 100 000 pers. la campagne de l'Alliance pour l'All. *-22-2* Markus (Micha) Wolf, chef de la Stasi (1958-87), réfugié URSS. *Mars* jugement d'Honecker et de 14 m. du bureau pol. *-18-3* 1res élections libres : Lothar de Maizière élu Pt du Conseil (voir plus bas). *-5-4* Parlement abolit référence constit. à un Etat « socialiste et communiste ». *-12-4* CDU 11 min., SPD 7, LDP 3, DSU 2, DA 1. Nouveau gouv. *-26-4* PM verse 6,2 millions de DM aux survivants de l'Holocauste. *Avril* 40 000 prisonniers politiques réhabilités. *-6-5* municipales : Alliance pour l'All. 38,5 % des voix (CDU 34,37 ; DSU 3,8 ; DA 0,5), SPD 21,27 ; PDS 14,3 ; Alliance 90 2,2 ; libéraux 6,7, Nouvelle Fédération paysanne 5 ; DBD 4,8 ; Verts 2,5 ; Forum 1,8 ; gauche réunie 75 (Berlin-Est). *-18-5* tr. monétaire avec RFA. *-23-5* chaires de marxisme-léninisme supprimées dans l'enseignement supérieur. *Juin* + de 100 000 chômeurs. *-1-7* union monétaire avec RFA. *-22-7* loi sur la reconstitution des Länder. *-24-7* libéraux quittent le gouvernement. *-1-8* loyers augmentés de 360 %. *-15-8* Lothar de Maizière démet 4 ministres dont Walter Romberg (Finances, SPD), Gerhard Pohl (Économie, CDU). *-23-8* Chambre du peuple adopte une résolution pour l'unification le 3-10, par 294 voix contre 62 et 7 abstentions : elle pourra s'auto-dissoudre et proclamer l'adhésion à la RFA. *-19-9* la Chambre du peuple adopte le traité d'unification.

• La RDA en 1990 avant la réunification. **Statut :** République démocratique populaire.

Ch. du peuple (400 députés élus pour 5 ans), où sont représentés tous les partis et certaines organisations de masse ; scrutin proportionnel : listes séparées dans les districts, mais mandats répartis nationalement (0,25 % nécessaires pour 1 siège). **Élections du 18-3-1990** (1res élections libres avec isoloir obligatoire pour la 1re fois). Sur 24 partis participant, 12 obtiennent des sièges.

Partis. PDS (P. du socialisme démocratique, ex SED). *Créé* 31-1-1990. Abandonne l'emblème des mains croisées de l'Union de la gauche, exclut 12 anciens dir, dont Egon Krenz, Günter Schabowski. **SED, P. socialiste unifié d'All.** *Fondé :* 21/22-4-1946 (fusion du P.C. et du P.S.-démocrate d'All.), *secr. gén. : 1971* Erich Honecker, *1989-8-12* Gregor Gysi (n. 1948). *Membres : 1989 :* 2 432 439 ; *1990 (janv.) :* 1 200 000 ; *mars :* 700 000. *Budget* (1989, en milliards de marks-Est) : ressources 1,5 [dont cotisations des membres, prélevées d'autorité sur salaire (0,5 à 3 %) ; bénéfices des entreprises du SED (345 milliards de marks ; presse tirage à 7,6 millions d'ex. par j)] ; dépenses 1,65. **DBD (démocrate paysan).** *Fondé* 1948. *Membres :* 11 500. Gunther Maleuda (n. 1931). **LDP (libéral démocrate).** *Fondé* 5-7-1945. *Membres :* 105 000. Manfred Gerlach. **CDU (Union dém. chrétienne).** *Fondé* 26-6-1945. *Membres :* 140 000. Lothar de Maizière dep. 14-11-89. Fusion avec la CDU ouest-all. en 1990. **DSU (Union sociale all.),** Hans-Wilhelm Ebeling (n. 1934). **DA (Renouveau démocr.).** *Fondé* 2-10-1989, Wolfgang Schnur (n. 1945), démissionne 12-3-90. **NDPD (national démocrate).** *Fondé* 25-5-1948. *Membres :* 110 000. Heinrich Homann. **SPD (social-démocrate).** *Fondé* sept 1989 (sous le nom de S.D.P.), Ibrahim Böhme (n. nov. 1944) (démissionne 2-4-1990, car accusé de collaborer avec Stasi), pour la réunification. Fusion avec le SPD ouest-all. en 1990.

Syndicats. FDGB (Freier Deutscher Gewerkschaftsbund). *Fondé* 1945, unique jusqu'en 1989. Pt Harry Tisch, arrêté nov. 89, remplacé par Annelis Kimmel (jusqu'en déc.). 9 500 000 m. (avant les événements). **Reform.** *Fondé* 23-10-1989, 1er synd. indép.

Alliance pour l'All. 48,5 % (193 s.) [dont CDU 40,91 % (163), DSU 6,32 % (25), DA 1 % (4), SPD 21,84 % (88), PDS 16,33 % (66)], *Féd. des démocr. lib.* (LDP, FDP et DFP) 21, *Alliance 90* (Nouv. Forum, Démocratie maintenant et Initiative pour la paix et les droits de l'H.) 12, *P. paysan* 9, *P. vert et Union indép. des femmes* 8, *NDPD* 2, *ALJ* (commun.) 1, *Alliance d'action de la Gauche unie (marxiste)* 1, *DFD (Union démocr. des femmes)* 1. 10 % des élus (40 dép.) auraient été liés à la Stasi. 7 567 communes (dont 1 001 urbaines).

Présidents, chefs d'État. Pt de la Rép. 1949 (11-10) Wilhelm Pieck (1876/7-9-1960). **Pt du Conseil d'État. 1960** (12-9) Walter Ulbricht (1893/1-8-73). **1973** (3-10) Willi Stoph (8-7-14). **1976** (29-10) Erich Honecker (25-8-12), réélu avril 86. **1989** (24-10) Egon Krenz (37). (8-12) Manfred Gerlach (8-5-28). **1990** (5-4) Sabine Bergman Pohl, Pte de la Chambre du peuple. **Pt du Conseil des ministres. 1964** Willi Stoph (8-7-14). **1989** (13-11) Hans Modrow (27-1-28) SED. **1990** (12-4) Lothar de Maizière (n. 1940) CDU.

Armée. Est-allemande (89) 173 000 h. (94 500 conscrits) et 400 000 réservistes (jusqu'à 65 ans), réduite à 70 000 h. en 1990 (135 généraux et 3 800 officiers limogés). Form. prémil. dès 6 ans. Service mil. : 18 mois, ramené à 12 en 1990, (dans la Marine de 3 ans à 18 mois) j de permission suppl., autor. de porter la moustache (interdite dep. 1946). Terrains de manœuvre : env. 10 % du terr. Milices de combat (groupes de combat de la classe ouvrière), créées 1953, dotées en partie d'armement lourd 450 000 h., dissoutes 30-6-90. **Forces soviétiques en RDA.** *1982 :* 530 000 soldats ; *89 :* 19 divisions (15 terrestres, 4 aériennes), 750 chasseurs-bombardiers (dont des Mig-29), 7 650 chars (dont des T-80). 2 divisions blindées retirées (2 000 chars), mais artillerie sur place ; *90 :* 380 000 h., dont 3 500 à Berlin (530 000 en 1982) ; 152 désertions officielles sov., dont 50 demandes de droit d'asile (110 selon sources all., qui annoncent 6 000 désertions). **Retrait** total prévu pour le 1-1-1995. *Coût pour l'All. :* 13,5 milliards de DM [dont construction de 36 000 logements pour les soldats rapatriés et leur famille 7,8, frais d'entretien des soldats sov. (jusqu'au 31-12-94) 3, transport des troupes et du matériel vers l'URSS 1, aide à la reconversion professionnelle 0,2, intérêts d'un crédit de 3 milliards utilisé par l'URSS sur 4 ans 1,5. + 0,25 md annoncés en févr. 91]. *Budget :* 8,5 % du P.N.B. (France : 3,9 %). **Stasi** (Ministerium für Staatssicherheit, min. de la Sécurité d'État). *Fondée :* 1950. 95 000 employés et + de 100 000 informateurs. Avait noyauté les Églises de RDA : écoutes dans les confessionnaux, réseau d'indicateurs (3 évêques sur 7 émargeaient au budget de la Stasi), ordonnait l'enfermement d'opposants pol. en hôpital psychiatrique. Dissoute 17-12-1989. Son chef, le Gal Erich Mielke, 82 ans, emprisonné pour abus de pouvoir, corruption et enrichissement pers., est traduit en Haute Cour en mars 90.

Nota. – Il y aurait encore 500 à 600 espions de haut niveau en All.

Économie

P.N.B. (89) 9 100 $ par h. **Croissance (%) :** *1984 :* 5,5, *85 :* 4,8, *86 :* 4,3, *87 :* 3,6, *88 :* 3. *89 :* 2, *90 :* – 19. **Part de l'économie parallèle :** 10 à 15 % du P.N.B.

Budget (89, milliards de marks-Est), *Recettes :* 301,5, dépenses 301,3 dont économie d'État 76 (87), défense 16 [Stasi 1,3 % (3,6 milliards, dont 2,4 au personnel)]. *Déficit (1990) :* 15. **Inflation.** *1980 :* 5,5 % ; *81 :* 0,1 ; *84 :* 0 ; *85 :* -0,1 ; *86 :* 0 ; *87 :* 0,8 ; *88 :* 2 (10 à 12 % en réalité) ; *89 :* 2. **Dette à l'Ouest** (milliards de $). *1977 :* 5,28 ; *81 :* 9,61 ; *82 :* 12 ; *84 :* 8,41 ; *89 :* 20,6 (10 % du P.N.B.). **Service de la dette** (milliards de $). *1989* 3,3 (50 % des recettes d'exp.). **Dette publique** (milliards de marks) *1989 :* 100. **Balance des paiements** (milliards de $). *1980 :* – 15,7, *85 :* + 12. **Prix.** 60 % subventionnés [*1989 :* 58 milliards de marks (1/3 du budget) dont 33 par les prod. alim.]. **Monnaie.** Mark-Est : fixé arbitrairement à 1 pour 1 DM. *1989 (nov.) :* 1 DM pour 16 à 25 marks-Est, *(déc.)* taux officieux 1 pour 5 à 10.

Produit social global **(en milliards de marks-Est) en 1985 :** 622,1. *Revenu national net : 1985 :* 241,86, *86 :* 252,21, *87 :* 261,2 ; produit net des branches productives (par branche, en %) : industrie 64,2, agriculture et sylviculture 11, commerce intérieur 8,7, bâtiment 7,2, transports, postes et télécomm. 5,4, autres branches productives 3,5.

Nota. – Problèmes : 40 à 60 % du plan 1989 non réalisé ; niveau de vie et pouvoir d'achat en baisse : 10 à 12 milliards de marks-Est d'avoirs inutilisables faute de biens à acheter.

Pop. active (% et entre par. part du P.N.B. en %) agr. 11 (9), mines 2 (3), ind. 48 (64), services 39 (24). [Agr. en 1950, 28 (28,4)]. *Nombre (en milliers) : 1986 :* 8 938,2 dont ouvriers et employés (y compris apprentis) 7 945,3 ; adhérents des coop. de prod. 815,3 (dont c. agricoles 621,1, c. artisanales 164,2) ; chefs d'entr. mixtes et gérants de commerce commissionnés 25,2 (84) ; autres catégories 177,6 (dont exploitants agr. et maraîchers 6, artisans chefs d'entr. 109,6, comm. de gros et de détail, chefs d'entr. 37,7, trav. indépendants 11,8). *Chômage latent : 1980 :* 3 % ; *85 :* 9,3 % ; *90 :* 21 % (dont 757 000 sans emploi et 1 900 000 salariés à temps partiel).

Agriculture. En 1945, biens nazis et domaines de + de 100 ha furent confisqués et morcelés en fermes de 4 à 9 ha remises à 550 000 ouvriers, réfugiés ou paysans pauvres. La collectivisation se fit entre 1952 et 1960. **Terres** (milliers d'ha, 86) : 10 833,1 dont S.A.U. 5 837 (89), oseraies 1,6, forêts 2 983 (89), terres incultes 77,5, landes 103,4, exploitations ind. 97,9, cours d'eau et étangs 291,5. **Exploitations socialistes** (86) : fermes d'État 465 ; coopératives de production agricole 3 890 ; surface agr. utilisée (en %) 95 dont : fermes d'État 7,5 et coopératives 91. **Terres agricoles privées** (1988) : 5 % 14 200 pers., 6 000 fermes appartenant à des particuliers ou à l'Église. *Machines de l'agr. socialiste (86).* Tracteurs 161 515 ; moissonneuses-batteuses 17 461. **Production** (89, millions de t). Céréales 10,9 (blé 4,1, seigle 2, orge 4, avoine 0,6), oléagineux 0,4 (86), pommes de t. 11,7, bett. à sucre 5, bett. fourr. 2,6 (86), maïs vert et ensilé 12,9 (86), prairies et pâtures 36,4 (86), cultures dérobées (masse verte) 9,7 (86). *Rendements* (q à l'ha 1989) : blé 54, seigle 31,2, p. de t. 26, bett. à sucre 346 (86).

Élevage. + de 60 % de la prod. agricole. Millions de têtes (89) : bovins 5,7 [insuffisant (dont vaches 2)], porcins 12,4, ovins 2,6, poules pondeuses 24,8.

Pêche (t, 86). Côtière et hauturière 247 700, intérieure 24 821 (carpes 13 121, truites 6 196).

Chasse (86, en milliers). Cerfs 23,9, daims 14,2, chevreuils 169,4, sangliers 131,9, canards et oies sauvages 36,5, renards 94,3, martres 38,2, belettes, hermines 1,1 (85), mouflons 2,8. **Réserves de gibier** (86). Cerfs 60, daims 35, chevreuils 350, sangliers 85, lièvres 150, mouflons 11.

Production industrielle (86) : **Énergie.** *Électrique* 118,9 milliards de kWh en 89 (dont % centrales thermiques alimentées au lignite 83,7 (88) ; c. nucléaires 10,5 % [4 réacteurs sov. à eau légère de 440 MW et 1 de 80 MW] ; autres combustibles (88) 4,6 ; c. hydrauliques 1,5 ; pétrole 0,6 ; houille 0,2). *Gaz domestique* 11,2 milliards de m³ (88). EN MILLIONS DE T. : *Lignite* (+ briquettes) 301 (89) ; *Essence* 4,3 ; carburant Diesel 6,3 ; sulfate de soufre 0,88 ; engrais potassiques 3,5 ; engrais phosphatés 0,3 ; azotés 1,2 ; fibres synth. 0,16 ; acier brut 7,8 (88) ; acier laminé 5,6 ; ciment 12,2 (89). EN MILLIERS : automobiles 218 [dont *Trabant* 600 cm³, 23 ch., 3 337 h. de travail, 11 000 marks (2 ans de salaire d'un enseignant) ; *Wartburg* (+ de 22 000 marks)] ; camions 45 ; motos 73,4 ; mach. à laver 495 ; réfrigérateurs 1 018 ; téléviseurs 712 (dont couleur 502).

Environnement. *1990 :* 80 % de l'électr. vient du lignite ; par an 5 millions de t d'anhydride sulfureux rejetées ; l'Elbe charrie vers l'O. 10 t de mercure, 24 t de cadmium et 142 t de plomb, et la Werra, polluée par les mines de potasse, 10 millions de t de chlorure de sodium et de magnésium. Sur 3 millions d'ha de forêts, 650 000 gravement atteints ou morts, 2 millions endommagés et 300 000 intacts.

Voies de communication (1986, en km). **Réseau ferré** 14 035 (89) (dont lignes principales 7 531, secondaires 6 474) ; à écartement normal 13 730 ; dont électrifiées 2 754. Manque de locomotives et de wagons, cheminots suremployés (12 h. par j). **Routier.** *Autoroutes* 1 855 ; routes à grande circulation 11 330 ; secondaires 34 025. **Voies navigables** 2 319 dont v. principales 1 675 ; secondaires 644 ; canaux 566 ; cours d'eau régularisés et canalisés 1 287 ; nav. alternant cours d'eau, canal, lac 466. **Oléoducs** 1 307. **Trafic marchandises** (%, 1986). Fer 37,5 ; route 9,7 ; eau int. 1,6 ; maritime 48,4.

Commerce (milliards de marks-Est, 88). **Exp.** 90,1 dont (en %) mach. et équip. de transport 47,6 ; prod. de consommation durables 16,4 ; mat. 1res et combustibles 15,1 ; prod. chim. et mat. de bâtiment 13,9 ; prod. bruts ou semi-facturés pour l'ind. 7. **Imp.** 87,1 dont (en %) mach. et équip. de transport 37 ; mat. 1res et combustibles 33,5 ; prod. bruts ou semi-facturés pour l'ind. 14,1 ; prod. chim. 9,7 ; prod. de consommation durables 5,7. *Partenaires commerciaux* (en milliards de marks, 88) : U.R.S.S. 66,4 ; Tchéc. 14,6 ; R.F.A. 12,4 ; Pol. 12,2 ; Hongrie 9,9 ; Bulg. 5,7 ; Roum. 5 ; Suisse 3,9 ; Autr. 3,5. *France 3,1 ;* Youg. 2,8 ; P.-B. 2,8 ; Cuba 2,5 ; G.-B. 2,2. **Commerce inter-allemand** (en milliards de marks-E.). Exp. ouest-all. *1975 :* 3,7, *88 : 6,8,* **exp. est-all.** *1975 :* 3,2, *88 :* 6,4. Investissements étrangers autorisés dep. janv. 90 (les participations ne doivent pas dépasser 49 % du capital). **Balance commerciale** (en milliards de DM). *1989 :* – 37, *90 :* + 15,2 (importations réduites de 44,5 %).

Nota. – La R.D.A. retirait de ses relations avec l'All. féd. env. 2 milliards de DM par an, compte tenu du versement forfaitaire pour le transit, des avantages des crédits « swing » (sans intérêts) [bien que peu utilisés : 124 millions de marks prélevés sur 850, de 1975 à 88] et de l'appartenance indirecte au Marché commun (le tarif extérieur commun ne s'applique pas au commerce inter-allemand). Voir Quid 1991 p. 883.

Salaire moyen mensuel (1989, en marks-Est). 800 à 1 000 ; ouvrier : 1 400 (4 700 F au cours off.) ; dir. d'usine : 2 200. Disparité de 1 à 10 avec la R.F.A.

Coût de la vie (1989, marks-Est). *Automobile.* Trabant : 11 000, *poste T.V. :* 7 000, *chaîne hi-fi bas de gamme :* double du prix en R.F.A. (700 DM) ; *baladeur :* 150 à 200, *chaussures de qualité :* 200 ; *chemise :* 200, *tee-shirt :* 150 ; *collants :* 40 ; *pain* [2 sortes : le « 78 », pain de seigle : 78 pfennigs, le « 93 », 93 pfennigs (Brötchen à 5 pf.)] ; *loyer (4 p. de 100 m²) :* 100 ; *voyage en bus ou en tramway :* 20 pf.

De 1962 à 1989 : 30 300 prisonniers rachetés [*prix d'un prisonnier politique en 1989 :* 95 847 DM (324 000 F)]. En 1989, plusieurs milliers de prisonniers politiques étaient encore en prison.

Rang dans le monde (88). 1er lignite, 2e ciment (85), 3e machines à laver (85), potasse, 5e rés. lignite, 6e p. de terre, 10e porcins, 11e orge.

Réunification de l'Allemagne

• Base. *Loi fondamentale* de la RFA, adoptée le 8-5-1945, stipulait dans son préambule : « durant une période transitoire, le peuple all. dans son ensemble disposant librement de lui-même, reste convié à parachever l'unité et la liberté de l'All ». Selon l'*art. 146* « la Loi cesserait d'avoir effet le jour où entrerait en vigueur la Constitution adoptée par le peuple all., libre de ses décisions. L'*art. 23* prévoyait que les Länder qui se reconstitueraient en RDA pourraient adhérer, chacun de leur côté, à la RFA. Selon les accords de Paris (23-10-1954), les États signataires devaient coopérer pour atteindre par des moyens pacifiques leur but commun : une All. réunifiée, dotée d'une Const. libérale et démocratique telle celle de la RFA, et intégrée dans la C.E.E. ».

• Étapes. **Union monétaire (texte du 23-4-1990).** *Mise en vigueur prévue au 1-1-91. Salaires et traitements* seront échangés par principe sur la base du niveau actuel (sans versements compensatoires pour la résorption des subventions et pour la mise en œuvre de la réforme des prix en RDA).

Le système des *retraites* de la RDA sera adapté à celui de RFA (70 % du revenu net du travail moyen pour 45 années d'assurance). La majorité des retraites calculées en DM sera supérieure à celles calculées en marks-est.

Les *réserves monétaires et de crédit* des All. vivant en RDA seront échangées par principe au taux de 2/1 (possibilité d'échanger jusqu'à 4 000 marks-Est par personne au taux de 1/1).

• Coût de la réunification (en milliards de DM). Pour la RFA. *Selon le Min. de l'Écon. de RFA :* 500 ; *selon des experts du gouv. féd. :* 300 sur 10 ans [dont 200 pris en charge par le budget féd. (qui atteint 300 milliards de DM en 1990)] ; *selon la Deutsche Bank :* 30 par an (endettement supplémentaire en 1991 : 3 % du P.N.B.) ; *selon la Dresdner Bank :* 10 par an ; *selon d'autres sources :* 10 à 20 milliards pour les Länder ; *selon le min. de l'Écon. de RDA :* 200 (mais 15 suffiraient à la RDA pour s'adapter à l'écon. de marché).

Le coût de l'union monétaire devrait s'élever à plusieurs milliards de DM par an en supprimant l'aide à Berlin-Est, et plusieurs autres en arrêtant l'aide aux réfugiés et aux régions de la frontière inter-allemande.

Dépenses du budget fédéral à prévoir (en milliards de DM) : réfections de logements 200, routes 100, voies ferrées 100, approvisionnement énergétique 100, canalisations 50, épuration atmosphérique 35, eaux 30, télécommunications 12.

Coût en 1991. 80. *Financement* (programme du 10-1-91) 35 milliards de DM d'économies dont réductions de dépenses 15 (dont sur la défense 7,6, investissements des Länder de l'ex-RFA 2,3, aides financières 0,5) et 20 de recettes supplémentaires [séc. soc. 18,3 (excédent prévu en 91 : 20 md), services du chômage 2,3, hausse des tarifs postaux 2, suppression d'avantages fiscaux 1,5, privatisations 0,5]. En 1990, 13,5 milliards de DM ont été versés à l'URSS pour la réunification (40 prévus de 1991 à 1995).

Coût pour la C.E.E. 1,5 à 2 milliards d'écus par an (part de la RFA 27 %, Fr. 21 %, G.-B. 16 %).

• Perspective. **RFA.** *Taux de croissance (%). 1966-73 :* + 4,1, *1974-80 :* + 2,2, *1981-87 :* + 1,5, *1988-91 (prév.) :* + 3,6, *1992-2000 :* + 3,3 (avec la réunification 4). **RDA.** *P.N.B. (1991) :* – 25 %. *Déficit budgétaire (1991) :* – 150 milliards de DM.

Population active (1991). *Chômeurs :* 3 millions prévus [1/3 des entreprises devront fermer (vétusté, non compétitivité) ; dans la chimie, 80 % des emplois sont appelés à disparaître (sur 200 000 salariés)]. 600 000 fonctionnaires d'État en attente de réaffectation.

Conséquences économiques de l'émigration. Pour la RDA. Pertes de productivité : 12 à 17 milliards de $ (départ de main-d'œuvre qualifiée ; 200 000 à 300 00 en 1990 ; 110 000 du 1-1 au 1-4-1991). **Pour la RFA.** Un afflux trop massif de réfugiés poserait un problème d'emploi [il y a déjà 2 millions de chômeurs et 2,4 millions de « salariés négligeables » (moins de 1 300 F par mois)].

Privatisations. Une loi de la RDA du 17-6-90 a confié à la *Treuhandanstalt* (1 956 salariés, dont 20 % de l'ex-RDA) la privatisation de 9 000 à 15 000 Stés d'État (80 % de l'économie de la RDA), qui ont été divisées en 40 000 entreprises, représentant 1,7 milliard d'ha de terrains, 25 000 de commerce, 7 500 hôtels et restaurants, 2 000 pharmacies, 900 librairies... Ensemble estimé à 2 000 milliards de F. Sur les 340 milliards de dettes des entreprises, la Treuhand a donné sa garantie pour 65 milliards.

En avril 1991, 100 entreprises ont été mises en faillite et liquidées, 1 000 Stés et 20 000 commerces ont été vendus, pour 13 milliards de F. 95 % des acheteurs sont ouest-all.

Investissements privés attendus en 1991. Entre 40 et 50 milliards de DM (dont 26,5 de l'ex-RFA).

Endettement des nouveaux Länder (1991, en milliards de DM). 50. **Aide de l'ex-RFA.** 103.

Économie de l'Allemagne unifiée

• P.N.B. (1991). 1,5 % (dont 3 pour la partie occ.).

• Budget (en milliards de DM). *Dépenses. 1990* 379,5 (dont 6 mois avec RDA), *91* 400. *Déficit. 90* – 30, *91* – 76 et +.

• Dette publique totale (en milliards de DM, 1991). 1 300. **Endettement additionnel, ou déficit public** 110 à 140 (5 % du P.N.B.), dont État fédéral 65, régions et communes 34, Fonds pour l'unité all. 31.

Hausses des impôts (1-7-91 au 30-6-92). Impôt sur le revenu + 7,5 %, taxes sur carburants + 25 % ; hausse sur alcool, tabac et assurance. *Recettes attendues :* 46 milliards de DM. **T.V.A. :** passerait de 14 à 15 % (apport de 12,5 milliards de DM).

• Aide à l'Est (milliards de DM). **Pologne :** 7,5. **URSS** 19,4 (dont garanties Hermès 9,5, crédits pour l'encouragement des réformes 5) à 22,4 (dont 3 pour frais financiers). En outre aide alimentaire (*1989* 0,2, *90* 0,08 + 1 de colis humanitaires privés).

• Commerce extérieur (milliards de DM, 1990). *Exp. :* 680,7 (– 0,2 %), *imp. :* 573,4 (+ 4,7 %).

• Balances paiements courants (milliards de DM). *1989* (All. O.) + 104,2 (soit + 8,6 par mois), *90* 71,9 (+ 6), *91* janv. – 1,2, févr. – 1,7. *Commerciale. 89* (All. O.) 135, *90* (All. O. + 6 mois avec RDA) 105, *91* janv. + 1,1, févr. + 2,6.

Comparaisons

Taux de fécondité : (1989). RFA 1,4, RDA 1,7 (Fr. 1,8). **Age.** – *de 15 ans (%) :* RFA 15, RDA 19 (Fr. 20), *+ de 65 ans (%) :* RFA 15, RDA 14 (Fr. 14).

P.N.B. **Montant** (milliards de DM). RFA 2 265 ; RDA 0,4. **Origine.** Agriculture, sylviculture, pêche RDA 2 (RFA 8), industrie 41 (70), services 57 (12).

Équipement (% par ménage). *Automobile :* RFA 95 (RDA 50). *Téléphone :* RFA 97 (RDA 16). *T.V. couleur :* RFA 91 (RDA 47).

ANDORRE

Carte p. 926. V. légende p. 837.

Situation. Europe. 467 km². S'étend sur 2 vallées (Valira del Norte et Valira del Orien) qui se réunissent à Andorre et forment le Gran Valira. *Frontières :* 120,3 km (avec Espagne 63,7, France 56,6) ; 65 km à + de 2 500 m, 1 km au-dessous de 1 000 m. *Alt. max. :* pic Coma Pedrosa 2 949 m. Pays habité le plus élevé d'Europe. *Climat* de haute montagne ; temp. moy. annuelles 6 à 9 °C, max. 25 à 30 °C ; *pluies :* abondantes au printemps et en été (moy. pendant 16 ans : 12 à 14 j) ; *neige :* 10 j par an à Sant-Julia (940 m), 50 à Soldeu (1 840 m).

Population (1-1-90). 46 166 h. dont 24 664 Espagnols, 12 938 Andorrans, 3 847 Portugais, 2 931 Français, 726 Anglais, 1 993 divers. D. 98,8. 40 hameaux sur 7 paroisses : Andorre-la-Vieille (chef-lieu) 18 305 h., Les Escaldes (station thermale) 10 583, Encamp 5 769, St-Julia-de-Loria 5 464, La Massana 3 827, Canillo 1 239, Ordino 980. Langue : Catalan (off.). Religion : Catholique (off.).

Histoire. Terre d'« aprision » (nouvellement défrichée, devenue propriété privée). Sous Louis le Débonnaire, bénéficie de franchises (comme d'autres régions de repeuplement de la « Marche hispanique »). **988** l'év. d'Urgel (dont A. dépend déjà en 839) reçoit du Cte de Barcelone, Borel, les alleux que celui-ci y possède, et devient ainsi suzerain temporel des Vallées. **Vers l'an 1000** inféode l'A. aux Vtes de Caboet, le fief passe par successions et mariages aux Vtes de Castelbon, puis aux Ctes de Foix. **1278** et **1288** les paréages (toujours en vigueur) règlent un conflit entre évêque et Cte de Foix, son vassal. **1401** Isabelle, ép. d'Archambaud de Grailly, sœur du Cte Mathieu de Foix, mort sans enfant, reconnue comme héritière ; Jean de Foix de Grailly (1412-36), son f., lui succède et ajoute le comté de Bigorre reçu de Charles VII ; Gaston IV (1436-72), f. de Jean, rachète la vicomté de Narbonne, épouse Éléonore d'Aragon, f. de Jean II roi d'Aragon et de Nav. (elle hérite la Nav.) ; **1479** son petit-fils, François Phébus, devient roi de Nav. ; Catherine (sœur héritière de François) transmet ses domaines à la maison d'Albret, par son mariage avec Jean d'A. (1484) ; **1589** épouse Henri III, roi de Navarre et Cte de Foix, vicomte de Béarn et seigneur d'Andorre, fils de Jeanne d'Albret et d'Antoine de Bourbon, qui devient roi de France (Henri IV). **1607** il rattache à la couronne les droits de coseigneurie des Ctes de Foix ; passent ensuite aux chefs de l'État fr., héritiers des Ctes de Foix. **1793** en raison de l'origine féodale des liens entre l'A. et la France, les républicains refusent de recevoir les Andorrans et leur tribut. **1806** tradition féodale rétablie par Napoléon. **1835** l'évêque d'Albi nommé coprince pour contrecarrer les mesures coercitives de l'Esp. à l'égard de l'év. d'Urgel, carliste. **1973**-*25-8* les 2 coprinces (Pt Pompidou et év. d'Urgel) se rencontrent pour la 1re fois depuis 7 siècles à Cahors. **1978**-*19-10* le Pt Giscard d'Estaing et l'év. d'Urgel célèbrent en A. le 7e centenaire des Paréages ; dep. *1278* 56 coprinces épiscopaux et 50 français se sont succédé. **1986**-*29-6* visite du Pt Mitterrand.

Statut. **Souveraineté.** Seigneurie féodale sous la double souveraineté de l'év. d'Urgel (Joan Marti y Alanis dep. 31-1-71), coprince épiscopal, et du Pt de la Rép. (François Mitterrand dep. 21-5-81), coprince français. Ils nomment chacun, dans les Vallées, 1 *viguier* (v. français et v. épiscopal) qui les représente. Ils jurent de respecter les institutions devant le *Conseil général des Vallées* (28 m., 4 par paroisse). Celui-ci désigne pour 4 ans, parmi ou en dehors de ses m., un *syndic procureur gén.* Albert Gelabert (n. 1949) et un *vice-syndic* Josep Casal-Puigcernal. Les viguiers sont également responsables de l'ordre public. Les 7 paroisses élisent chacune 1 *comu* (conseil : 2 consuls et 10 conseillers élus p. 4 a. par les And. d'au moins 21 a.). Femmes éligibles dep. décret du 8-9-1973.

Depuis 1981, séparation des pouvoirs. *Conseil exécutif* (Pt du gouv. choisi par le Conseil gén. des Vallées + 4 à 6 conseillers choisis par le chef du gouv.) ; responsable devant le législatif. *Chef du gouv.* Oscar Ribas-Reig.

Partis. P. démocratique d'Andorre, f. 1979 ; Groupe conservateur (réélu 10-1-86).

Justice. Les coprinces délèguent leur pouvoir législatif et celui de trancher les « recours en queixa » (recours soulevés par les And. contre les décisions du Cons. gén. des Vallées) aux *délégués permanents,* qui sont, respectivement, un vicaire de l'év. d'Urgel (abbé Memesi Marquès) et le préfet des Pyrénées-Or. (Roger Gros). **En matière civile.** Chaque *viguier* nomme 2 *bayles* (en matière civile, les *bayles* jugent en 1er ressort). Un 1er appel vient devant un juge des Appellations, nommé pour 5 ans alternativement par chacun des coprinces. Un *tribunal supérieur* créé en 1888, successeur du Conseil souverain du Roussillon, et se réunissant à Andorre sous la présidence du Pt du trib. de gde instance de Perpignan, connaît des affaires civiles en dernier ressort [ou bien le *Tribunal supérieur de la Mitre* siégeant à La Seu d'Urgell (doté dep. le 7-9-1974 d'une structure collégiale : 1 Pt, 1 vice-Pt, 4 m.)]. **En matière criminelle.** Les *« Corts »,* composés de 2 *viguiers,* du *juge des Appellations* et de 2 *rahonadors* désignés par le Cons. gén. des Vallées, un procureur gén. et un proc. adj. nommés pour 5 ans alternativement par chacun des coprinces, jugent plusieurs fois par an ; les prévenus peuvent être assistés d'un avocat. Les juridictions and. appliquent la *coutume* complétée par le droit romain, le droit canon et le droit catalan. Codification en cours (Code pénal, de commerce). **Tribut.** A. verse chaque année la *questia* aux coprinces, alternativement au Pt de la Rép. fr. (960 F) et à l'év. d'Urgel (460 pesetas), + un tribut en nature : 12 fromages, 12 chapons, 12 perdrix, 6 jambons. Police. A. dispose de ses propres forces. Diplomatie. Les And. peuvent à l'étranger faire appel à l'assistance des représentations diplomatiques fr.

☞ L'Espagne, dont 80 000 ressortissants résident ou travaillent en A., souhaite une harmonisation du régime social et dénonce le système d'éligibilité aux conseils d'adm. des mutuelles d'ass. soc. (postes réservés aux Andorrans). La C.E.E. proteste devant le refus d'A. de reconnaître les droits synd. et d'assoc.

Fête nat. **des vallées d'Andorre. :** 8 septembre (couronnement de la Vierge de Meritxell, patronne de l'Andorre). **Drapeau.** Adopté 1866.

• Économie. *P.N.B. (88)* 8 240 $ par hab. **Ressources :** *terres arables* 3,98 %, *forêts* 23,67 %, *pâturages haute montagne* 44,24 %. Céréales (blé, seigle, orge), tabac, pommes de t., élevage (bovins, ovins, chevaux, lapins), textiles et articles d'habillement, artisanat (céramique, bijouterie, joaillerie). **Tourisme :** 13 millions de vis. (89) dont 3,05 d'All. (83). 5 stations de sports d'hiver. **Monnaies :** fr. et esp. *Union postale* France et Espagne avec figurines propres à l'A. Franchise postale dans les vallées. Commerce. *Exportations :* prod. artisanale bois (meubles et bibelots) et fer, *vers* France, Espagne, Allemagne, Belgique. *Union douanière* avec la C.E.E. (1989). Impôts. Taxe de résidence dans les hôtels (tribut), taxe sur les primes d'assurances, taxe sur les dépôts en banque (recours en annulation contre ces textes). Les 9/10 des recettes viennent des taxes sur les importations (dont celle sur le carburant).

ANGOLA

V. légende p. 837.

Situation. Afrique. 1 246 700 km² (y compris Cabinda 7 270 km²). *Longueur* N.S. 1 277 km, *largeur* 1 236 km. *Frontières :* 6 487 km (dont terrestres 4 837, maritimes 1 650). *Alt. max.* Mt Moco 2 620 m. **Régions :** littoral (plaines et plateaux) ; montagnes, plateaux intérieurs (1 000 à 2 000 m). *Climat* tropical influencé par l'altitude, le courant froid du Benguela et les vents secs du Kalahari. Au N. saison des pluies oct. à mai ; sur au S.-O.

Population. 9 421 000 h. (88) *2000* (prév.) : 13 234 000 h. Bantous, Bochimans, Vatuas. (400 000 Européens, 150 000 Euro-africains avant l'indép. ; 90 % sont partis). *Accroissement* (en %) : 2,5 par an. *- de 15 a.* 45, *+ de 65 a.* 3. *Espérance de vie* 45. Taux de mort. infantile : 143 ‰. D. 7,5. **Réfugiés angolais :** au Zaïre 1 000 000 (300 000 y sont restés) ; Zambie 500 000 ; Namibie, Botswana 500 000 ; Brésil 150 000 ; Portugal 100 000. **Immigrés :** 50 000 *Namibiens* dont 20 000 au S.-E. de la cap. 30 000 *Zaïrois* dans le N. **Villes :** *Luanda* (agg.) 1 500 000 (84), Lobito-Benguela 150 000, Huambo (ex-Nova-Lisboa) 100 000, Malange 35 000, Lubango 32 000. **Analphabètes :** 80 %. **Malnutrition :** 2 000 000. Langue off. Portugais. Religions : Catholiques 43 %, animistes 45 %, protestants 12 %.

Histoire. **XIIIe s.** royaume de Kongo, capitale Mbanza, qui deviendra São Salvador. **1482** découverte par Diogo Cão. **1484** la région côtière devient province portugaise. **1574** prend le nom du roi noir N'gola. **XVIe s.** fondation de comptoirs. **XVIIe s.** centre de traite des esclaves. **1617** le N'gola (roi) Kiluanji est décapité, sa fille N'Zinga reprend la lutte. **1641** occupation par Hollandais. **1648** chassés par des Colons brésiliens. **1656** tr. reconnaissant indép. du N'dongo. **1665** Antonio Ier battu à Ambuila par Portugais ; le Kongo perd son indép. **1705** le clergé impose Pedro IV comme roi, Beatriz (inspiratrice de la secte des Antoniens), qui est contre, est brûlée. **XIXe s.** domination port. s'étend vers l'intérieur. **1955** province port. **1956** fondation du MPLA. **1957** du FLNA. **1961**-*4-2* rébellion. 2 000 Blancs assassinés. Représailles 10 000 †, des centaines de milliers de Noirs se réfugient au Congo. **1966** fondation de l'UNITA. **1972** *déc.* MPLA et FLNA forment un Conseil suprême de libération de l'A. (CSLA), Pt Roberto Holden, vice-Pt Agostinho di Neto. **1974**-*17-6* cessez-le-feu Port./UNITA. Étendu au FNLA et au MPLA. Affrontements Blancs et Noirs (juill. 35 † ; nov. 50 †). Rivalités entre les 3 mouv. **1975**-*15-1 accords d'Alvor* Port./3 mouv. : gouv. de transition, indépendance prévue 11-11. *Mars* g. civile MPLA contre FNLA et UNITA. Exode de 400 000 Port. *Oct.* intervention sud-afr. dans le S. contre MPLA. *-11-11* indépendance, 2 gouv. : Rép. pop. du MPLA (aidée par Cubains et Russes). Rép. pop. du FNLA et de l'UNITA (aidée par CIA), jusqu'en janv. 76. Après des revers, en nov., MPLA contre-attaque (déc.-janv.) avec Cubains (15 000 militaires, 7 000 à 8 000 experts civils). **1976** *fin janv.* retrait sud-afr. *-8-2* MPLA prend Huambo. *Mi-février* victoire MPLA. Plusieurs dizaines de milliers de † ; plantations de café détruites. **1977**-*27-5* échec d'un coup d'État à Luanda. **1978** les Fapla (forces régulières ang. : 30 000 h.) et 23 000 Cubains combattent l'UNITA ; 8 000 Cubains auraient été tués depuis 1975. *-4-5* bombardement sud-afr. de Kassinga (+ de 700 †). *-24-6* rencontre en Guinée-Bissau du

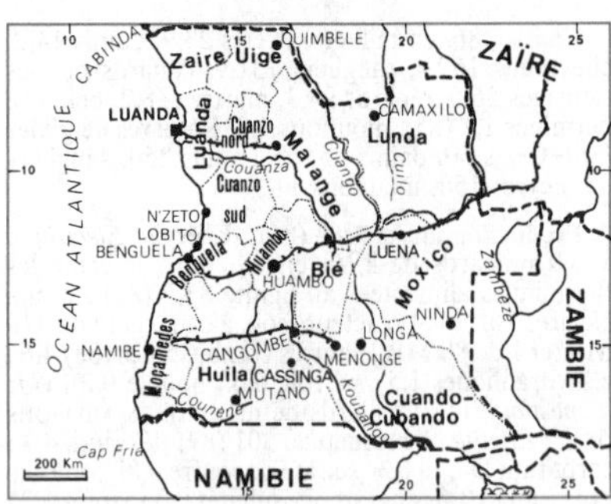

Gal Eanes (Pt port.) et du Pt Neto. *-19-8* rencontre Neto-Mobutu (Pt du Zaïre) à Kinshasa. *-10-10* 40 † à Huambo (2 attentats). *-15-10* Mobutu à Luanda. *-9-12* PM Lopo do Nascimento destitué ; charges de PM et de vice-PM supprimées. **1981-82** plusieurs raids sud-afr. **1982**-*8-12* début de négociations Afr. du S.-Angola au Cap-Vert. **1984**-*3-1* raid sud-afr. contre SWAPO (331 †). *-16-2 accord de Lusaka* avec Afr. du S. qui retirera ses troupes d'A., l'A. réprimant les infiltrations de la SWAPO. *-19-4* attentat UNITA à Huambo 24 †. *Été* échec offensive contre UNITA. **1985**-*1/4-31-5* 181 combats UNITA/MPLA (1 020 †). *-1-7* raid sud-afr. contre SWAPO (61 †). *-16-9* raid sud-afr. *-18-9* attaque aérienne sud-afr. *Sept.-oct.* échec offensive MPLA. **1986**-*5-8* attaque de Cuito-Cuanavale, 22 avions détruits. **1987**-5-6 Forces territoriales namibiennes (SWATF), sous commandement sud-afr., attaquent base FAPLA. *3-7* choléra, 3 000 †. *-23-7 à nov.* offensive MPLA contre Mavinga. Off. repoussée (au 4-3-1988 pertes totales 1 984 soldats ang., 27 Russes, 21 Cubains ; UNITA 155 †, 662 blessés). *-21/23-9* Pt Dos Santos en France. **1988** bombardement S.-Afr. dans le Sud. *-17-3* avancée des Cubains sur 250 km. *-27-4* avion cubain abattu par erreur par missile cubain : 26 officiers cubains tués. *Mai* renforts cubains *-29-6* embuscade cubaine au barrage des Calueque : 12 Sud-Afr., 300 Ang. et Cubains † ; 8 Mig-23 détruisent bases arrière sud-afr. *-8-8* Genève, accord entre Ang., Cuba et Afr. du S. : cessez-le-feu, retrait des Sud-Afr. *-22-12* New York, accord A./Cuba : repli des Cubains du 1-4-1989 au 1-7-1991 [les 2/3 la 1re année (3 500 soldats par mois) ; puis 14 000 h. en 6 mois, et 10 000 h. le 1-7-91]. **1989**-*10-1* départ de 450 Cubains. *-9-2* offensive UNITA. *-22-6* à Gbadolite (Zaïre) : accord de cessez-le-feu entre Pt Dos Santos et J. Savimbi. *-24-6* UNITA rompt le cessez-le-feu. **1990**-*25-1* arrêt du retrait cubain après attaque UNITA (4 C. †). *-24/25-4* à Evora (Port.) rencontre Gouv./UNITA. **1991**-*26-3* loi sur le multipartisme. *-1-5* accord d'Estoril (Port.) Gouv./UNITA : cessez-le-feu, élect. prévues fin 1992. *-25-5* derniers Cubains partent. *32-5* accord de paix.

Cabinda. Enclave côtière entre Zaïre et Congo. 7 270 km². 300 000 h., 60 000 réfugiés au Zaïre (Bakongos, Blancs). Sous protectorat portugais par tr. de Simulambuco (1-2-1885). Rattaché à l'A. en 1956 bien qu'il n'y ait ni frontière ni ethnies communes. Pétrole (voir économie). Diamants, phosphates, manganèse. Café, cacao. Le MOLICA (Mouv. de libération du Cabinda) contrôlerait le N.

Statut. Rép. populaire. *Constitution* du 15-11-1975, modifiée oct. 76 et sept. 80. *Conseil de la Révolution. Pt* (désigné par MPLA) : José Eduardo Dos Santos (n. 28-8-42) dep. 21-9-79 [succède à Agostinho di Neto (17-9-22/11-9-79), Pt dep. le 11-11-75]. *18 provinces. Ass.* 318 m. dont 29 tournants. *Membre du Comecon et du FMI.* Adhère à la *Convention de Lomé III.* 10 000 enfants de 4 à 7 ans ont été envoyés à Cuba pour y être formés.

Militaires : U.R.S.S. (3 500 Soviétiques) ; pays de l'Est (600 en mars 88 ; 3 500 All. de l'Est en 87) ; 2 500 Nord-Coréens, 3 500 Portugais communistes de l'amiral Rosa Constinho [4 000 conseillers milit. occupant des postes d'encadrement (5 à 10 par régiment) ; base aéronavale de Moçamedes] ; Cuba [52 000 h. en 1988 dont 42 000 soldats professionnels (dont 2000 des « forces spéciales », et de la 50e div., garde personnelle de Castro) et 10 000 techniciens assurant encadrement et défense des points stratégiques (telles installations pétrolières de Cabinda, Luanda) ; pilotes d'hélicoptères] 310 000 Cubains se sont succédé en Ang., + de 10 000 y sont morts (offic. 2 100) ; 7 000 h. de la SWAPO (organisation de libération de la Namibie) qui, en 1989, ont rejoint la N. ; 1 200 h. de l'ANC (organisation de lutte contre le régime sud-afr.). *Forces armées du MPLA (FAPLA) :* 74 000 dont 24 000 fantassins, 1 500 aviateurs, 2 500 marins, 10 000 miliciens. Recrutement arbitraire, rafles fréquentes (sortie des lycées, marchés). *Armement :* 100 chars T-62, 200 hél. de chasse dep. 1988, Mig 23, SU-22 soviét., missiles sol-air à guidage électr. *Aide soviét. :* + de 10 milliards de $.

Partis. **Mouvement pop. de libération de l'Angola-P. du travail (MPLA-PT).** *Créé* déc. 1956, regroupe des militants de l'ancienne Ligue nat. africaine, de l'Assoc. régionale des naturels de l'A. et du Mouv. pour l'ind. nat. de l'A. *Principaux chefs :* Dr Agostinho di Neto, Mario de Andrade, et le R.P. Joachim Rocha Pinto de Andrade qui forment en 1977 le MPLA-P. du travail. *Chef actuel :* José Eduardo Dos Santos. 15 000 m. (82). **Front national de libération de l'Angola (FNLA).** *Créé* 1962, regroupe l'Union des pop. de l'A. (UPA), issue de l'Union des pop. du N. de l'A. (UPNA), créée 1956. Constitua, avr. 1962, un gouv. révol. ang. en exil (GRAE appuyé par les missions protestantes). *Chef :* John Gilmore (alias Roberto Holden, n. 1923). 3 000 maquisards (Bakongos) contrôlant le Nord. **Union nationale pour l'indépendance totale de l'Angola (UNITA).** *Créée* mars 1966. Le 23-4-1988 forme un gouvernement provisoire à Jamba (PM Jeremias Chitunda). *Chef :* Jonas Savimbi (n. 1934), favorable à l'Occident. *Base ethnique :* Ovimbundus, majoritaires en A. *Contrôle :* 1/5 de l'A. et 1 million de personnes (sur 6). *Ressources financières :* faibles [exploitation du diamant et du bois, dons d'Afr. du S., de régimes noirs modérés et de nations arabes (Arabie Saoudite, Maroc...)]. *Soutiens : diplomatiques :* Afr. du S., Zaïre, Maroc, U.S.A., pays occidentaux. *Militaires :* Afr. du S., matériels pris sur Cubains. Certains pays amis africains ou arabes forment des officiers stagiaires et fournissent des armes. *Forces :* 28 000 h. semi-réguliers en zone « libérée », 37 000 guérilleros. *Armement :* missiles Stinger Amér. (en 1988, livraison de + de 15 millions de $ de missiles, en échange de négociations en vue de l'accord de paix ; en 1 an, 600 millions de $ de mat. soviét. détruits).

Nota. De mars à nov. 1990, la population de Jamba est passée de 15 000 à 6 000 h.

Bilan de la guerre : de 1975 à 91, 230 000 †, 1 100 000 personnes déplacées.

Économie. *P.N.B.* (88) : 875 $ par h. *Pop. active (en %) et* entre parenthèses *part du P.N.B. (en %) :* agr. 58 (25), ind. 12 (15), mines 4 (15), services 26 (45). *Dette extérieure* (milliards de $) : *1977 :* 0,3, *1985 :* 1,4. *1987 :* 4. *1988 :* 5. *Service de la dette :* 0,27 (soit 15 % des exportations). *Budget* (millions de kwandas) : *1983 :* – 12, *84 :* – 7,7, *85 :* 12.

Agriculture. **Superficie.** (milliers d'ha, 81). 124 670 dont t. arables 3 500, pâturages 29 000, forêts 53 670, divers 38 500. **Productions** (milliers de t) : *manioc* [*v. 1973 :* 1 640 ; *82 :* 900, *84 :* 1 950, *85 :* 300, *86 :* 1970 (dans zones contrôlées)], *maïs* (*84 :* 260, *85 :* 250, *86 :* 230, *87 :* 300, *88 :* 270, *89 :* 204), *sisal* (*v. 1973 :* 71, *84 :* 3), *blé* (*84 :* 10), *coton* (*v. 1973 :* 72, *84 :* 11, *85 :* 33, *89 :* 11), *sorgho* (*84 :* 50, *87 :* 60), *café* (*1974 :* 240, *80 :* 80, *82 :* 35, *84 :* 27, *85 :* 25, *86 :* 35, *87 :* 16, *88 :* 15, *89 :* 5), *tabac,* sucre (*v. 1976 :* 82, *82 :* 32). Il faut importer : céréales (187 000 t en 1987-88), canne à sucre et haricots. *Prod. de céréales dans zones contrôlées par guérilla (en milliers de t) : 1987-88 :* 110, *88-89 :* 52, *89-90 :* 34. Élevage (milliers de têtes, *88*). Bovins 3 400, porcs 480, moutons 265, chèvres 975, volailles 6 000. Forêts. 5 139 000 m³ (87). Pêche. *1972 :* 600 000 t, *85 :* 74 500, *87 :* 81 300.

Pétrole (millions de t). Réserve (86) : 252. *Prod. : 1974 :* 8,7, *75 :* 4,7, *76 :* 5,09, *83 :* 8,9, *84 :* 10,4, *85 :* 11,2, *86 :* 13,8, *87 :* 18, *88 :* 22. *89 :* (dont les 2/3 des gisements offshore de Cabinda). *Revenu : 1985 :* 2 milliards de $, *1986 :* 1. 1 raffinerie de pétrole (capacité 1,5 million de t). Mines. Manganèse [*v. 1973 :* 950 000 t, cuivre, fer (Kassinga), uranium, asphalte, diamants (180 000 carats en 87)]. Industrie. Bois, farine, papier, sucre, gaz, ciment. Transports. *Voies ferrées :* 3 000 km. *Routes asphaltées :* 8 000.

Commerce (milliards de $, 1987). *Exportations :* 2 (dont pétrole 90 %) *vers* U.S.A., Espagne. Café exporté *86 :* 18 000 t (*1974 :* 180 000 t). *Importations :* 1,2 (équipement, alimentation, textile) *de* (84) U.S.A. (38 %), Portugal, Brésil, *France.*

Balance (millions de $, 87). **Commerciale** + 700 ; **des paiements** – 13.

ANGUILLA

V. légende p. 837.

Généralités. 90,6 km², 8 000 h. (88). *Cap. : La Vallée* 760 h. **Histoire : 1967** se sépare de facto de St Christopher and Nevis. **1980-***12-9* sécession légalisée. *-16-12* indépendant de la G.-B. *Gouv.* Brian George John Canty. *PM 1973-84 :* Ronald Webster (Parti du peuple) ; *1984-12-3 :* Emile Gumbs (Alliance nat.). Statut : *Conseil exécutif. Ass. législative* 7 m. élus, 2 d'office, 2 nommés. L'île de **Sombrero** lui est rattachée. **P.N.B.** (88) : 930 $ par h. Tourisme (1987) : 69 123 vis.

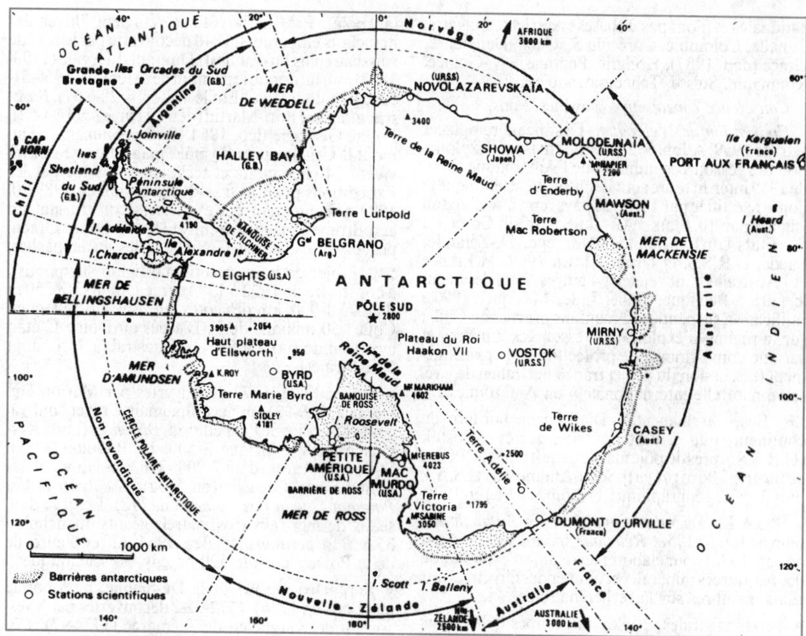

ANTARCTIQUE (Pôle Sud)

V. légende p. 837.

• Situation. Continent situé à 990 km de l'Amér. du Sud et 2 000 km de la Nelle-Zélande. Divisé en 2 par les monts transantarctiques, prolongement géologique des Andes. *Ant. oriental :* masse continentale plus ou moins continue ; *occid. :* plus réduite, presque entièrement dans l'hémisphère occid., semble composée pour l'essentiel d'une plate-forme glaciaire et d'archipels d'îles glaciaires soudées. **Superficie.** 13 000 000 km² (14 000 000 en comptant les glaces). 98 % couvert de glace permanente (épaisseur 2 160 à 4 500 m) ce qui fait que l'A. contient 70 % de toute l'eau douce de la Terre. **Alt. max.** Mt Vinson 5 140 m ; *moy.* 1 800 m. **Fleuve :** *Onyx,* s'écoule en été sur 30 km, alimenté par les eaux de fonte du glacier de Wright dans la dépendance de Ross.

• Côtes. Bordées par une zone de glace aux contours instables. La mer est libre sur une partie du littoral l'été, la surface gelée (sur 1 à 2 m d'épaisseur) passe en hiver de 2 000 000 à 20 000 000 km². La calotte glaciaire forme au large de vastes plates-formes (épaisseur 250 à 1 300 m). Les plus importantes : barrières de Ross, de Filchner, de Ronne et d'Amery. **Pack** (glaces flottantes) : se forme sur le continent ou en bordure, et est ensuite poussé par les vents vers le N. dans la mer. Passe de 2 600 000 km² en mars à 18 800 000 km² en sept. En hiver, il recouvre l'Antarctique et peut s'étendre au N. jusqu'à 55° de latitude S. Largeur des fleuves de glace : 10 à 100 m. Épaisseur 1,5 m (moy.) à 3 m. **Icebergs** (parfois plus de 60 × 100 km, haut., 100 m au-dessus du niveau de la mer et 400 à 500 m au-dessous) se détachent par clivage de la plate-forme et, entraînés par des courants, se déplacent d'env. 18 km par j. On en rencontre jusqu'au 45° de latitude S. dans l'océan Pacifique et jusqu'au 35° de lat. S. dans les océans Atlantique et Indien. *Plateau continental* env. 4 000 000 km², longueur moy. 30 km (moy. mondiale 70 km), profondeur, parfois plus de 800 m.

• Climat. Même ensoleillement qu'à l'Équateur : altitude élevée, faible densité de l'atmosphère et transparence exceptionnelle de l'air. Pour l'essentiel, le rayonnement solaire est réfléchi dans l'espace par la calotte glaciaire et la banquise. **Température.** *Record* – 89,6 °C le 21-7-1983. *Moyenne* janvier : 0 °C sur la côte, (– 30 °C sur le plateau) ; juillet : – 20 °C (– 65 °C). Des cyclones prenant naissance entre le 60° et le 70° degré de lat. S. se déplacent vers l'E. le long des côtes. *Neige.* Chutes : – de 5 m par an sur le plateau, 50 cm sur côte et péninsule.

• Faune. A l'intérieur pas de vie animale et végétale. Près des côtes, nombreux oiseaux (manchots), pinnipèdes (éléphants et léopards de mer, phoques) ; mer riche en plancton, cétacés (baleines), petits crustacés (krill), poissons et calmars.

• Histoire. **1744** *janv.* l'Anglais James Cook relève une « chaîne de 97 collines de glace ». **1820-***20-1* les Anglais William Smith et Edward Bransfield découvrent la pointe N. de la péninsule. **1819-20** Thadeus von Bellingshausen, pour le compte du tsar Alexandre Ier, fait le tour de la banquise mais estime qu'« il n'existe pas de continent austral ». **1840-***19-1* le cap. de vaisseau Dumont d'Urville aperçoit l'Antarctique ; *20-1* y débarque (au même moment se trouve une expéd. amér. avec Charles Wilkes, qui aurait logé de 1839 à 40 le continent sur 2 500 km dans le quadrant australien : dans son rapport du 11-3-1840, Wilkes affirme « avoir vu le 19-1 au matin la terre au sud et à l'est » [car il a appris en Tasmanie que Dumont d'Urville avait découvert l'A. dans l'après-midi du 19] alors que son journal de bord ne l'indique pas. Pourtant la côte découverte s'appelle toujours « terre de Wilkes », malgré le passage de W. en cour martiale aux U.S.A., sur plainte de ses officiers pour « injustice, cruauté, mensonge et conduite scandaleuse ».

• Statut. Régi par le *traité de l'Antarctique* signé le 1-12-1959 (entré en vigueur 23-6-1961 pour 30 ans). Il a suspendu toutes revendications et démilitarisé le continent, dont il a établi le libre usage à des fins scientifiques et météorologiques. Il s'applique pour les régions situées au S. du 60° degré de latitude S.

On distingue : 1°) **les possessionnés :** 7 États qui ont chacun fait valoir formellement et unilatéralement des prétentions territoriales sur certaines parties de l'Ant. : *Argentine* (îles Orcades, îles Shetland du Sud et une partie du continent antarctique entre 25° et 74° long. O ; 6 bases permanentes), *Australie* (voir Index), *Chili* (voir Index), *France* (Terre Adélie), *Norvège* (Terre de la Reine-Maud entre 20° O. et 45° E.), *N.-Zélande* (Terre de Ross 730 000 km² au total), *G.-B.* (5 425 000 km², Territoire de l'Ant., créé 3-3-1962, comprenant Orcades du S. 622 km², Shetland du S. 4 622 km², Terre de Graham et partie du continent antarc. entre 20° et 80° de long. O.) Leur souveraineté n'est reconnue que par eux-mêmes, mais n'est ni contestée ni critiquée sauf pour ceux qui ont des prétentions superposées (ex. Argentine, Chili, G.-B.) Ils sont tous parties consultatives. 2°) **les parties consultatives :** 26 États qui ont au min. une base et participent aux travaux et conférences, dont 12 sont parties consultatives originaires [les 7 possessionnés, U.S.A. et U.R.S.S. (qui refusent tout droit acquis et toute revendication de souveraineté sur l'Ant.) Afrique du S., Belgique, Japon] et 14 sont parties consultatives non originaires (Pologne, All., Brésil, Inde, Chine, Uruguay, Equateur, Espagne, Italie, P.-Bas, Pérou, Corée du N., Finlande, Suède). Un État devient partie consultative s'il démontre un intérêt pour l'Ant. constaté souverainement par les parties originaires. 3°) **les signataires non consultatifs :** 13 États qui ont signé le traité, mais n'ont jamais envoyé d'expéditions nationales et n'ont pas de bases : Autriche, Bulgarie, Canada, Colombie, Corée du S., Cuba, Danemark, Grèce (dep. 1987), Hongrie, Papouasie-N.-Guinée, Roumanie, Suisse, Tchécoslovaquie.

Conférence consultative. Tous les 2 ans.

Convention de Wellington. Destinée à remplacer le tr. de 1959. Adoptée 2-6-1988 : envisage l'exploitation des ressources minières de l'Antarctique (le tr. de 1959 interdit toute activité autre que scientifique) ; doit être ratifiée par 16 des 20 pays repr. à Wellington [signée par 10 États : Afr. du S., Brésil, Corée du S., États-Unis, Finlande, Norvège, N.-Zélande, Suède, U.R.S.S. et Uruguay]. En *1989 :* la France et l'Australie l'ont rejetée ; 4 autres États devraient le faire : Belgique, Italie, Inde, Mexique. *1990 :* ratification suspendue. 2 réunions prévues au Chili : sur le régime d'exploit. des ressources minières et sur une conv. globale de protection de l'environnement (discussion du projet franco-australien de « réserve naturelle internationale » en Antartique).

☞ **Bases permanentes.** D'abord en bordure du continent, puis à l'intérieur des terres : Vostok (U.R.S.S.), près du pôle magnétique [forage à 2 000 m de prof. (3 700 m prévu)], Scott-Amundsen (U.S.A.), près du pôle géographique, et Dôme C (Fr.) en 1990.

S.C.A.R. *(Scientific Committee for Antarctic Research)* fondé 1958. *Réunions spéciales* (2 fois par an dep. 1982) pour élaborer un régime d'exploitation des ressources minérales et donner des directives aux États membres sur la recherche scient.

• **Terres australes.** 20 îles ou groupes d'îles épars dans l'océan Austral entre 37° et 60° de latitude S.

De nombreuses îles ont une activité volcanique intermittente (Heard, Tristan da Cunha, Sandwich du S.). Les autres sont d'origine continentale (Falkland, Géorgie du S., Auckland).

Secteur atlantique : îles *Tristan da Cunha, Gough, Falkland* (ou *Malouines,* 16 380 km²), *Géorgie du S., Sandwich du S., Orcades du S.* appartenant à la G.-B. et île *Bouvet* à la Norvège. **Indien :** îles *Amsterdam* (55 km², alt. max. 881 m), *Saint-Paul* (7 km², 268 m), *Crozet* (336 km², comprend îles des Apôtres 2 km², 300 m, des Cochons 65 km², 900 m, des Pingouins 3 km², 340 m, de la Possession 175 km², 934 m, de l'Est 80 km², 1 050 m), *Kerguelen* (7 215 km², comprend Grande Terre 6 700 km², 1 850 m et 300 îles 500 km²) appartenant à la France ; île *Marion* à l'Afr. du Sud., île *Heard* (alt. max. Big Ben 2 750 m) à l'Australie. **Pacifique :** îles *Bounty, Antipodes, Auckland, Campbell* à la N.-Zélande, île *Macquarie* à l'Australie.

Températures moyennes annuelles : vers le 50e parallèle, Bouvet - 1,5 °C, Kerguelen + 4,6 °C, Heard + 1,5 °C, Macquarie + 4,8 °C, Campbell + 6,6 °C. Le secteur atlantique est plus froid.

☞ **Expéditions. Transantarctica** [Jean-Louis Etienne (Fr.), Will Steger (U.S.A.), Viktor Boyarski (U.R.S.S.), Geoff Summers (G.-B.), Keiko Funatsu (Jap.), Qin Dahé (Chine)]. **1989**-*28-7* départ de Mirny (base sov.). *-11-12* arrivée au pôle Sud (après 3 090 km en 138 j.). **1990** *mars* retour à Mirny.

TERRES AUSTRALES ET ANTARCTIQUES FRANÇAISES

V. légende p. 837.

Statut. Territoire d'O.-M. français dep. 6-8-1955 (autonomie administrative et financière, siège provisoire à Paris) administré par un *administrateur supérieur* (Bernard de Gouttes) assisté d'un *Conseil consultatif* de 7 m. et d'un *Comité scientifique* de 12 m. ; dep. 1982, *Comité de l'environnement. 4 districts :* îles Crozet, îles Kerguelen, îles St-Paul et Amsterdam, Terre Adélie. *Base de recherche :* rayons cosmiques, ionosphère, radioélectr. naturelle, magnétisme, physico-chimie de l'atmosphère, aurores et ciel nocturne, glaciologie, météo, séismologie, biologie terrestre et marine, stations de réception des satellites. Dep. 3-2-1978, zone économique de 200 milles autour des îles. Régulièrement desservies par 3 navires : les « Marion Dufresne » et « Astrolabe » (civils), l'« Albatros » (mil.). **Budget** (millions de F, *91).* 185 [dont 50 pour recherche scientifique]. **Population.** 150 h. l'hiver, 200 l'été.

• **Adélie (Terre).** Entre 136° et 142° de long. E. *Distances* (km) : Tasmanie 2 700, Kerguelen 4 260, La Réunion 7 660, Afrique 7 970. 432 000 km² (terre ferme), 589 892 en tenant compte de l'ensemble des terres revendiquées. Plateau recouvert de glaciers s'élevant à 2 000 m (à 200 km de la côte) et 3 000 m (au pôle). Près de la côte se réfugient l'hiver des manchots empereurs. **1840** découverte par le cap. de vaisseau (plus tard amiral) Dumont d'Urville (1790-1842), qui lui donne le prénom de sa femme. **1950-51-52** expéditions (Paul-Émile Victor, n. 28-6-07). *Bases scientifiques :* Port-Martin (détruit par le feu 14-1-52). Pointe-Géologie dep. 1954. *Base permanente :* Dumont-d'Urville (près du pôle magnétique Sud) où vivent 34 chercheurs et techniciens ; gérée par les Expéditions polaires fr., 40e expédition en 1989-90. **1989** affrontement entre ouvriers construisant un aérodrome à usage restreint et 15 militants de Greenpeace venus avec le Gondwana les en empêcher.

☞ Projet de base scientifique (igloo sur pilotis), à construire de 1992 à 1994 sur le Dôme C (3 250 m d'alt., à 1 000 km des côtes, en zone australienne). Coût : 50 millions de F. L'accès au Dôme C était avant limité (nov. à févr., été austral, à 75 j., dont 50 de trajet).

• **Crozet (îles).** **1772** découvertes par Marion Dufresne (1729-92) qu'accompagnait Crozet, qui raconta l'histoire de l'expédition. *Distances* (km) : Kerguelen 1 480, Afrique 2 500, La Réunion 2 860, St-Paul et Amsterdam 2 900. 336 km². Env. 20 îles dont *île aux Cochons* (ou Hog), *des Apôtres, des Pingouins, de la Possession* et *de l'Est.* Réserve d'oiseaux de mer (albatros, pétrels géants, manchots). 35 h. *Base permanente :* dep. 1964, Alfred-Faure, île de la Possession (*alt.* 120 m, env. 35 scientifiques).

• **Kerguelen** (ou **îles de la Désolation,** nom donné par Cook en 1776). **1772**-*12-2* découvertes par Yves-Joseph de Kerguelen de Trémarec (1734-97). *Distances* (km) : St-Paul et Amsterdam 1 420, La Réunion 3 400, Afrique 3 900, Australie 4 100. 7 215 km². Env. 300 îles (la plus grande 6 675 km², 140 km long.). **1901** K. revendiqué par l'Australie. Littoral envahi d'algues gigantesques *(Macrocystis pyrifera). Alt. max.* Mt Ross 1 850 m. *Climat* frais l'été (7,4 °C moy.), doux l'hiver (2,6 °C), très humide. Vents d'ouest violents. *Faune.* Pas d'arbres ; végétation (acaena, choux de Kerguelen) ; lapins (introduits en 1878, ont ravagé les choux de K.). Oiseaux de mer, manchots, éléphants de mer. Otaries décimées au XIXe s., réapparues dep. 10 ans ; moutons, rennes, mouflons (dep. 1950) ; eaux très poissonneuses (poissons des glaces Gunnari). *Base permanente* (dep. 1949). *Alt.* 15 m, Port-aux-Français (70 à 80 techniciens et chercheurs). Zone de pêche. Dep. 1987, lieu d'immatriculation bis pour certains navires marchands français.

• **Amsterdam** (ou autrefois **Nouvelle-Amsterdam) (île).** Origine volcanique. *Distances* (km) : La Réunion 2 880, Australie 3 340, Afrique 4 350. 55 km². 35 h. *Alt. max.* 881 m. *Climat* doux. **1843** prise de possession par le capitaine Dupeyraut. *Base permanente* (dep. 1949, Martin-de-Viviès, 30 personnes). Oiseaux de mer. Bovidés sauvages. Otaries. Langoustes 350 t (91).

• **Saint-Paul (île).** 7 km² (14 avec la lagune). Volcan éteint (270 m) envahi par la mer ; pas d'établissement permanent. Langoustes.

Nota. Vents violents quasi permanents : les quarantièmes rugissants.

ANTIGUA ET BARBUDA

Carte p. 1019. V. légende p. 837.

Généralités. 3 îles des Antilles (442 km²) : *Antigua* 280 km² ; *Barbuda* (à 40 km) 161 km², 1 500 h., autrefois possession de la famille Codrington ; *Redonda* (à 48 km) 1 km², inhabitée. *Alt. max.* Boggy Peak 403 m. *Climat* tropical. Saisons : humide de juill. à nov., sèche de déc. à juin. Temp. moy. 26,7 °C. **Population.** 81 500 h. (est. 86). D. 177. *Capitale : St John's and Codrington* 36 000 h. **Langues.** 95 % de la pop. parle anglais, 5 % anglais et français. **Religion.** Anglicane.

Histoire. **1493** Christophe Colomb découvre l'île qui sera nommée d'après l'église de Santa Maria de la Antigua à Séville. **1520** 1re tentative des Esp. pour s'installer. **1629** tentative de colonisation des Français. **1632** les Anglais colonisent A., cultivent tabac et canne à sucre. **1650** travail des esclaves noirs dans les plantations. Possession revendiquée par G.-B., France, Hollande, Esp., Port. **1661** colonisation de Barbuda. **1667** *juin* tr. de Breda : A. est britannique. **1669** les îles Leeward comprenant A., Barbuda, St-Kitts, Nevis, Anguilla, Montserrat et Dominique sont rattachées. **1834** abolition de l'esclavage. **1871** fédération des îles Leeward (A., St Kitts-Anguilla, Montserrat, Dominique, îles Vierges brit.) ; siège à A. **1956** féd. dissoute, devient colonie. **1958** A. se joint à la Féd. des Indes occ. comme membre indépendant jusqu'à sa dissolution, le 23-5-1962. **1966** association avec G.-B. (effective 27-2-1967). **1968** accord avec Barbade et Guyane, pour zone de libre-échange. **1972** A. rejoint Communauté des Caraïbes et Marché commun. **1981**-*1-11* indépendance.

Statut. Monarchie parlementaire. Membre du Commonwealth. *Const.* du 1-11-1981. *Chef de l'État* reine Élisabeth II. *Gouv.* Gal Sir Wilfred Ebenezer Jacobs. *PM* Vere Cornwall Bird (7-12-1910) dep. 18-2-1976 (A.L.P.). *Sénat* 17 m. nommés. *Chambre des représentants* 17 m. élus p. 5 ans. *Élections* (mars 1989) Antigua Labour Party (A.L.P.) 15 s. **Drapeau.** Adopté 1967.

Économie. *P.N.B. (88) :* 2 858 $ par hab. *Terres* (en km²) agriculture 69,1, forêt 47,9, *improductives* 74,4, arables 55,1. *Production* rhum, fruits, légumes. *Élevage* (88) 13 000 moutons. *Pêche.* **Tourisme** *(88) : visiteurs* 176 893 (par avion), 198 587 (croisières). *Inflation (86) :* 3,9 %.

Commerce (millions de $ US 87). *Exportations* 19,3 *dont* mach. et équip. de transp. 40 %, text. et biens manufacturés 20 %, prod. chim. *vers* U.S.A. 40 %, G.-B., Canada, CARICOM. *Importations* 191,3 *dont* pétrole 22,2, véhicules, prod. alim., text., papier, machines *de* U.S.A. 26 %, CARICOM 17 %, G.-B. 16 %, Venezuela 13 %.

ANTILLES NÉERLANDAISES

Carte p. 1019. V. légende p. 837.

Situation. Amérique. 800 km². 2 groupes d'îles distantes de 1 000 km (îles Sous-le-Vent à 60 km du Venezuela et îles du Vent plus près de Puerto Rico). *Alt. max.* St Christoffelberg (Curaçao) 372 m. **Population.** 188 177 h. (88). D. 235. A l'origine 42 nationalités. Siège du gouvernement : *Willemstad.* **Langues.** Néerlandais *(off.),* papiamento (mélange de portugais, néerl., anglais, espagnol), anglais. **Religions** (81). Catholiques 85 %, protestants 5 %.

Statut. Acquises par les Pays-Bas (avant, à l'Espagne). Autonomie dep. 15-12-1954. *Const.* d'avril 1955. *Chef de l'État* reine Beatrix. *Gouv.* (nommé p. 6 a., représente la reine des P.-Bas) Jaime M. Saleh. *PM* Maria Ph. Liberia-Peters (dep. mai 1988). *Ass. législative* (22 m. élus). 3 *territoires :* Curaçao, Bonaire, îles du Vent. **Drapeau** (1991). 5 étoiles (6 ét. de 1959 à 86).

Économie. *P.N.B.* (88) 6 400 $ par h. *Pop. active* (en % et, entre par. part du P.N.B. en %) : agr. 24 (5), ind. 16 (20), services 60 (75). *Agriculture :* blé, café, légumineuses, sel, phosphates. *Terres* (millions d'ha, 81) : 96 dont t. arables 8. *Industrie :* raffinage du pétrole brut (du Venezuela ou d'Arabie Saoudite). *Capacité :* 37 millions de t (85), tombée à 7 millions de t (88), constr. navale, électronique. Siège de multinationales (Schlumberger). *Tourisme* (86) : 594 000 vis. *Inflation* (89) : 2,7 %. **Commerce** (millions de florins ant. 87). *Exp. :* 2 354. *Imp. :* 2 703.

1° **Îles Sous-le-Vent (Leeward).** *Climat* tropical tempéré par les alizés du N.-E., vitesse du vent 7,2 m/s à Curaçao. *Temp.* moy. 27,5 °C ; mois le + froid janv. (jour 28,5 °C, nuit 21,3 °C), le + chaud sept. (j. 30 °C, n. 26 °C). *Pluies* 500 à 750 mm par an surtout nov.-déc., peu de mars à oct. (quelques averses juill.-août), humidité moy. 76 %. **Curaçao** 444 km², long. 61 km, larg. 7 km. 148 579 h. *Willemstad* (cap.) 100 000 h. ; centre comm., raffinerie dep. 1916 ; grottes de Hato. Découverte par Alfonso de Ojeda. **1499** occupée par Esp., **1527** Hollandais, **1634** Anglais. **1816** rendue aux P.-Bas. **1863** abolition de l'esclavage. **Bonaire** ou île des Flamants 288 km², long. 38,6 km, larg. 4,8 à 11,3 km, 10 610 h. *Kralendijk.*

2° **Îles du Vent (Windward).** *Même climat. Temp.* moy. 26,5 °C (janv.-févr. 24,5 °C, août-sept. 27,5 °C). *Pluies* 1 080 mm surtout mai-déc. **Saint-Martin** (partie sud Sint Maarten) (le N. appartient à la France) 34 km². 21 319 h., *Philipsburg ;* déc. par Chr. Colomb le *11-11-1493,* partage avec la France *1648 ;* pas de frontière matérialisée. **Saba** 13 km². 1 133 h., *The Bottom.* **Saint-Eustache** (Sint Eustatius) 21 km². 1 889 h.

ARABIE SAOUDITE

Carte p. 867. V. légende p. 837.

Situation. Asie occ. 2 240 000 km². O.-E. 1 500 km, N.-S. 2 000 km. Désertique. Pluie moy. 100 mm (Asie 275 mm). *Alt. max.* 3 133 m dans le Djebel Al-Hijaz. **Régions naturelles :** plaine *(Tihama)* sablonneuse longeant la mer Rouge (50 à 70 km de large, 80 à 100 % d'humidité, temp. 38 à 49 °C en été) que

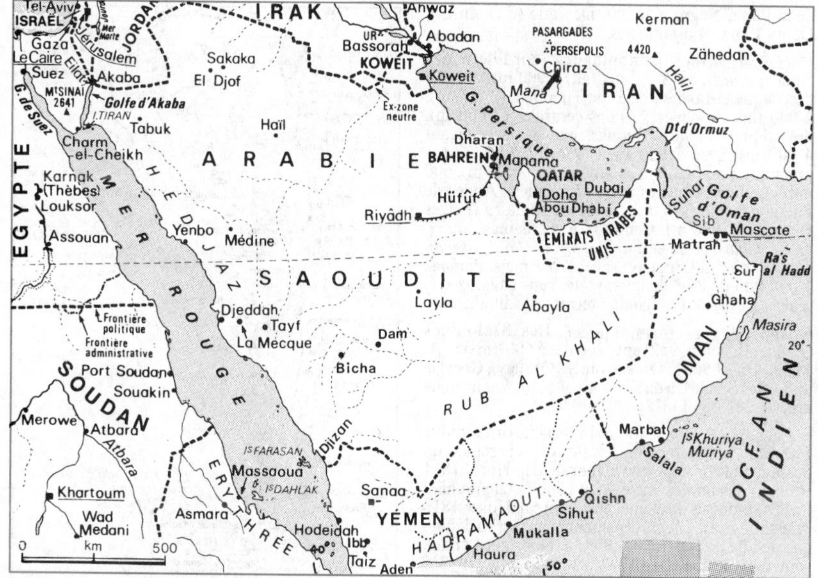

surplombent les barrières montagneuses du *Hedjaz* (en arabe « barrière montagneuse », 1 000 à 3 000 m, 1 500 000 h., cap. La Mecque) et de l'*Asir* [« l'inaccessible », cap. Abha (plantation de café)] ; le *Nadj* (plateau) désertique, alt. moy. 1 000 m, climat continental, hiver froid, été très sec (+ 48 °C à Riyadh et 9 % d'humidité en juillet), 3 500 000 h., cap. Riyadh ; plaine (500 km de long) formant la majeure partie de la province de *Hassa ;* au nord et au sud, 2 déserts (le grand *Nafûd* et le *Rub'al-Khali*). Hiver doux sauf dans les rég. montagneuses. *Côtes :* mer Rouge 1 760 km, Golfe 650 km.

Population. 14 435 000 h. (89), (6 000 000 selon certains), *2000 :* 18 864 000 h. *Accroissement* (en %) : 3,7. *Âge : - de 15 a. :* 43, *+ de 65 a. :* 3. *Espérance de vie :* 64. *Mortalité infantile :* 10,3 ‰. D. 6,4. *Citadins* 38 %, *ruraux sédentaires* 33 %, *villageois* 20 %, *nomades* 9 % (en 1968 : env. 50 %) (officiellement 635 000 dont 210 000 Bédouins des régions frontalières). **Pop. active** 1 600 000 (60 % d'étrangers, *1985-90 :* départ prévu de 600 000). **Étrangers** env. 3 000 000 dont Yéménites 1 000 000, Soudanais 880 000, Égyptiens 180 000, Palestiniens 100 000, Indiens 75 000, Pakistanais 50 000, Américains 65 000, Coréens 20 000, Anglais 30 000, *Français 2 000.* **Villes** (74) : *Riyadh* (en arabe « jardins ») 1 250 000 (80). Djeddah (cap. dipl. et port principal) 750 000 (80) (20 000 h. en 1960), La Mecque 500 000 (80) [cap. religieuse ; pèlerins (milliers) : *v. 1938* 50 ; *85 :* 1 600 dont 852 de l'étranger dont Iraniens 150, Égyptiens 131, Pakistanais 88, sacrifice de 1 300 000 moutons dont 300 000 distribués aux réfugiés afghans et palestiniens et en Afr. noire] ; Tayf (alt. 1 630 m) 204 857, Médine 198 186 [dep. 1984, vieille ville rasée et transformée, à l'exception du tombeau-mosquée de Mahomet, autour duquel le sanctuaire passera de 16 500 m² à 98 000 m², pour accueillir 167 000 fidèles. Les terrasses recevront jusqu'à 90 000 fidèles sur 67 000 m², soit une capacité globale de 257 000 pers. sur 165 000 m². 6 minarets de 92 m de haut], Dharan 130 000 (89, contre 70 000 en 1953), Hüfût 101 271.

Langue off. Arabe. Illettrés 75 %. **Religions.** *Islam* dont 200 000 à 300 000 chiites. *Chrétiens* (immigrés) 500 000 cath., 70 000 protestants. L'ensemble du pays étant considéré comme une mosquée, l'exercice d'un autre culte que l'islam est interdit.

Histoire. Jusqu'en 300 *env. apr. J.-C.* occupée par tribus arabes *kindaïtes* (roy. de Kinda au centre de l'Arabie), fait partie du Roy. de Saba (V. Yémen). **V. 300** *apr. J.-C.* Kinda morcelé en tribus bédouines. Hedjaz forme plusieurs principautés marchandes, la plus prospère est La Mecque (tribu des Quraychites). **617** apparition de l'islam. **634-44** Omar conquiert Perse, Syrie, Irak, Égypte. **644-50** Othman conquiert Arménie et Tunisie. **668-XVe s.** monde musulman gouverné par dynasties Omayyades et Abbassides. **XVe s.** rivalités internes. **XVIe s.** Turcs gouvernent le monde arabe, sauf l'Ar. centrale (Nedj). **XVIIIe s.** Cheikh Mohammed ibn Abdulwahab (1703-92) prône une réforme religieuse (wahhabisme), retour à l'islam orthodoxe : haine des chiites, accusés de substituer au dogme de l'unicité divine une façon de penser où Mahomet représente la révélation, Ali l'interprétation et Hussein (cadet

> **Tentatives d'unification du monde arabe**
>
> **850** expansion max. de l'arabo-islamisme, des Pyrénées aux Indes. Maroc et Espagne arabisés cesseront rapidement de faire partie d'un ensemble cohérent. Perse et Afghanistan ne seront jamais arabisés. **1187** Saladin le Grand (Kurde), chef des Ayyoubides, unifie Égypte et Syrie. **1250** Baïbars (Turc), chef des mamelouks, unifie Égypte, Syrie et Hedjaz. **1516** Selim Ier (Turc), chef des Ottomans, dont l'empire au XVIIe s. comprendra les pays arabophones, de l'Algérie à l'Irak.

d'Ali) la rédemption [pensée reprise d'Ibn Taymïya (1263-1328)]. **1744** accord avec Pce de Derieh Mohammed Ibn Saoud, qui fonde le 1er État saoudien. **Début XIXe s.** Abdallah Ibn Saoud, fils de Mohammed Ibn Saoud, et les wahhabites pillent Kerbala, la ville sainte chiite (Irak). **1804** prennent Médine (trésors dérobés). **1811-18** la T. demande à Mehemet Ali, gouverneur d'Égypte, de lutter contre wahhabisme (Abdallah Ibn Saoud exécuté à Constantinople ; tombeaux et mausolée de Médine restaurés) mais les wahhabites retrouvent leur force. **1824** 2e État saoudien avec imam Turky ibn Abdullah Saoud. **1902** Abd el-Aziz ibn Abderrahmane al-Saoud (1882-1953, 14 épouses officielles, 44 fils légitimes ; 200 concubines, 100 fils naturels), de la famille des Saoud (régnant dans le Nadj, mais réfugiée à Koweït en 1892 après avoir été déposée par Ibn al-Rachid), émir de Haiel et allié des Turcs, reprend l'émirat de Riyadh. **1902-12** reprend tout le Nadj à la famille Rachid. **1912-27** ralliement de l'Est (1913), du Sud (l'Asir, ajoutée par Fayçal en 1921), de La Mecque (1924), siège de Médine (1925) : coupole du mausolée de Mahomet endommagée (puis restaurée et embellie), fondation des roy. du Hedjaz (29-8-1926) et du Nadj (mai 1927). **1932**-*22-9* fondation du roy. d'A. Saoudite après union du Nadj et du Hedjaz. **1934** incorporation du Najran et de la Côte d'Asir. **1938** découverte du pétrole (à Dammana). **1945**-*13-2* accords du « Quincy » : l'A. Saoudite cite le monopole d'exploitation des gisements pétroliers aux U.S.A. Lancement du projet Tap-Line (Trans-Arabian Pipeline) qui réduit le trajet de 5 000 km à 1 800 (par Suez). **1950** pipeline inauguré (coût 300 millions de $). **1952** la G.-B. occupe l'oasis de Buraimi et la partage entre Abū-Dhabī et Oman ; 1re frappe de monnaie, 1re émission de billets de banque. **1953** Saoud ben Abdul-Aziz (9-11-02/12-2-69) roi (il aura 53 fils et 54 filles). **1960** opposition familiale à l'enseignement des filles. **1961** 1re école pour filles, 1re université. **1962** esclavage interdit. **1964**-*3-11* Saoud, très prodigue, déposé par Conseil de famille et Conseil des Ulémas (Sages), remplacé par son demi-frère **Fayçal** (n. 9-4-06). **1973**-*17-10* l'A. se joint à l'embargo pétrolier. **1975**-*25-3* Fayçal assassiné par son neveu Fayçal ben Moussaed ben Abdulaziz (décapité), remplacé par son demi-frère **Khaled** (n. 1913). -*21-12* Yamani (min. de pétrole) pris en otage à Vienne, libéré (voir p. 876). **1976** nombreuses importations (bateaux attendant de 4 à 6 mois à Djeddah pour décharger). **1977**-*22-1* visite du Pt Giscard d'Estaing. **1978**-*30-5* roi Khaled à Paris. **1979** l'A. étant contre l'accord isr.-ég., rompt avec Ég., lui supprime aide financière ; -*20-11* au -*3-12* env. 1 300 extrémistes de la tribu des Oteiba (étrangers : Yéménites, Égyptiens), dirigés par Al-Kahtani (26 ans, présenté comme le Mahdi) attaquent la Grande Mosquée de La Mecque (officiellement 135 † dont 60 gardes nationaux, selon certains 270 à 400 †). La Fr. envoie des gendarmes du GIGN conduits par le cap. Barril (qui avant d'intervenir se convertirent à l'islam). **1980**-*9-1* exécution de 63 rebelles. **1981**-*26-9* visite du Pt Mitterrand. **1982**-*13-6* Khaled meurt, son demi-frère **Fahd** ibn Abdelaziz lui succède. **1985**-*11-7* 1er astronaute arabe et musulman, le Pce sultan Ben Salman, neveu du roi Fahd, est fêté à son retour. **1986**-*29-10* Cheikh Ahmed Zaki Yamani (n. 2-7-1930), min. de pétrole dep. 1962, remplacé par Hicham Nazer. **1987**-*31-7* La Mecque, incident entre pèlerins chiites et service d'ordre, 402 † dont 275 Iraniens. **1988** *juin* emprunt d'État de 8 milliards de $. -*3-7* l'A. achète 100 milliards de F d'armements à la G.-B. (dont 50 avions Tornado, 60 Hawk, 80 hélic., 6 dragueurs de mine). La G.-B. devra acheter 20 millions de t de pétrole par an. -*16-11* l'A. reconnaît l'État palestinien. **1989**-*4-1* 3e secr. de l'amb. A. à Bangkok assassiné par Djihad islam. -*29-3* Imam de la Mosquée de Bruxelles (saoudien) et son adjoint, assassinés. -*10-7* 2 explosions à La Mecque revendiquées par la Génération de la colère arabe, 1 †. -*17-7* nouvelle explosion. -*21-9* 16 chiites koweïtiens décapités (accusés des attentats). *oct.* 86 pers. (70 droit commun et 16 pour actes pol.) exécutées dep. janv. **1990** *janv.* selon Amnesty Internat., + de 700 prisonniers pol. incarcérés sans jugement dep. 1983 notamment des m. du Hezbollah et du P. de l'action soc. arabe). -*1-2* 3 diplomates saoudiens tués à Bangkok. -*2-3* Pakistanais accusé de trafic de drogue décapité. -*2-7* La Mecque : panique dans tunnel, 1 400 †. -*21-7* relations diplom. avec Chine. Guerre du golfe, voir index. -*29-8* achète 2,2 milliards de $ (6 à 8 milliards prévus) d'armes amér. -*nov.* 48 rabbins (du corps expéditionnaire amér. comprenant 8 000 Juifs) autorisés à venir en A. Manif. de femmes en faveur de la conduite automobile (interdite par la loi).

Statut. Monarchie islamique. **Roi** et gardien des 2 lieux saints (La Mecque, Médine). **PM** Fahd (1922) dep. 13-6-1982. Le roi est vêtu de l'*abaya* traditionnelle. **Héritier et vice-PM** Pce Abdallah (1923). **Partis politiques** aucun. Env. 3 500 princes du sang participent à de nombreux postes. **Loi du royaume.** Coran, pas de const. écrite. **Justice.** Sanctions définies par le Coran pour homicide : mort ; vol : ablation de la main sauf circonstances atténuantes ; adultère : lapidation (si 4 témoins l'attestent), flagellation (1 seul témoin). **Garde nat.** 10 000 h.

Enseignement (87). Primaire 1 380 764, secondaire 575 302, supérieur 107 454.

Fête nat. 22 sept. (création du roy. d'Arabie, 1932). **Emblème.** 2 sabres surmontés d'un palmier (aucune prospérité n'est possible en dehors de la justice). **Drapeau.** Adopté 1938 : vert portant un sabre et « Il n'y a de Dieu que Dieu, Mouhammad est le prophète de Dieu ».

Économie

P.N.B. *Total* en milliards de $. *1980 :* 116,8 ; *81 :* 121,5 ; *82 :* 158 ; *83 :* 111 ; *84 :* 103 ; *85 :* 92 ; *86 :* 82 ; *87 :* 83. *Par hab.* (en $), *82 :* 15 820 ; *83 :* 10 680 ; *84 :* 9 250 ; *85 :* 7 965 ; *86 :* 6 800 ; *87 :* 5 120 ; *88 :* 5 248 ; *89 :* 5 980. **Croissance (%).** *1989 :* 5 %. **Pop. active** (en % et entre parenthèses part du P.N.B. en %) agr. 40 (5), mines 2 (30), ind. 20 (20), services 38 (45). *Travail :* permis aux femmes dans certaines fonctions et certains métiers qui ne sont pas incompatibles avec les traditions.

Agriculture. *Terres* (en milliers d'ha, 86) : cultures *1976 :* 0,1, *86 :* 2,3 ; forêts 1,6. *Production* (en milliers de t, est. 89) : dattes 500 ; sorgho 37 ; blé *1978 :* 3, *80 :* 50, *83 :* 600, *85 :* 1 700, *86 :* 2 300 (soit 200 % des besoins, subvention en août de 600 $ la t, importée coûterait 200 $, l'A. en exporte 1 200 et en donne 400 à des pays arabes), *87 :* 2 072, *88 :* 3 000 (2 700 exp.), *89 :* 3 300 ; tomates 385 ; oignons 17 ; raisins 80 ; citrons 46 ; millet ; café ; figues ; gomme arabique. **Élevage** (en millions, est. 88) moutons 7,2, chèvres 3,6, bovins 0,32, chameaux 0,41, ânes 0,11, volailles 36. **Pêche.** 45 500 t en 87. Perles. **Balance agricole** (milliards de F). *1982 :* 38, *84 :* – 46,7, *85 :* 41,6.

Nota. – Dep. 1964, l'A. Saoudite a poussé les Bédouins à devenir paysans sur les nouvelles terres irriguées.

Mines. Pétrole. *Réserves prouvées* 34 milliards de t (25 % des réserves mondiales) [probables 40, 1er rang mondial (25 %)] ; *production* (en millions de t) *1946 :* 8, *47 :* 20, *52 :* 43, *60 :* 70, *72 :* 285, *79 :* 475 ; *80 :* 495 ; *81 :* 490 ; *82 :* 325 ; *83 :* 246 ; *84 :* 229 ;

85 : 165 ; *86* : 264 ; *87* : 209 ; *88* : 251 ; *89* : 255 (en millions de barils/j) : *1981* : 10 ; *82* : 6,5 ; *83* : 5 ; *84* : 4,5 ; *85* : 3,2 ; *86* : 1,36 (2,2 en été) ; *87* : 3,99 ; *88* : 4,93 ; *90 (août)* : 5,3 ; *91 (mars)* : 8,4 (10 potentiels), soit 36 % de la prod. totale des pays exp. 97 % sur les champs de l'ARAMCO [1] et 3 % dans la zone neutre exploitée en commun avec le Koweït. *Revenus pétroliers* (en milliards de $) *1955* : 0,34 ; *60* : 0,35 ; *67* : 0,84 ; *72* : 4 ; *73* : 4,3 ; *74* : 20 ; *78* : 32,2 ; *79* : 48,4 ; *80* : 84,4 ; *81* : 115,5 ; *82* : 70,5 ; *83* : 47 ; *84* : 35 ; *85* : 28 ; *86* : 18 ; *87* : 20. **Gaz** (milliards de m³, 89) : réserves 4 136, prod. 29,8. **Réserves diverses :** phosphates, gypse, marbre, cuivre, uranium. Commercialisation prochaine de cuivre, zinc, or, argent, fer.

Nota. – (1) ARAMCO (*Arabian American Oil Cy*) créée 31-1-44. Actionnaires initiaux : Socal (auj. Chevron) 30 % et Texaco 30 %, puis Esso 30 %, et Socony (auj. Mobil) 10 %. Durée de la concession : 60 ans.

Eau. Nappes d'eau fossile (de + de 10 000 ans) non renouvelables 75 % des réseaux connus, nappe renouvelable 10 %, eau de mer dessalée 15 % (ex. à Riyadh 830 millions de l/mg amenés par 2 conduites de 466 km). Industrie. Raffineries de pétrole (6, capacité 930 000 barils/j en 88). Complexes pétrochimiques (2 en construction), prod. (88) 9,5 millions de t.

Transports. *Chemins de fer* env. 700 km. *Routes* goudronnées en *1954* : 257 km, *70* : 8 440 km, *87* : 33 576 km, pistes (87) 59 226 km. *Oléoduc transarabique* [golfe Persique, Yanbu (mer Rouge)] 1 200 km. Tourisme. Entrée autorisée aux hommes d'affaires, aux invités officiels, à ceux désirant accomplir le pèlerinage ou « Umrah » à La Mecque ou visiter Médine, ou pour visites familiales.

Finances (en milliards de $). Poids financier presque égal à celui des U.S.A. *Avoirs saoudiens à l'étranger* : *1973* : 5 ; *83* : 150 ; *85* : 90 ; *87* : 110, *88* : 106. *Réserves monétaires en 1982* : 29,7, *85* : 23,3 ; *86* : 20,6 ; *87* : 26,7 ; *88* : 26,7 ; *91 (janv.)* : 10. *En %, en 1980* : 3,7, *81* : 2,4, *82* : 1,1, *83* : 1. **Budget** (en milliards de $). *1985* : – 48,6 ; *86* : – 77,8 ; *87* : – 68,1 ; *88* : – 50,2 ; *89* : – 25 ; *90* : – 25 [dépenses 143, revenus 118]. **Impôt** unique de 2,5 % (« part du pauvre » ou « zekkat »), pas d'impôt sur revenu ou sur bénéfices des Stés (sauf pour Stés étrangères).

Aide aux pays en voie de dévelop. (env. 50 pays, en milliards de $) *1967-72* : 0,7 ; *1973-75* : 11 ; *81* : 5,7 ; *82* : 4,4 ; *83* : 4 ; *84* : 3,6 ; *85* : 3,3 ; *86* : 3 ; *87* : 3,3 ; *88* : 2,5. *Aide à l'U.R.S.S.* (en milliards de $, en 90) : 4. *Inflation* (en %) *1976* : 70 ; *77* : 35 ; *78* : 10 ; *79* : 1,9 ; *80* : 3,2 ; *81* : 2,4 ; *82* : 1,1 ; *83* : 0,9 ; *85* : – 3,3 ; *86* : – 3 ; *87* : – 0,9 ; *88* : 1 ; *89* : 1,1.

Commerce (en milliards de rials, 88). *Exportations* 91,2 *dont* pétrole brut 75,7 (86), raffiné 13 (87) ; *vers* U.S.A. 19,8, Japon 15,1, Singapour 5,1, P.-Bas 4,9, *France 4,5*. *Importations* 81,6 *dont* machines 14,4, prod. alim. 12,9, équip. de transp. 10,1, chim. 8,8, text. 8,5 ; *de* Japon 12,9, U.S.A. 11,4, G.-B. 5,9, All. féd. 5,8, *France 3,9*. *Interdiction d'importer* : alcools, viande de porc, stupéfiants et publications contraires à l'islam. **Balance** (milliards de $) **commerciale** *1982* : + 40, *83* : – 33, *84* : – 29, *85* : – 20, *86* : – 19, *87* : + 23 ; **des paiements** *82* : + 8, *83* : – 16, *84* : -18, *85* : – 13, *86* : – 15, *87* : – 13. **Rang dans le monde** (89). 1er rés. de pétrole, dattes. 2e pétrole. 6e rés. de gaz nat. 10e gaz nat.

Nota. – **Échanges avec la Chine** (1988) : 790 milliards de $ dans les 2 sens.

☞ **Conséquences financières de la guerre du Golfe.** Augmentation du prix du baril de brut (jusqu'à 40 $) et de la production (+ de 8 millions de barils/j) auraient pu rapporter de 12 à 15 milliards de $ supplémentaires (mais le prix du baril est retombé). **Dépenses** (en milliards de $). *Aide aux U.S.A.* : 15 (prévus). *Coût de la force alliée* : 48. *Recours à l'emprunt* : 3 (en fév. 1991, pour la 1re fois). *Réserves* : 10 (en janv. 91, au lieu de 25 en 84).

ARGENTINE

V. légende p. 837.

• Situation. Amér. du S. 2 766 889 km² [sans les îles Malouines (Falkland), Géorgie du Sud, Sandwich du Sud et Antarctique]. **Long.** 3 694 km **Larg.** *max.* 1 460 km, *min.* 399 km. **Alt. max.** Aconcagua 6 959 m. **Frontières :** 9 376 km (Chili 5 308, Paraguay 1 699, Brésil 1 132, Bolivie 742, Uruguay 495). *Côtes* 4 725 km (sans compter l'estuaire du Río de la Plata qui a 200 km de large). **Fleuves.** Uruguay (du N. au S.), Paraná, Pilcamayo, Salado, Desaguadero, Río de la Plata, Negro, Chubut, Deseado (d'O. en E.), Danta Cruz, Río Gallegos.

• Régions. **Ouest :** montagnes (cordillère des Andes) ; *du N. au S.* : Puna (alt. 3 000 m), plateau désertique et raviné ; oasis de Tucuman (2 700 m), 2 000 mm de pluies ; Andes centrales (7 000 m), désertiques (rochers, éboulis, peu de neige avant 4 000 m), avec à leur pied (vers l'E.) les sierras préandines ou Piémont subandin (alt. 2 100 m), 600 mm de pluies, cultures irriguées, vignes ; Andes de Patagonie (alt. 3 600 m) froides, humides (neiges éternelles 1 000 m). **Centre et Est :** plaines ; *du N. au S.* : *Chaco* boisé et humide, *Mésopotamie argent.* entre Paraná et Uruguay : savane, blé, maïs. **Pampa :** 1 000 000 de km² de lœss, plate, sans cailloux (céréales, élevage). **Patagonie :** terrasses caillouteuses.

• Dépendances revendiquées. **Îles Malouines** (Falkland, voir p. 952) env. 200 îles à 500 km de l'A. 11 800 km², 1 900 h. **Orcades du S.** (Orkney), **Géorgie du S., îles Sandwich du S.** (voir p. 952b), **Antarctique arg.** (1 231 064 km²).

• Chenal du Beagle. Exploré 1826 par le Britannique Fitz Roy, capitaine du *Beagle*, qui cherchait un passage plus protégé que le tour du cap Horn. **1811** tr. fixant les limites entre A. et Chili ; étaient chil. : les îles au-dessus du chenal, jusqu'au cap Horn ; **1815** A. estime que le chenal obliquant plein sud au débouché de l'île de Navarrino, Picton, Nueva et Lennox sont dans les eaux a. **1902** arbitrage brit. **1977** 5 membres de la Cour intern. de La Haye (désignés 22-7-71 par la reine Élisabeth) rendent une sentence favorable au Chili. **1978**-25-1 l'A. en refuse les termes. **1979**-8-1 A. et Chili soumettent leur différend au pape. **1980**-12-12 J.-Paul II propose une solution acceptée par Chili (souveraineté au Chili sur les îles au-dessous du chenal ; navigation et expl. des ressources naturelles partagées entre les 2 pays). **1984**-*18-10* tr. de paix et d'amitié. *-24-11* approuvé par référendum (80 % oui). **1985** appr. par Parlement.

• Climat. *Nord* : subtropical (pluies 2 000 mm/an) ; *Sud* : Terre de Feu, froid (pluies 156 mm/an). *Pampa humide* : province de Buenos Aires, tempérée, chaude et humide (pluies : 830 mm/an) ; *sèche* : Pampa, climat continental et pluies irrégulières.

• Population (en millions) *1800* : 0,3 ; *1850* : 0,8 ; *1900* : 4 ; *1935* : 13,5 ; *1960* : 20,9 ; *1989* : 31,9 ; *V. 2000* (prév.) : 31,2. [*Origine* (1960) européenne, (surtout Esp. et Ital.) 86 %, Criollos (créoles) 12 % surtout au N.-E., *Indiens* 2 %)]. Italiens 1 260 000, Esp. 860 000, Fr. 35 000, *Indiens* de 20 000 à 30 000 [Matacos et Tobas (N.) ; Guaranis ; N. Mésopotamie ; Araucanis (O. prov. de Neuquen et Patagonie)]. *Métis d'Indiens* (péons) : nombreux au N.-O. **Accroissement (en %)** : 1,4, **âge :** - *de 15 a.* : 31, *+ de 65 a.* : 9. **Espérance de vie :** 71. D. 11,5. **Taux :** *Mortalité infantile* : 29 ‰. *Natalité* : 22 ‰. **Immigration :** surtout Esp., Ital., et loin derrière Port., All., Holl. et quelques Youg., Syriens, Autr., Fr. *1857-1900* : 1 200 000 (dont *1880* : 170 000) ; *1900-30* : 4 800 000 ; *1947-51* : 629 685 ; *dep. 1963* : env. 60 000 Boliviens. En *1914* : 30 % de la pop. était née hors d'Arg., en *1971* : 9,3 %. **Population urbaine :** 84,6 %. **Analphabètes** 5 %. Langues. Espagnol (*off.*), guarani (3 à 4 %). Religions. En % : catholiques 92,7 (le Pt doit être cath.), protestants 1,9, juifs 1,6, autres 3,8.

• Villes (81) : *Buenos Aires* (capitale) 2 922 829 (*1650* : 4 000, *1730* : 16 000, *1850* : 120 000, *1884* : 365 302, *1901* : 850 000, *1914* : 1 576 000, *1947* : 2 981 000, *1956* : 3 553 000, *1981* : agg. 9 947 984), Córdoba 983 257, Santa Fe 974 834, Rosario 957 181, Mendoza 605 623, La Plata 564 750, Tucuman 498 579, Mar del Plata 414 696. Projet de transférer la capitale à Viedma et à Carmen-de-Patagones (1 000 km au S. de Buenos Aires, 35 000 h. en 1987). Ville la + au Sud (à 30 km du cap Horn) Ushuaia 1 200 h.

• Histoire. **Période précolombienne :** la région du Río de la Plata est occupée par les guerriers charruas ; à l'O. de Buenos Aires vivent les pasteurs querandis, qui ont enseigné aux Esp. l'usage du *lazo* ; au S. les Tehuelches, appelés *Patagons* (« les 100 tribus ») par *les Quechuas*, Indiens des Andes suzerains des tribus de la plaine. **1516** Jean Díaz de Solis (v. 1450-1516) découvre la Plata. **1526** Sébastien Cabot (Italien, 1474-1567) explore la conquête. **1536** Pedro Mendoza (Esp., 1437-1537) fonde Buenos Aires. **1580** Juan de Garay (1527-83) fonde Buenos Aires pour la 2e fois. **1593-1776** les terres du Rio de la Plata sont divisées en 2 gouvernements (Buenos Aires et Paraguay). **1776** Vice-royauté du Río de la Plata créée (5 millions de km² : Argentine, Bolivie, Paraguay, Uruguay et une partie du Brésil et Chili). **1782** A. divisée en 8 intendances et 7 gouvernements. **1801** 1er périodique de Buenos Aires le « *Telegrafo Mercantil* ». **1806**-*27-6* Buenos Aires prise par Angl. *12-8*, reprise par Jacques de Liniers (1753-1806) [fidèle à l'Esp., fait Cte de Buenos Aires, Cte de la Lealtad (Loyauté) et vice-roi du Río de la Plata]. **1809** démissionne, accusé par la junte de complicité avec Napoléon Ier. Indépendance. **1810**-*25-5* révolution de mai, junte. *-28-6* Liniers fusillé par révolutionnaires (les Fr. se battant pour les Esp.). **1810-20** g. de libération menée par San Martín. **1812**-*27-2* Belgrano crée le drapeau national. **1813** esclavage et titres de noblesse abolis. Création de l'hymne et de l'écu nationaux. **1816** République. Dissensions entre Unitaires (Lavalle † par accident) et Fédéraux (Dorrego, exécuté). **1818** Gal San Martín traverse les Andes : libération du Chili et du Pérou. **1826** Bernardino Rivadavia, 1er Pt de la Rép. **1835-52** dictature du Gal Rosas (1793-1877) ; des *mazorcas* sont chargés d'assassiner les suspects. **1853** Constitution fédérale (compromis entre fédéralisme et unitarisme). **1865** Triple Alliance avec Uruguay et Brésil. **1868-86** présidences de Domingo Faustino Sarmiento, Nicolas Avellaneda et Julio A. Rocca, développement économique. **1880** début de l'émigration eur. : l'A. est contrôlée par les capitaux anglais. **1912** loi électorale (vote universel, secret obligatoire). **1916** Union civique radicale au pouvoir. *-12-10* Hipólito Irigoyen élu Pt. **1918** affaiblissement de la G.-B. et naissance d'un capitalisme arg. **1920** entrée à S.D.N. **1930** *août-sept.* Gal Uriburu prend le pouvoir. **1939** neutre pendant la guerre. **1944** rompt avec Allemagne et Japon. **1945**-*17-10* Perón libéré grâce aux descamisados. **1946** élu Pt, malgré l'opp. de l'oligarchie et des U.S.A. ; membre d'une Sté mil. secrète (GOU). **1946** loi privant les homosexuels du droit de vote à Buenos Aires. **1947**-*9-9* vote des femmes. **1949** réforme de la Constitution nationale. **1946** *févr.*-**1955** *sept.* **Dictature de Perón.** Avec sa 2e femme « Evita » [Eva Duarte, à qui fut voué un véritable culte laïque après sa mort à 33 ans (26-7-52)], obtient le soutien des *descamisados* (« sans-chemises »), grâce à sa démagogie éclairée et aux réformes pratiquées dep. 1943 au secr. d'État au Travail. Nationalise chemins de fer, téléphone et certaines entreprises, mais ne fait pas de réforme agraire. Confie le journal d'opp. la Prensa à la C.G.T., syndicat unique. Dispose d'une majorité des 2/3 à la Chambre. **1951**-*11-11* Perón réélu Pt. Répression (Perón surnommé « Pocho », le scooter, qu'il affectionne). **1955** *sept.* renversé par révol. mil., qui révèle la corruption de son régime. Part en Amér. latine et en Espagne (rencontre à Panamá une danseuse arg., Maria Estela Martinez [(« Isabel »), qu'il épouse en 1961 à Madrid]. **1956** révolte d'officiers péronistes contre Pt Aramburu (condamnés à mort). **1963** Arturo Illia élu Pt. **1964**-*3-10* de Gaulle en A. **1966**-*28-6* Pt Illia destitué. Partis interdits. **1969** *mai* troubles à Rosario, Córdoba ; Augusto Vandor, syndicaliste, assassiné. **1970** *mai* Gal Aramburu (ancien Pt) enlevé et ass. (par des *montoneros*). *Juin* agitation pop., Pt Ongania destitué. *Août* José Alonso, synd., ass. **1971**-*22-3* Pt Levingston renversé. *-8-9/10* coup d'État mil. (Lanusse) échoue. **1972** terrorisme (extrême gauche, dont certains *montoneros*) et gauchistes (enlèvement et ass. du directeur de la filiale Fiat en mars). *-17-11* Perón rentre triomphalement d'exil (après 17 ans dont 13 à Madrid) mais renonce à se présenter et part le 14-12. **1973**

190 enlèvements pol. *Sept.* José Rucci, secr. gén. de la C.G.T., ass. *-11-3* élections : Justicialistes (pour Perón) 49,59 % des voix, Radicaux (Ricardo Balbin) 21,10, Alliance pop. fédéraliste (Francisco Manrique) 14,70, divers 7,13. Balbin se retire, Cámpora déclaré élu avant le 2e tour. *-20-6* retour triomphal de Perón, fusillade à l'aérodrome d'Ezeiza (péronistes orthodoxes contre *montoneros*). *-13-7* Pt Cámpora démissionne. *-23-9* Perón élu Pt (sa femme Isabel vice-Pte) par 61,5 % des voix devant Balbin (23,34 %) et Manrique (12,11 %) ; lutte contre marxistes. **1974** action de l'E.R.P. (*Armée révol. du peuple,* env. 5 000 membres). *Mars* libération du directeur d'Esso contre 14 200 000 $ (68 millions de F). *-1-5* tension C.G.T. péroniste/*montoneros*. *-1-7* Perón meurt (grève C.G.T. en signe de deuil). Isabel le remplace, s'appuyant sur un groupe fascisant dirigé par José López Rega (ancien coiffeur, † 9-5-1989), min. du Bien-Être social. Nombreux assass. pol. (dont Arturo Mor Roig, ex-min. de l'Intérieur), contre-terrorisme (gangs incontrôlés de l'Alliance anticommuniste d'A.). 120 000 manif. contre le régime à Buenos Aires, 1 †. *E.R.P. et montoneros* [péronistes de gauche, env. 4 000 h. bien équipés grâce aux rançons obtenues à la suite d'enlèvements d'h. d'affaires (ex. rançon payée en 75 par les frères Born : 60 millions de $)] ont subi des pertes (Mario Roberto Santucho et Benito José Urteaga). *Sept. montoneros* passent à la clandestinité. *-6-11* état de siège. *-17-11* corps d'Eva Perón rapatrié de Madrid (en échange, les montoneros rendent le cercueil du gal Aramburu qu'ils ont déterré en 1973) ; exposé dans la maison de la C.G.T., il aurait été enlevé par les militaires, réenterré à Milan puis transféré en 1972 dans la demeure de Perón à Madrid). **1975** nombreux assass. dont l'ex-consul amér. à Córdoba, John Egan (28-2). *-11-7* grève générale : López Rega démissionne (part pour l'Esp.) ; anarchie, inflation (800 %). *-13-9/17-10* Isabel Perón laisse provisoirement le pouvoir au Pt du Sénat. *-4-11* état de siège. *Nov.* interv. contre guérilla. *-18/22-2* rébellion d'aviateurs, échec. *-23/24-12* bataille contre gauchistes près de Buenos Aires (+ de 100 †). *Déc.* Roberto Quieto, marxiste (ex-FAR montoneros) arrêté. *-25-12* Gal Videla lance ultimatum de 3 mois au gouv. **1976**-*24-3* coup d'État mil., Congrès dissous, partis interdits (I. Perón arrêtée, *-23-6,* privée de ses droits politiques). *Mars 1976* à *juin 1978,* répression frappant maquisards, terroristes, avocats, politiciens, ecclésiastiques, journalistes, universitaires, et tout suspect figurant dans le carnet d'adresses d'un subversif ; 6 000 victimes env. (6 000 à 8 000 disparus). **1978**-*1-8* attentat contre l'amiral Lambruschini, chef d'état-major de la marine (3 † dont sa fille).

1980 Pérez Esquivel, prix Nobel de la paix (avait été détenu d'avril 77 à juin 78). **1981**-*20-3* I. Perón condamnée à 8 a. de prison pour détournement de fonds. *-6-7* libérée après 5 a. de détention (en avril 83 sera rétablie dans ses droits civiques et en sept. 83 réhabilitée politiquement). *-9-9* Ricardo Balbin (77 ans, leader de l'Union civique radicale) meurt. *11-12* Gal Viola destitué. **1982**-*2-4/19-6 g. des* **Malouines** (coût 850 millions de $, voir p. 952). *-26-4* 1re manif. à Buenos Aires contre régime. *-5-5* dévaluation de 16,6 % du peso. *-11/12-6* visite du pape. *-15-6* manif. à Buenos Aires contre Gal Galtieri. *-17-6* Galtieri démissionne. *-22-6* Gal Reynaldo Bignone choisi comme Pt par la junte. Junte dissoute. Nouveau gouv. (10 min. dont 1 seul militaire). *-13-7* junte mil. reconstituée. *-12/16-8* Las Tres A (Alliance anticommuniste arg.) dissoute, mais la répression d'extrême droite se poursuit. **1983**-*31-10* R. Alfonsín (radical) élu Pt avec 7 659 530 voix (52 % des suffrages) [Italo Luder (péroniste) 5 936 556 v. Oscar Allende (intransigeant) 344 434 v]. *Él. législatives, provinciales et munic. -10-12* les mil. remettent le pouvoir à R. Alfonsín. *-16-12* abrogation du décret « d'autoamnistie » des mil. *Disparus sous la dictature* (chiffre officiel) : 8 960 à 30 000. **1984**-*10-1* Gal Bignone arrêté. *-17/19-1* arrestation des anciens généraux de la junte. *-22-1* du Gal Galtieri. *-22-2* amiral Anaya. *-23-2* Gal B. Lami Dozo. *-22-6* Gal Roberto Viola. *-2-8* Gal Jorge Videla. *-22-10* Pt Alfonsín en France. *2-11* convention collect. suspendues pour 1 an. **1985**-*21-2* Isabel Perón, Pte du parti justicialiste, démissionne. *-Avril* procès des généraux (début). *-14-6 plan austral* (avec Juan Sourrouille, min. de l'Économie) ; l'austral (0,80 $ U.S.) remplace le peso (1 A = 1 000 P), gel des prix (15-6) et des salaires (30-6), impôt d'« épargne obligatoire » pour les plus gros contribuables. *-17/21-9* Pt Alfonsín en France. *-Oct.* 9 attentats à la bombe. *-25-10* état de siège pour 60 j. *-9-12* sur 9 Cdts des 3 juntes (de 1976 à 82) jugés pour violations des droits de l'homme, 5 condamnés à la prison dont 2 (Gal Videla et amiral Massera) à perpétuité, Gal Viola à 17 ans, amiral Lambruschini à 8 a., Gal Agosti à 4, 5 a. ; 4 acquittés (Gal Galtieri, amiral Anaya, Gal Lami Dozo, Gal Omar Graffigna). **1986**-*28-4* Conseil suprême des forces armées acquitte, « faute de preuves », le lieutenant Astiz, accusé de nombreux enlèvements et disparitions [dont celles de 2 religieuses françaises, Alice Domon (43 a.) et Léonie Duquet (62 a.), les 8 et 10-12-1977, pour lesquelles le parquet de Paris avait ouvert le 14-5-1982 une information judiciaire (Astiz alors prisonnier des Brit. aux Malouines avait été libéré le 12-6-82, puis le 25-3-1985, faisait l'objet d'un mandat d'arrêt intern.)] *-16-5* responsables de la défaite des Malouines, condamnés : amiral Anaya 14 ans, Gal Galtieri 12 ans, Gal Lami Dozo 8 ans, et dégradés. *-17-10* Pt Alfonsín en Fr. *-2-12* 50 000 manif. contre décision d'Alfonsín de mettre un terme aux procès des milit. *-7-12* Lt Astiz bénéficie d'une prescription. **1987** *févr.* Astiz rejugé. *-16/19-4* lieut.-col. Aldo Rico (de l'école d'infanterie de Campo-de-Mayo) déclenche rébellion d'un régiment près de Cordoba pour s'opposer à l'arrestation du com. Barreiro (qui avait refusé de comparaître devant un tribunal pour violation des droits de l'homme). *-4-6* loi amnistiant la quasi-totalité des militaires et policiers poursuivis pour violations des droits de l'homme sous la dictature. *-24-6* libération de l'ex-commissaire général de la police de Buenos Aires, de l'ex-commandant de l'armée de terre, de Astiz et de 11 de ses co-accusés de l'ESMA (centre de torture). *-29-6* profanation de la tombe de Perón : un correspondant réclame 8 millions de $ en échange de son sabre et de ses mains. *-6/9-10* Pt Mitterrand en A. *Nov.* on révèle qu'Osvaldo Sivak a été enlevé en 1985 par des policiers qui ont demandé une rançon de 1 million de $ et l'ont tué. *-22-12* Pt Alfonsín (menacé d'une rébellion) promeut Astiz cap. de corvette. **1988**-*17/18-1* rébellion du lieut.-col. Aldo Rico à Monté-Caseros matée (après avoir tenu l'aéroport de Buenos-Aires) : 278 mil. arrêtés. *-3-8 plan Primavera* contre inflation : gel des prix de 15 j, hausses limitées (1,5 à 3,5 %) les 3 mois suivants, dévaluation de l'Austral de 10 %, restriction des dépenses publiques. *-25-9* Banque Mondiale prête 1,25 milliard de $. *-29-11* Isabel Perón s'installe en A. *-2/6-12* rébellion de l'École d'inf. (Campo de Mayo, Buenos Aires) avec le col. Mohamed Ali Seineldin (3 †). *-9-12* Cdt Hugo Avete (qui avait pris le contrôle de la base mil. de Mercedes) arrêté. Les mutins réclamaient : amnistie pour les mil., hausse du budget mil. et départ du chef d'état-major de l'armée (Gal José Dante Caridi) qui démissionne le 20-12. *-24-12* nouv. déval. de l'Austral (252 % en 1988). **1989**-*23-1* gauchistes du MTP (Mouvement Tous pour la Patrie) attaquent garnison de la Tablada, 40 †. *-2-2* Austral dévalué de 6,5 % (perd en fait 70 %). *-Avril* Gal Agosti, libre. *-Mai* élection *-1-5* plan d'austérité. *-9-5* décès de José López Rega, ancien min. d'Isabel Perón. *-14-5* présidentielles : Menem élu avec 49,2 % des voix. *-28-5* nouveau plan économique : libéralis., privatisation des entr. publiques. *Fin mai* magasins d'alimentation pillés à Rosario et Buenos Aires (19 †). *-29-5* état de siège pour 30 j. *Juin* amiral Massera, libre. *-4-7* Carlos Monzon condamné à 11 ans de prison. *-11-7* magasins pillés après annonce d'un plan d'austérité. *-14-7* † de Miguel Roig, min. des Fin. (crise cardiaque). *-Août* droits d'exp. des grains réduits de 20 %, retenues sur cultures d'été réduites de 18 à 28 % (maïs et riz), droits de douane à l'imp. pour agrochimie réduits. *-1-9* suppression de l'impôt sur capital et patrimoine ; *oct.* F.M.I. prête 1,4 milliard de $. *-1-10* rapatriement des cendres de l'anc. Pt Rosas exilé G.-B. († 1877). *-7-10* amnistie pour 213 mil. [39 off. (dont 27 gén. et amiraux condamnés pour violation des droits de l'h. pendant la « g. sale » de 1976 à 1983, et les 3 commandants en chef de la g. des Malouines : Galtieri, Lami Dozo et Anaya) et 174 mil., dont les meneurs des putschs de 1987 et 1988] et 64 guérilleros des Montoneros. *-10-10* privatisation partielle du pétrole. *-19-10* A. et G.-B. rétablissent des rel. consulaires. *Nov.* 5 000 km de voies ferrées privatisées. Suppression du contrôle des changes et libéralisation des prix (mais blocage des tarifs publics), report volontaire de la dette intern. sur bons d'État ext. (Bonex) [rendu impossible par le montant du serv. de la dette]. **1990**-*1-1* suppression des placements à terme, supérieurs à 1 million d'australs [en général infér. à 7 j, leurs taux d'intérêt accumulés atteignaient 1 200 % par an ; leur dépôt rénuméré auprès de la banque centr. coûtait cher] ; seront échangés en Bonex sur 10 a. (dont la valeur $ convertit la dette interne en dette externe). Objectifs : revaloriser l'austral, réduire la masse monétaire et le déficit fiscal. *-8-1* chute de 54 % des indices boursiers (après 2 j de suspension des cours). *-Fév.* amiral Lambruschini libéré. *-15-2* reprise des relations dipl. avec G.-B. *-12-2* magasins d'alim. pillés à Rosario. *-16-3* Paris, Astiz condamné par contumace à la réclusion criminelle à perpétuité. *-6-8* Antonio Cafiero, chef du P. péroniste, démissionne. *-10-8* Carlos Menem nommé chef du Parti, délègue ses fonctions à son frère Éduardo, Pt du Sénat. *-Nov.* l'A. envoie sans l'accord du Congrès 2 navires de guerre et des troupes dans le Golfe. *-15-11* 30 000 à 100 000 manif. à Buenos-Aires contre le gouv. *-28-11* l'A. renonce avec Brésil à toute utilisation milit. de l'énergie nucléaire (ils n'avaient pas signé le tr. de non-prolifération nucl.). *-3-12* rébellion [colonel Mohammed Ali Seineldin (cath. intégriste)] réprimée. *-5-12* visite du Pt Bush : 331 arrestations dont 18 civils et 1 prêtre (1re visite d'un Pt amér. dep. Eisenhower en 1960). *-18-12* peine de mort requise contre auteurs rebelles. *-30-12* Buenos Aires, 30 000 manif. après la libération des anciens chefs de la dictature et de Mario Éduardo Firmenich, confondateur des Montoneros. **1991**-*8-1* les 7 officiers responsables de la rébellion du 3-12 condamnés à perpétuité. *-Fév.* plan de rigueur du min. de l'Écon. Domingo Cavallo : privatisation partielle du crédit. *-24-2* Raul Alfonsin échappe à un attentat. *-1-4* nouveau plan monétaire : convertibilité de l'austral en $ (1 $ = 10 000 A.).

Statut. Rép. fédérale. **Pt et vice-Pt** élus pour 6 ans au suffr. univ. Doivent être catholiques. **Sénat** 46 m. élus pour 9 a. par législateurs provinciaux. **Ch. des dép.** 254 m. élus suffr. univ. (à 18 a. vote oblig.). **Divisions :** *cap. féd.* (district) (Buenos Aires) ; *22 provinces* qui ont leurs propres constitutions, législatures, tribunaux, et élisent leur gouverneur ; *1 terr. nat.* (Terre de Feu). **Élections** *du 6-9-1987,* justicialistes 45 % (108 s.), U.C.R. 33,7 % (117 s.), Union du centre démocr. 7 %, parti intransigeant 5 %. **Fêtes nat.** 25-5 (anniversaire de la Révolution de 1810). 20-6 j. du drapeau. 9-7. indépendance. 17-8 anniversaire de la mort de San Martín.

Présidents de la République depuis 1898

1898 Gal Julio ARGENTINO ROCA (1843-1914). **1904** Manuel QUINTANA (1834-1906). **06** José FIGUEROA ALCORTA (1860-1931). **10** Roque SAÉNZ PEÑA (1851-1914). **14** Victorino DE LA PLAZA (1840-1919). **16** Hipólito IRIGOYEN (1850-1933). **22** Marcelo T. DE ALVEAR (1868-1942). **28** Hipólito IRIGOYEN (2e mandat). **30** Gal José Félix URIBURU (1868-1932). **32** Agustin P. JUSTO (1876-1943). **38** Roberto M. ORTIZ (1886-1942). **42** Ramón S. CASTILLO (1873-1944). **43** Gal Arturo RAWSON (1885-1952). Gal Pedro RAMIREZ (1884-1962). **44** Gal Edelmiro J. FARRELI (1887-1979). **46**-*4-6* Gal Juan Domingo PERON (8-10-1895/1-7-1974) (ép. 1o Aurelia Tizón, 2o Eva Duarte, 3o Maria Estela (dite Isabel) Martinez : Voir ci-dessus). **55**-*23-9* Gal Eduardo LONARDI (1896-1956). *-13-11* Gal Pedro ARAMBURU (1903-70). **58**-*23-2* Arturo FRONDIZI (1908). **62**-*29-3* José Maria GUIDO (1910). **63**-*12-10* Arturo Umberto ILLIA (1900-83). **66**-*29-6* Gal Juan Carlos ONGANIA (1914). **70**-*18-6* Gal Rob. LEVINGSTON (1920). **71**-*26-3* Gal Alejandro LANUSSE (1918). **73**-*27-5* Hectór CAMPORA (1909-80). **73**-*12-10* Gal Juan Domingo PERON. **74**-*1-7* Mme Maria Estela MARTINEZ DE PERON (4-2-31). **76**-*29-3* Gal Jorge Rafael VIDELA (2-8-1925). **81**-*29-3* Gal Roberto VIOLA (1924). *-11-12* Gal Leopoldo Fortunato GALTIERI (1927), nommé par la junte. **82**-*1-7* Gal Reynaldo BIGNONE (1920). **83**-*10-12* Raúl ALFONSIN (1926) ; **89**-*8-7* Carlos Saúl MENEM [n. 2-7-30 (ou 35 ?) de parents syriens (père marchand ambulant à Damas) convertis au cathol. *1965* épouse Zulema Fatima Yoma (n. 1937), syrienne et musulmane. Avocat, porte des favoris par admiration pour Facundo Quiroga (ancien caudillo de la Rioja) dont il est élu gouv. en 1973. *1976/1980-10-2* emprisonné au pénitencier de Magdalena. *1983, 87* réélu gouv. Péroniste, mais nommé aux primaires contre l'appareil du P. justic.], élu 14-5-89 avec 49,2 % des voix et la majorité des grands électeurs devant Eduardo Angeloz (radical, 36,9 %). *Juin 1990,* séparé officiellement de sa femme (publie un décret l'expulsant de leur résidence), qui menace de passer à l'opposition (se dit l'amie du syndicaliste Saul Ubaldini et rencontre en prison le colonel rebelle Seineldin). C. Menem serait lié avec Maria Julia Alsogaray (n. 1943), fille du leader de l'Union du centre dém.

Économie

L'A. intéressait peu les Espagnols. Elle n'avait pas de métaux précieux. Le N.-O. andin fournissait des mulets au Pérou. Les communications avec l'Europe se faisaient à travers les Andes, par Lima sur le Pacifique. Après l'indépendance (*1816*), l'A. vécut longtemps d'une économie fondée sur le quebracho, le maté dans les Misiones, la chasse au bétail introduit d'Europe mais redevenu sauvage dans la Pampa. Les gauchos abattaient les bêtes pour le cuir ou pour attacher leur cheval (il n'y avait pas d'arbres). L'asado, grillade de bœuf, est resté un plat national. *De 1880 à 1920,* l'A. se dév. avec l'arrivée de 4 500 000 immigrants, des investissements britanniques (ré-

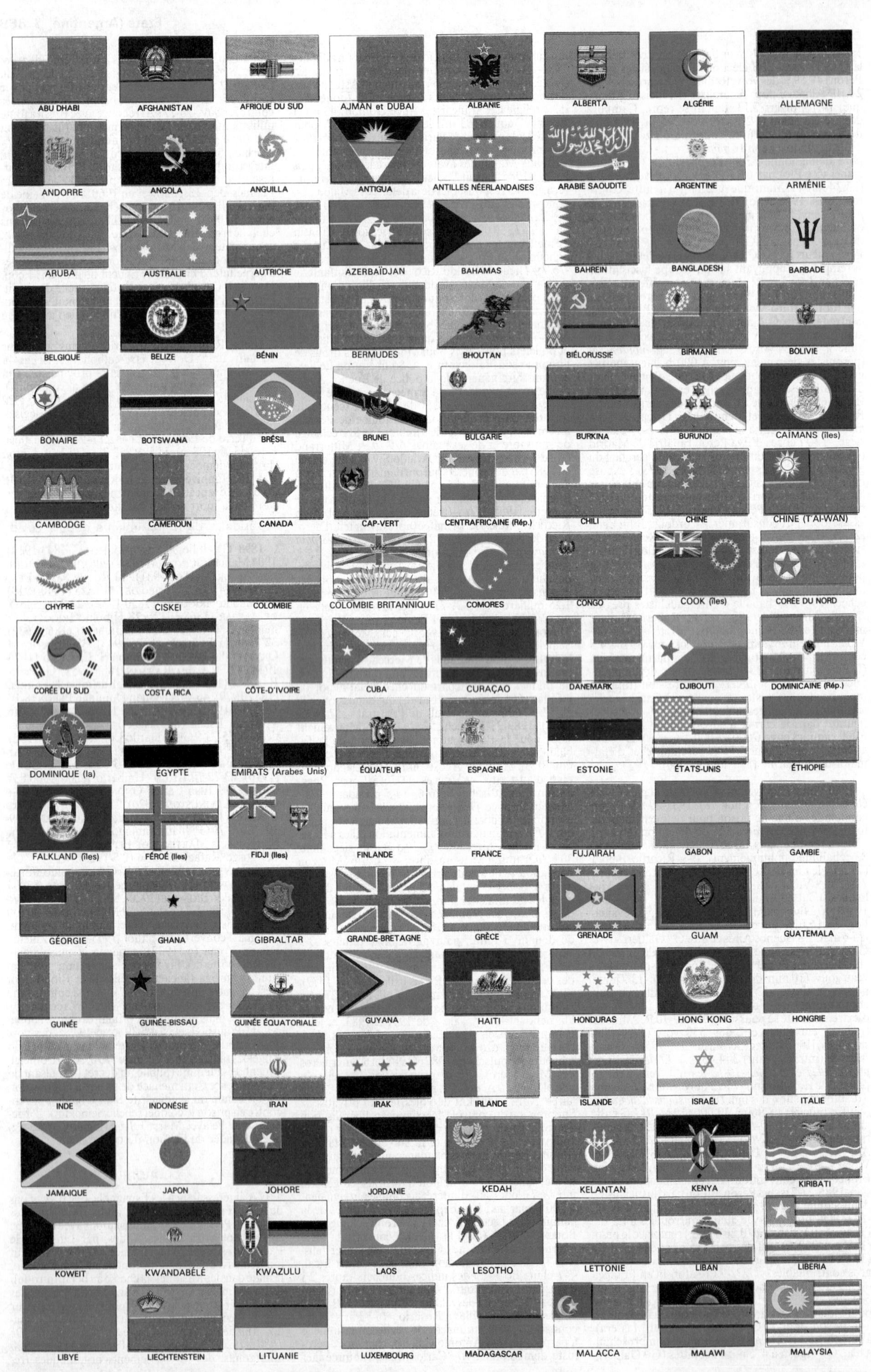
ABU DHABI
AFGHANISTAN
AFRIQUE DU SUD
AJMAN et DUBAI
ALBANIE
ALBERTA
ALGÉRIE
ALLEMAGNE
ANDORRE
ANGOLA
ANGUILLA
ANTIGUA
ANTILLES NÉERLANDAISES
ARABIE SAOUDITE
ARGENTINE
ARMÉNIE
ARUBA
AUSTRALIE
AUTRICHE
AZERBAÏDJAN
BAHAMAS
BAHREIN
BANGLADESH
BARBADE
BELGIQUE
BELIZE
BÉNIN
BERMUDES
BHOUTAN
BIÉLORUSSIE
BIRMANIE
BOLIVIE
BONAIRE
BOTSWANA
BRÉSIL
BRUNEI
BULGARIE
BURKINA
BURUNDI
CAÏMANS (îles)
CAMBODGE
CAMEROUN
CANADA
CAP-VERT
CENTRAFRICAINE (Rép.)
CHILI
CHINE
CHINE (T'AI-WAN)
CHYPRE
CISKEI
COLOMBIE
COLOMBIE BRITANNIQUE
COMORES
CONGO
COOK (îles)
CORÉE DU NORD
CORÉE DU SUD
COSTA RICA
CÔTE-D'IVOIRE
CUBA
CURAÇAO
DANEMARK
DJIBOUTI
DOMINICAINE (Rép.)
DOMINIQUE (la)
ÉGYPTE
EMIRATS (Arabes Unis)
ÉQUATEUR
ESPAGNE
ESTONIE
ÉTATS-UNIS
ÉTHIOPIE
FALKLAND (îles)
FÉROÉ (îles)
FIDJI (îles)
FINLANDE
FRANCE
FUJAIRAH
GABON
GAMBIE
GÉORGIE
GHANA
GIBRALTAR
GRANDE-BRETAGNE
GRÈCE
GRENADE
GUAM
GUATEMALA
GUINÉE
GUINÉE-BISSAU
GUINÉE ÉQUATORIALE
GUYANA
HAITI
HONDURAS
HONG KONG
HONGRIE
INDE
INDONÉSIE
IRAN
IRAK
IRLANDE
ISLANDE
ISRAËL
ITALIE
JAMAIQUE
JAPON
JOHORE
JORDANIE
KEDAH
KELANTAN
KENYA
KIRIBATI
KOWEIT
KWANDABÉLÉ
KWAZULU
LAOS
LESOTHO
LETTONIE
LIBAN
LIBERIA
LIBYE
LIECHTENSTEIN
LITUANIE
LUXEMBOURG
MADAGASCAR
MALACCA
MALAWI
MALAYSIA

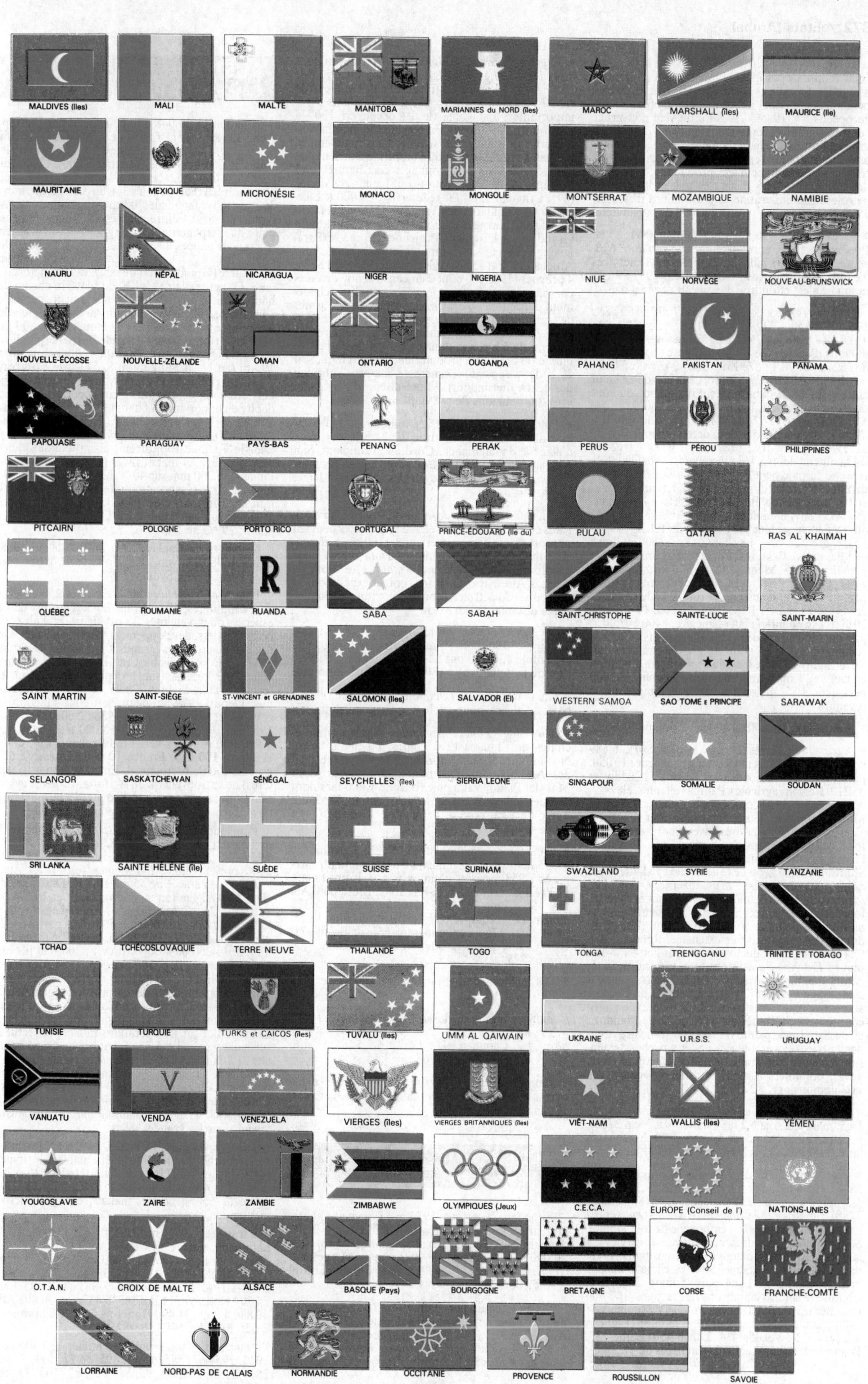
MALDIVES (îles)
MALI
MALTE
MANITOBA
MARIANNES du NORD (îles)
MAROC
MARSHALL (îles)
MAURICE (île)
MAURITANIE
MEXIQUE
MICRONÉSIE
MONACO
MONGOLIE
MONTSERRAT
MOZAMBIQUE
NAMIBIE
NAURU
NÉPAL
NICARAGUA
NIGER
NIGERIA
NIUE
NORVÈGE
NOUVEAU-BRUNSWICK
NOUVELLE-ÉCOSSE
NOUVELLE-ZÉLANDE
OMAN
ONTARIO
OUGANDA
PAHANG
PAKISTAN
PANAMA
PAPOUASIE
PARAGUAY
PAYS-BAS
PENANG
PERAK
PERUS
PÉROU
PHILIPPINES
PITCAIRN
POLOGNE
PORTO RICO
PORTUGAL
PRINCE-ÉDOUARD (île du)
PULAU
QATAR
RAS AL KHAIMAH
QUÉBEC
ROUMANIE
RUANDA
SABA
SABAH
SAINT-CHRISTOPHE
SAINTE-LUCIE
SAINT-MARIN
SAINT MARTIN
SAINT-SIÈGE
ST-VINCENT et GRENADINES
SALOMON (îles)
SALVADOR (El)
WESTERN SAMOA
SAO TOME E PRINCIPE
SARAWAK
SELANGOR
SASKATCHEWAN
SÉNÉGAL
SEYCHELLES (îles)
SIERRA LEONE
SINGAPOUR
SOMALIE
SOUDAN
SRI LANKA
SAINTE HÉLÈNE (île)
SUÈDE
SUISSE
SURINAM
SWAZILAND
SYRIE
TANZANIE
TCHAD
TCHÉCOSLOVAQUIE
TERRE NEUVE
THAILANDE
TOGO
TONGA
TRENGGANU
TRINITÉ ET TOBAGO
TUNISIE
TURQUIE
TURKS et CAICOS (îles)
TUVALU (îles)
UMM AL QAIWAIN
UKRAINE
U.R.S.S.
URUGUAY
VANUATU
VENDA
VENEZUELA
VIERGES (îles)
VIERGES BRITANNIQUES (îles)
VIÊT-NAM
WALLIS (îles)
YÉMEN
YOUGOSLAVIE
ZAIRE
ZAMBIE
ZIMBABWE
OLYMPIQUES (Jeux)
C.E.C.A.
EUROPE (Conseil de l')
NATIONS-UNIES
O.T.A.N.
CROIX DE MALTE
ALSACE
BASQUE (Pays)
BOURGOGNE
BRETAGNE
CORSE
FRANCHE-COMTÉ
LORRAINE
NORD-PAS DE CALAIS
NORMANDIE
OCCITANIE
PROVENCE
ROUSSILLON
SAVOIE

seau ferré) et amer. *Avant 1930,* l'A. est la 8e puiss. écon. mond. Le peso, stable, fait partie des 5 grandes monnaies mondiales. *En 1939-45,* gros bénéfices pendant la g. permettant de racheter les placements européens. *De 1946 à 1955,* Perón veut gouverner contre les grands propriétaires, au profit des masses urbaines sur lesquelles il s'appuie. Les salaires montent, l'immigration reprend. Les expl. agricoles, mal rémunérés, restreignent leur production. L'A. perd des clients. Avec les dictatures mil. et la crise du pétrole, forte émigration (3 à 4 millions d'A.). *En 1990,* 9 millions d'A. vivent au seuil de la pauvreté.

• P.N.B. (89). 2 130 $ par h. **Evolution** (89). – 5 %. **Pop. active** *(% et,* entre parenthèses, *part du P.N.B. en %):* agr. 12 (13), ind. 30 (32), mines 6 (11), services 52 (44). *Chômage* (89) : 18,5 %. En 1987-89 : la monnaie s'est effondrée. Le niveau de vie a baissé.

Inflation (%). *1975 :* 343 ; *76 :* 347 ; *77 :* 160 ; *78 :* 175 ; *79 :* 159 ; *80 :* 88 ; *81 :* 131 ; *82 :* 230 ; *83 :* 433,7 ; *84 :* 688 [en *1954* 1 $ = 14 pesos ; *84 :* = 400 millions d'anciens pesos (40 000 pesos nouveaux)] ; *85 :* 627 ; *86 :* 90,1 ; *87 :* 131,3 ; *88 :* 343 ; *89 :* 3 079 ; *90 :* 1 800 ; *91 fév. :* 27. Le prix de la viande de bœuf entre pour 50 % dans le calcul de l'indice du coût de la vie. **Dette ext.** (en milliards de $). *1983 :* 46, *85 :* 48,4, *86 :* 57, *87 :* 54, *88 :* 67 (8 % du P.N.B.). *89 :* 65, *90 :* 64. **Service de la dette.** (en milliards de $). *1989 :* 5, soit 10 à 12 % du P.I.B. Le 21-12-89, l'A. a obtenu des rééchelonnements. *1990 (fév.) :* l'A. reprend le paiement du service de la dette, arrêté dep. fév. 88, soit 1,5 milliard de $ (1,1 aux banques et 0,4 au Club de Paris). **Transferts à l'étranger.** *1974-85 :* env. 25 milliards de $; *1983-88 :* 40 ; *91 :* 50. **Déficit du secteur public** (en % du P.I.B.). *1983 :* 15,6 ; *84 :* 12 ; *85 :* 4,8 ; *89 (est.) :* 6 (600 millions de $ par mois). **Réserves en or et devises** (mars 1991) : 4 milliards de $. **Monnaie.** Austral. *Valeur pour 1 $. 1983 :* 0,02 a. *89 :* (fév.) 18, (mai) 580, (juillet à nov.) 650, (déc) 4 000 (l'austral a perdu 99 % de sa valeur en 89), *90 :* (janv.) 1 100, (fév.) 3 000, *91 :* (avril) 10 000. **Taux d'intérêt inter-bancaire.** 1 400 à 4 000 % par an (600 % en déc. 89). **Placements.** Compte rénuméré à 7 j. (1 pour les grosses sommes, dit « overnight »). Durée max. du dépôt : 2 sem. (inflation en hausse), 1 mois (infl. en baisse). **Fiscalité.** 30 000 pers. (sur 31,5 millions) soumises à l'impôt sur le revenu.

Salaire min. (mai 88) 4 000 australs (360 F/mois).

• Agriculture. **Terres** (en milliers d'ha, 80) 276 689 dont arables 25 150, cultivées en permanence 10 050, pâturages 143 200, forêts 60 050, eaux 3 020, divers 35 219. **Régions agricoles.** Pampa : champs, élevage. Au besoin, le bétail consomme sur pied les céréales. Mouton apprécié pour sa laine, peu pour sa viande. Vaches « créoles » croisées avec Shorthorn, Hereford, Aberdeen Angus, exp. surtout en G.-B. ; Chaco l'aride, Santa Gertrudis : croisements de créole, de Shorthorn et de zébu de l'Inde. Élevage laitier : pie noire hollandaise. *Est :* maïs, luzerne. *Ouest :* blé, sorgho-grain pour bétail, lin (pour sa graine) en recul, tournesol et arachide. Estancias : plusieurs milliers ou dizaines de milliers d'ha (30 millions d'ha abandonnés). Agriculture très extensive. Rendement à l'ha faible mais productivité forte par personne employée. *Extrême-Nord-Est :* cultures tropicales (maté, coton, thé, tabac). *Pied des Andes :* au N., canne à sucre (gagne, grâce à l'irrigation, vers l'O. du Chaco) ; au centre, ressources en eau de la montagne : agriculture « méditerranéenne » (vignoble de Mendoza et de San Juan, planté de cépages français) ; rendements très élevés ; oliviers, figuiers, pêchers (extension menacée par l'épuisement des réserves en eau) ; au S., pommiers et poiriers. **Superficie moy. des exploitations agr. :** 270 ha (1970).

Production (millions de t, 89) canne à s. 10,8, blé 10,5, maïs 4,2, soja 6,2 (88), haricots 1,7, vin 2 (88), p. de terre 2,9, graines de tournesol 3,1, orange 0,5, lin 0,6 (88), coton 0,2, riz 0,3, thé 0,03, tabac.

• Élevage (millions de têtes, 89). Bovins 50,2 (*81 :* 58,7 ; *82 :* 53,7 ; *84 :* 53,5), moutons 29,3, chèvres 3,2, porcs 4,2, poulets 55 (88), chevaux 3 (88), dindes 3 (88), canards 2 (88). *Régions. Extrême-Ouest* et *Est* (pays naisseurs). *Centre :* embouche dans la Pampa. *Sud :* moutons à viande ; *près de Buenos Aires :* élevage laitier. *Patagonie :* moutons à laine transhumant l'été dans la montagne andine. Sous ce climat : toisons épaisses (6 kg de laine par animal). L'érosion dégrade le sol, les lapins font des ravages. 160 000 hommes travaillent à cheval. *Production* (milliers de t, 88) : viande de bœuf et veau 2 650, mouton et agneau 83, porc 224, volaille 434. Lait 6 450. Laine 138. Peaux 360. **Balance agricole** (milliards de $). *1983 :* + 4,4, *84 :* + 5,4, *85 :* + 5,3, *86 :* + 4,3, *87 :* + 3,5, *88 :* + 5,3.

• Énergie. **Charbon** 505 000 t (88). **Pétrole** (millions de t) *1980 :* 28,4 ; *81 :* 28,8 ; *82 :* 24 ; *83 :* 25 ; *84 :* 24 ; *85 :* 23,5 ; *86 :* 22,5 (réserves : 309 millions de t) ; *87 :* 23,2 ; *88 :* 24,3 ; *89 :* 23. Gisements les + importants : Patagonie (le 1er découvert 1907 à Comodoro Rivadavia). En bordure de mer, ils permettront le transport maritime, mais hauts-fonds, tempêtes et envasement du Paraná n'autorisent que des pétroliers de petit tonnage. **Gaz naturel** 19,3 milliards de m³ (88) ; *réserves* 651 milliards de m³ (87). **Uranium** 150 t (88) ; *réserves* 300 000 t. **Électricité** 46,3 milliards de kWh (89) dont *hydroélectricité* 15 (88) [barrage binational (A./Uruguay : « Salto Grande » sur Uruguay). Projet de barrage A./Paraguay : Yacyreta sur Paraná]. *Centrales nucléaires :* Atucha 1 (1974) 335 MW, Embalse (1983) 600 MW ; 4 prévues (1982-97) dont 2 en construction arrêtées par manque de financement. 1 usine d'enrichissement d'uranium ; 6 centres de recherche et 2 usines de retraitement. *État d'urgence énerg. décrété 6-1-1989 :* émissions TV réduites à 4 h, coupures de courant de 6 h par j., dimin. de 50 % de l'éclairage public (le réseau ne produit que 3 100 MW/h., soit 25 % de sa capacité : sécheresse, mauvais entretien des centr. thermiques). Mines diverses. *Fer, étain, acier* (3,6 millions de t, 88), *plomb.*

• Industrie. *Alim.* (sucreries, minoteries, huileries, viandes). *Fer :* Patagonie (2,2 millions de t d'acier à Bahia Blanca, Córdoba, Campana, San Nicolás et Ensenada). *Chim. et mécan.* en progrès. *Ciment, autom., mach. agricoles. Textiles :* laine, coton.

• Transports. *Chemin de fer :* 34 400 km (en service). Rails et matériel à renouveler. 5 % des voies peuvent supporter des vitesses supérieures à 100 km/h. *Route :* 80 % du trafic des marchandises. *Flotte marchande :* insuffisante. *Pays souvent déséquilibré* au profit de Buenos Aires. Río Gallegos, port d'expédition du charbon et du pétrole, reçoit sa nourriture de Buenos Aires distante de 2 650 km.

☞ *Cie aérienne Aerolineas Argentinas* (créée 1950 : 29 avions, 10 800 pers.) vendue en nov. 90 à un groupe espagnol : 130 millions de $, + 1,6 milliard de $ au titre de la dette ext. et 130 millions de $ sur 5 ans.

• Communications. Téléphone insuffisant (il faut parfois 20 ans pour avoir une ligne personnelle).

• Tourisme. *Zones principales :* Mésopotamie, chutes de l'Iguazù (275 chutes, 80 m de haut), Nord (Jujuy et Salta montagneux), Cuyo (au pied des Andes), Córdoba (montagnes), plages (dont Mar del Plata), Patagonie (plus de 1 000 lacs dont Nahuel, Huapi, Buenos Aires, Argentino, Viedma), Terre de Feu, réserve de Valdes. *Visiteurs* (84) : 1 608 000.

• Commerce (en millions de $ U.S., 88). *Exportations* 9 135 *dont* prod. végétaux 1 967, prod. alim. préparés 1 953, graisses anim. et vég. 921, prod man. 913 *vers* U.S.A. 1 185, P.-Bas 1091, Brésil 608, All. féd. 485, Chine 362, Italie 340. *Importations* 5 322 *dont* mach. et équip. électr. 1 514, prod. chim. 1 115, prod. man. 676, prod. minéraux 651, *de* Brésil 971, U.S.A. 908, All. féd. 607, Japon 349, Italie 309, *France 228.*

☞ 8 milliards de $ exportés illégalement de 1988 à 90.

Balance (milliards de $). **Des paiements :** *1983 :* – 2,5 ; *84 :* – 2,2 ; *85 :* – 2,5 ; *86 :* – 2,8 ; *87 :* – 4,3 ; *88 :* – 1,2. **Commerciale :** *1984 :* + 3,5, *85 :* + 4,6, *86 :* + 2,12, *87 :* + 0,54, *88 :* + 3,8.

Rang dans le monde (89). 4e vin. 6e bovins. 9e maïs, ovins. 10e thé. 12e blé. 14e canne à sucre, céréales. 17e gaz nat. 24e pétrole.

ARUBA

V. légende p. 837.

Situation. Amérique. 193 km². Longueur 30 km, largeur 10 km. Population : 66 000 h. (dont 2 300 Anglais, 840 Vénézuéliens). *Capitale : Oranjestad* 20 000 h. Ressources : de 1925 à mars 84 : pétrole. Tourisme (88) : 240 000 v. *Site :* pont naturel d'Andicouri.

Statut. Acquis par P.-Bas. *1983* (12-3) (accord de La Haye) : autonomie décidée. *1986* (1-1) Aut. effective. *1996* Indépendance prévue. *P.M. :* Nelson 0. Oduber. *Gouverneur, représentant la reine des P.-Bas :* F.B. Tromp. *Chambre :* 21 m., élus 6-1-89.

AUSTRALIE

Carte p. 873. V. légende p. 837.

Situation. A 20 048 km de la G.-B. par Le Cap. 7 682 300 km² (dont Tasmanie 67 800 km²) (14 fois la France). 1/20 du continent est à + de 600 m d'alt. **Côtes** 36 735 km (dont Tasmanie 3 200). **Longueur** (E.-O.) 4 000 km, (N.-S.) 3 180 km (3 680 avec Tasmanie). **Relief :** pour les 3/4, un plateau, alt. moy. 300 m (moy. mondiale 700 m) (végétation : eucalyptus, acacias). Centre : dépression (du lac Eyre au golfe du Carpentarie) avec le grand bassin artésien (6 grandes nappes d'eau souterraines sous 60 % du continent) ; à l'O. le plateau est couvert de latérite, grès, sable (Grand Désert de sable, désert Victoria) ; au S.-O. petite plaine. A l'E. du plateau, chaîne de hauts plateaux (dir. N.-S.) : Cordillère austr., parallèle à la côte or., alt. moy. 1 000 m. Au S.-E. (région de Melbourne) Alpes australes (sommets de 1 800 m, Mt Kosciusko 2 228 m). **Grande Barrière** (parallèle à l'est du Queensland), longueur 1 900 km, largeur 19 km (au N.) à 240 km (au S.). **Fleuves :** Murray 2 550 km (affluents Darling, Murrumbidgee, Lachlan) draine la dépression. Fleuves côtiers : courts, débit peu important sauf dans le N. tropical. **Climat :** tempéré 2/3, tropical 1/3 ; *été* (déc.-févr.), *automne* (mars-mai), *hiver* (juin-août), *printemps* (sept.-nov.). Dans le N. climat tropical : été (saison humide), pluies en janv., févr. et mars ; hiver (s. sèche). *Pluviosité* faible – de 250 mm sur 40 % du territoire, – de 500 mm sur 70 % (évaporation intense) ; Sydney 1 214 mm/an, Melbourne 655, Darwin 1 661, Brisbane 1 151. *Temp. moy.* juill. : 25 °C au N., 8 °C au S. ; janv. : 29 °C au N., 17 °C au S.

Distances de Canberra (en km). Adélaïde 988, Brisbane 980, Darwin 3 260, Hobart 880, Melbourne 483, Perth 2 970, Sydney 248.

Faune. *Marsupiaux :* 50 % env. des 250 espèces de mammifères, 40 millions de kangourous de 48 espèces (dont 6 éteintes, 13 raréfiées). En l'absence de carnassiers, développement inconnu ailleurs. Ordre des macropodes [grands kangourous, osphranters (wallaroos), wallabies, rats-kangourous, dendrolagues]. Arboricoles (sauf le dendrolague), la plupart terrestres et herbivores. Koala : sorte d'ours marsupial. Depuis 1979, on peut abattre les kangourous et exporter la viande (quota 1986 : 2 600 000 têtes). 1989 (mai) : abattage de 1 460 000 têtes autorisé ; 1 000 000 exportés vers l'Italie (chaussure), G.-B. et Japon 100 000, France 10 000 ; *Oiseaux :* 651 espèces (60 de perroquets). Émeu et casoar (o. aptères) ne se trouvent qu'en A. *Autres variétés :* cygne noir, oiseau-lyre, merle bâtisseur de bosquets ou bowerbird, dindon sauvage, poule de Mallee.

Population (en millions) *1810 :* 0,01 (dont 48 % de forçats) ; *1821 :* 0,038 ; *1850 :* 0,4 ; *1900 :* 3,7 ; *1920 :* 4,5 ; *1939 :* 6,9 ; *1961 :* 10,55 ; *1989 :* 16,80 ; *2000* (prév.) : 18,67. *Accroissement* (en %) : 1,4. **Age :** *– de 15 a. :* 22 %, *+ de 65 a. :* 10,7 %. **Espérance de vie :** 77. **Origine** (en %, 1986). G.-B. et Irl. 74 %, Australie 25 %, Aborig. 1 %. **Aborigènes** (australoïdes) *v. 1788 :* 300 000 (en 500 clans parlant + de 300 langues), *1971 :* 106 290, *76 :* 144 382, *81 :* 144 665, *88 (juin) :* 260 000, *2000* (prév.) : 300 000 [ils ont le droit de vote dep. 1967 et dep. 1984 sont tenus de se faire inscrire sur les listes électorales (les aborigènes disposent de titres de propriété inaliénables pour 12 % du territoire national, alors qu'ils ne représentent que 1 % de la population ; ils touchent des royalties sur les opérations minières effectuées sur leurs terres (1985/86, Territoire-du-Nord a touché 21,7 millions de $). *Fonds alloués* pour eux 509,2 millions de $ (86/87)] ; 30 % sont en ville ; possèdent des droits sur plus de 600 000 km² (1/10 du pays). **Chinois** 36 638 ; **îles du détroit de Torres** 21 541 ; *divers* 1 408 747. D. 2. **Urbanisation.** 70,9 % des Austr. vivent dans les grandes villes.

Langue. Anglais. 15 % des A. de 15 ans et +, parlaient en 1983 une autre langue maternelle : italien (440 776), grec (227 167), allemand (165 633), hollandais (110 540), polonais (86 016), chinois (85 000), arabe (77 565), croate, maltais, espagnol, serbe, vietnamien.

Étrangers. *1966,* sur 11 550 462 h. 11 039 387 nationaux, dont 1 619 845 vivaient hors d'A., et 511 075 étrangers (dont 153 413 Ital., 106 677 Grecs, 77 955 Holl., 42 821 All., 38 253 Youg.). **Naturalisés.** *Du 1-1-1945 au 1-1-1970,* 647 951 (150 395 Ital., 74 704 Holl., 69 314 Pol., 68 074 Grecs, 50 003 All., 49 830 Youg., 31 490 Hongrois, 20 291 Ukrainiens, 2 656 Fr.). *En 1983 :* 88 825.

Immigration totale nette (en milliers) : 3 400 dep. 1945. *1954-61 :* 585, *61-66 :* 395, *66-71 :* 591, *71-76 :* 281, *76-81 :* 379, *80 :* 93, *81 :* 127, *82 :* 103, *83 :* 53,

84: 57, *86/87:* 110, *87/88:* 140. **Réfugiés** (en milliers) : *1945-87 :* + de 470 [dont *1986-87 :* 11 291 (dont 5 609 Asiat.)]. Env. 1 h sur 5 n'est pas né sur place (+ de 1 million de demandes d'immigration par an).

Nota. – Selon un démographe australien, en 2030, 25 % des Australiens auront du sang asiatique (venant des 800 000 Austr. de cette origine).

Religions (1986, en %). Catholiques 26 (4 194 970 m.), anglicans 23,9 (3 856 145 m.), Église unie 7,6 (1 226 222 m.), presbytériens 3,6 (580 842 m.), orthodoxes 2,7 (435 631 m.), baptistes 1,3 (209 748 m.), luthériens 1,3, Église du Christ 0,6.

Histoire. *Vers* **40 000-36 000 av. J.-C.** établissement des Australoïdes (aborigènes) venant d'Asie (l'A. était alors sans doute reliée à la N.-Guinée). **IIe s. av. J.-C.** le mathématicien grec Ptolémée place un continent sur sa carte à l'endroit de l'A. **XVIe s.** l'existence d'une Terra Australis est soupçonnée en Europe. **1606** l'Esp. Luis de Torres franchit le premier le détroit qui porte son nom, puis viennent les Holl. : Willem Jansz (1606), Hendrik Brouwer (1611) (l'A. sera appelée Nouv.-Hollande jusque v. 1850), Dirk Hartog (1616) et Abel Tasman (1642) qui reconnaissent les côtes. **1688** l'Anglais William Dampier (1651-1715) débarque en A. occ. avec des boucaniers (pirates). **1770** James Cook (débarque le 20-4 à Botany Bay) prend possession de l'A. orientale, après avoir découvert les limites du continent (baptisé N.-Galles du S.). **1772**-*30-3* le Français Saint-Allouarn débarque dans la baie de la Tortue sur l'île Dike Hartog et prend possession pour le roi, pas de colonisation. **1788**-*18-1* le commandant Arthur Phillip (parti d'Angl. avec 11 navires et 1 030 personnes dont 736 forçats) débarque à Botany Bay, rencontre La Pérouse et prend possession de l'Est qu'il appelle N. Galles du S. 1re colonie pénitentiaire à Port Jackson (Sydney) 117 forçats. **1826** arrivée de colons brit. **1801-02** Baudin envoyé par Bonaparte explore l'A. **1848** 1re tentative de traversée du continent (est-ouest) : mort de l'explorateur allemand Ludwig Leichhardt (n. 1813). **1851** découverte de mines d'or en N.-Galles du S. 1852 en Victoria. Arrivée massive d'immigrants. **1860** échec de la 1re traversée sud-nord : 3 explorateurs †, 1 survivant. **1867** suppression de la transportation des forçats (déjà arrêtée en 1840 en N.-Galles du S. et en 1853 en Tasmanie) (160 000 auraient été envoyés en A.). **1901** Féd. du Commonwealth d'A. Déclin des mines d'or. **1914-18** l'A. participe à la g. (60 000 †). **1927** Canberra devient capitale. **1939-45** participe à la g. **1942-43** attaque japonaise repoussée. **1972** *déc.* 1re victoire du P. travailliste aux élect. dep. 23 a. **1974-déc. 77** Sir John Kerr, gouverneur († 24-3-91). **1975**-*16-9* Papouasie indépendante -*11-11* dissolution du gouv. Whitlam et du Parlement. -*13-12* élections : victoire des conservateurs (P. libéral et P. national agraire), confirmée aux élections du 10-12-77, du 18-10-80 et de juill. 82. **1983** *févr.* dissolution de la Chambre. -*5-3* victoire travailliste. **1986**-*2-3* abolition des derniers liens juridiques avec la G.-B. -*27-3* : 6 bombes : 22 bl. à Melbourne. -*27-5* à Londres, Greenpeace appelle la CEE à boycotter les importations de viande et peaux de kangourous, les quotas d'abattage autorisés étant dépassés (1,8 million de kangourous tués en 1985, 2,6 en 1986). **1987**-*22-1* bombe au consulat de Turquie, 1 †. -*26-5* fermeture du « Bureau du peuple libyen ». **1988** année du bicentenaire. **1989** *Avril* devient membre du C.O.C.O.M. -*16-6* PM Hawke à Paris. -*18-8* PM Rocard en A. (48 h). **1990** -*24-3* législatives anticipées.

Statut. État fédéral. 6 États et 2 territoires métropolitains. Membre du Commonwealth. *Chef de l'État* reine Elisabeth II. *Gouv. gén.* dep. févr. 89 William George Hayden (n. 23-1-33), représentant la reine, chef de l'État et de l'exécutif. **Parlement fédéral** (Gouv. gén., Sénat, Ch. des représentants). *Sénat :* 76 m. élus au suffr. univ. pour 6 a., renouvelable par moitié tous les 3 a. (12 par État, 2 par terr.). *Chambre des représentants :* 148 m. élus au suffr. univ. pour 3 a. (représentation de ch. État en fonction de sa pop. ; min. 5 députés). *Él.* (11-7-87) : P. travailliste 85 s. (45,84 % des voix), P. libéral 45 s. (34,3 %), P. national 18 s. (11,59 %). **Référendums.** 38 organisés de 1901 au 3-9-1988 dont 8 ont obtenu un résultat positif (il faut la majorité absolue à l'échelon national et dans au moins 4 États sur 6). **Fête nat.** 26 janv. (Australia Day : arrivée de la 1re flotte anglaise à Sydney en 1788).

Fédération. **État.** Chacun a un gouverneur (qui représente la reine), un gouvernement de 12 à 17 ministres. **Parlement** (compétence à l'intérieur des circonscriptions administr. et concurremment au P. fédéral pour l'impôt, recensements et statistiques) comprenant 2 assemblées : cons. législatif ou ch. haute (sauf le Queensland dep. 1922 et le Terr. du N.), ass. législative ou ch. basse.

Drapeau. Adopté en 1901. Bleu avec drapeau de la G.-B. dans l'angle gauche, 1 étoile représente les 6 États et 5 étoiles, la Croix du Sud.

Partis. *Austr. Labor Party :* travailliste (socialiste) fondé 1891, leader Bob Hawke. *Liberal Party of Austr. :* libéral (conservateur) f. 1944, leader John D. Eliott. *Democratic Labor Party :* conserv.-cathol. f. 1956, leader J. Kane. *National Party of Austr. :* agraire (conserv.) f. 1916, leader TiM Fischer. *Austr. Communist Party :* f. 1920. *Austr. Party :* libéral, f. 1969. *Socialist Party of Austr. :* f. 1971, leader P. Symon. *Austr. Democrats :* f. 1977, leader J. Powell.

Premiers ministres

1945-*13-7* Joseph Chifley (1885-1951). **49**-*19-12* Robert Menzies (1894-1978). **66**-*26-1* Harold Holt (1908-67, noyé). **67**-*19-12* John McEwen (1900-80). **68**-*10-1* John Gorton (n. 9-9-1911). **71**-*10-3* William McMahon (1908-88). **72**-*5-12* Gough Whitlam (n. 11-7-1916). **75**-*11-11* John Malcolm Fraser (n. 29-5-1930). **83**-*10-3* Robert James Lee (dit Bob) Hawke (n. 9-12-1929), travailliste.

États et territoires

• **États** [Superficie, population (30-6-1989, capitales en italique (87) et villes principales (87)]. AUSTR. OCC. 2 525 500 km², 1 591 077 h., *Perth* 1 083 400 h. (avec Freemantle). QUEENSLAND 1 727 200 km², 2 830 198 h., *Brisbane* 1 215 300 h. AUSTR. MÉRIDIONALE 984 000 km², 1 423 337 h., *Adélaïde* 1 013 000 h. N.-GALLES DU SUD 801 600 km², 5 761 919 h., *Sydney* 3 531 000 h., Newcastle 419 200, Wollongong 233 800. VICTORIA 227 600 km², 4 315 170 h., *Melbourne* 2 964 800 h., Geelong 149 300. TASMANIE (île) 67 800 km², 450 956 h., *Hobart* 180 000 h.

• **Territoires intérieurs.** DE LA CAP. AUSTRALIENNE 2 400 km², 277 926 h., *Canberra* 288 900 h. DU NORD 1 346 200 km², 156 147 h., *Darwin* 75 300 h.

• **Territoires extérieurs.** **Antarctide australienne.** 6 400 000 km², sous la tutelle de l'Austr. dep. 7-2-1933. Dépendant du min. des Sciences. Terres autres que T. Adélie situées s. 60° lat. S. entre 160° et 45° long. E. avec les îles *Heard* (258 km²), *McDonald, Macquarie* (175 km²), 25 h. (dépendant de la Tasmanie), station météo. de Garden Cove.

Île Christmas. A 2 623 km de Perth, 360 km de Java, 417 km des Cocos. 135 km², 2 400 h. (86) dont 1 967 Chinois, 800 Malais, 341 Eur. D. 21. Terr. austr. dep. 1-10-1958 (annexée 1888, adm. par G.-B. dep. 1-1-1958, rattachée à Singapour). Phosphates.

Îles Cocos (Keeling). 14 km², 616 h. (86). D. 45. 208 Eur. (84). A 3 685 km à l'O. de Darwin. 27 îlots de corail constituent 2 atolls distincts (le plus grand *West Island* 205 h., long. 10 km, largeur 400 m ; *Home Island* 350 h.). *Histoire : 1609* découvertes par William Keeling. *1826* John Clunies Ross s'établit et fait planter des cocotiers. *1857* possession brit. *1888* concession à perpétuité donnée aux descendants de Ross. *1955* sous la souveraineté austr. *1978* l'Austr. achète les îles 26 milliards de F aux Clunies-Ross.

Île Lord Howe. A 702 km au N.-E. de Sydney, long. 11,5 km, larg. 1,5 km [dorsale long. 3 000 km, larg. 500 km], 300 h. (86), volcanique. Adm. par l'État de N.-Galles du S. *Alt. max.* Mt Gower 866 m. Découverte en 1788. Tourisme.

Île Norfolk. A 1 900 km au N.-E. de Sydney. 34 km². 1 977 h. (86) (beaucoup issus des 193 descendants des mutinés du Bounty transférés de l'île Pitcairn en 1856). D. 58. Siège d'un pénitencier 1788-1813 et 1826-55. Rattachée à l'A. 1914. *1978* autonomie partielle. *Ville : Kingston.* Semences, fruits, légumes, café, tourisme, timbres-poste.

Îles de la mer de Corail. 5 km². 3 h. *Chef-lieu : Willis Island* (station météo). Admin. de Norfolk.

Îles Ashmore et Cartier. 5 km² ; inhabitées. Mer de Timor ; administrées par le Territoire du Nord.

Îles Heard et McDonald. 412 km². Inhabitées. Près de l'Antarctique. Administr. austr. dep. 1947.

Économie

• **P.N.B.** Total (milliards de $) *1982 :* 169, *83 :* 150,5. *84 :* 177,5. *85 :* 153,8. *86 :* 161,4. *87 :* 194,3. Par hab. ($) 11 140, *83 :* 9 760, *84 :* 11 419. *85 :* 9 800. *86 :* 10 100. *87 :* 12 100. *88 :* 14 700. *89 :* 16 830. **Croissance** (en %). *1989 :* 4,2, *90 (est.) :* 3. **Pop. active** (en % et entre parenthèses part du P.N.B. en %) agr. 5,8 (4), mines 4 (9), ind. 22,6 (23), services 67,6 (64). *Chômage* (en %) : *83 :* 10 ; *84 :* 8,9, *85 :* 8,2 ; *86 :* 8 ; *87 :* 8,1 ; *88 :* 7,2 ; *89 :* 6,1. *Salaire moyen :* 8 000 F/mois (83).

• **Agriculture.** 170 000 propriétés (arides 40 %, élevage et agr. 60 %, 6 % cultivées). **Superficie cultivée** (1984/85 en millions d'ha) 22 dont blé 12,1, orge 3,6, avoine 1, sorgho 0,8. *Cultures* mécanisées, grandes surfaces, faible rendement (1 028 kg/ha). *Production* (millions de t) : céréales *1981/82 :* 8,9, *82/83 :* 12,8, *84 :* 28,5, *85 :* 24,8, *86 :* 25,2 (dont blé : *82/83 :* 8,9, *83/84 :* 22, *84/85 :* 18,6, *85/86 :* 16,1), *87 :* 20,4 (dont blé 12,7), *88 :* 22,1 (dont blé 13,8), *89 :* 19,6 (dont blé 12,4). *Récoltes* (en 1989) : N.-Galles du S., Victoria : riz (rendement 7,89 t/ha, 805 000 t), canne à sucre 29 500 000 t (Queensland). Vigne dans le S. (Barossa Valley) : 910 000 000 t. Fruits [pommes (Tasmanie, 344 000 t), poires (124 000 t en 1988), oranges (N.-Galles du S., bassin de Murray et Murrumbidgee 504 000 t), bananes (167 000 t), ananas 155 000 t]. Légumes (dont p. de t. 1 034 000 t), coton (Queensland 286 000 t).

Forêts (1984, en milliers d'ha). 40 938 (11 471 de forêts d'État) dont *(en %) eucalyptus 68,7, eucalyptus tropical 15,2, cyprès 10,2, forêt pluviale 4,4, plantation 1,5 (Tasmanie, Cordillère, rég. côtières), 500 variétés d'eucalyptus.*

Élevage (millions de têtes, 89). Moutons et agneaux 162,6, [dont 7 millions exp. au Moyen-Orient (3 en Arabie S.)], volailles 57, bovins et veaux 22,1, porcs 2,7, chevaux 0,40. L'A. est le 1er prod. et exportateur de laine (25 % de la prod. mondiale, 919 000 t en 88). Viande. **Pêche.** 200 000 t (88).

• **Énergie** (millions de t, 88). **Charbon** 173 (70 % à ciel ouvert). *Réserves* 249. Exp. 1987-88 : 102

(27,5 %), dont Japon 47,6 %. 1989 : pertes, 200 millions de $ a. (malgré la fermeture de 12 mines de fond entre juin 87 et juin 88). **Lignite** 43 [réserves 123 (49 récupérables, soit 90 ans de durée de vie, dont 65 % en sous-sol) et 122 milliards de t]. **Pétrole :** *1982 :* 22, *83 :* 26,8, *84 :* 30,9, *85 :* 27, *86 :* 24, *87 :* 25, *88 :* 24,5, *89 :* 23 (autosuffisance à 80 %) ; *réserves* 322 (83). Nouveau gisement de griffin (100 millions de barils prévus en 1993). **Gaz naturel** (milliards de m³) réserves 908, prod. 14. Mise en service d'un gisement dans le North West Shelf (prod. augmentée de 50 % dès 1995).

• **Mines** (millions de t, 88). *Fer* (Austr. occ.) 61,8, *bauxite* 35 (30 % des rés. mondiales), *nickel* 0,6, *uranium* 4 t (87) (299 000 t de réserves), *plomb* 0,47, *zinc* 0,7, *argent* 1 120 t, *cuivre* 0,23, *tantale, étain, zircon* 0,3, *diamants* (85) 20 à 25 millions de carats, *or* (en t) *1903 :* 119, *80 :* 17, *83 :* 31, *84 :* 39, *85 :* 57, *86 :* 76, *87 :* 108, *88 :* 150.

• **Industrie.** Sidérurgie, constr. auto., aéronautique, méc., métallurgie, raff. de pétrole, chimie, électronique. Développement ind. faible par rapport aux possibilités des mines.

• **Transports.** *Chemins de fer* 38 760 km. *Routes :* 808 515 km. **Tourisme** (88) 2 249 500 vis.

• **Commerce** (en milliards de $ A, 87-88). *Exportations :* 40,9 *dont* mat. 1res sauf fuel 12,3, prod. alim. 8, fuel et lubrifiants 7, prod. man. de base 4,9, mach. et équip. de transp. 2,7 ; *vers* Japon 10,6, U.S.A. 4,6, Nlle-Zélande 2,1, Hong Kong 1,9, Corée du S. 1,7, G.-B. 1,7, Taïwan 1,3, Chine 1,2, Sing 1,1, Italie 1, All. féd. 1, *France 0,9*. *Importations :* 47 (88-89) *dont* (88-89) mach. et équip. de transp. 20,6, prod. man. de base 7,9, prod. man. divers 7,5, prod. chim. 4,9, fuel et lubrifiants 2 ; *de* U.S.A. 8,5, Japon 7,8, G.-B. 3, All. féd. 2,9, Taïwan 1,7, N.-Zél. 1,7, Italie 1,3, Corée du S. 1, *France 0,8*.

• **Budget** (86-87, en millions $ A). *Dépenses* 78,1 (88), *recettes* 71,2. **Inflation** (en %). *80-81 :* 9,4 ; *81-82 :* 12 ; *82-83 :* 10 ; *83-84 :* 6 ; *85 :* 7 ; *86 :* 9,8 ; *87 :* 8,5 ; *88 :* 7,2 ; *89 :* 7,3. **Dette extérieure** (en milliards de $ a.). *1988 :* 75,26. *1989 :* 109 (41 % du P.I.B.). *1990 :* 65 % de la dette due à la spéculation boursière. **Déficit de la balance courante (89).** 20 milliards de $ a. **Taux d'intérêt** 18 %. **Investissements japonais** (en milliards de $ U.S.). *1988-89 :* 2,4 (15 banques j.). **Banques.** Jusqu'en 1985, implantation de banques étrangères interdite. 1989 : 15 établissements, dont 3 japonais.

• **Rang dans le monde** (89). 1er ovins. 3e fer, rés. de lignite. 4e rés. de charbon. 5e uranium. 6e argent. 7e or, charbon. 9e blé, canne à sucre, cuivre. 10e bovins. 12e lignite, orge. 16e vin. 18e céréales, gaz nat. 25e pétrole.

AUTRICHE

V. légende p. 837.

Situation. Europe. 83 857 km². Montagneux à 70 %. Plaines et collines au N. (vallée du Danube) et à l'E. (Burgenland). *Frontières :* 2 707 km dont All. féd. 815, Tchécoslovaquie 568, Hongrie 354, Yougoslavie 330, Italie 430, Suisse 168, Liechtenstein 36. *5 divisions régionales :* Alpes orientales (6/10 du territoire) ; Préalpes (1/10), Précarpathes (1/10) ; bordure de la plaine pannonienne (1/10) ; hauts plateaux du massif de Bohême ; bassin de Vienne (1/20). Le *Danube* traverse l'Autr. sur 350 km. *Alt. max. :* Grossglockner 3 797 m. **Climat :** modéré-continental ; O. et zones montagneuses cl. alpin (temp. janv. - 2,7 °C ; juill. 18 °C ; pluies 1 359 mm), Est cl. « pannonien » (temp. janv. - 0,9 °C ; juill. 19,5 °C ; peu de pluies 680 mm).

Population. *1800 :* 9 000 000 ; *1856 :* 17 500 000 + Hongrie 13 200 000 ; *1900 :* 26 100 000 + 20 800 000 ;

Bundesländer (italique : capitales)	Sup. km²	Pop. (1988, en milliers)
Basse-Autr. [1] *(St-Pölten)*	19 174	1 429
Burgenland *(Eisenstadt)*	3 966	267 [2]
Carinthie *(Klagenfurt)*	9 534	542 [3]
Haute-Autr. [4] *(Linz)*	11 980	1 300
Salzbourg *(Salzbourg)*	7 154	465
Styrie *(Graz)*	16 387	1 181
Tyrol *(Innsbruck)*	12 648	614
Vienne *(Vienne)*	415	1 483
Vorarlberg *(Bregenz)*	2 601	316

Nota. - (1) Niederösterreich. (2) Dont Croates 2 987, Magyars 1 601. (3) Slovènes 5 343. (4) Oberösterreich.

DISLOCATION DE L'AUTRICHE-HONGRIE

1934 : 6 760 233 ; *1981 :* 7 555 338 ; *89 :* 7 598 000 h. ; *2000 :* 7 498 000 h. D. 90,6. **Accroissement (en %) :** 0 par an. *Âge : - de 15 a.* 18, *+ de 60 a.* 14. **Espérance de vie :** 76. **Immigration** 300 000. **Réfugiés de l'Est** (arrivés) : *1981 :* 34 557, *82 :* 6 314, *1983 :* 5 868, *1984 :* 7 208, *1985 :* 6 724, *1986* (au 31-10) : 7 712, *1987 :* 11 406, *1988 :* 14 463, *1989 :* 15 694, *1990 :* 15 000 (dont 12 200 Roumains, 44 Hongrois). **Transit des Juifs d'U.R.S.S.** (1989) 20 162 pers. **Émigration** 300 000 (surtout en All. féd., Suisse, Italie). **Villes** *(81) : Vienne* 1 531 346 (*1754 :* 175 400 ; *1910 :* 2 083 630 ; *1920 :* 1 841 326), Graz 243 166 (à 197 km), Linz 199 910 (à 178 km), Salzbourg 139 426 (à 290 km), Innsbruck 117 287 (à 471 km), Klagenfurt 87 321 (à 297 km), Dornbirn 38 641, Bregenz 24 561 (à 675 km).

Metternich, Clément, Pce de (1773-1859). Fils de diplomate, études à Strasbourg (université germanophone, mais ville de garnison francophone), acquiert une culture raffinée. *1794* diplomate. *1801-03* min. d'A. à Dresde. *1803-06* à Berlin. *1806* ambassadeur à Paris, adversaire de la révolution, décidé à abattre Napoléon. *1809* min. des Aff. étr. après la défaite de Wagram et paix de Vienne, s'allie provisoirement à Nap. *1810* négocie mariage de Nap. et Marie-Louise. *1812* envoie un corps de troupes contre la Russie. *1813* (9-9) signe la convention de Toeplitz, avec les coalisés russo-prussiens. *1814-15* essaie en vain de sauvegarder la régence de Marie-Louise en s'opposant au retour des Bourbons ; évite un affaiblissement trop grand de la Fr., et met au point la Ste-Alliance pour extirper la révolution en Europe. La France des Bourbons en fait partie. *1821* chancelier, organise le Congrès de Vérone (1823), qui charge la Fr. de briser la révolution libérale espagnole. *1827* contré par Fr., Angl. et Russie, doit laisser la Turquie accorder l'indép. aux Grecs. *1830* ne peut empêcher la Fr. de rejoindre le camp libéral (Angl.). *1848* renversé par la révol. viennoise, exilé. *1851* revient à Vienne, se retire de la pol. Son fils *Richard* (1829-95), Pce de M. en 1859, amb. à Paris de 1859 à 70, aida l'imp. Eugénie à s'enfuir le 4-9-1870. Sa femme, Pauline (1836-1921), était une des femmes en vue de l'époque. Il fut classé 1er à la « dictée de Mérimée », avec 3 fautes. V. index.

Langues. Allemand 99 %, slovène, croate, tchèque, hongrois 1 %. **Religions** (en %). Catholiques 84,3, luthériens 5,6, sans religion 6, autres églises 3, islamiques 1, israélites env. 70 000.

Histoire. Région de peuplement celtique ancien, romanisée au **IIe s. apr. J.-C.** (Norique). **IVe s.** dépend du diocèse d'Illyrie. **Ve-VIIe s.** invasion des Alamans à l'O. puis des Avars à l'E. **811** marche créée par Charlemagne après victoire sur les Avars. **976** marche de l'Est sous domination des Babenberg. **1156** duché héréditaire. Acquisitions Styrie **1192,** Carniole **XIIe s.,** Bohême **1254-73. 1276** l'empereur Rodolphe Ier de Habsbourg (seigneur argovien) acquiert tous ces domaines après la bataille de *Marchfeld* où Ottokar de Bohême est tué. **1529** Turcs assiègent Vienne, repoussés. **1618-48** participe à la g. de Trente Ans : *Montagne Blanche* (1620), Ferdinand d'Autr. bat roi de Bohême, *tr. de Westphalie* (1648) : l'A. perd Alsace et seigneuries suisses (dont Argovie). **1683** 2e siège de Vienne par Turcs, repoussés à Kahlenberg. **1699** *tr. de Karlowitz :* acquisition de la Transylvanie.

1713 *Pragmatique Sanction :* Charles VI déclare ses possessions indivisibles et en proclame héritière sa fille Marie-Thérèse. **1714** *tr. de Rastatt* après la g. de Succession d'Esp. (1700-14) : l'A. renonce à l'Alsace, reçoit Milan, Naples, Sardaigne, côte de Toscane et P.-Bas esp. **1718** échange Sardaigne contre Sicile avec duc de Savoie. **1733** vaincue durant la g. de Succession de Pologne, cède Naples, Sicile, Toscane, reçoit Parme et Plaisance. **1736** Marie-Thérèse épouse François de Lorraine. **1740-80** Marie-Thérèse réforme État et finances, encourage industrie et commerce, crée écoles primaires, fait des universités des institutions d'État. **1739** *tr. de Belgrade,* perd Bosnie, Serbie, Valachie. **1740-48** *g. de Succession d'Autr.,* M.-Th. défend ses possessions contre Prusse, alliée à France, Saxe, Bavière, Sardaigne, Espagne. **1741** Charles VII de Bavière élu empereur. **1745** François élu emp. (mort de Charles VII). **1748** *tr. d'Aix-la-Chapelle :* l'A. perd Silésie, Parme, Plaisance et Guastalla. **1756** *g. de 7 ans,* l'A. tente de reprendre Silésie à Frédéric II de Prusse, avec aide de la Fr. **1763**-*15-2 tr. d'Hubertsbourg :*

Empire d'Autriche-Hongrie

• **Monarchie bicéphale** (loi fondamentale du 21-12-1867), 2 parties, séparées par la Leitha, affluent du Danube.

I. Partie autrichienne (Cisleithanie) : *Basse-Autriche* (Vienne) 19 854 km² – 3 364 110 h. (All.), *Hte-Autriche* (Linz) 11 994 km² – 800 000 h. (All.), *Salzbourg* 7 163 km² – 200 000 h. (All.), *Styrie* (Graz) 22 449 km² – 1 494 699 h. (All., min. Slovène), *Carinthie* (Klagenfurt) 10 333 km² – 487 072 h. (All., min. slovène), *Carniole* (Laibach c.-à-d. Ljubljana) 9 965 km² – 500 000 h. (Slovène, min. all.), *Trieste* 95 km² – 100 000 h. (Ital., min. slovène), *Görz* (c.-à-d. Gorizia) 2 927 km² – 200 000 h. (Slovène, min., ital.), *Istrie* (Pola) 4 951 km² – 400 000 h. (Ital., Croate, min. slovène), *Tyrol* 26 690 km²1 – 900 000 h. (All., min. ital.), *Vorarlberg* 2 570 km² – 100 000 h. (All.), *Bohême* (Prague) 51 967 km² – 6 700 000 h. (Tchèque, min. all.), *Moravie* (Brünn, c.-à-d. Brno) 22 231 km² – 2 600 000 h. (Tchèque, min. all.), *Silésie* (Troppau) 5 153 km² – 700 000 h. (All., Pol., Tchèque), *Galice* (Lemberg, c.-à-d. Lwow) 78 532 km² – 8 000 000 h. (Pol., Ruthènes), *Boukowine* (Czernowitz) 10 456 km² – 800 000 h. (Ruthènes, Roum. All.), *Dalmatie* (Zara) 12 863 km² – 600 000 h. (Croates, min. serbes). **Total :** 300 193 km² – 28 000 000 h. [dont All. 10 000 000, Tchèques 6 300 000, Polonais 5 000 000, Ukrainiens (appelés Ruthènes) 3 500 000, Slovènes 1 300 000, Italiens et Ladins 800 000, Croates 700 000].

II. Partie hongroise (Transleithanie) : *Royaume de Hongrie* (Buda-Pest) 279 749 km² – 18 000 000 h (Hongrois, très fortes minorités roumaines, slovaques, croates, serbes, allemandes). *Fiume* 19 km² – 20 981 h. (Ital.) ; *Roy. de Croatie* (Zagreb) 43 444 km² – 2 800 000 h. (Croates, min. serbe). **Total :** 322 853 km² – 21 500 000 h. (Hongrois 10 000 000, Roumains 3 000 000, Allemands 2 500 000, Slovaques 2 100 000, Croates 1 800 000, Serbes 1 000 000, Ruthènes 600 000, divers 300 000).

• **Bosnie-Herzégovine (depuis 1878)** (Sarajevo). Administration en commun par l'A. et la H. Son occupation, « provisoire » mais sans date limite, est accordée à l'Autr. par l'acte final du Congrès de Berlin (13-7-1878). Le territoire reste en principe turc jusqu'à son annexion décidée unilatéralement par l'Autr., 8-10-1908 : 51 100 km², 1 800 000 h. dont Croates 1 000 000, Serbes 800 000 (dont 600 000 musulmans).

Nationalités (1914). *Slaves :* Tchèques env. 6 500 000, Slovaques 2 000 000, Polonais env. 5 000 000, Ruthènes (Ukrainiens) 4 100 000, Slovènes 1 300 000, Serbes 1 600 000, Croates 3 000 000 (dont 1 800 000 en Croatie), Bulgares 30 000 ; *Allemands :* 12 500 000 ; *Hongrois :* 10 000 000 [*Juifs :* 1 646 000] ; *Latins :* Italiens et Ladins 750 000, Roumains 3 300 000. Les Slaves sont divisés en 2 groupes : Sl. du Nord et Sl. du Sud, sans lien géographique ; de plus, un antagonisme assez violent oppose Polonais et Ruthènes au N. et Croates et Serbes au S.

Total. 674 000 km² (2e pays d'Europe après Russie), 52 000 000 hab. (3e après Russie et All.).

La France et l'Autriche

1477-*21-4* rivalité entre Capétiens (Valois) et Habsbourg pour succession de Charles le Téméraire, duc de Bourgogne, mort le 5-1. Sa fille Marie se fiance avec Maximilien d'Autr., fils de l'emp. Frédéric III. Louis XI désire conquérir Artois, Flandre, Hainaut, Charolais, Franche-Comté : les popul. résistent par fidélité à Marie. **1482**-21-9 *tr. d'Arras :* Marguerite, fille de Maximilien et Marie, épousera le dauphin et lui apportera en dot Franche-Comté et Artois. **1486,** *juin* g. entre Maximilien, devenu roi des Romains (emp. avant son couronn.), et Charles VIII. Motif : la régente Anne de Beaujeu s'oppose au remariage de Maximilien (veuf de Marie) avec l'héritière de Bretagne. Invasion autr. stoppée en sept. **1490,** *déc.* mariage par procuration d'Anne de Bret. et de Maximilien Ier ; la Fr. est encerclée. Anne prend le titre de Reine des Romains. **1491** Charles VIII (comme suzerain des ducs de Bret.) casse le mariage d'Anne et épouse celle-ci. Il perd ses droits sur Artois et Franche-Comté (dot de son ex-épouse, Marguerite). **1496** fusion des maisons de Habsbourg-Bourgogne et d'Espagne (mariage de Philippe le Beau, fils de Maximilien et de Marie, avec Jeanne la Folle). Les Habsbourg encerclent la Fr. (Espagne, Italie, Franche-Comté, Alsace, Pays-Bas).

1525-26 François Ier, prisonnier de Charles Quint, emp. german. et roi d'Esp., évite le démembrement de son roy. **1556** Philippe II devient roi d'Esp., son oncle Ferdinand Ier est emp. L'ennemi no 1 de la Fr. est désormais l'Esp., qui possède Franche-Comté et Pays-Bas, objectifs des rois de Fr. Mais les 2 branches des Habsbourg restent unies contre la Fr., qui passe alors pour protestante. **1590** les Esp. occupent Paris et tentent de mettre sur le trône de Fr. une Habsbourg, Isabelle, puis reconnaissent Henri IV.

1610 Henri IV assassiné alors qu'il s'apprête à attaquer Esp. et Impériaux. **1618-48** la Fr. soutient contre les « Impériaux » les Pces protestants d'All. (g. de Trente Ans) **1648** *tr. de Westphalie,* la Fr. acquiert pour la 1re fois un fief autrichien : l'Alsace. **1672-1713** Louis XIV place un Bourbon sur le trône d'Esp. et récupère Franche-Comté, Artois, Flandre, Hainaut, Cambrésis. **1713** *tr. d'Utrecht,* l'Angl. exige que le reste des Pays-Bas soit donné aux Habsbourg d'A. L'Autr. bloque donc la politique du « pré carré ».

1736 François de Lorraine ép. Marie-Thérèse, héritière des couronnes d'A., de Hongrie et de Bohême qui, en 1740, succède à son père l'Empereur Charles VI. **1738** à la fin de la g. de succession de Pologne, François cède le duché de Lorraine à Stanislas Leszczyński et reçoit le Gd duché de Toscane (acquisition à la mort du dernier Médicis en 1737). La Fr. renonce à conquérir P.-Bas. **1756** *1re alliance franco-autr.* (après 279 ans d'hostilité) conclue par Bernis à Jouy-en-Josas le 1-5, *« renversement des alliances ».* Raisons : 1o pour reconquérir la Silésie enlevée par Frédéric II en 1741, l'A. a besoin d'un allié. 2o l'ennemi no 1 de la Fr. est alors l'Angl. (rivalité coloniale). **1770** le dauphin, futur Louis XVI, épouse Marie-Antoinette d'A., mais le peuple fr., anti-habsbourgeois, déteste sa future reine. Les « Patriotes » restent opposés à l'abandon des P.-Bas (préférant le « pré carré » aux conquêtes coloniales). **1792** les « Patriotes » au pouvoir déclarent la g. à l'A. et envahissent les P.-Bas. L'A. sera de toutes les g. antirévolutionnaires jusqu'en 1809 (tr. de Vienne).

1809-13 Metternich, décidé à abattre Napoléon, choisit provisoirement de revenir à la politique de Bernis. Napoléon (dont l'ennemi no 1 est alors la Russie) accepte et épouse en 1810 la petite-nièce de Marie-Antoinette, Marie-Louise. Il pense avoir réalisé la politique du « pré carré » (annexion de la rive g. du Rhin). **1813** Metternich renverse les alliances : 2 armées autr. envahissent la Fr. **1815** congrès de Vienne. Metternich (qui a vainement tenté de s'opposer au retour des Bourbons en faveur d'une régence de Marie-Louise) et les Angl. soutiennent la Fr. contre Prusse et Russie. Entente franco-autr. jusqu'en 1856. **1856** Napoléon III, lié au carbonarisme italien, déclare la g. à l'A. pour lui enlever la plaine du Pô. Mais, pour sauver l'entente franco-autr., renonce à conquérir la Vénétie. **1866** Nap. III, trompé par Bismarck, laisse la Prusse écraser l'A. à Sadowa. Son min. des Aff. étr. pro-autr., Edouard Drouyn de Lhuys (1805-81), est disgracié. **1870-71** l'A., par ressentiment, laisse la Prusse écraser la Fr. L'empereur François-Joseph veut conserver ses territoires de nationalités différentes, et, redoutant la doctrine fr. des « nationalités », choisit l'alliance prussienne (Duplice 1882). **1881-1914** la Fr. considère l'A. comme un adversaire : 1o opposition des anticléricaux fr. à la politique catholique de Vienne ; 2o opposition du « principe des nationalités » à l'expansion germanique dans le S.-E. européen ; 3o alliance fr.-russe (dirigée contre l'All.), amenant les Fr. à prendre parti contre l'A. dans le S.-E. européen (où elle gêne la Russie). **1914** l'A. déclenche la g., à la suite de l'assassinat de l'archiduc François-Ferdinand. La Fr. lui déclare la g. le 12-8-1914. **1917** Caillaux tente de détacher l'empereur Charles Ier de l'alliance all. (affaire des lettres de l'emp. Charles au prince Sixte de Bourbon-Parme, son beau-frère). Il est écarté (puis emprisonné) par les radicaux Ribot et Clemenceau.

1918-20 Clemenceau pousse au démantèlement de l'Empire en 7 pays (Pologne, Tchéc., Roum., Hong., Autr., Ital., Youg.). Raisons : le « principe des nationalités » (pourtant tous les États successeurs de l'A. sont de nouveau des pays multinationaux, sauf l'A. et la Hong.), volonté de détruire une puissance catholique. **1920-36** la Fr. soutient mollement l'A. qui lui en veut du tr. de 1919. **1938** l'A. accepte l'« Anschluss ». **1944-45** la Fr. occupe une partie de l'A., et déclare celle-ci « pays ami », pour la détacher du bloc all. **1955** l'A. neutre ; les relations fr.-autr. perdent tout caractère passionnel.

A. vaincue, la perd définitivement. **1772** reçoit Galicie au 1er partage de la Pologne (confirmation au 3e part. 1795). **1776** prend Bukovine aux Turcs. **1780-90** Joseph II renforce pouvoir sur Eglise (738 couvents fermés), institue mariage civil, abolit servage. **1792-1815** participe aux g. de la Révolution et de l'Empire.

1809 vaincue, s'allie à Napoléon (qui le 1-4-1810 ép. l'archiduchesse Marie-Louise). **1813** se retourne contre Nap. **1814-15** récupère ou reçoit Illyrie, Dalmatie, Lombardie-Vénétie. L'emp. est Pt de la Confédération germanique et, avec *Metternich* s'efforce, par la Ste-Alliance, de faire respecter les tr. de 1815. **1848** soulèvements dans l'Empire ; l'A. bat Sardaigne à *Novare.* **1859** l'A. attaquée par Fr. et Piémont, battue à *Solférino* (24-6) et *Magenta* (4-6), cède Lombardie à la Fr. (alliée au Piémont) qui l'échange avec Piémont contre Nice et Savoie. **1866**-*3-7* battue par Prusse à *Sadowa* (Königgrätz) (au cours d'une g. provoquée par Bismarck, à propos de l'administration des duchés danois, Schleswig, Lauenbourg et Holstein), exclue de la Conf. germanique, perd Vénétie, cédée au Piémont, allié des Prussiens. **1866** régime dualiste : A. *(Cisleithanie)* et Hongrie *(Transleithanie).* **1878** *tr. de Berlin :* l'A. occupe Bosnie-Herzégovine. **1889** Triplice : Autr.-Allem.-It. *-30-1* à *Mayerling,* l'arch. héritier Rodolphe (1858-1889) se suicide (voir p. 876). **1897** fondation de Secession, association d'artistes pour abolir les frontières entre l'art et les arts appliqués. **1898**-*10-9* impératrice Elisabeth assassinée, voir p. 876.

1914-*28-6* archiduc François-Ferdinand (n. 1863), héritier, et sa femme [épouse morganatique, Ctesse Sophie Chotek (n. 1868), faite Pcesse de Hohenberg] assassinés à Sarajevo. *-28-7* l'A. déclare g. à la Serbie. *-12-8* la Fr. déclare la g. à l'A. Guerre mondiale (voir p. 638). *-7-10* proclamation de la Rép. de Tchéc. *-15/31-10* gouv. hongrois se comporte comme s'il était à la tête d'un État indépendant dont la moitié fait cependant déjà partie (théoriquement ou de fait) du « Royaume des Serbes, Croates et Slovènes », de la Tchéc. ou de la Roumanie ; il retire les unités hongroises du front italien. *-21-10* Assemblée nat. provisoire de la Rép. démocratique d'Autr. allemande constituée par les députés germanophones (y compris ceux de Bohême et Moravie), proclame son rattachement à l'All. *-29-10* commission nationale des Serbes, Croates et Slovènes (formée le 6-10) proclame l'indépendance et forme le 1-11 avec la Serbie, un nouvel État (« Royaume des Serbes, Croates et Slovènes »).

1918-*11-11* armistice. Charles 1er renonce à participer aux affaires de l'État. *-12-11* Rép. Parti social-démocrate au pouvoir. **1919**-*10-9* *tr. de St-Germain-en-Laye* démembre l'A. (l'art. 88 interdit la réunion de l'A. à l'All., souhaitée par la population et votée par le parlement autr. en nov. 1918). **1920**-*1-10* Constitution ; du 10-6 à 1938, les chrétiens sociaux ont la majorité au Parlement. Dep. 1920, les 2 partis ont une milice armée : les sociaux-démocrates, le Republikanischer Schutzbund (Association de défense républic., 62 000 membres en 1932) ; les chrétiens-sociaux, les Heimwehren (Défense de la patrie, 23 000 m). *-9-12* Hainisch, Pt de la Rép. **1931**-*11-5* faillite de la Creditanstalt (banque). *-13-9* putsch manqué de la Heimwehr. **1932**-*20-5* gouv. Dollfuss chrétien-social instaure un régime autoritaire. Dollfuss nomme le chef de la Heimwehr de Vienne, Emil Fey, comme secr. d'État à la Sécurité publique. *-17-10* Fey interdit tout défilé sur la voie publique au Schutzbund, aux communistes et aux nat.-socialistes. **1933**-*30-1* Hitler arrive au pouvoir en All., réclame l'Anschluss, mais les partis autr. sont contre le national-socialisme. *4-3* Parlement dissous. *-30-2* Schutzbund dissous. *-30-5* Parti comm. dissous. *-20-6* Parti nat.-socialiste dissous. *-7-7* création d'un corps de volontaires de 35 000 h. Devant le renforcement de la droite, les sociaux-démocrates décident l'épreuve de force. **1934**-*24-1* Dollfuss cherche à prévenir la g. civile : perquisitions chez les sociaux-démocrates. Env. 200 sociaux-dém. arrêtés ; armes saisies. *-12-2* combats entre le Schutzbund d'une part, la police, l'armée et la Heimwehr de l'autre, à Vienne, Linz et Steyr. Insurrection jusqu'au 16-2. *Pertes* Schutzbund : 118 † et 279 bl. ; selon le journaliste britann. George Eric Rowe : 1 500 à 2 000 †, et 5 000 bl., forces gouvernementales : 47 † et 152 bl. ; civils 109 † et 259 bl. Les rescapés de la social-dém. se réfugient à l'étranger (Tchéc.). *-25-7* Dollfuss assassiné au cours d'un putsch avorté des nazis. *-2-10* congrès du P. national-socialiste autr. à Vienne ; nazis agressent des israélites célèbrant le Nouvel An juif. **1936**-*11-7* le chancelier Schuschnigg accepte les nationaux-social. **1938**-*12-2* accord de Berchtesgaden entre Hitler et Schuschnigg, imposé sous la menace d'une invasion : amnistie des nazis ; ministres nazis au gouv. dont Arthur Seyss-Inquart (Intérieur et Police). *-12-3* invasion all. (accueillie avec enthousiasme) pour empêcher le référendum projeté par Schuschnigg. *-13-3* proclamation de l'*Anschluss* (« annexion »). *-10-4* plébiscite contrôlé par la Gestapo : 99,75 % pour l'union avec l'All. **1945**-*13-4* les Russes occupent Vienne ; division en zones d'occupation. *-27-4* gouv. provisoire de Karl Renner, Rép. rétablie. *-25-11* élect. (OeVP et SPOe, 94 % des voix ; communistes 5 %). *-20-12* après élection gén., gouv. reconnu par les occupants. Dénazification sous le contrôle du conseil allié (130 000 poursuivis, 13 000 condamnés, 43 à mort dont 30 exécutés, + de 100 000 éliminés de la fonction publique). **1955**-*15-4 mémorandum de Moscou :* l'A. déclare s'engager à exercer une neutralité permanente sur le plan intern. Condition préalable pour que l'U.R.S.S. accepte la conclusion, le *15-5, du tr. de Vienne,* rétablissant souveraineté intégrale de l'A. mais sans mention de la neutralité perm. *Points essentiels :* interdiction de toute union politique ou polit. avec All. ; reconnaissance des droits de l'homme, des droits des minorités slovènes et croates, des institutions démocratiques ; dissolution de toutes les organisations nationales-socialistes et fascistes ; maintien de la loi de 1919 relative à la maison de Habsbourg-Lorraine. Seuls, les Habsbourg qui ont renoncé à leurs prérogatives et dont la déclaration de renoncement a été acceptée par le Gouvernement fédéral et par la commission principale du Conseil National, ont le droit de séjourner en All. L'U.R.S.S. restitue les entreprises qu'elle administrait. En échange, l'A. payera une indemnité jusqu'à fin 1963. *-25-10* fin de l'occupation (évacuation de 56 000 Russes, 15 000 Amér., 2 800 Britann., 540 Fr.). *-26-10* Ass. nat. vote à l'unanimité une loi constit. instaurant la neutralité permanente. *-15-12* entrée à l'O.N.U. **1972**-*22-7* tr. de libre-échange avec C.E.E. **1975**-*22-10* assassinat de l'amb. de Turquie (par des Arméniens ?). *-21-12* prise en otage au siège de l'O.P.E.P. (à Vienne) de ministres de l'énergie et de 70 personnes par 6 terroristes (dont « Carlos ») ; 2 † ; libération des derniers otages en Libye le 23-12. **1978** l'A. bannit par référendum l'énergie nucléaire (1er et seul pays au monde). **1981**-*29-8* attentat à la synagogue de Vienne (2 †, 18 bl.) par 2 Palestiniens. **1984**-*20-6* Oczen Erdogan, attaché commercial turc à Vienne, tué par Arméniens. *-29-12* report des travaux du barrage de Hainburg (pris sur dernière grande forêt fluviale d'Europe). **1985** scandale des vins additionnés de diéthylène glycol (antigel) (*au 15-8* : 803 vins frelatés découverts). **1986**-*mai/juin* Kurt Waldheim élu Pt de la Rép. malgré une campagne l'accusant d'avoir participé à des crimes de guerre en Yougoslavie en 1942. *-23-11* élec. législatives. **1987**-*21-1* nouveau gouvernement Vranitzky. *-25-6* Jean-Paul II reçoit Waldheim 35 mn. *-27-6* le parti socialiste de Vienne demande démission de Waldheim. **1989**-*19-1/25-1* Karl Blecha, min. de l'Intérieur, et Leopold Gratz, Pt du Parlement, démissionnent après enquête (ouverte 1983) sur escroquerie à l'assurance (Lucona coulé 23-1-1977 volontairement). *-12-3* élections régionales en Carinthie, à Salzbourg et au Tyrol : victoire du Parti libéral (FPOe) de droite nationaliste et recul du SPOe (socialiste). *-Avril* 3 aides-soignantes et 1 infirmière ont tué en 6 ans au moins 49 malades (pavillon 5, Hôpital de Lainz, Vienne). *-1-4* obsèques nat. de l'impératrice Zita. *-27-6* les min. des Aff. étr. autr. et hongrois sectionnent les fils barbelés entre les 2 pays. *-13-7* assassinat à Vienne d'Abdel Rhaman Ghassemlou, dirigeant kurde iranien. *17-7* demande d'adhésion à la C.E.E. **1990**-*sept* ancien chancelier Fred Sinowatz et 2 ex. ministres, Leopold Gratz (Aff. étr.) et Karl Blech (Int.) inculpés dans affaire de vente d'armes à l'Iran en 1984-85. Pt Kurt Waldheim rencontre Saddam Hussein à Bagdad et ramène 142 Autrichiens. *-7-10* élect. législ.

Statut. Rép. féd. neutre. **Const.** 1920, modif. 1929. **Bundesrat (Conseil fédéral)** élu pour 5 ou 6 ans par les diètes provinciales : 63 m. (SPOe 28 s., OeVP 30 s. FPOe 5 s. au 12-3-1989). **Nationalrat (Conseil national)** 183 m. élus au suffr. univ. direct pour 4 a. ; *Pt* élu au suffrage univ. pour 6 a., désigne **chancelier** (et vice-Chancelier) et son cabinet qui sont responsables devant le Conseil nat. *États :* 9 *Bundesländer* ayant chacun une diète (voir p. 874). **Fête nat.** : 26 oct. (vote en 1955 de la neutralité permanente).

Partis. *Sozialistische Partei Oesterreichs (SPOe),* fondé 1889, rétabli 1945 (720 000 m.), Pt : Franz Vranitzky (n. 1937). *Oesterreichische Volkspartei (OeVP)* (populiste, conservateur), fondé 17-4-1945 ; leader : Josef Riegler, vice-Chancelier dep. 1989 (760 000 m.). *Freiheitliche Partei Oesterreichs (FPOe)* (libéral), fondé 1956 (40 000 m.) ; leader : Jörg Haider dep. 13-9-1986. *Parti communiste (KPOe),* fondé 1918 ; leaders : Walter Silbermayr et Susanne Sohn ; n'est plus représenté à l'Ass. nat. dep. 1959. *Liste Alternative Verte :* fondée 1982 ; leader : Doris Eisenriegler.

Chefs d'État

Dynastie des Babenberg

Margraves d'Autriche. 976 Léopold Ier l'Illustre († 994). **994** Henri Ier († 1018), s. f. **1018** Adalbert († 1055), s. fr. **1055** Ernest († 1075), s. f. **1075** Léopold II le Beau († 1095), s. f. **1095** Léopold III le Pieux (saint), s. f. **1136** Léopold IV (1108-1141), s. f. **1141** Henri II Jasomirgott (1112-77), s. fr.

Ducs d'Autriche. 1156 Henri II Jasomirgott. **1177** Léopold V (1157-94), s. f. **1194** Frédéric Ier (1175-98), s. f. **1198** Léopold VI le Glorieux (v. 1176-1238), s. fr. **1230** Frédéric II le Batailleur (1210-46), chassé 1237, restauré 1246, s. f. **1246-51** Interrègne.

Dynastie des Premysl

1251 Ottokar II (1230-78), roi de Bohême. Désigné par les États comme successeur de Frédéric II, sans héritier.

Dynastie des Habsbourg

1278 Rodolphe II [1218-91 ; empereur (Rodolphe Ier) 1273 s'attribue Autriche et Styrie, administrées par s. f. Albert]. **1282** Albert Ier (1255-1308), s. fr., investi duc d'Autr. par la Diète ; roi des Romains, 1298. **1298** Rodolphe III le Débonnaire (1282-1307), s. fr. **1308** Frédéric III le Beau (1286-1330), s. fr. **1330** Albert II le Sage (1298-1358), s. fr. **1358** Rodolphe IV le Magnanime (1339-65), s. f. **1365** Albert III à la tresse (1349-95), s. fr. **1395** Albert IV le Patient (1377-1404), s. f. **1404** Albert V l'Illustre (1397-1439), s. f., roi de Bohême et de Hongrie 1437. **1439** Ladislas le Posthume (1440-57), s. f. **Archiducs d'Autriche. 1453** Frédéric V à la grosse lèvre (1415-93), petit-nev. d'Albert III, emp. (Frédéric III) 1452. **1493-1740** voir Saint Empire à l'Index.

Dynastie des Habsbourg-Lorraine

1740 Marie-Thérèse (1717-80), f. de Charles VI (1685-1740), femme de l'emp. François Ier (1708-65).

1780 Joseph II (1741-90), s. f., emp. corégent depuis 1765. Ép. 1° 1760 Isabelle de Bourbon-Parme (1741-63) ; 2° 1765 Marie-Josèphe de Bavière (1739-67).

1790 Léopold II (1747-92), s. fr., emp. Ép. 1765 Marie-Louise de Bourbon-Espagne (1745-92).

1792 François II (1768-1835), s. f., emp. d'Allemagne, Saint Empire (1792-1806), emp. d'Autriche en 1804 (François Ier). Ép. 1° 1788 Elisabeth de Wurtemberg (1767-90) ; 2° 1790 Marie-Thérèse de Bourbon-Naples (1772-1807).

1835 Ferdinand Ier (1793-1875), s. fr., abdique 1848. Ép. 1831 Marie-Anne de Savoie (1803-84).

1848 François-Joseph Ier (1830-1916), s. neveu. Ép. 1854 Elisabeth de Bavière, dite Sissi [née 1837, assassinée le 10-9-1898 à Genève d'un coup de lime par Luigi Lucheni (25 ans, condamné à la prison à vie, se pendit en 1910 à Genève, son cerveau fut analysé et trouvé normal, sa tête conservée dans un bocal fut rendue à l'A. en 1984)]. Son règne de 68 ans est le plus long de l'histoire après celui de Louis XIV (72 ans). Catholique et conservateur, il voulut « faire durer » : 1°) *à l'intérieur* en faisant des concessions aux opposants les moins extrémistes (en 1867, il favorise les Hongrois, au détriment des Slaves et Roumains, en érigeant la Hongrie en royaume autonome) ; 2°) *à l'extérieur,* en compensant par des annexions ses pertes territoriales. (*1856* chassé du Milanais. *1863* acquiert le Holstein. *1866* chassé de Vénétie. *1878* occupe Bosnie-Herzégovine, etc.).

Son fils : Rodolphe (1858-89, P[ce] héritier) avait épousé en 1881 Stéphanie de Belgique (1864-1945), dont 1 fille : Élisabeth (1883-1963, P[cesse] de Windisch-Graetz) et aurait eu un fils de l'archiduchesse Maria-Antonia de Toscane (Théodore Rodolphe Salvador Pachmann). Il est mort le 30-1-1889 à *Mayerling* (à 40 km de Vienne, dans un pavillon de chasse remplacé auj. par un monastère), avec sa maîtresse Marie Vetsera (rencontrée en 1888, elle avait 17 ans). Il l'aurait tuée puis se serait suicidé. On a dit que R. était acculé à un échec sentimental et politique, que Marie aurait été enceinte, que R. et Marie auraient découvert qu'ils étaient demi-frère et demi-sœur (François-Joseph ayant eu des relations avec la baronne Vetsera). L'impératrice Zita, en mars 1983, a déclaré que R. avait été assassiné (pour des raisons politiques : Clemenceau l'aurait fait approcher par Cornélius Herz pour fomenter, avec son accord, un complot contre son père afin de faire passer l'A. dans le camp français ; Rodolphe ayant refusé aurait été assassiné). Après un 1er refus de funérailles religieuses, le Vatican accepta en adoptant la thèse du suicide dans un moment de folie, à la suite d'un 2e télégramme chiffré de François-Joseph.

Son frère Maximilien (n. 1832) fut emp. du Mexique où il fut fusillé (1867).

Son neveu et héritier François-Ferdinand (n. 1863), partisan d'une triple monarchie (Autr., Hongrie, Slavie), fut abattu à Sarajevo par les Serbes le 28-6-1914, ce qui entraîna la guerre de 1914.

1916 Charles Ier (1887-1-4-1922), son pet.-nev., couronné roi de Hongrie le 30-12-1916, renonce « à sa participation aux affaires de l'État » le 11-11-1918. Ép. 21-10-1911 Zita de Bourbon-Parme (9-5-1892/Suisse 14-3-1989), f. du P[ce] Robert de Bourbon, duc de Parme (1848-1907) et de sa 2e femme Marie Antonia de Bragance (1862-1959). Exilée 3-4-1919, ayant toujours refusé de signer une déclaration de loyauté à la Rép., elle put cependant revenir la 1re fois en A. le 17-5-1982.

Enfants de Charles Ier

Othon (« Otto ») d'Autriche (Altesse impériale et royale) (20-11-1912), parfois titré duc de Bar, f. aîné. Chef de la maison et souverain de la Toison d'or qu'il confère rarement. Docteur ès sciences politiques et sociales de Louvain (1935), a écrit plusieurs ouvrages sous le nom de Otto Habsburg-Lothringen. Réside en Allemagne ; en 1978, il a acquis la nationalité all. pour se présenter aux élections eur. Il est le Pt de l'Union paneuropéenne. En déc. 1988, il s'est rendu à Budapest (Hongrie) pour la 1re fois dep. 1918. Ép. à Nancy, le 10-5-1951, P[cesse] Régina de Saxe-Meiningen, D[esse] de Saxe (6-1-1925), f. du prince Georges (1892-1946). 7 enfants (Alt. imp. et roy., archiducs ou archiduchesses) : Andrea (30-5-1953), ép. le 20-7-1977 Cte Charles Eugène de Neipperg (n. 20-10-1951) (en droit, chef de la maison puisqu'il n'a pu, vu sa jeunesse, renoncer à ses droits), Monique et Michèle (jumelles 13-9-1954), Gabrielle (18-10-1956), Walburga (5-10-1958), Charles héritier (11-1-61), Paul-Georges (18-12-1964).

Adélaïde (1914-1971). Docteur ès sciences polit.

Robert, archid. d'Autriche-Este (8-2-1915) (cette branche régna jusqu'en 1860 sur le duché de Modène en Italie ; le dernier souverain, François V duc d'Este, mourut en 1875, sans postérité mâle). Vit à Paris. Ép. à Brou, le 29-12-1953, P[cesse] Marguerite de Savoie Aoste (7-4-1930), f. du duc d'Aoste (1898-1942) et de la D[esse] n. Anne d'Orléans (sœur du Cte de Paris). 5 enf. : Béatrice (11-12-1954), ép. 26-4-1980 à Chartres le Cte Riprand von Arco-Zinneberg (25-7-1955), Laurent Othon (16-12-1955), Gérard (30-10-1957), Martin (19-12-1959), Isabelle (2-3-1963).

Felix (31-5-1916). Vit au Mexique. Épouse à Beaulieu, le 19-11-1952, Anne P[cesse] et D[esse] d'Arenberg (5-7-1925), f. du P[ce] et duc Robert d'Arenberg et de

Élections au Conseil national (nombre de voix et sièges obtenus)

Partis	1966		1970		1971		1975		1979		1983		1986		1990	
SPOe [1]	1 928 985	74	2 221 981	81	2 280 168	93	2 326 201	93	2 413 226	95	2 312 529	90	2 049 497	80	2 012 463	80
OeVP [2]	2 191 109	85	2 051 012	78	1 964 713	80	1 981 291	80	1 981 739	77	2 097 808	81	1 952 577	77	1 508 226	60
FPOe [3]	242 570	6	253 425	6	248 473	10	249 444	10	286 743	11	241 789	12	472 205	18	782 610	33
Verts [4]		–		–		–		–		–		–	218 879	8	224 941	10
KPOe [5]	18 636	–	44 750	–	61 762	–	55 032	–	45 280	–	31 912	–	35 104	–	–	–

Nota. – (1) Parti socialiste. (2) Parti populiste. (3) Parti libéral. (4) Gruen-alternative Liste Freda Meissner-Blau. (5) Parti communiste. Les chiffres représentent le nombre de députés envoyés au Conseil national.

la P^cesse n. Gabrielle de Wrede. 7 enf. : Maria del Pilar (18-11-1953), Charles (18-10-1954), Kinga (13-10-1955), Ramón (21-1-1958), Myriam (21-11-1959), Istvan et Viridis jumelles (23-9-1961).

Charles-Louis (10-3-1918). Vit en Belg. Ép. à Belœil (Belg.), le 17-1-1950, P^cesse Yolande de Ligne (6-5-1923), f. d'Eugène, 11e P^ce de Ligne, et de Philippine de Noailles des ducs de Mouchy. 4 enf. : Rodolphe (17-11-1950), Alexandra (10-7-1952), Charles-Christian (26-8-1954), Marie-Constance (20-10-1957).

Rodolphe (5-9-1919). Vit en Belgique. Ép. 1° 22-6-1953, Ctesse Xénia Besobrasov des C^tes Cernichev (11-6-1929/22-9-1968). 4 enf. : Marie-Anne (19-5-1954), Charles-Pierre (5-11-1955), Siméon (29-6-1958), Jean (11-12-1962). 2° 1971, P^cesse Anna-Gabrielle de Wrede.

Charlotte (1921). Ép. en Bavière, 25-7-1956, duc Georges de Mecklembourg, Cte de Carlow (4-10-1899/6-7-1963), veuf d'Irène Mihailovna Raiewski (1892-1955), veuve du Cte Alexandre Tolstoï.

Elisabeth-Charlotte (31-5-1922 posthume). Le 12-9-1949, ép. P^ce Henri de Liechtenstein (5-8-1916). 5 enf.

☞ *Titulature complète* des membres de la maison d'A. : P^ce impérial et archiduc d'Autr., P^ce royal de Hongrie et de Bohême ; abrégée : archiduc d'Autr.

Présidents de la République

1918 Karl SEITZ (1869-1950). **20** Michael HAINISCH (1858-1940). **28** Wilhelm MIKLAS (1872-1956), démissionne 1938. **1938-45** *Domination allemande.* **45** Karl RENNER (1870-1950). **51** Theodor KÖRNER (1873-1957). **57** Adolf SCHÄRF (1890-1965). **65** Joseph KLAUS. Franz JONAS (1899/24-4-1974). **74** *23-6* Rudolf KIRCHSCHLÄGER (20-3-1915) (proche du S.P.Oe). **86** *8-6* Kurt WALDHEIM (21-12-1918), proche de l'Oe.V.P. *1er tour (4-5) :* inscrits 5 436 837, votants 4 864 710, participation 89,46 % (dont en % : Waldheim 49,64, Steyrer 43,66, Meissner-Blau 5,5, O. Scrinzi 1,2). *2e t. (8-6) :* inscrits 5 436 837, votants 4 745 967, participation 87,2 % (Waldheim 53,9, Steyrer 46,1).

Premiers ministres (chanceliers)

1867 *30-12* Adolphe, P^ce AUERSPERG (1821-85). **68** *26-9* Édouard, Cte TAAFFE (1833-95). **70** *25-1* Léopold HASNER (1819-91). *15-4* Alfred, Cte POTOCKI (1817-89). **71** *7-2* Karl-Sigmund HOHENWART (1824-99). *31-10* Ludwig HOLZEGTHAN (1810-76). *25-11* Adolphe, P^ce AUERSPERG. **79** *18-2* Karl von STREMAYR (1823-1904). *12-8* Édouard, Cte TAAFFE. **95** *18-6* Erich, Cte KIELMANSEGG (1847-1923). *29-9* Kasimir, Cte BADENI (1846-1909). **97** *28-11* Paul, Bon GAUTSCH (1851-1918). **98** *5-3* Franz-Anton THUN-HOHENSTEIN (1847-1916). **99** *17-10* Manfred CLARY-ALDRINGEN (1852-1928). *21-12* Heinrich von WITTEK (1844-1930). **1900** *18-1* Ernst von KOERBER (1850-1919). **05** *1-1* Paul, Bon GAUTSCH. **06** *30-4* Konrad HOHENLOHE-SCHILLINGSFÜRST (1863-1918). *3-6* Max-Wladimir BECK (1854-1943). **08** *14-11* Richard, Cte BIENERTH (1863-1916). **11** *27-6* Paul, Bon GAUTSCH. *31-10* Karl, Cte Von STURGKH (1859-1916). **16** *31-10* Ernst von KOERBER. *20-12* Heinrich, Cte CLAM-MARTINITZ (1863-1932). **17** *24-6* Ernst von SEIDLER (1862-1931). **18** *24-7* Max HUSSAREK-HEINLEIN (1865-1935). *27-10* Heinrich LAMMASCH (1853-1920). *30-10* Karl RENNER (1870-1950). **20** *7-7* Michael MAYR (1864-1922). **21** *21-6* Johannes SCHOBER (1874-1932). **22** *31-5* Mgr Ignaz SEIPEL (1876-1932). **24** *20-11* Rudolf RAMEK (1881-1941). **26** *20-10* Mgr Ignaz SEIPEL, démissionne. **29** *4-5* Ernst STREERUWITZ (1874-1952). *26-9* Johannes SCHOBER (1874-1932). **30** *30-9* Carl VAUGOIN (1873-1949). *4-12* Otto ENDER (1875-1960). **31** *20-6* Karl BURESCH (1878-1936). **32** *20-5* Engelbert DOLLFUSS (1892, assassiné 25-7-1934). **34** *29-7* Kurt von SCHUSCHNIGG (1897-1977). **38** *12-3* Arthur SEYSS-INQUART (1892, condamné à mort 1946). **45** *27-4* Karl RENNER (1870-1950)[2]. *20-12* Leopold FIGL (1902-65)[1]. **53** *21-4* Julius RAAB (1891-1964)[1]. **61** *11-4* Alfons GORBACH (1898-1972)[1]. **64** *2-4* Josef KLAUS (1910)[1]. **70** *22-4* Bruno KREISKY (1911-90)[2]. **83** *18-5* Fred SINOWATZ (n. 1929) soc. : gouv. de coalition. **86** *16-6* Franz VRANITZKY (n. 1937) [2] : gouv. de grande coalition SPOe et OeVP.

Nota. – (1) OeVP. (2) SPOe.

Économie

P.N.B. (89) 16 693 $ par h. *Secteur* (%, 89) primaire 3,7, secondaire 38,2, tertiaire 58,1. **Budget** (1990, en milliards de sh.). Dépenses 623,4, recettes 623,4. **Déficit budgétaire** *1986 :* 107 milliards de schillings autr. (7 % du P.I.B.), *1987 :* 105, *1988 :* 112, *1989 (est.) :* 101, *1990 (prév.) :* 63 (3,5 % du P.I.B.). **Inflation (%).** *1977 :* 5,5 ; *79 :* 3,7 ; *80 :* 6,4 ; *81 :* 6,8 ; *82 :* 5,4 ; *83 :* 3,3 ; *84 :* 6,7 ; *85 :* 3,2 ; *86 :* 1,7 ; *87 :* 1,4 ; *88 :* 2 ; *89 :* 2,5. **Dette ext.** (milliards de U.S. $) : 40. **Aide à l'Est.** 85 milliards de schillings (1 % de l'O.C.D.E.). **P.I.B.** (1989). 1 671 milliards de schillings. Par habitant 219 700 sh. Par personne active 511 390 sh. Cours moyen pour 1 $ 13,26. **Taux de croissance** (%). *1982 :* 0,7, *83 :* 3,3, *84 :* 2,2, *85 :* 2,7, *86 :* 2,2, *87 :* 1, *88 :* 4,2, *89 :* 4, *90 (prév.) :* 3.

Pop. active (et entre par. part du P.N.B. en %). Agr. 9 (4,4), ind. 37,1 (38,6), services 52,9 (56,3), mines 1 (0,7). Salariés (89) : 2 862 300 dont (87) hommes 1 640 500, femmes 1 144 900. (88) 2 810 500. Étrangers, 5,8 % de la main-d'œuvre soit 167 000 personnes dont Youg. 60 %, Turcs 20 %, All. 7,7 %. **Chômage** (%) : *1980 :* 1,9. *85 :* 4,2. *86 :* 3,4. *87 :* 5,6. *88 :* 5,3. *89 :* 5.

Agriculture. **Terres** (milliers d'ha, 83) 7 579 dont arables 1 422, cultivées en permanence 95, pâturages 2 107, forêts 3 221, eaux 40, divers 818. **Production** (milliers de t, 89) blé 1 260, orge 1 260, maïs 1 731, p. de terre 1 001, bett. à sucre 2 625, seigle 309, avoine 262, pommes 370, poires 189 (88). Hauts rendements en plaine (grandes exploitations mécanisées) ; plus faibles en montagne (expl. morcelées). 95 % des besoins alim. couverts par la prod. nationale. Élevage (milliers de têtes, 89). Bovins 2 561, porcs 3 765, moutons 256, poulets 14 000. Forêts (88). Prod. bois scié 6 970 000 m³. Cellulose, papier.

Énergie (89). *Consommation* totale d'énergie 1 044 pétajoules (dont charbon 15,1 %, pétrole 42,3, gaz naturel 18,8, hydraulique 15,2). **Pétrole** (millions de t) *réserves* 10, *prod.* 1,1, *imp.* 9,1. **Gaz** (milliards de m³) *prod.* 1,3, *imp.* 3,7. **Lignite** (millions de t) 2,1. **Électricité** (1989) 72 % d'origine hydraulique ; (milliards de GWH) : *prod.* 50, *consom.* 47,8, *exp.* 8,2, *imp.* 5,9.

Mines (milliers de t, 1989). *Fer* (l'Erzberg, la montagne de fer, est la plus grande mine de fer à ciel ouvert d'Europe) 2 400. *Zinc* 21. *Graphite* 15. *Sel* 396. *Plomb* 23. Industrie. Nationalisée à 27 % (prod. de base et énergie). *Prod.* (millions de t, 89) : fonte brute 3,8, acier brut 4,7, laminés 3,7.

Transports (89). Chemins de fer 5 641 km, routes 34 643 km, voies fluviales 350 km. Tourisme (89). Étrangers 18 200 000 arrivées, 95 millions de nuitées (dont All. féd. 63,1, P.-B. 10,2, G.-B. 5, *France 3,1)*, P. de l'Est 1,3 [16 prévus]). *Chiffre d'affaires et revenus (en milliards de schillings). 1989 :* 164 et 123,2. 400 000 pers. vivent du tourisme.

Commerce (milliards de schillings, 89). *Exportations :* machines et moyens de transport 147,7, produits transformés 141,7, produits chimiques 39,7, matières 1res 23, alimentation 13,6, combustibles, énergie 5,4 ; *vers (en %)* All. féd. 35,4, Italie 10,5, Suisse 7,2. *Importations :* machines et moyens de transport 190,9, produits transformés 100,2, produits chimiques 52,1, combustibles, énergie 29,2, matières 1res 27,9, alimentation 24,8 ; *de (en %)* All. féd. 43,6, Italie 8,9, Japon 4,9, Suisse 4,1, *France 3,9* (88).

Balance. **Commerciale** (milliards de schillings). *1988 :* – 68,5, *89 :* – 85,9. **Des opérations courantes** (milliards de schillings). *1989 :* + 0,1, *90 :* + 9,1.

BAHAMAS (ÎLES)

Carte p. 917. V. légende p. 837.

Nom. De l'espagnol *baja mar :* mer basse.

Situation. Amérique (au N. des Caraïbes). 13 939 km². *Alt. max.* 122 m (île de Cat). Env. 700 îles (30 habitées) et 2 400 récifs s'étendant sur 885 km. **Principales îles** (pop. en 80) : New Providence (207 km², 135 437 h.), Grand Bahama (1 373 km², 33 102 h.), Andros (à 56 km de Nassau, 5 957 km², 8 307 h.), Abaco (104 km de N., 1 681 km², 7 271 h.), Eleuthera (96 km de N., 518 km², 10 631 h.), Exuma (56 km de N., 290 km², 3 670 h. en 70), Harbour Island et Spanish Well (0,8 km², 3 221 h. en 70), Cat (388 km², 2 215 h.), Bimini (208 km de N., 23 km², 1 411 h.), Inagua (939 h.), Long Island (256 km de N., 448 km², 3 304 h.). Savane et pins. **Climat :** temp. 21 à 30 °C. *Pluies* abondantes mais brèves de mai à oct. Haute saison (pas de pluies) : 15 déc.-30 avr.

Population. 250 000 h. (89), dont 80 % de Noirs. *2000 :* 276 000 h. *Accroissement (86) :* 1,9 % par an. D. 16,5. **Immigrants illégaux haïtiens :** 40 000 à 50 000. **Capitale :** *Nassau* (dans New Providence) 140 000 (86). Langue *(off.).* Anglais. Religions (%). Baptistes 29, anglicans 23, catholiques 22.

Histoire. **1492** découvertes par Christophe Colomb. **V. 1600** peuplées par la Cie des aventuriers d'Eleuthera, fuyant des persécutions religieuses aux Bermudes. **XVIIe s.** centre de piraterie jusqu'à l'expédition punitive des Espagnols à Charles Town (Nassau). **1717** attribuées par tr. à l'Angleterre. **1728** Parlement et bases d'une Constitution. **1964**-*7-1* autonomie interne. **1973**-*10-7* indépendance. **1984** le P.M. et des min. compromis (concussion, drogue).

Statut. État membre du Commonwealth. *Constitution* de 1969. *Sénat* 16 m. *Assemblée* 49 m. élus pour 5 a. au suffr. univ. *Chef d'État* reine Elisabeth II. *Gouv. gén.* Sir Henry Taylor dep. juil. 1988. *PM* Lynden Oscar Pindling (22-3-1930) (Noir), dep. 16-1-1967. *Élections législatives* 19-6-1987 : P.L.P. (Parti libéral progressiste, électorat noir) 31 s., près de 60 % des suffrages exprimés ; F.N.M. (Mouvement national libre ; Kendal Isaacs) 16 s. ; Indép. 2 s.

Économie. **P.N.B.** *(89)* 10 800 $ par h. **Pop. active** (% et entre par. part du P.N.B. en %). Agr. 12 (10), mines 1 (1), ind. 10 (10), services 77 (79). Agriculture. 40 000 ha cultivés. Forêts 28 % des terres. Production : canne à sucre, tomates, agaves, crustacés, tortues, sel. Important déficit agricole. Mines. Aragonite. Industrie. Raffinerie de pétrole (inexistante dep. 1984). *Immatriculations de navires* (pavillon de complaisance) : *1977 :* 58 000 t (60 navires), *82 :* 600 000 t (129), *85 :* 4 500 000 t (345), *91 :* 16 656 505 t (1155). Services. Importante place financière (394 banques). Tourisme. *Visiteurs : 1988 :* 3 000 000. *Recette : 1988 :* 1 149,5 millions de B $. *Principales plages :* Abacos, Treasure Cay, Eleuthera, Inagua, Long Island, San Salvador, Andros, Berry Islands, Bimini, Exuma. *Drogue :* transit (cannabis, cocaïne : 40 % de la consommation U.S.A.). Profits 100 millions de $. Inflation (%). *85 :* 4,5 ; *86 :* 5,4 ; *87 :* 6 ; *88 :* 4,1 ; *89 :* 5,4 ; *90 :* 6,58. Dette ext. (sept. 90) 829,6 B $.

Commerce (millions de $, hors pétrole, 89). *Exportations* 2 567 (pétrole 1931) vers (87) U.S.A. 72 %. *Importations* 3 100.

BAHREÏN

Carte p. 867. V. légende p. 837.

Nom. Signifie « les deux mers », allusion à l'insularité du pays et à la nappe d'eau souterraine.

Situation. Asie. 691,2 km². 35 îles en 2 archipels : *1°)* celui de Bahreïn [15 îles : Manama, (en arabe « lieu du repos »), Muharraq, Sitra, Nabi-Salih, Oumm-Nasan, Jeda, Abou-Maher, Abou-Chahin, Oumm-Al-Sobban, Nouaym, Soulouta, Oumm-El-Chajar-El-Sagjira...], *2°)* celui de Hawar (nombreux îlots). *Alt. max.* djebel Ad-Du khar (île de B.) 135 m. L'île de B. a été reliée en 1987 à l'Arabie S. (pont 25 km). **Climat** chaud et humide. *Temp.* moy. 18,5 °C (janv.), 39,1 °C (août). *Pluies* 5,6 mm (déc.), 5,7 (janv.) ; saison sèche (févr.-nov.).

Population. 503 000 h. (90) dont Bahreïnis 336 000, étrangers 167 000 (en %, 87 : Omanais 10, Indo-Pakistanais 10, Iraniens 2, Autres 8. *2000 :* 688 000 h. *Accroissement* (en %) : 4,3 par an. *Age : – de 15 a.* 41, *+ de 64 a.* 2. Mortalité infantile 32 ‰. D. 727. **Villes** (88) : *Manāma* 151 500, Muharraq 78 000, Judhaf 48 000, Rifaa 28 000, Isa Town 21 200, Hidd 7 111. Langues. Arabe *(off.)*, anglais (compris par 70 %), persan (40 %). Religions (81). Musulmans 298 140 (chiites 60 %, sunnites 40 %), chrétiens 25 611, divers 27 047.

Histoire. **1507-1622** présence portugaise. **1782** la dynastie Al-Khalifa, venue du Koweit, prend le pouvoir. **1820** présence britannique. **1871** protectorat brit. **1925** pétrole découvert. **1932** début de l'exploitation. **1951 et 1965** grèves violentes anticoloniales. **1970** l'Iran renonce à ses prétentions. **1971**-*14-8* indép. **1975**-*27-8* Parlement dissous. **1981-86** achèvement du pont de 25 km entre B. et Arabie. **1981**-*13-12* coup d'État pro-iranien déjoué, 73 arrestations. **1986**-*26-4* l'armée du Qatar enlève 29 techniciens et ouvriers étrangers sur l'îlot de Facht-al-Dibel, revendiqué par les 2 pays. *12-5* ils sont libérés.

Statut. Emirat. *Constitution* du 6-12-1973. *Émir* Cheikh Issa ben Salman al-Khalifa (n. 3-7-33) dep. 16-8-61. *Héritier* Cheikh Hamad Ben Issa al-Khalifa. *PM* Cheikh Khalifa Ben Salman al-Khalifa (n. 1935) dep. 19-1-70. *Pas de partis politiques.* **Fête nat. :** 16 déc. (intronisation de l'émir 1961, et indép. de 1971). Drapeau. Origine 1820. Rouge (Islam) et blanc (G.-B.) séparés par une ligne brisée.

Économie. **P.N.B.** (89) 8 800 $ par h. Pop. active (en % et entre par. part du P.N.B. en %). Agr. 5 (1), ind. 34 (20), services 60 (64), mines 1 (15). Agriculture. 3 % des terres cult. Dattes, légumes, fruits, volailles, ânes. Pêche. Perles (*1950* : 1 000 bateaux de pêche, *1982* : 10). Énergie. **Pétrole** (millions de t en 89), *réserves* 15, *prod.* 2, *ressources* 5 milliards de F (84), 40 % du P.N.B. **Gaz** (milliards de m^3), *réserves* 220, *prod.* 5 (88) (dont 27 % réinjectés pour accroître la prod. pétr.).

Industrie. Raff. de pétrole (capacité 12,5 millions de t/an ; *1939* : 1,6). Chantiers navals (cale sèche de Manãma : 375 × 75 m pour pétroliers de 550 000 tpl). Usine d'aluminium d'Alba (alimentée par gaz, bauxite d'Australie, prod. 182 800 t en 88). Projet d'usine de tube en cuivre (métal fourni par Oman). **Services.** Place bancaire. Une des 8 Bourses mondiales de l'or (avoirs des « banques off shore » en oct. 83 : 58 milliards de $: en 89 : 72,6).

Tourisme (89). *Entrées* : 1 340 000. *Revenus* : 82 millions de $.

Inflation (en %). *1985* : – 2,6 ; *86* : – 2,3 ; *87* : – 1 ; *88* : + 0,3 ; *89* : + 1,5. **Budget.** *Déficit* (89) : 154 millions de $; *89* : + 1,5.

Commerce (millions de dinars, 89). *Exportations* 1 009 *dont* prod. pétroliers raffinés 800, biens man. et aluminium 76,5 ; *vers* (%, 83) Ar. Saoudite 20,2, Iran 10,2, Koweït 8,1, Émirats 7,6. *Importations* 1 054 *dont* pétrole brut 466 ; *de* (%, 84) Japon 18, G.-B. 13, U.S.A. 12,2 (83).

BANGLADESH

Carte p. 974. V. légende p. 837.

Situation. Asie 143 999 km^2. Plaine alluviale (deltas du Gange et du Brahmapoutre). Collines au S.-E. et N.-E. **Frontières :** Inde 2 484 km, Birmanie 216. **Côtes :** env. 2 700 km (+ rivages fluviaux 4 000 km). **Alt. max. :** Keokradang 1 053 m. **Climat :** *3 saisons :* hiver nov./févr. (s. sèche) ; été mars/mai (orages) ; mousson juin/oct. (vents et pluies du S. et S.-O.). *Temp. moy.* à Dacca : janv. 19 °C, juillet 29 °C. *Pluies* annuelles Ouest 1,27 m, S.-O. 2,54, Sylhet 5,08.

Population. 108 851 000 h. (88), prév. *2 000* 155 000 000. *Accroissement* (en %) : 2,5 par an. *Age : - de 15 a.* : 44, *+ de 65 a.* : 4. *Mortalité infantile* : 140 ‰ (une des + élevées du monde). *Espérance de vie* : 50 a. *Médecins* : 1 pour 8 144 h. *Illettrés* : 75 %. **Principales ethnies :** Bengalis 98 %, Chittagong Hill Tracks 500 000 (dont Chakmas 200 000, Moghs 100 000, Murangs 30 000), Tipras, Garos, Hajongs, Santals 500 000. **Émigrés :** 500 000 (dont G.-B. 300 000, Proche-Orient). D. 755,9. **Villes** (84) : *Dhaka* (ex. Dacca, créée 1608) 3 950 000, Chittagong 1 590 000, Khulna 740 000, Rajshahi 300 000.

Langues. Bangla (ou bengali). 2 formes : *classique* (verbes et pronoms plus longs, nombreux mots d'origine sanscrit) ; *courant* admet des mots persans, arabes, anglais, mais qui reste, cependant, proche du sanscrit primitif ; alphabet (avec enjolivures) : utilisé dep. le XIIe s. pour de nombreux textes écrits dans d'autres dialectes. *Officielles :* ourdou, anglais. *Illettrés* : 70 %.

Religions. Musulmans 86,6 %, hindous 12,1 %, bouddhistes 0,6 %, chrétiens 0,3 %. Islam, religion d'État dep. 7-6-1988.

Histoire. Le B. (Bengale oriental) a formé jusqu'à la fin du XIIe s., avec le Bengale occid., le roy. de Vangalam. **1199-1202** conquis par Mohamed Bakhtijar (musulman), devient émirat vassal des sultans de Delhi, puis des emp. moghols ; seul, E. du Vangalam se convertit à l'islam. **1757** bataille de Plassey ; conquête angl. **1906** Dacca capitale de la résistance anti-angl. et anti-hindoue (Ligue Musulmane, 1906). **1947**-*14-8* constitue le Pakistan oriental. **1970** *déc.* élections, triomphe autonomiste [ligue *Awami*, fondée 23-1-1949 par Mujibur Rahman (1920-1975) et le maulana Bashani (1882-1976), Pt du B.K.S. (Associat. des paysans du B.), chef de l'aile prochinoise du N.A.P. (National Awami Party, fondé 25-7-1957)]. Cyclone (+ de 100 000 †). **1971**-*1-3* ajournement de l'Ass. nat. ; *-25-3* répression (milliers de Bengalis tués par armée pak.) ; *-26-3* proclamation de la *Rép. pop. du B.* ; Mujibur Rahman arrêté ; *-17-4* gouv. prov. (en Inde) ; *-4-12* Indiens attaquent, alliés à l'armée de libération du B. (Moukhti Bahini) ; *-6-12* Inde reconnaît le B. ; *-16-12* capitulation des forces pak., épuration des « razakars » (Biharis, collaborateurs des Pak.). **1972**-*10-1* Mujibur R. libéré ; U.R.S.S. et pays de l'Est (janv.), G.-B. (févr.) reconnaissent le B. ; *-12-1* constit. provisoire. *Pt* Abu Sayed Chowdhury (1921-1987), *PM* Mujibur R. ; *-12-3* départ des troupes ind. ; *-19-3* liens d'amitié et de coopération avec Inde. **1973**-*7-3* élections ; succès de la ligue Awami ; *déc.* accord avec Pak. sur transfert de popul. (Bengalis du Pak. au B. et Biharis du B. au Pak.). **1974**-*22-2* Pak. reconnaît le B. ; *déc.*, inondations, famine (dizaines de milliers de †). **1975**-*25-1* Mujibur R. nommé Pt pour 5 ans ; *-15-8* coup d'État, Mujibur R. tué, Khondakar-Moshtaque Ahmed (n. 1918) Pt ; *-4/10-11* coup et contre-coup d'État mil. : Gal Ziaur Rahman au pouvoir. **1976**-*1/7-11* mort du maulana Bashani (94 ans) ; *-30-11* Khondakar-M. Ahmed arrêté, coup d'État échoue (plusieurs centaines de †). Rébellions dans le N. (Garos) et à l'E. (Chakmas). 561 m de l'armée de l'air seront pendus après le putsch. **1977**-*30-5* référendum : 99 % pour Gal Ziaur Rahman. **1978** 200 000 réfugiés de Birmanie ; *-3-6* Rahman élu Pt par 78 % des voix. **1981**-*30-5* Rahman assassiné par off. rebelles (lui-même avait fait assassiner tous ses adversaires et avait, avant, échappé à env. 20 coups d'État) ; *-1-6* fin de la rébellion, Gal Manzur Ahmed, auteur présumé du putsch, est tué ; *sept.* affrontements près de Chittagong, tribu Chakma (500 †) ; *-25-9* exécution de 12 officiers ayant participé à l'assassinat du Pt. **1982**-*24-3* coup d'État mil. renverse le Pt Justice Abdus Sattar. Gal Hussain Mohammat Ershad (n. 1-2-1930), P.M.. *-11-12* se proclame chef de l'État et libère chefs de l'opposition. Démission du Pt A. Chowdhury († 31-7-1987). **1984**-*27-9* émeutes contre loi martiale 4 †. **1985**-*mars* loi martiale réinstaurée (après levée partielle en déc.). *-21-3* référendum (participation 72 %, dont 94,14 pour le maintien de la junte jusqu'aux él. générales). *Mai* : cyclone au S.-E. (15 000 †). **1986**-*15-10* Pt Ershad réélu. *10-11* loi martiale suspendue, Constitution remise en vigueur ; élections : fraudes massives, violences (env. 25 † et 500 bl.). **1987** troubles dans les collines orientales (Chittagong) (5 000 km^2, 600 000 h) : implantation de colons musulmans, résistance des Chakmas. *Avr.* inondations, 1 600 †. *-24-8* la police tue 10 personnes à Chittagong. *-10-11* Hartal (grève générale), manif. contre Ershad, 14 †. *-27-11* état d'urgence, 2 †. *-6-12* Parlement dissous. **1988**-*10-2* élect. municipales, 120 †. *-7-6* islam religion d'Etat. *Sept.* inondations, 2 000 †, 43 millions de sinistrés, dégâts : 2,6 milliards de $, cultures détruites : 35 millions d'ha, 3,3 millions d'ouvriers agric. sans travail. Déficit en nourriture d'env. 2 millions de t. *-29-11* cyclone côte sud (900 †). **1989**-*22/24-3* Pt Ershad en France. **1990**-*févr.* visite du Pt Mitterrand. *-14-8* mesures de rationnement gaz et électricité. *-10-10* mouvements de protestation. *-27-11* état d'urgence, principaux chefs de l'opposition arrêtés. *-4/6-12* Pt Ershad démissionne. *-5-12* Shahabuddin Ahmed, Pt de la Cour suprême, nommé vice-Pt par intérim ; levée de l'état d'urgence et dissolution du Parlement. **1991**-*27-2* législatives (1^{eres} sans violence et sans fraudes massives) dep. 1971 : victoire du P. national. *-30-4* cyclone : 139 000 † ; 10 000 000 de sans-abris.

Statut. *République pop.*, membre du Commonwealth. **Pt par intérim** Shahabuddin Ahmed dep. le 5-12-90. *PM* Bégum Khaleda Zia (n. 15-8-45), dep. 19-3-91. **Constitution** du 16-12-1972, amendée en 1973, 74, 75, 77 et 79. *Assemblée nationale* (Jatiya Sangsad) : 300 m. élus au suffr. univ. pour 5 a. + 30 femmes nommées par le Parlement pour représenter les femmes. **Élections** (27-2-1991) : P. nationaliste du B. 151 sièges. **Districts** 64, upazillas 486, villages 85 650. Fêtes nat. 26 mars (indépendance) et 16 déc. (victoire contre le Pak). Drapeau. Adopté 1971 ; cercle rouge (lutte pour la liberté) sur fond vert (fertilité).

Partis. *Ligue Awami (Hasina) :* fondé 1949, leader Sheikha Hasina Wajed (fille du sheikh Mujibur Rahman, assassiné 1975). *P. nationaliste du Bangladesh :* f. 1978 par des partisans de Ziaur Rahman, assassiné 1981, leader begum Khaleda Zia (veuve de Ziaur Rahman). *Coalition de Gauche :* 5 partis, leader Rashed Khan Menon. *Jammat-e-Islami* (P. musulman fondamentaliste) : f. 1979, leader Abbas Ali Khan. *Jatiyo Party* : f. 1986 leader Mohamed Ershad.

Nota. – Les 60 millions de Bengalis hindouistes sont répartis entre Bengale occ. (inclus dans la Féd. indienne), Assam, Meghalaya, Tripura, Bihar, Orissa, S. du Népal et le Bangladesh. La reconstitution d'un *Vangalam* uni, au-delà des divisions religieuses, a été envisagée.

Économie

P.N.B. (88) 170 $ par h. (le plus bas du monde, devant l'Éthiopie). **Pop. active** (% et entre par. part du P.N.B. en %). Agr. 56 (47), ind. 13 (9), mines 1 (2), services 30 (39).

Inflation (en %). *85* : 10,7, *86* : 11, *87* : 10,4, *88* : 9,3. **Aide étrangère :** 85 % du budget. *Taux d'usure* jusqu'à 20 % par j dans certains villages. *Pauvreté :* 70 % vivent au-dessous du seuil. **Endettement global** (87). 9,56 milliards de $.

Agriculture. *Ha cultivés* : 13,32 millions (63 %) dont 9 donnent 1,5 récolte par an (proportion la plus forte du monde), 78 % de la surface cultivée est formée de rizières. *Production* (millions de t, 89) : riz 24, blé 0,8, jute 0,8, canne à sucre, p. de terre 1,2, thé, légumineuses, coton. *Déficit agricole* : 3,1 % du P.N.B en 88 (615 millions de $).

Élevage (milliers de têtes, 89). Bovins 23, buffles 0,2, chèvres 10,8, moutons 1,1, poulets 85, canards 28,7 (87). *Prod. lait* : (88) : 992 000 t. *Viandes* (88) : 274 000 t. Pêche. Forêts.

Énergie. **Électricité :** Thermique. *Capacité* en MW (1987) : 1 757. *Villages électrifiés* (1985) : 17 500 sur 68 000. **Charbon** (région de Jamalganj). **Gaz** (milliards de m^3, 89) *réserves* 360, *prod.* 6 ; 13 gisements découverts, 6 en exploit. Industrie (62,2 % des ressources en devises) : jute, ciment, engrais, papier, cuir, prod. alim., constr. nav.

Transports. *Voies ferrées* 2 892 km (2 réseaux), *routes* 7 190 km, *voies nav.* 8 431 km. Tourisme (87). 106 765 vis. **Principaux sites.** *Rajshahi* monastère bouddhique, *Mahastangarh* ancienne capitale royale, *Kantanagar* temple hindou (1772), *Mainamati* centre bouddhique (Comilla), *Dhaka* mosquée (700), *Khulna* mosqué, *Cox's Bazar* ville balnéaire à 152 km de Chittagong (f. 1798, 120 km de plage).

Commerce (milliards de takas, 87-88). *Exportations* 41,1 *dont* prod. du jute 9,3, poissons 5, cuir 4,5, jute brut 2,4, thé 1,2, naphte, bitume : *vers* U.S.A. 12, Italie 3,6, G.-B. 2,4, All. féd. 2,2, Belg. 1,8, *France 1,2*, U.R.S.S. 1. *Importations* 90,6 *dont* prod. manuf. 22,1, prod. alim. et animaux 17,3, biens d'équip. et mat. de transp. 14,8, prod. pétr. 13, prod. chimiques 7,8 ; *de* U.S.A. 11,2, G.-B. 4, All. féd. 3, *France 2,2*, P.-B. 1,9, U.R.S.S. 1,1.

Rang dans le monde (89) 1er jute. 4e riz. 9e thé. 11e bovins. 15e céréales.

BARBADE

Carte p. 1019. V. légende p. 837.

Généralités. Antilles. Autrefois appelée îles Lucayes. 430 km^2. *Alt. max.* Mt Hillaby 337 m. *Climat* tropical. *Temp.* 24 à 28 °C. 1 saison sèche, s. humide de juill. à nov.

Population. 255 200 h. (88) dont (en 82) : Noirs 80 %, Métis 16 %, Blancs 4 %, *2000* : 307 000. D. 590,4. *Villes* (80) : *Bridgetown* 7 517 h. (agg. 92 401), Holetown, Speightown, Oistins. Langue. Anglais.

Religions. Anglicans 70 %, pentecôtistes, catholiques 4 %, méthodistes 9 %, frères moraves.

Histoire. **1627** colonie brit. **1639** 1er Parlement. **1834** abolition de l'esclavage. **1954** gouvernement ministériel (*PM* Grantley Adams). **1958-62** membre de la Féd. des Indes occidentales. **1961**-*16-10* autonomie interne, *PM* Errol W. Barrow. **1966**-*30-11* *indépendance.* **1968**-*1-5* entre à la CARIFTA. **1973**-*13-8* forme le CARICOM.

Statut. État membre du Commonwealth. *Constitution* du 30-11-1966 : *Sénat* (21 m. nommés), *Ass.* (27 m. élus pour 5 a.). *Chef de l'État :* reine Elisabeth II. *Gouv. gén.* Dame Nita Barrow dep. 6-6-90. *PM* 1976 (2-9) : John Michael Adams (1931-1985) ; 1985 (11-3) : Bernard St John (16-8-1931) ; 1986 (28-5) : Errol W. Barrow (1920-1987) ; 1987 (1-6) : Erskine Sandiford. *Elections* (28-5-1986) : P. travailliste démocrate (f. 1955), Errol W. Barrow, 24 s. ; P. travailliste de la B. (f. 1938), 3 s. Fête nat. 30 nov. (indép.). Drapeau. Adopté en 1966 : 2 bandes verticales bleues (le ciel et la mer), et 1 jaune (le sable) ; une pointe de trident noir pour l'indép. et la rupture avec le passé.

Économie. **P.N.B.** (89) 6 730 $ par h. **Pop. active** (% et entre par. part du P.N.B. en %) agr. 13 (7), ind. 15 (10), serv. 71 (82), mines 1 (1). *Chômage* 18,9 %. **Inflation** (%) *86* 1,3, *87* : 3,3, *88* : 4,7, *89* : 6,2. **Dette extérieure** (87). 508 millions de $ (42,4 % du P.I.B.).

Agriculture. 76 % de la superficie. *Production :* canne à sucre (43 % des sols cultivés, 730 000 t en 88, ayant donné 73 000 t de sucre), mélasse, rhum, igname. Élevage. Pêche.

Pétrole : *81* : 40 000 t, *83* : 30 000 t, *85* : 100 000 t, *86* : 100 000 t, *89* : 100 000 t. Gaz. Industrie : Raffineries.

Tourisme (88) 451 500 visiteurs et 291 000 v. de croisières ; env. 26 % du P.I.B.

Commerce (millions de $ b., 88). *Exportations* 354 (prod. man., sucre, mach. et équip. de transp., fuel et lubrifiants, prod. chim.) *vers* (en %) C.A.R.I.C.O.M. 26,7, U.S.A. 21,3, G.-B. 18,7. *Importations* 1 163 (mach., prod. man., huiles minérales, prod. alim.), *de* (en %) U.S.A. 34,5, C.A.R.I.C.O.M. 14, G.-B. 11,5, Canada 7.

BELGIQUE

Carte p. 880. V. légende p. 837.

☞ Pour en savoir plus sur la Belgique demandez à votre libraire l'édition spéciale QUID-BELGIQUE qui comprend en tête un cahier de 48 pages consacré à la Belgique.

• **Situation.** Europe 30 518 km². **Frontières** 1 444,5 km dont France 620, P.-Bas 449,5, Lux. 148, All. féd. 161,5, côtes 65,5. **Alt. max.** 694 m (Signal de Botrange, Ardennes) ; **min.** 0,05 m (De Moeren, près de Furnes).

Climat. Tempéré océanique, temp. moy. 9,8 °C ; pluie : 780 mm par an ; gel 60 j par an (Ardennes temp. moy. 8,6 °C, pluie 1 000 mm, gel 96 j).

Régions. 4 bandes parallèles du N. au S. : 1° *Basse Belg.* (larg. 45 km ; alt. 0-100 m) : *Flandre maritime* à l'O. : polders, cultures maraîchères et élevage laitier intensif, dunes sur les côtes ; *Flandre intérieure* au centre : plaine à blé et betteraves avec cultures industrielles, urbanisation très poussée ; *Campine* à l'E. : terres sablonneuses, récemment converties à la culture maraîchère. 2° *Moyenne Belg.* (larg. 80 km ; alt. 100-250 m) : plateaux et collines de limon (blé, betteraves, élevage à l'étable), urbanisation du sillon Sambre-Meuse. 3° *Ardennes* (larg. 120 km ; alt. 250-600 m) : croupes schisteuses avec landes, prairies, forêts. *Famenne* (escarpement rocheux), *Condroz* (contrefort des Ardennes avec couche de limon, alt. moy. 300 m.), *Hautes Fagnes* à l'E. élevées et marécageuses (tourbières). 4° *Lorraine belge* (larg. 25 km ; alt. 250 m) : terrasses argileuses, forêts défrichées (blé, betteraves). *Enclave de Baarle-Hertog* aux Pays-Bas : 7 km², 2 090 h.

☞ Enclaves allemandes en Belgique : la voie ferrée joignant Eupen à Malmedy attribuée à la B. (art. 21, 1° du tr. de Versailles) empruntait 8 fois le terr. all. dans la région de Montjoie ; le tr. du 24-9-1956 a attribué ces enclaves à la B. (qui en échange a cédé les Fagnes, marécages à l'est d'Eupen).

Distances de Bruxelles (en km) : Amsterdam 198, Anvers 47, Bruges 93, Charleroi 53, Douvres 115, Gand 53, Genève 656, La Louvière 54, Liège 90, Londres 226, Madrid 1 546, Milan 902, Paris 242.

Démographie

• **Population.** *1846* : 4 337 000 ; *1866* : 4 828 000 ; *1900* : 6 693 000 ; *1910* : 7 424 000 ; *1940* : 8 295 000 ; *1960* : 9 178 000 ; *1970* : 9 651 000 ; *1976* : 9 823 302 ; *1989* : 9 947 782 [dont 5 739 736 (57,69 %) d'expression néerlandaise, 3 243 661 (32,60 %) française, 67 007 (0,67 %) allemande, 964 386 (9,71 %) bilingue des 19 communes de Bruxelles-capitale] ; *2001 (prév.)* : 9 882 189. *Age : – de 15 a.* 18,11 %, *+ de 65 a.* 42,86 %. D. 325,3. *Pop. urbaine* 84 %.

Provinces	Population (au 1-1-90)	Superficie (en ha)
Anvers (Anvers)	1 597 310	286 738
Brabant (Bruxelles)	2 243 026	335 808
Flandre occ. (Bruges)	1 102 501	313 443
orientale (Gand)	1 331 608	298 223
Hainaut (Mons)	1 278 039	378 569
Liège (Liège)	998 213	386 230
Limbourg (Hasselt)	745 034	242 214
Luxembourg (Arlon)	230 827	443 972
Namur (Namur)	421 224	366 601
Total	*9 947 782*	*3 051 798*

Naissances pour 1 000 h. *1964* : 17,01 ; *70* : 14,56 ; *75* : 12,15 ; *80* : 12,56 ; *85* : 11,59 ; *86* : 11,90 ; *87* : 11,91 ; *88* : 11,96 ; *89* : 12,11.

Régions. Superficie en km² et population (au 1-1-1990). *Bruxelloise* 162 km² (964 385 h.). *Flamande* 13 512 (5 739 736 h.). *Wallonne* 16 844 (3 324 366 h.) [dont de langue allemande 85 853 (96 438 h.)].

Émigration (au 1-1-74). Env. 450 000 B. vivaient à l'étranger dont : *France* 125 000, U.S.A. 63 000 (inscrits dans les consulats ; 225 000 Belges ou d'origine belge, la plupart naturalisés), Canada 57 000, Zaïre et Afr. centr. 28 000, G.-B. 24 000, P.-Bas 22 000, Afr. du S. 14 000, All. féd. 13 500 (+ 61 500 militaires et membres de leur famille), Amér. latine 12 000 (dont Argentine 5 500, Brésil 2 500, Chili), Luxembourg 6 500, Australie 6 000, Suisse 5 000, Afr. du N. 4 000, Espagne 3 250, Italie 2 500, Proche-Orient 2 000, Asie 1 800, Afr. occid. 1 500, autres pays 5 000. (En 88, solde migratoire : – 34.).

Étrangers. 880 812 (1-1-90) dont Italiens 240 469, Marocains 138 507, Français 92 207, Turcs 81 775, Néerland. 62 397, Esp. 52 399, All. féd. 26 673, G.-B. 21 955, Grecs 20 718, Port. 15 137, Lux. 4 701, divers 148 531. **Frontaliers** (81) occupés en France 14 678, All. féd. 9 857, P.-Bas 2 867. **Aide au retour :** égale à 1 année d'allocation de chômage + 50 000 FB + 15 000 FB pour conjoint et chaque enfant à charge, célibataire de – de 18 ans.

Villes (en 1989). *Bruxelles* 136 706 (dont 35 % d'étrangers) ; Anvers 470 349 ; Gand 230 543 ; Charleroi 206 779 ; Liège 196 825 ; Bruges 117 460 ; Schaerbeek 104 768 ; Namur 103 466 ; Mons 91 867 ; Anderlecht 89 231 ; Louvain 85 193 ; Alost 76 245 ; Courtrai 76 081 ; Uccle 75 402 ; La Louvière 76 138 ; Malines 75 622 ; Ixelles 73 128 ; Molenbeck-Saint-Jean 68 904 ; Ostende 68 527 ; Saint-Nicolas 67 979 ; Tournai 67 767 ; Hasselt 66 094 ; Genk 61 343 ; Seraing 60 952 ; Verviers 53 657 ; Mouscron 53 547 ; Roulers 52 512 ; Forest 47 178 ; Saint-Gilles 43 579.

Nota. – En 1975, le nombre des communes a été ramené de 2 359 à 589.

• **Langues off. Français (wallon)** (off. dep. 1830) ; *prononciation* similaire à celle du picard à l'O. (*a* prononcé *o, ê* prononcé *é*), du lorrain à l'E. (*oi* prononcé *oué* ; suppression des nasales) ; *le vocabulaire* diffère du fr. de l'Hexagone par une vingtaine d'archaïsmes, plus d'une centaine de néologismes, une trentaine de termes dialectaux empruntés aux patois wallon et liégeois ou au flamand ; *la syntaxe* comporte plus de 200 idiotismes. **Néerlandais** *(flamand)* (off. dep. 1898) ; *1923* arrêté royal ordonnant de traduire les textes législatifs en néerlandais. *1963* publication de la traduction néerlandaise de la Constitution (1831) ; très proche du néerlandais des P.-Bas. **Allemand,** 2 groupes de dialectes : au S., haut-all. (francique moyen) ; au N.-E., bas-all. (bas-francique).

% des électeurs (13-12-1987) : flamands 58,63, wallons 31,20, bruxellois 10,17.

• **Religions.** *Catholiques* à 79 % [7 008 prêtres diocésains ; séminaristes (1987) : 185 néerlandophones, 115 francophones ; ordinations (1989) : 36 ; 1 archev. ; 7 évêques ; 55 ordres religieux masculins, 543 couvents ; 387 congrégations féminines, 2 798 couvents (27 310 religieuses) ; 6 250 écoles (1 033 000 élèves)]. *Protestants* 125 000 (88 pasteurs). *Israélites* 35 000 (27 rabbins). *Anglicans* (11 chapelains). Pas de religion d'État. Traitements et pensions des ministres du culte reconnus (cath. romain, protestant évangélique, anglican, musulman, hébraïque) sont à la charge de l'État. *Orthodoxes* (29 officiants).

Histoire

Période préromaine 5 tribus celtiques : Éburons, Nerviens, Ménapiens, Morins et Segni (sous-tribu des Trévires) installées v. 250 av. J.-C., venant de la rive dr. du Rhin ; font partie des Belges ou Belques ou Volques, Gaulois vêtus du pantalon-sac (bouge) et non de la braie étroite. Une tribu germanique, Aduatuques ou Tongres, installée en 113 av. J.-C., lors de l'invasion des Cimbres. **57 av. J.-C.** J. César conquiert Gaule, Belgique, entre Seine et Rhin. En 5 ans vainc les tribus belges ; Ambiorix, chef des Éburons, fut son adversaire le plus acharné.

Période romaine répartie entre Belgique seconde (cap. Reims) et Germanie inférieure (cap. Cologne). Cités principales : Aduatuca (Tongres), Turnacum (Tournai) ; centre militaire : Bavai. **IVe s.** christianisme apparaît (ne se répand qu'aux VIe et VIIe s.). **Ve s.** Francs saliens, puis Francs ripuaires occupent le N. **843** tr. de Verdun : partage entre France et Lotharingie : la marche de Flandre (O. de l'Escaut) est attribuée au roi de Fr., bien que germanophone. **879** Lotharingie absorbée par l'All. **IXe au XIIe s.** formation des fiefs belges [comté de Flandre (fr.), duché de Brabant et Limbourg, comtés de Hainaut, Namur, Luxembourg, principautés épiscopale de Liège et abbatiale de Stavelot-Malmédy (impériaux)]. Participation aux croisades.

XIIe au XIVe s. Bruges centre de rayonnement. **1214** 1er soulèvement de la Flandre contre les Fr. : Ferrand battu à *Bouvines.* **1285-1319** 2e soulèvement : victoire [11-7-1302 : *Courtrai* (bataille des *Éperons d'Or :* Cte de Fl., Guy de Dampierre et milices communales battent les Fr.) ; **1304** défaite à *Mons-en-Pévèle].* **1319** Fl. francophone détachée du comté. **1328** 3e soulèvement : déf. de *Cassel.* **1340** 4e ; alliance des Fl. et des Anglais. **1382** 5e (déf. de Westrozebeke).

1384-1477 période bourguignonne. **1384** Philippe le Hardi hérite de la Fl. et entreprend l'unification des P.-Bas. **1473** Charles le Téméraire inst. la capitale des P.-Bas à Malines. *Institutions :* « Grand Conseil », « Chambre du Conseil » à Dijon et Lille, « Conseil de Flandre », « Chambre des Comptes » à La Haye, « États généraux » à Bruges.

1477 mort de Charles le Téméraire : P.-Bas séparés de la Bourgogne ; passeront par héritage dans la maison d'Espagne. **1519** Charles Quint, souverain des P.-Bas, devient emp. d'All. **1526** *tr. de Madrid :* la Fl. cesse de faire partie du roy. de Fr. Avec Brabant, Hainaut, Namur, Luxembourg (mais non Liège), figure dans un bloc des 17 provinces des P.-Bas. Industrie et Anvers en plein essor ; depuis 1425 université de Louvain, foyer intellectuel européen. **1555** Charles Quint abdique en faveur de son f. Philippe II. **1559-67** gouvernement de Marguerite d'Autriche (1521-86), duchesse de Parme, fille naturelle de Charles Quint, demi-sœur de Philippe II (PM : cardinal de Granvelle, archev. de Malines ; chef militaire : Alexandre Farnèse, fils de Marguerite). **1565** début de la *« guerre des gueux »,* soulèvement des protestants des P.-Bas contre l'Esp. **1581** scission des 17 provinces en 2 blocs rivaux : P.-Bas du Sud ou espagnols (futur roy. de Belgique) et Provinces-Unies calvinistes (futur roy. des P.-Bas). Blocus maritime d'Anvers par les Pr.-Unies : décadence du commerce maritime. **1598** Philippe II confie P.-Bas à sa fille, l'archiduchesse Isabelle, et à son époux, l'archiduc Albert d'Autriche. Restauration économique, renaissance culturelle. Après leur mort (sans enfant), de 1633 à 1714, P.-Bas redeviennent le champ de bataille de l'Europe. **1648** *tr. de Münster :* paix définitive avec Pr.-Unies (fermeture de l'Escaut, cession de la Fl. maritime, du Nord-Brabant et de Maestricht). **1659** *tr. des Pyrénées :* la Fr. récupère la Fl. francophone. **1678** *tr. de Nimègue :* échange de territoires entre Fr. et P.-Bas esp. : frontière actuelle se dessine. **1713-14** *tr. d'Utrecht* et *de Rastatt :* à l'issue de la g. de Succession d'Esp., Philippe V renonce aux P.-Bas ; ils passent sous l'autorité des Habsbourg d'Autr. **1714-1790** P.-Bas autrichiens : 3 souverains, Charles VI, Marie-Thérèse et Joseph II. **1723** fondation du port d'Ostende, qui remplace Anvers (Escaut fermé). **1789** révolution brabançonne chasse les Autr. ; un aventurier français, Armand-Louis de Béthune (1770-94), fils du duc de Charost, tente de se faire couronner roi de Brabant ; arrêté, se réfugie en Fr.

1790-*11-1* États généraux proclament à Bruxelles l'indépendance des États belges unis. **1791**-*déc.* Armand de Béthune recrute des volontaires pour envahir le Brabant. **1792**-*17-11* victoire fr. à *Jemmapes.* **1793**-*1-3* la Rép. fr. annexe la Belg. *-18-3* Fr. battus à *Neerwinden,* les P.-Bas retournent à l'Autr. *-11-9* A.-L. de Béthune, arrêté à Calais, sera guillotiné. **1794** victoire fr. de *Fleurus,* liens entre P.-Bas et Habsbourg définitivement tranchés. **1795** Fr. annexe Liège, principauté ecclésiastique impériale qui n'avait jamais fait partie des P.-Bas. **1795-1814** forme 9 départ. français (voir liste p. 628). *Principales réalisations :* port d'Anvers ; complexe industr. de Liège.

1814 *juillet* roy. des P.-Bas réunit Hollande, anciens P.-Bas autr. et év. de Liège. **1830**-*25-8* Bruxelles : *La Muette de Portici* (opéra d'Auber, paroles de Scribe, exaltant l'insurrection des Napolitains contre le régime espagnol) déclenche une vive agitation dans la salle, puis dans la rue. Motifs du soulèvement : surtout religieux [les anciens P.-Bas esp. et habsbourgeois sont catholiques ; les anciens P.-Bas orangistes sont protestants (avec une frange sud cath.)]. Les

B. francophones, lisant la presse parisienne sont libéraux (le roi des P.-Bas, Guillaume Ier, absolutiste). La garde bourgeoise rétablit l'ordre, mais Guillaume Ier envoie avec son fils Guillaume (héritier) 6 000 h. à Bruxelles. *-1-9* Guillaume plaide auprès de son père la séparation admin. du N. et du S. *-13-9* délégation de députés belges à l'ouverture des états généraux à La Haye. *-23-9* Frédéric, 2e fils de Guillaume Ier, entre à Bruxelles avec 12 000 h., 4 j de combats. *-26/27-9* l'armée holl. évacue la ville, puis en sept. la Belg. sauf la citadelle d'Anvers (enlevée en déc. 1832 par le Mal fr. Gérard). Formation d'un gouv. révolutionnaire. *-4-10* proclamation de l'indépendance. *-6-10* formation d'une Commission constituante. *-3-11* élection au suffrage censitaire des 200 m. du Congrès National qui proclament le 24-11 la déchéance des Nassau.

1831-*20-1 neutralité perpétuelle* décidée à la conférence de Londres. *-3-2* le Congrès élit roi le *duc de Nemours* (16 ans, 2e fils du roi de Fr. Louis-Philippe) par 97 v. contre 74 pour le duc de Leuchtenberg (fils d'Eugène de Beauharnais), 21 pour l'archiduc Charles d'Autriche, ancien gouv. des Pays-Bas autr. *-7-2 Constitution promulguée*. *-17-2* Louis-Phil. refuse pour son fils (l'Angl. ayant mis son veto). *-24-2* régence confiée à *Emmanuel Surlet de Chokier* (1769-1839). *-4-6* Léopold de Saxe-Cobourg Gotha, par 152 voix sur 196 présents au Congrès national, élu roi des Belges. *-21-7 Léopold Ier* prête serment. *-22-7* Holl. battent Belg. à Hasselt et prennent Louvain. *Août* invasion holl., 10 j de campagne, aide fr., retrait holl. **1831-32** *tr. des 24 articles,* consacrant indép. et neutralité : Maestricht, Luxembourg, bouches de l'Escaut sont enlevés à la Belg. *conférence de Londres.* **1839** roi des P.-Bas reconnaît l'indépendance b. **1848** neutralité menacée par la Fr. (1866 id.). **1863** B. rachète aux P.-Bas le droit de péage sur l'Escaut, libérant le port d'Anvers. **1897** le Cte Geza Mattachich († 1921), enlève Louise (1858-1924 ; fille de Leopold II, mariée à Philippe Pce de Saxe-Cobourg Gotha) ; ils sont emprisonnés momentanément en 1898. En 1904, Mattachich l'enlève à nouveau, elle obtiendra le divorce en 1906.

1908 Léopold II lègue à la Belg. le Congo, qui lui appartenait dep. 1885 *(acte de Berlin).* **1912** lettre ouverte de Jules Destrée au roi Albert : « Il n'y a pas de Belges, il n'y a que des Flamands et des Wallons. » **1914**-*2-8* la B. refuse l'ultimatum all. de laisser le passage à l'armée all. *-4-8* l'All. viole la neutralité b., crée un « Conseil des Flandres », et tente d'installer un C. wallon. *Pertes belges à la g. de 1914-18,* 40 000 militaires (10 % de l'effectif max. de l'armée), 6 000 civils (en août 1914), 2 614 déportés et 3 000 civils, morts de sept. 1914 à nov. 1918. **1919** *18-6 tr. de Versailles :* la B. reçoit Eupen (176 km², 30 000 h.), Malmédy (813 km², 33 000 h.) St-With (1 469 km²) et le terr. neutre de Moresmet (956 km²), et un mandat sur le Rwanda-Urundi. **1920**-*7-9* accord mil. défensif avec Fr. **1922** *union économique avec Luxembourg.* **1925**-*16-10 accords de Locarno* garantissant frontières. **1935** *mars* belga dévalué. **1936** la B. redevient neutre. *-24-5* succès rexiste avec 11,5 % des voix [21 députés (Flandre 3, Wallonie et Bruxelles 18), 12 sénateurs] aux él. lég. [P. soc. 32,10 % (au lieu de 37,11 % en 1932), 70 dép. (73 en 1932) ; P. cath. 27,67 % (38,55 %), 61 dép. (79) + 2 dém.-chr. ; P. lib. 12,40 % (14,28 %), 23 dép. (24) ; V.N.V. (nat. flamands) 7,12 % (5,92 %), 16 (8) ; P. comm. 6,06 % (2,81 %), 9 (3)] avec *Léon Degrelle* [(15-6-1906, père français)]. *1930* Dir. de Christus-Rex, maison d'édition de l'Action catholique. *1932* fonde la revue *Rex. 1934 août* él. législ. échec rexiste (4 dép. au lieu de 21). *1935* chef du rexisme (pour un pouvoir fort et antiparlementaire, un système social corporatif, chrétien proche du fascisme). *-25-3* 1er grand meeting à Bruxelles. Inspire à Hergé son personnage de Tintin. *1937-11-4* él. partielles, battu par Van Zeeland. *1938-oct.* échec rexiste aux él. munic. *1940* partisan d'une entente avec l'All., *mai* arrêté et emprisonné en Fr. (camp de concentr. du Vernet, Pyr.-Or.). *-22-7* libéré, crée la légion « Wallonie ». *1941-8-8* combat avec elle contre l'U.R.S.S. du côté all. *1944-29-12* condamné à mort par contumace. *1945* réfugié en Espagne]. **1937**-*24-3* France et G.-B. délivrent la B. de ses obligations militaires. *-25-10* All. s'engage à respecter neutralité B. **1939**-*2-4* él. lég. : 4 dép. rexistes. **1940**-*10-5* attaque all. *-28-5* 4 h du matin, Léopold III (Cdt en chef des armées) capitule. Réfugié en France, le gouv. social-chrétien *Hubert Pierlot* estime « que le roi avait rompu le lien qui l'unissait à son peuple et que placé sous le pouvoir de l'envahisseur il n'était plus en situation de gouverner », et annonce assumer désormais les pouvoirs constitutionnels dévolus au souverain (art. 82 de la constit.). Le gouv. Pierlot s'installe à Londres ; L. III, se considérant comme prisonnier volontaire à Laeken, refuse tout contact politique et toute intervention, cependant le 19-9 voit Hitler à Berchtesgaden mais n'obtient pas la libération des prisonniers de guerre (sauf des Flamands parce que dit Hitler « ils se sont montrés sympathiques et nous ont témoigné de la confiance »). **1944**-*6-6* sur ordre d'Hitler, la famille royale est emmenée dans un château des bords de l'Elbe. *-3-9* Bruxelles libérée. *-5-9 tr. de Londres :* formation du *Benelux. -20-9* régence du Pce Charles. **1945**-*7-5* Léopold, libéré à Stroll (Autriche) où il avait été transféré, se retire à Prégny (Suisse). *Pertes dues à la g. : 1940 :* militaires 6 516, civils 12 000. *1943 à 1945 :* 19 570 civils (dont bombardements du 1-1 au 31-8-44 : 6 500, combats de la libération 2 622, offensive des Ardennes 1 205), déportés 12 000 ; israélites 28 000 déportés (la plupart récemment arrivés en Belg.), 1 200 revenus.

1949 la B. adhère au *Pacte atlantique.* **1950**-*12-3* élections : 57,68 % pour le retour du roi, 41,3 % contre (Hainaut et prov. de Liège ont voté contre ; 72 % des Flamands et 42 % des Wallons ont voté pour). *-20-7* les Chambres votent une motion constatant que l'impossibilité de régner pour L. III a cessé. *-22-7* retour du roi suivi de grèves et de manif. *-30-7* 3 † à Grâce-Berleur. *-10-8* L. III nomme Baudouin Pce royal et lieutenant-gén., lui confère les pouvoirs souverains. Quand Baudoin prête serment, le Pt du Parti communiste belge, Julien Lahaut, crie « Vive la République ! » ; il sera assassiné quelques mois plus tard. **1951**-*16-7* L. III abdique. *-17-7* Baudouin roi. B. devient membre de la *CECA.* **1957** membre du *Marché commun.* **1960**-*30-6 Congo* indépendant. **1960-61** grèves insurrectionnelles. **1962**-*1-7 Rwanda-Urundi* indépendant. **1965** querelles linguistiques. **1970** révision de la Constitution qui réalise l'autonomie culturelle (art. 59 bis), et permet la régionalisation (art. 107 quater), suivie de la mise en place des Conseils écon. régionaux (CER) et des Stés de dévelop. régional (SDR) prévus par la loi Terwagne. **1974** discussions de Steenokerzeel. Échec. Loi *Perin-Vandekerkhove* (régionalisation préparatoire). Création des Conseils rég. (consultatifs). **1976** tentative Moreau-Claes de règlement global de la régionalisation ; échec (Volksunie réticente, PSC refuse). **1977** *pacte d'Egmont,* accepté par partis fédéralistes ; le CVP, pourtant signataire, le fait échouer.

1980-*juillet* attentat contre un car scolaire à Anvers (1 †, 19 bl.). *8/9-8* vote du projet gouvernemental de régionalisation (les décisions importantes restent de la compétence du pouvoir central dans lequel la Flandre occupe une position majoritaire), pour Bruxelles, rien n'est réglé. Les exécutifs régionaux restent à l'intérieur du gouv. central. **1981**-*2-4* crise économique : « gel » de la régionalisation. *Oct.* bombe devant la synagogue d'Anvers (3 †, + de 100 bl.). **1982**-*22-2* dévaluation (8,5 %, 1re dep. 33 ans). *-16-3* manif. à Bruxelles des sidérurgistes de Liège et de Charleroi ; 179 policiers et 100 manif. bl. *-28-4* P. Vanden Boeynants, ex.-PM, mis en cause (fraude fiscale). **1985**-*20-4* attentat contre siège de l'OTAN à Bruxelles (1 †). *-1-5* voiture piégée des Cellules communistes combattantes (CCC) à Bruxelles (2 †). *-29-5* attaque de supporters italiens par des houligans britanniques lors de la finale de la coupe d'Europe des clubs champions à Bruxelles stade *du Heysel* (39 † dont 31 It., 454 bl.). *-16-7* démission du gouv. de Wilfried Martens après démission (15-7) du vice-PM et min. de la Justice Jean Gol ; refusée par le roi Baudouin. *-9-11* supermarché *d'Alost,* 8 tués par gangsters. *-6-12* attentat des CCC à Liège (1 †). *-16-12* arrestation de 4 membres présumés des CCC. **1986**-*6-4* réévaluation de 1 %. *-23-5* plan de rigueur. *-25-6* Vanden Boeynants (ancien PM) condamné à 3 ans de prison avec sursis et 620 000 FB (95 000 FF) d'amende pour fraude fiscale et usage de faux. **1987**-*15-10* W. Martens PM démissionne (il n'a pas trouvé de solution au problème des Fourons, commune en majorité francophone mais rattachée à la Flandre ; le bourgmestre, José Happart, refusant de passer un examen linguistique, ayant été destitué et réélu). *-13-12* élection, succès socialiste. Longue crise ; le gouvernement obtient à la Chambre les 2/3 requis pour continuer la révision de la Constitution, entamée en 1970. **1988**-*9-5* W. Martens PM (coalition). *-30-7* projet de loi transférant une série de compétences aux régions et aux communautés : révision de 7 art. de la Constitution : art. 17, 59 *bis* et 107 *ter* sur la communautarisation de l'enseignement, art. 47 et 48 sur la commune des Fourons, art. 108 *bis* sur la région de Bruxelles-capitale, art. 115 sur le financement futur des régions. *-26-9* procès des 4 membres présumés des CCC. *-23-12* rapports tendus avec Zaïre. **1989**-*6-1* lois spéciales sur cour d'arbitrage et instit. brux. *14-1* Vanden Bœynants (ancien PM) enlevé par des truands, libéré contre 60 millions de FB [*févr.* : ravisseurs identifiés ; 27-5 à Rio, Patrick Haemers arrêté (organisateur présumé du rapt de Vanden Boeynants)]. *-16-1* loi spéciale sur finances des Communautés et Régions. *Mars* assassinat de l'iman Abdallah Ahbal, chef de la communauté musulmane de B. et, le *-3-10,* de Joseph Wibran, Pt du comité des org. juives de B., revendiqués par « les soldats du droit » (l'iman avait rejeté la condamnation à mort de S. Rushdie). *-1-12* bombe à l'univ. libre de Bruxelles (3 bl.). *Déc.* U.R.S.S. verse 25 millions de F B pour les dégâts causés par la chute d'un Mig-23 le 4-7 (1 †). **1990**-*29-3* Ch. des dép. vote dépénalisation de l'avortement par 126 voix contre 69 (12 abst.). *4-4* Baudouin, pour ne pas promulguer cette loi, démissionne 36 h (art. 82 de la Constit.), le Conseil des min. assure la régence. *5-4* le Parlement (dép. et sénateurs) lui redonne son pouvoir (245 pour, 93 abstentions). *-Nov.* endettement prévu des communes belges en 1990 : 490 milliards de FB (9 % du P.I.B.). *-Déc.* plan de restructuration de l'armée. **1991**-*11-1* terroriste palestinien Nasser Saïd libéré en échange des 4 otages du Silco.

Politique

• **Statut.** Monarchie constitutionnelle et parlementaire. *Constit.* 7-2-1831, révisée en 1888, 1893, 1919-21, 1970, 1980, 1988.

Décentralisation au profit des régions. *Régions linguistiques :* 3 unilingues (francophone, néerlandophone, germanophone), où il existe des communes avec minorités protégées parlant l'une des autres langues nationales et 1 bilingue francophone et néerlandophone (Bruxelles-Capitale). **Des Communautés et des régions** disposant chacune d'un Conseil (organe législatif) et d'un Exécutif. *3 communautés* (flamande, française, germanophone) réglant les affaires culturelles, l'enseignement et les matières personnalisables (santé, affaires sociales...), et *3 régions* (bruxelloise, flamande, wallonne) réglant les matières régionalisées (logement, emploi, environnement, développement économique...).

Communauté flamande. Les organes politiques gèrent les attributions de la Communauté et celles de la région flamande. *Conseil :* composé des députés et des sénateurs élus dans les arrondissements flamands et de leurs collègues néerlandophones élus dans l'arrondissement électoral de Bruxelles (186 membres : C.V.P. 65, S.P. 47, P.V.V. 36, Volksunie 24, Agalev 9, Vlaams Blok 3). *Exécutif :* 11 membres (C.V.P. 5, S.P. 3, P.V.V. 2, V.U. 1). **Communauté française.** *Conseil :* députés et sénateurs élus dans les arrondissements wallons et collègues francophones élus dans l'arrondissement électoral de Bruxelles (132 membres : P.S. 60, P.R.L. 35, P.S.C. 27, Ecolo 5, F.D.F. 4, indép. 1). *Exécutif :* 4 membres (P.S. 3, P.S.C. 1). **Communauté germanophone.** *Conseil :* élu par la voie directe [25 membres : C.S.P. (P.S.C.) 8, P.F.F. (P.R.L.) 5, S.P. (P.S.) 4, P.D.B. 4, Ecolo 4). *Exécutif :* 3 membres C.S.P. (P.S.C.) 1, P.F.F. (P.R.L.) 1, S.P. 1]. **Région bruxelloise.** *Conseil :* [83 membres : P.S. 20, P.R.L. 15, F.D.F.-E.R.E. 14, P.S.C. 10, Ecolo 8, C.V.P 5, S.P. 3, P.V.V. 2, F.N.-N.F. 2, V.O. 2, Vlaams Blok 1, Agalev 1]. *Exécutif :* 5 membres au sein du gouv. national (P.S. 2, F.D.P.-E.R.E. 2, C.V.P. 1). *Pt* Charles Picqué (n. 1948). Enclave (162 km², 19 communes) à 80 % francophone mais linguistiquement gérée comme un condominium. L'extension géographique de la capitale entraînant la francisation de sa banlieue, les Flamands opposent le « droit au sol » aux Wallons qui s'appuient sur le « droit des gens ». La minorité avait obtenu la parité linguistique sur la zone de B., sauf pour 6 communes périphériques (dites à facilité linguistique, où seul le néerlandais régit les rapports entre administration locale et pouvoir régional). **Région flamande.** Voir Communauté flamande. **Région wallonne.** *Conseil :* députés et sénateurs élus dans les seuls arrondissements wallons (104 membres : P.S. 51, P.R.L. 25, P.S.C. 25, Ecolo 2, F.D.F. 1). *Exécutif :* 7 membres (P.S. 3, P.S.C. 3). Conseil et Exécutif règlent également les matières régionales afférentes à la Communauté germanophone.

☞ *Les Fransquillons (Franskiljoen) :* faible minorité de Flamands monolingues en fr. (3,5 % en Fl. et Limbourg, 1 % à Anvers), appartiennent généralement aux milieux du commerce et de la banque. Entre 1880 et 1950, de nombreux écrivains et poètes de langue exclusivement fr. étaient des Flandres. On ne considère pas comme fransquillons les Flamands bilingues (20 % en Fl., 18 % à Anvers).

• **Divisions.** *Administrative :* 9 provinces, 43 arrondiss., 214 cantons, 589 communes (*1920 :* 2 838, *32 :* 2 670, *72 :* 2 359, *77 :* 596). *Judiciaire :* 26 arrondiss., 222 cantons. *Électorale :* 214 cantons.

• **Fête.** *Nationale :* 21-7 (prestation du serment constitut. de Léopold Ier en 1831) ; *de la dynastie :* 15-11 [Les francophones célèbrent le 27-9 (anniversaire de la vict. sur les Hollandais dans le parc de Bruxelles en 1830) et les néerlandophones le 11-7 (anniv. de la bat. des Éperons d'Or 1302)]. **Drapeau.** Adopté 1830 : noir, jaune et rouge (couleurs issues des armes du Brabant). *Communauté flamande :* lion noir aux griffes et langue rouges sur fond jaune ; *française :* coq hardi rouge sur fond jaune ; *germanophone :* lion rouge entouré de 9 quintefeuilles bleues sur fond blanc. **Emblème héraldique.** Lion (Leo Belgicus) avec la devise « l'Union fait la force ». **Hymne national belge.** *La Brabançonne* [paroles de Louis-Alexandre Dechet (dit Jenneval), musique de François Van Campenhout] : « O Belgique, ô mère chérie, / A toi nos cœurs, à toi nos bras, / A toi notre sang, ô Patrie, / Nous le jurons tous : Tu vivras. / Tu vivras, toujours grande et belle / Et ton invincible unité / Aura pour devise immortelle : / Le Roi, la Loi, la Liberté *(ter)* ».

• **Justice.** *Peine de mort :* n'est plus appliquée dep. un siècle, sauf en 1918 à Furnes (le bourreau étant en zone occupée, on fit venir de Paris Antoine Deibler) ; le dernier bourreau belge est mort en 1929 sans avoir officié.

Partis

Partis dits traditionnels. *Christelijke Volkspartij (C.V.P.),* fondé 1945, 186 m. néerlandophones. Pt Herman Van Rompuy (31-10-1947) [avant Frank Swaelen (23-3-1930), Léo Tindemans (16-4-1922)], et le *P. social chrétien* (P.S.C., f. 18-8-1945) 65 000 m. francophones, Pt Gérard Deprez (3-8-1943). Jusqu'en 1972, partis unitaires, aujourd'hui autonomes. *P. socialiste-Socialistische Partij (P.S.-S.P.).* Ancien P. ouvrier belge (f. 5/6-4-1885 ; jusqu'en 1945). 2 Pts nationaux, l'un francophone [Guy Spitaels (3-9-1931) réélu 19-2-1989 et 19-1-1991], l'autre néerlandophone (Frank Vandenbroucke (21-10-1955)). Le 26-11-1978 scission : congrès constitutifs du P.S. (francoph.) à Namur et du S.P. (flamand) à Gand. 142 795 m. *P. réformateur libéral-Partij voor Vrijheid en Vooruitgang (P.R.L.-P.V.V.).* Ancien P. libéral f. 14-6-1846 (jusqu'en 1961). Pt Guy Verhofstadt (11-4-1953), 75 000 m. Le P.L.P. a fusionné, le 24-11-1976, avec une partie du Rassemblement wallon (R.W.), puis, le 19-5-1979, avec le P. libéral bruxellois (P.L.), et est devenu le *P. réformateur libéral* (P.R.L.), f. 1979, 59 000 m. Pt Antoine Duquesne (3-2-1941). *P. communiste (P.C.B.-K.P.B.)* f. en 1921, Pt Louis Van Geyt (24-9-1927), env. 14 000 m.

Autres partis. Francophones : *Front démocratique des francophones (F.D.F.)* dans la région bruxelloise, f. 1964, 14 406 m., Pt Georges Clerfayt (23-4-1935) [avant, Lucien Outers (9-4-1924)]. *Écologistes.* Parti Ecolo, f. 1980. 1987 6,5 %. 1989 él. europ. 16,6 % (2 s.). *Solidarité et Participation (S.E.P.).* **Flamands :** *Volksunie (V.U., Union du Peuple)* f. 14-12-1954, 60 000 m., Pt Jack Gabriels (22-9-1943). *Vlaams Blok,* f. 1979, Pt Karel Dillen (16-10-1925). *Écologistes : Anders gaanleven (Agalev), Vivre autrement,* f. 1982. 1987 4,5 %. 1989 12,1 % (1 dep. au Parlement europ.). **Germanophones :** *Partei der Deutschsprachigen Belgier (P.D.B.),* Pt A. Keutgen.

Parlement

• **Sénat.** 184 m. pour 4 ans, (âge min. 40 a.), dont 106 élus au suffr. univ. à la représ. prop., 51 élus par les conseils provinciaux et 26 cooptés par les S. directement élus et les S. provinciaux, 1 de droit : le Pce Albert de Liège (6-6-1934). *Pt* Frank Swaelen (23-3-1930). C.V.P. **Partis.** *P.S.-S.P. :* 65. *P.S.C.-C.V.P. :* 55. *P.R.L.-P.V.V. :* 39. *V.U. :* 13. *Agalev :* 5. *Écologistes :* 3. *F.D.F. :* 2. *Vlaams Blok :* 1.

• **Chambre des représentants.** 212 m. (âge min. 25 a.), élus au suffr. univ. à la proportionnelle pour 4 a. *Pt* Charles-Ferdinand Nothomb (3-5-1936), P.S.C. **Partis.** *P.S.-S.P. :* 70. *P.S.C.-C.V.P. :* 61. *P.R.L.-P.V.V. :* 48. *V.U. :* 16. *Agalev :* 6. *Écologistes :* 3 ; *F.D.F. :* 3. *Indépendants :* 3. *Vlaams Blok :* 2.

Chefs d'État

• **Avant l'indépendance.** **1515** Charles Quint (1500-58). **1555** Philippe II d'Espagne (1527-98). **1599** Isabelle d'Autriche (1566-1633), f. de Philippe II, et Albert (1559-1621), son mari (f. de Maximilien II emp. d'Allemagne). **1621** Isabelle, seule. **1633** Philippe IV d'Espagne (1605-65), f. de Ph. III (1578-1621). **1665** Charles II (1661-1700), s. f. **1701** Philippe V (1683-1746), p.-f. de Louis XIV. **1713** Charles VI de Habsbourg (1685-1740), emp. d'Autriche (1711-40), f. de l'emp. Léopold Ier. **1740** Marie-Thérèse (1717-80), s. f. **1780** Joseph II (1741-90) emp., s. f. **1790** Léopold II (1747-92) empereur, s. frère. **1792** François II (1768-1835) emp., s. f. **1794** *Conquête française.* **1795** *Annexée à la Fr.* **1815** Guillaume Ier des P.-Bas (1772-1843).

• **Depuis l'indépendance (1830). Régence. 1830** Bon Emmanuel Surlet de Chokier (1769-1839).

Maison de Saxe-Cobourg. 1831 (21-7) Léopold Ier (1790-1865). Ép. 1° 2-5-1816 Pcesse Charlotte de Gde-Bretagne (1796-1817) ; 2° 9-8-1832 Louise-Marie d'Orléans (1812-1850), f. du roi de France Louis-Philippe et sœur du duc de Nemours. **1865** Léopold II (9-4-1835/17-12-1909) s. f. Ép. 22-8-1853 Marie-Henriette de Habsbourg-Lorraine (23-8-1836/9-1902), fille de l'archiduc Joseph, prince palatin de Hongrie et de Bohême, et de Marie-Dorothée de Wurtemberg ; enfants *Louise* (1858-1924) ép. Phil Pce de Saxe Cobourg Gotha (1844-1921), *Leopold* (1859-69), *Stéphanie* (1864-1945) ép. 1881 Rodolphe arch. hér. d'Autr. († 1889), 2e Elémer Pce de Lonyay (1946), *Clémentine* (1872-1955) ép. 1910 Pce Victor Napoléon (1862-1926). **1909** Albert Ier (8-4-1875/17-2-1934, chute en montagne à Marche-les-Dames) s. neveu, f. de Philippe, Cte de Flandre (fr. de L. II) (24-3-1837/17-11-1905) et de Marie de Hohenzollern (1845-1912). Ép. 2-10-1900 Élisabeth de Wittelsbach (Desse en Bavière) (25-7-1876/23-11-1965), f. de Carl Theodore, duc en Bavière, et de Marie-José de Bragance. **1934** Léopold III (3-11-1901/25-9-1983) s. f. Ép. 1° 4-11-26 Pcesse Astrid de Suède, Desse de Vestrogothie (17-11-1905/29-8-1935, accident de voiture à Küssnacht en Suisse) ; 2° morganatiquement (religieusement 11-9-41 civilement 6-12-41), Liliane Baëls (28-11-16) (Pcesse de Belg. connue sous le nom de Pcesse L. de Réthy). Son frère Charles (1903-83), Cte de Flandre, fut régent du 20-9-1944 au 20-7-1950 ; abdique le 15-7-1951. *Enfants de Léopold III. 1er mariage :* Pcesse *Joséphine-Charlotte* (11-10-27) ép. 9-4-53 Pce Jean Gd-duc de Luxembourg (Voir Index) ; roi *Baudouin Ier ;* Pce *Albert,* Pce de Liège (6-6-34) ép. 2-7-59 Donna Paola des princes Ruffo di Calabria (Italienne, n. 11-9-37), f. du Pce Ruffo di Calabria, duc de Guardia Lombarda, Cte de Sinopoli, 3 enf. : Philippe (15-4-60), Astrid (5-6-62) ép. (sept. 84) Archiduc Lorenz d'Autriche-Este, Laurent (19-10-63). *2e mariage : Alexandre* (18-7-42), *Marie-Christine* (6-2-51) ép. 1° 25-5-81 Paul Druker ; 2° 1989 Jean-Paul Gourgues. *Maria-Esmeralda* (30-9-56).

Frère et sœur de Léopold III. Pce *Charles* de Belgique, Cte de Flandre (1903-83), régent du 20-9-1944 au 20-7-1950, marié ; Pcesse *Marie-José* de Belgique (4-8-06) épouse 8-1-30 le futur roi Humbert II d'Italie (voir Index).

1951 Baudouin Ier (7-9-1930) fils de L. III. Ép. 15-12-60 Doña Fabiola de Mora y Aragon (Madrid 11-6-28), fille du Mis de Casa Riera, Cte de Mora.

Nota. – Titre du fils aîné du roi (héritier) ou, à son défaut, du petit-fils aîné : duc de Brabant. Titre du fils aîné du duc de Brabant : Cte de Hainaut.

Élections du 13-12-1987

% des voix et comparaison en % avec les élections du 13-10-1985.

	Wallonie		Bruxelles-Hal-Vilvorde		Flandre	
P.S.	43,9	+ 4,5	20,6	+ 5,8	–	–
P.R.L.	22,2	– 2	25,3	+ 0,7	–	–
P.S.C.	23,2	+ 0,6	8,5	– 0,8	–	–
Écolog.	6,5	+ 0,3	5,5	s.q.	–	–
P.C.B.	1,6	– 0,9	1	– 0,2	0,5	s.q.
U.D.R.T.	0,3	– 0,7	–	– 5	0	– 0,1
R.W.	0,6	–	0,1	–	–	–
F.D.F.	0,2	s.q.	10,8	– 0,1	–	–
Agalev	–	–	1,2	+ 0,2	7,3	+ 1,2
S.P.			5,1	+ 0,1	24,2	+ 0,5
Vlaams Blok	–	–	1	s.q.	3	+ 0,8
Volksunie			3,7	+ 0,3	12,9	+ 0,2
C.V.P.	–	–	8	s.q.	31,4	– 3,2
P.V.V.	–	–	5,8	+ 1,2	18,5	+ 1,1
Divers	1,5	–	3,4	–	2,2	–

Premiers ministres belges

1831 *26-2* Albert-Joseph GOBLET d'ALVIELLA (1790-1873). *23-3* Cte E. de SAUVAGE (1789-1867). *26-5* F. DE MUELENAERE (1794-1862). Uni. **32** *20-10* Albert-Joseph GOBLET D'ALVIELLA. Joseph LEBEAU (1794-1865). Charles ROGIER (1800-85). Uni. **34** *4-8* Cte Barthélemy DE THEUX (1794-1874). Uni. **40** *18-4* Joseph LEBEAU. Uni. **41** *13-4* Bon Jean-Baptiste NOTHOMB (1805-81). Uni. **45** *30-6* Sylvain VAN DE WEYER (1802-74). Uni. **46** *31-3* Cte Barthélemy de THEUX – MALOU. Uni. **47** *12-8* Charles ROGIER. Lib. **52** *31-10* Henri DE BROUCKERE (1801-91). Lib. **55** *30-3* Pieter DE DECKER (1812-91). Uni. **57** *9-11* Charles ROGIER – Hubert FRÈRE-ORBAN (1812-96). Lib. **58** *3-1* Hubert FRERE-ORBAN. Lib. **70** *2-6* Bon Jules D'ANETHAN (1803-88). Cath. **71** *7-12* Cte Barthélémy DE THEUX – MALOU. Cath. **78** *18-6* Hubert FRERE-ORBAN – VAN HUMBEECK. Lib. **84** *16-6* Jules MALOU – JACOBS – WOESTE. Cath. *26-10* Auguste BEERNAERT (1829-1912). Cath. **94** *26-3* Jules DE BURLET (1844-97). Cath. **96** *25-2* Cte Paul DE SMET DE NALEYER (1843-1913). Cath. **99** *24-1* Jules VANDENPEEREBOOM (1873-1917). Cath. *5-7* Cte Paul DE SMET DE NALEYER. Cath. **1907** *1-5* Bon Jules de TROOZ (1857-1907). Cath. **08** *9-1* François SCHOLLAERT (1851-1917). Cath. **11** *18-6* Bon Charles DE BROQUEVILLE (1860-1940) (Cte en 1920). Cath. **18** *1-6* Gérard COOREMAN (1852-1926). Cath. **19** *21-11* Léon DELACROIX (1867-1929). Cath. *2-12* Léon DELACROIX. **20** *20-11* Bon Henri CARTON DE WIART (1869-1951). Cath. **21** *16-12* Georges THEUNIS (1873-1966). Cath. **25** *13-5* Vte Aloys VAN DE VYVERE (1871-1961). Cath. *17-6* Vte Prosper POULLET (1868-1937). Cath. **26** *20-5* Henri JASPAR (1870-1939). Cath. **27** *22-11* Henri JASPAR. **31** *5-6* Jules RENKIN (1862-1934). Cath. **32** *22-10* Cte Charles de BROQUEVILLE. Cath. **34** *20-11* Georges THEUNIS. Cath. **35** *25-3* Vte Paul VAN ZEELAND (1893-1973). Cath. **37** *23-11* Paul-Émile JANSON (1872-1944). Cath. **38** *15-5* Paul-Henri SPAAK (1899-1972). Soc. **39** *21-2* Bon Hubert PIERLOT (1883-1963). Cath. *18-4* Bon Hubert PIERLOT. *3-9* Bon Hubert PIERLOT. **44** *27-9* Bon Hubert PIERLOT. **45** *12-2* Achille VAN ACKER (1889-1976). Soc. *2-8* Achille VON ACKER. **46** *13-3* Paul-Henri SPAAK. Soc. *31-3* Achille VAN ACKER. Soc. *3-8* Camille HUYSMANS (1871-1968). Soc. **47** *20-3* Paul-Henri SPAAK. Soc. **49** *11-8* Gaston EYSKENS (1905-88). CVP. **50** *8-6* Jean DUVIEUSART (1900-77). CVP. *16-8* Joseph PHOLIEN (1884-1968). CVP. **52** *15-1* Jean VAN HOUTTE (1907). CVP. **54** *22-4* Achille VAN ACKER. Soc. **58** *23-7* Gaston EYSKENS. CVP. *6-11* Gaston EYSKENS. **61** *25-4* Théo LEFEVRE (1914-73). CVP. **65** *27-7* Pierre HARMEL (1911). CVP. **66** *19-3* Paul VANDEN BOEYNANTS (22-5-1919). CVP. **68** *17-6* Gaston EYSKENS. CVP. **72** *20-1* Gaston EYSKENS. CVP. **73** *26-1* Edmond LEBURTON (18-4-1915). P.S.B. **74** *25-4* Léo TINDEMANS (16-4-1922). CVP. **77** *3-6* Léo TINDEMANS. CVP. **78** *20-10* Paul VANDEN BOEYNANTS. PSC. **79** *3-4* Wilfried MARTENS (19-4-1936). CVP. **80** *(23-1, 18-5* et *22-10)* Wilfried MARTENS. CVP. **81** *6-4* Mark EYSKENS (29-4-1933). CVP. *17-12* Wilfried MARTENS. CVP. **85** *28-11* Wilfried MARTENS. CVP. **87** *21-10* W. MARTENS. CVP. **88** *9-5* W. MARTENS. CVP.

☞ *Depuis 1919,* les gouv. belges sont presque toujours des coalitions entre partis traditionnels. La réforme constit. (de 1967-71) a introduit les secr. d'État, adjoints aux min., et confirmé la parité linguistique au sein du gouv. : même nombre de min. francoph. et néerlandoph., PM non compté.

Économie

P.N.B. (89). 155 270 millions $, 15 624 $ par h. **P.I.B.** par habitant (FB/an) (88). 515 000, Wallonie 414 500, Flandre 523 700, Bruxelles 797 700. **Pop. active** (% et, entre parenthèses, part du PNB en %). Agr. 2,7 (2,2), ind. 28,5 (30), services 68,8 (67,8). En milliers (89) : 3 677 dont primaire 101, secondaire 1 046, tertiaire 2 530, chômeurs 384, frontaliers 48. *Secteur public* (89) : 968 435 personnes occupées. **Croissance** *1986 :* 2,1 %, *87 :* 2,6 %, *88 :* 4,5 %, *89 :* 4 %. **Chômage** (%). *1980 :* 9,1, *81 :* 11,1, *82 :* 13, *83 :* 14,2, *84 :* 14,4, *85 :* 13,6, *86 :* 12,6, *87 :* 12,2, *88 :* 11,1, *89 :* 10,2, *90 :* 9,7.

Inflation (%). *1981 :* 7,6, *82 :* 8,7, *83 :* 7,7, *84 :* 6,3, *85 :* 4,9, *86 :* 1,3, *87 :* 1,6, *88 :* 1,2, *89 :* 3,1, *90 :* 3,5.

Budget (milliards de FB 90). Dette publique 7 224,6 (109 % du P.N.B.) dont en monnaies étrangères 1 111,7. *Avoirs extérieurs* 447,4 dont encaisse or 51,5. *Stock de monnaie fiduciaire* 428,9. *Déficit* (1989) 393,5 ; par rapport au PNB : *81 :* 13 %, *87 :* 11,5 %, *88 :* 7,5 %, *89 :* 6 %. **Dette extér.** (juin 90) : 7 166,1 (109 % du P.N.B.).

☞ En 1986-87, le fisc a récupéré 145 milliards de F. B dont 44,7 auprès des stés., 41,5 auprès des prof. libérales et 32 auprès des contrib. qui n'avaient pas renvoyé leur déclaration. **Balance des paiements** (milliards de FB). *1984 :* – 14, *85 :* – 44,6, *86 :* + 9,8, *87 :* + 97,3, *88 :* + 162,2, *89 :* + 92,4. Comptes courants *1986 :* + 138,7, *87 :* + 102,6, *88 :* + 134, *89 :* + 141,4.

Agriculture. Terres (milliers d'ha, 89) arables 1 362, pâturages 638, forêts 600,5. *Caractéristiques.* Très productive et intensive. Petites exploitations de 15,23 ha en moy. *Ardenne :* forêts ; *Hainaut, Brabant, Hesbaye :* céréales, betterave, fourrage ; *Flandre :* élevage, pomme de terre, lin, houblon, tabac, maraîchage, fleurs. **Balance agricole** déficitaire (– 2,8 milliards de $ en 88). **Production** (millions de t, 89) betteraves sucr. 6,1, fourragères 1,1, p. de t. 1,4, froment 1,4, orge 0,6, avoine 0,4, seigle 0,01. **Élevage** (milliers de têtes, 89). Porcs 6 474, bovins 3 127, moutons 187, chevaux 18, poulets 25 170, dindes 181, canards 60. **Pêche.** (89) 29 369 t dont mollusques et crustacés 2 346.

Flotte marchande. En janv. 89, transfert autorisé sous le pavillon lux. (68 navires marchands jaugeant 2 millions de t brutes). *Économie :* 1,2 milliard de F.B. (sans les 1 800 marins). Les armateurs devront recruter 250 marins supplémentaires au cours des proch. années.

(Sources : Parlement)	1916	1968	1971	1974	1977	1978	1981	1985	1987
Chambre des Représentants									
Parti social chrétien PSC-CVP	96	69	67	72	80	82	61	69	61
Parti socialiste PS-SP	84	59	61	59	62	58	61	67	70(*)
Parti réformateur libéral PRL-PVV ..	20	47	34	30	33	37	52	46	48
Communistes PCB	–	5	5	4	2	4	2	–	–
Volksunie VU		20	21	22	20	14	20	16	16
Front démocratique des Bruxellois francophones FDF	–	12	24	25	15	15	8	3	3
Écolo.-Agalev	–	–	–	–	–	–	4	8	9
UDRT	–	–	–	–	–	1	2	1	–
Vlaams Blok	–	–	–	–	–	1	1	1	2
Autres	2	–	–	–	–	–	1	1	3
Total Chambre	*202*	*212*	*212*	*212*	*212*	*212*	*212*	*212*	*212*
Sénat									
Parti social chrétien PSC-CVP	81	64	61	66	70	73	56	60	55
Parti socialiste PS-SP	73	53	49	50	52	53	52	61	65
Parti réformateur libéral PRL-PVV ..	17	37	29	27	26	27	43	42	39
Communistes PCB	–	2	1	1	1	2	1	–	–
Volksunie VU		14	19	16	17	11	17	12	13
Front démocratique des Bruxellois francophones FDF	–	8	19	21	15	15	6	2	2
Écolo.-Agalev	–	–	–	–	–	–	5	6	8
UDRT	–	–	–	–	–	–	1	0	0
Vlaams Blok	–	–	–	–	–	–	–	–	1
Autres	1	–	–	–	–	–	–	–	–
Total Sénat	*172*	*178*	*178*	*181*	*181*	*181*	*181*	*183*	*183*

(*) *Nota.* – Pour la 1re fois dep. 1936, les socialistes (flamands + francophones) sont, avec 31 % des voix, le parti majoritaire à la Chambre

Énergie. Charbon *prod. 1960 :* 24 millions de t, *81 :* 5, *82 :* 6,5, *83 :* 6,1, *84 :* 6,3, *85 :* 6,2, *86 :* 5,6, *87 :* 4,4, *88 :* 2,5, *89 :* 1,9, *90 :* 1. *93 :* fermeture prévue. **Gaz** 660,2 millions de m^3 en 89. **Électricité** (70,8 milliards de kWh en 90 dont 42,7 d'origine nucléaire, 48 en 81). La Belgique a décidé en déc. 88 de geler son prog. nucl. pour une durée indét. **Consommation** apparente brute d'énergie primaire (en 1 000 tep.) (1987). Pétrole 18 917, combustibles solides 8 969, nucléaire 10 403, gaz naturel 8 124, électricité hydraulique et importations nettes d'électricité – 159.

Industrie. Textile, sidérurgie, métallurgie. *Prod.* (milliers de t, 89) fonte 8 863, acier brut 10 953, acier laminé 8 600, zinc brut 306, plomb brut 109, cuivre brut 563.

Commerce [milliards de FB (88) Belg. et Lux.]. *Exportations* 3 942 *dont* mat. de transp. 639, métaux 540, mach. 440, prod. chim. 401, mat. plast. 288, text. 286, perles et p. précieuses 286, prod. minéraux 162, prod. alim. 153, animaux 126, papier 106 *vers* All. féd. 836, *France 797,* P.-B. 537, G.-B. 341, It. 258. *Importations* 4 002 *dont* mach. 665, mat. de transp. 518, prod. minéraux 395, métaux 377, prod. chim. 359, perles et p. précieuses 291, text. 257, mat. plast. 221, prod. alim. 151, papier 139, animaux 105, prod. végétaux 104 *de* All. féd. 957, P.-B. 704, *France 635,* G.-B. 331, It. 180.

BELIZE

Carte p. 962. V. légende p. 837.

Nom. *Honduras britannique* jusqu'au 1-6-1973.

Situation. Amérique centrale. 22 965 km^2. *Frontières :* 384 km ; avec Mexique 161, Guatemala 223. *Côtes :* 285 km. *Long. max.* 186 km. *Larg. max.* 118 km. *Alt. max.* Victoria Peak 1 122 m. *Relief :* fraction du plateau du Yucatán, bordé par 2 chaînes (alt. 1 100 m) : Maya (côtière) et Cockscomb.

Climat subtropical. *Temp.* 10 à 35 °C. *Saisons : sèche* févr.-mai ; *humide* juin-août. *Pluies :* moy. Nord 1,25 m, Sud 3,85 m. De 1955 à 77, 6 typhons (dont en 61 à Hattie).

Population. 184 000 h. (90), *2000 :* 201 000 h. – *de 15 a.* 44,6 %. D. 8. En % : Noirs et Métis 60, Mayas et Métis (Esp.-Mayas) 26, Mulâtres (Afro-Caraïbes) 7, Blancs 4, Hindous 2, env. 6 000 Salvadoriens. **Villes** (est. 88) : *Belmopan* 3 694 h., Belize 49 671 (éprouvée par cyclones 1931 et 1961), Orange Walk 10 468, Corozal Town 8 518. **Langues.** Anglais (off.). *Langues parlées* (%) créole 75, anglais 50, espagnol 32, maya ketchi 10. **Religions.** Catholiques (60 %), anglicans, méthodistes, presbytériens.

Histoire. Xe s. occupé par les Mayas. **V. 1638** établissement de bûcherons anglais. Jusqu'en **1798** nombreuses attaques espagnoles. **1765** Constitution. **1786** 1er superintendant brit. **1853** ass. législative présidée par le superint. brit. **1862** colonie brit. avec Lt-gouverneur dépendant du gouverneur de la Jamaïque. **1884** le Lt-gouverneur devient gouv. **1964**-*7-1* autonomie interne. Le Guatemala qui revendique le Belize rompt les relations dipl. avec la G.-B. **1971** m. de la CARIFTA. **1974**-*8-12* m. du CARICOM. **1975** l'O.N.U. reconnaît le droit de B. à l'autodétermination et à l'indép. **1978** litige frontalier avec Guat. (zone riche en pétrole). **1979**-*21-11* élections le Parti uni du peuple a 12 s. **1981**-*11-3* accord Guat.-G.-B. prévoyant d'accorder l'indép. au B. dans l'année, moyennant droit de passage vers l'Atlantique pour le Guat. (eaux territoriales, possibilités d'exploiter fonds marins, facilités dans les ports). -*21-9* indépendance (non reconnue par Guat.).

Statut. État membre du Commonwealth. *Chef de l'État* Reine Élisabeth II. *Gouv. gén.* Elmira Minita Gordon dep. 21-9-81. *PM.* George C. Price, (n. 15-1-1919). *Ch. des dép.* (28 m. élus au suffr. univ.). *Élections* (4-9-89), *P. uni du peuple* (George C. Price) 15 s., *P. démocratique uni* (conservateur Manuel Esquirel, n. 2-5-1940). 13 s. *Sénat* (8 m. nommés). **Fête nat.** 21 septembre. **Drapeau.** Adopté en 1968 : bleu à bords vert, rouge ; motif : 2 hommes avec des outils et devise « I flourish in the shade ».

Armée. 600 h. 1 600 soldats brit. (maintenus jusqu'au règlement du différend avec le Guat.).

P.N.B. (88). 1 270 $ par h. **Pop active** (% et entre par. part du P.N.B. en %). Agr. 50 (30), ind. 15 (20), services 35 (50).

Agriculture. *Terres* (%) forêts 90, arables 5,1 (dont cultivées 4). *Production* (milliers de t, 88) canne à sucre 867 (89), riz 4,8 (86), maïs 20,3 (86), oranges 54, raisin 30,2, bananes 26,4, citrons, gomme de sapotillier (pour chewing-gum), marijuana. **Forêts.** Bois tropicaux. 155 000 m³ (87). **Pêche.** 69 954 t (86), surtout langoustes. **Tourisme.** 142 009 vis. (88).

Commerce (millions de $ de BZ, 88). *Exportations* 181,6 (dont sucre 70, vêtements 37,2, citrons 34,6, bananes 17,2, poissons 16). *Importations* 258,9. *Principaux partenaires :* U.S.A., G.-B., Jamaïque, Mexique, Canada.

☞ 13 % du territoire, soit 3 000 km², a été vendu à Coca-Cola (oranges) et à 2 autres investisseurs.

BÉNIN

Carte p. 954. V. légende p. 837.

Nom. Dahomey jusqu'au 26-10-1975.

Situation. Afrique. 112 622 km². *Frontières :* Niger 190 km, Burkina Faso 270, Nigeria 750, Togo 620 ; côtes : 120 km. *Long.* 700 km, *larg.* 125 km au S., 325 au N. *Alt. max.* 800 m (massif de l'Atacora). *Cours d'eau principaux :* Oueme 450 km (dont 200 navigables), Mono 350 (100 nav.), Couffo 125.

Régions. *Côtière* (rectiligne, basse, sablonneuse, bordée de lagunes, prof. 2 à 5 km). *Intermédiaire* (terre de barre, plateau d'argile ferrugineuse avec dépressions marécageuses, – de 400 m). *Moyenne* (plateau silico-argileux entre Savalou et Atacora, forêt clairsemée). *Massif de l'Atacora* (500 à 800 m, château d'eau du Dahomey et du Niger). *Plaines du Niger* (silico-argileuses, caractère soudanien).

Climat. *Sud :* équatorial, forte humidité, temp. de 23 à 32 °C, 4 saisons : pluies (gde saison mars-juin, petite sept.-nov.), sèches (gde saison juill.-août, petite déc.-févr.) ; *Nord :* écarts de temp. plus marqués en s'éloignant de la côte, humidité diminuant, tropical, 2 saisons : pluies (mai-oct.), sèche (nov.-avril) ; harmattan (déc.-mars).

Provinces	Pop. (1982)	Villes	Superficie km²	% de terres cultivées sur t. cultivables
Ouémé	626 870	*Porto-Novo*	4 700	56
Atlantique	686 260	Cotonou	3 222	54
Mono	477 380	Lokossa	3 800	43
Zou	570 430	Abomey	18 700	15
Borgou	490 670	Parakou	51 000	7
Atacora	479 600	Natitingou	31 200	9

Population. *1920 :* 1 200 000 ; *1940 :* 1 440 000 ; *1950 :* 1 670 000 ; *1960 :* 2 050 000. *1988 :* 4 400 000 h. ; *2000 :* 6 381 000 h. dont Fons, Adjas, Nagots, Peuls, Aïzos, Sombas, Baribas, Yorubas, Pila-Pila, Mahis. 32 000 étrangers dont Européens 6 000 (Français 2 800). *Accroissement* 2,9 %. *Age : – de 15 a.* 49 %. *+ de 65 a.* 5 %. *Mortalité infantile* 115 ‰. *Espérance de vie* 45. D. 39. **Villes** (82) : *Porto-Novo* 208 258, Cotonou 487 020 (à 30 km), Parakou 65 945 (450 km), Abomey 54 418 (135 km), Natitingou 15 500 (530 km), Lokossa 15 000.

Langues. Français *(off.)*, fon (47 %), dendi, yoruba (9 %), mina, goun, bariba (10 %), fulani (6 %), somba (5 %), yoabou, azo (5 %), adja (12 %), pila-pila. **Religions** (en %). Animistes 65, musulmans 10 à 15, catholiques 14, protestants 6.

Histoire. 1851 Ghezo, roi du Dan-Homé (1818-58) signe un tr. comm. avec France. Après 2 expéditions (1890 et 1892-94 avec le Gal Dodds), Fr. occupe Dahomey, fait prisonnier le roi Behanzin (1844-1900) et regroupe ses possessions dans les établissements du Bénin (1893), qui devient la colonie du D. (10-3-1893). **1899** entre dans l'A.O.F. **1958**-*4-12* rép. au sein de la Communauté. **1959**-*17-1/1-2* s'associe au Mali. **1960**-*1-8* indépendance. **1963**-*28-10* Pt Hubert Maga renversé. **1964**-*19-1* Sourou Migan Apithy Pt (vice-Pt en 1960), et J. Ahomadegbé Pt Cons. **1965**-*29-11* Apithy démissionne. Tahirou Congacou Pt, renversé en déc. par l'armée. **1967**-*17-12* des officiers éliminent Gal Soglo (n. 28-6-09), remplacé par Lt-Col. Allev (n. 9-4-30), chef de l'État, PM Maurice Kouandete. **1968**-*avril* nouvelle Const. ; élection présidentielle annulée par l'armée qui nomme Pt le Dr Émile Derlin Zinsou (n. 23-3-18). **1969**-*10-12* Lt-Col. Kouandete écarte Zinsou ; triumvirat milit. **1970** -*mars* él. président. (annulée). -*7-5* gouv. d'union nationale remet le pouvoir à un Conseil président. de 3 m [Maga (n. 1916), Ahomadegbé (n. v. 1917), Apithy (1913-78)] (Pt assisté alternativement par chacun des 2 autres pour 2 ans). **1972**-*23-2* tentative de putsch. -*26-10* coup d'État réussi. Gén. Mathieu Kérékou (2-9-33), chef d'État. **1974,** *nov.* nationalisations. **1975,** *juin* cap. Aikpe, min. de l'Intérieur, accusé d'adultère avec la femme du chef de l'État, est abattu. -*18-10* complot ourdi par le Dr Zinsou (exilé à Paris) échoue. -*30-11* Rép. populaire. **1976**-*1/2-2* 11 « zinzouistes » condamnés à mort. **1977**-*16-1* tentative de complot (commando de Bob Denard) 6 †. **1979,** *nov.* élect. législatives : 97,9 % pour liste unique. **1980**-*5-2* Kérékou élu Pt. **1983,** *janv.* visite du Pt Mitterrand. -*4-2* prorogation de 18 mois du mandat du Pt et de l'Ass. Sécheresse. **1984**-*31-7* Kérékou réélu Pt. -*1-8* amnistie politique. **1987** économie en faillite, le B. s'emploie à libéraliser l'économie. **1988,** *août* selon Amnesty Int. : + de 200 prisonniers pol. détenus sans inculpation ni jugement (la moitié pour délit d'opinion). **1989**-*2-8* Kérékou élu Pt. *Déc.* le B. renonce à l'idéologie marxiste-lén. adoptée 30-11-74 [le terme « camarade » ne sera plus obligatoire]. -*3-12* mort de Sourou Migan Apithy, anc. Pt. **1990**-*27-2* constitution de 1977 suspendue, Parlement dissous. -*12-3* PM : Nicéphore Soglo, gouv. de transition. -*31-3* Pt Kérékou accepte de gouverner avec l'opposition et d'organiser des élections libres. **1991**-*17-2* législatives. -*24-3* Soglo élu Pt (67,6 % des voix, Kérékou 34,2) ; 95 % dans le Nord où des violences interethniques font 2 †.

Nota. – *Roy. fon d'Abomey* correspondant au Dan-Homé historique, couvrait env. 1/5 du territoire actuel. *Roy. du Bénin* (croissant de 800 km sur 300 entre bas Niger, basse Volta et côte Atlantique ; apogée XVIIe et XVIIIe s.) : 4 ethnies principales : Edos (Nigeria actuel), Yorubas (Nigeria et B. actuels), Fons (B. et Togo actuels), Ewés (Togo et Ghana actuels).

Statut. République (populaire du 30-11-1975 au 27-2-90). *Const.* du 2-12-1990 (adoptée à 93,2 %). *Pt* (élu p. 5 ans) : Nicéphore Soglo (n. 1934) dep. le 24-3-91. *Assemblée nationale* élue p. 4 ans, 64 m. Multipartisme (34 partis déclarés). **Fête nat.** 1er août. **Drapeau.** Adopté 1960, rétabli le 1-8-90 : vert, jaune et rouge.

Économie

P.N.B. ($ par h.). *82 :* 330 ; *84 :* 256 ; *86 :* 331 ; *87 :* 370 ; *88 :* 405 ; *89 :* 435. **Pop. active** (88, %) **et,** entre par. **% du P.N.B.** Agr. 76 (41), ind. 10 (12), mines 3 (4), services 11 (43).

Agriculture. Terres (milliers d'ha, 79) 11 262 dont arables 1 350, cultivées en permanence 440, pâturages 442, forêts 4 020, eaux 200, divers 4 810. **Production** (milliers de t, 89), manioc 1 004, maïs 454, huile de palme 40, coton 130 (90), arachides, ignames 1 072, sorgho, millet, cacao. Autosuffisance alim. **Forêts.** 4 691 000 m³ (est. 87). **Pêche.** 41 900 t (87). **Élevage** (milliers de têtes, est. 88). Moutons et chèvres 1 860, bovins 914, porcs 648, poulets 10 122.

Mines. *Pétrole* (millions de t) : *réserves* 37, *prod.* (86) 0,4, (87) 0,3, (88) 0,45. *Or. Phosphates. Marbre* (non exploité). *Kaolin.* **Industrie.** Sucreries, cimenteries, textile, brasseries, huileries.

Transports (km). Chemins de fer 579, routes 8 400 (dont 917 bitumés). **Tourisme.** 61 586 vis. (89). Village lacustre de Ganvie.

Déficit budgétaire (milliards de F.C.F.A., 90). 10. **Dette extér.** (milliards de F.C.F.A., 89). 279 (53 % du P.N.B.). (90) 248. **Aide française** *except. (millions de F.) :* (88) 70, (89) 112, (90) 177. **Commerce** (milliards de F.C.F.A., 89). *Exportations* 45,6 dont 10 % vers la France. *Importations* 102 dont 33 % de France. **Rang dans le monde** (81). 5e palmiste.

BERMUDES (ILES)

V. carte p. de garde. V. légende p. 837.

Situation. Amérique du N. 53 km² (360 îles dont 20 habitées, s'étendant sur 35 km à 956,6 km de la Caroline du Sud, 1 241 de New York, 1 664 de Miami). *Alt. max.* Town Hill 79 m. **Climat** doux et humide (mais aucune rivière ni réserve d'eau douce). *Temp.* moy. 21 °C, max. 31,1 °C, min. 8,3 °C.

Population. 58 616 h. (88) + 2 173 militaires américains (77), dont Noirs 61 % ; *2000 :* 103 000 h. D. 1 105. *Capitale : Hamilton* 2 000 h. **Langue.** Anglais *(off.)*. **Religions** (%) Anglicans 37, cath. 14, autres chrétiens 34.

Histoire. V. 1503 découvertes par l'Esp. Juan Bermudez. **1609** George Somers s'y échoua. **1612** colonisées par les Brit. **1968**-*8-6* autonomie. **1973**-*10-3* le gouverneur Sir Richard Sharples assassiné ; émeutes raciales en 1968, 72, 73, déc. 77.

Statut. Colonie britannique. *Constitution* du 8-6-1968. *Chef de l'État* reine Élisabeth II. *Gouverneur* Sir Desmond Langley dep. 20-9-88, nommé par la reine. *PM* John W. Swan. *Conseil des min.* (13 m.). *Chambre* (40 m. élus pour 5 ans ; *él. 9-2-89 :* P. uni des Bermudes 23 s.). *Sénat* (11 m. nommés dont 5 par le gouv., 3 par le Gouverneur et 3 présentés par l'opposition). *Base aéronavale américaine* 6 km², louée 99 ans dep. 1941. **Drapeau.** (1915) rouge avec drapeau anglais et lion tenant l'épave du *Sea Venture*, bateau des 1ers arrivants en 1609.

Économie. P.N.B. (89) 21 300 $ par h. Langoustes (se raréfient). *Tourisme :* 44 % du P.N.B. 547 263 vis. (90 ; saison : mars à déc.). *Sièges de Stés étrangères* (avantages fiscaux). *Transports.*

Commerce (millions de $ B., 87). *Export.* 23 (essences concentrées, fleurs, produits de beauté et pharm.) *vers* Jamaïque, U.S.A., Esp., G.-B. *Imp.* 419 (viande, pétrole, vêtements, machines) *de* U.S.A., Jap., G.-B., Antilles néerl., Canada, France.

BHOUTAN

V. légende p. 837.

Nom officiel. Druk Yul (« pays des Dragons »).

Situation. Asie. 46 500 km². *Frontières :* 1 000 km, avec Inde 585, Tibet 370, Sikkim 45.

Régions. *Méridionale* (larg. 50 km), forêts, orchidées, bois précieux. Pluviosité + de 4 m. Éléphants, tigres, buffles, rhinocéros, cerfs, langur doré (singe qui ne se trouve qu'ici). *Centrale* (tempérée, alt. 1 650 m), forêts, érables, bouleaux, châtaigniers ; hautes alt. : forêts de conifères, mélèzes, pins, sapins, rhododendrons, épicéas, genévriers. *Nord ou alpine :* Grand Himalaya (4 000 et 6 000 m) ; touche les neiges éternelles ; plantes rares : ex. : pavots bleus, saxifrages, gentianes, primevères. Daims musqués, moutons bleus, takins.

Population. 1 373 000 h. (88). *2000 :* 1 893 000 h. *Accroissement* (en %) : 2. *Age : – de 15 a. :* 40, + *de 65 a. :* 3. *Mortalité infantile* 14,2 ‰. *Espérance de vie :* 48. D. 29,5. **3 ethnies principales :** *Scharchops* (à l'E.), descendants des 1ers habitants mongoloïdes ; *Ngalops* (O.), descendants d'immigrants du Tibet, occupant les 5 vallées ; *Népalais* (S), implantés début XXe s. **Villes :** *Thimphu* 15 000 h. (alt. 2 400). Jusqu'en 1955, alternance entre Punakha (cap. d'hiver) et Thimphu (cap. d'été). **Analphabètes** 90 %. **Langues.** *Dzongkha* (tibétain) *(off.)*, bumthangkha (Bhoutan central), sharchopkha (E.), népali (S.). Nombreux dialectes. Angl. off. dans l'enseignement.

Religions. D'État (bouddhisme du Mahayana) ; école religieuse off. (éc. Drukpa de la grande éc. religieuse des Kagyupa). *Monastères et temples :* + de 1 000, ex. : Kyichu et Taksang (vallée de Paro), Jampey et Kujey (v. de Bumthang), Phajoding, Tango et Cheri (v. de Thimphu).

Histoire. VIIIe s. apr. J.-C. Padmasambhava introduit le bouddhisme. **IXe s.** occupation tibétaine. **XIIIe s.** Phajo Drugom Shigpo fait de l'école Drukpa Kagyro du bouddhisme Hahayam l'école dominante. **XVIIe s.** Zhabdrung Nyawang Namgyel († 1651) unifie pour la 1re fois le pays : le Desi ou Deb Raja (affaires temporelles), le Jey Khenpo (aff. religieuses). **1865** invasion brit. : le B. cède un terr. contesté (plaine des Duars, 12 000 km²) contre pension annuelle. **1907**-*17-12* monarchie : Ugyen Wangchuck, Penlop (gouverneur) de Tongsa, nommé par les représentants laïcs et du clergé, monarque héréditaire. **1910** tr. avec G.-B. Le B. accepte d'être guidé par elle dans ses relations extérieures. **1926** le fils d'Ugyen Wangchuck, Jigme († 1972), lui succède. **1949** tr. ratifié avec Inde, devenue indépendante. **1974** s'ouvre au tourisme. **1987** l'Assemblée ferme officiellement le pays au tourisme (les temples sont un lieu de méditation et non de visite).

Statut. Monarchie. *Roi* (Druk Gyalpo : roi-dragon) Maharadjah Jigme Singye Wangchuck (n. 11-11-1955) dep. 24-7-1972, fils du roi Jigme Dorje Wangchuck (1927-72), confirmé par le Conseil des chefs le 2-6-74. En nov. 1988, a célébré offic. ses noces avec 4 j. femmes épousées en secret en 1979. *Ass.*

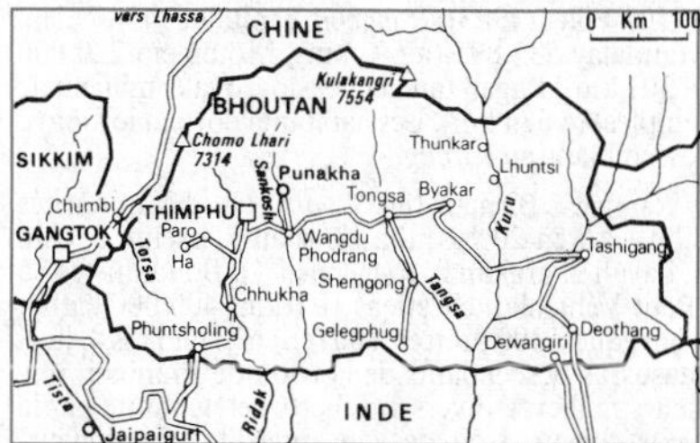

nat. (Thsogdu, créée 1953) : 151 m. dont 106 représentent le peuple, 35 le gouv., 10 le clergé. *Conseil royal* (créé 1965) : 11 m. dont 6 représentent le peuple, 2 le clergé, 2 le gouv., 1 le roi. *Conseil des ministres :* créé 1968. *Pas de partis pol.* L'Inde s'occupe des relations extérieures et finance 55 % du budget du Plan. 40 % des enseignants, 30 % des fonctionnaires sont indiens. Influence du chef religieux, le Jey Kempo. *Dzong. :* forteresse regroupant gouverneur, villageois, admin. laïque, justice, monastère. **Fête nat.** : 17-12 [installation du 1er roi (1907)]. **Drapeau** : adopté 1971 (entrée à l'O.N.U) ; jaune safran (pouvoir royal) et rouge-orange (pouvoir spirituel bouddhiste) dragon, symbole national.

Économie

P.N.B. (88) 190 $ par h. **Pop. active** (%, entre par. part du P.N.B. en %) agr. 70 (51), ind. 5 (17), serv. 25 (32). **Aide** (1987-92) : 500 millions de $ (dont Inde 300) ; 424 m. de $ de 1981 à 87, soit 80 % de l'aide intern. **Monnaie.** XVIe s., pièces de cuivre (Zangtam). V. 1960, p. d'argent (Tiktung), puis cuivre et nickel. Récemment, monnaie de papier (Ngultrum). La m. indienne a aussi cours légal. 1 NU = 1 roupie ; 1 Chultrum (CH) : 1 paisa.

Agriculture. Forêts 63 %, terres cultivées 5 % (vallées fertiles 250 km^2). *Production* (milliers de t, 88) riz 83 en 1989 (25 % des terres cult.), blé 16, p. de terre 50, maïs 81, orge 4, millet, sarrasin, cardamome, oranges, pommes, jute 4, tabac. **Élevage** (milliers de têtes, 88). Bovins 409, porcs 63, moutons 27, chèvres 32, buffles 7, chevaux 16, ânes 18, mulets 9, volailles 211 (86). **Forêts.** Papier, résine, placage, huile de citronnelle, meubles.

Mines. Charbon, cuivre, dolomite, gypse, graphite, plomb, zinc. **Électricité.** Barrage sur la Chukha (1 950 MW, 1986). Vente d'électr. pour 18 à 20 millions de $/an à l'Inde. 10 % des habitations électrifiées. **Artisanat.** Bois, or, argent, allumettes, conserveries, tissage, distillerie. **Timbres.** Dep. 1962, ventes pour obtenir des devises. **Transports.** *1971* 1re route asphaltée. *1988 :* 2 200 km de routes. **Tourisme.** 2 197 vis. (88), 1 000 (89). *Recettes* 2 millions de $ (1987). **Sports.** Tir à l'arc ; keshey (lutte), poungdo (lancer), dokor (lancer d'une pierre plate), soksom (javelot) etc. **Commerce ext.** 90 % avec Inde.

BIRMANIE (Union de Myanma)

V. légende p. 837.

Nom. D'après la légende, des esprits favorables (Bya Ma) auraient créé un pays merveilleux (Myan Ma). Les Anglais ont déformé ce nom, en en faisant Burma (traduit en français Birmanie).

Situation. Asie. 676 552 km^2. *Frontières* 6 480 km, avec Chine 2 347, Thaïlande 2 115, Inde 1 539, Bangladesh 244, Laos 235. *Côtes :* 1 385 km. *Long. max.* 2 051 km, *larg.* 582. *Alt. max.* Mt Hkakabo Razi, 6 330 m. **Régions :** O. montagnes (Mts Patkai, 4 à 5 000 m), S.-O. chaîne de l'Arakan, N. montagnes, Centre-E. plateau Shan (1 000 à 1 200 m), S. Tenasserim, côte abrupte, bassin de l'*Irrawaddy* (1/3 de la superficie du pays). **Fleuves :** Irrawaddy 1 992 km (1 653 navigables), Salween 1 280 (112 nav.), Chindwin 1 021. **Climat :** avril-début mai très chaud (jusqu'à 40 °C), 15 mai-15 oct. mousson. En hiver, 24 °C à Rangoon, 21 °C à Mandalay. *Saison touristique :* déc. à févr.

Population. 40 796 000 h (89) ; *2000 :* 55 186 000 h. dont (%) Birmans 72, Karens 7, Shans 6, Kachins 2, Chinois 2, Indiens 3. La maj. de la pop., d'ethnie birmane, est regroupée dans la plaine de l'Irrawaddy ; régions frontalières peuplées par minorités. *Pop. active :* 39,2 % ; *rurale :* 85 % ; *- de 15 a.* 39 %, *+ de 65 a.* 4 %. *Mortalité* 13‰ (39,3 en 1962) ; *infantile* 103 ‰. *Espérance de vie* 61. D. 60,2. *Immigration en B. :* 110 750 (Indiens 60 000, Chinois 45 000, divers 5 750). **Villes (1983) :** *Rangoon* (capitale) 2 458 712 h., Mandalay 532 895 (à 695 km), Moulmein 220 000 (à 301 km), Pagan (ancienne cap. royale, milliers de temples) (à 684 km). Les habitants portent le *longyi,* ressemblant au *sarong.*

Langues. Birman (80 %, *off.*) ; l. des minorités ethn. : karen 20 %, môn 12, shan 7, kachin 5, chin 3, kayah 2, arakan 2. **Religions** (%). Bouddhistes 85 (Petit Véhicule), chrétiens 10 (dont 400 000 cath. ; 14 évêques, 300 prêtres, 800 rel.) musulmans 4, juifs (nasusras descendants de la tribu de Manossi, plusieurs milliers), divers 1. Liberté rel. garantie par la Const., mais droit de vote interdit aux religieux.

Histoire. Peuplement de Mongols, indianisation au début de l'ère chrétienne. **1044 ap. J.-C.** roy. de Pagan fondé. **XIVe s.** roy. de Pégou fondé. **1511** Portugais arrivent. **1531-72** dyn. Toungou. **1613** agents brit. **1752-85** dyn. Alaungpaya. **1824-26** occupation brit. partielle, par les côtes. Mandalay, cap. Économie fermée et export. de riz interdites. **1852** occupation du delta de l'Irrawaddy et du Sittang : essor démogr. et écon. Rangoon cap. **1886** occupation complète ; province annexée à l'Inde. **1920-30** chute du prix du riz, mainmise sur terres par prêteurs-usuriers indiens (25 % du Delta). **1937** colonie de la Couronne, séparée de l'Inde. **1938** émeutes anti-indiennes (entre 1852 et 1937, 2,5 millions d'I. ont émigré en B., dont 1 million de résidents). **1939** Aung San (n. 13-2-1915) fonde le P.C. **1941** recrute 30 compagnons qu'il va initier au sabotage pour préparer l'invasion jap., le Jap. devant accorder l'indép. *Déc.* invasion japonaise. **1942** *août* gouv. fantoche pro-jap. **1942** départ de 50 % des Indiens. **1945**-*25-3* l'armée nat. birmane d'Aung San se soulève contre Jap. *-3-5* les Angl. reprennent Rangoon. **1947**-*27-1* accord avec G.-B. pour indép. *-19-7* Aung San assassiné avec 6 membres du Conseil exécutif (on accuse Usaw, ancien PM, d'être l'instigateur, il sera pendu ; les Karens accusent U Nu et Ne Win, aidés de militaires brit. ; Aung San aurait été prêt à accorder des concessions aux populations du N.). **1948**-*4-1* indépendance. Nouvel exode indien. **1949-55** rébellion com. 30 000 †. **1958-60** Gal Ne Win (n. 4-5-11) PM. **1960** élections U Nu PM. **1962**-*2-3* coup d'État renverse U Nu, *Conseil nat. rév.* (15 m.) présidé par Ne Win. Guérillas procommunistes dans le N. (État Shan, tribu Kachin), révoltes dans le S. des Karens et Mons. *Juin* la marine tire sur dockers (22 †). La B. refuse toute aide et se ferme aux investissements étrangers. **1966** U Nu libéré, réfugié à Bangkok pour diriger le Front uni de libération nat. **1974** *déc.* émeutes (étudiants), loi martiale. Libéralisation de l'économie. **1975** *juin* combats dans le N. contre communistes. **1976** complot mil. du min. de la Défense Tin Un (condamné à 7 ans de prison). **1977** *mars* colonel U Maung Maung Kha, PM. **1978** *févr.* représailles contre Arakans (ethnie des Rohingyas) ; env. 200 000 s'enfuient au Bangladesh. **1980** *juill.* U Nu rentre à Rangoon (73 a.). **1983**-*9-10* Rangoon attentat d'un commando nord-coréen contre délégation sud-cor. (21 †). Gal Tinoo condamné pour concussion à réclusion perpétuelle. **1985**-*24-7* attentat contre train (61 †) ; *-3-11* démonétisation des billets de 20, 50 et 100 kyats. **1987** *févr.* l'armée reprend Kiuhknok au P.C.B. *-5-7* guérilla, les minorités insurgées s'allient au maquis communiste. *-5/6-9* émeute d'étudiants après démonétisation des billets de banque (la 4e dep. mars 1962 ; 1 en 1964, 2 en nov. 1985). **1988**-*16-2* attentat, 12 †. *Mars* émeutes, 28 †. *21-6* affrontements étudiants-policiers, 6 †. *Juillet* Ne Win, Pt du parti unique birman, démissionne ; la B. s'engagerait dans une économie de type libéral. *27-7* Gal Sein Lwin (64 ans) chef du parti et chef de l'État. Tun Tin élu PM par l'Assemblée. *-2-8* manif. (étudiants). *-3-8* état d'urgence et loi martiale à Rangoon. *-8-8* la police tire sur manif. *-10-8* 3 policiers décapités par manif. *- 12-8* Sein Lwin démissionne. *Bilan : des émeutes :* + de 3 000 †. Dr Maung Maung Kha chef de l'État. *-29-8* ligue pour la démocratie et la paix : 1re org. d'opp. dep. 1962. [Pt Mahn Win Nu (véritable chef : U Nu, dernier PM démocratiquement élu)]. *-8-9* grève générale : 700 000 manif. à Rangoon, + de 500 000 à Mandalay. *-9-9* U Nu se proclame PM et nomme Win Maung, 1er Pt de la Rép., chef de l'État provisoire. *-19-9* coup d'État mil. du Gal Saw Maung et de 19 officiers (au service du Gal Ne Win). *Bilan officiel des émeutes :* 342 †, 1 107 arrest. *-21-9* Saw Maung, PM. *Oct.* offensive com. dans villes du N.-E., avec aide chinoise (interrompue dep. 1978). *Oct.* la B. abandonne la dénomination de Rép. soc. *-30-11 :* code des inv. étrangers promulgué. **1989** *oct.* accord de recherche pétr. avec firme sud-coréenne. *-30-12* combats contre Karens : 242 mil. et 204 rebelles †. **1989**-*2-1* + de 100 000 manif. pour funérailles de Khin Kyi (veuve d'Aung San). *-19-7* écoles rouvertes après 1 an (collèges et univ. restent fermés). **1990** *avr.* selon Amnesty International : milliers de disparus détenus et citadins déportés à la campagne. *-27-5* législatives (1res dep. 1962) : Ligue nationale pour la démocratie 397 sièges sur 485 (80 % des voix).

Statut. *Union de Myanma* [dep. 25-5-1989 ; nom par lequel se désignaient les Birmans ; englobe toutes les races du pays (60 minorités), alors que Birmanie se référait à la race birmane]. *Constit.* du 4-1-1974. 1 *Chambre* (Pythu Hluttaw) 485 m. dont sont issus les ministres (17) et le *Conseil d'État* (28 m.) qui détient le pouvoir, élus p. 4 a. *PM* Gal Saw Maung (n. 1925) dep. 21-9-88. *Parti de l'Unité nat.* jusqu'en sept. 1988 [avant Lanzin Party, *f.* 1962 (ex.-p. unique) ; 281 617 m. en 78 ; leaders Gal Ne Win (n. 24-5-11), Gal San Yu (n. 1918)]. *Ligue nat. pour la démocratie* [(LND), *f.* 1988, leader Mme Aung San Suu Kui (en résidence surveillée dep. élections du 27-5-90), la plupart des autres dirigeants ont été arrêtés ; a reçu le 23-1-91 le prix Sakharov]. **Fête nat.** : 4 janv. (indép.). **Drapeau.** Rouge avec carré bleu, avec, depuis 1974, 14 étoiles (les États) entourant une roue dentée et un plant de riz (union de l'ind. et de l'agr.).

États (1983). *Kachin* (Mvitkyina) 87 808 km^2, 903 982 h. ; *Kawthoolei* (Pa-An) 28 726 km^2, 660 244 h. (1973) ; *Kayak* (Loikaw) 11 670 km^2, 168 355 h. ; *Shan* (Taunggy) 158 222 km^2, 3 718 706 h. **Divisions.** *Arakan* (Sittwe) 36 762 km^2, 1 847 000 h. (1973). *Chin Hills Special* (Falam) 36 009 km^2, 368 985 h. *Irrawaddy* (Bassein) 35 167 km^2, 4 991 057 h. *Mandalay* (Mandalay) 34 253 km^2, 4 580 923 h. *Magwe* (Yenangyaung) 44 799 km^2, 3 241 103 h. *Pegu, Rangoon* (Pegu, Rangoon) 50 305 km^2, 3 973 782 h. *Sagaing* (Sagaing) 99 150 km^2, 3 855 991 h. *Tenasserim* (Moulmein) 55 189 km^2, 917 628 h.

Révoltes ethniques [Karens (en majorité chrétiens), Kachins, Arakanais, Môns et Karennis et autres minorités nationales] ; *communiste,* où dans des zones sous son contrôle, le PCB [(Wa), 12 000/15 000 h.] près de Thaïlande, supervise, avec les Mons, la contrebande.

Organisations mil. politiques. *Communistes du « drapeau rouge »* (prosoviét., a disparu dep. l'arrestation de son chef Thakin Soe en 1970) ; *comm. du « drapeau blanc »* (prochinois – influents dans le N.-E.) *partisans de l'U Nu. Etat Shan :* anciennes unités nationalistes du Kouo-min-tang (trafic de drogue) dans l'armée de l'État Shan (avec Shan Shifu, la plus importante). *État Kachin* (chrétiens) : Armée indép. (Kachin 5 000 à 6 000 h).

Économie

P.N.B. *1960 :* 670 $ par hab. ; *82 :* 190 ; *84 :* 173 ; *87 :* 235 ; *88 :* 280. **Taux de croissance (en %).** *1962 :* 2 à 3 ; *75 :* 6 ; *83 :* 4,8 ; *87 :* - 4,3 ; *88 :* 0,2 ; *89 :* - 4. **Pop. active** (% et entre par. part du P.N.B. en %) agr. 61 (41), ind. 11 (7), serv. 23 (46), mines 3 (6). *Chômage urbain* (10 % de la prod. active). **Inflation.** *1984 :* 4,8, *85 :* 6,8. ; *86 :* 7 ; *87 :* 25 ; *88 :* 19,6. **Dette extérieure** 4,9 milliards de $ (88). Japon (1er pays donateur) (4 milliards de $ dep. l'indépendance) et U.S.A. (5 millions de $) ont suspendu leur aide.

Agriculture. *Terres* (milliers d'ha, 79) 67 655 dont arables 9 579, cultivées en permanence 449, pâturages 361, forêts 32 169, eaux 1 881, divers 23 216. *Production* (milliers de t, 88) riz 14 300 (89), blé 241, maïs 300, sucre de canne 3 072, arachides 565 (89), coton, sésame 190, tabac, jute, caoutchouc, millet, légumes 2 195, fruits 920. Opium [600 t (soit l'équivalent de 60 t d'héroïne), dont États Shans 260 t en

82, dans le Triangle d'Or 155 000 km² ; Nord Thaïlande, (hauts plateaux du Laos), État Kachin 178 t.]. Forêts. 21 033 000 m³ (88). Teck réputé 410 000 t (en 85). Élevage (milliers de têtes, est. 89). Bovins 10 000, buffles 2 220, porcs 3 000, moutons 295, chèvres 1 100, poulets 34 000, canards 6 000. Pêche. 701 680 t (88).

Pétrole 1 million de t (89), réserves : 8 millions de t. Gaz nat. 0,7 milliard de m³ (90). Mines. Étain, charbon, plomb, zinc, argent, cuivre, antimoine, tungstène, rubis, saphir.

Transports (1987). Chemins de fer 4 438 km (85), routes 23 252 km, navigation fluviale. Tourisme. 42 175 vis. (87). *Rangoon :* pagode Shwedagon, reliques du Bouddha. Au sommet du stupa (100 m de haut) seinbou (globe en or de 25 cm de diam. incrusté de 4 433 diamants, rubis, saphirs, topazes, émeraudes). Marché de *Taunggy*. Lac *Inlé*. *Mandalay :* pagodes, Maha Muni (statue du Bouddha assis), murailles de l'ancien palais royal, pagode Kouthodo. Anciennes capitales royales : *Ava, Amarapura, Sagaing, Pegu, Pagan, Heho, Kalaw.*

Commerce (millions de kyats, 88). *Exportations* 2 007 (89) dont teck 504, métaux et minerais 301 (83), haricots et légumes secs 139 (83), riz 71 *vers* (%) Asie 59 (Japon 5), CEE 7, Afrique 7. *Importations* 3 464 (89) dont matières 1res et prod. semi-finis 1 207, équip. de transp. 1 130, mat. de construction 691 *de* (%) Asie 48 (Japon 40), CEE 36, autres pays occid. 10, Eur. Est. 3. *Contrebande :* 40 % du P.N.B. ; finance les rebelles : Karens, Môns et Kachins, Shans, les communistes, avec le trafic de drogue dans le Triangle d'or (2 000 t produites 1989). *Au 3-2-89,* 4 Fokker des Burma Airways s'étaient écrasés dep. 20 mois (122 †).

Balance (en millions de $). **Commerciale :** *1985 :* – 401 ; *86 :* – 43,9 ; *87 :* – 752 ; *88 :* – 486. **Des paiements :** *1985 :* – 205 ; *86 :* – 157 ; *87 :* – 208. *Problèmes 1988-89 :* baisse du cours du riz et du teck, épuisement des gisements de pétrole.

Rang dans le monde (89). 8e riz.

BOLIVIE

Carte p. 886. V. légende p. 837.

Situation. Amérique du S. 1 181 581 km². *Alt. max.* 6 542 m (Sajama). *Frontières :* 5 545 km, avec Brésil 2 570, Pérou 735, Arg. 700, Paraguay 740, Chili 800.

Régions. **Ouest : Andes** (les plus hauts sommets : Sajama 6 542 m, Illampu 6 421 m, Ancohuma 6 380 m, Illimani 6 322 m) et **hauts plateaux de l'Altiplano** (3 500/4 000 m ; 840 × 140 km ; 102 300 km²) ; minerais, pétrole et gaz. Sel (Coipasa et Uyuni), dépôt alluvial de chlorure et carbonate de sodium, contient aussi du lithium, potassium et borate. **Lacs :** *Titicaca* [8 030 km² (dont Bol. 3 690 et Pérou 4 340) 171 × 64 km, prof. 280 m à 3 810 m], *Poopó* 1 337 km², alt. moy. 3 686 m. Paysans Aymaras : cultures surtout autour des lacs (pommes de terre, orge, fèves, quinoa, maïs) ; bovins, lamas et alpacas. **Yungas** (zone intermédiaire) [vallées étroites et chaudes coupant la Puna (steppes)]. 14 % de la sup., 38,9 % de la pop. Alt. 500/3 000 m. CULTURES : *régions subtropicales :* bananes, citriques, coca, café, canne à sucre ; paysans en majorité Aymaras ; *vallées* des flancs de la Cordillère (alt. 800 à 3 000 m). *Tempérées :* pâturages et terres fertiles pour céréales, fruits, tubercules, légumes verts et secs. Paysans en majorité Quechuas. **Plaines** (N.-Est) : 70 % de la sup., 19,9 % de la pop. Alt. 134/800 m. Climat tropical. Savanes et grandes prairies naturelles, coupées de forêts et nombreuses rivières, souvent navigables. Terres très riches : canne à sucre, coton, soja, tabac, manioc, riz. Bovins. Forêts : bois précieux, caoutchouc, amandes du Brésil. Chasse et pêche. Pétrole, gaz naturel. **Est : Llanos :** plateau et savane ; **Chaco :** plaine, sable, désert.

Climat. Saison sèche et froide avr. à oct., des pluies (temps chaud) de nov. à mars ; *zone torride :* plaines du N. et de l'E. ; *semi-torride :* 750 à 1 805 m, moyenne 20 °C ; *tempérée* 1,50 à 2 650 m, 15 °C à 25 °C ; *semi-froide :* haut plateau 2 650 à 3 700 m, 12 °C sans variation entre été et hiver ; *froide :* 3 700 à 4 350 m, 9 °C à 12 °C. Températures moyennes : *La Paz* 10 °C. *Sucre* 12 °C (24 °C en nov.-déc., 7 °C en juin).

Population. 7 110 000 h. *(89)* dont (en %) Amérindiens 65, Métis 25, Blancs 10 ; prév. *2 000 :* 9 724 000 h. *Pop. rurale* 53 % (100 % Indiens dans l'Altiplano, env. 60 % à La Paz. Eur. ou Métis 75 % dans les Yungas). – *de 15 ans* 44 %, + *de 65 a.* 3 %. D. 6 (hauts plateaux 12,6, vallées 12, basses terres 1). *Taux* natalité 40 ‰ ; mortalité 14 ‰ (infantile 169) ; croissance 2,7 %. Analphabétisme 26 %. **Régions administr.** (en km² et pop. en 1986). La Paz 133 985, 2 156 263 h. ; Potosi 118 218, 896 675 h. ; Santa Cruz 370 621, 1 085 691 h. ; Beni 213 564, 247 964 h. ; Pando 63 827, 48 297 h. ; Oruro 53 588, 422 299 h. ; Chuquisaca 51 524, 462 904 h. ; Cochabamba 55 631, 1 004 629 h. ; Tarija 37 623, 278 397 h. **Villes** (88) : *La Paz* 1 049 800 h. (siège du gouvernement, à 3 800 m d'alt.), *Sucre* 95 635 (cap. administrative, à 2 844 m), Santa Cruz 615 122, Cochabamba 377 259 (à 2 610 m), Oruro 195 239 (à 3 700 m), Potosi 114 092 (à 4 040 m), Tarija 68 495, Trinidad 40 288 (85). **Distance de Sucre :** La Paz 740 km, Cochabamba 366, Oruro 501, Santa Cruz 608, Potosi 166, Tarija 512, Villazon 596.

Langues **(%).** Espagnol *(off.)* 55 ; indien : quetchua 34,4, aymara 25,2. Religion. Cath. *(off.)* 95.

Histoire. **400 av. J.-C.-1200 apr. J.-C.** civilisation de Tiahuanacu ; **vers 1200** l'Inca Manco Kapac l'incorpore à l'Emp. inca. **1532** domination esp. **XVIIIe s.** missions jésuites. Révoltes de Alejo Calatayud (1731), Tupac Katari (1770) exécuté le 15-11-1781, Gabriel Tupac Amaru (1780). **1776** rattaché à la vice-royauté de la Plata. **1809 (25-5) à 1825** luttes pour l'indép. Manuel Goyeneche contre Antonio Balcarce. **1824** victoire de Sucre (1795-1830, Gal vén. au service de Bolivar 1785-1830). **1825**-*6-8* indép. proclamée à Chuquisaca. Rép., se donne le nom de Bolivie en l'honneur de Bolivar Pt (Sucre vice-Pt). **1825-60** 70 Pts, 11 Constitutions. G. civiles et g. contre Chili. **1879-93** g. contre Chili ; alliée au Pérou, B. battue, cède Atacama (120 000 km² ; actuellement dans la prov. chilienne d'Antofogasta), perdant tout accès à la mer. **1903** B. cède terr. de l'Acre et du Mato Grosso au Brésil. **1932-35** g. contre Paraguay, B. renonce au Chaco (guerre fomentée par les pétroliers amér.– qui soutenaient la B., –et anglais– qui misaient sur le P.). **1941**-*janv.* un groupe d'intellectuels, dont plusieurs députés avec Victor Paz Estenssoro, fonde le MNR (Mouvement nationaliste révolutionnaire). **1943**-*20-12* conspirateurs provoquent la chute du régime des « barons de l'étain ». Le lieutenant-colonel Gualberto Villaroel prend le pouvoir avec le MNR. **1946**-*juil.* Villaroel doit démissionner ; les barons organisent une insurrection (Villaroel et proches collaborateurs assassinés). Paz Estenssoro exilé en Argentine et 1949 en Uruguay. **1951** élections : Paz l'emporte. Pt Urriolagoitia provoque un « putsch ». Gal Hugo Ballivian annule élections. **1952**-*févr.* MNR déclenche grèves et marches de la faim. *-8-4* Siles Zuazo, second de Paz, appelle MNR et carabiniers à l'insurrection. Après 3 j de g. civile (600 †), reddition de l'armée. *-13-4* Paz rentre d'exil (foule en liesse), Zuazo lui remet le pouvoir. Nationalisation des mines, contrôle ouvrier, abolition des latifundia, monopole du commerce ext., réforme éducative, vote universel, salaire minimum vital avec échelle mobile... *-31-10* nationalisation de mines d'étain (Patiño, Aramayo, Hochschild), les « barons » reçoivent une petite indemnisation. **1953**-*juin* suffrage universel. *-2-8* réforme agraire. **1956-60** Zuazo succède à Paz. **1960-64** Paz au pouvoir. **1964**-*4-11* junte mil. (Gal Barrientos) renverse Paz (exil au Pérou). **1966**-*4-7* Barrientos élu Pt. **1966-67** guérillas. **1967** le Français Régis Debray arrêté, *27-4* condamné à 30 ans de prison (libéré 23-12-70), l'Argentin *Ernesto Guevara* (dit Che) exécuté 9-10. **1969**-*27-4* Barrientos tué (accident d'hélicoptère), Luis Adolfo Siles Salinas (n. 1926) Pt. *-26-9* renversé par Gal Alfredo Ovando Candia (1918-82). **1970**-*6-10* Candia renversé par Gal Juan José Torres. **1971**-*19/22-8* Gal Hugo Banzer Suarez (n. 10-5-1926) prend pouvoir, constitue le Front populaire nationaliste avec appui MNR et Phalange ; gèle salaires, interdit syndicats et partis de gauche, se maintenant grâce à répression. **1974** *févr.* émeutes à Cochabamba (+ de 100 †). *-7-11* soulèvement mil. à Santa Cruz (échoue). *-9-11* Banzer proclame l'« ordre nouveau ». Constit. suspendue. Elections ajournées. Paz Estenssoro exilé au Paraguay puis au Pérou. **1976**-*11-5* Joaquim Zenteno Anaya (n. 1921), ambassadeur, tué à Paris. *-2-6* Gal Torres tué en Argentine. *-14-6* grève de solidarité étudiants/mineurs. **1977**-*22-12* amnistie partielle. **1978**-*18-1* a. générale. *-17-3* rupture dipl. avec Chili [26-8-75 B. demande au Ch. un corridor territorial jusqu'à la côte et une enclave ; *-19-12* Ch. refuse l'enclave, accepte corridor de 3 000 km² contre un terr. équivalent en B. ; Pérou consulté obligatoirement accepte 29-11-76, mais exige terr. commun aux 3 pays ; Ch. refuse.]. *-9-7* Juan Pereda Asbun élu Pt contre Hernan Siles Zuazo (Union dém. pop.), nombreuses fraudes. *-19-7* élection annulée. *-21-7* coup d'État du Gal Juan Pereda (n. 1931). *-1-11* tentative de coup d'État. *-24-11* Pereda renversé, nouveau gouv. [Gal David Padilla Arancibia (n. 1924) appuyé par UDP]. **1979**-*1-7* élect. présid. : aucun candidat n'a la majorité, le congrès doit trancher. *-6-8* Walter Guevara Arce, Pt du Sénat (n. 1912) nommé pour 1 an. *-1-11* coup d'État mil. (env. 300 †), Cel Alberto Natusch Busch (n. 1933) au pouvoir. *-16-11* Lidia Gueiler, Pte de la Chambre des dép., élue Pte par intérim (jusqu'au 6-8-80).

1980-*29-6* él. présidentielle. *-17-7* soulèvement du Gal Luis Garcia Meza contre la Pte. **1981** *mai* l'armée abandonne lutte contre drogue. *-27-6* échec du putsch des gén. H. Cayoja et L. Añez (en exil). *-3-8* soulèvement mil. à Santa Cruz contre Meza (démissionne, compromis dans un trafic de drogue). **1982**-*26-5* amnistie générale et levée des mesures restrictives contre partis et syndicats. *-20-7* Gal Guido Vildoso (n. 1934), nommé par les Cdts en chef des 3 armées, succède comme Pt à Celso Torrelio Villa, démissionnaire. Manif. et grèves syndicales. *-10-10* parlement élit Hernan Siles Zuazo (UDP, centre gauche) Pt. *-17-11* dévaluation du peso de 150 %. **1983** *févr.* Klaus Barbie (naturalisé bol. le 7-10-57 sous le nom de K. Altmann), arrêté 26-1 pour fraude financière, expulsé. **1984**-*30-6* putsch (191e en 160 ans) échoue. Pt Zuazo qui a été séquestré, libéré. *Nov.* dévaluation du peso de 350 % ; Zuazo décide d'abréger d'un an son mandat. **1985**-*9-2* peso dévalué de 400 %. *-26-3* grève générale de 16 j. *-14-7* él. présid. : 18 candidats, aucun n'ayant la majorité absolue [Gal Banzer, parti ADN 28,57 % des voix, Paz Estenssoro, MNR 26,42 % (soutenu par le MIR, dont le Pt, Paz Zamora, mobilise la gauche contre Banzer)]. *5-8* Paz Estenssoro élu Pt par congrès. *-29-8* libéralisation des prix, change flexible, secteur public restructuré, gel des salaires. *-4-9* grève générale. *-19-9* état de siège et couvre-feu pour 90 j. 177 dirigeants syndicaux arrêtés. *-4-10* fin de la grève générale, 60 syndicalistes libérés. *-6-10* accords MNR (majoritaire) Action démocratique nation. (opposition). **1986**-*mai* réforme fiscale. *-10-6* plan de réduction de 90 % des cultures de coca. *-16-7* arrivée de militaires amér. *-18-8* COB appelle à une grève générale de 48 h. *-22/27-8* 5 000 mineurs marchent sur La Paz, protestant contre fermeture des mines et licenciement de 20 000 mineurs sur 26 000 (baisse de l'étain). *-28-8* état de siège. **1987**-*2-1* boliviano remplace peso (1 b. = 1 million de p.). **1988**-*20-7* Roberto Gomez (56 ans), « roi » de la cocaïne, arrêté. La B. refuse son extradition vers U.S.A. *8-8* G. Schultz (secr. d'État amér.) échappe à un attentat. **1989**-*7-5* élect. Congrès et présidence. *-5-8* aucun des 3 vainqueurs n'ayant eu la majorité : Gonzalo Sanchez de Lozada (MNR, 23, 07 % des voix), Banzer (ADN, 22,70) et Zamora (MIR, 19,63 %), le Parlement élit Zamora Pt. Alliance gouvernementale Zamora – Banzer. *-15-11* état de siège (le gouv. dénonce une collusion POR/MNR). **1991**-*22-3* Colonel Luis Arce Gomez (n. 1939), ancien min. de l'intérieur, condamné aux USA à 30 ans de prison (trafic de cocaïne).

Statut. Rép. *Sénat* (27 m. élus p. 6 a.). *Chambre* (117 m. élus pour 4 a.). *Pt* Jaime Paz Zamora (n. 1935) dep. 6-8-89. **Partis.** *Action démocr. nationaliste (ADN),* fondé 1979, Pt Hugo Banzer, cons. *Mouv. de la gauche révolut. (MIR),* fondé 1971, Pt Jaime Paz Zamora. *Mouv. nat. révolut. (MNR),* f. 1942, Pt Victor Paz Estenssoro, 700 000 m, centre-droit. *P. ouvrier rév. (POR),* f. 1935, Pt Guillermo Lora, trotskyste. Fête nat. 6-8, réunion de la 1re constituante. Drapeau (1825). Bandes horiz. rouge (valeur de l'armée), jaune (ressources minérales), et verte (agriculture).

Économie

P.N.B. *1980 :* 878 $ par hab., *85 :* 507, *86 :* 590, *87 :* 610, *88 :* 582, *89 :* 587. **Croissance** (89). 2,5 %. **Pop. active** (% et entre par. part du P.N.B. en %) agr. 50 (20), ind. 14 (10), serv. 26 (55), mines 10 (15). *Chômage* (%) *85 :* 19 ; *88 :* 35. **Inflation** (%) : *78 :* 10,3 ; *79 :* 19,7 ; *80 :* 47,2 ; *81 :* 32,1 ; *82 :* 250 à 300 ; *83 :* 275 ; *84 :* 1 300 ; *85 :* 23 000 ; *86 :* 276,4 ; *87 :* 14,6 ; *88 :* 21,5. **Salaire minimum** *1988* (avr.) : 50 bolivianos (30 $), mais 60 $ par an pour les paysans. **Dette extérieure** *1988 :* env. 4 milliards de $, *1990 :* 3,5.

Nota. – Baisse du pouvoir d'achat des salaires d'août 1985 à déc. 1990 : 75 %.

Agriculture. *Terres* (milliers d'ha, 80) 109 858 dont cultivées 1 273, pâturages 27 050, forêts 56 200, eaux 1 419, divers 21 819. *Production* (milliers de t, estim. 88) sucre de canne 2 670, p. de terre 598, maïs 396, riz 161, blé 63,8, coton 5, bananes, café, légumes, quinoa, coca [(70 000 ha (35 000 en 79) : 350 000 personnes, 1er rang mondial], manioc. Forêts. 4 691 000 m³ en 81. En juillet 1989 accord avec la *« Conservation International Foundation »* (pour aider à la préservation des ressources naturelles), et la *« Citycorp International Bank »* (qui rachètera 650 000 $ une partie de la dette extér.). **Élevage** (milliers de têtes, 88). Bovins 5 401, moutons 7 505, chèvres 2 290 (87), porcs 2 019, volailles 12 000. Laine (lamas), fourrures.

Énergie (88). **Pétrole** 7 millions de barils. **Gaz** 170 milliards de m³. **Mines** (milliers de t, est. 88) : zinc 57, antimoine 9,9, étain 10,5 (26,8 en 1982). *En 1952 :* création de la Comibol [26 000 salariés, 70 % de l'étain extrait en B., teneur en minerai 1,5 à 2,5 % (auj. 0,3 %)]. *1986 :* crise, fermeture de mines (20 000 mineurs licenciés en 1985-86). Plomb 12,5, tungstène 1,1, cuivre 0,1, bismuth, nickel, wolfram, soufre, vanadium. Argent 232 t, or 5 t. **Industrie.** Affinage des métaux. **Transports.** Chemins de fer 3 579 km. **Tourisme.** 180 000 vis. *(88),* 2 857 Français *(85).* Lac Titicaca, Copacabana, Vallée de la Lune, Tihuanaco, Chacaltaya, La Paz, Sucre, Potosi, Oruro (carnaval).

Commerce (millions de $ US). **1988** *Exp.* 601 *dont* min. 270, pétr. 219, *vers* (en %) Amér. lat. 41, C.E.E. 27, U.S.A. 20. *Imp.* 579 *de* (en %) Brésil 20, U.S.A. 20, C.E.E. 17. **Balance commerciale** (millions de $). *1985 :* + 71,5, *86 :* – 164,9, *87 :* – 303, *88 :* – 97. **Rang dans le monde** (86). 14e argent.

☞ **Cocaïne.** 12 % du PIB et 20 % des export. 61 000 à 70 000 ha (4,3 % des terres cultivées), 100 000 t (50 % de la consommation mondiale), *chiffre d'affaires :* 3 à 4 milliards de $ par an, dont 0,6 restent en B. et sont « lavés » au bolsin (petite bourse du $) de la Banque centrale de La Paz, autorisée par décret dep. 1985 à ne pas enquêter sur l'origine des $. 350/600 000 personnes en vivent. *Contrebande (export) :* 1/5 des concentrés d'étain et 4/5 de l'or.

BOTSWANA

Carte p. 839, V. légende p. 837.

Situation. Afrique 582 000 km², dont 2/3 désert du Kalahari. *Alt. max.* 1 489 m (Mt Otse), *min.* 503 m. **Climat :** été (oct.-mars) chaud (parfois 40 °C) et humide, hiver (avril-sept.) sec, chaud le jour (26 °C) avec nuits fraîches, gelées matinales épisodiques. *Pluies :* 600 mm par an au N.-E. à 250 au S.-O.

Population. 1 200 000 h. (est. 90) dont (est. 78) 6 000 Européens. *An 2000 :* 1 600 000 h. *Accroissement* (en %) : 3,6. *Age : - de 15 a :* 48, *+ de 65 a :* 4. *Mortalité infantile :* 7 ‰. *Espérance de vie* 68. **Emigrés** (81) env. 41 961. **Régions** (entre parenthèses tribus principales, et pop. 1981). *Centre* (Bamangwato) 323 328, *Sud* (Bangwaketse) 104 182, *Kweneng* (Bakwena) 117 127, *N.-O.* (Batawana) 68 063, *Kgatleng* (Bakgatla) 44 461, *N.-E.* (Bakalaka) 36 636, *S.-E.* (Bamalete, Batlokwa) 30 649, *Kgalaagdi* (Bakgalagadi, Basarwa) 24 059, *Ghanzi* (Bakgalagadi) 19 096. **Emigration** (mines d'Afr. du S.) 17 959 (82). D. 2. **Villes** (est. 88) : *Gaborone* 110 913 h., Francistown 49 396 (457 km), Selebi-Phikwe 46 490 (402 km), Molepolole 29 212, Mochudi 23 852, Lobatse 23 715. **Langues.** Anglais *(off.)*, setswana. **Religions.** Chrétiens (60 %), musulmans (env. 1 000), animistes (peu nombreux). **Histoire. 1885** protectorat brit. (Bechuanaland). **1966**-*30-9 indépendance.* **1974** *sept.* parlement dissous. **1988**-*28-3* raid sud-afr., 4 †.

Statut. République, membre du Commonwealth. *Constitution* du 30-9-1966. *Pt* Quett Ketumilé Masiré (n. 23-7-1925) élu par le Parlement le 18-7-1980, réélu mars 1984 et 1989. *Ass.* (32 m. élus pour 5 ans au suffr. univ., 4 m. nommés, le speaker et l'attorney général). *Ch. des Chefs* (15 m.). **Élect. (89) :** participation 68 %, B.D.P. (Bot. Democratic Party) 31 s., B.N.F. (Bot. Nat. Front) 3. **Fête nat.** 30 sept. **Drapeau.** Origine 1966 : bandes horiz. blanche et noire (harmonie raciale), sur fond bleu (pluie et eau).

Économie

P.N.B. $ par h. *84 :* 853. *85 :* 765. *86 :* 890. *87 :* 1 160. *88 :* 1 070. **Croissance** (70-78) 13,2 % par an. (89) 8,7 %. **Pop. active** (% et entre par. part du P.N.B. en %) agr. 60 (3), mines 7 (45), ind. 10 (5), serv. 23 (47). **Inflation** (%). *85 :* 8,1, *86 :* 10, *87 :* 9,8, *88 :* 8,4, *89 :* 11,5.

Agriculture. *Terres* (en milliers d'ha, 79) arables 1 360, pâturages 44 000, forêts 962, eaux 1 500, divers 12 215. *Production* (milliers de t, 88). Céréales *81 :* 60, *83 :* 14, *84 :* 9,7, *85 :* 16, sorgho 40, maïs 12, légumineuses 14, arachides 1, coton, haricots, agrumes. **Forêts.** 1 270 000 m³ de bois (87). **Elevage** (milliers de têtes, 88). Bovins 2 350 (*77 :* 3 500), chèvres 1 100, moutons 220, ânes 145, porcs 9, volailles 1 000, chevaux 25. Procure les revenus de 85 % de la pop. De 81 à 84, sécheresse (abattage de 900 000 têtes), ainsi qu'en 1989.

Mines (87). Diamants [1967, découverte à Orapa, 2e mine du monde, prod. 13 225 000 carats : ouverture à Jwaneng (160 cts/100 t de minerai, prod. 10 M cats/an)]. Charbon 579 409 t, soude 350 000 t (83), cuivre 18 934 t, nickel 16 528 t, charbon 499 400 t, manganèse, amiante. **Transports** (km). Routes 7 933 dont 1 914 goudronnés, chemins de fer 705. **Tourisme.** 432 000 vis. (87). Parcs et réserves 17 % du territoire (Chobe, Okavango, Moremi).

Commerce (millions de pulas, 85). *Exportations* 2 575 (88) *dont* diamants 1 976 (88), cuivre et nickel 370 (88), viande 102, divers 100 *vers* (%) Europe (sauf G.-B.) 81, CCA (Lesotho, Afr. du S., Swaziland) 5,6. U.S.A. 5,1, Afr. (sauf CCA) 4, G.-B. 3,8, *Importations* 1 871 (88) *dont* (83) prod. alim. 155, mach. et équip. élect. 115, fuel 110, mat. de transport 90, textiles 76,64 *de* (%) CCA 74,5 reste de l'Afr. 7,5, U.S.A. 2,8, Europe (sauf G.-B.) 7,4, G.-B. 4,8. **Rang dans le monde** (86). 3e diamants.

BRÉSIL

V. Légende p. 837.

• **Nom.** Du bois *brésil* abondant au XVIe s. et utilisé pour teindre les tissus (couleur de braise).

• **Situation.** Amérique du S. 8 511 996,3 km² (env. 50 % du continent s.-am.) dont eaux 55 457 km². *Pourtour* 23 127 km, *long.* 4 320 km, *larg.* 4 328 km. 90 % du territoire se situent entre équateur et tropique du Capricorne. **Frontières** (communes avec tous les États s.-am., sauf Chili, Équateur) : Bolivie 3 126 km, Pérou 2 995, Colombie 1 644, Guyana 1 606, Venezuela 1 495, Paraguay 1 339, Argentine 1 263, Uruguay 1 003, Guyane fr. 655, Surinam 593. *Côtes* 7 408 km. **Alt.** *max.* Pico da Neblina 3 014 m. Basses terres 41 % de la sup., hautes t. 58,5 %, aire-culminante de + 1 200 m 0,5 %.

Régions. Socle précambrien recouvert de roches sédimentaires s'abaissant d'E. en O. (plateaux 5/8 du terr., plaines 3/8 du terr.). **L'Amazonie** correspond à une gouttière du socle ; forêt (mata) amazonienne (V. Index). *N.-E. :* plateaux (alt. moy. inf. à 1 000 m) limités par des reliefs de côte. *E. et S.-E. :* hautes terres (chapada Diamantina, serra do Espinhaço entre 1 000 et 1 800 m) drainées par le rio Grande. *Végétation* semi-aride (caatinga) dans région de São Francisco, campos (savanes) dans le Mato Grosso, *cerrados* (beaucoup d'arbustes) dans Brésil central. *Hydrographie :* 9 bassins, Amazone (+ grand bassin du monde), Tocantins-Araguaia, São Francisco, Paraná, Paraguay, Uruguay, Nordeste, Leste, Sudeste ; 44 000 km navigables.

Climat. Varie selon altitude et latitude. Moyenne des temp. max. 35 °C, min. 9 °C. 1° *zone tropicale* (moy. ann. sup. à 25°) : haute Amazonie : pluies 2 000 à 4 000 mm : saison de grandes pluies févr.-juill. ; de petites oct.-janv. (200 j par an ; humidité de l'air 80 %) ; N. du Mato Grosso : grandes pluies de printemps et automne ; coups de vent frais du S.-E. (temp. min. 7,8 °C) ; région atlantique : climat constant pluies max. en avr., chaleur max. nov. à mars (pluies : 2 000 mm/an). 2° *zone subtropicale* (moy. ann. + de 20 °C) : région côtière au N. de Bahia : temp. constante (23-26 °C), pluies max. oct.-nov. (orages brefs et violents) ; région côtière au N. de Rio de Janeiro : pluies déc. à avr. ; centre du Mato Grosso : pluies printemps et automne (forêt vive, la *mata,* qui, défrichée, donne de bonnes terres), gros écarts de temp. (Cuiaba max. 41 °C, min. 0 °C) ; montagnes centrales : climat sud-méditerranéen. 3° *zone tempérée* (moy. ann. 15 °C) : région côtière au S. de Rio de Janeiro : pluies d'été très abondantes (4 000 mm), humidité constante ; région montagneuse de l'intérieur : climat italien ou espagnol : pluies modérées hiver et automne, temp. min. – 8 °C.

Démographie

Évolution. *1872 :* 9 930 478 h. *90 :* 14 333 915. *1900 :* 17 438 434. *20 :* 30 635 605. *40 :* 41 236 315. *50 :* 51 944 397. *60 :* 70 191 370. *70 :* 93 139 037. *80* (rec.) : 119 002 706. *90* (est.) : 150 367 841. *2000* (est.) : 179 486 530. **Densité.** *1872 :* 1,2 ; *90 :* 1,70 ; *1900 :* 2,1, *20 :* 3,62 ; *40 :* 4,9 ; *50 :* 6,1, *60 :* 8,29 ; *70 :* 11, *80 :* 14,08 ; *90 :* 17,78 ; *2000 (prév.) :* 21,22. **Accroissement annuel** (%). *1890 :* 2,01 ; *1900 :* 1,98 ; *20 :* 2,88 ; *40 :* 1,49 ; *50 :* 2,39 ; *60 :* 2,99 ; *70 :* 2,89 ; *80 :* 2,48 ; *80-85 :* 2,2 ; *87-88 :* 2.

Composition de la pop. (%, *1980*). **Blancs** 54,23 (dont 1 million d'or. all. en 1990). **Métis** [entre Bl. et Indiens (caboclo : paysan pauvre)] et **Mulâtres** [entre Bl. et Noirs : beaucoup de noires pratiquent l'« hypergamie » (recherche de partenaires plus blancs qu'elles)] 38,85. **Noirs** 5,92 (1 150 000 surtout Bantous et Soudanais). Introduits entre 1550 et 1850 (40 % de la traite totale des esclaves de 1500 à 1800 et 80 % de 1801 à 1850), jusqu'à 1850 travaillent d'abord dans canne à sucre (N.-E.), mines (Minas Gerais), puis dans tertiaire et artisanat ; 1850-88 (abolition de l'escl.), revendus aux producteurs de café (Rio de Janeiro, São Paulo). **Indiens** dans tout le pays sauf 5 États. *Variétés :* 3 grands troncs linguistiques : Tupi, Macro-Je, Aruak. *Nombre : 1550* (arrivée

des Port.) : 3 à 6 millions ; *1900 :* 1 million (env. 230 tribus autochtones). *1950 :* 45 429 ; *v. 1970 :* 200 000 ; *1989 :* 230 000 dont 140 000 sous la protection de la FUNAI *(Fundação Nacional do Indio)* sur 41 009 630 ha ; 50 000 env. sous celle des missions religieuses ; 40 000 dispersés dans la forêt. Taux d'accroissement 3,7 %. *Statut* 1967 (loi fondamentale) : inaliénabilité de leurs terres ; (ont possession permanente et usufruit exclusif des richesses naturelles). *1970 :* « Statut de l'Indien » : le sous-sol appartient à l'État, mais la FUNAI doit être consultée et accorde seule les autorisations (de 1983 à 85, 537 ont été délivrées direct. par les autorités, affectant 17 terr. indiens). *1980* (8-8) les Indiens attaquent les établissements bl. d'Amazonie (12 ouvriers agr. bl. tués à São Felix de Xingu). Les évêques brés. ont dénoncé la disparition des Indiens comme un génocide organisé. La BIRD accuse la FUNAI d'irrégularités. *1989* (févr.) colloque à Altamira : 20 nations indiennes représentées s'élèvent contre la déforestation et le projet du barrage de Xingu. **Jaunes** 0,56 [Japonais (immigr. interrompue par la loi des quotas 1934)]. **Divers** 0,44.

☞ **Indiens yanomami.** 22 000 dont 13 000 au sud du Venezuela et 9 000 dans le Roraïma sur 94 000 km², riches en minerais. Tous les 2 ans, déplacent la *shabonoo* (case centrale) pour aller 5 km plus loin défricher. Les os des morts sont pilés et mélangés à une compote de bananes bouillies que parents et amis mangent (le corps des vivants devient ainsi le lieu où gisent les morts).

Immigration (estimation). *De 1819 à 1975 :* Portugais 1 788 402, Espagnols 724 506, Italiens 1 630 944, Allemands 263 413, Japonais 249 363 (après 1908), Français 51 567, Libanais 25 297, divers 892 820, total 5 626 312.

D'après la Constitution de 1946 : le nombre annuel d'immigrants de chaque nationalité (sauf Portugais) ne peut excéder 2 % du total des immigrants de ces pays admis au Brésil entre 1926 et 46.

Taux (en %). *Natalité 1987 :* 29. *Mortalité 1987 :* 8 ; *infantile 1987 :* 63. **Espérance de vie** *1985-90 :* 64,9 (dont hommes 62,30, femmes 67,60), *1989 :* 66. **Naissances** *1987 :* 4 072 032. **Décès** *1987 :* 831 524. **Mariages** *1987 :* 930 893. **Analphabètes** (15 ans et +) *1940 :* 56, *60 :* 39,6, *87 :* 19,7.

☞ Sur 60 millions d'enfants, 20 vivent dans la misère, 9 à l'abandon (dans la rue, où beaucoup de *pivettes* vivent de rapines), 500 000 se prostituent, 1 000 ont été tués en 1990.

Villes. **Brasilia** capitale fédérale (voir États et territoires p. 888.) **Pop. urbaine** (87) : 73,2 %.

Langue off. Portugais ; les 213 352 (87) Indiens survivants parlent plus de 100 langues différentes. **Religions** (millions, 80). Cath. 105,9, protestants 7,9, spirites 1,5, orientales, 0,3, juifs 0,1, div. 1,1.

Histoire

V. 5000 av. J.-C. peuplement par des Amérindiens venus de Colombie. **V. 1000 av. J.-C.** culture du manioc en Amazonie et Orénoque. **1493** le pape Alexandre VI Borgia attribue, à partir d'une ligne imaginaire N.-S., à 100 lieues à l'ouest des îles du cap Vert, les terres en deçà aux Portugais, au-delà aux Espagnols. **1494** *tr. de Tordesillas,* l'Esp. accorde au Portugal toutes les terres à l'E. de 50° de long.

1500-*22-4* le Portugais *Pedro Alvares Cabral* aborde à Bahia et s'y établit en **1503. 1525** *conférence de Badajoz* (Jean III de Port. et Charles Quint) : le Portugal obtient le B. Plusieurs essais pour conquérir la colonie port. sont tentés par des pirates et des expéditions officielles, dont celles de la Fr. antarctique (1557-67, dans la baie de Rio de Janeiro par Villegaignon, puis son neveu Bois-le-Comte) et de la Fr. équatoriale (1594-1615 dans le Maranhão), celles de la Hollande à Bahia (1624-25) et Pernambuco (1630-54). **XVIIe s.** introduction du café. Début des *Bandeiras* (expéditions armées), qui partent du littoral de São Paulo. Les *Bandeirantes* partent vers l'intérieur pour ramener des esclaves indiens, découvrir des mines d'or et des pierres précieuses. Ces conquêtes dépassent les limites du *tr. de Tordesillas :* nombreux conflits armés avec Esp. (sur le rio de la Plata) ; *tr. de Madrid* (1750) annulant tr. de Tordesillas, moyennant la cession à l'Esp. de l'Uruguay, puis *tr. de San Ildefonso* (1777) fixant les limites définitives. **1701-13** B. allié de l'Angl. contre Louis XIV. Des escadres fr. [Duclerc (1710), Duguay-Trouin (1711)] prennent 2 fois Rio de Janeiro. **1763** Rio siège de la vice-royauté (cap. du B. indépendant de 1834 à 1960). **1789** échec du soulèvement *Inconfidencia Mineira.* **1808** Napoléon envahit Port. et abolit par décret la monarchie ; la reine, Dona Maria Ire, le Pce régent, Dom João, et la Cour (15 000 personnes) se réfugient au B. Ouverture des ports au commerce intern. (fin du monopole port.). **1815** le B. devient royaume, à la mort de Dona Maria Ire ; le Pce régent est couronné Dom João VI, roi du Port., du B. et de l'Algarve. Après la défaite de Napoléon, il rentre au Port., en laissant au B. son fils Dom Pedro comme régent ; à Lisbonne, les députés des « Cortes » veulent rendre au B. son ancien statut de colonie. **1822**-*7-9* Dom Pedro proclame l'indép. du B., prend le nom de Pedro Ier, le B. devient un Empire (8,5 millions de km², 4 000 000 hab.). **Après 1826** Pierre Ier s'occupe surtout du Port. où il retourne. **1831**-*7-4* abdique en faveur de son fils Pierre II (5 ans). **1840**-*juill.* Pedro II gouverne effectivement. **1851-52** g. contre l'Argentine. **1866-70** g. contre Paraguay. **1877-79** sécheresse, 50 000 † dans le N.-E. **1880-1912** fièvre du caoutchouc en Amazonie. **1888**-*13-5* abolition définitive de l'esclavage : crise sociale et écon. **1889** insurrection milit. (Mal de La Fonseca). *-15-11* Pedro II († à Paris 5-12-1891, son corps et celui de sa femme seront ramenés en 1922 dans la cath. de Petropolis) abdique ; 1re Rép. fonctionne de 1889 à 1930 par la « politique des gouverneurs » : le Pt appuie les gouv. des États, lesquels assurent l'élection de représentants qui font, au Congrès, la politique du pouvoir central. **1930**-*24-10* révolution (chef Getulio Vargas), l'État de São Paulo demande la remise en vigueur de la Constitution (révol. de 1932). **1934**-*16-7* nouvelle Constit. G. Vargas, élu, proclame en 1937 un « État nouveau », octroie une charte constit. et reste au pouvoir jusqu'en 1945. **1946**-*18-9* nouvelle Constit. **1951** loi interdisant discrimination raciale. **1951-54** G. Vargas au pouvoir. **Jusqu'en 1964,** crise sous 10 gouvernements successifs. **1960**-*21-4 Brasilia* devient *capitale fédérale.* **1961**-*2-9* acte additionnel, le B. passe du régime présidentiel au r. parlementaire. **1963**-*6-1* acte additionnel révoqué, r. présidentiel restauré, conforme à la Const. du 18-9-1946. **1964**-*1-4* Pt Goulart renversé ; gouv. militaire. *-15-4* Pt *Castelo Branco* élu. **1968** escadrons de la mort créés par des policiers contre le « laisser-aller ». **1968-73** « miracle brésilien » (croissance de 11 à 12 % par an, influence de Delfin Neto, min. des Finances). Dissolution du SPI, remplacé par FUNAI (Fondation nationale indienne). **1969**-*17-10* nouvelle Constit. *-13-12* prolongation de l'acte institutionnel 5, le Pt met fin aux activités du Congrès, suspend droits pol. de tout citoyen pour 10 ans, « casse » parlementaires et fonctionnaires, supprime l'*habeas corpus* pour délits contre la « sécurité nat. » (de 1968 à 78, 4 582 personnes « cassées » dont 3 783 mises à la retraite d'office). **1970** plusieurs diplomates enlevés, échangés contre des prisonniers pol. **1974** épidémie de méningite à São Paulo (4000 † en une semaine). **1974-75** difficultés écon. **1977** *avril* modification des modalités d'élection des gouv. et du tiers des sénateurs. **1978**-*15-10* Gal João Baptista Figueiredo élu Pt (parti *Arena* 355 v.) contre Gal Euler Bentes Monteiro (226 v.), prend ses fonctions le 15-3-79. **1979** le commissaire Fleury (« cerveau » des escadrons de la mort) meurt lors d'une partie de pêche. *-28-8* amnistie sauf pour terroristes. *-15-9* retour de Miguel Arraes ; *juin à oct.* échec de la réforme du système des partis. **1980** *juill.* visite Jean Paul II. **1981** amnistie : Luis Carlos Prestes, chef du PC en exil à Paris, peut rentrer ; Pt João Baptista Figueiredo en France. **1984**-*25-4* le Congrès se prononce contre l'élection du Pt de la Rép. au suffrage univ. **1985**-*15-1* collège électoral élit Tancredo de Almeida Neves (74 ans) Pt, et José Sarney vice-Pt par 480 voix dont 180 à Paulo Salim Maluf (53 ans). *-15-3* le Pt étant malade, Sarney assure l'intérim. *-21-4* Pt Neves meurt. *-10-5* décision élect. présid. au suffrage universel, droit de vote pour 20 millions d'analphabètes. *-11-7* 10 partis légalisés dont les 2 P.C. *-14/18-10* Pt Mitterrand au B. *-15-11* él. municipales, 1er scrutin libre dep. 21 ans ; le PMDB remporte 17 capitales du pays sur 23, mais échoue à São Paulo (l'ancien Pt Janio Quadros « l'homme au balai » est élu), et à Rio de Janeiro [Roberto Saturnino Braga (P. démocratique travailliste) élu] ; suivi par PDT et PT ; 2 principaux perdants : PFL (Parti du front libéral) droite et PDS (ancien parti des militaires). **1986**-*28-2 plan tropical* (ou *Cruzado 1*) de redressement : prix, salaires, tarifs publics bloqués pour 6 mois ; l'économie cesse d'être indexée ; nouvelle monnaie : 1 cruzado : 1 000 cruzeiros. *-15-11* élections, victoire du PMDB ; 1re femme noire député (Benedita da Silva). *-21-11 plan Cruzado II :* hausses (en %) des tarifs publics : téléphone, électr. 35, poste 100, boissons alcoolisées, voitures 80, carburant 60. **1987**. *-20-2* moratoire partiel sur dette extérieure. *-18-5* le Pt annonce qu'il ramènera de 6 à 5 ans son mandat présidentiel. *Mai* échec du plan Cruzado. *-12-6 plan Cruzado novo,* nouveau blocage des prix et salaires pour 90 j. *-30-6* émeute à Rio, hausse 50 % des transports en commun (contraire au gel des prix) annulée, le calme revient (bilan : 47 blessés, 100 autobus détruits). *-13-9* à Goiana, 2 chiffonniers récupèrent dans une clinique abandonnée une capsule de césium, 248 personnes contaminées 4 †. *-21-12* 133 (?) chercheurs d'or tués (affrontements avec police). **1988** *févr.* pluies dans l'État de Rio, 251 †, 10 000 sans-abri. *-22-3* l'Ass. constituante vote par 334 v. contre 212 pour que le Pt soit doté des pleins pouvoirs, Pt Sarney restera encore 2 ans. *Avril* vente aux enchères d'une partie de la dette. *Août* incendie du parc naturel « das Emas » (Centre-Ouest) : plusieurs milliers d'animaux tués, 40 000 ha sur 120 000 détruits. *-2-9* nouvelle Constitution ; droit de grève reconnu ; torture, racisme, terrorisme et trafic de drogue considérés comme crimes imprescriptibles et non amnistiables ; censure abolie ; droit d'initiative populaire : proposition de lois par 1 % de l'électorat. *Oct.* droit de vote à 16 a. *-15-11* él. munic. : la maj. présid. ne conserve que le Nordeste. *-22-12* l'écologiste Chico Mendes tué par Darci Alves, fils de propriétaire (15-12-90 : condamné à 19 ans de prison). **1989**-*15-1 plan « été »,* gel des prix et salaires ; dépenses publiques courantes en baisse de 50 %, nouveau cruzado (= 100 cruzados) dévalué officiellement de 17 %. *De janv. à mai* 4 dévaluations. *Juin* abandon du *Plan Eté,* dévaluation de 1,29 % du cruzado. Scandale financier à la Bourse. *Oct.* les garimpeiros doivent se retirer du territoire des Indiens qu'ils polluent par le mercure. *-9-11* Silvio Santos propriétaire d'une chaîne de TV, Parti municipaliste, déclaré non éligible comme Pt. Fernando Collor élu Pt (en fonction 15-3-90). *-23-12* Gabriel Maire (prêtre français) assassiné. **1990**-*9-1* accord pour retrait des garimpeiros (env. 40 000 dep. 1987) du territoire Yanomami, ils s'installeront dans des forêts nationales hors du territoire indien (texte aussitôt déclaré nul : les forêts sont encore territoire Yan.). *-21-2* base spatiale inaugurée à Alcantara, coût 115 millions de $; *16-3 plan Collor* d'austérité : retraits d'argent, limite pendant 18 mois ; taxes sur transactions mobilières. Effets : chute de la Bourse (Sao Paulo – 60 %, Rio – 50 %) et de l'or. *-17-3* Opéra de Manaus (fermé dep. 1907) réouvert, après 2 ans et demi de travaux (coût : 48 millions de F). *-19-3* Cruzeiro. *-3-10* et *-25-11* él. fédérales. *Nov.* Neuza Maria Goulart Brizola, fille de Leonel Brizola, gouverneur de Rio de Janeiro, impliquée dans trafic de drogue. **1991**-*fév. plan Collor II :* blocage prix et salaires. *-mars* 950 appartements de Rio occupés par des habitants des favelas. *-8-5* Marcio Marques Moreira (59 ans) remplace Zelia Cardoso de Mello (37 ans, min. Économie, démissionnaire).

Politique

Statut. *Rép. féd.* (26 États, 1 district féd., siège de la cap.). *Const.* du 5-10-1988. *Ch. des députés* (487 m. élus pour 4 ans). *Sénat féd.* (72 m. élus pour 8 ans, renouvelables tous les 4 ans pour 1/3 ou 2/3). *Pt de la Rép.* élu au suff. univ. à 2 tours pour 5 ans non renouvelables (avant par le Congrès pour 5 a., non rééligible) F. Collor en 1989 a été le 1er Pt élu au suf. univ. (dep. 1960 él. de Quadros). Le Pt nomme et révoque les min. (non responsables devant le Parlement), ne peut dissoudre les chambres. *Gouverneurs, conseillers municipaux, maires :* élus pour 4 ans. **Fête nat.** : 7-9 (en 1889 : 14-7). **Drapeau** : sur fond vert, losange jaune avec sphère bleue, devise « Ordre et Progrès », et 23 étoiles (États).

Élections. **Présidence** *(15-11 et 17-12-89) :* 1er tour : 22 candidats. 2e tour ; Fernando Collor de Mello (P. de la rénovation nationale) *élu* [35 089 998 voix (42,75 %)], Luis Inácio Lula da Silva (P. des travailleurs) [31 076 364 v. (37,86 %)]. Votes blancs : 1,20 %, nuls ; 3,79 %, abstentions : 14,40 % (quoique le vote fût obligatoire). **Sénat** *(15-11-86).* 72 membres ; PMDB 44, PFL 16, PDS 5, P. travailliste brésilien 2, PSB 2, PTB 1, PL 1, PDC 1. *(25-11-90).* Élect. partielle : 31 membres ; PMDB 15. **Ch. des députés** *(15-11-86).* 487 s. : PMDB 259, PFL 115, PDS 36, PDT 24, P. des travailleurs 19, P. travailliste brés. 19, PL 7, PDC 3, PCB 2, PCdB 2, PSB 1. *(3-10/25-11-90):* 503 s. *De 1966 à 1982* (en %) (Parti gouvernemental : *Pg.* Opposition : *O.* Votes blancs ou nuls : *B) 1966 : Pg :* 50,5, *O :* 28,4, *B :* 21. *1970 : Pg :* 48,4, *O :* 21,3, *B :* 30,3. *1974 : Pg :* 40,9, *O :* 37,8, *B :* 21,3. *1978 : Pg :* 40, *O :* 39,3, *B :* 20,7. *1982 : Pg :* 36,6, *O :* 48, *B :* 15,1. **Ass. des États** *(15-11-86).* 953 s., PDS 476 s. *(25-11-90).* 1 049 s. *Élect. des 23 gouverneurs des États* (1re fois dep. 1965). + de 59 millions d'inscrits (10 É. passent à l'opposition). 686 grands électeurs (479 députés, 69 sénateurs, 138 élus territoriaux). *Élect. du 25-11-90.* 27 gouverneurs, 16 d'opposition.

Nota. – Dep. sa création v. 1920 à 1985, le PC brésilien n'a été légal que 2 ans (1945-47). De 1945 à 65, 2 partis (ARENA et MDB) et des partis moins importants étaient autorisés. Dep. mai 1985, partis libres : PDS (P. démocratique social, Paulo Maluf ; ancien parti du régime milit.), PFL (P. du front libéral, José Sarney), PMDB (P. du mouvement démocratique br., Ulysse Guimaraes) (remplaçant l'ancien MDB), PDT (P. démocrate travailliste, Leonel Brizola), PT (P. des travailleurs, Luiz Inacio « Lula » da Silva), PCB (P. comm. brés., pro-soviét.), PC do B (P. comm. du Br., pro-albanais). P. nat. soc. (illégal). Néo-nazi (10 000 m.).

Chefs d'État

Dynastie de Bragance

1822 PEDRO Ier (1798-1834), f. de Jean VI, roi du roy. uni du Portugal, du Brésil et de l'Algarve, Pce régent du roy. du Brésil en 1821 quand son père rentre au Port. (quitté en 1808 lors de l'invasion française), proclame l'indép. du Brésil le 7-9-1822 et devient empereur le 12-10-1822. Roi du Port. à la mort de son père (1826), il laisse le Port. à sa fille Marie II (2-5). Abdique le 7-4-1831.

1831 PEDRO II (1825-91), s. f., abdique le 15-11-1889, s'exile à Paris. 2 filles. **Héritiers. 1891** *Isabelle*, sa f. (1846-1921), ép. 1864 Gaston d'Orléans (1842-1922) Cte d'Eu, f. aîné du duc de Nemours dont Pierre (1875-1940) qui renonce à ses droits en 1908 [son f. Pierre (1913), frère cadet de la Ctesse de Paris, a voulu revenir sur cette renonciation] ; Louis (1878-1920). **1921** *Pce Pierre-Henri d'Orléans et Bragance* (13-9-09/5-7-81) fixé au Brésil 1946, f. de Louis, ép. 19-8-37 Pcesse Marie de Bavière (9-9-14) dont 8 Pces et 4 Pcesses [nés entre 1938 et 59, dont Louis-Gaston et Bertrand (2-2-41)]. **1981** *Pce Louis-Gaston d'Orléans et Bragance* (8-6-38) son fils.

Républiques

1re République. 1889 Mal Manuel Deodoro DA FONSECA (1827-92). **91** Mal Floriano Vieira PEIXOTO (1839-95). **94** Prudente DE MORAIS E BARROS (1841-1902). **98** Manuel FERRAZ DE CAMPOS SALES (1841-1913). **1900** Francisco de ASSIS ROSA ET SILVA (1856-1929), Pt par intérim. **02** Francisco de Paula RODRIGUES ALVES (1848-1919). **06** Alfonso MOREIRA PENA (1847-1909). **09** Nilo Procopio Peçanha (1867-1924). **10** Mal Hermes Rodriguez DA FONSECA (1855-1923), nev. du 1er Pt. **14** Venceslâu BRAS PEREIRA GOMES (1868-1966). **17** Urbano SANTOS DA COSTA ARAUJO (1859-1922), Pt par intérim. **18** Francisco de Paula RODRIGUEZ ALVES (1848-1919). Malade, il est remplacé par le vice-Pt Delfim Moreira da Costa Ribeiro. **19** Épitácio DA SILVA PESSOA (1865-1942). **22** Arthur DA SILVA BERNARDES (1875-1955). **26** Washington Luis PEREIRA DE SOUZA (1869-1957). Déposé par une révolution (1930).

2e République (depuis 1930). 1930 Augusto TASSO FRAGOSO (1869-1945) (chef du gouv. prov.). **30** Getúlio Dornelles VARGAS (1882-1954). Chef du gouv. prov. (1930-34), Pt (1934-37), dictacteur (1937-45). **45** José LINHARES (1886-1957). **46** Mal Eurico Gaspar DUTRA (1889-1974). **51** Getúlio Dornelles VARGAS (1882-suicide 24-8-1954). **54** João CAFÉ FILHO (1889-1970). Démissionne 10-11-54. **55** Carlos COIMBRA DA LUZ (1894-1961). **55** Nereu De Oliveira RAMOS (1888-1958). **56** Juscelino KUBITSCHEK DE OLIVEIRA (1902-76). **61** Jânio DA SILVA QUADROS (1917). Démissionne le 25-8-1961. **61** Paschoal Ranieri MAZZILLI (1910-75), Pt par intérim. **61** João Marques GOULART (1918-76). Renv. 1-4-64. **64** Ranieri MAZZILLI. Pt par intérim (2-4/15-4). **64** (15-4) Mal Humberto de Alencar CASTELO BRANCO (1900-67). **67** (15-3) Mal Arthur DA COSTA E SILVA (1902-69), se retire ayant été frappé d'une thrombose cérébrale le 31-8-69. **69** (31-8) junte mil. (30-10) Gal Emilio GARRASTAZU MEDICI (1908-85). **74** (15-3) Gal Ernesto GEISEL (3-8-07). **79** (15-3) Gal João Baptista DE OLIVEIRA FIGUEIREDO (15-1-18). **85** (15-3) Tancredo DE ALMEIDA NEVES (4-3-10/21-4-85). **85** (22-4) José SARNEY (1931). **90** (15-3) Fernando COLLOR DE MELLO.

États et territoires

Légende : États et territoires, superficie en km², population et densité (est. 89), capitale (en italique) et distance de Brasilia.

• **Nord.** Amazonie, 3 851 560 km², 45,25 % du territoire, 8 959 597 h. D. 2,32. 81 % de l'eau douce du B. [(l'Amazone déverse dans l'océan, sur 200 km, 1/5 de l'eau douce du globe), 6 270 km, bassin de 6 000 000 km², env. 1 100 affluents, 3 à 14 km de large (50 km lors des crues), 30 à 100 m de prof., 65 m de pente de la frontière à la mer, 120 000 m³ de débit par s (max. 320 000 m³/s)]. 80 % des réserves de bois mais déforestation (incendies *1987 :* 204 000 km², *88 :* 80 000) ; réserves de sel gemme, étain, manganèse, bauxite, fer. Représente 4 % du revenu national.

Acre (AC) 153 697 km², 411 984 h., D. 2,68 ; *Rio Branco* 145 779 h. (2 249,7 km).

Amapá (AP) (Territoire devenu État en 1990) 142 358 km², 258 395 h., D. 1,81 ; *Macapa* 155 303 h. (1 783,2 km).

Amazonas (AM) 1 567 953 km², 2 141 323 h., D. 1,37 ; *Manaus :* fondée en 1669 sur le rio Negro ; devenue prospère entre 1890 et 1920 (boom de l'hévéa) ; puis récession jusqu'en 1967 (devenue zone franche, traite le pétrole brut br. et vénézuélien). 1 089 962 h. (1 929,4 km). Terr. en litige entre Amazonas et Pará 2 680 km². 4 000 km² peuplés de 20 000 Yanomani, soit 40 % du Roraima.

Pará (PA) 1 246 833 km², 4 996 596 h., D. 4 ; *Belém* 1 190 017 h. (1 585,5 km).

Rondônia (RO) 238 378 km², 1 021 229 h., D. 4,2 ; *Pôrto Velho* 216 254 h. (1 902 km).

Roraima (RR) (Territoire devenu État en 1990) 225 017 km², 130 070 h., D. 0,57 ; *Bôa Vista* 66 357 h. (2 490 km).

Tocantins (TO) État dep. 1990, 277 321,9 km², 965 704 h., D. 3,48 ; *Palmas* 3 477 h.

• **Nord-Est.** 1 556 001 km², 18,28 % du terr., 42 574 502 h. D. 27,36, pop. urbaine. Ceinture côtière fertile et plateau du *sertao* (polygone de sécheresse ; mortalité infantile 74,7 ‰). Produit 64,64 % du pétrole (88).

Alagoas (AL) 29 106 km², 2 409 314 h., D. 82,77 ; *Maceio* 527 220 h. (1 486,3 km).

Bahia (BA) 566 978 km², 11 625 473 h., D. 20,50 ; *Salvador* 2 000 387 h. (1 062,1 km).

Ceará (CE) 145 694 km², 6 401 245 h., D. 43,93 ; *Fortaleza* 1 763 546 h. (1 684,2 km). Terr. en litige entre Ceará et Piaui, 2 614 km².

Maranháo (MA) 329 555 km², 5 131 389 h., D. 15,57 ; *São Luis* 624 321 h. (1 518,5 km).

Paraiba (PB) 53 958 km², 3 281 881 h., D. 60,82 ; *João Pessoa* 440 279 h. (1 716,6 km).

Pernambuco (PE) 101 023 km², 7 302 610 h., D. 72,28 ; *Récife* 1 352 024 h. (1 657,4 km). [Ile Fernando de Noronha 26 km², 1 295 h. (85), D. 49,80. A 2 150 km].

Piaui (PI) 251 273 km², 2 657 385 h., D. 10,57. *Teresina* 533 678 h. (1 308,6 km).

Rio Grande do Norte (RN) 53 166 km², 2 336 216 h., D. 43,94 ; *Natal* 578 487 h. (1 774,6 km).

Sergipe (SE) 21 862 km², 1 428 989 h., D. 65,36 ; *Aracaju Capella* 398 183 h. (1 293,2 km).

Nota. – Terres en litiges 3 381 km².

• **Sud-Est.** 924 266 km², 10,85 % du terr., 65 125 754 h., D. 70,46, pop. urbaine 89 %. Ceinture côtière fertile et *campos cerrados* (savane), *limpos* (sans arbres), *alpinos* (+ de 1 000 m). Concentration ind. % par rapport au Brésil : valeur totale de la prod. en *84* 70,6. 62 919 industries, P.N.B. 45, P.I.B. 40, pop. 44,1, prod. ind. 60 (pour 2,9 % de la superficie), siège de 5 grandes banques sur 10.

Espirito Santo (ES) 45 733 km², 2 499 103 h., D. 54,64 ; *Vitoria* 277 269 h. (947,6 km).

Minas Gerais (MG) 586 624 km², 16 062 549 h., D. 27,38 ; *Belo Horizonte* 2 339 039 h. (614 km).

Rio de Janeiro (RJ) 43 653 km², 13 879 842 h. (*1820* 45 000, *70* 235 000), D. 317,95 ; *Rio* 6 011 181 h. (agg. 10 217 269 h., 931,3 km). Habitants (appelés *Cariocas*) *1710 :* 12 000, *1808 :* 50 144, *1900 :* 691 565, *1939 :* 1 896 948. Site découvert 1-1-1502 par André Gonçalves (ou Gonçalo Coelho), qui le nomme « fleuve de Janvier », ayant pris la baie pour un estuaire ; ville fondée 1565 (St-Sébastien du Rio de Janeiro) ; capitale du B. de 1763 à 1960, Niteroi étant la capitale de l'État de Rio. *1-7-1974* fusion des États de Rio et de Guanabara, Rio capitale pour contrebalancer l'influence de l'État de São Paulo ; climat chaud et humide ; terrains défavorables (marécages, collines à pic : on a remblayé l'océan, percé des tunnels). Activités des quartiers actuels : N. (ind., zone portuaire) ; Centre (affaires, commerce) ; S. (résidences élégantes : Flamenco, Botafogo, Copacabana, Ipanema, Leblon). 2e centre ind., 2e port du B. *Samba :* origine « batuque » de Bahia, introduit par les esclaves en 1870. Naquit dans le baiana (bar) de Tia Ciata à Rio, au début du siècle.

São Paulo (SP) 248 255 km², 32 684 260 h., D. 132,65 : *São Paulo* 10 997 473 h. (agg. 15 280 375 h., 970,5 km) ; s'accroît de 600 000 nouveaux venus par an. Une des plus fortes concentrations industrielles du monde, notamment dans la zone polluée de Cubatão. Près de 60 % du P.N.B. brés.

• **Sud.** 575 316 km², 6,76 % du terr., 22 834 965 h., D. 39,69, pop. urbaine 75,79 %. Montagneux au N., plaine et pampa au S. Seule région où il y ait un hiver. Écon. agricole riche, 1er du pays pour : tabac, maïs, soja, blé, sorgho, avoine, seigle, orge, graines de lin. Porcins et ovins.

Paraná (PR) 199 324 km², 9 167 929 h., D. 45,99 ; *Curitiba* 1 390 967 h. (1 077,2 km).

Rio Grande do Sul (RS) 280 674 km², 9 264 714 h., D. 33 ; *Porto Alegre* 1 371 313 h. (2 027 km). 8 % du P.N.B., 12 % des exportations.

Santa Catarina (SC) 95 318 km², 4 402 322 h., D. 46,18 ; *Florianopolis* 236 359 h. (1 310 km).

• **Centre-Ouest.** 1 604 852 km², 18,8 % du terr., 9 591 262 h., D. 5,97, pop. urbaine 77,57 %. Plateau central assez élevé avec chaînes de montagnes et vallées fertiles.

District fédéral (DF) 5 594 km², D. 322,39 ; *Brasilia* 1 803 478 h. Construite autour d'un lac artificiel de 40 km de long. *1789* projet de capitale à l'intérieur (raisons surtout stratégiques) ; *1890* projet de transfert inclus dans la Constitution provisoire ; *1955* le Pt Café Filho dépossède le Goiás du futur district fédéral ; *1956-9-3* création de la Cie Nova-Cap ; *1957-10-1* décret du Pt Kubitscheck transférant la capitale. RAISONS. 1° *économiques :* centre de développement pour le plateau central ; 2° *politiques :* fin de la rivalité entre les 2 capitales : São Paulo (financière) et Rio (politique) ; 3° *écologiques :* climat sain (alt. 1 152 m ; temp. 17-22 °C), eaux abondantes, cadre naturel intact (savane vallonnée, appelée *mato* ou *cerrado*). RÉALISATION. *Lauréat du concours* (1956) : Lucio Costa (26 candidats) ; *architecte :* Oscar Niemeyer. *1960-21-4* inauguration. *1970* transfert du corps diplomatique.

Goiás (GO) 340 166 km², 4 082 018 h., D. 12 ; *Goiãnia* 1 038 187 h. (173 km). Nom : celui des Indiens *Guaiases* (fleur des champs). Démembré en oct. 88 pour créer dans sa partie nord l'État de Tocantins ; *Palmas* (cap.).

Mato Grosso (MT) 901 420 km², 1 930 619 h., D. 2,14 ; *Cuiabá* 331 893 h. (1 133 km).

Mato Grosso do Sul (MS) 357 471 km², 1 775 147 h., D. 4,96 ; *Campo Grande* 435 448 h. (878,2 km).

Économie

• **P.N.B.** Total (milliards de $) *1982 :* 274,6 ; *83 :* 241,9 ; *84 :* 227,7 ; *85 :* 222 ; *86 :* 270 ; *87 :* 314 ; *88 :* 373 ; par hab. ($) *82 :* 2 170 ; *85 :* 1 640 ; *86 :* 1 880 ; *87 :* 1 960 ; *88 :* 2 280. **P.I.B.** Total (milliards de $). *1983 :* 185,7 ; *84 :* 203,5 ; *85 :* 228 ; *86 :* 250 ; *87 :* 268,7 ; *88 :* 279,5 ; *89 :* 303,5 ; *90 (est.) :* 289,5. **Pop. active** (% et entre par. part du P.N.B. en %) agr. 30 (11), mines 4 (5), ind. 20 (33), serv. 46 (51). **Total** (88) : 58 728 534 h. dont hommes 38 221 744, femmes 20 506 790. **Chômage :** *sept. 87 :* 4,03 % de la pop. active ; sans emploi 8 % (oct. 3 %). *1989 :* 2,4 %. **Déficit public** % du P.N.B. *1984 :* 18, *85 :* 30, *86 :* 9,9, *90* (prév.) : 8 (objectif du gouv.) 2. **Inflation** (%). *1980 :* 110,2 ; *81 :* 95,2 ; *82 :* 99,7 ; *83 :* 211 ; *84 :* 223,8 ; *85 :* 235,1 ; *86 :* 65 (0 en mars) ; *87 :* 366 (0 en juil.) ; *88 :* 934 ; *89 :* 1 765 (0 en février) ; *90 :* 20 ; *mars :* 85 ; *avril :* 44,8 ; *mai :* 7,9. **1991**-*janv. :* 19,9, *fév. ; mars :* 9 ; *avril :* 7,5. **Réserves en devises** (milliards de $). *1985 :* 9, *87 (avril) :* 3. **Balance des paiements courants** (en milliards de $). *1982 :* – 14,7, *83 :* – 6,2, *84 :* 0,5, *85 :* – 0,2, *86 :* – 5,3, *87 :* – 1,4, *88 :* – 4,2. **Taux de croissance** (en %) : *1949-59 :* + 6,5 ; *1959-64 :* 5,9 ; *1970 :* 9,5 ; *71 :* 11,3 ; *72 :* 11,9 ; *73 :* 14 ; *74 :* 8,2 ; *75 :* 5,2 ; *76 :* 10,3 ; *77 :* 4,9 ; *78 :* 5 ; *79 :* 6,8 ; *80 :* 9,2 ; *81 :* – 4,4 ; *82 :* 0,7 ; *83 :* – 3,4 ; *84 :* 5 ; *85 :* 8,3 ; *86 :* 7,5, *87 :* 3,6, *88 :* 0 ; *89 :* 3,6 ; *90 :* – 4,3.

Nota. – 40 à 50 millions de Brésiliens sur 150 ont un niveau de vie comparable à celui des Européens. En 1989, 1 % de la pop. détenait 17,3 % de la richesse (13 % en 1981) et 10 % de Brésiliens les plus pauvres 0,6 % (0,9 % en 1981).

Dette extérieure (milliards de $). *1979 :* 52, *80 :* 70,2, *85 :* 106,7, *86 :* 109, *87 :* 120,64 (dont U.S.A. 22,16 %, Japon 15,77, G.-B. 9,1, *France 7,36,* Banque nat. 6,26, All. féd. 7,04, Canada 5,49, FMI 4,41, BID 2,06, Suisse 2,05, Italie 1,68, Belg. 1,21). *88 :* 120 (dont privée 80). *89 :* 114,6 (à long terme) service de la dette 50 % des export. *90 :* 115. *91 :* 123. Intérêts : 57 (que le B. déclare ne plus régler en août 1990). Le 29-3-1988, 1re adjudication de titres de la dette pour 189 millions de $]. *En 1988 (21-6) :* accord avec 14 banques représentant 700 créanciers et 61,5 milliards de $ de dette privée. *(Juillet) :* accord avec créanciers publics sur 15 milliards de $. *(22-9) :* accord sur rééchelonnement de 82 milliards de prêts, le renouvellement de 15 milliards de $ de crédits commerciaux et l'octroi de 5,2 milliards de $ d'argent frais. *1990* (12-1) report du paiement de 4,3 milliards de $ d'intérêt (dont 3,3 aux banques) [Remboursement annuel de la dette : *1989 :* 11 milliards de $, *90 :* 5, *91 :* 5, *92 :* 7]. **Influence écon. étrangère** importante. *Capital étranger* 10 à 20 % en moyenne (autom. 100 %, chimie, prod. pharm., électronique très important). **Revenus.** 30 % des familles disposent de – de 400 F par mois. Sur 59,5 millions d'actifs, 28 gagnent – de 152 $ par mois (dont 14,5 – de 76 $ par mois).

☞ **Propositions** *(20-9-1989)* de John Kenneth Galbraith pour contrôler l'inflation et assurer le redémarrage de l'économie. *1°)* Gel temporaire des prix et salaires. *2°)* Augmentation sensible de l'imposition des revenus élevés. *3°)* Réduction des dépenses de l'État et gestion rigoureuse des entreprises publiques. *4°)* Privatisation de certaines entreprises publiques. *5°)* Réduction des dépenses militaires. *6°)* Création d'un club des pays endettés en vue d'une renégociation conjointe de la dette. *7°)* Financement des investissements industriels avec les fonds libérés par l'allègement du service de la dette.

• **Agriculture. Développement.** 1°) *monoculture de la canne à sucre* (XVIIe-XVIIIe s.), avec défrichement massif de la forêt ; 2°) *monoculture du café* (XIXe s.) ; 3°) *caoutchouc* (début XXe s.) : les défrichements donnent des champs de cannelle, cacao, maté ; 4°) *monoculture du café* (milieu XXe s.) : au cours fluctuant, recul des cultures vivrières ; 5°) fin XXe s. *réhabilitation des cultures vivrières* [difficultés : 1°) *climatiques* (sécheresse dans le N.-E., gel dans le S.) ; 2°) *réformes structurelles ;* 1964, l'État a tenté de redistribuer les terres : échec (en oct. 85, il y avait de 10,5 à 12 millions de travailleurs ruraux démunis, et l'appropriation des grandes exploitations par propriétaires privés et multinat. s'était renforcée) ; réforme agraire décidée sur 416 millions d'ha de latifundia (grandes propriétés) avec installation de 7 millions de familles (*au 31-12-86 :* 3,7 millions d'ha distribués à 15 000 familles installées) ; opposition des grands propriétaires (façendeiros qui pourchassent les posseiros, squatters de terres inoccupées) ; 430 000 km^2 devaient avoir été distribués en 1989. 9 % de la main-d'œuvre agr. a – de 14 ans : mobilité excessive des salariés moyens (prod., commercialisation, transport) vétustes]. *-5-88 :* échec du projet de redistribution devant l'Assemblée (84 partisans de la redistribution tués en 1988).

Conflits agraires. Nombre en *1987 :* 582, *88 :* 621, *89 :* 500 ; *surfaces concernées* (en millions d'ha) : *1987 :* 17,6, *88 :* 20, *89 :* 14,5. **Morts.** *1987 :* 109, *88 :* 93, *89 :* 56 (1 500 dep. 1965).

Réalisations. 55 % de la surface agr. utile est inexploitée (la plus forte réserve du monde). *Se développent :* irrigation (*80 :* 1 481 219 ha), électrification, routes d'accès, techniques, diversification des cultures (soja et orangeraies). **Exploitations (1980).** *– de 10 ha :* 50,4 % (2,5 % de la surface), *10 à 100 :* 39,1 (17,7), *100 à 1 000 :* 9,5 (34,8), *1 000 à 10 000 :* 0,9 (28,7), *+ de 10 000 :* 0,1 (16,3). 50 % des terres fertiles sont détenues par 4 % de la population.

Régions agricoles : *S.-E.* café, maïs, bovins, agrumes, canne à sucre, coton. *Sud* bovins, porcins, ovins, riz, p. de t., haricots, tabac, agrumes, blé, maïs, soja. *N.-E.* cacao, canne à sucre, coton, élevage. *Amazonie* peu d'agriculture. Élevage, riz, jute, poivre, mauve, cacao, hévéa, palmier à huile. *Nord* élevage. *Centre-Ouest* riz, maïs, soja, élevage.

Production. Café (26 % de la prod. mondiale). *1981 :* 62,5 millions de sacs de 60 kg, *82 :* 33,4 (sécheresse et gel), *83 :* 55,7, *85-86 :* 29, *88-89 :* 22,9 (prév.). En 1988, 18,3 millions de sacs exportés (1,8 milliards de $). **Divers.** *En millions de t* (89) : *soja* 18 (88), *manioc* 21,5 (88), *canne à sucre* 239 883 [encouragé par le plan proalcool (voir énergie), fait reculer cult. vivrières et stérilise les sols cultivés sur 4 millions d'ha (sur 51 millions d'ha cultivés)], *maïs* 26, *haricots* 2,5 (fejoas, dont est tiré le plat national, fejoada), *oranges* 16,6, *cacao* 0,40, *tabac* 0,44, *coton, bananes, blé, p. de terre.* **Caoutchouc** (jusqu'en 1912, 1er prod. mondial de borracha, exporte 42 000 t ce qui lui fournit 1/3 de ses devises, *89 :* 36 000 t). **Forêts.** 47 % (3 972 240 km^2) du pays. 241 000 000 m^3 (88). *Prod. de cueillette* (Amazonie, N.-E.) : babaçu, caoutchouc, cire de carnauba, noix du B., fibre textile (piassava), noix de cajou, bois.

• **Élevage** (millions de têtes, 89). Bovins 136,8, porcs 3,2, ovins 20,5, caprins 11, chevaux 5,9 (88), mulets 1,9 (84), ânes 1,3 (88), volailles 526 (88). **Pêche.** 934 408 t (87).

• **Énergie. Pétrole** (millions de t) *réserves 1991 :* 389, *prod. 1981 :* 12, *82 :* 15, *83 :* 19,1, *84 :* 26,8, *85 :* 31,7, *86 :* 33,2, *87 :* 32,8, *88 :* 32,2 (dont 21,8 off shore), *89 :* 30, *90 :* 32,5. **Gaz** (milliards de m^3) *réserves 1987 :* 105. *Prod. 1987 :* 5,9, *88 :* 5,8. **Charbon** (milliards de t) *réserves 1987 :* 5,2 ; *prod. 1986 :* 0,024, *87 :* 0,018, *88 :* 0,021 ; *imp. 1987 :* 11 396 663 t. **Électricité** *1987 :* 209 026 GWh (dont hydroélectricité 217 162). *Complexe hydroélectrique d'Itaipu* (à 14 km de Foz do Iguaçu) le 1er du monde. Décidé 22-6-1966 avec le Paraguay (le Paraná est un fleuve frontière) ; mise en route de l'usine en 1983. Capacité 29 milliards de m^3 ; surface inondée 1 460 km^2 ; puissance installée 12 600 000 kW (18 générateurs) ; coût : 16 milliards de $. *Usine hydroélectrique de Tucuruí* à 300 km de Belém, 4e du monde et 1re du Brésil. Puissance finale 8 millions de kW (24 générateurs). 23-11-84 mise en service de 2 générateurs (660 MW). **Nucléaire.** En 1975 accord avec All. féd. pour 8 centrales de 1 300 mW chacune d'ici 1990. *Angra 1* (réacteur de 626 mW construit par U.S.A. à 130 km de Rio) fonctionne dep. avr. 82 en régime expérimental ; constr. des 7 autres suspendue en 1984. Pour l'an 2000, 60 centrales étaient prévues (75 000 mW). *Uranium :* réserves *1990 :* 255 100 t. Le B. maîtrise l'ensemble du cycle du combustible nucléaire dep. 1987 (1re expérience réussie d'enrichissement de l'uranium dans la centrale d'Abramar à Ipero – São Paulo), mais sa Constitution lui interdit de produire l'arme atomique.

Projet du « proalcool ». Décidé 1975, lancé 1979, carburant végétal (alcool de canne à sucre ou de manioc). Devait assurer l'indépendance énergétique, 70 % des transp. se faisant par camions. *Coût :* 7 milliards de $. *En 1927 :* les voitures marchaient avec un mélange alcool (75 %) éther (25 %). Inconvénient : réintroduction de la monoculture de la c. à sucre sur 7,5 % de la sup. cultivable, soit 4 milliards d'ha, au détriment des cultures vivrières (soja, haricot, maïs, p. de t.). *1986 :* échec du plan (dû à la baisse des cours du brut, et à la concurrence du gas-oil pour les camions et tracteurs). *1990 :* 4 500 000 voitures sur 9 000 000 utilisent l'alcool (prix de revient du baril 50 à 60 $, + de 4 fois celui du pétrole ; prix de vente fixé par la loi à 31 % de celui du pétr. domestique : baril à 88 $). *Coût au litre :* 33,6 cruzeiros (2,20 F, soit 80 centimes de moins que l'essence). *% de voitures à alcool :* – de 50 % des ventes (*1985 :* 85 %). *Alcool produit* (1986) : 9,96 millions de m^3. *Économie de devises de 1975 à 84 :* 7 milliards de $.

• **Mines.** Potentiel considérable peu exploité. 3 grandes Stés publiques. *Réserves (87) et,* entre parenthèses *production en millions de t :* calcaire 39 662 (57), potasse 12 356 (83) (1986), fer 11 223 (54) (1989), sel gemme 2 595 (1), bauxite 1 682 (10,3) (1987), dolomite 1 206 (3), cuivre 755 (5), titane 544 (3), nickel 303 (1), étain 221 (19), manganèse 75 (3), zinc 23 (1), pyrochlore 3 (1), soufre 1 (0,312), plomb 1 (0,180), sel de mer (3), mica, magnésium, béryl, tantale, quartz, diamants, gemmes. *En t.* (86) : or 12 170 (96,9) (1989), argent 136 (38), tungstène 8 819 (1 090).

• **Industrie.** (10e puissance ind.). Électricité, pétrole, prod. alim., textiles, auto. (924 000 voit. en 1987), métallurgie, méc. et chimie, mat. élect. (complexe ind. de São Paulo). *Armement :* 95 % exporté, (*85 :* 1,5 milliard de $, *86 :* 0,8). *Petrobras* (entreprise d'État) contrôle 90 % de la capacité nat. de raff. (13 raff. traitant env. 1 000 000 barils). *Chantiers navals* (parmi les + modernes du monde). Sur les 200 plus grandes entr. 72 publiques, 91 privées et 37 étrang.

• **Privatisations.** *Programme du 15-3-90 :* 42 des 220 entreprises publiques avant 1992 ; bénéfice prévu : 9 milliards de $.

• **Transports. Routes** [(km, 1988) entre par. revêtues]. 1 673 735 (133 623) dont fédérales 66 297 (49 499), régionales 187 775 (74 022), municipales 1 248 522 (10 102). *Grands axes* (en km) : Cabedelo/Benjamin Constant (Transamazonienne) (transversale) 4 918 (dont 928 construits au 1-10-85) dont 1/3 envahi par la forêt, Limeira/Mancio Lima (diagonale) 4 196, Fortaleza/ Jaguarão (longitudinale) 4 468, Touros/Rio Grande (longitudinale) 4 517. **Voies ferrées :** *1854 :* 15 km ; *1890 :* 9 200 ; *87 :* 29 833, dont 2 149 électrifiées : concentrées dans le S.-E, mais avec 2 antennes vers Brasilia. 88 % à voie étroite. *En 1985* ouverture de la voie São Luís/Carajas (890 km, bassin minier). **Fleuves :** le San Francisco, ou « Fleuve de l'Unité », traverse 5 États. Actuellement, en déclin (navigation fluviale + cabotage = 11 % du trafic total). 2 193 bateaux (85). **Réseau aérien :** dense (*85 :* 829 aéroports).

• **Tourisme. Visiteurs :** (1987) : 1 929 053 dont Amér. du S. 1 027 082, Europe 471 960, Amér. du N. 300 556.

Lieux touristiques. Nord : forêt amazonienne. *Manaus* (alt. 412 m). *Belém.* **Nord-Est :** *São Luis* fondée 1612 par Français, nom donné en hommage à Louis XIII. *Natal* (Noël, la 1re église fut consacrée le 25-12-1599. Mermoz y atterrit en 1930 après 1re traversée de l'Atlantique). *Recife :* la « Venise brés. ». Chapelle Dorée. *Olinda,* ville coloniale. *Salvador de Bahia :* fondée 1549 ; églises baroques. **Sud-Est :** villes baroques. *São João del Rei, Sabara, Mariana, Congonhas do Campo ; Ouro Preto* (« or noir », on a trouvé des pépites d'or mélangées avec du sable noir, alt. 1 100 m). *Tiradentes* (grottes : Maquiné, explorée 1935, 440 m de larg. ; Lapinha, explorée 1930, 790 m d'alt., 511 m de long., 40 m de prof.). *Rio de Janeiro :* carnaval (*nombre de † : 1982 :* 122 ; *83 :* 98 ; *85 :* 205 ; *86 :* 121 ; *87 :* 162 ; *88 :* 139). Pain de sucre, 395 m, pic du Corcovado, 710 m (statue du Christ du Français Landowski, 38 m, inaugurée 1931), Jardin botanique, stade de Maracana (150 000 places), baies et plages de Copacabana, Ipanema, Leblon, Barra da Tijuca. *São Paulo,* alt. 800 m, centre économique. **Sud :** *Vila Velha,* ville en rochers. *Chutes d'Iguaçu* (en indien, eau grande), puissance hydraulique de 1 200 000 HP. 275 chutes en demi-cercle : larg. 2 700 m, haut. 60 à 80 m, dénivellement de 752 à 200 m. *Rio Grande do Sul :* chute du Caracol (120 m). *Canyon de Taimbézinho :* « Parque National de Aparados da Serra », précipices, long. 23 km (faille de parois de 400 à 500 m de haut). *Canyon de « Fortaleza »,* dénivellement de 1 000 m. *São Miguel das Missões,* ruines de l'église. **Centre-Ouest :** *Brasilia* (alt. 1 152 m), archit. moderne.

• **Commerce** (milliards de $ US, 88). *Exp.* 31,3 (90) *dont* prod. alim. boissons et tabac 5,6, mach. et mat. élec. 3,3, prod. min. 3,1, prod. vég. 3,1 (café cru en grains 1,2) *vers* U.S.A. (y compris Porto Rico) 8,7, P.-Bas 2,6, Japon 2,3, All. féd. 1,4, Italie 1,4. *Imp.* 20,3 (90) *dont* prod. min. 5,3, march. et mat. élec. 3,9, prod. chim. 2,6, prod. vég. 0,6, équip. de transp. 0,5 *de* U.S.A. (y compris P.R.) 3,3, All. féd. 1,5, Iraq 1,4, Japon 1,1, Arabie Saoudite 1,1, Arg. 0,7.

Balance commerciale (milliards de $). *86 :* + 9,5 ; *87 :* + 11,2 (exp. 27) ; *88 :* + 19,29 (exp. 33,78) ; *89 :* + 16,12 ; *90 :* + 11 (exp. 34,3).

Rang dans le monde (89). 1er café, canne à sucre, manioc (85), bananes (85), oranges (85), 2e bovins, cacao, soja (85), 3e maïs, palmistes (85), 4e porcins, fer, tabac brut (85), 5e bois, 6e coton, or, 7e diamants (83), 8e céréales, 9e riz, lait (85), 10e phosphates (88), arachides (85), 16e ovins, 21e blé (85), 21e pétrole.

BRUNEI

Carte p. 1015. V. légende p. 837.

Situation. Asie. Forme 2 enclaves au N.-O. de Bornéo. 5 765 km^2. *Alt. max.* 396 m. *Climat* tropical. (*T. :* 24 à 30 °C ; *pluie :* 2 540 à 5 080 mm).

Population. *1960 :* 84 000, *70 :* 136 000, *84 :* 215 943, *89 :* 249 000. *2000 :* 386 000. Malais 69 %, Chinois 18 %. D. 43. *Capitale : Bandar Seri Begawan* 50 500 (86). **Langues.** Malais *(off.),* chinois, anglais, iban (proto-malais). **Religions.** Islam (*off.,* 60 000 musulmans), bouddhistes, chrétiens, animistes.

Histoire. Fondé **XVe s.** sultanat musulman avec Alak Ber Tata ; tributaire du roy. hindou de Majapahit (Java) puis indépendant. **1580** conquête espagnole repoussée. **XVIIIe s.** comptoir anglais de la Cie des Indes. **XIXe s.** centre de la traite des esclaves en Asie du S.-E. **1888-1971** protectorat brit. **1929** découverte du pétrole. **1963** ne rejoint pas la Fédération malaise. **1971** tr. d'association avec G.-B. **1984** indép. *-7-1* adhésion à l'ASEAN.

Statut. État membre du Commonwealth. *Constitution* 29-9-1959, amendée 1965. *Sultan :* Hassanal Bolkiah Muizzaddin Waddaulah (n. 1945) dep. 4-10-67, couronné 1-8-68. *Conseils : privé, des ministres et législatif* (20 m. nommés). B. revendique Limbang au Sarawak. **Fête nat. :** 23 fév. **Drapeau :** bande blanche (population) et noire (gouv.) représentant la protection brit. Fut ajoutée en 1906 au drapeau jaune du sultan. Armes de l'État datant de 1959.

Économie

P.N.B. *(89)* 17 170 $ par h. **Pop. active** (% et entre par. part du P.N.B. en %) agr. 3 (1), ind. 23 (10), services 72 (39), mines 2 (50). **Chômage (%).** *1988 :*

3,6, *89:* 6. Fortune (étatique) du sultan : 25 milliards de $ (pas d'impôts ; éducation et soins gratuits).

Agriculture. *Terres* (milliers d'ha, 1979) arables cultivées en permanence 9, pâturages 6, forêts 415, eaux 50, divers 93. *Production* riz (7 000 t en 89), manioc, patates douces, bananes, légumes, pamplemousses, caoutchouc (abandonné). 1 % de sa superficie est cultivé. **Forêts.** 3/4 du territoire. Bois 90 000 m^3 (85). **Élevage** (milliers, 1988). Bovins 3, buffles 10, porcs 14, chèvres 1, poulets 2 000, canards 14. **Pêche.** Env. 2 652 t (87).

Pétrole (millions de t) *réserves :* 185 ; *prod. : 1980 :* 12,5, *81 :* 9, *82 :* 8, *83 :* 8,5, *85 :* 7,5, *86 :* 7,5, *87 :* 7,7, *88 :* 7,5, *89 :* 7,5, *90 :* 7,9. **Gaz** (milliards de m^3) *réserves :* 200 ; *prod. : 1981 :* 7, *82 :* 8, *83 :* 5, *84 :* 8,3, *85 :* 8,1, *86 :* 9, *87 :* 8,6. **Industrie.** Raffinerie de pétrole. Liquéfaction du gaz. **Tourisme** (88) 9 000 vis.

Commerce (milliards de $ Br, 86). *Importations* 1,45 dont machines et équip. de transport 0,55, prod. manuf. de base 0,30, alim. et animaux vivants 0,20 ; *de* Singapour 0,37, Japon 0,25, U.S.A. 0,17, G.-B. 0,11, All. féd. 0,08. *Exportations* 3,9 dont pétrole brut et autres produits raffinés 1,7 ; *vers* Japon 2,6, Thaïlande 0,32, Corée du S. 0,29, Singapour 0,26.

BULGARIE

V. légende p. 837.

Situation. Europe (Balkans). 110 911,5 km^2. *Frontières* avec Roumanie 609 km (dont Danube 470), mer Noire 378, Grèce 493, Turquie 259, Yougoslavie 506. *Alt. moy.* 470 m, *max.* Moussala 2 925 m. *Dim. max.* E.-O. 520 km, N.-S. 330 km. *Principaux cours d'eau (longueur en B. en km).* Danube 470, Iskar 368, Toundja 349, Maritsa 322. **Régions.** *B. du N. :* entre chaîne de Stara Planina et Danube, plateaux et plaines fertiles, climat contin. (*moy. :* janv. à Pleven – 1,7 °C, juillet + 23,6 °C ; pluies 600 mm). *B. du S. :* montagnes (Stara planina et Sredna gora au N., massifs de Rhodope au S., de Rila et de Pirine au S.-O.) et bassins (plaine de Thrace, vallée de Sofia, vallée des Roses), climat méditerranéen de transition : conifères, maquis.

Population (en millions d'h.) : *1900 :* 3,75, *1930 :* 5,77, *1940 :* 6,37, *1950 :* 7,27, *1960 :* 7,9, *1970 :* 8,51, *1980 :* 8,88, *1987 :* 8,97, *1989 :* 9, *2000 (prév.) :* 9,7 (*– de 15 a. :* 22,7 %, *+ de 65 a. :* 12 %). *Minorités :* Turcs 9 % (en 1950-51, 155 000 Turcs bulgares ont émigré en Turquie, de mai à oct. 1989, 310 000 expulsés ; au 1-1-1990, 80 000 revenus), Arméniens, Juifs, Grecs, Roumains, Tsiganes 2 %. D. 81. **Villes** (90) : *Sofia* 1 141 142, Plovdiv 379 000 (à 156 km), Varna 314 000 (470), Bourgas 204 000 (392), Roussé 192 000 (324), Stara Zagora 164 000 (234), Pleven 138 000 (176), Dobritch 115 000 (512), Sliven 112 000 (279), Choumen 107 900 [1] (386), Pernick 94 750 [2].

Nota. – (1) 1989. (2) 1985.

Langues. Bulgare 88 % (*off.*) : slave, contient quelques éléments russes, latins, grecs, turcs ; écrit dès le IXe s. (alphabet cyrillique, du nom de Constantin Cyrille le Philosophe 826/27-869) ; codifié langue littéraire XVIIIe s. ; turc 8,6 % (*1959* devient langue étrangère. *1974* pratiquement plus enseigné). **Religions.** Église séparée de l'État. En %, orthodoxes 80, musulmans 9 [938 418 en 1946, actuellement env. 600 000 Turcs, 150 000 Pomaks du Rhodope (chrétiens hérétiques convertis à l'Islam au Moyen Age), 200 000 Tsiganes, 6 000 Tartares], catholiques 50 000 (1976).

Histoire. Pays thrace conquis par Rome (Ier s.). **VIe s.** slavisation. **VIIe s.** pénétration des Proto-B. (tribu turque, venue d'Asie centrale). **681** Khan Asparoukh, fils de Koubrat le Grand, signe tr. de paix avec Byzance et unifie les tribus slaves et protobulgares peuplant Dobroudja et Bulgarie du N. d'aujourd'hui jusqu'à la rivière Timok, et constitue le 1er État slave-bulgare, la B. (capitale : Pliska, puis Preslav). **701-21** Khan Tervel fait la paix avec voisin du Sud. **777-803** Khan Kardam. **803-14** Khan Kroum, consolidation et expansion territoriale. **814-831** Omourtag (khan, successeur de Kroum) reconstruit la 1re capitale, Pliska, détruite par les Byzantins, g. victorieuses contre la monarchie franque, paix de 30 ans avec Byzance, travaux de construction. **852-889** Boris Ier. **864** conversion au christianisme orthodoxe, Égl. nation. Cyrille et Méthode – apparition de l'écriture et des lettres slaves. **893-927** Siméon le Grand, f. de Boris, g. victorieuses contre Byzance. État puissant, créé par patriarcat b. « Age d'or » de la culture b. **Fin Xe s.** luttes intestines, hérésies, mouvement des Bogomiles. **967** Byzance appelle le pce Svetoslav de Kiev, qui conquiert le N. de la B., s'allie à Boris II (970-71) contre Byzantins. **972**

Byzance conquiert B. du N.-E. B. occid. résiste sous le roi Samouil (997-1014), s'étend, puis est soumise par l'emp. Basile II Bulgaroctone. **1018-1185** domination byzantine. **1185-87** insurrection de Tarnovo, dirigée par les frères Assen et Petar. Libération : 2e roy. b. (cap. Tarnovo). **1197-1207** expansion terr. sous Kaloïan. G. victorieuses contre les croisés. **1218-41** Ivan Assen II. **XIIIe et XIVe s.,** essor de Tarnovo, foyer de la culture b., puis luttes dynastiques, démembrement féodal. **2e moitié du XIVe** 2 roy. : Tarnovo et Vidin, envahis par les Turcs (1393 et 1396). Insurrections (1404-13, 1598, 1686, 1688, 1689, 1737, 1835-37, 1841, 1850, 1862, 1875, 1876), haïdouks (résistants contre les Turcs) ; 150 000 Bulgares émigrent en Russie et Roumanie. **1396-1878** domination turque. **XVIIIe-XIXe s.** renaissance b. Prospérité écon. **1870** Égl. b. autonome. Mouv. révolutionnaire et de libération nat. : Rakovski, Karavelov, Levski, Botev. **1876**-*avr.* insurrection nat. (30 000 †, des milliers de Bulgares sont emprisonnés ou exilés). **1877** g. russo-turque. **1878**-*3-3 tr. de San Stéfano :* B. autonome dans ses frontières ethniques ; réduite et divisée par le *tr. de Berlin* (13-7) : principauté vassale du sultan, au N. [Pce élu (1879), Alexandre de Battenberg] ; prov. autonome de Roumélie orient. au S. Macédoine redevient prov. turque, Thrace restituée à Turquie. Roumanie prend Dobroudja, Serbie Nish et Pirot. **1879**-*3-4* Sofia capitale. **1885**-*6-9* réunion des 2 prov. et g. victorieuse contre Serbie. **1886** Battenberg abdique. **1887** Ferdinand de Saxe-Cobourg-Gotha élu prince (roi 1908). Début du mouv. ouvrier et soc. Dimitar Blagoev, Yanko Sakazov. **1891**-*2-8* fondation du P. ouvrier soc.-dém. b. (1903 scission en 2 partis soc. – POSDB – soc. de gauche). **1893** mouv. de lib. nat. dans la pop. b. en Macédoine et dans région d'Andrinople dirigé par la future Organisation rév. intérieure de Macédoine et d'Andrinople (ORIMA). **1899** création du P. agrarien b. (PAB), Alexandre Stamboliyski. **1903**-*2-8* insurrection de la Ste-Élie et de la Transfiguration, dirigée par l'ORIMA, écrasée par T. **1912** alliance balkanique (B., Serbie, Grèce, Monténégro) bat Turquie ; g. entre alliés pour se partager Macédoine prise aux Turcs. **1913** B. battue. *-28-7 tr. de Bucarest,* la B. perd 7 695 km^2 (Grèce et Serbie ont une partie de la Macédoine ; Turquie : Andrinople ; Roumanie : Dobroudja du S. dont Silistra). **1915**-*6-9 tr. de Sofia,* alliée à All. et Autr. **1918**-*3-5 2e tr. de Bucarest,* récupération de Dobroudja du S. *-28-9* après la percée sur le front b. à Dobro Polé, insurrection de soldats. *-29-9* fin g. *-3-10* Ferdinand abdique (remplacé par son f. Boris III). **1919**-*27-11 tr. de Neuilly :* B. cède 11 278 km^2 dont à Grèce : Thrace occid. ; Roumanie : Dobroudja du S. ; Yougoslavie : vallées du Timok et de la Stroumitza. En outre, B. doit leur verser 2,25 milliards de F or (bientôt rééchelonnés, puis abandonnés 1938). POSDB (soc. de gauche), m. de l'Internationale commun. **1920-23** gouv. Al. Stamboliyski (formé par le PAB). **1923**-*9-6* coup d'État militaire, Stamboliyski assassiné. *Sept.* insurrection (Georges Dimitrov et Vassil Kolarov) échoue. **1925** B. et Turquie prévoient la liberté d'immigration dans les 2 sens. **1940**-*7-9 tr. de Craiova :* Roumanie rend Dobroudja du S. (env. 7 500 km^2). **1941**-*1-3* adhère au *Pacte tripartite.* Partant de B., All. attaque Yougoslavie et Grèce. *-24-6* débuts du mouv. des partisans. *-12-12* B. déclare g. à G.-B. et U.S.A., mais maintient ses relations avec U.R.S.S. **1943**-*23-5* minorité juive (50 000) sauvée. *-10-8* sur l'initiative du PCB, fond. du Comité nat. du Front de la Patrie ; adhèrent P. agrarien b., cercle « Zvéno », P. soc.-dém. b., P. radical et intellectuels indépendants. *-28-8* mort de Boris III (empoisonné ?), son f. mineur Siméon II lui succède. Régents élus : Pce Kiril, B. Filov et gén. N. Mikhov. **1944**-*2-9* gouv. de K. Mouraviev avec la participation de partis démocratiques en dehors du Front de la Patrie. *-5-9* U.R.S.S. déclare g. à la B. *-9-9* B. déclare g. à All. Insurrection, gouv. du Front de la Patrie (P. antifascistes) dirigé par Kimon Guéorguiev. *28-10* armistice avec U.R.S.S., G.-B., U.S.A. Les troupes b. libèrent des régions de Youg., Hongrie et Autriche. **1946**-*8-9* référendum (Rép. : 3 833 183 v., monarchie : 175 232, bulletins nuls : 123 690). *-15-9* Rép. pop. *-27-10* élect. sur 468 sièges. Front de la Patrie (communistes, agrariens, socialistes, Zveno et ind.) 362 s. (dont 275 aux C.), opposition 99. Purges : env. 17 000 †. **1947**-*10-2 tr. de Paris :* B. garde Dobroudja du S. *-23-9* Nicolas Petkov, chef du P. agrarien (dissous 26-8), jugé et pendu. *-4-12* nouvelle Constit. *-23-12* nationalisations (ind., mines, banques). **1948**-*févr. et mars* P. radical et Zveno fusionnent avec Front de la Patrie. *-18-3* tr. d'amitié avec U.R.S.S. *-23-4* Tchéc., *-29-5* Pologne, *-16-7* Hongrie. *Août* P. soc. et PC fusionnent. 1er plan économique quinquennal. **1949** la B. autorise les juifs b. à émigrer en Israël. *Déc.* Traïtcho Kostov, vice-Pt du Cons., pendu (réhabilité en 1956). **1950-51** émigration en Turquie de 153 998 T. **1953**-*13-12* interdiction de quitter le pays. **1954** *4-3* Jivkov élu 1er secrétaire du PCB. **1965**-*avr.* échec d'un complot anti-U.R.S.S. **1968** accord avec Turquie : 115 000 émigrés en 10 ans. **1978**-*29-9* assassinats à Londres de dissidents : Georgi Markov, Vladimir Simeonov. **1979**-*janv.* projet soviét. : faire de la B. la 16e Rép. féd. de l'U.R.S.S. **1981** *juill.* Ljoudmila, fille de Jivkov, férue de nationalisme meurt (tuée par KGB ?). **1982** services secrets b. accusés d'avoir participé à l'attentat contre le pape. **1984**-*8-5* « Bulgarisation » des noms turcs : frictions (+ de 100 †) ; obligatoire en 1985. *-Août* attentats à la bombe. **1987**-*10-5* liberté de voyager. *-3-6* Banque nationale perd monopole ; 8 banques commerciales créées. *-17-7* 2 zones franches créées Vidin et Rousse (plus tard : Bourgas, Plovdiv, Lom, Svilengrad). **1988**-*Juillet* Chudomir Alexandrov, no 2 du régime, réformiste modéré, limogé. **1989**-*9-1* des Stés par actions remplacent les combinats. Secteur privé toléré jusqu'à 10 employés par entreprise. *-18/19-1* Pt Mitterrand en B. *-10-5* liberté de voyager. *-20-5* affrontements gendarmes/musulmans (4 †). *-11-6* 1er départ massif de B. turcophones. *-16-9* avantages accordés aux agriculteurs : pour la vente de 100 l de lait de brebis 4 $ en 1990 et 5 en 1991, augmenter le cheptel : 350 à 500 leva pour une vache, 40 à 60 pour une brebis. *-10-11* chute du régime de Todor Jivkov (n. 7-9-1911). Petar Mladenov (min. des Aff. étr. dep. 1971) le remplace comme secr. gén. du PC. *-18-11* 50 000 manif. contre le régime. *-22-11* 13 maisons de Jivkov rendues à la nation. *-25-11* dissolution du département politique de la milice. *-8-12* Jivkov exclu du comité central, puis du PC, comme son fils Vladimir et son collaborateur Milko Balev. *-10-12* 100 000 manif. pour la poursuite des réformes. *15-12* l'assemblée nat. vote l'amnistie des prisonniers politiques. 10 000 manif. contre PC. *-29-12* les musulmans peuvent utiliser leur langue et pratiquer l'islam. **1990**-*7-1* Gueorgui Atanasov, chef du gouv., et 2 dirigeants conspués par 10 000 manif. pour avoir restitué leurs droits aux musulmans. *-14-1* 50 000 manif. contre régime. *-15-1* Parlement abolit rôle dirigeant du PC Mladenov renonce à sa fonction de chef du PC *-18-1* Jivkov inculpé d'abus de pouvoir, de corruption et d'avoir « attisé la haine nationale » placé en détention provisoire. *-8-2* nouveau gouv. comprenant uniquement des communistes (1re fois dep. 1947). *-25-2* 50 000 à 200 000 manif. contre PC. *-26-2* manif. : 15 000. *-1-3* manif. : 10 000. *-5-3* les musulmans peuvent retrouver leur nom d'origine (B. d'or. turque et Pomaks islamisés). *-8-3* 45 000 manif. contre PC *-3-4* Conseil d'État suprimé, Mladenov élu Pt de la Rép. *-Juillet* le corps (embaumé dep. 1949) de Dimitrov enlevé de son mausolée et incinéré. *-6-7* Pt Mladenov démissionne sous la pression de la rue. *-17-7* Nicolaï Todorov élu Pt du Parlement. *-18-7* grèves anti-turques dans plusieurs villes. *-20-7 élect. du Pt de la Rép. -23-7* 200 000 manif. à Sofia en souvenir de Dimitrov. *-2-8* Jelio Lelev : élu Pt de la Rép., Gal Atanas Semerdjiev (min. de l'Intérieur) élu vice-Pt. *-7-8* PM Loukanov démissionne. *-17-9* 30 000 manif. à Sofia pour l'UFD. *-19-9* nouveau gouv. Loúkanov (16 membres du PSB et 3 ministres sans étiquette) ; Gal Dobri Djourov (min. de la Défense) exclu de la direction du PSB). *-23-9* 20 000 manif. à Sofia contre gouv. *-18-11* 120 000. *-25-11* grève générale déclenchée par syndicat d'opposition Podkrepa. *-29-11* PM Loukanov démissionne. *-7-12* Dimitar Popv PM (en fonction 29-12). **1991**-*14-2* le turc autorisé à l'école. *-14-3* Jivkov jugé pour avoir bulgarisé des noms musulmans. *-17-3* 50 000 manif. à Sofia pour élect. *-15-4* 20 000. *-3-5* Marie-Louise, sœur de Simeo II accueillie par dizaines de milliers de B. *-16-5* 16 000. *-23-5* accord él. prévu sept. 91.

Statut. Rép. démocratique (dep. 1990). Avant : Rép. pop. soc. *Const.* du 18-5-1971 [*Ass. nat. 400 m.* élus pour 5 ans, mais révocables avant par les électeurs ; *conseil d'État* (1 Pt, 1 1er vice-Pt ; 2 vice-Pts, 1 secr. et 17 m. élus pour 5 a. par l'Ass. nat.) et *Gouv.* (élu par l'Ass. nat. et responsable devant elle) se partagent l'exécutif ; *conseils* pop. locaux]. *Assemblée constituante* élue 10/17-6-1990 (200 au système majoritaire + 200 à la proportionnelle) dont PSP (ex. PCB)

211 sièges, UFD 144, minoritaires musul. 23. *Pt de l'Ass. nat.* : Nicolaï Todorov. *Régions économiques* 9 (dep. 26-8-1987 ; avant 20 départements). Fête nat. 3 mars (libération du joug ottoman 1878). Drapeau (1878) : bandes blanches horiz. verte et rouge.

Élections **du 10-6-1990.** 6,5 millions d'électeurs, 3 098 candidats, 38 partis. ; *1er tour :* 90,7 % de part. ; PSB 172 s. (47,1 % des suffrages), UFD 107 s. (36,2 %), Mouv. des droits et liberté 21 s. (6,3 %), P. agrarien 16 s. (8 %), divers 3. **-17-6** *2e tour :* 75,2 % de part. ; PSB 211 s. (sur 67 circonscriptions), UFD 144, DPS 23, P. agrarien 16, autres 6.

Partis. *P. socialiste b.* : nom pris le 3-4-90 par le *P. communiste* b. *fondé* 1891, 500 000 m., *chef* Alexander Lilov dep. 2-2-90. *P. agrarien :* fondé 1899, 120 000 m. *Union des Forces Démocratiques (UFD).* Regroupe 15 partis et mouvements d'opposition, *Pt* Philip Dinitrov. (n. 1956), dep. 12-12-90. *P. démocrate* et *P. radical-démocrate :* interdits de 1948 à 1989. *P. démocratique indépendant :* f. 1989.

Chefs d'État

Royaume. **1879** ALEXANDRE Ier de Battenberg (1857-93), abdique 7-9-1886. **1886** Stéphane STAMBOLOV (1854-95), ou Petko KARAVELOV (1843-1903), Guergui JIVKOV (1844-99), Sava Atanasov MOUTKOUROV (1852-91), régence. **1887** FERDINAND Ier de Saxe-Cobourg [1861-1948, f. du Pce Auguste de S.-C. (1818-81) et de la Pcesse Clémentine d'Orléans (1817-1907), f. du roi Louis-Philippe] élu tsar 14-8-1887, abdique 3-10-1918. **1918** BORIS III (1894-1943) s. f., ép. Pcesse Jeanne de Savoie (13-11-07), f. du roi Victor-Emmanuel III d'Italie. **1943** SIMÉON II (16-6-1937) s. f., ép. 21-1-62 Marguerite Gomez-Acebo y Cepiela (Esp. 6-1-35). 5 enfants : *Pce Kardam* (Pce de Tarnovo) (2-12-62), *Pce Cyrille* (Pce de Preslav), *Pce Kubrat* (Pce de Panaguiourichte), *Pce Constantin* (n. 1967), 1 fille (n. 1972), expulsé en 46, réside à Madrid.

Régents *jusqu'au 9-9-1944 :* Pce Kiril, Bogdan Filov, Gal Mikhov ; *ensuite jusqu'en 1946 :* Todor Pavlov, Veneline Ganev, Zv. Bobochevski.

Présidents du Conseil des ministres. **1946** Gueorgui DIMITROV (1882/2-7-1949, accusé en 1933 de l'incendie du Reichstag). **49** *(2-11)* Vassil KOLAROV (1877/23-1-1950). **50** Valko TCHERVENKOV (1900-80). **56** *avril* Anton YOUGOV (n. 15-8-14). **62** *nov.* Todor JIVKOV (n. 7-9-11). **71** *-7-7* Stanko TODOROV (n. 10-12-20). **81** *-16-6* Gricha PHILIPOV (n. 13-7-19). **86** Gueorgui ATANASOV (n. 25-7-33). **89** Petar MLADENOV (n. 1936). **90** *-8-2* Andreï LOUKANOV (n. 1938). *-20-12* Dimitar POPOV (n. 26-6-27).

Pts du Conseil d'État. **1971**-*18-5* Todor JIVKOV (7-9-1911), secr. du Comité central au PC dep. 1954. Pts de la Rép. **1990**-*3-4.* Petar MLADENOV, élu à l'unanimité par le Parlement pour 18 mois, démissionne le 6-7-90. *-1-8* Jelio JELEV (3-3-1935) (philosophe, Pt de l'UFD et fondateur 1989 du Club pour la glasnost et la perestroïka), élu, seul candidat, Pt de la Rép. au 6e t. par 284 v. sur 389 ; aux tours précédents, aucun n'avait obtenu la majorité de 267 voix [*1er t. :* Tchavdar Kuranov (n. 1921) PSB : 211 v., Petar Dertliev (n. 1916) UFD, Viktor Valkov (n. 1936) P. agrarien ; *2e t. (26-7) :* Tchavdar Kuranov 194 v., Petar Dertliev 146, Viktor Valkov 41 ; *5e t. (30-7) :* retrait de Viktor Valkov 257 v., Petar Dertliev 130 ; *6e t. (31-7) :* retrait des 2 candidats].

Économie

P.N.B. *1989 :* 3 332 $ par h. **Pop. active** (% et entre parenthèses part du P.N.B. en %) : agr. 13 (16), ind. 47 (50), services 38 (32), mines 2 (2). **Chômage** 250 000. **Inflation** (en %). *1980 :* 14 ; *81 :* 0,5 ; *82 :* 0,3 ; *83 :* 1,4 ; *84 :* 0,7 ; *85 :* 1,7 ; *86 :* 3,5 ; *87 :* 0,1 ; *88 :* 10 ; *89 :* 10 ; *90 (juillet) :* 30. **Dette extérieure** (milliards de $) : *1970 :* 1,1 ; *85 :* 4,1 ; *90 :* 11 (service de la dette : + de 50 % des exp. dont 1,8 ancien RFA ; 1,4 Japon ; 1 Autr. ; 1 G.-B.). **Aide de l'U.R.S.S.** *1982 :* 2 milliards de $.

Salaire moyen *(sept. 1990) :* 340 leva par mois (136 $ au cours off.).

Agriculture. *Terres* (milliers d'ha, 89) 6 168 dont arables 4 650, cultivées en permanence 3 774, pâturages 1 515, forêts 3 871, eaux 36, divers 1 010. 20,3 % des terres cult. sont irriguées. *Production* (milliers de t, 89) blé 5 425, maïs 2 265, bett. à sucre 966, orge 1 572, soja 22, raisins 743, p. de terre 553, tomates 873, feuilles de tabac 188, riz 43, tournesol 458, légumes, fruits, vin 241 millions de l, céréales 9 652. *Secteur agricole privé :* 13,6 % des terres arables (48 % viande, 49 % œufs, 44,3 % fruits, 41,6 % légumes et 28 % fourrages). Env. 1 500 000 pers. cultivent des lopins indiv. de 0,2 à 0,5 ha. Forêts. 2 655 000 m³ (86). Élevage (millions de têtes, 90). Bovins 1,6, porcs 4,4, moutons 8, chèvres 0,43, poulets 40, canards 0,41 (81), dindes 0,81 (83). Pêche. 63 000 t *(90).*

Énergie (millions de t). **Houille** *1989 :* 35,8 (*70 :* 31,4, *80 :* 31,6, *84 :* 33,9, *85 :* 32,5, *86 :* 36,8, *87 :* 38,4, *88 :* 35,7), **pétrole** *(89)* 0,07, **gaz naturel. Mines :** fer, plomb, cuivre, zinc. **Industrie** (millions de t, 1989). Ciment 5 ; acier 0,2 ; constr. méc., électrique, chimie, prod. alim. (vins et spiritueux, cigarettes). **Électricité** (milliards de kW/h). *1989 :* prod. 44,3 (*70 :* 19,5, *80 :* 34,8, *84 :* 44,7, *85 :* 41,6, *86 :* 41,8, *87 :* 43,5, *88 :* 45) (dont en % : charbon 61,1, nucléaire 32,8, hydroélectricité 6,1) ; nucléaire (centrale de Kozlodouy ; prod. 2 760 mW ; 6 réacteurs dont 4 de 440 mW chacun, 2 de 1 000 mW), centrale de Bélené (4 réacteurs de 1 000 mW, chacun, en constr. ; arrêt des travaux en 1990 pour des raisons d'environnement), hydroélectricité (88 centrales).

Transports (km, 89). Routes 36 897 dont autoroutes 242, nationales 2 938, ch. de fer 6 497 dont 2 609 électrifiés. Tourisme. *Visiteurs étr. en 1990 :* 10 271 700. *Revenus en 1990 :* 350 millions de roubles et 302 millions de $.

Commerce (millions de leva, 90). *Exportations* 10 496 dont mach. et équip. 6 195, prod. alim. 1 273, biens de cons. 1 085, fuel et mat. 1res 804, *vers* U.R.S.S. 6 758, Tchéc. 446,7, All. 445,7, Pologne 269, *France 54. Importations* 10 160 dont mach. et équip. 4 744, fuel et mat. 1ers 3 391, prod. chim. 456, mat. 1res et prod. de trans. 444, *de* U.R.S.S. 3 791, Tchéc. 477, Pologne 509, All. 77, *France 74.*

Rang dans le monde (88). 3e tabac, 5e blé, lignite (11e rés. lignite). 15e vin (88). 19e orge (85).

BURKINA FASO
(ancienne Haute-Volta)

V. légende p. 837.

Nom officiel dep. 4-8-1984 : Burkina Faso [Rép. de Burkina (Patrie des hommes intègres)]. Faso (du dioula : terre de nos ancêtres) ; signifie pays, nation, République]. *Nom des habitants :* Burkinabés.

Situation. Afrique 274 200 km². *Distances :* Cotonou 810 km, Abidjan 830, Conakry 1 450, Dakar 1 450, Atlantique 500. *Alt. max.* Tenakourou 747 m. *Plateaux* (moy. 500 m). 3 *zones* de végétation du N. au S. : *steppe, savane arbustive* et *savane boisée* avec des forêts-galeries le long des cours d'eau. La faible déclivité du relief gêne l'écoulement des eaux des 3 Volta : Noire (Mouhoun), Blanche (Nakambe) et Rouge (Nazinon) qui drainent le pays. *Surface cultivable :* 110 000 km². *Climat :* N. : présaharien, pluie : 400 mm par an ; centre et S. : soudanais, +de 1 000 mm. 2 *saisons :* sèche et fraîche nov.-févr., puis chaude de mars à mai ; pluvieuse (hivernage) juin-oct. (pluies irrégulières : sécheresses prolongées).

Population. *1990 :* 9 125 000 h., *2000 :* 10 542 000 h. En % : Mossis 48, Peuls 10, Lobis-Dagaris 7, Bobos 7, Mandés 7, Sénoufos 6, Gourounsis 5, Bisas 5, Gourmantchés 5. Europ. 3 500 (dont 3 000 Français). D. 30,3 (centre 37, parfois 125 à 150, 95 % pop. rurale). A l'étranger 2 500 000 (2/3 en Côte-d'Ivoire ou Ghana). *- de 15 a. :* 44 %, *+ de 65 a. :* 3 %. *Mortalité infantile :* 14,6 ‰ *Espérance de vie :* 47 a. **Villes** (est. 86) : *Ouagadougou* 590 000 (1990) (capit.), Bobo-Dioulasso 300 000 (1990) (à 356 km), Koudougou 105 826, Tenkodogo 99 344, Ouahigouya 74 322.

Langues. Français *(off.),* langues voltaïques ou-gour (gourmamoore utilisé par Gourmantchés et Mossis, Sénoufos, Dogons, etc.), mandé (Nord : dont le dioula utilisé dans les échanges commerciaux ; Sud : dont le bissa), foulfouldé (parlé par les Peuls), tamacheq (par les Touaregs). Religions. Animistes 52 %, musulmans 35 %, chrétiens 13 %.

Histoire. Peuplement très ancien (paléolithique et néolithique). A une époque inconnue, au pays Lobi, construction de murs de pierre et d'argile de 3 à 7 m de haut. Hypothèses : Phéniciens, Égyptiens, Portugais, Berbères. **XIIe s. apr. J.-C.** à l'O., villages indépendants. A l'Est, Ouedraogo fonde le royaume mossi de Tenkodogo. **1180** son fils aîné Rawa fonde le roy. mossi de Zandoma (plus tard roy. de Yatenga) ; son 2e f., Zoungrana, règne à Tenkodogo. **V. 1200** son 3e f., Diaba Lompo, fonde roy. de Gourmantché (mossi, mais comprenant 17 fiefs vassaux). **XIIIe s.** Oubri, f. de Zoungrana, fonde roy. de Ouagadougou ; sa dynastie comptera 34 rois. **XVIe s.** exploration par le Soudanais Tarikh el-Fettach. **XVIIe s.** le Soud. Tarikh el-Soudan. **1799** l'Écossais Mungo Park. **1810** Ibrahim Bi Sady crée émirat peul et convertit l'Est

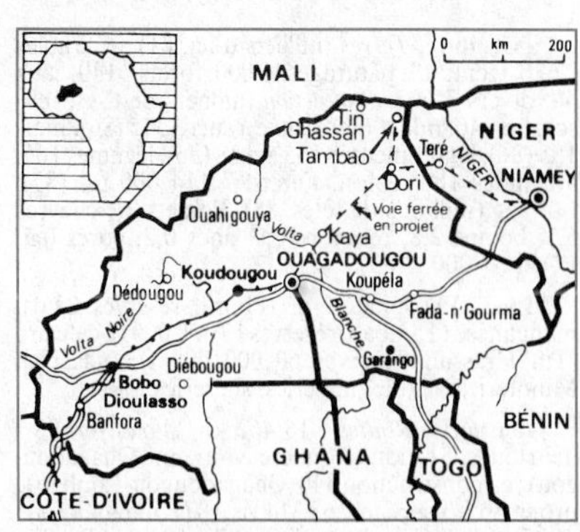

voltaïque à l'islam. **1877** exploration de l'Allemand Barth. **1888** 1re expédition (non militaire) fr. (Binger). **1896** Yatenga devient protectorat fr. **1896-97** occupation des 3 autres roy. mossi ; mission Voulet-Chanoine. **1901** « territoire mil. ». **1904** rattachée au Ht-Sénégal-et-Niger. **1916** agitation nationaliste. **1919** colonie de Hte-Volta distincte. **1932** partagée entre C.-d'Ivoire, Niger et Soudan. **1947** Hte-Volta reconstituée. **1958**-*11-12* Rép. autonome au sein de la Communauté. **1960**-*5-8* indépendance. **1966**-*3-1* Pt Maurice Yameogo démis par l'armée. Lt-Cel Sangoulé Lamizana (n. 31-1-16) Pt. Constitution suspendue. **1970** *juin* nouvelle Constit. **1971** 2e Rép. l'officier le plus ancien dans le grade le plus élevé devient chef de l'État. Sangoulé Lamizana, promu Gal, reste chef de l'État, Gérard Kango Ouedraogo et Joseph Ouedraogo, membres du RDA (Rassemblement démocratique afr.) deviennent PM et Pt de l'Ass. nat. **1974**-*8-2* coup d'État mil., Ass. dissoute, Const. suspendue ; Lamizana reprend le pouvoir. *Déc.* conflit frontalier avec Mali. **1975**-*17/18-12* grève générale. **1976** gouv. d'union nationale. **1977** *nov.* Const. **1978** 3e Rép. *Avr.* élect. au système tripartite (victoire du Rassemblement démocr. afr.). Lamizana élu Pt au 2e tour. **1980**-*25-11* coup d'État du Cel Saye Zerbo (n. 1932, musulman, Samo) après grève des enseignants de 55 j. Non sanglant : suppression du tripartisme et des droits syndicaux. **1981**-*4-3* coopération renforcée avec Fr. (visite off. d'Olivier Stirn). **1982**-*7-11* coup d'État (6 †, 30 bl.) du Cdt Jean-Baptiste Ouedraogo, médecin. *-8-12* mort de Moro Naba Kougri, empereur des Mossi (intronisé 1957), à Ouagadougou, avait conservé une cour, était assisté de « ministres », gardait une certaine autorité pour les litiges mineurs ; bien que musulman, il était le chef d'une religion animiste. **1983**-*17-5* capitaine Thomas Sankara (n. 21-12-1949). PM prolibyen arrêté. *-30-5* relâché. *-4-8* coup d'État. Sankara Pt. *-15-11* arrestation des dirigeants de l'anc. régime. *-3-5* Cel Zerbo condamné à 15 ans de détention dont 7 avec sursis. **1984**-*28-5* coup d'État (échec), *-11-6* 7 conjurés exécutés. *-19-8* gouvernement dissous ; 14 min. (m. de la LIPAD) sur 18 nommés chefs de chantiers. **1985**-*6-8* mesures de clémence pour Zerbo et J.-B. Ouedraogo. *-17/18-11* Pt Mitterrand au B. *-19/29-12* conflit avec Mali pour la bande de l'Agacher (160 km de long) 100 †. *Déc.* Zone d'Agacher partagée avec Mali (qui en reçoit 40 %). **1986**-*févr.* Pt Sankara à Paris. *29-8* nouveau gouvernement. *22-12* jugement de la Cour de La Haye sur différend avec Mali accepté. **1987** *-15-10* coup d'État, Sankara tué, 100 †. **1988** *juillet* politique de « rectification » : suppression progressive des fermes d'État ; Comités de défense de la Révolution (créés par T. Sankara) transformés en Comités révolut. **1989**-*18-9* échec coup d'État du Cdt Jean-Baptiste Lingani, min. de la Déf., et Cap. Henri Zongo, min. de la Promotion écon. (exécutés). *-25-12* coup d'État déjoué. **1991** *-29-1* visite de Jean-Paul II. *-3-11* présidentielle. *-8-12* législatives.

Statut. **Rép. démocratique et populaire.** *Const.* du 2-6-91. *Front populaire* présidé par Cap. Blaise Compaoré (n. 1951) dep. 15-10-87. *Partis* pol. : 7 forment le Front Populaire [dont ODP/MT (Organisation pour la dém. pop./mouvement du travail, *f.* 15-4-89) abandonne le marxisme-léninisme le 10-3-91]. *Ass.* (57 m. élus pour 5 a.) dissoute. 30 *provinces* et 301 *départements.* **Fête nat. :** 4 août. **Drapeau :** (1984). Bandes horiz. rouge et verte (couleurs panafricaines), avec étoile dorée.

Économie

P.N.B. ($ par h.). *82 :* 180, *83 :* 158, *84 :* 130, *85 :* 136, *86 :* 182, *87 :* 200, *88 :* 210, *89 :* 280. **Pop. active** (% et entre parenthèses, part du P.N.B. en %) agr. 77 (38), ind. 10 (22), services 11 (38), mines 2 (2).

Agriculture. *Terres* (milliers d'ha, 81) : t. arables 2 620, t. cult. 13, pâturages 10 000, forêts 7 140, eaux 40, divers 7 607. *Production* (milliers de t, est. 89) sorgho 940, millet 660, canne à sucre 345 (86), maïs 155 (86), légumineuses 165, riz 38 (86), légumes 165, arachides 160, coton. **Forêts.** 7 114 000 m³ (87). **Élevage** (millions de têtes, 88). Poulets 21, chèvres 5,1, bovins 2,8, moutons 2,9, ânes 0,2, porcs 0,5. **Pêche.** 7 000 t (85).

Mines. Phosphates, or (Poura, réserves 22 t), manganèse (Tambao, réserves 13 300 000 t), calcaire (Tin Hrassan, réserves 60 000 000 t). **Industrie.** Minoteries, textile, huileries, sucreries.

Transports. *Routes* : 16 462 km. *Voies ferrées* : métriques, 517 km (frontière ivoirienne-Ouagadougou) ; en construction 340 (Ouagadougou-Tambao) ; projet 365. **Tourisme.** 68 314 vis. (87). **Inflation** (%) : *1985* : 6,9, *86* : - 2,6 ; *87* : - 2,7 ; *88* : + 4,2 ; *89* : - 0,5. **Dette extérieure.** (88) 232 milliards de F CFA. **Aide O.C.D.E.** (87). 195 millions de $. **Aide fr.** (millions de F) *1987* : 470, *88* : 550, *89* : 600.

Commerce (millions de F CFA, 88). *Exportations* 41 947 *dont* coton 19 000, cuirs et peaux 2 205, prod. de l'élevage 1 700, *vers* (%, 87) *France 34,* Taiwan 16, Chine 11,4 (85). *Importations* 134 944 *dont* prod. man. divers 35 814, prod. chim. 15 867, véhicules routiers 14 823, mach. mécaniques 14 750, , céréales 12 373, *de* (%, 87) *France 31,* Côte-d'Ivoire 16, U.S.A. 6,5.

BURUNDI

V. légende p. 837.

Situation. Afrique centrale. Pays enclavé : à 1 200 km de l'océan Indien et 2 000 km de l'Atlantique entre Rwanda, Zaïre, Tanzanie (Tanganyika). *Frontières* 825 km. 27 834 km² dont lacs 1 885. *Alt. max.* Mt Heho 2 670 m. **Régions :** plaine côtière de l'Imbo, montagnes de la crête Zaïre-Nil, hauts plateaux centraux, dépression du Mosso à l'est. *Lacs :* Tanganyika (32 000 km², long. 800 km, larg. 50 km, prof. 1 470 m, alt. 775 m,) Kachamiringa, Rwihinda (3,5 km²), Cohoha (69 km²), Rweru (103 km²), Kanzigiri (7,5 km²). *Source du Nil* la plus au S. à Rutovu découverte 1934 par l'All. Burchard Waldeker. **Climat :** 2 saisons sèches (janv. et juin-oct.), 2 des pluies (oct.-déc. et févr.-juin) ; plaine de l'Imbo : tropicale, zones d'altitude plus fraîches. *Temp. moy.* : 17 à 24 °C. *Pluies* : 800 à 1 800 mm.

Population. 5 631 440 h. (90) dont env. : Hutus 85 %, Tutsis 14 %, Twas 1 %, *2000* : 7 500 000 h. - *de 15 a.* 44 %, + *de 65 a.* 4 %. D. 207. Pop. rurale 94 %. *Taux de croissance* (88-93) : 3,06 % an. *Mortalité infantile* : 11,9 ‰ (malnutrition : 30 % des enfants). *Fécondité* : 7 enfants par f. Espérance de vie 49. *Émigration* : 500 000 (Ouganda, Rwanda, Tanzanie). *Immigration* : Rwandais 52 000, Zaïrois 20 000, Européens et Asiatiques env. 3 000. **Villes (89) :** *Bujumbura* (avant, Usumbura fondée 1896 par All.) 280 000 h. Gitéga (alt. 1 696 m) 17 000 (à 100 km), Rumonge 13 000, Ngozi 8 000 (à 125 km). **Langues.** Kirundi (du groupe bantou) (l. nation.) et français (2ᵉ l. administrative) ; kiswahili. **Religions.** Catholiques 65 %, animistes 23 %, protestants 10 %, musulmans 1,5 % (56 000).

Histoire. Peuplé par les Twas apparentés aux Pygmées, puis par les Bahutu (langue : bantou) et les Batutsi (ou Hamites, taille 1,90 m, langue : hamitique). **XIIIᵉ s.** Royaume Ganwa (Tutsi). **XVIIᵉ s.** Roy. unitaire avec Ntare Rushatsi (9 états jusqu'en 1966). **1852-1908** Mwami Mwezi Gisabo. **1871**-*25-11* à Murgere (10 km de Bujumbura) Stanley rencontre Livingstone. **1890** colonisation allemande. **1892** arrivée de l'Autrichien Oscar Baumann. **1897** implantation all. **1899** intégré dans l'Afr. de l'Est all. **1903**-*6-6* tr. de Kiganda : devient protectorat all. rattaché à l'Afr. orientale all. **1919** partie du Rwanda-Urundi administré par la Belgique. **1958** Pᶜᵉ Louis Rwagasore fonde l'Uprona. **1961**-*18-8* élections : Uprona (80 % des voix) au pouvoir avec Louis Rwagasore PM neutraliste, ami du Congolais P. Lumumba, opp. à toute discrimination raciale [(Hutus et Tutsis), 58 s. sur 64]. -*13-10,* Rwagasore (PM) assassiné. **1962**-*1-7* indépendance. Les gouv. comprennent un nombre égal de hutus et tutsis ; **1965** *janv.* Pierre Ngendandumwe, hutu (PM) assassiné ; *mai* élections : Uprona 21 s. sur 33.PM tutsi. Massacres ethniques. **1966**-*8-7* mwami Mwambusta IV déposé par son fils (19 ans) qui devient le mwami Ntare V, mais est déposé le 28-11. Le B. est dirigé par des Tutsi (groupe Hima du Sud). Rép. avec capitaine Michel Micombero (n. 1940). **1969** complot échoue (23 conjurés fusillés). Massacres ethniques. **1972**-*29-4*

insurrection Hutu à Bujumbura et dans le S. tentative de génocide contre Tutsis, g. civile ; Ntare V tué ; -*30-4* coup d'État manqué et répression mil. : milliers de Hutus tués. *Bilan total :* + de 100 000 †. **1976**-*1-11* Lt-Gᵃˡ Micombero, exilé en Somalie. -*9-11* J.B. Bagaza (n. 24-8-46), Pt. **1982** *oct.* Pt Mitterrand au B. **1983**-*16-7* Micombero (meurt en exil). **1986-87** expulsions de missionnaires. **1987**-*3-9* coup d'État, major Pierre Buyoya au pouvoir (libéralisation religieuse). **1988** *août* massacres Tutsis/Hutus [villageois hutus convaincus d'une menace d'extermination proche, assassinent paysans tutsis ; répression dure de l'armée, en maj. tutsi], de 5 000 † (bilan officiel) à 50 000. + de 56 000 Hutus réfugiés au Rwanda. Le B. refuse une enquête internationale. -*19-10* Pt Adrien Sibomana PM, hutu ; les 12 ministres hutus deviennent majoritaires au gouv. **1989** retour des réfugiés hutus du Rwanda (1 000 restent). *Prépondérance des tutsis :* soutenus par les autorités coloniales, ils formèrent déjà à l'indépendance l'élite de l'armée et de l'administration : en 1987, 94 % des cadres du Parti unique, 88 % des magistrats, 88 % des enseignants à l'Université, 14 ministres sur 19, 12 gouverneurs de province sur 15, 20 ambassadeurs sur 22. **1990**-*5/6-9* visite de Jean-Paul II. **1991**-*janv.* Charte de l'unité nationale, soumise à référendum (février) instituant le multipartisme. -*5-2* approuvée à 89 %.

Statut. Rép. unitaire, laïque et démocratique dep. le 28-11-1966. *Const.* 18-11-1981. *Comité militaire de salut national.* 31 m, dissous en janv. 1991. *Parti unique* UPRONA (Union pour le progrès national fondé 1958). *Pt* Major Pierre Buyoya (n.1949). **Fête nat. :** 1ᵉʳ juill. (indépendance). **Drapeau :** (1966). 2 côtés triangulaires verts (l'espérance), 2 rouges (lutte pour l'indépendance) sur fond blanc (la paix) ; 3 étoiles rouges pour la devise nationale : « Unité, Travail, Progrès ».

Économie

P.N.B. (84) 204 $ par h., *(85)* : 230, *(86)* : 230, *(87)* : 238, *(88)* : 240. **Pop. active** (% et entre parenthèses part. du P.N.B. en %) agr. 80 (56), ind. 8 (14), services 11 (29).

Agriculture. *Terres* (km²) utilisables pour agric., pâturages et boisements 23 023 (dont surface utilisée 7 925, pâturages 8 123, boisements 700). *Production* café moy. : 30 000 t par an, 39 000 t en 1989 (soit 90 % des exportations), bananes, patates douces, manioc, maïs, sorgho, blé, coton, haricots et pois, ignames, riz, oléagineux, éleusine. **Élevage** (milliers de têtes, 88). Bovins 430, moutons 340, chèvres 780, porcs 120. **Pêche.** 7 000 t (88). **Mines.** Non encore exploitées : nickel (5 % des réserves mondiales), vanadium, phosphates. **Transports.** (de Tanzanie, Rwanda, Ouganda, vers Mombasa/Kenya). **Tourisme.** 38 000 vis. (87). **Sites :** sources du Nil (2 145 m d'altitude), chutes de la Karera, colline d'arbres sacrés de Banga, forêt de la Kibira, parc national de la Ruvubu, Gitega (tambourinaires), lac Kivu.

Inflation (%). *84* : 14,4 ; *85* : 3,6 ; *86* : 3 ; *87* : 7,3 ; *88* : 4,4 ; *89* : 11,6. **Dette extérieure.** *89* : 1 milliard de $. **Service de la dette** (89) : 69 % des recettes d'exp. **Aide** de *France,* All. féd., Belgique (8 % en 87).

Commerce (millions de F Burundi, 87). *Exportations* 17,9 (88) dont café 7 *vers* R.F.A. 3, Belg.-Lux. 0,9, U.S.A. 0,7, G.-B. 0,7, P.-B. 0,6. *Importations* 28,8 (88) *de* Benelux 4,8, R.F.A. 3,3, *France* 2,1, Japon 2. **Rang dans le monde** (84). 13ᵉ bananes.

CAÏMANS (ILES)

Carte p. 917. V. légende p. 837.

Situation. Antilles 263 km². 3 îles : *Grand Caïman* (long. 35 km, larg. 12 km, 122 km²) 23 881 h. (rec. 89) ; *Caïman Brac* à 143 km de G. Caïman [long. 19 km, larg. 1 km, alt. max. 42 m (Bluff)] 1 441 h. (rec. 89)] ; *Petit Caïman* à 8 km de C. Brac (long. 16 km, larg. 3 km) 33 h. *Temp. moy.* 29 °C. (hiver 24 °C). **Population.** 25 355 h. (rec. 89) (*1802* : 933 h. dont 551 esclaves). D. 92,6. *Capitale : George Town* 12 921 h. (89). **Langues.** Anglais, dialectes. **Religions.** Presbytériens, anglicans, catholiques, baptistes.

Histoire. **1503**-*10-5* découvertes par Christophe Colomb. **1670** cédées avec Jamaïque par l'Espagne à la G.-B. Dépendent de la J. **1959** territoire dans la Fédération des Indes-Occid. **1962** dissolution de la Fédération, dépendance de la G.-B.

Statut. Colonie britannique *Constitution du* 26-7-1972. *Gouverneur :* Alan James Scott dep. juin 1987. *Ass. lég.* (12 m. élus, 3 m. officiels) qui nomme son Pt (dep. le 15-2-91). *Conseil exécutif* (4 m. élus et 3 officiels) présidé par le gouv. **Drapeau.** Bleu avec drapeau anglais. Emblème ajouté en 1958 : 1 tortue, 1 ananas, 3 étoiles pour les 3 îles, avec la devise : « He hath founded it upon the seas » (Il les a fondées au-dessus des mers).

Économie. Place bancaire. Sièges de 22 368 sociétés. *Tourisme* : 614 870 vis. (90). **Commerce** (89). *Exportations* 2 100 000 $ CI. *Importations* 215 000 000 $ CI (alim., textile, mat. de construction), *de* (%), U.S.A 74, G.-B. 4, Japon 4, Antilles néerl. 7.

CAMBODGE (République khmère) (Kampuchéa démocratique)

Carte p. 1114. V. légende p. 837.

Situation. Asie. 181 035 km². *Régions* : plaine centrale du Tonlé Sap et du Mékong (1 432 mm pluie à Phnom Penh, inondation annuelle dans les 2 plaines) ; plateaux de forêts et savanes au N. et à l'E. ; monts au S. *Alt. max.* Mt Aural (1 813 m) (5 473 mm pluie à Bokor, 7 917 en 1923) ; plaine côtière au S. *Côtes* : 435 km. **Climat :** *saison des pluies* fin mai à oct. (surtout en sept.). *Temp.* moy. à Phnom Penh 27 °C. *Mois le plus chaud* avril.

Population. *1962* : 5 729 000 h. (5 334 000 Khmers, 218 000 Vietnamiens, 163 000 Chinois, 14 000 divers), *79* : 5 500 000. *87* : 7 688 000 dont 93 % de Khmers [*1950* 4 500 Français.] *2000* : 9 918 000 h. *Age* : - *de 15 a.* : 35 %, + *de 65 a.* : 3 %. *Mortalité infantile* : 16 ‰. *Espérance de vie* : 43 ans. D. 42,5. **Réfugiés :** 15 500 en Thaïlande [702 967 arrivés en Thaïlande dont 651 544 accueillis dans des pays tiers dep. 1975 (dont USA 421 750, *France* 75 500, Canada 39 900, Australie 36 000)]. *« Sites pour personnes déplacées »* : 300 000 pers. : dep. 1985 dans 5 camps de la frontière thaïe-khmère ; 6 dont le « site 2 » avec 170 000 pers., « son sannistes site B » 55 000, « sihanoukistes site 8 » 34 000, « Khmers rouges ». Une partie de l'aide accordée aux camps, administrée par la guérilla, serait détournée à des fins militaires. **Immigration** (dep. 1979) : 600 000 Vietnamiens (300 000 ont été naturalisés cambodgiens), au total 1 000 000 prévus. **Villes :** *Phnom Penh* (cap.) 700 000 h. (est. 87), Battambang 66 475 (83), Kompong Cham 13 667 (83), Siem Reap 30 000. De 1976 à 1979 villes dépeuplées (Phnom Penh : 10 000/20 000 h.). **Langues.** Cambodgien (khmer, off.), français. **Religions.** *Bouddhistes* (petit véhicule) majoritaires à 90 % (1975 : 2 500 à 3 000 monastères, 54 000 bonzes et 40 000 novices, 1990 : 500 pagodes, quelques milliers de bonzes) ; *1980 :* restrictions (interdiction aux - de 50 ans de devenir rel., cours oblig. d'éduc. marxiste pour les bonzes (maintenu jusqu'en 87) ; *1988* : culte rétabli (pagodes reconstruites, cérémonies autorisées, fêtes respectées) ; *1989* : 10-1 le gouv. présente ses excuses aux bouddhistes. 15-4 Heng Samrin et Hun Sen participent à une procession, 30-4 bouddhisme redevient rel. d'État (révision de la Const.) *Musulmans* 2 % [Cham 250 000 exterminés par Khmers rouges à 70 % (mosquées détruites, pratique interdite), puis protégée par Viêt.-N. (écoles coraniques réouvertes pour garder le soutien financier du Moyen-Orient)]. *Chrétiens 1959 :* 10 % de cath., *1970 :* 65 000 cath. et 3 000 prot. (rapatriements massifs de Vietnamiens : 250 000 dont 60 000 cath.), *1977 :* 0,5 % de cath. [*1975-79 :* extermination de 5 000 cath. ; églises et cath. détruites et de 3 000 prot. (13 des 14 pasteurs)], *1989 :* 2 000 cath., 2 000 prot. (L'État garantit les activités rel. conformes à la Const., mais une circulaire de la mairie de Phnom Penh interdit la reconnaissance d'autres rel. que le bouddhisme).

Histoire. **VIe s.** début civilisation khmère. **VIIIe s.** anarchie. **IXe s.** unité restaurée, Angkor fondée, **1177** détruite par les Chams, reconstr. par Jayavarman VII (1181-1218). **Début XIIIe s.** invasion siamoise. **1431** chute d'Angkor aux Siamois. **XVIe s.** Ang Chan restaure le pays. **1555** établissement du christianisme. **Début XVIIe s.** Hollandais à Phnom Penh. **XVIIe-XVIIIe s.** g. civiles, intervention Cochinchine et Siam. **1845** Siam et Viêt-nam exercent protectorat conjoint. **1854** appel au consul de France à cause d'amputations territoriales du Siam et Viêt-nam. **1863** *juillet* protectorat Fr. **1864** roi Norodom couronné. **1867** *tr. fr.-siamois :* le Siam reconnaît le protectorat, mais obtient provinces de Battambang, Siem Reap et Sisophon que le C. récupère en 1907 *(tr. fr.-siamois)*. **1940** *déc.* attaque du Siam soutenu par Japon ; **1941** malgré victoire navale de Koh Chang, le C. doit céder des terr. au Siam, récupérés en 1945. **1941**-*16-4* Sihanouk Norodom (n. 31-10-22) roi à 19 ans (Deva-Raj, roi-dieu). **1949**-*8-11* État indép. associé. **1953**-*9-11* indép. **1954** *juillet accords de Genève :* retrait des troupes fr. et viêt-minh (terminé janv. 55). **1955**-*19-12 accord de Paris ;* le C. quitte l'Union fr. ; *Sihanouk* abdique (ses parents Norodom et Kossomak lui succèdent), fonde un mouvement et devient PM. **1960** à la mort de son père, Sihanouk redevient chef de l'État sans être roi. *-30-9* formation du P. communiste khmer. **1962** *juillet* accords de Genève sur Laos. **1963** Saloth Sar (futur Pol Pot), Khieu Samphan, Ieng Sary, Son Sen gagnent le maquis. **1965** *mai* rupture des relations dipl. avec U.S.A. **1966**-*24-10 1er gouv.* Gal Lon Nol (1913-85). *-26-10* Sihanouk crée contre-gouv. **1967** *avril* agitation communiste armée (prov. de Battambang). *-3-5* Lon Nol démissionne. Sihanouk PM, « gouv. d'exception ». **1968**-*17-1* formation de l'armée révolutionnaire du Kampuchéa. *-30-1* Penn Nouth († 18-5-85 à 80 a.) PM. **1969**-*18-3* bombardements secrets du C. par Amér. *-11-6* reprise des relations dipl. avec U.S.A. *-1-8* Penn Nouth démissionne (santé). *-12-8* Lon Nol « gouv. de sauvetage ».

1970 *mars* P. comm. aligne 5 000 h. *-8-3* amb. du Nord-Viêt-nam saccagée. *-18-3* coup d'État (prince Sisowath Sirik Matak, vice-PM et cousin du PM, Gal Lon Nol et Cheng Heng), Sihanouk (en cure en France) destitué par les 2 Chambres à l'unanimité [accusé d'avoir autorisé les N.-Vietnam. et Viêt-cong à occuper le C. et aménager des bases mil. (sanctuaires), en violation de la neutralité consacrée par accords de Genève de 1954]. *-30-4* intervention mil. sud-viet. et amér. *mai* 3 630 raids de bombardements amér. dep. 14 mois (Viêt-cong repoussés à l'int. du C.). *-4-5* Sihanouk forme à Pékin un gouv. royal d'Union nat. du Kampuchéa : GRUNK *-9-10* Rép. proclamée. **1971**-*7-2* combats entre gouv. et Sud-viet., et contre troupes communistes (4 000 Khmers rouges). *-20-10* état d'urgence. **1972**-*12-3* Lon Nol assume tous pouvoirs, dissout l'Ass. const. *-21-3* Son Ngoc Thanh PM. *-4-6* élect. : abstentions massives ; Lon Nol réélu. **1973**-*17-3* attentat aérien contre palais de Lon Nol par capitaine So Photra, gendre de Sihanouk, 20 †. *-15-8* fin officielle des bombardements amér. **1974**-*11-2* Phnom Penh bombardée par les rouges (139 †). *-4-6* émeutes à Phnom Penh, 2 min. tués. *-13-6* Long Boret (n. 3-1-32), rép., PM. **1975** *janv.* Phnom Penh assiégée par 20 000 Khmers rouges. (Chefs : Pol Pot, Ieng Sary, Ta Mok, Khieu Samphan) *-1-4* Lon Nol part. *-17-4* Phnom Penh prise, reddition gouv. (les Khmers rouges installent des bases, vident la Bibliothèque nat. pour y installer des porcs, détruisent des monastères), villes évacuées, vieillards et malades abattus sur place, ou meurent sur les routes), Viet. expulsés, tentative de s'emparer de plusieurs îles viet. *-12-5* cargo amér. *Mayaguez* arraisonné, récupéré par « marines » le 15-5 ; bombardements amér. *-28-5* nationalisation des plantations d'hévéas. Journalistes étrangers interdits au C. ; massacres. *Déc.* Sihanouk rentre. **1976**-*3-1* nouvelle Const. *-2-4* Sihanouk (choisi Pt à l'unanimité par l'ass. pop. élue le 20-3-76) abdique, en résidence surveillée. *Khieu Samphan* chef d'État. *Sept.* épuration des anciens cadres formés au V. **1977** *avril* soulèvement mil. échoue. **1978** *mai* coup d'État échoué. *Juin* 70 000 soldats viet. occupent une zone de 40 km de profondeur au C. oriental. *-3-12* création avec Heng Samrin du FUNSK (Front uni national pour le salut du Kampuchéa) qui lutte aux côtés du V. *-25-12* offensive v. (armée camb. 80 000 engagés ; viet. 615 000. dont 200 000 engagés), milliers de †. *-29-12* Viêt. propose cessation des hostilités. **1979**-*2-1* le C. exige le retrait des troupes mais le Viêt. ne reconnaît pas être intervenu au C. et parle de « contre-attaques » en réponse à des agressions c. ; *-6-1* Sihanouk libéré ; arrive à Pékin, va à l'O.N.U. *-7-1* Phnom Penh (vidée de sa pop.) prise par Viêt-nam ; gouv. « pro-viet » avec d'anciens Khmers rouges reconvertis (Hemg Samrin et Hun Sen). Affrontements entre maquis khmers rouges, sihanoukistes et nationalistes de Son Sann. Famine. Dizaines de milliers de réfugiés en Thaïlande et à Phnom Penh (paysans). *-5-3* 5 des résistants forment les Forces Armées de Libération du Peuple. *-9-10* Son Sann forme avec eux le FNLPK à Sokh-Sann. *-18-2* tr. avec Viêt-nam. *Oct.* aide alim. internat. acceptée. *-27-12* Khieu Samphan PM remplace Pol Pot. *Déc.* Khmers rouges forment un « Front de grande union nationale » contre Viêt-nam.

1980 *janv.* 150 000 soldats viet. *-20-3* monnaie réintroduite. **1980-81** aide de 700 millions de $ d'UNICEF et Croix-Rouge. **1982**-*21-2* accord Sihanouk et Khmers rouges. *-22-6* gouv. de coalition antiviet. à Kuala Lumpur (Malaisie) avec Moulinaka (Pce Sihanouk), FNLPK (Son Sann) et Khmers rouges (K. Samphan) ; Sihanouk Pt, Khieu Samphan vice-Pt, Son Sann PM. Guérillas, 50 000 maquisards contre Viet. **1984** armée viet. attaque camps de réfugiés du N.-O. **1985**-*10-5* FNLPK (15 000 combattants + 7 000 sans armes : 150 000 civils dans 8 bases) perd Ampil. *-14-2* Khmers rouges (35 000/40 000 h.) perdent Phnom Malai. *-11-3* ANS perd Tatum ; Gal King Men (n. 1940) tué. *-22-12* repli du FNLPK **1985-90** édification d'un « mur » de 700 km le long de la Thaïlande. **1986**-*20-3* Viêt rejette proposition de Sihanouk : un gouv. quadripartite (les 3 de l'opposition + Heng Samrin). **1987**-*20-5* journée de la haine à Phnom Penh, Sihanouk brûlé en effigie. *-2/4-12* rencontre Sihanouk/Hun Sen à Fère-en-Tardenois ; l'armée viet. quitterait le C. en 1990. **1988**-*20/21-1* rencontre Sihanouk/Hun Sen à St-Germain-en-Laye : accord sur régime multipartite. *-30-1* Sihanouk démissionne de la présidence de la résistance. *-16-2* reprend la tête de la résistance. *-27-5* Viêt-nam annonce le retrait d'ici déc. de 50 000 h. sur 120 000. *-30-6* Viêt-nam. reconnaît avoir perdu 25 000 h. (dont 15 000 en 80-81) des 200 000 envoyés dep. 1979 ; 13 000 soldats retirés. *-5-7* Bangkok : accord Son Sann, Khieu Samphan, Sihanouk sur la politique envers Viêt-nam. *-11-7* Sihanouk redémissionne, s'exile en Fr. *-25/28-7* Bogor (Indon.) rencontre Hun Sen, Khieu Samphan, Son Sann, Pce Ranariddh et représ. de l'ASEAN, Laos et Viêt-nam. Aucun accord signé. *-7-11* rencontre Sihanouk/Hun Sen à Fère-en-Tardenois. *-2-12* Viêt-nam annonce le retrait de 18 000 h. en déc. ; 50 000 « bodoï », encore en place, seront sous les ordres de l'armée camb. *-14-12* Fère-en-T., Sihanouk rencontre Khieu Samphan qui le reconnaît chef des Khmers, même après retrait viet. **1989** *6-1* accord Chine/Viêt-nam. sur retrait définitif viet., en sept. 89, sous contrôle internat. *-12-2* Sihanouk Pt de la coalition de résistance. *-5-4* annonce officielle du retrait viet. (50 000 h.). *-3-4* film « La Déchirure » projeté à Phnom Penh. *-28-8* conférence intern. sur le C. à Paris. *-16 au 26-9* retrait total des 26 000 viet. *-26-10* offensive khmère rouge contre Pailin (objectif écon. : Thaïlande convoite les mines d'émeraude et diamant ; Khmers rouges payés entre 500 et 1 500 bahts pour acheminer et protéger les mineurs). **1990** *-7-1* 6 attentats à Phnom Penh et attaque de Battambang : Q.G. des forces gouv. détruit : 35 †. *-3-2* Sihanouk abolit drapeau, hymne des Khmers rouges et nom de Kampuchéa. *-21-2* rencontre Hun Sen à Bangkok. *-18-7* U.S.A. arrêtent leur soutien à la résistance, négocieront avec Viêt-nam. *-15-7* Khmers rouges attaquent train (30 †). *-9-9* conférence de Djakarta sur le C. : les 4 factions acceptent plan de paix. *-25-11* C. sous contrôle d'une Autorité provisoire des Nations-Unis (APRONUC) jusqu'aux élect. libres (refusé par gouv.), constitution d'un Conseil nat. suprême (CNS) de 12 membres pendant transition. **1991**-*10-2* Khmers rouges attaquent Battambang. *-Mars* gouv. annonce élect. anticipées en juin 92 en l'absence de règlement du conflit. *-15-4* Khmers rouges prennent Kompong Trach. *-1-5* cessez-le-feu provisoire.

Bilan. MASSACRES (depuis 1975) : estimations soviét. 2 000 000, anglaises 350 000 exécutés et 2 000 000 † (sévices, privations) ; selon le FUNSK 3 000 000, dont 100 000 Viet. et Khmers métissés. *Chiffre officiel* (donné 1990) : 3 314 768 † dont en % : médecins 91, pharmaciens 83, dentistes 58, off. de santé 52, infirmières 45, sages-femmes 32. DESTRUCTIONS : 5 857 écoles, 1 987 pagodes, 108 mosquées, cath. de Phnom Penh, 796 établ. méd., Banque centrale, et usines. Selon Pol Pot, « le C. révolutionnaire n'avait besoin que d'un million de pers. » et envisageait d'exterminer encore 5 millions de pers. PERTES VIETNAMIENNES (dep. 1979) : 60 000 h.

Statut. République populaire. *Pt du Conseil d'État* (dep. 7-1-79) et secr. gén. *du P. pop. révolutionnaire* (dep. 2-12-81) Heng Samrin (ancien K. rouge). *PM* Hun Sen (ancien K. rouge) (dep. 15-1-85) [avant, Chan Si († déc. 84), dep. 10-2-82]. *Assemblée* élue le 1-5-81 : 117 m. (123 depuis élect. partielles en juin 87), (liste unique de 148 candidats présentés par le FUNSK). Le C. revendique plusieurs milliers de km^2 au Viêt-nam et en Thaïlande. Fête nationale. 17 avril. Drapeau. Adopté 1989. Coupé, rouge sur bleu, temple d'Angkor Vat (jaune) au centre.

Armée cambodgienne. 50 000 soldats et 100 000 miliciens armés par U.R.S.S. et Viêtnam. *Présence soviét.* 3 000 h. *Conseillers viet.* (1990) 700 (45/47 000 soldats au 19-7 selon Son Sann).

Opposition. *Gouvernement de coalition.* Pt : Sihanouk représente le C. à l'ONU [FUNCINPEC (Front uni national pour un C. indépendant, neutre, pacifique et coopératif)], démissionne fév. 90 (ne revendique plus que le titre de « Pt du C. »). Regroupe : *ANS (Armée nat. sihanoukiste).* Chef : Pce Norodom Ranariddh (fils du Pce Sihanouk), 6 000 à 12 000 h. ; et *FNLPK (Front nat. de libération du peuple khmer) :* Pt : Son Sann ; Cdt en chef : Gal Sak Sutsakhan, 7 000 à 8 000 h. Divisé, mais réorganisation en cours.

Khmers rouges *(Armée nat. du Kampuchéa démocratique, ANKD).* Chef : Khieu Samphan [avant, Son Sen (16-6-1930), qui avait remplacé Pol Pot (ex-Saloth Sar) dep. sept. 85]. 13 000 h. armés par Chine et U.S.A. en 1991. Contrôlent grande partie de l'ouest du C. (Pailin) et encerclent centres urbains. Ils rafleraient des enfants dès 10 ans pour en faire des soldats.

Économie

P.N.B. (est. 88) 175 $ par h. **Pop. active** (% et entre par. part du P.N.B. en %) agr. 80 (60), ind. 3 (5), services 17 (35). **Dette extérieure (1988).** 500 millions de $. **Aide** (millions de $, **internationale** 79-82) : 400 ; **soviétique :** 2 600 (86-87) ; **Viêtnam ; Comecon.** *1990 :* aide réduite (de 80 % pour l'U.R.S.S.).

Agriculture. *Terres* (milliers d'ha, 82) arables 2 800, cultivées en permanence 1 800, pâturages 580, forêts 13 372, eaux 452, divers 654. « Groupes de solidarité » *(krom samaki) :* de 10 à 15 familles qui vendent leur surplus à l'État et écoulent le reste sur le marché libre. Chaque famille possède de 800 à 2 000 m^2. *Production* (milliers de t, 88) : riz (paddy) *1969 :* 3 800, *79 :* 565, *86 :* 2 000, *87 :* 1 700 (déficit : 200), *88 :* 2 700, *89 :* 2 100 (autosuffisant avec 3 500), canne à sucre 210, manioc 115, maïs 100, noix de coco 44, patates douces 42, soja 30, tabac, kapoc, coton, caoutchouc 25 (mal cultivé), jute 2,8, fruits, légumes. Élevage (milliers, 1989). Poulets 6 000, canards 3 000, bovins 2 000, buffles 730, porcs 550. Pêches. 83 000 t (88).

Industrie. Artisanat, conserveries. Achète 100 000 t de pétrole à l'U.R.S.S. par an. Transports (km). Chemins de fer 655, routes 15 949 (2 600 asphaltées), navigation intérieure (Mékong, Tonlé Sap) 1 400. Tourisme. Phnom Penh : Fête des eaux vers le début nov. quand les eaux du Tonlé Sap se retirent vers la mer ; temples d'Angkor [(600 monuments érigés de 800 à 1 431, dont Angkor Vat, Angkor Thom (temple de Bayon de 13 tours à 4 faces souriantes, terrasse des Éléphants)] Non Angkor (200 temples, sur 400 km^2). *Visiteurs (1988) :* 1 000.

Bilan (fin 1989). 69 usines (sur 79 d'avant 1975) remises en état, 1 700 km de routes réparées, 18 770 lits d'hôpitaux ou de dispensaires réaménagés, 1,7 million d'enfants peuvent retourner à l'école.

Commerce (millions de $ U.S., 85). *Exportations* 12,3 (vers U.R.S.S. 10,8), *importations* 117 (de l'U.R.S.S. 109,5).

CAMEROUN

Carte p. 1029 . V. légende p. 837.

Situation. Afrique. 475 442 km^2. *Alt. max. :* Mt Cameroun 4 094 m. *Sud :* plaine côtière, bas plateaux et monts volcaniques, pluie 1,5 à 4 m, forêts. *Centre :* plateau de l'Adamaoua 800 à 1 500 m, pluie 1,25 m, saison sèche 5-7 mois. *Nord :* plaine de la Bénoué, monts Alantika et de Mandara, pluies moins abondantes, savanes. **Frontières :** 4 669 km dont Guinée équatoriale 183, Gabon 302, Congo 520, Rép. centrafricaine 822, Tchad 1 122, Nigeria 1 720. *Côtes :* 364 km.

Population. *1989 :* 11 554 000 h., *2000 :* 14 424 000 h. D. 23,5. *Pop. rurale* 71,5 %, *urbaine* 28,5 %. 200 ethnies dont au S. Pygmées 15 000, Bantous 1 900 000 (Makas 200 000, Fangs 900 000, Bassas Bakokos 260 000, Doualas 140 000, Betis 170 000), Bantoïdes 2 000 000 (Bamilékés 650 000, contrôlent la plupart des grandes affaires, Bayas 125 000) ; au N. Soudanais 1 300 000, Paléosoudanais 1 140 000 (Massas, Toupouris, Mboums, Dourous), Néosoudanais 160 000, Hamites, Peuls 350 000, Sémites, Arabes Choas 60 000. – *de 15 a. :* 43 %, + *de 65 a. :* 4 %. *Mortalité infantile :* 10,3 %. *Espérance de vie :* 57. **Émigration :** 25 000 en France. **Immigration :** *Français 14 000,* autres Européens 10 000, Nigérians 70 000, Guinéens équat. 30 000. **Villes :** *Yaoundé* 653 670 (86), Douala 1 029 731 (86), Nkongsamba 100 000, Bafoussam 90 000, Maroua 65 000, Garoua 65 000 (81), Bamenda 60 000, Kumba 55 000, Ngaoundéré 50 000. **Langues off.** Français (75 %), anglais (25 %). Environ 220 langues et dialectes : pidgin, bamiléké, fang, foufouldé, béti, moundang, toupouri, bakossi. **Scolarisation** 67 % (Nord 30,90 %, Centre et Sud 92,1). **Religions.** En % : animistes 45, catholiques 21, musulmans 20, protestants 14.

Histoire. **XV**^e **s.** atteint par le Portugais Fernando Poo, attire au **XVII**^e **s.** négriers, **XVIII**^e **s.** négociants et missionnaires brit. **1884**-*12-7* tr. avec chefs doualas, Ed. Woermann établit protectorat allemand. Gustave Nachtigal (1834-85) occupe le C. pour l'All. **1911** la Fr. cède partie du Congo pour avoir les mains libres au Maroc. **1916** Fr. et Angl. battent All. au C. **1919** *tr. de Versailles* mandats fr. (432 000 km² sans compter les 278 000 km² du Congo cédés à l'All. en 1911 et qui retournent à l'A.E.F.) et brit. (89 270 km²). **1940** rallié à Fr. Libre. **1945** mandats transformés en tutelles. **1955-62** révolte de l'Union des populations du C., fondé 1948. **1958**-*13-9* son chef, Ruben Um Nyobe est tué -*31-12*. C. français obtient autonomie interne. **1960**-*1-1* C. fr. indép. Après plébiscite, C. brit. se scinde : N. fusionne avec Nigeria. S. avec C. ex-fr., les 2 constituent une fédération (1-10-61). **1966** unification des partis des 2 régions. **1972**-*21-5* référendum pour État unitaire (99,97 % oui). **1974** mise en service du Transcam (622 km de ch. de fer entre Yaoundé et Ngaoundéré). **1982**-*4-11* Ahmadou Ahidjo (n. 5-8-1924), musulman peul au pouvoir dep. 5-5-60, démissionne pour raisons de santé, remplacé par PM P. Biya. **1983** *févr.* Pt Biya en Fr. -*21/22-6* Pt Mitterrand au C. -*18-7* Ahidjo quitte le C. -*22-8* complot ; échec. -*23-8* Luc Ayang PM. -*27-8* Ahidjo démissionne de l'UNC (remplacé 14-9 par P. Biya). -*6-11* Maigari Bello Bouba (n. 1947) PM. **1984**-*14-1* P. Biya élu Pt (99,98 % des voix). -*25-1* poste de PM supprimé. -*28-2* Ahidjo condamné à mort par contumace et gracié (vit en Fr., et au Sénégal, † Dakar 30-11-89). -*6-4* putsch « nordiste » du col. Saleh Ibrahim échoue (70 à 300 †). **1985** *janv.* Pt Biya en France. **1986**-*21-8* du gaz carbonique s'échappe du lac cratère Nyos (1 887 †). -*25-8* relations rétablies avec Israël. **1987** Pt Biya en France. -*24-4* Pt Biya réélu (élection anticipée de 8 mois, pour coïncider avec él. législatives, où le RDPC présentait 2 listes pour la 1re fois). **1990** *janv.* USA annulent la dette du C. d'assistance écon. (20 milliards de F CFA) et accordent rééchelonnement de la dette bilat. (6 milliards de F CFA). -*26-5* 20 000 manif. à Bamenda, à l'appel du SDF : 6 †. -*Août* selon « International News Hebdo » 650 milliards de F CFA auraient été détournés dep. 1986. -*6-12* loi sur multipartisme. **1991**-*21-2* 1re réunion publique de l'UPC. -*11-4* manif. dans plusieurs villes. -*13-4* manif. à Kombo : 4 †. -*16-5* Douala : 4 †. -*1-10* 1re université catholique à Yaoundé.

Statut. Rép. *Const.* du 2-6-72, plusieurs fois révisée. 10 *provinces,* 49 *départements. Assemblée nat.* 180 m. élus pour 5 a. *Pt* (élu pour 5 a. au suffr. univ.) Paul Biya (n. 13-2-33) dep. 6-11-82. *Partis :* Rassemblement Démocratique du Peuple Camerounais (RDPC) qui en mars 85 a remplacé l'UNC. Opposition (autorisée ou en cours de légalisation). Social Democratic Front (SDF) *fondé* mars 1990, *Pt* John Fru Ndi (n. 1958). Mouvement nat. pour la Démocratie (MND) *leader* Yondo Black. Union des Populations du C. (UPC), *fondée* 1948 [interdite 1960 pour prosoviét. ménera guérilla réprimée par l'armée française (+ de 3 000 †)], reconstituée 1991, *leader* Anicet Ékané. **Fête nat. :** 20 mai. **Drapeau :** (1960). Bandes : verte, rouge et jaune. Une étoile (pour l'unité) ajoutée 1972 (auparavant 2, représ. C. français et C. brit.).

Économie

P.N.B. ($ par h.). *1983 :* 890 ; *84 :* 776 ; *85 :* 783 ; *86 :* 930 ; *87 :* 1 118 ; *88 :* 1 000 ; *89 :* 1 120 ; *90 :* 835. **Pop. active** (% et, entre parenthèses, part du P.N.B. en %) agr. 63 (24), ind. 10 (19), services 25 (45), mines 2 (12). **Inflation** (%). *1984 :* 11,3, *85 :* 1,2, *86 :* 3,2, *87 :* 11,5, *88 :* 8,6, *89 :* 2,4. **Aide financière** (milliards de F CFA). *83 :* 27,5, *84 :* 35, *88 (oct.) :* 150 millions de $ par F.M.I., *90 :* 3,6 par France, 0,3 par É.-U. **Dette extérieure** (milliards de $). *1987 :* 4,5 ; *88 :* 3 *(service de la dette* + de 30 % des export. en 1987).

Agriculture. *Terres* (milliers d'ha, 79) arables 5 899, cultivées en permanence 1 014, pâturages 8 300, forêts 25 750, eaux 600, divers 5 982. *Production* (milliers de t, 89) tubercules 1 850 (83), céréales 1 000 (83), plantain 1 100 (88), maïs 430, millet et sorgho 410 (88), cacao 125, café 120, huile de palme 102, sucre 75 (87), banane 68, coton 56, caoutchouc 34, tabac 2 (88), thé 3. **Élevage** (milliers, 88). Poulets 16 000, bovins 4 471, chèvres 2 906, moutons 2 879, porcs 1 237. **Pêche.** 82 500 t (87). **Forêts.** Bois 12 447 000 m³ (87).

Pétrole (millions de t) *réserves* 55, *exploité dep. 1978, prod. 1982 :* 5,5 (dont 3 exportés) ; *83 :* 7,2 ; *84 :* 8 ; *85 :* 9 ; *86 :* 10 ; *87 :* 8,5 ; *88 :* 8,3. **Gaz.** *Réserves* 115 milliards de m³, usine de liquéfaction prévue à Kribi. **Mines.** Cassitérite, titane, or. Bauxite et fer non exploités. **Industrie** (88). Hydroélectricité 2,40 milliards de kWh. Aluminium (alumine de Guinée) 80 000 t, pâte à papier. **Transports** (km). Chemin de fer 1 120, routes 64 905 (2 609 bitumées). **Tourisme.** 130 000 vis. (89).

Commerce (milliards de F CFA, 86). *Exportations* 541,7 dont pétrole 192,7, cacao, café, bois, aluminium ; *vers* P.-Bas 148,9, *France 111,8,* U.S.A. 88,7, All. féd. 39,6. *Importations* 590,4 dont biens d'équipements 79,72, demi-produits et produits pétroliers ; *de France 248,9,* All. féd. 53,8, Japon 45, U.S.A. 29, Italie 27,9. **Rang dans le monde** (89). 6e cacao. 10e café.

CANADA

Carte p. 895. V. légende p. 837.

• **Situation.** Amér. du N. 9 970 610 km² dont eaux intérieures 757 766 km², 2e État du monde après U.R.S.S. (22 402 045 km²), soit 19 fois la France. **Frontières** 8 892 km (avec U.S.A. dont Alaska 2 476, au S. 6 416). **Côtes** 244 000 km (la + grande baie du monde : baie d'Hudson, 12 268 km côtes, 822 324 km²). **Fuseaux horaires,** 6 [de – 3 h 30 (T.U. Terre-Neuve, à l'E.) à – 8 h (Yukon, à l'O.)]. **Alt. max.** 6 050 m (Mt Logan). *Forêts* 453 millions d'ha (4,5 %). **Glaciers** 2 % (îles de l'Arctique 150 000 km², continent 50 000 km²).

Distances d'Ottawa (en km). Montréal 190, Toronto 399, Québec 460, Winnipeg 2 218, Calgary 3 553, Vancouver 4 611.

• **Régions. Toundra arctique.** Au N. de la limite sud du pergélisol continu (état qui se maintient à – de 0 °C plusieurs années). *Région inuitienne* (378 000 km²) : au N. du passage de Parry (74e N.) : îles Ellesmere, Axel Heiberg (1/3 recouvert de glace), Parry et Reine-Élisabeth ; toundra pauvre. *Basses terres sédimentaires arctiques* (409 000 km²) : îles de l'Arctique au S. du passage de Parry (îles Banks, Victoria, P^ce-de-Galles, Somerset et Southampton), plaine côtière de l'Arctique, y compris delta du Mackenzie : toundra riche et humide : lichens, mousses, herbes et carex. *Bouclier arctique* (1 412 000 km²) : 20 % du district de Mackenzie (terr. du N.-O.), 80 % du district de Keewatin (terr. du N.-O.), 35 % du dis. de Franklin (terr. du N.-O., majeure partie de l'île Baffin) et 15 % du terr. québécois. À l'E., toundra humide, avec des îlots de « toundra buissonneuse » ; à l'O, terrains rocheux *(barren grounds).*

Savane subarctique et forêt boréale. Du Mackenzie à Terre-Neuve : pergélisol, par endroits, dans le S. et N. *Terres de la baie d'Hudson* (303 000 km²) : organiques sans affleurement rocheux (épinette et tamarak, avec sous-bois d'aulnes et de saules). *Bouclier subarctique et boréal* (3 354 000 km²) : 40 % du Mackenzie, 10 % du Keewatin, 35 % du Saskatchewan, 60 % du Manitoba, 80 % du Québec et 55 % de l'Ontario ; toundra, forêt (50 à 160 km de largeur) : épinette blanche et noire ; zones boisées du N. : savane, épinette noire ; forêt boréale, de Terre-Neuve à la Colombie brit. (épinette, sapin, mélèze, pruche, pin). *Plaines intérieures* (1 479 000 km²) : 300 à 1 000 km de largeur (ondulées, avec quelques vallées, collines et escarpements) : végétation semblable à celle du bouclier boréal. *Appalaches, Acadien boréal* (150 000 km²) : Terre-Neuve et Gaspésie au Québec (peu accidentées).

Forêt tempérée de l'Est. De la Nouvelle-Écosse (océan Atl.) au lac Supérieur (Ontario). *Appalaches, Acadien tempéré* (210 000 km²) : hautes terres des cantons de l'E., au Québec, Nouveau-Brunswick, Nouvelle-Écosse et l'île du P^ce-Édouard (épinette rouge, sapin baumier, bouleau jaune, érable à sucre, hêtre). *Bouclier tempéré can.* (161 000 km²) : rocheuses avec poches intermédiaires de sable, silt et argile (érable à sucre, tremble, bouleau jaune, pruche, pin rouge, pin blanc). *Basses terres du St-Laurent* (181 000 km²) : entre Appalaches et bouclier (roches sédimentaires avec terrains vallonneux et dépôts glaciaires) : hêtre et érable, chêne blanc, hickory, noyer, tilleul d'Amér., cerisier d'automne.

Prairies (337 000 km²). 10 % de l'Alberta, 35 % du Saskatchewan et 5 % du Manitoba ; quelques tremblaies ; grande partie labourée pour blé.

Cordillère. O. du Canada : zones forestières boréales, subalpines, côtières et du Columbia. *Est* (458 000 km²) : montagnes bien découpées (Mackenzie, Richardson et Rocheuses) 60 %, plateaux et contreforts (Porcupine et Laird et contreforts des Rocheuses) 30 %, plaines (Old Crow, Eagle et Mackenzie) 10 %. *Intérieur* (821 000 km²) : relief moins accentué, plateaux (intérieur, Stikine, Hyland et Yukon) 55 %, montagnes véritables (British, Selwyn, Cassiar, Omineca, Skeena, Hazelton et Columbia) 40 %, basses terres (fossés des Rocheuses, Tintina et Shakwak) 5 %. Végétation N. (forêts mixtes) ; S. (montagnes boisées, prairies, terres très pauvres où pousse l'armoise). *Ouest* (313 000 km²) : relief accentué, élevé : massif St-Élie (alt. max. du C. : Mt Logan, 6 050 m), chaîne côtière et autres montagnes formant îles Reine-Charlotte et Vancouver. De Vancouver à l'Alaska : fjords ; régions forestières subalpines et côtières.

• **Lacs** (km²). Supérieur 82 100 (dont 28 700 au C.), Huron 59 600 (dont 36 000 au C.), grand lac de l'Ours 31 326, grand lac des Esclaves 28 570, Érié 25 700 (dont 12 800 au C.), Winnipeg 24 390, Ontario 18 960 (dont 10 000 au C.).

• **Climats.** *Côte Pacifique :* frais et assez sec en été à l'intérieur des terres ; doux, nuageux et très enneigé en hiver. *Colombie britannique :* selon l'altitude (côté au vent et humide des montagnes, neiges abondantes l'hiver ; vallées sèches abritées : étés torrides ; écarts de température (jour et nuit) marqués sur hauts plateaux). *Zone intérieure :* continental (hivers rigoureux, étés courts et chauds, rares précipitations). *N. de l'Ontario et du Québec :* humide, hivers froids, étés chauds, et en général d'abondantes précipitations toute l'année. *Atlantique :* continental humide malgré l'influence de la mer sur le littoral. *Iles du N., côte de l'Arctique et région baie d'Hudson :* arctique constant [hivers longs interrompus quelques mois chaque année (t. moy. au-dessus de 0 °C ; précipitations très faibles)]. *Zone boréale transitoire :* hivers longs et rigoureux (l'été dure plus longtemps) : précipitations, légères dans l'O., plus abondantes dans la péninsule d'Ungava.

Démographie

• **Population.** *1800 :* 362 000 ; *51 :* 2 346 297 ; *71 :* 3 689 257 ; *1901 :* 5 371 315 ; *31 :* 10 376 786 ; *41 :* 11 506 655 ; *51 :* 14 009 429 ; *61 :* 18 238 247 ; *71 :* 21 568 311 ; *81 :* 24 343 181 ; *90 :* 26 500 000. *An 2000 (prév.) :* 28 930 000. *Age : – de 15 a. :* 21 %, *+ de 65 a. :* 10 %. D. 2,6. *Taux de natalité* (1988) : 1,96 ‰. *Croissance* (1990) : 0,9 % (2,7 pour Indiens).

• **Acadiens.** (4 millions de Can. francophones sur 6 descendent des 3 380 premiers colons (dont 1 425 femmes) venus de France avant 1680 : en majorité du Poitou et de Saintonge (alors que les Québécois sont plus souvent d'origine normande ou picarde), arrivés en 1604 avec Champlain. Établis en Acadie (Nouvelle-Écosse) française jusqu'au tr. d'Utrecht (1713). Les Québécois sont restés français 50 ans de plus (tr. de Paris, 1763) ; ils ont été l'objet de tentatives d'assimilation plus brutales. **Implantation :** *a)* ancienne Acadie, annexée par la G.-B. 1713 : Terre-Neuve 2 655 ; Ile du P^ce-Édouard 6 080 ; N.-Écosse 36 030 ; N.-Brunswick 234 030 (total : 278 795). *b)* Québec 300 000 (dont Montréal 100 000). *c)* U.S.A. (N.-Angleterre 75 000 ; Louisiane 600 000).

• **Amérindiens.** *Nombre : 1500 :* 200 000 ; *1900 :* 100 000 ; *1961 :* 208 286 ; *81 :* 491 460 dont 98 260 Métis (0,02 % de la pop. totale, répartis en 576 « bandes », 70 % vivent dans des réserves, 75 % sont chômeurs) ; *90 :* 450 000 en 600 bandes ; *2 000 (est.) :*

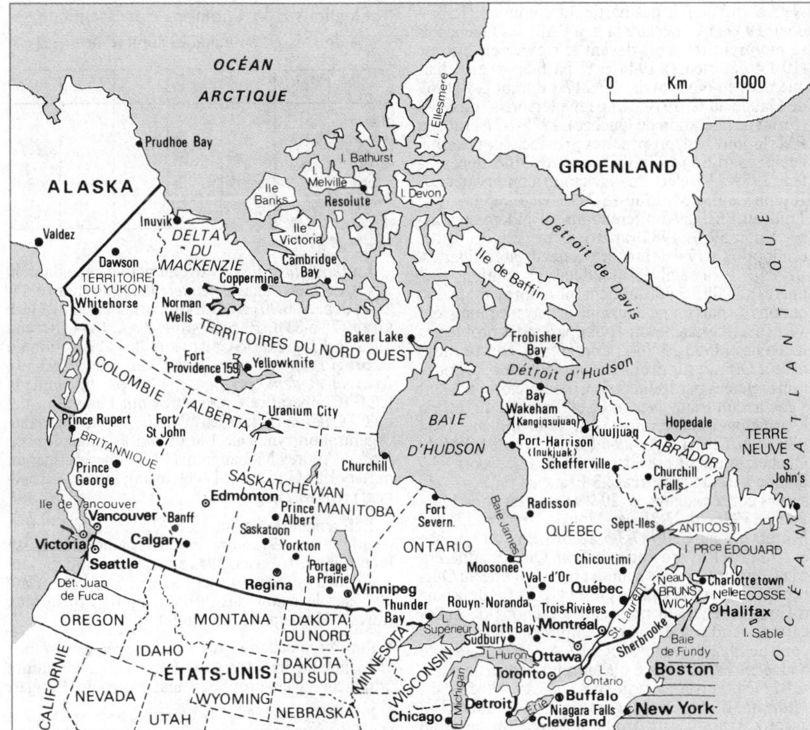

600 000. Ne sont considérés comme Indiens, et ne bénéficient des avantages de la loi, que les inscrits. Il faut descendre du côté paternel d'une personne considérée comme ind. ou membre d'une bande ind. en 1874 ou être conjoint d'un ind. inscrit. **Langues et dialectes :** 50 en 10 principaux groupes (dont algonquin, iroquois, sioux, athapascan, kootenayen, salishen, wakashen, tsimshen, haida, tlingite, cri, ojibway et inuktitut). **Réserves** 2 237, de quelques ha à des milliers. Sup. totale 24 840 km². Les terres de la Couronne ne peuvent être vendues ou louées sans l'accord du Conseil de la bande et l'autorisation du min. des Aff. ind. **Statut.** La « proclamation royale » de 1763 reconnaissait le droit des Ind. sur les terres encore non aliénées après 200 ans de présence fr. Elle est restée lettre morte. Les I. exigent le respect des traités passés et dénoncent les tr. iniques [ex. : 500 km² de terre vendus autour de Toronto contre un lot de perles et 10 shillings (1788)]. Les *Dénés* et *Métis* 15 000 (au N.-O. du C.) ont obtenu le 5-9-1988 des droits de propriété sur 180 000 km² (qui resteront à la Couronne) et recevront 500 millions de $ sur 20 ans. Les *Yukons* avaient obtenu 25 000 km² et 200 millions de $. Les *Mohawks* ont obtenu le 26-11-1990 25 millions de $ sur 5 ans.

Conflits dans les réserves. Mohawks début 1988, après des affrontements, la police envahit la réserve d'Akwesasne (Ontario) et saisit cigarettes de contrebande, armes et drogue. Sept. 1988, même opération à la réserve de Kahnawake, les Mohawks bloquent le pont entre Can. et USA. *Innus* (Labrador) : dep. oct. 1988, 250 campent près de la base aérienne de Goose Bay, protestant contre les vols des avions de l'O.T.A.N. qui perturbent les caribous. *Cris du Lubicon* (Alberta) : *1978* (6-10) n'ayant pas signé le tr. de 1899, se déclarent « indépendants » et réclament une réserve de 234 km².

• **Esquimaux** (Inuit). **Nombre :** *1961 :* 11 835 ; *81 :* 25 390 ; *90 :* 27 290 (selon inf. 1842). **Statut :** veulent obtenir la reconnaissance de leurs droits sur 3 300 000 km². En 1975, ils avaient obtenu du gouv. du Québec une indemnisation de 225 millions de $, lors de la construction du complexe hydroélectrique de la baie James, qui leur enlevait la jouissance de 610 000 km². Les restrictions prescrites par la loi sur les I. freinent l'investissement dans les réserves (d'où pauvreté et dépendance des I. de l'assistance sociale). *1989 :* élection à 65 % des voix de 6 repr. chargés d'établir un gouv. régional en 1991. *-7-12* accord entre le gouv. féd., celui des terr. du N.-E., et la féd. Tungavik du Nunavut (repr. les Inuit), portant sur 2 millions de km². Les I. auront des droits de propriété en surface sur 225 000 km², et sur le sous-sol de 36 257 km² suppl. + une indemnité de 580 millions de $.

• **Immigrants** accueillis : + de 10 000 000 depuis 1867 (400 000 en 1913). *Du 1-6-1971 au 31-5-1981 :* 1 437 669 (6,45 % de la pop.) ; *81 :* 131 455 ; *82 :* 121 147 ; *83 :* 88 846 ; *84 :* 90 000 ; *85 :* 84 302 ; *86 :* 97 474 dont G.-B. 4 113, U.S.A. 7 093, *France 1 578,* Antilles 7 179 (84), All. féd. 1 392, Asie 40 805 (Japonais 22 000), Amér. Centr. 14 508, Amér. du S. 6 387, Afrique 4 697.

Quotas d'immigration autorisés. 1990 : 175 000, *91 :* 220 000, *92-95 :* 250 000 par an.

Ressortissants français. 160 000 dont Montréal 50 000, Québec 10 000.

• **Canadiens nés à l'étranger** *(rec. 1971)* 3 295 530 dont R.-U. 933 000, U.S.A. 309 640, Portugal 71 540, Inde 38 875 ; (*rec. 1981 :* 16,1 % de la pop.).

• **Principales villes** *(agg. 86). Toronto* 3 427 168, *Montréal* 2 921 357, *Vancouver* 1 380 729, *Ottawa-Hull* 819 263, *Edmonton* 785 465, *Calgary* 671 326, *Winnipeg* 625 304, *Québec* 603 267, *Hamilton* 557 029, *St. Catharines-Niagara* 343 258, *London* 342 302, *Kitchener* 311 195, *Halifax* 295 990, *Victoria* 264 614, *Windsor* 253 988.

• **Langues maternelles** *(1986)* (sur 25 354 000 hab.) : anglais 15 300 000, français 6 200 000, autres 2 900 000 [dont (81) italien 528 775, allemand 522 855, ukrainien 292 265, chinois 224 030, portugais 165 510, néerlandais 156 640, hollandais et frison 146 830, polonais 127 960, amérindien 127 450, grec 122 960, indo-pakistanais 116 990, serbo-croate 87 870, magyar (hongrois) 83 720, espagnol 70 160, langues scandinaves 67 725, punjabi 53 680, philippin et tagalog 44 865, tchèque et slovaque 42 825, l. indochinoises 41 615, finnois 33 380, yiddish 32 760, russe 31 490, arabe 30 115, vietnamien 30 105, japonais 20 130, arménien 17 140, coréen 17 100]. L'accent canadien viendrait de l'accent parisien des « filles du Roy » promises au XVIIe s. aux 1ers colons.

Province	Population [1]	Minorité [2]
Alberta	2 433 000	62 145
Colombie britannique	3 061 000	45 615
Ile Pce-Édouard	130 000	6 080
Manitoba	1 085 000	52 560
Nouveau-Brunswick	719 000	234 030
Nouvelle-Écosse	888 000	36 030
Ontario	9 581 000	475 605
Québec	6 694 000	809 000 [3]
Saskatchewan	1 085 000	25 535
Terre-Neuve	570 000	2 655
Terr. du Nord-Ouest	52 238[4]	1 240
Yukon	29 845	580

Nota. – (1) Populations (au 1-7-89). (2) Minorités (en 1982) francophones, sauf (3) anglophones (en 86). (4) au 1-6-86.

☞ Dep. 1969, le gouv. a imposé le bilinguisme dans les institutions fédérales pour dissuader le Québec de faire sécession.

• **Religions** (1985). **Catholiques** 10 881 950. *Pratiquants en 1961 :* 60 %, *71 :* 30 %. *Clergé en 1983 :* prêtres 6 904 diocésains (66,6 % francophones) + 178 dans les éparchies, dont 1 420 à la retraite ; 5 % de – de 35 ans ; départs 1 020 de 1960 à 83 ; ordinations 65 par an dep. 1977 ; paroissiens sans prêtre 11,2 %. **Église anglicane du C.** 2 600 000 m. (1990). **Juifs** 296 425 [1]. **Grecs orthodoxes** 230 000 [2]. **Luthériens** 220 327. **Presbytériens** 215 911. **Pentecôtistes** 178 743. **Baptistes** 133 352. **Musulmans** 100 000 [1].

Nota. – (1) 1981. (2) 1984.

Histoire

20 000 av. J.-C. arrivée de tribus d'Asie par le détroit de Behring. **IXe s.** Islandais chassés d'Islande, fixés au Groenland, exploitent le bois du Labrador et de Terre-Neuve. **VIe-XVe s.** Peuplement des territoires du N.-E. (encore non glacés) par des Esquimaux (venus d'Alaska) et des Norrois (« Vikings » venus d'Islande). **V. 550** le moine irlandais St Brendan (selon 2 manuscrits médiévaux : *le Voyage de St Brendan l'abbé* et *le Livre de Lismore*), avec 17 autres moines, aurait atteint la « Terre promise aux saints » sur un *curragh* (bateau garni de cuir), au cours d'un pèlerinage de 7 a. qui les aurait menés au Groenland et à Terre-Neuve ; Brendan aurait ensuite regagné son monastère (en 1977, le trajet fut effectué sur un curragh moderne par Timothy Severin). **986** un marchand norvégien, Bjarni Herjulfsson (selon 2 récits médiévaux islandais : le *Flateyjarbok* et le *Livre de Hauk*) visite son père au Groenland. **1000** le Norvégien Leif Eriksson (selon Helge Ingstad qui a découvert en 1960 l'Anse aux Meadows, le seul site viking trouvé à Terre-Neuve, le seul reconnu officiellement en Amér. : parc national, classé par UNESCO dans le patrimoine mondial), débarque sur l'île de Baffin (Helluland), puis au Labrador (Markland), enfin à Terre-Neuve, qu'il appelle Vinland [à cause du raisin indigène d'Amér. du N., la *Vitis labrusca* ou de *vin* (en vieux norrois, « pâturage »)]. **1004-5** Thorvald, frère de Leif, hiverne dans le Vinland, puis, explorant la région du St-Laurent, est tué par des Indiens ; les survivants de l'expédition ramènent son corps au Groenland en 1007. **1010** l'Islandais Thorfinn Karlsefni, beau-frère de Leif, s'établit avec 60 hommes et 5 femmes au Vinland où sa femme met au monde un garçon, Snorri (1er Européen né en Amér.). **1014** les colons islandais retournent au Groenland, à cause des attaques des Indiens et de l'absence de femmes. **1121** l'évêque groenl., Éric, meurt au Vinland. **1347** les Groenl. livrent en Islande du bois labradorien. **1356** le Norv. Paul Knutson prend la tête d'un groupe de colons. La plupart meurent en Amér., les autres retourneront en Norvège en 1364. **1476** le marin danois Johannes Scolp et le noble portugais João Vaz Corte Real, chargés par le roi Alphonse de Portugal et Christian Ier de Danemark de trouver une route de la soie vers la Chine, partent du Danemark, explorent : baie d'Hudson, golfe et fleuve du St-Laurent. N'ayant pas trouvé de passage vers l'Asie, ils retournent au Danemark où leurs découvertes suscitent peu d'intérêt. **V. 1485** Christophe Colomb séjourne en Islande et enquête sur l'existence du Vinland. **1497-***24-6* Jean Cabot (Génois, 1450-99) explore le Canada. **1524** redécouvert par Verrazzano (1480-Brésil 1527 ?), Florentin envoyé par François Ier. N.-Est appelé Nouv.-France. **1534** Jacques Cartier (Français de St-Malo, 1491-1557) prend possession du C. au nom de François Ier et remonte le St-Laurent (1536). **1583** Humphrey Gilbert (v. 1537-1583) prend possession de Terre-Neuve au nom de l'Angl. **1604** 1re installation de colons fr. (île de Ste-Croix, actuellement U.S.A.). **1608** Fr. Samuel de Champlain (Fr. 1570-1635) fonde Québec 1627 et devient gouverneur. **1629** capitule devant flotte angl. **1632** tr. de St-Germain-en-Laye : les Angl. rendent le C. par charte royale à une « Cie de la Nouvelle-France » (100 associés). **1642** Montréal fondé. **1661** Sté des Indes occ. fondée. **1663** révocation de la Charte de la Cie : le Can. est assimilé à une province fr. ; planning : fait en métropole (ex. : expansion du blé, pour ravitailler Fr. ; interdictions de culture du tabac, pour ne pas concurrencer St-Dominique ; de transformer les fourrures, pour ne pas concurrencer la Fr.). **1665-72** intendance de Jean Talon ; peuplement français. **1672** Jolliet et le père Marquette atteignent le Mississippi par le Wisconsin. **1672-82** gouvernement de Frontenac, essor économique. **1680** René Cavelier de La Salle (1643-87) descend Mississippi et fonde Louisiane (de Louis XIV). **1687** Indiens micmacs et malécites s'allient aux Fr. contre Angl. (g. de la ligue d'Augsbourg). **1689-1763** g. franco-anglaise (Indiens algonquins et hurons alliés aux Fr. ; iroquois aux Angl.). **1713** *tr. d'Utrecht* Louis XIV abandonne Acadie (auj. N.-Brunswick et N.-Écosse), Terre-Neuve et terr. de la baie d'Hudson à l'Angl. (les Fr. y soutiendront Indiens révoltés contre colons angl. ; les Acadiens n'auront pas le droit de se replier au C. resté fr.). **1740** Halifax fondé. **1750** N.-France englobe vallées du St-Laurent et Mississippi jusqu'au golfe du Mexique, avec 85 000 h. (N.-Angleterre : 1 500 000 h., sur un territoire 20 fois moindre). *Origine sociale* des 10 000 Fr. immigrés de 1608 à 1760 (dont 2 500 en 1668) : soldats 3 500, « filles du Roy » (prostituées, orphelines, bâtardes) 1 100, prisonniers 1 000, engagés 3 900, colons libres 500. Il y a également de nombreux immigrants anglais, notamment à Montréal. **1754**-*17-4* g. de Sept Ans : Fr. (alliés aux Indiens) : 900 h. ; Angl. 1 850 h., dont 450 Amér. **1755-60** déportation (le *Grand Dérangement*) de 15 000 Acadiens fr. vers d'autres colonies brit. (Massachusetts, Maryland, Caroline, Virginie, Connecticut, Nlle-York, Pennsylvanie, Géorgie) ou fr. (St-Domingue, Louisiane). *Motif :* ont refusé le « serment d'allégeance » à la Couronne (qui les aurait obligés à porter les armes contre les terr. demeurés fr.) ; (le tr. de 1713 les dispensait de ce serment, mais les Angl. ont déclaré ce statut caduc, à cause de l'état de g.). **1756** Louis, Mis de Montcalm (G[al] né 1712), envoyé par la Fr., essaye de rétablir la situation, mais les colons fr. sont 65 000 et les Angl. 1 200 000. **1759**-*18-9*. Québec : G[al] angl. Wolfe bat les Fr. de Montcalm (W. est tué ; M., blessé, meurt le 19). **1760** Ste-Foy. Vaudreuil, gouverneur de Québec, capitule. **1763**-*10-2 tr. de Paris* Fr. renonce à la N.-France, cède à l'Angl. le Can. qui constitue la province de Québec, et la rive g. du Mississippi (reste de Louisiane donnée à l'Esp.) ; les îles du P[ce]-Édouard rattachées à la N.-Angleterre et les territoires N.-O. d'Ottawa constituent un territoire de chasse interdit à la colonisation. Les Angl. renoncent à imposer au Québec protestantisme et institutions brit. en échange de la liberté rel. accordée aux huguenots fr. Les classes dirigeantes fr. (noblesse, cadres administratifs, gros commerçants) quittent le C., des anglophones (en majorité écossais) les remplacent.

1774 *Acte de Québec* permet aux Fr. de conserver institutions et religion (le terme *canayen* désigne désormais les Can. cath. et francophones). **1775**-*13-11*/**1776**-*17-6* les Amér. soulevés contre l'Angl. prennent Montréal, mais échouent devant Québec. **1776-83** 6 000 colons anglais « loyalistes » quittent États insurgés pour se fixer au C. (sur des terres confisquées aux Canayens). **1791** divisé en Haut et Bas-C., séparés par la rivière des Outaouais. Le Haut-C. (Ontario aujourd'hui), peuplé d'une majorité de loyalistes de N.-Angl., adopte système légal et gouvernemental de la G.-B. ; le Bas-C. ou Québec, essentiellement franç., garde lois civiles fr., mais adopte Code criminel angl. **1792** 1re élection d'un Parlement : 35 dép. de langue fr. (pour 14/15e de la pop.) ; 15 dép. de l. angl. (pour 1/15e de la pop.). **1799** le Parlement vote subside de 20 000 livres pour aider la G.-B. en g. contre la Fr. **1801** nouveau subside, fourni par souscription (« fonds patriotiques »). **1813** des envahisseurs amér. sont battus à Châteauguay ; les combats se poursuivent jusqu'en 1818 (fixation de la frontière au 49e parallèle). **1837-38** rébellions dans Haut et Bas-C. [leader francophone : Louis-Joseph Papineau (1786-1871), exilé à Paris 1839-47, amnistié 1847 ; leader anglophone : William Lyon Mackenzie (1795-1861), exilé aux U.S.A. 1839-49 ; amnistié 1849] ; 12 Canayens exécutés à Montréal ; nombreux départs de Canayens aux U.S.A. (total 1837 à 1910 : 500 000). **1840**-*23-3 Acte d'Union,* Haut et Bas-C. deviennent le C. uni. **1840-1900** immigr. massive des Irl., catholiques et anti-anglais, politiquement alliés des Canayens, mais anglophones ; ils anglicisent le pays. **1867**-*1-7 Acte de l'Amérique du Nord britannique* créant la Confédération du C., comprenant N.-Brunswick, N.-Écosse, Haut et Bas-C. **1869** révolte des Métis (francoph.) du Manitoba, dépouillés de leurs terres par nouveaux immigrants angloph. (leader : Louis Riel, dép. en 1871, expulsé du Parlement). **1877** loi limitant droits de l'enseignement confessionnel. **1885** 2e révolte des Métis du Manitoba (Riel pendu 16-11). **1890** Manitoba abolit les dispositions garantissant l'usage du français à l'école. **1896** ruée vers l'or du Klondike. *-Déc.* près de Dawson City.

1904 la Fr. renonce à l'exclusivité de ses droits de pêche sur une partie de la côte de Terre-Neuve. **1914-18** 1re G. mondiale (30 000 combattants, dont 12 000 volontaires). **1916** l'Ontario limite l'usage du fr. dans les écoles. **1919** début de l'emprise écon. des U.S.A. sur le C. **1931** Statut de Westminster : le C. devient dominion indépendant, mais Londres enlève 110 000 km² au Québec pour les donner à Terre-Neuve, qui ne fait pas partie du dominion (Labrador). **1939** le C. déclare la g. à l'All., les Québécois se montrent réticents devant le service en Europe (10 000 déserteurs). **1944** les C. participent au débarquement en Normandie. 37 217 † durant la g. **1967** de Gaulle au C. **1970** campagne terroriste du FLQ (Front de libération du Québec). **1978**-*1-11* Trudeau PM ; le gouv. féd. propose aux provinces de réexaminer la répartition de l'impôt, le contrôle des dépenses féd. **1979**-*22-5* élections : victoire conservateurs : Joseph Clark PM. **1980**-*18-2* él. : victoire libéraux : Trudeau PM. *-20-5* référendum sur indép. du Québec : non 59 %. **1982** rapatriement de la Const. c. et adoption le 17-4 de la charte c. des droits et libertés. *-18/25-7* 1re assemblée mondiale des Nations premières : 2 000 à 3 000 autochtones représentant 250 nations de plus d'une douzaine de pays se réunissent à Regina (Saskatchewan) pour parler des problèmes indigènes. **1983**-*15/16-3* Conférence constitutionnelle à Ottawa sur droits des autochtones ; propositions rejetées par Indiens de Colombie brit. n'ayant signé aucun traité avec le C. et Trudeau qui refuse le principe de souveraineté nat. pour Indiens. **1984** *juin* John Turner PM. *-29-6* René Lévesque, PM du Québec quitte la présidence du P. québécois. *-3-9* bombe gare de Montréal : 3 Français tués. *-4-9* él., succès conservateurs. *-9/20-9* voyage du pape Jean-Paul II. **1986**-*20/22-2* Brian Mulroney en Fr. *-25/29-5* Mitterrand au C. **1987**-*3-6* accord PM du Québec et 10 autres PM provinciaux. *Sept.* Québec adhérera à la Constitution c. 2e sommet francophone au Québec (Mitterrand et Chirac présents). La Cie de la baie d'Hudson (en 1838 possédait 3 millions de milles carrés) vend ses derniers comptoirs. **1988**-*2-1* accord de libre-échange avec U.S.A. *25/29-1* Jeanne Sauvé en Fr. (1re visite d'État d'un gouverneur c.). *-21-11* législatives : victoire des conserv. *-30-12* Parl. ratifie tr. de libre-échange avec U.S.A. **1989**-*31-3* accord franco-c. sur droits de pêche au large de Terre-Neuve. *Été* 6,4 millions d'ha de forêt incendiés, *-6-12* Marc Lépine (25 ans) tue 14 étudiantes à l'école polytechnique de Montréal (deuil national de 3 j.). **1990**-*29-5* loi recriminalisant l'avortement. *8/9-6* Québec obtient le statut de « société distincte » en échange de l'adhésion à la Constitution c. *-21-6* Manitoba et Terre-Neuve refusent de ratifier l'accord dans les délais (avant le 23-6). *-23-6* le Québec décide de négocier désormais de gouvernement à gouvernement avec Ottawa. Jean Chrétien, 56 ans, Pt du Parti libéral. *-11-7* affrontements police-Mohawks, opposés à l'agrandissement d'un golf près de Montréal (1 †). *-29-8* les Mohawks acceptent de démanteler leurs barricades. *-6-9* élect. législatives en Ontario, vict. des sociaux-dém. 74 s. sur 130. **1991**-*3-4* Rita Johnston, PM de Colombie brit.

Statut politique

• **Statut.** État fédéral membre du Commonwealth. **Constitution** du 17-4-1982 remplace la Constitution 1-7-1867 ; après le rapatriement de l'Acte de l'Amér. du N. brit. voté 2-12-1981 par Parlement can. (246 v. contre 24) et 17-2-1982 par Chambre des communes brit. (334 v. contre 44) malgré l'opposition du Québec, qui ne voulait pas voir restreindre l'autonomie des provinces. **Provinces** *1867 :* Ontario, Québec, N.-Brunswick, N.-Écosse. *1870 :* Manitoba (ancien État de la Rivière-Rouge). *1871 :* Colombie brit. *1873* île du P[ce]-Édouard. *1905 :* Alberta, Saskatchewan. *1949 :* Terre-Neuve [après référendum, 78 408 pour, 71 466 contre (partisans d'un gouv. autonome)]. **Fête nat.** 1er juillet. **Drapeau.** (1892) bandes latérales rouges et feuille d'érable rouge à 11 pointes sur fond blanc (ajoutée 22-10-1964).

• **Pouvoir exécutif. Chef d'État :** reine Élisabeth II représentée par le **gouverneur gén.** nommé par elle pour 5 à 7 ans (sur l'avis du PM can., assisté par un conseil privé). PM choisit son cabinet.

• **Pouvoir législatif. Parlement fédéral : Sénat** [104 m. présentés par le PM et nommés par le gouv. gén., 30 ans min. (retraite 75 ans), Ontario 24, Québec 24, N.-Écosse 10, N.-Brunswick 10, Terre-Neuve 6, Colombie brit. 6, Manitoba 6, Alberta 6, Saskatchewan 6, P[ce]-Édouard 4, Yukon 1, Terr. du N.-O. 1]. **Chambre des communes** (295 m. élus pour 5 ans), le nombre des députés est redistribué après chaque recensement ; en 1988 : Terre-Neuve 7, N.-Écosse 11, N.-Brunswick 10, île du P[ce]-Édouard 4, Québec 75, Ontario 99, Manitoba 14, Saskatchewan 14, Alberta 26, Colombie britannique 32, Yukon 1, Terr. du N.-O. 2. *Seul* organe auquel le cabinet ait à rendre des comptes. Après 3 lectures, vote les lois.

Élections à la Chambre des communes

% de voix et, en italique, nombre de sièges

	30-1-72	8-7-74	22-5-79	18-2-80	4-9-84	21-11-88
P. libéral ...	38,5 *109*	42,9 *141*	39,9 *114*	44,3 *147*	22,8 *40*	31,9 *82*
P. prog.-conser. ...	35 *107*	35,6 *95*	36,1 *136*	32,4 *103*	49,6 *211*	43,8 *169*
Nouveau P. dém. ..	17,7 *31*	15,6 *16*	18 *26*	19,2 *32*	18,6 *30*	21 *43*
Crédit social.	7,6 *15*	5 *12*	4,5 6	*0*	*0*	*1*
Divers	1,3 2	0,9 *1*	1,5 –	*0*	*1*	3,3 *0*

Partis. *P. libéral : f.* 1867, au pouvoir pendant 40 des 50 dernières années, *leader :* Jean Chrétien (n. 11-1-34) dep. 23-6-90 [avant John Turner (7-6-29), Herb Gray (25-5-31)]. *P. conservateur : f.* 1854, devenu 1942 P. Progressiste-Cons., lors de l'absorption du P. progressiste ; *leader :* Brian Mulroney (20-3-39). *Nouveau P. démocratique : f.* 1961 par fusion de la CCF (Cooperative Commonwealth Federation) et du CTC (Congrès du Travail du C., la plus puissante organisation syndicale 140 000 m.), tendance soc., *leader :* Audrey McLaughlin (1re femme à diriger un parti pol. au C.) (dep. 2-12-89 ; avant, Edward Broadbent). *Green Party.*

Référendums. Nationaux : *1898* sur la prohibition (seul le Québec est contre : le gouvernement féd. laisse les provinces choisir). *1942* sur la conscription (seul le Québec est contre) ; sera adoptée en 1944. *1980* 20-5 sur le statut du Québec (non). **Provinciaux** (rares). **Municipaux** (courants).

• **Pouvoir judiciaire.** La *Cour suprême,* instituée 1875, juge en dernier ressort dans les litiges de nature criminelle et les procès en matière civile. 9 juges.

• **Provinces fédérées** (10). Chacune a son parlement (1 chambre). *Pouvoir exécutif* exercé par le Lt-gouv. en conseil nommé par le gouverneur gén. *Pouvoirs relevant uniquement de la prov. :* pouvoirs constitutionnels prov. (sauf sur ce qui touche le Lt-gouv.), propriété, souveraineté sur ressources, droits civils, impôts directs, emprunts, aménagements, vente des terres de la Couronne, hôpitaux prov., licences commerciales, travaux publics sauf décision contraire du pouvoir féd., justice (le gouv. nomme les juges des cours prov.), éducation. *État féd. :* gère ch. de fer, ports et aéroports. *Divisions :* régions et sous-régions adm., municipalités, comtés, cités, villes, cantons, districts municipaux.

• **Territoires.** Relèvent directement du gouv. et du Parlement can. élu. Chacun a un commissaire à sa tête, nommé par le gouv. assisté d'un conseil (Yukon : 16 m., Terr. du N.-O. : 24 m.).

• **Gouverneurs généraux. 1867** Vte MONCK (1819-94). **69** Lord LISGAR (1807-76). **72** Cte de DUFFERIN ET AVA (1826-1902). **78** Mis de LORNE (1845-1914). **83** Mis de LANSDOWNE (1845-1927). **88** Lord Stanley de PRESTON (1841-1908). **93** Cte d'ABERDEEN (1847-1934). **98** Cte de MINTO (1845-1914). **1904** Cte GREY (1851-1917). **11** S.A.R. le duc de CONNAUGHT et de STRATHEARN (1850-1942). **16** Duc de DEVONSHIRE (1868-1938). **21** Lord BYNG DE VIMY (1862-1935). **26** Vte de WILLINGDON (1866-1941). **31** Cte de BESSBOROUGH (1880-1956). **35** Lord TWEEDSMUIR (1875-1940). **40** Cte d'ATHLONE (1874-1957). **46** Vte ALEXANDER DE TUNIS (1891-1969). **52** Vincent MASSEY (1887-1967) (1er Can.). **59** Gal Georges Philéas VANIER (1888-1967). **67** (17-4) Roland MICHENER (19-4-1900). **74** (14-1) Jules LÉGER (1913-80). **79** (22-1) Edward R. SCHREYER (21-12-35). **84** (14-5) Jeanne SAUVÉ (26-4-22). **89** (3-10) Ramón HNATYSHYN (1934).

• **Premiers ministres.** *Légende.* (C. : conservateur, L. : libéral.) **1867** *1-7* Sir John Alexander MACDONALD (1815-91). **73** *7-11* Alexander MACKENZIE (1822-92) L. **78** *17-10* Sir John Alexander MACDONALD C. **91** *16-6* Sir John Joseph Caldwell ABBOTT (1821-93) C. **92** *5-12* Sir John Sparrow David THOMSON (1844-94) C. **94** *21-12* Sir Mackenzie BOWELL (1823-1917) C. **96** *1-5* Sir Charles TUPPER (1821-1915). **96** *11-7* Sir Wilfrid LAURIER (1841-1919) C. **1911** *10-10* Sir Robert Laird BORDEN (1854-1937) C. **17** *12-10* Sir Robert Laird BORDEN. Unioniste. **20** *10-7* Arthur MEIGHEN (1874-1960) C. **21** *29-12* William Lyon MACKENZIE KING (1874-1950) L. **26** *28-6* Arthur MEIGHEN Unioniste. **26** *25-9* William Lyon MACKENZIE KING L. **30** *7-8* Richard Bedford BENNETT (1870-1947) C. **35** *23-10* William Lyon MACKENZIE KING C. **48** *15-11* Louis Stephen SAINT-LAURENT (1882/25-7-1973) L. **57** *21-6* John George DIEFENBAKER (1895-1976) Progr. **63** *22-4* Lester Bowles PEARSON (1897/1972) L. **68** *20-4* Pierre Elliott TRUDEAU (18-10-19) L. **79** *4-6* Charles Joseph CLARK (5-3-39) C. **80** *3-3* Pierre Elliott TRUDEAU L.

84 *30-6* John Napier TURNER (7-6-29) L. **84** *17-9* Brian MULRONEY (20-3-39) C.

Confédération canadienne

Superficie, population totale (est. juillet 89) dont principaux groupes ethniques en 1971, capitales et villes principales 1986. *Nota.* – (1) 1986.

• **Alberta.** 638 233 km², 2 433 000 h. (dont, en 82, Brit. 761 665, All. 231 005, Fr. 94 665, Ital. 24 805). D. 3,8. *Edmonton* 785 465 (agg.), Calgary 671 326 (agg.), Lethbridge 60 310 [1] (agg.). Pop. concentrée dans le centre (grandes exploitations : 8 000 exploitations de plus de 445 ha) ; plan d'irrigation pour 364 200 ha dans le S.-E. Charbon, gaz naturel 90 %, pétrole 80 %, céréales 33 %. *Commerce (88) : exp.* 13 milliards de $, *imp.* 4.

• **Colombie britannique.** 892 677 km², 3 061 000 h. [dont, en 82, Brit. 1 265 445, All. 198 315, Fr. 96 550, Ital. 53 795, Chinois 44 315 (+ de 100 000 h. descendent de Chinois venus v. 1860 construire le Canadien Pacifique), Danois 21 205]. D. 3,4. *Victoria 264 614 (agg.),* Vancouver 1 380 729 (agg.). Forêts 75 % du terr. (54 % des réserves can.). Pêcheries (1er rang). Projet de ch. de fer vers Alaska. *Commerce (88) : exp.* 17,4 milliards de $, *imp. 12,8.*

• **Ile du Pce-Édouard.** 5 660 km (le plus petit État du C. : long. 224 km, larg. 6 à 24 km), 130 000 h. (dont en 1982 : Brit. 92 285, Fr. 15 325, All. 955). D. 22,9 (la plus forte du C.). *Charlottetown* 15 776 (agg. 53 900). Summerside 8 020 (67). Pommes de t., porcins, pêcheries. *Commerce (en milliards de $, 1988) : exp.* 0,14, *imp.* 0,026.

• **Manitoba.** 547 704 km², 1 085 000 h. (dont, en 82, Brit. 414 125, All. 123 056, Ukrainiens 123 000, Fr. 86 510, Juifs 20 010). D. 1,98. *Winnipeg* 625 304 (agg.), St James 71 569 (76), St Boniface 46 661 (76). Forêts (50 % du terr.), céréales (dont blé 50 %). *Commerce (88) : exp.* 2,9 milliards de $, *imp.* 2,6.

• **Nouveau-Brunswick.** 71 569 km², 719 000 h. (dont, en 82, Brit. 365 735, Fr. 235 025, All. 8 410). D. 10. *Fredericton* 44 352, St John 120 900 (agg. 84), port de commerce, Moncton 83 900 (agg. 84). Une partition entre région francophone et r. anglophone a été envisagée. Ind. forestière, pêcheries, pommes de t. Très endetté. *Chômage :* 12 % (30 % chez les francophones). *Commerce (88) : exp.* 3,1 milliards de $, *imp.* 1,7.

• **Nouvelle-Écosse.** 52 841 km², 888 000 h. (dont, en 82, Brit. 611 310, Fr. 80 215, All. 40 910). D. 16,8. *Halifax* 295 990 (agg.), port. Forêts (75 % du terr.). Pêcheries (2e rang). *Commerce (88) : exp.* 2,1 milliards de $, *imp.* 2,6.

• **Ontario** (belles eaux en Iroquois). 1 068 582 km² (dont cours d'eaux et lacs 177 390), 9 581 000 h. (dont en 1982 : Brit. 4 576 010, Fr. 737 360, All. 475 320, Ital. 463 095, Juifs 131 195, Grecs 67 625, Hongrois 65 695). D. 10,4. *Toronto* 3 427 168 (agg.), Hamilton 557 029 (agg.) [*1851 :* 30 775, *1901 :* 208 040], **Ottawa** (cap. fédérale) 819 263 (agg.), London 342 302 (agg.), Windsor 253 988, Kitchener 311 195 (agg.), Sudbury 149 923 (81). N. : or, argent, amiante, uranium ; S. : industrie utilisant hydroélectricité (Niagara, Outaouais, St-Laurent) ; pétrochimie, sidérurgie à Hamilton (5,1 millions de t). Dépend de l'Alberta pour matières premières, et du Québec pour débouchés. Représente 38 % du P.N.B. du Can., 52 % du P.I.B., 52,6 % des articles manufacturés. *Commerce (88) : exp. :* 64 milliards de $, *imp. :* 82. *Chômage :* 5 %. *Parcs :* 220 (dont p. Algonquin, créé 1893, 7 600 km², 1 600 km de voies navig. par canot).

• **Québec.** (la « Belle Province »). Connu comme la Nouvelle-France ou le Canada (1535-1763), prov. de Québec (1763-90), Bas-Canada (1791-1867) et, depuis 1867, prov. de Québec. **Géographie.** *Régions :* basses terres du St-Laurent, plateau des Laurentides (750 m), chaîne des Appalaches 1 300 m (s'étendent jusqu'en Gaspésie), Saguenay. Lacs et rivières : + de 1 million. *Superficie :* 1 375 655 km². *Climat :* Sud : humide. Hiver froid ; été, la temp. dépasse rarement 26 °C. *Pluies :* 76 à 139 cm. 1 540 680 km². **Population :** *V. 1730 :* 50 000 h., *1851 :* 890 000 h., *1881 :* 1 359 000 h., *1911 :* 2 006 000 h., *1941 :* 3 332 000 h., *1951 :* 4 056 000 h., *1961 :* 5 259 000 h., *1971 :* 6 028 000 h., *1981 :* 6 438 000 h., *1987 :* 6 532 465 h. [dont Fr. 5 105 665, Brit. 437 835, Ital. 163 880, Amérindiens 82 000, Juifs 81 190, All. 53 870 (82), Grecs 47 450, Antillais (surtout Haïtiens) 36 785] *1989 :* 6 694 000 h. D. 4,6. **Taux.** *Natalité (85) :* 13,1 ‰ ; *fécondité (88) :* 1,41 ; *mortalité (85) :* 6,9 ‰ ; *accroissement :* 6,9 ‰. **Émigration.** *Dep. 1967,* 5 000 et 10 000 pers. par an, vers d'autres prov. can. **Immigration** *1979-82 :* 84 509 ; *1982 :* 26 640 ; *1988 :* 25 420 dont (en %) Haïti 6,6, France 7,6, Liban 6,5, Sri Lanka 5,5 (82), Hong Kong 5,3, Portugal 3,9. **Chômage** (88) : 9 %. **Villes** *Québec* (mét.) 575 000 [*1851 :* 42 052, *1901 :* 68 840] (ville 164 580), Montréal (mét.) 2 092 000 [*1851 :* 57 715, *1901 :* 266 736] (ville 1 015 240), Laval 284 164 (agg.), Chicoutimi-Jonquière 135 000, Sherbrooke 85 000, Verdun 60 246, Hull 170 500, Trois-Rivières 50 000.

Langue. **1977**-26-8 loi faisant du fr. la seule l. officielle. **1979**-13-12 la Cour suprême du C. la déclare inconstitutionnelle. **1984** la Cour suprême, s'appuyant sur la nouvelle Const. du C., bien que le Québec ne l'ait pas ratifiée, déclare illégale l'oblig. pour les parents venant d'autres provinces d'inscrire leurs enfants dans des écoles fr. **1986**-22-12, la cour d'appel déclare inconstit. l'article 58 de la Charte de la langue fr. (loi 101) qui fait du fr. la seule langue autorisée dans l'affichage commercial. **1988**-15-12 la Cour suprême déclare inconstit. les dispositions de la loi 101 qui imposent le seul usage du fr. dans l'affichage, la pub. et la dénomin. des Stés. -18-12 le PM du Q. Bourassa maintient l'affichage en fr. et annonce un projet de loi permettant le bilinguisme à l'intér. des magasins. *-21-12* l'Ass. du Q. vote (91 voix contre 26) le projet de loi sur l'affichage. **Statistiques. 1987 :** francophones 5 316 930 (81,2 %), anglophones 580 030 (8,8 %).

Religions (1981). *Catholiques* 5 618 365 [87,3 % ; 22 diocèses, 1 976 paroisses, 4 287 prêtres (5 382 en 1961), 32 528 religieuses et religieux]. L'Église cath. a gardé un rôle prépondérant (hôpitaux, presse, universités) jusqu'en 1968. De 1960 à 69, les ordinations ont diminué de 57,7 %. *Anglicans du C.* 187 115. *Presbytériens* 34 625. *Baptistes* 25 050. (Il y a 20 000 francophones protestants.)

Histoire récente. 1935 Maurice Duplessis (1890-1959) fonde l'Union nationale au pouvoir 1936-39 et 1944-60). **1960**-*22-6* victoire du P. libéral provincial (alors nationaliste), le PM J. Lesage (1922-80) lance une politique d'émancipation. **1961**-*5-10,* délégation générale du Q. à Paris. **1963** développement d'un courant séparatiste (leader Pierre Vallières). *Mars* naissance du Front de lib. du Q. (FLQ), terroriste (il aura 35 membres en oct. 70 et disparaîtra fin 72). *-8-4* Lester Pearson PM (P. libéral féd.). **1965**-*1-1* la Fr. reconnaît off. la délégation du Q. à Paris. **1966**-*5-6* Daniel Johnson PM (Union nat. réformée). **1967**-*22/26-7* de Gaulle au Q. *-24-7* du balcon de l'hôtel de ville de Montréal, crie : « Vive le Q. libre ! » ; protestation du gouv. can., annulation du voyage à Ottawa. **1968**-*20-4* P.E. Trudeau PM féd. (maj. absolue aux él. du 25-6). -26-9 Daniel Johnson meurt. **1970**-*30-4* victoire élect. du P. libéral. *-5-10* le FLQ enlève James Cross, conseiller commercial brit. (libéré 3-12) et le *10-10* Pierre Laporte, min. de l'Emploi du Q. (assassiné 17-10). *-21-12* arrestation de certains des ravisseurs (Paul Rose condamné à la prison à vie sera libéré le dernier en sept. 82). **1974** *mai* la « loi 22 » institue le fr. comme seule langue off. au Q. *Déc.* visite off. du PM R. Bourassa. *Déc :* Jérôme Choquette crée le P. national. **1976**-*15-11 élections :* victoire du PQ [les anglophones se sont détournés du P. lib. (suite à la loi 22 instituée par Bourassa), plusieurs centaines ont quitté le Q.]. **1980**-*20-5* référendum sur l'indépendance : 4 367 136 inscrits dont votants 85,6 % (non 50,1 %, oui 34 %, votes rejetés 16 %). **1980-81** Trudeau renforce la centralisation, décevant ceux qui avaient voté *non* en espérant une Constitution favorable aux provinces : mêmes les anglophones se rallient au PQ. **1981**-*13-4* él. [R. Lévesque et PQ ont 80 députés (dont 3 anglophones) sur 122]. Référendum : sur la « souveraineté-association » : non 60 %. **1984** le gouv. reconnaît la légitimité des relations privilégiées et directes avec Paris. **1985** *janv.* congrès du PQ, 65 % écartent l'option « souveraineté » pour les prochaines él. *-2-12* él. : succès du p. libéral mais Bourassa est battu. **1986**-*20-1* él. partielles Cté du St-Laurent : Bourassa élu (16 135 v. contre, 1 692 à Sid Ingerman du p. démocratique). **1987**-*23-6* l'Ass. nat. du Q. entérine *accord du lac Meech* du 3-6 entre le PM du C. et ses 10 homologues provinciaux ; le Q. adhère à la Constitution can., avec le statut de « société distincte ». *-23-6* l'Ass. nat. ratifie par 95 voix contre 18. *-23/24-10* 1re visite d'Élisabeth II dep. oct. 1964. *-1-11* Lévesque meurt. **1988**-*18-12* manif. à Montréal, la Cour suprême annule la loi sur l'affichage. *-19-12* suite au projet de loi linguist. de Bourassa, le Manitoba retire son appui à l'accord du lac Meech. *-20-12* démission de 3 min. québ. angloph. **1989** *janv.* échec des négoc. sur la ratif. de l'accord du lac Meech (limite fixée en juin 1990) : opp. du Manitoba, du Nouv.-Brunswick et de Terre-Neuve. *-9-8* Ass. nat. dissoute. *-25-9* législatives.

Statut. Ass. nat. 125 députés élus pour 5 ans au scrutin majoritaire à un tour. Redécoupage des circ. favorise les régions rurales moins peuplées [circ. la – peuplée : îles de la Madeleine (8 000 él.), la + peuplée : Taillon (160 380). **Lt-gouv.** Gilles Lamontagne. **PM.** *1968* Jean-Jacques Bertrand (20-6-1916). *70* Robert Bourassa (14-7-33), PL. *76* (26-11) René Lévesque (24-8-1922/1-11-1987). *85* (29-9) Pierre-Marc Johnson (PQ) (5-7-46), fils de l'ancien PM Daniel Johnson (9-4-1915/26-9-1968) ; (12-12) Robert Bourassa (14-7-33). **Fête nat. :** St-Jean-Baptiste (24-6). **Drapeau :** bleu avec une croix et des fleurs de lys blanches (officiel dep. 21-1-1948). **Emblème floral :** lys blanc ; aviaire (1987) : harfang des neiges. **Devise :** « Je me souviens ».

Partis. P. libéral du Québec (indépendant du P. lib. fédéral, *créé* 1848/1850 ; *chef :* Robert Bourassa dep. oct. 83. **P. québécois** (Péquiste), *créé* 1968 sous l'égide de René Lévesque lors de la fusion mouv. Souveraineté-Association/Ralliement national ; absorbe ensuite d'autres mouv. autonomistes (dont le Rassemblement pour l'indép. nat.) ; social-démocrate pour l'indép. du Q. avec une association can. *Membres 1976 :* 300 000, *89 :* 115 000. *Pt : 1968 :* René Lévesque. *1985*-25-9 : Pierre-Marc Johnson après le retrait de Lévesque. *1988*-17-3 : Jacques Parizeau (indépend.). **P. de l'égalité,** *créé* 1989, anglophone., *Pt :* Robert Libman.

Sièges et *% des voix*	1970		1973		1976		1979		1981		1985		1989	
P. lib. (fédéral.)	71	*45*	28	*34*	2	*34*	26	*33,8*	42	*46*	99	*56*	92	*49,9*
Union nat.	17	*20*	11	*18*	11	*18*	11	*18,2*	--	*4,6*	--	--	--	--
Rall. créditiste	13	*11,5*	1	*1*	1	*5*	1	*4,6*	--	--	--	--	--	--
P. Q.	7	*23*	69	*41*	76	*41*	71	*41,4*	80	*49,2*	23	*38*	29	*40,1*
C. Indépendant	–	--	1	*2*	1	*2*	1	*2*	--	*0,2*	--	--	--	--
Nouv. p. dém.											--	*2,4*	--	*1,2*
P. de l'égalité													4	*3,6*
Divers											--	*2,6*	--	*5,2*

Ressources. Hydroélectricité, 45 % de la prod. can. (notamment complexe de la baie James) ; uranium près de la baie James ; bois (pâte à papier 20,3 Mt), 14 % de la prod. mond. forestière ; tourisme (sports d'hiver dans les Laurentides ; plages de la Gaspésie). **Industrie.** *Principaux secteurs :* aérospatiale, électricité, génie-conseil, électronique, recherche et développement, informatique et télécom. *Commerce :* milliards de $, 1988 : *exp.* 23 *vers* U.S.A. 15,5, G.-B. 0,66, P.-B. 0,55, All. féd. 0,42, *France 0,38 ; imp.* 22,6. **Croissance** (1989) 4,4 %. **Chômage** (1989) 9,4 %.

• **Saskatchewan.** 570 113 km², 1 007 000 h. (dont en 82 : Brit. 390 190, All. 180 095, Fr. 56 200). D. 1,76. *Regina* 175 064, Saskatoon 177 641. Blé (60 % du C.), potasse. *Commerce* (milliards de $, 88) : *exp.* 5,7, *imp.* 1,3.

• **Terre-Neuve** (Labrador compris). 405 720 km², 570 000 h. (dont en 82 : Brit. 489 565, Fr. 15 410, All. 2 375, Esquimaux 1 055). D. 1,4. *St John's* 161 901, Corner Brook 24 339 (84). Entrée dans la Confédération c. en 1950. Brouille avec Québec sur la région côtière du Labrador et l'île de l'Assomption, mises, en 1821 par l'arch. de Québec, sous la juridiction ecclésiastique du vicaire apostolique de Terre-Neuve, et détachées du Québec par la G.-B. en 1926. Pêcheries (morue, baleine), bois et papier, minerai de fer. *Chômage* (juil. 1989) : 16,4 %. *Commerce* (milliards de $, 88) : *exp.* 1,9, *imp.* 0,8.

• **Territoire du N.-Ouest.** 3 246 320 km², 52 238 [1] h. (dont en 82 : Esquimaux (Inuits) 11 400, Brit. 8 785, Fr. 2 275, All. 1 330). D. 0,016. **Villes** (85), *Yellowknife* 11 077, Inuvik 3 166.

• **Territoire du Yukon.** 482 515 km², 29 845 h. (dont en 82 : Brit. 8 945, All. 1 555, Fr. 1 230). D. 0,061. Indiens athapaskan : 6 groupes (Kutchin, Han, Tutchone, Inland Tlingit, Kaska et Tagish). **Villes** (85), *Whitehorse* 18 385, Dawson City 1 553, Watson Lake 1 595.

Économie

P.N.B. *Total* (milliards de $) *1983 :* 300,4 ; *84 :* 421 ; *85 :* 341,8 ; *86 :* 358,8 ; *87 :* 413,9 ; *88 :* 479,6 ; *89 :* 545,6. *Par h.* (en $) *1983 :* 13 100 ; *85 :* 13 400 ; *89 :* 20 780. **Taux de croissance** *86 :* 3,1 %, *87 :* 3,75 %, *88 :* 4,5 %, *89 :* 2,8, *90 :* 1,1. **Revenu moyen** (82) 32 435 $. *Colombie brit.* 35 293 $. *Provinces. Atl.* 26 479 $. **Inflation** (%) *1980 :* 10,2 ; *81 :* 12,5 ; *82 :* 10,8 ; *83 :* 5,9 ; *84 :* 4,4 ; *85-86 :* 4 ; *87 :* 4,6. *88 :* 4 ; *89 :* 5 ; *90 :* 4,5. **Budget. Déficit** (milliards de $). *1985-86 :* 30,6. *86-87 :* 29,3. *87-88 :* 29,3. *88-89 :* 28,9 (4,8 % du P.I.B.). *89-90 :* 30,5. *90-91 :* 28,5. **Dette publique** (milliards de $). *Mars 1989 :* 321 (dont service de la dette 5 % du P.I.B.) ; *90 :* 400. **Balance des paiement** (milliards de $). *1981 :* –6,1, *82 :* + 2,8, *83 :* + 3,1, *84 :* 2,7, *85 :* –2, *86 :* – 10,6, *87 :* – *9,4*, *88 :* – 10,3, (1,7 % du P.I.B.), *89 (juil.) :* – 16,7.

Pop. active 1984 en milliers et, entre parenthèses part du P.N.B. 1988 (en %) agr. 467 (5), mines 150 (7), ind. 2 164 (20), services 6 624 (68). **Chômage.** *1981 (août)* : 700 000 (7,1 %). *85 (janv.)* : 1 483 000 (11,3). *89 (avr.)* : 1 046 000 (7,8 ; Terre-Neuve 14,5, Pce-Édouard 14,3. *90 (juill.)* : 1 070 000 (7,8 %).

Agriculture. *Terres* (milliers de km², *79*) arables 730, forêts 3 417, vierges 4 334, urbanisées et développées 34. Sur les 11 % de terres cultivables, 85 % sont dans l'Ontario et les Prairies. 82 % des terres agricoles sont à l'O. du pays. *Production* (milliers de t, 89) blé 23,9, orge 12, avoine 3,6, viande 2,6 (87), lin 0,7, seigle 0,6. *Blé* (de printemps, surtout dans Prairie : Manitoba, Alberta, Saskatchewan, 75 % exportés, 2e pays exp., rendement : 2 060 kg/ha), avoine, orge, maïs (Ontario), oléagineux (colza, lin, soja, tournesol), tabac (Ontario), légumes [Québec (pommes de t.), N.-Brunswick]. **Forêts.** 1er exp. de prod. forest. 340 millions d'ha dont 200 répertoriés productifs. *Réserves* 17 milliards de m³ de bois. *Prod. moyenne par an* de bois de sciage 144 millions de m³ [pertes : 143 millions de m³ (54,5 % d'incendies)]. Vente bois et pâte à papier.

Élevage (milliers de têtes, 89). Bovins 12,1, vaches laitières 10,6 (88), porcs 10,6, moutons 0,73. Viande, prod. laitiers. **Pêche** (millions de t, 87) 1,43. Terre-Neuve et Pacifique. **Fourrures et peaux.** Piégeage 63 %, élevage 37 % ; vison, renard, chinchilla.

Énergie. Pétrole (millions de t) *réserves* (91) 792, 86 % de la prod. : gisement de l'Athabasca (sables bitumeux contenant 84 % de sable, 11 % de pétrole, 5 % d'eau), *prod.* : *1984* : 82, *85* : 84, *86* : 84, *87* : 87, *88* : 93, *89* : 90, *90* : 91 millions de m³. **Gaz** (milliards de m³) *réserves 1991* : 2 762, *prod. 1984* : 78, *85* : 84 ; *86* : 90, *87* : 98, *88* : 100,5, *89* : 105, *90* : 107. **Charbon** (1987) 33 000 t. **Électricité** (1989) 488 milliards de kWh dont (%, 87) hydraulique 66, thermique 17, nucléaire 17. Au Québec, sur la Grande Rivière, près de la baie James, 3 barrages : LG2 inauguré 27-10-79 ; LG3 et LG4 (inst. 27-5-84, coût : 15 milliards de $ installés 10 000 MW ; produira 14,1 milliards de kWh par an). Construction de LG1 reportée à + tard. L'ensemble fournira + de 40 % de la prod. d'hydroélec. **Consommation d'énergie** (en %, 1987). Pétrole 40, gaz naturel 28, électricité 28, énergies renouvelables 4.

Mines (1988). *Uranium* : réserves 7 150 t (30 % du monde), (84), prod. 8,7 t. en 90 (85 % exp.). *Charbon* : réserves 24,6 milliards de t, prod. 39 millions de t. (89). *Nickel* : réserves 8 millions de t (84), prod. 203 000 t. *Fer* : Labrador, entre Québec et Terre-Neuve, réserves 20 milliards de t. (84), prod. 23 500 000 t. *Zinc* : 1 332 000 t. *Cuivre* : 762 000 t. *Amiante* : 705 000 t, dont 80 000 t (11 %) exp. vers U.S.A. *Argent* : 1 527 t. *Potasse* : 6 923 000 t (86). *Lignite* : réserves 3,5 milliards de t., prod. 28 000 000 t. (89).

Industrie. Auto. (*1978* : 1 800 000, *83* : 1 500 000, *85* : 1 930 000, *87* : 1 421 000, *88* : 2 157 000), mach. agricoles, pâte à papier, de bois, prod. alim., fer et métaux non ferreux, raff. de pétrole et chimie, textile. *Contrôle étranger* (80 % par U.S.A.) : pétrole (raff.) 99,9 % ; pétrole et gaz (prod.) 82,6 ; 1res transformations des métaux 84,9 ; ind. minière 60,5 ; manufacturière 68,7.

Transports. *Voies ferrées* 99 444 km. *Routes* 884 273 km (dont Trans-Canada Highway 7 699, ouverte 1962, reliant une côte à l'autre, Victoria à St-Jean-de-Terre-Neuve). *Navigation* importante sur Grands Lacs et St-Laurent, 3769 km (construction avec U.S.A. du *St Lawrence Seaway* : navires de 28 000 tonneaux peuvent rejoindre les grands lacs). *Oléoducs et gazoducs* 196 000 km. Rôle important de l'avion.

Tourisme. Visiteurs : 15 111 000 (dont 261 000 Français). **Curiosités** : *Anse aux Meadows* : (le + ancien établiss. européen en Amér. 1000 apr. J.-C.). *Edmonton* : West Edmonton Mall 48,6 ha. *Ile Anthony. Louisbourg* : forteresse, village des années 1740. *Moncton* : côte magnétique. *Montréal* [vieux quartier, basilique Marie-Reine-du-Monde (1870-86) copie de St-Pierre de Rome, oratoire St-Joseph contenant 4 000 personnes, croix illuminée de 30,5 m de haut], parc olympique. *Nanaimo* [mi-juill. course dans d'anciennes baignoires (Côte du Soleil près de Vancouver)]. *Ottawa* [forme anglicisée d'Outaouais (tribu indienne)], Parlement, tour de la Paix (89 m, carillon 53 cloches), m. des Beaux-Arts, m. de l'Aviation, m. des Civilisations. *Québec* : fondée 1608, muraille vieille ville, N.-D.-des-Victoires (1688), m. de la Civilisation. *Rossland* (ville de l'or découverte 1880). *Toronto* [tour du CN, 553 m (la + haute du monde), Centre des Sciences, Ontario Place]. *Chutes du Niagara. Trail* (+ grande usine de plomb et de zinc du monde). **Parcs** [34 nationaux (sur 180 156 km²) et 82 historiques nat.] : dont Banff (*1885* le + ancien des p. nat., 6 641 km²), Dinosaur, Kluane, Moresby Sud (île Anthony), Nahanni, Rocheuses can., Wood Buffalo (précipice à bisons Head-Smashed-In), Ellesmere (1986).

Commerce (en milliards de $ can., 89). *Exportations* 137,3 *dont* (en %) voitures particulières 16,5 pièces détachées de véh., exc. moteurs 7,9, camions 7,4, pâte de bois et similaire 6,9, papier journal 6,4, *vers* (en %) U.S.A. 73,4, Japon 6,4, G.-B. 2,6, R.F.A. 1,4, Corée du S. 1,2. *Importations* 134,9 *dont* (en %) voit. part. 14,3, pièces dét. de véh., exc. moteurs 13,6, ordinateurs électroniques 6, vêtements et acc. vestimentaires 3,5, autres équipement et mat. de télécom. 3,4, *vers* (en %) U.S.A. 65,2, Japon 7,1, G.-B. 3,4, R.F.A. 2,7, Chine 1,8. **Balance commerciale** (solde, en milliards de $ can.). *1987* : – 6,2, *88* : – 5,7, *89* : – 7,2. **Rang dans le monde** (89). 1er export. de prod. forestiers. 2e uranium, orge, potasse. 3e gaz nat. 4e or, cuivre, argent. 6e blé, céréales, bois. 7e fer. 9e rés. gaz nat. 10e rés. charbon, charbon. 11e pétrole. 13e maïs, porcins. 14e lignite. 15e rés. lignite. 17e rés. pétrole.

CANTON ET ENDERBURY

Carte p. 1047. V. légende p. 837.

Généralités. Polynésie. Partie des îles Phoenix, 18 km² (70 avec le lagon), *1938 mars* réclamée par les U.S.A. *1939*-6-4 G.-B. et U.S.A. se mettent d'accord pour un condominium de 50 ans. *1979*-20-9 tr. entre G.-B., U.S.A. et Kiribati. Ancienne base aéronavale ; inhabitée depuis *12-2-1968*.

CAP-VERT (ILES DU)

Voir carte p. 1065. V. légende p. 837.

Généralités. Afrique, à 455 km de Dakar. 4 033 km² [10 îles et 8 îlots en 2 groupes : *Barlavento (au vent)* Santo Antão, 779 km², São Vicente (227 km², Mindelo 50 000 h.), Santa Luzia, Bramo, Rojo 45 km², São Nicolau 343 km², Sal 216 km², Boa Vista 620 km², Branco, Raso ; *Sotavento (sous le vent)* Maio 269 km², Santiago (990 km², 147 000 h., Praia 55 000 h.), Fogo (476 km², São Filipe 10 651 h.), Brava 67 km², Luís Carneiro, Sapado Grande, Cima]. *Alt. max.* 2 829 m (pic Canon, île de Fogo). Pluies : déficit dep. 15 ans. *Climat* tempéré (22 à 28 °C).

Population. *1989* : 369 000 h. *2000* : 400 000 h. Métis 70 %, Blancs 1 %, Noirs 28 %. - *de 15 a.* : 46 %, *+ de 65 a.* : 6 %. *Taux de fécondité* 5,1. *Émigration* (81) : 600 000. U.S.A. 320 000, Sénégal 40 000, Portugal 35 000, Angola 30 000, P.-Bas 10 000, Amér. latine 10 000, Italie 8 000, France 7 000, divers 20 000. (1989) 950 000 (France 20 000). *Immigration* : réfugiés angolais. *Émigration* : env. 10 000 en Espagne. D. 91,5. *Capitale* : *Praia* (Santiago) 55 000 h. **Langues.** Portugais *(off.)*, crioulo. **Religions** (%). Catholiques 90, protestants 3.

Histoire. 1456 découv. probable par le Vénitien Ca'da Mosta, au service du Portugal. Portugaise jusqu'en 1974. **1968** famine. **1974**-*12-12* autonomie. **1975**-*5-7* indépendance ; -*30-6* élect. décidant fusion avec Guinée-Bissau. **1980**-*14-11* coup d'État en G.-Bissau, fin du projet de parti commun (PAIGC : parti afr. de l'indép. de Guinée et du Cap-Vert). **1990**-*28-9* multipartisme adopté. **1991**-*13-1* élect. lég. : M.P.D. 56 s., P.A.I.C.V. 23.

Statut. République. *Constitution* 7-9-1980. *Pt* Antonio Mascarenhas Monteiro (n. 16-02-44) dep. 22-1-91 (élu avec 72 % des v.) [avant Aristides Maria Pereira (n. 17-11-23) dep. 5-7-75]. *PM* Carlos Veiga (n. 21-10-49) dep. 25-01-91 [avant Pedro Rodrigues Pires (n. 29-4-34) dep. 5-7-75]. *Assemblée* de 79 m. **Partis.** *P. afr. de l'indép. du Cap-Vert* (PAICV) *f.* 20-1-1981 ; *Mouv. Pour la Démocratie* (MPD) *f.* mai 1990. **Fêtes nat.** 20-1 (héros), 8-3 (femme), 1-5 (travail), 1-6 (enfant), 5-7 (indép.), 12-9 (nation). **Drapeau.** (1975) jaune, vert, rouge ; emblème : étoile noire, gerbes de maïs, épis de blé et coquillage.

Économie

P.N.B. (88) 570 $ par h. **Pop. active** (% et entre parenthèses part du P.N.B. en %) agr. 45 (14), services 39 (65), industrie 15 (20), mines 1 (1). Chômeurs 25 %, sous-employés 20 %. **Dette extérieure** (millions de $) *1980* : 20 ; *85* : 91 ; *87* : 100. **Aide** (millions de $) *1981* : 51 ; *87* : 800. **Transferts des émigrés** : env. 250 millions de F/an.

Agriculture. *Terres* (%) cultivées 10, pâturages 9, forêts 0,3. Actuellement quelques points de verdure dans les montagnes. *Production* (milliers de t, est. 88) canne à sucre 16, bananes 5, manioc 4, maïs 8 (rendement 0,5 t à l'hectare), patates douces 6, haricots 13, café. **Élevage** (milliers de têtes, est. 88). Chèvres 13, poulets 65 (82), porcs 70, bovins 13. **Pêche** 6 900 t (87). Conserveries. **Mines.** Sel, pouzzolane, ciment. **Services.** Port d'escale à São Vincente. Aéroport international sur l'île de Sal.

Commerce (milliers d'escudos, 86). *Exportations* 1 617 000 *dont* services 1 962 000 (dont transp. 1 213 000), conserves de poisson, crustacés, poissons congelés 237 000 *vers* (81) Portugal 91 819, Angola 14 239, Rép. centrafricaine 6 502, Zaïre 2 980, Guinée-Bissau 1 217, G.-B. 599, São Tomé 4. *Importations* 9 740 000 *dont* services 1 270 000, prod. alim. 2 784 000, mat. de construction 725 000, mat. de transp. 445 000, vêtements 157 187 (81), fuel et lubrifiants 141 136 (81) *de* (81) Portugal 1 378 778, P.-Bas 342 588, G.-B. 169 878, U.S.A. 168 162.

CENTRAFRICAINE (République)

V. légende p. 837.

Situation. Afrique. 618 130 km². *Frontières* : 3 600 km dont Cameroun 600, Congo 300, Soudan 800, Tchad 900, Zaïre 1 000. *Alt. moy.* 590 m, *max.* Mont Ngaoui, 1 410 m. **Climat** équatorial à tropical en allant d'O. en E. et du S. au N. *Pluies* 750 à 1 700 mm dans le S.-O. *Saison* sèche principale : nov. à mars. *Temp.* moy. 25 à 32 °C. Savane.

Population. *1921* : 730 000, *46* : 1 040 000, *60* : 1 227 000, *75* : 2 054 610, *90* : 253 305 (dont 63 % rurale et 37 % urbaine), *2000* : 3 736 000 [dont (79) 684 000 Gbayas, 573 000 Bandas, 196 000 Saras, 182 000 Manzas, 181 000 Mbums, 128 000 Mbakas, 40 000 Oubanguiens (Banziri, Yakoma, Sango, Bouraka), 37 000 Nzataras, 7 000 Zandés]. - *de 15 ans* : 42,8 %, *+ de 65 a.* : 3,6 %. **Taux** (‰). *Natalité* 4,4 ; *mortalité* 19,4 ; infantile 18,5. **Espérance de vie** : 43 ans. D. 4,2. **Villes** : *Bangui* 450 000, Bambari 39 000 (385 km), Bouar 37 000 (455 km), Berbérati 38 000 (600 km), Bossangoa 30 000 (305 km), Carnot 29 000, Bangassou 24 000 (750 km). *En 1989* : 3 300 civils (*1960* : 5 500) et 1 300 milit. français. **Est du pays** : *XVIIe s.* peuplé, *XIXe s.* dépeuplé par esclavagistes arabes, *1990* déserté (– de 50 000 h. sur 200 000 km²).

Langues. Français, sango *(off.)*. **Religions.** Animistes, catholiques 420 000 (325 prêtres et religieux dont 50 autochtones, 300 religieuses) et protest. (400 000) 35 %, musul. (250 000) 4 %.

Histoire. Jusqu'à la fin du XIXe s. zone de passage ravagée par la traite. **1889**-*26-6* Michel Dolisie crée un poste au coude de l'Oubangui et le nomme Bangui (« les Rapides » en dialecte local). **1890-91** exploration de Paul Crampel (tué près de Ndélé). **1891** Fourneau, Poumeyrac, (tué 17-5-1892), Casimir Maistre († 1957). Membre du Congo fr. **1894** premiers missionnaires. **1901** création d'un impôt indigène. **1903**-*29-12* création du territoire de l'Oubangui-Chari. **1910** Fédération de l'A.-É.F. **1911**-*4-11* accord fr.-allemand, ouest de l'Oubangui-Chari intégré au Cameroun all. **1919** redevient français. **1909 et 1928** insurrections contre impôt et travail forcé (aboli 1946). **1940** *sept.* l'Oubangui se rallie à la France libre, son bataillon de tirailleurs s'illustre à Bir Hakeim. **1958**-*1-12* rép. autonome. **1959**-*30-4* David Dacko Pt, ancien instituteur de l'ethnie m'baka, succède au Pt Barthélemy Boganda (n. 1904) tué dans accident d'avion. **1960**-*13-8* indépendance. **1966**-*1-1* à Bangui, coup d'État du colonel Jean Bedel Bokassa [n. 22-2-1921 de l'ethnie m'baka, ex-capitaine de l'armée fr., Bedel pour Jean-Baptiste de La Salle (« B. de L. »), neveu du Pt Boganda]. -*4-1* Constitution abrogée. **1969**-*11-4* coup d'État du Lt-Cel Alexandre Banza échoue. **1970**-*30-8* réforme agraire. **1972**-*2-3* Bokassa Pt à vie. -*29-7* décret contre vol (1er vol une oreille coupée, 2e l'autre oreille, 3e une main, 4e exécution). **1973**-*7-4* Auguste M'Bongo min. d'État arrêté, il mourra en prison. **1974**-*19-5* Bokassa maréchal. *Déc.* coup d'État du Gal Lingoupou échoue. **1975** coup d'État échoue. **1976**-*3-2* Bokassa échappe à un attentat : 8 condamnés à mort (dont Fidèle Obrou, époux de la fausse Martine, qui a disparu depuis). *Sept.* D. Dacko conseiller personnel de Bokassa. *-4-12* Rép. centrafr. devient un empire. **1977**-*4-12* couronnement de l'empereur Bokassa Ier [il a 33 enf. dont 6 de l'imp. Catherine (n. 1949)], coût env. 140 millions de F, soit 1/5e du budget du pays, sa grande tenue de maréchal est la réplique de celle de Ney au sacre de Napoléon Ier ; 5 000 invités, aucun chef d'État officiel présent, Robert Galley, min. de la Coop. représente la Fr. **1978**-*7-12* P[ce] Georges, fils aîné de l'emp., déchu pour « propos diffamatoires ». **1979**-*19/20-1* émeutes d'étudiants à Bangui contre l'uniforme, répression : 150 à 500 †. *-17/19-4* manif., nombreuses arrestations, meurtres d'env. 100 enfants. *-22-5* Sylvestre Bangui amb. en Fr. constitue un front de libération des Oubanguiens. *-16-8* commission afr. conclut à la participation de Bokassa aux meurtres d'avril. *-20/21-9* opération *Barracuda*, coup d'État à Bangui (Bokassa étant en Libye), parachutistes fr. pour maintenir l'ordre, Dacko prend le pouvoir. *-24-9* Bokassa obtient l'asile en C.-d'Ivoire (la Fr. le lui a refusé). *Oct.* Ange Patassé à Bangui (n. 1930, ancien PM de sept. 76 à juil. 78 et chef du Mouv. de lib. du peuple centr.) confirme les accusations. **1980**-*25-12* Bokassa condamné à mort par contumace. **1981**-*24-1* complices de Bokassa exécutés ; *-1-2* référendum pour Const. (votants 859 447, oui 837 410, non et nuls 22 037). *-15-3* Dacko réélu Pt (50,23 % des v. devant Ange Patassé 38,11 %), Abel Goumba 22 %. *-14-7* attentat au Cinéma-Club de Bangui (3 †, 32 bl.) revendiqué par Mouv. centrafr. de lib. nat. *-18-7* partis dissous. *-21-7/16-8* état de siège. *-1-9* Dacko démissionne, partis interdits. Kolingba, Pt du comité militaire de redressement national (CMRN). **1982**-*3-3* échec du coup d'État d'A. Patassé qui se réfugie à l'ambassade de Fr. puis est expulsé le 13-4 à Lomé. **1982**-*25-10* Pt Kolingba en Fr. **1983**-*26-11* tentative de rétablissement de Bokassa (échec). *Déc.* Bokassa s'installe en Fr. **1984**-*9-10* attaque à Markounda (4 †). *-12/13-2* Pt Mitterrand. **1985**-*21-9* CMRN dissous, 6 civils au gouvernement. **1986**-*27-3* un avion Jaguar fr. s'écrase : 35 † à Bangui. **1986**-*23-10* Bokassa rentre en C., il est arrêté. *26-11* procès Bokassa. *-21-11* référendum pour la Constitution. Pt élu pour 6 ans au suffr. univ. Parti unique. **1987**-*12-6* Bokassa condamné à mort à Bangui. **1988**-*15/18-2* Pt Kolingba en Fr. *-29-2* peine de mort de Bokassa commuée en détention à perpétuité.

Statut. République. *Constitution* de 1986. *Pt* Gal André Kolingba (n. 12-8-35) de l'ethnie Yakoma, dep. 1-9-81. *Assemblée nat.* 52 députés élus pour 5 ans au suffr. univ. *Parti unique* (jusqu'au 22-4-91) : Rassemblement démocr. centr. *16 préfectures.* **Fête nat. :** 1er déc. (proclamation de la Rép. 1958). **Drapeau :** (1960) bandes horiz. bleue (avec une étoile jaune), blanche, verte et jaune, surmontées d'une bande rouge (amitié entre les couleurs franç. et panafr.).

Économie

P.N.B. (89) 390 $ par h. **Pop. active** (en %) **et,** entre parenthèses **part du P.N.B.** (en %) agr. 66 (41), ind. 9 (9), services 22 (40), mines 3 (4). **Inflation.** *1982 :* 13,2 %. *83 :* 13,3 %. *84 :* 12,4. *85 :* 8,8. *86 :* 7,6. *87 :* 8. *88 :* – 4. *89 :* 0,7. *90 :* 0. **Aide** (millions de F) Libye 260 (82), France *1986 :* 460. *87 :* 500 (75 %). *90 :* 300. *Dons 1960-84 :* 285,6 milliards de F CFA (dont France 165,2, F.E.D. 42,4) *prêts* 155 (dont de France 23 %). Les aides gratuites ont représenté 62 % du budget. **Dette extérieure** (milliards de F) *1981 :* 71, *83 :* 102, *90 :* 175 milliards de F CFA (dont service 28,5).

Agriculture. *Terres* (milliers d'ha), *1979 :* arables 1 860, cultivées en permanence 129, pâturages 3 000, forêts 3 400, divers 17 678 ; *1988 :* cultivées 5 000. *Production* (milliers de t, 88) manioc 284, tubercules 198 (86), arachides 87 (89), bananes 87 (89), maïs 77, plantain 65 (86), millet et sorgho 58, café 12 (90) (*80 :* 17, *82-84 :* – de 10), sisal, sésame 18, coton 33 (90), tabac 0,4 (90). **Élevage** (milliers de têtes, 88). Bovins 2 700 (400 en 1960), poulets 2 400, chèvres 1 175, porcs 386, moutons 97. Apiculture. **Pêche.** 13 000 t (88). **Forêts** (m³, 90). Grumes 171 273, sciage 63 375.

Mines. *Diamants. 1990 :* 414 789 carats, *60 :* 500 000 (+ de 50 % partent en fraude). *Or* (kg) 241 (90). *Uranium* (réserves 8 000 t, non exploité). **Énergie.** *Hydroélectricité (millions de kWh/an). 1989 :* 80,2 (85 % des besoins du pays). *1991 :* mise en service du barrage sur la Mbali.

Transports. *Routes* 22 560 km (442 goudronnés). Fret : 53 100 t. (trafic international). *V. navigables* Congo-Oubangui Sangha (5 mois sur 12, le niveau insuffisant ne permet pas de charger à plein les barges). *Trafic aérien (90) :* 70 912 passagers.

Commerce (milliards de F CFA, 88). *Exp.* 15,3 (90) *vers en (%)* Belgique-Lux. 41,2, *France 39,4. Imp.* 35,8 (90) *dont* prod. minéraux 7,49, pétrole 5,4, automobiles, app. mécan., textile, app. électriques, fer, fonte, acier, *de (en %) France 41,9,* Cameroun 12,5, U.S.A., Canada, Japon 5,6, Congo, All. féd. 5,1, Tchad. **Rang dans le monde** (81). 12e diamants.

CHILI

Carte p. 868. V. légende p. 837.

• **Nom.** Viendrait d'un oiseau du centre du pays ou du kitchwa (« Là où finit la terre »).

• **Situation.** Amérique du S. 756 626,3 km² (+ Antarctique revendiqué, 1 250 000 km² et îles du Pacifique). *Long.* 4 270 km, *larg.* moy. 175 km (max. 445 km, min. 90 km). *Alt. max.* Aconcagua 7 060 m. **Frontières** 5 000 km : avec Pérou 200 (ligne de la Concorde), Argentine et Bolivie 4 800. *Côtes* + de 10 000 km en suivant les sinuosités. **Régions.** *Nord :* désert aride. *Centre :* zones agricoles, hiver froid et pluvieux ; été chaud et sec. *Sud :* lacs et forêts. *Extrême S. :* pampa, steppe, fjords et canaux, pluies 5 000 mm ; Terre de Feu (50 % de la sup.).

• **Climat** influencé par courant froid de Humboldt (15 à 18 °C sur côte), brouillard (le *camanchaca*) couvre la côte vers le Nord. *Santiago :* temp. moy. (°C) janv. 21, juin 8,7, juillet 8,8 et avril 9,9.

• **Population.** [*1835 :* 1 010 000, *1850 :* env. 1 500 000, *1907 :* 3 231 000, *40 :* 5 024 000, *50 :* 6 000 000, *60 :* 7 394 000, *70 :* 8 885 000]. *1973 :* 9, *89 :* 12 980 000 dont 66 % de Métis (Indiens et Européens) ; 25 % d'Européens non métissés (surtout All.), 5 % d'Indiens [500 000 *Mapuches,* sous-tribu des « Araucans » (prov. d'Arauco, Malleco, Cautin)] ; quelques centaines de descendants d'*Onas* et d'*Alacalufes* dans l'extrême Sud ; habitants de *Rapa Nui* (île de Pâques). *An 2000 :* 14 934 000 h. *– de 15 a. :* 32 %, *+ de 65 a. :* 6 %. D. 17,1 (centre 73, sud 1,2). *Taux (‰)* natalité 22, mortalité 6 (infantile 19), accroissement 1,7 %. *Population urbaine* 81 % (1982). *Espérance de vie :* 72 ans (1989). *Émigrés :* 160 000 (dont 500 interdits de séjour).

75 % des Chiliens descendent des Espagnols qui se métissèrent avec les *Picunches* (habitant la vallée centrale du C.). Aux XIXe et XXe s., importante immigration européenne (majorité allemande ; des recrutements off. eurent lieu en 1840 et 1860 ; les All. s'installèrent dans la région des lacs et forêts) ; Anglais à Valparaiso ; Italiens, Arabes, Yougoslaves, Français peu nombreux [quelques familles au XVIIIe s., dont les Pinochet (d'origine bretonne), Letelier, Subercaseaux, Labbé, Morandé].

Villes (90) : *Santiago du Chili* 4 385 481 h. Concepción 306 464 (à 580 km), Viña del Mar 281 063 (151), Valparaiso 276 756 (145), Talcahuano 246 853 (594), Antofagasta 218 754 (1 186), Temuco 211 693 (676), Rancagua 190 379, Arica San Bernardo 188 156.

Langue. Espagnol. Le mot araucan (esp. : *araucano*), forgé en 1569 par le poète Alonso de Ercilla, désigne des populations parlant picunche, pehuenche, mapuche, huilliche. Aujourd'hui, ne survivent que Mapuches et Huilliches. **Religions.** Cathol. 89,5 %. Protestants 6 %.

• **Histoire.** **1480** les empereurs incas du Pérou conquièrent le C. jusqu'au río Maule, au 35° de latitude S. ; stoppés par Araucans. **1520** découvert par Magellan. **1536** Almagro passe du Pérou au C. **1541** Pedro de Valdivia (v. 1500-53) fonde Santiago. **XVIe s.** Villagran et Mendoza repoussent Araucans. **1561-1810** capitainerie gén. dépendant du vice-roi du Pérou. **1598** Araucans battent Esp. qui abandonnent les villes fondées au sud du fleuve Bio-Bio. **XVIIIe s.** Basques et Catalans remplacent les originaires d'Estrémadure, Andalousie, Castille (qui avaient fait la conquête) et insufflent des idées plus modernes. **1810** 1re junte (1er congrès en 1811). **1814** échec du 1er soulèvement pour l'indépendance. **1816-18** 2e soulèvement, victoires de Bernardo O'Higgins (1778-1842) à Chababuco (12-2-1817) et Maipu (5-4-1818). O'Higgins directeur suprême. **1818**-*12-2* indépendance. **1823** O'Higgins exilé Pérou. **1823-30** 1re anarchie : conservateurs et libéraux, fédéralistes et unitaires, politiciens et militaires se disputent le pouvoir. **1830** victoire des conservateurs à Lircay. **1833** Constitution. **1836-39** et **1879-84** (g. du Pacifique) g. contre Pérou et Bolivie, le C. vainqueur s'agrandit des provinces d'Antofagasta (120 000 km² à la Bolivie), d'Arica et de Tacna (au Pérou) (tr. d'Ancón). **1861** les lib. remplacent les conserv., au pouvoir depuis 1830. **1884** après 350 a. de lutte contre Européens, les Indiens signent un tr. avec le gouv. chilien. **1891** g. civile perdue par Pt Balmaceda, puis régime politique parlementaire.

1920 mouvement réformiste de gauche, au pouvoir avec Arturo Alessandri élu 23-12, qui abdique sous la pression de militaires réformistes (5-9-24). *-23-1* Alessandri rappelé après un contre-coup d'État. **1925**-*23-12* Figueroa, libéral, élu Pt. **1926** arbitrage du G[al] amér. Pershing dans la question de Tacna (revendication péruvienne). **1927**-*4-5* Figueroa démissionne sous la pression de son min. de la Guerre Carlos Ibañez del Campo qui se fait élire Pt le 21-7. **1927-32** anarchie. **1929**-*3-6* tr. de Lima ; le C. rend la prov. de Tacna au Pérou, mais garde celle d'Arica contre indemnité. **1931**-*26-7* Carlos Ibañez démissionne. Montero le remplace. **1932**-*4-5* renversé par insurrection. « République socialiste » qui dure 13 j. **1932**-*17-6* colonel Marmaduke Grove et Eduardo Matte, taxés de communisme, exilés à l'île de Pâques. Carlos Davila assume la présidence, renversé sept. par Gal Bartolomé Blanche, min. de l'Intérieur, qui doit quitter le pouvoir au profit d'Abraham Oyanedel. *-30-10* Alessandri revient au pouvoir. **1938**-*25-10* victoire du Front populaire, avec le radical Pedro Aguirre Cerda. **1941** *janv.* soc. quittent la coalition. *25-11* Cerda meurt ; *févr.* **1942** Juan Antonio Rios, radical. **1946**-*4-9* Rios meurt ; Gabriel Gonzalez Videla, radical, appuyé par les com. **1948** loi de défense de la démocratie ; com. mis hors la loi (loi abrogée 1958). **1952**-*4-9* Carlos Ibañez del Campo (ancien dictateur, 1927-31) élu. **1958**-*4-9* Jorge Alessandri (1896-1986), fils d'Arturo, élu contre Salvador Allende avec 32 000 voix d'avance. **1964**-*4-9* démocrate-chrétien Eduardo Frei († janv. 1982), soutenu par la droite, élu avec 55,6 % des suffr. **1969** Pacte andin (Colombie, Équateur, Pérou, Bolivie, Chili dep. fin 73, Venezuela).

1970-*4-9* Allende (soc.) n'obtient pas la majorité absolue, mais arrive en tête (l'Unité populaire a 36,3 % des voix) devant Alessandri, conservateur (34,98 %) et Radomiro Tomic, démocrate-chrétien (27,84 %). *-24-10* Congrès ratifie l'él. d'Allende, (le P. dém. chr. décide de voter pour lui). *-2-12* 1res expropriations des grands domaines. **1971**-*4-4* municipales, l'Unité pop. a 49,75 % des voix. *-11-7* le Parlement vote à l'unanimité nationalisation du cuivre. *-20-7* gouv. perd contrôle des 2 ass. du Congrès. Fernando Sanhueza (D.C.), élu Pt de la Chambre. *-13-8* U.S.A. coupent des crédits. *-1/2-12* manif. à Santiago contre pénurie alim. État d'urgence. *-9-12* gouv. suspend convertibilité de la monnaie et opérations en devises. **1972**-*30-10* opposition lance une procédure de mise en accusation const. contre 4 ministres. *-31-10* gouv. démissionne. *-2-11* gouv. Gal Carlos Prats, Cdt en chef de l'armée, min. de l'Intérieur. *-5-11* fin de la grève des camionneurs.

1973 *mars* législatives, opposition (CODE) 54,70 %, Unité pop. 43,9 %, fraction soc. (USOPO) aucun élu, votes blancs et nuls 1,91 %. Il fallait à l'opposition 2/3 des sièges dans les 2 Ass. (elle n'a que 60 % des s.) pour bloquer la polit. du Pt (en rejetant à la majorité des 2/3 les décrets d'insistance du Pt). *-28-3* mil. quittent gouv. *-20-6* Sénat destitue 2 min. *-27-6* état d'urgence à Santiago après tentative d'attentat contre Gal Prats. *-28-6* régiment de blindés attaque le palais prés. : révolte matée en 3 h. Allende réclame pleins pouvoirs ; Parlement refuse. *-3-7* fin de la grève des mineurs d'El Teniente. *-5-7* nouveau gouv., sans mil. *-25-7* grève des camionneurs. *-27-7* Arturo Araya Marin, aide de camp naval d'Allende, assassiné (extr. droite et extr. gauche s'accusent). *-2-8* grève des chauffeurs des transports en commun. *-9-8* gouv., comprenant des Cdts des trois armes. *-18-8* Gal Ruiz (min. des Tr. Publics et Cdt en chef des f. aériennes) démissionne. *-22-8* Chambre des dép. signifie que le gouv. a souvent enfreint la Const. et demande aux mil. (garants de celle-ci) de veiller à son respect ou de se retirer. *-23-8* Allende accepte démission du Gal Prats, du min. de la Défense et du Cdt en chef des f. armées. *-24-8* G[aux] Guillermo Pickering et Mario Sepulveda démissionnent. *-27-8* l'amiral Raoul Montero, Cdt en chef des f. navales, min. des Fin., démissionne. *-28-8* nouveau gouv., avec 4 mil. *-5-9* des dizaines de milliers de femmes réclament à Santiago la démission d'Allende. *-11-9 coup d'État mil.,* la junte annonce la découverte d'un complot rouge prévu pour le 19-9. Allende se suicide. *-21-9* les partis de l'Unité pop. : comm., soc., radical, gauche chrétienne, MAPU (Mouv. d'action pour l'unité pop.), sont dissous. Formations autorisées :

Démocratie chrétienne, P. national (conservateur), P. démocrate rad. et gauche rad. + de 30 000 arrestations, 4 000 † selon sources off. + de 6 000 réfugiés (dont 1 000 en Fr.). *-18-10* 1 000 usines réquisitionnées restituées (selon l'A.F.P. 10 000 † les 6 premiers mois, 90 000 détenus en 1 an et demi, 163 000 exilés). **1974**-*11-6* : 100 000 fonctionnaires licenciés. *-26-6* Gal Pinochet (n. 25-11-15) chef suprême de la nation. *-30-9* Gal Prats assassiné à Buenos Aires. *-8-10* affrontement avec l'armée : Miguel Enriquez, secr. gén. du MIR (gauche révol.), tué. **1975**-*9-12* l'O.N.U. condamne la torture au Chili par 95 voix (dont U.S.A. et Fr.) contre 11 (dont Égypte et 10 pays d'Amér. latine) et 23 abstentions (dont Chine, Albanie, Cambodge). **1976**-*12-8* DINA (police pol.) dissoute. *-21-9* Orlando Letelier, ancien min. d'Allende, tué à Washington. *-30-10* Ch. quitte Pacte andin (f. 1969). *-17-12* Luis Corvalán, secr. gén. du P.C., échangé contre dissident russe Vladimir Boukovski. **1977**-*4-1* référendum 4 173 547 v. (75,30 %) contre 1 130 185 (20,39 %) appuient Pinochet dans sa défense de la dignité du C. et réaffirment la légitimité du gouv. *-9-3* état de siège aboli. *-19-4* amnistie générale. *-19-6* annulation des expropriations de terres (10 millions d'ha appartenant à 5 000 grands propriétaires avaient été distribués à 100 000 paysans). *-12-12* le Ch. ayant été condamné pour la 4e fois pour violation des droits de l'homme, Pinochet annonce un plébiscite contre l'« ingérence étrangère ». **1978**-*4-1* pléb. : 75 % de oui. *-8-1* Washington : procès des assassins de Letelier ; 8 inculpés (3 Ch. et 5 Cubains anti-castristes) ; accusé principal : Gal Contreras, ancien chef de la DINA ; élect. syndicales, droit de grève instauré. *-11-3* état de siège levé (non l'état d'urgence). *-24-7* Pinochet destitue Gal Leigh, membre de la junte, pour hostilité au plébiscite. *-1-10* Cour suprême refuse d'extrader les 3 responsables du meurtre de Letelier. **1978 à 82** expansion économique [influence d'experts amér. monétaristes (Chicago Boys), disciples de Milton Friedmann].

1980-*11-9* référendum : 67 % pour « Const. de la liberté » (excluant les partis à vocation anti-démocratique) ; prévoit un retour à une « démocratie limitée ». Pinochet restera Pt jusqu'en 1989 ; à la fin du mandat, un plébiscite sur une candidature unique pour la succession sera organisé. En 1980, le MIR revendique + de 100 attentats. **1982**-*22-4* gouv. avec 14 mil. *-24-12* 125 Chiliens autorisés à rentrer. **1983**-*14-1* 70 retours autorisés. *-11-5* 1re « protesta » (manif. contre le régime), 2 †. *Juillet* banques étrangères restreignent crédits : crise, chômage. *-11/16-8* 4e protesta (24 †). *-30-8* Gal Urzua Ilanez, maire de Santiago, assassiné. *-18-11* 500 000 manif. à Santiago (1 †). **1984** *janv.* protesta. *-1-5* manif. 100 blessés. *-4-9* manif. 9 † (dont le père André Jarlan, Fr. n. 1941). *-8-9* état de siège rétabli. *-29-10* protesta. *-30-10* grève générale 8 † (20 policiers et mil. tués en quelques semaines). *-6-11* état de siège rétabli, attentats. *-27/28-11* protestas. **1985**-*3-3* séisme magnitude 7,6 (Santiago 135 †). *-27-3* protesta. *-30-3* 3 communistes égorgés. *-17-6* état de siège levé. *-9-8* journée de défense de la vie (3 †). *-4-9* protesta (10 †). *-5/6-11* protesta (3 †, 900 arrestations). *-21-11* 300 000/500 000 manif. pour dém. chr. **1986**-*3/4-7* protesta 6 †. *-7-9* attentat manqué contre Pinochet (5 †). *-11-9* 3 prêtres français expulsés. *-23-10* 5 auteurs de l'attentat (du Front patriotique Manuel Rodriguez) arrêtés. **1987**-*2-2* levée du couvre-feu (2 h à 5 h appliqué dep. nov. 1984) à Santiago. *-25-2* partis pol. de + de 30 000 adhérents (sauf P.C.), autorisés. *-1-4* Jean-Paul II au C. *-3-4* émeutes à Santiago lors de la messe du Pape, 600 blessés, 1 †. *-15/16-6* opération de police à Santiago : 12 †. *-18-6* obsèques de 3 des 12 tués ; affrontements. *-7-10* grève peu suivie (1 †). **1988**-*2-2* 16 partis (dont le P. dém.-chr. et 2 partis soc.) forment un Comité national pour le « non » (au plébiscite du 5-10). *-11-8* les évêques demandent aux mil. de désigner un *candidat de consensus*, repoussant indirectement la candidature de Pinochet. *-27-8* levée de l'état d'urgence. *-30-8* la junte désigne Pinochet comme candidat (si le « oui » l'emporte, il gardera le pouvoir jusqu'en 1997, sinon il gouvernera 15 mois avant de nouv. élec. et la désignation du Pt de la Rép. en mars 1990). *-1-9* levée des mesures d'exil : concerne 500 pers. env. : Isabel Allende, fille de l'ancien Pt, et José Oyarce, anc. min. comm. du Travail, rentrent. *-4-9* 400 000 manif. à Santiago. *-11-9* 100 000 manif. pour le 15e anniv. de la mort d'Allende. *-24-9* Hortensia Allende, femme d'Allende, 74 ans (dite « la Tencha ») rentre. *-1-10* + de 1 million de manif. à Santiago. *-5-10* plébiscite : 7 251 943 votants, « non » 54,71 %, « oui » 43,1, votes nuls 1,31, blancs 0,97. Pinochet annonce son maintien jusqu'en mars 1990 et son refus d'élect. anticipées. *-21-10* démission du gouv. ; un commando d'extr. g. occupe Los Quenes. *-3-11* junte remaniée, 13 gén. sur 50 versés dans la réserve. *-7-11* Gal Sinclair représente Pinochet à la junte des commandants en chef (corps lég.). **1989** *18-4* grève gén. (2 †, 100 arrest.). *-26-4* gouv. démissionne à la demande de Pinochet, puis maintenu et propose amendements constit. (refusés par opp. *-2-5*). *-31-5* accord gouvernement-opposition sur réforme constitutionnelle. *-20-6* Pinochet annonce qu'il ne sera pas candidat. *-30-7* référendum sur 54 amendements à la Charte constitutionnelle (en particulier la réduction du mandat présidentiel de 8 à 4 ans). Inscrits 7 556 613, votants 7 066 628, blancs et nuls 429 976, exprimés 6 636 652, oui 6 056 440, non 580 212 (8,2 %). *-11-8* démission du gouv. *-4-9* Jegar Neghme, dirigeant du MIR assassiné. *-14-12* présidentielles, Patricio Aylwin (71 ans, avocat, *1971* Pt du Sénat, *1973-75* soutient Pinochet) élu avec 55,2 % des voix (dém.-chrétien) devant Hernan Büchi Buch 29,4 % (démocratie et progrès, candidat gouvernemental), Francisco Javier Errazuriz Talavera 15,4 % (centre). *-29-12* marxistes-léninistes de Clodomiro Almeyda et socialistes rénovés de Jorge Arrate forment un seul Parti socialiste. **1990**-*30-1* Santiago, 49 du Front patriotique s'évadent de prison. *-11-3* entrée en fonction du Pt Aylwin, Pinochet reste 8 ans Cdt en chef de l'armée. *Mars* relations diplom. avec U.R.S.S., All. dém., Pologne, Tchéc. et Youg. rétablies *-20-3* 1re session des 2 chambres réunies en Congrès à Valparaiso dep. 16 ans. *-21-3* Gal Gustavo Leigh victime d'un attentat. *-25-5* crée Commission Vérité et Réconciliation chargée d'enquêter sur violations des droits de l'homme pendant la dictature. *-Juillet* charniers découverts. *-4-9* transfert des cendres du Pt Allende à Santiago (enterré 1973 à Viña del Mar, à 100 km de Santiago). *-Nov.* loi permettant au Pt de la Rép. de gracier tout détenu ayant commis un délit pour raison politique avant le 11-3-90. *-14-11* 8 membres des forces pop. Lautaro (commando d'extrême-gauche) tuent 4 policiers en libérant un de leurs dirigeants. **1991**-*1-2* Pt Aylwin ferme la colonie « Dignidad » [15 000 ha à 400 km de Santiago, baptiste (*f.* 1961 par Paul Schäfer, All. poursuivi pour délits sexuels), accusée d'être un camp de travail concentrationnaire où les tortures sont courantes]. *-23-3* Parlement décide d'amender la Constitution pour permettre au Pt de recouvrer son droit de grâce pour les prisonniers pol. (200 concernés). *-1-4* Jaime Guzmán, ancien conseiller de Pinochet, sénateur de Santiago dep. déc. 89, assassiné.

Bilan récent. *Pers. arrêtées dep. 1973 :* 150 000. *Morts :* env. 2 500 (les disparitions auraient cessé en 1977). *Torturés :* 1 289 plaintes dep. 1978. *Exilés :* officiellement 10 000 opposants condamnés après le putsch. 1ers retours autorisés en 1984. *1990 :* Office national pour le Retour créé pour réinsérer exilés. Grâce présidentielle aux condamnés pour délits pol., sauf ceux impliqués dans des faits sanglants. *1991 :* selon le rapport de la *Commission Vérité et Réconciliation* (mars 1991) : 2 279 † irréfutables depuis 1973 (640 non prouvés) dont 957 détenus pol., 1 068 victimes d'agent d'État, 164 de la violence policière (au cours de manif.) et 90 par l'action de particuliers ; suicide d'Allendé confirmé ; le compositeur Victor Jara, torturé, fut assassiné le 15-8-73.

Statut. République. *Constitution* du 11-3-81. *Pt* Patricio Aylwin dep. 11-3-90. Ch. des députés (120 m. élus 14-12-90) et sénat (47 m.). **Régions** 13. **Fête nat.** 18 sept. (autonomie 1810). **Drapeau :** (1817) bandes horiz. blanche (neige des Andes), rouge (sang des patriotes), carré bleu (ciel) avec une étoile blanche.

Syndicats. Centrale unitaire des travailleurs chiliens. Reconstituée 20-8-88. 300 000 m. **Partis pol.** interdits en 1973, rétablis 1987 (sauf P.C.). *Alliance démocratique : P. démocrate-chrétien* (Pt Patricio Aylwin, vice-Pt Ricardo Boellinger), *P. social-démocrate, P. radical, Droite rép. et socialistes* sauf Almeydistes. *Bloc socialiste* formé du *P. socialiste BRIONES* et du MAPU *(Mouv. démocrate pop.)* regroupant Almeydistes (socialistes partisans de Clodomiro Almeyda), *P. communiste* (moins de 30 000 m., contre 50 000 en 1973) et MIR. *Alliance-Centre. P. Centre-Centre. P. pour la Démocratie. P. des Verts et Humanistes. Rénovation nationale. Union démocratique indépendante. Front patriotique Manuel Rodriguez :* communiste, prône lutte armée.

• **Régions.** **Grand Nord** d'Arica à Copiapo 160 000 km², 500 000 h. D. 3 (cuivre, nitrate, sel, pêche, fer, soufre, or, argent, molybdène, quartz, kaolin, agriculture dans les oasis). **Norte Chico** de Copiapo à La Ligua, 132 000 km², 500 000 h., montagneuse (cuivre, fer, or, argent, mercure, quartz, kaolin, fruits). **Noyau central** d'Aconcagua à Bio-Bio, 77 000 km², 5 500 000 h. D. 72 (mines, agriculture, blé, maïs, avoine, haricots, pois, lentilles, orge, p. de terre, betterave, riz, tabac, vin, élevage, bois, cuivre, or, argent, chaux, viandes, grandes villes). **Région de Concepción et de la frontière** de Bio-Bio à Lastarria, 66 300 km², 1 600 000 h. D. 26 (forêts, blé, oléagineux, bovins, b. à sucre, pêche, ind., charbon, argile et kaolin). **Région des lacs** de Lastarria au golfe de Reloncavi 43 000 km², 650 000 h. D. 13 (surtout agricole, centre d'immigration all.) **Zone des canaux,** 240 000 km², 300 000 h. D. 1,2 (élevage, bois, pêche).

• **Dépendances.** **Iles de Pâques et Sala y Gómez** (Rapa Nui). 180 km² (dont 60 % parc nat.), 2 200 h. (1989). *Chef-lieu :* Hanga Roa. A 3 700 km du Chili, 4 000 de Tahiti volcanique formée par l'émersion de Poiké (Est) il y a 3 millions d'années, Rano Kau (S.-O.) 2 millions d'années et Tereveka (N.) 300 000 ans. 500 000 eucalyptus ont été plantés récemment. *Historique :* IVe s. peuplée par Polynésiens venus des Marquises. VIIe-XVIIe s. 5 000 h. Statues gigantesques dressées entre le VIIe ou VIIIe s. et le XVIe ou XVIIe s. [dites *moai* ; plusieurs centaines en ruine ; 28 redressées sur leur piédestal (ahu), notamment celles de l'ahu Akivi (le seul où les moai regardent vers la mer), Tahai, Nau Nau ; sur la plage d'Anakema, 15 moai (record) de l'ahu, Tongariki]. En tuf ou basalte. *1722* 5-4 découverte par le Holl. Jacob Roggeveen (le j de Pâques). *1774* décrite par Cook et en *1786* par La Pérouse. *1862* les Péruviens chasseurs d'esclaves pour le guano déportent 1 000 h et en tuent plusieurs centaines (dont le roi et les dignitaires religieux). Personne ne pourra plus déchiffrer l'écriture de leurs tablettes en bois (rongo-rongo). *1868* des marins anglais du *Topaz* s'emparent du *moai* Hoa haka nana ia (Celle qui brise les vagues), auj. à Londres. *1872* des marins franç. de la *Flore* renversent plusieurs statues et rapporteront une tête (au musée de l'Homme). *1868-1877* Dutrou-Bornier, aventurier français, maître de l'île, réduit la pop. à 111 pers., avant d'être tué. Objets usuels et sculptures rituelles peu à peu emportés. *1888-9-9* l'île devient chilienne. 3 000 à 4 000 touristes par an.

Desventuradas (îles San Ambrosio et San Felix) 3,32 km², inhabitées.

Iles Juan Fernandez (3 îles, dont l'île de Robinson Crusoé) 185 km², 300 h.

Antarctique. Ch. revendique 1 205 000 km² (entre 53° et 90° de long. O., 202 h.).

Économie

P.N.B. *Total* (milliards de $) *82 :* 25,2 (chute de 14,5 %), *83 :* 21,9 ; *85 :* 16 ; *86 :* 14,94 ; *87 :* 17,11 ; *88 :* 18,5 ; *par h.* (en $) *82 :* 1 927 ; *83 :* 1 490 ; *86 :* 1 220 ; *87 :* 1 470 ; *88 :* 1 475. **Croissance du P.N.B.** *1982 : – 14,1 ; 83 : – 0,7 ; 84 : + 6,3 ; 85 : + 2,4 ; 86 : + 5,7 ; 87 : + 5,7 ; 88 :* + 7,4 ; *89 :* + 10. **Pop. active** (% et entre parenthèses part du P.N.B. en %) agr. 14 (18), mines 6 (15), ind. 20 (25), services 60 (42). *Total* actifs 4 594 100 (89). **Chômage** (%). *1976 :* 15 ; *81 :* 30 ; *85 :* 13,9 ; *86 :* 10,8 ; *87 :* 9,3 ; *88 :* 8,3 ; *89 :* 6,3 ; **Salaires** par mois min. 79,5 $ (min.vital réel 120 $). Le pouvoir d'achat a diminué de 17 % dep. 1970.

Politique sociale. Dépenses (éducation, santé, logement) : *1973 :* 27 % du budget, *82 :* 59,4, *89 :* 51,6. De 1973 à 1987, le min. du Log. a construit 305 000 maisons et subventionné 417 000 autres constr., 447 000 familles pauvres sont devenues propriétaires. En 1990, 600 000 sans-abri. **Déficit budgétaire** (1989). 380 millions de $ (1,5 % du P.I.B.).

Agriculture. *Terres* (milliers de km², 81) arables 16,5, pâturages 129,3, forêts 84,2, improductives 526,5. Zone de dév. de Copiapo (fruits). *Prod.* (milliers de t, 89) bett. à sucre 2 487, blé 1 766, raisins 1 100, maïs 938, p. de terre 882, pommes 580, avoine 165, riz 127 (86), orge 85, haricots 73, tabac. Vins réputés. **Forêts.** 16 488 000 m³ (87). Zone écon. de Puerto Montt. **Élevage** (millions de têtes, 88). Moutons 4,72, bovins 3,5 (89), porcs 1,06, chèvres 0,4, chevaux 0,341, laine. **Pêche.** 5 208 700 t (88) dont poissons 95 %.

Énergie. **Pétrole** (millions de t, 90) *réserves* 62, *prod.* 0,9. **Gaz naturel** (milliards de m³, 89) *réserves* 116, *prod.* 4,2. **Charbon** *réserves* 3,9 milliards de t, *prod.* 2,1 millions de t. **Électricité** (89) *prod.* 16,8 milliards de kWh (dont hydroélec. 14,5).

Mines (millions de t, 89). *Cuivre* 1,6 (Chuquicamata ; plus grande mine du monde à ciel ouvert, 25 % des réserves mondiales, 13 % de la prod. mondiale, 10 % de la prod. de cuivre raffiné) ; mine de la Escondida ouverte 14-3-91, 3e rang mondial ; *réserves :* 1,8 milliard de t de minerai (teneur en minerai 1,60 %). *Cours (en $) : 1973* 1,73, *84 (fin)* 0,57, *88* (déc.) 1,63. *Fer* 5,6 (réserves 2 940 millions de t, 0,8 % des réserves mondiales, 1 % de la prod.

mondiale). *Nitrate* 0,87 (85). *Molybdène* 16,6 (25 % des réserves mondiales). *Manganèse, phosphates, borax. Or* 19,9 t, *argent, lithium*. **Industrie.** Bois, papier, acier. Zone de dév. de Temuco.

Transports (km). Routes 78 025. Ch. de fer 7 205 dont 1 786 électrifiés. **Tourisme.** 797 396 vis. (89).

Inflation (%) : *1973 :* 508 ; *74 :* 376 ; *75 :* 341 ; *76 :* 174 ; *77 :* 63,5 ; *78 :* 30,3 ; *79 :* 38,9 ; *80 :* 31,2 ; *81 :* 9,5 ; *82 :* 20,7 ; *83 :* 23,1 ; *84 :* 23 ; *85 :* 26,4. *86 :* 17,4 ; *87 :* 21,5 ; *88 :* 12,7 ; *89 :* 21,4 ; *90 :* 27,3 ; *91 (prév.) :* 22 à 23. **Balance des paiements** (en milliards de $) : *1985 :* – 0,1 ; *86 :* – 0,2 ; *87 :* + 0,05 ; *88 :* + 0,7 ; *89 :* + 0,4. **Dette extérieure** (au 31-12) *75 :* 5,3 ; *80 :* 11 ; *81 :* 15 ; *85 :* 19,3 ; *90 :* 15,9 (dont 4,9 rééchelonnés 12-12-90). *Intérêt de la dette (en % des exp.) 1985 :* 43, *87 :* 26. **Dettes.** 20 % des dettes couvertes en prises de participation dep. 1985. En 1988, le Chili racheta 200 millions de $ de dette, grâce à la décote sur les marchés parallèles des créances. **Monnaie :** peso réévalué en 1989 de 4 % par rapport au $. **Investissements étrangers** (en millions de $) : *1987 :* 497.

Commerce (millions de $ U.S., 89). **Exportations** 8 080 *dont* prod. miniers 4 472,8 [cuivre 4 021,4 (soit 50,1 % des exp. contre 80 % auparavant), fer 86], prod. ind. 2 612,7 (en 88 : papier 253, molybdène 93), prod. alim. 994,5 ; *vers* (%) U.S.A. 17,8, Japon 13,7, All. féd. 11,3, Brésil 6,4, G.-B. 6,1, *France 4,8.* **Importations** 6 502, *dont* biens intermédiaires 3 703 (pétrole 635,7), biens finis 1949, biens de consommation 1234, prod. alim. 258 ; *de* (%) U.S.A. 20,8, Japon 11,3, Brésil 10,8, All. féd. 7,4, *France 3,4. Excédent commercial* (1989) : 1,5 milliard de $. **Rang dans le monde** (89). 1er cuivre. 8e argent. 11e or. 13e vin.

CHINE

Carte p. 902. V. légende p. 837.

☞ Voir Art chinois p. 390.

Généralités

• **Nom.** *Qin* (Tch'in), nom de la 1re dynastie chinoise (221-206) ; *Cathay*, donné par Marco Polo [nom d'une peuplade mongole, les Khitan ou Kitat, fondateurs du royaume chinois de Liao, dans la région de Pékin (xe s. apr. J.-C.)], peut-être nom ancien de Jingdezhen, Changnan, capitale de la porcelaine chinoise. Appelé aussi autrefois l'Empire du milieu ou Céleste Empire (aujourd'hui : *Chine* = Zhongguo = le pays du Milieu).

• **Situation.** Asie. 9 571 300 km² (3e superficie mondiale). *Alt. max.* Everest (Zhumulongma) 8 848 m. *Distances* O.-E. 5 000 km ; N.-S. 5 500. *Frontières* terrestres 30 000 km, maritimes 18 000 (sans compter les côtes de 5 000 îles). Pays possédant le plus de frontières (13 pays) : Mongolie, U.R.S.S. (7 240 km interrompus par la frontière sino-mongole), Corée du N., Hong Kong, Macao, Viêt-nam, Laos, Birmanie, Inde, Bhoutan, Népal, Pakistan, Afghanistan.

• **Divisions géographiques.** 1° **Plateaux du Tibet :** alt. moy. 4 000 m ; steppes glacées surnommées le « toit du monde » (2 000 000 km²). 2° **Cuvette du Xinjiang :** désert du Tarim (dont Takla-Makan) et Dzoungarie séparés par les monts Tianshan. 3° **Déserts du nord-ouest :** désert de Gobi, de la Mongolie intérieure au Qinghai, Gansu, Ningxia. 4° **Plateaux de lœss du Shaanxi et du Shanxi.** 5° **Bassin du Sichuan et plateaux calcaires du Guangxi et du Yunnan.** 6° **Grande plaine orientale :** de Mandchourie au nord jusqu'au Guangdong au sud.

• **Principales entités géographiques. Centre.** Vers 33° de latitude, plaine, climat plus chaud et plus humide ; agriculture intensive, riz et blé. Le *Yangzijiang* (Yang-tseu-kiang), qui la traverse, a facilité la pénétration économique des Européens qui ont créé à Hankou (devenu l'un des faubourgs de Wuhan) une industrie textile (coton) et métallurgique (utilisant charbon et fer extraits plus au sud). *Wuhan,* carrefour ferroviaire. *Nankin,* centre ind. *Shanghai,* (principal comptoir européen avant 1949), ind. : mécaniques, chimiques, pétrochimiques, horlogerie, textiles.

• **Sud.** *Collines* accidentées, climat tropical, cultures arbustives (théier, mûrier, canne à s., coton, riz), nombreux minerais non ferreux. Culture intensive : 3 récoltes de riz ; main-d'œuvre abondante. Agglom. principale *Canton. Bassin Rouge du Sichuan,* entouré de montagnes, souvent refuge contre les envahisseurs. Culture intensive : riz ; terres basses : blé et millet ; hauteurs : canne à s., coton ; porcs ; industrie utilisant charbon et fer des gisements situés au S. du Yangzi. *Chongqing,* centre ind. actif, au terminus de la navigation, carrefour ferroviaire et routier.

• **Nord.** Montagnes entourant une plaine fertile [ancienne fosse marine remblayée par les fleuves, principalement par le *Huanghe* (fleuve Jaune) qui a entraîné les lœss des plateaux de l'intérieur] au milieu de laquelle se dresse la péninsule du *Shandong.* Plus vers l'E., en arrière des montagnes du *Shanxi,* hauts plateaux de la boucle du *Huanghe* (région de l'Ordos). Population : env. 170 000 000 d'h. dans la plaine du N. 15 villes de + de 100 000 h. 2 centres dominent : *Tianjin,* port maritime et centre ind. ; *Pékin* (Beijing = capitale du Nord), cap. politique et culturelle, centre ind. et carrefour.

Mandchourie. Pénétrée par les Russes à la fin du xixe s. puis colonisée par les Japonais au xxe s. Plaine allongée du N. au S., dominée par des montagnes à l'O. et à l'E. : *Grand Khingan* séparant la M. des hauts plateaux mongols ; « Alpes » coréennes à l'E. séparant la plaine de la péninsule de Corée. Vers le N. collines accidentées *(Petit Khingan)* précèdent la vallée de l'*Amour* (Heilongjiang), qui traverse l'Extrême-Orient sov. Au S. presqu'île du *Liaodong,* montagne isolée au milieu de plaines alluviales ; hivers très froids, étés chauds. Influence de la mousson, pluies d'été abondantes vers le S. ; plaine couverte à l'état naturel par une savane. Dans la moitié N., élevage extensif, vastes zones encore inexploitées. Grandes villes : *Shenyang* (Moukden), capitale régionale. *Harbin* (Kharbine), nœud ferroviaire. Dans le Liaodong, *Lüda* (grand port de *Dalian,* ex-*Port-Arthur*).

Xinjiang. N.-O. : 1 350 000 km², continental. 2 dépressions séparées par la chaîne des *Tianshan* (7 430 m au mont Tomur) dont l'O. constitue la frontière sino-sov. Au N. la *Dzoungarie* qui communique avec la dépression du Turkestan russe. Au S., la *Kashgarie,* dépression fermée, drainée par le *Tarim* qui descend du *Pamir* et se perd dans les marais du *Lob Nor.* Route Kashgar-Pakistan par le Karakorum. Climat : été chaud et très sec, hiver rigoureux ; la fonte des neiges des montagnes du pourtour permet la vie d'oasis (Hetian-Khotan, Yarkand, Kashgar) ; 14 000 000 d'habitants (dont 50 % de Ouïgours), densité faible (8,2 h. par km²). Valeur économique : 1° charbon, pétrole, fer et métaux non ferreux, métaux rares et précieux (uranium) dans les montagnes ou à leur pied. 2° oasis : légumes, céréales et fruits. 3° élevage et peausseries. 4° communications avec les plaines orientales, en dépit des distances énormes, relativement faciles (hauts plateaux peu accidentés). Traversé par anciennes routes de caravanes (routes du thé et de la soie) ; par chemin de fer à Lanzhou ; liaisons aériennes. *Lob Nor :* centre d'essais nucléaires, 1re base de lancements de fusées ch. *Centre principal : Urumqi* (Ouroumtsi) près de gisements minéraux variés (charbon, fer, pétrole), carrefour aérien et aéroport international.

• **Montagnes.** Couvrent les 2/3 de la superficie totale : *Mts Altaï* (en mongol : m. d'or) alt. 3 000 m, au N. du Xinjiang et en Mongolie ; *Mts Tianshan* alt. moy. 3 000-5 000 m, max. 7 443 m ; traversent le Xinjiang [comprennent une dépression, la fosse de Turfan, avec le lac Aykingkol, à – 154 m] ; *Mts Kunlun* (2 500 km de long) du Pamir au Sichuan, alt. moy. 5 000 m ; plusieurs sommets dépassent 7 000 m ; *Mts Qinling :* traversent le centre de la Chine sur 1 500 km (alt. 2 000 à 3 000 m), entre les bassins du Huanghe (fl. Jaune) et du Yangzi (fl. Bleu) ; *Mts Karakorum* (en ouïgour : m. violette et noire) : pt. culminant 8 611 m (Mt Qogir), à la frontière du Cachemire ; *Mts Gangdise* (en tibétain : roi des m.), sud Tibet, 6 000 m ; pt culminant Mt Kangrinboqe (en tibétain : trésor des neiges) ; pèlerinages bouddhistes ; *Himalaya* (demeure des neiges) ; 40 pics dépassant 7 000 m ; pt culminant 8 848 m : Everest [Chomolongma (en tibétain : déesse-mère du monde)]. Chaînes orientales (entre plateaux centraux et plaines), direction : S.-O./N.-E., altitude moyenne 1 000 m, point culminant : Mt Changbai.

• **Cours d'eau. Fleuves :** +de 1 500 ont un bassin supérieur à 1 000 km². Total du débit : 2 700 milliards de m³ (force hydraulique potentielle 5 800 millions de kW). *Changjiang* [Yangzijiang (fl. Bleu, en fait jauni à cause des boues qu'il charrie)] : long. 5 520 km ; bassin 1 800 000 km² ; navigable par des bateaux de 10 000 t (en hautes eaux) jusqu'à Chongqing, descendu depuis sa source en 1987 sur des radeaux. Projet de barrage pour faciliter la navigation et arrêter les inondations (200 en 2 000 ans : en 1954, 350 000 † et 1 million de pers. déplacées). *Huanghe* [Houang-ho (fl. Jaune), surnommé « le Chagrin de la Chine », 4 345 km] le plus limoneux du monde (1 600 millions de t par an) ; son lit est rehaussé par les alluvions et le fl. doit être contenu dans des digues (26 déplacements importants au cours de l'histoire, grosses crues de printemps-été). *Xijiang* [Si-kiang (fl. de l'Ouest)], 2 655 km, navigable ; son 2 rivières également navigables : *Beijiang* (Pé-kiang, rivière du N.), *Dongjiang* (Tong-kiang, rivière de l'E.) ; à partir de Canton, divisé en plusieurs bras dont le plus important est le *Zhujiang* [Tchou-kiang (rivière des Perles)]. *Heilongjiang* (fl. Amour : 4 667 km), frontière avec l'U.R.S.S. **Canaux :** le grand canal N.-S. de Pékin à Hangzhou ; C. Hunan-Guangxi. **Lacs :** 370, dont 130 ont plus de 100 km² (lac Qinghai, 4 456 km² à 3 194 m d'altitude).

• **Climat.** *Température moy. janv. et juill. 1987 en °C :* Pékin – 3,6 ; + 26,6. Shanghai + 5,1 ; + 27. Canton + 15,9 ; + 28,5. Wuhan + 5,2 ; + 27,4. Urumqi – 11,4 ; + 24,5. Shenyang + 10,8 ; + 24,3. Harbin – 20,1 ; + 21,7. **Meilleure période :** avr.-mai ou sept.-oct. ; **par régions :** *O.* (Mongolie, Xinjiang, Qinghai, Ganshu) : précipitations faibles, amplitude thermique élevée. *N.-E. :* continental. Hiver très froid, été chaud, max. de pluies. *Plaine centrale :* temp. douces. *Hauts plateaux lœssiques :* continental. Hiver, froid dans plaines du Yangzijiang, tempéré au Zhejiang et au Fujian. Pluies (1 100 mm) en juin.

• **Faune. Espèces.** *Oiseaux :* 1 150 (13,4 % des esp. connues). En 1958, campagne de destruction pour les empêcher de manger les récoltes ; les hab. tapent dans leurs mains pour affoler les oiseaux qui tombent d'épuisement. *Mammifères :* 400 (11,1 %). *Reptiles et amphibiens :* 420. *Animaux propres à la Ch. :* panda géant, rhinopithèque, takang (env. 1 000), cerf aux lèvres blanches, crossoptilon brun, dauphin aux nageoires blanches, alligator chin., crocodile-légor.

• **Flore.** *Plantes supérieures :* 32 000 esp. (dont 2 000 vivrières) et 2 800 essences d'arbres. *Projet :* reboiser 100 millions d'ha.

Démographie

• **Évolution** (millions). *2 apr. J.-C.* Han de l'Ouest (Empereur Pingdi) 60 ; *156* Han de l'Est (Emp. Huandi) 50 ; *220/280* (3 royaumes) 7 ; *280* Jin de l'Ouest (Emp. Wudi) 16 ; *606* Sui (Emp. Yangdi) 46 ; *742* Tang (Emp. Xuanzong) 48 ; *1110* Song (Emp. Huizong) 47 ; *1290* Yuan (Emp. Shizu) 59 ; *1393* Ming (Emp. Taizu) 6 ; *1661 :* 21 ; *1757 :* 190 ; *1830 :* 385 ; *1860 :* 470 ; *1901 :* 426 ; *28 :* 474 ; *49 :* 548 ; *53* (rec.) : 582 ; *64 :* 714 ; *78 :* 958 ; *82* (rec.) : 1 008, dont Hans 937 (93,3 %), minorités 67 (6,7 %). A l'O. : Mongols, Turcs originaires du Turkestan, Tibétains ; au S.-O. : Yi et Miao ; au N.-E. : Toungouses et Mandchous (Voir langues) ; *1989 :* 1 100 ; *1990 (1-7) :* 1 133, 68 (4e recensement) ; *2 000 :* 1 300-1 414 (objectif max. du gouv. 1 250-290) ; *2 060 :* 2 000 (objectif max. 1 400).

Minorités. 55 nationales (pop. en milliers au recensement de 1982). *Zhuang* [ou Dchouang, autonomie en 1948, capitale : Nanning (Guangzi)] 13 370. *Hui* (ou Houei ou Douganes, descendants des nestoriens ? Se disent descendants des soldats de Tamerlan.) 7 210. *Uygurs* 5 950. *Yi* 5 450. *Miao* 5 030. *Mandchous* 4 290. *Tibétains* 3 870. *Mongols* 3 410. *Tujia* 2 830. *Bouyei* 2 120. *Coréens* 1 760. *Dong* 1 420. *Yao* 1 400. *Bai* 1 130. *Hani* 1 050. *Kazakhs* 907. *Dai* 839. *Li* 810. *Lisu* 480. *She* 360. *Lahu* 300. *Va* 290. *Shui* 280. *Dongxiang* 279. *Naxi* (ou Nasis) 240. *Tu* 150. *Kergez* 113. *Qiang* 102. *Daur* 94. *Jingpo* 93. *Mulao* 90. *Xibe* 83. *Salar* 69. *Bulang* 58. *Gelao* 53. *Maonan* 38. *Tajik* (Tadjiks) 26. *Pumi* 24. *Nu* 23. *Achang* 20. *Evenkes* 19. *Uzbek* (Ouzbeks) 12. *Benglong* 10. *Yugur* 10. *Jinuo* 10. *Jing* 10. *Total. 1990 :* 91 000.

• **Données générales. Répartition par sexe.** H. 51,52 %, F. 48,48 %. **Densité** 114,5. 2/3 de la pop. vit sur 1/6 des terres [bande côtière Shanghai à Guangzhou (Canton) 500, Bassin rouge 250], Tibet 1,6 (+ faible). **Pop. rurale.** *1985 :* 662 millions. **Longévité** 69 ans (hommes : 66,4, femmes : 69,3). **+ de 60 ans :** *1990 :* 100 millions, 8,8 % ; *2000* (est.) : 10 %. **Taille moy.** *1949 :* h. 1,64 m (f. 1,52 m) ; *1988 :* h. 1,67 (f. 1,56).

Naissances (millions). *1986 :* 21. *87 :* 22. *88 :* 15,4 (29 n. par minute).

Mesures démographiques. *Population souhaitable pour atteindre un niveau de vie comparable à celui de l'Occident* (estim. officielle) : 600 millions d'h. Il faudrait qu'il n'y ait plus qu'un enfant par famille jusqu'en 2 060. Politique de l'enfant unique concernant les Chinois de souche (Hans) et non les minorités (1979) : congés de maternité, soins et scolarisation gratuits pour le 1er enfant, dans certains cas possibilité d'avoir un 2e enf. (parents étant enfants uniques, 1er enf. handicapé, appartenance à une

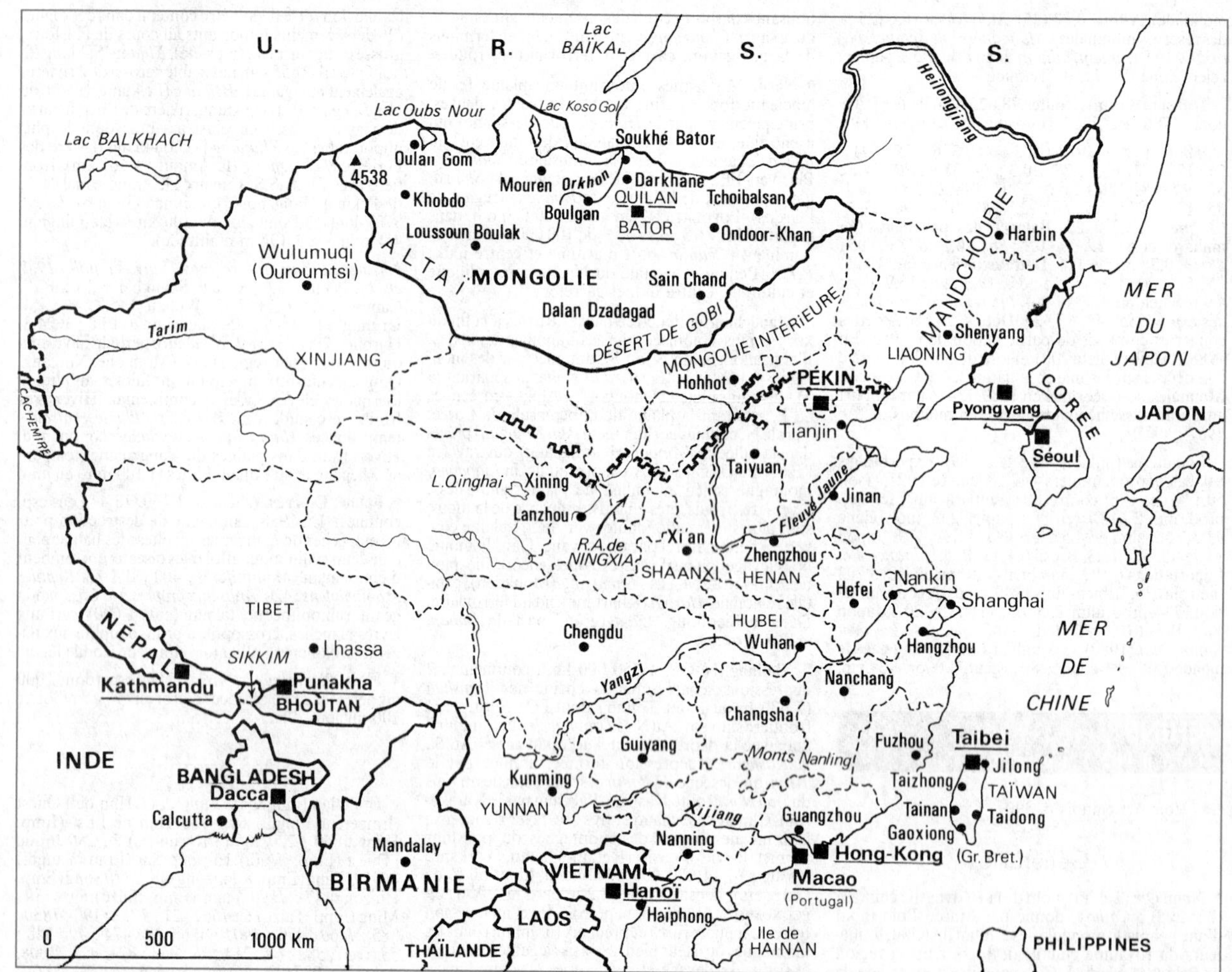

minorité, si le 1er enf. est une fille, possibilité 4 ans après sa naissance d'avoir un seul autre enf. même si c'est une fille). A la campagne, les parents, en compensation, sont favorisés dans la distribution des lopins individuels. En 1982, 16 000 000 couples avaient une carte d'enfant unique. Hausse de l'âge min. du mariage (h. 22 ans, f. 20 ans, sinon envoi dans des camps de travail). Encouragement au mariage tardif. Libéralisation de l'avortement (22 % des couples).

• **Taux (‰) : Natalité :** *1954 :* 37,87 ; *57 :* 34,03 ; *61 :* 18,02 ; *64 :* 39,1 ; *70 :* 33,43 ; *75 :* 23,01 ; *80 :* 20,91 ; *85 :* 17,8 ; *88 :* 14,2 ; *89 :* 14,33 (selon certains, il faudrait 10 pour que l'objectif de 1,2 milliard en *2000* soit respecté). **Mortalité :** *1950 :* 18,81 ; *81 :* 6,36 ; *85 :* 6,6 ; *89 :* 6,5. **Mort. infantile :** *84 :* 38. **Croissance :** *57 :* 23,33 ; *59 :* 19 ; *60 :* – 4,57 ; *63 :* 33,33 ; *70 :* 25,83 ; *79 :* 11,61 ; *80-85 :* 12 ; *85-88 :* 14 ; *88-89 :* 15 ; *90 :* 14,7.

• **Villes** (en millions d'h., 1987) : *Beijing (Pékin)* 6,71 (pop. voir régions p. 906), Shanghai 7,22 (la plus grande ville industrielle), Tianjin (T'ien-tsin) 5,54, Shenyang (ex-Moukden) 4,37, Wuhan 3,57, Guangzhou (Canton) 3,42, Chongqing 2,89, Harbin 2,71, Chengdu (Chengtu) 2,69, Xian (Sian) 2,58, Nanjing (Nankin) 2,39.

• **Chinois de l'étranger (ou d'outre-mer** dits *Huagiaos)* (en millions). **Asie du S.-E. :** env. 20, Thaïlande 35 (6,5 % de la pop. locale), Malaysia 4 (1/3), Indonésie 6 (4), Singapour 2,5 (75), Birmanie 1,5 (5), Viêtnam 0,6 (avant la récente émigration), Philippines 0,6 (1), Cambodge 0,4 (4), Laos 0,06 (2). **Pays non asiatiques :** U.S.A. 0,8, Canada 0,1, Cuba 0,035, Pérou 0,032, G.-B. 0,03, île Maurice 0,03, Pays-Bas 0,027, Australie 0,02, France 0,02.

Étrangers en Chine. Env. 1 000 Français en 1989.

• **Enseignement. Élèves** (en millions, 1987) : maternelle 18, primaire 128,35, secondaire 49,4, technique et agricole 2,67, supérieur technique 1,22, formation d'enseignants 0,6, étudiants 1,95.

Niveau d'instruction (1982, en %). Analphabètes 28,5 des + de 12 ans (37,2 des femmes de 15 à 49 ans) ; primaire 30,4 ; 1er cycle 22,3 ; 2e 9,6 ; supérieur 0,45.

Langues

Majoritaire. *Han* (94 % de la pop.), groupe linguistique apparenté aux langues thaïe et tibéto-birmane, notamment au lolo indochinois (monosyllabique). Chaque mot est composé d'une syllabe invariable (tendance à la bisyllabisation). Certaines combinaisons fixes deviennent de vrais polysyllabes, ex. : *Ren* « hommes », *Ren-lei* « humanité » (mot à mot : « homme catégorie »). L'écriture comporte un signe par syllabe. Langue écrite ancienne, invariable dep. 2 000 ans (sauf simplification d'une liste des caractères vers 1950), peut être lue des yeux mais ne correspond pas au langage parlé. Les langues parlées, seules utilisées et compris dans les publications, ont 3 variétés majeures : N. et N.-O. avec Pékin ; O., S.-O. et S. avec Nankin : mandarin [*putonghua* (500 millions) langue off. fondée sur la prononciation de la région de Pékin, créée du VIIe au IXe s. par les lettrés de Pékin] ; dialectes du S.-E. : de Shanghai (Jiangsu et Zhejiang), cantonais (Guangdong, Guangxi). *Caractères :* env. 40 000 idéogrammes dont 6 000 d'usage courant. *Prononciation :* varie d'une région à l'autre.

Minoritaires. Voir minorités p. 901.

Méthodes de transcription en caractères latins. Wade (anglais, utilisé par Taiwan), **Efeo** (École française d'Extrême-Orient), **Pinyin** (utilisé par la Chine pop.). *Avantages :* absence d'apostrophes et de traits d'union, échanges facilités par télex, etc. *Inconvénients :* doit recourir à des accents de divers types pour préciser le sens des mots (le chinois ne connaît ni déclinaison ni conjugaison, et c'est la place des mots dans la phrase qui détermine leur sens avec le ton adopté) : selon la modulation, *ma* peut signifier mère, chanvre, injure ou cheval. Le *p* de Wade est transcrit en pinyin b ; le *ts,* j ; le *t,* d ; le *hs,* x ; le *ku* (en Efeo *kou*), gu, etc. Ainsi, *Mao Tsé-toung* est transcrit Mao Zedong ; *Teng Siao-ping :* Deng Xiaoping ; *Tchou Teh :* Zhu De, etc. *Peiking* (Pékin) : Beijing ; *Kouang-tong :* Guangdong ; *Kouang-tchéou* (Canton) : Guangzhou ; *Hang-tchéou :* Hangzhou ; *Nan-king* (Nankin) : Nanjing ; *Chantoung :* Shandong ; *Changhai :* Shanghai ; *Setchouan :* Sichuan ; *Sou-tchéou :* Suzhou ; *T'ientsin :* Tianjin ; *Sin-kiang :* Xinjiang ; *Chen Po-ta :* Chen Boda ; *Kuo-Mo-jo :* Guo Moruo ; *Tchang Kaï-chek :* Jiang Jieshi ; *Lin Piao :* Lin Biao ; *Lieou Chao-k'i :* Liu Shaoqi ; *Tchéou En-lai :* Zhou Enlai ; *Chu Teh :* Zhu De ; *Tchiang Ts'ing :* Jiang Qing ; *Kouo-min-tang :* Guomindang ; *Hopei :* Hebei ; *Tibet :* Xizang.

Religions

Position officielle. La Constitution de 1982 a rétabli explicitement la liberté religieuse. Le Parti préconise l'athéisme, les religions n'étant qu'un produit de l'oppression naturelle et sociale. Elles représentent une conception inversée du monde et qui a été engendrée dans certaines conditions historiques pendant lesquelles l'humanité restait incapable de connaître la loi objective de la nature, de la société et la sienne propre. Les persécutions antireligieuses sont suspendues, mais il reste des prêtres catholiques en prison. Les 2 grandes religions chinoises, bouddhisme et taoïsme, mêlées au confucianisme, qui est plutôt une philosophie, se sont transformées (surtout dep. le XIVe s.) en une religion populaire, variant selon les régions, mais ayant en commun le culte des ancêtres (les 2 clergés restent distincts).

Statistiques. Bouddhistes 150 000 000, **Taoïstes** 30 000 000, **Musulmans** 35 000 000 selon les autorités, 158 000 000 selon les religieux (islam introduit au VIIe s. par des commerçants arabes dans les ports du Guangdong et du Fujian et sur la route de la soie. XIIIe s. conquête de Gengis Khan et afflux de musulmans). *En 1990,* 50 mosquées ont été fermées dans le N. et la construction de 100 autres a été interdite. **Hui** env. 6 400 000 (surtout dans le Ningxia). **Christianisme** (introduit VIIIe s. par les nestoriens, puis 1582, se développe après 1840). *1947-48 :* 3 251 347 catholiques, 190 850 catéchumènes, 5 588 prêtres (2 542 chin.), 1 077 frères (663 chin.) et 6 543 religieuses (4 717 chin.). 803 grands séminaristes ; 3 universités, 189 écoles secondaires, 1 500 primaires, 216 hôpitaux, 781 dispensaires, 5 léproseries, 254 orphelinats ; 29 ateliers de typographie, 55 publications ; observatoires de Zikawei et Zosé créés par les jésuites de Shanghai. *1957 :* l'Association patriotique des cath. ch. fondée par Zhou Enlai rassemble 4 % des fidèles [rupture avec Rome évitée (non déclarés schismatiques)]. *1977 :* 2 500 000 cath., 500 prêtres, 10 évêques. *1985 :* Mgr Ignatius Gong Pinmei (n. 1901) archevêque de Shanghai (condamné 1960 à la prison à vie pour trahison, en liberté provisoire, définitive 5-1-88) confié à son successeur officiel Mgr Zhan Jiaishu (94 ans). *1987 (22-3) :* noviciat cath. réouvert. *1989 :* 3 300 000 à 4 000 000 fidèles, env. 1 000 prêtres. *1990 :* 4 églises à Pékin. **Chinois catholiques vivant hors de Chine** 1 344 591 dont T'ai-wan 301 677, Hong Kong 265 800, Macao 30 000, reste du monde 747 114. **Protestants** 4 000 000 (Sun Yat-sen et Tchang Kaï-chek étaient baptistes), 4 000 pasteurs (très âgés). **Juifs** présence attestée à Kaifeng (province du Henan) sous les Han (206 av. J.-C.-220 ap. J.-C.). XIXe dans les ports ouverts et en Mandchourie. *1939 :* env. 30 000, *56 :* 400, *57 :* ils gagnent Israël.

Histoire

Histoire ancienne

• Avant J.-C. **1 million d'années :** hommes de Yuanmou et de Lantian. **Paléolithique ancien** (env. 400 000 ans), homme de Pékin ou sinanthrope (fossile découvert près de Pékin) : marche debout, outils, feu.

V. 7000, civ. du Yang-shao (matriarcat, clans) ; **v. 5000,** civ. de Longshan (patriarcat, clans divisés en cl. sociales). **Dynasties légendaires** [IVe mill. (?)-déb. IIe mill.] ép. des souverains civilisateurs, cultures de Yang shao (construction par damage de la terre, habitations en forme de fosse, etc.). *Dynastie Yao, Shun.* **Attestées. Xia** (Hsia) États esclavagistes ; **XXIe-XVIe** âge du bronze (XVIe-VIe s. av. J.-C.), culture erliton. **Shang** (Chang) **XVIe-XIe s.** développement de l'esclavage ; apogée du bronze **Xe s.,** char à timon à 2 chevaux, principes de l'écriture, fortifications des villes, agriculture prédominante, structure féodale (roi et classe noble assument les fonctions politiques, religieuses, milit. et écon.), culte des ancêtres royaux. Sépultures royales avec mobilier funéraire en bronze. Art de la ronde-bosse. Ornements architecturaux en marbre, céramiques rouges et noires.

Zhou de l'Ouest (Tchéou) ; **XIe s.-770** civilisation du bronze jusqu'au sud de la Mongolie (vallée du Yangzi) ; à partir du Xe s., cités indépendantes (le roi n'est qu'un arbitre). Capitale dans le Henan. Travail du fer et des perles de verre.

Zhou de l'Est 770-476 Époque Chunqiu (époque des Printemps et Automnes ou ép. des Hégémons), 140 principautés : passage de l'esclavagisme à la féodalité. **475-221 Ép. Zhanguo** (ép. des **Royaumes combattants**). G. entre les 7 grands roy. chinois dont le Qin qui annexe les 6 autres (Qi, Chu, Yan, Zhao, Han, Wei) entre 256 et 221. L'art devient profane. Bronzes et jades décorés de courbes et d'animaux fantastiques. Incrustations d'or, d'argent. Sépultures du royaume Chu. Boîtes, ustensiles et ornements en bois revêtus de laque. Plus ancienne peinture sur soie connue. **Qin** (Chin) **221-207** 1er État féodal (multinational et unitaire) fondé par l'emp. Shi Huangdi. **209** insurrection conduite par Chen Sheng et Wu Guang.

Han de l'Ouest 206 av. J.-C.-24 apr. J.-C. 17-18 apr. J.-C. insurrections populaires des *Lulin* (insoumis) et des *Chiméï* (Sourcils rouges). Extension de l'art funéraire. Sculpture monumentale, peinture murale, dalles ciselées. Objets en laque polychrome. Figurines peintes, les mingqi, utilisées au cours des rites mortuaires.

• Après J.-C. **Han de l'Est 25-220. 184** insurrection des Huangjin (Turbans jaunes), Époque : **Les Trois Royaumes** (Wei, Shu, Wu) **220-265 ; Jin de l'Ouest 265-316 ; Jin de l'Est 317-420 ; Dynasties du S. et du N. 420-589. 220 à 380** insurrections d'inspiration taoïste, armées autonomes chargées de la répression, affaiblissement du pouvoir des Han et formation de 3 roy. indépendants dont le plus puissant (Wei, au N.) avec l'usurpation du pouvoir par une grande famille, les Sima, qui restaure l'unité (265 à 316). Grandes invasions en C. du N. de hordes turco-mongoles (IIe et IIIe s.). **316-589** séparation C. du S. et C. du N. [tribus originaires des steppes et montagnards apparentés aux Tibétains (ép. des royaumes et empires barbares)]. Influence de la steppe et des pays de l'Asie centrale (organisation militaire). Influence du taoïsme et du bouddhisme. Développement de la peinture, création de la critique d'art, multiplication des sculptures monumentales (lions ailés). Sanctuaires rupestres (grottes de Dunhuang). **Vers 439** absorption des petits roy. par l'empire des Wei (groupe turco-mongol) ; capitale à Luoyang (Henan) en 493 ; à nouveau, forte influence c. (organisation administrative). C. du S. : émiettement des roy., affaiblissement écon. (autarcie des grands domaines). Influence du taoïsme et surtout du bouddhisme sur arts et vie intellectuelle.

Sui (Souei) **581-618.** Conquête par les Souei (C. du N.) de l'empire du S. (capitale : Nankin). Unification administrative et écon. (grands travaux : canal approvisionnant le Henan, le Shanxi, la vallée de la Wei ; greniers). **Tang 618-907.** Armées indépendantes. **755** retour aux sources anciennes, proscription des cultes étrangers. **755-63** rébellion militaire. **780** impôt foncier sur étendue et valeur des terres, renforcement des armées du Palais. Relations importantes avec Asie centrale, Iran, Inde, Asie du S.-E. ; cultes étrangers reconnus, essor du bouddhisme. **843-45,** début du néo-confucianisme. **Sous les Sui et les Tang.** Multiplication des fondations religieuses. Les grands artistes sont à la fois poètes, érudits, musiciens, calligraphes et peintres (paysage monochrome). Cour somptueuse utilisant bijoux, miroirs. Nombreux objets funéraires (cavaliers, danseuses, génies, animaux). Apparition de la technique du martelage. Porcelaine blanche.

• X-XIIe s. **Cinq Dynasties 907-960.** Unités régionales en royaumes puis empires. Elles se succèdent au Henan (reste de l'empire Tang divisé en 7 roy.).

Royaume de Liao 916-1125. Dyn. Song (960-1279). Développement des arts au sein de l'académie de l'empereur artiste Huizong. Toits courbés et grandes charpentes. Animaux et fleurs réalistes. Analogies entre calligraphie et peinture. Influence du bouddhisme zen.

Royaume de Jin 1115-1234. Réunification de la Ch. **1127** chassés du N. par l'empire Jin (mandchou) les Song se fixent, à Hangzhou. Renouvellement des classes dirigeantes, concours de recrutement, expansion commerciale en Asie du S.-E. et dans l'océan Indien (progrès maritimes : gouvernail d'étambot, treuil, ancres, boussole marine ; techniques commerciales : effets de commerce, assignats, monnaie de cuivre). L'État contrôle les monopoles (sel, thé, alcool), la fiscalité commerciale dépasse l'imposition agraire. Forte urbanisation.

Vie intellectuelle : les Réformistes [Wang Anshi (1027-86) et Fan Zhongyan (989-1052)], systèmes philosophiques cosmologiques fondés sur des calculs mathématiques, école néo-confucéenne [Zhu Xi (1130-1200)], critique des sources en histoire, développement de l'épigraphie et de l'archéologie ; parallèlement à la littérature de style antique (dyn. des Han, ép. des Roy. combattants), littérature en langue vulgaire (roman, conte, théâtre) diffusée par l'imprimerie.

• Yuan **1271-1368.** Fédération de peuples de la steppe formée au début du XIIIe s. autour du chef mongol Gengis Khan (empereur des mers), attaque l'Asie centrale, Proche-Orient, Russie méridionale, Mandchourie, Corée, Chine du Nord 1215 Pékin occupé. **1279** les Yuan anéantissent Song du Sud et unifient une grande partie de l'Asie. A la tête les tribus mongoles, au bas les derniers peuples conquis ; institutions chinoises conservées (notamment système fiscal et assignat) ; relais de poste favorisant les échanges avec l'extérieur. **XIIIe-XVe s.** nombreux voyageurs dont *Marco Polo,* 1254-1324, moines franciscains. **1308** sacre du 1er archevêque de Pékin, Jean de Mont-Corvin (1247-1328). **1362** (martyre de l'évêque Jacques Ceffagni) ; constitution de communautés musulmanes (influence de l'astronomie et de la cartographie mus.) ; installation du lamaïsme.

Vie artistique : apogée du théâtre (dramaturges : Ma Zheyuan, Guan Hanqing). L'art du paysage continue la tradition des Song.

• Ming **1368-1644.** Dyn. fondée à Nankin par Zhou Yuanzhang (un des chefs du soulèvement contre les Mongols). Reconstruction économique, recensement de population, cadastre, cloisonnement social (métier ou fonction sont héréditaires ; système maintenu jusqu'au début du XVe s.), centralisme politique [coupure avec classes commerçantes, intellectuelles (accentuée avec l'installation de la capitale à Pékin en 1450) ; autoritarisme], expansion militaire vers la Mongolie. **1399 à 1443,** Cheng Ho, le Grand Eunuque, ministre de l'emp. Yung-lo, organise 7 expéditions maritimes dans l'océan Indien (70 vaisseaux, 30 000 h.) et fonde un empire commercial chinois, des Philippines à la Somalie. **1450-1500** cet empire s'effondre, mais les Chinois s'organisent à l'étranger en confréries (gangxi) qui maintiennent leurs traditions. **XVIe** s. menace mongole (Pékin assiégé en 1552). Renouveau du théâtre, essor du roman en langue vulgaire (de mœurs, psychologique et sentimental) ; ouvrages techniques (pharmacopée, médecine, géographie, agriculture). Bibelots recouverts de laque affluent en Europe. **1513** arrivée du Portugais Jorge Alvares. **1520** 1er ambassadeur portugais à Pékin. **1557** la C. cède Macao aux Portugais. **1582** arrivée de Matteo Ricci, jésuite. Piraterie japonaise, grand artisanat (tissage, porcelaine, fonte), riches marchands. Introduction : patate douce, arachide, maïs (à l'origine de l'essor démographique du XVIIIe s.). **XVIIe s.,** crise opposant les eunuques à un parti de fonctionnaires intègres, faillite financière, taxation alourdie, insurrection des artisans et paysans.

Quelques inventions et découvertes chinoises

Av. J.-C. Ier s. *Brouette :* de Guo Yu. *Pompe à godets (carrés en chaîne).* **IIe s.** *Acier :* redécouvert en 1845 par William Kelly (Kentucky, U.S.A.) avec 4 experts chinois. *Suspension à la Cardan :* en Occident, décrite par Jérôme Cardan (1501-76). **IIIe s.** *1er canal à niveaux :* le Linggu ou Canal magique. **IVe s.** *Fontes :* d'où socs de charrue coulés, essor des ind. (sel, fer et gaz). En 695 ap. J.-C., l'impératrice Wu Zetian fit construire une colonne de fonte octogonale (haut. 32 m, diamètre 3,6 m, 1 345 t), surmontée d'une « voûte de nuages » de 3 m et d'une circonf. de 9 m, soutenant 4 dragons de bronze de 3,6 m portant une perle dorée. *Harnais. Pétrole et gaz naturel :* au Ier s. ap. J.-C. forage à + de 30 m. *Taches solaires :* observées par Gan De, qui dressa le 1er catalogue d'étoiles, 200 ans avant le Grec Hipparque. **VIIIe s. (au moins).** *Laque.* **VIIIe ou IXe s.** *Déclinaison du champ magnétique terrestre.* **XIVe s.** *Système décimal.* **Ap. J.-C. Ier s.** *Porcelaine* (en occident, encore très rare au XVe s.). **IIe s.** *Bateaux à roues :* actionnés par des pédaliers. **IIIe s.** *Etrier :* inconnu des Perses, Mèdes, Romains, Assyriens, Égyptiens, Babyloniens et Grecs (au début : étriers de fer et de bronze). Vikings et peut-être Lombards ont répandu l'étrier en Europe. *Machine cybernétique* (sinon 1030 av. J.-C.) : chariot de 3,3 x 2,75 surmonté d'une statue en jade orientée vers le S. quelle que soit la direction du chariot. *Valeur précise de pi :* Archimède l'avait calculée jusqu'à la 3e décimale et Ptolémée jusqu'à la 4e. Au IIIe s., Liu découvre une valeur de 3,14159, puis au Ve s. Zu Chongzhi et son fils 3,1415920203. **577.** *Allumettes :* faites avec du soufre. **VIIe s.** *Pont à arc surbaissé :* par Li Chun, 1er grand pont de 37,5 m construit en 610 sur le Jiao (restauré au XXe s.). Le + grand pont : Marco Polo (1189) sur le Yongsding avec 213 m (11 arches de 19 m). **683 à 727.** *Horloges mécaniques :* de Yixing. **812.** *Papier-monnaie :* sous la forme d'un effet à vue. **Xe s.** *Immunologie.* **954.** *Fonte :* le + grand objet d'une pièce célébrant la victoire de l'empereur Shizong sur les Tartares : lion de Zhangzou (haut. 6 m et creux). 1601 : Pagode Yu Quan à Dangyang (Hubei) : la + ancienne, entièrement en fonte. **V. 1000.** *Poudre :* utilisation à des fins militaires. **1027.** *Odomètre.* **1088.** *Horloge hydraulique à échappement.*

• Qing (T'sing) **1644-1911. 1618** les tribus Jurgchen de Mongolie orientale conquièrent la Mandchourie en 1635, prennent le nom de Mandchous, prennent Pékin, puis l'empire des Ming (à la faveur de la crise sociale régnant alors). Au début, mesures très dures (imposition du port de la natte et du costume mandchou, expropriation des paysans, etc.), adoucies surtout par l'empereur Kangxi (1662-1722) qui consolide son pouvoir en maintenant en place les anciennes élites chinoises et en élargissant son empire en Asie centrale et au Tibet. **1656** 1er diplomate russe à Pékin. **1688**-*22-8 tr. de Nertschinsk* (en latin) : frontière russo-chinoise sur le fleuve Kerbetchi. **1736-96** essor démographique et écon. (exportation vers Asie du S.-E. et Eur. de thé, soieries, laques, cotonnades, quincaillerie). **A partir de 1800,** déclin : densité démographique trop élevée, centralisme politique et administratif (immobilisme), récession écon., dépréciation de l'argent (monnaie chinoise) par rapport à l'or (pays occidentaux).

Empereurs Qing (Ts'ing)

Légende. Les empereurs sont désignés par leur nom posthume ou nom de temple, *p :* nom porté avant d'être intronisé ; *e :* nom d'ère. Noms donnés en pinyin et entre parenthèses en EFEO.

1644 Qing Shizu (Ts'ing Che-tsou) ; *p* Fulin (Foulin) ; *e* Shunzhi (Chouen-tche). **1661** Qing Shengzu (Ts'ing Cheng-tsou) ; *p* Xuanhua (Hiuan-houa) ; *e* Kangxi (K'ang-hi). **1723** Qing Shizong (Ts'ing Chetsong) ; *e* Yongzhen (Yong-tchen). **1735** Qing Gaozong (Ts'ing Kao-tsong) ; *p* Hongli (Hong-li) ; *e* Qianlong (K'ien-long). **1796** Qing Renzong (Ts'ing Jen-tsong) ; *e* Jiaqing (Kia-k'ing). **1821** Qing Xuanzong (Ts'ing Hiuan-tsong) ; *e* Daoguang (Tao-kouang). **1851** Qing Wenzong (Ts'ing Wen-tsong) ; *e* Xianfeng (Hien-fong). **1862** Qing Muzong (Ts'ing Mou-tsong) ; *e* Tongzhi (T'ong-tche), pendant ces 2 règnes, le pouvoir est aux mains de Cixi ou Ts'eu-hi. **1875** Qing Dezong (Ts'ing Tö-tsong) ; *p* Zaitian (Tsai-t'ien) ; *e* Guangxu (Kouang-siu). **1908** Qing Xundi (Ts'ing Hiun-ti) ; *p* Puyi (P'ou-yi) ; *e* Xuantong (Siuan-t'ong) ; né 1906, détrôné 12-12-1912, 1924 nov. expulsé de la Cité interdite, se réfugie à la légation jap., 1925-23-2 évacué sur Tien Tsin (ville internat.), 1932 mars nommé par les Japonais régent de la Mandchourie, 1934 emp. de Mandchourie sous le nom de Kang Teh, 1945 détrôné ; capturé par les Russes 14-6, 1950 remis à la Chine, rééduqué, devient jardinier puis aide-bibliothécaire, meurt le 17-10-1967 à Pékin (tué par des gardes rouges ?).

La Chine, « semi-colonie »

Origine. 1555 les Portugais fondent Macao, ont l'exclusivité du commerce à partir de Goa (Inde), achètent soie, porcelaine et or en Ch., pour les revendre au Japon. **Après 1576** (création d'un évêché), activité de missionnaires jésuites. **1638** (fermeture du Japon), l'activité port. se concentre sur la Ch. **1683** le père Matteo Ricci essaye de créer une Égl. cath. chinoise dégagée d'attaches politiques avec Occident. **1699** (alliance anglo-port.), des marchands anglais (dont beaucoup de colons américains) s'introduisent à Canton et commencent à exploiter le marché c. Privés de droits politiques, ils résident à Macao ; ils n'envisagent pas de coloniser la C., mais d'y profiter des privilèges commerciaux port. (laissant le Japon aux Hollandais).

XIXe s., l'Angl. supplante le Port. (le tr. de Nankin lui livre Hong Kong, août 1842). Mais lui disputeront l'hégémonie commerciale : France, Allemagne, U.S.A., Russie (celle-ci annexant de vastes territoires, dans le N. de la Ch.). **1894,** le Japon intervient (40 ans plus tard il est près de coloniser toute la Ch. à son profit.) Les 5 puissances (All., G.-B., France, Russie, U.S.A.), ne pouvant obtenir un protectorat exclusif, passent un accord tacite (« dépècement »). Elles obtiennent des concessions à bail (99 ans) [*Allemagne :* Jiaozhou et Qingdao ; *Angleterre :* Weihaiwei (en plus de Hong Kong depuis 1842 et d'un quartier de Shanghai depuis 1848) ; *France :* Guangzhou, et un quartier de Shanghai dep. 1949 ; *Russie :* Liaodong et Port-Arthur ; *U.S.A. :* un quartier de Shanghai dep. 1849]. Droits reconnus : bases navales avec entretien d'une flotte, exploitation des mines, création d'usines avec autour des zones d'influences (monopole commercial et industriel) : *Allemagne :* Shandong ; *Angleterre :* bas Yangzijiang ; *France :* Yunnan ; *Russie :* Mandchourie. **1863** zones anglaise et américaine fusionnées à Shanghai et appelées dès lors « concession internationale ». **1900** 45 000 soldats étrangers dans le N. de la Ch.

Certains organismes d'État chinois sont confiés à des commissions étrangères (ex. : de 1861 à 1908, l'inspecteur gén. des douanes est un Anglais : sir Robert Hart). Angl. et Russie sont rivales, Fr et All, aussi. **1905** Jap. élimine Russie.

XXe s. *1914 : investissements occidentaux :* 1 610 millions de $ [dont G.-B. 38 % ; Japon 13,6 % (contre 0,1 % en 1900)]. **1915** Jap. élimine Allemagne, **1941** Jap. élimine Angl., **1945** Japonais vaincus ; laissent les Angl. récupérer Hong Kong. **1946** les concessions étrangères de Shanghai sont supprimées. **1948** après la révolution communiste, seules subsistent *Macao* (Portugal) (qui redeviendra chinois avant l'an 2000) et *Hong Kong* (G.-B.) [qui redeviendra territoire chinois en 1997]. Voir Index.

Chine impériale moderne

1820 Ch. fermée à la pénétration européenne, derniers jésuites expulsés. A Canton, un commerce se maintient avec les Anglais (cotonnades et opium des Indes contre thé et soie). **1839** la Ch. remet en vigueur un édit interdisant l'importation de l'opium. **1840** début de la g. de l'opium avec G.-B. **1841** les Angl. bombardent Canton, occupent Shanghai. **1842**-*28-8 tr. de Nankin,* G.-B. obtient l'ouverture au commerce de 5 ports (Canton, Amoy, Fuzhou, Ningbo, Shanghai) et l'île de Hong Kong. **1844** U.S.A. (*tr. de Ho-hia 3-7*) et France (*tr. de Whampoa 24-10*) obtiennent des garanties. La Fr. protégera également missionnaires et cathol. chinois. **1851** Hong Xiuquan (1813-64) fomente une révolte mystique et régénératrice, se proclame « roi céleste », fonde l'empire de la Grande Paix (Tai Ping), prend Nankin (1853), est vaincu (juillet 1864) par le gouv. impérial aidé de l'étranger [l'Amér. Ward, puis l'Angl. Charles George Gordon (1833-95)] et se suicide. **1857** Fr.-Anglais prennent Canton. **1858**-*28-5* (calendr. julien : 16-5) *tr. d'Aigoun :* la Russie reçoit la rive g. de l'Amour (2 500 000 km²). Le fleuve Amour devient frontière, le territoire entre l'Oussouri et la côte un condominium sino-russe. **1858**-*2-6* et *28-6 le tr. de Tianjin* (Tien Tsin) après intervention fr.-angl. accorde à G.-B., U.S.A., Fr., Russie l'ouverture de 11 nouveaux ports ; non respecté, il est suivi d'une autre intervention (Gal Cousin-Montauban ; vict. à Palikao sept. 1860, *sac du palais d'Été* à Pékin). **1860**-*24-10* nouv. *tr. de Pékin* ouvrant 11 ports. **1881** la Ch. cède à Russie la vallée de l'Illi. **1885** la Ch. renonce à l'Annam après l'attaque de Courbet à Fuzhou et Formose (la Ch. était intervenue au Tonkin avec les Pavillons Noirs). **1894** la Ch. essaie de restaurer son pouvoir en Corée, le Japon l'en empêche **1895**-*17-4 tr. de Shimonoseki* Jap. vict. obtient Formose. *-26-10* 1er projet avorté de soulèvement révolutionnaire de Sun Yat-sen à Canton. *-8-11* les Occidentaux obligent Japon à rétrocéder à la Ch. la presqu'île de Liaodong avec Port-Arthur. **1896**-*22-5* tr. secret d'alliance avec Russie contre les ambitions jap. en Mandchourie permettant la construction du Transsibérien. **1896** début des troubles des *Boxeurs* dans le Shandong. **1897**-*11-10* à Londres tentative d'enlèvement de Sun Yat-sen par des agents impériaux. **1898**-*6-3* l'Allemagne obtient à bail Jiaozhou (Kiaochow). *-27-3* la Russie se fait céder les ports de Dalian et Port-Arthur. *-9-4* Ch. reconnaît le Yunan zone d'influence française. *Avril* Kang Youwei fonde la Sté pour la sauvegarde de l'État (Baoguohui). *-11-6/-21-9* Réforme des Cent-Jours. L'impératrice Cixi reprend le pouvoir et fait arrêter les chefs réformistes. *Juin* G.-B. obtient cession des Nouveaux Territoires au N. de Hong Kong (bail 99 ans). **1899** *été* extension de la révolte des Boxeurs au Zhili et Henan. **1900**-*13-6* les Boxeurs envahissent Pékin. *-20-6* min. allemand von Ketteler tué à Pékin. *-21-6/-14-8* Pékin, siège des légations étrangères, délivrées par un corps expéditionnaire international. Cixi fuit à Xi'an. Pékin et le Palais impérial mis à sac par les troupes étrangères. *Oct.* nouvelle tentative d'insurrection de Sun Yat-sen à Huizhou. **1901**-*7-9* signature du protocole des Boxeurs, la Ch. s'engage à punir les chefs et fonctionnaires et à verser 450 millions de taels aux Puissances. **1905**-*20-8 Tōkyō* Sun Yat-sen crée la ligue jurée (Tongmenghui). *-5-9 tr. de Portsmouth,* fin de la g. russo-jap. *Japon* reçoit droits acquis par la Russie en Mandchourie du S. *Sept.* suppression des examens mandarinaux. *-11-12* mission d'enquête sur systèmes politiques européens. *-12-12 tr. Ch.-Japon* la Ch. reconnaît droits du Japon en Mandch. **1906**-*1-9* adhésion du trône au principe constitutionnel. Ch. cède Sakhaline à la Russie. **1908**-*15-11* Cixi meurt, son petit-neveu Puyi empereur. **1911** *avril Canton* tentative d'insurrection de Sun Yat-sen. *-9-5* nationalisation des chemins de fer. *-29-12* indépendance de la Mongolie extérieure.

République

1912-*1-1* Nankin, Sun Yat-sen *proclame la République. -12-2* Puyi abdique. *-10-3* Gal *Yuan Shikai* (1859-1916) Pt de la Rép. à titre provisoire. Effacement de Sun Yat-sen. *Août* la Ligue jurée (Tongmenghui) devient *Guomindang* (Parti nationaliste). **1913** *janv.* Dalaï-lama *proclame l'indépendance du Tibet. -20-3* assassinat de Song Jiaoren, dirigeant du Guomindang. *Juill.* 2e Révolution, soulèvement des forces du Guomindang et du S. contre le gouv. de Yuan Shikai. *-6-10* Yuan Shikai élu Pt de la Rép. *-4-11* dissout le Guomindang et le *15-12* l'Assemblée nationale. **1914**-*3-7 accord de Simla* ôtant à la Ch. le contrôle des zones extérieures du Tibet et de la Mongolie. *-2-9* le Japon prend les possessions allemandes du Shandong. **1915**-*7-5* ultimatum jap. réclamant l'acceptation des 21 demandes que Shikai accepte le *25-5. -7-6* tr. Chine-Russie-Mongolie reconnaissant l'autonomie de la Mongolie avec une vague suzeraineté ch. *Août* Shikai lance une campagne pour restaurer le régime impérial à son profit. **1916**-*22-3* y renonce et meurt (6-6). *1-8* rappel de l'ancienne Assemblée nat. à Pékin. **1917** *juin-juill.* Gal Shang Xun tente de restaurer l'Empire. Dissolution de l'Assemblée nat. *-14-8* la Ch. entre en guerre aux côtés des alliés (*1917-18 :* 27 000 Ch. employés à creuser des tranchées sur le front fr.). **1918** *mai* Sun Yat-sen chassé de Canton par les militaristes locaux. **1919**-*20-2* échec des négociations de paix entre Jap. et révolutionnaires du S. *-30-4* Conférence de paix de Versailles décide le transfert au Jap. des droits allemands sur le Shandong. *-19-5* grève générale des cours et boycottage antijap. *-5-6* marchands et ouvriers de *Shanghai* appellent à la grève pour soutenir les étudiants. *-28-6* la Ch. refuse de signer le tr. de paix avec l'Allemagne. **1921**-*2-4* Canton, gouv. républicain de Sun Yat-sen. *Juill.* Shanghai, fondation du P.C. Chinois. **1922** *févr.* les puissances réaffirment la politique de la Porte ouverte ; les droits allemands sur le Shandong sont rendus à la Ch. *-3-2* Sun Yat-sen chassé de Canton par son ancien allié Chen Jiongming. **1923**-*26-1* déclaration Sun-Joffé qui permet la coopération Guomindang-U.R.S.S. *-21-2* Sun Yat-sen reprend direction du gouv. de Canton. *Fév.* grève des cheminots ligne Pékin-Hankou. *Nov.* Canton, arrivée du conseiller politique soviétique Mikhail Markovitch Gruzenberg dit Borodine (1884-1951). **1924** *oct.* arrivée du conseiller militaire soviétique Galen dit Blücher. **1925**-*12-3* mort de Sun Yat-sen à Pékin [sa veuve Song Jeagling (sœur de Song Meiling, épouse de Tchang Kaï-chek) rompt avec le Guomindang et part pour l'U.R.S.S. ; 1944 vice-Pte de la Rép. populaire]. *-30-5* police britannique tire sur des manif. à Shanghai. **1926**-*20-3* 1er coup de force de Tchang Kaï-chek : incident de la canonnière *Zhongshan* à Canton. *Juill.* départ de l'expédition du Nord (Beifa) qui prend Changsha et Wuhan. **1927**-*21-3* 3e *insurrection de Shanghai* (victorieuse). *-12-4* Coup de Shanghai, Tchang massacre communistes et syndicalistes. *-1-8* insurrection comm. de Nanchang (naissance officielle de l'Armée rouge). *Août-déc.* retraite provisoire de Tchang qui épouse Song Meiling. *Août* soulèvement de la Moisson d'automne (Hubei, Hunan). Après la défaite, Mao se réfugie dans les Jinggangshan et mobilise les paysans du Jiangxi jusqu'en **1934. 1928** *avr.* reprise de l'expédition du N. qui prend Pékin (juin). *-4-6* Zhang Zuolin assassiné par Jap. *-10-10* gouv. national à Nankin. **1930** *mars* 1re des 5 campagnes d'anéantissement des communistes du Jiangxi. **1931** *janv.* 28 bolcheviks éliminent Li Lisan et prennent la direction du P.C. *Été* inondation du Yangzi. *-18-9 incident de Moukden,* le Jap. envahit la Mandchourie. **1932** *janv.-mars* g. de Shanghai (incidents sino-jap.). *-9-3* la Mandchourie devient Mandchoukouo (protectorat sous l'autorité nominale de Puyi, le dernier empereur). **1934**-*15-10* départ de la *Longue Marche* (369 j., terminée le *20-10-***1935**) au N. du Shaanxi. **1936** *juin* révoltes des deux Guang (Guangdong et Guangxi) matées. **1937**-*7-7 incident du pont Marco Polo* à Lugougiao, début de la g. sino-jap. (dure jusqu'en 1945). *Fin sept.* victoire de Lin Biao à Pingxingguan. *Fin nov.* Jap. prennent Shanghai. *-3-12 à fin févr. 1938* prise et viol de Nankin (200 000 †). **1938** *mai* chute de Xuzhou, destruction des digues du fleuve Jaune. *Oct.* début de la g. d'usure. *-18-12* défection de Wang Jingwei. **1940**-*30-3* gouv. national à Nankin, dirigé par Wang Jingwei. **1942** route de la Birmanie coupée jusqu'en 1945. *Oct.* U.S.A. et G.-B. renoncent à leurs droits d'extraterritorialité. **1945** capitulation du Japon. *-10-10* accord Tchang-Mao mais la g. civile reprend.

Présidents

1912-16 Yuan Shikai (1859-1916), empereur quelques jours 1915. **1916-21** Li Yuang-hong. **1921-25** Sun Yat-sen (1866-1925). **1926-75** Tchang Kaï-chek (1887-1975, Cdt en chef des armées du Nord 1926), généralissime 1928, directeur du Guomindang 1938, Pt de la Rép. 1943, réfugié à Formose 1949.

République populaire

Quelques dates. 1949 *-31-1* Pékin occupé par communistes *-1-10* Rép. populaire proclamée. *-8-12* Tchang, battu par com., se réfugie à T'ai-wan avec 600 000 h. Mao élu Pt, signe un tr. d'amitié avec U.R.S.S. **1950**-*6-1* la G.-B. reconnaît la Ch. pop. (échanges de chargés d'affaires 1954, ambassadeurs en 1972). *-14-2* tr. d'alliance avec U.R.S.S., crédit de 300 millions de $ obtenu. *-25-10* 54 divisions de « volontaires » ch. participent à la g. de Corée. **1951**-*21-2* règlements sur la suppression des éléments contre-révol. (5 catégories : bandits, despotes locaux, agents secrets du Guomindang, chefs des partis non com., membres des Stés secrètes). Exécutions : 5 millions [(1 % de la pop.) Mao avait conseillé de condamner à mort env. 20 % des inculpés, mais les « tribunaux pop. » ont dépassé ce chiffre]. *-23-5 tr. de Pékin avec Tibet :* la Ch. reconnaît le gouv. lamaïque et accorde l'autonomie. *-15/20-10* occupation mil. du Tibet. **1953**-*1-1* début du 1er plan quinquennal. *-3-2* la VIIe flotte amér. reçoit l'ordre de ne plus gêner les opérations nationalistes contre le continent. *-27-7* fin de la g. de Corée. **1954** (Viêt-nam) *mars-mai* bataille de Dien-Bien Phu : conseillers chinois ; livraison d'armes au Viêt-minh. *Août-oct.* Constitution. *Oct.* Khrouchtchev à Pékin. l'U.R.S.S. restitue Port-Arthur, annule les dernières concessions russes en Ch. (chemins de fer, sociétés mixtes), accroît l'aide économique. **1956** *févr.* XXe congrès du P.C. de l'U.R.S.S., Khrouchtchev prononce un réquisitoire contre Staline ; la Ch. distingue mérites et erreurs du défunt. **1957** *-27-4* les *Cent Fleurs* (campagne de discussions publiques) ; mouvement « antidroitier » à partir de juin contre intellectuels jugés « trop critiques ») ; *oct.* accord sur livraison d'armes atomiques avec U.R.S.S. **1958** *mai* Mao décrète le **« grand bond en avant »** (collectivisation accélérée des terres, inscrite dans une réforme communale ; multiplication des petites entreprises industrielles) ; des années « noires » suivront [de 1958 à 61 : régression alim. (prod. de céréales passe de 200 à 143 millions de t) : 20 millions de décès supplémentaires, 32 millions de naissances en moins] ; bombardement des îles de Quemoy et Matsu (aux Nationalistes). Élimination des oiseaux (pour protéger les cultures) ; *conséquences :* ravages des insectes, vers etc. **1959**-*19/27-3* rébellion au Tibet réprimée (voir p. 907). Khrouchtchev n'accorde pas à Mao le soutien escompté. *-20-6* l'U.R.S.S. répudie l'accord d'oct. 1957 sur la bombe at. *-30-9* Khrouchtchev à Pékin plaide pour entente avec U.S.A. ; il est mal reçu, 1ers incidents frontaliers sino-russes au Xinjiang.

1960-*21-4* 1ers grands textes antirévisionnistes à Pékin. *-20-6* P.C. roumain attaque dirigeants ch. ; Albanie se rallie à Pékin. *-16-7* l'U.R.S.S. rappelle ses spécialistes de Ch., met fin à presque toute assistance. *Nov.* conférence des 81 P.C. à Moscou, 2e « déclaration de Moscou », compromis que Ch. et U.R.S.S. interpréteront en sens opposé. Échec du « grand bond en avant » (explications de Mao : 1° fin de l'aide soviétique ; 2° déformation des directives par les leaders prosoviétiques : Deng Xiaoping, Peng Chen (maire de Pékin), Liu Shaoq (Pt, 1898-1974). Mao lance contre eux le « mouvement d'éducation socialiste » (1962). **1961-62** incidents aux frontières Xinjiang-U. 50 000 Kazakhs et Uighurs tentent de passer au Kazakhstan (U.R.S.S.). Fermeture de la frontière et répression du côté c. Révolte antich. de 5 000 musulmans dans la vallée d'Ili. **1962** *sept.* la C. accuse l'U. de soutenir l'Inde. *Oct.* crise de Cuba : la C. accuse Khrouchtchev de capitulationisme. **1963** *mars* Mao propose le soldat Lei Feng († 1962 à 22 ans) comme modèle. *-6/20-7* rencontre de délégués ch. et russes pour réconciliation ; échec. *-5-8* *tr. de Moscou* sur l'interdiction partielle des essais nucléaires (dénoncé par Ch.). *-20-8* l'U. annonce que plus de 5 000 violations de frontière ont été commises par les C. en 1962. *-7/9-9* incident à la gare frontière de Naouchki entre cheminots c. et douaniers sov. *G. avec l'Inde* (motif : après l'occupation du Tibet par les Ch., l'Inde dénonce le tr.). **1964**-*27-1* la Fr. reconnaît la Ch. (échange d'ambassadeurs). *Févr.* rapport Souslov devant le P.C. sov., faisant la somme des accusations russes contre la C. Échec des conversations de Pékin au sujet des frontières. *-10-7* Mao dénonce empiètements territoriaux de l'U. *-16-10* 1er essai nucléaire ch. **1965** *début* Brejnev-Kossyguine tentent une réconciliation, notamment par l'unité d'action au Viêt-nam. *Mars* réunion à Moscou de 19 P.C. pour préparer une conférence intern. des P.C., la C. refuse de s'y rendre. *Sept.* Mao charge Lin Biao de définir une nouvelle politique extérieure : lutte armée contre les impérialismes dans tous les continents. *Fin :* 10 P.C. ont passé dans le camp chinois (3 au pouvoir : Albanie, Corée du N., Nord-Viêt-nam ; 7 dans l'opposition : Indonésie, Japon, Laos, Malaisie, Thaïlande, Sud-Viêt-nam, N.-Zélande) ; 13 P.C. ont eu une scission prochinoise : Australie, Belgique, France, Espagne, Suisse, Brésil, Colombie, Mexique, Paraguay, Birmanie, Ceylan, Inde, Liban ; 4 ont des fractions prochin. dans leurs rangs : Autriche, Équateur, Pérou, Népal. A Cuba, le P.C. (au pouvoir), après avoir hésité, choisit le camp. sov. (la C. condamne dès lors le « castrisme »).

Révolution culturelle. En principe il s'agit de « prévenir le révisionnisme » ; en fait, en créant les *« gardes rouges »,* armés et conditionnés idéologiquement, Mao met les cadres du parti sous le contrôle mil., fait persécuter intellectuels et cadres compétents, élimine ses principaux adversaires : Peng Chen, Liu Shaoqi et Deng Xiaoping. **1967**-*25-1* incidents avec des étud. ch. à Moscou. *-26-1/12-2* siège de l'ambassade sov. à Pékin. 40 divisions sov. sur la frontière devant 50 à 60 divisions ch. (soit plus de 600 000 h.). Xinjiang, Kazakhs et Uighurs fuient en U. la rév. cult. **1967-68** mise en place de comités maoïstes en province (consignes : faire la révolution, promouvoir la production). **1969**-*2/15-3* incident avec U. (32 Chinois tués, 22 Russes ?) au sujet de l'île Damansky (Chen-Pao, pour la Ch.) sur l'Oussouri, île plate et désolée souvent recouverte par les eaux. Selon la Ch., le tr. de Pékin (nov. 1860) aurait inclus Damansky en Ch. et l'U. l'aurait admis en 1964. Lin Biao critique la « superstructure » sov. (créatrice d'une nouvelle bourgeoisie bureaucratique). La Ch. veut rapprocher cadres et masses (contre-critique soviétique : la Ch. veut appauvrir les cadres, car elle vise l'austérité générale ; l'U. veut le bien-être des masses). *-31-10* Liu Shaoqi privé de ses fonctions.

1970-*26-8 au 6-9* Mal Lin Biao (n. 1908) essaie de se faire élire Pt de la Rép. Détente amorcée avec U.S.A. Reconnaissance par Italie. **1971**-*10/17-4* visite d'une équipe de ping-pong amér. *-9-7* voyage secret de *Kissinger* à Pékin. *-8* et *-11-9* tentatives d'assassinat de Mao par Lin Biao (attaque du train). *-13-9* mort de Lin Biao dans un acc. d'avion en territoire mongol en fuyant Pékin (ou abattu le 11-9 dans un restaurant de Pékin sur ordre de Jiang Qing, femme de Mao). *-26-10* admission à l'O.N.U. (T'ai-wan expulsée) ; la Ch. devient m. permanent du Conseil de Sécurité. Début du IVe plan quinquennal (1971-75). **1972**-*21/28-2* Pt Nixon en Ch. Les U.S.A. reconnaissent que T'ai-wan fait partie de la Ch. *-1-9* Tanaka, PM jap., en Ch. : le J. reconnaît la Ch. *Automne* campagne contre Lin Biao et Confucius [philosophe (551-479 av. J.-C.) pour avoir fait assassiner (?) un adversaire progressiste, Sheo Cheng Mao (Tchao Koung, roi de Lou, † 501)]. Reconnaissance par All. féd. **1973** tendance « aller à contre-courant », qui a pris en main la critique contre Lin Biao et Confucius, et tente de lancer une 2e révolution culturelle, visant principalement Zhou Enlai (semi-échec : tout se terminera en 1975). *-12-4* Deng Xiaoping réapparaît en public après disgrâce de 6 a. *Sept.* Pompidou en Ch. **1974**-*20-1* la Ch. occupe 4 archipels, les Hsisha (Paracels) et réaffirme sa souveraineté sur les 2 îlots de Nansha [(Spratley) que le Viêt-nam du S. occupait], les Chung-sha (Macclesfield Bank) et Tung-sha (Pratas) ; critique de Lin Biao. **1975** *janv.* la Ch. accepte les dispositions des tr. de 1858 et 60, demande restitution de 20 000 km² occupés par l'U. en violation de ces tr. L'U. refuse d'admettre l'existence de « régions contestées ». La Ch. soutient Pt Mobutu, le Shah, Gal Pinochet. *Janv.* Deng Xiaoping vice-Pt du parti, vice-PM et chef d'état-major gén. *Août* troubles dans usines notamment à Hangzhou. *Oct.* incidents frontaliers avec Inde : dizaines de soldats indiens tués (?). *Nov.* journaux muraux à Pékin contre le min. de l'Éducation nat. *-3/7-12* Pt Ford en Ch. **1975-76** inondations du fl. Jaune dans le Honan (700 000 †). **1976**-*8-1* Zhou Enlai (n. 1898) meurt. *-8-2* Hua Guofeng [n. 1909, ancien commissaire pol. de Canton (1972), min. de la Sécurité publ. et vice-PM (1975)], PM par intérim. Campagne d'affiches contre Deng Xiaoping (ex-vice-PM) et ceux qui « suivent les voies capitalistes ». *20/28-2* R. Nixon en Ch. *févr.* dénonciation d'infiltrations sov. au Xinjiang. *-5-4* manif. modérés à Pékin (place Tiananmen ; 100 †). *-7-4* Deng Xiaoping destitué, Hua Guofeng PM. *-28-7* tremblement de t. à Tangshan et Fengnan (242 000 †). *-30-7* alerte à Pékin. *-9-9* Mao meurt.

Après Mao. **1976**-*6-10* **« bande des quatre »** arrêtée : Zhang Chunqiao (n. 1911 ; ex-vice-PM), Yao Wenyuan [journaliste, n. 1924 (ex-membre du bureau pol. du parti)], Wang Hongwen (n. 1937 ; ex-vice-Pt du parti), Jiang Qing (ép. de Mao). *-26-12* réhabilitation du Mal Ho Lung († 1969 ?). Les cadres épurés pendant la rév. culturelle reviennent en masse. Hua Guofeng Pt du Comité central. **1977** *janv.* Pékin, affiches réclament retour au pouvoir de Deng Xiaoping. *Mars* dizaines d'exécutions en province. *-16/21-7* Deng Xiaoping rétabli dans ses fonctions par le Comité central, exerce en partie un pouvoir dictatorial. Purges (milliers de fusillés). *-12/18-8* XIe congrès du P.C.C. : nouvelle const., Hua Guofeng Pt du Comité central (n'exerce pas la réalité du pouvoir). *Sept.* visite de Pol Pot. **1978** Confucius réhabilité. *-1-2* abandon de la politique d'autosuffisance écon. (des régions, localités, entreprises) au profit de la « spécialisation » et de la « coordination » entre unités de production. *-26-2/5-3* 1re session de la 5e Ass. nat. pop. (3 500 délégués, dont des religieux) : Hua Guofeng confirmé Pt du parti et PM, nouvelle constitution. *-3-4* tr. commercial avec la C.E.E. *-4-4* à Pékin affiches dénonçant les « clowns politiques » au pouvoir. *-3-7* suspension aide écon. au Viêt-nam. *-7-7* rupture avec Albanie demeurée maoïste. *-12-8* tr. sino-jap. de paix et d'amitié. *Août* rétablissement des privilèges des « Chinois d'outre-mer » (dans le Guangdong, 1/8 de la pop. reçoit des virements de parents de l'étranger ; restitution aux propriétaires légitimes des villas fermées en 1966). Incidents frontaliers sino-viet. *Nov.* libération des derniers « tenants de la droite » envoyés en 1957 en camps de rééducation. 160 000 Sino-Vietn. rentrent en Ch. *-11-12* réhabilitation du Mal Peng Tehuai et de Tao Chu confirmée ; Li Juishan, 1er secr. de Shensi, démis. *-15-12* relations dipl. reprises entre Chine et U.S.A. **1979**-*1-1* U.S.A. normalisent complètement leurs relations dipl. avec Ch. Le « grand bond en avant » (voir 1958) est qualifié de « grand bond en arrière » ; les 4 modernisations de Zhou Enlai redeviennent la doctrine officielle. *-10-1* les « anciens capitalistes » retrouvent leurs biens confisqués pendant la rév. culturelle. *-28-1/5-2* Deng Xiaoping aux U.S.A. (propose une coalition antisoviét.). *Février* le parti décide de ne plus appliquer les étiquettes attribuées aux 8 catégories nuisibles : propriétaires fonciers, paysans riches, contre-révolutionnaires, mauvais éléments, droitistes, militaires et policiers du Guomindang, agents ennemis capitalistes (la 9e cat. était les intellectuels sous la révolution culturelle) ; la suppression des étiquettes sera annoncée officiellement le 2-1-84. *-17-2* l'armée ch. entre au Viêt-nam pour le punir d'avoir envahi le Cambodge *-5-16/3* retrait des troupes ch. du Viêt-nam. (*bilan :* tués Chinois 26 000, Viêt 30 000). *Avril* la Ch. dénonce le tr. sino-sov. du 14-2-1950. *-10-10* 5 000 ét. manif. à Pékin. *-11-10* 1er congrès dep. 20 a. des vieux P. démocr. *Oct.-Nov.* Pt Hua Guofeng en Europe (en Fr. 15/21-10).

1980 réhabilitations : *23/29-2* Liu Shaoqi, Li Lisan (1896-1967) *-19-3* Qu Qiudai [secr. gén. du P.C. (1927-28) fusillé par le Guomindang en 1935]. *-17-5* deuil nat. à la mémoire de Liu Shaoqi. *-Sept.* Zhao Ziyang (n. 1919) PM *-29-10* explosion gare de Pékin, 10 †, 81 bl. *-31-10* Kang Sheng (1903-75) exclu du P.C. à titre posthume. *-17-11* Confucius reconnu comme « une des gloires de la nation ». *-20-11* début du procès des « 2 cliques contre-révol. » : les 5 Gaux complices du Mal Lin Biao († en 71) et la « bande des 4 » + Chen Boda. **1981**-*25-1* Jiang Qing, veuve de Mao, à laquelle on a reproché 727 425 crimes ayant fait 34 724 †, est condamnée à mort avec 2 ans de sursis (non exécutée). *Juin* Mgr Deng, évêque de l'Église cath. chinoise, nommé év. de Canton par Jean-Paul II, destitué. *Juill.* consécration de 5 év. **1982**-*7-5* gouv. remanié. *-31-5/5-6* visite du PM au Japon. *Juin* dissidents Wang Yizhe et He Qiu condamnés à 14 et 10 ans de prison. *-3-7* visite du Panchen Lama au Tibet (1re fois dep. 1964). *Juil.* reprise en main du Xinjiang (agitation religieuse et incidents entre Hans et Uighurs dep. 1981). *-18/20-6* athlètes sov. à Pékin (1re fois dep. 17 ans). Réhabilitation de 3 millions de cadres du PC exclus après 76. **1983** *févr.* reprise des négociations Ch./U. : Qian Qichen à Moscou ; commissions frontalières sur l'Oussouri et l'Amour (ouvertures de points de passage). *Août* 700 000 arrestations, 5 000 (?) droits communs exécutés, interdiction de posséder des chiens, extermination des 400 000 chiens de Pékin (risque de rage). **1984**-*janv.* le PM Zhao Ziyang aux U.S.A. *-2-7* mort d'Ochi Huyakt (n. 1900), dernier descendant (32e génération) de Gengis Khan. *-26-9* accord avec G.-B. sur Hong Kong. **1985**-*janv.* 1res actions (60 000 à 50 yuans = 1,5 million de $) émises dep. + de 30 ans. *-3-7* Mgr Ignatius Gong Pinmei libéré sous condition. *-6-3* 1er concours de beauté dep. 1949 parrainé par firme de cosmétiques occidentale. *-18-9* manif. anti-jap. de milliers d'étudiants. *Déc.* manif. à Uruma (4 000 à 10 000) et à Pékin (400) contre essais nucléaires au Xinjiang. *-24-12* cathédrale de Pékin réouverte. **1986**-*3-5* un avion de Taiwan atterrit à Canton. *-19-5* accord entre les 2 C. (1re conversation entre elles). *-27-5* Dalaï-Lama à Paris pour 4 j. *-18-6* accord C.-U.S.A. : des fusées ch. lanceront des satellites amér. *-6-7* yuan dévalué de 15, 8 %. *Juillet* 1re faillite d'une usine annoncée dep. 1949. *-12/19-10* reine d'Angl. en C. *-22-10* accord avec Portugal sur Macao. *-5-11* visite de 3 navires de g. américains à Qingdao (1re visite de ce genre dep. 1949). *Déc.* manif. étudiants dans 17 villes (dont Shanghai et Pékin). Rapprochement avec Pacte de Varsovie (sauf U.R.S.S.). Manif. étudiants (Hefei, Shanghai, Pékin...). **1987** *janv.* incidents avec Viêt-nam [tués 600 Ch., Viet. 500 (?)] ; 3 intellectuels expulsés du P.C. pour « libéralisme bourgeois » (Liu Binyan, Fang Lizhi et Wang Ruowang) ; réforme politique accélérée et rééquilibrage du commerce extérieur. *-16-1* Hu Yaobang, secr. gén. du parti, destitué pour ne pas avoir réprimé assez durement les manif. étudiantes de déc. 86 ; *mai* incendie dans le N.E., 650 000 ha ravagés. *Août* expulsion du P.C. d'autres intellectuels. *Oct.* manif. nationalistes au Tibet. *Nov.* Li Xiannian, 1er Pt de la C. à venir en Fr. *-25-10* XIIIe congrès du parti à Pékin, Zhao Ziyang secr. gén. *-4-11* Li Peng PM *-30-11* relations normales avec Laos. *-7-12* manif. étudiante à Pékin (1 000 †). **1988**-*2-4* statues de Mao à l'université de Pékin démolies. *-18-5* Deng Xiaoping « refuse le socialisme intégral », conseille « un soc. conforme à chaque pays ». *-25-5* Jiang Qing, la veuve de Mao, sort de prison. *-22-6* selon Deng Xiaoping, le maoïsme est responsable de 20 ans de « grandes souffrances ». *-26-6* 2 évêques protestants consacrés à Shanghai. *-30-11* tr. avec Mongolie sur frontière commune. *-1-12* min. des Aff. étr. Qiang Qichen à Moscou (1re visite dep. 30 ans). *-19-12* Rajiv Gandhi à Pékin. *-24-12* incidents avec étudiants afric. à Nankin. **1989**-*5-1* 300 étud. afric. de Pékin et 130 de Nankin dem. leur rapatriement. *-12-1* Qian Qichen à Paris. *Févr.* l'U. retirera 260 000 soldats en 2 ans de ses terr. asiat., 65 000 h de Mongolie, et toutes ses escadrilles. Elle maintiendrait de 500 000 à 700 000 h le long de sa frontière avec la C. *-15-4* Hu Yaobang meurt. *-22-4* manif. étudiantes lors de ses obsèques. *-27-4* 1 000 000 manif. place Tiananmen, Pékin. *Mai* 1re délégation off. de Taiwan à Pékin pour réunion de la Banque asiatique de dévelop. *-2-5* Shanghai, manif. étud. *-4-5* grand rassemblement place Tiananmen. *-8-5* après 15 j de grève, de nombreux étudiants reprennent les cours. *-13-5* Tiananmen, début de la grève de la faim des étud. *-15/18-5* visite de Gorbatchev. *-17-5* 1 000 000 manif. à Pékin, demandent démission de Deng Xiaoping. Visite de Gorbatchev à la Cité interdite annulée. *-19-5* Tiananmen, Li Peng (PM) fait appel à l'armée ; la pop. la bloque à l'entrée de Pékin. *-20-5* loi martiale. *-21-5* 1 000 000 manif. *-24-5* repli de l'armée dans la banlieue. *-29-5* Tiananmen, les étud. érigent une réplique de la statue de la Liberté rebaptisée « Déesse de la Démocratie ». *Nuit du 2 au 3-6* l'armée ne peut pas reprendre pacifiquement le contrôle de Tiananmen ; *nuit du 3 au 4-6* l'armée tire ; plusieurs milliers de † (?). *Juin* arrestations (10 000 ?) campagnes télévisées appelant à la délation. *-21-6* plusieurs émeutiers exécutés (7 à Pékin et 3 à Shanghai). *-20-7* Paris, formation d'un *Front démocratique*. *-30-7* des religieuses prennent le voile à Pékin. *-31-7* † de Zhou Yang, censeur des lettres. *-1-8* les dirigeants n'auront plus droit à une nourriture spéciale. *-5-8* selon *China Daily*, dep. 1980, 20 † et 1 200 irradiés par suite d'accidents nucléaires. *-11-8* Yu Zhijian condamné à perpétuité pour avoir profané un portrait de Mao. *-16-9* Deng Xiaoping réapparaît en public (1re dep. le 9-6). *-20-9* † de Chen Boda, ancien secrétaire de Mao. *-7-10* la Ch. proteste contre Nobel de la paix attribué au Dalaï-Lama. *-9-11* Deng Xiaoping démissionne de la présidence de la commission militaire du P.C. (remplacé par Jiang Zemin). *Déc.* 12 évêques catholiques arrêtés ; yuan dévalué de 21,2 %. *Du 4-6 à fin 1989,* le gouv. reconnaît 40 exécutions et 6 000 arrestations (selon certains : 10 000 à 30 000). **1990**-*20-1* 573 « contre-révolutionnaires » libérés. *-27-1* nouvel an lunaire, concert du rocker Cui Jian autorisé. *Janv.* 12 évêques catholiques arrêtés. *Févr.* levée de la loi martiale. *-8-2* prêt de Banque mondiale (30 millions de $) pour reloger 175 000 personnes à la suite du tremblement de terre d'oct. 89 dans le Shanxi et le Hebei. *Avril* étudiante Chai Ling, dirigeante du « Printemps de Pékin », réfugiée en France, 10 000 dissidents chinois dans le monde dont 2 500 en France. Troubles au Xinjiang (22 †). *-23/26-4* Li Peng en U.R.S.S. (1er responsable chinois depuis 1964). *Fin avril* congrès d'opposants chinois à Berlin-Est. *Mai* Xu Jiatung, ancien représentant à Hong Kong, passe aux États-Unis. 67 banques jap. accordent 2 milliards de $ de crédit. *-10-5* 211 prisonniers du « Printemps de Pékin » relâchés (plusieurs milliers incarcérés). *30-5* 11 personnes exécutées à Pékin. *-25-6* dissident Fang Li-zhi, réfugié à l'ambassade U.S. dep. 7-6-89, autorisé à émigrer. *Juill.* rétablissement des rel. diplom. avec Arabie Saoudite. *Fin juill.* arrestation de Mgr Xie Shiguang et de 14 prêtres et diacres de l'Église catholique clandestine accusés d'avoir ouvert un séminaire, ordonné des prêtres et prêché à des – de 18 ans. *-8-8* rétablissement des rel. diplom. avec Indonésie (suspendues dep. 1967). *Sept.* réapparition en public de Zhao Ziyang. *-3/7-9* visite secrète en Chine des Vietnamiens Nguyên Van Linh (secr. gén. du P.C.) et Pham Van Dông. *-22-9* mort du Gal Xu Xianqian. Ouverture à Pékin des 22es Jeux Asiatiques. *-24-9* réconciliation Chine-Viêtnam après 12 ans de brouille. *-2-10* détournement d'avion à Canton, 127 †, 46 bl. *-3-10* rel. diplom. avec Singapour rétablies. *-20-12* réouverture de la bourse de Shanghai (fermée dep. 41 ans), 7 stés cotées, capitalisation boursière 175 millions de $, 25 maisons de titres (le marché des valeurs a été réintroduit en Chine en 1984).

1991-*2-4* Duanmu Zheng, vice-pt de la Cour Suprême, annonce que 715 dissidents ont été condamnés pour participation aux événements de 1989. *Mai* commerce frontalier avec Inde interrompu dep. 1962, ouverture d'un point de transit à Garbyang (6 en 1962) ; réconciliation avec URSS.

Présidents

1949 (21-9) MAO TSÉ-TOUNG, né 26-12-1893 à Shaoshan dans le Hunan. *1921*-1-7 participe à la fondation du P.C.C. à Shanghai. *1927* crée, après l'échec du soulèvement de la « moisson d'automne » dans les monts Jinggang, la Rép. du Jiangxi. *1931* Pt. *1934* Longue Marche. *1935*-8-1 Pt du P.C.C. *1945* confirmé par le VIIe congrès à Yenan. *1949*-1-10 Pt du « Gouv. central du peuple ». *1954* Pt de la Ch. pop. *1959* fin du mandat, Liu Shaoqi lui succède (destitué 1968). *1969 avril* Pt du Parti. *1973* Août Xe congrès consacre son autorité sur Parti et Ch. *1976-9-9* mort. *1977 août* mausolée de marbre achevé (ht 33 m, style néoclassique grec) place Tiananmen. *Femmes : Yang Kaihui* (exécutée 1930 à Changsha), *He Zizhen* (répudiée 1938, 40 ans dans un hôpital psychiatrique), *Jiang Qing* [(1914-91) 1933 adhère au P.C., actrice de cinéma, 1941 donne à Mao son seul enfant, une fille, Li Na ; 1949-59 séjours en U.R.S.S. pour soigner un cancer ; 1976-*9-9* éloignée de Mao ; 1981-*25-1* condamnée à mort avec sursis de 2 ans, 1982 peine commuée en détention à perpétuité, se suicide le 14-5-91].

1959 (27-4) LIU SHAOQI (1898-2-11-1974) (destitué). **1968 (31-10)** MAO TSÉ-TOUNG reprend la présidence jusqu'à sa mort (9-9-1976). **1976** plus de président, mais un conseil d'État ; les fonctions de chef de l'État sont assurées par le Mal YE JIANYING (n. 1898). DENG XIAOPING (n. 22-8-04, secr. du comité central 1956-67) exerce un pouvoir dictatorial. **1983 (18-6)** LI XIANNIAN (n. 1909). **1988 (8-4)** Gal YANG SHANGKUN (n. 1907).

Institutions

• **Statut.** Rép. pop. « État socialiste de dictature démocratique du Peuple, dirigé par la classe ouvrière, et fondé sur l'alliance des ouvriers et des paysans » le peuple participe à la gestion de l'État. État unifié multinational.

Const. du 4-12-1982 : 138 articles. L'idéologie directrice est :

Art. 2. Tout le pouvoir appartient au peuple. Les organes par lesquels le peuple exerce le pouvoir d'État sont l'Assemblée populaire nationale et les ass. pop. locales. *3.* Tous les organes de l'État pratiquent le « centralisme démocratique ». *4.* Toutes les nationalités sont égales en droits... Elles jouissent de la liberté d'utiliser et de développer leurs usages et coutumes. Autonomie régionale là où les minorités nationales vivent en groupes compacts. *6.* Le régime écon. socialiste a pour base la propriété publique soc. des moyens de production, c.-à-d. la propriété du peuple entier et la propriété collective des masses laborieuses. *7.* L'économie d'État est un secteur soc. fondé sur la propriété du peuple entier ; elle est la force dirigeante de l'économie nationale. *8.* Les communes populaires rurales, les coopératives agricoles de production et l'économie coopérative sous ses diverses autres formes – production, approvisionnement et vente ; crédit et consommation – relèvent du secteur soc. de l'économie fondé sur la propriété collective des masses laborieuses. Les travailleurs qui participent à ces organisations économiques collectives rurales ont le droit, dans les limites définies par la loi, d'exploiter des parcelles de terre cultivable ou montagneuse réservées à leur propre usage, de se livrer à des productions subsidiaires familiales et de posséder des têtes de bétail à titre individuel. Les diverses formes de l'économie coopérative qui englobent les entreprises des agglomérations urbaines s'occupant de l'artisanat, de l'industrie, du bâtiment, des transports, du commerce et des services appartiennent toutes au secteur soc. de l'économie. *9.* Les ressources minières, les eaux, les forêts, les terres montagneuses, les prairies, les terres incultes, les bancs de sable et de vase, et les autres ressources naturelles sont propriété d'État. Exceptions : les forêts, terres montagneuses, prairies, terres incultes et bancs de sable et de vase qui, en vertu de la loi, relèvent de la propriété collective. *10.* Dans les villes, la terre est propriété d'État. A la campagne et dans les banlieues des villes, elle est propriété collective, exception faite de celle qui, en vertu de la loi, est propriété d'État ; de même, les terrains pour construction de logements et les parcelles de terre cultivables ou montagneuses réservées à l'usage personnel sont propriété collective. Nulle organisation, nul individu, ne peut s'approprier des terres, en faire un objet de transactions, les donner à bail ou les céder illicitement à autrui sous d'autres formes. *11.* L'économie des travailleurs des villes et de la campagne, pratiquée dans les limites définies par la loi, constitue un complément du secteur soc. de l'économie fondé sur la propriété publique. *15.* L'État pratique une économie planifiée fondée sur le système soc. de la propriété publique. *18.* Conformément aux dispositions de la loi, les entreprises, les autres organisations économiques et les citoyens de pays étrangers sont autorisés à faire des investissements en Ch. et à y pratiquer diverses formes de coopération écon. avec les entreprises ou les autres organisations économiques ch. *25.* L'État encourage le planning familial pour assurer l'harmonie entre la croissance démographique et les plans de développement écon. et social. *35 et 36.* Les citoyens jouissent de la liberté de parole, de presse, de réunion, d'association, de cortège et de manifestation. Ils jouissent de la liberté religieuse. Les groupements religieux et les affaires religieuses ne sont assujettis à aucune domination étrangère. *37 à 40.* La liberté individuelle, la dignité personnelle et le domicile des citoyens sont inviolables. La liberté et le secret de la correspondance des citoyens sont garantis par la loi. *42.* Les citoyens ont droit au travail et le devoir de travailler. *48 à 49.* La femme jouit de droits égaux à ceux de l'homme dans tous les domaines... L'homme et la femme reçoivent une rémunération égale pour un travail égal. Le mariage, la famille, la mère et l'enfant sont protégés par l'État. Le mari comme la femme ont le devoir de pratiquer le planning familial. *52 et 53.* Les citoyens doivent préserver l'unité du pays et l'union de ses nationalités ; respecter la Constit. et la loi.

Assemblée populaire nationale. Organe suprême du pouvoir d'État. *Comité permanent* 133 m. *Pt :* Peng Zhen (n. 1902, dep. 6-1983). *Députés : 1988 :* 2 978 [(en %) cadres révol. 24,7, intellectuels 23,4, ouvriers 22,9, paysans 20,6, militaires 9, patriotes 8,9, Chinois d'outre-mer rapatriés 1] élus pour 5 ans par les ass. pop. de provinces, régions autonomes (1 pour 800 000 h.) et municipalités (1 pour 100 000 h.) relevant directement de l'autorité centrale, et par les forces armées. Se réunit 1 fois par an sur convocation de son Comité permanent. Pouvoirs législatifs. Nomme le PM du Conseil des aff. d'État et, sur proposition de celui-ci, les m. du Conseil élisent le Pt de la Cour suprême et le procureur gén. du Parquet pop. suprême. Dep. 1988, vote à bulletin secret.

Gouvernement. « Conseil des affaires d'État », membres élus par l'Ass.). Au 1-12-87 : *PM* Li Peng (n. 1929) dep. nov. 87, le 9-4-91 annonce qu'il le restera jusqu'en mars 93 ; 14 *vice-PM* ; 11 *conseillers d'État* ; 1 *secr. gén.* ; 41 *ministres ou Pts de Commissions d'État.* Moy. d'âge (1988) : 61 ans (avant 67 ans).

Fête nationale. 1er octobre (proclamation de la République). **Drapeau.** Adopté 1949. Rouge avec une grande étoile jaune (le progrès du Parti) et 4 petites (les classes sociales).

Parti communiste chinois. *Fondé* juill. 1921. **Comité central :** 279 m. dont 173 titulaires et 106 suppléants (moy. d'âge nov. 87 : 55 a.), **secrétaire gén.** Jiang Zemin dep. 24-6-1989 [avant, Hu Yaobang (1915-89)] ; dep. févr., 1980 9 secrétaires et 2 suppléants. **Bureau politique :** 17 m. et 1 suppl. (moy. d'âge 1984 : 76 ans ; nov. 87 : 64) dont 6 en comité permanent [Jiang Zemin, Song Ping, Li Peng (n. 1929). Qiao Shi (n. 1924), Yao Yilin (n. 1917), Li Ruihuan]. **Membres :** 46 000 000 (87) : entre 1982 et 1986 : 151 935 exclus pour raisons disciplinaires. **Congrès :** tous les 5 ans. **1er** *juil. 1921* Shanghai. **2e** *juill. 22* Shanghai. **3e** *juin 23* Canton. **4e** *janv. 25* Shanghai. **5e** *avr. 27* Hankou. **6e** *juill.-sept. 28* Moscou : 84 dél. représentent 40 000 m., nouvelle ligne menant au *lilisanisme* (rév. ouvrière et urbaine) et à son échec ; Mao, appuyé par l'armée et la révol. paysanne, l'emporte sur Li Lisan. **7e** *avr.-juin 45* Yan'an : union autour de Mao ; programme de coalition avec les bourgeois patriotes en vue de la révol. socialiste. **8e** 1re session *sept. 56*, 2e *mai 58* Pékin : « Grand bond en avant ». **9e** *avr. 69* Pékin : élimination de Deng Xiaoping, Liu Shaoqi... **10e** *24/28-8-73* Pékin : modification des statuts du parti, remaniement du bureau pol., condamnation du « groupe anti-parti » de Lin Biao et Chen Boda. **11e** *août 77* Pékin. **12e** *sept. 82* Pékin. **13e** *oct. 87* Pékin (Deng Xiaoping se retire en nov. 87 mais reste Pt de la Commission milit. du Comité central).

Exécutions. 10 000/20 000 par an.

Armée. *1982 :* 4 238 210 h. (0,4 % de la pop.). *1985*-30-10 conscription obl. (500 000 appelés chaque année). *85 et 86 :* démobilisation de 1,5 à 2 000 000. *89 :* 3 000 000. **Maréchaux.** Sur 10, 2 en vie en 1987 : Nie Rongzhen (87 ans), Xu Xianqian (84 ans) [2 morts en 1986 : Ye Jianying (89 ans), Liu Bocheng (94 ans)].

Provinces et régions autonomes

Superficie, population, capitale (en italique) et population de la capitale (est. au 31-06-87).

Provinces

Sichuan 567 000 km², 104 391 000 h. (avec T'ai-wan + 19 454 610). *Chengdu* 2 690 000 h. **Shangdong** 153 300 km², 79 057 000 h. *Jinan* 2 140 000 h. **Henan** 167 000 km², 79 241 000 h., *Zhengzhou* (Tcheng-Tcheou) 1 580 000 h. **Jiangsu** 102 600 km², 63 260 000 h., *Nanjing* (Nankin) 2 390 000 h. **Hebei** 188 000 km², 57 145 000 h., *Shijiazhuang* 1 220 000 h. **Guangdong** 212 000 km², 64 317 000 h., *Guangzhou* (Canton) 3 420 000 h. **Hunan** 210 500 km², 57 645 000 h., *Changsha* 1 230 000 h. **Anhui** 139 900 km², 52 726 000 h., *Hefei* 930 000 h. **Hubei** 186 000 km², 50 656 000 h., *Wuhan* 3 570 000 h. **Zhejiang** 101 800 km², 40 967 000 h., *Hangzhou* (Hang-Tcheou) 1 290 000 h. **Liaoning** 146 000 km², 37 734 000 h., *Shenyang* 4 370 000 h. **Yunnan** 394 000 km², 35 062 000 h., *Kunming* 1 550 000 h. **Jiangxi** 169 000 km², 35 547 000 h., *Nanchang* 1 260 000 h. **Shaanxi** 206 000 km², 30 941 000 h., *Xi'an* 2 580 000 h. **Heilong-jiang** 469 000 km², 33 908 000 h., *Harbin* 2 710 000 h. **Shanxi** 156 000 km², 26 890 000 h., *Taiyuan* 1 980 000 h. **Guizhou** 176 000 km², 30 548 000 h., *Guiyang* 1 430 000 h. **Fujian** 121 000 km², 27 824 000 h., *Fuzhou* (Foutcheou) 1 240 000 h. **Jilin** 187 000 km², 23 496 000 h., *Chang-chun* 2 000 000 h. **Gansu** 454 000 km², 20 973 000 h., *Lanzhou* 1 420 000 h. **Qinghai** 721 000 km², 4 196 000 h., *Xining* 620 000 h.

Régions autonomes

• **Guangxi** 236 000 km², 39 993 000 h., *Nanning* 1 000 000 h. **Neimenggu** (Mongolie intérieure), 1 183 000 km², 20 550 000 h., *Huhehaote* 830 000 h.

Xizang (Tibet) 1 228 600 km², 2 085 000 h., *Lhassa* 310 000 h. (86). *Analphabètes* 70 %. *Espérance de vie* 45 ans. *Mortalité infantile* 150 ‰. **VII**e **s.** roy. **XII**e**-XVII**e **s.** vassal des Mongols ; **1720** empire mandchou. **XIX**e **s.** la G.-B. essaie de pénétrer au T. Une garnison chinoise se rend à Lhassa. **1912** renvoyée lors de la révolution chinoise. **1914** conférence de Simla (C., G.-B., T.) : divisé en T. int. chinois et T. extérieur autonome ; la Ch. ne reconnaît pas cette division. **1950** *7-10* entrée des troupes ch. (400 000 h). **1951** *23-5* accord donne à la Ch. défense et affaires ext. *Oct.* Dalaï-lama (« Océan de sagesse ») et Panchen Lama nommés membres de la Conférence consultative de la Rép. pop. **1954** assistent au 1er Congrès national. **1956** *22-4* comité pour préparer l'adm. du T. comme région autonome. **1959** *17-3* rébellion réprimée par les Ch. (10 000 †) ; le XIVe Dalaï-lama Tenzin Gyatso (n. 1935) dep. 1937, couronné en 1940, s'enfuit en Inde, où il crée un gouv. en exil. Le Panchen Lama accepte de collaborer avec la Ch. comme Pt en exercice du Comité (le D.L., quoique en exil, est nommé Pt). **1961** collectivisation de l'écon. **1964** *déc.* D. L. déclaré traître, démis off. ; P.L. démis aussi, s'évade d'un camp de rééducation et se réfugie en Mongolie ext. **1965** P.L. emprisonné pour 10 ans. *9-9* Ngapo-Ngawang Jigma nommé Pt de la région autonome. **1966-68** nombreux temples et monastères détruits. **1982** *3-7* P.L. rentre à Lhassa. **De 1959 à 85** selon le D. L. 1 200 000 † (rebelles exécutés, victimes des camps de transit et de rebelles) ; selon le gouv. chinois 87 000 † tib. au combat. **1987** le tibétain redevient langue off. (ne l'était plus dep. 1959). *sept./oct.* troubles (13 † le 1-10). **1988**-*mars* troubles. *Avril* l'Ass. pop. chin. réélit le P. L., qui déclare le *4* que le D. L. peut rentrer au Tibet, s'il reconnaît la souveraineté chin. *-15-6* le D. L., à Strasbourg, propose un plan de semi-indépendance du T., en assoc. avec Ch. *-26-6* la Ch. refuse. *-10-12* manif. à Lhassa pour le 40e anniv. de la Décl. des droits de l'h. [1 † (18 † selon Tib.)]. **1989**-*29-1* mort du P. L. *-5-3* émeutes à Lhassa (12 †). *-8-3* loi martiale à Lhassa. Au 23-3-89 (dep. 1987) 21 émeutes : 600 †, 25 000 disparus. *-17-4* parlement de Strasbourg, le D. L. propose à la Chine un statut d'autonomie. *Juin* 13 fusillés. **1990** *-1-5* levée de la loi martiale. **1950-90** env. 1 200 000 †.

Religions. Monastères. *Nombre : 1950 :* 6 200 dont 3 000 habités. *59 :* 2 200. *70 :* 10. *80 :* 45. *Principaux :* Zuglakang (VIIe s.), Zhaibung et Sera (à Lhassa), Zhaxilhunbu (à Xigaze), Palkor (à Gyangze, terminé 1429 ; sur 13 temples, 8 restent dont 6 non réparés). Drepung (10 000 lamas avant 59, 3 000 en 60, 233 en 81). *Pagode aux 100 000 bouddhas* (32 m et 9 étages). **Moines :** *1959* 500 000 (1/10 de la pop.), *1985* 1 300 à 1 400.

Économie. *Agriculture :* ancestrale (orge, élevage individuel chèvre, yak) ; transformée : échec du blé cultivé en terrasses. *Revenu des travailleurs agricoles.* (84) 317 yuans. *Production industrielle.* (85) 5,7 millions de $. *Tourisme :* (1987) 40 000 vis. Pour les Chinois, le T. riche en métaux précieux a l'avantage de dominer l'Inde.

• **Xinjiang** (Sin-Kiang) 1 646 900 km², 14 092 000 h., *Urumchi* 1 060 000 h. **Ningxia Hui** 66 000 km², 4 288 000 h., *Yinchuan* 576 000 (1982).

Municipalités particulières

Beijing (Pékin) 17 000 km², 9 794 000 h. (dont ville 6 710 000). **Shanghai** 5 970 km², 12 364 000 h. (dont ville 7 220 000). **Tianjin** (Tien Tsin) 11 000 km², 8 243 000 h. (ville 5 553 000).

Économie

Croissance (%). *1989 :* 3,9, *90 :* 5, *91 :* (prév.) : 4,5. **P.N.B.** (89) 426 $ par h. **Revenu national** 468 milliards de $. *1990 :* 1 740 milliards de yuans (855 en 1985). **Pop. active** (%, entre parenthèses part du P.N.B. en %) agr. 61 (31), ind. 17 (47), services 17 (20), mines 5 (9). *Actifs 1987 :* 528 000 000 dont ouvriers et employés 138 000 000. **Croissance annuelle** (%). *1981-85 :* 11. *86 :* 7,5. *87 :* 9,4. *88 :* 11,2. *89 :* 6,5. **Chômage** (89) : 3,5 % (off.).

Agriculture

• **Grandes régions.** *Sud* (climat tropical, moussons) : riz (2 récoltes), mûrier (soie), agrumes, canne à sucre, thé sur les collines. *Centre* (bassin du Yangzijiang) : riz (1 récolte), développement récent du coton. *Nord* (terre de lœss ; climat tempéré, mais contrasté : hivers froids, étés chauds) : blé, millet, maïs, kaoliang (sorgho) ; patates douces, pommes de t., soja, arachides, mûrier (soie), coton. *Mandchourie* (N.-E.) : soja, bois. *Mongolie intérieure :* moutons. *Xinjiang :* oasis irriguées (céréales, fruits, coton). *Tibet* voir ci-contre.

• **Difficultés.** *Désertification :* 1 300 000 km² (13,3 % du pays). Augmente de 1 000 km² par an. *Surface agricole restreinte :* 11 % des terres arables ; absence de bétail, donc d'engrais animal. Morcellement [moyenne des exploitations 0,15 ha (U.S.A. 15 ha)]. *Productivité insuffisante :* tracteurs : 852 000 de + de 20 ch. (45 000 produits 1985), et 3,8 millions de petits tracteurs (822 500 produits 1985) (priorité aux petits motoculteurs, traction humaine encore employée). Sans-équipement, pour une surface ensemencée de 143 millions d'ha et de 190 millions de foyers ruraux. *Rendement à l'ha* assez élevé (jardinage), *par agriculteur :* minime. *Grandes famines récentes :* 1920-21 (N.), 1928, 1931, 1932 (N.-O.) 1942-43 Hunan, 1959-60-61 résultat de la collectivisation accélérée du « grand bond en avant », plusieurs millions de victimes, 1980-81 (sécheresse ou inondations). 1985 : 21 millions d'ha (sur 131) sinistrés. 1988 inondations.

• **Facteurs favorables.** Travail minutieux du paysan (remonte la terre, cultive les moindres surfaces, utilise engrais, notamment excréments humains) ; perfectionnements techniques (meilleures semences, semis plus serrés, labours plus profonds) ; généralisation de l'engrais chimique (achats d'usines) ; maîtrise de l'irrigation (1er rang au monde pour la surface irriguée : 55 millions d'ha).

• **Organisation rurale.** Plusieurs niveaux : **Provinces** voir ci-dessus. **Régions** (6 régions économiques). **District.** Unité administrative et écon. qui possède des usines, livre des équipements comme des moteurs, bateaux ou machines aux communes pop. **Communes populaires.** Env. 54 352 en 1982. 80 % des Chinois y vivent. Chacune rassemble 10 000 à 40 000 ruraux sur env. 2 000 ha. Dirigée par un comité révol. élu. Possède une milice. Tient l'état civil. Dirige enseignement, justice, crédit, approvisionnement, hôpital. Doit résoudre les problèmes agr., hâter le passage au communisme, réaliser de grands travaux. **Brigades de production.** Env. 677 000 en 1979. Correspond aux anciens villages. En moyenne par commune 12,7 brigades de 1 140 personnes sur 152 ha. Entreprend les gros travaux d'aménagement des champs (hydrauliques). Possède les établissements que les équipes ne peuvent gérer ou qui sont rentables sous sa gestion. A une infirmerie. **Équipes de production.** Env. 5 100 000 en 1979. Correspond souvent aux anciens hameaux. 7,6 équipes par brigade, regroupant en moy. 20 à 30 familles (soit env. 150 personnes) sur 20 ha. Dispose des animaux de trait, des machines et de la main-d'œuvre. Commune et brigade peuvent s'en servir moyennant compensation. Dep. 1976, les membres ont parfois la jouissance de lopins individuels (5 à 7 % des terres cult. des communes, 100 à 150 m²) dont la prod., destinée à la consommation familiale, peut, en cas de surplus, être vendue sur les marchés spontanés. Unité budgétaire de base. Se charge de l'organisation de la prod. et de la répartition des revenus. Jouit de l'autonomie financière, prend à son compte pertes et profits. A un dispensaire. **Commune suburbaine.** Compte env. 40 000 personnes. Cultive de 2 000 à 6 000 ha. **Fermes d'État.** Env. 2 000 sur plus de 4 millions d'ha : 5 millions de salariés, 3,7 % des terres cultivées. Souvent situées sur les terres nouvellement défrichées. Un système de contrat tend à privatiser l'agriculture.

Part du privé. *Entreprises* (millions). *1983 :* 4,2 (5,5 millions de personnes). *1985 :* 10,7 (28,3 millions de pers.). *C.A. (1985) :* 78,3 milliards de yuans. *1986-87 :* 1 million d'entr. rurales ont fermé.

Utilisation des terres (milliers d'ha, 1979, T'ai-wan inclus). 959 696 dont arables 98 550, cultivées en permanence 760, pâturages 220 000, forêts 115 700 (en 1987, 12,7 % du pays), eaux 29 200, divers 495 486.

Production (millions de t). *Céréales : 1984 :* 407, *85 :* 379, *86 :* 391, *87 :* 405, *88 :* 394 (10 millions de t imp.), *89 :* 363 (dont blé 90). Riz 177, patates douces 113,8 (88), légumes 89,3 (85), maïs 76,3, sucre 67,8 (dont canne 57,7, betteraves 10,1), p. de terre 30, soja 11,8 (87), arachide 6,2, coton 3,7, (*52 :* 1,3, *65 :* 2,1, *78 :* 2,2, *89 :* 3,7), haricots 1,4, jute 0,57 (88), sésame 0,4 (85), thé 0,4, caoutchouc 0,26. 80 % des céréales sont autoconsommées dans la région de prod. *Rendement :* 300 à 750 kg/ha pour le blé selon les régions. **Bois** produit : 276 518 000 m³ (y compris Taiwan) dont bois de chauffe 177 610 000 m³. Projet de reboiser 80 millions d'ha en 20 ans.

Élevage (millions de têtes, 89). Volailles 1 977, moutons 102,65, bovins 77,1, chèvres 77,8, buffles 21,9, ânes 10,85 (88), chevaux 10,69 (88), porcs 349. **Viandes** (millions de t, 88). 24,8 (*52 :* 3,4 ; *65 :* 5,5 ; *78 :* 8,6). **Pêche.** 9,35 millions de t (87) dont 5,4 en mer.

Énergie

Énergie totale (millions de T.E.C.). **Production** 855,4 dont (en %) charbon 73, hydrocarbures 23, hydroélect. 4. **Consommation** 764,3.

Charbon. Bassins principaux. *Chine du S. :* Wuhan ; *Sud Mand. :* double bassin du Hoang Ho (Chensi, dans la boucle ; Chansi, à l'Est). **Production (millions de t).** *1946 :* 10 ; *60 :* 232 ; *75 :* 432, *80 :* 620, *85 :* 850, *88 :* 970, *89 :* 1 040. **Réserves** 1 010 milliards de t (accessibles 71 milliards).

Électricité (milliards de kWh). *1952 :* 73, *78 :* 257, *85 :* 380, *88 :* 550, *89 :* 486. **Hydroélectricité exploitable** 900 milliers de kWh (+ fort potentiel mondial), *puissance installée* de 125 000 MW (7 % du potentiel utilisé, plan de 50 ans pour l'aménagement du Hoang Ho) ; projet : barrage de Sanxia (levée de 150 à 165 m, lac de 500 km de long., capacité 1 300 MW, coût 10 milliards de $) ; projet : barrage sur le Yangzijiang (11 milliards de $, centrale hydroélec. de 17 000 MW). **Nucléaire :** 7 centrales projetées dont Qinshan 300 MW et Daya Bay (Guangdong) 1er 1 000 MW (1992), 2e 1 000 MW (1993), 3e 2 × 600 MW (2005). *Objectif :* mettre en place entre 1990 et 2000 1 réacteur de 1 000 MW par an, pour que le nucléaire assure 15 à 20 % de la prod. électrique.

Pétrole. Production (en millions de t). *1952 :* 0,44, *65 :* 11,31, *75 :* 77, *80 :* 106, *85 :* 125, *88 :* 135, *89 :* 138. *2000 (prév.) :* 200. **Réserves** 3,3 milliards de t. **Principaux champs :** *Sheng Li* (embouchure du fl. Jaune, 60 % de la prod.) ; région de *Daqing* (Mandchourie) ; Hua Bei (sud de Pékin). **Exportation** (millions de t) *1985 :* 31, *88 :* 30.

Gaz naturel (milliards de m³). **Production.** *1952 :* 0,008, *65 :* 0,11, *75 :* 8,85, *80 :* 14,3, *84 :* 12,9, *86 :* 20,6, *87 :* 21,2, *88 :* 20,8, *2000 (prév.) :* 25. **Réserves** 850.

Minerais et métaux

Antimoine (à Xikuangshan). *Bauxite* (à Shangong et Hunan). *Béryllium. Cinabre* [à Tongren (Guizhou)]. *Cuivre* [à Dongchuan (Yunnan), Gaolan, Gansu, Tongling (Anhui)]. *Étain* [à Gejiu (Yunnan), 25 000 t (87)]. *Fer* [à Anchang (Mandchourie), Xinjiang ; teneur moy. (30 à 40 %) ; 85 200 000 t (89)]. *Germanium. Lithium. Niobium. Or* 60 t. *Phosphates* 14 000 000 t (87). *Plomb et zinc* [à Shuikoushan (Hunan)]. *Tantale. Thorium. Tungstène* (à Dayu). *Uranium.*

Industrie

• **Grandes zones. Mandchourie du Sud** (Shenyang, Anshan) : métallurgie, chimie. **Canton** soie et coton. **Shanghai :** métallurgie port 100 millions de t (1/3 du trafic total ch., 16,5 % des export. ch.). **Vallée du Yangzijiang :** Wuhan, Nankin (métall.), Chongqing (textiles, industrie de transformation). **Pékin** (port :

Tianjin) : mécanique, chimie ; Baotou sur le Huanghe (nucléaire).

• **Valeur globale.** 6e rang mondial en 1984 ; 9 % du P.N.B. en 1988, métallurgie 701,5 milliards de yuans (84). **Production** (en millions de t, 1989) *acier 38 :* 31,8 ; *52 :* 1,35 ; *57 :* 5,35 ; *65 :* 12,23 ; *89 :* 61,2 (dont 20 à 30 de mauvaise qualité). *Fonte* 50,6 (87) ; *ciment* 207 (*52 :* 3 ; *57 :* 7 ; *65 :* 13 ; *78 :* 65) ; *constr. navales* 0,41 (88), 0,58 (89, prév.) ; *acide sulfurique* 11,4 ; *soude pure* 2,9 ; *caustique* 2,5 (87) ; *engrais chimiques* 18,5 ; *filés de coton* 4,74 ; *papier* fabriqué industr. et *carton* 12,8 ; *sucre* 4,9 ; *sel brut* 28 (87) ; *détergents* 0,3 (78) ; (millions de m³, 84) (en millions) *tracteurs* 0,4 ; *motoculteurs* 0,8 (87) ; *locomotives* 0,0006 ; *wagons de marchandises* 0,01 (83) ; *machines à coudre* 9,7 (87) (*1952 :* 0,07 ; *57 :* 0,3 ; *69 :* 1,2 ; *78 :* 4,9 ; *88 :* 27) ; *outils* 0,1 (83) ; *TV* 27 (*1965 :* 4,4, *78 :* 5,17) ; *radios* 17,6 (87) ; *magnétoscopes* 18,6 (87) ; *cotonnades* (millions de m) 16,7 (87).

• **Difficultés.** *Développement gêné* sous Mao par des préoccupations idéologiques (limiter la formation d'une classe de technocrates urbains ; augmenter le rôle éducateur de l'usine, en sacrifiant au besoin la rentabilité) et par des soucis politiques et stratégiques (refuser l'aide technique et financière de l'U.R.S.S. et des démocraties industrielles ; éparpiller les outils de production en vue d'un conflit éventuel). *Difficultés géographiques :* densité rurale rendant difficile la création de centres de peuplement ouvrier. Sidérurgie dispersée [(pour chaque tonne d'acier, 3 fois plus d'énergie qu'au Japon) ; 2 plus grands combinats : *Anshan* (221 000 salariés, 7 millions de t prod.), *Wuhan* (120 500 s., 3,5 mt)].

• **Facteurs favorables.** 1°) *Avant la mort de Mao :* la forte densité rurale et l'ingéniosité du paysan ont permis de créer une micro-industrie (artisanat modernisé tendant à « tout construire sur place ») au rendement faible, mais qui a répandu la mentalité industrielle dans la masse. 2°) *Après la mort de Mao :* on renonce à tout construire sur place et on investit dans les transports. Les régions écon. sont restructurées ; l'aide technologique extérieure est recherchée. Principal partenaire : le Japon (accord commercial de 1978 ; tr. de paix et d'amitié, surtout antisoviétique). Accords envisagés avec la C.E.E. (prêts d'État ou de groupes bancaires ; constitution de sociétés d'économie mixte ; sous-traitance en Chine pour textile et électronique, avec les bas salaires chinois). Livraison à Hong Kong de produits semi-finis, pour y terminer la finition.

• **Réalisations scientifiques.** 1re bombe atomique 1964 ; 1re à hydrogène 1967 ; 1er satellite artificiel 1970 ; 1re récupération de satellite 1975.

Nouvelle politique économique

• **Étapes. 1978,** autorisation des entreprises privées. **Avril 1979.** *Réajustement :* privilégier l'ind. légère et l'agr. par rapport à l'ind. lourde, privilégier la consommation. *Restructuration :* changer le système des prix, salaires et main-d'œuvre en fonction des mécanismes du marché. *Consolidation des entreprises :* augmenter la productivité du travail (souvent surabondance de main-d'œuvre qu'il faut employer à faible rendement). *Transformation technique* (ne plus construire des usines dans les montagnes pour des raisons mil., ce qui augmente le coût de transport et engorge les chemins de fer). **1980,** création de *Stés mixtes* pour assimiler les techniques étrangères et fabriquer des prod. destinés à l'exportation ; *zones franches ou écon. spéciales* (2 provinces : Guangdong et Fujian, et 3 municipalités : Pékin, Shanghai, Tianjin), *centres d'exportation,* et retour à l'*agriculture familiale.* **1983-85,** priorité à la politique écon. sur la pol. étrangère : *3 zones écon. spéciales* (S.E.Z.) : *Shenzhen* (327 km² jouxtant Hong Kong), *Zhuhai* (jouxtant Macao), *Shantou* (Swatow), *Xiamen* (Amoy) ; *14 ports ouverts* pour attirer les étrangers. *Investissements étrangers. 1985 :* 3 069 invest. pour 5,5 milliards de $, *87 :* 2 333 pour 3,7 (contrats conclus par les entr. françaises : *1987 :* 11,5 milliards de F. *88* 6) ; multiplication des entreprises à capitaux mixtes ; mise en place d'un système de contrats dans l'ind. et l'agr.

• **Affaires privées** (nombre en millions). *1949 :* 10 ; *56 :* 0,136 ; *65 :* 1 ; *70 :* aucune ; *78 :* 0,14 ; *80 :* 0,69 ; *82 :* 2,6 ; *85 :* 10 (13 000 000 de salariés) ; *88 :* 17 000 000 de salariés.

• **Part du secteur d'État.** 93 700 entreprises (400 salariés chacune). En régression. Les usines d'État occupent, en 1985, 46 % de la main-d'œuvre ind. totale. 300 000 entr. déficitaires devaient être déclarées en faillite en 1988. Subventions publiques aux entr. d'État 40 milliards de yuans (11 milliards de $), en 1988.

Transports

Aviation civile. 130 lignes intérieures (réseau 150 000 km). 12 régulières internationales, desservant 13 pays (*1950 :* 2).

Marine marchande. 436 millions de t chargées, et déchargées (88).

Routes. *Longueur (km). 1949 :* 81 000 ; *65 :* 515 000 ; *87 :* 982 200 ; *trafic marchandises : 1989 :* 332 900 millions de t/km. **Automobiles** *production* tous véhicules (milliers). *1975 :* – de 100, *81 :* 175,6 ; *84 :* 300 ; *88 :* 646,7 ; *89 :* 573,7. *Parc* 270 000 voitures particulières : 1 pour 4 000 personnes (prév. en 2000, 3,1 pour 1 000). *Accidents :* 53 000 † (87). **Bicyclettes.** *Production* (millions). *1952 :* 0,08 ; *57 :* 0,8 ; *65 :* 1,8 ; *78 :* 8,5 ; *89 :* 36 (occupe 250 000 pers. dans + de 400 usines). *Parc* 200 pour 1 000 hab.

Voies ferrées. *1876 :* 1re ligne (construction anglaise) ; *1949 :* 22 000 km ; *65 :* 36 000, *87 :* 52 487. *Distances par voie ferrée de Pékin* (en km) : Shanghai 1 462, Tianjin 137, Nankin 1 157, Huangzhou 1 651, Chongqing 2 252, Kharbine 1 388. *Traction :* en majorité à vapeur ; *trafic marchandises 1989 :* 1 089,1 millions de t/km, *vitesse commerciale :* 50 km/h, *densité des voies :* 0,5 km pour 100 km² (France 6,2). *Trafic voyageurs :* 303 millions (89) dont 50 % en province.

Voies navigables. 40 000 km, principalement sur Huanghe, Yangzijiang, et le grand canal (modernisé) les reliant à Pékin (97 millions de t transp.).

Tourisme

• **Visiteurs.** (88) 31 690 000 dont (86) 92,5 % de Chinois de Hong Kong et Macao et 1 475 000 étrangers (dont 38 000 Français) (hommes d'affaires 35 %, scientifiques, artistes et sportifs 16 %). **Capacité :** *1990 (prév.) :* 910 h., 362 000 lits.

• **Lieux touristiques. Villes ouvertes** (févr. 85) 107 sans permis, 148 avec permis. *Grottes* de Datong Shenxi (53 gr., 50 000 statues). *Sculptures bouddhiques et rupestres :* Kansu, centres religieux de Dunhuang, de Maïgishan et de Binglingsi (Ping-Lingsseu) ; *monastère troglodytique* près de Tatong (Shanxi). Pékin, *grande muraille,* Nankin, Wuxi, Hangzhou, Shanghai, Guilin, Canton, Kunming, Chengdu, Xian (tombeau de l'empereur Qin (+ 210 av. J.-C.) gardé par une armée de soldats d'argile), Luoyang, Chongqing, Yichang, Hubei, Changsha, Tunxi, Huang Shan, Hefei, Qu Fu, Taian, mont Tai Shan, Jinan, Urumqi, Turfan, Dun Huang, Lanzhou. Grottes-temples de Long-men (Henan), dans le temple de Fangxian (VIIe s.), bouddha assis de 11 m de haut. En 1980-86 fouilles de Si-Chuan, vestiges datant de 2 000 à 4 500 ans (dont plusieurs milliers d'hommes en bronze de 1,5 à 2 m).

Finances

• **Budget** (milliards de yuans). *1988* (prév.) *dépenses* 263,4 (dont défense 8,17), *recettes* 255,4 ; *89 : dépenses* 293. **Déficit** (milliards de yuans) *88 :* 8 ; *89 :* 7,4 (35 avec le serv. de la dette) ; *90 :* 15. **Réserves de devises** (milliards de $). *1974 :* quasi nulles ; *81 :* 2,2 ; *84 :* 16,2 ; *85 :* 12 ; *86 :* 10 ; *88 :* 14 ; *89 :* 17. *Réserves en or* (86) 541 t. **Dette extérieure** (milliards de $). *1984 :* 6 ; *85 :* 15 ; *86 :* 25 ; *87 :* 30 ; *88 :* 40 (20 % du P.N.B.) *89 :* 41,3 ; *90* (prév.) 50. **Aide extérieure française** (millions de F). *1985 :* 0,9 ; *86 :* 1,5 ; *87 :* 1,6 ; *88 :* 1,9 (japonaise 2,7) ; *89 :* 1,32. **Inflation officielle** (%). *1980 :* 7,5 ; *81 :* 2,6 ; *82 :* 1,9 ; *85 :* 8,8 (réelle 15 à 20) ; *86 :* 7,7 ; *87 :* 7,2 ; *88 :* 18,5 (réelle 30 à 40) ; *89 :* 17,8 (réelle 25 à 30) ; *90 :* début 30, fin 5 ; *91* (prév.) : 8.

Monnaie pour étrangers. Billets libellés en yuan (Waihui, F.E.C., Foreign Exchange Certificate) à l'opposé des billets pour les Chinois (renminbi, RMB) également libellés en yuan (coupures de 50 et de 100 dep. 1987, auparavant de 1/100e de y. à 10 y.). Parité : 1988 : 100 y. FEC valent 170 y. RMB (fluctuations fréquentes) : en réglant en FEC, l'étranger paye 70 % plus cher que les Chinois.

Contentieux financiers (196 millions de $ de biens amér. saisis par Chinois en Corée ; 80 millions de $ d'avoirs chinois bloqués par U.S.A.). **Avec U.R.S.S.** (en millions de $, 1989) : 2 147.

Conditions de vie

• **Alimentation.** *Consommation par habitant et par jour :* 2 666 cal. et 78,8 g de protéines. *Par an* (85) : céréales 260 kg, huile 5,1 kg, porc 13,9 kg, sucre 5,6 kg, tissus 11,7 m. En 1989, 40 000 000 personnes ne mangent pas à leur faim. *Prix alimentaires* bloqués afin de pouvoir assurer un minimum de 2 300 calories par j. *Divers :* chemise blanche 13 F (3 j de salaire), casquette de fourrure 40 F (7 j), montre 150 à 1 200 F (1 à 8 mois), bicyclette 400 F, télévision 1 100 F (7 mois), théâtre et cinéma : 0,25 F à 0,60 F la place.

• **Avantages sociaux.** Prestations (alimentées par des retenues de 3 à 11 % sur salaires), biens contingentés : bicyclettes, logements, etc.

• **Congés.** 1 j par semaine (6 j de travail, de 8 h) ; 8 j par an (printemps 4 ; 1er mai 1 ; 1er oct. 1 ; nouvel an 2 ; mères de famil. 1/2 j le 8 mars (f. des enfants).

• **Dépenses** (%, 1983). Alimentation 59,2, habillement 14,5, articles d'usage courant 16,2, autres 10,1.

• **Équipement** (taux pour 100 hab. citadins, et entre parenthèses, ruraux, 1985). Bicyclettes 163,7 (80,6), mach. à coudre 73,1 (43,2), radio 80,8 (54,1), TV 74,9 (11,7), réfrig. 52,8, lave-linge 9,5.

• **Femmes.** Nombreux enlèvements (vendues).

• **Retraite.** *Age* en général hommes (ouvriers 55 à 60, intellectuels 60), femmes (ouvrières 50, intell. 60) ; *pension* 60 à 80 % du salaire, primes non comprises.

• **Revenu moyen** (en yuans, 1986). *Ville* (250 millions d'hab.) *% des familles disposant par an de + de 10 000 yuans* (2 700 $) : 1 ; *de + de 1 200 y.* (324 $) *par hab. :* 8,43 ; *de – de 420 y.* (113 $) : 5,67. *Campagne* (800 millions d'h.) *+ de 3 600 y.* (972 $) : 66,86 ; *de – de 1 200 y.* (324 $) : 1,1. 100 millions de Chinois disposent de – de 37 $ par an.

• **Salaire mensuel** (estim. 1988). 90 à 110 yuans (40,5 $) y compris subventions accordées pour les produits de base.

• **Santé.** *Soins médicaux : gratuits :* pour 80 % des Chinois [installations sommaires, peu de médicaments ; pratique de l'acupuncture ; du gigong (prononcer tsignong), discipline de contrôle du souffle vital] ; hospitalisation gratuite pour ouvriers et fonctionnaires (à 50 % pour leur famille). *Statistiques* (85) : 2 229 000 lits d'hôpitaux, 1 413 000 « médecins aux pieds nus », 336 000 médecins traditionnels, 350 000 à l'occidentale ; 637 000 infirmières.

Commerce

Commerce (90, milliards de $). *Exportations* 62 *dont* mat. 1res diverses, tissus et vêtements, fuel, minéraux et métaux, armement (1,2 en 86), mach. et équip. de transp., divers *vers* Hong Kong, Japon, U.S.A., C.E.E., ASEAN. *Importations* 54 *de* Japon, U.S.A., C.E.E., Hong Kong, Pays de l'Est. **Avec U.S.A.** [en millions de $ (imp. Chine ; exp. Ch.)] : *1972 :* 63-32 ; *74 :* 819 (blé 668)-115 ; *75 :* 304-148 ; *76 :* 135-201 ; *78 :* 824 (blé 614)-345. *85 :* 22-16. *86 :* 4 716,7-2 631,8 ; *87 :* 4 831-3 037,7 ; *88 :* 6 631,1-3 380 ; *89 :* 7 868 -4 391.

Balance commerciale (milliards de $). *1984 :* – 1 ; *85 :* – 12,6 ; *86 :* – 7,5 ; *87 :* – 0,2 ; *88 :* – 5,5 *[avec Japon* – 3,1 (*imp.* du Japon 11,06 ; *exp.* vers Japon 7,92) avec France (*imp.* de Fr. 0,99 ; *exp.* vers Fr. 0,52)] ; *89 :* – 6,6 ; *90 :* + 8.

Rang dans le monde (89). 1er céréales, coton, porcins, riz, blé. 2e maïs, thé, fer. 3e pommes de t., ovins, bois, rés. charbon. 4e canne à s., phosphates. 5e bovins, pétrole. 7e or, charbon. 10e rés. pétrole. 12e cuivre, gaz nat. 13e lignite. 14e orge. 18e réserve gaz nat.

CHINE LIBRE (T'ai-wan) (République de Chine)

Carte p. 902. V. légende p. 837.

Situation. Ile de Formose (nom donné par les Portugais : Formosa : la belle) puis T'ai-nan [nom de l'ancienne capitale devenue T'ai-wan (baie des terrasses) 1886], mer de Chine, Asie. 35 874 km² (y compris terres asséchées, mais sans îles côtières de Kinmen et Matsu). Séparée du continent par le *détroit de Formose* ou *T'ai-wan,* larg. 160 km env. (long. 377 km, larg. 142 km). Le niveau de la terre baisse de 2 à 3cm par an à cause des forages illégaux. 275 km de rivières polluées (113 km en 89). **Distance** de Taipeh (km) Chine 220, Philippines 350, Manille 1 176, Japon 1 232, New York 15 300, Sydney 9 100, Tōkyō 2 300. *Alt. max.* 3 997 m (mont Yushan ou mont de Jade ou mont Morrisson). **Iles :** *Penghu* (*Pescadores :* pêcheurs en portugais) (126,86 km² ; 96 322 h.) à 188,9 km du continent, à 53,7 km de T'ai-wan. *Kinmen (Quemoy)* (150,3 km² ; 43 249 h., 2 grandes îles et 12 îlots), *Matsu* (28,8 km², 5 898 h. en 89, 19 îlots dont Nankan 10,4 km²). **Montagnes** 64 % du territoire. **Climat** subtropical. Été mai-oct. (pluies dans le S.), hiver janv.-févr. (pluies dans le N.). Moyen. 22,3 °C (au Nord), 24,8 °C (dans le Sud). A augmenté de 0,25 °C de 1986 à 1989 à cause de la pollution due au pétrole et au charbon formant du dioxide de carbone (effet de serre).

Population. *1951 :* 7 869 247 ; *61 :* 11 196 667 ; *70 :* 14 753 911 ; *89 :* 20 156 587 ; *2011* (prév.) 25 000 000. **Âge (1989).** 27,4 % de - de 15 a. *Espérance de vie* (1988) : hommes 70,99 a. ; femmes 76,21. **Origine.** Aborigènes [orig. malaise et polyn. 337 500 (89) dont dans les villes 46,3 %, réserves 53,7 % (visitées avec un laissez-passer)]. Taiwanais (1ers Chinois arrivés au XIIe s., puis XVIe s. venus du Fou-kien) env. 8 000 000, Hakkas (venus XIXe s. de la prov. de Canton) 4 000 000, Chinois réfugiés (1949) 2/3 000 000. D. 555. **Étrangers** (1989). 40 000 (29 934 résidents) dont 1 800 h. d'affaires, 1 586 missionnaires. **Villes** (1989). *Taïpeh* (90) 2 713 683 h. (10 000 h./km²), *Gaoxiong* 1 374 231 (à 376 km), *Taïchung* 746 780 (169), *Taïnan* 675 685 (329), *Kilong* 350 283 (29). **Taux. Naissance.** *1945-63* (moy.) : 4,2 %. *1987 :* 1,6. *1989 :* 1,1. **Mortalité infantile.** *(1990) :* 5,34 ‰. **Cas de sida.** *1991 :* 185.

Langue. Chinois (langue nat.) ou kouo-yu *(off.)*, dialectes chinois (minnan, hakka). **Religions.** Bouddhistes 4 485 600, taoïstes 2 683 000, chrétiens 717 465 (prêtres : 3 843 chinois, 1 586 étr.), musulmans 58 712.

Histoire. Tribus malaises et polynésiennes. **Vers le XIIe s.** arrivée des 1ers Chinois. **1624** occupée par Hollandais. **1661** base des opposants [occupée par Cheng Cheng-kung (ga)] à la dynastie mandchoue. **1683** revient à celle-ci. **1886** province chinoise. **1895** g. sino-japonaise : *-20-3* débarquement jap. *-8-5* la Ch. cède T. au Jap. (tr. de Shimonoseki). *-24-5* les Taiwanais proclament la Rép., mais sont vaincus. **1945**-*10-25* redevient prov. ch. à statut spécial, puis ordinaire (1947). **1947** *-28-2* révolte des Taiwanais réprimée par Gal Chen Yi (milliers de fusillés). **1949**-*8-12* nationalistes ch. s'y réfugient ; assaut. comm. contre Kinmen (7 000 soldats comm. tués, 13 000 prisonniers). **1950**-*5-1* Truman, Pt des U.S.A., s'engage à ne pas fournir d'aide ou de conseil mil. aux nationalistes, mais la g. de Corée remet tout en question. Selon D. Mendel, 90 000 arrestations entre 1949 et 1955, 45 000 exécutions. **1954** accord de défense avec U.S.A. **1958** *-29-7* 4 avions chinois abattent un avion T. *-3-8* nouvelles pièces d'art. à Foukien. *-17-8* préparatifs mil. sur côte du Foukien, en Chine comm. : 189 000 h., 370 pièces d'artillerie, 267 avions en position face à Kinmen. *-23-8 au 5-10* bombardements entre Kinmen et Hsiamen Iamoy (à 3 km). Bilan : + de 500 000 obus tirés du continent, 39 avions comm. abattus (pour 2 de T.), 19 torpilleurs coulés (contre 1 ravitailleur de T.), 80 † civ., 2 600 habit. détruites et 2 000 endommagées à Kinmen. **1960**-*17/19-8* 150 000 obus tirés. **1961** fin des bombardements (sauf env. 500 obus bourrés de brochures de propagande ; T. répond de même) ; propagande par haut-parleurs. **1971**-*25-10* doit laisser à l'O.N.U. son siège à la Rép. pop. de Ch. **1975**-*5-4* (traité de « chef de la clique réactionnaire » par la Chine comm.) Mal Tchang Kaï-chek meurt, Yen Chiakan (n. 23-10-05) vice-Pt, Pt. **1978**-*15-12* fin des bombardements à Kinmen. (162 †, 800 bl. supplém., 9 000 maisons de + endommagées). **1979**-*1-1* U.S.A. reconnaissent la Ch. comm. ; crise financière. Prêt U.S. 500 millions de $ à long terme et faible intérêt. *-27-4* départ des derniers soldats amér. **1987**-*15-7 :* abolition de la « loi martiale ». *Nov.* les Taiwanais pourront se rendre en Ch. continentale pour voir leur famille. **1988**-*1-1* mesures de libéralisation pour la presse. *-13-1* Pt Jiong Jungguo meurt ; Lee Teng-hui (n. 15-1-23), vice-Pt. Pt. *-22-4* amnistie : 7 776 libérés. *-6-4* 1re délégation à Pékin. *Juil.* Song Meiling, veuve de Tchang Kaï-chek, quitte la vie publique. **1989** essor de la presse : 203 quotidiens (31 en 1987). Nouveaux partis pol. autorisés. *-1-6* 1 million d'étudiants forment une chaîne pour recueillir des fonds pour ét. chin. *-4-6* 1 milliard de $ t. (600 M de F) collectés par 24 entr., 1 000 litres de sang envoyés à Pékin par les étudiants, 1 million de journaux relatant la répression envoyés par ballon en Ch. *-6-9* pilote chinois atterrit à Kinmen (pour la 1re fois). **1990**-*7-1* France annule livraison prévue de frégates (classe La Fayette, déplaçant 3 200 t, valeur unitaire de 1 200 millions de F) sur pression de la Ch. *-21-1* municipales Guomindang (283 maires sur 309, 650 conseillers sur 842). *-21/22-3* Lee Teng-hui réélu Pt avec 641 voix sur 668 (95,9 %). **1989-90** 1 000 000 personnes visitent leur famille sur le continent. **1991**-*1-1* amnistie (80e anniversaire de la Rép.), 4 705 libérés, 12 000 autres prévus en 91.

Statut. République. *Constitution* déc. 1946. *Pt* Lee Teng-hui, taiwanais d'origine (n. 15-1-23) dep. 13-1-88 [† du Pt Jiong Jungguo (n. 18-3-10, fils de Tchang Kaï-chek). Pt élu pour 6 ans par l'Ass. nat. *Vice-Pt* Li Yuan-zu dep. 22-3-90 (93,4 %). *PM* Hau Pei-tsun (n. 13-6-19). *Ass. nat.* (Kuo Min-Ta-Huei) théoriquement pour toute la Ch., 2 961 élus nov. 1947 pour 6 ans, prolongée sine die [801 m. (636 en nov. 90) : Guomindang 560, P. dém. soc. 15, P. de la Jeune Ch. 16, P. dém. pro. 9, non-inscrits 27 ; dont hommes 81,6 %, femmes 18,4 %]. *Yuan législatif (90)* 267 m., dont 101 m. élus 2-12-89 él. lég. [Guomindang 72 s. (60 % des voix), P.D.P. 21 s. (28 %, 20 % en 1986), div. 8 s. (12 %)], munic. et provinciales. *Pt* Liang Su-Jung, dep. févr. 90. *Yuan de contrôle* 52 m. **Partis.** *Guomindang* (P. nationaliste ch.) fondé par Sun Yat-sen, 2 550 000 m. (65 % nés à T.) ; programme : *Tridémisme,* les 3 principes du peuple énoncés 1924 : nationalisme, démocratie, bien-être social. *P. de la Jeune Ch.* (f. 1923 par Chen Chitien, Lee Huang). *P. démocrate soc.* (f. 1932 par Sun Ya-Fu). *Pt :* Yang Yueh-tse. *P. démocrate progressiste* (f. 1985) *Pt :* Huang Sing-Chieh (emblème : drapeau vert orné des contours de l'île ; forte min. pro-indép.). *P. soc. dém. chinois* (f. 1991 par Ju Gau-jeng). En 1989, 34 partis d'opp. autorisés.

Diplomatie. 28 pays ont des relations dipl. officielles avec T. (Corée du S., Afrique du S. et petits États sud-américains). + de 150 pays ont des relations commerciales. **Relations avec la Chine communiste. 1949** doctrine officielle : (no contact, no compromise, no negociation). T. revendique souveraineté sur Chine entière. **1987** droit de visite aux Taiwanais (sauf fonctionnaires, journalistes, enseignants et militaires) : plusieurs milliers peuvent entrer en Chine. **1988** *janv.* secr. du P.C. chinois Zhao Ziyang salue la mémoire du Pt Tchang Ching-kuo, *avril* T. autorise correspondance avec continent, *juill.* T. décide régularisation des échanges indirects (via Hong Kong) et autorise visites de Chinois à T. **1989** *avril* accord entre les 2 Chines pour la participation d'équipes sportives t. aux Jeux d'Asie à Pékin (1990) ; journaux t. peuvent ouvrir des bureaux à Pékin. Visite des enseignants autorisée, livres ch. diffusés à T., *mai* Mme Shirley Kuo, min. des Fin. t., participe à Pékin à la 20e ass. gén. de la Banque asiat. de développement. **Investissements privés t. en Chine (millions de $).** *1988 :* 600, *89 :* 400. **Tourisme en Chine** *1989-90 :* 1 000 000. 600 000 Taiwanais. **Passages de pilotes** *dep. 1949 :* 12 de Chine comm. passés à T. (dont 6 par la Corée du S.). 2 de T. en Ch. comm. (1981 et 83).

Fête nationale 10 oct. (dit « double dix ») anniv. du soulèvement d'Outchang (1911). **Drapeau** (1949), rouge (la Chine), carré bleu (le ciel), avec un soleil blanc.

☞ Les 8 îles Tiaoyutai (à 102 miles au N.-E. de T.), incorporées au Japon en 1895 par le tr. de Shimonoseki et restituées par les U.S.A. avec Okinawa en 1972. Station météo automatique jap.

Économie

P.N.B. (90) 8 366 $ par h., **total** en milliards de $: *1967 :* 3,6 ; *78 :* 26,7 ; *87 :* 97,0 ; *88 :* 125,3 ; *89 :* 150,2. **Fortune nat.** 5,89 fois le PNB soit 388 730 $ par hab. et 11 820 $ d'actif par foyer. **Dépenses mil.** 21,8 % du budget (7,07 milliards de $). **Pop. active** (%, entre par. part du P.N.B. en %) agr. 12,9 (4,8), ind. 41,24 (41,5), services 44,8 (50), mines 1 (1), 70 000 trav. philippins cland. *Chômage* (%) : *91* (juil.) : 1,96. **Inflation** (%). *1980 :* 16,2 ; *81 :* 12 ; *82 :* 3,5 ; *83 :* 1,9 ; *84 :* 0,9 ; *85 :* 0,6 ; *86 :* 3,3 ; *87 :* 0,5 ; *88 :* + 1,1 ; *89 :* 3,1 ; *90 :* 8,8. **Taux de croissance** (%). *1978 :* 13 (record mondial) ; *79 :* 8,03 ; *80 :* 7,1 ; *81 :* 5,76 ; *82 :* 4,05 ; *83 :* 8,65 ; *84 :* 11,6 ; *85 :* 5,5 ; *86 :* 12,5 ; *87 :* 11,8 ; *88 :* 7,8 ; *89 :* 7,3, *90 :* 5,2. **Investissements étrangers et,** entre parenthèses, **chinois outremer** (en millions de $). *85 :* 660,7 (41,8) ; *89 :* 2 241 (177,3). **Investissements taiwanais à l'étranger** (en millions de $). *1987 :* 102 ; *88 :* 218,7 ; *89 :* 930 ; *90 :* 1 552. **Situation économique.** 3e pays d'Asie (après Japon et Singapour) pour le revenu par h. ; commerce extérieur prospère (10e puissance comm. mond. ; *réserves* (milliards de $) : Banque centr. 76 (2e du monde après Tōkyō), épargne privée 50, or (1991) 4,93. En 1990, 113 t importées. *Handicaps :* coûts salariaux élevés, pénurie de main-d'œuvre dans l'ind., monnaie gênant la compétitivité, dépendance vis-à-vis du marché amér.

Budget (en milliards de $). *1989-90 :* 32,38.

Agriculture. *Terres* (%) arables 25, forêts 60. *Production* (milliers de t, 89) canne à sucre 6 628, riz 1 864 (*surface cult. 1975 :* 1 225 000 ha, *1991 :* 555 000 ha), légumes 3 094, patates douces 205, bananes 216, manioc 20, maïs 328, arachides, asperges, soja, champignons, thé, ananas, noix de bétel. Couvre 84 % des besoins. **Forêt.** 191 215 m³ (89). **Élevage** (millions de têtes, 88). Poulets 84, canards 13,1, porcs 7,8, dindes 0,4, moutons 0,21, bovins. **Pêche.** 1 371 681 t (89) dont 15,5 % de la pisciculture.

Mines (89). **Charbon** *réserves* 176 767 000 t, *prod.* 784 409. **Gaz** (milliards de m³) *réserves* 15, prod. 1,1. **Marbre** 12 115 479 t. **Dolomite** 418 716 t. **Sel** 169 982 t. **Or** 237 kg (88). **Argent** 8 388 kg (88). **Pétrole. Cuivre, pyrites, amiante, graphite, mica, soufre, marbre, talc.**

Énergie électrique (origine en %). 1985 et entre par. 1989. Nucléaire 52,4 (35,2), charbon 24,9 (29), pétrole 9,6 (27,1), hydraulique 13,1 (8,7).

Pétrole. *Importations : (1990)* 431 000 barils/j.

Industrie. *Textile-habillement :* [C.A. 18 milliards de $ (11 % de l'ind.) ; 3 500 entr. ; salariés : text. 279 000, confection 143 000 ; 99 % des exp. faites sous les marques des acheteurs ; princ. entr. Far Eastern Textile : C.A. (87) 0,6 M de $, 11 000 sal., 1er exp. de T.], *constr. élect., véhicules, contreplaqué, chantiers navals* (Kaohsiung, cale sèche de 1 km de long, 2 ponts roulants, 2e rang après Nagasaki), *aciérie, pétrochimie.* **Papier :** 240 000 t, 55 % recyclé. **Transports** (km). *Chemins de fer* 2 502 dont 1 270 électr. *Routes* 19 998. **Voitures volées.** *1985 :* 8 000, *89 :* 20 000.

Salaire ouvrier. *Mensuel :* 724 $ (110 aux Philippines, 75 en Indon.), *horaire :* 3,02 $ en 1989. **Equipement des familles** (%, fin 89). Téléviseurs couleur 97,8, réfrigérateurs 98,3, téléphones 91,1, machines à laver 86,8, climatiseurs 41,7, motocyclettes 76,7, automobiles 22,2. **Dépenses ménagères** (en %). *T'aï-wan* (1989) : alim., boissons, tabac : 30,8, logement : 22,07, loisirs et cult. : 15,38, transp. et télécom. 13,68, santé : 4,61, habill. : 15,3, autres : 8,77. **Consommation de riz.** *1961 :* 384 g par hab. et par j., *1990 :* 216.

Tourisme. *Visiteurs* (89) : 2 004 126, *90 (janv.-juin) :* 1 012 800. La K.L.M. (Pays-Bas) est la seule Cie aérienne europ. à voler jusqu'à Taïpeh ; China Airlines dessert Amsterdam.

Commerce (en milliards de $, 1989). *Exportations* 66,2 (12e rang mondial), *dont* appareillages 18,1, textile-hab. 10,2 [dont (88) maille 32 %, synthét. 29 %, prêt-à-porter fém. 22 %, soit 16 % des exp. (20 % en 1954)], mécanique 3,8, véhicules de transp. 3, prod. chim. 2,77, instruments de précision 1,5 ; *vers* (%) U.S.A. 36,2, Japon 13,6, Hong Kong 10,6, All. féd. 3,8, autres 32,7, *importations* (11e rang mondial) 52,2 dont appareillages 8,6, prod. chim. 7,6, mécanique 5,2, véhicules de transp. 1,5, textile-hab. 0,9 [dont (88) coton brut 26 %, laine 9 %, synthét. 8 %] ; *de* (%) Japon 30,6, U.S.A. 23, All. féd. 5, Hong Kong 4,4, Australie 3, autres 34.

Échanges (en millions de $). Avec Chine via Hong Kong : exportations, entre parenthèses importations. *1978 :* 0,1 (46,7), *80 :* 242,2 (78,5), *85 :* 988 (116), *89 :* 0,7 [abandon du qualificatif de « bandit » appliqué aux produits importés de Ch., remplacé par le label « made in talu » (fait sur le continent)], *90 (est.) :* 3 285 (755). **Excédent commercial** (milliards de $). *87 :* 18,65, *88 :* 10,9, *89 :* 13,9, *92 (objectif du gouv.) :* 1. **Rang dans le monde** (87). 13e thé. 18e canne à sucre (85).

CHYPRE

Carte p. 910. V. légende p. 837.

Situation. Ile de la Méditerranée (I. d'Aphrodite). 9 251 km² (3e). *Côtes* 737 km. *Alt. Max.* Mt Olympe 1 953 m. **Climat.** *Pluies* 500 mm par an (oct. à mars). *Ensoleillement l'hiver :* 5 h par j. (plaines), 3 h 30 (montagnes). *Distance* (km) Turquie 65, Syrie 85, Égypte 340, Rhodes 800, Athènes 1 600.

Population. *1881 :* 186 173, *1901 :* 237 022, *1931 :* 347 959, *1960 :* 573 566 [origine grecque 441 656 (orthodoxes, arméniens, grégoriens 77 %), turque 104 492 (16,3 %, musulmans), cath. romains 4 505 (0,8 %), arméniens grégoriens 3 378 (0,6 %), maronites 2 752 (0,5 %), divers 16 333 (2,8 %)], *1985 :* 669 500, *1989 :* 698 800 (559 500 Grecs, 130 300 Turcs). D. 75,5. **Villes** (89). *Nicosie* 168 800 h., Limassol 132 100, Famagouste 20 003 (87), Larnaca 60 900, Paphos 27 800, Kyrénia 7 101 (87). **Langues** *(off.).* Grec, turc.

Histoire. Av. J.-C. 8000 inhabitée (boisée, peuplée d'éléphants et d'hippopotames nains). **V. 7000** les navigateurs néolithiques venus d'Asie, site principal : Khirokitia. *IIIe mill.* renommée pour ses mines de

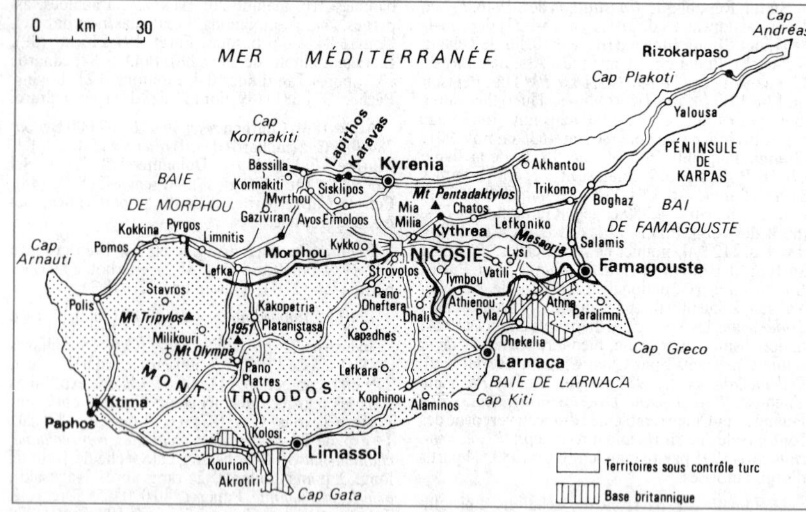

cuivre. *Fin IIe mill.* colonisée par Grecs ; occupée par Phéniciens, puis Égyptiens, Assyriens et Perses. **333** avec Alexandre le Grand suit le sort de la Grèce. **58** passe à Rome. **Après J.-C. 338** à Byzance. **1191** conquise par Richard Cœur de Lion, cédée aux Templiers, à Guy de Lusignan (1192). *(Période franque)* **1489** cédée à Venise par Catherine Cornaro (veuve de Jacques II de Lusignan). **1571** occupée par Turcs. **1878** administrée par G.-B. **1914** annexée par G.-B. **1925** colonie de la Couronne. **1931** émeutes à Nicosie : siège du gouv. incendié par partisans de l'*Enôsis* (union avec Grèce), soutenus par l'Église. **1933** partis interdits. **1940** 20 000 chypriotes gr. dans l'armée brit. Partis autorisés. P. communiste (40 % de l'électorat), organise des grèves et revendique l'Enôsis. **1951** *mars* Mgr Makarios III (Michaël Christodoulou Mouskos, n. 13-8-1913, évêque en 1948, archev. et ethnarque en 1950) revendique le droit à l'autodétermination ; la pop. grecque réclame union avec Grèce ; G.-B. refuse ; Turquie préfère le Taksim : rattachement du nord de C. à la Turquie et du sud à la Grèce, que proposera 10 ans + tard le plan Acheson. **1955**-*1-4* EOKA [org. terroriste commandée par colonel Georges Grivas dit *Dighenis* (1899-1974)], soutenue par Makarios déclenche attentats contre Brit., « collaborateurs » grecs et comm. ; *-2-4* Sir Robert Armitage, gouv. brit., échappe à un attentat. P. comm. désorganisé. **1956** état d'urgence. *Mars* Makarios exilé, pendaison d'activistes de l'EOKA. Les Anglais s'appuient sur la minorité turque pour contrer le soulèvement grec (police spéciale formée de Turcs). Attentat de l'org. terroriste turque TMT. **1958** *juin* heurts Grecs/Turcs de Ch. **1959**-*19-2 tr. de Londres* et *Zurich :* C. devient Rép. G.-B., Grèce, Turquie garantes de l'indép. La G.-B. garde 2 bases. *-13-12* Makarios Pt. Se rapproche des non-alignés à l'ONU.

1960-*16-8* indép. proclamée. **1963**-*30-11* Makarios propose de modifier la Const. ; les Turcs se retirent du gouv. et constituent des enclaves. **1964** *mars* intervention des forces de l'ONU ; *août* plan Acheson proposé, refus USA. *-6-8* Grecs détruisent réduit turc de Mansura. *-8/9-8* avions t. bombardent la région de Mansura. **1967** *nov.* guerre gr.-turque manque d'éclater au sujet de C. Makarios, partisan des non-alignés, se rapproche de Moscou. Org. tente de l'assassiner. **1968**-*29-1* Fazil Kutchuk forme administration chypriote turque. **1972** *févr.-mars* tension C./Gr. Opposition Grivas, partisan de l'Enosis. **1973**-*28-2* Makarios, seul candidat, reconduit comme Pt. *-1-6* associée à CEE. **1974**-*27-1* Grivas meurt. *-6-6* Makarios accuse les 650 off. gr. qui encadrent la garde nat. d'« être un centre de complot et de subversion ». *-5-7* demande le renvoi en Gr. des off. gr. *-15-7* coup d'État de la garde nat. : lutte rebelles légalistes ; Makarios s'échappe de Nicosie ; contingent (650 h.) et milice d'autodéfense (10 000 h.) turcs en état d'alerte. *-16-7* Nicos Sampson se proclame « Pt » et forme un « gouv. » ; Makarios quitte C. dans un hélicoptère brit. après avoir annoncé par radio être en vie. *-17-7* fin de la résistance légaliste dans les principales villes ; 91 † depuis le début. *-18-7* PM anglais Wilson rejette une intervention anglo-turque. *-20-7* aviation turque bombarde aéroport de Nicosie ; opération Attila : débarquement de troupes t. à Five Mile Point Beach (10 000 h.) ; mobilisation gén. en Gr. [mais les armureries sont vides (car les colonels ont tout revendu aux pays arabes), les soldats déjà partis doivent rentrer (ordre des U.S.A. ?), contingent gr. de C. reçoit l'ordre de ne pas bouger] ; hôtels de Kyrénia et de Famagouste visés par avions t. malgré touristes étr. PM t. Ecevit déclare « apporter la paix ». Tête de pont turque consolidée entre Kyrénia et Nicosie. *-22-7* cessez-le-feu, respecté seulement par le gouv. *-23-7* Sampson démissionne (sera condamné à 20 ans de prison), Glafkos Clérides (Pt du Parlement) Pt par intérim. L'armée t. déporte des Chypr. gr. vers Mersin [l'ONU procédera à leur change mais 1 619 manqueront (tués entre 1975 et 1980)]. *-25-7* conférence tripartite (G.-B., Gr., T.) à Genève. *-8-8/14-8* 2e conférence [G.-B. propose de créer 5 cantons turcophones ; Gr. refuse ; T. tente de faire entériner le partage de l'île] : échec. *-14-8* les T. (qui ont agrandi leur zone de plus de 100 km² et disposent de 40 000 h. et de 300 chars) reprennent les hostilités (opér. Attila 2, condamnée par l'ONU) ; la Gr. quitte l'organisation mil. de l'OTAN. *-15-8* les T. prennent Famagouste, occupent le tiers N. de C. (37,2 %). 180 000 Chypr. grecs se réfugient hors de cette zone et 11 000 Chypr. turcs y sont transférés. *-16-8* gouv. Clérides replié à Limassol abandonne Nicosie. La T. accepte cessez-le-feu (la g. a fait 4 000 † chypr. gr., 500 † turcs et plus de 2 000 disparus). *-28-8* M. Davies, amb. des U.S.A., tué (lors d'une manif. des Chypr. grecs). *-24-8* fin d'Attila 2. *-1-11* Ass. gén. ONU exige départ des « forces étrangères » (turques). *-7-12* Makarios rentre à Nicosie. *-13-12* Conseil de Sécurité prolonge pour 6 mois présence des troupes ONU à C. **1975**-*14-1* début des négociations Clérides-Denktaş. *-9-2* Makarios soumet au Conseil national chypr. grec un projet de « féd. cantonale » avec gouv. central puissant. *-13-2* les Chypr. t. proclament un « état autonome, laïc et fédéré ». **1976**-*17-2* reprise des négociations Gr.-T. **1977**-*27-1*, *-12-2* et *-13-3* rencontres Makarios-Denktaş. *-3-8* Makarios meurt. *Sept.* Spyros Kyprianou (n. 28-10-32) élu Pt (réélu 1983). **1976-77** redémarrage écon. **1978**-*10-2* l'EOKA-B. annonce sa dissolution. *-19-2* commando égyptien essaye de délivrer 11 otages enlevés au Hilton de Nicosie et détenus par 2 Palestiniens sur l'aérodrome de Larnaca ; confusion, 15 † ég. Rupture des relations diplom. avec Égypte (reprises plus tard). **1983**-*15-11* proclamation d'une Rép. indép. t. **1984**-*22-12* Kyprianou renonce à son alliance avec l'AKEL. **1985**-*17-1* négociation Kyprianou-Denktaş : échec. *-25-9* 3 touristes isr. tués par 2 Palestiniens et 1 Angl. (seront arrêtés). **1986**-*3-8* terroristes attaquent base anglaise d'Akrotiri (2 bl.). **1988**-*21-5* accrochage Chypr. t./soldats ONU (1 †). *-24-8* rencontre Vassiliou/Denktaş à Genève. *-15-9* à Chypre, reprise dialogue Ch. grecs/Ch. turcs. **1989** *-9-1* entretiens : principe d'une féd. bicommunautaire et bizonale accepté ; les gr. veulent un exécutif fort et des mécanismes empêchant le blocage des instit. par le veto d'une des 2 comm. et refusent droit d'interv. unilatéral par un pays tiers (Gr. et T.). Les T. demandent maintien garantie effective. – *Fin février* rencontre Vassiliou/PM. Özal à Tōkyō. *-5-3* ajournement des entretiens Ch. turcs/Ch. grecs. **1990**-*26-2* Rencontre Vassiliou/Rauf Denktaş à New York.

Statut. République membre du Commonwealth associée à C.E.E. *Pt* Georges Vassiliou (n. 20-5-31) (indép.) élu 21-2-88 au 2e tour (51,63 % des v.), Glafkos Clérides conservateur (48,37 %), (1er tour 14-2-88 : Clérides 33,32 ; Vassiliou 30,11 ; Kyprianou 27,29 ; Lyssarides 9,22). La Const. du 16-8-1960 prévoyait 1 Pt grec, 1 vice-Pt turc élus pour 5 ans, par les communautés gr. et t. *Conseil des min.* (10 m.). *Ch. des députés* élue pour 5 ans au scrutin proportionnel [56 Gr., 1 Maronite, 1 Arménien, 1 Catholique (représentants des minorités religieuses), 24 T., qui ne prennent plus, dep. déc. 63, part aux travaux de l'Ass.]. *Bases britanniques* à Akrotiri et Dhekelia (256 km²). **Fête nat.** 1er oct. (indép.). **Drapeau** (1960) : blanc avec dessin de l'île, et 2 branches d'olivier représ. l'unité gréco-turque.

Élections du 19-5-1990 (sièges obtenus et entre parenthèses résultats). DISY 20 (19), DIKO 15 (16), AKEL 18 (15), divers 3.

Partis. AKEL (P. communiste de Ch.) fondé 1926, secr. gén. Dimitris Christofias ; EDEK (P. soc. de Ch.) f. févr. 1969, leader Dr Vassos Lyssaridès ; DIKO (P. démocr.) f. 1976, leader Spyros Kyprianou ; DISY [Rassemblement démocr. (droite)] f. 1976, leader Glafkos Clérides ; ADISOK f. 1990 par 5 dissidents d'AKEL.

Économie

(zone grecque uniquement)

P.N.B. (89). Env. 8 140 $ par h. **Taux de croissance** (en %). *1981 :* 2,6 ; *82 :* 6,2 ; *83 :* 4,2 ; *84 :* 8,7 ; *85 :* 4,6 ; *86 :* 3,7 ; *87 :* 6,9 ; *88 :* 8,5 ; *89 :* 7,6. **Pop. active** (89) (en % et entre parenthèses, part du P.N.B. en %). Agr. 14,7 (7,4), ind. 29,9 (28,9), serv. 55,4 (63,7). *Chômage* (%) *1987 :* 3,4 ; *88 :* 2,8 ; *89 :* 2,3. **Inflation.** *1985 :* 5,0 ; *86 :* 1,2 ; *87 :* 2,8 ; *88 :* 3,4 ; *89 :* 3,8 ; *90 :* 4,5. **Aide ext. :** CEE, UNESCO, Banque mond., Banque du Koweït.

Agriculture. *Terres* 56 % cult. *Production* (milliers de t, 89) oranges 50, orge 140, pamplemousses 66, p. de terre 190, blé 9, citrons 42, olives 10, raisin 212, tomates 32, caroube 9. **Forêts.** 64 419 ha (19,5 %). **Élevage** (milliers de têtes, 89). Moutons 330, chèvres 208, poulets 2 500, bovins 49. **Pêche.** 2 650 t (89). **Mines** (t, 1989). Pyrite de fer 57 455, abeste 14 586 (88), gypse 11 000, chrome 2 878 (83), cuivre 700, soufre n.c., terre d'ombre 9 000 t. **Industrie.** Chaussures, vêtements. 5 102 comp. étrangères « off shore », dont 16 grandes banques.

Transports (90). Maritimes 2 200 bateaux (19,6 millions de t). Pas de chemins de fer. **Tourisme** (90). 1 541 534 vis. [dont (%) G.-B. 44,9, Finlande 7,6, All. 6,5, Grèce 4,5, France 1,5].

Commerce (en millions de £ Ch., 1989). **Exp.** 393 *dont* prod. manufacturés 189, réexports 112,2, produits agr. 51,7, shipstores 34, minéraux 0,7, *vers* G.-B. 91,8, Grèce 40,2, Liban 33,7, Arabie S. 16,9, U.R.S.S. 15,4, Égypte 11,8. **Imp.** 1 830,3 *dont* biens de consommation 155,8, prod. pétroliers 88,7, *de* France 133,3, G.-B. 129, Japon 122,4, Italie 107,3, All. féd. 103,3, Grèce 69,4. U.S.A. 63,5, Irak 36,7, Esp. 21,3. **Balance des paiements** (en millions de F). *1986 : + 750, 88 : + 52 (achats de mat. mil.).*

« République turque du Nord de Chypre »

Situation. Représente 37,2 % de la superficie de C. (la pop. turque représentait 22,5 % de la pop. totale de C. au rec. de 1960, 162 676 h. en 86), et en 1974 70 % de la richesse nat., 50 % de l'industrie, 56 % des richesses minières, 83 % des activités portuaires (ports de Kyrénia et Famagouste), 65 % du potentiel touristique, 70 % du cheptel de l'île.

Population. *1987 :* 165 035 h. 65 000 C. turcs venant de la zone grecque (180 000 C. grecs ayant quitté la zone turque). Env. 60 000 colons turcs d'Anatolie, 36 000 militaires et 20 000 membres de leurs familles. Il reste env. 700 Grecs et 300 maronites. **Villes** (87). Famagouste 20 003, Kyrénia 7 107.

Statut. Origine. 1975-*13-12* les Turcs créent dans la zone qu'ils occupent dep. 1974 [au N. de la ligne Erenköy (Kokkina)-Famagouste], *l'État fédéré turc de Kibris (EFTK).* **1983**-*15-11* ils proclament son indép. (la Turquie le reconnaît mais le Conseil de Sécurité de l'ONU le considère comme juridiquement nul). **1985** *Constitution* approuvée par référendum le 5-5. **Pt** (élu au suffr. univ. pour 5 ans) Rauf Denktaş (27-1-1924) dep. 76. *PM* Dr. Dervis Eroglu dep. 85, réélu juin 90. *Ass.* 50 m. élus au suffr. univ. pour 5 ans. **Drapeau** (1984). Blanc, croissant et étoiles rouges avec, de part et d'autre, une mince laize horizontale rouge.

Élections. Du 23-6-1985 : législatives : U.B.P. (p. de l'unité nat. de R. Denktaş) 36,75 % des v. (28 s. sur 50), P.C. 21,28 (12), P. soc. 15,85 (10). **Du 6-5-1990 :** U.B.P. 54 % des v. (34 s. sur 50).

Partis. *P. des Turcs républicains,* f. déc. 1970, leader Ozker Ozgur. *P. démocr. du peuple,* f. 1979, leader Ismet Kotak. *P. de Libér. communale,* f. 1976, leader Mustafa Akinci. *P. de l'Unité nat.,* f. 1975, leader

Dervis Eroglu. En 1990, opposition regroupée dans le P. de la lutte démocratique (D.M.P.).

Économie. **P.N.B. (85).** Env. 1 000 $ par hab. **Inflation (85) :** 15 à 20 %. **Budget.** 9,4 millions de $ financés à 50 % par Turquie. **Tourisme.** *1987 :* 184 337 v.

Commerce (milliers de £ turques, 1982). **Exp.** 9 775 (83) *dont* citrons, p. de t., caroubes *vers* G.-B. 3 425, Turquie 1 213, Liban 67 (81), Italie 54 (81), U.S.A. 19,5, All. féd. 4,4. **Imp.** 30 350 *de* Turquie 7 954, G.-B. 4 269, All. féd. 1 351, Italie 1 044.

COLOMBIE

V. légende p. 837.

Nom. Donné en l'honneur de Christophe Colomb (avant l'indépendance : Nouvelle-Grenade).

Situation. Amérique du S. 1 141 748 km². *Frontières* avec Venezuela 2 219 km, Brésil 1 645, Pérou 1 626, Equateur 566, Panamá 266. *Côtes :* mer Caraïbe 1 600 km, Pacifique 1 300. *Alt. max.* Pic Colomb 5 775 m. **Régions :** littoral (tropical), Andes (traversées par les vallées de Cauca et Magdalena), les llanos (2/3 du terr., plaines, pâturages). **Climat :** *terres chaudes* (jusqu'à 1 000 m d'alt.) temp. moy. 24 à 28 °C, *tempérées* (1 000 à 2 000) 17 à 24 °C, *froides* (2 000 à 3 000 m) 8 à 17 °C, *neiges éternelles* (+ de 4 000 m). *Été :* déc. à avril sur la mer Caraïbe (le reste de l'année pluies fréquentes ; terres hautes : janv.-févr., juin-juillet-août et par endroits déc.).

Population. 32 335 000 h. (89). 37 999 000 h. (2000). **Croissance** 1,7 %. *- de 15 a. :* 36 %, *+ de 65 a. :* 3 %. *En % :* Métis 54, Blancs 20, Mulâtres 14, Indiens 5 (398 tribus), Noirs 4. *Pop. urbaine* 67 %, *active* 7 500 000. 3 000 000 d'enfants de - de 14 a. travaillent. D. 28. **Villes** (85) : *Bogotá* 3 982 941 h. (à 2 640 m d'alt.), Medellín 2 095 147 (1 474 m. d'alt., à 569 km de la cap.), Cali 1 400 828 (1 108 m d'alt., à 538 km, fondée v. 1530), Barranquilla 1 137 150 (à 1 411 km), Cartagena 531 426 (à 1 274 km).

Langue. Espagnol *(off.)*, paez et autres langues indigènes issues de 3 familles linguistiques : Chibcha, Caraïbes, Arauca. **Analphabètes** (adultes) 12 %. **Religion d'État.** Catholicisme 96 %.

Histoire. Civilisation des Chibchas dans la Cordillère orientale ; cultivateurs venus d'Amér. centrale (2 roy. : Zipa à Bogotá ; Zaque à Tunja). **1499** découverte par Alonso de Ojeda. **1536-39** explorée par Gonzalo Jiménez de Quesada, qui fonde Santa Fé (Bogotá) en 1538 ; réunie au Venezuela et à l'Equateur. **1717** création de la vice-roy. de N.-Grenade. **1781**-*6-3* les communeros lancent le 1er mouvement d'indép. **1810-15** 1er soulèvement. **1819**-*7-8* bataille du Pont de Boyacá. Indép. *-17-12* création de la Rép. de Colombie (comprend C., Venezuela, Equateur et Panamá). **1830** dissolution de cette Grande C. (Venezuela et Equateur indépendants). **1831** Rép. de Nouvelle-Grenade. **1858** système fédéral : Confédération grenadine. **1863** États-Unis de C. **1886** régime unitaire : Rép. de la C. **1849-79** les libéraux (anticléricaux et contre la centralisation) dominent, guerres civiles. **1879-89** lib. et conservateurs alternent. **1899** g. civile (g. des 1 000 j.) ; les lib. sont battus (1902), 100 000 †. **1903** indépendance de Panamá. **1934-35** accords de frontières avec Pérou au sujet de Leticia. **1946** conservateurs ont la présidence. **1948**-*9-4* Jorge Elieçer Gaitan assassiné (leader de la gauche libérale), 3 j. d'émeutes, 3 000 †. **1948-53** g. civile entre lib. et conserv. (bogotazo), 300 000 †. **1953-57** Gén. Rojas Pinilla dictateur. **1958** lib. et conserv. constituent un Front national, conviennent d'alterner à la présidence jusqu'en 1974, et de partager à égalité les postes gouvernementaux. **1961** guérillas (E.L.N.). **1966**-*15-2* Camillo Torres (n. 1929) curé guérillero tué. **1974** guérilla des FARC. Front national prorogé jusqu'en 1978 pour l'adm. publique. Apparition du M. 19 (mouvement du 19 avril). **1975** redécouverte de la capitale des Taironas (incendiée 1630 par Esp.). **1976** attentats, plus de 100 rapts. **1977** *sept.* émeutes ouvrières (18 †,). **1978** *févr.* élec. lég., abstentions 67,5 %. *-4-6* Julio César Turbay élu Pt (2 320 034 v., P. libéral) contre Belisario Betancur (n. 1923, conservateur, 2 216 673 v.) ; gauche soc., comm. et maoïste 70 000 v. ; candidat populiste 55 000 ; abstentions 62,4 %. *-12-9* Rafael Pardo Buelvas, ancien min. de l'Intérieur, assassiné. **1979**-*1-1* M 19 prend 5 000 armes dans des casernes, répression (2 400 arrestations). 400 paysans tués par les FARC.

1980-*27-2*, 25 g. du M 19 prennent 14 ambassadeurs en otages lors d'une réception à l'amb. de la Rép. dom. *-27-4* ils partent pour Cuba avec 12 otages qu'ils libèrent (ils n'ont pas obtenu la libération des

311 prisonniers pol. demandée). **1981** *cartel de Medellín* créé après l'enlèvement de Maria Neves Ochoa (fille de Fabio) par le M 19 : en 2 mois, 700 partisans de la guérilla abattus. Maria libérée. **1982**-*30-5* Betancur élu par 3 200 000 v. [devant A. Lopez (libéral) 2 800 000 et Luis Carlos Galan (libéral indép.) 750 000]. *-20-6* levée de l'état de siège qui durait dep. 34 ans. *-20-11* loi d'amnistie ; au 1-1-83, 380 guérilleros sur 6 000 avaient demandé à en bénéficier. **1983**-*31-3* séisme. Popayan détruite à 90 %. *-28-4* J. Bateman, leader guérilla meurt. *-22-11* l'ELN enlève le frère du Pt de la Rép. (libéré 7-12). **1984**-*27-4* Rodrigo Lara Bonilla, min. de la Justice, assassiné par Mafia (drogue). *-28-5* cessez-le-feu avec FARC. *-23-8* avec l'EPL, autre accord avec l'ADO. *-24-8* avec le M 19 (en 1984, 136 policiers tués, lutte contre la Mafia). **1985**-*14/16-5* grâce pour guérilleros. *Juin* M 19 et EPL rompent trêve. *-28-8* Ivan Marino Ospina, chef du M 19, tué. *-6/9-11* 70 membres du M 19 occupent palais de justice de Bogotá, assaut 95 † dont 11 magistrats. *-14/15-11* coulée de boue du Nevada del Ruiz à Armero (23 000 †). **1986**-*30-1* purge dans la guérilla anti-gouvernementale : 164 exécutions. *1-7* Jean-Paul II en Colombie. *-30-8* Leonardo Posada Pedraza, député de l'Union Patriotique (gauche), assassiné. *-1-9* Pedro Nel Jimenez Obando, sénateur de l'U.P., assassiné. *-17-12* Guillermo Cano, directeur du Journal *El Espectador*, assassiné par Mafia. **1987**-*14-1* Enrique Parejo amb. Hongrie (avant, min. de la Just.) blessé par tireur. *Févr.* Carlos Lehder (1952), cerveau du cartel de Medellín, arrêté, livré à la justice U.S. *-18-6* embuscade : 32 militaires †. *Sept.* glissement de terrain 500 †. *-11-10* Jaime Pardo Leal (gauche) tué ; manif. 5 †. **1988**-*25-1* Carlos Mauro Hoyos (procureur gén.) tué par trafiquants de drogue. *-13-3* municipales (1res dep. 30 ans) succès social-conservateur. *-19-5* Lehder condamné aux U.S.A. (150 ans de prison). *-20-7* M 19 libère Alvaro Gomez Hurtado, leader conservateur séquestré dep. 53 j. *Août* recherche de la cargaison du « San José » coulé 1708, évaluée 9 milliards de F. *Nov.* guérilla à Ségovia (42 †). **1989** *-11-1* M 19 s'engage à ne plus attaquer les mil., en échange de l'acquisition d'un statut légal avant 1990. *-3-3* attentat, aéroport à Bogotá (4 †). *-16-7* Monica de Greiff, 32 ans, nommée min. de la Justice, démission 21-9 car menacée de mort ainsi que sa famille. *-18-8* Luis Carlos Galan assassiné. *-18-9* 2 Israéliens arrêtés : Yaïr Gal Klein et Arik Acek accusés d'avoir entraîné des trafiquants. *-5-10* inhumation de Mgr Jésus Jaramillo, év. d'Arauca, enlevé et assassiné par l'ELN. *-12-10* Pt Mitterrand en C. *-17-10* Hector Jimenez, magistrat à Medellín, assassiné. *-1-11* Luis Francisco Madero, député et Mariela Espinosa Arango, juge, assassinés. *-27-11* Boeing d'Avianca 107 † (attentat). *-6-12* à Bogotá, 500 kg de gélinite devant la police secrète, cratère de 13 m de large et 3 m de haut, 63 †, 1 000 bl. *-15-12* Pt Barco renonce à réformer la constitution. **1990**-*17-1* trafiquants du cartel se déclarent prêts à suspendre le trafic de la cocaïne et à déposer les armes. *-22-1* cartel libère Alvaro Diego Montaya Escobar, fils du secr. gén. de la présidence, enlevé 15 j plus tôt. *-15-2* sommet anti-drogue de Carthagène réunissant les Pts Bush, Barco, Zamora (Bolivie) et Garcia (Pérou). *-11-3* législatives et municipales. *-22-3* Bernado Jaramillo Ossa, candidat de l'Union patriotique aux présidentielles, assassiné (Pablo Escobar et cartel de Medellín accusés). *Avril* armée cerne le siège de Pablo Escobar (510 † en 10 j.). *-27-5* présidentelles. *-14-7* Medellín : 40 tués par tireurs inconnus. *-11-8* police abat Gustavo Gaviria Rivero, cousin d'Escobar. *-19-8* 960 000 $ offerts pour la capture de P. Escobar. *-5-9* Pt Gaviria n'accepte pas d'extrader les narco-trafiquants. *-9-12* élections de l'Ass. constituante : victoire de l'ancien guérillero du M19 Antonio Navarro (70 % d'abstentions). **1991**-*24-1* l'ELN sabote oléoduc Cano-Limo (Covenas, 220 000 barils/j.). *-12-2* Fortunato Gaviria, cousin du Pt, enlevé (assassiné le 16 par droits communs). *-16-2* Medellín attentat : 22 †, 176 bl. *-17-2* Medellín : 23 †. *-18-2* ELN et FARC acceptent discussions sur cessez-le-feu. *-21-2* police tue 7 des ravisseurs d'une femme d'affaires, Maria del Rio Vargas (rançon 860 000 $). *-20-3* affrontements avec guérilla : 3 policiers †, + de 50 militaires enlevés.

Statut. Rép. *Const.* de 1886. *Ass. constituante* (élue 9-12-90, siège de févr. à juillet 1991). *Sénat* (114 m. élus p. 4 ans dont, en 90, P. libéral 72, conservateur 41, union patr. 1). *Ch. des dép.* (199 m. élus p. 4 ans dont, en 86, P. libéral 98, conservateur 80, Nouv. lib. 7, union patr. 6, autres 8). *Pt* (élu au suffr. univ. p. 4 ans ; ne peut se représenter) Cesar Gaviria Trujillo (libéral) élu 27-5-90 par 47,5 % des v. devant Alvaro Gomez (conserv.) 23,8, Antiono Navarro (M 19) 12,8, Rodrigo Lloreda (social-conserv.) 12,2 [avant Virgilio Barco (libéral) élu 25-5-86 par 57 % des v. devant Alvaro Gomez (conserv.) 37, Jaime Pardo Leal (comm.) 4, Regina de Liska 0,7 (avant Belisario Betancur Cuartas (n. 1923) conservateur)]. **Fête nat.** 20 juill. (Indép.). **Départements** 23. **Districts et territoires** 4. **Districts spéciaux** 4 + Bogotá. **Drapeau.** Adopté 1861 : bandes horiz., jaune, symbolisant la nation, séparée de l'Espagne par la mer (bande bleue), dont le peuple a résisté à la tyrannie par le sang (bande rouge). **Armée** 85 000 h (terre 65 000, gendarmes 75 000, agents de renseignement 5 000). *Guérilla :* 15 000 s'appuyant sur 75 000 paysans. *Miliciens :* 2 000 à 10 000 recrutés par propriétaires terriens contre guérilla.

Partis et mouvements. *Alliance nationale populaire* (ANAPO), fondée 1971, leader Eugenia Rojas de Moreno Diaz. *Démocratie chrétienne,* leader Juan Alberto Polo. *P. social-conservateur,* f. 1849, 2 tendances, leaders Dr. Belisario Betancur Cuartas et Alvaro Gomez Hurtado. *P. libéral,* f. 1815, leader Alfonso Lopez Michelsen. *Union nationale de la gauche* (UNG), coalition de gauche comprenant le PC, le PST (P. Soc. des Travailleurs) et Firmes. *EPL* (Armée pop. de la liberté maoïste), branche armée du P.C. marx.-lén. *ADO* (Mouv. trotskiste d'autodéfense ouvrière), né 1977. *M 19* (Mouv. du 19 avril) au début réformiste nationaliste, se radicalise (né 1974 d'une dissidence de l'ANAPO, parti du Gal Rojas Pinilla). Nov. 1989, 14-2-90 accord pour déposer les armes le 8-3-90. *FARC* (Force armée révolutionnaire de Col.), communiste, née v. 1950 [chef Manuel Marulanda (Tirofijo : Vise juste)]. 7 500 h. constituent le *P. de l'Union patriotique,* branche dissidente dep. 1983 : Front Ricardo Franco (Javier Delgado). *ELN* (Armée de libération nat.), chef prêtre espagnol Manuel Perez Martinez (dit Poliarco). *Front Quintin-Lame* indigènes voulant récupérer les anciennes réserves. M 19, FARC, ELN, EPL, Quintin-Lame et Patrie libre constituent la coordination nat. de la guérilla.

Dépendances. *Mer Caraïbe :* îles de San Andrès, Providencia (26 km², à 850 km de la côte, tourisme), San Bernardo, de Rosario et Fuerte ; *Pacifique :* Gorgona, Gorgonilla, Malpelo (1 km²).

Économie

P.N.B. (89) env. 1 218 $ par h. **Pop. active** (%) et part du **P.N.B.** (%) agr. 30 (21), ind. 14 (26), serv. 51 (44), mines 5 (9). **Inflation.** *81 :* 27,5 ; *82 :* 24,5 ; *83 :* 20 ; *84 :* 17 ; *85 :* 22,45 ; *86 :* 20,95 ; *87 :* 25 ; *88 :* 28 ; *89 :* 26. **Chômage** (%) : *81 :* 8,1 ; *85 :* 14,2 ; *88 :* 10,2. **Dette extér.** (juin 89). 15,5 milliards de $ dont publique 12,4 (34,5 % du P.I.B.).

Agriculture. *Terres* (milliers d'ha, 81) arables 4 050, cultivées en permanence 1 600, pâturages 30 000, forêts 52 450, eaux 10 021, divers 15 570. *Production* (milliers de t, 89) canne à s. 25 980, riz 1 906, manioc 1 434, pommes de t. 2 737, café (20 % des terres arables, cultures sous futaies, arabica) 678, maïs 1 052, soja 200, coton 147, orge 103, blé 81, bananes 1 350 (90 % des exp. faites à Uraba), oignons 473, tomates 360, choux 480 (84), tabac. Fleurs exportées aux U.S.A. Grande propriété et *aparceria* (métayage précédemment). **Bois** 721 000 m³ (84).

Drogue. 80 % de la drogue consommée aux U.S.A. viendrait de C. *Cocaïne :* env. 3 000 ha de coca. 1er transformateur et exp. de la cocaïne venant de Pérou,

Bolivie et Équateur. Saisies (89) : 29,350 t, (90) : 44 t. *Marijuana : 700 km², 1er prod. Saisies (89) :* 544 800 kg. *Chiffre d'aff.* (milliards de $) : *1978* 0,5, *1989* 4 dont 3 recyclés à l'étranger, 1 rapatrié (2,5 % du P.N.B.) *Personnes impliquées :* 600 000 à 1 700 000.

Cartel de Medellín. Contrôle 80 % du marché de la drogue (+ de 100 milliards de $). En 1984, a proposé au gouvernement col. de rembourser la dette ext. (100 milliards de F. env.) en échange du libre trafic. Actif en Floride et côte O. des E.-U. Membres appelés « paisas ». Dirigeants : Gonzalo Rodriguez Gacha († déc. 1989, tué par police), frères Ochoa se rendent : *Fabio* (18-12-1990), (accusé d'avoir introduit 19 t de cocaïne aux USA en août 1981, en sept. 1988 sous menace de mort empêche la diffusion d'un reportage de TF1), *Jorge Luis* (15-1-1991), n. 1949, nº 2 du Cartel (arrêté 1984 à Madrid avec Gilberto Orejuela, chef du Cartel de Cali, extradé vers Col., condamné pour trafic de taureaux), *Juan-David* (16-2-1991). Pablo Escobar (l'un des 4 hommes les plus riches du monde). *1970 :* enlève l'industriel Diego Aristizabel, puis investit dans une affaire d'import-export (voitures volées). *1980 :* vend cocaïne aux U.S.A. Possède + de 20 000 ha (Napoles-Naples), 6 hélicoptères et 40 petits bimoteurs. *1991*-19-1 se rend aux autorités. **Cartel de Cali.** Chefs présumés : Gilberto Rodriguez Orejuela, José Santacruz Londono. **Victimes de la violence pol. et du trafic de la drogue.** *1980 à 89 :* 350 magistrats et hommes de loi abattus. *1988 :* 16 000 tués, janv. à oct. *1989 :* 3 000 †. 2 policiers tués par jour à Medellín. *1990 (juin) :* 86 856 † dep. 1986 (144 policiers dep. janv. 90).

Élevage (millions de têtes, 89). Bovins 24,6, porcs 2,6, moutons 2,6, chevaux 1,9 (88), mulets 0,6 (88), ânes 0,6 (88), chèvres 0,9, poulets 48.

Énergie. **Pétrole** (millions de t) : *réserves* 274, Cano-Limon (220 000 b/j ; 320 000 prévus, 100 000 en moins avec les attentats), El Tambor, Payoa, Santos, Putumayo, *production 1982 :* 6,9 ; *85 :* 8,9 ; *87 :* 19 (dont 6 exploitables) ; *88 :* 17 ; *89 :* 20 ; *90 :* 22. **Gaz** (milliards de m³) : *réserves* 127, *production* 2. **Charbon** (millions de t) : *réserves* 19 595 à Cerrejon, *prod.* 6,9 (exp. prévues 1989, 15). **Hydroélectricité** (milliards de kWh) : *potentiel* 200, *prod.* 37 (88). En construction, barrage du Guavio et centrale hydro-électrique souterraine, production 1 600 MW en 1990 (coût : 2 milliards de $). Mines (89). *Or* 30,7 t. *Uranium. Fer. Zinc. Mercure. Nickel. Argent. Émeraudes* (33 % de la prod. mondiale).

Industrie. Textile, ciment, sucre, automobile, raffineries de pétrole. Transports. Difficiles à cause du relief. *Routes* 75 000 km. *Ch. de fer* 3 403 km.

Tourisme. **Visiteurs** (88) 828 913. **Sites.** *Bogotá,* musée de l'Or (25 000 pièces d'orfèvrerie précolombienne). *Zipaquira,* mine de sel transformée en cathédrale. *Lagunes* de Guaravita, de Ubate. Bassins de Neusa et Sisga. *Montagne* de Monserrate. *Ruines* de San Agustin, Leticia, Villa de Leyva, Neiva. *Villes coloniales :* Cartagena, Santa Marta, Mompox, Popayán, Tunja. *Parcs archéologiques :* San Agustin (Huila), Isnos [(Huila), p. San José], Tierradentro [(Tolima), p. de San Andrès de Pisimbala] ; *p. naturels :* Sogamoso (Santander), Santa Marta [(Magdalena), p. de Tayrona et de la Sierra Nevada], Ipiales (Nariño), Cundinamarca [(Bogotá), cascade de Tequendama]. *Thermalisme :* Paipa. *Iles :* San Andrès, Providencia.

Commerce (millions de $ US, 88). *Exportations* 6 957 (90) *dont* café 1 409 (90), fuel-oil 987, bananes 254,4, textiles 91 (86), fleurs fraîches 190,4 (88), charbon 305,8, *vers (86)* C.E.E. 1 888, U.S.A. 1 529, A.E.L.E. 383, Pays andins 281. *Importations* 4 515 *dont (86)* mat. élec. 1 140, prod. chim. 823, métaux 431 *de* U.S.A. 1 389, C.E.E. 726, Pays andins 248, Brésil 139.

Balance (milliards de $ U.S.) **commerciale** *82 :* – 3, *83 :* – 2,2, *84 :* – 1, *85 :* – 1,3, *86 :* + 1,9, *87 :* + 1,8, *88 :* 0,6, *90 :* 1,1 ; **des paiements** *87 :* + 3,8, *88 :* + 4,5.

Rang dans le monde (89). 2e café. 8e cacao. 9e bovins. 10e canne à sucre, or. 16e rés. charbon. 26e pétrole.

COMORES

V. légende p. 837.

Situation. Archipel de l'océan Indien. 1 862 km² (2 236 km² avec Mayotte) ; îles d'origine volcanique frangées de récifs coralliens. *Alt. max.* Karthala 2 361 m (volcan en activité, dernière éruption 1977, le plus grand cratère du monde.). **Climat** tropical. *Saisons : chaude* et humide, nov.-avril (moussons ; cyclones rares), temp. max. 27 °C (moy. de déc.) ;

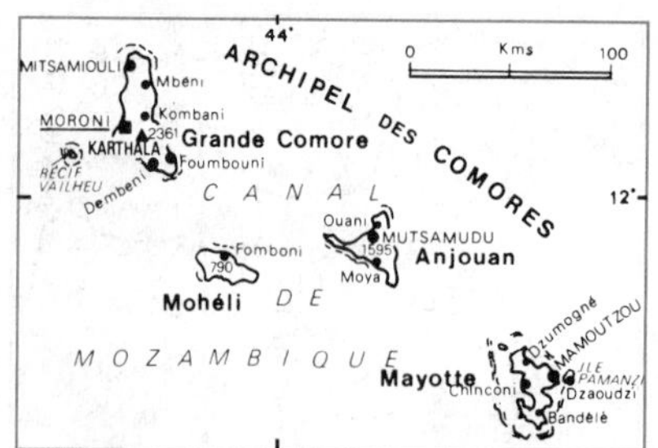

sèche mai-oct. (max. 23 °C moy. de juill.). Régions au vent plus humides que sous le vent (baobabs). *Pluies* en mm : Moroni 2 500, Boboni 5 434.

Population. *1980* (rec.) : 335 150 h. *89* (est.) : 459 000. *Prév. 2000 :* 715 000. Noirs (Bantous), Arabes, Malgaches dont 600 expatriés. – *de 15 a. :* 47 %, + *de 65 a. :* 3 %. *Émigration* vers Madagascar (reflux 1976) et côte orientale de l'Afrique, tarie vers Réunion et France. *Polygames : 1966 :* 24,9 % des hommes mariés, *1986 :* 19,1 %. D. 246,5. Langues. Français *(off.)* et arabe *(rel.),* comorien (proche du swahili avec 25 % de vocabulaire arabe). **Enseignement** (1989). 49 % des jeunes de 12 à 14 ans vivent en dehors du système éducatif. Religions. Musulmans, 1 500 chrétiens (Créoles, Fr. d'orig. et Malgaches).

Iles principales. **Ndzouani (ex-Anjouan).** 424 km². *Alt. max.* 1 570 m. 171 000 h. D. 403,3. *Villes : Mutsamudu* 10 000 h., Domoni, Ouani. **Ngazidja (ex-Grande Comore).** 1 148 km². *Alt. max.* 2 631 m (Karthala). 220 000 h. D. 191. *Villes : Moroni* (cap.) 21 000 h., *aggl.* 60 000 h., Mitsamilouli, Foumbouni. **Moili (ex-Mohéli).** 290 km². 21 000 h. D. 72. *Ville : Fomboni* 4 500 h.

Histoire. **XIIe s.** islamisation. Les 4 îles constituent depuis des émirats séparés. Les sultans d'Anjouan, à certaines périodes, dominent Mohéli ou Mayotte. **1841**-*25-4* le capit. Passot négocie l'acquisition de Mayotte. **1843** occupation fr. **1886** tr. de protectorat avec sultans des 3 autres îles. **1891** annexion d'Anjouan. **1892** de la Gde Comore. **1897** constitution de la colonie « Mayotte et dépendances », capitale : Dzaoudzi. **1912** annexion de la Gde C., Anjouan et Mohéli. *-4-7* rattachement à Madagascar. **1947** autonomie admin. et financière ; puis douanière en 1952. **1958** vote pour le maintien en T.O.M. **1961**-*22-12* terr. autonome. **1962** Saïd Mohammed Cheikh élu à la tête du Conseil de gouv. des C., capitale transférée de Dzaoudzi (îlot de 2 ha à Mayotte considéré comme trop petit) à Moroni (Gde C.). **1972**-*22-12* élect. : partisans d'Ahmed Abdallah (1919-89) (Parti Vert) 72 % des v., de Saïd Ibrahim et Mohamed Ahmed (P. Blanc) 26 % ; Abdallah élu Pt de la Chambre des dép. *-23-12* l'Ass. vote pour l'indép. (34 v. contre 5). **1974**-*22-12* référendum sur l'indép. : inscrits 174 918, votants 163 167, suffr. expr. 163 037 ; oui 154 184 (94,56 %), non 8 853 (5,44 %) [*Gde Comore* oui 84 123 (99,98 %), non 21 ; *Moili* oui 6 054 (99,88), non 5 ; *Anjouan* oui 58 897 (99,92), non 44 ; *Mayotte* oui 5 110 (36,18), non 8 783 (63,82)]. **1975**-*6-7* l'Ass. des C. proclame l'indép. Mayotte déclare cette décision illégale. *-9-7* Abdallah élu Pt des C. déposé *3-8* par le Comité nat. révol. Ali Soilih prend le pouvoir : fonctionnaires renvoyés, archives brûlées, suppression du voile des femmes, comités révol. (rôle important des lycéens) dans chaque village. *-21-9* fin de la sécession d'Anjouan où s'était réfugié Abdallah. *-21-11* échec d'une « marche neutre » comor. à Mayotte (160 personnes). *-13-12* le Parlement fr. entérine l'indép. des C. et laisse à May. le choix de son statut. **1976**-*2-1* Ali Soilih Pt. *-8-2* référendum à May. (99,4 % pour rester dans la Rép. fr.). *-21-10* à l'O.N.U., 102 États (contre 1 ; 28 abstentions) protestent contre les référendums imposés à May. (atteinte à la souveraineté de l'État com.). **1977** destruction des archives, rôle croissant des lycéens, droit de vote à 15 ans. *-28-10* référendum pour maintien d'Ali Soilih au pouvoir (155 558 votants, 55 % pour, 42,5 % contre, 2,5 % votes nuls). **1978** répression aggravée. *-13-5* Ali Soilih devenu fou et drogué, renversé par Bob Denard (n. 7-4-1929) et 50 mercenaires, est tué. Directoire : co-Pts Ahmed Abdallah (Parti Vert) et Mohamed Ahmed (P. Blanc, † 27-1-84). *-1-10* référendum pour la Const. 90 %. *-22-10* Abdallah, candidat unique, élu Pt 99,4 % des voix. **1982**-*17/24-3* él. anticipées à l'Ass. féd. *-24-10* révision de la Const. (renforcement du pouvoir central). **1984**-*8-3* putsch de la garde prés. échec (60 arrest.). *-30-9* Pt Abdallah réélu (99 % des voix). **1987**-*22-3* législatives, les 41 sièges vont aux candidats de la majorité élue. *-30-11* complot Milot déjoué (3 †). Denard inculpé par Cour d'appel de Paris (tentative de coup d'Etat manqué au Bénin en 1977). **1988** *oct.* Denard, devenu musulman (Saïd Mustapha M'Madijou) vit dans une ferme modèle, dirige la garde présid. (600 h encadrés par 17 off. français), payée par l'Afr. du S. dep. 1979 (30 millions de F par an). **1989**-*5-11* réforme de la Constit. adoptée par référendum : oui 92,5 %, autorisant un 3e mandat prés. et la création du poste de PM. *Nov.* Abdallah interdit de présenter des candidats aux él. locales de déc. *-26-11* Abdallah assassiné après discussion avec Denard [accompagné du capitaine « Siam » (Jean-Paul Guerrier) et du commandant « Marquès » (Dominique Malacino)] ; 1er accusé : commandant Ahmed Mohamed, ancien chef d'état-major démis sept. 89 pour trafic, mais absent au moment de l'attentat ; Saïd Mohamed Djohar Pt par intérim. *-13-12* 3 navires fr. se dirigent vers Gde Co. *-15-12* Denard et ses mercenaires partent pour l'Afr. du S. (qui leur a payé 6 mois de solde). *-22-12* Denard part pour la Fr. **1990**-*18-1* présidentielles ; fraude. *-11-3* Saïd Mohamed Djohar élu Pt (au 2e tour) avec 55,02 % des voix devant Mohamed Taki Abdoulkarim (44,98 %), abstentions 40 % (élection contestée par l'opp.). *-13-6* visite du Pt Mitterrand. *-14-9* capitaine « Siam » inculpé à Paris. *Oct.* Seevadac, ancien compagnon de Denard, tué par la police dans l'île d'Anjaran.

Statut. République fédérale islamique. *Const.* du 1-10-1978. *Pt* (élu pour 6 ans) Saïd Mohamed Djohar dep. 14-3-90. *Ass.* 42 m. *Gouv.* dans chaque île. *Conseil des îles.* **Accord d'assistance et de défense mil.** avec France dep. 1978. **Partis.** U.P.C. (Union com. pour le progrès). U.D.R.C. (Union pour une Rép. démocratique aux C.). Drapeau. Adopté 1975 : vert avec croissant blanc (foi islamique) et 4 étoiles blanches (les 4 îles, dont Mayotte).

Économie

P.I.B. (87). 61 200 millions de F comoriens.

P.N.B. (88) 440 $ par h. **Pop. active** (% et entre par. part du P.N.B. en %) agr. 65 (40), ind. 5 (10), serv. 30 (50). **Aide extérieure** (millions de F). *1976-81 :* 1 076 ; *82 :* 265 (dont 60 de France) ; *83 :* 70 ; *84 :* 95 ; *85 :* 51 ; *86 :* 47 ; *87 :* 53 ; *89 :* 130 (et prêts de la Caisse centrale : 250 millions de F sur 10 ans). **Aide de l'Afr. du S. (1990).** 9,3 millions de $. **Coopération franç. (1989).** 102 pers., dont 30 militaires.

Agriculture. 42 % des terres cult. *Production* (milliers de t, 88) bananes 39, manioc 95, noix de coco 53, riz 18, patates douces 19, maïs 6, ignames 1,8 (86), tarots 1,7 (86), ambrevade, fruits, ylang-ylang, vanille, girofle, coprah, basilic, cassie, oranger, lantana, poivre, cannelle, café. Riz importé du Pakistan (22 500 t en 85) et viande du Botswana. Élevage (milliers de têtes, 88). Poulets 66 (86), chèvres 96, bovins 85. *Pêche.* 5 300 t (86). Mines. Pouzzolane.

Commerce (millions de F CF comoriens, 87). *Exportations* 7 000 *dont* vanille 5 100, girofle 820, ylang 640, coprah 65 (85), *vers* France 2 562. *Importations* 13 600 *dont* riz 5 400, pétrole 1 500, viande 600, ciment 900 (85), *de* France 4 500 (85).

CONGO

Carte p. 1123. V. légende p. 837.

Situation. Afrique, sur l'équateur. 342 000 km². *Alt. max.* 600 m. *Côtes* 180 km (plaine de 50 km de large). *Plateau* savanes. *Forêt* (50 % de la sup.) domine au n. d'une ligne S.-O./N.-E. (coton, café, cacao, hévéas, palmiers à huile). **Climat :** équatorial, humide et chaud, temp. 25 °C à Brazzaville. *Pluie* 1 200 mm (variations importantes).

Population. 2 208 000 h. (89). 3 600 000 h. *(2000).* 15 groupes répartis en 75 tribus [en % : Kongos 45 (ou Bakongos, à l'O. de Brazzaville), Tékés (ou Batékés, sur les hauts plateaux) 20, M'Bochis 10 (agriculteurs, pêcheurs, chasseurs]). *Immigrants :* France 7 500, Portugal 300 env., Sénégal, Mali, Centrafrique, Gabon 500. – *de 15 a. :* 46 %, + *de 65 a. :* 3 %. **Mort. infantile** 11,2 ‰. D. 6,4. **Villes** (85) : *Brazzaville* 600 000 h. (fondée 3-10-1880), Pointe-Noire 300 000, Loubomo 50 000, N'Kayi 35 600. Langues. Français *(off.),* lingala 50 %, munukutuba 30 %, lari 15 %. Religions. Catholiques 53,9 %, protestants 24,4 %, animistes 19 %, kibanguistes, quelques musulmans.

Histoire. **XIV-XVe s.** Fondation du roy. du Kongo par la Nkeni. **1484** le Portugais Diego Cao découvre l'embouchure du Zaïre. **1879** *sept.* Savorgnan de Brazza signe avec Makoko, roi des Batékés, un tr.

de protectorat français. **1884** fondation de Brazzaville. **1908** fait partie de l'A.E.F. **1910** Brazzaville capitale de l'A.E.F. **1940**-*août* rallié à la Fr. libre, Brazzaville capitale de l'Afr. en guerre. **1944**-*30-1* discours de Brazzaville (de Gaulle pose les 1ers jalons de la décolonisation). **1958**-*21-11* abbé Fulbert Youlou (1917-72) élu Pt. *-28-11* Rép. autonome. **1959** guerre tribale. **1960**-*15-8* indépendance. **1963**-*13/14/15-8* révolution, Youlou démissionne. **1963**-*déc.* Alphonse Massamba-Débat (n. 1921 d'origine lari et bakongo du centre) Pt. **1968**-*31-7* renversé par Cdt Marien Ngouabi (kouyou nord), Cap. Alfred Raoul (n. 1938 tribu Vili), nommé immédiatement Cdt (PM jusqu'au 1-1-70). **1970**-*1-1* Rép. populaire. *Mars* coup d'État échoue. **1972**-*22-2* coup d'État échoue. **1973**-*févr.* complot découvert, 2 anciens min. arrêtés, dissolution de la police, mise à la retraite de fonctionnaires « improductifs ». **1977**-*18-3* Pt Marien Ngouabi tué (attentat). *-22-3* Cardinal Biayenda assassiné. Comité militaire de 11 officiers. *-25-3* ancien Pt Massamba-Débat exécuté. *-5-4* Gal Joachim Yhombi-Opango (n. 1939) nommé Pt par le comité militaire. **1979**-*5-2* Opango destitué. **1982** attentats à Brazzaville 20-3 (5 †) et 17-7 (4 †). **1986**-*17-8* jugé pour cela, Ernest-Claude Ndalla dit Ndala-Graille (ancien 1er secr. du Parti), condamné à mort. **1987**-*sept.* rébellion militaire [capitaine Pierre Anga (Kouyou)] (50 † ?). **1991** *avril* retrait de 1 500 soldats cubains stationnés dep. 1977.

Statut. Rép. populaire (1er pays africain à adopter un régime comm.). *Const.* du 8-7-1979. *Pt.* (élu pour 5 ans par le congrès du P.C.T.). Colonel Denis Sassou-Nguesso (n. 1943 M'bochi) Pt. *PM.* André Milongo dep. 8-6-91. *Ass. nationale populaire* 153 m. élus au suffr. univ. pour 5 ans. *Parti unique* P. congolais du travail, f. 31-12-69, marxiste-léniniste, env. 10 000 m, 9 *régions.* Cuba dispose d'une base à Pointe-Noire.

Fête nat. 13, 14 et 15 août (les 3 Glorieuses : journées d'août 1963). **Drapeau.** Adopté 1970 : rouge avec étoile dorée, marteau et houe (union de l'ind. et de l'agric.).

Économie

P.N.B. (89) env. 960 $ par h. **Pop. active** (%, entre par., part du P.N.B. en %) agr. 34 (12), ind. 20 (10), serv. 41 (55), mines 5 (23). **Chômage.** Touche plus de 50 % des - de 25 ans. **Inflation** (%). *85 :* 6,1 ; *86 :* 2,4 ; *87 :* 2,5 ; *88 :* 2,7. **Dette extérieure.** *85 :* 2,44, *87 :* 3,7 milliards de $ (une fois et demie le P.I.B. : une des plus lourdes par tête d'hab. ; le service de la dette approche le niveau des export.). **Croissance** (%). *85 :* - 8,8 ; *86 :* - 10 ; *87 :* - 8,2 ; *88 :* - 4. **Recettes budgétaires** courantes (milliards de F CFA. *1985 :* 335 (dont pétrole 224). *86 :* 218 (115). *87 :* 159 (50). **Aide extérieure du F.M.I.** Accordée août 1986 ; après la 1re tranche obtenue, arrêt, les réformes étant jugées insuffisantes.

Agriculture. *Terres* (milliers d'ha, 81) arables 200 (83), cultivées en permanence 20 (83), pâturages 10 000, forêts 21 360, eaux 50, divers 2 139. *Production* (milliers de t, 88) manioc 700, canne à sucre 400, ananas 114, bananes 32, patates douces 14, arachides 17 (89), maïs 9, café 2, cacao 2. **Forêts.** 2 614 000 m³ (87).

Élevage (milliers de têtes, 88). Bovins 70, porcs 48, caprins 186, poulets 1 000. **Pêche.** 31 000 t (87).

Pétrole (millions de t). *Réserves 1989 :* 113 ; *production : 83 :* 5,4 ; *84 :* 4,5 ; *85 :* 6 ; *86 :* 6 ; *87 :* 6,3 ; *88 :* 7 ; *89 :* 6,5 ; *90 :* 8. **Gaz.** *Réserves 1986 :* 62 milliards de m³, non exploité. **Mines.** *Potasse, uranium, plomb, fer.* **Industrie.** Prod. alim., textile, prod. chim., ciment, tabac, allumettes.

Commerce (milliards de F CFA, 88). *Exportations* 223,7 dont pétrole 178,2, bois 34,9, diamants 4,7, fer et acier 0,2, café 0,2 *vers* (85) U.S.A. 293, Espagne 68, France 53,2, P.-Bas 29,6, Italie 8,9. *Imp.* 161,9 dont machines et appareils 36, prod. alim. 34,4, prod. chim. 20,3, mat. de transp. 17,5, *de* (85) France 118,8, Italie 21,6, U.S.A. 17,3, All. féd. 12, Espagne 11,5, Japon 8,9.

CORÉE

☞ Appelée « Pays du matin calme ».

Histoire. *Av. J.-C.* A partir de 4000 peuplement. **2333** fondation de l'ancien Chosun par Tangun. **800-194 :** 3 royaumes : Kodjoseum, Bouyé, Djin. **108** colonie chinoise de Nakland. **57 av.-668 apr. J.-C.** 3 roy. : Silla (fondé 57, S.-E., cap. Kyong Jo), Koguryo (f. 37, Nord), Paikche (f. 18, S.-O., cap. Puyo). **372** introduction au Koguryo du bouddhisme, qui deviendra religion d'État jusqu'en 1932. **660** chute du roy. de Paikche. **668** du roy. de Koguryo. **670** le roy. de Silla unifie la C. **918-1392** dyn. Koryo. **935** chute de Silla. **1231** 1re invasion mongole. **1234** imprimeries à caractères mobiles. **1274** 1re expédition au Japon. **1281** 2e exp. **1392-1910** dyn. Yi. Invasion mandchoue. **1396** Séoul capitale des Yi. **1443** invention de l'alphabet coréen *hangul* par le roi Séjong. **1592** invasion jap. La C. reconnaît la souveraineté mandchoue. **1836-86** persécutions anticatholiques, 10 000 †. **1894-95** g. sino-jap., Chine et Japon reconnaissent la C. **1907** protectorat jap. **1910**-*29-8* annexée au Jap., devient prov. de Chosen. **1919** nationalistes réprimés. Gouv. provisoire en exil dans la concession fr. de Shanghai. Certains émigrent aux U.S.A., d'autres mouvements de résistance s'établissent en Mandchourie. **1926** Kim Il-sung fonde l'Union pour Abattre l'Impérialisme (U.A.I). **1932**-*25-4* Kim Il-sung crée à Antu (Chine) l'*Armée de Guérilla Populaire Antijap.* (AGPA), devenue l'*Armée rév. pop. de C.* **1936**-*5-5* crée l'*Assoc. pour la restauration de la Patrie* (1re org. du Front uni nat. anti-jap. en C., et préparation du Parti com. c.). **1941-45.** Participation coréenne aux côtés du Japon : 6 millions de soldats, 440 000 †, 1 600 000 blessés. **1945**-*15-8* capitulation jap. *-8-9* débarquement amér. en zone S.

CORÉE DU NORD
(République populaire démocratique)
V. légende p. 837.

Situation. Asie. 120 538 km². *Frontières* avec Chine 1 300 km, Corée du S. 248, U.R.S.S. 20. *Long.* 400 km, *larg.* 110 km. *Alt. max.* Mt Paik Tou San 2 750 m. *Montagnes* 75 % (65 % à moins de 500 m). *Lac* Tcheun (cratère volcanique) : 9,16 km², périmètre 14,4 km, larg. 3,55 km, prof. 384 m (le + profond lac de montagne du monde), débit 30 000 m³, volume 1 955 millions de m³. **Climat** *tempéré continental :* hivers froids, particulièrement aux confins soviétiques (– 6 °C en moy.) ; été : mousson, temp. élevées (+ 27 °C dans le sud). *Pluies* avril-oct. (800-1 300 mm, 60 % de juin à août).

Population. 21 750 000 h. (88). 28 166 000 h. *(2000).* D. 180,4. *Villes : Pyongyang* 2 000 000 h. (88), Tcheungdjin 300 000 (76). **Langue off.** Coréen (ouralo-altaïque ; caractères chinois jusqu'au xve s., 1 443 alphabet Hangul inventé par le roi Sejong, phonétique de 14 consonnes et 10 voyelles. **Religions.** Bouddhistes, confucianistes, chrétiens.

Histoire. **1946**-*févr.* création du Comité pop. provisoire de la C. du N. *Mai* pourparlers russo-amér. pour réunification : échec. **1946** réforme agraire. **1947** nationalisation d'industries. **1948**-*8-2* création de l'Armée pop. C. du N. refuse que l'O.N.U. surveille les élections dans le N. En C. du N. 217 dép. et en C. du S. 360 (dont certains vinrent siéger au N.). *-9-9* l'Ass. proclame la Rép. pop. dém. de C. *-25-12* retrait des troupes sov.

Guerre de Corée

Belligérants. C. du N. (9 millions d'hab.). La + forte capacité ind. Équipement sov. : chars T 34, artillerie lourde, 150 avions (chasseurs Yak et bombardiers Ilyouchine) ; plusieurs milliers de Russes (1 division d'aviation basée en Chine du N.-E., 1 corps de sécurité), renfort de 30 000 Coréens retour de Chine où ils ont combattu aux côtés de Mao. *Printemps 1950 :* 135 000 réguliers et unités de milice. **C. du S.** Armement défensif léger, à l'exclusion de chars et d'avions. Les Amér. avaient estimé en 1947 d'un intérêt stratégique limité le maintien de troupes et de bases en C. (il n'y a que 500 conseillers amér.).

Déroulement. 1950-*25-6* prenant prétexte d'une « agression sudiste », 5 divisions nord.-c. (commandées par Kim Ir-Sen) pénètrent en C. du S., et prennent Séoul. *-27-6* U.S.A. interviennent sur demande de l'O.N.U. (l'U.R.S.S. n'a pas mis son veto au Conseil de sécurité car, bien que membre permanent, elle refuse de siéger parce que la place de la Chine est occupée par le représentant de Tchang Kaï-chek). 16 pays participent à la g. pour l'O.N.U. (dont la France avec le Gal Monclar). *-7-7* des troupes de l'O.N.U. débarquent à Pusan, puis le *15-9* à Inchon, reprennent Séoul (25-9), atteignent 38e parallèle (2-10) et *26-10* frontière chinoise, mais 500 000 « volontaires ch. » (en fait des unités régulières) les repoussent (27-11). **1951**-*4-1* Séoul perdue puis reprise (14-3) ; front stabilisé. *-11-4* Gal MacArthur (1880-1964), Cdt en chef, partisan de l'offensive jusqu'en Ch., remplacé par Ridgway (n. 1895), puis

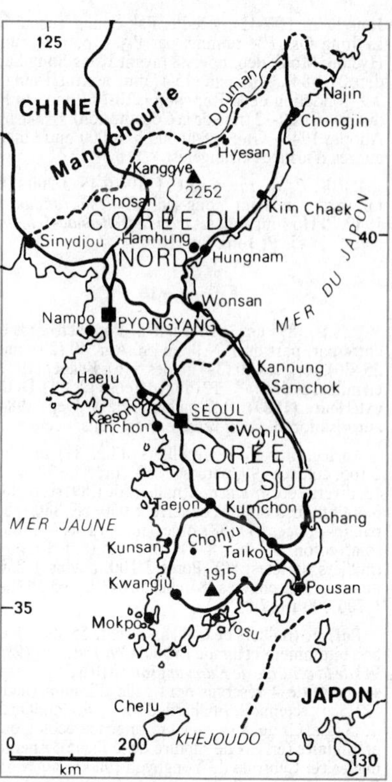

1952, Mark Clark (1896-1984). *-27-11* cessez-le-feu. *De juill.* **1951** au *27-7*-**1953** *armistice de Pan-Mun-Jom* (S. Rhee a fait libérer 250 000 prisonniers N.-Cor. qui refusaient d'être rapatriés). U.S.A. et U.R.S.S. accordent leur garantie à la C. du N. et du S. Commission de l'O.N.U., composée de Polonais, Tchécoslovaques, Suisses et Suédois, chargée de surveiller l'application de l'accord.

Bilan de la guerre (25-6-50 au 27-7-53). **Corée du Sud.** *Coréens :* 35 031 tués au champ de bataille, 43 647 blessés, 66 102 disparus. *Améric. :* 54 246 †, 103 284 b., 8 177 disparus. 5 764 143 Américains ont participé à la guerre. *Français :* effectif total 3 421 dont morts 262, blessés 1 008, 7 disparus. *Belges-Lux.* 106 †, 350 b. [16 pays ont participé à la force de l'O.N.U.]. **Corée du Nord.** 1 764 940 † (?).

1958 troupes ch. se retirent. **1968**-*23-1* les N.-Cor. arraisonnent le *Pueblo,* navire espion amér. (1 †). *-23-12* 82 membres de l'équipage relâchés à 25 milles des côtes. **1971**-*12-4* et *6-8* C. du N. propose des conversations. **1972**-*10-1* C. du N. propose tr. de paix entre les 2 C. *-4-7* dialogue repris entre les 2 C. **1974** *mars* C. du N. propose accord de paix aux U.S.A. Rapports tendus entre les 2 C. *Avril* abolition des impôts. **1976** des diplomates n.-cor. expulsés de Danemark, Norvège, Finlande, Suède pour trafic de drogue. **1980**-*10-10* Kim Il-sung propose projet de fondation de la Rép. confédérale dém. de Koryo (RCDK) : 2 Corées réunies avec gouv. national et autonomie régionale. **1984** *sept.* C. du S. accepte aide de 12 millions de $ pour les victimes d'inondation proposée par la C. du N. *Oct.* Kim Il-sung à Moscou (1re fois en 23 ans). *-15-11 :* 1er face à face à Pan-Mun-Jom de 2 délégations économiques N.-C. et S.-C. *-23-11* incident lors de l'évasion d'un Soviétique (3 soldats n.-cor., 1 garde s.-cor. tué). *-27-11* C. du N. rompt le dialogue entre les 2 C. jusqu'en mai 85 : reprise aux plans économique, humanitaire (Croix-Rouge), politique (contacts entre les 2 gouv., échange d'émissaires), sportif et militaire. **1986** Kim Il-sung à Moscou. *-16-11* attentat échoue contre train de Kim-Il sung. **1988**-*11-2* Féd. intern. des Assoc. de Pilotes de Ligne accuse C. du N. pour l'explosion d'un avion sud-c. le 29-11-87. *Nov.* plan de paix en 3 ans, retrait amér. de C. du S., armée des 2 C. réduite au total à 100 000 h. **1989**-*19-1* réunion tripartite à huis clos à Pan-Mun-Jom (1re dep. 1953). **1990**-*28-9* rapprochement avec Japon.

Statut. Rép. populaire. *Constitution* du 27-12-1972. *Ass. pop. suprême* élue suffr. univ. pour 4 ans (687 m. dont femmes 21,1 %). *Conseil de l'Administration* (11 m. et 4 candidats) élu par Comité central du Parti pop. du travail de C. (85 m., 50 candidats). *Pt* élu pour 4 a. par l'Ass. pop. dep. 28-12-72, et *secr. gén.* du parti dep. 10-10-45, Maréchal Kim Il-sung (15-4-12) ; il a désigné pour successeur son fils Kim

Jong-Il (n. 16-2-42), vice-Pts Pak Seung Tcheul et Li Jong Ok. *PM* nommé par l'Ass. pop. Ryeum Hyeung-Mouk dep. nov. 88 (avant Kang Song San dep. 27-1-84). Fêtes nat. : 15-4 (ann. de Kim Il-sung), 9-9 (fondation de la Rép. pop.), 10-10 (fond. du P. du travail), 27-12 (fête de la Constitution). Drapeau. Adopté 1948. Armée. 840 000 h, 8 000 outre-mer, auprès d'armées étrangères.

Partis. *P. du travail de C.* f. 10-10-45, 3 200 000 m., secr. gén. Kim Yong-sun ; *P. démocratique,* f. 1949, Pt Ho Jong-Suk ; *P. du culte Tcheunda-Tcheungou,* f. 1945, Pt Jong Sin-Hyok.

Économie

P.N.B. (89) env. 950 $ par h. **Pop. active** (% et entre par. part du P.N.B. en %). Agr. 40 (20), ind. 25 (30), services 30 (34), mines 5 (6). **Budget** (1989, en milliards de $) : 37,12 (dont défense 12,3 %). **Dette extérieure (1989) :** 6,7 milliards de $. Dep. 1984, autorisation de *joint-venture* avec États. occid.

Agriculture. *Terres* (milliers d'ha, 81) arables 2 165, cultivées 90, pâturages 50, forêts 8 970, eaux 13, divers 766. *Production* (milliers de t, 89) riz paddy 6 400, maïs 3 000, p. de terre 2 050, blé 880 (88), patates douces 497 (88), orge 638, haricots 438 (86), soja, coton. Forêts. 4 649 000 m^3 (87). Élevage (milliers de têtes, 88). Porcs 3 100, bovins 1 250, moutons 372, chèvres 285, chevaux 43, ânes 3. Pêche. 1 700 000 t (87).

Énergie (milliers de t, 88) anthracite 55 000, charbon bitumineux et lignite 15 000. *Construction (1986-96) de la centrale de Kumgangsan :* 810 MWh, tirant ses eaux de 4 réserves dont celle d'Innam (haut. 121,5 m), retenue 2,6 milliards de m^3, *coût :* 2 milliards de $. La C. du S. y voit une menace écologique et militaire (en cas de rupture de la digue). **Énergie nucléaire.** Centrale de Yongbyon (90 km au N. de Pyongyang) : 2 réacteurs expérimentaux (3e commencé 1984, achevé 1994). Mines (milliers de t, 87). Fer 3 200, plomb, zinc, magnésite 2 000 (86), wolfram, molybdène, cuivre, nickel, manganèse, bauxite, alunite, graphite 25,4 (86), tungstène 2 700 t. Or 5 000 kg (88). Argent 310 t (88). Industrie. Engrais, acier, fonte, mat. élec. **3e Plan septennal (1987-1993).** *Objectifs :* électricité 100 milliards de kWh ; charbon 122 millions de t, ciment 22, céréales 15, acier 10, engrais chimiques 7,2, métaux non ferreux 1,7 ; tissu 1,5 milliard de m.

Commerce. Principalement avec U.R.S.S. et Chine : magnésite, ciment, fer, fonte, acier. **Imp. et,** entre parenthèses, **exp.** (en millions de $) : *1970 :* 440 (370) ; *89 :* 2 850 (1 950). (20 % des échanges avec l'U.R.S.S.). **Aide soviétique** env. 300 millions de $/an. Rang dans le monde (87). 10e charbon. 12e riz (88). 14e pêche (86). 16e lignite.

CORÉE DU SUD

Carte p. 913. V. légende p. 837.

Situation. Asie. 99 221 km^2. *Côtes* 1 736 km. *Frontière* avec C. du N. le long du 38e parallèle 248 km. *Long.* 450 km, *larg.* 230 km. Montagnes (80 % de la superficie), *alt. max.* 1 950 m (Mt Hanla). Plaines. **Cheju.** Île volcanique à 96 km au S. **Climat** tempéré continental. *Pluies* juin, début sept., fortes juill. surtout dans le S. *Temp. moy.* 12,4 °C, écart max. – 25 °C l'hiver, + 35 °C l'été. Grottes de lave (une de 6,8 km de long).

Zone démilitarisée. Long. 240 km, largeur 4 km de part et d'autre de la ligne de démarcation à 48 km de Séoul ; troupes massées n.-cor. 880 000 h., s.-cor. 650 000 h. 42 000 Américains. 20 tunnels auraient été creusés par les n.-cor. à 70 ou 80 m de profondeur permettant aux n.-cor. de prendre à revers les s.-cor. (30 000 h. avec des jeeps pouvant passer par heure). (*1er découvert* 15-11-74 : long. 3,5 km, haut. 1,2 m, larg. 0,9, prof. 0,45 ; *2e* 19-3-75 : long. 3,5 km, haut. 2 m, larg. 2,1 m, prof. 50 à 60 m ; *3e* 17-10-78 : long. 1,6 km, haut. 2 m, larg. 2 m, prof. 73 m ; *4e* 3-3-90 : haut. 2 m, larg. 2 m, prof. 145 m). La C. du S. accusait en oct. 84 la C. du N. d'avoir violé plus de 112 000 fois l'armistice dep. le 27-7-52. C. du N. accuse U.S.A. et C. du S. de l'avoir violé + de 310 800 fois de 1953 à déc. 1980.

Population. *1960 :* 2 501 200 h., *70 :* 32 241 000 h., *80 :* 38 124 000 h. *90 :* 42 869 000 h. dont 69,9 % urbanisés. *2000 :* 46 830 000 h. *2025 :* 50 190 000. Une seule ethnie : les Han. Tradition matriarcale. Pêcheuses de coquillages à la plongée. *Emigration :* 780 000 dont Japon 667 000, U.S.A. plus de 100 000. *Départs à l'étranger : 87* 460 000, *88* 700 000, *89* 1 500 000. D. 423. **Taux (1990)** croissance 0,93 % (88). *Natalité :* 15 ‰. *Mortalité :* 5,8 ‰. **Âge.** *- 15 a.* 31 %, *+ de 65 a.* 4 %. **Espérance de vie.** Hommes 67,4 ans, femmes 75,4 ans.

Villes (88) : *Séoul* 10 628 000 h. (à 50 km du 38e parallèle), Pusan 3 701 000 (428 km), Taegu 2 166 000 (300 km), Inchon 1 552 000 (29,5 km), Kwangju 1 131 000 (320 km), Taejon 1 020 000 (160 km), Chonchu 426 490 (85) (160 km).

Criminalité **(1989).** 2 229 crimes et délits pour 100 000 hab. (5 690 en France), dont 782 meurtres, soit 1,4 pour 100 000 hab. (France 4,6, USA 8,4).

Langue. Coréen *(off.).* Religions (%, 86). Bouddhistes 36,3, confucianistes 24,4, protestants 23,3, catholiques 5 [en 1989 : 2 613 267, 675 paroisses (83), 1 609 prêtres (dont 221 étrangers), 5 448 religieuses (dont 199 étr.), 1 442 grands séminaires], divers 10,7. Grand rôle du *chamanisme* (animisme).

Histoire (voir p. 913). **1948**-*10-5* Ass. nat. élue. *-17-7* Constit. *-20-7* Syngman Rhee (1875-1965), Pt. *-15-8* Rép. proclamée à la fin du gouv. militaire amér. *-9-12* l'O.N.U. décl. le gouv. de Séoul seul légitime. **1950** *janv.* Dean Acheson exclut la C. du système défensif amér. *Mai* élections. Guerre de Corée. **1953**-*27-7* armistice. **1960**-*19-4* émeutes, Pt Syngman Rhee se retire ; système parlementaire restauré. *-29-7* élections, victoire des démocrates, Yun Po sun (n. 26-8-1897) élu Pt. **1961**-*16-5* coup d'État, PM Chang Myung déposé. Ass. nat. dissoute, partis interdits. Conseil pour la reconstr. nat. avec Gal Park Chung-hee. **1962**-*17-12* nouvelle Const. **1963**-*15-10* Park, Pt. **1965**-*2-6* tr. nippo-cor. : Japon reconnaît 21 919 Coréens morts durant la 2e G. mond. et octroie 500 millions de $ (dont subventions 300, et prêts 200). **1968** incursion n.-cor.

1971 Park élu Pt contre Kim Dae-jung (45 % des voix). **1972** agitation étudiante. *-4-7* reprise dialogue entre les 2 C. *-17-10* loi martiale. *-21-11* référendum constitutionnel : oui 91,5 % (inscrits 15 676 395, votants 14 408 214). *-27-12* Const. *-30-11/1-12* 1re réunion du Comité de coordination Nord-Sud à Séoul. **1973** *août* Kim Dae-jung (exilé à Tōkyō, enlevé et transporté en C.). **1974**-*15-8* Park échappe à un attentat, sa femme meurt. Tensions avec Jap., manif. anti-jap. à Séoul. **1975** *juin* dizaines d'opposants emprisonnés *-12-2* référendum sur pol. du Pt : oui 74,7 %. **1976** Kim Dae-jung condamné à 5 ans de prison. *-18-8 :* 2 off. US tués dans la zone démilit. à Pan-Mun-Jom. **1978**-*22-12* Kim Dae-jung libéré ; amnistie générale pour 5 368 prisonniers. **1979** *janv.* détente entre les 2 C. *27-2* 1re rencontre de tennis de table avec la C. du N. *Oct.* Kim Young-sam, Pt du Nouveau P. démocrate, expulsé du Parlement. *-26-10* Pt Park assassiné par Kim Jae-kyu, chef de la C.I.A. coréenne. Choi Hyu-ha, ancien PM, Pt par intérim., loi martiale. *-12-12* coup d'État milit., Gal Chun Doo-hwan (n. 23-1-31) au pouvoir (aidé du gén. Roh). *-21-12* Kim Jae-kyu et ses 6 co-accusés condamnés à mort.

1980-*17-5* Kim Dae-jung, chef de l'opposition, arrêté, condamné à mort, puis à 20 ans de prison. *-20-5* émeutes à Kwangju (après l'extension de la loi martiale), puis dans toute la prov. de Cholla ; 200 à 1 000 † (officiellement 91 †). *20-9* Chun Doo-hwan élu Pt (sera réélu 25-2-81 pour 7 ans par collège électoral de 5 270 membres). Campagne de purification : 57 000 anti-sociaux arrêtés (dont 3 000 condamnés à la prison). *Oct.* référendum pour la constitution : oui 91 %. **1981**-*24-1* levée de la loi martiale. *-3-3* amnistie pour 5 221 pris. *-24-12* libération de 1 113 pris. **1982**-*Avril* un policier ivre tue 55 personnes. *-20-5* scandale financier, démission de 11 m. du gouv. chute boursière. *-16-12* Kim Dae-jung expulsé vers U.S.A. pour traitement médical. *-24-12* amnistie de 48 condamnés pour troubles de Kwangju. **1983**-*1-9* l'aviation soviétique détruit un Boeing 747 s.-cor. (269 †). *-9-10* attentat à Rangoun (Birmanie) attribué à des agents n.-cor. lors de la visite du Pt Chun (18 † dont 5 du gouv. cor.). **1984**-*mai* Jean-Paul II en C. pour la canonisation de 103 martyrs (93 C., 10 Français). *-30-11* 84 personnalités retrouvent leurs droits pol. **1985**-*8-2* Kim Dae-jung rentre. *-12-2* élections (%) DJP 35, NKDP 30, autres opp. 28, ind. 12, abstentions 15. *Avril* PM Fabius en C. *-21/23-9* quelques dizaines de familles séparées par ligne de démarcation ont pu se réunir (1re fois dep. la g. de Corée). **1986**-*14/16-4* Pt Chun en France. *-6-5* manif. étudiantes. *-20-5* un étudiant s'immole par le feu à Séoul. Heurts 5 000 étudiants/1 000 policiers. *-14-9* bombe à l'aéroport de Séoul (5 †). *Oct.-nov.* manif. étudiantes. **1987**-*19-5* manif. pour le 7e anniversaire du soulèvement de Kwangju. *-9-6* Roh Tae Woo désigné successeur en 1988 du Pt Chun. 2 298 arrestations pour prévenir manif. *-10-6* manif. : 1 000 blessés (dont forces de l'ordre 700). Le card. de Séoul s'interpose entre la police et les centaines d'étudiants réfugiés dans la cathédrale ; *-11-6 au 15-6* manif. Pt Chun mis en garde par cathol. et bouddhistes (considérés comme « gardiens de la Nation »). *-29-6* Pt promet libéralisation. *Juillet* 2 000 prisonniers pol. libérés. *-1-7* Pt Chun accepte que son successeur soit élu au suffrage direct. *-10-7* abandonne à Roh la direction du PJD. *Août* nombreuses grèves. *-29-11* Boeing Korean Air Lines disparaît en Birmanie (115 †) : sabotage d'agent secret n.-cor. *-17-12* émeutes, plusieurs †. *26-12* Roh élu Pt, fraudes signalées. *-27-12* référendum pour la const. (oui 93 %). **1988**-*10-2* C. du S. et Chine ouvrent des bureaux commerciaux. *-31-3* Chun Kyung Hwan, frère aîné de l'ancien Pt Chun, arrêté pour corruption (construction du métro de Pusan) sera condamné le 5-9 à 7 ans de prison et à 5,7 millions de $ d'amende ; Lee Sung ja, femme de l'ex-Pt, soupçonnée. *-26-4* législatives (abst. 25 %). *-18-5* un étudiant se jette du haut de la cath. de Séoul. *-10-6* 10 000 étud. manif. à Séoul pour la réunification, à l'initiative du P.R.D.P. *-14-8* Séoul : 4 000 étud. exigent départ des Amér. *-17-9* 24e J.O. à Séoul. *-3-10* 1 026 détenus, dont 52 polit., amnistiés. *-19-11* 10 000 prof. et étud. manif. pour l'arrestation de l'ex-Pt Chun. *-23-11* Chun s'excuse à la T.V., de corruption et violation des droits de l'h. [« camps d'entraînement » de Samchong tenus par l'armée, où ont été envoyés des milliers de délinquants ; « centres de bien-être » pour vagabonds, handicapés et enfants abandonnés (16 125 pers. placées en « détention de protection » en 1987) ; 2 254 mil. suicidés après mesures disciplinaires, et 180 tués par supérieurs]. *-26-11* Pt Roh demande le pardon pour Chun, des étud. réclament sa révocation pour collusion avec Chun. *-2-12* accord commercial C. du S./U.R.S.S. *Déc.* 2 015 politiques libérés. **1989**-*27-2* manif. anti-amér. (visite du Pt Bush). *-25-4* Kim Hyon-hui (n. 1963), Nord-Coréenne resp. de l'attentat du 29-11-87 condamnée à mort (amnistie 12-4-90, se convertit au christianisme). *-30-4* Pcesse Yi Pang-Ja (n. 1912), dernière descendante de la dynastie Yi (régnante de 1392 à 1910), meurt. *-3-5* affrontements étudiants/policiers (6 †). *-2-6* Kim Young sam (PRD) en U.R.S.S. *-28-6* Suh Kyong won (PPD) arrêtée pour avoir été en août 1988 en C. du N. *-12-8* Kim Dae-jung (PPD, opposition) accusé d'avoir reçu de l'argent de C. du N. *-20-11/2-12* Pt Roh en Europe (30-11/2-12 : en France). *-30-12* après 24 mois dans un monastère, l'ex-Pt Chun revient à Séoul devant parlement. **1990** *janv.* C. du S. rejette proposition du N. de démanteler le mur séparant les 2 pays, propose accord de libre passage. *-22-1* Conseil national des syndicats ouvriers (Chonnohyop) déclaré illégal *-28-2* 1 111 politiques libérés. *-9/10-5* 80 000 à 90 000 manif. (dont 50 000 à Séoul). *-18-5* 100 000 manif. commémorent le massacre de Kwangju. *-19-7* Yun Po-sun (92 ans ; Pt 1960-62) meurt. *-23-7* démission des 70 députés du PPD. *-26-7* les PM des 2 Corées se rencontrent du 4 au 7-9 à Séoul, et du 15 au 17-10 à Pyongyang. *-30-9* relations diplom. rétablies avec U.R.S.S. *Oct.* aide financière de 220 millions de $ pour règlement de la guerre du Golfe. **1991**-*30-1* contribution de 280 millions de $ à la g. du Golfe. *-18-2* 2 ministres remplacés à la suite d'un scandale financier. *-26-3* 1res él. de conseils de base dep. 1960 dans 13 185 circ. : 9 970 candidats pour 4 304 postes [progouvern. 75 % des v. (45 % d'abstentions)]. *-19-4* rencontre Roh Tae Woo-Gorbatchev dans île sud-c. (1re visite d'un dirigeant sov.).

Statut. Rép. *Constitution* du 25-2-1988. Pt (élu pour 5 ans, mandat non renouvelable) : Roh Tae Woo dep. 25-2-88 [élu 18-12-87 au suffrage univ. par 36,7 % des voix devant Kim Young sam (28 %), Kim Dae jung (27 %), Kim Jong pil (8,1 %), + de 89 % de partic.] *PM :* Chung Won-Shik (n. 1928) dep. 24-5-91 [avant Ro Jai-bong (n. 1936)]. *Ass. nat.* 299 m. élus pour 4 a. 224 députés élus directement (dont la moitié par les électeurs de campagne favorisés par le découpage électoral), 75 dép. supplémentaires sont désignés par les partis, où la proportionnelle avantage le parti majoritaire au scrutin. *Sièges* (au 9-2-90) : PDL 216, PPD 70, Indép. 13.

Partis. *Parti démocrate libéral* (PDL) issu (9-2-1990) de la fusion du PJD (*P. de la justice et de la démocratie*, f. 1981, Pt Roh Tae Woo, 1 million de m.), du PRD (*P. pour la réunification démocr.*, f. 1987, Pt Kim Young sam), et du NPDR (*Nouveau P. démocr. et rép. (f. 1985). P. pour la paix et la démocr.* (PPD) f. 1987 : Pt Kim Dae jung. *P. du peuple* (PP), *P. de la révol. démocr. du peuple* (PRDP). *P. comm.* interdit. **Élections** *du 26-4-88 :* PJD 125 élus (87 directs). PPD 70 (54). PRD 59 (46). NPDR 35 (27). Indép. 10. **Armée.** 620 000 h. **Forces américaines :** *1990* 43 200 Amér. + 18 000 employés (retrait 5 000 avant 1993).

• **Fêtes nat. :** 1-3 (mouv. d'indép. contre Jap., 1919), 17-7 (Constit. de 1948), 15 août (lib. de 1945), 3-10 (fond. de la C. par Tangun en 2333 av. J.-C.). **Emblème national :** « taekukki » : cercle coupé en 2 par ligne sinueuse. Partie supérieure (yang) symbolise Soleil, éléments actifs de la nature, principe masculin. Le « yin », obscur, Terre ou Lune, éléments passifs, principe féminin. Couleurs rappelant les vertus essentielles : bleu (froid, eau, douceur) et rouge (feu, chaud, virilité) sont unis, en Corée, par le jaune, couleur impériale. **Drapeau :** (1950). Blanc (la paix), avec emblème taekukki et 4 symboles noirs pour les saisons, le point de compas, le Soleil, la Lune, la Terre et le Ciel.

Économie

• **P.N.B. Total** (milliers de $). *1970 :* 8,1 ; *80 :* 60,5 ; *85 :* 89,7 ; *90 :* 231 [*96 (prév.) :* 454]. **Par hab.** *1961 :* 82 $; *70 :* 252 ; *80 :* 1592 ; *85 :* 2 194 ; *90 :* 5 600 [*1996 (prév.) :* 10 190]. **Pop. active** (%, 1989, entre parenthèses part. du P.N.B. en %). Agr. 16 % de la pop. en 89, 27 (11), ind. 28 (42), serv. 44 (46), mines 1 (1). **Taux de croissance (%)** *80 :* – 6, *81 :* 6, *82 :* 5,4, *83 :* 9,5, *84 :* 7,6, *85 :* 5,1, *86 :* 12,5, *87 :* 10,5, *88 :* 12,4, *89 :* 6,7, *90 :* 9, *91-95 (prév.) :* 7 à 8. *Chômage 1980 :* 5,2 %, *85 :* 4 %, *89 :* 2,8 %. 400 000 emplois par an doivent être créés pour absorber les nouveaux venus. **Travailleurs étrangers illégaux.** 945 en 1990.

• **Salaire moyen ouvrier (industrie) :** 5 000 F par mois [pour 53,5 h (en moy.) par sem., samedi compris, et une faible protection sociale]. *Coût de la main-d'œuvre : 1987 :* + 11,6 %, *88 :* + 19,6 % ; *89 :* + 20 %. **Conflits du travail.** *1987 :* 3 749, *88 :* 1 800, *89 :* 1 800 (6,26 milliards de $ en pertes de production). **Pauvreté.** Touche 3 300 000 h. (7 % de la pop.), dont 2 200 000 gagnent 48 000 wons par mois (360 F). *Dépenses minimales pour une famille de 4 pers. :* 357 000 wons (2 800 F) ; *revenu minimal :* 709 000 wons (5 400 F).

• **Finances. Budget. Part des dépenses** (%, 1991). Déf. nat. 28,6 (4,2 % du P.N.B.), Éduc. nat. 19. Dév. écon. 16, soc. 11. Recherche et dév. : (1980) 0,58 % du P.N.B., 87 : 2 %. **Investissements étrangers** (en milliards de $, nov. 1988). 1,15 (dont Japon 0,66, U.S.A. 0,23). **Inflation** (%) *1980 :* 28,7, *81 :* 21,3, *82 :* 6, *83 :* 3,3, *84 :* 2,6, *85 :* 2,2, *86 :* 2, *87 :* 3, *88 :* 7,1, *89 :* 5,7. *90 :* 9, *91 (mars) :* 4,9. **Dette extérieure** (milliards de $). *1985 :* 46,7, *86 :* 46,8, *87 :* 35, *88 :* 31, *89 :* 27 (avoirs à l'étranger : 31,5), *90 :* 3,5. **Aide extérieure.** 70 milliards de $ pour financer l'industrialisation.

• **Agriculture. Terres** (milliers d'ha, 87) forêts 6 550 (67 %), arables 3 275, cultivées 2 143, pâturages 53, eaux 27, divers 116. **Production** (milliers de t, 89). Riz (58,9 % des t. arables) 8 100, pommes 725, pommes de t. 606, orge 552, oignons 545, patates douces 542 (87), légumineuses 190 (83), maïs 106 (88), melons 76 (88), haricots 38, blé 3,3 (88). **Forêt** 6 499 082 m³ (87). **Élevage** (millions de têtes, 88). Poulets 58 (89), porcs 3 (89), bovins 2, canards 0,5, ruches 0,5, lapins 0,2, chèvres 0,2. **Pêche** 3 209 000 t (88). **Problèmes.** La distribution des terres ne permettant pas, avec 1 ha en moyenne, de faire vivre une famille, a entraîné l'exode rural, le développement des terres en fermage (30 %) et l'apparition de propriétés de 20 à 30 ha. Coûts de prod. élevés.

• **Énergie nucléaire.** 9 centrales [13 prévues dont 2 réacteurs canadiens : Wolsong 1 (1983) et 2 (27-12-90)] 7,6 millions de kW (36,3 % du total). 40 t d'uranium soviétique livrées nov. 90.

• **Mines** (millions de t, 88). Argent 51 (87), anthracite 22,7, or 4,6 (86), kaolin 0,8, fer 0,7, talc 0,15, zinc 0,04, plomb 0,03, tungstène 0,004, cuivre 0,001. **Industrie.** Textiles, chaussures, constr. navale (commandes 1989, 3,4 milliards de $ dont 40 % pour U.R.S.S.), ciment, fer et acier (16,1 millions de t en 1988, prév. 90 : 20), automobile (prod. 867 692 en 88), électronique [magnétoscopes, T.V. (prod. en millions de postes couleur : *1985 :* 3,8, *87 :* 8,7, *88 :* 10,4, *89 :* 11,6) firme Samsung, 1er groupe coréen, 35e mondial]. **Bâtiments.** *Chantiers à l'étranger* (principalement Moyen-Orient) 75 milliards de $ de contrats de 1975 à 85 (1986 : baisse). Grands conglomérats *(chaebols)* ; *chiffre d'affaires (89) et bénéfice en milliards de $, 1988 :* Samsung 30,5 (0,44), Hyundaï 29 (0,35), Lucky-Goldstar 20,6 (0,3), Daewoo 16 (0,17), Sunkyong 8,3 (n.c.).

• **Transports** (km, 88) routes 55 778 (dont autoroutes 1 550). Chemins de fer (1re ligne ouverte en 1899) 6 456. **Tourisme.** 2 340 000 vis. (88). *Lieux :* Séoul (capitale, palais, musées), Puyo (cap. de la dynastie Paickjie, temples), Kyong Ju (cap. de la dynastie Silla, temples), Pusan, Chungma, Mont Songni, île de Che-ju.

• **Commerce** (milliards de $ US, 89). *Exportations* 62,3 (65 en 90), *dont* (88) mach. élec. 21,7 textile 8,7, chaussures 3,8, pièces métall., équip. de transp. 1,8, *vers* U.S.A. 20,6, Japon 13,4, Hong Kong 3,3, All. féd. 2,1, Canada 1,8. *Importations* 61,4 (69,8 en 90) *dont* (88) pétrole 3,7, valves therm. 3,5, prod. chim. organiques 3,2, acier 1,6, générātrices 0,9 (87), plastiques 0,9 (87) *de* Japon 17,4, U.S.A. 15,9, All. féd. 2,6, Australie 2,2, Canada 1,6, Malaisie 1,5, Taiwan 1,3. **Importations non soumises à restriction** (en % des imp. totales). *1980 :* 68,6, *87 :* 93,6, *88 :* 95. **Balance commerciale** (en milliards de $). *1970* – 0,92, *75* – 1,67, *80* – 4,38, *85* – 0,02, *87* + 7,66, *88* + 11,45, *89* + 4,5, *90* – 4,8, *91 (févr.)* – 3,3. **Des paiements.** *1986 :* 4,6, *87 :* 9,8, *88 :* 14, *89* 5,1, *90* – 2,1, *91 (janv.)* – 1,5. **Tarif douanier moyen** (%). *1980 :* 24,9, *87 :* 19,3, *88 (avril) :* 18,1, *89 :* 12,7, *93* (objectif) : 7,9.

• **Problèmes économiques.** *Dépendance vis-à-vis de l'étranger :* + de 70 % des mat. 1res sont importées. *Coût prévu :* pétrole 4 milliards de $/an, céréales 1. *Restructuration :* pour renforcer industries de pointe et haute technologie. Déséquilibre régional, ind. et social créés par l'industrialisation.

Rang dans le monde (88). 2e vidéocassettes (25 % du marché). 3e constr. navale (32,1 % de la prod. mondiale), 3e export. de chaussures (fournit 50 % des chaus. de sport). 5e du marché eur. des fours à micro-ondes (22 % contre 0,8 % en 1983). 9e pêche. 12e riz. 15e puiss. comm. du monde.

COSTA RICA

Carte p. 962. V. légende p. 837.

Nom. « Côte riche » en espagnol (impression donnée à Christophe Colomb par la délégation de chefs indiens couverts d'or qui le reçut).

Situation. Amérique centrale. 50 900 km². *Alt. max.* Chirripó Grande 3 820 m. *Frontières* (km) Nicaragua 300, Panamá 365. *Côtes* Atlantique 193, Pacifique 1 200. *Largeur* 119 à 282 km. *Longueur max.* 464 km. 5 *volcans* encore actifs (Irazu, Le Poas, l'Arenal, Barva). **Climat.** Côtes : chaud et humide. Plateau central : tempéré (pluies mai-nov.). *Température* moy. 22 °C.

Population (1990) 2 959 177 h. *(2000)* 3 596 000 h. (Blancs 85 %, Métis 8, Noirs 3, Asiatiques 3). *– de 15 a.* 35 %, *+ de 65 a.* 4 %. **Taux** (1988) natalité 30,5 ‰, mort. 3,86 ‰. **Espérance de vie** (1990) 77 ans. D. 58. **Croissance dém.** 2,9 %. **Villes** (90) : *San José* 292 306 h., Alajuela 156 803 (à 23 km), Cartago 105 030 (22 km), Puntarenas 92 900 (130 km), Heredia 68 000 (22 km), Liberia 22 000. **Pop. rurale** 50,4 %. **Langues.** Espagnol *(off.)*, anglais, français. **Religion.** Catholicisme (off.). Protest. 40 000.

Histoire. 1503 découvert par Christophe Colomb. **1524** Hernandez de Cordoba, débarqué sur côte pacifique, fonde Bruselas. **1537** érigé en duché de Veragua pour Luis Colón, neveu de Christophe. **1540** prov. de Cartago créée. **1560** dépend de l'audience de Guatemala. **1821** indépendance. **1824-33** membre de la Rép. féd. centro-américaine dissoute 1839. **1849** rép. indép. **1878** accord avec United Fruit (U.S.A.) : concession de bananeraies contre constr. d'un chemin de fer (achevé 1891). **1917** coup d'État des frères Tinoco. **1948** g. civile (1 000 †) après conflit électoral. **1949** junte révolutionnaire avec José Figueres. Suppression de l'armée. **1953** Figueres élu Pt. **1957-73** alternance de mandats présidentiels tous les 4 ans. **1974-78** Pt Oduber, apaisement des conflits après la « g. de la banane » (1974) ; stabilité économique. **1978** Pt Carazo ; occupations de terre et affrontements entre paysans et « garde civile et rurale » ; appui aux sandinistes du Nicaragua jusqu'à la chute de Somoza (1979) ; **1981** appui aux antisandinistes. **1982**-*7-2* Luis Alberto Monge (n. 29-12-25) élu Pt. Incidents de frontière avec Nicaragua. **1986**-*2-2* Pt Arias Sanchez élu, 44 ans, P.L.N., 53,3 % des voix (contre Rafael Calderon 44,8 %, Unité soc) prix Nobel de la paix en 1987. *6/7-8* accords d'Esquipulas II au Guatemala (plan de paix pour Amér. centr.). **1989**-*févr.* trafiquant de drogue amér. aurait financé pour 15 000 $ la dernière campagne élect. du P.L.N., mettant en cause l'ancien Pt Oruber et le Pt. Arias. **1990**-*15/17-12* sommet des Pts centro-amér. à Puntarenas. *-22-12* séisme.

Statut. Rép. *Const.* du 7-11-1949, *Pt* (élu pour 4 ans au suffr. univ., non rééligible) et chef du gouv. Rafael Angel Calderon Fournier (n. 14-3-49) élu 4-2-90, en fonctions 8-5. [Unité sociale chrétienne (f. 1983) 51 % des voix]. *Ass. nat.* (57 m. élus pour 4 a.). *7 provinces :* San José, Alajuela, Heredia, Cartago, Puntarenas, Guanacaste, Limón. **Fêtes nat. :** 15-9 (indép. 1821), 12-10 (jour de la Race, découverte de l'Amér. par Colomb). **Drapeau.** Adopté 1848.

Économie

P.N.B. ($ par h.) *82 :* 975, *85 :* 1 450, *89 :* 1 780, *90 :* 1 640. **Croissance (1990).** 2,6 %. **Pop. active** (% et entre par. part du P.N.B. en %) agr. 28 (20), ind. 24 (30), services 48 (50). *Chômage 89 :* 4 % ; *90 :* 4 %. **Inflation** (%) *1980 :* 18,1, *81 :* 37, *82 :* 90,1, *83 :* 32,6, *84 :* 12, *85 :* 15, *86 :* 15, *87 :* 16,41, *88 :* 25,34, *89 :* 12,78, *90 :* 27,5. **Dette extérieure** (90) 2,9 milliards de $ US. **Balance commerciale** (solde). *1988 :* – 4 %, *89 :* – 3,6 %.

Agriculture. *Terres* (milliers d'ha, 81) pâturages 2 090, forêts 1 730, arables 283, cultivées 207, eaux 4, divers 756. *Production* (milliers de t, 88) canne à sucre 2 730, bananes 1 050 (89), café 162 (89), riz 194, maïs 105. **Forêts** (89) 3 395 000 m³. **Élevage** (milliers de têtes, 88) volailles 5 000, bovins 2 190, porcs 223, chevaux 114. **Pêche** (87) 20 000 t. **Transports** (km). Routes 28 000, chemin de fer 892. **Tourisme** (89). 370 000 vis.

Commerce (millions de $, 90). *Exportations* 1 404 *dont* bananes 307, café 286, viande 48,5, poissons 39,3, ananas 39,3, textiles 31,6, sucre 22,3 *vers* (86) U.S.A. 436,8, All. féd. 157,1, Guatemala 37,2, Salvador 29, P.-Bas 28,7. *Importations* 1 737 *de* U.S.A. 699, Venezuela 145, Japon 117, Mexique 97, Guatemala 71, All. féd. 71. **Rang dans le monde** (90). 2e bananes, 13e café.

CÔTE-D'IVOIRE

Carte p. 916. V. légende p. 837.

Situation. Afrique. 322 462 km². *Long.* 600 km, *larg.* + de 500 km. *Front. :* Ghana 640 km, Burkina (ex-Hte-Volta) 490, Mali 370, Guinée 610, Liberia 580. *Côtes* 500 km (300 de lagunes). *Alt. max.* crête du massif du Nimba (frontière guinéenne) 1 752 m. *Fleuves principaux* (km) : Bandama 950, Comoé 900, Sassandra 650, Cavally 600. **Climat.** 1° *Sud-équatorial* région côtière (21 à 33 °C, 80 à 90 % d'humidité, pluies dans certaines zones 2 500 mm répartis sur env. 140 j). *4 saisons : sèche* entre déc. et fin avr. (chaude avec quelques pluies) ; *« grandes pluies »* entre mai et mi-juill. ; *courte saison sèche* entre mi-juill. et fin sept. ; *courte saison de pluies* en oct. et nov. 2° *Tropical humide* forêts et savanes (14 à 39 °C, 70 % d'humidité, 1 000 à 2 500 mm de pluies). *4 saisons : grandes pluies* mi-juill./fin oct., *petites pluies* mi-mars/mi-mai, *sèches* nov./mi-mars et mi-mai/mi-juill. 3° *Soudanais* (zone des savanes). *2 saisons : des pluies* (juill.-nov.) et *sèche* (déc.-juin) avec de petites pluies en avr. L'*harmattan,* vent frais et sec provenant du N.-E., souffle entre déc. et févr. **Végétation :** 1° *Cordon littoral alluvionnaire* moitié est de la côte, profonde d'env. 30 km, cocotiers et, vers l'intérieur, bananiers, palmiers à huile et hévéas. 2° *Forêt type équatorial* env. 300 km de prof. et 120 000 km², café, cacao, ananas, igname, manioc. 3° *Plus au N., savane* coupée de forêts, puis de plus en plus herbeuse, élevage, mil, coton et riz.

Population. 11 600 000 (90). 19 290 000 *(2000).* **Étrangers :** 4 000 000, dont Voltaïques, Maliens, etc. 1 000 000, Libano-Syriens 100 000 (+ 200 000 réfugiés lib. ?), Européens 60 000 (Français *1980* 60 000, *84* 45 000, *90* 22 000, pour la majorité à Abidjan). *Assistance technique (effectifs) : 1965* 1 500, *1980* 4 000, *1983* 3 200. **Ethnies** (60 env.). *Au S. :* Brignans, Aladians, Appoloniens, Adioukrous, Ébriés. *O. :* Krous, Didas, Bétés (18 %), Wobés, Guérés, Dans, Yacoubas. *Centre :* Baoulés, Mangoros. *E. :* Agnis-Achantis, Abrons, Baoulés (23 %). *N. :* Mandés [Malinkés (11 %), Dioulas] et Sénoufos (15 %). *N.-E. :* Lobis. *– de 15 a. :* 46 %, *+ de 65 a. :* 3 %. **Taux** (%). *Natalité :* 4,8 ; *mortalité :* 1,7 (*infantile :* 10,1) ; *accroissement* naturel 3,7, migration nette 1,2 ; *indice de fécondité :* 7,3 enfants/femme. D. 36. **Villes** (1988) : *Abidjan* (agg.) 2 500 000 (1900) [quartier résidentiel de Cocody] (120 000 en 60), *Yamoussoukro* 110 000 (à 250 km) nouv. cap. prévue dep. 21-3-1983, Bouaké 333 000 (à 378 km), Daloa 123 000 (400 km), Korhogo 110 000, Man 89 000 (599 km), Gagnoa 85 000. **Langues.** Français *(off.),* dioula et baoulé (langues commerciales entre les ethnies). **Religions.** Animistes 65 %, musulmans 23 %, catholiques 12 % [1987 : 1 044 000 fidèles (1960 : 240 000, 1900 : 550) ; 1 cardinal, 13 évêques, 450 prêtres].

☞ **Basilique N.-D.-de-la-Paix.** Construite 1985-88 : 90 000 m², capacité 7 000 assis, 11 000 debout, 35 000 sur le parvis en croix (190 × 150 m) et 300 000 sur le péristyle illuminé de 1 810 projecteurs, 84 colonnes de 25 m de haut ; inaugurée en sept. 1989 à Yamoussoukro par Jean-Paul II. Réplique en béton (+ grande) de St-Pierre-de-Rome, 272 colonnes (haut. 21 m, diam. 2,2 m) ; plus grande coupole du monde (160 m), 7 500 m² de vitraux fabriqués en Normandie, réalisée par Dumez (Français) et Pierre Falkhouny (Libanais), parc 130 ha (3 fois le Vatican) ; coût : 1 milliard de F ; caractère extra-territorial inscrit dans la Constitution ; financée par Pt Houphouët-Boigny, qui en a fait don au pape. (Après sa mort, les intérêts de ses économies, placées sur un compte spécial, seront versés chaque année au Vatican.)

Histoire. XIVe **s.** visitée par des marchands dieppois, la « Côte des Dents » (« dents » pour défenses d'éléphant) reçut des établissements à Assinie et Grand-Bassam (officiellement fr. depuis 1842). **1887-89** Louis Binger (1856-1926), parti du Sénégal, parcourt 4 000 km et rejoint Grand-Bassam. **1891** chargé de fixer frontières avec Liberia (tr. du 8-12-92) et Côte-de-l'Or (12-7-93). **1893**-*10-3* colonie (cap. : Grand-Bassam ; gouverneur : Binger). **1896-99** g. contre Samory. **1899** intégrée à l'A.O.F. **1932** agrandie du S.-O. de la Hte-Volta. **1947** retrouve ses frontières d'avant 1932 (reconstitution de la Hte-Volta). **1958**-*14-12* république au sein de la Communauté. **1958-59** Auguste Denise (1906-91) Pt du gouv. provisoire. **1960**-*7-8* indépendance. **1963** 2 complots découverts. **1964** réformes (polygamie abolie). **1968**-*mai* et **1969**-*mai* agitation étudiante. **1973**-*juin* complot découvert. **1979**-*févr.* réconciliation avec Guinée (visite de Sékou Touré). **1982** chute des cours café et cacao (perte des 3/4 des ressources à l'export.). *-9-2* manif. d'étudiants. *-4-3* universités réouvertes. *21/23-5* visite Pt Mitterrand. **1983** sécheresse, feux de brousse. **1983-84** crise, sécheresse, chute des cours café et cacao. **1986**-*12-4* visite PM Chirac. **1987**-*25-5* se déclare insolvable (baisse café et cacao), dette 4,5 milliards de F. *-16-8* Aoussan Kofi, min. des Transports, enlevé par 2 Français, relâché 20-8 contre 6 millions de F. *Nov.* prêt spécial français 1,4 milliard de $. *Août* 3 Français assassinés en 3 mois. *-1-12* Pt De Klerk en C. **1990** *févr.* manif. étudiante. Selon plan d'austérité décidé 1989 avec Banque mondiale et F.M.I., salaires des 110 000 fonctionnaires réduits de 15 % à 40 %, taxation des salaires privés portée de 1 à 11 %. *-15-3* baisse des salaires sup. à 100 000 F C.F.A. pour 3 ans dans le secteur public, prélèvement d'une contribution de solidarité dans le privé. *-26-3* agitation à Abidjan. *Avril* lycéen tué par police à Adzopé. *-15-4* plan d'austérité suspendu. *Mai* manif. de soldats (conditions de vie). *-28-5* plan d'austérité. *-6-6* 6 nouveaux partis autorisés (dont un parti communiste et un pour la protection de l'environnement). *-9/10-9* Jean-Paul II inaugure basilique de Yamoussoukro. *-29-9* Houphouët-Boigny accuse l'opposition d'avoir voulu assassiner le pape. *-28-10* présidentielles (2 candidats pour la 1re fois). *-2-11* ambassadeur d'Italie assassiné. FPI dépose recours en annulation de l'élection prés. (listes électorales non publiées 10 j avant le scrutin comme l'exige la loi). *-25-11* législatives. *-30-12* municipales : PDCI gagne dans 123 communes sur 132, FPI dans 6. **1991**-*20-2* 3 000 détenus de droit commun grâciés (sur 15 000).

Statut. Rép. *Pt* (élu p. 5 ans au suffr. univ.) Félix Houphouët-Boigny [n. 18-10-1905 ou 1900 ? Baoulé, chef animiste à 5 ans, baptisé cathol. à 13 ans)] dep. 27-11-60 (candidat unique, réélu 28-10-90 par 80 % des voix ; en 85 par 100 % des voix ; en 80 par 99,99 %). *Const.* du 31-10-1960 révisée 71, 75, 80, 85 et 86. PM Alassane Ouattara dep. 7-11-90. *Ass. nat.* 175 m. [élus p. 5 a. ; élections (25-11-90) : PDCI 163 sièges, FPI 9]. *Cour suprême* : 10 m., 26 dép. **Partis :** *P. démocratique de la C.-d'Iv. (PDCI)* f. 1946, unique jusqu'en 1990 ; secr. gén. : Laurent Dona Fologo (n. 1940). *Front Populaire iv. (FPI).* **Fête nat. :** 7-12 (combinaison du 4-12-1958, proclamation de la Rép. et du 7-8-1960, procl. de l'Indép.). **Drapeau :** adopté 1959. *Fortune des dirigeants 1990 (en milliards de F).* Houphouët-Boigny 66, Angoua Koffi (directeur des douanes) 2,6, Konan Bédié (Pt de l'Ass. nat. et possible successeur de Houphouët-Boigny) 2,3, Ananay Coly (directeur des impôts) 1,7, Bra Kanon 1,4, Ahoussou Koffi 1,4, Konan Lambert 1,4, Dijbo Sounkalo 1,3, Ekra Mathieu (possible PM) 1, Moulo (port autonome) 0,5.

Économie

P.I.B. (1989). 2,9 milliards de F CFA (multiplié par 12 en 20 ans grâce au cacao et au café. **Croissance du P.I.B.** (%). *1985* : + 4,5, *86* : + 3,4, *87* : – 1,6, *88* : – 2, *89* : – 1,2. **P.I.B. marchand** (%, 89) 87,2 dont *secteur primaire* : 34,8 (dont agriculture vivrière 19,2, d'exp. 14,1, bois en grumes 1,3, pétrole brut 0,3) ; *secondaire* : 18,5 (dont énergie 5,3, industries agricoles et alimentaires 4,8, autres ind. 6,6, bâtiment, travaux publics 1,9) ; *tertiaire* : 33,9 (dont commerce intérieur 12, extérieur 0,1, services 8,2, transports 7,7, droits et taxes à l'imp. 6). **P.I.B.** non marchand 12,8 %. **Pop. active** (% et entre parenthèses part du P.N.B. en % en 1988) Agr. 59 (32), ind. 9 (20), services 31 (45), mines 1 (3). 310 000 salariés déclarés. Bâtiment et travaux publics 5 000 pers. (50 000 en 1975). 4 millions de travailleurs immigrés. **Inflation** (%). *1985* : 1,8. *86* : 6,6. *87* : 5,3. *88* : 7,5. *89* : 1,5. **Déficit budgétaire** (1989) : 215 milliards de F CFA. **Balance des paiements** (milliards de F CFA). *1983* : – 346, *84* : – 28, *85* : – 31,2, *86* : – 38,2, *88* : – 344, *89* : – 373. **Dette** (milliards de F CFA), **interne :** *90* (mars) 500 ; **externe :** *fin 86* 2 460 ; *fin 89* 14 milliards de $ (1 500 par hab.). **Aide extérieure** (1989) F.M.I. 223,5 millions de $. F.E.D. 3 800 milliards de F CFA (sur 5 ans). **Fraude fiscale** (1989, en milliards de F CFA) *sur impôt direct* : 40 par an, *droits de douane* : 70 à 150. **Monnaie.** 1 F = 50 F CFA.

Agriculture. *Terres* (milliers d'ha, 84) arables 2 840, cult. 1 185, pâturages 3 000, forêts 7 880, eaux 446 (81), divers 16 885. **Productions agricoles** (milliers de t). **Cacao :** *1960* : 85, *83-84* : 411, *88-89* : 750, *89-90* : 685, *90-91 (prév.)* : 690. **Café :** *60* : 136, *83-84* : 85, *87-88* : 187, *88-89* : 239, *89-90* : 270, *90-91 (prév.)* : 200. **Caoutchouc latex :** *87-88* : 54,8, *88-89* : 67,5, *89-90* : 70. **Régimes de palme** (palmindustrie) : *86-87* : 902,3, *87-88* : 785,6, *88-89* : 766. **Bananes export. :** *86-87* : 85, *87-88* : 72,5, *88-89* : 91,9. **Ananas export. :** *85-86* : 194, *86-87* : 187, *87-88* : 165,8, *88-89* : 146,6. **Coton :** *87-88* : 256, *88-89* : 290. **Sucre :** *85-86* : 132,5, *86-87* : 144,7, *87-88* : 140, *88-89* : 145. **Riz :** *87* : 580, *88* : 590, *89* : 600. **Maïs :** *87* : 450, *88* : 450, *89* : 480, *2000 (prév.)* : 3 000. **Ignames :** *89* : 2 300. **Manioc :** *89* : 1 300. **Forêts.** 12 751 000 m³ (88) dont bois de chauffage et charbon de bois 9 431 000 m³. Presque épuisée car surexploitée. **Elevage** (milliers de têtes, 88). Poulets 16 000, chèvres 1 500, moutons 1 500, bovins 960, porcs 450, chevaux 1 (86), ânes 1 (86). **Pêche.** 79 000 t (89). **Problèmes agricoles.** Chute des cours du cacao (*fin 1987* : 13 000 F ; *oct. 88* : 8 300, le coût de production est de 14 000 F la t) et du café (*1985* : 1 200 F CFA le kg ; *86* : 300). **Concurrence étrangère** (notamment indonésienne et malaise).

Énergie. Pétrole (millions de t) *réserves* 42, *prod. 82* : 0,4, *83-84* : 1,5, *86* : 0,6, *87* : 0,7, *88* : 0,6, *89* : 0,3, *90* : 0,3. **Gaz naturel,** *rés.* 99 milliards de m³. **Électricité** 2,4 milliards de kWh en 89 (dont 60 % hydraulique). **Mines.** *Diamants* 20 000 carats (87). *Fer* à Bangolo non encore exploité. **Industrie.** Textile, alimentation (100 000 t par an), bois, chimie. **Réalisations inutilisées (absence de budget de fonctionnement).** Barrage de Kossou, Ecole sup. d'agr., hôpital de Yopugon.

Transports (km). Chemins de fer Abidjan-Niger 1 333 dont la ligne Abidjan-Ouagadougou (Burkina ex-Hte-Volta) 1 147 (dont 625 en cours de modernisation) ; routes principales 12 780, régionales 21 210, mineures 11 180. **Tourisme.** 202 000 vis. (83).

Commerce [milliards de F CFA, 1988 (sur 6 mois)]. *Exportations* 864 (89) *dont* cacao et dérivés 313 (89), café et extraits 87 (89), bois 39,6, coton 26,1, fruits frais 12,2, *vers* (%) *France 17,6,* P.-Bas 10,7, Italie 8, U.S.A. 7,3, All. féd. 5,6. *Importations* 536 (89) *dont* prod. pétroliers 45, appareils et engins mécaniques 28, poisson 18 *de* (%) *France 30,* Nigeria 12,3, All. féd. 5,6, Italie 5,3, Japon 5,2. Marchandises importées en fraude : 70 % (?). **Rang dans le monde** (89). 1er cacao (60 % des exp., 40 % des devises). 5e café (45 % des devises).

CUBA

Carte p. 917. V. légende p. 837.

Situation. Archipel de l'Atlantique ; Cuba surnommée le « crocodile des Caraïbes ». 110 860 km² (1 200 × 27 à 200 km), 3 500 km de côtes. *Alt. max.* Pic Turquino 1 973 m. *Plaine* calcaire limitée par chaînons au N. et la *Sierra Maestra* au S.-O. Ile de la Jeunesse et env. 1 600 îlots dits cayos. A 77 km d'Haïti, 140 de la Jamaïque, 180 des U.S.A. **Climat** *pluies* mai-oct. (moy. 1 400 mm) ; *temp.* La Havane : moy. hiver 22 °C, été 25 °C (max. 35,8 °C, min. 8,6 °C).

Population. *1899* : 1 572 797. *1919* : 2 889 004. *31* : 3 962 344. *43* : 4 778 538. *53* : 5 829 029. *70* : 8 569 121. *89* : 10 576 000. *2000* : 11 718 000. – *de 15 a.* : 27 %, *+ de 65 a.* : 8 %. *En %* : Noirs 12, Blancs 66 (Mulâtres 21,9), Asiatiques 0,1. **Émigration.** Aux U.S.A. *1990* : 1 500 000 [dont 500 000 à Miami (est.)] ; évolution : *1959-61* : 1re vague. *62-65* : U.S.A. ferment frontières. *65-70* : pont aérien avec Miami. *70-79* : env. 4 000 par an. *80-82* : 125 000 marielitos (embarqués à Mariel) ; *dep. 81* : env. 50 000 par an. **Taux de croissance.** *1907* : 3,3, *53* : 2. *70* : 2,3. *81* : 1,2. *85* : 0,6. *D.* 95,4. *Pop. urbaine* (86) 71 %. **Villes** (89) : *La Havane* 2 096 054 h., Santiago de Cuba 405 354, Camagüey 283 000, Holguín 228 053. **Langue.** Espagnol *(off.)*. **Religions** (72). Catholiques 3 000 000 [(41 % en 70), protestants 30 à 50 000. *Cathol. pratiquants* (%) : *1958* : 17, *87* : 0,5]. L'impression de la Bible est interdite.

Histoire. 1492 C. Colomb s'arrête à son 1er voyage. **1511** conquête par Velásquez. **1762-63** occupation angl. **1868**-*10-10* Carlos Manuel de Cespedes proclame l'ind. jusqu'en 1878 (200 000 †). L'Esp. donne des garanties qu'elle ne respecte pas. **1887** abolition effective de l'esclav. **1895** José Martí, Maceo et Gómez lancent le manifeste de Monte-Cristi, création d'un gouv. républicain. **1895-98** g. d'indépendance contre l'Esp. ; intervention des U.S.A. (28-8-98) qui avaient reproché notamment aux Esp. d'avoir coulé par une mine le cuirassé *Maine* le *15-2* dans la rade de La Havane (en 1911, une commission d'enquête conclut à une explosion accidentelle). **1898**-*22-12* tr. de Paris : indépendance. **1899**-*1-1*/**1902**-*20-5* adm. milit. amér. **1901** Const., l'amendement Platt (abrogé 1934) imposé par U.S.A. oblige C. à soumettre tout accord diplomatique et militaire à l'autorisation des U.S.A. **1903** tr. de commerce avec U.S.A. **1907, 12, 17** interventions amér. pour faire respecter tr. de Paris. **1906-09** administration amér. **1917** participation à la g. mondiale. **1925** dictature de Gerardo Machado y Morales (1871-1939). **1933** coup d'État mil., le sergent Fulgencio Batista y Zaldivar (16-1-10/6-8-73) devient chef d'état-major et manœuvre en coulisse. **1940** Constitution démocratique. Batista élu Pt. **1944** Grau San Martin lui succède, renversant le Pt Carlos Prio Socarras (1903-suicidé 1977) avec le soutien des U.S.A., élu 1948. **1951** Eduardo Chibas, fondateur du parti orthodoxe, appelle les C. à se réveiller et se suicide. **1952**-*10-3* coup d'État de Batista (100 †). **1953**-*26-7* un groupe dirigé par le Dr Fidel Castro, avocat, attaque la caserne Moncada. *-1-8* Castro arrêté (condamné à 15 ans de prison, puis amnistié 6-5-55) commence la guérilla. **1954** Batista réélu Pt. **1956**-*2-12* navire « Granma » (capitaine Onelio Pino) de Castro débarque 82 h. (dont le médecin marxiste argentin Ernesto « Che » Guevara, 6-12-28/8-10-67) à Bilic, qui se réfugient dans la Sierra Maestra. *-5-12* bataille à Alegria de Pio (10 survivants, Guevara gravement blessé). **1957** guérilla dans la Sierra Maestra. *Mai* partisans prennent cargo chargé d'armes. Guevara devient commandante. *-26-7* attaque de la caserne *Moncada* de la Plata (avec l'aide de paysans) ; les partisans adoptent le nom de Mouvement du 26 juillet. Directoire des étudiants formés à La Havane. Guérilla dans la sierra de l'Escambray. Frank Pais, dirigeant du « 26 juillet », assassiné. **1958** *printemps* opinion publique amér. favorable à Castro. *Mai* troubles dans la sierra Maestra. *-18-8* offensive de Castro en 2 col. : 1re : Camilo Cienfuegos (sierra de Los Oraganos), 2e : Che Guevara (sierra de l'Escambray). *-24-12* bat. de Santa Clara (200 à 300 †) ; Guevara prend un train blindé envoyé par Batista (train du million de $) dont le commandant, Florentino Rosell, acheté, fuit aux U.S.A. ; siège de Santiago et campagne de Raoul Castro dans l'E. **1959**-*1-1* grâce à l'aide du Gal Eulogio Cantillo, avec lequel Castro avait tenté un accommodement, fuite de Batista vers la Rép. Dominicaine avec sa famille, de Tabernilla (min. de la Défense), du Pt élu Rivero Aguero, du PM Gonzalo Güell ; 485 partisans de Batista exécutés. Manif. pour la libération des prisonniers (dont 1 000 politiques). Destruction du journal du sénateur ex-communiste Rolando Masferrer, chef d'une troupe d'assassins à gage (fuit à Miami). *-2-1* Carlos Manuel Piedra y Piedro, doyen des juges de la Cour suprême, sollicité comme Pt, ne peut former de gouv. et faire enregistrer sa prestation de serment. Cantillo propose à Castro de désigner le nouveau Pt. *-5-1* Manuel Urrutia (n. 1901) (juge qui avait innocenté les prisonniers lors du débarquement du « Granma ») nommé Pt. *-7-1* nouveau régime reconnu par U.S.A. et Mexique. *-8-1* Castro entre à La Havane (les combats font 13 †). *-10-1* reconnu par U.R.S.S. *Avril* 1er accord sur ventes de sucre à l'U.R.S.S. *-17-5* réforme agraire et expropriation des entreprises sucrières étr. *-17-7* Osvaldo Dorticos Torardo (1919-83) nommé Pt, Castro PM. **1960** *février* accord commercial avec U.R.S.S. *Juin.-juillet* saisie des installations de Standard Oil, Texaco et Shell qui refusent de raffiner le pétrole sov. *Août* nationalisation des entreprises amér. **1961** *janv.* rupture des relations dipl. avec U.S.A. *-19-4* après 72 h de combat, échec du débarquement de 1 400 anticastristes armés par U.S.A. à Playa Giron *(baie des Cochons).* Castro échange avec U.S.A. 1 113 personnes contre 53 millions de $ de médicaments. *-1-5* Castro proclame que la révolution est socialiste. *-2-12* adhère au marxisme-léninisme.

1962 création du Parti uni de la révol. soc. (futur P.C. en 1965). Les U.S.A. annulent leurs importations de sucre, l'O.E.A. exclut C. *-14-10 Crise des missiles.* U.S.A. craignant le développement de bases de fusées soviét. décident le blocus de C. (22-10/22-11) 20 ogives nucléaires sont dans l'île, 20 autres sur un navire voguant vers Cuba ; elles auraient pu être dirigées vers les U.S.A. en quelques h. ; 40 000 soldats soviét. se trouvent à Cuba. Les C. déclarent qu'ils lutteront jusqu'à la mort et armeront 270 000 h. ; demandent à Khrouchtchev [selon ses mémoires (mais Castro démentira)] de lancer une attaque nucléaire sur U.S.A. *-28-10* l'U.R.S.S. décide de démonter les bases. **1963** plusieurs raids anticastristes échouent. *Avril-juin* 70 % des terres nationalisées. Guevara rejoint les guérilleros boliviens (tué 8-10-67). **1965**-*1-10* nouveau P.C. cubain. Insurrection de la sierra de l'Escambray réprimée. **1966** attaques verbales antichinoises. **1967** antirusses. **1968**-*13-3* nationalisation des petites entreprises. C. approuve l'invasion de la Tchéc. **1968-69** liens resserrés avec U.R.S.S. **1969** commerce de détail artisanal et certains services nationalisés. **1970** Kissinger empêche l'installation d'une base de sous-marins nucléaires soviét. **1971** *avril* loi « antiparesse » (jusqu'à 2 ans de travaux forcés pour les inactifs) : 100 000 pers. demandent un emploi, 50 019 poursuivies d'avr. 71 à avr. 73, dont 32 846 pour avoir abandonné leur emploi sans raison valable. **1973**-*15-2* accord C.-U.S.A. pour extradition des pirates de l'air (1961 à 73 : 145 avions détournés sur C.). **1975**-*15-1* 1re visite en Fr. d'un min. c. dep. 1959 (Carlos Rafael Rodriguez, vice-PM). Accord de coop. Fr.-C. *-10-7* 3 dipl. cub. expulsés de Fr. (en relation avec l'affaire « Carlos »). *-29-7* O.E.A. lève blocus imposé à C. en 1964. *-22-12* Castro reconnaît l'envoi de troupes en Angola (15 000 à 22 000 h.). Selon le Sénat amér., la CIA a tenté 8 fois de faire assassiner F. Castro. **1976**-*15-2* référendum pour Constitution (97,7 %). *Avril* accord avec U.R.S.S. qui de 1976 à 79 paiera le sucre 0,364 $ la livre (prix moyen mondial 0,114). *-15-10* C. dénonce l'accord de 1973 sur piraterie. *-2-12* création de l'Ass. nation. **1977** envoi de 5 000 h en Éthiopie contre Somalie. *Avril* accord C.-U.S.A. sur zones de pêche. **1978** *août-sept.* 48 prisonniers pourront demander asile aux U.S.A. *-22-11* Castro prêt à libérer 3 200 pris. pol. (400 par mois) si U.S.A. les accueillent. Hubert Matos, héros de la révolution, libéré en nov. **1979** 100 000 exilés dits gusanos (vers de terre) en visite à C. **1980** Castro ouvre frontières. *Avril-mai* 125 000 C. quittent C. pour Pérou, Costa Rica, Floride. **1982**-*21-10* poète Armando Valladarès (arrêté déc. 1960) libéré *-24-12* Andres Vargas Gomez libéré, après 20 ans de prison. **1983**-*23-10* à Grenade, les milit. c. se rendent pratiquement sans combattre aux Amér. (les off. c. seront dégradés en mai 84). **1984**-*22/24-11* des experts en économie ont coiffé l'activité du gouv. Pt : Osmany Cienfuegos. *-14-12* accord C.-U.S.A., C. reprendra 2 746 délinquants et déséquilibrés mentaux partis 1980 en Floride, U.S.A. accorderont en 1985 des visas à 3 000 anciens prisonniers et leurs proches, et statut de résident permanent aux 125 000 immigrés de 1980-82. **1985**-*1-7* loi autorisant chaque citoyen à devenir propriétaire de son logement. **1986**-*12-4* politique de « rectification » (« castroïka » : centralisation et étatisation de l'économie). *Juillet* Ricardo Bofill, Pt du CCDH, réfugié à l'ambassade de Fr. à Cuba, demande asile politique. *-17-10* libération du dernier Amér. emprisonné en 1961. *Déc.* Eloy Gutierrez Menoyo (emprisonné dep. 1965 pour complot) libéré. **1987** sucre, 7 millions de t (8,3 en 1985) ; chute du prix du pétrole (baisse de la valeur des réexportations cub. de pétrole sov.). *-25-4* mort de Blas Roca (n. 1908), chef historique communiste. *-28-5* Gal del Pino Diaz se réfugie aux U.S.A. (selon lui, 56 000 soldats cubains ont déserté dep. 3 ans). *-29-5* Robert Martin Perez Rodriguez libéré après 28 ans de détention. **1988**-*12-9* ambassadeur et attaché commercial C. à Londres expulsés. *-4-10* Ricardo Bofill autorisé à quitter C. *-27-10* les marielitos pourront, fin 89, venir 1 semaine à C. **1989** *janv.* 44 pris. condamnés pour « atteinte à la sécurité de l'État » libérés, dont les derniers « plantados » (laissés-pour-compte) incarcérés dans les années 60. *-8-3* Mme Mitterrand à La Havane. *-14-6* Gal Arnaldo Ochoa, collaborateur de Raul Castro et ancien commandant en chef en Angola arrêté pour corruption et escroquerie, exécuté 13-7. *-31-8* Gal José Abrantès, ancien min. de l'Intérieur destitué 29-6, condamné à 20 ans de prison (pour négligence). **1990** *mars* C. arrête son aide au Nicaragua. Ration de pain journalière réduite de 100 à 80 g. *-15-3* Castro au Brésil (1re fois dép. 1959). *-27-3* TV Marti financée par Congrès amér. pour 7,5 millions de $ (émet d'un ballon à 3 000 m au-dessus de l'île de Cudjoe Key). *-23-7* 18 réfugiés C. dans l'ambassade d'Esp., 3 à l'amb. de Suisse. *-26-7* Castro autorise tout C. à partir si USA et CEE leur accordent des visas. *-13/14-8* 9 C. dans l'amb. de Belgique. *-2-9* 6 quittent l'amb. d'Esp. **1991**-*21-1* Gal José Abrantès meurt d'un infarctus.

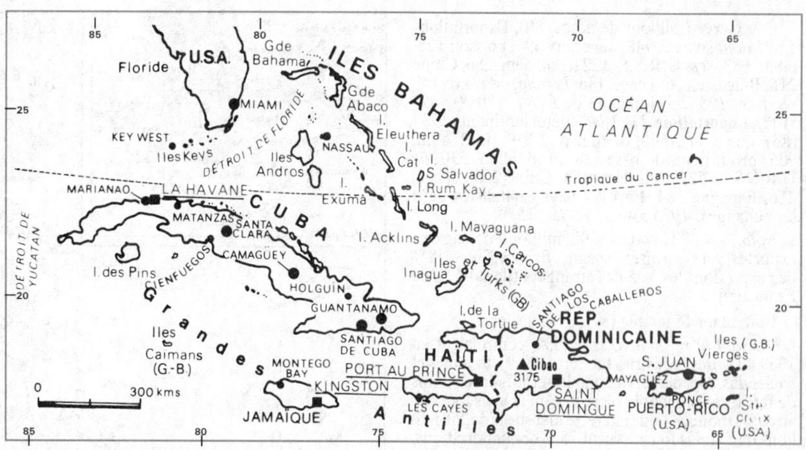

Statut. Rép. socialiste d'ouvriers, de paysans et d'autres travailleurs manuels. *Constitution* du 24-2-1976. *Pt du Conseil d'État* (1 Pt, 6 vice-Pts, 1 secr., 23 m.) *et du Cons. des min.* Fidel Castro Ruz (n. 13-8-26, fils de Lina Ruz, servante d'Angel Castro, paysan de Galicie), dep. 3-12-76 (avant *PM* dep. 1-1-59), 1er secr. du P.C. « Lider Maximo », en 30 ans, il aurait parlé 400 j. *1er Vice-Pt des 2 Cons.* Raoul Castro (frère de Fidel, désigné comme successeur). *2e Vice-Pt* Carlos Rafael Rodriguez (no 3). *Ass. nationale du pouvoir pop.* 510 m. nommés par les ass. municipales pour 5 a. *Provinces* 14, *ass. municipales* 160. **Fête nat. :** 1er janv. **Drapeau.** Adopté 1902 : bandes horiz. bleues et blanches, triangle rouge (représ. la liberté vis-à-vis de l'Espagne) orné d'une étoile blanche (reprise du drapeau amér. et datant de 1849).

Défense. *1983-84 :* développement des M.T.T. (milices de troupes territoriales) : 12 000 h. et femmes. Conseillers soviét. (nombre indéterminé : 2 100 travailleraient dans une base pour intercepter les communications amér.) + 3 000 h. sous commandement cubain.

Système pénitentiaire. *Loi de dangerosité.* Punit de prison tout suspect avant même tout délit. 100 établ. (camps, fermes-prisons, pénitenciers) auraient accueilli 140 000 prisonniers pol. *Selon Amnesty International* 22 prisons d'État et 54 camps avec + 20 000 prisonniers pol. en 1961 ; 4 000 à 5 000 détenus en 1978 (?) ; 300 à 400 en 1982. *Selon Jorg Valls* (emprisonné de 1964 à 1984) : plusieurs millions ; *selon Fernando Arrabal* 200 000 droit commun et 50 000 politiques en 1984. Selon le *Comité cubain pour les Droits de l'Homme,* 1 500 prisonniers politiques et 15 000 incarcérés pour objection de conscience ou motifs religieux.

Base aéronavale américaine de Guantanamo (11 650 ha, périmètre 30 km, 20 000 à 30 000 h.) à 960 km de La Havane, accordée par tr. (1903, renouvelé 1934), durée illimitée, contre une indemnité annuelle de 2 000 $ or que Cuba n'encaisse pas.

Cubains en Afrique. *De 1975 à 88 :* + de 300 000 C., civils et militaires, ont servi en Angola (en 1988, 50 000 présents [dont + de 50 % seraient atteints par le sida. 10 000 y sont morts (off. 2 016) ; tout le contingent était rapatrié de 1988 à mai 1991] et en Éthiopie (*1978 :* 17 000, *1985 :* 5 000). C. dit agir par solidarité anti-impérialiste. Pour les Occid. : C. cherche à exporter la révol. en Afrique après avoir échoué en Amér. latine ; C. rembourse l'aide économ. et militaire reçue de Moscou « en nature ».

Politique extérieure *dep. la révolution.* Intégration au bloc du Comecon, (dep. 1972), auquel C. fournit son sucre, en échange de l'aide soviét. (3 milliards de $, sous forme essentiellement de pétrole), dep. 1977 diversification (commerce avec *France,* Canada, Mexique), rapprochement tenté avec Reagan qui a repoussé 3 fois les avances c. [1981 (2 fois), avr. 1982] et a organisé une campagne de déstabilisation par les émissions de Radio-Marti. *En nov. 1987,* accord sur l'immigration : + de 20 000 C. autorisés chaque année à entrer aux U.S.A., mais 2 700 C. indésirables (malades, meurtriers, criminels) seront rapatriés à C. **Relations avec la Chine.** *1966* brouille, *1988 juin* soutien c. lors des évènements de Tiananmen, *1989* commerce sino-c. +50 %.

Économie

P.N.B. (88) 1 050 $ par h. *Pop. active* (%, entre par. part du P.N.B. en %) agr. 23 (62), ind. 25 (10), serv. 50 (22), mines 2 (6). **Travail obligatoire.** Salaire minimal 800 F par mois, 2 carnets de rationnement (libreta) permettent d'obtenir le strict nécessaire. Semaine de travail de 6 j, le dimanche étant consacré au « travail volontaire ». **Monnaie (en pesos).** *Cours :* 1 $ = 0,75 p. (officiel), sinon 4 à 5 p. (noir). **Salaires mensuels :** instituteur 200, ouvrier spécialisé 250, gynécologue 400, artisan 100 pesos/j en travaillant au noir. **Taux de croissance** (%). *1984 :* + de 4, *85 :* – 1,8, *86 :* – 0,6, *87 :* 0, *88 :* + 8,5, *89 :* + 1. **Aide soviétique (1988) :** 4,5 milliards de $ par an (soit 30 % du revenu national), 40 milliards de $ dep. 1961. Cuba réexporte du pétrole sov. En 1990, baisse de l'aide.

Dette extérieure (milliards de $, 89) pays de l'Ouest 6,8, U.R.S.S. et C.A.E.M. 25 (?). **Budget** (milliards de $) 13,6. Dépenses militaires *1984 :* 1,4, *85 :* 1,8 (250 000 h. + territoriaux 1 200 000).

Agriculture. *Terres* (millions d'ha, 81) terres cult. 3,2, pâturages 2,5, jachère 0,34, forêts 1,9, divers 3,8. **Sucre.** *Production* (millions de t). *1963 :* 3, *70 :* 86, *81 :* 74, *82 :* 82, *83 :* 71, *84 :* 82, *85 :* 83, *86 :* 73, *87 :* 72, *88 :* 73,7, *89 :* 67,5. Les accords de Genève (77) reconnaissent C. comme le 1er export. (quota de 2 500 000 t/an) ; campagne 80-81 : 6 805 000 t dont export 6 191 000 t ; obligations internationales : 3 000 000 t pour Comecon, 2 500 000 sur marché libre et 600 000 pour pays soc. non membres du Comecon. Dep. 1986, disparition des « marchés paysans » (état de contrôle). **Divers** (milliers de t, 89). Riz 550, oranges 503, tomates 330, p. de terre 282, bananes 200, plantain 109, patates douces 195, mangues 81, citrons 58, tabac 40, cacao, maïs, jute, café. **Forêts.** Cèdre, acajou, teck. **Élevage** (milliers de têtes, 89). Volailles 27 000, bovins 4 927, porcs 2 500, chevaux 665, moutons 385. **Pêche.** 214 300 t (87).

Tourisme. *1958 :* 300 000, *85 :* 173 000, *88 :* 225 000, *prév. 2000 :* 2 000 000. *Capacité hôtelière (1987) :* 23 000 chambres (projet 15 000 ch. en + pour 1995). *Recette :* 130 millions de $ (88).

Mines. Nickel 43 800 t (88). Fer, cuivre, manganèse, chrome, cobalt, sel, pétrole (1 460 000 t). **Industrie.** Ind. et commerce sont nationalisés à 100 %. Sucrerie, tabac (cigares, cigarettes), affinage du nickel, acier. Projet de centrale nucléaire en 1995.

Commerce (millions de pesos, 89). **Exportations** 5 392 *dont* sucre 3 948, minéraux 497, poisson 128, tabac [1] 83, *vers* U.R.S.S. 3 221, All. dém. 286, Chine 216, Bulgarie 176, Tchéc. 136. *Pétrole sov. réexporté, recettes : 1985 :* 574 millions de $; *86 :* 270 (?) ; *89 :* 70 (?). **Importations** 8 124 *dont* fuel et lubrifiants 2 537 (86), mach. et équip. de transp. 2 530, prod. alim. 925, prod. man. de base 838, prod. chim. 530, *de* U.R.S.S. 5 522, All. dém. 358, Chine 255, Tchéc. 216, Espagne 184. **Part des pays capitalistes** dans les échanges. *1975 :* 40,5 % ; *85 :* 15 %.

Nota. – (1) Havanes. 100 millions de cigares exportés, vers Europe : Espagne, France, Suisse [8 % des exp., dont les ¾ à des étrangers (dont 45 % de Français)].

Rang dans le monde (89). 3e c. à sucre.

☞ *Avant la révolution,* les U.S.A. contrôlaient en 1959 40 % des industries sucrières, 90 % des mines et haciendas, 80 % des services publics et 50 % des chemins de fer. Ils achetaient le sucre c. à un cours supérieur au cours mondial (aide indirecte mensuelle de 250 millions de $) mais fournissaient 75 % des importations.

DANEMARK

Carte p. 918. V. légende p. 837.

• **Situation.** Europe. **Superficie.** *Danemark proprement dit* 43 093 km² dont presqu'île du Jutland 29 776 m², îles 13 317 km² [406 dont 97 habitées ; les plus grandes : Seeland 7 448 km², Fionie (Fyn) 3 486 km², Lolland 1 795 km², Bornholm 588 km², Falster 514 km²]. **Côtes** 7 314 km, point le plus éloigné de la mer 52 km. **Frontière :** 67,7 km avec l'All. féd. (*Iles Féroé* et *Groenland* (voir p. 939). **Relief.** *Danemark occ.* plat, landes sablonneuses ; *D. orient. et sept.* terr. argileuses, collines, matériaux morainiques (traitement artificiel du sol pour l'agricult.). *Alt. max.* 173 m (Yding Skovhoj), *moy.* 30. **Lacs** 76 de plus de 0,5 km² (le plus grand Arreso 40,6 km²). **Fleuve** le plus long Gudenaa 158 km. **Climat** maritime tempéré du Gulf Stream (moy. 8 °C). *Pluies :* 830 mm sur 195 j. *Neige* 6 à 9 j par mois, de janvier à mars. *Mois le plus froid* mars, min. – 12,6 °C, moy. + 1,7 °C, *le plus chaud* juill. max. 30,2 °C, moy. + 16,2 °C ; *gel* 70 j par an sur les côtes, 120 j à l'intérieur.

• **Population** (en millions d'h.). *1769 :* 0,80, *1901 :* 2,45, *1930 :* 3,55, *1960 :* 4,58, *1970 :* 4,91, *1989 :* 5,13, *2000* (prév.) : 5,16, *2025* (prév.) : 4,76. **En % :** Danois 97,2, Allemands 0,2 (8 145 en 85), Suédois 0,2 (7 992 en 85). *Age : – de 15 a. :* 18 % ; *+ de 65 a. :* 15 %. **Pop. urbanisée** 84,4 %. **Émigration** (88) 34 544 dont pays nordiques 8 447, îles Féroé 1 602, Groenland 3 299, C.E.E. 8 980, autres pays d'Eur. 1 727, hors d'Eur. 10 489. **Étrangers** (88) 136 177 dont Europe 89 432 (dont C.E.E. 26 875, Turquie 24 423, pays nord. 23 130, Youg. 8 799), Asie 29 786, Amér. 7 233, Afr. 5 259, Océanie 604. D. 119.

Villes (88) : *Copenhague* (88) 468 704 h. (agg. 1 714 723), Århus 591 993 (à 282 km de Copenhague), Odense 174 016 (à 141 km), Alborg 154 739 (à 385 km), Esbjerg 81 385 (à 278 km), Randers 61 155 (à 318 km).

• **Langue off.** Danois. Langue germanique scandinave, dérivée du nordique commun (urnordisk) parlé jusqu'au IXe s. après J.-C. A partir de 1000, se différencie de l'islandais, du norvégien et du suédois en simplifiant phonétique et grammaire et en adoptant de nombreux mots romans et all. ; redevient langue off. en Norvège au XIVe s. Un dialecte frison (germanique westique) est parlé dans le S.-O.

• **Religions** (en 1988). Luthériens 90,2 % (rel. d'État, le chef de l'État doit être luthérien), 28 188 cath., 6 106 baptistes, 3 064 musulmans, 1 603 méthodistes, israélites.

• **Histoire. VIIe s. av. J.-C.-XIe s. apr. J.-C.** peuplement scandinave : Germains nordiques navigateurs ne se distinguant pas des Norvégiens et Suédois (Vikings). **IXe s.** invasion franque en Saxe : le roi Godfred barre l'isthme danois à la hauteur de Schleswig ; déclenche une g. navale de harcèlement contre Europe chrétienne. **911** Rollon, chef viking, devient duc de Normandie (française). **950** royaume (le + ancien d'Europe). **965** le roi Harald († 986) se fait baptiser. **1018** fondation d'un roy. bicéphale angl. et danois par Knut le Grand ; missionnaires angl. convertissent D. **1066** les D. chassés d'Angl. par Normands fr. **1104** création de l'archevêché de Lund. **1157-1241** royaume intégré à l'Europe chrétienne par la dynastie des Valdemar. **1167** Copenhague fondée. **1241-1340** g. intestines. **1397** Union de Kalmar : D., Islande, Norvège, Suède. Rompue 1438, 1448. **1523** la Suède (Gustave Vasa) la quitte définit. **1536** adoption du protestantisme. Après plusieurs g. avec Suède, le D. perd *(tr. de Roskilde 1658)* Halland, Blekinge et Scanie (sud Suède) qu'il ne peut reconquérir (g. de Scanie 1675-79). **1772**-*28-4* exécution de l'All. Friedrich Struensee (n. 1737), partisan du « despotisme éclairé ». **1807**-*5-9* les D. ayant soutenu Napoléon, les Angl. bombardent Copenhague. **1814**-*14-11 tr. de Kiel,* le D. cède Norv. à la Suède. **1848-50** révolte des duchés du Schlesvig et du Holstein, qui sont perdus après une g. contre Prusse et Autr. (1864). **1914-18** neutre. **1918** autonomie de l'Islande. **1920** l'All. rend, après plébiscite local, partie du Schlesvig (3 822 km², 200 000 h. dont 15 % de langue all.). L'Islande devient indépendante mais le roi du D. en reste le roi. **1940**-*9-4* invasion all. **1943**-*29-8* en raison des sabotages, les All. exigent un état d'exception, le gouv. d. refuse, le roi est prisonnier dans son château, les All. instituent des cours martiales. *-1-10* persécutions contre Juifs. **1944**-*30-6/15-7* grève gén., les All. doivent accepter le départ de la milice dan. Indépendance complète de l'Islande. **1945**-*5-5* entrée des Brit. **1960** entrée dans A.E.L.E. **1972**-*2-10* référendum sur adhésion à la C.E.E. : votants 89,8 % ; oui 57 % des inscrits, 63,5 % des votants ; non 32,6 %, et 36,5 % (Groenland : oui 4 062 voix, non 9 894 voix). **1973**-*1-1* entrée dans C.E.E. **1978**-*17-11* loi-cadre, autonomie interne au Groenland. **1982**-*28/30-4* visite du Pt Mitterrand. **1984** le D. réaffirme ses droits sur l'île déserte de Hans (3 km²), découverte 1873 (le Canada y ayant entrepris des recherches, en revendique la propriété). **1985**-*21-1* parlement refuse projet de réformes de la C.E.E. : 80 députés contre (sociaux-démocrates, radicaux, socialistes pop. et soc. de gauche), 75 pour (conservateurs, libéraux, centristes démocrates et chrétiens pop.). **1986**-*27-2* référendum pour projet (oui 56,2 % des voix, abstentions 25,2 %). **1988**-*29-5* loi accordant l'égalité des droits aux homosexuels (200 mariages dep. le 1-10-89 ; 25 000 hom. et 65 000 bisexuels). *-30-5* Parlement envahi par des perturbateurs. *-2-7* arraisonnement du *Mobby-Dick,* navire de Greenpeace. **1991**-*23-3*- accord avec Suède pour un pont de 18 km entre les 2 pays.

• **Statut.** Royaume. *Constitution* du 5-7-1849, modifiée 5-6-1953 (accession des femmes au trône). Parlement : *Folketing* (179 m., dont 2 pour Féroé et 2 p. le Groenland, élus p. 4 ans au suffr. univ.). *Pt* Erik Ninn-Hansen (cons.) dep. 10-1-89. Pour être représenté, un parti doit avoir au moins 2 % des suffrages. *Ombudsman,* chargé de contrôler l'admin., élu par Folketing. *Départements (amter)* 14 ayant un amtsbourgmestre (élu dans et par le conseil départemental) à leur tête et *communes* 2 (Copenhague et Frederiksberg) avec statut particulier. *Drapeau* le plus ancien du monde (Dannebrog 1219). **Fête nat.** : 5 juin (Constitution).

☞ Le D. contrôle les détroits qui font communiquer Baltique et mer du Nord. Les sous-marins qui les traversent (même s'ils ne passent pas par les eaux territoriales) doivent le faire en surface et après avoir hissé pavillon.

Élections législatives. Du 10-5-1988. *Inscrits :* 3 911 897 ; *votants :* 3 352 651 (85,7 %). *% des voix, nombre de sièges entre crochets.* Parti social-démocrate 29,8 [55 (+ 1)]. P. conservateur populaire 19,3 [35 (– 3)]. P. socialiste populaire 13 [24 (– 3)]. P. libéral 11,8 [22 (+ 3)]. P. radical 5,6 [10 (– 1)]. P. du progrès 9 [16 (+ 7)]. P. centre démocrate 4,7 [9]. P. chrétien populaire 2 [4]. Cap commun (extrême gauche) 1,9 [0 (– 4)]. Divers 2,9 [0]. Représentants du Groenland [2] R. des Féroé [2]. **Du 12-12-90.** PSD 37,5 [69 (+ 14)]. PCDP 16 [30 (– 5)]. PSP 15 [– 9]. PL 15,7 [29 (+ 7)]. PR 3,5. PCD 9. P. chr. pop. 4. P. du progrès 12 [– 4].

Nota. – % des voix obtenues par les partis dep. 1943 : *soc.-dém.* max 44,5 (1943), min. 25,6 (1973) ; *radicaux (libéraux-soc.)* max. 15,7 (1990), min. 5,3 (1964) ; *conserv. pop.* max. 23,4 (1984), min. 5,5 (1975) ; *soc. pop.* max. 11,5 (1984), min. 3,9 (1977) ; *libéraux* max. 27,6 (1947), min. 10,5 (1987) ; *communistes* max. 12,5 (1945), min. 0,7 (1984).

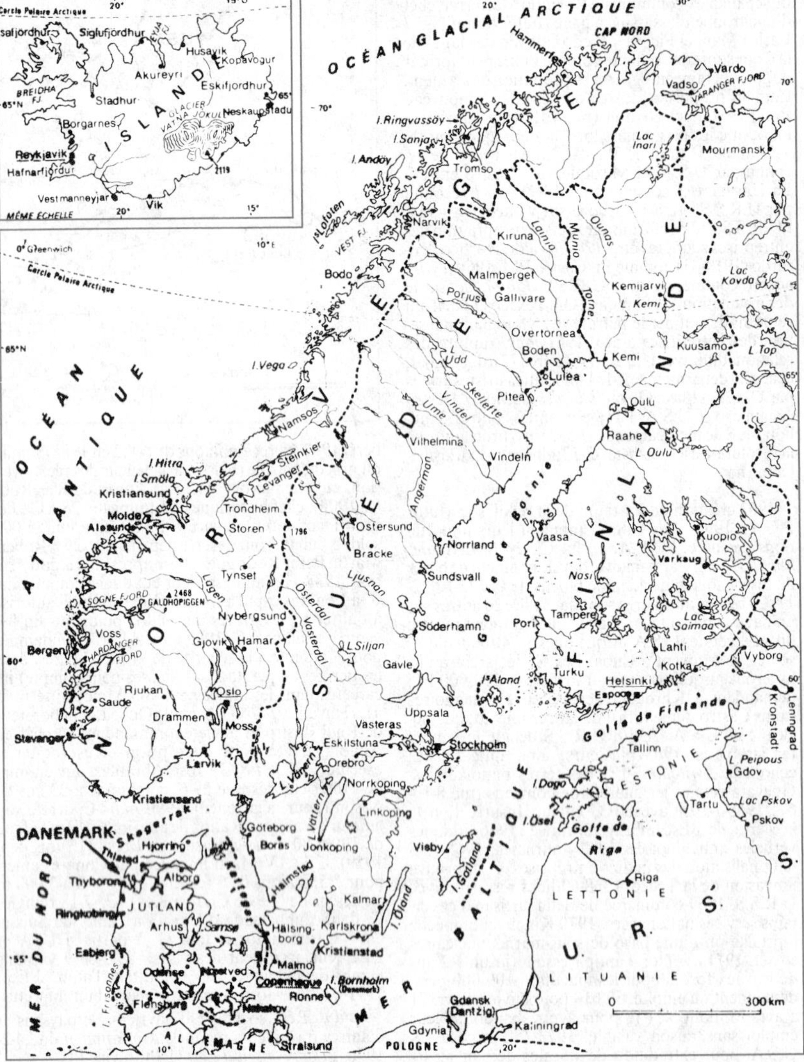

Partis. *P. social-démocrate* (PSD) : f. 1871, *Pt* Svend Auken, 100 000 m. *P. libéral* (PL) : f. 1870, *Pt* Uffe Ellemann-Jensen (1-11-1941), 86 962 m. *P. conservateur* (PCP) : f. 1916, *Pt* Poul Schlüter (3-4-1929), 35 000 m. *P. socialiste populaire* (PSP) : f. 1959, *Pt* Gert Petersen (19-8-1927), 9 200 m. *P. libéral radical* (PR) : f. 20-5-1905, *Pt* Thorkild Moller (17-8-32), 10 000 m. *P. georgiste* : f. 1919, *Pt* Poul Gerhard Crone Kristiansen (15-11-53),2 000 m. *P. communiste* : f. 1919, 10 000 m., *Pt* Ole Sohn. *P. socialiste de gauche* : f. 1967, 600 m. *P. centre démocrate* (PCD) : f. 1973, *Pt* Mimi Jakobsen, 2 500 m. *P. chrétien du peuple* (P. chr. P.) : f. 13-4-1970, *Pt* Jann Sjursen (n. 20-10-63), 11 000 m. *P. du progrès* : f. 1972, *Pt* Mogens Glistrup, 15 000 m. **Syndicat** L.O., lié au P. social-dém. 1 420 000 m. (88).

• **Rois depuis 1448. Dynastie d'Oldenbourg. 1448** CHRISTIAN Ier (1426-81), f. de Dietrich, duc d'Oldenbourg, roi de Danemark 1448, Norvège 1450, Suède 1457-68. **81** HANS Ier (1455-1513), s. f. (roi de Suède : Jean II 1497-1501). **1513** CHRISTIAN II (1481-1559), s. f., roi de Suède 1520, expulsé 1523. **23** FREDERIK Ier (1471-1533), f. de Christian Ier. **34** CHRISTIAN III (1503-59), s. f. **59** FREDERIK II (1534-88), s. f. **88** CHRISTIAN IV (1577-1648), s. f. **1648** FREDERIK III (1609-70), s. f. **70** CHRISTIAN V (1646-99), s. f. **99** FREDERIK IV (1671-1730), s. f. **1730** CHRISTIAN VI (1699-1746), s. f. **46** FREDERIK V (1723-66), s. f. **66** CHRISTIAN VII (1749-1808), s. f. **1808** FREDERIK VI (1768-1839), s. f. (régent 1784, son père étant devenu fou). **39** CHRISTIAN VIII (1786-1848), s. f. **48** FREDERIK VII (1808-63), s. f.

Dynastie de Schleswig-Holstein-Sonderbourg-Glücksbourg. 1863 CHRISTIAN IX (1818-1906), f. de Guillaume, duc de Schleswig-Holstein, descendant de Christian III, ép. Pcesse Louise de Hesse-Cassel (1817-98), dit le « grand-père de l'Europe » (il a une fille héritière du trône d'Angleterre, un fils roi de Grèce et des neveux et arrière-neveux rois ou reines). **1906** FREDERIK VIII (1843-1912), s. f., ép. Pcesse Louise de Suède et de Norvège (1851-1926). **12** (14-5) CHRISTIAN X (1870-1947), s. f., ép. 26-4-1898 Alexandrine, duchesse de Mecklembourg (1879-1952). **47** (20-4) FREDERIK IX (1899-1972), s. f., ép. 24-5-35 Pcesse Ingrid de Suède (28-3-10), f. du roi Gustave VI de Suède. **72** (14-1) MARGRETHE II (16-4-40), s. f. Reine des Wendes et des Goths, duchesse de Schleswig, Holstein, Stormarn, des Dithmarses, de Lauenbourg et d'Oldenbourg, ép. 10-6-67 Henri de Laborde de Monpezat (Français, n. 11-6-34), devenu Pce Henrik de Danemark. *Enfants* : Frederik (26-5-68), Joachim (7-6-69). *2 sœurs : Pcesse Benedikte* (29-4-44) ép. 3-2-68 Pce Richard de Sayn Wittgenstein Berlebourg (29-10-34), enfants : Gustav (12-1-69), Alexandra (20-11-70). *Pcesse Anne-Marie* (30-8-46) ép. 18-9-64 le roi Constantin de Grèce (2-6-40), enfants : Alexia (10-7-65), Paul (20-5-67), Nicholas (1-10-69), Theodora (1983).

• **Premiers ministres. 1945** *5-5/7-11* coalition gouv. par Wilhem Buhl (1881-1954) [1]. *7-11* Knud Kristensen (1880-1962) [2]. **47**-*13-11* Hans Hedtoft (1903-55) [1]. **50**-*30-10* Erik Eriksen (1902-72) [3]. **53**-*30-9* Hans Hedtoft (1903-55) [1]. **55**-*1-2* Hans Christian Hansen (1906-60) [1]. **57**-*28-5* H.C. Hansen [1]. **60**-*21-2* Viggo Kampmann (n. 21-7-10) [1]. **62**-*3-9* Jens Otto Krag (1914-78) [1]. **68**-*2-2* Hilmar Baunsgaard (1920-89) [4]. **71**-*11-10* Jens Otto Krag [1]. **72**-*5-10* Anker Jorgensen (n. 13-7-22) [1]. **73**-*19-12* Poul Hartling (n. 14-6-14) [2]. **75**-*13-2* Anker Jorgensen [1]. **82**-*10-9* Poul Schlüter (n. 3-4-29) [3], réélu 3-6-88 et 12-12-90.

Nota. – (1) Sociaux-démocrates. (2) Libéraux. (3) Libéraux-conservateurs. (4) Radicaux.

Dépendances autonomes

• **Iles Féroé** (en danois *Faerøerne,* dans la langue locale *Foroyar,* îles aux moutons). Atlantique, à 450 km au S.-E. de l'Islande, 5 % du sol cult. 18 îles (1 398,35 km^2) dont 17 habitées, île la plus grande : Strömö 374 km^2. *Alt. max.* 882 m. **Climat :** hiver doux (janv. 3,2 °C), été frais (juil. 10,8 °C). **Population** 48 000 h. (89) D. 34. *Chef-lieu : Thorshavn* 14 722 h. *Religion :* luthériens. *Langues off. :* féroen et danois. **Statut :** à la Norvège, puis au D. (1380), autonome dep. 1948. 2 députés au Folketing. Gouvernement local *(Landstyre)* de 4 m. présidé par le *Lagmand. Rigsombudsman :* représentant supérieur du royaume. *Parlement (Lagting) :* 32 m. élect. 17-11-90 soc.-dem 10 (27,4 % des voix), rassemblement pop. (droite indép.) 7, P. de l'union (Centre) 6, républicains (extr. gauche) 4. A refusé en 1972 d'entrer dans la CEE. **Ressources :** pêche, chasse à la baleine, pas de forêt, landes (moutons).

• **Groenland** (pays vert). Atlantique, à 300 km de l'Islande. 2 175 600 km^2 (plus grande île au monde après l'Australie) dont 44 800 km^2 d'îles côtières. 1 833 900 km^2, 85 % recouverts par l'inlandsis (d'une épaisseur moyenne de 1,515 km et jusqu'à 2,7 km) et 341 700 km^2 libres de glaces. *Volume de glace :* env. 2 600 000 km^3. *Alt. max.* Gunnbjoerns Fjeld 3 733 m. Maigre végétation. **Climat** été + 30 °C au S., + 5 °C au N., hiver – 20 °C au S., atteint – 40 °C au N. **Population :** 54 000 h. (87) sur 150 000 km^2 (surtout S.-O.) dont 9 000 Européens, Esquimaux (en indien ceux qui mangent de la viande crue : inuit, hommes en inuktitut). Taux de natalité (84) 20 ‰, mortalité (84) 8,3 ‰. D. 0,2. **Villes :** Nuuk (ex-Godthaab) 11 615 h. (88), Sisimiut (ex-Holsteinborg) 4 823 h. (88). 18 villes de + de 1 000 h. 70 villages ou campements de 30 à 600 h. **Langues off. :** groenlandais et danois.

Histoire : 400 av. J.-C. peuplement esquimau. **V. 982** colonisé par Eric le Rouge. **XIIe s.** Colon. norv. de 12 000 membres assimilés ou dispersés v. **1500. 1397** colonie d. **1721** nouvel établissement danois avec le pasteur Hans Egede. Colonie jusqu'en **1953.** Depuis comté d. (partie intégrante du D.) représenté par 2 m. au Folketing. **1979**-*17-1* référendum pour l'autonomie (votants 63,2 % dont oui 70,1 %, non 22,8 %, nuls 4,1 %). *1-5* autonomie effective. **1982**-*23-2* référendum sur retrait du Marché commun, oui 52 %, non 46,1 % (effet au 1-2-85). **1984**-*6-6* élections à l'Assemblée du territoire, socialistes 11 s., modérés 11., extrême gauche indépendantiste 3 s. **1987**-*26-5* élections anticipées. **Statut :** État autonome. *Exécutif :* Landstyre (7 m.). *PM* Lars-Emil Johansen dep. mars 91. *Parlement* (Landsting) él. 26-5-87 Siumut (gauche) 11 s., Atassut (modéré) 11. Inuit. Ataqatigiit (soc.) 4. Issittup 1. Défense et Aff. étrangères restent au gouv. d. **Drapeau.** Adopté 1980 : demi-cercle rouge (soleil) sur fond blanc (banquise), demi-cercle blanc sur fond rouge. **Ressources :** chasse (peaux de phoques, env. 4 000/an, uniquement adultes). Pêche (45 000 pers. employées) [149 420 t (85) *dont* crevettes 52 370, morue 12 450, saumon 860]. Moutons au S. Cryolithe, charbon, plomb, zinc, chrome, cuivre, molybdène. Uranium, pétrole, thorium. **Bases américaines :** Thulé et Sondre Stromfjord.

Anciennes colonies danoises

• **Europe. Islande** dep. 930, indép. dep. 1944. **Groenland** autonome 1979. **Féroé** autonomes dep. 1948. Voir ci-dessus.

• **Amérique. Antilles danoises** (50 îles, 344 km^2) dont *St-Thomas* (83 km^2) dep. 1672 ; *Ste-Croix* [207 km^2 (cap. Charlotte-Amalie)], française en 1650, cédée 1733 par Louis XV à Christian VI pour le remercier de l'aide accordée à son ambassadeur, le Cte de Plélo, et au Gal de La Motte de La Peyrouse, Cdt du corps expéditionnaire français à Dantzig, venus au secours du roi Stanislas Leszcynski ; *St-Jean* (52 km^2) dep. 1718. Iles achetées 25 millions de $ en 1917 par U.S.A.

• **Asie. Bengale occidental** (Inde). Tranquebar et Serampur, sur l'Hooghly, de 1618 à 1845. **Iles Nicobar** (1 645 km^2) annexées 1756 sous le nom de Ny Danmark (rebaptisées îles Frédéric). Occupées 1789 à 1796 par Anglais (y avaient créé un pénitencier), réoccupées par D., cédées aux Angl. 1858. **Canton** (Chine) comptoir du XVIIIe s. au début XIXe s.

• **Afrique.** *Ghana.* A Accra, fort de Christiansborg, dep. 1699. A l'est, comptoirs de Tema et de Nimbo. Vers le Dahomey, forts de Fridensborg, de Kœnigstein, de Binzenstein. Laissés aux Anglais en 1850 pour 50 000 livres.

Économie

P.N.B. (89) 20 570 $ par h. **Pop. active.** (% et entre par. part du P.N.B. en %) agr. 5,9 (5,5), ind. 27,1 (26), services 66 (67,5), mines 1 (1). *Nombre total (87) :* 2 907 089. *Secteur public* 800 000 personnes (30 % de la main-d'œuvre). *Chômage : 89 :* 9,2. **Inflation** (%) : *85 :* 4,7. *86 :* 3,7. *87 :* 4. *88 :* 4,6. *89 :* 4,8. *90 :* 3. **Dette extérieure** (milliards de $) *1985 :* 28 ; *88 :* 45. **Balance des paiements** (milliards de couronnes) : *1985 :* – 29, *86 :* – 36, *87 :* – 20, *88 :* – 12. **Déficit budgétaire** (milliards de couronnes) : *1987 :* – 0,86, *88 :* – 1,57, *89 :* – 18. **Prélèvements obligatoires :** 56 % du P.I.B. Impôt sur le revenu : taux max. 68 %, 78 % avec l'impôt sur la fortune. T.V.A. 22 %. Taxe sur voiture particulière 80 %.

Agriculture. *Terres* (milliers d'ha, 84) cultivées 2 787 (88), forêts 493. *Production* (milliers de t, 89) orge 4 885, blé 3 471, p. de terre 1 275, seigle 484, avoine 100. Horticulture. **Élevage** (milliers de têtes, 89). Poulets 14 768 (88), porcs 9 105, bovins 2 226, canards 444 (88), dindes 246 (88), moutons 124 (88), oies 53 (88), chevaux 34 (88), viande, lait et dérivés du lait. Visons pour les peaux. **Pêche** (milliers de t, 88) 1 857 dont 99 % dans l'océan Atlantique et 1 % dans les eaux territoriales.

Mines. Mer du Nord : *pétrole :* production 6 000 000 t en 90, *gaz* (milliards de m^3) production 2,3 en 87, réserves 152. **Industrie.** Constr. navale, farine de poisson pour l'élevage, bière, ind. alim., conserveries de poisson, papier, chimie, métallurgie. **Tourisme.** Env. 7 591 500 vis. (88). **Transports** (km). Routes 70 488 (88). Ch. de fer 2 476 (87).

Commerce (milliards de couronnes, 88). *Exportations* 175,3 *dont* prod. ind. 118, prod. alim. 33, fuel et lubrifiants 4,9 *vers* All. féd. 33, G.-B. 22, Suède 22, U.S.A 11, *France 11. Importations* 174 *dont* demi-prod. 84, prod. alim. 41, mach. et équip. de transp. 32, fuel et lubrifiants 13, *de* All. féd. 41, Suède 22, G.-B. 13, *France 9,* U.S.A. 11. **Rang dans le monde** (89). 10e orge. 11e pêche. 15e porcins.

DJIBOUTI

Carte p. 951. V. légende p. 837.

Situation. Afrique orient. 23 200 km^2. *Frontières :* avec Éthiopie 450 km, Somalie 65. *Côtes* 370 km. *Alt. max.* 2 010 m (Moussa Ali), *min.* – 150 m (lac Assal). *Sol* d'origine volcanique. Plateaux limités par d'énormes failles. A l'intérieur, plaines effondrées au milieu des plateaux et chaînes basaltiques. **Saisons** chaude mai-sept. (40 °C en moyenne, max. 55 °C, 70 % d'humidité) ; fraîche oct.-avril (25 °C en moyenne). *Pluies* rares et irrégulières (170,2 mm à Djibouti, 115,2 à Tadjourah). En 1981, 275,5 mm en moy. Pas de cours d'eau permanents.

Population. 380 000 h. (88), prév. *2000 :* 690 000 h. ; Afars (même ethnie que les Danakils éthiopiens) 37 % dont 10 000 à Djibouti, Somalis Issas 47 %, autres Somalis 55 000, Arabes 6 %, Européens 8 %, divers 3 000 (réfugiés de l'Ogaden env. 10 000). Env. *10 000 Français* dont 3 750 soldats (avant l'indép. 8 000). *- de 15 a.* 46 %, *+ de 65 a.* 3 %. D. 16,4. **Villes :** *Djibouti* 450 000 h. (89, non compris 20 000 personnes « fluctuantes » en 85), Ali Sabieh 4 000 (circ. adm. 15 000) (à 98 km), Tadjourah 3 500 (circ. adm. 30 000) (à 344 km par la route ou 2 h 30 par mer : bac), Dikhil 3 000 (circonscription adm. 30 000) (à 117 km), Obock 1 500 (circ. adm. 15 000) (419 km par la route ou 3 h 30 par mer : bac).

Langues. Arabe *(off.),* français *(off.),* afar et somali (nationales). **Religions.** Musulmans chaféites 96 %, catholiques 2, orthodoxes 1, protestants 1.

Histoire. 1862 la France acquiert la rade d'Obock et achète D. pour 10 000 thalers au sultan de Raheito. **1884** occupation de la région de Tadjourah. **1884-94** Léonce Lagarde (1860-1936) gouverneur. **1888** occupation de Djibouti, frontières avec Éthiopie précisées. **1892** devient Côte fr. des Somalis. **1917** chemin de fer d'Addis Abeba inauguré. **1935** 1er quai en eau profonde, construit sur la carcasse du *Fontainebleau* (vapeur échoué). **1942** ralliement à Fr. libre. **1946** T.O.M. **1958** référendum pour le statut de T.O.M. **1966** *sept.* visite de Gaulle, manif. (plusieurs †). **1967**-*19-3* référendum (inscrits 39 512, suffrages exprimés 37 221, oui 22 555, non 14 666) : nouveau statut avec ch. des députés et gouv. local, prend le nom de Territ. fr. des Afars et des Issas. **1972**-*12-3* création de la Ligue pop. afric. pour l'indép. (LPAI). **1975** *mai* le FLCS enlève Jean Gueury, amb. de Fr. en Somalie, et le relâche contre la libération d'Omar Osman Rabbe (interné en Fr.). *-25/26-5* affrontements Afars-Issas (11 †). **1976**-*3/4-2 :* 30 enfants de milit. pris en otages par commando du FLCS, libérés par la force (1 enf. tué). *-17-7* Pt Ali Aref Bourhan démissionne. **1977** *mars* table ronde à Paris entre principaux partis et mouv. dj. *-8-5* élections lég. et référendum (votants 96 %, oui à l'indép. 98,7 % des v.). *-27-6* indép. *-15-12* attentat (6 †), démission du PM, dissolution du Mouv. pop. de libér. (Afars, extrémistes). **1978**-*7-11* activité volcanique à 80 km à l'O. de Djibouti (Ardou-Boka). **1982**-*21-5* 1res élec. législ. **1986**-*7-9* Aden Robleh Awaleh, condamné par contumace pour complot. **1987**-*18-3* attentat, 12 † (dont 5 Français). *-22/23-12* Mitterrand à D. (1re visite d'un Pt fr. dep. 1977). **1989** juin Pt Gouled en Fr. **1990**-*27-9* attentat contre café (1 Français †), Mouvement de la jeunesse djiboutienne (4 auteurs présumés sont arrêtés 10-10). **1991** *janv.* attaque d'une caserne (1 †). *-10-1* Ali Aref et 20 Afars arrêtés pour complot. *-24-3* Adouani Hamouda Ben Hassan, Tunisien pro-palest. accusé de l'attentat de mars 1987, condamné à mort.

Statut. République. *Pt* (élu pour 6 a.) Hassan Gouled Aptidon (n. 1916) dep. 27-6-77, réélu 12-6-81 (84,7 % des voix) et 24-4-87 (90,30 %). *PM* Barkhat Gourat Hamadou dep. 2-10-78. *Chambre des députés*

(65 m. élus pour 5 a.). *Rassemblement populaire pour le Progrès* (RPP) f. 1979, parti unique dep. 1981. **Drapeau :** adopté 1972 : bandes bleue (les Issas) et verte (les Afars), triangle blanc (la paix) et étoile rouge (l'unité). **Base militaire** fr. (3 850 h. et leurs familles assurent 30 % des ressources de D.). **Dépenses publ. françaises pour D.** 1,1 milliard de F (50 % du PIB).

Économie

P.N.B. (88) 1 315 $ par h. **Pop. active** (% et entre par. part du P.N.B. en %) agr. 10 (5), ind. 10 (10), services 80 (85). **Inflation.** (84) 1,7 %.

Agriculture. Peu importante (90 % des terres sont désertiques, 300 ha cult. en 88). Élevage. Semi-nomade. (Milliers de têtes, 88) chèvres 500, moutons 414, chameaux 58, bovins 70, ânes 8. Pêche (89) env. 800 t. Coquillages, éponges. Géothermie. Projet près du lac Assal, vers 1 500 m. de prof., eau à 150-250 °C. Pourrait fournir 18 mW (couvrant 100 % des besoins de D.). Industrie. Boissons non alcoolisées, laiterie ind., minoterie, bitume. Services. Ravitaillement des navires (*C.A. du port* 10,22 milliards de $ en 85) ; trafic 775 600 t et 17 800 conteneurs. Aboutissement du chemin de fer Djibouti-Addis-Abeba (construit 1896 à 1917, seul accès à la mer de l'Éthiopie : 781 km dont 106 à Djibouti).

Commerce (millions de F.D., 86). *Exportations* 3 628 *dont* (80) animaux vivants 720 (85), viande et poisson 137, fruits et légumes 134, cuirs et peaux 103 (85), *vers* (84) *France 1 704,* Somalie 179, Italie 89, G.-B. 23. *Importations* 33 106 *dont* (85) alim. 9 021, mach. et mat. élec. 4 674, hydrocarbures 3 507, text. et chaussures 3 283, mat. de transp. 2 846 *de France 10 300,* Éthiopie 3 800, Japon 2 500, P.-Bas 2 100 (83), Italie 1 700 (83).

DOMINICAINE (République)

Carte p. 917. V. légende p. 837.

Situation. Grandes Antilles, partie orientale de l'île d'Hispaniola (ou St-Domingue). 48 422 km². *Long.* 430 km, *larg.* 226 km. *Côtes* 1 600 km. *Frontières* avec Haïti 308 km. *Alt. max.* Pico Duart 3 175 m. **Climat** tropical, tempéré à l'intérieur ; pluies d'été abondantes au N. et à l'E. Cyclones surtout au déb. de l'automne.

Population. 7 012 367 h. (88) dont, en %, Mulâtres 75, Noirs 10, Blancs 15, *prév. 2000 :* 9 247 000 h. D. 144,8. *- de 15 a. :* 41,3 %, *+ de 65 a. :* 3 %. Pop. urbaine 52 %. **Villes** (83) : *Santo Domingo de Guzmán* (ex-Ciudad Trujillo 1936-61) 1 410 000 h., Santiago de los Caballeros 285 000, La Romana 101 000, San Pedro de Macoris 81 000. Chaque année arrivée d'env. 12 000 Haïtiens « achetés » 11 $. Env. 280 000 Haïtiens en Rép. dominicaine. Trafic clandestin de saisonniers pour la canne à sucre *(braceros).* Langue. Espagnol *(off.).* Religions. Catholiques (95 %) *(off.),* protestants (3 %).

Histoire. **1492**-*5-12* découverte par C. Colomb. **1697** partagée entre France et Espagne (tr. de Ryswick). **1795** partie esp. (St-Domingue) cédée à la Fr. puis se révolte. **1809** Fr. chassés ; 1re Rép. ; l'Esp. reprend le contrôle. **1821** indép. éphémère. **1822-44** invasion et occupation haïtienne. **1844**-*27-2* indép., Rép. dominicaine. **1861-65** retour à l'Esp. **1865** restauration. **1904** U.S.A. prennent en charge dette extérieure (32 000 000 de pesos). **1907** convention amér., U.S.A. prennent contrôle des douanes pour s'assurer paiement de la dette. **1916-24** occupation amér. **1930-61** dictature du Gal Rafaël Trujillo (1891-1961) (Pt 1930-38 et 1942-52). **1952-60** Pt Hector Trujillo, frère du Gal. **1961**-*30-5* Trujillo assassiné. **1962** *janv.* Joaquin Balaguer (Pt dep. 1960) se retire. *-18-1* Rafael F. Bonnelly, Pt du gouv. provisoire. *-20-2* Juan Bosch Pt (1res él. libres dep. 38 ans). **1963**-*25-9* renversé ; triumvirat soutenu par l'armée. **1965**-*24-4* g. civile [partisans de Bosch et de Camaño contre partis. du Gal Antonio Imbert, qui triomphent soutenus par USA et forces de l'OEA (35 000 h.)]. *-30-9* gouv. provisoire de García Godoy. **1966** Joaquin Balaguer élu Pt. **1973** guérilla réprimée, Camaño tué. Bosch quitte PRD (Parti révolutionnaire dom.) et fonde PLD (Parti de la Libération dom.). **1978** élections PRD 51,61 % des voix, PRSC 42,1, PLD 1. Antonio Guzmán (PRD) Pt. **1979**-*3-9* cyclones David et Frédéric, 1 200 †, centaines de disparus, 350 000 sans-abri, 90 % de l'agr. détruite (env. 350 millions de $ de dégâts alors que le budget est de 400). **1982**-*3-7* Pt Guzmán se suicide (pots-de-vin mettant en cause son entourage). Élections PRD 46 % des voix, PRSC 36,5, PLD 9,6. Jorge Blanco (n. 5-7-26) (PRD) Pt. PRD a 17 sénateurs sur 27, 62 députés sur 120. **1984**-*23/24-4* émeutes, 70 †. **1985** retrait des multinationales ; crise sucrière [la livre de sucre (vendue 5 cents sur marché mondial) revient à la production 15 c.]. **1986**-*16-5* élections, PRSC 41,56 %, PRD 39,46, PLD 18,37, abstentions 27,8. **1988** *févr.* manif. contre vie chère (5 †), salaires augmentés de 30 %. *-27-11* l'ex-Pt Jorge Blanco, réfugié aux USA, condamné pour corruption à 20 ans de prison (amende 77 millions de pesos + remboursement de 25). **1990**-*13-8* grève générale (12 †).

Statut. Rép. *Const.* du 28-11-66. *Sénat* (30 m. élus pour 4 a.). *Ch. des dép.* (120 m. élus pour 4 a.). *Pt* (élu pour 4 a. au suffr. univ.). Joaquín Balaguer (n. 1-9-07) (PRSC) élu 16-5-86, devant Jacobo Majluta (PRD), réélu 16-5-90, devant Juan Bosch (PLD). Fête nat. 27-2 (indép.). Drapeau. Adopté 1844 : croix blanche, représentant le mouv. de libération vis-à-vis de l'ancien drapeau bleu et rouge d'Haïti, dont la R. dom. faisait partie.

Économie

P.N.B. (88) 595 $ par h. **Pop. active** (%, entre par. part du P.N.B. en %) agr. 39 (17), ind. 15 (23), services 43 (53), mines 3 (7). *Chômage* (87) : 30 % (50 % sous-employés). **Inflation.** *1985 :* 37,5, *86 :* 9,7 ; *87 :* 12,2 ; *88 :* 30 (+ 100 selon d'autres sources). **Dette extérieure** (milliards de $). *1988 :* env. 4 (service de la dette : 39,8 % des exp. en 84).

Agriculture. 161 propriétaires possèdent 22,5 % de la surface agricole ; 200 000 paysans travaillent sur moins de 11,5 % des terres cultivables. *Terres* (milliers d'ha, 81) arables 885, cultivées en permanence 350, pâturages 1 520, forêts 633, eaux 35, divers 1 450. *Production* (milliers de t, 88), sucre de canne 9 300 (89), riz 510 (89), bananes 430 (89), mangues 194, tomates 177 (89), avocats 133, manioc 126, oranges 65, café 50 (89), cacao 49 (89). Élevage (milliers de têtes, 88). Porcs 409, bovins 2 055 (89), chèvres 534, chevaux 313, ânes 146, moutons 100. Pêche. 20 300 t (87). Mines. Or, argent, nickel, bauxite. Tourisme. *Visiteurs (88) :* env. 1 2 million.

Commerce (millions de $, 88). *Exportations* 889 *dont* ferronickel 308,8 sucre 123, or et argent 98, café 66 *vers* U.S.A. 504,9, Porto Rico 76,1, P.-Bas 31,2. *Importations* 1 550 (87) *dont* (85) pétrole 426,8, prod. alim. 171,8, mach. 119,3, véhicules 84,6, prod. chim. 64,4, *de* (86), U.S.A. 452,8, Venezuela 332,3, Mexique 101,8, Japon 78,4, All. féd. 48,6, Brésil 22,5, Espagne 21,7.

Rang dans le monde (89). 10e cacao. 15e canne à sucre (86).

DOMINIQUE

Carte p. 1019. V. légende p. 837.

Situation. Antilles (île du Vent). 750,6 km². *Long.* 152 km, *larg.* 47 km. *Montagnes* volcaniques (alt. 1 640 m). 365 rivières. **Climat** tropical.

Population. 81 000 h. (88) dont 95 % de race africaine et 500 à 600 Caraïbes. *Prév. 2000 :* 114 000 h. D. 107,9. **Villes :** *Roseau* 20 000 h., Portsmouth 2 700. **Chômage :** 13 %. Langues. Angl. *(off.)* ; français ; créole martiniquais 75 %. Religions. Catholiques (80 %), anglicans et méthodistes (20 %).

Histoire. **1493**-*3-11* découverte par Christophe Colomb. **1625** occupée par les Fr. pendant la g. de Trente Ans. **1763** cédée à l'Angleterre après d'âpres disputes. **1772-83** et **1802-14** reconquise. **1967**-*1-3* État associé à la G.-B. **1978**-*3-11* indépendance. **1979** cyclones David (29-8) et Allen (3-9), 222 millions de $ de dégâts, 3/4 des h. sans abri. **1981**-*19-12* tentative de coup d'État.

Statut. Monarchie parlementaire. Membre du Commonwealth. *Pt* Clarence Seignoret dep. 20-12-83. *PM* Mary Eugenia Charles (n. 1919) dep. 23-7-80. *Ass. législative* 31 m. dont 9 nommés, 1 d'office et 21 élus. *Élections* du 1-7-90 : Parti de la liberté (DFP) d'Eugenia Charles (PM) 11 s., P. trav. uni (UDLP) 11 s. P. trav. d'opposition (LPD) de Michael Douglas 4 s. Drapeau. Adopté 1978 : vert avec bandes croisées jaunes, noires et blanches. Cercle central rouge avec un perroquet (sisserou, emblème nat.) et 10 étoiles pour les îles.

Économie. **P.N.B.** (88) 1 650 $ par h. *Agriculture* (milliers de t, 88). Bananes 73, noix de coco 14, pamplemousses 16, coprah 2 (86). *Élevage* (milliers de têtes, 86). Volailles 115 (82), porcs 9, chèvres 6, bovins 4, moutons 4. *Mines* pierre ponce 109 (87). *Industrie* rhum, savon. *Tourisme* 36 739 vis. (88). *Dette extér.* (1984) 69,3 millions de $.

Commerce (millions de $ E.C., 85). *Exportations* 147,2 (88) *dont* bananes 37, savon 19,2, huile de coprah *vers* G.-B. 38,5, Jamaïque 11,3, U.S.A. 3,4, Trinité-et-T. 3,3. *Importations* 179,2 (87) *dont* équip. ind. et équip. de transp. 33,6, prod. alim. 28,8, *de* U.S.A. 40,6, G.-B. 24,9, Trinité-et-T. 14,6, Japon 11.

ÉGYPTE

Carte p. 922. V. légende p. 837.

Situation. Afrique et Asie (Sinaï, à l'E. du canal de Suez). 997 738,5 km² dont 35 580 habités et cultivés. *Hte Égypte* au S. de Qena (désert de la Thébaïde), *moyenne E.* entre Qena et le Caire, *basse E. :* delta du Nil. *Long.* N.-S. 1 024 km, *larg.* E.-O. 1 240 km. **Côtes :** Méditerranée 995 km, mer Rouge 1 941. **Frontières :** Soudan 1 150 km, Libye 1 080, Israël 240 ; *actuellement* 110. **Alt. max.** Gebel Ste-Catherine (Sinaï) 2 641 m. **Régions :** *vallée et delta* 33 000 km² (Nil largeur : 200 m au S. d'Assouan ; delta : 200 km au Caire) ; à 400 km du Soudan, la vallée du Nil a 3 km de large ; le Nil a 6 cataractes (la 1re à Assouan, les autres au Soudan) ; *désert occ.* 710 000 km², série de plateaux et dépression de Kattara (– 137 m) ; *orient.* 222 000 km², alt. de + de 2 000 m près de la mer Rouge ; *Sinaï* presqu'île 56 000 km². **Climat :** littoral chaud et humide, faibles variations (janv. 13,4 °C, août 26 °C) ; Le Caire (hiver) 12 à 20 °C, (été) 33 à 35 °C ; delta et moyenne Ég. : sécheresse, chaleur max. + de 41 °C, hivers plus froids 7,5 °C, gels possibles ; Louqsor, Assouan (hiver) 23 °C, (été) 40 °C. *Pluies* (par an) ; Alexandrie 200 mm ; au S. 80 mm ou moins. *Vent* de sable sec (khamsin) fréquent au printemps (la temp. peut s'élever de 20 °C en 2 h, le vent atteindre 150 km/h). **Distances du Caire** (km) : Alexandrie 221, Assouan 899, Charm el-Cheikh 336, Hélouân 32, Ismaïlia 120, Louqsor 670, Minîêh 247, Port Saïd (f. 1869) 220, Saqqarah 34, Suez 134.

Population (en millions) *1800 :* 4,5 ; *1882 :* 7,8 ; *1907 :* 11,2 ; *1937 :* 15,9 ; *1947 :* 19 ; *1986 :* (r.) 50,46 ; *1989 :* 51,39 ; *est. 2000 :* 70, *2003 :* 140 ; D 51,5 (zone reconnue comme habitée 55 039 km² dont z. habitée et cultivée 35 580 km², D. 981,1). **Âge :** *- de 15 a. :* 40 %, *+ de 65 a. :* 4 %. **Accroissement** *annuel moyen :* 1 million (28 ‰). **Taux.** (‰). *Natalité : 1960 :* 43,1 ; *87-88 :* 38. *Mort. : 87-88 :* 9 ; *infantile : 88 :* 93. **Villes :** *Le Caire* agg. 12 000 000 h. (en 88) (grand Caire : nombreux migrants non déclarés, habitant les cimetières ou vivant à 10 par pièce), Alexandrie 5 000 000, Guizeh 1 800 000, Suez 274 000 (83), Shubra el Khema 600 000, El Mahalla el Koubra 160 000, Tantah 170 000. **Égyptiens à l'étranger (début 1990) :** 2 000 000 (à 4 000 000 ?) (Irak 1 000 000 à 2 000 000, Arabie Saoud., Koweït 150 000, Emirats arabes 1 000 000, Libye 250 000) employés dans construction, professions scientifiques et techniques (enseignement). **Étrangers en Égypte :** *1897 :* 112 000 [Grecs 40 000, Italiens 20 000, Anglais 19 557 (dont 6 500 Maltais), Français 14 155]. *1990 :* 250 000. [*Français : 1945 :* 25 000, *63 :* 700, *75 :* 2 100 (dont 300 religieux, 200 coopérants) ; Libanais : *1976 :* 43 700, *v. 90 :* 55 000].

Origine ethnique. **Arabes** (« Saïts ») : 4 %. **Musulmans d'origines diverses :** Turcs, Berbères, Slaves. **Coptes** (descendants des anciens Ég.) 95 %, dont 78 % (musulm.) se sont croisés avec Arabes et mus. d'origine diverse, et 17 % (chrétiens) sont restés des coptes purs, leur religion leur interdisant les mariages mixtes. Favorables aux Arabes qui les protégeaient contre Byzance, ils furent soumis à des impôts spéciaux à cause de leur religion, d'où de nombreuses conversions à l'islam. Bien traités sous Toulounides (868-905) et Fatimides (969-1171), ils furent opprimés par les Turcs (servage). Favorisés sous Méhémet-Ali, allié à l'Occident (1804-49), ils forment la classe des fonctionnaires, l'intelligentsia ég. au XXe s. puis les cadres du P. communiste ég. Souvent en butte à des violences (églises brûlées : 1970, 77, 80). Les conversions de coptes à l'islam sont fréquentes (motifs principaux : possibilité de divorce, ou désir d'épouser une musulmane).

Langues. Arabe *(off.),* anglais, français. (Le *copte,* l. morte, est resté la l. de la liturgie chrétienne.) **Analphabètes :** 70 %.

Religions. *Musulmans* sunnites 92 %. *Chrétiens* 8 % [dont monophysites et catholiques (latins 20 000 et coptes 250 000), protestants 250 000]. *Bahaïs* 50 000. *Juifs* 0,004 % (*1948 :* 70 000).

Histoire de l'Ancienne Égypte

• **Préhistoire.** Premières traces d'occupation humaine vers 700 000 ans av. J.-C. (climat humide

Monuments et sites

Hypogées. Tombes creusées dans les falaises de la vallée du Nil : Beni Hassan ; *vallée des Rois :* Toutankhamon, Séti Ier, Amenhotep II, Ramsès II, Ramsès IV, Ramsès VI, Horemheb et Thoutmosis III ; *vallée des Reines* (ou « porte des Filles, de la Sultane, ou des Femmes ») : Satré (épouse de Ramsès Ier, 1re reine enterrée), Touy (épouse de Séti Ier), Nefertari (2e épouse de Ramsès II). [*1829* vallée explorée par Champollion. *1904* l'Italien Ernesto Schiaparelli découvre tombe de Nefertari. *1937* 35 sépultures mises à jour. *1968* 79. *1989* 98] ; *tombeaux des Nobles:* Nakht (scribe et astronome d'Amon), Ramouza, (gouverneur de Thèbes), Horemheb (scribe royal). **Mastabas.** Tombes de hauts fonctionnaires s'alignant autour des pyramides. **Temple funéraire** de la reine Hatshepsout à Deir el-Bahari (XVIIIe dyn.). **Ramesseum** édifié par Ramsès II.

Pyramides et nécropoles. Guizeh (*sphinx,* long. 70 m, haut 20 m). *Pyramides : Chéops* [v. 2690 av. J.-C., 7 millions de t. de pierre, haut. 137 m (avant 146), 2 barques solaires ont été découvertes (1954 et 87)], *Chephren* (ou Képhren, haut. 136 m), *Mykerinos.* **Le Caire. Memphis. Saqqarah** (pyramide de *Djoser* la plus ancienne, 62 m de haut., en pierres calcaires de Tura, 2650 av. J.-C.). **Meïdoum. Thèbes. Assouan,** mausolée de l'Aga Khan. **Tounah el Gebel,** nécropole d'Hermoropolis sous les Ptolémées), **Bouitti, Quaret el Muzzawaqat.**

Temples divers. *T. d'Amon à Karnak* (à 3 km de Louxor), composé de 3 enceintes : Amoen, Mout et Khonsou (la plus grande salle hypostyle 300 × 130 m – colonnes 13 à 23 m), *Sethi Ier* à Abydos (XIVe s. av. J.-C.), *Abou-Simbel.* V. ci-dessous. *Louqsor* (v. 1500 av. J.-C.), *Médinet-Habou, Edfou* (à 123 km au N. d'Assouan, le mieux conservé, 237 à 105 av. J.-C.), *Philae, Kom-Ombo, Esna, Denderah, Kalabsha, Bouitti, Deir el-Hagar* (à 45 km d'Assouan), *Balat, Khargeh.*

Villes. *Akhenaton, Alexandrie* [plages de Montazah, Maamoura et San-Stéphans ; colonne de Pompée (297 apr. J.-C., haut. 25 m)], mosquée d'Abou el-Abbass (1767), palais de Montazah, tour 180 m, cath. St-Marc (tombeau de St-Marc). *Le Caire* [citadelle de Saladin (1183) ; bazar de Khan Khalil ; musées national, copte, des arts islamiques]; mosquées [d'Albâtre (1830, coupole 52 m, 2 minarets, 84 m), el Azhar (université 975), Bleue (1347) Sultan Hassan (1356), Ibn Touloun (878, cour 162 × 161 m), Kaït-Bay (1474), Mohamed Ali (1830-49), Mouayyad (1441) ; quartier copte (synagogue Ben Ezza, église St-Serge, Musée copte) ; Archmounein]. *Minia* (ou *Minieh*) (Touna El Gebel).

Colosses. Memnon (Thèbes), Ramsès II (Memphis). **Cirques de montagne.** *Deir el-Bahari, Tell et Amarna.* **Phare.** Alexandrie. **Obélisques.** *Assouan, Louqsor.* **Oasis.** *Fayoum, Farafreh, Khargeh.* **Barrages.** *Assouan* (*1er barrage :* 1902, *2e :* voir p. 924), *Esna, Nag Hammadi, Asiout, Mohamed Ali* (sud du Caire). **Monastères.** *Ste-Catherine, St-Antoine, St-Siméon* (VIe s.). **Iles.** *Amon, Kitchener* (île aux fleurs), *Éléphantine, Séhel,* des *Bananes.*

☞ *La pierre de Rosette* trouvée à Rosette (c.-à-d. Rachid) vers le 15-7-1799 par l'officier du génie Bouchard a été déchiffrée par Jean-François Champollion le 14-9-1822 en comparant le texte grec aux textes en hiéroglyphes et démotique (travaux publiés 1834).

Temples sauvés par l'UNESCO. Abou Simbel (1963-68, *coût :* 36 millions de $) ; créés entre 1300-1233 av. J.-C. par Ramsès II : grand temple [culte de Râ-Hoz-Akhty (dieu du soleil, éblouissement)] et petit (culte de Néfertari son épouse et de la déesse Hator) (à 280 km au S. d'Assouan) : 2 temples découpés en 1 036 blocs (certains de 30 t) et reconstruits lors de la construction du nouveau barrage d'Assouan (64 m plus haut, 180 m en retrait). 2 dômes de béton recouverts de rochers et de sable restituent la forme initiale de la montagne. Ils étaient à 124 et 122 m au-dessus du niveau de la mer, niveau des eaux du réservoir de l'ancien barrage ; le nouveau devait élever les eaux à 182 m). **Temples de Philae.** Ensemble englouti par les eaux, dans un bief entre l'ancien et le nouveau barrage d'Assouan (construit 1899, exhaussé 1907 et 1929) : 37 363 blocs de 1 à 5 t remontés à 500 m dans l'île d'Egilka (1972). *Coût :* 30 millions de $. **Autres temples remontés.** Une vingtaine.

☞ **Dégradation des monuments.** *Causes :* vent de sable et pollution atmosphérique (Giseh est polluée directement par le Caire, Saqquarah est recouverte d'un calcin brun-noir à cause du dioxyde de soufre et de carbone) ou souterraine (infiltration d'eau) ou due aux touristes (1 touriste produit en 1 h 110 calories et 130 g d'eau dans une atmosphère non ventilée à 22 °C).

Quelques énigmes

Tombeau de Toutankhamon. Découvert en 1922 par Howard Carter envoyé par Lord Carnarvon, dans la Vallée des Rois. Nombre des archéologues qui avaient « violé » cette sépulture moururent de 1922 à 1930. On parla de la « malédiction du pharaon » : les Égyptiens, disait-on, avaient peut-être imaginé un dispositif (poison ou autre) destiné à frapper ceux qui pénétreraient dans leurs nécropoles. En 1985, on a parlé d'une sorte de pneumonie, due à une allergie à des champignons microscopiques, développés dans le caveau fermé. En réalité, les archéologues furent victimes de maladies ou d'accidents sans rapport avec leur découverte.

Conservation des fresques. Leur support est en plâtre recouvert d'une couche de lapis-lazuli (pierre précieuse bleue) délayée dans du liquide. L'atmosphère sèche transforme le gypse du plâtre en sulfate de calcium anhydre (anhydrite) formant une couche dure, transparente et protectrice.

Grande Pyramide. Son origine a été expliquée de façons diverses : tombeau royal, exercice de géométrie dans l'espace (utilisant les mesures et formules connues alors par ex. : le rapport de la hauteur à la longueur est un demi-π : 1,6708), observatoire astronomique, construction gratuite (pour donner du travail aux ouvriers agricoles pendant les inondations), repère géodésique (permettant de retracer à la fois sur le papier et sur le terrain les limites des champs du Delta, après les inondations du Nil). On a même appelé « pouvoir de la pyramide » une force spéciale venant de ses proportions et de son orientation face au nord magnétique : la nourriture s'y dessécherait sans s'y corrompre et les lames de rasoir s'y affuteraient toutes seules. L'expérience n'a pas confirmé la réalité de ce double « pouvoir ».

Religion égyptienne ancienne

• **Divinités. Râ** (le Soleil) gouverne l'univers du haut du ciel, et sert de source au *ba,* âme du monde et de tous les êtres, fils de la déesse **Nout** (le Ciel) qui toutes les nuits le recueille pour le rendre au monde le lendemain. Devenu dieu national sous l'action des prêtres d'Héliopolis. **Geb,** Dieu de la Terre forme avec Nout et Râ la Triade primitive qui se transforme en ennéade (9 divinités) : *1 dieu créateur :* **Atoum,** dieu du chaos liquide, assimilé à Râ, soleil sortant de l'eau tous les matins ; *4 couples dieu déesse :* **Chou** (air) et **Tefnout** (humidité) ; **Geb** et **Nout,** leurs enfants ; **Osiris** [nature double, puissance vitale dont une forme est le Nil et dieu civilisation (roi), fils de Geb et de Nout] et **Isis** (déesse reine et lune) sa sœur et épouse ; **Seth** (homme à tête de lévrier, dieu de violence, ténèbres) fils de Geb et de Nout, et **Nephtys** sa sœur et épouse.

Autres dieux importants. Ptah (à Memphis) dieu créateur, assimilé à Atoum-Râ et supplantant peu à peu tous les autres dieux. **Amon** (à Thèbes), maître de l'air, assimilé à Râ. **Aton** (le disque solaire répand la lumière de ses 2 mains) dieu créateur suprême des Nubiens (monothéistes) assimilé à Atoum-Râ. **Anubis** (dieu de la mort et de l'embaumement) figuré par un homme à tête de chacal. **Apis** (dieu solaire, en forme de taureau) assimilé à Ptah (de son vivant) et à Osiris (après sa mort : Oser, Apis ou Sérapis). **Thot** dieu à tête d'ibis, dieu lunaire, patron des scribes ; a inventé l'écriture. Conseiller d'Osiris, puis protecteur d'Horus. Les Grecs l'appelèrent Hermès Trismégiste (Hermès 3 fois très grand), nom qui fut donné aux ouvrages du IIIe s. des néo-platoniciens adeptes des idées religieuses ég. Les alchimistes appelèrent également de ce nom l'auteur de leur art. **Athor** ou Hathor (déesse-vache, incarnation d'Isis). **Sebek** (dieu-crocodile, un des maîtres de l'univers, incarnation de Râ). **Horus** (figuré par un homme à tête de faucon) fils d'Osiris et d'Isis, dieu de l'horizon, le plus grand dieu ég. à la période gréco-romaine. **Maât** (fille de Râ, vérité et harmonie). **Sekhmet** (déesse-lionne, se manifeste par la violence). **Khnoum** (à tête de bélier, a modelé les hommes). **Khepri** (dieu-scarabée). **Bès** (nain accroupi et barbu, génie bienfaiteur).

• **Métaphysique.** Dieux et hommes sont de même nature, mais à un degré différent : ils possèdent une âme *(ba)* et des éléments corporels *(ka).* L'homme n'a qu'un seul *ka,* les dieux en ont plusieurs (Râ : 14) ce qui multiplie leurs chances d'atteindre l'immortalité. Les hommes peuvent atteindre aussi l'éternité, à leur manière : leur *ba* va rejoindre Osiris dans le ciel (où il reçoit la lumière du soleil pendant qu'il fait nuit sur terre) ; leur *ka* est reémbaumé et vit dans son tombeau la vie éternelle des cadavres impérissables (« zone crépusculaire », « ciel de la nuit »).

Culte. Perpétue l'union des *ba* et des *ka* divins. La statue du dieu représentant son *ka* et le prêtre faisant un geste rituel qui fixe le *ka* divin dans la statue. Exposée au soleil, elle en reçoit le *ba* et ainsi le dieu habite son temple comme un être vivant. Offrandes, processions, honneurs rendus sont ceux de la cour pharaonique (les dieux ont sur terre un rang royal et les pharaons descendants d'Horus et de Râ reçoivent un culte divin).

Le Soleil est conçu comme une barque, le *ba* s'unit à la statue lors de ses escales et les obélisques sont des bittes d'amarrage.

Animaux sacrés. A l'origine, chaque division territoriale, chaque *nome* possède son totem. A l'époque tardive, on élève et adore des animaux près des sanctuaires (ibis et babouins près des temples de Toth, vaches près du temple d'Hathor à Denderah ; déesse-chat, Bastet, à Bubastis ; le taureau Apis est l'incarnation de Ptah). A leur mort, les animaux sacrés sont momifiés (Ex. : Serapéum de Memphis : galerie funéraire des taureaux Apis).

jusqu'en 400/300000). *Paléolithique,* chasseurs nomades, dessins rupestres de la région d'Assouan. *Néolithique* (10000 à 6000), vie sédentaire, artisanat (tissage, vannerie, céramique domestique) ; climat humide vers 10000/8000 (jusqu'à 4000). Selon G. Mokhatas, l'écriture ég. (nilotique) daterait du Négadien I (6000). *Énéolithique* (v. 5500), bourgades, naissance de l'art. Émail sur sable, métal ou pierre, sous forme de perles ; verre moulé ; vases de pierre dure. Ivoire et argile sont utilisés pour les premières rondes-bosses (usage magique) : oiseaux, poissons, bovidés, figurines de femmes et d'hommes nus. Figuration en relief en ivoire ou en schiste.

• **Cultures prédynastiques. 4000** *av. J.-C. Primitif :* Badarien, Fayoumien A. **3800** *Ancien :* Négadien I, Mérindien. **3500** *Moyen :* Négadien II, Omarien A. **3200** *Récent :* Omarien B. Méadien.

• **Égypte pharaonique (3 300 à 333).** Environ 207 pharaons. **Période thinite (v. 3000-2778). 3050** Nârmer (ou Menès), roi du Sud, conquiert le N. Fonde la Ire dynastie. Décoration simple : stèles-pancartes (où le défunt est figuré en relief). Petite sculpture en relief **V. 3000** utilisation du *papyrus* [feuilles obtenues en pressant plusieurs épaisseurs de fines bandes tirées de la tige : 20 feuilles forment un rouleau de 3 à 6 m de long (parfois 30 à 40 m) autour d'un bâton qu'on tient de la main gauche : on lit en déroulant de la main droite (d'où le mot *volume :* latin *volumen,* « enroulement »)].

Ancien Empire (période memphite, 2778-2263). Expéditions au Sinaï, en Nubie, relations avec Byblos. La féodalité est installée ; début d'anarchie sous Nicrotis. *Architecture :* 1er monument à degrés (Djoser), puis pyramides. Taille de la pierre, emploi de la couleur. *Peintures et reliefs :* grandes compositions avec sujets animés (*les Oies de Meïdoum,* sur calcaire, IVe dynastie), art animalier, hiératisme des attitudes. *Développement de la statuaire* privée où se mélangent hiératisme et réalisme [*le Scribe accroupi,* au Louvre ; statue monumentale de Chephren (Musée du Caire), en diorite (ses traits seront reproduits sur le grand sphinx)]. *Arts mineurs :* vases en albâtre, mobilier (lits posés sur pattes de lion, coffres

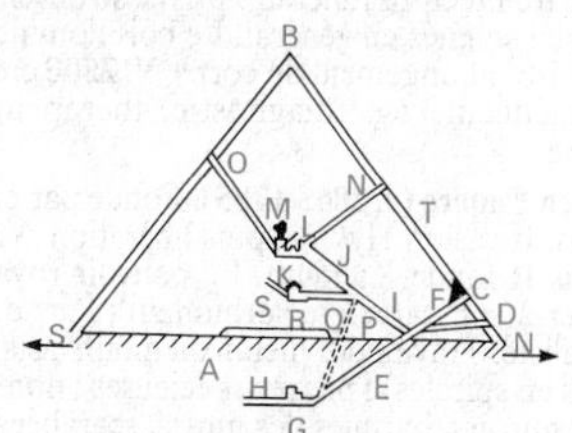

Coupe de la Grande Pyramide de Chéops. A Base ou assise rocheuse. B Sommet ou pyramidion. C Entrée ancienne. D Fausse entrée. EF Couloir d'entrée descendant ou descenderie. G Ancienne chambre primitive du mastaba. H Souterrain inachevé ou cul-de-sac. I Couloir ascendant. J Grande galerie. K Antichambre ou passage aux herses. L Caveau du roi Chéops. M Chambre de décharge ou de sécurité. N Conduit d'aération (?) au sud. O Conduit d'aération (?) au nord. P Puits. Q Couloir horizontal. R Chambre dite de la Reine. S Couloir obstrué ou inachevé. T Niveau primitif du revêtement.

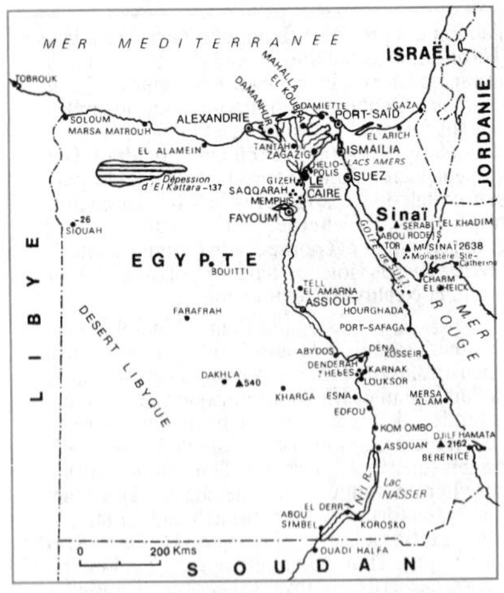

Anciennes dynasties

Nota. – De 3300 à 333, env. 207 pharaons.

Dynasties. *Période thinite :* 1re 3000-2780 ; 2e *Ancien Empire* (Memphis) 2778-2423 : Memphite 3e (Djoser), 4e, 5e, 6e (Pépi II v. 2300, le + long règne de l'hist., 95 ans), 7e, 8e ; Héracléopolitaine 9e, 10e (7e, 8e, 9e, 10e : 1re période intermédiaire). *Moyen Empire* (Thèbes) 2065-1785 : 11e, 12e (Amménémès Ier, Sésostris Ier, Sésostris III), 13e, 14e. *Hyksôs* (Avaris) : 15e, 16e, (1730-1680), 17e, thébaine (1680-1580) (13e, 14e, 15e, 16e, 17e : 2e pér. intermédiaire). *Empire thébain.*

Nouvel Empire (1580-1085). Époque de Karnak et Louxor 18e [Ahmosis, Aménophis Ier, Thoutmosis Ier (1530-20), Thoutmosis III (1504-1450), Aménophis II, Aménophis III (1405-1372), Aménophis IV (1372-54) (capitale Tell el-Amarna) qui prend le nom d'Akhenaton, Toutankhamon [*nom de naissance :* Toutankhaton (« Parfait de vie est Aton ») changé en : Toutankhamon (« Parfait de vie est Amon »), de *souverain:* Neb-Chépérou-Ré (« Maître des métamorphoses est Ré »), appelé Nipchourouria ou Nipchouriria dans des lettres babyloniennes. *Taille :* 1,67 m, règne de 1347 (11 ans) à 1338 (20 ans), Aï No (1339-35) Horemheb], 19e [Sethi Ier, Ramsès II (1301-1235)], 20e de Ramsès III (1198-66) à Ramsès XI : cap. à Thèbes.

Décadence. 21e fondée vers 1100 par Smendès, Psousennès Ier, 22e (bubastite) fondée par Chechanq (950), Osorkon II (870-65), 23e tanite, 24e saïte, 25e éthiopienne (venue du Soudan v. 730), Chabaka et Taharga, 26e (663-525), 6 rois dont Psammétique I, II et III, 27e achéménide (ce sont les empereurs perses qui prennent, à Memphis, le titre pharaonique, de Cambyse à Darius II), 28e saïte (roi unique : Amyrtée, 464-398), 29e mendésienne, 30e sébennytique [Nectanébo II, dernier roi indépendant (359-341)]. Une « 31e dynastie » (341-32), avec 3 rois, est en réalité un retour des Achéménides après Artaxerxès III.

à couvercle incrusté, chaises à porteurs avec tiges en forme de palmes), travail de l'or.

1re période intermédiaire (2263-2065). Affaiblissement de la royauté, croissance de la féodalité provinciale. L'architecture funéraire privée se développe ; reliefs peu soignés en général. Le bois domine dans la statuaire : allongement du corps. **V. 2500** création de la médecine ég. (diagnostic, thérapeutique, chirurgie).

Moyen Empire (v. 2065-1785). Fondé par princes thébains. Invasion Hyksôs, puis libération. **V. 1880** Sésostris II fonde Kahoum. Le pouvoir royal doit renoncer à son caractère surhumain ; l'art devient plus réaliste. Travail des métaux à motifs asiatiques (dessins en spirales) ; pierres précieuses ; nombreux objets : miroirs, barques des morts, scarabées, pendants d'oreilles (travail en or granulé).

2e période intermédiaire (1785-1580). Invasion Hyksôs. Œuvres d'art rares. **V. 1620** les frères de Joseph s'installent en É. (Voir Israël).

Nouvel Empire (1580-1085). Issu de Thèbes, restaure l'unité en chassant les envahisseurs, porte la guerre au-delà de la frontière orientale et étend sa protection intérieure. Thoutmosis Ier et Thoutmosis III conquièrent Ht-Nil et Syrie jusqu'à l'Euphrate. Aménophis IV (= Akhenaton) et la révolution « amarnienne » : hérésie religieuse, culte du dieu solaire Aton. Ramsès II combat les Hittites. **1298** après la bataille de *Quadesh,* devant la menace assyrienne, tr. de paix avec Hittites. Le pharaon épouse une princesse hittite. **V. 1230** départ des Hébreux vers la Terre promise. **1192** invasion des *Peuples de la Mer* (Égée) : Philistins, Sardanes, Sicules, Tyrséniens. Ils sont en partie repoussés, en partie fixés comme mercenaires. **1085** perte de la Syrie. L'art de la Cour s'oriente vers le grandiose et vers l'idéalisme dans la figuration humaine. Développement d'un art moins officiel : les privilèges funéraires sont étendus aux ouvriers d'art. Monuments divins et funéraires plus grands et plus nombreux. Reliefs : élégance, coloris sobres. Petits objets : oushebtis, objets de toilette (cuillers à fard en bois et ivoire, en forme de nageuse), colliers, parures de tête.

3e période intermédiaire (1085-663). Division entre le Nord où réside le pharaon et le Sud soumis au grand prêtre d'Amon de Thèbes. Tendance archaïsante dans la statuaire. **853-671** résistance aux Assyriens, avec l'alliance des Hébreux.

Époque des dominations étrangères (663 av. J.-C.-315 apr. J.-C.). *XXVe dynastie :* style rude, lourdeur des formes. *Période saïte* (XXVIe-XXXe dynastie) : période archaïsante. Statuaire : imitation de l'Ancien Empire, larges masses, modelé pauvre, sillons profonds mais expression vigoureuse. Nombreuses statuettes de dieux ou de prêtres coulées en bronze, en séries. *Périodes ptolémaïque et romaine :* statuaire : juxtapose attitude traditionnelle et vêtements avec visage aux traits romains ou grecs. Arts mineurs : influence grecque ou romaine ; vases de terre : décors végétaux rapportés ; bijoux : verre incrusté en mosaïque ; amulettes, colliers en or : travail en repoussé. **671-661** conquête Assyriens, chassés 660. **525-404** province perse. **404-341** indépendance. **341** Artaxerxès III rétablit la souveraineté perse. *Automne* **332**-*printemps* **331** Alexandre le Grand séjourne en É. Proclamé roi et fils de Dieu, il fonde Alexandrie.

• Égypte lagide (Ptolémées). Culture grecque (hellénistique ou alexandrine). **323 av. J.-C.** Ptolémée, fils de Lagos, est nommé satrape d'É., à la mort d'Alexandre (juin 323) ; il transforme sa satrapie en monarchie héréditaire (321) et la lègue à son fils Ptolémée Philadelphe ayant écarté l'aîné, Ptolémée Kéraunos (« la Foudre ») en **284.** 21 rois ou reines (Ptolémée Ier à XVI, Cléopâtre Ire à VII) ; Cléopâtre VII [(69-30 av. J.-C.), célèbre par sa beauté [les plaisanteries sur son nez datent des *Pensées* de Pascal (1669) ; celui-ci supposait que Cl. avait le nez long, car à l'époque les femmes camuses passaient pour laides] eut de Jules César Césarion (né en 47, exécuté par ordre d'Octave en 30) ; **47** 1er incendie de la bibliothèque d'Alexandrie ; **41-40** liaison de Cléopâtre VII et du triumvir Marc-Antoine (83-30 av. J.-C.), gouv. de l'Orient. **37-31** nouvelle liaison : Antoine répudie Octavie, sœur d'Octave, épousée en 40. **31** défaite d'Antoine. **30** suicide de Cléopâtre (qui se fait mordre par un aspic).

• Égypte romaine. **30 av. J.-C.** conquête rom. **Après J.-C. V. 50** province divisée en 3 « colonies » : Alexandrie, Delta et Heptanomide (groupe de 7 districts au S.). **54-68** légions envoyées contre royaume d'Axoum (Éthiopie). **Apr. 70** Alexandrie devient le grand centre de la Diaspora juive (de langue grecque) ; les Juifs alexandrins fondent l'Église chrétienne d'É. 1er év. : Démétrius [(189) mais la tradition attribue la fondation à l'apôtre St Marc] ; principaux théologiens : Clément d'Alexandrie, Origène (prof. à la Didascalée), Athanase. Hadrien (117-138) et Septime Sévère (193-211) voyagent en É. Caracalla (211-217) donne le droit de cité aux É. Constantin (306-337) libère le christianisme par l'Édit de Milan. Théodose (379-395) fait du christianisme la religion officielle de l'Empire.

• Égypte byzantine. **395** partie de l'Empire d'Orient. **451** concile de Chalcédoine rupture avec Égl. byzantine (les coptes seront confondus à tort avec les hérétiques monophysites). **535** destruction des bas-reliefs de Philae, croix gravées à la place sous Justinien. **Jusqu'en 538** Alexandrie dispute la suprématie à Constantinople. **538** ordonnance de Justinien : É. divisée en 5 « duchés », administrés directement depuis Constantinople.

Histoire de l'Égypte moderne

Dep. la conquête arabe. **639** conquête arabe ; les monophysites accueillent favorablement les musulmans. **642** incendie de la bibliothèque d'Alexandrie (voir p. 351). **660-750** califes omeyyades. **750-932** Abbassides. **868-904** Toulounides. Ahmed Ibn-Touloun se proclame émir et conquiert Syrie et Mésopotamie. **935-946** Mohamed el-Ekhchid, souverain indép. **969-1171** domination des Fatimides de Kairouan. **1171-1250** dyn. des Ayyubides fondée par Saladin († 1193). **1250-1390** Baharites (Mamelouks). **1390-1517** Bordjites ou Circassiens (Mamelouks). **1517** Sélim Ier prend Le Caire, l'É. devient un pachalik turc. **1767** Ali Bey chef mamelouk se proclame sultan et conquiert la Syrie. **1798-1801** occupation fr. (21-7-1798 Bonaparte déclare : « Du haut de ces pyramides, 40 siècles vous contemplent »). L'expédition comprend : 35 000 soldats, 21 mathématiciens, 3 astronomes, 17 ingénieurs civils, 13 naturalistes, 4 architectes, 8 dessinateurs, 10 gens de lettres, 22 imprimeurs et 1 pianiste. **1805-48** *Méhémet Ali Pacha,* ex-officier albanais des forces ottomanes. **1811** massacre des chefs mamelouks. **1811-18** aide au sultan contre Wahabites (en Arabie). **1820** N.-Soudan conquis. **1824-27** intervention en Grèce (flotte ég. détruite à Navarin 30-10-1827). **1831-33** Syrie conquise. **1841**-*13-7* tr. de Londres, khédive indépendant de fait (de la Turquie), ne garde que l'É. **1869**-*17-11* canal de Suez inauguré. **1875** Ismaïl vend actions du canal à la G.-B. **1876-86** contrôle financier par G.-B. et Fr. **1882** révolte du col. Arabi Pacha, occupation brit. pour protéger le khédive. **1882-85** Soudan perdu, puis reconquis (1896-99). **1898** *juill. à Fachoda* mission fr. Marchand y arrive. *-25-9* Kitchener y arrive. *-3-11* Fr. évacuent Fachoda. **1899** la Fr. renonce au bassin du Nil. **1902** haut barrage d'Assouan. **1906** *oct.* l'É. a les pouvoirs administratifs sur le Sinaï (Rafa au golfe d'Akaba), mais la Turquie s'en réserve la souveraineté. **1914** protectorat angl. **1921** révolte nationaliste, l'É. devient royaume.

1922-*21-2* G.-B. abandonne principe du protectorat. *-5-11* découverte du trésor de *Toutankhamon.* **1923**-*16-3* le sultan *Fouad* prend le titre de roi. **1924**-*20-11* assassinat au Caire de Sir Lee Stack (Gal en chef angl.). **1936** tr. anglo-ég. : les Anglais pourront occuper le canal de Suez 20 ans. **1937** entrée à la S.D.N. **1940** Pierre Montet († 1966) découvre à *Tanis,* à 50 km de Port-Saïd, 5 tombes dont 3 inviolées (de Chechonq II, Osorkon, Psousennès). **1942-44** la G.-B. menace de déposer *Farouk :* il doit prendre Nahas Pacha Wafdiste comme PM et gouv. militaire. **1948** g. contre Israël. **1949** Frères musulmans contraints à la clandestinité. **1951** l'É. abroge le tr. de 1936. **1952** émeutes anti-angl. *-23-7* Néguib remplace Farouk par *Fouad II.*

• République. **1953**-*18-6* Rép. **Néguib** Pt et PM. **1954**-*25-2* Néguib destitué par le Conseil de la Révolution. *-27-2* rappelé grâce au soutien populaire. *-18-4 Nasser* PM. *Oct.* attentat manqué contre Nasser. *-14-11* Néguib déposé.

• Nasser. **1956**-*18-6* évacuation angl. *-23-6* référendum pour Nasser. *-19/21-7* G.-B., U.S.A. et Banque mondiale refusent de financer le barrage d'Assouan. *-26-7* Nasser nationalise le canal de Suez. *-29-10* attaque israélienne. *-31-10* intervention aéroportée franco-angl. (sur Port-Saïd le 5-11). *-6-11* sous la pression amér. et soviét., cessez-le-feu. *-15-11* une force de l'O.N.U. intervient. *Nov.* canal fermé. *-23-12* Port-Saïd libéré. **1957** *mars* les Israéliens ont évacué les terr. occupés, canal rouvert. **1958**-*1-2* féd. É. et Syrie : *Rép. arabe unie (R.A.U.).* *-8-3* féd. avec Yémen (N.) : *États-Unis arabes.* **1959** construction du haut barrage d'Assouan avec crédits soviét. **1961**-*20-9* sécession de la Syrie. *-26-12* féd. avec Yémen abolie. **1962-67** intervention au Yémen pour les républicains. **1964** *mai* inauguration du haut barrage d'Assouan. **1967** *juin g. avec Israël,* défaite ; canal de Suez inutilisable, Israël occupe Sinaï. Reprise sporadique des hostilités. **1970**-*7-8* cessez-le-feu accepté. *-28-9* Nasser meurt.

• Sadate 1970 (était vice-Pt de la Rép. dep. 20-12-69). *-1-10* funérailles de Nasser (4 000 000 d'assistants). *-9-11* alliance R.A.U.-Libye-Soudan. **1971**-*15-1* barrage d'Assouan inauguré. *-13-5* élimination du vice-Pt Ali Sabri (n. 20-8-20), favorable à l'U.R.S.S. ; l'assassinat de Sadate était prévu. Sadate échappe ensuite à plusieurs attentats fomentés par K.G.B. *-27-5* tr. d'amitié et de coopér. avec U.R.S.S. *-1-9* la R.A.U. redevient l'É. **1972**-*1-1* naissance officielle de l'*Union des Rép. arabes* (É., Libye, Syrie ; *Pt* Ahmed el Khatib, Syrien). *-24-1* agitation étudiante, univ. du Caire fermée. *-18-7,* 21 000 conseillers mil. soviét. expulsés. *-26-10* Gal Sadeck, chef de l'armée, démissionne. **1973**-*1-9* fusion É.-Libye reportée. *Oct.* g. contre Israël (Voir Index). *-12-9* reprise des relations dipl. avec Jordanie. Accord au km 101 entre É. et Israël. *-15-11* échange des prisonniers. 2 000 soldats de l'O.N.U. ont pris position dans la zone-tampon. *Infitah :* « ouverture » de l'É. aux capitaux étrangers, exploitation de main-d'œuvre ég. **1974**-*18-1* accord sur désengagement des forces ég.-isr. *-28-2* reprise des relations dipl. avec U.S.A. (interrompues dep. 1967). Pt Nixon en É. **1975**-*1-1* révolte d'ouvriers à Hélouan. *-27-1* Sadate à Paris. *-23-3* mission Kissinger échoue. *-29-3* Sadate prolonge mandat des soldats de l'O.N.U. jusqu'au *24-7*. *-5-6* canal de Suez rouvert. *-6-7* amnistie (2 000 condamnés pol.). *Oct.-nov.* Sadate aux U.S.A. ; aide amér. 848 millions de $. *-16-11* l'É. récupère puits de pétrole de Ras Sudr. *-10/15-12* Pt Giscard d'Estaing en É. **1976**-*28-1* plan d'austérité. *Mars* tension avec Libye (3 000 É. expulsés). *-15-3* l'É. abolit *tr.* de coop. avec U.R.S.S. (de mai 71). *Déc.* entrée en service de l'oléoduc Suez-Alexandrie. **1977**-*18-1* émeutes au Caire (79 †) contre augmentations de prix (30 % sur sucre, pain, riz, sel, l'État ayant supprimé des subventions). *-10-2* référendum : 99,42 % pour les mesures de répression. *-21/24-7* conflit armé avec Libye. *-19/21-11* Sadate en Israël. *-5-12* rupture dipl. avec Algérie, Irak, Libye, Syrie, Yémen du S. *-25/26-12* rencontre Begin-Sadate à Ismaïlia. **1978**-*21-5* référendum pour le régime. *Oct.* accords de *Camp David ;* projet de tr. de paix avec Israël. **1979**-*26-3* tr. signé avec Israël (Voir Index). *Coût des 4 conflits* avec Israël (estimation officielle) : 250 milliards de F en 30 ans, perte de 100 000 h. sur le champ de bataille, mobilisation permanente de 750 000 h., 20 % des ressources consacrées aux dépenses mil., 36 % aux dettes. *-28-3* relations dipl. rompues avec pays arabes (sauf Oman, Somalie, Soudan). *Avril* exclusion de la ligue arabe. *-19-4* référendum : 99,9 % pour tr. de paix. **1980**-*25-1* l'É. récupère cols de Mitla et Giddi ; *-30-4* droit islamique *(charia)* devient source principale de la législation. *Mai* Sadate accuse les coptes de vouloir créer un État copte avec Assiout pour capitale. **1981** *févr.* Sadate en France. *-4-6* rencontre Begin-Sadate à Charm-el-Cheikh. *-17-6* affrontements musulmans et coptes à Zawia el Hamra (14 †). *-26/28-8* rencontre Begin-Sadate à Alexandrie. *-2 et 5-9*, 1 536 opposants (Frères musulmans, coptes, politiciens) arrêtés ; 65 mosquées nationalisées ; pape copte Chenouda III (n. 1923) destitué, exilé dans le désert. *-10-9* plébiscite, 99,45 % pour politique de Sadate. *-15-9* 243 soviét. dont l'ambass. Vladimir Polyakov expulsés. *-6-10* Sadate assassiné pendant le défilé de la fête nat. par un commando dirigé par Khaled al-Istambouli (6 †). **Moubarak 1981** *-6-10* élu Pt de la Rép. (était Vice-Pt dep. avril 1975). *-8-10* affrontements à Assiout avec intégristes (100 † dont 68 policiers). **1982**-*6-3* procès des assassins de Sadate : 5 exécutés 15-4, 12 peines de prison. *-25-4* Israël restitue Sinaï encore occupé. *Oct.* Esmet El-Sadate, frère de l'ancien Pt, privé de ses biens (50 millions de $ amassés en 10 ans). *-24/26-11* Pt Mitterrand en É. **1984** *juillet/oct.* mer Rouge minée (l'É. accuse Libye et Iran). *Sept.* émeutes « du pain », 3 †. *-25-9* relations dipl. rétablies avec Jordanie. *-30-9* verdict clément pour accusés d'Assiout. *-1-12* Hussein de Jordanie, en É. *-18-12* l'É. présente à la 15ᵉ conférence des min. des Aff. étr. des pays musulmans. **1985**-*1-5* Chenouda III rétabli Chef de l'Église copte. *Juil.* arrestation d'extrémistes musulmans. *-20-8* Albert Atracki (n. 1955) attaché isr. au Caire tué par islamistes. *-6-10* à Ras-Burka, Soliman Khater, policier tire sur touristes israéliens 7 †, sera retrouvé pendu en prison 7-1-86. *-11-11* 4 Libyens venus éliminer des opposants arrêtés. *-23-11* Boeing 737 d'Égypte Air détourné sur La Valette (Malte) : un commando ég. intervient, 60 †. *-23/29-12* Pt Mitterrand au Caire (séjour privé). **1986**-*25/28-2* mutinerie, 2 000 à 3 000 appelés de la police croyant qu'on porterait leur service de 3 à 4 ans. 107 †, dégâts 105 millions de $ (3 hôtels incendiés), milliers d'arrest. 26 644 conscrits démobilisés. *-19-3* attentat foire du Caire, 1 Israélienne †. *-11/12-9* PM Peres (Israël) rencontre Moubarak à Alexandrie. Plusieurs complots pour assassiner Moubarak déjoués. *Oct./déc.* agitation intégriste à Assiout. *-10/13-12* Pt Moubarak en Fr. **1987** *févr.* étudiants intégristes incendient église à Sohag. *-12-2* référendum 88,9 % approuve dissolution du Parlement. *-6/13-4* législatives. *-27-4* le gouv. ferme bureaux de l'O.L.P. *-9-6* intégristes musulmans arrêtés avant attentats. *-27-9* J. Chirac inaugure métro du Caire (réalisé et financé par la Fr. ; 2,58 milliards de F). *Nov.* relations dipl. reprises avec Émirats ar., Irak, Maroc, Koweït, N.-Yémen, Bahreïn, Arabie (16-11). **1988** *23-1* avec Tunisie. *février* Khaled Abdel Nasser (fils de Nasser), en fuite, inculpé pour attentats anti-Israël et anti-amér. Conseil d'État autorise le néquab (voile ne laissant apparaître que les yeux) à l'université. *-26-6* pose de la 1ʳᵉ pierre de la *nouvelle bibliothèque d'Alexandrie* sur l'emplacement du palais de Ptolémée (ouverture 1995, 200 000 vol., puis 4 et 8 millions, coût 60 millions de $ pour construction et 40 pour constitution des collections et informatique) *-10-10* inauguration du nouvel opéra du Caire (33 millions de $, l'ancien avait brûlé en 1971). *-22-10* Akaba, rencontre roi Hussein, Arafat et Moubarak. *-25-10* Pt Mitterrand en É. *-5-11* l'É. réintègre l'Organ. ar. pour le développement ind. (et le Conseil de l'Union écon. arabe le 4-12). *-20-11* É. reconnaît l'État palestinien ; relations dipl. avec Algérie rétablies (interrompues dep. 1977). **1989**-*22-1* découverte à Louqsor de 5 statues : Aménophis III (1408-1372 av. J.-C.), reine Tiy, Horemheb son Gᵃˡ devenu pharaon (1340-1314 av. J.-C.), déesse Hathor et statue non identifiée. *-20-2* Chevardnadze en É. *-21-2 accords de Taba :* l'É. accepte de payer à Israël 38,15 millions de $ pour l'hôtel de Taba et le village de vacances de Rafi-Nelson près d'Eilat. *-15-3* retour de Taba à l'É. *-27-3* Roi Fahd en É. *Avr.* arrestation de 1 500 islamistes. *-1-5* frontière avec Libye réouverte. *-13-5* É. réintègre l'OPAEP. *-25-5* la Ligue Arabe. *-9-6* élections à la Choura : victoire du P. Nat. démocrate. *-19-6* manif. contre difficulté de l'épreuve de français au bac. *-16-10* rencontre Moubarak-Kadhafi à Marsa-Matrouk (1ʳᵉ venue de Kadhafi en É. dep. 1973). *-27-12* relations dipl. avec Syrie rétablies (interrompues dep. 1977). **1990**-*4-2* Ismaïlia : attentat contre autocar israélien (9 †), revendiqué 6-2 par FLPLP. *-1-3* incendie hôtel Sheraton d'Héliopolis (16 †) *-mars* attentat contre églises coptes. *-24-3* rencontre Moubarak-Assad en Libye. *-4-4* 3 nouveaux partis autorisés : P. des verts (écologiste), Union démocratique (centre droit) et Misr el Fatat (Jeune Égypte, populiste). *-26-4* manif. à Manfalout (4 †). *-30-4* 16 intégristes tués par la police à Khak. *-6-6* Khaled Abdel Nasser se livre à la justice, sera acquitté 2-4-91. *-14-7* Pt Assad en É. (1ʳᵉ visite en 17 ans). *Août-fév.* g. du Golfe (voir Index). *-11-10* référendum sur la dissolution du Parlement, la Haute-Cour constitutionnelle ayant déclaré le 19-5 anticonst. le scrutin de liste à la proportionnelle qui avait servi à élire le Parlement en 1987. *-3-11* Alexandrie 1ᵉʳᵉ université francophone internat. inaugurée. *-25-11* attentat anti-isr., 4 † 23 bl. **1991**-*20-5* réunion prévue à Paris des créanciers publics de l'É. qui devraient annuler 30 à 50 % de sa dette ext.

Statut. Rép. *Constitution* de 1971 (amendée 1982) [*art. 1ᵉʳ :* définit l'É. comme un État socialiste démocratique ; *art. 4 :* le fondement économique de l'État est le système socialiste]. **Pt** (élu par référendum pour 6 ans, sur proposition de l'Ass. du peuple). **Ass.** (Conseil du peuple) : 458 m. (448 élus pour 5 ans au suffr. univ. et 10 nommés par Pt pour 5 ans) 50 % des élus doivent être ouvriers ou agriculteurs ; 30 sièges réservés aux femmes. **La Choura** (Conseil consultatif) : membres 210 (2/3 élus, 1/3 nommé par Pt de la Rép.). **Gouvernorats** 26. **Fête nat.** 6 oct. **Drapeau.** Adopté 1972 (bandes horiz. rouge, blanche et noire, symbolisant l'union de l'Égypte avec Libye et Syrie). *Emblème :* aigle, avec la devise « Fédération des Républiques arabes ».

Frères musulmans (Société des) (Jamaet al-Ikhwân al-muslimûn). Fondée à Ismaïlia 1928 par Hassan El-Banna (1906-49, instituteur). *But :* restaurer un islam authentique. **V. 1945** très puissante, **1948** dissoute, **1951** réautorisée, **1954** dissoute, **1966** épurée, **1970-75** membres libérés. **Groupe Apostasie et exil** (Al-Takfir wal-Hegro) a assassiné un ministre de Sadate en 1977. **Groupe Guerre sainte** (Al-Jihad) a tué Sadate en 1981.

Partis. *P. libéral socialiste* (f. 1976, Pt Mustafa Kamel Murad). *P. Wafd* (principal p. au pouvoir de 1919 à 1952 ; réapparu 1978, Pt Fouad Serag El Din, opposition). *PND P. nat. démocrate* (f. 1978, Pt Hosni Moubarak). *PST (P. socialiste travailliste)* (f. 1978, Pt Ibrahim Mahmoud Choukri). *RPU (Rassemblement progressiste unioniste)* (marxiste, f. 1976, Pt Khaled Mohieddine).

Élections législatives du 6-12-1990. Sièges : 446. PND 270, indépendants 170, RPU 6.

Chefs d'État depuis 1804

1805 Méhémet Ali (1769-1849). Vice-roi. **48** Ibrahim Pacha (1789-1848), s.f. Vice-roi du 2-9 au 10-11-1848. **48** Abbas Iᵉʳ (1813-54), f. de Tusun, 2ᵉ f. de Méhémet Ali. Vice-roi. **54** Mohammed Saïd Pacha (1822-63), s. oncle (fr. d'Ibrahim). Vice-roi. **63** Ismaïl Pacha (1830-95), 2ᵉ f. d'Ibrahim. Khédive en 1867. **79** Tewfik Pacha (1852-92). 1ᵉʳ f. d'Ismaïl. **92** Abbas II Hilmi (1874-1944), s. f., déposé par les Anglais. **1914** Hussein Kemal Pacha (1853-1917), s. oncle, 2ᵉ f. d'Ismaïl. Sultan d'Égypte. **Rois 1917** Fouad Iᵉʳ (1868-1936), 3ᵉ f. d'Ismaïl. Prend le titre de roi le 16-3-1922 ; ép. Nazli (1894-1978). **36** Farouk Iᵉʳ (1920-65), s. f. Roi d'Égypte et du Soudan (1951-52) ; ép. Farida († 16-10-88), répudiée, ép. Narriman Sadek (n. 1934). **52** Fouad II (16-1-1952), s. f. Roi d'É., du Soudan, du Kordofan et du Darfour, détrôné ; ép. en 1977 Dominique France Picard, Française, renommée Fadila. **République. 53-54** Gén. Mohamed Neguib (1901-84), Pt Rép. **56** Lt-Col. Gamal Abdel Nasser (15-1-1918/28-9-1970), Pt Rép. **70** Anouar El-Sadate (1918-assassiné en 1981), élu par 90 % des voix, réélu Pt Rép. 1976 (par 99,93 %). **81** Gᵃˡ Hosni Moubarak (n. 4-5-28), Pt Rép., élu le 13-10 par 98,46 %, réélu 5-10-87 par 97 %.

Premiers ministres

1975 *avril* Gᵃˡ Mamdoul Muhammad Salem (n. 1918). **1978** *oct.* Moustapha Kalil (n. 1920). **1980** *mai* Anouar El-Sadate (1918-81). **1982** *janv.* Ahmad Fouad Mohieddine (1926-84). **1984** *août* Gᵃˡ Kamal Hassan Ali (n. 18-9-1921). **1985** *5 mai* Ali Loufti (50 ans, PND). **1986**-*11-11* Atef Mohamed Naguib Sedki.

Problèmes économiques

Urbanisation. 90 % de la pop. vit sur 35 189 km² [(densité de 700 à 1 100 au km²), pop. urbaine 44 % en 1980] : une grande partie des t. cultivables (vallée du Nil) gagnées par l'urbanisation sont perdues pour l'agr. Crise du logement (160 000 l. construits par an, or il en manque 3 millions).

Culture du coton. Procurant 50 % des devises étrangères, mais se développe au détriment des cultures vivrières.

Problèmes sociaux. *Écart des revenus* (il y aurait 200 000 millionnaires en $ à la suite de spéculations notamment immobilières).

Aménagement de la New Valley. Perpendiculaire au Nil, le long du Soudan. Des canaux y déverseraient l'eau du lac Nasser, dont les limons fertiliseraient le pays. Un essai sur 12 500 ha (thé, café, céréales, canne à sucre) n'a pas été probant (coût des travaux : 4 200 F par ha irrigué).

Échec des réformes rurales. La politique agraire de Nasser (distribution de terres aux fellahs, pour créer des emplois primaires dans l'agr.) a échoué : 1°) les postes créés couvrent – de 20 % des demandes (expansion démographique) ; 2°) analphabétisation rurale forte : hommes 67 %, femmes 93 ; 3°) rendement déficitaire des petites propriétés (devant fixer une main-d'œuvre nombreuse) [1975, Sadate a rendu 33 000 ha à 5 000 anciens propr. fonciers et 87 000 ha regroupés en grandes fermes coopératives].

Projet de répartition des terres. 860 000 ha entre 12 000 gros propriétaires (moy. 72 ha) ; 805 000 ha entre 150 000 moyens propr. (5,35 ha) ; 885 000 ha entre 2,6 millions de petits propr. (dont 2 millions avec – de 16,5 ares ; 1 500 000 fellahs privés de terre).

Économie

P.N.B. (88). 700 $ par h. **Pop. active.** (% et entre par. part du P.N.B. en %) agr. 36 (21), ind. 18 (15), services 40 (54), mines 6 (10). *Chômage* (juillet 90) 15 %. **Budget** déficit. *84-85 :* 5,4 milliards de livres É. *85-86 :* 4,9. *86-87 :* 5,6. *87-88 :* 4,9. *90-91 :* 6 à 11. **Balance des paiements** (milliards de $), *85 :* – 2,24 ; *86 :* – 1,87 ; *87 :* – 0,31 (y compris tranferts des trav. ég. émigrés). **Coût de la guerre du Golfe :** 27 milliards de $. **Dette extérieure** (milliards de $), *86 :* 40 (dont dette militaire 9 ; en 90, les U.S.A. en annulent 7), dont aux U.S.A. 10, *89 :* 50, *91 :* 55 (en 90-91, Koweït et A. Saoudite en annulent 7). **Inflation** (%). *1979 :* 9,9 ; *80 :* 20,7 ; *81 :* 10,5 ; *82 :* 14,8 ; *83 :* 16,1 ; *84 :* 17,1 ; *85 :* 13,5 ; *86 :* 22,6. *87 :* 19,7 ; *88 :* 15,9 ; *89 :* 21,3.

Aide. *De 1973 à 1978 :* 85 milliards de F des pays arabes pétroliers, U.S.A., Europe occ. (*France :* plus de 1 milliard de F), Iran, Japon, et aide multilatérale. *En 82,* 15 milliards de F dont 1 de la *France. Aide arabe* a cessé en 79, à cause des négociations israélo-ég. (*l'aide d'Abou Dhabi* destinée à l'élargissement et à l'approfondissement du canal de Suez a été compensée par des prêts jap. et angl.). *Aide américaine* (milliards de $) *1986 :* 2,5 (dont aide militaire : 1,2) ; *1988 :* 2,3.

Croissance économique *1913-55 :* égale au développement démographique (1,7 % par an) ; *1956-65 :* 6,7 % (accr. dém. 2,6 %) ; *dep. 1965 :* 4,3 % par an (accr. dém. 2,6 %), *1984 :* 5,1, *85 :* 5, *86 :* 6, *87 :* 6,6 (accr. dém. 3,8 %), *88 :* 7,5, *89 :* 1. **Recettes invisibles** (en milliards de $, 89) : *canal de Suez* 1,3 (*88 :* 1,3), transferts des *revenus égyptiens à l'étranger* [*83 :* 4 ; *84 :* 3,75 ; *85 :* 3,1 ; *86/87 :* 2,5 ; *89 :* 9 ; *tourisme* 3 ; *90 :* 2].

Agriculture. *Terres* (%) : cultivables 4 (dont cultivées 2), désert 95. *Production* (milliers de t, 89) : canne à sucre 10 180, maïs 3 500, blé 3 000, riz 2 500, millet 650, haricots 448 (86), oignons 395, coton 346, orge 192, fèves, dattes, agrumes, sésame, lentilles, lin.

Le Nil (3e fleuve du monde). *Longueur :* 6 671 km, bassin 2 870 000 km^2. Grâce à son orientation S./N. (unique au monde pour un fleuve de cette importance), draine des régions appartenant à 4 zones climatiques différentes : équatoriale, tropicale, tropicale-boréale, désertique : grâce à lui, l'É. n'est pas un désert, comme les autres régions de la même latitude. *Débit :* 2 800 m^3/s, (soit un apport de 0,93 l/s. par km^2 de bassin) ; 84 milliards m^3/an dont (accord de 1959) : Égypte 55,5 Soudan 18,5, 10 représentant l'évaporation. *Apport annuel à Assouan en 1979 :* 48,6 (milliards de m^3), *1980* 56,2, *1981* 55,8, *1982* 40,6, *1983* 47,9, *1984* 34,8, *1985* 56,1, *1986* 48,5, *1987* 41,1. *Vallée en É. :* long. 1 200 km, larg. 32 km, dénivellation avec plateau avoisinant 400 m. *Delta* (7 branches principales, nombreuses sous-br.) : long. 160 km, larg. 200 km (250 km près d'Ismaïlia, grâce à la 8e br. artificielle). *Crues :* jamais à sec ; son cours supérieur (régime équatorial : pluie toute l'année) est régularisé par la traversée des lacs Édouard, Albert et Victoria (réservoirs naturels). *Hautes eaux* (août-nov.) dues au régime tropical-boréal des 3 affluents éthiopiens qui ont chacun une crue d'env. 6 semaines : Sobat (oct.-nov.), N. Bleu (sept.-oct.), Atbara (août-sept.). Avant la construction du barrage il y avait des inondations annuelles (montée de 6,4 m puis après des travaux 4,6 m). Jusqu'au XIXe s. les eaux étaient recueillies dans des bassins qui fournissaient de l'eau durant 3 ou 4 mois après l'inondation ; puis on construisit des barrages permettant d'utiliser l'eau toute l'année (ainsi on passa de 2 à 3 ou 4 récoltes par an et l'on put cultiver maïs et coton). *Limon transporté :* solide 57 millions de t par an, soit 20 t par km^2 de bassin (dont argile 62 %, terre végétale 25) ; dissous 10,7 millions de t (3,7 t/km^2 de bassin), notamment bicarbonates (75 %). Teneur en chlorure de sodium forte, entraînant salinisation des terres. *Eau potable :* alimente l'É. et la bande de Gaza, occupée par Israël (600 000 hab.), reliée dep. 1917 au delta par un aqueduc.

Consommation annuelle en eau (en milliards de m^3). 60,7 dont 55,5 du Nil, 2,3 de la réutilisation des eaux de drainage et 2,9 de pompages dans la nappe souterraine. Consommation domestique 6 milliards de m^3 dont 50 % est perdue dans les canalisations. L'eau pour l'irrigation gratuite est gaspillée (8 000 m^3 par an et par feddan 4 500 suffiraient).

Déficit alimentaire. (1986-87 en %) huiles 81, blé 80, sucres 60, céréales 55. **Élevage** (milliers de têtes, 88). Poulets 30 000, canards 4 000, buffles 2 600, ânes 1 950, bovins 1 920, chèvres 1 620, moutons 1 160 (89), chameaux 70, porcs 15. **Pêche.** 250 000 t (87).

Énergie. Pétrole (millions de t) *réserves* 616. *Prod. 85 :* 44 ; *86 :* 41. *87 :* 46 ; *88 :* 44,5 ; *89 :* 45 ; *90 :* 45. *Explorations* surtout off shore (golfe de Suez). *Recettes* (milliards de $). *1984/85 :* 2,1 ; *86 :* 1,9. 22 % des exp. **Gaz naturel** (milliards de m^3) *réserves* 351 ; *prod. 82-83 :* 2,6, *85 :* 3,6. *86 :* 4. *87 :* 4,1. *89 :* 3,5. **Électricité** 29 milliards de kWh (dont 8,2 hydraulique). Assouan produit 22 % de l'électricité (54,3 % en 1978).

Mines. Fer, manganèse, sel, phosphates. **Industrie.** Textile, prod. alim., tabac, métallurgie. **Transports** (km). Routes 40 478, chemins de fer 4 346 (83-84). **Tourisme.** *1985 :* 1 000 000. *89 :* 2 503 398 [dont 194 992 Français, 90 000 Israéliens]. *Développement* (1985-90) sur mer Rouge [marinas et ports de commerce ; villes balnéaires de Hurgada (395 km au S. de Suez) et de Charm el-Cheikh (336 km)] et Méditerranée (entre Alexandrie et Libye) : 18 000 chambres d'hôtel, 5 700 villas, 5 100 appartements prévus.

Commerce (millions de £ É, 88). *Exportations* 3 994 *dont* (87) pétrole 1 540, coton 393 ; *vers* U.R.S.S. 486, Italie 443, P.-B. 275, E.-U. 251, *France 233. Importations* (89) 16 624 *dont* prod. alim. 5 316, mach. et équip. élec. 2 981, prod. chim. 1 669, métaux 1 263, prod. min. 226 *de* U.S.A. 1 931, *France 1 489,* Italie 964, Japon 643, All. féd. 111. **Déficit commercial** (milliards de $) : *1960 :* + 0,3 ; *84-85 :* – 4,2 à – 5 ; *86 :* – 4,01 ; *87 :* – 4,33 ; *90 :* – 7. *Causes :* baisse du prix du pétrole, sécheresse (en 1985, le Nil était à son plus bas niveau depuis 1611).

Rang dans le monde (89). 8e coton. 14e phosphates. 17e pétrole. 19e rés. pétrole.

Grands travaux

• **Assouan. Barrage** (es-Sadd, la digue, ou el-Khazzan, le réservoir) : construit 1898-1902, surélevé 1907-12 et 1929-34 ; long. 1 962 m ; larg. 27 m à la base ; haut. 30,5 (1912 : 35,5, 34 : 41,50), retenue d'eau haut. 20 m ; réservoir 1 milliard de m^3 (1934 : 5).

Haut barrage (Sadd-el-Ali) : inauguré 15-1-71. Barrage poids épaisseur à la base 980 m, au sommet 40, long. au sommet 3 600 m, volume 47 200 000 m^3. *Coût :* 2 milliards de $ (40 % payés par U.R.S.S., 40 % remboursables en coton). *Lac Nasser* (5 000 km^2, 2e du monde après Kariba sur Zambèze) a 10 à 30 km de large et 500 km de long (2/3 en É., 1/3 au Soudan), 175 m de prof. en 1978, 150 m en juillet 88 ; il retient 157 à 185 milliards de m^3 d'eau, soit 5 fois le débit annuel (dont 1/6 sont perdus par évaporation).

Production hydroélectrique : 12 turbines (puissance installée 21 millions de kW) [les lignes à haute tension ne sont pas construites].

Objections des écologistes : 1°) *la suppression des crues* du Nil prive les terres du limon fertilisant (60 à 180 millions de t/an), le lac Nasser s'envase ; 2 000 000 t/an d'engrais chimiques sont nécessaires au lieu de 700 000 en 1957 ; elle a fait disparaître de Méditerranée orientale la majeure partie des poissons, notamment des sardines, qui se nourrissaient du Nil (objection : le lac Nasser est très poissonneux ; les pêcheurs devraient s'y installer, mais la région étant sous-peuplée il n'y a pas de débouchés) ; 2°) *le Nil coule + vite* et creuse son lit (60 cm de 1964 à 68, 1,7 cm par an depuis) ; 3°) *le limon* apporté par le Nil maintenait la superficie du delta ; attaqué par la Méditerranée, il recule actuellement de 30 m par an ; 4°) *le remplissage* constant des canaux d'irrigation cause une endémie de bilharziose, dont 1 cas sur 10 est mortel [les bilharzies, vers parasites, ne peuvent être détruites que par un assèchement prolongé (minimum 3 semaines) des canaux d'irrigation] ; 5°) dans la province de Tahrir, l'irrigation a provoqué la stérilisation complète des sols, à cause des gisements de sel gemme non repérés. On espérait obtenir 2,54 millions d'ha irrigués sur le plateau (projet), on en a obtenu 273 000, dont env. 162 000 ont été abandonnés à cause des infiltrations de sel.

Nota. – La création du lac Nasser a déplacé 60 000 Nubiens en Haute Égypte.

• **Projet hydroélectrique de Kattara.** Cuvette de 20 000 km^2 à 137 m au-dessous du niveau de la mer, dans le désert de l'Ouest. Un lac de 50 m de prof. et 2 600 km^2 serait créé grâce à un canal de 75 km creusé au moyen d'explosifs atomiques pour amener les eaux de la Méditerranée. *Avantages :* fonctionnement de centrales sur le parcours ; modification du climat, grâce à l'évaporation ; exploitation des sels marins.

ÉMIRATS ARABES UNIS

Carte p. 867. V. légende p. 837.

Nom. Autrefois *Trucial States* (États de la trêve). *Émirats arabes unis* depuis le 2-12-1971. **Situation.** Golfe Persique *(côte des Pirates).* 77 700 km^2. *Long.* 600 km. *Alt. max.* env. 2 400 m.

Population. *1971 :* 180 000. *1988 :* 1 500 000, prév. *2 000 :* 5 849 000. 20 % d'autochtones, 80 % d'étrangers [50 % Pakistanais et Indiens, 40 % Arabes tiers (Libanais, Égyptiens), 10 % Européens]. D. 19,3. **Langues.** Arabe *(off.) ;* anglais (l. commerciale). **Religions.** *Autochtones :* 100 % musulmans sunnites. *Étrangers :* musulmans sunnites (96,7 %), chiites, chrétiens (1,6 %).

Histoire. XVIIe s. comptoirs portugais. **Début XIXe s.** piraterie. **1835** sous la pression de la G.-B., trêve (d'où l'ancien nom) entre cheikhs de la côte. **1853** tr. de paix entre cheikhs. **1892** accord officialisant tutelle G.-B. **1968**-*27-2* « déclaration d'union » des 9 émirats, création d'un conseil suprême : projet non réalisé. **1971**-*14-8* Bahreïn, *1-9* Qatar ; indépendants. *-2-12* Féd. proclamée ; Bahreïn, Qatar et Ra's al-Khayma n'en font pas partie. Tr. d'amitié avec G.-B. **1972**-*25-2* Khaled ben Mohamed al Qassimi, souverain de Sharjah, tué ; son frère, le Pce héritier Sultan ben Mohamed al Qassimi lui succède. *-23-12* Ra's al-Khayma 7e m. de la Féd. **1975**-*12-7* Dubayy nationalise les Stés pétrolières.

7 émirats. Abū Dhabi 67 340 km^2 (86 %), 670 000 h. (*1968 :* 46 400). *Capitale : Abū Dhabi,* 350 000 h. (85). Pétrole produit dep. 1962 ; réserves 98 milliards de barils, prod. 1,5 million de barils/jour (89), revenus pétroliers 6 milliards de $. *Souv. :* Cheikh Zayed bin Sultan al Nhayan dep. 6-8-1966. **Dubai** 3 885 km^2, 420 000 h. Pétrole produit dep. 1969, réserves 193 millions de t (84), prod. 400 000 barils/jour (89), rev. pétr. 800 millions de $ (84). Port. Grand centre commercial. *Souv. :* Cheikh Maktoum bin Saïd al Maktoum dep. 1990. **Chārdja** 2 590 km^2, 260 000 h. Pétrole dep. 1874, réserves 11,3 millions de barils (84), prod. 65 000 barils/jour (89), rev. pétr. 40 millions de $ (84). Pétrochimie. *Souv. :* Cheikh Sultan bin Mohammed al Qassimi dep. 1972. **Fudjayra** 1 165 km^2, 55 000 h. Pêche, tourisme, agriculture. *Souv. :* Cheikh Hamaïd bin Mohammed al Sharqi dep. 1974. **Adjman** 259 km^2, 64 000 h. Pêche, construction navale, commerce, ciment, eaux minérales, chrome, cuivre, fer. *Souv. :* Cheikh Humaïd bin Rashed al Nuaimi dep. 1981. **Umm al Qaynayn** 777 km^2, 29 000 h. Pêche, perles et commerce. *Souv. :* Cheikh Rashed bin Ahmed al Mualla dep. févr. 1981. **R'as al-Khayma** 1 684 km^2, 120 000 h. *Capitale :* R'as al-Khayma. *Souv. :* Cheikh Saqr bin Mohammed al Qassimi dep. 1948. Agriculture, pêche, commerce, cuivre, fer.

Statut. Fédération de 7 émirats. *Constitution* provisoire du 2-12-1971 prorogée pour 5 ans en 76, 81 et 86. *Conseil suprême des gouverneurs* comprenant les 7 émirs, nomme Pt et vice-Pt pour 5 ans renouvelables. *Pt* Cheikh Zayed bin Sultan al Nahyan (n. 1923) dep. 2-12-71. *Vice-Pt et PM* Cheikh Rashed bin Saïd al Maktoum (Vice-Pt dep. 2-12-71, PM dep. 30-4-79). *Conseil national fédéral* (Parlement) 40 m. nommés pour 2 ans par les émirs (Abū Dhabī et Dubayy 8 m., Charjah et Ras al-Khaïmah 6 m., les autres 4 m.) **Fête nat. :** 2 déc. (Constitution). **Drapeau.** Adopté 1971.

Économie

P.N.B. ($ par h). *1982 :* 24 080 ; *85 :* 17 866 ; *86 :* 15 000 ; *87 :* 16 700 ; *88 :* 15 875 ; *89 :* 17 800. **Pop. active** (% et entre par. part du P.N.B. en %) agr. 5 (1), ind. 45 (15), services 46 (41), mines 4 (33). **Inflation.** *88 :* 8 %. **Aide** aux pays en voie de développement (80) 1 047 millions de $. **Budget déficit** (milliards de $) *88 :* – 0,5 ; *89 :* – 0,5.

Agriculture. 40 000 ha. de terres cult. en 88, 1981 : 13 000 ha cultivables dont 7 000 cultivés. **Élevage** (milliers de têtes, 88). Volailles 10 000, chèvres 850, moutons 430, chameaux 120, bovins 50. **Pêche.** 85 000 t (88).

Énergie. Pétrole (millions de t) : *réserves* 12 630, représente 85 % des ressources ; *prod. 80 :* 84,2 ; *81 :* 75 ; *82 :* 5 ; *83 :* 54,5 ; *84 :* 56 ; *85 :* 60 ; *86 :* 69 ; *87 :* 73 ; *88 :* 77 ; *89 :* 91 ; *90 :* 110. **Gaz** (milliards de m^3) : *réserves* 5 763, *prod. 86 :* 10 ; *88 :* 10. **Industrie.** Alim., métaux, prod. chim. *Revenu* pétrolier (milliards de $) : *81 :* 19,4 ; *84 :* 11,7 (24,5 avec gaz naturel) ; *88 :* 8,6 (avec gaz naturel) ; *89 :* 11,5.

Commerce (milliards de dirhams des É.A.U., 89). *Exportations* 50 *dont* pétrole 45,8 (85), hydrocarbures 37 *vers* (84) Arabie S. 1,2, Qatar 0,6, Oman 0,4, Yémen 0,1. *Importations* 36,7 *dont* prod. man. de base 12,5, mach. et équip. de transp. 10,1, prod. alim. 4,2, chim. 2,2, fuel et lubrifiants 2 (84), prod. man. divers 4,6 (84) *de* Japon 5,1, U.S.A. 3, G.-B. 3, All. féd. 2,2, Bahreïn 1,4 (84), *France 1,1.*

Rang dans le monde (89). 3e rés. gaz nat, rés. pétrole. 12e pétrole. 20e gaz nat.

ÉQUATEUR

Carte p. 911. V. légende p. 837.

Nom. Au XVIIIe s., une mission scientifique dirigée par Louis Godin et Charles-Marie de La Condamine mesura le degré d'un arc de méridien sur l'équateur. La région fut ensuite désignée ainsi en Europe.

Situation. Amérique du S. 270 667 km^2, y compris les îles *Galapagos* [sans compter les *régions orientales* (174 565 km^2) cédées au Pérou par le tr. de Rio du 29-1-1942, tr. dénoncé en 1961 par l'Équateur]. *Côtes :* 887 km. *Frontières :* 1 786 km, avec Pérou 1 200, Colombie 586. *Alt. max.* volcans les + hauts du monde : Chimborazo (6 310 m) et Cotopaxi (5 896 m en activité). **Régions :** *Sierra* (cordillère des Andes), *Costa* (plaine côtière), *Oriente* (haut bassin de l'Amazone). **Climat :** tropical sur la Costa (température élevée, moy. 23-26 °C, une saison des pluies unique de déc. à avr., 150 à 2 000 mm), équatorial tempéré par l'altitude dans la Sierra (climat doux, moy. 12-18 °C, 2 saisons des pluies : oct.-nov. et fév.-mai, 1 500 mm environ), pluvieux uniforme dans l'Oriente, une seule saison avec légère baisse de déc. à févr., plus de 3 000 mm, température moy. 22-26 °C.

Population. 10 490 249 h. (89), *prév. 2000 :* 13 939 000 [*1950 :* 3 202 757]. Indiens 25 %, Métis 55 %, Créoles 10 %, Noirs 10 %. Pop. rurale 45,17 %. *- de 15 a. :* 40 %, *+ de 65 a. :* 4 %. D. 38,8. **Villes (89).** *Quito* (à 2 800 m d'alt.) 1 233 865, Guayaquil 1 699 375 (bidonville de 500 000 pers.) (port à 416 km), Cuenca (alt. 2 595 m) 218 490 (472 km),

Ambato (alt. 2 570 m) 133 643. **Réapparition de la famine.** Déficit en calories 25 %, en protéines 29 % pour les pop. marginales. **Analphabétisme croissant** 17 % de la pop. de – de 10 ans en 1984, en augm. depuis. Langues. Espagnol *(off.)* 93 % ; les Indiens parlent quetchua (7 %) et d'autres langues. Religions. Catholiques 94 %, protestants 6 %.

Histoire. **Avant le Xe s.** roy. des Quitos, capitale Quito. **V. 1000** conquête du terr. des Quitos par le peuple maritime des Caras ou Caraques, dont les caciques se nommaient les shiris. **1370** le shiri Hualcopo entre en g. contre l'Inca du Pérou Tupac Yupanqui. **XVe s.** défaite des Caras et domination inca. **1533** conquête esp. (Pizarro et Benálcazar). **XIXe s.** nombreux conflits avec Pérou sur délimitations de frontières. **1809-22** lutte pour l'indépendance. **1822-30** partie de la Grande-Colombie. **1830** éclatement de la Gde-C. et indépendance sous le 1er Pt élu, le Gal J.J. Flores (1801-64). **1845** chute de Flores. **1860-95** *Période de la théocratie catholique* [fondée par Garcia Moreno († 1875, assass.)]. **1875**-*9-5* période progressiste. **1895** révolution libérale (anticléricale) du Gal Eloy Alfaro : chute de la théocratie. **1895-1912** *Régime libéral-radical* 2 généraux-dictateurs (tantôt Alfaro, tantôt Leonidas Plaza) fondent un État laïc (Église séparée de l'État). **1912** Plaza rompt avec Alfaro (assass. 28-1) et gouverne en libéral modéré. **1924-25** dernière présidence d'un radical (Gonzalo de Cordova, renversé par des militaires). **1933-72** *période du « Vélasquisme intermittent »* [José-Maria Velasco Ibarra (1893-1979), « Caudillo » : catholique, tantôt à droite, tantôt à gauche, nationaliste, révolutionnaire, francophile, nommé 5 fois Pt, menant 1 seule fois son mandat à terme (1952-56) ; 4 fois renversé : 1934-35, 1944-47, 1960-61, 1968-72]. **1941**-*janv.* g. avec Pérou, qui conquiert Est du pays (Amazonie). **1942** tr. de Rio de Janeiro, cédant au Pérou 174 565 km². **1961**-*sept.* Ibarra dénonce tr. **1962-63** régime de gauche, alliance avec Fidel Castro (Pt Carlos Julio Arosemena, ancien vice-Pt Ibarra). **1963**-*11-7* Arosemena renversé par militaires conservateurs. **1969**-*26-5* adhésion au pacte andin. **1970** découverte du pétrole de Lago Agrio. **1972-86** *ère pétrolière.* **1972**-*16-2* junte des généraux « nassériens » [Pt : Guillermo Rodriguez Lara (n. 1924) qui a renversé Ibarra (nationalisme de gauche, anti-amér., économie dirigée)]. **1973** adhère O.P.E.P. **1975** surchauffe économique, forte inflation. -*1-9* tentative de putsch (Gal Gonzalez Alvear). **1976**-*11-1* Pt Lara remplacé par Amiral Alfredo Poveda (non nassérien). **1977** violences (notamment -*19-10* grève de la sucrerie Aztra, 120 †) : Poveda, poussé par U.S.A., admet retour à la démocratie. **1978**-*15-1* référendum pour constit. démocr., avec élection prés. à 2 tours. -*16-7* Jaime Roldos Aguilera (n. 1941), « réformiste » (centre gauche) en tête. Poveda tente d'annuler les élect., mais, sur intervention du Pt Carter, accepte un 2e tour retardé de 9 mois. **1979**-*29-4* Roldos élu Pt. *Oct.* « 2e choc pétrolier », amélioration financière. **1981**-*28-1/3-2* conflit avec Pérou sur territoires amazoniens. -*24-5* Roldos tué (accident aérien) ; remplacé par vice-Pt Osvaldo Hurtado, démocrate-chrétien **1981-84** relance : déficit, chute de la monnaie. **1983**-*mai* pluies diluviennes (600 †) ; dégâts 1 milliard de $. **1984**-*6-5* 1res élections avec vote des « analphabètes » (Indiens). León Febres-Cordero (n. 1931), conservateur, élu Pt. **1985**-*9-11* grève générale contre austérité (6 †). **1986**-*janv.* monnaie stabilisée (1 $ = 95 sucres), dette extérieure rééchelonnée. -*14-3* mutinerie du Gal Frank Vargas réprimée. -*1-6* législatives et référendum : 58 % hostiles au pouvoir. **1987**-*16-1* Pt pris en otage (plusieurs †) par des militaires ; relâché contre libération du Gal Vargas. -*6-3* séisme, 1 600 † (dégâts 0,6 milliard de $). -*21-7* un évêque et une religieuse tués par Indiens Aucas. **1988**-*11-8* rétablissement des rel. dipl. avec Nicaragua. -*31-8* mort de Mgr Proano (n. 29-1-1910), « évêque des Indiens ». **1989**-*15-8* accord avec F.M.I. : crédit-relais 137 millions de $ sur 18 mois (+ 75 millions si l'É. renégocie sa dette). *oct.* Pt Mitterrand en É. **1990**-*4 et 10-6* soulèvement indien. **1991**-*18-1* Pt Borja en France.

Statut. République. *Constitution* du 19-1-1978 (en 150 ans, 17 Constitutions et 60 gouvernements). *Pt* (élu pour 4 a. au suffr. univ.) Rodrigo Borja (social dém. n. 19-5-35) élu 8-5-85 avec 54 % des v. devant Abdala Bucaram (populiste), réélu 8-5-88 avec 52,8 % des v. *Chambre* 72 m. élus pour 5 a. au suffr. univ. (majorité populiste). *Élections législatives* (17-6-90) : P. soc. chrétien (PSC) 16 sièges, Gauche dém. (ID) 14 s., P. roldosiste éq. (PRE) 13, P. soc. (PSE) 8, DP 7, CFP 3, P. libéral radical (PLR) 3, P. cons. (PC) 3, Front rad. alfariste (FRA) 2, Front Amplio de gauche (FADI) 2, Mouv. pop. dém. (MPD) 1. 20 *provinces.* Fête nat. : 10 août (1re déclaration d'indépendance de 1809).

Économie

P.N.B. (89). 1 000 $ par h. *Croissance : 1985* 4 %, *86 :* 2,6, *87 :* – 3,5, *88 :* 12,8, *89 :* 0,5. **Pop. active** (% et entre parenthèses part du P.N.B. en %) agr. 33 (16), ind. 20 (14), services 43 (52), mines 4 (18). *Chômage* (88) : 13 %. **Inflation** (%). *81 :* 12 ; *82 :* 16,3 ; *83 :* 45 ; *84 :* 31,2 ; *85 :* 28 ; *86 :* 23,1 ; *87 :* 29,5 ; *88 :* 85,7 % ; *89 :* 54,2. **Dette extérieure.** (milliards de $), *1988 :* 10, *1989 :* 11,2.

Agriculture. *Terres* (milliers d'ha, 81) arables 1 755, cultivées en permanence 865, pâturages 3 780, forêts 14 450, eaux 672, divers 6 834. *Production* (milliers de t, 89) sucre de canne 5 200, bananes 2 366, riz 719, p. de terre 400, maïs 397 (88), café 117, cacao 90, coton 23 (88). Forêts. 8 753 000 m³ (87). Élevage (milliers de têtes, 88). Bovins 4 007, moutons 1 707, porcs 4 160. Pêche. 679 000 t (87).

Énergie. **Pétrole** (millions de t). *Réserves* 195, *prod. 82 :* 10,7 ; *83 :* 12,1 ; *84 :* 12,8 ; *85 :* 14. *86 :* 14 ; *87 :* 8,5 ; *88 :* 15,8 ; *89 :* 15,90 (53 % des revenus) ; *90:* 14,5. **Gaz** *réserves* 115 milliards de m³, *prod.* nulle. Mines. Argent, or, cuivre, plomb, soufre, zinc, antimoine, cadmium. Industrie. Alim., textile, chimie, pétrochimie, métallurgie, mécanique. Potentiel hydroélectrique. Transports (km). Routes 36 187, chemin de fer 971. Tourisme. 250 000 vis. (86).

Commerce (millions de $ US, est. 88). *Exportations :* 2 203 *dont* pétrole 976, poisson 387 (crevette), bananes 336, café 170, *vers* U.S.A. 1 132, All. féd. 91, Japon 54, Chine 47, Panamá 35. *Importations :* 1 630 *dont* mat. 1res pour l'ind. 623, biens cap. pour l'ind. 369, équip. de trans. 203, biens de cons. durables 126, non durables 92, *de* U.S.A. 514, Japon 213, Brésil 97, All. féd. 96, Espagne 60.

Rang dans le monde (89). 7e cacao. 14e café.

Iles Galápagos

Situation. Appartiennent à l'Équateur. Pacifique. 1 200 km de l'E. 8 100 km². Appelées autrefois Islas Encantadas (îles Enchantées) formant la province de l'archipel de Colón (nom. off. dep. 1892), 7 964 km², *1989 :* 9 643 h. *Alt.* 2 150 à 3 050 m. **Climat** tempéré, pluies rares. **13 grandes îles** dont (1989) San Cristóbal (Chatham) 2 947 h., Santa Cruz (Indefatigable) 5 290 h, Isabela 1 006 h. (long. 120 km ; bagne fermé en 1958), Floreana (Charles) 400 h., Santiago (James) et Fernandina (Narborough) (inhabitées), **4 îles habitées** (San Cristóbal, Santa Cruz, Isabela, Floreana), *42 îlots.* 7 954 h. (1986). **Ressources :** pêche, agriculture, tourisme (visiteurs : 12 000/an max.) ; parc national dep. 1959.

Faune. 9 000 à 10 000 tortues géantes, 11 espèces ; iguanes marins, terrestres ; oiseaux ; millions de rats introduits par l'homme ; animaux domestiques devenus sauvages (porcs, ânes, chiens, chats, 50 000 chèvres tuées dep. 1970).

Histoire. *1535* découverte. 1er habitant permanent : Patrick Watkins (Irlandais). *XVIIIe s.* boucaniers et pirates sont remplacés par chasseurs de baleines et d'otaries (5 000 peaux d'otaries en 2 mois pour un seul chasseur). *1832*-12-2 intégration à l'É. *1835* Darwin étudie la faune. *1942* base navale amér. (destruction de milliers d'iguanes). *1964* création, à Santa Cruz, de Darwin Station (internationale). *1970* reconstitution du « cheptel » des tortues dans l'îlot de Pinzón. *1985-avril* incendie dans l'île Isabela : 25 000 ha détruits ; 500 tortues géantes sauvées par hélicoptères.

ESPAGNE

Carte p. 926. V. légende p. 837.

Géographie

- Situation. Europe 504 782 km² (sans Canaries et Baléares 492 463 km²). **Frontières (km) :** avec France et Andorre 712, Portugal 1 232, Gibraltar 1,2. **Aspect :** *péninsule* massive, hauts plateaux entourés de montagnes. *Alt.* moy. 660 m (2e d'Eur. après Suisse ; France : 342 m). 40 % de 500 à 1 000 m ; 20 % à + de 1 000 m. **Montagnes (alt. max.) :** *Pyrénées* Mt Néthou 3 404 m, Peña de Cerredo 2 678 m, Espignette 2 453 m ; *cordillère Centrale,* El Moro Almanzor 2 550 m ; *Sierra Morena,* Estrella 1 299 m ; *chaîne Ibérique,* plateau 1 500 m (moy.) ; *cordillères Bétiques,* 800 km, Mulhacen 3 481 m (max. Esp.).

- Régions. **Espagne atlantique,** région montagneuse Galice et cordillère Cantabrique (prairies nat. et art., vergers de pommiers) ; plateaux centraux, vég. pauvre, culture extensive du blé, culture irriguée près des grandes retenues fluviales (Badajoz, Jarama). **Méditerranéenne,** viticulture dans collines non irrigables, amandiers, oliviers, orge en *dry farming ;* horticulture dans *huertas* irriguées (Valence, Murcie) ; 1/3 de la surface en *montes* (steppe épineuse), Andalousie, Levant, Aragon et Catalogne, S.-E. de la Navarre. La région de Grenade est plus froide et plus humide (altitude, forêts).

- Côtes. 3 904 km (plus celles des îles Canaries 1 126 km, Baléares 910 km). **Littoral méditerranéen :** 1 670 km ; *Pyr.* (Costa Brava) : c. très rocheuse et découpée ; *vers Barcelone :* basse et sableuse ; *près de Tarragone et Castellón* (Costa Dorada) : collines caillouteuses sans plages ni falaises ; *Valence* (Costa del Azahar) : basse et rectiligne ; *au S. du golfe de Valence jusqu'à Málaga* (Costa Blanca, Costa del Sol) : rocheuse et escarpée. **Atlantique** 1 367 km : **Sud.** A l'O. du détroit de Gibraltar ; *région de Huelva :* c. basse, récifs avec dunes ; **Nord :** *Galice :* très découpée avec des rias profondes ; *au S. du golfe de Gascogne* jusqu'à la frontière française : montagneuse mais peu découpée, hautes falaises et plages de sable. *Littoral cantabrique :* 867 km.

- Fleuves. **Se jetant dans la Méditerranée,** Èbre 910 km (affluents : Aragon 197 km, Segre 261 km), Jucar 498 km, Guadalvir ou Turia 280 km ; **dans l'Atlantique,** Tage 1 007 km, Duero 895 km, Guadiana 778 km, Guadalquivir 657 km, Miño 310 km ; **c. Cantabrique,** Nalon 129 km.

- Climats. **Continental :** hiver très froid (– 21 °C à Ávila), été très chaud (+ 47 °C à Badajoz) ; sécheresse accentuée, l'anticyclone saharien est proche (pluies : minimum 284 mm/an à Salamanque). **Méditerranéen :** tiers S.-E. de l'Esp. ; pluies hivernales, sécheresse au printemps et en automne, orages d'été (min. 339 mm de pluie à Carthagène, 14 j de pluie/an). **Alpestre :** hivers très froids, étés frais et relativement humides (chutes de pluie et de neige 2,5 fois plus faibles sur le versant esp. que sur le v. fr.). **Atlantique :** vents d'O., hivers humides et doux, étés frais (max. St-Jacques-de-Compostelle, 1 655 mm et 176 j de pluie/an).

Moyennes annuelles	Températures			Pluies
	moy.	max.	min.	litres/m
N.-O. et Cantabrique	13,6	40,2	– 12,1	1 235,6
Duero et Centre	12,3	44,2	– 22,5	436,9
Catalogne et haut Èbre	14,0	42,0	– 25,0	604,4
Levant et S.-E.	17,6	44,9	– 7,3	368,8
Estrémadure, Guadalquivir et S.	17,4	47,0	– 10,4	526,7
Baléares	16,8	38,5	– 4,0	543,6

Démographie

- **Population** (en millions d'h.). *XVIe s. :* 16 ; *1768 :* 9 ; *1799 :* 10,5 ; *1833 :* 12,3 ; *1857 :* 16,5 ; *1877 :* 16,6 ; *1900 :* 18,6 ; *1920 :* 21,4 ; *1930 :* 23,8 ; *1940 :* 26,2 ; *1950 :* 28,4 ; *1960 :* 30,9 ; *1965 :* 31,9 ; *1970 :* 33,7 ; *1975 :* 35,4 ; *1980 :* 37,5 ; *1985 :* 38,6 ; *1990 :* 39,5 ; *2000 (est.) :* 41 ; *2100 :* 49,1. D. 77. *– de 15 a. :* 23 %, *+ de 65 a. :* 13 %.

Taille moyenne. Hommes : *1978 :* 170,8 cm ; *85 :* 172,3 cm. **Mariages.** *1975 :* 271 347, *1982 :* 193 319. **Âge (%).** *- de 15 a. : 1981 :* 27,5, *2 000 :* 20,3 ; *+ de 65 a. 1981 :* 11,2, *2 000 :* 16. **Taux (‰) de** *natalité : 1946-50 :* 21,4 ; *56-60 :* 21,5 ; *66-70 :* 20,2 ; *76-80 :* 17,1 ; *87 :* 13 ; *mortalité : 1946-50 :* 11,6 ; *75 :* 8,4 ; *83 :* 7,4 ; *87 :* 8 ; *infantile : 1975 :* 18,9 ; *87 :* 11 ; fécondité : *1975 :* 2,8, *86 :* 1,5. **Toxicomanie** (1988). 300 † par overdose

- Villes. *Madrid 1560 :* 15 000 h. ; *1600 :* 60 000 ; *1723 :* 130 000 ; *1843 :* 217 000 ; *1988 :* 3 058 818 ; *est. 1996 :* 2 950 000. *1986 :* Barcelone 1 756 900 (à 620 km de Madrid), Valence 763 900 (356 km), Séville 673 600 (541 km), Saragosse 590 750 (322 km), Málaga 503 251 (41 km), Bilbao 433 030 (394 km), Las Palmas 366 454, Valladolid 330 242 (191 km), Palma de Majorque 303 422 (546 km), Murcie 288 631 (391 km), Cordoue 284 737 (401 km), Alicante 251 387 (410 km), Grenade 262 182 (433 km), Vigo 258 724 (543 km), La Corogne 232 356 (606 km), *1978 :* Oviedo 190 123 (446 km), Pampelune 183 126 (411 km), Santander 180 328 (395 km), St-Sébastien 175 576 (465 km), Cadix 157 766 (656 km), Burgos 156 449 (240 km), Tarragone 111 689 (563 km), Santiago 93 695 (670 km), *1978 :* Tolède 55 309 (70 km). 40 % des hab. vivent en ville.

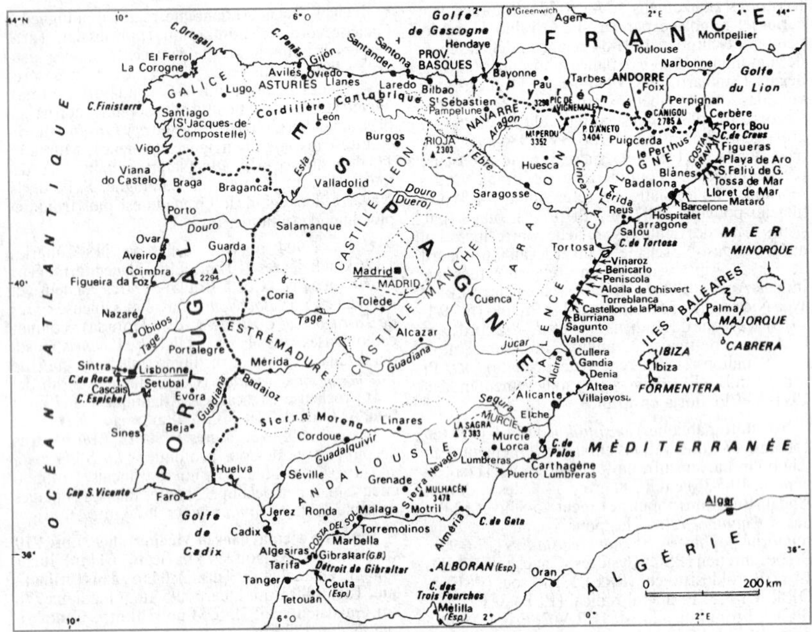

• **Espagnols à l'étranger** (1984, milliers) : *Amérique :* 2 251 dont Arg. 750, Venezuela 650, Uruguay 400, U.S.A. 140, Mexique 90, Chili 80, Cuba 60, Canada 25, Colombie 20, Panamá 18, Rép. dom. 18 ; *Europe :* 1 382 dont France 650 (*1989 :* 350 + nationalistes 145 de 1970 à 86), Suisse 250, Allem. 250, Angleterre 90, Belg. 80, P.-Bas 45, Portugal 12, Italie 9, Pays nordiques 6 ; *reste du monde :* 228 dont Australie 78. **Étrangers en Esp.** (milliers) *1985 :* 273,4 dont Portugais 70, Latino-Améric. 70 (dont Argentins 10, Chiliens 5), Français 35, Américains 12, Marocains 6, Philippins 6, Indiens 4 (+ de nombreux clandestins de Gambie et du Sénégal). *1989 :* 400 (dont Français 57) + 300 clandestins (Latino-Amér.-Marocains-Portugais).

• **Émigration** (milliers). *Vers 1900-39 :* 100 par an vers Amér. latine. *Vers 1960-70 :* 100 par an vers France, All., Suisse. *1987 :* 17 (retours 10). *1989 :* retours dépassent départs. **Intérieure.** Ém. max. : Cáceres (pop. active – 13 % annuel) ; immigr. max. : Alava (+ 19,4 %), Baléares (+ 19 %).

• **Immigration.** *1987 :* 45. *88 :* 45.

Gitans 500 000, en chômage 70 %, analphabètes : hommes 40 %, femmes 70 %.

• **Langues. Statistiques :** *Espagnol* ou *castillan (off.)* (73 %)) ; *basque* (3 %), *catalan* (24 %), *galicien* (parlé par 70 % des Galiciens). **Espagnol :** dérivé du latin (populaire) dont il conserve les voyelles *a* et *o* après l'accent, et dont il a gardé en grande partie le vocabulaire ; se distingue des l. romanes par l'importance de l'élément arabe (1 300 mots d'or. arabe dont 800 commençant par l'article *al*), et par des consonnes d'or. arabe *z* (ceta) et *j* (jota). Peu de variétés rég. (sauf aragonais), le pays ayant été repeuplé après le XIIIe s. par des colons originaires de la même région : Castille, León. *Espagnols d'Amér. du S. :* plusieurs variétés (argentin, péruvien, antillais). **Galicien :** l. romane du groupe portugais, fréquence du *ch* (écrit *x*), voyelles nasales, *en, an, on* (écrits *e, ã, õ*), maintien du son *ou* à la fin des mots (écrit *o*).

Nota. – 32 % de la pop. parle au moins une langue étrangère.

Religions

• **Catholicisme.** *Statut :* n'est plus religion d'État dep. 1978 (Constitution). *Nouveau concordat* signé 3-1-1979. Le précédent (du 27-8-1953) accordait à l'Église de nombreux privilèges [exemptions fiscales, dispenses du service mil., le cath. (religion off.) devait être enseigné dans les écoles]. *Richesses de l'Égl. cath. :* t. agricoles 100 000 ha, patrimoine bancaire, immobilier (exempté d'impôt) et artistique. *En 1990*, l'État a mis fin à son aide (13,35 milliards de pesetas), les contribuables pouvant déduire, jusqu'à 0,5 % de leurs revenus, les sommes qu'ils verseront volontairement à l'Église.

En 1974 : 24 160 prêtres diocésains, 20 640 religieux dont 10 608 prêtres (24 739 en 1962). *Ordinations : 1954 :* 1 015 ; *62 :* 694 ; *74 :* 321. *Grands séminaristes : 1962 :* 7 974 ; *74 :* 2 793. *Petits séminaristes : 1978 :* 36 704. *Pratique* 46 %. *En 1987 :* paroisses 21 769, prêtres 21 410, 3 cardinaux, 11 archevêques, 60 évêques (18 retraités).

• **Autres. Protestants** 400 000. **Juifs** 12 000 (dont 70 % venus du Maroc à la fin des années 1950, 30 % d'Allemagne, Europe centrale, Moyen-Orient après la g. 1939-40, Argentine dep. les années 1950). *Synagogues :* 5 à Madrid, Barcelone, Málaga, Ceuta et Melilla ; 3 converties en musées par l'État : 1 à Cordoue, 2 à Tolède. La 1re synagogue depuis l'expulsion des Juifs en 1492 fut rouverte le 2-10-1959. **Musulmans** en majorité du IXe s. au XIIe s. [L'islam avait pris la place laissée vacante par l'arianisme (religion off. au VIe s., interdite au VIIe s)] ; en minorité du XIIIe au XVIe s. (expulsion 1502).

Histoire

• **Période prémusulmane. Époque magdalénienne (v. 12000 av. J.-C.)** chasseurs de rennes et bisons peuplent le N.-O. de l'E., civilisation d'Altamira (peintures rupestres). **Néolithique (4000-2500)** civilisation « asturienne », consommation de coquillages sur les côtes et multiplication de monuments funéraires mégalithiques [plus de 500 dolmens et menhirs, dont celui de Pena et Izarra (Santander) ; *haut. :* 16,80 m]. **Chalcolithique (v. 2000)** centre de Los Millares, qui a donné son nom à la civilisation rayonnant en Europe. Base de départ du « peuple aux gobelets campaniformes », qui fonde des colonies de guerriers et de techniciens (archers). **Age du Bronze (1800-1000)** le cuivre esp. est mélangé à l'étain des Cassitérides par les Ligures [qui occupent le pays (voir France, proto-histoire p. 598), ancêtres des Basques ?]. **V. 1000** débarquement des Tartessiens (d'origine libyenne). Civilisation de type égéen (villes de pierre, bijoux d'or). Ville principale : Tartessos (appelé Tarsis dans la Bible ; embouchure du Guadalquivir). Les Tartessiens possèdent la côte du S.-E. au cap Nao. **Xe s.** Phéniciens fondent Gadès (Cadix) et monopolisent le commerce du cuivre. **VIIIe s.** Aganthonios, roi de Tartessos, bat Phéniciens et accueille des colonies grecques (de Samos, puis de Phocée-Marseille) [principales : Ampurias, Ibiza, Torre del Mar (Málaga), Hemeroscopion (Denia)]. **VIIe s.** Ibères, autre peuple libyque venu d'Afrique par Gibraltar, peut-être avant les Tartessiens ; avancés jusqu'au bassin inférieur de l'Èbre, ils se seraient peu à peu substitués à eux (leur langue a fourni de nombreux mots au basque) : cités de pierre, armes en fer, élevage du cheval, culture vigne et olivier, apprise des Grecs. Villes principales : Elche, Indica, Sagonte. *A la même époque,* des Celtes (civilisation de Hallstatt) pénètrent au N.-O. et fondent 3 provinces : Galice, autour de Salamanque et S. du Tage. Sur le plateau central, se mêlent aux Ibères, fondant la nation celtibérique. **VIe s.** Ibères colonisent Aquitaine et Septimanie, habitées par Ligures. Carthaginois fondent des ports rivaux de ceux des Grecs [Capitales : Carthagène (Carthago Nova), Barcelone (Barcino), Alicante (Lucentum)], étendent leur domaine pendant 3 siècles vers l'intérieur, fondent Helia Edetana (Belchite) et Hemantica (Salamanque). Échec devant Sagonte en 226 av. J.-C. **306-218 av. J.-C.** Romains chassent Carthaginois puis conquièrent la péninsule sur les Celtibères qui résistent jusqu'en 133 (prise de Numance), puis révolte de Sertorius (80-73).

133 av. J.-C.-409 apr. J.-C. Centre de la culture romaine, Cordoue (Colonia Patricia Romana Cordubensis), la « 2e Rome », pouvant battre monnaie comme Rome et peuplée de patrices romains émigrés (cap. de la Hispania Ulterior, après Auguste, 13 av. J.-C.). 3 empereurs seront d'origine hispanique : Trajan, Hadrien, Marc Aurèle. **134-135 apr. J.-C.** Hadrien installe en Esp. 50 000 familles juives déportées de Palestine, souche de la communauté j. d'Esp. (plusieurs millions en 711). **Après 300** 4 provinces : Lusitanie [cap. Emerita (Merida)] ; Carthaginaise (Carthagène) ; Tarraconaise (Tarragone) ; Bétique [Hispalis (Séville) et Cordoue]. **409** invasion d'ariens : Vandales (Germains) et Alains (non-Germains : Sarmates), qui fondent roy. d'Andalousie, puis passent en Afr. du N. ; Quades (Germains occidentaux païens, confondus longtemps avec les Suèves), qui fondent en Galice un roy. (11 rois, 412-585) païen jusqu'à 450, catholique 450 à 465, arien 465 à 586 ; Wisigoths (Germains orientaux) ayant séjourné longtemps à Byzance, qui fondent un puissant roy. arien, cap. Tolède [dominent Péninsule, 25 rois, de 409 à 711 ; civilisation caractérisée par mosaïques et orfèvrerie ; personnage principal : St Isidore de Séville (560-636)]. **V. 554** l'emp. byzantin (catholique) Justinien chasse Wisigoths ariens du S.-E., jusqu'au Tage ; rétablit hiérarchie cath. **586** roi wisigoth Récarède reconnaît la suzeraineté impériale et se convertit au cath. ; Quades (ou « Suèves ») redeviennent cath. et se fondent dans le roy. gothique. **616** l'emp. Héraclius cherche à obtenir l'expulsion des juifs ; le roi Sisebut en convertit de force 90 000 et persécute les autres ; par suite de l'hostilité juive, les Byzantins doivent se replier sur Ceuta en Afr. du Nord (631). **631-709** nombreuses g. civiles, d'origine religieuse : noblesse arienne s'allie aux juifs contre les rois ; le chef arien Wittiza règne de 701 à 709, puis est tué par le roi cath. Rodrigue. **710-11** renversement des alliances : les fils de Wittiza, repliés à Ceuta, obtiennent contre Rodrigue l'appui du Cte byzantin Olban, dit Julian ; 5 000 Berbères (ariens ou musulmans), commandés par Tarik, débarquent à Gibraltar ; en 5 ans, avec l'aide des anticatholiques (juifs et ariens), ils s'établissent dans la péninsule (Rodrigue, battu près de Cadix, 711, tué près de Salamanque quelques mois après).

• **Espagne musulmane. 716-56** émirats dépendant de Damas ; fréquentes g. civiles. **756-929** émirat indépendant. **756**-*15-5* Pce Abd al-Rahman, survivant du massacre de la dynastie des Omeyyades à Damas, bat les émirs de Saragosse à *la Alaméda* et se fait proclamer « émir » descendant des califes avec autorité sur toute l'Esp. ; ses 6 successeurs lutteront contre noblesse locale (dite « renégate », c.-à-d. ralliée à l'islam, en réalité restée attachée à l'arianisme) ; nombreux soldats arabes et mamelouks importés d'Orient. **929-1038** califat de Cordoue. **929**-*16-2* Abd al-Rahman III prend titre de calife (défenseur de la Foi et Pce des Croyants). Son petit-fils Hixem II (976-1016), surnommé Almanzor (« le vainqueur »), fait des raids contre chrétiens d'Asturie-Galice, détruisant St-Jacques-de-Compostelle en 997. **1038-90** anarchie des roitelets (en arabe : *taïfas*). L'empire d'Almanzor éclate : 15 principautés, toujours en g. Almamoun, taïfa de Tolède, laisse Alphonse VI de Castille prendre sa cité (25-5-1085). **1090-1140** emp. almoravide. L'empereur marocain Yusuf ibn Tachfin (berbère), chef des intégristes almoravides, débarque à Algésiras 1090 et unifie les royaumes musulmans. Capitale : Grenade ; **1145** son petit-fils Tachfin laisse l'emp. se morceler en 5 roy. de taïfas. **1147-1245** emp. almohade. **1147** Abd al-Mu'min, berbère *imam* et *mahdi* des Almohades (fondés Mauritanie v. 1120) devient sultan du Maroc et prend roy. almoravide de Grenade (Tachfin tué). Son 7e successeur, Asrasid (1236-45), dernier calife d'Esp., laisse l'emp. divisé en 6 roy. dont 5 (Valence, Séville, Niebla, Almeria et Murcie) sont pris par chrétiens. **1245-1492** roy. de Grenade. **1245** Mohammed le Rouge (1238-72), fondateur de la dynastie des *Nazaris,* se reconnaît vassal du roi de Castille, et commence construction de l'Alhambra de Grenade. 11 successeurs, dont Yusuf III († 1227), qui devient empereur du Maroc (Grenade prospère).

• **Royaumes hispano-chrétiens (718-1515). Début de résistance : Asturies et Galice (718-909),** principauté fondée par chef cath. Pelayo (720-37), neveu de Rodrigue (?). Son 10e successeur, Alphonse III, se proclame, 909, « roi de León ». **Castille :** comté dépendant du roi d'Asturie-Galice en 824 ; indép. 935 (Fernand Gonzáles) ; roy. de Castille 1035 (Fer-

Grands traits de la politique (historique)

1°) **Avant la réunification.** Les 2 grands roy. (Castille et Barcelone-Aragon) n'ont plus eu de principes politiques communs après 1252 (conquête totale du roy. de Valence par la monarchie catalano-aragonaise) : les Castillans, qui ont encore devant eux le roy. de Grenade à conquérir, continuent à lutter contre les infidèles au besoin en s'alliant avec les nations chrétiennes (c.-à-d., en fait, la France) et avec la Papauté pour trouver des appuis ; les rois de Cast., d'origine franc-comtoise, gardent le souvenir de l'emp. castillan du XIIe s. et songent à réunifier la Péninsule. Aragonais-Catalans-Valençais cherchent à échapper à la tutelle cast. dans la péninsule, et à s'agrandir dans le bassin méditerranéen : Midi français, Italie, Grèce. La Navarre s'appuie sur les Fr. pour se défendre contre ses voisins.

2°) **Sous les rois cath.** La reconquête de l'E. sur les infidèles se poursuit en Afr. De 1480 à 1497, nombreuses expéditions au Maroc et en Algérie, conquête de Melilla. Les agrandissements se poursuivent en Cerdagne-Roussillon et en Italie. La conquête des Canaries (1477) et la découverte de l'Amérique (1492) sont conçues comme un accroissement de forces permettant de conquérir l'angle ouest du Maghreb.

3°) **Héritage bourguignon.** L'arrivée sur le trône des Habsbourg, héritiers des ducs de Bourgogne (c.-à-d. essentiellement des P.-Bas), change la politique esp. Charles Quint aspire à la suprématie mondiale, afin d'imposer un ordre cath. Principal adversaire : la France.

4°) **Philippe II.** Ayant renoncé à l'All. mais pas aux Pays-Bas (héritage bourguignon), ni à l'Italie (tradition aragonaise), combat la Fr., puis l'Angl. séparée de Rome. Il continue la lutte contre les Nord-Afr., et annexe le Portugal.

5°) **Décadence esp.** Après la perte de l'Armada (1588) et la sécession des P.-Bas, l'E. est sur la défensive en Méditerranée. Objectif : maintenir le plus longtemps possible le patrimoine de la dynastie en compensant par des acquisitions ponctuelles ce qui a été perdu. Ainsi, Charles II (dernier Habsbourg d'Esp.) choisit un Bourbon comme héritier : la force du roy. de Fr. doit permettre de maintenir dans l'ensemble l'héritage de Philippe II.

6°) **Alliance fr.** Le « *pacte de famille* » entre Bourbons de Fr. et d'Esp. permettra à ceux-ci de restaurer leur puissance (récupérations territoriales en Italie et Amér. du N.). Après la chute des Bourbons, Charles IV choisit de rester l'allié de la Révolution et de Nap. Mais l'arrestation du pape Pie VII (5-7-1809) scandalise le peuple esp. qui retourne à la politique cath. et antifrançaise de Charles Quint et Philippe II.

7°) **Fin de l'Empire d'outre-mer.** La révolte des colonies d'Amérique (fomentée par Angl. 1820, puis par U.S.A. en 1898), entraîne l'Esp. à se replier sur elle-même (abandon d'alliances, y compris l'all. fr.). Elle veut refaire la force du pays, pour garder ses idéaux (notamment la foi cath.) et reste neutre pendant les 2 g. mondiales : gros profits.

8°) **Renouveau contemporain.** Après les progrès technologiques, financiers et démographiques des années 1960-80, l'E. (devenue 10e puissance industrielle du monde) souhaite : 1°) prendre la tête des nations hispanophones (mais la tradition anticolonialiste la rend impopulaire) ; 2°) s'intégrer aux démocraties industrialisées de l'Occident (alliance avec U.S.A., entrée dans la C.É.E. pour se maintenir dans la course au progrès technique).

dinand Ier), et de Castille-León, 1038. **Navarre :** duc carolingien d'Aquitaine Loup Ier se proclame duc des Navarrais en 710 ; Iñigo Arista, montagnard basque, se proclame « roi de Pampelune » 825. Son fils (ou petit-f.) Garcia Iñiguez devient roi de Navarre v. 850. **Aragon :** formé de 2 comtés pyrénéens de Ribagorza (navarrais de 925 à 1037) et d'Aragon (transformé en roy. en 1035). Fondés sans doute par des Carolingiens (v. 810). **Catalogne ou Gotolonia** (« pays des Goths ») : seigneuries wisigothiques ariennes ayant résisté aux musulmans dans Pyrénées (716 à 778) ; ralliées à Charlemagne 778 ; ayant un marquis carolingien [à Gérone (785), puis Lérida (800), Barcelone (801), Tortose (811)] qui devient comte héréditaire de Barcelone en 820.

Reconquête : *Navarrais :* Calahorra 1035 ; *Aragonais:* Barbastro 1064 (avec les Français de Guillaume de Montreuil), Huesca (cap. provisoire) 1096, Tudela 1110, Saragosse (cap.) 1118, Monzón 1143, Teruel 1171, Cuenca 1177 ; *Catalans et Aragonais fusionnés :* Baléares 1229-35, Valence 1238 ; *Castillans :* Tolède 1085 (cap.), Valence (conquête éphémère par le Cid 1096), Cordoue 1236, Séville 1248, Murcie 1248 ; *Rois catholiques :* Grenade 1492. *Principal traité :* Cazorla 1179 : partage conquêtes futures entre Aragonais et Castillans ; au N. de Biar : Aragon, au S. : Castille. *Principale bataille :* las Navas de Tolosa (1212) réduisant à l'Andalousie les territoires arabes (armée surtout française par solidarité avec le roi franc-comtois de Castille, Alphonse VIII). **Réunification : 1037** León-Castille (séparés 1157-1230 ; définitive 1230) ; **905** Navarre et Aragon (séparés 1035) ; **1162** Barcelone-Ar. ; **1492** Barcelone-Ar. et Castille ; **1512** Nav. conquise par Castille-Ar.

Principaux événements dans chaque royaume : Castille : 1135-57 Alphonse VII, fils d'un seigneur franc-comtois, porte le titre d'« empereur » [vassaux : rois chrétiens de Navarre, Aragon, Portugal ; roi maure Saïf ed Daoula ; C^tes de Barcelone, Toulouse, Provence ; nombreux seigneurs français]. **1364-68** intervention dans la g. de Cent Ans : dynastie anglophile (Pierre le Cruel) vaincue et remplacée par les Transtamare, alliés aux Fr. (victoire de Du Guesclin à Montiel 1368). **Aragon et Catalogne : 1112** acquisition du comté de Provence (échange contre Cerdagne et Narbonnaise 1168). **1213** participation à la g. des Albigeois, défaite et mort de Pierre II à Muret. **1281** conquête de la Sicile sur Angevins. **1287** aristocrates obtiennent le « privilège d'union », qui les rend maîtres de la monarchie. **1297** conquête de la Sardaigne. **1348** aristocrates écrasés par Pierre IV à Epila, perdent privilèges. **1440** conquête du roy. de Naples (**1460** domaines italiens déclarés inséparables de la couronne d'Aragon). **1461** bourgeoisie cathol. obtient capitulation de Villafranca, qui affranchit villes commerçantes de l'autorité royale (oligarchies urbaines). **Navarre : 1234** passe à des seigneurs fr. (Thibaud de Champagne). **1284-1328** aux rois de Fr. (titrés « de Fr. et de Navarre »). **1328** aux Valois-Évreux, puis à d'autres familles fr., jusqu'en 1512 (conquête par les rois cath.).

• **Espagne réunifiée. 1479** Inquisition d'E. fondée [dirigée au début contre marranes (juifs pseudo-convertis), *1483-98* confiée au dominicain Thomas de Torquemada (2 000 exécutions) ; *1529* protestantisme réprimé. *1808* abolie par Joseph Bonaparte. *1814* rétablie ; *1834* suppression définitive ; total des condamnés 30 000]. **1492** C. Colomb découvre l'Amérique (v. encadré). Soulèvement (Grenade reprise aux Abencérages (guerriers maures). *-31-3* expulsion des Juifs non convertis (départ Moy.-Orient 90 000, Italie 90 000, Maghreb 30 000, pays du Nord 90 000, France 30 000). **1513** Conseil des Indes créé (*1521* Charles Quint « roi des Indes et des terres fermes de la mer Océane » ; vice-royautés : Mexico *1536*, Pérou *1543*, N.-Grenade *1719*, La Plata *1776*). **1516-56** Charles Quint roi et emp. d'Allemagne : E. à son apogée. **1518 g. des Communes,** 1re grande g. civile espagnole [chef : Juan de Padilla (1490-1521, décapité) ; *motifs : proches :* peuple irrité contre prédominance flamande dans les cadres politiques de l'E. ; *lointains :* 1° attachement des villes aux libertés locales *(fueros) ;* 2° colère des pauvres contre « magnats ». *Déroulement : 1518* soulèvement du roy. de Murcie et des grandes villes de Castille (Tolède, Ségovie, Zamora, Burgos, Madrid, Ávila, Guadalajara, Siguenza, Cuenca, etc.). **1519** Impériaux incendient Medina del Campo ; Sainte Junte *(Junta santa)* réunie à Ávila, prend Valladolid et Tordesillas ; *déc. : Germanía* (fraternité), mouvement populaire à Valence : les nobles fuient. **1520** le mouvement gagne tout le roy. de Valence, puis Majorque ; l'aristocratie favorable jusque-là aux *comuneros* prend parti pour Impériaux. **1521**-*23-4* connétable Inigo de Velasco écrase communaux à Villalar. *-18-7* duc de Segorbe écrase *agermanados* à Almenara. **1523** Majorque reconquise par Impériaux, chefs rebelles exécutés]. **1556-98** Philippe II laisse l'Empire à son oncle ; garde E., Amérique, P.-Bas et possessions d'Italie. **1568-70** soulèvement morisque (musulmans « convertis »). **1580-1713** union avec Portugal (en rébellion 1640). **1585** protecteur de la *Sainte Ligue* (cathol.) en Fr., cherche à faire donner la couronne de Fr. à sa fille Isabelle-Claire-Eugénie [complot avec Cazaulx à Marseille 1588, Mercœur en Bretagne 1589 ; occupation de Paris (par Alexandre Farnèse) 1590, Rouen 1592 ; 1593 états généraux fr. refusent candidature d'Isabelle ; défaite de Fontaine-Française 1595 ; *tr. de Vervins* (Philippe II reçoit Charolais) 1598]. **1588** perte de l'*Invincible Armada ;* déclin amorcé [g. à Élisabeth d'Angl. « qui favorisait l'hérésie » (P.-Bas) : 130 vaisseaux (7 000 marins, 19 000 soldats, commandés par le duc de Medina Sidonia) contre 197 vaisseaux angl. ; pertes : 65 vaisseaux, 12 000 †]. **1613** expulsion de 300 000 morisques d'Andalousie et d'Aragon. **1621-43** gouv. d'un favori, le comte-duc d'Olivares [Gaspar de Guzmán (1587-1645)] : Esp. appauvrie et déchue. **1648**-*14-10 tr. de Westphalie,* perd P.-Bas néerl. **1713**-*11-4 tr. d'Utrecht,* perte Italie et P.-Bas belges ; alliance étroite entre Bourbons d'Esp. et Fr. jusqu'en 1792.

1793-95 g. avec Rép. fr. **1795-1805** alliance avec Fr. ; défaite navale de Trafalgar aux côtés des Fr. **1807**-*27-10 tr. de Fontainebleau :* Charles IV remet sa couronne à Napoléon. **1808**-*2-5* révolte de Madrid contre troupes de Murat ; g. d'E. contre roi Joseph

Les grandes découvertes

Voir Découvertes et explorations, p. 59.

Amérique du Nord et du Centre. 1492 (Christophe Colomb) : *12-10* île de Guanahani (Watling), arch. des Bahamas ; *28-10* Cuba ; *6-12* St-Domingue (Hispaniola). **1493-94** (id.) : Puerto Rico, Jamaïque. **1498-1500** (id.) : Trinidad, Venezuela (delta de l'Orénoque). **1502-04** (id.) : isthme de Panamá. **1507** (Pinzón et Díaz de Solís) : Yucatán. **1508** (Ocampo) : circumnavigation de Cuba. **1513** (Bilbao) : traversée de Panamá, déc. du Pacifique (Ponce de León) : Floride. **1518** (Juan de Gripilba et Hernández de Cordoue) : Campeche et Tabasco (Mexique). **1518-19** (Alvarez de Pineda) : tour du golfe du Mexique. **1519-21** (Pedro de Alvarado, sur ordre de Hernán Cortés) : côte mex. du Pacifique. **1524-26** (Esteban Gomez) : côte de l'Atl. Nord jusqu'au cap. Hatteras (Caroline du N., U.S.A.). **1530** (Guzmán) : Arizona, N. Mexique. **1536** (Hernán Cortés) : basse Californie. **1542** (Jean Rodriguez Cabrillo) : baie de San Francisco.

Amérique du Sud 1499 (Alonso de Ojeda) : embouchure de l'Amazone et Guyane. **1508** (Díaz de Solís et Pinzón) : côtes de l'Argentine vers le 40 ° de lat. S. **1515** (les mêmes) : côtes de l'Arg. plus au N. (la Plata). **1520** [Magellan (Fernando de Magallanes, Portugais au service de l'Esp.)] : détroit de Magellan, Terre de Feu. **1524** (Pizarre) : Pérou. **1533** (Belalcazar Quito) : Chili. **1539** (Almagro) : río Maule, au S. du Chili (les limites de l'Am. du S. sont connues). **1539-41** (Francisco Orellana) : descente de l'Amazone du Pérou à l'Atlantique.

Terres du Pacifique. 1521 (Magellan) : *6-3* Iles Mariannes ; *31-3* (le même) : Mindanao [(Philippines) ; Magellan y est tué]. **1522** Elcano ramène en Esp. la flotte de Magellan. **1564** (Legazpi, parti des côtes mex.) : Cebu (Phil.). **1570** Luçon (Phil.).

Principales routes maritimes esp. Transatlantiques (départ de Séville jusqu'en 1600 ; de Cadix après 1600). Direction sud jusqu'aux Canaries ; traversée de l'Atlantique au 28° parallèle (alizés). Dans les Antilles : a) Flotte de terre ferme : Carthagène (Colombie), Panamá, La Havane. b) Flotte de Nouvelle-Espagne (Mexique), La Havane. Les 2 fl. reviennent ensemble par Floride et Açores. **Pacifiques** [reliées à celles de l'Atlantique par l'isthme de Panamá et le Mexique (Acapulco)]. a) Pérou-Panamá (route de l'argent) ; b) Acapulco-Philippines (Manille) ; retour par Japon et Californie (vents d'ouest).

Nota. – Il n'y avait pas de liaisons directes Espagne-Philippines par l'océan Indien.

Conséquences des découvertes. 1°) l'E. devient la 1re nation du monde : assise territoriale, puissance économique (commerce des produits coloniaux : canne à sucre, maïs, haricots, pommes de t., tabac ; exploitation des nouvelles terres) ; financière (70 % des réserves monétaires métalliques) ; tonnage de la flotte (en comptant la flotte holl.). Mais pas de suprématie démographique, à cause du génocide des Indiens. 2°) l'E. se dépeuple, l'expansion vers Italie et Afrique du N. s'arrête. 3°) l'activité écon. se tarit : terres en friche ; industrie paralysée par la baisse démographique. 4°) la monarchie, qui dispose des ressources américaines, n'a plus besoin des subsides votés par les provinces et les villes et devient absolue. 5°) les Hollandais, sujets esp., lors des découvertes, profitent du régime colonial pour s'enrichir proportionnellement plus que les Esp. Ils deviendront indépendants. 6°) les Anglais, qui convoitent l'empire esp., deviennent ses rivaux.

Bonaparte imposé par Nap. et surnommé *Pepe Botella* (Jojo la Bouteille) ou le roi intrus. **1813** Bourbons restaurés. **1810-29** colonies d'Amérique perdues [indép. : *1810* Argentine, *1817* Chili (San Martin), Venezuela (Bolívar) ; *1821* Pérou (San Martin ; g. jusqu'en *1826*), Mexique, St-Domingue ; Colombie ; *1822* Équateur ; *1824* Amér. centrale (rép. féd. du Guatemala)]. **1822** *juill.* Ferdinand VII prisonnier des Libéraux appelle les Puissances. *-20-10* congrès de Vérone. **1823** expéd. fr. décidée par tsar à Vérone et dirigée par duc d'Angoulême pour restaurer monarchie absolue. *-7-4* offensive (26 000 h.). *-24-5* entrée à Madrid sans combat. *-30-8* siège de Cadix qui capitule le 20-9 (prise du *Trocadéro*). *-28-9* épuration sanglante des Lib. par Ferdinand VII. **1833-76** *g. carlistes*, (voir p. 929). Conséquence : retard économique. **1834**-*15-7* Inquisition (créée XIIIe s.) abolie. **1865** g. contre Chili et Pérou (g. du Pacifique). **1868**-*30-9* Isabelle II doit abdiquer en faveur de son fils Alphonse XII. *-9-10* Gal Juan Prim (1814-70) soulève Madrid, Valence, Barcelone. *-20-10* reine s'enfuit en Fr. **1870**-*16-11* Prim installe sur le trône Amédée de Savoie. *-30-12* Prim assassiné. **1871-72** carlistes près de triompher.

Ire République. **1873**-*11-2* Amédée fuit en Italie ; Parlement vote Rép. (258 voix contre 32). *-23-4* Assemblée dissoute. *-10-6* réunion des Cortes (majorité monarchiste).

Royaume. **1873**-*28-12* les Cortes offrent la couronne à Alphonse XII, fils d'Isabelle. Le duc de Montpensier, 5e fils du roi de Fr. Louis-Philippe, qui revendique la couronne, est exilé. **1898** g. hispano-amér. : Cuba perdue (voir p. 916), Porto Rico, Philippines (100 000 † esp.). **1914-18** neutralité pendant la g. mondiale (enrichissement). **1923**-*19-9* à **1930**-*28-1* dictature de Miguel Primo de Rivera, marquis d'Estella (1870-1930) : sera abandonné par les Catalans, dont il supprime l'autonomie, et par les milieux d'affaires (effondrement de la peseta, dû à la crise mondiale). **1926** fin de la g. du Maroc.

1931 municipales : vict. républ. dans 41 provinces sur 50 ; Alphonse XII part. *-11-4* république, gouvernement provisoire, Pt Niceto Alcala Zamora. *-14-4* **IIe République.** *-28-6* élect. : victoire de la gauche. *-14-10* Azana PM (jusqu'au 7-9-33). *-9-12* constitution. **1932** échec du putsch du Gal Sanjurjo (1872-1936). **1933**-*29-10* Phalange fondée par José Antonio Primo de Rivera (1903-36). *-19-11* élect. législatives : victoire de la droite, 5 200 000 v. contre 3 000 000 à la gauche (sur 473 sièges : agrariens 152, extrême droite 33, divers droite 64, radicaux 100, socialistes 58, gauche catalane 23). **1932** *janv.* Jésuites dissous. *-2-9* réforme agraire. **1933**-*7-9* Alejandro Leroux PM. **1934** *oct.* grèves des Asturies réprimées par Gal Franco. **1936**-*16-2* élect. : victoire du Front pop. (sur 453 s. : droite 142, centre 31, gauche 280, dont radicaux 80, soc. 90, comm. 16, gauche catalane 38). *-10-5* Azana élu Pt de la Rép. *-13-7* José Calvo Sotelo, leader monarchiste, assassiné. *-15-7* Galice autonome.

• **Franco.** **1936**-*17-7* g. civile voir p. 929. *-18-7* Franco, Cdt général aux Canaries, rejoint secrètement Maroc. *-20-7* Gal Sanjurjo tué (accident avion) ; en rejoignant Burgos où des insurgés l'attendaient, il aurait reçu l'infant don Juan (fils d'Alphonse XIII) qui venait d'entrer clandestinement en Esp. pour prendre part à la rébellion (Mola le fera reconduire à la frontière). *-3-8* Franco membre de la junte de défense nat. *-1-10* chef du gouv. nat. et Cdt en chef des forces nationalistes. *-18-11* All. et Italie reconnaissent Franco. *-20-11* J. A. Primo de Rivera, chef de la Phalange, exécuté par rép. **1938**-*1-2* 1er gouv. franquiste. *-18-7* Franco, Capitaine général. **1938-42** Ramón Serrano Suñer (n. 1901), min. des Aff. étr. (a épousé la sœur de la femme de Franco). **1939**-*5-2* Pt Azana passe en Fr. *-27-2* Fr. et G.-B. reconnaissent Franco ; M^al Pétain ambassadeur en E. *-28-2* Azaña réfugié à Paris démissionne. Juan Négrin (1887-Paris 1956) lui succède. *-1-4* fin de la guerre. *-19-5* défilé de la victoire à Madrid.

1940-*14-6* E. occupe Tanger. *-23-10* entretiens Franco-Hitler à Hendaye. **1941**-*12-2* Franco-Mussolini à Bordighera. *-14-2* Franco-Pétain à Montpellier. *-28-6* création de la « Division Azul » (45 000 E. participeront à la croisade antibolchévique). **1942**-*25-9* rappel de la « Division Azul ». *De 1941 à 1944* 30 000 Fr. internés en E. sans jugement après avoir franchi clandestinement les Pyrénées pour rejoindre la Fr. combattante ; 1 200 Fr. tués par les patrouilles all. ou morts de froid et 5 000 déportés (arrêtés par All. ou livrés à eux par E.). 23 000 s'engagèrent (12 000 tués au combat).

1945-*17-7* *3e loi fondamentale* du régime : Charte des E. *-31-7* extradition de Pierre Laval (demandée par la Fr.). *-18-9* E. obligée par Alliés à quitter Tanger. **1946**-*28-2* Fr. ferme frontière avec E. (rouverte 10-2-48). **1947**-*26-7* référendum sur loi de succession (14 145 163 oui, 1 074 400 non ou nuls) ; l'E. est officiellement une monarchie. **1949**-*12-2* commando comm. fait dérailler un train (40 †). **1950**-*5-8* crédit amér. (62 500 000 $). **1952**-*1-11* entrée à l'UNESCO. **1953**-*26-9* pacte avec USA. Aides écon. et mil., défense mutuelle. **1955**-*14-2* entrée à l'ONU. **1957**-*25-2* « technocrates autoritaires » au 6e gouv. **1960**-*8-3* Antonio Abad Donoso (anarchiste) exécuté. **1963**-*20-4* Julián Grimau, dirigeant du PCE, exécuté. *-28-12* 1er Plan de dévelop. écon. et social. **1968**-*6-5* blocus terrestre de Gibraltar (voir p. 955). *-14-10* Guinée esp. indépendante. *-20-12* famille Bourbon-Parme expulsée. **1969**-*14-3* 2e plan de dévelop. *-22-7* Juan Carlos désigné successeur de Franco. **1970**-*8-6* Franco reçoit de Gaulle au Pardo. *-29-6* accord commercial E.-CEE. *-3-12* procès de Burgos (voir Pays basque). **1972**-*2-11* attentat contre Roger Tur, consul de Fr. à Saragosse (mort 7-11), par des maoïstes (30 a. de réclusion aux 5 assassins). **1973**-*17-1* ETA enlève l'industriel Felipe Huarte, libéré contre rançon (4 millions de F). Reconnaissance de RDA (10-1) et Chine (mars). *-27-9* affrontements à Bilbao (policiers/ETA). *-20-12* l'amiral Luis Carrero Blanco (n. 4-3-03, vice-Pt du gouv. dep. 22-9-67, *PM* dep. 8-6-73) tué par ETA. Carlos Arias Navarro (1908-89) PM. **1974**-*2-3* Salvador Puig Antich (Catalan anarchiste accusé du meurtre d'un policier en sept. 72) exécuté. *-22-5* Balthazar Suarez, dir. de la banque de Bilbao, enlevé à Neuilly. *-19-7/2-9* *Juan Carlos* chef de l'État par intérim (Franco malade). Attentats attribués aux GARI (Groupes d'action révol. internat.), issus du MIL (Mouv. ibér. de libér. dont Puig Antich était m.). *Juillet* caravane du Tour de Fr. attaquée. *-13-9* Madrid, bombe dans restaurant, 13 †. *-7-12* droit d'assoc. pour action pol. si respect des principes du franquisme et allégeance au Mouvement nat. **1975**-*25-4* état d'urgence au P. basque (Guipuzcoa et Biscaye). *-22-8* décret-loi antiterroriste. *-27-9 :* 3 m. du FRAP et 2 m. de l'ETA exécutés ; 9 pays eur. rappellent leur ambassadeur. *-29* au *-30-9* grève gén. au P. basque. *-1-10 :* Madrid, 3 policiers tués. Manif. profranquiste (200 000 pers.). *-4-10* renouvellement pour 5 a. du bail des bases amér. (contre aide de 500 à 750 millions de $). *-14-10* au *-20-11* agonie et † du Gal Franco.

• **Juan Carlos Ier.** **1975** *-30-10* chef provisoire de l'État. *-14-11* accord Maroc-Mauritanie-E. sur Sahara esp. *-15-11* basque, catalan et galicien reconnus langues nationales. *-22-11* Juan Carlos roi d'E. *-26-11* « indulto », amnistie partielle des prisonniers pol. *-11-12* nouveau gouv. Navarro : 3 m. libéraux (Cte de Motrico, Antonio Garrigues, Fraga Iribarne). **1976** *janv.* grèves (postiers réquisitionnés). *-24-1* tr. de coopération de 5 a. avec U.S.A. : maintien des bases amér., vente d'avions mil. à l'E., aide 1 200 millions de $. *-27-1* Cortes renouvelés pour 15 mois. *-6-2* décret-loi antiterroriste amendé. *-9-2* maire basque tué par ETA. *Févr.* grèves. *-3-3* affrontements à Victoria (P. basque) : 3 civils tués. *-8* et *-9-3*, 1 manif. tué à Bilbao ; 500 000 grévistes au P. basque. *Avril* A. Berazadi, industriel tué par ETA. *-9-5* affrontements à Montejurra entre carlistes partisans de Charles-Hugues de Bourbon-Parme et partisans de son frère Sixte (1 †). *-9-7* 150 000 manif. à Bilbao pour liberté du P. basque (1 †). *-30-7* amnistie (100 prisonniers ETA ou FRAP exclus). *-4-10* Juan Maria de Araluce, conseiller du roy., tué par ETA. *-28-10* Juan Carlos à Paris (1re visite off. d'un chef d'État esp. dep. 1905). *-12-11* grève générale, 500 000 sur 13 millions de trav. *-11-12* GRAPO (Groupe de résistance antifasciste et patriotique du 1er oct.) enlève A.M. de Oriol, Pt du Conseil d'État. *-15-12* référendum sur Constitution : abstentions 22,6 %, b. blancs 3 %, oui 94,1 %, non 2,6 %. **1977** avocats comm. ass. par extrême droite (Atocha) ; Gal Villaescusa (Pt du Conseil suprême de la justice mil.) enlevé. *-9-2* normalisation des relations dipl. avec URSS. *-11-3* amnistie, sauf pour auteurs de « crimes de sang ». *-18-3* Mexique cesse relations dipl. avec gouv. rép. esp. en exil. *-27-3* acc. aérien : 612 † à Los Rodeos aux Canaries. *-11-4* P.C. esp. autorisé. *-13-5* la Pasionaria [Dolorès Ibarruri (n. 1889-1895)] rentre à Madrid après exil de 38 ans. *-14-5* Don Juan, Cte de Barcelone renonce à ses droits dynastiques pour son fils (le roi). *-20-5* Javier de Ybarra, ancien maire de Bilbao, enlevé par ETA. *-20-6* exécuté. *-15-6* élections aux Cortes constituantes, 1re él. au suffrage universel dep. 41 ans. % votes et entre parenthèses sièges : UCD (A. Suárez) 34,72 (165), PSOE (F. González) 29,25 (118), PCE (S. Carrillo) 9,24 (20), AP (M. Fraga) 8,34 (16), PDC (J. Pujol) 2,78 (11), PNV (Ajuriaguerra) 1,60 (8), PSP (E. Tierno) 4,46 (6), UC-DCC (Canellas) 0,95 (2), EC (H. Barrera) 0,75 (1), EE Letamendia) 0,33 (1). *-23-6* gouv. de la Rép. en exil (Pt José Maldonado) met fin à sa mission. *-30-7* amnistie ; accord écon. de la Moncloa. *-24-11* entrée au Conseil de l'Europe. **1978**-*10-1* au *-6-2* 1res élect. syndicales libres dep. 40 ans. *-20-1* amnistie pour accusés dans l'attentat contre amiral Carrero Blanco. *-25-1* Joaquim Viola, ancien maire de Barcelone, et sa femme ass. *-19-4* IXe congrès du PCE (abandon de la référence au léninisme). *-28-6* M. Portell (dir. du journal « Hoja del lunes » de Bilbao) ass. *-8-7* feria de St-Firmin à Pampelune : émeute 1 † ; 135 000 touristes fuient la ville. *-11-7* St-Sébastien, affrontements avec police, 1 † ; au camping de Los Alfaques 215 †, 67 bl. (camion de carburant explose). *-21-7* Gal Sanchez Ramos Izquierdo et lieut.-col. Rodriguez ass. *-28-10* appel du PNV (P. nationaliste basque), à Bilbao, défilé silencieux de dizaines de milliers de Basques contre violence ETA. *-31-10* vote final de la Constitution. *-5-11* Madrid : 300 000 manif. contre terrorisme. *-11-11* coup de force (« opération Galaxie ») militaire (dont lieut-col. Tejero) déjoué. *-6-12* référendum sur projet de Const. : oui 88 %, abstentions 32,33 (55 % au Pays Basque). *-25-12* J.M. Benaran Ordenana (dit « Argala », un des auteurs de l'attentat contre amiral Carrero Blanco), ass. à Anglet (Fr.). **1979**-*3-1* Gal Gil, gouv. de Madrid, ass. *-1-3* *législatives :* victoire de l'UCD. *-3-4* *municipales :* vict. de la gauche. *-11-5* manif. nat. à Madrid. *-25-5* 3 off. sup. et 1 soldat ass. à Madrid par ETA. *-26-5* attentat rue Goya, 8 †. *-13-6* att. contre chantier centrale nucléaire de Lemoniz. *-30-6/15-7* « g. des vacances » de l'ETA mil. [mitraillage du Paris-Madrid le 2-7, 12 bombes dans stations balnéaires (voir P. basque Index)]. *-28-7* att. ETA (4 policiers †, 4 bl.). *-29-7 :* 3 bombes (ETA) à Madrid (aéroport, gares de Chamartin et Atocha) : 5 †. *-25-10* Catalogne et P. basque : référendum sur autonomie. *-11-11* dép. centriste Javier Ruperez enlevé.

1980-*20-1* Bilbao 4 †. *Févr.* attaque d'un convoi mil. 7 †. *-28-2* référendum sur autonomie de l'Andalousie : non. *-9-3* législatives au P. basque ; victoire nationaliste. *-20-3* législatives en catalogne ; vict. des autonomistes modérés. *Juillet* entrée dans CEE repoussée. *-23-11 :* 200 000 franquistes manif. à Madrid. *-21-12* référendum sur autonomie en Galice : oui (74 % d'abstentions). **1981**-*29-1* Adolfo Suárez, PM, démissionne. *-6-2* José Maria Ryan, ingénieur (centrale nucléaire de Lemoniz), ass. par ETA ; d'où grèves et manif. au P. basque. *-13-2* José Arregui, militant basque, † en prison. *-20-2* ETA enlève 3 consuls (Autriche, Uruguay, Salvador), libérés 28-2. *-23-2* tentative de putsch ; Lt-col. Tejero et des gardes civils envahissent Cortes. *-24-2* échec, l'armée ne suit pas. *-27-2* manif. pour la démocratie. *-1-3* Enrique Castro Quini, footballeur, enlevé, rançon versée (100 millions de pesetas). *-4-5* GRAPO tue Gal Andres Gonzales Suso, chef de l'artillerie. *-7-5* Gal Joaquim de Valenzuela blessé (3 †, 13 bl.). *-23-5* banque de Catalogne à Barcelone, prise d'otages (1 †, extrême droite, pour libérer putschistes du 23-2-81). *-22-6* divorce autorisé. *-23-6* complot contre roi (?) éventé : 2 colonels, 1 Cdt et 3 civils arrêtés. *-5-9* Enrique Cerdan Calixto, chef GRAPO, abattu. *-10-9* « Guernica », tableau de Picasso, rentre des USA. *-22-11* 6e anniv. de la mort de Franco : 125 000 à 800 000 manif. *-25-11* référendum sur autonomie Andalousie : oui. *-29-12* Dr Iglesias, père du chanteur, enlevé, rançon demandée 1 milliard de pesetas (50 millions de F), libéré 16-1-82 par police. **1982**-*19-2* procès des auteurs du putsch du 23-2-81 (33 accusés dont 32 mil.). *Févr.* épidémie de pneumonie atypique (huile toxique, frelatée) : 386 †, 17 800 malades (dep. 1-5-81). Ricardo Tejero, dir. g^al de la Banco Central, tué à Madrid. *-14/18-4* attentats ETA (1 †), ultimatum ETA : 1 mois pour que policiers esp. et leurs familles quittent P. basque. *-3-6* procès des putschistes : 30 ans de réclusion pour Gal Milan del Bosch et Lt-Col. Tejero, qui doit aussi 60 000 F pour dégâts aux Cortes ; 6 ans pour Gal Armada ; acquittement des autres. *-22/24-6* Pt Mitterrand en E. *-27-8* dissolution des Cortes. *-28-10* élections : vict. du PSOE. *-2-10* complot mil. déjoué, 3 off. arrêtés. *-31-10/9-11* visite de Jean-Paul II. *-4-11* Gal Lago Roman, Cdt de la division Brunete, ass. à Madrid. *-5-12* Juan Martin Luna (28 ans), chef du GRAPO, tué. *-15-12* frontière de Gibraltar ouverte aux piétons. **1983**-*7-2 :* 50 000 manif. à Bilbao contre ETA. *-8-5* élect. munic. et région. : PSOE en tête ; Centre perdant, PCE progresse. *-27/30-6* victoire d'Iglesias au Comité central du PC (défaite de Carrillo). *-18-10* C^dt Barrios ass. par ETA. *-21-10* 550 000 manif. antiterroristes à Madrid. *-18-12* et *-19-12* GAL (groupe antiterroriste de libération) ass. 2 réfugiés basques en Fr. **1984** *janv.* scission du PC, I. Gallego (avec 800 délégués) crée PC plus prosoviét. *-29-1* Gal Quintana (C^dt région mil. de Madrid, dont l'attitude loyaliste fit échouer le putsch du 23-2-81) ass. *-7-3* ayant constaté en 1982-83 1 100 infractions, la marine fr. arraisonne 2 chalutiers esp. pêchant illégalement dans eaux communautaires du golfe de Gascogne (6 marins esp. bl., 1 amputé d'une jambe). *-17-3* condamnés à 120 000 F d'amende, 1 200 F de contravention pour refus d'obtempérer, confiscation des poches de chaluts et 130 000 F pour frais de consignation des bateaux. *-Mai* Juan Carlos en URSS (1re visite d'un monarque esp.). Pour protester contre extraditions de réfugiés basques de Fr., attentats antifrançais : Crédit Lyonnais (Barcelone), *14-7* Renault (St-Sébastien), *18-7* Sté Générale (Bilbao), *10-8* BNP et Renault (Madrid), *14-8* Renault (Barcelone). 250 autom. et 48 camions détruits de juillet à oct. : coût 150 millions de pesetas pour État esp. *-5-9* Rafael Paduro, Pt patronat andalou, tué par GRAPO. *-10-10* escale de 15 h de Jean-Paul II à Saragosse. *-20-10* garde-côte irlandais coule chalutier esp. (équipage rapatrié). *-18-11* 500 000 manif. à Madrid pour liberté de l'enseignement. *-20-11* Santiago Brouard (dit Herri Batasuna) tué par GAL. *-21-11* ETA ass. un Gal à Madrid. *Du 28-1-84 au 22-2-85,* 29 sympathisants b. expulsés de Fr. **1985**-*29-3* chef de la police b. tué. *-12-4* près de Madrid, att. dans restaurant, 18 †. *-1-6* projet d'ass. du roi par des militaires. *-12-6* E. adhère à CEE. *-8/10-7* Juan Carlos en Fr. *-29-7* ass. : vice-amiral Fausto Escrigas (à Madrid) et un commissaire adj. à Vitoria (25 ass. dep. début 85). *-9-8* 1er avortement légal. *-23-12* Gal Atares tué par ETA. **1986**-*1-1.* entrée dans CEE. *Févr.* vice-amiral Cristobal Colón de Carvajal tué par ETA. *-12-3* référendum pour maintien dans l'OTAN : oui 52,53 %, non 39,84 % (P. Basque : non 65,2 %), (abstentions : 40,27 %). *-23/26-4* roi et reine en G.-B. (1re vis. d'un roi Esp. dep. 1906). *-25-4* voit. piégée, 5 gardes civils †. *-17-6* att. Madrid : 3 militaires †. *-22-6* législatives : P. S. 44,06 % des voix (46 % en 1982), coalition populaire, 26 % (25 %) ; participation : 70,77 %. *-13-7* Domingo Iturbe Abasolo, dit « Txomin », no 1 E.T.A., expulsé de Fr. Felipe Gonzalez réélu. *-14-7* att. Madrid : 12 †. *-20-8* incendie forêt de Montserrat (8 000 ha). *-10-9* Yoyes (Dolores Gonzales Catarain, 32 ans), ETA repentie, tuée par ETA. *-25-10* Gal Garrido Gil tué par ETA ; *déc.* manif. étudiants. **1987**-*17-1* 6 membres du commando Madrid arrêtés. *Janv./févr.* manif. étudiants contre sélection, pour gratuité universitaire et salaire min. pour 80 % des étud. *-18-2* 32 Basques esp. expulsés de Fr. vers Esp. dep. 19-7-86. *-25-2* Txomin réfugié en Alg. meurt dans accident de voiture (ou explosion ?) à 43 ans. *-30-3* procès des huiles frelatées (386 † en Esp. en 1981). *-17-5* Madrid : 3 att. *-19-6* Barcelone (supermarché) : voiture piégée, 21 † (2 m. ETA seront condamnés en 1989 à 794 ans de prison). *Août* troubles au P. basque. *-11-12* Saragosse ; voiture piégée : 11 †. *-13-12* à Saragosse, 200 000 manif. contre ETA. *-26-12* Barcelone : att. à la grenade par séparatistes catalans : 1 marin Amér. †. **1988**-*14-1* 5 partis sur 6 (sauf Herri Batasuna) condamnent ETA militaire. *-15-1* renouvellement du tr. américano-esp. de 1953 pour 8 ans : 72 avions F 16 quitteront Torrejón dans les 3 ans [les USA ont 4 bases : *Torrejón de Ardoz* près de Madrid (défense et contrôle aérien de l'Atlantique à la Méditerranée) ; *Sanjurjo* à Saragosse (entraînement des forces stationnées en Europe dep. le retrait amér. de Wheelus Field en Libye, en 1970), *Morón de la Frontera* près de Séville (tâches logistiques), *Rota* près de Cadix (importante dep. le repli des bases du Maroc, 1963). En tout, il y a 13 000 militaires américains]. *-29-1* gouv. rejette offre de trêve d'ETA (de 60 j). *6-2* mort de Carmen Polo (n. 1900), veuve de Franco. *19-2* Philippe Bidart, chef d'Iparretarrak arrêté près de Bayonne. *-25-2* Emiliano Revilla enlevé par ETA (libéré 30-10). *Mars* attentat ETA. *-4-7* Juan Carlos Echeverria Garmedia, militant basque arrêté à Paris portant 100 millions de pesetas (partie de la rançon d'Emiliano Revilla enlevé 24-2). *Juillet* l'écrivain Jorge Semprun (64 ans) min. de la Culture. *Sept.* accord pour 8 ans sur bases amér. *-16-10* Pampelune, att. ETA, 1 †. *-17-10* visite reine d'Angl. *-20-11* manif. extrême droite à Madrid (13e anniv. de la mort de Franco). *-22-11* à Madrid att. ETA (siège de la garde civile), 2 †. *-14-12* grève générale (95 % des travailleurs). *-23-12* Gal Alfonso Armada Comyn, condamné à 26 ans 8 mois et 1 j de prison pour participation au coup d'État de 1981, gracié. **1989**-*8-1* trêve ETA. *Févr.* fusion des 2 chambres de commerce à Paris (séparées dep. mai 1938). *-13-3* mort de Jesus Maria de Leizaola, anc. Pt du Gouv. basque en exil. *-18-3* 200 000 manif. à Bilbao. *-10-4* trêve rompue. *-15-4* explosion sur la ligne Madrid-Valence (ETA). *-19-6* entrée peseta dans SME. Été très sec. *-1-9* Cortes dissoutes. *-24/28-9* Hassan II en Esp. (1re visite off.). *-29-10* législatives. *-16-11* obsèques de la Pasionaria († 12-11) devant 200 000 pers. **1990**-*13-1* incendie boîte de nuit à Saragosse, 43 †. *-25-3* PSOE perd majorité absolue aux Cortes après élection partielle à Melilla (175 sièges sur 350). *-16-6* Cel Manuel Lopez Munoz ass. (GRAPO). *-21-6* députés indépendantistes élus en 89 pourront siéger aux Cortes (refusent de prêter serment). *-17-8* attentat ETA contre commissariat de Burgos, 40 bl. *-6-9* 3 att. du GRAPO à Madrid. *-23-9* Biarritz ; José Maria Jabier Zabaleta Elasegui (« Waldo »), no 2 de l'ETA, arrêté. *-10-10* explosion boite de nuit de St-Jacques de Compostelle, 3 †, 30 bl. *-26-10* Fernando Silva Sande, chef présumé GRAPO, arrêté. *-26/28-10* Gorbatchev en E. **1991**-*12-1* Alfonso Guerra, vice-Pt du gouv. (dont le frère Juan aurait bénéficié d'un trafic d'influence), démissionne. *Mars* procédure de béatification de la reine Isabelle Iere (prévue pour 1992) suspendue. **1992**-*20-4* ouverture de l'exposition universelle de Séville prévue.

Nota. – Victimes du terrorisme : *77 :* 28, *78 :* 85, *79 :* 118 (dont 70 P. basque), *80 :* 124, *81 :* 38, *82 :* 44, *83 :* 44, *84 :* 41, *85 :* 58, *86 :* 9, *87 :* 53.

Guerres civiles espagnoles

Analyse

1°) **Tradition anticentralisatrice.** (au XIe s., les roy. musulmans du S., ou taïfas, étaient indépendants ; les roy. chrétiens et féodaux du N. étaient souvent ennemis.) Les particularismes locaux sont garantis par les *fueros,* chartes consenties par les souverains et reconnaissant le droit à l'autonomie fiscale et administrative. L'avènement d'une dynastie unique n'a pas supprimé les administrations propres à chaque royaume.

2°) **Tradition anticastillane.** Date de 1521, lorsque la noblesse cast. voulant défendre ses biens contre la *Germania* a basculé dans le camp impérial au cours de la g. des Communes, et a lié désormais la centralisation monarchique et l'hégémonie castillane qui fut : a) *culturelle* par la langue, y compris en Andalousie, où les populations implantées de fraîche date n'ont pas de dialectes locaux vivaces, mais se heurtent au catalan-valencien à l'E., au basque au N., au portugais-galicien au N.-O. b) *financière et politique.* Dep. 1492 (découverte du Nouveau Monde et conquête du roy. musulman de Grenade) les nouvelles terres sont annexées au roy. de Castille (Indias de Castilla), l'union avec l'Aragon-Catalogne n'étant pas encore faite. L'or importé d'Amér. est investi en territoire cast. ; les postes lucratifs d'outre-mer sont réservés aux nobles cast. Les régions riches non cast. (P. basque, Catalogne), qui payent le plus d'impôts, réprouvent la priorité donnée aux investissements en Castille.

3°) **Disparition du domaine public.** Au XIe s., les rois délèguent leur autorité sur les grands domaines *(senorios solariegos)* à des magnats laïcs et à des dignitaires ecclésiastiques. Après le XIIe s., les terres reconquises sur les Musulmans sont distribuées de même. Aux XIVe et XVe s., les donations *(mercedes)* de biens fonciers aux nobles réduisent à rien le domaine royal. En 1811, les Cortes (en majorité bourgeois des villes) retirent aux seigneurs les droits de justice sur les hab. des domaines et transforment ceux-ci en propr. privées (loi confirmée en 1837) dont les propr. exercent des droits illimités (en 1930, les 29 grands d'Espagne possédaient 577 359 ha).

4°) **Révoltes plébéiennes.** Les paysans n'ont pas de recours contre les propriétaires, qui fixent eux-mêmes les redevances à payer et souvent n'accordent pas de baux supérieurs à 3 ans ; la menace d'expulsion est constante. Les nobles vendent à perpétuité à des tiers (souvent bourgeois des villes) le droit de percevoir les redevances foncières de leurs domaines (moyenne pour l'Esp. aux XVIIIe-XIXe s. 7,14 %, le double de la moyenne européenne). [Exception : P. basque, où les exploitations rurales, même petites, sont réputées « nobles » (en Biscaye, 98 % des paysans portent la particule et sont propriétaires de leurs biens fonciers ; leur hostilité à la Castille se double du mépris pour le sous-prolétariat rural castillan).] Aussi les pauvres émigrent-ils vers l'Amér. ou se révoltent. Toute g. civile esp. (d'origine polit. ou régionale) se double d'une g. sociale (paysans pauvres contre possédants).

5°) **Tradition de la guérilla.** En 1705 et 1713 g. de Succession d'E. (v. ci-dessous). En 1808 contre les Fr., ensuite pour des objectifs pol. ou sociaux.

6°) **Traditions catholique et anticath.** L'Église aux Ve-VIIe s., minoritaire devant les ariens, a acquis par intrigues politiques et les armes (conversion du roi Récarède) une situation de force. La reconquête militaire se fit pour refaire un roy. chrétien. Après la prise de Grenade, la hiérarchie cath. (entre les mains de la royauté) a utilisé l'*Inquisition* pour maintenir ses positions : expulsion des Morisques et des Juifs ; exécution des renégats, puis (aux XVIe-XVIIe s.) extermination du protestantisme. Au cours des g. civiles du XIXe s., les ecclésiastiques se font souvent chefs militaires [ex. : le trappiste, *El Trapense* (Fray Antonio Marañon), qui s'empare de la Seo de Urgel, pendant la g. de Riego en 1822 ; en 1872 (g. carliste), curés basques et navarrais se mettent à la tête de leurs paroissiens]. Au contraire, dans de nombreuses campagnes, les paysans sans terres prennent parti contre l'Église, en tant que propriétaire terrienne. Aux XIXe et XXe s., en Esp. comme en Amér. latine (notamment au Mexique), les théoriciens de la lutte contre l'Église (« libéraux » ou révolutionnaires, héritiers des révolutionnaires fr.) prétendent lutter contre le « fanatisme » (c.-à-d. les méthodes de l'Inquisition).

7°) **Tradition des pronunciamientos** (coups d'État mil. au cours desquels le chef des rebelles *prononce* un discours-programme, pour entraîner ses partisans). De gauche (par ex. Riego 1821, Galán 1930) ou de droite (Primo de Rivera 1923). Peuvent être l'occasion de g. civiles, les rebelles sachant qu'ils seront tués en cas d'échec (Riego pendu 1823, Galan fusillé 1930). Ainsi, le pronunciamiento de Franco, en 1936, a-t-il déclenché la g. civile de 1936-39.

8°) **Traits psychologiques des Esp.** Ils ne se posent pas en citoyens (Alphonse XIII disait qu'il régnait « sur 21 millions de rois »). Trait principal : l'égocentrisme (individualisme, sentiment de l'honneur, sens de l'égalité). Vie sociale et politique relâchée, goût des actions individuelles (francs-tireurs), imprévoyance et démesure (goût des victoires totales, avec refus du compromis), recherche du prestige et, à l'échelon local, *caciquisme* (autoritarisme des notables). Ces traits expliquent en partie la fréquence des g. civiles, le goût de l'anarchie, l'acharnement des luttes, le caractère spectaculaire du terrorisme.

9°) **Interventionnisme étranger.** Toutes les g. civiles esp. modernes [à part les 2 1res, 1518-23, dites *g. des Communes* et *g. de la Germania* (voir ci-dessus)] ont connu des interventions étrangères, et sont nées souvent du fait que les Esp. s'étaient rangés dans 2 camps étrangers différents. Ex. : *1704-11 g. de Succession d'Espagne :* le prétendant autrichien Charles de Habsbourg (futur emp. Charles VI) est reconnu roi d'Esp. par Catalans et Aragonais. Les Castillans prennent parti contre lui (et les Catalans). Repoussé de Madrid, Charles se retranche 2 ans (1710-11) dans la province de Gérone. La lutte se prolonge jusqu'en 1713, sous la direction de sa femme Isabelle de Brunswick-Lunebourg, régente. Vaincus en 1713-14, Catalans et Valençais sont privés de leurs *fueros. Insurrection de Riego (1819-23) :* ancien officier fait prisonnier par les Fr. en 1808, Riego se convertit aux idées révolutionnaires et, en 1819-20, oblige Ferdinand VII à accepter la Constitution libérale de 1812. Mais la Sainte Alliance (Fr., Autriche, Russie) envoie des troupes (fr.) en E. Les libéraux sont vaincus et Riego exécuté (1823).

Guerres carlistes (1833-76)

• **Causes.** *1° dynastiques* (la loi salique en vigueur chez les Bourbons, mais non traditionnelle en E., ferait passer la couronne à Don Carlos, frère de Ferdinand VII, et non à Isabelle II). *2° politiques* [Carlistes (traditionalistes) contre Christinistes (pour la régente Marie-Christine), plutôt libéraux].

• **1re guerre (1833-39).** Les « puissances libérales » envoient contre Zumalacarréqui (chef carliste) 18 500 h. (Angl. 14 000, chef : Lord Ewans, Fr. 4 500, dont Bazaine). Zumalacarréqui est tué par les Angl. devant Bilbao. Don Carlos échoue et signe avec Espartero la convention de Vergara.

• **2e guerre (1849).** Le Cte de Montemolín (Charles-Louis de Bourbon, 1818-61) débarque en Catalogne. Son Lt, Tristany, doit se replier en Fr.

• **3e guerre (1872-76).** Thiers, redoutant une victoire de Don Carlos, qui aurait favorisé le retour de la monarchie en Fr., persuade les rép. de soutenir Amédée de Savoie. Le duc de Madrid occupe les 2/3 du pays et s'installe à Estella (Navarre), l'emporte sur les rép. (1873-74), mais est battu par le Gal Primo de Rivera, lieutenant d'Alphonse XII (Estella prise le 19-2-1876). 70 000 †. Abolition des fueros à Guipuzcoa, Biscaye et Alava.

Guerre civile de 1936-39

• **Effectifs. Nationalistes :** *1936-20-7 :* 30 000 h. (métropole), 53 000 h. (Maroc) ; *-30-10 :* 350 000 h. *1937-30-7 :* 500 000. *1938-30-7 :* 700 000. *1939-1-4 :* 800 000. **Républicains :** *1936-20-7 :* 91 000 ; *oct.* 450 000, chiffre indéterminé par la suite.

• **Aide étrangère. Aux nationalistes. Allemagne :** 16 000 h. (dont légion aérienne Condor 6 500). *Pertes :* 300 h. Coût : + de 500 millions de Reichsmarks, dont 124 de matériel de g. pour les Nationalistes et 354 pour les All. **France :** Bandera Juana de Arco 500 h. (Cap. Bonneville de Marsannoy tué 10-10-37). **Ir-**

lande : 600 h. **Italie :** volontaires ital. : 75 000 h. (dont les escadrilles aériennes et 4 divisions de Chemises noires avec d'importants éléments de chars légers). *Pertes :* 6 000 h. *Aide matérielle :* 763 avions, 1 672 t. de bombes, 1 930 canons, 10 500 mitrailleuses, 240 000 armes légères, 7 663 véhicules à moteur. **Portugal :** 7 000 à 12 000 vol. (Viriatos). 1 100 officiers dans les unités esp. Pertes : 670 h. A servi aux franquistes de relais avec l'extérieur et a facilité, en août 1936, la prise de Badajoz.

Aux républicains. Accord franco-soviét. pour la fourniture de matériel soviét. acheté avec l'or esp. : les armes débarquées à Dunkerque et au Havre transitent en wagons plombés. Responsables français : Jules Moch, Jean Moulin, Pierre Cot [entre oct. 1936 et mars 1939 : 127 000 t apportées par 164 navires, dont 34 soviét. soit : 900 chars, 198 canons, 8 000 camions, 9 000 véhicules divers, 500 000 fusils. Aide par voie maritime : 242 avions, 731 chars, 703 canons. Personnel (instructeurs, techniciens civils) : 2 500 h.]. **Fournitures d'armes fr.** (selon des contrats fictifs passés avec Mexique et Lituanie ; mais correspondant souvent à des contrats passés avec la Rép. esp. avant la g. civile) : 200 avions, 47 canons de 75. **Volontaires.** *23 bataillons* (dont 15 ayant transité par la Fr.) *formant 6 brigades internat.* ayant totalisé 35 000 h. dont 10 000 Fr. (3 000 †), 5 000 All. et Autr., 4 000 Balkaniques, 5 000 Polonais, 3 500 Ital., 2 800 Amér., 2 000 Belges, 2 500 Scandinaves, 200 Brit. *Principaux chefs : Esp. :* Valentin González, dit El Campesino (1909-20-10-1983), G[al] commandant la 46e division de choc des Brigades. Réfugié en U.R.S.S., promu M[al], il entra à l'école de g. de Frounze, puis fut arrêté, envoyé au goulag. Évadé en 48, se réfugia en Fr. ; 13-10-1961, interné à l'île de Bréhat, puis libéré, devint ouvrier. *All. :* Walter Ulbricht. *Bulgare :* Georges Dimitrov. *Hongrois :* Laszlo Rajk. *Youg. :* Josip Broz, dit Tito. *Italiens :* Pietro Nenni, Palmiro Togliatti. *Français :* André Marty (inspecteur des Brig. inter.), Charles Tillon, Rol-Tanguy.

• **Opérations. 1936**-*17-7 soulèvement du Maroc (movimiento)* ; *-18-7* en Vieille Castille et León (Gal Emilio Mola Vidal, 1887-3-6, 1937 † accident d'avion) et Andalousie (Gal Queipo de Llano 1875-1951). Les Rép. contrôlent 2 zones : Nord : Pays basque-Asturies ; Est : Barcelone-Valence-Málaga (+ Badajoz). *-22/26-7* bataille de Guadarrama : les troupes de Mola à 60 km de Madrid. *-23-7* pont aérien Maroc/Andalousie : Queipo de Llano peut se maintenir dans le S. *-30-7* 3 transports de troupes amènent des renforts marocains à Algésiras. *-14-8* prise de Badajoz : les 2 zones nat. réunies. *-5-9.* Navarrais prennent Irun, coupant zone rép. N. de la frontière fr. *-13-9* prennent St-Sébastien. *-29-9* troupes du S., marchant vers Madrid, délivrent *Alcazar* de Tolède (résistance dep. *18-7* ; chef : colonel José Moscardo 1878-1956). *Oct.-déc.* échec des Nat. devant Madrid. *-7-11* Gouv. rép. réfugié à Valence. **1937**-*janv.-févr.* échec d'encerclement de Madrid par le S. (vallée du Jarama) ; *-8/10-2* Italiens prennent Málaga. *-23-3* Il. ne peuvent encercler Madrid par le N. (Guadalajara). *-30-3/21-10* offensive nat. contre zone rép. N. *26-4* bombardement de *Guernica* (par All.). *-19-6* prise de Bilbao. *Juin* Gouv. rép. réfugié à Barcelone. *-6/28-7* contre-attaque rép. à Brunete (secteur de Madrid) ; front du N. dégagé. *-14-8* reprise de l'offensive ; *-23-8* Santona : armée basque battue devant It. *-26-8* Santander pris par Nat. ; *-20-10* Gijón pris ; *-21-10* reddition en masse des Rép. *15-12* offensive rép. sur *Teruel :* Franco déplace ses réserves. **1938**-*8-1* Teruel, victoire rép., reddition du colonel nat. Rey d'Harcourt. *-8-2* vict. nat. sur l'Alfanbra au N. de Teruel (20 000 pris.). *-17-2* Nat. reprennent Teruel ; Franco attaque en Aragon. *-9-3* lignes rép. percées au S. de l'Èbre. *-15-4* Nat. à Vinaroz (zone rép. de l'E. coupée en 2). *-24-8* Nat. à 60 km de Valence. *-25-8* contre-attaque rép. dans boucle de l'Èbre ; Valence dégagée. *-26-8/15-11* bat. de la boucle de l'Èbre ; *rép.* 30 000 †, 20 000 bl., 20 000 prisonniers (brigades internat. : 75 % de pertes), *nat.* 33 000 (†, bl. et disp.). *-23-11* offensive nat. en Catalogne. **1939**-*26-1* prise de *Barcelone* (Valence devient capitale). *-5-2* prise de Gérone ; prise Azana passe en France. *-8-2* prise de Figueiras. *-9-2* conquête totale de la Catalogne ; *-10-2* frontière atteinte. *-16-2* Negrín décide résistance à outrance. *Mars* liquidation de la zone rép. S. *-6-3* complot du colonel Casado [rép. non communiste, Cdt du front de Madrid, attaque et désarme communistes opposés à la reddition (2 000 †). Pt Negrín et Gouv. rép. quittent l'E.]. Gal Miaja (1878-1958), Cdt en chef des Rép. dispose encore de 500 000 h. *-28-3* Madrid prise (les nat. forment 4 colonnes, leurs partisans de l'intérieur formant la *5e colonne*) ; *-30-3* communiqué de victoire de Franco. Miaja quitte l'E. dans avion français.

Stratégie communiste pendant la g. civile. Pour certains, le P.C. voulait apparaître comme un parti d'ordre (il profite des excès anarchistes et tente de conquérir l'hégémonie chez les républ.). Les Soviét. voulaient que la g. dure pour que All. et Italie s'y engagent de plus en plus (sabotage des tentatives de compromis en 1937) ; antifranquistes et antistaliniens furent liquidés et les courants non comm. affaiblis, même au prix de victoires franquistes (refus d'attaquer en Estrémadure au printemps 1937).

• **Bilan de la guerre. Victimes.** *Selon Georges Roux,* 850 000 à 900 000 † dont 150 000 assassinés [115 000 par les Rouges (15 000 prêtres) et 35 000 par les Nation.]. On envisage de canoniser 7 113 exécutés dont 11 évêques, 4 184 prêtres, 2 635 religieux et 283 religieuses. *Selon Hugh Thomas* 410 000 † ; 110 000 nat. et 175 000 rép. dans les combats ; 25 000 victimes civiles de bombardements ; 126 000 assassinats et exécutions (86 000 par les rép., 40 000 par les nat.). 200 000 † des suites indirectes de la g. (sous-alimentation, maladies, etc.). *Selon le min. de la Justice.* 300 000 détenus pol. en 1938 (28 077 en 1944). 192 684 p. auraient été exécutées ou seraient mortes en prison entre avr. 39 et juin 44. *Des trib. militaires ont siégé jusqu'en 1963. Entre 1949 et 1963,* 45 peines de mort furent ainsi prononcées (19 exécutées). Après l'exécution, le 20-4-63, du communiste Julian Grimau, le code pénal fut modifié et certains délits (grève, propagande illégale, etc.) furent rendus à la compétence des tribunaux civils ; les délits pol. accompagnés de violences continuant, eux, d'être jugés par les trib. militaires.

Réfugiés. En janv.-févr. 1939, 550 000 rép. se réfugient en Fr. [dont recensés à la frontière 453 000 (mil. 270 000, civils 170 000, blessés et malades 13 000) ; clandestins 100 000 ; 70 000 rentrent en E. dès mars 1939 ; total réfugiés au 1-1-1940 : 300 000]. *Principaux camps en Fr. :* Argelès/Mer, St-Cyprien, Agde ; émigrés en Amér. latine 50 000.

Dommages matériels. 183 villes dévastées ; 250 000 maisons inhabitables, 250 000 partiellement détériorées ; 160 églises brûlées, 1 800 hors d'usage, 3 000 sérieusement endommagées ; un tiers du cheptel et une grande partie de l'équipement agricole détruits ; matériel ferroviaire très endommagé ; stocks de matières premières et de produits alim. réduits ; 250 mines et fabriques détruites, mais les grandes usines de Barcelone et de Bilbao sont presque intactes, et l'irrigation de la région de Valence n'a pas souffert. Famine sévit en avril 1939 dans la zone rép. reconquise. Récolte de 1939 inférieure de 60 à 70 % à celle de 1935. Cheptel de chevaux réduit de 40 %, bovins de 25. D'où émigration intérieure ou vers étranger : de 1940 à 60, la prov. de Jaen perd 29,7 % de sa population ; Almeria 29,2 ; Albacete 26,7 ; Grenade 24,3).

L'après-guerre (civile)

• **Réorganisation de l'enseignement** 6 000 instituteurs (de gauche) ont été exécutés, 2 000 sont partis en exil (notamment au Mexique). 90 % des intellectuels ont émigré, dont 118 prof. d'université. L'enseignement est confié à l'Église cath.

• **Aide américaine.** En 1954, le P.N.B. par tête est de 261 $. Les salaires minimaux (1956 : 36 pesetas par j) sont bas, le seuil de la pauvreté étant de 120 pesetas pour 1 famille de 2 enf. Après accord avec U.S.A., les produits américains affluent (116 millions de $ au lieu de 62). Il y a baisse de la peseta, faute de devises, mais la famine est évitée.

• **Plan de stabilisation** (1959-67). L'E. entre dans l'OECE (plus tard OCDE) et au FMI. Les investissements étrangers s'accroissent. L'irrigation s'étend (1965 : 2 millions d'ha) ; la culture se modernise (25 000 tracteurs en 1954, 150 000 en 1964) ; la pop. agricole tombe à 17,5 % de la pop. active (émigration extérieure : *1962 :* 349 346, *1963 :* 443 161, *1964 :* 470 000 ; immigration intérieure ; env. 700 000). En 1964, plan quadriennal, prévoyant une hausse du P.N.B. de 6 % par an, réalisé à 77 %.

• **Essor économique.** *Début de l'ère touristique : visiteurs (en millions) : 1951 :* 1,26, *60 :* 6,1 ; *65 :* 14,2 ; *70 : 24,1 ; 75 :* 30,1 ; *77 :* 38 ; *86 :* 47,3 (dont env. 25 pour + de 24 h). *Recettes* (millions de $) : 1970 : 1 500 ; *85 :* 7 500. *Importations,* surtout biens d'équipements, *1959 :* 676 (millions de $), *1970 :* 4 747. *Balance commerciale* déficitaire (malgré tourisme), couverture des imp. par exp. : *1971 ;* 51 % ; *1977 ;* 57 %, mais les transferts des 1 800 000 travailleurs émigrés (France, 1970 : 467 millions de $) et les investissements étrangers (70 : 700) équilibrent presque la *balance des paiements.*

• **Comparaison entre 1955 et 1976** (millions de t) : houille 12,4 (10,5), minerai de fer 1,7 (3,8), électricité (kWh) 12 (82,3), acier 1,2 (11), constructions automobiles (en milliers) 14 (850), navales (Mtjb) (1,6), ciment 3,7 (25).

• **Stabilisation politique du « Mouvement ».** Franco avait choisi le futur chef de l'État espagnol (un roi : Juan Carlos Ier) et le futur chef du gouvernement : son adjoint l'amiral Luis Carrero Blanco (n. 1903). Après l'assassinat de celui-ci par l'ETA le 20-12-73, le « Mouvement » franquiste (coalition des droites esp. : militaire, cléricale, phalangiste, affairiste, monarchiste libérale et carliste) ne put survivre à son fondateur. Le roi, appuyé sur les monarchistes libéraux et les démocrates-chrétiens, a rapidement fait basculer le régime autoritaire dans la démocratie. Les tendances anarchisantes et centrifuges de la nation espagnole ont rapidement été vaincues.

• **Regret de Franco (1980).** 5 ans après sa mort, son régime, critiqué à l'époque, laissait un certain regret (la crise mondiale a éclaté peu avant cette mort, et le peuple concluait que le franquisme avait su l'éviter). L'armée (inquiète du progrès des autonomistes), l'Église (inquiète devant la déchristianisation rapide), les classes dirigeantes (inquiètes devant la récession) étaient peut-être prêtes à accueillir un néo-franquisme.

Institutions

• **Statut.** Royaume [Constitution adoptée 6-12-1978 (87,8 % des v.) par référendum, entrée en vigueur 29-12] : État social et démocratique de droit ; la souveraineté réside dans le peuple d'où émanent les pouvoirs de l'État. Sont reconnus : liberté d'opinion, droit au divorce et à l'avortement, liberté de réunion, d'association, d'expression, d'éducation, droit à l'intégrité physique et morale, au secret de la vie privée, garanties de détention et de défense juridique ; la peine de mort est abolie. Les pouvoirs publics tiennent compte des croyances religieuses et maintiendront des relations de coopération avec l'Église cath. Nationalités et régions ont droit à l'autonomie. **Fête nat.** 24 juin (St-Jean, fête du roi) ; avant 1976, 18 juillet (anniversaire du soulèvement franquiste).

Roi. Chef de l'État, commandant en chef des forces armées et chef du Conseil suprême de défense : Don Juan Carlos Ier (5-1-1938) dep. 22-11-1975. Pouvoirs très limités ; peut proposer un candidat à la présidence du gouv. après consultation des représentants des groupes parlementaires.

• **Gouvernement.** *PM et Pt du Conseil* Felipe González Márquez (n. 5-3-1942) dep. 3-12-82 [avant : 11-12-75 Carlos Arias Navarro (11-12-08), 8-7-76 Adolfo Suárez (25-9-32 ; créé duc de Suárez 8-3-81), 27-2-81 Leopoldo Calvo Sotelo (14-4-26)]. *Vice-Pt* Narcis Serra (30-5-43). *Aff. étrangères* Francisco Fernandez Ordonez. *Économie et Finances* Carlos Solchaga Catalán. *Défense* Julian Garcia Vargas.

• **Assemblées. Elections du 29-10-1989.** *Cortes.* Nombre de voix en %, nombre de sièges (en ital.) et sièges dans la chambre sortante (entre par.). (PSOE) 39,55 % [*17,6 s.* (184 s.)], P. populaire (PP conservateur) 25,83 [*106* (105)], (CDS) 7,91 [*14* (19)], Gauche unie (IU) 9,05 [*17* (7)], Convergence et union (Catalogne) 5,04 [*18* (18)], P. national basque (PNV) 1,24 [*5* (6)], Herri Batasuna (basque) 1,06 [*4* (5)], Euskadiko Eskera (nationalistes basques) 0,51 [*2* (2)], Eusko Alkartasuna (nat. basques) 0,67 [*2* (0)], P. andalou 1,04 [*2* (0)], autres partis régionalistes 1,38 [*4* (4)]. **Sénat.** 208 m. élus au suffrage universel ou par les Parlements régionaux pour 4 a. *Initiative législative* appartient au gouv. et aux 2 chambres. *Sièges :* PSOE : 109 (1986 : 124), CP 74 (63), CDS 3 (3), CIU 10 (8), PNV 4 (7), HB 3 (1).

• **Élections municipales. 10-6-1987 :** PSOE 37,10 %, AP 21,68, CDS 9,36, IU 6,48, OTROS 5,70, CIU 3,61. Les socialistes ont perdu la majorité absolue dans 21 capitales de province (dont Madrid, Séville, Saragosse, Valladolid, Alicante et Palma). **Juin 1989 :** Nombre de voix en %, nombre de sièges (en ital.) et sièges au Parlement sortant (entre par.) PSOE 39,5 [*27 s.* (28)], P. Populaire 21,4 [*15* (17)], CDS 7,1 % [*5* ((7)], IU 6,1 [*4* (3)], CIU 4,2 [*2* (3)], Agr. J. M. Ruiz Mateos 3,8 [2 (0)], P. Andalou 1,9 [*1* (0)], Coalition nationaliste 1,9 [*1* (0)], Gauche des peuples 1,8 [*1* (0)], HB 1,7 [*1* (1)], Europe des peuples 1,5 [*1* (1)]. Abstentions : 45,2 % (31,29 %).

• **Partis.** Jusqu'en 1974, les P. politiques étaient interdits sauf le FET et les JONS (Phalange esp. traditionaliste et Juntes offensives national-syndicalistes), puis le Mouvement nat.

Parti Populaire (PP). *fondé* 23-9-76, par Manuel Fraga Iribarne (n. 1922) sous le nom d'Alliance populaire, devenu PP 22-1-89, *Pt* José-Maria Aznar (n. 1953). 284 000 m. en 1990. **Démocratie chrétienne (DC)** *fondé* 1988 (avant P. démocratique pop., f.

1974), *Pt* Javier Róperez ; **P. libéral (PL)** *fondé* 1983, *Pt* José Antonio Segurado Garcia (n. 1938). **Féd. démocratique chrét.** *fondé* 1977, *Pt* Joaquín Ruiz Gimenez. **Organisation révol. des trav.** *Pt* José Sanroma. **P. communiste d'Esp. (PCE)** *fondé* 1922, Dolores Ibarruri (1895-1989, l'ancienne « Pasionaria » de la g. civile : *1922* élue au Ier Congrès du P.C. *1930* Comité Central. *1932* Bureau politique. *1935* au Comité exécutif du Komintern. *1936-39* devient 2e personnage du P.C. après José Diaz (1942). *1939-77* exil à Moscou, *1954* secr. gén., *1960* Pte du P.C..., *1977 mai* rentrée en E., député, *1979* ne se représente pas), *secr. gén. : 1960* Santiago Carrillo (n. 1915), *1982* Gerardo Iglesias (n. 1945), *1987 (21-2)* Julio Anguita. *Membres 1977 :* 240 000, *87 :* 62 300. *% des voix obtenues : 79 :* 10,81, *82 :* 3,87. En 1981, les « renovadores » furent expulsés (dont Manuel Azcarate). Les prosoviétiques, avec Ignacio Gallego, ont formé un nouveau P.C. « verdadero » (véritable) : **P. communiste des peuples d'Espagne (PCPE)** *fondé* 1984. **P. communiste ouvrier esp. (PCOE)** se dissout en 1986. *Pt* Enrique Lister Forjan (n. 1907), rejoint le PCE **P. socialiste ouvrier esp. (PSOE)** *fondé* 1879 par Pablo Iglesias ; congrès constitutif 1888, 1991-15-2 fusion du PSOE et du P. des travailleurs d'Espagne, *secr. gén.* Felipe Gonzales Marquez, 60 000 m. (81). **P. d'Action socialiste (PASOC)** *secr. gén.* Alonso Puerta Gutierrez, 8 000 m. (86). **P. du travail d'Esp.** *fondé* 1985 par Santiago Carillo. *Pt.* Eladio Garcia Castro. **Union nat.** *Pt* Miguel Saguhea E. Gutierrez Solana. **Union du centre démocratique (UCD)** *fondé* 3-5-1977, par Adolfo Suarez, 144 000 m. (81), dissous 1983. **Centre démocratique et social (CDS)** *fondé* 1982, *Pt* Adolfo Suárez. **Fédération progressiste (FP)** *fondé* 1984, *Pt* Ramón Tamames Gomez. **P. démocrate pop.** *fondé* 1982. **P. réformiste démocratique (PRD)** *fondé* 1984, *Pt* Antonio Garrigues. **P. Solidarité esp.** Lieut.-col. Antonio Tejero (0,12 % des voix en 1982). **Juntes espagnoles** d'Antonio Izquierdo, formé juin 85. **GRAPO (Groupe révolutionnaire antifasciste du 1er octobre)** *fondé* 1975. Extrême gauche.

Nota. – Fuerza Nueva, créée 1976 pour perpétuer la mémoire du Caudillo (1 % des voix en 1979 ; 0,47 % en 82) ; dissoute par son fondateur, Blas Pinar, en nov. 82 et transformée en mouvement culturel.

• **Référendum du 6-12-1979** (approbation de la Const.). Inscrits 26 632 180 ; votants 17 873 301 (67,1 %) ; Oui 15 706 078 (87,8 % des suff. expr.) ; Non 1 400 505 (7,8 %) ; blancs 632 092 (3,5 %) ; nuls 133 706 (0,74 %) ; abstentions 8 758 879 (32,9 %). Voir Quid 1982, p. 964.

Souverains et Chefs d'État

Maison d'Aragon. 1474 Isabelle Ire la Catholique (1451-1504), f. de Jean II de Castille (1405-54), ép. 1469 Ferdinand II le Catholique (1452-1516), roi de Castille (1474) (Ferdinand V), f. de Jean II d'Aragon (1397-1439). **1504** Jeanne la Folle (1479-1555), leur f., ép. Philippe Ier (1478-1506), archiduc d'Autriche ; folle à la mort de Philippe Ier.

Maison d'Autriche. 1516 Charles Ier (Charles Quint) (1500-58), f. de Philippe Ier. Abdique 1555. **56** Philippe II (1527-98), s. f., régent dep. 1543. **98** Philippe III (1578-1621), s. f. **1621** Philippe IV (1605-65), s.f. **65** Charles II (1661-1700), s. f.

Maison de Bourbon (1700-1808). 1700 Philippe V (1683-1746), duc d'Anjou, pet.-f. de Louis XIV (1638-1715), abdique en faveur de s. f. Louis Ier, 10-2-1724, reprend le trône à la mort de celui-ci (août 1724). **24** Louis Ier (1707-24), s. f. **24** 31-8 Philippe V (1683-1746), s. père. **46** Ferdinand VI (1713-59), 2e f. de Ph. V. **59** Charles III (1716-88), 3e f. de Ph. V. **88** Charles IV (1748-1819), s. f., abdique 1808. **1808** Ferdinand VII (1784-1833), s. f., abdique.

Maison Bonaparte. 1808 Joseph Napoléon Ier (1768-1844) dit Pepe Botella (Père la Bouteille), fr. de Napoléon Ier. Marié, 2 filles.

Maison de Bourbon. 1814 Ferdinand VII (1784-1833) restauré le 13-12-1813. Ép. 6-10-1803 Antoinette de Bourbon-Sicile (1784-1806) ; 29-9-1816 Isabelle de Bragance (1797-1818) ; 20-10-1819 Josèphe de Saxe (1803-1829) ; 11-12-1829 Marie-Christine de Bourbon (1806-78). **33** Isabelle II, Marie-Louise (1830-1904), ép. (1846) François d'Assise de Bourbon (1822-1902), f. de l'Infant Fr. de Paule, 3e f. de Charles IV. *Régence de Marie-Christine* sa mère de sept. 1833 à nov. 1843, puis du Gal *Espartero* (1793-1879) jusqu'en 1841. Détrônée le 30-9-1868. Abdique en faveur de s. f. Alphonse XII. **68** 9-9 Gouv. du Mal Serrano y Dominguez (1810-85). Élu régent 1869.

Maison de Savoie. 1870 16-11 Amédée Ier (1845-90), 2e f. de Victor-Emmanuel II d'Italie (abd. 11-2-1873). *Ép.* 1°) (1867) Maria Victoria del Pozzo de la Cisterna († 1876) ; 2°) (1888) Letizia Bonaparte (1866-1926).

• **Première République. 1873** 24-2 Stanislas Figueras y Moragas (1819-82), chef du pouvoir exéc. **73** 11-6 Francisco y Margall (1824-1901), chef du pouvoir exéc. **73** 18-7 Nicolás Salmeron y Alonso (1838-1908). **73** 7-9 Emilio Castelar y Rippol (1832-99).

• **Maison de Bourbon. 1874** 3-1 Alphonse XII (1857-85), f. d'Isabelle II et de François-d'Assise de Bourbon, ép. 13-1-1878 Maria de las Mercedes d'Orléans (1860-1878) ; 28-11-1879 Marie-Christine d'Autriche (1858-1929). **1902** Alphonse XIII (17-5-1886/8-3-1941), s. f. posthume. *Régence de Marie-Christine sa mère* (1885-1902). Ép. le 31-5-1906 Victoria Eugénie, Pcesse de Battenberg (24-10-1887/16-4-1969).

• **Seconde République.** Proclamée 11-4-1931. **1931** Niceto Alcala Zamora (1877-1949), destitué le 16-2-36. **36** Manuel Azana y Diaz (10-2-1880/Montauban 14-10-1940), démissionne 28-2-1939.

• **Nouvel État. 1936** 29-9 Francisco Franco y Bahamonde (4-12-1892/20-11-1975). Officier de carrière, Gal à 33 ans (1925), com. de l'école mil. de Saragosse 1927-31, écarté, envoyé aux Baléares 1933. Réprime la grève des Asturies 1934. Chef d'état-major gén. de l'armée 1935. Écarté et envoyé aux Canaries 1936. Prend part juill. 1936 au complot nationaliste du Gal Sanjurjo. Soulève Maroc esp. 17/18-7-1936, débarque en Andalousie. A la mort de Sanjurjo (12-9-1936), chef de la junte mil. nationaliste, puis chef d'État (29-9-1936), avec titre supplémentaire de *Caudillo.*

• **Royaume (Maison de Bourbon). 1975** 22-11 Juan Carlos Ier (n. 5-1-1938), f. du Cte de Barcelone (v. ci-dessous). Titré Pce des Asturies par son père, puis après le 23-7-69, S.A.R. le Pce d'Espagne, ép. 14-6-62 Pcesse Sophie de Grèce (1938), fille du roi Paul Ier ; il avait accepté le 23-7-69 sa désignation (faite le 22-7 par Franco et les Cortes) comme successeur de Franco. 3 enfants : Hélène (20-12-63), Christine (13-6-65), Philippe, Pce des Asturies (13-1-68).

Titres autrefois portés par le roi d'Espagne. *Titre abrégé :* Sa Majesté Catholique N... roi d'Espagne et des Indes. *Développé :* Roi de Castille, de León, d'Aragon, des Deux-Siciles, de Jérusalem, de Navarre, de Grenade, de Tolède, de Valence, de Galice, de Majorque, de Minorque, de Séville, de Sardaigne, de Cordoue, de Corse, de Murcie, de Jaén, des Algarves, d'Algésiras, de Gibraltar, des îles Canaries, des Indes orient. et occid., de la terre ferme et des îles des mers océanes ; archiduc d'Autriche, duc de Bourgogne, de Brabant, de Milan ; Cte de Habsbourg, de Flandre, de Tyrol et de Barcelone, duc d'Athènes et de Néopatrie, seigneur de Biscaye et de Molina ; marquis d'Oristan et de Gozianos. (En fait le grand titre de Sa Maj. Cath. n'était plus porté.) En 1931, le roi se titrait dans les actes officiels « par la grâce de Dieu et par la Constitution, roi d'Espagne ». *Actuellement :* Juan Carlos Ier est roi seulement d'Esp.

Titres du fils aîné du roi, héritier de la couronne. Comme *héritier du comté de Barcelone :* duc de Gérone (érigé 1351) ; du roy. d'Aragon : duc de Montblanch (1387) ; *du roy. de Castille :* Pce des Asturies (1388) ; *du roy. de Navarre :* Pce de Viane (1423). *Les enfants du roi et ceux du Pce des Asturies* sont *« infants d'Espagne »* avec le prédicat d'alt. roy. *Les autres membres* de la maison royale sont qualifiés de Pces de Bourbon et ne sont pas de droit infants. Le roi peut leur en conférer le titre.

Famille royale

• **Père du roi. Juan de Bourbon et de Battenberg** (20-6-1913) *Cte de Barcelone* (dep. 8-3-1941), 3e f. d'Alphonse XIII. Chef de la Maison d'Esp. depuis l'abdication en sa faveur d'Alphonse XIII le 15-1-41, renonce à ses droits le 14-5-1977, son fils l'autorisant à porter le titre de Cte de Barcelonne, amiral honoraire esp. Ép. 12-10-35 Maria de las Mercedes de Bourbon et Orléans, Pcesse des Deux-Siciles (23-12-10). **1977**-*14-5* renonce à ses droits dyn. pour Juan Carlos. 4 enfants : *Doña Maria del Pilar* (1936) Desse de Badajoz, ép. 5-5-67 Don Luis Gomez Acebo Vte de la Torre, 4e f. de la Mise de Deleitosa ; *Juan Carlos Ier* (roi régnant actuel, v. ci-dessus) ; *Marguerite* (6-9-39), ép. Charles Zurita le 12-10-1972 ; *Alphonse* (1941-56).

• **Oncles et tantes du roi** (enfants d'Alphonse XIII). **Alfonso** (1907-1938) *Cte de Covadonga* (Pce des Asturies jusqu'à sa renonc. le 11-6-33). Ép. le 21-6-33 Edelmira Sampedro Ocejo y Robato (div. 8-7-37), puis Maria Rocafort y Altazarra (div. 8-1-38). **Jacques (Jaime)** *duc de Ségovie* (23-6-08/20-3-75). Mal opéré d'une mastoïdite, il devient sourd-muet. Renonce le 21-6-33 à ses droits (confirme cette renonciation le 23-7-45, le 17-6-49, etc.). Mais comme chef de la maison de Bourbon et fils aîné du roi Alphonse XIII, il assume le titre de duc d'Anjou (28-3-1946) ; déclare revenir sur ses actes antérieurs (Paris 6-12-49), puis se proclame chef de l'ordre de la Toison d'or (Paris 1-3-63), nommant des chevaliers, et réclame la succession carliste avec le titre de duc de Madrid (3-5-64). Ép. 1°) Rome 4-3-35 Emmanuelle de Dampierre (n. 8-11-13 ; div. 6-5-47, remariée 21-11-49 à Vienne à un banquier italien, Antoine Sozzani, séparée depuis) ; 2°) Innsbruck, Tyrol 3-8-49 Charlotte Tiedemann (1919-1979, ancienne chanteuse). Du 1er mariage, 2 enfants, 1°) *Alphonse* (20-4-1936, † 30-1-1989 dans un accident de ski) nommé Louis 1946 et fait par son père duc de Bourbon et duc de Bourgogne, qui avait épousé 8-3-72 Maria del Carmen Martinez-Bordiu y Franco [petite-fille aînée du Gal Franco ; celle-ci ayant quitté le domicile conjugal, divorça, et le mariage fut annulé par l'Église ; elle se remaria à J.-M. Rossi (antiquaire parisien)]. Il ne se posa pas comme prétendant au trône d'Espagne, mais depuis la mort de son père (20-3-75) assuma les titres de duc d'Anjou et de Ségovie, chef des maisons royales de France-Espagne. Il reçut de Franco le titre de duc héréditaire de Cadix avec la qualification d'Altesse royale le 22-11-72. Il contresigna l'acte d'acceptation de son cousin germain don Juan Carlos le 21-7-69. Il avait eu 2 fils : François (22-11-72, † accident 84), titré duc de Bretagne, et Louis-Alphonse (25-4-74). 2°) *Gonzalve* (5-6-37), renommé Charles, titré duc d'Aquitaine. 1 fille : Estefania (reconnue). (Voir Index).

Béatrice (22-6-1909) infante d'Esp., ép. 14-1-35 Alexandre Torlonia Pce de Civitella Cesi (1911). *Enfants :* Sandra, Juan-Marcos, Marino, Olimpia.

Marie-Christine (12-12-1911) infante d'Esp. ép. 10-6-40 Henri Cinzano, Cte Marone (15-3-1895/23-10-1968). *Enfants :* Victoria, Giovanna, Maria-Teresa.

Gonzalve (24-10-1914/13-8-1934), infant.

Nota. – La discussion entre Don Juan et Don Jaime, au sujet de la succession d'Espagne, portait sur la validité du principe d'exclusion des enfants nés d'un mariage « inégal » (la femme de Don Jaime, Emmanuelle de Dampierre, n'étant pas issue d'une maison souveraine). Cette discussion est sans objet du point de vue de la succession française.

Succession carliste

Le 10-5-1713, Philippe V décidait que la couronne d'Esp. se transmettrait par les lignes masculines avant les féminines. Les femmes ne devaient être appelées qu'en cas d'extinction de toute descendance mâle de Philippe V, directe ou collatérale. En 1789, Charles IV aurait abrogé secrètement, avec le concours des Cortés, cet acte de 1713 et rétabli l'ordre traditionnel espagnol des *Partidas* (on retrouva cette décision en 1830). Ferdinand VII promulgua cette décision par sa Pragmatique Sanction du 29-3-1830. Sa fille devint ainsi la reine Isabelle II, mais le frère de Ferdinand VII, Don Carlos, prétendit qu'étant né en 1788, la décision des Cortès en 1789 pouvait d'autant moins lui être opposée qu'elle avait été faite secrètement.

Ce conflit provoqua 3 g. civiles au XIXe s. Il trouva sa solution dynastique par le décès en 1936 du dernier prétendant mâle de la ligne carliste : Alphonse Charles, duc de San Jaime. En effet, l'hypothèse carliste de transmission de mâle en mâle appelait alors à la couronne la branche cadette, issue de François de Paule (3e fils de Charles IV, 1748-1819), dont le fils, François d'Assise, avait épousé la reine Isabelle II, sa cousine germaine. Après leur fils Alphonse XII (1857-85), leur petit-fils Alphonse XIII confondait donc, en 1936, en sa personne, le double héritage : de la dévolution traditionnelle et de la tradition carliste.

La lignée carliste avait été :

Charles (Don Carlos) V (1788-1855), frère puîné de Ferdinand VII, qui réclama la couronne à la mort de ce dernier (1833), et abdiqua (1845) en faveur de son fils aîné Charles, vivant comme Cte de Molina ; **Charles VI** (1818-61) roi de droit en 1845 et connu comme Cte de Montemolin ; **Jean (Don Juan) III** (1822-87), son frère cadet ; il abdiqua en faveur de son fils aîné (1868) et vécut comme Cte de Montizon (fut chef de la maison de Bourbon ou de France à la mort d'Henri V, Cte de Chambord, 1883) ; **Charles (Don Carlos) VII** (1848-1909) proclamé par ses partisans dès 1868 et reconnu par son père peu après, portant le titre de duc de Madrid ; **Jacques (Don Jaime) III** (1870-1931), son fils unique, qui porta le titre de duc de Madrid ; **Alphonse-Charles (Don Alfonso Carlos) Ier** (1849-1936), frère cadet de Charles VII, qui porta le titre de duc de San Jaime ; il désigna un neveu de sa femme, le **Pce François Xavier de Parme** (1889-1977), pour être, après sa mort, régent de la « Communion » traditionaliste (c'est le nom du parti carliste esp.), mais celui-ci n'avait aucun titre au trône d'Esp., ni selon l'acte de 1713 invoqué par les carlistes (puisqu'il n'appartient pas à la branche aînée par les mâles), ni selon la loi proprement espagnole des « Partidas ». Quoi qu'il en soit, le Pce Xavier, Pce de Molina, se transforma peu à peu en régent d'Esp., puis en roi, nommant une sorte de contre-gouv., donnant des décorations, etc. Son fils aîné (Hugues de Bourbon-Parme, n. 8-4-30, off. de réserve fr., devenu Don Carlos-Ugo et, de son propre chef, Pce des Asturies, duc de Madrid, etc.) et lui furent expulsés d'Esp. fin déc. 1968. Depuis la mort du Pce Xavier, son fils aîné, Carlos-Ugo, duc de Parme, s'est présenté comme chef d'un parti carliste prônant le socialisme autogestionnaire, son fils cadet, Sixto-Henrique, étant plus traditionnel ; leurs partisans ont échangé des coups de feu dans une réunion à Montejurra (1976). Carlos-Ugo, naturalisé espagnol, vit aux USA.

La succession carliste et le titre de duc de Madrid ont été revendiqués également, depuis le 12-11-1945, par l'archiduc Charles d'Autriche (1909-53), titré depuis 1938 Pce Charles de Habsbourg-Lorraine et de Bourbon qui se titra Carlos IX (déc. 1953) [naturalisé espagnol, fils de l'archiduc Charles-Salvator d'Autriche-Toscane et de l'infante d'Esp. Blanche de Castille de Bourbon (1868-1949), fille de Charles VII d'Esp. (1848-1909 ; roi carliste 1868)]. A sa mort, la revendication a été reprise par ses 3 frères, les archiducs Léopold (1897-1958), jusqu'au 29-3-1956 (renonciation), Anton (1901-87), jusqu'au 7-8-1954 (renonciation), François-Joseph (n. 1905) qui prit le titre de Francisco-José Ier, roi d'Esp., et fonda l'ordre du Lys de Navarre. Mais Anton revint sur sa renonciation en 1958, à la mort de Léopold.

La Communion carliste aurait compté v. 1980 15 000 chefs locaux et 500 000 adhérents.

Régions et provinces

• **Andalousie** 87 268 km², 6 717 650 h. **Capitale :** *Séville.* **Statut :** 30-12-1981, autonomie. *Pt* Manuel Chaves dep. 24-7-90 ; *8 provinces :* Almeria 428 586 h., Cadix 1 031 159 h., Cordoba (Cordoue) 751 705 h., Grenade 791 339 h., Huelva 436 647 h., Jaén 667 063 h., Málaga 1 069 450 h., Séville 1 541 701 h. *Parlement : élections du 23-6-90 :* 109 m. dont PSOE 61, P. pop. 27, Gauche unie 11, P. andalou 10.

• **Aragon** 47 664 km², 1 211 362 h. **Capitale :** *Saragosse.* **Statut :** 30-12-1981, autonomie. Députation générale. *Pt* Hipolito G. de Las Roces (PAR) ; *3 provinces :* Huesca 217 619 h., Teruel 155 423 h., Saragosse 839 318 h. *Cortes (él. du 27-5-1991) :* 67 m. dont PSOE 30, P. aragonais 17, PP 17, Gauche unie 3.

• **Asturies** 10 563 km², 1 136 308 h. **Capitale :** *Oviedo.* **Statut :** 30-12-1981, autonomie. *Pt* Pedro de Silva Cienfuegos-Jovellanos (PSOE). *Junta GE du Principat :* 45 m. (dont PSOE 21, PP 13, Gauche unie U, CDS 2, PAS-UNA 1). *1 province :* Oviedo.

• **Baléares** 5 015 km², 735 403 h. D. 140. **Statut :** 23-2-1983, autonomie. *Pt* Gabriel Cañellas Pons (conservateur). *Parlement (él. du 27-5-1991) :* 59 m. (dont PP 31, PSOE 21, PSM 3, Ent. Men. 2, UIM 1, FTIF 1). *1 province :* Palma de Majorque. 4 GRANDES ILES : **Majorque** 3 500 km². 572 229 h. *Alt. max.* Torrellas o Puig Mayor 1 445 m. *Palma* 302 000 h. **1232-1343** roy. indép. de Majorque réuni après à l'Aragon. **Minorque** 680 km², 60 802 h. *Mahon* 22 926 h. **Ibiza** 572 km², 67 340 h. **Formentera** 115 km², 35 032 h. 7 PETITES ILES : **Aire, Aucanada, Botafoch, Cabrera** (déclarée parc naturel en 1988), **Dragonera, Pinto, El Rey** (ces 2 dernières forment les Pithyuses).

Histoire. Ancienne colonie carthaginoise [Port-Mahon fondée par Magon (203 av. J.-C.), frère d'Hannibal)]. **70 av. J.-C.** colonie romaine, cap. Pollentia (auj. Pollensa, à Majorque). **902** conquête arabe. **1229-35** reconquête de Majorque et d'Ibiza par Jaime Ier d'Aragon. **1287** reconquête de Minorque par Alphonse III ; expulsion des musulmans. **1261-1344** roy. indépendant de Maj. (cap. Perpignan) aux mains d'une branche cadette de la maison d'Aragon. **1708** conquête de Minorque par Anglais. **1756** reconquête de Min. par Français (duc de Richelieu). **1763** Min. rendue aux Anglais. **1783** récupérée par Esp. au tr. de Versailles (g. d'Indépendance américaine). **1936-39** Majorque et Ibiza sont franquistes ; Minorque républicaine.

Tourisme. *Majorque* (château de Bellver, cathédrale, grottes du Drach, monastère de Lluch, Inca, chartreuse et Pharmacie de Valldemosa, couvent N.-D. de Cura, musée du Labourage, vestiges de Talayot, monastère de San Salvador, Manacor, grottes d'Arta, ruines de Pollensa), *Minorque* (fjord, talayots, taula), *Ibiza* (salines). **Visiteurs** (millions) 4,5 dont G.-B. 1,8, All. et Autriche 1,5, Nordiques 0,46, France 0,28, Benelux 0,25.

• **Basque (Pays).** En Espagne : 17 682 km². **Population :** 2 171 000 h. **Pop. active** (agr., industr., services ; en %, 1975) : Guip. 6,7, 54,1, 39,2 ; Bis. 5,1, 53,9, 41 ; Nav. 24,6, 43,1, 32,3 (moy. Esp. 22, 38,3, 39,7). *Chômage* (1984) : 18 % (200 000). 100 000 Basques ont cherché un emploi au Sud. **Statut :** province autonome dep. 18-12-1979 (gouv. 22-12-1979), **Capitale :** *Vitoria.* **Pt** (Lendakari) José Antonio Ardanza (PNV) dep. 24-1-85 [avant (dep. 1980) Carlos Garaikoetxea (PNV) qui démissionne 18-12-84]. **Provinces :** *Vizcaya* (Biscaye) 1 205 557 h., *Guipúzcoa* 704 055 h., *Alava* 261 388 h. **Partis :** *Gauche basque* (Euzkadiko Ezkerra), *Pt* Juan Maria Bandres Molet. *Unité du peuple* [Herri Batasuna (H.B.), associé à l'ETA militaire], *Pt* Inaki Esnaola. *P. national basque* (PNV, f. 1895 par Sabino Arana), *Pt* Xavier Arzallus. *ETA militaire (févr. 1988).* Tendance dure, José Urruticoechea (alias J. Ternera) en France, 50 militaires ; modérée, Eugenio Echebeste (alias Antscon) en Algérie, 40 membres. Emprisonnés en Espagne : 457. Bilan (1975-87) : 2 100 attentats, 600 †. **Fête nat. :** 28 mars : « Aberri Eguna » (J. de la patrie). **Drapeau :** Ikurrina, créé 1894, 2 bandes vertes (croix de St-André) rappelant le symbole des Fueros et le chêne vert de Guernica, croix blanche (foi chrétienne), fond rouge (couleur de la Biscaye).

Langue. *Basque :* v. Index. (en %). *Álava :* Castillan 86,7, Basque bien 7,9, moyen 1,3, mal 4,1 : *Guipúzcoa :* Castillan 42,4, Basque bien 26,9, moyen 16,4, mal 14,3 ; *Biscaye :* Castillan 73, Basque bien 13,6, moyen 6,4, mal 7.

Élec. du Parlement régional. 1986 (30-11) : 75 sièges. ESE-PSOEP 19 s. PNB 17 s. EA 13 s. HB 13 s. (17,47 % des voix), EE 9 s. CIS 2 s. CP 2 s. **1990** (28-10) : 79 s. PNB 22, PSE-PSOE 16, HB 13, EA 13, EE 6, PP 6, UA 3.

Quelques dates. Sentiment national chez les premiers grands écrivains basques connus : Detchepare (XVIe s.), Axular, Oyhenart, Garibay. Révoltes fréquentes jusqu'à la Révol. [la plus célèbre : celle des bergers et paysans de Soule (1660-61) contre le Vte de Tréville et Louis XIV, sous la direction du curé Goyhenetch (dit Matalaz)]. **1893** Sabino [Sabin Arana Goiri (1855-1903), fils d'un carliste] proclame : « Euzkadi est la patrie des B. » (crée le mot *Euzkadi :* patrie b.). Il formule dans plusieurs œuvres, dont *Biskaya por su independencia,* la doctrine du nationalisme basque sur des fondements ethniques (et même racistes), historiques, linguistiques et religieux. **1895** fonde PNV (P. national b.), préconise l'indépendance des 7 provinces b. et leur confédération. **1931** la ville d'Eibar (Guipúzcoa, entre Bilbao et San Sebastián) proclame la 2e Rép. **1936** Gouv. autonome créé à Guernica (Pt José Antonio Aguirre avec des ministres soc., rép., communistes et nationalistes). *Oct.* la Rép. esp. accorde l'autonomie aux 3 provinces pour s'assurer le soutien des B. Pendant la g. civile, le PNV, Biscaye et Guipúzcoa sont pour les Rép. ; la Navarre est franquiste. **1937** occupée par Nationalistes, abrogation du statut. *-26-4* Guernica détruite par aviation all. **1939** victoire nat. **1947** et **1951** PNB et gouv. b. en exil à Paris organisent grèves générales. **1953** étudiants créent groupe *Ekin* (faire). **1954** la Fr. interdit l'émetteur du gouv. b. en exil. **1956** Congrès mondial b. à Paris. **1957 :** de jeunes militants du PNV rompent avec le chef du gouv. b. en exil. José Maria de Leizaola et **1959**-*31-7* fondent ETA (Euzkadi ta Askatasuna : P. basque et liberté). Plusieurs prêtres de campagne, gardiens de la langue b. les soutiennent. **1964** PNV organise clandestinement l'Aberri Eguna (j. de la Patrie) à Guernica. **1966** l'ETA décide lutte armée. **1970**-*13/28-12* Burgos, procès devant le trib. milit. de 16 militants ETA à la suite du meurtre en août 1968 du commissaire Melitón Manzanas Gonzalez. L'ETA, enlève le consul all. de San Sebastían, libéré ensuite. 6 accusés condamnés à mort ; nombreuses manif. en E. et dans le monde. **1977**-*17-2* élect. du Conseil gén. (gouv. pré-autonome de 15 m.). **1979** accord gouv.-PNV sur texte qui servira de charte à l'Euzkadi. *-25-10* référendum sur autonomie : 53,96 % oui. **1980**-*9-3* élect. au Parlement b. *Déc.* signature avec gouv. des *conciertos economicos* [compétences écon. de l'administration b. (peut lever des impôts)] et d'un accord sur police b. **1983**-*14-12* 1re apparition publique des GAL (Groupes antiterroristes de libération). **1987**-*10-6* le PS (Felipe Gonzalez) en tête des scrutins municipal, régional et européen, recule de 4 % (39 % des voix). *-19-7* attentat à Madrid, 2 militaires †. *-12-9* Madrid Carmen Tagle, procureur, assassinée par l'ETA. *-19-11* Madrid, lieutenant-col. José Martinez assassiné. *-20-11* Madrid, attentat contre deux députés de Herri Batasuna (Josu Muguruza †, Inaki Esuaola grièvement bl.). Revendiqué par GAL **1990**-*27-2* Fernando de Mateo Lage, Pt de l'Audience nat., amputé des 2 mains (colis piégé). *-18-3* Josu Mondragon (Jesus Arkautz, no 2 ETA) arrêté en France. *-4-4* 3 membres français ETA arrêtés dont Henri Parot (n. 1958).

Terrorisme. Voir Index.

Question navarraise. En Navarre, seules quelques vallées parlent encore euzkarien. Les Nav. (en majorité traditionalistes) s'opposent aux B. des 3 *Vascongadas* (Álava, Biscaye, Guipúzcoa) : pendant la g. civile de 1936-39, ce sont surtout les *Réquétés* navarrais (de droite) qui ont détruit la rép. d'Euzkadi. Un référendum sur le rattachement de la Nav. au P. basque est sans cesse repoussé.

• **Canaries (îles).** 7 273 km² 7 îles et 6 îlots (inhabités) à 100 km de l'Afrique. *Alt. max.* Pico del Teide 3 718 m. 1 438 686 h. **Statut :** *Pt* Fernando Fernández Martín (CDS). **Provinces :** *Santa Cruz de Tenerife* 3 208 km², 693 159 h. D. 184 (île de Tenerife 2 053 km², env. 625 000 h. (dont la Capitale Santa Cruz 200 000 h.) ; La Palma 726 km², 90 000 h. ; Gomera 378 km², 31 829 h., Hierro 312 km², 10 000 h.). *Las Palmas* 4 065 km², 745 527 h. D. 183 (Grande Canarie 1 533 km², 650 000 h. ; Fuerteventura 2 019 km², 50 000 h. ; Lanzarote 973 km², 42 000 h. *Parlement (él. du 27-5-1991) :* 60 m. dont PSOE 23, AIC 16, CDS 7, PP 6, IC 5, AM 2, AHI 1.

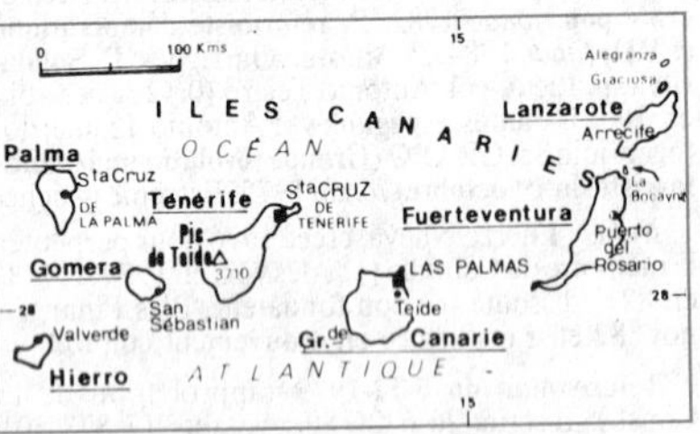

Histoire. Appelées dans l'Antiquité *Hespérides* ou *Fortunates.* **1402** découvertes par le Normand Jean de Béthencourt. **1479** à l'Espagne ; les Guanches, autochtones, proches des Berbères, massacrés. **1902** soulèvement autonomiste réprimé. (Revendiquées par plusieurs nations afric.) **1978** le Mouvement pour l'autodétermination et l'indép. de l'archipel des C. (MPAIAC) rançonne industriels et agences de voyages. **Ressources :** 22 % de la population manque d'eau ; *agriculture :* tabac, tomates et bananes.

• **Cantabrie.** 5 289 km², 510 816 h. **Capitale :** *Santander.* **Statut :** 30-12-1981, autonomie. *Pt* Jaime Blanco (S.) dep. 5-12-90. *Assemblée (él. du 27-5-1991) :* 39 m. dont PSOE 16, UPC 15, PP 6, PRC 2.

• **Castille-León.** 94 147 km², 2 596 411 h. **Capitale :** *Valladolid.* **Statut :** 25-2-1983, autonomie. *Cortes* (él. *du 27-5-1991) :* 84 m. dont AP 43, PSOE 35, CDS 5, Gauche unie 1. *Pt* José-Maria Aznar Lopez (A.P.). **9 provinces :** 5 de l'ancien León : León 526 090 h., Palencia 189 465 h., Salamanque 365 953 h., Valladolid 484 044 h., Zamora 228 915 h. ; 4 de l'ancienne Vieille-Castille : Burgos 365 174 h., Ávila 184 534 h., Segovia 150 015 h., Soria 101 221 h.

• **Castille-La Manche.** 79 226 km², 1 665 649 h. **Capitale :** *Tolède.* **Statut :** 10-8-1982, autonomie. *Pt* José Bono Martinez (PSOE). *Cortes* (él. du 27-5-1991) : 47 m. dont PSOE 27, PP 19, Gauche unie 1. **5 provinces :** 4 de l'ancienne Nouvelle-Castille : Ciudad Real 480 041 h., Tolède 479 540 h., Cuenca 218 200 h., Guadalajara 144 911 h. ; 1 de l'ancien royaume de Murcie : Albacete 342 957 h.

• **Catalogne.** *« Généralité » :* nom du gouv. autonome. *Pays :* Principat de Catalunya. Appellation attestée dep. 1350. Partie des *Països catalans* [« pays catalanophones », au même titre que l'Alghero (Sardaigne), l'Andorre, la « Catalogne Nord » (Pyrénées or. fr.), les îles Baléares et El Pais Valencia], formule généralisée à partir de 1960-70, rendant compte d'une identité de langue, tout en respectant les différences politiques. 41 558,51 km², 6 041 062 h. **Capitale :** *Barcelone.* **Statut :** 18-12-1979, autonomie. *Pt 1977* Josep Tarradellas (1988). *1980-24-4* Jordi Pujoli Soley (CIU, 1,62 m). *Parlement (él. du 29-5-88)* 135 m. élus pour 4 a. : CIU 69 s., 45,8 % (en 84 : 72 s.). PSC 29,7 %, 42 s. (en 84 : 41). IC 7,75 % 9 s. Alliance pop. 6 s., 5,3 % (en 84 : 11 s.). ERC 6 s. (en 84 : 6), 4,1 %, CDS 3 s ; 3,8 %. Total centre droite et droite 78 s., gauche 57. Abstentions 40,6 %. **4 provinces :** Barcelone 4 689 073 h., Gérone 473 619, Tarragone 520 135, Lérida 358 235. **Partis.** *Convergence et union* (CIU), f. 1979, *Pt* Jordi Pujol. *Gauche démocratique* (E.D.), *Pt* Ramón Trias Fargas. *Gauche rép. de Cat.* (ERC), *Pt* Heriberto Barrera Cuesta. *Parti soc. unifié de Cat.* (PSUC), f. 1936, secr. gén. Rafael Ribo Masso. *Parti soc. de Cat.* (PSC-PSOE), *Pt* Joan Raventos Carner.

Langue. Catalan : l. romane du groupe occitan. *VOYELLES :* comme le français, et contrairement au castillan, 2 types de é (ouvert et fermé) et 2 de o (ouvert et fermé), plus une voyelle neutre (« e muet » français) orthographiée a ou e. Pas de voyelles nasalisées. Pas de diphtongues venant du e et du o brefs latins, mais diphtongues avec u semi-voyelle comme 2[2] élément (eu, au, ou). Pas de son ü [*u* fr. (le *u* est prononcé comme le *ou* fr.)]. *CONSONNES :* pas de z ni de j espagnols. Utilise *sifflantes* douces françaises z et j et *fricatives* ou *palatales* occitanes : *tch* et dj (écrites *ix* ou *ig* et *j*). *Variétés rég. :* baléarais, valencien.

Le c. parlé dans le Roussillon français et dans la vallée d'Andorre (langue officielle, voir p. 863) se distingue peu du c. écrit et publié dans la généralité. *Pop. des territ. de langue cat. (1970).* 8 767 897 dont Principat de Catalunya 5 480 105, Pais Valencià 2 697 255, Baléares 558 287, l'Alghero 32 250.

Quelques dates. 1931-*14-4* proclamation de la rép. cat. Madrid ne la reconnaît pas et la remplace par une généralité (approbation des Cortes le 9-9-1932). **1934**-*1-1* Lluis Companys, Pt ; -*6-10* proclame l'État cat. ; généralité suspendue. **1936** *févr.* la victoire du Front pop. la rétablit. -*18-7* la C. réprime l'insurrection franquiste. **1938**-*5-4* Franco abolit généralité. **1939** défaite des C. Lluis Companys s'exile en France (livré par Gestapo à Franco et fusillé 15-10-1940). **1954**-*7-8* Josep Tarradellas (+ 1988), chef du gouv. de la généralité en exil (Mexique). **1957**-*6-7* manif. autonomistes. **1970**-*13-12* à l'abbaye de Montserrat, ass. permanente des intellectuels. **1971**-*7-11* Ass. de C. fondée à Barcelone (300 m). **1977**-*27-8* accord (J. Tarradellas et gouv. de Madrid). **1979** *oct.* référendum. *Déc.* statut entre en vigueur. **1980.** *mars* 1re él. de la Province autonome.

• **Estrémadure** 41 602 km², 1 085 535 h. **Capitale :** *Cáceres.* **Statut :** 12-2-1983, autonomie. *Assemblée (él. du 27-5-1991) :* 65 m. dont PSOE 39, PP 19, Gauche unie 4. CDS 3. *Pt* Juan C. Rodriguez Ibarra (PSOE). **2 provinces :** Badajoz 653 572 h., Cácres 427 963 h.

• **Galice** 29 434 km², 2 863 223 h. **Capitale :** *La Corogne.* **Statut :** 6-4-1981, autonomie. *Pt* Manuel Fraga Iribarne (P. Populaire). *Parlement (él. du 17-12-1989) :* 75 m. P. Populaire 38 s., Socialistes 27, Bloc nationaliste galicien 6, nationalistes modérés 4. **4 provinces :** La Corogne 1 112 935 h., Lugo 412 877 h., Orense 438 073 h., Pontevedra 899 338 h.

• **Madrid** 7 995 km², 4 894 015 h. **Statut :** 25-2-1983, autonomie. *Pt* Joaquín Leguina Herrán (PSOE). *Assemblée (él. 27-5-1991) :* 96 m. dont PP 47, PSOE 41, Gauche unie 13. *1 province :* détachée de l'ancienne Nouvelle-Castille.

• **Murcie** 11 317 km² 1 004 783 h. **Capitale :** *Murcie.* **Statut :** 9-6-1982, autonomie. *Pt* Carlos Collado Mena (PSOE). *Assemblée (él. 27-5-1991) :* 45 m. dont PSOE 24, PP 17, Gauche unie 4. *1 province.*

• **Navarre** 10 421 km², 521 088 h. **Capitale :** *Pampelune.* **Statut :** 10-8-1982, autonomie. *Pt* Gabriel Urralburu Tainta. *Cortes (él. 27-5-1991) :* 50 m. dont Union du peuple nav. 20, PSOE 19, Herri Batasuna 6, EA 3, Gauche unie 2.

• **Rioja (La)** 5 034 km², 262 380 h. **Capitale :** *Logroño.* **Statut :** 9-6-1982, autonomie. *Pt* Fausto Ardillo Arnaez (AP). *Députation (él. 27-5-1991) :* 33 m. dont PSOE 16, PP 15, P. progressiste de la Rioja 2. **1 province :** détachée de l'ancienne Vieille-Castille.

• **Valence** 23 305 km², 3 646 765 h. **Capitale :** *Valence.* **Statut :** 1-7-1982, autonomie. *Pt* Juan Lerma Blasco (PSOE). *Cortes (él. 27-5-1991) :* 89 m. dont PSOE 45, PP 30, UV 6, Gauche unie-UPV 6. **3 provinces :** Alicante 1 176 345 h., Castellón de la Plana 442 016 h., Valence 2 114 882 h.

Provinces non péninsulaires

• **Villes de Melilla et Ceuta** 145 000 h. **Statut :** groupées avec leurs dépendances dans le Gouv. gén. des Terr. de souveraineté esp. de l'Afr. du N. Gouverneur à Ceuta. Statut spécial, des représentants au Parlement. Administrativement, C. est rattachée à Cadix et M. à Málaga. Depuis le XVIIIe s., l'exercice de la souveraineté esp. dans les anciens « Presidios » a été reconnu et assuré par les tr. hispano-marocains de 1767, 1799, 1844, 1859, 1860, 1862, 1894 et 1910 ; par la déclaration fr.-brit. de 1904 : par les tr. fr.-esp. de 1902, 1904 et 1912 et fr.-marocains de 1912 et 1956. *1975, 1985*-nov-déc. *1987* janv. troubles. Des musul., réclament la nationalité esp., d'autres se prononcent pour le rattachement au Maroc. **Touristes :** *1950 :* 100 000, *65 :* 1 000 000, *78 :* 3 500 000.

Ceuta : 19 km², 85 000 h. dont 25 000 musulmans (2 500 ont des papiers d'identité esp., 12 000 disposent de la « carte de statistique », 750 sont des résidents clandestins. Colonie phénicienne successivement occupée par Carthaginois, Grecs, Romains. Début XVe s. au Portugal. *1663* après la rupture de l'Union Portugal-Esp., reste esp. par détermination de sa population. **Melilla :** 12,3 km², 60 000 h. (23 000 mus. dont 2 500 avec des documents esp., 5 500 avec la carte de stat. et le reste clandestins). Ancienne colonie phénicienne de Rusadir, occupée 1497 par Don Pedro de Estopiñan, commandeur de la Maison ducale de Medina Sidonia.

• **Alhucemas** (6 îles, 63 h.), **les Chafarinas** (195 h.), **Peñon de Velez de La Gomera** (71 h., 1 km²).

Économie

P.N.B. *Total* milliards de $., *88 :* 188, *89 :* 197. *Par hab. ($) : 82 :* 5 380 ; *83 :* 3 800 ; *84 :* 4 166 ; *85 :* 4 320 ; *86 :* 5 900 ; *87 :* 7 567 ; *88 :* 8 889 ; 9 771. *Revenu net par tête* (pesetas, 1985). Madrid 887 536, Baléares 867 997, Catalogne 790 883, Castille-Manche 471 535, Andalousie 460 446, Estrémadure 415 976. En 1988, 30 % de la pop. vit au-dessous du seuil de pauvreté (27 700 F par an). **Pop. active** (% et entre par. part du P.N.B. en %) agr. 15,6 (6), ind. 31,4 (36), services 52,1 (57), mines 1 (1). *Emplois par secteurs d'activité* (en %, 1988 et entre par. 1976). Agriculture 14,1 (21,6), ind. 23,6 (27,4), construction 9,1 (9,8), services 53,2 (41,2). *Fonctionnaires* 2 200 000. **Croissance** *annuelle* (%). *83 :* 2 ; *84 :* 2,25 ; *85 :* 1,75 ; 86 : 3 ; *87 :* 5,5 ; *88 :* 5. *Chômage* (%). *1980 :* 11,8 ; *85 :* 21,9 ; *91/mars :* 15,56 (2 340 503). *Emplois perdus de 1977 à 1984 :* industrie 750 000, agriculture 630 000 (96 400 en 89) construction 430 000 ; 300 000 à 400 000 immigrés sont rentrés. *Création d'emplois de 1985 à 1989 :* 1 766 000 (dont *1986 :* 433 000 ; *87 :* 396 000 ; *88 :* 363 000 ; *89 :* 574 000).

Agriculture. Terres (milliers d'ha, 87) forêts 15 661, arables 20 390, pâturages 6 685, cultivées en permanence 4 805, eaux 533, divers 3 526. *Désertification :* 2 000 km² en 15 ans. *Incendies de forêt. 1985 :* 469 000 ha (12 837 incendies), *86 :* 285 000 ha. **Régions agricoles :** *N.-O.* polyculture (maïs, élevage bovin), *Meseta* (blé, jachère), *Manche* (vignobles), *Huertas du Levant* (primeurs, agrumes), *S.* (blé, maïs, coton, tournesol, betteraves). **Exploitations :** 1 965 149 dont *de - de 10 ha :* 1 841 315, *de + de 50 ha :* 123 834 (dont 31 098 de + de 200 ha dont 4 911 de + de 1 000, occupant 12 millions d'ha et n'en exploitant que 1/4). **Rendement** (en q à l'ha, 89, entre parenthèses en France) : blé 23,8 (47), orge 22 (39), vignoble 33,7 (75), pommes de terre 186 (300), betteraves 434 (515).

Consommation (kg par personne et par an) *de viande 1960* 20 ; *84* 80, *pommes* 8,6 (22,1), *tomates* 32 (67). **Production** (milliers de t, 89) orge 9 774, bett. à sucre 7 440, blé 5 485, raisins 5 110, p. de terre 4 500, maïs 3 470, tomates 2 683, oranges 2 225, mandarines 1 120, oignons 1 100, citrons 679, avoine 502, choux 465 (86), huile d'olive 400, bananes 390 (86), riz 337, seigle 316, sucre de canne 250, amandes 229 (86). Vins (millions d'hl) *79 :* 48 ; *83 :* 33 ; *84 :* 39 ; *86 :* 38,7 ; *87 :* 40,2 ; *88 :* 21,6 ; *89 :* 32,1.

Taux d'approvisionnement (%) *excédentaire :* agrumes 233 %, huile d'olive 139, riz 136, froment 110, autres fruits frais 105, légumes frais 105 à 112, vin 103 ; *déficitaire :* œufs 106, orge 101, lait 99,4, viande ovine 99,3, volaille 99, viande de porc 99, blé 98,6, fromages 87,5, huile et graisses végétales 80,3, maïs 34. **Problèmes :** structures foncières nécessitant un remembrement (minifundia, latifundia), irrigation (12 % des terres seulement), rendements faibles (18 q/ha en céréales), 1/3 de terres incultes ou en jachère.

Élevage (milliers de têtes, 89). Moutons 24 450, porcs 16 268, bovins 5 110, chèvres 3 100, chevaux 253 (86), ânes 138 (86), mulets 135 (86). *Viande :* production : 2,7 millions de t (porcins 41 %, volaille 32, bovins 16, ovins 5) ; l'E. doit importer pour le bétail 5 millions de t de maïs et 3 de soja.

Pêche. *Tonnage débarqué 1977 :* 1 467 300, *89 :* 960 831 (produits de pêche importés 758 995) ; flotte de pêche 3 000, bateaux. Accord sur la « zone de pêche Eskote » contrôlée par la France : 57 bateaux esp. peuvent provisoirement continuer à pêcher anchois et sardines.

Place de la France en Espagne

La France est le 1er client de l'E. (l'E. est son 6e fournisseur). Il y a en E. env. 1 000 Stés à participation fr., P.M.E. ou filiales de grands groupes. Sur les 400 1res entreprises fr., + de 100 sont repr. en Esp. *Fasa-Renault,* filiale de Renault, est devenue (dep. 1980) le 1er fabricant esp. *Saint-Gobain,* installé 1905, leader du verre plat, contrôle 55 % du verre creux. *Michelin,* installé 1932, fabrique + de 60 % des pneus ind. et 50 % des pneus de tourisme. *Safa,* filiale de Rhône-Poulenc, créée 1923, est le 2e groupe esp. de fibres synthétiques. *Peñarroya,* installé 1882, produit 73 % du plomb, 40 % de l'argent, 27 % de l'antimoine du pays. *L'Air liquide* est leader dans sa branche. *Carrefour, Promodès, Radar, Mammouth, Auchan* contrôlent + de 90 % des hypermarchés.

Échanges franco-esp. (en milliards de F). *Exp. fr. : 83 :* 22,4 ; *84 :* 26,6 ; *85 :* 29,8 ; *86 :* 34,2 ; *87 :* 46 ; *88 :* 52,6 (dont prod. agro-alim. 11,67 %). *Imp. fr. : 83 :* 27,1 ; *84 :* 30,8 ; *85 :* 36,6 ; *86 :* 37 ; *87 :* 41,3 ; *88 :* 44,4 (dont prod. agro-alim. 16,65 %) ; *89 :* 63.

☞ L'E., pays de main-d'œuvre pléthorique et de bas salaires, peut concurrencer la Fr. notamment dans agro-alimentaire, produits métallurgiques semi-finis, automobiles, habillement, vin, fruits, cultures maraîchères.

Énergie (1984). 60 % importée. **Pétrole** (millions de t) *réserves* 22, *prod.* 0,8 (90). **Gaz naturel** très peu. **Charbon** réserve 15, **anthracite** 5. **Lignite** 16,8 (87). **Électricité** (89) 147,5 millions de kWh [dont (%) hydraulique 36,3, thermique 46,5, nucléaire 17,2] en partie privatisée (1988).

Mines (milliers de t. 89) : fer 2 127, potasse 6 285, chlorure de potassium 741, pyrites de fer 894, zinc, plomb, cuivre, argent, mercure, manganèse, tungstène, étain, uranium.

Industries. Énergie électrique, textile (en crise), sidérurgie (en redressement), chaussures, jouets, constr. navales (Alicante : en déclin) conserveries (poissons, lég.). Automobile voit. de tourisme *1989 :* 1 639 000 (925 000 exp.). Immatriculations *1984 :* 522 000 ; *88* 1 056 000 ; *90 :* 982 305.

Transports (km). Routes 318 991, chemins de fer 13 572.

Tourisme (87). *Visiteurs* (millions) 50,54 (dont 32,75 sont restés + de 24 h ; dont Français 11,67, Portugais 9,66, Angl. 7,55). **(88)** 54. *Recettes :* 15 milliards de $ (1 % du P.I.B.). **(89)** 54 (dont Français 22 %, Portugais 19, Angl. 14, All. 12) **(90)** 1,82 billion de pesetas.

Finances. Inflation (%). *1980 :* 15,6 ; *81 :* 14,5 ; *82 :* 15 ; *83 :* 12,2 ; *84 :* 11,3 ; *85 :* 8,8 ; *86 :* 8,8 ; *87 :* 4,8 ; *88 :* 5,8 ; *89 :* 6,9 ; *90 :* 6,5 ; *91 (est.) :* 5. **Dette ext.** (milliards de $) *90 :* 45, **Budget** (milliards de pesetas, 1990). *Dépenses* 11,5 dont (en %, 89) personnel 17,8, achats de biens et services 2,9, dépenses financières 10,5, transferts courants 44,5, investissements réels 8,6, transferts de capital 8,7, actifs financiers 3,9, passifs financiers 3,1, *recettes* 10,2, *déficit* 1,1 (2,3 % du P.I.B.). **Réserves** en devises (milliards de $). *85 :* 13,3, *88 :* 39,8, *89 :* 44,4, *90 :*53,1. **Salaire minimal mensuel** (1991) 2 700 F.

Investissements. Espagnols à l'étranger (en millions de $). *1987 :* 680 ; *88 :* 1 371. *En France. 1988 :* 21,6 milliards de pesetas, *89 :* 8,6.

Investissements étrangers. *1987 :* 443, *88 :* 683, *89 :* 802 milliards de pesetas (65 milliards de F) dont P.-Bas 190,4, *France 160,4,* G.-B. 142,7, Suisse 91, All. féd. 83,6, U.S.A. 50,8, Italie 38, Japon 23,4 [*Secteurs (%) :* instituts financiers et assurances 37,3, ind. manufacturières 16,92, commerce, restauration, hôtellerie 14,4, chimie, mines, transformation du minerai 12,3, de métaux 10,1, agro-alimentaire 4,4].

Commerce (milliards de pesetas, 89). *Exportations* 5 257 *dont* biens d'équipement 1 364, véhicules 613, mat. transp. 482, prod. alim. 438, prod. text. 136 ; *vers France 1 024* (soit 19,47 %), All. féd. 623, G.-B. 524, U.S.A. 387, P.-Bas 239. *Importations* 8 458 *dont* biens d'équip. 2 941, prod. alim. 898, prod. chim. 755, mat. transport. 687, véhicules 434, prod. text. 123 ; *de* P.-BAs 190, *France 160,* G.-B. 142, Suisse 91, All. féd. 89, U.S.A. 51, Italie 38, Japon 24.

Commerce avec Amér. latine (milliards de pesetas, 1989). *Exportations* 203 vers Mexique 48, Cuba 26,

Chili 24, Venezuala 17, Argentine 13, Colombie 13, Brésil 13. *Importations* 404, *de Mexique* 134, Brésil 111, Argentine 41, Chili 31, Colombie 16, Venezuela 13, Cuba 11.

Balances (milliards de $) **commerciale** *1985* - 4,2 ; *86 :* - 6,3 ; *87 :* - 12,8 ; *88* (est.) : - 16,7 ; *89 :* - 29,6 ; *90 :* - *env.* 29. **des services** *85* + 5,85 ; *86* + 9,2 ; *87* + 10,5 ; **des paiements** *1985 :* - 0,1 ; *86 :* + 0,7 ; *87 :* + 8,7 ; *89 :* - 11,6.

Rang dans le monde. *1989 :* 1er oranges. 3e vin. 5e orge. 8e potasse. 12e p. de t. 13e argent. 14e porcins 16e lignite. 18e ovins.

Dépenses aux jeux d'argent. *1990:* 621,7 milliards de pesetas dont loterie nat. 423 5, loto 139,2, paris sportifs 21,7.

ÉTATS-UNIS

Carte p. 935. V. légende p. 837.

☞ **Surnom.** Uncle Sam, de Samuel Wilson (1766-1854). Inspecteur pendant la guerre de 1812, il tamponnait sur les barils de viande qu'il inspectait U.S. (pour United States) comme son propre surnom : Uncle Sam. **Emblème.** Pygargue (du grec : à fesses blanches) à tête blanche.

Drapeau. En 1765, le drapeau révol. possède 9 bandes rouges et blanches représentant les colonies, puis 13 en 1775. En 1777, l'Union Jack qui figure dans l'angle est remplacée par des étoiles et le drapeau à 15 bandes. Le 4-7-1818, le drapeau a 20 étoiles et 13 bandes, une étoile sera ajoutée pour chaque nouvel état. Dernière ajoutée : 1912 : 47e et 48e Nouveau Mexique, Arizona ; 1959 : 49e Alaska ; 1960 : 50e 4-7 Hawaï.

Devise. *In god we trust* (en Dieu, non croyons) : utilisé dep. 1864 sur certaines monnaies, puis sur toutes pièces et billets dep. 1955 ; désignée comme devise off. nationale (loi du 30-7-1956). *Pluribus unun* figurent sur le grand sceau américain (sur le ruban porté dans sa bouche par un pygargue) dep. 1792.

Hymne national. La bannière étoilée : désignée comme hymne nat. le 3-3-1951, écrite par Francis Scott Key le 13/14-9-1814. Son beau-frère, le juge J.-H. Nicholson, composa la musique.

Géographie

• **Situation.** Amérique du N. **Superficie.** (milliers de km²) : *1776 :* 2 302 ; *1803 :* 4 444 ; *1819 :* 4 631 ; *1845 :* 5 641 ; *1846 :* 6 382 ; *1848 :* 7 752 ; *1853 :* 7 830 ; *1867:* 9 347 ; *1898:* 9 363,353 ; *1985:* 9 372,615 dont eaux 205,856. **Longueur** *d'E. en O.* 4 500 km. *N. au S.* 2 500 km. **Alt.** *max.* Mt McKinley 6 198 m. *min.* Death-Valley 86 m.

• **Frontières** 12 007 km, avec Canada 8 892 [(dont Alaska 2 477), la plus longue frontière inter-États du monde], Mexique 3 115 (la frontière la plus fréquentée du monde : 120 millions de passages par an). **Côtes** 19 924 km dont Atlantique 3 329, Golfe du Mexique 2 624, Pacifique 12 265, Arctique 1 706.

• **Mason-Dixon Line.** Frontière Pennsylvanie Maryland, délimitée 1763-67 par Charles Mason et Jérémie Dixon, astronomes anglais, limites traditionnelles des États esclavagistes (Sud) et anti-esclavagistes (Nord).

• **Relief.** 2 massifs montagneux (Appalaches et Rocheuses) enfermant une rég. centrale continentale.

• **Climat et végétation. Ouest :** 2 chaînes côtières parallèles limitent les influences océaniques sur une étroite bordure entre la montagne et la mer. Au N. de San Francisco, cl. tempéré froid, pluies abondantes (+ d'1 m/a.) (conifères) ; au S. dans les plaines, cl. méditerranéen : hivers doux, étés chauds et secs [le *chaparral* (maquis formé de plantes xérophiles) prédomine]. **Centre :** *continental* [les Rocheuses ne laissent passer que le chinook (vent chaud) ; en été, pénétration de masses d'air tropical ; hiver, air polaire continental accompagné de blizzards ; pluies de 300 à 400 mm/a. en Arizona (forêts dans les vallées et hauts reliefs, steppe sur les plateaux intérieurs des Rocheuses et hautes plaines, déserts en Arizona, au Nouveau-Mexique)]. **Rég. atlantique :** *continental humide* (courant froid du Labrador), pluies variant de 500 mm au N. à + de 1 000 mm au S. [forêt appalachienne ; à l'O. du Mississippi, la Prairie (terre noire riche en humus)]. **Sud-Est :** *tropical,* mousson pluvieuse avec des dépressions profondes (les hurricanes) (pinèdes). **Alaska :** *océanique froid* entre Pacifique et chaîne côtière ; *polaire* au N.-E.

Températures (moy. janv. et juill., précipitations annuelles entre parenthèses) : *Miami* 19,3 °C, 27,5 °C (1 500 mm) ; *Los Angeles* 11,7 °C, 29,3 °C (440 mm) ; *Washington* 0,5 °C, 24,9 °C (1 100 mm) (New York - 8 °C parfois, + 30 °C l'été).

Régions

• **Ouest** (1/3 des U.S.A.). *Rocheuses* (plateaux et chaînes, 1/3 de la sup. totale), larg. 2 000 km : E., montagnes Rocheuses ; au centre, plateaux calcaires du Colorado (1 600 à 2 000 m d'alt.), le Colorado (« Rouge ») a creusé un canyon profond parfois de 1 800 m ; au N. du plateau : Grand Bassin formé de cuvettes (lac Salé, Vallée de la Mort - 94 m), plateaux du Columbia (mesas de basalte 1 000 à 2 000 m) ; à l'O., 2 chaînes parallèles N.S. : à 150 km de la mer, *Sierra Nevada* (Mt Whitney 4 420 m), prolongée au N. par la *ch. des Cascades* (avec le Mt St-Helens, volcan revenu en activité le 22-7-1980, après 350 ans de sommeil) ; *chaînes côtières* plissées, le long du Pacifique (les montagnes de l'Ouest sont riches en argent, métaux non ferreux, pétrole, potentiel hydroélectrique) ; entre les deux, grande vallée de *Californie* drainée par Sacramento et San Joaquin. Élevage extensif sur les versants orientaux, les « ranches » (bovins ou moutons). Barrages permettant irrigation (fruits et légumes), élevage bovin, production d'énergie électrique : « Grand Coulee Dam » et « Bonneville Dam » sur la Columbia, « Boulder Dam » sur le Colorado. *Ressources :* charbon (bassin le plus important près du Grand Lac Salé) ; pétrole (bordure orientale des Rocheuses), uranium (Mexique), cuivre, plomb, zinc, tungstène, molybdène, fer (S. du Grand Lac Salé). Métallurgie du cuivre à Butte et Spokane, du fer à Geneva. *Densité* faible, villes rares. **Côte** très peuplée. Rôle écon. croissant dep. 1945. **Nord** (Oregon et Washington) : forêts, ind. mécanique (constr. navales et aéronautiques) autour du Sound, baie débouchant vers le N., près de Vancouver ; Seattle, port en relations avec l'Alaska. **Sud** (Californie) : cultures délicates, irriguées dans vallée Impériale (fruits, agrumes, vigne), forêts, pétrole, vie marit.

• **Sud.** Climat chaud, tendance tropicale ; pop. en partie noire (env. 10 millions). Coton dans la vallée du Mississippi et sur les « terres noires » (bande du Texas aux Appalaches). **Vallée** et **Est :** exploitations anciennes, morcelées en métairies tenues par des Noirs ou des « Pauvres Blancs », rendements médiocres. **Ouest :** grandes propriétés mécanisées mais en déclin : le coton recule (conditions climatiques hasardeuses). Marchés principaux : Memphis et Dallas. Les régions cotonnières cultivent aussi maïs, oléagineux et tabac. **Sud :** cultures intensives, légumes et fruits ; riz (Texas) ; coton (région d'Atlanta) ; métallurgie (Alabama), fer local (Birmingham) ou importé (Mobile, sur la côte) ; ind. pétrolière et pétrochimique entre Mississippi et Mexique ; chimique (sel, soufre, phosphates voisins de la côte) ; aéronautique (Dallas) ; aluminium (vallées Arkansas et Tennessee). Pétrole, gaz naturel, plus au N., hydroélectricité (vallée du Tennessee), nucléaire (Oak Ridge). *Villes.* Coloniale : La Nouvelle-Orléans ; modernes : Dallas, Houston. *Tourisme* été, hiver en Floride (Miami).

• **Middle West.** Hautes plaines (à l'O.) 1 000 à 2 000 m (Black Hills, 2 209), ravins profonds de 100 à 200 m ; au S. de ces plaines, pl. alluviales le long du *Mississippi* et de ses affluents [apporte 400 millions de t d'alluvions par an, voie de navigation la plus longue du monde : 6 800 km avec le Missouri ; lors des crues, peut submerger jusqu'à 74 000 km² (1927)]. *Climat* continental et sec, sols alluviaux fertiles. *Culture* extensive (mécanisation poussée, usage engrais limité) : rendements médiocres. *3 zones du N. au S. :* blé de printemps ; maïs (avec porcs et bovins) ; blé d'hiver. Dangers de la monoculture : usure des sols, érosion, revenus variables selon la valeur de la récolte. Pour les éviter, on adopte : assolement, cultures en bandes selon courbes de niveau, élevage (viande à l'O., lait vers les Lacs). *Bassin houiller* du Mississippi (utilisé surtout par centrales thermiques), pétrole (N. du Mid Continent Field), hydroélectricité (barrages du haut Missouri), matériel agricole. *Villes :* carrefours, marchés et centres d'ind. alim. : Minneapolis-St Paul (minoterie), Kansas (viande), St Louis (activités variées), Omaha et Wichita. En dehors des villes : population dispersée. **Plaine centrale** (des Appalaches aux Rocheuses, des Grands Lacs au golfe du Mexique), 2 800 000 km², alt. moy. 250 à 300 m ; au centre, massifs primaires (Mts Ozarks, 830 m ; Mts Ouachita, 854 m) ; la Prairie (nom de la végétation originelle), 1 200 000 km², se prolongeant au Canada, plaines limoneuses (céréales) ;

• **Région des Grands Lacs.** *Lacs supérieurs* rég. des Grands Lacs (long. 1 500 km), dus à l'enfoncement du socle lors de la fonte des glaciers au Quaternaire, reposent sur des cuvettes de profondeurs diff. [les lacs sont ainsi séparés par des chutes (de Sault-Sainte-Marie, du Niagara entre lac Érié et lac Ontario), navigables malgré le gel (3 mois)] (l. Supérieur, Michigan et Huron) : 200 000 km² à 177 m d'alt. ; *inférieurs* (l. Érié et Ontario : 45 000 km², plus bas). Au-delà de l'Ontario, les eaux sont évacuées vers l'Atlantique par le St-Laurent. L'Érié est relié par le canal Welland à l'Ontario, qui communique avec l'océan par la voie maritime du St-Laurent dep. 1959. *Ports* actifs (Duluth 30 millions de t par an). *Au N.* bouclier canadien : forêts ; *S. :* forêts et pâturages (ceinture laitière), et cultures fruitières. *Ressources :* bois, fer du lac Supérieur, minerais non ferreux du bouclier (région de Sudbury près du lac Huron) et du S. du lac Supérieur. *Navigation :* bois et minerais vers N. des U.S.A. et bas Canada. En sens inverse, charbon des Appalaches. Sidérurgie avec minerai de fer de Duluth, charbon de Pennsylvanie, lacs de Cleveland, Detroit, Chicago ; métallurgie de transformation : Chicago (matériel agricole), Detroit (automobile) ; ind. chimique recevant pétrole et gaz de la prairie canadienne : Sarnia. *Population* nombreuse : Chicago, Detroit, Cleveland, Buffalo.

• **Nord-Est.** 19 États entre Canada, haut Mississippi, Ohio et Atlantique : plus de 50 % de la pop. des U.S.A. *N.-Angleterre :* montagnes usées (1 600 m max. dans les Adirondacks), compartimentées. Littoral découpé. *Appalaches,* 1 500 km sur 200 à 300 km de large, alt. 2 000 m. D'O. en E. : plateau de Cumberland (sédiments primaires) ; Grande Vallée appalachienne (argiles) ; montagnes Bleues ; Piémont appalachien ; plaine côtière (golfes étroits et profonds : Hudson, Delaware, Chesapeake) (riches en minerai de fer et de charbon, énergie hydroélec.). *Plaine côtière atlantique* de New York, s'élargit progressivement vers le S. Littoral à vastes baies [Delaware : Chesapeake (anciennes vallées noyées)]. *Plaines et plateaux* du N.-O., descendant vers les Lacs, en partie recouverts de dépôts glaciaires. *Climat* rude : hiver froid (3 mois de gel sur les Lacs), été chaud et sec, violence et brutalité des précipitations. *Agriculture : N.-Angl. :* élevage laitier, cultures spécialisées (fruits, pommes de t.), forêts ; *Appalaches :* forêts, cultures pauvres ; *littoral :* culture intensive (légumes, fruits, tabac) ; *rive S. des Lacs :* élevage laitier ; *plaines de l'Ohio :* céréales (blé, maïs) ; betteraves, pommes de t., oléagineux, en association avec élevage. *Industrie :* lourde : houille (Pennsylvanie) ; sidérurgie : bassin houiller (Pittsburgh), lacs (Cleveland), côte (Philadelphie, Baltimore) ; chimique lourde : bassins houillers et région de New York ; transformation (constr. méc. et électr., plastiques, pharmacie, textiles, bois, cuir), dispersée : Boston et N.-Angl. ; New York (voir ci-dessous) ; Philadelphie et Baltimore. Côte atlantique urbanisée sur plus de 600 km de long et sur 100 à 200 km de large [*« Mégalopolis »* ou *Boswash* avec 40 millions d'hab. dont Boston (3 millions), New York (8,22 dans la conurbation), Philadelphie (5), Baltimore (2), Washington (3)].

Démographie

Données globales

• **Population coloniale** *(en milliers).* **1610 :** 0,35, **20 :** 2,3, **30 :** 4,5, **40 :** 26,6, **50 :** 50,4, **1700 :** 250,9, **20 :** 466, **50 :** 1 170, **80 :** 2 780, **90 :** 3,93. **(En millions) : 1800 :** 5,31, **10 :** 7,24, **20 :** 9,64, **30 :** 12,87, **40 :** 17,07, **50 :** 23,49, **60 :** 31,44, **70 :** 39,82, **80 :** 50,16, **90 :** 62,95, **1900 :** 76, **10 :** 91,97, **20 :** 105,71, **30 :** 122,78, **40 :** 131,67, **50 :** 150,70, **60 :** 179,32, **70 :** 203,30, **80 :** 225,55 [dont Hispaniques 14,60, Indiens 1,37, Chinois 0,81, Philippins 0,77, Japonais 0,7, Indiens (d'Inde) 0,36, Coréens 0,35, Vietnamiens 0,26, Hawaiiens 0,17, Esquimaux 0,042, Samoa 0,042, Guam 0,032, Aléoutes 0,014, divers 6,75]. *85 :* 238,9 (dont Blancs 202,4, Noirs 28,92) dont 10 d'origine asiatique. *90 :* 249,63. *2000 (prév.) :* 259 à 278,2. **2010** *(prév.) :* 282. **2020** (prév.) : 264,5 à 335. *D.* 26.

Prévision moyenne. *Répartition en %. 1992* blancs 83,1, noirs 12,6, autres races 3,6. *2000* b. 82,6, n. 13,1, a. 4,3. *2020* b. 79,6, n. 14,3, a. 6,1.

Urbanisation. 73,5 % habitent des aires urbaines, 9,2 % dans des villes de + de 100 000 h. **Naissances.** *1989 :* 4 021 000. **Indice de fécondité.** *1976 :* 1,74, *85 :* 1,82, *89 :* 1,90. **Espérance de vie.** *1989 :* Femmes blanches 79,1 ans (noires 75,7), hommes bl. 72,6 (n. 67,5). **Décès.** *1989 :* 2 155 000. **Mariages.** *1989 :* 2 404 000. **Enfants naturels.** Pour 1 000 naissances. *1988 :* toutes races 257,1, bl. 177,2, n. 634,9. **Divorces.** *1989 :* 1 163 000. **Taux (‰).** *Décès. 1955 :* 9,3, *60 :* 9,5, *65 :* 9,4, *70 :* 9,5, *75 :* 8,8, *80 :* 8,7, *85 :* 8,7, *89 :* 8,7. *Naissances. 55 :* 25, *60 :* 23,7, *65 :* 19,4, *70 :* 18,4, *75 :* 14,6, *80 :* 15,9, *85 :* 15,7, *89 :* 16,2. *Mariages.*

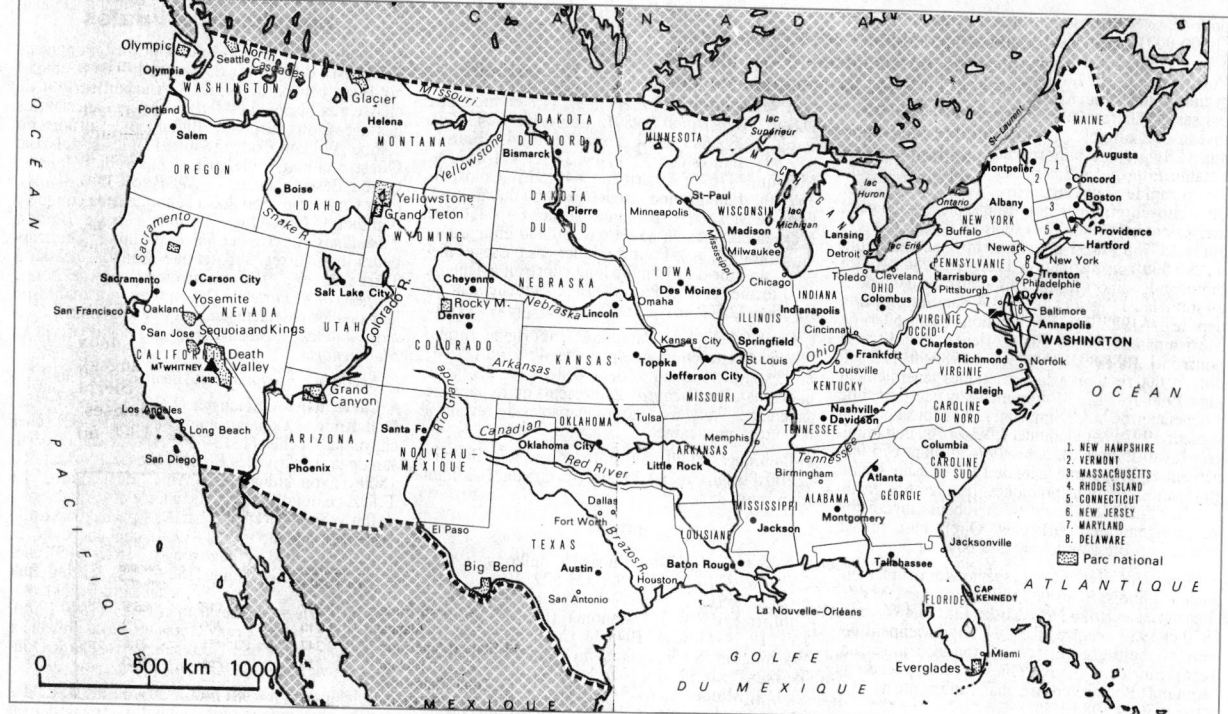

1895 : 8,9, *1900 :* 9,3, *10 :* 10,3, *20 :* 12, *30 :* 9,2, *50 :* 11,1, *60 :* 8,5, *70 :* 10,6, *80 :* 10,6, *89 :* 9,7. *Divorces. 1900 :* 0,7, *10 :* 0,9, *20 :* 1,6, *30 :* 1,6, *50 :* 2,6, *60 :* 2,2, *70 :* 3,5, *80 :* 5,2, *89 :* 4,7. **Mortalité infantile.** *1987 :* blancs garçons 9,6, filles 7,6 ; noirs garçons 19,6, filles 16. **Santé** (en millions, 1988). Malades cardio vasculaires 68,09 dont hypertension 61,87, infarctus 6,08 (décès 0,511), rhumatismes cœur 1,29 (0,006), attaques 2,93 (0,15). **Illetrisme.** 23 millions (13 % des jeunes de 17 ans). **Consommateurs de drogue** (en millions). *1985 :* 23, *90 :* 12,9. *% d'étudiants (High School) ayant consommé en 1989 (et 1980) :* marijuana 43,7 (60,3), inhalation 18,6 (17,6), LSD 8,3 (9,3), PCP 3,9 (9,6), cocaïne 10,3 (15,7), crack 4,7 (n.c.), héroïne 1,3 (1,1), cigarettes 65,7 (71).

Américains vivant à l'étranger (en milliers). *1988 :* 2 175 dont Mexique 396, Canada 235, G.-B. 158, Philippines 156, All. féd. 134, Italie 86, Australie 68, Rép. Dom. 63.

• **Langues :** *officielle* Anglais. *Maternelle (1969)* en % chez les 188 333 000 nés aux U.S.A. et, entre par., ceux d'origine étrangère : anglais 84,9 (26) ; espagnol 2,6 (16,7) ; allemand 2,6 (9,4) ; italien 1,7 (11,2) ; polonais 1,1 (3,7) ; français 1 (3,5) ; yiddish 0,6 (4,4) ; divers 3,8 (24,4) ; non indiqué 1,9 (0,7).

Au recensement de 1980, 26 millions de citoyens amér. n'avaient pas indiqué l'anglais comme 1re langue d'usage (dont 50 % avaient indiqué l'espagnol). En 1990, 24 millions parlaient espagnol.

Religions (1989)

Catholiques romains 54 919 000 (60 en comptant les immigrés clandestins latino-américains) ; % 37,77. *Fidèles de rite oriental :* 0,6. *Conversions* de prot. au catholicisme : env. 93 000 par an. *Sanctuaire national :* basilique de l'Immaculée-Conception (patronne des U.S.A. en 1846), av. Michigan à Washington (6 000 places). *Tendances actuelles :* renouveau charismatique, lancé 1967 par l'université N.-D. (influencé par pentecôtisme, d'origine protestante). *Statistiques (82) :* cardinaux 9, archev. 39, év. 309, abbés 92, prêtres 57 891 dont diocésains 35 163 et religieux 22 728, 115 386 religieuses (425 congrégations), paroisses 19 118, 33 archevêchés, 200 diocèses.

Églises de l'Est 4 077 000 (85). *Vieux catholiques* 2 500, Arméniens 544 600, *catholiques nationaux polonais* 282 400.

Protestants 79 329 000 dont *baptistes* 26 119 516, *Christian Church* (disciples du Christ) 1 073 119, *Christian Churches and Churches of Christ* 1 070 616, *Church of the Nazarene* 522 264, *Churches of Christ* 1 626 000, *épiscopaliens* 2 455 422, *Mormons* 4 054 736 (85), *luthériens* 8 359 347, *méthodistes* 12 587 824, *pentecôtistes* 3 711 488, *presbytériens* 3 341 010, *Églises réformées* 577 028, *Armée du Salut* 433 448, *adventistes du 7e jour* 687 200, *United Church of Christ* 1 644 787.

Juifs 5 935 000 (env. 100 000 J. noirs, les Hébreux éthiopiens). 4 % de la pop. 2 200 000 J. à New York. **Musulmans** env. 6 000 000. **Bouddhistes** 100 000. **Divers** 197 000.

Nota. – 60 % de la pop. déclarent appartenir à une confession religieuse ; 45 % suivent un office.

Immigration

• **Généralités. Immigration légale. Nombre global (en millions) : 1783-1819 :** 0,25, **1820-30 :** 0,15, **1831-40 :** 0,60, **1841-50 :** 1,71, **1851-60 :** 2,60, **1861-70 :** 2,31, **1871-80 :** 2,81, **1881-90 :** 5,24, **1891-1900 :** 3,69, **1901-10 :** 8,80, **1911-20 :** 5,74, **1921-30 :** 4,11, **1931-40 :** 0,53, **1941-50 :** 1,04, **1951-60 :** 2,52, **1961-70 :** 3,32, **1971-80 :** 4,49, **1981-83 :** 1,673, **84 :** 0,54, **85 :** 0,57, **86 :** 0,60, **88 :** 0,64, **89 :** 0,61 (Asie 0,28, Europe 0,07, Amérique 0,23, Afrique 0,02, Océanie 0,004).

Nota. – De 1981 à 1990 : 1 500 000 à 2 000 000 Cubains, 340 000 Vietnamiens et 60 000 Cambodgiens accueillis comme réfugiés politiques. Dep. *1970,* 210 000 immigrés sov. (juifs en majorité) ; *1987 :* 8 155, *88 :* 18 965, *89 est. :* 48 000.

Origine 1820-1989 (en milliers). Total 55 458. Europe 36 977 : Allemagne 707 [1], Autriche-Hongrie 4 338, Belgique 210, Danemark 370, Espagne 282, Finlande 37, *France 783,* G.-B. 5 100, Grèce 700, Irlande 4 715, Italie 5 357, Norvège 753, P.-B. 373, Pologne 588, Portugal 497, Suède 1 245, Suisse 358, Tchéch. 145, URSS 3 429, Youg. 133, autres 290. **Asie 5 697 :** Chine 874, Corée 611, Hong-Kong 288, Inde 427, Iran 162, Israël 132, Japon 456, Jordanie 70, Liban 91, Philippines 955, Turquie 409, Vietnam 444, autres 779. **Amérique 12 017 :** Argentine 125, Brésil 93, Canada 4 271, Colombie 272, Cuba 739, Guatemala 104, Haïti 215, Honduras 79, Indes occid. 1 168, Mexique 3 208, Panama 90, Pérou 106, Rép. Dom. 468, Salvador 216, autres 740. **Afrique 301. Australie et N.-Zélande 144, autres, Océanie 54.**

• **Grandes étapes (Avant 1890)** de l'Europe du N. et de l'O. [îles Britanniques, Scandinavie, Allemagne ; peu de Français (1885-87 : 7 820, soit 2 500 par an)]. **De 1783 (création des U.S.A.) à 1816** 5 000 à 6 000 par an (en majorité Anglais et Écossais, prolétariat urbain ; explosion démographique ; chômage et misère). **1816-40** même origine (*1820 :* 8 385 ; *1830 :* plus de 20 000 ; de *1830 à 40 :* 60 000 par an) ; **1840-46** 90 000 par an, dont 30 000 Allemands et Scandinaves (ruraux manquant de terres, taux de natalité 35 %) ; **1847-51** Irlandais (famine en Irl., maladie de la pomme de t.) 250 000 à 400 000 par an ; **1851-56** retombée des immigrations ; **1856-60** remontée à 300 000 par an, beaucoup d'Irl. (70 % du contingent brit.) ; **1860-80** en régression (l'Irl. est presque dépeuplée, pop. tombée de 4,5 millions à moins d'1 million) ; le % de Germano-Scandinaves s'accroît ; **1880-90** 60 % (200 000 par an) ; *1885 :* craintes de chômage aux U.S.A., les immigrants ne peuvent signer un contrat d'embauche avant leur départ d'Europe (il n'y a que 40 % de ruraux).

1890-1915. De l'Europe, du centre et du S. : Russes, Austro-Hongrois et Italiens ; Polonais, Juifs. *Causes :* baisse de la natalité en Scandinavie ; industrialisation rapide de l'Allemagne créant des emplois dans le pays ; forte natalité dans les pays ruraux de l'Europe du S.-E. **1893-94** ralentissement (récession aux U.S.A.) ; **1895** reprise ; **1901 à 10 :** 6 millions de « nouveaux » (70 % du total) ; **1911 à 15 :** 3 millions (79 %).

1916-21. Arrêt dû à la guerre. **1917** entrée interdite aux adultes illettrés (loi non appliquée, les contrôles de lecture en langues étrangères étant impossibles). **1920** 400 000 entrées ; **1921** 800 000.

1922-47. Acte de 1921 (loi des quotas) interdit d'accueillir plus de 357 803 personnes par an (dont 353 747 Européens : 198 000 pour le N. et l'O. ; 158 000 pour le S. et l'E.). Un *quota* annuel est fixé pour chaque nationalité [référence : le recensement de 1910 ; on prend le chiffre des hab. des U.S.A. d'origine étrangère, naturalisés ou non ; on accepte 3 % (puis 2 % en 1924) de ce chiffre pour chaque nationalité]. *Exceptions :* les Chinois exclus par la loi du 5-5-1892 ; les Jap. qui s'imposent volontairement le même régime (les Indiens seront exclus en 1946)]. **1929** quota total ramené à 150 000 ; des normes permettent d'établir la nationalité des immigrants, afin de faire jouer les quotas. Pour toutes les nationalités, un minimum de 100 est toléré par an. Objectifs : 1°) réduire l'immigration (craintes de chômage : les entrées tombent de 358 000 en 1921 à 165 000, puis 156 000) ; 2°) favoriser l'immigration « nordique », de 20 % en 1910-14, elle remonte à 55 %, puis à 80 % des quotas. **1930** crise écon. l'immigration cesse. **1932-35** solde négatif (– 138 911 personnes). **1935** afflux de Juifs fuyant l'All. ; étant Allemands (quota élevé), ils entrent sans difficultés. **1945** l'acte du 22-12 met 38 056 réfugiés et 2 268 immigrants hors quota (réf. pol. occid., conjoints et enfants de citoyens am., cadres sup. recherche et enseig.). L'immigration baisse, les nations favorisées par les quotas étant en crise de dénatalité. Entre 1930 et 1955, les quotas auraient autorisé 4 800 000 entrées (contre 14 750 000 entre 1895 et 1915). En fait, il n'y eut que 1 563 000 immigrants en tout.

1948-77. 1948 à 50 123 518 immigrants supplém. admis. **1953** loi sur les réfugiés autorisant l'entrée pour 1953-56 de 122 000 All., It., Grecs et hab. des pays de l'Est (entrées effectives : 102 154). **1955** sur 237 000 imm., 115 000 viennent d'Amér. (Mexique 44 000, Canada 32 000, Amér. centrale 26 000, Amér. du S. 8 000). **A partir de 1960** boom écon., afflux d'imm. **1965**-*3-10 Immigration Reform Act,* 2 quotas globaux remplacent les quotas nationaux, 120 000 entrées possibles par an pour les Amériques, 170 000 pour le reste du monde, max. 20 000 par pays [3 500 000 entrées légales entre 1965 et 74 ; + de 8 ou 9 millions d'illégales (surtout Mexicains et Portoricains)]. **1977. « Plan Carter » contre l'immigration clandestine.** Motifs : 1°) les clandestins font baisser les salaires ; 2°) coût excessif des charges soc., niveau de vie faible ; 3°) crainte de l'implantation aux U.S.A. d'une minorité hispanophone à haute natalité. *Principales dispositions :* amnistie et naturalisation rapide pour ceux arrivés avant 1970 ; statut de « citoyen étranger non expulsable » pour ceux arrivés entre 1970 et 77 ; expulsion de ceux arrivés après 1977. **1978-91** amendement fixant un quota de 290 000 sans distinction d'origine. **1986**-*6-11* loi Simpson-Rodino : les illégaux pourront demander un statut légal s'ils sont aux U.S.A. sans interruption dep. le 1-1-1982 [sur 3 à 6 millions (dont 60 % de Mexicains et 600 000 Salvadoriens), 20 à 30 % le pourront]. **1988-89.** 84 000 visas. **1989-90.** 125 000 dont 50 000 réservés à des Soviétiques généralement juifs. **1990**-*16-5* 1 762 100 étrangers avaient demandé à bénéficier de la loi Simpson. *-29-11* loi signée [en vigueur 1992 : quota annuel *1992-94* 700 000 immigrés (avant 500 000), *après 1994* au min. 675 000 personnes]. Supprime la loi de 1952 refusant le visa en raison d'opinions politiques. Immigration facilitée pour Européens qualifiés, chercheurs, ingénieurs ou enseignants en particulier. Quota basé sur les capacités professionnelles : 140 000 par an.

Migrations intérieures. Les régions de peuplement ancien [Illinois, Pennsylvanie, New Jersey, Massachusetts et surtout New York (État – 4 % entre 1970 et 1980 ; centre ville – 11 %)] deviennent des centres d'émigration [vers Canada, Californie, Texas, Floride, « Nouvel Ouest » (du Colorado au Montana : Phœnix, en Arizona, a augmenté de 33 % entre 1970 et 1980)].

Variation en %. *Augmentations les plus fortes, 1980-90 :* Nevada 49,1, Alaska 35,8, Floride 31,1, Californie 23,7, New-Hampshire 19,8, Texas 18,3. *Diminutions les plus fortes :* D.C. – 9,9, Virginie occid. – 8,6, Iowa – 5,1, Wyoming – 4,3, Dakota Nord – 2,9, Illinois – 0,9, Michigan – 0,9, Pennsylvanie – 0,8, Louisiane – 0,6, Ohio – 0,2.

Perspectives. Hispanisation du S. et du S.-O. ; stabilisation ou accroissement de la population active rurale ; rééquilibrage selon les régions économiques ; réanimation des centres urbains.

Noirs

• **Origines.** **1619** (avril). 1ers arrivants : env. 20 à Jamestown (Virginie). D'autres suivirent par centaines chaque année, puis par milliers (au XVIIIe s.). Prisonniers de tribus rivales, ils étaient vendus à des négriers installés le long des côtes d'Afrique. Plus de la moitié mouraient en cours de traversée. **1865** affranchissement des esclaves des plantations du Sud (tabac, sucre, coton) (13e amendement). **1868** (14e am.) égalité avec les Blancs devant la loi.

• **Nombre** (en millions et, entre parenthèses, nombre de Blancs). **1790 :** 0,76 (3,2), **1810 :** 1,4 (5,9), **50 :** 3,6 (15,7 % de la pop.) (19,6), **70 :** 4,9 (33,6), **90 :** 7,5 (55,1), **1910 :** 9,9 (81,7), **30 :** 11,9 (110,3), **50 :** 15 (135), **70 :** 22,6 (177,7), **80 :** 26,4 (188,3), **82 :** 27,6 (198,1), **89 :** 30,6 (208,9), **90 :** 31,1 (210,6), **2000 (prév.) :** 35 (221,5), **2010 :** 38,8 (229), **2020 :** 42,1 (234,3).

États ayant le + fort % de Noirs (en 1980). District of Columbia 70,3. Mississippi 35,2. Caroline du S. 30,4. Louisiane 29,4. Georgie 26,8. Alabama 25,6. **Villes ayant le plus fort % de la pop. noire** (en 1980) : East St Louis 95,6, East Orange 83,5, Compton 74,8, Gary 70,8, Washington 70,3, Detroit 63,1, Newark 58,2, Ingelwood 57,3, Birmingham 55,6, New Orleans 55,3, Baltimore 54,8, Richmond 51,3.

• **Chômage** (déc. 85). 15 % (Blancs 5,9), touche 10,7 % de la pop. active (6 % des cols blancs, 13,7 % des cols bleus et 22,3 % des services).

• **Politique.** En 1987, maires noirs dans 295 villes [dont 27 de + de 50 000 h. (dont Chicago, Los Angeles, Washington, Detroit, Philadelphie, Atlanta, Baltimore)]. **Députés.** Noirs au Congrès 20 (5 en 1963). **Gouverneurs** (des 50 États) : pas de Noirs. **Fonctions électives :** 2 % détenues par des Noirs. 6 681 élus (dont 103 dans les Ass. lég. des États).

Les Noirs votaient massivement pour les républicains (pourtant plus conservateurs) par reconnaissance envers Lincoln qui était rép. Dep. 1961 (él. de Kennedy), ils votent en majorité pour les démocrates.

☞ Voir *Quid 1976,* p. 626 (quelques dates). *1977,* p. 601 (quelques chiffres). *1982,* p. 978 b (organisations « de libération » noires).

Hispaniques (latinos ou chicanos)

• **Nombre** (en millions). *1965 :* 6, *70 :* 9, *80 :* 14,6, *85 :* 16,9, *88 :* 19,4, *89 :* 20 dont Mexique (dit Chicanos) 12, Portoricains 2, Cubains 1 (+ clandestins 5), *est. 2020 :* 47. *Fertilité* 3,5 (1,8 en moy. aux U.S.A.). *Répartition* (1980) : Californie 4 543 770, Texas 2 985 643, New York 1 659 245, Floride 857 898, Illinois 635 525, New Jersey 491 867, N. Mexique 476 089, Arizona 440 915, Colorado 339 300. **Immigration clandestine.** 800 000 à 2 millions de Mex. et Hispaniques par an. Env. 450 000 Mex. interceptés en 85 (+ env. 50 000 immigrants de 87 autres nat.). Pour diminuer ces passages illégaux, un mur de 13 km de long construit à Tijuana (Californie) et à El Paso (Texas). Actuellement, la frontière (2 709 km) n'a des barbelés que sur 44 km.

• **Caractéristiques.** Catholiques, d'origine rurale. **Niveau d'instruction.** Analphabètes 40 % (au Texas) ; études sup. (4 a. ou + de « college » : 7,9 %, v. ci-dessus). Les *Pachucos,* adolescents marginaux, ne savent pas l'anglais et sont incapables de revenir à la culture mexicaine.

• **Politique.** 3 000 env. ont des emplois éligibles (2 100 d'origine mex.), 1 maire (or. cubaine) à Miami (dep. nov. 85).

Indiens

• **Nombre.** *V. 1700 :* plusieurs millions. *1900 :* 237 196. *20 :* 244 437. *40 :* 333 929. *50 :* 343 410. *60 :* 523 591. *70 :* 792 730. *80 :* 1 534 000 dont Californie 198 095, Oklahoma 169 297, Arizona 152 610, N.-Mexique 104 634, Carol. du N. 64 519, Washington 58 159, Dakota du S. 45 081, Michigan 39 702, Texas 39 374, New York 38 117, Montana 37 153, Minnesota 34 841. *1978 :* + de 1 million. **Vivant dans les réserves.** *1987 :* 861 500 (dont Navajo 173 018, Cherokee 58 232, Creek 54 606). **Entités indiennes** (tribus, bandes, villages, groupes, pueblos...) 307 recensées + 200 tribus en Alaska.

• **Caractéristiques.** *Espérance de vie :* 46 ans (moy. des U.S.A. 70). *Taux de suicide :* le double de la moy. nationale. *Mariages mixtes :* 33 %.

• **Causes de leur disparition.** *Non-résistance aux microbes* venus d'Europe avec les immigrants, notamment variole, rougeole, choléra. On a parlé de déclenchements volontaires de l'épidémie (notamment distribution de couvertures contaminées par Lord Jeffrey Amherst, commandant en chef des troupes angl. en 1759). Une 2e épidémie de variole (1830-40) dans le bassin du Missouri a entraîné la disparition presque complète des Pieds-Noirs. Le choléra a détruit, entre 1849-51, les I. de l'Oregon. *Famine* [disparition des bisons (massacrés), non-distribution des vivres, promises par les traités, dans les réserves]. *Alcoolisme :* surtout dans les *réserves,* parmi une population coupée de son milieu naturel et confinée dans des superficies réduites. *Massacres :* seules sont connues les pertes militaires amér. (1866-91) : 932 †, 1 061 bl. On a évalué les pertes indiennes en multipliant ces chiffres par 3, 4, 10, ou 20.

• **Ressources.** Faibles. **Chômage.** *Maximum :* Minnesota 58 %, Dakota 57, Washington 53. *Minimum :* Texas 12, Colorado, Kansas 17. Certaines tribus indiennes bénéficient de gros revenus pétroliers (ex : les Shoshones, 320 $ par mois par habitant).

• **Principales nations indiennes. Nord-Est : Algonquins.** E. du Mississippi (nus l'été, ils se peignaient le thorax en rouge, sans doute pour effrayer leurs ennemis). Comprennent *Abnakis* (Maine et N.-Écosse), tribus du sud de la N.-Angleterre *(Penobscots, Narragansets, Pequots, Massachusetts, Wampanoags, Mohicans), Delawares* et *Cheyennes* des Middle States et de la Virginie, *Sauks* et *Foxes, Kickapoos* et *Pieds-Noirs* du Middle West d'où venaient les *Ottawas, Objibwas* et *Pottawatomis.* Champlain fut leur ami. **Iroquois.** État de N.Y. : Confédération de 5 nations *(Mohawks, Cayugas, Oneidas, Onondagas* et *Senecas)* puis ligue des 6 nations avec les *Tuscaroras.* Les *Cherokees* du Sud étaient également de souche iroquoise. V. 1400 apr. J.-C., les Ir. exterminèrent Algonquins, Hurons et Ériés. S'allièrent aux XVIIe-XVIIIe s. aux Holl. et Angl., ennemis des Fr. **Sud-Est : Natchez** (adorateurs du Soleil, à la mode en Fr. au XVIIIe s.). *5 tribus civilisées ;* devenus chrétiens, agriculteurs, se groupent en 1859 en une sorte de confédération. Actuellement : 75 000 *Cherokees,* 50 000 *Choctaws,* 20 000 *Creeks,* 9 000 *Chickasaws,* 3 000 *Séminoles.* **Sud-Ouest : Navajos.** Arizona, N.-Mexique et Utah. 25 000 en 1868, 134 958 en 1977 ; réserve la + grande des U.S.A. (62 000 km²), riche en uranium, pétrole, gaz nat. **Apaches** (env. 10 000). Réserves d'Arizona et N.-Mexique, S.-O. de l'Oklahoma. Guerriers (Cochise), aujourd'hui éleveurs de bétail. **Hopis, Pueblos :** N-Mexique, Arizona 37 220 en 1977, groupes I. sédentaires, agriculteurs, descendants des Anasazi.

Plaine : Sioux, du Mississippi aux montagnes Rocheuses d'E. en O., du Saskatchewan (Canada) au Texas central du N. au S. Vivaient surtout de chasse aux bisons. Les *Dakotas* étaient spécialistes des agressions surprises. Buffalo Bill [surnom du colonel William Cody (1846-1917)] les popularisa. **Ouest :** climat aride, tribus misérables dans le Grand Bassin ; Plateau : *Nez-Percés, Têtes-Plates,* etc. ; Californie : 350 000 à l'époque de la conquête (vanniers). **Nord-Ouest :** tribus *Tlingits, Haidas, Tsimshians, Nootkas* et *Chinooks* (culture riche, trappeurs dans la rég. subarctique, Canada, Alaska à Terre-Neuve) ; *Athabascans* ou *Algonquins,* dont : *Chipewyans, Porteurs* (les veuves portaient sur leur dos les ossements calcinés de leur mari), *Couteaux-Jaunes, Castors, Esclaves, Lièvres, Crees* et *Montagnais.*

Arctique : *Esquimaux* et *Aléoutes* (pêcheurs).

• **Chefs indiens. Setangya** (1810-71), chef kiowa. **Dull Knife** « Couteau émoussé » (1810-83), chef cheyenne. **Cochise** (1812-74), chef Chiricahua, partisan de la paix avec les Blancs ; accusé à tort en oct. 1860 d'avoir kidnappé un Amér. de 12 ans, Felix Tellez, ce qui déclencha la « guerre des Apaches » ; en fait Tellez avait été pris par des Apaches occ. **Little Wolf** « Petit Loup » (1820-1904), chef cheyenne du Nord. **Red Cloud** « Nuage rouge » (1822-1909), chef sioux Oglala. **Geronimo** (1829-1909). **Sitting Bull** « Taureau assis » (1831-90), chef sioux Hunkpapa. **American Horse** « Cheval américain » (1840-1908), chef sioux Oglala. **Crazy Horse** « Cheval emballé » (1841-77), chef sioux Hunkpatila. **Wovoka** « Donneur de vie » (1858-1932), prophète.

• **Quelques dates. 40 000 à 30 000 av. J.-C.** des envahisseurs mongoloïdes venus d'Asie par le détroit de Béring gelé seraient les ancêtres directs ou les prédécesseurs des Indiens (venus + tard par le même chemin). Amérindiens et mongoloïdes ont des traits communs : cheveux noirs épais et raides ; pilosité faible ; peau du jaunâtre au brun foncé ; yeux foncés et pli épicanthique fréquent aux paupières. Différences : stature, proportions du corps, faciès, forme du nez, forme du crâne. **1637** g. des *Péquots* contre les colons du Connecticut. **1675-76** soulèvement des *Wampanoags* et des *Narragansets* contre les colons de N.-Angleterre (g. de King Philip). **1711-12** g. des *Tuscaroras* en Caroline du N. **1714-15** g. des *Yamassees ;* en Caroline du S., rébellion de *Pontiac,* territoire du N.-E. **1763** siège de Detroit. *King Philip* manque de rejeter les Angl. à la mer, est tué par un *Pocasset* passé à l'ennemi, sa tête sera exposée à Plymouth 20 ans. *Pontiac,* chef des Ottawas, tué par un Ind. **1777-81** *Joseph Brant,* chef Mohawk de la Ligue iroquoise des *Six Nations,* soutient les Angl. pendant la g. d'Indépendance jusqu'à Johnstown (Gal *Sullivan* bat Angl. et Ind.). Pour empêcher les tribus d'aider les Angl., le Congrès continental ordonne aux colons de cesser tout empiétement sur les terres ind. **1784** *1er traité* entre U.S.A. et Ind. à *Fort Stanwix* (État de New York) (expiré nov. 1984). Iroquois abandonnent pour 200 a. leurs revendications sur ouest de l'État de New York, Pennsylvanie et Ohio.

1790 Gal Josiah Harmar, venu en Ohio avec 1 500 miliciens pour châtier les Miamis, est battu. **1791** Gal Arthur St-Clair, gouv. des terr. du N.-O., tombe dans une embuscade tendue par Miamis. **1792**-*5-3* est destitué. **1794**-*20-8 Fallen Timbers :* Wayne bat 12 tribus ind. **1795**-*3-8 tr. de Greenville :* Ind. cèdent env. 2/3 de l'Ohio et une partie de l'Indiana, mais *Tecumseh* (1768-1813) refuse de signer et, avec son frère *Tenkawatawa,* prophète des Shwanees, organise une puissante confédération ind. **1811** W.H. Harrison détruit le gros de ces forces à *Tippecanoe.* **1812** Tecumseh se joint aux Angl. mais est tué à la bataille de la *Tamise* (1813). **1814** les *Creeks,* partisans de Tecumseh, anéantis à *Tallapoosa* dans le Sud ; les survivants cèdent près des 2/3 de leur territoire. **1824** fondation du Bureau des réserves indiennes. **1830**-*28-5* loi sur le déplacement des Ind. (Removal Act), le Pt peut échanger les terres de l'O. du Mississippi contre le territoire encore détenu par les tribus dans le S.-E. **1841** les Ind. sont stabilisés dans les États de l'E. des Rocheuses. **1848** *tr. de Guadalupe :* U.S.A. acquièrent des terr. mexicains (du Texas à la Californie) où les Ind. sont libres, mais la découverte de l'or *(1848),* et la construction du chemin de fer transcontinental Union (derniers rails boulonnés par un clou d'or le 10-5-1869) irritent les Ind. des Grandes Plaines et des Rocheuses (env. 225 000) ; ils s'opposent à l'installation des Bl. (notamment en 1861, lors de l'invasion du Colorado par des milliers de prospecteurs et mineurs). **1862** les *Sioux Santees* (Dakotas) (g. de Little Crow) dévastent frontière du Minnesota, massacrent ou capturent env. 1 000 Bl. **1866** après

20 années de g. sporadique, les Apaches avec *Geronimo* se rendent. **1867** Congrès établit une commission de paix. **1868** *tr. de Fort-Laramie* finit la g. des plaines, garantit les Black Hills aux Sioux. **1871** loi stipulant qu'« aucune tribu ou nation ind. ne sera reconnue en tant que tribu ou puissance indépendante avec laquelle les U.S.A. puissent contracter des traités » (auparavant plus de 400 tr. conclus avec nations ind.). **1875** or exploité dans les Black Hills du Dakota du Sud, lieux sacrés des Sioux que le gouv. avait promis de respecter. **1876**-*1-2* les Sioux refusent avec *Sitting Bull* et *Crazy Horse* de regagner leur réserve ; *juin* Gal *George Custer* (1839-76), cerné par 2 500 Ind. de Crazy, meurt avec 165 h. **1877** *janv.* colonel *Nelson Miles* surprend Crazy dans son camp d'hiver *(Little Big Horn)* et disperse ses hommes ; *mai* Crazy se rend avec 1 000 membres de sa tribu. **1890**-*15-12* Sitting Bull assassiné. *29-12 Wounded Knee*, 120 hommes, dont Big Foot et 230 femmes et enfants sioux, oglala, lakota et minneconju tués (dernier massacre des g. ind. sauf l'expédition contre les *Ojibwas* du Minnesota). **De 1866 à 1891** au cours d'un millier d'engagements, 2 571 Blancs militaires et civils et 5 519 Indiens auraient été tués ou blessés. **1914-18**, 8 000 Ind. servent dans l'Armée et la Marine (dont 6 000 volontaires). En reconnaissance, le Congrès accorda, en 1924, la citoyenneté amér. aux Ind. qui ne l'avaient pas encore. Néanmoins, plusieurs États leur refusent le droit de vote (N.-Mexique et Arizona jusqu'en 1948).

• **Réserves.** Le gouv. ne put (ou ne voulut) faire respecter les clauses des traités, ni protéger les Ind. des réserves contre les empiétements des Bl. (annexions sans aucun droit, par les Stés de chemins de fer et d'autres spéculateurs). On envisagea donc de faire des Ind. des propriétaires fonciers, pour les attacher à la propriété privée et les amener à adopter progressivement le mode de vie américain. **1887** *loi Dawes :* morcellement des réserves ; chaque famille doit obtenir 160 acres, plus 80 par enfant mineur ; les surfaces concédées restant en tutelle 25 ans, les allocataires reçoivent ensuite un titre de propriété [les Ind. possédaient alors 155 millions d'acres (+ 5 millions concédés plus tard aux Navajos, à titre de réparation des spoliations passées)]. La loi Dawes ne s'appliqua pas aux 5 tribus civilisées de l'Oklahoma. Les autres tribus continuèrent à vivre à l'écart, dans leurs réserves, principalement en Oklahoma (État en 1907), N.-Mexique, Arizona et Utah. En fait, tous les Ind. voulaient qu'on les laissât libres, sur leurs réserves, de mener leur mode d'existence. Non assujettis à l'impôt, ils étaient « privilégiés » bien que pauvres. **1934** *loi de réorganisation des Affaires ind.* renforce les autorités placées à la tête des tribus, abolit le plan de morcellement de 1887 et interdit toute cession de terres sans approbation de l'autorité de tutelle (les Ind. ne possèdent plus que 47 millions d'acres). **1953** loi autorisant les États à assumer la juridiction en matière civile et criminelle dans les réserves sans l'approbation des tribus, résolution affirmant l'intention du Congrès d'en finir le plus tôt possible avec la tutelle de l'adm. féd. sur les tribus. **Années 1950** programme de réinstallation du Bureau des Aff. ind. (BIA). Beaucoup d'Ind. se reconvertissent, d'autres rentrent dans leurs réserves. **Dep. 1968**, le BIA doit tenir compte de l'AIM (*American Indian Movement)*, créé à Minneapolis (Minnesota), par Dennis Banks, Russel Means et Clyde Bellecourt qui réclame un Red Power, rejette la société blanche, et veut reconstituer les nations. **1969** occupation du pénitencier désaffecté d'Alcatraz par 20 tribus (assurant qu'on vivait mieux en prison que dans les réserves). **1972** occupation pendant 7 j du BIA à Washington. **1973-74** manif. armée de 71 j à *Wounded Knee* (Dakota), lieu d'un massacre ; 2 † ind. dans les engagements militaires dirigés contre le chef tribal élu Dick Wilson (l'année suivante, assassinats de militants de l'AIM sur la réserve de Pwe Ridge). **1978** *févr.-juill.* marche de 5 500 km (d'Alcatraz à Washington) contre propositions de loi visant à abroger des tr. et droits divers (pêche, chasse) et à supprimer tout gouv. traditionnel. *Juillet* création du WARN (Women of All Red Nations) à Rapid City (Dakota S.). **1979**-*1-8* siège par la police de Racquette Point, village de la réserve d'Akwesasne où des Mohawks se sont retranchés : 2 Ind. †. Actuellement le BIA s'occupe d'env. 300 *réserves,* colonies, ranches et communautés + 147 groupes de natifs de l'Alaska, occupant + de 20,4 millions d'ha. Les réserves ont une autonomie relative ; elles abriteraient 60 % des ressources énergétiques du pays. L'admission d'un Bl. est en principe subordonnée à l'obtention d'autorisation, bien que la circulation sur les routes soit garantie par le secr. d'État à l'Intérieur. Les lois amér. ne s'y appliquent pas (sauf les textes spécialement destinés à les régir et une partie de la législation pénale). Dep. 1885, les tribunaux féd. sont compétents pour certains crimes commis entre Ind. sur leurs propres terres. Si aucune autorité tribale n'est compétente, les Ind. vivent, en principe, sans lois.

• **Art indien.** Les expéditions espagnoles n'ayant touché que le S.-O., la période « préeuropéenne » se poursuit parfois jusqu'à la fin du XVIIIe.

Sud-Ouest (Nouv.-Mexique, Arizona). Population (ancêtres des Indiens Pueblos) sédentaire entre 100 et 400 apr. J.-C., civil. stabilisée en 1000 apr. J.-C. (site de Mesa Verde) : maisons cubiques autour de chambres cérémonielles en puits Kiva décorées de fresques. Vestiges dans les parcs. *Vers 900 apr. J.-C.,* les peuples de tradition Hohokam, descendus dans le nord du Mexique, subissent l'influence mexicaine (site de Casas Grandes, État de Chihuahua) : céramique, objets de turquoise, coquillages, travail du bronze et du cuivre. Cette culture s'éteint sans prolongements v. 1400 apr. J.-C. *Civilisation des Hopis et des Zûnis :* sédentaire et théocratique. Céramique géométrique, souvent bichrome. Pétroglyphes. Tissages, vannerie parfois recouverte de cire (pour la rendre imperméable). Katchina : poupées en bois sculptées et peintes, symbolisant un dieu des Indiens Pueblos ; données aux enfants au cours de cérémonies publiques chez les Hopis. Poteaux sculptés représentant le dieu de la guerre.

Est du Mississippi. *Civilisation des moundbuilders 1000 av. J.-C. à 1500 apr. :* constructeurs de tumulus funéraires, surmontés, à partir de 800 apr. J.-C. env., de petits temples. Formes stylisées de pierre polie (*banner stones,* usage non élucidé). Céramique et pierre polie (statuettes, pipes, plats) : coquilles gravées et cuivre martelé (influence mex.). *A partir de 1500, Iroquois au N.* Bijoux d'argent très élaborés. Décoration par application de piquants de porc-épic (remplacés par les perles à l'arrivée des Européens). « Wampum » : ceintures en perles de coquillages à vocation mnémonique ou commémorative (tr. de paix, etc.). Masques rituels de bois (grimaçants) ou de cosse (paille) de maïs.

Plaines. Culture développée principalement après l'arrivée des Eur. (civilisation du cheval, introduit par les Eur.), mais sans contact direct avec eux. Pas de céramique. Peinture sur peaux (représentations biographiques ou motifs géométriques symboliques). Vêtements avec piquants ou perles.

Côte N.-O. du Pacifique. Développement artistique extraordinaire (totems, façades peintes de rouge et noir...) lié à l'apport des outils européens.

Histoire

• **Période précolombienne. Avant J.-C. (dep. 40 000),** voir p. 936 c. **V. 2640** les astronomes chinois Hsi et Ho auraient, par le détroit de Béring, descendu la côte américaine, se seraient arrêtés chez les « Yao » (ancêtres des Pueblos vivant près du Grand Canyon) et auraient ensuite gagné Mexique et Guatemala, avant de revenir en Chine. **800 et 400** missionnaires hindous en Amér. du S. et centrale ; Votan (commerçant) aurait vécu chez les Mayas où il aurait été un historien et un chef local ; Wixepecocha (prêtre) aurait vécu chez les Zapotèques du Mexique ; Sume aurait atteint le Brésil et enseigné l'agriculture aux Cabocles ; Bochia aurait établi les lois des Muycas. **Après J.-C. VIe-XIVe s. Expéditions « Vikings » (Norrois)** (voir Canada, p. 895). On a admis longtemps que les Norrois établis dans le N.E. du Canada dep. 550 ont fait des voyages vers le S., le long des côtes E. des USA actuels. *Ex. :* **986** Bjarni Herjulfson : cap Cod. **1000** Eriksson : Maine. **1010** Thorfinn Karlselfni : Long Island et même baie du Cheasapeake. **1190** Madog ab Owain Gwined (gallois) : Alabama. **1356** Paul Knutson (norv.) : Newport, pas de traces archéologiques (les objets laissés au Minnesota ne sont pas authentiques).

• **Espagnols. 1513** Ponce de León débarque en Floride. **1528-59** Fl. explorée mais abandonnée. **1567** conquête de la Fl. sur Huguenots (v. ci-dessous). **1580** fondation des 2 Fl. : occidentale (Alabama) et orientale. **1540-1600** extension du Mexique vers le N. ; colonisation de la Californie.

• **Français. Av. 1530** Verrazzano (Florentin au service de François Ier) reconnaît les côtes de Caroline et Floride du N. **1559-64** échec d'une fondation, par des calvinistes fr., d'une Nouvelle-France protestante au N. de la Floride [*1559-63* Jean de Ribault, avec 2 navires et 500 h., fonde Charlesfort, au N. de St Augustine ; *1562-11-6* il retourne chercher du renfort à Dieppe ; *1563* faute de vivres, les colons doivent évacuer]. **1564**-*22-6* Cap Français (N. de St-Augustin) : 3 vaisseaux fr. débarquent (chef : René de Laudonnière († v. 1586). Fondation du fort de La Caroline. **1565** *août* faute de vivres, ils doivent également partir. Ribault revient avec 9 vaisseaux et 1 000 h. **1565**-*28-8* l'amiral espagnol Pedro Menendez de Abila débarque à La Caroline et massacre les hérétiques dont Ribault (Laudonnière est un des rares survivants). **1568**-*6-6* représailles, le Dieppois Dominique de Gourgues détruit les forts esp. de la région de St-Augustine. **1582-86** l'Anglais Richard Hakluyt publie à Londres les récits de Ribault et de Laudonnière, dédiés à Sir Philip Sydney, ce qui aboutit aux fondations angl. de Virginie (1607). **XVIIe s.** exploration du haut Mississippi par Canadiens fr. **1670-90** Père Marquette, Jolliet, Cavelier de La Salle. **1702** Mobile [capitale de la Louisiane puis de la Floride occ. (esp.)] fondée. **1718** Nouvelle-Orléans fondée.

COLONIES D'AMERIQUE AU XVIIe SIECLE

• **Hollandais et Suédois. 1614** création de la Cie de Nouvelle-Néerlande [île de Manhattan (achetée définitivement 60 guldens par Peter Minuit en 1626)]. **1619** 1ers esclaves importés (par navire holl.). **1623** fondation de Fort-Orange (Albany, N.Y.). **1624** de Fort-Nassau (Delaware). **1626** Niew Amsterdam (New York) capitale de la colonie (non reconnue par Anglais). **1638** colonie suédoise du Delaware fondée (alliée avec Hollande 1638-55 ; absorbée 1655). **1664** les Holl. (7 000, gouverneur : Peter Stuyvesant) se laissent annexer par Anglais (100 000).

• **Colonisation angl. 1607**-*10-4* Jacques Ier, qui revendique pour la couronne d'Angl. toutes les terres amér. entre 34° (Caroline du Nord) et 45° (Maine), crée 2 Cies : Londres (monopole entre 34° et 38°), Plymouth (entre 41° et 45°) ; les territoires entre 38° (Delaware) et 41° (Connecticut) sont communs aux 2 Cies (établissements séparés par 100 miles) ; *-13-5* création de Jamestown (Virginie) par la Cie de Londres (anglicans). **1614** cap. Smith nomme « Nouvelle-Angl. » les territoires entre 41° et 45°. **1620** Massachusetts [101 ou 102 passagers « Pères pèlerins » (Pilgrim Fathers, puritains) du *Mayflower,* partis de Plymouth G.B. (6-9) et arrivés le 12-11, fondent Plymouth, 41 signent la Déclaration des principes (Mayflower Compact) ; leurs descendants en ligne directe forment une association]. **1632** Maryland (catholiques ; Lord Baltimore). **1636** université d'Harvard fondée (16 élèves, 1 maître). **1682** Pennsylvanie [puritains avec William Penn (1644-1718) ; querelles de frontières avec les cath. du Maryland]. **V. 1690** 2 Carolines. **1732** Georgie créée, marche militaire contre Floride esp. **1754** *congrès d'Albany :* rejet d'un projet de fédération. **1764** l'Angl. taxe sucres et mélasses. **1765** *mars* conflit du timbre (imposé par l'Angl., supprimé févr. 1766). **1770** conflit du thé (cause : taxes), *-5-3* massacres de colons par Angl. à Boston. **1773**-*16-12 « partie de thé »* de Boston : une cargaison est jetée à la mer. **1774**-*5-9 congrès de Philadelphie,* déclaration des Droits.

• **1775-83 g. d'Indépendance. 1775**-*19-4 Lexington,* les Angl. tirent sur des miliciens ; *-15-6* Washington commandant en chef ; *-17-6 Bunker Hill* (en réalité Breed's Hill, près de Charlestown, dans la banlieue de Boston, occupée par les Angl. ; chef angl. Thomas Gage ; amér. : William Prescott, Israel Putnam) ;

morts : 400 Am. (sur 1 500), 1 000 Angl. (sur 2 200) ; les *Insurgents* s'enfuient, mais les pertes angl. sont lourdes et l'effet moral est considérable. *-23-8* George III proclame l'état de rébellion. **1776**-*4-7* date choisie officiellement comme celle de la *déclaration de l'Indépendance* [jour où signèrent une partie des délégués des 13 colonies ; ceux de New York signèrent le 9-7 ; le dernier signataire (Thomas Mc Kean) signa en 1781] ; elle est précédée du préambule de Jefferson sur les droits de l'homme. *Oct. Long Island* (défaite amér.). **1777**-*27-7* arrivée de La Fayette (avec 5 000 volontaires). *-26-9* Howe prend Philadelphie. *-17-10 Saratoga :* John Burgoyne (Angl., 1722-92), encerclé par Gates, capitule. Fr. (1778) et Esp. (1779) soutiennent l'Amér. [aide financière de la Fr. : don de 9 millions de £ (3 en août 78, 6 en 81) ; dépenses non remboursées des flottes et des armées : environ 1 milliard ; garantie d'un emprunt de 34 millions. Beaumarchais a fourni pour 3 600 000 F d'armement ; ses héritiers ont été remboursés de 800 000 F en 1835]. **1778**-*6-2* tr. d'alliance et de commerce Fr.-U.S.A. **1779**-*12-5* l'Angl. Clinton prend Charleston. *-12-7* Rochambeau arrive à Newport. *-28-10* l'am. d'Estaing échoue devant Savannah. La Louisiane soutient les insurgés. **1780** *juill.* Rochambeau en Amér. avec 6 000 h. **1781** *-30-8/19-10 siège de Yorktown :* G^al anglais Cornwallis capitule grâce à la flotte fr. commandée par de Grasse. *-27-11* Paris est illuminé. *-23-12* La Fayette s'embarque à Boston. **1782**-*30-11* préliminaire de paix signé à Paris. *-24-12* corps d'armée Rochambeau s'embarque à Boston. **1783**-*19-4* fin de la g. (3 000 Fr. y sont morts). *-3-9 de Paris :* Angleterre reconnaît l'indépendance, rend Floride à l'Espagne.

• **Depuis l'Indépendance. 1784**-*23-12* New York capitale provisoire, 1787 Constit. ratifiée (7-12-87/29-5-1790) par les 13 États (Delaware, Pennsylvanie, New Jersey, Georgie, Connecticut, Massachusetts, Maryland, Caroline du Sud, New Hampshire, Virginie, New York, Caroline du Nord, Rhode Island) ; sous l'influence de Thomas Jefferson (1743-1826), gouv. dém. et lib. (malgré les tendances autoritaristes de la majorité des Amér., notamment des puritains). **1791** Washington capitale fédérative. **1794**-*20-8 Fallen Timbers :* défaite des Indiens de l'Ohio ; *19-11* tr. avec l'Angl., en g. contre la Fr. [*« tr. Jay »* du nom de son négociateur, John Jay (1745-1829), francophobe] : les É.-U. abandonnent l'alliance fr. en échange d'avantages commerciaux. **1800** Burr et Jefferson obtiennent le même nombre de voix aux élect. prés. (Jefferson élu à la suite des manœuvres

Les U.S.A. pouvaient-ils devenir français ?

• **1er échec.** Colonisation de la Floride du N. par les Huguenots, sous Charles IX (voir ci-dessus). Si Ribault avait remporté (avec 7 navires) une victoire sur Menendez (5 nav.), il aurait assuré la survie de la colonie fr. (mais par une fausse manœuvre, il perdit 4 nav., naufragés avant la bataille). Alliée aux Anglophones, la colonie fr. aurait pu au XVIIIe s. constituer un 14e État « insurgent », indépendant culturellement (?).

• **2e échec de 1586 à 1607.** Les Angl. jettent leur dévolu sur la « Floride » (Virginie actuelle) que Ribault et Laudonnière avaient prise sous Charles IX. Henri III puis Henri IV avaient des droits sur ces régions, mais ne les revendiquent pas ; pourtant, l'envoi massif des Huguenots dans les actuelles Georgie-Caroline-Virginie aurait mis fin aux guerres de religion et permis une francisation complète de l'Am. du N. Les Fr. compensent cet échec en colonisant Terre-Neuve et Laurentides, abandonnées par les Angl. en 1583 (après naufrage de Humphrey Gilbert).

Nota. – Certains estiment qu'une colonisation massive de la côte E. par des Huguenots fr. n'aurait sans doute pas abouti à une fusion entre les francophones protestants du S.-E. et les Canadiens cath. La religion l'emportait alors sur la nationalité, et les prot. fr. se sentaient plus proches des Anglais protestants que des rois de France cath. [ainsi, sur le *Mayflower* (voir ci-dessus), il y avait au moins 5 « pèlerins » d'origine fr. : Cartier, Soulier, Bompas, Moulin, Delanoë ; leurs familles se sont anglicisées dès la 1re génération : Carter, Soule, Bumpus, Mullins, Delano (ancêtre de Franklin Delano Roosevelt)].

• **3e échec 1686-87.** Destruction par les Esp. de la colonie fondée par Cavelier de La Salle à l'embouchure du Colorado (Texas). La coalition antifr. de la ligue d'Augsbourg s'était formée en 1686, et l'Esp. (en g. depuis 1683) revendiquait toute la côte du golfe du Mexique jusqu'à la Floride. Les Fr. du Canada, qui avaient descendu le Mississippi jusqu'à son embouchure depuis 1681, étaient trop peu nombreux et trop éloignés pour peupler la plaine centrale depuis la côte jusqu'aux Grands Lacs. Seule une colonisation maritime, ayant sa base à St-Domingue (occupée depuis 1659), pouvait franciser le pays. Les Esp., momentanément alliés aux puissances protestantes, ont agi en 1686-87 au profit d'une future Amérique du N. anglophone et protestante. Ils changeront d'attitude après l'avènement du 1er roi Bourbon, Philippe V (1700), trop tard pour que la colonisation angl. puisse être inquiétée.

• **4e échec 1689-90.** Frontenac échoue dans la conquête de la Nouv.-Angl. et du port de New York. Un de ses lieutenants, Hertel, s'empare de Casco (aujourd'hui Portland, Maine) ; mais les 2 autres colonnes can. échouent devant Albany (New York) et Salmon Falls (New Hampshire). Or la conquête de New York était indispensable à la sécurité des 12 000 Can. fr. (affrontés à 200 000 Anglo-Amér.). 1689 était « l'année de la chance » pour les Fr., car, à la suite du changement dynastique de 1688, les « colonistes » anglais étaient divisés et les partisans de Jacques II Stuart étaient prêts à se rallier à Louis XIV. L'échec de Frontenac met fin aux espoirs de suprématie française. Néanmoins, la paix de Ryswick (1697) confirme aux Fr. leurs possessions depuis l'Acadie au golfe du Mexique ; rien n'était encore perdu.

• **5e échec 1713-14.** Pertes territoriales du tr. d'Utrecht. A la suite de la g. de Succession d'Esp., la Fr. abandonne : baie d'Hudson, Terre-Neuve, Acadie (avec la base navale de Port-Royal, actuellement Annapolis, en Nouv.-Écosse). Mais le Board of Trade londonien, qui convoite les territoires fr., fait condamner pour trahison Lord Bolingbroke, qui n'avait pas exigé davantage.

• **6e échec 1714-63.** Stagnation démographique. Il y a, en 1713, 18 694 hab. fr. au Canada-Louisiane contre 250 000 Angl. en Am. du N. En dépit d'une forte natalité et de quelques mesures d'émigration forcée (relégations, rafles de filles publiques), la population fr. stagne : *1734 :* 37 716 hab. ; *1760 :* 65 000 (Anglo-Amér. : 1 320 000 Blancs + 300 000 esclaves noirs anglophones). La colonisation « militaire » (soldats prenant leur retraite en Amér.) n'a permis l'installation que de 30 soldats par an entre 1713 et 1756 (1 300 h. en 43 ans).

• **7e échec 1746.** Désastre du duc d'Anville. Au cours de la g. de Succession d'Autriche (1740-48). Beauharnais, gouv. fr. du Can., se fait fort de reconquérir l'Acadie (ce qui rendrait la colonie fr. militairement viable) si on lui envoie 2 000 h. Louis XV lui envoie 5 000 marins et 3 150 soldats, sur 12 vaisseaux de ligne, commandés par le duc d'Anville. Mais celui-ci met 100 j pour traverser l'Atlantique, laisse sa flotte sombrer dans la tempête et ses hommes mourir du scorbut. Il se suicide ; son successeur, La Jonquière, qui ramène en Fr. les débris de l'« Armada française », est écrasé au cap Finisterre le 3-3-1747. [Poème de Henry Longfellow (1802-82) : *Ballad of the French Fleet*].

• **8e échec 1754-63.** G. de Sept Ans et tr. de Paris. Colons fr. et angl. d'Amérique avaient engagé les hostilités 2 ans avant leurs métropoles (batailles de l'Ohio). Les Fr. avaient résisté, mais les désastres de la g. de Sept Ans aboutirent à la cession à l'Angl. du Can. fr. et de la rive g. du Mississippi (1763). Néanmoins, la Louisiane occid. était cédée à l'Esp. (alliée à la Fr.), dont les gouverneurs, de culture fr., se sont comportés presque en fonctionnaires fr. (en 1785, 31 433 francophones en Louisiane, contre 0 hispanophone).

• **9e échec 1775-83.** La g. d'Indépendance amér. pouvait être, pour La Fayette (volontaire sans mandat officiel), l'occasion de reconquérir le Can. et de reconstituer l'Amér. fr. du N. De nombreux Can. fr., sujets anglais depuis 12 ans, servaient avec les « Insurgents ». Le 22-1-1778, le Congrès amér. décide la conquête du Can. et nomme La Fayette G^al en chef de l'armée d'invasion (prévue avec 2 500 h., dont 2 régiments de Can. fr. concentrés à Albany). La Fayette, ne trouvant que 1 200 h. démunis, renonce à son projet le 25-3-1778. La Fr., entrée en g. officiellement le 15-3, envoie en Amér. l'escadre de l'amiral d'Estaing, qui quitte Toulon le 13-4 et arrive au Delaware le 7-7. D'Estaing laisse échapper 2 fois l'escadre anglaise (Delaware, *juill. ;* Rhode Island, *11-8*), perdant toute possibilité d'une victoire essentiellement fr., avec récupération des territoires perdus en 1763. Les victoires franco-amér. de 1781 ont été stériles pour la Fr. Explications fournies : 1°) Washington avait promis faussement que le Can. serait le 14e État de l'Union, car il était anti-fr. et anti-cath. ; il a saboté volontairement le raid de La Fayette ; 2°) la reconquête du Can. par l'escadre de d'Estaing a été « sabotée » à Versailles par les prérévolutionnaires (pour protéger les protestants fr. : ceux-ci avaient obtenu au tr. de Paris de 1763 la liberté de culte en Fr. contre la liberté du culte catholique au Can. devenu anglais ; ils craignaient d'être de nouveau persécutés si le Can. échappait à l'Angl.). Lors des négociations anglo-amér. de 1782-83, Thomas Paine voulait obliger l'Angl. à céder Terre-Neuve à la Fr. (échec dû à l'hostilité du gouverneur Morris, devenu 15-3-1792 min. des É.-U. à Paris).

• **10e échec 1785-88.** Expédition manquée de La Pérouse. Critiqué pour sa défaite diplomatique de 1783 (perte du Canada confirmée malgré victoire militaire), Louis XVI décide de reprendre pied en Amér. du N. par la Colombie brit. et l'Alaska actuels (espoir de trouver un passage nordique entre Atl. et Pacifique). Il monte une coûteuse expédition. 2 navires : *La Boussole* et *L'Astrolabe*, 500 h., dont des savants, commandés par La Pérouse [Jean-Fr. de Galaup (Cte de, 1741-88, massacré par les hab. de Vanitoro après naufrage)] qui quitte Brest le 1-8-1785. Mais la mission est modifiée. Le 2-7-1786, ayant perdu plusieurs embarcations vers le 58° de lat. N., La Pérouse se replie sur Hawaii (ses 2 gros navires couleront à Vanikoro en 1788). L'expédition sera réussie par l'Anglais Vancouver en 1792-93.

• **11e échec 1800-03.** Perte de la Louisiane redevenue fr. Au tr. de San Ildefonso (oct. 1800), l'Esp. rend à la Fr. la Louisiane occidentale. Bonaparte, 1er consul, décide d'en reprendre la colonisation, puis change d'avis et vend le territoire (10 États amér. actuels) aux U.S.A., pour 80 millions de F (conventions du 30-4-1803). Explication de Bonaparte : il a voulu « affermir pour toujours la puissance des États-Unis », afin de « donner à l'Angl. une rivale maritime qui, tôt ou tard, abaissera son orgueil » (faux calcul, ou peut-être mensonge). Autres explications : 1°) il avait besoin d'argent pour le couronnement (prévu l'année suivante) ; 2°) après la perte de St-Domingue, il se croyait incapable de défendre la L. contre une attaque angl. venue du Canada ; 3°) Jefferson a versé des pots-de-vin aux négociateurs fr. [Talleyrand, min. des Aff. ext. (peut-être 10 millions) ; Pierre-Samuel Dupont de Nemours (1739-1818), huguenot fr. naturalisé amér., envoyé officieux à Paris, sous forme de commandes à ses usines chimiques]. 4°) ressentiment de Bonaparte contre son frère Lucien qui avait conclu le tr. de San Ildefonso.

A quoi correspond la révolution américaine ?

1°) Vue de Paris. *A) Militairement,* elle est une occasion de prendre, en Am., une revanche sur la défaite de 1763 (pertes de la g. de Sept Ans ; cession à l'Angl. du Can. et de la Louisiane orient., à l'Esp. de la Louisiane occid.). *B) Idéologiquement,* elle est, pour les Fr. « éclairés » (sous l'influence maçonnique), l'occasion de créer une société respectueuse des « libertés » (le roi Georges III d'Angl. était autocrate ; Washington était franc-maçon). *C)* Il y a eu conflit entre ces 2 points de vue. Ainsi : a) *en 1777,* La Fayette est chargé en principe par le « Congrès continental » de conquérir le Can. Il pense alors travailler pour le compte de la Fr., tandis que les Am. (protestants et maçonnisants) veulent prendre une revanche contre le *Quebec Act* (alliance de l'évêque cath. de Québec et de Georges III : soumission de l'ancienne Louisiane orient. à l'autorité de l'évêque). Washington préfère saboter l'expédition plutôt que de favoriser une reconquête « papiste » ; b) *en 1782,* les 3 délégués Am. : Jay et Adams (anti-français), Franklin (pro-fr., mais battu à chaque vote) concluent une paix séparée avec l'Angl., violant le tr. d'alliance fr.-am. : ils obtiennent l'indépendance, mais ne font rien pour restaurer la Nouv.-France ; c) les anciens combattants fr. d'Amér., n'ayant rien obtenu de concret pour la Fr., exalteront entre 1783 et 89 leur œuvre politique, institutionnelle et morale. La Fayette se fera le promoteur d'un régime « à l'am. », défenseur des « libertés ». Avec le triomphe du républicanisme en Fr., ce point de vue s'est imposé à la conscience collective des Fr.

2°) **Vue par les Anglais.** Ils retiennent qu'elle a été la seule g. où l'Angl. se soit trouvée isolée en face d'une coalition (*Insurgents,* France, P.-Bas, Esp.). Le conflit aurait pu être désastreux mais, grâce à la rupture du front commun entre négociateurs amér. et fr., à Versailles, l'Angl. s'en est tirée à bon compte : les colons ont obtenu des avantages politiques (mais sans se constituer en une nation hostile) ; les Fr. n'ont pu reprendre pied ni en Louis. ni au Can.

3°) **Vue par les Américains** (plus particulièrement ceux de l'Est = Nouv.-Angl. au N., et vieux États du S.). Ils appellent le conflit avec l'Angl. : « American Revolution » (le concevant plus comme une g. civile dans la tradition angl. que comme une g. entre 2 nations) ; le diplomate fr. Louis Otto, dans son 1er rapport à Louis XVI (1775) affirme : « C'est une guerre presbytérienne » : a) Leur *Congrès continental* s'est constitué dans la tradition du parlementarisme angl. : les colons n'avaient pas encore obtenu le droit à un Parlement, étant sur ce point désavantagés par rapport aux Angl. de G.-B. Ils s'en sont donné un de leur propre volonté, au lieu d'attendre une charte de fondation et ils lui ont reconnu le droit (britannique) de légiférer souverainement. b) *L'indépendance économique* (droit de commerce directement avec les étrangers, sans passer par Londres) s'inscrit dans la tradition brit. du libre-échangisme. Pour la quasi-totalité des colons d'Am., libre-échangistes, l'indép. pol. n'était que le moyen d'assurer l'indép. commerciale (il fallait cesser de dépendre de Londres, puisque Londres était réglementariste). c) *L'indép. judiciaire* a été réclamée au nom de la tradition angl. de l'*habeas corpus.* Georges III avait supprimé (au Massachusetts) les jurys locaux et déféré les opposants pol. aux tribunaux de l'amirauté, puis avait voulu faire juger à Londres les « rebelles » capturés. L'indép. pol. a donc semblé la garantie indispensable de l'indép. judiciaire. d) *L'indép. foncière* (droit illimité de propriété) a été réclamée pour l'ancienne Louis. or. (rive g. du Mississippi) au nom de la tradition angl. de la *yeomanry :* les anciens « tenants » des terres féodales étaient devenus, au XIVe s., propriétaires absolus de leurs biens. Georges III avait décidé d'empêcher les *colonistes* d'acquérir les terres entre Appalaches et Mississippi, pour les laisser aux Indiens. Les Am. ont choisi d'échapper à son autorité, plutôt que de renoncer à acquérir librement des biens fonciers. e) *L'indép. religieuse* a été revendiquée dans la tradition anglicane (et non conformiste) du peuple brit., devenu antiromain au XVIIe s. Georges III avait reconnu (Quebec Act, 22-6-1774) à l'évêque cath. de Québec (en échange du ralliement du clergé fr.-can. à la couronne d'Angl.) la juridiction sur l'ancienne Louis. or., ce qui impliquait : la conversion des Indiens au cath. romain ; la mise sous tutelle cath. des égl. prot. implantées. Les raids lancés par le Congrès continental contre le Can. (1775-1777) s'expliquaient par des causes religieuses. f) *Indép. du budget mil.* Depuis la Grande Charte de 1212, les Angl. exigeaient de contrôler financièrement les forces mil. dont disposait la couronne. Les 13 colonies d'Amér., en vertu de leur charte de fondation, avaient le choix de financer leurs propres milices ou de collaborer à l'entretien des garnisons royales angl. Or, en 1774, Georges III décide unilatéralement d'installer dans l'ancienne Louis. or. une armée de 10 000 h. dont l'entretien incomberait au budget des 13 colonies. Ce manquement aux traditions brit. a déclenché une violente opposition des « colonistes ». g) *Washington dans la tradition de Cromwell.* Les *Insurgents* amér. (appelés « rebelles » par Georges III) ont considéré Washington comme élu de Dieu, chargé d'évincer une dynastie indigne pour créer à sa place un « Commonwealth » de type cromwellien. Plusieurs États amér. se désignent d'ailleurs sous le nom de Commonwealth, en souvenir du régime de Cromwell. Mais, à la différence de Cromwell, Washington n'a pas eu d'ambitions dynastiques, il a refusé le titre de roi et l'appellation de « Sa Majesté le Pt des États-Unis ». [*Raisons :* 1°) il n'avait pas de fils ; 2°) il partageait l'idéologie des « rép. romains » à la mode au XVIIIe s. dans les milieux maçonniques (influence de Montesquieu) ; 3°) il était de tendance aristocratique et oligarchique (milieu de riches propriétaires fonciers) ; 4°) sa tentative de restaurer une noblesse héréditaire par primogéniture mâle chez les anciens officiers de son armée (les *Cincinnati*) s'est heurtée à une vive opposition.] h) *« Whigs » et « Tories » d'Outre-Atlantique.* Les tories amér. (60 000 « loyalistes ») ont choisi la fidélité à la « Couronne », plutôt que la soumission au Congrès continental, de tradition parlementaire ou « whig » (il y a eu parfois plus d'Américains dans l'armée royale que dans les rangs des *Insurgents*). En 1783, ils se sont repliés au Canada, où ils ont fourni des cadres politiques et économiques à la paysannerie fr.-can. Plusieurs milliers d'esclaves noirs ont également suivi le parti tory. Réfugiés en Angl., ils allèrent ensuite à Freetown (Sierra Leone), où ils fondèrent une colonie de la couronne traditionaliste.

Naissance d'une mystique. Les Américains sont fiers de leur Constitution, la plus ancienne du monde ; ils ont appelé plusieurs de leurs navires de g. *Constitution.* Le culte de Washington (pèlerinage à son tombeau de Mount Vernon) et des « Pères fondateurs » de l'Union a été adopté par des millions d'immigrants de toute origine, entrés aux U.S.A. aux XIXe et XXe s. *L'apport irlandais.* A partir de 1840, les Irl. sont allés en Amérique trouver ce qu'ils ne pouvaient avoir en Irlande. Ils ont introduit dans la mentalité des Nord-Am. un élément anti-anglais qu'ils n'avaient pas. Les Irl. des U.S.A. ont financé le terrorisme aboutissant à la création de l'Eire.

4°) **Point de vue américain sur l'alliance française.** En 1793, quand la guerre éclate entre la Fr. républicaine et l'Angl., Washington dénonce l'alliance militaire conclue en 1778 et proclame la neutralité des U.S.A. Plus tard, les diplomates amér. évoqueront facilement la « fraternité d'armes » franco-amér., sachant l'opinion fr. sensible à ce souvenir. Mais le public amér. l'ignore (en 1978, à un sondage : « la France a-t-elle joué un rôle important dans la Révolution amér. ? », il y eut 80 % de non).

de Hamilton, min. des Finances : 1er scandale politique). **1803** achat de la Louisiane à la Fr. (80 millions de F). **1804**-*11-7* Hamilton tué en duel par Burr, vice-Pt. **1812-14** *g. contre l'Angl.,* motifs : raids indiens au Canada, les Angl. incendient Washington. **1814**-*24-12 paix de Gand :* statu quo. **1816** tentative pour créer en Europe une base militaire et commerciale : l'île de Lampédouse (roy. de Naples) ; échec dû à l'hostilité angl. **1819** achat de la Floride à l'Esp. (5 millions de $). **1823**-*2-12 doctrine de Monroe* « l'Amérique aux Américains ». **1835**-*3-11* Texas, colonisé dep. 1821 par des N.-Amér., devient rép. indép. **1836** g. contre Mexique. *-6-3* siège d'*Alamo :* 187 Texans, assiégés par 5 000 Mexicains, en tuent 1 500 et meurent ; parmi eux le trappeur *Davy Crockett* [descendant d'un huguenot fr. (Antoine de Croketagne, émigré en 1685), né 17-8-1786, fermier et trappeur en Louisiane fr. 1803 ; volontaire contre les Creeks 1812-14 ; député au Congrès 1827, battu 1835, émigré au Texas]. *-21-4 San Jacinto,* Santa Anna (Mex.) battu et capturé par Houston (U.S.A.). **1845**-*29-12* Texas annexé. **1846-48** *g. contre le Mexique* [1847-*25-2* Santa Anna vainqueur à Buena Vista ; *-7-3* débarquement amér. à Vera Cruz ; *-18-4* Santa Anna écrasé à Cerro Gordo ; *-13-9* Mexico pris ; *tr. de Guadalupe* (2-2-1848) : Mex. cède Nouveau-Mex. et Californie contre 15 millions de $]. **1847** *Mormons* à Salt Lake City. **1848** *ruée vers l'or* Californie. **1853**-*30-12* U.S.A. achètent N.-Mex. et Arizona 10 millions de $.

1861-*14-4*/**1865**-*6-4* **g. de Sécession.** *Motifs :* N. protectionniste pour son industrie, S. non protect. afin de vendre son coton contre des machines. N. anti-esclavagiste, S. esclavagiste. N. : 23 États, 22 millions d'hab., armée 186 000 h., puis 990 000 h. Généraux : Grant, MacClellan, Meade, Sherman, Sheridan. S. : 11 États (1860-*20-12* Caroline du S. 1861-*10-1* Floride, *9-1* Mississippi, *11-1* Alabama, *19-1* Georgie, *26-1* Louisiane ; *2-3* Texas ; *17-4* Virginie ; *6-5* Arkansas, *20-5* Caroline du N. ; *8-6* Tennessee), 9 millions d'h. dont 3,5 d'esclaves noirs, armée 150 000 h., puis 690 000 en 1862, 175 000 à la fin. Généraux Lee, Jackson. Constituent « les États confédérés d'Amérique » (8-2-1861) (capitale : Richmond, Pt Jefferson Davis), surnommés les *Dixies,* à cause des anciens billets de *Dix Francs* circulant en Louisiane (un des États confédérés), lors de son annexion aux U.S.A. (1812). **1861-62** combats indécis. **1863-65** victoires nordistes : *Gettysburg* (30-6-63), *Vicksburg* (9-7-63), *Atlanta* (2-9-64), Lee capitule, fin de la g. (au min. Union 364 511 †, confédérés 190 000 †).

1865-*9-4* Lee se rend au Gal Grant. *-14-4* Pt Lincoln assassiné. **1866-70** les 11 États confédérés rentrent dans l'Union [1er Tennessee 24-7 1866, 6 en juin 1868, 4 en 1870 (dernier Georgie 15-7)]. **1867** achat de l'Alaska à la Russie (7 200 000 $). **1881** mort de Billy le Kid (William Bonney n. 1859, accusé de 21 meurtres). **1882** Jesse James (n. 1847), bandit du Middle West, tué par Robert Ford membre de son gang. **1885** 1er gratte-ciel (Home Insurance, Chicago, 10 étages + 2 rajoutés + tard). **1886** émeutes de Haymarket. *Geronimo* (1829-1909) pris. **1890** *Sherman Act,* loi antitrust. **1893** Hawaii occupé puis annexé (1898). **1898**-*24-4*/*10-12 g. avec l'Esp.,* motif : explosion du *Maine* mouillé à Cuba (en fait due à un accident de chaudière) ; Dewey coule la flotte esp. de Cervera à Manille ; pertes amér. 2 446 † ; *tr. de Paris :* U.S.A. reçoivent Porto Rico, Wake, Guam et Philippines (achat contre 20 millions de $). **1899** partage des Samoa avec l'Angl.

Conquête de l'Ouest

Situation. A l'O. du Mississippi, 24 États dont 13 entre Mississippi et Rocheuses (le *Middle West*) et 11 entre Rocheuses et Océan (le *Far West*).

Quelques dates. **1820** 60 000 Américains venus par mer se fixent en Californie. **1824** U.S.A. achètent à la Russie côtes de l'Oregon, colonisées par mer. **1841** ouverture de la piste terrestre de l'Oregon (5 000 personnes par an). **1848** Mexique cède aux U.S.A. 1 300 000 km², du Texas au Pacifique. **1849** ligne de navigation New York-San Francisco par Panamá. **1850** ligne de navigation fluviale sur Colorado, en jonction avec la piste de mulets de Santa Fe (Texas). **1852** 2e ligne maritime, par le Nicaragua. **1857** utilisation des chameaux sur la piste du Texas. **1859** ligne fluviale sur le Missouri, en jonction avec la piste de l'Oregon. **1860** création de la *Poney Express Company,* pour le transport du courrier par les Rocheuses (35 j). **1861** création du télégraphe E.-O. **1862** la Compagnie des Poneys se transforme en réseau de diligences (par Salt Lake City). En **1865** elle possédera 8 000 km de routes.

Essor démographique. Jusqu'en 1862, les terres coûtent 1 $ l'arpent. Après 1862 (Homestead Act) tout Blanc reçoit gratuitement 160 arpents, à condition de les cultiver 5 ans. Les Cies de chemins de fer reçoivent 360 000 km² et les revendent aux colons (crédits à très long terme) ; les prix sont élevés : la proximité du rail valorise les terrains.

Transports ferroviaires. 1°) à l'E. des Rocheuses : parti de Chicago, le rail atteint le Missouri (point de départ de la navigation vers la piste de l'Oregon) en 1854. La ligne appartient à la *Chicago and Rock Island Co,* devenant en 1917 la *Chicago, Rock Island and Pacific Co/* après avoir fusionné avec la *Southern Pacific.* La *Union Pacific Railroad* obtient du Congrès, en 1864, d'ouvrir une voie Missouri-Pacifique, par l'itinéraire « du 32e parallèle », reconnu par l'armée en 1853-54.

2°) A l'O. : la *Central Pacific Railroad* reçoit la même autorisation, mais en sens contraire. Sa ligne part de Sacramento, sur le Pacifique, et se dirige vers l'E., à la rencontre de la U.P.R. Ayant engagé des Chinois (sa rivale avait des Irlandais), elle progresse plus vite ; la jonction a lieu dans l'Utah à Promontory Point, le 10-5-1869.

LONGUEUR TOTALE DES 2 LIGNES : 1 776 miles (2 850 km). Chaque Cie exploite le tronçon qu'elle a construit. *Southern Pacific Railroad :* San Francisco-Sacramento, puis en 1900 la N.-Orléans.

Conducteur de train de *l'Illinois Central,* John Luther Jones [surnommé Casey Jones car né à Kayce (Kentucky)], tué dans un déraillement le 18-3-1900, est devenu le héros d'une chanson, reprise par les synd. amér. comme chant officiel.

« Ruée vers l'Ouest » : env. 3 millions de personnes entre 1850 et 1900. **Peuplement (blanc)** (en milliers). **Arizona** *1850 :* pratiquement pas ; *1870 :* 9, *1900 :* 122. **Californie** *1850 :* 92, *1880 :* 864, *1910 :* 2 377. **Colorado** *1850 :* pratiquement vide ; *1860 :* 34 (rush minier), *1890 :* 413. **Idaho** *1870 :* 15, *1890 :* 88, *1910 :* 325. **Montana** *1870 :* 20, *1890 :* 88, *1910 :* 325. **Nevada** *1860 :* 6,8, *1880 :* 62, *1910 :* 327. **New Mexico** *1850 :* 61, *1880 :* 119, *1910 :* 327. **Oregon** *1850 :* 13, *1880 :* 174, *1910 :* 672. **Utah** *1850 :* 11,3 (Mormons), *1880 :* 145. **Washington** *1860 :* 11,8, *1890 :* 357, *1910 :* 1 142. **Wyoming** *1870 :* 9, *1890 :* 62, *1910 :* 146.

% d'immigrants non Amér. de naissance : *1848 à 1870 :* 30 %, contre 70 % d'Amér. de l'Est. % maximal : Arizona (60 % d'immigrants en 1870 : 5 000 hab. sur 9 000). Chez les + de 21 a., % des étr. en 1870, + de 50 % dans Utah, Nevada, Arizona, Idaho et Californie (qui comptait 25 % d'Irlandais). A l'origine : Français et Italiens l'emportent dans les régions au climat méditerr. ; Scandinaves au N.-O. *Après*

1880, le % des non-Amér. de naissance tombe dans l'O. (sauf San Francisco 40 %).

Élevage intensif. 1°) *Occupation des pâturages.* Jusqu'en 1880, env. 6 mois par an ; les propriétaires des grands troupeaux du Middle West (plaines entre Mississippi et Rocheuses) et du Texas envoient leur bétail dans les montagnes et les plateaux du Far West. Les bêtes sont ramenées en automne. Jusqu'à une loi (1894) interdisant de les tuer, les bisons furent décimés. Il n'en reste que 2 000 dans les réserves.

2°) *Cow-boys.* (Noirs 14 %, Mexicains 14 %, Indiens, Anglais, Écossais). En majorité Texans (culture espagnole, tradition des *vaqueros,* notamment le lancer du lasso). De mars à octobre, accompagnent les bêtes par les trails et les gardent sur les pâtures d'été (toujours à cheval). D'oct. à mars : une minorité *(line riders)* y demeurent (destruction des loups, récupération des bêtes égarées, entretien). La majorité revient mener une vie désœuvrée (travaux temporaires, jeux de hasard, rodéos, etc.).

3°) *Bétail.* 1) vaches des immigrants d'Europe du N.-O., atteignent les plaines v. 1830, les Rocheuses v. 1840 ; 2) petites v. d'origine esp., introduites début XVIe et formant dep. XVIIIe s. des troupeaux sauvages (il suffit de les marquer pour en être propr.).

4°) *Méthodes.* A partir de 1880-85 : ranches permanents (généralement autour d'un point d'eau). Les troupeaux sont emmenés aux abattoirs urbains de Californie et du Middle West. Le fil de fer barbelé apparaît. L'effondrement des cours de la viande en 1885 rend peu rentable l'élevage extensif ; les ranches se transforment souvent en exploitations utilisant dry-farming ou irrigations [vergers, cultures trop., vignes (en Californie)].

Mines. Découvertes en Nevada, Colorado, Arizona, Montana, Wyoming, à partir de 1862. Des villes se créent et disparaissent souvent quand un filon est épuisé. Ex. : Central City (Colorado), Virginia City (Montana et Nevada). En Californie, des villes provisoires en bois sont créées dès 1848.

Jusqu'en 1870, la pop. mène une existence instable (pas de vie de famille, prostitution généralisée, les mineurs jouent gros au jeu). Après 1870, les grandes Stés min. prennent en main l'exploitation. La pop. se stabilise, en majorité dans les villes, en fournissant également des cadres à l'agric. des ranches.

Maintien de l'ordre. Entre 1849 et 1890, l'administration légale et policière ne peut suivre les « ruées » minières. Les « marshalls » fédéraux possèdent l'autorité dans les territoires non urbains, tels que les pistes *(trails),* et plus tard les chemins de fer. Leurs adjoints sont parfois responsables d'un secteur plus vaste qu'un département fr. Dans les aggl. organisées, il y a un shérif et des policiers élus. Les aventuriers et repris de justice sont nombreux.

1903 création de la Zone du canal de Panamá. Mort de Calamity Jane (Martha-Jane Canary n. 1852). **1904** partage de la dernière réserve indienne. **1905** intervention à St-Domingue. **1906** San Francisco détruit par un incendie [(452 †) déclenché par un séisme (magnitude 8)]. **1907**-*24-10* panique à Wall Street. **1914** *Clayton Act :* antitrust. **1915**-*15-5 Lusitania* torpillé par sous-marin all. **1916** Haïti occupée, Antilles danoises rachetées. **1917**-*3-2* rupture des rel. diplomatiques avec All. -*2-4 entrée en g.* du côté allié [raisons : g. sous-marine all., qui n'épargne pas les navires amér. ; crainte de soulèvement au N.-Mex., soutenu par All. ; influence sur Wilson du sioniste Louis Brandeis (1856-1941), décidé à faire appuyer par U.S.A. l'offensive projetée en Palestine par les Angl. Lloyd George, Arthur Balfour et Lord Milner (la Pal. conquise devait devenir un « foyer national juif ». -*13-6* Gal Pershing arrive à Boulogne. -*27-6* début des inscriptions de volontaires (10 481 000 en 14 mois). -*28-6* 1re div. amér. (14 500 h.) arrive à St-Nazaire. **1918** -*1-11* 3 483 000 volontaires mobilisés, dont 2 000 000 en Fr. (pertes 128 831 †). 14 points de Wilson sur la paix. **1919**-*19-10*/ **1933**-*21-5* **prohibition** (le 18e amendement proscrit fabrication, transport et vente des boissons alcool., mais non leur consommation ; la *loi Volstead* définit les boissons) ; développement du banditisme (les bootleggers) et des débits (speakeasy) [Al Capone (1895-1947), Frank Nitti]. **1921**-*24-8* paix séparée avec All. **1927**-*23-8 Nicolas Sacco* et *Bartolomeo Vanzetti,* arrêtés 1920 pour attaque à main armée le 15-4-1920 à South Braintree (Massachusetts), exécutés : nombreuses protestations dans le monde (leur culpabilité ne semblant pas prouvée, on accuse la justice de partialité envers 2 immigrés). **1929**-*14-2* 7 hommes de Bug Moran tués à la mitrailleuse par ceux d'Al Capone (« massacre de la St-Valentin »). *Juin* création du *Federal Farm Board* pour prêter aux agric. -*24-10 Jeudi Noir,* début de la crise économique (v. ci-dessous).

Crise de 1929

• **Causes.** *Dépression agricole de 1919 à 1929.* Production de blé trop forte entraînant une baisse des cours de + de 50 % entre 1919 et 29. Coton concurrencé par fibres artificielles. Les fermiers, voyant leurs revenus diminuer de 30 % alors que les prix ind. augmentent, réclament l'intervention de l'État. *Développement artificiel du crédit.* Dès 1925, 15 % des ventes amér. se font à crédit. *Spéculation boursière.* A partir de 1927, env. 1 million d'Amér. spéculent : ils achètent des actions parce qu'elles montent, et elles montent parce qu'ils achètent.

• **Déroulement.** *Krach de Wall Street.* Le *jeudi 24-10 (Black Thursday)* les ordres de vente affluent ; au 1-1-1930 la baisse atteint 25 % en moyenne (*actions :* Du Pont de Nemours 90 %, Chrysler 96, de 1929 à 1933). Les spéculateurs ont voulu prendre leurs bénéfices (la faillite du holding londonien Hatry, sept. 29, les a rendus méfiants). La demande de crédits auprès des banques (par ceux qui veulent acheter d'autres actions), coïncidant avec d'importantes exportations de capitaux vers l'étranger, a fait monter le taux de l'intérêt de 4,06 % en 27 à 7,6 % en 29 quand la hausse des actions ne permet plus de couvrir les frais des emprunts au jour le jour : il faut donc vendre. Les premiers ordres de vente faisant baisser les actions, beaucoup se hâtent de vendre pour perdre le moins possible.

• **Effets.** *Ventes à crédit* s'arrêtent, les bénéficiaires de crédits ne pouvant rembourser ; d'où *faillites* de banques (4 000 en 3 ans) et de maisons de commerce. *Prix* baissent : industriels 27 % en 3 ans ; agricoles (blé) 60 % en 2 ans. *Production agr.,* peu compressible, se maintient ; *industr.* fléchit (indice 100 en 1929 ; 55 en 1932). *Chômeurs :* 14 millions en 1933, dont de nombreux « cols blancs » (cadres, employés). *Salaires* baissent de 0,55 $ l'heure à 0,44. *Revenu nat.* baisse de 87 à 41 milliards de $.

• **Mesures prises par le Pt Hoover.** Relèvement des droits de douane par protectionnisme (tarif Hawley-Smoot 1930) ; abaissement du taux d'escompte à 2,1 % en nov. 31 ; création de la Reconstruction Finance Corporation pour aider les entr. en difficulté ; du Federal Farm Board pour lutter contre la chute des cours agr. Il croit la crise « cyclique » et que la prospérité reviendra d'elle-même.

• **Répercussions internationales.** *Réduction des importations américaines* (4,3 milliards de $ en 1929 ; 1,3 en 33). *Rapatriement* par les banques américaines des fonds à court terme placés en Europe, ce qui accule les banques européennes à la faillite quand ces fonds ont été immobilisés à long terme ou employés au financement d'importations des U.S.A. *Principaux pays touchés :* Autr., All., G.-B., Fr. (avec 18 mois de retard) et surtout pays neufs à monoculture : Brésil (café), Cuba (sucre), Australie (laine).

• **Réactions populaires.** *Création de la Bonus Army,* bénévoles empêchant la destruction volontaire des produits alim. et les distribuant gratuitement aux chômeurs. *Manifestations violentes,* émeutes de la misère (l'indemnité de chômage n'étant que de 7,20 $ par semaine). *Élection de Roosevelt* en nov. 1932 : il a un *brains trust* (« équipe de penseurs ») d'universitaires (Icker, Bell, Tugwell, Hopkins) prenant le contre-pied des méthodes républicaines, notamment de Mellon, secrétaire d'État au Trésor.

• **New Deal (1933-39).** « Nouvelle donne », expression de l'économiste amér. Stuart Chase (n. 1888). *Moratoire sur les banques* (Emergency Banking Act) : pour éviter les faillites, les banques sont dispensées de rembourser immédiatement leurs dettes, le système bancaire est réorganisé sous le contrôle de la Banque fédérale. *Dévaluation :* suspension de la convertibilité en or (avril 1933) ; le dollar « flottant » tombe. Les achats reprennent (on craint la hausse des prix). Les débiteurs rembourseront leurs dettes avec une monnaie dépréciée. Dévaluation officielle de 40 % en janv. 1934 : convertibilité rétablie à 35 $ l'once d'or.

Actions pour faire remonter les prix : 1°) a) AAA Intervention de l'État sur les marchés agricoles. Accords avec les agric. pour réduire la production. *b) NIRA* Les entreprises doivent vendre à des prix « normaux », verser des salaires « décents » (pour éviter toute concurrence). *c) « Aigle bleu ».* Affichette prouvant le « civisme » des entreprises contribuant à l'action gouvernementale. Les prix remontent à 90 % de leur niveau de 1929. *2°) Lutte contre le chômage : lancement de grands travaux* (routes, écoles, stades, reboisement, barrages hydroélectriques de la « Tennessee Valley Authority ») ; la « Civil Works Administration » emploie 3 000 000 de chômeurs ; *réduction du temps de travail ; « Social Security Act »* [(1935) : ass.-chômage, ass.-vieillesse ; début de « l'État-providence »].

Résistance au New Deal. *Le patronat :* lock-out, plaintes devant la Cour suprême qui condamne le New Deal (AAA et NIRA déclarés non conformes à la Constitution). *Roosevelt réplique :* « Soil Conservation Act » (réduction des cultures, justifiée par l'érosion). *Loi Wagner* contre les pratiques patronales « déloyales » en matière de travail. La Cour s'inclinera après la triomphale réélection de Roosevelt en 1936.

1932-*1-3* enlèvement du fils (20 mois) de Charles Lindbergh (rançon 50 000 $ payée). -*12-5* bébé retrouvé † (ravisseur Bruno Hautmann électrocuté 3-4-36). **1933**-*15-2* attentat manqué contre Roosevelt (Giuseppe Zangara) : le maire de Chicago, Anton Cermak, tué à sa place. **1934** mort de Bonnie & Clyde [Clyde Barrow (n. 1909), Bonnie Parker (n. 1910)] accusés de 12 meurtres. *Janv.* $ dévalué (1 once d'or = 35 $). **1938-41** reprise de la crise écon., remontée du chômage (1938 : 10 millions). Baisse de la prod. ind. de 25 %. **1939** échec d'un nouveau programme de construction du type « New Deal » (opposition du Congrès à cause du déficit budgétaire prévu). **1941**-*10-3 loi prêt-bail* pour aider les adversaires de l'Axe. -*24-8 Charte de l'Atlantique :* collaboration U.S.A./G.-B. -*7-12 entrée en g.* par suite de l'agression jap. contre *Pearl Harbor* aux Hawaii [pertes : voir p. 647 a ; certains pensent que Roosevelt a tendu un piège aux Jap. en laissant à leur portée une escadre vulnérable (il avait besoin d'une agression jap. pour justifier aux yeux des Amér. son intervention dans la G. mondiale)]. **1943** émeutes noires à Detroit 34 †. **1945**-*2-9* fin de la guerre.

1946-*4-7* indép. des Philippines. **1947**-*5-6* discours à Harvard du Gal George Catlett *Marshall* (1880-1959), secr. d'État : **Plan Marshall** [aide fin. à l'Europe, pendant 4 ans (loi du 2-4-48) ; au 31-12-51 l'Europe occid. a reçu 12,4 milliards de $ en dons ; acceptée par 16 pays, rejetée le 12-7 par U.R.S.S. et bloc socialiste ; prolongée jusqu'à 1955 (balance commerciale U.S.A./ Europe de nouveau équilibrée)]. **1950** *févr.* début du *maccarthysme* [campagne anticommuniste de Joseph McCarthy (1909-57), sénateur républ. du Wisconsin, condamnée par le Sénat le 2-12-54. Principales victimes : Owen Lattimore (sinologue), Philip Jessup (amb. à l'O.N.U.), Gal Marshall (14-6-51), 214 personnalités d'Hollywood, dont Charlie Chaplin, Polonsky, Edward G. Robinson]. -*25-6 début de la g. de Corée,* qui durera jusqu'au 27-7-53 (V. Corée). **1953**-*19-6* condamnés en 1951, époux Julius (n. 1916) et Ethel (n. 1918) Rosenberg exécutés comme espions [leurs fils Michael et Robert Meeropol (nom de leurs parents adoptifs) ont entamé un procès en révision]. L'ouverture des archives amér. aurait, selon Alain Decaux, prouvé leur culpabilité. **1954** intervention au Guatemala. -*17-5* ségrégation dans les écoles déclarée inconstitutionnelle. -*23-9* à Little Rock, manif. pour interdire l'entrée des Noirs au lycée ; la troupe est envoyée pendant 1 mois. **1960**-*1-2* début de campagne de *déségrégation.* -*1-5* un U-2, avion de reconnaissance, est abattu en U.R.S.S. Son pilote, Francis Gary Powers, sera libéré le 10-2-62 en échange du C^el^ Abel (espion soviét. aux U.S.A.). -*2-5* Caryl Chessman exécuté à St-Quentin (Calif.). **1961** intervention au Viêt-nam. *Avril* échec intervention à Cuba (baie des Cochons). **1962** *oct.* U.S.A. obligent U.R.S.S. à démonter ses rampes de fusées à Cuba. **1963**-*30-8* inauguration du téléph. rouge U.S.A./U.R.S.S. -*22-11* Dallas, Pt Kennedy tué par Lee Oswald. **1965**-*18-2* loi condamnant atteintes au droit de vote des Noirs ; *printemps* intervention des marines en Rép. Dominicaine. -*21-2* New York, Malcolm Little dit Malcolm X (n. 1925), chef nationaliste noir, assassiné. **1966** Huey Newton (assass. 22-8-89), Bobby Seale et Eldridge Cleaver fondent Panthères noires. **1968**-*23-1* le *Pueblo* (navire espion amér.) arraisonné par N.-Coréens (équipage relâché 23-12). -*26-6* U.S.A. rendent au Japon îles Bonin, Volcano (avec Iwo Jima), Marcus.

1970 plus de 30 000 attentats. **1971** séisme à San Fernando (65 †). -*15-8* $ flottant (n'est plus rattaché à l'or). **1972** *févr.* Pt Nixon en Chine. -*15-5* U.S.A. rendent île Ryu Kyu (avec Okinawa) et îles Daito au Jap. -*17-6* 5 cambrioleurs arrêtés au siège du P. démocrate (au *Watergate* à Washington). -*7-11* Nixon réélu Pt. Procès d'*Angela Davis,* militante noire (acquittée). **1973** *févr.-mai* « insurrection » indienne à Wounded Knee (Dakota du S.). *Avril* républicains compromis dans l'aff. du *Watergate* [démission des min. de la Justice (John Mitchell, † 1988), du Commerce, de conseillers de Nixon]. -*10-10* Spiro Agnew, vice-Pt, accusé de fraude fiscale et de concussion, démissionne. -*12-10* Gerald Ford vice-Pt. **1974**-*27-6* Pt Nixon en U.R.S.S. -*27/29-7* la commission judiciaire de la Ch. des représentants recommande la mise en accusation *(impeachment)* du Pt Nixon qui démissionne *(Watergate)*. -*20-8* G. Ford (vice-Pt) Pt, Nelson Rockefeller vice-Pt. -*8-9* Nixon amnistié. **1975**-*10-6* rapport Rockefeller sur la C.I.A. (accusée d'activités illégales dep. 20 ans) ; mise en cause des ex-Pts Johnson et Nixon. Émeutes raciales à Boston et Louisville déclenchées par ramassage scolaire. **1976**-*9/10-3* des musulmans noirs hanafites (chef Hammas Abdul Khaalis) prennent à Washington 137 otages puis les relâchent. *Août* affaire Lockheed (V. Quid 1983 p. 1106) ; *nov.* Carter élu Pt. **1977**-*20-7* panne d'électricité à New York, pillage. **1978**-*25-10 plan Carter contre inflation :* réduction du déficit de 30 milliards de $ pour 79-80 ; hausse des salaires limitée à 7 % ; des prix à 5,75 %. -*27-11* G. Moscone, maire de San Francisco, assassiné par ancien conseiller mun. **1979**-*16-7 plan Carter pour écon. d'énergie* [140 milliards de $ investis pour ressources énergétiques nationales ; max. des import. de pétrole 8,2 millions de barils/j en 1980 (au lieu de 8,5), 8,9 en 1990 (au lieu de 13,14)]. **1979** Iran : prise d'otages (V. Iran), boycottage des J.O. de Moscou (cause : intervention soviét. en Afghanistan).

1980 *avril* échec d'un commando aéroporté à Tabas (Iran), démission de Cyrus Vance, secr. d'État ; dizaines de milliers de réfugiés cubains en Floride. -*24-6* commission d'enquête sur Billy Carter, fr. du Pt [il a reçu 220 000 $ de la Libye ; le « Billygate » fait tomber la cote de Carter (72 % de mécontents)]. -*4-11* Carter perd les élect., fin de la « coalition démocrate » formée en 1933 autour du New Deal de Roosevelt [prolétariat du S., minorités religieuses (juifs, catholiques) et ethniques (Noirs)]. **1981**-*20-1* Reagan, Pt, envoie Carter à Wiesbaden accueillir les otages libérés par l'Iran [il lui laisse ainsi la responsabilité des conditions de leur libération (10 milliards de $)]. -*30-3* Reagan blessé (balle dans le poumon gauche), par un névropathe néo-nazi de 23 ans : John Warnock Hinckley (peut-être complot). -*7-4* F.B.I. arrête un autre névropathe, Edward Richardson, qui voulait achever Reagan. -*3-8* grève de 12 500 contrôleurs aériens licenciés le *6-8*. -*25-8* accord sur céréales avec U.R.S.S. -*17-10* Pt Mitterrand aux U.S.A. (bicentenaire). **1982**-*11-6* Reagan à Berlin, vivement manif., défilé à New York de 700 000 pacifistes. **1983**-*12-4* Harold Washington (60 ans), démocrate, 1er maire noir de Chicago († 25-11-87). -*25-10* intervention des Marines à Grenade. -*30-10* Jesse Jackson candidat noir à l'investiture démo. -*8-11* Wilson Goode (dém.) noir, élu maire de Philadelphie. **1984**-*23-1* U.S.A. restreignent export. vers Iran qui soutient le terrorisme. -*7-3* 1er otage amér. enlevé en Iran. -*15/16-3* Miami, incidents raciaux (un jury blanc ayant acquitté un policier hispanique qui avait tué un jeune Noir en déc. 82 ; 250 arrestations). -*16-3* John Glenn retire sa cand. à l'investiture dém. Attentats à la bombe en 1984 : 803 (687 en 83), 6 † (12 en 83). -*13-7* Reagan opéré du côlon (ablation d'un polype cancéreux). **1985**-*19/20-11* Reagan rencontre Gorbatchev à Genève. **1986**-*5-1* Reagan : ablation de 4 polypes. *Mars* la flotte amér. manœuvrant dans le golfe de Syrte (Libye) riposte à attaque lib. -*17-1* Reagan autorise secrètement des ventes d'armes à l'Iran. -*28-1* navette Challenger explose en vol (v. Index). -*4-7* centenaire de la statue de la Liberté, Mitterrand y assiste. -*18-9* 25 diplomates sov. expulsés de l'O.N.U. -*11/12-10* Reagan rencontre Gorbatchev à Reykjavik. -*4-11* élections : Reagan (républicain) aura un Sénat à majorité démocrate. **1987** *Irangate :* les U.S.A. ont vendu secrètement des armes à l'Iran, les bénéfices permettront de subventionner la guérilla anti-sandiniste au Nicaragua. -*7-5* Gary Hart renonce à l'investiture démocrate (accusé de tromper sa femme). -*17-5* 2 Mirage F-1 irakiens lancent 2 Exocet sur la frégate américaine Stark : 37 †. La Sté jap. Toshiba ayant vendu à l'U.R.S.S. des produits stratégiques : embargo de longue durée sur les produits exportés aux U.S.A. (1,7 milliard de $). Le Pt de Toshiba et son directeur général démissionnent. -*17-9* le gouv. ferme le bureau de l'O.L.P. à Washington. -*19-10* krach de Wall Street ; le Dow Jones perd 508 pts. **1988**-*2-1 accord de libre-échange Canada-Amér.* -*3-2* le Congrès refuse l'aide de 36 millions de $ à la Contra anti-sandiniste au Nicaragua par 219 v. contre 211. -*19-3* : 3 150 Amér. envoyés au Honduras. -*4-4* Edward Mecham, gouv. de l'Arizona, 1er gouv. à être révoqué (impeachment) pour entrave à la justice et détournement de fonds. *Juin à sept.* incendie parc nat. de Yellowstone, 364 000 ha touchés sur 1 800 000 ha. -*9-8* Lauro Cavazos, secr. à l'Éducation, 1er hispanique membre du gouv. -*8-9* destruction de 2 fusées Pershing. **1989**-*16/17-1* émeutes noires à Miami. -*31-1* début du procès de l'Irangate ; lieutenant-colonel Oliver North condamné à 3 ans de prison avec sursis, 150 000 $ d'amende et 1 200 h de travail communautaire. -*5-4* mort d'Abbie Hoffman, fondateur du mouv. Yippie (Youth International Protest.). -*19-4* explosion à bord du cuirassé *Iowa* (47 †). -*20-5* Pt Mitterrand aux U.S.A. -*1-6* Jim Wright, Pt dém. de la chambre des représ., démissionne (mis en cause par comité d'éthique). -*26-6* possibilité d'exécuter les condamnés à morts mineurs (16 à 18 ans) au moment du crime ou les handicapés mentaux. -*20-7* heurts à Window Rock entre les partisans de Peter Mc-Donald, ancien Pt des Navajos, accusé de corruption et la police, 2 †. -*21-7* Felix Bloch ancien no 2 de l'amb. des U.S.A. à Vienne (1983-87) aurait été un agent du K.G.B. -*17-10* séisme en Californie (magnitude 6,9) 55 †, la plupart à cause de l'effondrement d'une autoroute à 2 étages. -*24-10* le télévangéliste Jim Bakker (49 ans) condamné à 45 ans de prison et 500 000 $ d'amende pour escroquerie (condamnation annulée 12-2-91). *Oct.* David Rockefeller vend 846 millions de $ au groupe japonais Mitsubishi 51 % du Rockefeller Center (9 ha, 21 immeubles, inauguré 1-11-1939). *2/3-12* rencontre Bush-Gorbatchev près de Malte. -*16-12* rencontre Bush-Mitterrand à St-Martin. **1990**-*1-1* David Norman Dinkins, 1er maire noir de New York (élu 7-11-89), démocrate. *Janv.* fin de la grève des mineurs (62 j). -*5-3* procès du vice-amiral John Poindexter (Irangate) condamné à 6 ans de prison. *Mai* accord avec l'Iran qui versera 105 millions de $ concernant 2 750 plaintes. *Août-mars 1991* g. du Golfe. Voir Index. -*10-8* procès de Marion Barry, maire de Washington, non-lieu : on ne retient contre lui que la possession de drogue. -*29-9* 1re rencontre des min. des Aff. étr. amér. et vietnamien dep. 1973. *Oct.* Naat'äanii, chef de la tribu des Navajos, coupable d'avoir détourné 250 000 $ de fonds tribaux. **1991**-*8-1* Neil Bush, fils du Pt, accusé de « malhonnêteté » dans sa gestion d'une caisse d'épargne de 1985 à 88. *Juin* négociations ouvertes avec Canada et Mexique pour créer zone de libre-échange.

Institutions politiques

Statut. Rép. fédérale. Régime présidentiel.

Constitution. Du *17-9-1787* (comprend une Déclaration des droits de l'homme). **Amendements.** *15-12-1791* 10 am. *(Bill of Rights)*. *1795* 11e (le citoyen d'un État ne peut attaquer en justice un autre État). *1804* 12e [organisation détaillée de l'él. du *Pt* et du *vice-Pt* (2 tours)]. *1865* 13e (abolition de l'esclavage). *1868* 14e (clause *Due Process :* reconnaît à toute pers. naturalisée ou née aux U.S.A. les droits de citoyen amér. et les droits de son État, l'égalité des Noirs avec les Blancs devant la loi). *1870* 15e (égalité de vote des Blancs et des Noirs). *1913* 16e (autorisant l'impôt sur le revenu) ; 17e (él. des sénateurs). *1919* 18e (prohibition alcoolique). *1920* 19e (vote des femmes). *1933* 20e (date de fin du mandat présidentiel) et 21e (annulation de l'am. 18). *1960* 22e (mandat présidentiel renouvelable 1 fois seulement). *1961-64* 23e (accorde aux citoyens du district de Columbia le droit de vote dans les élec. féd.) et 24e (bannit l'usage des *full taxes* dans les élections féd.). *1967* 25e (remplacement du Pt et du vice-Pt). *1971* 26e (vote à 18 ans).

Jours fériés. Pour le district de Colombie et les employés fédéraux (observés dans la plupart des États). *1-1* jour de l'An ; *3e lundi de janv.* Martin Luther King ; *3e lundi de févr.* naissance de Washington ; *dernier lundi de mai* memorial day ; *4-7* Indépendance ; *1er lundi de sept.* travail ; *2e lundi d'oct.* Christophe Colomb ; *11-11* Vétérans ; *4e jeudi de nov.* Thanks giving ; *25-11* Noël. **Autres fêtes légales dans certains États :** *12-2* naissance de Lincoln ; *Mardi gras* (Good friday).

Président

• **Élections.** Élu pour 4 a. Rééligible une seule fois (dep. 1960 : 22e amendement) mais c'était déjà une coutume datant de G. Washington, interrompue seulement en 1940 et 1944 par F.D. Roosevelt.

• **Déroulement. 1) Élections primaires.** *Origine : 1905* Wisconsin, *1910* Oregon, *1912* dans 12 États, *1916* 26, puis recul (1968, 17), *1972* dans 23 États. De nombreux États n'y recourent pas, les appareils des partis désignant les délégués. *Époques :* les 1res ont lieu dans le New Hampshire en févr. de l'année des élections, les dernières en mai-juin en Californie et à New York. *But :* désigner les délégués (nombre variable selon la pop. des États) qui siégeront aux conventions nationales des Partis républicain et démocrate. En général, seuls les él. déclarés des partis participent aux primaires. Les candidats peuvent être nombreux (207 en 1976, dont 27 liés à un parti).

2) **Conventions nationales des partis.** Désignent les candidats à la présidence et à la vice-prés. de chaque parti. Dans chaque État, les délégués (plusieurs centaines) sont élus dans les scrutins primaires, ou par les comités exécutifs des partis. *Ticket :* liste des candidats d'un même parti pour une élect. *Caucus* (sans doute du mot algonquin « kaw-kaw-was » = parler) : réunion des responsables d'un parti pour fixer sa politique ou nommer des candidats.

3) **Élection des grands électeurs présidentiels** *(electors)* par l'ensemble du corps él. américain (début nov.). Chaque État a droit à un nombre de grands él. égal au chiffre de ses représentants au Congrès, en tout 538 (47 en Californie, New York 36, Texas 29, Pennsylvanie 25, Illinois 24, Ohio 23, Floride 21, Michigan 20, 4 au Nevada). Il y a en moy. 15 % de grands él. noirs chez les dém. et 4 % chez les rép. Pour être élu, un candidat doit obtenir 270 mandats. Si la majorité des grands él. désignés est démocrate, c'est le candidat de ce parti qui est élu et vice versa. Il suffit qu'un candidat distance d'une voix son rival pour qu'il enlève tous les grands él. (ou votes él.) dont dispose l'État en question. 12 voix suffiraient ainsi pour assurer légalement l'él. du Pt, si le phénomène se produisait à la fois dans les 12 États les plus importants qui contrôlent la majorité absolue des votes él. (277 voix, 7 de plus que nécessaire pour l'emporter). La majorité est parfois très faible [ex. **1960** Kennedy 118 550 voix sur 68 838 879 suffrages exprimés, qui lui a donné 303 votes él. (Nixon 219). Si Nixon avait rallié 8 846 él. de plus dans l'Illinois, 9 980 dans le Missouri et 115 à Hawaii, soit 18 941 en tout, ces 3 États basculaient dans son camp, et il aurait éliminé Kennedy par 263 votes él. contre 259]. **1968** Nixon 510 314 voix ; **1976** Carter 1 681 417 voix, mais les victoires sont amplifiées (1980, Reagan a 43 300 000 voix et 489 votes él., Carter 34 900 000 voix et 49 votes él.)

En cas d'élect. blanche, aucun candidat n'ayant la majorité au collège él., les 435 députés siégeraient en bloc dans la « délégation » de l'État dont ils viennent, et chaque État ne disposant que d'1 voix se prononcerait alors comme un seul homme. Le cas s'est présenté en 1800 et 1824.

Nota. – La Cour suprême a reconnu en 1952 (arrêt Ray V. Blais) le caractère impératif de l'engagement des électeurs présidentiels. Mais il peut arriver que lors de la proclamation officielle des résultats, l'un d'entre eux se ravise : ainsi, en 1969, un él. prés. de la Caroline du S. a renoncé à voter pour Nixon au profit de Wallace ; juge du contentieux électoral, le Congrès a validé ce vote.

Participation électorale *(en %)*. *1932 :* 52,4 ; *36 :* 56 ; *40 :* 58,9 ; *44 :* 56 ; *48 :* 51,1 ; *52 :* 61,6 ; *56 :* 59,3 ; *60 :* 62,8 ; *64 :* 61,9 ; *68 :* 60,9 ; *72 :* 52,2 (majorité abaissée de 21 à 18 ans) ; *76 :* 53,5 ; *80 :* 54 ; *84 :* 53,1 ; *88 :* 50,1.

4) **Élection officielle.** Un mois plus tard (le 1er mercredi de déc.), les grands él. votent et élisent directement le Pt. N'est qu'une formalité, sauf en 1876 (le rép. Tilden avait 1 voix de majorité ; un grand él. rép. vendit sa voix aux dém. et Hayes fut élu). G. Washington fut le seul Pt élu par tous les grands électeurs ; en 1820, un seul grand électeur ne vota pas pour J. Monroe.

• **Coût des élections.** *Avant 1972,* les frais incombaient aux candidats et à leurs comités de soutien. *Depuis 1972,* des subventions fédérales sont accordées à tout candidat ayant récolté au minimum 5 000 $ dans 20 États. Les cand. peuvent refuser une subvention publique prévue, et faire une campagne privée, mais s'ils acceptent le financement public, ils ne peuvent consacrer plus de 50 000 $ de leurs ressources propres. *Coût en 1980 (en millions de $).* Fonds publics 115 (+ 20 pour la protection des candidats). Privés : 43 [plafond autorisé par la loi : 4,6 ; mais les organisations locales ont des fonds supplém. (rép. : 10 ; démocrates : 5). En outre subventions des « associations indép. » (contre Carter : 18 ; pour : 10)]. *En 1984,* 325 millions de $.

☞ Un projet, adopté par la Chambre des représentants en 1969 à une très forte majorité, prévoyait l'élect. du Pt au suffrage universel direct (il devait obtenir au min. 40 % des voix), mais le Sénat le repoussa. En 1977 et 1979, un nouveau projet dans ce sens fut soumis (sans succès) par le Pt Carter.

• **Pouvoirs.** Le Pt choisit les min. de son Cabinet qui ne sont responsables que devant lui [8 fois dep. 1888, le Sénat a refusé la nomination d'un secr. d'État dont (par 53 voix contre 47) le 9-3-1929 J. Goodwin Tower (nommé 16-12-1928)]; il a le droit de veto sur les mesures présentées par le Congrès

Présidents minoritaires

Présidents élus avec + de 60 % des voix. *1920* Harding 60,3 ; *1936* Roosevelt 60,8 ; 1964 Lyndon B. Johnson 61,1 ; *1972* Nixon 60,7.

Présidents minoritaires élus avec moins de 50 %. Nombre de cas. 15 sur 47 él. présidentielles (*1824* Adams 30,54 ; *1844* Polk 49,56 ; *1844* Taylor 47,35 ; *1856* Buchanan 45,63 ; *1860* Lincoln 39,79 ; *1876* Hayes 47,9 ; *1880* Garfield 48,32 ; *1884* Cleveland 48,53 ; *1888* Harrison 47,86 ; *1892* Cleveland 46,04 ; *1912* Wilson 41,85 ; *1916* Wilson 49,26 ; *1948* Truman 49,51 ; *1960* Kennedy 49,71 ; *1968* Nixon 43,16).

Causes. [2 factions républicaines (Th. Roosevelt 27,42 et Taft 23,15) recueillaient au total 50,57 % et un million de voix de plus].

☞ Le Pt n'est pas toujours du parti détenant la majorité au Congrès (Wilson 1918, Truman 1946, Eisenhower 1954, Nixon 1968, Ford 1974, Bush 1988).

(son veto n'est plus valable si le Congrès revote à la majorité des 2/3) ; une fois accepté par le Pt, le « bill » voté par le Congrès devient un « act ». Commandant en chef de l'armée, il est chef de la diplomatie, mais ne peut déclarer la guerre (Congrès), ni signer les traités (Sénat). Il préside les débats du Sénat et vote en cas de scrutin nul. Il peut aussi ajourner (pas d'exemple) ou convoquer une session extraordinaire du Congrès et lui adresser des messages (par ex. sur l'état de l'Union...).

Moyens d'action officieux sur le Congrès : patronage (survivance du « spoil system »), ensemble des avantages et des postes dont le Pt peut faire bénéficier ses amis pol. ; marchandage : (par le « lobby » du Pt) ; contacts personnels : le Pt ne peut assister aux délibérations du C, mais peut en recevoir des membres.

En 1973-74, le Congrès a voté 2 lois qui diminuent les pouvoirs du Pt : *War powers resolution* (1973, exige l'approbation du Congrès pour l'intervention à l'étranger des forces américaines pour plus de 60 j), *Budget and impoundment control act* (1974, le Pt ne peut limiter les dépenses et des parlementaires peuvent dépenser sans être tenus pour responsables).

• **Impeachment.** Possibilité pour le Congrès de destituer le Pt. Décrété par la Chambre des représentants si elle reconnaît, à la majorité simple, que le Pt (ou le vice-Pt) a commis un crime ou violé la Const. (trahisons, concussions, ou autres crimes ou délits graves). Le procès est ensuite mené par le Sénat, présidé par le 1er juge de la Cour suprême. Si le Sénat, à la majorité des 2/3, confirme le bien-fondé des accusations de la Chambre, l'accusé est démis de ses fonctions. L'« impeachment » a été prononcé contre : John Tyler (1842 et 1843) mais la Chambre a refusé de le poursuivre ; Andrew Johnson (1868), le Sénat l'a absous par 1/3 de voix plus 1 ; Richard Nixon pour l'affaire du Watergate (1972) mais il a démissionné en 1974 pour éviter le procès devant le Sénat (puis il a été « gracié » par son successeur Gerald Ford).

• **Résidence.** *Maison-Blanche* (nom adopté en 1902) : commencée en 1792. Construite par James Hoban, incendiée par Angl. en 1814, reconstruite en 1817. Intérieur refait en 1848-52 : 132 pièces. Siège du Pt.

Liste des présidents

Légende : D : démocrate ; F : fédéraliste ; R : républicain ; DR : dém. républicain ; W : Whig Union (anc. nom du Parti républicain).

1789 Washington George (22-2-1732/Mount Vernon 14-12-1799). F. Fils d'un propriétaire terrien. Ingénieur arpenteur. *1752* adjudant d'un des 4 districts de Virginie. *1754-59* off. dans la g. contre la Fr. Quitte l'armée, colonel. *1759-74* m. du Parlement de Virginie. *1774-75* député au Congrès continental de Boston. *1775*-15-6 Cdt en chef de l'armée luttant pour l'indép. *1783* déc. abandonne le commandement. *1787* Pt de la Convention constitutionnelle de Philadelphie. *1789*-4-3 élu Pt, *1792* réélu.

1797 Adams John (1735-1826). F.

1801 Jefferson Thomas (1743-1826). DR.

1809 Madison James (1751-1836). DR.

1817 Monroe James (1758-1831). DR.

1825 Adams John Quincy (1767-1848). DR.

1829 Jackson Andrew (1767-1845). D.

1837 Van Buren Martin (1782-1862). D.

1841 Harrison William H. (1773-1841, pleurésie attrapée lors de son entrée en fonction). W.

1841 Tyler John (1790-1862). W.

1845 Polk James K. (1795-1849). D.

1849 Taylor Zachary (1784-1850 mort de thrombose). W.

1850 Fillmore Millard (1800-74). W.

1853 Pierce Franklin (1804-69). D.

1857 Buchanan James (1791-1868). D.

1861 Lincoln Abraham (12-2-1809/14-4-1865). R. Fils d'un pionnier. *1832* volontaire dans la g. contre les Ind. *1834* m. de l'ass. de l'Illinois. *1837* avocat dans l'Illinois. *1847* m. du Congrès. *1860* élu Pt. Antiesclavagiste, il sera l'âme de la lutte du N. contre le S. durant la g. de Sécession ; *1865* (14-4) blessé le vendredi saint († le lendemain) d'un coup de pistolet au théâtre Ford à Washington au 3e acte de « Notre cousin américain » par John Wilkes Booth, un acteur exalté entré dans sa loge, qui s'enfuit, mais est abattu le 26-4. Selon certains, Booth aurait été un agent secret de la Confédération qui devait kidnapper le Pt.

1865 Johnson Andrew (1808-75). R.

1869 Grant Ulysses S. (1822-85). R.

1877 Hayes Rutherford B. (1822-93).

1881 Garfield James A. (1831-81), blessé dans le dos le 2-7-1881 (par Charles Guitteau avocat, exécuté 30-6-1882), mort 19-9 de ses blessures. R.

1881 Arthur Chester A. (1830-86). R.

1885 Cleveland Stephen G. (1837-1908). D.

1889 Harrison Benjamin (1833-1901). R.

1893 Cleveland Stephen G. (1837-1908). D.

1897 McKinley William [1843, blessé (coup de revolver) le 6-9 par Léon Czolgosz (anarchiste exécuté 29-10-01), mort le 14-9]. R.

1901 Roosevelt Theodore (1858-1919). R.

1909 Taft William H. (1857-1930). R.

1913 Wilson Thomas Woodrow (28-12-1856/3-2-1924). D. Fils d'un pasteur presbytérien. *1882* avocat à Atlanta, puis prof. d'écon. pol. (Wesleyan Univ. du Connecticut, puis Princeton). *1911* gouv. du New Jersey. *1912* nov. élu Pt, *1916* réélu. *1920* prix Nobel de la Paix.

1921 Harding Warren G. (1865, mort d'apoplexie le 2-8-1923). R.

1923 Coolidge Calvin (1872-1933). R.

1929 Hoover Herbert C. (1874-1964). R.

1933 Roosevelt Franklin Delano (N.Y. n. 20-1-1882/12-4-1945). D. *1904* diplômé de Harvard. Avocat. *1910* sénateur de New York. *1913* secr. adjoint à la Marine. *1921* août, atteint par la poliomyélite. *1929* gouv. de l'État de New York. *1932* élu Pt, réélu *1936, 1940* et *1944* malgré son état de santé. *1945* † d'hémorragie cérébrale en cours de mandat.

1945 Truman Harry S. (Montana 8-5-1884/26-12-1972). D. * Baptiste. Fils d'agriculteur. Admis à West Point mais abandonne la carrière mil. à cause de sa vue. Volontaire en 1917, finit la g. comme capitaine. 1922 dans l'organisation du P. démocrate. 1935 sén. du Missouri. 1944 vice-Pt. 1945 Pt à la mort de Roosevelt. 1948 nov. réélu.

1953 Eisenhower Dwight David (Texas 14-10-1890/28-3-1969). R. Famille pauvre, mennonite. *1911* entre à West Point. *1941* Gal. *1942* nov. participe au débarquement en Afr. du N., puis en Sicile (1943). *1943* nov. à Londres (Cdt en chef des forces alliées en Eur.). *1948* Pt de l'univ. de Columbia. *1950* Cdt suprême de l'O.T.A.N. *1952* élu Pt, réélu 1956.

1961 Kennedy John Fitzgerald (Massachusetts 29-5-17/22-11-63). D. Catholique. Fils d'un self-made-man irlandais [Joseph Patrick (1888-1969), fils d'un cabaretier, devenu milliardaire et, en 1937, ambassadeur à Londres, et père de 9 enfants ; ép. 7-10-1914 Rose Fitzgerald (n. 22-9-1890) (voir ci-dessous)]. Étudiant à Harvard ; combattant dans la marine (Pacifique : 1941-45). Repr. du Massachusetts 1946 ; sénateur 1952. Pt 1960 (1er Pt catholique), à l'époque d'une croissance économique annuelle de 7 % (augmentation du P.N.B. 3,75 %), appelée « Ère Kennedy ». Il ordonna à 8 reprises de tuer Fidel Castro. Assassiné à Dallas le 22-11-1963 par Lee Harvey Oswald [24 ans, ancien marine, anarchiste, le 10-4-1963 il avait tenté de tuer le Gal Walker ; arrêté, sera tué le 24 à la police par Jack Ruby (tenancier d'une boîte de strip-tease, lié aux comm., † janv. 1967)]. Le rapport de la commission Warren (créée 29-11-1963) n'a pu prouver qu'il y ait eu complot (cubain, KGB, mafia ou adversaires de sa politique d'intégration raciale). *Le 6-8-1990* Ricky White (29 ans) affirma qu'un commando de 3 agents de la C.I.A. [dont son père, Roscoe (assassiné 1971) et Oswald qui n'aurait pas tiré] aurait tué J.F. Kennedy le 22-11-1963 à Dallas. Il a eu *3 enfants :* Caroline (1957), John (1960), Patrick (1963 † peu après sa naissance). En 1968, sa veuve Jacqueline (Jacky Lee Bouvier, n. 28-7-1929) s'est remariée au richissime armateur grec Aristote Onassis (1906-75). *Frères et sœurs : Joseph* (1915-44 tué à la g.). *Rosemary* (n. 1918, retardée mentalement). *Kathleen* (1920-48, tuée dans accident d'avion). *Eunice* (n. 1920 ; ép. R. Sargent Shriver). *Patricia* (n. 1924 ; ép. Peter Lawford). *Robert*, dit *Bob* (1925-68), magistrat, attorney gén. (ministre de la Justice) pendant la présidence de son frère, sénateur de New York 1965, candidat présidentiel 1968, assassiné par un Jordanien, Sirhan (6-6). *Jean* (n. 1928 ; ép. Stephen Smith). *Edward*, dit *Ted* (n. 1932), journaliste, sénateur du Massachusetts 1963 ; ép. 1958 Joan Virginia Bennett (mannequin, internée en 1974-79 pour alcoolisme). Compromis juill. 1969 : conduisant sa voiture avec l'ex-secrétaire de son frère Bob (la Polonaise Mary Jo Kopechne), il tombe dans la mer près du pont menant à l'île de Chappaquiddick (Massachusetts) ; il s'échappe à la nage mais la jeune fille (22 ans) meurt noyée. Il reste 10 h sans prévenir la police étant, dit-il, traumatisé (ses adversaires disent qu'il a téléphoné de tous côtés pour étouffer l'affaire). 1979 : candidat aux primaires présid. (démocrate) contre Carter ; 28-11 Susan Osgood tente de le poignarder. 1980 : battu aux primaires par Carter (qui échouera). 1988 : renonce à se présenter.

1963 Johnson Lyndon Baines (27-8-1908/22-1-1973). D. Disciple du Christ. *1937* représentant, 1949 sénateur du Texas. *1960* vice-Pt, *1963* Pt à la suite de l'assassinat de Kennedy. *1964* réélu.

1969 Nixon Richard Milhous (n. 9-1-1913 ; 1,80 m). R. Quaker. Fils d'épicier ; avocat ; ép. Thelma Ryan (16-3-12). *1942-45* combattant dans le Pacifique. 1948 représ. de Californie. *1950* sénateur. 1953-61 vice-Pt d'Eisenhower. *1960* battu de justesse par Kennedy. *1962* battu pour le poste de gouverneur de Californie. *1968* Pt. *1972* réélu. *1974* (9-8) compromis dans l'affaire du Watergate, doit démissionner.

1974 Ford Gerald Rudolph (n. 14-7-1913, Nebraska). R. Épiscopalien. Ép. Elizabeth Anne Bloomer (8-4-18). *1941* avocat. Off. de marine dans le Pacifique. *1948* représentant du Michigan. *1973* oct. désigné vice-Pt par Nixon après la démission de Spiro Agnew. *1974* Pt après démission de Nixon.

1977 Carter Jimmy (n. 1-10-1924, Georgie). D. Ép. Rosalynn Smith (18-8-27). Off. de marine jusqu'en 1953 ; reprend affaire familiale d'entrepôt ; diacre de l'Église baptiste. *1962-66* sénateur. *1971-74* gouverneur de Georgie, témoin d'une arrivée de soucoupes volantes. *1976* Pt. *1980* accusé d'incompétence, 1er Pt démocrate non réélu.

1981 Reagan Ronald (n. 6-2-1911 à Tampico, Illinois ; 1,83 m). R. Disciple du Christ. Famille miséreuse (père alcoolique). Commence études à 19 ans (les paye en étant serveur à la cafétéria) ; chômeur. *1932* reporter sportif de radio à Davenport. *1937* acteur à la Warner Brothers [1er film : *Love is on the air* de Nick Grinde (en tournera 54)]. *1940*-26-1 ép. Jane Wyman (n. 1914), actrice, divorcée (divorce en 1948). *1942-45* dans les services photogr. de l'armée (capitaine). *1952* épouse Anne Frances (dite Nancy, n. 6-7-21, fille de K. Robbins adoptée par le 2e mari de sa mère, le Dr. Davis). *1954* présentateur à la télévision. *1962* soutient la candidature de Goldwater, rép. *1964* dernier film (*The Killers* de Don Siegel). *1966* gouverneur de Californie. *1970 et 1975* réélu. *1976* battu aux primaires rép. par Gerald Ford (117 voix sur 2 259). *1980*-4-11 élu Pt. *1981*-20-1 « inauguré », 30-3, blessé (attentat). *1984* réélu. *Cote de popularité :* 69 % en janv. 86 (record), 56 % des Noirs (10 % en 1984).

1988 Bush George Herbert Walker (n. 12-6-1924 à Milton, Massachusetts). R. Épiscopalien. Père banquier. Épouse en 1945 Barbara Pierce (n. 1925), 6 enfants dont 1 † d'une leucémie. *1942* diplômé de la Phillips Academy, s'engage comme pilote dans la marine. *1947* diplômé de Yale (économie). *1948-66* homme d'affaires (pétrole). *1966-70* représentant. *1971-73* ambassadeur à l'O.N.U. *1973-74* Pt du Parti républicain. *1974-75* amb. en Chine. *1976-77* dirige C.I.A. *1978-80* battu par Reagan aux primaires républ. *1981-88* vice-Pt. *1987*-29-4 annonce sa candidature. *1988*-18-8 obtient l'investiture républ. *-8-11* Pt. *Cote de popularité* (janv. 89) : 61 % pour 9 % mécontents.

• **Dates d'entrée en fonctions.** Washington *30-4* (date du serment prêté mais début du mandat le 4-3), *ensuite 4-3* (sauf, du fait de la mort du Pt en exercice, Fillmore 10-7, Andrew Johnson 15-4, Arthur 20-9, Th. Roosevelt 14-10, Coolidge 3-8) *puis le 20-1* (Inauguration Day à midi) dep. le 23-1-1933 (20e amendement), entré en application en 1937 avec F.D. Roosevelt (sauf Truman 12-4, L.B. Johnson 2-2, G. Ford 9-8).

• **Présidents les plus jeunes.** *Le + jeune entré en fonctions* (le 14-9-1901). Theodore Roosevelt (42 ans). *Le + jeune élu* (le 8-11-1960). Kennedy (43 a. 5 mois 10 j). **Les plus vieux.** Reagan (69 ans 11 mois, le 20-1-1981), Harrison (68) et Buchanan (65).

• **Présidents réélus.** 14 dont 5 dep. 1945. **Nombre de Pts par parti.** Pts rép. 19 (dep. 1850), dém. 10.

Dernières élections présidentielles

Pt et vice-Pt élus (en italique : démocrates, sinon républicains ou divers) ; ensuite candidats (Pt et vice-Pt) battus ; nombre de suffrages populaires.

1928. Herbert Hoover, Charles Curtiss 21 437 277 (58,22 %). *Alfred E. Smith, Joseph T. Robinson 15 007 698 (40,8 %).*

1932. *Franklin D. Roosevelt, John Nance Garner 22 829 501 (57,4 %).* Herbert C. Hoover, Charles Curtiss 15 760 684 (39,6 %).

1936. *Franklin D. Roosevelt, John Nance Garner 27 757 333 (60,8 %).* Alfred M. Landon, Frank Knox 16 684 231 (36,5 %).

1940. *Franklin D. Roosevelt, Henry A. Wallace 27 313 041 (54,7 %).* Wendel L. Wilkie, Charles L. McLary 22 348 480 (44,8 %).

1944. *Franklin D. Roosevelt, Harry S. Truman 25 612 610 (53,3 %).* Thomas E. Dewey, John B. Bricker 22 017 617 (45,9 %).

1948. *Harry S. Truman, Alben W. Barkley 24 179 345 (49,6 %).* Thomas E. Dewey († 1971), Earl Waren 21 991 291 (45,1 %). J. Strom Thurmond, Fielding L. Wright 1 176 125 (2,4 %). Henry A. Wallace, Glen Taylor (progressistes) 1 157 326 (2,4 %).

1952. Dwight D. Eisenhower, Richard M. Nixon 33 936 234 (55,1 %). *Adlai E. Stevenson, John J. Sparkman 27 314 992 (44,4 %).*

1956. Dwight D. Eisenhower, Richard M. Nixon 35 590 472 (57,4 %). *Adlai E. Stevenson, Estes Kefauver 26 022 752 (42 %).*

1960. *John F. Kennedy, Lyndon B. Johnson 34 226 731 (49,7 %).* Richard M. Nixon, Henry Cabot Lodge 34 108 157 (49,5 %). Harry F. Byrd (sans parti) 446 298 (0,6 %).

1964. *Lyndon B. Johnson, Hubert H. Humphrey 43 129 484 (61,1 %).* Barry M. Goldwater, William E. Miller (1911-78) 27 178 188 (38,5 %).

1968. Richard M. Nixon, Spiro Agnew 31 785 480 (43,4 %). *Hubert Horatio Humphrey, Edmund Sixtus Muskie 31 275 165 (42,7 %).* George C. Wallace, Curtis E. Le May (indépendant) 9 906 475 (13,5 %).

1972. Richard M. Nixon, Spiro Agnew 47 167 319 (60,7 %). *George McGovern* (1,86 m), *R. Sargent Shriver junior 29 169 504 (37,5 %).* Schmitz (parti américain) 1 102 963 (1,4 %). Jennesson Reed (Soc. Worker) 97 256. Fisher (Soc. Labor) 58 814. Hall (communiste) 25 595. Divers 123 015.

1976. *Jimmy Carter, Walter Mondale 40 831 000 (51 %).* Élu par 68 % des juifs, 54 % des cathol. et 46 % des protestants ; 73 % des suffrages libéraux, 53 % des modérés, 30 % des conservateurs ; 82 % des Noirs et 48 % des Blancs. Sur 207 candidats, 12 autres s'étaient présentés, dont Gerald Ford 39 148 000 (48 %), Eugene McCarthy 694 073, Lester Maddox 167 552, Gus Hall (candidat du P.C.) 25 343.

1980. Ronald Reagan (George Bush), 43 904 000 (50,7 %). Élus avec 9 millions de voix de majorité (record) ; par 44 États sur 51 [489 mandats de grands électeurs (majorité requise : 270), malgré record d'abstention (47,4 %) ; par 51 % des femmes, 75 % des syndiqués, l'ensemble du S. (sauf Géorgie, pays natal de Carter), New York (pourtant traditionnellement démocrate), 37 % des juifs, une majorité de catholiques et de jeunes]. *Jimmy Carter (W.F. Mondale),* 35 484 000 (41 %), dont 81 % des Noirs, 56 % des catholiques, 39 % des juifs ; 49 mandats de grands électeurs. John Anderson (Patrick J. Lucey) 5 719 222 (6,6 %) ; 0 mandat.

1984. Ronald Reagan (George Bush), 53 428 357 (59 %). Élus avec près de 17 millions de voix de majorité (record) sur 90 millions de votants (52,9 %) par 49 États sur 50 [525 mandats de grands électeurs (majorité requise 270) ; % de ses électeurs dans certaines catégories : hommes 68, femmes 57 ; syndiqués 46, non syndiqués 65, employés 60, ouvriers 54 ; protestants 66, catholiques 56, juifs 31 ; Blancs 2/3, Noirs 9, Hispaniques 47, Asiatiques 72 ; jeunes de 18 à 29 ans 58]. Gains en 1984 par rapport à 1980 (en %) : électeurs indépendants 10, syndiqués 4, catholiques 10, Hispaniques 8, jeunes de 18 à 24 ans 19, jeunes de 25 à 29 ans 12.

W.F. Mondale (*Geraldine Ferraro,* 1re femme candidate à la vice-présidence). 36 930 923 (41 %), dont 54 % des syndiqués, 66 % des juifs, 91 % des Noirs et 53 % des Hispaniques ; 13 mandats de grands électeurs.

1988. George Bush (Dan Quayle). Électeurs potentiels 182 628 000, inscrits 129 500 000, votants 91 594 693 (moyenne 50,1 %, le plus faible % Washington DC 36,6, le plus fort Minnesota 65,3). 19 candidats 48 886 097 v. (53,37 %), *Michael Dukakis* et *Lloyd Bentsen* 41 809 074 (45,65), Ron Paul (libertaire) 432 176 (0,47), Lenora Fulani (New Alliance, 1re femme noire à obtenir les signatures nécessaires pour se présenter dans les 50 États) 217 219 (0,24), David Duke (P. populiste) 47 047 (0,05). Bush l'emporte dans 40 États et obtient les voix de 426 grands électeurs pour le scrutin du 14-12, Dukakis l'emporte dans 10 États. (112 voix).

Vice-Président

Statut. Élu en même temps que le Pt, du même parti, mais originaire d'un autre État, successeur automatique en cas de décès, éligible ensuite et rééligible s'il a accompli moins de la moitié du mandat du défunt. En cas de décès simultanés, seraient Pt, dans l'ordre : speaker à la Chambre des représentants, Pt du Sénat, secr. d'État (relations intern.), secr. au Trésor, à la Défense, à la Justice, à l'Intérieur, etc.

10 accédèrent à la présidence, 8 après la mort du Pt (4 de mort naturelle, 4 assassinés) : *1841* Tyler ; *1850* Fillmore ; *1865* A. Johnson ; *1881* Arthur ; *1901* Th. Roosevelt (réélu 1904) ; *1923* Coolidge (réélu 1924) ; *1945* Truman (réélu 1948) ; *1963* L.B. Johnson (réélu 1964) ; 1 après la démission du Pt, *1974* Ford (après démission de Nixon) ; *1988* Bush élu normalement.

Autres organes

• **Secrétaires d'État.** Nommés et révoqués discrétionnairement par le Pt ; leurs compétences sont déléguées par le Pt ; aucune responsabilité politique devant le Congrès. S'ils sont parlementaires, ils doivent renoncer à leur mandat électif.

• **Gouvernement** (20-1-89). 14 secrétaires d'État dont 2 Hispaniques, 1 Noir et 1 femme. *Pt* George Bush dep. 20-1-89. *Vice-Pt* Dan Quayle. *Aff. étr. (secrétariat d'État)* James A. Baker (28-4-30). *Défense* Richard Cheney. *Trésor* Nicholas Brady. *Justice (attorney général)* Dick Thornburgh. *Intérieur* Manuel Lujan. *Agriculture* Clayton K. Yeutter. *Commerce* Robert Mosbacher. *Travail* Elizabeth Hanford Dole. *Santé* Louis W. Sullivan. *Logement et développement* Jack Kemp. *Transports* Samuel Skinner. *Énergie* James Watkins. *Anciens combattants* Edward Derwinski. *Éducation* Lauro Cavazos (1er min. d'origine hispanique).

Chef d'état-major des armées Colin Powell. *Conseil de sécurité* Brent Scowcroft.

Nota. – Le *département de la Défense* [1 min. assisté de 3 adjoints (Armée, Marine, Air) conseillés chacun par un chef d'état-major, 1 200 000 empl. civils, soit 40 % des employés féd.] n'existe que depuis 1947. Le *secr. à l'Intérieur* ne s'occupe pas du maintien de l'ordre, mais de l'administration des richesses naturelles de l'Union. L'*Executive (E.O.P.)* chargé d'élaborer la politique prés. réunit env. 1 800 pers. au sein du *White House Staff* (Maison du Pt) ; à sa tête le « Chief of Staff ».

• **Cour suprême.** 9 m. (8 juges et 1 Pt, le « Chief Justice ») nommés à vie par le Pt avec l'accord du Sénat. *Pouvoirs :* arbitre les différends entre les États, entre un État et l'Union, entre un citoyen et l'État féd. Juge de la constitutionnalité des lois (votées par le Congrès) et des décisions du Pt.

• **Congrès. Sénat :** 100 m. (+ de 30 a., citoyen amér. dep. 9 a. et habitant l'État qui l'élit) élus au suffr. univ. (avant 1913, par les législatures d'États) p. 6 a., 2 par État. Renouvelable par tiers tous les 2 a. Le district de Columbia (cap. fédérale) et les territoires d'outre-mer ne sont pas représentés. En 1989, sur 100 membres, il y avait 2 femmes et aucun Noir.

Participation électorale (en %), Ch. des représentants. *1942* : 30 ; *44* : 52,7 ; *46* : 37,1 ; *48* : 48,1 ; *50* : 41,1 ; *52* : 57,6 ; *54* : 41,7 ; *56* : 55,9 ; *58* : 43 ; *60* : 58,5 ; *62* : 45,4 ; *64* : 57,8 ; *66* : 45,4 ; *68* : 55,1 ; *70* : 43,5 ; *72* : 50,7 ; *74* : 35,9 ; *76* : 48,9 ; *78* : 37,7 ; *80* : 47,4 ; *82* : 38 ; *86* : 37,3.

Chambre des représentants : 435 dép. (+ de 25 a., citoyens amér. dep. 7 a. et résidant dans la circonscription où ils se présentent) élus p. 2 a. au suffr. univ. (scrutin uninom. à 1 tour). 1 élection sur 2 a lieu l'année des présidentielles. Les sièges sont répartis tous les 10 ans entre les États, au prorata de leur pop. (en 1789 : 1 pour 30 000). Leur nombre a crû jusqu'en 1910 (435 et provisoirement 437 au moment de l'admission de Hawaii et de l'Alaska). Après le recens. de 1980, la Floride est passée de 15 à 19 s. ; New York 39 à 34. En 1989, sur 435 membres, il y avait 25 femmes et 24 Noirs.

Pouvoirs du Congrès : vote les lois et le budget, contrôle l'exécutif et l'adm. (enquêtes et commissions spécialisées), propose et vote des amendements à la Const. (à la majorité des 2/3 avec ratification par les 3/4 des États). Le Congrès ne peut être dissous, et il ne peut être contraint de voter une loi ou un budget qu'il n'appuie pas. Kennedy et Johnson, quoique démocrates comme la majorité du C., furent très souvent en opposition avec celui-ci. En outre, le parti du Pt peut être minoritaire au C. (cas de Nixon durant ses 2 mandats). Le Congrès s'entoure de protections et de nombreuses lois qui lui permettent d'annuler des décisions prises par l'exécutif, qu'il s'agisse du Pt ou des Agences exécutives. Il peut déclarer la guerre (le Pt n'est que chef des armées). Le *War Power Act* adopté par le Congrès le 7-11-1973 autorise le Pt à intervenir militairement en cas d'hostilités déclarées et limite l'intervention à 60 j si elle n'est pas autorisée. Chaque année, les Chambres siègent 7 mois ou + à partir du 3 janvier (session d'automne au cours des années sans él. fédérales).

Composition du Sénat et de la Chambre (sièges)

Années	Sénat			Ch. des rep.		
	Dém.	Rép.	Ind.	Dém.	Rép.	Ind.
1900	29	56	5	153	198	6
1918	47	48	1	191	237	7
1930	47	48	1	216	218	1
1940	66	28	2	267	162	6
1950	48	47	1	234	199	2
1960	64	36	0	262	175	0
1970	54	44	2	255	180	0
1980	46	53	1	243	192	0
1984	47	53	0	252	183	0
1986 (4-11)	55	45	0	260	175	0
1987 (4-5)	54	46	0	258	176	0
1988 (8-11)	55	45	0	262	173	0
1990 (6-11)	55	44	0	267	167	1

☞ Le mot *Congrès* désigne aussi la durée d'une législature (2 a.). Le Congrès élu pour 1991-93 est le 102e.

Élections. 1990 *(6-11)* 36 % des électeurs potentiels américains ont désigné 36 gouverneurs sur 50, renouvelé 1/3 du Sénat, la totalité de la Chambre des représentants et 6 257 sièges dans les législatures des différents États. 236 référendums et initiatives étaient organisés le même jour.

Siège du Congrès. *Le Capitole* construit 1792-1800, incendié 1814, reconstruit, plusieurs fois modifié. Grande rotonde : dôme 54,9 m.

Partis

Parti républicain (G.O.P. : Grand Old Party ; emblème : l'éléphant) : f. 1854 (1re réunion le 28-2 à Ripon, Wisconsin) ; héritier indirect du Parti fédéraliste [fondé 1787 par Alexander Hamilton (1755-1804)] qui à l'origine recrutait ses partisans en milieu aisé (financiers, marchands) et cessa d'exister en 1820 (1 seul président, John Adams). Une scission au sein des « rép. jeffersoniens » dirigée, pour sa fraction conservatrice, par John Quincy Adams (1767-1848), donna alors naissance au « P. rép. national », devenu parti whig après le ralliement d'une large part de l'ancien P. fédéraliste. A partir de là fut fondé (1850) le P. rép. antiesclavagiste. Plus conservateur que le P. dém. ; partisan d'une intervention limitée de l'État et d'une réduction des dépenses soc. Représente fermiers (Middle West), milieux d'affaires, banlieues résidentielles. Leader : Lee Atwater († 29-3-91).

Parti démocrate : (Emblème : l'âne) : f. 1848, leader Paul G. Kirk. Les rép. jeffersoniens (Jefferson était pour la limitation des pouvoirs du gouvernement central) devenus, lors de la scission de John Quincy Adams (1820), le p. des républicains démocrates, donna naissance au P. démocrate actuel. Lors de la g. de Sécession il y eut des dissensions entre démocrates du N. et du S. Plus progressistes que les rép., les dém. sont pour un accroissement du pouvoir féd. et une pol. sociale généreuse. Plus grand parti politique : a la majorité à la Chambre des représ. (259 sur 435) ; en minorité au Sénat (47 contre 53) ; majorité parmi les gouvernements (34 sur 50) et dans les assemblées des États (32 sur 50). Leader : Ronald Brown (Noir).

Parti communiste : f. 1919, leader Gus Hall. Env. 22 000 m. (75 000 en 1945).

Justice

Criminalité (1989) (pour 100 000 hab.). 8,7 homicides (5,3 en France) dont *Sud* 10,8, *O.* 8,3, *N.-E.*

7,8, *Centre* 6,6. *Washington* 59, *Detroit* 58, *Dallas* 36, *Baltimore* 30, *Chicago* 22. **Meurtres** (1990) : New York 2 245, Los Angeles 959, Philadelphie 522, Boston 483.

Peine de mort. Sur 50 États, 13 l'ont abolie, 37 la prévoient (16 par injection, 13 par électrocution, 3 par gaz, 2 par pendaison ou injection, 1 par gaz ou injection, 1 par fusillade ou injection). 36 la reconnaissent et 16 l'appliquent. En 1976, la Cour suprême a admis que la peine de mort est constitutionnelle. *Exécutions de 1977 (17-1) à sept. 1990 :* 138. *Au 31-12-87 :* 1 519 condamnés attendaient leur exécution (dont en % : Blancs 50,4 %, Noirs 41, Hispaniques 5,9, Indiens 1,3, Asiatiques 0,5). **Détenus** *(31-12-89) :* 710 054 dont 10 000 à l'île du Diable (sur l'East River au N. de New York). Au 1-1-91, 426 détenus pour 100 000 h. (record mondial).

1re électrocution d'un criminel. William Kemmler 6-8-1890.

Politique extérieure américaine

• **Afrique.** 3 principes contradictoires : *1°) aide contre les colonisateurs* (notamment Belgique au Congo, Portugal en Angola et Mozambique ; minorité blanche du Zimbabwe, avec pression sur la G.-B. pour l'obliger à se retourner contre ses nationaux, etc.). *2°) efforts milit., pol. et écon. pour garder l'Afr. indép. dans le camp occid.* où elle se trouvait au temps du colonialisme. Mais l'U.R.S.S. s'est implantée en Éthiopie et Angola ; la Chine en Afrique orientale. *3°) refus d'un accord global sur les exigences du tiers monde* (allégement des dettes, fin de l'aide liée obligeant l'emprunteur à acheter chez le prêteur ; libre entrée des produits afr. dans les pays riches ; indexation des cours des matières premières ; création d'un organisme distributeur, où le vote ne se ferait pas au prorata des contributions versées). *Motif :* les États afr., émancipés économiquement, pourraient choisir de leur plein gré le camp soviétique.

• **Amérique latine.** Les U.S.A. sont membres de l'O.E.A. (Voir Index), où ils ont fait la loi jusque v. 1960. *Principes : 1°) accorder aux États amér. des prêts bancaires (publics et privés) et une aide technol.* en échange de la stabilité pol. (aide fréquente aux régimes dictatoriaux), et de l'alliance nord-amér. *2°) doctrine de Monroe :* l'Amér. du N. ne tolère aucune ingérence dans les affaires des 2 continents amér. (ex. : destruction de l'empire mexicain, fondé par Nap. III en 1856). *Dep. 1960 :* 1°) *l'hégémonie nord-amér. est souvent contestée :* Cuba, certaines îles des Caraïbes, Nicaragua, Bolivie (remise au pas après de longues péripéties) ; en revanche, l'influence écon. au Brésil et en Argentine est en essor. 2°) *l'expulsion des puissances coloniales* europ. (G.-B., P.-Bas, France) a été différée (crainte de voir de nouveaux États microscopiques tomber dans l'orbite de Cuba). *De 1970 à 80,* l'opinion publique amér., plutôt à gauche, répugnait au soutien inconditionnel de dictatures faisant fi des droits de l'homme ; elle souhaite remettre au pas les petites nations révolutionnaires et si possible, à plus lointaine échéance, Cuba. D'où : a) soutien des dictateurs de droite (instructeurs, matériel antiguérilla fournis à la junte salvadorienne) ; b) pression sur les nations eur. (où l'opinion publique est souvent favorable aux guérilleros gauchistes) pour qu'elles abandonnent les forces révolutionnaires d'Am. (fin de l'aide humanitaire au Salvador ; annulation de l'aide fin. à la construction de l'aéroport stratégique de Grenade, où les U.S.A. interviendront militairement en 1983) ; aide aux « Contras » anti-sandinistes au Nicaragua (13-4-89 la Ch. des repr. approuve par 309 contre 110 l'octroi de 49,7 millions de $ d'aide humanitaire) ; c) négocier en position de force avec l'U.R.S.S. pour obtenir son retrait de l'hémisphère amér. En attendant, exiger la fin de l'aide sov.-cubaine aux guérilleros. 3°) *la découverte, en 1979, d'importantes réserves pétrolières au Mex.* rend les U.S.A. sensibles à la stabilité du régime mex. ; l'intervention au Guatemala, au Honduras, au Salvador tend à protéger le Mex.

• **Chine.** *1°) méfiance* (nation prolifique et ambitieuse, rivale possible). *2°) espoir de trouver en Extrême-Orient un contrepoids à la menace soviétique.* [Entre 1948 et 71, les U.S.A. ont redouté la collusion des 2 puissances comm. Depuis la « normalisation » des rapports avec la Ch. populaire (contre l'abandon de T'ai-wan), ils sont satisfaits d'exporter leur blé en Ch., et tentent de récupérer pour le camp du « monde libre » les forces chinoises.]

• **Espagne.** *Jusqu'à la mort de Franco* (1975), alliée inconditionnelle. Aide technologique et financière. *Dep. la mort de Franco,* l'Esp. tente de s'intégrer à l'Europe. Conséquences : 1°) elle peut devenir membre de l'O.T.A.N., ce qui l'intégrerait aux forces communes, mais mettrait fin aux accords bilatéraux, avantageux pour les U.S.A. 2°) l'intégration esp. à la C.E.E. a provoqué la diminution des échanges Espagne/U.S.A. et de l'aide amér.

• **France.** Hostilité, remontant aux g. indiennes et franç. du XVIIIe s., notamment celles de la vallée de l'Ohio, v. 1760. 1°) l'amitié franco-amér. datant de la g. d'Indépendance (1778-83) est souvent évoquée, mais la Fr. a contre elle son passé colonial (les U.S.A. étant pour la décolonisation de l'Afr., notamment en 1956, lors du conflit avec l'Égypte de Nasser). 2°) l'existence d'un fort Parti communiste fr. (au gouv. de. 1981 à 84) a inquiété la droite anticomm. amér. (elle n'est pas sûre de voir la France rester aux côtés de l'O.T.A.N. en cas de 3e G. mondiale). 3°) les rivalités commerciales jouent souvent (armements, astronautique, aéronautique, automobile, mat. ferroviaire). En général, les U.S.A. cherchent à contrebalancer l'influence de la Fr. dans la C.E.E. par celle d'un autre pays (Allemagne, puis dep. 1976 Angleterre).

Invitations des Présidents français par les Présidents américains sous la Ve République

Gal de Gaulle (22/29-12-1959), par D. Eisenhower. *G. Pompidou* (23-2/3-3-1970), par R. Nixon. *V. Giscard d'Estaing* (17/22-5-1976), par J. Carter. *F. Mitterrand* (21/27-3-1984), par R. Reagan. *Autres voyages de Mitterrand aux U.S.A. : oct. 1981,* bicentenaire de Yorktown ; *mai 1982,* préparation du sommet écon. de Versailles ; *mai 1983,* sommet écon. de Williamsburg ; *28-9,* Ass. gén. de l'O.N.U. *4-6-1986,* centenaire de la statue de la Liberté à New York ; *20-5-1989.*

• **G.-B.** Alliée privilégiée dans le système atlantique (proche culturellement, alignée politiquement, utilisée comme base militaire, notamment pour les centres de détection électronique et le réseau de missiles ; métropole du Commonwealth, comprenant de nombreux pays où les Am. ont un régime de faveur. Ex. : ils utilisent des bases milit. brit. dans l'oc. Indien et à Chypre). Les U.S.A. ont poussé la G.-B. à entrer dans la C.E.E. (pour contrecarrer la cohésion de l'Europe, et l'empêcher de s'émanciper de la tutelle amér.).

• **Japon.** *1°) empêcher le J. de faire bloc avec Chine ou U.R.S.S.,* en lui accordant de gros avantages moraux, politiques, économiques dans le monde libre. *2°) tenter de limiter l'expansion commerciale japonaise* aux U.S.A. et dans les pays clients des U.S.A.

• **Moyen-Orient.** Principes généraux : *1°) maintenir les États dans l'O.T.A.S.E.* (Voir Index) et éviter au moins qu'ils tombent sous l'influence soviét. *2°) garder le contrôle du ravitaillement pétrolier. 3°) empêcher la destruction d'Israël,* soutenu aux U.S.A. par un puissant lobby. Entorses à cette pol. dep. 1978 : chute du shah d'Iran ; agressivité de l'O.P.E.P. (dès 74) ; lâchage d'Israël à Camp David ; infiltrations sov. dans plusieurs États arabes ; faiblesse de l'allié turc (malgré concessions dans l'affaire de Chypre) ; mais : retour de l'Égypte à l'alliance amér., intervention de l'Irak contre l'Iran, renforcement des bases (armée et marine) dans l'oc. Indien. Participation en 1990-91 à la g. du Golfe. Voir Index.

• **Tiers monde.** Objet de l'affrontement Est-Ouest, élément en Amér. latine de la sécurité des U.S.A., l'aide amér. devant en principe être réservée aux régimes non contaminés par le communisme.

• **U.R.S.S.** *1°) « Supergrand »,* elle a droit à des égards (le partage de Yalta reste une valeur de référence). *2°) ennemie en puissance,* il faut la contrer militairement et politiquement, notamment en Am. latine, où son élimination est indispensable (voir ci-dessus). *3°) la « g. froide »* est un moindre mal, lorsque l'U.R.S.S. est la plus forte (ce qui a semblé être le cas de 1976 à 1989). *4°) la « coexistence pacifique »* (prolongation de l'esprit de Yalta) implique l'équilibre des forces. Il faut donc d'abord répondre aux surenchères sov. (soutien des pays menacés par l'U.R.S.S.), puis accepter les offres de rapprochement faites par l'U.R.S.S. Règle de conduite : prudence et réciprocité. *5°) le recul du communisme* parut longtemps chimérique : les pays satellisés de l'E. européen n'ont pas été soutenus : Tchéc. 1948, Hongrie 1956, Tchéc. 1968, Pologne 1971 et 1980. Depuis la Perestroïka, un grand espoir est né, doublé d'une crainte de déstabiliser Gorbatchev. *6°) les considérations écon.* ont peu de poids dans les rapports avec le bloc communiste. Le commerce est faible (1 % des imp. ; 3 % des export.). Néanmoins, les céréaliers considèrent l'U.R.S.S. comme un débouché important, et ont protesté contre l'embargo sur les grains décrété par le Pt Carter en déc. 1979 (après l'intervention sov. en Afghanistan).

Principaux groupes de pression

• **American Legion.** Organisation d'anciens combattants, nationaliste, conservatrice et anticommuniste (tantôt isolationniste, tantôt expansionniste). *Créée* à Paris 1919, pour maintenir le moral des troupes en instance de démobilisation. *Siège :* Indianapolis. *Membres :* 3 millions.

• **C.I.A. (Central Intelligence Agency),** « Agence centrale du renseignement ». *Créée* 1947 par la loi de la Sûreté nationale, héritière de l'O.S.S. qui fonctionnait durant la 2e G. mond. *1953-61,* essor avec Allen W. Dulles : en principe tournée vers l'action extérieure en laissant au F.B.I. (voir ci-dessous) l'action intérieure (dep. 4-12-1981, peut opérer aux U.S.A., a placé sous surveillance 13 000 citoyens américains). *1974,* 153 000 agents. *1977* Carter ordonne une enquête sur la C.I.A. *1978*-24-1 une ordonnance restreint ses possibilités d'action. *1981* Reagan redonne à la C.I.A. son importance. **Directeurs.** *1946* Amiral Sidney Souers ; Gen. Hoyt Vandenberg. *1947* Amiral Roscoe Hillenkoetter. *1950* Gen. Walter Bedell Smith. *1953* Allen Dulles. *1961* John McCone. *1965* Amiral William Raborn Jr. *1966* Richard Helms. *1973* James R. Schlesinger ; William Colby. *1976* George Bush. *1977* Amiral Stansfield Turner. *1981* William Casey (1913-87). *1987* William Webster (démissionne 8-5-1991). *Budget (1987) :* 25 milliards de $. *1991* -14-5 Robert Gates (n. 1944).

• **Cosa nostra.** Mafia (origine sicilienne). *Créée* 1920 à l'époque de la prohibition (trafic clandestin d'alcool), pénètre après 1945 le monde financier (Bourse, opérations immobilières) ; investit principalement dans les entreprises permettant de soustraire en partie les recettes au contrôle fiscal : machines à sous, casinos, laveries (5 000 sociétés de façade honorable) ; importe en moy. aux U.S.A. pour 350 millions de $ de drogue par an ; bénéfices est. 120 milliards de $ par an (1/3 pour la drogue).

Organisation : les U.S.A. sont divisés en 24 familles, aux ordres d'un Capo ; les 24 Capos se retrouvent au sein d'une commission clandestine dont la réunion n'a été surprise qu'une seule fois par la police (en 1957 à New York). *Nombre de mafiosi* « made » (intronisés) 15 000, soldats (auxiliaires) 150 000. *Employés :* 700 000. La corruption de parlementaires et de fonctionnaires locaux rend la répression difficile. Seul le F.B.I. (sur le plan fédéral) est efficace. Mais son arme essentielle (l'écoute téléphonique) se heurte à l'opposition des juges, qui y voient une atteinte aux libertés individuelles. Les *mafiosi* se font souvent relâcher contre une caution. Un accord a été conclu entre le gouv. am. et les banques suisses, sur la levée éventuelle du secret bancaire, dans les affaires de mafia.

Nota. – Meyer Lansky (Maier Suchowljansky, n. 1902, Biélorussie), dernier survivant des lieutenants d'Al Capone, est mort le 15-1-1983 (fortune : 3 milliards de $). Le 16-12-1985, *Paul Castellano,* « Capo » présumé de la plus grande « famille » de New York, a été assassiné (avec son adjoint).

• **F.B.I. (Federal Bureau of Investigation).** Police judiciaire fédérale, dépendant de l'attorney general (ministre de la Justice). *Créé* 1908 par Charles Bonaparte. *Employés :* 20 000, dont 3 000 agents spéciaux (G-Men, hommes du gouvernement) 59 directions régionales, 516 bureaux. *Directeurs :* 1924-(10-12) 72 J. Edgar Hoover ; 1972 3-3 Patrick Gray (intérim) ; 1973 27-4 William Ruckeshauss (intérim), 9-7 Clarence M. Kelley ; 1978 23-2 William Webster (n. 6-3-1924) ; 1987 27-5 John Otto (intérim), 2-11 William Sessions.

• **Femmes.** *Emploi :* en 1990, 56 millions travaillent, soit 45 % de la force de travail. *Politique :* 52 % de l'électorat ; en nov. 1988, 50 % ont voté pour G. Bush (57 % des hommes), 49 % pour G. Dukakis (41 % des hommes). *Principale organisation :* National Org. for Women (N.O.W.), f. 1966, 220 000 adh.

• **Fondations.** 30 000 organismes autonomes, sans but lucratif, assurent des activités philanthropiques (éducation, santé, médecine, recherche, technologie, religion, bienfaisance, arts). Alimentés par des donations déductibles des impôts ou des legs exonérés de droits. *Capital* plusieurs dizaines de milliards de $ [les 3/4 détenus par moins de 200 fondations, dont (en milliards de $) : Fondation Ford 3, Rockefeller 0,8, Carnegie 0,3, Getty]. *Dépenses totales* 2 milliards de $. Accusés de concurrence déloyale par les petites et moyennes entreprises, en raison des avantages fiscaux qui leur sont accordés.

• **John Birch Society.** Groupement d'extrême droite, anticommuniste et antiraciste, admettant les Noirs. *Créé* 1958 par Robert Welch (1899-1985). *Membres :* 100 000 répartis en chapitres de 20 pers.

Peut-on parler d'impérialisme américain ?

Financièrement. Comme ils n'ont pas de couverture métallique, les U.S.A. sont accusés d'exporter leur inflation, et de payer leurs factures en « monnaie de singe ». Contre cet « impérialisme monétaire », les États de l'O.P.E.P. avaient décidé, en 1980, de ne plus se référer au $ pour fixer leurs prix, mais à un panier de 10 monnaies fortes. La remontée du dollar (1981-82) a rendu caduque cette mesure.

Militairement et politiquement. Les U.S.A. profitent des avantages acquis à Yalta en 1945 (l'U.R.S.S. leur reconnaissait une zone d'influence dans le monde supérieure à la zone d'influence sov.). Ils étaient restés sur la défensive entre 1973 et 1981 [*1°) défaite au Viêt-nam,* le soulagement né de la fin des hostilités (pertes mil. très sensibles) est compensé par l'humiliation : pour la 1re fois, les U.S.A. ont perdu une g. et abandonné un allié (le Sud-Viêt-nam qui s'effondre dès avril 1975) d'où réveil du puritanisme politique : le Pt Nixon doit démissionner le 8-8-1974 à cause du scandale du Watergate. *2°) en Afrique* (Angola, Éthiopie), en *Am. du S.* (Cuba, Nicaragua), *en Asie* (Afghanistan, Iran, Turquie), l'U.R.S.S. a marqué des points. Le soutien, passif, aux régimes pro-amér. a coûté chaque année plusieurs milliards de $ et contribué au déséquilibre de la balance des paiements et à la dépréciation du $. *3°)* les pays de l'O. partenaires des U.S.A. s'affranchissent de l'autorité amér. (ex. la Fr. depuis de Gaulle). La volonté amér. de conserver le leadership du monde occid. s'est affirmée faiblement sous Carter, celui-ci faisant souvent des concessions à ses partenaires (par ex. aux producteurs de pétrole ou aux Jap.)].

Secteurs où la suprématie américaine est restée intacte : armement nucléaire, logistique aérienne, force navale (soutenue par une forte flotte de commerce, inutilisée mais gardée en réserve) ; alliances mil. avec de petits pays, tenus par de fortes sujétions écon. (exemple récent : Somalie), maintien du $, malgré sa non-convertibilité, comme monnaie de réserve. Dep. 1978, l'U.R.S.S. avait donné l'impression d'être devenue le 1er supergrand, ce qui provoquait un rapprochement de certains pays avec les U.S.A. (Chine, Japon, Inde, Pakistan, Égypte, France). Depuis l'accession de Reagan au pouvoir (1981), les États-Unis ont adopté, en apparence, une politique extérieure plus musclée (notamment en Amér. centrale). Mais ils se sont montrés faibles en Pologne (1981-82) et hésitants au Salvador (1982).

• **Ku Klux Klan.** Organisation clandestine, d'extrême droite. *Fondée* v. 1865 dans le S. par des officiers démobilisés (après la g. de Sécession), pour empêcher par la terreur les Noirs d'user de leur droit de vote. *1871* loi martiale dans le S. pour lutter contre le K.K.K. *1877* interdite légalement (mais les droits des Noirs sont pratiquement supprimés). *1915* (influence du pasteur W. J. Simmons) : s'attaque également aux juifs, catholiques, étrangers, pacifistes révolutionnaires. Vague de violence. *1928* interdiction par la Cour suprême, retour à la clandestinité (dispersion en une centaine de groupuscules : chevaliers blancs, du K.K.K., etc.). *1961* fédérations : *Klans Unis d'Am.* (50 000 sympathisants), qui élisent un « sorcier impérial », Robert Sheldon. *1964* exécution de 3 militants noirs dans le Missouri. *1970* le « grand sorcier », S.H. Bowers, est condamné à 10 ans de prison. *1979*-3-11, 5 †, dans une manif. noire à Greensboro (North Carolina). *1980* 68 enquêtes ouvertes sur : croix brûlées, Noirs attaqués. *États sudistes où le K. est représenté :* 15 (constituent l'« Empire invisible »). *Actuel gd sorcier :* William Hoff. Le K. a essaimé hors des U.S.A., notamment au Portugal, où l'opposition aux Noirs est forte dep. le rapatriement des colons d'Afrique. *Adhérents : 1915 :* 1 à 5 millions, *67 :* 17 000, *75 :* 2 000, *78 :* 10 000.

• **Syndicats. A.F.L.-C.I.O.** (American Federation of Labor – Congress of Industrial Organizations). *Adhérents* 14,5 millions. Proche du Parti démocrate ; *Crée* 1955, fusion de l'A.F.L. (fondé 1886 par Samuel Gompers) et des syndicats C.I.O. [s. de gauche regroupés en 1935 par John Lewis et Walter Reuther et expulsés de l'A.F.L. en 1937 ; le plus gauchiste, Walter Reuther, tente en vain de fonder une union dissidente, l'A.F.L.A. (Alliance for Labor Action)]. *Convention,* tous les 2 ans, désigne un conseil exécutif (Pt, vice-Pt, 17 représ. de l'A.F.L. et 10 du C.I.O. ; tient 1 fois par an une séance « élargie » avec un représ. de chaque syndicat). Anticommuniste. *Pt* Lane Kirkland dep. 1980. *Taux de syndicalisation* (%) : *1980 :* 23 ; *84 :* 19,1 (Blancs 18,2 ; Noirs 26,2 ; hommes 23,3 ; femmes 14). 85 % des ouvriers syndiqués (soit 19 % des salariés).

Nota. – Le puissant syndicat des Teamsters (2 millions de m. camionneurs) a été exclu de l'A.F.L.-C.I.O. en 1957 pour corruption (son Pt, Jimmy Hoffa, a passé 8 ans en prison, il fut assassiné en 1975).

États

Généralités

L'Union comprend 50 États : 13 d'origine, 37 admis par la suite dont 30 avaient été auparavant organisés comme des territoires. Chacun a sa Constitution, 2 Chambres (sauf le Nebraska dep. 1937) et 1 gouverneur. Autonomie importante (en matière de Code civil, commercial, etc.).

Gouverneurs. Chefs de l'exécutif des États. Élus pour 4 ou 2 a. (dans 9 États) au suffr. univ. ; non rééligibles dans 11 États, réél. 1 fois dans 12, sans limitation ailleurs (dont N.Y., Californie, Ohio, Illinois). Peuvent être révoqués par le Sénat (« impeachment », vote aux 2/3) ou, dans certains États, contraints de se représenter devant les él. si un certain % de citoyens le demandent. Ont le droit de veto (sauf en Caroline) total ou partiel sur le vote des lois, commandent la Garde nationale (voir ci-dessous), disposent du droit de grâce. Assistés dans 40 É. par un Lt-gouv. élu, qui leur succède en cas de décès (sinon, le succ. est le secr. d'État). En 1990, il n'y avait qu'un seul gouv. noir (Wilder en Virginie).

Chambres. 19 à 67 *sénateurs* élus pour 4 a. (37 États) ou 2 (13), 39 à 45 *députés* selon les États, élus pour 4 ans (sauf en Alabama, Louisiane, Maryland, Mississippi : 2 ans). *Sessions* annuelles dans 30 États, biennales dans 20.

Administration locale. Divisés en *comtés* [en moy. 50 à 100 (Delaware 3, Texas 254) (sauf Alaska : 29 « divisions », Louisiane : 62 « paroisses »), et dans certains cas en *cités* ou *districts*]. A la tête des comtés, le « Board », élu pour 2 ou 4 ans. Les responsables adm. (*sheriff :* ordre public ; *district attorney :* procureur ; *coroner :* enquêtes sur les morts violentes, etc.) sont élus au suffr. univ. Les *maires* sont élus séparément des conseils mun., pour 2 ou 4 a. Dans 243 villes de + de 5 000 h., le conseil municipal est remplacé par une commission de 5 m. élus.

Garde nationale. Chargée du maintien de l'ordre ; armement et équipement assurés par le Pentagone. Formée de volontaires (qui sont dispensés du service militaire). Les Noirs en sont pratiquement exclus.

Liste

Nota. – Chiffres pop. (est. 89, sauf villes est. 88, agglomérations et races 80). États, villes. *Légende.* (1) S'intitulent des « Commonwealths » et non des « États ».

• **Alabama** (Al.) (*1702* partie de la Louisiane française ; *1763* cédé à la G.-B. ; *1817* territoire ; *1819* État). *11-1-1861 au 25-6-1868* sécession. 133 915 km². 4 118 000 h. Blancs 73,8 %. Noirs 25,6 %. D. 30,7. Pop. urb. 60 %. *Villes : Montgomery* (cap.) 193 510 (281 000), Birmingham 277 280 (ag. 891 000), Mobile 208 820 (459 000).

• **Alaska** (Ak.) [*1741* découvert par le Danois Vitus Bering ; *1784,* 1er établissement (île Kodiak), colonie russe (cap. Sitka 1806) ; *1867* acheté 7 200 000 $; *1880-1910* « ruée vers l'or » (la pop. passe de 20 000 à 60 000 h.) ; *1884* district ; *1912* territoire ; *1959* État]. 1 530 701 km², 527 000 h. Blancs 77 %, Noirs 3,4 %, Indiens 5,5 %, Aléoutes 2 %, Esquimaux 8,5 %. D. 0,34. Pop. urb. 64,5 %. *Villes* (80) : *Juneau* (cap.) 19 528, Anchorage 218 500 (89), Kenai 25 282, Fairbanks 22 645. Peu de cultures, forêts 44 %. Rennes, bovins, ânes, animaux à fourrure (renard argenté), otaries. Or, argent, étain, plâtrerie, charbon, pétrole. Pays montagneux (Mt McKinley, 6 178 m, p. culminant de l'Am. N.) : 6 chaînes principales, séparées par des plateaux arides ou des plaines marécageuses. Base stratégique [distance de l'U.R.S.S. : 90 km ; une route de 2 400 km, Alcan (Alaska-Canada), relie Dawson Creek à Fairbanks]. *Économie :* pêcheries (50 % des conserves de saumon du monde) ; dep. 1977 : pétrole et gaz naturel, découverts 1957, puis 1967 [réserves 2 à 7 milliards de t, prod. prévue 100 millions de t par an ; pipeline trans-Alaska pour évacuer pétrole de Prudhoe Bay (1 250 km de tubes de 121 cm ; franchit 2 chaînes de montagnes et le Yukon, coupe l'A. en 2, posant des problèmes écologiques (transhumance des 400 000 caribous) ; coût 3,5 milliards de $]. Tourisme d'été surtout dans les fjords utilisant des ferries depuis Juneau ; raids en traîneaux à chiens).

Îles Aléoutiennes : 17 700 km², 7 768 h. (75), morue, saumon, renards, phoques, otaries. *Pribilof :* 160 km². 440 Esquimaux, pêche, chasse, réserve pour otaries, rennes et oiseaux. *Saint-Laurent* long. 145 km ; larg. max. 50 km ; 400 Esquimaux (75). Réserve de rennes. *Saint-Mathieu ;* inhabitée, réserve d'oiseaux.

• **Arizona** (Az.) (*1752* établiss. ; *1863* territoire ; *1912* État ; *1990* -6-2 l'anglais n'est plus langue officielle de l'État). 295 260 km². 3 556 000 h. Blancs 82,4 %, Noirs 2,8 %. D. 12. Pop. urbaine 83,8 %. *Villes : Phoenix* (cap.) 923 750 (86) (1 664 000), Tucson 385 720 (572 000), Mesa 280 360, Glendale 142 000 (84), Scottsdale 88 364 (80).

• **Arkansas** (Ar.) *1686* établissement ; *1815* territoire ; *1836* État ; *6-5-1861 au 22-6-1868* Sécession. 137 754 km². 2 406 000 h. Blancs 82,7 %, Noirs 16,3 %. D. 17,4. Pop. urbaine 51,5 %. *Villes : Little Rock* (cap.) 180 090 (487 000), Fort Smith 71 384 (80), North Little Rock 64 419 (84).

• **Californie** (Ca.) (*1769* établiss. ; *1848* territoire cédé par le Mexique ; *1850* État). 411 049 km². 29 063 000 h. (État le + peuplé). Blancs 76,2 %, Noirs 7,7 %. D. 70,7. *Pop. urb.* 91,3 %. *Villes : Sacramento* (cap.) 338 220 (1 197 000), Los Angeles [nom complet (55 lettres) : El Pueblo de Nuestra Señora la Reina de los Angeles de Porciuncula] 3 352 710 (12 191 000), textile (coton et textiles artif., tissage et confection) ; chimie et pétroch., sidérurgie (Fontana, fer de l'Arizona) ; auto., aéronautique, outillage élect. ; ind. du cinéma. San Francisco 731 600 (5 624 000), débouché de la vallée Impériale, terminus de plusieurs voies ferrées transcontinentales et port. San Diego 1 070 310 (2 015 000), base navale, port de pêche, aéronautique. San Jose 738 420 (1 360 000), Long Beach 415 040, Oakland 356 820. En 1987, 8 000 gangs regroupant 70 000 jeunes et ayant commis 387 meurtres (3 000 en 10 ans).

Mégalopole prévue pour 2000 : Sansan (San Francisco-San Diego) 700 km.

Nota. – En 1985, « P.N.B. » : 460 milliards de $. Revenu par tête : 14 500 $, 10 % du revenu agric. des U.S.A., Silicon Valley (voir p. 948 c).

• **Colorado** (Co.) (*1858* établiss. ; *1861* territoire ; *1876* État). 269 596 km². 3 317 000 h. Blancs 89 %, Noirs 3,5 %. D. 12,3. Pop. urb. 80,6 %. *Villes : Denver* (cap.) 492 200 (1 768 000), Colorado Springs 283 110, Aurora 218 720.

• **District of Columbia** (DC) [*1790* district pris sur le Maryland pour devenir le siège du gouv. fédéral ; *1801* autorité fédérale ; *1878* corporation municipale : 3 commissaires nommés ; *1961* (23e amendement), les h. ont le droit de vote dans les élect. nationales ; *1967* conseil municipal nommé ; *1973* élu ayant des pouvoirs législatifs en matière locale, mais le Congrès garde le droit de légiférer]. 178 km². 604 000 h. D. 3 393 [ag. Washington 3 370 000. Majorité noire à 70,3 % ; municipalité noire ; émeutes raciales 1968 (9 †, 1 000 bl.)]. En 1988, 372 assassinats (555 y compris banlieue), 80 % liés à la drogue. 28-2-1989 couvre-feu de 23 h à 6 h pour les – de 18 ans.

• **Connecticut** (Ct) (*1635* établiss. ; *1637* Commonwealth ; *1639* Constitution, la 1re du monde moderne, *1788* État). 12 998 km². 3 239 000 h. Blancs 90,1 %. Noirs 7 %. D. 249. Pop. urb. 78,8 %. *Villes (82) : Hartford* (cap.) 136 392 (1 019 000), Bridgeport 144 000 (395 455 en 80), New Haven 125 000 (503 000).

• **Delaware** (De.) (*1638* établiss. ; tire son nom de Lord George de la Ware, 1er gouv. de Virginie ; *1787* État). 5 295 km². 673 000 h. Blancs 82,1 %. Noirs 16,1 %. D. 127. Pop urb. 70,6 %. *Villes* (80) : Dover (cap.) 23 512, Wilmington 70 195, Newark 25 247.

• **Floride** (Fl.) *1656* établiss. espagnol ; nommée Paques fleuries (Pascua Florida) en 1513 ; *1763* cédée à l'Angl. ; *1783* retour à l'Espagne ; *1819* achetée à l'Esp. 5 millions de $; *1821* territoire U.S. ; *1845* État. *10-1-1861 au 25-6-1868* Sécession. 151 939 km². 12 670 000 h. Blancs 84 %, Noirs 13,8 %. D. 83,3. Pop. urb. 84,3 %. *Villes : Tallahassee* (cap.) 103 000 (82), Jacksonville 635 430 (773 000), Miami 371 100 [2 793 000 dont 500 000 réfug. cubains ; les Noirs (18 %, mais 38 % des pauvres) dont déclenché le 21-5-80 des émeutes raciales : 15 †, dont 6 Blancs], Tampa 280 790 (1 770 000), St Petersburg 235 450, Epcot (Experimental Prototype Community of Tomorrow). *Conurbation prévue pour 2000 :* 600 km de long de Jacksonville à Miami ; 8 000 000 d'h. [Jami] ; *menaces écologiques :* 50 millions de t de liquides pollués par j (inhabitable v. 2000).

• **Géorgie** (Ga) (*1733,* 13e colonie : tire son nom du roi George II ; *1788* État). *19-1-1861 au 25-7-1868* Sécession le *15-7-1870,* à nouveau dans l'Union. 152 576 km². 6 436 000 h. Blancs 72,3 %, Noirs 26,8 %. D. 42. Pop. urb. 62,4 %. *Villes : Atlanta* (cap.) 420 220 (2 305 000), Columbus 177 680, Savannah 146 000 (82).

• **Hawaii** (Hw.) [*1778* déc. par le cap. James Cook, connues sous le nom d'îles Sandwich ; *1893* la reine Liliuokalani († 11-11-1917) est déposée ; *1894* République ; *1898* annexées aux U.S.A. ; *1900* territoire ; *1959* État]. 16 759 km² (20 îles dont 8 principales). 1 112 000 h. Blancs 33 %, Noirs 1,8 %. D. 66,3. Pop. urb. 86,5 %. *Îles : Hawaii* 10 461 km² (92 053 h.), *Mani* 888 (71 337), *Oahu* 1 574 (761 964), *Kauai* 1 432 (39 082), *Molokai* 676 (6 076), *Lanai* 362 (2 125), *Nihau* 189 (226), *Kahoolawe* 116 (0). *Villes : Honolulu* (cap.) sur Oahu 376 110 (799 000), Ewa 190 037 (82), Koofaupoko 109 373 (82).

• **Idaho** (Id.) (*1836* mission ; *1855* État mormon ; *1860* établiss. ; *1863* territoire ; *1890* État). 216 432 km². 1 014 000 h. Blancs 95,5 %, Noirs 0,3 %. D. 4,6. Pop. urb. 54 %. *Villes (82) : Boise City* (cap.) 105 000, Pocatello 46 340 (80), Idaho Falls 39 590 (80).

• **Illinois** (Il.) (*1673* déc. par les Français Joliet et Marquette ; *1720* établiss. ; *1763* cédé par les Fr. aux Anglais ; *1783* reconnu amér. par les U.S.A. ; *1809* territoire ; *1818* État). 145 934 km². 11 658 000 h. Blancs 80,8 %, Noirs 14,7 %. D. 79,8. Pop. urb. 83,3 %. *Villes : Springfield* (cap.) 99 637 (80), Chicago (nom indien : *Checagou,* « oignon sauvage » ; occupe le rivage du lac Michigan sur 100 km) 2 977 520 (8 016 000), Rockford 138 000 (82) (280 000), Peoria 122 000 (82) (362 000).

• **Indiana** (In.) (*1732* établiss. ; *1800* territoire ; *1816* État). 93 720 km². 5 593 000 h. Blancs 91,2 %, Noirs 7,6 %. D. 59,6. Pop. urb. 64,2 %. *Villes : Indianapolis* (cap.) 727 130 (1 182 000), Fort Wayne 179 810 (349 000), Gary 148 000 (82) (642 781, 80).

• **Iowa** (Ia) (*1788* établiss. ; *1838* territoire ; *1846* État). 145 753 km². 2 840 000 h. Blancs 97,4 %, Noirs 1,4 %. D. 19,4. Pop. urb. 58,6 %. *Villes : Des Moines* (cap.) 190 910 (375 000), Cedar Rapids 109 000 (82), Davenport 104 000 (82) (384 000).

• **Kansas** (Ks) (*1727* établiss. ; *1854* territoire ; *1861* État). 213 098 km². 2 513 000 h. Blancs 91,7 %, Noirs 5,3 %. D. 11,7. Pop. urb. 66,7 %. *Villes : Topeka* (cap.) 120 000 (84), Wichita 295 320, Kansas City 162 211 (84) (1 464 000).

• **Kentucky** [1] (Ky) (*1765* établiss. ; *1792* État). 104 660 km². 3 727 000 h. Blancs 92,3 %, Noirs 7,1 %. D. 35,6. Pop. urb. 50,9 %. *Villes : Frankfort* (cap. 80) 25 973, Louisville 281 790 (1 738 000), Lexington-Fayette 225 700 (323 000), Covington 49 013 (80).

• **Louisiane** (La) [*1682* prise de possession pour la Fr. par Cavelier de La Salle, venu du Canada ; tire son nom de Louis XIV ; *1699* colons venus par mer ; *1718* fondation de La Nouv.-Orléans ; *1755* « Grand Dérangement », arrivée de colons acadiens (Canadiens déportés) ; *1763* cédée à l'Espagne ; *1800* rendue par l'Esp. à la Fr. (tr. de San Ildefonso) ; Bonaparte l'offre aux U.S.A. ; *1803*-30-4 il la leur vend 15 millions de $; territoire dans la partie est du Mississippi ; *1812* État]. *26-1-1861 au 25-6-1868* Sécession. 123 677 km². 4 382 000 h. Blancs 69,2 %, Noirs 29,4 %. D. 35,4. Pop. urb. 68,7 %. *Villes : Baton Rouge* (cap.) 235 270 (531 000). La Nouvelle-Orléans 531 700 (1 316 000), Shreveport 218 010 (353 000). Maintenance du français : 800 000 h. parlent le *cadien* ou *créole ;* 15 000 à 20 000 pratiquent la culture fr. (fr. parlé et écrit). 1 500 000 pers. se reconnaissent d'origine fr. (dont 700 000 anglophones).

• **Maine** (Me) (*1623* établiss. ; *1652-1820* partie du Massachusetts ; *1820* État). 86 156 km². 1 222 000 h. Blancs 98,7 %, Noirs 0,3 %. D. 14,1. Pop. urb. 47,5 %. *Villes* (80) : *Augusta* (cap.) 21 819 (361 000), Portland 61 572 (84), Lewiston 40 481 (84), Bangor 31 643 (84).

• **Maryland** (Md) (*1634* établiss. ; tire son nom de la reine Henriette-Marie, femme de Charles Ier d'Angl. ; *1788* État). 27 092 km². 4 694 000 h. Blancs 74,9 %, Noirs 22,7 %. D. 173,2. Pop. urb. 80,3 %. *Villes* (80) : *Annapolis* (cap.) 31 740, Baltimore 751 400 (2 232 000), Dundalk 71 293 (84), Towson 51 083 (84).

• **Massachusetts** [1] (Ma) (*1620* établiss. ; *1788* État). 21 456 km². 5 913 000 h. Blancs 93,5 %, Noirs 3,9 %. D. 275,5. Pop. urb. 83,8 %. *Villes : Boston* (cap.) 577 830 (3 997 000), Worcester 159 843 (84) (404 000), Springfield 152 319 (82) (515 000), Cambridge (80) 95 322.

• **Michigan** (Mi.) (*1668* établiss. ; *1805* territoire ; *1818* et *1834* agrandi ; *1837* État). 150 779 km². 9 273 000 h. Blancs 85 %, Noirs 12,9 %. D. 61,5. Pop. urb. 70,7 %. *Villes : Lansing* (cap.) 128 000 (82) (411 000), Detroit 1 035 920 (86) (4 605 000) (noire à 65 %), Grand Rapids 185 370 (611 000), Flint 154 000 (82) (438 000).

• **Minnesota** (Mn.) (*XVIIe s.* exploré, v. *1830* établiss. ; *1849* territoire ; *1858* État). 218 601 km². 4 353 000 h. Blancs 96,6 %, Noirs 1,3 %. D. 20. Pop. urb. 66,9 %. *Villes : St Paul* (cap.) 265 903, Minneapolis 344 670 (2 208 000), Duluth 92 811 (80) (258 000).

• **Mississippi** (Ms.) (*1716* établiss. français ; *1763* cédé à l'Angl. par tr. de Paris ; *1798* territoire ; *1817* État). *9-1-1861 au 23-2-1870* Sécession. 123 515 km². 2 621 000 h. Blancs 64,1 %, Noirs 35,2 %. D. 21,2. Pop. urb. 47,3 %. *Villes : Jackson* (cap.) 201 250 (372 000), Biloxi 49 311 (80), Meridian 46 577 (80).

• **Missouri** (Mo.) (*1735* établiss. français ; *1763* cédé à l'Angl. par tr. de Paris ; *1812* territoire ; *1821* État). 180 516 km². 5 159 000 h. Blancs 88,4 %, Noirs 10,5 %. D. 28,5. Pop. urb. 68,1 %. *Villes : Jefferson City* (cap.) 33 619 (80), St Louis 403 700 (2 396 000), Kansas City 438 950 (1 464 000), Springfield 134 000 (82).

• **Montana** (Mt.) [*1809* établiss. (de « montagneux » en espagnol) ; *1864* territoire ; *1889* État]. 380 848 km². 806 000 h. Blancs 94,1 %, divers 5,9 %. D. 2,1. Pop. urb. 52,9 %. *Villes* (80) : *Helena* (cap.) 23 938, Billings 66 798, Great Falls 56 725, Missouda 33 388.

• **Nebraska** (NB) [*1541* atteint par les Esp. à partir du Mexique, puis à la France ; *1763* cédé par la Fr. à l'Esp. ; *1801* rendu à la Fr., *1803* vendu aux U.S.A. (partie de la Louisiane) ; *1847* établiss. ; *1854* territoire ; *1867* État]. 200 350 km². 1 611 000 h. Blancs 94,9 %, Noirs 3,1 %. D. 8. Pop. urb. 62,9 %. *Villes : Lincoln* (cap.) 187 890, Omaha 353 170 (604 000), Grand Island 33 180 (80).

• **Nevada** (Nv.) (*1851* établiss. part de l'Utah ; *1861* territoire ; *1864* État). 286 352 km². 1 111 000 h. Blancs 87,5 %, Noirs 6,4 %. D. 3,8. Pop. urb. 85,3 %. *Villes : Carson City* (cap.) 32 022 (80), Las Vegas 210 620 (521 000), Reno 107 000 (82), North Las Vegas 42 739 (80).

• **New Hampshire** (Nh.) (*1623* établiss. ; *1788* État). 24 032 km². 1 107 000 h. Blancs 98,9 %. D. 46. Pop. urb. 52,2 %. *Villes* (80) : *Concord* (cap.) 30 400, Manchester 90 936, Nashua 67 865.

• **New Jersey** (Nj.) (v. *1605* établiss. ; *1787* État). 20 169 km². 7 736 000 h. Blancs 83,2 %, Noirs 12,6 %. D. 383,5. Pop. urb. 89 %. *Villes : Trenton* (cap.) 92 124 (80), Newark 313 800 (1 882 000), Jersey City 217 630, Paterson 139 000 (82) (ces 3 villes font partie de l'ag. de New York, État de N.Y.).

• **New Mexico** (Nm.) (*1598* établiss. ; *1850* territoire ; *1912* État). 314 925 km². 1 528 000 h. (env. 30 % d'or. esp.). Blancs 75,1 %, divers 15,3 %. D. 4,8. Pop. urb. 72,1 %. *Villes : Santa Fe* (cap.) 48 899 (80), Albuquerque 378 480 (443 000), Las Cruces 45 086 (80).

• **New York** (Ny.) (*1609* aux Hollandais ; *1664* aux Anglais ; tire son nom du Duc d'York qui reçut la Nouvelle-Hollande de son frère Charles II ; *1777* État indépendant ; *1788* un des 13 États d'origine). 127 190 km². 17 950 000 h. Blancs 79,5 %, Noirs 13,7 %. D. 141. Pop. urb. 84,6 %. *Villes : Albany* (cap.) 100 000 (82) (841 000), New York City.

NEW YORK CITY : construite au XVIIe s. par les Hollandais sur une île, Manhattan (56,6 km²), étendue depuis sur les rives de l'Hudson (à l'E., au-delà d'East River), et à Brooklyn ; à l'O. Jersey City et Hoboken, principales gares de triage, et Paterson, centre industriel. Capitale commerciale et financière. *Port* accessible en tout temps, sans bassin avec des « piers » (appontements perpendiculaires). Statue de la Liberté offerte par la France en 1886 voir Index. *Activités :* rives de l'Hudson (côte O. de Manhattan) : transatlantiques et grands cargos réguliers ; rives de Harlem River (côte N. de l'île) : charbon et matériaux de construction ; rives d'East River (côte E. de l'île) : caboteurs, bateaux de pêche et nav. chargés de produits coloniaux ; Jersey : installations pétrolières et chantiers navals. *Trafic 1990 :* env. 155 millions de t de marchandises ; 3e port du monde (cabotage 55 % du trafic). Rôle intellectuel et politique (siège de l'O.N.U.). *Violence 1989 :* agressions 93 377 (1 toutes les 6 minutes), meurtres 1 867. *Population :* 7 352 700 (86) (dont en 80, Brooklyn 2 230 936, Queens 1 891 325, Manhattan 1 427 533, Bronx 1 169 115), Buffalo 313 570 (1 226 000), Rochester 229 780 (990 000), Yonkers 183 000. En 1990, 90 000 *sans-abri,* 100 000 familles vivant en double occupation, 1 400 000 personnes vivant au-dessous du *seuil de pauvreté* (116 611 $ par an pour 4 personnes). *Déficits budgétaires :* 1 milliard de $ en 1989-90 et 90-91.

• **North Carolina** (Nc.) (*1585* 1er établissement ; *1663* établiss. permanent ; *1789* État ; *21-5-1861 au 25-6-1868* Sécession). 136 413 km². 6 571 000 h. Blancs 75,8 %, Noirs 22,4 %. D. 48,1. Pop. urb. 42,9 %. *Villes : Raleigh* (cap.) 154 000 (82) (590 000), Charlotte 367 860 (1 019 000), Greensboro 157 337 (82) (876 000), Winston-Salem 141 000 (82).

• **North Dakota** (Nd.) (*1861* partie du territoire du Dakota ; *1889* État). 183 119 km². 660 000 h. Blancs 95,8 %. D. 3,6. Pop. urb. 48,8 %. *Villes* (80) : *Bismarck* (cap.) 44 485, Fargo 61 308, Grand Forks 43 765.

• **Ohio** (Oh.) (*1650* exploré par les Fr. du Canada ; *1730* administré par Cléron de Bléville ; *1749* attaque anglaise ; *1750* reconquête fr. et fondation de Fort-Duquesne ; *1763* fait partie des territoires louisianais cédés à l'Angl. ; *1788* établiss. des Yankees du New Jersey ; *1803* État). 107 044 km². 10 907 000 h. Blancs 88,9 %, Noirs 10 %. D. 101,8. Pop. urb. 73,3 %. *Villes : Columbus* (cap.) 569 570 (1 263 000), Cleveland 521 370 (2 803 000), Cincinnati 370 480 (1 666 000), Toledo 340 760 (608 000), Dayton 178 000 (936 000).

• **Oklahoma** (Ok.) (*1889* établiss. ; *1893* territoire ; *1907* État). 181 186 km². 3 224 000 h. Blancs 85,9 %, Noirs 6,8 %. D. 17,8. Pop. urb. 67,3 %. *Villes : Oklahoma City* (cap.) 434 380 (957 000), Tulsa 368 330 (721 000), Lawton 80 054 (80).

• **Oregon** (Or.) (*1811* établiss. ; *1848* territoire ; *1859* État). 251 419 km². 2 820 000 h. Blancs 94,6 %, Noirs 1,4 %. D. 11,2. Pop. urb. 67,9 %. *Villes : Salem* (cap.) 89 233 (80) (255 000), Portland 418 470 (1 332 000), Eugene 104 000 (82) (269 000).

• **Pennsylvanie** [1] (Pa). En *1681,* Charles II, qui devait 16 000 £ à l'Amiral Penn, donna à son fils William le terrain et ajouta le nom de l'amiral à Sylvania (pays du bois) ; nom proposé par Penn ; *1682* établiss. ; *1787* État. 117 348 km². 12 040 000 h. Blancs 89,8 %, Noirs 8,8 %. D. 102,6. Pop. urb. 69,3 %. *Villes : Harrisburg* (cap.) 53 264 (80) (590 000), Philadelphie 1 647 000 (86) (5 738 000), Pittsburgh 375 230 (2 400 000), Érié 118 000 (82) (280 000).

• **Rhode Island** (Ri.) (*1636* établiss. ; *1790* État). 3 140 km². 998 000 h. Blancs 94,7 %, Noirs 2,9 %. D. 317,8. Pop. urb. 87 %. *Villes (80) : Providence* (cap.) 156 804 (82) (1 091 000), Warwick 87 123, Granston 71 992, Pawtucket 71 204.

• **South Carolina** (Sc.) (*1670* établiss. ; *1788* État). Sécession du 20-12-1860 au 25-6-1868. 80 582 km². 3 512 000 h. Blancs 68,8 %, Noirs 30,4 %. D. 43,5. Pop. urb. 54,1 %. *Villes (80) : Columbia* (cap.) 101 000 (82) (428 000), Charleston 69 510 (269 000), Greenville 58 242 (976 000).

• **South Dakota** (Sd.) (*1743* colonie franç. ; *1857* établissement ; *1861* territoire ; *1889* État). 199 730 km². 715 000 h. Blancs 92,6 %, divers 7,1 %. D. 8,8. Pop. urb. 46,4 %. *Villes* (80) : *Pierre* (cap.) 11 973, Sioux Falls 81 343, Rapid City 46 492, Aberdeen 25 956.

• **Tennessee** (Tn.) (*1757* établiss. ; *1796* État). *7-5-1861 au 24-7-1866* Sécession. 109 152 km². 4 940 000 h. Blancs 83,5 %, Noirs 15,8 %. D. 45,2. Pop. urb. 60,4 %. *Villes : Nashville-Davidson* (cap.) 481 400 (878 000), Memphis 645 190 (930 000), Knoxville 172 080 (579 000), Chattanooga 162 670 (427 000).

• **Texas** (Tx.) [*1836* rép. indép. (avant, au Mexique) ; *1845* État US]. *Sécession* du 1-2-1861 au 25-6-1868. 691 030 km². 16 991 000 h. (20 % d'augm. en 10 ans) dont 3 000 000 de Mexicains. Blancs 78,7 %, Noirs 12 %. D. 24,5. Pop. urb. 79,6 %. *Villes : Austin* (cap.) 464 690 (726 400), Houston 1 698 090 [3 561 000 (dont 25 % de Noirs)], Dallas 987 360 (3 266 000), San Antonio 941 150 [1 169 000 (dont 500 000 Mexicains)], El Paso 510 970 (510 000), Fort Worth 426 610, *conurbation* Dallas-Fort Worth : env. 3 000 000.

3e État pour la pop. ; 2e pour la superficie (après Alaska). 1er prod. de pétrole, gaz naturel, coton, riz, sorgho, bétail ; 3e pour charbon, lignite, uranium. Productivité supérieure de 20 % à la moy. U.S.A. (4 % de la pop. travaille dans l'agr., produisant pour 30 milliards de $; surface moyenne des exploitations : 2 000 ha ; valeur moy. : 260 000 $). Peine de mort rétablie en 1982. 34e condamné exécuté en 1990.

• **Utah** (Ut.) (*1847* établiss. mormon ; *1850* territoire ; *1896* État). 219 889 km². 1 707 000 h. (dont 830 000 mormons). Blancs 94,6 %. D. 7,7. Pop. urb. 84,4 %. *Villes : Salt Lake City* (cap.) 164 844 (84) (1 006 000), Ogden 64 407 (80), Provo 73 907 (80).

• **Vermont** (Vt) (*1724* établiss. ; *1777* république détachée de la colonie du New Hampshire ; *1791* État). 24 900 km². 567 000 h. Blancs 99,1 %. D. 22,7. Pop. urb. 33,8 %. *Villes* (80) : *Montpelier* (cap.) 8 241, Burlington 37 712, Rutland 18 436, Barre 9 824.

• **Virginie** [1] (Va) (*1606* établiss. ; nommée par Sir Walter Raleigh en l'honneur de la « Reine vierge »

Élisabeth (Angl.) ; *1776* 12-6 déclaration des droits de Virginie ; *1788* État). *17-4-1861 au 30-5-1870* Sécession. 105 586 km². 6 098 000 h. Blancs 79,1 %, Noirs 18,9 %. D. 57,7. Pop. urb. 66 %. *Villes : Richmond* (cap.) 213 300 (785 000), Norfolk 286 500 (1 227 000), Newport News 151 000 (364 449) (80).

• **Washington** (Wa.) (Partie de l'Oregon ; *1853* territoire ; *1889* État). 176 479 km². 4 761 000 h. Blancs 91,5 %, Noirs 2,6 %. D. 26,9. Pop. urb. 73,5 %. *Villes : Olympia* (cap. 80) 27 447, Seattle 502 200 (2 187 000), Spokane 170 900 (348 000), Tacoma 163 960 (485 643).

• **West Virginia** (Wv.) (*1862* la Virginie fait sécession ; *1863* partie Est constituée en un État). 62 759 km². 1 857 000 h. Blancs 96,2 %, Noirs 3,3 %. D. 29,5. Pop. urb. 36,2 %. *Villes* (80) : *Charleston* (cap.) 63 968 (464 000), Huntington 63 684 (336 000).

• **Wisconsin** (Wi.) (*1670* établiss. français, partie de la Nouv.-France ; *1763* cédé aux Anglais ; *1783* territoire ; *1848* État). 145 439 km². 4 867 000 h. Blancs 94,4 %, Noirs 3,9 %. D. 33,4. Pop. urb. 64,2 %. *Villes : Madison* (cap.) 170 745, Milwaukee 599 380 (1 397 000), Racine 85 725 (80) (173 000).

• **Wyoming** (Wy.) (*1834* établiss. ; *1890* État). 253 326 km². 475 000 h. Blancs 95,1 %. D. 1,8. Pop. urb. 62,7 %. *Villes* (80) : *Cheyenne* (cap.) 47 283, Casper 51 016, Laramie 24 410.

Dépendances américaines

• **Porto Rico** (voir p. 1047).

• **Îles du Pacifique.** 1 779 km². 133 415 h. (80) (Micronésiens). D. 67. 2 141 îles, dont 98 habitées s'étendant sur plus de 7 770 000 km² entre 900 et 4 300 km à l'est des Philippines. Lieu de nombreuses batailles pendant la 2e G. mondiale (Pelelui dans les Carolines, Saipan dans les Mariannes, Kwajalein dans les Marshall).

Îles Mariannes (Guam non compris) 471 km² dont *Saipan* 122 km², *Tinian* 101 km² et *Rota.* 20 000 h. (est. 88). Forment depuis 1975 le Commonwealth des îles Mariannes du N. (cap. : Capitol Hill, sur Saipan), associé aux U.S.A. avec le même statut que Porto Rico. *Gouv.* Carlos S. Camacho.

Îles Carolines 609 km², 85 200 h. (87, non compris Palau) ; coprah, phosphates. Dep. le 31-10-1980, les Car. à l'E. de Yap forment les *États fédérés de Micronésie,* semi-indépendants (la Défense dépend des U.S.A.). Palau en est détaché (voir ci-dessous).

Îles Marshall (2 groupes d'atolls), dont Bikini, Eniwetok : 182 km², 43 355 h. (88) ; coprah. *Île Marcus :* 10 km² ; guano. *1899* possession esp. (avec Mariannes et Carolines), vendue à l'Allemagne 25 000 000 de pesetas ; *1914-18* conquise par Jap. ; *1919* mandat jap. ; *1947* tutelle U.S.A. ; *1980*-31-10 semi-indépendant ; *1982*-30-5 accord avec U.S.A. qui, pendant 15 ans, assureront la défense, utiliseront les bases mil., fourniront une aide de 2 milliards de $ [dont une partie pour indemniser les hab. des expériences nucléaires réalisées à *Bikini* et *Eniwetok* (Marshall) (1946-58) ; B. présente maintenant moins de radioactivité que le continent amér. (2 microröntgens contre 10 et 20). Les 167 h. de B. furent évacués en mars 1946 dans l'île de Kili (S. des Marshall), puis ils y sont retournés avec leurs descendants (en tout 550 h.)] ; *1983*-13-9 plébiscite pour un pacte de libre-association avec U.S.A.

Palau. 7 îles principales et 20 mineures, 488 km², 15 000 h. ; bauxite, phosphates. *1980* (17-11) État semi-indépendant. *1990* (6-2) refuse pour la 6e fois l'Accord de libre-association avec U.S.A. car la Constitution interdit toute activité nucléaire et l'accord prévoit le transit de navires nucléaires.

Guam. 549 km², 129 254 h. (89). D. 235,4. Île de l'archipel des Mariannes. *Cap. : Agana* 3 284 (80). Catholiques 95 %. *1521*-6-3 découverte par Magellan. *1526* occupée par marins esp. *1565* annexée aux îles Philippines (esp.) par Legazpi ; évangélisée par jésuites. *1898* conquise et annexée par U.S.A. *1941* conquise par Jap. *1944* reprise par U.S.A. ; base navale et aérienne ; pendant la g. du Viêt-nam, les bombardiers en partaient. *1982*-30-1, 48,5 % des h. se prononcent pour l'autonomie. *Langues :* anglais *(off.),* chamorro. *Gouverneur* élu : Joseph F. Ada. *Chambre :* 21 m. élus pour 2 a. *Ressources :* coprah, maïs, patates douces, taro, cassave, bananes, citrons ; élevage ; pêche (87) 326 t. *Tourisme :* (88) 585 800 vis. *Pop. active :* agriculture 10 %, industrie 10, services 80. *P.N.B.* (86) 5 470 $ par h.

Samoa américaines. 194,8 km², 7 îles orientales des Samoa, 38 400 h. (est. 87). D. 197,1. *Ville : Pago Pago* (île de Tutuila) 3 075 h. Possession amér. dep. 1899. *Gouverneur* A.P. Lutali. *Sénat* (18 m.) et *Ch. des représentants* (18 m. élus p. 2 a.). *Ressources :* bananes, arbres à pain (papayer), patates, noix de coco. Thon. Forêts 70 %. *Dépendances : Swains Island* (annexée en 1925, 3,25 km², 106 h.). *Île Johnson,* 1 km², 156 h. (1960).

Îles Wake. Atoll, alt, 3,65 m, 8 km², 1 600 h. (83) ; îles Wilkes et Peale (annexées en 1898-99) adm. par l'Aviation fédérale ; *1941* occupées par les Japonais ; base américaine importante.

Îles Midway. 5 km², 2 200 h. (83). *1867* acquises ; adm. par la Marine. *1942-2/5-6* échec débarquement jap. (flotte jap. est détruite).

Howland, Baker et Jarvis (îles). Atoll, dans le Sud Pacifique près de l'Équateur, à 3 220 km au sud d'Honolulu, 7,1 km², inhabité ; guano (épuisé).

Johnston Atoll. 378 km², 327 h. (80) à 1 130 km au sud d'Honolulu, annexé en 1858, adm. par l'Agence nucléaire de Washington ; guano (épuisé) ; *1958-62* site d'expérimentation nucléaire.

Kingwan Reef. 0,02 km², inhabité, à 1 610 km au sud d'Honolulu, annexé 1922, adm. par Marine.

Navussa (île). 5,18 km², à 48,3 km à l'O. d'Haïti, adm. par les garde-côtes, inhabitée.

Palmyra (île). 997,2 km², atoll de plus de 50 îles, à 1 610 km au sud d'Honolulu, annexé 1898, adm. par le secr. d'État à l'Intérieur.

Divers Pacifique. 25 îles au S. et au S.-O. des Hawaii sont aussi revendiquées par les U.S.A. 18 sont également revendiquées par la G.-B. : les **îles Line** comprenant Christmas, Flint, Malden, Starbuck, îles Vostock, atoll Caroline, adm. par la G.-B., les **îles Phoenix,** comprenant Canton et Enderbury (adm. par G.-B. et U.S.A.), Birnie, Gardner, Hull, McKean, Sydney, atolls Phoenix (adm. par G.-B.), les **îles Ellice** (adm. par G.-B.) comprenant Funafuti, Nukufetan, Nukulailai, Nurakita, inhabitées. 7 sont revendiquées et adm. par la N.-Zélande (îles Tokelau et îles Cook du N.).

• **Îles Vierges américaines.** Antilles 354,8 km², 103 200 h. (est. 87) D. 290,8. 50 îles, dont *St-Thomas* 83 km², 52 400 h. (87). D. 631,3 ; *St-Jean* 52 km², 860 h. (87). D. 16,5 ; *Ste-Croix,* 218 km², 52 740 h. (87). D. 241,9. 80 % d'ascendance noire. *Chef-lieu : Charlotte Amalie* 11 842 h. (80). Achetées (25 millions de dollars) au Danemark (1917) pour des raisons stratégiques. *Gouverneur* élu p. 4 a. (Alexander A. Farrelly, mai 1989). *Sénat* 15 m. élus p. 2 a. *Ressources :* sucre, rhum. Cultures maraîchères. Raffinerie de pétrole. *Tourisme* (86) : 1 520 000 visiteurs.

• **Zone du canal de Panamá.** Voir Index.

Histoire économique

Protectionnisme américain

1°) Tradition coloniale. *Taxes douanières.* But principal jusqu'en *1816,* rapporter de l'argent au Trésor. *1816-32* protéger industrie amér. *1816-19* modérées (25 % sur textiles). *1820* influence de Henry Clay, créateur du « système amér. », augmentation. *1824* frappent laine, chanvre, fer (pour protéger producteurs du Middle West). *1827* (convention Harrisson) : taxes sur laine et autres produits manufacturés en N.-Angl. triplent. *1831* taxe sur laine 50 %, produits manufacturés 95 %. *1832* le S. (notamment Caroline du S.) s'oppose à ces taxes. *1833-42* les taxes baissent puis augmentent. *1846* les démocrates antiprotectionnistes au pouvoir les réduisent. *1850* les démocrates, protégeant les agriculteurs du S., baissent les taxes ; les rép., favorisant les manufacturiers du N., les augmentent.

2°) Institution des impôts directs (1850-87). Pour payer les dépenses mil. (G. de Sécession), des impôts directs et des taxes sur tabac et alcool sont créés. Les taxes douanières perdent de leur importance. *1872* tarifs douaniers diminués de 10 %. Mais rails de chemin de fer et nickel sont taxés à 45 %, pour protéger les manuf. américains (1877, taxe sur les rails 100 %). *1883* majorité protectionniste au Congrès : taxation des produits textiles de luxe, du fer et de certains articles en acier.

3°) Régime MacKinley *(1890-1909).* Inspiré par les rép., protège les producteurs de coton du S. *1897* taxe sur sucre (40 % sur brut ; 40 % + 1/8 de cent par livre sur raffiné) ; taxe sur charbon. *1897* loi Dingley : taxes sur laine, soie, lin, certains produits fermiers, articles en acier. *1908* victoire des protectionnistes rép. *1909* loi Poyne-Aldrich : taxes sur textiles bon marché et fruits (figues, pruneaux, agrumes).

4°) Assouplissement *(1909-21). 1909* Howard Taft, Pt républicain modéré, assouplit le système des échanges avec Can. *1913* Wilson, Pt démocrate, antiprotectionniste, baisse plusieurs taxes, notamment sur coton et laine (admise sans droit en 1914). *G. 1914-18* pas de concurrence eur. : taxes disparaissent. *1920* les agric. réclament des lois protectionnistes et rappellent les rép. au pouvoir.

5°) Protectionnisme républicain *(1922-29). 1922* lois Fordney-McCumber, Smoot-Hawley. *1930* tarif flexible : dès qu'un produit américain est menacé par la concurrence étrangère, ses importations sont taxées, par exemple montres, jouets, allumettes, etc.

6°) New Deal et accords bilatéraux. *1934* Roosevelt réduit de 50 % les taxes, afin de passer des accords bilatéraux avec les pays étrangers, mais il ne peut détaxer complètement un produit. Loi renouvelée en *1937, 1940, 1943.*

7°) Accords du G.A.T.T. *(1949).* Voir Index.

Législation antitrust

Origine fin du XIXe s. pour protéger la concurrence. **Textes :** *Sherman Act* (1890) : le plus général, interdit notamment les ententes. *Clayton Act* (1914) : interdit de contourner le précédent par ententes et pratiques de prix discriminatoires ; l'art. 7 rend illégales les fusions pouvant réduire la concurrence ou créer un monopole. *Federal Trade Commission Act* (1914). *Robins-Patman Act* (1936). *Depuis 1976,* un amendement Hart Scott Rodina exige la notification préalable aux autorités de tout projet d'acquisition ou de fusion de plus de 10 millions de $. **Quelques interdictions :** ententes sur les prix entre concurrents, boycottage concerté ou refus de vente, pratiques de prix discriminatoires, répartition des marchés (géographiquement ou par produits). **Sanctions :** amendes et peines de prison jusqu'à 3 ans (moyenne récente : 90 j ferme).

De 1945 à 1986

1. **« Fair Deal » de Truman (1945-50)** (répartition équitable). Pour stimuler la demande intérieure (car l'étranger, ruiné, n'achète rien), Truman envisage un transfert de richesses vers les classes modestes, par un jeu d'impôts et de subventions. Mais le Congrès est républicain. La loi *Taft-Hartley,* en limitant le droit de grève, brise les revendications salariales. Une grave récession survient en 1948.

2. **Boom de la guerre de Corée (1950-53).** Redémarrage des industries de g. coïncidant avec la reprise du commerce mondial (l'étranger redevient acheteur, grâce au Plan Marshall).

3. **Croissance molle d'Eisenhower (1953-61).** Bien que républicain, Eisenhower reprend le programme dirigiste de Truman : stimulation de la demande intérieure ; limitation artificielle des surplus agricoles (soutien des cours, distribution gratuite des surplus agricoles au tiers monde). Croissance en dents de scie (récession sensible en 1958). Le dollar commence à se déprécier.

4. **Ère Kennedy (poursuivie par Johnson, 1961-68).** Les démocrates reprennent les idées du New Deal : grands projets publics, budget en expansion (dépenses mil., conquête de l'espace, aide au tiers monde), importation de main-d'œuvre. Expansion très rapide. *Golden Sixties,* les années 60 (« en or ») : en fait il n'y a que 5 ans de boom, dus à la réorganisation des moyens de production (1961-65). A partir de 1966 : baisse du taux de profit, gros surplus agricoles ; inflation accélérée ; multiplication de l'assistance aux « pauvres » (26 millions) ; trou budgétaire dû à la guerre du Viêt-nam ; concurrence européenne et japonaise due au succès du Plan Marshall. Conséquence : fuite des capitaux, déficit de la balance des paiements. Mais les investissements se poursuivent (ex. en informatique).

5. **Déflation républicaine (1969-76).** Nixon, puis Ford cherchent à juguler l'inflation ; ils aboutissent à la stagflation (récession économique + inflation monétaire). *1971* 1er déficit commercial depuis 70 ans. *1972-73* croissance (avec augmentation du chômage). *1974-75* récession avec baisse du P.N.B. L'aide à l'industrie n'empêche pas la crise de l'automobile, de l'électroménager, de la sidérurgie lourde (8 millions de chômeurs).

6. **Échec de Carter (1976-80).** C. hésite entre relance et anti-inflationnisme. En 1977-78, gonflement des importations qui concurrencent les industries locales ; gros déficit commercial. Inflation de + de 10 % à partir de 1977. Chômage record (40 % des Noirs de moins de 20 ans). Légère reprise en 1980.

7. **« Effet Reagan » (1980-86). Idées de base du plan de redressement** économique de 1980 : « Le gouvernement [l'État] n'est pas la solution à nos problèmes. Le gouvernement est le problème. » Les

pouvoirs et l'intervention de l'État fédéral doivent donc être réduits, les dépenses et les impôts fédéraux doivent être diminués et les réglementations administratives doivent être allégées.

Bilan. **Fiscalité.** Charge fiscale en baisse par rapport au P.N.B. (*1984* : 19 %, *1981* : 20,6 %), taux de l'impôt sur le revenu pour les personnes physiques réduit de 25 % (sur 3 ans : 5 % le 1-10-81, 10 % le 1-7-82, 10 % le 1-7-83) quel que soit le revenu, baisse de la taxation des plus-values et des taux d'imposition des sociétés favorisant l'activité économique et notamment la création d'entreprises (nombre d'entreprises nouvelles *1978* : 280 000 par an, *85* : 600 000). **Budget.** Hausse des dép. militaires : 136 milliards de $ en 1980 (23,4 % du total), 232 en 1983 (29,1 %), 264,4 en 1985 (29 %) ; hausse réduite des autres dép. : *1980* : 17,3 % ; *81* : 10,3 % ; *82* : 6,6 % ; *83* : 1,9 % (p. ex. suppression de 36 000 postes de fonctionnaires féd., réduction de la durée des indemnités de chômage, de l'assistance aux défavorisés et des subventions au logement) ; hausse des dépenses totales de l'État fédéral : 24 % du P.N.B. en 84 (record), 22 % sous Carter. Déficit budgétaire en forte hausse. **Inflation. Monnaie.** Hausse du $ (afflux de capitaux étrangers attirés par une rémunération élevée, puis baisse). **Bourse.** Hausse. **Production.** Baisse de la prod. ind., record de faillites (37 500 en 1983), mais reprise fin 83 et forte hausse en 1984. **Investissement.** Croissance très réduite à cause des taux d'intérêt élevés en termes réels, + 3,5 % de 1980 à 1984 contre + 28,81 % de 1976 à 1980. **Chômage.** Hausse puis baisse. **Commerce extérieur.** Déficit croissant.

Économie (statistiques)

Généralités

Rang dans le monde (88). 1re puissance économique ; en particulier : maïs, bois, phosphates. 2e céréales, coton, charbon, gaz nat., pétrole, cuivre, rés. charbon, rés. lignite. 3e blé, orge, porcins, uranium, or, 4e bovins, p. de t., rés. gaz nat. 5e vin. 6e canne à sucre, fer, lignite, potasse. 9e réserves pétrole. 13e riz, argent.

% par rapport au monde. Population 5. P.N.B. 32 [soja 60, maïs 42, agrumes 30, coton 16,9, blé 15, uranium 46, gaz 40, électricité 40, charbon 24, pétrole 4,3 (79, 13,7), cellulose 11,2, fibres non cellul. 34,6].

Population active en %, et entre parenthèses, part du P.N.B. (en %). Agr. 3 (2), ind. 23,6 (15), services 69,9 (67), mines 3,5 (3,5). *Nombre d'actifs 1990 (juillet) 14* : 124 767 000 dont 6 814 000 inemployés. *Emplois créés. 1980-88* : 16 000 000 (dont en 1988 : 3 798 000, 63 % pour cadres sup. et prof. libérales). *1989* : 3 000 000. *Augmentation annuelle moyenne. Années 1970* : + 2,4 %, *1980-88* : + 1,8 %. Sous Carter 2 800 000 emplois nouveaux par an ; en 1988, sous Reagan 2 300 000 (dont secteur hospitalier 500 000). **Chômage (%).** *1919* : 2,3, *20* : 4, *21* : 11,9, *23* : 3,2, *26* : 1,9, *29* : 3,2, *30* : 8,7, *31* : 15,9, *32* : 23,6, *33* : 24,9, *34* : 21,7, *35* : 20,1, *39* : 17,2, *40* : 14,8, *50* : 5, *60* : 5,5, *70* : 4,9, *75* : 8,5, *79* : 5,8, *80* : 7,1, *81* : 7,6, *82* : 9,7, *83* : 9,6, *84* : 7,5, *85* : 7,2, *86* : 6,9, *87* : 6,2, *88* : 5,5, *89* : 5,3, *90 (1-5)* : 5,3, *91 (1-5)* : 6,9 (6 700 000). **Salaire mensuel ($).** *Minimum, à l'heure* : *1980 (1-1)* : 3,1, *1981 (1-1)* : 3,35, *89* : 3,35. *Hebdo. 80* : 235,10 $, *87* : 322,60. *Moyen. heure (mars 89)* : 9,54 $. **Coûts salariaux par unité produite (juin 1987).** U.S.A. indice 100, *Fr. 118,2*, Japon 142,4, Italie 153,9, G.-B. 181,1, All. féd. 193,3. **Ménages pauvres disposant de - de 12 000 $** (valeur 1986, en %). *Noirs 1977* : 34,7, *81* : 36,6, *86* : 33,5 ; *blancs 77* : 13,9, *81* : 15,9, *86* : 14,7. **A hauts revenus** (+ de 50 000 $ par an, en %) : *Blancs 77* : 17,9, *81* : 16,6, *86* : 22.

Tendances des revenus sous Carter (1977-81) **et** entre parenthèses **sous Reagan** (1981-86) **en %.** Revenus moyens des ménages - 6,8 (+ 9,1), par an - 1,7 (+ 1,8), salaire hebdo moyen - 10 (+ 0,5), par an - 2,6 (+ 0,1), revenu disponible par hab. + 4,1 (+ 12,3), par an + 1 (+ 2,3).

« Yuppies » *Young Urban Professionals* : h. d'env. 30 ans ayant réussi dans professions libérales ou services (4 millions d'Amér. de 25 à 40 ans disposent de + de 40 000 $ par an), vivent en ville à l'européenne.

P.N.B. Total (en milliards de $). *82* : 3 047,5 ; *83* : 3 292,3 ; *84* : 3 664,2 ; *85* : 3 735,5 ; *86* : 4 166,8 ; *87* : 4 429,5 ; *88* : 4 873,7 ; *89* : 5 165 ; *90* : 5 300. *Croissance* (en %) : *1983* : 3,6, *84* : 6,5, *85* : 2,5, *86* : 2,7, *87* : 3,4 ; *88* : 4,4 ; *89* : 2,9 ; *90* : 0,2 ; *91 (est.)* 2,5 à 2,7. *Par habitant* (en $) *82* : 12 160 ; *83* : 14 090 ; *84* : 15 320 ; *85* : 16 170 ; *86* : 17 300 ; *87* : 18 300 ; *88* : 19 780 ; *89* : 20 765.

Production industrielle. Évolution annuelle (en %). *1960-70* : + 6,1 ; *73-78* : + 2,6 ; *80* : - 3,6 ; *81* : - 6,6 ; *82* : - 8,2 ; *83* : + 6,3 ; *84* : + 3,5 ; *86* : + 2,6.

Industrie

• Grands traits. **2 victoires dans les g. mondiales,** assurant la suprématie pol. et dipl. **Cadres entreprenants** (par ex., depuis 1940, ils ont créé 2 zones industrielles neuves : le long du Pacifique et dans le Jeune Sud). **Dynamisme d'un peuple à faible densité,** ayant l'espace pour lui et le sentiment d'être favorisé par Dieu (richesses du sol et du sous-sol). **Puissance des firmes multinationales** (14 sur les 20 1res du monde, 312 sur les 500 1res). Contrôlent 50 % de la prod. totale des U.S.A. et ont investi partout (record du nombre d'employés : American Telephone 950 000). **Primauté technologique** (due en partie aux élites europ. attirées par de hauts salaires). **Productivité** *élevée,* notamment en agriculture ; fort % du tertiaire. **Rayonnement culturel et linguistique** (cinéma, TV, publicité, satellites, musique, arts vestimentaire et décoratif, prosélytisme religieux). **Abondance des matières premières** et forte concentration ; mais importation de 1/3 du fer, 9/10 de bauxite, chrome, nickel et manganèse.

• Problème industriel jusqu'en 1980. **Baisse de la compétitivité :** perte de marchés extérieurs et intérieurs. *Causes* : baisse de la recherche (*1964* : 2,10 % du P.N.B., *79* : 1,60 %), ralentissement de la productivité, baisse des invest. (7,5 % du P.N.B. de 1970 à 79, 8,8 % en All. féd., et 17 % au Japon) ; salaires élevés, mais l'écart s'est réduit dep. 1970 (hausse des salaires de 1970 à 80 : U.S.A. + 133 %, *Fr. + 431,* All. féd. + 430, Japon + 467) du fait de la baisse des salaires (en termes réels) après les 2 chocs pétroliers.

• Dans les années 80. **Hausse de la productivité** (robotisation croissante dans l'automobile). Au cours des années 70, les ind. exportatrices et excédentaires (surtout : aéronautique, machines de bureau et informatique, appareils de mesure et de précision, mat. de B.T.P., machines et équipements mécaniques et électriques, chimie) ont accru leurs investissements (taux : 8,7 % en 71, 121 en 79). **Concurrence étrangère :** très forte pour ind. de transformation ou de biens de consommation. En 1986, 70 % des Stés U.S. y sont confrontées. *Part des imp. (en %, en 1985)* : chaussures 75, télévisions et radios 60, bicyclettes 45, acier 26, vêtements 21.

Brevets accordés aux U.S.A. (1984). 72 149 dont 31 000 accordés à des Stés étrangères : Japon 11 355, All. féd. 6 402, G.-B. 2 414, *Fr. 2 286,* Canada 1 317 ; 1986 : 76 993 (dont Japon 13 857).

• Secteurs en récession. **Sidérurgie.** *Causes* : retard technologique dû à l'équipement des nouvelles aciéries en fours Martin dans les années 50, alors que dans les années 60 et 70 Européens et Japonais se rééquipaient en aciéries à oxygène [part de la production en coulée continue (All. féd. 29, *France 59,* dans la C.É.E. 53, Japon 79 %) ; prod. moyenne annuelle d'un sidérurgiste : 249 t (Japon 327)] ; salaires supérieurs de 30 % à ceux des autres secteurs jusqu'en 1983 ; hausse des taux d'intérêt et manque de fonds propres (les capitaux étant attirés par des secteurs plus rémunérateurs). **Production :** acier brut (en millions de t) : *1940* : 67, *45* : 79,7, *55* : 117, *60* : 99,3, *65* : 131,5, *70* : 131,5, *75* : 116,6, *80* : 111,8, *85* : 88,3, *86* : 61,6, *87* : 89,2, *88* : 99,9, *89* : 97,9. *Effectifs* : *1970* : 530 000 ; *82* : 289 000 ; *83* : 245 000. **Importations d'aciers au carbone et alliés :** *1970* : 9,3 % du marché U.S., *82* : 21,8 ; *83* : 20,4 ; déficit des entreprises (perte d'env. 5 milliards de $ en 1982-83) et fort endettement ; la prod. d'acier ne représentait plus que 3 % du P.N.B. en 1983 contre 5 % en 1970.

Mesures récentes : accord de mars 1983 pour 41 mois sur une baisse de 10,5 % des salaires, assouplissement des lois antipollution, diversification des activités des sociétés (achat d'entreprises pétrolières...), effort de modernisation, limitation négociée des importations (autolimitation des exp. de la C.É.E. et du Japon) et formes diverses de protectionnisme (qui permettent aux produits U.S. d'être 10 à 20 % plus chers que leurs concurrents), développement des « mini-mills » (équipés de fours électriques, salaires plus bas pour les ouvriers, non-syndiqués) qui représentent 25 % du marché des produits longs.

Divers. *Automobile* (Ford et Chrysler). *Chantiers navals. Aéronautique* (Lockheed). *Textile* (effectif : 2 millions, C.A. 45 milliards de $). *Chaussures. Téléviseurs. Caméras. Magnétophones* (concurrence asiatique ; faillites). *Chemin de fer* (retard). 2/3 des machines ont + de 10 ans (Japon 1/3).

• Zones d'innovation. **V. 1940-50,** *« Route 128 »* qui traverse le Massachusetts autour de Boston, le prestige du Massachusetts Institute of Technology (M.I.T.) étant alors à son zénith. **V. 1977-85,** *Silicon Valley* (500 km² entre San Jose et San Francisco) avec les universités de Stanford et de Berkeley. Son nom signifie vallée du Silicium, base de l'électronique. Symbole de cette réussite : Steve Jobs et Stephen Wozniak, 2 jeunes de 20 ans qui créèrent, en 1977, dans un garage, la firme Apple (micro-ordinateurs). 8 000 entreprises (80 % employant - de 50 personnes) dont + de 3 000 d'électronique ; attire les 2/3 des 3 milliards de $ investis aux U.S.A. dans le capital-risque (*venture capital* : financement d'innovateurs par des capitaux recherchant de hauts profits). *Autres « zones »* : Phoenix (Arizona), Albuquerque (N.-Mexique), Dallas et San Antonio (Texas).

• Sujets d'inquiétude. **Gaspillage des ressources et pollution.** Érosion des sols, épuisement de la pêche et de l'ostréiculture, gaspillage énergétique (réduit depuis le plan Carter). **Dégradation de l'infrastructure.** Due au manque de crédits pour l'entretien et la modernisation des voies de communications, égouts, conduites d'eau. **Baisse du civisme.** Contestation, décadence de la famille, importance de la drogue (en particulier le crack, dérivé de cocaïne, apparu 1985), montée de la violence et de la criminalité.

Inégalités sociales. **Revenu :** *1988* ; 13 % de la pop. vivait au-dessous du seuil de pauvreté (Blancs 10,1 ; d'origine esp. 26,7 ; Noirs 31,3). *1960* : 39,9 ; *70* : 25,4 ; *80* : 29,3 ; *83* : 15,2. Le salaire « noir » moyen est inférieur de 50 % au sal. « blanc ». *Définition de la pauvreté nouvelle (millions). 87* : 32,5 ; *88* : 31,7 (Blancs 20,7, Noirs 9,4, origine esp. 5,4). **Seuil de pauvreté annuel :** *1988* : 1 famille 6 024 $, famille 4 personnes non paysanne 12 092.

Niveau d'éducation. 60 millions d'Amér. sont incapables de lire un mot de plus de 3 lettres, 25 millions un chiffre romain. 44 % des Noirs et 56 % des hispanophones sont totalement ou partiellement incapables de décoder un texte écrit. Sur 8 millions de chômeurs, 4 à 6 millions sont sans emploi car sans formation minimale nécessaire.

Finances

Aide et coopération. *Dépenses totales* (dont aide militaire et sécurité) en milliards de $. *1981* : 7,35 (3,13) ; *87* : 19,7 (10,18) ; *88* : 13,94 (8,9) ; *90* : 14,6 dont Israël 3 (1,8), Égypte 2,1 (1,3), Hongrie et Pologne 0,533, Turquie (0,5), Grèce 0,35, Pakistan 0,23, Philippines 0,16, Salvador 0,085.

Avoirs extérieurs nets (or exclu ; en milliards de $). *1980* : 95, *81* : 130, *82* : 126, *83* : 78, *84* : - 7, *85* : - 123, *86* : - 275, *87* : - 435, *88 (prév.)* : - 576, *89 (prév.)* : - 710. **Avoir en or** (milliards de $). *1944* : 86 (60 % des réserves du monde). *67* : 14,6 (20 %). *81* : *8* (20 %). *84* : 11,1. *85* : 11,1. *86* : 11,1.

Balance des paiements courants (milliards de $) *1969-75* : + 2 665. *79* : - 0,3. *80* : + 0,4. *81* : + 4,5. *82* : - 11,21. *83* : 41,5. *84* : - 107,4. *85* : - 115,1. *86* : - 138,8. *87* : - 154. *88* : - 135,3. *89* : - 119,6. *90 (est.)* : - 106.

Bénéfices des Stés anonymes (milliards de $). *81* : 197,6. *82* : 156. *83* : 192. *84* : 231,5. *90* : 300 (180 après impôts). Des banques *88* : 23.

Budget (*créé* 1921) **1990** et, entre parenthèses (est.) **1991** (milliards de $). **Recettes :** 1 073 (1 170) [dont imp. individuel sur le revenu 489,4 (528,4). Imp. sur les Stés 112 (129,6). Taxes et cotisations d'ass. soc. 385,3 (421,4). Droits d'accises 36,1 (37,6), mutation 9,2 (9,8), douane 16,7 (18,6). Recettes diverses 24,4 (24,5)]. **Dépenses :** 1 197 (1 233) [Déf. nat. 296,3 (303,2). Affaires internat. 14,5 (18,1). Science, espace, technologie 14,1 (16,6). Énergie 3,1 (3). Res-

Budget en milliards de dollars[1]

	Dépenses	Recettes	Solde
1980	590,92	517,11	- 73,80
1981	678,20	599,27	- 78,93
1982	745,70	617,76	- 127,94
1983	808,32	600,56	- 207,76
1984	851,78	666,45	- 185,32
1985	946,31	734,05	- 212,26
1986	990,23	769,09	- 221,20
1987	1 002,80	854,14	- 149,7
1988 [2]	1 063,32	908,17	- 155,15
1989 [3]	1 142,87	490,74	- 153,40
1990	1 294,8	1 294,8	- 220,40
1991	1 488,2	1 170	- 318
1992 (prév.)	1 450	-	- 278,80 [4]

Nota. - (1) L'année fiscale va du 1-10 au 30-9. (2) Projet. (3) Projet ; le Congrès estime le déficit à 176. (4) A cause de la guerre du Golfe.

sources naturelles et environnement 17,4 (18,1). Agriculture 14,5 (14,9). Crédit commercial et aide logement 22,6 (17,1). Transports 29,2 (29,7). Développement nat. et régional 8,7 (7,8). Ens., formation, emploi, services soc. 37,6 (41). Santé 57,8 (63,6). Séc. soc. et soins méd. 345 (363,4). Anciens comb. (prestations et services) 28,8 (30,3). Justice 10,4 (12,6). Adm. gén. 10,5 (11,2). Intérêts (dette publique) 175,5 (172,9). Dotations 0 (– 1). Recettes non utilisées – 36,4 (– 43)]. **Solde :** – 123,8 (– 63,1).

Crédits distribués (milliards de $). *1981* : 242. *84* : 754. **Subventions** (milliards de $). *1950* : 2,3. *70* : 24,1. *75* : 49,8. *80* : 91,5. *87* : 108,4. *88* : 116,7. Dette publique des USA en milliards de $. *1910* : 1,1, *1920* : 24,2, *1930* : 16,1, *1940* : 43, *1950* : 256,1, *1960* : 284,1, *1970* : 370,1, *1975* : 533,2, *1980* : 907,7, *1981* : 997,9, *1982* : 1 142, *1983* : 1 377,2, *1984* : 1 572,3, *1985* : 1 823,1, *1986* : 2 125,3, *1987* : 2 350,3, *1988* : 2 602,3, *1989* : 2 857,4, *1990* : 3 200 (soit 13 500 $ par hab.) ; prév. *91* : 3 600 ; *92* : 4 000. **Dette extérieure** (milliards de $). *Fin 1985* : 107,4. *86* : 264. *87 (dette publique)* : 267,3, *(globale)* : 425. *88* : 532. *90* : 800.

Nota. – La loi Gramm-Rudman-Hollings (12-12-1985) exigeait que le déficit budgétaire soit ramené à 172 milliards de $ en 1986, 144 en 87, 108 en 88, 36 (prévu 100) en 90, 67 en 1991 et 0 en 1993.

Inflation (%). *1979* : 11,3 ; *80* : 12,5 ; *81* : 8,9 ; *82* : 6,1 ; *83* : 3,8 ; *84* : 3,9 ; *85* : 3,8 ; *86* : 1 ; *87* : 4,4 ; *88* : 4,4 ; *89* : 4,6 ; *90* : 6,1 ; *91* (avril) : 0,2.

Endettement (milliards de $). *Ménages* : *1974* : 671, *84* : 1 832, *89* : 3 300 ; *entreprises* : *1974* : 900, *84* : 2 589, *88* : 2 000, *90* : 3 500 (dont pour la consommation 2 700) ; dette par rapport au revenu disponible après impôt *1975* 58 %, *90* 82 %.

Investissements (milliards de $). Amér. à l'étranger : *1975* : 124, *80* : 215, *85* : 230, *87* : 314,3, *88* : 33,5, *89* : 373,4 [dont *Europe* 176,3 (G.-B. 60,8, All. féd. 23, Suisse 19,9, P.-B. 17,1, *France* 14,7), Canada 66,8, *Amér. du S.* 23,5 (Brésil 14,6), *Asie et Pacifique* 20,9, Japon 19,3, Bermudes 17,8, *Amér. centrale* 15,8, Australie 14,5, *Afrique* 5, *Moyen-Orient* 3,8, (Arabie S. 1,8, Israël 0,7, Émirats 0,6)], *90 (est.)* : 407. Étr. aux U.S.A. : *1970* : 13,2, *75* : 27,6, *80* : 83, *85* : 184,6, *88* : 328,8, *89* : 401 (dont G.-B. 119), *90 (est.)* : 421. Des entreprises : *88* : 426,4, *89* : 451,6.

Caisses d'épargne **(Savings and Loans).** *1989* : 2 966 caisses ayant 1 340 milliards de $ d'actifs et 971 de dépôts. *1990* : 2 898. *Pertes* (en milliards de $). *1987* : 7,8 ; *88* : 13,4 ; *89* : 19,2. **Coût de l'assainissement** (en milliards de $). *1988* : 170, *89 à 93* : 250. **Remboursements dûs par l'État** (est. 90) : 1 350 à 2 700 milliards de $. **Taux d'épargne des ménages.** *1973* : 9 %, *88* : 3,2 %.

Réserves officielles (milliards de $). *1988* : 50,2 [dont or comptabilisé pour 11,1 (vaut plus de 100), devises étrangères 19,6, droits de tirage spéciaux 9,4, réserve au F.M.I. 10].

Taux d'intérêt. *Prime rate* (taux de base des banques), taux bons du Trésor à 3 mois entre parenthèses : *1979* : 12,67 (10,041). *80* : 15,27 (11,506). *81* : 18,87 (14,029). *82* : 14,86 (10,681). *83* : 10,79 (8,63). *84* : 12,04 (9,58). *Réel à long terme. 1979* : 0,4, *81* : 4,5 ; *84* : 8,5, *87* : 5,2, *89 (prév.)* : 6,8.

Réforme fiscale en cours. Adoptée en 1986 par la Chambre des représentants. *Impôts sur le revenu* : 2 taux marginaux d'imposition [15 % jusqu'à 29 750 $ pour un couple, 28 % au-delà (33 % pour les très gros revenus)] contre 14 % (avec un taux max. de 50 % dep. le 1-1-82, avant 70 %). Les gains en capital seront imposés comme les revenus (avant, à 20 % avec abattement de 60 %). *Impôts sur les bénéfices* : taux max. réduit de 46 à 34 %. *Élimination de nombreuses déductions fiscales.*

Sécurité sociale (milliards de $). Résultats *1982* : – 8, *87* : + 20, *88 (prév.)* : + 97, *89 (prév.)* : + 100.

Agriculture, forêt, pêche

• Terres (en millions d'ha). *Agricoles* (57 %) labourables 191, prairies permanentes 244, forêts pâturées 80, divers 4 ; *non agricoles* (43 %) : forêts 212, parcs et réserves naturelles 33, villes, routes et aéroports 26, divers 127. Les terres perdraient chaque année + de 2 milliards de t. de couche arable. **Propriété du sol** (%, est. 82). Particuliers 58,7, État féd. 32,2, États et Collectivités locales 6,8, Indiens 2,3. *Propr. américains* : Blancs non hispaniques 90 % (97 % des domaines privés), Noirs 4 % (1 %). Étrangers % infime. *Origine de la propriété* (%) : héritage 18, achat à des parents 60. **Exploitations.** *Nombre (1989)* : 2 173 220. *Sup. moy.* 184 ha (Rhode Island 95, Arizona 4 444). *Propriété* de l'exploitant 64 %, partielle 26 %, en fermage intégral 10 %. 50 % n'utilisent pas de salariés. Chaque agriculteur exploite env. 180 ha (C.E.E. 20 ha) ; dans les « feeds lots » (unités d'engraissement) un homme nourrit 1 500 à 2 000 bêtes par an (*1850* : 1 agriculteur pour 1 consommateur ; *1940* : 1 pour 10 ; *60* : 1 pour 26 ; *80* : 1 pour 52). **Population agr.** (en millions). *1988* : 4,95. *Travailleurs agricoles. 1900* : 10,9, *30* : 10,3, *40* : 9, *50* : 6,9, *60* : 4,1, *70* : 2,9, *80* : 2,8, *88* : 2,9.

Monocultures. *Dairy Belt* : (production ancienne du lait) Michigan, Minnesota, Wisconsin ; *2e Dairy Belt* (moderne) : Oregon et Washington. *Tobacco Belt*, tabac : Virginie, les 2 Carolines. *Cotton Belt*, coton : de la Géorgie au sud du Texas. *Corn Belt*, maïs : Ohio, Indiana, Illinois, Iowa, Missouri, Nebraska (nouvelles cultures : soja, sorgho, avoine, orge). *Wheat Belt*, blé printemps au N. (Montana, les 2 Dakotas) ; hiver au S. : (Kansas, Nebraska, Oklahoma). *Monocultures modernes.* Agrumes (Floride), canne à sucre (Texas), riz (Louisiane, Arkansas), cult. maraîchères (près des grosses villes), arachides (plaine atlantique), pommes de t. (Maine).

Polycultures : *a) pauvres* : Ozark, plateau de Cumberland, Appalaches ; *b) riches* : par irrigation : Californie (vergers subtropicaux et tempérés) ; oasis du N. (Utah) : luzerne, betteraves, fruits ; du S. (Idaho) : citrons, dattes, figues, coton.

Dry farming (culture sèche) mis au point en Utah au XIXe s. (humidité du sol entretenue par un travail en surface), a permis les cultures céréalières sur de grandes régions sèches, notamment la *Palouse* (Washington) et le *Piedmont* (Montana). *Consommation d'engrais* : 40 kg par an (France 175 kg). Pesticides : usage intensif (cause de milliers de † par cancer).

• Mécanisation. Tracteurs : 5 millions. Dans l'Iowa, un semoir à 18 rangs ensemence 400 ha en 6 j.

• Élevage spécialisé. Bœufs transhumants (vers Idaho, Montana, Washington) dans Wyoming et États de la Plaine ; non transhumants : Mississippi et S. de la Plaine. *Volailles* : poulets (Rhode Island) ; dindes : Vermont. **Statistiques** (millions de têtes, 90). Bovins 99,4, vaches à lait 10,1, moutons 11,4, porcs 53,8, poulets 1 550, dindes 3,1 (85).

• Pêche. Voir Index.

• Forêts. Production (87) : 440 000 000 m³.

• Production (millions de t, 89). Maïs 201,5, blé 74,5 (91), soja 52,3 (91), avoine 5,4, orge 8,8, riz 7, sorgho 16,7, foin 149,1 (87), seigle 0,3, tabac 0,7, p. de terre 16, haricots 1,1, cacahuètes 1,97, bett. à sucre 24,1, canne à s. 27,7, pommes 4,4, pêches, poires, raisin 5,3, oranges 8, tangerines 0,5, pamplemousses 2,6, citrons 0,8, coton 2,6. En 1988, grave sécheresse. **Commerce agro-alimentaire** (en milliards de $). *Exp. 1981* : 43,8, *86* : 26,3. *Imp. 1986* : 20,9.

• Exportations agro-alimentaires. *Ventes de céréales à l'U.R.S.S.* (en millions de t/an, M/t). *Oct. 1975* : accord pour 1976-81 : 6 M/t. *4-1-1980* : Pt Carter, en représailles contre l'invasion de l'Afghanistan par l'U., fixe un quota de 8 M/t. *Oct. 1981* : l'U. peut acheter 23 M/t. *Août 1983* : l'U. peut acheter (à partir du 1-10-83) pour 5 ans 9 M/t soit 30 % des imp. sov. prévues (*78* : 70 % ; *80* : 15 %). *Exportations blé : 89-90* : 33,56 ; *90-91* : 29,26 ; *91-92* : 30,6. *Maïs* : *89-90* : 60,17 ; *90-91* : 43,18 ; *91-92* : 44,5.

• Agribusiness (1 actif sur 5). Les grandes firmes investissent en terres agr. (souvent à l'étranger, notamment au Brésil), les fermiers sont souvent employés d'une entreprise ind. (ex. Dow Chemical contrôle les cult. maraîchères en Calif.). 5 Stés contrôlent le négoce, notamment *Cargil incorporated*, qui exporte 25 % du blé. Les U.S.A. réalisent 1/5 des ventes mondiales (produits végétaux et animaux).

• Problèmes agricoles. Beaucoup d'exploitations familiales, petites et moyennes, sont condamnées à disparaître (sur 700 000 fermiers à plein temps, 56 000 fournissent les 2/3 de la prod. agr.) ; elles ne survivent, que grâce à des subventions de l'État [(114 milliards de $ de 1976 à 1985, dont 22 en 85 et 26 en 86)]. Fort endettement des fermiers (215 milliards de $) dont 20 % env. ne pourront être remboursés, cette situation provoquant de nombreuses faillites de banques agricoles. Compétitivité des produits agricoles, face à C.É.E., Argentine, Australie et Canada, compromise quand le $ est surévalué (*exportations* : *1981* : 44 milliards de $, *84* : 38 ; *profits globaux* : *1979* : 32 milliards de $, *83* : 16), baisse du prix des terres (de 25 à 60 %). *Dépenses totales de l'État fédéral pour l'agr. (en milliards de $)* : *1981* : 4, *83* : 54,8, *85* : 55,5, *86* : 58,6, *87* : 49,6.

Formes de subventions et d'aides : subventions aux exportations : crédits à taux nul et aide alim. Ainsi, le BICEP (Bonus Incentive Commodity Export Program) subventionne (2 milliards de $) les exp. de blé (prix réduit de 14 $ par t) et de farine (prix réduit de 66 $ par t). **Aides intérieures directes :** prêts non remboursés dans certaines conditions pour les agriculteurs « gelant » une partie de leurs terres (Farm Bell de 61), paiement en nature (PIK : payment in kind) aux agr. gelant une partie supplémentaire de terres cultivables (10 à 30 %), prix de soutien et prime aux éleveurs réduisant leur prod. pour les prod. laitiers. **Autres mesures.** Food Stamp Program (distribution alim. gratuite à 21,6 millions d'adultes et 30 millions d'écoliers, 19 milliards de $ en 85).

Énergie

• Origine. *Consommation* (1989) : pétrole 42, charbon 23, gaz naturel 24, nucléaire 7 (19 en 1991), hydroélectr. 3,5, géothermie 0,3.

• Charbon. *Obstacles* : *1°)* coût du transport (mines de l'O. Dakota, Montana, Wyoming, Colorado, Utah, Iowa, Texas, à plus de 3 000 km des centres ind.) ; *2°)* coût de l'extraction : le meilleur charbon (Appalaches) est dans des puits profonds, avec main-d'œuvre chère (syndicats anciens et puissants) ; *3°)* risques écologiques : l'extraction à ciel ouvert, la plus rentable, massacre les sites. On favorise l'extraction d'un charbon bon marché dans le Middle West (Illinois et Indiana), transformé sur place en électricité. Les « veines » carbonifères appartiennent au propriétaire de la surface, même si elles ne sont pas verticales, et si elles s'enfoncent obliquement sous une propriété voisine. Un particulier doit demander une licence d'exploitation à l'État. **Production** (millions de t). *1974* : 539 ; *82* : 707,2 ; *83* : 683,6 ; *84* : 751,4 ; *85* : 750 ; *86* : 714 ; *87* : 760 ; *88* : 781 ; *89* : 796.

• Électricité. **Production** 2 900 milliards de kWh en 89 (dont, en 83, en % charbon 54,8, gaz 11,9, hydroélect. 14,4, nucléaire 12,7, pétrole 6,2, divers 0,2). **Hydroélectricité :** 1/4 du potentiel est équipé. L'Alaska a un potentiel énorme, mais les coûts de construction y sont élevés (climat). **Nucléaire :** 111 réacteurs : capacité 98 millions de kW ; prod. : 529,4 (milliards de kWh) en 89. Les normes de sécurité strictes augmentent les coûts. % de l'électricité nucléaire *80* : 11, *85* : 15,5, *90* : *(1er trim.)* : 22,4.

• Gaz naturel. 40 % env. de la cons. mondiale. Prod. en augmentation jusqu'en 1973. Ensuite, par crainte d'épuisement, régression et import. de gaz can. et algérien. Les gisements de l'Alaska sont exploités depuis 1983 (construction d'un gazoduc transcan.). **Réserves** (milliards de m³) *1990* : 4 704. **Production** (milliards de m³). *1946* : 118 ; *55* : 266 ; *70* : 621 ; *82* : 502 ; *86* : 452 ; *87* : 463 ; *88* : 472 ; *89* : 488 ; *90* : 495.

• Pétrole. **Réserves prouvées** (milliards de t) : 3 578 dont en % Centre-Sud (Louisiane, Oklahoma, Texas) 91, Californie 6, Appalaches 3 [Les schistes bitumineux des Rocheuses ont 3 fois + de pétrole que les gisements connus réunis, mais demeurent inexploités (seuil de rentabilité trop élevé)]. Alaska. **Production** (millions de t) : *1946* : 234 ; *58* : 336 ; *79* : 420 ; *84* : 487 ; *85* : 492 ; *86* : 480 ; *87* : 461 ; *88* : 453,6 ; *89* : 427 ; *90* : 412. **Régions de prod.** *(pétrole + gaz nat., en %)*. *1980* Golfe du Mexique 44 (Texas 36, Louisiane 8), Midcontinent (Oklahoma, Kansas, Mississippi, Illinois) 29, Rocheuses 11, Californie 11, Alaska. **Importations :** (brutes + produits raffinés, en millions de t) *1965* : 130, *70* : 175, *73* : 310, *77* : 440, *81* : 300, *86* : 310, *87* : 330 ; *88* : 331,6. **Consommation** *(% du pétrole importé)*. *1960* : 20, *80* : 37,3, *85* : 27,3, *89* : 41,6.

Prix du brut ($ par baril). Pétrole national à la tête des puits et prix moyen des importations. *1965* : 2,86 (1,8), *73* : 3,84 (3,3), *77* : 8,57 (13,81), *79* : 12,64 (18,72), *81* : 31,77 (34,28), *86* : 12,66 (13,42), *87* : 15,65 (17,85). Total en millions de b/j, *89* : 17,325 (7,661).

Statut juridique : le propriétaire du terrain est prop. des hydrocarbures du sous-sol. En cas d'association pour l'exploitation d'un gisement, chaque prop. reçoit des royalties proportionnelles à l'étendue de son terrain. Le gouv. fédéral peut proclamer certaines régions « réserves féd. » pour l'armée et la marine. **Perspectives :** 1) *l'Alaska* (voir p. 945) : rentabilité dépendant de l'ouverture d'un oléoduc à travers le Canada ; 2) *Mexique* : grosses réserves mais problèmes politiques.

Sociétés. 5 « Majors » (Exxon, Mobil, Texaco, Socal, Gulf Oil) et 7 000 « indépendants » (dont Standard Oil of Indiana, Atlantic Richfield, Shell Oil, Continental Oil Tenneco). Les prix n'étant pas libres, les grandes Stés ont investi surtout à l'étranger et la prod. amér. est restée artisanale (500 000 puits, 50 000 petites Stés).

Mines

• **Production** (milliers de t, 88) cuivre 1 490 (89), zinc 250, plomb 390, bauxite 560, phosphates 40 954 (87), sulfure 3 610 (87), nickel 2 (87), charbon 760 000 (87), fer 29 000 (89), or 259 t (89), argent 1 395, molybdène, uranium 3 400 (90). **Minerais stratégiques importés, en 1989.** En %. Columbium (Brésil, Canada, Thaïlande) 100, graphite (Mex., Chine, Brésil, Madag.) 100, manganèse (Gabon, Afr. du S.) 100, mica (Inde, Belg., France, Japon) 100, strontium (Mex., Espagne, Chine) 100, bauxite et aluminium (Australie, Guinée, Jamaïque, Surinam) 97, platine (Afr. du S., G.-B., URSS) 95, fluor (Mex., Afr. du S.) 91, diamants (Afr. du S., G.-B., Irlande, Zaïre) 90, cobalt (Zaïre, Zambie, Canada, Norv.) 86, tantale (Thaïlande, Brésil, Austr., Canada) 85, chrome (Afr. du S., Zimbabwe, Turquie, Yougoslavie) 79, tungstène (Chine, Bolivie, Allem., Can.) 73, étain (Brésil, Indon., Bolivie) 73, baryte (Chine, Maroc, Inde) 71, potasse (Canada, Israël, Allemagne, URSS) 70, zinc (Canada, Mex., Pérou, Esp.) 69, nickel (Can., Austr., Norv.) 65, cadmium (Canada, Austr., Mex., Allem.) 62, argent (Can., Mex., Pérou, G.-B.) n.c.

Transports

Modes de déplacement hors zones urbaines (en %, 1987 et entre par. 1970). Auto 79,9 (86,9), avion 18,2 (10,1), autobus 1,2 (2,1), train 0,6 (0,9).

Transports aériens. 15 132 aéroports, 30 Cies aériennes (1/3 des voy. transportés dans le monde).

Chemins de fer. 1er réseau ferroviaire du monde (330 000 km, 1/3 du r. mond.) ; baisse d'activité. Principale entreprise : *Amtrak* (National Railroad Passenger Corporation), fondée 1971, fédérale, monopole sur longue distance, situation financière difficile. Entre Washington et New York (361 km) circulent des *metroliners* (trains spéciaux de luxe) qui peuvent atteindre 200 km/h.

Transports maritimes. *Atlantique :* conditions favorables (côte découpée de N.-Angl., embouchure de l'Hudson, baies profondes de Delaware et Chesapeake, au S. embouchures protégées par des cordons littoraux). N.-E., Boston dessert la N.-Angl. : relations avec Europe. New York : 3e port du monde, complexe commercial. Philadelphie et Baltimore : fonctions générales. Norfolk et Hampton Roads : charbon des Appalaches. *Golfe du Mexique :* ports spécialisés (pétrole, soufre, phosphates) : Tampa (Floride), Mobile (Alabama), Houston, Port-Arthur, Beaumont, Corpus Christi (Texas). Moins spécialisés : Baton Rouge et La Nouvelle-Orléans. *Pacifique :* c. moins abritée, 2 sites remarquables : baies de San Francisco et du Sound au N.-O. ; Los Angeles, San Francisco et Portland (produits miniers, bois, pétrole ; reçoivent des marchandises diverses). Seattle (industriel, point de départ vers l'Alaska). *Cabotage* important : New York 55 % du trafic, N.-Orléans 75 %. Avant 1939, le trafic portuaire était assuré en grande partie par les marines étrangères, la marine américaine étant, sauf pour les pétroliers, assez réduite. En 1945, les U.S.A. avaient la 1re marine, puis retombèrent au 7e rang : 1/5 est, en fait, inemployée.

Navigation intérieure. 1re du monde. Grands lacs, Mississippi. *Voie maritime du St-Laurent :* réalisée par U.S.A. et Canada. Ouverte aux navires de 20 000 t (prof. min. 8,20 m). Longueur 4 000 km. Aboutit à la zone industrielle des Gds Lacs (alt. 192 m). Trafic annuel : 10 000 navires (57,6 millions de t).

Transports routiers. 1er réseau du monde (6 millions de km de routes, dont autoroutes 80 000), 123,6 millions de voitures, 35 millions de poids lourds. *Bus greyhound :* 3 950 desservant 9 500 localités, 11 800 salariés dont 6 300 chauffeurs, 25 millions de passagers par jour.

Tourisme. 36 604 000 vis. (89).

Grandes sociétés. *Aérospatial :* Boeing 20,3. United Technologies 19,8. McDonnell Douglas 15. Rockwell International 12,6. Allied-Signal 12. General Dynamics 10. *Agroalimentaire :* Philip Morris 39,1. RJR Nabisco 15,2. Sara Lee 11,7. Conagra 11,3. Archer Daniels 8,1. *Assurance-vie :* Prudential of America 129,1. Metropolitan Life 98,7. Equitable Life Assurance 52,5. Aetna Life 52. *Automobile :* General Motors 127. Ford Motor 96,9. Chrysler 36,2. *Boissons :* Pepsico 15,4. Anheuser-Busch 9,5. Coca-Cola 9,2. *Caoutchouc et plastique :* Goodyear Tire 11. Premark 2,6. Uniroyal Goodrich 2,3. *Chimie :* Du Pont (E.I.) De Nemours 35,2. Dow Chemical 17,7. Union Carbide 8,7. Monsanto 8,7. *Commerce de détail :* Sears Roebuck 53,9. K Mart 29,6. Wal-Mart Stores 25,9. American Stores 22. Kroger 19,1. *Construction :* Owens-Illinois 3,7. American Standard 3,6. Owens-Corning Fiber 3. *Électronique :* General Electric 55,3. Westinghouse Electric 12,8. Motorola 9,6. Raytheon 8,8. TRW 7,4. Honeywell 7,2. *Équipement industriel :* Tenneco 14,4. Caterpillar 11,1. Deere 7,2. *Équipement (autres) :* Eastman Kodak 18,4. Xerox 17,6. Minnesota Mining 12. *Produits forestiers :* International Paper 11,4. Georgia-Pacific 10,2. Weyerhaeuser 10,1. *Métallurgie :* Aluminium Co. of Amer. 11,2. LTV 6,2. Reynolds Metals 6,2. Bethlehem Steel 5,3. Inland Steel Ind. 4,1. *Pharmaceutique :* Johnson & Johnson 9,8. Bristol-Myers Squibb 9,4. American Home Products 6,7. Merck 6,7. *Métalliques :* Gillette 3,8. Masco 3,1. *Ordinateurs :* Computers (incl. office équip.) IBM 63,4. Digital Equipment 12,9. Hewlett-Packard 11,9. Unisys 10,1. NCR 6. Apple Computer 5,3. *Raffineries (pétrole) :* Exxon 86,7. Mobil 51. Texaco 32,4. Chevron 29,4. Amoco 24,2. Shell Oil 21,7. *Services :* GTE 32. Bell South 30. Bell Atlantic 26,2. *Tabac :* American Brands 7,3. Universal 2,9. *Textiles :* Wickes 4,8. Armstrong World Ind. 2,9. *Transports :* United Parcel Service 12,4. AMR 10,6. UAL 9,9. Delta Air Lines 8,1. CSX 7,8.

Commerce

1er acheteur et 1er vendeur du monde (12 % des échanges mondiaux, dont importations 12 %, exportations 13 %). Étant donné l'énorme demande intérieure amér. les export. ne représentent que 7 % du P.I.B. (objectif : 15 à 20 %, chiffre atteint par ind. pharmaceutique, caoutchouc et électronique). 60 % des ventes vont aux pays industrialisés ; 5 % des achats en viennent. La *balance* est déficitaire avec l'OPEP (80 % du total), Japon (17 % du commerce extérieur), Canada (pétrole, produits chimiques, articles manufacturés).

Échanges (milliards de $, 89). *Exportations* 363,8, *dont* prod. man. 272, prod. agr. 363,8, mat. 1res (sauf fuel) 16,3, prod. pétr. 5, énergie 4,6, prod. alim. 3,9, poisson 3,2 *vers* Canada 78,8, Japon 44,5, G.-B. 20,8, All. féd. 16,9, Corée 13,5, *France 11,6,* P.-B. 11,4, Belg. Lux. 8,5, Singapour 7,3, Italie 7,2, H. Kong 6,3. *Importations* 473,2 *dont* prod. man. 379,4, prod. pétr. 49,7, prod. agr. 22, mat. 1res (sauf fuel) 11,5, poisson 5,3, énergie 2,5, prod. alim. 1,9 *de* Japon 93, Canada 87,9, All. féd. 24,9, Taiwan 24,3, Corée 19,7, G.-B. 18,3, *France 13,* Italie 11,9, H. K. 9,7, Singapour 9,7. **Déficit commercial** (milliards de $). *1978 :* 42,36 ; *80 :* 25 ; *81 :* 27,9 ; *82 :* 36,3 ; *83 :* 69,3 ; *84 :* 123,3 ; *85 :* 132,1 ; *86 :* 169,8 ; *87 :* 153 ; *88 :* 118,53 [dont (%) Japon 39, nouveaux pays ind. d'Asie 23, C.E.E. 9, Canada 7,5, Mexique et Brésil 5] ; *89 :* 109,4 ; *90 :* 101.

ÉTHIOPIE

Carte p. 951. Voir légende p. 837.

Nom. Du grec *aethiops,* « face brûlée », qui désignait l'Afrique noire au S. de l'Égypte. Terme réintroduit fin XIXe s. pour s'appliquer à l'Etat abyssin agrandi à la suite des conquêtes de Ménélik. L'*Abyssinie* (en arabe, peuples mélangés) comprenait Érythrée, Somalie, partie du Soudan et s'étendait jusqu'en Nubie. Le nom fut employé avant et pendant l'occupation ital. Au XIVe s. on parlait du *Royaume du Prêtre Jean* (légende de souverain chrétien).

Situation. Afrique 1 251 282 km². *Côtes* (mer Rouge) : 875 km. *Frontières* 4 626 km (avec Kenya 820, Soudan 1 790, Somalie 1 700, République de Djibouti 320). **Climat.** Tempéré, *grandes pluies* juil.-sept., *petite saison des pluies* févr. **Régions.** *Côtes* basses chaudes (humidité constante, + de 20 °C) ; *Plateau éthiopien* (alt. moy. 2 300 m, alt. max. Ras Dejen 4 543 m) creusé de vallons, montagnes à sommets plats *(ambas),* source du fleuve Abbai (Nil bleu), lac Tana 360 km², alt. 1 830 m, pluies abondantes avril-sept. (1 000 à 2 000 mm/an), tempéré ; *Plateau somalien,* alt. max. 300 m, chaud et plus sec ; *Dankalie* plaine désertique (100 000 km²), avec dépression (– 116 m) au S.-O.

Population. 48 661 000 h. (89) (prév. an 2000 66 205 000). Arabes 15 000. *Immigrés :* 500 000 dont Européens (8 000 Italiens). D. 38,8 ; 90 % de la population est concentrée sur les hauts plateaux (50 % du territoire) au sol érodé sur 270 000 km² (1984-85). **Age.** *- de 15 a.* 46 %, *+ de 65 a.* 4 %. **Mort. infantile** 152 ‰. **Villes** (84) : *Addis-Abeba* (alt. 2 408 m) 1 412 575, Asmara 275 385 (alt. 2 374 m), Diredaoua 98 104 (alt. 1 204 m), Gondar 80 886 (alt. 2 200 m) (anc. cap. d'Abyssinie), Adama (Nazret) 76 284 (alt. 1 650 m) Dessié 68 848 (alt. 2 470 m), Harar 62 160 (alt. 1 866 m), Magalié 61 583 (84) (alt. 2 060 m), Djimme 60 992 (alt. 1 750 m), Debra Zéit 51 143 (alt. 1 860 m), Debro Marqos 39 808, Assella 36 720, Massawa 36 169, Lalibela (pèlerinage), Arba Minch 23 030, Goba 22 963, Nagamtié 21 694 (76).

Ethnies (en millions). COUCHITIQUE : 12 (40 %), dont Oromos [8 (26 %), subdivisés en Méchas, Arusis, Tulémas, Boranas, etc.], Somalis [1 (3 %)], Afars [0,3 (1 %)], Sahos, Hadiyyas, Sidamos. SÉMITIQUE : 1° *éthio-sémitiques* (originaires de Sud-Arabie) : 14 (45 %), dont Amharas [9 (30 %), dominant politiquement], Tigréens [2,7 (9 %)], Tigrés [1,5 (5 %)] ; 2° *sémitiques purs :* Arabes de Harrar [0,4 (1,3 %), surtout commerçants], Gouraghé [1 (3 %), dans prov. de Choa]. OMOTIQUE : 3 (10 %), dont Wolaytas [1,8 (6 %), subdivisés en Wolaytas purs, Gamos-Gofas, Kullos-Kontas, Dorzés] et Kaffas [1,2 (4 %), appelés anciennement Minjos, indép. jusqu'en 1897]. NILOTIQUE (Noirs, éleveurs de bétail) : 1 (3 %), dont Nuers [0,4 (1,3 %)], Anuaks, Bodis, Majanghirs, Naras, Surmas, Nyangatons.

Langues. Amharique (off.) et anglais (adm.) ; autres l. : français, italien, arabe ; l. minoritaires enseignées officiellement : tigrinya, orominya, wolaminya, somalinya. **Analphabètes.** *1973 :* 93 %, *87 :* 40 %.

Religions. Chrétiens (Égl. orthodoxe monophysite) 40-50 %, rel. off., 75 000 prêtres (le patriarche l'Abouna a rompu en 1954 le lien qui l'unissait à l'Égl. copte d'Alexandrie) desservant 12 000 égl. env. et 8 000 monastères. **Musulmans** [surtout dans le S. et à l'E., chaféites (40 à 50 %), env. 11 500 000] ; **Animistes juifs** appelés Falachas (exilés descendants des notables de Jérusalem qui accompagnèrent Ménélik, héritier du roi Salomon et de la reine de Saba, ou de la tribu Dan venue en 722 av. J.-C. Peau noire et traits sémites), *XVIIIe s. :* 250 000, *1900 :* 100 000, *80 :* 25 000 (1980/85 : la plupart émigrent en Israël).

Histoire. Av. J.-C. XIe s. royaume indépendant. **Xe s.** épisode légendaire (introduit aux XIIIe-XIVe s.) de la reine de Saba, qui alla à Jérusalem voir Salomon, dont elle eut Ménélik Ier, et qui se convertit au judaïsme. **VIIe s.** domine l'Égypte. **Apr. J.-C. Ier-Xe s.** royaume d'Aksoum. *24-32* les Romains détruisent Napala. **IVe s.** destruction du roy. de Kouch par les Aksoumites. Apogée d'Aksoum, et conversion au christianisme sous le roi Ezana. **VIIIe s.** Arabes chassent Aksoumites d'Arabie ; début du déclin d'Aksoum. **Xe s.** apparition du roy. des Zagoué. **XIIe s.** Arabes chassent Éthiopiens d'Arabie. **1527** invasion de Gragne le Musulman (tué 1530). **1590** invasion Oromo. **1632** expulsion des jésuites. **XVIIe et XVIIIe s.** splendeur du roy. de Gondar. **1855-68** Théodoros le Réformateur soumet le Choa, le Tigré, Amhara et dompte les Gallas ; appelle France et G.-B. à ouvrir une ambassade ; la réponse tardant à venir, prend une soixantaine d'otages brit. **1867**-*3-10* débarquement anglais, gouv. Sir Napier, allié aux rebelles, bat l'empereur, qui se suicide, puis libère les otages. **1868** Yohannès, roi de Tigré, Négus, lutte contre Égypte, Italie ; g. intestines. **1872-89** Yohannès IV, les Ég. sont écrasés. **1887** Ménélik II, roi de Choa, installe sa capitale à Addis-Abeba. **1889** Ménélik II, défait It. à *Adoua* (1896) et reprend Tigré, Begemder, Godjam et certaines provinces méridionales dep. longtemps échappées aux souverains de Gondar (des principautés y étaient établies, ou des États indépendants y étaient créés) : Harar, Kaffa, Sidamo. **1897** Ménélik annexe Ogaden après tr. avec G.-B. et Italie. **1913** Lidj Yassou, Négus (petit-fils de Ménélik II) ; déchu 1916. **1916** impératrice Zaouditou (1876-1930, fille de Ménélik II). **1928** ras Taffari Makonnen (petit-neveu de Ménélik II), Négus ; proclamé emp. (1930) sous le titre d'*Hailé Sélassié Ier* (1892-1975, *Negusa nagast,* Roi des Rois, Lion de Juda). **1935**-*3-10* invasion ital. ; l'emp. se réfugie en G.-B. **1936**-*5-5* It. prend Addis-Ab., le roi d'It. devient emp. d'É. Ogaden annexée à la Somalie it. **1941** fin de l'occupation it. **1942** Ogaden administrée par G.-B. **1947** revient à l'É. **1952**-*15-9* féd. avec Érythrée. **1957**-*12-5* Makonnen, duc de Harrar, 2e fils d'Hailé Sélassié tué (accident de voiture). **1960** *déc.* tentative de coup d'État milit. (l'emp. étant au Brésil). **1962**-*14-11* État unifié. **1964** *févr.-mars* g. de l'Ogaden, l'É. repousse Somaliens. **1965** (depuis) guérilla du Front de libération de l'Ér. (17 000 †). **1966** attentat dans cinéma à Addis-Ab. **1969** *févr.-déc.* troubles étudiants.

1970 état d'urgence en Ér. **1973-74** sécheresse, famine (notamment dans Wollo ; 200 000 †). **1974** *janv.-mars* troubles milit. *Fin juin-début juillet,* l'armée arrête plusieurs personnalités dont le ras *Asrate Kassa* (n. 1918), Pt du conseil de la Couronne. *-22-7 Lidj Michael Imru* (n. 1926) PM. *-12-9* l'armée dépose l'emp. ; Gal *Aman Andom* († 1974) Pt du Gouv. provisoire. Pce *Asfa Wossen* (n. 1916) souverain constitutionnel. *-23-11 :* 60 exécutés, dont *Andom.* *-27-11* Gal *Teferi Bante* (1921-77) Pt du comité militaire d'administration provisoire (Derg). *-21-12* programme socialiste Éthiopia Tekdem (É. d'abord). *-22-12 :* 2 attentats à Addis-Ab. *-27-12* Front de lib.

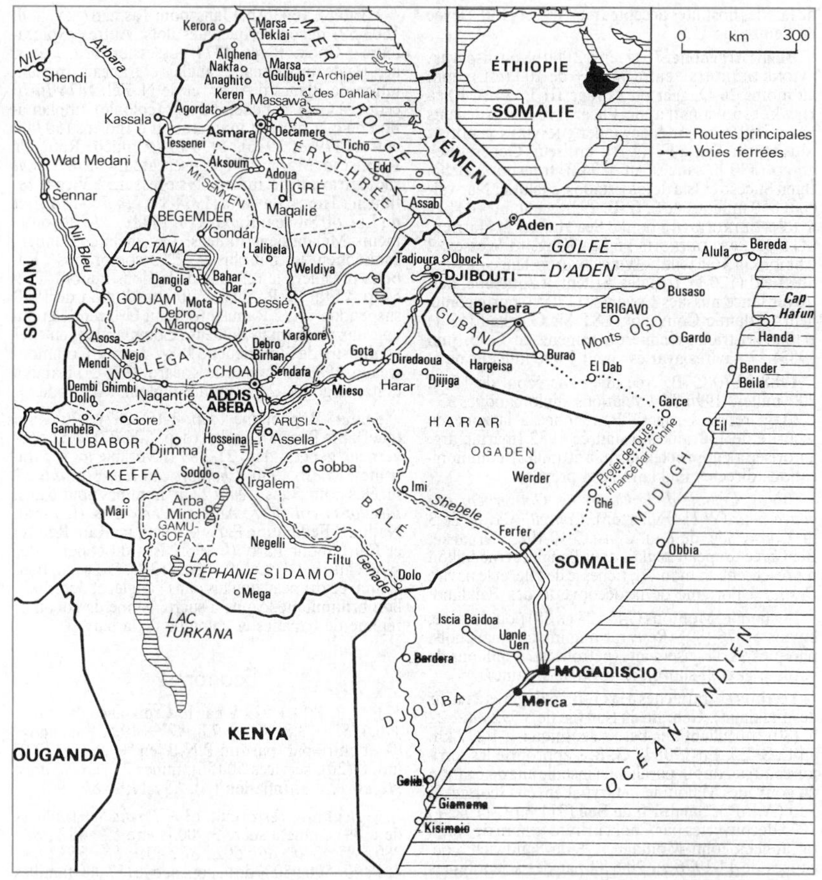

passe de la guérilla à la guerre. **1975** *février* milliers de réfugiés fuient Asmara, rébellions dans Godjam et Sémien. *-4-3* réforme agraire. *-21-3* monarchie abolie. *-25-4* complot déjoué. *-30-7* l'É. renonce à Djibouti. *-27-8* H. Sélassié (83 ans) meurt en prison. *-26-9* grèves et affrontements à Addis-Ab. (7 †). *-30-9* état d'urgence. *Début oct.* rébellion de chrétiens amharas, contre-réforme agraire. *-5-12* état d'urgence levé. **1976**-*30-1* 6 membres de la junte arrêtés. *-15-2* Gal *Kedebe Worku* (ex-C^dt^ de la garde imp.) tué. *-21-3* démocratie pop. *-17-6* « marche rouge » sur l'Érythrée qui devait y conduire plusieurs dizaines de milliers de paysans annulée. *-10-7* coup d'État échoue ; 19 exécutés dont Gal *Getachev Nadew* (administrateur de la loi martiale) et major *Sisaye Habte* (Pt du comité pol. du Derg). *-23-9* tentative d'assassinat du C^dt^ Mengistu. *-2-11* exécutions. **1977**-*3-2* affrontement entre milit., le Pt (Gal Teferi Bante) et 9 membres du Derg tués. *Juill.* g. de l'Ogaden avec Somalie. *Oct.* massacre de centaines d'étudiants. *-12-11* Lt-Col. Atnafu Abate (vice-Pt) exécuté ; *fin déc.* terrorisme du Parti révol. du peuple éthiopien (PRPE) qui a infiltré les Kébélés : 5 à 6 victimes par j. Le Derg arme les milices des Kébélés. [*Partisans du Derg* (souvent rivaux) : Front progressiste, « Abyotawi Seddeth » (flamme révol.), créé par Mengistu, « Malerid », bolchevique et dissident du PRPE, « Wazlig », ligue prolétarienne, « Etcheat », groupement ethnique Oromo non marxiste. *Adversaires :* « Mei'son », mouvement soc. pan-éthiopien, pour un gouv. civil. *Détenus politiques :* 100 000 ; doivent être nourris par leurs familles. Des enfants de 8 à 12 ans (après 12 ans on n'est plus un enfant en É.) sont souvent exécutés devant leur famille.] **1978** *févr.* l'É., aidée par Cubains (10 000 ?) et Russes, reprend l'Ogaden. *Mai* guérilla en Ogaden. *Juillet* sécheresse et disette. **1979** massacre de centaines de Juifs (Falachas). *Juillet* collectivisation des terres, les paysans ne disposent pour eux que de 1 000 à 2 000 m² et de 1 ou 2 têtes de bétail. *Nov.* aide écon. de l'All. dém.

1980 l'É. tient régions frontalières et centre de l'Ogaden, env. 1 000 000 réfugiés en Somalie. Réconciliation avec Soudan. **1982**-*25-1* offensive en Érythrée contre rébellion. *-1-3* contre-offensive. *-1-7* combats avec Somalie, 300 †. **1983** sécheresse. **1984**-*25-1* attentat contre chemin de fer Djibouti-Addis-Abeba (20 †). *-12-9* 10e anniv. de la Révol. (coût : des centaines de millions de $). Famine 300 000 †, aide alim. occid. mais transports insuffisants et, selon certains, volonté de ne pas « trop aider » les régions rebelles. Transfert de 15 000 Falachas en Israël (fronts aériens clandestins). **1985**-*26-3* 90 officiers suspects arrêtés. *Déplacement des populations* (regroupées en villages) env. 4 millions, + de 30 millions à terme. *-27-10* Goshen Wolde min. des Aff. étr. démissionne accusant son gouv. de conduire son peuple à la destruction. **1986**-*27-12* attaque rebelle près du lac Tana : 40 †. **1987**-*14-6* 1res législatives dep. 1974. *-12-9* devient officiellement Rép. démocratique et populaire, DERG dissous. **1988**-*6-4* accord de paix avec Somalie. **1989** *fév./mars* succès rebelles. *-16-5* coup d'État militaire échoue (grâce au rôle d'Israël ?). *17-5* Gal Mend Negust et Cdt en chef de l'armée de l'air †. *-22-5* affrontements étudiants/policiers. Épuration de l'armée, 12 généraux exécutés. *-29-6* Gal Aberra Abebe, comploteur du 16-5, tué par police. *-9-9* retrait des derniers soldats cubains. *-7-10* PM Fikre Selassie limogé. *-18-12* relations diplom. avec Israël reprises (interrompues dep. 1973). **1990**-*7-3* multipartisme, mais à l'intérieur du Parti ; secteur privé réhabilité. *-9/10-3* portraits de Marx, Engels et Lénine ôtés de la place de la Révolution (en place dep. 1975). *-31-3* 2 diplomates libyens expulsés après attentat hôtel Hilton d'Addis-Abeba le 30. *Juin* succès rebelles. *-21-6* mobilisation générale. **1991** succès du FPLT. *-23-4* multipartisme admis. *-9-5* Tesfaye Dinka PM. *-21-5* Mengistu part pour Zimbabwe. Vice-Pt gén. : Tesfaye Gabre Kidane (56 ans, Tigréen), par intérim. *-23-5* statue de Lénine abattue. *-24/25-5* 14 400 Falachas évacués sur Israël par avion (dont 1 080, record mondial sur un jumbo). *-27-5* Londres accords : cessez-le-feu. *-28-5* rebelles prennent Addis-Abeba.

Statut. Provisoire. Pt nommé par Conseil général (parlement) de 87 m. PM (intérim.) : Tamrat Layne [avant 28-5-91]. Rép. Dém. et Pop. *Pt* et *PM:* Lt-Col. Mengistu Haïlé Mariam (n. 1940), au pouvoir dep. 3-2-77, élu 10-9-87 par l'Ass. nat., Vice-Pt Fisseha Desta, PM Hailu Yimenu. *Constitution* 1987. *Assemblée nationale* (shengho). *Parti des travailleurs éth.* créé sept. 84, 50 000 m. *Régions administratives :* 24 ; autonomes (Érythrée, Tigré, Ogaden, Assab et Dirédaoua). Dans les villes : 1 238 *kébélés* (créés 1975, associations de quartier) dont 284 à Addis-Abeba (1 pour 4 000 h.) fédérés en 25 *kefténias,* élisent un comité central chargé de désigner le maire. Dans les campagnes 25 000 kébélés. **Fête nat.** : 12 sept. **Drapeau.** Adopté 1904. **Prisonniers :** plusieurs milliers d'opposants (cas de torture).

Budget militaire (1988). 1,75 milliard de $, soit 50 % du budget total. *Assistance (1990).* Soviétiques (1989 : 3 000 conseillers ; dep. retrait des 2/3) ; cubains : *1980* 17 000, *84 :* 10 500, *89 :* 2 500 ; autres pays de l'Est : *1988* 1 700 ; Israéliens 200.

Résistance. Front populaire de libér. de l'Éth. (FPLE), qui contrôle 90 % de l'Érythrée, Front de libér. de l'Érythrée (FLE), Front populaire de libér. du Tigré (FPLT), qui contrôle 100 % du Tigré, Front de libér. Oromo (FLO), Mouvement démocratique populaire éthiopien (MDPE).

Aide extérieure : *Italie* prêt de 800 millions de $ en 1988 (dont 200 pour l'achat d'armes). *Israël* aide à la guérilla sud-soudanaise. Soutien de la *Syrie* et de la *Corée du Nord* (?). *U.R.S.S.* 4 milliards de $ d'armes livrées 1987-89. **U.S.A.** aide alimentaire 128,5 millions de $ (1989).

Érythrée

Situation. 126 000 km². *Côtes* 875 km. Archipel (126 îles). Frontières avec Soudan : + de 500 km. 4 000 000 h. (majorité musulmane, minorité chrétienne). *Asmara* 250 000 h.

Histoire. **1890** colonie italienne (avant l'É. ne formait pas une entité politique séparée). **1947** administration milit. brit. **1950**-*2-12* O.N.U. en fait « une entité autonome fédérée à l'Éth. », avec gouv. et parlement ; l'arabe devient l'une des langues off. **1961** *sept.* insurrection. **1962** région administrative de l'Ét. Guérilla du FLE [Forces de libération de l'Ér. ; 1970 : 2 branches : musulmane (majoritaire) et chrét., soutenu par pays arabes limitrophes]. **1972** Soudan renonce à l'aider, l'Ét. renonçant à aider guérilla des Anyanyas, au Sud-Soudan. **1978** *nov.* l'armée éth. (200 000 h. encadrés par Cubains et Soviét.) reprend Karen. Le FPLE est réduit à la « sierra Maestra » (Sahel, alt. 2 500 m, superficie 1 500 km²). **1979** l'Éth. ne peut reprendre Nakfa (capitale rebelle), *janv.* et *mars-mai* 8 000 soldats †, *juill.* 3 500 s. †. **1984**-*20/21-5* FPLE détruit 33 avions à Asmara. **1985**-*25-8* Éth. reprennent Barentu. **1986**-*14-1* FPLE détruit 40 avions à Asmara. **1987**-*15-3* Wolde Mayam unifie la rébellion. **1988** *mars* succès rebelles (4 divisions éth. anéanties : 15 000 h., 50 chars pris, 3 conseillers soviét. pris.). **1989** *févr./mars* succès rebelles. **1990**-*7-2* offensive FPLE sur Massoua, 12 000 à 15 000 Éth. †. Sécheresse. **1991** *mars* progrès des rebelles.

Économie

P.N.B. (88) 119 $ par h. **Pop. active** (% et entre par. part du P.N.B. en %). Agr. 77 (42), ind. 7 (18), services 16 (40). **Inflation** (%). *85 :* 18,2. *86 :* – 9,8. *87 :* – 2,4. *88 :* 7. **Dette extérieure :** 2,95 milliards de $ (88). **Famine** (tous les 11 ans dep. 250 ans) atteint 4,5 millions d'hab. (dont Érythrée 1,9). En 1988, déficit céréalier 1 300 000 t (sécheresse). **Aide alim.** (millions de t). *1985 :* 1,3. *86 :* 1. *88 :* 0,36 (blé U.R.S.S. 0,25, U.S.A. 0,15). **Dépenses Banque mondiale** *(1950-87) :* 1 milliard de $ dep. 1950 (dont 2/3 dep. 1974).

Agriculture. *Terres* (milliers d'ha, 83) eaux 12 090, t. arables 77 000, pâturages 52 000, forêts 4 700, divers 24 220. *Production* (milliers de t, est. 89) : sucre de canne 1 700 (88), maïs 1 600, teff 1 135 (83), orge 1 050, sorgho 964, tubercules 850 (86), blé 850, café 200, millet 180, coton 18, ricin. *Fermes d'État :* mécanisées. **Forêts.** *1900 :* 40 % de la superficie, *1984 :* 4 %, 38 000 000 m³ (87). Eucalyptus importé d'Australie par un Français, Mondon-Vidailhet. Reboisement : 62 000 000 d'arbres.

Élevage (milliers de têtes, 89). Volailles 57 000, bovins 28 900, moutons 24 000, chèvres 18 000, ânes 3 930 (88), chevaux 1 610 (88), mulets 1 500 (88), dromadaires 1 060 (88).

Énergie. *Hydroélectr.* (en milliards de kWh) : réserves 56 ; prod. 0,7 (88). **Mines.** Potasse, sel, platine, or. **Artisanat. Transports** (km). *Chemins de fer :* Addis-Abeba-Djibouti (construit 1897-1917) 783 dont 99 à Djibouti, Massaouah-Agordat 306. *Routes :* 38 000 (dont principales 13 200, asphaltées 4 000). **Tourisme.** *Visiteurs : 76 :* 36 900. *83 :* – de 30 000. *89 :* 65 000. *Lieux :* châteaux du XVIIe s., lac Tana et chutes du Nil bleu, églises monolithiques (Lalibela), vestiges de l'Empire d'Aksoum (Tigré et Érythrée). Parcs nationaux (9 dont montagnes du Bale, vallée de l'Awash.)

Commerce (millions de $, 85). *Exportations* 337 dont café 209, cuirs et peaux 53, légumineuses 8 *vers* All. féd. 129, P.-B. 92, E.-U. 73, Japon 71. *Importations* 988 dont machines et avions 284, pétrole 174, prod. chimiques 72, véhicules 53, métaux 42, *de* U.R.S.S. 356, E.-U. 330, All. féd. 203, G.-B. 178, Italie 164, Japon 124. **Rang dans le monde** (89). 8e café, bovins. 13e ovins, bois.

FALKLAND (ILES)

Carte p. 868. V. légende p. 837.

Situation. Amér. du Sud, à 402 km à l'O. de l'Argentine. 12 173 km². 200 îles [dont *Isla de la Soledad* ou Malouine orientale (5 865 km², *alt. max.* 694 m) et la Malouine occ. (plus petite, mais appelée *Grande M.* : 4 076 km², *alt. max.* Mt Adam 704 m) séparées par le détroit de Falkland] ; plusieurs îlots aux noms français : Beauchesne, Danican, Bougainville s'étendant sur 193 km. **Climat** frais et humide. *Temp.* – 5,6 à + 21,1 °C, moy. 5,6 °C.

Population. 1 915 h. (Kelpers) et 1 600 soldats brit. (89). D. 0,16. *Cap. : Stanley* 1 329 h. Langue. Anglais. Religions. Anglicane, catholique, diverses.

Histoire. **1520** découverte par Hernando de Magallanes. **1540** visitées par l'expédition de l'évêque de Plasencia (Esp.). **1590** aperçues par l'Anglais John Davis. **1594** Sir Richard Hawkins longe côte N. **1600** aperçues par le Hollandais Sebald de Weert. **1690** cap. Strong donne au détroit central le nom du trésorier de la marine, le Vte Falkland (les Anglais donneront ensuite ce nom aux 2 îles qu'il sépare). **1698-1720** fréquentées par Malouins (chasseurs de lions de mer). **1703** nommées î. Danican ou Anican par le Jésuite fr. Nyel. **1712** î. Neuves de St-Louis par Amédée Frézier. **1721** *Malouines* (*Malvinas* en espagnol) par le Holl. Roggewin. **1749** î. Neuves par l'amiral angl. Anson. Le roi d'Esp. refuse à l'Angleterre l'autorisation d'envoyer une expédition aux M. **1764**-*3-2* arrivée de Louis de Bougainville qui installe des Acadiens, à Port-Louis, dans la Baie Française. **1765** le commodore anglais Byron établit un détachement à l'île Saunders. **1767**-*1-4* Fr. cède ses droits à Esp. pour 603 000 livres. Sur ordre de Louis XV, Bougainville démantèle la colonie de Port-Louis. **1770** les Esp. enlèvent Port-Egmont (menace d'une g. anglo-esp.). Sur ordre du roi d'Esp., le gouverneur de Buenos Aires, Buracelli, expulse le détachement angl. de Port Saunders. Médiation de la France. **1771**-*22-1* accord Angl.-Esp. permettant le retour provisoire des Angl. à Port-Egmont. **1774** les Angl. renoncent à coloniser l'îlot de Saunders, et évacuent Port-Egmont. **1776** rattachées à la vice-royauté du Rio de la Plata (Buenos Aires). **1767-1811** 20 gouverneurs esp. des îles se succèdent, dont 2 officiers de marine nés en Angl. **1810** deviennent arg. par droit de succession. **1820** l'Arg. nomme le capitaine arg., David Jewett commandant des îles ; s'établit 6-11 à Puerto Soledad (ex. Port-Louis). **1824** remplacé par le capitaine Pablo Areguati. **1825** tr. « amitié-commerce-navigation » Arg.-G.-B. sans allusion à la souveraineté arg. **1829** Luis Vernet commandant politique et militaire. Introduction de chevaux et moutons. Début de peuplement : 300 h. du continent. **1830** visite d'une expédition angl. (capitaine Fitz-Roy). Vernet leur fournit assistance. **1831** 3 navires amér. qui pêchaient clandestinement sont arrêtés. G.-B. chassent Arg. de Puerto Soledad. **1832**-*27-12* la frégate amér. « Lexington », sous faux pavillon français, détruit Puerto Soledad et fait prisonniers nombre de colons. L'Arg. désigne un nouveau gouverneur. **1833**-*2-1* la corvette angl. « Clio » ordonne d'amener le drapeau arg. et l'expulsion des habitants. **1837** colonie brit. **1914**-*8-12* bataille navale anglo-all., vict. angl. **1971**-*1-7* G.-B. et Arg. s'engagent à développer les îles. Accord Arg.-G.-B. : 1er lien aérien direct arg. entre les îles, la Patagonie et Buenos Aires. L'Arg. construit une piste d'atterrissage. **1974** *avril* 1 destroyer arg. tire sur 1 navire angl. **1976-80** rupture des relations G.-B. Arg. **1976** rappel de l'ambassadeur arg. à Londres à la suite de la violation des eaux arg. par un navire officiel angl.

Guerre des Malouines **(18-3/19-6-1982). Déroulement.** *-18-3* des ferrailleurs arg. hissent le drapeau arg. sur l'île de Géorgie du Sud ; expulsés *19-3*. *-2-4* : 5 000 mil. arg. prennent Port-Stanley (cap.), † 1 arg., rupture des relations dipl. G.-B./Arg. *-3-4* Arg. occupe Géorgie du S., Conseil de sécurité O.N.U. réclame retrait arg. et négociations. *-5-4* flotte brit. appareille de Portsmouth. *-10-4* embargo C.E.E. sur import. arg. *-25/26-4* G.-B. reprend Géorgie du S. *-1-5* U.S.A. suspendent aide écon. et mil. à l'Arg. et assistent G.-B. *-2-5* Général-Belgrano torpillé par sous-marin brit. *-4-5* destroyer brit. Sheffield touché par missile Exocet [AM 39 tiré d'un Super-Étendard arg. (fabr. franç.)], il coule le 10-5. *-21-5* tête de pont brit. sur l'île orientale (baie de San Carlos), 5 000 h. *-24-5* frégate Antelope endommagée (coulée 25-5). *-25-5* aviation arg. détruit nav. Coventry et Atlantic-Conveyor. *-2-6* Port-Darwin encerclé. *-14-6* reddition du Gal Menendez et des Arg. après 3 j de combat ; 11 200 arg. prisonniers. *-18-6* rapatriement de 5 500 prisonniers arg. *-20-6* reconquête des îles Sandwich ; embargo de la C.E.E. levé. *-12-7* cessation de fait des hostilités acceptée par Arg. et G.-B. ; levée de l'embargo U.S.

Bilan : Argentine. 712 †, env. 2 000 bl. ou disparus ; AVIONS DÉTRUITS : entre 91 et + de 100 (est.), dont au moins 26 Dagger ou Mirage III E, 34 A 4 Sea Hawk et 15 avions d'appui Pucara ; 16 avions détruits par missiles air-air Sidewinder ; NAVIRES PERDUS : sous-marin Santa-Fé (1 †), croiseur General-Belgrano (830 h. sauvés sur 1 042), transports Bahia Buen Suceso et Isla de los Estados, chalutier Narwal ; coût 850 millions de $. **G.-B.** 293 †, centaines de bl. ; AVIONS DÉTRUITS : 18 dont 8 Sea Harrier et Harrier ; HÉLICOPTÈRES DÉTRUITS : 5 Sea King, 13 Wessex, 2 Chinook et 3 Gazelle ; NAVIRES PERDUS : lance-missiles Sheffield (120 †), frégates Ardent et Antelope, destroyer lance-missiles Coventry (120 †), porte-conteneurs Atlantic Conveyor, LST Sir Galahad (53 †) et Sir Tristram (récupéré ; ramené en G.-B. juin 1983) ; 7 navires avariés : coût 1 400 millions de $.

1988-*29-10* G.-B. crée une zone écon. de 150 à 200 milles. **1990**-*15-1* relations diplomatiques G.-B./Arg. reprises : la G.-B. renonce à la zone de sécurité de 150 milles instaurée 1982 (marine arg. autorisée à s'approcher jusqu'à 50 milles), communications directes Falkland/Arg. prévues.

Statut. *Colonie de la Couronne. Gouvernement : gouverneur* (W.H. Fullerton). *Conseil exécutif* de 3 m. *Conseil lég.* de 8 m. *Const.* 3-10-1985. Drapeau. Bleu avec drapeau anglais dans l'angle, et médaillon représentant un mouton, richesse de l'île, et le navire *Desire,* à l'origine de la découverte des Falkland.

Économie. Moutons (745 123 en 89) pour la laine, bovins 5 876 (89). *Réserves* d'animaux (manchots, phoques), krill, gisements (pétrole est. 3 millions de barils/j, gaz off-shore). *Exportations* (laine).

Territoires (rattachés à la G.-B. mais gérés à partir des Falkland). **Géorgie du Sud** [île de 3 592 km², 22 h. (80) travaillant à la base scientifique, à 1 277 km à l'E.-S.-E.]. En 1908 la G.-B. s'approprie les territoires au sud du 50e parallèle et installe une délégation du gouv. des Malouines à Grytviken, en Géorgie du Sud (A.F.P.). **Sandwich du Sud** (311 km², 11 îles) : *1775* découvertes par Cook, prirent le nom de l'amiral anglais John Montagu, Cte de Sandwich ; occupées de 11-1976 au 20-6-82 par des scientifiques argentins, à 870 km au S.-E. de la Géorgie du S., à 3 000 km de l'Arg.

FIDJI ou VITI (ILES)

V. légende p. 837.

Situation. Iles du Pacifique entre Mélanésie et Polynésie. A env. 2 735 km de Sydney, 1 771 d'Auckland, 805 de Samoa. 18 376 km². 332 îles, dont 106 habitées. **Iles principales** *Viti Levu* 10 429 km², 445 422 h. et *Vanua Levu* 5 556 km², 103 122 h. ; autres îles (en km²) : *Taveuni* 470, *Kadavu* 411, *Gau* 140, *Koro* 104, *Ovalau* 101, *Rabi* 69, *Rotuma* 47 (découverte 1879, annexée 1881), *Beqa* 36. *Alt. max.* Mt Victoria 1 323 m. **Climat** tropical. 2 *saisons* : 1 sèche et + fraîche (mai-oct.), 1 humide (nov.-avr.). Cyclones : Oscar : 1983, Eric et Wigel : janvier 1985. *Temp.* janvier 23 à 31 °C, juillet 18 à 28 °C.

Population. 726 000 h. (est. 90) dont (87) Indiens 341 000 (contrôlent l'économie : majoritaires dans la canne à sucre), Fidjiens 338 000 (pouvoir politique et contrôle de 80 % des terres), Européens métissés 10 000, Rotumans 8 000, Chinois 5 000, Européens 4 000, divers 10 000 ; prév. *2000* 936 000. D. 39,6. *Pop. rurale* : 61 %. **Villes** (est. 88). *Viti Levu* : Suva 70 000, Lautoka 28 700, Nadi 7 700, Vatukola 7 000 (83), Ba 6 500, Nausori 5 200 ; *Vanua Levu* : Labasa 5 900, Savusavu 2 000. Langues. Anglais, fidjien, hindi, chinois. Religions (86). Chrétiens 53 % dont Méthodistes 170 820 (85) et catholiques 62 699 (87), hindouistes 38 %, musulmans 8 %.

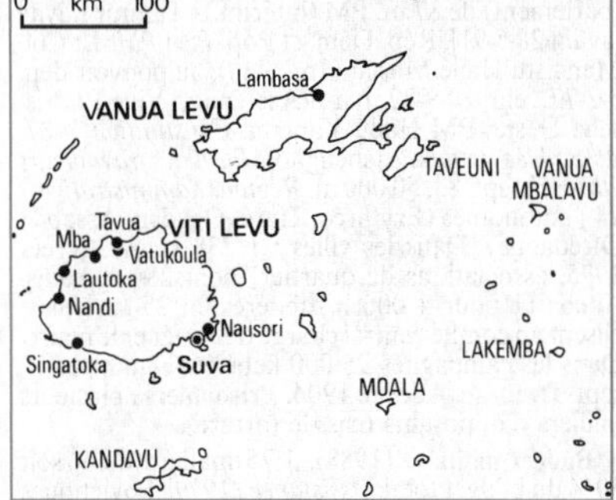

Histoire. **1643** Abel Janszoom Tasman (nav. holl. 1603-59) découvre quelques îlots. Autres explorateurs : Cook, Bligh. **1774** possession brit. *XIXe s.* arrivée de missionnaires anglais et français. Implantation de Blancs d'Austr. et de N.-Zél. **1874**-*10-10* cédées à G.-B. par chefs fidjiens (colonie). Implantation de c. à sucre et immigration d'Indiens (60 000 entre 1879 et 1916). **1970**-*10-10* Indép. Ratu Sir Kamisese Mara (PM conservateur). **1987** *avril* succès travailliste, Indiens 28 sièges sur 52. Vice-P.M. fidjien ; Timosi Bavadra (1934-89). *-14-5* coup d'État du Lt-Col. Sitiveni Rabuka (n. 1948). *-20-5* affrontements Mélanésiens/Indiens. Les chefs coutumiers soutiennent les putschistes. *-21-5* compromis : Rabuka présidera la réforme de la Constitution. *-25-9* coup d'État de Rabuka *-7-10* constitution de 1970 suspendue. *-5-12* Rabuka (devenu G[al]) rend le pouvoir aux civils (mais demeure Commandant en chef et ministre de l'Intérieur). **1988**-*1-1* quitte Commonwealth. **1989**-*23-8* visite de Rocard. **1990**-*5-1* Rabuka quitte le gouv. *-23-5* rupture diplom. avec Inde.

Statut. République (dep. 1-10-1987) ; Pt Ratu (chef), Sir Penaia Ganilau (dep. 5-12-87), était gouverneur général dep. 21-2-83 (favorable au séparatisme). *Const.* 1990. *Chambre des représentants* 52 m. élus pour 5 ans. *Sénat* 22 m. nommés pour 6 ans. *Élections avril 1987* : Alliance Party 24 s. (f. 1965). National Federation Party (f. 1960, Jai Ram Reddy) et Fiji Labour Party (f. 1985, issu du congrès des syndicats [F.T.U.C., 30 organ.]) 28 s. Drapeau. Bleu clair avec drapeau anglais dans l'angle, et dep. 1970 lion britannique, canne à sucre, palme de cocotier, régime de bananes et colombe de la paix.

Économie

P.N.B. (88) 1 929 $ par h. **Croissance (%)** : *86* : + 6,4, *87* : – 3,8, *88* : + 7,8, *89* : + 19,5. **Pop. active** (% et entre par. part du P.N.B. en %) agr. 47 (24), ind. 8 (20), services 50 (56), mines 2 (1). *Chômage 90 (est.)* : 8,3. **Inflation (%).** *88* : 11,8 ; *89* : 9,6.

Agriculture. *Terres* cult. 13 %. *Production* (milliers de t, 89) canne à sucre 3 900 [sucre *82* : 487 ; *83* : 280 ; *85* : 340 ; *86* : 502 ; *87* : 401 ; *88* : 363 ; *89* : 461 ; *90* : 500 ; 50 % de la pop. active (17 000 familles indiennes sur 22 000 foyers d'agriculteurs), 24 % du P.N.B., 43 % des export.], manioc 97 (86), riz 31, coprah 13, huile, noix de coco 7, gingembre 4, ananas, cacao 0,37. Élevage (milliers de têtes, 88). Volailles 1 000, bovins 159, chèvres 60, porcs 29. Pêche. 14 000 t (89). Mines (tonnes, 89) : or 4,2, argent 1. Tourisme. 278 996 vis. (90).

Commerce (millions de $ fid., 89). *Export.* : 579,5 *dont* sucre 208, or 76,1, vêtements 60, conserves de poissons 39,4, bois de constr. 24,9, mélasse 9,9, huile de coco 5,2, poissons frais, fumés et séchés 4,9 *vers* G.-B. 145, Australie 99, N.-Zél. 60, Japon 38,7, U.S.A. 28,4, Canada 16,3. *Import* : 938,3 *dont* magnétophones 422 (86), art. manuf. 300, mach. et équip. de transp. 243,3, prod. pétroliers 155,9, prod. alim. 111,8, mat. 1res et prod. chim. 88 *de* Australie 289,9, N.-Zél. 162,5, Japon 130,6, Singapour 57,3, U.S.A. 48,3.

FINLANDE

Carte p. 918. V. légende p. 837.

Situation. Europe. 338 145 km² (dont 33 522 d'eau). Forêt 65 %, cultures 8 %. *Long.* max. 1 160 km. *Larg.* 540 km. 1/3 situé au-delà du cercle polaire. *Frontières* : 2 521 km (Suède 536, Norvège 716, U.R.S.S. 1 269) ; côtes 1 100 km bordées par 80 897 îles de + de 100 m² (surtout au S.-O.). *Relief* : collines, crêtes, 187 888 lacs de + de 500 m² min. (sol : dépôts morainiques ép. glaciaire) : 9 % de la superficie ; les plus grands (en km²) : Saimaa 4 400, Päijänne 1 050, Inari 1 100. *Alt. max.* Haltiatunturi 1 328 m. **Climat** : étés relativ. chauds (moy. juill. 13 à 17 °C, max. 30 °C), hivers froids (févr. – 3 à – 14 °C, min. – 30 °C). Pluie et neige S.-O., Centre, E. 600 mm, N.-O. (Laponie) 400 mm. Au N. vers 70° de lat., 73 j de clarté ininterrompue en été (19 h de clarté par j au S. vers la St-Jean) et 51 j de nuit d'hiver ininterrompue. **Arbres** : conifères. Chêne sur côte et S.-O. en partie. Vers le N. : disparition du sapin, du pin, puis du bouleau nain. **Animaux** : *mammifères* : 67 espèces. Loups et ours (certaines régions de la frontière et déserts de Laponie). Troupeaux de rennes. 55 000 élans env. Animaux à fourrure : écureuil, rat musqué, martre, renard. Oiseaux sauvages. Saumons.

Population (en millions). *1750* : 0,421, *1800* : 0,833, *1900* : 2,66, *1950* : 4,03, *1989* : 4,97, *2000 (prév.)* : 5,01. *Caractères physiques* : teint clair, yeux bleus ou gris (85 % des hommes ont les yeux bleus ou gris, 81 % des femmes), cheveux blonds (76 % des h., 82 % des f.). **Age.** – *de 15 a.* : 19 %, + *de 65 a.* : 12 %. Lapons 1 300. D. 14,7, Sud 117,5, Laponie 2. **Villes** (88, entre par. nom suédois). *Helsinki* (Helsingfors) 491 609 h. (ag. 990 133), Tampere (Tammerfors) 172 683 (à 176 km), Espoo (Esbo) 172 476 (15 km), Turku (Åbo) 159 917 (166 km), Vantaa (Vanda) 151 157, Oulu Uleåborg 98 933 (662 km), Lahti 92 351 (102 km), Pori (Björneborg) 76 789. **Émigration** vers U.S.A. et Canada (1880-1930) (1901-10 : 159 000 ; 1921-30 : 58 000) ; Suède : plus de 340 000 dont 130 000 ont conservé la nationalité finl. **Étrangers** (88) 18 294 (dont Suédois 5 314, All. 1 423, Amér. 1 245, Angl. 1 073, Soviét. 2 079, divers 7 160).

Langues (1986). Finnois (langue du groupe finno-ougrien, v. Hongrie) 93,6 %, et suédois 6,1 % (1880 : 14,3) *(off.)*, divers (lapon) 0,04 %. Religions. Luthériens 89,0 % ; orthodoxes 1,1 % ; églises libres 0,4 % ; catholiques 0,1 % ; divers 0,3 % ; sans rel. 9,1 %.

Histoire. **1155** 1re croisade suédoise rattachant la F. au roy. de Suède. **1808-09** g. russo-suédoise, le tsar vainqueur devient gd-duc de F. (gd-duché autonome). **1812** Helsinki capitale (avant : Turku). **1906** les femmes obtiennent le droit de vote (1res en Europe). **1917**-*6-12* indépendance. **1918** *janv.* g. civile de 4 mois : les blancs l'emportent sur les rouges. **1919** république. **1921** *oct.* la S.D.N. attribue les îles Aland (admin. par Russie 1809-1917). **1939**-*30-11*/**1940**-*13-3* g. russo-finl. U.R.S.S. exige Hanko (+ bande de terre autour pour une base navale) et plusieurs îles dans le golfe de F., une rectification de frontières en Carélie et autour de Petsamo, soit en tout 2 700 km² de la région la plus riche de F. (contre 5 000 km² de landes et d'étangs). La F. refuse. Staline qui, en envahissant la Pologne, avait promis de respecter la neutralité Finl. attaque (prétexte bombardement d'un village russe par l'aviation f.). Un communiste, Otto Kuusinen, dirige un gouv. émigré (*forces : Finl.* 300 000 h., + des milliers de volontaires étrangers, 37 chars. *Russes* 1 000 000 h., 2 000 chars, 1 000 avions) ; battue, la F. cède Carélie (47 338 km² ; pertes f. 20 000 †). **1941**-*27-6*/**1944**-*19-9* g. contre l'U.R.S.S., la F. reprend Carélie, la reperd avec région de Petsamo (auj. Petchenga) et Salla (en tout 42 934 km², 400 000 réfugiés en F.). **1948**-*6-4* tr. d'amitié et d'assistance mutuelle avec U.R.S.S. Coup d'État communiste (échec). **1956**-*26-1* U.R.S.S. rend Porkkala louée 50 ans en 1944. **1975**-*10-8* acte d'Helsinki signé par pays eur. (sauf Albanie) + U.S.A. + Canada et U.R.S.S. (v. Index). **1981**-*27-10* Kekkonen démissionne. **1982**-*27-1* Koïvisto Pt de la Rép. **1983**-*6-6* prorogation du tr. d'amitié avec U.R.S.S. (jusqu'en 2003). **1988**-*1-2* Koïvisto réélu. **1989**-*1-2* F. adhère au Conseil de l'Europe. *26-10* à Helsinki Gorbatchev reconnaît officiellement la neutralité de la F. dans un discours. **1991**-*17-3* législatives : victoire du Centre.

Nota. – Finlandisation : terme inventé en 1953 par Karl Gruber (ministre autrichien) et repris par l'Allemand Franz Joseph Strauss pour dénoncer les dangers de l'Ostpolitik all. Ensemble des limitations imposées par un État puissant à l'autonomie d'un voisin plus faible. Processus par lequel, sous le couvert de maintenir des relations amicales avec l'URSS, un pays voit sa souveraineté diminuer. La F. s'est insurgée contre ce terme « contenant des insinuations qu'elle n'a pas méritées ».

Statut. Rép. *Constit.* 17-7-1919. *Pt* élu pour 6 a. au 1er tour (dep. 1988), au suffrage univ., au 2e par un collège de 301 él. élus au suffr. univ. le jour du 1er tour. *Diète (Eduskunta)* 200 m. élus au suffr. univ., scrutin de liste et à la représ. proportionnelle pour 4 a. *12 départements (Lääni). 1 dép. semi-autonome :* îles Ahvenanmaa (Aaland) (avec un conseil de dép.). *Capitale :* Maarianhamina (Mariehamn). Dep. 1955 : membre de l'ONU, du Conseil nordique, de l'OCDE dep. 1969, accord de libre-échange avec CEE dep. 1-1-1974, de coopération avec COMECON, membre de l'AELE dep. 1-1-1986. Pays neutre. Fête nat. : 6-12 (indép.). Drapeau : adopté 1917 ; croix bleue (les lacs) sur fond blanc (la neige).

Élections à la Diète **(17-3-1991).** % des voix et, entre crochets, nombre de sièges obtenus, entre parenthèses résultats des élect. des 15/16-3-87 : Centristes 24,8 (17,7) [55 (40)] ; Sociaux-démocrates 22,1 (24,3) [48 (56)] ; Conservateurs 19,3 (23,2) [40 (53)] ; Alliance de gauche 10,1 (13,6) [19 (20)] ; Parti libéral 5,5 (5,3) [11 (12)] ; Ecologistes/Verts 6,8 (4,1) [10 (4)] ; Union chrétienne 3,1 (2,6) [8 (5)] ; Parti rural 4,8 (6,4) [7 (9)] ; divers 3,5 (1,7) [2 (1)].

Femmes. Main-d'œuvre 49 %, Parlement 32 %.

Partis (dates de fondation, leader, membres). *P. social-démocrate,* 1899, Pertti Paasio (n. 1939), 82 000. *Ligue de gauche* [le 28-4-90 : fusion *Ligue démocratique du peuple finl.,* 1944, Ari Parvidinen (n. 1951), 35 000 (communistes et certains socialistes) et le *P. communiste finl.,* 1918, Heljä Tammisola (n. 1946), 21 000. Autorisé 1944, autodissous le 28-4-90]. *P. du centre,* 1906, Esko Aho (n. 1954), 290 000. *P. de coalition nationale* (conservateurs : kokoomus), 1918, Ilkka Suominen (n. 1939), 72 000. *P. rural* (provincial), 1959, Heikki Riihijärvi (n. 1937), 22 000. *P. populaire suédois,* 1906, Ole Norrback (n. 1941), 55 000. *Union chrétienne de F.,* 1958, Toimi Kankaanniemi (n. 1950), 17 000. *P. libéral,* 1965, Kaarina Koivistoinen, 4 000. *Union verte,* 1988, Heidi Hautala (n. 1955) 1 000. *Parti vert,* 1988. *Alliance de gauche,* 1990, Claes Andersson, 35 000 (comm.).

• Présidents de la République. **1918** Pehr-Evind SVINHUFVUD (1861-1944), chef du gouv. (1917), régent (1918). Mal Carl Gustaf MANNERHEIM (1867-1951), régent. **19** Kaarlo Juho STAHLBERG (1865-1952). **25** Lauri Kristian RELANDER (1883-1942). **31** Pehr-Evind SVINHUFVUD (1861-1944). **37** Kyosti KALLIO (1873-1940), démissionne. **40** Risto Heikki RYTI (1899-1956), démissionne. **44** Mal MANNERHEIM, démissionne. **46** Juho Kusti PAASIKIVI (1870-1956). **56** Urho Kaleva KEKKONEN (1900-86). **82** (27-1) Mauno Henrik KOIVISTO (25-11-1923), social-dém., réélu 1988 (1er tour au suffr. univ. (1-2) 47,9 % des voix devant Harri Holkeri (conserv., 18,1 %), Paavo Väyrynen (centriste) 20,1 %, Kalevi Kivistö (gauche) 10,4 %, au 2e tour (15-2) par le Collège électoral (189 voix sur 301).

• Premiers ministres. **1982** (19-2) Kalloi Sorsa (n. 1930), social-dém. **87** (30-4) Harri Holkeri (n. 1937), conserv. **91** (8-4) Esko Aho (n. 1954), centriste.

• Province semi-autonome. **Iles Ahvenanmaa** (en suédois Aland) : 1 527 km², 23 600 h. (88) parlant suédois à 95 % ; 6 554 îles ou rochers, dont 80 seulement sont habités. Dans la plus grande île : *Aland* (685 km², 28 km × 20 ; alt. max. 150 m, 18 800 h.), rade de *Bomarsund,* « la clef de la Baltique », [fortifiée jusqu'en 1854 ; détruite par escadre anglo-franç. (16-8-1854) durant la g. de Crimée ; démilitarisée par tr. de Paris (1856)].

Économie

P.N.B. *89 :* 23 241 $ par h. **Taux de croissance** (%) *85 :* 3,5, *86 :* 2,3, *87 :* 3,8, *88 :* 4,8, *89 :* 5 ; *90 :* 2,2 ; *91 :* – 0,5 ? **Pop. active** (% et entre par. part du P.N.B. en %). Agr. 9,8 (6,6), ind. 30,0 (35,4), services 59,4 (57,6), mines 0,4 (0,4). *Chômage (%) 89 :* 3,5 ; *90 :* 3,6 ; *91 :* 4 à 10 ? **Inflation** (%) *85 :* 5,9 ; *86 :* 3,6 ; *87 :* 3,8 ; *88 :* 5,1 ; *89 :* 6,5 ; *90 :* 4,9 ; *91* (mai) : 5. **Endettement** milliards de F (1990) 117.

Agriculture. *Terres* (milliers d'ha, 83) : forêts 26 778 (57 %), eaux 3 156, cult. 2 467, pâturages 166, divers 4 686. *Propriété :* privée 64 % des t., État 24 %, Stés privées 8 %, communes 4 %. **Production** (milliers de t, 89) : orge 1 614, avoine 1 455, p. de terre 1 033, bett. à sucre 944 (88), blé 497, seigle 202.

Élevage (milliers de têtes, 88). Volailles 6 678, bovins 1 443, porcs 1 305, moutons 119, ruches 47, chevaux 14. Rennes 364. Prod. lait., cuirs. Pêche. 126 300 t (87). Anchois, saumon, hareng, brochet. Forêts. *Superficie :* 24,6 millions d'ha (dont 16 m. privés appartenant à 352 000 propriétaires). Conifères 81 %, bouleaux et divers 19 %. *Production : 1989 :* 48 620 000 m³.

Consommation. Énergie (en %, 1988). *Importée* 70 % dont pétrole 33 (dont 90 % d'URSS), nucléaire 16, charbon 12, gaz nat. 5, électricité 5. *Prod. intérieure :* 30 % dont hydro-électricité 11, tourbe 4, divers 15. Electricité (en milliards de kWh). *1987* env. 17, *1995* (prév.) 22.

Mines. Chrome, fer, cuivre, pyrites, plomb, zinc, nickel, platine, tourbe. Industrie. Pâte de bois, pâte à papier, papier journal, métallurgie, constructions navales (brise-glace, plates-formes pétrolières), constr. méc., électron. et informatique, textile et prêt-à-porter, chimie, services. 1er groupe privé : *Nokia :* 37 000 employés (dont 1 600 en France et 4 600 en Suède), 100 filiales dans 29 pays ; *C.A.* : 30 milliards de F. Transports (km). Routes 77 255 (44 420 asphaltées), chemins de fer 5 869 dont 5 863 d'État. Tourisme. *Visiteurs :* 3 à 4 millions (88). *Balance* du tourisme visiteurs (milliards de marks finl.) : – 4,5 (recettes 4,5, dépenses 9) (1986). Équipement. 1 960 443 voitures, 1 500 000 saunas.

Commerce (milliards de $ US, 88). *Exportations* 21,7 *dont* (%) filière de bois 40,5 (10 % du marché mondial), constr. méc. et électr. 27,4, métallurgie 9,9, prod. de consom. 8,2, ind. chimique 5,7, *vers* (%) U.R.S.S. 14,9, Suède 14,1, G.-B. 13,1, All. féd. 10,8, U.S.A. 5,8, *France* 5,3. Norvège 3,5, *Importations* 21,1 *dont* (%) constr. méc. et électr. 39,3, biens de consom. 12,7, ind. chimique 10,8, énergie 9,6, agro-alim. 4,9, *de* All. féd. 16,8, Suède 13,3, U.R.S.S. 12,0, Japon 7,4, G.-B. 6,7, U.S.A. 6,4, *France* 4,1. **Déficit extérieur** (milliards de marks finl.). 1988 12/13, 1989 (est.) 4 % du P.N.B.

☞ 90 % du pétrole importé en 1989.

Rang dans le monde (86). 1er exp. de contreplaqué, 2e de papier et carton. 6e prod. de pâte à papier.

GABON

Carte p. 954. V. légende p. 837.

Nom. Portugais *gabão,* « caban de marin », donné à l'estuaire du Como à cause de sa forme.

Situation. Afrique 267 667 km². *Côtes :* 950 km. *Frontières :* 2 270 km (Guinée équ. 330, Cameroun 240, Congo 1 700). *Côtes* 800 km. **Régions.** Littoral (zone sédimentaire basse) ; zone de plateaux (la plus grande partie du Gabon), au N. le Woleu-N'tem, au S.-E. les plateaux Batéké, au S.-O. la chaîne du Mayombé ; au N.-O. montagnes (les Mts de Cristal alt. max. 1 200 m) ; au centre : massif granitique (Mt Iboudji 1 575 m). **Climat.** Équatorial, chaud et humide, moy. 26 °C. *Saisons :* sèche (mai-sept.), pluies (oct.-nov.), sèche (déc.-janv.), pluies (févr.-avril). *Pluies :* 1 600 à 3 000 mm.

Population. 1 105 000 h. (89) (jusqu'à 1 200 000 selon d'autres sources) dont (env. 40 ethnies) Fangs (40 %), Myénés, Pounous, Échiras (25 %), Adoumas (17 %), Kotas, Tékés, Mêna-Mbe, Batékés, etc. *Prév. 2000 :* 1 611 000. *Étrangers :* 107 807. *Français :* 13 293 (dont 780 coopérants, hors coopération, militaires) (86). **Age.** – *de 15 a.* 35 %, + *de 65 a.* 6 %. **Mort.** *infantile :* 112 ‰. D. 4. **Villes** (86). *Libreville* 300 000 h. (89), Port-Gentil 75 000 h. (143 km), Lambaréné 9 000 h. (157 km), Moanda (470 km), Oyem (269 km), Mouila (300 km), Franceville 25 000 h. (515 km). **Population urbaine.** *1975 :* 30 %, *90 :* 50. Langues. Français *(off.)* et env. 40 dialectes, dont 8 importants. Religions. En % : animistes 49,5, catholiques 40, protestants 10, musulmans 0,5.

Histoire. **1471** découvert par Portugais. **1492** Diego Cam installe comptoirs. XVIIe **s.** traite des Noirs. **1580-1600** Hollandais supplantent Port. **1608** répression (autochtones révoltés). **1839** pour réprimer la traite, le cap. de vaisseau français Bouet Willaumetz crée un établissement. *-9-2* tr. entre Fr. et roi Denis Rapontchombo, régnant sur rive gauche du G. **1842**-*18-3* tr. entre Fr. et roi Louis Dowé (rive droite). **1843** Fort-d'Aumale, 1er établissement fr. officiel. **1849** Willaumetz débarque des esclaves libérés de l'*Élézia* (navire négrier port.) : Libreville créée. **1875-78, 1880-81** et **1883-84** Savorgnan de Brazza (1852-1905) explore le G. qui devient une colonie en 1883, dans l'AEF, le 15-1-1910. **1880** Franceville fondée. **1940** G. se rallie à la Fr. libre. **1956**-*28-6* loi-cadre (autonomie). **1959** *mars* rép. au sein de la Communauté. **1960**-*17-8* indépendance. **1965**-*4-9* mort du Dr Albert Schweitzer (à 90 ans), fondateur 1913 de l'hôpital de Lambaréné. **1961**-*17-2*-/**1967**-*28-11* mort du Pt Léon M'Ba (n. 1902). **1976**-*7-9* G. quitte l'OCAM. **1978** *juillet* 10 000 Béninois expulsés (le Bénin accuse le G. d'avoir participé au raid lancé sur Cotonou en janv. 77). **1981**-*22/25-5* 10 000 Camerounais expulsés. **1982** Jean-Paul II au G. **1983** Pt Mitterrand au G. **1984**-*3/6-10* Pt Bongo en Fr. **1985**-*11-8* capitaine Alexandre Mandja Ngokouta exécuté pour complot. **1986**-*30-12* transgabonais « Libreville/Franceville » inauguré. **1989** oct. complots découverts. **1990** plusieurs partis autorisés. *Févr.-juin* Libreville, manif., envoi de renforts fr. *-16-9* législatives annulées pour fraude dans 32 circonscriptions (32 autres en ballotage) reportées au *21* et *28-10 :* victoire du PDG. *-26-11* nouveau gouv. Oye-Mba.

Statut. République. *Const.* du 21-2-1961 modifiée 15-2-67, 15-4-75, 9 et 22-8-81. *Pt* (élu au suffr. universel pour 7 ans) dep. 2-12-67 El Hadji Omar Bongo (dep. sa conversion à l'islam en 73 et son voyage à La Mecque ; avant : Albert-Bernard, n. 28-12-35, remarié 3-1-90 avec la fille du Pt du Congo Nguesso) réélu 25-2-73, 30-12-79 (99,96 % des voix) et 9-11-86 (99,97 %). *PM* Casimir Oye-Mba (n. 1942) dep. 27-4-90 [avant Léon Mebiame (1-9-34) dep. 16-4-75]. *Min. aff. étr.* Ali (Martin) Bongo (n. 1959, fils du Pt) dep. 29-8-89. *Ass. nat.* 111 m. élus et 9 nommés par Pt p. 5 a. **Élections du 21 et 28-10-90 :** PDG 65, PGP 18, Rass. nat. Bûcherons 18, Morena 7, PSG 6, USG 4, UDD 1, Cercle pour le Renouveau et le Progrès. 9 *provinces* divisées en 36 *préfectures* et s.-préf. **Partis :** *Rassemblement social-démocrate gab.* (a remplacé 23-2-90 le P. démocrate gab. *fondé* 12-3-68, parti unique). **Opposition :** *Parti PGP (P. gabonais du Progrès). Pt* Me Agondjo-Okawe. *Morena-Bûche-*

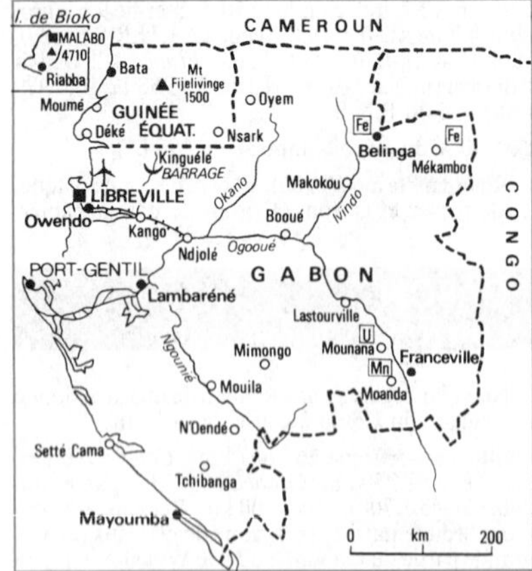

ron (mouv. de redressement national du Gabon) (créé 1-12-81). *Pt* père Noël Ngwa. **Fêtes nat.** : 12 mars (création du P.D.G.) et 17 août (ind.). **Drapeau** : adopté en 1960 : bandes horiz. verte (la forêt et l'ind. du bois), jaune (le soleil), et bleue (la mer).

Économie

P.N.B. *90* : 3 300 $ par h. **Pop. active** (% et entre parenthèses part. du P.N.B. en %) agr. 50 (11), ind. 14 (15), services 30 (48), mines 6 (25). 150 000 travailleurs immigrés. **Inflation** *85* : 7,5 % ; *86* : 6,2 % ; *87* : – 0,9 % ; *88* : – 9,8 ; *90* : 8,5. **Aide** *française* (milliards de F CFA). *1960-81* : 170 dont *1980* : 20,2. **Aide** *All. féd., Belgique, Canada, Roumanie, Yougoslavie.* **Dette extérieure** (milliards de $). *1980* : 1,19 ; *82* : 1,08. *87* : 2,79. *89* : 2,5. **Budget** (milliards de F CFA). *1986* : 720, *1987* : 360, *1990* : 400. **Investissements publics** (milliards de F CFA). *1985* : 400, *89* : 60, *90* : 75, *91 (prév.)* : 102. **Situation économique** 200 faillites d'entreprises dep. 1985. Baisse du pétrole. 50 000 chômeurs dans secteur privé. *Mesures d'austérité du F.M.I.* : réduction de personnel et baisse des salaires (dimin. des gros salaires compensées par des avantages en nature). *1990* : rétablissement des salaires niveau 1986 ; *91* : revalorisation de la fonction publique. SMIC : 64 000 CFA (soit 1 280 F), mais 1 000 hauts fonctionnaires gagnent entre 7 et 10 millions par mois (140 000 à 200 000 F) [peuvent garder les salaires de leurs précédentes fonctions]. Détournement de fonds publics. *Transferts privés à l'extérieur* : 28 milliards de F depuis 1980 (2 fois le montant de la dette). **Assistance militaire française.** *1983* : 40 milliards de CFA (144 off. et sous-off. et 600 h). *1985* : 0,5 (90 pers.).

Agriculture. *Terres* (milliers d'ha, 81) forêts 20 000, pâturages 4 700, eaux 1 000, t. arables 290, cult. 162, divers 615. *Production* (milliers de t, 88) manioc 265, plantain 180, canne à sucre 155, tubercules 139 (82), café 2 (89), cacao 2 (89), huile de palme, hévéa, bananes, riz, taros. 85 % de la consom. alim. courante est importée. **Forêts.** 85 % du sol. 600 essences. Réserves 300 millions de m³. *Production 1989* : 1 222 000 m³ (hors bois de chauffage) dont (83) okoumé 1 108 000 (82), ozigo 78 000, acajou, alone, sipo, moabi. Exploitation facilitée par le Transgabonais. **Élevage** (milliers de têtes, 88). Volailles 2 000, porcs 154, moutons 84, chèvres 63, bovins 9 ; déficit en viande. **Pêche.** 20 900 t (87).

Énergie. *Pétrole* : recherches dep. 1928, off-shore dep. 1965 ; *réserves (millions de t)* : 100. *Prod.* : *1957* : 0,2 ; *60* : 0,8 ; *70* : 5,4 ; *76* : 11,3 ; *80* : 8,9 ; *81* : 7,6 ; *82* : 7,5 ; *83* : 8,7 ; *84* : 8,8 ; *85* : 8,6 ; *86* : 8,4 ; *87* : 7,8 ; *88* : 8,8 ; *89* : 10,5 ; *90* : 13,4 ; *91 (est.)* : 17,5. *Revenus pétr.* : (milliards de F CFA) : *1985* : 735 ; *86* : 60 ; *87* : 60 ; *88* : 8,8 ; *90 (prév.)* : 13, avec le nouv. gisement de Rabi-Kounga [(129 km², long. 14 km, larg. 5 km, réserves de 480 millions de barils) découvert 1989 par Shell-Gabon (dépasse ainsi Elf-Gabon avec 55 % de la prod.), exploité en association avec Elf-Gabon (30 %), Pétroles d'Aquitaine (13 %) et État (15 %)]. *Gaz* (millions de m³) : *60* : 7,5 ; *70* : 21,6 ; *80* : 70,6 ; *85* : 70,5 ; *86* : 66 ; *87* : 66 ; *88* : 66. *Électricité* : 900 millions de kWh (87) dont hydraulique 80 %. Potentiel 265,2 MW. **Mines.** *Manganèse* : réserves 200 millions de t (1/4 des réserves mondiales), exploité à Moanda dep. 1962 ; teneur 50 à 52 % ; exporté par téléphérique monocable de 76 km (le plus long du monde, 858 pylônes de 5 à 74 m) vers M'Binda (Congo) puis vers Pointe-Noire par chemin de fer (485 km : 285 construits par Comilog, 200 km du Congo-Océan). *88* : 2 254 000 t. *Uranium* : découvert 1958, réserves 35 000 à 40 000 t ; export. (métal) *82* : 1 100 t, *88* : 850. *Or* : 70 kg (87). *Fer* : gisement de Bélinga, réserves 850 millions de t, teneur 64,5 %. *Barytine. Talc. Plomb.*

Industrie. Sucreries. Raffineries de pétrole. Enrichissement de l'uranium. Bois. Métallurgie. Boissons. Tabac. Ciment. Textile. Chimie. Papier. Bâtiment. **Communication.** 3 chaînes de T.V.

Transports. *Routes* (km) bitumées 591, latérite 953, ordinaires 4 877 [dont construites 645 (au 1-4-87)]. *Transgabonais* (1974 : Owendo, Bélinga, Franceville). 944 km. Coût prévu : env. 1 000 milliards de F CFA. *Ports* : Owendo, Libreville, Port-Gentil. **Tourisme.** *Visiteurs* : 20 000 (88). Pointe Denis, Église St-Michel (Libreville). Plateaux Batéké, lagons de Mayumba, lacs de Lambaréné, lagunes et réserves zoologiques de Wonga-Wongué et de Alopé, pont de Poubara (canyon de Leconi).

Commerce (milliards de F CFA, 86). *Exportations* 364 *dont* pétrole 240, uranium 50, manganèse 44, bois 25 *vers (% 85) France 40,06,* U.S.A. 22,36, Espagne 8,52, G.-B. 5,03, Canada 4,6, P.-Bas 4, Italie 2,82, Japon 2,25, Chili 1,78. *Importations* 337 *dont* prod. manuf. 62, équip. de transp. 56, prod. alim. 47, métaux 32, prod. chim. 11 *de (% 85) France 51,2,* U.S.A. 11,1, Japon 7, All. féd. 6,3, Italie 4,6, Benelux 4, G.-B. 4, Canada 0,6.

Rang dans le monde (86). 8ᵉ uranium.

GHANA

V. légende p. 837.

Nom d'un empire soudanais (IVᵉ-Xᵉ s.). Les Portugais l'appelaient *El Mina* (la mine « d'or »), les Anglais, *Gold Coast* (Côte de l'Or jusqu'au 6-3-1957).

Situation. 238 537 km² ; *long.* 672 km, *larg.* 536 km. *Frontières* 2 048 km (Burkina, C.-d'Ivoire 640 km, Togo). *Côtes* 400 km. *Régions* : plaine côtière (16 à 24 km) formant une chaîne de grands plateaux, massif de grès recouvre les 2/3 du N., encadré au N. et au S. par des collines (200 à 500 m). *Fleuve* : Volta (barrage à Akosombo, forme le plus grand lac artificiel du monde, 8 500 km²). *Alt. max.* Mt Afadjato 885 m. *Végétation* : plaine côtière (variée) : de la forêt équatoriale aux prairies parsemées de taillis ; vers le N. moins luxuriant ; au-delà parc nat. (arbres, savanes, prairies) et savane (quelques arbres). **Climat** tropical adouci par brise sur la côte ; moy. 27 à 29 °C (août 21 °C) ; N. sec + 29 °C, déc. à févr. Harmattan (vent froid et sec). Pluies diminuent du S. (2 m) au N. (1 m) (sauf plaine d'Accra 0,7 m) ; 2 saisons pluvieuses au S. : juin-juillet (grosses pluies) et août-sept. (espacées) ; 1 au N. : juill.-oct.

Population. *1960* : 6 727 000. *1989* : 14 425 000 ; *2000 (prév.)* : 21 923 000. **Accroissement** : 2,6 %. **Âge.** *- de 15 a.* 49 %, *+ de 65 a.* 2 %. **En %** : Akans 44 (forêts de l'O. de la Volta), Dagombas-Mamprusis 16 (au N.), Éwés 13 (rég. de la Volta), Gâ-Adangbes 8 (plaine d'Accra et forêt au N.), Guans 3,7, Gourmas 3,5 ; moins de 15 000 Blancs. Plus de 400 000 h. d'expression française venant de Togo, Burkina, C.-d'Ivoire, Niger, Bénin. D. 60,4. *Espérance de vie.* 54 a. **Villes (88).** *Accra* 1 400 000 h., Kumasi 500 000 h. (à 270 km), Sekondi-Takoradi 200 000 h. (à 200 km), Tamale 170 000 h. (87) (à 800 km), Tema 105 000 h. (87), Cape Coast 72 000 h. (87) (à 140 km), Koforidua 70 000 h. (84). *Taux d'urbanisation* : 32 %. **Langues.** Anglais *(off.)*. *L. kwas* : akan (dialectes twi, fanti, ashanti, etc.), éwé, gâ-adangbe. *L. mossis* : dagbani, mamprusi. **Religions (%).** Musulmans 15 à 20, catholiques 14, protestants 29, animistes 38.

Histoire. **1471** 1ᵉʳˢ Européens (Portugais). **1482** construction du fort São Jorge d'Elmina ; comptoir commercial. **1600-1700** concurrence entre Cᶦᵉˢ à charte des Pays-Bas, Angl., Suède, Danemark, France, Brandebourg ; construction de châteaux et forts sur la côte, surtout pour traite de l'or et esclaves. **1700** essor de l'Ashanti (roi Osei Tutu). **1700-75** l'Ashanti conquiert la plupart des États de l'intérieur. **1800** déclin du commerce européen. **1800-75** Ashanti envahit la région côtière. **1850** départ des Danois. **1872** des Hollandais. **1873** invasion ashanti ; Anglais prennent Kumasi (Sagrenti War). Région côtière colonie brit. *(Gold Coast).* **1875-1901** g. de l'Ashanti, qui devient protectorat angl., ainsi que terr. du N. (1898). **1917** l'Ouest du Togo all. devient protectorat brit. **1956** vote pour l'annexion à la Gold Coast. **1957**-*6-3* indépendance : prend le nom de Ghana, Gouv. gén. et PM Kwame Nkrumah (1909-72), dit *Osagyefo* (Rédempteur). **1960** république. **1964** parti de Nkrumah (C.P.P.) devient p. unique. **1966**-*24-2* Nkrumah renversé pendant son absence par des milit. (maître à penser des Afr. révol., meurt en Guinée où Sékou Touré l'a pris comme « coprésident »). **1967** *avril* coup d'État contre Gᵃˡ Ankrah (Pt du Cons. de lib.) échoue. **1969** *avril* Gᵃˡ Afrifa remplace Ankrah mêlé à une affaire d'abus de confiance. *-29-8* élect. gagnées par le Progress Party de Kofi Busia (n. 1913). **1970** *sept.* élect. d'un Pt de la Rép. [Akuffo Addo (1906) ; avant, présidence exercée par commission de 3 personnes]. **1972**-*13-1* coup d'État du Lt-col. Ignatius Acheampong. **1978**-*30-3* référendum pour Pt (abstentions 50 %, oui 55 % des voix). *-5-7* Gᵃˡ Acheampong démissionne, remplacé par Gᵃˡ Akuffo. **1979**-*4-6* putsch, capitaine Jerry Rawlings au pouvoir jusqu'au 24-9 ; *-16/26-6* : 3 anciens chefs d'État (Gᵃᵘˣ Acheampong, Akuffo et Afrifa) exécutés. *Juin* affrontements tribaux Kokomba/Namumba (1 500 †). Crise écon. *-1/8-7* Hilla Limann (n. 1934) élu Pt. **1981**-*31-12* putsch du cap. Jerry Rawlings. **1982** 10 000 enseignants s'exilent. *-23-11* coup d'État échoue. **1983** *févr.* 500 000 à 1 000 000 Gh. expulsés du Nigeria rentrent. **1984**-*27-3* coup d'État échoue. **1985**-*nov.* affrontements tribaux (Moba/Kokomba).

Statut. Rép. (dep. 1-7-60). Membre du Commonwealth. *Conseil nat. prov. de déf.* (*P.N.D.C.,* 7 m.) dirigé par capitaine Jerry Rawlings (n. 1947) dep. 31-12-81. *Const.* suspendue. *Partis* interdits. **Fêtes nat.** : 6 mars (indép.), 1ᵉʳ juillet (j. de la Rép.). **Drapeau** : adopté 1957 : bandes horiz. rouge (sang des combattants de la liberté), jaune (or), et verte (forêt) ; étoile noire (liberté de l'Afrique).

Économie

P.N.B. (89) 355 $ par h. **Pop. active** (% et entre par. part du P.N.B. en %) agr. 45 (37), ind. 10 (26), services 42 (33), mines 3 (4). **Inflation** (%) *80* : 50,1 ; *81* : 116,5 ; *82* : 120 ; *83* : 123 ; *84* : 40 ; *85* : 10,4 ; *86* : 25 ; *87* : 40 ; *88* : 30 ; *89* : 25 ; *90* : 37,2. **Aide occidentale** (1988) : 0,6 milliard de $. **Dette extérieure** *90 (prév.)* : 3 milliards de $ (dont 23 % F.M.I.). *Service (est. 90)* : 336 millions de $; *en % des exp.* : 40 (avec le F.M.I.), 23,2 (sans le F.M.I.).

Agriculture. *Terres* cult. 26 % dont cacao 15 %. *Production* (milliers de t, 89) manioc 3 321, plantain 1 036, maïs 715, cacao 295 (90) (chute de 50 % des export. en 20 ans. *1960* : 300, *65* : 494), canne à sucre 110 (88), noix de coco 102 (88), riz 116 (88), oranges 50, tabac, kola, coton, palmier, ignames 1 279, sorgho, bananes, coprah, café. **Bois.** (89) 1,6 million de m³. **Élevage** (millions de têtes, 88). Volailles 12, chèvres 3, moutons 2,5, bovins 1,3, porc 0,7. **Pêche** (89). Marine 289 000 t, lacustre 58 000 t.

Énergie. *Électricité* (millions de kWh, 89) : barrage de la Volta à Akosombo 4 383, à Kpong 847, autres 90. *Gaz* : Pétrole (86) 20 000 t. *Industrie* : aluminium, prod. alim., raffineries de pétrole, cons. navales. *Mines* (milliers de t, 89) : manganèse 33,7. Bauxite 347 (*80* : 224). Or *70* : 32 t, *87* : 10,2. Diamants (milliers de carats) *1981* : 836, *84* : 342, *85* : 650, *88* : 450, *89* : 139,3.

Transports (km). Routes 35 000, chemins de fer 950, 3 compagnies de navigation fluviale (Volta, Densu, Ankobra). **Tourisme.** *Visiteurs* : 125 000 (89). *Sites* : lacs Volta et Bosomtwi, réserve de Mole, 25 forteresses anciennes.

Commerce (millions de $, prév. 90). *Exportations* 825,7 *dont* cacao 351, or 199, bois 88, électricité 82,

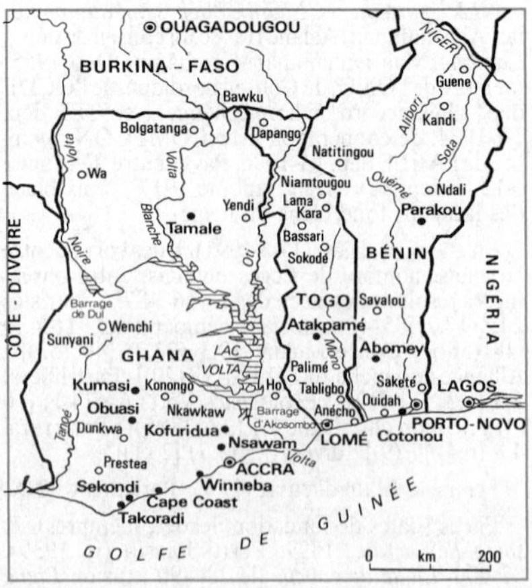

pétrole 23, manganèse 15, diamants 12, bauxite 10 ; *vers* (89 %) All. féd. 21,7, G.-B. 13, U.S.A. 11,4, Japon 6, P.-Bas 3,9, France 3,1. *Importations* 1 171,9 *dont* pétrole 214,5, autres 957,4 ; *de* (89 %) G.-B. 16,7, U.S.A. 10,3, All. féd. 8,5, Japon 5,1, P.-Bas 5, France 3,5. **Rang dans le monde** (89). 3e cacao. **Balance des paiements (1989) :** + 127 millions de $.

GIBRALTAR

V. légende p. 837.

Situation. Europe. 5,86 km². Péninsule. A 8 km d'Algésiras (Espagne), à 32 km du Maroc. *Rocher :* long. 4,8 km, larg. 1,2 km (le roc est percé de 25 km de tunnels). *Frontière* avec Espagne : 1,24 km. *Isthme :* long. 1,6 km. *Alt. max.* 426 m. *Côtes :* 6,5 km. **Climat.** Été 13 à 29 °C ; hiver 12 à 18 °C ; pluies 51 à 127 mm.

Population. *1961 :* 23 926 ; *70 :* 26 833 ; *87 :* 29 692 ; *88 :* 30 077 ; *89 :* 30 689 (d'ascendance surtout génoise, puis brit., port. et esp.) dont Gibraltariens 20 245, Britanniques 5 782, autres 4 482. D. 5 237. **Langues.** Anglais *(off.)*, espagnol. **Religions.** (%) Catholique romaine 74,6, anglicane 8,5, musulmane 8, juive 2,2, autres chrétiens 2,6, divers 4,1.

Histoire. Antiquité. *Noms : Alube* (Phéniciens), *Heraclea* (colonnes d'Hercule), *Calpe* (Grecs). **950 av. J.-C.** Phéniciens fondent *Carteia,* (ibér.). **570 av. J.-C.** prise par Carthaginois. **190 av. J.-C.** conquête romaine. **Ier s. apr. J.-C.** Romains fondent *Colonia Julia Calpe.* Occupation vandale. **409** Wisigoths. **450** une des 1res communautés chrétiennes d'Esp. **568** N.-D. du Roc, centre religieux wisigoth. **711** débarquement des Arabes dirigés par Tāriq ibn Ziyād (d'où *Djabal al Tāriq,* montagne de Tāriq, d'où Gibraltar). **1160** Abdel-Mumen développe la ville (mosquée, palais, système d'eau, défenses). **1309** pris par Esp. **1333** repris par Abul Hassan, sultan de Fès. **1410** pris par Maures de Grenade. **1462** reconquête esp.

1704-*24-7* pendant la g. de Succession d'Esp., l'amiral anglais George Rooke avec 2 300 soldats prend la forteresse défendue par 70 h. **1713**-*13-7 tr. d'Utrecht* cède à G.-B. comme base militaire (et non coloniale) cité, château, port, défenses et forteresse de G., dans l'état où ils se trouvaient en 1704 (depuis, la G.-B. s'est appropriée les territoires avoisinants), mais n'implique aucune juridiction terr. et n'autorise aucune communication par voie de terre avec le pays environnant, avec lequel tout commerce est interdit. Sous aucun prétexte, Juifs et Arabes ne pourraient s'y installer ; aucun navire de guerre barbaresque ne devrait être admis dans le port. La G.-B. ne pourrait donner, vendre ou aliéner G. sans offrir au préalable à l'Esp. le droit de préemption [cession confirmée par les tr. de Séville (1729), Vienne (1731), Aix-la-Chapelle (1756), Paris (1763), Versailles (1783)]. **1724** installation angl. à la « Torre del Diablo » au Levant, et au « Molino » au Ponant, sous prétexte qu'une forteresse est indéfendable si elle ne commande pas l'espace situé à la limite de la portée de ses canons. **1727** attaque esp. échoue. **1728** conférence de paix de Soissons. **1731** Esp. construit mur fortifié. **1779-83** siège franco-esp. **XVIIIe s.** *Zone neutralisée esp.* (La Linea) de 1,5 km entre fortifications de G. et murailles esp. défendant l'accès de l'isthme. **1810**-*20-1* sous prétexte que les fortifications pouvaient tomber aux mains des Fr., le Gal Campbell, gouverneur de G., exige leur démolition. **1815** fièvre jaune, les Angl. demandent à installer un camp sanitaire dans la zone neutralisée ; ils ne l'évacueront jamais. **1830** *colonie brit.* **1838** les Angl. établissent ligne de postes de garde à travers l'isthme. **1854** épidémie, avance angl. à travers la zone esp. **1864**-*26-1* protestations esp., fin de non-recevoir angl. **1876** G.-B. proteste contre création d'une zone maritime fiscale de 2 lieues (7 miles 500 yards). Incidents. **1881** les Angl. occupent 800 m de zone neutralisée, soutenant que G. n'est pas une base en Esp., mais un territoire britannique. G. devient un centre actif de contrebande malgré protestations esp. (1851 à 1852, 1868, 1876, etc.).

1908-*5-8* les Angl. construisent une barrière le long de la zone neutralisée et un mur pour séparer G. de l'arrière-pays. **1940-44** évacuation des civils en G.-B. **1942** Esp. occupe les 650 m subsistant de la zone neutralisée, les Angl. protestent. **1954**-*19-4* Esp. interdit l'entrée du Roc à tout Esp. qui ne fournirait pas un motif valable, supprime consulat esp., institue « numerus clausus » pour limiter nombre des ouvriers esp. autorisés à travailler à G. **1966**-*25-10* Esp. ferme frontière à tout véhicule, empêchant le passage des marchandises. **1967**-*2-4* Esp. déclare zone interdite l'espace aérien entourant G. (la G.-B.

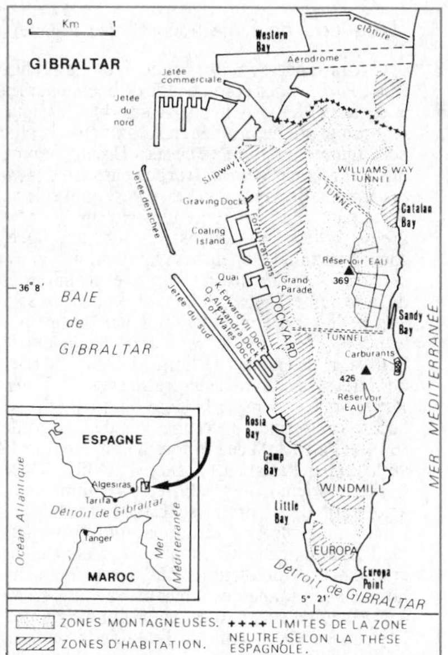

avait déjà interdit le survol de G.). Depuis, les Angl. ne peuvent utiliser l'aérodrome militaire installé sans droit sur l'isthme qu'au prix d'acrobaties périlleuses et de violations de l'espace aérien esp. *-10-9* G.-B. organise *référendum* sur maintien des liens avec G.-B. malgré l'O.N.U. (oui : 12 138, non : 44). Esp. considère que les Gibraltariens rassemblés là pour des raisons utilitaires n'ont ni origine, ni culture, ni traditions communes, ni caractéristiques constituant un peuple et une nation. Le droit d'autodétermination viole l'art. X du tr. d'Utrecht, les Brit. pouvant disposer de leur sort, mais non du terr. sur lequel ils sont implantés. **1968**-*8-5* Esp. ferme définitivement sa frontière (sauf pour 4 500 ouvriers esp. travaillant à G., Gibraltariens autorisés, et certains cas humanitaires). Elle applique ainsi le tr. d'Utrecht interdisant toute communication par terre avec l'arrière-pays. **1969**-*9-6* Esp. interdit aux ouvriers esp. (4 666) d'aller travailler à G. *-27-6* suspend ferry G.-Algésiras. *-1-10* coupe téléphone avec G. **1973** G. entre dans CEE comme territoire dépendant. **1977** ferry rétabli pendant vacances ; *déc.* téléphone rétabli. **1982**-*15-12* réouverture frontière (pour piétons habitant G.). **1985**-*5-2* réouverture à la circulation auto. **1987**-*10-11* manif. (12 000) contre toutes concessions à l'Esp. *-2-12* accord Angl. Esp. Gib. sur utilisation commune de l'aéroport. *-9-12* Sir Joshua Hassan (n. 12-8-1915) P.M. dep. 1957 démissionne. **1988**-*6-3* 3 m. de l'IRA tués par militaires.

Statut. *Colonie* (la + petite) *de la Couronne brit. Constitution* du 30-5-1969. *Chambre* 15 m. élus et 2 m. nommés. *Gouv.* et *Cdt en chef* Sir Derek Reffell. *PM* Sir Joe Bossano (n. 1939) dep. 24-3-88. **Partis.** GSLP (P. socialiste et travailliste, Joe Bossano), 8 sièges (58,22 % des voix), AACR (P. pour le progrès des droits de l'homme, conservateur, 29, 35 %), IDP (P. indép. et démocr., 10 %). **Drapeau :** britannique ; *de la cité :* blanc et rouge, représentant un château fortifié et une clé.

☞ L'O.N.U. avait sommé la G.-B. de décoloniser G. avant la fin de 1969. Les Gibraltariens sont les seuls Européens à ne pas être représentés au Parlement de Strasbourg.

L'Espagne propose : *a)* G. rendu à l'Esp. resterait administrée par des sujets angl. *b)* lois actuelles, libertés, organisation écon. et emplois seraient respectés. *c)* les Gibraltariens pourraient s'établir dans les mêmes conditions que les Esp.

Économie

P.N.B. ($ par h.). *1987 :* 8 000. **Croissance (%).** *1989 :* 10. **Inflation (%).** *1989 :* 1. **Ressources.** *Base* financière. *Droits* 76,6 millions de £ (87/88) : impôt sur le revenu, taxes indirectes, licences, revenus du domaine public, de services publics et de régies, remboursements de prêts, pas de T.V.A., conditions fiscales avantageuses pour banques et Stés de G. *Base* aéronavale importante. *Tourisme :* (89) 3 784 177 (162 438 par air, 78 014 par mer, 3 743 725 par terre). **Aide de la G.-B.** (en millions de livres). *1980 :* 4,9, *88 :* 0,7. **Dépenses militaires brit.** 20 % du budget. **Commerce** (en milliards de £, 89). *Exportations* 46 *dont* (ré-export) prod. pétroliers 34, boissons 13, prod. man. 1,5 *vers* G.-B. 29, Maroc 12, Espagne 8. *Importations* 145 *dont* fuel 36,5, prod. manuf. 26, prod. alim. 24, boissons 12, *de* G.-B. 66, Espagne 19, Japon 17,5, *France 5,5,* Italie 3.

GRÈCE

Carte p. 957. V. légende p. 837.
Littérature ancienne p. 321, moderne p. 31

• **Situation.** Europe. 131 957 km² (dont îles 24 796 km²). Montagnes 80 %. **Alt. max.** Mt Olympe 2 917 m., Smolikos 2 637 m. **Côtes** 15 021 km. **Frontières :** 1 180 km dont Yougoslavie 256, Albanie 247, Bulgarie 474, Turquie 203. **Iles** env. 2 000 (dont 154 habitées) : 18,7 % du pays. **Fleuve le plus long :** Aliakmon 297 km. **Lac le plus grand :** Trichonis 96,5 km². **Forêts** 88 148 km².

Climat méditerranéen : été long, chaud et sec, hiver doux, ensoleillement 3 000 h par an, précipitations en hiver (nov. à févr.). *Athènes :* janv. 10,5 °C, juill. 28 °C. Été : recouverte par le *Nefos,* nuage de pollution formé de plusieurs dioxydes (apparu 1979 ; limitation de la circulation des voitures par moitié).

> **Mont Athos**
>
> Presqu'île. Long 45 km. Large 8 à 10 km. *Alt. max.* 2 034 m. *Pop. Moines : XVIe s. :* env. 15 000, *1912 :* 8 000, *1981 :* 1 471.
>
> *Statut.* Centre monastique orthodoxe. *1913,* reconnu provisoirement indépendant et sous tutelle gr. *1920,* partie auto-administrée de la Grèce. (représentée par un gouv. dépendant du min. des Aff. étrangères). Régime réglé par la Charte statutaire incorporée au décret du 10-9-1926. Administré par la Ste Communauté résidant à Karyès (20 *antiprosopoi* représentant les 20 couvents, élus en janvier et dont 4, les *épistates,* se partagent le pouvoir exécutif sous la présidence de l'un d'eux, le *protépistatis,* élu pour 5 ans).
>
> L'*abaton* (inaccessible), règle de Constantin Monomaque datant de 1060, en interdit l'accès à toute femme, toute femelle d'animal, tout enfant, tout eunuque, tout visage lisse.

• **Préfectures** (superficie en km² et, entre parenth., population en 81). **Grand Athènes** 427 (3 027 331, dont Attique 342 093) avec les îles du golfe Saronique : 71, Salamine 93,2 (28 574) et Egine 85 (11 127). **Grèce centrale et Eubée** 24 391 (1 099 841) (Eubée 3 775 km², 188 410 h.). **Péloponnèse** 21 379 (1 012 528), avec l'île de Cythère 262 (3 384), Spetsae 22 (3 500). **Iles Ioniennes** 2 302 (182 651) [7 îles princ. dont Céphalonie 781 (31 000), Corfou (Kerkyra) 592 (99 477), Leucade (Lefkas) 302 (21 863), Zante 402 (30 014), Ithaque 96 (3 646)]. **Epire** 9 203 (324 541). **Thessalie** 14 037 (695 654). **Macédoine** 34 177 (2 121 953 dont ag. Salonique 706 180). **Thrace** 8 578 (345 220) avec les îles de Lemnos 477 (17 000), Thassos 398 (13 111) et de Samothrace 180 (2 871). **Iles de la mer Égée** 9 036 (428 533) ; *3 archipels : Sporades du N.* (notamment Skiathos 61 (3 500), Skopelos 96 (4 500), Skiros 210 (2 500). *Sporades du S.* (appelées aussi *Dodécanèse,* « Douze îles » (en fait 14) : reprises à l'Italie en 1946, notamment Cos 290 (16 000), Kalymnos 109 (12 000), Karpathos 280 (3 000), Kassos 62 (1 000), Léros 64 (8 000), Nisyros 43 (1 500), Symi 67 (3 000), Tilos 59 (1 000) avec Rhodes, 1 398 (60 000) et Castelorizzo. *Cyclades* [dont font partie Amorgos 123 (1 300), Andros 304 (11 000), Délos Kythnos 86 (1 500), Milo (Mélos) 161 (4 500), Mykonos 85 (3 500), Naxos 442 (14 000), Paros 195 (6 500), Sérifos 70 (1 500), Siphnos 74 (2 000), Syros 86 (30 000), Théra (Santorin) 76 (10 000), Tinos 195 (10 000)] ; *les 3 îles orientales :* Chio 858 (60 000), Lesbos (Mytilène) 1 614 (62 000), Samos 491 (35 000), occupées par les Ottomans ; se sont souvent révoltées (*1822 avril* massacres à Chio ; *1849* à Samos ; *1908, 1912* rendues à la Gr.). **Crète** 8 336 (502 165).

Distance d'Athènes à Alexandropolis 849 km, Cavala 671, Delphes 164, Larissa 356, Météores 350, Nauplie 147, Olympie 326, Patras 213, Salonique 508, Volos 316.

• **Population.** (en millions). [*1812 :* 0,94 ; *40 :* 0,85 (47 516 km²) ; *53 :* 1,04 ; *70 :* 1,46 (50 211) ; *89 :* 2,19 (63 606) ; *1907 :* 2,63 (63 211) ; *20 :* 5,02 (127 000) ; *28 :* 6,21(129 281) ; *40 :* 7,34 ; *51 :* 7,63 (131 990) ; *61 :* 8,39 ; *71 :* 8,77 ; *85 :* 9,95 ; *88 :* 10,03 ; *2000 (prév.) :* 10,73.] Grecs 98,5 %, Turcs (musulmans) 0,9 % (env. 120 000 en Thrace occidentale en 1990, représentés par 1 et souvent 2 députés au Parlement dep. 1923). Pomaques (minorité bulgare convertie à l'islam) 0,3 %, Arméniens 0,2 %. – *de*

15 a. 22 % *+ de 65 a.* 13 %. D. 76. **Villes** (81). *Athènes* 885 737 [ag. 3 800 000 (89)] [40 % de la pop. grecque, 60 % de l'industrie, 65 % du commerce de gros]. Thessalonique 706 180, seule « métropole d'équilibre », Patras 154 596, Héraklion 110 958, Volos 107 407, Larissa 102 248, Cavalla 56 375, Corinthe 22 658.

Grecs à l'étranger. 4 378 000 dont U.S.A. 2 237 000 (Chicago 300 000), Asie 522 000 (Chypre 510 000), Océanie 505 000, Europe 650 000 (All. féd. 287 000, G.-B. 200 000, Turquie 5 000, Albanie 250 000 [Épirotes du Nord], Italie 4 500, *France 40 000*), U.R.S.S. 344 000, Afrique 120 000 (Égypte 5 000).

☞ **Ponthios.** Originaires du Pont-Euxin. *Nombre :* 2 millions (dont moitié en Grèce). *Ve s. av. J.-C.* cités puissantes et prospères sur les côtes sud de la mer Noire. *1461* Ottomans prennent Trébizonde, Gr. éloignés vers Turquie. *Années 20* chassés par Mustapha Kemal (*de 1916 à 1923 :* 350 000 tués sur 750 000) ; les survivants se réfugient en Gr. et dans le Caucase soviétique. *1937* plusieurs milliers déportés en Sibérie. *1945-46* plusieurs dizaines de milliers déportés dans le Kazakhstan et en Ouzbékistan). *1988* (mars) ouverture des frontières ; les Ponthios d'Asie centrale puis de Géorgie débarquent à Korydallos, Lavrion, Menedi (20 000 Ponthios sur 70 000 habitants). *1989* 5 000 immigrés. *1990* 15 000 prévus (100 000 jusqu'en 1992). Veulent fonder une nouvelle ville, Romania, en Thrace.

• **Langue.** Grec (*off. : démotiki* dep. 1976). Dérive du « g. commun » parlé dans l'emp. d'Alexandre, puis dans la majeure partie de l'Emp. romain. Avant le « grec commun », il y avait les 3 dialectes des Grecs, anciens, puis classiques : *éolien* (N. et O.) ; *ionien* (centre ; l'attique était le plus élégant) ; *dorien* (S. et S.-E.). Ils formaient le rameau hellénique des l. indo-européennes orientales : le *katharevoussa* (c'est-à-dire épurée) fut la l. officielle jusqu'en 1976 ; élaborée à Paris par un réfugié grec, Adamantios Coraïs (1748-1833), elle comprenait de nombreux éléments du grec ancien. La l. populaire, *démotiki,* devenue littéraire depuis les travaux de Jean Psycharis (1854-1929), l'a remplacée.

☞ En Laconie (occupée par Doriens au XIIe s. av. J.-C., capitale Lacédémone, aujourd'hui département du Péloponnèse) les habitants avaient pour habitude d'employer le moins de mots possible.

Alphabet grec classique. Créé en Asie Mineure v. 900 av. J.-C., adopté à Athènes en 403 av. J.-C. 24 signes dont 14 empruntés sans changement (même nom, même son) à l'alphabet phénicien (22 signes, uniquement des consonnes) ; 8 réutilisés, pour d'autres consonnes ou des voyelles (invention capitale) ; 2 créés pour des lettres doubles : *psi* et *xi.*

Α α	alpha	Ν ν	nu
Β β ϐ	bêta	Ξ ξ	ksi
Γ γ	gamma	Ο ο	omicron
Δ δ	delta	Π π	pi
Ε ϵ	epsilon	Ρ ρ	rô
Ζ ζ	dzéta	Σ σ ς	sigma
Η η	êta	Τ τ	tau
Θ θ	thêta	Υ υ	upsilon
Ι ι	iota	Φ ϕ	phi
Κ κ	kappa	Χ χ	khi
Λ λ	lambda	Ψ ψ	psi
Μ μ	mu	Ω ω	oméga

• **Religions.** En % : Orthodoxes 97 *(off.),* musulmans 1,2 (150 000 dont 120 000 de Thrace occid., 25 000 Pomaques bulgarophones des Rhodopes, 4 000 de Rhodes et Kos), chrétiens divers 0,83, juifs 0,08.

Sites voir **histoire** ci-dessous. Monastères byzantins (Daphni, Ossios Loucas, Mystra).

Histoire

Grèce ancienne (avant J.-C.)

• **Période égéenne ou préhellénique. Paléolithique** (100 000-8 000). Outils trouvés en : Épire, Macédoine (homme type Neandertal), Thessalie, Corfou et Céphalonie, Sporades, Attique, Péloponnèse. **Mésolithique** (VIIIe-VIe mill. av. J.-C.). Grotte de Frachti à Ermioni. **Néolithique et Chalcolithique** (Ve-IIIe mill. av. J.-C.) autour de la mer Égée : Troie et Asie Mineure occidentale (où naît l'industrie du bronze) ; Cyclades, Crète, Péninsule grecque. Acropoles (villes hautes et fortifiées) : *Sesklo, Dimini* (Grèce). 1re apparition du type architectural de *mégaron.*

Age du Bronze. Helladique ancien (2600-2100) : *Lerne* en Argolide (cité avec fortifications et palais). Céramique vernissée (style Urfirniss). *Cycladique ancien :* épanouissement de l'art : « idoles cycladiques ». *Minoen ancien :* vestiges d'habitations à *Vassiliki* et *Myrto* (Iérapétra). Caractéristique générale : habitations groupées. Turquie : *Troie I* (v. 2500). **Helladique moyen ou minyen** (2100-1570) : infiltration indo-européenne : Ioniens, Achéens, Éoliens dans le Péloponnèse (y apportent le cheval), céramique. Ruines du palais fortifié de Dorian-Malthie à *Messénie.* **Cycladique moyen :** vestiges des centres d'habitation à *Milos, Paros* (Parikia), *Kéa* (Aghia Irini). **Minoen moyen :** phase des premiers palais : *Cnossos, Phaestos, Mallia, Aghia Triada. Helladique récent ou mycénien* (1580-1100 av. J.-C.) : Crète ; civ. détruite en 1400, on a supposé que l'explosion du volcan Santorin en avait été la cause en 1475 (or, une éruption volcanique gigantesque avait eu lieu en 1656 d'après l'analyse des dépôts du Groenland). Considérée actuellement comme point de départ de la légende des Atlantes. **Helladique récent ou mycénien** (1580-1100) : Péloponnèse (également Béotie et Attique) : civilisation inspirée des palais crétois, mais plus militaire (tradition indo-européenne) : château fortifié à l'écart des villes. Villes principales : *Mycènes* (acropole avec palais), *Tirynthe, Pylos* (palais de Nestor ; écriture dite linéaire B). **Cycladique récent :** *Milos* (palais de Phylacopie), *Thira* (ville avec maisons de 2 ou 3 étages ; écriture linéaire A). **Minoen récent :** phase des seconds palais : *Cnossos, Phaestos, Isopata* (tombes royales). Écriture linéaire A et B. **v. 1250** date de la « g. de Troie » (voir ci-contre). **Subminoen et submycénien** (1200-1000). Apogée : **V. 1200** destruction de la civilisation mycénienne du Péloponnèse par un peuple inconnu, longtemps identifié à tort avec les *Doriens* (raid dévastateur, sans occupation du sol) ; il s'agirait peut-être des « Héraclides », groupe de 50 tribus thessaliennes.

La guerre de Troie (racontée par l'Iliade)

Circonstances. *Priam,* roi de Troie, a 50 fils. L'un, *Pâris,* choisi comme juge de beauté par les 3 déesses Héra, Athéna, Aphrodite, désigne Aphrodite qui lui promet en récompense la plus belle femme du monde ; ce sera *Hélène,* femme du roi mycénien *Ménélas* (roi de Sparte, fr. d'*Agamemnon,* r. de Mycènes et d'Argos) qu'il enlève. Pour punir Pâris et reprendre Hélène, les rois grecs (Achéens et Éoliens) forment une ligue, sous le commandement d'Agamemnon. *Principaux rois : Achille,* fils du roi des Myrmidons et de la nymphe Thétis qui le plongea dans le Styx afin de le rendre invulnérable, mais le tint par le talon. Elevé par le centaure Chiron qui le nourissait de moelle de lion. Meilleur guerrier des Grecs, se couvre de gloire au siège de Troie. Retiré sous sa tente à la suite d'un chagrin, se décide à retourner au combat le j. de la mort de son ami Patrocle. Tue Hector, mais meurt, blessé au talon par Pâris) ; les 2 *Ajax* [1. le fils d'Oilée (r. des Locriens), tué par Poséidon comme sacrilège (rapt de la prêtresse Cassandre, fille de Priam, à laquelle Apollon donna le don de prophétie. Trompé par elle, il la condamna à n'être jamais crue dans ses prédictions. Captive d'Agamemnon, elle lui donna des jumeaux, revint avec lui à Mycènes où elle fut tuée par sa femme jalouse, Clytemnestre) ; 2. le fils de Télamon (r. de Salamine), se suicide pour n'avoir pas obtenu les armes d'Achille] ; *Diomède,* prince d'Argos (compagnon d'Ulysse au cours d'un raid dans le temple de Troie) ; *Idoménée,* r. de Crète, exfiancé d'Hélène (semblable au sanglier par la vaillance) ; *Nestor,* r. de Pylos, sage vieillard ; *Ulysse,* r. de l'île d'Ithaque [célèbre par ses ruses ; auteur avec Diomède d'un raid sur le temple troyen où il vole le voile de la déesse (palladium) ; à son retour (sujet de l'Odyssée) la fidèle *Pénélope* (fille d'Icare) qui fit attendre ses prétendants pendant 20 ans (elle avait promis de se marier quand sa tapisserie serait finie, mais chaque nuit, elle défaisait l'ouvrage du jour précédent)] ; *Philoctète,* r. de l'Œta (rendu enragé par une morsure de serpent). *Autres héros : Énée,* fils d'Aphrodite, émigré en Italie et ancêtre de la nation étrusco-romaine (héros de l'Énéide, poème de Virgile) ; *Dolon,* le loup-garou, tué par Diomède et Ulysse ; *Andromaque,* femme d'Hector.

Déroulement. 10 ans de combats indécis (Hector, fils de Priam et d'Hécube, tue Patrocle, ami d'Achille, Achille tue Hector, Pâris tue Achille, etc.). Victoire des Grecs grâce à une ruse : ils font semblant de se retirer en laissant, comme offrande aux dieux, un énorme cheval de bois. Les Troyens le font entrer dans leur ville, mais il contenait des guerriers (dont Diomède). La ville est prise et brûlée ; Énée s'enfuit en portant son père Anchise sur son dos ; il se réfugie en Italie. Un des guerriers, *Stentor,* avait une voix plus forte que celles de 50 hommes ensemble ; il osa défier Hermès, héraut de l'Olympe, et succomba.

Données archéologiques. Troie sur la butte d'Hissarlik, à 20 km de l'Hellespont, domine la vallée du Scamandre : 2 ha, avec mur d'enceinte. La population n'a jamais dépassé 300 hab., dont 75 soldats. On a retrouvé 9 couches stratigraphiques. Celles qui correspondent *(entre 1420 et 1250)* sont Troie VI et Troie VII. Seule Troie VI a l'aspect d'une bourgade prospère. Elle a été détruite par un séisme pendant le siège. Aucune trace d'opérations militaires prolongées. Homère a inventé une guerre à partir d'un raid de pirates mycéniens. Le « trésor de Priam », trouvé par l'archéologue allemand Heinrich Schliemann (1822-90) en 1870 (bijoux en or), date du millénaire précédent. Il a disparu du musée de Berlin en 1945.

• **Période hellénique. Début du XIe s.** arrivée des Doriens, au parler archaïque (proche de l'indo-européen) ; demeurés depuis 2000 en Thessalie, repeuplent le Péloponnèse ; civilisation du fer. Styles *géométrique* (1000-700), *dédalique* et *orientalisant* (700-600), *archaïque* (600-480), *classique* (480-323), *hellénistique* (323-31).

XIe-VIIIe s. colonisation des Cyclades et de l'Asie Mineure, adoption de l'alphabet anatolien. Naissance des 3 grandes cités : Athènes, Corinthe, Sparte. **VIIIe-VIe s.** colonisation du pourtour de la Méditerranée et de la mer Noire (Pont-Euxin). Réformes démocratiques de *Solon* (v. 640-558), l'un des *Sept Sages* (les 6 autres sont : Cléobule de Lindos, Périandre de Corinthe, Pittacus de Mitylène, Bias de Priène, Thalès de Milet, Chilon de Lacédémone). Tyrannie de *Pisistrate* à Athènes (561-527), de *Polycrate* (533-523) à Samos. *Cléomène,* roi de Sparte (520-489). **508-507** Réforme démocratique de *Clisthène* à Athènes. Voir encadré p. 959. *Thémistocle,* archonte (493) ; prééminence militaire et navale d'Athènes.

Guerres médiques (contre la Perse), victoires gr. : *Marathon* (490), *Salamine* (480), *Platées* (479). Confédération athénienne de *Délos* (478-77) pour libérer la Gr. d'Asie, s'oppose à la ligue péloponnésienne de Sparte, puis conclut avec elle la paix de Trente Ans (446). *Siècle de Périclès* (v. 495-429) : fils du stratège Xanthippos et apparenté aux Alcméonides [apogée de : architecture, avec Acropole et Pirée ; philosophie (Socrate et Platon) ; théâtre (Sophocle et Euripide) ; histoire (Hérodote)]. **447** *Coronée* les aristocrates Béotiens battent les démocrates Ath. **443-429** Périclès maître de l'État. **431-404** *g. du Péloponnèse* entre Athènes et Sparte. **431** les Platéens, démocrates vivant à Thèbes, cité aristocratique, rejetant l'autorité des Thébains, avaient la protection d'Athènes ; les Thébains font contre eux un raid qui échoue. **429-427** *Platées* assiégée et détruite. **421** *tr. de Nicias,* défaites athéniennes à *Mantinée* (418) et en Sicile, puis victoires *(Abydos, Cyzique),* et triomphe spartiate (*Aegos-Potamos* 405) : Sparte impose le gouv. aristocratique des *Trente.* **394-362** g. de revanche contre Sparte, menée par coalition thébo-athénienne : Agésilas II, roi de Sparte (398-358), bat les confédérés à *Coronée* (394) ; sauve Sparte malgré défaite de *Leuctres* (371). **377-362** hégémonie de Thèbes. **362** Epaminondas tué à *Mantinée,* victoire sur Sparte. **357** confédération (Phociens, Athéniens, Spartiates) contre Thèbes qui écrase Phocidiens avec l'aide de Philippe II de Macédoine (les Macédoniens appartenaient à des tribus gr. apparentées aux Doriens. Leurs rois disaient descendre de la famille royale de Téménides, originaire d'Argos). Conscient du péril macédonien, Démosthène (Ath., 384-322) invite les Gr. à l'union.

Essor de la Macédoine. 338 *Chéronée :* Philippe II (v. 382-336) bat Thébains et Athéniens. **337** congrès hellénique de Corinthe : les Gr. déclarent une g. nationale contre la Perse, avec Philippe comme généralissime (assassiné l'année suivante par Pausanias). *Alexandre* (356-323), fils de Philippe, bat les Perses (334 *Granique,* 331 *Arbèles*), atteint l'Indus. (monté sur Bucéphale). A sa mort, ses Gaux [Antigone (v. 380/85-301 roi d'Asie 307), Seleucos Ier Nicator (le Vainqueur) (v. 358-280), Ptolémée Ier Soler (le Sauveur) (v. 367-283 roi d'Égypte 305-285 fils de Lagos) se partagent son empire et créent la civilisation gr. d'Orient (hellénistique), qui durera 10 s. Centre principal : Alexandrie (Égypte). En Macédoine et dans le reste de la Gr. ancienne : dynastie des Antigonides (277). **318** Antipater, roi de Mac., meurt. Cassandre [(v. 358-247) s.f., tue Olympias, mère d'Alexandre (et + tard sa femme Roxane et son fils Aegos), épouse Thessalonica demi-sœur d'Alex.] s'allie à Seleucos, Ptolémée Ier et Lysimaque contre Antigone. **301** Antigone (n. v. 380-85) tué à Ipsios.

Guerres de Macédoine contre les Romains : **215-205** 1re g. Philippe V Antigonide s'allie à Hannibal contre Romains, échec. **200-197** 2e g. *Cynoscéphales* Flaminius bat Macédoniens, les cités reprennent leur indépendance. **194-183** *Philopœmen* stratège de la Ligue achéenne (coalition des cités gr. pour résister aux Romains, créé 280) ; tué par les Messéniens, acquis à Rome. **171-168** 3e g., Paul Émile, consul romain, bat Persée, fils de Phil. V, à *Pydna ;* Macédoine divisée en 4 districts autonomes. Anarchie.

Période romaine
146 av. J.-C. - 330 apr. J.-C.

146 la Mac. puis toute la Gr. deviennent romaines (à partir de 27 av. J.-C., provinces d'Achaïe). **88-84** Épire, Macédoine et de nombreuses cités soutiennent Mithridate contre Rome : échec. *Sous l'empire* les cités gr. ont un régime libéral (villes libres ou cités fédérées). Villes principales : Athènes (université), Corinthe (colonie romaine), Patras (colonie fondée en 16 apr. J.-C.). A partir de Dioclétien (284 apr. J.-C.), fait partie du diocèse de Mésie, allant au N. jusqu'au Danube. **326** fondation, à Byzance, de Constantinople, qui éclipsera Athènes comme capitale : une grande partie de la pop. gr. se concentre en Asie Mineure, laissant la péninsule gr. presque vide. **395** rattachée à l'empire d'Orient (empereurs, voir Turquie). **396** Alaric (roi des W.) pille Péloponnèse, repoussé par Stilicon.

• **Grands ensembles. Architecture ancienne. Grèce.** *Athènes, Corinthe, Délos, Delphes* (à l'origine Pythia, d'où le nom de pythie pour la prêtresse d'Apollon qui rendait des oracles), *Épidaure, Olympie.*

Sicile. *Agrigente :* temples de la Concorde, d'Héra, de Castor et Pollux, d'Héraclès, de Zeus. *Sélinonte :* 6 temples. *Taormine :* théâtre, temples.

Turquie. *Pergame :* autel de Zeus (frise au musée de Berlin), gymnase, bibliothèque, thermes, théâtre, temples, agora. *Éphèse, Milet, Priène,* etc.

• **Premiers monuments. Acropoles.** *Tirynthe ; Mycènes* (porte des Lionnes : triangle de décharge) (Péloponnèse). **Murailles.** *Mycènes :* murs « cyclopéens » faits de gros blocs, des petites pierres comblant les interstices. *Tirynthe :* murs pélagiques (blocs irréguliers, sommairement ravalés ; 7 à 8 m d'ép., 17 m dans les parties casematées). *Gla* (en Béotie) : les + longues. **Tombeaux.** « A fosses » (Mycènes) et « à chambre ». Tumuli de Troade. **Trésors.** « Tombes en tholos » ou « à coupole » de l'époque mycénienne abritant les offrandes de la cité à son roi ou prince. Baptisées trésors par erreur à cause de la richesse de ces offrandes : *Mycènes* (trésor d'Atrée) ; *Orchomène* (Béotie, prétendu trésor de Minyas) ; *Archanaï* (Crète).

• **Monuments classiques (av. J.-C.). Édifices pour assemblées politiques ou religieuses.** *Athènes :* agora (centre de la vie publique, VIe s. av. J.-C.). *Éleusis :* télestérion (portique dorique du IVe s. par Philon : 54,15 × 51,80 m). *Délos :* salle hypostyle (fin IIIe s. : 57 × 34 m). **Turquie.** *Milet :* bouleutérion (sénat). *Priène :* ecclésiastérion (parlement). **Fortifications.** *Samikon* (VIe-Ve s.). *Thasos. Éleuthère* (IVe s.). *Égosthènes.* **Italie.** *Euryale,* forteresse de *Syracuse* (début IVe s.). *Paestum.* **Portiques ou stoas** [boutiques, lieux pour les offrandes, abris pour les visiteurs ou malades, réfectoires ou dortoirs, usage profane, lieu de réunion des philosophes (le stoïcisme)]. *Athènes :* stoa d'Attale. *Argos :* heraïon. *Délos. Delphes. Olympie.* **Turquie.** *Pergame.* **Stades.** *Athènes* (70 000 places). *Corinthe. Délos. Delphes* (5 000 places). *Épidaure. Olympie* (45 000 places).

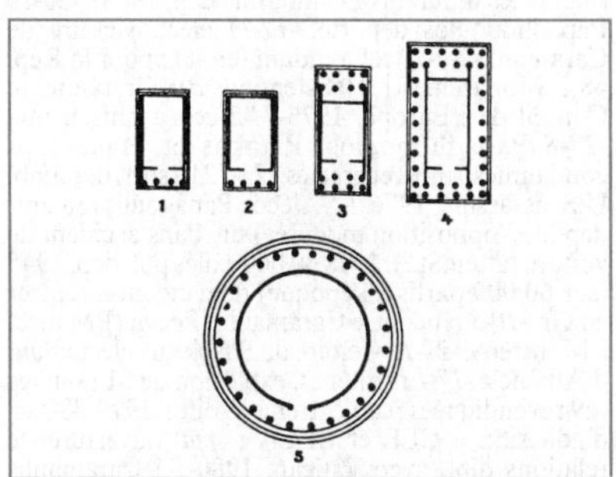

Ordonnances de temples grecs. 1. In antes. – 2. Prostyle. – 3. Amphiprostyle. – 4. Périptère. – 5. Tholos. *(Guides Bleus)*

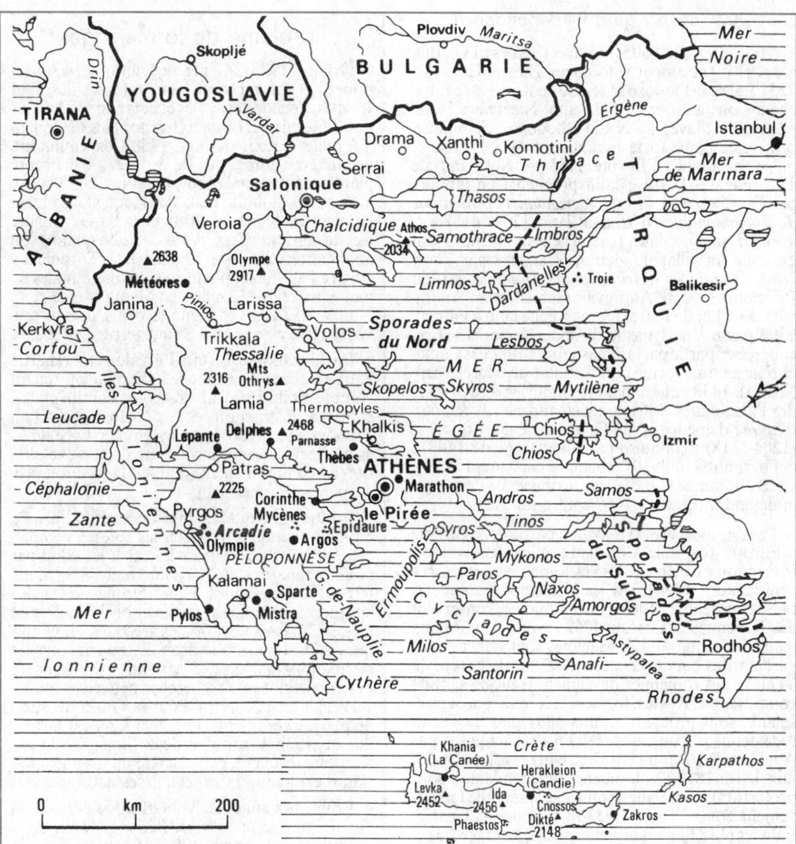

Définitions. *Bouleutérion :* salle de réunion de l'Assemblée municipale (Boulè). *Hypostyle* (« sous les colonnes ») : grande salle dont le plafond est supporté par des colonnes. *Odéon* (gr. ôdeion, même sens) : destiné aux auditions musicales. *Télestérion* (« bâtiment éloigné ») : salle réservée à des initiés.

Temples

1°) Caractéristiques. En général bâti sur un *podium* (ou krepis), plate-forme de 3 marches dont la 3e est appelée *stylobate.* L'ensemble du sanctuaire s'appelle *téménos.* Une clôture, le *péribole,* l'entoure. *Prostyle :* temple ayant un portique à colonnes devant l'entrée, tourné généralement vers l'est. *Amphiprostyle :* t. ayant un portique à chaque extrémité. La partie fermée du t. s'appelle *secos.* Le t. comprend : le *naos* ou *oikos* (en latin : cella), partie centrale où se trouve la statue du culte, le *pronaos,* vestibule, et l'*opisthodome,* partie du t. répondant sur la façade postérieure. Certains t. ont un *propylée :* entrée monumentale, un *adyton,* accessible uniquement aux prêtres, qui contenait l'idole ou servait de ch. d'oracle, et un *stoa :* portique. *Tholos :* sépulture à rotonde et à coupole ; puis temple circulaire. *Toiture :* dans les grands édifices, avec, au milieu, une ouverture rectangulaire pour la lumière (t. hypèthres).

2°) Classification. Depuis Vitruve (Ier s. av. J.-C.) suivant : 1) l'*ordre* (ou type de colonne et de chapiteau) utilisé : dorique, ionique ou corinthien ; 2) la *disposition des colonnes,* s'ils comprennent : des *antes :*

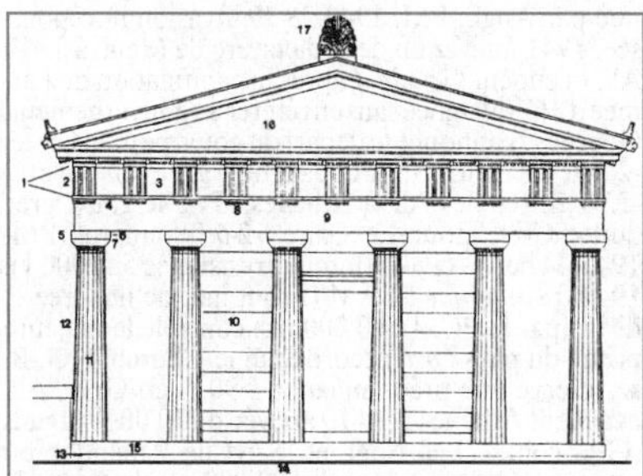

Façade de temple dorique : 1. Frise. – 2. Triglyphe. – 3. Métope. – 4. Listel. – 5. Chapiteau. – 6. Abaque. – 7. Échine. – 8. Goutte. – 9. Architrave. – 10. Naos. – 11. Fût cannelé. – 12. Colonne. – 13. Euthyntéria. – 14. Fondations. – 15. Crépis. – 16. Fronton. – 17. Acrotère. *(Dictionnaire de l'Archéologie. Laffont)*

embouts des 2 murs encadrant les 2 colonnes peu saillantes ; un *péristyle* simple *(périptère)* ou double *(diptère)* avec colonnes indépendantes ; un *pseudo-périptère* ou *pseudo-diptère* si les colonnes sont engagées dans le mur ; 3) le *nombre des colonnes* du portique en façade (2 : distyle ; 4 : tétrastyle ; 6 : hexastyle ; 8 : octastyle ; 10 : décastyle). Suivant l'espacement des colonnes, le temple peut être : pycnostyle : col. espacées de 1 diamètre 1/2 ; systyle : 2 diam. ; eustyle : 2 1/4 ; diastyle : 2 3/4 à 3 ; aérostyle : + de 3.

3°) Temples doriques. Grèce. *Athènes :* Parthénon [périptère, construit par Ictinos et Callicratès, de 447 à 432 ; long. : 69,50 m ; larg. : 30,85 m ; haut. des colonnes : 10,43 m ; partie des frontons de la frise au Brit. Museum, Londres [marbres de Lord Elgin, (1766-1841), donnés par la Turquie pour remercier l'Angl. de l'avoir aidé en Égypte contre Bonaparte, lorsque celui-ci devint l'allié des Turcs en attaquant les Russes, Elgin dut finir les travaux précipitamment] ; le 26-9-1687, un obus vénitien atteignit le Parthénon qui servait de poudrière aux Turcs, [14 des 46 col. de gal. furent abattues] ; Théséion (vers 428 ; périptère ; le t. grec le mieux conservé ; 31,77 × 13,64 m ; haut. 10,38 m). *Bassae* (près de Phigalie) : t. d'Apollon (consacré peu après 420, construit par Ictinos ; 38 × 14,30 m ; bien conservé). *Corinthe :* t. d'Apollon (dorique archaïque, 550 à 525 ; 53,30 × 21,36 m). *Delphes :* t. d'Apollon (IVe s. ; 60,30 × 28,80 m ; ruiné). *Égine :* t. d'Aphaïa (480 ; groupes des frontons à Munich ; 29 × 14 m). *Épidaure :* t. d'Asclépios (375). *Némée :* t. de Zeus (fin IVe s.). *Olympie :* t. de Zeus [460 ; périptère par Libon d'Elée, ruiné (64 × 28 m ; haut. 25 m ?)] ; t. d'Héra (vers 640 ; 50 × 19 m) ; t. Métrôon. *Sounion :* t. de Poséidon (v. 425). *Tégée :* Athéna Aléa (IVe s.). **Italie continentale.** *Paestum* (IVe et Ve s.) : t. de Poséidon (Ve s., bien conservé) ; t. « Basilique » (VIe s.) ; t. de Déméter. **Sicile.** *Sélinonte* (VIe s.) : 7 grands t. *Agrigente* (430 av. J.-C.) : t. de la Concorde. *Ségeste* (430 av. J.-C.) : t. inachevé. *Syracuse* (Ve s.) : t. d'Athéna (église Ste-Lucie).

☞ *Cariatides.* Nom des jeunes filles lacédémoniennes célébrant le culte d'Artémis Caryatis dans son temple à Carya (près de Sparte). Les habitants de Carya s'étant alliés avec Perses, les Grecs tuèrent les hommes et emmènent les femmes en captivité. Les architectes grecs figurèrent celles-ci à la place de leurs colonnes (mot fixé en 1546). Ils utilisèrent aussi des figures d'hommes (appelées Perses, ou parfois Atlantes en Grèce, ou Télémones à Rome).

Du Moyen Age à l'Indépendance

Moyen Age. 529-805 les Slaves (Serbes à l'O., Bulgares à l'E.) occupent Macédoine, Thrace, Thessalie. **723** l'Église orthodoxe se sépare de Rome et se rattache à Constantinople. **805** l'emp. Nicéphore Ier repousse les Slaves au N. du Rhodope ; Salonique, principale place forte byzantine. **904** Sal. prise et pillée par Arabes d'Égypte. **1185** par Normands de Tancrède. **1204** Croisés latins prennent Constantinople. Gr. divisée en *4 États indépendants : 1o royaume de Thessalonique* (patriarcat latin 1204-1418) ; *2o duché d'Athènes,* latin (cap. Thèbes, Athènes étant devenue un village) : détruit et annexé par Turcs 1462 ; *3o princée d'Achaïe ou de Morée* [c.-à-d. du Péloponnèse, cap. Andreville (actuellement Andravida, à 65 km de Patras) ; archevêché latin à Patras]. **1307** passe à la dynastie d'Anjou-Naples. **1341** récupérée en partie par la dynastie byzantine des Cantacuzène et transformée en despotat de Morée (cap. Mistra). **1438** entièrement reconquise par dyn. byz. des Paléologues. **1461** conquête turque ; *4o despotat d'Epire :* demeuré gr. à l'O. [dynastie des Comnène (1204-1318) ; conquise par Albanais (1318-1400) ; fief byzantin (1400-30) ; conquise par Turcs (1431)]. Crète, nommée Candie, est attribuée à Venise, qui la défendra jusqu'en 1669 contre les Turcs.

Période moderne. XVIe-XVIIIe s. partie de la Turquie d'Europe (capitale Constantinople) depuis 1453 (exception : Corfou et les îles Ioniennes demeurées vénitiennes). **1684-1718** les Vénitiens réoccupent, puis reperdent la Morée (Péloponnèse) ; conservent îles Ioniennes et Corfou. **1769** révolte de la Maïna (sud Péloponnèse). Les Maïnotes sont vaincus mais gardent des bandes armées. **1797** fin de la rép. de Venise : îles Ioniennes deviennent françaises. **1800** conquises par Russes, forment la République septinsulaire, sous protectorat turc. **1807** paix de Tilsitt, redeviennent françaises. **1809** 6 îles conquises par Angl., mais Corfou (Gal Donzelot) résiste jusqu'en juin 1814. **1818** îles Ioniennes indépendantes, sous protectorat angl. ; langue officielle : grec. **1821** soulèvement contre Turcs. **1823-28** Colonel fr. Charles Fabvier (1782-1855) organise armée insurgée (taktikon). **1824** Lord Guilford restaure à Corfou l'Académie Ionienne fondée 1808 (dissoute 1814) : foyer antiturque ; *-19-4* siège de *Missolonghi* où meurt Byron. **1826**-*13-12* Fabvier sauve Athènes assiégée par Turcs. **1827**-*20-10* flotte turque détruite à *Navarin* par 3 escadres : anglaise (am. Codrington), française (am. de Rigny), russe (am. Heiden). **1828-29** g. russo-turque (prise d'Andrinople, 20-8-1829). **1828**-*17-8* intervention franç. en Morée (Gal Maison), Égyptiens d'Ibrahim pacha, alliés des Turcs, se rembarquent. **1829**-*14-9* autonomie *(tr. d'Andrinople).*

De l'Indépendance à nos jours

1830-*3-2* indépendance *(tr. de Londres)*. *-21-3* Léopold de Saxe-Cobourg, futur roi des Belges, refuse la couronne de Gr. **1831**-*9-10* assassinat de Capodistria, chef d'État. **1832** Othon de Bavière roi (absolu). **1843**-*14-9* révolution. Othon jurera d'accorder une Constitution ; promulguée mars 1844, ne sera pas appliquée. **1862** révolution, Georges de Danemark remplace Othon. **1864** Gr. reçoit îles Ioniennes. **1881** Thessalie rattachée à la Gr. **1897** battue par Turq. en voulant aider Crète ; sauvée par les grandes puissances. Crète devient aut. **1912-13** g. balkaniques contre Turq. (18-10-1912) puis Bulgarie (29-6-1913). *Tr. de Bucarest* (10-8-1913), Gr. reçoit î. du N.-E. de l'Égée, Crète, grande partie de Macédoine et Épire. **1913**-*18-3* roi Georges assassiné. **1915**-*15-3* roi Constantin, favorable Empires centraux, renvoie son PM Elefthérios Venizélos (1864-1936), favorable aux Alliés ; *août* Venizélos revient au pouvoir et invite Alliés à débarquer à Salonique ; *oct.* Constantin dissout Parlement et renvoie Venizélos. **1916**-*27-5* Bulg. occupent Macédoine orientale (les Gr. se retirent sans combat). *-31-8* formation à Salonique d'un « Comité de Défense nat. ». *-25-9* Venizélos s'enfuit en Crète, qu'il rallie au Comité ; *oct.* l'amiral fr. Dartige occupe Le Pirée. *-21-10* Venizélos constitue à Salonique un gouv. reconnu par Alliés ; déclare g. à Bulgarie. *-1-12* Constantin attaque marins fr. et partisans vénizélistes ; les Alliés décrètent le blocus de la Gr. **1917**-*11-6* Charles Jonnart, Ht-commissaire allié à Athènes, exige abdication de Constantin. *-28-6* Venizélos, revenu à Athènes, déclare g. à l'All. **1920**-*12-8 tr. de Sèvres,* Gr. reçoit Thrace occidentale (bulg.), orientale (turque), administration de la région de Smyrne ; *oct.* Venizélos renversé. *-20-11* Constantin rappelé par 99 % des voix. **1921-22** g. gr.-turque ; T. vaincue (11-10-22 armistice de Moudanya). **1922**-*28-9* révolution. Constantin détrôné († en exil, 11-1-23). **1923** *janv.* convention sur l'échange obligatoire de population. 1 500 000 Gr. de Turquie émigrent (350 000 se fixent à Athènes). Sont dispensés de l'échange obl. la minorité turque de Thrace occident. (120 000) et la min. gr. d'Istanbul (120 000). *-22-7 tr. de Lausanne* Gr. perd Smyrne et Thrace orientale.

Problème de la mer Égée

• **Origine. 1923** (24-7) Tr. de Lausanne : la souveraineté gr. est reconnue sur toutes les îles, sauf Imvros, Tenedos et les îles et îlots situés à 3 milles de la côte turque. Les eaux territoriales s'étendent à 6 milles autour des îles. **1958 Convention int. de Genève :** admet que les îles aient leur propre plateau continental (pour toutes les mers) et fixe à 12 milles la limite max. dans laquelle les États peuvent exercer leur juridiction. La Gr. adhère à cette conv. mais réserve sa décision quant à son application (elle reste à 6 milles). La Turquie n'y adhère pas (elle applique la règle des 6 milles en mer Égée et des 12 milles en Méditerranée et m. Noire). **1982** la Gr. signe la conv. intern. prévoyant une extension des eaux territ. à 12 milles.

• **Position turque.** La mer Égée doit être répartie entre Grèce et T. selon une ligne médiane tenant compte exclusivement des côtes continentales, et faisant abstraction des îles. Néanmoins, si l'on découvre des hydrocarbures en mer Égée, la T. est prête à consentir à la Gr. un droit d'exploitation en commun, quelle que soit la position géographique du gisement.

Position grecque. La mer Égée est gr. jusqu'à 6 milles nautiques de toutes les côtes, y compris celles des îles (les eaux de la mer Égée étant par là ainsi réparties en % : haute mer 48,85, eaux territoriales grecques 43,68, turques 7,47). En adoptant les 12 milles, la répartition devient haute mer 19,71, eaux territoriales grecques 71,53, turques 8,76. La Gr. a le droit d'y réglementer les circulations maritimes et aériennes, d'y accorder des concessions de recherches pétrolières et d'y surveiller les pêcheries. Pour la Gr. la question du plateau continental de la mer Egée est surtout une question de sauvegarde de l'intégrité de son territoire insulaire, et beaucoup moins une question d'exploitation de ressources naturelles.

• **Problèmes annexes. Militarisation des îles :** la Gr. n'a pas, selon le tr. de Paris (1947), le droit de militariser certaines îles de la mer Égée et l'ancien Dodécanèse italien. Le fait que la Turquie n'a pas ratifié la Convention de Genève de 1958 sur le plateau continental ne saurait porter préjudice au droit des îles à un plateau continental [reconnu par la Cour intern. de justice (arrêt de 1969 sur la délimitation du plateau continental de la mer du Nord) comme une règle de droit coutumier liant tous les États, indépendamment de tout engagement conventionnel]. La Gr. a militarisé les îles après la création par la Turquie d'un corps d'armée de la mer Égée et d'une importante flotte de chalands de débarquement. Le tr. de Lausanne (1923), qui prévoyait la démilitarisation des détroits et des îles Lemnos et Samothrace, a été remplacé par le tr. de Montreux qui a abrogé les clauses de démilitarisation.

Iles restées turques : Imvros 95 % de Grecs, Tenedos 75 %, elles auraient dû, d'après le tr. de Lausanne, devenir autonomes ; la Gr. craint leur turquisation forcée.

• **Navigation aérienne.** Le 23-2-1980, les T. ont accepté de revenir au système de la réglementation par la Gr. seule de la navig. aér. en mer Égée.

1924-*13-4* Rép. : 70 % des voix pour. **1935**-*3-11* Georges II rappelé (88 % des voix pour). **1936**-*4-8* dictature du Gal Ioánnis Metaxás (1871-1941) soutenue par Angl., PM. **1940**-*28-10* invasion it. repoussée. **1941**-*janvier* fin de la dictature de Metaxás. *-6-4* All. occupent Gr. *-24-4* après la capitulation de l'armée d'Epire, signée sans en référer au gouvernement, Georges II ordonne le départ du gouv. pour la Crète. *-25-4* 1re réunion du cabinet grec en Crète. *-27-4* entrée des All. à Athènes. *-24-5* le gouv. grec quitte Crète pour Le Caire. *-2-6* Tsouderos PM. **1941-44** pertes civiles (famine, résistance 520 000 †). **1944** *à l'automne* l'EAM (Front nat. de lib. créé et dirigé par le PC, 1 500 000 m.) contrôle la majeure partie du pays ; *oct.* accord Staline/Churchill (G.-B. se réserve une prédominance à 90 % en Gr.) ; All. évacuent Athènes ; *-14-10* arrivée de 10 000 Anglais (Gal Scobie). Les Angl. et le gvt de Papandhréou exigent le désarmement des 70 000 combattants de l'ELAS (Armée nat. de lib. pop.) et sa dissolution. *-1-12* ultimatum de Scobie. *-3-12* Athènes manif. de l'EAM sur la place Syntagma ; la police tire (28 †). *-4/5-12* l'EAM prend Athènes. *-25-12* Anglais les chassent (ils partent après avoir fusillé 3 000 personnes et emmené 5 000 otages). **1944-46** régence de Mgr Damaskinos. **1945**-*5-1* ELAS quitte Athènes. *-12-2* accord de Varkiza : les com. acceptent de dissoudre l'EAM contre une amnistie, qui exclut les délits de droit commun (les com. sont alors poursuivis massivement pour délits de droit commun : 100 000 passent dans la clandestinité). **1946**-*12-2* PC déclenche lutte armée. *27-9* Georges II rentre après plébiscite (70 % pour). **1947**-*10-2* tr. de Paris. It. restitue Dodécanèse. Seul pays d'Eur. à voter contre la création d'Israël. **1946-49** *g. civ. com. : 31-3-1946* attaque d'un poste gouvernemental à Lithoro (Gr. du N.) par un groupe armé communiste ; *-28-10* formation de l'état-major de « l'armée démocratique » (chef Gal Markos Vafiadès, n. 1906, exclu du PC 15-11-48) ; *29-8-1949* fin de la g., communistes écrasés dans la montagne de Grammos par le Gal Thrasyvoulos Tsakalotos (« rebelles » pourchassés jusqu'à la reconnaissance officielle du PC en 1974 par Constantin Caramanlis) ; effectifs : com. 30 000 dont 10 000 femmes ; gouvernementaux 200 000, pertes : com. 3 128 † (140 000 selon les communistes), 598 pris., 4 500 bl. ; gouv. 590 † ; 3 130 bl. ; 24 000 enfants gr. déportés en Albanie com. ; 30 000 réfugiés gr. dans les pays de l'Est. **1952** rentre à l'OTAN. *-10-10* Mal Papagos PM. **1955**-*4* ou *5-10* mort de Papagos. *-6-10* Caramanlis PM. **1959**-*11-2* accord Gr.-turc de Zurich sur Chypre (voir Index). *-19-2* accords de Londres avec G.-B. et T. sur Chypre. **1963**-*22-5* Gregorios Lambrakis (n. 1913) dép. de gauche, frappé, meurt quelques j. après ; police impliquée (*17-9* 4 officiers incarcérés) sujet du film Z de Costa Gavras ; *-11-6* PM Caramanlis démissionne puis se retire en déc. à Paris jusqu'en juil. 1974. *Nov.* Gheórghios Papandhréou PM. **1965** *juin* Parlement rejette la demande de la gauche de traduire en justice Caramanlis et plusieurs de ses ministres, accusés d'affairisme. *-15-7* G. Papandhréou démissionne. *-16-9* Stephanopoulos PM. **1966**-*21-12* procès de l'Aspida (fils de Papandhréou accusé de tentative de subversion des forces armées). *-22-12*/**1967**-*30-3* Jean Paraskevopoulos (1900) PM. *-3-4* Panayotis Canellopoulos PM. *-14-4* chambre dissoute. *21-4* craignant un succès de la gauche, l'armée prend le pouvoir (colonels : Nicolas Makarezos, Georges Papadhópoulos, Stylianos Patakos) ; env. 70 000 déportés dans l'île de Yaros. *-13-12* échec d'un coup d'État du roi qui s'exile à Rome. *-14-12* Papadhópoulos PM, Gal Zoitakis régent. **1968**-*29-9* référendum pour nouv. Constitution (pour 91,87 % des votants ; contre 7,76 ; bulletins nuls 0,5 ; abstentions 22,5 %). **1969**-*12-12* Gr. quitte Cons. de l'Europe pour prévenir son exclusion. **1971**-*10-4* il reste 450 prisonniers pol. ; échange d'ambassadeurs avec Albanie. **1972**-*1-1* levée de la loi martiale sauf à Athènes, Pirée et Salonique. *-21-3* Papadhópoulos démet Gal Zoitakis et assume les fonctions de régent. **1973**-*26-1, févr., -6-3* agitation étudiante. *-23-5* complot mil. déjoué. *-1-6* rép. proclamée. *-3-7* Averoff, ancien min. des Aff. étr., arrêté. *-29-7* Papadhópoulos élu Pt de la Rép. (référendum 78,4 % oui, 21,6 % non). Gal Odysseus Anghelis vice-Pt (n. 1912, écarté 1973, condamné 1975 à perpétuité, se pend en prison le 22-3-87). *-10-8* amnistie, loi martiale levée. *-6-10* gouv. civil, PM Spyros Markezinis (n. 1909). *-7-10* le gouv. versera 120 millions de drachmes (20 millions de F) pour les biens expropriés de la famille royale. *-14-11* troubles étudiants. *-17-11* loi martiale, 34 †. *-25-11* coup d'État, Gal Phaedon Ghizikis prend le pouvoir, abolit Const. de 1968-73. Adamatios Androutsopoulos, PM. **1974**-*15-7* putsch à Chypre à l'instigation des Gaux gr., après l'intervention turque à Ch., tension gr.-turque. *-23-7* Ghizikis démissionne ; retour des civils au pouvoir dont C. Caramanlis (rentré de Paris le 24-7). *-24-7* amnistie gén. *-31-7* accord provisoire sur Ch. avec Turq. *-1-8* Const. de 1952 rétablie (sauf art. sur souverain et fam. roy.). *-15-8* Gr. quitte OTAN *-23-9* liberté pol. restaurée, partis autorisés (même les différents PC interdits dep. 1948). *-23-10* Papadhópoulos déporté. *-17-11* élect. victoire de Caramanlis. *-8-12* référendum (en %) : pour la Rép. 68,2, Monarchie 31,2 (abstentions 20). Gr. réintègre Conseil de l'Europe. **1975**-*24-2* échec putsch mil. *-23-8* Papadhópoulos, Patakos et Makarezos condamnés à mort et graciés. *-23-12* 1er secr. de l'amb. U.S. assassiné. **1976**-*1-5* Alecos Panagoulis (38 ans, dép. de l'opposition modérée) tué dans accident de voiture (attentat ?). **1978** 40 000 exilés pol. dep. 1945 (sur 60 000 partis à l'époque) demandent à rentrer en Gr. *-10-3* rencontre Caramanlis/Ecevit (PM turc) à Montreux. *-22-10* victoire du Pasok aux élect. mun. d'Athènes. *-17-12* Athènes, explosion de 51 bombes (29 revendiquées par l'extrême droite). **1979**-*28-5* tr. d'adhésion à CEE et CECA ; *sept.* ouverture de relations dipl. avec Vatican. **1980**-*5-5* Caramanlis (PM dep. 1974) élu Pt. *-10-10* Gr. réintègre OTAN (quittée 15-8-74). **1981**-*1-1* entrée effective dans la

Les cités grecques

La cité gr. est une adaptation des traditions indo-européennes apportées par les Ioniens, puis les Doriens (aristocratie militaire possédant des chevaux, avec des esclaves domestiques et agriculteurs).

Cité ayant gardé son caractère aristocratique : *Sparte :* les envahisseurs doriens ont obtenu 6 000, puis 9 000 lots fonciers en Messénie, répartis par Lycurgue au IXe s. entre les familles nobles. Le lot familial ou *klêros* reste théoriquement la propriété de l'État, mais il est transmis héréditairement. Le roi reçoit un domaine royal également héréditaire ; un autre domaine réservé est laissé aux divinités locales. Les *périèques,* anciens habitants demeurés libres, travaillent comme artisans, les *hilotes* ou *esclaves sont* attachés aux domaines des nobles. Le seul métier des nobles est celui de la guerre. Ils finissent par s'éteindre : 8 000 possesseurs de lots en 430, 1 500 après Leuctres (371 av. J.-C.), 700 en 300.

Cité ayant évolué vers la démocratie : Athènes : au IXe s., elle compte 1 080 familles nobles (souche ionienne), réparties en 360 *genê* (latin *gentes*) ; leurs membres, les *eupatrides,* ont seuls, à l'origine, les droits politiques, la possession des terres (de l'Attique) et l'obligation du service armé. Les cultivateurs (ou *géomores*) sont attachés aux domaines nobles ; les artisans (ou *démiurges*) sont les anciens habitants du pays, soumis politiquement. Le roi d'Athènes perd au VIIIe s. av. J.-C. sa dignité héréditaire ; ses fonctions deviennent électives, d'abord pour 10 ans, puis, après 682, pour 1 an : un *archonte-roi* est élu parmi les eupatrides et a des fonctions surtout représentatives ; il n'est que le 2e personnage de la cité. Le 1er personnage est l'archonte *éponyme,* qui donne son nom aux lois et décrets. On élit chaque année 7 autres archontes, dont le chef militaire, le *polémarque.* Les archontes sortis de charge se réunissent à *l'Aréopage* (conseil législatif et haut tribunal). *Élection des archontes :* jusqu'au VIIe s., seuls les nobles ioniens (eupatrides) étaient éligibles et électeurs. A partir de 650, sont admis comme électeurs tous les anciens démiurges ayant acheté des terres en Attique et devenus propriétaires fonciers. En 621, un noble, *Dracon,* promulgue le code draconien qui rend éligibles tous les propriétaires terriens non nobles, s'ils sont assez riches pour servir comme hoplites à leurs frais. L'aristocratie se transforme en *ploutocratie.*

☞ Au VIIe s., 6 spécialistes étaient chargés de rédiger et de publier la loi pénale dont Dracon (ses lois étaient impitoyables : tous les crimes étaient sanctionnés par la peine de mort).

Ploutocratie modérée de Solon. En 594, Solon abaisse le cens (minimum de revenus nécessaire pour être élu à des charges de magistrats) mais seuls les plus riches, ayant plus de 400 médimnes de revenus, peuvent devenir archontes. Il établit une *ecclêsia* (ass. gén. du peuple) qui réunit les propriétaires terriens et décide de la guerre, des impôts et de l'octroi de la citoyenneté athén.

Réaction aristocratique de 561. Les eupatrides rejettent la réforme de Solon. *Pisistrate,* propriétaire foncier du mont Parnès, à la tête de ses géomores, surnommés les montagnards *(diakrioi),* prend le pouvoir, supprime les assemblées et exerce un pouvoir « tyrannique » héréditaire (*tyrannos* veut dire roitelet). Les Pisistratides gardent le pouvoir jusqu'en 510.

Réforme démocratique de Clisthène (508). Démocratie veut dire gouvernement des *dèmes.* L'Attique, y compris Athènes et sa banlieue, est divisée en 190 dèmes. A l'intérieur de chacun, les terres sont redistribuées et les propriétaires de parcelles, nobles ou non nobles, envoient des représentants au Cons. des Cinq Cents (environ 20 dèmes font une tribu, et chacune des 10 tribus envoie 50 membres). Tous les non-esclaves recensés au moment du nouveau partage des terres deviennent citoyens athéniens, qu'ils soient nobles ou non nobles. Mais les esclaves forment cependant la majorité (6 esclaves pour 1 citoyen libre). En 458, les censitaires de 3e classe (150 médimnes) peuvent être élus à l'archontat. Mais en 411, les aristocrates reprennent le pouvoir et en 404-403, avec l'aide des Spartiates, ils fondent la *tyrannie des Trente* qui supprime la démocratie. Elle est rétablie en 403 par *Euclide* et fonctionne jusqu'à la conquête macédonienne. *Métèques :* la plupart sont des Gr. d'une autre cité qui s'adonnent au commerce maritime. Soumis à une taxe spéciale de 12 drachmes, ils sont inscrits comme résidents dans un dème déterminé. S'ils reçoivent la citoyenneté athénienne, ils deviennent membres de leur dème résidentiel.

Population. Citoyens athéniens 25 000, esclaves 150 000 (achetés en Thrace et en Épire), métèques 100 000.

Colonies ou clérouchies. Fondées entre 570 et 340, par Athènes, la plupart sur la mer Égée (ex. dans les îles de Salamine et de Naxos, ou à Amphipolis en Thrace). Les terres y sont partagées par des envoyés du Conseil des Cinq Cents et réparties à parts égales entre les membres des 10 tribus d'Attique. Les citoyens des clérouchies sont appelés Athéniens résidant à... (*Klêr-ouchia :* signifie possession d'un klêros, lot foncier dans la tradition indo-européenne).

Les colonies fondées par des particuliers sans intervention du Conseil des Cinq Cents deviennent des cités indépendantes mais gardent des liens culturels et commerciaux avec la métropole (par ex. Nexos en Sicile).

CEE *févr.* séisme à Athènes (env. 20 †, 75 000 sans-abri). *-17-11* Andhréas Papandhréou PM Législatives, victoire du Pasok. **1982**-*17/24-10* municipales. Victoire du Pasok. **1983**-*9-1* dévaluation de 15,5 %. *-18-3* Georges Athanassiadis (éditeur du *Vradyni,* journal de droite) assassiné. *Avril* Gal Markos rentre en Gr. *-15-7* accord sur l'avenir des 4 bases américaines (3 500 pers.) en Crète et Attique. **1985/1987** plan d'austérité. **1985** Nicolaos Momferratos, propriétaire d'un journal de droite *(Apoghevmatini)* tué. *-11-2* A. Papandhréou à Moscou. *-8-3* PASOK s'oppose à la réélection de Caramanlis. *-10-3* Pt Caramanlis démissionne. *-29-3* Khrístos Sárdzetakis (ancien juge d'instruction de l'affaire Lambrakis) élu Pt par 180 dép. sur 300 avec 112 abstentions. *-5-4 :* Athènes, 200 000 manif. contre cette « élection illégale ». *-2-7* législatives : victoire du PASOK. *-11-10* dévaluation de 15 % ; programme de rigueur (salaires bloqués jusqu'au 31-12-87). *-17-11 :* 100 000 manif. ; 1 anarchiste de 15 ans tué par la police. *-26-11* attentat, 2 policiers †. **1986**-*8-4* Dimitri Anghelopoulos, industriel, assassiné. *12/15-5* Pt Sárdzetakis en Fr. **1987** *mars* tension avec Turquie (nav. scient. turc au large de la G. provoque mise en alerte mil.). *-10-6* la Gr. renonce à l'usine d'alumine qui devait être construite par les Soviét. à 11 km de Delphes. *Été :* canicule 1 200 †. *-28-8* fin officielle de l'état de guerre avec Albanie (institué 1940). *-3-11* accord de principe avec l'Église sur transfert à l'État de 150 000 ha (souvent en jachère, appartenant à 423 monastères, la plupart dépeuplés). **1988**-*30/31-1* A. Papandhréou (P.M.) rencontre Turgut Özal, PM turc, puis le *-3-3* à Bruxelles, où sont créées 2 comm. mixtes. *-28-4* Agop Agopian, fondateur et chef de l'Asala, assassiné. *-13-6* Özal en Gr. (1re visite officielle dep. 36 ans). *-28-6* William Nordeen, attaché naval amér., tué (explosion de sa voiture, revendiquée par l'Organisation du 17 nov.). *-5-7* attentats à Athènes. *-11-7* 3 terroristes attaquent près d'Égine le bateau de croisière *City-of-Poros :* 11 touristes †. *juil.-août* canicule (2 000 †). *-27-8* A. Papandhréou, hospitalisé à Londres, annonce son divorce (à cause de sa liaison dep. 1987 avec Dimitra Liani, 35 ans, ancienne hôtesse de l'air, divorcée 3 fois, qu'il épousera 13-7-89). *-22-10* A. Papandhréou rentre en G. *-11-11* après le départ du min. de l'Intérieur, démission du min. de la Justice, Agamemnon Koutsoyorgas (suite à l'affaire Koskotas, banquier accusé d'avoir détourné 230 millions de $ de la banque de Crète et d'avoir remis 20 millions de $ au PM et au Pasok). *-19-11* Christina Onassis (37 ans) meurt d'un œdème pulmonaire (elle aurait absorbé auparavant des sédatifs). Seule héritière dep. 1975 d'Aristote Onassis (son frère Alexandre a été tué dans accident d'avion) pour près d'un milliard de $. Mariée 1°) à Joe Bolker, courtier en bâtiment, Amér. de 27 ans + âgé ; 2°) 1975, à Alexandre Andréadis, armateur grec ; 3°) 1978, à Serguéi Kausov, Soviét., 4°) 1984, à Thierry Roussel (divorce mai 1987). Laisse à sa fille Athéna (n. 1985) 250 à 500 millions de $ (40 cargos et supertankers de + de 6 millions de tjb, un yatch *(le Petit Trianon),* l'île de Skorpios, etc. ; Thierry Roussel percevra une rente annuelle de 1 420 000 $ à condition que les revenus de l'héritage ne descendent pas en dessous de 4 250 000 $. *-11-12* manif. pour la fermeture des bases amér. prévue le 21-12. **1989**-*23-1* l'Org. révol. du 1er mai revendique l'assassinat d'un haut magistrat. *-10-3* Athènes, attentat contre BNP. Koutsoyorgas (min. de la présidence du Conseil), à nouveau impliqué dans l'affaire Koskotas, démissionne. *-19-3* 1 million de manif. à Athènes. *-23-3* Mme Papandhréou démissionne de la prés. de l'Union des femmes de G. *-30-3* A. Papandhréou demande divorce. *-31-3* nouvelle loi électorale : maj. abs. au parti en tête avec 45 % des voix et + de 7 points d'écart. *-7-5* le groupe « 17 nov. » essaye d'assassiner Georges Petsos, anc. min. de l'Ordre public. *-28-5* Mme Papandhréou accepte le divorce. *-18-6* él. européennes et législatives. Nouvelle Démocratie n'obtient pas la majorité des sièges. *-22-6* A. Papandhréou hospitalisé. *-2-7* Tzannis Tzannétakis (Nouvelle Démocratie) PM transitoire avec le Rassemblement de gauche et de progrès (3 min. communistes : intérieur, justice, 1 suppléant à l'économie nationale) pour une « catharsis » (épuration) de la vie pol. *-4-7* Athanassios Tsaldaris, Pt du Parlement. *-8/9-8* une commission d'enquête examinera les conditions d'acquisition par Papandhréou des 40 Mirages-2000 français (achetés, en 1985, 45 millions de $ pièce, soit 24 millions de + que ceux achetés par la Suisse), 40 F-16 américains et 307 missiles français Magic 2. *-24-8* le Parlement décide de traduire Nicos Athanassopoulos (ancien min. socialiste délégué aux finances) devant un tribunal spécial. La justice américaine autorise l'extradition du banquier Koskotas. *-29-8* terme de « g. de rébellion » aboli. Les anciens combattants communistes pourront recevoir des pensions. Les dossiers sur les convictions politiques des Grecs sont brûlés. *-26-9* Athènes, Pavlos Bakoyannis, porte-parole de la Nouv. Démocratie, assassiné par le groupe « 17 nov. », à cause de l'affaire Koskotas ; Mikis Théodorakis, ancien député com., s'allie à la Nouv. Démocratie pour « éliminer le terrorisme de Gr. et rejeter le PASOK ». *28-9* le Parlement décide par 166 voix contre 121 de traduire A. Papandhréou devant cour spéciale (affaire Koskotas). *-11-10* Yannis Grivas (Pt de la Cour de cassation) PM intérimaire jusqu'aux législatives. *-22 et 23-10* attentats (bombes contre Nouv. Démocratie). *-3-11* pollution record à Athènes : dioxyde d'azote 631 mg/m3 (cote d'alerte : 500), monoxyde de carbone + de 25 mg. Centre-ville interdit aux voitures, écoles fermées et industriels obligés de réduire leur activité de 50 %. *-5-11* législatives : Nouv. Démocratie (46,28 % des voix) n'a pas la majorité absolue de 151 s. à 3 s. près. *-20-11* 1re chaîne de télévision privée. *-21-11* Xénophon Zolotas PM d'union nationale. **1990**-*29-1* Komotini (Thrace occidentale) musulmans d'or. turque manif. contre condamnation à 18 mois de prison d'un ex-député, Ahmet Sadik, pour « diffusion de fausses rumeurs ». Ankara viole le tr. de Lausanne qui ne reconnaît que le caractère religieux de la minorité, insistant pour qualifier ses membres de « compatriotes » ou de « citoyens de souche turque ». *-3-3* présidentielles : aucun n'a le nombre de suffr. suffisant [*21-2 :* 1er tour (Khrístos Sárdzetakis, PC : 151 voix) ; *25-2 :* 2e t. (K. Sárdzetakis : 21 ; Yannis Alévras, Pasok : 127 ; les conservateurs de la Nouv. Démocratie se sont abstenus comme au 1er t. après le refus de Caramanlis d'être à nouveau candidat) ; *3-3 :* 3e t. (Alévras : 128 ; Sárdzetakis : 21 ; abstention des conservateurs)] *-8-4* législatives : victoire de la Nouv. Démocratie. *-10-4* Constantin Mitsotakis PM *-4-5* Constantin Caramanlis élu Pt. *-21-5* la Gr. reconnaît Israël. *-1-10* PM Mitsotakis devient également min. de l'Économie. Agamemnon Koutsoyorgas, ancien vice-PM, placé en détention provisoire (accusé d'avoir reçu un pot-de-vin de 2 millions de $). *-14-10* et *21-10* municipales. Melina Mercouri (n. 1925, Pasok) battue à Athènes. *-28-12* PM Mitsotakis annonce la libération des 7 chefs de la junte militaire (au pouvoir de 1967 à 1974), désapprouvé par l'opinion, revient sur sa décision. **1991**-*8-1* arrivée de 5 000 albanais de souche grecque. *-10-1* manif. (3 † à Athènes). *-11-3* début procès Papandhréou et 3 anciens min. *-3-4* Athènes 6 attentats revendiqués par terroristes ELA et 1er-Mai.

☞ **Groupe du 17 novembre.** *Origine : 17-11-1973,* révolte des étudiants grecs contre dictature militaire réprimée dans le sang à l'École polytechnique d'Athènes. *De 1975 à 1989 :* 14 assassinats (avec le même revolver, revendications rédigées avec la même machine à écrire) dont Richard Welch de la CIA le 28-12-1975, Petrou et Pavlos Bakoyannis (député de la Nouv. Démocratie). La droite accuse le Pasok d'avoir des liens avec ce groupe.

Institutions

Statut. Rép. *Constitution* du 11-6-1975. *Pt* [élu pour 5 a. par la Chambre des députés ; doit recueillir 200 voix (les 2/3 de l'assemblée) au 1er ou au 2e tour ou 180 au 3e tour, sinon l'assemblée est dissoute]. **PM. 1981** (21-10) Andhréas Papandhréou (n. 5-2-1919). Fils de Georges, gouverneur des îles de la mer Égée. Trotskiste, *1939* torturé 2 j. (signe une confession donnant quelques noms). *1944* citoyen amér. (sert 2 ans dans l'U.S. Navy) ; après la g. enseigne dans plusieurs universités (doyen de l'univ. de Californie). *1964* renonce à son poste à Berkeley et à sa citoyenneté amér. ; *févr.* élu à Patras ; min. délégué auprès de son père, PM ; *nov.* accusé de corruption, perd son portefeuille (6 mois + tard : min. adjoint de la Coordination éco.). *1965* (15-6) son père PM congédié. *1967* (21-4) coup d'État des colonels. *1968* exil Suède puis Canada. *1974* (3-9) fonde PASOK. *1981* (21-10) au pouvoir. **1990** (10-4) Constantin Mitsotakis (n. 18-10-1918), dit « O Psilos », « le Grand ». **Assemblée** (Vouli) 300 m., 288 élus pour 4 a., 12 députés de l'État désignés par les partis, Nomes (départements) 55, régions 13. **Membre de la CEE dep. 1-1-81.** Fêtes nat. : 25-3 (soulèvement 1821 contre Turcs), 28-10 (invasion ital. 1940 repoussée). Drapeau : adopté 1970, remplacé 1975 par une croix blanche sur fond bleu puis réadopté 1981 en ajoutant bandes horiz. blanches et bleues. Origine : 1832 ; représente la devise nat., « la Liberté ou la Mort ». **Vote :** obligatoire sous peine d'amende et de privation de passeport et de permis de conduire.

Élections. **Législatives** (suffrages en % et entre parenthèses sièges). **18-10-1981.** Pasok 48,07 (172). ND 35,86 (115). PC prosov. 10,92 (13). **2-7-1985** Abstentions 20 %. Pasok 45,82 (161). ND 40,85 (126). PC prosov. 9,89 (12). PC de l'int. 1,84 (1). **18-6-1989.** Abst. 21,4 %. ND 44,25 (145). Pasok 39,15 (125). Coalition gauche 13,12 (28). Dhana 1,01 (1). Autres 0,55 (1). **5-11-89.** Abst. 21,3 %. ND 46,19 (148). Pasok 40,67 (128). Coalition gauche 10,97 (21). EA 0,58 (1). Initiative de gauche 10,97 (21). Kollatos écologistes 0,19. Écologistes de Gr. 0,15. Autres 0,72 (2). **8-4-90.** ND 46,93 (150). PASOK 38,61 (123). Coalition gauche et progrès 10,23 (19). Liste candidats communs. Coalition Pasok 1,02 (4). Dana 0,67 (1). EA 0,77 (1). Indép. 0,71 (2).

Européennes (suffrages en % et entre parenthèses sièges). **20-6-1984.** Pasok 41,58 (10). ND 38,05 (9). PC prosov. 11,64 (3). PC de l'int. 3,42 (1). Union pol. nat. (extr. droite) 2,29 (1). Divers 12,48. **18-6-1989.** ND 40,45 (10). Pasok 35,94 (9). Coal. gauche 14,3 (4). Dhana 1,37 (1).

Partis. **P. Nouvelle Démocratie** (ND), f. 1974 par Constantin Caramanlis, *Pt* Constantin Mitsotakis (n. 1918) dep. 1-11-84, **Mouv. socialiste panhellénique** (Pasok), f. 1974, *Pt* Andhréas Papandhréou. **Union démocr. du centre** (Edik), *Pt* Ioannis Zigdis. *P. du socialisme démocr.* (Kodiso), *secr. gén.* Charalambos Protopapas (dep. juill. 1984). **P. agraire** (KAE), *Pt* K. Nassis. **Gauche démocratique unifiée** (EDA), f. 1951, *Pt* Andreas Lendakis. **P. com. de Grèce** (KKE), f. nov. 1918, *Pt* ch. Charilaos Florakis. **Renouveau démocratique** (Dhana), f. sept. 1986, *Pt* Constantin Stefanopoulos (qui a quitté avec 9 autres députés la N. D.). **Regroupement socialiste unifié de la Grèce** (ESPE), f. mars 1984, *secr. gén.* Stathis Panagoulis (qui a quitté le Pasok). **Démocratie christianique** (Ch. D), f. mai 1953, *Pt* Nick Psaroudakis (élu député du Pasok). **Union politique nat.** (Epen), f. janv. 1984, *Pt* (sans). **Gauche hellénique,** f. 1987 (Leonidas Kyrkos) *ex-P.C. de Grèce de l'intérieur* (f. 1968). **Écologistes-Alternatifs.**

Chefs d'État

1827 Jean Capodistria (1776-assassiné 9-10-1831). Gouverneur de la Grèce.

Royaume. **1832** Othon Ier (Pce Othon de Bavière 1815-67) abdique, déchu oct. 1862. **1863** Georges Ier (1845-assass. 18-3-1913) f. de Christian IX roi de Danemark (1818-1906). **1913** Constantin Ier, s. f. (1868-1923) exilé en Suisse, 11-6-1917. Ép. 1889 Sophie Pcesse de Prusse. **1917** (mai) Alexandre Ier, s. f. (1893, † 25-10-1920 des suites de morsures de singe), s. f. **1920** (oct.) Amiral Paul Coundouriotis (1855-1935) régent. **1920** Constantin Ier restauré ; abdique. **1922** Georges II (1890-1947), 2e f. de Constantin Ier, ép. Pcesse Élisabeth de Roumanie 27-2-1921. Renversé 27-9-1923 (complot d'officiers).

République. **1923** Amiral Paul Coundouriotis (1855-1935) régent. Pt provisoire 13-4-1924. **1926** janv. Gal Théodoros Pangalos, (1878-1952) dictateur renversé avril. **1926** Amiral Paul Coundouriotis Pt prov. (définitif 3-6-29) démiss. 9-12-29. **1929** Alexandre Zaimis (1855-1936) Pt 14-12.

Royaume. **1935** Georges II restauré 2-7. **1944** Mgr Damaskinos (1889-1949) régent. **1946** Georges II restauré 1-9. **1947** Paul Ier (1901-64), s. fr., ép. 9-1-38 Pcesse Frederika de Hanovre (1917-81), f. du Pce Ernest Auguste, chef de la maison royale de H. (1887-1953). **1964** Constantin II, roi des Hellènes, Pce de Danemark (2-6-40), s. f., s'exile déc. 1967, ép. 18-9-64 Pcesse Anne-Marie de Danemark (30-8-46) f. du roi Frédéric IX. 5 enfants : Pcesse Alexia (10-7-65) ; Pce Paul (20-5-67), diadoque de Grèce, duc de Sparte, Pce de Danemark ; Pce Nicolas (1-9-69) ; Pcesse Théodora (1983) ; Pce Philippos (1986). Déposé 1-6-1973.

Nota. – Sœurs du dernier roi : Pcesse Sophie (2-11-38) ép. 14-5-62 l'infant d'Espagne Don Juan (futur Juan Carlos), voir Index. Pcesse Irène (11-5-42).

République Militaire. **Dictature. 1973** *(29-7)* Gal Georges Papadhópoulos (5-5-1919). **1973** *(25-11)* Gal Phaedon Ghizikis (16-6-1917). **« Parlementaire » : 1974** *(8-12)* Michel Stassinopoulos (27-7-1905). **1975** *(19-6)* Constantin Tsatsos (1899-1987). **1980** *(5-5)* Constantin Caramanlis (8-3-1907- dit « O Theo », « Dieu », élu au 3e tour par 183 dép. sur 300). **1985** *(30-3)* Khrístos Sárdzetakis (n. 1929). **1990** (4-5) Constantin Caramanlis (élu par 153 dép. sur 300).

Bases amér. navales. Nea Macri Hellenikon (fermeture prochaine de bases annoncée), Suda Bey Heraklion 3 500 mil.

Économie

P.N.B. 5 370 $ par h. en 89 (est.). **Pop. active** (% et entre par. part du P.N.B. en %) agr. 28,5 (16), ind. 27,1 (25), services 43,4 (56), mines 1 (2). **Taux de croissance** (en %) **:** *1987* 0,5 ; *88* 3,5. **Chômage :** *85 :* 7,8 ; *89 (est.) :* 7,8 ; *90 (prév.) :* 25. **Salaire mensuel** *moyen (1989)* **:** 3 700 F, *minimal* (1990) 2 500 F. L'État a en charge 500 000 fonctionnaires civils et militaires dont env. 30 % sont superflus. (Ex. : Olympic Airways a 20 000 employés alors qu'elle pourrait fonctionner avec 5 000.) **Fiscalité :** 25 % du PIB (50 % dans les pays européens). Les salariés (40 % de la population active) assument 70 % des charges fiscales, les agriculteurs (27 %) ne paient rien. **Inflation** (%) **:** *1985 :* 19,3 ; *86 :* 23 ; *87 :* 16,4 ; *88 :* 13,5 ; *89 :* 14,8 ; *90 :* 23 ; *94 :* 7 (objectif à atteindre en échange d'un prêt communautaire de 2,2 milliards d'écus). **Dette extérieure** (milliards de $) : *Fin 86 :* 14,6 ; *87 :* 21,1 ; *88 :* 20,5 ; *89 :* 22 (40 % du PIB). **Service de la dette :** *prév. 1991 :* 14,7 milliards de $ (52 % des recettes). **Dépenses militaires :** 1990 : 7 % du PIB. **Secteur public :** 70 % du PIB en 1989. *Déficit* (budgétaire + celui des 50 entreprises d'État) : fin 1989 22 % du PIB, 66 % des ressources des banques sont allouées à son financement. **Budget** (1991) : hausse de 41,9 % des recettes, de 25,2 % des dépenses ; déficit ramené à 16,6 % du PIB (20 % en 1990).

☞ *Économie parallèle.* 35 à 40 % de la richesse nationale (ex. : dans la construction, l'activité réelle est égale à 171 % de ce qui apparaît dans les comptes nationaux).

Agriculture. *Terres* (%) incultes 47, cult. 33 (3 546 000 ha) dont irriguées 8, forêts 20. *Exploitations* (1989) 700 000, morcelées. Rendements faibles. *Production* (milliers de t, est. 89) blé 2 267, maïs 1 500, tabac 124 (98 000 ha, env. 17 % des exp.), coton 255, raisin 1 700, r. secs 335 (85), bett. à sucre 1 900 (88, orge 713, p. de terre 850, tomates 1 800, citrons 160, pastèques et melons 660 (88, olives 1 500 (58 % des arbres, 496 260 ha, 290 000 t d'huile), pêches 611 (88). Élevage (milliers, 89). Poulets 31 000, moutons 10 500, chèvres 3 488, porcs 1 190 (88), bovins 800 (88), ânes 200 (86). Peaux, fourrures. Pêche. 135 100 t (88). **Aides directes de la CEE.** + de 10 milliards de F par an.

Énergie. **Pétrole** (millions de t) : à Thassos et en mer Égée, *réserves* 21, *prod.* 1,1 (88). **Gaz :** réserves 113 milliards de m³. **Électricité :** *thermique* 70 % (lignite), *hydroélectricité* 30 %. Mines (milliers de t, 88) : lignite (rés. 3 milliards de t) 46 290, bauxite 2 510, magnésite 1 138 (87), fer 1 452 (84), nickel, chromite, amiante, cuivre, gypse, marbre, perlite, kaolin, manganèse, plomb, zinc, or, ponce.

Industrie. *Production* (milliers de t, 1986) : ciment 13 127 (88), engrais 1 785, textile 199, fer en barres 826, ammoniac 294, alumine 404, aluminium 126 (87), prod. de verre, prod. ménagers, fourrures, textile, chimie, constr. navale.

Marine marchande. (88) 3e rang mondial, 2 015 nav. soit 21 369 000 tjb dont (en %) cargos 55,1, tankers 41,1, paquebots 3,28, divers 0,51. Sous pavillon étranger (mais appartenant à des armateurs gr.) 1 194 navires (18 431 381 tjb en 1985). Fin 1982, 10 000 inscrits maritimes sans emploi (d'où diminution de 13 % des rentrées de devises).

Tourisme. *Visiteurs : 1989 :* 8 541 000. *Revenus : 88 :* 3,8 milliards de $, *89 :* 1,9.

Commerce (millions de drachmes, 87). *Exportations* 955 069 *dont* prod. manufacturés 244 793, prod. alim. 203 528, prod. man. divers 173 372 (86), fuel et lubrifiants 74 433, prod. bruts (sauf fuel) 61 976, boissons et tabac 52 830 *vers* All. féd. 223 962, Italie 155 584, *France 80 365,* U.S.A. 69 912, G.-B. 77 999. *Importations* 1 867 353 *dont* mach. et équip. de transp. 448 863, prod. man. 372 671, fuel et lubrifiants 297 949, prod. alim. 298 674, prod. chim. 203 078, prod. bruts sauf fuel 112 066 *de* All. féd. 401 385, Italie 225 290, *France 143 746,* G.-B. 87 775, Arabie Saoudite 81 208.

Investissements étrangers (milliards de $). *1985* 1,7, *1988* 4,6.

Déficit balance (milliards de $) des paiements. *1984 :* 2,4 ; *85 :* 3,3 ; *86 :* 1,8 ; *87 :* 1,2 ; *88 :* 0,9 ; *89 :* 2,5 ; *90* (janv.) : 0,5. Commerciale. *1989 :* 1,02.

☞ De 1981 à 1984 aide financière de la C.E.E. (en 84, 6,8 milliards de F). Difficultés à s'adapter à l'écon. de la C.E.E. (produits souvent inadaptés).

Rang dans le monde (89). 4e marine marchande. 8e lignite (87). 12e vin. 13e oranges (83).

GRENADE

Carte p. 1019. V. légende p. 837.

Généralités. Antilles. Ile montagneuse des îles Windward à 160 km du Venezuela. 344 km². *Alt. max.* 845 m. 102 000 h. (88) (avec dép.) dont Noirs 84 %, Mulâtres 11 %, Indiens. D. 296,5. **Cap. :** *St George's* 10 000 h. *Langue :* anglais. **Religions :** catholiques 64 %, anglicans 22 %.

Histoire. **1498** découverte par Ch. Colomb. **1650** colonisée par des Français. **1783** cédée à la G.-B. **1962-**6-7 Herbert Blaize PM. **1967-**3-3 État associé à la G.-B. **1974-**7-2 indép. **1976-**7-12 élections, le Parti trav. unifié a 9 sièges sur 15. **1979-**13-3 coup d'État du New Jewel (Joint Endeavour for Welfare, Education and Liberation : Mouvement pour le bien-être social, l'éducation et la lib.). Sir Eric Gairy (n. 1922), PM dep. 1967, qui gouvernait avec l'appui de sa police secrète (les mangoose gangs) renversé. Const. suspendue. Parlement dissous. Gouv. de Maurice Bishop (n. 29-5-44) favorable à Fidel Castro. *Août* ouragan. **1980-82** construction d'un aérodrome internat., les U.S.A. redoutent de le voir servir de base de transport pour les troupes cubaines se rendant en Afrique (3 300 m long, coût 75 millions de $ financé par la Libye et C.E.E., 600 conseillers cubains et 30 soviét.). **1983-**13-10 coup d'État, Bishop renversé. Conseil mil. révol. Pt Gal Hudson Austin. *-19-10* Bishop libéré par la foule, fusillade (140 † dont Bishop et 3 des anciens min. tués par un groupe prosoviét. dirigé par Bernard Coard (ancien vice-PM). *-22-10* l'org. des pays des Caraïbes orient. demande aux U.S.A. d'intervenir. *-25-10* opération « Urgent Fury » : 1 000 paras, 500 marines et 300 h. de la force des Caraïbes [réponse à attentat contre QG US à Beyrouth (*23-10* 241 †)]. *-30-10* fin des combats. *Bilan :* US 19 †, 3 disp., 77 bl. ; Grenadiens 44 † ; Cubains 24 †, 59 bl., 750 pris. (?) ; saisis : 6 332 fusils, 111 mitrailleuses, 13 batteries antiaériennes, 66 mortiers de 82 mm, 58 000 livres de dynamite. *-1-11* expulsion des dipl. soviét., mil. coréens, est-all., libyens et bulg. *-9-12* conseil exécutif prov. avec Nicholas Brathwaite. *-18-12* départ des derniers paras US (restent 150 MP, 150 conseillers US et 400 soldats de la force de paix caraïbe). **1984-**29-10 aéroport intern. de Point-Saline inauguré. *-3-12* él. lég. NPP a 14 sièges sur 15. *-9-12* Herbert Blaize (n. 1918) PM. **1989-**19-12 décède ; Ben Jones PM intérimaire. **1990-**13-3 législatives, N.D.C. gagne 7 sièges sur 15.

Statut. État membre du Commonwealth. *Constit.* du 22-2-1967. *Chef de l'État* reine Élisabeth II. *Gouverneur* Sir Paul Scoon (n. 4-7-35) dep. 30-9-78. *PM* Nicholas Brathwaite (n. 1926) dep. 16-3-90. *Sénat* et *Ch. des repr.* 15 m. Fête nat. : 15 août. Drapeau : adopté 1974 : triangles jaune (Soleil), vert (agric.) entourés d'une bande rouge (ferveur et liberté) ornée de 7 étoiles représentant les 7 paroisses de l'île. Partis. *P. travailliste uni de la Gr.* (GULP), leader : Sir Eric Gairy (anc. PM) (lui a succédé : Rassemblement de mouv. patriotiques). *Congrès nat. démocratique (NDC),* leader : Nicholas Brathwaite. *Nouveau P. nat.* (NNP), leader : Keith Mitchell.

Dépendances. *Les Grenadines,* 106 km², 600 îles [dont Cariacou 26,3 km², 8 000 h. (79)] dont une partie dépend de St-Vincent, Petite Martinique.

Économie

P.N.B. (88) 1 431 $ par h. **Pop. active** (% et entre par. part du P.N.B. en %) agr. 30 (20), ind. 10 (14), services 60 (66). *Chômage* 29 %. **Inflation.** *1985 :* 1,8 ; *86 :* 0,5 ; *87 :* – 0,9 ; *88 :* + 3. **Aide amér.** (88) 110 millions de $.

Agriculture. *Terres* (%) cultivables 47, cultivées 26. *Production* cacao, muscade, bananes, épices, sucre de canne, coton, citrons. Élevage (milliers de têtes,

87). Bovins 5, moutons 17, chèvres 11, porcs 11, ânes 1, volailles 260 (82). **Pêche** (87) 4 881 t. **Tourisme.** *Visiteurs (1989) :* en croisière 120 000, en séjour 69 000. *Recettes :* 72 millions de $ (86). **Commerce** (en millions de $ U.S., 86). *Importations* 86,1 *de* (%) G.-B. 25 à 30, Trinité 25 à 30. *Exportations* 28,7 *vers* (%) G.-B. 30 à 35, Trinité 20 à 25 *dont* (en %) cacao 25, bananes 19, muscade 16, vêtements 13, fruits 9, macis 5. **Rang dans le monde (1987).** 2e noix de muscade (1 843 t).

GROENLAND

V. Danemark p. 918.

GUADELOUPE

V. légende p.837.

Nom. De N.-D. de Guadalupe d'Estremadure (donné par Christophe Colomb pour remercier N.-D. de l'avoir sauvé d'une tempête). Les indigènes l'appelaient Calouacaera ou Karukera.

Situation. Archipel de 9 îles habitées dans le groupe des îles du Vent. 1 780 km². **Basse-Terre** (Guadeloupe proprement dite) 43 × 21 km. 848 km². Côtes 180 km. A 130 km de la Martinique. Origine volcanique, montagneuse [pitons et mornes (collines)], bouleversée par les éruptions successives, parsemée de falaises escarpées, de laves, d'éboulis, de vallées encaissées et de ravins]. Forêts tropicales, bananiers. *Alt. max.* la Soufrière (volcan) 1 467 m. **Grande-Terre.** 590 km². Côtes 260 km. Surtout calcaire. Relief bas. Centre et Sud : petits mamelons. Canne à sucre. *Alt. max.* 135 m. **Distances de Pointe-à-Pitre** (km) : Paris 6 756, New York 2 969, Cayenne 1636, Caracas 862, Fort-de-France 196. **Climat** tropical adouci par les alizés (temp. moyenne 24 °C), plus frais sur les hauteurs. *Pluies* plus abondantes « au vent » que « sous le vent » ; 1,55 m à Pointe-à-Pitre. Hivernage 15 juill.-15 oct. (grosses pluies, cyclones).

Population. Les h. originaires, les *Arawaks,* ont été éliminés par les Caraïbes, qui quittèrent l'île vers 1640 pour fuir les colons. *1686 :* 11 437, *1759 :* 50 643, *1790 :* 107 000, *1831 :* 119 663, *1852 :* 121 041, *1901 :* 182 112, *1936 :* 304 239, *1946 :* 278 464, *1954 :* 229 120, *1961 :* 283 223, *1967 :* 312 724, *1974 :* 324 530, *1982 :* 328 400, *1987 :* 336 300, *1990 (mars) :* 387 000 (avant 1954 : recensements défectueux et majorés). Noirs, Mulâtres, Indiens, Créoles (Blancs nés aux Antilles, env. 12 000, dits Békés). *Métropolitains* env. 8 000 ; *étrangers* 8 461 (Dominique 1 827, U.S.A. 1 361, Haïtiens 5 863), *1990 :* 25 000. **Âge** – *de 15 a.* 24,9 %, + *de 65 a.* 8,5 %. D. 217,4. *Accrois. naturel (89) :* 5 330 ; solde migrat. (82 à 90) + 22 000 ; accrois. an. + 1 266. **Villes** (90) : *Basse-Terre* 14 000 h. (ag. 52 600), Pointe-à-Pitre 26 029 (capitale écon., à 64 km) (ag. 141 300 h. dont Abymes 62 605). **Régions** (90) : côte sous le vent 25 350, côte au vent 47 565, Grande-Terre Nord 33 073, Marie-Galante 13 470, petites dépendances 4 650, îles du N. 33 560. **Émigration :** de 1971 à 1980 : 23 823 départs dont 1 586 en 80. Il y avait, en 82, 378 015 G. en France dont Région parisienne 81 000.

Langues. Français (99 %) *(off.),* créole. Les G. originaires des îles anglaises parlent angl. (minorité). **Religions.** Catholiques, sectes protestantes.

Histoire. 1493-*3-5* découverte par Christophe Colomb à son 2e voyage. **1635**-*28-6* occupée par les Français Duplessis et L'Olive, représentant la Cie des Iles de l'Amérique créée sous l'égide de Richelieu. **V. 1640** les Caraïbes, habitées par les Arawaks que les Caraïbes élimineront, quittent l'île pour fuir les colons. **1666** la Cie des Indes occidentales lui succède, puis la vend à la Couronne de Fr. (1674). Prospère (canne à sucre introduite 1644 et cultivée par des esclaves africains importés). **Révolution** lutte entre planteurs et hommes de couleur. **1794** *avril* occupation angl. à Pointe-à-Pitre et Basse-Terre ; *juin* abolition de l'esclavage, annoncée par Victor Hugues, envoyé de la Convention, les planteurs se rapprochent des Angl., mais sont battus par Hugues soutenu par Noirs. **1802** rétablissement de l'esclavage, révolte réprimée par Gal Richepanse (28-5-1802 Delgrès se fait sauter avec 300 h.). **1810-14** et **1815-16** occupation angl. **1833**-*28-4* création d'un Conseil colonial. **1848** abolition de l'esclavage par Schoelcher ; effondrement de la production du sucre jusque v. 1860 ; introduction de salariés hindous. **1871** représentée au Parlement fr. **1946**-*19-3* département. **1967**-*26-5* manif. autonomiste, 40 †. **1973** région fr. **1976** *août* crainte d'une éruption de la Soufrière, évacuation temporaire de 72 000 h. (15-8/1-12). **1979**-*3-9* cyclones Frederic et -*29-10* David, 316 millions de F de dégâts. **1980** cyclone Allen. Attentats du GLA (Groupe de lib. armée). *Déc.* Pt Giscard en G. **1981**-*5-1* attentat du GLA contre Chanel à Paris. -*14-2* Max Martin, directeur d'une bananeraie, tué. *Printemps :* cyclone. **1983**-*28-5* 17 att. en G., Martinique, Guyane et Paris (j. anniv. de la révolte de 1802). -*14-11* 6 att. de l'Alliance révol. caraïbe (A.R.C.). 23 blessés à Basse-Terre. **1984**-*22-1* parti (L.P.G.) créé par Lucette Michaux-Chevry, Pte du Cons. général. Plusieurs att. dont *15-1*, *26-2* (14), *23-7 :* 4 † indépendantistes, *3-5* ARC dissoute. **1985** *févr.* Luc Reinette, indépendantiste condamné à 19 ans de prison (pour violence et attentats). -*7-3* L. Michaux-Chevry échappe à un att. -*13-3* att. 3 †. -*5/7-4* conférence « internat. des dernières colonies fr. » (indépendantistes des DOM-TOM). -*16-6* Reinette et 3 indép. s'évadent de la prison de Basse-Terre. -*22/28-7* émeutes pour libération de Georges Faisans (condamné à 3 ans de prison pour avoir blessé avec un sabre un enseignant métropolitain en oct. 84). -*29-7* Faisans libéré sous contrôle judiciaire. -*5/6-12* Pt Mitterrand en G. **1986** *mars* législatives ; mot d'ordre d'abstention indépendantiste, participation 47 %. *20-3* L. Michaux-Chevry secr. d'État à la francophonie. **1987**-*1-7* 3 indépendantistes en fuite (Luc Reinette, Henri Amédien, Henri Bernard) constituent un « Conseil nat. de la résistance guad. » contre « péril blanc ». -*21-7* Reinette, Amédien et H. Bernard remis à la Fr. par St-Vincent. -*28-9* victoire de l'Union de la Gauche aux sénatoriales (1 PC, 1 PS). -*25/30-11* 21 att. commis par ARC. **1989**-*25-1* nuit bleue à Pointe-à-Pitre (25 militants ARC arrêtés en avril). -*20-4* affrontements à Port-Louis ; *mai* Reinette condamné à 33 ans de prison, puis amnistié 23-5. -*13-7* retour de Reinette et de 5 autres indépend. amnistiés. -*16/17-9* cyclone Hugo [vitesse : 19 km/h ; diamètre de l'œil : 37 km ; vitesse des vents : 210 à 250 km/h (ouragan de classe IV), vitesse max. enregistrée : 188,3 km/h]. Bilan : 5 †, 10 000 à 12 000 sans-abri ; destructions : 100 % des cultures de bananes, 65 % des cultures de canne à sucre, 30 % des logements. Coût de la reconstruction : 1 700 millions de F.

● **Statut.** Dép. d'Outre-Mer dep. 19-3-46, *4 députés, 1 RPR, 1 D.V.D., 1 PS, 1 PC ; sénateurs :* 1 P.C., 1 P.S. *Conseil régional :* 12 P.S., 10 P.C., 8 D.V.D., 8 R.P.R., 3 U.D.F. *Pt de l'Ass. rég. :* Félix Proto (soc.). *Comité écon. et social* 40 m. *Préfecture* Basse-Terre (Jean-Paul Proust). *Sous-préfectures :* Pointe-à-Pitre et Marigot (St-Martin). 34 *communes.*

● **Partis.** *R.P.R.,* Marlène Captant. *U.D.F.,* Simon Barlagne. *F.G.P.S.,* Félix Proto (Pt du Conseil rég.). *P.C. de G.,* secr. gén. : Christian Céleste dep. 13-3-88. *UPLG (Union pop. pour la libération de la G.),* f. 1978, Claude Makouke, indépendantiste. *Mouv. pour la G. indépendante,* f. par Luc Reinette. *KLPG* (Mouv. des chrétiens pour la libér. de la G.).

● **Élections. Présidentielles 1988 :** *inscrits :* 1er tour : 197 712, 2e tour : 197 755 ; *abst. :* 1er tour : 47,89 %, 2e tour : 58,36 %. *Voix (en %) au 1er tour* et entre parenthèses au *2e tour :* Mitterrand : 69,41 (55,12), Chirac : 30,59 (25,26). **Législatives. 14-6-81 :** abst. 75,56 %, P.C. 25,64 % des voix, P.S.-M.R.G. 24,20, U.D.F.-R.P.R. 46,98 ; élus : 1 app. P.S., 1 P.S., 1 app. U.D.F. **16-3-86 :** abst. 52,43 %, R.P.R. 35,46 % des v., P.S. 27,8, P.C. 23,52, U.D.F. 10,98, div. g. 1,24, F.N. 0,68, Écolo. 0,29 ; élus : P.C. 1, P.S. 1, div. droite 2. **12-6-88 :** inscrits 197 490, abst. (70,26) 61,38 %, maj. P.-P.S. (33,79) 35,17 % des v., U.R.C.-R.P.R. et app. (28,83) 26,64, P.C. et app. (27,34) 26,46, diss. R.P.R. (4,87) 11,73, div. droite (2,4), extr. G. (1,56), U.D.F. diss. (1,11), Écolo. (0,10) ; élus : P.S. 2, P.C. 1, U.R.C. app.-R.P.R. 1.

Régionales. 20-2-83 : abstentions 46,68 %. Sièges : 41. Voix obtenues (%) : R.P.R.-U.D.F. 44,57, P.C. 22,55, P.S. 20,32, Union pour la promotion de la G. (div. droite) 4,37, Nouvel Horizon (div. gauche) 2,63, Force g. de progrès (div. gauche) 2,63, Extrême g. indép. 1,67, Groupement parti soc. (div. gauche) 0,80. **16-3-86 :** abst. 53,19 %, R.P.R. 33,09 (8 élus + divers droite 8), P.S. 28,65 (11), P.C. 23,77 (8), U.D.F. 10,71 (3), div. g. 2,36, extr. 1,41. **Cantonales. 25-9/2-10-88 :** 13 socialistes, 9 communistes, 1 extr. g., 4 divers g. sur 36 s. (7 divers d., 2 U.D.F.).

● **Éducation** (1989-90). *1er degré* 59 170 (dont privé : 5 370), *2e degré* 51 858 (5 487). **Établissements** (1990-91). *Primaires et maternelles* 341, *collèges* 50, *LEP* 24, *Lycées* 15.

Dépendances

La Désirade. Rocher calcaire ; 20 km² (11 km × 2), *côtes* 30 km, à 10 km de la Grande-Terre. *Alt. max.* 276 m. 1 610 h. *Chef-lieu : Grande-Anse.* Pêche. *Découverte* 1493. Jusqu'en 1952 : refuge de lépreux.

Les Saintes. Ilôts volcaniques ; pas de cours d'eau. 13 km². A 12 km de la Basse-Terre. 8 îles (dont Terre-de-Haut long. 4 × 0,6 à 3 km). *Alt. max.* (Morne du Chameau) 309 m. *Terre-de-Bas,* long. 4 km ; 3 036 h. (beaucoup descendent de marins bretons). Pêche. Tourisme. Belle rade. *Découverte* 1493. Occupée par les Fr. dep. 18-10-1648.

Marie-Galante (nom dérivé de la caravelle de Christophe Colomb). 158 km² (en cercle, diam. 15 km). *Côtes* 83 km. A 26 km du S.-E. de la Basse-Terre. Calcaire. *Alt. max.* 204 m. 13 470 h. *Découverte en 1493. Villes : Grand-Bourg* 6 244 h. (éco-musée de l'anc. habitation Murat XVIe s.), Capesterre 3 825 h., St-Louis 3 404 h. Canne à sucre. Élevage. Rhum (distillerie du Père Labat à Poisson).

Saint-Barthélemy. Ile de formation volcanique. 21 km². *Côtes* 32 km. A 205 km de la G., 29 km de St-Martin, 150 km de St-Thomas. *Alt. max.* 281 m, pas de cours d'eau. *Population* [descendants de Fr. venus aux XVIIe et XVIIIe s. des provinces de l'Ouest (Poitou notamment)] : 1782 : 739 hab. (458 Bl., 281 N.), *1815 :* 6 000, *1835 :* 2 060, *1986 :* 3 059 (Bl. 95 %), *1990 :* 5 038. *Chef-lieu : Gustavia. 1493-24-8* Christophe Colomb découvre l'île. *1629* quelques mois, colonisation par gouverneur de St-Christophe. *1651* vendue à l'ordre de Malte. *1656* Indiens Caraïbes chassent colons. *1659* une trentaine de colons se réinstallent. *1665* achetée par C. des Indes occid. *1847* esclavage aboli, Noirs partent. *1784-8-7* Fr. la cède au roi de Suède contre des avantages commerciaux à Göteborg (et pour obtenir du roi de S., Gustave III, son consentement au mariage du Bon de Staël avec Germaine Necker). *1877-10-8* Fr. la rachète 320 000 F (+ 80 000 F de dédommagement aux rapatriés suéd.). *Référendum :* 350 voix (contre 1) pour rattachement à la Fr. *1852* incendie de Gustavia. *XIXe-XXe s.* immigration d'env. 1 000 h. à St-Thomas. *Zone franche.* Tourisme (résidences sec. de luxe) 22 plages, dont Colombier, Grande Saline et Grand-Fond. Pêche.

Saint-Martin (13 × 15 km). *Climat* sec. Ile à 250 km de la G., partagée avec les P.-Bas dep. 13-3-1648 (absence de frontière commune). **Partie fr.** (St-Martin) 53,2 km², côtes 72 km. *Alt. max.* Mt Paradis 424 m ; 28 518 h. dont 16 000 étr., chef-lieu *Marigot,* port franç. Presque toute la pop. parle anglais. Cédée aux Chevaliers de Malte *1651,* à la 2e Cie des Indes occid. *1665,* à la Couronne *1674.* Holl. (Sint Maarten) 1/3 (chef-lieu *Philipsburg*). *Paradis fiscal :* pas de douanes, de T.V.A., aucun impôt direct, aucune norme française obligatoire ; comptes bancaires à numéros. *Zone franche. 1990* (mai) 350 kg de cocaïne saisis dans un avion à Saint-Martin. -*27-9* le conseil municipal de St-Martin (partie française) refuse l'installation de douaniers décidée par le gouv. *Tourisme.* Belle plages. *Élevage.*

Iles de la Petite-Terre. 1,7 km². *Alt. max.* 10 m.

Tintamarre. 1,2 km². *Alt. max.* 39 m.

Économie

P.N.B. (89) 4 700 $ par h. 80 % du P.N.B. vient de l'apport de la métropole (transfert de fonds public en 1983 : 5 milliards de F), l'État assure 50 % de la protection sociale. **Pop. active.** (% et entre par. part du P.N.B. en %) agr. 15 (6), ind. 20 (9), services 65 (85). *Nombre* (1990) 171 045 (dont 53 540 chômeurs). 36,1 % des hommes et 24,9 % des femmes travaillent. *Fonctionnaires :* métropolitains en trop grand nombre. **Inflation (%).** *85 :* 2,9, *87 :* 3, 5, *88 :* 1,9, *89 :* 2,8, *90 :* 3,7.

Budget (millions de F) *État* (89) recettes perçues 2 124 dont impôts et taxes assimilés 773, T.V.A. 662, autres 74 ; dépenses 4 282. *Département* (88) recettes 1 838, dépenses 1 660 dont investissement 414, fonctionnement 1 246. *Communes* (88) recettes 1 802, dépenses 1 814 dont investissement 575, fonctionnement 1 239. *Région* (88) recettes 911, dépenses 892 dont investissement 352, fonctionnement 540.

Agriculture. *Terres* (en ha, 89). SAU 46 740 dont arables 29 517 [dont cult. ind. 16 952 (canne à sucre : 56 % des terres arables), fruitières 7 615 (bananes : 27 % des terres arables), lég. 3 815, autres 1 135] ; surface en herbe 16 233 ; jardins familiaux 256 ; cultures florales 126 ; autres cultures 608. **Sucre :** canne récoltée et sucre extrait en milliers de t *1960* : 2 000, *79* : 1 111 (105), *80* : 976 (92), *81* : 788 (59), *82* : 840 (72), *83* : 613 (57), *84* : 478 (42), *85* : 520 (53), *86* : 712 (65), *87* : 720 (63), *88* : 871 (76), *89* : 831 (78), *90* : (25), *91* : (55). **Bananes :** 85 (89). **Cheptel** (milliers de têtes, 88/89) bovins 65,3, dont vaches 29,1, porcins 23 (dont truies mères 5,7), ovins 3,4, caprins 28,2 (dont chèvres mères 10,8), poules pondeuses 59,4, poulets en chair 173,9, lapines-mères 5,2. *Abattages* (t de carcasses produites, 88) : bovins 3 012, porcins 2 824, (total *84* : 4 770), volailles 1 284, total 7 800. **Pêche** (88) : 1 600 marins-pêcheurs recensés, 1 065 navires immatriculés (86). *En 88* : consom. locale 14 300 t, prod. locale 8 150 t. *Rapport* (millions de F, 83) 992 dont c. à sucre 160, bananes 160, autres végétaux 358, prod. animales 234.

Problèmes agricoles. Rhum, sucre, bananes, ananas, stagnent alors que les importations augmentent de 15 % par an. La production n'est plus compétitive sauf subventions (souvent mal réparties) . *Prix de revient de la main-d'œuvre* 4 ou 5 fois plus élevé que dans les îles voisines (et jusqu'à 10 fois celui de Haïti). *Élevage* : échec faute d'éleveurs compétents. *Export.* ne couvrent que 25 % des import.

Énergie (1989). Importée pour 90 %, principalement hydrocarbures. *Électricité* : 30 % de la consommation ; 2 centrales thermiques à fuel [prix de revient du kWh (1986) : 1,40 F (France 0,42)] ; géothermie potentiel 15 à 20 MW (centrale de 4 MW à Bouillante ; eau à 240 °C à 320 m de profondeur) ; projet d'incinération de déchets à Pointe-à-Pitre (3 MW).

Industrie. Rhum, boissons, sucrerie. **Mines. Transports.** *Routes (1985) en km* : nationales 329, chemins départementaux 582, communaux 1 171. *Parc autom.* (90) : utilitaires 29 683, particuliers 69 259, motos 2 968.

Tourisme. 5 134 chambres en 86 dont 60 % sur la Grande-Terre (Pointe des Châteaux, plages de l'anse Bertrand, de l'anse Laborde et de l'anse du Souffleur) ; *au 1-1-91* : 5 353 chambres. Basse-Terre : parc naturel 13 000 ha. Parc national 17 000 (dep. mars 89), Pigeon (à 770 m). *Visiteurs* (89) 320 000 dont (%, 84) *France 66,* Europe 8,2, U.S.A. 17, Canada 6,8. *T. de croisière* (90) : 259 bateaux. *Séjour moyen* (85) : 6,1 j.

Commerce (en milliards de F). *Importations 1983* : 5 ; *1984* : 5,2 ; *1985* : 5,7 ; *1986* : 5,4 ; *1987* : 6,2 ; *1988* : 7,2 (dont en %) : biens de consommation 24,1, biens d'équip. profes. 16,9, I.A.A. 16,7, autom. et pièces détachées 12,6, prod. chim. 10,4, métaux 7,2, prod. énerg. 4,7, autres produits 7,4 *de métropole 64,4 %,* CEE 15,2, USA 2,9, Japon 2,4, Martinique 2,2, Caraïbes 1,2, Guyane 0,6 autres pays 11,1. *Exportations. 1983* : 0,6 ; *1984* : 0,7 ; *1985* : 0,6 ; *1986* : 0,7 ; *1987* : 0,6 ; *1988* : 1 (dont en %, prod. des I.A.A. 42,6 : prod. agric. 35,8 [banane : 50 % des export. ; canne à sucre : 10 000 t par an (*1965* : 65 000 t)], biens de consommation 8, équip. profes. 7,7, autres produits 5,9) *vers métropole 63 %,* C.E.E. 14,5, Martinique 12,5, Guyane 2,1, Caraïbes 0,6, autres pays 7,4.

GUATEMALA

V. légende p. 837.

Nom. D'un mot nahoa Coactlmoctl-lan (pays de l'oiseau qui mange des serpents).

Situation. Amérique centrale. 108 889 km². *Frontières* avec Mexique 960 km, Salvador 203, Honduras 340, Belize 223. *Côtes* : Pacifique 254 km, Atlantique 166 km. *Alt. max.* volcan Tajumulco 4 220 m. *Zone* plate au N. (El Petén), forêt tropicale, peu peuplée ; *montagne* au centre (tierras frias), volcans (33) dont certains en activité ; *côte Pacifique* (tierras calientes, env. 25 °C). **Climat :** plaines tropicales (temp. moy. 28 °C), en alt. plus tempéré (moy. 20 °C), côtes (max. 38 °C), saison sèche nov. à mai ; humide juin à oct. ; fortes pluies sept.-oct.

Population. *1989* : 8 946 000 h., *2000* prév. 12 739 000. En % : Indiens (surtout dans les Hautes-Terres de l'O. et du N.-O.) 54, Ladinos (Indiens urbanisés, Métis) 42 et Blancs 4. **Âge.** – *de 15 a.* 46 %,

+ *de 65 a.* 3 %. **Étrangers** 20 605 (84). D. 82,1. **Villes** (87) : *Guatemala* (alt. 1 500 m) 2 300 000 h., Mixco (alt. 1 739 m) 600 000, Quezaltenango (alt. 2 335 m) 110 000 (à 200 km), Escuintla 90 000 (à 56 km), Retalhulen (alt. 150 m) 54 000 (à 182 km), Puerto Barrios 52 000 (à 295 km), San José (Puerto) 15 800 (à 108 km), Antigua (alt. 1 530 m) 15 800 (à 45 km).

Langues. Espagnol *(off.),* 21 langues d'origine maya et 2 non mayas (le xinka, le garifuna), Analphabètes 65 %. **Religions.** Catholique (*off.* 75 %), protestante, sectes évangéliques (25 %).

Histoire. Siège de l'emp. Maya (ruines de Tikal construite 200 av. J.-C. à 950 apr. J.-C., Piedras Negras, Naranjo, Nakum, Cancuen, Iximché, Sayaxché, Mixco Viejo, Seibal). **1524** exploration d'Alvarado. **1773** tremblement de terre, détruit Antigua (ancienne capitale fondée 1542). **1821** indépendant, s'unit au Mexique, qu'il quitte (1823) pour la Féd. d'Amér. centrale jusqu'en 1839. **1839-65** Rafael Carrera (1814-65), dictateur. **1871** révolution libérale, Pt Justo Rufino Barrios (1835-85). **1898-1920** Manuel Estrada Cabrera (1857-1923), dictateur. **1931-44** Gal Jorge Ubico (1878-1946), dictateur. **1941** déclare g. à l'Axe. **1944**-*20-10* révolution. **1945-51** Juan José Arevalo (1904-90), échappe à 20 coups d'État. **1951** Jacobo Arbenz Pt († 27-1-71), réforme agraire (terres non cultivées de l'United Fruit et d'autres gros propr. expropriées, 900 000 ha distribués à 100 000 familles). **1954** *-27-6* coup d'État (organisé par United Fruit, C.I.A. et ambassade amér.) : avec Bérets verts et mercenaires nord-amér. C[el] Carlos Castillo Armas renverse Arbenz, devient Pt et restitue les terres. **1957**-*26-7* Armas assassiné, Gal Miguel Ydigoras Fuentes Pt. **1963** coup d'État mil. du C[el] Enrique Peralta Azurdia. **1966** Pt Julio Cesar Montenegro. **1970** Pt Gal Carlos Arana Osorio (n. 17-7-18). Armée de la guérilla des pauvres (E.G.P.). Terrorisme de droite et de gauche (env. 3 000 † en 1971). **1972**-*26-6* Oliverio Castaneda Paiz, 1er vice-Pt du Congrès, assassiné. **1974**-*1-7* Kjell Laugerud Garcia (n. 24-1-30) élu Pt (fraude élect.). **1976**-*4-2* séisme : 24 103 †, 80 000 bl., 250 000 log. détruits. **1978**-*29-5* affrontements avec paysans indiens à Panzos (100 †). *-2-10* grève générale, 30 †, 1 000 arrestations. Gal Romeo Lucas Garcia (n. 1-7-24) élu Pt. **1979** guérilla (O.R.P.A.). **1980**-*31-1* paysans occupent l'ambassade d'Esp. pour protester contre répression dans le Quiche, assaut de la police, 39 †. *-1-2* rupture des relations dipl. avec Esp. *-21-6* : 27 syndicalistes enlevés et disparus. **1981** guérilla, env. 13 000 meurtres pol. **1982**-*7-3* Gal Anibal Guevara (n. 2-10-25) élu Pt avec 35 % des voix, opposants demandent annulation pour fraude. *-13-3* Congrès confirme l'élect. *-23-3* coup d'État (armée de l'Air). *-31-5* guérilla rejette amnistie proposée. *-1-7* état de siège. **1983**-*8-8* Gal Mejía dépose Gal Ríos Montt. *-27-10* libération des sœurs des généraux Rios Montt et Mejía enlevées juin et sept. **1984** *janv.* coup d'État contre Mejía échoue. *-1-7* élection à l'Ass. Constituante (88 dép.). [Démocratie chrétienne 15,9 %, Union du centre nat. 13,19, Mouv. de la libération nat. et Centrale nationaliste authentique 12,03]. **1985**-*29-8* manif. après hausse des transports. *-3/4-9* l'armée occupe université San-Carlos, 8 †. *3-11/8-12* présidentielles : Cerezo élu. par 65 % des voix. **1986**-*5-2* D.I.T., police secrète jugée responsable de crimes commis par « escadrons de la mort », dissoute. *Mai* accords d'Esquipulas (voir Index). **1988**-*11-5* coup d'État mil. déjoué. **1989**-*26/30-3* mutinerie prison d'El Pavon (12 †). *Mai* rébellion mil. échoue. **1990**-*25-7* Otto Rolando Ruano, député de l'U.C.N., assassiné. *-11-11 Présidentielles : 1er tour* : Jorge Serrano (MAS, droite, secte protestante fondamentaliste), 24,3 % des voix, Jorge Carpio (UNC, droite) 15,7, Alvaro Arzu (droite) 17, Alfonso Cabrera (dém.-chrét.) 17 ; *2e t.* (6-1-91) : Jorge Serrano élu Pt avec près de 68 % des v. *-2-12* armée tire contre manif. pacifiques à Santiago-Atitlan (16 †). *-21-12* arrêt de l'aide américaine. **1991**-*4-1* rétablissement des rel. dipl. avec URSS (suspendues dep. 1947). *-30-1* attentat manqué contre le Pt.

Statut. République *Const.* de 15-9-1965, suspendue 23-3-82. Junte, *Pt* Jorge Serrano Elias (45 ans), Mouv. d'Action Solidaire, élu 6-1-91 au 2e tour par 68 % des voix [1er tour présidentielles : abstentions 45 %, bulletins nuls 9,1 %, Jorge Carpio Nicole (Union du centre nat.) 25,7 % des voix, Jorge Serrano (M.A.S.) 24,1 %], en fonction dep. 14-1-91. **Fêtes nat.** : 15 sept. (Indép. 1821), 20 oct. (Révolution de 1944). **Drapeau** : adopté 1871 : **Symbole** : *arbre* : Ceiba (kapok), *oiseau* : quetzal.

Principaux guérilleros : *Mouvement révolut.* (MR 13), fondé 1960), *Forces armées rebelles* (FAR), f. 1963, *Guérilla armée des pauvres* (EGP), f. 1978, *Organisation révolut. du peuple en armes* (ORPA), f. 1980. *Parti guat. du travail* (PGT), regroupés en févr. 82 dans l'Union révol. nat. guat. (UNRG). *Assassinats ou disparus dep. 30 ans* : 100 000 (selon org. de défense des droits de l'homme).

☞ Le Guatemala revendique Belize.

Économie

P.N.B. (89). 890 $ par h. **Pop. active.** (% et entre par. part du P.N.B. en %) agr. 55 (25), mines 1 (1), ind. 17 (19), services 27 (55). *Sans emploi* 33,2 %. **Chômage** (90). 40 %. **Inflation** (%). *1980* : 10,7 ; *81* : 11,4 ; *82* : 11 ; *83* : 11,7 ; *84* : 13 ; *85* : 70 ; *86* : 37 ; *87* : 20 ; *88* : 10,3 ; *90* : 75. **Dette extérieure** (fin 89). 3,74 milliards de $ (41 % du P.I.B.). Pauvreté extrême : 72 % des hab.

Agriculture. Terres (milliers d'ha, est. 81) forêts 4 470, t. arables 1 485, pâturages 870, cultivées en permanence 356, eaux 46, divers 3 662. 2 % des propriétaires possèdent 62 % des terres, 90 % des exploitants ont moins de 7 ha et 419 620 ne possèdent aucune terre. *Production* (milliers de t, 89) maïs 1 050, bananes 470, café 185, coton 39, cardamome 7,3 (84) ; haricots, ananas, avocats, chicle. *Héroïne* : 1 600 ha de pavots, production 15 milliards de $ par an ; *marijuana* : 38 millions de $. **Forêt.** 7 390 000 m³ (88). **Élevage** (milliers de têtes, 89). Volailles 15 000, bovins 2 900 (88), porcs 862 (88), moutons 660, chevaux 100 (88). **Pêche.** 2 425 t (87).

Pétrole (milliers de tonnes) : *prod. 86* : 350, *87* : 250, *88* : 150, *89* : 168, *90* : 169, *réserves prouvées* 19 520. **Industrie.** Agroalimentaire, textile. **Transports** (km, 89). Routes 18 000 dont 2 850 bitumés, chemins de fer 953. **Tourisme.** *Visiteurs : (89)* : 440 000. *Lieux* : Guatemala [palais national (1939-43), cathédrale, N.-D. de la Merci, théâtre national (2 200 places), galerie des Beaux-Arts, musées d'Hist. et d'Anthrop., d'Art moderne, Ixchel du Costume indien)], Tikal (à 548 km de Guatemala, alt. 254 m), Quirigua et Antigua (ancienne capitale de l'Amér. centrale, abîmée par séisme 1773). Uaxactun, Ceibal, La Democracia, El Asintal, Mixco Viejo, Rio Azul, Lagunita, Iximché, marchés indiens de Chichicastenango (à 144 km de Guat., alt. 2 071 m, 3 200 h), de San Francisco El Alto à Totonicapan et de Chiquimula, lac Atitlán (130 km² à 1 542 m d'altitude, temp. constante 20 °C) et Amatitlan (alt. 1 190 m), Santiago Sacatepéquez (fête du 1-11 : cerfs-volants destinés aux esprits des morts), grottes de Naj Tunich près de Poptun (Petén., fresques 800 av. J.-C.) et d'Actun Kan à Santa Elena (« Grotte du Serpent »), plages du Pacifique (Likin). **Parcs nationaux.** Chocon Machacas [lac Izabal (du lac Izabal à Livingston 37 km), Rio Dulce (48 × 28 km) et baie de l'Amatique] : protection des lamentins et des mangroves.

Commerce (en millions de $, 88). *Exportations* 1 022 *dont* (en %, 87) café 36,5, bananes 7,7, sucre 5,6, cardamome 4, coton 2,1, *vers* (en %, 87) U.S.A. 45,5, El Salvador 9,5, All. féd. 8,2, Costa Rica 5, Japon 3,8, Italie 3, P.-Bas 2,8. *Importations* 1 440 *dont* (en %, 87) matières 1res et équipements pour l'ind. 43,6, machines et équip. ind. 22,7, biens de consommation 16,2, combustibles et lubrifiants 6,7, matières 1res et équipements pour l'agr. 6,3, mat. de construction 4,5, *de* (en %, 87) U.S.A. 43,2, All. féd. 7,3, Mexique 6,2, Japon 5,6, Venezuela 5,5. **Rang dans le monde** (89). 9e café.

GUINÉE

Carte p. 963. V. légende p. 837.

Situation. Afrique. 245 857 km². *Alt. max.* Mt Nimba 1 752 m. **4 régions :** *Basse* : plaine côtière de 300 km sur 50 à 90 km bordée par la mangrove

[1 saison sèche en hiver, 1 très pluvieuse en été : 4 292 mm par an à Conakry] ; *Moyenne :* massif du Fouta-Djalon (Mt Loura 1 538 m), climat tropical de montagne, savane arbustive avec forêt-galerie (1 saison sèche et 1 pluvieuse 2 000 à 2 800 mm) ; *Haute :* plate, climat sec (1 800 mm), savane herbeuse ; *Forestière :* forêt dense, massifs (dorsale guinéenne) et bas-fonds, climat subéquatorial (longue saison pluvieuse).

Population. *1988* 6 641 000 h., dont Peuls 30 %, Malinkés 25, Soussous 13, Kissi, Tomas, Glerzé, Baga et Coniagui 2, forestiers 20, autres 10, *prév. 2000* 8 879 000. *Français :* 3 000. **Âge** - *de 15 a.* 43 %, *+ de 65 a.* 3 %. **Mort. infantile** 153 ‰. D. 27. **Villes** (est. 83) : Conakry 705 280, Kankan 88 760, Kindia 55 904. **Guinéens à l'étranger :** Sénégal 600 000, C.-d'Ivoire 550 000, Sierra Leone 150 000, Liberia 100 000, Mali, G.-Bissau 100 000, France 5 000. **Langues.** 8 langues nat., français. **Religions** (%). Musulmans 80, animistes 15, chrétiens 5 (dont 60 000 cath., 3 600 réformés et 1 200 anglicans).

Histoire. **1837-42** tr. du Lt de vaisseau Bouet-Willaumetz avec souverains locaux ; comptoirs fr. Col. des Rivières du Sud, rattachée au Sénégal. **1893** col. autonome (G. Française). **1899** dans l'A.O.F. Pacifiée par Gallieni et le gouverneur Ballay après défaites de Mahmadou Lamine (1887), Almamy Samory Touré (1898) et Alfa Yaya Diallo (1910). **1947** création du P.D.G. **1958**-*28-9* indépendance ; G. vote « non » au référendum instituant « la Communauté française » : la Fr. cesse toute aide financière ; rupture des relations diplom. avec Fr. *-2-10* Rép. indép., Pt Ahmed Sékou Touré (v. 1922-84) ; *nov.* projet union avec Ghana ; *-10-12* la Fr. s'abstient au vote d'admission de la G. à l'O.N.U. **1959**-*15-1* la Fr. reconnaît la G. **1960**-*2-3* sortie de la zone franc. *-21-4* Sékou Touré annonce « la découverte d'un complot » et dénonce « le colonialisme fr. » ; *déc.* projet union avec Ghana et Mali. **1961**-*31-7* accord culturel franco-g. **1962**-*9-1* nationalisation des Cies d'assurances et de la dernière banque fr. **1965**-*16-11* la G. accuse Fr., Côte-d'Ivoire, Hte-Volta, Niger d'un complot. **1962-68** nationalisations. **1969**-*12-3* la Fr. accusée d'un nouveau complot. *-15-5* 13 condamnés à mort, dont Keita Fodeba. **1970**-*22-11* débarquement de forces portugaises de G.-Bissau (360 †). *-24-12* Mgr Tchidembo (n. 1920), archev. de Conakry (Gabonais, sujet français), arrêté et torturé, condamné à la prison à vie le 24-1-71. Plusieurs condamnés pendus. **1971**-*19-1* la G. accuse Fr. et All. féd. d'avoir participé au débarquement du 22-11-70 ; 20 Fr. emprisonnés. **1975**-*14-7* relations dipl. avec Fr. rétablies ; 18 Fr. libérés. **1977**-*25-2* Diallo Telli (n. 1925), ancien secr. gén. de l'O.U.A., meurt en prison ; *août* révolte des femmes. **1978**-*26-1* Pt Giscard d'Estaing en G. **1979**-*7-8* Mgr Tchidembo libéré. **1982**-*16/20-9* Sékou Touré en Fr. **1983**-*22-12* séisme (400 †). **1984**-*26-3* Sékou Touré meurt. *-3-4* coup d'État mil. renverse Lansana Beavogui (n. 1923, PM dep. 26-4-72, désigné chef du gouv. le 26-3). Du 3-4 au 1-6 200 000 exilés rentrent. Libéralisation de l'économie. Réforme admin. monétaire ; décentralisation ; fermeture des banques d'État. **1985**-*15-5* 30 partisans de Touré libérés. *-4/5-7* coup d'État du colonel Diarra Traore (Malinké) échoue : 18 †. **1986**-*5-1* Franc guinéen remplace Syli, dévaluation d'env. 93 %. **1987**-*5-5* 37 prisonniers de Touré condamnés à mort (en fait, beaucoup ont déjà été tués en prison). *-31-12* Andrée Touré (femme de Sékou) condamnée à 8 ans de prison, son fils et 65 détenus libérés. **1988**-*6-7* manif. contre vie chère. **1989**-*10/13-5* Pt Conté en France. **1990**-*23-12* référendum pour nouvelle constitution, mettant fin au régime mil. et instaurant le multipartisme : 98,7 % pour.

Répression. Entre 1958 et 71 : sur 71 ministres et secr. d'État, 9 pendus ou fusillés, 8 morts en détention, 18 condamnés aux travaux forcés à perpétuité, 20 remis en liberté provisoire, 5 réfugiés à l'étranger. Hostilité envers les Peuls (musulmans très stricts), plusieurs milliers tués après torture, au cours de purges périodiques (dernière en 76).

Statut. Rép. pop. et révol. *Const.* du 23-12-1990 : *Pt* et chef du gouv. général Lansana Conté (52 ans, Soussou). *Ass.* 210 m. *Partis :* P. démocr. de G. (PDG), f. 14-5-47 dissous 3-4-84. *Organisation unifiée pour la libération de la G. (OULG)* Côte-d'Ivoire, Ibrahima Kake ; *Mouvement pour le Renouveau en G.* (ex. UPG, Cdt Diallo).

Depuis 1964, polygamie interdite mais encore pratiquée. **Fête nat. :** 2 oct. (proclamation de la Rép.). **Drapeau.** Adopté 1958 : bandes rouge (travail), jaune (justice) et verte (solidarité).

Économie

P.N.B. (88) 367 $ par h. **Pop. active** (% et entre par. part du P.N.B. en %) agr. 67 (30), ind. 5 (10), mines 5 (22), services 20 (38). **Dette extér.** (88). 1,69 milliard de $ (+ de 90 % du P.N.B.) dont 50 % envers U.R.S.S. (remboursés en bauxite). **Service de la dette (1987) :** 0,143 md de $. **Aide** (millions de $ 87) 220. **Inflation.** *1988 :* 30 %.

Agriculture. *Terres* (milliers d'ha, 81) arables 1 500, cultivées en permanence 72, pâturages 3 000, forêts 10 560, divers 9 454. *Production* (milliers de t, 89) manioc 530 (88), riz 486, maïs 45 (88), plantain 350 (88), arachide 75, fruits 320 (83), légumes 420 (88), tubercules 79 (84), café 15 (88), patates douces 75 (88), palme 40 (88), tabac, ignames 62 (88), noix de coco 15 (88). **Élevage** (milliers de têtes, 88). Bovins 1 838, poulets 13 000, moutons 460, chèvres 460, porcs 50. **Pêche.** 30 000 t (87).

Mines. *Bauxite* réserves 8 milliards de t (2/3 du monde), haute teneur, très peu siliceuse, gisements à Kindia, Fria, Boké, exploités par des consortiums occidentaux ou russes, prod. 16 500 000 t (1988), *alumine* 542 100 t (88) (2/3 du P.I.B.). *Fer* réserves 15 milliards de t, Mont Nimba, Simandou. *Or* (teneur 300 à 600 g par t de gravier). *Diamants* réserves 200 millions de carats ; prod. : *1982 :* 32 500 carats, *88 :* 200 000. *Manganèse.* **Industrie.** Usine d'alumine à Fria. Une dizaine d'usines en activité (33 en 1958) fonctionnent en moyenne à 10 % de leur capacité.

Transports (km). *Chemins de fer :* Conakry-Kankan 662, Sangaredi-Port-Kamsar 136. Conakry-Fria, Conakry-Dêbébé 124. *Routes et chemins :* 30 000 (dont 1 087 goudronnés).

Commerce (millions de $, 88). *Exp.* 548 *dont* bauxite et alumine, café, palmiste, ananas, huiles essentielles. *Imp.* 491. **Avec la France** (millions de F., 1988) *Imp.* 800, *exp.* 273. **Rang dans le monde** (85). 1e rés. bauxite. 2e bauxite.

GUINÉE-BISSAU

V. légende p. 837.

Situation. Afrique. 36 125 km² à marée basse, 28 000 km² à marée haute. *Partie continentale* (frontières : 680 km avec Sénégal et Guinée, côtes : 160 km), et *partie insulaire :* archipel des Bijagos (40 îles dont 20 habitées). *Alt. max.* 300 m. **Climat.** Chaud et humide (pluies mi-mai, mi-nov.).

Population. *1990 :* 980 000 h. dont (%) : Balantes 27, Foulas 23, Mandingues 12, Mandjaques 11, Pepeles 10, Mancagnes, Beafadas, Bijagos, etc. Env. 3 000 Europ. *2000 (prév.) :* 1 241 000. **Âge :** *- de 15 a.* 44 %. *+ de 65 a.* 4 %. **Mort. infantile.** 143 ‰. D. 27,1. **Villes :** *Bissau* 170 000 h., Bafata 14 000, Gabu 8 000, Cacheu 2 000, Bolama 2 000, Buba 1 500. Farim 1 000. **Langues.** Portugais *(off.)*, créole, français. **Religions :** animistes 55 %, islam 30 %, chrétiens 7 %.

Histoire. **1446** découverte par le Port. Nuno Tristão. **1879** colonie port. distincte. **1951** province d'O.-M. port. **1963**-*23-1* début guérilla du P.A.I.G.C. **1973**-*24-9* Luis de Almeida Cabral (n. 1931, demi-frère d'Amilcar) Pt (dans les terr. contrôlés par guérilla). **1974**-*10-9* indép. **1980**-*14-11* coup d'État du Cdt João Bernardo (dit Nino) Vieira, ancien PM. **1981**-*14-2* gouv. provisoire. **1985**-*6-11* Paulo Correia vice-Pt arrêté après coup d'État avorté. **1986**-*12-7* 6 conjurés exécutés. *Nov.* commerce libéré. **1990**-*20-5* Pt Vieira en France.

Statut. Rép. *Constitution* de mai 1984. Pt : Gal João Bernardo Vieira (n. 1939) dep. 14-11-80. *Ass.* 150 m. *Parti unique : P. Africain pour l'indép. de la G. et du Cap-Vert* (PAIGC) f. 1956 par Amilcar Cabral (n. v. 1924, assassiné 20-1-73). **Drapeau :** adopté 1974, utilisé dep. 1961 par mouv. de libér.

Économie

P.N.B. ($ par h.) *1982 : 220 ; 83 :* 180 ; *86 :* 179 ; *87 :* 135 ; *88 :* 138. **Pop. active** (% et entre par. part du P.N.B. en %) agr. 70 (60), ind. 10 (9), services 20 (31). **Dette ext.** (90) 14,5 millions de $. **Aide française** (1990) 80 millions de F.

Agriculture. *Terres* (milliers d'ha) cultivables 900, cultivées 400, forêts 2 000. Zones inondées (flore des marécages et mangrove), région intérieure (forêts, palmeraies, savane). 8 % des t. cult. *Production* (milliers de t, est. 88) tubercules 40, noix de coco 25, riz 145, arachide 30, plantain 25, millet 25, sorgho 35, maïs 15, palmistes 14, coton 2, noix de cajou 10. **Élevage** (milliers de têtes, 88) bovins 340, porcs 290,

moutons 205, chèvres 210, volailles 600 (86). **Pêche.** 3 500 t (87). **Mines.** Bauxite et phosphates (non exploités). **Routes.** 3 750 km (420 goudronnés).

Commerce (millions de $, 86-87). *Exp.* 20 dont prod. agric. 11,9, pêche 4,5, bois 0,6. *Imp.* 58,4 dont prod. alim. 5,2, carburants 2,6. **Déficit** - 33,6.

GUINÉE-ÉQUATORIALE

V. légende p. 837.

Situation. Afrique. 28 052 km². *Climat* équatorial : pluies + de 2 000 mm par an. Bata est plus sec et froid que Malabo (temp. moy. 24 °C).

Ile de Bioko (ex-Fernando Poo). Montagneuse. *Alt. max.* Pico Bioko 3 007 m. 2 034 km², long. 72 km, larg. 35 km. 105 000 h. (est. 84). D. 39. *Chef-lieu : Malabo* (appelée avant déc. 1973 Santa Isabel) 25 000 h. Comprend l'île d'*Annobon* [(appelée quelque temps Pagalu) 17 km². Ch.-lieu : San Antonio de Palea].

Rio Muni. 26 017 km² sur le continent avec les îles de *Corisco* (14,2 km², 1 140 h.), *Elobey Grande* (0,5 km²), *Elobey Chico* (0,025 km²). 293 000 h. (est. 84). Bantous. D. 14,2. *Ch.-lieu : Bata* 24 100 h. (83).

Population. 397 000 (est. 88), dont Fangs 90 %, Bubis 8 %. Env. 3 000 Esp. Prév. *2000 :* 569 000. *- de 15 a.* 41 %. *+ de 65 a.* 4 %. **Mort. infantile** 137 ‰. D. 14,2. **Capitale :** *Malabo* 37 500 h. (83). *Espagnols : 1968 :* 275 000, *79 :* 49 000 (80 % de la pop. a émigré), *82 :* 380 000.

Langues. Espagnol *(off.)*, fang, bubi, bujeba, ndowé, annoboné. **Religions.** Catholiques 75 %, protestants, musulmans, divers.

Histoire. **XVe s.** installation portugaise. **1778** cédée à l'Esp. **1827-44** Angl. occupent Fernando Poo, établissent à Clarence (Santa Isabel, fondée 1827) la base de leur escadre antinégriers ; les esclaves libérés sont installés dans l'île. **1843**-*27-2* Angl. rendent F. Poo aux Esp. qui annexent l'île de Causco., à l'embouchure du Rio Muni. **1856** fondation de la Guinée esp. sur le continent. **1900** tr. de Paris délimitant Rio Muni. **1931**-*2-9* terr. esp. du golfe de Guinée (colonie). **1959**-*30-6* divisés en 2 prov. esp. (F. Poo et R. Muni). **1968**-*12-10* indép. [*Pt :* Francisco Macías Nguema (1924-79, de l'ethnie Fang) élu 28-9]. **1969** coup d'État d'Atanasio Ndong Miyone échoue ; opposition éliminée. **1972** Macías Pt à vie. **1975** accord avec U.R.S.S. et éclipse de l'Esp. Ruine de l'économie. **1976**-*8-6* immigrants nigérians tués ; rapatriement de milliers de Nig. **1979**-*3-8* coup d'État du Cel Obiang. Macías renversé (fusillé 23-9) (bilan de son régime : 50 000 †, 150 000 exilés). **1981** *avril* échec coup d'État. **1983** *mai :* idem. **1985**-*1-1* rejoint zone franc. **1988**-*1-9* Pt Obiang en Fr.

Statut. Rép. *Constitution* approuvée 15-8-1982. *Pt :* Cel Obiang Nguema Mbasogo (n. 5-6-42) dep 25-8-79 (Pt de la Rép. dep. 12-10-82). *Conseil militaire* suprême. *Garde* 350 Marocains (île de Bioko). *Opposition en exil :* GPRR (Gouv. provisoire pour le renouveau et la Rép.) de Manuel Ruben N'Dongo, et ANRD (Alliance nat. pour rétablissement de la démocratie) de Martin Nsono Okomo. **Drapeau.** Adopté 1968 : bandes vertic. verte (ressources nat.), blanche (paix) et rouge (indépendance) ; triangle bleu (la mer).

Économie

P.N.B. (88) env. 182 $ par h. **Pop. active** (% et entre par. part du P.N.B. en %) agr. 70 (60), ind. 5 (5), services 20 (35). **Dette ext.** (millions de $) *83 :* 120 ; *84 :* 150 (95 % des export.) ; *85 :* 120 ; *87 :* 175. **Aide** (millions de $). Espagne 100, France 22 (+ 33 versés à la Banque centrale pour intégrer zone franc).

Agriculture. *Terres* (milliers d'ha, 81) arables 130, cultivées en permanence 100, pâturages 104, forêts 1 700, divers 771. *Production* (milliers de t, est. 88) manioc 56, patates douces 37, bananes 20, cacao 7 (89) *1968 :* 40 ; *1979 :* 5,4, café 7 (89), noix de coco 8, huile de palme 5, tabac, vanille. **Bois.** 160 000 t (1987). **Élevage** (milliers de têtes, est. 88). Bovins 5, porcs 5, moutons 35, chèvres 8, poulets 160. Commerce. Cacao, bois, café. Avec *France* et Espagne.

GUYANA

Carte p. 964. V. légende p. 837.

Situation. Amérique du S. 214 969 km². *Frontières* (en km) : Surinam 625, Venezuela 672, Brésil 1 200. *Alt. max.* (Mt Roraima) 3 031 m. *Régions :* bande côtière (largeur 10 à 60 km, long. 400 km) souv. inclinée, cultivée et peuplée ; forêts (80 %) et marécages ; chaînes de montagnes au S.-E. (Mt Acaraï) ; savanes au S.-O. (Rupununi). Nombreuses cascades (Kaieteur 225 m, Horse Shoe). *Climat :* équatorial, doux et humide (régions côtières 30,5 à 32,2 °C). 2 saisons sèches (mi-févr./fin avr. et mi-août/fin nov.). Période la plus chaude : août à oct.

Population. 800 000 h. (89) (90 % vivant sur la côte) dont (80) Indiens 50, Africains 35, Amérindiens 10, Chinois 2, Européens 3. Prév. *2000 :* 1 196 000. **Âge :** - *de 15 a.* 38 %. + *de 65 a.* 4 %. **Taux** (‰). *Natalité* (88) : 26,1, *mortalité :* 8. D. 3,7. **Villes** (80) : *Georgetown* 200 000 h. (85), Linden 30 000, New Amsterdam 20 000. **Langues :** anglais *(off.)*, hindi, urdu, créole et 9 dialectes. **Religions.** Chrétiens 42,4 %, hindouistes 37,1 %, musulmans 5,7 %, div. 14,8 %.

Histoire. 1621 colonie hollandaise. **1796** prise par Angl. **1814** col. britannique. **1964** affrontements majorité originaire des Indes minorité d'ascendance africaine. *Déc.* PM, Cheddi Jagan, pro-soviét., du P.P.P., représentant essentiellement les Indiens, perd majorité absolue. Forbes Burnham (1923-85) PM s'allie à formation de droite défendant intérêts des Européens. **1966**-*26-5* indépendance. **1971-74** nationalisation des Cies exploitant bauxite. **1975-76** de l'activité sucrière. **1978** nouvelle Constit. réduisant garanties accordées à l'opposition ; troubles. *-18-11* suicide collectif (poison) de la secte amér. du « Temple du peuple » animée par Jim Jones : 923 †. Tensions entre Noirs et Indiens. **1980**-*6-10* nouvelle Constit. *Déc.* Forbes B. devient Pt. Élections (irrégularités) : succès de Forbes. **1985**-*6-8* Forbes meurt.

Statut. Rép. coopérative (dep. 23-2-1970) membre du Commonwealth. *Const.* du 6-10-1980. *Pt* élu pour 5 ans Hugh Desmond Hoyte (n. 9-3-29) dep. 6-8-85. *PM* Hamilton Green (n. 9-11-34) dep. 6-8-85. *Ass. nat.* 65 m. élus p. 5 ans et 12 m. nommés. **Élect.** du 9-12-85 : Congrès nat. du peuple f. 1957 (Hugh Desmond Hoyte) 42 s., P.P.P., Dr Cheddi Jagan 8 s., Force unie (M. Fielden Singh) 2 s., Alliance des travailleurs 1 s. **Comtés :** 3 : Demerara, Essequibo, Berbice. **Fête nat.** : 23 févr. (J. de la Rép.). **Drapeau :** adopté 1966 : triangles rouge (énergie du peuple) liséré noir (sa persévérance), jaune (le futur) liséré blanc (les rivières), sur fond vert (les forêts).

Nota. – Le Venezuela revendique 150 000 km² dans la province de l'Essequibo.

Économie

P.N.B. $ par h. *1982 :* 590 ; *84 :* 253 ; *85 :* 256 ; *86 :* 497 ; *87 :* 310 ; *88 :* 395. P.N.B. 86 : 395 millions de $, *87 :* 247 ; *88 :* 316. **Pop. active** (% et entre par. part du P.N.B. en %) agr. 36 (40), ind. 10 (11), services 40 (25), mines 14 (24). **Chômage** (86) : 35 %. **Inflation.** (%) *86 :* 7,8 ; *87 :* 19 ; *88 :* 40 ; *89 :* 63. **Dette extérieure** (88) : 1,7 milliard de $. **Budget** (millions de F, 89). Recettes 1 347, dépenses 1 690.

Agriculture. *Terres* (milliers d'ha, 81) arables 480, cultivées en permanence 15, pâturages 1 220, forêts 16 369, eaux 1 812, divers 1 608. *Production* (milliers de t, 89) riz 250, sucre de canne 168, noix de coco 30,8, tubercules 38 (83), plantain 25 (88), oranges 14 (88). **Forêts.** 228 000 m³ (88). **Élevage** (milliers de têtes, 88). Bovins 210, porcs 185, moutons 120, chèvres 77, poulets 15 000. **Pêche.** 41 600 t (87).

Mines. *Bauxite* (millions de t) *1976 :* 4,5 ; *81 :* 2,4 ; *82 :* 1,4 ; *84 :* 2,5 ; *85 :* 2,2 ; *86 :* 1,5 ; *87 :* 2,8 ; *88 :* 1,3. *Or (88) :* 584,4 kg (contrebande). *Diamants :* 4 244 carats (88). *Molybdène.* **Énergie.** *Électricité* (millions de kWh, 88) 413.

Commerce (millions de $ US, 86). *Exp.* 249 *dont* (%, 84) bauxite 86, sucre 65, riz 20 *vers* (%) G.-B. 30, U.S.A. 17, Caricom 15. *Imp.* 369 *dont* (%, 84) biens de cons. 6 *de* (%) Trinité-et-Tobago 30, U.S.A. 21, G.-B. 10, reste C.E.E. 9. **Balance commerciale** (millions de $ US). *1983 :* – 190. *84 :* – 126. *85 :* – 160. *86 :* – 120. *88 :* + 20,6.

Rang dans le monde (87). 9e bauxite.

GUYANE FRANÇAISE

V. légende p. 837.

Situation. Côte N.-E. de l'Amérique du S. A 7 052 km de Paris et 1 500 km des Antilles françaises. 90 000 km². *Côtes :* 380 km. *Frontières :* 1 100 km [Brésil 580 (dont fleuve Oyapock 425), Surinam 520 (dont fleuve Maroni 625)]. *Alt. max.* env. 800 m (monts Lorquin et Tinokato).

Régions. *Zone côtière :* 15 à 40 km de large, bordée de mangrove (forêt de palétuviers), plateaux érodés ; *climat* équatorial chaud (moy. 26 °C à 28 °C) et humide ; pluie 2 500 à 4 000 mm (petite saison de déc. à févr., grande s. d'avr. à juill.) ; petit été en mars, grande s. sèche d'août à déc. *Zone équatoriale :* forêts (90 % des terres), saison pluvieuse (mi-déc.-mi-févr.), sèche (févr.-mi-avril), pluvieuse (15 avril-15 août), sèche (15 août-15 déc.). *Humidité* 81 à 90 % selon les saisons.

Population. *1676 :* 1 519. *1736 :* 5 113 dont 484 Blancs (+ 25 000 Indiens). *1789 :* 14 540 dont 2 000 Blancs. *1830 :* 23 747 (1 450 Indiens). *1876 :* 18 230, *1954 :* 27 864, *1961 :* 33 505, *1967 :* 44 392, *1974 :* 55 125, *1982 :* 73 022, *1990 (rec.) :* 114 678, *2000 (prév.) :* 96 000. En % : ville de Cayenne 65, côte 27, intérieur 8. D. 1,27. *Composition* (88) : nés en Guyane 43 000, Antilles fr. 5 000, Métropole 8 000, Haïti 12 000, Brésil 5 500, divers (Hmongs 3 500, Surinam 1 000 (86), Saramacas 6 000, Amérindiens 4 000) [en 1975 : 4 300 Noirs Bonis et 2 800 Saramacas, 2 400 Indiens (200 Wayanas, 120 Émérillons, 280 Palikours, 360 Oyampis, 1 200 Galibis, 240 Arawaks)], Guyana 1 000, Chine 2 000. *Pop. tribale :* 4 500. **Âge** (%, 88) : – *de 15 a.* 33, + *de 65 a.* 4. **Taux** (‰, 88) *natalité* 30,3 *mortalité* 5,7, accroissement 22,2. **Étrangers (90).** 75 000 dont 33 777 recensés, 25 000 à 30 000 en situation irrégulière [Haïtiens 25 000 (8 400 recensés) qui passent par le Maroni, Brésiliens 25 000, Surinamiens 10 000, dont 6 600 réfugiés (coût 16 millions de F par an dep. 1987), Européens 8 000 (86), Guyanas 5 000, Laotiens 1 301 (84), Chinois 800 (86), Ste-Lucans 662 (84)]. **Villes** (rec. 90) : *Cayenne* (chef-lieu) 41 067 h., Kourou 13 873 (à 65 km), St-Laurent-du-Maroni 13 616 (247 km, sous-préfecture), Remire-Montjoly 11 701, Matoury 10 152, Mana 4 945, Sinnamary 3 431, Grand-Santi-Papaïchton 2 536, Maripasoula 1 748, St-Georges 1 523. **Pop. active** (90) 31 183, *chômeurs* (90) 13 %.

Nota. – Crimes et délits ont augmenté de 60 % en 1988 (forces de l'ordre insuffisantes).

Histoire. 1500 côte reconnue par Espagnols, nombreux aventuriers recherchant le pays fabuleux d'El Dorado. **1544** création de Cayenne. Les Français (avec Nicolas de Villegagnon en **1555** et Daniel de La Ravardière en **1604)** la visitent, puis s'établissent en **1637.** De nombreux essais de colonisation échouent : Poncet de Brétigny († 1644), la Cie des Douze Associés (1652), La Vrigne et Michel (1656), le Hollandais Spranger (1663-64), la Cie de la France équinoxiale (absorbée par celle des Indes occidentales). **1647** prise par Angl. (détruisent Cayenne). **1667** cédée aux Holl. (tr. de Breda). **1677** reconquise par l'amiral d'Estrées. **1713**-*11-4* tr. d'Utrecht fixant limites avec Brésil. **1763-65** expédition de Kourou : sur 12 000 émigrants, 8 000 emportés par fièvre jaune et typhoïde, d'autres furent rapatriés, d'autres se réfugièrent aux « îles du Diable » (appelées ensuite îles du Salut). **1768** Cie de l'Approuague. **1766-68** assainissement avec le Suisse Josef Samuel Guisan. **1794**-*4-2* abolition de l'esclavage. **1795** 1re déportation de condamnés politiques [Collot d'Herbois (y mourut), Billaud-Varenne (survécut) et le Gal Pichegru (s'évada)]. **1798** le Directoire déporte + de 300 condamnés, majorité de prêtres, décimés par la maladie (de 1795 à 1800 au total 688 exilés en G.). **1802**-*20-5* esclavage et traite rétablis par gouverneur Victor Hugues. **1808**-*12-1* occupation portugaise. **1817**-*28-8* restituée à la France à la suite d'une convention entre Fr.-Port. (remise le 8-11) ; projets de colonisation (**1822** Baron Milius, **1828** Mère Javouhey). **1831** traite abolie. **1848**-*27-4* esclavage aboli dans toutes les possessions fr. ; ruine les plantations (12 000 esclaves libérés). **1852**-*27-5* sert de *bagne* (le décret du 17-6-1936 le supprimera) [74 000 bagnards y furent envoyés, près de St-Laurent-du-Maroni, aux îles du Salut (île Royale 28 ha, 950 m de long ; île St-Joseph 20 ha, 650 m de l. ; île du Diable 14 ha, 950 m de l.) ; dans l'île du Diable, Dreyfus de 1894 à 1899]. **1855** un Brésilien (Paoline) trouve de l'or. **1928**-*6-8* Jean Galmot, ancien dép., meurt ; émeutes, 6 †. **1930**-*9-6* divisée en 2 territoires : Guyane et Inini. **1943**-*17-3* ralliée à la Fr. Libre. **1945**-*23/25-2* émeutes de la garnison sénégalaise 7 †. **1946**-*19-3* département français. **1951** 2 arrondissements : Cayenne et Inini (doté d'un statut particulier : décret du 26-10-1953). 15 cantons et 14 communes (loi du 2-8-1949). 9 cercles municipaux remplacent les communes à Inini (24-12-1952). **1964** *avril* création du CSG. **1969** réorganisation : 2 arrondissements : Cayenne et St-Laurent-du-Maroni. **1975**-*1-8* « plan vert » de mise en valeur (avec repeuplement de 30 000 h.) annoncé (3 milliards de F en 10 ans). **1979**-*24-12* lancement de la fusée Ariane. **1983**-*28-5* 3 attentats, 1 †. **1985**-*16/17-8* incidents à Kourou, 1 légionnaire tué. **1987** *avril* arrivée de 9 000 réfugiés surinamiens. **1989**-*24-6* sign. contrat de plan, l'État consacrera 377,5 millions de F au développement de 1989 à 93.

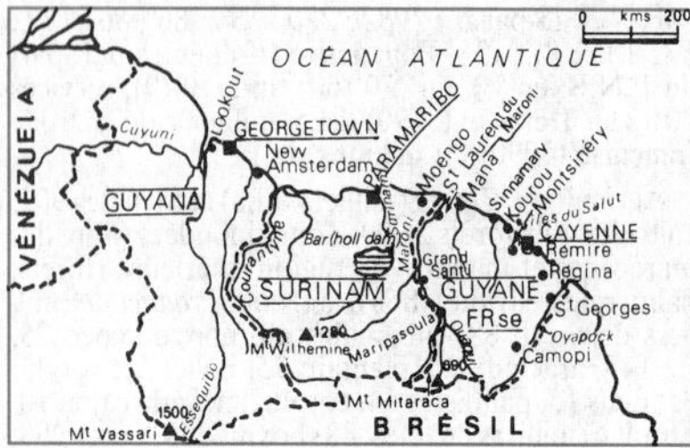

Statut. Dép. d'Outre-Mer dep. 19-3-1946. Région dep. juin 75. 2 *députés :* Élie Castor (app. P.S.) et Léon Bertrand et 1 *sénateur :* Georges Othily (ratt. adm. P.S.). 2 *arrondissements :* Cayenne et St-Laurent-du-Maroni. *Conseil général :* 19 m, Pt Élie Castor (app. P.S.) ; *régional :* 31 m, Pt Georges Othily (app. P.S.). *Comité économique et social :* 40 m, Pt Lucien Prévot. *Préfet de région :* Jean-François Di Chiara.

Élections. Régionales 16-3-86 : abst. 37,59 %, div. gauche 42,2 (15 élus), R.P.R. 29,14 (9), div. g. 11,97 (4), div. opp. 8,73 (3), F.N. 3,58, ext. g. 3,34, div. opp. 3,07. **Législatives. 14-6-81 :** abst. 50,82 %, div. gauche 53,5 % des v., U.D.F.-R.P.R. 46,4 % ; élu : 1 app. P.S. **16-3-86 :** abst. 38,50 %, div. gauche 48,4 % des v., R.P.R.-U.D.F. 51,6 % ; élus : 1 app. P.S., 1 R.P.R. **5-6-88 :** inscrits 30 240, abst. 50,73 %, P.S. 56,9 % (1 élu), R.P.R. 42,1 % (1 élu).

Partis. P. national populaire guy. (PNPG) créé 1985, avec d'anciens m. du MOGUYDE (Mouv. guy. de décolonisation), du FNLG (Front nat. de libération de la G.) des années 1970-80, de l'Union des étudiants guy. (France) : *secr. gén. :* Alain Michel. **P. socialiste guy.** créé 1956, *secr. gén. :* Alain Dujus. **Action dém. guy. :** *secr. gén. :* André Lecante. **RPR :** *secr. gén. :* Roland Ho Wen Tsé. **UDF/UDG :** *Pt :* Elie Chowchine. **P. pour le Progrès guy. (PPG) :** *secr. gén. :* Claude Ho. A. Chuck. **RGR :** *Pt :* Léon Bertrand. **Mouv. dém. guy. (MDG) :** *Pt :* Yvan Ho You Fat.

Économie

Agriculture. *Surface utilisée (88) :* 15 330 ha. *Terres* (ha, 85) arables 4 473, pâturages 7 150, vergers et jardins 1 100. *Production* (t, 89) canne à sucre 2 500, manioc 10 200, dachines 3 230 (83), tubercules 17 570, bananes 825, riz 17 058, ananas 1 150, maïs, ignames 630 (83), patates 790 (83), agrumes 850, grenadilles 160. *Exploitations (1988) :* 3 370 sur 12 594 ha (soit en moy. 3,73 ha). *Pop. agricole (1985) :* 9 300 dont actifs 4 200 (cultivant chacun 2,57 ha).

Forêts (89) 8 millions d'ha (90 % de la superficie du département). *Prod.* (m³) : grumes sorties de forêt 80 200, grumes transformées 85 514, sciages et équarris 38 551, prod. finis 3 518. *Commer.* (export., m³) : grumes 56, sciages et prod. finis 8 891. *Ventes locales :* 25 738 m³. *Essences :* 13 dont acajou, bois serpent, lettre mouchetée ougins (amourette), rubané, satiné marbré. **Élevage** (têtes, 89) : bovins 15 700, caprins-ovins 5 100, porcs 9 200, volailles 220 000, équins 250. **Pêche** (t, 89) : artisanale crevettes 201, poissons 2 849, industrielle cr. 3 701 p. 145 ; *export.* (89) : cr. 4 092, p. 460. *Aquaculture de chevrettes* (crevettes d'eau douce) (t, 89) : 89,1.

Mines. Or découvert 1855 (kg) : *1985 :* 402 ; *86 :* 326 ; *87 :* 514 ; *88 :* 522 ; *89 :* 544 ; prod. due aux orpailleurs 174 (est.) kg en 88 ; bauxite, zinc, diamants, argent, plomb, manganèse, cuivre, platine, kaolin non exploités. **Électricité** (millions de kWh) : 282,2 (88). Barrage de Petit Saut en construction, investissement de 1 300 millions de F [levée de 35 m de haut ; retenue d'eau de 300 km² ; débit 428 m³/s ; opérationnel en 1993 (puissance prévue 114 millions de W). En 1994, doublera la production électrique de la G.]. Centre spatial guyanais. *Créé* 1964, implanté avril 1968. Env. 13 000 h. à Kourou.

Transports (km, 85). *Routes* 720 dont 520 bitumés. Parc auto. (mars 89) 51 778, roulant (84) : 15 000. *Aéroport* 1. *Aérodromes :* 7. *Avions* (89) : passagers 351 134, fret 6 345 t. *Port* (89) : 523 000 t dont 190 000 hydrocarbures. Tourisme. (88) 30 hôtels (959 chambres). 67 000 vis. (89).

Enseignement (89-90). Maternel : 6 156, primaire : 12 049, secondaire : 10 470 (dont second cycle court 2 116).

Budget (millions de F, 89). Communes 711 (87), département 586, région 750 (91), concours financiers extérieurs de caractère public 2 025 (88).

Commerce (millions de F, 88 est.). *Exportations :* 353 (90) dont prod. alim. 228, biens de consommation 46,5 (85), d'équip. professionnels 33,1 (85), bois 33, métaux et prod. divers du travail des métaux 26,7 (85), or 23 (89), *vers France métropolitaine* 126,7, Antilles Françaises 58,7, U.S.A. 47,7, Japon 21,2, Trinité-et-Tobago 3. *Importations :* 2 371 dont biens d'équip. prof. 645, prod. des I.A.A. 408, biens de consommation 406, prod. alim. 394, prod. énergétiques 216, *de France métropolitaine 3 462* (89), Trinité-et-Tobago 209, Japon 100,7, U.S.A. 100,2, Antilles françaises 63,6. Brésil 30, Surinam 5,7.

HAÏTI

Carte p. 917. V. légende p. 837.

Situation. Amérique. Partie ouest de l'île de St-Domingue (dite auj. île d'Haïti). 27 750 km² (dont plaines 7 000). *Frontière* avec Rép. dominicaine : env. 375 km. *Largeur* 34 à 285 km. *Alt. max.* Le Morne la Selle 2 680 m [dans les montagnes du S. ; autre chaîne : La Hotte (Morne Macaya, 2 347 m)]. **Iles adjacentes :** *La Gonâve* 658 km², 15 634 h., *La Tortue* 180 km², *L'Île à Vache* 52 km², *Les Cayémites* 45 km², *La Navase* 3 km². **Climat** tropical doux dans les plaines (*Tècho,* « terres chaudes ») (Port-au-Prince janv. 23 °C, juill. 33 °C), montagne (*Té fret,* « terres froides ») 10 à 23 °C. *Pluies* avril/mai, sept./nov.

Population. *1989 :* 6 368 000 h. dont en % : Noirs 95, Mulâtres 5 ; prév. *2000* 9 860 000. D. 229 (côtes 350, intérieur 10). **Age :** *- de 15 a.* 39 %, *+ de 65 a.* 6 %. **Mort. infantile :** 12 ‰. **Villes** (agg., 87) : *Port-au-Prince* (agg.) 1 200 000 (89), Cap-Haïtien 72 200 (à 263 km), Gonaives 37 000 (à 152 km), Les Cayes 35 800 (à 178 km), Jérémie 22 346 (83) (à 285 km), Jacmel 16 776 (83) (à 81 km). **Emigration :** env. 1 000 000 vers U.S.A. (N. York, Floride), Canada, Rép. Dominicaine, Bahamas. Langues : créole et français *(off.).* Celui-ci est compris par 30 % de la population. Analphabètes 80 %. Religions : catholiques 80 % (off.), protestants 10 %, baptistes ; vaudous 80 % (la plupart aussi catholiques pratiquants).

Histoire. **XXᵉ/Iᵉʳ s. av. J.-C.** peuplement Ciboney (céramique, sépultures). **Iᵉʳ s. apr. J.-C.** les Taïnos (Indiens du groupe Arawak) éliminent les Ciboneys. **XIVᵉ s.** les Caraïbes refoulent les Taïnos vers l'O. **1492**-*6-12* découverte par C. Colomb (peuplée de 300 000 Indiens, qui disparaissent v. 1540) ; repeuplée d'esclaves noirs africains depuis 1502. **1600-1740** laissent le terrain aux flibustiers (ou « Frères de la Côte », basés dans l'île de la Tortue) et aux boucaniers (tanneurs de cuir de bœuf, exploitant les troupeaux sauvages de l'île). **1641** le huguenot fr. Le Vasseur enlève l'île de la Tortue aux flibustiers. **1642** le chev. de Fontenay prend possession d'H. au nom du roi de Fr. **1659** colons français. **1697**-*20-9* rattachée aux Antilles fr. (tr. de Ryswick), repeuplée par esclaves afr. (env. 30 000 par an entre 1784 et 1791), prospère (cult. vivrières, indigo, puis canne à sucre et café). **1722** révolte des esclaves. **1770**-*3-6* Port-au-Prince détruit par séisme. **1784** (partie française) 7 803 plantations, 100 000 Européens possédont 500 000 esclaves (partie esp. : 125 000 h.). **1791**-*15-5* l'Ass. nat. accorde l'égalité des droits aux gens de couleur libres nés de parents libres. *-14-8* serment du Bois Caïman et insurrection des esclaves du N. *-24-9* l'Ass. nat. rapporte son décret du 15-5. Les Blancs se révoltent ; battus par Mulâtres, appellent les Anglais. *-28-11* arrivée de la 1ʳᵉ commission civile avec Roume, Mirbeck et Saint-Léger. **1792**-*4-4* Ass. lég. accorde aux Noirs Libres des droits égaux à ceux des Blancs. *-18-9* arrivée de la 2ᵉ commission civile avec Ailhaud, Polvérel et Sonthonax. **1793** Toussaint Louverture (1743-1803) rejoint le camp des Espagnols. *-29-8* Sonthonax proclame l'abolition gén. de l'esclavage à St-Domingue. **1794**-*4-1* décret de la Convention abolissant l'esclavage. Les Noirs se soulèvent et battent Anglais et colons (incendies et massacres), proclament la Rép. et prennent pour capitale Port-au-Prince qui devient Port-Républicain. *-18-5* Louverture quitte le camp esp. et rejoint la Fr. **1795**-*22-7* tr. de Bâle, l'Esp. cède l'E., l'île est réunifiée. **1797**-*1-5* Sonthonax, Commissaire de la Rép., nomme le gén. Louverture commandant en chef de l'armée de St-Domingue. **1801**-*8-7* Louverture promulgue la Constitution autonomiste de St-Domingue. **1802**-*3-2* expédition du Gᵃˡ Leclerc (22 000 h.), les 3 chefs noirs [Louverture, Jean-Jacques Dessalines (1758-1806), Henri Christophe (esclave noir 1767-1820)] se soumettent. *-5-2* Leclerc entre à Cap Français, incendié. *-7-6* Louverture arrêté, envoyé en Fr. *-2-11* Leclerc meurt de la fièvre jaune qui décime l'armée. **1803**-*7-4* Louverture meurt au fort de Joux. *-17-5* l'Ass. lég. rétablit l'esclavage. Rochambeau succède à Leclerc mais est pris par escadre angl. Noirs brûlent plantations et forêts. *-4-12* départ des dernières troupes franc. **1804**-*1-1* indép. *-22-9* Dessalines se proclame empereur (Jacques Iᵉʳ). **1807-18** Anne Alexandre Pétion (mulâtre n. libre 1770-1818) devient Pt de la Rép. d'H. **1808** l'Esp. récupère l'E., et l'O. est divisé. Dans le N., Christophe fonde une république qui devient en 1811 royaume dont il est le roi Henri Iᵉʳ ; suicide 8-10-1820 à la suite d'un soulèvement. Dans le S., Pétion fonde une rép. (1807-18). **1815** traite des nègres abolie au congrès de Vienne. **1818-43** Jean-Pierre Boyer (1776 – Paris 1850, mulâtre) Pt d'H. **1822**-*9-2* réunifie l'île. **1825**-*17-4* la Fr. reconnaît la Rép. d'H. [H. paye une indemnité de 150 millions de F (réglée jusqu'en 1938)]. **1842**-*7-5* Cap Français détruit par un séisme]. **1843** Boyer, exilé. **1844**-*27-2* séparation : Rép. dominicaine (E.) et Rép. d'Haïti. **1849** *sept.*/**1855**-*15-1* H. est un empire avec Faustin Iᵉʳ [Soulouque (1782-1867)]. **1905** U.S.A. prennent douane en charge. **1915** occupation militaire U.S., après l'assassinat du Pt Vilbrun Guillaume Sam le 28-7. **1918**-*12-7* déclare g. à l'Allemagne. **1934**-*21-8* évacuation des Américains. **1937** *oct.* 30 à 40 000 Haïtiens massacrés en rép. Dom. **1941**-*8-12* déclare g. au Japon. *-12-12* à l'All. et l'Italie. **1950** *oct.* troubles, Cᵉˡ Paul Eugène Magloire (n. 1907) élu Pt. **1956**-*22-10* forcé de se démettre.

1956-86 ère Duvalier. François Duvalier (14-4-1907/21-4-71, docteur, dit Papa Doc) élu Pt 22-9-57 (à vie le 22-4-64), gouverne avec soutien des Tontons macoutes (volontaires de la sécurité nationale, formant depuis 1957 une milice armée). **1967**-*12-6* 19 officiers exécutés. **1968** tentative d'invasion par des exilés. **1970** coup d'État avorté. **1971**-*15-1* l'Ass. nat. autorise Duvalier à désigner son fils Jean-Claude comme successeur. *-31-1* référendum ratifie cette désignation (2 391 916 pour, 0 contre). *-21-4* Duvalier meurt. *-22-4* **Jean-Claude Duvalier** (n. 3-7-1951) (dit Baby Doc) lui succède. Sa mère, « Maman Simone », sera très influente jusqu'au mariage de J.-Cl. (27-5-1980) avec Michèle Bennett (n. 1954). Création d'un corps d'élite antiémeute et antiguérilla (600 h., 3 bataillons). **1973** complot du colonel Honorat ; dénoncé par le Cᵉˡ Valmé, qui devient chef de la police (3 000 h.). **1980** *juill.* cyclone Allen ; *-28-11* 1 500 opposants incarcérés (inculpés d'un complot comm. sous la direction de « Caca Diable ») ; *-25-12* chef syndicaliste Yves-Ant. Richard expulsé. **1981** *-18-1* Bahamas commencent à expulser 25 000 à 30 000 H. Clémard-Joseph Charles [ancien min. des Finances (1960-67 ; emprisonné 1967-77, exilé U.S.A. 1977)] regroupe l'opposition ; *mars-avril* partisans de « Maman Simone » expulsés. *-22-11* expulsion des journalistes « d'opposition ». **1982**-*9* et *-12-1* tentative d'exilés débarqués (avec B. Sansaricq) sur l'île de la Tortue pour renverser le régime. *-14-1* troupes dominicaines empêchent retour massif d'opposants h. La marine amér. contrôle émigration illégale par mer. **1983**-*1-1* attentat à Port-au-Prince revendiqué par brigade Hector Riobe, 4 †. *-9-3* halte du pape à H. *-5-4* retour des cendres de Toussaint Louverture. *-27-8* parlement dissous. **1984** *mai* émeutes (faim), aides internationales ; abattage des porcs pour lutter contre peste porcine. **1985**-*2-1* marche de la paix de 50 000 adolescents. *3-1* suspension d'aide amér. (26 millions de $). *-22-4* Duvalier annonce libéralisation (loi sur partis pol.). *-22-7* référendum sur l'irrévocabilité de la présidence à vie : 99,98 % de oui (fraudes). *-24-11* journée de jeûne et prières, l'Église s'éloigne du régime. *-27/28-11* manif. aux Gonaives : 4 manif. tués par tontons macoutes. **1986**-*8-1* fermeture des écoles. *-26-1* police pol. dissoute. *-27-1* émeutes au Cap Haïtien : 3 †. *-29-1* 40 000 manif. *-31-1* état de siège, troubles : plusieurs centaines de † ; profanation du tombeau du Dr Duvalier ; chasse aux tontons macoutes (ils étaient 40 000 + 300 000 supplétifs). *-7-2* Duvalier se replie en France.

1986-*7-2* *Conseil nat. de Gouv.* (Pt : Henri Namphy, chef d'état-major) veut récupérer sommes accaparées par Duvalier (J.-Cl. : 450 millions de $?, sa mère : 1 150 ?). *-9/10-2* Parlement dissous. Namphy annonce nouv. Constit. et des él. au suffrage univ. direct. *-15-4* gel des avoirs de J.-Cl. Duvalier en Suisse. *-26-4* émeutes, 6 †. *-4/5-6* émeutes. *-19-10* él. à l'Ass. const. (95 % d'abstentions). *-17/21-11* grève gén. en vue de la dissol. du Conseil. **1987**-*29-3* référendum pour nouvelle const. (99,81 %). *-29-6/1-7* grève générale : 12 †. *-2-7* Conseil national abroge décret électoral à l'origine de la grève, + de 50 paysans tués. *-27-7* 100 paysans tués. *-13-10* Yves Volel, cand. dém. chrét. à la présidence, assassiné. *-20/22-11* au moins 25 †. *-29-11* troubles élect., reportées (24 †). Conseil électoral dissous et reformé avec des nouveaux. Aide internat. suspendue. 40 jeunes exécutés par militaires. **1988**-*17-1* Leslie Manigat (57 ans) élu Pt avec 50,29 % (conditions discutées). *17-6* Manigat démet Namphy (surnommé Chouchou) pour avoir augmenté la solde des mil., et pour réimposer un contrôle civil sur promotions mil. *-19-6* coup d'État de Namphy. *-20-6* nomme un gouv. mil. et dissout le parlement. Manigat exilé à St-Domingue. *-10-9* massacre église St-Jean Bosco de Port-au-Prince lors d'une messe du Père Aristide, opposant (11 †). *-18-9* Namphy renversé par Gᵃˡ Prosper Avril (n. 12-12-1937), chef de la garde prés. *-19-9* gouv. civil modéré ; État-major limogé. *-17-10* Père Aristide expulsé d'H. *-6-11* Cᵉˡ Jean-Claude Paul, ex-patron des tontons macoutes, et inculpé de trafic de drogue aux U.S.A., meurt empoisonné. **1989**-*13-3* constit. partiellement restaurée. *-2-4* coup d'État mil. échoue (5 †). *-3/8-4* affrontements rebelles/garde prés. (1 000 h). *-9-4* ordre rétabli. **1990**-*20-1 au 29-1* état de siège contre terrorisme. *-7-2* amnistie. *-5/8-3* manif, 3 †. *-10-3* Avril démissionne. Gᵃˡ Hérard Abraham (n. 28-7-1940) Pt par intérim. *-13-3* Ertha Pascal Trouillot (n. 1943 ; 1ʳᵉ femme juge de Port-au-Prince 1971), Pt à titre provisoire. *-16-10* duvaliéristes créent l'Union pour la Réconciliation nationale, Pt Roger Lafontant : sa candidature aux él. prés. est rejetée par conseil électoral. *-5-12* bombe lors d'un meeting du Père Jean-Bertrand Aristide, candidat (8 †). *-16-12* 1ᵉʳ tour des él. : Père Aristide élu 66 % des voix devant Marc Bazin (centr.) 13 % et Louis Dejoie (pop.). **1991**-*6/7-1* coup d'État échoue (40 †), Roger Lafontant arrêté. Manif. : siège de la Conférence épiscopale pillé, cathédrale et nonciature apostolique (nonce molesté) incendiées. *-12-1* complot découvert. *-21-1* 2ᵉ t. des él. législatives. *-27-1* troubles à Port-au-Prince (12 †). *-29-1* Pt Aristide en France. *-19-2* René Préval PM. (3 femmes au gouv.). *-9-3* Chantal Lapouille (belle-sœur d'Hervé Bourges) en mission pour l'UNICEF, et *11-3* docteur Robert Coirin français assassinés. *-4-4* Mme Trouillot arrêtée pour complicité dans le coup d'État du 7-1 (résidence surveillée du 5 au 10-4).

Statut. **République. Constitution** *de 1987 : Pt* élu pour 5 ans, non immédiatement rééligible, ne peut en aucun cas accomplir plus de 2 mandats. Père Jean-Bertrand Aristide (n. 15-7-53) élu 16-12-90, en fonction dep. le 7-2-91 [partisan de la théologie de la libération, exclus de l'ordre des salésiens en déc. 88]. *Chambre des députés. Sénat.* Partis : *Démocrate chrétien* (d'H. Sylvio Claude). *Social chrétien* (d'H. Grégoire Eugène). *Conféd. d'unité démocratique* (leader Evans Paul). *Congrès nat. des mouvements démocr.* (CONACOM) (Victor Benoit). *P. Agricole et ind. nat.* (PAIN) (Louis Déjoie). *Mouv. pour l'instauration de la démocr. en Haïti* (MIDH) (Marc Bazin) et *P. nationaliste progressiste révolut. haït.* (PANPRA) (f. 1986 par Serge Gilles) forment l'*Alliance nat. pour la démocr. et le progrès* (ANDP). *Front Nat. pour la Dém. et le Progrès* (FNDP). Fête nat. : 1ᵉʳ janvier (Indép.). Drapeau : depuis 1986, bleu et rouge avec écusson central portant « L'union fait la force » (1964 : noir et rouge).

Économie

• P.N.B. (89) 350 $ par h. *Seuil de pauvreté absolue :* 60 % à Port-au-Prince, 83 % dans les villes de province, 94 % dans la campagne (besoins alim. 3 019 866 t, production alim. 2 479 000 t). **Pop. active** (% et entre par. part du P.N.B. en %) agr. 74 (32), ind. 6 (22), services 19 (46), mines 1 (0). 70 à 80 % de la pop. est sous-employée. **Chômage** (%) hommes : 11,2, femmes : 13,6 (en fait 65 % en sous-emploi).

• Finances. **Budget (1985/86) :** 485 millions de $. **Inflation** (%) : *1985 :* 10,6 ; *86 :* 3,3 ; *87 :* – 11 ; *88 :* 4,1 ; *89 :* 20. **Dette extérieure** (millions de $) : *1981 :* 200 ; *87 :* 1 200 ; *88 :* 920 ; *89 :* 950. **Envois des émigrés. Aide.** *U.S.A.* (millions de $) : *1989 :* 10, *90 :* 54, *91 :* 82. *France : 1989 :* 132 millions de F, *90 :* 176 à 227. **Salaire moyen** (F/an) : villes 2 700, campagne 1 100 (84).

• **Agriculture.** *Terres* (km²) cult. 8 700, pâturages 5 300, forêts 3 000, (*1923 :* 23 % des terres, *74 :* 7, *82 :* 6, *85 :* 1,5, *90 :* 1), friches 300. 60 % des propriétés agricoles ont moins de 1 ha [terres chaudes (– de 1 000 m) : manguier ; froides (+ de 1 000 m) : caféier (2 récoltes annuelles) ; fruits et légumes européens]. *Terres irriguées : 1789 :* 60 000 ha (pour 500 000 h.) ; *1989 :* 35 000. *Production* (milliers de t, 89) canne à sucre 349, patates douces 300, mangues 350 (86), légumes 288 (82), plantain 275 (86), bananes 500, maïs 211, tubercules 148 (82), riz 119, sorgho 90 (89), café 38, cacao 3, tabac, huiles essentielles, coton, sisal, rhum. **Elevage** (milliers de têtes, 88). Ovins 94, poulets 13 000, bovins 1 545, porcs 900. **Pêche.** Env. 8 100 t (87).

• **Énergie. Bois :** 72 % de la consom. **Électricité** (millions de kWh). *1970 :* 87,7 ; *80 :* 372,2 ; *89 :* 590. **Mines.** *Bauxite* (82) 431 000 t, fermées 1985, *cuivre. Non exploités :* manganèse, fer, or, marbre, molybdène, gypse. **Industries.** Assemblage, balles de base-ball (1er prod.), soutiens-gorge, chaussures, cassettes.

• **Transports.** Routes carrossables (en km) en bitume 420,3, béton 29,6, terre battue 2 163,9, gravier 398,7. **Tourisme.** *1986 :* 112 000, *89 :* 79 200, *90 :* négligeable.

• **Commerce** (millions de $, 87). *Exportations* 198 *dont* café, assemblages, ind. de trans. ; *vers* (82) U.S.A. 310, *France 19,5,* R.F.A. 13,2, Italie 12,3, Canada 6,7. *Importations* 307 *dont* articles manuf., automobiles, prod. alim. 77 (40 % de l'alim. totale), combustibles ; *de* (82) U.S.A. 292,5, Japon 25,5, Taiwan 22, Canada 18,6, *France 13,6.*

HONDURAS

Carte p. 962. V. légende p. 837.

Nom. De l'espagnol *hondo,* « profond », remarque faite par Christophe Colomb à propos de la profondeur des eaux lors de son arrivée.

Situation. Amérique centrale. 112 088 km². *Alt. max.* Cerro Selaque 2 849 m (pays très montagneux). *Frontières* 1 336 km, avec Nicaragua 805, El Salvador 301, Guatemala 230. **Climat** tropical. *Côte atlantique* (840 km) pluies abondantes (surtout juin-août et déc.-févr.). *Pacifique* (124 km) pluies mai à oct. *Intérieur* climat plus doux du fait de l'alt. *Temp.* régions centrales 15 à 20 °C ; côtes 20 à 40 °C.

Population. *1989 :* 4 981 000 h., prév. *2000* 6 978 000. En % : Métis 89,9, Indiens 6,7, Noirs 2,1, Blancs 1,3. **Âge :** – *de 15 a.* 47 %, + *de 65 a.* 3 %. D. 44,4. *Pop. rurale :* 59,3 %. **Villes** (87) : *Tegucigalpa* 640 900 h., San Pedro Sula 429 300 (à 252 km), La Ceiba 66 000 (à 350 km), Choluteca 64 500 (à 134 km), El Progreso 61 100, Puerto Cortes 42 100. **Langues :** espagnol *(off.)* 98 %, indien, bas anglais sur la côte. **Religions :** cath. 90 %, protest. 8 %.

Histoire. **1502** découvert par C. Colomb. **1523-25** conquête par Cristobal d'Olid y Alvarado. **1821** indépendant de l'Esp., membre de la Féd. d'Amér. centrale jusqu'au 5-11-1838. **1880** g. avec Guatemala. **Début XXe s.** la Cuyamel Fruit appuie les libéraux et l'United Fruit les conservateurs ; puis les 2 Cies fusionnent. **1907** intervention amér. **1933-48** Tiburcio Carias Pt se retire. **1937** différend avec Nicaragua. **1949**-*1-1* Juan Manuel Galvez élu Pt. **1954** grève générale des ouvriers des bananeraies. **1955-61** crises (ouragans, baisse de la prod. bananière). **1957-63** seul gouv. constitutionnel (P. libéral), Pt Ramón Villeda Morales. **1963**-*3-10* coup d'État mil. (Gal Oswaldo Lopez Arellano). **1969**-*24-6* match de football avec El Salvador : incidents. -*14/18-7* g. avec El S. Env. 100 000 Salvadoriens regagnent El S. -*30-7* paix provisoire. **1971**-*6-6* Ramón Cruz élu Pt. **1972**-*4-12* coup d'État mil. : retour au pouvoir d'Arellano. Assemblée suspendue. **1974**-*18/20-9* cyclone « Fifi », eny. 10 000 †, dégâts 60 % du P.N.B. **1975**-*22-4* coup d'État : Arellano, accusé de concussion, renversé, C^el^ Juan Melgar Castro (n. 26-6-30) Pt. **1978**-*7-8* coup d'État mil. : Melgar déposé, impliqué dans affaire de drogue. **1981**-*29-11* Roberto Suazo Cordoba (n. 1928) élu Pt. **1982**-*5-7* attentat à Tegucigalpa contre 2 centrales électriques. **1984**-*31-3* Gal Gustavo Alvarez C^dt^ en chef exilé. **1985**-*24-11* élect. José Azcona (P. Libéral) élu Pt. 132 députés. **1988**-*17/28-3* U.S.A. envoient 3 200 paras contre incursion sandiniste. **1989**-*25-1* Alvarez assassiné par Forces pop. de libération du Honduras.

☞ De 1821 à 1981 (en 160 ans), le H. a connu 159 changements de gouv., 24 guerres avec un voisin et 260 révoltes armées.

Statut. *Rép. constit. de 1980. Pt* Rafael Leonardo Callejas (n. 1943) élu 26-11-89 avec 50,43 % des voix contre Carlos Florès (P. libéral) 43,96 % (pour 4 ans au suffr. univ.). Élus également 3 Vice-Pts, 128 députés, 289 conseillers municipaux. Le Pt est en fonction dep. le 27-1-90. *Ass. lég.* le 28-11-89 : Nation. 71 s. (55,47 % des v.), Libér. 55 (42,97 %), PINU 2 (1,56). **Départements :** 18. **Fête nat. :** 15 sept. (indép.). **Drapeau :** adopté 1949, bandes bleue, blanche et bleue (couleurs trad. d'Am. centr.) ; 5 étoiles bleues (prov. unies d'Am. centr.).

Partis. *P. national,* f. 1902, Pt Rafael Leonardo Callejas ; *P. libéral,* f. 1980, Pt Carlos Flores Facusse (off. reconnus, conservateurs) ; *P. Innovation et Unité* (PINU), f. 1970, Pt Miguel Andonie Fernández (se déclare humaniste) ; *P. dém.-chrétien,* f. 1968, Pt Efrain Díaz Arrivillaga (opposition, progressiste) ; *P. comm. hond.,* f. 1954, proscrit dep. 1982.

Économie

P.N.B. (89). 918 $ par h. **Pop. active** (% et entre par. part du P.N.B. en %) agr. 58 (22), ind. 13 (21), services 27 (55), mines 2 (2). *Chômage :* touche + ou – 50 % de la pop. **Inflation** (%). *85 :* 1,4 ; *87 :* 4 ; *88 :* 9, *89 :* 25. **Dette extérieure** (90) : 3,5 milliards de $.

Agriculture. *Terres* (milliers d'ha, 81) : t. cult. 199, t. arables 1 565, pâturages 3 400, forêts 3 980, eaux 20, divers 2 045. *Production* (milliers de t, 89) canne à sucre 2 893 (87), maïs 417, bananes 1 050, café 101, sorgho 40, tabac, riz, p. de terre, coton, ananas, palme. **Forêts.** 5 957 000 m³ (88). Bois d'œuvre et bois d'ébénisterie 943 000 m³. **Elevage** (milliers de têtes, 89). Poulets 12 835, bovidés 3 259, porcs 728, chevaux et mules 295. **Pêche.** 11 365 t (89). Crevettes, langoustes, homards, aquaculture.

Mines. Plomb, zinc, argent, or, cuivre, fer, antimoine. **Industries.** Allumettes, tissus, construction. **Transports** (km). Routes 17 022 dont 1 681 goudronnées. Chemin de fer (voie étroite) 1 004. **Tourisme.** 249 761 vis. (89).

Commerce (millions de lempiras, 89). *Exportations* 1 880,7 *dont* bananes 686, café 381,8, zinc et plomb 177, crustacés 158, bois 50,9 ; *vers* U.S.A. 1 219,2, All. féd. 196,9, Japon 112,4, Italie 112,2, Belgique 90,4. *Importations* 1 962,1 *dont* mach. et équip. de transp. 496,5, prod. chim. 417,8, prod. man. de base 384,6, minéraux, fuel et lubrifiants 292,9, prod. alim. 184,4 ; *de* U.S.A. 761,4, Japon 196,7, Venezuela 108,6, Mexique 105,6, *France 39.*

Rang dans le monde (88-89). 13e café.

HONG KONG

V. légende p. 837.

Nom. En cantonais « heung gong » (rade parfumée). **Situation.** Asie (presqu'île de Kowloon et 237 îles sur la côte Sud de la Chine à 130 km de Canton). 1 067,65 km² (avec les eaux int. 2 903,5) dont Hong Kong et les îles adjacentes 78,94, Kowloon et l'île de Stonecutters 11,31, New Kowloon et les Nouveaux Terr. 973,77. *Frontière* avec Chine 35,4 km. *Alt. max.* Tai Mo Shan 957 m. **Climat** subtropical et de mousson : mars-mai : chaud jour, froid nuit ; juin-août : chaud, pluies ; sept.-nov. : chaud jour, froid nuit ; déc.-févr. : frais, sec (15,9 à 18,6 °C).

Population. *1845 :* 23 817, *1861 :* 119 321, *1881 :* 160 420, *1901 :* 368 987, *1931 :* 840 473, *1941 :* 1 640 000, *1961 :* 3 129 648, *1981 :* 4 986 560 (57 % nés à H.K.), *1988 :* 5 736 100, prév. *2000 :* 6 894 000. 98 % d'origine chinoise. **Âge :** – *de 15 a.* 24 %, + *de 65 a.* 7 %. D. 5 372,6 (en moy. 4 pers. pour 12 m²). *Répartition* (86) Hong Kong 1 175 860, Kowloon et New Kowloon 2 301 691, [165 000 hab./km² (1 000 000 à Walled City) ; 10 m²/pers]. Nouveaux terr. 1 881 166, pop. vivant dans des jonques et des

sampans 37 280. **Étrangers** (85) : Vietnamiens 57 000 (89), Philippins 32 200, Américains 15 200, Indiens 15 200, Anglais 14 900 (+ 6 000 militaires), Malaisiens 9 700, Thaïlandais 9 660, Australiens 8 000, Portugais 7 700, Japonais 7 500, Canadiens 7 200, Pakistanais 7 100, *Français 1 700.* **Émigration.** Dep. 1980 : 300 000, *1985-86 :* 20 000, *1987 :* 27 000, *88 :* 45 800, *89 :* 42 000 (off.) 55 000 à 144 000 selon d'autres sources, *90 :* 55 000 (off.), 40 000 par mois en fait ? Env. 1,5 million de Chinois de H. K. possèdent un passeport brit., mais dep. 1982, ne peuvent plus s'établir en G.-B. *Pays d'accueil :* Canada 400 000 ; Australie (visas 1987) 4 000, (1988) 8 500. U.S.A. La G.-B. accordera le droit de résidence en G.-B. à 225 000 H.-K. (50 000 chefs de famille et leurs familles), dès 1992. **Immigrés. De Chine.** *De 1977 à 1980 :* 392 300 illégaux ont été rapatriés en Ch. dep. 1980. **Du Viêt-nam.** *1975-89 :* 170 000 ; coût 2 milliards de F, parqués dans 18 camps. *1989(22-11) :* accord G.-B./V.-nam pour rapatriement forcé par avion de 37 000 à 44 000 h. **Capitale.** *Victoria :* 2 100 000 h. (88) dans l'île de H. K.

Langues. Anglais et chinois *(off.).* Cantonais, kok-lo, hakka, szevap, autres l. chin. **Religions.** Bouddhistes, taoïstes, chrétiens (10 % de la pop.), musulmans, juifs, hindous, sikhs.

Histoire. **1840** *févr. 1re g. de l'opium :* déclenchée pour défendre les intérêts de commerçants angl. (William Jardine, James Matheson). **1841**-*20-1* convention de Chuenpi, colonie brit. **1842**-*29-8 tr. de Nankin,* la Chine cède à perpétuité l'île de H. K. à la G.-B. **1843**-*26-6* colonie et port franc. **1850** (années) centre d'émigration vers U.S.A. et Australie (ruées vers l'or). **1856** *2e g. de l'opium.* **1860** convention de Pékin, la Ch. cède Kowloon et les îles Stonecutters. **1898**-*9-6* convention de Pékin, au -*1-7* location par la Ch. des Nouveaux Terr. pour 99 ans (jusqu'au 1-7-1997), l'entrée des résidents chinois munis d'un visa doit être libre. **1938** après la prise de Canton par Jap., afflux de réfugiés. **1941**-*25-12*/**1945**-*1-8* occupation jap. **1946** interdiction de fumer de l'opium. **1949** afflux de réfugiés Ch. **1952, 1967** émeutes. **1972** tunnel routier entre île de H. K. et Nouveaux Terr. **1975** Élisabeth II, 1re souveraine brit. à H. K. **1979-82** 2 lignes de métro construites. **1981**-*20-10* Nationality Act adopté par G.-B. (les habitants de H.K. n'ont plus le droit de résidence en G.-B.). **1982**-*15-6* Deng Xiaoping déclare que la Chine veut retrouver sa souveraineté en 1997, crise de confiance : retrait de 6 milliards de $. *Sept.* ouverture des négociations entre Ch. pop. et G.-B. Chute du $ HK. **1983**-*23-9* Samedi noir : le $ U.S. vaut 9,50 $ HK. **1984**-*13-1* émeutes (1 million de $ de dégâts). -*19-12* accord Ch. et G.-B. : H.K. redeviendra ch. le 1-7-1997 avec statut spécial pour au moins 50 ans. **1985** *sept.* réorganisation ; él. indirectes au conseil lég. **1986** *oct.* Élisabeth II à H.K. **1989** baisse en Bourse. *Mai-Juin* inquiétude à la suite des événements de Chine (1 million de manif.). **1990**-*16-2* commission mixte adopte projet de Constitution applicable 1-7-1997 (amendable 2007). *Assemblée :* 60 m dont élus au suffrage universel 20, nommés par la Chine ou des organisations socioprofessionnelles 40 ; *1999* 24 ; *2030* 30. -*4-5* affrontements police/Vietnamiens réfugiés. *Mai* exportations de capitaux multipliées par 10 en 1 an.

Statut. Colonie britannique. *Charte* de 1843. *Gouv.* Sir David Clive Wilson. *Conseil exécutif* 4 m. d'office, 10 nommés. *Conseil lég.* 56 m. (dont 3 d'office, 7 nommés, 22 désignés, 24 élus). **Partis :** Reform Club, Civic Association, communiste, Kouomintang.

Économie

P.N.B. (89) 10 000 $ par h. **Pop. active** (% et entre par. part du P.N.B. en %). Agr. 2 (1), ind. 33 (29), services 65 (70). **Inflation** (%). *85 :* 3,4 ; *86 :* 3,2 ; *87 :* 5,9 ; *88 :* 8 ; *89 :* 10. **Taux de croissance** (%). *1981 :* 11 ; *82 :* 2,4 ; *83 :* 5,1 ; *84 :* 9,6 ; *85 :* 0,8 ; *86 :* 11,9 ; *87 :* 13,8 ; *88 :* 8 ; *89 :* 2,5 ; *90 (est.) :* 3. **Chômage.** *85 :* 3,4 % ; *88 :* 1,3 % ; *89 :* 1,2 %. **Salaire moyen** (88). 2 500 à 3 000 F (Chine 300 F). **Situation économique (1989-90).** Récession, échéance de 1997, fermeture économique de la Chine, main-d'œuvre qualifiée insuffisante, fuite de capitaux.

Agriculture. *Terres* (km², 84) : constructions 174, bois 125, pelouses et taillis 625, terres arables 75, piscicultures 21, marécages 1, divers 46. *Production* (t, 89) légumes 131 000, fleurs (84) 775 540 (unités), fruits 3 050. 45 % des aliments viennent de Chine. **Élevage** (milliers de têtes, 89). Poulets 5 631, canards 584, cailles 524, porcs 303, pigeons 824, bovins 2,5. **Pêche.** 239 400 t (89).

Mines. Kaolin, quartz, feldspath. **Eau** (millions de m³). 17 réservoirs, stockée 586 (dont Plover Cove 230, High Island 280) ; fournie par Chine 290 (prév. pour 1995 : 620). **Industries.** Textile (41 % de la pop. active ind.), électronique, photo, horlogerie, bijouterie, mat. plastiques, jouets, caoutchouc, constr. nav., chaussures, ivoire (60 millions de $ de revenus par an ; originaire de Dubayy). **Transports** (km, 89). Routes 1 446, tramways 30,4, chemins de fer 43,2. Projet d'aéroport à Chek Lap Kok [coût 125 milliards de $ HK]. **Tourisme.** 5 459 521 vis. (89) dont (86) U.S.A. et Canada 21,4 %, Asie du S.-E. 20,9, Japon 20,8, Europe de l'Ouest 13,6, Australie et N.-Zél. 6,8. **Capacité hôtelière** (89). 23 000 chambres.

Place financière. En 1987, 151 banques, 313 stés financières. La Chine possède : antenne commerciale, banques, Cies d'assur., entreprises. **Port** franc.

Commerce (millions de $ HK, 89). *Exportations* 224 104 *dont* vêtements 71 874, montres et horloges 19 602, mat. élec. 17 888, textiles 16 814, équip. de télécom. 16 096 ; *vers* U.S.A. 72 162, Chine 43 272, All. féd. 15 689, G.-B. 14 638, Japon 13 028. *Réexportations* 346 405 *dont* prod. man. divers 118 479, mach. et équip. de transport 92 960, prod. man. 76 427, prod. chim. 24 506 ; *vers* Chine 103 492, U.S.A. 72 033, Japon 22 268, Taiwan 16 478, Corée du S. 13 279, All. féd. 13 121. *Importations* 562 781 *dont* mach. et équip. de transp. 156 204, prod. man. 145 879, prod. man. divers 139 358, prod. chim. 43 627 ; *de* Chine 196 676, Japon 93 202, Taiwan 51 587, U.S.A. 46 234, Corée du S. 25 462.

Balance commerciale (millions de $ US). *1982 :* – 3,9 ; *83 :* – 66,5 ; *84 :* – 78,3 ; *88 :* 1 227. **Investissements étrangers à H.K.** (milliards de $ HK, 88). 26,2 dont U.S.A. 34 %. Japon 27 % (55,4 milliards de $, dont 12 dans l'immobilier), Chine 11 %. **Inv. de H.K. en Chine :** 10 milliards de $. Raisons : main-d'œuvre, terrain et mat. 1res bon marché. Possibilité de tourner les quotas imposés aux imp. H.K.

Nota. – Hong Kong achète en Ch. nourriture, eau, mat. 1res (surtout sable, ciment) et vend produits du monde capitaliste. Les excédents commerciaux chinois y sont en dépôt. La plupart des opérations commerciales avec la Chine s'y négocient.

HONGRIE

V. légende p. 837.

Nom. Hongrois (du turc *onogour*) signifie « dix tribus d'archers ».

Situation. Europe. 93 033 km² (long. 528 km, larg. 268). *Frontières* 2 242 km (avec Yougoslavie 631 km, Tchéc. 608, Roumanie 432, Autriche 356, U.R.S.S. 215). *Alt. max.* Mt Kékes (massif de la Mátra) 1 015 m ; *min.* 78 m au-dessus du niv. de la mer. **Régions** d'O. en E. : petite plaine (Kisalföld), Dorsale hongroise (300 km S.-O./N.-E., monts Bakony, Pilis, Mátra, etc.) ; Transdanubie (à l'O. du Danube ; plaines, collines peu élevées et petits massifs) ; grande plaine (Nagyalföld, 1/2 de la surface du pays) à l'E. du Danube, entre le Dan. et la Tisza sablonneuse, à l'E. de la Tisza limoneuse. **Fleuves** (entre par., long. totale) : Danube 417 km en H. (2 850) (dans la région de Baja sur 150 km, il se sépare en 2 bras et a de 20 à 30 km de large), Tisza 600 km (977) (XIXe s., raccourci de 450 km en coupant 120 méandres, construction de digues protégeant 3 000 000 ha de terres arables), Drave 143 km. **Eaux thermales :** env. 500 sources à 35 °C ; au S. de la Transtisza 80 à 90 °C ; 500 000 m² de serres chauffés. **Lac** *le plus grand :* Balaton 596 km² (77 × 8 à 14 km). **Climat** continental : moy. 1961-70 11,2 °C, max. 36,7 °C (– 2,1 °C à Budapest en janv., 21,2 °C en juill.) ; ensoleillement moy. 1961-70 1 975 h ; pluies 500 à 900 mm.

Population *1869 :* 5 011 310 h., *1910 :* 7 612 114, *1941 :* 9 316 076, *1988 :* 10 604 000, prév. *2000 :* 10 908 000. Magyars 92,3 %, Tziganes 5 (500 000), Allemands 2, Slaves du Sud (Serbes, Croates, Slovènes) 0,9, Slovaques 0,9, Roumains 0,2. **Age (en %) :** – *de 15 a. :* 23,1 h., 20,5 f., + *de 60 a. :* 15,1 h., 20,3 f. **Taux (en %) :** natalité *1988 :* 11,7 % (tzigane 24), mortalité : 13,1 %. D. 11,4. **Pop. urb.** (89) : 59,5 %. **Villes** (89) : *Budapest* 2 115 000 h. (Buda et Pest ; sur les 2 rives du Danube, *1867* capitale, *1873* réunion des 2 villes), Miskolc 208 000 (à 185 km), Debrecen 220 000, Szeged 189 000 (à 170 km), Pécs 183 000 (à 202 km), Györ 132 000 (à 128 km). **Départements ruraux :** 19 [le + grand (8 363 km²) Bacs-Kiskun, le + petit (2 250 km²) Komárom] ; **urbains :** 6.

Hongrois d'origine à l'étranger (en millions) : 3,5 à 4 dont Roumanie 2, Tchéc. 0,7, U.S.A. 0,7, Youg. 0,45, All. féd. 0,4. **Réfugiés roumains :** *1987 :* 40 000, *88 :* 100 000.

Langues. En % (rec. 70) : hongrois *(off.)* 98,5 [l. d'origine asiatique (ouralienne) du même groupe que le finnois (finno-ougrien), dont elle s'est séparée v. 500 av. J.-C. ; parlers les plus voisins : en Sibérie, dans le bassin de l'Ob (vogoul et ostiak, l. ob-ougriennes)], allemand 0,4, roumain 0,3, croate 0,2, slovaque 0,2.

Religions. En % : cath. romains 65, calvinistes 25 (Église fondée 1552), luthériens 8, orthodoxes 0,4, israélites 1 [*1941 :* 825 000 j. ; 565 000 exterminés ; *1987 :* 100 000 (dont 90 000 à Budapest)], grecs unis 0,6. Après un accord (19-9-64), le pape nomme 3 archevêques, des évêques et administrateurs apostoliques, qui, avec les précédents, prêtent serment à la Rép. pop. Dep. un accord de 1975, tous les postes sont pourvus. *Religieux et religieuses : 1949 :* 13 000, *89 :* 2 800.

Histoire

Province romaine (Pannonie et Dacie) envahie v. **895** par Magyars (langue finno-ougrienne), duc Arpád († 907). **955** expension arrêtée à Augsbourg par l'emp. Otton. **1000-38** St *Étienne Ier*, roi convertit les Hongrois. **1172/96** Béla III ép. Marguerite, sœur du roi de Fr. Philippe-Auguste ; introduit civilisation byzantine. **1222** André II reconnaît (Bulle d'Or) puissance des magnats dans leur comitat. **1241-42** invasion Tartare. **1301** André III meurt, fin des Arpáds. **1308-42** Charles-Robert d'Anjou, roi imposé par le Pape Boniface VIII. **1342-82** Louis Ier le Grand, son fils, aussi roi de Pologne 1370. **1382** Marie, sa fille, proclamée roi, associe au trône son époux, Sigismond de Luxembourg (1387-1437). **1396** g. défensive contre Turcs (défaites de Nicopolis 1396, Semendria 1412), János Hunyadi (1387-1456) les arrête à Belgrade (1456). **1437-39** Albert II de Habsbourg, gendre de Sigismond. **1440-57** Ladislas V le posthume, son fils sur la régence. **1458-90** fils de Hunyadi, Mathias Corvin (1440-90) élu roi. Georges Podiébrad, roi de Bohême, demande à Corvin de lui abandonner Moravie, Silésie et Lusace ; prend également Basse-Autriche et Vienne (1485). **1465** université de Buda fondée. **1490-1516** Ladislas Jagellon déjà roi de Bohême, élu par magnats qui, irrités de l'absolutisme de Corvin, ont écarté son fils naturel. **1516-26** Louis II Jagellon, son fils, battu par Turcs, tué à Mohacs (29-8-1526). **1526** Ferdinand de Habsbourg (1503-64), se fait proclamer roi de Bohême et de H. par la diète de Presbourg, mais une partie de la noblesse h. lui oppose le voïvode de Transylvanie, Jean Zapolya, soutenu par Turcs dont il s'était déclaré le vassal. Le centre de la H. devient province turque pour 150 ans. **1541** Buda. occupée. E. et Transylvanie deviennent principautés quasi indépendantes sous P[ces] hongrois [Istvan Bathory (1533-86), élu 1576 roi de Pologne (Étienne Ier), Gabor (Gabriel) Bethlen (1580-1629), György Rakoczi (1593-1648), etc.]. O. et N. restent aux Habsbourg. **1686** Léopold Ier de Habsbourg reprend Buda. **1688** Diète de Presbourg rend aux Habsbourg couronne héréditaire de H. **1691** Transylvanie annexée [privilèges garantis *(Diploma Leopoldinum)*]. **1699** fin de l'occupation turque. **1703-11** *g. d'indépendance* [le P[ce] Ferenc II Rákóczi, chef du mouvement, allié de Louis XIV, émigrera en Fr. († en Turquie)] matée par Autr. **1740-80** Marie Thérèse, impératrice d'Autr. et reine de H. fait édifier le château royal de Buda (à nouveau capitale). **1718** *tr. de Požarevac :* Banat rendu à H. ; H. autrichienne réunifiée. **Début XIXe s.** mouvements nationaux et réformateurs avec István Széchenyi et Lajos (Louis) Kossuth. **1844** Hongrois devient langue nationale. **1848**-*15-3* soulèvement dans la capitale, Sandor Petöfi et Kossuth imposent à Diète égalité fiscale et abolition des charges féodales contre indemnité de l'État. Cte Batthyany Lajos chef du gouv. -*11-4* Autr. reconnaît H. comme roy. unit., parlem. démocr. *Automne* Autr. attaque H., Kossuth résiste. **1849**-*14-4* roi détrôné. *Été* intervention russe. -*13-8* g. d'indép. échoue. **1849-67** néo-absolutisme. **1867**-*8-2* Diète et gouvernement h. ; l'emp. d'Autr. se fait couronner roi de H. ; le ministère d'Empire est chargé des affaires communes : aff. étrangères, finances et g. 2 chambres : la *table des magnats* et la *table des représentants,* le droit de vote censitaire. Régime dualiste : Autr.-H. (rattachement à la H. de la Slovaquie, Ruthénie « subcarpatique », Transylvanie, Croatie et Slavonie). **1868** Croates : autonomie partielle, magyarisation des minorités slovaques, ruthènes, roumaines. **1914** participe à la g. aux côtés de l'All.

1918-*16-11* rép., Cte Mihály (Michel) Károlyi (1875-1955), Pt 29-10, démissionne le 21-3-1919 à cause des amputations prévues pour H. -*29-10* liens rompus avec Croatie-Slavonie, -*1-12* avec Transylvanie (qui demande son rattachement à Roumanie), Slovaquie (occupée par Tchèques). **1919**-*21-3* le P. communiste, qui a fusionné avec le P. socialiste démocrate, crée la Rép. hongr. des soviets dirigée par Béla Kun (1886- condamné à mort en U.R.S.S., exécuté 24-8-1938), qui dure 133 j : lutte avec Roumains et Tchèques qui occupent terr. enlevés par Alliés. -*16-11* amiral Miklos Horthy (protestant, 1868-1957) occupe Budapest. **1920**-*1-3* Horthy élu régent par l'Ass. nat. (130 voix pour H., 7 pour le Cte Apponyi). -*4-6 tr. de Trianon,* consacrant démembrement ; H. (90 000 km² au lieu de 320 000 km²) : 7 615 000 h. (au lieu de 20 855 000). H. perd Slovaquie, Ukraine subcarpatique, Transylvanie, Croatie et Banat : 13 000 000 d'hab. (dont Hongrois 3 000 000). *Répartition :* Roumanie reçoit 102 000 km² (5 260 000 habitants, dont Roumains 2 800 000, Hongrois 1 500 000, Allemands 700 000) ; Yougoslavie 63 000 km² (4 120 000 h., dont Croates 1 700 000, Serbes 1 000 000, Hongrois 500 000, Allemands 500 000) ; Tchécoslovaquie 63 000 km² (3 580 000 h., dont Slovaques 2 100 000, Hongrois 750 000, Ruthènes 350 000, Allemands 300 000) ; l'Autriche 4 000 km² [380 000 h. du Burgenland, mais après plébiscite (déc. 1921) la région de Sopron revient à la H.)]. **1921** *mars-oct.* Charles IV (ex. empereur Charles Ier d'Autr.) essaie de reprendre son trône. -*5-11* loi proclame déchéance des Habsbourg. **1921-31** Cte Bethlen Gábor PM. **1923** entre à la SDN. **1927** H. se rapproche de l'Italie, puis de l'All. hitlérienne. **1931** Horthy régent. **1937**-*23-10* parti des Croix fléchées créé. **1938**-*2-11* 1er arbitrage de Vienne. La H. récupère, au détriment de la Tchéc., discricts méridionaux de Slovaquie et Ruthénie, **1939** *mars* H. récupère toute la Ruthénie subcarpatique. *Sept.* H. refuse passage troupes all. pour envahir Pologne. **1940** *août* accepte le passage des troupes all. vers la Roumanie, en wagon plombé. -*30-8* 2e arbitrage de Vienne, récupère Transylvanie. *Nov.* la H. adhère au pacte tripartie. **1941** *avril* troupes all., sans autorisation d'Horthy, entrent en H. pour attaquer Youg. Pal Teleki, Pt du conseil, se suicide. *Mai* effondrement de la Youg., la H. reçoit divers territoires entre Danube et Tisza. -*26-6* g. contre U.R.S.S. (forces h. anéanties 1942-43), puis 13-12 contre G.-B. et U.S.A. **1942** *janv.* massacre d'Ujvidék, 3 000 Serbes et Juifs tués. **1944**-*17-3* ultimatum all., Horthy étant retenu au Q.G. all. -*19-3* occup. all. -*15-9* Horthy demande armistice à U.R.S.S. -*23-9* armée sov. pénètre en H. -*15-10* demande à la radio de cessez-le-feu contre Alliés. Les All. le forcent à abdiquer (sous menace de tuer son dernier enfant kidnappé 24 h avant), et l'emmène en All. -*21-10* proclamation du régime des « croix fléchées » (fascistes dirigés par Ferenc Szálasi), terreur. Extermination des Juifs h. -*21-12* à Debrecen, 226 dép. adoptent le manifeste, élaboré à Moscou, qui prévoit la rupture immédiate avec l'All., le soutien des Alliés, la nécessité d'une réforme agraire radicale, la mise sous contrôle de l'État des grandes banques et des cartels, la nationalisation des usines d'électricité et des exploitations de pétrole. -*22-12* gouv. provisoire formé à Debrecen par Gal Béla Dálnoki Miklós de 12 m. (dont 3 com., décl. g. à l'All.). -*28-12* gouv. prov. du « Front de l'indépendance » animé par le PC et dirigé par le pasteur Tildy (p. des petits propriétaires). **1945**-*17-1* Raoul Wallenberg, dipl. suédois qui a sauvé des dizaines de milliers de Juifs, quitte ses bureaux sous protection soviét. pour rencontrer le commandant des forces soviét. et disparaît († 17-7-47 en U.R.S.S. à la Loublianka, prison de Moscou ?). -*20-1* armistice avec U.R.S.S. -*13-2* Soviét. prennent Budapest. -*17-3* réforme agraire. -*4-4* libération totale. -*7-10* municipales. -*4-11* législatives : petits propriétaires 57 % des voix, p. social démocrate 20, communistes 17, nationaux-paysans 6.

1946-*1-2* Rép. [proclamée à l'unanimité moins la voix de Margit Slachta proche du cardinal Mindszenty (29-3-1892/1975) primat de H. qui voulait rétablir Otto de Habsbourg sur le trône]. *fév.* accord avec Tchéc. pour échange 800 000 hongrois et slov. -*21-3* Laszlo Rajk min. de l'Intérieur. -*26-6* mines et assurances nationalisées. -*1-8* forint nouvelle monnaie. **1947** prise progressive du pouvoir par communistes. *-10-2 tr. de Paris :* rétablissement des frontières de 1920. *Mai* gouvernement du Front populaire patriotique (PC, PS dém., P. nat.-paysan et Conseil nat. des syndicats). *-31-8* élect., Union des forces de gauche 60 % des voix, défaite des petits propriétaires. **1948**-*13-2* tr. d'amitié et d'assistance mutuelle avec U.R.S.S. *-29-4* nationalisation des entreprises de + de 100 ouvriers. *-13/14-6* fusion du PS dém. et du PC dans le P. des travailleurs h. *-26-12* cardinal Mindszenty accusé de complot et d'espionnage arrêté. **1949**-*8-2* condamné à la prison à vie. Le PC prend la direction du Front pop. patriotique. *-15-5* élect. : 1 seule liste (celle du Front) 96,2 % des voix, le PC a 270 s. sur 395. *-18-8* Constitution : la H. devient Rép. pop. *-24-9* László Rajk (ancien min. de l'Intérieur puis des Aff. étr.) arrêté 30-5, exécuté pour complot titiste. M. Karolyi ambassadeur à Paris démissionne († Vence 1955). **1950**-*24-4* Pt Szakasits démissionne pour raisons de santé, arrêté. *-7-9* ordres religieux dissous. **1951** János Kádár, accusé de titisme, torturé et condamné à réclusion à perpétuité. **1952**-*14-8* gouv. Mátyás Rákosi (1892-1971). **1953**-*4-7* gouv. Imre Nagy. **1954**-*20-10* Kádár libéré. **1955**-*18-4* Nagy (exclu du Comité central du PC) remplacé par András Hegedüs. *-16-7* Mindszenty en résidence surveillée. *-14-12* entrée à l'ONU.

1956-*27-3* Rajk réhabilité. *-21-7* Ernő Gerő (1898-1980) remplace Rákosi à la direction du PC. *-6-10* manif. lors des funérailles nationales de Rajk. *-14-10* Nagy réintégré dans parti. *-23-10* manif. pacifique de solidarité avec Polonais (Poznań). Slogans hostiles au gouvernement et à U.R.S.S. Tirs le soir devant la maison de la Radio où la foule veut faire diffuser ses revendications. Les manif. s'arment. Police [sauf la p. politique (AVH)] et armée restent neutres ou se rangent du côté de l'émeute. Statue de Staline renversée près du « Bois de Ville ». La nuit, le PC appelle Nagy à la tête du gouv. (retour réclamé par intellectuels) et demande l'aide des troupes soviét. *-24-10* 1re intervention armée sov. Mikoyan et Souslov (Politburo) arrivent à Budapest. Les insurgés tiennent plusieurs quartiers. Le gouv. promet l'amnistie à ceux qui déposeraient les armes avant 14 h., (h. d'entrée en vigueur de la loi martiale). Délai sans cesse repoussé. *-25-10* tirs de l'AVH sur la foule devant le Parlement. Les Soviét. rendent Gerő (qui démissionne) responsable de la crise. János Kádár élu 1er Secrét. du Parti. *26-10* Nagy reconnaît, comme légitime, l'exigence du retrait des troupes soviét. et annonce la constitution d'un gouv. comprenant des sans-parti. Formation de Comités révolutionnaires et de Conseils ouvriers. *-27-10* les insurgés demandent le départ des ministres compromis pendant la période stalinienne. Nagy s'oppose à l'écrasement armé de l'insurrection en menaçant de démissionner. *-28-10* le journal du parti, inspiré par amis de Nagy, qualifie le soulèvement de « mouvement démocratique national ». Nagy proclame cessez-le-feu général et annonce départ des troupes soviét. de Budapest. La direction du PC est confiée à un présidium de 6 membres dont Nagy et Kádár. *-29-10* généralisation des Comités révol. et des Conseils ouvriers. *-30-10* le présidium du PC accepte multipartisme. Le PC est dissous, un comité provisoire d'organisation d'un nouveau parti (dont Kádár et Nagy sont membres) est créé. Nagy annonce le retour à la formule de coalition de 1945, les anciens partis se reconstituent. Le gouv. soviét., dans une déclaration officielle, reconnaît « l'égalité complète des droits entre pays socialistes et la non-immixtion dans les affaires intérieures des autres pays ». Les insurgés occupent le siège du comité du PC de Budapest (atrocités). Mindszenty libéré. Formation d'un conseil révol. de l'armée pop. hongr. *-31-10* projet de garde nationale pour intégrer les insurgés armés. Nagy annonce que les négociations sont engagées pour le départ des soviét. et le retrait de la H. du pacte de Varsovie. *-1-11* constatant le renforcement des unités soviét. à l'est du pays, Nagy proclame la neutralité de la H. et son retrait du pacte de Varsovie. Kádár annonce à la radio la formation du nouveau PC : « Nous sommes au carrefour du socialisme et du capitalisme » et quitte secrètement Budapest. *-2-11* nouveau gouv. Nagy avec représentants des anciens partis. Khrouchtchev entreprend d'obtenir l'accord des dirigeants des autres pays socialistes, notamment Tito, pour une intervention armée. *-3-11* discours de Mindszenty qui refuse de reconnaître le gouv. Nagy. Tard le soir, le Gal Pàl Maléter, min. de la Défense, est arrêté lors de négociations avec les Russes. *-4-11* troupes sov. entrent en action. Nagy se réfugie à l'ambassade de Yougoslavie et Mindszenty à celle des U.S.A. (où il restera 15 ans). Kádár annonce à la radio la formation d'un « gouv. révolutionnaire ouvrier et paysan » qui a demandé l'aide sov. *-13-11* formation du Conseil ouvrier du Grand Budapest. Grève générale. *-14-11* insurrection armée écrasée. Arrestations massives. *-23-11* Nagy et son entourage emmenés en captivité en Roumanie. *-11-12* arrestation des dirigeants ouvriers. **1957** le calme revient. *Bilan :* 2 500 à 13 000 †, 200 000 émigrés. *-28-3* tr. H.-U.R.S.S. sur le « stationnement provisoire » des troupes soviét. et aide écon. **1958**-*28-1* Münnich Pt, Kádár reste 1er secr. du parti. *-16-7* Nagy, Gal Maléter et journaliste Miklós Gimes pendus (après procès secret). **1962** *mars* collectivisation agricole achevée. **1963**-*22-3* amnistie partielle. **1964**-*15-9* accord avec Vatican ; pape nomme 5 évêques. **1968**-*1-1* réforme « nouveau mécanisme économique » [réhabilitation des mécanismes de marché, autonomie des entreprises, tendance à restaurer la vérité des prix, régulation par des moyens écon. « indirects » tels que taxes, subventions, taux d'intérêts, etc.].

1971-*28-9* C[al] Mindszenty (1892-1975), réfugié à l'amb. amér. dep. 1956, quitte la H. pour Vienne. **1972** *avril* Constit. modifiée. **1974** *févr.* le Vatican retire titre de primat au C[al] Mindszenty. **1974-75** croissance des dotations de soutien aux prix à la consommation. Subventions à la consommation des matières 1res. **1976**-*1-1* NME révisée (recentralis.) Mgr Lékai archev. d'Esztergom et primat de H. **1977** rencontre Paul VI-Kádár au Vatican. **1978**-*6-1* Cyrus Vance (secr. d'État amér.) remet à H. couronne de St Étienne, symbole de la H. (gardée dep. 32 ans à Fort Knox). Rapports tendus avec Roumanie au sujet des Magyars de Transylvanie. *-15/17-11* Kádár en Fr. Entreprises classés en 3 catégories (à financement autonome, nécessitant une aide temporaire de l'Etat, d'utilité publique et d'intérêt) reçoivent crédits bancaires sélectifs ou bien des subventions. **1979-80** système des prix « compétitifs » pour s'aligner sur prix internat. **1980** congrès du parti : priorité au redressement des comptes extérieurs ; politique d'austérité. **1981** mise en gestion privée de commerces et restaurants d'État. Dissociation des trusts industriels en unités plus petites. *Oct.* unification des cours du forint commercial et non-commercial. **1981-85** 6e plan. **1982** semaine de 42 h. Encouragements à créer de petites entreprises. *-7 au 9-7* Pt Mitterrand en H. **1983** sécheresse (200 millions $ de pertes). **1984** création de conseils d'entreprises responsables de la gestion avec participation des salariés, séparation des fonctions de régulation et de crédit au sein de la Banque nat., instauration de « prix de marché », différenciation des salaires, réduction de l'endettement. *-15-10* Kádár en Fr. **1985**-*8/22-6* législatives (pour la 1re fois candidatures multiples) : 762 cand. (dont 71 non « recommandés » par le Front pop. patriotique) pour 387 s. ; 25 non « recommandés » élus. **1986**-*2-7* mort du cardinal-primat László Lékai. **1987**-*2-9* László Paskai archevêque-primat. Crise. **1988**-*1-1* réforme générale des taxes. Introduction d'un impôt sur le revenu de 20 % à 60 %, et de la T.V.A. (15 et 25 %). *-15-3* anniv. de l'insurrection de 1848, manif. (non autorisée, 10/15 000 pers.). *-14-5* 1er syndicat indép. dep. 40 ans (synd. dém. des travailleurs scient.). *-22-5* Karoly Grosz (n. 1931) 1er secr. du Parti, Kadar (secr. dep. 25-10-56) en devient le Pt. *27-6* 30 000 à 50 000 manif. à Budapest pour défendre la minorité d'origine h. en Roumanie. *-20-8* 950e anniv. de la mort du roi Étienne, fondateur de la H. *-8-9* réhabilitation de condamnés de 1956. *-12-9* manif. des Verts contre barrage de Nagymaros. *-17-11* Karoly Grosz en Fr. *-23-11* il renonce à son mandat de PM. *-28-11* création du Mouv. social-dém. *-30-12* 120 condamnés de 1956 réhabilités. **1989** *-28-1* PC hong. reconnaît soulèvement pop. de 1956. *-févr.* adhère à la Convention de Genève. *-15-3* 100 000 manif. pour l'anniv. de la g. d'indép. de 1848 devenu férié. *2-4* reconst. du P. de l'indép. h. (1947-48, 56). *-3-3* manif. contre barrage de Nagymaros. *-3-5* grillage électr. supprimé à la frontière avec Autriche (260 km). *-8-5* Kadar exclu du comité central du PC. *-10-5* gouv. remanié investi par le Parl. (1re fois). *-31-5* PC juge illégale l'exécution de Nagy. *-16-6* obsèques solennelles de Nagy. *-23/24-6* PC se donne direction collégiale de 4 m. et un Pt : Rezso Nyers. *-27-6 fin du « rideau de fer »* hongrois. *Juin* démolition de la statue de Lénine (26 m). *Juillet* Pt Bush en H. *-6-7* Kadar meurt. *-22-7/5-8* 4 élections partielles : PC battu, un pasteur (Gabor Roszik) non-communiste élu. *Été* réfugiés est-all. transitant vers Autriche et All. féd. *-19-8* 1re émission d'une TV indépendante, Nap-TV (*nap* en Hongrois = jour, soleil). *-20-8* 1re fois dep. 40 ans procession de la Ste-Dextre [main droite de St-Étienne, (canonisé 1083), confisquée par Turcs, *1771* restituée, *1944-45* cachée en Autriche]. *-25-8* abolition du décret de 1950 n'autorisant que 4 ordres religieux. *-1-9* réévaluation du forint de 5 %. *-16-9* f. du mouvement pour une Hongrie démocratique, Pt Imre Pozsgay. *-17-9* élections partielles, victoire du Forum démocr. *-18-9* relations dipl. avec Israël reprises. *-22-9* l'indemnisation des victimes du stalinisme et de l'insurrection de 1956 annoncée (55 000 internés et 43 000 déportés, 17 000 encore en vie recevront à partir du 1-11 500 forints par mois). *-7-10* PC abandonne son rôle dirigeant (1 073 voix pour, 159 contre, 38 abst.) et devient le PS hongrois. *-18-10* loi fondamentale révisant Constitution de 1949 (333 oui, 5 non, 8 abstentions), devient une République (proclamée 23-10) Pt par intérim Mátyás Szürös. Renonce au « pouvoir dirigeant des travailleurs », au rôle dirigeant du PC. Reconnaît les « valeurs de la démocratie bourgeoise et du socialisme démocratique ». Séparation des pouvoirs, codification des droits de l'homme et des droits civiques. Pt de la Rép. remplacera le Conseil présidentiel. En 1990, après les législatives, le Parlement devra rédiger une nouvelle Constitution. *-20-10* nouvelle loi électorale, dissolution de la milice ouvrière créée 1956 (60 000 h. recrutés parmi les ouvriers et 5 000 officiers dans le parti). *-23-10* proclamation de la Rép. h. par le Pt intérimaire Mátyás Szürös, sera un j. de commémoration nationale du soulèvement contre les Sov. *Oct.* parlement vote le retrait des cellules du PC des lieux de travail. *-15-11* demande d'adhésion au Conseil de l'Europe. *-26-11* référendum pour décider si le Pt de la Rép. sera élu avant (au suffrage universel) ou après (par le Parlement) les législatives [7 824 775 inscrits, votants 58,03 % dont 50,07 % après, 49,93 % avant]. *-5-12* dévaluation du forint, 10 %. *-21-12* gouvernement prend le contrôle des services secrets, le Parlement se dissout. **1990**-*5-1* scandale des écoutes téléphon. *-23-1* démission du min. de l'Intérieur, Istvan Horvath. *-7-1* forte hausse des prix. *-18-1* Pt Mitterrand et 7 min. en H. *-23-1* retrait des 52 000 soldats soviét. (10 000 partis en 1989), accord signé à Moscou 10-3, retrait total avant 30-6-1991. *fév.* suppression de l'étoile rouge sur le toit du parlement. *-9-2* relations avec Vatican reprises (rompues 1945). *2/4-3* synd. officiel se dissout et devient Conf. nat. des Synd. (MSZOSZ), Pt Sandor Nagy, 4 200 000 m. *-16-3* parlement se dissout. *-4-5* Arpad Göncz élu Pt de l'Ass. *-16-5* gouvernement à majorité d'enseignants membres du MDF ; économie de marché, privatisations (75 à 80 % d'entreprises autogérées). *-26-6* Parlement vote retrait du pacte de Varsovie (prévu avant fin 1991). *-23-7* vote d'une motion demandant des excuses officielles de l'U.R.S.S. pour l'intervention de 1956. *-29-7* référendum sur le mode d'élection du Pt de la Rép. ; invalidé en raison des abstentions (80 %). *-10-8* fin du pacte de gouv. conclu en avril entre démocrates libres et conservateurs. *-30-9* et *14-10* municipales 64 et 70 % d'abstentions. *-31-10* Gabor Demszky, chef de l'Alliance des démocrates libres, élu maire de Budapest par l'ass. municipale ; fonction supprimée dep. 1947.

Politique

Statut. République (popul. avant) le 23-10-1989. Membre du CAEM, du pacte de Varsovie et du Conseil de l'Europe. *Const.* du 18-8-1949, révisée avril 72, déc. 83 et oct. 89. *Nouvelle Constit.* 1990.

Partis. P. socialiste h. (PSH, ou MSZP). *Pt :* Gyula Horn, 50 000 à 60 000 m. en 1990, a remplacé le 7-10-89 le P.S. ouvrier h. [MSZMP : 700 000 m. en 1989, avait succédé en nov. 1956 au P. des travailleurs hongrois (f. 1948) qui détenait la réalité du pouvoir]. **Forum démocratique h. (MDF) ;** *créé* fin 1987, proches des réformateurs du PSH. *Pt :* Jozsef Antall [n. 8-4-32 ; fils de Jozsef Antall (1896-1974), Pt du P. des Petits Propriétaires], 25 000 m. **Alliance des démocrates libres (SZDSZ)** issue de l'opposition démocr. des années 1970, tendance sociale-libérale et social-démocrate, 17 000 m. **P. des Petits Propriétaires (PPP)** reconstitué 1988 (57 % des voix en 1945), 70 000 m. **Fédér. des jeunes démocrates (FIDESZ)** jeunes radicaux proches du SZDSZ, 5 000 m. **P. social-démocrate de H. (PSDH)** reconstitué 1988, membre de l'Intern. soc. *Pte :* Anna Petrasovits. **P. des chrétiens-démocrates.** *Pt :* Sandor Keresztes. **P. Populaire** successeur du P. national paysan, coalition électorale patriotique (socialiste). **Alliance agrarienne** issue de l'ancien p. socialiste ouvrier. **P. des entrepreneurs** proche ancienne nomenklatura. **P. socialiste ouvrier h. (PSOH)** communistes ayant refusé la transformation de l'ancien p. soc. ouvrier. *Pt :* Gyula Thürmer. Selon les experts, 3 tendances générales : *p. libéraux-radicaux* (SZDSZ, FIDESZ), *p. défendant valeurs chrétiennes et nationales* (MDF, PPP, PCD) et *p. de gauche* (PSH, PSOH).

Loi électorale (législatives du 25-3 et 8-4-90). 1) *176 députés élus dans 176 circonscriptions,* au scrutin uninominal majoritaire à 2 tours. Est élu au 1er tour celui ayant la majorité absolue s'il y a moins de 50 % d'abstentions et au 2e t. à la majorité relative (– de

75 % d'abst.) pour le mieux placé ou ayant obtenu + de 15 % des voix.

2) *152 élus à la proportionnelle sur des listes présentées par les partis* dans 20 départements. 1 tour (sauf si abstention de + de 50 %).

3) *58 élus sur des listes nationales,* d'après les restes des scrutins précédents. Chaque parti présentant 1 candidat dans au moins 25 des 176 circonscriptions peut former une liste départementale ; seuls les 12 partis qui ont pu présenter au moins 7 listes dép. peuvent constituer des listes nat.

Élections législatives. *1er tour* 24-3-90, 12 partis présents représentés. Abstentions 36,85 %. *2e t.* 8-4-90. Résultats (sièges, entre parenthèses en % des voix). Forum démocratique 165 (42,74), Alliance des démocrates libres 92 (23,83), P. des Petits Propriétaires 43 (11,13), P. socialiste h. 33 (8,54), Féder. des jeunes démocr. 21 (5,44), P. chrétien-démocr. 21 (5,44), Indép. 6 (1,55), Coalition électorale 4 (1,03), Union agraire 1 (0,25).

☞ **Présence sov.** *(avant 1989)* 62 000 à 65 000 h., 27 146 véhicules militaires (860 chars, 600 pièces d'artillerie autopropulsées et 1 500 transports de troupe blindés), 560 000 t de matériel (230 000 dangereuses). *Retrait : avril 1989 à avril 90 :* 10 000 h. *mai 1990 au 31-6-91 :* 49 700 militaires et 50 000 civils (fermeture de 60 casernes et de 6 bases aériennes).

Fêtes nationales : 15 mars (fête de la Révol. de 1848), 20 août (fête de St Étienne), 23 octobre (fête de la Révol. de 1956). **Drapeau** adopté 1948 : couleurs datent du IXe s. Emblème de la Rép. ajouté 1949 et ôté 1956, remis 1990.

Présidents et Régents. **1918** Cte Mihály KÁROLYI (Pt) (1875-1955). **19** Archiduc JOSEF (Rt) (1872-1962). **20** Amiral Miklós HORTHY (Rt) (1868-Portugal 10-2-1957). **44** Ferenc SZALASI (Rt) (1897-1946). **46** (janv.) Zoltán TILDY (Pt) (1889-1961). **48** Arpád SZAKASITS (Pt) (1888-1965). **50** Sandor RÓNAI (Pt) (1892-1965). **52** István DOBI (Pt) (1898-1968). **67** (14-4) Pál LOSONCZI (18-9-1919). **87** (juin) Károly NÉMETH (n.c.). **88** (29-6) Bruno STRAUB. **89** (23-10) Mátyás SZÜRÖS (Pt intérimaire). **90** (2-5) Arpad GÖNCZ (68 ans) intérimaire, (3-8) élu par le Parlement.

Premiers ministres. **1918** *31-10* Mihály KÁROLYI (1875-1955). **19** *11-1* Dénes BERINKEY (1871-1948). *21-3* Sándor GARBAI (1879-1947) *(Commissaire du peuple). 5-3* Cte Gyula KÁROLYI (1871-1947) *(Chef du Gouvernement contre-révolutionnaire d'ARAD). 1-8* Gyula PEIDL. *7-8* István FRIEDRICH (1883-1951). *24-11* Károly HUSZÁR (1882-1941). **20** *15-3* Sándor SIMONYI-SEMADAM (1864-1946). *19-7* Cte Pál TELEKI (1879-1941). **21** *14-4* Cte István BETHLEN (1874-1947). **31** *24-8* Cte Gyula KÁROLYI. **32** *1-10* Gyula GÖMBÖS († 6-10-1936). **36** *12-10* Kálmán DARÁNYI (1886-1939). **38** *14-5* Béla IMRÉDY (1891-1946). **39** *16-2* Cte Pál TELEKI (1879-1941). **41** *3-4* László BÁRDOSSY (1890-1946). **42** *9-3* Miklós KÁLLAY (1887-1967). **44** *22-3* Döme SZTÓJAY (1883-1946). *29-8* Gal Géza LAKATOS (1890-1967). *22-12* Béla-Dálnoki MIKLÓS (1890-1948). **45** *15-11* Zoltán TILDY (1889-1961). **46** *4-2* Ferenc NAGY (n. 1903). **47** *31-5* Lajos DINNYÉS (1901-1961). **48** *10-12* István DOBI (1898-1968). **52** *14-8* Mátyás RÁKOSI (1892-1971). **53** *4-7* Imre NAGY (1896-1958, exécuté). **55** *18-4* András HEGEDÜS (n. 1922). **56** *24-10* Imre NAGY. *4-11* János KÁDÁR (22-5-1912/6-7-89). **58** *28-1* Ferenc MÜNNICH (1886-1967). **61** *13-9* János KÁDÁR. **65** *30-6* Gyula KÁLLAI (1887-1967). **67** *14-4* Jenö FOCK (n. 1916). **75** *15-5* György LÁZÁR (15-9-24). **87** *25-6* Károly GRÓSZ (n. 1931). **88** *24-11* Miklos NÉMETH (24-1-48). **90** *3-5* Jozsef ANTALL (8-4-1932).

Économie

• **P.N.B.** (90) 2 575 $ par h. (sous-évaluation probable). **Pop. active** (% et entre par. part du P.N.B. en %). Agr. 15 (13), ind. 40 (35), services 40 (45), mines 5 (7). En 1990, 4 800 000 actifs, dont agriculteurs 864 000, ind. 1 920 000, services 2 016 000. **Chômeurs :** *fin 1989 :* 3 200 ; *90 juin :* 20 000, *fin* 80 000 ; *91 fév. :* 100 000, *mars :* 130 000, *fin (est.) :* 200 000. *Dep. 1-1-90* allocation chôm. 70 % du dernier salaire (8 400 forints en moy.), après un an de perte d'emploi 50 %. **Croissance** (%) : *1985 :* – 0,6 ; *86 :* + 0,9 ; *87 :* + 3,7 ; *88 :* + 0,5 ; *89* (est.) : – 1,9 ; *90 :* + 1. **Inflation** (%) : *1985 :* 6,9 ; *86 :* 5,2 ; *87 :* 8,6 (17 en réalité) ; *88 :* 15,7 ; *89 :* 20,7 ; *90 :* 28,6 ; *91* (mai) *:* 30. **Dette ext.** (milliards de $) : *1983 :* 6,9 ; *84 :* 7,3 ; *85 :* 11,8 ; *86 :* 15,1 ; *87 :* 18 ; *88 :* 17,3 ; *89 :* 26,7 (nette 15) ; *90 :* 21 ; *91 :* 21. *Déficit budgétaire* (milliards de forints) : *1985 :* – 15,8 ; *86 :* – 47 ; *87 :* – 35 ; *88 :* – 20 ; *89 (juin) :* – 19,5 ; *90 :* – 10. *Déficit des comptes courants* (milliards de $) : *1986 :* 1,4 ; *87 :* 0,58 ; *90 :* + de 0,1. **Répartition du revenu** (%, 1983) : *national :* secteur d'État 67,4, coopératif 23,1 ; *expl. agricoles :* auxiliaires 4,4, secteur privé 5,1.

Membre du F.M.I. et de la Banque mondiale (dep. 1982). Secret des dépôts en devises étr., intérêts versés exonérés d'impôt. Dépenses mil. réduites de 1 milliard de forints en 1989 (– 16 % en 1988).

Bourse de Budapest. Ouverture 90 : 60 actions (capitalisation de 30 milliards de forints) et 400 obligations (200 milliards de forints).

• **Secteur privé.** *Dep. 1-1-89,* les pers. privées peuvent fonder des Stés anonymes par actions, des S.A.R.L. ou en commandite, de 500 pers. Les étrangers peuvent devenir propriétaires d'entreprises selon une procédure simplifiée. Plusieurs formules juridiques ouvertes avec avantages fiscaux, facilités bancaires, priorités dans la vente de matériels ont été imaginées. **Importance** (88). *Agriculture privée* avec 11,9 % des terres assure 33,7 % de la valeur de la production brute dont plus de 50 % de la production nationale de fruits et légumes, 50 % du cheptel bovin. *Bâtiments et travaux publics :* secteur privé 13,4 % de l'activité. *Commerce et artisanat* (86) 150 664 artisans enregistrés dont 78 260 à titre principal (+ 30 000 employés et apprentis). *1990* L'Agence des Biens d'État créée 1-3 publie tous les 3 mois la liste des Stés à vendre. Le secteur public doit passer de 90 à 40-50 % de l'écon. en 3 ans. SARL : *1989 :* 15 000, *90 :* 23 000.

• **Salaires** (en forints par mois, 1990). Ex. : *sal. moyen :* 12 000, dactylo 8 000 à 15 000, vendeur 6 000 à 12 000 ; *hauts sal. :* Premier ministre 34 000, ministre 29 500, manager 40 000 à 60 000. *Sal. min. (88) :* 3 000 (326 F), *mars* 3 700, *oct.* 4 000 pour salariés de l'ind. (*déc.* pour agric.) ; *90 :* 4 800 ; *91 mars :* 7 000. *Impôt sur le revenu (91) :* 12 % sur un rev. annuel de 55 000 forints, 55 % au-delà de 500 000. Env. 2 600 000 personnes vivent sous le seuil de pauvreté (– de 55 % du salaire moyen par mois).

• **Agriculture.** *Terres* (%, 83) : S.A.U. 71,4, forêts 17,5, t. non cult. 11,1 dont t. arables 50,3, prairies et pâturages 13,7, vergers et jardins 4,9, vignobles 1,7. *Production* (millions de t, 89). Maïs 7, blé 6,5, bett. à sucre 4,58, fruits 1,7 (87), p. de terre 1,4, orge 1,18, raisins 0,7, œufs 0,55, vin 450 000 hl (3 millions, 85), lait 2,8 milliards de litres. **Forêts** 6,9 millions de m³. **Structure** (1983, % de la superficie agricole utilisée et, entre parenthèses, part de la production brute en %) : 129 fermes d'État : 15,2 (15,4) ; 1 399 coop. d'exploitation agr. : 70,5 (50,8) ; 600 000 expl. auxiliaires : 4,8 (18,6) ; 790 000 expl. individuelles : 7,1 (15,1). **Balance agricole et alim.** (87). + 791 millions de $.

Élevage (millions de têtes, 89). Poulets 57, porcs 8,33, ovins 2,22, canards 2 (86), bovins 1,69, dindes 1,2 (86), oies 1,1 (86). **Pêche.** 27 000 t (88).

• **Énergie** (millions de t, 88). **Charbon** 2,2. **Lignite** 20,2 (89). **Pétrole** 2 [5,5 millions de t importées d'U.R.S.S. en 1990 (6,5 prévues)]. **Gaz** 4,9 milliards de m³ (90). **Hydroélectricité :** barrage de Nagymaros (centrale 160 MW) construction (suspendue 1990) avec Tchéc. (centrale tch. à Gabčikovo sur le Danube en constr.). **Nucléaire :** centrale de Paks (28 milliards de kWh). **Mines** (millions de t, 88) : *fer* 0,3 (85). *Bauxite* 2,5.

• **Industrie.** Fonte, acier, alumine, machines-outils, camions, autobus, engrais azotés, superphosphates, acide sulfurique, tissus de coton, tissus de lamé, ciment. **Structure** (83) (production et main-d'œuvre employée entre parenthèses, en %) : entreprise d'État 92 (81), coopérative 5 (13), nouvelles petites entr. non privées 0,5 (3), entr. privées 1,5 (4). **Commerce** (83). 26 682 commerces (y compris restaurants) d'État, 28 746 coopératifs (dont 9 059 commerces en gérances privées), et 19 293 privés. Subventions reversées aux grandes entr. d'Etat avec les taxes sur les bénéfices jusqu'à 80 %). *1987 :* 200 milliards de forints (20 % du P.N.B.), *1988 :* 150.

Transports (km, 86). Routes 29 759. Ch. de fer 8 327 (dont doubles voies 1 119, électrifiées 1 750). Voies navigables 1 373 (dont permanentes 1 124). Pipe-lines 6 155.

Automobiles. Pas de production nat., 140 000 v. importées en 1989 [en 1990 : Suzuki installerait une usine d'assemblage de 50 000 voit. par an, valant entre 34 000 et 38 000 F (3 à 4 ans de salaire d'un ouvrier spécialisé)]. Parc : *1987 :* 1 660 258 (dont 30 % de + de 10 ans), *90 :* 1 900 000.

Tourisme (90). 38 millions d'entrées, 10,8 millions de sorties. Solde touristique : + 8,5 milliards de forints. Dep. 1-1-1988, les Hongrois vont librement à l'étranger, mais l'allocation en devises est limitée à 50 $ par an.

Commerce (milliards de forints, 89). *Exportations* 571 *dont* (en %) mat. 1res, prod. semi-finis 44, prod. agric. 27, prod. frais ind. 15 ; *vers* pays socialistes 255 (88) : U.R.S.S. 143, All. dém. 31, Tchéc. 29, Pologne 18 ; p. capitalistes développés 204,7 (88) : All. féd. 68, Autriche 37, Italie 37, *France 14 ;* pays en voie de dévelop. 44,9 (88) : Iran 5, Irak 1. *Importations* 523 *dont* (%) mach. et équip. de transp. 46, prod. semi-finis et mat. 1res 23, prod. finis ind. 17 ; *de* pays soc. 231,5 (86) : U.R.S.S. 115, All. dém. 33, Tchéc. 27, Pologne 17 ; pays capit. dévelop. 206 (88) : All. féd. 84, Autriche 45, Italie 18, *France 11 ;* pays en voie de dévelop. 35 (88) : Brésil 7, Iran 1. **Balances** (en millions de $) : *1978 :* – 926, *79 :* – 91 ; *80 :* + 222 ; *81 :* + 258 ; *82 :* + 400 ; *83 :* + 810 ; *84 :* + 600 ; *86 :* – 444 ; *87 :* – 23 ; *88 :* + 60 ; *89 :* + 65.

Nota. – En 1991, la H. livrera à l'U.R.S.S. pour 3,8 milliards de $ de produits, achètera pour 2,1 (pétrole, gaz, électricité).

Nota. – Le commerce extérieur n'est plus monopole d'État (dep. 1968 des entreprises pouvaient négocier directement avec des partenaires étrangers).

Rang dans le monde (89). 9e rés. lignite. (86). 12e maïs. 14e vin. 15e lignite. 17e blé. 18e porcins.

INDE

Carte p. 974. V. légende p. 837.

Nom officiel. *Bharat* (Union indienne en hindi).

Situation. Asie. 3 287 263 km². N.-S. 3 214 km, E.-O. 2 977 km. **Frontières** 15 168 km avec : Birmanie 1 539, Bangladesh 3 950 (entourés par le territoire indien), Chine 3 862, Bhoutan 955, Népal 1 625, Pakistan 2 966. Séparée du Sri Lanka par le golfe de Manaar et le détroit de Palk. **Côtes** 5 686 km. **Gange :** *Long.* en Inde 2 080 km, Bangladesh 141 ; *bassin* en Inde 768 000 km², Bangladesh 5 120.

Zones : Himalaya (long. 2 400 km, larg. 240 à 320 km, 14 pics de + de 8 000 m. *Alt. max.* Kanchenjunga 8 603 m) ; **plaine indo-gangétique** [bassin de l'Indus : 2 414 km du N. au S., larg. max. 320 km (occupé en grande partie par Pakistan) ; alimenté par neiges de l'Himalaya ; s'appauvrit en descendant désert du Sind. Bassins du Gange (à l'O.) et du Brahmapoutre (à l'E., occupé en partie par Bangladesh) : 3 200 km de l'E. à l'O. ; alimentés par moussons ; Gange : 15 000 m³/s en moy., 75 000 en crue, 8 000 en période de sécheresse ; Brahmapoutre : min. 15 000 m³/s, à cause des neiges)] ; **plateau du Deccan** séparé de plaine indo-g. par collines (500 à 1 300 m) et flanqué par Ghâts (escaliers, c-à-d. hauteurs en terrasses), orientaux (610 m) et occidentaux (915 à 2 440 m) [1/3 du plateau (600 000 km, à l'O.) formé de coulées basaltiques, les steppes du D.] ; **îles Laquedives** (mer d'Oman), **Andaman** et **Nicobar** (g. du Bengale).

Climat. *Vents dominants :* en août et sept. moussons (V. Index). *8 régions climatiques : Rajasthan* et *Uttar* (désert du *Thar*) : arides, sans moussons (steppe poussiéreuse) (50 °C en juin, 9 °C en janv.). *Pendjab et seuil de Delhi* (queue de la mousson du Bengale) : pluies 500 à 700 mm par an, été chaud (Delhi 35 °C), hiver tiède (15 °C avec des minima de – 4 °C). *Cachemire et vallées himalayennes :* climat de montagne (hiver froid, été doux), neige nov. à avril. *Gange moyen, Bengale, Assam et Orissa :* touchés par mousson du Bengale, pluviosité forte (Tcherrapounji en Assam, 11 419 mm d'eau par an ; max. juin 20,1 °C, min. janv. 11,7 °C). *Deccan central* (isolé de la mousson de l'océan Indien occidental par chaîne côtière ; jungle médiocre, avec bambous et hautes herbes) ; temp. élevées même en hiver (Hyderabad 21 °C en janvier), 500 à 800 mm d'eau par an ; Mysore, climat doux toute l'année ; dépression de Bellary (max. mai 38 °C, min. déc. 29 °C), plateau de Coimbatore, semi-aride. *Région de Madras* (Tamil Nadu) : été chaud et long (max. 37 °C en juin ; min. 28 °C en déc.), max. pluvios. en fin de mousson (mini-mousson de l'océan Indien oriental : 308 mm en nov.). *Kerala :* subéquatorial (végétation : palmiers, cocotiers, hévéas ; en montagne : teck, santal), pluies abondantes toute l'année, sauf en janv. (Cochin 3 m d'eau en 3 mois, de juin à août) ; région des Ghâts : 5 à 6 m d'eau par an (Ghâts de l'O. 3 à 5 m). *Côte O. du Deccan* (de Goa au N. de Bombay) : pluies de juin à nov. (mousson de l'o. Indien occidental : 2 m à Bombay), temp. élevées (24 °C en janvier, 30 °C en avril, 26 °C en juillet) ; Gujarat sec et chaud (34,7 °C moyenne à Ahmedabad ; faibles pluies juillet et août, la mer d'Oman échappant au mécanisme des moussons).

Démographie

• **Population. Nombre d'habitants** (en millions). *1901 :* 238,4, *31 :* 279, *47 :* 328, *51 :* 361,1, *61 :* 439,2, *71 :* 548,2, *81 :* 685,2, *83 :* 732,2, *91 (1-3, rec.) :* 843,9 (y compris Sikkim rattaché à l'Inde dep. 26-4-1975 et partie indienne du Jammu et du Cachemire), (en fait 853) *v. 2000* : 1 000 ; *v. 2 040 (est.)* : 1 591 (+ que la Chine). En % : Aryas 72, Dravidiens 25, Sikhs 3, tribus de la montagne 2 (les Aryas, apparentés aux Européens, ont la peau claire, les Dravidiens sont noirs ; il y a eu des métissages. En général, peau + sombre vers le S. et dans les classes populaires). D. *1901* : 77, *51* : 177, *81* : 221, *84* : 226 (Arunachal Pradesh 7, Delhi 4 178), *91* : 257. **Taux de croissance démographique** (‰ par an). *1901-21* : 3, *21-31* : 10, *61-71* : 24,8, *71-81* : 24,75, *81* : 22,2. *86* : 18, *89* : 21. **Natalité.** *1901* : 52, *50-60* : 40, *71* : 40, *81* : 33,3, *82* : 36, *86* : 29,6, *87* : 33. **Mortalité.** *1901* : 47, *20-30* : 40, *51* : 27,5, *61* : 24, *71* : 14,8, *81* : 16, *89* : 11. *Infantile* : *1988* : 96 ‰. **Age** (en %) : – *de 15 ans* : 38 ; *15 à 65 ans* : 59 ; + *de 65 ans* : 4. **Enfants.** *Naissance* : 50 par minutes, 3 000 par h., 72 000 par j., 17 millions par an. *Nombre* (en millions) : 3,6 de – de 5 a., 260 de – de 14 a., 118 vivent dans la pauvreté, 163 n'ont pas accès à l'eau potable. 48,8 de 6 à 11 a. sont illettrés. *Nombre moyen par femme* : *1961-71* : 5,7, *76-81* : 4,7, *89* : 4,3.

Espérance de vie : *1901* : 23 a., *47* : 32, *51-61* : 41,2, *61-71* : 52,6, *71-81* : hommes 54, femmes 50, *86* : h. 56, f. 57, *89* : 58.

• **Contrôle des naissances.** *Nombre de couples suivant une méthode contraceptive* (en millions) *1980* : 26,4 ; *88* : 55 (35 % des Indiens). *Coût de la régulation* (dep. 1980) : 30 milliards de roupies. Beaucoup refusent la stérilisation (hindous : une descendance nombreuse est une bénédiction ; musulmans : il faut procréer autant que les hindouistes pour se maintenir).

• **Santé** (en millions) : lépreux 4 (contagieux 1), tuberculeux 8 (contagieux 2), filariose 10. *Autres maladies principales* : trachome, cancer (gorge, bouche, voies digestives), m. vénériennes, malaria.

• Villes (en milliers, 81). *New Delhi (cap. dep. 1934)* 8 380 (1991), 1 485 km² (ville administrative construite par les Angl., à côté de Delhi, ancienne cap. des Moghols), Calcutta 3 292 (agg. 10 860 en 1991) [(à 1 430 km), ancienne cap. administrative des Angl. (jusqu'en 1912) ; centre industriel], Bombay 12 570 (1991) (agg.) [à 1 410 km ; port de la côte O. en relation avec canal de Suez ; commerce aux mains des Parsis], Madras 3 266 (agg. 4 277) [2 100 km ; port de la côte orientale, cap. intellectuelle], Bangalore 2 483 (agg. 2 914) (2 427 km, par Bombay), Hyderabad 2 142 (agg. 2 528) (1 400 km), Ahmedabad 2 025 (agg. 2 515) (900 km), Kanpur 1 531 (agg. 1 688) (427 km), Poona 1 203 (agg. 1 685) (1 475 km), Nagpur 1 215 (agg. 1 298) (966 km), Lucknow 896 (agg. 1 007) (494 km), Jaipur 967 (agg. 1 005) (270 km), et en 1971 Agrâ 724 (agg. 770) (200 km), Varanasi (ou Bénarès) 705 (agg. 1 000) [(780 km), ville sainte hindouiste], Indore 827 (806 km), Madurai 818 (agg. 904) (2 389 km), Jabalpur 615 (agg. 758) (963 km), Allahabad 609 (agg. 642) (612 km). *Villes portuaires récentes* : Cochin et Kandla (côte O.) ; Haldia (port charbonnier, côte E.).

Pop. urbaine. *1984* : 25 %, *est. 2000* : 30 à 50 % (dont 70 % dans des bidonvilles). En 1991, 4 689 villes et 600 000 villages.

• **Français des comptoirs de l'Inde.** *1962*, la Fr. accorde la nationalité fr. aux 300 000 résidents des comptoirs cédés en 1954 à l'I. Une minorité accepte (en 80, à Pondichéry 14 000, Karikal 1 500, Mahé 80, Yanaon 30, Chandernagor 4).

• **Indiens à l'étranger** (1987, milliers). 12 697 dont Népal 3 800, Malaysia 1 170, Sri Lanka 1 028, Maurice 701, Guyana 300, U.S.A. 500, Trinité 430, Birmanie 330, îles Fidjj 339, Émirats 240, Arabie S. 250, Singapour 100. *Émigrés en G.-B.* 789 000 (en majorité Sikhs) ; scientifiques et techniciens qualifiés émigrent (légalement ou non) chaque année. Sur 160 000 Indiens ayant une profession médicale, 1 sur 10 travaille hors de l'I. (7 000 U.S.A., 3 000 Canada, 3 000 G.-B.).

• Langues. **Officielles. Pour la Féd.** : *Hindi.* La Constitution avait prévu l'hindi comme langue off., mais, devant l'opposition violente de la pop. du Sud notamment, une loi de 1967 a retiré l'obligation d'utiliser l'hindi dans l'ensemble de l'Inde. *Anglais* parlé couramment par 1 % de la pop., l. de l'ens. sup., l. véhiculaire de l'élite. **Dans les États :** 15 langues off. parlées par 87 % des Indiens. **Autres l. parlées.** 125 par 13 % (en 1971). **Nombre total.** 1 652 langues, *4 familles* : *l. dravidiennes* (Sud, 23 % de la pop.), tamoul, kannada, telugu, malayalam (États : Tamil Nadu, Karnataka, Andhra Pradesh, Kerala) ; *l. indo-aryennes* (Nord, 75 % de la pop.), hindi, rajasthani, gujarati, marathi, punjabi, bihari, bengali, assamais, oriya ; *l. austro-asiatiques* ; *l. tibéto-birmanes.* Hindoustani (hindi ourdouisé à l'origine) (États : Himachal Pradesh, Haryana, Râjasthân, Uttar Pradesh, Bihar, Madhya Pradesh), 30 % de la pop. (celle qui parle hindi) ; ourdou (majorité des musulmans). **Population selon la langue parlée** (en % 1971) : hindi 29,67 %, bengali 8,17, telugu 8,17, marathi 7,71, tamoul 6,88, ourdou 5,22, gujarati 4,72, malayalam 4, kannada 3,96, oriya 3,62, punjabi 3, assamais 1,63, kashmiri 0,44, sindhi 0,31.

• Enseignement. **Analphabètes :** *1971* : 70,5 %, *81* : 56 % ; *minimum* : Kerala 39,6 % ; *maximum* : Râjasthân, Uttar Pradesh, Bihar 89,6 % ; *1991* : 36,14 % (hommes), 60,58 (femmes). **Enseignement primaire.** École obligatoire et gratuite pour les – de 14 ans (Constitution), mais + de 10 % n'y vont pas, et 50 % des élèves abandonnent au cours du primaire. **Supérieur.** Étudiants : lettres 44 %, sciences 30 %, matières agr. 1 % (or 3/4 de la pop. vivent de l'agr.). 5,6 millions de diplômés univ.

• Religions (1985). **Hindous :** 630 000 000 (83 %), **Musulmans :** 85 000 000 (11,20 %) (Uttar Pradesh, Bengale occidental, Bihar, Maharashtra, Kerala, Assam, Andhra Pradesh, Karnataka, Goudjerât, Tamilnadu, Râjasthân). **Chrétiens :** *Cathol.* 12 500 000 [Kerala (car en 52 l'apôtre Thomas aurait débarqué à Muziris) Madhya Pradesh, Tamil Nadu, Andhra Pradesh) ; prêtres 14 000, religieuses 60 000, séminaires 106, congrégations 217 ; rite latin, malabar et malinka (3 000 000) ; séminaristes : 44 pour 100 000 cath. (en France 3), archevêques et évêques 124 ; 4 millions d'élèves]. *Mère Teresa* : Agnès Bajaxhiu (née 1910 Skopje, de parents allemands). Entre chez les sœurs de Loreto. *1950* fonde la congrégation des sœurs de charité. *1971* Prix de la paix-Jean XXIII. *1979* Prix Nobel de la Paix. *Orthodoxes* 2 000 000 [dont Malankar 1 600 000 (fondée en 52 par l'apôtre Thomas), Mar Thomas 500 000]. *Protestants* 9 000 000 (dont Église Unie des Indes du N. 1 500 000, du Sud 1 000 000, luthériens 1 500 000). *Chrétiens divers* 7 000 000. **Sikhs :** 14 400 000 (1,89 %, surtout dans le Pendjab), 14 % de l'armée soit 140 000 h. (25 % en 1947). Les combattants sikhs jurent de rester fidèles aux *5 K* : port des cheveux longs et de la barbe *(kesh)*, du pantalon court *(kuch)*, de l'épée *(kirpan)*, d'un peigne d'acier *(kangha)* et d'un bracelet de fer *(karah)*. **Bouddhistes :** 6 500 000 (0,7 %) (Maharashtra). **Jaïnistes** 3 600 000 (0,48 %) (Maharashtra, Râjasthân, Goudjerât). **Parsis :** 115 000. **Juifs :** 30 000. Voir Religions à l'Index.

Nota. – L'abattage des *vaches* (sacrées pour les hindous qui croient à la réincarnation des hommes dans les animaux) est mal vu (croyance adoptée par les Aryas indo-européens après un long contact avec les dravidiens animistes).

De 100 à 150 millions d'Indiens sont végétariens. *Sépulture* : enterrement pour chrétiens, juifs et musulmans ; incinération pour sikhs et hindous (mais les bébés sont enterrés) ; les hindous qui le peuvent vont mourir à Bénarès sur les bords du Gange, dans un cercle sacré de 60 km ; les parsis exposent les cadavres à Bombay sur les tours du silence (où les vautours les dévorent). Le *sati*, fait pour une veuve de s'immoler sur le bucher de son mari, a été interdit en 1829 et de nouveau en 1987 (peine de mort ou prison à vie pour quiconque l'encourage).

• Castes (jati ou jat, du latin *castus* : pur). **Origine :** religion brahmanique (sharma-sutra, sharma-shastra). Introduites par les Aryens, il y a 3 700 ans. **Nombre :** 4. *Principales : Brahmanes, Kshatriya* ou *noblesse milit., Vaishya, Shudra* ; 10 à 30 autres. Chacune a ses rites, cérémonies, fêtes, régime alim., activités profess., façon de se vêtir. **Organisation** hiérarchisée à l'origine : gens « de classe » (savarna), « sans classe » (a-varna, *varna* : couleur en sanskrit) ; parmi les « gens de classe », les « deux fois nés », Brahmanes, Kshatriya, Vaishya, qui reçoivent une initiation entre 8 et 12 ans, et les Shudra, qui n'ont que leur naissance physique. **Professions** réservées aux castes : *Brahmanes* (issus du trône du Créateur) : enseignement (pouvoir spirituel) ; *Kshatriya* (issus du bras du Créateur) : fonctions politiques et guerrières ; *Vaishya* (issus des cuisses du Créateur) : agr., élevage et commerce (actuellement surtout grands commerçants) ; *Shudra* (issus des pieds du Créateur) : serviteurs et artisans [actuellement agr., petits commerçants, artisans non impurs (forgerons, orfèvres, charpentiers, potiers, tailleurs)].

• Hors castes (1989). 140 millions dont anciens **« Intouchables »** ou **Harijan :** « enfants de Dieu », 90 millions (20 en Uttar Pradesh), en majorité hindouiste ; de naissance impure, selon la religion brahmanique, ils sont tenus à l'écart de toute vie publique et exclus en fait des pratiques religieuses, n'ayant pas été admis parmi les Shudra (peut-être parce que d'origine dravidienne) ; ils exercent les métiers les plus impurs : tannage, manipulation des excréments. 50 % ont un revenu mensuel inférieur à 100 F ; 15 % sont alphabétisés et 65 % endettés (payent leurs dettes en jours de travail) ; 38 millions appartiennent aux tribus aborigènes (Gonds, Bhils, etc.). L'intouchabilité a été supprimée par l'art. 17 de la Constitution. Des mesures législatives ont été prises en leur faveur (ouverture des temples et des puits à tous ; 15 % des emplois publics et 17 % des promotions, 1 siège sur 7 réservé aux parlements, 119 s. sur 542 au Congrès, distribution des terres). Cependant, en févr. 81, des émeutes ont eu lieu au Goudjerât (25 †) pour leur interdire l'accès des universités de médecine où I. [Gandhi leur avait réservé 20 % des places (1975), puis 25 % (1978)]. **Parias :** mot portugais, venant du tamoul *Parayon,* signifiant « hors classe » (joueur de tambour ou homme de la dernière caste). Caste vivant en communauté de 10 à 50, autour d'un gourou, ont leurs temples, leur déesse préférée, Maoubaratji, principales ressources : prostitution, racket, mendicité ; à l'origine ils étaient les prédravidiens, non convertis à l'hindouisme et classés après les Intouchables, comme jugés inaptes à tout acte religieux. Puis on en fait partie les hindous exclus de leurs castes : les *maudits* et les *excommuniés* pouvaient être réintégrés après expiations. Les *repoussés,* généralement des enfants adultérins, incestueux ou nés d'un commerce hors caste, ne sont jamais réintégrés et sont condamnés à vivre en dehors des agglomérations. **Mendiants :** 6 000 000 (1 % de la pop.) ; 800 000 aveugles, 300 000 sourds et muets, 150 000 lépreux, 100 000 malades mentaux, 85 000 eunuques.

☞ Dep. la Constit. de 1949, le système des castes est aboli et tous les citoyens indiens sont égaux. Pourtant le système persiste, dû à des pesanteurs psychologiques et sociales. On ne reçoit pas les gens d'une autre caste ; on se marie peu entre personnes de castes différentes. Les tribunaux de castes ont disparu. Un Indien exclu de sa caste cesse simplement d'être invité aux cérémonies religieuses. Il y a des Brahmanes pauvres (gardiens des temples) et des Intouchables riches (industriels, commerçants, politiciens).

Histoire

Très confuse : il y eut plusieurs dizaines de tentatives d'hégémonie (capitales fondées, puis abandonnées et laissées en ruine). Seules 2 puissances ont réussi (temporairement) l'unification : les Moghols (XVIIe s.) et les Anglais (XIXe-XXe s.).

Période ancienne (1500 av. J.-C. – 320 apr. J.-C.)

I – Royaumes aryens (période védique : 1500-468 av. J.-C.) : du nom d'un des poèmes historiques et religieux qui formaient la base de la culture des Aryens, le *Rig Veda,* composé entre 2000 et 1500 av. J.-C. Les 3 autres védas : Sama, Yajour, Atharva (v. 1300) ; les Brahmanas (1000-800) ; les Upanishads (800-600). Les Aryens (en sanscrit *arya* : nobles), tribus indo-européennes ayant quitté les steppes caspiennes au XVIIIe s. av. J.-C., imposent leur culture aux autochtones de l'Inde, Moundas et Dravidiens, qui ont une civilisation plus évoluée (celle de l'*Indus,* v. ci-dessous, Art indien), mais se font dominer militairement et politiquement. **Principaux royaumes aryens ou indiens aryanisés :** *Pendjab* (1550-1000 av. J.-C.) ; *Kourous* et *Panchalas* [région de Delhi ; autochtones aryanisés (1000-800)] ; *Avanti* [vers le S.-O., capitale Ujjain (v. 900) : commerce maritime] ; *Maharashtra* [au S. des Mts Vindhya ; fondé par des Dravidiens aryanisés, les Asmakas et les Vidarbhas (v. 900)] ; *Kausala* (cap. Sravasti) et *Videha* [N.-E. ; centre de gravité de la civilisation védique apr. 800 av. J.-C. (800-600)]. Le ritualisme des brahmanes provoque des réactions [v. 600, ils sont supplantés à la tête des royaumes aryens par les guerriers *(Kshatriyas)*].

II – Réaction religieuse (v. 500-180 av. J.-C.) : v. 500, le Bouddha Çakyamouni (563-483 av. J.-C.) fonde le bouddhisme, et le Mâhâvira (540-468), le jaïnisme. Pour résister à ces 2 courants, le brahmanisme intègre des éléments dravidiens et devient l'hindouisme (culte de Vishnou et Çiva). **Principaux roy. proto-hindouistes :** *Kausala* (continuant celui de la période précédente, en Uttar Pradesh et en Madyah Pradesh ; le roi Prasenajit, contemporain de Bouddha, annexe le roy. de Kasi) ; *Magadha* [grand empire du N.-E. fondé v. 600 par Sisunaga ; affermi par Bimbisira (550-490) ; annexe le royaume de Videha v. 450 ; 1re puissance indienne v. 400 ; en 327-325 (roi : Nanda) possède 200 000 guerriers et résiste à Alexandre le Gd] ; *Maurya* [empire fondé 300-200 par Chandragupta Maurya (322/313-289) ; cap. Patalipoutra (act. Patna) ; propagation du bouddhisme, apogée sous le règne d'Asoka (264-227), petit-fils de Chandragupta, qui se convertit au bouddhisme]; disloqué 185 et remplacé dans le bassin gangétique par dynasties Sounga et Kanva.

III - Invasions indo-européennes (180 av. J.-C. - 320 apr. J.-C.) : affectent surtout le N.-O. mais créent des roy. puissants, centres de rayonnement de la culture indienne : *1°) Grecs de Bactriane* (180-70 av. J.-C.), occupent Pendjab et Sindh v. 150 ; *2°) Scythes* (Kouchanes, 70 av. J.-C. -320 apr. J.-C.) ; règne de Kanishka (v. 150), expansion vers Asie centrale de la culture ind. sanskrite et bouddhiste ; composition du code, *les lois de Manou*. 1res images du Bouddha sculptées par les écoles du *Gandhara* et de *Mathura* [la partie S. de l'ancien Empire maurya résiste aux envahisseurs (Deccan central) : roy. *andhra* (dynastie dravidienne des Çatakarni, cap. : Amaravati), qui se maintient jusqu'au IVe s. apr. J.-C. ; célèbre par les 1res grottes d'*Ajanta* (peintures rupestres d'inspiration bouddhique)].

Période classique (320-713 apr. J.-C.)

I - Empire des Guptas (320-495) : dynastie fondée v. 290 par Sri Gupta, seigneur du pays de Magadha, vassal des rois scythes, et devenue souveraine en 320, sous Chandragupta Ier [cap. : d'abord celle des Maurya, Patalipoutra, puis Ayudhiyâ (Uttar Pradesh) quand l'empire va de la mer d'Oman au golfe du Bengale]. **320** point de départ de l'*ère des Guptas*, en chronologie ; **380-414** règne de Chandragupta II (âge d'or de la civilisation classique) assuré par les victoires, la sécurité, la prospérité matérielle ; nombreuses œuvres littéraires sanskrites [notamment le *Vedanta* (base de la philosophie moniste)] ; la science ind. est à son apogée. Les Guptas ne conquièrent pas l'I. centrale et méridionale, qui reste à la dyn. des *Vakatakas*, protectrice à son tour des grottes-monastères d'Ajanta. **V. 450** naissance du royaume dravidien des *Gangas*, futur État princier de Mysore (sud-ouest du Deccan ; langue : kannada).

II - Invasions hunniques (495-540) : 420 1res attaques des Huns (repoussées 75 ans par les empereurs guptas). **495** *Huns ephtalites* ou *Huns blancs* (chef Ye-ta-i-li-to, en chinois *Ye-ta*) battent l'empereur gupta Baladatya. **510** est restauré avec l'aide de Bhatarka (fondateur de la dynastie des Valabhis) ; mais le Hun Mihiragula devient « shah » dans le Cachemire. **540** Huns éliminés par Turcs.

III - Les Guptas postérieurs (540-670) : l'empire gupta se remet mal des destructions causées par les Huns ; il se divise en 3 branches (Ayudhiya, Bénarès, Malava) qui végètent jusqu'en 670.

IV - Autres roy. de culture classique aux VIIe et VIIIe s. : la dynastie des Kesari (Orissa) fonde v. 600 le temple de Bhubaneswar (çivaïte) ; le roi *Harsha de Kanauj* (605-647) restaure la culture du N. de l'Inde ; les Chalukyas règnent sur le Deccan 500 ans [grottes d'Ajanta (3e époque) ; grottes çivaïtes d'Ellora] ; ils ont pour alliés les Gangas, et pour adversaires les Pallavas, puis les Cholas. Naissance des royaumes rajpouts dans le N. Renaissance brahmanique qui chasse le bouddhisme.

Période musulmane (713-1764)

I. - Arrivée des Musulmans (713-997) : 713 Hajaj, vice-roi des provinces orientales du califat, conquiert le Sind, mais le déclin du califat abbasside et la difficulté des communications par le Baloutchistan l'empêchent de conquérir l'I. entière. Seul un roy. musulman (dynastie des Ghaznévides) se crée dans les montagnes de Ghazni.

II - Rivalités dynastiques indiennes (VIIIe-XIIe s.) : 740 dans le N. les Gurjara-Pratiharas battent les musulmans et se maintiennent jusqu'en 1192 (région de Delhi). **765-1196** dynastie Pala au Bihar et Bengale. **836** Vijayalaya fonde l'Emp. chola à Tanjore, qui domine S. de l'I. et Malaisie. Les Cholas éliminent les Chalukyas, mais les alliés de ceux-ci, les Gangas, fondent le roy. Hoysála, célèbre pour ses 80 temples (région de Mysore).

III - Conquête musulmane (1000-1192) : 997 Mahmoud de Ghazni (971-1030) devient roi de Ghazni. **1000-1025** il lance chaque année un raid contre le râja de Lahore, conquérant le Pendjab, et démoralisant les rois indiens. **1192** Mohamed de Ghor (?-1206), roi de Ghazni et du Pendjab, bat Prithvi Raj (roi d'Ajmer et de Delhi) à Taraori ; fonde sultanat musulman de Delhi.

IV - Islam indien avant les Moghols (1192-1526) : 1211-35 règne d'Iltutmish établissant sur des bases durables sultanat de Delhi, 1er État musulman de l'I. [il y aura 33 sultans de Delhi de 1211 à 1565, notamment Mohamed ibn Tughlak (1325-51), qui conquiert Deccan (cap. : Deogir)]. *Difficultés musulmanes :* 1°) dissensions [morcellement : Bengale indépendant 1340, Bahmanis (Deccan) 1347, Goudjerât 1391 ; schisme religieux : fondation du sikkhisme par Nanak 1504]. 2°) agressions tartares (notamment raid de Tamerlan contre Delhi 1398). 3°) résistance hindoue. **1336** l'emp. de Vijayanagar (« ville de la victoire » fondée par les Télougous) s'établit dans le S. de l'Inde. **Après 1500 :** aide des Portugais (voir ci-dessous).

V - L'Empire moghol (1526-1764) : 1526 Bâbur (1483-1530), descendant de Tamerlan et de Gengis Khan, fondateur de la dynastie moghole, conquiert l'I. du Pendjab aux frontières du Bengale (vict. de Panipat sur sultan de Delhi, 21-4). **1556-1605** règne d'Akbar, petit-fils de Bâbur [conquiert Rajpoutana 1561-68 (défaite du dernier roi hindou, Râma râya, à Talikota 1565 ; destruction de Vijayanagar), Goudjerât 1572-73, Bengale 1576, Cachemire 1586, Sind 1592, Kandahar 1594, Ahmednagar et Khandesh (Deccan) 1601 ; – essaye de rallier les hindous (1582) en créant une religion unique, la Foi divine (Dîn-i-lâhi) : paix et unité dans le N. de l'I. ; *épanouissement de l'art indo-musulman :* mosquées, tombeaux, jardins, portraits et miniatures ; résidence royale à Agrâ (Delhi, cap. en titre) ; à sa mort, l'Inde est divisée en 15 provinces (100 millions d'hab.)]. **1627-58** règne de l'emp. moghol Shah Jahan, construction du *Tâj Mahal* à Agrâ (1630-1652). **1658-1707** règne d'*Aurangzeb*. **1674** fondation de l'Empire **mahratte** (hindouiste), rival de l'Empire moghol, par Shivaji Bhonslé (1627-80) ; g. incessantes pour la conquête du Deccan. **1707** après la mort d'Aurangzeb, décadence de l'Emp. moghol (soumis 1764, supprimé 1856 sur décision de Lord Canning).

Pénétration européenne (1497-1763)

Précurseur : Marco Polo (1254-1324), ayant séjourné en Chine de 1275 à 1291, avec ses 2 compagnons vénitiens, passe de 1293 à 1295 en I., à Calicut (qu'ils appellent Elil) et Bombay (Tana). Rentrent en Europe par bateau jusqu'à Ormuz, puis par terre.

Portugais : 1498-*20-5* Vasco de Gama débarque à Calicut, ayant doublé le cap de Bonne-Espérance ; allié (contre Musulmans) du râja hindou de Calicut. **1500** Pierre Cabral (1467-1525), chef de la 2e mission p., se brouille avec le râja de Calicut et s'allie avec celui de Cochin. **1502** Vasco de Gama fonde le 1er comptoir européen à Cochin. **1503** Alphonse d'Albuquerque y construit un fort. **1505** Francisco de Almeida, 1er vice-roi port. des I. **1509** il détruit la flotte turco-égyp., obtenant la maîtrise de l'océan Indien (dès lors, les roy. hindouistes du S. de l'I. sont à l'abri des Musulmans). **1510** Albuquerque conquiert Goa, qui devient capitale de l'I. port. (très prospère jusqu'en 1640, puis concurrencée par Holl. et Angl.) restera port. jusqu'en 1962.

Anglais : 1600 création de la Cie angl. des I. orientales. **1612** Thomas Best détruit flotte port. à l'embouchure du Tapti. **1619** fondation de forts angl. à Surât, Agrâ, Ahmedabad, Broach. **1661** l'île de Bombay (port.) donnée en dot à Catherine de Bragance, épouse de Charles II. **1668** Charles II la donne à la Compagnie (devient le centre de ses activités). **1690** Calcutta fondée. **1717** alliance des Angl. et du G^{d} Moghol musulman (firman leur octroyant la liberté de commerce). **1757** les Angl. (bat. de *Plassey*, 23-6) mettent sur le trône un G^{d} Moghol à leur dévotion, Mir Jafar. **1761** vict. à Panipat des Moghols sur la conf. mahratte ; les Angl. annexent successivement les États mahrattes (fin de l'Emp. mahratte 1817, annexion des roy. confédérés 1850).

Hollandais : 1602 fondation de la Cie holl. des I. (en Indonésie) ; fait la g. aux Port. (à l'époque, sujets esp.). **1638-58** conquièrent Ceylan (Voir Sri Lanka). **Apr. 1658,** enlèvent comptoirs port. de Coromandel, du Goudjerât et du Bengale [capitale de l'I. holl. Chinsura (Bengale), prise par Angl. 1759].

Français : 1664 création de la Cie des I. orientales. **1666-90** comptoirs de Surât, Pondichéry, Masulipatam, Chandernagor, Balasore et Kasimbazar fondés. **1701** Calicut fondé. **1722** comptoir fr. de Mahé fondé. **1732-38** Confédération mahratte, alliée des Fr. et rivale des Moghols musulmans, alliés des Angl., fondée. **1741** Dupleix gouverneur fr. **1746-*6-9*** conquiert Madras. **1748** *oct.* bat l'Angl. Boscawen à Pondichéry (les auxiliaires indiens des Fr. et des Angl. sont appelés *Cipayes*). **1754** Dupleix révoqué, Godeheu abandonne Madras aux Angl. **1754** sorte de protectorat français sur le Deccan ; victoire de l'Angl. Robert Clive à Plassey (1757). **1761-*15-1*** Fr. Lally-Tollendal capitule à Pondichéry le 8-5-1763 (sera exécuté 1766). **1763-*10-2* *tr. de Paris* :** la Fr. renonce à ses possessions (la moitié du Deccan : 800 000 km², 20 millions d'h.) ; garde les comptoirs de Yanaon, Pondichéry, Chandernagor, Karikal et Mahé (perdus 1779, récupérés 1783, cédés à l'I. en 1950-55). **1781-83** campagne de Suffren.

L'Inde anglaise (1764-1947)

1772-85 Warren Hastings gouverneur. **1786-93** Lord Charles Cornwallis nomme les *zamindars* (percepteurs d'impôts moghols) propriétaires de leur village : tous les paysans deviennent fermiers *(Permanent Land Settlement)*. **1793-98** Sir John Shore gouv. **1798-1805** Richard Colley Wellesley, gouv., conquiert l'I. (Ceylan, S. de la péninsule, vallée du Gange et S. du Deccan). **1807-13** Gilbert Elliot Minto gouv. **1813-23** Francis Rawdon-Hastings gouv. **1818** la Cie des I. (angl.) domine l'I. sauf Cachemire, Pendjab et Sind. **1827-35** William Bentinck gouv. **1836-42** George Eden Auckland gouv. **1842-44** Edward Law Ellenborough gouv. **1847-56** James Ramsay, marquis de Dalhousie, gouv. **1849** Sikhs se soumettent, remettent le Koh I Noor (diamant) aux Angl. **1856-62** Charles Canning gouv. **1857** *janv.-févr.* à Meerut *insurrection des Cipayes* le long du Gange (les Angl. avaient fourni aux supplétifs hindous du suif de bœuf et aux suppl. musulmans du suif de porc pour graisser leurs cartouches ; matée par Sir Colin Campbell, déc. 1857). **1858** la Cie des I. cède l'I. à la Couronne brit. **1877** la reine Victoria devient impératrice des I. (ensemble comprenant également Birmanie et Ceylan). Les Angl. s'appuient sur les P^{ces}, qui reconnaissent Victoria comme suzeraine, et sur les zamindars, qui lèvent et payent les impôts fonciers ; les fonctionnaires brit. sont surtout magistrats ou officiers ; l'économie est aux mains d'h. d'affaires privés (max. de 200 000 Angl. en I., soit 1 %).

Bilan économique de l'occupation angl. : POSITIF (alphabétisation, formation d'une élite indienne, irrigation, réseau ferré, simplification administrative, exploitation minière, plantation de thé et d'hévéas) ; NÉGATIF (désorganisation de l'ind. textile artisanale ; misère du sous-prolétariat rural).

L'Inde en 1857
(en blanc l'Inde britannique, en grisé États souverains).

Création des mouvements nationalistes *Brâhmo Samâj* (1828) Râm Mohan Roy (1772-1833) ; *Prârthanâ Samâj* (1866) Keshab Chandra Sen (1838-84) ; *Arya Samâj* (1876) Swami Dayânanda Saraswâti (1824-83). Expérience vécue de Râmakrishna Paramahamsa (1836-86). Swâmi Vivekânanda (1863-1902) révèle le message de *Râmakrishna* au « Parlement des religions » tenu à Chicago en 1893 et crée la Mission Râmakrishna. La Sté théosophique s'implante à Adyar, banlieue de Madras, en 1886 : action d'Annie Besant (Angl.) (1847-1933). Apparition de plusieurs mouvements réformateurs dep. 1876 : *Indian Nat. Conference* (1883) ; *Indian Nat. Congress* (1885), fondé par un Européen, Allan Octavian Hume.

1900-1947 : 1905 le partage du Bengale, entre musulmans et hindous, marque la rupture entre Ind. et Angl. **1906** congrès à Calcutta, adopte le programme du *Svarâj* (gouv. autonome de l'I. sous suzeraineté brit.). **1915 Gandhi** [Mohandas Karamchand Gandhi (2-10-1869 à Porbandar Guparat, 1948, assassiné), surnommé le *Mahatma* (grande âme), fils du PM de la principauté de Porbandar, marié à 13 ans, 4 fils, étudiant en droit à Londres (1888-91), avocat à Bombay puis en Afr. du S. (1893-1914) où il défend les immigrés indiens] prend la direction du mouv. nat. **1919** Constitution accordée. *-13-4* arrivé à Amritsar, le Gal Dyer fait à Jallianwala tirer sur la foule (379 †) pour mater la révolte sikh. **1920** Gandhi lance le mouvement de non-violence et de non-participation. **1930-31** conférences de la

Table ronde. **1934** tremblement de terre au Bihar, 10 700 †. **1935** nouveau statut à caractère fédéral. **1942** *mai* Gandhi, arrêté pour la 6e fois, fait une longue grève de la faim (libéré 1944). *-8-8* action de masse décidée par le Congrès contre la coopération à la guerre ; Subhâs Chandra Bose (1897-1945) quitte l'I. pour organiser la lutte armée.

Indépendance

1947 *fin de l'Empire brit. des Indes :* Ceylan et Birmanie deviennent indép. ; les musulmans forment les 2 Pakistans [occidental et oriental (futur Bangladesh)] ; répartition sur des critères religieux (la moitié des Bengalis restent indiens ; les autres deviennent pak.). I. garde les plus grandes villes, richesses minérales, capitaux des Parsis, équipement indus., les 3/4 de la population. Pak. a la majorité des ressources alim. *Déroulement :* massacres et exécutions par milliers. 30 millions de réfugiés mus. au Pak. ; 40 millions de réfugiés hind. en I. (il reste 80 millions de mus. en I.). *-14/15-8* l'I. devient indép. 624 maharadjahs deviennent de simples citoyens (revenus réduits de 90 %). **1948**-*30-1* Gandhi assassiné par Narayan Vinayak Godse. **1950**-*26-1* l'I. devient rép. **1956**-*25-11* visite de Zhou Enlai à New Delhi. **1962** North East Frontier Area (NEFA au N.), les Chinois avancent d'env. 18 km au-delà de la frontière, puis se retirent. **1965** *août au 22-9 g. avec Pak.* (20 000 †) ; cessez-le-feu imposé par ONU ; retrait des troupes des zones occupées. **1966**-*11-1* PM Lal Bahadur Shastri meurt après avoir signé avec Pak. *déclaration de Tachkent* (renonciation aux actions mil. ; engagement d'évacuer). *-19-1* Indira Gandhi PM. Sikhs du Pendjab ont autonomie, troubles ; émeutes de la faim au Bengale. *-6-6* roupie dévaluée de 57 %. **1967** *janvier* I. Gandhi accorde droits pol. aux États et territ. du N.-E. *-15-2* élections gén. ; recul du Congrès. *Juin* tension sino-ind. ; soulèvement naxaliste (maoïste) dans N.-E. *-11-9* incident sino-ind. frontière du Sikkim. **1968** *févr.* New Delhi contrôle Bengale et Uttar Pradesh. **1969**-*12-11* I. Gandhi expulsée du P. du Congrès, scission. **1970** *août* 20 000 arrestations après occupation de terres. *Sept.* I. Gandhi supprime listes civiles des anciens princes ; la Cour suprême déclarera, en déc., la mesure inconstitutionnelle. *Déc.* Chambre basse dissoute après revers électoraux d'I. Gandhi. **1971** *mars* élections gén. ; victoire d'I. Gandhi. Crise au Pak. oriental. (l'I. soutient les Bengalis). *-9-8* tr. d'amitié et coop. avec U.R.S.S. *3/17-12 g. indo-pak.*, création du Bangladesh. **1971-72** troubles en Assam, Bihar et Nagaland (là, dep. 15 ans). **1972**-*19-3* tr. fixant frontières I.-Bangladesh. *-11-12* compromis I.-Pak. sur ligne de cessez-le-feu au Cachemire. **1972** création d'un ministère de l'Espace. **1973** des Telengana désirent province distincte en Andhra Pradesh. **1974** troubles séparatistes : Nagaland, Goudjerât ; *janvier* émeutes (inflation) ; *mai* milliers de cheminots en grève arrêtés. *-16-5* 1re bombe atomique ind. **1975**-*10-4* Sikkim officiellement rattaché à l'I. *-12-6* tribunal d'Allahabad annule pour « irrégularités » l'élection, en 1971, d'I. Gandhi ; *-24-6* Cour suprême permet à I. Gandhi de demeurer PM. *-26-6* dirigeants de l'opposition arrêtés (sauf communistes prosoviét.), état d'urgence (34 630 détenus du 25-6-75 au 20-3-77). *-4-7* 26 partis interdits. *-6-8* Parlement annule accusations d'irrégularités contre I. Gandhi. *-14-10* servage pour dettes aboli. *-7-11* élect. d'I. Gandhi en 71 validée. **1976** *janvier* suspension de l'art. 19 de la Constitution sur droits du citoyen. *-31-1* Tamil Nadu sous contrôle fédéral. *Juin* accentuation de la législation répressive. *-29-10* Parlement adopte un amendement réduisant le rôle du Pt de l'Union au profit de celui de PM. **1977**-*18-1* Ch. du peuple dissoute. *-16/20-3* législatives, I. Gandhi battue. *-21-3* levée état d'urgence. *-24-3* Morarji Desaï (Janat : P. du peuple) PM ; milliers de prisonniers pol. libérés. **1978** *janvier* scission au Congrès ; naissance du Congrès I (Indira). *-1-1 :* 213 † dans Boeing d'Air India (attentat). *Févr.* élect. rég. : succès partiel d'I. Gandhi. *Mars* loi sur maintien de la sécurité interne (MISA) abolie. *Avril* émeutes : centaines de † en Uttar Pradesh. *Juillet* I. Gandhi et son fils Sanjay, inculpés pour violations de la législation électorale. *Oct.* I. Gandhi arrêtée (manif. 12 †). **1979** *juillet* inondations au N. : + de 6 millions de sinistrés. Desaï démissionne ; Charan Sing, PM. *-8-7* Front nat. mizo, séparatiste au Mizoram, illégal ; opération mil. contre Front à Aizawl. *Août* Ass. nat. dissoute. **1980**-*3/6-1* législatives : Congrès I. 43 % des v. ; *-14-1* I. Gandhi PM ; *-23/27-1* Pt Giscard d'Estaing en I. *-5-4* troubles en Assam (départ souhaité des immigrés). *-14-4* attentat manqué contre I. Gandhi. *Juin* émeutes au Tripura, 400 †, (cause : départ des originaires du Bangladesh). *-18-7* 1er satellite indien. **1981**-*27-7* grèves interdites dans secteurs essentiels. *Nov.* I. Gandhi en Fr. **1982**-*19-1* grève gén. (env. 700 †). *-8-4* l'I. commande 40 Mirage 2000 à la Fr. *-17-5* reprise des négociations avec Chine. *Juin* bombe à Gauhati (Assam) 19 † ; élections (3 500 †). *-1-11* Pt pak. Zia Ul Haq en I. *-15-11* Acharya (maître) Vinoba Bhave (n. 1895, disciple de Gandhi) meurt. **1983** *févr.* massacre en Assam d'immigrés bengalis (musulmans) pour qu'ils ne participent pas aux él. locales, [3 000 † (dont 2 400 à Delhi), 90 % d'abstentions aux él.]. Le gouv. accepte d'exclure du scrutin 1 000 000 de Bengalis immigrés dep. 1971 et envisage de construire un « mur » le long de la frontière avec Bangladesh (coût : 500 millions de $) pour stopper les clandestins. Agitation (sikh) au Pendjab : 400 †. Concessions d'I. Gandhi (diffusion hymne sikh à la radio d'I., interdiction vente tabac, alcool près des temples) ont encouragé l'autonomisme [création de « volontaires de la mort sikhs » (125 000)] *-7-10* état d'urgence au Pendjab. **1984** *janv.* affrontements (9 †) partisans d'I. Gandhi/forces de l'ordre au Cachemire. Ravindra Mhatre, dipl., enlevé en G.-B. tué par l'Armée de lib. cachemirienne. *Févr.-juin* affrontements Sikhs/hindous (400 †). *Mai* Bombay hindous/musulmans (250 †). *Juin* mutinerie dans 3 régiments sikhs, 1 Gal hindou tué. Troubles au Pendjab. Voir p. 973c. *-2-8* attentat aérodrome de Madras (32 †). *Août* troubles en Andhra Pradesh (23 †), Rama Rao (ancien acteur, destitué juill., rappelé sept.). *-27-9* armée évacue temple d'Or d'Amritsar. *Oct.* attentats au Tripura. *-31-10* I. Gandhi assassinée par 2 Sikhs de son escorte pour avoir fait intervenir l'armée à Amritsar. L'un des assassins tué. Violences contre Sikhs (2 717 † dont 2 146 à Delhi). *-28-11* Percy L. Norris, vice-amb. brit. tué par musulmane. *-3-12* fuite de gaz toxique (méthylisocyanate), usine Union Carbide à Bhopal : 3 600 †, 50 000 handicapés. Le 26-3-1986, la Sté propose 360 millions de $ de dédommagement, l'I. demande 2 400, la Cour suprême dira 470 le 14-2-89. *-26-12* législatives, succès de Rajiv Gandhi, fils d'I. Gandhi ; droite et gauche battues (Kerala : communistes perdent 13 s. sur 14). **1985** *janv.* attaché mil. adjoint fr. expulsé pour corruption et espionnage. Amb. fr. rappelé. *-12-5* attentats sikhs à Delhi et dans plusieurs États (80 †). *-6/10-6* R. Gandhi en Fr. *-7-6* affrontements entre castes (167 †). *-9-6* troubles au Goudjerât (+ de 200 †). *-17/18-7* émeutes à Ahmedabad (Goudjerât) : 7 †. **1986**-*24-1* incendie Hôtel Siddarth, 38 †. *Janv.-févr.* rapprochement avec Pakistan [conflit à propos du glacier de Siachen (nord du Cachemire), plusieurs dizaines de † en quelques années]. *-1/10-2* Jean-Paul II en I. *-10-2* grève générale à Delhi. *Févr.* troubles au Pendjab. *-20-2* manif. à Delhi. *-14-4* à Hardwar, fête religieuse de Khum Mela, 50 † étouffés. *-13-7* Goudjerât, affrontements Hindous/musulmans, 40 †. *-10-8* Gal Vaidya (59 ans), ancien chef d'État-major, tué par Sikh. *-21-10* attentat d'un Sikh contre R. Gandhi. *-9-11* 50 † à Faizabad lors d'un pèlerinage. *-30-11* 22 Hindous tués au Pendjab. *-5-12* affrontements Sikhs/Hindous à Delhi, 7 †. **1986-87** différends frontaliers avec Chine. **1987**-*15-3* attentat contre un train, 60 † au Tamil Nadu. *-23-3* él. régionales : *Kerala*, violences, 8 † dont 6 militaires du PC. Congrès (parti du PM) recule, communistes 75 s. sur 138, Congrès 61. *Bengale occid.* Succès de la gauche. *-4-5* lutte partisans de l'hindi/anglais : 10 †. *-30-5* 600 à 700 ouvriers agricoles massacrent 54 rajputs dont 28 femmes et enfants. *-1-6* Meerut : hindous tuent 140 mus. *-13-6* New Delhi, sikhs tuent 14 pers. *-17-6 Harryana :* parti Congrès I (R. Gandhi) perd 60 s. sur 63. *-6-7/10-7* + de 500 hindous tués par sikhs (dont 72 le 6-7). *-24-12* mort de M.G. Ramachadran (70 ans, ancien acteur, PM du Tamil Nadu dep. 1977). **1988**-*29-31-1* 71 † au *Tripura*. *-6* succès du Congrès I au Tripura devant le PC. *Juill.* séparatistes gurkhas arrêtent lutte armée. *-21-8* séisme Est Népal (1 000 †). *Sept.* inondations dans le N. *-3-11* intervention aux Maldives pour étouffer coup d'État. *-9-12* Sikhs tuent grand prêtre Balbir Singh. *-19/21-12* R. Gandhi en Chine. **1989**-*6-1* pendaison de 2 des assassins d'I. Gandhi. *-22-1* victoire du Congrès-I en *Nagaland* et *Mizoram* et du Dravida Munnetra Kazhagam au *Tamil Nadu*. *-1-2* Pt Mitterrand en I. *-22-5* lancement d'un missile (portée de 2 500 km). *-12-6* 7 † et 50 bl. (bombe à Delhi). *Juill.* 106 députés (sur 140) de l'opposition pour protester contre la corruption du gouv. démissionnent. *-29-7* début du retrait des soldats i. du Sri Lanka. *Automne* scandale Bofors [Sté suédoise ayant vendu (1986), 400 canons et versé env. 40 millions de $ à des politiciens]. *-29-11* R. Gandhi démissionne. *-1-12* V.P. Singh PM. **1990**-*19-1* décision d'administrer directement Cachemire. Rajneesh Gouron (« pesant » 1 milliard de $, ayant 91 Rolls-Royce) meurt. *-20-1* manif. séparatistes musulmans au Cachemire, 32 †. *-25-1* armée i. occupe Srinagar (Cachemire). *-5-2* armée i. tire sur 4 000 Pak. ayant franchi la « ligne de contrôle » au Cachemire. *-1-3* él. locales (8 États et 1 territoire), défaite du parti du Congrès-I. Srinagar, manif. 30 †. *-7-3* Sikhs attaquent marché d'Abohar, 24 † (en un an, env. 2 000 † au Pendjab, violence sikh). *Avril* affrontements hindous/mus. à Ahmedabad (Gujarat) 61 †. *-3-4* Pendjab : attentat, 31 †. *-21-5* Moulvi Mohammed Farouk, plus haut dignitaire musulman du Cachemire, assassiné (80 † à ses obsèques). *-5-6* affrontements police/Sikhs au Pendjab (35 †). *-7-6* (600 † au Cachemire depuis janv.). *-15-7* PM Singh retire sa démission (déposée la veille et refusée par le Janata Dal). *Mi-août* essai de réformer le système des castes en réservant 27 % des emplois publics aux basses castes (22,5 % sont déjà réservés aux intouchables et tribus hors caste). Jusqu'à la fin de l'année, nombreuses manif. et suicides par le feu. *-23-10* Ayodhya (pour les Hindous, lieu de naissance de Rama ; en 1528 l'empereur moghol, Babur, fait raser le temple existant et construire une mosquée) ; affrontement : les Hindous veulent récupérer le site et raser la mosquée. VIOLENCES EN 1990 : 3 400 †. *Oct.-déc.* 136 000 h. reviennent du Koweït. **1991** *janv.-mai* violences, Rajiv Gandhi tué. *-6-3* PM Shekhar démissionne. *-16-6* él. législatives, victoire du P. du Congrès.

Famines

1825, 1832-34, 1943 Bengale 3 à 4 millions de morts. *1966* Râjasthân, Kerala, Bihar, Goudjerât. *1973* Maharashtra, Andhra Pradesh, Râjasthân, Goudjerât. *1974* Râjasthân, Tamil Nadu. *1979* Uttar Pradesh.

Grands traits de la politique étrangère

1°) **Volonté de puissance :** l'I. proclame son attachement à la non-violence, mais cherche à être la grande puissance d'Asie du Sud, influence au Népal et Bangladesh. 2°) **Désir d'indépendance militaire :** l'I. s'est appuyée sur l'U.R.S.S. pour son potentiel militaire et énergétique en face du Pakistan (qui s'appuie sur la Chine et l'aide amér.). Mais elle recherche l'aide technologique amér. et consacre 16,6 % de son budget à la Défense (1 million de soldats de métier ; industrie de l'armement modernisée, et capable d'exporter 20 % de sa production. 3°) **Conquête des marchés extérieurs :** Facilitée par la présence de population d'origine indienne en Thaïlande, Malaysia, Singapour, Kenya, Nigeria, Maurice, Émirats du Golfe, Afr. du Nord. 4°) **Appel aux investissements étrangers (notamment français) :** l'I. ne demande pas d'usines clefs en main, mais des participations bancaires dans les secteurs les plus utiles : pétrole et pétrochimie, charbon, sidérurgie, automobile, aciers spéciaux, aluminium, aéronautique, astronautique, armements. Elle recherche également l'association financière avec des firmes occidentales dans le tiers monde.

Politique

Statut. République fédérale (25 États et 7 territoires), membre du Commonwealth. **Constit.** du 26-11-1949. **Pt** (élu pour 5 a. par le Parlement et les ass. des États, ne gouverne pas). **Vice-Pt** (de droit, le Pt du Conseil des États). **PM** responsable devant la Chambre du peuple (PM et cabinet nommés dans la majorité des ch. par le Pt). **Conseil des États (Rajya Sabha),** 250 m. max. dont 8 nommés par le Pt, renouvelables par tiers tous les 3 ans, élus pour 6 a. par l'ass. législative des États. **Chambre du peuple (Lok Sabha),** 544 m. élus p. 5 a. au suffr. univ., pas plus de 17 représentants des territoires, possibilité pour le Pt de nommer des m. **Fêtes nat. :** 26 janv. (naiss. de la Rép. indienne), 15 août (fête de l'Indépendance), 2 oct. (Gandhi).

Élections. **Juin 82** (nombre de sièges). *P. du Congrès* 356. *P. du Congrès d'I. Gandhi* 4, *P. Janata* 12, *P.C. indien marxiste CPI (M.)* 36, *ADMK* 12, *Lok Dal* 32, *DMK* 16, *BJP* 17, *CPI* 12, *RSP* 4, *Forward Block* 3, *Muslim League* 3, *J et K National Conference* 3, *indépendants* 24, *vacants* 12, *speaker* 1. **24/27-12-84.** 568 s. à pourvoir. Pas d'élect. en Assam (14 s.), Pendjab (13 s.), Bhopal. *P. du Congrès* 400 s., *Telegu Desam* (régional, Andra Pradesh) 28 s., *CPI (M.)* 22 s., *Tamul Nadu* 12 s., *P. Janata* (droite) 10 s., *CPI* 6 s., *Indian Congress* (socialiste) 4 s., *P. des travailleurs et des fermiers* 3 s., *Bharatiya Janata Party* (droite) 2 s. *Divers* 20. **22, 24 et 26-11-89.** 500 millions d'électeurs. 6 089 candidats. 600 000 bureaux de vote. 525 s. à pourvoir. *P. du Congrès* 193, *P. Janata Dal* 141, *Bharatiya Janata* 88, *CPI (M.)* 32, *CPI* 12, *divers* 59. **16-6-91** (nombre de sièges). *P. du Congrès* 216, *Bharatiya Janata P.* 109, *P. Janata Dal* 46, *CPI* 46.

Chefs d'État. **1950** Dr Rajendra Prasad (1884-1962). **62**-*12-5* Dr Sarvepalli Radha Krishnan (n. 5-9-1888). **67**-*10-5* Dr Zakir Hussain (1897-1969). **69**-*21-8* Varah Venkata Giri (n. 1894). **74**-*24-8* Fakhruddin Ali Ahmed (1905-77). **77**-*25-7* Neelam Sanjiva Red-

• **Indira Gandhi** (19-11-1917/31-10-1984). Fille de Nehru. Études à Oxford. *1942* épouse en Inde un étudiant, Feroze Gandhi (non parent du Mahatma) ; emprisonnée 13 mois. *1950 à 64* très proche de son père. *1959* Pte du Parti du Congrès. *1960* mort de son mari (crise cardiaque) dont elle était séparée dep. plusieurs années. *1966* Pte du groupe parlementaire du Congrès (355 voix contre 169 à Morarji Desaï). *-19-1* PM. *1969* (12-11) le Congrès ayant dénoncé sa dictature, l'expulse ; elle crée une scission qui devient majoritaire. *1971* mène la campagne « halte à la pauvreté ». *1975* son élect. étant annulée dans l'Uttar Pradesh, elle modifie rétroactivement la loi électorale et le 26-6 déclare l'état d'urgence. *1977* lève l'état d'urgence mais est battue aux élect. (mars). *1978 janvier* le Congrès I. s'impose. *1980* victoire électorale, I. redevient PM. *1984-31-10* assassinée par 2 Sikhs de son escorte.

• **Enfants. Rajiv Gandhi** (29-8-1944/21-5-1991). Étudiant en mécanique en G.-B. *1968* marié à une Italienne (Sonia, connue à Cambridge, 2 enfants), pilote à l'Indian Air Line. *1981 mai* démissionne. *-15-6* député d'Uttar Pradesh après la mort de son frère. On l'appelle Mr. Clean (Propre). *1984-2-2* élu un des 5 secr. gén. du Parti du Congrès Indira. *-31-10* PM à la mort de sa mère. **1989**-*29-11* démissionne. **1991**-*21-5* tué dans un attentat à Madras.

Sanjay Gandhi (1946-80). *1975* entre au Parti du Congrès. *1980-24-6* pilote amateur, se tue, à 33 ans, lors d'une acrobatie manquée. Sa femme *Menaka* (fille d'un off. sikh, n. 1956) fera campagne contre Rajiv, rompra début 1983 avec sa belle-mère et fondera son parti. 1 fils, Rashtrya Sanjay Manch.

dy (n. 13-5-1913). **82**-*25-7* Giani Zail Singh (n. 5-5-1916). **87**-*16-7* Ramaswami Venkataraman (n. 1910, Tamoul).

Premiers ministres. **1946**-*2-9* Jawaharlal Nehru (1889-1964) dit le Pandit Nehru (en sanskrit : homme savant). **64** Lal Bahadur Shastri (1904-66). **66**-*19-1* Pryadarshini (dite Indira) Gandhi (1917-84, voir encadré). **77**-*25-3* Morarji Desai (29-2-1896). **79**-*29-7* Charan Singh (n. 1902). **80**-*14-1* Indira Gandhi. **84**-*31-10* Rajiv Gandhi (1944-91) son fils. **89**-*1-12* Vishwanath Pratap Singh (n. 25-6-31), fils du raja de Daiga, adopté à 5 ans par le raja de Manda. **90**-*9-11* Chandra Shekhar (n. 1-7-1927) Janata Dal.

Partis politiques. *Janata Party* (JP, P. du peuple) : fondé 18-1-1977 (officiellement le 1-5), inspirateur Jaya Prakash Narayan (1902-79), alliance de partis de droite ou du centre pour lutter contre état d'urgence, Pt Indubhai Patel. Regroupe : *Indian National Congress (Organization)* (f. 1-1-1885, I. Gandhi en avait été exclue en déc. 69, une partie des m. avait fait sécession en 1964, Pt Sharad Pawar), *Bharatiya lok dal* ou BLD (Brigade du peuple indien, Pt Charan Singh qui quitte alliance juill. 79), *Socialist Party* (quitte l'alliance sept. 79), Pt George Fernandes, *Bharatiya jana sangh* ou Indian People's Union (quitte l'alliance avr. 80), *Congress for Democracy* (groupe dissident du centre, f. févr. 1977, joint l'alliance mai 77, Pt Jagjivan Ram). *Indian National Congress* ou Congress I (f. 1978, par Indira Gandhi, Pt Narasimha Rao dep. 29-5-91). *The Communist Party of India* (CPI, f. 1925, pro-U.R.S.S., secr. gén. Indrajit Gupta, 445 195 m. en 86). *Communist Party of India-Marxist* (CPI-M., marxiste, f. 1964 par des dissidents du CPI, secr. gén. E.M. Sankaran Namboodiripad, 408 682 m. en 87). *All-India Forward Block* (f. 1940, Pt P.D. Paliwal). *Bharatiya Janata Party* (f. avril 1980, scission du Janata, anciens m. du Jana sangh, Pt Lal Kishan Advani). *Lok Dal* (f. 1984, une partie rejoint le Janata Party en 1988, Pt Deri Lal). *Sanjay's All India Congress* (f. 1983 par Menaka Gandhi, veuve de Sanjay) 140 000 m. *Samajwadi Janata Dal* (P. dém. du peuple) (f. 15-8-1988), Secr. g[al] V.P. Singh, fusion des Lok Dal, Janata, Congres-S, Jan Morkha.

États

Origine. En 1877, à la proclamation de l'Empire des Indes, il y avait 629 États vassaux [dont 189 princiers dans la seule presqu'île de Katiawar (grande comme la Belgique) et une centaine dans le Goudjerât]. 420 étaient d'autonomie restreinte, 70 d'aut. intermédiaire, 140 de pleine aut. 400 n'avaient pas plus de 30 km² [certains étaient minuscules : Bilbari (3 km², 30 h.) ; Katodiah (grand comme la place de la Concorde)]. **Titres :** *maharadjah* (grand roi), *nizam* (organisateur ; titre porté à l'origine par le nabab du Deccan), *nawab* (gouverneur), *râja* (chef d'État), *rao* (duc souverain), *sirdar* (comte ou baron souverain), *thakur* (seigneur radjpoute), *zaumidir* (seigneur de fief héréditaire), etc. **Traitement, rang et protocole :** « Altesse grandissime » (Exalted Highness) pour le nizam de Haïderabad, et « Altesse » pour les 112 souv. *Coups de canon* (règlement 1861) : *21* pour Haïderabad, Mysore, Baroda, Jammu et Cachemire, Gwalior, Bhopal ; *19* p. Travançore, Kolhapur, Udaipur (Mewar), Indore ; *17* p. 12 États (dont Jaipur, Patiala, Jodhpur) ; *15* p. 17 États (dont Kapurthala) ; *13* p. 13 États ; *11* p. 30 ; *9* p. 30 ; 0 p. env. 517 États. L'Agha Khan, ayant rang de chef d'État (sans territoire) comme chef de la secte des Ismaéliens, avait dep. 1877, traitement d'Altesse et droit à *11 coups.*

A l'indépendance (1947). Tous les États devaient être intégrés dans l'Inde ou Pakistan. Sur 565 États princiers (30 % du territoire et 25 % de la pop.), 3 refusèrent de choisir, mais l'armée ind. détrôna fin 1947 le nawab de Junagadh, en 1949 le nizam de Haïderabad, et le maharadjah de Cachemire vit son territoire partagé après l'invasion pask. d'oct. 1947.

Les princes indiens conservèrent leur droit au titre (le maharadjah de Kapurthala possède 37 titres ajoutés à son nom), 10 % de leurs revenus comme liste civile et quelques honneurs et privilèges fiscaux.

Évolution. En 1971, le 26e amendement à la Constitution a supprimé titres, pensions et privilèges garantis dep. 1947 en contrepartie de l'intégration des principautés dans l'Union ind. [les pensions non imposées étaient calculées au prorata du revenu des États princiers en 1947, soit entre 115 F et 1 560 000 F (majorité entre 60 000 et 500 000 F)]. Certains maharadjahs sont encore très riches, notamment les héritiers du nizam de Haïderabad. Certains sont devenus hommes d'aff. (Gaehkwar de Baroda), exploitants agr. (famille de Patiala, m. de Dhrangadhra), d'autres ont converti leurs palais en hôtels. Certains ont été élus au Congrès.

Pouvoirs actuels des États. Chacun possède un gouverneur, nommé par le Pt de l'Union, un gouvernement et un parlement [2 chambres (dans les 7 États A) ou 1 (14 États B)] qui légifère en matière de justice, éducation, santé, police et 62 autres matières énumérées dans la Constitution de 47. Les autres matières (dont plans économiques) dépendent à la fois des États et du gouv. central.

Liste des 25 États

Légende. – Superficie (km²), population (au 1-3-81), villes (pop. 1971 ou 1981 [1]), langue principale.

Andhra Pradesh. *Créé* 1-10-1953, devint l'A. P. en 1956, quand on y ajouta le Telangana (du Haïderabad). 276 814 km². 53 592 605 h. D. 195. *Langues :* telugu et urdu. *Villes : Haïderabad* 2 187 242 [1] h., Eluru 168 074 [1] h., Guntur 367 699 [1] h., Kakinada 226 600 [1] h., Kurnool 206 700 [1] h. *Forêts* 23,3 %.

Arunachal Pradesh. *1972* territoire (avant constituait la N.E.F.A.) (les 2/3 sont revendiqués par la Chine). *1986 déc.* État. 83 743 km², 631 839 h. D. 7. *Capitale : Itanagar.*

Assam. *1826* terr. brit. *1874* adm. séparément. *1905-12* associé avec une partie du Bengale. *1947* district de Sylhet (sauf une partie du Karimganj rattachée au Bengale or. pakistanais). *1970-2-4* création de l'État autonome du *Mehgalaya,* comprenant 2 districts de l'A., Khasi-Jaintia et Garo Hills. 78 523 km², 19 902 826 h. dont (%) Assamis 60, Bengalis 20, montagnards 20. D. 254. *Langues :* assamais [57 %, indo-européen, mélangé de tibétain : les Assamais réclament une culture particulière. *Tensions* avec Bengalis immigrés (1983-7-8) ; 1985 élimination des listes électorales des im. entre le 1-1-1966 et le 25-3-71], bengali. Dep. 1987, rébellion des Bodos (1 300 000 pers.). *Villes : Dispur,* Gauhati 122 981 h. *Forêts* 22 % de la sup. *Product.* 60 % du thé indien (30 % du thé mondial), 50 % du gaz et du pétrole, 30 % du jute.

Bengale occidental. 87 853 km². 54 485 560 h. D. 766 (1991). *Langue :* bengali. *Villes : Calcutta* 3 291 655 [1] h., Durgapur 311 798 [1] h. Le GNLF (Front de Libération national gurkha) réclame un territoire.

Bihar. 173 876 km². 69 914 734 h. *Langue :* hindi. *Villes : Patna* 776 371 [1] h., Bhagalpur 172 700 h., Bihar 100 052 h., Jamshedpur 457 440 [1] h., Ranchi 489 626 [1] h. Un des États les plus riches en minerais.

Goa. *Créé* 30-5-1987 (au Portugal dep. 1510, constituait, avec Daman et Diu, l'I. portugaise). 3 702 km², 1 007 749 h. D. 272. *Langues :* konkani (off), marathi et hindi. *Ville :* Panaji 76 839.

Goudjerât. *Formé* 1-5-1960 par la partie nord de l'État de Bombay. 196 024 km². 34 085 799 h. D. 173. *Langues :* goudjerâti et hindi. *Villes :* Ahmedabad 2 924 917 [1] h., Baroda 734 473 [1] h., Bhavnagar 308 000 [1] h., Jamnagar 317 000 [1] h., Rajkot 445 076 [1] h., Surat 776 583 [1] h. *1986 juillet,* affrontements hindous/musulmans, 40 †.

Haryana. *Formé* 1-11-1966, d'une partie du Pendjab. 44 212 km², 12 922 618 h. D. 291. *Langue :* hindi. *Ville : Chandigarh* 421 000 [1] h.

Himachal Pradesh. *Créé* 1948. 55 673 km², 4 280 818 h. *Langues :* hindi et pahari. *Ville : Simla. Forêts* 38,3 % de la sup.

Jammu-Cachemire. 222 236 km². 5 987 389 h. *Langues :* kashmiri, dogri, gojri, urdu, balti, dardiro, pahari, ladhaki. *Revendiqué* par Pakistan qui en occupe une partie (Cachemire Azad comprenant Baltistan 78 218 km² et Hunza). Partie occupée par la Chine dep. 1962 (42 735 km² dont une partie du Ladakh, l'Aksaï-Chin). *Villes : Srinagar* 520 000 [1] h. à 1 768 m., Jammu 155 249 h. Le **Ladakh** (terres cultivées 0,17 %, analphabètes 81,6 %, taux de mortalité infantile 62,23 ‰) a été ouvert aux étrangers en 1974. *Religion :* musulmans 70 %. *Chefs de gouvernement : févr. 1974 à sept. 82 :* Cheikh Mohammed Abdullah. *1983 à 2-7-84 :* Farouk Abdullah, son fils, renversé. *Juill. 84 :* Mohammed Shah, son beau-frère.

Karnataka (ex-Mysore). *Formé* 1956, 191 791 km². 37 135 714 h. D. 193. *Langue :* kannada. *Villes : Bangalore* 2 482 507 [1] h. (industries de pointe dont aéronautique), Mangalore 306 000 [1] h., Devangere 121 018 h., Shimoga 102 703 h. *1986 déc.* troubles religieux, 17 †.

Kerala. *Créé* 1956. 38 864 km². 25 453 680 h. dont (en millions) chrétiens 7 (cathol. 5). D. 747 (1991). *Langue :* malayalam. *Alphabétisation :* 90,59 %. *Villes : Trivandrum* 499 168 [1] h., Kozikhode 394 440 [1] h. 1er État qui a eu un gouvernement communiste.

Madhya Pradesh. *Formé* 1-11-1956. 443 446 km². 52 178 844 h. D. 118. *Langue :* hindi. *Villes : Bhopal* 672 329 [1] h., Jabalpur 758 000 [1] h., Bilaspur 186 885 [1] h., Burhanpur 141 142 [1] h.

Mahârâshtra. *Formé* 1-5-1960 d'une partie de l'État de Bombay. 307 762 km². 62 784 171 h. D. 204. *Langue :* marathi. *Villes : Bombay* 8 243 405 [1] h., Nagpur 1 219 461 [1] h., Poona 1 203 351 [1] h., Sholapur (agg.) 511 103 [1] h.

Manipur. État de cat. C. du 15-10-1949 à 1957 puis territoire, 22 356 km². 1 420 953 h. D. 64. *Langue :* manipuri. *Ville : Imphal* 155 639 [1] h.

Meghalaya. *Formé* 2-4-1970. Indép. en janv. 72, avant, partie de l'Assam. 22 489 km². 1 335 819 h. D. 59. *Langues :* khasi, jaintia, garo. *Ville : Shillong.*

Mizoram. *1966-87* guérilla pour l'indép., 1 500 †. *1972-21-1* territoire (ancien district de l'Assam). *1987-16-2* él., succès du Front national mizo (Laldenga). *-20-2* État. 21 087 km². 493 757 h. (81). D. 23. *Langues :* mizo et anglais. *Capitale : Aizawl. Religion :* chrétiens 94 %.

Nagaland. *Formé* 1-1-1963 (le gouv. est celui de l'Assam). 16 579 km². 774 930 h. D. 47. *Ville : Kohima.*

Orissâ. *Formé* 1-4-1936. 155 782 km². 26 370 271 h. D. 169. *Langue :* oriya. *Villes : Bhubaneswar* 105 514 h., Rourkela 321 000 [1] h.

Pendjab. 50 362 km². 16 788 915 h. (dont 53 % de sikhs). L'Akali Dahl voudrait un État sikh, le Kalistan. D. 331. *Langue :* pendjabi. *Villes : Chandigarh* 421 000 h., Ludhiana 607 052 [1] h., Jullundur 296 102 h., Patiala 151 903 h. *1931* comprend (%) musulmans 53, hindous 30, sikhs 14. *1947* partition 80 % au Pakistan ; 20 % à l'I. (62 % d'hindous, 35 % de sikhs). *1966 mars* découpage en 3 États : 2 de langue hindi (Haryana et Himachal Pradesh) et le nouveau Pendjab (langue off. pendjabi) ; services adm. dans capitale commune : Chandigarh (construite par Le Corbusier, devenue provisoirement terr. de l'Union, constituée en État, étant prévu qu'elle reviendrait plus tard au seul Pendjab). *1982 Sant Harchand Singh Longowal* réclame la reconnaissance d'Amritsar (ville sainte des Sikhs), du sikhisme (religion indépendante ; diffusion sur les ondes de passages de leur livre saint), de Chandigarh (capitale du seul État du P. ; retour au P. des droits sur les eaux des rivières Ravi et Beas détournées vers Haryana et Rajasthan). *Sant Jarnail Singh Bhindranwale,* leader extrémiste, revendique l'indépendance complète (ce serait le Kalistan). *1983, déc.* occupe le Temple d'or à Amritsar et pousse à la violence. *1984, févr.* PM du P. démissionne, l'État est placé sous l'autorité directe de Delhi. *1983/84* troubles (300 †). *1984-6-6* armée prend Temple d'or à Amrit-

sar (Harmindar Sahib, origine 1589, plusieurs fois détruit, toit recouvert de plaques d'or 1802 par Ranjit Singh, reconstruit 1874) où se sont réfugiés 5 000 Sikhs. + de 1 000 † (dont 30 femmes et 5 enfants, et 92 militaires). *-26-7* accord avec Sikhs modérés ; Chandigarh revient au seul P. *-31-10* 3 Sikhs assassinent I. Gandhi, émeutes (2 000 Sikhs tués). *1985-26-1 au 30-4* séparatistes occupent Temple d'or. *-31-7* affrontements au Temple d'or. *-20-8* Longowal tué. *-25-9* élections rég. : Akali Dal 73 s. (avant 37), Congrès I. 31 (avant 63). *1986* 640 † au cours d'attentats. *1988-3/4-3* 32 †. *Août* 60 †. *-19-3* responsable du P. du Congrès brûlé vif par Sikhs. *-25-6* 25 Hindous tués par Sikhs. *1989-18-5* fin du siège du Temple d'Or (50 †). *-21-6* bagarre à Amritsar (24 †).

Râjasthân. 342 239 km². 34 261 862 h. *Langues :* rajasthani, hindi. D. 100. *Villes : Jaipur* 1 004 669 ¹ h., Kotah 358 241 ¹ h., Udaipur 162 934 h.

Sikkim. Entre Népal et Bhoutan. 7 096 km² (*avant l'arrivée des Brit.*, le S., qui venait de perdre du terrain au profit de ses voisins, s'étendait jusqu'à la plaine du Bengale et comprenait ce qui est devenu le district des Collines, avec Darjeeling et Kalimpong. Darjeeling, puis le reste de la région, furent annexés et le S. transformé en protectorat. Les Angl. favorisèrent l'implantation de Népalais). 316 395 h. dont Népalais 72 %, Lepchas 17, Bhotias 11. D. 43. *Ville : Gangtok* 36 768 ¹ h. *Langues :* anglais (*off.*), bhotia, lepcha, népalais. *Rel. off. :* bouddhisme tibétain ; majorité hindoue. *1974-4-9* État associé à l'I. (avant, lié par tr. spécial). *1975-1-4* (de facto) le Chogyal (maharadjah) Wangchuk Namgyal (n. 1952) n'a qu'un pouvoir honorifique.

Tamil Nadu (ex-Madras). 130 069 km². 48 408 077 h. D. 371. *Langue :* tamoul. *Villes : Madras* 3 276 622 ¹ h., Madurai 820 891 ¹ h., Salem 361 394 ¹ h., Tiruchirapalli 362 045 ¹ h., Dindigul 127 406 h.

Tripura. État dep. 21-1-1972 (de catégorie C du 15-10-49 au 1-11-56, puis territoire), 10 486 km². 2 053 058 h. D. 196. *Langue :* tripuri, proche de l'assamais. *Ville : Agartala.* Les VNT (Volontaires nationaux du T créés 1978) réclament l'indépendance et le départ des immigrés Bengalis (70 % de la pop.).

Uttar Pradesh. 294 413 km². 138 760 000 h. (1991). D. 377. *Langue :* hindi. *Villes : Lucknow* 895 947 ¹ h., Varanasi 708 647 ¹ h., Shahjahnanpur 294 000 ¹ h.

Liste des 7 territoires de l'Union

Andaman et Nicobar (îles). 8 293 km². 188 254 h. D. 23. A 1 287 km de Calcutta ; **îles Andaman** 6 475 km², 204 îles et îlots, dont 4 de grande taille : au N., A. du Nord, A. du Centre, A. du Sud, séparées par des chenaux étroits et formant ensemble la « Grande A. » ; au S., la Petite A. : formée de 2 groupes principaux, l'archipel Ritchie et les îles du Labyrinthe. **Iles Nicobar.** 1 645 km², 19 îles dont 7 habitées. *Capitale : Port Blair* 115 133 h.

Chandigarh. 114 km². 451 610 h. D. 3 948. *Capitale : Chandigarh* 421 000 ¹ h.

Dadra et Nagar Haveli. Ancien terr. portugais dans l'Union dep. 11-8-1961. 491 km². 103 677 h. D. 211. *Ville : Silvassa.*

Daman et Diu. Portugais dep. 1510 avec Goa. Envahis par Inde le 18-12-1961, souveraineté Inde reconnue par Port. le 31-12-1974. **Daman,** 72 km², 48 560 h. ; **Diu,** 38 km², 30 421 h. *Langue :* gujarâti. *Villes :* Daman 21 003, Diu 8 020.

Delhi. 1 485 km². 6 220 406 h. D. 4 189. *Langues :* hindi, urdu, pendjabi. *Capitale : New Delhi* (agg.) 5 729 283 h.

Lakshadweep (îles Laquedives, Minicoy et Amindives). 26 îles dont 10 habitées. Terr. dep. 1956 32 km², 40 249 h. D. 1 257. *Langues :* malayalam, mahl. *Capitale : Kawaratti.*

Pondichéry. 492 km². 604 471 h. D. 1 229. *Langues :* tamoul, français. *Fondé* 1674 par la Fr., siège indien de la Cie des Indes orientales. *1693* pris par Holl. *1699* rendu à la Fr. *1761* pris par Angl. *1765* rendu. *1778* repris. *1785* rendu. *1793* repris. *1814* rendu. *1951-2-2* Chandernagor est cédé à l'I. *1954-1-11* adm. transférée par la Fr. à l'Inde. *1956-28-5* Pondichéry, Karikal, Mahé, Yanaon cédés à l'I. *1962-16-8* ces 2 traités sont ratifiés. **Pondichéry** (290 km², 340 240 h.) forme avec **Karikal** (161 km², 100 042 h.), **Mahé** (20 km², 8 291 h.) et **Yanaon** (9 km², 23 134 h.) un seul territoire. *Cap. : Pondichéry.*

Économie

P.N.B. (88) env. 320 $ par h. **Plan** (VII, 1985-90). 150 milliards de $ investis (énergie, transports, technologie de pointe), expansion annuelle prévue 5 %. *Prévisions* (1989-90, millions de t) : pétrole 20, charbon 226, acier 12, aluminium 0,5, gaz nat. 14,4 (milliards de m³). **Croissance (%).** *1962-75 :* 3,2, *75-84 :* 4,4, *85-86 :* 4,8, *86-87 :* 4,8, *87-88 :* 0,5 (sécheresse), *88-89 :* 5, *90 :* 4,3.

Pop. active (% et entre par. part du P.N.B. en %) agr. 63 (30), ind. 11 (25), services 22 (40), mines 4 (5). *Population active totale* (en millions, 1981) : 247 (dont 27 ayant travaillé – de 183 j dans l'année) dont ruraux 198, urbains 49 (hommes 181, femmes 66). Chaque année, 5 millions de nouveaux demandeurs d'emplois, dont 10 % trouvent du travail. Le reste demeure sous-employé dans le secteur rural (74 % de la main-d'œuvre). *Chômeurs recensés :* 35 millions (avril 91). *Salaire ouvrier* (89) : 300 à 600 F/mois, *ingénieur* 1 200 F. **Travail des enfants :** 45 000 000 p. surtout dans la confection de tapis (dep. la loi de 1986, min. légal 14 ans).

Inflation (%). *1985 :* 5,6 ; *86 :* 8,7 ; *87 :* 8,5 ; *88 :* 9,4 ; *89 :* 6,4 ; *90 :* 12. **Aide.** *84-85 :* 2,6 milliards de $. **Dette extérieure** (milliards de $) : *1985 :* 35 ; *89 :* 62,5 ; *90 :* 70,2 ; *91* (juin) : 72. **Dette publique** (en milliards de roupies, 1987-88) 1 211 (dont à l'étranger 230). **Budget fédéral** (en milliards de roupies, 1989-90) : recettes 877, dépenses 1 008. *Déficit : 1983-84 :* 18,2 ; *84-85 :* 39,8 ; *85-86 :* 35,5 ; *87-88 :* 57 ; *89-90 :* 130,4 ; *90-91 :* 130. *Dépenses de défense : 1987 :* 125, *88 :* 132, *89 :* 130 ; *91 :* 168. *Engrais subventionnés :* 12. *Nombre de contribuables :* 4 000 000 (75 % des revenus imposables échappent illégalement à l'impôt ; l'économie parallèle représente 20 % du P.I.B.).

Investissements étrangers (1987, en %). U.S.A. 28, All. féd. 19, Indiens non résidents 16, Japon 10, G.-B. 7, P.-Bas 6, Italie 2,5, France 2, divers 9,5.

Art Indien

Préhistoire. *IVe millénaire av. J.-C.* poterie peinte, usage du métal au N. (Baloutchistan). *2500-1200* civilisation de l'Indus (Harappa et Mohenjo Daro) ; urbanisme développé ; statuettes : terre cuite, pierre, bronze ; sceaux en stéatite (art animalier avancé).

Inde ancienne. *IIe-Ier s. av. J.-C.* période ancienne ; architecture : sanctuaires [*chaïtyas* (temples souvent en bois) ; *viharas* (monastères)], grottes à Bhaja ; dans les Mts Ajanta, à Ellora ; *stupas :* monuments funéraires ou commémoratifs hémisphériques de brique ou de pierre (à Bharhut, Sanchi, Bodera Gaya) ; sculptures : terre cuite, bas-relief narratif [sur les *vedikas* (balustrades entourant les stupas et leurs portes)]. *Ier s. av. J.-C.-IVe apr.* période de transition. Apparition de l'image de Bouddha. Ecole gréco-bouddhique (N.-O.), sculptures en schiste et stuc. Ecole de Mathura, ville sainte du N., grès rouge (IIe-IIIe s.). Ecole d'Amaravati [site portant le nom de la résidence d'Indra (IIe-IVe s.), S.-E.], bas-relief en marbre blanc. Perspective. *IVe-VIIIe s.* art indien classique. *IVe-VIe s.* art de la dynastie Gupta. Sanctuaires rupestres avec piliers et murs décorés ; arts brahmanique et bouddhique. Peintures murales (Mts Ajanta). *VIe-VIIe s.* art post-Gupta ou pallava : goût du colossal. Hauts-reliefs [rochers du Mahabalipuram (VIIe s.), Ellora (VIIe-VIIIe s.)]. *VIIIe-XIIe s.* style salassera (2 dynasties du Bengale), tendance au conventionnel.

Moyen Age. Inde du Nord. *VIIIe-XIIe s. :* développement de l'iconographie bouddhique (vallée du Gange) ; apparition et développement de l'art hindouiste : temples à Çikhaja (tour-sanctuaire à arêtes curvilignes) et architecture sculptée ; Purî, Bhubaneswar, Kanarak, Khajuraho. **I. de l'Ouest :** coupoles sur pendentifs, encorbellements ; temples jaïns du mont Abu (*XIe-XIIIe s.*) et de Ranakpur (*XVe s.*) dans le Râjasthân. **I. du Sud :** art *chola* (*Xe-XIIIe s.*) : ronde-bosse en bronze ; temples-villes avec hautes tours d'entrée ; Tanjore, Crîrangam, Tiruvan-mâki, Chidambaram, Madurai. *Art Hoysala (XIe-XIVe s.)* : temples avec frises horiz. aux thèmes variés ; Halebid, Behir, Samnâthpûr.

Période musulmane. Arts musulman (mosquées, tombeaux, palais ; décoration géométrique) et indien (motifs floraux). *XIIIe-XVe s.* mosquées à minarets (Qutub Minar de Delhi). *XVIe-XVIIIe s.* emp. moghol, inspiration persane ou indo-persane, grès rose et marbre blanc ; Agrâ (Tâj Mahal), Fatehpur Sikri (palais), Delhi (tombeau d'Humayûn, Fort rouge). Peinture d'albums : thèmes brahmaniques (au Rajputana, au Bengale, au Deccan) ou jaïns. Influence européenne, architecture style indo-portugais sur la côte O. (Goa) ; franç. à St-Louis de Pondichéry. Les miniaturistes moghols copient les gravures occidentales et adoptent également la perspective occidentale.

Style de vie. Vers 1980-85, 50 millions d'h. vivent dans une Inde industrialisée, commerçante et urbaine. 25 millions ont un pouvoir d'achat important. 600 millions vivent à la campagne en circuit fermé (pouvoir d'achat et commercialisation presque nuls). Sur 730 millions d'h. env., 350 disposent de 10 $ par mois et par tête, 73 de moins de 4 $, considéré comme le seuil de pauvreté. 281 millions (42 % de la pop.) disposent de - de 1 800 calories par j (dont 53 millions vivant en bidonvilles). De 1985 à 1989 (années Rajiv Gandhi), libération de l'économie, croissance + de 5 %, pouvoir d'achat + élevé pour classes moyennes. En 1990, 315 à 410 millions d'h. (38 % de la pop.) vivent en dessous du seuil de pauvreté, 100 à 120 appartiennent à la middle class, 40 vivent dans les bidonvilles.

• Agriculture. **Terres** (milliers d'ha, 81) : arables 165 500, forêts 67 500, eaux 31 440, pâturages 11 800, cult. en permanence 3 930, divers 48 589. 27,4 % des t. sont irriguées (48 090 000 ha en 78). 51 % des t. sont cult., mais 40 % sont régulièrement ensemencées. **Conditions :** sols médiocres. Climat instable obligeant à prévoir des stocks difficiles à conserver. Surpeuplement d'où sous-emploi, exploitations exiguës (0,43 ha en moyenne). Redevances lourdes (20 à 25 % de la récolte, parfois plus pour la location). Mépris des besognes manuelles, entraves des castes, respect de la vie animale qui favorise ravages des singes, sauterelles ou rats qui détruisent env. 50 % des céréales). **Récoltes :** principale (kharif) à la fin de la saison humide [en général riz (repiquage encore peu pratiqué), millet, jute, coton)] ; l'autre (rabi) fin de la saison sèche (blé, orge, colza). Irrigation ancienne sur des surfaces restreintes. Puits tubés et profonds. Barrages-réservoirs : Bhakra sur la Satlej (Pendjab indien), N.-E. du Deccan, la Damodar a été aménagée. Engrais : variétés nouvelles, rendements élevés. Une classe nouvelle d'agriculteurs bien équipés apparaît. L'I. exporte du blé vers l'U.R.S.S. (mais 45 % des I. ne peuvent acheter assez de céréales pour leurs besoins).

Production (millions de t). *Canne à sucre* (en partie consommée sur place, jus non consommé) *1989 :* 200. *Céréales : 1964 :* 60 ; *74 :* 100 ; *83-84 :* 139 (grâce à la révolution verte). *86-87 :* 144 ; *88-89 :* 172 ; *89 :* 192,9 ; *90 :* 176,5. *Riz* (E. de la plaine du Gange, Bengale, deltas de la côte E., bordure O. du Deccan) *89 :* 107,5. *Blé* (Pendjab, O. de la plaine du Gange [*1955 :* 9, *70 :* 20, *84 :* 40] *89 :* 54. **Divers.** *89 : p. de terre* 14,5. *Sorgho* 12,1. *Millet* (sols pauvres du Deccan) 9,5. *Maïs* 7,8. *Arachides* 7,5. *Pois chiches* 5,1. *Orge* 1,9. *Jute* (bordure humide de l'Himalaya, côte E.) 1,53. *Coton* (suffit à peine aux usines, fibres assez grossières, alluvions du Pendjab et de la plaine gangétique, terres noires du N.-O. du Deccan) 1,47. *Thé* 0,67. *Tabac* 0,43. *Sésame. Colza.*

• Forêts (87). 264 412 000 m³ : *teck, santal, palissandre, ébène, déodar.* Élevage (millions de têtes, 89). Volailles 270, bovins 195,5, chèvres 107, buffles 73,7, moutons 53,5, porcs 10,3, chameaux 1,3 (88), ânes 1,3 (88), chevaux 1 (88), mulets 0,13. Jusqu'à ces dernières années, pour des raisons religieuses, seuls moutons et chèvres fournissaient un peu de viande. Les bovins fournissent du travail (mais sont chétifs) et du lait (moy. env. 658 l par an mais 60 % sont improductifs). Les bouses pétries servent de combustible. Exportations de cuirs et peaux. Pêche (88/89). 3 152 000 t.

• Énergie (89). **Charbon** nationalisé 1973 ; *réserves* 83 673 millions de t, bassin de la Damodar, couches épaisses, exportations vers le Japon et l'Europe, port charbonnier : Haldia ; *prod. 1946 :* 30 ; *70 :* 736 ; *83 :* 136 ; *89 :* 195. *Lignite* 9. **Pétrole** (millions de t) : *réserves 1991 :* 1 095 (Assam et Région de Bombay) ; *prod.* 32 (*1946 :* 0,3 ; *70 :* 6,8 ; *83 :* 23 ; *90 :* 60 à 70) ; *consom. 1986 :* 36 ; *90 :* 54 ; *en 89-90 :* 19,5 millions de t importées. **Gaz** (milliards de m³) : *réserves* 709 ; *prod. 1987 :* 7. **Électricité** (milliards de kWh) : potentiel 280 ; *prod.* 230 [insuffisante : nombreuses coupures ; - de 35 % des villages ont l'électricité]. **Combustibles utilisés par 80 % de la pop.** (en millions de t) : bouse de vache 200, bois 230,2 (87).

• Mines (millions de t, 89). *Zinc* 122,9. *Plomb* 41,9. *Fer* [réserves 10 milliards de t d'hématite à 55 %, 5 milliards de t de magnétite, vers Goa et Karnataka (Mysore)] 49,2 (minerai). *Sel* 8,3. *Cuivre* 5,1. *Mica* 4,8. *Bauxite* 4,2. *Dolomite* 2,1. *Gypse* 1,4. *Chrome* 0,93. *Craie* 0,6. *Manganèse* 0,52 (minerai). *Kaolin* 0,5. *Or* 2 016 kg. *Diamants* 13 632 carats.

• Industrie. *États les plus industrialisés :* Maharashtra, Bengale O., Tamil Nadu, Goudjerât, Uttar Pradesh, Bihar, Andhra Pradesh, Karnataka et Madhya Pradesh. Coton, jute, sucre, ciment, papier et pâte à papier, papier pour films et photos, fer, acier, mach.-outils, automobiles, app. élec., engrais, prod. chimiques et pharm., pétro-chimie.

Problèmes écologiques

Déforestation : la loi prévoit que 23 % du territoire doit être destiné aux forêts, il n'en reste que 10 à 12 %. **Inondations :** 40 millions d'ha menacés (surtout plaines du Gange et Centre-Est). **Stérilisation** (manque d'irrigation) : sur 10 à 20 millions d'ha, mauvais systèmes entraînant salinisation des sols, remontée de la nappe phréatique, réapparition des moustiques et de la malaria, recrudescence de filariose, diarrhées, cancers. Peu de restitution des matières organiques (bouse utilisée comme combustible par manque de bois). Culture de t. marginales (érosion). En 80, 40 millions d'ha sur 140 n'auraient pas dû être cultivés. *Eau :* pollution de 70 % de l'eau utile ; la capacité d'auto-épuration du Gange est dépassée (symbole de pureté et lieu de purification). Chaque année, 6 000 000 de personnes s'y baignent car il a la vertu de guérir tous les maux physiques et moraux. Les hindous orthodoxes ne boivent que l'eau du Gange. Chaque année, les restes de 35 000 corps y sont immergés après avoir été incinérés, mais on y jette beaucoup de cadavres à demi consumés. Dans les villes, 1/3 des hab. n'ont pas de W.-C., l'eau est souvent impure (cause d'hépatite).

Grands groupes privés. *Tata :* famille parsie de Bombay, d'origine iranienne, réussit dans l'ind. cotonnière (fin XIXe s.) ; crée 1911 les 1res usines sidérurgiques, puis prod. d'électricité, hôtellerie, huileries-savonneries, ind. chimiques, méc. et élec. Aujourd'hui, chiffre d'affaires : 29 milliards de F ; employés : env. 250 000 ; contrôle env. 98 sociétés, dont les 2 plus grandes Stés ind. privées [Tata Iron and Steel (2 millions de t d'acier, 65 000 employés) et Tata Engineering and Locomotives (camions et autobus, 35 000 employés)].

Birla : Hindous Marwari (du Rajasthan), commerçants et financiers, lancés dans la grande industrie après la g. de 1914-18 (jute et coton), puis ind. légères (sucre, papier) en gardant import-export. Après 1947, ind. aluminium. Aujourd'hui, contrôle 200 Stés dont Gwalior Rayon Silk (textiles artif., 15 000 employés) et Hindustan Motors (auto.).

3 AUTRES GROUPES : *Bangur, J.K.* (les 2 Marwari) et *Thapar* (Punjabi) intégrés financièrement, *Mafatlal* (Goujerati) et *Shriram* (Punjabi) : coton, chimie (textiles synthétiques, colorants), mécanique. 526 000 petites usines, ateliers et fabriques représentent 40 % de la prod. ind. privée.

Chiffre d'affaires 1985 (milliards de roupies) : Birla 42,30, Tata 68 (89), Mafatial 11,90, Modi 11,13, SK Singhania 10,81.

Secteur public. 60 % du cap. ind., 1/4 de la valeur ajoutée par l'ind. spécialisée dans les secteurs lourds (planifiés). *Budget 1985-90 :* 500 milliards de $. *Industrie spatiale :* 13 000 employés. *Armement :* 50 % fabriqué sous licence, 75 % d'origine russe.

Taxe sur la fortune. Seuil 250 000 roupies, taux max. 2 %, 640 assujettis, rapporte 1,72 milliard de roupies par an.

Capital détenu par l'étranger. 16,4 % du total, 20,5 % de la prod. et des ventes.

• Transports. **Routiers.** *Routes* 2 200 000 km dont 840 000 recouvertes (89). *Véhicules* 16 488 000 (89) dont 10 700 000 motocyclettes et 2 284 000 voitures privées. Le + fort taux d'accidents en ville du monde (New Delhi, 75,5 accidents et 12 † pour 10 000 véh.). **Chemins de fer.** *1873 :* 9 161 km, *83 :* 17 000, *93 :* 29 782, *1900 :* 39 838, *90 :* 70 000. *En 1987-88 :* 3 792 000 000 passagers et 318 500 000 t de fret.

• Tourisme. 1 748 000 vis. (89) dont (%, 88) G.-B. 16,2, U.S.A. 9,9, All. féd. 6,2, *France* 5,6. (*1985 :* 33 609 chambres d'hôtel, *est. 90 :* 59 000).

Principaux lieux touristiques. Inde du N. : Agrâ (Taj Mahal, mosquée de Perle), Ahmedabad, Bénarès, Bhubaneshwar, Bikaner, Bodhgaya, Delhi (Fort rouge, mosquée Jama Masjid, Qutub Minar), Fatehpur Sikri, Gwalior (forteresse), Jaipur (palais des Vents, Sanganer), Jaisalmer, Jodhpur, Khajuraho, Konarak, Mont Girnar, Palitana, Puri, Ranakpur, Sanchi, Udaipur, Ujjain (mosquée). **Inde du C. et du S.** Aiholi, Ajanta, Aurangabad, Badami, Bangalore, Bijapur, Bombay, Cochin, Covelong, Elephanta, Ellora, Goa, Hampi, Hassan, Kanchipuram, Madras, Madurai, Mahabalipuram, Mysore, Pattadakal, Tanjore, Tiruchirapalli, Trivandrum.

Commerce (milliards de roupies, 88-89). *Exp.* 262 (90) *dont* perles et pierres précieuses 43,9, mach. et équip. de transp. 22,3, vêtements 14,8, cotonnades 11,3, thé et maté 5,9 ; *vers* U.S.A. 37,3, U.R.S.S. 26, Japon 21,6, All. féd. 12,3, G.-B. 11,6, Belgique 8,8, Hong Kong 8,2, Italie 5,4, *France 4,3,* Émirats 4,2, P.-Bas 4, Arabie S. 3,2, Singapour 3,2. *Imp.* 358 (90) *dont* mach. non élect. 43,7, fuel et lubrifiants 43,7, perles et pierres précieuses 31,7, fer et acier 19,3, mach. élec. 16 ; *de* E.-U. 31,9, Japon 26,3, All. féd. 24,7, G.-B. 24, Belgique 20,3, Arabie S. 18,9, U.R.S.S. 12,5, Émirats 8,8, *France 8,2,* Malaisie 7,9, Australie 7, Singapour 6,2.

Rang dans le monde (89). 1er bovins, thé. 2e canne à sucre, riz. 4e blé, céréales, coton. 5e p. de terre, ovins, fer. 6e charbon. 7e rés. charbon, café. 11e maïs. 16e rés. pétrole. 17e porcins. 18e orge, pétrole.

INDONÉSIE

Carte p. 976. V. légende p. 837.

Noms. A été appelée : Archipel malais ou malaisien, indien, asiatique, des Grandes Indes néerlandaises. René Lesson (Fr. 1794-1849) a parlé en 1825 de Notasie (du grec *notos* « sud »). Langue appelée aussi nousantarienne, du malais *nusantara* « archipel » ou « les îles entre » (2 continents).

Situation. Asie. 1 904 569 km² avec l'Irian. *6 groupes insulaires :* Sumatra, Java + Madura, petites îles de la Sonde (Bali, Lombok, Sumba, Sumbawa, Florès et Timor), archipel des Moluques Sulawesi (ex-Célèbes), Kalimantan (partie indon. de Bornéo), Irian Jaya (partie indon. de la N^elle Guinée). *Sommets :* + de 5 000 m en Irian Jaya ; Puncak Jayawijaya (mont Carstensz 5 030 m), Rinjani (3 736 m à Lombok), Semeru (3 676 m à Java de l'Est), Ngga Pulu (5 030 m), Kerinci (3 805 m, Sumatra). *Îles :* env. 13 677, sur 5 159 km de long (3 000 habitées). *Volcans* très nombreux dont 128 encore en activité. *Prof. de la mer :* 200 m à 7 500 m. *Lacs* nombreux : Toba (90 km de long), Singkarak, Maninjau, Tempé, Towuti, Sidenreng, Matana, Tondano, lacs aux 3 Couleurs, 3 lacs dans le même cratère à Florès.

Climat. Tropical et équatorial. *2 moussons :* de l'E. (sèche mai-oct.), O. (humide nov.-avril). *Pluies* en mm : Kupang 1 455, Jakarta 1 760, Pontianak 4 000. *Temp.* moy. 26 à 28 °C.

Faune. *Ouest :* éléphants (Sumatra), rhinocéros (Sumatra, Java, Kalimantan), tigres et panthères (Sumatra, Java), ours et tapirs (Sumatra, Kalimantan), buffles sauvages (Java, Kalimantan), orangs-outangs, paons, faisans (Kalimantan). *Est :* marsupiaux, grande variété d'oiseaux [perroquets, cacatoès, pigeons huppés, calaos, oiseaux de paradis (en Irian Jaya)]. Anaoa (buffle nain), babiroussa (sanglier aux défenses longues et courbées) Sulawesi. Singes, cerfs, serpents, crocodiles à l'O. et l' E. Komodo (lézard géant, peut atteindre 3 m) vit dans l'île de Komodo (près de l'île de Flores).

Nota. – Chaque année 120 millions de crabes migrent par l'île de Christmas Island.

Population. *1900 :* 45 000 000. *39 :* 68 400 000. *90 (est.) :* 182 650 358 (70 % concentrés sur 7 % du territoire), *prév. 2000 :* 222 753 000. **Âge.** - *de 15 a. :* 40 %, + *de 65 a. :* 3 %. **Ethnies :** Javanais 45 %, Sundanais 13,6 %, Chinois 2,3 %. **Immigration :** 4 000 000 de Chinois (dont 1 500 000 n'ont pas adopté la nationalité ind.), 10 600 Indiens, 7 500 Arabes, 3 400 Néerl., 2 800 Amér., 2 400 Malaisiens, 2 300 Pakistanais, 2 100 Brit., 1 800 Philippins, 1 400 Japonais. D. 95,9 (Java central 634). **Villes** (83) : *Jakarta* 7 829 000 (85), Surabaya 2 345 000 (85), Medan 2 110 000 (85), Bandung 1 613 000 (85), Semarang 1 269 000, Palembang 903 000, Ujung Pandang 888 000, Yogyakarta 428 000. **Taux d'accroissement :** *1967-70 :* 2,08 % par an ; *70-80 :* 2,34 % ; *80 :* 1,9 % ; *85 :* 2,9 % ; *89 :* 1,9 %.

Langues. Bahasa indonesia *(off.)* [fondée sur le malais, parlée depuis des s. dans l'archipel dit « des Indes » comme « lingua franca » ; fut adoptée comme l. nat. en 1928], javanais, sundanais, balinais, madurais, nombreux dialectes. Au total, 400 langues et dialectes, et + de 200 groupes ethniques env.

Religion. La Constitution oblige chacun à professer une foi (islam, hindouisme, catholicisme, protestantisme, bouddhisme, kébatinan), considérée comme un aspect de culture. **Musulmans** sunnites 90 % (40 à 45 % pratiquent) soit env. 156 millions (l'I. est le 1er pays musulman du monde) ; implantation datant du XVe s. à Java, Sumatra et Kalimantan ; du XVIe s. au Sulawesi ; récente en N.-Guinée, annexée à l'I. *Chrétiens :* 8 % [dont 4 732 996 (est. 90) catholiques] plus particulièrement à Minahasa (Sulawesi du N.), Tapanuli du N. (Sumatra), aux Moluques et aux petites îles de la Sonde orientale (Flores et Timor) ; 36 évêques, 5 000

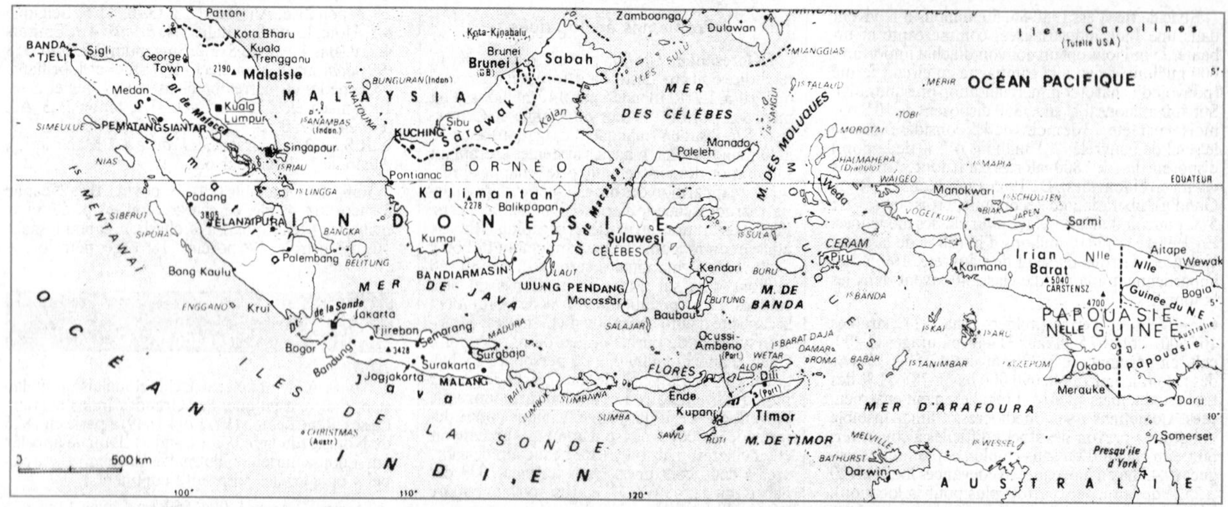

religieux et 1 800 prêtres. *Hindouistes :* 2 % à Bali, ouest de Lombok, montagnes de Tengger. *Animistes :* intérieur de Kalimantan, Sulawesi et quelques autres régions.

Histoire. *Peuplement très ancien* (*pithécanthrope* de Java, découvert en 1891, env. 2 millions d'années). **Age de la pierre** (néolithique) et **âge du bronze** (3 000 à 500 ans av. J.-C.) : pop. austronésiennes émigrent du S. de la Chine vers l'archipel, expulsent les h. (Papous, Mélanésoïdes) ou se mêlent à eux. **Age du bronze** participe à la civilisation de Dong Son (Tonkin), qui recouvre l'Asie du S.-E.; mais les populations restent proches des Mélanésiens. **78** Adji Çaka 1er roi indien à s'installer en Indonésie. États hindous indonésiens se constituent comme Kutai à Kalimantan (l'an 400), Taruma Negara à Java occidental (450), Sriwijaya (Sumatra + Java Ouest) (670-1370) (les temples de Kalasan, Prambanan et Borobodur datent des VIIIe et IXe s.) ; Kadiri (XIIe-XIIIe s.) : Java, Bali, îles de la Sonde, Ouest de Bornéo et Sud Sulawesi ; et Majapahit à Java de l'Est (1292-1528), Airlangga (vers 1010) et Hayam Wuruk (vers 1350) avec son PM Gajà Mada. **XIIIe s.** islam introduit par des marchands venus du Goudjerât (Inde), de Malaisie et du golfe Persique. Des États islamiques s'établissent : Aceh et Pasai (N. de Sumatra), Banten, Cirebon [(O. de Java) et région de Surabaya (est Java) ; lieu de sépulture de Sunan Gunung Jati, apôtre de l'islam], Demak (centre de Java) qui, d'abord vassaux, renversent ensuite les roy. hindous indonésiens. L'emp. majapahit s'écroule et ceux qui restent fidèles à l'ancienne civilisation s'enfuient dans les montagnes (Tengger) et à Bali. Après plusieurs g. entre nouveaux États, le sultanat de Mataram à Java central arrive à l'hégémonie et atteint son apogée sous le sultan Agung (1613-45).

XVIe s. arrivée des Portugais (1509) et Espagnols (1521) ; ils occupent Philippines et Moluques, mais n'entament pas les sultanats. **1595** débarquement holl. **1602** formation de la Cie des Indes orientales néerl. **1619** le gouv. Jan Pieterszoon Coen obtient la souveraineté sur la ville de Jakarta qu'il nomme Batavia (du nom des 1res tribus germaniques de Hollande, les Bataves). **1602-1800** développement des sultanats, notamment Sumatra et Makassar. Seule, Amboine échappe à la suzeraineté musulmane et est assimilée culturellement. **1800** g. contre la G.-B. Le gouv. holl. succède à la Cie des Indes dans les comptoirs côtiers. **1811-15** occupation brit. Napoléon Ier ayant annexé les P.-Bas, l'I. était juridiquement sous contrôle fr. **1816-30** conquête de Java (arrière-pays) par les Holl. **1860-1908** conquête des autres îles ; révoltes de Thomas Matulessy (Patimura, rév. des Moluquois 1816-18), du Pce Diponegoro (g. de Java, 1825-30), de Teuku Cik Ditiro, Teuku Umar (g. d'Aceh, 1873-1903), Tuanku, imam Bonjol [« djihad » (g. sainte musulmane, de Padri à Sumatra Ouest, 1830-37)], Si Singamangaraja (g. de Batak, 1907). **1883** éruption du Krakatoa. **1908**-*20-5* formation de la 1re organ. nationaliste Budi Utomo. **1922** I. intégrée au roy. des P.-Bas. **1928** serment de la jeunesse (une patrie : l'Ind., une nationalité : ind., une langue : l'ind.). **1942-45** occupation jap. **1945**-*17-8* les nationalistes avec Soekarno et Hatta proclament l'indép. **1946**-*28-1* début du rapatriement troupes jap. -*15-11* union I. (3 États : Ind., I. de l'Est et Bornéo) et P.-Bas envisagée, échoue. **1947**-*25-3 accord de Linggarjati* avec P.-B. ; désapprouvé par guérilla. -*26-7/9-8* lutte, interrompue sur intervention O.N.U. Soulèvement du Darul Islam (Java de l'O.). **1948**-*17-1* accord Renville. -*10-9* gouv. fédéral ; Madiun, soulèvement communiste de Muso (qui est tué). -*19-12* attaque holl. **1949**-*7-5* accord pour négociations nat./Holl. sous auspices O.N.U. -*7-12* rép. féd. souveraine.

1950-*15-8* rép. unitaire. Rébellion du capitaine Raymond Westerling (n. 31-8-19) de l'armée néerl. Rébellion des Moluquois de l'armée néerl. : répression ; 30 000 réfugiés aux P.-Bas, réclamant l'indép. des Moluques du S. (3 îles Buru, Seram, Amboine). **1954**-*10-8* union avec P.-Bas dissoute. **1955**-*18/24-4* conférence de Bandung (V. Index). **1956**-*13-2* Soekarno abroge accord de 1949 avec P.-Bas. **1957**-*14-3* loi martiale ; nationalisation des biens holl. **1958**-*15-2* soulèvement O. de Sumatra et N. des Célèbes (avec M. Sjaffruddin) maté en mai. **1962**-*15-8* accord avec P.-Bas sur N.-Guinée occ. **1963**-*18-5* Soekarno Pt à vie. **1964-65** incidents avec Malaisie (l'I. tente d'annexer Sarawak à Kalimantan). **1965** *janv.* l'I. quitte l'O.N.U. -*30-9* complot communiste pro-chinois réprimé (700 000 arrestations, 500 000 †, 430 dirigeants du PC exécutés, capturés ou exilés ; le PC avait 3 millions d'adhérents et 20 millions de sympathisants). **1966**-*11-3* sous la pression des parachutistes de Sarwo Edhie, Pt Soekarno donne pleins pouvoirs au Gal Soeharto. -*11-8* J. reconnaît Malaysia, revient à l'ONU. **1967**-*12-3* Soeharto Pt intérimaire. -*8-8* création de l'ASEAN. Rupture avec Chine. **1968**-*27-3* Soeharto Pt de la Rép. **1972**-*17-8* nouvelle orthographe de la Bahasa Indonesia. **1973** 1res élections dep. 16 ans. **1974**-*15-1* manif. antijap. à Jakarta, 8 †. **1975**-*28-11* invasion du Timor or. (v. ci-dessous). **1976**-*2-12* des Moluquois du S. prennent un train en otage aux P.-Bas pour obtenir l'indép. des Mol. (il y a env. 60 000 M. du S. aux P.-B.). **1977-79** 16 000 prisonniers pol. libérés (100 000 détenus). **1980** *déc.* émeutes antichin. à Java (minorité de 4 000 000, 5 % contrôleraient 70 % du commerce), 8 †, nombreux magasins et usines détruits. **1983** crise (chute des exp. non pétrol., baisse du prix du pétrole). -*1-4* rupiah dévaluée de 37 %. *Sept.* combats à Timor. *Déc.* multiplication des crimes des « escadrons de la mort » (dep. avril : 3 000 « délinquants » tués). **1983** attentats dont -*21-1* à Borobudur (statues et stupas endommagés). **1984**-*12/13-9* émeutes à Djakarta ; 23 à 400 †. **1986**-*11-1* Gal Hartono Dharsono (arrêté nov. 84) condamné à 10 ans de prison pour subversion. -*12-9* rupiah dévaluée de 45 %. -*17-9* Pt Mitterrand en I. *Oct. détenus politiques :* env. 2 000 dont 1 000 Timorais. **1988**-*2-10* dernier sultan Hameng Kubuwono IX (n. 1912), anc. min. de l'Écon., vice-Pt en 1973, meurt. -*17-10* 2 anciens dirigeants communistes exécutés (emprisonnés dep. 1965-67), soit 17 dep. 3 ans (3 en 1985, 10 en 1986, 2 en 1987) ; 59 pers. encore en prison, dont 14 condamnés à mort. **1989** *juin* aide internationale de 4,65 milliards de $. -*12-9* Pt Suharto en U.R.S.S. **1990**-*8-8* visite du PM chinois.

Statut. Rép. **Constit.** de 1945. **Pt** et **PM** Gal Soeharto (8-6-21) dep. 27-3-68, réélu 73, 78, 83 et 10-3-88 pour 5 ans par le Congrès du peuple. **Vice-Pt** Gal Sudharmono (dep. 3-1988). **Congrès du peuple** (Majelis Permusyawaratan Rakyat) : 1 000 m. élus pour 5 a. **Chambre des représentants** (Dewan Perwakilan Rakyat) : 400 m. élus pour 5 a. et 100 m. nommés par le Pt de la Rép. **Politique.** 5 principes *(Pancasila)* la définissent dep. 1945 : la foi en un dieu, le nationalisme, la justice sociale, un gouvernement représentatif de la souveraineté du peuple, l'humanisme. **Fête nat.** : 17 août (Indépendance). **Drapeau :** « Sang-Merah-Putih » (rouge et blanc). **Devise :** « Bhinneka Tunggal Ika » (Unité dans la diversité). **Armoiries :** 1°) oiseau mythique « Garuda » symbolisant l'énergie créatrice. Les 17 plumes de chaque aile et les 8 de la queue rappellent la date de l'indépendance (17-8-45). 2°) bouclier symbolisant la lutte et la défense : au centre, une étoile (omnipotence divine et croyance en Dieu) ; en haut à gauche, le taureau (démocratie, souveraineté du peuple) ; à droite, un banian « waringin » symbolisant la conscience nat. 3°) devise.

Élections du 23-4-1987 à la Ch. (nombre de sièges et, entre parenthèses, en 1982) : *Golkar* 299 (246), *PPPI* 63 (94), *PDI* 38 (24).

Partis principaux. **Golkar** (Golongan Karya : groupe fonctionnel) : *fondé* 20-10-1964 ; *Pt:* Wahono, *secr. gén. :* S. Rachmat Witoelar. **Partai Demokrasi Indonesia :** *fondé* janv. 1973 ; *Pt :* Suryad, fusion des 4 anciens p. catholique, protestant, nationaliste et prolétaire. **Partai Persatuan Pembangunan Indonesia** (Parti unifié pour le développement indonésien) : *fondé* janv. 73 ; *Pt:* Ismail Hasan Materum, regroupe les anciens p. musulmans. Ces 2 derniers forment Gde Alliance de l'opposition dep. 15-5-90.

Provinces

Légende : population et villes. (1) : en 1985.

Principales îles. Java et Madura. 132 187 km². *Long.* 1 000 km, *larg.* 180 km. *Alt. max.* Semeru 3 676 m. 105 000 000 h. (87) D. 794. *Villes : Jakarta* (ex-Batavia) (cap.) 7 991 939 h. (88), Surabaya 2 345 000 h. [1] (à 793 km), Bandung 1 613 000 h.[1] (180 km), Semarang 1 269 000 h. (485 km), Malang 560 000 h. (882 km), Solo 500 000 h. (71) (585 km), Yogyakarta 428 000 h. (565 km), Bogor 274 000 h. (60 km). *Java* compte 60 % de la pop. totale sur 7 % du territoire. En 1979, le 3e plan quinquennal prévoyait le transfert annuel de 500 000 Javanais vers les autres îles (1 400 par j), mais la pop. de Java s'accroît de 1 800 000 par an. Les ressources alim. et énergétiques s'épuisent. 4e plan (84-88) : transfert de 750 000 familles. **Sumatra.** 473 606 km². *Alt. max.* Mt Kerinci 3 805 m. *Lacs :* Toba (Nord, alt. 1 000 m, long. 90 km), au centre île de Samosir ; Singkarak, Maninjau (Centre). 32 604 024 h. [1]. D. 68,8. *Villes :* Medan 2 110 000 h. [1], *Palembang* 903 000 h., Padang 726 000 h, Aceh (centre islamique). *1976* mouv. séparatiste FNLAS (Front nat. de libération Aceh Sumatra), leader Hasan Muhammad di Tiro. *1990 août* répression militaire (60 †). **Sulawesi** (Célèbes, 4 péninsules ; entré dans la Rép. ind. en 1945) : 185 717 km². 11 712 709 h. D. 63,07. *Villes :* Ujung Pandang (ex-Makassar). 888 000 h. **Kalimantan** (partie de Bornéo) : 549 031 km². 8 277 187 h. (88). D. 15,08. *Cap. : Bandjarmasin* 437 000 h. **Pulau-Pulau Lain :** 570 100 km². 11 684 894 h. [1]. D. 20,5. **Bali :** 563 286 km² (long. 130 km, larg. 80 km). 2 633 536 h. (88) D. 4,68. *Cap. : Denpasar* 88 142 h. (71), 18 000 temples. *1515* chassés par les musulmans, des milliers de Javanais se réfugient à B. Les Holl. instaurent l'esclavage (1 Balinaise vaut 100 Noires). *1906* révolte, intervention holl., chefs et guerriers b. se suicident par centaines. **Lombok :** 4 700 km². *Alt. max.* Rinjani 4 055 m. 2 000 000 h. (71). *Ville :* Mataram 200 000 h. (71). **Flores :** 14 275 km². *Ville :* Ende. **Moluques** (89 îles ou groupes d'îlots) : 74 505 km². 1 534 300 h. **Bangka :** 205 000 h. (71). **Belitung :** 248 km². 73 500 h. (71). **Sumbawa :** 14 500 km² (long. 300 km, larg. 90 km, alt. max. Mt Tambora 2 850 m). 315 000 h. (71).

Loro Sae (ex-Timor, dite Tim-Tim) : 33 925 km² (long. 500 km, larg. 60 km). Portugaise en 1586 puis partagée : 1°) **ouest :** à la Holl. puis à l'I. (19 000 km², 2 737 166 h.) ; 2°) **est :** au Portugal jusqu'en 1975 (14 609 km², 666 413 h. en 1988, D. 45,6) avec territoire d'Ambeno (Od-cusse) et îles de Pulo Kambing et Pulo Jako (archipel malais). *1975 sept.*, 3 partis [UDT (Union dém. de Timor), KOTA et Trabalhista] demandent l'intégration à l'I. *-28-11* le Frétilin (Front révol. pop. pour l'Ind. de Timor-An., leader Ramos Horta), procommuniste, proclame l'ind. (Rép., Pt Xavier de Amoral). *-30-11* déclaration d'intégration à l'I. de 4 partis (UDT, KOTA, Trabalhista et Apodeti). *-7-12* invasion i. *-14-12* l'I. annexe l'enclave d'Occubi-Ambeno. *1976*-17-7 T. devient le 27ᵉ gouv. d'I. *1977-78* l'armée (30/40 000 h.) pratique la terre brûlée. *1979*-3-1 Nicolas Lobato, Pt du Frétilin, assassiné. *1975-79* env. 100 000 † (g. et famine). *1983 :* 5 mois de cessez-le-feu ; reprise des combats (armée ind. 15 000 h.). *1989 :* guerilla 400 à 500 h. (montagnes).

Irian Jaya (Nouv.-Guinée occid.) : 410 660 km² [Alt. max. Mt Carstensz (Puncak Jayawijaya) 5 030 m.] 1 452 919 h. [1] D. 3,54. *Cap. : Jayapura* (ex-Hollandia) 107 164 h., auparavant Nouv.-Guinée néerlandaise. *1963* province ind. *1965* résistance armée. *1971*-22-6 gouv. révol. provisoire en exil au Bénin ; Pt Seth Rumkoren (n. 5-6-33). *1977* succès de l'O.P.M. (Organisation Papua Merdeka, séparatiste). *1978* contre-offensive ind. (bombardements aériens), luttes au sein de l'O.P.M. *1980* paix.

Économie

P.N.B. (89) : 454 $ par h. (500 selon d'autres sources ; 15 % des I. ont un rev. sup. à 1 500 $). **Croissance** (% moyen annuel). **P.N.B. :** *1970-80 :* 8, *85 :* 2,5, *86-88 :* 4, *89 :* 6,2. **P.I.B. :** *1960-70 :* 3,9, *70-81 :* 7,8, *87 :* 3,5, *88 :* 4,5, *89 :* 5,7. **Pop. active** (% et entre par. part du P.N.B. en %) : agr. 48 (20), ind. 15 (24), services 32 (42), mines 5 (14). 4 % de la pop. contrôlent 80 % de l'économie. Sous-emploi : 35 % de la pop. **Inflation** (en %). *1985 :* 4,7 ; *86 :* 5,8 ; *87 :* 8,7 ; *88 :* 5 ; *89 :* 6,5. En milliards de $: **budget** (1991-92) : 13,3 ; **aide extérieure :** 4,5 ; **revenus pétroliers :** 7,9 ; **dette extérieure** (1990-91) : 57,2 (service 7,4).

Agriculture. Autosuffisance alimentaire. *Terres* (millions d'ha, 81) : forêts 121,8, t. cultivables 14,2, pâturages 11,9, eaux 9,3, cult. en permanence 9 (85), divers 27,9. *Production* (millions de t, 89) : riz : 10,2 (85) [rendement à Java 6 t par ha (2 ou 3 récoltes par an)] ; 40 (87), 43,2 (89) ; canne à sucre 21,8 ; manioc 15,1 (88) ; maïs 6,4 (2,6 millions d'ha) ; patates douces 6,4 ; fruits 3,9 (86) ; légumes 3,5 (86) ; huile de palme 1,95 ; coprah 1,34 ; graines de soja 1,28 ; caoutchouc 1,1 (Java, Sumatra, Kalimantan) ; arachides 0,79 ; café 0,39 ; tabac 0,15 (Sumatra et Java) ; thé 0,14 (de 300 à 2 200 m d'alt.) ; quinine, fibres de palmes, kapok, 0,06 ; huiles essentielles (cananga, vétiver, ricin, citronnelle, patchouli), épices (girofle 0,06, vanille, poivres 0,05, muscade). Élevage (millions de têtes, 89). Poulets 444, canards 26 (87), moutons 10, bovins 10, porcs 6,7, chèvres 5,2, buffles 3,3, chevaux 0,7 (87). Forêts. 162 260 000 m³ (88). Bois (ramin, meranti, snakeling, ébène, sapin, teck, bois de fer, santal), rotin, résines (damar, jelutung, copal, gutta-percha), bambous, kayu putih (huile d'eucalyptus, curative), graines de ricin (Kalimantan).

Énergie. **Pétrole** (millions de t) : *réserves* 1 514 (dans Sumatra, Kalimantan, Java et Seram) ; *prod. 1981 :* 79 ; *82 :* 65 ; *83 :* 63 ; *84 :* 71 ; *85 :* 60 ; *86 :* 64,9 ; *87 :* 65 ; *88 :* 62 ; *89 :* 66 ; *90 :* 72 ; *revenus 1982 :* 70 % des ressources budgétaires de l'État, *88 :* 31 % des rev., 39 % des exp. **Gaz** (milliards de m³) : *réserves* 2 588 ; *prod. 89 :* 40, *90 :* 43. **Charbon** (Sumatra) *réserves* 25 milliards de t (dont 4,4 exploitables) ; *prod.* 4 447 000 t (88). **Électricité** (milliards de kWh, 88) 32 (dont hydraulique env. 10,3). *Centrales nucléaires :* 12 prévues avant 2 015 [dont 1 de 600 MW (opérationnelle en 2000)]. Mines (millions de t, 88) : *étain* (Bangka, Belitung, Singkep) 30,6 ; *nickel* (Sulawesi) 76,1 ; *fer* 139,6 ; manganèse, cuivre (Irian, Java) 105 (87) ; *bauxite* 520 ; *or* 710,6 kg ; *argent* 5 178,6 kg ; *diamants* (Kalimantan) ; *asphalte ; uranium* (Kalimantan). Industrie. Liquéfaction de gaz, pétrochimie, aluminium, raffineries de pétrole.

Transports. *Voies ferrées* 6 877 km (dont 4 922 Java et 1 955 Sumatra) ; *routes* 83 854 km (dont 10 139 km principales, 22 683 km secondaires et 51 031 km départementales). Tourisme. *Visiteurs* (dont 2/3 vont à Bali) : *1989 :* 1 620 000.

Commerce (milliards de $ US). *Export. 1984 :* 21,9, *86 :* 14,8, *87/88 :* 18,3 (dont pétrole 8,8), *89 :* 19,2, dont prod. ind. 50 % (2,6 milliards de $ en 1981, 12,5 en 1990), pétrole 40 %, prod. primaires 10 %, *90 :* 25,7. *Imp. 1989 : dont* biens d'équip. 6,1, prod. chim. 2,8, prod. man. de base 2,6, mat. 1res 1,6, prod. pétroliers 1,2, *90 :* 21,8, *de* Japon, U.S.A., Singapour, Australie, All. féd., Corée. **Balance** (milliards de $). **Des paiements :** *1988 :* – 2,3 ; *89 :* – 1,2. **Commerciale :** *1988 :* + 4,5 ; *89 :* + 5,9 ; *90 :* + 3,2. Rang dans le monde (89). 3ᵉ café, riz. 6ᵉ thé. 7ᵉ céréales, bois, gaz nat. 8ᵉ canne à sucre. 9ᵉ cacao. 13ᵉ rés. gaz nat. 15ᵉ maïs, rés. pétrole, pétrole. 17ᵉ cuivre.

Lieux touristiques. Bali : île des Dieux (fêtes sacrées), Kintamani, Mengwi, Sangeh, Besakih. **Sulawesi :** pays Toradja. Cérémonies funéraires (sacrifice de plusieurs centaines de porcs et de buffles). Rizières en étages. Statues à l'effigie des morts au flanc de falaises. **Sumatra :** Medan (mosquée, palais des sultans), lac Toba et île de Samosir, paysages région de Bukittinggi. **Java :** Candis (temples bouddhiques utilisés jusqu'au XVᵉ s.), dont *Borobudur* (origine 800 ap. J.-C. Base 117 × 117 m, surmontée de stupas de 40 m. 504 bouddhas, 2 500 m² de bas-reliefs) : restaurée 1980-83, coût 20 millions de $), Jakarta.

Musique. « *Gamelan » :* env. 70 instruments, 30 musiciens, 10 à 15 chanteurs. Le chef d'orchestre est le tambour. 2 gammes : le « slendro » (5 notes) et le « pelog » (7 notes). Instruments : « kendang » tambour à mains, « saron » métallophone, « gambang » xylophone de bois, « gong » en métal, « sesando » mandoline en feuilles de palmier, « contar » (Timor), « kledi » flûte (Bornéo). *« Angklung » :* orchestre d'instruments de bambou. *Musique populaire :* « kroncong » joué à la guitare (« ukulele »), flûte et contrebasse.

« Wayang ». Les plus connues : *wayang kulit* (marionnettes de cuir) pour le théâtre d'ombres et *wayang golek* (m. en bois peintes). Les ombres sont projetées sur un écran.

IRAK

Carte p. 978. V. légende p. 837.

Situation. Asie. 438 317 km² (+ 3 522 km² de zone neutre). *Frontières* avec Koweït 254 km, Arabie Saoudite 895, Jordanie 147, Syrie 603, Turquie 305, Iran 1 515. **Régions.** *Djézireh* (l'île) plateau entre Tigre et Euphrate, et Kurdistan, *delta* Tigre et Euphrate, *Irak el-Arabi* au sud (ancienne Babylonie). *Alt. max.* Hasar Roste 3 607 m. **Climat.** Subtropical à tendance continentale, frais en hiver (7,7 °C à Mossoul, 9,9 °C à Bagdad en janv.), très chaud en été (33,6 °C et 45 °C en juill. à Mossoul et Bagdad). *Pluies* (l'hiver) : peu abondantes sauf (Mossoul 361 mm, Bagdad 136) dans montagnes kurdes, diminuent vers le S. *Au sud :* tropical désertique : 12,5 °C à Bassorah en janv., 34,4 °C en juill. *Saisons :* hiver (oct.-avril) et été (mai-sept.)

Population. *1927 :* 3 000 000 ; *1957 :* 6 339 960 ; *1972 :* 10 000 000 ; *1989 :* 18 271 000 ; prév. *2000 :* 24 926 000. En % : Arabes 70, Kurdes 15, Mésopotamiens 10, Iraniens 3,8. *– de 15 a.* 49 %, *+ de 65 a.* 4 %. D. 41,6. **Villes** (85). *Bagdad* 3 844 608 (87), Bassorah 616 700 (à 560 km), Mossoul 571 000 (79, à 408 km), Kirkouk 500 000 (79, à 388 km). Langues. Arabe 70 % *(officielle),* kurde 18 %, araméen [l. sémitique occidentale, appelée « syriaque » (*off.* depuis 1970)] 10 %. **Analphabètes :** env. 50 %. 423 Français (89).

Religions. **Musulmans** 95 % (religion d'État) dont sunnites 35 % (dont kurdes 25 %) ; chiites 60 % ; yezidis (pop. d'origine kurde, 69 653 en 65). **Juifs** 300 (1948 : 130 000). **Chrétiens** *(pratiquants en milliers, en 1986).* 584,5 dont *catholiques* 393,1 [dont *Chaldéens* [1] 342,9 (11 évêques, 9 diocèses, 1 vicariat, 108 prêtres). *Nestoriens* [2] 124. *Syriaques* [1] 44,4 (2 év., 2 dioc., 27 pr., 1 monastère historique Marbehna). *Orthodoxes* [2] 42,8. *Latins* [1] 3,5 (1 év., 13 pr., 2 ordres religieux, 7 églises). *Byzantins ou grecs* (Grecs [2] 3). *Arméniens* [1] 2,3 (orth. [2] 20)]. *Église réformée :* évangélistes 1,3, sabbathiens 0,3.

Nota. (1) Catholiques. (2) Séparés de Rome.

Histoire. Ancienne Mésopotamie, centre de nombreuses civilisations (sumérienne, babylonienne, assyrienne, etc.). **Civilisation mésopotamienne (6000-av. J.-C. – 100 apr. J.-C.). 1° Période moustérienne 40000)** grotte de Shanidar – période de chasse, **2° Culture (10000)** Kerim Shabir, Gird chai, Chomi. **3° Zarzien (8500)** Shanidar couche B2. **4° Protomésopotamien (7000)** Jarmu, Hassuna, Tell al-Sawan, Arpachia, Tepe, Gaivra (N. de la Mésopotamie) ; Ubaid, Warka, Kish (sud) : vaisselle, idoles féminines en albâtre. **5° Hassuna-Samarra (5000) :** 1res poteries, figurines d'albâtre. **6° Halaf (4000)** Tell Halaf près de la Syrie : les villages s'organisent, céramique polychrome avec figures humaines et animalières. **7° El Obeid (4500-3500)** civilisation puissante au S. (Eridu, Ur, Uruk), utilisation du tour de potier, objets en métal moulé, temples, ziggourats, poteries peintes. 1er exemple de navigation à voile (4500). **8° Uruk (3500-3100)** Uruk (actuellement Warka), 1res tablettes pictographiques, précédant l'écriture cunéiforme. **9° Djemdat Nasr (3100-2800)** 1res statuettes votives. **10° Présargonique (2800-2470 av. J.-C.)** cités-États. *Villes :* Eridu, Ur, Uruk (cap. religieuse), Lagash (auj. Tello), Oumma, Adab (auj. Bismya), Shourouppak (Fara). Ruines : palais, temples, ziggourats en briques crues ou cuites. En 1936, on a découvert près de Ctésiphon une jarre de terre (de 2 500 ans av. J.-C.), fermée par un disque et un cylindre en cuivre, surmontée d'une baguette et d'un câble en fer. L'amér. Willard Gray a démontré qu'il s'agissait d'une pile électrique. La jarre était remplie de sulfate de cuivre arrosé d'un acide (citrique ou acétique ?). Elle fournissait un courant suffisamment fort pour permettre la dorure d'objets de cuivre par électrolyse. **11° Empire d'Akkad (2470-2283)** fondé par le sémite Sargon : Lagash, Uruk, Ur, Nippur, Kish, Tell Asmar, Mari, Assur ; l'akkadien (langue sémitique orientale) remplace le sumérien (demeuré l. religieuse) ; région de Suse colonisée. **12° Dynastie d'Ur (2150-2016 av. J.-C.)** connaissance des math., théories, codes. Quelques cités-États renaissent. Ur Nammu fonde un nouvel emp. de l. sumérienne ; sites : Lagash et Ur. Ziggourats et temples. Ur est détruite en 2035 par les Amorrites et, pendant 2 siècles, coexistence de 4 royaumes : Sumérien, Akkadien, Elamite et surtout Amorrite [cap. Mari : 25 temples, palais (+ de 3,5 ha) de 300 chambres du roi Zimri-Lim v. 1780]. **13° Babylone (1894-1255)** 1re dynastie (1895-1595). **1894** un Amorrite, Soumou Aboum, roi de Babylone. **1757** son descendant Hammourabi (1792-50) détruit ville et palais de Mari. Principaux temples : Ischalli, Assur. Sculptures, fresques. *Code d'Hammourabi* (Louvre) en l. akkadienne (sémitique) : astronomie, algèbre, traductions en sémitique (araméen, akkadien) des livres sacrés sumériens. Dynasties rivales : Larsa, Assur. Les *Kassites* (1730-1170), originaires du Zagros (montagne de Mésopotamie), s'installent à Babylone. **1160** battus par les rois d'Elam, ils se réfugient au Zagros. Architecture : Aqarquf (temple et ziggourat de 60 m), Uruk (temple). Sculptures en diorite. **14° Empire assyrien (1255-625).** Dur Sharrukin (« le palais de Sargon »), actuellement Khorsabad. Grands rois : Tuqulti Ninurta Ier (1255-18), Assur-Nasirpal II (883-59), Salmanasar III (858-24), Teglath Phaleser III (745-27), Sargon II (721-05). **689** Sennacherib (705-681) rase Babylone et déporte 208 000 Araméens. **671** Asarhadon (680-69) conquiert l'Égypte. Assurbanipal (668-26). **626** emp. assyrien détruit par Gal chaldéen Nabopolassar, qui rebâtit Babylone, se proclame roi et s'allie aux Mèdes et aux Scythes (indo-européens). Art : brillant aux IXᵉ, VIIIᵉ et VIIᵉ s. : Assur : temples divers. Palais : Nimrud (Kalak) sous Assur-Nasirpal II, Khorsabad (713-709), Dur Sharrukin sous Sargon II, Quyuudjik (Ninive) sous Assurbanipal. Sculptures. Fresques (Tell Ahmar). **15° Empire néo-babylonien ou chaldéen (625-539). 612** coalition médo-bab. reprend Ninive ; Chaldéens, Araméens et Bab. sont confondus en un seul peuple de langue araméenne (sém. occidentale), cap. Babylone. Nabuchodonosor (604-562) est le plus grand souv. **16° Annexion à l'Empire achéménide (539-331). 539** Cyrus, Perse (Achéménide), prend Babylone ; jusqu'en 447, les emp. perses portent le titre de roi de Babylone [résidence d'hiver, jardins suspendus, temples, ziggourats (Marduk)]. **447** après révolte, Xerxès Ier annexe Babylone à l'empire. **17° Annexion à la Syrie séleucide (321-129).** Alexandre le Grand conquiert Emp. achéménide 331, capitale Babylone, où il meurt en 323. **321** Mésopotamie attribuée au roi de Syrie Séleucos (hellénistique), qui fonde une cap. : Séleucie du Tigre. **170** Babylone cité de droit grec (Antiochos III). **129** Mésopotamie évacuée par Antiochos IV vaincu par les Perses.

Histoire après J.-C. 114-117 conquis par Trajan [2 provinces romaines : Assyrie (rive g. du Tigre), Mésopotamie (jusqu'au golfe Persique)]. **117** Hadrien rend les 2 prov. aux Parthes et fixe le *limes* sur l'Euphrate. **18° Période parthe (139-226)** temples d'Hatra, murailles. **19° Période sassanide (266-632)** conquis par Ardachir v. 230 et organisé comme marche contre Romains par Shabour Ier : Bassorah et Kufa, 2 camps fortifiés. **20° Emp. islamique (632-1300). 633** à Qaddisieh les Musulmans battent les Perses sassanides. *Omeyyades* (661-747) : siège du califat à Damas, *Abbassides* (747-1258) : Bagdad

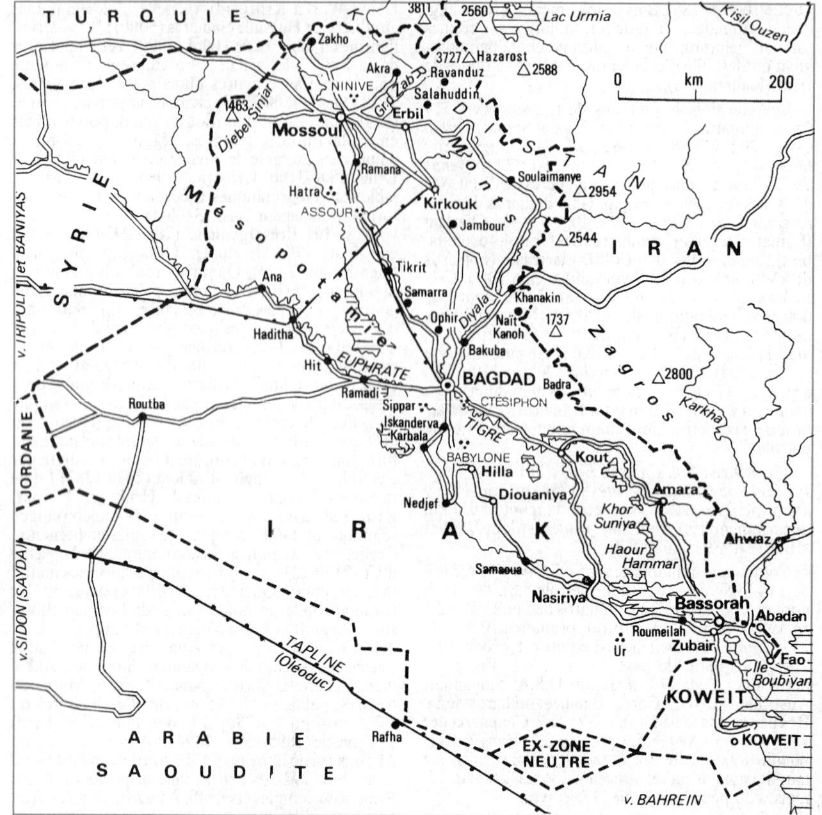

(Cité de la Paix, f. 762 par le calife Al Mansour). Samarra (836-892, siège du califat). **750** Bagdad siège du califat. **1065** Turcs seldjoukides mettent le califat sous tutelle. **1258** invasion mongole (Khan Hulagu). **1401** Bagdad détruite par le Mongol Tamerlan. **1533** Soliman le Magnifique annexe Ir. à l'Emp. turc. **1638** suzeraineté turque. **1643** 1er comptoir brit. à Bassorah. **1831** adm. turque directe. **1914-18** conquête brit. (les Mésopotamiens araméophones prennent parti contre les Turcs). **1915** *janv.-août* massacres de la communauté araméophone (250 000 † sur 400 000) par Turcs et Kurdes. **1920** mandat brit. Insurrection contre Brit. **1921-33** Fayçal Ier (arabe). **1932** État indép. **Août** nouveaux massacres d'araméophones. **1933-39** Ghazi roi (1912-39 ; fils de Fayçal). **1939-58** Fayçal II roi (1935-58 ; f. de Ghazi), régence d'Abd Ul Ilah, son oncle. **1940** Rachid Ali, PM, pour All. contre Angl. **1941**-*30-1* doit démissionner à cause de l'opposition mésopotamienne ; *-3-4* reprend le pouvoir avec aide All. *-30-5* chassé par débarquement angl. **1943** g. contre All. : 4 800 Mésopotamiens forment la « Levée assyrienne ». **1948** *mai* participe g. contre Israël. **1955**-*23-2* pacte de Bagdad (V. Index). **1958**-*14-2* Union arabe avec Jordanie. *-14-7* coup d'État du Gal Kassem, Fayçal assassiné, Union arabe abolie. **1963**-*19-1* reprise relations dipl. avec Fr. (suspendues 1956). *-8-2* coup d'État mil. du Cel Abdul Salam Aref aidé par parti Baas. Kassem exécuté. *-18-11* coup d'État du Pt Aref contre Baas. **1966** *avril* Gal Abdul Rahman Aref (n. 1916) succède à son fr. († 14-4 accident d'avion). **1967** rupture relations dipl. avec U.S.A. **1968**-*17-7* Aref renversé, exilé. *-31-7* Gal Ahmed Hassan el-Bakr (1914-82) dissout gouv. et élimine du pouvoir les officiers non baasites. *-7-10* coup d'État déjoué ; nombreux condamnés à mort. **1969**-*26-1* procès de 16 opposants (dont 10 israélites) ; 14 exécutés le 27.

1970-*11-3* autonomie kurde, relative. *-22-4* droits culturels reconnus aux « citoyens parlant le syriaque » (chrétiens). **1972** *janv.* 60 000 Iran. expulsés. *Févr.* tr. d'amitié et coop. avec U.R.S.S. *-1-6* Irak Petroleum Co. nationalisée. **1973** *juill.* complot déjoué (35 exécutions dont Cel Nazem Kazzar). *Oct.* participe à g. israélo-arabe (30 000 h.). *Déc.* 30 000 Kurdes expulsés de la région de Mossoul. **1974**-*11-3* les K. rejettent autonomie. *-24-3* Qala Diza (Kurdistan) bombardé. *-26-3* reprise de la g. *-30-4* prise de Zakho. *-30-11/2-12* visite de J. Chirac. **1975**-*6/17-3* accord d'Alger avec Iran : fin des différends frontaliers (Chatt El-Arab) ; l'Iran cessant son aide, effondrement de la résistance kurde [45 000 peshmergas (« ceux qui vont au-devant de la mort ») et 60 000 miliciens]. *5-9* Saddam Hussein en Fr. *-18-11* contrat : la Fr. fournira une centrale nucléaire. **1976**-*25/27-1* visite de J. Chirac ; investissements fr. de 15 milliards de F prévus. *-18-6* accord franco-ir., publié au J.O. **1978** *juin* communistes exécutés dont 38 officiers ; guérilla kurde. *-11-7* Abdel Razzak el-Nayef (ancien PM) assassiné à Londres. *Sept.* Khomeiny, en exil à Nadjaf dep. 63, expulsé. **1979** *janv.* projet d'unification avec Syrie échoue. *Juill.* complot échoue. *-16-7* démission (raisons de santé) du Pt Mal Ahmed Hassan el-Bakr. Saddam Hussein élu Pt. *-8-8* tensions au Baas. *-9-8* : 21 exécutés dont le vice-PM et min. du Plan Adnan Hussein. *-16-8* amnistie, 4 125 prisonniers libérés. *Déc.* l'Iran accuse l'I. d'avoir fait pénétrer son armée sur 5 km dans le Khouzistan. **1980** *fév.* 66 chiites exécutés dep. juillet 79. *Mars-avril* env. 100 exécutions (dont l'ayatollah Bagher Sadr le 9-4). L'Iran expulse vers l'I. env. 25 000 chiites. *-22-9* g. I.-Iran. **1981**-*7-6* « opération Babylone », l'aviation israél. détruit réacteur Osirak à Tammouz qui aurait permis à l'I. de fabriquer une bombe atomique (1 Français †). **1982**-*4-8* attentat à Bagdad, 20 †. **1978-82 :** 520 prisonniers pol. exécutés. **1983** 90 membres de la famille Al Hakim arrêtés (dont 16 exécutés). *-21-4 :* 2 attentats à Bagdad : centaines de † (?). *-28-5* action turque au Kurdistan. **1985** centaines de Kurdes exécutés. **1986**-*2-10* 7 exécutions pour prévarication (dont un ancien sous-secr. d'État). *-25-12* B 737 détourné, 62 † en Arabie S. **1987**-*5-2* raid turc contre Kurdes. **1988**-*25-6* reprise des îles Majnoun. *30-6* de la région de Mawat, au Kurdistan. *1-7* Tareq Aziz reconnaît que l'Irak a utilisé des armes chimiques à Halabja en mars (5 000 Kurdes †). *Juill.* cessez-le-feu avec Iran. *-6-9* amnistie pour Kurdes, excepté Jalal Talabani, chef de l'Union patr. *Oct.* Oudaï Hussein, fils du Pt, assassine un garde présidentiel (sera gracié) ; sur 50 000 réfugiés k., 25 000 resteraient en Turquie, 18 000 iraient en Iran et 2 500 en Irak. **1989** *15/16-2* Conseil de Coop. arabe créé (Irak, Égypte, Jordanie et Nord-Yémen). *-27-3* l'I. verse 27,3 millions de $ aux familles des victimes de la frégate amér. *Stark* (touchée par erreur en 1987 par avion mil. ir.). *-17-8* explosion dans usine d'armement (1 500 †). *-7-12* lancement d'une fusée à 3 étages (haut. 25 m, poids 48 t, poussée au décollage de 70 t). **1990**-*28-2* abolition des châtiments pour les hommes qui tueraient les femmes adultères de leur famille. *-15-3* Farzad Bazoft (n. 1958), journaliste anglais d'origine iran. (arrêté 15-9-89, condamné à mort pour espionnage) exécuté. *-11-4* canon de 40 m de long destiné à l'I. découvert en G.-B. *-18-7* selon l'Irak, Koweït aurait volé à l'Irak 2,4 milliards de $ en 10 ans et construit des bases militaires sur le sol iranien. *-25-7* l'Irak exige ces 2 milliards. *-2-8* Koweït occupé par armée irakienne. *-3-8* émir du Koweït part en exil ; son frère Cheikh Fahd est tué. *-5-8* des milices irakiennes (140 000 h.) remplacent les troupes. *-6-8* embargo français. *Guerre du Golfe* voir Index.

Prisonniers polit. (févr. 86). + de 100 000 dans 60 centres (selon la féd. internat. des Droits de l'Homme). Attentats, tortures notamment d'enfants d'opposants, exécutions sommaires, déportations massives. **Armes chimiques.** Usines de Samarra (100 km) et Salman-Pak.

Statut. Rép. *Constitution* du 16-7-1970. *Pt* Saddam Hussein (n. 1935) dep. 16-7-79. *Conseil du Commandement de la Révolution (CCR),* 9 m., qui élit le Pt. *1er Vice-PM* Taha Yassine Ramadan dep. 28-6-82. Influence des Takriti (originaires du Takrit comme le Pt). *Conseil. Nat.,* ass. provisoire 250 m., élue 1-4-89. *Ass. du Kurdistan* 50 m. élus pour 3 a. au suffr. univ. *Liwas* (provinces) 16 dirigées par un *moutessarif. Révolte kurde* (Voir Index). **Partis.** *Baas* (résurrection), fondé avril 1947 par Michel Aflak († 23-6-89), leader : Saddam Hussein. *PC ir.,* f. 1934, 1er secr. Aziz Mohammed. *P. Dém. Kurde,* f. 1946, secr. gén. Aziz Aqrawi. Dep. juill. 1973, Baas, PC et PDK forment le *Front national progressiste,* secr. gén. Naim Haddad. **Opposition.** *Conseil suprême de la Révol. islamique en I.* (f. 17-11-82), à l'origine parti Davua (chiite, f. 1957-58).

Fêtes nat. : 14-7 (instauration de la Rép. en 58) et 17-7 (prise de pouvoir par le Baas). **Drapeau :** adopté 1963 : bandes horiz. rouge, blanche (avec 3 étoiles vertes pour l'union avec la Syrie et l'Égypte) et noire.

Économie

P.N.B. *1980 :* 2 900 $ par h., *86 :* env. 2 415, *87 :* 2 765, *88 :* 2 370. **Pop. active** (% et part du P.N.B. en %) : agr. 40 (13), ind. 22 (17), services 34 (40), mines 4 (30). **Inflation.** *1986 :* 4 %, *87 :* 15, *88 :* 20, *89 :* 25, *90 (est.) :* 45. **Aide des pays du Golfe** (milliards de $). *1980 :* 35, *82 :* 10, *88 :* 5. **Avoirs dans les banques occ.** 2,5 milliards de $ (mars 88). **Dette extérieure.** *1989 :* 70 milliards de $, dont pays occid., U.R.S.S. et tiers monde 40 [France 4, pays du Golfe 30 (dette que l'I. considère comme un tribut, pour les avoir protégés de l'Iran)]. **Dette publique.** *1988 :* 18 milliards de $.

Agriculture. *Terres* (km²) : désert 167 000, t. arables 75 365, forêts 17 700, pâturages 8 750. *Production* (milliers de t, 89) : blé 800, orge 800, pastèques 520 (87), raisins 450, dattes 355, riz 140, maïs 62 (88), millet, sésame, coton 15 (88), tabac.

Élevage (millions de têtes, 89). Volailles 77, moutons 9,5, chèvres 1,6, bovins 1,6 (88), chevaux 0,55 (88), chameaux 0,55 (88), ânes 0,41 (88), mulets 0,25 (87), buffles 0,14 (87). **Pêche.** 20 500 t (87).

Pétrole (millions de t). **Réserves** (91) : 13 699 (5 milliards de barils). **Prod. :** *1973 :* 91 ; *74 :* 87 ; *75 :* 110 ; *76 :* 112 ; *77 :* 111 ; *78 :* 129 ; *79 :* 169 ; *80 :* 130 ; *81 :* 47 ; *82 :* 50 ; *83 :* 49 ; *84 :* 59 ; *85 :* 70 ; *86 :* 84 ; *87 :* 102 ; *88 :* 128 ; *89 :* 138 ; *90 :* 100. *Barils/j 1987 :* 2,4 millions, *89 :* 2,8, *90* (juillet) : 3, (août) : 0,4. *Revenus pétroliers* (milliards de $) *1979 :* 21,2 ; *80 :* 26,6 ; *81 :* 10,6 ; *82 :* 9,72 ; *83 :* 9,67 ; *84 :* 10 ; *85 :* 11,3 ; *86 :* 7,16 ; *87 :* 11,5 ; *88 :* 13 ; *89 :* 15,4. **Champs pétroliers en projet :** Halfaya, Majnoon, Nahr-Umr et West-Qurna (prod. prévue de 1,62 million de barils/j entre 1994 et 96 ; investissement de 2 à 3 milliards de $ financé par Stés jap. **Compagnies :** *Iraq Petroleum Company* (IPC, créée 1927, nationalisée 1-6-72), dans laquelle la Cie fr. des pétroles détenait 23,75 % des parts, est devenue *l'INOC* (Irak National Oil Cie). *Mosul Petroleum Cy* et *Basrah Petroleum Cie :* l'État perçoit 50 % des bénéfices. *Cie nat.,* fondée 1967. **Oléoducs.** *Fermés :* Kirkouk-Haïfa (Israël) ; Kirkouk-Banyas (Syrie) dep. 10-4-1982. *En service :* 2 irako-turcs ITP 1 et ITP 2 (capacité 1,5 million de barils/j) ; IPSA 1 de Rumeila à la Pétroline (Arabie S), 500 000 barils/j ; stratégique (de Rumeila à Haditha puis à Kirkouk, 1 million de barils/j). *En projet :* IPSA 2 (en Arabie S. prolongera IPSA 1 jusqu'à la mer Rouge, cap. supplémentaire de 1 150 000 barils/j).

Gaz. *Réserves* 2 690 milliards de m³. **Asphalte. Mines.** *Soufre.* **Industrie.** Raffinage, pétrochimie, engrais.

Tourisme. *Visiteurs (82) :* 2 020 000. *Lieux touristiques :* Ctésiphon, Kazimein (mosquée du XVIe s. à coupole d'or, pèlerinage chiite), Kerbela, Babylone (festival), Hatras, Nimroud.

Commerce (milliards de $, est. 87). *Exportations :* 11,8. *Importations :* 7,2. *Principaux partenaires :*

U.S.A., G.-B., Japon, Turquie, All. féd., Italie, France.

Rang dans le monde (89). 2ᵉ rés. pétrole. 6ᵉ pétrole. 10ᵉ rés. gaz naturel.

IRAN

V. légende p. 837.

Nom. *Perse* ou *Pars,* province au S. de l'Iran, utilisé par les Européens ; les Iraniens disent *Iran.*

Situation. Asie. 1 648 000 km². **Frontières** avec Irak 1 515 km, Turquie 410, U.R.S.S. 2 000, Afghanistan 855, Pakistan 905. **Côtes :** mer Caspienne 300 km, golfe Persique, mer d'Oman 1 800 km. **Régions princ. :** *Provinces caspiennes :* Guilan, Mâzanderan, Gorgan [chaîne de l'Alborz (alt. max. Demavend 5 671)], Azerbaïdjan [ht plateau (févr. - 20 °C, juill. + 40 °C)], Khorâssân. *Zagros* (chaînes avec plaines intercalées), *Fars* (chaîne centrale), *Kavirs* (anciens lacs asséchés), *Seistan* (dépression fertile), *Mokran* (montagne), *Khouzistan* (plaine). **Climat** continental : étés secs et torrides, sauf sur les rebords extérieurs des montagnes côtières (pluies d'hiver méditerranéennes en Azerbaïdjan ; d'automne en Caspienne ; moussons d'été au S.) ; hivers froids en alt. (- 20 °C à Tabriz en janv.-févr.). Téhéran, pluies 9 à 45 mm/an.

Population. *1900 :* 9 000 000, *19 :* 10 000 000, *39 :* 15 000 000, *79 :* 38 000 000, *89 :* 50 204 000, *prév. 2000 :* 65 549 000 [dont - de 40 % de Persans, 10 000 000 d'Azerbaïdjanais (Turco-Persans) et 5 000 000 de Kurdes, Lours, Baloutches (*1900 :* 16 000 000)]. **Âge :** *- de 15 ans :* 44 %. *+ de 65 a. :* 3 %. **Croissance (%) :** 3,7. **Analphabètes** (77) : 50 % de la pop. D. 30,4. **Villes** (86) : *Téhéran* (et agg.) 6 022 078 (alt. 1 100 à 1 700 m), Mashad (ou Mechhed) 1 466 018 (963 km de T., alt. 960 m), Ispahan 1 001 248 (418 km, alt. 1 620 m), Tabriz 994 377 (654 km, alt. 1 351 m), Chiraz 848 000 (901 km, alt. 1 569 m), Ahwaz 589 529 (897 km), Bakhtaran 565 544, Qum 550 630 (152 km), Orumiyeh 304 823, Recht 293 881, Ardabil 283 710, Karaj 276 600, Hamadan 274 274 (344 km, alt. 1 826 m), Kerman 254 786. **Pop. rurale :** 53,1 % (70 % en 56). **Émigrés :** *avant 1978 :* env. 150 000 ; étudiants et Iraniens aisés qui passaient une partie de l'année en Europe, et travailleurs saisonniers dans les pays du Golfe. *Dep. 1978 :* 760 000 à 2 000 000 d'exilés (dont U.S.A. 250 000 à 900 000, *France 80 000*). **Opiomanes :** 2 500 000 dont 600 000 réguliers (1ᵉʳ prod. d'opium en 80). **Étrangers :** *avant 1978 :* 27 000 Amér.

Langues (en %). *Groupe persan* 75 [dont farsi *(off.)* 50, kurde 5,5, luri 5,5, baluchi 2,3 : certaines terminaisons de verbes et d'adverbes, de nombreuses racines verbales et nominales ont encore des traits communs avec celles de parlers indo-européens occidentaux (grec, baltique, irlandais) ; *g. turc* 22 ; *minorités* 3 (dont arabe 2, arménien 0,6).

Religions. Musulmans chiites *(off.)* (93 %) [80 000 mosquées et sanctuaires ; 600 000 sayyeds (descendants de la famille du prophète) ; 500 000 charifs (descendants du prophète par la mère) ; 180 000 mollahs [religieux : rowzékhans (simples clercs), waezs (prédicateurs), pichnamâz (qui dirigent la prière), hojjat-el-eslam (qui donnent la preuve de l'islam), ayatollahs (qui guident vers Allah) (1 200)] ; 300 séminaires (70 000 élèves). Au total 1 850 000 « militants » chiites. Le clergé perçoit une taxe (*khom* en persan, « cinquième ») sur les bénéfices commerciaux et ventes de terres entre musulmans. *Ville sainte :* Qom (tombeau de Fatima, fille du prophète)]. **Sunnites** (5 %). **Chrétiens** v. *1965 :* 1 000 000 ; *1975 :* 220 000 (dont arméniens 108 421, cath. chaldéens, assyriens (1986) 40 000 ; protestants 8 500 ; juifs 30 000 (40 000 ont quitté l'I.). **Zoroastriens** (de Zarathoustra) 30 000. **Baha'is,** env. 300 000 (persécutés).

Histoire. Av. J.-C. Vᵉ-IIIᵉ millénaires. Période proto-élamite : Suse connaît la céramique v. 4500, le cuivre v. 4000, l'écriture v. 3000 ; relations avec Sumer. Ethnie : asianique. **IIᵉ millénaire. Royaume d'Elam** (cap. Suse). Rois : Untash Hunban, Chutruk Nakhunte. Constr. de la ziggourat de Tchoga Zanbil. **1110** *Nabuchodonosor* prend Suse [renaissance néo-élamite (750-646) ; le roi d'Assyrie *Sardanapale* ou *Assurbanipal* détruit Elam (646)]. **XIIᵉ s.** 3 peuples indo-européens venus des steppes ukrainiennes : Mèdes (S. de la Caspienne), Perses (N. du golfe Persique) et Parthes (à l'E. de Khorssan jusqu'au Tadjikistan). **VIIᵉ au VIᵉ s.** Mèdes soumettent Perse et créent un emp. (cap. Ecbatane). Principal roi : *Cyaxare* (633-524), conquérant de l'Assyrie et de l'Emp. anatolien. Art : d'Amlach (IXᵉ-VIIIᵉ s.), du Luristan (bronze). **559-331 Emp. perse achéménide :** *Cyrus II* (chef des Perses et roi d'Anzan) se révolte (559), dépose le roi mède *Astyage* 550, bat *Crésus,* roi de Lydie, v. 546, conquiert Asie Mineure, prend Babylone 539. *Cambyse II* (529-22), fils de Cyrus II, conquiert Égypte 525, *Darius Iᵉʳ* (521-486), apogée de l'emp. (de l'Égypte au Pendjab) ; le divise en 20 satrapies (dirigées par des satrapes tout-puissants) mais est battu par Grecs à Marathon (490). *Xerxès Iᵉʳ* (486-464), son fils battu par Grecs à Salamine (480), Platées (479). *Artaxerxès Iᵉʳ* (464-423), *Xerxès II* (423), *Darius II* (423-404), *Artaxerxès II* (404-358), *Artaxerxès III* (358-338), *Arsès* (338-336), *Darius III* (336-330) battu par Alexandre à Arbèles (331). Art : ruines de Suse, de Persépolis - hypogée de Naqsh-é-Rostam. Palais avec grandes salles de réception, dites « apadanas », soutenues par des colonnes. **331-250 période hellénistique :** *Alexandre le Grand* fonde emp. de culture grecque, il retire aux satrapes leurs pouvoirs militaires ; à sa mort (323), Iran attribué à *Séleucos,* roi de Syrie. Mais les Séleucides sont chassés du plateau iranien par des cavaliers indo-européens venus des steppes araliennes, les *Parthes* (v. 250). **250 av. J.-C.-224 apr. J.-C. période arsacide** (parthe) : *Arsace* fonde empire de la Caspienne au golfe Persique. 38 rois régneront, pendant 5 siècles, notamment *Mithridate* (171-138) conquérant de l'Asie Mineure ; *Orode* (57-39) vainqueur des Romains ; *Vologèse Iᵉʳ* (52-80 apr. J.-C.) adversaire de Néron ; *Artaban V,* dernier des Arsacides (?-227) : rois hellénisés, répandant la culture grecque en I. **224-642 période sassanide :** dynastie fondée par *Ardashir,* petit-fils de Sassan ; anti-grec, renverse et tue Artaban V, rétablissant langue, culture, religion des Achéménides (zoroastrisme). Rois principaux : *Chapour Iᵉʳ,* fils d'Ardashir, bat l'emp. Valérien (fait prisonnier avec 70 000 h.) ; *Chosroês Iᵉʳ* (531-579) rival de l'emp. Justinien et conquérant du Yémen ; *Chosroês II* (590-628) conquérant de Jérusalem, renversé par son fils, après avoir déchiré la lettre de Mahomet l'invitant à adhérer à l'islam. *Palais :* Firouzabad, Nichapur, Ctésiphon ; tissus, orfèvrerie. Véramine (ville ancienne). Sculpt. de Tâq-é-Bostân.

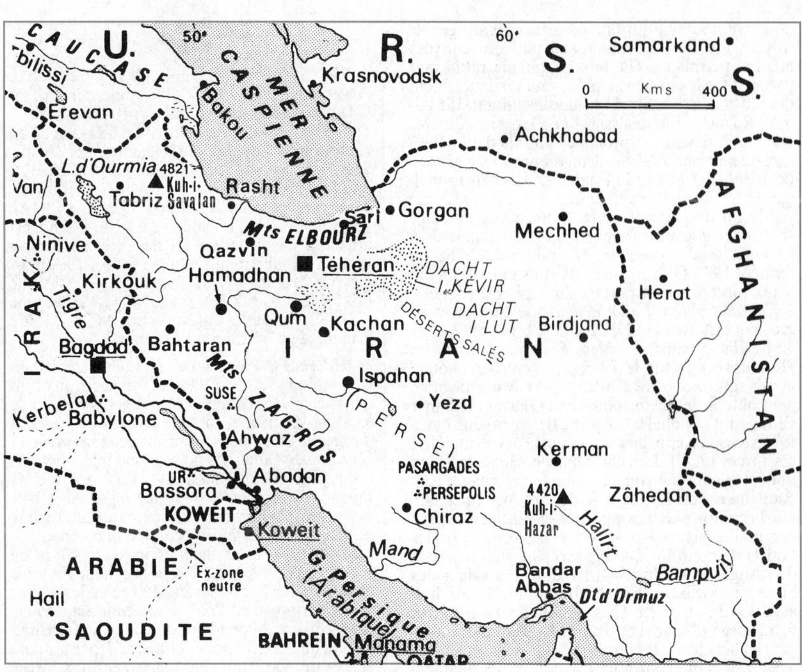

Art. Bronzes du Luristan (2500-1000 av. J.-C.) : motifs mésopotamiens adaptés aux pièces de harnachement. - **Talyche** (1550-1200) : architecture *achéménide* (Persépolis) : monumentale, éclectique, influences grecques. - **Koban.** Bord de la mer Noire : tribus scythes (700-200 av. J.-C.) ; « art des steppes » : bijouterie en or, motifs végétaux et animaliers stylisés. - **Période sassanide :** peintures murales, reliefs rupestres, d'inspiration parthe (conventions sévères). - **Période islamique :** miniatures, décoration de manuscrits, calligraphie (Tabriz et Ispahan avec figures animalières, végétales et humaines). Mosquées de Tabriz, Ispahan, Chiraz, Mashad..., mausolées (Ispahan), pont-barrage d'Ispahan.

637 Période islamique : Arabes prennent Ctésiphon. **642** Nehavend (*Fath al Futuh :* la victoire des victoires). Arabes prennent plateau ir. **656** Yozdégard III dernier roi sassanide, assassiné. **700** départ des zoroastriens vers l'Inde : l'I. est administré par des gouverneurs arabes dépendant du calife de Damas puis de Bagdad. **IXᵉ s.** ils se proclament indépendants et fondent leurs propres dynasties : *Tahirides.* **820-73** se reconnaissent encore vassaux du calife. **871-901** *Saffarides* (fondateur, Yakub, essaye de conquérir Bagdad). **V. 876** *Samanides.* **899** prennent Turkestan. **932-1069** *Bouïdes* ou *Bouwazides* (fondent chiisme), **977-1186** *Ghaznévides* [Turcs : soldats au service des Bouïdes (mamluks), ils les renversent, puis islamisent Afgh. et Pakistan], **1038-1195** *Seldjoukides* (Turcs : conquièrent Asie Mineure). **XIIIᵉ s.** Invasions mongoles de Gengis Khan et Tamerlan.

1409 suzeraineté mongole. **1407-48** dyn. des *Moutons noirs.* **1468-97** des *Moutons blancs* (Turcomans). **1499-1732** dyn. *séfévide* dont *Abbas Iᵉʳ le Grand* (1571-1629) châh (1587-1629) ; capitale : Ispahan. **1708** tr. avec France. **1732-47** règne de *Nadir Châh.*

1751-59 troubles. **1779-1925** dyn. *Kadjar* f. par Aga Mohamed Khan, roi de Perse en 1796. **1828**-*22-2* tr. de *Turkamantchâi* (Géorgie) après g. entre Russie, Perse, Géorgie et partie de l'Arménie (l'I. cède à la Russie les territoires situés au nord de l'Araxe : Arménie, Erivan, Nakhitchevan). **1847** accord établit souveraineté ottomane sur Chatt el-Arab. **1901**-*28-5* l'ingénieur et homme d'affaires anglo-australien, William Know, achète 200 000 F or au châh à Mozzafar eddin, une concession de 60 ans. **1907** convention anglo-russe divisant l'I. en 2 zones d'influence. **1909** *Anglo-Persian* (pétrole) fondée. Révolution libérale. *Anglo-Iranian Oil Cʸ* construit la 1ʳᵉ raffinerie d'Abadan. **1914** protocole de Constantinople modifie tracé du Chatt el-Arab. **G. de 1914-18** l'amirauté britannique prend la majorité du capital de l'Anglo-Ir. **1921**-*26-2* coup d'État, *Gᵃˡ Reza* renverse les Kadjar, fonde la dyn. *Pahlavi* (31-10-25), se fait couronner (25-4-26). **1933** accord avec Anglo-Ir. pour 60 ans. **1937** compromis avec Irak sur Chatt el-Arab. **1941**-*25-8* occupation anglo-russe pendant 5 j (les Russes bombardent Tabriz, Qazvin, Recht, Bandar-Pahlavi et Machad). *-30-8* le nouveau PM, Foroughi, ordonne de déposer les armes et de coopérer avec Alliés contre l'Axe (qui avait fasciné Reza). *-16-9 Reza abdique (en faveur de son fils Mohamed Reza Pahlavi) et part en exil.* **1942**-*9-9* entrée dans la g. **1943** (28-11/1-12) *conférence de Téhéran* (Churchill, Roosevelt, Staline). **1945** le gouv. travailliste anglais propose à l'Anglo-Ir. de réduire ses dividendes, ce qui désavantage l'I. ; Azerbaïdjan, proclamation d'une Rép. dém., soutien du Toudeh. **1946**-*4-4* tr. soviéto-ir. sur pétrole (PM Ghavam Saltaneh). *-6-5* évacuation russe. **1949**-*4-2* attentats contre châh (Toudeh tenu pour responsable, mis hors la loi). **1950** 3 forces s'affirment : *nationalistes* (Front national de Mossadegh 1947) ; *communistes* (Toudeh) ; *religieux* [ayatollah Kashani entretenant des liens avec la confrérie Fedayan Eslam (combattants de l'Islam) de Navab Safavi, qui fait assassiner les dirigeants trop anglophiles]. La commission parlementaire des affaires pétrolières (Pt Mossadegh) ne ratifie par l'accord Gass-Golshayan prévoyant un doublement des redevances versées à l'I., jugé insuffisant. **1951**-*7-3* Ali Razmara PM assassiné. *-11-3* Hossein Ala PM. *-15-3* le Parlement se prononce pour la nationalisation du pétrole. *-27-4* Ala démissionne. *-28-4* Mossadegh PM. *-1-5* défaite du Toudeh. *-2-5* le châh promulgue la loi des nationalisations. *Rév. blanche :* une partie du domaine impérial donnée aux paysans. *-14/19-6* négociations avec Anglo-Ir. rompues. *-20-6* l'I. saisit installations pétr. *-31-7* raffinerie d'Abadan fermée. **1952** G.-B. menace d'arraisonner les « bateaux pirates » transportant du « pétrole rouge ». L'*Ente Petrolifere Italia Medioriente* conclut le 1er gros contrat avec la SNIP (achat 2 millions de t par an pendant 10 ans). Le *Mary Rose* (immatriculé en Honduras) effectue le 1er chargement. Arraisonné et mis sous séquestre à Aden (18-6). Mossadegh ne peut obtenir les pleins pouvoirs ; Ghavam Sultaner PM. Front national lance ordre de grève gén., l'ayatollah Kashani appelle à la g. sainte ; Toudeh mobilise ses forces (22-7). Le châh rappelle Mossadegh qui obtient pleins pouvoirs et entame réformes. *-22-7* cour intern. de La Haye se déclare incompétente. *-16-10* conforté par le rapport de 2 Français (l'expert-comptable Henri Rousseaux et le juriste Charles Gidel) démontrant que bénéfices et malversations de l'Anglo-Ir. compensent largement la valeur des biens nationalisés, Mossadegh rompt relations dipl. avec G.-B., mais les Cies pétrolières poussent la production d'Arabie S., Irak et Koweït et découragent les acheteurs de pétrole ir. Au 1er sem., échanges avec G.-B. diminuent de 65 %, avec U.R.S.S. augmentent de 60 %. **1953** *févr.* émeutes. *-13-8* le châh nomme le Gal *Zahédi* PM et destitue Mossadegh qui s'échappe. *-15-8* échec d'un coup d'État d'off. monarchistes pour renverser Mossadegh. Le châh se réfugie à Bagdad puis à Rome le 16-8. *-19-8* Zahedi renverse Mossadegh. *-22-8* châh rentre (accueil triomphal). *-24-8* Mossadegh arrêté. *Sept.* aide amér. 45 millions de $. *-23-12* Mossadegh condamné à mort (peine commuée en 3 ans de prison). **1954**-*19-8* accord Anglo-Ir. avec G.-B. ; un consortium remplace l'Anglo-Ir. *Sept.* 8 Cies anglaises, amér. et holl. (fondées 1953) et dans lesquelles l'Anglo-Ir. a 40 % des parts, reprennent activités. L'I. percevra 50 % des bénéf. mais versera à l'Anglo-Ir. une indemnité de 25 millions de £ pendant 10 ans (à partir de 1957). **1963**-*26-1* référendum pour la charte de la *Révol. blanche ;* réforme agraire, nationalisation des forêts, pâturages, eaux ; vente des actions des usines gouv. pour garantir la réforme agr. ; participation des ouvriers aux bénéf. ; vote des femmes ; lutte contre analphabétisme, hygiène ; reconstruction ; maisons d'« équité » pour régler les litiges ; rénovation urbaine et rurale ; réforme de l'administration, déconcentration de l'État. *Avril* attentat contre châh. *-5-6* ayatollah Khomeiny tenu pour responsable, arrêté à Qom, exilé Turquie, puis Irak ; émeutes (5 000 †). **1965**-*26-1* *Amir-Abbas Hoveyda* (1919-79) succède à M. Mansour (PM assassiné). **1967**-*6-3* Mossadegh meurt. *-26-10* couronnement du châh. **1969** *avril* le châh dénonce l'accord de 1937 et refuse que les navires iran. soient conduits par des Irak. sur le Chatt el-Arab. **1971**-*15-10* Persépolis, 2 500e anniversaire de l'Empire perse. *Nov.* rupt. des relations avec Irak. *-31-12* occupation des 3 îles du détroit d'Ormuz (Abou Moussa, les deux Tomb). **1971/73** revenus pétroliers passent de 5 à 24 milliards de $. **1973**-*24-5* l'I. s'assure la maîtrise de sa prod. pétrolière. **1974** arrivée des 12 premiers guérilleros ir. formés par l'OLP (9 h. et 3 f.) ; début de la crise, le pétrole se vend mal (– 31 %), exode rural, dépendance alimentaire. *-20/23-12* J. Chirac en I. **1975**-*2-3* parti unique instauré. *-6/17-3* accord avec Irak : fin des différends (Chatt el-Arab) et de l'aide iran. aux Kurdes. *-13-6* tr. avec Irak. **1976**-*18-3 :* 305 prisonniers graciés [il y aurait eu de 25 000 à 100 000 prisonniers pol. (selon Amnesty International), 300 exécutions en 3 ans]. **1977**-*7-8* *Djamchid Amouzegar* PM. *Oct.* Pt Giscard d'Estaing en I. *Oct.-nov.* manif. contre châh.

1978-*8/9-1* manif. à Qom pour Khomeiny (60 †). « L'Helaat » publie un article discréditant Khomeiny. *-18/20-2* émeutes à Tabriz (100 †). *-17-3/7-5* troubles dans plusieurs villes. *-18-6* Khomeiny appelle à renverser le châh. *-22/25-7* émeutes à Mashad (200 †). *-11-8* (100 †), loi martiale. *-19-8* incendie du cinéma Rex d'Abadan (377 †). *-27-8* Amouzegar démissionne. *Charif Emani* PM. *Sept.* parti unique, Rastakhiz dissous. *-8/9-9* « Vendredi noir », 700 † à Téhéran. Loi martiale administrée par Ali Gholam Oveyssi. *-16-9* séisme (20 000 †, près de Tabas). *-6-10* Khomeiny expulsé d'Irak arrive à Paris. *-10-10* s'installe à Neauphle-le-Château (Yvelines). *-16-10* deuil nat. (6 †), manif. quasi quotidiennes. *-18-10* raffinerie d'Abadan, arrêt prod. *-5-11* émeutiers occupent centre Téhéran. Gal *Gholam Reza Azhari* (chef de l'état-major) remplace PM Emani démissionnaire. *-5/6-11* Front national rallié à Khomeiny. *-7-11* heurts à Téhéran ; l'ancien chef de la Savak, Manutchehar, arrêté. *-9-11* Hoveyda, ancien PM, arrêté. *-22/28-12* émeutes à Téhéran. *-27-12* grèves, interruption des export. pétrol. *-31-12* Azhari démissionne. **1979**-*3-1* *Chapour Bakhtiar* PM. *-14-1* conseil de régence. *-16-1* départ du châh. *-1-2* Khomeiny rentre accueilli par 3 millions de pers. *Gouv. provisoire. -3-2* Khomeiny crée *Conseil de la révol. islamique. -5-2 Mehdi Bazargan* (n. 1905) PM. Bakhtiar part pour l'étranger. *-9/10-2* après affrontement, l'armée se rallie à la révol. *-14-2 gouv. de « Front national ». Févr.* agitation au Kurdistan, incidents à Omurieh (Rezâyé). *Fin févr.* Bazargan menace de démissionner. *Févr.-avr.* dizaines d'exécutions [dont *-9-4* Gal Nassiri (ancien chef de la Savak), Hoveyda (ancien PM), *-10-4* Pavrakan (ancien min.)]. Bazargan obtient provisoirement l'arrêt des procès. *-8/16-3* manif. de femmes contre port obligatoire du tchador (voile). *-13-3* I. quitte CENTO ; *-30/31-3* référendum pour abolition monarchie (90 % d'abstentions en Kurdistan). *-1-4* proclamation de la Rép. islamique. *14-4* ayatollah Taleghani se retire de la vie publique pour protester contre abus ; démission de Sandjabi. *-1-5* ayatollah Mottari assassiné par Forghan (groupe clandestin) ; manif. anticomm. *-13-5* châh et chahbanou condamnés à mort par contumace ; révoltes au Khouzistan. *Juin-juill.* banques, Cies d'assur., ind. modernes nationalisées. *Juill.-août* combats au Khouzistan. *-3-8* Ass. constituante de 75 « experts » (majorité intégriste) élue. *-12/14-8* affrontements intégristes et laïques à Téhéran. *-17-8* loi sur la presse ; autorisation préalable obligatoire. *-3-9* armée prend Mahabad, place forte kurde. *-4-11* des étudiants ir. à l'ambassade amér. à Téhéran prennent 100 otages, dont 60 amér. ; extradition de l'ex-châh exigée. *-6-11* PM Bazargan démissionne. *-14-11* gel des avoirs ir. aux U.S.A. *-17-11* 10 otages libérés : 7 femmes et 3 Noirs amér. *-24-11* I. refuse d'honorer les dettes à l'étranger de 28 banques privées nationalisées. *-25-11* 5 otages non amér. libérés. *-2/3-12* Constit. adoptée par référendum. *-6/10-12* Tabriz, soulèvement contre Khomeiny. *-7-12* amiral Charyar Chafik, neveu du châh (préparait pour le 9-12 un soulèvement de la marine) assassiné à Paris. *-9-12* combats entre *homafars* (soldats de l'armée de l'air) prokhomeinistes, et *djavilan* (Immortels) unités d'élite de la garde impér. (600 †, 3 000 bl.) ; l'armée se rallie à la révol.

1980-*1/4-1* démarche de Kurt Waldheim pour libérer otages. *-11/12-1* Tabriz, manif. contre Const. ; heurts madaristes/khomeinistes ; + de 19 †. *-12-1 :* 11 madaristes exécutés. 6 diplomates amér. cachés à l'amb. du Canada s'enfuient de Téhéran avec le personnel can. rapatrié. *-25/28-1 Bani Sadr* élu Pt. *-23-2/11-3* commission d'enquête de 5 m. de l'ONU à Téhéran repart sans publier de rapport sur le régime du châh, les otages n'ayant pas été libérés. *-7-4* U.S.A. rompent relations dipl. et aggravent embargo commercial. *-22/24-4* dizaines de † dans les universités. *-25-4* échec d'un commando amér. à Tabas : 3 hélicop. sur 8 en panne ; 8 † amér. *-9-5* Mme Parsa, ancien min. de l'Éduc. nat., fusillée. *-6-7* complot mil., 10 exécutés, 300 arrestations. *-18-7* attentat à Neuilly contre Chapour Bakhtiar (2 †, 3 bl.). *-23-7* attentat à Téhéran, 6 † par Forghan (« détenteur de la vérité du Coran », créé 75 par Akbar Goudarzi, mollah arrêté 10-1 ; but : revenir à un islam plus pur). *-27-7* châh meurt au Caire. *-4-9* 6 exécutés pour l'incendie du cinéma Rex d'Abadan (19-8-78). *-9-8* *Ali Radjai* PM. *-17-9* l'Irak dénonce accord de 1975 sur Chatt el-Arab, qu'il proclame irakien. *-22-9* g. Irak-I. Voir p. 981. *-3-11* étudiants islam. confient otages au gouv. *-4-11* 1er anniv. de la prise d'otages, 500 000 manif.

1981-*20-1* à 18 h 15 Khomeiny fait libérer les otages (V. Quid 82 p. 1008). *-9-6* limoge Pt Bani Sadr qui se réfugie dans la clandestinité. *-11-6* séisme (Kerman), 1 500 †. *-15-6* échec d'une manif. pour Bani Sadr. *-20-6* émeutes, arrestations. *-21-6* Parlement destitue Bani Sadr, responsable des défaites de l'armée (177 v. pour, 1 contre, 1 abst.). *-28-6* bombe au siège du P. rép. isl., 74 † dont l'ayatollah Behechti (chef du PRI), 4 min., 6 vice-min. et 20 dép. du PRI *-19-7* transfert des avoirs ir. déposés aux USA *-24-7 Mohamed Ali Radjai élu Pt* (88,12 % des v.). *-26-7* séisme (Kerman), 5 000 †. *-29-7* Bani Sadr et son gendre Massoud Radjavi chef des Moudjahidin réfugiés en Fr. *-1-83* vedettes lance-missiles bloquées à Cherbourg peuvent gagner l'I. *-9-8 Mohamed Bahonai* PM. *-13-8* l'amiral Halibollahi détourne une des vedettes (*18-8* les 22 m. du commando et 4 m. d'équipage demandent l'asile pol. en Fr. *-28-8* ved. rendue à l'I.). *-30-8* Pt Radjai et PM Bahonai † dans un attentat. *-2-9 Mohamed Kani* PM. *-2-10 Ali Khamenei* Pt. *-29-10 Hossain Moussavi-Khamenei* PM. **1982**-*8-2* Moussa Khiabani (Cdt mil. des Moudjahidin khalq) † avec 22 m. de l'organisation. *Avril* 4 939 prisonniers amnistiés. *-10-4* Sadegh Ghotbzadeh arrêté (exécuté *15-9*). *-1-10* camion explose à Téhéran, centaines de †. *-10-12* Ass. de 83 experts religieux (146 candidats) élue au suffr. univ. pour remplacer Khomeiny en cas de †. **1983**-*9-2* leaders du Toudeh arrêtés. *Févr.-avril* 18 diplomates soviét. expulsés, pendaisons de Baha'is. *Mai* Toudeh interdit. **1984** Gal Oveissy et son frère tués à Paris. *Juil.* avion d'Air France détourné sur Téhéran. *-25-7,* 20 000 manif. pour la tenue islamique des femmes. *-23-8* Téhéran, attentat 18 †. **1985**-*15-3* à l'univ. de Téhéran 6 †. *-4-5* voiture piégée à Téhéran (16 †). *-16-8* Ali Khameini réélu. *-24-11* l'ayatollah Grizma (grand ay.) Hossein Ali Montazeri (n. 1922) confirmé comme successeur de Khomeiny par Assemblée des experts. **1986**-*18-11* accord fr.-I. La Fr. rembourse 0,35 milliard de $ au titre du prêt de 1 milliard de $ de l'Iran au CEA en 1974 (l'I. réclamait 2 milliards). **1987**-*7-6* univ. d'Ispahan : 80 000 ouvrages incendiés par les Lloyas. *-14-7* nav. porte-conteneur fr. attaqué par 2 vedettes ir. *-17-7* rupture diplom. avec Fr. *-28-9* Mehdi Hachemi (proche de Montazeri) exécuté pour « corruption ». *Nov.* la Fr. rembourse 0,28 milliard de $ par prêt au CEA. *Déc.* échange Paul Torri (1er secr., ambassadeur de Fr. en Iran) contre Wahid Gordji, traducteur de l'ambassade d'Ir., soupçonné de terrorisme à Paris. **1988**-*26-4* Arabie S. rompt ses relations avec I. *-16-6* reprise relations dipl. avec Fr. *-3-8* croiseur amér. *Vincennes* abat par erreur un airbus ir. civil. *-10-11* normalisation des rapports G.-B./I. *Nov.* 11 religieux proches de Montazeri exécutés. *-25-11* Kazem Sami, anc. min. de Bazargan, assassiné. *Déc.* l'I. aurait reçu 630 millions de $ en remb. du prêt au CEA.

Le châh

Vie. Mohamed Reza Pahlavi Chahinchah Aryamehr (26-10-19/27-7-80), empereur dep. 19-9-41, couronné avec Farah 26-10-67. Marié 1° 16-3-39/17-11-48 Fawzieh (n. 5-11-21), sœur du roi Farouk d'Égypte (1 fille Chanaz, n. 27-10-40) ; 2° 12-2-51/14-3-58 Soraya Esfandiari (n. 22-6-32) ; 3° 21-12-59 Farah Diba (n. 14-10-38) (Reza fils 31-10-60, Yasmine Farahnaz fille 12-3-63, Ali Reza fils 28-4-66, Leila fille 27-3-70). L'emp. est appelé le Châh (et lumière des Aryens), l'impératrice la Chahbanou. Quitte l'I. le 16-1-1979 pour Égypte, Maroc (15-2), Bahamas (30-3), Mexique (10-6), U.S.A. (22-10), Panamá (15-12), Égypte (23-3-80) où on lui enlève la rate le 28-3, et où il meurt le 27-7 d'un lymphome.

Il fut accusé d'avoir : *renié les valeurs islamiques* et abandonné les *traditions culturelles* ir., au profit des valeurs occidentales et étrangères à l'I., et de leur « modernisme sans âme » ; *sacrifié les intérêts du peuple* et du pays au profit des impérialistes (notamment américains) et d'une minorité d'ir. industriels et financiers, donc créé une société injuste ; *favorisé ou laissé se développer la corruption ; créé une bureaucratie* dévorante, un régime policier ; *utilisé la terreur* (emprisonnements massifs, tortures, assassinats et massacres lors de manif.) ; *ignoré la réalité du pays* et de ses besoins et possibilités, en essayant de brûler les étapes du développement écon. ; *constitué une armée dispendieuse* dépendant de l'aide américaine (10 % du P.N.B., + de 50 % des dépenses courantes du budget étaient consacrées aux forces armées) ; 10 milliards de $ de matériel (aéronautique) acheté aux U.S.A. de 1972 à 76. **Il s'appuyait** sur l'armée (500 000 h. bien équipés), la gendarmerie (75 000 h.), la police (60 000 h.), la Savak (500 000 agents et informateurs ?).

Défense : le châh voulait faire de l'I. une grande puissance et le sortir vite du sous-développement. Il entreprit la modernisation de la production ; développa transports et hôpitaux ; lutta contre l'analphabétisme (10 millions d'écoliers, 200 000 étudiants, 20 universités, 136 instituts...) ; éleva le niveau de vie au-dessus de celui de la plupart des pays du Moyen-Orient ; engagea des réformes (agraire, participation des ouvriers aux bénéfices des grosses entreprises). Il fut victime de son entourage (familial, politique), écran entre lui et son peuple, qui commit des excès. Sa politique d'industrialisation et de modernisation était trop ambitieuse pour une société traditionnelle qui n'y était pas préparée.

Fortune : selon le gouv. ir. 50 milliards de FF, selon le châh 0,25 à 0,5. Sa famille possédait des propriétés en Esp., Fr., G.-B., Suisse et U.S.A.

Guerre Irak-Iran

Causes. *1971* l'Iran a occupé les îles du détroit d'Ormuz, le Chatt el-Arab doit selon l'Irak retourner sous souveraineté arabe. *1985-87* l'Iran veut poursuivre la g. jusqu'à la chute d'Hussein et étendre l'influence chiite (l'Irak détient 3 villes saintes ch. : Najaf, Kazimeine, Karbala).

Forces. Au début Irak : armée de terre 200 000 h., 2 100 chars et + de 1 800 pièces d'artillerie. Armement sophistiqué. **Iran :** armée de t. : 280 000 h., dispersée (notamment au Kurdistan), 1 600 chars et 1 000 pièces d'art. Aviation et marine (mieux équipées) : 440 avions modernes, flotte dotée de missiles ; les approvisionnements amér. ne reprennent qu'en 1986. **En 1988** *(juill. :* cessez-le-feu). **Irak :** 1 million d'h., 4 500 chars, 4 000 blindés légers, 40 hélic., 180 missiles sol-air. Aviation supérieure. **Iran :** 654 500 h. (dont 300 000 pasdarano). 1 000 chars, 130 blindés légers. *Prisonniers enregistrés par le CICR :* Iran : 50 203 (70 000 selon d'autres sources) ; Irak : 18 902 (30 000 selon d'autres sources, 60 711 selon Iran).

Événements. 1979 *mai* accrochages au Kurdistan et Khouzistan. *-30-10* l'Irak demande révision de l'accord d'Alger. **1980-82** soutien du Koweït et de l'Ar. Saoudite à l'Irak : 30 milliards de $, plus prêts en pétrole pour couvrir ses contrats d'exportations. **1980** *janv.-sept.* incidents frontaliers, attentats, asile aux radios d'opposition. *-17-9* Hussein dénonce accord d'Alger. *-22/26-9* offensive irak. en Iran. *-24-10* Khorramchar. *-12-11* échec bons offices de Kurt Waldheim. **1981** *janv.-sept.* g. de positions. *Sept.-nov.* Iran débloque Abadan. **1982** *mars* mission ONU (Olof Palme) échoue. *-29-4/24-5* Iran débloque Khorramchar. *-30-6* l'Irak a évacué l'Iran. *-13-7* Iran pénètre en Irak *-15-8* l'Iran bloque Kharg. *-26-10* L'Irak revient à l'accord d'Alger. **1983**-*5-2* la Fr. livre 29 Mirage F1 à l'Irak. *-9-2, -13-4* offensive iran. *Oct.* la Fr. prête 5 Super-Étendards équipés d'Exocet (rendus 1985) ; Iran menace de bloquer détroit d'Ormuz (par où transite 40 % du pétrole). **1984** Koweït prête 10 milliards de $ à l'Irak. *-17-2* offensive iran. : g. des marais. *-2-3* Iran occupe îles Majnoun. 1er emploi par l'Irak d'armes chimiques. *-27-4* l'Iran tire sur des pétroliers. *-7-6* l'aviation saoud. abat 2 avions iran. *-5-8* minage de la mer Rouge. *-14-12* médiation de la conférence islamique de Sanaa, échec. **1985**-*6-3* début de la g. des villes. *-17-3* offensive iran. dans les marais. *-7-4* mission de conciliation Perez de Cuellar, échec. *Oct.* offensive iran. **1986** *févr.-mars* Iran prend Fao. *Mars* conseil de sécurité ONU condamne Irak pour armes chimiques. *Août* raids sur villes recommencent. *-12-8 au 1-12* 6 missiles sur Bagdad. **1987**-*1-1 au 1-3* l'Iran perd 10 % de ses forces aériennes et des centaines de chars (30 000 à 40 000 † Iraniens). *Du 8-1 au 8-4* Iran occupe 150 km² de l'I. *-11 au 15-2* raids sur villes. *-28-2 au 19-3* Iran tire 125 missiles (dont 34 sur Bagdad), Irak 100 (Scud B) dont 90 sur Téhéran, 9 Qom, 2 Ispahan. *-29-2 au 10-3* 68 Scud B sur Téhéran, 21 sur Bagdad. *-22-7* des navires de g. amér. escortent pétroliers koweitiens placés sous pavillon amér. *-30-7* groupe aéronaval français (avec le « Clemenceau » : porte-avions) part pour le Golfe. *-21-9* 2 hélico. amér. investissent un mouilleur de mines iran. **1988**-*28-2* 5e g. des villes (135 missiles irak. sur Téhéran). *-16-3* Irak utilise armes chimiques contre Kurdes, 5 000 †. *Mars* Iran prend Halabja et Khormal ; attaque de pétroliers. *Avril* Irak reprend Fao. *-14-5* l'aviation iran. attaque super-pétroliers. *3-7* croiseur américain *USS Vincennes* abat par erreur un Airbus d'Iran Air, 290 †. *18-7* Iran accepte cessez-le-feu (résol. 598 de l'ONU). *-6-8* l'Irak accepte cessez-le-feu. *-20-8* contrôle ONU.

Bilan. *1980-88 :* 1 000 000 †. *Mai 1981-fin 87 :* env. 450 navires attaqués. 2 Exocet ont atteint une frégate amér. (37 †). *Bilan financier (milliards de $) :* Iran : destructions, surcroît en armes et manque à gagner 400 milliards de $, Irak 193 : Cies d' assurances 2. *Reconstruction :* 100.

Positions étrangères. *USA :* soutiennent l'Irak pour ne pas se couper de l'Arabie S., Jordanie et Égypte, et de l'Iran (une victoire de l'Irak aurait gêné Israël). *URSS :* soutient l'Irak (l'Iran, victorieux, aurait aidé la résistance afghane ; mais l'Irak, victorieux, aurait concurrencé la Syrie pro-sov.). *Israël :* soutient l'Iran car l'Irak est un « ennemi naturel » mais si l'Irak était vaincu, Iran et Irak lutteraient ensemble contre le sionisme. *Syrie :* soutient l'Iran, mais pas trop pour ne pas perdre l'aide fin. des États du Golfe et par crainte d'une vague chiite à Bagdad. *Arabie :* a voulu la défaite de l'Iran, mais a redouté un Irak puissant qui tenterait de prendre Koweït.

1989-*5/7-2* Roland Dumas à Téhéran : l'I. reproche à la Fr. de n'avoir pas libéré le terroriste libanais Anis Naccache, emprisonné à vie en 1982. *-20-2* Khomeiny ayant condamné à mort le brit. Salman Rushdie, auteur des *Versets sataniques,* la CEE rappelle ses ambassadeurs (reviennent le 20-3). *-15-3* attentat ir. contre la femme du commandant du *Vincennes. -28-3* Montazeri démis par Khomeiny. *-25-5* Pt du Parl. Rafsandjani appelle Palestiniens à tuer des Occid. en représailles de la répression de l'intifada. *-10-5* Rafsandjani revient sur son appel au meurtre d'Occidentaux. *Juin* il va en URSS *-3-6* Khomeiny meurt (89 ans) d'un cancer. *-6-6* obsèques (8 †, 500 bl.). *-6-8* Khamenei réélu guide de la Rép. islamique par l'Ass. des experts. *-19-8* 79 pendus pour trafic de drogue. *-26-8* Chypre, Bahkman Djavadi, un des dirigeants du Komala, assassiné. *Sept.* Rafsandjani quitte son poste de commandant en chef de l'armée. *-2-11* Téhéran, émeutes de la faim, 5 †. *-6-11* USA décident de restituer 570 millions de $ (avoirs gelés dep. 1980). **1990**-*9-2* Khamenei renouvelle la condamnation à † de Rushdie (id. 5-6). *20-3* † à Paris de la P[esse] Safiyed Firouz (87 ans). *Avril* la Fr. reconstruit le terminal de Kharg (1,28 milliard de F). *-24-4* Kazem Radjavi assassiné en Suisse. *-20/21-6* séisme (40 000-50 000 † et 500 000 sans-abri). *-3-7* ministres des Aff. étr. iranien et irakien se rencontrent à Genève (1re fois dep. le cessez-le-feu de 1988). *-27-7* Anis Naccache, gracié, retourne en I. **1991** *janv.* le tribunal de la Ch. de commerce intern. de Genève incite la France à rembourser 0,94 milliard de F à l'I. (correspondant à l'un des prêts effectués en 1979 pour la détention de 10 % du capital d'Eurodif), mais la Fr. estime que l'I. n'a pas respecté les contrats passés avant la chute du châh (dommages : 14,5 milliards de F, dont 5,5 pour le groupement ind.). L'I. réclame toujours 2,4 milliards de $ pour le remboursement du prêt au CEA en 1974 (1,2 selon la Fr.).

Statut. *République islamique* dep. 1-4-1979. *Constitution* du 4-12-1980 (adoptée par référendum, 99,5 % oui, abstentions 50 %). Référendum révisé 28-7-1989 pour renforcer pouvoirs du Pt de la Rép. (responsable devant le Peuple, le Guide suprême et le Parlement) ; PM supprimé ; création d'un vice-pt (97,38 % de oui, 2,62 % de non). La Const. exclut « domination » du capital étranger, « monopoles » et profit « en tant que critère décisif de la prod. », ne mentionne pas le droit de grève, prévoit des « conseils ouvriers » qui participeront à la gestion des entreprises, n'abolit ni polygamie ni droit exclusif pour les hommes de répudier leurs épouses, fait du chiisme la religion d'État (liberté de culte pour juifs, chrétiens et zoroastriens, mais les baha'is ne sont pas mentionnés), ne reconnaît aux peuples de la Rép. ni le droit à l'autonomie ni à l'auto-gouv. **Tutelle du Guide suprême de la Révolution :** dirigeant religieux « velayat faguih » hodjatoleslam Ali Khamenei (n. 1939) dep. 4-6-89 (Pt de la Rép. dep. 2-10-81). **Conseil de discernement :** créé 1988, 13 membres (dont les chefs des 3 pouvoirs). Légifère par décret sur questions urgentes. Vise à éviter le rejet des lois du Parlement par le *Conseil de surveillance de la Constitution* (religieux traditionalistes). **Ass. nat. (Majlis) :** 270 m. élus pour 4 a. au suffr. univ. (en 1990 : 120 m. pro-Khomeiny). *Pt* hodjatoleslam Mehdi Karoubi dep. 16-8-89 (Pt de la Fondation des Martyrs). **Pt** (élu pour 4 a. au suffr. univ.), voir ci-dessous. **Vice-Pt** Hassan Ibrahim Habibi nommé 21-8-89. **Gardiens de la Révolution** (Pasdaran) : 400 000 h. **Drapeau :** adopté 1907 : bandes horiz. verte, blanche et rouge. Symbole combinant les mots « Il n'y a de Dieu qu'Allah », et texte proclamant la grandeur de Dieu, ajoutés en 1979.

Partis. *P. rép. islamique,* f. 1979, (hodjatoleslam Ali Khamenei) ; *Jama, P. de la libération de l'Iran* (Medhi Bazargan, n. 1905) ; *P. Toudeh,* f. 1941 (communiste, Ali Khavari), décimé dep. 1983, la plupart des cadres exécutés ; *Fedayin du peuple,* f. 1963 (marxiste-léniniste) ; *Front nat. démocratique* (mossadeghiste, f. 1979, ayatollah Matine-Daftari) ; *P. pan-iraniste* (extrême droite anticléricale) ; *P. rép. du peuple mus.* (Hossein Farshi, † 1986, 3 500 000 m.). **Répression.** *1979 à 1983 :* 200 000 tués. *20-6-81 au 1-1-85 :* 120 000 prisonniers pol. 40 000 exécutés (?). *1988 (août-déc.) :* 1 000 à 1 500 dét. pol. exécutés (selon Amnesty Int.). *1989-90 :* 2 000 exécutions. Torture courante. Trafiquants de drogue exécutés : 1 000 en 1989.

Opposition. *Conseil national de la résistance. Pt :* Massoud Radjavi, chef des Moudjahidin du peuple, réfugié en Fr. dep. 1981. A Bagdad dep. 1986.

PM. 1965 Amri Abbas Hoveyda (exécuté 9-4-79). **1977**-*7-8* Djamchid Amouzegar. **1978**-*27-8* Charif Emani. *-5-11* Gal Gholam Reza Ashari. *-29-12* Chapour Bakhtiar. **1979**-*13-2* Mehdi Bazargan (n. 1905) démissionne 6-11. **1980**-*9-8* Ali Radjai. **1981**-*9-8* Mohamed Djavad Bahonai († dans attentat 30-8-81). *-2-9* Mohamed Reza Mahdavi Kani. *-29-10* Mir Hossain Moussavi-Khamenei. **1989**-*28-7* poste supprimé.

Pt de la Rép. 1980-*25-1* Abol Massan Bani Sadr (n. 1933) (destitué 21-6-81). **1981**-*24-7* Mohamed Ali Radjai (tué dans attentat 30-8-81). *-2-10* hodjatoleslam Ali Khamenei élu avec 96 % des v., réélu 16-8-1985 (85,6 % des v., devant Mahmoud Mostafavi Kachani et Habibollah Asgar Owladi). **1989**-*28-7* Ali Akbar Hachemi Rafsandjani (Pt du Parlement dep. 1980), élu avec 94,51 % des voix contre 3,91 à Abbas Cheibani (31,5 % d'abstentions).

Provinces (ostân). 24. (Sup. en km², entre parenthèses pop. en millions d'h. en 1986, et chef-lieu en ital.). **Guilan** 14 704 (2), *Recht.* **Mâzandaran** 47 375 (3,4), *Sari.* **Fars** 133 298 (3,2), *Chiraz.* **Kerman** 179 916 (1,6), *Kerman.* **Azerbaïdjan oriental** 67 102 (4,1), *Tabriz.* **Az. occidental** 38 850 (1,9), *Orumiyeh.* **Bakhtaran** 23 667 (1,4), *Bakhtaran.* **Baloutchistan** et **Sistân** 181 578 (1,2), *Zahedan.* **Ispahan** 104 650 (3,3), *Ispahan.* **Khouzistan** ou **Arabistan** 67 282 (2,7), *Ahwâz.* **Kurdistan** 24 998 (1), *Sanandadj.* **Khorâssân** 313 337 (5,3), *Machhad.* **Téhéran** 19 118 (8,7), *Téhéran.* **Boyer ahmadi et Kohkiluyeh** 14 261 (0,4), *Yasuj.* **Bushehr** 27 653 (0,5), *Bushehr.* **Chahar Mahal et Bakhtiari** 14 870 (0,6), *Shahr Kord.* **Hamadan** 19 784 (1,5), *Hamadan.* **Hormozgan** 66 870 (0,67), *Bandar-e-Abbas.* **Ilam et Poshtkut** 19 044 (0,3), *Ilam.* **Lorestan** 28 803 (1,4), *Khorramabad.* **Markazi** 39 895 (1), *Arak.* **Semnan** 90 039 (0,4), *Semnan.* **Yazd** 70 030 (0,5), *Yazd.* **Zanjan** 36 398 (1,6), *Zanjan.*

Farmandaris. 8 : sous les ordres d'un gouverneur *(ostândar),* divisés en départements *(charhestân)* à la tête desquels est placé un préfet *(farmandar).* Les dép. sont divisés en 459 districts *(bakhch)* dirigés par un bakhsdar.

Économie

P.N.B. (par tête, en $) : *1971 :* 450. *80 :* 2 400. *83 :* 3 580. *84 :* 3 689. *85 :* 3 000. *86 :* 3 100. *87 :* 3 430. *88 :* 3 500. **Pop. active** (en % et, entre parenthèses, part du P.N.B. en %) : agr. 39 (20), ind. 12 (7), services 43 (60), mines 6 (13). *Chômage* (91) : 48 % de la pop. active. **Salaires moyens** (88) : 35 à 70 000 rials (3 000 à 6 000 F au cours off.)

Agriculture. *Terres* (millions d'ha) : forêts 18 (11,9 %), t. cult. 15,35 (10 %) dont cult. permanentes irriguées 3,55, non irriguées 4,1, jachères 11,35 ; t. non cult. susceptibles d'être mises en valeur 31 000 (18,8 %) ; prés permanents 10 000 (6,1 %). *Prod.* (milliers de t, 88) : blé 7 500, bett. à sucre 3 500, orge 2 500, canne à sucre 2 413 (85-86), riz 1 757, p. de t. 1 725 (85-86), légumineuses 307 (84-85), coton, fibres 115, pistaches 105 (85-86), maïs 60 (81), thé 42, tabac 22, vigne, raisins secs. **Élevage** (milliers de têtes, 88). Moutons 34 616, chèvres 13 620, bovins 8 448, ânes 1 800, chevaux 316, buffles 230, canards 158 (82), mulets 123, poulets 105. **Pêche.** 150 000 t (est. 87). *Caviar* 160 t (80), 248 (84-85). **Déficit alimentaire (88)** 30 %.

Pétrole. Histoire : *1908 :* découvert. *1913 :* exploité (dont Khouzistan 92 %). *1951 :* l'I. nationalise l'ind. pétrolière. *1954 :* la National Iranian Oil Company (NIOC) (tout en gardant la propriété des gisements) concède pour 25 ans l'usage des installations et le droit d'extraction sur une zone de 250 000 km² à un consortium internat. regroupant les 8 principales Cies pétrolières mondiales. *1973* (21-3) : protocole donnant à la NIOC le contrôle total de l'ind. pétrolière et gazière en I. **Réserves :** 12,6 milliards de t. **Prod.** en millions de t (et revenus en milliards de $) : *1941 :* 6,7. *45 :* 17. *49 :* 27,2. *60 :* 52 (0,3). *65 :* 94 (0,5). *70 :* 192 (1,1). *74 :* 299,7 (22). *75 :* 267 (20,5). *76 :* 294 (22). *77 :* 282 (23). *78 :* 255 (20,9). *79 :* 148 (18,8). *80 :* 65 (13,3). *81 :* 65 (12,1). *82 :* 120 (17,5). *83 :* 123 (19). *84 :* 110 (17). *85 :* 110 (2). *86 :* 93. *87 :* 114. *88 :* 112,4. *89 :* 145 (12). *90 :* (16). *Exp.* en millions de b/j. *78 :* 5. *81 :* 0,8. *82 :* 1,5. *83 :* 3. *Terminal pétrolier* de l'île de Kharg (à 35 km de la côte ir.) aménagé à partir de 1960 ; sur la *côte Est :* peut accueillir 10 pétroliers de 250 000 t ; *Ouest :* des 500 000 t. *Autre terminal prévu :* à Bandar Tahéri.

Gaz naturel. Réserves : 16,9 milliards de m³ (2e rang mondial) ; à Tang Bijar (près Irak), île de Qeshm,

Khangiran, gisement marin au large de Bouchehr, Kangan. **Production** (milliards de m³) : *1967* : 21,3 ; *75* : 45,4 ; *76* : 50,4 ; *77* : 57,3 ; *78* : 59,5 ; *79* : 44,3 ; *80* : 41,6 ; *81/82* : 15,7 ; *82/83* : 30,4 ; *83/84* : 27,8 ; *85* : 14,6 ; *86* : 15,2 ; *87* : 16 ; *88* : 20 ; *89* : 22 ; *90* : 23.

Autres mines. **Charbon** (région de Kerman) : *prod.* 0,8 million de t (86/87). **Cuivre :** rés. prouvées 400 millions de t. *Prod.* 40 millions de t. (87). **Fer :** rés. prouvées 800 millions de t. *Prod.* 1 484 (86/87). **Plomb** (Nakhlak, Qanat, Mervan). **Manganèse** (Robat Karim).

Industrie. Nationalisée en 1979. Raffineries (Abadan, ruinée par la guerre), métallurgie, min. non métalliques, ind. alim., textile, automobile. *1980-82* : 40 % du potentiel ind. détruit. *1989* : ne tourne qu'entre 10 et 30 % de ses capacités.

Transports. Routes : 52 000 km dont 34 000 asphaltés. Tourisme. 143 000 vis. (89).

Budget (85-86) : 4,1 milliards de rials dont 1,9 du secteur pétrolier, (86-87) : 4 m. de rials dont 1,6 pétr. *% des recettes pétrolières dans le budget de l'État* : *76-77* : 75,1 ; *81-82* : 53,7 ; *82-83* (est.) : 56,2. **Frais de la guerre :** env. 6,5 milliards de $ par mois. **Dette extérieure** (milliards de $) : *1980* : 20 ; *82* : 2 ; *83* : 8,4 ; *84* : 5,32 ; *85* : 5,46 ; *87* : 4 ; *88* : 4,6 ; *89-91* : 5 à 7. **Inflation** (en %) : *1985* : 4,4 (50 % selon cert. sources) ; *87* : 30 ; *89* : 50 ; *90* : 20 ; *91* : 50. **Avoirs auprès des banques occ. :** 5,1 milliards de $ (mars 88). **Aide américaine** (1953/61) : 1 milliard de dollars [les barrages construits avec cette aide (Ara, Chah-Abbas, Dez) sont pratiquement inexploités]. **Valeur du rial :** *1979* : 1 $ = 75 rials ; *88* : 1 $ = 930 à 1 200 rials (sur le marché parallèle 13 à 17 fois inférieur au taux officiel), soit – 1 500 %.

Commerce (milliards de $). *Export. 1978* : 22,4. *79* : 19,3. *80* : 14,9. *81* : 12,6. *82* : 14 (dont pays ind. 16,6 ; pays en voie de dévelop. 5,7 ; p. de l'Est 0,2). *83* : 19,8. *84* : 22. *87* : 10,9. *Import. 1978* : 19,5. *79* : 8,4. *80* : 12,6. *81* : 12,6. *82* : 14 (dont p. i. 9,8 ; p.v.d. 2,4 ; p. de l'E. 1,8). *83* : 18. *84* : 14,5. *87* : 8,98. **% de la consommation importée.** Riz 97, laitages 80, sucre 50, viande 45, blé 25. Rang dans le monde (89). 2ᵉ rés. gaz nat. 4ᵉ rés. pétrole. 7ᵉ ovins. 8ᵉ pétrole. 11ᵉ thé. 14ᵉ orge. 15ᵉ blé.

IRLANDE

Carte p. 1054. V. légende p. 837.

Nom. *Eire* : Irlande du S. en irlandais, *Ireland* en anglais. *Ulster* : ancienne prov. d'Irlande comprenant 9 comtés, dont 6 forment l'Irlande du Nord (les 3 autres appartiennent à la rép. d'Irlande).

Situation. Europe. Séparée de la G.-B. par la mer d'Irl. (largeur min. 17,6 km, max. 320). 70 282 km² (84 421 km² avec les 6 comtés appartenant à la G.-B.). *Frontière* avec Ir. du N. 483 km. *Lac principal* : Lough Neagh 396 km². *Fleuve le plus long* : Shannon 370 km. *Alt. max.* Carrantuohill 1 040 m. *Long. max.* 486 km. *Larg. max.* 275. *Côtes* 3 169 km. **Climat** tempéré et humide. Mois les + froids (janv.-févr. 4 à 7 °C), les + chauds (juil.-août 14 à 16 °C), les + ensoleillés (mai-juin 5 1/2 à 6 1/2 h de soleil par j.).

Population (en millions). *1700* : 2, *1800* : 4,5, *14* : 6, *41* : 6,53, *45* : 8, *51* : 5,1, *1926* : 2,97, *81* : 3,4, *88* : 3,54, *2000 (prév.)* : 4,25. **Age.** – *15 ans* : 29 %, *+ 65 a.* : 11 %. **D.** 50,3. **Taux** (en %) : *natalité* 14,7 ; *mortalité* 88, *infantile 0,91*. **Émigration :** *1780-1845* : 2 000 000 ; *45-60* : 2 150 000 ; *60-70* : 3 800 000 (dont *66-71* : 53 906) ; *71-79* : 106 800 ; *1971-81* : 103 889 ; *81-86* : 72 000. **Taux de migration** (1990) : – 31 000 personnes. **Villes** (86) : *Dublin* (Baile Atha Cliath) 502 749, Cork 133 271 (à 257 km), Dun Laoghaire 54 715 (13 km), Limerick 56 279 (196 km), Galway 47 104.

Langues. Gaélique : *1971* : 789 429 h. le parlaient, *81* : 1 018 413 h. ; anglais.

Religions (81). Catholiques 3 204 476 (91 % des cath. pratiquent, 97 % des Irl. croient en Dieu), Église d'Irlande 95 366, presbytériens 14 255, méthodistes 5 790, divers 12 970.

Histoire. Début de notre ère, divisée en 7 roy. **432** convertie par St Patrick (389-461). Pillages des Vikings. **IXᵉ siècle,** des Normands. **XIIᵉ s. 1171** sur les instances du pape, Henri II d'Angl. conquiert l'I. Les Irl. demandent l'appui du roi d'Écosse, les Angl. se retranchent au S. **1175** *tr. de Windsor* : l'I. devient anglaise. **XVIᵉ s.** à la lutte s'ajoute la question religieuse à cause d'Henri VIII, qui rompt en **1536** avec Rome. **1541** H. VIII étend la réforme à l'I. et se proclame roi. **1556** 1ʳᵉ colonie angl. de peuplement (plantation). Élisabeth Iʳᵉ combat Esp. appelés à la rescousse ; rébellion dans le N. : campagnes d'extermination. **1594** rébellion des comtes O'Neill et O'Donnell. **1601** I. et Esp. écrasés à Kinsale. **1607** nouv. « plantations » : peuplement intensif sur terres confisquées (v. 1650 + de 100 000 colons anglais et écossais). **1641** massacre de colons par I. ; gouv. central à Kilkenny (conféd. cathol.). **1649** Olivier Cromwell, qui a triomphé des Stuarts en Angl. et en Éc. se raffermit en Irl. pour contrer toute restauration des Stuarts catholiques ; ses troupes mettent à sac *Drogheda*. **1689** Jacques II Stuart, chassé d'Angl., débarque en Irl. et assiège Derry, que sauve Guillaume d'Orange. Les I. se rallient à la cause jacobite (Jacques II). **1690**-*12-7* Guillaume bat Jacques II à *la Boyne* ; exode de soldats i. en France. Les Anglais s'arrogent terres et richesses. **1695** lois pénales déniant tout droit aux I. **1739-40** 1ʳᵉ grande famine, env. 400 000 †. **1782** indép. législative. **1795** l'ordre d'Orange lutte contre les idées de l'avocat prot. Wolfe Tone (1763-98) qui fonde 1791 la Soc. des I. Unis (union entre cath. et prot., indép. de l'île ; origine de l'*IRA* : Irish Republican Army). **1798** Tone, qui fait de Paris le siège du Directoire des I. Unis, se suicide après échec d'une insurrection. **1800** acte d'union à G.-B. supprime Parlement de Dublin. **1829**-*13-4* Parlement anglais vote l'Acte d'émancipation des cathol. **1846-49** famine due à maladie de la p. de terre et au régime foncier (propriétaires absents), 700 000 †, 800 000 émigrés (en particulier vers Amér., où sont créées la Fenian Brotherhood et l'Irish Republican Brotherhood (IRB). **1848** et **1867** 2 insurrections échouent, PM anglais Gladstone retire ses privilèges à l'Église anglicane d'I. Naissance à Dublin d'un mouv. fédéraliste qui emporte 60 sièges aux élections de **1874. XIXᵉ s.** troubles fomentés par les *Fenians* (société secrète révol. c.) ; Charles Stewart Parnell (1846-91), chef de la Ligue agraire et du P. parlem. i., revendique le *Home Rule* (= autonomie, adopté 1912, doit être appliqué en 1914 ; suspendu à cause de la g.). Guerre agraire (1ʳᵉ victime cap. Boycott). **1881** loi reconnaissant aux paysans un droit de copropriété sur leurs terres. **1903** Wyndham Act : réforme agraire. **1912**-*avril* nouv. projet de Home Rule déposé au Parl. anglais : les Unionistes d'Ulster créeent la Ulster Volunteer Force (UVF).

1916 (Pâques) *24-4* les *Sinn Fein* (« nous seuls ») proclament la rép. à Dublin, 500 † (300 civils, 132 des forces de l'ordre, 76 insurgés), 16 rebelles exécutés, dont Pearse, Connolly, Clark, Ceant, Plunkett, Mc Donagh, McDermott, 2 500 incarcérés. **1918** élect. Sinn Fein gagne 73 s. sur 105, sécession des députés i. qui forment une Dail Eireann (ass. nat.) à Dublin. **1919-21** g. d'indépendance. **1920** *déc.* attaque d'un convoi anglais par IRA à Cork (17 †) ; centre ville incendié en represailles. Le maire de Cork meurt en prison après grève de la faim. *-23-12* PM *Lloyd George* fait voter le Government of Ireland Act qui donne l'autonomie interne aux 6 comtés du N.-E. et aux 26 comtés de l'I. du Sud. **1921**-*6-12* État libre d'I. devient dominion, sauf les 6 comtés du N.-E. ; l'IRA, n'admettant pas cette partition, lance une g. civile (1922-23). G.-B. conserve plusieurs bases maritimes (rendues à l'I. le 25-4-38). **1932** *De Valera* PM. **1939-45** état d'urgence. **1939**-*25-8* attentat IRA à Coventry (5 †). **1949**-*18-4* République ; quitte Commonwealth. **1965**-*14-1* rencontre des PM irl., Sean Lemass (1899-1971) et capitaine O'Neil, l. au château de Stormont (1ʳᵉ fois, dep. 1922, qu'un « sudiste » rencontre un « nordiste »). **1972**-*30-1* *Bloody Sunday* à London-derry Belfast : para. brit. tirent sur cathol. (13 †). *-10-5* référendum pour adhésion à CEE 1 041 890 oui (83 %), 211 891 non (17 %). *-7-12* suppression de la position spéciale de l'Église cath. (référendum : 721 003 v. pour, 133 430 contre, 50 % d'abstentions) et droit de vote à 18 ans. **1973**-*8-12 accord de Sunningdale* entre G.-B., Dublin et Belfast [entérine le partage du pouvoir entre les 2 communautés d'Ulster, prévoit un conseil de l'I. composé d'un conseil des ministres (7 m. du gouv. de Belfast et 7 du gouv. de Dublin), d'une représentation parlementaire et d'un secrétariat permanent], pas appliqué. **1974** *févr.* bombes à Dublin. **1975** De Valera meurt. **1976**-*21-7* Christopher Ewart-Biggs, amb. de G.-B., tué à Dublin. *-17-8* Mairead Corrigan et Betty Williams créent mouvement des femmes pour la paix (auront prix Nobel de la Paix 1976). *-22-10* Pt C. O'Dalaigh démissionne. **1977**-*5-10* Seamus Costello (38 ans, Pt du PS rép.) assassiné. **1979**-*27-8* Lord Mountbatten, oncle d'Elisabeth II, assassiné, à Mullaghmore, par l'IRA provisoire. **1983** *janv.* Armée nat. de libération irl. (INLA) interdite. *-7-9* référendum (67 % pour un amendement à la const. interdisant l'avortement). Forum pour I. nouvelle avec G.-B. **1985**-*15-11 accord de Hillsborough* avec G.-B. établissant une conférence intergouvernementale (I. et G.-B). **1986**-*8-4* rapt de Mme Guinness (libérée 16-4, ravisseurs arrêtés). *-26-12* référendum pour la législation du divorce (non 935 843, oui 538 279). **1987**-*21-1* parlement dissous. *-17-2* él. lég. *-26-5* référendum : pour la ratification de l'Acte unique européen (oui 755 423, non 324 977). *-9-11* attentat à Enniskillen (11 †). **1988**-*25-2* Pt Mitterrand en I. **1990**-*7-11* présidentielles : 2,4 millions d'électeurs, Mary Robinson (gauche lib., avocate dep. 1967) élue Pte de la Rép. (51,9 % des voix) contre 46,4 % Brian Lenihan (Fianna Fail).

Statut. *Rép.* **Constit.** 1-7-1937. **Pt** *(Uachtaran* élu p. 7 ans au suffr. univ.) âgé d'au moins 35 ans. **PM** (*Taoiseach* désigné par le Pt). **Parlement** *(Oireachtas) : Ch. des députés (Dail Eireann,* 166 m. élus p. 5 a. à la repr. proport.) ; **Sénat** [*Seanad Eireann,* 60 m. (dont 11 nommés par PM, 43 désignés par l'organisation socio-prof., 6 représentants des universités) pour 5 a.]. **Comtés :** 26. **Fête nat. :** 17-3 (St-Patrick). **Drapeau :** introduit 1848 comme emblème révolutionnaire par Thomas Francis Meagher. Vert (symbolise l'élément gaélique de la pop.), orange (l'élément protestant supportant à l'origine Guillaume d'Orange), blanc (trêve durable entre les 2 éléments précités). *Symbole national* : harpe.

Élections. **Chambre des députés** [15-6-89 (sièges, entre parenthèses au 17-2-87)] : *Fianna Fail* (guerriers du destin, parti rép., f. 1926, Charles J.-Haughey) 77 (81) ; *Fine Gael* (combattants d'Irl., John Bruton, 43 ans, dep. nov. 1990) 55 (51) ; *Démocrates progressistes* 6 (14) (scission de Fianna Fail, Desmond O'Malley) ; *Independants* 5 (4) ; *Labour* (f. 1912 par les syndicats, Dick Spring) 15 (12) ; *Sinn Fein* 0 (0) ; *Workers'Party* (f. 1905) 7 (4) ; *Green Party* 1 ; *Democratic Socialist Party* 1. **Sénat** (16-8-89) : *Fianna Fail* 32 s., *Fine Gael* 15, *Labour* 4, *Indépendants* 6 ; *Dém. progr.* 3 ; 11 m. nommés par PM.

Présidents de la République (Uachtaran). **1938** Dr Douglas Hyde (1860-1949). **1945** Sean Tomas O'Ceallaigh (1882-1966). **1959** Eamon de Valera (1882-1975). **1973** Erskine Childers (1905-74). **1974**-*19-2* Cearbhall O'Dalaigh (1911-78). **1976**-*3-12* Patrick Hillery (2-5-23), réélu 3-12-83. **1990**-*7-11* Mary Robinson (n. 1942).

Chefs du gouvernement (Taoiseach). **1922**-*6-12* William Thomas Cosgrave (1880-1965). **32**-*9-3* Eamon de Valera (1882-1975). **48**-*18-2* John Aloysius Costello (1891-1976). **51**-*13-6* de Valera. **54**-*2-6* Costello. **57**-*20-3* de Valera. **59**-*23-6* Sean Francis Lemass (1889-1971). **66**-*10-11* John Lynch (15-8-17). **73**-*14-3* Liam Cosgrave (13-4-20). **77**-*5-7* John Lynch. **79**-*11-12* Charles James Haughey (26-9-25). **81**-*30-6* Garret Fitzgerald (9-2-26). **82**-*9-3* C. J. Haughey. *-14-12* Garret Fitzgerald. **87**-*10-3* C. J. Haughey (29-6-89, démissionne). *-12-7* renommé.

Économie

P.N.B. **(89)** 8 420 $ par h. **Pop. active totale (89)** 1 292 000 (36,8 % de la pop. ; peu de femmes travaillent). **Pop. active (% et entre par. part du P.N.B.** en %). Agr. 15,2 (15), ind. 26,9 (27,4), services 57,4 (57), mines 0,6 (0,6). *Chômage* (%). *88* : 16,7 ; *89* : 15,6 ; *90 (prév.)* : 14. **Inflation** (%). *85* : 5,4 ; *86* : 3,9 ; *87* : 3,2 ; *88* : 2,1 ; *89* : 4 ; *90* : 3,4. **Dette extérieure.** *1984* : 7,9 milliards de £ ; *88* : 9,5 ; *89* : 9,1. **Déficit budgétaire (1988).** 0,3 milliard de £ (1,8 % du PNB). **(89).** 0,26.

Agriculture. *Terres* (milliers d'ha, 89) : 6 889 dont herbe 4 220, landes et tourbières 2 216, terres arables 433, rivières et lacs 139 (86). *Production* (milliers de t, 89) : orge 1 474, bett. à sucre 1 451, p. de terre 581, navets 550, blé 477, avoine 99, choux 94.

Élevage (millions de têtes, 89). Volailles 8,8, moutons 8,6, bovins 6,9, porcs 1, chevaux 0,5. Pêche (88). En mer 226 256 t. Saumons 1 674 t.

Énergie (89). **Charbon** 43 000 t, tourbe. **Gaz** *réserves (janv. 91)* 77,1 milliards de m³, *production (89)* : 2 284 millions de m³. **Électricité** (90) 14,32 milliards de kWh (*1982* : 10,79, *83* : 11,04, *84* : 11,42, *85* : 11,9, *86* : 12,5). Mines (t, 89) : zinc 167 000, plomb 32 000, nitrate, argent 7 247 kg. Industrie. Alim., électronique, prod. chim. Tourisme. 2 732 000 vis. (89).

Commerce (millions de £, 89) : *Exportations* 14 597, *dont* mach. et équip. de transp. 4 652,4, prod. alim. 3 209, prod. chim. 2 084,8, prod. man. divers 1 965,7, prod. man. 1 148,8 ; *vers* G.-B. 4 120, All. féd. 1 610,4, *France 1 455*, E.-U. 1 153,4, P.-B. 1 031. *Importations* 12 287,8 *dont* mach. et équip. de transp. 4 649,8, prod. man. 1 847,2, prod. man. divers 1 554, prod. chim. 1 524,8, fuels et lubrifiants 674,3 ; *de* G.-B. 4 538,5, E.-U. 1 973,2, All. féd. 1 074,8, P.-B. 508,5, *France 503,2.*

ISLANDE

Carte p. 918. V. légende p. 837.

Situation. Europe (à 287 km du Groenland, 798 de l'Écosse, 970 de la Norvège, 435 des îles Féroé, 550 de l'île de Jan Mayen). 102 950 km². *Long.* max. 500 km. *Larg.* max. 300 km. **Relief :** *plateau* (alt. 600 à 800 m) avec saillies de pics volcaniques et plateaux moins étendus (1 200 à 1 800 m, mais point culminant à l'Oeraefajökull 2 119 m). *Côtes* 6 000 km (fjords et criques compris) bordées de falaises qui créent des ports naturels profonds. Grande *plaine* le long de la côte sud. Glaciers (12 000 km², env. 11,5 % du pays) (dont le Vatnajökull, le plus grand d'Europe : 8 400 km², épaisseur 1 000 m par endroits). *Volcans* 200 actifs, 1/3 de la prod. mondiale de lave pendant les 500 dernières années [1963-14-11 naissance de l'île de Surtsey, 1970 réveil de l'Hekla, 1973 d'un nouveau v. de Heimaey, l'Eldfell, 1975-81 : 8 éruptions région de Leirhnukur près de Krafla (v. Histoire), 1980 ér. de l'Hekla]. Les laves postglaciaires couvrent 10 % de la superficie du pays. *Sources chaudes* (moy. 75 °C) : env. 800, Deildartunguhver produit 150 l d'eau/s à 100 °C. **Principales îles :** Vestmannaeyjar 4 743 h., à env. 12 km de la côte S. de l'Is. (éruption volc. 1973), Hrisey 276 h., Grimsey (à 41 km au N.) 114 h. **Climat :** variable, tempéré sur la côte par le Gulf Stream à l'O. et au N. Courant polaire au N.-E. *Temp. moy.* Reykjavik 5 °C (janv. – 4 °C, juill. 11,2 °C), Akureyri 3,9 °C (janv. – 1,5 °C, juill. 10,9 °C). *Max.* 30 °C, *min.* – 30 °C. Gel intense rare. *Pluies :* surtout le S. et S.-E. (Kvisker 3 000 mm). *2 saisons. Pas de nuit* de mai à juill., été (frais, rarement 20 °C), période sombre (3 à 4 h par j de soleil) de mi-nov. à fin janv. *Limite des neiges* 1 000 à 1 500 m. **Végétation :** possibilité de reboiser avec bouleau et sapin. **Faune :** renard arctique (ou bleu), souris, rat, vison, renne (amené de Norvège au XVIIIe s.), 300 espèces d'oiseaux (dont 75 nichant sur place). Depuis 1924, chiens interdits à Reykjavik (sauf autorisation spéciale).

Population [*v. 1100 :* 70 à 80 000 ; *1703 (1er rec.) :* 50 000 ; *1709 (variole) :* 35 000 ; *1785 (famine) :* 40 000 ; *1801 :* 47 240 ; *1901 :* 78 470 ; *1960 :* 177 000] ; *1989 :* 253 482 ; *prév. 2000 :* 262 000. Presque 4/5 du pays sont inhabités. **Age :** *– de 15 a. :* 27 %, *+ de 65 a. :* 10 %. D. 2,4. **Origine :** Vikings norvégiens mêlés d'immigrants écossais et irlandais (nom de famille composé du prénom du père + *son* « fils de » ou *dottir* « fille de » et changeant à chaque génération). *1988 :* 4 829 ressortissants étrangers (1,9 %) dont 1 154 Danois, 816 Américains et leurs familles non compris les militaires, 527 Anglais, 337 Norvégiens, 318 Allemands, 242 Suédois, 73 Canadiens, 98 Français. **Nationaux à l'étranger :** 13 838 (88). **Émigration :** *1880 à 1914 :* 12 000 (v. Amér. du N.). **Villes** *(89) : Reykjavik* 96 727 [ag. avec Hafnarfjördur 142 000, Kópavogur 15 551, Gardabaer 6 843]. Keflavik 7 436 (à 51 km), Akureyri 14 099 (à 448 km), Akranes 5 395 (à 108 km), Vestmannaeyjar 4 800, Selfoss 3 774 (à 50 km), Isafjördur 3 455 (à 511 km), Husavik 2 499 (à 540 km), Siglufjördur 1 858 (à 462 km), Seydisfjördur 996, Neskaupstadur 1 748.

Langue. Islandais *(off.)*. Du groupe scandinave, la plus proche de l'ancien nordique commun (surnommée le « latin de Scandinavie »). **Religions** (% en 88). Église d'Islande 93,1, autres luthériens 3,7, cath. romains 0,7, autres 2,5. *St Patron :* Thorlakur (1133-93, évêque canonisé par le Parlement en 1198, proclamé officiellement en août 1985 par Jean-Paul II).

Histoire. **VIIIe s.** installation de moines irlandais. **874-930** colonisation par des Vikings païens. **930** Alting (Parlement) et Rép. fondés. **930-1030** période des Sagas. **985** Éric le Rouge découvre Groenland. **1000** conversion au christianisme. Leif Eriksson (fils d'Éric. le R.) découvre Amér. du N. **1030-1120** paix. **1120-1230** période littéraire. **1230-1264** période de Sturlung. **1241** Snorri Sturluson (écrivain, Pt de l'Ass. suprême 1215) tué. **1262-64** possession norvég. **1380** danoise. **1402-04** peste noire (66 % de †). **1540-50** Réforme. **1602** monopole royal du commerce. **1662** absolutisme renforcé. **1783-85** éruption de Lakagigir (coulée de lave de 650 km², gaz et cendres empoisonnent les pâturages). 50 % des troupeaux sont décimés, famine : 9 000 † (20 % de la pop.). **1787** liberté du commerce pour sujets danois. **1800** Althing remplacé par Cour nationale. **1809**-*25-6/22-8* l'aventurier danois Jörgen Jörgensen prend le pouvoir. **1843** Althing rétabli comme ass. consult. **1854** libération du commerce extér. **1874** 1re Const. **1879** Jón Sigurdsson (n. 1811, autonomiste) meurt. **1902** droit de vote accordé aux femmes (plan local). **1904** autonomie interne. **1911**-*17-6* Université d'I. à Reykjavik. **1915** droit de vote accordé aux femmes (plan national). **1918**-*30-11* indépendance (le roi de Dan. est r. d'Is.). **1940** occupation brit., **1941** amér. (avec accord Is.) (rôle : lutte anti-sous-marine, escale des convois alliés vers URSS). **1944**-*25-5* référendum pour séparation avec Danemark. *-17-6* Rép. instituée à Thingvellir. **1946** entrée à l'ONU. **1947** *mars* éruption de l'Hekla (13 mois, colonne de fumée de 30 000 m, lave sur 65 km²). **1949** entrée à l'OTAN. **1951** accord de défense Is./USA. Base amér. (OTAN) à Keflavik : 3 000 h. **1952** zone de pêche portée à 4 milles. **1955** Halldor Kiljan Laxness prix Nobel de litt. **1958** zone de pêche à 12 milles. **1970** entrée à l'AELE. **1972** zone de pêche à 50 milles : dissensions avec G.-B. Rencontre Nixon-Pompidou à Reykjavik. **1973**-*13-11* accord mettant fin à la « g. de la morue » avec G.-B. **1974**-*27-7* Cour de La Haye refuse à l'Is. le droit d'interdire ses eaux territoriales à G.-B. **1975**-*15-10* zone de pêche à 200 milles, nouvelle « g. de la morue » avec G.-B. **1976**-*19-1* ultimatum is., G.-B. retire ses navires de g. **1980**-*1-8* une femme, Vigdis Finnbogadottir, 1re femme du monde élue au suffr. univ. Pt de la Rép. **1983**-*12/15-4* elle vient en Fr. **1985**-*24-10* grève des femmes (gagnent 40 % de moins que les h.). **1986**-*11/12-10* rencontre Gorbatchev-Reagan à Reykjavik. *Nov.* 2 baleinières coulées à Reykjavik par l'organisation écologiste Sea Shephard. **1988**-*9-5* prohibition de la bière (dep. 1915) abolie. Alcools forts restent taxés à 1 000 %. *-25-6* Vigdis Finnbogadottir réélue Pt de la Rép. avec 92,7 % des suffrages (Sigrun Thorsteinsdottir seule autre candidate obtient 3 %). **1990**-*29/31-8* visite du Pt Mitterrand.

Politique

Statut. Rép. **Constit.** du 17-6-1944. **Pt** élu pour 4 ans au suffr. univ. **Parlement** (Althing datant de 930, le plus vieux du monde) 63 m. (42 Ch. Basse, 21 Ch. Haute), 49 élus pour 4 a. (37 dans les 7 circons. de province, 12 pour la capitale), 11 représentants des partis répartis au plan national. *Départements :* 16 administrés par des chefs de districts, 21 villes administrées par des maires. *Pas d'armée. Base américaine* à Keflavik (3 000 h.). **Fête nat. :** 17 juin (1944 fondation de la Rép.). **Drapeau :** adopté 1918 : croix rouge et blanche sur fond bleu (combinaison des couleurs de la Norvège et du Dan.). **Partis :** *Indépendance* f. 1929 (Thorsteinn Palsson). *Du Progrès* f. 1916 (Steingrimur Hermannsson). *Social-dém.* f. 1916 (Jon Baldvin Hannibalsson). *Alliance du peuple* f. 1956. (Olafur Ragnar Grimsson). *P. des citoyens* f. 1987 (Julius Solres). *Alliance des sociaux-dém. Liste des femmes. Affiliation à un syndicat :* obligatoire. Si une grève est décidée, le salarié qui travaille commet un délit.

Élections. **Législatives du 20-4-1991.** Votants 157 746. % des voix et nombre de sièges (entre par. : 1987) : *P. de l'Indépendance* 38,6 %, 26 s., (27,2 %, 18 s.), *P. libéral* (ex-P. des citoyens) 1,2 %, 0 s. (10,9 %, 7 s.), *Alliance du peuple* 14,4 %, 9 s., (13,3 %, 8 s.), *P. du Progrès* 18,9 %, 13 s., (17, 3 %, 10 s.), *P. social-dém.* 15,5 %, 10 s., (15,2 %, 10 s.), *Alliance des femmes* 8,3 %, 5 s., (10,1 %, 6 s.), *autres partis* 3,1 %, 0 s.

Chefs d'État. **1918**-*1-12* CHRISTIAN X (1870-1947). Roi d'Islande et Danemark. **41**-*17-6* Sveinn BJORNSSON (1881-1952). Régent puis Pt de la Rép. **52**-*7-8* Asgeir ASGEIRSSON (1894-1972) id. **68**-*1-8* Kristjàn ELDJARN (1916-82) id. **80**-*30-6* Mme Vigdis FINNBOGADOTTIR (15-4-30).

Premiers ministres depuis 1971. **71**-*14-7* Olafur JOHANNESSON (1-1-13). Progr. **74**-*29-8* Geir HALLGRIMSSON (16-12-25). Indép. **78**-*1-9* Olafur JOHANNESSON. Progr. **79**-*15-10* Benedikt GRONDAL (7-7-26). Social-dém. **80**-*8-2*-Gunnar THORODDSEN (1910-83). Indép. **83**-*26-5* Steingrimur HERMANNSSON. Coal. Progr. **87**-*8-7* Thorstein PÁLSSON. Indép. **88**-*28-9* Steingrimur HERMANNSSON, Coal. Progr. **91** David ODSSON, Indép.

Économie

P.N.B. (89) 15 089 $ par h. 20 % du P.N.B. vient de la mer. **Pop. active.** (% et entre par. part du P.N.B. en %). Agr., pêche 11 (16), ind. 37 (36), serv. 52 (48). *Chômage : 1987 :* 0,5, *88 :* 0,7, *89 :* 1,7. **Inflation** (%). *87 :* 18,8 ; *88 :* 25,5 ; *89 :* 22,3 ; *90 :* – de 10. **Finances.** Couronne isl. dévaluée 3 fois en 1988 (12 % en mai) et en janv. 89 (6 %), en raison des prob. de la pêche.

Agriculture. *Terres.* 60 % improductifs, 25 % couverts de végétation permanente. T. cultivées 1 000 km², cultivables 20 000 dont 15 500 à moins de 200 m d'alt., couvertes de végétation 23 805 dont 13 718 à moins de 200 m d'alt., prairies 20 000, glaciers 12 000, lacs 3 000, lave 11 000 (plus grande étendue d'un seul tenant : 4 500 km²), sables 4 000, autres terres infertiles 52 000. *Production* (88) : p. de terre 10 289 t, navets 671 t, carottes. Serres chauffées à l'eau chaude dep. 1924. *Nombre de fermes* (88) : 4 200. **Élevage** (milliers de têtes, 89). Moutons 587, volailles 232, bovins 73, chevaux 61, porcs 3. **Pêche.** Zone de pêche 200 milles, 758 000 km². *Production* (milliers de t, 89) : 1 578 dont capelans 680, poissons blancs 693, harengs 103, crustacés 47, divers 5. *Au 31-12-89 :* 967 bateaux de pêche (127 339 tx), 6 300 pêcheurs.

Énergie. *Géothermie :* capacité (GWh par an) exploitée 5 000, mesurée 64 000. 81 % (89) de la pop. l'utilise pour se chauffer. *Hydraulique :* capacité (GWh par an) exploitable techniquement 64 000, économiquement 45 000, exploitée (89) 4 200. *Électricité produite* (milliards de kWh, 88) : 4,4 (dont hydroélec. 4,2, géothermie 0,2, thermique 0,005). **Industrie.** Pêche (surgélation, salage, séchage, farine, conserveries, huile). Aluminium. Ind. alim. (viande, cuirs et peaux, lait). Engrais. **Transports** (km). Routes (88) 12 484. Pas de chemins de fer. Flotte (sauf pêche, 88) : 39 bateaux. **Tourisme.** *Visiteurs :* 273 000 (89). Déserts volcaniques, glaciers, fjords, solfatares.

Commerce (millions de couronnes, 89). *Exportations* 110 838 *dont* (%) prod. de la pêche 71, prod. ind. 22,4 (87) (dont aluminium 10,7), prod. agricoles 1,7, divers 4,8 ; *vers* C.E.E. 56,4, U.S.A. 14,3, E.F.T.A. 11, Europe de l'E. 5, divers 6,2. *Importations* 115 453 *dont* (%) prod. de consommation 32,5, prod. d'investissement 30, prod. intermédiaires 28,9 (dont fuel 8,6) ; *de* C.E.E. 51, E.F.T.A. 19, U.S.A. 11, Europe de l'E. 6,5, divers 7,5.

Rang dans le monde (87). 17e pêche.

ISRAËL

Carte p. 984. V. légende p. 837.

Situation. Asie. 21 946 km² dont 445 km² d'eau ; 27 552 km² [*annexés* (Golan et Jérusalem-Est) ou *t. administrés* (Gaza et Cisjordanie)]. *Long. max.* 426 km. *Larg. max.* 112,9 km (19 km au nord de Tel-Aviv, 10,5 à Eilat). **Frontières** (lignes d'armistice 1949) : 961 km (avec Jordanie 531, Égypte 206, Liban 79, Syrie 76, Gaza 59). Dep. 1967, avec l'apport des territoires occupés 650 km. **Côtes :** 254 km (dont Méditerranée 188, mer Morte 56, mer Rouge 10,5). **Alt. :** Mt Hermon (Golan) 2 810 m, Méron (Galilée) 1 208 m, Ramon (Néguev) 1 035 m, Canaan (Safed) 960 m, des Oliviers, Jérusalem 835 m, Tavor (Galilée) 588 m, Carmel (Haïfa) 546 m. **Néguev :** 60 % de la surface : – de 200 mm d'eau par an. **Golfe d'Akaba :** long. 160 km, larg. max. 17, prof. 1 600 à 1 800 m, temp. + 21 °C, salinité 41 ‰. **Mer Morte.** Dans une dépression (prof. max. – 720 m). Niveau en baisse, actuellement – 403 m. Il y a des dizaines de milliers d'années – 18 m ; le lac Lisan, couvrant la mer Morte, allait au N. jusqu'à la mer de Galilée et au S. jusqu'à la vallée de l'Arava. Composition chimique de l'eau interdisant la vie (v. 1930, Elazari Volcani trouva cependant des micro-organismes à la surface et dans les sédiments du fond). **Climat** méditerr. *Temp.* moy. (°C) Jérusalem janv. 6-11, août 19-28 ; Eilat janv. 9-21, août 25-39.

Démographie

• **Définitions.** *Juif :* nom donné dep. l'exil (IVe s. av. J.-C.) aux descendants d'Abraham. *Hébreu :* nom primitif du peuple j. *Israélite :* descendant d'Israël ; personne appartenant à la communauté et à la religion j. *Lévirat :* obligation de la loi de Moïse qui impose au frère d'un défunt d'épouser sa veuve sans enfants (très peu pratiqué actuellement). *J. ashkénazes* (– de 50 %) : originaires d'Europe centrale, parlaient yiddish, 3 % d'analphabètes, 33 % atteignent l'ens. sup. ; revenu 39 % plus élevé que les Sefarades. *Séfarades ou orientaux* (+ de 50 %) : orig. d'Espagne [(Sefarad = Esp. en hébreu moderne) expulsés en 1492, parlaient ladino (judéo-esp.), ou d'Orient. *Yishouv* (population) : communauté j. de Palestine avec la création d'I.

Évolution avant 1948. **Xe s. av. J.-C.** Royaume juif, 750 000 à 1 500 000 h. **A la naissance de J.-C.** 3 000 000 (en outre, en Perse 1 000 000 j., dans le reste de l'Empire romain 4 000 000). **XIIIe s. apr. J.-C.** 225 000. **1348** 150 000 (après la peste noire). **1800** 275 000 (dont 7 000 Juifs). **1850** 50 000 à 100 000. **1890** 532 000 (43 000 J.). **1914** 690 000 (94 000 J.). **1931** 1 033 000 (174 000 J.). **1920 à 1935** attirés par l'essor économique dû aux sionistes, des Ar. des pays voisins affluent. **1934** les Anglais imposent des quotas pour les J. et transplantent + de 30 000 Syriens, chassés du Hauran par sécheresse. **1936-45** 100 000 Ar. immigrent en Pal. pour y trouver un travail.

• **Population.** **1990 :** 4 559 600 dont 3 717 100 juifs (81,5 %). **Prév. 2000 :** 5 376 000. **En 1986 :** juifs 3 561 400 (82,2 %) [nés en I. (*sabras*) 2 186 041 (61,4 %), nés à l'étranger 1 374 286 (soit 38,6 %) dont (%) en Europe ou Amérique 21,4, Afr. ou Asie 17,2], non-juifs (surtout dans le N. en Basse-Galilée) 770 971 dont 597 719 musulmans (13,8 %), 99 620 chrétiens (2,3 %), 73 630 druzes et divers (1,7 %). **Age** *(% 1986). – de 14 ans :* juifs 30, non-juifs 44,1 ; + *de 65 ans :* juifs 10,1, non-juifs 3,2. **Origine :** en 1985 747 700 juifs étaient originaires d'Asie (dont 462 000 nés en I.), 775 300 d'Afrique, essentiellement d'Afr. du N. (dont 445 100 nés en I.), 1 343 700 d'Europe et d'Amérique (dont 568 100 nés en I.). *Ex. pays d'origine :* Irak 268 000 (dont 170 000 nés en I.), Maroc 478 000 (276 000 n. en I.), URSS 295 000 (105 000 n. en I.). **Proportion d'hommes** *(1985).* 996 h. pour 1 000 femmes (chez les juifs 990, musulmans 1 036, chrétiens 948, druzes 1 052).

Accroissement *(%, 1985).* Musulmans 2,36 ; druzes 2,13 ; juifs 1,38 ; chrétiens 1,03. **Naissances** *(1985).* 99 576 (75 276 juifs, 19 766 musulmans). **Décès.** 27 931. **Taux mortalité infantile** *(‰, 1986).* Juifs 9,6 ; musulmans 18 ; **fertilité moyenne des femmes** *(1985).* Musulmanes 4,63 (86) ; druzes 4,47 ; juives 2,83 (86) ; chrétiennes 2,12. **Espérance de vie** *(1985).* Hommes 73,5 ans, femmes 77,1.

Réfugiés palestiniens (en milliers). 1947 (rec. brit.). 560 000 Arabes vivaient dans la partie de la Palestine occidentale sur laquelle allait s'édifier Israël. **1948**-*16-9 :* rapport du Cte Bernadotte : 360 000 « déplacés » à la suite du conflit ; 141 000 Ar. restent en I. I. accuse les États arabes d'avoir grossi le nombre de réfugiés pour obtenir plus de rations alimentaires de l'UNRWA [750 000 réfugiés (rapport Cilento) ; **1949** *juill.* 1 000 000 (rapport W. de St-Aubin)]. 715 000 à 730 000 (selon l'ONU) ; 590 000 à 650 000 (selon I.). **1967** (g. des 6 j) : 525 000 réfugiés supplémentaires (dont 175 000 ayant fui une 2e fois et 100 000 autres réf. du Golan). **1981**-*1-1 : selon l'ONU,* Cisjordanie 317 614 (79 990 dans camps), Gaza 363 006 (200 762 d. c.) ; *selon Israël,* Cisjordanie 105 000 (65 000 d. c.), Gaza 205 000 (171 300 d. c.). **1985** Israël 590 000 + territoires occupés [Cisjordanie 900 000 (dont en camps 90 000), Gaza 500 000 (d. c. 220 000)]. Jordanie 1 150 000 (d. c. 190 000). Liban 490 000 (d. c. 100 000). Koweït 300 000. Syrie 230 000 (d. c. 60 000). Arabie Saoud. 140 000. USA 200 000. Émirats arabes 37 000. Égypte 35 000. Qatar 25 000. Libye 25 000. Irak 20 000. Reste du monde 200 000. **2 000 (prév.) :** env. 3 000 000 pour 4 000 000 de J. [soit 43 % de la pop. du Grand Israël (frontières de 1967)].

Attitude d'Israël. I. a offert en 1949 de reprendre 100 000 réf. (offre rejetée), mais a refusé d'en reprendre plus (pour ne pas compromettre son équilibre). Selon I., les pays ar. auraient pu installer 600 000 réf. puisque I. (beaucoup moins étendu) avait accueilli 500 000 J. des pays ar. (après 1945 la Finlande avait absorbé 350 000 Allemands, l'All. féd. 9 000 000 de réfugiés de l'Est, Inde et Pakistan avaient échangé 15 000 000 de réfugiés). I. remarque que les Pal. de Gaza, devenus Ég. de 1949 à 1967, avaient été interdits de séjour en Ég. proprement dite et volontairement maintenus dans des camps.

Population juive. % de la population juive vivant en I. *1948 :* 6 ; *55 :* 13 ; *70 :* 20 ; *82 :* 26 ; *85 :* 27. **Colons juifs.** Cisjordanie 60 000, à Gaza – de 2 000.

• **Diaspora juive** (millions). Mot d'origine grecque, désigne la dispersion du peuple j. hors de Palestine. **1975 :** 10. **1981 :** 9,75 (dont USA 5,6 ; URSS 1,95). **1987 :** 9,5 dont [USA 5,8 (soit 2 % de la pop. amér.) dont 1,3 à New York et sa région, 0,5 % à Los Angeles)] (URSS 2,5). **2000 :** 7,4 à 8. **2025 :** 5 à 6. La baisse vient d'un taux de natalité faible et du % élevé des mariages mixtes (URSS jusqu'à 45 %, USA : 25 à 30 %).

Nota. – La France est, après I., le pays qui a absorbé le plus de J. (Français de religion j.) depuis 1945 (*1945 :* 130 000 J. en Fr., *1976 :* 700 000) en raison notamment de l'exode des J. d'Afr. du N. à la fin de la guerre d'Algérie.

Population juive dans les pays arabes. En *1974* et, entre parenthèses, en *1947 ;* Algérie 1 000 (140 000), Égypte 400 (75 000), Irak 450 (120 000), Liban 1 400 (7 000), Libye 20 (30 000), Maroc 20 000 (250 000), Syrie 4 500 (15 000), Tunisie 7 000 (110 000), Yémen N. et S. 500 + 2 000 nomades au N. (50 000) ; voir aussi Index.

• **Immigration en Israël** (alyah). *Selon la loi du retour (1950). Art. 1er :* Tout Juif a le droit d'immigrer en Israël. *Art. 2 :* Le visa d'immigrant est accordé à tout J. qui exprime le désir de s'installer en I., sauf si le ministre de l'Intérieur est convaincu que le requérant 1) œuvre contre le peuple j. ou 2) est susceptible de mettre en danger la salubrité publique ou la sécurité de l'État ou 3) a un passé criminel susceptible de mettre en danger l'ordre public. *La loi sur la nationalité (1952)* accorde la nat. isr. à chaque immigrant (olim) dès son arrivée. On est ou devient également isr. par : 1) naissance (tout enfant né de père ou de mère isr.). 2) voie de résidence en I. (concerne les Arabes isr.). 3) naturalisation. **Vagues.** On distingue 5 alihar : 1re (1881-1903) contemporaine des premiers pogroms russes. 2e (1904-14) vague de pogroms stimulée par l'échec de la révolution russe de 1905, 3e (1919-23) encouragée par la déclaration Balfour, 4e (1924-30) provoquée par les restrictions économiques imposées aux J. de Pologne, 5e (1933-39) conséquence de l'antisémitisme nazi.

Évolution : 1882-1914 : 55 000-70 000 ; **1919-32 :** 126 349 ; **1933-39 :** 215 232 ; **1940-43 :** 26 524 ; **1944 au 14-5 1948 :** 84 042 ; **15-5-1948 à 1975 :** 1 569 875 ; (dont **1950 :** 60 000 du Yémen, **1951 :** 100 000 d'Irak, **1956-62 :** 76 000 du Maroc) ; **1976 :** 17 092 ; **77 :** 18 641 ; **78 :** 26 394 ; **79 :** 37 222 ; **80 :** 20 428 ; **81 :** 12 599 ; **82 :** 13 273 ; **83 :** Europe de l'O. 4 289, Amér. du N. 3 663, Amér. du S. 2 917, Éthiopie (Falachas) 2 213 ; **84 :** Europe de l'O. 2 958, Amér. du N. 2 270, Amér. latine 1 853, URSS 350, Éthiopie (Falachas) 7 907 ; **85 :** 11 298 (d'Occident 2 343, Falachas 2 000, Amér. lat. 1 563, URSS 342) ; **88 :** 23 850 ; **89 :** 24 650 (URSS 12 814, USA 1 636, Roumanie 1 500, *France 1 044,* Argentine 1 930, G.-B. 473, Afr. du Sud 286).

Entrées et sorties. De 1948 à 1985 (en millions). *Entrées en I. :* 27,78 y compris touristes. *Sorties :* 26,35. *Solde :* + de 1,4. *Nombre total d'immigrants :* 1,68. *Seraient repartis :* 0,3. **Sorties** (1989) : 84 508.

Émigrés revenant. *1982 :* 11 350. *83 :* 12 000. *84 :* 16 000.

Juifs d'URSS En 1980, 2 500 000 à 3 500 000 Soviétiques portaient en URSS la mention « nationalité juive » sur leur passeport. *Fin 89 :* env. 2 à 2 500 000. *1967 à 1988 :* 260 000 ont immigré dont 160 000 en Israël (jusque-là, il s'agissait de cas individuels puis des autorisations d'émigrer furent données en nombre). *1971 :* 12 832. *72 :* 31 652. *73 :* 33 477. *74 :* 17 373. *75 :* 8 351. *76 :* 7 274. *79 :* 51 303. *81 :* 1 770. *82 :* 2 692. *84 :* 908. *85 :* 1 140. *86 :* 914. *87 :* 11 000. *88 :* 20 000. *89 :* 12 814. *90 :* 200 000. *91 (est.) :* 400 000. **Émigrés choisissant un autre pays qu'Israël (%) :** *jusqu'en 1972 :* 1. *73 :* 4,5. *74 :* 18,7. *75 :* 37. *76 :* 50. *77 :* + de 50. *78 :* 60. *79 :* 66 (sur 50 000, 33 000 vont aux USA ou Canada et 17 000 en Israël). *85 :* 30,5. *86 :* 77,5. *88 :* 90. Dep. le 19-6-1988, passent par Bucarest et non plus par Vienne pour éviter les défections.

• **Juifs d'Éthiopie** (Falachas). Descendraient de la tribu de Dan, une des 12 tribus d'I. dont on était sans nouvelles, exilée à Cousch (Éthiopie) en 722 av. J.-C., ou de j. émigrés d'Éléphantine (Égypte), ou de j. qui auraient au xe s. av. J.-C. suivi Ménélik (fils de Salomon et de la reine de Saba). *Arrivées (1977-85) :* env. 15 000. *1977-84 :* départs semi-clandestins env. 4 000. *1984 (21-11) au 1985 (6-1) :* opération Moïse 8 664 dont 55 % de – de 18 ans arrivent). *1991 (mai) :* 14 400. Reconnus dep. 1985 par le Grand Rabbinat comme « membres à part entière du peuple j. », ils ne sont pas astreints au bain rituel qu'on voulait leur imposer. *Coût* de leur installation 400 millions de $.

• **Druzes.** Secte religieuse, même origine ethnique que les autres Palestiniens. Mais à force de se marier entre eux, les D. ont créé une ethnie particulière [Syrie 250 000, Liban 150 000, Israël 72 000 (85) ; autres pays env. 300 000]. Les D. isr. sont prosionistes. Ils ont combattu avant 1948 dans l'Irgoun et la Haganah, et ont créé, en 1955 avec les Tcherkesses, l'Unité militaire des minorités, dans laquelle ils font leur service (conscription obligatoire, comme pour les J.). Env. 13 000 D. vivent sur le Golan occupé dep. 1967 et annexé en déc. 1981.

• **Capitale** (dep. 23-1-1950). *Nom : Yeroushalaym* pour les J., *Jérusalem* pour les chrétiens, *Al Qods* pour les musulmans (à 63 km de Tel-Aviv sur la côte). Les puissances étrangères ont leur ambassade à Tel-Aviv, car elles ne reconnaissent pas Jér. comme capitale (à l'exception du Salvador et du Costa Rica). *Avant juin 1967,* Jér. était divisée entre : Israël (195 700 h. ; nouvelle ville et tombeau de David), Jordanie (70 000 h. ; ville ancienne, Calvaire, St-Sépulcre, mosquée d'Omar, mur des Lamentations). **Population** (milliers). *1844 :* 15,51 (juifs 7,12, musulmans 5, chrétiens 3,39). *1870 :* 22 (J. 11, M. 6,5, C. 4,5). *1913 :* 75,2 (J. 48,4, M. 10, C. 17). *1931 :* 90 (J. 51, M. 20, C. 19). *1948 :* 165 (J. 100, M. 40, C. 25). *1967 :* (M. 60). *1983 :* 429 (non-J. 123). *1987 :* 475 [J. 340 dont 80 à Jér.-Est, Palestiniens 135 (dont 25,4 % musulmans, 3 % chrétiens)]. *1989 :* 493 (72 % de juifs).

• **Autres villes** (en milliers). Tel-Aviv 317,8 (dont 312,6 J. [1]) (à 63 km), Haïfa 222,6 (dont 205,8 J. [1]) (à 51 km), Holon 146, Petah Tiqva 133,6, Bat Yam 133,1, Rishon Le Zion 123,8, Netanya 117,8, Ber-Sheva 113,2, Bene Beraq 109,4, Rehovot 70,3 [1], Ashdod 69,7 [1], Herzlia 67,7 [1], Ashkelon 55,1 [1], Nazareth 47,1 [1] (à 169 km), Ramla 43,5 [1], Lod 41,4 [1], Akko 37,4 [1], Tibériade 30,2 [1].

Nota. – (1) 1985.

• **Langues.** *Officielles :* hébreu et arabe. Définis en 1781 par l'All. Auguste-Louis de Schloezer (1737-1809) comme « sémitiques », de *Sem,* 2e fils de Noé, dont les descendants, selon la Bible, ont peuplé le Moyen-Orient. (Voir p. 100.) *1re langue étrangère obligatoire :* anglais. En 1989, 300 000 à 500 000 personnes parlent français.

Alphabet hébreu. Variété de l'alphabet phénicien. Jusqu'au viiie s. av. J.-C., Phéniciens, Moabites et Hébreux parlaient le « sémitique commun » (même langue, même écriture). Aux viiie et viie s., la langue des inscriptions commence à se différencier, mais l'alphabet reste identique. Au iiie s. av. J.-C., les Moabites commencent à utiliser les caractères « en carré », que les Hébreux adopteront au Ier siècle av. J.-C., créant ainsi leur alphabet caractéristique. Alphabet de 22 lettres ; s'écrit de droite à gauche. Eliézer Ben Yéhouda (1858-1922), arrivé en 1881, a forgé de nouveaux termes, rédigé le 1er dictionnaire de l'hébreu moderne, fondé un journal (1884), créé le Comité pour la langue hébraïque (1890).

Lettres	Nom	Valeur	Lettres	Nom	Valeur
א	*alef*	'	ל	*lamed*	l
ב	*bet*	b, v	מ (ם)	*mem*	m
ג	*gimel*	g	נ (ן)	*nun*	n
ד	*dalet*	d	ס	*samekh*	s
ה	*he*	h	ע	*ayin*	'
ו	*vav*	v, u	פ (ף)	*pe*	p, f
ז	*zayin*	z	צ (ץ)	*ṣade*	ṣ
ח	*ḥet*	ḥ	ק	*qof*	q
ט	*tet*	t	ר	*resh*	r
י	*yod*	y, i	ש	*shin*	sh, s
כ (ך)	*kaf*	k, kh	ת	*tav*	t

Religions

Juifs (fin 1986, en milliers) : 3 561,4 (82,2 %). En 1980, *Séfarades* d'Asie 738,3 (dont nés à l'étranger 303,4), d'Afrique 736,7 (336,5) ; *Ashkénazes* d'Europe 1 252,5 (740,2), d'Amér.-Océanie 95,6 (67,4) ; *nés en I. de père né en I.* 459,6. **Karaïtes** 10 000 (rejettent la tradition et les lois rabbiniques, ne reconnaissent que la Bible). **Samaritains** 500 (origine : les Israélites non exilés à Babylone en 721 et fusionnés avec les soldats assyriens ; ne reconnaissent que le Pentateuque, vénèrent Josué). VIE RELIGIEUSE (sondage 1988 : sur 602 adultes citadins) : 10 % observent la tradition « dans tous ses détails », 18 % observent « la plupart du mitsvot », 40 % observent « en partie », 32 % n'observent « rien ».

Musulmans (13,8 %) 597 719 (86), surtout sunnites. **Druzes** (1,7 %) 73 630 (86) [musulmans chiites dissidents, disciples du calife fatimide Al Hakim (996-1021), considéré comme une incarnation divine supérieure à Mahomet ; leur religion est mystique et ésotérique ; les initiés *(uqqal)* forment 15 % de la pop. et mènent une vie ascétique. Croyance en la réincarnation : tout druze se réincarne en un nouveau-né druze].

Baha'is quelques centaines. Cap. relig. : Haïfa.

Chrétiens (2,3 %) 99 620 (86) (presque tous arabophones) dont : 1°) **Catholiques** (57 %) : 52 000 [dont 23 000 *(44 %)* d'entre eux de rite latin (clergé : + de 400 prêtres et moines, env. 1 200 religieuses ; env. 45 ordres et congrégations. À la tête : patriarche de Jérusalem. Les franciscains établis en Terre sainte au XIIIe s. sont chargés de la défense et de la garde des Lieux saints) ; *Maronites* (3,3 %) : 3 000 ; *Uniates* (26,6 %) : 24 000 ; *Grecs-catholiques* (11,1 %) : 10 000, en majorité dans le diocèse de St-Jean-d'Acre, en Galilée (patriarche d'Orient : archevêque Georges Hakim) ; *Arméniens, Syriens, Chaldéens* : quelques centaines]. 2°) **Orthodoxes** (35 %) : *Grecs* : 32 000 en I. (avec territoires adm.), leur patriarche a la préséance sur les chefs spirituels de Terre sainte ; 14 archevêques jouissent de droits et de privilèges (réglés par *statu quo*) provoquant des chicanes dues aux rites différents se déroulant au même moment dans les chapelles différentes d'un même sanctuaire. *Russes* : 1 mission dépendant du patriarcat de Moscou. Dans les terr. adm. un certain nombre d'églises et de couvents reconnaissent la seule autorité de l'Église russe en exil (centre à New York). 3°) **Égl. non chalcédoniennes** (5 %) dont *Arméniens* : 1 patriarche ; 2 000 fidèles. *Coptes* 1 000 et *Syriens* 1 000, chacun 1 archevêque. *Éthiopiens* 1 000 env., 1 évêque. Droits particuliers dans les principaux sanctuaires chrétiens. 4°) **Anglicans et protestants** (3 %) env. 3 000.

Territoires administrés ou annexés par Israël depuis 1967

• **Judée-Samarie (Cisjordanie)** 5 678 km². **Population :** *1967 :* 596 000 h. ; *83 :* 767 000 (dont 45 000 j.) ; *87 :* 838 000 (dont 60 000 j.) ; *88 :* 900 000 ; *90 :* (100 000 j. prévus). *Réfugiés :* 365 000, dont 92 500 vivent dans 19 camps et 272 500 hors des camps. *Implantations juives :* 118, dont 9 ont un statut « urbain ». Ma'aleh Adumim (12 500 h.), Ariel (6 500), Kiryat Arba (4 500), Emmanuel (4 000). **Terres :** sous « contrôle » direct (41 %) ou indirect (11 %) d'I. 4 % « affectés » aux implantations juives. **Villes :** Jéricho 64 000, Hébron 7 178, Naplouse 5 232, Djénine 4 891, Bethléem 58 819, Tulkarem 4 725, Ramallah 3 903.

• **Gaza** 373 km². **Population :** *1967 :* 390 000 h., *87 :* 542 000 (dont – de 2 000 J. dans 18 implantations), *91 :* 650 000 (3 000 dans 15 impl.). *Réfugiés :* 435 000, dont 240 000 dans 8 camps et 195 000 en dehors (57 000 dans Gaza ville). *Terres :* 48 % sous « contrôle » isr.

• **Golan** 1 150 km², 70 km sur 25 km, au N.-E. d'I., position stratégique au-dessus du Jourdain et du lac de Tibériade. *Population : avant 1967* env. 100 000 Syriens, *1981 :* 13 000 Druzes et quelques centaines d'Alaouites et de Circassiens, 6 000 colons isr. *1991 :* 200 000 (dont 12 000 Isr. dans 30 impl.).

• **Transformation économique et sociale :** création d'une zone industrielle dans la partie N. de Gaza ; augmentation du P.N.B. en Cisjordanie de 13 % par an dep. 67. En 1985, sur 200 000 h. actifs, 86 000 allaient chaque jour travailler en I. (dont 45 200 de Judée Samarie, 40 900 de Gaza). Écart des salaires moyens, entre I. et Cisjordanie, env. 1/3. Les Palestiniens sont le plus souvent agriculteurs ; ils vendent leurs produits sur place, en I. et en Jordanie (trafic libre entre les 2 rives du Jourdain).

• **Statut :** des lois d'avant juin 1967 demeurent en vigueur, et les pop. locales jouissent de l'autonomie pour affaires municipales, judiciaires et culturelles. **Sanctions prises** *contre les Arabes faisant partie de réseaux terroristes :* dynamitage des maisons ; expulsion vers la Jordanie.

Histoire

Av. J.-C. 10000-7000 civil. paléolithique natoufienne (du Wadi Natuf) : cueillette, chasse. Villages en pierre : Mallaha (Eynam), Jéricho. **7000-5000** sécheresse, pays abandonné. **V. 5000** repeuplé. **V. 4000** néolithique (agric., élevage). Voir Judaïsme, p. 546.

V. 1008-1001 le roi David fait de Jérusalem la capitale du roy. d'I. et de Juda et y transfère l'arche. David soumet Moabites puis Ammonites et Édomites. **V. 969-930** règne de Salomon. Entreprend la construction du Temple de Jérusalem. **V. 930-881** incertitude. **V. 881-841** dynastie d'Omri. Capitale à Samarie. **V. 841-749** dyn. de Jéhu. **722** l'Assyrie prend Samarie, 27 290 Israélites déportés. I. devient province assyrienne. **722-587** fin du roy. de Juda. **588**-*15-1* Nabuchodonosor met le siège devant Jér. qui tombe le 29-7-587. Répression (destruction des principaux édifices : temple, palais royal, murailles ; déportation des habitants à Babylone). **587-538** exil à Babylone. **539**-*29-10* le roi perse Cyrus entre dans Babylone. **538** édit de Cyrus ordonnant aux exilés de rentrer dans leurs pays et de reconstruire le Temple de Jér. (aux frais du trésor royal). **515** 2e Temple inauguré. **445** Néhémie, gouverneur de Juda, fait reconstruire la muraille de Jér. en 52 j. **332** fin de la domination perse, Alexandre le Grand prend Samarie et Judée. **323-281** g. des Diadoques (gén. d'Alexandre se disputant sa succession), influence de l'Égypte. **V. 285-200** domination lagide. **IVe-IIIe s.** développement de la diaspora dans l'Empire hellénistique. **200-167** domination séleucide. **167-142** Antiochus ayant décrété une hellénisation systématique (pillage de Jér., autel païen dans le Temple, mort pour les fidèles israélites, livres de la Loi détruits), révolte des Maccabées, dirigée par Mattathias l'Hasmonéen (prêtre qui refusa de sacrifier devant l'envoyé du roi) et ses 5 fils, env. 6 000 h. **164** reprennent Jér., purifient le Temple et le réinaugurent le 14-12. **142-63** dynastie hasmonéenne. **63** Pompée prend Jérusalem, Judée rattachée à l'Empire romain. **40** roi Hérode construit la citadelle (Tour de David) et embellit le Temple. **37 av. J.-C.-66 apr. J.-C.** dynastie hérodienne. **66-74** révolte des Juifs contre gouvernement romain. **70** Romains (Titus) détruisent Jérus. et le Temple. Voir p. 547 b. Ce qui prive Israël des assises de son unité nationale et religieuse car les J. tiennent, en effet, Jérusalem à la fois pour leur capitale nationale et pour leur ville sainte. Ils s'y rendent 3 fois par an, à l'occasion des fêtes dites de pèlerinage et acquittent un impôt cultuel au Temple. La reconstruction du Temple est désormais liée à l'avènement du Messie, dont l'attente domine la vie j. **70-73** 1 000 J. (hommes, femmes, enfants) s'enferment dans la forteresse construite par Hérode à *Massada*. Ils résistent 3 ans aux assauts romains, puis, vaincus, se suicident. **132-135 ap. J.-C.** 2e révolte contre les Romains conduite par Bar-Kokhba échoue. + de 500 000 soldats †, 985 villages détruits. Jérus. rasée remplacée par ville romaine (Aelia Capitolina) ; Judée disparaît ; sous-préfecture romaine (Syrie-Palestine) ; population dispersée *(Diaspora)*. 10 000 J. restent, notamment en Galilée (cap. religieuse Bet Shearim jusqu'en 352) ; la législation byzantine leur est hostile. **394** les J. peuvent revenir à Jérusalem. Devant le triomphe du christianisme, le judaïsme se transforme en religion non missionnaire, n'enregistrant plus que quelques rares conversions de groupes (comme certaines tribus berbères d'Afrique du N. et la caste dirigeante du royaume khazar, qui forme du VIIIe au XIIe s. un « État juif » s'étendant du Caucase à la Volga).

Ve-VIe s. peuplement progressif par des Arabes, venus du désert. **614** conquise par Perses Sassanides. **637** par Arabes musulmans. **691** sultan omeyyade Abd el-Malik fait de Jér. une ville sainte (Al Quds) et construit dôme du Roc sur l'emplacement du Temple. **V. 710** Al Walid construit mosquée Al Aqsa sur l'ancienne esplanade du Temple. **743** califat arabe constitué ; les J. y ont le statut de *dhimmis* soumis à la loi coranique. **1099** (croisades) Palestine fait partie du roy. de Jérus. (le Normand Tancrède, seigneur de Galilée). **1187** Palestine conquise en partie par Saladin, sultan d'Égypte (après sa victoire de Hattin). **XIIIe s.** les hordes kharezmiennes et mongoles exterminent une bonne partie des hab. **V. 1250** sous l'autorité des Mamelouks (musulmans turco-tartares) qui sauvent in extremis les J. de l'anéantissement. **1267** communauté j. de Jérus. reconstituée sous l'impulsion de l'érudit Moïse Ben Nachman (Nachmanide, le « Ramban »). **1517-1917** domin. des Turcs ottomans (**1517** Jérus. enlevée aux Mamelouks par sultan turc Selim Ier qui a reconstitué région administrative de Syrie-Palestine et encourage les J. à s'installer en Palestine).

– Les J. restés à Babylone avaient pris la direction spirituelle du judaïsme. 1033, mort du dernier des Grands Gueonim (autorité religieuse). Le centre spirituel passe en Europe près de Cordoue (tradition babylonienne, dite *Sepharadi*) et en Rhénanie (trad. palestinienne dite *Askhenazi*).

Communauté j. d'Espagne. **1391** décimée par chrétiens. **1492** expulsée [200 000 partent pour Afr. du N., Italie et empire turc (notamment Palestine : *1845* 12 000 J. sur 350 000 h. ; *1880* 25 000 J. sur 500 000 h.)].

XIXe s. L'ouest de la Palestine (actuel Israël) presque entièrement désertique ne constitue pas d'entité autonome. **1835** l'étudiant *Moritz* fonde à Prague une société pour le retour en P. **1838** *Moïse Montefiore* propose la création d'un État j. **1847** *Disraëli* écrit « Tancred » (préconisant théocratie judéo-chrétienne sur le monde). **1861** « Mishkénot Sha'ananim », 1er quartier j. hors des murailles de Jérusalem. **1862** *Moïse Hess* publie « Rome et Jérusalem ». **1863** *Havatzélet*, 1er périodique en hébreu. **1870** Mikvé Israël, 1re école agricole j., près Jaffa. **1878** fondation de Pétah Tikva par des J. de Jérus. **1882** *Léon Pinsker* (1821-91) publie « Auto-émancipation à Odessa ». Création près de Jaffa de la 1re colonie agricole j. **1891-96** des pionniers de l'Alliance israélite univ. et les Amants de Sion fondent 17 colonies agricoles ; le *Bon Edmond de Rothschild* (1845-1934) encourage le *sionisme* (du nom du Mt Sion, une des collines de Jérusalem, qui symbolise le pays d'Israël). **1896** *Théodore Herzl* (1860-1904) reprend les idées de Pinsker dans « l'État juif », puis dans un roman, « Altneuland » (1902) ; il propose de créer un État j. garanti par le droit public, réunit le 1er congrès sioniste à Bâle (1897), fonde la banque nat. juive (1898) et le Fonds national juif (1901), négocie avec le sultan l'achat de la Palestine (1902, échec). **1903** la G.-B. propose aux J. l'Ouganda pour créer un État. **1903-14** 40 000 J. s'installent en P. **1904** Herzl accepte de fonder un foyer j. en Ouganda (le VIIe congrès sioniste refuse). **1909** 1er kibboutz en Palestine, Degania. **1914-18** les Ar. palestiniens sont loyaux à l'égard de la Turquie. **1915** accords Hussein Mac Mahon : les Anglais constitueront après la g. un grand royaume arabe dont le souverain serait le cherif de La Mecque, Hussein (pour le récompenser de son action contre les Turcs : quelques centaines de combattants, opérations de razzia). **1916** accord secret Sykes-Picot (France/G.-B.) pour partage de la Terre Sainte : l'ouest du Jourdain est exclu des territoires destinés à l'indépendance arabe. **1917** 1er réseau clandestin j. en Palestine, « Nili », lutte contre l'empire ottoman. *-2-11* poussée par *Chaïm Weizmann* [(1874-1952), chimiste qui isola l'acétone, qui rendit des services pour l'armement angl.], la G.-B. publie la *déclaration* du min. des Aff. étr., *Arthur Balfour*, promettant l'établissement d'un foyer national j. en Pal. (Weizmann avait assuré, en échange, au PM angl. Lloyd George que les J. amér. pousseraient les U.S.A. à entrer en g.). **1917-18** l'armée angl. (Gal Allenby) conquiert Pal. **1918**-*4-4* Weizmann installe à Tel-Aviv le comité exécutif sioniste *Vaad Leumi*. **1919**-*3-1* lors de la Conférence de la Paix, à Paris, l'émir Fayçal, fils du roi Hussein de Hedjaz, délégué arabe principal, et Weizmann signent un accord confirmant la déclaration Balfour, et reconnaissant la Pal. comme distincte du roy. arabe (prévu par les accords Hussein-Mac Mahon) et le droit des J. à la souveraineté sur cette région ; le texte organise leur coopération avec les États arabes qui naîtraient du démembrement de l'empire ottoman. Les propositions j. admises par la délégation arabe incluaient, dans les territoires dévolus à l'État j., la Judée-Samarie (ou Cisjordanie) et une partie (20 000 km²) de la Jordanie actuelle. **1920** *Histadrout* (Conf. gén. des synd. en Erez Israël) fondée ; 1ers groupes de défense de la *Haganah*. Vladimir Zeev Jabotinski (Odessa 1880-1940), chef de l'exécutif de l'organisation j., prévoit que « le transfert de millions de J. en Eretz Israël entraînera automatiquement la création d'un État hébreu dans les frontières bibliques (soit 111 500 km²), conformément aux termes initiaux du mandat sur la Palestine (avant le Livre blanc de Churchill de 1922). *Avril Conférence de San Remo* confirme Déclaration Balfour et décide que le mandat sur la Pal. sera exercé par la G.-B. pour la SDN. **1921** *mars* création de l'émirat de Transjordanie ; les Arabes attaquent les colons j. *-22-7* Lloyd George et Balfour affirment à Weizmann que la G.-B. a entendu se prononcer pour un futur État juif.

1922-*24-7* SDN ratifie mandat donné à G.-B. sur Pal. : l'art. 4 prévoit une *Agence j.,* émanation de l'Organisation sioniste, qui représenterait les J. auprès de l'administration brit. Celle-ci facilitera l'immigration j. (art. 6) et mettra en place un système agraire visant à promouvoir la colonisation et la culture intensive des terres (art. 11). Toute modification des termes du mandat devra être soumise à l'approbation du Conseil de la SDN (art. 27) ; prescription que la G.-B. violera lorsque, par le Livre blanc de 1939, elle interdira aux J. l'entrée dans leur Foyer national. Le mandat impose la mise à la disposition des sionistes des terres publiques (7/10 des terres), mais la G.-B. assurera aux Arabes le monopole des biens fonciers. 27 % des terres achetées par les J. leur seront vendues par des propriétaires ne résidant pas en I. La G.-B. détache la Pal. Orient. (84 000 km²) à l'E. du Jourdain et ne s'engage que pour la Pal. Occid. (27 000 km²) (mesure ratifiée par la SDN le 16-9-22). La G.-B. confie la Pal. Or. (où vivent les 2/3 des Arabes Pal.) à l'émir Abdallah (frère du roi Fayçal) qui appelle son État Transjordanie (1922) puis roy. de Jordanie (1946). **1922-27** 370 000 J. (surtout Polonais) immigrent officiellement, protestations des Arabes de Pal. et des États ar. voisins. **1925** Lord Wedgwood préconise un État j. *N. Jabotinsky* fonde mouvement révisionniste qui conteste la pol. angl. en Pal. [crée une organisation para-mil. vers 1930 et un mouvement de jeunesse (le *Bétar*)]. **1927** *Agence j.* fondée pour colonisation des terres achetées par le Fonds national (1944 : 173 000 ha, 15 % des t. cultivables de Pal., 6 % du terr.). **1929** incidents à Jérusalem entre J. et Ar. Massacres à Hébron. **1931** fondation de l'*Etzel* (Irgoun Tzvaï Léoumi). **1933** Haïm Arlozoroff, chef du département polit. de l'Agence j., assassiné à Tel-Aviv ; les socialistes accusent les révisionnistes (en fait il a été tué par 2 agents ar. de l'All. sur ordre de Goebbels). *-30-1* Hitler au pouvoir en All. 37 000 J. all. émigrent en Pal. **1934** Ben Gourion et Jabotinski veulent fondre leurs 2 mouvements dans le Mapaï, mais Ben Gourion est désavoué. 45 000 J. all. émigrent ; 30 000 Syriens chassés du Hauran (sécheresse) émigrent en Pal. **1935** l'Union des sionistes-révisionnistes, fondée et dirigée par Jabotinsky, quitte l'Organisation sioniste mondiale et crée une nouvelle Org. sioniste (révisionniste). 66 000 J. all. émigrent. **1935-39** actions antisionistes ar. (1936 : « révolte ar. », G.-B. envisage partage de la Pal.). 10 000 incidents, 211 Angl. †, 300 J. †, 2 000 Ar. †. **1936** Jabotinski ordonne à la branche militaire de son mouvement, l'*Irgoun tzvaï léoumi* (organisation milit. nat.) de riposter par la force au terrorisme ar. (à l'encontre de la politique de non-violence de l'Agence j. et des socialistes pal.). **1936-45** 100 000 Ar. viennent des pays voisins. **1936** 30 000 J. all. émigrent. **1937** rapport de la Commission royale dirigée par Lord Peel : constatation que la Pal., traditionnellement terre d'émigration ar., est devenue un pays d'immigration ar., du fait du développement économique du secteur j. ; recommande le partage de la Pal. occid. en 2 États, j. et ar. (les J. auraient un État de 7 655 km², les Ar. refusent). **1938** commission Woodhead propose État j. réduit à Tel-Aviv (1 275 km²), les Ar. refusent. – de 15 000 J. allemands émigrent ; à partir du 2e semestre : immigrants illégaux se raréfient (la flotte angl. arraisonne de nombreux bateaux de réfugiés ; les occupants sont renvoyés vers leur port d'embarquement. **1939**-*30-1* Hitler menace en public de détruire la race j. en Europe. *-17-5* Livre blanc anglais (mémorandum MacDonald) ; un contingent de 75 000 J. serait admis en Pal. « à titre humanitaire » pendant 5 ans. Après, toute immigration j. serait rigoureusement prohibée (les Ar. des États voisins pouvant par contre continuer à émigrer). Les J. détiendraient env. 1/3 des postes. Actions terroristes de l'Irgoun contre Anglais. **1939-45** *shoah* (catastrophe) génocide des J. v. Index. **1940** l'Irgoun se range aux côtés Angl. et France contre Allem. mais *Abraham Stern* (1907-42, tué par Angl.) s'y refuse et constitue avec 200 membres le Groupe Stern [plus tard Lohamei hérouth Israël, combattants de la liberté d'Isr., en abrégé Lehi dirigé par Nathan Yelin-Mor (1913-80)]. Jabotinski meurt. **1943** *Menahem Begin,* chef de l'Irgoun. **1944**-*1-1* reprend le combat en I. contre l'administr. angl. : perceptions, quartiers centraux de la police et offices d'immigration. *-15-10* le v.-Pt américain préconise immigration j. illimitée. *-6-11* Lord Moyne (ministre brit. au Proche-Orient), qui s'était opposé au plan de sauvetage des J. hongrois proposé juin 1944 par Yoël Brand (échanger 1 000 000 de J. hongrois en instance de déportation contre 10 000 camions), est assassiné au Caire par 2 membres du Stern. Les J. socialistes aident la police brit. à traquer les « rebelles ». Ben Gourion et la majorité des responsables soc. croyaient que la G.-B. accepterait pacifiquement de satisfaire les aspirations du sionisme, une fois la g. finie [Churchill avait promis de donner aux J. le « gros morceau » en Palestine (Pal. occ. et une partie de la rive or. : Jordanie actuelle), et les Travaillistes prévoyaient un État j. plus étendu que celui revendiqué par les sionistes eux-mêmes]. **1945** *juill.* les Travaillistes anglais, au pouvoir avec Atlee, oublient leurs promesses : l'abandon des Indes oblige la G.-B. à s'appuyer sur les monarchies ar. Répression en Pal. ; les J. se dressent contre G.-B. **1945** *sept.* à **1946** *juin* front commun ; la *Haganah* (Défense), branche militaire du sionisme officiel, lutte aux côtés de l'Irgoun et du Groupe Stern (destructions d'avions, attaques de convois milit., dynamitages de ponts et voies ferrées) ; la G.-B. (avec 100 000 h.) ne peut triompher du terrorisme malgré arrestations massives et déportations vers Érythrée. *-13-11* Bevin, min. angl. des Aff. étr., invite USA à prendre en main la question pal. **1946**-*29-6* les Angl. arrêtent les dirigeants modérés j. ; la Haganah dépose les armes (ordre de Weizmann). *-17/18-6* Irgoun fait sauter 10 ponts du Jourdain. *-22-7* fait sauter le King David Hotel à Jér. (110 † angl. : le quartier gén. angl. n'ayant pas été évacué malgré une alerte par tél.). La G.-B. décide de donner l'indép. à la Transjordanie. **1947**-*31-1* évacuation des femmes et enfants angl. *-14-2* la G.-B. fait examiner la question à l'ONU. *-11-7* le *Pt Warfield* (commandé par Ike Aronowicz 23 ans), quitte Sète avec 4 551 J. (1 561 hommes, 1 282 femmes, 655 enfants, 1 017 adolescents, 36 marins). *-17-7* rebaptisé en mer *Exodus 1947* (en hébreu Yetziat Europa 5707, soit Sortie d'Europe 5707). *17/18-7* attaqué à 17 milles de la Palestine par nav. anglais, 4 † (3 réfugiés, 1 soldat brit., 200 bl.). *-18-7* arrivée à Haïfa ; 4 493 réfugiés repartent sur 3 bateaux « cages » pour Port-de-Bouc. *-22-8* repartent pour Hambourg où ils sont débarqués le 9-9 (en 1952, l'*Exodus* a brûlé à Haïfa). *-31-8,* 3 terroristes j. pendus par Angl. ; 2 sergents angl. pendus par Irgoun (en représailles, des synagogues sont brûlées à Londres), mais l'opinion publique pousse la G.-B. à se retirer de Pal. (200 Angl. ont été tués par attentats). *-29-11* vote à l'ONU d'un *plan de partage :* à l'Est, Pal. arabe, à l'O., Jérusalem et un État de 15 000 km² soit 1/8 env. du terr. total (33 pays pour, dont USA, URSS, Fr. ; 13 contre dont 11 musulmans, Cuba et Grèce ; 10 abstentions dont G.-B.). *-30-11* Ligue arabe déclare qu'elle s'opposera par la force à l'établissement

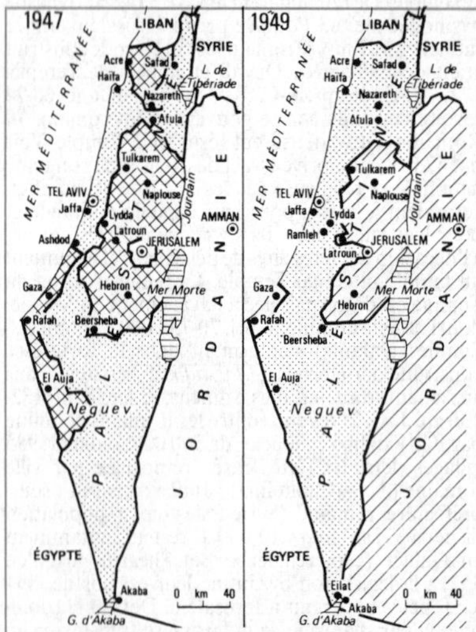

1947 : plan de partage de la Palestine adopté 29-11-47 par Ass. gén. de l'ONU. Israël avait 14 400 km². **1949 :** lignes de démarcation de 1949. Israël a 20 700 km².

d'un État j. **1948** *avril* les J. élisent un Comité exécutif de 13 m. *-14-5* son Pt *David Ben Gourion* proclame l'indépendance d'I. 8 h avant l'expiration du mandat brit. (15 mai à 0 h) ; il ne précise pas les frontières. La légion ar. attaque des colonies j. 350 civils j. tués à Goush Etsion et 88 médecins et étudiants j. brûlés vifs sur le mont Scopus.

Guerre de 1948-49. Ar. et J. essayent de s'emparer du matériel de g. angl. Évacuation de 350 000 à 400 000 Ar., encouragés à partir à l'abri par leurs chefs (beaucoup étaient des émigrés récents venus pour trouver du travail). *Forces en présence. Arabes :* 40 000 Égyptiens, 21 000 Irakiens, 8 000 Syriens, 6 000 Jordaniens, Légion ar. commandée par Sir

Bilan (1939-45)	Pop. j. 1939	Morts et disparus	Pertes en %
Pologne	3 300 000	2 800 000	84,8
U.R.S.S. [3]	2 100 000	1 500 000	71,4
Roumanie	850 000	425 000	50
Hongrie	404 000	200 000	49,5
Tchécosl.	315 000	260 000	82,5
France [1]	*300 000*	*90 000*	*30*
Allemagne	210 000	170 000	81
Lituanie	150 000	135 000	90
Pays-Bas [1]	150 000	90 000	60
Lettonie	95 000	85 000	89,5
Belgique [1]	90 000	40 000	44,4
Grèce	75 000	60 000	80
Yougoslavie	75 000	55 000	73,3
Autriche	60 000	40 000	66,6
Italie [1]	57 000	15 000	26,3
Bulgarie	50 000	7 000	14
Divers [2]	20 000	6 000	30
Total	*8 301 000*	*5 978 000* [4]	72

Nota. – (1) Y compris réfugiés. (2) Danemark, Lux., Norvège, Estonie, Dantzig. (3) Zone occupée. (4) Variante fournie par l'Encyclopaedia Judaïca (1974) : Aire polono-soviétique *4 565 000* (sur 7 005 000), Hongrie (avec Transylvanie du N.) *402 000,* Tchécoslovaquie *277 000,* Allemagne *125 000,* Pays-Bas *106 000,* France *83 000,* Autriche *65 000,* Grèce *65 000,* Yougoslavie *60 000,* Roumanie *40 000,* Belgique *24 000,* Italie *7 500,* Norvège *760,* Luxembourg *700. Total : 5 820 960.*

Source : « Le IIIe Reich et les Juifs » de L. Poliakov et J. Wulf, Gallimard.

Les Allemands appelaient NN (*Nacht und Nebel,* nuit et brouillard) les camps dont les détenus étaient voués à l'extermination.

John Bagot dit Glubb Pacha († 1986), quelques milit. libanais alliés à 50 000 Ar. de Pal. (Garde nat. levée par le mufti de Jérusalem) attaquent milices j. *Juifs :* [Haganah (créée officiellement 1936) : 40 000 soldats (10 000 fusils), 16 000 policiers, 2 000 commandos (*Palmakh*)]. **1948**-*9-4* massacre de *Deir Yassin* (254 femmes, enfants, vieillards ar.) par 80 soldats de l'Irgoun et 40 du groupe Stern. *-14-5* proclamation de l'État d'Isr., Jérusalem choisie comme capitale. *-15-5* début de la g. *-28-5* Jérusalem aux mains des Arabes. Cte Folke Bernadotte, Suédois, nommé médiateur de l'ONU en Palest. *-11-6* levée du siège de Jérusalem. *Juin* Ben Gourion fait mitrailler l'Altalena qui amenait 900 h. et des armes pour l'Irgoun. *-11-6/8-7* 1re trêve, puis offensive des 10 j ; *-19-7/15-10* 2e trêve, 500 000 Ar. se réfugient en Transjordanie, Liban et Syrie (68 000 Ar. sur 70 000 quittent Haïfa). *-17-9* Bernadotte tué, 6 balles dans le cœur (avec André Sérot, colonel fr. observateur de l'ONU, 17 balles dans la tête et la poitrine) par Yeoshua Cohen († 1986) « antisémite et proar. » parce qu'il n'avait pas fait libérer des J. lors de sa négociation d'avril 1945 avec Himmler [les 3 et 4-7, I. et la Ligue ar. ayant refusé la constitution d'1 État fédéral (État j., État ar. et Transjordanie) et la démilitarisation de Jérusalem et de Haïfa, Bernadotte revenu à Rhodes avait proposé : partage de la Pal. (Néguev aux Ar., Galilée occid. aux J.), internationalisation de Jérusalem et des Lieux saints, retour des réfugiés en Isr., mais Ar. et J. étaient contre]. *-18-9* arrestation de 200 m. et sympathisants du groupe Stern. *-20-9* Stern et Irgoun hors la loi. *-15-10* Égyptiens repoussés dans le Néguev. *Déc.*/**1949** *janv.* I. s'installe dans le Néguev, qui lui revenait d'après le plan de partage. *Armistice* demandé par Égypte (signé *24-2* à Rhodes), Liban *(23-3),* Jordanie *(3-4),* Syrie *(20-7).* L'Irak retire ses troupes sans négocier. *Pertes isr. :* 6 500 †. *Territoire :* + 6 300 km².

1949-56-*11-5* I. entre à l'ONU. La résolution 273 III lui enjoint de mettre en œuvre les principales résolutions des *29-11* et *11-12-48* (I. doit rapatrier les réfugiés qui le désirent ou indemniser ceux qui renonceraient). *-13-12* transfert de la capitale à Jérusalem annoncé. Égypte interdit trafic venant ou allant en I. à travers canal de Suez. **1950**-*24-4* Transjordanie devient roy. hachémite de Jordanie en annexant les zones de Pal. qu'elle occupait. **1953** *Mossad* (service secret) créé. **1950-56** *Pertes isr. :* 15 000 † (sabotages, incursions de commandos ar.).

Guerre de 1956. *Été* accord secret de Sèvres entre G.-B., Fr. et I. pour attaquer l'Ég. *-29-10 :* opération Kadesh, 3 colonnes blindées (avec Gal Moshe Dayan) envahissent Sinaï. *-30-10* Fr. et Angl. enjoignent aux Égyptiens et I. de retirer leurs troupes à 16 km de part et d'autre du canal de Suez. I. accepte, l'Ég. refuse. *-4-11* occupation des îles de Tiran et Sanapir. *-5/6-11* une force fr.-angl. intervient à partir de Chypre (parachutages sur Port-Saïd et Port-Fouad puis débarquement, 1 000 Fr.). Zone du canal occupée sur 36 km entre Port-Saïd et El-Kantara. *-6-11* intervention diplomatique russo-amér. contraignant Anglo-Fr. et I. à cesser le feu. *-4/22-12* Angl.-Fr. évacuent l'Ég., remplacés par forces de l'ONU. **1957** *-1-3* I. évacuent Gaza et Charm al-Chaykh, remplacés par ONU. *Pertes. Tués :* Ég. 650 (?), I. 189, Angl. 22, Fr. 10. *Prisonniers :* Ég. 15 000. I. 1.

Après 1956, blocus ar. renforcé, la Ligue ar. tentant d'empêcher les Stés étrangères de travailler avec I. **1960**-*23-5* Eichmann enlevé en Argentine par des agents i. (procès ; exécuté 1-6-62). **1965**-*1-1* relations dipl. avec All. féd. **1966**-*15-8* bataille aérienne i.-syr. au-dessus de Tibériade. I. annonce qu'il exercera droit de suite en Syrie.

Guerre des « six jours » 1967. *-10-5* I. informe Conseil de séc. (ONU) qu'il réagira aux agressions de Syrie. *-18-5* Ég. demande retrait des 3 400 Casques bleus (ONU) stationnés dep. 1956 en Ég. et à Gaza. *-19-5* U Thant, secr. gén. ONU, accepte. *-21-5* retrait effectué. *-22-5* Ég. interdit golfe d'Akaba aux navires i. et aux matériaux stratégiques destinés à I. (bloque détroit de Tiran). *-31-5* accord de déf. jord.-ég. après visite du roi Hussein au Caire. *-4-6* l'Irak y adhère. *-5/10-6 g. éclair* menée par Gal Rabin (Gal Dayan étant min. de la Défense) ; I. avait déclaré qu'il considérerait comme un casus belli le blocus d'Akaba. I. détruit au sol env. 400 avions, capture ou détruit 700 à 800 chars ég., 110 chars jord., 3 sous-marins ég., occupe Sinaï, Gaza, Cisjordanie et Jérusalem-Est (le 7-6, à la Jordanie), et hauteurs du Golan (Syrie). *-8-6* cessez-le-feu, respecté 2 j plus tard. (*Pertes :* Jordanie 6 094 † et disparus, Syrie 445 †, 1 898 bl., Ég. 20 000 † ; I. 872 † dont 200 à Jér.) I. (13 000 km^2) contrôle 42 000 km^2. *-28-6* Knesset vote annexion partie ar. de Jér. (condamné par l'ONU). *-24-9* le gouv. décide d'installer des kibboutzim en Cisjordanie et sur le Golan. *-21-10* escorteur Eilath détruit par les missiles ég. *-22-11 résolution 242* adoptée à l'unanimité par le Conseil de séc. de l'ONU [retrait des forces i. des terr. occupés (le texte off. angl. dit : « occupied territories », c.-à-d. *de* territoires occupés, sans préciser lesquels et non de tous les terr. comme l'ont confirmé les 2 auteurs du texte original, le min. brit. des Aff. étr., lord George Brown et l'amb. angl. à l'ONU, lord Caradon), respect et reconnaissance de la souveraineté, de l'intégralité territ., de l'indép. et du droit de vivre en sécurité de chaque État de la région].

1967 (juin) : lignes de cessez-le-feu. Israël a 39 859 km^2.

1968-*21-3* représailles (après attentat contre autobus d'écoliers) contre camp de Karameh (Jordaniens 61 †, 31 chars perdus ; Palestiniens 128 †, 150 prisonniers ; I. 28 †, 11 chars et 1 avion perdus). *-8-7* duel d'artillerie le long du canal. *-8-9* idem. *-31-10* raid i. en Ég. à 23 km d'Assouan. *-26-12* Athènes att. contre avion El Al (1 †). *-28-12* raid i. sur l'aérodrome de Beyrouth. **1969**-*2-1* la Fr. impose l'*embargo* sur livraisons mil. à I. *-9-3* duel d'artillerie le long du canal. *-21-6* raid i. contre station de radar à 10 km au S. de Suez. *-23-7* début de la g. d'usure sur canal. *-25-12* raid i. sur des rampes de lancement ég. : une station radar emportée. A 2 h 30 *5 vedettes* commandées et payées par I. aux Constructions mécaniques de Normandie (Félix Amyot), qui restaient d'une commande de 12 et étaient bloquées par l'embargo, quittent Cherbourg clandestinement pour I. (arrivent 31-12). **1970** représailles contre Liban. *-7-1* 1er raid en profondeur de l'aviation i. *-12-2* bomb. i. d'une usine (70 †). *-15-3* attaque i. en Syrie. *-19-6 plan Rogers* (1° reconnaissance mutuelle de la souveraineté, de l'intégrité terr. et de l'indép. pol. entre Ég. et Jordanie, d'une part, et I., d'autre part. 2° retrait d'I. des terr. occupés en 1967) ; accepté par Ég., I., Jordanie ; rejeté par OLP, Irak, Syrie. *-7-8* cessez-le-feu sur canal (reconduit *4-11* puis *4-2*-71, non reconduit *7-3*-71). **1971**-*25-5* mission du Suédois Gunnar Jarring (ONU) mise en veilleuse. **1972**-*15-2* accord avec Fr. sur remboursement des 50 Mirage-5 achetés par I. en 1966 et mis sous *embargo* en 1967. *-28-3* élect. mun. en Cisjordanie, votants : 84 % des 12 000 électeurs. *-30-5* attentat à Lod (27 †). *-21-6* bombardement sur Liban (48 †). *-15-8* Fouad Assad al-Chamali, Libanais, 36 ans, « cerveau » de Septembre noir, meurt. *-5-9* assassinats (11 athlètes) aux J.O. de Munich par Septembre noir. *-8-9* raid i. contre Liban et Syrie (200 †). *-1-11* contre Syrie : 100 †. *-21-11 :* 6 Mig syriens détruits. [*Du 10-6-67 à oct. 72, pertes isr. :* 827 †, 3 141 bl., 27 avions abattus ; *fedayins :* 3 335 †, 550 prisonniers, 145 avions ar. abattus ; 3 117 Pal. internés en I. (1 949 condamnés par trib. mil., 331 internés « administrativement », 837 non encore jugés).] **1973**-*8-1* raids i. en Syrie : + de 150 † civils. *-10-4* raid à Beyrouth, 3 dirigeants pal. tués. *Juin* chancelier Brandt visite I. *-13-9,* 13 Mig-21 syriens abattus, 1 avion i. *-29-9* l'Autriche ferme Centre de transit de Schoenau (par lequel étaient passés 100 000 J. dep. 1963) après prise de 4 otages par commando pal. dans train autr. *Sept.* échange de 3 pilotes i. contre 43 officiers syr. et 10 soldats lib.

Guerre du Kippour. 1973-*6-10* à 14 h attaque ég. (222 bombardiers, 1 500 chars, 5 divisions franchissent le canal) et syrienne (3 divisions blindées, 1 000 chars, 20 bataillons d'engins, 27 compagnies d'artillerie) sur le Golan. *-7-10* bataille de blindés à Koms (I. 1 700, Syrie 1 600, Ég. 2 000). *-9-10* Irak et Jordanie renforcent Syriens. *-10-10* Arabes prennent Mt Hermon et ville de Qunaytra. Isr. remportent une bataille de chars, réduisent aviation syr. et s'avancent sur Damas bombardée [raffinerie de Homs (Syrie)]. *-11-10* offensive sur front nord. Tartous, Lattaquié et aérodromes de Damas bombardés. *-12-10* reprennent Qunaytra. *-15/16-10* front sud : I. (gén. Ariel Sharon) passent le canal et établissent 1 tête de pont (100 blindés i. franchissent canal au Déversoir). *-17-10,* 11 pays ar. cesseront livraisons (pétrole) aux amis d'I. (USA, P.-Bas, Portugal, Afr. du S.) si I. ne quitte pas les terr. occupés. *-22-10 résolution* 338 du Conseil de sécurité votée à l'unanimité (moins Chine qui refuse de prendre part au vote) confirmant la *rés.* 242 (du 22-11-67). *-23-10* trêve à 17 h. I. et É. acceptent cessez-le-feu. *-24-10* Syrie accepte cessez-le-feu. L'Irak refuse toute discussion. 3e armée ég. encerclée à l'E. du canal. Pendant ces 18 j, 2 000 chars égypt. (valeur totale 3 milliards) ont été détruits par armes portatives légères *ATGW* et *RPG-7*. *-25-10* cessez-le-feu définitif. Le Conseil de sécurité décide d'envoyer un corps internat. (arrive 26-10). Alerte des bases amér., l'URSS ayant annoncé qu'elle enverra des troupes, ce qui ne sera pas fait. *-4-11* 1er dimanche sans voitures aux P.-Bas (embargo pétrol.). *-7-11* USA-Ég. reprennent relations diplom. *-11-11* accord ég.-i. au km 101. (*Pertes :* 3 000 † i., matériel

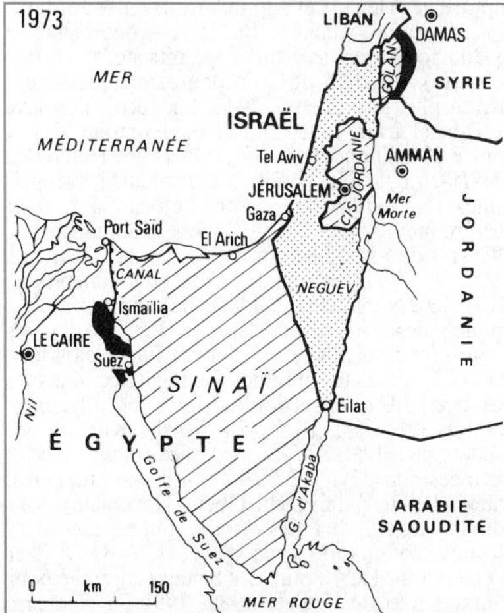

1973 : lignes de cessez-le-feu après la guerre d'oct. : les Égyptiens occupent 2 portions d'env. 10 km de large sur la rive orientale du canal (en blanc).
Les Israéliens occupent, sur la rive africaine du canal, la bande de terrain (en noir) du sud d'Ismaïlia jusqu'au port d'Adabiya, sur la mer Rouge.

militaire 1 milliard de $.) *-17-12* attentats à Fiumicino (Italie). Boeing de la Panam détruit (31 †). Un avion Lufthansa détourné vers Koweït. *-21-12* conférence de Genève.

1974 Mgr Capucci, vicaire melchite de Jérusalem, condamné à 12 ans de prison (il a transporté des explosifs pour le Fath). *-10-1* mission Kissinger au Moyen-Orient. *-18-1* accord Ég.-I. *-15/19-5* prise d'otages à l'École de Maalot (26 I. tués, surtout des enfants), en représailles bombardement de 6 camps pal. et de 6 villages lib. (60 †). *-31-5* accord i.-syr. (cessez-le-feu, désengagement sur Golan, échange des prisonniers). *-4-7* à Beyrouth, Haj Amine el Husseini (n. 1897), ancien grand mufti de Jér. meurt. *-28-8* Pt Giscard d'Estaing lève embargo français. *-26/29-10* sommet de Rabat ; OLP seule représentante du peuple pal. *-21-11* UNESCO refuse par 48 v. contre 33 (31 abst.) d'inclure I. dans une région du monde déterminée. *-22-11* Arafat à l'ONU qui accorde à OLP (89 v. contre 8, abst. 37) le statut d'observateur permanent et reconnaît le droit des Pal. à l'indép. **1975**-*23-3* échec mission Kissinger, mandat des troupes de l'ONU sur Golan sera prolongé. *-5-5* Tel-Aviv, hôtel Savoy pris en otage par Fatah (11 †). *-31-5* accord i.-syr. à Genève sur désengagement des forces dans Golan. *-2-6* réduction unilatérale des forces i. dans Sinaï. *-4-9* accord i.-ég. : renonciation à la g., maintien de la force ONU, passage par le canal des cargaisons non mil. de ou vers I., système de détection (5 stations dont 1 ég., 1 i., 3 US), l'Ég. récupère gisements de pétrole d'Abou-Rodeis, démilitarisation de la zone évacuée par I. (cols de Mitla et de Djidi...). *-14/20-10* accrochages sur Golan : 2 Syr. et 4 I. tués. *-2-11* cargaison pour I. franchit le c. de Suez (1re fois dep. 1948). *-14-11* I. évacue champs pétr. de Ras-Sudr. *-2-12* raids aériens i. sur camps de réfugiés pal. au Liban : + de 100 †. *-9-12* vict. du PC i. aux élect. mun. de Nazareth (ville ar.). *-15-12* ONU condamne attitude I. dans « terr. occupés » puis assimile sionisme au racisme. **1976**-*1/2-1* incendie du journal *Haaretz* (mafia). *-12-1* ONU invite OLP à participer au débat sur Pal. [11 v. pour, 1 contre (USA), 3 abstentions dont Fr.]. *-26-1* veto US au Conseil de sécurité contre résolution affirmant le droit du peuple pal. à créer un État (la Fr. vote pour). *Févr.* manif. pal. à Jérusalem (I. accusé de vouloir « judaïser » le mont du Temple). Fin de l'évacuation des cols du Sinaï. *Déb. mars* I. réquisitionne 2 000 ha de t. en partie ar. en Galilée. *-19-3* « journée de protestation d'El Aqsa » (mosquée) des Ar. *-30-3* manif. réprimée, 6 Ar. i. tués (en souvenir la *Journée de la Terre* sera célébrée chaque année). *-27-6/3-7* airbus d'Air Fr. détourné sur *Entebbe* (revendiqué par Septembre noir), intervention de sauvetage i. réussie. **1977**-*7-1* Abou Daoud (accusé d'avoir organisé attentat de Munich), venu à Paris sous un nom d'emprunt pour assister aux obsèques de Mahmed Saleh (délégué de l'OLP, assassiné à Paris le *3-1*), est arrêté puis relâché. *-7-4* Itzhak Rabin démissionne (découverte d'un compte bancaire aux USA au nom de sa femme). *-17-5* élect., vict. du Likoud. I. aide milices chrét. du Liban. Sadate en I.-*14-8* la législation i. est étendue aux pop. des Territoires.

1978-*11-3* commando pal. (11 m.) entre Haïfa et Tel-Aviv (35 †, 82 bl.). *Mars* 1 conducteur de bulldozer échangé contre 76 terroristes. *-15-3/13-6,* 30 000 I. occupent S.-Liban jusqu'au Litani (plusieurs milliers de réfugiés au-delà). *-30-5* aéroport Ben-Gourion 26 †, mitraillage (FPLP). *-3-8* Ezzedine Kallak, représentant de l'OLP à Paris, assassiné (par « Front du Refus des apatrides ar.-pal. ») ; bombe dans un souk (riposte à l'attentat du marché de Tel-Aviv). *-5/17-9* **Camp David I :** accords Sadate, Begin, Carter (1er) : paix au Proche-Orient, fondée sur autonomie administrative de Cisjordanie et Gaza pendant 5 a. ; I. ne crée pas de nouvelles colonies de peuplement, jusqu'à l'auto-gouv. des 2 régions ; 2e : conclusion d'un tr. de paix ég.-i. ; rétablissement de la souveraineté ég. sur tout le Sinaï ; recul de 70 km des I. au Sinaï, 3 à 9 mois après le tr. ; départ définitif d'ici à 2-3 ans. *-20/23-9* sommet ar. de la fermeté à Damas. *-3/5-11* sommet ar. élargi à Bagdad. *-11-11* compromis de Washington. *-8-12* Golda Meir meurt. *-10-12* Begin reçoit prix Nobel de la Paix à Oslo (Sadate, également prix Nobel, ne vient pas). **1979**-*22-1* Ali Hassan Salameh dit Abou Hassan, chef du Fath, meurt. *-21/25-2* **Camp David II.** *-27-3 tr. de paix i.-ég.* signé à Washington par Sadate, Begin et Carter (« témoin »). *-3-6* imam de Gaza tué. *-24-7* FUNU (Force d'urgence des Nations unies créée oct. 73) stationnée au Sinaï dissoute et rapatriée ; observateurs restent. *-25-7* I. évacue Sinaï de El Tor à la Méditerranée (6 000 km^2, 110 × 50 km, 4 000 Bédouins). *-27-6* et *-24-9* combats au-dessus du Liban : 9 Mig-21 syr. abattus. *-28-7* Z. Mohsen, chef de la Saïka pal., tué à Cannes. *-25-9* I. évacue

Quelques actions terroristes hors d'Israël

De 1968 à 1972, voir Quid 1982, p. 1014bc.

1972-*3/5-9 Munich* (village olympique)[1], 7 Isr., 4 fedayins, 1 tireur all. tués. **1973**-*1-3 Khartoum,* ambassade d'Arabie S., 3 †. **1975**-*21-12 Vienne*[2], min. de l'OPEP pris en otages, 4 †. **1978**-*20-5 Paris*[2] vol El Al, 2 †. **1979**-*13-7 Ankara*[3], ambassade d'Ég., 3 †. **1980**-*27-7 Anvers*[2], grenades sur un groupe d'enfants j. (1 †). *-27-7 Bruxelles,* projet contre aéroport. *-3-10 Paris,* bombe devant synagogue rue Copernic (4 †). **1981**-*22-6 Le Pirée* (Grèce)[2], agence de tourisme (2 †). *-29-8 Vienne* (Autr.), synagogue (2 †). *-31-8 Paris,* hôtel Intercontinental par Front palestinien (17 bl.). *-29-9 Limassol* (Chypre), bureau de la ZIM (Cie de nav. isr.), dégâts matériels. **1982**-*3-4 Paris,* assassinat du diplomate Yaakov Barsimantov. *-3-6 Londres*[4], ambassadeur d'I. Shlomo Argov blessé. *-9-8 Paris*[4], fusillade rue des Rosiers, restaurant Goldenberg, 6 †. *-19-9 Bruxelles*[4], synagogue, 4 bl. *-9-10 Rome*[4], synagogue (1 †). **1985**-*21-8 Le Caire,* diplomate isr. tué. *-3-9 Athènes*[4], hôtel, 18 †. *-24-9 Chypre,* 3 terror. i. tués. *-7-10* Achille Lauro[2] pris en otage, 1 †. *-27-12* comptoirs d'El Al[4] *Vienne* (Autr.), 4 † dont 1 terr., 47 bl., *Rome* 15 † (dont 3 terr.), 75 bl. *-29-12 Fiumicino* (Italie) 15 †. *Vienne* 3 †. **1986**-*6-9 Istanbul*[4], synagogue, 24 †. **1988** *City of Poros*[4] (nav. grec) 9 †.

Nota. – (1) Fatah. (2) FPLP. (3) Saïka. (4) Abou Nidal.

☞ Terrorisme juif antiarabe. Plusieurs attentats de 1980 à 85. **1981**-*30-8* : 1 †, 14 bl. à Hébron. **82**-*11-4* un déséquilibré tire devant la mosquée de Jér. 4 †. **83**-*26-7* : 4 † à Hébron, 1 † à Naplouse. *-5-10* : 1 † à Hébron.

6 400 km^2 du Sinaï, *nov.* évacue zone pétr. de A-Tour et monastère Ste-Catherine. Services secrets i. détruisent à Toulon 2 réacteurs destinés à Irak.

1980-*25-1* I. évacue partie du Sinaï *-26-2* échange d'ambassadeurs I./Ég. *-1-3* Conseil de sécurité condamne implantations j. en terr. occupés. *-2-3* Pt Giscard d'Estaing au Koweït évoque l'« autodétermination » des Pal. *-7-4* Misgav-am, prise d'otages d'enfants (3 † dont un bébé). *-2-5* Hébron (6 †, 16 bl.). *-30-7* Knesset adopte (69 v. pour, 15 contre, 3 abstentions) loi fondamentale Jér. réunifiée. *-30-7* Knesset proclame Jér. réunifiée cap. d'I. *-24-8* Jér. bombe (1 †). *-5-10* Givatayim (poste) colis piégé (3 †). *-17-10* accord USA-I. approvisionnement d'I. en pétrole garanti 10 ans. *-16-12* Gaza attentats : 3 †. *-19-12* raid au S.-Liban, 3 soldats syr. †. **1981** I. soutient milices chrét. du Cdt Haddad, au Liban ; nombreux raids aériens. *-1-6* Naïm Khader, représentant OLP, tué à Bruxelles. *-7-6* aviation i. détruit réacteur fr. Osirak à Tammouz (Irak). *-15/18-6* rassemblement mondial survivants de l'holocauste à Jérusalem, env. 10 000. *-20-7* début des tirs de l'OLP sur Galilée. *-7-8* plan de paix du Pce Fahd d'Ar. reconnaît à tous les États de la région le droit de « vivre en paix ». *-29-8* près de Jér., attaque d'un bus (1 †). *-10-10* Begin au Caire pour obsèques de Sadate. *-16-10* Moshe Dayan (n. 1915) meurt. *-3-11* Knesset rejette plan Fahd. *-14-12* vote (63 v. contre 21). Extension de la loi d'I. sur Golan. Manif. des Druzes du Golan contre annexion. **1982**-*3/6-3* Pt Mitterrand en I. (1er chef d'État fr. en I. dep. 1948). *-3-3* l'armée i. évacue colons de Yamit (Sinaï). *-30-3* grève gén. ar. contre répression en Cisjordanie. *-26-4* I. restitue à l'Ég. tout le Sinaï. *Mars-avr.* Cisjordanie manif. contre colons. *-3-6* ambassadeur i. blessé à Londres. *-6-6* représailles, I. bomb. Beyrouth. **« Opération paix en Galilée »** pour repousser OLP. V. Liban p. 1008 a. *-6-9* combats aériens i.-syr. (aviation syr. anéantie). *-11-11* explosion au quartier gal i. de Tyr (S.-Liban), 89 † dont 75 soldats i. *Bilan : 6-6-1982 au 12-1-1983,* 456 † et 2 461 bl. isr. *Coût :* 3 milliards de $. **1983**-*7-2* cour suprême : conclut à la respons. indirecte de l'armée i. pour avoir laissé faire des massacres au Liban en sept. 82 (Sabra et Chatila). *-10-2* attentat à Jér., 1 †. *-11-2* Gal Ariel Sharon, min. de la Défense, démissionne. *-17-5* accord i.-lib. sur retrait des forces étr. au Liban. (opposition de la Syrie). *-25-5* échange 4 400 terroristes détenus au S.-Lib. et 100 pris en Jord. contre 6 soldats i. *-30-8* Begin démissionne, retrait du Chouf des forces i. au Sud rivière Awali. *-15-9 Yitzhak Shamir* PM. *-11-10* shekel dévalué 23 %. *-13-10* projet d'alignement de l'écon. i. sur le $ amér. *Oct.* krach boursier (valeurs bancaires surévaluées), perte de 7 milliards de $. *-6-12* attentat à Jér. : 4 †. **1984**-*2-4* att. à Jérusalem : 48 bl. *-29-4* réseau terroriste j. antiar. démantelé (la plupart, du Goush Emou-

Pertes dans les guerres avec les pays arabes. *1948-49 :* 6 087 tués, *1956 :* 232, *juin 1967 :* 785, *guerre d'usure :* 1 414, *oct. 1973 :* 2 676, *1974-82 :* 1 936. **Liban.** *1982-85 :* 1 154, de *juin 85* au *30-4-87 :* 294.

nim, Bloc de la foi, annexionniste). *-24-7* él. générales. *Juill.* Leningrad Ephraïm Katzir, ancien Pt, arrêté. *-29-12* Fahd Kouvasmeh (maire d'Hébron expulsé mars 1980 de Cisjordanie, membre Comité exécutif OLP) assassiné à Amman par prosyriens.

1985 *janvier* retrait partiel du Liban. *-11-2* accord Hussein (Jord.)-Arafat (Pal.) pour négocier conjointement ; envisagent confédération ar. Jord./Pal. *-20/21-5* échange 3 soldats i. contre 1 150 « prisonniers de sécurité » pal. et sympathisants (dont le Jap. Kozo Okamoto, seul survivant du commando auteur du massacre de Lod en 1972). *-24-9 :* 3 touristes i. tués à Chypre. *-1-10* raid i. sur quartier gén. OLP à Borj-Cedria (à 25 km de Tunis), 60 †. *-5-10* : 1 soldat ég. tue 7 touristes i. à Ras Barka (Sinaï). *-7-10* entre Le Caire et Port-Saïd l'Achille Lauro (paquebot it. : 22 000 t, 450 passagers, 300 h. d'équipage) détourné par FLP (1 passager amér. infirme est tué). *-9-10* terr. se rendent à Port-Saïd, remis à l'OLP. *-10/11-10* partent sur B-107 ég., mais leur avion est contraint par des chasseurs amér. de se poser à Sigonella (Sicile, base OTAN) où ils sont remis à la justice ital. *-9-11 OLP* condamne opérations terroristes. *-29-12* att. 75 bl. et 4 terr. †. **1986**-*19-1* relations diplom. avec Esp. *-2-3* Zafer Al Masri, maire de Naplouse, tué par FPLP. *-21-7* Maroc, Shimon Peres, PM, reçu par Hassan II. *-11/12-9* sommet Moubarak-Peres à Alexandrie. *-30-9* Mordechai Vanunu accusé d'avoir livré la preuve qu'I. fabriquait du plutonium (10 bombes A.) enlevé à Rome et rapatrié en I. *-15-10* att. à Jérusalem 1 †, 69 bl. *-16-10* raid i. au S.-Lib. ; 1 Phantom abattu, 1 pilote récupéré par hélico. *Déc.* en Cisjordanie 4 †. **1987**-*4-3* Jonathan Jay Pollard condamné à perpétuité aux USA pour espionnage au profit d'I. *-6/10-4* Pt Herzog 1er chef d'État i. en All. féd. *Avril* violences en Cisjordanie. *-8-6* le rabbin Meir Kahana exclu de la Knesset (serment de fidélité à l'État d'Isr. et à la Knesset). *-1-11* Chirac en I. *-25-11* un ULM vient du Liban, 1 Pal. †, 6 soldats †. *-6-12* 1 poignardé à Gaza. *-7-12* Gaza 1 camion i. emboutit 2 voitures et tue 4 hab. *-9-12* une rumeur indique que l'accident serait un meurtre, manif. anti-isr., la troupe tire : 1 enf. (11 ans) tué et 16 bl. Des émeutes vont suivre à Gaza et en Cisjordanie, début de l'**Intifada** (guerre des pierres). **1988**-*5-1* ONU stigmatise déportations de Pal. ; troubles dans terr. occupés, 43 † jusqu'au 4-2. *-15-2* Limassol (Chypre) le *Sol-Phryne* (affrété pour rapatrier symboliquement 131 Pal. expulsés) est saboté. *-7-3* raid contre autobus i. : 6 † (3 civils + 3 terroristes). *-28-3* terr. occupés bouclés. *-9-4* Gorbatchev demande à Arafat de reconnaître I. *-25-4* John Demjanjuk condamné à mort pour « crimes contre l'humanité ». *-2/4-5* intervention au Lib. *-15-6* Abba Eban (n. 1915) met fin à sa carrière politique. *-20-6* Isr. accepte plan américain sur Taba. *Du 1-5 au 24-6* 600 incendies (revendiqués par l'OLP) ont détruit env. 14 000 ha de bois et cultures (5 % de la surface boisée et cultivée). *-28-7* mission diplom. en URSS (1re dep. 1967). *-31-7* roi Hussein annonce rupture liens légaux et administratifs entre Jordanie et Cisjordanie occupée afin de se « désengager » (5 200 fonctionnaires mis à la retraite et 16 000 licenciés). *-20-8* hab. de Cisjordanie sont palestiniens et non plus jordaniens. *-29-9* l'Ég. reçoit l'enclave de Taba (1,2 km^2) sur la mer Rouge rendue 15-3-89 contre 38 millions de $. *-17-10* Pt Haïm Herzog en Fr. *-19-10* Kfar-Fila S.-Lib. att. 7 soldats i. †, représailles 15 †. *-30-10* att. contre autocar, 4 †. *-7-11* Cisjordanie 1 soldat †. *-27-12* shekel dévalué de 5 %. **1989**-*1-1* de 8 %. *-12-1* équipe de basket i. invitée à Moscou. *-29-1* libération de Fayçal Husseini, proche OLP. *-24-2* Naplouse : 1 soldat i. tué par pierres. *-28-2* municipales. *-10-4* Jérusalem : 1 Pal. tué par les sicaires (extrémistes j.). *-6/7-5* 4 † et 200 bl. dans terr. occ. *-15-5* Parl. adopte plan Shamir (élec. dans les terr. occ.). *-22-6* shekel dévalué 4,9 %. *-6-7* att. contre autobus près Jér., 14 †. *-7-7* Moshe Kol, un des fondateurs d'I. †. *-22-7* Cisjordanie écoles rouvertes (fermées dep. févr.). *27/28-7* S.-Lib. commando i. enlève cheikh Abdel Karim Obeid (Hezbollah). *-9-11* Aiman Ruzeh, chef des Aigles rouges, tué. *-5-12* Néguev, commando venu d'Ég., 5 †. *-31-12* Ezer Weizman (n. 1924), min. des Sciences, limogé pour contacts avec OLP l'été 1989. **1990**-*2-1* réintégré mais sans participation au cabinet restreint. *-12-2* Ariel Sharon, min. Commerce et Ind. démissionne (désaccord polit. p.). *-13-3* Shimon Peres limogé. *-15-3* PM Shamir (censuré par Knesset). *-20-3* Shimon Peres PM. *-7-4* Tel-Aviv 125 000 manif. pour réforme élect. *-25-4* Pt Havel en Israël (1er chef d'État d'Europe or.). *-26-4* 4 Pal. † et 120 bl. à Gaza. *-27-4* fermeture des Lieux saints de Jérusalem, Bethléem et Nazareth, et des églises de la vieille ville, pour protester contre l'installation de 150 colons juifs dans l'hospice St-Jean de Jér. *-13-5* saccage de 2 cimetières juifs à Haïfa (250 tombes). *-20-5* un faible d'esprit tue 7 Pal. à Rishon-le-Zion. *-28-5* att. Jér. (1 †, 10 bl.). *-30-5* commando pal. arrêté, 4 †. *-10-6* + de 70 tombes profanées au cimetière juif du mont des Oliviers. *-11-6* nouveau gouvernement Shamir (David Lévy, n. 1937, min. des Aff. étrangères et vice-PM ; Moshé Nissim, min. de l'Industrie et du Commerce). **Août 90-mars 91.** Guerre du Golfe, voir Index. *-6-8* 2 I. tués, banlieue de Jér. *-8-10* Jér., fusillade à la suite de jets de pierre sur pèlerins j., riposte armée, 22 †, 150 bl. *-3/4-11* 1 †, 200 bl. à Gaza. *-5-11* rabbin Meir Kahane, chef du parti Kach, tué par El Sayyid El Nosair (USA). *-25-11* près d'Eilat attaque contre véhicules is. par égyp., 4 †, 23 bl. *Oct.* Gal de brigade Rami Dotan, chef du service achats de l'armée de l'air, accusé de détournement. *-10-3* shekel dévalué de 6 %. *-14-12* assassinat de 3 I. par le groupe Hamas. **1991** *avril* 1 000 Pal. libérés (fin ramadan). *Avril* I. présente son plan de paix pour le Proche-Orient aux USA. *-10-5* visite d'Alexandre Bessmertnykh, min. des Aff. étr. soviétique (1re fois dep. création d'I.).

Bilan de l'Intifada au 31-10-1990. *Palestiniens :* 712 † [dont au 5-5-90, 159 de – de 16 ans (1988 : 340), 13 000 incarcérés, 751 maisons détruites, 55 scellées]. *Israéliens :* 24 †. **Coût :** 88,4 millions de F. Allongement des périodes de réserve (10 000 soldats dans 2 territoires occupés). Absentéisme des 261 000 Pal. touchant surtout textile, agriculture (20 % de la main-d'œuvre) et bâtiment (42 %). Baisse de la production de 2 à 2,5 %. Du tourisme (30 %). Dans territoires occupés écoles fermées 8 mois et universités 10 mois.

De janvier 1988 à juin 89, attaques planifiées par les Arabes (sans compter jets de pierres). 4 153 attentats terroristes ar., 2 234 cocktails Molotov lancés, 1 031 incendies, 282 attaques personnelles, 84 à l'arme blanche, 179 à l'explosif, 28 jets de grenades, 95 à l'arme à feu et 221 dommages aux propriétés. Tués : 24 J. et 64 Ar., blessés 201 J. et 179 Ar. *De déc. 87 à fev. 91,* 298 « collaborateurs » p. tués par les Arabes.

☞ **Arrivées de pilotes arabes.** *1964 :* égyp. avec Yak 2. *66* (16-8) : irakien (Mig 21). *68* 2 syriens (erreur de nav. avec Mig 17). *89* (11-10) syr. avec Mig 23.

Politique

Statut. Rép. **Déclaration d'indép.** du 14-5-1948. **Pt** élu p. 5 ans par la Knesset. **PM** nommé par le Pt. **Ch. des députés** (Knesset) 120 m. élus p. 4 ans au suffr. univ., à la proportionnelle intégrale, un tour, I. constituant une seule circonscription. *Électeurs* 18 ans. **Fête nat. :** 5 Yar (indép. 15-5-1948). **Emblème officiel :** *Menora* (chandelier à 7 branches), encadré par 2 branches d'olivier.

Élections. Lég. du 1-11-88. Nombre de voix, entre parenthèses de sièges, et entre crochets résultats des lég. du 23-7-84 : inscrits 2 894 267, votants 2 305 567, exprimés 2 283 123, nuls 22 444. *Likoud* 709 305 (40) [661 302 (41)]. *Maarak* 685 363 (39) [724 074 (44)]. *Shas* 107 709 (6) [63 605 (4)]. *Agoudat Israël* 102 714 (5) [63 605 (2)]. *Ratz* 97 513 (5) [49 698 (3)]. *P. national religieux* 89 720 (5) [73 530 (4)]. *Hadash* 84 032 (4) [69 815 (4)]. *Tehiya* 70 730 (3) [88 037 (5)]. *Mapam* 56 345 (3). *Tsomet* 45 489 (2). *Moledet* 44 174 (2). *Shinui* 39 538 (2) [54 747 (3)]. *Deguel Hatora* 34 279 (2). *Liste progressiste pour la paix* 33 695 (1) 138 012 (2) I. *P. dém. arabe* 27 012 (1).

Présidents de la République. **1948**-16-2 Chaim Weizmann (1874-1952). **1952**-8-12 Itzhak Ben Zui (1884-1963). **1963**-21-5 Zalman Shazar (6-10-1889/6-10-1974). **1973**-10-4 Ephraïm Katzir (16-5-16). **1978**-19-4 Itzhak Navon (n. 1921). **1983**-5-5 Haïm Herzog (17-9-18), réélu 23-2-88 par 82 voix sur 102.

Premiers ministres. **1949**-10-3 David Ben Gourion (nom : fils de lionceau) (D. Green) (Plonsk, Ukraine 10-10-1886/1-12-1973, arrivé Palestine en sept. 1900). **1953** Moshe Sharett (1894-1965). **1955** David Ben Gourion. **1963**-17-6 Levi Eshkol (1895-1969). **1969**-15-12 Golda Meir (3-5-1898/8-12-1978). **1973**-31-12 Itzhak Rabin (1-3-22). **1977**-7-4 Shimon Peres (16-8-23) par intérim. -17-5 Menahem Begin [n. 16-8-13 à Brest-Litovsk (Biélorussie) ; à 15 ans membre du Betar. *1939* commandant du Betar en Pologne, se réfugie en Lituanie ; *1940* condamné à 8 ans de goulag pour ses activités sionistes avant la g. ; *1941* libéré lors de l'attaque all. ; *1942* gagne la Pal. avec armée Anders ; *1943 oct.* Cdt en chef de l'Irgoun puis, quand elle se transforme en parti politique (Herouth), Pt de celui-ci ; *1967 juin/1970 août,* ministre sans portefeuille ; *1977 juin* PM ; *1983 août* démissionne]. **1983**-10-10 Itzhak Shamir (n. 1915). **1984**-15-9 Shimon Peres. Gouv. d'Union nat. Maarakh, Likoud et petits partis religieux : majorité 95 dép. sur 120 (Peres PM 2 ans, Shamir PM adjoint, min. des Aff. étr.). **1986**-16-10 Itzhak Shamir. Gouv. d'Union nat. (sera PM 2 ans) (Shimon Peres, adjoint, min. des Aff. étr.) ; reconduit 14-11-1988 (coalition Likoud-Travaillistes).

Relations diplom. Avec Afrique noire. Rompues en 1973, rétablies avec Zaïre (mai 82), Liberia (août 83), Côte-d'Ivoire (déc. 85), Cameroun (août 86), Togo, Kenya (déc. 88), Éthiopie (déc. 89). **Pays de l'Est.** Rompues dep. 1967, rétablies avec Hongrie (sept. 89), Tchécoslovaquie (févr. 90), Pologne (mars 90).

Partis

• **Maarakh** (l'Alignement). *Constitué* 1969. Comprend : **Front travailliste** 300 000 m., leader : Shimon Peres, f. janv. 1968 par la fusion des 4 groupes travaillistes [**Mapaï** (p. trav. i., f. 1930 par Ben Gourion et Golda Meir, social-démocrate au pouvoir dep. 1945, leader Shimon Peres), **Mapam** (p. ouvrier unifié judéo-ar.) f. 1948, dans l'opposition jusqu'à fin 55, puis de 61 à 66 ; a quitté le Maarakh en 1984 ; leader : Elazar Granot. **Ahdouth Ha'avodah** [Union du travail : p. socialiste qui a quitté le Mapam en 54 quand ce dernier accepta des Arabes : Ygal Allon (1918-80), Israël Galili (1911-86) et Itzhak Ben Aharon] ; et **Rafi** (f. 1965 d'une scission du Mapaï provoquée par Ben Gourion, Dayan et Peres ; dans le gouv. d'union nat. formé avant la g. de 6 j.)].

• **Likoud** (rassemblement). Front électoral de droite constitué sept. 73 sur l'initiative du Gal Ariel Sharon (n. 1928), en prévision des él. prévues alors pour le 28-10. *Leader :* Yitzhak Shamir. Comprend : **Gacha** (bloc Chérouth-Parti libéral). **Hérouth** (liberté), issu 1948 de l'Irgoun (Begin, chef historique). **P. libéral** [f. 1961 par fusion du p. des sionistes généraux (droite) et du p. progressiste (centre)] ; dans l'opp. jusqu'en juin 67 ; *leader :* Itzhak Modaï (n. 1926).

• **Partis religieux. P. nat. religieux (Mafdal) :** f. 1956 : fusion du Mizrahi (f. 1901) avec son aile ouvrière, Hapoel Ha'mizrahi (f. 1921). Leader : Zevulun Hammer. **Agoudat Israël :** orthodoxes (f. 1912), a préconisé un grand I. englobant les terr. contrôlés en 1000 av. J.-C. par Salomon. **Degel Hathora :** f. par des dissidents d'Agoudat I., orthodoxes. **Poale Agoudat Israël :** orthodoxe ouvrier (f. 1924), 39 000 m., 17 kibboutzim et moshavim. Construction de l'État d'I. selon la loi de la Torah, leader : Abraham Werdyger. **Shas** (assoc. séfarade des gardiens de la Torah), f. 1983. Leader : rabbin Itzhak Peretz. **Gush Emunin** (Bloc de la foi) : extrême droite religieuse.

• **Autres formations. Hadash** (Front démocratique pour la paix et l'égalité), f. 1977, alliance du **P. communiste d'I.** (Rakah), f. 1919, p. j. arabe léniniste, des Panthères noires et d'autres groupes j. et ar. Pour la création d'un État palestinien à côté de celui d'Israël. **Tehiya** (résurrection nat.) dénonce accords de Camp David. Leader : Yuval Neeman. **Tsomet :** f. par dissidents de Tehiya, extrême-droite, leader : Rafael Eytan. **Moledet (patrie) :** extr.-dr., leader : Gal Rahavam Zeevi. **Tami** (mouv. pour la tradition d'I.), f. 1981 par Aaron Abouhatzira, p. de séfarades et d'orientaux. **Ratz** (mouv. des droits civiques). **Shinui** (mouv. pour le changement). **Kach** (Ainsi) extr.-dr., leader : rabbin Meir Kahane (tué nov. 90). **Yahad** (Ensemble) centriste, leader : Ezer Weizman. **Ometz** (le courage de soigner l'économie), leader Ygal Hurwitz. **Liste progressiste pour la paix,** judéo-ar., plus favorable à un État pal. **P. démocratique ar. :** f. par Abdel Daroushé, ancien député ar. travailliste contre la répression dans les territoires.

Centrale syndicale. Histradout 260 000 m., possède ou contrôle 30 % de l'économie.

Mouvements palestiniens

• **OLP (Organisation de libération de la Palestine).** *Créée* 29-5-1964 à l'initiative de la Ligue arabe. Reconnue 14-10-64 par ONU comme représentant des Pal. *Pt* Yasser Arafat (n. 1929) dep. 3-2-69, ancien Pt Ahmed Choukeiry (1908-80) jusqu'en 67. *Aide reçue des pays arabes* (en millions de $) : Arabie Saoud. 85, Koweït n.c., Libye 47, Irak 44, Émirats arabes unis 34,3. Alg. 20,4, Qatar 19,9. *Capital détenu :* 2 à 25 milliards de $. *Budget :* 250 millions de $. Taxe de 5 à 7 % sur le revenu de chaque Pal.

Regroupe notamment **El Fath** (créé 1957, Pt Yasser Arafat, 15 000 m.), **FDPLP** (Front démocratique et populaire de libération de la Pal., Pt Nayef

Assassinats de membres de l'O.L.P.

1973-*9/10-4* Beyrouth, *Abou Youssef* (Mohamad Najar, chef militaire du Fath) et sa femme, *Kamal Nasser* (porte-parole), *Kamal Adouane* (m. du comité central du Fath). **1978**-*4-1* à Londres, *Saïd Hamman* (représentant en G.-B.). *-15-6* Koweït, *Ali Yassine* (dir. du bureau). *3-8* Paris, *Ezzedine Kalak* (chef représentation palest.). **1979**-*22-1* Beyrouth, *Abdoul Hassan* (chef opérations spéciales du Fath). *-25-7* Cannes, *Zouheir Mohsen* (chef dép. milit.). *-15-12* Nicosie, *Samir Toukan* (2e secr. du bureau). **1981**-*1-6* Bruxelles, *Naïm Khader* (représentant). *-9-10* Rome, *Majed Abou Sharrar* (responsable information). **1982**-*17-6* Rome, *Kamal Hussein* (vice-Pt). *-23-7* Paris, *Fald Dani* (dir. adjoint du bureau). *-28-9* Liban, *Saad Sayel* (Aboul al Walid, conseiller mil. d'Arafat). **1983**-*10-4* Portugal, *Issam Sartaoui* (cons. pol.), revendiqué par Abou Nidal. *-20-8* Grèce, *Maamoun Mreich* (collabor. d'Abou Jihad). **1984**-*29-12* Amman, *Fadh Kawashmed* (du comité exécutif). **1985**-*1-10* bombardement QG de l'OLP à Tunis. **1986**-*10-6* Athènes, *Khaled Nazzal* (responsable des opérations dans les terr. occupés). *-21-10* Athènes, *Mondher Abou Ghazala* (du Fath). **1988**-*14-2* Limassol, 3 cadres mil. du Fath. *-16-4* Tunis, *Abou Jihad* (vrai nom Khalil al-Wasir) et son adjoint tués par commando. (n° 2 du Fath). **1991**-*15-1 Salah Khalaf dit Abou Iyad* (n. 31-8-1933, fondateur en 1959 avec Arafat du Fatah, 1967 chef de la sécurité, 1972 organisateur de l'attentat aux J. O. de Munich) tué. Hamza Abou Zeid (exécuté mai 91).

Hawatmé, séparé 1969 du FPLP), **El Saïka** (créée 1968, origine p. Baas pal., Pt Issam al Khadi, installée Syrie). **Organisation. Conseil national palestinien (CNP) :** Parlement en exil ; se réunit 1 fois l'an sur convocation de son Pt ou en session d'office. *Membres* mandatés pour 3 ans, élus ou désignés en fonction de leur contribution à la cause pal. *Géré* par bureau de la présidence et assisté de 8 commissions permanentes spécialisées créées 1984. **Conseil central :** *créé* janv. 1973 ; organe de liaison entre CNP et exécutif, choisi parmi les membres du CNP. Consultatif. **Comité exécutif :** *Pt* Yasser Arafat. **Départements sous contrôle du comité exécutif :** *Fonds national palestinien (FNP) :* finance activités de l'OLP en fonction du budget préparé par le comité exécutif et approuvé par le CNP. *Dép. politique :* représente l'OLP auprès des instances internationales. *Dép. des organisations de masse :* affaires sociales, éducatives, information, santé. *Dép. économique et SAMED (Association du travail des fils des martyrs pal.).*

Armée. *ALP :* Armée de libér. de la Pal. ; créée 1964, 6 000 h. (surtout Syrie) ; juin 1983 : les divisions Khitin (dissidentes d'Arafat) incorporées à l'armée syr. ; Kadsiya, mise sur pied par Irakiens : Ain Ghalit, créée par Égypte, mais contrôlée par Fatah, a perdu (tués ou blessés) 82 000 h. au Liban en 1982/83.

• **Autres mouvements. Front du refus : FPLP** (Front pop. de libération de la Pal., f. 1967, Pt Dr Georges Habache, n. 1925).

FPLP dissident (Wadia Haddad) *né* d'une scission de W. Haddad [ancien chef des opérations à l'étranger du FPLP, lors de sa rupture avec Habache en 1975 († 1978 empoisonné par les services secrets irakiens)] ; au Sud-Yémen, influence liban., responsable de détournements d'avions (ex. Entebbe et Mogadiscio).

FPLP-CG (Ahmed Jibril). *Créé* 1968.

FLP (Front de libération de la Pal.). *Né* d'une scission du commandement gén. de Jibril, dirigé par Tabaat Yaakoub († 17-11-1988), pro-irakien. *Leader :* Aboul Abbas.

Front de libération arabe (baasite, pro-irakien, Abd el-Wahab Kayyali). *Créé* 1969.

FLPP (Front de lutte populaire pal.) (Jibril). *Formé* Judée et Samarie déc. 1967. Rejoint Fatah 1971 puis fait sécession. *Chef :* Samir Ghocheh.

Septembre noir (nom rappelant l'expulsion des Pal. de Jordanie, sept. 1970). Proche du Fatah, responsable du massacre aux J.O. de Munich en 1972. *Dirigé* par Khalil Wazir (Abou Jihad).

Fatah (Conseil révol.). *Créé* par Abou Nidal n. 1937 Jaffa, agit parfois sous l'étiquette d'Al-Asifa.

Aigles de la Révolution pal. Agissent pour la Saïka et parfois d'une manière autonome. Responsables de l'attaque du restaurant univ. j. à Paris et de l'amb. d'Égypte à Ankara en 1979.

Front de salut national pal. (FSNP). *Créé* 25-3-1985 contre la ligne déviationniste d'Arafat. Regroupe FPLP, FPLP-CG, FLPP, FLP, Saïka, tendance Abou Moussa.

Abou Nidal. Groupe dirigé par Abou Nidal (de son vrai nom Sabri Khalil al-Banna, né 1937 Jaffa, exclu 1974 de l'OLP, condamné le 27-11 à mort par contumace par l'OLP pour abus de pouvoir et détournement de fonds). De 1976 à 1986 responsable de 98 attentats (dont 56 contre Pal.). Subventionné par Irak (env. 10 millions de $), Syrie et Libye (1 million de $). Les États du Golfe paient pour avoir la paix. *1970-80 :* sous le nom de *« Juin noir »* (mois d'entrée des troupes syr. au Liban), s'attaque à Syrie et Jordanie (en conflit avec Irak). *1980* Arafat renoue avec Irak, Hussein expulse Abou Nidal qui s'installe à Damas. *1984* en Libye. *1985* déc. responsable des attentats dans aéroports Vienne et Rome. *1986* probablement en Iran.

Position des Palestiniens

• **Charte palestinienne.** Élaborée en 1964 puis remaniée en 1968. *Art. 1* Le peuple p. « fait partie intégrante de la nation ar. ». *Art. 2* La P., dans les frontières du mandat britannique, constitue une unité territoriale indivisible. *Art. 3* Le peuple ar. détient un droit légal sur sa patrie et déterminera son destin, après avoir libéré son pays, selon son propre gré et par sa seule volonté. *Art. 5* Les P. sont les citoyens ar. qui habitaient en permanence en P. jusqu'en 1947. *Art. 6* N'admet que la présence des J. « qui résidaient de façon permanente en Pal. avant le début de l'invasion sioniste » (soit en 1881, a précisé Arafat en 1974). *Art. 9* La lutte armée est la seule voie permettant la libération de la P. *Art. 19* Le partage de la P. ... en 1947 et la création de l'État d'Israël sont nuls et non avenus... *Art. 20* Les prétentions fondées sur les liens historiques et religieux des J. avec la P. sont incompatibles avec les faits historiques. Le judaïsme étant une religion révélée, il ne saurait constituer une nationalité ayant une existence indépendante. De même, les J. ne forment pas un seul et même peuple. *Art. 21* Le peuple ar. p., s'exprimant par la révolution pal. armée, rejette toute solution de remplacement à la libération totale de la P. et toute proposition visant à la solution du problème p. ou à son internationalisation.

10 points de juin 1974 : « 1° L'OLP rejette la résolution n° 242 du Conseil de sécurité qui ignore les aspirations patriotiques et nationales de notre peuple... 3° L'OLP lutte contre tout projet ou entité palestinienne dont le prix serait la reconnaissance de l'ennemi, la conclusion de la paix avec lui et le renoncement aux droits historiques de notre peuple à retourner chez lui. 4° L'OLP considère que toute mesure de libération n'est qu'un pas vers la réalisation de son objectif stratégique, à savoir l'édification d'un État pal. démocratique... »

• **Plan de Fès.** Adopté sept. 1982 (sommet ar. au Maroc). Pour la 1re fois, il a réuni un consensus des membres de la Ligue ar. et reconnu implicitement l'État d'I. : 1) Retrait d'I. de tous les territoires ar. occupés après la g. de juin 1967, y compris secteur ar. de Jér. 2) Démantèlement des colonies de peuplement établies par I. dans les territoires occupés après 1967. 3) Garantie de la liberté de culte pour toutes les religions dans les Lieux saints de Jér. 4) Réaffirmation du droit du peuple pal. à l'autodétermination et à l'exercice de ses pleins droits nationaux inaliénables sous la conduite de l'OLP, son représentant unique et légitime. 5) Cisjordanie et Gaza doivent être soumises à la tutelle de l'ONU pour une période transitoire ne dépassant pas quelques mois. 6) Création d'un État pal. indépendant ayant pour capitale Jér. 7) Le Conseil de sécurité ONU apporte des garanties de paix à tous les États de la région, y compris l'État pal. indépendant. 8) Garantie par le Conseil de sécurité ONU de ces principes. **1986**-*4-9* Arafat déclare à Harare qu'il accepte la résolution 242 du Conseil de sécurité ONU, impliquant la reconnaissance d'I., dans le cadre d'un règlement global du conflit i.-ar. fondé sur l'acceptation de l'ONU sur la question pal. Les autres résolutions de l'ONU impliquent le retour d'I. aux frontières du plan de partage de 1947, l'internationalisation de Jér. Pour I., il s'agit donc de « propagande grossière ». **1988**-*13/14-9* visite d'Arafat au Parlement européen de Strasbourg. *-15-11* Alger, Arafat annonce au Conseil nat. la création d'un État avec Jér. comme capitale en se référant aux résolutions 181, 242 et 338 de l'ONU. *-19-11* reconnu par Égypte. *-22-11* par env. 50 pays. *-16-12* à Tunis, 1re rencontre officielle OLP-USA. *Déc.* Arafat demande un couloir entre Gaza et Cisjordanie. **1989**-*2-4* Arafat confirmé à la tête de l'État Pal. *-2-5* Paris : visite off. Arafat ; déclare caduque Charte de l'OLP. *-12-5* OLP refusée comme membre de l'OMS (reste observateur). **1991** soutient l'Irak dans la g. du Golfe.

Économie

• **Finances. Budget :** *1990-91* : (1-4) : 32 milliards de $ dont 5 pour le Min. de l'Intégration. *Déficit budgétaire* (millions de $) : *87* : 115, *88* : 837. **Aide américaine** (en milliards de $) : *81* : 2,2 ; *82* : 2,2 ; *83* : 2,6. *84-85* : 5 ; *85-86* : 3,8 ; *87* : 3 (1,8 achats milit. non remboursables ; 1,2 aide écon., remboursement à long terme) ; *91* : 0,4. **Ressources diverses** (en millions de $) : *1980* : transferts de particuliers 300, organisations juives 400, réparations allemandes 400, Bons du Trésor 200. **Réserve monétaire.** *Fin 1987* : 5,3 milliards de $; *fin 1988* : 4,1.

Impôts *(1987-88).* Tranche maximale, personnes physiques 52,8 %, S[tés] 45 %.

Monnaie. *1980-82* : le shekel remplace la livre (1 s = 1 000 £), *1985-4-4* : nouveau shekel (= 1 000 anciens s.). *Dévalué 28-2-90* : 6 %, *10-3-91* : 6 %.

P.N.B. (88). 9 800 $ par h. **Croissance. 87 :** 4,6 %, **88 :** 2,5, **89 :** 1, **90 :** 4. **Pauvres** (90). 640 000 personnes vivent au-dessous du seuil de pauvreté (4 800 $ par an, pour un couple). **Revenu moyen d'une famille.** 7 500 $ par an, 1 % dispose d'un revenu moyen de 100 000 $.

Inflation (%). *1979* : 78,3 ; *80* : 131 ; *81* : 116,8 ; *82* : 120,3 ; *83* : 145,7 ; *84* : 373,8 ; *85* : 304,6 ; *86* : 48,1 ; *87* : 16 ; *88* : 16,4 ; *89* : 20,7, *90* : 17,6. **Dette extérieure** (milliards de $). *1985* : 23,8 ; *86* : 30,1 ; *87* : 25,8 ; *88* : 31,8 ; *89* : 20 ; pratiquement consolidée par U.S.A. (et communauté j. mondiale).

Pop. active (% et entre par. part du P.N.B. en %) agr. 5 (5), mines 1 (1), ind. 35 (32), services 59 (62). *Chômage* : *84* : 5,7 % ; *86* : 7,2 ; *87* : 6 ; *88* : 7 ; *89* : 8,4 ; *89* : 10 ; *90 (nov.)* : 10,2 ; *91 (est.)* : 10,7/en réalité 14 à 16 ; *94 (est.)* : 22.

Agriculture. *Terres cult.* (milliers d'ha, 85) : 4 370 dont 2 370 irriguées. *Production* (milliers de t, 89) : agrumes 1 114, légumes 751 (86), pommes de terre 210, blé 200, avocats 134,7 (86/87). **Élevage** (milliers de têtes, 88). Volailles 25 240, bovins 357, moutons 394, chèvres 125. **Pêche.** 26 900 t (88).

Kibboutz (pl. : kibboutzim). Pris comme modèles de société par l'extrême gauche entre les 2 g. mondiales. « Groupes » c.-à-d. fermes collectives à économie socialiste ; les parents travaillent et les enfants sont en garderie ou à l'école. A 18 a., on choisit de rester ou de partir. *1er créé* 1909 à Degania Alaph. *1979* : 229 k. (101 600 h., 35 % de la prod. agricole et 8 % de la prod. ind.). *1990* : 270 (125 000 h.). **Moshav.** Village coopératif où chacun possède sa terre.

Énergie (88). **Pétrole** 21 millions de litres (prod. interrompue dep. la restitution du Sinaï à l'Égypte). **Gaz** 48 millions de m³ (idem). **Mines.** *Phosphates* 2 548 000 t (88). *Potasse* 2 548 000 (88). **Industrie.** Taille des diamants, armes, avions, textiles, électronique, alim., équip. élec.

Transports. *Routes* 12 980 km (88). *Automobiles privées* 753 450 (88). *Véhicules de commerce* 131 996 (87). *Chemins de fer* 575 km (88). *Projet* (en sommeil) *de liaison Méditerranée-mer Morte.* Tunnel (diam. 5,5 m sur 100 km) qui utiliserait la différence de niveau (400 m) et alimenterait une station hydroélectrique de 600 MW sur la m. Morte dont le niveau remonte.

Tourisme. *Visiteurs* (en milliers) 1 425 (89) dont (1985) U.S.A. 367, All. féd. 146, *France 141*, G.-B. 130, Égypte 50. *Revenus* : 1,03 milliard de $ (83), 1,8 (89).

Commerce (en milliards de $, 89). *Exportations* : 9,7 *dont* diamants taillés 2,8, machines 1,6, prod. chim. 0,7, *vers* E.-U. 2,9, G.-B. 0,7, Japon 0,6, All. féd. 0,5, Hong Kong 0,5. *Importations* : 12,9, *dont* diamants bruts 2,4, machines 1,6, prod. chim. 1,1, *de* CEE 4, E.-U. 2,1, Bénélux 1,9, All. féd. 1,4, G.-B. 1,2, Suisse 1,1.

Avec France (en millions de F). *Export. françaises vers Isr. 1983* : 2 864, *84* : 2 614, *85* : 2 754, *86* : 2 825, *87* : 3 441. *Import. françaises d'Isr* : *1983* : 2 207, *84* : 2 393, *85* : 2 815, *86* : 2 505, *87* : 2 929. **Avec U.S.A.** (en milliards de $). *1988. Exp.* 2,8, *imp. 2.*

Balance commerciale (milliards de $). *1986* : – 1,92 ; *87* : – 3,81 ; *88* : – 3,36. **Des paiements.** *1972* : – 1,1 ; *83* : – 3,8 ; *84* : – 5 ; *85* : 1,9 ; *86* : 1,37 ; *87* : – 1.

Taux de couverture des importations par les exportations. *1950* : 11,7 ; *60* : 42,6 ; *70* : 51,2 ; *80* : 67,2. *Déficit* comblé par les fonds des réparations allemandes (2,1 %, 120 à 140 millions de $ par an), fonds étrangers (17,9 %) et bons de l'État d'I.

Part du budget mil. dans le P.N.B. : *1981* : 33 % (4,1 % en France), *85* : 13, sans compter fournitures amér. (1,8 milliard de $), *87* : 22, *89* : 14. Voir Index.

Rang dans le monde (88). 7e potasse. 9e oranges (83). 11e phosphate.

LIEUX SAINTS. **Juifs.** *Jérusalem* : mur des Lamentations, dernier vestige du temple ; mont du Temple ; tombeau de Rachel. *Hébron* : tombeau des Patriarches (grotte de Machpela : Abraham et Sara, Isaac et Rébecca, Jacob et Léa). Tombeaux de Maïmonide (Rambam), de Rabbi Méir Ba'al Ha'Ness, Rabbi Shimon Bar, Yokhaï et d'autres. **Musulmans.** *Jérusalem* : Haram ash-Sharif, ensemble d'édifices sur le mont du Temple (mosquée du Dôme du Roc, d'Al-Aqsa), près de ce lieu, Mahomet est monté à la rencontre de Dieu sur sa jument al-Bourak. *Hébron* : tombeau des Patriarches. *Acre* : mosquée El Djezzar. **Chrétiens.** *Jérusalem* : Cénacle, Via Dolorosa ; égl. du St-Sépulcre et autres sites de la Passion de Jésus et de la Crucifixion. *Bethléem* : égl. de la Nativité. *Mt des Béatitudes. Capharnaüm* : lac de Tibériade. *Nazareth* : Fontaine de la Vierge, atelier de Joseph. **Bahaï.** Voir p. 559. **Druzes.** *Nébi Soueib* ; tombeau de Jethro, beau-père de Moïse, près des Cornes de *Hattin*, en Galilée.

☞ Les mosquées sont gérées par le Waqf (créé fév. 1979, administration des lieux saints islamiques d'al-Qods) supervisée par le roi de Jordanie. La secte religieuse juive d'extrême droite des *Fidèles du Mont du Temple* veut reconstruire le 3e temple sur l'esplanade pour hâter la venue du Messie (les ultra-orthodoxes ne le reconstruiront qu'après la venue du Messie). Ils veulent que la souveraineté is. s'y exerce. *1969* un australien essaie d'incendier al-Aqsa. *1982*-11-4 un déséquilibré tire, 4 †. *1984* janv. attentat pour faire sauter mosquées, déjoué. *1989* avril affrontements policiers et pal., 1 †, 3 bl. *1990*-8-10 voir p. 988.

AUTRES LIEUX. *Jérusalem* : Yad Vashem : mémorial des Déportés, cimetière militaire. Université hébraïque : musée d'I., manuscrits de la mer Morte. *Tel-Aviv* : vieille ville de Jaffa. *Césarée* : musée du livre, théâtre romain. *Ashkelon* : ruines. *Tibériade* : lac. *Safed* : anciennes synagogues. *Ber-Sheva* : puits d'Abraham. *Mer Morte. Massada* : lutte j. contre Romains (73 apr. J.-C.). *Ein Guedi* : Oasis. *Avdat* : ruines byzantines. *Eilat* : musée aquatique au fond de la mer. *Timna* : mines de cuivre, piliers du roi Salomon. Monuments romains, voir p. 992, 993.

ITALIE

Carte p. 991. V. légende p. 837.

• **Situation.** Europe. 301 277 km². *Long.* 1 200 km. *Larg.* continent 580 km ; péninsule max. 170, min. 54. **Frontières** 1 866 km (France 515, Suisse 718, Autriche 415, Youg. 218). **Enclave en Suisse :** Campione d'Italia 2,6 km², 2 051 h. **Côtes** 8 500 km dont 3 766 d'*îles*. **Alt. max.** Mt Blanc de Courmayeur 4 765 m.

• **Régions. Italie continentale :** *O. et N. Alpes* (larg. 40-50 km), chute brusque sur la plaine ; massif principal : Grand Paradis (larg. 80 km) ; *à l'E. de l'Adda,* massifs larges : Bergamasque, Cadoriques (larg. 200 km ; comprennent les Dolomites) ; *à l'E. de la Piave,* alt. basses (max. Mt Cridola, 2 582 m) : A. vénitiennes et juliennes. *Au pied des Alpes* : collines et plateaux du Piémont (larg. 100 km à l'O. ; 50 km au N. avec lacs : Majeur, Côme, Iseo, Garde). *Centre* : plaines padane (bassin du Pô, 1er fleuve d'It., débit 1 600 m³/s., long. 675 km) et vénitienne [bassins : Adige (long. 410 km), Brenta (160 km), Piave (220 km). Alt. max. 1 000 m. 65 000 km² de terres arables (les 2/3 de l'It.)]. *Sud* : *Alpes de Ligurie,* tombant à pic sur la mer et prolongées vers S.-E. par les Apennins.

Italie péninsulaire : *Apennins,* long. 1 000 km, direction N.-O./S.-E., s'étendent en zigzag d'une côte à l'autre : longent Méditerranée de Gênes à La Spezia, Adriatique de Pesaro à San Severo, Méditerranée, du Vésuve au détroit de Messine. *N.* : Apennins ligures, peu élevés mais compacts. *Centre* : massif des Abruzzes, calcaire, dur et escarpé (Gran Sasso 2 800 m). *S.* : terrains anciens et volcaniques [Mts de Campanie (Vésuve) et de Calabre]. *Plaines côtières,* env. 30 000 km² de terres arables : 1°) entre Apennins et Méditerranée (N.-O.) : Étrurie (bassin de l'Arno, long. 250 km), campagne romaine (bassin du Tibre, 2e fl. d'It., long. 410 km), Campanie napolitaine. 2°) entre Apennins et Adriatique (S.-E.) : mollasses et plateaux calcaires non plissés de Tavolière, du Monte Gargano, des Pouilles ; basses côtes du golfe de Tarente.

Italie insulaire : *Sicile* : 25 708 km², plateaux calcaires, massifs volcaniques (Etna) ; *Sardaigne* : 24 090 km², massif ancien (Tyrrhénie), granites, porphyres, basaltes, alt. max. 1 834 m. ; *Ischia* 62 km² ; *Lipari* 114 km² ; *Elbe* 220 km² ; *Pantelleria* 83 km².

• **Climat.** *Continental* au N. ; hivers froids (0° à Turin, 4° à Venise) ; étés chauds (25°), moussons d'été soufflant des mers Tyrrhénienne et Adriatique : 940 mm de pluie à Milan : rizières, maïs. *Méditerranéen* dans péninsule et îles : hivers doux avec pluies courtes et violentes (800 mm à l'O., 550 à l'E.), étés secs : 2 mois ½ en Toscane (paysage vert) ; 5 mois en Calabre (dénudé).

Démographie

Population (en millions). *1800* : 18. *1850* : 24,3. *1861* : 26,3. *1900* : 33,5. *1939* : 43,1. *1951* : 47,5. *1961* : 50,6. *1971* : 54,1. *1982* : 56,7. *1984* : 56,9. *1989* : 57,5 [dont (80) : I. du N. 25,8, I. centrale 10,8, I. du S. 13,5, îles 6,5], prév. *2000* : 58,1. **Age :** *prévisions 2 000* + de 60 ans : 25 % (dont 1 700 000 de + de 80 a.). D. 190,9. **Taux ‰** *natalité* : *1900* : 33, *1964* : 19,5, *1978* : 12,5, *1983* : 10,6, *88* : 9,9 ; *mortalité* : *88* : 9,3 ; *infantile* : *88* : 10,1. *Accroissement* stoppé (lois sur divorce et avortement, vente libre des contraceptifs) ; reproduction *1988* : 1,28 %. **Mariages :** *1964* : 420 000, *76* : 354 000, *1987* : 220 000. **Divorces :** *1982* : 13 139. *Urbanisation* : 54 % habitent dans villes de + de 20 000 h.

Italiens. 130 000 000. **De nationalité italienne :** *Europe* 59 300 000 dont (Italie 57 000 000, Allemagne féd. 568 000, France 554 617, Suisse 508 712, Belgique 294 579, G.-B. 229 000, Luxembourg 31 000, P.-B. 29 223, Danemark 2 000, Irlande 1 990, divers 64 252), *Amér. latine* 1 982 903 dont Arg. 1 260 000 (82), *du Nord* 460 300, *Océanie* 284 888, *Afrique* 116 736, *Asie* 18 912. **Étrangère** 31 000 000 et 37 000 000 de sang mêlé.

Émigration. *1860 à 1970* : 21 000 000 (par an de *1860 à 1885* : 160 000 ; *1885-95* : 255 000. *1900-30* : 370 000 ; *1930-46* : émigration interdite ; *1946-70* : 125 000). *Dep. 1970* : départs et retours s'équilibrent. **Immigration.** En 1991, 1 200 000 immigrés et 800 000 clandestins ; env. 300 000 musulmans.

Villes (87). *Rome* (Cap.) 2 815 457 (*Collines* : 7 rive gauche : Capitole, Palatin, Aventin, Quirinal, Viminal, Esquilin, Caelius ; 2 rive dr. : Vatican, Janicule). Milan 1 495 260 (à 575 km), Naples 1 204 211 (217 km), dont 350 000 analphabètes (81), Turin 1 035 565 (715 km), Gênes 727 427 (545 km), Palerme 723 732 (988 km), Bologne 432 406 (378 km), Florence 425 835 (280 km), Catane 372 486 (894 km), Bari 362 524 (467 km), Venise 331 454 (539 km, s'enfonce de 2 mm à 1 cm par an) ; 19 inondations dep. 1900 ; contre les marées, projet de barrage, coût 2,5 milliards de $, Messine 268 896 (797 km), Vérone 259 151 (545 km), Trieste 239 031 (686 km), Tarente 244 997 (570 km), Padoue 225 769 (531 km), Cagliari 222 574, Brescia 199 286 (610 km), Reggio de Calabre 178 821 (742 km), Modène 176 880 (443 km), Parme 175 842 (498 km), Livourne 174 065 (315 km), Prato 164 595.

Langues. Italien *(off.)*, français (100 000, Val d'Aoste), all. [200 000, Ht-Adige (Tyrol du Sud)], slovène (120 000, Trieste, Gorizia), ladin (730 000, Tyrol du Sud, Trente), occitan (230 000), sarde, frioulan.

Religion. Cath. romains 99,6 % (28 % pratiquent, enfants : 50 % ne suivent pas le catéchisme), 43 000 prêtres (84 000 en 1901). *Accords du Latran* (11-2-1929) remplacés par le concordat du 18-2-1984.

Histoire

• **Origine critique. V. 1200 av. J.-C.** Latium peuplé de Ligures, qui connaissent la civilisation du Bronze et occupent dans une île du Tibre une bourgade sur pilotis, Rome. Invasion d'Italiques (Indo-Européens occidentaux, proches des Celtes), notamment Latins dont Romains et Albains (leurs villes datent de la même époque) et Osco-Ombriens (dont Sabins ou Samnites). Les Italiques sont venus par la terre, dep. le Danube (ils ont pris leur nom en s'installant dans la péninsule, appelée Italia ou Vitalia, « terre des troupeaux », par les Ligures). **1152** selon la *tradition* (« l'Énéide » de Virgile) : des Troyens, avec Énée, s'installent à Lavinium (Latium). *Enée* épouse *Lavinia.* Ses enfants, dont Ascagne, fondent Albe (Albe serait ainsi la ville mère de Rome). **V. 1000**

av. J.-C. créent la civ. du Fer *villanovienne* (de Villanova près de Bologne). **V. 900** Étrusques (Indo-Européens orientaux, du groupe illyrien, proches des Albanais) débarquent en Ombrie et au Nord-Latium, venant d'Asie Mineure par mer. **753** selon la tradition : Romulus et Remus, fils de Rhea Silvia (descendance d'Ascagne et du dieu Mars élevés par une louve) décident de fonder une ville sur le Palatin : le sort désigne Romulus comme roi (d'où le nom de *Rome*). Il trace un sillon marquant les limites de sa ville. Remus, vexé de ne pas être roi, franchit le sillon par défi. Romulus le tue. Il fait de sa ville un asile pour les hors-la-loi. Ceux-ci n'ayant pas de femmes vont enlever les Sabines (d'où une g. entre Romains et Sabins, terminée par la fusion des 2 peuples). **VIIe s.** début de l'expansion étrusque : Veio, Faleri, Capena, Campanie (Pompéi, Capoue). **VIe s.** domination temporaire sur Rome. **IIIe s.** conquis par Rome, ils conservent leur langue et leurs mœurs jusqu'à l'âge d'Auguste. Art : nombreuses ruines (Tarquinia, Cerveteri, Marzabotto), sculptures. **V. 775** Grecs colonisent l'île d'Ischia. **750** fondent Cumes (introduisent vigne ; hellénisation de l'I. du S.).

Période royale. *Numa Pompilius* (715-673 Sabin, il possédait une nymphe, Égérie, et l'entretenait souvent en secret. A sa mort, Égérie versa tant de larmes que Diane la transforma en fontaine), *Tulius Hostilius* (673-642 Romain ; ses champions, les *Horaces,* battent ceux d'Albe, les *Curiaces*), *Ancus Martius* (640-616 Sabin), *Tarquin l'Ancien* (616-579, fils d'un émigré corinthien), *Servius Tullius* (578-534), *Tarquin le Superbe* (534-510) (Étrusques).

• **République.** Fondée **v. 509** lutte des *Plébéiens* contre *Patriciens.* **V. 494-471**, création des *tribuns de la plèbe.* **Ve-IIIe s.** Rome domine l'I. après des g. contre peuples du Latium, Étrusques, Gaulois de la plaine du Pô, Samnites (*321* défaite rom. près de Caudium, aux *Fourches caudines*), villes grecques de l'I. du Sud (que Pyrrhus ne peut sauver *280-275*).

Guerres puniques contre Carthage. Causes. Les Phéniciens de Carthage (en latin *Poeni,* d'où l'adj. *punique*) voulaient coloniser les côtes de Méditerranée occ. : Sicile (occasion de la 1re g.), puis Espagne (2e g.) ; les Romains, qui avaient achevé la conquête de la péninsule it. (prise de Tarente 272), voulaient s'agrandir outre-mer. **Déroulement : 1re 264-241** *Carthage : Hamilcar Barca* (la « tempête », 290-228) défend la Sicile 6 ans (247-241), perd sa flotte, évacue l'île et conquiert Esp. *Hannon,* amiral, vaincu aux îles Aegates (242) par Catulus (flotte détruite). *Rome : Atilius Regulus,* consul, tente un débarquement en Afrique (256), mais est vaincu et capturé. *Lutatius Catulus,* consul, vainqueur aux îles Aegates. **2e 218-201** *Carthage : Hannibal* (247-183), fils d'Hamilcar, chef de la cavalerie sous les ordres de son beau-fr. *Hasdrubal* en Esp. (223-31), puis Gal en chef, prend Sagonte (219) ; avec 40 000 h., traverse S. de la Gaule et Alpes, détruit l'armée rom. (le Tessin, la Trébie 218, Trasimène 217, Cannes 216), prend Capoue 215 (où son armée appréciant les plaisirs de la ville perd sa combativité) et hésite 13 ans à attaquer Rome ; rappelé par sénat carthaginois 203, battu à Zama (Afrique 202) s'enfuit chez roi de Syrie Antiochos, puis chez roi de Bithynie Prusias ; se suicide pour ne pas être livré aux Romains. **Rome :** Fabius Maximus Verrucosus *Cunctator* [le « temporisateur » ; (275-203)] résiste 13 ans à Hannibal, sans livrer bataille. *Marcellus* (268-208) enlève Syracuse à Archimède (212) ; plusieurs fois vainqueur d'Hannibal ; tué dans embuscade. *Scipion l'Africain* [le « conquérant de l'Afrique » ; Publius Cornelius Scipio (235-183)] débarque par surprise en Afrique (204), prend Utique, échoue devant Carthage ; se rembarque (203) ; redébarque et bat Hannibal à Zama (202). **3e 149 Rome :** *Scipion Émilien* (185-129), fils de Paul Émile ; f. adoptif d'un Scipion, enlève Carthage en 146 (après 3 ans de siège) et la fait raser.

Autres guerres. Extérieures. 197 *Cynoscéphales :* Titus Quinctius Flaminius bat Macédoniens (Philippe V). **189** *Magnésie :* Lucius Cornelius Scipion l'Asiatique (fr. de Scipion l'Africain) † après 184 bat Séleucides. **168** *Pydna :* Paul Émile (227-160) bat Persée. **146** Grèce soumise. **133** roi de Pergame lègue son royaume à Rome ; prise de Numance et fin de la conquête de l'Espagne. **105** *Marius* (Caius 157-86, 7 fois consul entre 106 et 86) bat *Jugurtha,* roi numide. **102** repousse Germains Teutons. **101** repousse les Cimbres. **88-85** *Sylla* (138-78, consul 88, dictateur 82-79) bat Mithridate, roi du Pont, reconquiert Grèce et Asie Mineure. **80-73** *Sertorius* (123-72) soulève Espagne. **72** *Pompée* bat Sertorius. **64** conquiert Syrie. **61** *Arioviste* (chef germanique des Suèves, Gaulois d'origine) envahit Gaule. **Civiles. 133-123** réformes sociales des Gracques [les frères Tiberius (133) et Caius Gracchus (123) (tribuns de la plèbe)] : échec. **90** tous les Italiens deviennent citoyens romains. **73-71** révolte des esclaves avec le Thrace *Spartacus* (v. 95-71) [ancien gladiateur, il réunit 70 000 escl. fugitifs et pille l'Italie 2 ans ; vaincu et tué à Silare par Licinius Crassus (115-53) ; ses partisans sont exterminés]. **63** conjuration de *Catilina* [Lucius Sergius Catilina (108-62), aristocrate ruiné, battu aux élec. consulaires en 66, tente de rétablir le pouvoir des patriciens contre consul Cicéron (106-43), plébéien parvenu ; dénoncé par complices, s'enfuit de Rome ; vaincu et tué par Marcus Petreius, à Pistoia].

60 1er triumvirat. Pompée (Cneius Pompeius Magnus, 106-48) : ancien lieut. de Sylla ; pleins pouvoirs (67-66), vainqueur des pirates en Méditerranée (67), conquérant de l'Orient (66-62), gendre de César (60), brouillé avec lui à la mort de la fille de César (53) ; tué et vaincu par lui à Pharsale (49). **Crassus** (Marcus Licinius, 115-53) : enrichi grâce aux proscriptions de Sylla ; préteur (71) ; écrase révolte de Spartacus (71) ; consul avec Pompée (70), populaire par ses largesses ; gouverneur de Syrie (56), tué au cours d'une g. contre Parthes. **César** (Caius Julius Caesar, 100-44 ; de la gens *Julia* remontant aux Étrusco-Troyens émigrés en Italie IXe s.), neveu de Marius, épargné par Sylla grâce à son habileté ; profite des largesses de Crassus (69-62), mais s'endette de plusieurs millions par des gratifications démagogiques (65) ; consul (59) ; proconsul de Gaule cisalpine (58-54), conquiert Gaule celtique et redevient très riche. Franchit (49) le *Rubicon* (fleuve marquant limite N. de l'Italie consulaire où il était interdit de faire entrer des troupes) en disant « Alea jacta est » (le sort en est jeté). Bat (49) les lieutenants de Pompée (Afranius et Petreius) à Lérida (Esp.) et (48) Pompée à Pharsale (Grèce) ; poursuit Pompée en Égypte (48-47), devient l'amant de Cléopâtre VII (69-30), reine d'Ég. Extermine Pompéiens à Munda, près de Cordoue (45), reçoit titre *d'imperator* (gén. en chef). Réorganise l'État, aménage le territoire (80 000 prolétaires transformés en paysans) ; crée le calendrier julien ; assassiné (44) par son fils adoptif Brutus (v. 82-42 suicidé), républicain, qui lui reprochait de vouloir être roi. [*Femmes de César :* 1° Cornelia, fille de Cinna, lieutenant de Marius (Sylla le somme de la répudier en 82, mais il refuse) ; 2° Pompeia, f. de Quintus Pompée et nièce de Sylla : répudiée après quelques mois pour adultère avec tribun Clodius.

43 : 2e triumvirat (Octave 6e prend Occident, **Antoine** (Marc 83-30 suicidé, ép. 1° Octavie et la répudie, 2° Cléopâtre VII, reine d'Égypte), Orient après victoire de Philippe (42), et **Lepidus (†** 13 ou 12 av. J.-C., Afrique). **31** Octave bat Antoine et Cléopâtre, à Actium (promontoire rocheux sur la côte grecque).

Empereurs romains

Période impériale. Dynastie julio-claudienne. 27 av. J.-C. *Auguste Octave* (petit neveu de Jules César ; 63 av. J.-C. empoisonné 14 apr. J.-C.). **9** apr. J.-C. Varus, chargé de conquérir Germanie (rive dr. du Rhin), écrasé avec ses légions (Teutobourg). *Tibère* (v. 42 av. J.-C.-assassiné 37 apr. J.-C.), s. f. adoptif. **37** *Caligula* (12-assassiné 41), pet.-neveu de Tibère, empereur fou (38, nomme consul son cheval Incitatus). **41** *Claude* (10 av. J.-C.-empoisonné par Agrippine 54), oncle paternel de Caligula, époux de Messaline (n. v. 25, dont il eut Octavie et Britannicus ; débauchée, tuée sur ordre de Claude 48). **54** *Néron* (37-suicide 68), s. f. adoptif.

Emp. de la g. civile. 68 *Galba* (v. 5 av. J.-C.-ass. 69). **69** *Othon* (32-suicide 69). *Vitellius* (15-ass. 69).

Flaviens. 69 *Vespasien* (9-79). **70** *Titus* prend Jérusalem. **79** Pompéi détruite par éruption du Vésuve (15 000 †). **79** *Titus* (39-empoisonné 81), s. f. **Ier s.** Bretagne, Dacie, Assyrie, Mésopotamie occupées. **81** *Domitien* (51-ass. 96), s. f.

Antonins. 96 *Nerva* (26-98). **98** *Trajan* (53-117), s. f. adopt. **117** *Hadrien* (76-138). **138** *Antonin* (86-161). **161** *Marc Aurèle* (121-180) [avec Verus (Marc Aurèle) jusqu'en 169]. **180** *Commode* (161-192), f. de Marc Aurèle.

Sévères. Bas-Empire. 192 début : l'armée impose ses empereurs, pression des Barbares. **193** *Pertinax* (126-ass. 193). **193** *Julien Ier. Septime Sévère Ier* (146-211). **211** *Caracalla* (188-ass. 217). **212** édit de *Caracalla :* tous les hommes libres de l'Empire deviennent citoyens romains. **217** *Macrin* (164-218). **218** *Héliogabale* (204-ass. 222). **222** *Alexandre Sév. II* (205/8-235).

Institutions romaines

• **Structure sociale.** D'origine indo-européenne : une caste de guerriers, possesseurs de chevaux, occupe une ville fortifiée, Rome (entourée par une enceinte de 11 500 m, dite de Servius Tullius) et possède la terre environnante. Une caste de domestiques agricoles et de palefreniers est à son service et habite des villages non fortifiés dans la plaine. Rome, primitivement construite sur pilotis par les Ligures avait à sa tête le *Pontifex maximus* (« grand pontonnier »), chargé d'entretenir les pilotis. Le titre est resté. Puis une ville en pierre a été construite par les Étrusques qui ont mis leur citadelle *(arx)* sur le Capitole (une des 7 collines). La *roche Tarpéienne,* portant le nom de Tarpeia, jeune fille étrusque qui livra la citadelle aux Sabins (Italiques proche des Latins), d'où l'on précipitait les criminels, en était proche. *Habitants de Rome.* Au début, 100 familles nobles (latines ou étrusques) possédent chevaux et terres. Chacun de leur ancêtre éponyme (qui a donné le nom à la famille) est divinisé et fait l'objet d'un culte familial ; il est appelé le père *(pater).* Les descendants des 100 *patres* (pluriel de pater) sont les patriciens. Les patriciens ayant le même ancêtre éponyme forment une *gens* avec un même nom *(nomen gentilicium).* Chaque branche de la *gens* forme une famille ayant sa maison à Rome. L'ensemble de la *gens* possède un domaine à la campagne où sont élevés les chevaux et où vivaient primitivement les plébéiens. Seuls les patriciens ont, au début, des droits civiques (ils forment le Sénat et fournissent les magistrats).

• **Évolution de la royauté.** Le roi (latin ou étrusque, les 2 ethnies ayant fusionné) est d'abord un patricien, élu par l'assemblée du peuple [les 30 *curies,* c'est-à-dire les groupes de guerriers *(co-viria)*]. Il est le chef de l'armée, de la religion, de la justice, du Sénat. Ses insignes sont ceux des divinités : manteau rouge, escorte de licteurs, char. Servius Tullius (578-34) rédige une Constitution, précisant les droits politiques des citoyens ; son gendre et successeur Tarquin le Superbe (534-09) qui veut se conduire en potentat est renversé ; les pouvoirs royaux sont répartis entre plusieurs magistrats, notamment les 2 *« préteurs »* qui deviendront les consuls.

• **Évolution des plébéiens.** Primitivement les plébéiens sont les habitants d'un village d'agriculteurs et d'éleveurs, chargés de l'exploitation d'un domaine gentilice (*plebs ;* en celtique de Bretagne *plou*). Origine : 1°) serviteurs-palefreniers venus avec les Italiotes au XIIe s. ; 2°) Liguriens soumis par Italiotes. Dès la fondation de Rome, des plébéiens vivent intra-muros comme domestiques ou clients (domestiques oisifs) des maisons patriciennes, et comme artisans. Ils n'ont aucun droit civique et pas d'état civil ; mais ils sont libres et ont le droit de posséder. Certains s'enrichissent. En 578 av. J.-C., Servius Tullius décida que les plébéiens riches deviendraient *citoyens* avec les mêmes droits que les patriciens. Cependant, la noblesse restera longtemps indispensable pour réussir une carrière dans la magistrature ; les plébéiens riches qui, à partir du IIIe s., s'appelèrent les « cavaliers » *(equites),* forment plutôt une bourgeoisie d'affaires. En politique, on les appelle « hommes nouveaux » (c.-à-d. sans ancêtres). Le 1er consul plébéien date de 316 av. J.-C.

• **Esclaves** (*servus,* étymologiquement « épargné »). Membres (hommes ou femmes) d'une tribu vaincue militairement et n'ayant pas conclu une soumission rituelle. Voués à l'extermination, les vaincus sont parfois épargnés mais deviennent des objets appartenant à leur vainqueur ; ils sont vendus sur les marchés. Le fils d'une esclave naît esclave (*verna,* mot étrusque). A partir du IIIe s. apr. J.-C., les esclaves sont si nombreux à Rome que la plèbe est dispensée de travailler : on lui distribue des vivres gratuits et on lui offre des jeux de cirque. *Affranchi :* esclave ayant obtenu ou acheté sa liberté : il reste jusqu'à la mort sous le « patronat » de son ancien maître ; mais ses enfants naissent libres et sont assimilés à des plébéiens.

• **Organes de gouvernement.** *Pouvoir exécutif :* magistrats (élus chaque année par les *Comices,* c.-à-d. le peuple romain) ; *p. législatif ou de contrôle* (gouvernement d'assemblée) : Sénat (composé d'anciens magistrats ; les patriciens sont majoritaires). La République s'appelle S.P.Q.R. *(Senatus populusque romanus) :* le Sénat et le Peuple de Rome.

• **Carrières politiques.** *2 consuls* sont les premiers magistrats (chefs de l'armée, Pts du Sénat et des Comices). Ils donnent leur nom à l'année. Nul ne peut être consul sans avoir été auparavant : *questeur* (responsable des finances), puis *édile* (administrateur municipal), *préteur* (responsable de la justice). Parmi les anciens consuls sont élus (pour 5 ans) *2 censeurs,* qui sont chargés de classer les citoyens d'après leur fortune. Le *tribun de la plèbe* (poste créé en 493 av. J.-C.) est chargé de défendre les non-nobles contre le patriciat.

Dictature et « principat ». Le *dictateur* est un ancien consul investi des pleins pouvoirs (cumulant toutes les magistratures, sauf celles de tribun de la plèbe). Il est désigné par l'un des consuls (tiré au sort) lorsque le Sénat a décrété l'état d'exception (durée de la dictature : 6 mois, renouvelables). *Sous l'empire,* le *« princeps »* [le « premier » (des sénateurs)] est appelé communément l'empereur (*imperator,* c'est-à-dire « général »). *Princeps* restant le titre officiel du chef de l'emp. romain dep. 27 av. J.-C. (Octave Auguste). L'*imperator* est un dictateur à vie, recevant en outre chaque année la charge de tribun de la plèbe, et tous les 5 ans, celle de censeur. Il est également grand pontife et préteur à vie de toutes les provinces. Les autres charges subsistent (consuls, préteurs, questeurs, édiles, sénateurs, nommés par le *princeps* au nombre de 600), mais perdent leurs pouvoirs réels. Les emp. créent de hauts fonctionnaires : *préfets du prétoire* (armée intérieure et pouvoir exécutif), *préfets de l'annone* [ravitaillement (mot à mot : « récolte annuelle »)], des *vigiles* (sécurité), de *la ville* (police).

• **Italie romaine.** Rome conquiert l'Italie entre le Ve et le Ier s. Elle y trouve des villes italiotes, étrusques ou gauloises organisées de la même façon qu'elle : *municipes* ayant leurs lois, leurs dieux, leurs magistrats et entourés d'une campagne où les nobles ont leurs domaines. Chaque cité conclut avec Rome un traité : les vaincus sont *stipendiaires* (payant un tribut ou *stipendium*), les alliés sont *fédérés,* etc. Il existe aussi des *colonies* fondées par des Romains et considérées comme des annexes de Rome. En 88 av. J.-C. toutes les villes d'Italie réclament le même statut que les colonies romaines, et l'obtiennent (guerre sociale). En 59, le *Rubicon* est désigné comme la frontière de l'Italie assimilée à Rome (tous ceux qui vivent au S. du Rubicon sont « citoyens romains »). En 49, la citoyenneté romaine est accordée aux Gaulois cisalpins (tous ceux qui vivent au S. des Alpes sont « citoyens romains »).

• **Provinces romaines.** A partir de 227 av. J.-C., nom des territoires occupés hors d'Italie [les 2 premiers : Sicile (conquise 241) et Corse-Sardaigne (conq. 231)]. Il y en aura 17 (la dernière sera la Mésie (29 av. J.-C.). Chaque province est gouvernée par un *préteur* élu par les comices romains pour 1 an. Dep. 81 av. J.-C. tous les préteurs doivent être d'anciens magistrats. Les *cités provinciales* comme les anciennes cités it. sont sujettes ou alliées ; leurs habitants peuvent acquérir le titre de citoyens romains, en servant 25 ans *(emeritus)* dans l'armée romaine. A partir de 212 *(édit de Caracalla),* tous les habitants de l'emp. deviennent citoyens (*motif :* Caracalla veut pouvoir toucher l'impôt successoral de 1/20 qui frappe les biens des citoyens. *Conséquence :* les provinciaux cessent de s'engager dans l'armée ; il faut faire appel à des mercenaires.)

• **Évolution de l'Empire.** *Création d'un colonat.* Les plébéiens pauvres cessent en fait d'être des citoyens libres. Tout en gardant leurs droits civiques, ils sont attachés à un domaine (public ou privé) et perdent le droit de le quitter ; ils deviendront les *serfs.*

Famille impériale : à partir du IIIe s., le *princeps* (ou emp.) devient en fait un prince, avec des droits héréditaires : les membres de sa famille ont un statut princier et le titre de « très nobles » *(nobilissimi). Ordre sénatorial :* composé des anciens patriciens (et des descendants des anciens magistrats) ; titre : « très illustres » *(clarissimi). Ordre équestre :* composé des riches propriétaires fonciers et hommes d'affaires ; titre : « très honorables » *(perfectissimi). Petites gens (humiliores) :* font partie héréditairement d'un artisanat qu'ils n'ont pas le droit de quitter.

Fonction impériale. A partir du IIIe s., l'armée (de métier), notamment celle de Rome et du S. du Rubicon (garde prétorienne), prend l'habitude de désigner l'emp. (depuis Auguste, elle était chargée off. de le nommer chaque année tribun de la plèbe et tous les 5 ans censeur). Après 235, les prétoriens, à Rome, mais aussi de nombreuses légions provinciales nomment « Auguste » (c'est-à-dire emp. à vie) leur G^al^. D'où des g. civiles entre armées de différentes provinces.

Augustes distingués des Césars. Dioclétien sépare les titres portés par le *princeps* romain : chaque emp. (Auguste) avait à ses côtés un adjoint (César). Le César est souvent le fils de l'Auguste, la dignité impériale devenant une monarchie héréditaire.

Anarchie militaire. 225-284 division, empire des Gaules (258-273), roy. de Palmyre (260-273), avec reine Zénobie et son fils Voballath. **235** *Maximin Ier* (173-238). **238** *Gordien Ier* (v. 157-238). *Balbin* (178-ass. 238). *Pupien* († 238), avec Balbin. *Gordien II* (v. 192-238). *Gordien III* (224-244). **244** *Philippe l'Arabe* (v. 204-ass. 249). **249** *Decius* (201-251). **251** *Gallus* (ass. 253). **253** *Valérien* (exécuté 259 ou 260). **260** *Gallien* (v. 218-268), s. f. **268** *Claude II le Gothique* (v. 214-270). **270** *Aurélien* (v. 214-ass. 275). **275** *Florien* († 276). *Tacite* (v. 200-ass. 276). **276** *Phobus.* **282** *Carus* († 283). **283** *Carin* (ass. 285). *Numérien* (ass. 284), f. de Carus. **284** *Dioclétien* (245-313) (entre Empire d'Occident et Emp. d'Orient), abdique. Rétablit unité, prend un associé. Chacun est *« Auguste »* et choisit un héritier, le *« César »* (293 système de la *tétrarchie*). Abdique.

Guerres civiles. 305 6 emp. revendiquent le titre d'Auguste : Constantin, Sévère, Maximin, Galère, Maxence et Maximien. *Constance Ier Chlore* (v. 225-306). **306** *Constantin Ier* (270/288-337), rétablit unité de l'Emp. **307** *Maxence* exécute Sévère. **308** *Constantin* exécute Maximien. **308** *Maximin II Daia* († 313). **311** *Galère* meurt ; remplacé par Licinius. **312** *Constantin* tue Maxence. **313** Constantin et Licinius accordent la liberté aux chrétiens (édit de Milan). Licinius tue Maximin, puis Valens, successeur de Maximin ; Constantin tue Martianus, successeur de Valens (323), puis Licinius (324). **324** Constantin fonde une 2e capitale à Constantinople. **337** *Constantin II* (317-340). *Constant Ier* (320-350). *Constance II* (317-361), règne conjointement. **361** *Julien l'Apostat* (331-363), neveu de Constantin Ier, essaie de restaurer paganisme. **363** *Jovien Ier* (v. 331-364). **364** *Valentinien Ier* (321-375). **375** *Valentinien II* (v. 371-ass. 392). **379** *Théodore Ier* (v. 347-395). **381** édit : catholicisme rel. d'État. **391** ferme temples païens. **383** *Maxime* (ass. 388), empereur en Gaule et en Espagne. **392** *Eugène* (usurpateur), gendre de Valentinien Ier. **395** *Partage définitif de l'Empire* entre Arcadius et Honorius, fils de Théodose. L'emp. d'Orient (byzantin) durera jusqu'en 1453.

Empereurs romains d'Occident

Bas-Empire d'Occident (395-476). 395 *Honorius Ier* (395-423), fils de Théodose Ier. **400** Alaric, roi des Wisigoths, s'installe en Italie. **402** Stilicon bat Alaric à Pollenza. **404** Honorius transfère capitale à Ravenne. **409** Alaric pille Rome, mais Honorius décide Wisigoths à s'installer en Gaule et Esp. **423-54** Aetius : dictature militaire, maintient « diocèses » d'It. et Gaule contre envahisseurs, notamment les Huns (451-52). **425** *Valentinien III* (419-455), nev. d'Hon. par sa mère Galla Placidia. **455** *Maxime Pétrone Ier* (v. 395-ass. 455). *Avitus* († 456). Vandales, appelés d'Afrique par l'imp. Eudoxia, pillent Rome. **456** *Majorien Ier* (ass. 461). **461** *Sévère III* († 465). **467** *Anthemius,* f. de Procope. **472** *Olybrius* († 472). **473** *Glycerius* († 480). **474** *Julius Nepos.* **475** *Romulus Augustule* (n. v. 461), f. d'Oreste, mercenaire hérule (germain). **476** *Invasions barbares.* Odoacre, chef des Germains Scyres, tue Oreste, chasse Romulus Aug. Fin de l'Empire d'Occident.

☞ Empereurs romains d'Orient : voir Index.

☞ **Fin des 115 empereurs romains, de César à Constantin V.** Morts naturellement 37, assassinés 54, empoisonnés 2, expulsés du trône 6, ayant abdiqué 6, enterré vivant 1, suicidés 5, frappés de la foudre 2, morts inconnues 2.

Art romain

Influencé surtout par art étrusque et art grec. Les Grecs ne connaissent que l'architrave pour franchir les vides ; les Etrusques, puis les Romains, utilisèrent l'arc. Apogée entre Auguste (30 av. J.-C.) et les Antonins (fin du IIe s. ap. J.-C.).

• **Amphithéâtres ou arènes. Allemagne.** *Trèves* (100 ans ap. J.-C.). **Espagne.** *Italica* (206 av. J.-C. ; 40 000 pl.). *Tarragone. Mérida* (Ier s. av. J.-C. ; 14 000 pl.). **Israël.** *Césarée* (22-9 av. J.-C. ; 5 000 pl.). *Beit Chean* (IIe ap. J.-C. ; 8 000 pl.). *Hamat Gader* (1 500 à 2 000 pl.). **Italie.** *Rome :* le Colisée (Ier s. ap. J.-C. ; 187 × 155 m, 57 m de haut à l'extérieur, 49 m à l'intérieur, 527 m de tour, environ 50 000 pl.). *Vérone* (Ier s. ap. J.-C. ; 152 × 128 m, haut. ext. 32 m). *Capoue* (Ier s. ap. J.-C. ; 167 × 137 m). *Pompéi* (130 × 102 m). *Pouzzoles* (69 à 79 ap. J.-C. ; 149 × 116 m, 40 000 pl.). **Tunisie.** *El Djem :* Colisée (148 × 122 m, 60 000 pl.). **Yougoslavie.** *Pula* (31 av. à 14 ap. J.-C. ; 132 × 105 m, haut 32,5 m, 23 000 pl.).

• **Aqueducs. Espagne.** *Ségovie* (813 m ; haut. 28 m, Ier s.). *Tarragone* (Las Ferreras 217 m ; haut 28,7 m, 98-117 ap. J.-C.). *Mérida* (*Los Milagros,* 827 m ; haut. 25 m). **France.** *Pont du Gard :* v. Index. **Israël.** *Césarée* (22-9 av. J.-C.). **Italie.** *Rome :* Aqua Marcia (145 av. J.-C.) ; Virgo, A. de Claude (Ier s. ap. J.-C., 60 km, en ruine). **Tunisie.** *Carthage à Zaghouan,* 90 km (76-138 ap. J.-C.). **Turquie.** *Antioche* (Antakya).

• **Arcs. Algérie.** *Timgad :* de Trajan (IIIe s. ap. J.-C.). *Tébessa :* de Caracalla (11 m de côté). *Lambèse* (197-211 ap. J.-C.). *Djémila* (216 ap. J.-C.). **Espagne.** *Bara* (IIe s. ap. J.-C.). *Medinaceli* (haut. 9 m ; IIe s. ap. J.-C.). *Mérida :* arc de Trajan (haut. 13 m). **Italie.** *Rome :* de Titus (81 ap. J.-C.) ; de Septime Sévère (315 ap. J.-C.) ; de Constantin (315 ap. J.-C.) ; de Janus (IIIe s. ap. J.-C.) ; de Drusus (IIe s. ap. J.-C.) ; des Changeurs. *Ancône :* de Trajan. *Bénévent ;* de Trajan. **Maroc.** *Volubilis* (217 ap. J.-C.).

• **Basiliques** (cours de justice, autour du forum). **Algérie.** *Timgad. Tipasa. Djémila.* **Italie.** *Rome :* Æmilia (179, restaurée en 78 av. J.-C.) ; Julia (46 av. J.-C.) Ulpia (112 ap. J.-C.) ; Nova (313) ; Constantin et Maxence (306-313) ; Ste-Marie-Majeure (302). *Pompéi* (100). **Libye.** *Leptis Magna.* **Maroc.** *Volubilis.*

• **Cirques** (enceintes destinées aux courses de chevaux). **Espagne.** *Mérida* (8 av. J.-C. ; 15 000 pl.). **Italie.** *Rome :* circus Maximus (645 × 124 m, 190 000 pl., détruit) ; cirque de Maxence (469 × 185 m ext.).

• **Colonnes** (érigées en commémoration des victoires militaires). **Algérie.** *Djémila* (IIe s. ap. J.-C.). **Italie.** *Rome :* de Trajan (114 ap. J.-C. ; haut. 29,8 m, 42 avec soubassement et statue) ; de Marc Aurèle (176 ap. J.-C. ; haut. 29,6 m, 42 avec soubassement et chapiteau) ; de Phokas (608 ap. J.-C. ; haut. 17 m). **Turquie.** *Istanbul :* de Théodose (haut. 15 m).

• **Forums. Algérie.** *Djémila* (IIe et IIIe s. ap. J.-C.) ; *Tipasa : Timgad.* **Italie.** *Rome :* d'Auguste (2 av. J.-C.) ; de Vespasien (Ier ap. J.-C.) ; de Nerva ; de Trajan (terminé en 114 ap. J.-C. par Apollodore de Damas, 280 × 200 m).

• **Palais. Italie.** *Rome :* Palais impérial au Palatin (Ier s. ap. J.-C.), Curia Julia. *Tivoli :* villa d'Hadrien (127-134 ap. J.-C.). **Yougoslavie.** *Split :* p. de Dioclétien.

• **Ponts. Espagne.** *Alcantara* (IIe s. ap. J.-C. ; restauré ; 188 m long, 54 m haut). *Mérida* (95 av. J.-C. ; 792 m long, 11 m haut). *Salamanque* (IIe s. ap. J.-C. ; 400 m). *Cordoue* (Ier ap. J.-C. ; 240 m). **Italie.** *Rome :* Saint-Ange (pons Aelius). *Rimini. St-Martin.*

• **Portes. Allemagne.** *Trèves :* p. Noire (fin IIe s. ap. J.-C.) **Italie.** *Aoste :* p. Decumana. *Pérouse ;* p. d'Auguste. *Turin :* p. Palatine (Ier s. ap. J.-C.).

• **Portiques** (bordaient généralement les rues et les places). **Italie.** *Rome :* p. d'Octavie (Ier s. av. J.-C.).

• **Temples. Algérie.** *Timgad :* Capitole (IIe s. ap. J.-C. ; enceinte ; long 90 m, larg. 62 m ; temple : long. 53 m, larg. 23 m ; col. de 14 m de haut). *Djémila* (t. de la famille des Sévères : IIe s. ap. J.-C. ; col. hautes de 8,40 m). **Italie.** *Rome :* t. de Vénus Genitrix (Ier s. av. J.-C.) ; de Mars Ultor (2 ap. J.-C.) ; de Castor et Pollux (6 ap. J.-C., il reste 3 col.) ; de la Concorde (7 à 10 ap. J.-C.) ; de la Fortune virile (ionique tétrastyle et pseudopériptère) ; de Vesta, rond ; de la Paix (80 ap. J.-C.) ; de Vénus et Rome (135 ap. J.-C.) ; Panthéon (27 av. J.-C. à 124, 43 m de haut et de diamètre, rond) ; d'Antonin et Faustina (141 ap. J.-C.) ; de Saturne (320 ap. J.-C., ne restent que 8 col.) ; de Romulus (IVe s. ap. J.-C., rond) ; Dii Consentes (reconstruit en 367 ap. J.-C.). *Ostie :* Capitole. *Pompéi :* Capitole. *Tivoli :* de Vesta (205 ap. J.-C., rond). **Jordanie.** *Pétra* (VIe s. av. J.-C.) ; t. Qasr Firaoun (Ier s.). **Liban.** *Baalbek :* t. de Jupiter (87,75 × 47,70 m) ; de Bacchus (69 × 36 m ; col. de 19 m de haut). **Portugal.** *Evora ;* périptère (IIe s. ap. J.-C.). **Syrie.** *Palmyre :* t. de Bêl (dit autrefois T. du Soleil ; consacré en 32).

• **Théâtres. Algérie.** *Tébessa. Timgad* (IIe s. ap. J.-C.). *Djémila. Tipasa.* **Espagne.** *Mérida* (5 500 pl). *Sagonte* (10 000 pl.). *Acinipo* près de Ronda. **Grèce.** *Athènes ;* odéon d'Hérode Atticus ; d'Agrippine. **Italie.** *Rome ;* théâtres de Pompée (20 000 pl.) ; de Marcellus (achevé en 13 av. J.-C.). *Herculanum. Pompéi. Ostie. Fiesole.* **Tunisie.** *Dougga* (3 500 pl., diam. 63 m). **Turquie.** *Termessus. Alinda. Aizani Aspendus.*

• **Thermes. Algérie.** *Timgad* (167 ap. J.-C.). **Allemagne.** *Trèves* (IIe s. ap. J.-C.). **Espagne.** *Italica* (v. 120 ap. J.-C.). **Italie.** *Rome :* th. de Caracalla (206 av. J.-C. ; 120 000 m²) ; de Dioclétien (306 ; pour 3 000 baigneurs, 140 000 m², en ruines) ; de Constantin (détruits). **Libye.** *Leptis Magna (Lebda).* **Maroc.** *Volubilis :* th. de Gallien ; du Forum (début IIe s. ap. J.-C.) ; du Nord (fin IIe s. ap. J.-C.).

• **Tombeaux. Italie.** *Rome :* t. d'Hadrien (château St-Ange, 135 ap. J.-C.) ; de Cestius (Ier s. ap. J.-C., 27 m haut.) ; de Caecilia Metella (fin Ier s. av. J.-C.).

Du Ve au VIIIe siècle

Période germanique (476-774). *Odoacre* se fait reconnaître « patrice de Rome » par l'emp. d'Orient, Zénon. Proclamé roi par ses troupes, il gouverne l'Italie 17 ans (cap. Ravenne). **493** est tué à Ravenne par le roi des Ostrogoths, *Théodoric le Grand,* à qui Zénon a accordé l'Italie. **498** l'emp. Anastase envoie les insignes impériaux à Théodoric qui fonde un emp. ostrogoth arien. **535-53** reconquête du Gal byzantin *Bélisaire,* vainqueur de Vitigès, roi des Ostrogoths, (540), et du Gal byzantin Narsès, vainqueur de Totila, roi des Ostrogoths, (552) sous Justinien Ier, emp. d'Orient. Ravenne cap. et siège de l'exarque représentant l'emp. **568-72** invasion lombarde ; fondation de duchés lombards, centre Pavie (les papes deviennent « ducs de Rome »). **751** Byzantins chassés de Ravenne par Lombards (gardent Sicile et It. du Sud). **754-56** Pépin le Bref bat Lombards et donne au pape Étienne II l'ancien exarchat de Ravenne (voir Vatican à l'Index). **774** *Charlemagne,* couronné roi des Lombards, confirme donation de Pépin aux Papes. **800** couronné emp. d'Occident et successeur de Constantin. It. divisée en 3 : Lombardie, Église, Sud (byzantin). **888-962** Lombardie devient « roy. d'Italie ». **962** l'emp. Otton Ier fonde l'Emp. romain germanique (« Saint Empire »), réunissant couronnes d'It. et d'All. **1052** avènement, en Toscane, de la Ctesse Mathilde de Canossa (1046-1115), pupille des papes et protectrice du St-Siège contre les emp. Le parti anti-impérial s'appelle « *guelfe* », du nom du mari de Mathilde, Welf de Bavière. **1116** début de lutte entre papes et emp., au sujet de l'héritage de Mathilde. **1254** le pape Alexandre IV remplace le « roy. d'Italie » par un « vicariat pontifical » (vicaire : Ch. d'Anjou, roi de Naples) ; unité it. presque rétablie. **1294** l'emp. nomme un « vicaire impérial » (le duc de Milan) ; unité brisée : États du Nord, Église, Naples-Sicile.

États italiens indépendants

Nota. – En 1860, les rois de Sardaigne et les rois des Deux-Siciles étaient les seuls rois régnant en It.

• **États de l'Église.** Voir Religions, p. 514.

• **Étrurie.** Voir ci-dessous, Toscane.

• **Florence.** Voir ci-dessous, Toscane.

• **Gênes :** autrefois aux marquis carolingiens d'Este. **1015** conquiert Sardaigne. **1078** la Corse, avec alliance de Pise, puis fonde emp. colonial en Méditerranée (notamment Chypre). En g. (navale) avec Venise jusqu'en 1381. **1296** cède Sardaigne à l'Aragon. **1396-1685** disputée entre Fr. et Esp. (fr. 1396-1409, 1458-64, 1499-1522, 1527-28). **1528-60** *Andrea Doria* (1466-1560) rétablit son indépendance ; gouvernement aristocratique. **1797** République ligurienne. **1805** annexée par France. **1815** par roy. sarde.

• **Lucques : 1342** place commerciale, annexée par Pise. **1370** achète pour 25 000 florins d'or, à l'empereur Charles IV, le statut de ville libre (Constitution démocratique). **1556** constitution oligarchique. **1805** agrandie de Piombino, érigée en duché pour Elisa Bonaparte. **1815-47** duché indépendant donné aux Bourbons de Parme, jusqu'à la mort de l'impératrice Marie-Louise. **1847** annexée à Parme à la mort de l'impératrice Marie-Louise (Charles de Lucques devenant Charles II de Parme).

• **Mantoue : 1115** comté lombard devenu souverain à la mort de la comtesse Mathilde. **1328** à la famille des Gonzague, vicaires impériaux. **1432** marquisat. **1530** duché. **1627** extinction des Gonzague ; g. de la succession de Mantoue. **1631** à la famille des Nevers. **1708** extinction des Nevers ; confisqué par l'emp. Léopold Ier (de Habsbourg). **1785** annexé au Milanais (autrichien dep. 1713).

• **Milanais :** Milan, ancienne capitale des Lombards : **v. 1100** centre de résistance aux emp. all. (parti guelfe). **1166** Ligue lombarde créée. **1275** le « capitaine » de Milan reconnu par l'emp. **1294** Matteo Visconti, « capitaine » dep. 1287, nommé « vicaire impérial » pour l'It. **XIVe s.** les Visconti conquièrent toute l'ancienne Lombardie et It. centrale jusqu'aux États de l'Église. **1395** l'emp. Venceslas leur reconnaît le titre de duc de M. **1424-47** M., vaincu cède à Venise Bergame et Brescia. **1447** dynastie des Sforza (Francesco Sforza avait épousé Bianca Maria, fille naturelle de Filippo Maria Visconti, duc de 1416 à 1447). **1505** Louis XII de Fr., fils de Valentine Visconti (fille de Gian Galeazzo V., duc de 1385 à 1402), devient duc de M. **1521** Charles Quint rétablit les Sforza. **1535** Sforza éteints : M. à l'empereur. **1556** à l'Esp. (Philippe II). **1714** autrichien ; au XVIIIe s., l'Autr. en cède la moitié à Savoie. **1796** M. capitale de la « République cisalpine ». **1798**-*12-5* 1re apparition du drapeau vert, blanc, rouge.

• **Modène :** marquisat lombard devenu indép. à la mort de la Ctesse Mathilde (1115). **1288** passe à la maison d'Este (ducs de Ferrare). **1453** érigé en duché. **1598** les Este, chassés de Ferrare par le pape Clément VIII, y mettent leur capitale. **1796** annexé à la Rép. cisalpine. **1814** rendu aux Este. **1848** François V, chassé par les *carbonari,* est rétabli par les Autr.

• **Montferrat : 1040** marquisat souverain. **1305** passe par mariage à la famille des Paléologue (byzantins). **1553** extinction des Paléologue ; passe aux Gonzague, ducs de Mantoue. **1574** érigé en duché (mantouan). **1627** principal enjeu de la g. de succession de Mantoue (convoité par la Savoie, qui en occupe une partie). **1708** extinction des Nevers ; attribué par l'emp. Léopold Ier à la Savoie, alliée de l'Autr. contre Louis XIV.

• **Naples et Sicile : 554** conquis par Byzantins. Récupérés en partie par Lombards et Carolingiens qui créent un « duché de Bénévent », mais laissent côtes et îles aux Grecs. **IXe-XIe s.** Sarrasins enlèvent la S. aux Grecs, et harcèlent It. du S. et États de l'Église. **1016** les papes chargent les Normands de Tancrède de Hauteville d'expulser Sarrasins et Grecs. Le roy. normand de Naples et Sicile devient vassal du St-Siège (il ne fera jamais partie de l'Emp. romain germanique). **1194** Constance, héritière des Hauteville, épouse l'emp. Henri VI de Hohenstaufen ; leur fils, Frédéric II, sera emp. et roi de Naples. **1264** pape Urbain IV attribue Naples et Sicile à Charles d'Anjou, frère de St Louis, qui bat les Hohenstaufen à Bénévent (1266). **1282** *Vêpres siciliennes* (lundi de Pâques *30-3 à fin avril :* env. 8 000 Fr. massacrés) ; le roi Pierre III d'Aragon enlève Sicile aux Angevins. **1435** Alphonse V d'Aragon enlève N. aux Angevins et réunit les 2 roy. (plus Sardaigne, annexée en 1296). **1594-1713** à la Couronne d'Esp. **1631** éruption du Vésuve (800 † à Naples). **1713** Esp. cède Sardaigne et Naples à Autr., Sicile à Amédée II de Piémont-Savoie qui devient roi. **1720** Autr. reçoit Sicile contre Sardaigne (Amédée II devient « roi de Sardaigne »). **1738** *tr. de Vienne :* N. et S. sont données à une branche cadette des Bourbons d'Esp. (« Roy. des Deux-Siciles »). **1806** Napoléon nomme son frère Joseph roi de Naples ; Sicile échappe à l'occupation fr. **1808-15** Murat roi de Naples (fusillé 13-10-1815). **1815-60** restauration des Bourbons.

Rois des Deux-Siciles de la maison de Bourbon. 1734 CHARLES (1716-1788), infant d'Esp., roi des Deux-S. (île de Sicile et terre ferme avec Naples) et de Jérusalem, investi par son père Philippe V roi d'Espagne (qui fut roi des D.-S. de 1700 à 1796 ; investi par le pape, car les 2 royaumes sont fiefs pontificaux) le 18-10-1738. Lorsqu'il devient Charles III, roi d'Esp., renonce en faveur de son fils cadet. **1759** FERDINAND IV (Naples) – II (Sicile, 1751-1825) s. fils infant d'Esp. Une loi du 8-12-1816 unifia Sicile et terre ferme à la suite du tr. de Vienne 9-6-1815 ; le numérotage des rois retomba à zéro ; le roi devint : Ferdinand Ier, roi du roy. des D.-S. et de Jérusalem, infant d'Esp. **1825** FRANÇOIS Ier (1777-1830), roi, s. f. **1830** FERDINAND II (1810-1859), roi, s. f. **1859** FRANÇOIS II (1836-94), roi, son f., chassé par les révolutionnaires de Garibaldi, les Savoie, et un référendum truqué (1861) ; est exilé, sans postérité.

Prétendants. 1894 ALPHONSE Ier, Cte de Caserte (1841-1934), son fr. **1934** FERDINAND III (25-7-1869-1960), duc de Calabre, son f. A sa mort, le titre de chef de la famille des Deux-S. est revendiqué par les descendants de son frère, le Pce Charles [1870-1949, ép. 14-2-1901 l'infante Maria de las Mercedes, Pcesse des Asturies (1880-1904), infant d'Esp. et naturalisé esp.], qui renonça à ses droits successoraux en 1900. **1960** ALPHONSE II (1901-64), son f., prend le titre de duc de Calabre, déclarant nulle la renonciation de son père. Ép. 16-4-1936 Alice de Bourbon, P[cesse] de Parme (n. 1917). **1964** CHARLES Ier, titré duc de Calabre, s. f. (né 16-1-38) ; Esp., réside à Madrid (reconnu chef de la famille roy. des Deux-Siciles par le roi d'Esp.). Ép. 12-5-65 Anne d'Orléans, fille du Cte de Paris, dont Christine (15-3-66), Marie Paloma (5-4-67), Pierre, titré duc de Noto (16-10-68), Inès (20-4-71), Victoria (1976). **1970** RÉNIER Ier (1883-1973), duc de Castro, officier esp., puis naturalisé français. Ép. 12-9-1923 P[cesse] Caroline de Zamosc-Zamoyska (1896-1968). 2e fr. de Ferdinand III, il proclame irrévocable la renonciation de son frère Charles (1870-1949) en 1900 pour lui et ses descendants. **1973** FERDINAND IV, son f. (duc de Castro, titré également duc de Calabre), n. 1926, fixé en France, qui ép. 25-7-49 Chantal de Chevron-Villette (1925) dont 3 enfants : Béatrice (1950) ép. le prince Charles Napoléon, Anne (1957) qui ép. Bon Jacques Cochin, et Charles, titré duc de Noto (24-2-63).

• Parme : cité indépendante achetée en **1346** par Luchino Visconti, duc de Milan, et annexée au Milanais. **1511** cédée par Milan au St-Siège (Jules II). **1545** érigée en duché de Parme-et-Plaisance (souverain) pour Pierre Louis Farnèse, fils naturel du pape Paul III. **1731** héritée par Élisabeth Farnèse, reine d'Esp., qui la cède à son fils Charles ; quand il devient roi des Deux-Siciles, il la cède à son fr. cadet Philippe de Bourbon (1720-65). **1735** cédée à l'Autriche, en échange de Naples. **1748** rendue aux Bourbons d'Esp. **1802** annexée par Napoléon (duc de Parme : Cambacérès) et la branche de P. reçut le *roy. d'Étrurie* (1801-07). **1814** agrandie de Guastalla, donnée en viager à Marie-Louise, épouse de Napoléon. **1847** rendue aux Bourbons de Parme. **1854** assassinat de Charles II (n. 1823) ; Robert (f. de Ch. II et de Louise de France, sœur du Cte de Chambord), dernier duc régnant.

Chef actuel de la maison de Parme. Charles-Hugues de Bourbon (1930) [f. du P[ce] Xavier (25-5-1889-7-5-1977) ép. 12-11-27 Madeleine de Bourbon-Busset, devenu duc de Parme à la mort de son neveu, le duc Robert (1909-74), f. du duc Elie (1880-1959), fr. aîné de Xavier] ép. la P[cesse] Irène des Pays-Bas, dont Charles (1970), Jacques (1972), Marguerite (1972), Marie-Caroline (1974). *Frères et sœurs :* 1er Françoise (1928) ép. P[ce] Édouard de Lobkowicz, citoyen amér., naturalisé français. 2e Marie-Thérèse (1933). 3e Cécile (1935). 4e Marie des Neiges (1937). 5e Sixte Henri (1940). V. succession carliste p. 931.

• Piémont. D'abord divisé entre marquisats de Suze, d'Ivrée, de Saluces et de Montferrat. **XIe s.** à la maison de Savoie. **1418** définitivement rattaché à la Savoie. **1796 à 1814** occupé par Français, forme 5 départements : Doire, Pô, Stura, Sesia et Marengo.

• Sardaigne. **Avant J.-C. IIIe millénaire** habitée par une race venue probablement d'Afrique. **1400/1200** apogée de la civilisation de bronze. Phéniciens y établissent plusieurs comptoirs [Nora, Sulcis, Caralis (Cagliari), Tharros (Torre de San Giovanni)] ; se heurtent à la concurrence des Phocéens qui fondent Olbia (Terranova). **535** victoire punico-étrusque sur Phocéens ; influence carthaginoise. **259** Romains s'attaquent à l'île. **238** s'en emparent. **27** devient province sénatoriale. **Après J.-C.** province impériale occupée par légions. **IIe/IIIe s.** lieu de déportation. **436** occupée par Vandales. **534** reconquise par Bélisaire. **VIIIe s.** Arabes s'y installent. **1022** Sardes, aidés de Pise et de Gênes, délivrent leur île. **1175** Génois et Pisans tentent de se partager la Sard., les premiers au N., les seconds au S. aidés par l'empereur Frédéric II. **1242** son fils, Enzio, proclamé roi de Sicile. **1284** *bat. navale de la Meloria :* Pise chassée par Génois. **1297** Boniface VIII attribue la souveraineté de la Sard. à l'Aragon. **1325** passe à l'Espagne. **1713** *tr. d'Utrecht :* donnée à l'Autriche. **1720** l'empereur Charles VI l'échange avec duc de Savoie contre Sicile. Ainsi furent constitués les **États sardes** ou **Royaume de Sardaigne,** qui réunissaient l'île et les possessions continentales de la maison de Savoie (v. Savoie). Dépouillés de leurs États de terre ferme par la Fr. révolutionnaire, les rois de Sard., Charles-Emmanuel II et Victor-Emmanuel Ier, se réfugièrent en Sard. où ils résidèrent de 1798 à 1814. **1861** intégrée au nouveau royaume d'Italie.

• Savoie : voir Savoie à l'Index. **1713** Royaume. **1720** prend le nom de « sarde » (Savoie-Sardaigne). **1814** annexe Gênes. **1820-21** 31 soulèvements contre Autr. **1848-49** g. du Piémont contre Autr. **1853-56** Piémont participe à la g. de Crimée. **1859-70** unité it. réalisée par Victor-Emmanuel II de Savoie, Cavour (1810-61), Mazzini (1805-72) et Garibaldi (1807-82). **1859** acquiert Lombardie. **1860** Modène, Parme, Toscane, Romagne votent leur rattachement au Piémont. Garibaldi conquiert Sicile et Naples (*expédition des Mille* ou *des Chemises rouges :* 1 098 h. dont 33 étrangers, troupes de Garibaldi formées de volontaires it. et internationaux). **1861**-*14-3* Victor-Emmanuel II roi d'It.

Ducs de Savoie. **1416** AMÉDÉE VIII (1383-1451), f. d'Amédée VII, Cte de Savoie (1360-91) ; créé duc par l'empereur Sigismond Ier ; antipape de 1439 à 1449. **1440** LOUIS Ier (1413-65), s. f. **1465** AMÉDÉE IX (1435-72), s. f. **1472** PHILIBERT Ier (1465-82), s. f. **1482** CHARLES Ier, s. fr. **1490** CHARLES II, s. f. **1496** PHILIPPE II (1438 ?-97), f. de Louis Ier. **1497** PHILIBERT II (1480-1504), s. 3e f. **1504** CHARLES III († 1553), s. fr. **1553** EMMANUEL-PHILIBERT (1528-80), s. f. **1580** CHARLES-EMM. Ier LE GRAND (1562-1630), s. f. **1630** VICTOR-AMÉDÉE Ier (1587-1637), s. f. **1637** FRANÇOIS-HYACINTHE, s. f. **1638** CHARLES-EMMANUEL II (1634-75), s. fr. **1675** VICTOR-AMÉDÉE II (1666-1732), s. f. (roi de Sicile en 1713, tr. d'Utrecht).

Rois de Sardaigne jusqu'en 1860. **1720** VICTOR-AMÉDÉE II (1666-1732), roi de Sardaigne (tr. de Cambrai 1720). Abdique. **1730** CHARLES-EMMAN. III (1701-73), s. f. **1773** VICTOR-AMÉDÉE III (1726-96), s. f. **1796** CHARLES-EMM. IV (1751-1819), s. f. Abdique. **1802** VICTOR-EMMANUEL Ier (1759-1824), 3e f. de V.-Amédée III, abdique 1821. **1821** CHARLES-FÉLIX-JOSEPH (1765-1831), 5e f. de V.-Amédée III. **1831** CHARLES-ALBERT (1798-1849), P[ce] de Savoie-Carignan, descendant du 3e f. de Ch.-Emm. Ier. **1849** VICTOR-EMMANUEL II (1820-78), s. f. ép. 1) Adélaïde d'Autriche († 1855), 2) Rosa Vercellana, Ctesse de Mirafiori († 1885).

• Toscane. De *Tusci,* autre nom des Étrusques. **IVe s.** province du diocèse d'Italie. **VIe s.** duché lombard. **774** marquisat franc de « Tuscie ». **Xe s.** les marquis mettent leur résidence à Lucques. **1030** héritée par la famille de Canossa (près de Modène) ; fusionnée à Modène, Ferrare, Reggio, Mantoue. **1052** héritée par Ctesse Mathilde (1046-1115), pupille des papes (résidences comtales et papales habituelles : Canossa et Florence). **1115** Ctesse Mathilde lègue ses possessions au St-Siège, mais les empereurs allemands refusent de reconnaître la validité de son testament. Les principales cités toscanes accèdent à l'indépendance : Lucques, Pise et Pistoia se rangent dans le camp gibelin, Florence incline vers les guelfes. **1197** Florence, tête de la ligue guelfe (anti-all.) et cité souveraine. **1250** gouvernée par collège de 12 bourgeois. **1251-1343** lutte entre aristocraties guelfe et gibeline. **1284** *bat. de la Méloria :* la T. passe sous l'hégémonie de Florence qui soumet Pistoia (1301), Volterra (1361), Arezzo (1384) et Pise [1405 (achat définitif au duc de Milan 1421)] ; Lucques et Sienne maintiennent leur indépendance (Sienne sera acquise en 1557, échangée à Charles Quint contre Piombino). **XVe et XVIe s.** l'histoire toscane se confond avec celle de la Florence des Médicis : expulsés à 2 reprises (1495/1512 et 1527/30), ils se rétablissent. **1531** Charles Quint crée pour Alexandre de Médicis le duché de Florence. **1569** prend le nom de *grand-duché de Toscane,* par la faveur du pape Pie V. **1590** création du port de Livourne, pour remplacer Pise ensablé. **1737** extinction des Médicis, grand-duché donné, en compensation de la Lorraine

L'unité italienne

• **Ambitions de la maison de Savoie.** L'une des plus anciennes familles souveraines d'Europe veut devenir aussi puissante que les Bourbons ou les Habsbourg. Jusqu'au XVIe s., cherche à agrandir ses domaines en Suisse et en France. Au XVIIe s., songe plutôt à la Méditerranée (relevant le titre de rois de Chypre). A partir de 1713, ayant obtenu la dignité royale (rois de Sicile, puis de Sardaigne, 1718), elle projette d'accroître son influence en It. Conservatrice (cathol. et féodale), elle saura utiliser au XIXe s. l'idéologie unitaire de la gauche.

• **Séquelles de la Révolution française.** De 1796 à 1815, l'It. est aux mains des révolutionnaires puis des bonapartistes français. *1°* Ils y répandent les notions de *nation* et d'*unité nationale,* utilisées en France contre la monarchie capétienne ; en It., elles s'opposent aux dynasties locales, aux Autrichiens et au pape. *2°* Napoléon s'est rendu populaire en It. en créant une administration de type français (départements et arrondissements ; préfets et sous-préfets), qui a réalisé des réformes efficaces. Pour des raisons de sécurité, il n'a pourtant pas réalisé l'unité it., gardant la péninsule divisée en 3 entités distinctes : départements français, roy. d'It. (vice-roi : Eugène de Beauharnais), roy. de Naples (roi : Joachim Murat). Celui-ci tente en 1814-15 de réaliser l'unité it. sous son autorité (mai 1815). Il est vaincu et fusillé en 1815, mais la gauche it., fidèle au souvenir des Bonaparte, compte sur leur appui pour réaliser l'unité. *3° Récupération du carbonarisme par la franc-maçonnerie.* Les *carbonari* (charbonniers), à l'origine société secrète corporative, regroupant des charbonniers (échappant à la police, vivant dans les forêts), se transformèrent en groupe d'action directe entre 1807 et 1810, dans le roy. de Naples (contre le régime de Murat). Ils basculèrent dans le camp maçonnique, républicain et unitariste, sous l'influence de : Philippe-Michel Buonarroti (1761-1837, franc-maçon, disciple de Gracchus Babœuf, carbon.) et Giuseppe Mazzini (1805-72, avocat génois en 1827, fondateur à Marseille en 1831 du mouvement *Jeune Italie,* qui supplante le carbonarisme).

Déroulement. **1820-21** émeutes rép. fomentées par carbonari à Naples et au Piémont. **1821**-13-9 pape Pie VII condamne société secrète ; *unité italienne* signifie : fin des États de l'Église. **1821-30** la « charbonnerie » concentre ses efforts sur la France, où elle finit par provoquer la chute des Bourbons. **1831** devenue la « Jeune Italie », elle reprend l'offensive en It. [**1831** émeutes rép. en It.-Romagne, auxquelles prennent part les 2 Bonaparte, fils du roi Louis (l'aîné, Napoléon-Louis, est tué ; le cadet, Louis-Napoléon, futur Nap. III, se réfugie en Suisse) ; leur appartenance au carbonarisme est probable]. **1834** Mazzini fonde à Genève la Jeune Europe, qui regroupe les mouvements activistes révolutionnaires, notamment en Pologne. **1848-49** actions simultanées (mais non concertées) de la maison de Savoie et des rép. mazzinistes : *1°* Charles-Albert Ier proclame le 4-3-48 un « statut constitutionnel » et déclare la g. à l'Autriche, pour conquérir le « roy. Lombardo-Vénitien », ce qui aurait donné à la Savoie toute l'It. du N. Vaincu à Custozza (18-7-48) puis à Novare (23-3-49) et contraint à abdiquer. *2°* Mazzini prend la tête des révoltés rép. à Naples (mars 48), à Livourne, puis à Rome, où il fonde une rép. (9-3-49) ayant à sa tête un triumvirat : Mazzini, Saffi, Amellini. Ils sont vaincus et chassés par les troupes fr. envoyées par Louis-Nap. Bonaparte, Pt de la Rép. fr. (fin juin 49). Mazzini organise dep. Londres des putschs républicains, qui échouent : Mantoue 1852, Milan 1853, Gênes 1857, Livourne 1857. **1858** Felice Orsini (1819-58, guillotiné), lieutenant de Mazzini, organise de Londres un attentat contre Napoléon III (motifs : *1°* le punir de son intervention à Rome en 1849 ; *2°* lui rappeler ses devoirs de carbonaro : travailler à l'unité it. ; une bombe fait 12 † et 156 bl., N. III, indemne, se décide à agir pour l'unité it. mais, en accord avec la maison de Savoie, et contre les mazzinistes). **1859** Mazzini proteste contre l'alliance franco-piémontaise, négociée par Cavour ; pour lui l'It. unie doit être républicaine, mais ses partisans, notamment Garibaldi, se rallient à Victor-Emmanuel II et Cavour, ce qui leur permet de conquérir (en *1860*) toute l'It. moins le Latium. **1861**-17-3 V.-E. II proclamé roi d'It. par « la grâce de Dieu ». **1861-70** N. III (pour rassurer l'électorat catholique) s'oppose à la suppression des États de l'Église et préconise une confédération it., présidée par le pape. Mais V.-E. II, installé à Florence, veut Rome pour capitale. Les républicains (hostiles envers le pape) l'appuient. **1870** profitant de la défaite fr. en face de l'All., V.-E. II prend Rome. Il veut fonder une monarchie conservatrice et procathol., et s'allie aux Autr. (réconciliation avec le pape en 1929). **1946** républicains l'emportent (Humbert II exilé, 2-6-46).

Garibaldi, Giuseppe (1807-82). Né français (Nice). *1815* sarde ; *1826* officier de marine ; *1833* carbonaro ; *1834* condamné à mort après émeute à Gênes, il se réfugie en Am. du S. jusqu'en 1848, y combat contre l'Esp. *1848* combat dans l'armée sarde contre l'Autr. ; battu, il se réfugie en Suisse. *1849* combat contre la Fr. dans les États de l'Église ; battu, réfugié aux U.S.A. jusqu'en 1854. *1854-59* il séjourne à Caprera (île entre Sardaigne et Corse) qu'il a achetée. *1859* combat contre l'Autr., proteste contre la cession de Nice à la Fr. *1860* organise *l'expédition des « Mille »* qui enlève Sicile et Naples aux Bourbons ; reconnaît Victor-Emmanuel roi d'It. ; se retire à Caprera ; *1866* campagnes contre l'Autr. et *1867* contre le pape [vaincu à Mentana (3-11)] ; *1870* prend part à la g. franco-allem., à côté des Fr. à la tête de volontaires ; *1871* élu dép. à l'Assemblée nat. fr., invalidé comme Italien, retourne à Caprera ; *1874* reçoit dotation annuelle de 100 000 lires.

(cédée à Stanislas Leszczyński), à François de Lorraine, époux de Marie-Thérèse. **1745** maison de Habsbourg-Lorraine, nouvelle maison d'Autriche (conserve la Toscane). François Ier (en Toscane, François II) a pour successeur son fils Léopold Ier (1565/90) qui, devenu empereur en 1790, cède la T. à son fils Ferdinand III, chef d'une ligne cadette. **1799** occupée par la Fr., la T. se soulève. **1800** *oct.* à nouveau occupée par les Fr. après leur victoire de Marengo. **1801** érigée en *royaume d'Étrurie* par Bonaparte au profit de Louis Ier (duc de Parme, gendre du roi d'Espagne Charles IV) ; **1803** Louis II, son fils, roi à la mort de son père ; **1807** absorbé dans l'Empire fr., forme 3 départements : Arno, Ombrone, Méditerranée. **1809** Napoléon nomme grande-Desse de T. sa sœur Élisa Baciocchi. **1814** elle doit se retirer devant Ferdinand III restauré. Grand-duché sous la domination des Habsbourg. **1824** Léopold II. **1859** Ferdinand IV. **1847** s'agrandit du duché de Lucques. **1848** despotisme paternaliste, se soulève. **1849** *févr.* Républ., avec triumvirat (Mazzini, Guerazzi et Montanelli). *Juillet* troupes autr. rétablissent Léopold II. **1859**-*27-4* doit se réfugier à Vienne. **1860** *mars* gouvern. provisoire vote réunion à Sardaigne.

Grands-ducs de Toscane de la maison de Habsbourg. 1738 François II [empereur François Ier de Lorraine (1708-65), époux de Marie-Thérèse de Habsbourg (1717-80)]. **1765** Léopold Ier, s. f. (puîné) (1745-92), devient empereur en 1790. **1790** Ferdinand III, s. f. (puîné) (1759-1829). **1829** Léopold II (1797-1870), s. f., abdique 1859. **1859** Ferdinand IV, s. f. (1835-1908), exilé en Autriche 1860, maintient ses droits. Ép. 1867 Alice de Bourbon-Parme (1849-1935), dont branche : *Archiduc Pierre-Ferdinand,* s. f., gd-duc de T. (1874-1948), chef de la maison à la mort de son père ; ép. 1900 Marie-Christine de Bourbon-Naples (1877-1947). *Arch. Godefroy,* gd-duc de Toscane (1902-85) ; ép. 1938 Dorothée de Bavière (n. 1920). *Arch. Léopold,* s. f., gd-duc de T. (n. 1942) ; ép. 1965 Laetitia de Belzunce d'Arenberg (n. 1941). *Arch. Sigismond* (n. 21-4-1966), gd-duc, héritier de T. *Arch. Gontran,* Pce de T. (n. 21-7-1967). *Branches cadettes :* issues de l'arch. Charles Salvator, Pce de Toscane (1830-92) [ép. 1862 Immaculée de Bourbon-Naples (1844-99)], par ses 2 f. Léopold-Salvator (1863-1931) et François-Salvator (1866-1939).

• **Venise** : territoire byzantin. **579** transformé en patriarcat en accueillant patriarche d'Aquilée. **697** élit chef militaire, *dux* ou *doge.* **912** indépendante de Byzance. **982** *tr. de Vérone :* paie tribut à l'emp. Otton. **1099-1297** principal partenaire des Croisades en Orient. **XIVe s.** possède un emp. en Méditerranée (notamment Eubée, Crète, Morée) ; rivalité contre Gênes. **XVe s.** possède Nord de l'It. jusqu'au Milanais (possessions de Terre Ferme). **Jusqu'en 1699** lutte contre Turquie ; reste le plus souvent neutre dans les g. europ. **1797** détruite par Bonaparte : partagée entre Fr., Autr. et Rép. cisalpine.

• **Royaume d'Italie. 1858**-*21-7* à Plombières, Cavour et Napoléon III parlent de l'It. **1861** Victor Emmanuel II devient roi d'It. **1866** acquiert Vénétie. **1867** intervention fr. empêchant Garibaldi de prendre Rome. **1870** *occupation de Rome* qui devient cap. en *1871.* **1885** Massaouah occupée, début de la conquête de l'Érythrée. **1892** des Fasci (associations de travailleurs) réclament violemment partage des terres. **1896**-*1-3* défaite d'*Adoua,* échec de la conquête de l'Abyssinie. **1911-12** conquête sur la Turquie de la Tripolitaine et du Dodécanèse (annexion officielle : *tr. de Sèvres,* 1920). **1913** suffrage universel. **1914**-*5-10* des syndicalistes fondent un « faisceau révolutionnaire » d'action interventionniste. **1915**-*23-5*-**1918** participe à la g. contre All. et Autr. [territoires promis par les Alliés pour obtenir l'aide it. : Trentin, Ht-Adige, côtes E. de l'Adriatique, 1/4 de l'Anatolie turque ; *1917*-24-10 : *Caporetto,* All. battent Luigi Cadorna ; *1918*-28-10 : *Vittorio-Veneto,* Armando Diaz (1861-1928 ; créé duc de la Victoire et maréchal 1924) bat Autr.]. **1919**-10-3 ; I. reçoit Trentin et Haut-Adige. *-23-3* Mussolini fonde les « Faisceaux de combat » avec les Chemises noires (*effectifs du Parti :* oct. 1919 : 20 000, oct. 1921 : 310 000, 1924 : 790 000, 1931 : 1 000 000). Du *-12-9* **1919** *à déc.* **1920** Gabriele d'Annunzio (1863-1938) occupe Fiume. **1919-20** la g. a traumatisé l'It. (humiliée à Caporetto, elle n'a pas reçu tous les terr. promis, voit l'immigration restreinte), violences politiques et sociales se succèdent. **1919**-*23-3* Muss. réclame l'abolition de la monarchie, du Sénat, des titres nobiliaires ; les 1ers fascistes veulent une Constituante, la République, le vote des femmes, la nationalisation des ind. d'armement, la confiscation des biens de l'Église et profits illégitimes amassés pendant la guerre, l'expropriation des grands propriétaires et industriels, l'attribution des terres aux paysans. *-14-4* expédition contre l'*Avanti* (socialiste), 1re manif. violente fasc. **1920** soutenu par petite bourgeoisie

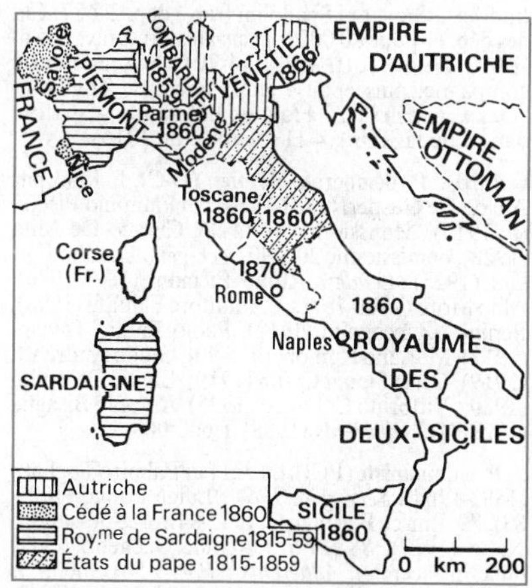

et gros industriels, Muss. organise des expéditions punitives contre dirigeants de gauche (il y aura des milliers de †). *-12-11* reçoit Trieste et Istrie. **1921** création de syndicats fasc. qui briseront les grèves. *-7-4* Giolitti dissout la chambre. *-15-5* él. : 35 fascistes élus dont Muss. à Milan et Bologne. *-9-11* création du P. nat. fasciste. **1922** *juill.* Muss. exige principaux ministères. *-1-8* grève gén. déclenchée par soc. et brisée en 3 j par fasc. *-24-10* Muss. annonce une *marche sur Rome. -26-10* De Facta, Pt du Conseil démissionne. *-29-10* Muss. Pt du Cons. *-31-10* entrée triomphale des Chemises noires à Rome. **1924** *avril* les fascistes ont 405 s. sur 535. *-10-6* Giacomo Matteoti (n. 1885), dép. socialiste, assassiné par la milice (qui a succédé aux Ch. noires) ; indignée, l'opposition quitte le Parlement, mais Muss. instaure la dictature. **1929**-*11-2 accords du Latran* (v. Index). **1936** *mai* conquête Éthiopie. **1936-39** It. aide (troupes et matériel) franquistes en Espagne. **1938** *oct.* Ch. des faisceaux et des corporations remplace Ch. des députés. **1939** *avril* Albanie envahie. **1940**-*10-6* g. contre France. Muss. obtient du roi la délégation d'autorité pour commander l'armée. *-28-10* Grèce envahie. **1943**-*24-7* le Grand Conseil fasciste (par 19 v. contre 7) exige fin du pouvoir personnel de Muss. *-25-7* Mal Badoglio nommé chef du gouv. le fait arrêter. *-8-9* armistice avec Alliés, déclaration de g. à l'All. *-12-9* Muss. interné dans hôtel des Abruzzes, délivré par Skorzeny, chef de commando S.S. Muss. proclame une Rép. social. ital. dont le gouv. protégé par All. s'installe à Salo (lac de Garde). *-13-10* procès des traîtres du Gd Conseil. **1944**-*11-1* Cte Ciano (n. 18-3-1903, épouse 1930 Edda, fille de Muss., min. des Aff. étr. du 9-3-36 au 5-2-43, ambass. au Vatican, vote 24-7-43 au gd Conseil fasciste contre Muss., arrêté 3-11-43) fusillé dans le dos. *23-4* attentat tue 33 jeunes recrues S.S. ; en représailles, les All. du colonel S.S. Herbert Kappler fusillent 335 otages aux *Fosses ardéatines. -2-6* Rome prise. *-27-10* front stabilisé sur Apennins de Ravenne à Lucques. **1945** *25-4* insurrection nat. *-27-4* Muss. et ses ministres arrêtés, min. fusillés le 27, Muss. exécuté 28, avec sa compagne Clara Petacci. Leurs corps seront exposés à Milan, pendus par les pieds. *-29-4* Venise prise. **1946**-*2/3-6* référendum pour la République (12 717 923 pour, 10 719 284 contre). *-12/13-6* coup d'État rép. d'Alcide De Gasperi.

• **République italienne. 1947**-*10-2 tr. de Paris.* It. perd Dodécanèse (archipel, 2 663 km², 120 000 h., cédé à Grèce), Tende et La Brigue (616 km², cédés à Fr.), Dalmatie et Istrie (7 254 km², cédées à Youg.) et ses colonies (concessions de Tiensin, Éthiopie, Somalie, Érythrée, Libye). *Mai* rentrant des U.S.A., De Gasperi forme un gouv. dont les communistes sont exclus. **1948**-*14-7* tentative d'assassinat de Togliatti, chef du P.C.I., par l'étudiant Pallante, qui craignait de le voir entrer au gouv. **1954** *oct.* zone A (ville même) de Trieste transférée à l'It. **1956** I. verse à Libye 5 milliards de lires de dommages et intérêts. **1958** loi Merlin interdisant les maisons closes. **1969**-*12-12* attentat à Milan : 16 †, 107 bl. [accusé : Pietro Valpreda (40 a., gauchiste), sera libéré en déc. 72 ; Giovanni Ventura et Franco Freda (extr. droite) inculpés le 30-9-72 ; Stefano Delle Chiaie et Massimiliano Fachini acquittés 20-2-89]. **1971** biens Italiens confisqués par Libye. **1972**-*28-2* chambres dissoutes. *-7/8-5* élections. **1973**-*12-5* référendum pour maintien loi sur divorce (59,1 %). **1973** Berlinguer propose une alliance à la D.C. (compromis historique). **1974** *juill.* plan de redressement écon. et fin. *-4-8* attentat néo-fasciste d'Ordre noir dans l'express Rome-Munich : 12 †. (fin du procès 20-7-83). *-3-10* PM Rumor démissionne. 50 j de crise ministérielle. *-22-11* gouv. Moro, faillite banque Sindona. **1975** centaines d'attentats, nombreux enlèvements. **1976**-*7-1* chute du gouv. Moro. *-18-1* chef des « Brigades rouges » arrêté. *-19-2* gouv. Moro (D.-C. homogène), démission. *-30-4. Janv.-mars* chute de la lire, scandales (CIA, Lockheed). *-9-6* Francesco Coco, procureur gén. de Gênes, assassiné. *-20-6* législatives (P.C. 34,4 % des v., D.-C. 33,8). Gouv. Andreotti (D.C.). **1977** *févr.* insurrection étudiante à Rome et Milan (731 000 ét. en It. dont 24 % fréquentent les cours ; 50 % des diplômés de 1976 en chômage). *-25/26-7* programme commun des 6 partis constitutionnels (D.-C., P.C., soc., soc.-dém., rép., libéral). *-30-6* Emilio Rossi, directeur du journal télévisé IG1, blessé aux jambes par B. rouges. **1978**-*16-3* Aldo Moro, Pt du conseil nat. de la D.-C., enlevé par B. rouges (5 escorteurs †) ; les com. entrent dans la majorité gouv. *-9-5* cadavre d'A. Moro (tué 2-5) découvert (assassins arrêtés 14-3-81). *-11/12-6* référendum sur abrogation des lois sur l'ordre public (oui 23,13 %) et financement public des partis (oui 43,7 %), abstention 20 %. *-15-6* Giovanni Leone, Pt de la Rép., soupçonné de fraude fiscale, de spéculation immobilière et de complicité dans le scandale « Lockheed », démis-

La Mafia

Nom. De l'arabe *mu'afah* protection des faibles ou du toscan *maffia :* misère. Autre interprétation : 1800, le roi de Naples, Ferdinand IV, réfugié en Sicile, crée une police parallèle pour contrecarrer un éventuel débarquement français ; il l'aurait appelée des 5 initiales du cri de guerre de 1282 (Morte alla Francia ; Italia anela, « Mort à la France ; c'est le cri de l'Italie »). Surnommée l'*Honorable Société.*

Origine. 1739 des Calabrais poussés par la famine dévastent les récoltes en Sicile. Les intendants (les *zii :* les oncles) des grandes propriétés constituent l'« Onorata Societá » pour se défendre. **1783** les Calabrais reviennent (40 000 sont †) et la société lutte contre l'impôt, la mobilisation, les « carabinieri » venus du Nord. **XIXe** des Siciliens s'établissent aux U.S.A., corrompent l'Adm. et instaurent une Sté du Crime.

Organisation actuelle. *Sicile :* contrôle de : prod. agr., immobilier, jeux, paris clandestins, contrebande, rapts, vente d'armes, drogue ; avec ramifications : Calabre *(N'dranghetta).* Naples *(Camorra),* U.S.A. *(Cosa nostra).*

Bénéfices annuels. 100 000 milliards de lires (7,5 milliards de $), soit 12 % du produit national brut [selon le Censis (Centre italien d'études sociales)]. **« Employés »,** env. 1 000 000, et disposant d'un revenu annuel moyen d'une centaine de millions de lires (75 000 $), soit 4 fois plus que le revenu moyen par habitant.

Lutte récente. 1981. *Législation :* Loi Pio La Torre (député com. ass. 1982) qui autorise la *Guardia di Finanza* à enquêter sur l'origine des patrimoines douteux, des enrichissements illicites et même à geler les biens des mafieux présumés. **1979-82** rivalités de familles de la Mafia (Greco, Corlini, Marchese). **1982**-*13-9* art. 416 *bis* du Code pénal permet de poursuivre ceux qui ne peuvent faire la preuve du caractère licite de leur patrimoine. **1984**-*19/30-9* 366 mandats d'arrêt après révélations de don Masino [Tommaso Buscetta (56 a.) arrêté mai 83 au Brésil]. *-6-11* Vito Ciancimino, ancien min. dém.-chrétien de Palerme, arrêté pour participation à la Mafia. *-12-12,* 150 arrestations. **1986**-*10-2* procès de la Mafia à Palerme : 474 inculpés (121 en fuite) (11-12-87 : 342 inculpés sur 456 condamnés). **1987**-*31-3* à Turin : procès de 242 inculpés (17-4-88, 153 cond.). *-16-7* à Palerme, 19 cond. à détention à perpétuité. **1988**-*11-5* à Palerme, procès de 127 inculpés. *-30-7* démission du juge anti-Mafia Giovanni Falcone et de 8 collègues. **1989**-*19-4* à Palerme, 82 acquittements. *-17-5* Conf. épiscopale décide excommunication automatique des mafieux. **1991**-*11-2* Cour de cassation libère 41 mafieux à cause de la lenteur de la justice.

Meurtres de la Mafia. 1978 à 1980 + de 800. **1980** *août* M. Costa procureur. **82**-*30-4* Pio La Torre, dép. communiste, et son chauffeur, tués en Sicile. *-3-9* Gal Alberto Dalla Chiesa (n. 1920), préfet de Palerme dep. 2-4-82, et sa femme Emanuela (n. 1950). **83**-*29-7* Palerme, juge Rocco Chinnici. **84**-*5-1* Giuseppe Fava, journaliste spécialiste de la Mafia. **88** 1 202 [dont Sicile 307 (dont 26-9 : Antonio Saetta, Pt de la cour d'appel de Palerme et son fils)], Campanie 247, Calabre 221. **89** env. 1 200 [dont Sicile 412 (dont Palerme 84)]. **90** 1 000 tués [dont Sicile 359 (dont Palerme 38, dont 27-11, 8 à Gela)].

sionne. **1979**-*23-10* Alessandro Pertini, Pt de la Rép., déjeune au Vatican avec le pape. **1980**-*2-8 attentat gare de Bologne :* 85 †, 203 bl. revendiqué par le mouvement Ordine nuovo (14-6-86 : 19 inculpés, 4-7-88 : condamnés à perpétuité, 18-7-90 : 13 acquittés, 4-4-91 : 2 des cond. à perpétuité acquittés). *Nov.* scandale des pétroliers (fraude fiscale de dir. de raffineries, 2 400 milliards de lires en 10 a., 2 000 personnes impliquées). *-23-11* séisme dans le S., 2 688 †, 8 807 bl., 250 000 sinistrés. *-12-12* juge Giovanni d'Urso enlevé par Brig. rouges (libéré 15-1-81). *-28/29-12* mutinerie prison de Trani. **1981**-*5-1* baisse de 70 cm des eaux à Venise (vent d'O., le Garbin). *-4-4* Mario Moretti, chef des Brig. rouges, arrêté. *-26-5* PM Arnaldo Forlani démissionne [suite du scandale de la loge maçonnique P2 *(Propaganda due)*]. *-22-7* Mehmet Ali Agca, auteur de l'attentat contre le pape, condamné à prison à vie. *Oct.* manif. pacifistes à l'initiative du PC. *-10-11* rapt de la dépouille de Ste Lucie à Venise. **1982**-*2-1* Giovanni Senzani, chef des B. rouges, arrêté. *-26-4* mort de Frank Coppola. *-18-6* Roberto Calvi, P.-D.G. de la banque Ambrosiano, retrouvé pendu à Londres après avoir disparu 10-6. *-13-9* Genève, arrestation de Licio Gelli, grand maître de la loge P2 (s'évade 10-8-83). *-9-10* Rome, attentat devant synagogue 1 †. *Oct.* Pierluigi Paglia, responsable de l'attentat de Bologne, enlevé en Bolivie. **1983**-*24-1* jugement des assassins d'Aldo Moro : 25 réclusions à perpétuité, 7 prisons à vie et diverses autres peines. *5-5* Parlement dissous. *-26/27-6* élect. législ. La démo.-chrét. perd 5 % (elle a 32,9 % des voix, le PC 29,9 %). *-4-8* Bettino Craxi, Pt (1er soc. dep. 1946). **1984**-*15-2* Leamont Hernt, dipl. amér. ass. à Rome. *-11-6* mort de Berlinguer. *-25-9* banquier Michel Sindona (condamné à 25 a. de prison aux USA) « prêté » à la justice ital. pour témoigner, s'empoisonne en prison mars 1986. *-23-12* attentat train Naples-Milan, 16 † (commandé par Mafia ?). **1985**-*12-5* élec. aux 15 régions, 86 provinces et 6 567 communes, majorité 58,1 % (DC 35,1, PSI 13,3), opposition 38,2 (PC 30,2). *-1-7* dévaluation 18,8 %. *-19-7* rupture barrage de Tesero, 220 †. *-27-12* Fiumicino, attentat palest. contre El Al, 16 †. **1986**-*3-6* lire « lourde » (1 000 anciennes lires). *-27-6* Bettino Craxi (mis en minorité), Pt Cons., démissionne ; son gouvernement, le plus long depuis 1946, a duré 1 058 j. Après 35 j de crise, redevient Pt Cons. **1987**-*20-3* gén. Giorgieri (dir. des Armements aéronautiques) tué par Union des comm. combattants. *-9-4* Craxi démissionne. **1988**-*16-2* Licio Gelli (fondateur loge P2) ramené en It. *-12-4* libéré pour raison de santé. *-14-4* Naples attentat, 5 †. *29 et 30-5* él. administratives. DC 36,8 %, PC 21,9, PS 18,3. *-4-6* It. accepte d'héberger les 72 F - 16 de la base de Torrejon (Espagne). *-15-6* levée de l'immunité parlementaire d'Elena Anna Staller (la *Cicciolina*) accusée de s'être promenée presque nue place St-Marc. Chaleur : algues dans la lagune de Venise (puanteur). *-14-10* vote secret aboli au Parlement. *-23-12* † de Carlo Scorza (n. 1896), dernier secr. survivant du P. fasciste. **1989**-*25-2* 11 condamnés pour attentat du train Naples-Milan (1984). *-28-4* Maurice Duverger candidat aux européennes sur la liste du PCI. *-3-5* Leonid Pliouchtch candidat du P. rad. transnat. aux él. eur. *-18-6* él. européennes et référendum pour doter Parlement européen de pouvoirs constituants (88,1 % de oui). *-26-10* 846 Libyens manif. à Naples (arrivés par bateau) pour concitoyens victimes du fascisme. *Déc.* création d'un billet de 500 000 lires (2 500 F) et d'une pièce de 1 000 lires (5 F). **1990**-*7-1* fermeture de la tour de Pise (dangereuse). *-21-1* arrêt de toute circulation à Milan pour lutter contre la pollution. *-29-1* Pt Cossiga en Fr. *-20-7* Vito Ciancimino, ancien maire de Palerme, condamné à 38 mois de prison pour détournement de fonds publics. **1991**-*7-1* publication de la liste de 577 m. du réseau *Glaive* (gladio) mis en place dans les années 1950 pour faire face à une éventuelle invasion de l'Est. *-6-2* libération anticipée de Mohamed Issa Abbas et Youssouf Ahmed Saad impliqués dans le détournement de l'*Achille Lauro. Fév.-mars* arrivée d'env. 20 000 réfugiés albanais. *-9/10-6* référendum pour réforme électorale : participation 62 %, oui 95,6 %.

Politique

• **Statut. République Constitution.** 1947. **Pt de la Rép.** élu p. 7 a. par Parlement et 65 délégués régionaux. Nomme le Pt du Conseil et son cabinet qui sont responsables devant le Parlement. **Sénat** 322 m. (1 pour 160 000 h.) élus au suffr. universel p. 5 a. + 2 sénateurs de droit (les anciens Pts de la Rép. Leone et Saragat) et 5 sénateurs à vie, choisis par le chef de l'État : Ferruccio Parri (gauche indép.), Leo Valiani (rép.), Giuseppe Saragat (soc.-dém.), Amintore Fanfani (dém.-chrét.), Cesare Merzagora (ind.), Pt Giovanni Spadolini (rép.) dep. 2-7-87. **Ch. des dép.** (1 pour 80 000 h.) élus au suffr. univ. p. 5 a. [Pte : Nilde Jotti (n. 10-4-20), PC, ancienne compagne, puis épouse en 2e noces de Togliatti]. **Fêtes nationales :** 25-4 (anniv. Libération), 2-6 (fondation de la Rép.), 4-11 (victoire de 1916).

• **Partis. P. démocrate-chrétien** (D-C), f. 1943 par Alcide De Gasperi (1881-1954) ; *Pt* Flaminio Piccoli (n. 1915), démissionne 16-11-84, Ciriaco De Mita (1928), démissionne 20-2-90, *secr. gén.* Arnaldo Forlani (1925). *Leaders* Attilio Piccioni (1892-1976), Aldo Moro (1916-78 ass.), Amintore Fanfani (1908), Benigno Zaccagnini (1912), Paolo Emilio Taviani (1912), Mariano Rumor (1915-90), Giulio Andreotti (1919), Carlo Donat Cattin (1919), Emilio Colombo (1920), Vittorino Colombo (1925), Antonio Bisaglia (1929-84). *Adhérents* (1988) 1 600 000.

P. communiste (PCI), f. 1921 par Palmiro Togliatti (1893-1964). *Secr. gén. 1964 :* Luigé Longo (1900-88), *72 :* Enrico Berlinguer (1922-84), *84 :* Alessandro Natta (1917), *88 (21-6) :* Achille Occhetto (élu à bulletins secrets). *Adhérents : 1944 :* 501 960, *47 :* 2 252 716, *50 :* 2 112 593, *60 :* 1 792 974, *70 :* 1 507 047, *80 :* 1 751 323, *89 :* 1 450 000, *91 :* 1 300 000. *% des voix obtenues : 1976 :* 34,4 (élect. lég.), *79 :* 30,4 (lég.), *83 :* 29,9 (lég.), *85 :* 28,8 (él. région.), *87 :* 26,4 (lég.), *88 :* 21,1 (mun. partielles), *89 :* 27,6 (europ.), 26,6 (municip. à Rome), *90 :* 24 (rég.). HISTORIQUE : *1921-21-1* formation. *1926 janv.* IIIe congrès de Lyon, la ligne modérée d'Antonio Gramsci (1891-1937, en prison) l'emporte. Au congrès suivant, clandestin en All., Togliatti présente le rapport qu'il dirige : il mène le parti depuis l'arrestation de Gramsci. *1945 juin,* Togliatti min. de la Justice. *1956 déc.* T. déclare : « Le modèle soviét. ne peut et ne doit pas être obligatoire. » Mais le PCI s'aligne sur positions soviét. dans les événements de Pologne et Hongrie. *1960 nov.* conférence des partis com. à Moscou, PCI affirme qu'on ne peut appliquer le même modèle à tous les pays. *1968 août* PCI désapprouve intervention sov. en Tchéc. *1969 juin* confér. à Moscou, PCI refuse de condamner com. chinois. *Nov.* gauchistes du groupe Manifesto exclus du parti. *Début 1978* PCI participe au gouv. de 6 régions (Piémont, Ligurie, Émilie, Toscane, Ombrie, Lazio) sur 20, de 49 provinces sur 94, de 39 chefs-lieux de province (dont 21 à direction com.) sur 95, de 870 communes de + de 5 000 h. sur 1 884 et de 1 886 communes de - de 5 000 h. sur 6 089. Il y a entente de programme avec lui dans 8 régions sur 14 et dans 21 provinces sur 45. *1982 janv.* rupture avec Moscou. *1983-22-7* mort de Franco Rodano (1920) théoricien du PC et auteur du « compromis hist. » avec la DC. *1991-3-2* devient le **P. dém. de Gauche** (807 voix pour, 75 contre, 49 blancs, 322 abstentions).

P. socialiste (PSI), f. 1892 par Filippo Turati (1857-1932). *Leaders* Bettino Craxi (24-2-34 ; secr. gén.), Riccardo Lombardi (1901-84), Pietro Nenni (9-2-1891/1-1-1980), Giacomo Mancini (21-4-16), Claudio Martelli (24-9-1943), Giuliano Amato (13-5-1938), Carlo Tognoli (16-6-1938). *Adhérents : 1946 :* 860 300 ; *50 :* 700 000 ; *60 :* 489 337 ; *70 :* 537 000 ; *80 :* 514 918 ; *87 :* 614 815. **P. social-démocrate** (PSDI), f. 1947 par Giuseppe Saragat (19-9-1898). *Leaders* Antonio Cariglio, Renato Massari, Ruggero Puletti, Franco Nicolazzi, Ivanka Corti, 200 000 m. **P. libéral** (PLI), f. 1848 par Cavour ; Giovanni Malagodi (12-10-04) (Pt d'hon.). *Leaders* Aldo Bozzi (1909-87), Valerio Zanone (22-1-36), Agostino Bignardi (30-7-21), Antonio Patuelli (10-2-51), Paolo Battistuzzi, Renato Altissimo (4-10-40), Antonio Patuelli (10-2-51), 153 000 m. **Mouvement social italien-Droite nat.** (MSI-DN), f. 26-12-1946 par Giorgio Almirante (1914-88) (néo-fasciste). *Secr. gén.* Gianfranco Fini (n. 1951) dep. déc. 87. *Vice-secr. gén.* Franco Maria Servello (3-10-21), 400 000 m., ajoute le 18-1-73 le nom de « Droite nationale ». **P. républicain** (PRI), f. 1897. *Leaders* Bruno Visentini, Giovanni Spadolini (21-6-25), Giorgio La Malfa (1903-79) (secr. pol.) 110 000 m. **P. sarde d'action,** f. 1920 par Emilio Lussu (4-12-1890). **P. pop. sud-tyrolien, Sud Tiroler Volkspartei** (cathol., souhaite l'autonomie totale pour le groupe ethnique all. dans la province de Bolzano), f. 8-5-1945 par Erich Amonn. **P. radical,** f. 1955. *Pt* Marco Pannella [avant Enzo Tortora dep. 3-11-85 (dénoncé par repentis de la Mafia et emprisonné pour trafic de drogue)]. *Secr. fédéral* Giovanni Negri. *Autres leaders* Adele Faccio (13-11-20), Jean Fabre (12-9-47, Pt). **P. démocratie prolétaire,** f. 1974 : Massimo Gorla (4-2-33). **Démocratie nationale,** f. 1977 : De Marzio (19-8-10), Mario Tedeschi (9-9-24) (secr. gén.), Giovanni Roberti (3-2-08).

☞ On appelle penta-parti le regroupement de : DC, PSI, républicains, libéraux et sociaux-démocrates.

• **Criminalité. Attentats :** *1-1-1969 au 1-1-87 :* 14 599 ; 415 † (*1979 :* 2 513 att. ; *80 :* 1 502 att., 125 † et 236 bl.) ; *1986 :* 30, 2 bl. **Rapts.** *1968 :* 2, *75 :* 63, *77 :* 78, *79 :* 80, *82 :* 50, *83 :* 39 [dont Anna Bulgari (copropr. de la joaillerie) et son fils. *-24-12* libérés contre 20 millions de F (ravisseurs : 5 bergers sardes arrêtés 5-1-84)], *84 :* 17, *85 :* 265, *86 :* 30 (1 † : maire de Florence, Lando Conti). (Rançon : 1,25 milliard de F, ¼ seulement des disparus retrouvés.) **Magistrats assassinés** (de 1967 à avril 1985) : 18 dont 5 en Sicile.

• **Prisons.** Capacité 20 000 à 25 000 détenus ; en févr. 83 env. 34 000 détenus.

• **Terroristes. Brigades rouges.** Fondées *1970* par Renato Curcio (n. 1945, docteur en sociologie, arrêté 1976) et sa femme Marguerite Cagol (tuée ensuite) ; *1973* séquestrent le dir. du personnel de la Fiat ; *1974* début des enlèvements (juge Mario Rossi, soumis à « un procès du peuple » le 21-4), puis tirent dans les jambes de cibles « choisies » ou les assassinent ; *1981-6-7* Giuseppe Taliercio tué par B. r. parce qu'elles sont boycottées par la presse ; *-3-8* Roberto Pecci, frère d'un brigadiste ayant collaboré avec la police, tué par B. r. ; *-17-12* Gal James Lee Dozier, vice-chef d'É.-M. logistique de l'OTAN en Eur. du S., enlevé à Vérone ; *1982-28-1* Dozier libéré par police à Padoue ; *-25-3* responsables de son enlèvement jugés : 2 à 27 ans de prison ; *1985-28-3* Ézio Tarantelli, prof. d'économie pol., tué par B. r. ; *1986-10-2* L. Conti, ancien maire de Florence, tué par B. r. Plusieurs brigadistes ont été arrêtés (dont Carlo Fioroni 1975, Corrado Alluni 13-9-78, Prospero Gallinari 24-4-79, 7 membres en juin 88, 21 en sept. 88).

Prima Linea [f. par Sergio Segio (n. 1956), arrêté 15-1-83 ; leaders Paolo Zambianchi et Liviana Tosi]. *1979* (11-12) des tueurs de Prima Linea ont blessé 10 cadres en stage à l'école de managers de la Fiat à Turin. *1983-10-12 :* fin du procès de 134 membres (enfermés dans des cages pendant l'audience). 9 condamnations à vie, 6 à plus de 30 ans... **Nuclei Armati Rivoluzionari.**

Rois d'Italie

1861 VICTOR-EMMANUEL II (1820/9-1-1978). Ép. Adélaïde de Habsbourg (1822-55).

1878 HUMBERT Ier (1844-29-7-1900), s. f., assas. par l'anarchiste Bresci. Ép. Marguerite de Savoie-Gênes (1851-1926).

1900 VICTOR-EMMANUEL III (1869-1947), roi d'Italie et d'Albanie, empereur d'Éthiopie, s. f., abdique, s'exile sous le nom de Cte de Pollenzo. Ép. Pcesse Hélène Petrovitch Njegosh de Monténégro (1873-1952).

1946 HUMBERT II (1904-83), s. f., ép. 8-1-30 Pcesse Marie-Josée de Belgique (4-4-06), f. du roi Albert Ier. *1944 avril* lt-gén. du royaume ; *1946-9-5,* roi ; *-2-6,* référendum pour la Rép., s'exile le 13-6 sans abdiquer, sous le nom de Cte de Sarre (nom d'un château du Val-d'Aoste acheté par V.-Em. II). La Const. it. lui interdit de rentrer en It. 4 ENFANTS : *Maria-Pia* (24-9-34) ép. 12-2-55 Pce Alexandre de Yougoslavie (13-8-24), f. du Pce Paul, réside en France, div. 1967 ; *Victor-Emmanuel* de Savoie, prince de Naples (12-3-37), ép. 7-10-71 Marina Doria (n. 1935), ancienne championne de ski, dont Emmanuel-Philibert (1972), Pce de Piémont et de Venise ; *Marie-Gabrielle* (24-2-40) ép. 16-6-69 Robert Zellinger de Balkany (4-8-31, divorcé de Geneviève François-Poncet) ; *Marie-Béatrice* (2-2-43) ép. 2-4-70 Luis Reyna-Corvallan y Dillon (1939), Argentin. SŒURS : *Yolande* (1901-86) ép. 9-4-23 Cte Carlo Calvi, Cte de Bergolo (1887-1977) ; *Mafalda* (9-11-02-Buchenwald 29-8-44) ép. 23-9-25 Pce Philippe de Hesse, landgrave de Hesse (n. 1896) ; *Jeanne* (13-11-07) ép. 25-10-30 Boris III, roi des Bulgares (1894-1943) ; *Marie* (26-12-14) ép. 23-1-39 Pce Louis de Bourbon, Pce de Parme (1899-1947) dt plusieurs enf.

Branche des princes de Savoie-Aoste. Issue du Pce Amédée de Savoie [Aoste (1845-90), 1er duc, 2e fils de V.-Emmanuel II, proclamé par les Cortès le 16-11-1870 roi d'Esp. sous le nom d'Amédée Ier, dut abdiquer]. *Amédée* duc d'Aoste (27-9-43) ép. 1°) 22-7-64 (mariage annulé janv. 87) Pcesse Claude d'Orléans, fille du Cte de Paris, dont Bianca (1966), Aimon (1967) duc des Pouilles, Marie-Béatrice (1967), Mafalda (1969). 2°) 30-3-87 Marquise Silvia Paterno di Spedalotto (31-12-53).

Titres du roi. Sa Majesté N... roi d'Italie, de Sardaigne, de Chypre, de Jérusalem, d'Arménie, duc de Savoie, Cte de Maurienne, etc.

Élections des 26/27-6-1983 et 14/15-6-1987

SÉNAT

Partis ou alliances	Sièges 1987	Sièges 1983	% des voix 1987	% des voix 1983
Démocratie chrétienne	125	120	33,6	32,4
Parti communiste	101	107	28,3	30,8
Parti socialiste	36	38	10,9	11,4
Alliances (PSI, PSDI, PR)	9	–	3,4	–
MSI (extrême droite)	16	18	6,5	7,3
Parti républicain	8	10	3,8	4,7
Parti social-démocrate	5	8	2,4	3,8
Parti libéral	3	6	2,2	2,7
Radicaux	3	1	1,8	1,8
Dém. prolétarienne	1	0	1,5	1,1
Parti populaire du Sud-Tyrol	2	3	0,5	0,5
Verts	1	–	2	–
Autres	5	3	3,5	3,7

CHAMBRE DES DÉPUTÉS

Partis ou alliances	Sièges 1987	Sièges 1983	% des voix 1987	% des voix 1983
Démocratie chrétienne	234	225	34,3	32,9
Parti communiste	177	198	26,6	29,9
Parti socialiste	94	73	14,3	11,4
MSI (extrême droite)	35	42	5,9	6,8
Parti républicain	21	29	3,7	5,1
Parti social-démocrate	17	23	2,9	4,1
Parti libéral	11	16	2,1	2,9
Radicaux	13	11	2,6	2,2
Verts	13	–	2,5	–
Dém. prolétarienne	8	7	1,7	1,5
Autres	7	6	3,2	3,4

☞ D'après la Constitution du 27-12-1947, il est interdit aux anciens rois de la Maison de Savoie, à leurs épouses et à leurs descendants mâles d'entrer et de séjourner sur le territoire national. Dep. 23-12-1987, la reine Marie-José est autorisée à rentrer ; en avril 1991, a réclamé une pension à l'État comme veuve d'officier.

Présidents de la République

1946 (28-6) Enrico de NICOLA (1877-1959) élu 1er tour par 396 voix ; sans parti. **1948** (11-5) Luigi EINAUDI (1874-1961), 4e t. 518 v. (s'opposa au fascisme, émigra en 1936 en Suisse). Libéral. **1955** (29-4) Giovanni GRONCHI (1887-1978), 4e t. 658 v. D-C. **1962** (6-5) Antonio SEGNI (1891-1972), 9e t. 443 v. Démissionne (raison de santé 6-12-64). D-C. **1964** (28-12) Giuseppe SARAGAT (1898-1988), 21e t. 646 v. PSDI. **1971** (24-12) Giovanni LEONE (3-11-1908). D-C [élu 23e t. 518 v. sur 996 [Nenni († 1981) 408, Pertini 6, divers 25, bulletins blancs 36, nuls 3]. Au 1er t. (9-12) De Martino (soc.) avait eu 397 v., Fanfani (D-C.) 384, Malagodi (lib.) 49, Saragat (social-dém.) 45, De Marsanich (MSI) 42], démissionne 15-6-78. **1978** (8-7) Alessandro PERTINI (1896-1990). Soc. Au 16e t. 832 v. sur 995. **1985** (3-7) Francesco COSSIGA (26-7-1928) D-C élu le 24-6 au 1er t. 752 v. sur 797.

Premiers ministres

• **Royaume d'Italie.** **1861**-*17-3* Camillo Benso, Cte de Cavour (1810-61). Ancienne noblesse piémontaise, off. sarde ; *1831* quitte l'armée (idées libérales) ; propriétaire terrien à Cavour ; *1847* fonde journal *Il Risorgimento ; 1848* député ; *1850* min. de l'Agriculture ; *1852* 1er min. ; *1854* confisque biens des couvents ; *1854-55* pour obtenir l'alliance de Napoléon III contre Autr., prend part à la g. de Crimée, et fournit à N., une brillante maîtresse, la comt. de Castiglione ; *1859* parvient à déclencher la g. franco-austro-sarde ; *nov.* démissionne après tr. de Turin qui n'attribue pas Vénétie au roy. sarde ; *1860* rappelé au pouvoir, cède Nice et Savoie à la Fr. [en échange, Nap. III ferme les yeux sur l'annexion des 3 duchés (indépendants) de Parme, Modène, Toscane, et des 3 provinces (pontificales) de Romagne, Marches, Ombrie] ; annexe Naples conquis par Garibaldi [pour s'y rendre, il viole le territoire des États de l'Église, et écrase le Gal français Lamoricière à Castelfidardo (18-9)]. Il étend aux territoires occupés les lois sardes sur les couvents. Meurt à 51 ans (surmenage).

1861. *-12-6* Bettino Cte Ricasoli (1809-80). **62**-*4-3* Urbano, Bon Rattazzi (1808-73). *-9-12* Luigi Farini (1812-66). **63**-*24-3* Marco Minghetti (1818-86). **64**-*23-9* Alf. Gal La Marmora (1804-78). **66**-*17-6* Cte Ricasoli. **67**-*11-4* Urbano, Bon Rattazzi. *-27-10* Luigi Federico Cte Menabrea (1809-96). **69**-*12-12* Giovanni Lanza (1810-82). **73**-*10-8* Marco Minghetti. **76**-*25-3* Agostino Depretis (1813-87). **78**-*23-3* Benedetto Cairoli (1825-89). *-18-12* Ag. Depretis. **79**-*12-7* Benedetto Cairoli. **81**-*28-5* Ag. Depretis. **87**-*8-8* Francesco Crispi (1818-1901). **91**-*9-2* Antonio Di Rudini (1839-1908). **92**-*15-5* Giovanni Giolitti (1842-1928). **93**-*10-12* Fr. Crispi. **96**-*10-3* Ant. Di Rudini. **98**-*24-6* Luigi, Gal Pelloux (1839-1924).

1900-*24-6* Giuseppe Saracco (1821-1907). **01**-*15-2* G. Zanardelli (1826-1903). **03**-*3-11* Giov. Giolitti. **05**-*27-3* Alessandro Fortis (1842-1909). **06**-*8-2* Giorgio, Bon Sonnino (1847-1922). *-20-5* Giov. Giolitti. **09**-*10-12* Bon Sonnino. **10**-*30-3* Luigi Luzzatti (1841-1927). **11**-*27-3* Giov. Giolitti. **14**-*21-3* Antonio Salandra (1853-1931). **16**-*19-6* Paolo Boselli. **17**-*30-10* Vit. Em. Orlando (1860-1952). **19**-*23-6* Francesco Nitti (1868-1953). **20**-*16-6* Giov. Giolitti. **21**-*4-7* Ivanoe Bonomi (1873-1952). **22**-*25-2* Luigi De Facta (1861-1930).

1922-*29-10* **Benito Mussolini** (1883-1945) : fils de forgeron socialiste, instituteur. *1902* va en Suisse pour échapper au service mil. *1904* revient le faire. Socialiste. *1914* (nov.) partisan de la g. contre All. et Autr., accusé d'être payé par la France, est exclu par socialistes. *1915* fonde Faisceaux d'action révolut. ; *-31-8* mobilisé. *1917* blessé et réformé. *1919* fonde Faisceau de combat (socialisme démagogique, ultranationalisme). *1921* député de Milan. *1922-25-10* pleins pouvoirs votés par Chambre. -27/29-10 au pouvoir, après « marche sur Rome » ; *1924-6-4* majorité absolue à Chambre (372 sièges contre 144). *1943-25-7* écarté du pouvoir, emprisonné sur ordre du roi. *-12-9* Mussolini libéré par parachutistes allem. *-15-9* fonde la Rép. sociale italienne (fasciste) à Milan ; *1944-26-4* pris par partisans et exécuté sommairement avec sa maîtresse Clara Petacci (n. 1912). Sa femme (Rachele Guidi) est morte le 10-11-79.

1943-*27-7* Mal Badoglio (1871-1956). **44**-*9-6* Ivanoe Bonomi (1873-1952), Pt du Gouv. provisoire. **45**-*21-6* Feruccio Parri (1890-1981). *-10-12* Alcide De Gasperi (1881-1954), coalition.

République. **1946** – A. De Gasperi. **53**-*17-8* Giuseppe Pella (1902-81), d.c. **54**-*18-1* Amintore Fanfani (1908), d.c. *-10-2* Mario Scelba (1901), coal. **55**-*6-7* Antonio Segni (1891-1972), coal. **57**-*19-5* Adone Zoli (1887-1960), d.c. **58**-*11-7* Am. Fanfani, coal. **59**-*15-2* Ant. Segni, d.c. **60**-*24-3* Fern. Tambroni (1901-63), d.c. *-26-7* Am. Fanfani, d.c. **63**-*21-6* Giovanni Leone (3-11-08), d.c. *-4-12* Aldo Moro (1916-assassiné 2-5-78), coal. **68**-*24-6* Giov. Leone, d.c. **68**-*12-12* Mariano Rumor (1915-90), d.c. **70**-*6-8* Emilio Colombo (11-4-20), coal. **71**-*17-2* Giulio Andreotti (14-1-19), coal. **73**-*7-7* Mariano Rumor, coal. **74**-*22-11* Aldo Moro, coal. **75**-*19-2* Aldo Moro, d.c. **76**-*30-7* Giulio Andreotti, d.c. **79**-*22-2* Ugo La Malfa (1903-79), rép. *-22-3* Giulio Andreotti, d.c. *-11-8* Francesco Cossiga (26-7-28), d.c. **80**-*18-10* Arnaldo Forlani (8-12-25), d.c. **81**-*30-6* Giovanni Spadolini (21-6-25), rép. 1er PM non d.c. dep. 1945. **82**-*16-12* Amintore Fanfani, d.c. **83**-*4-8* Bettino Craxi (24-2-34) 1er PM soc. dep. 1945. **87**-*18-4* Amintore Fanfani, d.c., *-29-7* Giovanni Goria [n. 1943, le + jeune Pt du Conseil d.c. (démissionne 11-3-88)]. **88**-*13-4* Ciriaco De Mita (1928), d.c. (démissionne 19-5-89). **89**-*23-7* Giulio Andreotti, coal.

Nota. – d.c. : démocrate-chrétien ; coal. : coalition ; rép. : P. républicain.

Provinces et Régions

Provinces. 94 avec préfet nommé par l'État (consiglio regionale), giunta regionale et Pt représ. la prov.

Régions. 20 prévues avec conseil régional (pouvoir lég. et régl.), giunta (exécutif) et Pt de la giunta : 15 *à statut ordinaire, 5 régions autonomes. Superficie et population* (88). *Piémont* 25 399 km² (4 377 229 h.), *Val d'Aoste* 3 262 (114 325), *Ligurie* 5 416 (1 749 572), *Lombardie* 23 851 (8 886 402), *Trentin Ht-Adige* 13 613 (435 000 dont 290 000 All. 130 000 It. 15 000 Romanches), *Vénétie* 18 634 (4 374 911), *Frioul-Vénétie julienne* 7 845 (1 210 242), *Émilie-Romagne* 22 123 (3 924 199), *Toscane* 22 992 (3 568 308), *Ombrie* 8 456 (818 226), *Marches* 9 694 (1 428 557), *Latium* 17 203 (5 137 270), *Campanie* 13 595 (5 731 426), *Abruzzes* 10 794 (1 257 988), *Molise* 4 438 (334 680), *Pouilles* 19 348 (4 042 996), *Basilicate* 9 992 (621 506), *Calabre* 15 080 (2 146 724), *Sicile* 25 708 (5 141 343) (pont prévu sur le détroit de Messine, long. 3 300 m, haut. 81 m), dont *Pantelleria* (à 100 km de la Sicile), 83 km², 10 000 h., alt. max. 986 m, sans eau douce, vigne, *Sardaigne* 24 090 (1 651 218).

Le Mezzogiorno (« le Midi », c.-à-d. le S.) : 6 régions 1/2 (S. du Latium, Abbruzes, Molise, Campanie, Pouilles, Basilicate, Calabre) et 2 régions autonomes (Sardaigne, Sicile). 131 000 km² (43,7 % du territoire) 21 millions d'hab. (37 % de la pop.). Dépend de la *Cassa per il Mezzogiorno,* « Caisse du Midi », créée 1950, chargée de son développement. *Problèmes. 1°) sous-développement :* agriculture peu rentable [coexistence de *microfundia* et de *latifundia,* techniques dépassées. Natalité forte (22 %), exode rural, sous-emploi, courant migratoire vers plaine du Pô]. *2°) difficultés géographiques :* (dep. XVIe s. ; dans l'Antiquité et Moyen Âge, vivait en économie fermée, et s'accommodait du cloisonnement régional ; la Sicile exportait du blé par mer). 85 % du terr. montagneux ; climat hostile (sécheresse, pluies dévastatrices). Éloignement des régions écon. fortes (au XIXe s., cabotage remplacé par transport ferroviaire : traversée N.-S. de la Péninsule longue et coûteuse). *Développement planifié :* crédits (venus surtout de la CEE) consacrés : 1°) à la réforme agraire (formation et assistance technique) ; 2°) à la création d'aires industrielles de développement et de noyaux d'industrialisation ; 3°) à l'amélioration des infrastructures : 400 000 ha de latifundia ont été distribués (prod. agricole doublée en 20 ans), mais la rentabilité ne s'est améliorée que dans les plaines riches et bien situées (pl. de Métaponte, près de Tarente : création de vergers). Dans les régions ingrates, la situation est pire (les transports ont accéléré l'exode rural). Pour l'ensemble, la plus-value agricole est inférieure au total des investissements. *3°)* le tourisme s'est développé mais a entraîné une dégradation des sites. *4°)* l'ind. a profité de la découverte de gaz naturel, de la création de 2 000 km d'autoroutes, de la modernisation des ports. Principales entreprises nées dans le Midi : Montedison (Brindisi), Italsider (sidérurgie) à Tarente et à Gioia Tauro, Alfa Romeo et Olivetti (Naples), Fiat (Bari). Le flot migratoire vers le N. ne s'est pas tari.

Trieste : **1919-20** à l'It. **1945**-1-5 occupée par forces de Tito. -2-5 le commandement allié en It. leur substitue des forces néo-zél. **1946**-3-7 les 4 Grands transfèrent à la Youg. partie du territoire anciennement it. (dont Pola en Istrie et Zara en Dalmatie). **1949**-10-2 terr. libre. Zone A avec ville 223 km², 300 000 h., confiée à It. ; zone B 516 km², 70 000 h., à Youg. à titre provisoire. **1953** *nov.* Zone A occupée par Brit. : insurrection contre Gal Winterton. *Dep. 1954,* les 2 zones sont incorporées à chaque pays. L'It. loue à Youg. quais et jetées. La Youg. a concentré son trafic sur Rijeka (Fiume) qui dépasse celui de Trieste.

Économie

• **P.N.B.** ($ par h.). *1984 :* 6 190 ; *85 :* 6 200 ; *86 :* 8 800 ; *87 :* 13 000 ; *88 :* 14 280 ; *89 :* 15 025.

• **Pop. active.** (%, entre parenthèses part du P.N.B. en %) agr. 10,5 (6), ind. 32,6 (38,5), services 56,8 (55), mines 0,5 (0,5). **Total** (1987) 23 669 000 personnes. **Chômage** (%) *1979 :* 7,7 ; *80 :* 7,6 ; *81 :* 8,3 ; *82 :* 9 ; *83 :* 9,3 ; *84 :* 10,5 ; *85 :* 10,6 ; *86 :* 11,4 ; *87 :* 11,8 ; *88 :* 12,4 ; *89 :* 12,1. **Travail au noir.** 20 % du P.N.B. 2 500 000 personnes. **Inflation** (%). *1980 :* 21,3 ; *81 :* 19,5 ; *82 :* 16,6 ; *83 :* 14,6 ; *84 :* 10,8 ; *85 :* 9,2 ; *86 :* 5,9 ; *87 :* 4,6 ; *88 :* 5 ; *89 :* 6,5 ; *90 :* 5,9 ; *91 (est.) :* 5,8. **Dette extérieure** (89) env. 1 000 000 milliards de lires. **Dette de l'État** (1-1-88) en milliards de lires : 879 250. **Déficit budgétaire** (milliards de lires) : *1987 :* 113 000, *88 (prév.) :* 122 000, *89 (prév.) :* 130 000, *90 (févr.) :* 135 600 (10,7 % du P.I.B.) ; *91 (est.) :* 144 000.

• **Agriculture.** *Terres* (milliers de km², 79). T. arables 94, pâturages 51, forêts 63, t. incultes 30, arbres fruitiers 29, eaux et divers 31. *Conditions :* peu de plaines, problèmes d'eau (il faut trouver où irriguer), surpopulation des campagnes. *Exploitations :* 1/3 env. des terres (surtout au *Mezzogiorno*) est constitué par des *latifundia* (grandes propriétés) de + de 100 ha (7 740 000 ha), 1/3 par des *microfundia* de – de 10 ha (9 600 000 ha répartis en 3 700 000 exploitations). Les 3/4 des exploitations ont – de 5 ha ; 33 % ont – de 1 ha (moy. nationale 6,2 ha). Nombre moyen de parcelles par exploitation 3,65. Métayage en régression (58 % de la sup. en faire-valoir direct).

Production (milliers de t, 88) bett. à sucre 15 000, raisin 11 497,5 (87) (vin 74 000 000 hl), blé 8 120, maïs 6 420, tomates 4 189, olives 3 457, agrumes 3 100, p. de terre 2 432, pommes 2 331, orge 1 567, riz 1 138, pêches 1 055, poires 986, endives, laitues, radis 854, pastèques 676, artichauts 499, choux 493, oignons 461, choux-fleurs 459, poivre 456 (83), fenouil 350, potirons 344, avoine 320, carottes 299, aubergines 296, melons 275, tabac 160, céleri 137, épinards 101.

Élevage (milliers de têtes, 88). Moutons et chèvres 11 484, porcs 7 359, bovins 8 779, chevaux, ânes et mulets 136 (87). Surtout dans montagnes. Bovins à l'O., ovins à l'E. Importe bovins sur pied de France. Pêche *1988* : 525 000 t. Forêts. 9 623 000 m³ (86).

• Énergie. **Électricité :** prod. 203,2 milliards kWh (88) dont (85) pétrole et charbon 51 % (2/3 dans les Alpes), hydroélec. 21 % (88). **Nucléaire :** 6,6 % [12 centrales prévues : 4 équipées, notamment sur le Pô (Trino Vercellese, Caorso)]. **Géothermie :** 5 milliards de kWh/an. **Pétrole** (millions de t, 83) *réserves* 109, *prod.* 4,753 (90). **Gaz** (milliards de m³, 91), *rés.* 329, *prod.* 17,1 (90). Mines (milliers de t, 88) pyrites 774, barytes 73, fluor 141, sulfure 5, zinc 35,2 (minerai), fer 442,6 (84), plomb 28,4, bauxite 14,6, manganèse 3,8.

• Industrie. Structure : 2 millions d'entreprises artisanales ou familiales à côté de trusts internationaux (43 % des salariés sont dans des entr. de + de 1 000 pers.). 52 % de la prod. ind. sont concentrés dans le triangle Turin-Milan-Gênes (58 000 km²). Organismes d'État : *ENI* [*Ente nazionale Idrocarburi*, fondé 1953 par *Enrico Mattei* (1906-62)], C.A. (1989) env. 55 870 milliards de lires ; *IRI* [*Istituto per la Ricostruzione industriale* (créé par Mussolini en 1933)] pour l'ind. lourde, C.A. env. 50 000 milliards de lires (1988) ; *ESIM* [(Office de financement de l'ind. manufacturière), regroupant 1 000 entreprises] ; les 3 emploient 700 000 personnes et ont un C.A. d'env. 100 000 milliards de lires ; 55 % des grandes entreprises ital. appartiennent à l'une ou l'autre. Forte concentration financière [ex. Fiat (automobile), Olivetti (électronique), Pirelli (caoutchouc), Snia Viscosa (textiles synthétiques), Motta (pâtisserie ind.)]. Dep. 1980, faiblesse relative des organisations synd. Quand Fiat décida en oct. 1980 de licencier 23 000 salariés, la CGT voulut occuper les usines de Turin, mais les synd. de cadres s'allièrent avec les ouvriers autonomes et firent échouer l'occupation : la CGT dut accepter les licenciements.

Métallurgie (création récente), acier (millions de t) *1950* : 3, *79* : 23,9, *83* : 21,6, *84* : 23,8, *87* : 22,8, *88* : 23,7. Sur côtes (Gênes, Naples, Tarente). *Ind. mécaniques* (notamment auto. dont Fiat 90 %, 1 884 300 véhicules en 88, 6ᵉ rang mondial). *Armement* : 5ᵉ exp. mondial, 4 300 milliards de lires en 1985. *Chimie* (lourde, créée récemment sur côtes ; légère, notamment textiles artif. et plastiques, dans grandes villes, 84 : 638 825 t). *Ind. alim. Cimenteries* : 37,63 millions de t en 88.

• Transports (km, 87) routes 302 563, chemins de fer 19 538 [210 000 pers. dont 1/3 en surnombre, recettes couvrent 19 % des dépenses (1972 : 41 %, 1980 : 29 %)]. Tourisme (89). 3ᵉ pays touristique eur., 4ᵉ du monde (après France, USA et Espagne) : 5,6% du tour. mondial. C.A. 80 milliards de $ par an (7,2 % du P.N.B. it. intérieur). 270 000 firmes : 1 039 100 employés (7,7 % de la pop. active), dont hôt. et restauration 965 000. *Visiteurs* : 21 900 000.

• Commerce (milliards de lires). *Exportations* : 193 051 (89) *dont* mach. et équip. de transp. 59 678, prod. man. divers 39 648, prod. man. de base 37 222, prod. chim 13 427, prod. alim. 9 167 (dont fruits et légumes 3 971) *vers* All. féd. 30,2, *France 27,6*, USA 14,8, G.-B. 13,4, Suisse 7,8, Espagne 6,8. *Importations* : 209 916 (89) *dont* mach. et équip. de transp. 52 093, prod. man. de base 29 728, prod. alim. 21 078, prod. chim. 20 880, fuel et lubrifiants 19 061 *de* All. féd. 39 217, *France 26 733*, P.-B. 10 299, USA 10 053, UELB 8 801.

Balance commerciale (en milliards de lires). *Jusqu'en 1972* : déficit de 600 par an, mais solde positif grâce aux transferts des émigrés (600) et au tourisme (1 000), d'où l'expression de « miracle italien ». *Dep. 1972*, import. supérieures aux export. (faiblesse de la lire, augmentation des besoins, concurrence jap. pour les prod. mécaniques). **Déficit.** *1983* : – 11 465, *84* : – 19 206, *85* : – 23 085, *86* : – 3 663, *87* : – 11 138, *88* : – 14 676, *89* : – 16 865. **Balance des paiements.** *1985* : – 4,03 milliards de $, *86* : + 4,26, *87* : – 1,08, *89* : 1,2 milliards de F.

• Rang dans le monde (88). 1ᵉʳ vin. 13ᵉ blé. 14ᵉ maïs. 15ᵉ gaz nat. 16ᵉ porcins. 19ᵉ céréales. 25ᵉ ovins

JAMAÏQUE

Carte p. 917. V. légende p. 837.

Nom. *Xaimaca* (terre des bois et des eaux), nom donné par les Arawaks.

Situation. Ile montagneuse des Grandes Antilles, dans la mer Caraïbe. 10 991 km². 11 425 selon States man's. *Alt. max.* Blue Mountain Peak 2 256 m. *Côtes* 880 km. **Climat** tropical humide (mer, alizés). *Pluies* : 2 saisons : grosses (oct.), petites (mai) ; 2 200 mm par an. *Température moyenne* 30 °C.

Population. *1911* : 831 383. *43* : 1 246 240. *60* : 1 624 400. *89* : 2 375 000. *2000* (prév.) : 2 849 000. **Origine** afr. 76 %, afro-europ. 15 %, divers (Chinois, Hindous, Européens) 9 %. **Âge.** – *de 15 a.* : 3,7 %. + *de 65 a.* : 7,5 %. **Émigration :** 25 600 (87) vers USA, Canada et parfois G.-B. (env. 2 000 000 émigrés). D. 216. **Villes** (86) : *Kingston* (cap.) 641 500, Montego Bay 59 600 (82), Spanish Town 81 400 (82).

Langue *(officielle)*. Anglais.

Religions. *Anglicane (off.)* 20 %. *Réformée* 55 %. *Catholique* 5 %. *Caractère africain* 20 % [dont Rastafariens vouant un culte au négus, ex-empereur d'Éthiopie (son nom de règne était Ras Tafari) ; le chanteur Bob Marley en était membre († en mai 81) ; prêchent le retour en Afrique ; env. 100 000].

Histoire. **1494**-*4-5* découverte par Christophe Colomb, peuplée alors d'Indiens arawaks. **1509-1655** colonie espagnole. **1655-62** col. anglaise. **1838** abolition de l'esclavage. **1865** rébellion. **1907** Kingston détr. par tremblement de terre et incendie. **1962**-*6-8* indép. **1970-80** succès du reggae. **1972**-*2-3* Michael Manley, PM **1980**-*28-5* Édouard Seaga PM, retour à l'économie libérale, crédits amér. pour crise éco. (cours de la bauxite en baisse). **1981**-*11-5* mort de Bob Marley, vedette du reggae (j de deuil national). **1988**-*12-9* ouragan Gilbert.

Statut. État m. du Commonwealth. *Constitution* de 1962. *Chef de l'État* reine Élisabeth II. *Gouv. gén.* Florizel Augustus Glasspole (n. 25-9-09) dep. 27-5-73, proposé par le PM, nommé par la reine. *PM* Michael Manley, PNP, dep. 9-2-89. **Sénat.** 21 m. désignés par gouv. général (13 sur avis du PM et 8 du chef de l'opposition). **Assemblée :** 60 m. élus au suffr. universel pour 5 a. Partis : *Jamaican Labour Party* (JLP) Edward Seaga (n. 28-5-30), *Popular National Party* (PNP) Michael Manley (n. 10-12-24). Fêtes nat. 23 mai (travail), 1ᵉʳ lundi d'août (ind.), 3ᵉ lundi d'oct. (héros nationaux). Drapeau : adopté 1962 : bandes jaunes croisées (ressources nat. et soleil) sur fond vert (agric. et futur) et noir.

Économie

P.N.B. (88) 1 140 $ par h. **Taux de croissance.** *1987* : 5,2 %, *88* : 4. **Pop. active** (%, entre parenthèses part du P.N.B. en %) agr. 21 (13), ind. 21 (20), services 53 (62), mines 5 (5). **Actifs** (89) 1 062 900. *Chômage* (%) *89* : 18. **Aide :** *américaine (1988)* : 0,08 milliard de $. 2ᵉ bénéficiaire par hab., après Israël. **Inflation** (%). *85* : 23,4 ; *86* : 10,4 ; *87* : 8,5 ; *88* : 8,3 ; *89* : 14,3. **Dettes :** *extérieure* (milliards de $ US, 88). 4,5 (remb. égal à 47 % des rec. d'exp.), *intérieure* 2 (85).

Agriculture. *Terres* (milliers d'ha, 81). Forêts 305, t. arables 205, pâturages 205, cultivées en permanence 60, eaux 16, divers 309. *Production* (milliers de t, 89). Canne à sucre 2 548, sucre 192, bananes 130, agrumes, piment, coprah, cacao, café. Rhum 137 000 hl (85). Élevage (milliers de têtes, 88). Volailles 6 000, chèvres 440, bovins 290, porcs 250. Pêche (88) 10 600 t.

Mines (millions de t). bauxite (*77-81* : 11,5 à 12 ; *82* : 14 ; *84* : 8,7 ; *85* : 2,3 ; *86* : 6,8 ; *87* : 7,6 ; *88 sept.* : 5,5), gypse 0,2 (85), prod. alumine *87* : 1,6.

Tourisme. **Visiteurs** 1 160 000 (89). *Revenus 1986* 500 millions de $ (50 % du P.N.B. + 56 % des revenus de l'État, 75 % des emplois, *87)* 945, *88* 400.

Commerce (millions de $, 1987). *Exportations* : 696 *dont* mat. 1ʳᵉˢ sauf fuel 333, prod. alim. 150,6, boissons 33,8, prod. chim. 20,8 *vers* (89) E.-U. 1 052,7, G.-B. 609,6, Canada 500,2, P.-B. 232,5. *Importations* : 1 216 *dont* mach. et équip. de transp. 245,8, fuels et lubrifiants 219,5, prod. alim. 181,9, prod. man. divers 135,5 *de* (89) E.-U. 2 675, G.-B. 362,5, Canada 282,5, Japon 196,2. Trafic de drogue (Ganja). **Déficit.** *1987* : – 525, *1989* (env.) : 700.

Rang dans le monde. 3ᵉ bauxite.

JAPON

Carte p. 999. V. légende p. 837.

☞ Art japonais voir p. 392.

Nom. *Cipango* ou *Cipangu*. Donné par Marco Polo (1254-1324) après un séjour de 25 ans en Chine (1270-95). Son livre de voyage (1301) signale une île de *Cipangu* en face de *Cathay* (la Chine). Déformation du cantonais *Jih pen Kwok* (ch. mandarin *Jypen Khoue* « pays du Jipên », c.-à-d. du Japon) ; vient de formes dialectales jap. (telles que *Hip-hon* ou *Zip-hon*) ; jap. classique : *Nip-hon* [aujourd'hui *Nippon* (« soleil levant »)].

Situation. 377 801 km² dont (en %) agr. 14,6, forêts 67, landes 0,8, rivières 3,5, routes 2,8, habitats 3,9, divers 7,4. *Largeur max.* 272 km. *Longueur* 3 000 km du N.-E. au S. **Îles** 3 922 (95,7 % de la surface totale : *principales* : *Hokkaido* (ex-Yeso) 83 519 km² au N., *Honshu* 231 051 km² au centre, *Shikoku* 18 804 km², *Kyushu* 42 140 km², *Okinawa* 2 251 km². **Distance de la Corée :** Kitakyushu-Fusan 250 km, Tokyo-Séoul 1 400 km. **Côtes** 33 287,3 km ; au large, près des îles Bonin, env. 9 800 m ; prof. mer du J. env. 3 600 m, mer Intérieure (entre Honshu et Shikoku) env. 38 m ; *courants* Kuroshio (chaud du J., direction S.-N. côte E.) et Oyashio (froid des Kouriles, N.-S. côte E.). **Relief** montagnes : 71 % ; 532 dépassent 2 000 m ; alt. max. mont Fuji 3 776 m (volcan dormant, dernière éruption 1707) ; 67 volcans en activité. *Plaines alluviales* : 29 % (la plus importante, Kanto à l'E. de Honshu, occupe 5 % de l'île, couverte de matières volcaniques). **Séismes** fréquents (dont 1923 Tokyo, force 7,8, 142 000 †, 700 000 bâtiments détruits. Auj., la reconstruction coûterait 991 milliards de $).

Revendications. **1643** découvertes des îles *Habomai* et *Shikotan* ainsi que *Kunashiri* et *Etorufu* (Kouriles du S.) par le Holl. Vries, et nommées Terre de la Compagnie et T. des États en 1767, occupées par le J. vers la 2ᵉ moitié du XVIIIᵉ s. **1855**-*7-2* tr. avec Russie, qui garde les Kouriles (au total 32 îles, 10 000 km², découvertes 1 714 par les Russes) du N. (au N. d'Étorufu). **1875** le J. cède Sakhaline et Karafuto à la Russie contre Kouriles du N. (d'Uruppu à Shimushu). **1905** tr. de Portmouth, la Russie cède le S. de Sakhaline au J. *1945* l'URSS occupe terres du N. **1951**-*8-9* tr. de San Francisco, le J. renonce au S. de Sakhaline et aux Kouriles. L'U. refuse de ratifier le tr. **1956**-*19-10* relations dipl. reprises avec U. Un tr. de paix réglera la question des Ter. du N. : il n'a pas encore été signé et l'U. occupe toujours ceux-ci (10 000 hommes, 40 Mig-23 contrôlent le détroit d'Okhotsk que la flotte sov. devrait emprunter pour passer de Vladivostok et de la mer du J. dans l'océan Pacifique). *Territoires du N.* (4 996 km², 1 600 h. en 1965) comprennent les îles du groupe *Habomai* [îlots inhabités, 102 km², Kaigara (la plus proche à 3,7 km du cap Nosappu), Hokkaido], Suisho, Akihuri, Yuri, Shibotsu, Taraku, Shikotan (255 km²), Kunashiri (1 500 km², en 1991 7 100 Soviétiques y vivent), Etorufu (3 139 km²). *Ressources* : pêche, bois, élevage, or, argent, soufre, fer, peut-être du pétrole...

☞ La Chine revendique les *Senkaku* (Diaoyutai), îles inhabitées entre Okinawa et T'ai-wan, dont les fonds recèleraient du pétrole.

Iles Nansei. 2 196 km². 1 179 097 h. (85). D. 447 (72 îles, 48 inhabitées, 25 importantes, dont Okinawa 1 057 km², 758 777 h.). *Chef-lieu* : *Naha* 302 000 h. (83). Annexées par le J. (1874). Adm. par USA, sous contrôle militaire (dep. 1945). Rendues au J. 15-5-1972. 87 bases mil. US (12 % du territoire, 42 000 mil.), « dénucléarisées » dep. 1972.

Climat. Maritime (pas de saison sèche, presque nulle part moins de 1 000 mm de pluie, mais plus humide à l'O. qu'à l'E.). Facteurs : altitude, latitude (15 °C de différence), courants marins, moussons. *N. de Honshu et Hokkaido* : 3 à 4 m de neige l'hiver, la banquise borde les côtes N. ; *Honshu* : cl. tempéré ; *S. à Shikoku et Kyushu* : cl. subtropical ; mousson du Pacifique l'été (pluies, typhons), mousson sibérienne l'hiver. 4 saisons. Très froid déc. à févr., surtout Hokkaido ; mois le plus chaud : août (21 à 27 °C en moy.) ; pluies juin-juil. (1 460 mm par an à Tokyo) : typhons sept.-oct. du S., S.-O. (Micronésie, Taiwan) et s'abattant surtout sur le S. du Jap.

Températures (°C) (moy., max., min.) : Hokkaido (Sapporo) janv. – 5,5, – 1,4, – 10,2 ; juil. 20, 25, 10 ; Honshu (Tokyo) janv. 3,7, 9,2, – 0,9 ; juil. 25,1, 29,2, 22 ; Kyushu (Kyushu) janv. 6,6, 12, 1,8 ; juill. 26,8, 31,1, 23,4.

Végétation. *Forêts.* 68 % de la surface totale ; 168 espèces d'arbres (contre 85 en Europe) : Hokkaido (résineux 70 %) ; Honshu (érables, cyprès, pins) ; Kyushu (chênes verts, camphriers) ; Shikoku (pins, magnolias, bambous nains). Bambou nain prolifique (fléau pour l'agriculture).

Démographie

Population (en millions d'h.). *1721* : 26 ; *1872* : 34,8 ; *1920* : 56 ; *1937* : 70,63 ; *1959* : 83,2 ; *1983* : 119,45 ; *85 (rec.)* : 121,04 ; *90 (1-10)* : 123,6. *Perspectives* : *1995* : 125,4 ; *2015* : 129,5. D. 325. **Âge :**

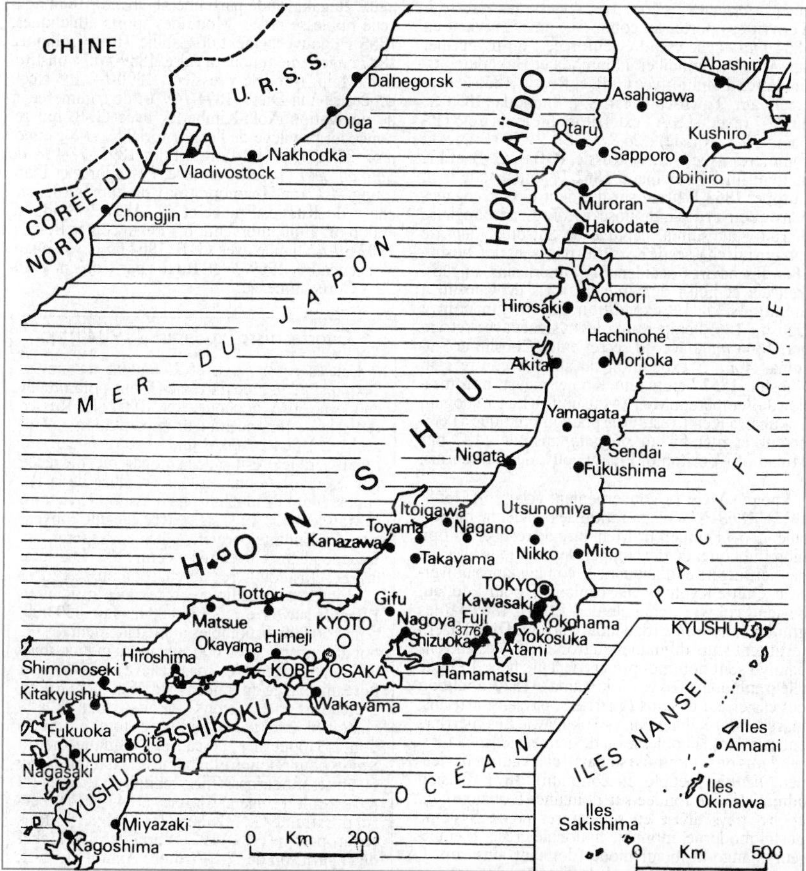

– de 15 a. 20,2 %, *+ de 65 a.* 10,9 % (*est. 1995* 25 %). **Répartition selon les îles** (millions d'h., 85) : Honshu 96,9, Kyushu 14,3, Hokkaido 5,7, Shikoku 4,2, Okinawa 0,95. *Burakumins* [(3 000 000) descendent des *etas* (bouchers, équarisseurs, tanneurs déclarés souillés congénitalement, car leurs métiers touchaient à la mort et au sang) ; émancipés 1871, longtemps encore considérés comme parias (le mot *Burakumin* est remplacé par *hisabetsu buraku no hitobito)]. Aïnous* [(sans doute premiers h. du J.) 25 000 (sud de Sakhaline et île d'Hokkaido ; teint clair, système pileux développé ; culte des ours)]. **Foyers.** 38,3 millions.

Étrangers (en milliers). 941 (90) dont Coréens 700 (89) (2 000 en 1945), Chinois 75, Amér. 20, Anglais 7, Philippins 6,8, *Français 3,4 (89),* Allemands 3, Canadiens 2,4, Australiens 1,8. En 1990, env. 100 000 à 300 000 travailleurs clandestins. **Enseignement.** En 1991, 37 000 étudiants étrangers *(ryugakusei)* et 44 000 élèves dans des écoles spécialisées *(shugakusei).*

Caractéristiques physiques (81), à 25 ans : homme 168,6 cm, 63 kg ; femme 155,4 cm, 51,3 kg ; peau mate, yeux bruns, cheveux souvent raides. **Espérance de vie** (90). Hommes 76, femmes 81.

Natalité (taux ‰). *1870 :* 36. *1939 :* 32. *44 :* 34. *50 :* 28. *61 :* 17. *66 :* 14. *73 :* 20. *77 :* 15,4. *84 :* 11,9. *88 :* 10,8. (*1947* crainte de surpop. *1948* loi de protection eugénique, réaménagée 1952, libéralisant l'avortement.) *Nombre moyen d'enfants par femme : 1900 :* 5 ; *47 :* 4,5 ; *57 :* 2 ; *77 :* 1,8 ; *89 :* 1,7. Selon une croyance ancienne, les femmes nées l'année « cheval de feu » [qui revient tous les 60 ans (dernières : 1906-66)] tueraient leur mari ; elles ont donc, ces années-là, moins de chances de se marier.

Mortalité (taux ‰, 88) : 6,3. *Causes de décès* (87) 1° cancer (199 600), 2e mal. cardio-vasc. (143 700 : la consommation de graisses croît). *Suicides* (87) : 23 800 connus. **Psychiatrie :** hôpitaux 1 845 pour plus de 330 000 malades (5 millions de cadres j. seraient victimes de troubles mentaux et de dépressions nerveuses ; 93 % seraient obsédés par des problèmes de travail ; 40 % montrent des tendances suicidaires).

Pop. urbaine (82) 76,2 %. **Villes** (millions de pers.) (est. 31-3-88) : Tokyo 8,15 (Grand Tokyo 13, 150 km de rayon), Yokohama 3,1 (à 24 km), Osaka 2,54 (à 515 km), Nagoya 2,1 (à 342 km), Sapporo 1,58 (à 1 100 km), Kobé 1,42 (à 565 km), Kyoto 1,41 (à 489 km), Fukuoka 1,16 (à 1 150 km), Kawasaki 1,11 (à 21 km), Hiroshima 1,04, Kitakyûshû 1,03 (à 1 089 km), Sendai 0,86, Sakaï 0,81.

Mégalopolis. *Kantô* 4 ports (Tokyo, Yokohama, Kawasaki, Chiba). 30 millions d'h. *Nagoya :* hauts fourneaux, raffineries et usines Toyota) 8 millions d'h. *Kansaï* (Osaka, Kobé) : Kyoto banlieue-dortoir d'Osaka. *Shimonoseki-Kitakyushu-Fukuoka* 3 millions d'h.

Japonais à l'étranger (87) : 518 318 (1 400 000 d'origine en 90) dont USA 174 130, Brésil 115 252 (540 000 d'origine en 90), G.-B. 25 230, *France 25 000* (89), Canada 18 554, All. féd. 18 326, Argentine 15 681, Hong Kong 10 396, Australie 9 063, Thaïlande 9 048, Singapour 8 104 (84), Pérou 7 439 (84), Indonésie 7 367 (83), Chine 6 919 (83), T'ai-wan 5 196 (83). **Non-J. d'origine j.** 1 200 000.

Langue off. Japonais. Parler altaïque (proche du coréen, voisin du turc). Nombreux termes empruntés au chinois, et écrits en caractères d'origine chinoise. Langue agglutinante (conjugaisons et déclinaisons par agglutination de suffixes).

Religions

Shintoïsme et bouddhisme sont pratiqués simultanément.

• **Shintoïsme** (86). *Sanctuaires* 90 529. *Clergé* 101 608, *fidèles* 107 576 000. A la fois adoration de la nature, culte, adoration des héros et culte de l'empereur. La croyance en sa divinité fut renforcée en 1868. Sectes non officielles : 130.

• **Bouddhisme** (87). *Sanctuaires* 84 445, *moines* 273 848. *Membres* 92 947 000. D'origine indienne, parvint au J., via Chine et Corée en 538 apr. J.-C. Grâce à l'appui impérial du Pce Shotoku (593-628) le bouddhisme s'est développé au Japon. **Nouveaux mouvements** à partir de 1946 : favorables au bouddhisme laïque, à des activités politiques et sociales ; ex. mouv. **Reiyukai. Rissho-Koseikai. Soka Gakkai ou Association laïque de l'école orthodoxe de la Nichirén Shôshû** [(fondée 18-11-1930 mais N.S. avait été constituée en 1253), regroupe 7 950 000 familles au J. et 1 260 000 membres outre-mer, dans 115 pays. *Pt :* Daisaku Ikéda, Pt de la Soka Gakkai Internationale, et **Eisosuke Akiya** (dep. 79) développe le mouvement de la paix, de la culture et de l'éducation basé sur l'idée du bouddhisme de Nichirén-Shôshû « pour la paix mondiale et pour le développement éternel de l'être humain »] **Église Tenrikyo** (monothéiste) fondée milieu du XIXe s. par une paysanne mystique, Miki Nakayama (1798-1888). **Tenshokotaijingukyo** (danses). **Association de la Liberté parfaite** [P(erfect) L(iberty) Kyodan]. **Sekaikyuseikyo. Seicho no Iye.**

• **Christianisme.** Introduit 1549 par St François-Xavier (1506-52, jésuite). Fin du XVIe s., banni comme subversif. Milieu XIXe s., toléré ; installation de missionnaires catholiques français et protestants amér. **Statistiques** *(87). Sanctuaires* 8 592, *clergé* 22 961 (dont 4 472 étrangers). *Membres* 1 439 000 dont env. 10 000 « vieux chrétiens » ou « chr. secrets » descendant des 1ers convertis du XVIe s. **Catholiques** (90). 428 704, dont prêtres 540 [diocésains 523 (étrangers 3), religieux 1 275 (étr. 848)] ; dont frères 317 (étr. 105) ; religieuses 6 990 (étr. 487) ; institutions d'éducation 874 (élèves 249 052, catholiques 10 490) ; universités 13 (28 568 étudiants dont 1 219 cath.).

Hara-kiri (suicide rituel). *Hara* (ventre) et *Kiri* (coupure) étant considérés comme vulgaires, les J. disent *Seppuku* (lecture chinoise des 2 mêmes caractères écrits). Jusqu'en 1868, exécution honorable des officiers et bushi (samouraïs) condamnés à mort. Le seigneur envoyait un billet poli, accompagné d'un poignard richement orné. Le condamné montait sur une natte de paille épaisse (5 cm) à surface lisse, recouverte d'une peau tannée ou d'une pièce de drap rouge, dans la cour de la demeure de celui qui avait la garde du condamné, et s'y mettait à mort rituellement. Le poignard ensanglanté était alors envoyé au seigneur. Des nobles se faisaient aussi parfois hara-kiri volontairement pour des raisons surtout patriotiques (mort d'un empereur, défaite militaire, échec politique). On composait un poème d'adieu (jisei no uta) avant de mourir.

Histoire

Période néolithique (culture Jômon **v. 5000-300 av. J.-C.**). **V. 5000** chasse, cueillette, poterie cordée. **660** l'empereur Jimmu fonde la dynastie impériale. **Époque Yayoi (300 av. J.-C. à 300 apr. J.-C.).** Riziculture, usage des métaux ; J. et Corée du S. semblent être un seul royaume. **108 av. J.-C.** Chine prend Corée. **Apr. J.-C. 100** implantations massives de Coréens dans le J. occidental. Contacts avec Chine. Élaboration de la religion naturiste (les *Kami*). **200** l'impératrice JingoKogo prend Corée (effectivement v. 360). **285** adoption officielle de l'écriture chinoise (date réelle 405).

Époque Yamato (IIIe s. à 710). V. 300 fin des sacrifices humains. **V. 350** les Yamato achèvent l'unification du J. **V. 391** sériciculture, tissage et sciences chinoises, y compris écriture, pénètrent. **Ve s.** pouvoir des Yamato grandit. **538** (selon les sources chinoises, **552** selon le calendrier j. traditionnel) le bouddhisme arrive ; lutte pour savoir si on peut l'adopter comme religion nationale en plus du shintoïsme (conflit entre 2 clans, *Soga* et *Mononobe*). **562** perte des possessions j. en Corée (province de Mimana). **586** peste. Pour la conjurer, l'empereur Yomei fait le vœu de construire un grand sanctuaire au Bouddha guérisseur, le futur *Horyuji.* **587** les probouddhistes (Soga) triomphent des partisans du Shinto (Mononobe et Nakatomi). **604** le Pce Shotoku publie des injonctions appelées Constitution des 17 articles. **607** Ono-no Imoko en Chine pour s'informer de la civilisation. *Horyuji* construit à Nara (passe pour le plus ancien édifice en bois existant au monde). **645** les Nakatomi, convertis au bouddhisme, mettent fin à la dictature des Soga. **645-50** *réforme de Taika* adoption des institutions de la Chine des T'ang, « nationalisant » les terres. **701** code de Taiho.

Époque Nara (710-794). 710 l'impératrice-régente Genmei fait de Nara la capitale permanente. **741** le gouv. établit des temples dans tout le pays. **743** T'odaiji construit. **770** l'impératrice Shotoku, dernière impératrice régnante, meurt ; bonze Dokyo, qui avait tenté d'usurper le trône, exilé. **Époque Heian (794-1192).** Capitale à Kyoto. L'empereur Kanmu essaie de sauver le gouv. en le séparant de l'influence bouddhique. **805** secte bouddhiste Tendai introduite de Chine. **806** secte Shingon : les 2 soutiennent que chacun possède en soi-même la possibilité de devenir Bouddha (les sectes prédominantes jusqu'alors enseignaient que seule une minorité limitée le pouvait). **857** Fujiwara Yoshifusa (804-872) titré grand chancelier d'Empire (PM). **866** Fujiwara Yoshifusa (804-

872) 1er régent *(sessho)* étranger à la famille impériale. **939** Taira et Minamoto commencent à défier la cour impériale, et les samouraïs à exercer une forte influence politique. **941** Fujiwara Sumitomo exécuté pour piraterie. **961** le petit-fils de l'empereur Seiwa (858-876), Tsunemoto, prend le nom de Minamoto Tsunemoto et fonde le clan Minamoto. **1017** Fujiwara-no-Michinaga nommé PM. Famille *Fujiwara* à son apogée. **1086** les *Minamoto,* avec Yoritomo, s'imposent dans l'Est. Le gouv., par des Jokos, ou empereurs en retraite, va amener l'effacement de l'influence des Fujiwara. **1135** les *Taira* battent les pirates dans la mer Intérieure, leur influence augmente. **1156** g. civile (Hogen-no-ran). **1159** *Heiji-no-ran* les Taira battent les Minamoto. **1167** Taira-no-Kiyomori PM. **1175** secte bouddhiste Jodo fondée [chacun est sauvé de ce monde de maux et de souffrances en étant transporté au Jodo (Terre pure) par le Bouddha de la Lumière et de la Vie infinies]. **1180-1185** Minamotono-Yoritomo défait les Taira. **1191** doctrine Zen introduite de Chine. **Époque Kamakura (1192-1333). 1192** Minamoto-no-Yoritomo, nommé *shogun* (commandant militaire suprême), établit *shogunat* à Kamakura. **1213** influence des Minamoto s'éteint avec l'assassinat du 3e shogun, celle des Hojo s'étend. **1224** secte Jodo-shinshu (bouddhistes) formée. **1227** Sotoshu, secte Zen, introduite de Chine. **1253** secte bouddhiste Nichiren fondée. **1274 et 1281** échec d'invasions mongoles. **1333** chute des Hojo.

Époque Muromachi (1333-1573). **1334** régime impérial restauré. **1335** les *Ashikaga* commencent à défier la cour impériale. **1336** l'emp. Godaigo transfère sa cour à Yoshino dans le S. Un contre-emp., Komyo, est proclamé (cour à Kyoto, dans le N.). **1338** Ashikaga Takauji nommé shogun soutient cour du N. **1378** le 3e shogun Ashikaga établit son shogunat dans le quartier Muromachi à Kyoto. **1392** paix entre cours du N. et du S., réunification. **1467-1603** g. civiles chroniques, période des « Royaumes combattants » ou des « Principautés belligérantes » (Sengokujidai). **1483** le 8e shogun Ashikaga fait construire Ginkakuji (Pavillon d'argent). **1543** arrivée de navires portugais dans l'île de Tanegashima. Introduction d'armes à feu europ. **1549**-*15-8* St François-Xavier, missionnaire jésuite espagnol, arrive à Kagoshima. **1571** Nagasaki ouvert au commerce avec l'étranger par le daimyo local, Omura Sumitada (converti au christianisme 1562). **1573** 1re église chrétienne à Kyoto. Oda Nobunaga (1534-82) fait incarcérer le shogun Ashikaga Yoshiaki. Fin du shogunat Ashikaga. **Époque Azuchi-Momoyama (1573-1603). 1580** 150 000 chrétiens. **1582** Edo fondé. **1582-1615** âge d'or art et architecture baroques. **1590** Toyotomi Hideyoshi achève d'unifier le J. **1592** il envahit la Corée avec 160 000 h. Trêve conclue entre J. et armées chin. **1597** 2e expédition en Corée. 26 chrétiens de Nagasaki martyrisés. **1598** Hideyoshi meurt. Retrait de Corée. **1600** Tokugawa Ieyasu triomphe de ses rivaux à Sekigahara ; les daimyo ralliés à lui, avant, seront appelés *Fudai daimyo* (daimyo héréditaires, dits de l'intérieur), les autres : *Tozama daimyo* (d. de l'extérieur).

Époque Edo (1603-1868). **1603** Tokugawa Ieyasu (1542-1616), nommé shogun par l'empereur, quartier général à Edo, auj. Tokyo. Théâtre *kabuki* fondé par la prêtresse shinto Okuni. **1605** T. Ieyasu transmet son titre de shogun à son 2e fils T. Hidetada qui exercera le pouvoir de 1605 à 1623. **1609** comptoir commercial hollandais dans l'île de Hirado. **1612-19** abolition officielle du servage qui subsiste en fait. **1613** 1er comptoir commercial anglais à Hirado. **1614** persécutions contre chrétiens. **1615** Ieyasu prend château fortifié d'Osaka où les descendants de Toyotomi Hideyoshi intriguaient. Fin de la famille Toyotomi. **1623** Anglais abandonnent leur comptoir d'Hirado. **1624** commerçants esp. expulsés. **1635** le système de *sankinkotai* renforce le contrôle du shogun : féodaux divisés en 2 groupes dont chacun doit se rendre à Edo alternativement tous les 2 ans et y vivre 1 an : christianisme interdit. **1636** décret interdit aux J. d'émigrer. Ceux qui sont installés à l'étranger ne pourront regagner le J. **1637-38** 37 000 paysans chrétiens expulsés. **1638** commerçants portugais (accusés de complicité dans la révolte des paysans chrétiens) expulsés. **1639** entrée des étrangers interdite, seuls Hollandais protestants, et Chinois non chrétiens peuvent continuer le commerce à Nagasaki. **1640** exécution d'envoyés port. venus pour rétablir des relations commerciales. **1657** grand incendie de Edo. **1680** Tsunayoshi, 5e shogun. **1707** éruption du Fuji-Yama. **1720** autorisation d'importer des ouvrages occidentaux sans rapport avec le Christ. **1792** envoyé russe demande l'ouverture de relations comm. ; shogun refuse et renforce déf. des côtes. **1837** révolte Osaka (« émeutes du riz »). **1852** visite des Russes à Shimoda. **1853** *juill.* le commodore amér. *Matthew C. Perry,* avec 4 vaisseaux, presse J. d'ouvrir ses portes au commerce amér., revient en **1854** *mars* avec escadre renforcée : un tr. permet aux Amér. de mouiller à Shimoda et Hakodate ; tr. similaires d'amitié avec G.-B. et Russie. **1856** consul américain, Townsend Harris, à Shimoda. **1858** tr. du *29-7* (avec U.S.A., exterritorialité) ; du *18-8* (P.-Bas) ; *19-8* (Russie) ; *26-8* (G.-B.) ; *9-10* (France) ; commerce avec U.S.A., Russie, P.-Bas, G.-B. et Fr. mettent fin à l'isolement. **1862** 1re ambassade j. en Europe. **1863** J. tirent sur des neutres eur. engagés dans le détroit de Shimonoseki. *Août* escadre anglaise détruit Kagoshima, capitale de Satsuma. *Sept.* le shogun fait chasser de Kyoto les partisans de Choshu. **1864** les navires occidentaux (américains, anglais, français et holl.) démantèlent forts de Choshu à Shimonoseki. 1re expédition du shogun contre Choshu. **1865** l'emp. ratifie des tr. signés avec l'étranger. **1866** *mars* accord secret entre Choshu et Satsuma. *Août* 2e expédition du shogun contre clan Choshu. **1867** l'empereur Komei meurt, intronisation de l'empereur Meiji (Mutsuhito). Le 15e shogun, Tokugawa Keiki, restitue le pouvoir politique à l'empereur et met fin au *shogunat* institué 1192 par Minamoto Yoritomo. Fin du gouv. des Samouraïs.

Époque Meiji (« gouvernement éclairé ») (1868-1912). **1868**-*3-1* « restauration de l'ancienne monarchie ». *-6-4* l'empereur Meiji jure de respecter l'opinion publique, de développer des relations avec les pays étrangers et d'acquérir la connaissance universelle. Quitte Kyoto (« ville capitale ») pour Edo, qui devient Tokyo (« capitale de l'Est »). **1869**-*5-3* les grands clans ou *han* (Satsuma, Choshu, Tosa, Hizen) restituent leurs domaines au trône. *-25-7* les anciens daimyo sont nommés préfets de leurs fiefs. 1re ligne télégraphique (Tokyo-Yokohama). **1870** abolition des castes à 4 niveaux (guerriers, paysans, artisans, marchands) établies par les Tokugawa. Les guerriers entrent dans la noblesse ou deviennent *shizoku* [descendants de samouraïs (soldats)] et les autres deviennent *heimin* (peuple du commun). **1871** division administrative fondée sur domaines féodaux *(han)* abolie, pays divisé en préfectures *(ken).* Système postal moderne, monnaie nationale créée. L'empereur mange un bœuf mode (donnant ainsi aux J. l'autorisation de manger de la viande). *-2-9* scolarité obligatoire. **1872** 1er chemin de fer : Tokyo-Yokohama. **1873**-*1-1* calendrier grégorien. Nouveau système de poids et mesures. Suppression des mesures d'exclusion frappant chrétiens. **1874** *mai* expédition de Formose en réponse au massacre de marchands okinawais. Indemnité chinoise. 1er éclairage au gaz à Tokyo. Mode des combats de coqs. **1875**-*14-4 Genro-in,* Sénat créé (supprimé oct. 1890). **1876**-*26-2* tr. d'amitié avec Corée. *-28-3* port du sabre interdit aux anciens samouraïs. **1877** *févr.-sept.* révolte du clan Satsuma. Université de Tokyo fondée. **1878** bourse de Tokyo ouverte. **1880** 1ers conseils municipaux. Itagaki fonde parti libéral *(Jiyuto).* **1884** nouvelle noblesse créée. Mode des sports athlétiques. **1885** 1er gouvernement de Cabinet (Ito Hirobumi). **1887** engouement pour la valse. **1889**-*11-2* Constitution Meiji, (modèle prussien). **1890**-*1-7* 1res élect. générales à la Diète. **1894**-*16-7* tr. de commerce et de navigation Aoki-Kimberley avec G.-B. qui renonce au privilège de l'exterritorialité. *-1-8* g. sino-jap. *-22-11* J. prend Port-Arthur. **1895** *-17-4 tr. de Shimonoseki :* reçoit Formose, Pescadores et Liaotoung. *-4-12* rend Liaotoung à la Chine après « démarche » de Russie, France et All. **1897**-*29-3* adopte étalon-or. **1900** intervention à Pékin contre Boxers. **1902**-*30-1* alliance avec G.-B. **1904**-*05* g. russo-jap. Voir encadré. **1909**-*26-10* Ito tué par Coréen. **1910**-*22-8* Corée annexée.

Théâtre japonais

Nô. Conception religieuse et aristocratique de la vie ; se constitua vers la fin du XIIIe s., unissant 2 traditions : celle de *Kagura,* ou pantomime dansée, et celle des *chroniques* en vers récitées par les bonzes errants. Le drame nô, dont le protagoniste est couvert d'un masque, était joué, les j de fête, dans l'enceinte des grands sanctuaires. Ses acteurs, protégés par daimyo et shoguns, se transmettaient de père en fils les secrets de leur art. Les nô célébraient à l'origine la gloire du temple ou les illustrations de quelque ordre sacerdotal, et développaient les grands thèmes de la prédication bouddhiste. Ce sont des drames brefs : 5, de caractères différents, composent un spectacle. La scène procède du dispositif chinois : un quadrilatère à peu près nu, ouvert de 3 côtés entre les pilastres de cèdre qui en marquent les angles. L'art de réciter ou de danser dans le style du nô se pratiquait beaucoup parmi les aristocrates ; les professionnels étaient d'origine plus ou moins obscure.

Kabuki. Fait alterner dialogues, chants et intermèdes de ballet. A emprunté à la fin du XVIIe s. la manière des spectacles de marionnettes. Les pièces que Tchikamatsu (1653-1724) composait pour eux ne diffèrent pas de celles que Takeda Izdumo (1691-1756) fit jouer par des acteurs humains avec des décors et costumes de plus en plus amplifiés. Les mêmes drames passent encore d'un répertoire à l'autre : histoires de conquêtes et de pirateries en 20 actes. Actuellement, répertoire classique (drames historiques et bourgeois) et réaliste (avec intermèdes burlesques).

Autres écoles. Bugaku, kyôgen, nigyô jôruori.

Guerre russo-japonaise (1904-05)

Causes : 1°) Angl. et J. tentent de limiter l'expansion russe en Extrême-Orient, notamment en Corée et Mandchourie (5-2-1904 : les Russes refusent de renoncer à leur implantation en Corée) ; 2°) la R. espère une victoire facile, qui rehaussera le prestige de la monarchie, menacée par les révolutionnaires. La Fr. alliée de la R., et possédant l'Indochine, peut assurer la victoire r. Mais le 8-4, l'Angl. signe avec elle une convention d'« Entente cordiale », laissant espérer aux Fr. une alliance éventuelle contre All. Dès lors, la Fr. refuse de livrer du charbon aux escadres r., et interne les équipages r. réfugiés au Tonkin. **Effectifs sur terre :** R. 135 000 h., Jap. 850 000, dont 150 000 disponibles immédiatement (les R. ont en Europe 1 200 000 soldats de métier, mais le Transsibérien n'est pas achevé et ils doivent faire une partie du trajet à pied). **Sur mer :** *Russie* 2 escadres en Extrême-O. (Port-Arthur ; Vladivostok, bloquée par les glaces) ; en tout : 28 unités, dont 1/3 modernes ; 1 escadre en Baltique (mettra 8 mois pour rejoindre le champ de bataille) ; *Japon* 50 unités modernes. **Chefs militaires.** *Russie :* 1°) *terre :* amiral Eugène Alexeiev (1843-1917), vice-roi d'Extrême-O., révoqué oct. 1904 ; Gal Alexis Kouropatkine (1848-1921) après oct. 1904 (chef de la garnison de Port-Arthur : Anatol Stoessel, 1848-1915). 2°) *mer :* am. Serge Makarov (1848-1904, tué au combat), am. Vitheft (1850-1904, tué au combat) ; escadre de la Baltique : amiral Zinoveï-Rodjestvensky (1848-1909). *Japon :* 1°) *terre :* M^al^ Iwao Oyama (1842-1916). 2°) *mer :* amiral Heihachiro Togo (1847-1934). **Déclenchement : 1904**-*7-2* J. prennent un croiseur r. au large d'Inchon (Corée). *-8-2* 10 torpilleurs jap. à Port-Arthur attaquent l'escadre par surprise (2 cuirassés, 1 croiseur cuir. coulés). *-10-2* J. déclare la g.

1°) g. terrestre : les R. hésitent à combattre loin des lignes de chemins de fer, où est stocké l'approvisionnement et où les E.-M. ont leurs trains spéciaux ; dès que les J. font un mouvement tournant menaçant la ligne sur leurs arrières, ils reculent. **1904** *mars* débarquement j. en Corée. *-1-5* victoire j. sur le *Yalu. -5-5* déb. j. en Mandchourie et siège de Port-Arthur (déjà bloqué par mer). *-5-9* vict. j. de *Liao-Yang. -18-10* du *Cha-Ho;* **1905**-*1-1* capitulation de *Port-Arthur. -21-2/10-3* vict. j. de *Moukden* (400 000 J. contre 325 000 R.). **2°) g. navale :** *févr.-mai* opérations autour de Port-Arthur (14-4 le Petropavlovsk est coulé, l'amiral Makarov tué : les troupes j. peuvent être transportées en grand nombre). *-14-8* l'escadre de Vladivostok (am. Jessen) est refoulée lors d'une tentative de sortie. **1905** *mai* arrivée en mer de Chine de Rodjestvensky (il avait par erreur canonné en oct. 1904 des bateaux de pêche angl. dans le Pas de Calais ; la médiation fr. avait permis de régler l'incident), après avoir été rejoint dans l'O. Indien par l'escadre de la mer Noire. Manquant de charbon, il ne peut rejoindre Vladivostok par le Pacifique et tente de forcer détroit de *Tsoushima. -27-5* il est écrasé par Togo (35 nav. perdus sur 38 ; Rod. prisonnier) ; **tr. de Portsmouth** (5-9-1905), le J. obtient le Liaotoung, Sud Sakhaline, et liberté d'action en Corée et Mandchourie.

Époque (ou ère) Taisho (1912-26). **1914** (23-8) g. contre All., 1919 le J. obtient possessions allem. (îles Carolines, Marianne, Marshall, Kiao-tcheou). **1918** *avril à oct. 22* J. occupe Vladivostok. **1919** *mars-avril* révolte en Corée. **1920** entrée à la S.D.N. **1921**-*4-11* Haratue PM. Hiro Hito va à l'étranger (1re fois qu'un membre de la famille impér. quitte le J. depuis 2 581 ans). *-25-11* Hiro-Hito régent. **1922**-*10-1* † d'Okuma. *Juill.* fondation du PC. *Oct.* J. renonce au Chan-toung et à Kiao-tcheou. **1923**-*1-9* tremblement de terre à Tokyo, intensité 7,8 (bilan : 99 331 †, 43 476 disparus ; 128 266 maisons détruites, 126 233 partiellement détruites, 447 128 brûlées). **1925**-*21-1* le J. restitue le nord de Sakhaline à l'U.R.S.S. *-30-3* suffrage universel masculin. **1926**-*25-12* avènement de l'empereur Showa (Hiro-Hito).

Époque Showa (ou de la paix rayonnante) (1926-89). **1927** 1er métro à Tokyo. **1928** 1res élections au suffrage universel. **1931** *mars* complot de la Restauration Showa. *-18-9* incident de Mandchourie. **1932** *janv.* débarquement à Shanghai. *-18-2* État de Mandchoukouo créé. *-15-5* PM Inukai tué. **1933**-*24-2* SDN condamne le J. pour son action en Mandchourie. *-4-3* J. occupe le Jéhol. *-27-3* quitte SDN. **1934**-*1-3* Pou Yi devient empereur du Manchoukouo. Intervention en Mongolie. **1935** *mai* J. prend Hopei. **1936**-*26-2* putsch à Tokyo : 2 anciens PM (Finances et Justice) et plusieurs off. assassinés. *-25-11* J. signe pacte anti-Komintern. **1937**-*7-7* incident du *pont Marco Polo :* début de la 2e g. sino-j. *Oct.* J. prend Shanghai. *-12-12* prend Nankin et massacre 42 000 à 200 000 Chinois. **1938** *juill.-août* bataille nippo-soviétique à Changkouteng (Mandchoukouo) : échec j. *Oct.* J. prend Canton et Hankéou. **1939** *avril-juill.* combats nippo-sov. au Mandchoukouo : échec j. **1940**-*30-3* Nankin gouvernement pro-nippon, Pt Wang-Ching-Wei. *Juillet-août* partis politiques dissous. *Oct.* fusion avec Association nationale pour le service du trône ou *Taisei Yokusankaï. Août-sept.* J. occupe Indochine fr. *-27-9 alliance tripartite,* axe Rome-Berlin-Tokyo. **1941**-*13-4* pacte de neutralité nippo-sov. *Juill.* embargo amér. sur commerce j. *-16-10* général Tojo PM. *-7-12 Pearl Harbor :* J. attaque la flotte amér. *-25-12* J. prend Hong Kong. **1942**-*15-2* J. prend Singapour. *-9-3* Java. *Mai* Philippines. *-5-5* bataille de la *mer de Corail. -4/5-6* bat. de *Midway* 1re vict. am. *-7-8* déb. am. à Guadalcanal. **1943** *août* indépendance de Birmanie. *Oct.* « indép. » Philippines. *-20/23-11* bat. de *Tarawa* (Iles Marshall). **1944** *juin-juill.* bat. de l'île de *Saipan. -18-7* Tojo démissionne. *-23/24-10* bat. du golfe de *Leyte* et déb. am. aux Philippines. *Nov.* 1ers raids aériens sur J. **1945**-*5-2* Amér. prennent Manille. *-17-3* Iwo Jima. *Avril* déb. à Okinawa. *-10-3* Tokyo bombardé (de 0 h à 3 h du matin ; 300 avions portant chacun 7 à 8 t de bombes incendiaires, 197 000 † et disparus). *-6-8* à 6 h 17 à *Hiroshima* 1re bombe atomique am., 157 071 † (au 6-8-1989) des suites de l'explosion (le commandement amér. calculait qu'il avait encore contre lui 2 500 000 soldats, 11 000 avions, 20 porte-avions géants, 23 cuirassés, 250 sous-marins, que la g. continuerait jusqu'au printemps 1946 coûtant des centaines de milliers de †). *-9-8* URSS déclare g. au J., envahit la Mandchourie (env. 200 000 † et 600 000 prisonniers). *-9-8* 2e bombe atomique sur Nagasaki (75 000 †). *-15-8* J. capitule. *-2-9* MacArthur reçoit capitulation officielle jap. sur cuirassé *Missouri* en rade de Tokyo. *-27-9* pour la 1re fois, l'empereur sort de son palais pour se rendre à la convocation d'un étranger. *-15-12* shintoïsme n'est plus religion d'État. **1946**-*1-1* l'emp. renonce à son ascendance divine. *-21-10* réforme agraire. **1947** vote des femmes. *Nov.* Tojo, Hirota et des criminels de guerre exécutés. **1950**-*25-6* g. de Corée. *-10-8* une police nationale de réserve de 75 000 h. prend la place des troupes amér. appelées en Corée. **1951**-*8-9 tr. de paix de San Francisco,* signé par 48 pays (perte de Sakhaline et des îles Kouriles), entre en vigueur avril 52. USA lèvent l'occupation (en vigueur le 28-4-52). **1956**-*19-10* normalisation des relations nippo-sov. *-12-12* entre à l'ONU. **1958**-*2-5* profanation à Nagasaki du drapeau de la Chine comm. : rupture des relations commerciales. **1960** *mai-juin, Zengakuren* et *Sohyo* organisent émeutes contre tr. de sécurité avec USA qui entre en vigueur le 19-6. **1963**-*26-7* entre à l'OCDE. **1964** inauguration du *Tokaido.* 1re autoroute *(Meishin)* Nagoya-Kobe (190 km). **1965** Relations avec Corée du S. normalisées. **1968** *juin* J. récupère îles Bonin. *-21-6* révoltes étudiantes (Tokyo). **1969** accord nippo-sov. sur mise en valeur de Sibérie. *-18-1* police reprend université de Tokyo. **1970**-*11-2 Osumi,* 1er satellite j. *-28-9* rupture avec T'ai-wan. **1972**-*15-5* USA restituent Okinawa et retirent armes nucléaires. *-29-9* normalisation avec Chine. **1974** l'empereur se rend au sanctuaire d'Isé pour entretenir la déesse Amatérasu (son ancêtre) des problèmes de l'Empire (tradition interrompue dep. 1945). **1975** *sept.* plan de relance. *Nov.-déc.,* grève « illégale » dans chemins de fer et secteur nationalisé. **1976**-*27-7* Tanaka (ancien PM) [avait reçu de Lockheed 500 millions de yens]. **1978**-*20-5* aérodrome de Narita inauguré, manif. écologiste (4 †). *-23-10* tr. de paix et d'amitié sino-jap. *-29-11* législatives, victoire d'Ohira. **1981** *févr.* Jean-Paul II au J. **1982**-*14/18-4* Pt Mitterrand au J. **1983**-*12-10* Tanaka condamné (4 ans prison, 500 millions de yens d'amende). *-18-12* législatives (après dissol.) : conservateurs, au pouv. dep. 45 a., perdent 36 s. et maj. absolue, Tanaka réélu. **1985**-*14/16-7* PM Nakasone en Fr. *-20-10* affrontements à Narita. *-29-11* sabotage : 3 200 trains perturbés (48 gauchistes arrêtés). **1986**-*4/6-5* sommet de Tokyo. *-6-7* législatives *-22-7* Nakasone réélu PM par 304 voix sur 502. **1987**-*17-4* USA taxent à 100 % certaines importations j. *-1-7* direction de Toshiba accusée d'export. illégales vers URSS, démissionne. *-6-11* Noboru Takeshita élu PM par 299 voix sur 512. **1988**-*13-3* tunnel sous-marin Seikan Honshu/Hokhaido ouvert (53,8 km). *-10-4* pont Seto Ohashi (13,1 km ; coût 1 056 milliards de yens) Shikoku/Honshu ouvert. *-16-11* réforme fiscale. *-22-9* empereur malade, régence du Pce héritier Akihito. *-9-12* min. des Fin. Kiichi Miyazawa impliqué dans scandale Recruit-Cosmos (délit d'initié en bourse de 1984 dénoncé le 18-6-88) démissionne. *-18-12* Chevardnaze au J. **1989**-*7-1* Hiro-Hito meurt.

Époque Heisei (accomplissement de la paix). 1989-*8-1* commence à 0 h, l'empereur Hiro-Hito étant mort le 7-1. Akihito (nom choisi par le gouv.) reçoit les 3 trésors sacrés (glaive, joyau, miroir), son avènement sera célébré après un an de deuil. *-14-1* loi obligeant les fonctionnaires à prendre 2 week-ends par mois; et *1-2* bourse, banques ferment le samedi. *-24-2* obsèques de Hiro-Hito: 10 000 invités, 35 000 policiers, coût 430 millions de F. *-4-3* 1res inculpations dans scandale Recruit-Cosmos. *-1-4* TVA (3 %) et suppression des taxes indirectes (but: baisser de 73 à 67 % les impôts directs, rapport 5 400 milliards de yens). *-25-4* PM Takeshita (impliqué dans Recruit-Cosmos) démissionne. *-26-4* suicide d'Ihei Aoki, son secr. *-17-5* Yano Pt du Komeito démissionne (aff. Recruit-Cosmos). *-4-8* 1re conférence de presse d'un empereur. *-25-8* Tokuo Yamashita, secr. Gal du gouv. démissionne (affaire de geisha), remplacé par Mayumi Moriyama (1re femme à un poste si élevé). *21/22-9* Sohyo (Conseil Gal des syndicats du J., créé 1950) fusionne avec Rengo plus modéré. *-14-10* Tanaka renonce à la politique [des propriétaires de pachinko (salles de jeux) ont versé des fonds au PM et à 6 ministres]. **1990**-*2-1* PM Toshiki Kaifu en Fr. *-12-2* intronisation d'Akihito. *-22-2* Daijosai fête des prémices (budget 8,1 milliards de yens) : dans la nuit, Akihito partage avec la déesse le riz sacré et entre en communication avec elle. *-24-5* Akihito recevant Pt sud-coréen Roh Tae-Woo présente son « plus intense regret » pour les souffrances subies par les Coréens au cours de la colonisation jap., PM Kaifu exprime ses « profonds remords et excuses pour les actes commis par le Jap. sur la péninsule ». *-19/21-7* PM Rocard au Japon. *-29-8* près d'1 milliard de $ pour la force multinationale dans le Golfe. *-26/28-9* Shin Kanemaru en Corée du N. : il promet excuses et dédommagements pour colonisation de 1910 à 45. *Oct.* émeutes contre corruption. *Nov.* avènement de l'empereur ; 2 cérémonies. *-12-11* intronisation officielle (Sokui-no-Rei), 2 500 invités, 60 millions de $. *Nuit du 22 au 23-11* cérémonie religieuse et privée (Daijosai), grande fête des prémices, rite mystique shinto qui marque la 1re moisson de la nouvelle ère et consacre l'empereur dans ses fonctions, 20 millions de $ financés par l'État. *-27-12* Toshiyuki Inamura, ancien min., inculpé de fraude fiscale. **1991**-*29-1* visite PM de Corée du N. Yon Yyang-Muk. *-7-4* élections des gouverneurs et de 44 conseils gén. (victoire des conservateurs : 1 548 sièges sur 2 698). *-16-4* visite Gorbatchev.

Noblesse

La restauration du pouvoir impérial en 1868 (qui abolit le shogunat, système des « maires du palais » qui exerçaient tout le pouvoir) entraîna, en 1871, la suppression des grandes seigneuries (daïmiats) et les 276 daïmios reçurent des indemnités. La noblesse impériale réorganisée en 1884 subsista jusqu'à la Constitution de 1947 qui supprima la noblesse, les titres et la Chambre des pairs. Outre les titres de *prince,* (réservés aux membres de la famille impériale, et qui subsistent toujours), les chefs des principales familles « daïmio » avaient reçu des titres de *prince, marquis, comte, vicomte* et *baron.*

Selon la Constitution (abrogée) du 11-2-1889, le Tenno (chef) de la dynastie partageait l'exercice du pouvoir avec une Chambre des pairs comprenant 328 membres [les membres masculins majeurs de la famille impériale (12), les princes et marquis d'au moins 25 ans, 120 délégués de comtes, vicomtes et barons de l'Empire ayant 25 ans, élus pour 7 ans, 113 membres (min. 30 ans) nommés à vie par l'empereur et 45 (min. 30 ans) élus pour 7 ans par les 15 m. (habitants masculins) de chaque district les plus imposés], et une Chambre des députés.

Familles subsistant depuis 1947 jusqu'au 12-1-1988 : chef de famille portant le titre de : *Duc* 17, *Marquis* 38, *Comte* 105, *Vicomte* 351, *Baron* 378. Le titre de *baron* était réservé aux militaires, diplomates ou fonctionnaires pour services rendus.

Politique

• Statut. **Empire. Constit. du 3-11-1946,** appliquée 3-5-1947. **Empereur** *(Tenno :* l'honorable fils du ciel ; *mikado* – signifiant empereur du J. – était autrefois employé par les étrangers). Symbole de l'État et de l'unité du peuple, il doit ses fonctions à la volonté du peuple, en qui réside le pouvoir souverain (la loi de 1889 disait : l'empire du J. est gouverné par un empereur, successeur à jamais de l'ancêtre divin en ligne directe) ; il n'a pas de pouvoirs de gouvernement, il ne peut exercer que les seules fonctions prévues par la Constitution en matière de représentation de l'État : promulgation des amendements à la Constitution, lois, décrets du Cabinet et traités, convocation de la Diète, dissolution de la Chambre des représentants, proclamation des élections gén. des membres de la Diète, attestation de la nomination et de la révocation des ministres d'État et autres fonctionnaires, en vertu de la loi, ainsi que des pleins pouvoirs et lettres de créance des ambassadeurs et ministres, attestation de l'amnistie, générale ou spéciale, de la commutation de peine, de la grâce et de la réhabilitation, décernement des distinctions honorifiques, attestation des instruments de ratifications et autres documents diplomatiques, dans les conditions prévues par la loi, réception des ambassadeurs et min. étrangers, représentation de l'État aux cérémonies officielles. La const. abolit titres de noblesse et privilèges.

Avant 1945 : l'article III de la Constitution de 1889 déclarait sa personne « sacrée et inviolable ». Nul n'avait le droit de lui donner son vrai nom ou de le regarder sans sacrilège. Tous ses sujets l'abordaient courbés et se prosternaient sur son passage. Lui seul, au J. possédait un cheval blanc et dessinait l'image du chrysanthème sacré à 6 pétales. Il ne se montrait jamais en public et ne parlait pas à la radio.

En 1868, on adopta un seul nom d'ère par règne (auparavant on en changeait selon les événements, heureux ou malheureux). Le système du gengo abandonné par la Constitution de 1945 resté vivace, a retrouvé son statut légal par la loi du 12-6-1979. Les documents civils (acte de naissance, permis de conduire, etc.) sont ainsi datés, le calendrier grégorien n'étant utilisé que pour les événements internationaux. Succession par primogéniture masculine. Le fils aîné est appelé *Kotaishi* et son propre fils *Kotaison.*

1412 Shoko (1401-28). **28** Go Hanazono (1419-70), ar.-p.-f. de Shoko (1334-98), emp. de 1349 à 1352. **64** Go Tsuchimikado (1442-1500), s. f. **1500** Go Kashiwabara (1469-1526), s. f. **26** Go Nara (1496-1557), s. f. cadet. **57** Ogimachi (1517-93), s. f. **86** Go Yozei (1571-1617), s. f. **1611** Go Mizuno-O. (1596-1680), s. 3e f. **29** Meisho, impératrice (1623-96), s. fille. **43** Go Komyo (1633-54), 3e f. de Go Mizuno-O. **54** Gosai (1637-85), 7e f. de Go Mizuno-O. **63** Reigen (1654-1732), 18e f. de Go Mizuno-O. **87** Higashiyama (1675-1709), s. f. **1709** Nakamikado (1701-37), s. 5e f. **35** Sakuramachi (1720-50), s. f. **47** Momozono (1742-62), s. f. **62** Go Sakuramachi, impératrice (1740-1813), fille cadette de l'emp. Sakuramachi. **70** Go Momozono (1758-79), s. f. **79** Kokaku (1771-1840), 6e f. de l'a.-p.-f. de l'emp. Higashiyama. **1817** Ninko (1800-46), s. 4e f. **46** Komei (1831-66), 4e f. de Ninko. **67** Meiji (Mutsu-Hito) (1852-1912), s. f. cadet. **1912** Taisho (Yoshi-Hito) (1879/1926), s. 3e f. **26** (25-12) Showa (Hiro-Hito) (29-4-1901/7-1-89) ép. 1924 Pcesse Kuni [impératrice Nagako Kuni, du clan Fujirawa (n. 6-3-03)] régent dep. 1921. Empereur 62 ans 10 j. 7 enfants dont héritier : Pce Akihito, Pce Hitachi et 4 filles. **89** (8-1) Akihito (23-12-1933), 125e empereur, 1er empereur non-divin, surnom Togusama (Prince du palais de l'Est) ou Harusama (Prince du printemps), héritier dep. 10-11-52 [ép. 10-4-1959 Michiko Shôda (n. 20-10-34), roturière, dont Pce Naruhito titré Hironomiya (Pce Hiro) (23-2-1960, 23-2-91 : intronisé héritier), Pce Fumihito titré Ayanomiya (Pce Aya) (30-11-1965), ép. 29-6-90 Kito Kawahima titrée Princesse), Pcesse Sayako titrée Norinomiya (18-4-69)]. En 1989, il paie 4,3 milliards de F de droits de succession.

Diète. *Ch. des représentants* [512 m. élus pour 4 ans dans 130 circonscriptions (chacune élisant 3 à 5 dép. selon la pop.)] ; *Ch. des conseillers* [252 m. élus pour 6 ans, renouvelables par moitié tous les 3 ans, 100 sont désignés à la proportionnelle selon les résultats des listes des partis, et 152 élus dans 47 circonscriptions préfectorales]. **PM** (obligatoirement un civil) élu par Diète en son sein et responsable devant elle, forme un *cabinet* (20 ministres max., la majorité doit être choisie dans la Diète). Si la Ch. des repr. adopte une motion de censure ou rejette une m. de confiance, le Cabinet doit démissionner, sauf si la Ch. est dissoute dans les 10 j.

Cour suprême (1 Pt nommé par l'emp., juges nommés par le Cabinet) assure le pouvoir judiciaire.

• Défense. D'après l'art. 9 de la Constit. de 1946, le J. renonce à jamais à la guerre en tant que droit souverain de la nation, et à la menace, ou à l'usage de la force comme moyen de règlement des conflits internationaux. Pour atteindre ce but, il ne sera jamais maintenu de forces terrestres, navales et aériennes, ou autre potentiel de guerre. Le droit de belligérance de l'État ne sera pas reconnu.

Sécurité. 1946-50 assurée par les forces d'occupation des puissances alliées. **1950** (g. de Corée), organisation d'une police nat. (75 000 h.) et renforcement des gardes-côtes (18 000 h.). **1960** tr. avec USA remplaçant le tr. de 1951 et prévoyant des forces amér. au J. [en 1987, 52 000 soldats amér. (dont 25 000 à Okinawa)]. **Budget** (89). 2,9 milliards de $ 1,03 % du PNB (en 1976 plafond fixé à 1 %) ; aide écon. stratégique J. : + de 1,2 milliard de $ en 1984 (dont Philippines 1, Corée du S. 0,21). En 1988-89, 29,1 milliards de $. **Bases américaines** coût 7,6 milliards de $ (dont payés par Japon 3).

• Fête nat. : 29-4 (anniv. de l'emp.), 11-2 (fondation du J.). Drapeau (disque rouge sur fond blanc) utilisé dep. 1870, appelé Hi-no-Maru (rondeur du soleil), symbole du J. Hymne nat. : Kimigayo (le Règne de notre empereur) créé 1880 par John William Fenton.

• Partis. **P. libéral démocrate (PLD),** *créé* nov. 1955 de la fusion du P. libéral et du P. démocrate. Au pouvoir dep. 36 ans (p. de cadres, électorat local et urbain). 2 200 059 m. (90). *Secr. gén. :* Keizo Obuchi dep. 8-4-91. **P. social-démocrate** (ancien p. socialiste), *fondé* nov. 1945, nom actuel dep. 1-2-91. 125 000 m. (89) (soutenu par conf. syndicale Sohyo), implantation urbaine, *Pte :* Madame Takako Doï dep. 1986 (dém. 21-6-91). **P. communiste,** *fondé* juill. 1922 (légal 1945). *Pt du C.C. :* Kenji Miyamoto (17-10-08), *du Praesidium :* Tetsuzo Fuwa (26-1-30) ; 490 000 m. (88). **Komeito** (« p. du gouv. propre »), *fondé* nov. 1964, issu de la Sokagakkai (séparé off. dep. 1970), conservateurs 213 000 m. (88), *Pt :* Koshiro Ishida, secr. gén. Yuichi Ichikawa. **P. démocrate-socialiste (PDS ou Minshato),** *fondé* janv. 1960 après scission de l'aile droite du PS soutenu par confédération synd. Domei. *Pt :* Keigo Ouchi (1930) dep. 26-4-90. **P. social-dém. unifié (PSDU),** *fondé* mars 1978, dissidents socialistes, soc. libéraux, repr. Hideo Den. **Extr. gauche,** *Chukakuha* (noyau central) peut mobiliser 5 000 pers., *Sekigun* (Armée rouge) responsable de l'attentat de Lod (1972, voir Israël).

• Élections. **Du 18-2-90** (sièges obtenus, entre parenthèses, sièges obtenus aux él. du 6-7-86). **Chambre des représentants :** PLD 275 (300), NCL (Nouveau Club Libéral a disparu) 0 (6), PSJ 136 (85), Komeito 45 (56), Indép. 21 (9), PC 16 (26), PDS 14 (26), Shaminren (p. d'union social-démocrate) 4 (4), p. du progrès 1 (0). Abstentions 26,7 % (en 83 : 32,1 %, record dep. 1945). 12 femmes élues.

Ch. des conseillers juill. 89 : PLD 109, PSJ 67, Komeito 21, PC 14, PDS 8, Rengô 12, divers 21.

• Premiers ministres. **1945**-*17-8* Pce Naruhiko HIGASHIKUNI († 20-1-90 à 102 ans, qui épousa en 1916 une fille de l'Emp. Meïji) seul PM membre de la famille impériale. *Oct.* Kijuro SHIDEHARA (1872-1951). **46** *mai* Shigeru YOSHIDA (1878-1967). **47** *mai* Tetsu KATAYAMA (1887-1978). **48** *mars* Hitoshi ASHIDA (1887-1959). **48** *oct.* Shigeru YOSHIDA. **54** *déc.* Ichiro HATOYAMA (1883-1959). **56** *déc.* Tanzan ISHIBASHI (1884-1973). **57** *févr.* Nobusuke KISHI (1896). **60** *juill.* Hayato IKEDA (1899-1965). **64** *9-11* Eisaku SATO (1901-1975). **72** *5-7* Kakuei TANAKA (1918), PLD **74** *9-12* Takeo MIKI (1907-88), PLD démissionne. **76** *24-2* Takeo FUKUDA (14-1-05), PLD. **78** *7-12* Masayoshi OHIRA (1910-80), PLD. **80** *12-6* (intérim) Masayoshi ITO (1925). *17-7* Zenko SUZUKI (11-1-11), PLD. **82** *27-11* Yasuhiro NAKASONE (n. 1918). **87** *6-11* Noboru TAKESHITA (26-2-24). **89**-*2-6* Sosuke UNO (1923). *-9-8* Toshiki KAIFU (58 ans).

Liste. Beaucoup d'hommes politiques cités ou impliqués dans des scandales avant ou pendant leur présence à un poste important purent cependant revenir au pouvoir : Kakuei Tanaka, Hayato Ikeda, Eisaku Sato, Yasuhiro Nakasone.

Économie

• Taux de croissance moy. **(%).** *1963-72 :* 10,5 ; *73 :* 8 ; *74 :* – 1,2 ; *75 :* 2,6 ; *76 :* 4,8 ; *77 :* 5,3 ; *78 :* 5,1 ; *79 :* 5,2 ; *80 :* 4,4 ; *81 :* 3,9 ; *82 :* 3 ; *83 :* 3,2 ; *84 :* 5 ; *85 :* 4,2 ; *86 :* 2,4 ; *87 :* 4,2 ; *88 :* 4,2 ; *89 :* 4,7.

• PNB (89). *Total* (milliards de $) 2 812,1 ; *par hab.* 22 825 $ (89). **PNB** (au prix du marché) (milliards de yens, 87). *Total* 345 292,3 dont dépense nationale 332 223,6 (dépenses des consommateurs 199 392,4, dép. courantes de l'État 32 838,8, formation brute de capital fixe 99 195,4, variation des stocks 797). Solde commercial 11 014,7. **PIB** (87) 343 238,4 milliards de yens.

• Inflation (%). *1979 :* 3,6 ; *80 :* 8 ; *81 :* 2,9 ; *82 :* 2 ; *83 :* 1,5 ; *84 :* 2,25 ; *85 :* 2,1 ; *86 :* 0,4 ; *87 :* 0,9 ; *88 :* 0,8 ; *89 :* 2,9 ; *90 :* 3,1.

• Budget central (en milliards de yens, entre parenthèses milliards de $). *1986-87 :* 54 089 (env. 267). *88-89 :* 56 700 (461). *89-90 :* 60 410 (483). *90-91 :* 66 273. *91-92 :* 70 350 (541). *Service de la dette* (91-92) 15 830. *Aide au développement* 612 (3). *Investissements et prêts gouvernementaux* 21 753 (95). *Réserves en devises* (milliards de $) *86 :* 49, *87 (12-4) :* 81,1, *fin 88 :* 97,6, *fin 89 :* 84,8, *fin 90 :* 77,05 (USA *fin 90 :* 84,9) ; *en or : 1987 :* 61,5 milliards d'onces.

Recettes : (1989-90) 60 414 dont impôts directs 29,8 (87-88), indirects 11,3 (87-88), bons du trésor 7,1, autres 2,3. *Dépenses :* 60 414 dont finances locales 13,4, Séc. soc. 10,9, trav. publ. 7,4.

Déficit de l'administration centrale en % du PNB (nominal). *1973 :* 0,6 ; *74 :* 2,1 ; *75 :* 3,9 ; *76 :* 4,2 ; *77 :* 5,2 ; *78 :* 5 ; *79 :* 6 ; *80 :* 6 ; *81 :* 5,1 ; *82 :* 5 ; *83 :* 4,9 ; *84 :* 4,3.

• Endettement public (milliards de $, 1986-87) : 750 (service de la dette 59, soit 20 % du budget).

• Placements du Japon à l'étranger (en milliards de $). *Investisseurs institutionnels jap. :* achats nets de titres *1985 :* 59,77, *86 :* 102,1, *87 (1-4) :* 105,97. *Investissements directs des entreprises jap. à l'étranger* (implantations industrielles et invest. immobilier) : *1985 :* 12,21, *86 :* 22,32, *87 :* 33,36, *88 :* 22,9. **Montant cumulé au 31-3-1989, en milliards de $.** 186,4 (non manufacturier 136,5, manufacturier 49,8) dont *Amér. du N.* 75 (U.S.A. 71,9, Canada 3,2), *Asie* 32,2 (Corée du S., Taïwan, Hongkong et Singapour 15, Indonésie 9,8, Chine 2), *Europe* 30,1 (G.-B. 10,6, P.-Bas 5,5, Luxembourg 4,7, All. féd. 2,4, France 1,8, Espagne 1, Belgique 1), *Amér. latine* 31,6, *Océanie* 9,3, *Afrique* 4,6, *Proche-Orient* 3,3.

Banques (dépôts en milliards de $). 1re Dailchi Kangyo 283,5 ; 2e Taigo Kobe Mitsui 262.

Entrée nette de capitaux étrangers au Japon (en milliards de $). *1985 :* 17,27, *86 :* 0,548.

Avoirs extérieurs nets. *1989 :* 400 milliards de $.

• Pop. active (% et entre par. part du P.N.B. en %). Agr. 8,3 (3), ind. 32,8 (39,6), services 57,9 (56,4), mines 1 (0,5). *Par secteurs* (millions, 88) : 61,66 (62,2 en 1989) (dont hommes 36,93) dont primaire 4,81, second. 20,45, tertiaire 34,85. *Par statuts (86) :* employeurs 9 ind. 15,1, trav. famil. 9,06, salariés 72,74. Au 1-1-89, les immigrants du tiers monde représentaient 1 % de la pop. active. *1990,* 62 490 000 actifs. **Chômage** (%) : *80 :* 2,2 ; *85 :* 2,6 ; *86 :* 2,8 ; *87 :* 2,8 ; *88 :* 2,4 ; *89 :* 2,3 ; *90 :* 2,1 (1 340 000 p.).

Conditions de travail. *Congés payés* autorisés moy. 9 j et 103 dimanches et j fériés (1988). *H. supplémentaires autorisées :* femmes 6 h par sem., hommes aucune limite ; payées 25 % de +. *Retraite :* 60 ans dans 68 % des entrepr. *Temps de travail par mois : 1970 :* 186,6 h (dont h suppl. : 16,7), *75 :* 172 (10,6), *86 :* 175,2, *91 (avril) :* 44 h/semaine. *Annuel 1986* 2 150 h, *87 et 88* 2 111 (G.-B. 1 938, U.S.A. 1 924, All. féd. 1 655, *France 1 643), 91 :* 1 866 (2 052 effectives), *(1993, prév.)* 1 800. 10 000 J. meurent chaque année de surmenage *(Karoshi).*

Syndiqués (% de la main-d'œuvre) : *1949 :* 55,8, *1955 :* 39,1 : *70 :* 35,4 : *80 :* 30,8 ; *89 :* 27. Le système du *shunto* (négociation patronat-syndicat par branches et chaque printemps) a été mis en place en 1954-55.

Salaire de base (1990). Env. 6 000 F. *Moyen horaire ($) 1985 :* 5,5 (U.S.A. 10,4), *89 :* 12,1 (U.S.A. 11,8). **Coûts salariaux** (charges sociales) : 19,95 % (France 45,1 %) dont sous-traitants 14,5 %, saisonniers 1,5 %. **Impôt.** *Sur le revenu :* max. 50,2 (célibataire), 48,2 (couple avec 2 enfants). *Sur les successions :* 75 % au-dessus de 20 millions de F. **Paris** (milliards de yens 1991) courses (chevaux, hors-bords, vélos) 20 000 (dont 50 % clandestins).

Geisha. *Nombre 1900 :* 88 000, *1991 :* 2 000. Mizu-age (cérémonie de défloration) : coût 400 000 à 500 000 F.

• Structure de la consommation (dépenses en %, en 1986, entre par. 2000). Nourriture 20,4 (22,2), logement 3,8 (11,1), élect., chauffage 4,6 (3,5), habillement 5,5 (8,3), diverses 80 (54,9), santé et soins méd. 1,9 (3,4), transports 7,8 (8,3), éducation, culture et loisirs 10,7 (10,0). Autres 21,8 (33,2).

• Équipement des ménages (% mars 88). T.V. couleur 99, lave-linge 99, réfrigér. 98,3, appareils photo 85,3, voitures de tourisme 71,9, climatiseurs 59,3, chaînes stéréo 58,9, fours à micro-ondes 57, magnétoscopes 53, téléph. à touches 25,9, pianos 19,9, lecteurs disques compact 16,1, ordinat. pers. 9,7.

• Agriculture. **Terres** (milliers d'ha, 81). Forêts 25 198 (par endroits touchés à 80 % par les pluies acides), t. arables 4 272, pâturages 589, cult. en permanence 581, eaux 128, divers 6 463. **Conditions.** Très petites exploitations (40 % ont – de 50 ares) comparables à du jardinage. Souvent mélange de plantes qui fournissent 4 récoltes échelonnées par an. *Paysans à plein temps :* 4 millions. *Subventions :* 1 337 milliards de yens (5,6 milliards de $) en 1984. **Production.** *Riz brun :* 40,3 % des t. cultivées (82), dont 300 000 ha de terrasses en montagne ; 39 % du revenu des agr. Rendement : 5,69 t/ha ; prod. 12 934 000 t (89). *Blé* 985 000 t (89), *orge* 371 000 t (89). *Pommes de t.* 3 700 000 t (89) (Hokkaïdo), *patates douces* 1 330 000 t (89) (Kyushu). *Légumes verts* (10 % des t. cultivées), surtout au N. et au N.-E. de Honshu. *Légumineuses :* soja (2 % des t. arables, 275 000 t en 89), cult. traditionnelle, surtout à Honshu (O.), en régression. *Arbres fruitiers* (cult. récente en progression : 7 % des t. cultivées), surtout au S. de Honshu : pommes 1 075 000 t ; mandarines 2 072 000 t. *Betteraves et fourrage* (12 % des t. cultivées). *Tabac* 90 000 t (89). *Cultures arbustives* traditionnelles : thé 90 000 t (89) sur 60 000 ha (S.), mûrier à soie (130 000 ha, 61 000 t en 83), centre-E. de Honshu. *Horticulture.* Élevage (milliers de têtes, 89). Poulets 330 000, porcs 11 866, bovins 4 682, chèvres 40, moutons 27, chevaux 21. Forêts. *Production.* Env. 30 893 000 m³ (87). Reboisement en cours. Pêche. *Lieux* (%, 82). Haute mer 53,4, hauturière 18,3, côtière 18,2, élevage en eau salée 8,2 ; eau douce : pêche 1,1, élevage 0,8. Les pêcheries sont au N. (Hokkaido) et à l'O. (Honshu). Problèmes de frontières maritimes avec Corée, U.R.S.S., Canada, U.S.A., Australie. *Production* (millions de t, 87) : *total 88 :* 11,95, *87 :* 11,84 dont Pacifique 11,13, eaux territoriales 0,2, Atlantique 0,45, océan Indien 0,04. *Capture de baleines* (87) : 23 373. Poissons et crustacés représentent ¼ de la ration alimentaire.

Auto-suffisance alimentaire (en %). Riz 109, produits de la mer 99, légumes 95, lait et produits laitiers 86, viande 80, fruits 73, céréales 34, blé 9, légumes secs 9. *En calories : 1960 :* 79, *83 :* 52.

• Énergie. **Consommation.** Env. 422 millions de TEP (90) dont 80 % importés. *Origine* (%, 84) pétrole 59,7, charbon 17,7, barrages 5,5, gaz 9,1, nucléaire 8,5, divers 0,1 (sources intérieures 8,8, étrangères 19,2). **Perspective** (%, couverture des besoins *1990*). Pétrole 49,1, charbon 19,5, nucléaire 11,3, gaz nat. 11,5, barrages 5,1, divers 3,5. Le J. cherche à réduire sa consommation d'au moins 3 % et a imaginé plusieurs mesures pour éviter une utilisation massive des climatiseurs (les fonctionnaires ne sont plus astreints à la cravate...). **Pétrole.** *Consommation* (millions de t) *1978 :* 201, *85 :* 165, *90 :* 244. *Production* (millions de t) : *83 :* 0,492 ; *84 :* 0,430 ; *85 :* 0,534 ; *86 :* 0,630 ; *87 :* 0,607 ; *88 :* 0,589 ; *89 :* 0,559 ; *90 :* 0,540. *Importations* (millions de t) : *81 :* 230 ; *82 :* 214,7 ; *83 :* 207,8 ; *84 :* 183,4 ; *85 :* 197,2 ; *86 :* 187,9 ; *87 :* 158, *88 :* 165 ; *89 :* 178 ; *90 :* 194 (en milliards de $) *80 :* 52,8 ; *81 :* 53,3 ; *82 :* 46,3 ; *83 :* 40,1 ; *84 :* 39,4 ; *85 :* 34,6 ; *86 :* 19,5 (dépendance de l'étranger *1973* 2 % du PNB, *90* 0,7 %). **Charbon** (millions de t). *Réserves* 8 580 ; *prod. 37 :* 45,7 ; *80 :* 18 ; *83 :* 17 ; *84 :* 16,6 ; *85 :* 16,4 ; *86 :* 16 ; *87 :* 13 ; *88 :* 11,2 ; *89 :* 17 ; *import. 82 :* 78,5 ; *83 :* 75,1 ; *84 :* 87,8. **Gaz.** *Prod.* 2,1 milliards de m³ (90). **Nucléaire.** *Capacité* (milliers de MW). *1983 :* 17,3 (24 centrales), *87 :* 28 ; *90 :* 60 (soit 27 % de la prod.). **Électricité** (88). *Prod.* 791 milliards de kWh dont nucléaire 25,5 % (1991), 36 % (1995), hydraulique 12,5 %.

• Mines (milliers de t, 88). *Zinc* 147. *Fer* 96. *Pyrites de fer* 698 (84). *Manganèse* 6 (87). *Quartz* 13 973 (84). *Chaux* 165 957 (87). *Chromite* 9 508 t. *Cuivre* 16 666 t. *Plomb* 26 741 t. *Or* 7,3 t.

• Industrie. **Caractéristiques.** 1°) *Sont importées : matières premières* (coton, laine, bauxite, caoutchouc, nickel à 100 %, fer à 99,5 %, cuivre à 89,9 %, plomb à 79,7 %, zinc à 64 %, bois à 63,9 %), *sources d'énergie :* gaz (64,9 %), charbon (85,2 %), pétrole (99,8 %), uranium (100 %). *2°) Entreprises géantes (45 %) et ateliers familiaux (55 %).* 98 % ont moins de 100 ouvriers. *Zaibatsus* [(cartels) en milliards de $: 617. CA. prévu pour 1990 : 155]. Groupes *Mitsubishi* (52) ; *Mitsui* (48) ; *Dai-ichi Kangyo* (C. Itoh,

12, Kanematsu-Gosho, 12) ; banques *Fuji* (29 Stés dont Marubeni), 36 ; *Sumitomo* 25 ; *Sanwa* (39 Stés, dont Nissho-Iwai), 25. *3°) Bas prix :* facilités de transport (navires appartiennent aux zaibatsus). *4°) Robotique.* Ex. : Datsun : 2 500 000 voitures avec 24 000 salariés [BMW (All.) : 362 000 avec 43 000]. En 1991, 65 % des robots du monde sont au Japon/140 000 contre 137 000 aux USA. *5°) Formation générale élevée* (niveau minimal du recrutement chez Honda : bac. ; le Q.I. moyen des Jap. est le plus élevé du monde).

Localisation : côte (zone ind. de 1 000 km de long sur 10 de large) pour profiter des transports maritimes à bas prix. *Unités :* aciéries Shin Nittetsu à Muroran ; papier à Hokkaido ; chimie lourde à Kyushu ; microprocesseurs, surtout dans Kyushu (surnommé « île de Silicone ») et dans le N. de Honshu. *Productions* (%, 81) : Tokyo-Yokohama-Chiba (Keihin & Keiyo) 17,6, Osaka-Kobe (Keihanshin) 14, Nagoya (Chukyo) 11,8, N. de la région du Kanto (comprenant Utsunomiya, Mito, Nikko) 11,5, mer Intérieure 7,4, Kitakyushu 2,7.

Véhicules automobiles (en millions). *Production : 85 :* 7,65 ; *86 :* 7,8 ; *87 :* 7,8 ; *88 :* 8,2 ; *89 :* 13. *Exportations : 85 :* 4,4 ; *86 :* 4,5 ; *87 :* 4,5 ; *89 :* n.c. ; *90 :* 5,83 (dont USA 2,52, Europe 1,75). *Ventes en Europe : 88 :* 1,23, *89 :* 1,24. *Importations : 1985 :* 0,05 ; *87 :* 0,108 (dont Volkswagen 0,026, BMW 0,021). *Automobiles vendues au J. (31-3-1987/31-3-88) :* 4 528 000 (Toyota 43 %) dont 104 340 importées (d'All. féd. 78 500, G.-B. 7 500, Suède 5 000, U.S.A. 4 700, *France 4 500) 1989 :* 5 561 594 dont 182 168 importées. **Fonte** (millions de t). *86 :* 75,6 ; *87 :* 73,4 ; *88 :* 80,4. **Acier brut** (millions de t) : *1943 :* 7,6 ; *56 :* 11,1 ; *60 :* 22,1 ; *65 :* 41,2 ; *70 :* 93,3 ; *73 :* 120 (470 000 ouvriers) ; *81 :* 101,7 ; *82 :* 99,5 ; *83 :* 97,2 ; *84 :* 105,58 ; *85 :* 105,25 ; *86 :* 98,27 ; *87 :* 98,5 ; *88 :* 106,7. **Chantiers navals.** *Lancement* (millions de t) *1960 :* 1,7 ; *75 :* 18 ; *80 :* 6,2 (dont tankers 3,4), *82 :* 8,9 ; *83 :* 6,5 tjb. *84 :* 9,4. (concurrence coréenne) ; *87 :* 4,2 ; *88 :* 4,5. **Logements** *mis en chantier* (1987) 1 674 000. *Logement (1984) :* 4,74 pièces, 88,10 m², avec salle de b. 88,1 % ; % de propriétaires 62,3 ; loyer mensuel 1 625 yens par tatami (tatami = 1,62 m²). *Prix du m² du terrain* (record à Tokyo) : 2 500 000 F. **Production télévisions** 13 380 000. **Magnétoscopes :** 28 003 000.

Électronique. Matsushita Electric industriel, CA 43 milliards de $.

☞ C.A. de la pègre [11 familles principales, 86 000 Yakusas (membres actifs)] : 52 milliards de F. 41 % des patrons de grandes entreprises ont été rackettés par des m. de la mafia.

• **Transports (km).** **Routes** (87) 1 098 931 dont 50,4 % pavées, autoroutes *1987 :* 4 400, *1992 (prév.) :* 6 000. **Chemins de fer** 26 782 (87). La *J.N.R.* (Japan National Railways), créée 1872, (dette 195 milliards de $) a été privatisée (7 Stés) le 1-4-87. En 1985, elle avait transporté 7 millions de voyageurs, 69 millions de t de marchandises avec 276 774 employés. *Revenus* (milliards de yens) : 3 734, *dépenses :* 5 582, *déficit :* 1 848. **Parc auto.** (millions) tourisme *73 :* 14,5 ; *86 :* 28,6 ; commerciaux *73 :* 10,5 ; *86 :* 19,3.

Trafic. (86) *Passagers* (milliards de km/pass.) ch. de fer nationaux 198,3, privés 136,4 ; autocars 101 ; voitures de tourisme 398,2 ; tr. aériens 70,9. *Marchandises* (milliards de t/km) : fer 20,6 dont nationaux 20,1, route 216,1, mer 189,3, air 3,6. **Flotte march.** (en millions de tjb, 86) 35 (8 024 navires) dont pétroliers 11,6, pétroliers-cargos 1, minéraliers 11,2, grumiers 0,9, car-ferries 2,2 autres transp. spéciaux 1,5, cargo transp. de prod. chim. 0,4, méthaniers 1,4, porte-containers 1,8, cargos ordinaires 1,7, paquebots 1,1, autres navires spécialisés 0,2.

• **Tourisme.** **Sites.** *Tokyo :* jardin du palais impérial, temple Asakusa Kannon, sanctuaire Meiji Jingu, quartiers commerçants de Ginza, Shinjuku, Shibuya et Ueno ; *Nikko :* temple et pagodes, sanctuaire Toshogu dans la montagne ; *Kamakura :* grand Bouddha en bronze *(Daibutsu)* ; *Hakone :* parc national au pied du Mt Fuji, lac Ashinoko ; *Kyoto :* foyer de la culture j. traditionnelle, Pavillon d'or, ancien palais impérial et plus de 2 000 monuments historiques ; *Nara :* 1re capitale historique du J., temple Todaiji, la plus grande construction en bois du monde abritant le plus grand Bouddha en bronze du monde, sanctuaire Kasuga Taisha (milliers de lanternes de pierre et fer) ; *Divers :* Sapporo, Sendai, Yokohama, Osaka, Toba, Okayama, Kurashiki, Hiroshima, Matsuyama, Takamatsu, Beppu, Nagasaki, Miyazaki, Mt Aso. **Statistiques.** *Touristes j. à l'étranger* (en millions). *1960 :* 0,076 ; *70 :* 0,663 ; *80 :* 3,9 ; *85 :* 4,9 ; *89 :* 10. *Visiteurs* (milliers). *1960 :* 212 ; *70 :* 854 ; *80 :* 1 317 ; *89 :* 2 835 [dont (%) Corée 21,5, U.S.A. 18,8, Taïwan 18,6, G.-B. 6,3] ; *90 (est.) :* 3 200.

Balance du tourisme (milliards de $). *1970 :* – 0,08, *75 :* – 1,11, *80 :* – 3,9, *84 :* – 3,6, *85 :* – 3,7, *86 :* – 5,7, *87 :* – 8,7, *88 :* – 15,8, *89 :* – 19,3, *90 :* – 21,3.

• **Quelques problèmes liés à l'expansion.** **Avec U.R.S.S. :** Le « lobby » de la pêche veut récupérer les Kouriles du S. annexées par l'U. 1945 ; l'U. fait des difficultés pour les investissements en Sibérie (1 400 millions de $ depuis 1970) : refus de la concession du gaz de Yakoutie, rejet d'un projet de 3 milliards de $ pour l'oléoduc de Tyoumen. **Avec Asie du S.-E.,** le J. est accusé de colonialisme par Asean (Philippines, Thaïlande, Indonésie, Malaisie, Singapour), car il importe les matières premières et n'exporte pas sa technologie. **Avec le tiers monde :** aide j. faible (0,3 % du P.N.B.), + 10 milliards de $., étant décidé à ne faire que des investissements rentables. **Avec « zone économique du Pacifique » :** autres États riverains industrialisés s'effraient de l'expansion écon. du J.

• **Commerce extérieur.** **1°) Jusqu'à 1979.** *a) Faiblesse par rapport au P.N.B. ; de 1975 à 79,* les exportations fr. sont égales aux exp. jap. (et même supérieures). *b) Coûts élevés par suite de la surévaluation du yen.* Sa hausse en 1978 avait mis les salaires j. au niveau des s. fr. et am. (contre ¼ des salaires fr., $^1/_{10}$ des am. en 1958). La concurrence sur les prix ne joue plus. **2°) A partir de 1985.** La hausse du yen par rapport au $ (+ 63 % en 2 ans) provoque une baisse des export. (– 3,5 %) et une relance des import. (+ 19 %) en volume, mais un excédent en dollars (+ 80 %) en 1986 en dépit de l'effort des exportateurs pour baisser leurs prix (– 15 % en yens en 1986). **3°) Caractéristiques permanentes.** *a) Imp. encore faibles* en valeur, mais évoluant rapidement (40 % de produits manufacturés en 1987). *b) Protectionnisme « psychologique » :* le consommateur j. se méfie des produits étrangers (d'où l'impossibilité de conclure des accords antiprotectionnistes avec d'autres pays). *c) Commerce triangulaire :* le J. compense son déficit avec les vendeurs de matières 1res (Australie, Malaisie, O.P.E.P.) en vendant des produits finis aux pays industrialisés [ex. de taux de couverture (86) : P.-B. 5,6 ; C.E.E. 2,2 ; R.F.A. 2,4 ; *Fr. 1,7 ;* U.S.A. 2,8 ; Corée du S. 2 ; Taïwan 1,7].

Commerce (milliards de $). **Exportations :** *1980 :* 126,7 ; *81 :* 149,5 ; *82 :* 137,6 ; *83 :* 146,9 ; *84 :* 170,1 ; *85 :* 182,6 ; *86 :* 209,1 ; *87 :* 229,22 ; *88 :* 264,92 ; *89 :* 286,9 dont (88) machines et mat. de transport 183,76, demi-prod. 35,21, divers produits manuf. 24,17, prod. chimiques 13,96, matières brutes (hors fuels) 1,76, prod. alim. et animaux vivants 1,57, fuels minéraux 0,6, divers 3,6, *vers* (en %) U.S.A. 33,8, All. féd. 6, Corée du S. 5,8, Taiwan 5,4, Hong Kong 4,4, G.-B. 4, Chine 3,6, Singapour 3,1, Australie 2,5, Canada 2,4. *89 :* 273,6. *Part des exportations mondiales j.* (%, 83). Appareils photos (24 × 36) 84, magnétoscopes 84, montres-bracelets 82, calculatrices 77, fours à micro-ondes 71, combinés téléphoniques 66, motocyclettes 55, TV couleur 53, piles électr. 31, mach. à laver 26, réfrigérateurs 21. **Importations** (milliards de $) : *1980 :* 124,7, *81 :* 129,5, *82 :* 119,5, *83 :* 126,4, *84 :* 136,5, *85 :* 129,5, *86 :* 126,4, *87 :* 149,4, *88 :* 187,4, *89 :* 210,8 dont fuels minéraux 38,4, matières brutes (hors fuels) 27,6, demi-prod. 27,3, prod. alim. et animaux vivants 27, machines et mat. de transport 24,7, divers prod. manuf. 18,7, prod. chimiques 14,8, divers 6,2, *de* (en %, en 1988) U.S.A. 22,4, Corée du S. 6,3, Australie 5,5, Chine 5,3, Indonésie 5,1, Taiwan 4,7, Canada 4,4, All. féd. 4,3, Arabie S. 3,4.

Commerce franco-japonais (milliards de F). *Exportations : 1981 :* 5,5, *82 :* 7,1, *83 :* 8,2, *84 :* 9, *85 :* 10,7, *86 :* 11,2, *87 :* 13,2. *Importations : 1981 :* 14,9, *82 :* 20, *83 :* 20,9, *84 :* 23,8, *85 :* 26,9, *86 :* 32,2, *87 :* 36,1.

• **Présence japonaise en France.** 25 000 Jap. immatriculés (dont env. 1 500 artistes peintres), 90 usines représentant 61 sociétés, 9 banques, 12 représentations de Stés de commerce et bureaux de brokers, 78 restaurants.

• **Investissements français au Japon** (millions de $) *dep. 1951 :* 257, *89 :* 25, *90 :* 27. **Japonais en France.** *dep. 1951 :* 3,4, *89 :* 1.

• **Sociétés.** **1res entreprises** (C.A. en milliards de yens, en 1986/87). Tokyo Electric Power 520. Toyota Motor 480. Nomura Securities 431. NTT 413. Cnupu Electric Power 319. Kansai Electric Power 318. Daiwa Securities 246. Bank of Japan 235. Fuji Bank 226. Dai-ichi Kangyo Bank 211. Nikko Securities 209. Le *keidanren* est la principale organisation patronale.

1res sociétés exportatrices (1986, C.A. des export. en milliards de $ et, entre parenthèses, % des export. par rapport au C.A.) Toyota Motor 17,7 (45). Nissan Motor 16,5 (60). Honda Motor 11,8 (65). Matsushita Electric 9,3 (33). Hitachi 9 (30). Mazda 7,1 (66). Toshiba 6,6 (31). Sony 5,7 (68). Mitsubishi H.V. 5,2 (26). NEC 4,7 (29).

Sogo Shosha (maisons de commerce général). **Chiffres d'affaires** (en milliards de yens, 1987). Total, entre parenthèses au Japon. 91 181 (40 914) dont C. Itoh 14,92 (8,56), Mitsui 14,13 (6,09), Sumitomo 13,69 (6,88), Marubeni 13,20 (5,48), Mitsubishi 12,28 (5,66), Nissho Iwai 10,13 (3,38), Tomen 4,62 (2,21), Nichimen 4,29 (1,33), Kanematsu-Gosho 3,88 (1,2). Plusieurs *syndicats du crime* dont le Yamaguchi-gumi, région d'Osaka fédérant 400 bandes (21 000 employés, les Yakusas, C.A. env. 20 milliards de F.), Sumiyoshi-rengo et Inagawa-kai (Tokyo).

• **Balances** (milliards de $). **Commerciale.** *1984 :* + 44,3, *85 :* + 56, *86 :* + 92,83, *87 :* + 96,38, *88 :* + 94,79, *89 :* 64,3, *90 :* 52,4 (dont 38 avec USA). **Année budgétaire** (1-3/1-4) : *1986-87 :* 89,7, *87-88 :* 89,7 (dont avec U.S.A. 50,8, C.E.E. 20,1). **Paiements courants.** *1984 :* + 35, *85 :* + 49,2, *86 :* + 85,85, *87 :* + 87,01, *88 :* + 79,49, *89 :* + 56,9. **Capitaux à long terme.** *1985 :* – 64,5 (du fait investissements à l'étranger ou en valeurs étrangères, notamment en obligations des U.S.A.), *1986 :* – 131,46, *87 :* – 136,53, *année budgétaire : 1985-86 :* – 73,1 ; *86-87 :* – 144,9). **A court terme.** *1985 :* – 0,930, *86 :* – 1,6, *87 :* 23,86. **Balance globale.** *85 :* 12,32 ; *86 :* – 44,76 ; *87 :* 29,54 ; *88 :* 16,52 ; *89 :* – 12,7.

• **Rang dans le monde** (89). 1er pêche, constr. nav., constr. autom., semi-conducteurs, exportateurs de produits alim. 2e acier. 3e électricité, Flotte. 8e riz, thé. 9e argent. 12e porcins, 14e p. de terre.

JORDANIE

Carte p. 1004. V. légende p. 837.

Situation. Asie. 97 740 km² (en comptant la mer Morte) dont 5 900 km occupés par Israël. *Côte :* 25 km (golfe d'Akaba). *3 régions :* plateau plat et désertique à l'E. ; partie montagneuse avec 2 plateaux ; fossé descendant jusqu'à 300 m au-dessous de la mer (le Ghor, fossé de la mer Morte). **Climat.** Méditerranéen sec à l'O. d'Amman, désertique à l'E. *Pluies :* 400 mm (htes terres), 200 (fossé), – de 50 (désert). *Temp. moy. :* htes terres (7 °C l'hiver à 33 °C l'été), vallée (14 à 40 °C). *Alt. max.* s. du Djebel Rom 1 754 m.

Population. *1989* 3 100 000 h. [2 800 000 en Transjordanie (dont 1 680 000 réfugiés palestiniens) 800 000 en Cisjordanie occupée] dont Arabes, Bédouins, Kurdes circassiens ; *prév. 2000 :* 6 400 000. **Âge.** *– de 15 a.* 50 %, *+ de 65 a.* 3 %. D. 31,7. **Pop. urb.** 70 %. **Villes** (89) : *Amman* 1 080 500, Zarqa 436 000 (à 23 km), Irbid 291 000 (à 88 km), Salt 148 000, Aqaba 44 000, Mafraq 27 780 (86). **Émigration.** 800 000 en 87 dont 330 000 actifs dont 85 % (au 1-1-90, 280 000) dans les pays du Golfe, All. féd. **Immigration.** 200 000 (87) dont 120 000 Égyptiens ; Pakistanais, Syriens, Libanais, Philippins, Sri Lankais. **Étrangers** (1990) : 8 000.

Langue. Arabe *(off.)*, anglais 30 %. **Religions.** Musulmans sunnites 93,6 %, chrétiens 5 % (env. 120 000 en Transjordanie). Partie de la Terre sainte (*Mt Nebo :* où mourut Moïse, *Jourdain :* où Jésus fut baptisé, *Makaur :* où Hérode fit décapiter Saint Jean-Baptiste).

Histoire. **XVIIe av. J.-C.,** pays des Amonites (Sémites araméens proches des Hébreux), cap. Rabbath Ammon (Amman). **V. 1100** conquis par Séhon, roi des Amorrhéens (Sémites chananéens). **Xe s.** par Hébreux qui installent 3 tribus sur la rive g. du Jourdain : Manassé, Gad et Ruben (plateau de Galaad). Les Ammonites resteront en guerre contre les Hébreux jusqu'en 70 apr. J.-C. **V. 400** Nabatéens (Sémites proches des Hébreux) fondent Pétra. **312** le roi gréco-égyptien Ptolémée II annexe Amman qui est appelée Philadelphie. **105 apr. J.-C.** Trajan annexe le pays, qui devient prov. d'*Arabie Pétrée* (cap.Pétra). Une voie romaine relie Pétra à Gerasa (Djerach). **395-620** archevêché byzantin. **620-1100** occupation arabe, désertification. **1100-1150** « Princée » (principauté) chrétienne d'Outre-Jourdain (Pétra devient Val Moïse ; Kérak nommé Pétra). **XVIe s.** contrôle ottoman. **1916** soulèvement contre Turcs grâce au Cl Lawrence (1888-1935). **1920** séparée du mandat de Palestine, devient émirat de Transjordanie, avec Abdullah ibn Hussein pour émir. **1924** reçoit région de Maan et d'Akaba (relevant avant du Hedjaz). Indépendance sous mandat brit. (15-5-1923/22-3-1946). **1930** émir Abdullah (1880/20-7-1951) annexe rive occ. du Jourdain. **1945**-*22-3* est un des 7 États fondateurs de la Ligue arabe. **1946**-*25-5* Adbullah couronné roi. **1948**-*14-5* G.-B. renonce au

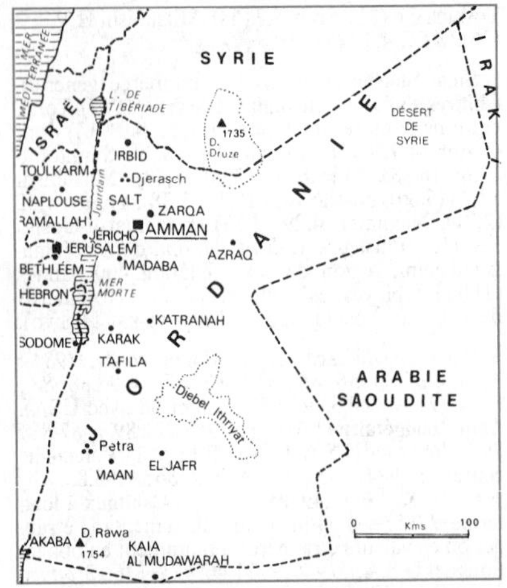

mandat sur Palestine ; g. d'Israël (V. Index). La J. incorpore les régions palest. tenues par Légion arabe et devient *Roy. hachémite de J.* **1950** après élections gén. *(24-4)* annexion définitive de Cisjordanie. **1951**-*20-7* Abdullah qui s'est proclamé le 1-12-50 souverain de l'unité palestino-jordanienne assassiné par Palestinien dans la mosquée Al-Aksa ; *-5-9* son fils Talal († 1972) lui succède. **1952**-*11-8* Talal déposé pour maladie mentale, remplacé par son fils Hussein.

1956-*2-3* Glubb Pacha [Sir John Bagot, G^al^ angl. (1898-1986)], fondateur de la Légion arabe, créée par le cap. Peake en 1923, renvoyé ; tr. anglo-j. abrogé. **1957** attentat manqué contre roi Hussein. **1958**-*14-2* Féd. arabe avec Irak (dénoncée par Irak en *juill.)*. **1967** *juin, g. des 6 j. avec Israël,* qui occupe secteur j. de Jérusalem et Cisj. (200 000 nouveaux réfugiés pal. en J. 10 000 † j. sur 55 000 soldats engagés). **1970** affrontement fedayins/armée j. *Juin et 17-9/6-10 (septembre noir)* : 3 440 †. *-13-10* accord Hussein-Arafat. *Nov.-déc.* affrontements. **1971**-*13-1* accord. *Févr.-mars* affrontements. *Avril* fedayins quittent Amman. *Juill.* les troupes j. les contraignent à abandonner le N. ; plus de résistance armée en J. ; Syrie, Irak et Algérie rompent relations dipl. avec J. *-28-11* Wasfi Tall, PM, assassiné au Caire (par des fed. de Septembre noir). **1972**-*15-3* plan Hussein : « Royaume ar. uni », féd. Pal. et J. ; refus des fed., de pays ar. et d'Israël. **1973** *sept.-oct.* relations dipl. avec Égypte, Syrie, Tunisie et Algérie rétablies. *G. du Kippour :* oct. la J. envoie brigade blindée sur front syrien mais refuse d'ouvrir un 3e front. **1974**-*26-10* sommet de Rabat : OLP seul représentant palestinien. Chambre suspendue. **1975**-*11-6* rencontre Hussein-Assad (Pt Syrie). **1978**-*22-9* Hussein-Arafat (OLP) à Mafraq. **1980**-*30-7 Chambre dissoute.* **1982** *janv.* des volontaires j. aident Irak contre Iran (brigade Yarmouk). *-1-9* Pt Reagan pour un autogouvernement des Pal. de Cisjordanie et de Gaza avec J. *-6-10* amnistie pour 136 Pal. condamnés 1970. **1984**-*9-1* reprise vie parlementaire. *-9/11-7* Pt Mitterrand en J. *-13-7* accord avec Irak pour construction oléoduc de Haditha (Irak) à Akaba (500 000 barils/j puis 1 000 000) ; (plus tard l'Irak renonce). *-9/11-10* Pt égypt. Moubarak en J. **1985**-*11-2* accord avec OLP. (V. Index). **1986**-*7-7* fermeture de 25 bureaux de l'OLP. **1987**-*20-4* OLP abroge l'accord du *11-2-85 ; 11-11* sommet arabe extraordinaire d'Amman. **1988**-*31-7* Hussein rompt liens légaux et administratifs avec Cisjordanie (indemnité 30 millions de $ par an aux 24 000 fonctionnaires, aide au développement de 80 millions de $, bénéfice de la citoyenneté j.). **1989** *janv.* Arafat et Hussein inaugurent ambassade de Pal. *-18/22-4* émeutes vie chère (8 †). *Juil.août* rééchelonnement dette (dont 200 millions de $ sur 2 ans envers URSS). *Nov.* dinar j. a perdu 50 % en 1 an. *-23-11* Leila Sharaf 1re femme sénateur (avait démissionné 1984 de son poste de min. de l'Information). *-9-11* législatives Mourad député nationaliste [ancien terroriste condamné 1969 pour attentat contre El Al à Athènes (1 †)]. **1990**-*17-11* Abdelatif Aralyat (m. des Frères musulmans) élu Pt de l'Ass. **1991** *janv.* guerre du Golfe, 120 000 travailleurs rentrent du Koweït (250 000 avec leur famille) : embargo sur pétrole (doit s'approvisionner en Irak). *-6/15-2* accord rééchelonnement dette avec URSS, France et Autriche.

Statut. Monarchie islamique. **Roi** Hussein Ier (14-11-35) dep. 11-5-52. Ép. 1° (19-4-55) Sharifa Dina Abdel Hamid Al-Aun (1929) divorce 1957, dont [1 fille : Alya (13-2-56) mariée 1977 à Nasr Wasfi Mirza (1951) dont : 1 fils Hussein]. 2e (25-5-61) Mouna [Antoinette Avril Gardiner (Angl. 1941)] divorce 1972, dont [2 fils : Abdallah (1962), Fayçal (1963) et 2 filles jumelles : Zein et Ayeshia (1968)]. 3e (26-12-72) Alia Bahia Eddin Toukan (1948-77), dont [2 filles : Haya (1974), Abir (1972, adoptée 1976), 1 fils : Ali Ibn Hussein (1975)]. 4e (15-6-78) Noor (fille de lumière) [Elisabeth Halaby (Amér. 1951, père d'or. liban.)] dont [2 fils : Hamzah (1980), Hashem (1981) et 2 filles : Iman (1983), Raya (1986)]. **P^ce^ héritier** Hassan (3e fils de Talal et frère de Hussein n. 1-4-1948) dep. 1-4-65. **PM** Taher Masri dep. 19-6-91 [avant Moudar Badrane dep. 4-12-89, ancien PM de 1976 à 79 et de 1980 à 84, (avant Zaïd Rifaï (n. 1936) dep. 4-4-85)]. **Sénat** 40 m. nommés par le roi. **Chambre des députés** 80 m. élus pour 4 a. **Conseil national consultatif** créé 24-4-78, 70 m. nommés par le roi pour 2 ans, dissous en janv. 84. **Partis** dissous dep. 1957 (1953 pour le P. communiste, secr. général Yacoub Zayadine) ; *Frères musulmans* [considérés comme une association, tolérée (soutien du trône dans les années 50), aidés par pays du Golfe]. **Élections :** *de 1967 à 1989* pas d'él. générales. *1989 (8-11)* chambre des dép. (scrutin uninominal à 1 tour). Candidats officiellement sans appartenance politique ; femmes autorisées à voter pour la 1re fois (droit obtenu en 1974). Electeurs 876 000, abstention 47,7 %. Sièges : formations proches monarchie 47, opposition 33 dont islamistes 31 (frères musulmans 20, indépendants 5), P. populaire démocr. (branche du FDLP de Nayef Hawatmeh) 1, FPLP 1. **Drapeau :** adopté 1921 : bandes noire, blanche et verte ; triangle rouge avec étoile blanche à 7 branches (1ers versets du Coran).

Nota. – La J. vit sous des mesures d'urgence (dep. 1935) et de la loi martiale (dep. 1967).

Économie

P.N.B. (89) 1 450 $ par h. **Pop. active** (%), services 72,1, ind. 20,3, agr. 7,6 – 650 000 pers. (350 000 expatriés). **Chômage** 11 (89), 21 (90), 30 (91). **Inflation** (%). *1980 :* 11,1 ; *81 :* 7,7 ; *82 :* 7,4 ; *83 :* 5 ; *84 :* 3,8 ; *85 :* 3 ; *86 :* 0 ; *87 :* 0 ; *88 :* 17,3 ; *89 :* 30,3 ; *90 :* 9,7. **Revenus rapatriés par les émigrés** (millions de $) *89 :* 600. **Aide arabe** (millions de $). *1989 :* 430, *90 :* 550. 400 millions de $. **Dette ext.** (milliards de $) : *1987 :* 3,7, *89 :* 7,4, *90 :* 8,3. **Service de la dette** (milliards de $). *1991 :* 1,3.

Agriculture. *Terres* (milliers d'ha, 86) arables 1 190, cult. 250 (89), pâturages 100, forêts 73 (89), eau 56, divers 8 113. Le désert représente env. 80 % de la superficie. *Prod.* (milliers de t, 89) tomates 250, melons et pastèques 66,4, blé 54,5 (10 en 84 : sécheresse), aubergines 43,8, olives 25,6, concombres 52,5, citrons (85) 48,3, orge 20,5 (50 en 84), courges 21, lentilles (85) 4,1. **Forêts.** 9 000 m³ (85). **Élevage** (milliers de têtes, est. 89). Volailles 11 500, moutons 1 523, chèvres 475, bovins 28,9, ânes 19 (88), chameaux 18,3, mulets 3, chevaux 4,3. **Pêche.** 17 t (83), 1,5 (84).

Énergie. **Électricité :** *production :* 3,5 milliards de kWh (1988) (à partir du pétrole). **Pétrole :** *prod. :* 340 barils/j. (89) (Hamzeh). *Schistes bitumineux. Réserves :* 1,1 milliard de t. **Gaz** (milliards m³) : *réserves :* 11. *Prod. (89) :* 0,001. **Mines.** *Phosphates :* réserves 1,2 milliard de t ; prod. (89) 5 800 000 t. *Potasse* (89) 1 320 000 t (capacité de production 7 000 000 t). **Industrie.** *Engrais* phosphatés à Aqaba (88) 615 000 t. *Prod. alim. Cigarettes. Ciment* (89) 1 500 000 t. **Place financière** dep. la guerre du Liban. **Balance des paiements** (en millions de $). *1988 :* + 200, *89 :* – 100, *90 :* – 630.

Transports (km, 89). Routes 5 865 dont 2 548 d'autoroutes et routes nationales, chemins de fer 618, 250 000 véhicules. Port d'Aqaba 14 millions de t en 1990. **Tourisme.** *Visiteurs* (89) : 603 000. *Sites :* Amman, Pétra (tombeaux, chapelles funéraires, temples, palais découverts) à 235 km au S. d'Amman, Aqaba, Djerach, Madaba (mosaïque), Kerak (forteresse), Mt Nebo, monuments romains, voir p. 992, 993.

Commerce (millions $, 89). *Exportations* 2 400 *dont* mach. et équip. de transp. 550, prod. énerg. 408, prod. alim. 388, prod. chim. 233, div. 818 *vers* Irak 215, Inde 165, Arabie S. 85, Roumanie 46, Pologne 27, *France 17,4. Importations* 1 100 *dont* phosphates 254, potasse 123, engrais 120, prod. pharm. 52, légumes 48, ciment 12,8, div. 491 *de* Irak 370, E.-U. 295, *France 224,* All. féd. 135, G.-B. 128, Japon 80, Arabie S. 55. **Balance commerciale.** *1989 :* – 1 300. *90 :* – 1 200. **Services** *1989 :* 500. *90 :* 170 + transferts unilatéraux *1989 :* 650. *90 :* 400. **Paiements** *1989 :* – 100. *90 :* – 630.

Rang dans monde (88). 6e phosphate. 8e potasse.

KENYA

Carte p. 1005. V. légende p. 837.

Situation. Afrique. 582 646 km² dont eaux intérieures 13 395, parcs nat. 25 335, divers 543 917. *Frontières* 3 146 km : Tanzanie 706, Ouganda 680, Soudan 240, Éthiopie 820, Somalie 700. *Côtes* 608 km. *Alt. max.* Mt Kenya 5 199 m. **Climat** équatorial tempéré par l'alt. *Mois les plus chauds :* déc. à mars ; *les plus frais :* juin à août (15 à 25 °C). *Saison des pluies :* avril à juin (long rains), oct.-déc. (short rains). **Régions :** *côte* (tropical et humide, temp. 28 à 30 °C), plages de sable, cocotiers ; *savane* (petits buissons épineux, pluies 254 à 508 mm) ; *Rift Valley* (du lac Turkana, 6 405 km², au N., à l'océan Indien) ; *hauts plateaux* (la plus riche région agricole, monts Aberdare et Kenya, pluies 2 032 mm) ; *lac Victoria* 3 755 km² (dont îles 2 145 km² dont au Kenya 212), équatorial, pluies 2 032 mm ; Nord et N.-E. (semi-désertiques, pluies : 254 mm).

Population (en millions). *1962 :* 8,6, *69 :* 10,9, *79 :* 16,14, *89 :* 23,2, *2 000 (prév.) :* 38,53. *En 1979 :* 16,14 dont Kenyans 15,44 (dont en % Kikuyu 19,84, Luhya 13,13, Luo 12,11, Kamba 10,69, Kalenjin 10,23, Kisii 5,84, Mijikenda 4,54, autres 3,55). Étrangers 0,18 (dont Africains 0,071, Asiatiques 0,040, Européens 0,035, Arabes 0,020). **Taux (%)** *croissance :* 3,7 ; *natalité* 5,5, *mortalité* 1,7. **Âge.** *– de 15 a. :* 51 %, *+ de 65 a. :* 2 %. D. 39,8. **Analphabètes** *(1976-79) :* 65 %, *(1985) :* 41 %. **Espérance de vie** *(1989) :* 59 ans. **Villes** (est. 84) : *Nairobi* 1 200 000 env. (89) (1 661 m d'alt., 500 km de la côte), Mombasa 600 000 env. (89) (à 494 km de Nairobi), Kisumu 167 100 (à 338 km), Nakuru 101 700 (à 156 km). *Taux d'urbanisation :* 13 % (88). **Langues.** Swahili (*off.* dep. 1974), anglais (longtemps off.). + de 250 tribus regroupées en 16 groupes ethniques parlent leur propre langue. **Religions** (en %) : chrétiens 50 [catholiques : 25 % de la pop., 1 800 prêtres (dont 700 K.), 2 500 religieux, protestants 25], animistes 25, musulmans 10, sectes hindoues 1.

Histoire. **VIIe s.** côte occupée par Arabes. **1498** Vasco de Gama établit à Matindi col. portugaise pendant 2 s. **(XVIe-XVIIe s.),** chassée par Arabes après la chute de Fort-Jésus à Mombasa. **1888** concession de territoires à la British East African C^y^. **1895** transfert à la Couronne brit. **1952**-*20-10*/**1956** *oct.* révolte des Mau-Mau (Sté secrète recrutée parmi les Kikuyus : chacun fait serment de tuer un Blanc au signal convenu) ; + de 13 000 † (Mau-Mau 11 500, Kikuyus loyalistes 2 000, civils européens 30, Indiens 19, forces de l'ordre 500). *-21-10* Dedan Kimathi, dernier chef capturé (pendu 13-2-57). **1960** *mai* formation du KANU. **1961** *août* Kenyatta libéré. **1963**-*12-12* indépendance. **1964**-*12-12* Rép. **1967** Gal Barre, Pt de la Somalie, renonce à toute revendication sur N.-E. du K. **1969** Tom Mboya assassiné. Partis interdits, sauf KANU. **1975**-*2/3-3* J.M. Kariuki (ancien assistant ministre) assassiné. *-4-3* attentat à Nairobi (27 †). **1977** *mars* fermeture frontière avec Tanzanie (soutenue par Pékin). **1978**-*22-8* mort du Pt Mzee (« l'Ancien ») Jomo Kenyatta (« le javelot flamboyant », 1890-1978). **1978**-*1-1* attentat hôtel Norfolk, 13 †. **1982**-*1-8* coup d'État (aviation) échoue, 200 à 500 †, 3 000 arrestations (le chef, Ochuka, sera pendu le 9-7-85), env. 200 millions de $ de dégâts (mise à sac des magasins de Nairobi). **1984** *juil.* Pt Arap Moi en Somalie (1re visite d'un chef d'État k. au S.). **1985**-*11/18-8* 43e Congrès eucharistique mondial (le 1er en Afr. noire). **1987** *déc.* incidents de frontière avec Ouganda, plusieurs †. **1988**-*13-4* 192 tués par voleurs de bétail venus du Soudan. **1989**-*6-7,* 2 touristes français tués par braconniers dans une réserve. *-18-7* K. détruit ses réserves d'ivoire (12 t). *-21-8* Georges Adamson (n. 1906), spécialiste des lions, assassiné par braconniers. **1990** *févr.* Robert Ouko, min. Aff. étr., tué. *-7/12-7* émeutes (22 †). *-14-8* évêque anglican Alexander Luge tué (menacé de mort par le min. du Travail Peter Okondo). *-3/4-12* réforme envisagée avec maintien monopartisme. **1991**-*1-3* naufrage de réfugiés somaliens (175 †).

Statut. Rép. membre du Commonwealth. *Constit.* de 1963, révisée 69. *Pt* (élu pour 5 a. au suffrage univ.) Daniel Toroich Arap Moi (n. sept. 1924, ethnie Kalenjin) dep. 10-10-78. *Ch. des repr.* élue p. 5 a. 188 m. élus au suffr. universel, 12 désignés par le Pt, 2 m. mandants ex officio. **Provinces :** 8. **Parti unique** KANU (Kenya African National Union, modéré) f. 1960. **Fêtes nat. :** 1-1, 1-5 (travail), 1-6 (Madaraka Day), 1er j. du Ramadan, 20-10 (Kenyatta Day), 12-12 (indép.), 25 et 26-12. **Drapeau :** adopté 1963. Bandes noire, rouge (avec lisérés blancs) et verte ; bouclier masaï et lances croisées représentent la défense de la liberté.

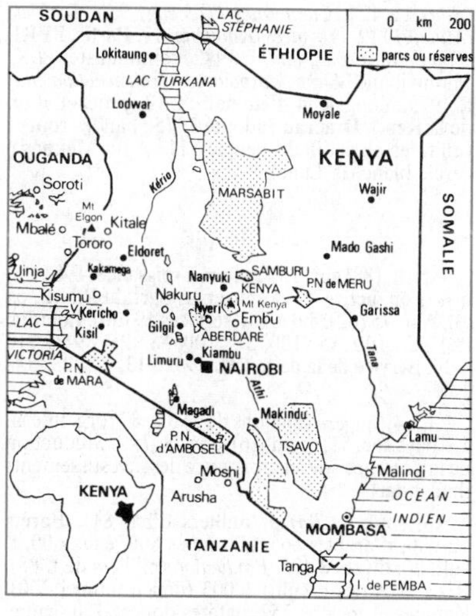

Économie

P.N.B. ($ par h.) *1982 :* 390, *83 :* 340, *84 :* 288, *85 :* 290, *89 :* 293. **Pop. active** (%, entre parenthèses part du P.N.B. en %). Agr. 76 (28), ind. 10 (13), services 14 (47). **Chômage :** *89 :* env. 12 %. **Inflation** (%). *85 :* 13 ; *86 :* 5,7 ; *87 :* 8,5 ; *88 :* 11 ; *89 :* 10,4. **Dette ext.** 5,4 milliards de $ (89). **Remises de dettes** (en millions M) *1988 :* Canada 109 M US $, G.-B. 70 M £, Pays-Bas 20 M US $, *89 :* All. féd. 800 M DM, France 924 M F. En février 90, la France a annulé la dette du K. d'avant le 31-12-88 (1,33 milliard de F). **Aide** *G.-B.* (1988) 480 millions de F. **USA.** 15 millions de $ (suspendue), *humanitaire* (1990) 55 millions de $.

Croissance (en %). *1982 :* 2,4, *83 :* 3,1, *84 :* 0,9, *85 :* 4,1, *86 :* 5,7, *87 :* 4,8, *88 :* 5,2, *89 :* 4,9.

Agriculture. *Terres* (milliers d'ha, 81). Pâturages 3 760, forêts 2 500, t. arables 1 830, eaux 1 340, cult. 486, divers 48 349. *Production* (milliers de t, 89). Canne à sucre 4 261, céréales 3 462, maïs 2 925 (60 % des terres arables), manioc 500 (86), patates douces 380 (88), p. de t. 300, blé 258, thé 180, sorgho 130 (86), pyrèthre 120 (86) (70 % de la prod. mond., util. pour insecticides), café 113, millet 60, riz 54 (86), coton, sisal 43, fruits. **Forêts** 36 214 000 m³ (87). **Élevage** (millions de têtes, 88). Volailles 23, bovins 13 (89), chèvres 8,5, moutons 7,3, porcs 0,1, chameaux 0,79. **Pêche.** 124 650 t (87).

Mines (milliers de t, 88). Cendre de soude 220, sel 94,6, fluor 67, or 17 kg. **Hydroélectricité.** Autosuffisance (1988) avec barrage de Kiambere (700 MWh). Celui de Turkwell opérationnel 1991. **Industrie :** alimentaires ; raff. de pétrole.

Transports (km). Routes 54 820 (conduite à gauche), chemins de fer 2 733. **Tourisme.** 714 900 vis. (89), 287 hôtels (88). *Réserves :* Masaï-Mara (créée 1961, 1 792 km², dont 512 de réserve), Samburu et Buffalo Springs (385 km²), Olambwe Valley, Maralal. *Parcs nationaux :* Aberdare (créé 1949, 384 km²), Amboseli (380 km²), Marsabit (360 km²), Meru (870 km²), Mont-Elgon (360 km²), Mont-Kenya (584 km²), Nairobi (1947, 117 km²), Rudolf (1 570 km²), Tsavo (20 767 km²), éléphants (*1969 :* 24 000, *88 :* 4 327), rhinocéros (*1970 :* 600, *88 :* 30). *Lacs :* Baringo, Bogoria, Naivasha, Nakuru (46 km²), Turkana, Victoria. *Ile :* Lamu (20 mosquées).

Commerce (en millions de $, 1989). *Exp.* 882 dont (en %) café, thé, prod. pétr., cuirs et peaux, ananas, carbonate de soude, haricots, sisal *vers* G.-B. 19,4, All. féd. 8,7, Pays-Bas 4,8, USA 4,8, Italie 2,6, *France 2,* Japon 1,1. *Imp.* 1 864 dont mach. ind., pétrole, véhicules, fer et acier *de* G.-B. 15,6, U.A.E. 11,3, Japon 10,9, All. féd. 8,8, *France 8,7,* USA 7,3.

KIRIBATI (prononcer Kiribas)

Carte p. de garde. V. légende p. 837.

Situation. Pacifique. 861 km². 68 207 h. (88), Micronésiens. **3 groupes d'atolls** (33) de corail. Étendue : E.-O. 3 780 km, N.-S. 2 050 km. **16 îles Gilbert :** 295 km² dont *Makin* 1 419 h., *Butaritari* 3 149 h., *Marakei* 2 335 h., *Abajang* 3 447 h., *Tarawa* 22 148 h., *Maiana* 1 688 h., *Abemama* 411 h., *Kuria* 803 h., *Aranuki* 850 h., *Nonouti* 2 284 h., *Tabiteuea* 4 157 h., *Beru* 2 212 h., *Nikunau* 1 829 h., *Onotoa* 2 034 h., *Tamana* 1 349 h., *Arorae* 1 527 h. **8 îles Phénix :** 55 km², pas de pop. permanente ; *Birnie, Rawaki, Enderbury, Canton, Manra, Orona, Mc-Kean, Line.* **8 des 11 îles de la Ligne,** 329 km² (les 3 autres dépendant des U.S.A.) dont 3 habitées : *Teraina* 416 h., *Tabuaeran* 434 h., *Kiitimati* 1 265 h. **Une île volcanique :** *île Océan ou Banaba,* 5 km², 300 h. D. 79,2. **Capitale :** Tarawa-City 21 191 h. (85).

Langues. Anglais *(off.)* 75 %, gilbertais. **Religions.** Catholique, protestante.

Histoire. 1606 découvertes par l'Espagnol *Quiros,* appelées îles du Bon-Voyage. **1892** protectorat brit. **1915** colonie. **1939** 3 îles de l'archipel Phénix (Canton, Enderbury et Hull) passent sous administration américano-brit. **1942** occupation jap., massacre des habitants d'Océan. **1943** Tarawa ravagée par combats. **1945-48** Christmas utilisée par Brit. et Amér. pour expériences nucléaires. **1971**-*31-12,* îles Gilbert, Ellice et Line, séparées du Ht-Commissariat du Pacifique occidental résidant à Honiara (Salomon). **1975**-*7-10,* îles Ellice (Tuvalu) font sécession. **1979**-*12-7* indép. sous le nom actuel.

Statut. République. Membre du Commonwealth. *Const.* du 12-7-79. *Pt* Ieremia Tabai (n. 16-12-50) dep. 12-7-79. *Assemblée* 36 m. dont 1 nommé. **Drapeau :** adopté 1979 : frégate (oiseau) survolant le soleil et la mer.

Ressources (88). Phosphates (quasi épuisés), noix de coco 90 000 t, coprah 14 406 t, bananes 5 000 t, artisanat. *Pêche* (87) 43 868 t. *Élevage* porcs 10 000, poulets 177 000 (82).

Commerce (millions de $ australiens, 88). *Exp.* 5,85 *dont* coprah 4,2, pêche 1,6. *Imp.* 28,2 *dont* prod. alim. 28,7 %, *de* Australie, N.-Zélande, G.-B., Papouasie, Fidji.

KOWEÏT

Carte p. 867. V. légende p. 837.

Nom. De *kout,* petit château. Au XVIIIe s., appelé *Al Qorein* (de *Qarn,* corne).

Situation. Asie. 17 818 km² (y compris la zone neutre 2 300 km²). *Frontières :* Irak 240 km, Arabie S. 250 km. *Côtes :* 290 km. *Long.* max. 198 km, *larg.* max. 167 km. *Alt. max.* 300 m (Jal-Al Zour 145 m). 9 îles dont Faïlaka (12 × 6 km), 5 826 h. (1985). *Distances* (km) : Riad 556, Bagdad 833, Abou Dhabi 872, Damas 1 465, Le Caire 2 129, Sana'a 2 222, Aden 2 741. **Climat.** Désertique. *Température :* été 25 à 45 °C ; hiver 8,1 à 18,9 °C ; *records :* 51 °C (27-7-78), – 6 °C (20-1-64). *Pluies :* 115 mm par an.

Population (milliers d'h.). *1910 :* 35, *39 :* 75, *57 :* 206, *61 :* 322, *65 :* 467, *70 :* 739, *75 :* 995, *80 (rec.)* 1 358, *85 :* 1 697, *89 (est.) :* 2 048 (dont 1 191 non-K. : Irakiens, Jordaniens, Syriens, Libanais, Palestiniens, Égyptiens, Pakistanais, Indiens), *prév. 2000 :* 2 969. Exilés pendant la g. env. 30 % dont 500 000 étaient en vacances lors de l'invasion. **Âge.** – *de 15 a.* 40 %, *+ de 65 a.* 1 %. D. 115. *Taux de croissance :* Koweitiens 4,30 %, non-K. 2,44 %. **Villes** (85) : *Koweït* (cap.) 58 456, Hawalli (à 7,5 km) 145 215, Salimya (à 12 km) 153 220, Farawaniya 68 665, Abraq Kheetan 45 109, Jahra (32 km) 111 000. **Langue off. :** arabe. **Religion :** islam *(off.) ;* chiites 15 à 30 %.

Histoire. 2 500 av. J.-C. sites archit. de Faïlakah. **XVIe s.** présence côtière portugaise. **V. 1672** ville de K. fondée. **V. 1711** famille Al-Sabah arrive au K. **V. 1752** Sabah Bin Jaber, élu 1er souverain de K. **1896** cheikh Moubarak « le Grand », († 1915), défait tribus rivales à la solde des Turcs. **1899**-*23-1* tr. avec G.-B. : protection et contrôle brit. **1914** protection brit. **1920** K. bat Ikkwans, guerriers wakkabites. **1922** 10 000 pêcheurs de perles (800 bateaux). **1934** concession pétrolière à une Sté anglo-amér. (Kuwait Oil Cy). *-7-12* pluies torrentielles. **1938** *févr.* découverte du pétrole. **1946** début des export. pétr. **1961**-*19-6 indépendance.* **1966** partage de la *zone neutre* entre K. et Arabie Saoudite. **1975** *mars* Kuwait Oil nationalisée. **1981**-*23-2* élections. **1982** *févr.* parlement refuse le droit de vote aux femmes. *Juillet-août* krach boursier (94 milliards de $). **1983** ouverture du pont de Bubiyan. *-12-12* attentats (contre amb. US et Fr. et objectifs civils) 7 †. **1985**-*25-5* contre l'émir. *11-7* contre 2 cafés par bridages révol. arabes (11 †). *Déc.* 17 arrêtés. **1986** *juin* sabotages dans stockage à Ahmadi (7 mois après, 11 K. chiites arrêtés). **1987** *été* plusieurs missiles iran. sur K. Sac de la mission dipl. k. en Iran. *-15-10* 1 pétrolier touché par missile ir. dans les eaux territ. k. *-22-10* plateforme pétr. touchée par missile iranien. **1988** *mars* incident avec Iran. **1990**-*8* et *27-1* manif. *-2-8* invasion irakienne. *-5-8* formation d'un gouvernement koweïti (9 militaires, dirigé par le colonel Aler'a Hussein Ali). *-8-8* fusion « totale et irréversible » de l'Irak et du K. qui devient la 19e province ir. Guerre du Golfe, voir Index. **1991**-*4-3* Cheikh Saad, Pce héritier, nommé administrateur de la loi martiale, revient au K. *Août* 628 suspects de crim. de g. seront jugés.

Statut. Émirat *(cheikhat)* ind. *Constit.* 11-11-1962, suspendue partiellement dep. 29-8-76. *Émir* Cheikh Jaber al-Ahmad al-Jaber al-Sabah (n. 1928), dep. 31-12-77. *Pce héritier* (dep. 31-1-78) et *PM* (dep. 8-2-78) cheik Saad al-Abdallah al-Salem al-Sabah (n. 1930). *Ass. nat.* 50 m. élus p. 4 a. au suffr. univ. [élec. du 20-2-85, 56 846 électeurs (peuvent voter ceux qui peuvent prouver que leur famille résidait au K. avant 1920 ; femmes exclues, bédouins 23 s., citadins 21 s., chiites 4 s.) et 12 m. de droit]. Dissoute 3-7-1986. Dep. 1990, *Conseil national* 75 m., dont 50 élus au suffrage universel et 25 désignés par l'émir. *Partis :* pas de p. officiels, mais des « rassemblements ». 5 *gouvernorats.* **Fête nat. :** 25 février, anniv. de l'intronisation de l'émir Abdallah et de l'indép. **Zone neutre** (4 650 km²), possédée administrativement par K. et Arabie Saoudite dep. 1922, partagée 1966 entre les 2, l'exploitation du pétrole et des autres ressources est assurée conjointement ; l'A. bloque le projet de pipe-line du port saoudien de Yambu, et refuse au K. d'utiliser le gaz des champs pétroliers de la zone. L'Irak remet en cause accord frontalier de 1963, non ratifié (gêne son accès à la haute mer) et veut contrôler îles de Bubiyan et de Warba commandant l'accès de son port Oum-el-Qasr en les louant pour 99 ans pour y construire un port pour superpétroliers, ou en recevant un don de 10 milliards de $ pour ratifier l'accord). Le K. projette une ville, Subiya (100 000 h. v. 1995), proche des îles.

Économie

P.N.B. (par h.). *1982 :* 19 610 $, *85 :* 14 265, *88 :* 13 672. **Pop. active** (%, entre par. part du P.N.B. en %) agr. 2 (1), ind. 28 (10), services 68 (54), mines 2 (35). **Inflation** (%). *85 :* 1,5 ; *86 :* 1,2 ; *87 :* 0,8 ; *88 :* 1,5 ; *89 :* 3,3. **Croissance.** *1985 :* – 9,6, *86 :* + 18,5, *87 :* – 1,5 ; *88 :* + 0. **Déficit budgétaire (88) :** 1 346 mds de dinars k. (29,6 mds de F.). **Réserves** (1990, milliards de $). *Montant* 95 dont fonds de réserves pour les générations futures (créé 1976, non utilisable avant l'an 2000) 60 ; fonds de rés. gén. 35 ; revenus nets procurés 3,5. **Aide aux autres pays.** Pays arabes de la « confrontation avec Israël » (millions de $) : *dep. 1978 :* 560/an, *84 :* 330. **Investissements à l'étranger** (milliards de $). 100 (revenus 9 en 1990). L'État y consacre 10 % du budget. Certaines années, les revenus des placements étrangers dépassent les recettes pétrolières. *Rendement net annuel :* 4 à 7 %.

Agriculture. *Terres* (milliers d'ha, 81) arables (150 000 ha cultivables, 1 200 cultivés), pâturages 134, forêts 2, divers 1 645 (désert). *Production (milliers de tonnes 88) :* tomates 39, oignons 25, melons 6, dattes 1. **Élevage** (milliers de têtes, 88). Volailles 28 000, chèvres 20, moutons 300, bovins 26, chameaux 8. **Pêche** 8 600 t (87).

Énergie. Pétrole : *Réserves* 13,3 milliards de t (10 % des r. mondiales). *Production* (millions de t, et entre par. ressources en milliards de F) : *1974 :* 148,3 (44,77) ; *75 :* (37,47) ; *77 :* (34,9) ; *78 :* 127 ; *80 :* 81 ; *81 :* 58 (75) ; *82 :* 42 (70) ; *83 :* 54 ; *84 :* 58 ; *85 :* 53 (96) ; *86 :* 70 ; *87 :* 61 ; *88 :* 73 ; *89 :* 95 ; *90 :* 60. **Gaz :** réserves 1,51 milliard de m³, *prod.* (86) 6 milliards de m³ importés du Qatar. **Industrie.** Raffinage, prod. chim. (ammoniaque, urée), dessalement de l'eau de mer (5 usines produisant 536 000 m³/j). **Transports.** *Pont* de 2,4 km (Koweït/Bubiyan). *Pont* de 30 km en prévision (Subiya/Koweït). Coût 336 millions de F. *Routes* 3 800 km (dont rapides 310). *Voitures* 555 503 en 1987.

Commerce (millions de dinars K, 1987). *Exportations* 1 997 (88) *dont* prod. pétroliers 1 783 (88), mach. et équip. de transp. 63 *vers* (85) Japon 294,4, P.-Bas 209,5, Italie 197, Taïwan 107, Pakistan 89,2. *Importations* 1 492 (88) *dont* mach. et équip. de transp. 515,8, prod. man. 292,4, prod. alim. 268,5, prod. man. divers 251,3 *de* Japon 293,2, E.-U. 158,5, All. féd. 119,5, G.-B. 104,6, Italie 76,1.

Contribution à la guerre (milliards de $). 16 dont 5,5 réglés (au 1-6-91) ; soutiens aux K. exilés (+ de 400 000) et moratoire sur les dettes des particuliers 4. **Dommages causés :** plusieurs dizaines de milliards de $: arrêt activité pétrolière pendant 210 j d'occupation 8,5 ; pertes ultérieures (puits incendiés) 0,04 à 0,12 par j [220 000 t parties en fumée libérant 5 000 t de polluant par j (850 000 t en fumée selon d'autres sources)], dommages des usines pétrochimiques 7,8, autres secteurs 12 (électricité 1, ports et aéroports

2, télécom 1, parc auto 5, dégradation bâtiments 3,7, vol d'or 0,5 + dégâts hôpitaux, écoles, magasins pillés). **Reconstruction :** 10 ans [dont 2 pour éteindre les 150 puits éruptifs incendiés sur 363 puits exploités (500 à 600 sur 1 000 puits selon d'autres sources)].

Rang dans le monde (88). 5e réserves pétrole. 15e pétrole. 16e réserves gaz (87).

KURDISTAN

V. légende p. 837.

Situation. Asie. 530 000 km². N'est pas un État, mais correspond à une identité de race sur un territoire défini (montagnes et hauts plateaux répartis princip. entre Turquie, Iran, Irak, Syrie).

Population (millions). 25,30 dont Turquie 12, Iran 6,5, Irak 4, Syrie 1,3, U.R.S.S. 0,7, pays occid. 0,6, Liban 0,2. *Tribus* les plus importantes : *Irak :* Baban, Barzani, Hamavend, Herki ; *Iran :* Chichak, Moukri, Ardalan, Djaff, Kerlhour, Lour, Bakhtyar ; *Syrie :* Berazi, Milli, Miran ; *Turquie :* Hakkari, Hartouchi, Zirikan, Djalali, Heyderan. Langues. Kurdmandji (dialecte septentrional) parlé par les 2/3 ; zaza ; sorani (dialecte méridional) ; lori-faïli parlé par les Lours et les Bakhtyars. Religions. Musulmans sunnites (80 %), chiites (20 %, dont quelques dizaines de milliers de chiites extrémistes « Ali Illahi »), 50 000 Yézidis (forment 5 % avec les Zoroastriens), chrétiens orthodoxes et juifs (3 %).

Histoire. **V. 1000 av. J.-C.** Indo-européens venus de Russie, parlant des dialectes médiques. **612 av. J.-C.** arrivée d'une tribu « turan », ou de 2 tribus consanguines, Cirtes et Mardes, après la chute de Ninive. **XIIe s.** après l'apparition des Mongols, les K. se retirent dans leurs montagnes. **XVIe s.** Sélim Ier, sultan des Ottomans, entreprend la conquête du K. **1804** ère des révoltes, les Russes encouragent K. contre Turquie. **XXe s.** Mouvement séparatiste k. dirigé par le mollah Moustapha Barzani (Irakien, 1904-79) ; lutte en Irak sur env. 35 000 km² (env. 1 million d'h.). **1945** rép. indépendante k. à Mahabad. **1972** appui des U.S.A. (16 millions de $ entre août 72 et mars 75) pour contrer la pénétration soviétique. **1975**-*6-3* réconciliation Irak-Iran : l'Iran cesse son aide au K. *-30-3.* Barzani se réfugie en Iran, la rébellion s'effondre. Voir Iran et Irak.

LAOS

Carte p. 1082. V. légende p. 837.

Situation. Asie. 236 800 km². *Frontières* 4 351 km (avec Thaïlande 1 635 km, Viêt-nam 1 693, Cambodge 404, Chine 391, Birmanie 228). *Alt. max.* Pou Bia 2 850 m. *Haut Laos :* montagnes, plateaux et quelques vallées, forêts et bambous. *Bas Laos :* plaines du Mékong et de ses affluents, dominées par la Cordillère annamitique, comprenant le Khammouane (plateau calcaire) et les Boloven (plat. volcanique). **Climat :** subtropical au N., tropical au S. *Saisons :* sèche (10 à 20 °C) nov.-mars, des pluies (28 à 35 °C) avr.-oct.

Population. **1989** 3 972 000 h., *prév. 2000 :* 6 213 000. Laos (et assimilés) 67 %, Proto-Indochinois 27 %, Hmongs-Miens (chinoisants) 5 %, Tibéto-Birmans 1 %. **Mortalité** *infantile :* 117 ‰. **Âge :** *– de 15 a. :* 50 %. *+ de 65 a. :* 3 %. *Espérance de vie :* 50 ans. D. 16,8. 1 médecin pour 3 000 h. **Villes** (73) : *Vientiane* (cap.) 377 409 (85), Savannakhet 50 690 (à 450 km), Paksé 44 860 (677 km), Louang Prabang (ancienne cap. royale) 44 244 (336 km). **Émigration.** Env. 400 000 (vers Thaïlande) dep. 1975, dont 65 000 Hmongs. Langues. *Off. :* laotien (famille thaï) ; *autres :* français, vietnamien, chinois (cantonais), anglais. **Éducation.** 80 % d'enfants scolarisés (50 % ne finissent pas les ét. primaires).

Religions. *Off. :* Bouddhisme (90 %) theravadin (Petit Véhicule). Proto-Indochinois et Hmongs-Miens sont généralement animistes ou peu christianisés. Vietnamiens sont souvent catholiques.

Histoire. **IVe-Ve s.** occupé par « Proto-Chinois » de langue môn-khmère, venus de Chine. **VIIe-XIe s.** plusieurs roy. môn, dont celui de Srigotapura (Sikhottabong, entre Vientiane et Thakhek) ; roy. indianisés et bouddhisés par l'intermédiaire des môn de Birmanie (Dvaravati). **XIe-XIIIe s.** occupation khmère du centre, routes et hôpitaux ; influences religieuse (non bouddhiste) et culturelle peu importantes. **A partir du XIIe s.** des Thaïs animistes, les Laos, venus de Chine, implantent de petites principautés autonomes (Muong Soua, qui deviendra Louang Prabang, Vientiane, Xieng Khouang, Champassak) vivant dans l'orbite d'Angkor ; les Laos se convertissent au bouddhisme et les Proto-Indochinois (Môn) adoptent la langue lao. **1340-53** le Pce Fa-Ngoum, Pce de Muong Soua, aidé du roi du Camb., réalise l'unité lao [roy. de *Lane Xang* (pays du Million d'Éléphants)]. **1479** résiste à une attaque de l'emp. d'Ancelle et, **v. 1499** à celle du Siam. **1548-55** extension territoriale. **1556** roi de Birmanie prend Chieng Mai. **1560** tr. d'alliance avec Siam : Vientiane cap. **1566** le roi Setlhathirath y installe le Phra Keo, Bouddha d'émeraude. **1574** invasion et tutelle birmane. **XVIIe s.** règne prospère de Souligna Vongsa, visites d'Européens. **1694** querelle de succession. **1707-21** division du *Lane Xang* en 3 roy. : *Louang Prabang, Vientiane* et *Champassak,* tombe peu à peu sous le protectorat siamois, dure un siècle ; conquis par Siam, détruit, vidé de ses h. **1753** Birmans envahissent roy. de Louang Prabang. **1778** suzeraineté siam. **1827** invasion siam. et sac de Vientiane. **1885** occupation partielle siam. **1887** consulat de France à Louang Prabang confié à Auguste Pavie (1847-1925). **1893**-*3-10* Siam reconnaît *protectorat fr. sur le L.* **1907**-*23-3* tr. franco-siam., L. renonce rive droite du Mékong (sauf prov. de Champassak et Sayabouri). **1941** Siam allié du Japon annexe terr. à l'O. du Mékong (tr. de Tokyo). **1945**-*9-3* les Jap. prennent le pouvoir, mouvement d'ind. nat., [*Lao-Issara* (Laos libre fermé)]. *-3-8* capitulation jap. **1946** gouv. Lao-Issara exilé en Thaïlande. *-17-8 modus vivendi* franco-Lao., reconnaissant autonomie interne du L. **1947**-*11-5* monarchie constitutionnelle. **1949**-*19-7* indép. dans l'Union franç. **1950** État associé de l'Union fr. *Néo-Lao-Issara* [« Front des Laos libres » (P.-L.)] (procommuniste) et « Gouv. du *Pathet-Lao* » (« État lao ») fondés. **1953**-*19-4* invasion viêt-minh, à Sam Neua, résistance du P.-L. *-22-10, indép. complète.* **1954**-*21-7* accords de Genève : fin de la g. d'Indochine. Troubles. **1957** *nov.* gouv. de coalition. **1958** *févr.* intégration combattants P.-L. dans armée royale. *Juill.* droite renverse gouv. de coalition, arrête ministres P.-L. **1959** *mai* coup d'État de droite. *-29-10* Sri Savang Vatthana (n. 13-11-07) roi.

1960 *janv.* coup d'État de droite. *-9-8* coup d'É. neutraliste du cap. Kong Lé ; une moitié de l'armée (Gal Phoumi) établit à Savannakhet un comité anti-coup d'État avec Pce Boun Oum (1911-80). **1961** (début) Pce Souvanna Phouma (1901-84) PM et cap. Kong Lé établissent leur P.C. à Khang Khay. *-16-5* conf. des 14 pays à Genève. **1962**-*23-6* (accords du Hin Heup du *8-10-61*), plusieurs forces restent en présence : droite (Gal Phoumi, Boun Oum) ; neutralistes (Souvanna Phouma) ; P.-L. (Pce Souphanouvong, n. 12-7-12, son demi-fr.). *-23-7* accords de Genève consacrant neutralité du L. **1964** fin de la coalition ; P.-L. ravitaillé par N.-Viêt. entretient l'insécurité. **1970**-*3-2* com. prennent plaine des Jarres. L. contrôlé en partie à l'Est par Souphanouvong, procom. et son Néo-Lao Hakxat (NLHX) (Ft patriotique Lao), ancien « P.-L. » ; en partie par Souvanna Phouma, soutenu par U.S.A. qui bombardent la zone rouge NLHX où passe la « piste Ho Chi-minh » (qui permet au N.-Viêt. de ravitailler le S.-Viêt.), tenue par 50 000 N.-Viêt., des irréguliers du P.-L. et une « Armée pop. de Lib. » (f. 20-1-46) et entretiennent 25 000 h. des forces spéciales du Gal Van Pao, + 25 000 Thaï. et 3 000 mil. **1971**-*8-2* attaque sud-v., appuyée par av. amér., contre piste Ho Chi minh repoussée par N.-V. **1973**-*21-2* cessez-le-feu (fin des bomb. amér.). *-14-9* nouveau cessez-le-feu. **1974**-*3-4* Souphanouvong rentre à Vientiane. *-5-4* GPUN (gouv. prov. d'Union nat.) formé. *-10-7* Ass. nat. dissoute. **1975** *mai* P.-L. occupe le S., manif. anti-amér. (évacuation des Amér., fuite des minorités ethniques en Birmanie et Thaïlande). *-23-8* P.-L. prend le pouvoir. *-2-12* GPUN et comité pol. nat. de coalition dissous ; rép. pop. dém. *-1-12* roi Savang Vatthana abdique.

République. **1977**-*12-3* Vatthana arrêté (meurt dans un camp ?). Rébellion méo. Intervention viêt. (100 000 à 170 000 h. ?), transferts de pop. 200 000 (?), env. 30 000 fonctionnaires, officiers, petits-bourgeois et intellectuels en camps de concentration, persécution religieuse, 25 000 bonzes défroqués. *-18-7* tr. d'amitié L.-Viêt. **1978** *févr.* centres culturels étrangers fermés. Présence de 30 000 à 60 000 Vietnamiens. 70 000 Chinois expulsés. Pékin rappelle 2 500 techniciens. *-23-8* relations diplom. rompues avec Fr. **1980**-*17-3* Pce Boun Oum (n. 1-12-11) meurt en Fr. **1984**-*11-11* Pce Souvana Phouma (n. 7-10-01) meurt. **1989** retrait 55 000 soldats Viet. prévu. Relations reprises avec Chine. **1990** privatisations. **1991**-*29-3* Souphanouvong démissionne du PPRL.

Statut. Rép. démocratique populaire dep. 2-12-1975. *Pt* Phoumi Vongvichit dep. 29-10-86. *P.M.* Kaysone Phomvihane (n. 13-12-20) dep. 2-12-75. *Assemblée suprême du peuple* (Pt Sisomphon Lovansay) : 45 m. Élections 26-3-89 (1res dep. 1975). *Villages (Ban)* 11 424. *Communes (Tassèng)* 950. *Districts (Muong)* 112. *Provinces (Khouèng)* 17. **Partis.** PPRL *(Populaire révolut. lao),* f. 1972, communiste, *Pt* K. Phomvihane. *Front lao pour la reconstruction nat.* f. 1979, Vongvichit. **Fête nat. :** 2-12 (proclamation de la Rép.). **Drapeau :** adopté 1975 : bandes rouges (unité et objectifs du peuple), bleue (le Mekong), cercle blanc (la Lune).

Économie

P.N.B. (88) env. 137 $ par h. **Croissance** (1981-85) 5 %. **Pop. active** (% et entre par. part du P.N.B. en %). Agr. 75 (62), ind. 6 (8), services 19 (30). **Inflation** (%). *85 :* 100, *86 :* 100, *87 :* 100, *88 :* 25, *89-90 :* 10 à 20. **Service de la dette (%).** *1982 :* 13, *85 :* 22, *87 :* 13.

Aide étrangère (millions de $) *83 :* 82 (org. intern. 13, pays soc. 53, occid. 16), *86 :* 48. *1991 :* réduction de la présence sov. et croissance des investissements thaïlandais.

Agriculture. *Terres* (milliers d'ha, 81). Forêts 12 900, t. arables 865, pâturages 800, eaux 600, t. cult. 20, divers 8 495. *Production* (milliers de t, 88). Riz (75 % des t. cult.) 1 003 (déficit annuel 250), légumes et melons 252, patates douces 120, canne à sucre 110, manioc 90, p. de terre 55, maïs 40, légumineuses 30, café 8, tabac 4, fruits, thé ; 1987-88 : sécheresse. Forêts. 4 313 000 m³ (87) dont bois de chauffage 3 992 000. Potentiel : bois d'ébénisterie, benjoin. Élevage (milliers de têtes, 88). Poulets 9 000, porcs 1 520, buffles 1 000, bovins 590, chèvres 76, chevaux 42. **Exploitations.** Fermes d'État 44 (5 000 ha), coopératives 3 200 (200 000 ha), cultures de paysans libres 600 000 ha. Pêche. 20 000 t.

Mines. Étain (400 000 t, 87), gypse, charbon, fer, cuivre, or, plomb. Peu exploitées. **Transports.** Routes 12 983 km (85) ; 90 % des villages sans accès routier.

Commerce (millions de $ US, 85). *Exp.* 22 *dont* bois, électricité, café, étain *vers* Chine, U.R.S.S., Thaïlande, Singapour. *Imp.* 147 *de* U.R.S.S., Thaïlande, Japon, Singapour, *France,* Suède.

LESOTHO

Carte p. 839. V. légende p. 837.

Situation. Afrique, enclavé dans Rép. sud-afr. 30 355 km². Plateau volcanique découpé par l'Orange et ses affluents. *Alt. max.* Mt aux Sources 3 299 m ; *min.* 1 381 m. **Climat** tempéré, pluies oct.-avr.

Population. 1 722 000 h. (89) dont 700 000 en Afr. du S. (Sothos ou Basothos 85 %, Ngunis 15 %). Chassés au XIXe s. par les Boers de leur territoire originel, le Natal, *prév. 2000 :* 2 282 000. **Âge :** *– de 15 a. :* 42 %, *+ de 65 a. :* 4 %. D. 56,7. Eur. 2 000. **Capitale :** *Maseru* 30 000 h. (84). **Réfugiés** (1990). Guinée 300 000, Côte-d'Ivoire 190 000 (250 000 en 91), Ghana 30 000. Langues *(off.).* Anglais, sesotho (l. des Basothos). Religions (%). Catholiques 40, prot. 35, anglicans 7, divers 18. Alphabétisés 80 % (record d'Afr. noire).

Histoire. **1833**-*28-6* missionnaires prot. français Arbousset, Casalis et Gosselin viennent à la dem. du roi des Basothos, Moshesh. **1862** missionnaires cath. franç. (oblats de Marie Immaculée) Allard et Gérard s'installent. **1868**-*12-3* protectorat brit. *(Basoutoland).* **1965**-*5-7* Leabua Jonathan (1914-87) au pouvoir. **1966**-*4-10* indép. **1970** état d'urgence. Elect. générale : Jonathan garde le pouvoir grâce à un coup d'État, suspend Constitution et réduit pouvoirs du roi. Elect. promises n'auront jamais lieu. Mokhehele fonde Armée de libération du L. (LLA) soutenue par Afr. du S. (coups de main et attentats). **1973** Ass. nat. **1974** tentative d'insurrection. **1981** *sept.* nombreux attentats. **1982**-*9-12* expédition sud-afr. contre bases de l'African National Congress. **1985**-*20-12* attentat LLA : 9 exilés sud-afr. assassinés. **1986**-*20-1* Jonathan renversé par Gal Justin Lekhanya. **1989**-*15-9* visite Jean-Paul II : autobus avec 17 pèlerins détourné : 4 †. LLA soupçonné. **1991**-*30-4* Lekhanya renversé. *-20/25-5* émeutes anti-asiatiques (19 †).

Statut. Royaume. Membre du Commonwealth. *Const.* de 1966 suspendue janv. 1970. *Roi (Motlotlehi)* Mohato Seeisa dep. 10-11-1990 [avant, son père Moshoeshoe II (2-5-1938) dep. 4-10-66, déposé 21-2-90 par Gal Justin Lekhanya (54 a., renversé 30-4-91)]. *Reine régente* Maomato. *Conseil militaire* Col. Elias Pishona Ramaema (57 a.). *Ass.* (60 m.). *Sénat* (33 m. dont 22 chefs et 11 m. nommés par le roi). Drapeau : adopté 1966 : bleu (la pluie) avec emblème (coiffe de femme trad.) ; bandes verte (le pays), rouge (l'avenir).

Partis politiques. *Basotho National P.*, f. 1959, Evaristus Sekhonyana ; *Basotho Congress P.*, f. 1952, Gerard Ramoreboli qui a animé le LLA. *Pt* Ntsu Mokhehle ; *Marema Tlou Freedom P.*, f. 1962, Pt Bennett Khaketla ; *Lesotho United Democratic P.*, f. 1967, Charles Mofeli. *Basotho Democratic Alliance*, f. 1984, S.C. Ncojane ; *National Independ. P.*, f. 1984, Anthony Manyeli.

Économie

P.N.B. ($ par hab.). *1982 :* 510 ; *83 :* 470 ; *84 :* 456 ; *85 :* 370, *87 :* 399, *88 :* 411. **Pop. active** (%, entre par. part du P.N.B. en %). Agr. 30 (13), ind. 7 (8), services 35 (30), mines 3 (3), émigrés 25 (46) (150 000 trav. en Afr. du S.). **Inflation** (%). *85 :* 14,7 ; *86 :* 17,2 ; *87 :* 14,2 ; *88 :* 11,4 ; *89 :* 14,6.

Agriculture. *Terres* (milliers d'ha, 81). Pâturages 2 000, t. arables 298, divers 737. *Production* (milliers de t, est. 88). Maïs (40 % des terres cult.) 126, sorgho 28 (89), blé 21, légumineuses 6, avoine 1,1. **Élevage** (milliers de têtes, est. 88). Moutons 1 440, chèvres 1 030, volailles 1 000 (86), bovins 525, ânes 126, chevaux 119, porcs 72, mulets 1 (82). **Mines.** Diamants 42 000 carats (82), prod. arrêtée. **Commerce** (millions de malotis). *Exp.* 58 (86) *dont* (88) prod. man. divers 77,2, prod. alim. 22,6, prod. man. de base 5,4. *Imp.* 892,5 (86) *dont* prod. alim., mach. et équip. de transport, vêtements, pétrole, prod. chimiques. Partenaire principal : Afr. du S.

LIBAN

V. légende p. 837.

Situation. Asie. 10 452 km². *Long.* 210 km, *larg.* 25 à 60 km. *Côtes* 240 km. *Frontières* avec Syrie 278 km, Israël 79. *Alt. max.* 3 090 m (al-Qurna al-Sawda). *Plaines* côtières (doux et pluvieux en hiver, chaud en été) ; steppe (alt. 900 m) traversée de cours d'eau permanents, localement irriguée par sources entre *chaînes du L. et Anti-L.* (alt. 2 600 m).

Population. *1922 :* 628 800, chrétiens 330 400, musulmans 229 700, divers 68 700, *1987 :* 2 762 000 h., *1991 (est.) :* 3 000 000 (dont 800 000 déplacés) *prév. 2000 :* 3 617 000. *Français : 1975 :* 10 000, *86 :* 6 000 (dont 80 % ont la double nationalité). D. 259. **Émigrés.** 5 000 000 dont U.S.A. 500 000, Canada 200 000, Amér. latine 250 000, Afr. 500 000, Australie 400 000, *France 120 000* en 1990 dont 60 000 à Paris (imm. récente), G.-B. 40 000. **Immigrés :** 780 000 [*Syriens* 350 000, *Palestiniens* 350 000 (vague de 1948 : assistés 300 000 dont camps 92 000, hors camps 120 000 ; intégrés 100 000 dont naturalisés 50 000 ; de 1970 : 100 000 dont armés 5 000). Européens 30 000)]. **Âge :** *- de 15 a.* 38 %, *+ de 65 a.* 5 %. **Villes** (64 % de la pop.) *Beyrouth* (84) 1 100 000 (ville 474 870 ; en 1922 : 95 000 h.), Tripoli (84) 240 000 (à 90 km), Saïda (Sidon) 200 000 (45 km), Zahlé 120 000 (53 km), Jounieh 100 000 (20 km), Jbeil (Byblos) 25 000 (35 km), Tyr 60 000 (85 km), Aley 20 000, Bhamdoun 20 000 (25 km), Baalbeck 14 000 (90 km).

Langues. Arabe (*off.* dep. 1943), français, anglais, arménien. **Universités :** *maronite* (St-Esprit, française, arabe, 2 000 ét.), *cath.* (St-Joseph, jésuite, fr., 5 000 ét.), *amér.* (4 500 ét.), *arabe* 12 000 à 15 000 ét., liban. (arabe et fr. 35 000 ét.).

Religions

Répartition de la population (en % en 1984). Musulmans et druzes 53,8 [m. chiites 25,8, m. sunnites 22,8, druzes 5,2 (établis au L. depuis le Moyen Age, confession fondée XIe s. par Dazarin, croyance en la réincarnation : 150 000)], chrétiens et divers 46,2 (maronites 22,8, grecs orthodoxes 10,94, gr. catholiques 5,32, arméniens 4,53, autres 2,61).

☞ La religion figure sur les cartes d'identité.

Chrétiens (51 % 1981 : 1 814 000). **Catholiques orientaux.** 9 églises, 36 évêques (« Assemblée des patriarches et évêques catho. du L. » constituée en 1957). En 1960, plus de 800 prêtres catho., 600 religieux ; 3 000 religieuses dans 40 instituts d'origine étrangère et 11 congrégations syro-libanaises. *Grecs ou « melkites »* (rattachés à Rome 1734), 200 000, 6 s. au Parl. *Nestoriens. Catholiques romains. Arméniens.* 24 500, 1 s. au Parl., arrivés en 1918 (évacuation de la Cilicie par les Fr.) et 1939 (annexion du sandjak d'Alexandrette par Turquie) pour fuir massacres. *Chaldéens. Maronites* (St Maron 410) 750 000, 30 s. au Parl. et depuis 1943 présidence de la Rép. *Syriens.* **Orthodoxes.** *Grecs ou « melkites »* (ont rompu avec Rome en 1054, pour Constantinople) 300 000, 11 s. au Parl. *Syriens* (jacobites). **Protestants** Égl. évangélique du Liban constituée au XIXe s. (tendance presbytérienne) 30 000, 1 s. au Parl.

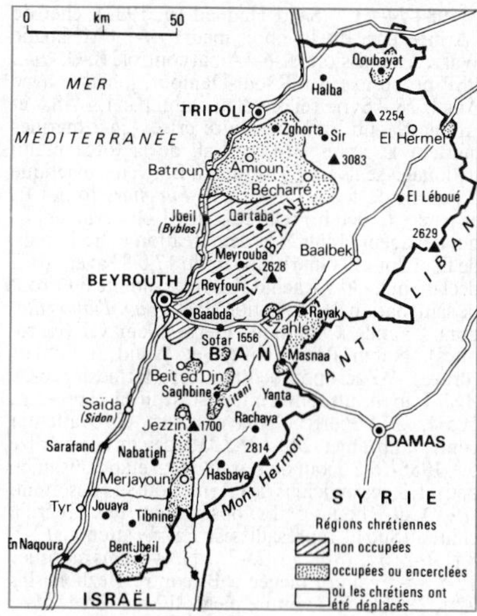

Juifs *1958 :* 6 600 ; *après 1968 :* 500 ; *1986 :* 100.

Histoire

• **Av. J.-C.** **Civilisation phénicienne. V. 4000** Beyrouth fondée. Sémites établis au pays de Chanaan fondent Byblos (5000), Sidon (3500), Tyr (2750), et colonisent pourtour méditerranéen. Inventent un alphabet à l'origine de la plupart des al. actuels (22 signes). **Jusqu'à 333** chaque cité maritime est autonome malgré occupations hittite (v. 1200), assyrienne, égyptienne et perse achéménide. **969** Hiram, roi de Tyr. **332** Alexandre le Grand détruit Tyr ; la côte devient une annexe des roy. hellénistiques : Syrie des Séleucides au N., Égypte des Lagides au S. **13** province de Phénicie.

• **Après J.-C.** **64** partie de l'emp. romain. **287** divisée en Phénicie maritime (cap. Tyr) et Phénicie ad Libanum [cap. Emèse (Homs)]. **200** École de droit de Béryte (Beyrouth) fondée, temple du dieu Soleil (Jupiter héliopolitain) à Héliopolis, ancien centre phénicien de Baalbeck. **395** dépend de l'emp. d'Orient (cap. Constantinople), puis de l'emp. byzantin. **410** l'ermite Maron, resté fidèle à Byzance, meurt. **555** séisme à Beyrouth. **635** Arabes prennent Damas. **763** arrivée des Tannoukh. **1096** 1re croisade. **1120** arrivée des Maan. **XIIe s.** fiefs de Terre Sainte : Comté de Tripoli, au N. (1102-1289) avec Tortose et le krak des Chevaliers ; Roy. de Jérusalem, au S. (1099-1291) avec Beyrouth, Sidon, Tyr, château de Beaufort. Maronites se rallient à Rome. **1289** Mamelouks prennent Tripoli. **1320** arrivée des Chehabs. Conquête ottomane. **1516-1697** dynastie des émirs druzes Maan. **1516** Fakhredine Ier, émir. **1535** 1res capitulations. **1590** Fakhredine II, émir (1585-1636). **1586** collège maronite de Rome fondé. **1623** bataille d'Anjar. **1697** avènement des Chéhabs. **1749** Beyrouth devient le port du L. **1788** Bechir II Chéhab (1784-1840), émir. Les émirs favorisent le particularisme. **1831** Méhémet Ali envahit le L. **1832** soulèvement quand Méhémet conquiert la Syrie. **1840** révolte contre Méhémet, Angl. chassent ses troupes égyptiennes. Bechir II abdique. **1860** Druzes massacrent 22 000 chrétiens (75 000 déplacés, 360 villages détruits, 560 églises, 42 couvents, 28 écoles et 29 établ. fr. incendiés). France chargée par les puissances de rétablir l'ordre ; troupes du Gal Beaufort d'Hautpoul débarquent (6 000 marsouins). **1861** autonomie du Petit-L. (Mt Liban) administré par gouv. chrétien (le mutasarrif), assisté d'une ass. **1864** protocole international confirmant l'autonomie du Mont-L. et abolissant féodalité. **1916** intervention fr. (la Turquie étant alliée de l'Allem.). **1920** *tr. de Sèvres,* qui détache L. et Syrie de la Turquie. La Fr. a un mandat de la S.D.N. et proclame le Grand-L. (10 400 km²). **1922** mandat de S.D.N. confirmé. **1926** Constitution (suspendue 1939). **1941**-*26-11* Gal Catroux proclame l'indép. *-7-10* Riad Solh (sunnite) PM. *-23-11 indép. effective. Fin du mandat fr.* **1943** pacte (qui n'a jamais été écrit ni même proclamé oralement) entérine le partage du pouvoir entre chrétiens et musulmans, entre le maronite Bécharra El Khoury (renonçant à rechercher des appuis occidentaux) et le musulman sunnite Rjadh El-Solh assassiné 1951 (écartant un recours auprès du monde arabe). **1945**-*22-3* adhère à Ligue arabe. **1946** *mars à déc.* évacuation des troupes fr. **1948-50** la Syrie rompt l'union écono. et douanière. **1953** amélioration des relations avec Syrie. **1958** insurrection contre Pt Chamoun, g. civile entre partisans et adversaires de la R.A.U. (plusieurs centaines de †) ; *juillet* débarquement des troupes amér. à la demande du Pt Chamoun. *Août* crise dénouée ; Gal Chehab, élu Pt, gouv. de coalition. **1964** Pt Charles Hélou. **1968** réfugiés palestiniens env. 450 000. *-29-12* raid israélien sur aérodrome de Beyrouth (13 avions détruits) ; activités des fedayins palestiniens entraînent des représailles isr. au L. **1969** *avr.-mai* affrontement armée-Pal. *-3-11* **accord du Caire ;** les Pal. peuvent aménager des bases d'entraînement, mais ne peuvent approcher la zone frontalière ni effectuer des raids à partir du L. **1971** *juill.* après combats en Jord. (env. 3 000 Pal. †, bases détruites), le L. reste un des seuls pays arabes où les Pal. gardent une liberté d'action. **1973**-*10/23-4* Beyrouth, plusieurs responsables pal. assassinés par commandos isr. *-20/23-5* combats armée l./Pal. (dizaines de †). *Nov.-déc.* ratissage isr. près frontière. **1974**-*16-5* attaque isr. sur des camps (300 †) en représailles du raid de Maalot (V. Israël). **1975**-*7-1* rencontre Pt Frangié-Assad *-26-2/1-3* Saïda affrontements civils/milit. *-13-4* chrétiens devant l'église d'Aïn-Remmaneh mitraillés 4 † ; représailles : tirs sur un car pal. 27 †.

• **Guerre du Liban. De 1975 à 1977. 1re phase (1975),** *armée lib. s'oppose aux Palestiniens. -15-5* PM Solh démissionne. *-23/25-5* gouv. milit. du Gal Rifaï. *-29-5* PM Rachid Karamé. **2e phase (1975),** *milices chrétiennes se battent contre progressistes. -28-8/1-9* à Zahlé (26 †). *Sept.* à Tripoli et Zghorta (+ de 100 †). *-10-9* armée crée zone tampon. *-12/14-9* des Pal. (de Habache et Hawatmeh) tuent des chrétiens (à Beit-Mellat). *Nov.* échec mission Couve de Murville. *Déc.* combats d'artillerie à B. ; centaines de †. *-5-12,* 4 jeunes chrétiens dont les 2 fils de Joseph Saadé tués dans montagne. *-6-12* représailles phalangistes : 110 mus. † à B. *-12-12 samedi noir,* 200 (ou 370 ?) civils mus. exécutés. **3e phase (1976),** *les Pal. appuient les progressistes.* Kataëbs détruisent camp de la Quarantaine ; + de 100 †. Pal. prennent Damour : 300 à 500 †. *Janv.* combats à B. : 300 † en une semaine (163 † le 16) ; *-18* Karamé démissionne après échec du 20e cessez-le-feu ; entrée des Syriens ; *-22* Lt Ahmed El Khatib fonde près frontière syr. armée du L. arabe ; Syrie garantit cessez-le-f. ; *-24* Karamé PM ; *-27* Pal. s'engagent à respecter souveraineté l. ; *-31* Front de la liberté et de l'homme regroupe droite chrét. *Févr.* plan de réforme du Pt Frangié (égalité des sièges au Parlement entre chrétiens et mus., élection du Pt du conseil par l'Assemblée à la maj. relative, maj. des 2/3 pour votes « vitaux », répartition confessionnelle des présidences maintenue) : *« IIe Rép. libanaise » ;* désertions dans l'armée. *-11-3* brigadier-général Aziz Ahdab (mus.) somme Pt Frangié de démissionner : refus ; *-14* vote de défiance du Parlement contre Frangié ; *-15* Syrie s'oppose à l'éviction de Frangié par la force : l'Armée de lib. de la Pal. bloque accès du palais prés. (dizaines de †) ; *-21* gauche prend hôtel Holiday Inn. **4e phase (1976).** *Syriens appuient chrétiens.* Entrée des troupes syriennes au L. à la demande des phalangistes. *Avr.-mai* combats syr.-Pal. *-8-5* Elias Sarkis élu Pt. *-12-8* camp pal. (30 000 personnes) de Tall el-Zaatar tombe apr. 52 j de siège (7 000 chrétiens) ; au moins 2 000 †. *-18-10 accords de Ryad. 26-10 du Caire :* Syrie fait endosser par les pays ar. son intervention [les forces syr. deviennent la « force ar. de dissuasion » (casques verts. 6 000 h.)]. **5e phase (fin 76-début 77),** *la Syrie avec la Saika (pal. pro-syr.) appuie dans le Sud les Pal. contre les chr. -17-3* Kamal Joumblatt (leader de la gauche) assassiné. *Mars* représailles druzes : 147 chrétiens du Chouf † ; en fait, Joumblatt a été tué par des agents syr. **6e phase (avril 77),** *combats entre Syr. et Pal. du Front du refus. Sept.* l'armée isr. aide milices conservatrices près de Marjayoun. *-9-11* bombard. isr. (60 † à Azziyé).

7e phase intervention Israéliens et ONU (1978). *-14-3* en représailles d'un attentat pal. (35 †) les Isr. envahissent le L. et chassent Pal. au-delà du Litani (700 † pal. et lib.). *-19-3* implantation de 4 000 soldats (dont 700 Français) de la FINUL (Force intérimaire des Nations unies au L.). *-21-3* cessez-le-f. dans zone occupée par Isr. (1 500 km²). Combats entre chrétiens et Syr. à Beyrouth (150 †). *-11-4/-13-6* évacuation isr.

8e phase développement des luttes entre chrétiens. 1978-*13-6* Tony Frangié, sa femme, sa fille et 30 partisans tués par kataëbs ; représailles : 33 chrétiens de la Bekaa tués à El-Kaa, à l'instigation des Syr. alliés de Frangié. *-1-7* début des affrontements à Beyrouth Syriens/milices chrét. *-31-8* disparition en Libye de l'imam Sadr, chef des chiites. **1979**-*18-1* raid isr. au Sud-Lib. *-18-4* Cdt Saad Haddad (chef des milices chrét. du S.) déclare indép. Sud-L. (800 km², 40 000 h.). Pal. bombardent enclaves chrét. du S. (30 000 chr. et 60 000 chiites résistent). **1980** *févr.* affrontements kataëbs et partisans de l'ex-Pt Frangié soutenus par Syr. *-23-2* fille de Bechir Gemayel tuée (attentat). *-9-4* Isr. établit des positions de défense avancées au Sud-L. après attentat contre kibboutz de Misgav-Am. *-6/9-7 « g. des Chrétiens »* entre milices de Gemayel et de Chamoun. *-9-7* Chamoun capitule, 100 à 200 †. *-10-11* double attentat à B., 10 †. **1981**-*20-4* Isr. bombardent Saida et Tyr. Pal. lancent roquettes en Haute-Galilée. *Avr.-juin* combats syro-pal. contre Lib. à Zahlé (1-4 au 30-6, 100 †) et à Beyrouth (env. 400 †). *Juill.* raids isr. contre bases pal., B. bombardé (700 †). *-24-7* cessez-le-f. *-4-9* Louis Delamare (n. 12-11-21) ambass. de Fr. à B. assassiné (Syrie mise en cause). *Fin août-début sept.* voitures piégées (1-10 à B., 100 kg de T.N.T., 83 †, 225 bl.). *-15-11* 4 attentats contre bâtiments fr. à B. revendiqués par Arméniens. **1982**-*23-2* 2 voitures piégées, 13 †. *-15-4* 2 diplomates fr. tués. *-24-5* voiture piégée devant amb. de Fr. (11 †, 22 bl.). *-26-5* P. Mauroy au L. *-4-6* après attentat (3-6) contre son ambassadeur en G.-B., Isr. bombarde camps pal. à B. et au Sud-L. (200 †).

Occupation israélienne **1982**-*6-6* invasion isr. du L. (opération « Paix en Galilée »). *-7-6* prend château de Beaufort, Tyr, Hasbaya et Nabatiyeh. *-11-6* cessez-le-f. isr.-syr. *-18-6* Isr. exige départ de B. des Pal. et forces syr. du L. *-25-6* B.-O. bombardé. *-30-6* affrontements druzes-kataëbs : 17 †. *-3-7* B.-O. encerclé. *-15-7* refus syrien « définitif » d'accueillir Pal. *-18-7* ultimatum isr. aux Pal. : départ de B.-O. d'ici « moins d'un mois ». *-19-7* enlèvement du 1er occidental, Baria Dodge, directeur de l'Université amér. *-24/28-7* Isr. bombardent B.-O. (247 †). *-28-7* cessez-le-f. *-1-8* Isr. prend aéroport. *-12-8* 11e cessez-le-f. *-18-8* gouv. lib. accepte plan Habib (retrait Pal. de B. surveillé par force internationale). *-19-8* Isr. accepte. *-22-8/-3-9* départ de 15 000 combattants pal. surveillé par force multinationale d'interposition (2 130 soldats dont 800 Fr., 800 Amér., 530 Ital.) dont la mission se terminera le 13-9 (500 000 à 600 000 Pal. restent dans les camps). *-23-8 Bechir Gemayel* (avocat, leader des Forces lib.) élu Pt (57 v., 5 blancs, env. 30 abstentions). *-14-9* assassiné (à Ahrafieh, siège des kataëbs, 200 kg de TNT, auteur Habib Chartouni, 20 autres †). *-15-9* Isr. entrent à B.-O. *-16/18-9* massacres de Sabra et Chatila par kataëbs [selon rapport officiel armée lib. 460 †, rapport Kahane (Isr.) - de 1 000 †, Ammon Kapeliouk 3 000 à 3 500 †, sources palest. 5 000 †]. *-21-9 Amine Gemayel* (frère aîné de Bechir) élu Pt par 77 v. contre 3 blancs. *-23-9* fin du mandat du Pt Sarkis. *-24-9* force multinationale de sécurité créée (3 300 h. dont 1 200 Amér., 1 100 Fr., 1 000 It.).

Bilan de l'opération Paix en Galilée (1982). **Pertes syriennes :** 300 chars et unités équipées de T-62 sov. détruits, rampes de lancement dans la Bekaa détruites, 85 Mig abattus (1/4 de l'aviation). **Israéliennes :** *de 82 à 85 :* 615 † (3 500 bl.) dont *été 82 :* 274 †, 23 disp., 1 114 blessés, 1 prisonnier. **Prisonniers faits par Israël :** 149 Syr., 5 000 Pal.

1983 *janv.* affrontements sporadiques. *-5-2* explosion du Centre de recherche pal. à B. (20 †). *-18-4* attentat amb. amér. de B., 63 †. *Mai-juin* affrontements au sein du Fatah (Cel Abou Moussa). *-17-5* accord lib.-isr. prévoyant retrait des troupes étr. du Lib. non ratifié. *-23-7* front de l'opposition (W. Joumblatt, S. Frangié et R. Karamé). *-4-9* armée isr. quitte le Chouf et se retire sur le fleuve Awali (30 km au S. de Beyrouth). *-6-9* encerclement des chrét. et occupation druze (Chouf) ; *sept.* 1 200 à 1 500 maronites, orthodoxes, melkites massacrés par druzes. 145 000 chrét. quittent le Chouf, 111 villages rasés, 85 églises chrét. et quelques sanctuaires druzes incendiés. *-31-8* et *15-9* envoi de 1 200 puis 2 000 marines US au large de B. *-7-9* résidence des Pins, QG de la force fr. bombardée (2 †). *-23-10* camion piégé (1,2 kg TNT) contre quartier gén. des marines amér. à Beyrouth et 0,3 t TNT contre « le Drakkar » fr. 241 marines †, 58 paras. fr. †. *-24-10* Pt Mitterrand à B. *31-10 au 4-11* conférence de réconciliation nat. lib. à Genève. *-4-11* camion piégé contre QG isr. à Tyr (62 † dont 30 Isr.). *-17-11* raid isr. fr. sur Baalbek (caserne des chiites pro-iraniens) 2 †. *-4-12,* 2 avions amér. abattus par batteries syr. *-20-12* 4 000 Pal. encerclés par Syr. quittent Tripoli sous protection ONU. *-21-12* attentat contre forces fr. (1 soldat †, 16 bl., 14 Lib. †).

Bilan de la bataille de Beyrouth-Ouest (6-6 au 15-8-83) : 6 775 † [5 675 civils et 1 100 combattants : (45,6 % avaient des cartes de réfugiés pal., 37,2 % Libanais, 10,1 % Syriens et 7 % divers)], 29 112 blessés (11 448 graves), 11 840 ont - de 15 ans.

1984-*14-1* Cdt Saad Haddad (n. 1937), chef de l'Armée chr. du L. libre, meurt. *-4-2* PM Chafic Wazzan démissionne. *-6-2* Amal contrôle B.-O. *-14-2* PSP prend axe Ain-Ksour-Damour, jonction avec Amal. *18-2* Syrie rejette plan établi par L., USA et Arabie Saoud. pour résoudre crise. *-26-2* marines quittent L. après Brit. et Ital. de la force multinationale, seuls les Fr. restent à B. ; veto soviétique à l'envoi de force ONU à B. *Fin mars* forces fr. évacuées (2 000 h.) relayées par 81 observateurs fr. qui dégagent la ligne de démarcation entre le pont de B. et Souk el Gharb. *-5-3* tr. du 17-5-83 avec Israël déclaré nul. *-30-4* Rachid Karamé, sunnite du Front de salut national (opposition) PM, *gouv. d'union nat.* dont Camille Chamoun, Pierre Gemayel (maronites), Nabih Berri (chiite) et Walid Joumblatt (druze). *-9-7* aéroport de B. rouvert (fermé dep. 6-2). *Août* Tripoli, lutte entre intégristes musul. et pro-syr., 105 †. *-20-8* Pierre Gemayel meurt. *-26-9* attentat contre amb. amér. 24 †. *-21-12* att. devant école druze 5 †. **1985**-*16-2* début du retrait isr. (3 étapes jusqu'en oct.). 1/3 des miliciens de l'Armée du Sud désertent. *-19-2* Cdt Rhodes 5e Fr. observateur tué. Guérilla chiite au Sud L., représailles isr. *Février* attentats (*1-2:* 8 †, *10-2:* 6 †, *18-2:* 5 †, *25-2:* 7 †). *-4-3* dans mosquée 12 †. *-8-3* voiture piégée à B. contre Hezbollashis 72 †, 256 bl. *-10-3* voiture piégée 12 mil. isr. †. *Mars* plusieurs enlèvements. Samir Geagea suscite dissidence parmi chrétiens. *Avril* Isr. met en place un couloir chrétien dans le Sud pour protéger ses frontières. Combat chrét./musulm., exode de milliers de chrét. *-9-5* Élie Hobeika, chef du comité exécutif des mil. chrét. (avant, Samir Geagea). *Mai* Pal. massacrés à Sabra et Chatila par Amal (+ de 500 †). Combats druzes/chrét. du Sud : centaines de chrét. †, villages rasés, bétail massacré ; milliers de chrét. fuient. *-21-5* att. dans quartier chrétien de B. (55 †). Cessez-le-f. entre Amal, Front de salut nat. pol. et Front nat. démocr. ; retour aux positions du 19-5. *-10-6* armée isr. se retire, mais conserve une « zone de sécurité ». *-2-8* Amal a fini d'évacuer Sabra et Chatila. *-6-8* Front d'unité nat. (FUN) autour du P. socialiste progressiste (druze) de W. Joumblatt et du mouvement chiite Amal de Nabih Berri : une douzaine de partis ou organisations, notamment P. communiste lib., Baas, P. nat. social syrien, Conseil pol. de la ville de Saïda. S. égide syr. : mouvements rassemblant ennemis des Kataëbs (dont est issu le Pt Amine Gemayel), sauf mouvements chrét. *-17-8* voiture piégée à Antélias (Beyrouth) 54 †. *-30-9* 4 dipl. soviét. enlevés ; 1 tué (2-10), 3 libérés (30-11). *-15-9/15-10 bat. de Tripoli :* 2 000 h. [intégristes, Rassemblement islamique (chef de file : MUI, Mouvement d'unification isl., de Cheikh Saïd Chaabane)] contre 2 500 h. [milice alaouite, P. arabe démocratique liés à Syrie, et 2 autres milices prosyr. le P.S.N.S. (P. social nat. syr.) et P.C.], 300 †. *-19-11* Isr. abat 2 Mig syr. au-dessus du L. *-20/24-11 g. du drapeau* entre chiites et druzes, 65 † à B. *-28-12 accord intermilices* à *Damas* (10e dep. 1975) : un nouveau gouv. devra décréter un cessez-le-feu global et immédiat avec appui de la Syr. Système confessionnel aboli après période transitoire (dont la fin sera adoptée par majorité des 2/3 à la 1re Chambre élue, de 55 % dans la 2e législature, absolue dans la 3e). Coordination avec Syr. pour pol. étrangère et relations bilatérales, questions milit., écon., sécurité, éducation et information. Combats 200 †. **1986**-*15-1* Elie Hobeika, chef des Forces lib. (milices chrét. unifiées) évincé. *-21-1* voiture piégée à Beyrouth 30 †. *-10-4* id. 11 †. *-17-4* 3 otages brit. tués (représailles après raid amér. sur Libye). *-20-6*-Georges Hansen et Philippe Rochot libérés par OJR. *-21-6* 2 journalistes d'A2 libérés après le départ de l'Iranien Massoud Radjavi (7-6). *Août* incident chiites casques bleus français. *-5-9* 3 casques bleus fr. tués. *-18-9* colonel Gouttière tué par Hassan Tleisse, chiite. *-10-11* Marcel Coudari et Camille Sontag libérés par OJR. *-24-12* Aurel Cornéa libéré par OJR. *Dep. déc.* siège des camps Chatila par Amal. **1987**-*7-1* attentat contre Chamoun. *-11-2* voiture piégée, 15 †. *Févr.* combat druze, 200 † (en 1 semaine). *-17/19-2* Pt Gemayel en France. *-22-2* occupation syr. à B.-O. (7 000 à 13 000 h.) ; *-24-2* 23 du Hezbollah tués par Syr. *-4-5* PM Karamé démissionne. *-1-6* tué en hélicoptère dans attentat. *-19-6* la Syrie obtient la réconciliation de Nabih Berri (chef d'Amal) et Walid Joumblatt (chef druze). *-20-6* Ali Adel Osseirane, fils du min. de la Défense l. enlevé avec journaliste amér. Charles Glass. *-15-7* Tripoli, voiture piégée, 75 †. *-7-8* Camille Chamoun, ancien Pt (87 ans), meurt. *-5-9* raid isr., 46 †. *-24-9* Père André Masse, jésuite enseignant, tué. **1988**-*4-1* Amal lève le siège du camp pal. (de Rachidiyeh) qu'il encerclait (en 3 ans la g. des camps a fait 1 600 †). *-Avril* combats Amal/Hezbollah. *11-5* Hezbollah prend 95 % de la banlieue sud de Beyrouth à la milice Amal. *-27-5* l'armée syr. entre à B.-O. *30-5* voiture piégée à B.-Est, 20 †. *30-4 au 22-6* 70 † à B. *-18-8 élection prés. :* Soleiman Frangié, prosyrien, n'a pas la maj. *-22-9* fin du mandat du Pt Gémayel qui confie le gouv. au Gal Aoun, Cdt en chef. A.B.-O., Salim Hoss PM par intérim (gouv. dit d'« union nat. » démissionnaire dep. plusieurs mois ; seul min. chrétien, le gendre de S. Frangié). **1989**-*29-1* accord de paix Hezbollah/Amal (429 † dep. avril 88). *-10-2* armée et milice lib. se disputent le contrôle du camp chrét. : env. 80 †. *-20-2* combats (75 †), armée/milices lib. accusées de prélever 420 000 $ par j de taxes illégales et d'avoir la mainmise sur les ports. *-8-3* Pt Assad déclare que les peuples lib. et syr. ne font qu'un. *-17-3* voiture piégée (12 †). *-14-3* Syr. bombardent puis, *-21-3* blocus du réduit chrét. (1 500 km², 800 000 hab.) 35 000 soldats syr., dont 15 000 dans la ville (100 chars, 100 à 150 canons, dont obusier sov. de 240 mm) n'acceptant pas qu'Aoun ait fermé les ports illégaux (où transite la drogue de la Bekaa).

Guerres du Gal Aoun (1989-90). **1989**-*15-2* Aoun attaque les Forces lib. *-14-3* Aoun proclame la « guerre de libération » contre Syrie. *-28/29-3* cessez-le-feu lib. à la demande de la Ligue arabe. *-11-4* Bernard Kouchner, à B. : aide fr., refusée par musulmans, acceptée par Syrie : navire-hôp. « La Rance » et pétrolier « Penhors » (ravitaillement centrale de Zouc). *-20-4* liaison mar. avec Chypre interrompue. *-11-5* cessez-le-feu sous égide Ligue arabe. *-16-5* Cheikh Hassan Khaled, mufti sunnite, tué (attentat). *Juin-juil.* bombardement sur B.-O. *-28-7* un commando isr. enlève cheik Abdel Karim Obeid (responsable du Hezbollah). *-13-8* bataille de Souk el Gharb, Aoun repousse attaque Syr.-druze. *-17-8* à la demande d'Aoun, la Fr. envoie 8 bateaux au large de Beyrouth dont le porte-avions Foch (rentrent à Toulon 26-9). *-22-9* Aoun accepte plan de paix de la Ligue Arabe préparé par Algérie, Maroc, Arabie S. ; *-23-9* cessez-le-feu (entre mars et sept. 1 058 †, 4 777 bl., 1 milliard de $ de dégâts). *-24-9* aéroport international de Beyrouth réouvert. *-27-9* revient en partie sur son accord. *-30-9* réunion à Taef (Arabie S.) des 62 députés lib. pour élire un Pt (sur 99 élus 1972 dont le mandat a été prorogé, 73 vivants). *-22-10 accord de Taef* prévoit la diminution des pouvoirs du Pt au profit de ceux du PM et du Pt de l'Ass. et le regroupement des forces syr. dans certaines régions. *-4-11* parlement dissous (trop conciliant avec Syrie). *-5-11* Kleat (aéroport milit. gardé par Syr.), 58 députés élisent René Mohawad Pt (52 pour, 6 blancs). *-13-11* Sélim Hoss PM chargé de former un gouv. d'union nationale. *-22-11* Pt Mohawad assassiné à B.-O. *-25-11* à Chtoura, Elias Hraoui élu Pt (47 pour, 5 blancs). *-28-11* Hraoui limoge Aoun qui se proclame Pt du Liban libre (manif. de ses partisans) ; 33 parlementaires français viennent le soutenir à B. *-8-12* Hraoui laisse 2 semaines à Aoun pour quitter le palais de Baadba. **1990**-*29-1* le P. Kataeb refuse de participer au gouv. Hoss. *-30-1* Aoun ordonne la dissolution des Forces Lib. de Geagea. *-31-1* les attaque à B.-Est. *-16-2* leur reprend plusieurs villes. *Du 31-1 au 31-3* la g. entre chrétiens a fait 838 † et 2 367 bl. à Beyrouth. *5/6/7-4* cessez-le-feu pour pouvoir vacciner les enfants. *-5/10-5* Pt Hraoui en Egypte. *-26-5* plan du Vatican mettant fin à la guerre des chrétiens qui a fait 1 200 † et 3 200 bl. *-21-8* révision des accords de Taef afin de rééquilibrer le pouvoir des musulmans. *-29-8* visite à Damas des Pts de la Rép. et de l'Ass. et du P.M. *-21-9* le Pt annonce l'avènement de la IIe Rép. libanaise. *-28-9* blocus des forces du Gal Aoun, la Syrie soutient le Pt. *-12/13-10* assaut des forces gouv. et de l'armée syr. *-13-10* reddition armée Aoun (lui se réfugie ambassade de Fr.). La guerre a fait env. 2 500 † en 90. *-21-10* Dany Chamoun, sa femme Ingrid et 2 de ses enfants assassinés. *-24-10* le gouv. décide de reprendre le Grand Beyrouth avec l'armée. *-3-12* retrait des Forces lib. de Beyrouth. *-25-12* Phalange et Forces lib. refusent de participer au gouv. du P.M. Omar Karamé.

1991-*1-5* début de la dissolution des milices et du ramassage de leurs armes (doit être terminé le 30-9), sous contrôle de l'armée. *-22-5* Damas : tr. consacrant la tutelle syr. (coopération dans tous les domaines). **1992**-*21-9* l'armée syr. devra avoir quitté le L.

Forces en présence (v. 1989 ; évolution fréquente). 210 groupes dont **Palestiniens :** en plusieurs camps dont arafatistes 4 000, dissidents 1 500. **Armée libanaise :** désorganisée 1975, reconstruite 1983, 12 000 h., plusieurs brigades, regroupées selon critères confessionnels, liées aux milices qui contrôlent les différentes zones. **Milices chrétiennes :** dans le « rectangle chrétien » (sauf armée du Liban-Sud) : *Force libanaise (F.L.)* Samir Geaga, Nader Succar, Émile Rahmé, Karim Padradouni, 10 000 (dont 3 500 soldats réguliers). *Milice du parti Kataëb :* Georges Saadé, Boutros Khawand, Georges

Chaanine, Dib Anastase, 3 000 à 15 000 h. *Brigade 75 :* dépend du Pt Amine Gemayel (dissoute par Samir Geagea) : 1 000 h. *Bachiriens :* dirigés par l'épouse de Bachir Gemayel (?) moins de 500 h., clandestins. *Armée du Liban-Sud :* Gal Antoine Lahad à la frontière avec Israël, 2 500 à 3 000 h. (1/3 chiites, 2/3 chr.) équipés et conseillés par Isr. **Milices islamiques et « progressistes ».** *Armée populaire du Parti socialiste progressiste :* au Chouf et Beyrouth-O., 4 000 h. (maj. druzes, chef Walid Joumblatt). *Amal :* leader politique : Nabih Berri, à Beyrouth-O., C[dt] mil. : Akl Hamiyé, (Daoud-Daoud assass. sept 88) 5 000 h. *P.C. lib. :* Georges Hawi, Karim Mroué et Nadim Abd el-Samad, semi-clandestin, 500 h. *P. nat.-social. syr., ex.-P. pop. syr. :* Marwan Farès, 500 h. *P. Baas* (Assem Kanso) surtout chiites. *Hezbollah* (Soubhi Toufaili, Hussein Moussawi, Ibrahim al-Amine), 2 000 h., chiites. *Org. populaire nassérienne :* Moustapha Saad : Saïda, S.-Liban, sunnites, 600 h. *Brigade des Marada :* Soleiman Frangié, Nord, 1 000 h., maronites. *Partisans d'Elie Hobeika* (ancien chef des Forces lib.), 500 h., chrétiens.

Bilan de 1975 à 1987. *Tués :* 150 000, *blessés sérieux :* 180 680, *enlevés :* 13 968, *disparus et présumés décédés :* 17 415. *Émigrés :* 350 000. *Destructions :* 20 milliards de $. *Logements détruits : avant 1982 :* 40 000, *1982-84 :* 72 000. *Perte cumulée production et revenus :* 24 milliards de $. *Baisse du pouvoir d'achat :* – 50 %. *Recul du PIB :* – 5 % par an.

Français tués depuis mars 1978. Voir ONU p. 817 b.

☞ Prise d'otages. Responsables : 33 groupes distincts (dont l'O.J.R. : Organisation de la justice révolutionnaire). Plusieurs otages étrangers ont été assassinés et leurs corps retrouvés : *Arkady Katlov* (32 a.), attaché consulaire soviétique enlevé 30-9-1986 et tué 2-10. *Denis Hill,* Britannique, mort 29-5. *Alec Collett,* journaliste, pendu par un groupe proche d'Abou Nidal. *Le Père Kluiters,* Néerlandais, étranglé 1-4-85. *Peter Kilburn, Leigh Douglas* et *Philip Padfield,* de l'université amér., retrouvés morts le 16-4-85 *William Burckley,* attaché pol. à l'ambassade amér., tué 4-10-85. Col. *W.R. Higgins* C[dt] de l'ONUST enlevé 17-2-88, pendu 30-7-89.

Otages français. Enlèvements. 1985-*22-3 Marcel Carton* (64 ans, dipl., libéré 4-5-88), *Marcel Fontaine* (45 a., dipl., lib. 4-5-88) ; *-22-5 Jean-Paul Kauffmann* (43 a., journaliste, lib. 4-5-88), *Michel Seurat* (39 a., chercheur au CNRS, † janv. 86). **1986**-*2-3 Marcel Coudari* (lib. 11-11-86) ; *-8-3 Aurel Cornéa* (54 a., ing. du son sur A2, lib. 31-12-86), *Georges Hansen* (caméraman A2, lib. 20-6-86), *Jean-Louis Normandin* (35 a., éclairagiste A2, lib. 27-11-87), *Philippe Rochot* (journaliste A2, lib. 20-6-86) ; *-7-5 Camille Sontag* (84 a., lib. 10-11-86). **1987**-*13-1 Roger Auque* (31 a., journaliste, lib. 27-11-87) ; *-8-11* (sur le Silco au large de la Libye) 3 Fr. et 5 Bel. Marie-Laure et Virginie Bétille (7 et 6 a., lib. 29-12-87, filles de Jacqueline Valente), Jacqueline Valente, son compagnon, Fernand Houtekins, leur fille Sophie-Liberté née 25-5-86 (lib. 10-4-90 après transfert de Libye au Liban).

Otages occidentaux détenus au Liban. Au 1-9-1991 : 16 dont *1 Français :* fils de Jacqueline Valente (n. mars 1989) pendant sa détention. *6 Américains : Terry Anderson* (42 ans, dir. rég. Associated Press) dep. 16-3-85, *Thomas Sutherland* (58 ans, doyen de la faculté d'agronomie de l'univ. amér. de Beyrouth) dep. 9-6-85, *Joseph Cicippio* (59 ans, comptable de l'univ. amér.) dep. 12-9-86, *Edward Austin Tracy* (59 a.) dep. 21-10-86, *Jesse Turner* (50 ans) et *Alan Steen* (49 ans) enseignants du Beirut University College dep. 24-1-87. *3 Britanniques : Terry Waite* (50 ans, médiateur envoyé par l'archev. de Cantorbery) dep. 20-1-87, *John Mc Carthy* (33 ans, cameraman) dep. 17-4-86, *Jack Mann* (74 ans, ancien pilote de ligne) dep. 3-5-89. *2 Allemands de l'Ouest : Heinrich Struebig* (49 ans) et *Thomas Kemptner* (29 ans), de l'association ASME-Humanitas dep. 16-5-89. *1 Irlandais : Brian Keenan* (38 ans, enseignant) dep. 11-4-86. *1 Italien : Alberto Molinari* (71 ans, commercial) dep. 11-9-85. *2 Suisses : Emmanuel Christen* et *Elio Erriquez,* orthopédistes de la Croix-Rouge dep. 6-10-89.

Libérés récemment. *All. :* Rudolf Cardes (enl. 17-1-87, lib. 12-9-88), Alfred Schmidt (enl. 20-1-87, lib. 7-9-88). *Américains :* David Jacobsen (enl., lib. 2-11-86), Robert Polhill (enl. 24-1-87, lib. 22-4-90), Frank Reed (enl. 9-9-86, lib. 30-4-90). *Belges :* Emmanuel Houtekins, sa femme Godlieve, leurs enfants Laurent et Valérie enlevés 8-11-87 en même temps que J. Valente, libérés 10-4-90.

Politique

• Statut. Rép. *Const.* 23-5-1926 amendée en 27, 29, 43, 47 et 90, *Pt* élu par l'Ass. pour 6 a., non rééligible (toujours maronite). *PM* musulman sunnite. *Pt de l'Ass. nat.* musulman sunnite. *Assemblée nat.* dernières élect. 1972 (pour 4 ans) ; mai 1991, les 67 députés restant, en application avec les accords de Taef, autorisent le gouv. à nommer 41 dép. La nouvelle ass. comprendra 108 m. (et non plus 99) (54 chrétiens et 54 musulmans). **Mohafazats** 6. Les charges de l'État, du gouv., du Parlement, de la fonction publique sont réparties (proportion de 6 pour chrétiens et 6 pour musul.). Fête nat. : 22-11 (Indép. en 1943). Drapeau : adopté 1943 ; couleurs de la Légion lib. pendant la 2e g. mond. 2 bandes rouges, 1 blanche avec un cèdre (symbole du L).

• Partis (en général). *Al-Kataeb* (Phalanges), f. 1936 par Pierre Gemayel (1905-84) ; libéral, 93 300 m, devenu parti v. 1964 (ont appelé en 1977 les Syriens pour repousser les Pal. progressistes). *Pt :* Georges Saadé (n. 1928). *Bégins,* jeunes phalangistes doivent leur nom à Pierre Gemayel (initiales en arabe, BG). *Bloc national,* f. 1943 par l'anc. Pt Émile Eddé (1881-1943) ; pour le partage des pouvoirs et contre l'immixtion des milit. dans affaires civiles (leader : Raymond Eddé, n. 15-3-13). *P. national libéral,* f. 1958 par l'anc. Pt Camille Chamoun ; mêmes principes. *P. national social-syrien* (Antoun Saàda) a succédé au *P. populaire syrien* dissous 1962 ; milite pour la reconstruction de la Syrie géographique. *Al-Baas,* f. en Syrie 1940 par Michel Aflak (1909-89) ; doctrine unioniste arabe. *An-Najjadés,* f. 1936 par Adnane Hakim ; unioniste. *Al-Harakiyines Al-Arab,* f. 1948 par Georges Habache (n. 1926) ; proche du marxisme. *P. socialiste progressiste,* f. 1-5-1949 par Kamal Joumblatt (1917-77) ; progressisme pacifiste et libéral ; leader Walid Joumblatt, 16 000 m. *Ad-Dastour,* f. 1943 par l'anc. Pt Bécharra El-Khoury ; p. de cadres ; leader Michel El-Khoury (n. 1926). *P. comm. lib.,* f. 1924 par Nicolas Chawi (dissous 48 et interdit jusqu'en 71) (leader : Georges Hawi). *Fédération révol. arménienne* (FRA), f. 1890, socialiste. *P. démocrate,* f. 1969 par Joseph Mughaizel, libéralisme social, laïc.

• Mouvements chiites. **Amal** en arabe « espoir » et contraction de « détachements de la résistance libanaise ». Nabih Berri (avocat). Parti et milice. Issu du mouv. f. 1974 par l'imam d'origine iranienne Moussa Sadr, « disparu » en Libye en 1978. A chassé l'armée nat. de Beyrouth-O. en févr. 1984, s'oppose aux partisans d'Arafat. **Amal islamique** né 1982 d'une scission d'Hussein Moussaoui. Implanté à Baalbek. Renforts iraniens (700 h. en août 1985). A établi un « État islamique » sous surveillance syr. **Hezbollah** « Parti de Dieu » lié à Amal islamique. Lutte pour un État islamique mondial anti-américain et antisioniste. Responsable de nombreux attentats. Utilise le « label » Djihad islamique (g. sainte islamique). **Courant du cheikh Hussein Fadlallah** né 1925 à Najaf, Irak, revenu au Liban 1966. Banlieue sud chiite de B. (Bir-Abed). **Mouvement islamique lib.** Cheikh Abbas Moussaoui anticommuniste. **Rassemblement des oulémas musulmans** Cheikh sunnite Maher Hamoud. **Conseil supérieur chiite** Cheikh Mahdi Chamseddine rallie des mécontents dont Amal.

• Mouvements sunnites. **Tawhid** Liban du Nord (Mouv. de l'unification islam.). Formé 1982 à Tripoli autour du cheikh intégriste Saïd Chaabane qui a soutenu Arafat avant de se rapprocher de la Syrie. Proclame : « Le Liban n'existe pas ! Seul compte l'Islam qui résoud tous les problèmes et libère l'homme même s'il n'admet pas le pluralisme. » **Féder. des oulémas** formée 1980 par Cheikh Abdelaziz Kassem. **Féd. des associations islam.** Saadeddine Houmaydi Sakr. **Makasseds** « les bien intentionnés ». Réseau d'écoles, de centres sociaux. Patronné par Tamam Salam. **Rencontre islam.** Cheikh Muhammad Qabbani, « mufti de la République ». **Courant du cheikh Ali Jouzou. Parti de la libération islam.** fondé 1952 par cheikh pal. Takieddine Nabbahi († 1977) dirigé par cheikh Abdelkader Zaloum, Kurde venu de Palestine. Réclame : « Un État islam. dirigé par un calife et au sein duquel Syrie et L. seraient unis. » **Congrès populaire des forces lib. islam. nationales** créé 1981 par Kamal Chatila.

• Présidents. **1926** Charles DEBBAS (1861-1935). **34** Habib As-SAAD (1866-1946). **36** Émile EDDÉ (1881-1943). **41** Alfred NACCACHE (1887-1978). **43** *mars* Ayoub TABET (1882-1947) ; *juil.* Pédro TRAD (1873-1948). Béchara EL-KHOURY (1890-1964). **52** Camille CHAMOUN (1900-87). **58** Gal Fouad CHEHAB (1902-73). **64** Charles HÉLOU (1912). **70** Soleiman FRANGIÉ (15-6-10). **76** *23-9* Elias SARKIS (1924-85). **82** *23-8* Bechir GEMAYEL (10-11-47/14-9-82 attentat). *23-9* Amine GEMAYEL (1942), son frère aîné. **88** *2-9* présidence vac. **89** *5-11* René MOHAWAD (1925/22-11-89 attentat). **89** *22/24-11* Elias HRAOUI (1926).

• Premiers ministres. Noms dep. l'indépendance (1943) : ACCARI Nazem (1902-85), CHEHAB Fouad (1902-73), CHEHAB Khaled (1892-1977), DAOUK Ahmad (1893-1979), Hoss Salim (n. 1929), HAFEZ Amine (n. 1926), KARAMÉ Abdulhamid (1890-1947), KARAMÉ Rachid (1921-87), MUNLA Saadi (189?-1972), OUEYNI Hussein (1900-73), SALAM Saeb (n. 1905), SOLH Rachid (n. 1926), SOLH Riad (1893-1951), SOLH Sami (1890-1973), SOLH Taqieddine (1907-88), YAFI Abdallah (1901-87). **PM dep. 1980. 1980**-*25-10* WAZZAN Chafic (1925) **84**-*30-4* KARAMÉ Rachid (1921 assassiné 1-6-1987). **87**-*2-6* Hoss Salim (n. 1929). **88**-*23-9* AOUN Michel (n. 1935). **89** *25-11* Hoss Salim. **90**-*24-12* KARAMÉ Omar (n. 1935).

☞ *La Syrie a reconnu le L. comme État indépendant :* 1°) le 7-10-1944 en signant le Pacte d'Alexandrie dont une annexe garantit formellement l'indépendance et l'intégrité du L. ; 2°) le 23-3-1945 en étant (avec le L.) cofondateurs de la Ligue arabe dont le pacte est expressément conclu entre « pays indépendants ».

Économie

P.N.B. (88) env. 2 220 $ par h. **Pop. active** (%, entre parenthèses part du P.N.B. en %). Agr. 11 (10), ind. 20 (15), services 69 (75). **Chômage** (%). *1970 :* 8,1 ; *75 :* 15/20 ; *85 :* 62. **Inflation** (%). *1985 :* 70 ; *86 :* 162 ; *87 :* 904 ; *88 :* 30, *89 :* 80. *Salaire minimum* ($). *1980 :* 185 ; *87* (nov.) : 20. **Balance commerciale** (en milliards de $). *1983 :* – 0,93 ; *84 :* – 1,35 ; *85 :* + 0,38 ; *86 :* – 0,12 ; *87 :* + 0,12 [équilibrée par les services, transferts des expatriés, subventions étrangères aux palestiniens (fonds arabe et UNRWA) et aux diverses factions (Irak, Syrie, Libye, Israël)] ; **des paiements.** *1980 :* + 0,47 ; *81 :* +0,59 ; *82 :* + 0,25 ; *83 :* – 0,93 ; *84 :* – 1,35 ; *85 :* + 0,38 ; *86 :* – 0,12 ; *87 :* + 0,12. Pendant la g. apport d'argent aux diverses factions (Irak, Syrie, Libye, Israël). **Dépenses militaires** (84). 44,5 % du budget. **Livre libanaise** (nombre pour 1 $ au 31 déc.). *1974 :* 2,3 ; *75 :* 2,43 ; *76 :* 2,73 ; *77 :* 3 ; *78-79 :* 3,25 ; *80 :* 3,64 ; *81 :* 4,63 ; *82 :* 3,82 ; *83 :* 5,49 ; *84 :* 8,89 ; *85 :* 18,10 ; *86 :* 98 ; *87 :* 450 ; *88 :* 529 ; *91 :* 1000. **Budget** (87). 540 millions de $. *Déficit :* 40 %. **Dette intérieure** (90). 1650 milliards de livres lib. ; **extérieure** (90). 450 millions de $. **Réserves banque centrale** (milliards de $). Or 4 ; devises 0,56. **Avoirs en devises du secteur privé** (banques, grosses fortunes de l'intérieur et de l'étranger). 30 à 40.

Agriculture. *Terres* (milliers d'ha, 81) T. arables 240, t. cult. 110, forêts 72, pâturages 10, divers 591. *Production* (milliers de t, 89). Raisins 160, p. de t. 210 (88), tomates 132 (88), pommes 92, oignons 40, citrons 37, blé 19 (88), olives 75 (88), maïs 6 (83), bett. à sucre 4 (88), orge 5 (88), tabac, soie. Trafic de drogue de la Bekaa. De 0,5 à 1 milliard de $ de C.A. en 1988. Forêts. Pins et cèdres en cours de reboisement. Il reste quelques centaines de cèdres à Bécharré et dans le Chouf, certains ayant 1 500 ans. Élevage (milliers de têtes, 88). Poulets 12 000, chèvres 470, moutons 141, bovins 52, porcs 22, ânes 11, mulets 4. Pêche (87). 1 800 t.

Mines. Peu exploitées : fer, cuivre, schistes bitumineux, asphalte, phosphates, céramique, sable (pour le verre). Industrie. Raffineries de pétrole (Tripoli, Zahrani). Artisanat. Aluminium. Place financière en déclin (100 banques en 80). Assurances. *Trafic de voitures européennes volées :* 2 500 en 1988, (1 000 à 3 000 $ pièce).

Transports (km). Routes 7 100, chemins de fer 417. Tourisme (avant la g. civile). 3 008 391 vis. (74). Monuments romains, voir Italie p. 992.

Commerce (millions de $). *Exp. : 1975 :* 0,6 ; *80 :* 1,22 ; *83 :* 0,6 ; *84 :* 0,4 ; *85 :* 0,3 ; *86 :* 0,16 ; *87 :* 0,25. *Imp. : 75 :* 1,66 ; *80 :* 2,9 ; *83 :* 3,4 ; *84 :* 2,3 ; *85 :* 1,4 ; *86 :* 1,9 ; *87 :* 1,25 (d'Italie 10,7 %, *Fr. 8,10).*

LIBERIA

Carte p. 1010. V. légende p. 837.

Nom. Vient de *liberty.*

Situation. Afrique. 97 754 km². *Côtes* 560 km. *Alt. max.* Mt Nimba 1 513 m. **Climat.** Équatorial, pluies mai à oct. 21 à 32 ° C, min. 20,4 ° C. *Pluies* moy. Monrovia : 5 588 mm (max. 24 h : 362).

Population. 2 610 000 h. (90) dont 22 ethnies (Kpelle 400 000, Bassa 250 000, Dan 124 000, Kru 121 000, Glebo 115 000, Mano 108 000). *Congos :* descendants d'afro-amér. 80 000. *Réfugiés* (1990) de janv. à juill. : 375 000 (Guinée 240 000, Sierra Leone 15 000, C.-d'Ivoire 120 000), de janv. à sept. : 500 000. Libanais (1985) : env. 8 à 10 000. *Prév. 2000:* 3 564 000. **Âge :** *- de 15 a. :* 47 %. *+ de 65 a. :* 3 %. D. –24,6. **Villes.** *Monrovia* (nom donné en 1825 en l'honneur du Pt Monroë) 465 000, Buchanan 25 000 (à 151 km). **Langues.** Anglais *(off.)*, dialectes africains. **Religions.** En % : animistes 75, musulmans 15, chrétiens 10.

Histoire. **1816**-*28-12* des philanthropes amér. dont le révérend Robert Finley fondent l'American Colonization Society qui veut créer une « colonie de Noirs libres » en Afrique occidentale. **1818** *avril* projet d'installation dans l'île de Sherbro (conseillé par Thomas Clarkson). **1820**-*31-1* à New York, embarquement de 30 familles (90 pers.) sur l'*Elizabeth* pour Sherbro, échec de leur installation. **1821**-*23-1* départ de 33 émigrants sur le *Nautilus*, s'installent sur 60 km^2 au cap Mesurado contre tribut annuel de 300 $ qui ne seront payés qu'une fois. **1822**-*7-1* **à 1892** 22 120 immigrés noirs (16 400 du S. des U.S.A. et 5 700 de navires angl. ou amér.). **1847**-*26-6* décl. d'indépendance ; il y a alors 6 500 imm. noirs. **1912** réorganisation armée par des officiers noirs amér. **1915** *sept.* soulèvement de la côte Krou (S. du pays), 67 leaders Krou tués. **1926** Firestone s'implante au L. ; des millions d'acres lui sont concédés pour 99 ans, influence des « dix familles ». **1931** affrontements Krou-pouvoir central à Sasstown. **1934** début de production de caoutchouc. **1941** Pt William Tubman (1895-1971). **1943**-*8-6* dollar amér. remplace la livre angl. d'Afr. occ. **1944**-*27-1* déclaration de g. à l'Axe. -*10-4* membre de O.N.U. **1971**-*23-7* William Richard Tolbert (1913-80) Pt. **1971-80** crise (concurrence caoutchouc synthétique, mévente du fer dep. 1961, crise pétrolière). **1979**-*14-4* manif. (au moins 32 †, cause : augmentation du riz). **1980**-*12-4* Pt Tolbert tué par caporal Harrison Pennue (promu colonel, deviendra com. gén. adjoint des forces armées). Constitution suspendue. -*22-4* 13 min. et hauts dignitaires fusillés. **1981**-*août* coup d'État échoue. Weh Syen et 3 membres du PRC (Conseil de rédemption du peuple) exécutés. **1983**-*nov.* « Complot » du Gal Quiwonkpa, chef de l'armée ; il s'exile. **1984**-*20-7* référendum pour nouvelle const. (en vigueur début 1986). -*26-7* activités polit. autorisées. Assemblée nat. intérimaire (INA) après dissolution du PRC. -*22-8* incidents à l'université et élimination polit. de 5 anciens du PRC dont le Gal Podier. **1985**-*1-4* tentative d'assass. du Pt Doe. -*18-7* rupture avec URSS -*15-10* élect. (l'opposition demande annulation), 519 000 suffrages exprimés. *Pt élu :* Samuel K. Doe 265 000 v. (51,05 %) devant Jackson Doe (LAP) 137 000 (26,39 %), Kpolleh (LUP) 60 000, Kesselly (UP) 57 000. *Sénat* et entre parenthèses *Ch. des Représentants :* NDPL 21 s. (45), LAP 3 (3), UP 1 (4), LUP 1. -*12-11* putsch manqué du Gal Thomas Quiwonkpa (tué) 1 500 †. **1986** *janv.* régime civil, seconde république. **1989**-*24-12* début rébellion. **1990**-*6-1* rebelles font 500 † à Butuo. *Mars* conseillers militaires amér. au Nimba -*20-5* rebelles FNPL contrôlent 2/3 du pays. -*30-5* attaquent bâtiment de l'ONU à Monrovia (1 †, 30 personnes enlevées). -*4-6* USA évacuent 1 100 Amér. Elmer Johnson tué (conseiller militaire de Charles Taylor, chef des rebelles). -*5-6* plusieurs centaines de Khran (ethnie du Pt Doe) et de Mandingos à Buchanan pris par rebelles. -*7-6* USA évacuent 1 400 Amér. et diplomates soviét. -*18-6* amnistie générale des rebelles. -*20-6* arrêt des poursuites pour détournement de fonds contres Charles Taylor. -*27-6* reprise des combats. -*3-7* rebelles dans Monrovia. *Janv.-juill.* 5 000 à 10 000 †. -*27/28-7* Taylor annonce le « gouv. de l'ass. nat. patriotique de reconstruction ». -*29-7* 600 tués par soldats gouvernementaux dans église luthér. de Monrovia. -*5-8* débarquement de 225 marines et évacuation de 300 Amér. -*7-8* la CEDEAO envoie une force de maintien de la paix (ECOMOG) de 2 500 h. (Niger, Ghana, Guinée, Gambie, Sierra Leone). -*9-8* évacuation des Français. -*2-9* gouv. intérimaire d'unité nat. créé. -*9-9* Pt Samuel Doe (n. 1951) capturé et tué -*10-9* par forces de Prince Johnson qui se déclare Pt intérimaire. *Nov.* cessez-le-feu, envoi de 7 000 à 10 000 casques blancs. Le *Santa-Rita* affrété par la France débarque 2 000 t de riz et embarque 3 067 réfugiés. **1991**-*13-2* cessez-le-feu.

Statut. **Rép. dep. 26-7-1847.** *Const.* du 20-7-1984 (avant : 26-7-1847). *Pt et vice-Pt* élus au suffr. univ. p. 6 a. *Ch. des représentants* (64 m. élus p. 6 a.). *Sénat* (26 élus p. 9 a. 2 par comité). *Conseil pop. de rédemption* légiférant par décrets. **Fêtes nat.** : 12-4 (rédemption), 26-7 (indépendance). **Drapeau** : adopté 1847 : 11 bandes rouges et blanches et une étoile à 5 branches.

Économie

P.N.B. (88) 467 $ par h. **Pop. active** (% et entre par. part du P.N.B. en %) agr. 55 (35), ind. 10 (10), services 20 (35), mines 15 (20). **Inflation** (%). *1985 :* – 1 ; *86 :* 3,6 ; *87 :* 5 ; *88 :* 9,4. **Aide amér.** (millions

de $). *1985 :* 90 ; *86 :* 43 ; *87 :* 38 ; *88 :* 31 ; *90 :* 70. **Dette ext.** (milliards de $) ; *1986 :* 1,4 ; *89 juin :* 1,7.

Agriculture. *Terres* (milliers d'ha, 81) t. arables 126, t. cult. 245, pâturages 240, forêts 3 760, eaux 1 505, divers 5 261. *Prod.* (milliers de t, 88) manioc 310, riz 297 (89), canne à sucre 225, bananes 80, légumes et melons 77, plantain 33, patates douces 18, café 10, ananas 7, oranges 7, cacao 5. Hévéas [Plantations de Firestone] (caoutchouc 85 000 t en 88). **Forêts.** 5 640 000 m^3 (87). **Élevage** (milliers de têtes, 88). Poulets 4 000, moutons 240, chèvres 235, canards 233 (82), porcs 140, bovins 42. **Pêche.** 18 700 t (87). **Mines.** **Fer :** *réserves* 2 milliards de t : *prod.* (millions de t) : *1980 :* 15,2 ; *83 :* 10,1 ; *84 :* 11,4 ; *85 :* 14,3 ; *86 :* 8,7 ; *87 :* 8,6 (teneur : 1er rang mondial ; jusqu'à 28 % du P.N.B.), *88 :* 8. **Diamants :** *1985 :* 138 000 carats. **Or** *85 :* 147 kg. **Baryte, bauxite, manganèse, kyanite.** **Flotte de commerce** (pavillon de complaisance) (millions de tx). *1979 :* 80 ; *83 :* 67,5 ; *84 :* 70,25.

Commerce (millions de $, 85). *Exportations* 435,6 *dont* fer 270, caoutchouc 77,1, café 27,3, bois 25,2, diamants 4,7, *vers* All. féd. 140,7, U.S.A. 83,8, Italie 68,7, *France 38,7,* Belg.-Lux. 25,8, P.-Bas 19. *Importations* 284,4 *dont* mat. 1res 153,9, biens de cons. 103,6, biens d'équip. 26,9, *de* U.S.A. 73,8, All. féd. 26, Japon 23,8, G.-B. 21,1, P.-Bas 18,6. **Rang dans le monde** (88). 11e fer.

LIBYE

V. légende p. 837.

Situation. Afrique. 1 775 500 km^2. *Frontières :* Égypte 1 080, Algérie 1 000, Tchad 1 000, Tunisie 480, Soudan 380. *Alt. max.* env. 900 m. *Côte* 1 820 km. *Longeur* 2 000 km. En 1974, la L. a déclaré unilatéralement que le golfe de Syrte au S. du parallèle 32° 30' était eaux intérieures l. **Régions.** *Plaine côtière* (bordée d'une ligne d'oasis), la Djeffara, larg. max. 120 km ; *région montagneuse* au nord (alt. max. 968 m) ; *désert* (99 % du territoire) et montagne de l'intérieur (plateau s'élevant à 1 852 m) pour les 3/4 du pays ; *oasis.* **Pluies.** – de 200 mm par an ; en Cyrénaïque : 500 mm (rares, torrentielles).

Population. *1964 :* 1 300 000 h., *est. 89 :* 4 395 000 h., *prév. 2000 :* 6 072 000. **Age :** - *de 15 a.* 51,4 %, + *de 65 a.* 2 %. *Par région : Tripolitaine* (335 000 km^2, cap. Tripoli) : 72 %, *Cyrénaïque* (885 370 km^2, cap. Benghazi) 23 %, *Fezzan* (665 000 km^2, cap. Sebha) 5. **Pop. urbaine** 31,6 %, nomades 14,6 %, Fezzan et Sahara libyque. D. 2,47. **Villes.** *Capitale : Aljofor* (650 km au S. de Tripoli) dep. fin 86, avant, *Tripoli* 1 200 000, Benghazi 750 000 (à 1 050 km), Misourata 360 000 (210 km), Zawia 300 000, Homs 200 000, El Beida (cap. politique et admin. de l'ancien régime). **Immigration.** *1985 :* 549 600 étrangers dont 15 000 Ital., 1 500 Amér. (selon d'autres sources 6 000 à 8 000 dont 2 000 dans les Cies pétrolières). Ressortissants de l'Est *1985 :* 60 000 à 70 000. *Conseillers milit. soviétiques* 19 000, *est-allem.* 6 000.

Langues. Arabe *(off.)*, anglais, italien. **Religions.** Musul. sunnites 97 % (rel. off.), chrétiens 2,5.

Histoire. Siège de comptoirs phéniciens et grecs, conquis par Romains, Vandales, Musulmans (VIIe s.), Byzantins et au XVIe par Turcs ; dynastie des Beni-Mohammed au Fezzan, dépend. de Tripoli, puis ind. **1711-1835** dynastie Qaramanli. **1801-05** combats contre marine américaine. **1835** reconquise par Turcs. **1911** *oct.* conquête Tripoli (4 000 Arabes †). **1912** col. italienne après g. italo-turque. **1915** soulèvement (rép. de Misourata), les Ital. évacuent Tripolitaine sauf Tripoli et Homs. **1916** Turcs reviennent, base sous-marine allem. à Misourata. **1922-31** résistance armée d'Omar al Moukhtar. **1932** occupation it. complète. **1934** Libye, après fusion Cyrénaïque, Tripolitaine et Fezzan. **1939** annexée par Italie (env. 500 000 It.). **1941** combats anglo-allem. **1942**-*23-10* victoire d'El-Alamein ; Angl. occupent Cyrénaïque, prennent Tripoli (*23-1*-43), Fezzan (1941-43) passe sous contrôle français après occupation Gal Leclerc. **1951**-*24-12* indépendance avec roi Mohammed Idris El Mahdi Es-Senoussi (1890-1983). **1953**-*29-7* tr. anglo-l. : droit de stationnement et de libre déplacement des troupes brit. contre redevance. **1954**-*9-9* accord avec U.S.A. : sur base aérienne de Wheelus Field contre 46 millions de $, payables en 20 ans. **1955**-*29-7* tr. avec Fr. qui évacuera Fezzan (Gouv. Mendès France). **1956** Italie verse 2,75 millions de lires en règlement de ses comptes coloniaux. **1958-59** découverte de pétrole. **1964** *janv.* rupture du contrat avec U.S.A. pour Wheelus Field. **1967** *juin* g. des 6 j en Israël, émeutes antisionistes.

1969-*1-9* roi Idris déposé [le P^{ce} hér. était le P^{ce} Kadhafi Hassan Reda (n. 1928)], Conseil de commandement de la révol. (CCR) dirigé par Kadhafi -*27-12* union L.-Soudan-Égypte. **1970**-*28-3* évacuation des forces angl. d'El-Adem et Tobrouk. -*11-6* des forces amér. -*22-7* expulsion de 15 000 Italiens. -*27-11* la Syrie rejoint l'union de 1969 (qui ne prendra jamais forme). -*25-12* pacte de Tripoli avec Ég. et Soudan ; la Fr. livrera 116 Mirages à la L. **1971**-*17-4* féd. RAU, Libye, Syrie (approuvée par référendum *1-9).* **1972**-*30-5* parti unique. -*2-8* union avec Ég. décidée (aurait dû prendre effet le 1-9-73). **1973**-*15-4* révol. populaire. -*18-7* marche de l'unité vers Le Caire, arrêtée. -*20-7* les marcheurs rentrés en L. demandent à Kadhafi, qui a démissionné, de reprendre le pouvoir. -*23-8* proclamation de l'union par étapes. -*1-9* union avec Ég. repoussée. Nationalisation à 51 % des Stés pétrolières. -*5-10* L. non associée à l'attaque d'Eg. et Syrie contre Israël. -*1-12* rupture union avec Ég. **1974**-*12-1* union avec Tunisie (sans suite). -*22-4* Kadhafi laisse ses fonctions polit. et adm. au C^{dt} Jalloud, P.M. *Août* révélation, la L. a livré des Mirages à l'Ég. **1975** complot d'El Mehichi (membre du CCR) : la moitié des m. du CCR en fuite. **Début 1976** rencontre Kadhafi-Boumediene. *Févr.-mars* milliers de Lib. expulsés, d'Ég. et Tunisie. -*22-3* accords fr.-l. après visite PM Jalloud en Fr. *(10/12-2)* et J. Chirac en L. *(20/22-3). Mai-août* différend avec Tunisie sur pétrole du golfe de Gabès. **1977**-*2-3* CCR supprimé ; le peuple, réuni en congrès pop. de base, prend toutes les décisions, démocratie directe. -*21/24-7* conflit avec Ég. **1977-79** Kadhafi soutient musulmans du « front Moro » (Philippines), Palestiniens, « autonomistes » français. **1978** Fr. livre 32 Mirages Fl. **1979** intervention en Ouganda (2 000 h.), au Tchad. -*1-5* K. demande aux ouvriers du monde d'appliquer les slogans du *Livre vert,* t. 2 : « Associés pas salariés » (autogestion), « La maison à celui qui l'habite » (nationalisation des appartements). -*3-12* ambassade amér. à Tripoli saccagée.

1980-*7-1* rupture avec Fatah. -*27-1* attaque de Gafsa (v. Tunisie). -*4-2* amb. de Fr. à Tripoli saccagée ; 10 opposants à l'étranger exécutés. 2 000 off. et fonctionnaires arrêtés. -*15-5* échange des billets de banque, on rend 15 000 F par famille, surplus placé en épargne -*27-6* avion inconnu (amér. ?) abat DC - 9 civil en Méditerranée (81 †) [visait peut-être Kadhafi qui se trouvait dans le secteur]. -*6-8* rébellion de garnison de Tobrouk. -*1-9* projet fusion avec Syrie. -*14/15-12* intervention au Tchad. **1981** L. revendique partie du Golfe de Syrte au sud du parallèle 32°30 (longueur 482 km, largeur max. 278 km) comme eaux intérieures ; les eaux territ. (12 milles soit 22 km) seront comptées au-delà. -*6-1* fusionne avec Tchad : « États islamiques du Sahel ». *Mars* embargo fr. sur 10 vedettes commandées par la L. ; liquidation opposants à l'étranger. -*19-8* 2 F-14 amér. abattent 2 SU-22 l. dans Golfe de Syrte. -*3-11* Lib. évacuent Tchad.

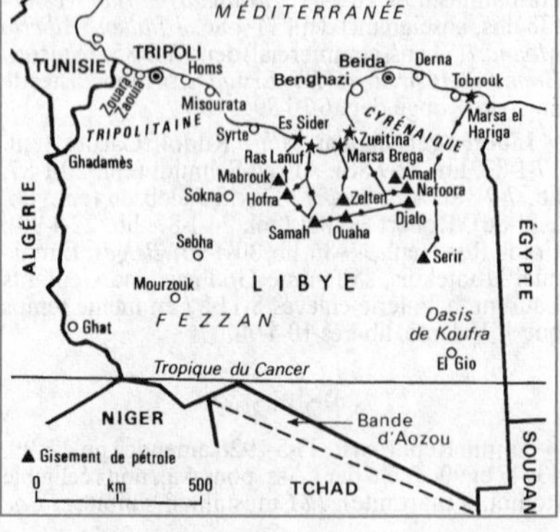

-7-12 Boeing l. détourné à Zurich ; libéré à Beyrouth *9-12.* **1982**-*7-10* tous les opposants de l'étranger doivent rentrer. **1983-84** intervention au Tchad. **1984** retrait du Tchad après accord Dumas-Kadhafi, rupture des relations dipl. en G.-B. (tir depuis l'ambassade l. à Londres : une policière angl. †, 10 bl.). *Mai* Front Nat. pour la sauvegarde de la L. attaque-caserne de Bab Aziziyya. *13-8* tr. d'union arabo-afr. avec Maroc. *12-11* tentative d'assassinat d'Abdelhamid Bakckouche (PM 67-68) échoue. **85**-*4-6* milliers d'instruments de musique occidentale brûlés, car« culture et héritage arabe authentiques ». *Sept.* 100 000 étrangers, dont 30 000 Tunisiens, expulsés. *-24-11* C[el] Hassan Eskhal (beau-fr. de Kadhafi) opposant tué. USA et Italie accusent L. de soutenir terroristes qui ont détourné l'*Achille Lauro* ; USA prévoient sanctions écon. *-27-12* 2 att. contre aéroports (Vienne et Rome 19 †), Reagan accuse L. **1986**-*7-1* rupture relations écon. amér. avec L. *Février/mars* rapprochement avec Alg. *-24 et 25-3* marine amér. manœuvre dans golfe de Syrte. Tirs l., (2 Scud sur île ital. de Lampedusa, qui abrite une base amér. Bombard. de missiles SAM 5 et 4 vedettes, 44 †), 1 F 111 amér. perdu. *-15-4* raid amér. sur Tripoli et Benghazi. *Août* tr. d'union arabo-afr. rompu avec Maroc. **1987** Tchadiens prennent Aozou, reconquise 22-8. *-5-9* base de Matten détruite. *-11-9* cessez-le-feu. **1988**-*28-3* rouvre frontière avec Ég., *-4-4* avec Tunisie. *-12-6* Charte des droits de l'Homme adoptée. *Août* 20 résidents afr. exécutés pour refus de s'enrôler dans légion islamique. *-31-8* armée et police remplacés par milice pop. *-29-9* Kadhafi accuse ses comités rév. d'avoir assassiné des opp. pol. et les supprime. *-6-9* décentralisation des ministères. **1989**-*4-1* F-14 amér. abattent 2 Mig l. *-5-1* USA accusent L. de construire une usine d'armes chim. à Rabta. *-16-2* tr. de l'Union du Maghreb arabe. *-28-6* embargo sur armements fr. levé partiellement. *-30-8* accord de paix avec Tchad. *Oct.* Kadhafi reconnaît avoir soutenu le terrorisme. **1990**-*14-3* incendie dans l'usine de Rabta. *-27-8* L. soupçonnée pour attentat du DC-10 d'UTA du 10-9-89. *-16-10* levée embargo français sur 3 avions bloqués dep. 1986 (reportée le 12-12). *Nov.* Libyen Mohamed al-Marzouk identifié comme l'un des auteurs de l'attentat de Lockerbie le 21-12-88.

Statut. Nom officiel : dep. 12-3-1977 *Djamāhīriyya* (État des masses ou populocratie) arabe populaire et socialiste, (dep. 1986 Grande Djam.) « *Déclaration de remise du pouvoir au peuple* » tenant lieu de constitution (Sebha, *2* 1977). *Échelon de base : Congrès populaire* [base territoriale ou sectorielle (producteurs)]. *Sommet : Congrès général du Peuple* composé de délégués des secrétariats de chacun des Congrès pop. Des *Comités révolutionnaires* jouent le rôle d'un parti unique. **Membre** de l'Union du Maghreb arabe (févr. 1989) (Égypte, Syrie, Soudan, Libye). **Leader-maître :** colonel Muammar al Kadhafi (n. sept 1942) dep. 1-9-1969. *Secr. gén. du Congrès général du Peuple :* Abdel Raziq El Saossa. *Secr. gén. du Comité gén. du peuple* (C.P.G.) (gouv.) Abou Zezdomar Doareda. *Signataire* de la Charte de Tripoli. **Municipalités :** 14. **Fête nat. :** 1-9 (Révolution). **Drapeau :** adopté 1977 : vert (foi islamique et rév. agric.).

Nota. – La L. revendique *la bande d'Aozou* (au nord du Tchad et du Niger), riche en uranium et pétrole, cédée à l'Italie 7-1-1935 par accord Laval-Mussolini, rendu caduc par tr. franco-l. du 10-8-1955 ; *projet libyen :* fédérer l'Afrique saharienne et musulmane de la Mauritanie à l'Érythrée.

Économie

P.N.B. ($, par h.). *1988 :* env. 5 410. **Pop. active** (%, entre parenthèses part du P.N.B. en %) agr. 14 (15), ind. 16 (15), services 60 (20), mines 10 (50). *Total actifs :* 1 061 800 (dont étrangers 36,1 %), dont femmes 99 700. **Dette extérieure** (89). 7 milliards de $. **Inflation** (89). + 25 %. **Réserves** (milliards de $). *1980 :* 13, *87 :* 6, *88 :* 3,7.

Agriculture. *Terres* (milliers d'ha, 81) t. arables 1 758, t. cult. en permanence 327, pâturages 13 100, forêts 610 (4 100 millions d'arbres plantés en 10 ans), divers 160 159. 95 % de désert. Plan de fertilisation de 700 000 ha (150 000 ha par an). *Production* (milliers de t, 88) tomates 212, blé 190, olives 115, p. de terre 115, dattes 101, orge 100, citrons 23, raisins 23, amandes 12,5. **Élevage** (milliers de têtes, 88). Volailles 37 000, moutons 5 750, chèvres 965, bovins 215, chameaux 185, ânes 73 (82), chevaux 14 (82). **Pêche** 8 000 t (87).

Irrigation. **1984**-*28-4* mise en œuvre du projet du grand fleuve artificiel destiné à l'écoulement des eaux souterraines sahariennes au littoral (1re tranche 1987 alimente la région de Syrte, Jedabia et Benghazi pour l'usage urbain, agricole et industriel). 1 900 km de pipelines assureront un débit quotidien de 2 millions de m³, permettant d'augmenter terres arables de 180 000 ha vers 1990-95.

Énergie. Pétrole : *découvert* 1959 à Zelten par Esso. *Réserves :* 2,9 milliards de t. *Stés principales :* à capital mixte et opérant sous la surveillance de la NOC (National Oil Cy) : Oasis (40 %), Agip (seule Cie étr. propriétaire de 50 % des puits), Occidental, Mobil. *Production* (millions de t et entre par. revenu annuel en milliards de $) : *1977 :* 99 (9) ; *78 :* 95 ; *79 :* 100 ; *80 :* 88 (22) ; *81 :* 55 (15) ; *82 :* 58 (13,9) ; *83 :* 54,5 (11) ; *84 :* 54 (9,8) ; *85 :* 50 (9,3) ; *86 :* 49 ; *87 :* 47,8 ; *88 :* 50,4 ; *89 :* 53. **Électricité :** puissance : 3 970 mégawatts. **Gaz** (milliards de m³) : *réserves* 550, *production : 1977 :* 20 ; *79 :* 23 ; *80 :* 18 ; *82 :* 12,1 ; *86 :* 6,3 ; *87 :* 6,7 ; *88 :* 5,4. **Industrie.** Prod. alim., textiles, tapis, tabac, chimie, pétrochimie, mat. de construction.

Transports. *Chemin de fer :* env. 17 700 km (projet : 1 292 km). **Tourisme.** *Sites.* Ruines romaines [Leptis Magna (à 123 km de Tripoli), la ville morte la plus vaste et la mieux conservée du monde ; Sabratha (67 km) + grand théâtre romain du monde ; Tolemaid (Ptolémaïs) (200 km de Benghazi)], sites archéol. (Tobrouk et Shehat à 140 km de Benghazi), Soussa (Apollonia), oasis de Ghadamès, Fezzan, citadelles turques (Alhambra à Tripoli). Voir Italie p. 992. *Visiteurs (80) :* 126 000.

Commerce (milliards de dinars L). *Exportations.* (85) : 5,3 *dont* pétrole et gaz nat. 4,3, pétr. raffiné 0,85, prod. pétrochim. 0,1, chimiques 0,02. Une partie importante du brut est vendue à l'URSS en paiement de livraisons de matériel militaire (plusieurs milliards de $ par an) mais est, de fait, livrée à d'autres clients de l'URSS : Bulgarie, All. de l'E., Yougoslavie, Finlande, etc., qui, pour la plupart, revendent ce brut sur le marché libre européen afin d'obtenir des devises. *Clients finaux de la L.* (85 en %) : Italie (30,7), All. féd. 11,4, Espagne 12, *France 10,8,* Grèce 22, P.-Bas 7,1, URSS 1,5. *Importations :* 4 (dont prod. de transfor. 1,1, intermédiaires 0,9, de consommation 0,6, alimentaires pour conso. directe 0,3, divers 1) *de* Italie, All. féd., G.-B., Japon, France. *Solde avec URSS : 1980 :* + 191,4, *81 :* + 238, *82 :* + 1 247,5, *83 :* + 1 012,4, *84 :* + 1 224, *85 :* + 926,7 (imp. 97,3 ; exp. 1 024). *Echanges avec Italie : 1990 :* 30 milliards de F (excédent pour la L. égal aux 4/5).

Déficit de la balance des paiements courants (milliards de $). *1981 :* – 3,9 ; *82 :* – 1,6 ; *83 :* – 1,7 ; *84 :* – 1,5 ; *85 :* – 2,3 ; *86 :* 0 ; *87 :* – 1,5 ; *88 :* – 2,2.

Rang dans monde (89). 11e rés. pétrole. 16e pétrole.

LIECHTENSTEIN

Carte p. 1071. V. légende p. 837.

Situation. Europe. 160 km². *Frontières* 76 km (Suisse 41,1, Autriche 34,9). *Alt. max.* Grauspitz 2 599 m ; *min.* 433 m. Partagé entre montagne et plaine du Rhin. **Climat.** Doux, influence du fœhn soufflant toute l'année du Sud : été : 20-28 °C ; pluies 1 000 à 1 200 mm.

Population. *1988 :* 28 500 dont 35,8 % d'étrangers (87), *prév. 2000 :* 34 000. **Âge :** – *de 14 a.* 19,9 %, + *de 65 a.* 9,8 %. D. 178. **Villes** (déc. 88) : *Vaduz* 4 919, Schaan 4 883, Balzers 3 581, Triesen 3 329, Eschen 2 933, Mauren 2 767, Triesenberg 2 348, Ruggell 1 443, Grampin 934, Schellenberg 745, Planken 299. **Langues :** allemand *(off.)* ; dialectes alémaniques ; *walser,* importé par des Valaisans du XIIIe au XVIe s., parlé à Triesenberg. **Religions** (87, en %) : cath. romains 87,4, prot. 8,3, divers 1,7, sans 2,6.

Histoire. Formé de la seigneurie de Schellenberg et du comté de Vaduz, qui appartiennent dep. **1699** et **1712** à la maison de Liechtenstein, originaire de la forteresse de L. près de Vienne et connue dep. Hue de L. (1135-56), vassale des Habsbourg (ducs d'Autriche). **1719**-*23-1* érigé en principauté immédiate du St Empire par l'emp. Charles VI. **1805** le P[ce] Jean-Joseph de L., G[al] autr., prisonnier par Napoléon à Ulm. Tr. de Presbourg (26-12-1805), Bavière annexe Tyrol. Le L., isolé de l'Autr., fait partie de la Confédération du Rhin. Jean-Joseph abdique en faveur de son fils Élisée et continue à servir dans l'armée autr., comme feld-maréchal, puis généralissime. **1815** Jean-Joseph redevient P[ce] du L. **1815 à 66,** fait partie de la Conf. germanique. **1866** l'Aut. est expulsée de la Conf. germ., le L. n'a plus de frontière commune avec l'All. **1871** reste en dehors de l'emp. all. (indépendant de fait). **1917** projet all. d'en faire un État pontifical, le pape abandonnant le Vatican (échec). **1921** union postale avec Suisse. **1924** union douanière. **1924-28** législation sur sociétés domiciliées et privilèges fiscaux. **1971**-*28-2* droit de vote refusé aux femmes. **1973**-*11-2* id. (référendum : 2 126 non, 1 675 oui, 86,01 % de votants). **1976** *août* loi autorisant les 11 communes à accorder aux femmes droit de vote et éligibilité en matière communale. **1984**-*29-6/1-7* droit de vote accordé aux femmes au niveau national. *26-8* Franz-Joseph II transmet le pouvoir à son fils sans abdiquer. **1986**-*2-2* législat., les femmes votent pour la 1re fois. **1991**-*22-5* entre dans l'AELE.

Statut. Monarchie héréditaire. La seule des principautés relevant autrefois du St Empire romain germanique qui subsiste. *Constitution* du 5-10-1921.

Princes. FRANZ-JOSEPH II (1906-89), dep. 26-7-38 (le 1er monarque établi à demeure au L.), fils aîné du P[ce] Aloys de et à L. (1869-1955) et de la P[cesse] n. arch. Élisabeth d'Autr. (1878-1960). Succède le 26-7-38 à son oncle le P[ce] François (1853-1938). Ép. 7-3-43 Ctesse Georgine de Wilczek (1921-89). 5 *enfants : Jean Adam* (14-2-45), voir ci-dessous ; *Philippe* (19-8-46) ép. 11-9-71 Isabelle de l'Arbre de Malander (24-11-48), *dont :* Alexander (19-5-72), Wenzeslaus (12-5-74), Rudolf (7-9-75) ; *Nicolas* (24-10-47) ép. 20-3-82 Margaretha de Luxembourg (15-5-57) dont : Jean (†), Maria Anunciata (12-5-85) ; Marie-Astrid (26-6-87) ; *Nora* (31-10-50) ép. 16-6-88 Vicente Marques de Mariño ; *Venceslas* (19-11-62).

JEAN ADAM II (14-2-45) dep. 13-11-89, P[ce] souverain de et à Liechtenstein, duc de Troppau et Jagerndorf, Cte de Rietberg ; ép. 30-7-67 Ctesse Marie Aglaé Kinsky (14-4-40) dont Aloïs (11-6-68), Maximilian (16-5-69), Constantin (15-3-72), Tatjana (10-4-73).

Chef du gouv. Hans Brunhart (28-3-45) dep. 26-4-78. **Landtag** (25 m. élus au suffr. univ.). **Élections** (5-3-89) : 13 000 élec. UP 13 sièges ; PCP 12 s. (opposition). **Pas d'armée.** 11 **communes. Partis.** FBP. *Parti des citoyens progressistes (PCP)* (f. 1918, Pt Emanuel Vogt). *Union patriotique* (UP) (f. 1918, Dr. Otto Hasler). *Freie Liste* (f. 1986). **Justice.** Peine de mort abolie 21-5-1981. Aucune exécution dep. 1785. Prison : 14 places. **Fête nat. :** 15 août. **Drapeau :** bandes horiz. bleue et rouge datant du début du XIXe s. Couronne dorée ajoutée 1937 pour éviter confusion avec drapeau d'Haïti de l'époque.

Économie

Agriculture. *Terres* (km², 87) : t. arables et pâturages 38,9, pâturages alpins 25,1, forêts 55,6, espaces improductifs et bâtiments 40,4. *Production* (t, 87) : maïs d'ensilage 27 880, p. de t. 1 040, blé 460, orge 416, maïs 403 (85), avoine 4. Vigne. **Élevage** (89). Bovins 6 175, porcs 2 698, moutons 2 470, chèvres 196, chevaux 211.

Industrie. Métall., mach. et appareils textiles, céramique, ind. chim. et pharm., aliment. Couches minces. Meubles. *Électricité* (87) prod. nationale 24 % (47,6 millions de kWh) ; importée de Suisse 76 %. **Transports** (km). Routes 250, ch. de fer 18,5. **Tourisme** (88). 71 633 vis. **Finances.** Siège d'env. 35 000 Stés (avantages fiscaux). **Statistiques** comprises dans celles de la Suisse. **Commerce** (millions de F suisses, 88). *Exportations* 1 287,7 *dont* (%) AELE 28,9 (Suisse 22,4), CEE 38,3, divers 32,8. **Rang dans le monde.** 1er producteur de dents artificielles.

LUXEMBOURG

Carte p. 880. V. légende p. 837.

Nom. Lucilinburhuc, petit château (en 963).

Situation. Europe. 2 586,36 km². *Frontières* 356 km (avec France 73, Allemagne 135, Belgique 148). *Alt. max.* Huldange 559,4 m, *min.* Wasserbillig 129 m. *Long. max.* 82 km, *larg. max.* 57 km. 2 **Régions naturelles.** *Oesling* au N. (plateau ardennais boisé, climat rude) 828 km². *Gutland* (Bon Pays) au S. 1 758 km². **Climat.** Moy. (1951-85) janv. 0,7 °C, juillet 17,5° C. *Pluies* 753,9 mm/an. *Ensoleillement* 1 428 h.

Population. *1821 :* 134 100, *1871 :* 204 000, *1922 :* 261 600, *1970 :* 339 800, *1990 :* 378 400, *prév. 2000 :* 377 535. **Âge :** – *de 20 a.* : 23,2 %, + *de 60 a.* : 18,9 %. Indicateur conjoncturel de fécondité (89) : 1,52. Étrangers (90) 105 800 (27 %) dont : Portugais 34 000, Italiens 20 400, *Français 12 800,* Belges 9 400, Allemands 9 000, Néerlandais 2 900, divers 17 300. D. 146,3. **Communes** (90) : *Luxembourg* 74 400 (aggl. 116 500) [ancienne forteresse (20 km de souterrains) siège : Secrétariat du Parlement eur., Cour de justice dep. 1968, Banque eur. d'investissements dep. 1977, Fonds monétaire eur., Eurostat et autres adm. eur.], Esch-sur-Alzette 23 890 (à 18 km, alt. 290 m), Differdange 16 050, Dudelange 14 230, Echternach 4 360 (procession dansante en l'honneur de St-Willibrord).

Religions (%). Catholiques 97, protestants 1, juifs 0,2, divers 1,8. Le chef de l'État est catholique. Traitements et pensions des ministres des cultes reconnus (cath., prot., juif) sont à la charge de l'État.

Langues. *Luxembourgeois :* l. nationale. *Letzeburgesch :* surtout parlé, dialecte moyen-all., avec de nombreux mots français. *Français :* l. officielle utilisée par administrations (les textes français font loi). *Allemand :* courant dans enseignement et presse).

Histoire. V. 265 apr. J.-C. Gallien fortifie le rocher du Bock, emplacement de L. **963** Sigefroid, Cte de la maison d'Ardenne, achète le fortin de L. à l'abbé de St-Maximin de Trèves et en fait un fief comtal. **1136** le comté passe à la maison de Namur, puis **1247** à celle de Limbourg (8 souv. dont 4 emp. du St Empire) ; les plus illustres : Henri VII (emp. 1308), Jean l'Aveugle (roi de Bohême), Charles IV (qui érige le L. en duché, 1354). Le 3e fils de Charles IV, Jean duc de Goerlitz, n'eut qu'une fille qui porta le duché à son mari Antoine de Bourgogne, duc de Brabant. Veuve et sans appui, elle vendit son duché à Philippe le Bon, duc de Bourgogne en 1441. La ville se révolta, mais en 1443, elle fut surprise la nuit par les Bourguignons. **1443** sous domination des ducs de Bourgogne, réunion aux P.-Bas. esp. **1506** la citadelle de L. devient le plus grand dépôt d'artillerie d'Europe. **1554** explosion des poudres qui détruit une partie de la ville et incendie l'autre. **1659** *tr. des Pyrénées,* le régime esp. (Philippe IV) perd partie sud qui revient à la France. **1684** Vauban agrandit la forteresse. **1697**-*20-9 tr. de Ryswick,* retour à l'Esp. **1698**-*28-1* troupes fr. évacuent la forteresse. **1711** à la Bavière. **1713-14** *tr. d'Utrecht, Rastadt* et *Bade* attribuent L. aux Habsbourg. **1794** *nov. à* **1795**-*1-10* forteresse capitule devant Fr., devient département fr. des Forêts. **1797** *tr. de Campo Formio,* l'Autriche cède Belgique et Lux. à la Fr. **1798** introduction de la conscription (insurrection en Ardennes). **1814** évacuation fr. **1815**-*3-1 tr. de Vienne :* gd-duché souverain dans Conf. germanique, cédé à titre personnel à Guillaume Ier, roi des P.-Bas ; ville de L. forteresse fédérale ; rives Est de la Moselle, la Sûre et l'Our cédées à la Prusse. **1831** *tr. des 24 articles :* L. francophone devient province belge **1839**. *-19-4 tr. de Londres* signé par G.-B., Russie, France, Autriche, Belg., P.-Bas ; naissance du gd-duché (ratification 1839). **1841** constitution. **1842** adhésion à l'union douanière allemande (Zollverein, dénoncée 30-12-1918). **1848** constitution libérale. **1867** *Convention du 21-3 :* Napoléon III veut acheter pour 5 millions de florins le L. à Guillaume III. *-1-4* Bismarck refuse de l'évacuer malgré la dissolution de la Conf. germanique en 1867. *-11-5 tr. de Londres :* indépendance et neutralité perpétuelle sous la garantie collective des puissances signataires, départ de la garnison prussienne, démantèlement de la forteresse. **1868** révision de la Constitution. **1890** le duc Adolphe de Nassau succède à Guillaume III, décédé sans descendance mâle.

1914-18 occupation all. **1919** révision constitutionnelle. Droit de vote pour les femmes ; 77,8 % des él. sont pour le maintien de la monarchie. **1921**-*1-5* union économique avec Belg. (UEBL) ; un référendum avait donné 60 123 voix pour une union avec la Fr. et 22 252 pour une union avec la Belg. mais après accord secret conclu avec Belg. le 9-6-1917, la Fr. se désintéresse du L.**1929**-*11-5* création de la Bourse. **1940**-*10-5* invasion all., Gde-Dchesse et gouv. partent en exil (France, Portugal, USA puis Londres) ; annexion all. de fait. **1944** formation du Benelux. **1945**-*14-4* Gde-Dchesse rentre. **1948** *avr.* abandon de la neutralité (qui avait cessé d'exister en fait dep. 10-5-40). **1949** membre de l'OTAN. **1951** de la CECA (L. devient siège provisoire). **1957** de la CEE **1967** service militaire aboli. **1982**-*6-3* reconduction pour 10 a. de l'union de 1921. *-5-4* 1re grève gén. dep. 1942. *-9-11* attentat aéroport, radar détruit. **1988** *nov.* projet de loi sur pavillon maritime l. *Déc.* 1er satellite eur. TV directe (Astra).

Politique

• **Statut.** Monarchie const. *Constit.* du 17-10-1868 révisée 1919, 48, 56, 72, 79, 83 et 89. Le Gd-Duc choisit son gouvernement. *Ch. des Députés* (60 m. élus p. 5 a.). *Conseil d'État* (21 m.). 3 *districts* (Luxembourg, Grevenmacher, Diekirch), 12 *cantons,* 118 *communes* admin. par un bourgmestre.

• **Partis.** *P. chrétien-social* (PCS), centre-droit, f. janv. 1914. *Secr. gén. :* C. Dimmer. *Pt d'honneur :* Jean Spautz. *Pt :* Jean-Claude Juncker. *P. ouvrier soc. lux.* (POSL) f. 1902, Pt Ben Fayot, secr. gén. : Raymond Becker. *P. démocratique* (PD), f. 1904 Pt : Charles Gœrens, secr. gén. : Kik Schneider. *P. communiste* (PC), né d'une scission avec P. socialiste au congrès de Differdange (janv. 1921, Pt : Aloyse Bisdorff). *P. vert alternatif* (GRSL), f. 1983. *Initiative vert écologiste* (GLEI), petits partis (1 en 1968). **Fête nat. :** 23-6 (veille de la St-Jean, prénom du chef de l'État). **Drapeau :** bandes rouge, blanche et bleue, couleurs des armes des anciens comtes lux. du XIIIe s. Identique au drapeau holl., mais plus long, et bleu plus brillant.

• **Élections** du 18-6-1989 : votants 191 332. Sièges et, entre parenthèses, résultats 84 : *P. chrétien social* 22 (25). *P. ouvrier socialiste lux.* 18 (21). *P. démocratique* 11 (14). *Aktiouns Komitee 5/6 Pensjoun* 4 (0). *P. Vert alternatif* 2 (2). *Initiative Vert Écologiste* 2 (0). *P. com.* 1 (2).

Chefs d'État. La règle de succession écartant les femmes et Guillaume III (n. 1817, roi dep. 1849), roi des P.-Bas, époux en secondes noces d'Emma de Waldeck-et-Pyrmont, étant mort le 23-11-1890 sans enfant mâle (ses 3 fils issus de son 1er mariage étant décédés avant lui), le Gd-Duché revint à la branche aînée de la maison de Nassau, descendante de Walram II, Cte de Nassau (v. 1220-v. 1280).

1890 Adolphe de Nassau (1817-1905), f. de Guillaume, duc de Nassau (1792-1839) et de Louise de Saxe-Altenbourg (1794-1825).

1905 Guillaume IV (1852-1912), s. f. Ép. 1893 Marie-Anne de Bragance (1861-1942), infante du Portugal.

1912 Marie-Adélaïde (1894-1924), s. f. Sans alliance. Doit abdiquer (jugée pro-allem.).

1919 Charlotte (23-1-1896/9-7-1985), sa sœur. Ép. 6-11-19 Pce Félix de Bourbon, Pce de Parme (28-9-93 † 8-4-1970) devenu Pce consort fut naturalisé et titré Pce de Lux., 6e enf. du Pce Robert de Bourbon, duc de Parme (1848-1907) et de sa seconde ép. n. Maria-Antonia de Bragance, inf. du Portugal (1862-1959).

1964 (12-11) Jean (5-1-1921), s. f. Ép. 9-4-53 Pcesse Joséphine-Charlotte de Belgique (11-10-27). *5 enfants :* Marie-Astrid [17-2-54, ép. 6-2-82 Christian de Habsbourg, 3 enfants, Marie-Christine (31-7-83), Imré (8-12-85), Christophe (2-2-88)], Henri, gd-duc héritier de Luxembourg, Pce héritier de Nassau [16-4-55, ép. 14-2-81 Maria Teresa Mestre (22-3-56), 3 fils, Guillaume (11-11-81), Félix (3-6-84), Louis (3-8-86), 1 fille, Alexandra (16-2-91)], Jean [15-5-57 (a renoncé en sept. 86 à ses droits au trône), ép. 27-5-87 Hélène Vestur (31-5-58), 2 enfants, Marie-Gabrièle (8-9-86), Constantin (22-7-88)], Margaretha [15-5-57, sa jumelle, ép. 20-3-82 Nicolas de Liechtenstein (24-10-47), 3 enfants, Maria-Annunciata (12-5-85), Marie-Astrid (26-6-87), Joseph-Emmanuel (7-5-89)], Guillaume (1-5-63). Seul Capétien encore sur le trône, avec Juan Carlos Ier (Espagne).

Titres du Grand-Duc : Son Alt. Roy. Jean, Grand-Duc de Lux., Duc de Nassau, Pce de Bourbon de Parme, Cte Palatin du Rhin, Cte de Sayn, Königstein, Katzenelnbogen et Dietz, Burgrave de Hammerstein, Seigneur de Mahlberg, Wiesbaden, Idstein, Merenberg, de Limbourg et Eppstein. **Du Pce héritier :** Son Alt. Roy. Henri, Grand-Duc héritier de Luxembourg, Pce héritier de Nassau, Pce de Bourbon de Parme.

• **Présidents du gouvernement. 1945**-*14-11* Pierre Dupong (1885-1953), PCS. **53**-*29-12* Joseph Bech (1887-1975), PCS. **58**-*29-3* Pierre Frieden († 23-2-59), PCS. **59**-*2-3* Pierre Werner (29-12-13), PCS. **74**-*19-6* Gaston Thorn (3-9-28), PD. **79**-*18-7* Pierre Werner, PCS. **84**-*17-6* Jacques Santer (18-5-37), PCS.

Économie

P.N.B. en $ par hab. *1985 :* 11 300. *89 :* 29 718. **P.I.B.** (89) 50 milliards de F. **Croissance** (89) 4 %. **Valeur ajoutée brute aux prix du marché par branche d'activité** (%, 89). Ind. 28,7 (sidérurgie 9,2, constr. 6,5, prod. chim. 3,6), services 64,4, agr. 2,1.

Emploi total (89) (%, entre parenthèses part du P.N.B. en %). Agr. 2,4 (3,6), ind. 32,3 (31,5), services 65,5 (64,9). *Chômage* (%) : *1983 :* 1,6 ; *84 :* 1,9 ; 85 : 1,6 ; *86 :* 1,5 ; *89 :* 1,4. *Salariés* (89) : 164 000 dont agr. 1 300, ind. et constr. 54 100, services et admin. 108 600. *Frontaliers* (89) : 28 600 dont Fr. 13 600, Belges 11 000, All. 5 400.

Agriculture. *Terres* (ha, 87) : forêts 88 600, cult. (89) 126 514 (dont prairies à faucher 68 938, céréales 34 300, vignes 1 310). *Exploitations* (89) : 3 390 de + de 2 ha (moy. 37,18 ha). Tracteurs (89) 9 781, ramasseuses-presses 2 685, épandeurs de fumier 2 559, moiss.-batteuses 1 428. *Production* (centaines de t, 89) : maïs 3 858, herbe 1 317, céréales 1 222, fourrage 694. Vins 232 100 hl. Bois 317 149 m³. **Élevage** (89). Bovins 214 987, volailles 97 468 (87), porcs 76 553, moutons 67 511, chevaux 1 669.

Nota. – L'agr. lux. est excédentaire pour : beurre, vin, viande bovine, poudre de lait écrémé, mais doit importer : fruits, légumes, riz, viande de veau et de porc, fromage, blé.

Énergie. *Hydroélectricité* par barrages et pompages sur la Sûre, l'Our et la Moselle. *Prod.* (millions de kWh, 89) brute 1 380, dont thermique 563, hydroélec. 815 ; importée 4 700, totale disponible 6 080. **Industrie** (milliers de t, 89). Acier 3 721 [soc. Arbed : avant 1975 : 30 % du P.I.B., 29 000 salariés (50 % de l'industrie), 18 % de la pop. active ; payait 60 % de l'impôt sur les Stés. En 1990 : 10 040 sal. (dep. 1974, pas de licenciement, mais reclassement)], laminés 4 113, fonte 3 596, demi-prod. 517, prod. chim., pneu [Goodyear (dep. 1950) ; 4 060 salariés], mat. plast., fils synth., engins de génie civil.

Transports. *Routes* (89) : 5 091 km. Au 1-1-90, 219 293 véhicules venant de (en milliers) All. féd. 43,6, *France 24,3,* Japon 16,3, Italie 6,3, G.-B. 1,8, USA 5,3, divers 6,6. *Chemins de fer* (89) : 272 km. *Aériens :* années 50 : le L. (sans compagnie nationale) accueille Icelandair. 1961 : Luxair créé. Années 70 : point d'embarquement des charters long-courriers. **Tourisme** (89). 874 652 visiteurs (arrivées). *Curiosités :* Cathédrale (1620-21) et palais grand-ducal de L., abbaye (XVIIIe) et basilique (XIe) d'Echternach, château de Vianden.

Finances (milliards de F L, 91, prév.). *État :* recettes budgétaires 106,14 *dont* r. ordinaires 106,07 (impôts directs 50,2, indirects 38), r. extraordinaires 0,07 (dont emprunts et bons du Trésor 0,02). Dépenses budgétaires 103,7 *dont* ordinaires 94,4, extraordinaires 9,3. Balance + 2,4. *Communes* (89) : recettes budgétaires 26,8 ; dépenses budg. 30,2, balance – 3,4. **Implantations bancaires.** Place financière. *Juin 1990 :* 168 banques, 15 848 employés, 7 468 Stés holdings. 16,8 % du P.I.B. (en déc. 1990, origine de 177 banques, par pays : All. 38, Ben. 22, France 20, P. scand. 20, Suisse 16, USA 12, Italie 11, Japon 9, multinat. 5, autres 24). *Dépôts non bancaires (en milliards de F) : 1970 :* 121, *90 (1er trim.) :* 721. Développement des organismes de placement collectif (O.P.C.), dep. les lois de 1983 et 88 : *1980 :* 76 (gérant 36,3 milliards de F), *90 (sept.) :* 782 (2 794,7 MDF). **Inflation** (%). *1985 :* 4,1 ; *86 :* 0,3 ; *87 :* – 0,1 ; *88 :* 1,4 ; *89 :* 3,4 ; *90 :* 3,7. **Fiscalité. Directe.** *Sur le revenu.* Progressivité rapide, taux max. pour les personnes physiques 50 % ; + 2,5 % pour le fonds de chômage ; 13,7 % du P.I.B. *Sur les Stés 1987 :* 40 %, *90 :* 30 % + 1 % pour le fonds de chômage ; 70,4 % du P.I.B. **Indirecte.** T.V.A. max. 12 %. **Avantages fiscaux.** *Pas de :* prélèvement à la source ou d'impôt sur le revenu pour fonds d'invest., dividendes des holdings, capital et invest. ; droit de timbre sur certificats de dépôts ; prélèvement à la source sur intérêts et coupons (sauf sur dividendes des Stés lux.) ; taxe sur réinvest. ; T.V.A. sur l'or en numéraire ou en lingots ; taxe sur transactions boursières.

Commerce (milliards de F L, 89). *Exportations* 212,8, *dont* métaux 90,2, plastiques 28,1, équip. élect. 23,4, text. 12,4, prod. alim. 3,9 *vers* All. féd. 55,3, *France 36,2,* Belgique 35,3, G.-B. 13,8, P.-Bas 11,6, USA 10,1, Italie 9,5, *Importations* 236,3 *dont* métaux 42,8, équip. élect. 40,2, minéraux 23,1, , plastiques 13,3 *de* Belgique 88,1, All. féd. 73,2, *France 28,4,* P.-Bas 12,3, Italie 5,4, USA 4,7, G.-B. 3,6.

MACAO

Carte p. 902. V. légende p. 837.

Nom. Ao-Men en chinois.

Situation. Asie. 17,41 km². A 64 km de Hong Kong (env. 55 mn par jetfoil). Comprend la *ville de Macao* (péninsule sur estuaire de la rivière de Canton 6,54 km², 4 × 1,6 km ; 226 710 h.) et les *îles de Taïpa* (3,78 km², 5 202 h.) et *Coloane* (7,09 km², 1 870 h.) reliées par pont entre Macao et Taïpa, et chaussée de Coloane à Taïpa. *Alt. max.* 99 m. **Climat.** Moy. 22,3 °C ; humidité 75 à 90 % ; pluies 1 000 à 2 000 mm (mai-sept.). **Saison touristique.** Oct. à déc.

Population. 452 300 h. (89) (en % : Chinois 90, Portugais 3, divers 7). Coloane (port prévu) 1 870. *Prév. 2000 :* 388 000. D. 25 979. **Taux** (‰, en 88) : *natalité* 18, *mortalité* 3,3. **Langues :** chinois, portugais, anglais. **Religions** (en %) : bouddhistes 45,1 ; cathol. 7,4 ; protestants 1,3 ; sans confessions 45,8.

Histoire. **1557** donnée au Portugal pour l'aide apportée contre le pirate Chang Tsé Lao. **1887**-*1-12* droits port. reconnus par Chine (les frontières ne seront jamais définies). **1966** *déc.* des gardes rouges, venus du continent, organisent des manif. contre le refus du gouverneur d'autoriser l'ouverture d'une école chinoise. Cède l'autorité pol. à la Chine mais conserve l'administration légale de la colonie à la demande de la Chine craignant qu'une rétrocession de M. n'ait des répercussions fâcheuses sur la santé financière de Hong Kong. **1975** *juill.* complot mil. échoue. *-30-12* départ de la garnison port. **1976**-*1-1* création d'une force de sécurité. *-17-2* statut organique accordé par Port. : autonomie interne. **1986** accord avec Ch. ; redeviendra chinoise le 20-12-1999.

Statut. Territoire chinois sous administration port. *Const.* statut du 17-2-76. *Gouverneur* (nommé par le Pt port. après consultation des autorités locales) Murteira Nabo. *Secrétaires adjoints* (7) nommés par le Pt port. *Conseil supérieur de sécurité* (12 m.). *Ass. législative* 23 m. en poste pour 4 a. (16 élus et 7 nommés). *Conseil consultatif.* Pas de P. pol., mais des associations civiques.

Économie

P.N.B. (89) 3 875 $ par h. **Taux de croissance** (%). *1987 :* 12,4 ; *88 :* 8 ; *89 :* 6. **Pop. active.** (% et entre parenthèses part du P.N.B. en %) : ind. et pêcheries 37 (35), construction 9 (13), commerce et tourisme 20 (tourisme-jeux 35), secteur de Finance 4, autres services 30. **Inflation** (%). *1985 :* 2,1 ; *86 :* 1,7 ; *87 :* 4,7 ; *88 :* 8,3 ; *89 :* 9.

Pêche. 8 000 t (86). **Industrie.** Text., confection, explosifs, pétards, feux d'artifice, allumettes, transistors, optique, jouets, fleurs artif., électr., céramique, chaussures, art. de voyage.

Visiteurs et touristes (89) : 5 619 289 dont Hong Kong 4 611 064, Japon 342 576, Sud-Est asiat. 160 924, U.S.A. 105 719. Eur. occ. 185 482, Austr. 46 449. *Chambres* (89) : 4 808. *Nuitées dans hôtels et pensions* (87) : 1 972 704. **Jeux.** 7 casinos, 1 course de chevaux, 1 pelote basque, 1 course de lévriers. *Chiffre d'affaires :* 2,5 à 3 milliards de F/an dont 1/3 prélevé par l'État.

Commerce (milliards de patacas, 89). *Exportations* 13,1 *dont* text. et confection 9,5, jouets 1,3, chauss. 0,8, optique 0,7 *vers* E.-U. 4,9, Hong Kong 1,9, All. féd. 1,3, *France 0,9*. *Importations* 11,8 *dont* mat. 1res 7,9, devises 1,2, prod. alim. 1 *de* Hong Kong 5, Chine 2,3.

MADAGASCAR

V. légende p. 837.

Situation. Ile de l'océan Indien. 587 041 km². *Long.* 1 500 km, *larg. max.* 600 km. *Alt. max.* Tsaratanana 2 885 m. *Côtes :* 5 000 km. **Régions.** *Côte de l'E. :* exposée aux alizés et, en saison chaude, aux cyclones (95 en 40 ans), cl. de type équatorial. Collines, dunes et marécages (temp. 13,2 à 33,4 °C, pluies ann. 3 m). *Hautes terres centrales :* cristallines (de 1 200 à 1 500 m), cl. méditerranéen, temp. moins élevée, parfois 0 °C, moyenne 18,4 °C, pluies 1,20 m. *N.* et *N.-O. :* terrains sédimentaires, saison sèche de plus en plus longue vers le S., saison des pluies déc.-avril correspondant à la mousson (Mahajanga : 2 m de pluies). *S. :* plateaux calcaires et carapace argilosableuse ; très sec (Toliary 0,35 m de pluies). **Faune.** Nombreux lémuriens (maki, mongoz, mococo, vari, aye-aye ; d'où le nom de Lémurie qui fut donné à M.) ; ni singes ni ongulés, carnivores rares.

Population (millions). *V. 1880 :* 3 à 8, *v. 1900 :* 3 à 4, *1911 :* 3,1 dont 0,018 Fr., *1926 :* 3,6 dont 0,018 Fr., *1951 :* 4,37 dont 0,052 Fr., *1985 :* 10 dont 0,018 Fr. (beaucoup d'origine comorienne), *1990 :* 11,20. *Prév. 2000 :* 15,5). D. 19,2. **Taux** (‰) : *natalité* 44, *mortalité* 16 (100 000 † en 1988 de paludisme), *mort. infantile* 110. **Âge :** *-15 a. :* 44 %, *+ de 65 a. :* 3 %. 1 million de Malgaches vivent dans un état de pauvreté absolue. Malgaches (en 74) : Mérina ou Hova 1 993 000, Betsimisaraka 1 134 000, Betsileo 920 600, Tsiminety 558 100, Antaisaka 406 468 (en 72), Sakalava 470 156 (en 72), Antandroy 412 500, Tanala 249 418, Antaimoro 222 102, Bara 212 182, Antanosy 155 442, Sihanaka 143 450, Mahafaly 94 918, Makoa 67 749, Bezanozano 45 327. *Castes traditionnelles mérina :* andriana (nobles), hova (h. libres), andevo (serviteurs). **Étrangers** (*vasas* en malgache) (82) : env. 50 000 dont 16 000 Français et 700 coopérants (5 000 personnes avec les familles). 25 000 Comoriens et Indo-Pakistan. [dits Karany (venus des Indes, musulmans souvent chiites), contrôlent avec

d'autres Indiens 40 % du commerce]. **Malgaches en France** (89) : 30 000. **Villes :** *Antananarivo* [la Cité des Mille (Guerriers)] (ex *Tananarive*) (alt. 1 250 à 1 470 m) 1 000 000 (agg.), Taomasina (Tamatave) 118 000 (à 370 km), Fianarantsoa 102 000 (417 km), Mahajanga (Majunga) 99 000, Antsirabé 99 000. Toliary (Tuléar) 56 000 (960 km), Antsiranana (Diego Suarez) 49 000 (120 km).

Langues. Malgache *(off.)*, français *(off.)*. **Religions** (en %). Animistes 55 (culte des ancêtres ; la *famadihana,* changement de linceul, est l'occasion d'une fête), catholiques 20, protestants 20, musulmans 5.

Histoire. **Ier millénaire av. J.-C.** peuplée par Africains et Indonésiens. **Moyen Age** arrivée de commerçants musulmans. **1500** découverte par le Portugais Diego Diaz. **1527** des marins dieppois abordent. **1642** le Fr. Pronis fonde au S.-E. Fort-Dauphin et l'île, baptisée île Dauphine, est théoriquement annexée (sous le nom de *France orientale*). **1674** colons fr. massacrés ; les survivants se réfugient île Bourbon (Réunion). **XVIIe**, **XIXe s.** de grandes unités se constituent. Le roy. sakalava créé par Andriandahifotsy v. 1660, agrandi par ses fils, englobe le N.-O. Féd. betsimisaraka qui ne survivra pas à la mort de son fondateur Ratsimilaho (1710-54), roy. mérina dont l'unité est réalisée par Andrianampoinimerina (1787-1810) (débordant Ankaratra, N. du Betsileo, pays sihanaka). Son fils Radama Ier (n. 1791, roi de 1810 à 1828) soumet les Betsimisaraka, s'attaque aux Sakalava, conquiert, souvent de façon précaire, les 2/3 de M. S'appuyant sur l'alliance angl., il introduit christianisme, écriture, instruction. Après sa mort, sa femme *Ranavalona Ire* (1790-1861) chasse les missionnaires (1838). **1768-70** Cte de Maudave puis **1774** Cte de Benyowski échouent. **1804** Sylvain Roux occupe Tamatave. **1811** Angl. occupent Tamatave. **1817** Angl. soutiennent Hovas. **1825** les Fr. chassés de Foulpointe et Fort-Dauphin. **1832** Fr. réoccupent Ste-Marie. **1841** les Fr. prennent Nossi-Bé, tr. de protectorat avec souverains sakalava. **1845** Ranavalona Ire repousse expédition franco-angl. à Tamatave. **1857** les Fr. se retirent dans l'île de Ste-Marie, puis les derniers Européens [dont le Fr. Jean Laborde (1806-78) venu à M. à cause d'un naufrage, deviendra architecte de la reine (palais), industriel, puis consul de Fr. (introduira coutumes fr. à la Cour). Il avait cru pouvoir aboutir à un protectorat malgré les efforts du missionnaire anglais Ellis]. Surnommée le « Néron femelle », Ranavalona Ire fait exécuter en moy. 20 000 à 30 000 personnes par an (notamment en 1831, 25 000 Sakalava prisonniers de g., femmes et enfants étant vendus comme esclaves) ; elle rétablit le « jugement de Dieu », obligeant les inculpés à traverser à la nage une rivière à caïmans, autant de fois qu'elle l'ordonne. **1861** *Radama II* (n.v. 1830) étranglé 13-5-1863 sur ordre du parti vieux hova. **1863** *Rasoherina* († 1868, veuve de Radama II, le 27-6-1865) accorde protection aux Anglais. **1868** *Ranavalona II* († 1883) accorde 8-8-68 protection aux Français, mais en 69 se convertit au protestantisme, ce qui renforce ses liens avec Angl. **1883** *Ranavalona III* († 1897). Sous ces 3 dernières reines, *Rainilaiarivony,* PM roturier qui les épouse successivement, détient le pouvoir (exilé à Alger 1895). **1878** saisie des biens de Jean Laborde. **1882** cap. de vaisseau Le Timbre prend Ampassimiena. **1883**-*8-2* François de Mahy, député de la Réunion et chef du lobby créole, min. de la Marine dans le ministère Fallières (21-1/16-2), ordonne à l'amiral Pierre de détruire postes merina sur côte N.-O., puis d'occuper Majunga et Tamatave et d'adresser un ultimatum pour exiger cession des territoires au nord du 16e parallèle et reconnaissance du droit de propriété pour les Fr. Pierre meurt en sept. ; l'amiral Galiber lui succède et négocie en nov. À la chambre, l'expédition est approuvée par une très large majorité. **1884** *juill.* Galiber relevé par amiral Miot. **1885**-*10-9* offensive fr. repoussée. *-17-12* tr. de « protectorat » (sans que le mot figure) : Fr. obtient baie de Diego Suarez et indemnité de g. de 10 millions de F. En contrepartie, elle renonce à ses protectorats sur royaumes sakalava et au droit de propriété : la reine est reconnue souveraine de l'île tout entière. Mais Le Myre de Vilers, 1er résident gén., exige que la sécurité des ressortissants fr. soit partout garantie ; cela entraîne pour la reine de ruineuses expéditions de pacification. Des milliers de travailleurs et soldats désertent. L'armée merina s'épuise, l'insécurité gagne. **1890** la G.-B. reconnaît les droits de la Fr. Nouv. g. (Gal Duchesne). **1893-94** anarchie. **1895**-*30-9* Fr. prennent Tananarive. **1896**-*18-1* tr. de protectorat non respecté par la reine ; insurrection. *-6-8* annexion par la Fr. *-30-9 Gallieni,* gouv. gén. (jusqu'en 1905), mate l'insurrection et la reine est déchue (déportée à La Réunion puis à Alger, y meurt en 1917). Création des Menalamba (Étoffes rouges ; 1er mouvement nationaliste).

1905 fin de la pacification. Mouvements nationalistes (notamment, complot dit du V.V.S. : Vy, Vato, Sakelika – fer, pierre, réseau – en 1915). **1915-16** arrestation, procès et condamnations de 41 Malgaches, dont Ravoahangy, pour menées anti-fr. **1915-17** mouvement des Sadiavahe, insurrection des Antandroy, Mahafaly et Karimbola du sud de l'île. **1924** condamnés de la V.V.S. amnistiés. **1929** Ralaimongo fait campagne pour l'obtention des droits de citoyen. *-19-5* 1re manif. publique en faveur de l'indép. **1930** action de Ralaimongo, Ravoahangy et Dussac. **1937** droit syndical reconnu partiellement (totalement 1938). **1938** retour des restes de Ranavalona III à Tananarive. **1940** reste fidèle à Pétain. **1942** débarquement britannique. **1945** terr. au sein de l'Union fr. Joseph Ravoahangy (1893-1970) et Joseph Raseta (n. 9-12-1886) (Restauration de l'indép. malg.) élus députés contre P. dém. de M. **1946** *févr.* MDRM (Mouvement démocr. de la rénovation malg.) créé. *Juill.* PADESM (P. des déshérités de M.) créé. **1947**-*29-3* insurrection des Menalambas. Une liste dressée en 1950 par districts donne 140 Français, 1 646 Malg. tués par rebelles, 4 126 tués en opérations, 5 390 disparus ou morts de misère physiologique [certains ont parlé de 89 000 † (dont 1 900 Malg. tués par rebelles et 550 étrangers dont 350 milit.). 6 élus MDRM condamnés à mort (sentence non exécutée)]. **1957** autonomie interne. **1958**-*14-10* rép. autonome. **1960**-*26-6* indépendance, Pt Philibert Tsiranana (1912-78). **1971** *mars* grève générale étudiants. *Avril* troubles dans le S.-O. soutenus par p. gauchiste Monima (leader Monja Joana, arrêté). Plusieurs centaines de †. *Juill.* Resampa, secr. gén. du PSD, 2e vice-Pt du gouv., arrêté pour complot avec USA. **1972**-*30-1* Tsiranana réélu. *Mai* émeutes. *-13-5* pleins pouvoirs au Gal Ramanantsoa. *Juin* amnistie pour révolte d'avr. 71, Resampa libéré. *Août* loi martiale. *-19-9* KIM (mouvement contestataire de mai) demande annulation des accords de coop. avec Fr. et instauration d'une 2e Rép. *-8-10* référendum pour maintien du gouv. d'unité nat., dep. 5 ans par Ramanantsoa (condamné par Tsiranana) : oui 96 %. *Déc.* émeutes. **1973** *févr.* manif. contre malgachisation. *Mars* arrestation de pers. de l'ancien régime, restructuration rurale : *Fokonolony* (gouv. par assemblée du village). *Juin* quitte Zone Franc. **1974** tensions côtiers/Mérinas. *-31-12* putsch Cel Rajaonarison échoue ; mutinerie GMP (groupe mobile de police). **1975**-*25-1* Ramanantsoa dissout cabinet. *-5-2* Col. Richard Ratsimandrava (21-3-31) pleins pouvoirs, *-11-2* est assassiné. *-12-2* Comité nat. de Direction mil., Pt Gal Gilles Andriamahazo. Loi martiale. *-13-2* reddition des mutins. *-21-3,* 297 inculpés dont Tsiranana, Resampa, Rajaonarison (acquittés 12-6). *-17-5,* 260 amnistiés. *-14-6* directoire mil. dissous. *-15-6* Didier Ratsiraka chef de l'État. *-16-6* banques et Stés d'ass. nationalisées. *-26-8* charte de la Rév. socialiste malagasy. *-31-8* sous-sol nationalisé. *-21-12* référendum : + de 94,7 % des v. pour Pt Ratsiraka et nouvelle Const. *-30-12 2e Rép. malgache.* **1976**-*11-1* Cel Joel Rakotomalala PM. *-19-3* création de l'AREMA. *-26-6* Stés pétrolières nationalisées. *-30-7* PM meurt (accident hélicopt.). *-12-8* Justin Rakotoniaina PM. *-20/22-12* affrontements M.-Comoriens à Mahajanga (100 à 1 400 † ?). 15 000 Comoriens rapatriés aux Com. **1977**-*31-7* Pt Cel Désiré Rakatorijaona (n. 19-6-1934), PM. **1978**-*29/30-5* manif. lycéens (projet de réforme de l'ens.), 2 †. **1979**-*9-5* Ramanantsoa meurt. **1981**-*3/4-2* manif. lycéens à Antananarivo, 15 †. -*8/9-11* troubles à Antananarivo. **1982** 4 cyclones, île de Nossi-Bé détruite à 20 %. -*16-1* complots déjoués. Émeutes dans le N. env. 20 †. **1984** *avril* cyclone Kamisy détruit partiellement Antsiranana et côte N.-O. *Août* pratique du kung-fu interdite. -*5-9* adeptes kung-fu incendient anciens locaux du min. de la Jeunesse et des Sports et assaillent l'hôtel de police. -*4-12* règlement de comptes contre « TTS » (Tanora Tonga Saina, « jeunes ayant pris conscience d'eux-mêmes », hommes de main du pouvoir se livrant à des violences) retranchés au centre d'Antananarivo ; kung-fu aidé par la population ; forces de l'ordre n'interviennent pas 50 †. **1984-85** influence soviét. et n.-coréenne. **1985**-*31-7/1-8* armée attaque quartier-gén. du kung-fu, 20 † dont chef [Pierre Rakotoarijaona dit Piera-Be (le grand Pierre)] et 4 militaires. **1986** F.M.I. préconise mesures de redressement économique. -*mars* cyclone Honorina (Tamatave sinistrée). *Mai* amiral Guy Sibon, min. de la Défense, † dans accident d'avion (attentat du K.G.B. ?). *Nov.* émeutes à Tamatave. **1987**-*26-2* à Antsirabé. -*6-3* à Tuléar ; contre Indo-Pakist. (Karanas) 14 † (dont 11 des forces de l'ordre). -*22-6* Gal Lucien Rakotonirainy, chef d'état-major, assassiné à la tête du défilé de la fête nat. (on parle du K.G.B.). **1988**-*12-2* Rakotoarijaona PM dep. 31-1-77 démissionne. -*7-3* procès du kung-fu 245 inculpés, 18 condamnés à 2 ans de prison. **1989** -*28-5* él. législatives : 40 % d'abstentions, *Arema* vainqueur. -*24-9* él. locales : 51 % d'abstentions. **1990**-*13-5* coup d'État manqué, 5 †. -*14-6* Pt Mitterrand à M., annule 4 milliards de F de dette publique. *Juill.* : troubles.

Statut. Rép. dém. (dep. 30-12-1975). *Const.* du 31-12-75 amendée déc. 89 (fin du monopole du FNDR). **Pt** (élu pour 7 a. au suffrage universel) amiral Didier Ratsiraka (4-11-36) dep. 15-6-75 (confirmé 4-1-76, réélu 7-11-82 avec 80 % des v. devant Monja Jaona (du Sud) et, 12-3-89 avec 62,6 % des v. devant Manandafy Rakotonirina (MFM)) [19,8 % des votants]. **PM** Lieut.-col Victor Ramahatra (n. 1945) dep. 12-2-88. **Conseil suprême de la Rév. Provinces** (faritany) : 6, divisées en Fivondrona, Firaisam-Fokontany et en Fokontany (correspondant aux Fokonolony, communautés villageoises traditionnelles). **Ass. nat.** 137 m. élus au suffrage univ. pour 5 a. **Élections du 28-5-89** (% des voix et, entre parenthèses, nombre de sièges) Arema 66,8 (120), MFM 11 (7), Vonjy 9,7 (4), AKFM 4,2 (3), Monima 1,5 (1). **Fête nat.** : 26 juin (J. de l'indép.). **Drapeau** : adopté 1958 : bandes blanche, rouge (couleurs trad. Hovas) et verte (hab. de la côte).

Partis. Forment le Front national pour la défense de la révolution (FNDR) : *Arema* (Avant-garde de la Rév. m.), Didier Ratsiraka, fondateur 1976 et secr. gén. *AKFM* ou *P. du Congrès de l'Indép. m.* (Antokony Kongresiny Fahaleovantenani Madagasikara), f. 1958, Pt Pasteur Richard Andriamanjato (n. 1930), secr. gén. Gisèle Rabesahla, prosoviét. *Vonjy-Iray-Tsy-Mikavy* (Élan pop. pour l'unité nat.), f. 1973, Pt Jérôme Razanabahiny-Marojama. UDECMA (Union des démocrates-chrétiens m.), f. 1976, Pt Norbert Solo Andriamorasata (n. 7-5-34). *Monima* (mouv. nat. pour l'indép. de M.), f. 1958, Pt Monja Jaona (n. sept. 1910). *MFM (Mouv. pour le pouvoir prolétarien),* f. déc. 1972, Pt Manandafy Rakotonirina (n. 30-10-38). *Vondrona Socialista Monima,* f. 1977, dissidents du Monima, Pt Remanandry Jaona.

☞ M. revendique îles Glorieuses, Juan-de-Nova, Europa et Bassas-de-India (à la Fr. dep. 1892, en tout 50 km² + 424 000 km² de zone économique ; en 1975, M. a porté ses eaux terr. à 12 miles et son plateau continental à 200 miles, englobant ces îles).

Économie

P.N.B. ($ par h.). *1982* : 320 ; *85* : 217 ; *87* : 170 ; *88* : 150. *Taux de croissance (%)* : *1987* : - 2,2 ; *88* : + 3,5 ; *89* : 4. **Pop. active** (%, entre parenthèses part du P.N.B. en %) : agr. 75 (41), ind. 9 (11), services 15 (48), mines 1 (0). **Inflation** (%). *1986* : 15 ; *87* : 14 ; *88* : 15 ; *89* : 9. **Aide de la France** (a. publique, millions de F.). *1981* : 350 ; *82* : 615 ; *84* : 575 ; *85* : 443 ; *86* : 459 ; *90* : env. 1 000. **Dette ext.** *1990* : 3,5 milliards de $ (105,6 % du P.N.B. en 87) *Service de la dette 1988* : 397 millions de $ (50 % des recettes d'exp. en 89).

Nota. – L'aide est détournée et M. est exportatrice de capitaux.

Agriculture. *Terres* (milliers d'ha, 81) t. arables 2 550, t. cult. en permanence 495, pâturages 34 000, forêts 13 300, eaux 550, divers 7 799. *Production* (milliers de t, 89) manioc 2 200 (88), riz 2 290, canne à sucre 2 000 (88) [export : *1985* : 10,9, *88* : 25, *89* : 57], patates douces 472 (88), bananes 270, p. de t. 264, maïs 153, café 81 (88), noix de coco 82 (88), letchis 35,3, sisal 20, girofle 11,5 (87), vanille 1,8 (87). *Importation* de riz (milliers de t) : *1982* : 280, *83* : 180, *84* : 150, *85* : 135, *86* : 200 ; *87* : 500 ; *89* : 42. M. a toujours importé du riz, tout en exportant du riz de luxe. **Élevage** (millions de têtes, 89). Ovins 611 (88), volailles 29 (87), bovins 10,3, porcins 1,4, caprins 1 (88). **Pêche** (milliers de t, 87) : 63 600.

Mines. Bauxite, charbon, fer, nickel, chromite 106 773 t (87), graphite 5 574 t (88), quartz pour fonte, quartz piezo-électrique, mica, sel, pierres fines, p. d'ornementation, minéraux lourds, grès bitumeux. **Industries.** *Agroaliment.* (35 %) : sucre 106 216 t (89), coton 81 000 t (84), papier 9 700 t (87), huiles aliment., bière, conserves, charcuterie, prod. lait., tapioca, farine. *Textile* (15 %) : 3 complexes de filature-tissage. Cuir et chaussure. Raffinerie de pétrole. Cimenterie. Tabac. Bois. Artisanat.

Transports (km). Routes 49 800 dont bitumées 5 300. Ch. de fer 883. **Tourisme.** 38 954 vis. (89).

Commerce (millions de francs MG, 88). *Exportations* (87) 348 dont café 97, vanille 89,2, sucre 18,7, girofle 13,9, prod. pétr. 5,1 *vers France 133,8,* E.-U. 47, Japon 44,2, All. féd. 26,6, Réunion 24,3, Italie 14,9. *Importations* 512 *dont* prod. min. 107,3, mach. 81,9, prod. chim. 73,1, véhicules 54,4, métaux 46,6 *de* (87) *France 126,3,* E.-U. 37, All. féd. 36, Japon 14,5, Italie 13, G.-B. 12,4.

Rang dans le monde (84). 1er vanille. 2e girofle. 18e café (89).

MALAISIE

Carte p. 1015. V. légende p. 837.

Situation. Asie, à 200 km au N. de l'équateur. 330 434 km². *2 régions* (distantes de plus de 600 km) : *M. péninsulaire ou occ.* (de l'isthme de Kra au détroit de Johore) ; *M. or.* : Sarawak et Sabah sur la côte N.-O. de l'île de Bornéo. **Climat.** Équatorial : 21 à 32 °C toute l'année ; pas de saison sèche ; pluies fréquentes et courtes l'après-midi ; vents violents pendant la mousson sur la côte est. 2 moussons/an. Pluies 2 032 à 2 540 mm. Humidité 80 %. **Végétation.** *Forêt tropicale* : + de 70 % du terr., arbres de 35 à 45 m de haut. [diptérocarpacène (le plus important), changal, palan merbau, kerwing, kapar, meranti, jelutong, kempas]. 15 000 espèces de plantes, 6 000 arbres. **Faune.** Tigre, panthère, léopard, éléphant, séladang (bovidé sauvage), tapir, rhinocéros (2 espèces protégées), orang-outang, pélandok (petit cervidé), singe à long nez, musaraigne des arbres, loris lent, tarsier, écureuil, cochon sauvage. Oiseaux : plus de 500 espèces, certains sont migrateurs.

Population. 17 860 000 h. (est. 90) dont (%) Malais [et autres dits Bumiputra (ou fils du sol)] 50, Chinois 35, Hindous et Pakistanais 10. Réfugiés vietnamiens (200 000 dep. 1975), *prév. 2000* : 20 615 000. D. 51,2. **Âge** : - *de 15 a.* : 39 %, + *de 65 a.* : 3,5 %. **Villes.** *Kuala Lumpur* (cap.) 1 158 200 h. (89), créée 1859 (résidence royale). **Langues.** Malais *(off.)* caractères arabes (limités) ou latins ; anglais (l. comm. et industrielle), chinois (cantonais, et dial. hakkas : haïnanais, fou-kienois), l. dravidiennes (tamoul, telugu malayalam), penjabi, hindoustani, gujerati, urdu. **Religion.** Islam *(off.)* env. 50 % de la pop. : bouddhisme, hindouisme, taoïsme. 980 000 chrétiens (50 % catholiques).

Histoire. 1res sociétés politiquement organisées apparues au N. de la péninsule malaise. **V. 900 av. J.-C.** quelques-unes tombent sous l'influence de l'empire de Sri Vijayan établi à Palembang. **Fin XIIIe s. apr. J.-C.** empires de Majapahit et Thai supplantent la domination de Sri Vijayan. **1400** Malacca fondée par Parameswara, Pce hindou venu de Sumatra, qui recevra la protection de l'empereur de Chine. **1511** le Portugais Alfonso d'Albuquerque prend Malacca. **1641** établissement hollandais. **1786** comptoir brit. à Penang. **1819** Anglais achètent Singapour au sultan de Johore. **1824** échangent Bencoolen (île de Sumatra) contre Malacca (app. aux Holl.). **1826** Penang, Malacca, Singapour forment « Établissements du Détroit ». **XIXe s.** immigration de Chinois venant travailler dans les mines d'étain. **1867** l'adm. des « Établ. du Détroit » est confiée au min. des Colonies. **1874** *tr. de Pangkor* : Anglais prennent les fonctions jusqu'alors dévolues à l'aristocratie malaise (système des « résidents » nommés pour conseiller les sultans). **1876** introduction des hévéas du Brésil. **1895** Perak, Selangor, Négri Sembilan et Pahang constituent États malais fédérés. **1909** Siam reconnaît à G.-B. suzeraineté de Kedah, Perlis, Kelantan, Trengannu qui, en 1914, formeront avec le Johore les États m. non fédérés. **1910** introduction du caoutchouc. **1941**-*7-11*/**1945**-*13-9* occupation jap. **1946** création de l'Organis. nat. pour l'Unité mal. ; Singapour devient colonie de la Couronne ; *avr.* création de l'Union mal. (Malacca, Penang, et 9 États malais). **1948** fin de l'Union et accord pour une Fédération mal. (Féd. de Malaya) accordant plus grande autorité aux États et gouv. locaux. **1948-60** lutte contre communistes. **1957**-*31-8* indépendance de la Féd. de Malaya. **1963** Sabah, Sarawak et Singapour rejoignent la Féd., qui devient la Malaysia. **1965**-*9-8* Singapour la quitte et devient rép. ind. L'Indonésie, opposée à la formation de la M., soutient des guérillas, puis la reconnaît 11-8-66. **1969** *mai* émeutes raciales. **1971-72** guérilla comm. dans le N. **1974** *déc.* affrontements étudiants/policiers. **1975** crise pouvoir central et PM de Sabah (M. Mustapha) ; mouvement autonomiste. -*3-9* attentat à Kuala Lumpur (2 policiers tués). -*31-10* Mustapha démissionne. **1976** insécurité en province. Tension Malais/Chinois, sécheresse. **1978** *août* musulmans, battus aux élections, incendient temples hindous à Kerling. **1985** *avril* PSB (p. de l'unité de Sabah) dominé par chrétiens gagne les élect. -*19-11* émeutes au Kedah, 18 † (dont Ibrahim Mahmoud, chef musul.). **1986** *mars* émeute musul. au Sabah. -*7-5* parti chrétien 60 % des voix au Sabah. **1987** Mahathir PM s'appuie sur le courant nationaliste (Anwar Ibrahim). *Oct.-nov.* tensions raciales, arrestations. **1988**-*31-9* nouveau parti d'opp. UMNO 46 (Org. Nat. de l'Union M.). **1989**-*février* Musa Hitam, anc. vice-PM, se rallie au PM Mahathir. -*2-12* communistes de Chin Peng (n. 1922) maoïstes (1 000 h.) cessent lutte armée ; seront placés dans le s. de Thaïlande ; dep. 1978, la Chine ne les aide plus. -*16/17-7* législatives au Sabah : parti Bersatu Sabah (PBS) 36 sièges sur 48.

Statut. Fédération de 9 sultanats et de 4 États non monarchiques. Membre du Commonwealth. 13 États (leurs chefs ou sultans sont chefs religieux). *Constitution* (31-8-1957, révisée 3-3-71). *Chef suprême* élu p. 5 a. parmi les chefs d'État des 9 Sultanats (les gouverneurs de Malacca, Penang, Sarawak et Sabah n'étant pas éligibles) : Azlan Muhibuddin Shah Sultan de Perak (n. 1929) dep. 26-4-89. *PM* Dr Mohamed Mahathir (n. 1926) dep. 18-7-81. *Sénat (Dewan Negara)* 69 m. [26 élus (2 par État), 40 nommés par le chef de l'État, et 3 représentant les terr. féd. de Kuala Lumpur et Labuan]. *Chambre des représentants (Dewan Rakyat)* 180 m. élus pour 5 a. (Malaisie occ. 132, Sarawak 27, Sabah 21). **Fête nat.** : 31 août (indép.). **Drapeau** : adopté 1963 : 14 bandes horiz. blanches et rouges représentant les 13 États et Kuala Lumpur. Rectangle bleu avec croissant et étoile (symboles islamiques).

Élections. *Chambre des représentants du 20/21-10-90* : Front nat. (coalition de 11 partis) 127 s. ; P. de l'Action dém. (f. 1966, Dr Chen Man Hin) 20 s. ; P. Bersatu Sabah 14 s. ; Semangat' 46 s. ; P. islamique Panmalaisien (f. 1951, Pt Dato Haji Mohamed Asri Bin Haji Muda) 7 s. ; Indép. 4 s.

États

Malaisie occidentale (Malacca)

Situation. 131 587 km² (long. 751 km, larg. 250) du N. au S. montagne boisée. *Alt. max.* Gunung Tahan 2 190 m. **Climat.** Mousson du N.-E. oct.-févr., S.-O. mi-mai-sept. Temp. diurne 21 à 32 °C.

Population. 14 303 000 h. (89) dont (88) Malais 8 050 000, Chinois 4 435 000, Indiens 1 414 000, divers 90 000. D. 108,7. **Territoires fédéraux : Kuala Lumpur** (cap. de la Féd., 244 km²) 1 158 200 h. (à 394 km de Singapour) ; **Labuan :** 91 km², 35 000 h dep. 16-1-1984. **États. Johore :** 18 986 km², 1 963 600 h. *Johore Bahru* (capitale) 406 871 h. ; relié à Singapour par viaduc ; *monuments* : Istana Besar (palais dit « de la Colline sereine »), mosquée Abu Bakar, mosquée nationale (minaret 73 m ; 48 dômes semblables à ceux de La Mecque ; d. principaux 50 m de diam. en forme d'étoile à 18 pointes), chutes de Kota Tinggi et Mersing. **Kedah :** 9 425 km², 1 325 700 h. *Alor Star* 279 567 h. Langkawi [archipel de 100 îles, à 40 km], « bol de riz » de la M. ; villégiature. **Kelantan :** 14 930 km², 1 116 400 h. *Kota Bahru* 275 886 h. ; centre de culture m. traditionnelle ; « songkets » (passementeries), « batiks » (étoffes peintes). **Malacca :** 1 650 km², 548 800 h. *Malacca* 88 073 h. à 148 km ; ville la plus ancienne de M. **Negri Sembilan :** 6 643 km², 679 000 h. *Seremban* 202 790 h. ; musée, parc (Lake Gardens), sources d'eau chaude de Pedas ; Port-Dickson, à moins de 30 km, stations balnéaires. **Pahang Darul Mahmur :** 35 964 km², 978 100 h. *Kuantan* 170 573 h. ; Pekan, ville « royale » à 45 km de Kuantan ; Cameron Highlands 2 000 m,

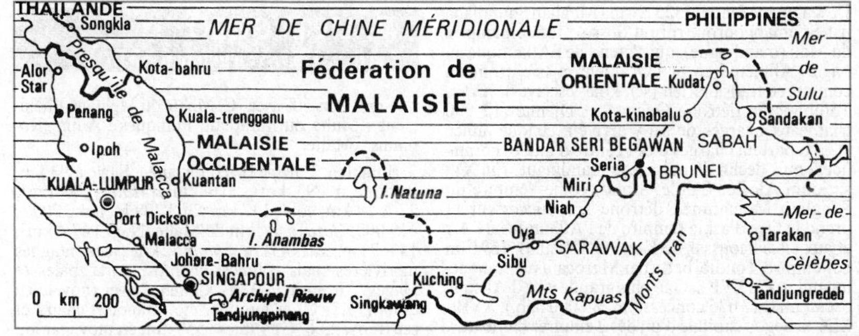

Fraser's Hill 1 300 m, Taman Negara (parc national 44 000 ha et réserves d'animaux). **Perak :** 21 005 km², 2 107 800 h. *Ipoh* 293 849 h. ; ville « royale » Kuala Kangsar, à 50 km ; étain dans la vallée de Kinta (plus riches gisements du monde) ; temples dans des grottes ; Pangkor, dans une île à 80 km d'Ipoh, villégiature. **Perlis :** 795 km², 175 600 h. *Kangar* 12 956 h. ; Padang Besar. **Pulau Penang** et **Prov. de Wellesley :** 1 033 km², 1 087 000 h. *Georgetown* 248 241 h. ; Tarping ; « Perle de l'Orient » de la M. ; villégiature, plages ; Kek Lok Si [temple du Paradis, « Temple aux Serpents » (serpents vivants, funiculaire)]. **Selangor Darul Ehsan :** 8 200 km², 1 839 800 h. *Shah Alam* 19 041 h. ; Klang, ville royale, à 6 km de Shah Alam ; port le plus important du pays ; Petaling Jaya plus grande « ville-satellite » de M. **Trengganu :** 12 955 km², 683 900 h. *Kuala Trengganu* 180 296 h. ; pêcheurs, artisanat.

Ressources. Forêts 71 %, terres arables 29 %. Caoutchouc naturel (1er du monde, 88 : 1 612 000 t), étain (1er du monde, 88 : 32 000 t, 60 % dans le Perak, vallée de Kinta, 30 % dans le Selangor), h. de palme 5 000 000 t (1er exp. du monde), bois tropicaux 36 993 000 t (87), fer, bauxite, ananas 149 700 t (87), riz 1 725 000 t, cacao 235 000 t (4e du monde), thé, coprah (4e du monde).

Malaisie orientale (île de Bornéo)

Situation. *Insulinde :* quart N.-O. (montagneux) de Bornéo : 208 847 km² sur 736 000 (Mt Murud 2 271 m, Mt Kinabulu 4 175 m), bordé d'une plaine côtière alluviale (30 à 60 km de large), plateaux (alt. moy. – de 1 000 m) recouverts par forêt pluviale (mangrove). **Climat** (équatorial) : Sarawak : mousson N.-E. oct.-févr., pluies du S.-O. avr.-juill. (orages) ; Sabah : mousson du N.-E. oct.-nov. à mars-avr., S.-O. mai-août. Temp. diurne 21 à 32 °C, humidité 80 %.

Histoire. **1840** James Brooke visite Kuching, dépendance de l'empire de Brunei, déjoue une révolte contre le vice-roi du sultan de Brunei. **1841**-*24-9* il est fait « rajah ». **1877-78** cession aux Anglais des régions N. et E. de Bornéo. **1882** acquisition par la « Cie brit. du N.-Bornéo » des terr. cédés. **1888** Sarawak, Brunei et N.-Bornéo deviennent protectorats brit. **1941**-*16-12* occupation japonaise.

1°) Sarawak. 124 449 km². **Population** (88) : 1 591 000 h. dont Chinois 463 170, Dayaks de la côte : Ibans 471 073, Malais 329 613, Dayaks de l'int. 133 253 (dits « coupeurs de têtes », les jeunes hommes devant rapporter un trophée sanglant pour être admis dans la tribu, villages formés d'une seule maison sur pilotis, la « long-house », (parfois 300 m), culture itinérante sur brûlis du « ladang »). Melanaus 91 704, indigènes 85 822, divers 18 465. D. 11,4. **Villes** (88) : *Kuching* 152 000, Sibu 111 000, Miri 86 000.

Histoire. 1888 protectorat. 1946-*17-5* colon. de la Couronne. **1963**-*16-9* rejoint Féd. de M. **Statut.** *Gouverneur* (Yang Dipertua Negeri) nommé par le Yang di-Pertuan Agong : Datuk Haji Ahmad Zaidi Adruce bin Mohamed Noor. *PM* Datuk Patinggi Amar Haji Abdul Taib bin Mahmud. *Conseil suprême* 9 m. *Conseil Negri* 48 m. *Divisions administr.* 9.

Ressources. Bois, sagou (palmier dont est tirée de la farine), caoutchouc, abaca, pêche, poivre. Bauxite, or, phosphates, pétrole. *Tourisme :* musée de Kuching, Asanta (palais du gouverneur), Fort Marguerita, caves de Niah, parcs nat. de Bako et Mulo.

2°) Sabah (ex-Bornéo du N.). 73 620 km². **Population.** 1 371 000 h. (88), dont Kadazans 238 046, Chinois 191 100 (87), Bajaus 109 108, Malais 49 937, Muruts 39 282, indigènes 176 777, divers 189 925. D. 14. *Villes (80) : Kota Kinabalu* (ex-Jesselton) 108 725, Tawau 113 708, Sandakan 113 496.

Histoire. 1881-1946 administrée par British North Borneo Co. Dep. colonie de la Couronne avec Labuan (75 km²). **1946**-*15-7* dépend de la G.-B. **1963**-*16-9* rejoint la Féd. de Malaisie sous le nom de Sabah. **Statut.** *Gouverneur* (Yang Dipertua Negeri) nommé par le Yang di-Pertuan Agong : Tan Sri Mohamed Said Keruak dep. 26-6-78 réélu 1-1-87. *P.M.* Datuk Joseph Pairin Kitingan, Pt du P. Bersatu Sabah (inculpé de corruption le 5-1-91). *Ass. lég.* 48 m., 6 nommés.

Ressources. Pêche. Forêts 80 %. Bois, caoutchouc, pétrole, cuivre, tabac, cacao (principal prod. de M.), charbon, fer, or. *Industries* (installées dep. l'indép.) : cotonnades, chaussures, bière, emballages carton, literie, métal. *Tourisme.*

Économie

P.N.B. (89) 1 890 $ par h. **Croissance** (%) : *1976 :* 11 ; *84 :* + 7,8 ; *85 :* – 1 ; *86 :* + 1,2 ; *87 :* 5,2 ; *88 :* 7,4 ; *89 :* 8,5 ; *90 (prév.) :* 8,5. **Pop. active** (%, entre parenthèses, part du P.N.B. en %) : agr. 31,3 (23), ind. 23,3 (12), services 44,9 (47), mines 0,6 (18). **Chômage** (%). *1988 :* 8,1, *89 :* 7,5. **Inflation** (%). *1985 :* 0,3, *86 :* 0,7, *88 :* 11,2, *89 :* 2,8 ; *90 (est.) :* 4. **Salaire horaire** (O.S.) : 1,1 $ (2,5 à 3 $ en Corée du S.). **Dette extérieure** (88) : 20,2 milliards de $.

Nota. – Les Chinois contrôlent 80 % de l'économie (contre 95 % en 1970).

Investissements étrangers (1960-86) : 2,66 milliards de ringgits (dont Japon 18,3).

Agriculture. *Terres* (milliers d'ha, 83) t. arables et t. cult. 4 335, pâturages 27, forêts 22 150, eaux 120. *Production* (milliers de t, 88) : hévéa (1 897 000 ha plantés) 1 622, huile de palme 5 000, de palmiste 575 (87), de noix de coco 56 (87), riz 1 725, coprah 120, bananes, ananas, thé, poivre 15. Cacao 235, tapioca, canne à sucre en développement. Bois tropicaux. 40 900 000 m³ (88). Élevage (milliers de têtes, 88) : Porcs 2 258, chèvres 347, bovins 625, buffles 220, moutons 99. Pêche. 515 000 t (87).

Mines (en milliers de t, 88). Étain 32 (contenu dans les sables alluvionnaires en général peu profonds : on utilise des dragues se déplaçant sur des lacs artificiels, ou des pompes), fer 161 (87), ilménite 189 (80), bauxite 4 821. Or. **Pétrole :** *réserves* 380 millions de t, *prod.* (millions de t) *1980 :* 13,1 (24,3 % des exp.) ; *84 :* 24 ; *85 :* 20,2 ; *86 :* 24,5 ; *87 :* 23,6 ; *88 :* 27 ; *89 :* 29. **Gaz :** *réserves* 1 400 milliards de m³, *prod.* (87) 6 milliards de m³. Industrie. Caoutchouc, ciment, tabac, alim., électronique.

Transports. Routes (86) 39 068 km. Voies ferrées (86) 2 222 km. Tourisme. 7 934 765 vis. (est. 88). Colline de Penang (830 m), Maxwell Hill (1 450 m ; à 360 km de Kuala Lumpur), Genting Highlands (+ de 1 500 m). Grottes de Batu (272 marches pour y accéder), Niah (à 320 km de Kuching, ramassage des « nids d'hirondelles » et de guano), Bukit Nanas (colline des ananas).

Arts et sports. *Danses traditionnelles :* Ronggeng (Mak Inang, Changgong), Hadrah, Zapin, Tari Piring. *Théâtre :* Wayang Kulit (th. d'ombres), Makyong et Menora (pièces de th. originaires de Thaïlande). *Berdikir Barat :* confrontation d'équipes (8 pers. au min.) rivalisant par des couplets et des poésies. *Sports :* football, badminton, Sepak Raga, Main Gasing (les toupies peuvent atteindre 7 kg), Wau (cerf-volant), Bersilat (art d'autodéfense).

Commerce (milliards de $ malais/ringgits, 88). *Exportations* 54,4 *dont* prod. manuf. 26,3, pétrole 6,3, caoutchouc 5, huile de palme 4,6, bois tropicaux 4,0 *vers* Singapour 10,7, U.S.A. 9,6, Japon 9,4, Corée du S. 2,7, G.-B. 1,9, Hong Kong 1,9. *Importations* 42,9 *dont* mach. et équip. de transp. 17,5, prod. man. de base 6,7, prod. alim. 3,8 *de* Japon 10,1, U.S.A. 7,6, Singapour 5,7, G.-B. 2,1, Taïwan 1,9.

Rang dans le monde (88). 1er caoutchouc, étain, huile de palme. 4e cacao. 13e rés. gaz nat. 15e bois. 22e pétr.

MALAWI

Carte p. 1124. V. légende p. 837.

Situation. Afrique. 118 484 km², 25 % occupés par le lac Malawi, long. 800 km, larg. 100 à 180 km. Littoral le plus proche : océan Indien au Mozambique (140 km). **Climat.** 3 saisons : froide, mai-août ; chaude, sept.-oct. ; pluies nov.-avril.

Population. *1988 :* 8 278 000 h., *prév. 2000 :* 11 669 000 [Angonis, Nyanjas (15 %), Chewas (43 %), Tumbukas]. 12 000 Asiates, 7 400 Blancs dont 7 000 Brit. *Réfugiés mozambicains :* 1 000 000. **Âge :** - *de 15 a.* 47 %. *65 a. et* + 3 %. D. env. 60. **Accroissement :** 3,2 % par an. **Pop. urbaine :** env. 12 %. **Villes** (88) : *Lilongwe* (cap.) 254 000, Blantyre 300 000, Mzuzu 48 700, Zomba 45 000. Langues : anglais *(off.)*, chichewa. Religions : animistes 3 000 000, catholiques 1 200 000, protestants 1 200 000, musulmans 700 000 (12 %).

Histoire. **1858-63** exploré par David Livingstone (4 voyages). **1875-76** missions protestantes antiesclavagistes. **1896** missions cathol. **1891**-*15-5* protectorat britannique du *Nyassaland.* **1907** fait partie de l'Afrique centrale brit. **1953-63** fédération avec les 2 Rhodésies. **1963**-*1-2* autonomie. **1964**-*6-7* indépendance. **1966**-*6-7* république. **1971** alliance avec Afr. du S. (aide financière, envoi de travailleurs m. dans le Rand, fourniture d'armes). **1979** fait partie de S.A.D.C.C., regroupant tous les États noirs hostiles à l'Afr. du S. mais reste allié à l'Afr. du S. **1991** *mars* inondations (500 †).

Statut. Rép. membre du Commonwealth. 3 *régions,* 24 *districts. Pt* élu par le *Parlement :* Dr Hastings Kamuzu Banda (14-5-1906) dep. 6-7-66 (réélu *Pt à vie* le 6-7-71). *Parlement* 118 m. (dont 11 nommés par Pt). *Parti unique :* Malawi Congress Party (MCP), f. 1959. **Fête nat.** 6 juillet (indép.). **Drapeau :** adopté 1964 : bandes noire (liberté) avec soleil rouge (nouvelle ère), rouge et verte.

Économie

P.N.B. (88) 177 $ par h. **Pop. active** (% et, entre parenthèses, part du P.N.B. en %) : agr. 70 (44), ind. 15 (10), mines et services 15 (46). **Dette ext.** (88) : 1,2 milliard US $ soit 44 % du P.N.B. **Inflation** (%). *1989 :* 15,7. Agriculture. 37 % du PIB, 90 % des export. *Terres* (milliers d'ha, 87) : arables 5 300, exploitées 3 000, eaux 2 400, forêts 5 600. *Production* (milliers de t, 89) : sucre 174,9 (88), maïs 1 510, coton 25 (88), thé 42, arachides 193, tabac 75, noix 10 (84), riz 32 (88), sorgho 20, p. de terre 300 (88), manioc 243 (88), café. Forêts. 7 374 000 m³ (88). Élevage (milliers de têtes, 88). Volailles 12 000, bovins 1 000, chèvres et moutons 1 100, porcs 200. **Pêche.** 73 314 t (88). Industries. Sucre, bière, cigarettes, ciment, textile. Énergie. 174 M.g.W. Tourisme. 80 000 vis. (88). 1 752 lits.

Commerce (millions de kwachas, 88). *Exportations* 753,3 *dont* (en %) tabac 65, thé 10, sucre 10 *vers* G.-B., All. féd., Zimbabwe, U.S.A., P.-Bas. *Importations* 665,1 *dont* mat. 1res et semi-finies 33 *de* Afr. du S., G.-B., biens d'équip. 33, Japon.

Rang dans le monde (89). 12e thé.

MALDIVES (Les)

Carte p. de garde. V. légende p. 837.

Nom. Autrefois *îles Maldives.* Les Maldiviens se disent *Dhivehin* (insulaires) et appellent leur pays *Dhivehi Raajje* (le pays des îles).

Situation. Asie. 298 km², à 450 km au S. du Deccan. Longueur 800 km, larg. 131 km. 26 atolls (du maldivien *atolhu*), crêtes d'une chaîne montagneuse sous-marine 1 196 îles, dont 203 habitées. Pour des raisons administratives, divisées en 19 atolls. *Alt. max.* 4 m. Population. *1990 :* 214 139 h., *prév. 2000 :* 254 000. D. 710. **Capitale :** Malé 56 060. Langue *(off.) :* maldivien *(divéhi).* **Religion :** musulmans sunnites *(off.).*

Histoire. **Jusqu'au XIIe s.** bouddhisme, religion la plus répandue. **1153** adopte Islam (influence des marchands arabes). **1558**-*7-3* occupation portugaise. **1752** les Moplas de la côte indienne de Malabar prennent Male, emprisonnent le sultan et détruisent son palais. Ghazi Hassan Izzudin les repousse et fonde une dynastie (jusqu'au XXe s.). **1783** Port. repoussés (par Mohammed Thakurufaanu le Grand). **1887** protectorat brit. **1887-1948** dépend de la colonie de Ceylan. **1952** rép. **1954-68** restauration du sultanat. **1965**-*27-5* indépendance **1968**-*11-11* rép. **1980** et **1983** coups d'état. **1988**-*3-11* 400 séparatistes Tamouls venus de Sri Lanka tentent coup d'État; 1 500 soldats indiens interviennent. *-6-11* Indiens arraisonnés, 46 Tamouls arrêtés (dont chef Abdullah Lutufi, proche de l'ancien Pt Nasir) et 20 otages libérés. **1989** 17 participants au coup d'État condamnés à mort.

Statut. Rép. *Constitution* de 1968. *Pt* (élu p. 4 a.) et *PM* Maumoon Abdul Gayoom (n. 29-12-37) dep. 11-11-78 ; réélu 11-11-83 et 23-9-88 (avec 96,3 % des v.). *Parlement* (Majilis) 48 m. dont 8 nommés par le Pt et 40 élus p. 5 a. *Partis.* Aucun. **Drapeau** : adopté 1965 ; rouge, rectangle vert avec croissant blanc ajouté 1980.

Ressources. P.N.B. (89) 520 $ par h. **Croissance** (89) : 9 %. **Inflation** (88) : 14 %. **Pop. active** (% et entre parenthèses part du P.N.B. en %) : agr. 45 (35), ind. 10 (12), services 45 (53). **Agriculture.** *Terres* (milliers d'ha, 81) : t. arables 3, pâturages 1, forêts 1, divers 25. *Prod.* (88) : noix de coco 12 000 t, coprah, fibres de coco. **Pêche** (89) : 71 200 t, bonites, tortues pour les carapaces. **Tourisme.** *Visiteurs : 1972 :* 1 096 ; *84 :* 83 814 ; *86 :* 113 953 ; *89 :* 158 488. *Recettes :* 48 millions de $. **Aide inter.** (millions de $). *1985 :* 15 ; *86 :* 16. **Dette** (88) : 6 millions de $.

Commerce (millions de $, 88). *Exp.* 31 *dont* poisson 19. *Imp.* 90,5 (87) *dont* biens man. 45,7, prod. intermédiaires et biens d'équipement 38,2, fuel et lubrifiants 6,5, tabac et alcools 3,1 (87).

MALI

V. légende p. 837.

Nom. Littéralement « lieu où vit le roi ».

Situation. Afrique 1 240 192 km^2. *Alt. max.* Mt Hombori 1 155 m. Plateaux latéritiques et plaines (N.). Delta du Niger (long. 450 km, larg. 130 km, 30 000 km^2) ; falaises de Bandiagara (long. 200 km, haut. 200 à 400 m). **Climat.** 3 zones du N. au S., *saharienne* (précipitations nulles, Sahara a progressé de 400 à 500 km dep. le Moyen Age), *sahélienne* (Sahel : rivage en arabe, 100 à 400 mm), *(steppe)*, soudanaise (savane, pluies juin à oct. : 700 mm).

Population. *1990 :* 8 160 000 h., *prév. 2000 :* 12 363 000. 23 ethnies dont Mandigues (Bambaras) 1 750 000, Malinkés 200 000, Khassonkés et Djoulas ; Sarakollés (Soninkés à l'Ouest) 350 000, Songhaïs (boucle du Niger) 300 000, Dogons (plaine voltaïque) 250 000, Bozos (rives du Niger) et Somonos ; Sénoufos-Maniakas 375 000, Bobos 100 000, Mossis et Markas (au Sud) ; Peuls (boucle du Niger) 600 000, Toucouleurs ; Touaregs (N. et E. du Niger) 200 000, Maures 60 000 et Arabes (etc.). Bambaras, Songhaïs, Dogons, Bobos, Sénoufos : cultivateurs. Malinkés, Dioulas et Sarakollés : commerçants et grands voyageurs. Bozos et Sorkos : pêcheurs. Peuls : nomades. **Age :** *- de 15 a. :* 46 %. *+ de 65 a. :* 3 %. **Espérance de vie :** 48 ans. **Mortalité :** *infantile :* 175 ‰. D. 6,6. **Villes** (87) : *Bamako* 800 000, Mopti 175 000 (à 644 km), Ségou 120 000 (à 236 km), Kayes 100 000 (410 km), Sikasso 75 000 (376 km), Gao 30 714 (76) (1 214 km), San 17 000 (85) (435 km), Tombouctou 20 483 (85) (1 018 km).

Langues. 10 sont nationales : français *(off.)*, bambara (parlé par 60 % de la pop.), malinké, dialectes : [tamasheq, langue berbère (Touaregs), hassanya, dialecte arabe (Maures), fulfude (Peuls), songhaï (Sorkos et Bozos)]. **Religions.** Islam 94 %, animisme 2, christianisme 4.

Histoire. De puissants empires se sont succédé **VIIe-XIe s.** Ghana. **VIIIe s.** 1res conversions à l'Islam.

IXe s. Djenné fondé. **1325** Kirina Maghan Soundjaba bat Soumangourou, roi du Sosso ; fonde l'empire du Mali (mandingue), qui s'étend de l'Atlantique au Niger. Alimente en or l'Occident et tire profit du commerce transaharien (sel, kola, esclaves). **XVe s.** Tombouctou détrône Oualata et Djenné (12 000 chameaux chargés de sel y arrivent chaque année et en repartent chargés d'or ; centre d'études coraniques) puis déclin de puissance mandingue. **Fin XVe s.** Sonni Ali Ber (Ali le Grand) édifie l'empire du Songhaï. Mohammed détrône son successeur et prend le titre d'askia (empire de l'Atlantique à l'Aïr et aux cités haoussas de Kano et Katsina). **1591** fin de l'empire, Tondibi battu par Marocains (Tombouctou pillé). **Fin XVIe s.** Gao plus grande ville d'Afrique occidentale (7 626 concessions, 80 000 hab.). **XVIIe-XIXe s.** Ségou capitale d'un des 2 empires bambaras. **1819** Hamdallay fondé, capitale du roy. peul du Macina. G. saintes de Cheikou Ahmoudou et d'El Hadj Omar. **1862** Omar prend Ségou et Hamdallay. **1880-95** conquis par Joseph-Simon Gallieni, appelé *Soudan.* **1913** sécheresse. **1958**-*24-11* Rép. soudanaise au sein de la Communauté. **1959**-*17-1* fédération du Mali (groupant Soudan et Sénégal). **1960**-*20-6* indép. *-20-8* Sénégal se retire. *-22-9* Soudan devient Mali. **1968**-*19-12* Modibo Keita (1915-8-5-1977, Pt dep. 61) renversé. **1969-74** sécheresse, famine (centaines de milliers de têtes de bétail †). **1974** *nov.*-**1975** *juin* différends frontaliers avec Burkina sur 160 km^2. **1978** Cissema Doukara (min. de l'Intérieur) éliminé. **1980** manif. étudiantes, plusieurs †. **1984-85** sécheresse, famine. **1984**-*17-2* rejoint Union monétaire ouest-afr. (UMOA) : franc CFA remplace franc malien, instauré 1962 (1 F malien = 2 F CFA). **1985** retour des pluies, *-25-12* conflit frontalier avec Burkina. **1986**-*17/18-11* Pt Mitterrand au M. **1987**-*2-1* cour de La Haye résout conflit avec Burkina. *-5-12* 9 condamnés à mort pour corruption [loi : peine de mort pour tout détournement de + de 10 millions de CFA (200 000 FF)]. **1990** *10/12-8* affrontements avec Touaregs. **1991**-*6-1* cessez-le-feu avec Touaregs. *-20/22-1* émeutes. *-22/25-3* émeutes, env. 500 †. *-25-3* coup d'État milit. Conseil de réconciliation nat. (Pt et 16 m). dissout en avril. Constitution suspendue. *-25-3* 30 détenus politiques libérés. *-26-3* mutinerie ; 1 468 droit commun évadés (19 † détenus). *-26-3* Gal Moussa Traoré (n. 25-9-36) Pt dep. 19-12-68 arrêté. *-31-3* lieut.-cel Amadou Tomani Touré (43 ans), chef de la junte nommé Pt du Comité de transition pour le salut du peuple (CTSP, 25 m.). *-6-4* attaque Touaregs contre gendarmerie de Tessit. *-27-4* émeutes à Bamako. *-15-5* création d'une 8e région touareg dans le N.

Statut. Rép. *Constit.* du 2-6-1974 applicable en 79, suspendue 91. *Pt de la Rép.* (élu pour 5 a. suffr. univ.). *PM* Soumana Sacko (n. 1950) dep. 2-4-91. *Ass. nat.* 82 m. élus pour 4 a. *Parti unique :* Union démocratique du peuple malien (UDPM), f. mars 1979. **Régions administratives** 8. **Fête nat.** : 22 sept. **Drapeau** : adopté 1960 ; vert, jaune, rouge (couleurs panafric.).

Économie

P.N.B. (87) 230 $ par h. **Pop. active** (89, en % et entre parenthèses part du P.N.B. en %) agr. 73 (53), ind. 6 (11), services 20 (34), mines 1 (2). **Aide :** France env. 500 millions de F (1990). **Salaires des émigrés** en Fr. et C.-d'Ivoire. **Dette extérieure** (91) : 2,2 milliards de $. **Problèmes** : pays enclavé (Bamako est à 1 290 km de Dakar) tributaire du coton et de l'arachide pour ses recettes en devises. Corruption politique.

Agriculture. *Terres* (milliers d'ha, 84) t. arables 2 050, t. cult. en permanence 3, pâturages 30 000, forêts 8 640, eaux 2 000, divers 81 307. Crise, sécheresse en 1983-84. Déficit céréalier (*1984 :* 330 000 t, *85 :* 480 000 t), puis excédent (*1989-90 :* 500 000 t). *Production* (milliers de t, 88) millet et sorgho 1 900, riz 289, canne à sucre 220, arachides 60, coton 110, maïs 211, légumes 245, manioc 73, haricots, patates douces et ignames 70, karité, kapok, gomme, tabac, dah (chanvre), fruits 12. **Forêts.** 5 201 000 m^3 (87). **Élevage** (millions de têtes, est. 88). Volailles 19, moutons 5,5, chèvres 5,5, bovins 4,7, ânes 0,5, chameaux 0,2, chevaux 0,06. **Pêche.** 100 000 t (88). **Irrigation.** Barrage de Markala (40 km au N. de Ségou). 57 000 ha mis en culture (coton, canne à sucre) ; possibilité de 1 million d'ha produisant 3 millions de t de céréales. **Mines.** Or (Kalana) 0,6 t (88), sel 5 000 t, fer. **Industries.** *Agroalimentaire. Autres :* tabac, chimie, ciment, textile, mach. agric., mat. plastiques. **Transports** (km). Routes 14 704, chemins de fer 645. **Tourisme.** 62 000 vis. (86). **Commerce extérieur** (millions de CFA). *Exportations : 1985 :* 58, *86 :* 25 ; *87 :* 78,1. *Importations : 1985 :* 185, *86 :* 141 ; *87 :* 145,5. **Rang dans le monde** (81). 6e millet. 16e chameaux.

MALTE ET GOZO

Carte p. 1017. V. légende p. 837.

Nom. Vers 500 av. J.-C. Melite ou Melitaie. Phéniciens : Malta ou Malithah. Puniques : Aunn. Romains : Malte.

Situation. Europe (Méditerranée, Sicile à 93 km, Afrique à 293 km). 316 km^2 [*Malte* 246 km^2, 27 × 14 km, côtes 137 km ; 308 209 h., *prév. 2000 :* 419 000. *Gozo* (à 6,4 km de Malte, N.-O.) 67,4 km^2, 14 × 7 km, côtes 43 km. *Comino* 2 km^2, ni montagnes ni rivières mais collines, champs, ports, baies et plages. Alt. max. 233 m]. **Climat.** Hiver (nov.-avr.) doux (13,7 °C) et humide, été (mai-oct.) chaud et sec (moy. 22,6 °C). Pluies : 559 mm en moy. par an.

Population. 354 900 h. (90) *(1901 :* 186 398, *31 :* 241 621). *Émigrants* (89) : 399 ; *immigrants* (89) : 722. *Maltais à l'étranger* (88) : 800 000. **Villes** (88) : *La Valette* 9,210, Birkirkara 20,711, Qormi 18,841, Hamrun 13,651, Sliema 13,558, Zabbar 13,338, Victoria (Gozo) 6,025.

Langues. *Off.* Maltais et anglais (langue sémitique, d'origine phénicienne, influencée par l'arabe, et ayant adopté de nombreux mots siciliens, anglais et français). Italien parlé. En 1986, 20 000 étudiants apprenaient l'arabe (20 en 1989).

Religion. Catholicisme *(off.)*. (98 %) 1ers chrétiens d'Europe occ. (naufrage de st Paul dans l'île), 350 églises, 954 prêtres et religieux.

Histoire. 800 av. J.-C. dépendance phénicienne, **600 av. J.-C.** carthaginoise, **218 av. J.-C.** romaine, **870 apr. J.-C.** arabe, **1090** sicilienne, **1530** de l'Ordre de St-Jean-de-Jérusalem. **1565** attaque turque : des milliers de Maltais emmenés comme esclaves. Construction de fortif. sur instruction du Gd maître Jean de La Valette. **1798** dépendance française (après l'escale de Bonaparte voyageant vers Égypte). **1800**-*5-9* britannique, **1802** tr. d'Amiens, la G.-B. doit rendre M. à l'Ordre de St-Jean, mais, le *15-6* le Congrès national reconnaît le roi d'Angl. comme souverain. **1816** annexée par G.-B. **1939-45** base navale souvent bombardée, 16 000 t de bombes (2 000 †). **1947** élection : victoire travailliste. **1950 :** gouv. nationaliste et travailliste. **1955** victoire travailliste. **1956** référendum : 44,2 % des voix pour intégration à G.-B., beaucoup d'abstentions. **1961**-*24-10* autonomie. **1962** victoire nationaliste. Dr George Borg Olivier PM. **1970**-*5-12* associée à CEE. **1964**-*21-9* indépendance. **1974**-*13-12* république ; Sir Anthony Mamo (9-1-09), 1er Pt. **1979**-*31-3* base brit. évacuée (loyer annuel était de 60 millions de $). **1980**-*15-9* accord avec Italie (neutralité de M. garantie au besoin militairement, aide 16 millions de $ sur 5 a. et prêt 15 millions). **1981** *oct.* accord avec URSS qui pourra utiliser anciennes citernes de l'OTAN. **1984**-*19-4* 30 000 manif. contre mesures à l'encontre de l'enseignement rel. et des biens du clergé. *-18-11* tr. de coop. avec Libye (échange d'informations militaires). *-22-12* Dominic Mintoff, PM, démissionne. **1986**-*21-11* accord financier avec Italie. *-26-11* accord commercial pour 4 ans avec URSS. **1987** *mai* dénonce accords passés (notamment militaires). *-9-10* accord pour un institut des Nations unies pour les vieux. **1989**-*1-7* ouverture zone franche. **1990**-*16-7* demande d'adhésion à CEE.

Statut. République. *Constit.* de 1964 révisée 13-12-74, 27-1-87, 28-7-89. Membre du Commonwealth. *Présidents. 1974* (13-12) : Sir Anthony Mamo (n. 9-1-09), *1976* (27-12) : Dr Anton Buttigieg (1912-83), *1982* (16-2) : Mme Agatha Barbara (n. 11-3-23), *1987* (16-2) : Paul Xuereb (n. 21-7-23) par intérim, *1989* (4-4) : Censu Tabone (n. 1913). *PM* Edward Fenech-Adami (n. 7-2-34) dep. 12-5-87 [avant, Karmenu Mifsud Bonnici (n. 19-7-33) dep. 22-12-84]. *Chambre des repr.* 69 m. (élus pour 5 ans à la représentation proportionnelle). **Fête nat.** : *31-3* j de liberté. *-7-6* « Sette Giugno ». *-8-9* j de victoire. *-21-9* (départ des Anglais), indépendance. *-13-12* République. **Drapeau :** adopté 1964 ; bandes blanche et rouge (ordre de St-Jean de Roger de Normandie), croix de St-Georges (1942) ajoutée en récompense de l'héroïsme de l'île.

Élections. Du 9-5-1987. Inscrits 238 378, votants 96,11 %. *Travaillistes* (f. 1920, leader K. Mifsud Bonnici) 48,87 % des v., 34 s. (34 en 81). *Nationalistes (démocrates chrétiens)* [leader Edward Fenech-Adami] 50,91 % des v., 35 s. (31 en 81).

Économie

P.N.B. (88) 5 353 $ par h. **Pop. active** (% et, entre parenthèses part. du P.N.B. en %) agr. 6 (3,9), ind. 36 (30,9), services 58 (65,2). *Secteur public :* 47,1 %

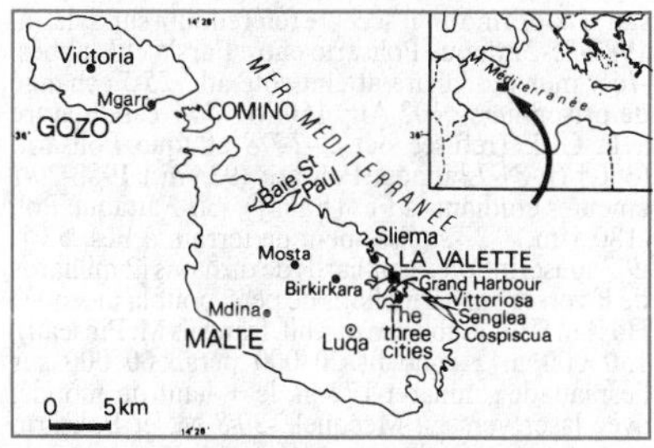

des salariés. **Chômage** (90) : 4,1 %. **Inflation** (%). *1985 :* – 0,2 ; *86 :* 2 ; *87 :* 0,6 ; *88 :* 0,9 ; *89 :* 1. Déficit commercial (janv.-sept. 90) 134 millions de livres maltaises. **Salaire minimum** (hebdom.). 31 livres m. (600 F). **Aide de la C.E.E.** (en millions d'écus). *1970-80 :* 55 ; *1989-93 :* 38.

Agriculture. *Terres* (milliers d'ha cultivés, 82/83) céréales et primeurs 6 213, légumes 5 422, fruits 580, fleurs et graines 24. **Élevage** (milliers de têtes, 88). Volailles et lapins 1 000, porcs 95, bovins 9, chèvres 5, moutons 5, ânes, mulets, chevaux. **Pêche.** 891 t (89). **Industrie.** Surtout textile, chaussures, plastiques, mat. élect. 2 225 établissements (87).

Tourisme (89) : 828 311 (40 % des revenus de l'État). Temple de Tarxien, grottes de Ghar Dalam, catacombes de Victoria, grotte Bleue, La Valette, Ta'qali, Mdina.

Commerce (millions de livres malt., 89). *Exportations* 294,5 dont mach. et équip. de transp. 146,3, produits manuf. divers : 96,3, prod. man. de base 29,3, fuel et lubrifiants 5,3 *vers* Italie 89,3, All. féd. 66,1, G.-B. 31,5, *France 15,7,* Libye 14,4. *Importations* 515,8 dont prod. man. de base 114,4, mach. et équip. de transp. 200,4, fuel et lubrifiants 32,6 *de* Italie 155,8, G.-B. 82,4, All. féd. 66,5, *France 28,6,* P.-Bas 14,8.

Nota. – 40 % des produits importés soumis à licence spéciale.

MAROC

V. légende p. 837.

Situation. Afrique. 710 850 km². *Alt. max.* Djebel Toubkal 4 165 m. **Régions et climat.** *M. oriental* ou méditerranéen (plateaux, plaines, climat sec, – 200 mm de pluies) ; *M. atlantique* (plaines littorales : étés tempérés, hivers doux ; plateaux et montagnes : Rif, Moyen Atlas, Ht Atlas, temp. allant jusqu'à – 20° C en haute alt. en hiver, pluies de 800 mm au N. à 400 mm au S.) ; *M. présaharien et saharien* (plateaux et vallées : climat plus sec vers le S.) ; *côtes* 3 446 km, dont Méditerranée 512, Atlantique 2 934. **Frontières** *avec :* Algérie 1 350 km, Mauritanie 650 km, Espagne 12,5 km (Ceuta 1, Melilla 11,5).

Population. *1906 :* 4 340 000 à 4 580 000 ; *1926 :* 4 229 146 ; *1960 :* 11 626 000 ; *1971 :* 15 321 000 ; *1982 :* 20 419 000 (dont 61 935 étrangers) ; *1989 :* 24 430 000 [prévisions (millions) : *2000 :* 36, *2025 :* 60 à 68]. **Taux** (86). *Accroissement :* natalité : 43 ‰, *mortalité :* 13,4 ‰. **Âge :** *- de 15 a. :* 46 %, *+ de 60 a. :* 3 %. **Étrangers** (81) : 112 000 [*Français 1926 :* 74 558, *57 :* 310 000, *64 :* 150 549, *75 :* 54 948, *82 :* 37 636, *91 :* 27 000, *Espagnols 1973 :* 28 500]. **Émigration :** *1985 :* 1 045 578, France 575 000 (90) [278 535 hommes, 119 554 femmes, 207 622 enf.], Italie 200 000, Belgique 120 000, Espagne 30 000. D. 33,7. **Population urbaine** (88) : 10 920 000. **Villes** (88) : *Rabat* (avec Salé) 1 118 000 (*1926 :* 38 044), Casablanca 2 785 000 (*1926 :* 106 608), Fès 960 000, 800 000 en 1990 (*1926 :* 81 172), Oujda 599 000 (*1926 :* 19 976), Marrakech 554 000 (*1926 :* 149 263), Meknès 444 000, Tétouan 447 000, Tanger 374 000, Agadir 352 000. **Wilayas.** (1990, en milliers d'h.) Gd-Casablanca 1 615 km², 3 000, Rabat-Salé 1 275 km², 1 345, Fès 5 400 km², 960, Meknès 3 995 km², 718, Marrakech 14 755 km², 1 455. **Préfectures et provinces** (88). Superficie et entre parenthèses pop. (en milliers d'h.) : Agadir : 5 010 km² (726), Beni Mellal : 7 075 (842), El Jadida : 6 000 (882), Kénitra : 4 745 (855), Laayoune : 39 360 (132), Ouarzazate : 41 550 (616), Oued Eddahab : 50 880 (24), Oujda : 20 700 (916), Safi : 7 285 (809), Smara : 61 760 (23), Tan-Tan : 17 295 (55), Tanger : 1 195 (523), Taroudant : 16 460 (632), Taza : 15 020 (690), Tétouan : 6 025 (818).

Langues. *Off. :* arabe (65 %) ; *autres :* berbère (33 %), hassania, français, espagnol. Analphabètes 65 %. **Religions. Musulmans** (*off.,* sunnites ; rite malékite) 99,95 % (le roi Hassan II est commandeur des croyants « Amir el-Mouminin »). **Israélites** (*1950 :* 300 000 ; *1984 :* 10 000). *Émigration juive : 1948-57 :* 100 670 en Israël. *1957/22-5-61 :* 10 000 (clandestins), *été 61 à fin 64 :* 130 000 partent légalement dont 100 000 pour Israël. **Chrétiens** et autres (en majorité étrangers 1 %, catholiques 40 000 baptisés, protestants 2 à 3 000).

Histoire

Préhistoire. Populations *capsiennes* (Capsa : Gafsa, Tunisie), comme dans tout le Maghreb, et *mouilliennes* (Mouillah : frontière algéro-mar.). **V. 2000 av. J.-C.** colonisation berbère (ou « libyque ») par immigration, ou par évolution des Capsiens (?). **XIe-IIIe s. av. J.-C.** colonisation phénicienne près des côtes : *Liks* (Larache), *Tingi* (Tanger), *Tamuda* (Tétouan). Les Berbères sont proches parents des Ibères qui occupent la péninsule Ibérique. Leur capitale porte un nom ibérique : Volubilis (Buruberri, le « bourg neuf »), leur roi le plus célèbre est Juda II (25 av. J.-C.-23 apr. J.-C.) ; les Romains les appellent « Maures » et les distinguent des Numides (en Algérie) qui parlent la même langue. **40-42 apr. J.-C.** annexion rom. du roy. maure, organisé en Mauritanie tingitane ; associée à la Maur. césaréenne (Cherchell) jusqu'en 285, puis à la Bétique (vicariat d'Hispanie ; cap. Hispalis, Séville), car il n'y a pas de voie terrestre entre les deux Mauritanies. Les Romains n'occupent ni le Rif ni l'Atlas, laissés aux rebelles maures. **281** Volubilis évacuée. **429** invasion vandale en Maur. césaréenne épargne Maur. tingitane, qui reste hispanique sur les côtes et berbère à l'intérieur. **523** Byzantins d'Esp. occupent Tanger et Ceuta, qui deviennent les bases de la lutte contre les Wisigoths. **683** débuts de la conquête arabe. **739** Berbères, bien qu'islamisés, se révoltent. **788** *dynastie idriside* dans le N. **1068-1146** Marrakech fondée par Y. Ibn Tachfine qui crée l'Empire *almoravide* comprenant le sud de l'Esp. **1132-1268** *dynastie almohade ;* s'étend jusqu'en Libye.

XIIIe s. morcellement, fin des Almohades ; 1268-1359 époque de Yaacoub Ibn Abdelkader ; El Marini fonde la *dynastie mérinide* [24 souverains d'origine Sijil Massa (Sahara) et maîtres de la Tunisie unifient le Maghreb]. **1472-1554/1492-1609** reflux d'Andalous et de Morisques d'Esp., époque des Wattassides [7 souverains (Fès et Tlemcen)]. **XVe s.** Portugais puis Esp. occupent ports. **1557-1630** époque saadienne (origine Sakiet el-Hamra et région du Draa). G. sainte proclamée par marabouts et dynastie saad. contre Européens (rupture des relations commerciales, isolement du M.). **1578-1603** Ahmet IV al-Mansur bat Portugais à Alcazarquivir. **1591** armée mar. conquiert boucle du Niger. **1603** morcellement (après la mort d'al-Mansur). **1640** *dynastie chérifienne alaouite* fondée par Moulay Rachid descendant du cousin du prophète Ali Ibn Taleb (origine Hedjaz). **1678-1727** Moulay Ismaïl récupère Tanger, fonde Meknès. **1631**-*17* et *24-9* tr. de voisinage avec Fr. **XVIIIe s.** querelles dynastiques, tr. de commerce avec États protestants. **1765** Mogador fondée. **1822-1859** Moulay Abd al-Rahman. **1825**-*28-5* tr. avec la Fr. qui obtient la clause de la nation la + favorisée. **1844**-*14-8 Isly* Bugeaud bat le sultan, allié d'Abd el-Kader. **1845** *convention de Lalla-Marnia.* **1859** expédition fr. pour contrôler est du pays. *Oct.* invasion esp., Tétouan occupée. **1860**-*26-4* paix, Tétouan sera rendue par Esp. moyennant 100 millions de pesetas (1re échéance 28-12). **1862**-*2-5* Tétouan libérée, paiement de la moitié de la rançon. **1880** convention de Madrid accordant à plusieurs puissances le traitement de la nation la plus favorisée. **1904**-*8-4* accords fr.-brit. et *-31-10* fr.-esp. : Fr. et Esp. peuvent s'établir au M. **1905**-*31-3* emp. d'All. Guillaume II à Tanger. **1906** *janv./avr. conférence d'Algésiras* (12 puissances eur. et USA), internationalisation écon. du M. ; droits spéciaux de Fr. et Esp. pour la police des ports. **1907** *mars* massacre de Français, mouvements xénophobes. *-31-7* Lyautey occupe Oujda. *Août* Gal Drude débarque à Casablanca (6 000 h.), commence conquête de la Chaouïa. **1908** Gal d'Amade la pacifie. **1909**-*9-2* convention fr.-all. partage écon. **1911** *mars* soulèvement berbère contre sultan ; assiégé dans Fès, *mai* délivré par les Fr. *-1-7* l'All. opposée à l'intervention fr. envoie devant Agadir le *Panther* (bateau de g.). *-4-11 tr. de Berlin,* l'All. reconnaît le protectorat fr., mais reçoit partie du Congo.

• **Protectorat français.** **1912**-*30-3 Convention de Fès,* protectorat fr. accepté par Moulay Hafid. *Tr. protectorat* divisant le M. en zones d'influences : Tanger (z. internationale), de la Méditerranée au sud de Larache (z. esp.), sud de Larache à Sidi Ifni (z. fr.), Sidi Ifni à Rass Al Abyad (z. esp.) [**Superficie occupée par les Fr.** (en km²) : *1912-1-1 :* 88 000, *1914-1-1 :* 163 000, *1917-1-1 :* 235 000]. **1912**-*28-4* Lyautey (1854-1934) résident. **1914-18 :** 5 régiments de tirailleurs mar. combattent en Fr. (34 000 †). **Guerre du Rif** (1920-26) *Abd el-Krim* (1882-1963) proclame la g. sainte contre Esp. **1921** bat Gal Sylvestre à Anoual. **1923**-*18-12* statut international de Tanger. **1924** les Esp. s'étant retirés sur la côte, il menace Fès et Tanger. **1926**-*29-5* après unification du cdt mil. esp. et fr. (Mal Pétain, 1856-1951), il est battu et se soumet [déporté à la Réunion, s'échappera d'un navire le ramenant en Fr. (1947) et mourra en Égypte]. **1927**-

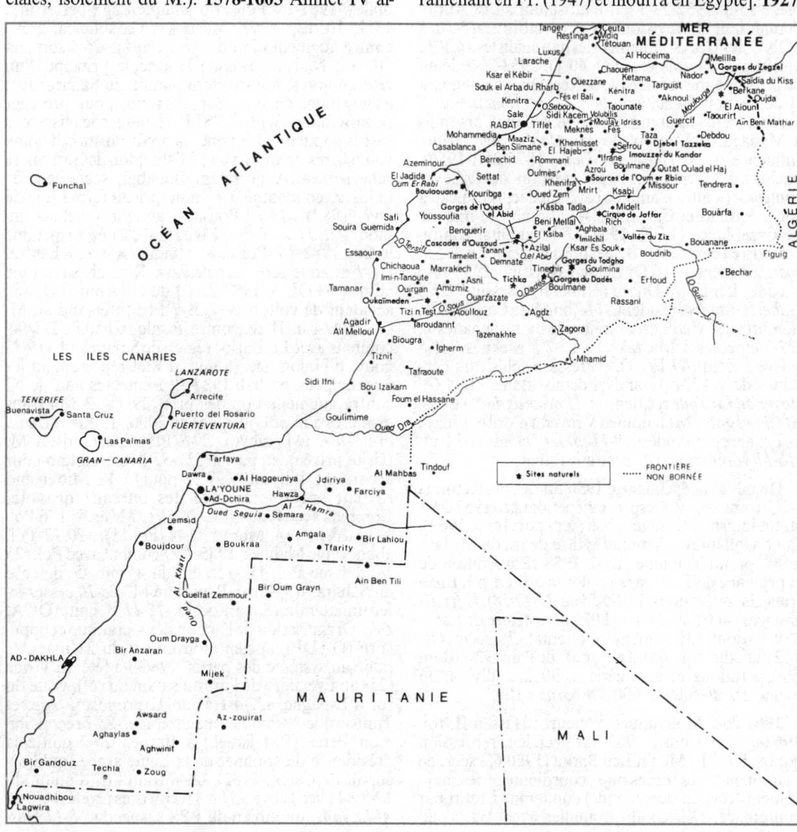

Marrakech

18-11 intronisation de *Mohammed V.* **1930**-*16-5 Dahir* berbère établi par le protectorat pour diviser les Marocains en Arabes et Berbères. **1934** soumission des derniers dissidents. Un comité d'action demande l'abolition du protectorat [scission en 1937 : une tendance forme *l'Istiqlal* avec Allal el-Fasi (1943), une autre le *Parti démocratique de l'indép.* (1946)]. **1937** Franco promet l'autonomie au M. esp. **1940**-*14-6*/**45** l'Esp. occupe Tanger (ville internat.). **1942**-*8-11* débarquement allié. **1943** *janv.* conférence de Casablanca (Anfa) (Roosevelt-Churchill). **1944**-*11-1* manifeste de l'Istiqlal réclamant l'indép. -*29-1/3-2* émeutes à Rabat, Casablanca, Fès après arrestations de chefs nationalistes. **1946**-*2-3* Erik Labonne (résident) s'entoure d'un adversaire du sultan (colonel Lecomte) et d'un ultra (Philippe Boniface). **1947**-*9-4 discours de Tanger,* le sultan fait l'apologie de la Ligue arabe et se pose en chef suprême du nationalisme. -*14-5* Gal Juin remplace Labonne. **1950**-*10-10/5-11* sultan à Paris. -*26-12* Juin demande au sultan de désavouer l'Istiqlal. Les Berbères du Glaoui, pacha de Marrakech, menacent Rabat et Fès. **1951**-*12-2* sultan refuse de désavouer l'Istiqlal. -*19-2* Juin rompt avec lui. -*25-2* sultan (poussé par la Fr.) désavoue l'Istiqlal. -*9-4 pacte de Tanger,* les nationalistes s'engagent à lutter pour l'indép. -*28-8* Gal Guillaume remplace Juin. **1952**-*21-3* lettre du sultan au Pt Auriol demandant la révision du protectorat. -*16-10* à l'ONU, les USA soutiennent les nationalistes. -*6/9-12* émeutes à Casablanca (env. 40 †). **1953**-*26-2* début de la campagne animée par la Résidence demandant la déposition du sultan. -*14-8 sultan Mohammed V destitué* (refuse d'abdiquer, arrêté, exilé en Corse puis à Madagascar), remplacé par *Moulay Ben Arafa.* Influence de *Si Thami el-Glaoui* (1875/21-1-1956), pacha de Marrakech. *Sept.* création de *Présence française* (« ultra » animée par 2 médecins radicaux-soc. : Eyraud et Causse). -*24-12* bombe au marché de Casablanca (17 †). **1954**-*2-2* 1er attentat contre-terroriste (contre Me Benjelloun). -*20-5 Francis Lacoste,* résident. -*30-6* Dr Eyraud assassiné. **1955**-*11-6* Jacques Lemaigre-Dubreuil (libéral) assassiné. -*21-6 Gilbert Grandval* résident. -*14-7* bombe à Casablanca, nombreuses victimes, entraîne des « ratonnades ». -*21-7* émeutes à Marrakech. -*25-7* à Meknès. -*20-8* à Oued Zem (49 Fr. †), répression, plusieurs centaines de †. -*22-8* Grandval démissionne. -*31-8 Gal Boyer de La Tour* résident. -*5-11 accords de La Celle-St-Cloud* entre Mohammed V revenu d'exil et Pinay ; la Fr. accepte l'indép. -*9-11 préfet Dubois* résident. -*16-11* Mohammed V rentre à Rabat.

Depuis l'Indépendance. **1956** fin des protectorats (-*2-3* français, -*7-4* esp.). Indépendance. **1957**-*26-8* statut intern. de Tanger aboli (sera port franc 1962). *Août* Mohammed V prend le titre de roi du M. *Déc.* le M. prend Tiliouine (Ifni). **1958** récupération de la province de Tarfaya (sous domination esp.). **Bilan français** (opérations du *1-6-53* au *31-12-58*). *Effectifs engagés :* 400 000. *Morts :* 1 031 dont armée de terre : 839 † (dont 531 combat ou attentat, 76 accidents, 232 maladie, suicide ou noyade) ; de l'air 192 † (dont 66 opérations et acc. aériens, 90 acc. divers, 36 maladie). *Blessés :* 5 600. *Disparus :* 109.

1961-*26-2* Mohammed V meurt ; Hassan II, roi. **1962**-*nov.* 1re Const. **1963** *mai* élect. lég., répression contre UNPF, Medhi Ben Barka (1920-65, secr. de l'Union nat. des forces pop., coordinateur des mouvements rév. du tiers monde) condamné à mort par contumace. *Oct.* conflit frontalier avec Alg. ; plusieurs exécutions. **1964**-*23-3* émeutes, plusieurs †. **1965**-*29-10* Ben Barka enlevé à Paris ; jamais retrouvé. *Oct.* Cel Dlimi (1931-83) porté disparu se livre à la justice fr. (acquitté juin 1967) ; Gal Oufkir accusé d'être l'instigateur de l'enlèvement de Ben Barka. **1969**-*4-1* rattachement au M. du territoire d'*Ifni* (1 920 km², 50 000 h.), concédé 1860 à l'Esp. qui l'occupa complètement en 1934, constitution en province esp. en 1958. **1970** *juill.* 2e Const. **1971**-*10-7 coup d'État milit. à Skhirat* échoue (plus de 200 † dont 138 insurgés ; 2 promotions de l'École milit. royale de sous-off. d'Ahermoumou, dirigées par Cel Abadou, Cdt de l'école et Gal Medbouh, chef de la maison milit. du roi impliqués). -*13-7 :* 10 off. dont 4 généraux fusillés. **1972**-*29-2* fin du procès des 1 081 offic. et cadets (affaire de Skhirat) : 1 condamné à mort. -*1-3* référendum pour nouvelle Constitut. (oui 98,75 %). -*12-6* fin du conflit algéro-m. -*15-6* accord avec Alg. sur zones contestées de Tindouf Saoura, Tidikilt et Touat (Istiqlal contre l'accord). -*16-8* attentat aérien contre Hassan II : 10 † et 50 bl. sur l'aéroport de Rabat, suicide du Gal Oufkir, min. de la Défense et chef occulte du complot, 11 des 220 inculpés exécutés 13-1-73. -*20-9* distribution de 90 000 ha d'anciennes terres de colonisation (24 ha par bénéficiaire). Reprise annoncée de 200 000 ha agr. détenus par des étr. (150 000 par des Fr.) pour les redistribuer. **1973**-*3-3* complot déjoué (15 exécutés 3-11 ; 7 le 27-8-74). -*6-3* eaux territoriales portées à 70 milles. **1974-75** revendications sur Sahara esp. et enclaves de Melilla et Ceuta (V. Index). **1975**-*3/6-5* Pt Giscard d'Estaing au M. Tension avec Esp. et Alg. -*8-6* les Esp. prennent 45 militaires m. au Sahara occ. -*1-8 :* 114 millions de F d'indemnisation aux agriculteurs fr. dépossédés. -*6/9-11 « marche verte » vers Sahara occ. :* 350 000 volontaires franchissent la frontière et repartent. -*14-11* accord Esp., M. et Mauritanie sur Sahara occ. -*28-11* combats avec Polisario. -*11-12* entrée des troupes m. à El-Aïoun (S. occ.). -*18-12* O. Benjelloun, de l'USFP, tué. *Déc.* 30 000 M. expulsés d'Algérie. **1976**-*27/29-1* combats alg.-m. au Sahara occ. (à Amgala) ; repli alg. -*12-2* M. occupe Mahbès. -*14/15-2* combats à Amgala. -*26-2* Esp. remet ses pouvoirs au M. et à la Mauritanie au Sahara occ. -*7-3* M. et Mauritanie rompent relations diplom. avec Alg. *Avril* envoi de troupes au Zaïre. **1977** 1res législatives dep. 1963. *Févr.* 173 opposants condamnés dont 44 à perpétuité (dont 39 par contumace). **1978**-*11-3* accord avec URSS pour phosphates (3 milliards de $). **1979**-*16/17-1* affrontements au S.-E. 600 †. **1980**-*2-4* Hassan II visite Jean-Paul II. -*23-5* référendum sur majorité royale de 18 à 16 ans et modification du Conseil de régence (oui : 99,71 %). -*20-12* zone maritime portée à 200 milles. **1981**-*1-4* Polisario attaque Zag ; pertes m. : 13 †, 10 disp. -*20-6* émeutes à Casablanca, grève contre augmentation des prix (66 †). -*26-6* sommet OUA à Nairobi, Hassan II accepte principe d'un référendum sur autodétermination du Sahara. *Juin* achèvement du mur Zag El-Aïoun pour protéger Sahara utile. *Sept.* l'USFP (Union socialiste des forces populaires) dénonce la prédisposition du pouvoir à la résignation, voire à l'abandon des provinces sahariennes. Abderrahim Bouabid, secr. gén. de l'USFP, condamné à 1 an de prison ferme (gracié févr. 1982). -*13-10* Polisario attaque Guelta-Zemmour. -*25-11* conf. de la Ligue arabe à Fès, suspendue le 27. **1982**-*8-1* Polisario attaque Ras el-Khanfra. -*10-1* attaque Kreybichet. *Févr.* Rép. ar. sahraouie admise à l'OUA. **1983**-*25-1* † du Gal Ahmed Dlimi ; accident de voiture.. -*27/29-1* Pt Mitterrand au M. -*26-2* Hassan II rencontre Pt alg. Chadli. -*2/3/9-9* combats avec Polisario : région de Smara 37 †, -*19-12* gouv. d'Union nat. (6 min. d'État représentant les 6 principaux partis). **1984**-*19-1* émeutes dans le N. contre augmentation des prix (29 †). -*3-3* paysans exonérés d'impôts jusqu'à l'an 2000. -*13-8 tr. d'Union arabo-afr.* (M./Libye). *29-8* Pt Mitterrand au M. (visite privée), en part le 31. -*31-8* référendum pour accord M.-Libye (99,97 % pour) ; Pt Mitterrand revient après fermeture des bureaux de vote. Combats avec Polisario : -*16-10* (37 Mar. †, 176 Pol. †) ; -*28-11* (14 Mar. †, 144 Pol. †). -*20-12* Pol. abandonne Mahbès. **1985**-*12-1* combat avec Pol. (25 Mar. †, 66 Pol. †). -*15-1* fin du 4e mur de défense du Sahara. -*19-8* Jean-Paul II au M. -*23-10* cessez-le-feu unilatéral au Sahara occid. -*12-11* M. quitte OUA. *Déc.* Organisation de l'action démocratique et populaire (OADP), ancien mouvement du 23 mars, se rallie au système des partis. **1986**-*3-3* fête du Trône (25e anniversaire de l'intronisation du roi), visite du roi d'Espagne. -*27-6* Hassan II propose à Alg. et Tunisie une Assemblée maghrébine. -*23-7* reçoit Shimon Peres (PM israél.) à Ifrane. -*26-7* quitte la présidence du sommet de la Ligue arabe (qu'il occupait dep. sept. 1982). -*29-8* rompt tr. d'union du 12-8-84 avec Libye. -*31-8* 4 terroristes arrêtés. -*30-10 Al-Bayane,* quotidien du PPS suspendu. -*8-11* Hassan II confirme qu'il accepte référendum sur Sahara. **1987**-*25-2* attaque Polisario entre Farsia et Mahbès. -*16-4* mur du Sahara atteint côte atl. -*25-5* échange de prisonniers : 102 Alg. 150 M. -*20-7* candidature à la CEE (refusée oct.). -*2-7/8* attaque Polisario (300 † ?). -*31-12* attaque Polisario (93 † m.). **1988**-*20-1* émeutes étudiants à Fès (1 à 6 †). -*30-1* attaque Pol. (180 † m.). -*27-2* glissement de terrain à Fès, 52 †. -*9-7* souscription : 3 milliards de dirhams [2 milliards de F versés par 12 millions de pers. pour la mosquée Hassan II à Casablanca (archit. français M. Pinseau), 150 000 m³ ; contient 20 000 pers., 60 000 sur l'esplanade ; minaret 172 m, le + haut du monde, avec laser vers La Mecque]. -*30-8* M. et Polisario acceptent principe d'un référendum sous l'égide ONU. **1989** *janv.* rencontre Hassan II/Polisario (1re dep. 13 ans). -*6-2* Pt algérien Chadli au M. (1re visite dep. 13 ans). *Mars* combats au Sahara occ. -*6-5* 238 détenus pol. amnistiés. -*6-8* ralliement de 6 dirigeants du Pol. dont Omar Hadrami. -*20-8* 347 détenus graciés. -*25-9* Hassan II en Esp. *Nov.* attaque Pol., 132 † dont 45 m. *13-11* Hassan II gracie Mohammed Idrissi Kaitouni, dir. de « l'Opinion », et *19-11,* Mohammed Ait Kaddour (USFP) arrêté en mars après 17 ans d'exil consécutifs à sa condamnation à mort par contumace après l'attentat d'août 1972. -*1-12* référendum, 99,89 % de oui pour repousser à 1992 él. générales prévues 1990, afin de permettre à l'ONU d'organiser référendum d'autodétermination au Sahara occ. **1989** création de l'Union du Maghreb arabe avec Algérie, Tunisie, Libye, Mauritanie. **1990**-*8-4* Conseil consultatif des droits de l'Homme. -*14/8-4/9* envoi de 1 100 h. en Arabie Saoudite. -*14/15-12* émeutes, env. 170 † (officiellement 5). **1991**-*11-1* env. 2 000 détenus graciés. -*1-2* SMIG et SMAG relevés de 15 % (les syndicats demandaient 300 %). -*3-2* 300 000 manif. pour l'Irak. -*1-3* libération ou réduction de peines pour 2 268 prisonniers dont famille Oufkir.

Politique

Statut. Monarchie. *Constitution* du 1-3-1972, révisée 80. *Roi,* chef spirituel et temporel. *Chambre des représentants* élus pour 6 a. (306 m., 2/3 élus au suffr. universel, 1/3 choisis par conseils municipaux et organ. professionnels). *PM :* Azeddine Laraki (n. 1929), dep. 30-9-1986 (avant Mohamed Karim Laraki, qui démissionna pour raison de santé). *Aff. étr.* Abdellatif el Filali dep. 17-2-85. *Provinces* 41 divisées en cercles. *Wilayas* 5 : Grand Casablanca (6 préfectures), Rabat-Salé (3 préf.), Fès (3 préf. + 1 prov.), Meknès (2 préf. + 1 prov.), Marrakech (3 préf. + 2 prov.). *Régions économiques* 7 créées 16-6-1971. **Fêtes nat. :** 3-3 (fête du Trône), 9-7 (anniv. du roi et f. de la Jeunesse), 14-8 (récupération en 1979 de l'oued Eddahab), 6-11 (Marche verte de 1975), 18-11 (indép.).

Chefs d'État. *Dynastie des Alaouites* (de l'arabe alawi : descendant d'Ali par Hassan et son fils) : **1664** MOULAY RACHID (1631-72). **1672** MOULAY ISMA'IL (1646-1727), s. fr. **1729** MOULAY 'ABD ALLAH (1694-1757). **1757** MUHAMMAD III IBN 'ABD ALLAH († 1790), s. f. **1790** MOULAY YAZID (1750-92), s. f. **1792** MOULAY SULAYMAN (1760-1822). **1822** MOULAY 'ABD AL-RAHMAN (V. 1790-1859). **1859** MUHAMMAD IV IBN 'ABD AL-RAHMAN († 1873), s. f. **1873** MOULAY HASSAN Ier (1830-94), s. f. **1894** MOULAY 'ABD AL-AZIZ (1878 ou 81-1908), s. f., renversé. **1908** MOULAY HAFID (1875-1937), s. fr. aîné, abdique (12-8-1912). **1912** MOULAY YUSUF (1881-1927), s. demi-fr. **1927** MOHAMMED V IBN YUSUF (1909-61) (en berbère Mohammed V ben Youssef), s. f., déposé 20-8-53. **1953** MUHAMMAD IBN 'ARAFA (1890-1976), s. cousin, déposé 5-11-1955. **1955** MOHAMMED V, rappelé en 1955, reconnu en 1956 comme sultan, en 1957 comme roi. **1961** (26-2, intronisé 3-3) HASSAN II (11-7-29), s. f., roi, 35e descendant du Prophète en droite ligne, 17e souverain alaouite. **Enfants.** Pce héritier Sidi Mohammed (21-8-63), Lalla Meryem (26-8-62 ép. sept. 84 Fouad Ibn Abdellatif), Lalla Asmaa (29-9-65 ép. juin 87 Khalid Bouchentaif), Lalla Hasnaa (19-11-67), Moulay Rachid (20-6-70).

Nota. – Moulay : titre porté par les sultans de la dynastie chérifienne. *Al Chérif* (pl. Chérifs ou Chorfa) : nom donné aux descendants de Mahomet par Ali et Fatima. Appellation « Sa Majesté impériale le Sultan », puis (18-8-1957) « Sa M. le Roi ».

Résidents. **1912** Maréchal Hubert LYAUTEY (1854-1934). **25** Théodore STEEG (1868-1950). **29** Lucien SAINT (1867-1938). **33** Henri PONSOT (n. 1877). **36** Marcel PEYROUTON. Gal Charles NOGUÈS (1876-1971). **43** juin Gabriel PUAUX (1883-1970). **45**-2-3 Erik LABONNE (1888-1971). **47**-14-5 Gal JUIN (1888-1967). **51**-28-8 Gal Augustin GUILLAUME (1895-1983). **54**-20-5 Francis LACOSTE (27-11-1905). **55**-20-

6 Gilbert Grandval (1904-81). -31-8 Gal Boyer de La Tour (1896-1976). **55**-9-11 Préfet André Dubois (8-3-1903), rés. puis ambass.

Partis (dates de fondation), secrétaire général. *Istiqlal* [1944 par Allal el-Fassi (1910-74)], M'Hamed Boucetta, Ahmed Blafrej (1908-90). *Union nat. des forces pop. (UNFP)* [1959 par Mehdi Ben Barka (1920-65)]. Juill. 1972 2 tendances : Abdallah Ibrahim, proche de l'UMT, et Commission admin. d'Abderrahim Bouabid, dite groupe de Rabat. *Mouvement pop. constitutionnel démocratique,* scission 1967 du Mouv. pop., Abdelkrim Al-Khatib. *P. du progrès et du socialisme (PPS)* (1974 ancien PC, créé 1955) Ali Yata. *Union soc. des forces pop. (USFP)* (1974, scission de l'UNFP) Moulay Abdallah Ibrahim. *Rassemblement nat. des ind. (RNJ)* (1978) Ahmed Osman. *Mouv. pop.* (1958, berbère) Mohand Lanser. *P. nat. démocrate (PND)* (1981, scission du RNI) Arsalane Al Jadidi. *P. de l'action* (1974) Mounadil Abderrahmane Sanhaji. *P. libéral progressiste* (1974) Agnouch Ahmed Oulhaj. *P. démocratique de l'ind.* Thami El-Ouazzani. *Union constitutionnelle* (1983) Maâti Bouabid. *P. du Centre social (PCS),* ex- *P. de l'unité et de la solidarité nat.* (1982, centriste) Mohamed Smar. *Organisation de l'action démocratique et pop.* (1983, gauchiste) Mohamed Bensaid.

Nota. – Après le référendum de juill. 1970, Istiqlal et UNFP constituent une alliance : *« Al Koutlah al Watania »* (Front national).

Chambre des représentants. 306 s. dont 204 élus au scrutin direct et 102 au suffr. indirect par conseils locaux, organisations professionnelles et syndicales. **Élections directes du 14-9-84 :** inscrits 7 414 846, votants 4 999 646, participation 67,43 %, suffrages exprimés 4 443 004. *Nombre total de sièges* dont, entre parenthèses, en vote direct : Union constitutionnelle (centriste moderniste) 83 (56), RNI 61 (39), Mouvement pop. (centriste, berbérisant) 47 (31), Istiqlal 41 (24), USFP (socialiste) 36 (35), PND 24 (15), Union m. du travail (UMT) 5, Conféd. démocr. du travail (CDT) 3, Union gén. des travailleurs m. (UGTM) 2 (2), PPS 2 (2), Org. de l'action démocratique et pop. 1 (1), PCS 1 (1).

Enseignement (1988-89). *Primaire :* inscrits 2 110 719 (dont 821 608 filles), écoles [1] 3 752 (dont 338 privées), enseignants 82 082 (f. 27 790). *Secondaire :* inscrits 1 347 517 (f. 534 634), établissements 1 324 (296 privés), classes 41 934 (1 900 privées), enseignants 68 986. *Supérieur :* inscrits 205 813 (dont 72 859 étudiantes), universités 11 (187 611 étudiants), instituts et éc. sup. 24 (8 246 étudiants), établ. pédag. (10 016 étudiants), enseignants 7 088 (1 300 f. et 202 étrangers). 10 459 et à l'étranger.

Nota. – (1) 1987-88.

Santé (1987). *Centres* de santé et dispensaires 1 789 ; de planification familiale 429 (89), cliniques privées 102. *Médecins* (public) 2 759, (privé) 2 187 (89). *Chirurgiens* 272 (89). *Pharmaciens* 1 520. *Infirmiers* 6 715 (86), brevetés 15 580 (86). *Sages-femmes* 154 (86). *Aides sanit.* 177 (86).

Économie

P.N.B. (89) env. 800 $ par h. **Croissance.** *1987 :* 1 %, *88 :* 8, *89 :* 6,52. **Pop. active** (en %) et entre parenthèses **part du P.N.B.** (en %). Agr. 39 (15), ind. 20 (25), services 38 (55), mines 3 (5). **Chômage** *88 :* 20 %, *89 :* 14,3 %. **Inflation** (%). *85 :* 7,8. *86 :* 8,7. *87 :* 2,7. *88 :* 2,4. *89 :* 3,1. **Dette extérieure** (91). 20 milliards de $ (dont 9 envers la France en 87, 3,5 en 89). **Salaire min.** (89) 3,60 F/h.

Agriculture. *Terres* (milliers d'ha, 82) t. arables 8 328 (88, dont 1 500 possédés par la famille royale), sup. cultivée 6 625, pâturages 25 589, forêts 7 883, eaux 25, divers 18 541. *Production* (milliers de t, 89) blé 4 053, betteraves à sucre 2 900, orge 2 808, canne à sucre 1 095, oranges 890, légumineuses 425, olives 400, maïs 385, clémentines 362, fèves 231 (88), raisins 180, arachides 65 (88), citrons 34, riz 33 (88), coton 30 (89), sorgho 14, pomelos 10 (82). Sécheresse en 80-81. Pluies en 1988 (céréales année record). **Forêts.** 2 074 000 m³ (88). Thuya, chêne-liège, cèdre. **Élevage** (milliers de têtes, 89). Poulets 38 000, moutons 15 900, chèvres 5 900, bovins 3 178 (87), chameaux 41 (87). 30 à 40 % des bêtes ont été tuées par la sécheresse. **Pêche** (89). *Côtière :* 416 000 t, *hauturière :* 100 000 t.

Énergie (88). *Charbon :* 636 700 t. *Pétrole :* prod. 19 000 t. *Gaz :* 84 millions de m³. *Électr.* (89) : 8 000 millions de kWh dont centrales hydraul. 960, thermiques 5 918 (86), apports de tiers 80,5 (86). Le M. ne couvre que 17 % de ses besoins en énergie. *Schistes bitumineux* [réserves 12 milliards de t : 10 à Timahdit (90 km de Meknès) pourraient être exploités en carrière (30 à 40 millions de t/a., donnant 3 millions de t de pétrole brut) et + de 1 dans région de Tarfaya (300 km d'Agadir)].

Mines (milliers de t, 89, et entre parenthèses, exportations) : phosphates 75 % des réserves mondiales, 25 (14,2) [le M. a quadruplé les prix en 74], manganèse 30 [1], plomb 100,2 (40), barytine 321,6 (375), pyrrhotine 76 (en 87) (81 [1]), fluorine 100,5 (89,5 [1]), sel 132,6 (17,6 [1]), fer 134,5 (82,2), cuivre 37,5 (38), anthracite 636,7 [1] (8,7). **Industrie.** Engrais, textiles, raffineries de pétrole, ciment, tapis, sucre, conserveries, jus de fruits, cuivre. Omnium nord-africain (créé 1924). Selon Abdelmoumen Diouri (opposant), le roi et sa famille possèdent 1 500 000 ha, l'ONA (créé 1924), 1er groupe privé afr., 12 000 sal., chiffre d'affaires de 7 milliards de dirhams (5,2 milliards de F). Sa fortune serait de 40 milliards de $.

Nota. – (1) 1988.

Transports (89). **Routiers :** routes revêtues principales 10 890 km, secondaires 8 825 km, tertiaires 39 483 km. Autoroute Rabat-Casablanca. **Ferroviaires :** 1 893 km dont 246 en double voie. **Aériens :** 19 aéroports, 4 014 006 passagers, fret 45 849 t. **Maritimes :** *flotte marchande* (85) : 60 navires, capacité 660 000 t. *Ports :* trafic (87) : marchandises 35,3 (millions de t), dont Casablanca 17,3, Safi 5,6, Mohammedia 4,7, Agadir 0,9 ; *voyageurs* (87) : Tanger 874 768, Casablanca 13 030 ; *de pêche :* Agadir, Safi, Essaouira (80 % des débarquements) ; *autres :* Jorf Lasfar (El Jadida) phosphates, Mohammedia (pétrole), Kénitra et Agadir (agrumes et poissons), Tanger (port franc), Nador (complexe sidérurgique).

Tourisme. *Visiteurs* (89) : 3 565 835 étrangers (dont *Fr. 471 428,* Esp. 294 173, All. de l'O. 188 682, Anglais 108 871, Amér. 98 642) ; croisiéristes 97 406. 1989 (mai-sept.) 917 765 Algériens. *Recettes :* 8,9 milliards de DH. **Lits** (87). Hôtels classés (445) : 71 821 lits, non classés (782) : 19 521 lits, hébergement social : 5 à 6 000, camping : 31 000. **Téléphone** (89). 310 000 abonnés. Télex 7 500.

Commerce (milliards de dirhams, 88). *Exp.* 29,7 *dont* demi-prod. 8,6, prod. aliment. 7,5, prod. finis 6,7, miniers 5,1 *vers France 7,7,* U.S.A. 6,3, Espagne 2, All. féd. 1,6. *Imp.* 39,1 *dont* demi-prod. 10,3, biens d'équip. 8,7, énergie et lubrifiants 5,1 *de France 8,6,* Espagne 3, All. féd. 2,7, Italie 2,1. **Déficit** *commerce extérieur* (milliards de $) : *1985 :* – 1,5, *86 :* – 1, *87 :* – 1,07, *88 :* – 0,75.

Budget. Recettes (en milliards de dirhams, 88) 50,5 dont *ordinaires* 30,7 dont : fiscales 29,9 (impôts directs 8,4, indirects 13,2, droits de douane 7,3, enregistrements et timbres 1), domaines 0,09, monopoles et exploitations de l'État 0,8 [dont (84) dividendes de l'Office des phosphates 0,3], produits divers 1,1. *Recettes d'emprunts* recettes nominales 18,2. **Dépenses** 59,7 dont dép. en capital 17,3, charges de la dette 17,3, personnel 16,3. *Coût de la guerre du Sahara :* 2 milliards de $ par an. **Balance des paiements courants** (milliards de $). *1985 :* – 0,89, *86 :* – 0,21, *87 :* + 0,18, *88 :* + 46,7.

Aide française (milliards de F, 1986-87) : 1,3. **Investissements français** (millions de F). *1987 :* 165, *88 :* 220. **Rapatriement des salaires des émigrés** (1er poste en recettes de la bal. des paiements). *1984 :* 7 milliards de dirhams (dont 4 de France), *85 :* 7, *86 :* 9, *88 (oct.) :* – 22 % (raisons : prestations des banques marocaines insuffisantes, rapatriement de marchandises préféré à l'envoi de fonds).

Rang dans monde (89). 3e phosphates. 15e argent. 19e ovins.

MARTINIQUE

V. légende p. 837.

Nom. De Martin (découverte le 11 nov., jour de sa fête).

Situation. Ile des Antilles, à 6 748 km de Paris, 3 500 km de New York, 120 km de la Guadeloupe. 1 102 km². *Long.* 65 km, *larg.* 12 à 30 km. *Côtes* 300 km. *Cours d'eau principaux :* la Lézarde 33 km, rivière du Galion 20 km. *3 zones :* plaines alluvionnaires au centre, montagnes au N., collines basses au S. Montagne Pelée 1 397 m. **Forêt** équatoriale ou savane dans les parties moins humides. **Climat** chaud (moy. 27,3 °C à Fort-de-France) et humide (plus de 2 m de pluies au N.-E., moins d'1 m au S.-O., protégé) ; *2 saisons* peu tranchées (carême, févr.-avril, sec ; hivernage, juill.-nov.). **Cyclones** les plus dévastateurs : *14-8-1766 :* 440 †, *12-10-1780 :* 9 000 †, *18-8-1891 :* 700 †, récemment *17-8-1970 :* 44 † (tempête tropicale), *4-10-1990 :* 8 † (tempête tropicale).

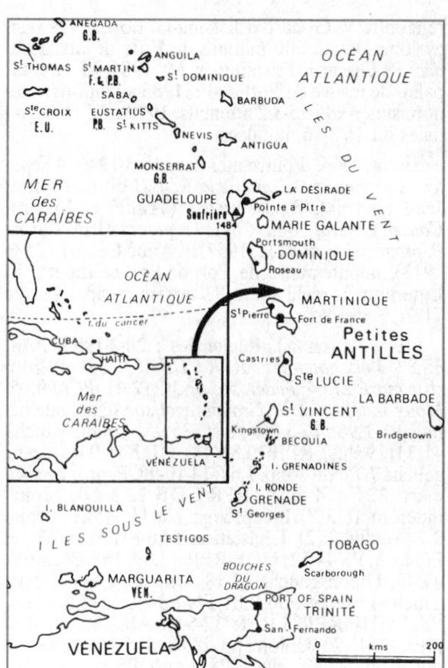

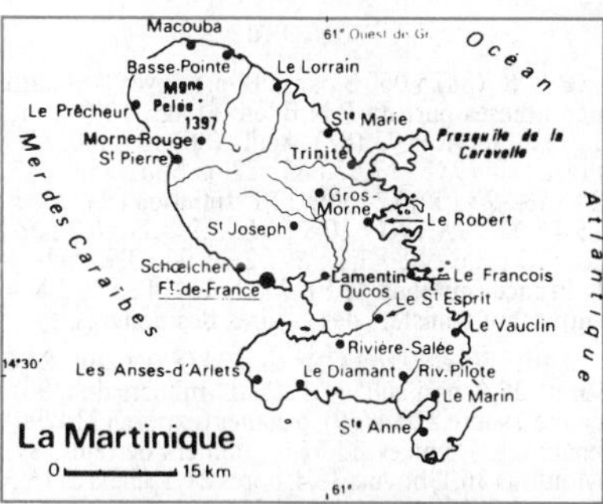

Dep. 1635, un cyclone ou une tempête tropicale violente tous les 8 ans en moy., fréquence max. en sept. (35 %). Après période de calme (1903-50), période agitée depuis 1967.

Population. *1664 :* 4 505 ; *1701 :* 24 298 ; *1789 :* 83 459 ; *1886 :* 174 863 ; *1936 :* 246 712 ; *1946 :* 261 595 ; *1974 :* 324 800 ; *1982 :* 328 566 ; *1990 :* 359 579 ; *prév. 2000 :* 338 000. **Âge.** – *de 15 a. :* 11,4 %. *+ de 65 a. :* 5,8 %. En maj. mulâtres et catholiques. Békés (dont Ibo : Blancs créoles) 2 500. **Métropolitains vivant à la M.** 25 940. **Étrangers.** *1990 :* 3 111. D. 327. **Villes (90) :** *Fort-de-France* (chef-lieu) 100 080 h., Lamentin 30 028, Schoelcher 19 825, Ste-Marie 18 682, Le Robert 17 713, Le François 16 925, St-Joseph 14 036, Rivière Pilote 12 616, La Trinité 11 090, St-Pierre 5 007 (*1902 :* avant l'éruption 30 000, réhabitée dep. 1923). **Martiniquais en métropole** 150 000. **Déficit migratoire** (départs-entrées) : *1962 :* 1 750 ; *68 :* 5 345 ; *78 :* 6 921 ; *79 :* 5 438 ; *80 :* 2 771 ; *81 :* 5 406 ; *82 :* 3 000 ; *84 :* 3 000 ; *86 :* 3 000 ; *90 :* 0. **Naissances :** *1965 :* 10 749 ; *78 :* 5 065 ; *87 :* 6 328 : *90 :* 6 441 (est.).

Histoire. Vers 130 apr. J.-C. établissement des Arawaks, originaires des forêts tropicales d'Am. du Sud, descendants des inventeurs de la culture « saladoïde » (de Saladeros, village près de la côte vénézuélienne) basée sur le manioc amér. **296** éruption volcanique, disparition des Arawaks. **V. 400** arrivée d'autres Ar. expulsés après **600** ou **700** par les Caraïbes, issus des mêmes origines ; manioc. **1493**-*11-11* découverte par Christophe Colomb (v. 1451-1506). **1635**-*20-1* début colonisation. -*15-9* prise de possession au nom de Louis XIII par Pierre Beslain d'Esnambuc. **1636** les Fr. de la Cie des Iles d'Amér. exterminent Caraïbes et importent 50 000 esclaves noirs de Guinée, Angola ou Sénégal, pour cultiver canne à sucre et plus tard cacao, café, épices (milieu XVIIIe s.). **1759-62** occupation angl. **1763**-*23-6* naissance de Joséphine Tascher de La Pagerie (1re femme de Napoléon Ier) à Trois-Ilets. **1790** prise du pouvoir par planteurs, agitation des Noirs. **1809-14** occupation angl. **1839** agitation des Noirs. -*11-1* séisme à Fort-de-Fr. (400 †). **1848** esclavage aboli : production de canne à sucre s'effondre jusque v. 1860. **1890**-*22-6* incendie de Fort-de-Fr. **1902**-*8-5* éruption de la montagne Pelée : 30 000 † (15 % de la pop. de l'île qui perd 3/4 des hab. créoles), St-Pierre détruit (1 survivant, Siparis, enfermé dans une prison). -*30-8* nuée ardente sur le Morne-Rouge : 1 500 †. **1974**-*14/16-12* rencontre V. Giscard d'Estaing-G. Ford. **1979** *sept.* cyclone David, 500 millions de F de dégâts. **1980** *déc.* Pt Giscard d'Estaing en M. **1981**-*3-1* attentat palais de justice de Fort-de-Fr. **1985** agitations autonomistes. **1986**-*15-3* 2 attentats. **1990**-*22-2* él. régionales du 16-3-86 annulées.

Statut. Dép. d'outre-mer dep. 19-3-1946. 4 *députés, 2 sénateurs,* 1 *com. de la Rép.* (Fort-de-France, Jean Lacroix), 2 *sous-préfets* (Trinité et Marin). *Conseil général* 36 m. *Conseil régional* 41 m. **Partis.** *P. progressiste mart.,* f. 1957, Pt Aimé Cesaire (25-6-1913), député-maire de Fort-de-France (poète, V. Littérature), réélu mars 83 aux municipales avec 71,91 % des voix.

Élections (en %). **Régionales : 20-2-1983.** *Abst.* 38,82. *Voix obtenues : RPR-UDF* 46,03, *P. progressiste mart.* 27,64, *Fédér. soc. de M.* 12,41, *PCM* 9,05, *Mouv. indép. m.* 2,90, *Groupe révol. soc.* (extr. gauche-indép.) 1,96. **16-3-86.** Abst. 35,95, Union gauche 41,34 (19 élus), RPR 30,83 (14), UDF 18,94 (8), extr. gauche 7,77, div. opp. 1,47. **14-10-90.** P. progressiste mart. 32,8 (14 élus), RPR-UDF 22,3 (9), Mouv. indép. m. 16,5 (7), Indép. de gauche 11,7 (5), de droite 9,7 (4), div. 7 (2). **Législatives 14-6-81.** Abst. 63,76, PC 6,43, PS 44,12, UDF-RPR 48,09. **16-3-86.** Abst. 41,48, Union gauche 51,18, Un. opp. 42,44, extr. gauche 3,01, div. opp. 2,01, FN 1,34 ; élus 1 PS, 1 app. PS, 1 UDF-RPR, 1 RPR. **12-6-88.** Abst. 50,82, Maj. prés.-PS 45,23, Union opp. 28,69, div. gauche 13,16, div. droite 12,89 ; élus 3 PS, 1 app. PS.

Économie

P.N.B. (88) 5 060 $ par h. **Pop. active** (% et entre parenthèses part du P.N.B. en %) agr. 10 (6), ind. 17 (11), services 73 (83). Actifs (86) 137 400. *Chômage* (%) *1982 :* 17,57 ; *85 :* 22,65 ; *86 :* 25,9 ; *87 :* 24 ; *88-89 :* 10 à 12 ; *90 :* 32,1. **Inflation** (%). *1981 :* 15,4 ; *82 :* 9,9 ; *83 :* 10,8 ; *84 :* 7,9 ; *85 :* 6,2 ; *86 :* 2,6 ; *87 :* 3,6 ; *88 :* 3,1 ; *89 :* 2,3 ; *90 :* 3,9. **Aide de la France** (millions de F). *1980 :* 2 424 ; *81 :* 2 894. Important transfert des salaires des émigrés.

Agriculture. *Terres* (%) : cult. 24 (85), pâtur. 23,6, forêts 26,4, non cult. 31,1. *Prod.* (milliers de t, 90) : canne à sucre 220,4 (89), bananes (export.) 214 (90), ananas 124, épices. **Élevage** (milliers de têtes, 89). Moutons 36,1, bovins 35,4, porcs 21,1, chèvres 16,5, chevaux 2 (85). **Pêche** (88). 1 218 embarcations (84), 3 000 t pêchées dont 2 400 commercialisées. **Industrie** (88). Sucre 7 300 t en 89 (12 500 t en 78, 2 000 en 1982). Rhum (85 500 hl). Ciment 246 800 t. *Pétrole raffiné :* 585 000 t (87). *Électricité :* 559,2 millions kWh. **Transports.** Routes 1 618 km. **Tourisme** (89). 385 000 croisiéristes, 280 000 séjours.

Commerce (millions de F, 84). *Exportations* 1 163 (87) *dont* (81) bananes 157,9, rhum 37 *vers France* 633, Guadeloupe 164, Guyane française 34, C.E.E. (81) 93,4. *Importations* 6 707 (87) *dont* biens de cons. 1 918, ind. alim. 1 135, biens d'équip. 969, prod. chim. 670, métaux 376 *de France* (DOM et TOM) 3 247, C.E.E. (sauf France) 534, Venezuela 365, U.S.A. (80) 168,5.

MAURICE (ILE)

V. légende p. 837.

Situation. I. volcanique de l'océan Indien à 210 km de la Réunion, 800 de Madagascar, 1 800 de l'Afrique, 4 000 de l'Inde, 5 800 de l'Australie. 1 865 km² (2 040 km² avec dépend.). *Long.* 65 km, *larg.* 48. *Alt. max.* Piton de la Rivière-Noire 827 m. *Côtes* 280 km. **Régions :** Port-Louis (cap.) et districts de Plaines-Wilhems, Moka, Flacq, Pamplemousses, Rivière du Rempart, Grand-Port, Savanne, Rivière-Noire. **Climat** subtropical, varie suivant l'alt. ; *cyclones* possibles nov.-avril, surtout en janv. et fév. *Temp.* hiver (été en Europe) 13 à 19 °C, été 19 à 25 °C (max. 35 °C en févr.), mois les plus agréables : avril, mai, juin, sept., oct., nov. *Pluies* 5 080 mm (terres exposées aux vents dominants), 1 016 mm (régions basses), surtout janv.-mai. **Faune :** *indigène* 9 espèces (dont des pigeons). *Mammifères :* singe introduit de Ceylan par Portugais 1528 ; cerf par Hollandais 1639 ; sanglier, chèvre sauvage de l'Inde ; lièvre, lapin de Java 1639 ; rat, mangouste 1900, « tandrac », chauve-souris. *Reptiles :* tortue venant des Seychelles, lézard (10 esp.), caméléon introduit 1865, couleuvres et serpents (inoffensifs). *Insectes :* 3 000 esp., araignées (60 esp.). *Crustacés :* 200 esp. *Mollusques :* 3 000 esp. (2 400 marines).

Population. *1846 :* 158 462. *1901 :* 371 023. *1944 :* 419 185. *1952 :* 501 415. *1962 :* 681 619. *1972 :* 826 199. *1984 :* 980 000. *1990 :* 1 036 000. *Prév. 2000 :* 1 298 000. **Âge :** *- de 15 a.* 30,2 %, *+ de 65 a.* 4,9 %.

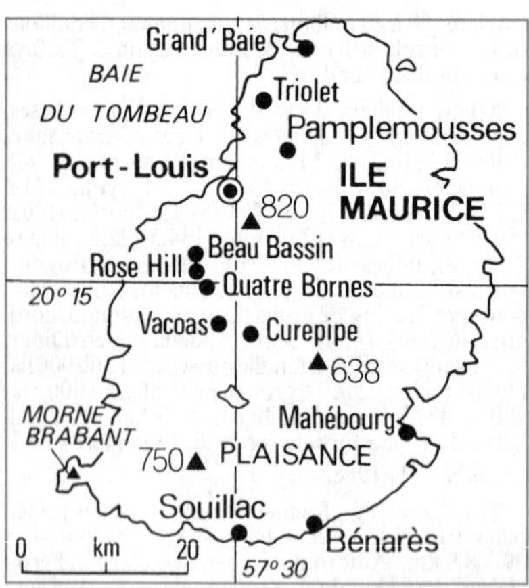

Répartition (%) : origine indienne 68 dont Hindous 52, Mulâtres et Blancs 29, Musulmans 16, Chinois 3. D. 518,1. **Villes** (est. 87) : *Port-Louis* 139 000 h., Beau-Bassin (à 9,4 km), Rose Hill (11,3 km) 93 000, Quatre-Bornes (14,7 km) 64 600, Vacoas (20 km), Phoenix (17,1 km) 55 460, Curepipe (21,9 km) 64 690. **Émigration** (88) : 2 492.

Langues. *Créole :* langue de communication entre diverses ethnies. *Français :* compris par la majorité de la population. *Anglais (off.) :* peu utilisé hors l'administration. *Indien :* bhojpouri, hindi, ourdou, tamil, etc. *Chinois.* **Religions** (%). Hindous 52, catholiques 32, musulmans 16 (dont chiites 5 067). 10 % de mariages mixtes (45 % issus de familles musulmanes en 1987).

Histoire. Visitée sans doute par les Arabes au M. Age. **1511**-*28-12* découverte par le Port. Domingo Fernandez qui l'appelle Ilha do Cirne. **1598** les Holl. la baptisent Mauricius en l'honneur de Maurice de Nassau (elle est alors déserte). **1638** fondent un établissement (les colons hollandais et leurs esclaves ne dépassèrent jamais 300 personnes). **1710** l'abandonnent au profit du Cap. Ont introduit canne à sucre et cerf. **1715**-*20-9* capitaine Guillaume Dufresne prend possession de l'île, baptisée « Isle de France ». **1721** 1ers colons. **1722 à 1767** administrée par la Cie française des Indes. Parmi les gouverneurs : François Mahé de La Bourdonnais (1735-1746) qui réintroduit canne à sucre. **1767** cédée au Gouvernement royal. Arrivée des cadets de famille. *Quelques noms :* l'intendant Poivre (épices), l'abbé de La Caille, astronome, séjour de Bernardin de Saint-Pierre (1767-70), visites de La Pérouse. **Révolution :** autonomie. **Consulat et Empire :** harcèlement contre Anglais. **1810**-*août* bataille du Grand-Port, seule victoire fr. navale des g. napoléon. *-3-12* Angl. prennent île et s'engagent à respecter langue, lois, coutumes et traditions. **1814**-*15-10* Fr. la cède à G.-B. (tr. de Paris), reprend le nom de Maurice. **1827** anglais, langue off. **1835** esclavage aboli « contre indemnité ». Les émancipés se refusent à travailler en dessous de certains salaires, on a des « coolies » indiens (hindous, musulmans, tamouls). **1958** suffrage univ. **1965** autonomie. **1968**-*12-3* indépendance. **1985**-*15-12* Sir Seewoosagur Ramgoolam PM (1968-82), puis gouverneur 28-12-83, meurt à 85 ans. **1990**-*12-2* visite Pt Mitterrand.

Statut. État membre du Commonwealth, associé à la C.E.E. (code Napoléon conservé). **Chef de l'État** reine Élisabeth II. **Gouv. gén. :** *1968* Sir John Rennie, *1969* Sir Leonard Williams, *1974* Sir Raman Osman, *1978* Sir Dayandranath Burrenchobay, *1983* (28-12) Sir Seewoosagur Ramgoolam († 15-12-83), *1986* (17-1) Sir Veerasamy Ringadoo. **Ass. législative** (70 m. dont 62 élus). **PM** Aneerood Jugnauth (29-3-1930) dep. 15-6-82. **Élections du 30-8-87 :** Alliance (MSM/PT/OPR/PMSD) 39 s. ; Union (MMM/MTD/FTS) 23 s. **Fête nat. :** 12-3 (indép.). **Drapeau :** adopté 1968 : rouge (lutte pour l'indép.), bleu (oc. Indien), jaune (futur), vert (végétation).

Partis. *P. travailliste* (PT), f. 1936 par Dr Curé, Emmanuel Anquetil, Pandit Sahadeo, leader Dr Navin Ramgoolam. *P. social-démocrate* (PMSD), f. 1955 par Jules Koenig, leader Sir Gaëtan Duval (n. 1932, arrêté 23-6-84). *Mouv. militant.* (MMM), f. 1969 par Paul Bérenger. *Organisation du peuple rodriguais* (OPR), leader Serge Clair. *Mouv. soc. militant* (MSM), f. 1983 par Anerood Jugnauth, scission du MMM.

Dépendances. Rodrigues. A 563 km à l'E., circonscription 104 km². 36 743 h. (87). **Agalega-et-St-Brandon.** A 935 km au N. 71 km². 300 h. (80) dont à St-Brandon 50 pêcheurs relevés tous les 6 mois.

☞ Iles détachées de M. en 1965 par la G.-B. et toujours revendiquées (Peros Banhos, Salomon, Diego Garcia, Trois Frères, archipel des Chagos). En 1973, la G.-B. a loué pour 50 ans Diego Garcia aux USA (base mil.). De 1969 à 73, 1 200 h. de Diego Garcia rapatriés à M. et indemnisés (accord 1982). **Tromelin.** A 556 km au N.-O., appartient à la France, revendiqué par M.

Le territoire britannique de l'océan Indien (450 km², 2 000 h.), colonie créée 1965, comprenant l'archipel des Chagos, Aldabra (célèbre par ses tortues géantes), Farquhar et Desroches, a fait retour aux Seychelles en juin 1976.

Économie

P.N.B. (90) 2 300 $ par h. P.N.B. global (milliards de roupies) : 36,5. **Croissance** (%). *1983 :* 0,4, *86 :* 8,9, *87 :* 8,4, *88 :* 6,1 (7 % dep. 83), *89 :* 3,8, *90 :* 6,3. **Pop. active** (%, entre parenthèses part du P.N.B. en %) agr. 16,8 (12), ind. 38,6 (25), services 44,6 (63). *Chômage* (%) *1985 :* 17,3 ; *86 :* 14 ; *87 :* 3,9 ; *88 :* 3 ; *89 :* 3,5 ; *90 :* 2,5.

Inflation (%). *1985 :* 6,7 ; *86 :* 2 ; *87 :* 0,6 ; *88 :* 9,2 ; *89 :* 12,6 ; *90 :* 13,6. **Dette extérieure** (en millions de $). *1983 :* 563 ; *85 :* 629 [total (y compris tirage F.M.I.) : 5 207] ; *86 :* 617 ; *88 :* 625 ; *89 :* 753 ; *90 :* 385.

Agriculture. *Terres* (milliers d'ha, 88) t. arables et cult. 106, pâturages 7,4, forêts 57, eaux 1,2, divers 14,9. *Production* (milliers de t, 90) canne à sucre 5 548, sucre 624,3 [578 exportées ; 12,6 % du P.I.B. (98 % en 1979)], thé 5,5, p. de terre 17,6, oignons 2,6, maïs 2,3, arachides 1,6 (88), safran, fleurs, vanille, tabac 0,8, bananes 6,1. **Forêts.** 28 000 m³ (84). **Élevage** (milliers de têtes, 88). Poulets 3 900, bovins 30, moutons 30, chèvres 70, canards 25 (85). **Pêche.** 15 872 t.

Industrie. Sucre, mélasse, rhum, alcool, bière, allumettes. **Tourisme.** *Visiteurs (en milliers). 1990 :* 291,8 (dont en % Réunion 25,4 *France 18,2,* Afr. du S. 13,8) (15 % du P.I.B.). *Zone franche* (65,4 % des export. ; 12,4 % du P.N.B.).

Budget (millions de roupies, 89-90). *Recettes :* 8 117. *Dépenses :* 7 977. Solde : + 139,5.

Commerce (milliards de roupies, 90). *Exportations* 17,1 dont vêtements et textiles 9,5, sucre et mélasse 6,2, horlogerie 0,6 *vers* (%) G.-B. 33,4, *France 23,4,* U.S.A. 13. *Importations* 24 *de* (%) *France 14,* Afr. du S. 8,8, G.-B. 7, Japon 5,9, U.S.A. 4,8. **Balance commerciale** et entre parenthèses **des paiements.** *1981 :* - 1,7 (- 0,4), *82 :* - 0,7 (- 0,6), *83 :* 0,5 (- 0,55), *84 :* - 1 (- 0,3), *85 :* - 1 (0,3), *86 :* 0,2 (1,7), *87 :* - 1,4 (2,1), *88 :* 1,7 (2,3), *90 :* 0,6.

Rang dans le monde (82). 11e thé.

MAURITANIE

V. légende p. 837.

Situation. Afrique. 1 030 700 km². *Côtes* 600 km. *Frontières* 4 600 km (Mali 2 300, Maroc 1 050, Sénégal 800, Algérie 450). *Alt. max.* Kediet ej-Jill 917 m. *4 zones : vallée du Sénégal* (bonnes terres cult., notamment en mil) ; *région occidentale* (sablonneuse) ; *centrale* montagneuse (oueds avec palmeraies) ; *orientale* (formations dunaires). 90 % de désert. **Climat** chaud et sec, plus tempéré dans zone sahélienne et sur côte (vents alizés) ; 6 ou 7 mois de

grosses chaleurs dans vallée du Sénégal. *Pluies* : de juill. à sept., 600 mm au S. ; 63 mm à F'Derick-Zouerate (Fort-Gouraud).

Population. *1989* : 1 970 000 h., *prév. 2000* : 2 999 000. Maures officiellement 90 % (selon d'autres sources 60 à 70). Noirs (Toucouleurs 55 %, Peuls 16 %, Oulofs et Sarakolés 29 %) 10 % (ou 30 à 40 %). 30 % éleveurs nomades, 70 % cultivateurs sédentaires. Environ 8 000 Eur., dont 4 000 Français. **Âge :** *- de 15 a.* : 46 %. *+ de 65 a.* : 3 %. **Mortalité :** *infantile* : 132 ‰. D. 1,9. **Villes** (87) : *Nouakchott* (créée 5-3-1958) 450 000 à 500 000 h. en 1985 (contre 40 000 en 1970), Nouadhibou (ex-Port-Étienne) 57 000 (à 410 km), Rosso 30 000 (à 200 km), Kaëdi 29 700 (à 300 km), F'Derick-Zouerate (ex-Fort-Gouraud) 26 089 (à 700 km), Atar 20 000 (à 460 km).

Langues. Arabe *(off.)*, français (l. de travail officielle), pular, soninké, hasania, wolof. Religion. Islam (off.) malékites (99,5 %).

Histoire. Habitée par des Noirs. **VIII**e islamisée ; peu à peu envahie par des pasteurs, Berbères, Zénètes et Sanhadjas et dominée par les Arabes Ma'qil. Occupation d'Arguin. **1443** Portugais. **1638** Holl. **1665** G.-B. **1668** Holl. **1678** France. **1690** Holl. **1724** France. **1902** Xavier Coppolani (ass. 1905) conquiert pacifiquement intérieur du pays Chinguitt et lui donne le nom de Mauritanie. **1903** protectorat. **1907-09** Gouraud brise résistance de l'Adrar. **1911** Tichitt prise. **1912**-*16-1* émir Ahmed Ould Aïdah pris. **1913** raid sur Smara. **1920** colonie (rattachée ensuite à l'OAF). **1934** fin de la résistance des Regueibat et Ouled bou Sba. **1936** occupation fr. totale. **1946** TOM. **1956** autonomie interne. **1957-62** révoltes, opér. fr.-esp. conjointes. **1958**-*28-11* Rép. autonome après référendum. **1960**-*28-11* indépendance. Pt Moktar Ould Daddah (n. 25-12-24). **1961**-*27-10* entrée ONU. **1969** *sept.* Maroc reconnaît M. (et ses frontières en juin 1970). **1969-74** agitation étudiante. **1973** *janv.* négociations pour quitter zone franç. *Oct.* membre Ligue arabe. **1974**-*28-11* nationalise MIFERMA (mines de fer). **1975**-*14-11* accord avec Esp. et Maroc sur Sahara occ. *-3/5-12* Pt Ould Daddah en Fr. *-10/19-12* combats avec Polisario. **1976**-*26-2* prend Sahara occ. qui lui revient, région de Dakhla qui devient la XIIIe région m. sous le nom de Tiris el-Gharbia. *-7-3* rompt rel. diplom. avec Alg. *-1-5* raid Polisario à Zouerate. **1977**-*23-12* libération de 8 Fr. enlevés par Polisario à Zouerate (6 le *1-5-76* et 2 le *25-10-77*). **1978**-*25-3* sabotage voie ferrée Zouerate-Nouadhibou. *-27-5* lieut.-col. Ahmed Ould Bonceif PM tué (accident avion). *-10-7* Pt Ould Daddah renversé par coup d'État milit. (Lt-col. Ould Saleck). *-1-10* cessez-le-feu Polisario-M. **1979**-*6-4* col. Ahmed Ould Bousseif PM après coup de force. *-31-5* tué accid. d'avion. Lt-col. Ould Louly chef d'État *-5-8* accord d'Alger avec Polisario. M. renonce au Tiris que le Maroc a occupé dep. 1-10-78. *-4-10* O. Daddah libéré. **1980**-*4-1* Louly destitué, remplacé par Lt-col. Khouna Ould Haidalla (n. 1940). *-3-6 charia* (loi islamique) adoptée. *-5-7* abolition esclavage des Haratine (env. 400 000 Noirs dont 150 000 encore esclaves). **1981**-*16-3* coup d'État mil. (pour lutter contre influence Polisario et Libye) ; échec : 4 exécutés, rupture rel. dipl. avec Maroc *26-3*. *Avril* refus union avec Libye. **1982** « structures d'Éducation de masse », nouveau parti unique. *-9-2* coup d'État échoue. *Mai* Pt Mitterrand en M. **1984**-*27-2* reconnaît Rép. arabe sahraouie. **1984**-*12-12* Pt Ould Haidalla remplacé. **1987**-*22-10* complot mil. toucouleur déjoué. **1988**-*7-9* Tène Youssouf Guène (écrivain, n. 1928) meurt en prison. *-14-9* 13 opp. condamnés. *Oct.* procès de Ireida (complot baasiste). **1989** *avril* affrontements avec Sénégalais. *Juil* dep. avril, 100 000 à 140 000 M. d'origine sén. expulsés vers Sén. ; M. vivant au Sén. rapatriés : 120 000 à 200 000. **1990**-*26/27-9* attaque des FLAM (60 †). *-2-12* coup d'État manqué. **1991** *avril* selon Amnesty Intern., + de 200 détenus exécutés dep. fin 1990. *-15-4* référendum sur nouvelle Constitution prévu avant fin 1991.

Statut. Rép. islamique. *Constitution* du 20-5-61, suspendue juill. 1978. *Pt* (nommé par Comité militaire de salut national dep. 5-1-80) et *PM*, dep. 13-12-84 col. Maaouya Ould Sid'Ahmed Taya (n. 1941). *Ass. nat.* (77 m. élus p. 5 a., dissoute). 9 *régions écon. Parti unique* : P. du peuple m. (PPM ou Hizb Chaab, f. 1965, dissous dep. 78). *Syndicat unique* (gouv.). *Oppositions* : FLAM (Forces de lib. afr. de M.), mouv. clandestin de lutte des Négro-M. Fête nat. : 28-11. Drapeau : adopté 1959.

Économie

P.N.B. (89) 487 $ par h. **Pop. active** (%, entre parenthèses part du P.N.B. en %) agr. 67 (35), ind. 5 (7), services 23 (43), mines 5 (15). **Inflation :** *1985* : 13. *86* : 7,7. *87* : 7,7. *88* : 1. **Dettes :** *1987* : 2,06 milliards de $. **Aide de la France** (en millions de F) : *1983* : 130 ; *84* : 300.

Agriculture. *Terres* (milliers d'ha, 81) t. arables 205, t. cult. en permanence 3, pâturages 39 250, forêts 15 134, eaux 30, divers 48 448. *Production* (milliers de t, est. 88) dattes 13, riz 15, millet et sorgho 89, patates douces 3, maïs 8, arachides 2. Forêts. 615 000 m³ (79). Élevage (milliers de têtes, est. 88). Bovins 1 250, chèvres 3 200, moutons 4 100, volailles 4 000, chameaux 810, ânes 149, chevaux 17. En raison de la sécheresse, 60 à 80 % des troupeaux nomadisent au Sénégal, Mali. Pêche. 600 000 t (90), principalement exp. Dep. 1980, zone de 200 milles (potentiel 520 000 t/an). Au moins 1 million de t/an pêché illégalement.

Mines. *Fer* (F'Derick, capacité 200 millions de t d'hématite à 63-68 %) 7 800 000 t (89), métal cont. transporté par le chemin de fer Zouerate-Nouadhibou (650 km ; train 2 km de long., 200 wagons, 2 000 t, le + long du monde ; port minéralier de Cansado). *Cuivre* (Ajoujt réouverture 1991). *Gypse* (N'Ghamcha). *Sel gemme. Phosphates* (dep. 82, gisement à ciel ouvert ; réserves 100 millions de t). Transports (km). Routes 8 900 (dont 1 520 bitumées), chemins de fer 691. Port en eau profonde (de l'Amitié) 500 000 t par an.

Commerce (milliards d'ouguiyas, 86). *Exportations* 31,6 (87) *dont* poissons 15,3, fer 10,5 *vers* (84) *France 11*, Espagne (80) 1, Italie, Japon, All. féd., G.-B., Belg.-Lux. *Importations* 28,2 (87) *dont* (80) biens de cons. 6,1, pétr. 2,3 (83), véhic. 0,6, divers 1,8.

Rang dans le monde (89). 12e fer.

MAYOTTE

Carte p. 912. V. légende p. 837.

Situation. Ile de l'océan Indien. 376 km² (voir Comores). 18 îlots l'entourent (total 25 km² ; îlots principaux : Dzaoudzi et Pamanzi). *Alt. max.* 660 m.

Population. 73 000 h. (88). D. 194,1. **Étrangers** (84) : 2 300 (de Comores 2 000, Mad. 211). **Villes :** *Mamutzu* 12 026, Dzaoudzi-Labattoir 5 865.

Religion. Musulmans (97 %, islam imprégné de pratiques animistes). Langues. 2/3 dialecte bantu principal (mahorais, anjouannais, grand-comorien) ou malgache (sakalave, antalaotsi), 1/3 diverses combinaisons de ceux-là. 30 % parlent français.

Histoire. **1527** reconnue par le Portugais Diego Ribeiro. **1831** conquise par le roi sakalave Adrian-Tsouli de Madagascar. **1841**-*24-4* la vend à la France contre rente annuelle de 1 000 piastres (5 000 F) et l'éducation de ses enfants aux frais du gouvernement fr. à la Réunion. **1843**-*16-2* tr. ratifié par la Fr. De M. l'influence fr. s'étend aux 3 autres îles de la colonie (administrée à partir de Dzaoudzi, chef-lieu de l'archipel jusqu'en 1962). **1886-1912** les 3 autres Comores deviennent protectorat fr., M. reste colonie. **1908**-*9-4* M. et les 3 autres îles rattachées au gouvernement gén. de Madagascar. **1912**-*25-7* loi transformant les protectorats en colonies. **1947** autonomie admin. pour Comores, Dzaoudzi chef-lieu. **1958** référ. : l'Ass. territoriale des Com. choisit statut de TOM, mais, à M., 85 % sont pour celui de DOM (raisons : rancœurs contre anciens sultans d'Anjouan ; hostilité Sakalaves/Arabes comor.). **1968** loi élargissant le régime de l'autonomie interne des Com., Moroni capitale. Mahorais contestent cette décision. **1974**-*22-12* vote pour l'indépendance, oui (99 %) dans les 3 îles, non (65 %) à M. **1975**-*6-7* Ahmed Abdallah proclame unilatéralement l'indép. des Com. *-21-11* « marche verte » des Com. (165 pers.) sur M., échec. *-13-12* loi reconnaît l'indép. des 3 îles et prévoit 2 nouvelles consultations pour M. **1976**-*3-2* et *-11-4* vote des Mahorais confirmant référendum de 1974. M. érigée en collectivité territoriale de la Rép. fr. *-8-2* 99,4 % des électeurs mahorais pour le maintien au sein de la Rép. française. *-11-4* 80 % réclament départementalisation. *-27-12* statut original évolutif (après 3 ans, le conseil général pourra demander une consultation pour un statut définitif). **1979**-*22-12* loi proroge 5 ans statut de 1976. **1982**-*2-12* résolution ONU sur retour de M. aux Com. 110 voix contre 1 (France) et 22 abstentions. **1984** report du référendum. **1986**-*19-10* Chirac à M. *-20-12* inauguration télévision. **1987**-*28-3* convention de développement pour M. **1991**-*10/17-3* cantonales partielles : défaite de Younoussa Bamana, Pt du conseil général dep. 1977.

Statut. Collectivité territoriale (loi 24-12-1976). *Représentant du gouv.* Daniel Limodin. *Cons. gén.* de 17 m. 1 *député*, 1 *sénateur*. **Élect. législatives** (en %). **14-6-81 :** abst. 48,68, PS 72,91, UDF-RPR 16,33, élu 1 MRG **16-3-86 :** abst. 20,23, UDF-CDS 64,55 (1 élu), RPR 33,98, extr. gauche 0,02. **5-6-88 :** inscrits 22 479, abst. 34,7. UDF-CDS 58,20 (1 élu), RPR 38,31, FN 1,41, div. droite 1,09, extr. gauche 0,97. **Partis.** *RPR-Fédér. de M.*, Secr. Mansour Kamardine. *Mouv. pop. mahorais.*, Pt Younoussa Bamana. *P. pour le rass. dém. des Mah.*, f. 1978, Pt Darouiche Maoulida. *Union dém. mah.*, Pt Maoulida Ahmed. *Front dém.* 1er secr. Youssouf Mousa. *Assoc. pour M. franc.*, f. 1984, Pt Didier Beoutis.

Économie. Ylang-ylang (fournit essence pour parfumerie), vanille, cannelle, coprah, café, manioc, ananas, bananes, mangues, riz, petit maraîchage. Pêche (langoustes, espadons, carangues, mérous, crevettes). Bovins, caprins, volailles. **Commerce** (millions de F, 88. *Exp.* 10,1 *dont* produits réexportés 2,9 (85), ylang-ylang 8,1, vanille 1,8, café 0,1, cannelle 0,06 (85) *vers* (85) *France 4,* Comores 1. *Imp.* 294,8 *dont* prod. alim. 65, machines 61, équip. de transp. 50, métaux 31 *de France 193,9,* Afrique du S. 26,8, Réunion 17,5 (86), Thaïlande 12,6.

MEXIQUE

Carte p. 1022. V. légende p. 837.

Situation. Am. N. 1 969 367 km². *Alt. max.* Citlaltépetl ou pic d'Orizaba 5 569 m. *Long.* 3 080 km. *Larg. max.* 2 070 km, *min.* 215 km. *Frontières* avec USA 3 114,7 km, Guatemala 962, Belize 259,2. *Côtes* avec Atlantique 2 756 km, Basse Californie 3 280,5, Pacifique 3 866,5. **Climat.** N. (50 % du territoire) : semi-aride, hivers froids, étés chauds, faibles pluies (500 mm). Façade maritime : tropical humide, pluies abondantes, températures élevées. Centre : haut plateau, pluies abond. (mai à oct.), sécheresse le reste de l'année, temp. modérées.

Population (millions). *1804* : 5,84 (dont Esp. 1,13, autres Européens 0,07, Indiens 2,23, Métis 2,4, Noirs 0,007) ; *1850* : 7 ; *1873* : 8,28 ; *1890* : 11,4 ; *1900* : 13,55 ; *1910* : 15,12 ; *1921* : 14,33 ; *1930* : 16,4 ; *1940* : 19,65 ; *1950* : 25,56 ; *1960* : 34,92 ; *1970* : 48,38 ; *1982* : 73,01 ; *1990* : 86,1 [110 en 2000], dont (%) : Métis d'Esp. ou de Noirs 80, Indiens 10, Blancs (ascendance esp.) 10. En 1983, 8 à 9 % d'Indiens dans Centre (Guerrero, Mexico, Puebla, Hidalgo, Veracruz) et le S., S.-E. (Oaxaca, Chiapas, Yucatán). **Indiens** (millions). *1970* (est.) 3 100 (dont Nahuas 800, Mayas du Yucatán 450, Zapotèques 280, Mixtèques 230, Otomis 220, Totonaques 120) ; *1983* (est.) 5 000. D. 42,3. **Taux** (‰ en 88) : *accroissement* 24 *mortalité* 6 (infantile 50), *natalité* 30. **Enfants** *par famille* : 4,0 (87). **Naissances** *illégitimes* : 40 %. **Âge** (88) : *- 0 à 11 a.* : 29,9 %, *12 à 64 a.* : 66,5 %, *+ de 64 a.* : 3,6 %. **Mexicains aux USA** (millions) *1960* : 1,74 ; *82* : 2,5 ; *90* : 15. 500 000 à 800 000 clandestins (appelés Braceros ou Wetbacks car ils franchissent le Rio Grande à la nage) y émigrent par an.

Villes. *Mexico 1928* : 1 000 000 h. ; *1988* : 19 479 000. (1 000 pers. de + par j). La plus polluée du monde. *Causes* : alt. 2 300 m (l'air contient 30 % d'oxygène en moins qu'au niveau de la mer) ; cernée de volcans : peu de vent ; inversion thermique (couvercle d'air chaud recouvrant la vallée, masses d'air inférieures, plus froides, ne parvenant plus à s'échapper) ; rejets par j à l'air libre : 5 millions de t de polluants dont 11 000 t de poussières toxiques, 750 t de matières fécales. *Origines de la pollution* : automobiles 75 % (3 millions de véhicules), industrie 20 %, mauv. cond. d'hygiène 5 %. *Retombées* : visibilité max. 400 à 500 m, 70 % des enfants nés à M. contaminés par le plomb ; infections respiratoires (l'air respiré serait aussi toxique que de fumer 2 paquets de cigarettes par j), irritation des yeux ; 100 000 † par an de la pollution. *Mesures* : *1990* : réduction de la teneur en plomb de l'essence, véhicules utilisés 1 j sur 5 (500 000 voitures en moins par j, + de 2 millions de litres d'essence épargnés, taux d'oxyde de carbone – 30 %, de soufre – 8 %), *1991 (mars)* : 60 usines doivent réduire leur activité de 50 %. **Autres villes** (88). Guadalajara 3 186 000 (à 708 km), Monterrey 2 859 000 (à 951 km), Puebla 1 707 000, León 1 007 000, Torreón 804 000, Mérida 694 000, Ciudad Juárez 681 000, San Luis Potosí 673 000, Tampico 666 000, Tijuana 602 000, Chihuahua 552 000, Veracruz 490 000, Culiacán 483 000, Morelia 478 000, Acapulco 461 000, Hermosillo 444 000, Saltillo 443 000, Aguascalientes 425 000, Mexicali 417 000. **Pop. urbaine :** 60 %. **Analphabètes** (88) : 3 % des + de 15 a. **Espérance de vie :** *1940* : 41,5 ans ; *50* : 49,7 ; *60* : 58,9 ; *70* : 62,5 ; *84* : 66 ; *89* : 68.

Langues. Espagnol 88,32 % *(off.)* ; indien nahuatl et maya 7 %. Religions. Cathol. 92,6 %, protest. 3,3 %.

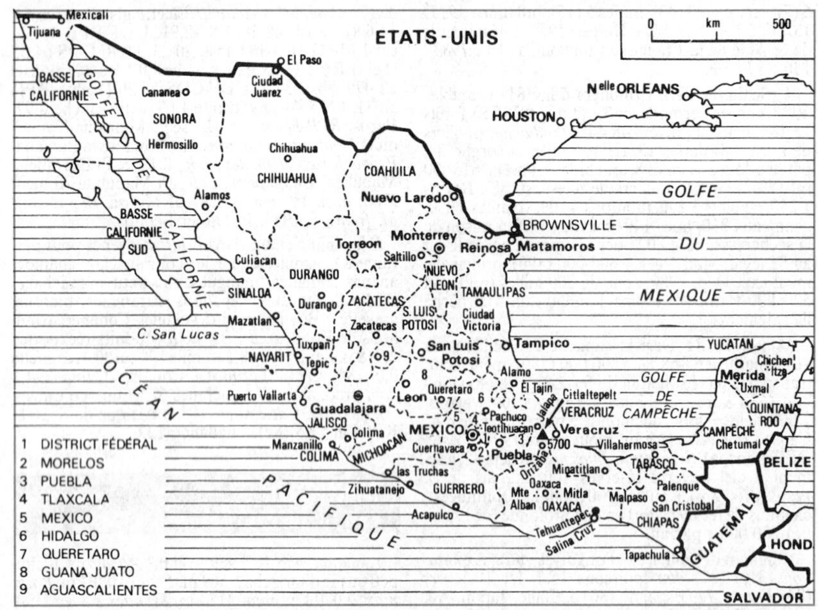

Art du Mexique précolombien

Préclassique. Sédentarisation v. 2500 av. J.-C. avec découverte et culture du maïs. 1ers temples en dur, le plus souvent ronds. Terre cuite : figurines anthropomorphes (dieux de la vie quotidienne). Apparition de la *civilisation olmèque* (État de Tabasco) : figurines de jade, têtes colossales en basalte (thème de l'homme-jaguar, visages à grosses joues et bouche lippue).

Classique. Architecture religieuse colossale (pyramides). *La plus vieille :* île de la Venta (S.-E. du Mex.), olmèque, 800 av. J.-C., hauteur 30 m, base 130 m. Débuts de l'architecture civile. Masques mortuaires en pierre (Teotihuacán). *Civilisation zapotèque :* urnes funéraires en céramique surchargées (représentations humaines) ; *maya :* stuc, bijoux et masques en jade (pectoral), terres cuites peintes de l'île de Jaina (État de Campeche).

Postclassique ancien. *Civilisation toltèque* à Tula. Fresques liées à la guerre, représentation de dieux guerriers. Céramique (peu recherchée). Palais à atlantes et colonnes.

Récent. *Empire aztèque :* sculpture sur pierre (représentations divines, objets liés au sacrifice humain). *Civilisation maya* au S. ; *mixtèque :* vallée d'Oaxaca : céramique, peinture (manuscrits), travail de l'or.

Religion précolombienne

AZTÈQUES. **Xipe Totec :** dieu de l'Ouest ; renouveau et végétation ; couleur : rouge. **Huitzilopochtli :** dieu du Sud ; guerre, chasse, soleil, maître du monde ; on lui offre régulièrement des victimes humaines ; bleu. **Quetzalcoatl :** dieu de l'Est ; vie et jumeaux, planète Vénus, vent, artisanat, inventeur du calendrier ; blanc. **Tezcatlipoca :** dieu du Nord ; ciel, providence, inventeur du feu ; noir. **Tlaloc :** dieu de la Pluie, de la Foudre. **Coatlicue :** déesse de la Terre et mère de Huitzilopochtli. **Xochiquetzal :** fleurs. **Xochipilli :** beauté.

MAYAS. **Hunab :** créateur du monde. **Itzamma :** fils de Hunab ; dieu du Ciel ; donne écriture, codex, calendrier. **Kinch Ahau :** dieu solaire, souvent associé à Itzamma. **Chaak :** dieu de la Pluie ; serpentiforme, long nez (nom déformé de l'aztèque *Tlaloc*). **Yumtaax :** dieu du Maïs, jeune homme portant des épis dans sa chevelure. **Kukulcan :** dieu du Vent (de l'aztèque *Quetzalcoatl*). **Ah Puch :** dieu de la Mort, crâne décharné et sonnettes. **Ek Chuah :** dieu de la Guerre, associé avec Ah Puch. Tous les phénomènes naturels avaient leurs dieux.

Selon la Constitution de 1917 (pas appliquée strictement), chacun des États de la Fédération (et non les évêques) détermine le nombre de ministres du culte. Ceux-ci doivent être mex. de naissance. Ils ne peuvent voter ni être candidat à des élections, ni hériter sauf de proches parents, ni porter la soutane. Aucune congrégation religieuse ne peut fonder ou diriger des écoles primaires. Les ordres monastiques sont interdits ; les exercices du culte ne peuvent avoir lieu qu'à l'intérieur des églises (propriété de l'État).

Histoire

Civilisations. **Olmèques** (golfe de Veracruz, 300 av. J.-C.-300 apr. J.-C.) : techn. avancées (boussoles d'hématite magnétique flottant dans cuve de mercure) ; **Toltèques** (à Tula, Teotihuacán, 300 apr. J.-C.-600 apr. J.-C.) ; **Zapotèques** (à Monte Albán, Mitla, 400-700) ; **Mayas** *classiques* (à Palenque, au Guatemala, au Honduras, 400-850) ; *récents* (au Yucatán, 950-1300) ; **Chichimèques** (à Texcoco, 1300-1500) ; **Aztèques** (à Mexico, 1400-1500). Aucune métallurgie avant 900 apr. J.-C. (outillage en pierre fine). Élevage : chiens comestibles, dindons. Cultures vivrières sur brûlis (d'où érosion du sol, à l'origine de la dispersion des Mayas) : maïs, haricots noirs. Connaissances astronomiques développées. **1325** Tenochtitlán fondée 1400. **1519**-*10-7* Hernán Cortés (1485-1547) débarque et fonde Veracruz. *-9-11* entrée Esp. à Tenochtitlán ; le chef aztèque Moctezuma (1466-1520, assassiné) les accueille, les prenant pour des messagers des dieux ; Cortés bat Narvaez ; son rival, Alvarado, massacre nobles et prêtres ; révolte. **1520**-*30-6* déf. des Esp. à Mexico (la Nuit triste). **1521**-*13-8* fin de la résistance mex. avec Cuauhtémoc Tlatoani (n. 1497-pendu 1529, dernier aztèque). **1522**-*15-10* Cortés capitaine général de la Nlle-Espagne. **1523**-*30-8* débarquement des missionnaires (franciscains) et début de l'évangélisation. **1527**-*13-12* création de l'*Audiencia* (tribunal et conseil administratif) de Mexico. **1535**-*17-4* vice-royauté esp. 1er titulaire : Antonio de Mendoza (v. 1490-1552). **1539** imprimerie introduite. **1579** début de la construction de la cathédrale de Mexico. **1810**-*16-9* « cri de l'indépendance », soulèvement fomenté, à Dolorès, par le curé Miguel Hidalgo (1753-1811, fusillé). *-6-12* Hidalgo abolit l'esclavage. **1812-1815** soulèvement du curé José Maria Morelos (1765/21-12-1815, fusillé). **1813**-*6-11* indépendance proclamée. **1814**-*22-10* Constitution. **1817**-*5-4* débarquement des libéraux esp., commandés par Francisco Javier Mina [(1789-1817) chef de guérilleros esp. (navarrais) contre Français (1808-13), rejoint insurgés mex., tué par Esp. 11-11-1817]. **1821** *févr.* accord d'Iguala entre Iturbide, Gal esp., et Guerrero, chef des insurgés. *-27-9* Iturbide rentre à Mexico. Adoption du drapeau des 3 garanties du plan d'Iguala : religion, indépendance, union sans distinction de races. **1822**-*19-5* le Congrès (réuni par lui) le proclame empereur constitutionnel. *-21-7* couronné. Faveurs accordées à l'Église et mauvaise gestion provoquent opposition du Congrès qu'il renvoie. Soulèvement républicain de Santa Anna. **1823**-*19-3* Iturbide abdique et quitte M. *-16-12* République. **1824**-*19-7* Iturbide, rentré pour reprendre pouvoir, est fusillé. *-4-10* constitution de la Rép. (18 États fédérés). **1825**-*15-11* capitulation de la dernière garnison esp. à St-Jean-d'Ulloa. **1829** *juill.-sept.* nouvelle offensive esp. (Gal Isidro Barradas) : échec. **1835**-*7-11* sécession du Texas, noyauté par colons amér. **1837** refus d'indemniser planteurs et industriels français spoliés (notamment un pâtissier de Veracruz). **1838**-*27-11* bombardement fr. de St-Jean-d'Ulloa ou g. des pâtisseries. **1839**-*9-3* tr. de paix franco-mex. **1845**-*16-7* *g. avec USA* après leur annexion du Texas (1-3-45). **1847**-*13-9* défense héroïque de Chapultepec par cadets. *-14-9* prise de Mexico. **1848**-*2-2* *tr. de Guadalupe :* M. cède aux USA, Nouveau-M. et N. de la Californie contre 15 millions de $. **1854**-*1-3* révol. libérale (anticléricale). **1856**-*25-6* aliénation des biens de l'Église. **1857**-*5-2* devient confédération d'États. **1859** législation anticathol. de Benito Juárez, couvents fermés, biens confisqués. **1861-67** g. du M. (voir ci-dessous).

Guerre du Mexique

• **Causes.** **1852** Gaston de Raousset-Boulbon (Avignon 1817-54), aventurier, obtient du M. concession de la vallée de la Sonora. **1853** il y installe 250 Fr., refuse la nationalité m., conquiert Hermosillo, capitale du Sonora, y installe un consulat fr., mais pris par Pt Santa Anna, est fusillé. **1855** sa biographie, publiée, répand l'idée d'une colonisation fr. **1857** séparation de l'Église et de l'État. **1859** banquier suisse Jecker (qui a été commanditaire de Raousset-B.) prête 79 millions de F-or au Pt mexicain Miramón. **1860** Miramón renversé par Juárez. **1861**-*17-7* M. suspend le paiement de sa dette. Jecker propose au duc de Morny de faire intervenir la Fr. ; si le M. rembourse, Morny touchera 30 %, soit 26 millions. Morny accepte, donne la nationalité fr. à Jecker, et charge de l'affaire son ami Dubois de Saligny, ministre de Fr. au M. (lui-même porteur d'une grosse somme en bons Jecker). On a dit que Morny ambitionnait pour lui-même la couronne du M. Esp. et Angl. contactés par Dubois de Saligny (beaucoup ont des bons) décident d'intervenir avec la Fr. **1862** Miramón, exilé à La Havane, veut reconquérir le pouvoir ; il envoie à l'impératrice Eugénie le Gal Almonte, qui la convainc que les catholiques doivent intervenir contre Juárez, antichrétien. Elle trouve un candidat : Maximilien de Habsbourg (frère de l'emp. d'Autr. François-Joseph) dont la femme, Charlotte (princesse belge), ambitieuse et psychologiquement déséquilibrée, rêve d'un trône. Napoléon III accepte : a) il espère se réconcilier avec l'Autriche, humiliée par Solferino et Magenta ; b) il compte avoir une base militaire et politique pour appuyer les Sudistes américains contre les Nordistes (début de la g. de Sécession, 1861) ; c) il songe à un canal transocéanique qui passerait par l'isthme de Tehuantépec.

• **Principaux faits.** **1861**-*14-12* débarquement esp. à Veracruz ; Fr. et Angl. suivent. **1862**-*9-4* Angl. et Esp. se retirent de l'Alliance ; sous l'influence d'Eugénie, la Fr. continue la g. *-5-5* défaite fr. à Puebla. **1863**-*7-6* Gal Forey prend Mexico. **1864** Bazaine, com. en chef. *-10-4* *tr. de Miramar :* Maximilien reçoit la couronne impériale. *-12-6* entre à Mexico. **1864-66** pol. libérale, brouille avec conservateurs, les guérilleros lib. de Juárez harcèlent troupes de Bazaine. **1866**-*18-12* Bazaine réembarqué.

1867-*19-6* Maximilien fusillé, *Juárez* rétablit la Rép. **1876**-*26-11*/**1911**-*25-5* Gal Porfirio Díaz autoritaire : restauration écon. avec capitaux privés amér. **1910** révolution (Doroteo Arango, n. 1877, Pancho Villa, hors-la-loi soutiendra Madero et deviendra Gal, assassiné par parents et amis 23-7-1923). **1911**-*7-7* Madero rétablit régime libéral. *-27-11* interdiction de réélire Pts de la Rép. et gouverneurs d'État (4 a. max. d'une magistrature). **1913**-*22-2* Madero assassiné. **1916-17** expédition amér. contre Pancho Villa qui mène une guérilla dans le Chihuahua et fait de fréquentes incursions aux USA pour se ravitailler. **1917**-*5-2* Constitution de Querétaro ; relations diplom. rompues avec Vatican. **1924** Pt Calles décide d'appliquer strictement la Const. et de priver de droits civiques cathol. (prêtres et laïcs) parce qu'obéissant à un souverain étranger, expulsion nonce, prêtres et religieux non mex. ; applique l'art. 130 de la Const. (interdisant aux prêtres de critiquer le gouv.) ; interdit les congrégations enseignantes ; 20 000 églises ferment. **1926** soulèvement des paysans cath. du Jalisco écrasé par aviation. **1927/29**-*1-9* g. de 3 ans des cristeros (soldats du Christ-roi) contre armée m. **1927**-*9-10* insurrection de Veracruz écrasée. **1928** exécutions de prêtres. *-17-7* Gal Obregón assassiné par cath. **1929**-*3-3* soulèvement cath. du Jalisco écrasé juillet ; culte cath. autorisé, évêques nommeront prêtres qui devront être enregistrés par le gouv. (cath. de Mexico réouverte 15-8-30). **1934-39** distribution d'env. 1/3 des terres. **1938**-*18-3* pétrole nationalisé. **1942**-*28-5* M. déclare g. à l'Axe. **1960**-*27-9* électricité nationalisée. **1964** de Gaulle au M. **1968** *oct.* émeutes étudiantes avant Jeux olymp. (nuit de Tlaltelolco, + de 100 †). **1974** guérilla des Forces révolut. armées du peuple (FRAP). *-8-9* combat au

Guerrero (paysans : 30 † et 30 bl.). **1979** *janv.* Jean-Paul II au M. *-3-6* au *23-3,* marée noire d'Ixtoc-1 (500 000 t, coût 600 millions de F, Texas demande 2 milliards de F de dommages et intérêts). **1981** *oct.* Pt Mitterrand au M. **1982**-*1-9* nation. des banques. **1983** *mars* dénationalisation partielle des banques. **1984**-*19-11* incendie à Mexico 500 †, 3 000 bl. **1985**-*28-6* peso dévalué de 33 % (1 $ = 300 pesos). *-7-7* législatives. *-19/20-9* séisme à Mexico : 10 000 à 20 000 †, + de 1 million de sinistrés (dégâts : 300 millions de $). *-2-11 :* 21 policiers tués par trafiquants de drogue. **1986**-*17-3 :* 236 des 840 Stés d'État seront privatisées ou mises en liquidation. **1987**-*3-3* 200 000 à 300 000 manif. contre polit. écon. *-10-9* Carlos Salinas déclaré Pt élu par la Chambre des députés. *-15-9* 200 000 manif. demandent sa démission pour fraude. *-1-12* Fidel Castro présent à l'investiture du Pt Salinas. *-13-12* Mexico, usine clandestine de pétards explose (62 †). **1989**-*10-1* Joaquín Hernández Galicia (« la Quina ») et 35 m. du Syndicat du pétrole arrêtés pour détention d'armes. *Mai* Mexicana Airlines privatisées (2e dep. Aeromexico en nov. 88). *-2-7* élections locales, échec du P. rév. *Août* faillite de la mine de cuivre de Cananea (prod. 122 500 t soit 45 % de la prod. du pays). **1990** *fév.* accord avec Vatican pour échange de représentants. *6/15-5* Jean-Paul II au M. (accueilli par Pt Salinas). **1991**-*13-2* pèlerinage à Chalma 42 † (mouvement de foule).

Politique

● **Statut.** *Rép. fédérale :* 31 États, 1 district féd. (Mexico). *Constitution* de 1857, révisée 1917, 29 et 53. *Pt* élu p. 6 a. au suffr. univ. ; non rééligible. *Ch. des députés* 400 m. élus p. 3 a. (300 au scrutin majoritaire, 100 à la proportionnelle) (1 p. 200 000 h.). *Sénat* 64 m. élus p. 6 a. (2 par État). **Fête nat.** : 16-9 (indépendance). **Drapeau** : adopté 1968 ; couleurs de 1821 : verte, blanche (avec aigle symbole aztèque), rouge.

● **Chefs d'État depuis l'indépendance. Empire. 1821** Gal Agustín DE ITURBIDE (1783-fusillé 1824), Pt du Conseil de régence, puis empereur Agustín Ier (19-5-1822, abdique 19-3-1823). **République.** *Triumvirat :* Gal Nicolás BRAVO (1785-1854) ; Gal Guadalupe VICTORIA (Manuel-Félix Fernández, 1786-1843) ; Gal Pedro-Celestino NEGRETE [v. 1770-1827 ; il avait 3 « substituts » : Mariano MICHELENA, Miguel DOMINGUEZ (v. 1780-1830), Gal Vicente GUERRERO (1784-1831, fusillé)]. **24** *2e triumvirat :* Gal N. BRAVO ; Gal Miguel DOMINGUEZ ; Gal V. GUERRERO. *3e triumvirat :* Gal G. VICTORIA ; Gal N. BRAVO ; Gal M. DOMINGUEZ. *Pt de la République :* Gal G. VICTORIA. **29** Gal V. GUERRERO ; *Pt intérimaire :* José-Maria de BOCANEGRA. *4e triumvirat :* Lucás ALAMÁN (1792-1853) ; Gal Luis QUINTANAR ; Pedro VÉLEZ ; *Pt de la Rép. :* Gal Anastasio BUSTAMANTE [1780-1853 (vice-Pt de GUERRERO)]. **32**-*14-8 Pt intérimaire :* Gal Melchor MURQUIZ (1790-1844) ; *-15-12 dictateur :* Manuel GÓMEZ-PEDRAZA (1789-1851). **33** *Pt de la Rép. :* M. GÓMEZ-PEDRAZA ; Valentín GÓMEZ-FARIAS [1781-1852 (Vice-Pt de GÓMEZ-PEDRAZA)] ; Gal Antonio LÓPEZ DE SANTA ANNA [1790-1877 (dictateur de fait ; plusieurs alternances avec GÓMEZ-PEDRAZA)]. **35** *dictateur :* Gal Miguel de BARRAGÁN (1789-1836). **36** *Pt :* José-Justo CORRO. **37** Gal Anastasio BUSTAMANTE. **39**-*18-3 dictateur :* Gal A. LÓPEZ DE SANTA ANNA ; *-10-7 Pt intérimaire :* N. BRAVO ; *-17-7 Pt :* Gal A. BUSTAMANTE. **41** *Pt intérimaire :* Francisco ECHEVERRIA (1797-1852) ; Gal Nepomuceno ALMONTE (1804-69). **42** *dict. de fait (avec titre présidentiel) :* Gal A. LÓPEZ DE SANTA ANNA ; *Pt intérimaire :* Gal N. BRAVO. **43** *Pt (dict. de fait) :* Gal A. LÓPEZ DE SANTA ANNA ; *-2-10 Pt « substitut » :* Gal Valentin CANALIZO. **44**-*3-6 Pt :* Gal A. LÓPEZ DE SANTA ANNA ; *sept. Pt non confirmé par Congrès :* Gal V. CANALIZO ; *-10-12 Pt intérim. :* Gal José-Joaquín HERRERA (1792-1854). **45** *nov. Pt de la Rép. :* Gal J.-J. HERRERA. *-30-12 dictateur :* Gal Mariano PAREDES Y ARCILLAGA (1797-1849). **46**-*2-1 Pt intérim. :* Gal M. PAREDES Y ARCILLAGA ; *-4-8 Pt intérim. :* Gal N. BRAVO ; J.-M. de SALAS ; Valentin GÓMEZ-FARIAS. **47** *dictateur :* Gal A. LÓPEZ DE SANTA ANNA ; *avril intérim. :* Gal Pedro-Maria ANAYA (1795-1854) ; *mai Pt :* Gal A. LÓPEZ DE SANTA ANNA ; *-13-9 intérim. :* Manuel DE LA PEÑA Y PEÑA (1789-?). **48**-*30-5 Pt :* Gal J.-J. HERRERA. **51** Gal Mariano ARISTA (1802-55). **53** *janv. intérim. :* Juan-Batista CEBALLOS ; *-7-2* Gal Manuel-Maria LOMBARDINI ; *-20-4 dict. à vie :* Gal A. LÓPEZ DE SANTA ANNA. **55** *intérim. :* Gal Martin CARRERA (1807-?) ; Gal Juan ÁLVAREZ (1790-1867) ; *« substitut » :* Ignacio COMONFORT (1812-63). **58** *janv. dict. :* Gal Félix ZULOAGA (n. c.) ; *mai Pt revendiquant la succession de Comonfort (à Veracruz) :* Benito JUÁREZ (1806-72) ; *-23-12 intérim. (à Mexico) :* Gal Miguel MIRAMÓN [1832-67, fusillé (rétablit Zuloaga, puis est confirmé Pt intérimaire)]. **59** *avril Pt reconnu par USA* (à Veracruz) : B. JUÁREZ. **61** *janv. Pt unique :* B. JUÁREZ (entré à Mexico après vict. de San Miguel 22-12-60).

Empire. 1864 MAXIMILIEN (1832-67) (Ferdinand-Joseph de Habsbourg, arch. d'Autriche, frère cadet de l'emp. François-Joseph, fusillé). Empereur. Ép. 1857 Charlotte de Saxe-Cobourg-Gotha et de Belg. (1840-† folle 1927). **République. 1867** B. JUÁREZ. **72** Sebastián LERDO DE TEJADA (1827-89). **76** Gal Porfirio DÍAZ (1828-1915). Gal Juan N. MENDEZ (1820-94). **77** Gal P. DÍAZ. **80** Gal Manuel GONZÁLEZ (1815-93). **84** Gal P. DÍAZ.

1911-*25-5 intérim. :* Francisco LEÓN DE LA BARRA ; *-17-10 Pt :* Francisco MADERO (1873-1913, assas.). **13**-*18-2 intérim. :* Gal Victoriano HUERTA (v. 1850-1916). **14**-*16-7 intérim. :* Francisco CARBAJAL ; *-16-8* Gal Eulalio Martín GUTIERREZ ; *sept.* Roque GONZÁLEZ GARZA ; *-10-10 Pt unique,* reconnu par USA, Brésil, Chili, Bolivie, Uruguay, Guatemala : Venustiano CARRANZA (1859-1920, assas.). **17** *janv. Pt selon la nouvelle Constitution :* V. CARRANZA. **20** *janv. 5e triumvirat :* Gal Alvaro OBREGÓN (1880-1928, assas.) ; Gal Plutarco Elias CALLES (1877-1945) ; Adolfo DE LA HUERTA (1881-1955) ; *avril intérim. :* A. DE LA HUERTA ; *-1-12* Gal A. OBREGÓN. **24**-*1-12* Gal Plutarco Elias CALLES. **28** Emilio PORTES GIL (1891-1958). **30** Pascal ORTIZ RUBIO (1877-1963). **32** Gal Abelardo L. RODRIGUEZ (1890-1967). **34** Gal Lazaro CÁRDENAS (1895-1970 ; à Mexico 118 rues portent son nom). **40** Gal Manuel AVILA CAMACHO (1897-1955). **46** Miguel ALEMÁN VALDÉS (1905-83). **52** Adolfo RUIZ CORTINES (1890-73). **58** Adolfo LÓPEZ MATEOS (1910-69). **64** Gustavo DÍAZ ORDAZ (1911-79). **70** Luis ECHEVERRIA ÁLVAREZ (17-1-1922). **76** José LOPEZ PORTILLO (16-6-20). **82** (1-12) Miguel de la MADRID HURTADO (12-2-34) PRI élu Pt avec 71,63 % des v. ; entrée en fonctions le 1-12-82. **88** *6-7* PRI, Carlos SALINAS DE GORTARI (n. 3-4-1948), élu Pt avec 50,7 % des voix [contre Cuauhtémoc Cardenas (Front dém. nat.) 31,12 %, Manuel Clouthier, † dans un accident le 1-10-89, 17,07 %] ; entrée en fonctions le 1-12-88.

Élections. Lég. et, entre parenthèses, **sén. 6-7-88 :** PRI 260 s. (60) ; PAN 101 (0) ; FDN 139 (4).

Partis. *PRI (Partido Revolucionario Institucional),* f. 1946 par Miguel Alemán ; Pt : Luis Donaldo Colosio ; Secr. gén. : Victor Manuel Camacho Solis [antécédents : *P. Nacional Revolucionario,* f. 1929 par F. Calles, *P. de la Revolución Mex. (PRM)* f. 1938 par Cardenas]. *PRD (P. Revolucionario Dem.)* f. 1989 par Cuauhtémoc Cardenas, fils du Pt Lazaro Cardenas. *PAN (P. de Acción Nacional),* f. 1938 ; Pt Luis H. Alvarez ; Secr. gén. Gonzalo Altamirano Dimas. *PPS (P. Popular Socialista),* f. 20-6-1948 par Vicente Lombardo Toledano (1894-1968) sous le nom de *P. Popular* (devient PPS 1960) ; Secr. gén. Indalecio Sayago Herrera [avant Pt Jorge Cruickshank García (1968 à 89). *PDM (P. Demócrata Mexicano),* f. 1975 ; Pt Victor Atilano Gomez. *PSUM (avant PCM) (P. Socialista Unificado de M.),* f. 1981 ; Pt M. Pablo Gómez. *PST (P. Socialista de los Trabajadores),* f. 1975 ; Pt M. Rafael Aguilar Talamantes. *PMT (P. Mex. de los Trabajadores),* f. 1981 ; Pt Heberto Castillo. *PRT (P. Revolucionario de Trabajadores),* f. 1981 ; Pt Pedro Peñaloza. *PARM (P. Autentico de la Revolución Mex.),* f. 1954 ; Pt Carlos Enrique Cantu Rosas. *PSD (P. Social Demócrata) ;* Pt Manuel Moreno Sanchez.

Économie

P.N.B. ($ par h.) *1982 :* 2 740 ; *86 :* 1 503 ; *87 :* 1 698 ; *88 :* 2 096. **Pop. active** (%, entre parenthèses part du P.N.B. en %) agr. 36 (12), ind. 18 (18), services 38 (55), mines 8 (15). *Chômage* (86) : 18 %, sous-employés env. 50 % de la pop. active. **Inflation** (%). *1980 :* 26,4 ; *81 :* 28,6 ; *82 :* 99 ; *83 :* 81 ; *84 :* 65,5 ; *85 :* 57,7 ; *86 :* 86 ; *87 :* 132 ; *88 :* 51,7 ; *89 :* 19,7 ; *90 :* 30. **Croissance** (%). *1980 :* 7,5 ; *82 :* – 2,8 ; *83 :* – 5,3 ; *84 :* 4,5 ; *85 :* 4,1 ; *86 :* – 4,3 ; *87 :* 1,1 ; *88 :* 0,4 ; *89 :* 2,5 ; *90 :* 3. **Salaire min.** (86). Env. 600 F. **Dette extérieure** (milliards de $). *1970 :* 5 ; *88 :* 107 (84 % du P.N.B.) ; *-25-7* dette de 54 milliards de $ auprès de plus de 500 banques privées dont (en 1988) banques amér. 23,4, jap. 6,5, canadiennes 5,2, franç. 5,1, all. 4, suisses 1,7, ital. 1,4, divers 6,7, renégociée *3 options :* échanges des créances des banques après décote de 35 % contre des obligations à 30 ans ; échanges sans décote contre des obligations à taux réduits 6,25 % au lieu de 10 % (leurs intérêts seront garantis 2 ans par des crédits du FMI, de la Banque mondiale et du Japon) ; possibilité de reprêter ou de capitaliser env. 60 % des intérêts pendant 4 ans. Une clause de « bonne fortune » prévoit d'accroître les paiements si après 7 ans l'économie va mieux. *1990 (30-6) :* dette : 74,4, service : 1,9. **Engagements auprès des banques** (milliards de $, 88). 75, dont b. amér. 23,6, jap. 11, brit. 8,7, can. 5,8, franç. 5,5, all. 4, suisses 1,8, ital. 1,4. **Avoirs mex. aux USA** (milliards de $). 65 à 120. **Réserves de change** (90) 12 milliards de $. **Déficit budgétaire.** 20 % du P.I.B. **Salaires des émigrés** (est. 83). 23 milliards de $. **Investissements étrangers** (milliards de $). *1984 :* 1,44 ; *85 :* 1,87 ; *86 :* 4,33. Drogue (transit vers USA), contrebande, prostitution représentent 30 % des activités écon.

Agriculture. *Terres* (millions d'ha, 81) arables 21,9, t. cultivées 1,5, pâturages 74,5, forêts 47,9, eaux 4,9, divers 46,4. *Prod.* (millions de t, 88) canne à sucre 41,5, maïs 12, sorgho 5,5, blé 3,5, tomates 1,7, bananes 1,5, oranges 1,4, café 0,3, coton 0,26, riz 0,54, orge 0,6, patates douces 0,05, arachides 0,06, noix de coco 1, coprah 0,1, sésame 0,1, avocats 0,46 (87), citrons 0,6, raisin 0,6. **Forêts.** 21 228 000 m^3 (86). **Élevage** (millions de têtes, 88). Volailles 243, bovins 31,2, porcs 18,8, chèvres 10,5 chevaux 6,1, moutons 6, mulets 3,1, ânes 3,1, **Pêche.** 1 370 t.

Pétrole : (30 % dans le Tabasco), *réserves* (millions de t) prouvées 7 382, potentielles 35 000 ; *production : 1981 :* 120 ; *85 :* 152 ; *86 :* 140 ; *87 :* 140 ; *88 :* 145,2 ; *89 :* 145 ; *revenus pétrole :* 6,3 milliards de $ (1987). **Gaz** (milliards de m^3) : *réserves* 2 166, *prod. 87 :* 26,4 ; *88 :* 26,3. **Mines. Charbon** (83) : 7 300 000 t. **Divers** (milliers de t, 88) : fer 3 470, sulfate 2 050 (86), zinc 300, cuivre 272, fluor 757 (86), argent 2,3, or 9,2, plomb 190 (87), antimoine 3,3, mercure, arsenic 5,3, graphite 37,7, molybdène, soufre, opale. **Industrie.** Raffinage du pétrole, artisanat. *Maquiladoras :* usines d'assemblage sous douanes qui importent leurs mat. 1res et réexportent leur production. 500 000 employés (sous-payés).

Transports (km). *Routes* 233 712. *Chemins de fer* 20 164. **Tourisme.** *Visiteurs : 1987 :* 5 407 000 dont (85) Américains 80 %, Canadiens 8, Européens 7 ; *88 :* 5 694 000. *Revenu* (milliards de $) *1986 :* 1,8 ; *87 :* 2,3 ; *88 :* 2,5.

Commerce (millions de $ US, prév. 87). *Exportations :* 20 658 (88) *dont* pétrole 7 877, café 492, crevettes et crabes surgelés 435, dérivés du pétrole 279, gaz 229 (84), cuivre 161 *vers* USA 13 222 (70 % des exp.), Japon 1 349, Espagne 1 232, *France 581,* All. féd. 325. *Importations :* 18 954 (88) *dont* composants automobiles 753, soja 220, sorgho 62, mach. agric. 31, *de* USA 7 903 (64,5 % des imp.), All. féd. 835, Japon 795, *France 344,* G.-B. 214. **Balance** (milliards de $). *1982 :* + 6 ; *83 :* + 13,7 ; *84 :* + 12,8 ; *85 :* + 8,4 ; *87 :* + 8,4 ; *88 :* + 2,4 ; *89 :* + 0,1.

Nota. – Protections douanières abaissées de 40 % à – de 10 % dep. 1986.

Rang dans le monde (88). 1er argent. 4e pétrole, café. 5e canne à sucre. 6e maïs. 7e bovins, porcins. 8e rés. pétrole. 10e cacao. 11e gaz nat. 12e rés. gaz nat., céréales. 13e cuivre, fer.

MONACO

V. légende p. 837.

Situation. Enclave dans les Alpes-Maritimes. 1,81 km^2 (+ 0,40 km^2 gagné sur la mer). *Frontières :* 4,5 km. *Long.* 3 km, *larg.* 20 à 300 m. *Côtes* 5,16 km. *Alt. max.* chemin des Révoires 161,51 m. **Climat :** moy. janv. 10,3 °C, pluies 62 j par an.

Population. 30 000 h. (est. 83) dont 4 481 nationaux. Étrangers dont *12 655 Français,* 4 457 Italiens, Grecs, Suisses, Brit. D. 16 574. **Villes** (82) : *Monaco* 1 234 h., Monte-Carlo 13 154, La Condamine 12 675. **Langues.** Français *(off.),* monégasque (dialecte ligurien, mots : 70 % ligures, 30 % provençaux, français et italiens), italien. **Religion.** Catholique.

Histoire. Habitat préhistorique (Cromagnon), puis peuplades ligures. Colonie phénicienne, grecque, puis romaine. **1162** possession génoise. **1215** création de la forteresse. **1297** prise par François Grimaldi. **1512** Lucien Grimaldi, seigneur de M., obtient des lettres patentes de Louis XII, alors seigneur de Gênes. **1524** tr. de Burgos et de Tordesillas avec Esp. : protectorat esp. jusqu'en 1641. **1641** tr. de Péronne : la France reconnaît à Honoré II : Menton, Roquebrune et duché de Valentinois. **1715** Pcesse Louise Hippolyte ép. Jacques-François de Goyon-Matignon. **1789** Valentinois perdu (nuit du 4 août) et inclus dans la Drôme. **1793** M. réuni à la Fr. Honoré III et sa famille sont emprisonnés ; sa belle-fille, Thérèse de Choiseul-Stainville, condamnée à mort par un trib. révol. est guillotinée le 9 thermidor. **1814** tr. de Paris : les Grimaldi recouvrent M. **1815**-*20-11* tr. de Stupinigi organisant protectorat sarde. **1848** roi de Sardaigne occupe Menton et

Roquebrune. **1860**-*18-7* garnison : Sard. évacue M. **1861**-*2-2* tr. avec Fr. établissant union douanière ; Menton et Roquebrune vendus à la Fr., 400 millions de F. M. reste indépendant. -*7-3* tr. de délimitation avec Roi de Sard. **1865**-*9-11* convention relative à l'union douanière et aux rapports de voisinage. **1878-79** opéra construit (Garnier). **1910** Musée océanographique. **1911** 1re Constitution. **1918**-*11-6* tr. avec Fr. confirmant union douanière et reconnaissant au Pce de M. le droit à une représ. diplomatique internat. **1940** occupation ital. **1943** allemande. **1963**-*18-5* nouvelle convention avec Fr. (suppression de privilèges fiscaux des Fr. y vivant dep. 13-10-1957). **1988** *oct.* André Saint-Mleux et Jacques Seydoux de Clausonne, dir. de la SBM, démissionnent (affaire boursière portant sur 30 millions de F).

Statut. Principauté indépendante. Souveraineté confirmée par les signataires du tr. de Versailles (1919) et des accords d'Helsinki (1973). Le traité du 11-6-1918 décida que la succession à la couronne « par l'effet d'un mariage, d'une adoption ou autrement » ne pourrait être dévolue qu'à une personne de nationalité monégasque ou fr. agréée par le Gouv. fr. (pour éviter alors l'accession éventuelle de la maison allemande d'Urach Wurtemberg). Le 28-6-1919, les signataires du tr. de Versailles (art. 436) reconnurent avoir pris connaissance du tr. fr.-mon. de 1918. La succession au trône, revendiquée sur le plan hist. par la maison de Caumont-La Force, ligne cadette masculine issue d'Honoré III de M. (1720-95), n'a plus, du fait de ces textes, de fondement juridique.

Constitution du 5-1-1911 ; du 17-12-1962. *Pouvoir législatif* partagé entre le *Pce* et un *Conseil nat.* (18 m. élus p. 5 a. au suffr. univ. direct). *Exécutif* exercé sous l'autorité du Pce par un *ministre d'État* (Jean Ausseil dep. 16-9-85), français, assisté de 3 conseillers de gouv. (finances et écon., intérieur, trav. publics et aff. sociales). *Conseil communal* élu. [*Maire :* Anne-Marie Campora dep. 17-2-91 (avant, Jean-Louis Médecin, dep. 1971)]. *Monnaie* franc français et pièces divisionnaires monégasques. *Police* 400 m. (95 % Français). *Archevêché* dep. 30-7-1981 dépendant du Vatican. **Fête nat :** 19-11 (fête Pce Rainier III). **Drapeau :** adopté 1881 : rouge et blanc (armes du Pce, origine médiévale). **Élections du 24-1-88** *au Cons. nat. :* inscrits 4 244, votants 2 985, exprimés 2 830. *Union nat. et démocratique* (Jean-Charles Rey) 18 s.

Ascendance. Rainier III descend par les femmes de Rainier Ier Grimaldi, amiral de France, seigneur de Cagnes (v. 1267-1314). *1662 : Louis Ier* (1642-1701) ; ép. 1660 Charlotte-Catherine de Gramont (1639-1678), reconnu 1688 Pce de Monaco par Louis XIV son parrain. *1701 : Antoine Ier* (1661/20-2-1731) son fils ; ép. 1688 Marie de Lorraine, fille de Louis d'Harcourt-Armagnac (1674-1724). *1731 : Jacques-François de Goyon-Matignon* (1689-1751), Cte de Thorigny, son gendre, ép. 1715 la Pcesse héritière Louise-Hippolyte (1697-1731) ; il prit le nom et les armes des Grimaldi. *1731 : Honoré III* (10-9-1720/95) son fils ; succède le 29-12-1731 à sa mère sous la tutelle de son père ; ép. 1751 Marie-Catherine de Brignole-Sale, fille d'un doge de Gênes. *1814 : Honoré IV* (17-5-1758/16-2-1819) son fils ; ép. 1777 Louise d'Aumont, duchesse de Mazarin (1759-1826), div. 1798 ; entré au service de Napoléon, Grand Écuyer de l'impératrice Joséphine, il fut créé baron d'Empire. *1819 : Honoré V* (mai 1778/2-10-1841) son fils ; pair de France en 1814, célibataire. *1841 : Florestan Ier* (10-10-1785/20-6-1856) son frère ; ép. 27-11-1816 Marie-Louis-Caroline Gibert de Lametz (18-7-1793/23-11-1879) qui fut danseuse. *1856 : Charles III* (8-12-1818/10-9-89) son fils ; ép. 28-9-1846 la Ctesse Antoinette de Mérode-Westerloo (1828/10-12-64). *1889 : Albert Ier* (1848-1922) son fils ; ép. 1°) 1869 Marie-Victoire (1850-1922), fille du duc de Hamilton & Brandon, dont Louis II (mariage annulé). 2°) 1889 Marie-Alice Heine (1858-1925, veuve d'Armand, duc de Richelieu) div. 1902 ; à partir de 1869, navigateur (recherches océanographiques). *1922 : Louis II* (1870-1949) son fils ; ép. 25-7-1946 Ghislaine Dommanget (1900-1991), actrice, divorcée d'André Brûlé) Pcesse douairière 1949, reprit quelque temps son métier (dernière apparition sur scène en 1960 dans l'opérette « Rose de Noël »). De Juliette Louvet (1867-1930, blanchisseuse de son régiment en Algérie), Louis II avait eu une fille *Charlotte* (30-8-1898/30-9-1977), qu'il reconnut (reconnaissance approuvée et confirmée par Albert Ier 15-11-1911), titrée Mlle de Valentinois et reconnue apte à succéder au trône (selon l'usage m., les sujets d'Albert Ier, assemblés dans la cour du palais princier, reconnurent Charlotte comme la fille du Pce Louis, et comme leur Pcesse, et le 30-10-1918, Albert Ier modifia les règles de succession au trône) ; le 16-3-19 Louis l'adopta en présence du Pt fr. Poincaré à Paris ; 20-5-19 duchesse de Valentinois ; 1-8-22 Pcesse héréditaire de M. ; 19-3-20 ép. Cte Pierre de Polignac (24-10-95/10-11-64) naturalisé monégasque la veille sous le nom de Grimaldi, créé Pce Pierre de Monaco (elle divorcera 1933) dont : Rainier III et Antoinette. En 1944, elle renonça à ses droits en faveur de Rainier.

Descendance. *Rainier III* (n. 31-5-23) f. de Charlotte et du Pce Pierre ; ancien résistant, termine la g. comme lieutenant à Berlin, croix de guerre, légion d'honneur à titre militaire ; ép. 19-4-56 Grace Patricia Kelly (actrice) (12-11-29/† 19-9-82 des suites d'un accident de voiture). **3 enfants :** *Pcesse Caroline* (23-1-57) ép. *1°)* 28-6-78 Philippe Junot (19-4-40), divorcée 9-10-80 ; *2°)* 29-12-83 Stephano Casiraghi (1960/† 3-10-90 accident offshore), dont : Andrea (8-6-84), Charlotte (3-8-86), Pierre (7-9-87). *Pce héritier Albert*, Mis des Baux [1] (14-3-58). *Pcesse Stéphanie* (1-2-65).

Sœur de Rainier. Pcesse *Antoinette*, titrée baronne de Massy ép. 1°) 1-12-51 Alexandre Noghes dont 3 enfants, divorcée 10-5-54 ; 2°) 2-12-61 Jean-Charles Rey, div. 1974 ; 3°) 28-7-83 John Brian Gilpin, † 5-9-83.

Titres du Pce : Son Altesse sérénissime N, Pce de Monaco, duc de Valentinois [1], Mis des Baux, Cte de Carlades, Bon de Buis, seigneur de St-Rémy, sire de Matignon, Cte de Thorigny, Bon de St-Lô, de la Luthumière et de Hambye, duc d'Estouteville, de Mazarin et de Mayenne, Pce de Château-Porcien, Cte de Ferrette, de Belfort, de Thann et de Rosemont, Bon d'Altkirch, seigneur d'Isenheim, Mis de Chilly, Cte de Longjumeau, Bon de Massy, Mis de Guiscard.

Nota. – (1) Des héraldistes français ont contesté que les Pces de M. puissent porter et disposer de ce titre (relevant du droit des titres en Fr., ils ne sont transmissibles ni par les femmes ni par bâtardise).

Prétendants. *Descendance de Florestine* (22-10-1833/24-4-1897) sœur de Charles III, ép. 16-2-1863 Guillaume de Wurtemberg (1810-1869), 1er duc d'Urach, dont : Guillaume (n. 3-3-1864), 2e duc d'Urach, qui eut 9 enfants. Le 4-10-1924, il écrivit au Cte Aymard de Chabrillan, lui cédant tous ses droits sur M. pour lui, son frère et ses descendants. *Branche de Chabrillan,* descendance de Joseph (1767-1816) fils d'Honoré III et frère d'Honoré IV ; ép. 1782 Thérèse de Choiseul-Stainville [1767-guillotinée 9 thermidor (26-7-1794)] dont : Honorine (1784-1879) qui ép. 1803 René Mis de La Tour du Pin Chambly de La Charce (1779-1832) dont : Joséphine (1805-1865) qui ép. 1826 Jules de Moreton, Cte de Chabrillan (1796-1863) dont : Fortuné (1828-1900) dont : Aymard (1869-1950) Cte puis Mis de Chabrillan dont : Robert (1896-1925) sans postérité, Anne-Marie (1894-1983) Ctesse de Caumont La Force, prétendante (dont : Jean), Ctesse Henri de Mortemart (1897-1938).

Budget (en millions de F, 88). *Recettes :* 2 527 (dont TVA 55 %, jeux 4 %). *Dépenses :* 2 239. *Monopoles :* exploités par l'État (tabac, téléphone, timbres, etc.) 324 (86), concédés (Casino, SBM, Radio Monte-Carlo) 115 (86).

Douanes (en millions de F, 86). 97. *Transactions commerciales* 1 429. *Bénéfices commerciaux* 119.

Tourisme (86). 231 841 vis. (88) arrivés dans les hôtels, 642 123 nuitées, 912 196 vis. au musée océanographique, 517 561 jardin exotique, 75 527 musée national. *Infrastructures :* 2 400 chambres, 140 restaurants.

Société des bains de mer (SBM). *Créée* 1863 par Charles III, afin de développer les jeux d'argent sur le modèle des villes thermales allemandes ; en donne pour 50 ans la concession à François Blanc (1816-77), qui fera construire le casino de Monte-Carlo, l'hôtel de Paris et l'Opéra. *Capital :* 69 % détenus par *l'État* (Onassis en était principal actionnaire). Apport dans le budget de 4 %, 1er employeur (2 250 salariés). 2 casinos, 5 hôtels (dont l'H. de Paris, l'Hermitage et le Monte-Carlo Beach), Opéra, 18 restaurants, clubs (Monte-Carlo Country Club, M.-C. Sporting Club et M.-C. Golf Club), piscines. *Patrimoine foncier :* 1/12 de la superficie de Monaco. *C.A.* (89) : 1,13 milliard de F (dont jeux 869 millions). *Bénéfices* (88) : 122 millions de F.

MONGOLIE

Carte p. 902. V. légende p. 837.

Situation. Asie. 1 565 000 km². Hautes plaines et montagnes. *Alt. moy.* 1 580 m ; *max.* Pic du Tavan Bogd 4 374 m (Altaï mongol) ; *min.* 560 m (lac Khoekh nouour). *Frontières :* Chine 4 673 km. U.R.S.S. 3 485 km, Au N. taïga. Au centre steppes et pâturages. Au S. désert de Gobi (1/3 du terr.). Env. 1 500 lacs dont Oubs Nour 3 350 km², Khubsugul 2 620 km² et 4 000 rivières. **Climat** continental (+ 35 °C en été, – 40 °C en hiver), *pluies* 250 mm/an.

Population. *1990 :* 2 094 200 h. [dont (%) Khalkas 77,5, Kazakhs 5,2, Derbets 2,9, Bouriates 2,5, étrangers : Russes env. 1,8, divers 4,7 (surtout Chinois)], *2000 (prév.) :* 3 888 000. **Âge.** – *de 15 a. :* 42 %. + *de 65 a. :* 3 %. D. 1,3 (3,9 au centre). **Pop. urbaine.** 1 048 900 (87). **Émigration.** 10 400 étudiants en U.R.S.S. et pays soc. 3 500 000 Mongols vivent en Chine. **Immigration.** Russes (en 85, 54 300 techniciens et 5 divisions), Bulgares, Polonais, Hongrois, All. de l'E., Tchèques, Chinois (2 000 à 3 000). **Villes** (89) : *Oulan-Bator* 548 400, Darkhan 85 800 (à 250 km), Erdenet 56 100 (à 300 km), Tchoibalsan 31 300 (87) (à 500 km), Soukhé-Bator. **Langues.** Mongol : dialecte khalka (*off.,* parlé par 77,5 % de la pop., 26 lettres, écrites verticalement, originaires de Phénicie, remplacées par cyrilliques de 1940 à 90) ; autres dialectes : khazakh (parlé par 5,3 % de la pop.). **Religion.** Lamaïsme jaune adopté XVIe s. (importé du Tibet par Altan Khan, descendant de Gengis). *Début XXe :* 100 000 lamas, 2 000 temples et monastères. *1936 :* purges (30 000 lamas †). *1990 :* renouveau autour du monastère de Ganden (env. 100 lamas), les autres étant devenus des musées. Chef spirituel : Grand Lama Dagradoj (n. 1923, 1er lama non membre du P.C. dep. 1930), élu mai 1990.

Histoire. Tribus d'éleveurs nomades de Sibérie (haut Amour), proches des Turcs et peu éloignées des Huns. **1155 (1162** ou **1167)** naissance de Gengis Khan. **1189-1205** unification des Mongols, soumission ou ralliement des peuples de la steppe. **1206** Empire m. **1207** début des conquêtes, achèvement du regroupement des peuples turco-m. (soumission Sibérie). **1209** 1re campagne contre les Tangut (Xi Xia). **1211** invasion Chine du Nord (Jin) ; destruction de l'empire des Kara Kitai (Xi Liao). **1215** prise de Pékin (Zhongdu). **1218** conquête Turkestan oriental. **1219** expédition en Corée. **1219-21** conquête et destruction de l'Empire du Khwarazm, mise à sac de Boukhara, Samarkande, Urgenč, Merv. **1221-23** expédition des généraux m. Jebe et Sübödei à travers Azerbaïdjan, Géorgie, Crimée, S. Russie (défaite princes russes sur la Kalka), cours de la Volga jusqu'à l'embouchure de la Kama (Khanat bulgare). **1225-27** 2e campagne contre Tangut, destruction de l'Empire Xi Xia. **1227**-*18-8* Gengis Khan meurt, ses fils se partagent ses domaines et continuent les conquêtes. **1234** conquête Chine du N. achevée jusqu'au fleuve Jaune, empire des Jin détruit. **1235-39** conquête de la Transcaucasie. **1236-38** 1re campagne en Russie (Riazan, Moscou, Vladimir, échec vers Novgorod). **1239-40** 2e campagne (Pereïaslavl, Černigov, Kiev). **1241-42** invasion Pologne, Hongrie, Moravie. **1244** conquête Turquie. **1252** conquête Iran (début) ; début des campagnes contre dynastie Song chinoise. **1258** Bagdad prise ; soumission définitive de Corée. **1267-79** destruction finale des Song, Chine soumise totalement. **1274-81** expéditions navales infructueuses sur côtes jap. **1275-93** expéditions visant à la soumission des roy. d'Asie du S.-E. **1287** Tibet conquis. **1292** Iran conquis. **1293** expédition navale à Java. **1280-1368** unie à la Chine, gouvernée par descendants de Kubilaï. **1368** Chinois chassent la dynastie m. et fondent dyn. des Tsing. **XIVe-XVIe s.** Ming construisent la Grande Muraille pour se protéger des M. (qui dominent hauts plateaux jusqu'au lac Balkash). **XVIIe-XIXe s.** princes m. orientaux, dont les États forment la « M. Intérieure » (sinisée), reconnaissent la suzeraineté des empereurs mand. ; princes de « M. Extérieure » restent indép. ; Russes conquièrent Sibérie (au N.-O.). **1911**-*16-12*-**1919** gouv. autonome de Bogdo Ghéghen. Rejette domination mandchoue. **1912** princes de M. Int. se rallient à la Rép. chinoise. **1913**-*23-10* autonomie reconnue par Chine. **1915** princes de M. Ext. signent *tr. de Kiakhta* avec Russie et Chine, reconnaissant ind. de la M. sous protection russe (chef d'État : le Bouddah vivant, Djibdsun Damba Khutukhtu). **1919-21** province autonome chin., après dénonciation par Chine du tr. de Kiakhta. **1921**-*31-3* indép. -*11-7* révolution dirigée par Soukhé Bator ; partage des troupeaux et terres, annulation des dettes envers étrangers, monopolisation du com. ext. -5-11 tr. d'amitié avec URSS, ind. **1924**-*11-7* † du dernier roi, Bodg Javzandanba. **1924**-*26-11* Rép. populaire à la mort du khan Bogdo Ghéghen. URSS reconnaît souveraineté chin. sur M., mais celle-ci reste virtuelle en raison de la g. civile en Chine et de la g. sino-jap. **1933-41** purges, 30 000 †. **1941** PM Amar tué en URSS. **1936**-*12-3* protocole d'assistance mutuelle avec URSS. **1937-52** Horlogiyn Choybalsan. **1940-84** Youmjaguin Tsedenbal au pouvoir (1916-91). **1946**-*5-1* Chine renonce à ses droits après plébiscite (20-10) pour *indép.* -*27-2* tr. d'amitié et d'assistance mutuelle avec URSS. **1959** achèvement de la collectivisation. **1961**-*28-10* admise ONU. **1962** membre du COMECON. **1984** Tsedenbal limogé. **1989** relations dipl. avec CEE. **1990**-*14-1* 3e manif. à Oulan-Bator. L'UDM (Union dém. mongole créée déc. 1989, 60 000 m. en janv. 90) réclame élections libres et référendum sur l'écon. de marché. *-21-1* manif. de l'UDM réclamant de vraies réformes. *-25-1* Y. Tsedenbal, ancien Pt, exclu des jeunesses comm. à 73 ans. *-18-2* manif. à Oulan-Bator. *-8-3* grève de la faim d'opposants. *-12-3* dirigeants du PC démissionnent. *-15-3* Tsedenbal exclu du PC. *-21-3* art. 82 de la Const., garantissant au PC le monopole du pouvoir, aboli. *-26-3* relations dipl. avec Corée du S. rétablies (le Japon doit aussi ouvrir une ambassade). *-20-4* Tsedenbal perd ses titres de héros de la Rép. pop., de héros du travail et son rang de maréchal. *15-5* au *1-8* retrait prévu de 26 000 soldats sov. *-2-8* visite du secr. d'État amér. James Baker (accord d'assistance de 1,1 million de $). **1991**-*20-4* Tsedenbal † (exilé à Moscou).

Statut. Rép. populaire. *Const.* du 6-7-1960. *Ass. populaire* (Grand Khoural) élue p. 5 a., 370 m., élit un *praesidium* de 5 m. dont le Pt est le chef de l'É. *Pt du Praesidium de l'Ass. pop.* Punsalmaagyn Otshirbat (48 ans) dep. 21-3-90 [avant, Jambyn Batmohn (10-2-26) et Tsedenbal]. *PM* Chavaryn Gounjaadorj dep. 21-3-90. **Provinces** 18 (aïmags) divisées en 255 soums et 3 villes. **Élections législatives (29-7-90)** 98 % de participation : PPR 357 sièges sur 430 au Grand Khoural (31 sièges sur 50 au Petit Kh.), PDM 20, P. du progrès nat. 6, P. social-dém. 4, Indép. **Fête nat. :** 11-7 (Révolution). **Drapeau :** adopté 1949 ; rouge (communisme), bleu (patriotisme), rouge. Symbole : *soyombo* (liberté) et étoile dorée (endurance et P. comm.).

Partis. *PPRM (Part. populaire et révol. mongol),* f. mars 1921 par Soukhé Bator et Horlogyin Tchoibalsan, abandonne marxisme fév. 91, (94 750 m. en 90). *Secr. gén. :* Gombojaviyn Otshirbat (55 ans) dep. 15-3-90. **Armée** russe 66 000 à 100 000 h. (évacuée en 90 et 91).

Économie

P.N.B. (88) env. 783 $ par h. **Pop. active** (%, entre parenthèses part du P.N.B. en %) agr. 36 (29), ind. 24 (25), services 34 (34), mines 6 (12). 946 000 actifs (87) dont agriculteurs 313 000. **Inflation :** *1984 :* 65,5 %. **Dette envers U.R.S.S.** (90) : 14 milliards de $. **Aide de l'U.R.S.S. :** 350 $ par an par hab.

Agriculture. *Terres* (milliers d'ha, 87) cultivées en céréales 622,9, fourrage 160,8, légumes 16,4. *Production* (t, 89) fourrage 1 047 900, céréales 798 600, foin 287 400, p. de terre 146 700, légumes 46 800. **Élevage** (milliers de têtes, 89). Moutons 14 215, chèvres 4 939, bovins 2 675, chevaux 2 187, chameaux 582. Viande, cuirs, peaux, laine. Élev. nomade ou semi-nomade.

Mines (89). Charbon et lignite 8 045 700 t, fluor 578 000 t, cuivre, molybdène, wolfram, tungstène, nickel, fer, étain, or, argent, pierres précieuses. **Industries** minière, légère, alimentaire. **Transports.** Chemins de fer 1 807 km.

Commerce (millions de roubles, 88). 97 % avec COMECON. *Exportations* 493 *dont* (%) biens de consom. 16, fuel, minéraux, métaux 41,7, mat. 1res pour ind. alim. et prod. pour l'ind. 39, matériels 3,5. *Importations* 715 *dont* (%) mach. et équip. 30,2, fuel, minéraux, métaux 33,5, biens de consom., prod. pour l'ind. 18,5, prod. alim. et mat. 1res pour l'ind. alim. 10,8, prod. chim. 7. **Avec l'U.R.S.S. :** *Exportations* 375. *Importations* 645.

Rang dans le monde (85). 1er fluor. 7e chevaux. 9e chameaux. 15e cuivre (89). 23e ovins (89).

MONTSERRAT

Carte p. 1019. V. légende p. 837.

Situation. Ile de l'archipel Sous-le-Vent (Antilles). 102,6 km² (2/3 montagneuse). *Côtes* 45 km. *Alt. max.* Chance Peak 914 m. **Climat** tropical (pluies déc. à févr. 3 870 mm), ouragans juill.-oct., moy. 28 °C.

Population. 12 250 h. (88). *1981 : - de 15 a. :* 32 %. *+ de 65 a. :* 10. D. 119. **Capitale :** *Plymouth* 3 500. **Langue.** Anglais *(off.).* **Religions** (80). 3 676 anglicans, 2 742 méthodistes, 1 368 catholiques, 1 503 pentecôtistes, 1 041 adventistes, autres 285.

Histoire. **1493** découverte par Christophe Colomb. **1632** colonisée par des Anglais et Irlandais venus de St-Christophe. **1664** arrivée des 1ers esclaves. **1783** possession brit. controversée par la France ; confirmée à la G.-B. par tr. de Versailles. **1816-34** colonie avec Antigua-et-Barbuda. **1834** abolition de l'esclavage. **1871-1956** partie de la Fédération des Iles Sous-le-Vent. **1956** colonie séparée lors de la dissolution de la Féd. **1958-62** m. de la Féd. des Indes occid. **1967** vote pour rester col. brit. **1989** ouragan Hugo (10 †).

Statut. Colonie brit. *Const.* du 1-1-1960. *Gouverneur* Christopher John Turner (dep. 1987). *PM* John A. Osborne dep. 28-11-78. *Conseil exécutif* 7 m. dont 4 élus. *Conseil législatif* 12 m. dont 7 élus. *Élections du* 25-8-87 : P.L.M. (People's Liberation Mov.) 5 s., N.D.P. (National Development Party) 2 s., P.D.P. (People's Democratic Party) 1 s.

Agriculture. *Terres* 4 % cultivés. Oignons, carottes, tomates, p. de terre, citrons, poivre, coton. **Élevage** (milliers de têtes, 86). Volaille 50, ovins 11, bovins 3,5, porcs 1. **Pêche. Tourisme.** 38 290 vis. (88).

Commerce (millions de $ EC, 88). *Exportations* 6,3 *dont* bétail, coton, légumes *vers* Guadeloupe, G.-B., Antigua, Trinité. *Importations* 71,7 *dont* prod. man., boissons, denrées alim. *de* G.-B., U.S.A., Trinité, Canada, P.-Bas.

MOZAMBIQUE

V. légende p. 837.

Situation. Afrique orientale. 799 380 km². *Côtes* 2 795 km. *Frontières :* 3 980 km, avec Tanzanie 600, Malawi 1 200 (dont lac Nyassa 280), Zambie 400, Zimbabwe 1 150, Afr. du S. 630, Swaziland. *Alt. max.* Mt Binga 2 436 m. *Régions principales :* littoral, plateaux moyens, hauts plateaux, montagnes. **Climat** tropical humide et chaud.

Population. *1989 :* 15 500 000 h. (surtout Africains d'ethnie bantoue), *2000 (prév.) :* 21 779 000. **D.** 19,4. **Âge :** *- de 15 a. :* 40 %. *+ de 65 a :* 3 %. *Analphabètes :* 75 %. **Mortalité infantile** (89) : 400 ‰ (- de 5 a.) record mondial. **Villes :** *Maputo* (ex-*Lourenço Marques*) 1 500 000 (89), Beira 200 000 (89), Nampula 150 000 (89), Lichinga 36 715, Inhambane 26 700. **Étrangers :** en 75 (avant l'indép.) env. 250 000 Européens dont 60 000 soldats portugais. *1990 :* quelques milliers d'Européens, Orientaux et Asiatiques. **Émigration :** Ouvriers mineurs en Afr. du S. *1975 :* 118 000 ; *85 :* 44 000. **Réfugiés :** 1 300 000, dont en Afr. du S. 200 000, Malawi 850 000, Tanzanie 72 000, Zimbabwe 175 000, Zambie 22 000. **Langue.** Portugais *(off.),* l. autochtones, bantoue. **Religions** (%). Animisme 40, christianisme 30, islam 30.

Histoire. **1425** État du Monomotapa fondé. **1498** découvert par Vasco de Gama. **1505** colonie port. **1869** esclavage aboli. **1951** province port. **1964** début de guérilla dans le N. **1969** *févr.* Eduardo Mondlane, fondateur du Frelimo, assassiné, remplacé nov. par Marcelino Dos Santos et Samora Machel. **1973** *janv.* nouveau statut. **1974**-*7-9* accord Port. Frelimo sur indép. Troubles à Lourenço Marques 100 †. *-22-10* attentat par rebelles port. 40 †. **1975**-*25-6* indépendance (pertes du Frelimo en 10 ans de g. contre Port. : 2 057 †). *-17-12* putsch avorté. **1976**-*3-2* habitations, médecine et éducation nationalisées. *-3-3* « état de g. » avec Rhodésie ; M. ferme ses frontières. **1977** traité d'amitié et de coopération avec URSS pour 20 ans. *Nov.* raid rhod. au M. 1 200 nation. rh. †. **1980** dénationalisation des petits commerces. *-3-4* Dos Santos, min. du Plan (no 2 du régime) prosoviét., secr. du Comité central. **1981**-*30-1* Maputo raid sud-afr. contre 3 bases de l'ANC (anti-apartheid). **1982** RNM étend son influence au Centre. **1983**-*23-5* raid sud-afr. près de Maputo contre ANC (64 †). **1984**-*3-4 accord de N'Komati,* tr. de non-agression avec Afr. du Sud. **1985** *déc.* guérilla reprend. **1986** famine (années de sécheresse, puis cyclones). *-19-10* Pt Samora Machel (n. 29-9-33), Pt dep. 25-6-75, † dans accident d'avion. **1987** réhabilitation écon. (privatisation). *-18-7* à Homome, 383 † par RNM. *Oct.* 211 †. *-28-9* Pt Chissano en Fr. demande aide milit. *-12-9* rencontre Pt Chissano/Botha. *-14-9* Jean-Paul II au M. **1989** *févr./24-7* offensive RNM. Frelimo abandonne toute référence au marxisme-léninisme. **Bilan de la guerre civile :** *tués* 900 000, *déplacés* 3 millions (dont 1,5 à l'étranger) ; *destruction* sur 75 % du M. : 2 600 écoles primaires, 820 centres de santé, 44 usines, 1 300 tracteurs, camions ou autobus. **1990**-*3-11* RNM rejette nouvelle Const. adoptée le 2. *-1-12* accord gouv./RNM sur stationnement troupes zimbabwiennes. **1991** élections lég.

Statut. Rép. pop. dep. 25-6-75. *Constitution* 1990. *Pt* Joaquim Chissano (n. 22-10-39) dep. 4-11-86. *Ass.* 250 m. élus au suffr. indirect. **Parti :** Frelimo (Front de lib. du M.) f. 25-5-1962 ; P. Frelimo marxiste-léniniste créé 3-2-1977, leader Pt Chissano, 175 000 m. **Opposition :** Resistencia Nacional Mocambicana (RNM ou Renamo), f. nov. 1976, Pt Alfonso Dhlakama, 20 000 combattants, financés par Afr. du Sud. *Troupes étrangères :* 35 000 Zimbabwéens, 6 000 Tanzaniens (retirées déc. 88), 1 000 Malawites, quelques centaines de Cubains, Est-All. **Drapeau :** adopté 1975, revu 1983 : symboles agric. (bande verte et houe), peuple (noir), paix (liserés blancs), sous-sol (jaune), lutte pour l'indépendance (triangle rouge et fusil), éducation (livre) et internationalisme (étoile jaune).

Économie

P.N.B. (90) 120-130 $ par h. **Pop. active** (%, entre parenthèses part du P.N.B. en %) agr. 60 (54), ind. 20 (26), services 20 (20), mines 0 (0). **Inflation** (90). 40 % ; *de 1987 à 90 :* 9 dévaluations.

Agriculture. *Terres* (milliers d'ha, 81) arables 1 650 (90), t. cult. 250 (90), pâturages 44 000, forêts 15 340, eaux 1 750, divers 15 989. *Crises : 1978 :* inondations ; *80/84 :* sécheresse ; *84 :* cyclone, échec des coopératives. *Prod.* (milliers de t, 89) céréales 50 (800 nécessaires), manioc 3 380, canne à sucre 260,3, sucre (20, contre 100 en 80), noix de coco 2,3, maïs 78,4, sorgho 2,4, coprah 15,5, légumineuses 16,1, riz 29,3, coton 31,4, thé 8,7, arachides 65 (86), p. de terre 2,6, patates douces 50 (87), noix de cajou 54,4, sisal 14,3, tabac 0,1, haricots 12,1, tournesol 1,5, millet, huile 5 (20 en 80 ; 15 nécessaires). **Forêts.** Bois tropicaux (précieux et ind.) 15 279 000 t (87). **Élevage** (milliers de têtes, 88). Poulets 21 000, bovins 1 360, canards 580 (82), chèvres 375, porcs 160, moutons 119, ânes 20. **Pêche.** 36 100 t (87).

Mines. Charbon (400 000 t en 90), pétrole (prospection), tantalite, marbre, p. semi-précieuses, gaz, bauxite, cuivre, sel. **Électricité.** Barrage de Cabora-Bassa sur Zambèze, construit 1970-74, prod. 14 milliards de kWh dont partie vendue à l'Afr. du S. (réseau de 1 400 km, env. 7 % de la consom.). 1986 fonctionnait à 1 % de sa capacité (car saboté par RNM). 1988, aide Afr. du S. et Port. pour remise en service. *Prod. 1989 :* 260 millions de kWh. **Industrie** (milliers de t, 87). Sucre 20, mélasse 53 (83), crevettes 5,5, pneus, ciment 73, cajou et dérivés 22,7 (83), charbon. **Transports** (km). Routes 26 000 (87), chemins de fer 3 150 (87) pour les pays voisins (Zimbabwe). *Port de Maputo* (millions de t) : *1973 :* 6,8 ; *74 :* 14 ; *85 :* 0,9 ; *88 :* 2,3.

Commerce (millions de meticals, 86). *Exportations* 3 198 *dont* crevettes 1 549, cajou 675, sucre 326, produits pétroliers 161,8, *vers* USA, Portugal, P.-Bas, All. dém., G.-B., Afr. du S. *Importations* 21 937 *dont* prod. alim. 6 026, biens en capital 3 524, machines 2 737, pétrole 1 937 *de* All. dém., Irak, Afr. du S., Suisse, G.-B., All. féd., Portugal.

Rang dans le monde (88). 1er cajou, 15e thé (83).

NAMIBIE (Sud-Ouest africain)

Carte p. 839. V. légende p. 837.

Nom. Appelé par les pionniers *Transgariep.* **1968** rebaptisé par ONU *Namibie.*

Situation. Nord-O. de l'Afr. du S. 824 269 km². *Côtes* (appelées par les marins *côte des squelettes*) 1 250 km. *Frontières :* Angola 1 550 km. **3 régions.** *Namib* (1/5 du territoire, désertique, 80 à 130 km de large, + hautes dunes du monde), *plateau central* (1/2 de la superficie, 1 000 à 2 000 m d'alt.), *Kalahari* (désert au N. et à l'E.). **Climat.** Pluies S. et O. - de 100 mm par an, Centre 200 à 400 mm, N. et N.-E. + de 400 mm (seules régions de végétation dense).

Population. *1960* (rec.) : 516 012 h. ; *76* (r.) : 732 260 ; *81* (r.) : 1 033 196 ; *89 :* 1 300 000 dont Ovambos 578 000, Kavangos 120 000, Hereros 84 500, Damaras 94 000, Blancs 82 000, Namas 55 700, Métis 52 000, Capriviens 44 600, Bochimans 36 000, Basters 37 000, Tswanas 8 200, autres 12 000 ; *prév. 2000 :* 2 383 000. **Âge :** - *de 15 a. :* 44 %, + *de 65 a. :* 3 %. **D. :** 1,25. **Villes.** *Windhoek* 114 500 h. (capitale : ville noire Katatura), Swakopmund, Lüderitz, Tsumeb. Y compris *Walvis Bay* 1 124 km², 24 500 h. (16 500 Métis, 8 500 Blancs), partie de l'Afr. du S. adm. depuis 1922 comme si elle faisait partie du S.-O. afr., puis le 1-9-77 rattachée à nouveau à l'Afr. du S. **Langues.** Afrikaans, allemand, anglais, l. indigènes. **Religions.** Chrétiens 70 % (200 000 catholiques).

Histoire. Région peuplée par des Bantous. Principales tribus (90 %) : Nasubia et Mafue. **XVe-XVIIIe s.** explorations des Européens : Diogo Cão (1486) et Bartolomeu Dias (1488). **XIXe s.** g. entre tribus. **1878**-*12-3* G.-B. annexe Walvis Bay et des îles le long de la côte (qui sont rattachées à la colonie du Cap). **1884** Allemagne protège régions acquises par l'All. Adolphe Lüderitz (1834-86), puis étend son domaine. **1898** rétablit la paix entre tribus. **1903-06** révoltes des tribus contre All. (nombreux morts, pertes de bétail). **1908** diamants découverts près de Lüderitz. **1915** *juill.* occupation par Union sud-afr. à la demande des Alliés. Reddition all. à Khorab. **1919**-*17-2* mandat de la SDN accordé à G.-B. puis (**1920**) à Union s.-a. **1948** 6 députés bl. représentent la N. au Cap. **1949** annexion par Union s.-a. **1966** -*27-10* mandat retiré par ONU, guérilla (notamment dans bande de *Caprivi*). Opposition. Conv. nat. dirigée par Clemens Kapuuo [chef des Hereros, Pt du NUDO (Organisation dém. de l'unité nat.)] pour un syst. fédéraliste. **1967** fondation à l'ONU d'un conseil pour le S.-O. afr. **1971** *juin* Cour de la Haye déclare illégal mandat Afr. du S. **1975**-*1-9* Conférence de la Turnhalle sur avenir N. **1976**-*18-8* Comité de la Turnhalle fixe indépend. au 31-12-78. **1977**-*27-4* négociations avec Afr. du S. *Sept.* SWAPO intensifie guérilla et refuse de négocier. **1978** min. de la Santé Owambo tué ; rapt de 119 écoliers vers Angola. -*27-3* Kapuuo tué. -*25-4* Afr. du S. accepte plan de règlement de Groupe de contact occidental. *Mai* SWAPO accepte de négocier. -*29-9* résol. 435 ONU réclamant indép. N. -*4/8-12* élection Ass. constituante (50 m.). Abstentions 19,7 %. Alliance démocratique de la Turnhalle (DTA) 41 s. Front nat. de N. (FNN) et SWAPO refusent d'y prendre part. ONU ne reconnaît pas le scrutin. Autonomie interne. **1979** *mars* raids sud.-afr. -*21-5* Ass. législative instituée. -*11-7* abolition discrimination raciale. **1980**-*1-7* Ass. nationale investie du pouvoir exécutif. Institution d'un Conseil des min. **1981**-*7/14-1* échec conférence de Genève. -*24-8* et *1/20-11* raids sud-afr. en Angola. **1982**-*13-3, août* idem. **1983**-*10-1* Dirk Mudge PM démissionne. -*18-1* Ass. dissoute, Afr. du S. reprend contrôle de l'administration. *Févr.* offensive SWAPO. -*31-10* raid sud-afr. en Angola, 160 †. -*12-11* conférence multipartite (MPC). **1984**-*11-1* SWAPO accepte de négocier avec Afr. du S. -*18-4* rend publique une Déclaration des droits et objectifs fondamentaux. -*17-6* gouv. de transition pour l'Unité nationale 62 m ; cabinet ministériel (8 m. + 8 adjoints). -*13/14-7* affrontement police SWAPO (10 maquisards et 1 pol. †). **1988**-*19-2* attentat à Oshakati, 27 †. -*20-2* raid sud-afr. en Angola. -*8-8* accord de Genève (Angola, Cuba et Afr. du S.) prévoit cessez-le-feu. -*22-12* accord à New York : N. sera indépendante, élections libres en nov. 89. Les 50 000 Cubains se retireront d'Angola avant le 1-7-91. **1989**-*27-1* début du retrait sud-afr. (6 000 h. prévus au 1-4). -*1/5-4* SWAPO (env. 1 770 m.) pénètre en N., viole cessez-le-feu (339 †, dont SWAPO 312). -*15-4* 1 900 maquisards rapatriés en Angola. -*9-4* déclaration du mont Etjo (entre Angola, Cuba et Afr. du S.) rétablit cessez-le-feu. -*12-9* Anton Lubowski, dirigeant SWAPO, qui serait un agent sud-afr., assassiné. -*14-9* Samuel Shafiishuna Nujoma (n. 12-5-1929, Ovambo) rentre d'exil (après 28 ans). -*26-9* Katatura affrontements SWAPO/DTA. -*21-11* ouverture Ass. constituante. -*23-11* départ derniers soldats sud-afr. **1990**-*11-1* 1re réunion du gouv. nommé déc. 89 par Sam Nujoma. -*9-2* Constitution. -*16-2* Ass. désigne Nujoma Pt. -*21-3* indépendance. -*11-7* N. devient 5e membre de l'Union douanière sud-afr. -*25-9* adhère FMI et Banque mondiale.

Bilan de la guerre (de 1967 au 1-1-88). + de 20 000 † [dont SWAPO 11 000 (dont *1985 :* 599, *86 :* 645, *87 :* 747)]. *Coût par an* (milliards de F) : *Afr. du S. :* dépenses militaires 2,6 à 3,25 ; aide 3,64.

Statut. République. *Constitution 1990. Pt :* Sam Nujoma (n. 12-5-1929), élu 17-2-90. *Assemblée Constituante :* 72 m.

Partis. *ACN (Action Christian National),* f. 19-3-89, Pt Jannie de West. *CDA (Christian Democratic Action for Social Justice),* f. 1982, Pt Peter Kalangula. *DIA (Democratic Turnhalle Alliance),* f. 1977, Pt Mishake Muyongo ; coalition de 11 partis. *FCN (Federal Convention of N.),* f. 1988, Pt Johannes Diergoardt. *NNDP (Namibia Nat. Democratic P.),* f. 12-6-89, Pt Paul Helmuth. *NNF (Namibia Nat. Front),* recréé 1989, Pt Reinhardt Rukoro. *NPF (Namibian Patriotic Front),* f. 1989, regroupe ANS, CANU et *SWANU (South West Afr. Nat. Union),* Pt Moses Katjiuongua ; *SWAPO (South West Africa People's Organization),* f. 1960 par Sam Nujoma (env. 150 000 m., comité exécutif à Dar es-Salaam, en Tanzanie). Recrutés surtout chez Ovambos (45 à 50 % de la pop. nam.). Soutenue par URSS et satellites. *SWAPO-D (SWAPO-Democrats),* f. 1978, Pt Andreas Shipanga. *UDF (United Democratic Front),* f. 25-2-89, Pt J. Garoëb.

Élections. Du 4 au 8-12-1978. Électeurs potentiels 443 441, inscrits 412 351, suffrages exprimés 331 055. **Du 7 au 11-11-1989.** (Ass. constituante) (sièges, et entre parenthèses, % des voix) : inscrits 701 000, participation 97 %, suffrages exprimés 670 830. SWAPO 41 (57,3), DTA 21 (28,5), U.D.F. 4 (5,6), ACN 3 (3,5), FCN 1 (1,6), NPF 1 (1,5), NNF 1 (0,8), SWAPO-D 0 (0,4), CDA 0 (0,3), NNDP 0 (0,1).

☞ **Forces de l'ONU d'avril 1989 à 1990.** 4 300 h. (+ 1 500 pol. et 1 600 civ.). *Groupe d'assistance des Nations unies pour la période de transition (GANUPT).* Coût est. : 373,4 millions de $. *Corps expéditionnaire :* S.-O africain avant l'indép. Voir Quid 1990, p. 1025.

Économie

PNB (88) 2 440 $ par h. **Pop. active** (%, entre parenthèses part du PNB en %) agr. 47 (25), ind. 13 (15), services 25 (25), mines 15 (35). **Chômage** (89) : 20 à 50 %. **Dette extérieure** (millions de rands). *1979 :* 28 ; *82 :* 600. *88 :* 892. **Budget** (milliards de R, 1988-89). *Recettes :* 1,8, *dépenses :* 1,9. *Part financée par Afr. du S. : 1989 :* 15 %, soit 80 millions de rands (*1986 :* 500). Dep. 1966, l'Afr. du S. aurait versé 4,5 milliards de rands, dont 50 % de 1984 à 88. *Aide américaine (1990) :* 450 millions de $.

Agriculture. *Terres* (milliers d'ha, 81) arables 655, t. cult. 2, pâturages 52 906, forêts 10 427, eaux 100, divers 18 339. *Production* (milliers de t, 88) : millet 44 (89), maïs 7,7, légumes 5 (86), blé 4,9, laine 1 (89), sorgho 0,5 (86), coton 0,14. En 82, guerre et sécheresse ont entraîné la perte des 4/5 des récoltes, et 1/4 des fermiers blancs sont partis. **Élevage** (milliers de têtes, 89). Moutons 3 057, bovins 1 688, chèvres 1 461, volailles 409, ânes 60, chevaux 44, porcs 16. Élevage extensif. Viande (76 500 t en 84) vendue à l'Afr. du S. Cuirs et peaux [moutons karakuls donnant de l'astrakan 770 627 (88)]. **Pêche.** 380 773 t (88).

Mines. 36 exploitant env. 30 minerais, 73 % des exportations. (Milliers de t, 87). Sel 124, zinc 70, cuivre 155. Uranium 4 175 t, la plus grande mine du monde à Rössing. Diamants 938 275 carats (88) dont 90 % valables pour la joaillerie. Plomb 75 t, argent 60 t, cadmium 51 t, étain 1 097 t, or env. 1 900 kg (89). **Industrie.** Affinage des métaux.

Tourisme. *Visiteurs* (85) : 65 000. **Sites :** désert du Namib (dunes de + de 320 m de haut), Fish River Canyon (161 km), réserve d'Etosha (22 270 km²). **Transports** (km, 88). *Routes :* 41 762 dont 4 500 asphaltées. *Chemins de fer :* 2 383 (écartement 1,065 m).

Commerce (millions de rands, 87). *Exportations* 2 125 (88). Minerais, diamants, poissons, bétail (15 à 20 % vers l'Afr. du S.). *Importations* 1 712 (65 à 80 % de l'Afr. du S., dont 80 % pour l'alim., 100 % pour le pétrole). **Rang dans le monde** (89). 5e uranium.

NAURU

Carte V. p. de garde. V. légende p. 837.

Situation. Atoll du Pacifique, N.-E. des îles Salomon. 21,3 km². Périmètre 19 km. Alt. max. 70 m. A 2 080 km au N.-E. de l'Australie. **Climat.** Tropical, temp. moy. 24,4 °C à 33,9 °C. Pluies nov.-févr.

Population. 9 350 h. (est. 89) dont 5 600 autochtones, 2 134 originaires d'autres îles (83), 682 Chinois (83), 262 Eur. (83). D. 439. *Capitale :* Yaren. **Langues.** Nauruan (*off.*), anglais. **Religions.** Protestants et catholiques.

Histoire. 1798 découverte par Anglais. **1888** *oct.* annexée par Allemagne. **1914** occupée par Australiens. **1920**-*17-12* sous mandat brit. **1947**-*1-11* adm. commune : Australie, N.-Zél., G.-B. **1968**-*31-1* indépendance. **Statut.** *Rép.* (la + petite du monde) membre du Commonwealth. *Pt* Hammer De Robürt (n. 25-9-22) dep. 11-5-78. *Ass.* 18 m. élus pour 3 a. Aff. étrangères et défense assurées par Australie. **Drapeau :** adopté 1968 : bleu avec étoile blanche à 12 branches (12 tribus de l'île) sans bande jaune au-dessous de l'Équateur.

Économie (87). **PNB** 10 600 $ par h. (88). *Ressources :* phosphates (1 600 000 t, épuisés 2013). Ni sources, ni cours d'eau (eau importée d'Australie et N.-Zél.). Noix de coco 2 000 t (88), poulets 4 000 (82), porcs 2 000 (88).

NÉPAL

Carte p. 1027. V. légende p. 837.

Situation. Asie. 147 181 km². *Frontières* 2 810 km dont Inde 1 625, Chine 1 185. *Long.* 880 km, *larg.* 145 à 190 km.

Régions. Plaine du Teraï au S. (200 m en moy., altitude min. 60 m, mousson juin-sept., large 25 à 50 km, 17,5 % de la superficie). **2 chaînes de montagnes parallèles (O.-E.) :** *Siwalik :* 600 à 2 000 m, entrecoupée de vallées : les *duns ; Mahabharat :* 3 000 m, avec bassins de Katmandou (1 300 m) et Pokhara (900 m). Hiver : nuit + 2 °C, journée 16 à 22 °C. Mai-juin 36 °C. **Plateau central :** *Pahar.* **Himālaya :** 26 °C ; mousson d'été juin-oct., hiver froid mais ensoleillé, *chaîne de l'Himālaya au N.* dans centre et est de la ligne de partage des eaux et la frontière. 10 sommets de + de 8 000 m : *Everest* 8 848 m, du nom de George Everest, chef de la Mission cartographique britannique de 1852 (l'un de ses adjoints indiens, Radhanath Shikhadar, établit le premier que le sommet jusque-là appelé « Peak XV » était en réalité le plus élevé de la Terre) ; en népali, « Sagarmatha » (le sommet dont la tête touche le ciel) ; en tibétain, « Chomolungma » (Déesse-mère du monde) ; *Kanchenjunga* 8 586 m, *Lhotse* 8 516 m, *Makalu* 8 463 m, *Yalung-Kang* 8 505 m, *Lhotse Shar* 8 400 m, *Dhaulagiri* 8 167 m, *Manaslu* 8 163 m, *Cho-Oyu* 8 201 m, *Annapurna I* 8 091 m. *Région transhimalayenne :* au centre-ouest, chaînes de l'*Annapurna,* du *Dhaulagiri* et du *Kanjiroba,* 25 000 km², à l'abri de la mousson, arides, alt. 3 000 à 4 500 m ; peu peuplée. *Cols :* une vingtaine entre 1 800 et 5 700 m dont le *Nangpa-La* (5 711 m), *Gya-La* (5 255 m), *Rasua Ghari* (1 830 m). *Terres :* à - de 1 000 m : 35 % ; 1 000 à 2 000 m : 25 % ; 2 000 à 5 000 m : 30 % ; + de 5 000 m : 10 %.

Arbres. *Région tropicale (300-1 000 m) :* plaine et savanes ; jungle domine. *Subtropicale (1 000-2 000 m) :* collines (Siwalik et Mahabharat) ; châtaigniers, chênes, aulnes. *Tempérée (1 700-3 000 m) :* chênes, châtaigniers, conifères, magnolias, rhododendrons géants (15 m, jusqu'à 4 000 m d'altitude), 34 variétés, fleurissent mars à mai. *Alpine : 3 000-5 000 m :* conifères ; *vers 4 000 m :* limite végétation forestière (broussailles), genre bruyère et rhododendrons nains, *berberis* (feuilles rouge vif en automne). **Oiseaux.** 1 000 espèces. Emblème national du Népal : *danphe (Lophophorus impejanus), fasianidé* inconnu en Europe, vit à + de 3 500 m. *Rapaces :* aigles, éperviers, faucons et vautours ; corvidés, échassiers, passereaux, palmidés et gallinacés. **Mammifères.** 100 espèces. Cervidés, canidés, rongeurs, singes, civettes, moutons et chèvres sauvages, ours et antilopes, porcins et bovins, buffles au pelage noir, zébus et hybrides (sauf en altitude où à partir de 3 000 m domine le yak). Tigres royaux (30), rhinocéros unicornes (300 à 400), ours jongleurs et ours bruns, ours noirs (féroces, montagne), dauphins d'eau douce, sauriens (2 espèces de crocodiles), reptiles, batraciens. Ont disparu : marco-polo et ibex. *Yéti* (en tibétain, mi-gueu, mi-té ou encore chu-ti) : ses empreintes montrent un pouce (ou un gros orteil) préhensile.

Population. 18 500 000 h. (est. 91) dont Indo-Népalais 6 000 000, Tamang 932 000, Tharu 706 000, Newar 580 000, Magar 525 000, Rai 490 000, Limbu 300 000, Gurung 350 000, Sherpas, Dolpa, Manangba, Loba et ethnies proches des Tibétains 50 000 ; *prév. 2000 :* 23 048 000. D. 124,3. *Accroissement* 2,6 %. **Âge :** - *de 19 a. :* 48 %, + *de 60 a. :* 5,3 %. **Taux.** *Mortalité infantile :* 12 ‰. **Villes** (89) : *Katmandou* 500 000 h. (district 735 000), Patan 182 000 (à

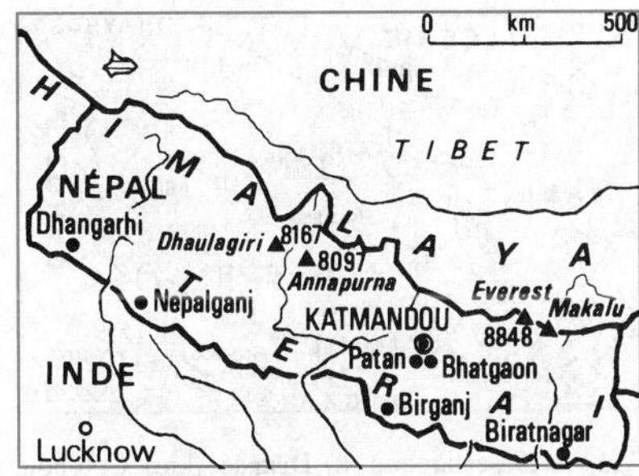

4 km), Bhadgaon 128 000 (à 13 km), Biratnagar 73 000 (à 250 km). Népalais à l'étranger (Inde 6 000 000, Bhoutan, Birmanie). 200 000 Indiens vivent au Népal. **Réfugiés** (90) : tibétains : 14 000. **Active** (%) : agriculture 90, fonctionnaires (y compris armée et police) 4-5, commerçants, artisans, prof. lib. 4-5.

Langues (%). Népali *(off.)* 51, maithili 12, bhojpuri 6, tamang 5,5, awadhi 4,7, tharu 4,3, newari 4, gurung 1,7, sherpa 0,9. *Analphabètes* 10 millions. **Religions** (%). Hindouistes (rel. d'État jusqu'en 1990) 81,5, bouddhistes 15,8 (en majorité lamaïstes du vajrayana), musulmans 2,7.

Histoire. VIIIe-VIe s. av. J.-C. règnes des dynasties Gopal et Ahir, venues du N. de l'Inde et installées dans la Vallée. Apparition des Kirat, guerriers venus du Tibet. **544-556 ou 566 av. J.-C.** naissance de Gautama Siddharta, fils du roi de Kapilavastu, du clan des Cakya, à Rummindei (futur Bouddha historique). Dynastie des Soma (1er roi : Nimisha). **58-57 av. J.-C.** ère Vikram. **500 ap. J.-C.** dynastie des Licchavi. **Fin VIe s.** roi Shiva Dev qui donne sa fille en mariage à son PM Amshuvarman (ethnie noble des Thakuri), qui prend le titre de Maharajadhiraj (roi des rois), puis la place de son souverain. **640** Amshuvarman donne sa fille Brikuti en mariage à Sron Tsan Gampo, roi du Tibet. Brikuti et Weng Ch'en (2e femme de Sron Tsan Gampo) convertissent leur mari au bouddhisme. Elles sont ensuite canonisées sous le nom de Tara blanche (Weng Ch'en) et Tara verte (Brikuti) (fait controversé). **879-880** début de l'ère Nepal Sambat.

1200-1768 dynastie Malla (fondateur : Ari Dev). **1482** roi Yaksha Malla partage son roy. entre 4 de ses 7 enfants (Bhadgaon, Banepa, Katmandou, Patan). **1482-1768** 11 rois Malla se succèdent dans le roy. de Bhadgaon dont Bhupatindra Malla (1692-1722) surnommé le « Louis XIV du N. ». **V. 1600** unification des royaumes de Patan et Katmandou. **1646** passage à Katmandou des jésuites Grueber et d'Orville. **1768-69** env. 80 principautés unifiées par Prithvi Narayan Shah (1722-75). **1778-85** soumission des Chaubisi, puis annexion de l'O. du pays. **1788-92** conflit avec Tibet. **1814-15** conflit avec la Cie des Indes. **1815**-*28-11 tr. de Seghauly :* partage du Teraï, paiement d'indemnités par Anglais aux N. spoliés, installation d'un résident brit. à Katmandou. **1846**-*15/16-9* massacre de Kot. Jung Bahadur Rana (1817-77) au pouvoir comme P.M., rend ce poste héréditaire, prend le titre de Maharajah ; proclame le Pce Surendra Bikram Shah régent du roy. **1850**-*22-1*/**1851**-*8-2* Jung en G.-B. (1er dirigeant n. se rendant plus loin que l'Inde). En Fr. du 21-8 au 8-10-1850. **Jusqu'en 1951** la famille Rana se maintient au pouvoir avec le titre de PM héréditaire (1885-1951 : 7 PM).

1920 rite du *suttee* aboli (immolation des veuves sur le bûcher de leur mari). **1924** servage aboli. **1925** égalité de tous devant la loi. **1926** 1er hôpital. **1931** un jour férié par semaine le samedi. **1934** séisme, 20 000 †, 350 000 maisons détruites. **1950** tr. de commerce et de transit favorables aux N. (liberté d'import. et d'export.). *-6-11* pour reprendre le pouvoir à la famille Rana, le roi Tribhuwan s'enfuit en Inde avec presque toute sa famille. Le PM Mohan Shumshere Rana fait proclamer roi un petit-fils du roi, Gyanendra (2 ans). **1951**-*16-2* retour du roi à Katmandou (facilité par l'Inde). *18-2* Mohan déchu. **1955-72** règne de Mahendra Bir Bikram Shah (n. 1920). **1959** *févr.* 1res élections au suffr. univ. à l'Ass. lég. **1974** opération contre les Khampas (env. 4 000 Tibétains) au N.-*14-9* Ghai Wangdi, chef des Kh., tué. **1978** accords avec Inde officiellement caducs. **1979** *mai* manif. d'étudiants. **1980**-*2-5* référendum, 54,8 % pour maintien du Panchayat (système de démocratie). **1981**-*9-5* élections à l'Ass. **1985** création de la South Asia Association for Regional Cooperation (SAARC), regroupant Inde, Pakistan, Bangladesh, Népal, Bouthan, Maldives et Sri Lanka. **1988** N. achète des armes à la Chine. *-1-1* adhésion de 86 pays (dont *France,* USA, sauf URSS et Inde) à la proposition faite par le roi le 25-2-75 de proclamer le N. « zone de paix ». *-23-5* manif. 1 000 arrestations. *-20-6* 5 bombes à Katmandou (7 †, 20 bl.). *-21-8* séisme 450 †. **1989**-*23-3* blocus écon. de l'Inde. **1990** N. achètera ses armes à l'Inde et n'exigera plus de permis de travail des Indiens vivant au N. *-9-2* 350 arrestations. *-18-2* police tire sur manif. (11 †). *-1-4* roi limoge 9 ministres opposés à la répression. *2/3-4* Katmandou, émeutes (8 †). *-6-4* 200 000 manif. (22 à 50 † dont 3 étrangers). Lokendra Bahadur Chand PM. *-8-4* autorise partis pol. 10 000 touristes évacués. Couvre-feu levé. Bilan : 100 †. *-16-4* dissout Parlement ; démission du gouv. 15 000 manif. à Katmandou. *-19-4* Krishna Prasad Bhattarai (n. 1924) PM (a passé 14 ans en prison) ; gouv. de coalition. *Avril* affrontements (18 †). *-8-6* levée du blocus indien. *Nov.* affrontements 56 †. *-9-11* roi accepte nouvelle Const. abolissant celle du Panchayat (qui interdisait les partis pol.). **1991**-*12-5* él. lég. (1res dep. 1959) 1 345 candidats, 20 partis : P. du Congrès 110 sièges sur 205, PC-ULM 69, P. de gauche 13, de droite 10, Indép. 3.

Statut. Royaume. *Const.* 9-11-1990. *Roi* Birendra Bir Bikram Shah Dev (28-12-45), ép. févr. 70 Aishwarya Rajya Laxmi Devi Shah (7-11-49), roi 31-1-72, couronné 24-2-75 (2 garçons, 1 fille). *PM : 1986 (13-6)* Marich Man Singh Shrestha, *1990 (19-4)* Krishna Prasad Bhattarai (n. 1924), *1991 (26-5)* Girija Prasad Koirala (n. 1926). *Chambre des représentants* (Pratinidhi Sabha) : 205 m. élus au suffr. univ. p. 5 a. *Ch. des États* (Rashtriya Sabha) : 60 m. dont 10 nommés par le roi et devant comprendre au moins 3 femmes, 3 m. des castes basses et 9 de groupements ethniques ou sociaux défavorisés. *Conseil d'État :* ne se réunit que pour désigner un souverain en cas de décès ou d'incapacité de celui en place. **Fête nat. :** 28 ou 29-12 (choisi par astrologues ; anniv. du roi Birendra). **Drapeau :** 1962. Seul drapeau national non rectangulaire. 2 parties, à l'origine séparées, représentant sur fond brun un croissant de lune et un soleil blancs, jointes au XIXe s. **Calendriers :** *off.* (Bikram Sambhat, an 1 en 57 av. J.-C.), *grégorien* (toléré), *communauté newar* (ère Népali, an 1 en 879 apr. J.-C.), *comm. tibétaines* [propre, cycles de 60 ans de 12 noms d'animaux combinés avec 5 éléments (pas d'an 1)].

Partis (interdits de 1972 à 1990). *ULF (Front uni de la gauche)* communiste. P. du *Congrès népalais* [dirigeants historiques : Ganesh Man Singh et B.P. Koilara (†) ; secr. gén. G.P. Koirala (son frère)], 14 factions communistes, 2 p. « démocr. du centre ». *Régions de développement* 5, *zones* 14, *districts* 75 (dont Mustang).

Le Mustang (du tibétain Mon Tang, « steppe des prières ») district. *Cap. : Jomosom.* Nord interdit aux étrangers ; étudié 1952 par Toni Hagen puis 1965 par Michel Peissel. Son rajah Jigme Dorge Trandul n'a plus de pouvoir. Jusqu'en 1974, des Khampas (Tibétains réfugiés luttant contre les Chinois) parcouraient la région frontalière. **Défense.** 100 000 à 200 000 soldats népalais ou d'origine nép. (Gurkhas), incorporés dans les armées brit. et indienne.

Économie

PNB (90) 170 $ par h. **Croissance** (90) : 1,6 % (au lieu de 5,3 %). **Pop. active** (%, entre parenthèses, part du PNB en %) agr. 90 (70), ind. 3 (5), services 7 (25). **Inflation** *1984-85 :* 4,1 %. *85-86 :* 15,9 %. *86-87 :* 13,3 %. *87-88* (est.) : 7 %. *88-89 :* 15 %. *89-90 :* 20 à 25 %. *Aide* (milliards de roupies, 90-91) : 8 soit env. 1,3 milliard de F, représentant 46,4 % des recettes de l'État dont multilatérale 70 %, bilatérale 30 %. Dons : 31,2 %, prêts : 68,8 %. Pays donateurs : Japon 25 %, Inde 21 %, G.-B. 15 %, USA, Chine, RFA 11 %, Suisse 5 %, Canada 1 %.

Agriculture. *Terres* (km², 85) : forêts 42 700 (29 % contre 40 % en 68), t. arides 29 400, t. cult. 26 500, neige, rocs et glace 19 100, pâturages et friches 19 100, eau, routes et zones construites 10 300. *Production* (milliers de t, 89) : riz 3 283, maïs 1 072 : canne à sucre 903, blé 830, p. de terre 641, millet 183, graines oléagineuses 99, jute 18, orge 29, tabac 5. **Forêts.** 17 388 000 m³ (88). **Élevage** (milliers de têtes, 89). Bovins 6 343, porcins 515.

Énergie. *Hydroélectricité.* Potentiel 82 millions de kW, production annuelle 242 000 kW (vendue en partie à l'Inde). *Janv. 90 :* inauguration de la 1re grande unité sur la rivière Marsyangdi (*prod.* 69 MW). **Mines.** Magnésite, zinc, plomb, fer, cuivre, mica, magnésium, pierre à chaux, nickel. **Industrie.** Alim., tabac, cuir, ciment, briques.

Transports (km, 90). Routes 6 400 dont asphaltées 3 000, graviers tassés 2 400, terre 1 000. Chemins de fer (marchandises) 77. Téléphériques 42 (25 t/h.).

Tourisme. *Visiteurs 1962 :* 6 179. *70 :* 45 970. *80 :* 122 205. *90 :* 240 000 (dont *18 000 Français*) + 45 000 Indiens. *Revenus* (88) : 75 millions de $. *Meilleure saison* oct.-avril. ÉDIFICES : *pagode,* à toits superposés. *Shikara,* tour aux arêtes convexes. *Stupa,* base ronde, dôme surmonté d'une tour carrée, ornée sur ses 4 faces d'une paire d'yeux de Bouddha. Les édifices bouddhistes s'élèvent au centre d'une cour (bahi, bahal ou vihara). Les temples de la Vallée datent du XVIIe au XIXe s. (sauf quelques stèles dont certaines remontent au VIe s.).

Commerce (en millions de $ US, est. 90-91). **Exp.** 156 (dont 89-90) effets d'habillement « prêt à porter » 17 *dont* (en %) tapis tissés main 40, peaux et cuirs 8,8, obj. d'artisanat et souvenirs 2, jute 3 (84-85), herbes médicinales et riz *vers* (en % 84-85) Inde 39,1, All. féd. 16,2, Hong Kong 11,9, Chine 7,6. 90 % du commerce n. passe par l'Inde. Les entreprises n. réservent au moins 30 % de leurs marchandises à la contrebande avec l'Inde (ex. : en 1989, 400 000 T.V. couleur achetées par N. pour un parc de 15 000 appareils). **Imp.** 556 *dont* (en %, 89-90) pétr. (URSS) 22,3, machines 9,4, engrais 7,7, ciment 7,1, textiles 5, mat. constr. 4,4, transports 3,2, *de* (en %) Inde exclue : Japon 27,3, Corée du S. 19, All. féd. 13,1, Chine 9,4, URSS 7,4, Roumanie 5,5.

Rang dans le monde (86). 6e buffles.

NICARAGUA

Carte p. 962. V. légende p. 837.

Nom. En langue nahuatl, chef de tribu cacique Nicarao-Cali.

Situation. Amérique centrale. 120 254 km² dont 40 % représentent le Yapti Tasba (terre mère des Miskitos). 25 volcans. *Alt. max.* (Mogotón) 2 107 m. *Côtes :* Pacifique 305 km, Atlantique 405. *Frontières* avec Honduras 530 km, Costa Rica 220. **Régions.** Plaine fertile sur Pacifique, chaîne de volcans ; montagnes au Centre et au N. ; forêt tropicale marécageuse de la plaine de l'Atlantique. **Climat :** 2 saisons : sèche (oct.-mai), humide (juin-oct.). *Pluies* 4 m (côte Atlantique). *Temp.* moy. à Managua 28 °C (mai 29,4 °C, déc. 26,1 °C).

Population. *1990 :* 3 870 000 h., *prév. 2000 :* 5 261 000. **Âge** - *de 15 a. :* 47 %, *+ de 65 a. :* 3 %. En % : Métis 71, Blancs 17, Noirs 9, Indiens 3 [145 000 en 89 : Miskitos, Sumus, Ramas]. Env. 9 000 Cubains (83). D. 30,1. **Villes** (est. 81) : *Managua* 1 000 000 h. (est. 86), León 248 704 (à 88 km), Jinotega 127 159 (160), Granada 113 102 (45), Chinandega 228 573 (123), Masaya 149 015 (25), Matagalpa 220 548 (105). **Mortalité :** *infantile* 69 ‰ (87). *Pop. urbaine* 60 %. **Réfugiés aux USA** *ou* **Honduras** (90) : 500 000 dep. 79 (dont 50 % de médecins), dont *au Honduras :* 35 000 Miskitos. **Langues** (%) : espagnol *(off.),* anglais 25, miskito et sumuama 5. *Analphabètes :* 13 % (85). **Religions** (%) : catholiques 90, protestants (baptistes, moraves, mormons) 10.

Histoire. 1522 exploration de Gil González de Ávila. **1821** indépendance. **1821-39** N. fait partie de la Fédération d'Am. centrale. **1854** l'aventurier Guillaume Walker (1793-1867) essaye de s'emparer du N. **1848-1860** côte des Mosquitos forme roy. autonome sous protectorat brit. (cédé au N. en 1860). **1912-33** occupation amér. **1916** USA obtiennent l'exclusivité pour construire canal interocéanique pour doubler Panamá. **1927-33** résistance dirigée par Gal Augusto Cesar Sandino (1895, assassiné 16-2-34). **1931** Managua détruite par séisme. **1936**-*8-12* Tacho Somoza Pt (abattu par un sandiniste le 21-9-1956, † le 29), sa fortune s'élevait au moins à 150 millions de $. **1956** Luis son fils, vice-Pt, devient Pt élu **1957. 1963** René Schick Pt († 66). **1966** Lorenzo Guerrero Pt. **1967** Anastasio Somoza (6-12-1923) dit Tachito, frère de Luis, Pt. **1972** remet pouvoir à junte pour 30 mois. *Sept.* Constit. abolie. *-23-12* séisme, Managua détruite 9 000 † ; 800 millions de $ de dons internat. détournés par Somoza. **1974**-*27-12* commando sandiniste prend 17 otages (dont min. des Aff. étr., 4 autres min.), obtient rançon de 5 millions de $ et libération de 20 pris. pol., part en avion à Cuba. **1978**-*10-1* Pedro Joaquín Chamorro, Pt de l'Union démocrate de la libér., directeur de « la Prensa », assassiné. *-12-1* ses obsèques tournent à l'émeute. *-3-2* les sand. attaquent casernes. *-22/28-2* insurrection à Masaya écrasée. *-9-3* Gal Raynoldo Perez Vega, chef d'é.-major de la Garde nat., assassiné. *-20-7* attaque des bâtiments de la Garde nat. à Managua. *-22-8* palais nat. de Managua occupé ; parlementaires pris en otage par sand. (FSLN) dirigés par Cdt Eden Pastora. *-25-8* grève. *-8-9* insurrection en province. *-20-9* Garde nat. (14 000 h.)

reprend Esteli (massacre femmes et enfants) ; exode (16 000 réfugiés au Costa Rica et au Honduras) : bombardements civils. *-7-12* état de siège levé. *-10-2* assistance mil. amér. supprimée. *Avril* soulèvements à Esteli, León. *-1-5* 300 000 pers. acclament Somoza. *Juin* gouv. provisoire du FSLN. *-4-6* grève gén. *-8-6* soulèv. de Managua. *Janv.* offensive dipl. des sandinistes. *-24-6* OEA demande départ de Somoza. *-17-7* Pt Somoza part pour Miami (fortune de sa famille au Nord : 600 millions de $). Bilan 40 000 †, économie ruinée, villes détruites.

Époque sandiniste. 1979-*19-7* Francisco Urcuyo Maliano Pt par intérim, nommé *16-7*, démissionne [aurait voulu rester au pouvoir jusqu'en 1981 : ordonne à l'armée de poursuivre le combat, mais soldats fuient vers Honduras, tuant des paysans pour prendre leurs vêtements]. *-20-7* Junte de Gouv. de Reconstruction nationale (JGRN : Moises Hassan, Daniel Ortega, Sergio Ramirez, Violetta Chamorro, Alfonso Robelo). *-24-7* état d'urgence. *-25-7* banques nationalisées. *-21-8* lois fondamentales rétablissant libertés, peine de mort supprimée. *-17-10* Cies d'assur. et *-3-11* ind. minière nation. **1980**-*19-4* Violetta Chamorro et Alfonso Robelo démissionnent (refusent mainmise du FSLN sur le Conseil d'État), remplacés (21-8) par 2 modérés : Rafael Cordoba et Arturo Cruz. *-17-9* Somoza assassiné au Paraguay. **1981**-*23-1* crédits amér. suspendus à cause de l'ingérence des sand. au Salvador (Pt Carter avait accordé 156 millions de $, dont 75 payés). *-4-3* JGRN passe à 3 membres : Rafael Cordoba, Sergio Ramirez et Daniel Ortega (coordinateur). *-9-7* Eden Pastora (dit Cdt Zero, ancien vice-min. de la Défense) quitte N. *-19-7* réforme agraire. *-30-9* lois d'urgence écon. et sociale. **1982**-*14-1* frontière avec Honduras zone mil., 8 500 Miskitos installés à l'intérieur ; 10 000 au Honduras sous leur encadrement somoziste et hond. *-15 -3* état d'urgence, tentative d'invasion somoziste, 200 †. *Mai* Jean-Paul II au N. *-3-6* gouv. en exil formé. *-24-7* 14 paysans torturés puis tués à San Francisco par som. **1983**-*19-7* 200 000 ha remis aux coopératives et petits propr. *-10-10* port de Corinto bombardé. **1984**-*11-4* CIA suspend minage des ports. *-30-5* Pastora blessé. *-4-11* Daniel Ortega élu Pt avec 67 % des v. [candidat d'opposition, Arturo Cruz, s'étant retiré à cause du climat d'insécurité créé par les « turbas » (sandinistes fanatisés)]. *-10-12* Père Fernando Cardenal, min. de la Culture, exclu des Jésuites (6-2-85), suspendu *a divinis* pour avoir refusé d'abandonner ses fonctions. **1985**-*1-5* embargo amér. commercial total. *-15-9* incidents avec Honduras. **1986** gouv. tente de rallier Miskitos en leur offrant autonomie. *-6-10* Eugen Hasenfus, mercenaire amér., condamné à 30 ans puis libéré 17-12. **1987**-*30-6* prorogation du cessez-le-feu. *-11-7* ambassadeur USA expulsé pour ingérence. *-7-8* accord centre-amér. à *Esquipulas* (Guatemala). **1988**-*3-2* Congrès amér. refuse nouvelles aides aux Contras. *-14-2* 1 nouveau cordoba = 1 000 anciens. *-17-3* USA envoient 3 200 h. au Honduras après incursion sandiniste, repartent 28-3. *-23/24-3* cessez-le-feu. 1er accord à Sapoa, gouv. provisoire/Contras. *Avril* négociation gouv./Contras. *Juin* avec Miskitos rompue. **1989**-*15-1* 5 000 manif. antisand. à Managua. *Févr.* soutien pop. du Front sand. estimé à 25 % (70 % en 1984). *-17-3* 1 900 détenus pol. libérés. *-24-3* USA ne fourniront aux Contras qu'une aide humanitaire. *Juin* 3 dévaluations, dont 1 de 110 %. *-7-8 accord de Tela* signé par 5 chefs d'État centramér. (Contras devront remettre leurs armes avant fin 89 à une commission intern. d'appui et de vérification créée par ONU et OEA). *-28-9* Brooklin Rivera et Steadman Fagoth, dirigeants miskitos, rentrent au Nicaragua après 8 ans d'exil. *-3-10* URSS confirme arrêt de ses livraisons d'armes. *-1-11* cessez-le-feu suspendu. **1990**-*1-1* 20 diplomates amér. expulsés. *-9-2* 1 190 détenus pol. (de la Contra) libérés. *-21-2* 300 000 manif. acclament Ortega.

Époque démocratique. 1990-*25-2* élections. Violetta Chamorro (UNO) élue Pte de la Rép. devant Daniel Ortega (1er changement de gouv. dep. 1821 sans violence). *-28-2* cessez-le feu. *-6-3* amnistie. *-20-3* Ass. nat. vote (83 v. contre 3) immunité à vie Ortega et Chamorro. *-21-4* Myriam Arguello élue Pte du Parlement (par 28 v. contre 23). *-25-4* V. Chamorro prend ses fonctions ; Gal Umberto Ortega, frère de Daniel, reste chef des armées. *-11-5* réforme agraire sand. annulée. *-2-7* grève générale. *Juil.* émeutes à Managua. 800 soldats ajoutés pendant 2 mois aux 260 de l'ONUCA [groupe des observateurs de l'ONU pour l'Amér. centrale, créée 7-11-89 (assure démobilisation de la Contra) : du 8-5 au 27-6-90].

Statut. Rép. *Constitution* du 9-1-1987. *Pt* Violetta Barrios de Chamorro (n. 1930, ép. 1950 Pedro Joaquín Chamorro, dir. de « la Prensa », assass. 10-1-78) dep. le 25-4-90 [avant, Daniel Ortega Saavedra (n. 11-11-45, élu 4-11-84). *1967* condamné à 7 ans de prison pour assassinat d'un policier. *1974* relâché, échange après enlèvement d'un homme d'affaires. *1977* crée à Cuba tendance tercériste du FSLN (soc.-dém.). **Vote** à 16 ans. **Fête nat.** : 19-7 (anniversaire chute de Somoza). **Drapeau** : adopté 1808.

Élections 4-11-84. *Ass. constituante* (90 s.), % des voix : FSLN 67, PCD 10, PLI 10, PPSC 5. Abstentions 20. **25-2-90.** *Parlement* (92 s.) % des voix. UNO 54,7 (51 s., majorité absolue 56), FSLN 41 (39).

Partis. *Front sandiniste de libér. nat. (FSLN) : fondé* 1961 par Carlos Fonseca, Silvio Mayorga et Tomas Borge. *Mouv. d'action pop. marx.-lén. (MAP-ML) :* f. 1972. *P. conserv. dém. (PCD) :* f. 1956, issu du P. conservateur. *Pte :* Myriam Arguello (n. 1927). *P. comm. du N. (PCdN). P. libéral constitutionnaliste (PCL) :* f. 1967 scission du P. libéral de Somoza. *P. libéral indép. (PLI) :* f. 1946 par dissidents du P. libéral. *P. social chrétien (PSC) :* f. 1956. *P. pop. social chr. (PPSC) :* scission du PSC. *P. socialiste N. (PSN) :* f. 1944, marxiste-lén. *Indiens.* Antigouvern. *Misurasata, Misura, Yatama :* f. 1987 (mais divisés), progouvern. *Misatán. P. social-dém. :* f. 1980. *Union nic. d'opposition :* f. mai 1986. *ARDE (Alliance rév. dém.) :* au Costa Rica ; *leaders :* Alfonso Robelo, Alfredo Cesar, a rompu en 1984 avec Robelo. **Armée populaire sandiniste.** 70 000 à 77 000 h. + *réservistes* et miliciens : 80 000 h. + troupes du min. de l'Intérieur : 15 000 h. **Aide de Cuba :** suspendue 1990. 800 conseillers (santé : 220 médecins).

Contra. Regroupée en mai 1987 dans la RN (Résistance nic.) 12 000 h., dont 8 000 au N. et 500 au Honduras. Anciens sandinistes, paysans ayant fui collectivisation, répression et service militaire (imposé dep. 1983) ; contrôlée à 80 %. **FND (Forces dém. nicarag.)** : *leader :* Adolfo Calero.

Forces en présence. *Bilan :* 45 000 à 54 000 †, 354 000 pers. déplacées. *Coût pour l'État :* 4 milliards de $ (pour l'URSS : 5, soit 50 % de l'aide dep. 1980).

P.N.B. (89) 635 $ par h. (300 selon experts occid.) [1348 en 77]. **Croissance écon.** *1986 :* – 9,2 %, *87 :* – 1, *88 :* – 8, *89 :* – 3. % du budget de la défense dans le budget ramené en 89 de 50 à 36 %. **Pop. active** (%, entre parenthèses, part du P.N.B. en %) agr. 40 (25), ind. 20 (25), services 38 (49), mines 2 (1). **Inflation.** *1980 :* 35,3 %. *81 :* 88,3. *82 :* 24,8. *83 :* 31. *84 :* 35,7. *85 :* 219,5 ; *87 :* 1 500 ; *88 :* 36 000 ; *89 :* 2 000 à 7 000 ; *90 :* 12 000 ; *91 mars :* 261, *avril :* 12. **Transfert des N.** travaillant aux USA : 300 millions de $ par an. **Dette extérieure** (milliards de $) : *1979 :* 1,1, *88 :* 7,41 (dont URSS 2), *90 :* 11. **Service de la dette** (89) : 56 % des export. **Aide extérieure** (millions de $, 89) : 714, dont pays socialistes 541.

Cours du $ en cordobas nouveaux [(créé févr. 88) = 1 000 anciens] *févr. 88 :* 10 n. cord. ; *avril 90 :* 70 000.

Agriculture. *Terres* (millions d'ha, 1981) arables 1 085, t. cult. 171, pâturages 4 940, forêts 4 480, eaux 1 309, divers 2 459. *Production* (milliers de t, 1989) canne à sucre 2 575 (87), coton 42, café 42, tabac 2,8 (82), maïs 220, haricots 60, sorgho 114, riz 104 (87). **Élevage** (milliers de têtes, 1988) volailles 5, bovins 1,7, porcs 0,74, chevaux 0,2. **Mines.** Or 762 kg (export. 1985), argent 1 t (87). **Industrie.** Huiles, sucre, prod. chimiques, ciment, textile. Pétrole importé d'URSS. **Transports** (km). *Routes* 24 100 (en tout temps 8 150). *Chemins de fer* 373.

Commerce (millions de $ US, 1988). *Exportations* 212,7 *dont* café 80,8, coton 50,6, bananes 14,7, viande 13,2 *vers* (1984) Japon 95,4, All. féd. 53,9, É.-U. 48,7, *France 31,4,* Espagne 26. *Importations* 770 *dont* mat. prem. 299,6, capitaux 212, biens de cons. 128,7, fuel et lubrifiants 89 *de* (1984) É.-U. 134, URSS 127, Mexique 80,3, Cuba 36,7, Espagne 31,7.

NIGER

V. légende p. 837.

Situation. Afrique. 1 189 000 km² (1 267 000 selon l'ONU). *Frontières* 5 500 km. *Alt. max.* 2 022 m. **Régions** : *zone soudanienne ou sud-sahélienne* 200 à 300 m d'alt., pluies 800 à 900 mm, préc. (autour de Gaya, savane arborée et arbustive), *z. centre-sahélienne* (750 à 350 mm, cultures) et *n.-sahélienne* (350 à 200 mm, élevage), *z. sahélienne désertique* (au N., erg de Ténéré, montagne de l'Aïr), *z. fluviale du Niger :* env. 500 km, fleuve permanent sauf à de rares exceptions en étiage en mai/juin, quelques rivières affluentes semi-permanentes et lacs permanents (l. Tchad à la frontière Sud-Est). **Climat :** sahélien (saison sèche oct.-juin, humide juin-oct., max. 46 °C à

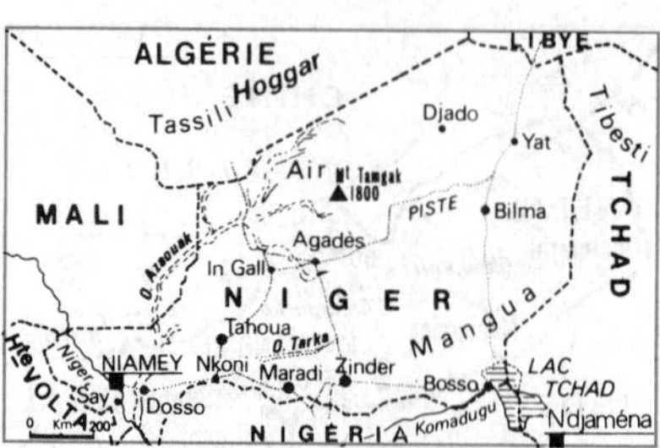

l'ombre. Désertique au N.). **Distance** (km) : Cotonou 1 100, Lagos 1 450, Lomé 1 350.

Population. *1990* (rec.) : 7 490 000 h., *2010 (prév.)* : 14 000 000. *Ethnies* (%, en 85) : Haoussas 56, Zarma-Songhai 22, Peuls 10, Touaregs 8, Kanouris 4. *Français* env. *5 000,* dont 400 coopérants (82). D. 6, de 16 à 20. **Âge** : – *de 15 a. :* 47 %, + *de 65 a. :* 4 %. **Taux** (‰). *Natalité :* 51. *Mortalité :* 20 ; *infantile :* 141. **Villes** (87) : *Niamey* 420 000 h., Zinder 100 000, Maradi 80 000, Tahoua 60 000, Arlit 28 000, Agadès 27 000 (82). **Langues** (%) : français *(off.)* 8, haoussa 60, djerma ou songaï 25, tamahek 10 (écr. tifinar), foulfouldé 10, kanouri ou béri-béri 9, toubou, gourmantché. **Religions** (%) : musulmans 85, animistes, chrétiens.

Histoire. 1590 domination marocaine. **1780** Touaregs installent capitale à Agadès. **1891** occupé par Fr. **1901** création du territoire du N. **1920** pacifié. **1922**-*23-10* colonie dans l'AOF. **1956** *juin* autonomie interne. **1958**-*18-12* rép. autonome. **1960**-*3-8* indépendance. **1974**-*15-4* coup d'État milit., élu gén. Seyni Kountché dépose Pt Diori Hamani (1916-89), son épouse est tuée. Constit. suspendue. **1976**-*15-3* échec coup d'État organisé par Bayère Moussu (exécuté 21-4-76). **1982**-*19/20-5* Pt Mitterrand au N. **1983**-*6-10* échec coup de force. *-14-11* gouv. exclusivement civil. **1986** Pt Kountché en Fr. **1987**-*14-4* ex-Pt Diori libéré († 23-4-89 à Rabat). *-10-11* Kountché meurt, colonel Ali Saibou Pt du Conseil milit. **1989**-*10-12* Ali Saibou élu Pt ; législatives. **1990**-*10-2* Niamey incidents étudiants/policiers (3 †). *-16-2* Niamey 5 000 manif. *-5-3* colonel Amadou Seyni Maiga, numéro 2 de l'État, démissionne. *Mai* Touaregs attaquent sous-préf. à Tchintaba Raden : 31 †. Répression mil. : 63 †.

Statut. Rép. *Const.* 24-9-1989 adoptée par référendum avec 99,28 % des voix. *Ass. nat.* (50 m. élus pour 5 ans, dissoute de 1974 à 1989). *Pt :* Colonel Ali Saibou (n. 1940) élu 10-12-89. **Départements** : 7. **Partis** : *Mouv. nat. pour une soc. de dév. (MNSD)* fondé 1989. *Mouv. nigér. des comités rév. (MOUNCORE)* f. 1988, opposition. **Fête nat.** : 3-8 (indép.), 18-12 (Rép.), 15-4 (coup d'État de 1974). **Drapeau** : adopté 1959 : bandes orange (Sahara), blanche (bonté, pureté et fleuve Niger) avec disque orange (soleil), et verte (herbe du Sud).

Économie

P.N.B. ($ par h.) *1982 :* 300, *83 :* 240, *84 :* 185, *85 : 200, 87 :* 360, *88 :* 280. **Pop. active** (% et entre parenthèses, part du P.N.B. en %) agr. 70 (31), ind. 5 (10), services 20 (47), mines 5 (12).

Inflation (%). *1981 :* 20,8, *82 :* 6,6, *83 :* 2,5, *84 :* 8, *85 :* - 0,9, *86 :* - 3,2, *87 :* - 6,7, *88 :* - 1,4. **Dette extérieure publique.** 45 milliards de F (53 après rééchelonnement). **Aide de la France.** 550 milliards de F dont 310 de prêts en 83.

Agriculture. *Terres* (milliers d'ha, 81) : 126 700 dont arables 3 450, pâturages 9 668, forêt 2 840, eaux 30. *Production* (milliers de t, 89) : millet 1 100, sorgho 420, c. à sucre 110 (87), légumineuses 376, manioc 212 (88), arachides 80, oignons 127, riz 50 (88), patates douces 34 (88), coton 1 (88). Sécheresse en 1984. **Élevage** (milliers de têtes, 88). Volailles 17 000, chèvres 7 550, bovins 3 500, moutons 3 500, ânes 512, chameaux 417, chevaux 296. Les peaux de chèvres rousses de Maradi, après tannage, donnent du daim. **Pêche.** 2 400 t (87).

Mines. Uranium : (région de l'Aïr) réserves 230 000 t, prod. 2 960 t (88). Prix du kg (en milliers FCFA : *1974 :* 5,4 ; *79-80 :* 24,5 ; *81 :* 20 ; *82 :* 24 ; *83 :* 27,5 ; *84 :* 29,25 ; *85 :* 30). **Cassitérite :** env. 60 t/an. **Charbon :** 164 000 t (Anou). **Fer :** 650 millions de t (Araren). **Phosphate :** 500 millions de t. **Marbre. Kaolin. Pétrole** (faible). **Industrie.** Brasserie, textile, ciment, savon.

Transports. Routes 20 000 km (88) dont 3 161 bitumées, 2 440 en latérite de bonne qualité. **Tourisme.** Ténéré et Aïr. Parc régional.

Commerce (milliards de F C.F.A. 86). *Exportations* 93,9 (87) *dont* uranium 93,5, bétail 9,9, niébé 5,8, cuirs et peaux 0,9, divers 8, *vers* (85) *France 62,* Nigeria 12,9, Japon 5,7, Espagne 5,4. *Importations* 154,8 (87) dont équipement 65,2, produits de consommation 42, hydrocarbures 9,2, céréales 8, *de France 49,7,* Nigeria 18,4, Algérie 10, Bénin 6,4, Pakistan 6,1, U.S.A. 5,1, All. féd. 5, P.-Bas 3,8, Japon 3,4, Italie 2,9, C.-d'Ivoire 1,5.

Rang dans le monde (89). 8e uranium.

NIGERIA

V. légende p. 837.

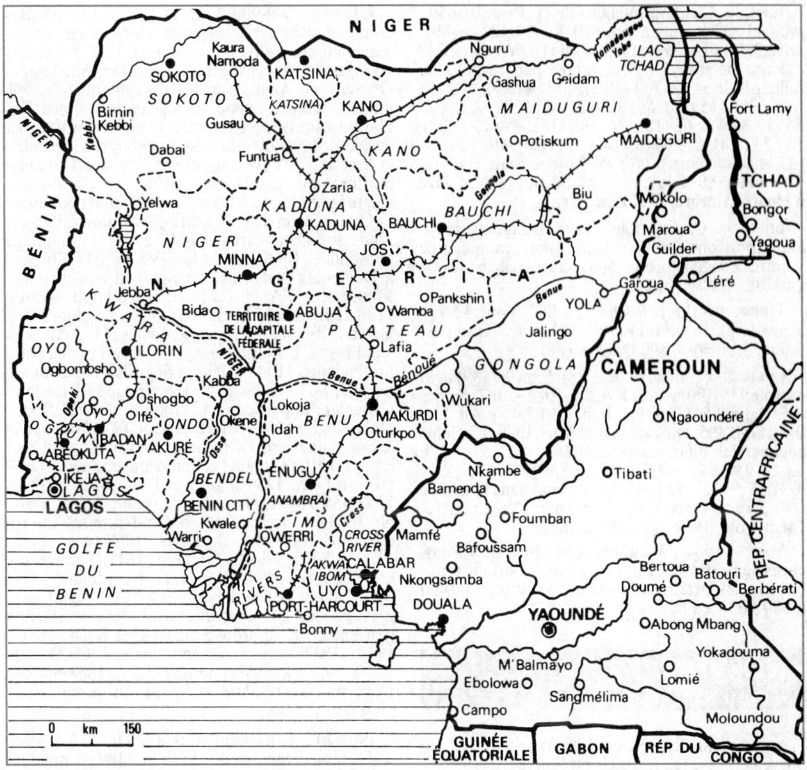

Situation. Afrique. 923 768 km². *Frontières :* Cameroun 1 500 km, Niger 1 500 km, Bénin 750 km (lac Tchad 95). *Côtes* 800 km (Atlantique). *Régions :* delta du Niger et plaine côtière au S. ; plateaux centraux s'inclinant au N. vers Niger et Tchad. *Alt. max. :* Pic Vogel 2 040 m à l'E. **Climat :** tropical humide, temp. élevées, max. 40 °C au N. : *pluies :* au S. 2 500 mm, N. et N.-E. 500 mm.

Population. *1990* 118 000 000 h. [Haoussas-Fulanis (N.) 32 %, Yorubas (O.) 18 %, Ibos (E.) 18 %]. *2000* (est.) 161 930 000 h., *2025* 380 000 000. **Taux** *Croissance* 3,4 % par an. *Mort. infantile :* 124 ‰ **Âge** *- de 15 a.* 45 %, *+ de 65 a.* 2 % D. 115. **Urbanisation** 46 %. **Villes :** *Abuja,* en cours d'installation à 550 km de Lagos, *Lagos* 8 à 10 000 000 h. (est.), Ibadan 4 000 000 (est.) (à 89 km), Kano 1 500 000 (701), Ogbomosho 525 000, Kaduna 500 000 (553), Ilorin 425 000, Oshogbo 405 000, Port-Harcourt 400 000 (427), Abeokuta 320 000. **Santé :** sida 500 000, lépreux 193 000, tuberculeux 250 000.

Langues. Anglais *(off.),* 250 langues locales (haoussa, yoruba, ibo, edo, kanuri, tiv et foulfouldé).

Religions (%). Islamisme 43 (dans le N.), christianisme 34 (dans le S.) (anglicanisme et protestantisme à l'O., catholicisme à l'E., soit 10 millions de pers.), animisme 19.

Histoire. VIe-IIIe s. av. J.-C. N. (Haoussas) habité par des agriculteurs connaissant fer, étain, art des statuettes (civilisation de Nok) ; Sud (Yorubas et Ibos) sous leur influence. **VIIIe-XIIIe s. apr. J.-C.** montagnes de Bornou (au N.) sont le centre d'un emp. haoussa, musulman, dit emp. de Kanem qui occupe O. et E. du lac Tchad, jusqu'au Soudan. **XIVe s.** l'empire s'effondre, Bornou se transforme en émirat musulman qui rayonne sur Sahara (anéanti par les Peuls en 1808). **XVe-XVIe s.** les non-musulmans du S., Yorubas et Ibos, fondent 2 roy. : Oyo et Bénin qui ressuscitent la civilisation de Nok. Centre culturel : Ife (statuaire laiton et terre cuite). **1452** Portugais entrent en contact avec Bénin sur les côtes ; **apr. 1500** organisent commerce des esclaves. **1553** Anglais détruisent comptoirs port. et monopolisent traite des Noirs. **1713** abandonné par Port. aux Angl. **XVIIe-XVIIIe s.** roy. yoruba d'Oyo s'étend à l'O. jusqu'au Dahomey et Togo (détruit par Peuls 1835) ; roy. du Bénin se maintient. **1861-1900** acquisition par Brit. **1914** colonie brit. **1922** élections directes à Lagos et Calabar. **1946, 1951** Constitution. **1953-***15/19-5* émeute de Kano. **1957** régions Est et Ouest autonomes. **1959** région du N. autonome. **1960-***1-10* indépendance. **1961-***1-6* plébiscite : N.-Cameroun (ex-brit.) s'intègre au Nig. du N. **1963-***1-10* Rép. Constitution fédérale. **1964** *déc.* él. fédérales : affrontement N.-S. **1965-***7-1* Azikiwe, Pt de la Rép., nomme PM Sir Abubakar Tafawa Balewa ; révolte tiv réprimée (3 000 †). **1966** 2 coups d'État mil. : *-16-1* putsch Ibo : Gal Ironsi (PM AT Balewa, Festus Okotie Eboh min. des Finances, Sir Ahmadou Bello et Akintola assassinés) ; *-24-3* régions seront remplacées par des provinces. Partis dissous. Réaction nordiste, des centaines d'Ibos égorgés dans le N. *Fin juin* des centaines de milliers d'Ibos fugitifs regagnent le S. *-28-7* Ironsi tué par nordistes. *-29-7* Gal Yakubu Gowon (n. 19-10-34) PM suspend décret d'unification. *Août-sept.-oct.* 30 000 Ibos tués dans le N., plus d'un million fuient vers l'E. **1967-***4-1* conférence d'Aburi (Ghana) sur répartition des revenus pétroliers (258 millions de $ en 1966) entre régions prod. et gouv. central : échec. *-25-5* 12 États remplaceront les 4 régions (*N. :* Haoussa Foulani ; *O. :* Yoruba ; *Centre-O. :* Edo ; *E. :* Ibo), les limites de 3 États sont calculées pour empêcher les Ibos de profiter des revenus du pétrole : État des Rivières [(cap. Port-Harcourt) 1 000 000 d'Ijaws et 1 000 000 d'Ibos] produit 63 % du pétrole nig. ; État du S.-E. [(cap. Calabar), 2 500 000 Ibibios et Efiks, 2 000 000 d'Ekois et 8 autres ethnies], le + mal desservi et le + pauvre ; État du Centre-E. [(cap. Enugu) 7 000 000 Ibos], produit 3 % du pétrole nig. *-30-5* Lt-Col. Emeka Ojukwu (n. 1931) proclame ind. de l'E. sous le nom de *Biafra* [(75 000 km², 14 000 000 h. Ibos 2/3, Ibibios, Efiks, Ekors, Ijaws). *Villes : Owerri, Enugu, Port-Harcourt, Aba.* Devient rép. ind., reconnue par Côte-d'Ivoire, Gabon, Haïti, Tanzanie, Zambie]. **1967-***6-7* **début de la g. du Biafra. 1970-***12-1* (1 000 000 † dont beaucoup d'enfants morts de faim) ; colonel Emeka Ojukwu exilé en Côte-d'Ivoire. **1971** membre de l'OPEP (Pt du Biafra). **1973** *févr.*/**1974** *févr.* agitation étudiante. **1975-***29-7* Gal Gowon renversé ; Gal Murtala Mohammed (n. 1937, Haoussa, mus.) lui succède. *-6-8* gouv. sous autorité du Conseil mil. sup. *-24/25-11* affrontements dans S.-E. : 13 †, 7 000 sans-abri. **1976-***3-2* création de 7 nouveaux États. *-12/13-2* coup d'État du Lt-Cel Dimka et de jeunes off. : échec ; Pt Mohammed tué. *-14-2* Gal O. Obasanjo Pt. *-11/-12-3* 32 putschistes de févr. exécutés. **1979-***31-7* avoirs B.P. nationalisés. *-1-10* armée rend pouvoir aux civils. **1980-***18/30-12* troubles religieux à Kano, affrontements partisans de Mallam Mohammed Marwa avec armée, 4 117 †. **1981-***10-7* émeutes à Kano. **1982-***12/17-2* Jean-Paul II au N. *-18-5* Ojukwu gracié. *Oct.* émeutes de Maiduguri, 300 †. **1983-***17-1* étrangers clandestins expulsés (2 000 000 : vers Ghana 800 000 à 1 000 000, Bénin 200 000 à 500 000, Tchad 700 000, Niger 150 000 à 200 000, Cameroun, Togo). *Août à oct.* élections + de 100 †. *-20-8* sénatoriales (Ojukwu élu). *-5-12* retour triomphal après 8 ans d'exil du Gal Gowon. *-31-12* Gal Mohammed Buhari renverse gouv. civ. de Shehu Shagari (incapable de lutter contre corruption, crise éco.). **1984-***27-2* au *-5-3* émeutes religieuses à Yola (N.-E.) 1 000 †. *-1-10* Ojukwu libéré. **1985** *Avril-mai* expulsion immigrés clandestins (700 000). *-26-4* émeutes musulmans « Maitatsine » dans N.-E., 11 † : *Août* coup d'État milit. *-20-12* complot milit. déjoué. **1986-***1-1/6-3* officiers comploteurs fusillés (dont Gal Mamman Vatsa). *-5-7* Shagari libéré. *-26-9* Naira dévalué de 70 %. **1987** *mars* heurts chrétiens/musulmans 15 †. **1988-***16-4* émeutes, 6 †. *-14-12* ex-Pt Buhari libéré (en prison dep 27-8-85). **1989-***31-5/-2-6* émeutes à Lagos (plus. diz. de †). **1990-***11-1* des milliers de chrétiens manif. contre islamisation du N. *-26-2* Pt Bagangida en Fr. *-22-4* coup d'Etat déjoué (le colonel Usman K. Bello, est †). *-27-7* 42 mil. fusillés ayant participé au complot du 22-4. *-13-9* 27 autres mil. fusillés. *-23-11* 500 000 cas de sida officiellement. **1991** *Avril* émeutes religieuses : 200 † ; couvre-feu (levé 1-5). **1992-***oct.* retour prévu d'un gouv. civil.

Statut. Rép. fédérale membre du Commonwealth. *Constit.* du 31-12-1983, suspendue 31-12-84. *Pt* assisté d'un *Conseil militaire. Ass.* dissoute dep. 31-12-83. *États* 21. **Fête nat. :** 1-10 (Rép. 1963). **Drapeau :** adopté 1960 : bandes vertes (forêts), b. centrale blanche (paix).

Partis interdits dep. janv. 84 : *P. nat. du (NPNN),* f. 1978, Pt Adisa Akinloye. *Alliance des P. progressistes,* f. 1982, regroupe : *P. du peuple du grand N. (PGN),* f. 1978, Pt Alhaji Waziri Ibrahim ; *P. du peuple n. (PPN),* f. 1978, Pt Nnamdi Azikiwe (2 146 183 m. en 80) ; *P. de la libération du peuple (PLP),* f. 1978, Pt Alhaji Aminu Kano ; *P. de l'unité du N. (PUN),* f. 1978, Pt Obafemi Awolowo. En mai 1990, autorisés dans le cadre de 2 formations : *P. social-démocrate* et *Convention républicaine nationale.* **Élections.** *Sénat* (7-7-79) : PNN 36 s., PUN 28 s., PPN 16 s., PGN 8 s., PLP 7 s. *Chambre des représentants* (14-7-79) : PNN 168 s., PUN 111, PPN 78, PLP 49, PGN 43.

Présidents. 1963 *oct.* Dr Nnamdi Azikiwe (n. 16-11-04). **66** *janv.* Gal J.T. Aguiyi Ironsi ; *août* Gal Yakubu Gowon (n. 19-10-34). **75** *août* Gal Murtala Mohammed. **76-***14-2* Gal Olusegun Obasanjo (n. 5-3-37). **79-***1-10* Alhaji Shehu Shagari (n. 25-4-25) [élu avec 5 688 000 v. (33 %), Awolowo 4 916 000 v., Azikiwe 2 822 000 v., Kano 1 732 000 v., Ibrahim 1 686 000 v.]. **84-***1-1* gén. Mohammed Buhari (41 ans). **85-***27-08* Gal Ibrahim Babangida.

Économie

P.N.B. (90) 250 $ par h. (1100 en 1980). **Pop. active** (%, entre par. part du P.N.B. en %) agr. 50 (28), mines 8 (18), ind. 11 (9), services 31 (45). **Inflation** (%) *1981 :* 20,8, *82 :* 7,7, *83 :* 23,2, *84 :* 39,6, *85 :* 5,5, *86 :* 5,4, *87 :* 10,2, *88 :* 38,3, *89 :* 40, *90 :* 30. **Dette extérieure.** 33 milliards de $ (89), 16 en 1991. **Service de la dette** (% des exp., 89) 21. *1988 :* 30 milliards de $, dont 11 reéchelonnés (accord Club de Paris, 3-3-89) ; 3 milliards de $ empruntés aux org. internat. (Banque mondiale). **1990 :** 32 milliards de $. **Revenus de l'État** (milliards de $). *1983 :* 14,9 ; *84 :* 15,4 ; *85 :* 16,9 ; *86-87 :* 22 à 25 ; *88 :* 6,2 ; *89 :* 5,4 ; *90 :* 6,7 ; *91 (est.) :* 9,9. **Salaire mensuel moyen** (en naira). *1982 :* 125, *90 :* 250, *91 :* 250. **Prix d'une voiture** (en naira). *1982 :* 2 000, *90 :* 200 000, *91 :* 10 000.

Agriculture. *Terres* (milliers d'ha, 82) arables 27 900, t. cult. 2 535, pâturages 20 920, forêts 15 200 (84), eaux 1 200 (84), divers 25 400. *Prod.* (milliers de t, 89) manioc 15 000 (88), racines et tubercules 19 393 (88), céréales 11 270, sorgho 3 587, millet 4 170, légumineuses 1 480, plantain 1 700, canne à sucre 900, maïs 1 338, arachides 700, cacao 125, caoutchouc 68, huile de palme 700, riz 555, noix de coco 110. **Forêts.** 101 184 000 m³ de bois (89).

Élevage (milliers de têtes, 89). Volailles 169 000 (86), chèvres 26 000, bovins 12 200, moutons 13 200, porcs 1 300, ânes 700. **Pêche.** 358 000 t (88).

Énergie. **Charbon** (millions de t). *Réserves* 650 ; *prod.* 110. **Gaz** (milliards de m³). *Réserves* 2 600 (89) ; *prod.* 3,3 (86). **Pétrole** (millions de t). *Réserves* 2 342 (35 ans de prod.) ; *prod.* (entre par. revenus en milliards de $) *1965* : 14 (0,2), *70* : 54 (0,7), *74* : 113 (8,6), *79* : 115 (25), *80* : 103 (25), *81* : 72 (17,2), *82* : 65 (12,8), *83* : 62 (10), *84* : 70 (116), *85* : 75 (12,2), *86* : 73 (6,4), *87* : 66 (6,7), *88* : 72 (6,5), *89* : 85 (8,9) (93 % des export.), *90* : 79. **Mines.** **Étain** (90) 10. **Colombite** (80 % de la prod. mondiale) 46,8 t. **Pierre à chaux. Marbre. Fer. Zinc. Or.**

Industrie. Ciment, tôle, coton, détergents, prod. alim., boissons gazeuses, bière, sucre, montage de voitures Peugeot [prod. 7 500 voitures par an (35 000 en 80)], Volkswagen.

Transports (km). *Routes* 129 000 (dont 42 156 asphaltées), *chemins de fer* 4 195, *voies navigables* 6 000. **Tourisme.** 890 000 vis. (86).

Commerce (milliards de $, 88). **Exp.** 9,7 (89) *dont* pétrole 93 % (90) *vers* U.S.A. 5,2, All. féd. 0,7, *France 0,5*, Italie 0,5, G.-B. 0,3. **Imp.** (89) 7,4 *de* All. féd. 0,53, G.-B. 0,5, *France 0,4*, Japon 0,3, Italie 0,3. **Solde commercial** (milliards de $). *1981* : - 4,29, *82* : - 1,2, *83* : - 0,4, *84* : + 1,57, *85* : + 2,9, *86* : - 1,1, *87* : + 1, *88* : +1,9, *89* : + 2,5 à 4. **Rang dans le monde** (88). 5ᵉ cacao. 8ᵉ bois. 11ᵉ rés. gaz nat. 12ᵉ rés. pétrole. 14ᵉ pétrole. 19ᵉ bovins. 22ᵉ ovins.

Nota. – 1984 : 3 sociétés, dont Bureau Veritas, contrôlent 70 % des importations. Pourtant interdites, les importations de céréales ont atteint 700 000 à 800 000 t en 89.

NORVÈGE

Carte p. 918. V. légende p. 837.

Nom. Vient de *Nordvegr* la route vers le N. En norvégien : Norge (officiel) ou Noreg.

Situation. Europe. 40 % de la Scandinavie. 386 963 km² dont *Norvège* 323 883 et îles *Svalbard* 62 700, *Jan Mayen* 380, *Pierre-Iᵉʳ* 249,2, *Bouvet* 58,5. *Zone économique* des 200 milles marins : 900 000 km². *Long.* 1 752 km. *Larg.* 6,3 à 430 km. *Alt. max.* Galdhøpiggen 2 469 m, Glittertinden 2 465 m, *moy.* 500 m. *Côtes* 2 650 km (21 347 avec fjords et baies). Périmètre des îles : 35 662 km. *Fjord* le plus long : Sognefjord 204 km, 50 000 îles (dont 2 000 hab. ; la plus grande habitée 2 198 km², Hinnoy). *Nombreux glaciers* (le plus étendu : Jostedalsfossen 486 km²). *Nombreux lacs* : Mjosa 368 km², Hornindal (prof. 514 m, le plus profond d'Europe). *Cascades* : nombreuses [Skykkjedalsfossen 300 m (record d'Europe)] ; Voringsfossen (182 m). *Frontières* : 2 542 km dont Suède 1 619, Finlande 727, U.R.S.S. 196. **Régions.** N. (Finnmark) : plateaux et collines peu élevés, fjords profonds. S. : montagnes et vallées. *Ville la plus au N. du monde* : Hammerfest, 70° 39′ 46″ lat. N. ; 23° 48′ longitude E. (7 135 h.). **Soleil de minuit** (disque solaire vu en entier) (au cap Nord : 13-5/29-7 ; période d'obscurité : 18-11/24-1). **Temp. moy.** (Oslo) 5,9 °C, mois le plus froid : janv. – 4,7 °C ; le plus chaud : juill. 17,3 °C.

Population (en millions). *1769* : 0,72, *1801* : 0,88, *1825* : 1, *1900* : 2,24, *1930* : 2,81, *1950* : 3,28, *1960* : 3,6, *1970* : 3,87, *1990* : 4,24. *2000* (prév.) : 4,23. 20 000 Lapons, 10 000 descendants d'émigrés finlandais. **Âge :** – *de 15 a.* : 21 %, + *de 65 a.* : 15 %. **Caractéristiques :** 80 % des N. yeux bleus et cheveux blonds ; *taille moy.* (en cm) : H. 179,2, F. 163. **Immigrants** (1-1-84) : 94 443 dont 59 321 Européens, 17 650 Asiatiques, 13 464 Amér., 3 197 Africains. **D.** 13,1. **Villes** (1-1-89) : *Oslo* (appelé Christiania du XVIIᵉ s. à 1925) 456 124 h., Bergen [ancienne cap. (à 490 km)] 211 095, Trondheim (Trondhjem) (à 553 km) 136 601 (la + grande église du Moyen Age de Scand.), Stavanger (à 590 km) 96 948, Kristiansand 64 395, Drammen 51 957, Tromsø 50 228, Skien 47 553, Sandnes 43 636, Sandefjord 35 853, Bodø 35 851, Alesund 35 633, Ringerike 27 108, Fredrikstad 26 525, Narvik 18 498 [1] (port d'embarquement du minerai de fer suédois).

Nota. – (1) 1988.

Langues. *Bokmaal* (riksmaal ; c.-à-d. l. administrative ; variété norv. du danois ; seule l. off. pendant 400 a. ; 1ʳᵉ l. enseignée à 80/85 %) et *nynorsk* (« nouveau norv. », variété écrite et modernisée du landsmaal, « l. de campagne », héritière du norv. parlé avant la conquête danoise). Les 2 l. sont officielles, mais le nynorsk ne supplante pas le riksmaal. On a essayé de créer une 3ᵉ l., le *samnorsk* (norv. commun).

Religions (%, 80). Égl. de Norvège (luthérienne, d'État) 87,8, autres 3,8, sans 3,2, non désignée 5,2.

Histoire. **800-900** Vikings très actifs. Petites communautés agricoles norv. s'organisent en régions administratives et militaires. **V. 875** colonies vikings dans les Hébrides, île de Man, Shetland et Orcades, en Angl., Irlande et Normandie. **V. 900** unification du royaume. Bataille de Hafrsfjord. Roi Harald « aux beaux cheveux », 1ᵉʳ souverain à régner en N. **V. 1000** Leiv Eriksson découvre Groenland et Amérique. Conversion au christianisme. Conquise plusieurs fois par Danois. **1030** Olav Haraldsson, roi, tué par Danois à la *bat. de Stiklestad* (canonisé : St Olav, patron de la N.). Magnus le Bon (1035-47) règne sur Danemark de 1042 à 1047, monarchie consolidée. **1066** Harald le Sévère (1047-60) perd le Denemark et meurt à Stanford Bridge ; il cherchait à conquérir l'Angl. (dernière expédition viking). **1130-1240** double système de l'hérédité et de l'élection au trône conduit aux g. civiles. **1163** Magnus V couronné. L'Église a tout pouvoir de trancher entre prétendants. **1194** roi Sverre Sigurdsson excommunié. **1217-63** fin des g. civiles. Apogée : Islande et Groenland appartiennent à la couronne de N. Snorri Sturlason écrit la saga des rois de N. **1274-76** Magnus le Législateur promulgue la 1ʳᵉ loi valable pour tout le pays. **1319-60** union personnelle avec Suède. **1349-50** peste noire. **1380** union avec Dan., jusqu'en 1814. **1397** *union de Kalmar* : Suède (quitte 1521), Dan., N. **1468-69** Orcades et Shetland remises au roi d'Écosse. **1563-70** g. de 7 Ans. **1807-14** g. contre Angl. et Suède. Blocus et famine. **1811** 1ʳᵉ université n. **1814** *tr. de Kiel* : Dan. cède N. à Suède. *-17-5* constitution, prince danois élu roi de N. *Juill.-août* g. avec Suède. Le roi renonce au trône et le 1ᵉʳ Storting (parlement) n. approuve union avec Suède (1814-1905). **1837** autonomie communale. **1866-73** + de 100 000 émigrants, surtout vers U.S.A. **1884** système parlementaire. **1898** suffrage universel pour hommes.

1900-10 200 000 émigrants. **1905** tr. de Karlstad. *-7-6* union avec Suède dissoute. Indépendance. *12/13-11* réf. (pour royaume 259 563, rép. 69 264). *-18-11* vote du Storting pour le roi (Carl de Danemark : Haakon VII). **1913** suffrage universel pour femmes. **1914-18** neutre pendant la g., sa flotte marchande subit des pertes. **1920** partage mer de Barentz avec U.R.S.S. (ratifié en N. 14-8-1925). **1925** Svalbard sous souveraineté n. **1933** arbitrage cour de La Haye : Groenland reste danois. **1940**-*9-4* invasion all. *Juin* gouv. exilé à Londres. *-28-5* Anglo-Fr. reprennent Narvik. *-3/7-6* rembarquent pour G.-B. **1942** *févr.* gouv. nazi, P.M. Vidkun Quisling (1887-exécuté 24-10-45). **1945**-*8-5* libération. **1952** Conseil nordique (Dan., Finlande, Islande, Suède). **1971** exploitation pétrole mer du N. **1972**-*25-9* référendum (contre adhésion à CEE 53,9 %, pour 46,5 %). **1973** accord commercial avec CEE. **1977**-*1-1* zone écon. 200 milles. Négociation avec URSS sur partage mer de Barentz (seul accès à l'Atlantique non pris par les glaces pour la flotte soviét. de Mourmansk). **1981**-*15-1* manif. contre centrale hydroélectrique sur l'Alta. **1984**-*14/15-5* Pt Mitterrand en N. **1986**-*11-5* dévaluation 12 %. **1989**-*1-8* Reiulf Sreen, Pt du Parlement, démissionne (scandale). **1991**-*17-1* roi Olav V meurt.

Statut. Royaume : État confessionnel. *Constitution* du 17-5-1814 *(Grunnlov)*. *Parlement* : *Storting* (157 m. élus p. 4 a.) comprenant *Lagting* et *Odelsting*. Le roi ne peut dissoudre le Parl. *Comtés (fylker)* 19. **Fête nat.** : 17 mai (Constit.). **Drapeau** : adopté 1821, utilisé officiellement 1894 : basé sur drapeau danois : croix bleue et blanche sur fond rouge.

Élections (% des voix et, entre parenthèses sièges) : **12-9-1985 :** Travaillistes 40,8 (71), Conservateurs 30,4 (50), Centristes 6,6 (12), Chrétiens populaires 8,3 (16), Libéraux 3,1 (0), Libéraux populaires 0,5 (0), Progrès 3,7 (2), Socialistes de gauche 5,5 (6), Communistes 0,2 (0), Alliance électorale rouge 0,6 (0). **10/11-9-1989 :** Abstentions 19,8 %. Travaillistes 34,3 (63), Conservateurs 22,2 (37), Progrès 13 (22), Socialistes de gauche 10,1 (17), Centristes 6,5 (11), Chrétiens populaires 8,5 (14), Travaillistes dissidents (Régionaux) 0,3 (1). Les 3 partis de centre-droit disposent de 62 sièges sur 165.

P.M. **1981** (14-10) Kaare Willoch (3-10-28). **1986** (9-5) Mme Gro Harlem Brundtland (n. 1938) travailliste. **1989** (16-10) Jan P. Syse (n. 25-11-1930) conservateur. **1990** (3-11) Mme Gro Harlem Brundtland.

Partis. *P. travailliste* : f. 1887, Gro Harlem Brundtland (n. 1938). *P. conservateur* : f. 1884, Jan P. Syse. *P. chrétien-populaire* : f. 1933, Kjell-Magne Bondevik (3-9-47). *P. centriste* : f. 1920, Anne Enger Lakstein. *P. socialiste de gauche* : f. 1975, Kjellbjorg Lunde. *P. libéral* : f. 1884, Havard Alstadheim. *Alliance électorale rouge* : Aksel Norstad. *P. du Progrès* : f. 1973, Carl I Hagen. *P. communiste* : André Nilsen.

Rois de Norvège

1814 *17-5* CHRISTIAN, Pᶜᵉ de Danemark [(1786-1848) petit-fils du roi de D. Frédéric II, roi de D. 1839] élu roi sous le nom de Christian-Frédéric. Les autres États n'ayant pas reconnu cette élection, une convention (14-8-1814) proclama l'indépendance de la N. en union personnelle avec la Suède (les rois de S. devenant également rois de N.). Union dissoute 7-6-1905 à la demande de la N.

1905 (plébiscite des 12/13-11) HAAKON VII (1872-1957), Pᶜᵉ Carl de Danemark, 2ᵉ fils du roi de Dan. Frédéric VIII (1843-1912) et fr. de Christian X (1870-1947) roi de D., ép. 1896 Pᶜᵉˢˢᵉ Maud de G.-B. et d'Irl. (1869-1938), f. du roi Édouard VII.

1957 *21-9* OLAV V (1903-91), Pᶜᵉ Alexander de Dan., s. f. Ép. 21-3-29 Pᶜᵉˢˢᵉ Martha de Suède (28-03-01/5-4-54), f. du Pᶜᵉ Ch. de S. duc de Westrogothie (1861-1951), et sœur d'Astrid de Belg. *3 enfants : Ragnhild* (9-6-30), ép. 1953 Erling Lorentzen (armateur) et perd le prédicat d'Alt. roy. *Astrid* (12-2-32), ép. 12-1-61 Johan Ferner (homme d'affaires) et perd le prédicat d'Alt. roy. **1991**-*17-1* Harald (21-2-37) ép. 29-8-68 Sonja Haraldsen (4-7-37). *Enfants : Martha Louise* (22-9-71) et *Haakon Magnus* (20-7-73).

Dépendances

Iles Svalbard (Spitzbergen, île Blanche, île du Roi-Charles, île Hope, île aux Ours) [Arctique]. Archipel 62 700 km². *Pop. 1983* : 4 012 h. dont 2 550 Russes et 12 Polonais, *1988* : 3 646, dont 2 579 Russes, 1 055 Norv. et 12 Pol. *Capitale : Longyearbyen.* HISTOIRE : **1194** découvertes par Norv. **XVIIᵉ-XVIIIᵉ s.** rivalité N.-Angl.-Holl. pour chasse à la baleine (ensuite épuisée). **1920**-*9-2* tr. de Paris (41 signataires : droits égaux pour exploration et exploitation des ressources minières). Souveraineté norv. off. reconnue. **1925**-*14-8* sous la juridiction norv. RESSOURCES : charbon (prod. en 82 : 3 gisements norv. 359 003 t et 3 russes 475 403 t).

Ile Jan Mayen (Arctique) rattachée à la N. dep. 27-2-30. 380 km². 36 h. Station radio et météo.

Ile Bouvet (Atl. S.) 58,5 km². Station météo. A 2 500 km du cap de Bonne-Espérance. *1739* découverte Jean Bouvet de Lozier (Fr.). *1825* occupée par G.-B. *1927* occupée par N. *1930-27-2* déclarée norv.

Ile Pierre-Iᵉʳ (Antarct.) 249,2 km². *1929* visitée par N. *1931-1-5* déclarée norv. Inhabitée.

Terre de la reine Maud (Antarct.). Entre le 20° O. et le 45° S. *1957* déclarée norv. Inhabitée.

Économie

P.N.B. (89). 22 060 $ par h. **Taux de croissance** (%). *1985* : 4,4, *88* : 2,6, *89* : 5,7. **Pop. active** (%, entre parenthèses part du P.N.B. en %) agr. 7,1 (5), ind. 26,3 (20), services 64,6 (61), mines 2 (14). *Chômage* (%). *1985* : 2,3, *86* : 1,9, *87* : 2,2, *88* : 2,6, *89* : 4,5, *90* : 5,3, *91 (est.)* : 5,1. **Inflation** (%). *1985* : 5,75, *86* : 10, *87* : 8,5, *88* : 5,5. **Dette extérieure** (milliards de $). *1985* : 94. **Balance commerciale** (milliards de cour.). *1985* : + 35, *87* : – 7,4.

1992-*1-1* *réforme fiscale* : réduction des taux. 35,8 % au lieu de 48,3 (dont t. de base 28 % du revenu brut, prélèvement Séc. soc. 7,8 %) + 9,5 % au-delà de 190 000 couronnes (t. global 45,3 %) + 13 % au-delà de 225 000 cour. (t. global 48,8 %, au lieu de 57,8 %). Part du revenu exonéré : passe à 27 000 cour. Taux de 28 % sur revenus du capital, mais déduction des intérêts remboursables réduite à 28 % (avant 40,5). Impôt sur les Stés 28 % (avant 50,8).

Agriculture. *Terres* (milliers d'ha, 79) t. arables 937, pâturages 108, forêts 6 660, divers 29 462. *Production* (milliers de t, 86). Foin 2 881, fourrages 1 136, céréales et pois secs 1 107,3 [blé 200 (88), orge 550 (89), avoine 500 (89)], p. de terre 483 (89), betteraves 223, légumes 144,5, paille 79,2 (85), fruits 56,6, baies 41,7. **Forêts.** 10 984 000 m (88). Bois, pâte à papier. **Élevage** (milliers de têtes, 88). Poules pondeuses 4 029 (87), moutons 2 306, bovins 932, porcs 788, chèvres 92, chevaux 17. **Pêche** (milliers de t, 88). 1 800 dont morue 301, cabillaud 244, merlan 233 (85), colin 207 (85), maquereau 156, crustacés 91 (crevettes 41), hareng 54.

Énergie. **Pétrole** (en millions de t). *Réserves* : 1 495 (91) ; *prod. 1975* : 9,2, *80* : 24,4, *81* : 23,5, *82* : 24,5, *83* : 30,5, *85* : 38, *86* : 40,5, *87* : 49, *88* : 56,7, *89* : 75, *90* : 82 surtout gisement d'Ekofisk exploité dep. 71. **Gaz** (milliards de m³). *Réserves* 1 717 ; *prod.* : Frigg, 16,5 milliards de m³ de gaz (cumulée dep. 1977 : 156, réserves 175 Md 1993), Odin (2,5 à 3,2 de m³/an), Frigg N.-E. (1 Md m³/an), Frigg-Est

(1,4 milliard de m³/an), total *87 :* 29,4, *88 :* 29,8, *89 :* 30,6, *90 :* 25,4. *Exportations 1982* 24,5 ; *83* 24,5 ; *84* 26,2 ; *85* 28 ; *86* 27 ; *87* 31. **Part du pétrole et du gaz.** *Dans le P.N.B.* (en %) *1984 :* 18,3, *85 :* 19, *88 :* 12 ; *dans les recettes de l'État : 1985 :* 19, *88 :* 5,5. **Électricité.** 119,2 milliards de kWh en 1989 (dont 118,7 d'origine hydraulique). **Divers** (milliers de t, 89). Charbon 417, fer 1 141, cuivre 16,5, zinc 22,2, molybdène, pyrite, tungstène, antimoine, titane, plomb.

Industrie. Raffineries, aluminium, métallurgie, pétrochimie, chimie, papier, ciment, construction navale, électron., alim.

Transports. *Marine marchande :* au 1-1-88. 1 189 navires (3 415 000 tjb dont tankers 2 267 000). *Routes* (km, 88) : 87 578 dont goudronnés 59 928. *Chemins de fer* (km, 88) : 4 168 dont électrifiés 2 448, à double voie 91. **Tourisme** (87). 12,27 millions de nuitées.

Commerce (milliards de couronnes, 87). **Exportations** 199 *dont* combustibles, lubrifiants, électr. etc. 58,6 (dont pétrole 40,9, gaz 17,2), prod. man. 27,8, mach. et mat. de transp. 24,7, prod. alim. et animaux vivants 11, prod. chim. 10,9 (dont poissons et préparations de poisson 9,4), mat. brut (combustibles exclus) 5,9 *vers* (%) G.-B. et Irlande du N. 38,6, All. féd. 21,4, Suède 16,1, P.-Bas 10,3, *France 7,3.* **Importations** 211,7 *dont* mach. et mat. de transp. 59,5, prod. man. 28,4, prod. divers 26,2, prod. chim. 11, combustibles, lubrifiants, mat. brut (combustibles exclus) 9,2, électr. 8, prod. alim. et animaux vivants 7,2 *de* (%) Suède 28,7, All. féd. 23,5, G.-B. et I. du N. 13,6, Danemark 11,7, U.S.A. 9,8, Japon 8,6, *France 5,6.* *Exp. de pétrole et de gaz* (milliards de cour.) *80 :* 41, *84 :* 78,5, *85 :* 85,5 (soit 40 % des exp.), *88 :* 62 (soit 31 % des exp.).

Rang dans le monde (89). 4ᵉ flotte marchande (86). 7ᵉ pêche. 9ᵉ gaz nat. 11ᵉ rés. gaz nat. 13ᵉ rés. pétrole. 16ᵉ pétrole.

NOUVELLE-CALÉDONIE

V. légende p. 837.

Nom. Donné par James Cook en 1774, en souvenir de son Écosse natale. *Surnom :* le Caillou.

Situation. Iles du Pacifique à 18 000 km de la France, 1 700 km de la N.-Zélande, 1 500 km de l'Australie. 18 575 km². **Grande-Terre** 16 494 km² ; *long.* 400 km ; *larg.* 42 km ; *côtes* 880 km ; *alt. max.* Mont Panié 1 628 m ; *montagne* aux paysages variés, ceinture de récifs-barrières. **Ile des Pins** au S., **Archipel de Bélep** au N., **Iles Loyauté** au N.-O. (1 981 km²). **Climat** tempéré ou semi-tropical (moy. 20-26 °C) et salubre. *Saison sèche* avril-nov. (coupée de pluies en juil.), *pluvieuse et chaude* déc.-mars (cyclones déc.-avr.) avec longues sécheresses, *fraîche* juin à sept. *Forêt* tropicale humide, *savane* à *niaoulis* (petit eucalyptus).

Population. *1887 :* 62 500 [Européens (Caldoches) 30 %, Mélanésiens (Canaques, 333 tribus) 68 %, autres 2 %)] ; *1901 :* 54 400 (E. 41,8, M. 53,3, A. 4,7) ; *1921 :* 47 500 (E. 29,4, M. 57,1, A. 13) ; *1936 :* 53 200 (E, 29, M. 54,1, A. 16,9) ; *1951 :* 65 500 (E. 31,1, M. 51,9, A. 17) ; *1969 :* 100 579 (E. 41, M. 46, A. 13) ; *1983 :* 145 368 [E. 37,1, M. 42,6, A. 20,3) ; *1989 :* 164 173 [55 085 (33,6 % dont 61,4 % nés en N.-Calédonie), M. 73 598 (44,8), A. 35 490 (21,6 dont Wallisiens 14 186, Indonésiens 5 191, Tahitiens 4 750, Vietnamiens 2 461, Ni-Vanuatu 1 683, autres Asiatiques 642, divers et non déclarés 6 477] ; *prév. 2000 :* 172 000 (M 882 000, E. 64 000, A. 26 000). **Âge** - *de 20 ans :* 47 %. **D.** 8,6. **Autochtones** à Nouméa ou en brousse où les tribus mélanésiennes (54 % de la pop. mél.) disposent de réserves foncières inaliénables (399 800 ha). **Européens** descendent de colons arrivés fin XIXᵉ s. et d'anciens forçats, et vivent à Nouméa et sur la côte Ouest (95 %). *% de métropolitains : 1976 :* 41,7, *85 :* 44,1, *89 :* 38,6. **Emploi** (%) : *Mélanésiens :* agr. 23,7, artisans-commerçants 1,1, cadres 0,6, prof. intermédiaires 6,8, employés 23,1, ouvriers 28,8. *Européens :* agr. 2,2, artisans-commerc. 11,5, cadres 8, prof. intermédiaires 25,4, employés 29,5, ouvriers 18,5. *Chômeurs de 15 ans et +* (% en 1989) : 16 (*83 :* Européens 3,1, Mélanésiens 6,8).

Répartition : Grande-Terre 146 261 dont *Nord* 34 526, *Sud* 111 735, *Iles Loyauté* 17 912. A *Nouméa* (Grand Nouméa dont communes de Nouméa, Mont-Dore, Dumbéa et Paita, en %) : Européens 45,7 ; Mél. 21,6 ; autres 32,7. *Province sud* (%) : Eur. 44,3 ; Mél. 25,8 ; autres 29,9. *Province îles* (%) : Mél. 98.

Villes (89). *Nouméa,* chef-lieu, 65 110 h. (ag. 83 : 85 000), Mont Dore 16 370 (à 10 km), Dumbéa 10 052 (à 15 km), Païta 6 049 (à 30 km), Bourail 4 122 (à 168 km), Canala 3 966 (à 175 km), Houaïlou 3 671

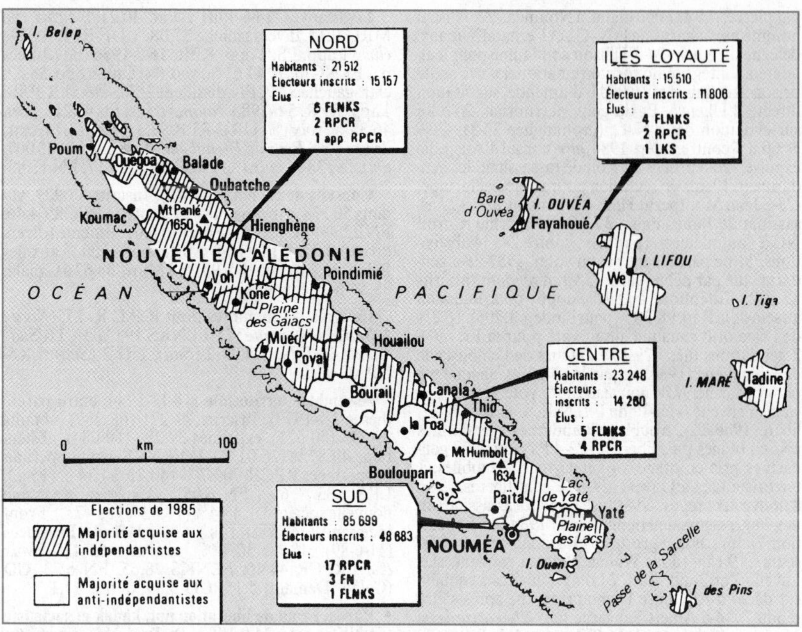

(à 239 km), Poindimié 3 590 (à 312 km), Koné 2 919, Thio 2 368 (à 126 km), Koumac 2 194, La Foa 2 155.

Langues. Français *(off.)* ; vernaculaires nombreuses (28). **Religions.** Catholiques 92 000 (dont 47 000 Eur., 30 000 Mél., 10 000 Wallisiens). Protestants (surtout évangélistes) 34 000 (dont 30 000 Mél., 3 000 Tahitiens, 1 000 Eur.). Musulmans 4 000 (Indonésiens).

Enseignement (1989). *Primaire :* 185 écoles maternelles et primaires publiques et 93 privées ; effectifs (public) 33 872 élèves. *Secondaire :* 19 collèges publics et 25 privés, 4 lycées publics et 4 privés, 2 lycées professionnels publics et 3 privés ; effectifs (public) collèges 7 658, lycées 2 272, l. professionnels 3 540. *Supérieur :* 180 élèves dans les sections de B.T.S. Université française du Pacifique (Papeete) créée en mai 1987 : 500 étudiants en DEUG.

Histoire. 1774-*5-9* découverte par l'Angl. James Colnett, midship du capitaine Cook. **1788** La Pérouse reconnaît le pays, ses bateaux (la *Boussole* et l'*Astrolabe*) font naufrage [on retrouvera l'*Astrolabe*, en 1826 à Vanikoro (Salomon)]. **1791-93** Bruny d'Entrecasteaux recherche ces bateaux et explore la côte et les îles. **1827-37** Dumont d'Urville reconnaît les îles Loyauté. **1841** la London Missionary Society les évangélise. **1843**-*21-12* arrivée de missionnaires (Maristes), Mgr Douarre s'installe à Balade dans le N, sur le point d'être colonisée par l'Angl. Paddon (établi dans l'île Nou). **1853**-*24-9* à la suite du massacre par les indigènes des 12 marins fr. de l'*Alcmène* (nov. 1850), le contre-amiral Febvrier-Despointes prend possession de l'île, qui est rattachée aux Établissements fr. d'Océanie (Tahiti). **1859** 43 colons installés sur 850 ha. **1860**-*18-1* colonie autonome. **1861** culture de coton. **1864** le cap. de vaisseau Tardy de Montravel fixe le chef-lieu (appelé Port-de-France jusqu'en 1866) ; un colon, Higginson, découvre du nickel à Dumbéa. 1ᵉʳ convoi de 250 forçats. **1865** culture de sucre. **1868-1946** système des réserves indigènes. **1871** colonie pénitentiaire (île de Nou achetée à Paddon en 1857) ; arrivée d'Arabes, déportés sur Grande-Terre et Ile des Pins après la révolte en Algérie (1871) du bachaga El Mokrani, et d'Alsaciens Lorrains. **1871-74** ruée vers l'or. **1874** nickel exploité. **1872-78** 4 300 déportés après la Commune, répartis entre l'île Nou (300), où les condamnés pour assassinat ou pillage sont mêlés aux autres forçats, Ducos (1 000), pour les cond. à la détention dans une enceinte fortifiée, dont Louise Michel, qui deviendra institutrice, et l'île des Pins (3 000), pour les cond. à la déportation simple. **1878** révolte canaque menée par Ataï (200 Blancs et 1 200 Mél. †), les Mél. sont regroupés dans des réserves (370 000 ha). **1880** *juin* cond. de la Commune reviennent en métropole. **1894** programme de colonisation agricole ; gouverneur Feillet développe café. **1895** conseil général. **1896** arrivée de travailleurs javanais et hindous. **1897** dernière arrivée de forçats (« transportés »). Sur 21 000 arrivés dep. 1864, il en reste 9 700. **1917** révolte canaque près de Koné. **1922** arriv. des Tonkinois. Révolte. **1940**-*19-10* ralliement à Fr. libre. **1942** base amér. (50 000 h.). **1945**-*22-8* création d'un siège de député, droit de vote pour certains autochtones (anciens combattants, pasteurs, chefs coutumiers, moniteurs) soit 1 444 Canaques sur 9 500 él. **1946** Parti comm. de N.-C. fondé. **1947** installation à Nouméa de la Commission permanente du Pacifique S. Les catholiques (père Luneau) fondent l'Union des Indigènes cal. amis de la liberté dans l'ordre (UICALO), et les protestants l'Association des indigènes cal. et loyaltiens français (AICLF). **1951** il y a 8 930 Mél. électeurs sur 19 761. Henri Lafleur 1ᵉʳ élu Conseiller de la Rép. Maurice Lenormand 1ᵉʳ député élu. **1953** Union cal. (UC) créée. **1956** devient TOM. De Gaulle en N.-C. **1957**-*22-7* autonomie. *-26-7* droit de vote pour tous les Canaques. Loi-cadre. Un Mél. (Richard Kamouda) tué par policier (rixe) ; manif. *-6-10* él. Ass. terr. majorité UC. **1958**-*30-10* Ass. terr. dissoute. *-7-12* él. majorité UC. *-17-12* opte pour statut de TOM. **1962**-*9-3* Ass. terr. dissoute. *Avril* él. majorité UC. **1963**-*21-12* loi : conseil de gouv. sous l'autorité du gouv. Boom du nickel. **1969** *Foulards rouges,* étudiants canaques menés par Nidoish Naisseline (1ᵉʳ can. diplômé de l'Ens. supérieur) revendiquent indép. **1969-72** boom du nickel. **1972** él. : anti-autonomistes vainqueurs. **1976**-*28-12* loi accordant certaine autonomie. **1977**-*8-12* loi créant 2ᵉ siège de député **1979**-*24-5* Ass. terr. dissoute. *Juill.* él., Front indép. 35 % des v. *-22-8* manif. **1981**-*19-9* Pierre Declercq, secr. gén. de l'UC tué. *-11-11* 20 000 manif. contre indép. *-9-12* Christian Nucci haut-commissaire. *-21-12* réforme foncière. **1982**-*20-1* loi permettant au gouv. de prendre ordonnances jusqu'au 1-1-83. *Févr.* réforme fiscale. *Juin* Jean-Marie Tjibaou, vice-Pt de l'UC, vice-Pt du conseil gouv. *-22-7* bagarres à l'Ass. terr. et dans rues de Nouméa. *-5-9* Jacques Lafleur réélu député (91,95 % des v.). **1983**-*10-1* 2 gendarmes tués par Mélanésiens (18 † dans forces de l'ordre dep. mars 82). *-11-5* Mélanésien tué par Europ. *-23-12* Ass. terr. rejette avant-projet de statut d'autonomie. **1984**-*24-9* Front indép. reconstitué en FLNKS *Oct.* barrages routiers, violences. *-18-11* él. terr. *-20-11* 200 FLNKS occupent mairie de Thio. *-22-11* séquestration du sous-préfet des îles Loyauté. CRS blessés par balles. *-23-11* 4 CRS tués par balles. *-25-11* gouv. indépendantiste provisoire : Pt Jean-Marie Tjibaou. *-30-11* Européen et Mélanésien tués. *Déc.* FLNKS forme gouv. provisoire. *-2-12* Edgard Pisani délégué du gouv. pour accélérer autodétermination. *-5-12* Hienghene, embuscade 10 FLNKS tués (dont 2 frères de Tjibaou) ; les 7 agresseurs seront acquittés le 29-10-87. *-31-12* 3 attentats à Nouméa. **1985**-*7-1* plan Pisani : indépendance-association, droit de vote après 3 ans de présence, statut spécial pour Nouméa. Statut de résident privilégié pour ceux refusant nationalité canaque. *-11-1* Européen, Yves Tual, 17 ans, tué ; émeutes à Nouméa, Éloi Machoro (n. 1945, secr. gén. de l'UC) et Marcel Nonnaro tués dans affrontement avec GIGN le 12, état d'urgence. *-19-1* Pt Mitterrand en N.-C. *-21-1* mine de Thio saccagée par indépendantistes. *-23-1* état d'urgence prolongé jusqu'au 30-6. *-23-1* sabotage mine de Kouano. *-26-2 :* 30 000 manif. pour la Fr. *-8-3* major de gendarmerie tué. *Mars* incendie de classes, jets de pierres, troubles à Thio. *-26-3* Dick Ukeiwé propose partition en longueur de la Grande-Terre. *-8-4* enseignante tuée par pierre. *-11-4:* 2 000 manif. à Nouméa. *-22-5* Pisani nommé min. chargé de la N.-C., et Fernand Wibaux, délégué du gouv. *-24-5* Tjibaou condamné pour « atteinte à l'intégrité du territoire national » à 1 an de prison avec sursis et 10 000 F d'amende, sur citation directe d'Ukeiwé, Pt du gouv. territorial. *-20-8* loi sur évolution de la N.-C. (promulguée 24-8). *-29-9* él. 60,8 % contre indép. **1986** *janv.* consul d'Australie expulsé. *-26-6* procès de Koindé (assassinat des gendarmes), 10 ans de réclusion pour principal inculpé. *-23-7* Jean Montpezat Haut-Commissaire. *-15-11* assassinat de James Fels. *-2-12* ONU affirme le droit NC à l'autodéterm. (par 89 v. contre 24, 34 abstentions, 11 ne participent pas au vote). **1987**-*28-4* gendarme tué par délinquant. *13-9 référendum :* inscrits 85 022, abstentions 40,89 %, dont : pour maintien au sein de la Rép. 98,30 %, pour l'indép. 1,70 %. 16,8 % de l'électorat canaque aurait voté pour la Fr. *-30-9* 2 gendarmes tués. *-29-10* 7 auteurs de l'embuscade de Hienghène (1984) acquittés. *-6-11* 1 Canaque tué par gendarme. *Nov.* nouveau statut voté. *-28-12* Yeiwéné Yeiwéné (vice-Pt du F.L.N.K.S.) arrêté 22-12, libéré. **1988** *-22-2* troubles à Poindimié (9 gendarmes pris en otages puis libérés). *-22-4* Fayaoué : 27 gendarmes pris en otage ; 4 gendarmes, 2 mobiles, 1 terroriste tués à Ouvéa. *-24-4* 11 sont libérés. *-27-4* 8 nouveaux otages. *-29-4* José Lapetite assassiné (un des 7 agresseurs de Hienghene en 1984). *-5-5* opération Victor ; assaut grotte de Gossanah contre ravisseurs : 19 rav. (dont Waïma Amossa et Wenceslas Lavelloi) et 2 mil. tués, 24 otages libérés ; enquête sur décès d'Alphonse Dianou (rav. tué après s'être rendu ?). *-6-6* Albert Sangarné tué. *-26-6 accords de Matignon* (signés par J.-M. Tjibaou et J. Lafleur) (du 14-7-88 au 14-7-89 : administration directe par l'État puis nouveau statut appliqué). **1989**-*24-4* él. régionales. *-4-5* lors de la commémoration de la prise de la grotte, Tjibaou et Yeiwéné tués par Djubelly Wéa (chef de la tribu de Gossanah) qui est tué et André Tangopi qui est arrêté (libéré 6-2-90). *-7-5* obsèques en présence de M. Rocard. *-26-6* Simon Loueckhote élu Pt du territoire. *-27-7* USTKE (Union synd. des travailleurs kanaks et des exploités) décide par 95 voix contre 14 et 9 abst. de quitter FLNKS. *-12-8* Muliana Kalepo (n. 1938), Pt de l'Union océanienne, meurt. *Nov.* 150 indépendantistes sont libérés dont le *17-11* 26 Canaques détenus à Paris pour l'affaire d'Ouvéa et 21 détenus à Nouméa. *-18-12* amnistie pour infractions commises avant 20-8-88. **1990**-*18/25-2* Ouvéa : municipales remportées par FLNKS devant RPCR et FANC. *-24-3* Paul Néaoutine Pt du FLNKS. *-24-4* Ouvéa : municipales annulées. **1991**-*13-1* île des Pins : municipales (conseil dissout 24-11-90), maire FLNKS élu 18-1.

Nota. – Présence militaire et policière : *1983 :* 3 000 h, *85 (fév.) :* 6 000 h.

• **Statut.** Terr. d'outre-mer dep. 28-12-1956. Statut particulier dep. 26-6-1988. *Régions :* 3 administrées par Bureaux des Assemblées des Provinces (m. élus au suf. univ. direct le 16-6-1989). *Pts : Nord* Leopold Jorédié, UC ; *Loyauté* Richard Kaloi, UC (avant : Yeiwéné, tué 4-5-89) ; *Sud* Jacques Lafleur, RPCR. **Haut-commissaire.** Alain Christnacht en janvier 91, exerce le pouvoir exécutif assisté par un *comité consultatif* composé des Pts des 3 provinces et du *Pt du congrès* remplaçant les 4 Régions. **Congrès.** *Pt* Simon Loueckhote (RPCR) élu 26-6-89. 54 membres (élus des 3 Ass. des Provinces) : Sud 32, Nord 15, îles Loyauté 7.

Tribus. 1865-86 l'État, propriétaire de la terre, attribue à chaque tribu une réserve. Il peut nommer et destituer les chefs, dissoudre et créer des tribus et les déposséder de leur territoire. **1877** institution de la grande chefferie, groupant plusieurs tribus ; les chefs nommés par l'administration sont responsables du maintien de l'ordre. **1988 conseil consultatif coutumier créé.** L'État conserve diplomatie, finances, maintien de l'ordre, justice, audiovisuel, grandes décisions écon. **1991** il existe aujourd'hui 52 grandes chefferies et 350 tribus qui n'ont plus que des rapports lointains avec celles d'avant la colonisation. Certaines sont hébergées sur le territoire d'autres tribus. **En 1998** (entre 1-3 et 31-12) *référendum d'autodétermination* auquel participeront tous ceux qui seront inscrits sur les listes et ceux qui auront résidé sur le territoire dep. le 6-11-88.

Référendum sur la loi « portant dispositions statutaires et préparatoires à l'autodétermination de la N.-Cal. en 1998 ». *Inscrits* 38 039 735, *votants* 14 043 134, *exprimés* 12 371 041, oui 9 896 298 (79,99 %), non 2 474 743 (20 %). *Résultats en N.-Cal. :* Inscrits 88 401, votants 55 908, abstentions 36,75 %, exprimés 51 349, oui 29 284 (57,02 %), non 22 065 (42,97 %).

• **Élections. Présidentielles** (2e tour). **1974 :** Mitterrand 50,74 %. **81 :** Giscard d'Estaing 65,5 %, Mitterrand 34,5 %. **88 :** Chirac 90,29 %, Mitterrand 9,7 %.

Législatives. 14-6-1981 : *abst.* 40,21 % ; *voix* (%) MRG 0,12, divers gauche 37,08, UDF-RPR 61,39 ; *élus :* 1 app. PS, 1 app. RPR. **16-3-1986** (boycottées par FLNC) *abst.* 49,61 % ; *voix* (%) Union opp. 88,53, extr. gauche 8,99, FN-dissident 2,57 ; *élus :* 1 R.P.R., 1 app. RPR. **5-6-1988.** *Nouméa :* inscrits 45 216, *abst.* 46,35 %, *voix* (%) URC-RPR 83,31, FN 13,74, extr. droite 2,93. *Bourail, Hienghène, Thio :* inscrits 43 007, *abst.* 59, 38 %, *voix* (%) URC-RPR 86,17, FN 13,82.

Conseils de région (24-4-89). Inscrits 88 929, votants 50 138, exprimés 48 449 dont (%) RPCR 64,46, FN 22,49, FC (extrême droite) 6,01, Entente (divers droite) 3,97, UPC 3,04. Abstentions 100 % aux îles Bélep, 99,44 à Pouebo, 95,38 à Maré, 88,62 à Canala, 88,54 à Hienghène.

Congrès. 54 membres dont R.P.C.R. 27. (*Nord :* 4, *Sud :* 21, *Loyauté :* 2), FLNKS 19 (*Nord :* 11, *Sud :* 4, *L. :* 4), F.N. 3, CD 2 (*Sud*), UO 2 (*Sud*), LKS-OPAO 1 (*L.*).

Assemblée territoriale (18-11-1984, entre parenthèses 1-7-1979). Inscrits 79 271 (68 289), votants 39 735 (50 521), exprimés 39 296 (50 084), abstentions 49,87 % (26,01 %), le FLNKS avait appelé au boycottage. RPCR 70,87 % (40,23 %) 34 s. (15 s.), LKS 7,33 % 6 s., FN 6,05 % 1 s., Féd. pour une nouvelle société cal. 4,44 % (17,82 %) 1 s. (7 s.), Front indépend. (34,42 %) (14 s.). **Assemblées des Provinces** (11-6-89). *Abst. :* 30,7 % ; *votants :* 62 470 ; *voix (%) :* RPCR 44,46, FLNKS 28,65, FN 6,73, CD (Caléd. Demain) 5,15, UO 3,89, autres 11,1.

• **Partis. Front de libération nat. kanak et socialiste (FLNKS)** créé 24-9-1984, Pt Paul Neaoutyine (n. 1951), maire de Poindimié dep. 89 ; vice-Pt Rock Wamytan. Indépendantiste rassemblant : *Union calédonienne* (UC) f. 1956 par Maurice Lenormand, Pt François Burck, avant Jean-Marie Tjibaou [n. *1936,* aîné de 8 enfants, sa grand-mère avait été tuée par des soldats français lors d'une révolte en 1917, *1965* ordonné prêtre, *1972* renonce à la prêtrise, *1977* maire de Hienghène et vice-Pt de l'UC « pluriethnique » puis « kanake » en 1978, *1979* conseiller territorial (Front indépend. 34,5 % des v.), *1982* vice-Pt du Conseil du gouv., *1989* (4-5) assassiné] ; *Front uni de libération kanak* (FULK), f. 1974, Pt Yann Céléné Uregei (exilé avr. 1989 à juil. 90) appuyé par Kadhafi et le Vanuatu ; *Union progressiste mélanésienne* (UPM), f. 1974, Pt Chenepa Bowé ; *P. socialiste de Kanaky* (PSK), f. 1985, Pt Jacques Violette ; *P. de libération kanaque* (Palika), f. 1976, Pt Paul Neaoutyine, Elie Poigoune. **P. national cal.,** Pt Georges Chateney. **Rassemblement pour la C. dans la Rép. (RPCR)** f. 1978, Pt Jacques Lafleur [coalition de 5 partis : *Union pour la renaissance de la C.,* f. 1977, Pt Jean-Louis Mir ; *Sociaux démocrates chrétiens-Entente toutes ethnies,* f. 1979, Pt Raymond Mura ; *Rassemblement pour la C. (RPC),* f. 1977, Pt Jacques Lafleur ; *Rassemblement de la Rép.,* Pt Dick Ukeiwé ; *Mouv. lib. cal.,* f. 1971, Pt Jean Lèques]. **P. de Libération kanaque socialiste (LKS),** Pt Nidoish Naisseline. **P. fédéral kanak d'OPAO,** Pt Gabriel Paita, Auguste Siapo. **Front calédonien** (FC), Pt Claude Sarran. **Front National,** Pt Guy George. **Union pour construire (UPC)** f. 1988, Pt Francis Poadouy. **Féd. pour une nouvelle société cal. (FNSC)** f. 1979, Pt Jean-Pierre Aïfa. **Union des syndicats de travailleurs kanaks et exploités (USTKE),** Pt Louis Kotra Uregeï, fils adoptif de Yann Céléné Uregeï, chef du FULK. **Union océanienne (UO)** f. 1989, Pt Michel Hema.

Dépendances

Beautemps-Beaupré (îles). **Bélep** (Archipel au N.-O.). 70 km². 551 h. (69). **Chesterfield** (îles) : 1 km² à 580 km. Inhabitées. **Huon** (île) : 0,13 km² à 290 km N.-O. Inhabitée. Guano. **Hunter** (île) : 0,6 km². Inhabitée. **Loyauté** (îles) : archipel à 100 km N.-E. de la N.-C., découvert 1792, par l'angl. Ravers puis par d'Entrecasteaux, déclarées fr. en 1864 et 1865 (Ouvéa), 3 îles principales : *Ouvéa* 150 km², 2 774 h. dont 14 Europ. ; *Lifou* 1 115 km², 7 585 h. (90 Eur.) ; *Maré* 820 km², 4 156 h. (26 Eur.). *Population :* mélanésienne. Noix de coco, coprah. **Matthews** (île) : 0,54 km². Inhabitée. **Pins** (île des) ou **Kounié :** 160 km². 50 km au S.-E. de la N.-C. 1 095 h. (78 Eur.) ; *chef-lieu : Vao.* Abrita (1872-79) déportés de la Commune dont Louise Michel, puis condamnés de droit commun. Tourisme. Pêche. **Surprise** (île) : 0,6 km² ; inhabitée. **Walpole** (île) : 1,25 km², à 180 km de Maré, guano.

Économie

P.N.B. (88). 5 958 par h. **Pop. active** (%, entre parenthèses part du P.N.B. en %). Agr. 35 (2), ind. 20 (12), services 40 (79), mines 5 (7). *Chômage* (%). *1982 :* 20, *83 :* 6,2, *89 :* 16. **Impôt sur le revenu.** Taux max. 40 %. **Inflation.** *1984 :* 7,2, *85 :* 5,2, *86 :* – 0,6, *87 :* 1,5, *88 :* 3,5, *89 :* 4,1. **Aide de la France** (milliards de F) *1984 :* 0,59, *85 :* 0,58, *86 :* 0,78, *87 :* 0,73, *89 :* 0,38. De 1988 à 1998, dotations de 300 millions de F/an pour les fonctionnaires régionaux.

Agriculture. *Terres.* En 1983-84 : 2 580 propriétaires possédaient 134 264 ha et 10 167 propriétaires 157 288 ha. *Terres appropriées* 700 000 ha dont 378 000 aux Mélanésiens, *t. domaniales* 1 000 000 ha ; réforme foncière en cours pour redistribuer avant 1998 100 000 à 150 000 ha au profit des Mél. (qui revendiquent 270 000 ha). *1990 (janv.) :* 25 000 ha restitués. *Surfaces utilisées* (ha) céréales 1 602, p. de t. 156, légumes 544, cult. vivrière 4 070, cocotiers 2 144, caféiers 3 642. *Production* (t, 88) fruits 3 878, légumes 4 344, blé 66, maïs 907, sorgho 26, café 107 (88-89) [échec du plan café lancé en 82], coprah 150. **Forêts.** Bois 12 000 m³ (88). **Élevage** (milliers de têtes, 88). Chevaux 10, bovins 124, porcs 47, moutons 3, chèvres 21, volailles 470 (82). **Pêche.** 6 158 t (88). Sur 7 000 000 km² de zone de pêche. **Aquaculture** (88). Crevettes 233 t.

Mines. Nickel [découvert 1864, 3e rang mondial, 90 % des exp. (2,6 milliards de F en 88) 25 % des réserves mondiales : minerai garniérite (vert et riche, seul exploité) ou latérite (rouge, faible teneur)]. *Exploitations :* 1°) *indépendants :* Nickel Mining Corporation (famille Pentecost) 540 000 t au Japon ; Sté des Mines de Tontouta, ou SMT : 360 000 t vendues au Japon ; Sté minière du Sud-Pacifique (SMSP) : 700 000 au Japon. 17-4-90, Jacques Lafleur vend 85 % de ses actions de la Sté à la province Nord (montant de 99 millions de F, soit le tiers de la valeur mais 65 % avaient été achetées en 1987 30 millions de F. Nouméa Nickel : 160 000 t ; Sopromines : 35 000 t. 2) *Sté Le Nickel-SLN :* exploite de la garniérite (Doniambo), expédiée à Sandouville (mattes de ferro-nickel et nickel pur) et au Japon (125 000 t) ; *prod. de minerais* (millions de t) *1984 :* 2,9 (nickel contenu *84* 0,583, *85* 0,072, *86* 0,064, *87* 0,071, *88* 0,070) ; *85 :* 3,6 ; *86 :* 3,1 ; *87 :* 2,8. **Autres métaux.** *Chrome* (63 t de minerai concentré en 1987), *manganèse, fer, cobalt* (2e prod. mondial), *cuivre, giobertite, plomb, zinc.*

Transports. *Routes* 6 340 km (87) ; de 1988 à 1992, 586 millions de F pour le plan routier. **Tourisme.** *Visiteurs 87 :* 60 747 ; *88 :* 61 000 ; *89 :* 79 640 dont Japon 27 193, *France 17 290,* Australie 13 736, N.-Zélande 6 988, divers 14 433.

Commerce (millions de F, 89). *Exp.* 4 283 *dont* prod. métallurg. 3 245, minerais 770 *vers* (%, 86) *France 52,3,* Japon 15,8, U.S.A. 6,4, Inde 5,6, Australie 5,2 (78), divers 14,4. Italie 0,01 (78). *Imp.* 4 873 *dont* mat. de transport 1 058, mat. élec. 870, prod. alim. 855, prod. minéraux 448, prod. chim. 303, métaux 298 *de* (%, 89) *France 44,* C.E.E. 16, U.S.A. 10, Australie 9, Japon 5, Nlle-Zél. 3.

Rang dans le monde. (89) 2e cobalt. 3e nickel.

NOUVELLE-ZÉLANDE

Carte p. 1033. V. légende p. 837.

Nom. Baptisée *Staten Land* par Abel Tasman, devenue *Nieuw Zeeland* au XVIIe siècle. *Aotearoa* en maori (la terre du long nuage blanc).

Situation. Océanie. 268 112 km² (avec dépendances sauf Tokelau et Ross) dont *Ile du Sud* 153 374 km² (y compris *île Stewart*), 865 469 h. (86), *Ile du Nord* 114 738 km², 2 439 100 h. (85 est.), à 1 600 km au S.-E. de l'Australie. *Côtes* 15 000 km. *Alt. max.* Mt Cook 3 764 m. *Volcans* (Ruapehu 2 797 m) et *geysers* dans l'île du N. *Alpes de N.-Z.* dans l'I. du S. avec une vingtaine de pics de + de 3 000 m. *Glaciers* (Tasman 29 km), *fjords* (Milford Sound) le long de la côte S.-O. *Nombreux lacs* dont Taupo (le + grand, 606 km²) et Manapouri (le + profond, 443 m). *Principal cours d'eau :* Waikato 425 km. **Climat.** Subtropical dans l'extrême N., alpin en montagne, océanique tempéré ailleurs (juillet moy. 5 à 11 °C, janv. 15 à 20 °C). *Pluies :* moy. 600 à 1 500 mm. *Soleil :* + de 2 000 h/an, sauf dans l'extrême S. *Flore :* nombreuses espèces, surtout arbres à feuilles persistantes : rimu, totara, matai, miro et kauri.

Population (en millions). *1885 :* 0,5, *1930 :* 1,5, *1940 :* 1,64, *1950 :* 1,9, *1961 :* 2,415, *1971 :* 2,86, *1981 :* 3,2, *1988 :* 3,31, *1989 (mars) :* 3,35 dont 403 000 Maoris (12 % pop.), *1991* (est.) 3 460 000, *prév. 2001 :* 3 814 000. **Âge.** – *de 15 a.* 23 %, + *de 65 a.* 10,7 %. D. 12,5. **Pop. urbaine** 84 %. **Villes** (89) : *Wellington* 324 400 h., Auckland 850 900, Christchurch 299 400, Dunedin 106 600, Hamilton 104 100, Palmerston North 67 500, Tauranga 62 700, Hastings 55 600,

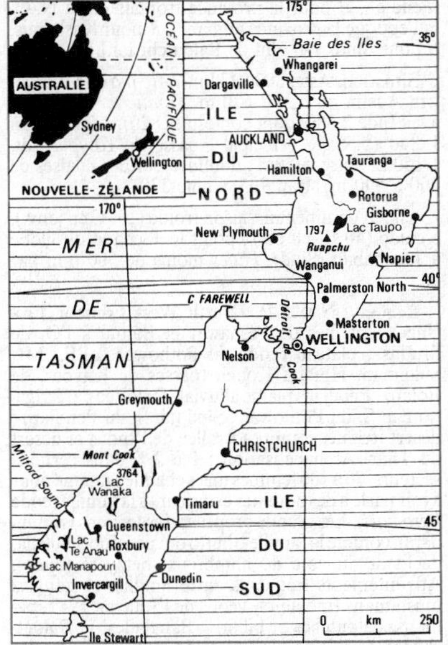

Invercargill 51 800, Napier 52 100, Rotorua 53 600, New Plymouth 45 400, Nelson 44 900, Whangarei 43 600, Wanganui 40 900, Gisborne 32 000, Timaru 28 500. **Émigration.** *1983-84 :* 6 562, *86-87 :* 15 730, *87-88 :* 24 153 (diff. écon., revendications Maoris), *89 :* 12 275. **Maoris** (1991). 415 000 (12 % de la pop., dont 90 % dans l'île du Nord et 80 % en zone urbaine ; pop. d'origine polynésienne, arrivée au XXe s. Réclament 70 % des terres au nom du tr. de Waitangi (1840). Droits de pêche et fonciers commencent à être reconnus. **Langues.** Anglais, maori. **Religions** (%, 86). Anglicans 24, presbyt. 18, cath. 15,2, méthodistes 4,7, baptistes 2,1.

Histoire. Dep. 950 migration des Maoris des îles polynésiennes. **1642** découverte par Abel Tasman (1603-59). **1769-77** explorations par James Cook. **1814** missionnaires anglicans dans baie des Iles. **1839** tentative de colonisation fr. Louis-Philippe crée une Cie nanto-bordelaise pour coloniser le pays ; le gouv. angl. dépêche le capitaine William Hobson (1858-1940) pour prendre les Fr. de vitesse. **1840**-*6-2 tr. de Waitangi :* souveraineté brit., annexion à l'Australie pendant 1 an. 1ers pionniers français à Akaroa. **1852** gouv. local, découverte d'or au Coromandel. **1860-70** g. maories. **1876** suppression du système fédéral. **1887** 1er parc national (Tongariro). **1893** 1er pays à instaurer vote des femmes. **1898** loi instituant la retraite-vieillesse (1re au monde). **1907** dominion. **1984** succès travailliste, David Lange (n. 1942). **1985** *févr.* quitte l'ANZUS (alliance militaire avec U.S.A. et l'Australie). *-11-7 Rainbow Warrior,* bateau de Greenpeace, coulé (explosion) (1 †). Après procès, les faux époux Turenge : C^dt^ Alain Mafart et capitaine (femme) Dominique Prieur condamnés et emprisonnés ; libérés en juil. 86 mais assignés à résidence sur l'atoll de Hao pour 3 ans. *-6-5* D. Prieur (enceinte) revient en Fr. Le *Rainbow Warrior* a été coulé dans la baie de Matauri pour devenir un habitat de vie sous-marine. **1987** travaillistes réélus. *Déc.* Cdt Mafart rentre en France. **1990**-*6-2* 150e anniversaire du tr. de Waitangi en présence d'Elisabeth II (manif. de Maoris). *-27-10* législatives, succès Parti national. **1991**-*29-4* visite du PM Rocard.

Statut. État m. du Commonwealth. *Gouv. gén. :* Dame Kath Tizard dep. 11-85 ; représ. la reine Elizabeth II. *Cons. des min.* (20 m.) nommé par PM mais responsable devant Ch. *Ch.* 97 m. [93 Europ., 4 Maoris (les Maoris peuvent voter dans une circonscription européenne ou maorie)], élus p. 3 a. **PM** James Bolger (n.c.). **Fête nat. :** 6 février (Waitangi Day). **Drapeau :** adopté 1917 : étoiles rouges et blanches (Croix du Sud) sur fond bleu ; drapeau anglais dans l'angle.

PM 1984 David Lange (n. 1942) trav., démissionne 8-8-84. **1989** *août* Geoffrey Palmer (n. 1945) trav. **1990** Mike Moore (n.c.). *-27-10* James Bolger (n.c.) PN.

Partis. *P. travailliste (PT),* f. 1916 (Mike Moore). *P. national de N.-Z. (PN)* f. 1936 (James Bolger). *P. communiste de N.-Z.* (prochinois), 300 m. (Harold Crooks). *P. socialiste unifié* (pro-U.R.S.S.) (Marilyn Tucker). *P. démocratique de N.-Zél.,* f. 1954 (Gary Knapp). *P. Mana Motuhake* (Matiu Rata). *Nouveau P. travailliste,* f. 1989, (Jim Anderton).

Élections. Législatives (27-10-1990). PN 67 s., PT 29, NPT 1.

Économie

P.N.B. (89) 17 965 $ NZ par h. **Pop. active** (%, entre parenthèses part du P.N.B. en %). Agr. 10,9 (9), ind. 21,7 (25), services 67,4 (66). **Chômage** (%). *1979 :* 2, *80 :* 2,9, *81 :* 4, *82 :* 4,3, *84 :* 2,1, *85 :* 4, *86 :* 6,8, *87 :* 5,8, *88 :* 6,1, *89 :* 7,4 (200 000). **Inflation** (%). *85 :* 15,4 ; *86 :* 13,2 ; *87 :* 10,8 ; *88 :* 4,7 ; *89 :* 7,2. **Dette extérieure** (89). 16,6 milliards de $ NZ. **Déficit budgétaire** (89). 1,6 % du P.I.B., résorbé en 1990.

Agriculture. *Terres* (millions d'ha, 89) arables et pâturages 14,4, forêts 7,4, eaux 0,3, divers 5. *Production* (milliers de t, 89) orge 440, blé 205, pois 80 (87), p. de terre 272, fruits divers 216, maïs 176. **Forêts** (89). Surface 7,4 millions d'ha en partie englobés dans 12 parcs nationaux, 21 parcs forestiers et près de 4 000 réserves qui couvrent + de 5 millions d'ha (soit 18,5 % du pays). *Production :* 10 611 000 m³.

Élevage (millions de têtes, 90). Ovins 57,9 dont brebis 1, bovins 4,6 dont vaches laitières 3,5, daims 1, porcs 0,4. *Production* (milliers de t, 89). Viande 1 200, laine 331, beurre 253, lait 7 275 millions de litres (89). **Pêche.** 509 100 t (89).

Énergie. Charbon : 2 400 000 t (89). **Lignite :** 235 100 t. **Pétrole :** *réserves* 76,5 millions de t ; *prod.* (87) essence 1 352 000 t., diesel 995 000 t., fuel oil 320 000 t. **Gaz :** *réserves* 156 milliards de m³, *prod.* (87) 4 milliards de m³. **Électricité** (89) : 28 189 millions de kWh dont hydraulique 78 %, thermique 17,6, géothermique 4,4. **Mines** (milliers de t, 88) : *chaux* 2 672, *sables ferrugineux* 2 351, or 2,4.

Transports (km). *Routes* 92 974 (89). *Chemins de fer* 4 790 (89). **Tourisme.** 867 522 vis. dont Australiens 34 %.

Commerce (millions de $ NZ, juin 89). *Exportations* 14 906 *dont* prod. manuf. 4 230, viande 2 633, laine 1 796 (88-89), fruits et légumes 1 389, prod. forestiers 755 (88-89), peaux 537 (86-87), *vers* Japon 2 534, Australie 2 534, U.S.A. 2 236, G.-B. 1 342, Chine 821 (88-89). *Importations* 11 402 *dont* mécanique 3 022, mach. et mat. élec. 2 789, minéraux et mat. plast. 2 651, automobiles et aéronaut. 1 572, prod. manuf. 917 *de* Japon 2 394, Australie 2 166, U.S.A. 1 824, G.-B. 1 140, All. féd. 641 (86-87).

Nota. – La France n'est que le 10e client de la N.-Z. (1,7 % des exp., 0,05 des imp.).

Rang dans le monde (89). 1er kiwi, 3e laine, 4e ovins.

• **Dépendances. Iles Kermadec** à 1 000 km au N.-E. d'Auckland, 34 km², annexées 1887, 12 h. à la station météo. **Iles Tokelau** à 500 km au N. des îles Samoa, 3 atolls (*Atafu, Nukunonu, Fakaofo*). 10 km², 1 690 h. (86), D. 169, annexées à N.-Z. en 1948, administrées dep. 1925 par min. des Aff. étrangères (annexées par G.-B. 1916, puis adm. avec îles Gilbert et Ellice), coprah, fruits. **Ross Dependency** (Antarctique) à 2 300 km au S. de la N.-Z., 414 400 km², glaces, base scient. dep. 1957, env. 12 h, adm. dep. 1923 par N.-Z. **Campbell** (île) à 600 km au S. de l'île Stewart, 106 km², 10 h. **Chatham** (île) à 850 km à l'E. de Christchurch. 963 km², 751 h. (81) ; *ch.-lieu : Owenga.* **Bounty** (îles) (lat. 47°43' S., long. 179°0,5' O.) à 784 km à l'O. de l'île Stewart, 13 km², inhabitées. **Snares** (îles) à 104 km au S.-O. de l'île Stewart, 3 km², inhabitées. **Auckland** (îles) à 400 km au S. de Bluff Harbour. 612 km², inhabitées. **Antipodes** (îles) (lat. 49°41' S., long. 178°43' O.), à 750 km au S.-E. de l'île Stewart. 10 km², inhabitées.

• **Pays associés** (autonomie interne mais citoyenneté commune). **Iles Cook.** Polynésie. 236 km², 17 185 h. (86). 15 îles en 2 groupes (86) : au S., *Rarotonga* (67 km², 9 281 h., volcanique et fertile, alt. max. Mt Te Manga 653 m, avec la cap. : *Avarua,* à 3 000 km au N.-E de la N.-Z.), *Aitutaki* 18 km², 2 400 h., *Mangaia* 52 km², 1 270 h., *Atiu* 27 km², 1 040 h., *Mauke* 18 km², 693 h., *Mitiaro* 22 km², 265 h., *Manuae et Takutea* 211 km² ; au N., *Penrhyn, Pukapuka, Manihiki, Rakahanga, Nassau, Palmerston et Suwarrow.* D. 75,2. CLIMAT : tropical. Moy. à Rarotonga 22 à 26 °C. Pluies 2 000 mm/an. HISTOIRE : *1773-77* James Cook découvre plusieurs îles du S. *1823* missionnaires anglicans. *1888* protectorat brit. *1901*-11-6 rattachement à N.-Z. *1965*-4-8. autonomie interne. STATUT. Membre du Commonwealth. *Chef de l'État :* Reine Elisabeth II. *P.M.* Geoffrey Henry. *Ass. législative* (22 m. élus au suff. univ.). *Fête nat. :* 4 août (Constitution Day). RESSOURCES : agrumes, ananas, nacre, coprah, tomates. Banques (secret des transactions : 20 % des recettes budg.) ; *tourisme* (87) : 32 157 vis.

Niue (Ile). 259 km². Corallienne isolée à 2 640 km au N.-E. d'Auckland. 2 531 h. (86). D. 21. *Cap. : Alofi.* Annexée par N.-Z. 1901. *Autonome* dep. oct. 74. *PM :* Robert R. Rex. RESSOURCES : coprah, patates douces (kumaras), miel, fruits de la passion, citrons verts.

OMAN, sultanat d'Oman

Carte p. 867. V. légende p. 837.

Nom. Du chef Oman Ben Kahtan (IIe s. apr. J.-C.) qui émigra à Oman après la destruction du barrage Maareb. Jusqu'en 1970, Mascate et Oman.

Situation. Asie. 300 000 km² (y compris les îles de Kuria Muriya 78 km², cédées par la G.-B. à O. le 30-11-67) dont Dhofar 100 000 km². *Frontières* 1 600 km, avec Yémen 300 km, Arabie Saoudite 800, Émirats arabes unis 400 env. *Côtes :* 1 700 km. *Alt. max.* Jabal al-Akhdar (la Montagne verte) 3 075 m. **Climat.** Chaud et sec, temp. extrêmes 13 à 43 °C ; pluies : 100 mm/an. *Terrains :* montagnes (+ 400 m) 45 000 km², plaines côtières inhabitées 9 000 km², oueds et zones désertiques 246 000 km².

Population. *1989 :* 1 450 000, *prév. 2025 :* 3 303 000. **Âge :** - de 15 a. : 44 %, *+ de 65 a. :* 3 %. **Mort.** *infantile :* 117 ‰. **Travailleurs étrangers.** Indiens 162 500, Pakistanais 41 800, Bengalis 25 800, Égyptiens 7 900, Ceylanais 5 900, Anglais 5 000. **Villes.** *Mascate* (cap.) 100 000 h. (agg.), Salalah 50 000 (agg.), Matrah 14 000. D. 4,6. **Langues.** *Off. :* arabe, *nationales :* arabe, swahili, farsi, *d'enseignement :* arabe, anglais. **Religions.** Islam 99 % (mus. ibadites 75 %, sunnites 25 %).

Histoire. VIIIe s. 1er *imamat* ibadite (Julanda ibn Masud). **IXe s.** création des wilayas. Invasion perse. **1505-1665** domination des ports par Portugais. **1650** imans Ya'Ariba reprennent Mascate, puis côtes. **1665** prise de Mombassa, départ des Port. **1747** avènement des Al Bû Sa'îd lors de l'expulsion des Perses par Ahmad ibn Sa'îd. Mascate, 1er port commercial du golfe. Expansion omanaise sur la côte. Zanzibar, 2e capitale d'Oman. **1798** 1er tr. avec G.-B. (confirmé 1891). **1806-56** sultan Sa'îd ibn Sultân crée 1re plantation de girofle à Zanzibar. **1856** à sa mort, 2 roy. indép. : Mascate et Zanzibar. **1890** Zanzibar protectorat brit. **1897** abolition de la traite à Pemba et Zanzibar ; difficultés écon. **1913** restauration de l'*imâmat* ibâdite, shaykh Sâlim ibn Râshid al-Kharûsi élu : scission en 2 États : Mascate et Oman. **1920** tr. de Sib entre sultan Tay mour ibn Faysal, souverain sur la côte, et l'imam (qui garde à l'intérieur une certaine indépendance). **1924** 1re concession pétrolière. **1949-55** « dispute de Buraymî » : sur concessions pétrolières. **1957** tentative de restauration de l'*imâmat.* Sultan Sa'îd reprend le contrôle du pays. **1957** Tâlib ibn Ali, avec l'Oman Revolutionary Movement, attaque sultan. Bânî Riyam rejoint les rebelles. Armée brit. aide sultan. **1963-64** rébellion au Dhofâr. **1965** Dhofâr Liberation Front, devient 1968 « Popular Front for the Liberation of the Occupied Arabian Gulf », soutenu par Yémen du S. **1969** contrôle 2/3 du Dhofâr. **1970** sultan Sa'îd destitué. *-23-7* son fils Qabous sultan. **1970** « National Democratic Front for the Lib. of O. and the Arabian Gulf ». Dans le N. attaque de Nizwâ et Izki. **1971-75** offensive du sultan assisté par Iraniens (3 000 h) et Brit. **1976**-*11-3* cessez-le-feu Oman/Y. du S. **1983**-*27-10* relations dipl. avec Y. du S. **1989**-*30-5/-2-6* Sultan Qabous en Fr.

Statut. Monarchie absolue. *Sultan* Qabous bin Saïd bin Taymour (n. 18-11-42) dep. 24-7-70, fils de Saïd bin Taymour (n. 13-8-10, sultan dep. 10-2-32, déposé). *Ass. consultative* dep. oct. 81 (55 m. nommés). Pas de partis pol. **Fête nat.** 18-11 (anniv. sultan). **Drapeau.** Adopté 1970 : bandes blanche et verte sur fond rouge ; armes off. (épées et poignard).

Économie

P.N.B. (89) 6 300 $ par h. **Pop. active** (%, entre par. part du P.N.B. en %). Agr. 58 (10), ind. 7 (10), services 32 (30), mines 3 (50).

Agriculture. *Terres* (km²) wadi déserts 246 000, montagnes 45 000, plaines côtières habitées 9 000. En 88, 41 000 ha cult. *Productions* dattes 121 000 t. (89), luzerne, citrons, oignons, blé, bananes, mangues 18 000 t. (89), tabac, sorgho, patates douces, noix de coco. **Élevage** (milliers de têtes, 88). Chèvres 700, moutons 240, bovins 130, chameaux 79, ânes 23. **Pêche.** 100 000 t (88).

Énergie. Pétrole. *Réserves* (91) 589 millions de t. *Prod.* (millions de barils et entre par. revenus en millions de rials omani) *1970 :* 121,3 (44,4), *1975 :* 124,6 (373,1), *1980 :* 103,3 (831,2), *1986 :* 204,3 (1221), *1987:* 212,5 (1335), *1988:* 226,6, *1989:* 237,2, *1990 :* 255,5. 365 puits en exploitation. **Gaz** *réserves* faibles ; *prod.* (89) 4,8 milliards de m³. Mines. **Cuivre** (expl. dep. 83) 20 000 t. **Chrome** (86) 5 000 t. Transports (km, 89). Routes 19 000 dont 4 000 asphaltés.

Commerce (en millions de R.O., 89). *Exportations* 1 512,2 *dont* pétrole 1 344, cuivre, limes, dattes, poissons, *réexportation* 101,2 *vers* (84) Japon 40, Singapour 22, P.-Bas 6,5, All. féd. 6,3, U.S.A. 5,5, *France 3,1. Importations* 868 *dont* mach. et équip. transport 313, prod. manuf. 157, prod. alim. et animaux 148, *de* Émirats arabes 210, Japon 136,2, G.-B. 101,2, U.S.A. 73,3, All. féd. 47,6, *France 29.*

Rang dans le monde (89). 22ᵉ pétrole.

OUGANDA

V. légende p. 837.

Situation. Afrique. 241 139 km² (dont 44 081 km² de lacs et de cours d'eau). *Frontières :* 2 500 km env. avec Kenya, Soudan, Zaïre, Rwanda, Tanzanie. **Relief.** Vaste plateau central 1 100 m d'alt. moyenne, interrompu à l'O. par un fossé d'effondrement (lacs Albert et Édouard), s'abaisse au S. et forme une cuvette occupée par le lac Victoria, bordé à l'O. par le massif montagneux du Ruwenzori (point culminant Margherita Peak 5 118 m) et dominé à l'E. par la masse volcanique de l'Elgon (4 321 m). **Climat.** Trop., tempéré par l'altitude : Mt Ruwenzori (audessus de 2 500 m), moy. 7 °C ; sec et chaud au N., moy. 33 °C (extr. 21 °C à 44 °C), saison chaude avr. à nov., pluies faibles ; moy. 20 °C (extr. 33 °C) sur les rives des lacs et au S. de la dépression formée par ceux-ci, pl. abondantes (1 500 mm/an de févr. à avr. et sept. à oct.). **Éléphants.** *1948 :* 92 000 ; *80 :* 200.

Population. *1988 :* 16 195 000 h. dont *1985 :* Gandas 2 500 000, Sogas 944 000, Nyankoles 855 000, Kigas 642 000, Toros 571 000, Itesots 568 000, Langis 500 000, Acholis 466 000, Gis 422 000, Nyoros 348 000 *prév. 2000 :* 26 774 000. **Âge :** *- de 15 a. :* 48 %, *+ de 65 a.* 3 %. **Mortalité** *infantile :* 108 ‰. **Émigration.** 30 000 au Kenya. **Immigration** (en majorité des réfugiés) : du Rwanda 70 000, Soudan 70 000, Zaïre 35 000. **Européens.** Anglais 1 000 (90) (7 000 en 72), Italiens 600, Russes 400 (85), Allemands 220, Français 130. D. 67. **Villes** (80). *Kampala* 800 000 h. (88), Bugembe Planning Area 46 884 (à 69 km de la capitale), Jinja 45 060 (96 km), M'Bale 28 039 (à 200 km), Entebbe 21 096 (69) (à 34 km). Langues. Anglais et kiswahili *(off.).* Dialectes les plus utilisés : luganda, lusoga dans la prov. centrale, runyankole, rukiga, runyoro dans l'O., luo dans le N. Religions (%). Catholiques 47, protestants 30, musulmans 10, animistes 13.

Histoire. **1894** protectorat brit. **1962**-*9-10* indépendance. **1963**-*9-10* nouveau statut : un Pt, une assemblée. **1966**-*22-2* coup d'État du PM Milton Obote. *-2-3* le « roi » Pt Mutesa s'enfuit en G.-B. († 1969) ; 700 †. **1967**-*8-9* République, Obote Pt. **1971**-*25-1* Gᵃˡ Idi Amin Dada (n. 1926, ancien champion de boxe, musulman, deviendra Mᵃˡ et Pt à vie) renverse Pt Obote. Const. suspendue. Parlement dissous. P. politiques interdits. *Août* 63 000 Asiatiques expulsés. **1972** *juill.* rupture relations dipl. avec Israël, révolte d'exilés échoue. **1974** *mars* coup d'État réprimé. **1975** *avr.* coopérant brit. (Dennis Hills) arrêté ; condamné à mort juin ; libéré juill. *-10-6* attentat contre A. Dada. *Nov.* rupture rel. dipl. avec URSS ; centaines d'experts milit. sov. rapatriés. **1976**-*4-7 raid israélien sur Entebbe* pour délivrer otages détenus sur aéroport par commando palestinien (et européen) qui a détourné avion d'Air France. *-28-7* G.-B. rompt relations dipl. **1977** *fév.* tribus Langi et Acholi persécutées ; archevêque anglican d'O. et 2 ministres tués (officiellement dans accident). *Juin* l'O. n'est pas invité à la Conférence du Commonwealth. **1978**-*1-11* l'O. envahit Tanzanie (1 800 km²), jusqu'au lac Kagera (considéré comme frontière naturelle O.) ; A. Dada invite Nyerere à régler conflit sur ring de boxe... *-28-11* plusieurs milliers de soldats tanz. pénètrent en O. (juin 79, fin du conflit). **1979** *mars* conf. de l'Unité à Moshi (Tanzanie), exilés fondent l'*Uganda National Liberation Front* (UNLF). *-11-4* libération de Kampala par armée tanz. et UNLF. *Avr.* malgré aide libyenne (2 000 soldats), A. Dada renversé (bilan du régime : env. 200 000 †). *-13-4* Yusufu Lule (1911-85), chef de l'État ; *-19-6* démissionne, remplacé par Godfrey Binaisa (plusieurs † *21-6*). *Août-oct.* meurtres politiques. **1980**-*12-5* Pt Binaisa destitué par « Commission mil. » présidée par Paul Muwanga. *Fin mai* Obote

rentre d'exil. *Juill.* famine dans Karamoja *-10/11-12* él. légis. avec UPC. *-15-12* Obote Pt. **1981**-*6-2* début guérilla NRA (Armée nat. de résistance de Museveni). *30-6* départ des derniers soldats tanz. **1982**-*23-2* maquisards attaquent casernes à Kampala. Représailles (23-2 au 10-4 env. 2 000 tués par armée). **1983** *mai* armée tue 200 civils. **1984**-*28-8* selon Paul Semogerere (dép. démocrate) 300 000 à 500 000 tués dep. 1980 ; selon Eliott Abrams, sous-secr. d'État amér. 100 000 à 200 000 en 3 ans. **1985**-*27-7* Obote déposé (réfugié Zambie). *-29-7* Gᵃˡ Tito Okello chef de l'État (ethnie Acholi). **1986**-*25-1* NRA (10 000 h.) prend Kampala. *-8-3* prend Gulu. **1986-87** 7 000 rebelles tués ou capturés (mouvement « Esprit Saint » dirigé par Alice Lakwena, illuminée de 27 ans, arrêtée Kenya 30-12-87). *-2-8* Robert Ekinu, vice-min. des Transports, otage de guérilleros dep. déc. 87, tué pendant l'assaut de l'armée. **1989** *janv.* A. Dada expulsé du Zaïre. **1990** *janv.* mort du Gᵃˡ Tito Okello au Kenya.

Statut. Rép. membre du Commonwealth. *Chef de l'État* Yoweri Museveni dep. 29-1-86. *Constit.* du 8-9-1967 suspendue fév. 1971 (avant, *Fédération de 4 roy. :* Buganda, Bunyoro, Ankole, Toro et terr. de Busoga). *Ass.* Conseil nat. de la résistance ; m. choisis par le Pt. *Parti : National Resistance Movement.* Fête nat. 9-10 (indépendance). Drapeau. Adopté 1962 : noir (peuple), jaune (soleil), rouge (fraternité) ; emblème central (grue huppée).

Élections. *Lég. des 10/11-12-1980 : Uganda People's Congress* (UPC, f. 1960, Milton Obote) 74 s., *Parti démocratique* (DP, f. 1953, Paul Semogerere) 51 s., *Mouvement patriotique oug.* (UPM, f. 1980, Yoweri Museveni) 1 s.

Économie

P.N.B. (88). 275 $ par h. **Pop. active** (%, entre parenthèses part du P.N.B. en %). Agr. 80 (65), ind. 5 (4), services 15 (31). **Inflation.** *1987 :* 242 %, *88 :* 180 %, *(89, prév.)* 90 %. **Dette extérieure** (88). 1,63 milliard de $. **Aide occidentale** (82-84). 1,4 milliard de $.

Agriculture. *Terres* (milliers d'ha, 81) t. arables 4 120, t. cult. 1 640, pâturages 5 000, forêts 6 010, eaux 3 633, divers 3 201. *Production* (milliers de t, 88), plantain 6 630, manioc 2 502, patates douces 1 709, canne à sucre 900, maïs 331, p. de terre 147, sorgho 289, tabac 4 (89), millet 414, haricots 277, café 184, thé 4. Forêts. 13 883 000 m³ (88). Élevage (milliers de têtes, 88). Poulets 15 000, bovins 3 910, chèvres 2 800, moutons 1 740, porcs 440. Pêche. 200 000 t (87).

Mines. Cuivre, tungstène, étain, béryl, cassitérite. Industrie. Alim. (thé, tabac, sucre), ciment, bois. Transports. Chemins de fer 1 286 km (86). Tourisme. env. 40 000 vis. (86).

Commerce. *Exportations* (millions de $ U.S., 84) 453 (86) *dont* café vert 127 (84), coton brut 24, thé 12, cuivre 9 *vers* G.-B. 394, U.S.A. 341, Kenya et Tanzanie 311, Japon 219, All. féd. 78. *Importations* (millions de $ U.S., 83) 331 (86) *dont* mach. et équip. de transp. 601, métaux 57, papier 27, fer et acier 15 *de* Kenya et Tanzanie 420, G.-B. 289, Inde 167, All. féd. 139, Italie 99.

Rang dans le monde (89). 6ᵉ café.

PAKISTAN

Carte p. 974. V. légende p. 837.

Nom. Créé 1933 à Cambridge par un étudiant musulman en combinant les lettres des provinces [Pendjab, *A* pour la province frontalière du N.-O. (à l'époque la province afghane), *K* pour Kashemir, *S* pour Sind, *TAN* fin de Baloutchistan].

Situation. Asie. 803 943 km². *Alt. max.* (Mt Godwin Austin ou K2) 8 670 m. *Frontières* 5 355 km, avec Inde 2 380 (dont contestées 820), Afghanistan 1 840 (passage principal : passe de Khyber, alt. 1 150 m ; larg. 80 km ; dominée par des falaises de 200 à 500 m), Iran 905, Chine 330.

Climat continental, saison froide (13 °C en janv.), chaude (40 °C en été) ; point le + chaud du globe à Jacobabad (Sind). *Pluies* moins de 500 mm par an.

Régions. **N.W.F.P. (North West Frontier Province) :** plaines de Peshawar et Bannu à l'O. de l'Indus ; plateau érodé du Pothowar à l'E., Mts Suleiman, Hindou Kouch (passes de Khyber, de Bolan) ; **Pendjab :** plaine alluviale fertilisée par irrigation au S. du Pothowar ; **Sind** (au S. du Pendjab) : désert irrigué, comprend vallée de l'Indus et désert du Thar. Alphabétisation : 1 à 2 % dans certains secteurs. 70 à 100 femmes tuées chaque semaine pour avoir parlé à des hommes extérieurs à la famille (code *karo-kari*). Les grands propriétaires terriens (zamindars), comme la famille Bhutto qui possède 5 000 ha, décident du vote de nombreux métayers (haris). Affrontements fréquents entre Sindhis et réfugiés musulmans (mojahirs) venus de l'Inde en 1947, pathans, baloutches et biharis (Bangladesh) ; **Baloutchistan** (à l'O.) : plateau aride, env. 50 % du P., 4 332 000 h. (dont Pathans et Brahouis 40 %) ; s'étend aussi en Iran et Afghanistan. *Cap. : Quetta.*

Population (millions). *1961 :* 49,9 ; *72 :* 64 ; *84 :* 96,2 (dont Pendjab 47,1, Sind 19, N.W.F.P. 11,1, Baloutchistan 4,4, F.A.T.A. 2,2) ; *88 :* 103 (dont Pendjab 55 %) ; *90 :* 112 ; *prév. 2000 :* 156, *2010 :* 210,4 à 263,7. D. 136,8. **Natalité.** *1991 :* 3,4 %. **Age.** *- de 15 a. :* 45 %, *+ de 65 a. :* 4 %. **Croissance dém.** (%) : *1990 :* 3,1. **Mortalité** *infantile (‰)* : 120. (65 % de la pop. sans eau potable). **Analphabétisme.** 80 %. **Villes** (est. 89). *Islamabad* (fondée 1961) 340 000 h. (81) (agg. Rawalpindi 928 000), Karachi 8 000 000 [*1901 :* 136 297, *1941 :* 435 887] (à 1 140 km), Lahore 3 000 000 [*1901 :* 202 964, *1941 :* 671 659] (à 270 km), Faisalabad 1 092 000 (81) (à 300 km), Hyderabad 795 000 (81) (à 1 035 km), Multan 730 000 (81) (à 435 km), Gujranwala 597 000 (81), Peshawar 2 000 000 (y compris réfugiés afghans) (à 150 km), Sialkot 296 000 (81) (à 285 km), Quetta 285 000 (81) (à 690 km). **Réfugiés.** *Afghans* env. 3 200 000 (1989). **Émigrés.** 3 000 000 dans les pays du golfe dont Biharis musulmans 250 000 installés au P. Oriental en 1947, inclus dans le Bangladesh en 1971, attendent de pouvoir retourner au P. Mojahers immigrés de l'Inde 4 % de la pop. en 1947, 47 % en 1989. **Drogue.** 700 000 héroïnomanes (1989).

Langues. Anglais (*off. ;* 2 %), ourdou (*nat. ;* 20 %), pendjabi (64 %), sindhi (12 %), pashto, baloutche. *Alphabétisation* (%, 85-86) : villes 46,9, campagne 16. Religions (%). Musulmans 97 [dont sunnites 74 (Pendjab), chiites partisans de l'imam-calife Ali 26 % (env. 20 millions, notamment dans le Sind : Karachi 15 %), comprenant 2 millions d'ismaëlites (chef spirituel : Karim Aga Khan) ; membres : officiers sup., commerçants (Fancy, Chinoÿ, Rahimtoulas), anc. chefs d'État Iskander Mirza, Yahya-Khan, famille Habib (banque) ; quotidiens : Dawn (angl.), Jang (ourdou), The Muslim], divers 3 [dont, en millions : chrétiens 1,3 (maj. de parias reconvertis, dont cath.), hindous 1,2, ahmadis (secte fondée 1889 par l'écrivain Mirza Gholam Ahmed (1838-1908), du Pendjab, qui voulait créer une religion universelle rassemblant islam, christianisme et hindouisme) 0,1 (considérés comme hérétiques dep. A. Bhutto, sectateurs de Mirza, alphabétisés à 100 %, parsis 10 000, héritiers des zélateurs de Zoroastre]. L'islam fait l'unité du pays.

Histoire. Considéré **jusqu'en 1947** comme une partie des Indes (son fleuve, l'Indus, a donné son nom au sous-continent). **2500-1500 av. J.-C.** apogée et déclin de la civilisation de la vallée de l'Indus, dont les capitales étaient Mohenjo-Daro découverte en 1922 [il faudrait 16 millions de $ pour la sauver (murs attaqués par cristaux de sel)] (Sind) et *Harappa* (Pendjab) : tissage (coton et laine), travail des métaux (cuivre, bronze, or, argent), bijoux en pierres semi-précieuses (jade, cornaline, lapis-lazuli), poterie peinte ou vernissée, porcelaine. L'écriture n'a pu être déchiffrée. **1500-1000 av. J.-C.** invasion des Aryens nomades d'Asie centrale ; le Rig Veda, qui contient les plus anciens hymnes sacrés hindous, est composé. **500-300 av. J.-C.** les Perses contrôlent N.-O. de l'Inde ; **326** Alexandre le Grand arrive sur l'Indus. **180-70 av. J.-C.** invasion grecque ; dynasties gréco-macédoniennes dans l'ancien empire perse et dans le N. de l'Inde (Pendjab et vallée de l'Indus) ; invasion Parthe, venue de Perse ; puis Scythe, venue de Bactriane. **200-700** rattaché à Afghanistan où règne dynastie Kushan. **713-1000** arrivée des Arabes et conversion à l'islam. **1000-1200** le Turc Mahmûd de Ghazni conquiert Pendjab et annexe roy. arabe de Sind, mais Mohammed de Ghûr et ses successeurs prennent ses possessions et les annexent à Afghanistan. **1200** annexé au sultanat de Delhi. **1526** à l'emp. des Moghols. **1605** Sikhs, ennemis des musulmans, prennent pouvoir. **1761-1834** g. Sikhs du Pendjab/musulmans afghans. **1845-49** g. Sikhs/Anglais. **1849**-*2-4* Pendjab et Sind annexés à Inde angl. **1885** parti du Congrès créé.

1906 musulmans du P. et du Bengale or. (futur Bangladesh) fondent « ligue des Musulmans ». **1930** idée d'un État musulman séparé lancée par poète Muhammad Iqbal (1873-1938). **1940** le « Muslim League » réclame, en cas de départ des Angl., un État musulman indépendant. **1947**-*14-8* séparé de l'Inde, dominion comprenant Baloutchistan, Pendjab, NWFP, Sind, Bengale or. (futur Bangladesh), Pendjab occidental. 7 millions de musulmans déplacés vers le P. occ. ; 10 millions d'hindouistes et de Sikhs vers l'Inde. **Oct. 1947 au 1-1-49** conflit avec Inde pour Cachemire (cessez-le-feu, imposé par ONU, territoire disputé entre les 2 pays). **1965**-*22-8* conflit avec Inde. Suspension de l'aide U.S. **1966**-*10-1 accords de Tachkent.* **Début 1969** émeutes, menaces de scission. *-25-3* Pt Ayub Khan remet pouvoirs à l'armée. Loi martiale, Gal Yahya Khan Pt. Revendications autonomistes au Sind et au P. oriental. **1970** *déc.* él. ; victoire de la Ligue Awami (auton.) du cheikh Mujibur Rahman au P. oriental (151 s.), du People's Pak Party (PPP) d'Ali Bhutto au Sind (18 s. sur 27) et Pendjab (61 sur 82), du National Awami Party (NAP) de Khan Abdal Wali Khan au Baloutchistan (3 sur 4) et dans provinces frontières. **1971**-*25-3* troubles au P. or. *Déc.* g. indo-pak. (v. Bangladesh et Inde). Aide U.S. suspendue. *-16-12* P. capitule à Dacca. *-20-12* Bhutto Pt. P. or. indépendant (devient Bangladesh). **1972**-*30-1* P. quitte Commonwealth (G.-B. ayant reconnu Bangladesh). Réformes (nationalisations, réf. agraire, enseignement). *-2-7 accord de Simla* avec Inde. *Été* troubles linguistiques à Karachi, + de 100 †. **1973** nouvelle Constit. : Ali Bhutto PM, Fazal Elahi Pt. Nationalisations (banques, assurances, transp. marit.). *Févr.* rébellion du Baloutchistan (tribus mengal et marri) (55 000 Bal. s'opposent + de 4 ans à 70 000 soldats pak. aidés par Iran : 5 000 Bal. et 3 000 mil. †) ; échanges de pop. avec Bangladesh, le P., voulant récupérer 70 000 pris. de g. et 20 000 civils détenus en Inde, accepte certains Biharis du Bangl. (musulmans qui avaient fui le Bihar indien lors de la partition de 1947).

1974 *avril* accord avec Inde et Bangl. (reconnu comme État 22-2). *-24-9* Hunza (roy. himalay.) annexé, intervention armée au Baloutchistan. *-28-12* séisme au N. (5 000 †). **1975** *févr.* arrestation des dirigeants du NAP interdit. *-20/21-10* Bhutto en Fr. **1976**-*1-1* adm. directe du Baloutchistan. *-9-4* hiérarchie féodale des Sardars abolie. *-14-5* reprise relations dipl. avec Inde. **1977**-*11-4* opposition protestant contre truquage des élect. de 1977 appelle à la désobéissance civique. Émeutes. *-5-7* Bhutto PM renversé par coup d'État mil. *Déb. juill.* loi martiale. *-28-7* Bhutto libéré, *-17-9* arrêté. *-1-10* élect. ajournées. **1978**-*18-3* Bhutto condamné à mort (accusé d'avoir organisé un attentat pol. en 1974). **1979** *févr.* loi coranique devient loi suprême [adultère puni de mort (lapidation en place publique) pour femmes mariées et faux témoins, 100 coups de fouet pour célibataires, 80 coups pour musulm. consommant de l'alcool, main droite ou pied coupé pour voleurs] ; prêt à intérêt sera supprimé. *Mars* Gal Zia Ul Haq renvoie M. Faiz Ali Chisti, resp. du coup d'État. *-4-4* Bhutto pendu. *Nov.* sac de l'ambassade amér. (6 †) ; suspension aide U.S. **1980** 800 000 réfugiés afghans au P. *-4-7* 100 000 chiites demandent que certaines mesures de la loi coranique ne leur soient pas appliquées. **1981**-*16-2* attentat à Karachi contre Jean-Paul II (1 †, 2 bl.). *Févr.* campagne de désobéissance civique. *-9-3* entrée de civils au gouv. *-2-3* avion détourné par groupe révol. *Al-Zulfikar* fondé par fils de Bhutto. 200 pass. libérés contre lib. de 54 prisonniers pol. ; Melle Benazir Bhutto, fille de Bh., en prison. *-15-6* aide écon. et mil. amér. 3 milliards de $ sur 6 ans. **1983** *mars* agitation religieuse. *Août* agitation dans le Sind pour rétablissement de la démocratie (200 †). *Sept.-oct.* campagne de désobéissance civique du MRD (Mouv. pour Rétablissement de la Démo.). **1984** B. Bhutto expulsée. *Mars* Gal Zia Ul Haq limoge G^aux^ Ibal Khan et Sawar Khan. *-19-12* référendum sur islamisation (abstentions 38 %, oui 97,7 % des votants) ouvrant mandat du Gal Zia Ul Haq pour 5 ans. **1985** B. Bhutto rentre mais doit repartir en exil. *-25 et 28-2* élect. Ass. nat. et provinciales, sans participation des partis alors interdits. *-Mars* constitution de 1973 restaurée. **1986** *10-4* B. Bhutto revient au P., accueillie à Lahore par milliers de gens et *1-5* à Multan par 400 000. *Juillet* 9e amendement à la Constit. : tribunaux peuvent abolir toute loi non conforme à l'Islam. *Août* B. Buttho arrêtée. *-13-8* troubles dans le Sind avant arrestation de 500 opposants. *-5-9* Boeing Pan-Am détourné à Karachi par groupe incontrôlé ; assaut police, 21 †. *-Oct.* troubles Pathans/Baloutchis à Quetta puis, *nov.* à Karachi. *-Déc.* à Karachi, police contre trafic de drogue ; troubles Mojahirs (du Bihar)/Pathans (157 †). **1987** *mars* agitation à Quetta. *-5-7* bombes à Lahore : 7 †. *Juil.-août* troubles à Karachi, attentat 14-7 (80 †), émeutes (affrontements Tourri/Menghal, entre Iraniens à Karachi). *Nov.* élect. locales, victoire partielle ligue musulmane (au pouvoir). *Déc.* 3 bombes à Islamabad (2 †). Karachi, victoire des Mohajirs aux él. **1988**-*20-1* Ghaffar Khan (dit le « Gandhi de la frontière ») meurt à 98 ans. *-10-4* Islamabad, dépôt munitions explose, 100 à 300 †. *-29-5* Gal Zia Ul Haq limoge PM Mohammad Khan Junejo et prend tous les pouvoirs. *15-6* la chari'a (loi islamique) devient loi suprême de l'État. *Juin* femmes manif. contre chari'a à Karachi et Lahore. *-17-8* Gal Zia Ul Haq meurt (accident d'avion, 29 † dont ambass. amér. au P. ; *16-10* comm. d'enquête conclut à un sabotage) Ghulan Ishaq Khan, Pt de l'Ass., Pt intérim. *-20-8* à Islamabad, funérailles : 500 000 pers. *-25-8* Gal Beg, nouveau chef de l'armée, attribue la mort du Gal Zia à une « conspiration étrangère » (URSS et Inde). *Oct.* affrontements dans le Sind Mohajirs/Sindhis (250 †). *-3-10* Cour suprême condamne dissolution du Parl. du 29-5-88, autorise partis pol. à présenter candidats aux él. du 16-11. *-16-11* élections : victoire du PPP. *-2-12* B. Bhutto PM. *-29-12* R. Gandhi au P. (1re visite off. du PM indien dep. 1960). **1989**-*28-1* PPP perd él. partielles, émeutes à Karachi (3 †). *-13-2* manif. attaquant centre culturel amér. (contre la publication des « Versets sataniques » aux USA, 5 †). *-23-3* mère de B. Bhutto, Nusrat Bhutto, min. d'État sans portefeuille. Vice-PM (3 autres femmes au gouv.). *Juill.* Mirza Baig, homme d'affaires et trafiquant de drogue arrêté. *-17-8* 100 000 à 200 000 manif. devant mosquée Fayçal à Islamabad (anniv. de la mort du Gal Zia Ul Haq qui y est enterré). *-13-11* démission du gouv. pour permettre un remaniement. **1990**-*5-1* accident chemin de fer 350 †. *-25-1* Srinagar occupée par armée ind. *-26-1* Karachi, 1 000 000 manif. contre corruption et incompétence du gouv. *-19-2* Pt Mitterrand 1er chef d'Etat fr. à se rendre au P. *-27-5* manif. pacifistes, police tire : 60 †. *-6-8* B. Bhutto PM destituée par le Pt, pour corruption et népotisme (10-9 inculpée d'abus de pouvoir). *-6-8* Ghulam Mustafa Jatoi, PM par intérim. *-1-10* état d'urgence ; aide amér. (577 millions de $ en 1990) suspendue, à cause d'activités nucléaires présumées militaires. *-27-10* él. provinciales, échec du PPP (47 % des sièges). **1991**-*26-1* congrès amér. vote 208 millions de $ d'aide. *-1-2* tremblement de terre : 300 à 500 †. *-27-3* Singapour, fin d'un détournement d'avion par des P., 4 pirates tués. *-5-5* Asif Ali Zardani, mari de B. Bhutto, accusé d'escroquerie (en prison dep. 10-10-90), acquitté. *-8-5* attentat contre dirigeant du Cachemire à Rawalpindi : 9 †. *-13-5* B. Bhutto accusée de détournements de fonds. *-16-5* Ass. adopte la Charia (loi islamique). *-27-5* mandat d'arrêt contre bégum Nusrat Bhutto.

Statut. Rép. islamique. **Constit.** 10-4-73 amendée 74, 75, 76, 77, 78, 79, 80, 81, réinstaurée avec levée loi martiale (30-12-85). **Parlement islamique.** *Assemblée nationale :* 217 m., [207 élus (20 sièges réservés à des femmes, et 10 à non-musulmans, dont minorité chrétienne 4, hindouistes 4, ahmedias (secte musulmane non reconnue comme telle par le pouvoir) 1, autres minorités (Parsis, Bouddhistes, Sikhs, etc.) 1] ; *Sénat :* 83 m. (élus par Ass. prov.). **Assemblées régionales.** 536 (Pendjab 260, Sind 144, NWFP 87, Baloutchistan 45). **Élections. 24-10-1990. Assemblée.** IDA 105 s., PPP 45, MQM 15, indép. 21, divers 20. **Membre** du CENTO (1955-74), de l'OTASE (1954-72), de l'OIC (organisation des pays islamiques) et du SAARC (South Asian Association of Regional Cooperation), du Commonwealth (retour fin 89). **Prisonniers politiques :** 400 condamnés sous la loi martiale. Campagne contre drogue (700 000 drogués). **Fêtes nat.** 23-3 (journée du P., adoption de la résolution souhaitant une patrie séparée pour les musulmans du sous-continent), 14-8 (indép.). **Drapeau.** Adopté 1947. Vert avec croissant et étoile musulmans, bande blanche pour autres religions et minorités.

Partis. *P. populaire pak. (PPP)*, f. 1967, (symbole flèche) leader Beghum Nusrat Bhutto et sa fille Benazir. *Alliance démocratique islamique (IDA)*, (coalition de 9 p. proches de l'ancien Pt Zia), leader Nawas Sharif (symbole bicyclette). *Alliance nat. pak.* (coalition de 9 p. d'opp.), f. 1977. *Mouv. pour la restauration de la démocratie* (MRD). *P. nat. démocrate* (NDP) Khan Abdul Wali Khan. *Jamiat Ulema e Islami* Miah Tufail Muhammed. *ANP* Abdul Wali Khan (fondateur Khan Ghaffar Khan). *P. pop. nat.* (NPP), scission du PPP, l. Ghulam Mustafa Jatoi. *P. démocratique popul.* (PDP), l. Nawabzada Nasrullah Khan. *Mouv. Muhajirs Qaumi* (MQM) f. 1983.

Gouverneurs. **1947**-*14-8* Quaid i-Azam Muhammed Ali Jinnah (1876-1948), gouv. général. **48**-*14-9* Khawaia Nazimudin. **51**-*19-10* Ghulam Muhammed. **55**-*17-8* Iskander Mirza (n. 13-11-99), gouv. puis Pt (6-10-55).

Présidents. **1958**-*7-10* Gal Muhammed Ayub Khan (1907-74). **69**-*25-3* Gal Yahya Khan (1917-80). **71**-*20-12* Zulfikar Ali Bhutto (1928, condamné à mort et exécuté en 1979). **73**-*14-8* Fazal Elahi Chaudry (1904-85). **78**-*16-9* Gal Zia Ul Haq (1924-87) réélu févr. 85, 5-7-77 administrateur de la loi martiale, chef d'état-major. **88**-*12-12* Ghulan Ishaq Khan (20-1-1924) élu par 233 voix contre 39 à Nawabza Nasrullah Khan par collège prés. formé par Ass. nat., Sénat et les 4 ass. provinciales.

PM. **1988**-*2-12* Benazir Bhutto [(n. 21-3-1953), ép. Ali Zardari, 1 fils Bilawal (n. 21-9-1988, 8 semaines avant l'élection), 1 fille (n. 25-1-90) (1er cas pour un chef de gouvernement des temps modernes)], 1re femme PM en pays musulman. **1990**-*6-8* Ghulam Mustafa Jatoi (intérim). *-6-11* Nawaz Sharif.

Économie

P.N.B. (89/90). 385 $ par h. **Taux de croissance** (89/90). 5,2 %. **Pop. active** (89/90). 30,8 millions dont en % (et entre parenthèses part dans le P.I.B. en %) agriculture 51,2 (25,9), énergie 0,6 (3,1), industries et mines 12,8 (18,4), B.T.P. 6,4 (4,1), services et administration 29 (48,5). **Inflation** (%). *1985 :* 5,8, *86 :* – 5,4, *87 :* off. 3,9 (réelle 7,3). *88 :* 10 (18). *89-90 :* 5,7 (taux officiel, taux réel supérieur à 10 %). **Dette extérieure.** 15,2 milliards de $ (au 30-6-89), ratio du service de la dette 25,7 %. **Transferts des émigrés.** 1,8 milliard de $ (est. 89). **Aide extérieure.** 2,5 milliards de $ (88-89). 1988-93 : aide amér. 2,2, de l'OPEP [main-d'œuvre exportée (mécaniciens, pilotes, cadres tech.) vers p. de l'OPEP], chinoise, OCDE. **Réserves en devises.** 250 millions de $ fin 90. **Aide militaire** (89). USA 1,8 milliards de $. **Budget** (88). *Recettes* 148 milliards de roupies. *Dépenses* 145 (216,63 en 89/90). Service de la dette 35 milliards, armée 48,9 (33,6 %), personnel 12. *Déficit* 56,05. **Budget militaire.** 34 % du budget total.

Agriculture. *Terres* (milliers d'ha, 85) t. arables 31 290 (2/3 sont irriguées soit 16 000 000 ha), t. cult. 20 690 (89), pâturages 4 640, forêts 3 070, eaux 2 522 (81), divers 49 741 (81). *Production* (millions de t, 89), canne à sucre 35, blé 14, riz 5 ; coton 1,4 ; maïs 1,1, sorgho 0,2, millet 0,1. 65 % de la prod. dans le Pendjab (riz 97 %). *Forêts* (88). 23 859 000 m³. Autosuffisance pour riz, sorgho, millet, légumes secs ; déficit en blé les années sèches ; exportation de coton (solde agricole en équilibre). *Conséquences de la sécession du Bangladesh : défavorable :* perte des exp. de jute, (source de devises) ; *favorable :* arrêt des livraisons de céréales qui peuvent être exportées en Inde et Afghanistan. **Élevage** (millions de têtes, 89). Volailles 150, chèvres 34,1, moutons 28,4, bovins 17,4, buffles 14,2, ânes 3,1 (88), chameaux 1 (88), chevaux 0,5 (88), mules 0,07 (88). **Pêche.** 331 739 t (88).

Énergie. **Charbon** (et lignite) : 2,73 millions de t. **Pétrole :** *réserves* 11 millions de t ; *prod.* 3 042 000 t (90). **Gaz :** *réserves* 550 milliards de m³, *prod.* 14,3 milliards de m³ (90). **Hydroélec.** (projet barrage de Tarbela, sur l'Indus, capacité 2 900 MW, prod. 12,5 milliards de kWh par an). **Nucléaire :** projet avec aide technologique.

Mines (milliers de t, 88). Chaux 7 610, gypse 404, sel 502, marbre 216, pierres fines, phosphates, chrome, sulfates. **Industrie.** Cuir, filés de coton, artisanat (tapis, matériel sportif). **Transports** (km). *Routes* 112 137 (88). *Chemins de fer* 8 775 (88).

Tourisme. **Visiteurs** (88) : 460 091. **Sites.** Mohenjo-Daro, Harappa (v. Histoire), Taxila (vestiges gréco-bouddhiques de Gandhara, 600 av. J.-C.), Mansura (7 apr. J.-C.), vallées de Swat, Kaghan, Kalash, Gilgit, Hunza, villes anciennes de Lahore, Multan, Thatta, Peshawar, Hyderabad.

Commerce (en milliards de $, en 1989-90). *Exportations :* 4,7 *dont* coton, fils et filés, art. en coton, en osier, riz, cuir, tapis 4,1. *Importations :* 816,8 *dont* mach. non élec., pétrole et dérivés, mat. de transport, huiles végétales, mach. élec., fer et acier, engrais, médicaments, *de* Japon 13,3, Canada 10,6, USA 9,4, All. féd. 6,7, Koweït 6,5, G.-B. 6. *Principaux partenaires* (%, 9 1ers mois 89/90). *Exp.* : USA 13,6, Japon 9,6, All. féd. 7,8, G.-B. 6,8, Italie 5. *Imp.* : USA 15, Japon 12,2, Koweït 11,5, All. féd. 7,3, G.-B. 5. **Balance des paiements courants** (89/90). 1,7 milliard de $.

Rang dans le monde (89). 5e coton à graine. 7e canne à sucre. 10e blé, ovins. 14e riz, bovins.

PANAMÁ

Carte p. 962. V. légende p. 837.

Situation. Amérique centrale. 77 082 km² (dont 1 432 occupés par la zone du canal). *Largeur* : 80 à 193 km. *Frontières* : avec Colombie 263 km, Costa Rica 245 km. *Côtes* : Atlantique 1 160 km, Pacifique 1 697 km. Mer des Antilles + de 1 000 îles (dont 332 dans l'archipel de Las Mulatas ou de San Blas) ; Pacifique 495 (dont Coiba la plus grande, 494 km²). *Alt. max.* volcan Baru 3 475 m. **Climat.** Chaud et humide ; saison sèche janv. à avr. pluies mai à déc., 2 000 mm par an. *Temp. moy.* 27 à 30 °C.

Population. *1990* : 2 420 000, *2000 (prév.)* : 2 893 000. **Âge.** - *de 15 a.* : 38 %, + *de 65 a.* : 4 %. En % : Métis 62, Noirs 15, Blancs 18, Mulâtres 5. Espérance de vie 70. D. 30. **Émigration** (82). 536 200. **Villes** (82). *Panamá* 570 000 h., St-Miguelito 157 063 (80), Colon 80 000 (à 90 km). David 50 000 (à 450 km). Langues. Espagnol *(off.)*. Religions (%). Cathol. 93, protestants 6.

Histoire. **1501** découvert par Rodrigo de Bastidas. **1513** Vasco Nuñez de Balboa traverse isthme et atteint Pacifique. **1671** pirate Henry Morgan détruit ville de P. **1821** indépendance et réunion avec Colombie. **1855** chemin de fer transisthmique (commencé 1849 par l'Amér. William H. Aspinwall ; 12 000 †). **1880-89** 1re Cie (française) entreprend canal v. Index ; USA rachètent ses droits (40 000 000 $). **1903**-*3-11* P. indépendant. *-6-11* USA le reconnaissent. *-18-11* accord Hay-Bunau-Varilla : USA ont l'usage de la zone limitée aux besoins du canal (100 km sur 16 km, 5 milles de chaque côté, 1 432 km²), contre 10 000 000 $ et une redevance annuelle de 250 000 $ (portée 1936 à 430 000 et 1955 à 1 930 000 $). **1914**-*3-8* ouverture de 79,6 km de voie d'eau. *-15-8* vapeur SS Ancon effectue 1er traversée. **1915** inauguration du canal. **1920-24** 3e période présidentielle de Belisario Porras. **1931** coup d'État du Mouvement d'action communale. **1940** Arnulfo Arias (1901, † en exil 88) Pt. **1941** renversé par. Amér. et exilé Nicaragua. **1941-45** Amér. construisent route transisthmique. **1947** controverse à propos des bases mil. amér. **1948** Arnulfo Arias Pt. **1951** renversé par mil. **1964** émeutes anti-amér., 22 †, 500 bl. **1968**-*1-10* Arnulfo Arias réélu Pt. *-11-10* coup d'État, junte provisoire. **1969** *déc.* nouvelle junte Demetrio Lakas (25-8-1925) Pt, investi pour 6 a. **1972**-*11-10* nouv. Constitution. Gal Omar Torrijos († 31-7-81 accident d'avion). **1974** accord de principe sur restitution de la zone du canal à P. **1977**-*7-9 tr. Torrijos-Carter* sur canal : remplace tr. de 1903 ; valable jusqu'en 1999 [P. assurera le contrôle du canal et recouvrera sa souveraineté sur la zone du canal (1 432 km² dont lac Gatun 492 km², 57 000 h. dont 27 000 Amér. en 81) sauf 6 bases militaires] ; l'admin. amér. sera remplacée par une admin. amér.-p. (dirigée par un P. élu administrateur 1-1-90, avec accord du Pt amér.), USA retireront leurs bases. Le P. percevra pendant la transition 30 cents par tonne de transit et 10 millions de $ sur droits de péage. En 2000, neutralité du canal assurée par USA et P. (qui pourra seul garder forces militaires dans la zone) ; USA peuvent intervenir militairement si P. ne peut assurer la sécurité de la zone. Ratifié à P. par référendum (67 % pour) et aux USA par Sénat (amendements non acceptés par P.). **1978**-*11-10* Aristides Royo élu Pt. **1979**-*1-10* entrée en vigueur du tr. P. étend sa souveraineté. **1981** Pt Omer Torrijo tué. **1982**-*2-8* Ricardo de la Espriella Pt. **1983**-*8-1* naissance du *groupe* (Colombie, Mex., Venez.) *de Contadora* (réunion dans cette île où l'on comptait autrefois les pièces d'or). **1984**-*6-5* Nicolas Ardito Barletta (Union nat. démocrate officialiste) élu Pt [1 713 v. de majorité sur 650 000 v.) devant Arnulfo Arias (Alliance dém. d'opp.)], *11-10* en fonction. **1985**-*28-9* Eric Arturo Delvalle, Pt. **1987**-*Juin* émeute. *-10/15-6* émeutes pour obtenir la démission du Gal Manuel Noriega (n. 11-2-36, accusé de trafic de drogue). *-30-6* manif. anti-amér. (plusieurs ministres y participent). *-24-7* aide amér. (25 millions de $ dont aide écon. 20, milit. 5) suspendue. **1988**-*14-2* 2 tribunaux de Floride inculpent Noriega (trafic de drogue). Pt Delvalle le destitue. *-26-2* Noriega fait destituer Pt Delvalle par l'Ass. nat. ; USA gèlent fonds dans banques *-mars* USA suspendent paiement des droits de passage et de transit sur le canal. *-16-3* échec complot milit. *Fin mars* grève gén., crise écon. *-4-4* renforts amér. (1 300 h.). *Mai* Noriega rompt accord avec USA prévoyant son départ en exil contre abandon des poursuites amér. pour trafic de drogue. **1989**-*2-3* 160 000 manif. à Panamá. *-7-5* présidentielles : Carlos Duque (cand. off.)/Guillermo Endara. *-10-5* violences (5 †) : Endara et Guillermo Ford, candidat à la vice-présidence, blessés (garde du corps tué). Annulation des élections. *-11-5* renfort amér. : 2 000 pour renforcer les 10 000 h dans la zone du canal. *-15-5* Bush appelle armée et peuple p. à renverser Noriega. *-17-5* l'OEA envoie mission de médiation. *-20-7* min. des Aff. étr. OEA fixent au 1-9 date limite de transfert démocr. du pouvoir. *-3-10* coup d'Etat mil. échoue. *-15-12* Ass. nat. proclame Noriega « chef du gouv. », il déclare « état de guerre » avec USA. *-17-12* officier amér. tué *19-12* sous-off. p. tué. *-19/20-12* combats *-20-12* intervention amér. « Juste Cause », 26 000 h mobilisés (dont 15 000 des U.S.A.) Guillermo Endara chef de l'Etat ; canal fermé pour la 1er fois dep. 1914. *-23-12* envoi de 2 000 h. supplémentaires devant résistance des partisans de Noriega. *-24-12* Noriega réfugié à la nonciature du Vatican. *-26-12* USA veulent saisir 10 milliards de $ d'avoirs bancaires de Noriega. **1990**-*1-1* P. assure pour la 1re fois dep. 1914 la gestion du canal. *-3-1* dizaines de milliers de manif. demandent reddition de Noriega, qui se livre aux Amér. (part pour USA le *-4-1.*) *Bilan de l'intervention amér.* : 323 mil. † (dont 23 Amér.), 90 disparus, 200 à 300 civils † (2 000 † au total selon certains). *Coût* : 163,6 millions de $. *-28-1* vice-Pt Dan Quayle à P., propose de réduire effectifs amér. à 13 600 h. *-1-3* Pt Endara commence grève de la faim pour obtenir aide amér. (besoins : 2 milliards de $). *-31-5* base de Rio Hato restituée par les USA. *-20-12* 10 000 manif. contre présence amér. **1991**-*24-6* Floride, début prévu du procès Noriega pour trafic de drogue.

Statut. Rép. *Constitution* oct. 1972 modifiée par référendum du 24-4-1983. *Pt* (Guillermo Endara) et *Vice-Pt* élus pour 5 a. par assemblée législative (comprenant des membres élus par postulation des partis et par vote pop. direct. ; actuellement 67 députés). **Provinces :** 9. **Fête nat.** 3-11. Drapeau. Adopté 1903 : carrés bleu (Conservateurs), rouge (Libéraux), blancs (paix) avec étoiles bleue (honnêteté publique), rouge (loi et ordre).

Partis. *P. révolutionnaire démocratique,* f. 1979, Pt Carlos Duque Jaen. *Front pop. large,* f. 1978, Pt Renato Pereira. *P. d'action pop.,* Pt Carlos Ivan Zuniga. *P. du peuple de P.,* f. 1943, Pt Ruben Dario Sousa. *P. démocrate-chrétien,* f. 1960, Pt Ricardo Arias Calderon. *P. libéral,* Pt Roberto A. R. Chiari. *P. panaméiste,* f. 1938, Pt Luis Gaspar Suarez. *P. libéral authentique,* f. 1983, Pt Arnulfo Escalona Rios. *Mouv. libéral rép. nat.,* Pt Alfredo Ramirez. *P. panaméiste authentique,* f. 1982, Pt vacant. *P. nat. du peuple,* f. 1982, Pt Olimpo Saez. *P. socialiste des travailleurs,* f. 1982, Pt Renan Esquivel. *P. travailliste,* 1982, Pt Carlos Eleta Almaran. *P. républicain,* f. 1982, Pt Eric Arturo Delvalle. *P. révolutionnaire des travailleurs,* f. 1983, Pte Josefina Dixon Caton.

Zone libre de Colón (hors douane). *Créée* 1947 sur Atlantique ; transit. (2e du monde en C.A.). A contribué au P.I.B. pour 180 milliards de $ en 87.

Armée. 20 000 h. Abolie 11-2-90 et remplacée par une Force publique « neutre ».

Économie

P.N.B. (en $ par hab.) *1987* : 2 150, *88* : 1 830, *89* : 1930. **Pop. active** (% et, entre parenthèses part du P.N.B. en %). Agr. 29 (10), ind. 16 (17), services 55 (73). *Fonctionnaires* 144 000. *Chômage* 11 à 25 % (87). **Inflation** (%). *1987* : 0,9 ; *88* : 0,3. **Dette extérieure** (en milliards de $). *1984* : 3,7 ; *85* : 5 ; *88* : 4,17 ; *89* : 6,7.

Agriculture. *Terres* (milliers d'ha, 81) t. arables 462, t. cult. 118, pâturages 1 161, forêts 4 140, eaux 109, divers 1 718. *Production* (milliers de t, 89), canne à sucre 2 000 (85-86), bananes 1 081 (88), riz 180, maïs 70 (85-86). Cacao, citrons, oranges 36, p. de terre, fruits exotiques. Elevage (milliers de têtes, 88). Poulets 6 200, bovins 1 423, porcs 211. Pêche. 92 951 t (88). Exp. de crevettes et de langoustes.

Canal. Voir Index. Flotte. Pavillon de complaisance. 38 000 000 tjb. Industrie : conserveries de poissons, sucre, ciment, alcools, cigarettes. Centre financier (exemptions fiscales).

Transports (km). *Routes* 9 694 (85). *Chemins de fer* 76. *Oléoduc* transisthmique ouvert 1981 (pétrole Alaska vers Floride : 25 millions de t transportées en 1987). Tourisme. *Visiteurs* (89) : 200 436. *Sites* : « Panamá Viejo », église San José, forts de « Portobelo » et « San Lorenzo », îles Taboga et Contadora (Pacifique à 50 km de Panamá), archipel des Perles, San Blas (Indiens Kunas), Natá, canal de Panamá, lac Madden, Boquete (« la petite Suisse »), Darien (Indiens Chocoes).

Commerce (millions de balboas, 89). *Exportations* : 297,2 *dont* bananes 82,4, crevettes 62,7, café 11,7, sucre non raffiné 10,2 *vers* USA 130, All. féd. 39,3, Costa Rica 24,3, Italie 11, Guatemala 4,6. *Importations* : 964,7 *dont* prod. minéraux 163, prod. chim. 152,8, équip. électr. 98,9, papier 67,3 *de* USA 363,8, Colón 118,4, Équateur 59,7, Japon 41,6, Costa Rica 32,8, Mexique 28,4.

Rang dans le monde. 2e flotte marchande, 6e bananes.

PAPOUASIE-NOUVELLE-GUINEE

Carte p. 976. V. légende p. 837.

Nom. Du malais *pupawa,* « crépu ».

Situation. Océanie. 462 840 km², 600 îles, (88) **Population.** *1988* : 3 561 000, *90 (est.)* : 3 800 000, *2000 (prév.)* : 5 292 000. **Âge.** - *de 15 a.* : 42 %, + *de 65 a.* : 2 %. D. 7,7. 23 000 Australiens, Européens et Chinois. 1 000 ethnies. **Climat** chaud et humide (moy. min. 22 °C, max. 33 °C). Pluies abondantes sur la côte. Langues. 740 env. ; vernaculaire : pidgin english. Religions. Protest. 27 %, cath. 31 %.

• Papouasie. 234 498 km². Partie S.-E. de la N.-Guinée (sup. totale 845 700 km²), annexée 1906. *Alt. max.* Mt Wilhelm 4 706 m. 692 132 h. (71) dont 14 377 (66) non-indigènes. D. 3. *Port Moresby* 190 000 h (1990). **Dépendances.** Îles d'Entrecasteaux 40 000 h., Trobriand, Woodlark, archipel des Louisiades.

• Nouvelle-Guinée. Dans le quart N.-E. de l'île (dont N.-Guinée proprement dite 180 523 km²). 240 870 km², 1 800 000 h. **Villes** (80). *Rabaul* 32 000 h., Lae 80 000 h. (1990), avec **archipel Bismarck** [288 000 h., New Britain (ex-N.-Poméranie) 37 812 km², 120 000 h., New Ireland (ex-N.-Mecklembourg) 7 252 km², *ch.-lieu* : *Kairen* 5 000 h., Lavongai (N.-Hanovre) 1 190 km², 6 000 h., îles de l'Amirauté 1 717 km², île du duc d'York 57 km²], colonie all. de 1885 à 1914, adm. par Austr. en 1921, et **Salomon septentrionales** 10 618 km², 154 500 h. (86), moitié méridionale : à l'All. de 1889 à 1914, puis adm. par Austr. ; autre moitié, ex-col. brit. adm. par Austr. [dont îles Bougainville 10 000 km², 50 000 h. (cuivre, 40 % des export., 20 % du budget), *cap.* : *Kieta* 2 402 h. ; Buka, Nuguria, Nissan, Kilinailau 18 000 h. ; Tavu, Nukumanu].

Histoire. **1884** protectorat brit. sur S.-E. **1888** annexé couronne brit. **1906** sous contrôle Austr. (revendiqué dep. 1883) ; N.-E. (N.-Guinée orientale), possession all. dep. tr. d'avril 1885. **1914-21** mandat austr. **1973**-*1-12* autonomie. **1975**-*16-3* P. indépendante. *-12/13-5* émeutes mines de cuivre Bougainville. *-1-9* Bougainville devient Rép. de Salomon du N. (*16-9* indép. *Oct.* fin sécession). **1988** *déc.* revendications foncières contre Bougainville Copper Ltd (BCL). **1989** *janv.-mai* combats armée papoue/guérilla de l'Armée révolutionnaire de Bougainville (chef Francis Ona) 30 †. **1990** *janv.* troubles 29 † (60 à 100 dep. début du conflit). *-25-2* gouv. renonce à intervention milit. *-28-2* cessez-le-feu (retrait, libération séparatistes). *-13-3* Bougainville contrôlée par rebelles. *-13-3* putsch échoue. *-17-5* République de Bougainville se déclare indép., reconnue par aucun État. *-5-8* accord de l'« Endeavour » prévoyant restauration du pouvoir gouvernemental à Bougainville. *-Sept./oct.* l'armée nat. reprend le contrôle de l'île septentrionale de Buka. **1991**-*23-1* déclaration d'Honiara : paix à Bougainville.

Statut. État membre du Commonwealth. *Const.* du 16-9-75. *PM* Rabbie Namaliu (n. 1947) dep. 4-7-88. *Ass. lég.* 109 m. élus pour 5 a. **Élections. Législatives (13-6 et 4-7-87) :** Pangu Pati (gouv.) 26 s., Indépendants 22, PDM 17, P. National 12, Alliance mélan. 7, People's Action Party 6, People's Progress Party 5, Morobe Indep. Group 4, League for Nat. Advancement 3, Papua Party 3, United Party 1. Drapeau. Adopté 1971 : oiseau de paradis papou doré sur fond rouge, les 5 étoiles de la Croix du Sud en blanc sur fond noir. **Aide militaire australienne** (90). 40 millions de $.

Économie

P.N.B. (90) 875 $ par h. **Croissance** (%). *1986 :* 3 ; *87 :* 2,9 ; *88 :* 4,5 ; *90 :* – 1,6. **Pop. active** (% et, entre parenthèses part du P.N.B. en %). Agr. 66 (32), ind. 5 (8), services 22 (34), mines 7 (26). **Inflation** (%). *1985 :* 3,7 ; *86 :* 5,5 ; *87 :* 3,3 ; *88 :* 5 ; *89 :* 7 ; *90 :* 8,5. **Balance des paiements** (88). – 372 millions de $. **Dette extérieure** (sept. 90). 965 millions de $; *service de la dette* (fin 90) : 28 % des exports.

Agriculture. *Terres* (%) forêts 95. t. arables 1. *Production* (milliers de t, 89), bananes 972, noix de coco 820 (88), patates douces 470 (88), légumineuses 278 (88), racines et tubercules 245 (88), canne à sucre 222 (88), huile de palme 159, coprah 70, café 65, cacao 40. **Forêts.** 8 231 000 t (88). **Élevage** (milliers de têtes, 88). Poulets 3 000, porcs 1 700, bovins 101, chèvres 12. **Pêche.** 15 600 t (87). **Mines** (88). Cuivre 166 000 t, argent 48,4 t, or 36 t (60 en 1994-95, 100 en l'an 2000). **Transports.** *Routes* 19 736 km (85). **Tourisme** (88). 40 529 vis.

Commerce (millions de $, 89). *Exportations :* 1 150 *dont* cuivre 658, café 131, bois 96, or 58 *vers* (en %) Japon 37,2, CEE 32,3 (dont All. féd. 24 %), Australie 10,5, Corée du sud 9. *Importations :* 1 137 *dont* (87, en millions de kina) machines et équipements de transport 339,6, prod. man. de base 181,6, prod. alim. 171,5, fuel et lubrifiants 112 *de* (en %) Australie 53,8, Japon 18,6, USA 8,8, CEE 8, Singapour 5,9, N.-Zélande 3,5.

Rang dans le monde (89) 7e or. 12e cacao. 21e café.

PARAGUAY

Carte p. 868 V. légende p. 837.

Nom. Dû au fleuve (1 262 km).

Situation. Amérique du S. 406 752 km², à 2 000 km de toute mer. *Frontières :* 3 484 km, avec Argentine 1 668, Brésil 1 021, Bolivie 795. *Alt. max.* Cerro San Rafael (dans Cordillera de Caaguazu) 850 m. **Région.** *Occidentale :* à 1 600 km de la côte la plus proche, 100 000 h., 246 925 km², plane, inhospitalière, sans fleuve, boisée au N., couverte de prairies au S., élevage extensif (continuation du Chaco argentin). Pluies 800 mm/an en moy. *Orientale :* 159 827 km², plate ou légèrement vallonnée, affluents du Paraguay et du Paraná, pluies jusqu'à 2 000 mm/an ; forêt partiellement défrichée dominant dans le N. et l'E. *Savane* avec culture intensive et élevage dans le S. **Climat.** Subtropical. *Saisons :* 2 : hiver mars-sept. ; été sept.-mars. Pluies violentes. *Temp. moy.* 22 °C ; max. 40 °C ; min. 0 °C et parfois moins.

Population. *1865 :* 525 000, *1886 :* 300 000, *1990 (est.) :* 4 280 000, en % : Métis (d'origine esp. et guarani) 90, Blancs 8, Indiens 2 ; *prév. 2000 :* 5 405 000. **D.** 10,1 (Chaco 1, P. oriental 24,4). **Âge :** *– de 15 ans* 41 %, *+ de 65 a.* 4 %. **Analphabètes.** Env. 40 %. **Taux de croissance.** 2,9. **Émigration.** 476 000 de 1945 à 71, diminution à partir de 1970, actuellement retours d'Argentine. 1 500 000 de Par. vivent à l'étranger. **Pop. urbaine.** 43 %. **Villes** (89). *Asunción* 1 000 000 h. (aggl.), Ciudad del Este 170 000, San Lorenzo 74 632 (82), Fernando de la Mora 66 810 (82), Pedro Juan Caballero 65 000, Lambaré 61 722 (82), Encarnación 35 000, Conception 35 000, Coronel Oviedo 27 000. **Langues.** Espagnol (*off.,* 75 %) et guarani (90 %). **Religion.** Catholiques 97 % (religion d'État).

Histoire. 1528-31 exploration de Sébastien Cabot. **1604** établissements jésuites : P. Diego de Torres fonde « Province de P. » qui englobe Argentine, Chili, Uruguay, Sud Brésil ; au centre 48 « réductions du Paraná, du Gaia et de l'Itatin » (villages d'Indiens convertis, établis notamment pour les protéger contre tentatives des colons de les réduire en esclavage). **1639** 26 réd. détruites par Brésiliens. Philippe IV autorise les jésuites à armer la pop. **1649** devient un État. **1707** organisation des 30 réductions définitives avec 144 252 h. Les jésuites y sont curés, maires et administrateurs agricoles. **1750** Brésil annexe 7 réductions (tr. de Madrid Esp./Port.). **1756** victoire des Guaranis sur Port. **1767** fin de la Rép. guarani, jésuites expulsés, sur l'ordre de Charles III. **1768** suppression de l'ordre des jésuites en Europe ; missionnaires doivent remettre villages aux gouverneurs civils du P. **1811**-*14-5* Rép. indép. gouv. par 2 consuls. **1814-40** dictature de José Francia. **1844-62** Carlos Lopez Pt ; essor écon. **1848**-*7-10* décret déclarant Indiens citoyens à part entière. **1862** Gal Francisco Solano Lopez, son fils, Pt. **1865-70** g. contre Triple-Alliance (Brésil, Uruguay, Arg.). **1870**-*1-3* Pt Lopez tué à Cerro Cora. Le P. a + de 300 000 tués (sur 525 000 h., il en reste 221 000 dont 28 764 mâles). **1900-54** 30 coups d'État. **1928**-*5-12* P. prend fort bol. de la Vanguardia vers frontière brésil. Bolivie investit plusieurs garnisons. **1929** Bol. et P. éditent chacun une série de timbres repoussant les frontières du voisin bien au-delà de son propre territoire. **1932-35** « g. du Chaco » : Bol. 60 000 h. commandés dep. 1926 par Gal all. Hans Kundt (en 3 années de g. 250 000 Bol. mobilisés), P. 50 000 h. commandés par Gal Estigarribia. **1935** *avril* embargo. *-12-6* armistice, Chaco partagé [P. récupère partie du Chaco (120 000 km²)] ; bilan : P. 50 000 †, Bol. 80 000 †. **1938** tr. de paix définitif fixant frontière. **1945-54** désordres. **1954**-*3-12* coup d'État du Gal Alfredo Stroessner (n. 3-11-12). **1958** Stroessner élu Pt. **1962** complot mil. échoue. **1967** élections. **1980**-*17-9* Asunción Somoza, ex-dictateur nicarag., assassiné. **1987** état de siège (décrété 1947) levé. *-16/18-5* Jean-Paul II en U. **1988** canonisation de 3 jésuites assassinés 1628. **1989** *janvier* Stroessner nomme son fils Gustavo (col. d'aviation), futur vice-pt. *-3-2* renversé par Gal Rodriguez, 66 ans (20 à 300 † ?, off. 17). *-5-2* se réfugie au Brésil. Droits d'expression rétablis, partis proscrits légalisés. *-23-3* Stroessner inculpé d'enrichissement illicite. *-1-5* Rodriguez (Colorado) élu Pt (avec 74,18 % des voix) devant Domingo Laino (PLRA) (20 %). **1991**-*26-5* él. municipales libres : Colorado 70 % des 206 circ. **1993** *mai* él. présid. et lég.

Statut. Rép. *Constit.* du 25-8-1967, révisée 1978, 1992. *Pt* (élu p. 5 a. au suff. univ.). Gal Andres Rodriguez (n. 1923) dep. 1-5-89 (Colorado). *Ch. des Dép.* 60 m. et *Sénat* 30 m. élus suff. univ. dir. p. 5 a. **Drapeau.** Adopté 1842 : rouge, blanc et bleu ; au recto Étoile de mai (libération du joug espagnol), au verso sceau du Trésor. Seul drapeau à 2 faces différentes. **Fête nat.** 14/15 mai (indép.).

Partis. *ANR* (*Asociación Nacional Republicana*) f. XIXe s., Pt Dr Luis Maria Argana. *PL* (*P. liberal*) f. 1961, Pt Fulvio Celauro. *PLR* (*P. liberal radical*) f. 1961, Dr Enzo Doldan. *PLT* (*P. liberal Teeté*) f. 1961, Pt Carlos Levi. *MAC* (*Movimiento de Autenticidad Colorada*), Pt Alcibiades Melgarejo. *MDP* (*Mvt dem. pop.*) f. 1988, Pt Mercedes Soler. *ANP* (*Acuerdo nacional paraguayo*) f. 1978. *PLRA* (*P. liberal radical auténtico*), Pt Domingo Laino. *PRF* (*P. revolucionario febrerista*) f. 1951 Pt Euclides Acevedo. *PDC* (*P. democrata Cristiano*) f. 1960, Pt Bonin. *PT* (*P. des travailleurs*), f. 1989. *PCP* (*P. comunista paraguayo*) f. 1928, interdit 1947, autorisé 1989, secr. gén. Ananias Maidana.

Armée. 32 000 h., 75 généraux.

Économie

P.N.B. (88) 1 450 $ par h. **Taux de croissance (%).** *1987 :* + 4,2, *88 :* + 4,5, *89 :* + 5,5. **Pop. active** (%, entre parenthèses part du P.N.B. en %). Agr. 50 (26), ind. 15 (22), services 35 (52). *Chômage* (89) 13 %. **Inflation** (%). *85 :* 24,8 ; *86 :* 31,7 ; *87 :* 34,8 ; *88 :* 31,2 ; *89 :* 35. **Dette.** 2,33 milliards de $ (87), dont France 1,5 milliard de F.

Agriculture. *Terres* (milliers d'ha, 81). Forêts 20 550, pâturages 15 650, t. arables 1 640, eaux 945, t. cult. 300, divers 1 590. - de 1 % des exploitants possèdent 80 % des terres. *Production* (milliers de t, 88). Manioc 3 389 (87), canne à sucre 3 383, soja 1 615 (89), maïs 1 202 (89), blé 318,4, coton 221 (89), riz 81,4, haricots 46 (89), maté 40,3, quebracho. **Élevage** (milliers de têtes, 88). Bovins 5 770, porcs 1 821,4, moutons 176,5, chevaux 317 (87), chèvres 67,3. **Pêche** (86) 13 000 t.

Hydroélectricité. Barrage d'Itaipu construit avec Brésil sur Paraná. 1983 : 1re des 18 turbines mise en service. *Capacité* 12 600 MW. *Coût* 12 milliards de $. *Production (milliards de kWh) : 1986 :* 19,31, *87 :* 33,11, *88 :* 49,70, *89 (prév.) :* 66,23, *90 (prév.) :* 72. **2 barr.** construits avec Argentine sur Paraná : *Yacireta* (3 000 MW. Coût 1,2 milliards de $) et *Corpus* (4 400 MW). La moitié de la prod. d'Itaïpu et d'Yacireta repr. 30 fois les besoins du P. Excédent revendu (Argentine et Brésil).

Industrie. Alim., conserveries de viande, textile, peaux, ciment (Vallemi : capacité 600 000 t, consommation nationale 180 000 t). **Transports** (km). *Routes* (86) 23 606 (routes asphaltées : 2 000) ; auto. : un tiers volées au Brésil ; chemin de fer (87) 441. **Tourisme.** *Visiteurs* (86) : 200 000.

Commerce (millions de $, 84). *Exportations 1986 :* 275, *88 :* 511,9, *89 :* 1 050 *dont* (86) coton 80,7, viande 54,2, soja 43,8, bois 15,6, huiles végétales 9,2, tabac 5,4, café 0,3 (83), *vers* (86) Brésil 91,8, Argentine 35,1, P.-Bas 22,5, Suisse 13,6. *Importations 1986 :* 848, *88 :* 574, *89 :* 800 *dont* (86) pétrole 117,8, moteurs et mach. 70, textiles 39,6 (83), véhicules 29 (83), fer et acier 15,3, prod. alim. 14,6 *de* Brésil 174,1, Argentine 82,5, USA 78,4, All. féd. 36,3.

PAYS-BAS

Carte p. 880. Voir légende p. 837.

Nom. Pays-Bas (traduction de *Nederland,* « basse terre »). **Hollande** (de *Hol-land,* « pays creux », ou plutôt *Holt-land,* « pays du bois »).

Situation. Europe. 41 864 km² (dont 4 872 récupérés sur la mer). *Côtes* 1 200 km. *Frontières* 1 080 km, avec All. 584, Belg. 496. *Alt. max.* Vaalserberg 321 m, *min.* Prins Alexanderpolder – 6,7 m. 27 % du terr. est au-dessous du niveau de la mer, 60 % de la pop. y vit. *Longueur* 300 km, *largeur* 150 à 200 km. **Climat.** *Moy.* hiver + 2,5 °C, été 16,1 °C. *Pluies* 765 mm par an.

Polders. *700 av. J.-C.,* la mer commence à pénétrer à l'intérieur des terres (parcelles de tourbières arrachées par la mer). V. *1250 apr. J.-C.* Zuiderzee atteint dim. max. *XVIIe s.* assèchement de quelques lacs en utilisant l'énergie des moulins à vent (puis au milieu du XIXe s. par des pompages à vapeur) : polder du Haarlemmermeer au S.-O. d'Amsterdam. Dans les îles du S.-O. et du N., on utilisait dep. *XIIIe s.* l'envasement provoqué par flux et reflux de la mer ; une fois les terres dépassant le niveau de la mer, les habitants construisaient une digue. *XIXe s.* pour accélérer l'envasement (N. Groningue et Frise) on construit des digues basses pour que sable et vase puissent se déposer et rester. *1927-30,* 1er polder du *Zuiderzee* (le Wieringermeer) asséché, pompes électriques et diesels. *1932* l'Afsluitdijk (digue de fermeture, 32 km) sépare de la mer des Wadden, le Zuiderzee [devenu l'IJsselmeer (ou lac d'Yssel)]. *1940-70* 4 sur 5 des grands polders prévus asséchés, 1 650 km² (5 %). Autres zones plus petites : le *Lauwerszee* (côte N. entre Frise et Groningue), la *Maasvlakte* (S. de l'embouchure du Nieuwe Waterweg pour l'agrandissement de la zone ind. de Rotterdam-Europort).

Plan Delta. Fermeture par des barrages de 5 bras de mer dans le S.-O., contre les marées, dont l'Escaut oriental (barrage anti-tempêtes, achevé 1986 ; 62 vannes laissent les eaux salines pénétrer dans le bassin isolé de la mer).

Terres conquises (en km²). *XIIIe s. :* 350, *XIVe :* 350, *XVe :* 425, *XVIe :* 710, *XVIIe :* 1 120, *XVIIIe :* 500, *XIXe :* 1 170, *1900-86 :* 1 900. O. et zones N. basses (50 % des P.-B.) sont constitués par des polders (plusieurs centaines). *Polder le plus grand :* Flevoland de l'Est (540 km²). *Surface totale de l'étendue d'eau douce (IJsselmeer) :* 1 262 km².

Nota. – Il y a env. 200 « wateringues » (2 600 en 1950) [organismes de droit public dépendant des adm. provinciales chargés de la gestion et du contrôle du régime des eaux, des routes, voies navigables, et de la protection de la nature].

On a renoncé à achever le *Markerwaard* (après avoir construit la digue commencée en 1957 reliant l'île de Marken au continent) (plan initial 1957, polder de 60 000 ha réduit à 41 000). On a renoncé aussi à poldériser le *Waddenzee* (100 000 ha de laisses) : 1°) vases et boues découvertes à marée basse sont utiles pour la survie de certaines espèces, notamment les oiseaux de mer ; 2°) bassins d'eau salée et saumâtre permettent élevage d'huîtres et de moules.

Démographie

Population (en millions). *1830 :* 2,61, *1900 :* 5,1, *20 :* 6,83, *30 :* 7,83, *40 :* 8,83, *50 :* 10,03, *60 :* 11,41, *70 :* 12,96, *80 :* 14,09, *85 :* 14,45, *90 :* 14,94, *prév. 2000 :* 15,86. **Âge.** *- de 19 a. :* 24,38 %, *+ de 65 a. :* 13,65 %. **Émigration** (89). 59 707 (vers CEE 27 207, Asie 5 360, Afrique 4 859, USA 4 600, Turquie 3 172, Antilles néerl. 2 720, Océanie 2 202, Surinam 1 766, Canada 1 613, Suisse 1 328, divers 4 880) ; *de 1945 à 1971 :* 476 000 (vers Canada 168 000, Austr. 141 000, USA 86 000, Afr. du S. 41 000, N.-Zélande 27 000, Brésil 6 000, divers 7 000). **Immigration** (89) : 98 914 (dont CEE 27 584, Afrique 18 047, Asie 11 776, Turquie 11 122, Antilles néerl. 6 930, Surinam 5 653, USA 4 420, Océanie 2 254, Aruba 1 104, divers 10 024). Demandes d'asile. *1987 :* 13 500, *88 :* 7 000. **Population étrangère** (1-1-90 en milliers). 641,9 dont Turcs 191,5, Marocains 148, All. de l'O. 41,8, Anglais 37,5, Belges 23,3, Espagnols 17,4, Italiens 16,7, Surinamois 14,6, Youg. 12,8, Amér. 10,5, *Français 8,4,* Portugais 8, Indonésiens 7,9, Chinois 6,2, Vietnamiens 5,2, divers 92. **Demandes d'asile.** *1987 :* 13 500. *88 :* 7 000. *89 :* 13 900. **D.** (1-1-90) 439 [Hollande N. et S. : 1 010]. **Pop. urb.**

(89). 68,6 %. **Villes** (agg. 90). *Amsterdam* 1 044 998, Rotterdam 1 043 939 (à 75 km), La Haye 685 075 (55 km), Utrecht 530 448 (40 km), Eindhoven 383 660 (120 km), Arnhem 300 998 (100 km), Heerlen/Kerkrade 267 252, Enschede/Hengelo 250 946, Nimègue 242 537, Tilburg 228 889, Haarlem 213 958 (20 km), Groningue 206 590 (190 km), Dordrecht/Zwijndrecht 206 319.

Provinces (au 1-1-1990)	Sup. en km^2 (1)	Pop. (× 1 000)	Dens. km
Groningue	2 346	553,9	236
Frise	3 357	599,2	179
Drenthe	2 655	441	166
NORD	8 358	1 594	191
Overijssel	3 340	1 020,4	306
Flevoland	1 412	211,5	150
Gueldre	5 015	1 804,2	360
EST	9 766	3 036,1	311
Utrecht	1 359	1 015,5	747
Hollande sept.	2 667	2 376	891
Hollande mérid.	2 870	3 219,8	1 122
Zélande	1 796	355,9	198
OUEST	8 692	6 967,3	802
Brabant sept.	4 949	2 189,5	442
Limbourg	2 170	1 104	509
SUD	7 118	3 293,4	463
TOTAL (2)	33 938	14 892,6	439

Nota. – (1) Non compris voies et plans d'eaux de + de 6 m de large. (2) Y compris personnes sans domicile fixe, inscrites au registre central.

Langues. *Néerlandais (off.) :* dérive de 2 dialectes « thiois », bas-francique (à l'O.) et bas-saxon (à l'E.). Le n. de l'O. (bas-francique) est devenu langue nationale (parlée, écrite et publiée) à partir du XVIe s. ; 21 000 000 néerlandophones dans le monde, dont les Flamands (Belgique) et les Afrikaanders (Afr. du S. 4 000 000). *Frison :* avec anglo-saxon et allemand, une des 3 l. du groupe germanique occidental ou westique ; parlé jusqu'au XVe s. des bouches du Rhin à la Baltique, pratiqué par 2,9 % de la pop. (région de Leeuwarden, îles Frisonnes occid. et Schleswig dano-allemand).

Religions. (%, est. 89, personnes âgées de 18 a. et +). Catholiques 33 (21 % vont à la messe chaque semaine, 48 % au moins une fois par mois ; ordinations *1961-65 :* 1 391, *1981-85 :* 105), protestants (Nederlands Hervormd) 17, protestants (réformés) 7, autres religions 6, sans religion 32.

Histoire

Période préromaine. Les Nerviens belges occupent S. de la Meuse ; les Germains frisons occupent E. de IJssel jusqu'à l'Ems ; entre les 2, tribu germano-celtique batave occupe l'*Insula Batavorum.* Principales villes : *Lugdunum* (Leyde), *Noviomagus* (Nimègue). **57 av. J.-C.** César atteint Rhin. **15 apr. J.-C.** Drusus franchit Rhin et occupe *Insula Batavorum* jusqu'au lac Flevo (Zuiderzee) ; Bataves deviennent *socii* de l'Emp. romain. **69** ils se soulèvent avec Julius Civilis, puis se soumettent, fournissant à Rome cavaliers et marins. **V. 250 apr. J.-C.** Francs occupent terres des Bataves et fusionnent avec eux. **695** évêché d'Utrecht fondé, christianisation du pays (St Willibrord). **V. 800** Frisons soumis par Charlemagne. **843** partie de Lotharingie (puis de Basse-Lorraine, apr. 954). **954-1406** 11 seigneuries, dont 3 duchés : Brabant, Gueldre, Clèves. **1406** Brabant échoit à la maison de Bourgogne, qui va réunifier le pays. **1473** Charles le Téméraire devient duc de Gueldre ; fixe à Malines capitale des P.-B. **1477** P.-B. séparés de la Bourgogne ; passeront par héritage dans la maison d'Espagne. **1524-38** Charles Quint acquiert Frise et évêché d'Utrecht ; soumet Gueldre révoltée, créant un État unitaire de la Somme à l'Ems (17 provinces). **1530** mouvements *anabaptistes* autour de *Menno Simonis* (1505-61). **1553** *Édit de Marie,* régente condamnant tous les hérétiques à mort. **V. 1540** début du protestantisme ; un de ses chefs est Guillaume de Nassau (le Vieux), seigneur de Breda, dont le fils hérite en **1544** de la principauté d'Orange (Guill. le Taciturne). **1559-65** gouvernés par Marguerite d'Autr., demi-sœur de Philippe II et par le card. de Granvelle, arch. de Malines. **1565** *compromis de Breda :* ligue anti-espagnole des seigneurs néerl. protestants, dirigée par Guill. le Taciturne. **1567-73** g. indécise entre « Gueux » de Guillaume et troupes esp. du duc d'Albe ; répression du duc et du *Conseil des Troubles.* **1571** *synode d'Emden* (Frise) : organisation de l'Eglise des P.-B. sur le type calviniste. **1573-76** Gal esp. Requesens perd N. des P.-B., notamment Leyde, où protestants fondent une université. **1573-79** Don Juan d'Autr., puis Pce Farnèse reconquièrent Bruxelles, Anvers, Gand. **1573** provinces cath. se séparent des calvinistes, qui forment la Rép. des Provinces-Unies *(Union d'Utrecht)* et renient Philippe II (1581). **1595-1609** g. navale contre colonies esp. et port. Fondation des 1ers comptoirs coloniaux holl. en Indonésie et Moluques. **1609** Rép. reconnue par Esp. **1618** *synode de Dordrecht :* condamnation des *Arminiens,* adversaires de la prédestination (calvinistes atténués). **1619** Batavia fondée. **1648** *tr. de Münster :* P.-Bas cessent de faire partie de l'Emp. all. **XVIIe** s. nombreux conflits intérieurs : conflit entre Guillaume II et États de Hollande (une des provinces), abolition du stadhoudérat **(1667)** par le « Grand pensionnaire » Jan de Witt (assassiné 20-8-1672). **1652-54, 1665-67, 1672-74** g. navales contre Angl. **1668** tr. de la Triple Alliance à La Haye avec Angleterre et Suède. **1672-78** contre L. XIV : g. de Holl., terminée par le *tr. de Nimègue.* **1688** Guillaume III, stadhouder, devient roi d'Angl. **1688-97** g. de la Ligue d'Augsbourg.

1701-13 g. de la Succession d'Esp. **1740-48** de la Succession d'Autr. (contre Fr.). **1747** Guillaume IV créé stadhouder à titre héréditaire des 7 Provinces. **1756** neutres pendant la g. de Sept Ans. **1780-83** alliés de Fr. contre Angl. dans la g. d'Indépendance amér. **1785** Guillaume V doit s'enfuir en Angl. (rétabli par les Prussiens **1787**). **1795** invasion fr., Rép. batave constituée, vassale de la Fr. ; les Angl. prennent Le Cap et Ceylan. **1799**-*27-8* débarquement angl. au Helder (chassés par Brune ; capitulation d'Alkmaar, *18-10*). **1801**-*6-10* référendum sur nouvelle Constitution imposée par Bonaparte [52 000 non, 16 000 oui, 350 000 abstentions (considérées comme des « oui ») ; 1 corps législatif, 1 conseil de régence de 12 m.]. **1802** Angl. rendent Le Cap pour se concilier la Rép. batave. **1806**-*5-6* création du *roy. de Hollande* (roi : Louis Bonaparte) ; *déc.* adhère au Blocus continental (catastrophe écon. : pratique de la contrebande). **1810**-*9-7* annexée à l'*Emp. fr.* (10 dépts. : Ems occ., Frise, Bouche de l'IJssel, IJssel sup., Lippe en partie, Roer, Meuse inf., Bouches du Rhin, Bouches de la Meuse, Zuiderzee). **1815** *Congrès de Vienne,* qui reconnaît le *roy. des P.-Bas.* **1830** Belg. s'en détache (Voir p. 879). **1848** constitution révisée [inspirée par Thorbecke (1798-1872)] (2e chambre désormais élue, min. responsables). **1870-1916** colonisation de l'Indonésie. **1887** suffrage censitaire aboli. **1914-18** neutre (à partir de mars 1915, les Alliés interd. toute importation pouvant être réexpédiée en All. ; P.-Bas livrent aux All. alim. contre du charbon : restrictions alim. aggravées ; 1 million de réfugiés belges). **1917** suffrage universel, femmes éligibles. **1919** vote des femmes. **1940**-*10-5* invasion all. **1941** *févr.* grève générale contre persécutions anti-juives (de nouveau avr.-mai 1943). **1944** grève générale des chemins de fer *3-9 ;* répression all. ; échec d'une libération rapide ; bataille d'Arnhem. **Hiver 1944-45** famine (30 000 †). **1945**-*5-5* capitulation all. et retour de la famille royale (exilée à Londres dep. mai 1940). **1948**-*1-1* Benelux (élargi 1958-60). **1949**-*27-12* Indonésie indépendante. **1953**-*1-2* rupture des digues (160 km) ; 160 000 ha de terres submergés, 50 000 maisons détruites, 1 850 †. **1962**-*15-8* renonce à N.-Guinée néerl. **1965** des provos contestent société bourgeoise et indust. **1974**-*13-9* 3 m. de l'Armée rouge jap. prennent 11 otages à l'amb. de France, dont l'ambassadeur ; obtiennent un Boeing 707, 300 000 $ et libération d'un terroriste jap. détenu en Fr. *-2-12 :* 6 Moluquois attaquent un train près de Beilen ; 56 otages, 3 †. (-14-12 reddition). *-4-12 :* 7 Mol. attaquent consulat d'Indonésie ; 52 otages, 1 †. (-19-12 reddition). **1975**-*25-1* Surinam indép. **1976** Pce Bernhard, impliqué dans scandale Lockheed, démissionne de ses fonctions officielles (inspecteur gén. des Forces armées). *-11-6* 50 otages détenus dans train de Glimmen dep. 19 j par 10 terroristes mol., libérés par fusiliers marins (2 ot. et 6 terr. tués). **1978**-*14-3,* 72 otages détenus par Mol. à la préfecture de Drenthe (libérés par fusiliers marins). **1980**-*30-4* reine Beatrix succède à reine Juliana qui abdique. **1981**-*21-11,* 350 000 manif. à Amsterdam contre armement nucléaire. **1983**-*7-10* ratification fr. du tr. de 1976 (réinjection dans le sous-sol alsacien et non plus dans le Rhin, des déchets salins). *-29-10 :* 550 000 manif. à La Haye, et 100 000 à Amsterdam contre missiles de croisière. **1986**-*28-2* Parlement ratifie (79 v. contre 70) tr. américano-néerl. sur installation de 48 missiles de croisière de l'O.T.A.N. aux P.-B. *-19-3* municipales, 350 000 étrangers admis à voter, poussée socialiste. **1989** *janv.* Postes et Télécom. privatisées : divisées en 3 soc. distinctes, mais détenues à 51 % par l'État. **1991**-*4/6-3* reine Beatrix en France.

Politique

Statut. Roy. formé des P.-Bas, des Antilles néerl. et d'Aruba, régi par le *Statut* (loi du 29-12-1954) qui prime la Const. *Constitution* 29-3-1814 révisée 1983 (maj. électorale, liste civile de la reine). *Chef de l'État :* la Reine ; le trône est héréditaire, le souverain inviolable. *États généraux* (Staten-Generaal) : *2e ch.* 150 m. élus au suffr. univ. direct (repré s. proportionnelle), *1re ch.* 75 m. élus par États provinciaux pour 4 a. *Ministres* responsables dev. les É. gén., nommés par chef de l'État sur proposition d'un formateur qui devient le plus souvent le chef du gouv. *Conseil d'État :* organe consultatif suprême (Pte, la reine, 1 vice-Pt, 20 m.). **Fête nat.** 30-4 (j de la reine). **Drapeau.** Bandes rouge, blanche et bleue. A remplacé au milieu du XVIIe s. le drapeau de Guillaume d'Orange, et devint un symbole de liberté.

Capitale. Amsterdam (La Haye : siège du gouvernement, de la cour et du corps diplomatique).

Administration locale. Provinces : 12 dirigées par *États provinciaux* (élus au suffr. univ. direct), *députation provinciale, commissaire* de la reine (+ un greffier). **Communes :** 647 adm. par conseil municipal élu pour 4 a. au suffr. direct, présidé par bourgmestre [nommé par la couronne pour 6 a., il a voix consultative et est responsable de l'exécution des décisions ; est aussi président du collège du bourgmestre et des échevins (élus pour 4 ans parmi les membres du conseil municipal)]. *1986* mars, droit de vote accordé aux étrangers aux él. municipales.

• **Élections. Aux chambres** (% des voix et, entre parenthèses, nombre de sièges, par parti). *2e chambre (6-9-1989) :* CDA 35,3 % (54 s.), PVDA 31,9 (49), VVD 14,6 (22), Dém. 66 7,9 (12), Grœn Links 4,1 (6), SGP 1,9 (3), GPV 1,2 (1), RPF 1 (1), CD 0,9 (1), divers 1,3. *1re chambre (15-9-1988) :* CDA (26), PVDA (26), VVD (12), Dém. 66 (5), P. soc. pac. (1), CPN (1), PPR (1), SGP (1), RPF (1), GPV (1).

Provinciales *(6-3-1991).* 748 sièges, 41,9 % d'abst. ; à la chambre des dép. : CDA 51 s. (avant 54), PVDA 32 (49), VVD 24 (22), Verts-Gauche 8 (6), Dém. 24 (12).

Municipales *(20-3-1990).* Abst. 38,1 %. CDA 32,7, PVDA 24,8, VVD 14,7, D. 66 12,5, Verts-gauche 6,9.

☞ *Depuis 1986,* les émigrés, hab. les P.-Bas dep. 5 ans sans interruption, peuvent voter aux municipales [*élus 1986 :* 46 dans 35 communes, *1990 (21-3) :* 36 (18 Turcs, 11 Surinamiens, 2 Marocains, 1 Youg., 1 Ital. pour 300 000 voix ; abstention Turcs 50 %, Marocains 70, Surinamiens 75)].

Partis. *Appel démocrate chrétien (CDA)* f. 1973, L.C. Brinkman (5-2-48). *P. du travail (PVDA)* f. 1946, M.A.M. Wöltgens (30-11-43). *P. libéral (VVD)* f. 1948, Frits Bolkestein (4-4-33). *Démocrates 66* (D.66) f. 1966, Hans Van Mierlo (18-8-31). *P. de l'État réformé (SGP)* f. 1918, B.J. Van der Vlies (29-6-42). *Fédération pol. réformiste (RPF)* f. 1975, M. Leerling (11-1-36). *Union pol. nat. réformée (GPV)* f. 1948, G.J. Schutte (24-5-39). *Démocratie du Centre (CD)* f. 1986, J.H.G. Janmaat (3-11-34). *Arc-en-ciel (écologiste)* f. 1983 (Europ. 1989, 7 %, 2 s.). *Verts-gauche* (Groen Links) f. 1989, M.B.C. Beckers-de-Bruijn (2-11-38) a absorbé : *P. soc. pacifiste (PSP)* f. 1957, Andrée Van Es (26-1-53) ; *P. communiste (CPN)* f. 1918, P.J. Izeboud ; *P. pol. des radicaux (PPR)* f. 1968, M.B.C. Beckers De Bruijn (2-11-38).

Souverains

Maison de Bourgogne. 1419 PHILIPPE III LE BON (1396-1467), duc de Bourgogne, ép. Michelle de Valois († 1422), Bonne d'Artois († 1425), Isabelle de Portugal († 1472). **1467** CHARLES LE TÉMÉRAIRE (1433-77), s.f., ép. Catherine de Valois († 1446), Isabelle de Bourbon († 1465), Marguerite d'York († 1503). **1477** MARIE (1457-82) sa f., ép. 1477 Maximilien Ier, f. de l'emp. Frédéric III.

Maison de Habsbourg. 1477 MAXIMILIEN Ier (1459-1519). **1495** PHILIPPE Ier LE BEAU (1478-1506), s. f., roi de Castille, mari de Jeanne la Folle (1479-1555). **1506** CHARLES QUINT (roi d'Esp. Charles Ier) (1500-58), abdique, ép. Isabelle de Portugal (1503-39). **1555** PHILIPPE II (1527-98), s. f., roi d'Espagne.

Maison d'Orange-Nassau. Issue de Dedo, Cte de Laurenbourg (1093-1117) ; ses descendants sont Ctes de Nassau au XIIIe s. La maison des P.-Bas descend d'Othon, Cte de Nassau-Siegen, f. cadet de Henri Cte de Nassau († 1251), et la maison grand-ducale de

Luxembourg du fils aîné, Walram II de Nassau. Les descendants d'Othon héritent au XVe s. des seigneuries de Lecke et Breda, sont Vtes d'Anvers en 1847, et reçoivent en héritage la principauté d'Orange en France. **1573** GUILLAUME Ier DE NASSAU dit LE TACITURNE (1533-84), 1559 stadhouder, assassiné, ép. Anne d'Egmont-Buren, Anne de Saxe, Charlotte de Bourbon († 1582), Louise de Coligny (1555-1620). **1585** MAURICE DE NASSAU (1567-1625) s. f., stadhouder (célibataire). **1625** FRÉDÉRIC-HENRI (1584-1647), s. fr. consanguin (f. de Louise de Coligny), stadhouder, ép. Amélia Van Solms. **1647** GUILLAUME II (1626-50), s. f., stadhouder (stathoudérat suspendu de 1650 à 72), ép. Marie Stuart (1631-60), f. de Charles Ier d'Angleterre.

1653 JEAN DE WITT, grand pensionnaire, assassiné (20-8-1672), ép. Wendela Bickers.

1672 GUILLAUME III (1650-1702), f. de Guillaume II, stadhouder et roi d'Angleterre à partir de 1689, ép. Marie II (1662-94), reine d'Angl. **1702-47** *Oligarchie.* **1747** GUILLAUME IV (1711-1751), f. de Jean-Guillaume le Frison, Pce d'Orange, stadhouder, ép. Anne de Hanovre, f. du roi Georges II d'Angl. (1709-59). **1751** GUILLAUME V Batave (1748-1806), s. f., stadhouder, ép. Frédérique Sophie de Prusse, nièce de Frédéric II.

République batave **1795-1806.** Royaume de Hollande. **1806** Louis BONAPARTE (1778-1846) voir Index, abd. **1810** *Annexion à la France.*

Royaume des Pays-Bas. **1815** GUILLAUME Ier, Gd-duc de Lux. (1772-1843), f. de Guillaume V, ép. 1791 Frédérique Wilhelmine, f. de Frédéric-Guillaume II, abdique (à cause de son remariage avec Henriette d'Oultremont). **1840** GUILLAUME II, Gd-duc de Lux. (1792-1849), s. f., ép. 1816 Anne Pavlovna, sœur du tsar Alexandre. **1849** GUILLAUME III, Gd-duc de Lux. (1817-90), s. f., ép. 1° (1839) Sophie de Wurtemberg ; 2° Emma de Waldeck-Pyrmont (1858-1934). **1890** WILHELMINE (1880-1962), s. f. (sous la régence de sa mère 1890-98), abdique 4-9-1948 et prend le titre de Pcesse Wilhelmine des P.-Bas. Ép. 1901 duc Henri de Mecklembourg, Pce consort des P.-Bas (1876-1934). **1948** JULIANA (30-4-1909), Pcesse d'Orange, s. f. ép. 7-1-37 Pce Bernhard de Lippe-Biesterfeld (29-6-1911) titré Pce des P.-Bas avec le prédicat d'Alt. roy. après sa naturalisation néerl., antérieure au mariage, f. du Pce Bernhard de Lippe-Biesterfeld (1872-1934) et de la Pcesse Armgard (1883-1971). Abdique 30-4-80. *4 enfants : Beatrix* (voir ci-dessous). *Irène* (5-8-39) ép. 29-4-64, sans le consentement du Parlement comme le prévoit la Constitution, le Pce Charles-Hugues de Bourbon-Parme ; privée ainsi que ses descendants des droits à la succession au trône ; divorcée 1981, demande annulation de son mariage à Rome ; 4 enf. : Carlos-Javier (27-1-70), Jaime Bernardo et Margarita Maria Beatriz (13-10-72), Maria-Carolina (23-6-74). *Margriet* (19-1-43) ép. 10-1-67 Pieter Van Vollenhoven (4-4-39). 4 enf. : Maurits (17-4-68), Bernhard (25-12-69), Pieter-Christiaan Michiel (22-3-72), Floris Frederik Martijn (11-4-75). *Christina* (18-2-47) ép. 28-7-75 Jorge Guillermo, professeur cubain. Enfants : Bernardo (17-6-77), Nicolas (6-7-79), Juliana (8-10-81).

1980 BÉATRICE (Beatrix) (31-1-38), ép. 10-3-66 Claus Georg von Amsberg, titré Pce des P.-B. avec prédicat d'Alt. roy. (6-9-26), f. de Claus von Amsberg et de son ép. née Bonne Gosta Julia von dem Bussche-Haddenhausen ; 3 enf. : Willem Alexander (27-4-67), Johan Friso (25-9-68), Constantijn (11-10-69).

Premiers ministres depuis 1945

1945 *23-2* Pieter S. Gerbrandy (1885-1961) ; *24-6* Willem Schermerhorn (1894-1977). **46** *3-7* Louis J.M. Beel (1902-77). **48** *7-8* Willem Drees (1886-1988). **58** *22-12* Louis J.M. Beel. **59** *19-5* Jan E. de Quay (1901-85). **63** *24-7* Victor G.M. Marijnen (1917-75). **65** *14-4* Joseph M.L. Th. Cals (1914-75). **66** *22-11* Jelle Zijlstra (29-8-1918). **67** *5-4* Petrus J.S. de Jong (3-4-1915). **71** *6-7* Barend W. Biesheuvel (5-4-1920). **73** *11-5* Johannes M. Den Uyl (1919-87). **77** *19-12* Andries A.M. Van Agt (2-2-1931). **82** *4-11* Rudolphus F.M. Lubbers (7-5-39).

Architecture

Gothique **(1200-1500).** ABBAYE. *Middelburg* salle capitulaire). CHATEAUX. *Haarzuilen* (reconstr. 1890). *Zuylen* (1300). ÉGLISES. *Amsterdam :* Oude Kerk (goth. et ren.). *Bois-le-Duc :* cathédr. reconstruite (1525). *Delft :* Nouvelle Église (1383), Vieille Église (1300). *Dordrecht, Haarlem :* Grande Église. *Utrecht :* cathédrale (1254-1517). HÔTELS DE VILLE. *Middelburg* (1512, les Keldermans, beffroi 55 m). *Veere* (1474-77). Renaissance **(1500-1650).** *Amsterdam :* Palais royal, reconstruit apr. incendie de 1618 (1648-55, J. Van Campen et B. Stalpaert), rue de Haarlem. *Delft :* hôtel de ville (beffroi, XIVe s.). *Haarlem :* marché de la viande (1603, C. de Vriendt). *La Haye :* Mauritshuis (1630), Huis ten Bosch (1645, Pieter Post). *Leeuwarden :* chancellerie (1566-71, B. Jansz). *Leyde :* hôtel de ville (1579). **1750-1830.** *Groningue :* hôtel de ville (1787-1810).

Époque moderne. *Amsterdam :* Bourse (1892-1903, H.P. Berlage), gare (1889, Cuypers, style Renaissance), Rijksmuseum (1876-85, Cuypers), école de plein air (1930, Duiker), orphelinat (1959, Van Eyck). *Haarlem :* cathédrale St-Bavon (1895-1930, J. Cuypers et J. Stuit, style roman). *La Haye :* palais de la Paix (1913, J. Cordonnier), palais des Congrès (1969, Oud). *Hilversum :* H. de ville (Dudok), sanatorium (1937, Bijvoet et Duiker). *Rotterdam :* théâtre (1940, Dudok), hôtel de ville (1914-20, H. Evers), poste (1941, J.-F. Staal), musée Boymans (1935, A. Van der Steur), rue piétonne (1949-53, Van den Broek et Bakema). *Utrecht :* poste (1918-24, H. Van der Velde), maison de Schröder (1924, Rietveld).

Économie

P.N.B. (88) 14 542 $ par h. **Croissance.** (89)3 à 4 %. **Pop. active** (%, et entre parenthèses part du P.N.B. en %) : agr. 4,9 (5), mines 4,2 (8), ind. 23,9 (24), services 67 (63). *Chômage (%) : 1980 :* 5,9 ; *81 :* 9,1 ; *82 :* 12,5 ; *83 :* 17 ; *84 :* 17,3 ; *85 :* 15,9 ; *86 :* 14,7 ; *87 :* 14,1. *88 :* 8,3 (682 000) ; *89 :* 5,7 (base de calcul différente). **Inflation** (%). *1985 :* 1,9 ; *86 :* 0,9 ; *87 :* – 0,5 ; *88 :* 0,7 ; *89 :* 1,3 ; *90 :* 2,5. **Dette publique** (90). 1 000 milliards de F (75 % du P.N.B.). **Déficit budgétaire** (90). 4,75 % du P.N.B. **Prélèvements obligatoires.** 50 % du P.N.B. **Aide au développement des pays du tiers monde.** *1984 :* 0,94 % du P.N.B. ; *85 :* 0,82 ; *86 :* 1 ; *87 :* 0,98.

Agriculture. *Terres* (milliers d'ha, 88). Pâturages 1 287, t. arables 1 108, cours d'eau 341, forêts 300, divers 694. *T. de culture* (%, 88) : 64,2 dont pâturages 55,4, grande cult. 39,2, horticulture 5,4. *Forêts et t. incultes* 8. *Superficie moy. des exploitations* 15 ha. *Production* (milliers de t, 89) : p. de terre 7 000, bett. à sucre 6 642, maïs fourrager 2 685, blé 1 020, oignon 381, orge 263, avoine 55, lin 32 (88), seigle 20. Horticulture : cultures maraîchères (laitue, concombre, tomate), fleurs, bulbes de fleurs, plantes d'ornement. *Rendements agricoles :* les 1ers du monde (blé 80 qx/ha). 100 ha de SAU nourrissent 731 personnes (France 162). 130 000 agriculteurs assurent l'alimentation du pays (sauf pour céréales) et 25 % de l'exportation. *% de la prod. agr. en valeur ;* élevage 61, horticulture 31, grande cult. 8. Élevage (milliers de têtes, 89). Poules 100 000, porcs 13 700, bovins 4 150, moutons 1 200, chevaux 65 (88). Rendement annuel par vache à lait : 5 921 l. Viande, lait, fromage. Pêche. 454 200 t (88). *Ports :* IJmuiden, Scheveningen, Urk. Harengs (consommation nationale importante), poisson frais et congelé, moules, crevettes (exportés).

Énergie. **Gaz naturel** de Groningue dep. 1960. *Réserves* 2 113 milliards de m³ (au 1-1-91) dont 303 offshore en 87 ; *prod.* (90) 71,8 (dont 32,9 export. en 89) ; *consommation* (87) 40,7. *Revenus* (milliards de florins) : *1985 :* 23,8 ; *87 :* 13 ; *88 :* 7,5. **Pétrole :** *prod. 90 :* 3,876 millions de t (9 % de la consomm. en 87, 8 % de la capacité des raffineries). **Houille** (exploitation terminée dep. 1975). **Électricité** surtout thermique (5,2 % nucléaire en 87) ; prod. (Twh) *87 :* 68,4, *88 :* 68,6. Mines. **Sel** [saumure dans E. et N.-E., traité à Hengelo (sel) et Delfzijl (soude)] *prod.* (millions de t) *85 :* 3,98, *87 :* 4,98, *88 :* 4,1. Marne (ciment, engrais potassique).

Industrie. 4 grandes multinationales (Royal Dutch Shell, Unilever, Philips, AKZO). Au XVIIe s. transformation des mat. premières importées : blé, bois, prod. tropicaux et subtropicaux dans les régions de Haarlem, Dordrecht, Zaan. **Régions ind. :** canal de la mer du N. (min. de fer importé), le long du Nieuwe Waterweg (pétrole brut). Groningue et Limbourg méridional : ind. agricoles, chimie. S.-O. (le long de l'Escaut occ.). N.-E. (rivière de l'Ems) en dehors de la Randstad. *Métallurgie* (Velsen) avec min. de fer importé. *Electrotechnique* (Eindhoven). **Secteurs :** *constr. navales* (Rotterdam et chantiers de Rijn-Schelde-Verolme, Amsterdam, Flessingue et E. de la prov. de Groningue). *Ind. alim. :* mat. 1res importées (h. végétale, café, thé, cacao, tabac) ; prod. laitiers (Frise), sucre de betterave (Groningue, Amsterdam, Breda), viande (Oss, rég. de Deventer), volailles (S.-E. de l'IJsselmeer). *Textile :* rég. trad. de la Twente (Enschede), centre du Brabant (Tilburg, Helmond), fibres synth. (Limbourg mér.), confection (Amsterdam, Rotterdam, Groningue, Limbourg méridional).

Transports (km, 89). *Routes* 100 900. De 1990 à 1995 : péages à l'entrée des grandes villes (pour limiter circulation et pollution et pour récolter 60 milliards de F pour transp. en commun). *Chemins de fer* 2 810 dont 1 957 électrifiés. *Voies d'eau* 4 370.

PORT DE ROTTERDAM. Sans écluse, sans ponts, desservi par un réseau de communications dense et par le Rhin, que les chalands remontent jusqu'à Bâle (Suisse). Sera relié au Danube par le Main quand le canal Rhin-Main-Danube sera terminé. Dispose ainsi d'un hinterland de 170 millions d'h., vivant dans l'une des plus importantes régions ind. du monde. 1er port mondial. 1,5 % du territoire national. 9 % de la pop. 14 % du P.N.B. *Superficie d'eau* 2 213 ha. *Long. des quais* 37 410 m. *Hangars et magasins* 1 577 004 m². *Frigos* 88 616 m³. *Silos à grains* 448 300 t. *Marchandises sèches en vrac* 18 800 000 t. *Tankage* 32 290 000 m³. *Élévateurs flottants* 18, fixés sur quais 21. *Ponts portiques* 20. *Grues* 315, flottantes 31. *Remorqueurs* 46. *Porte-containers* 33. *Appontements* 15. *Plate-forme ind. :* raff. de pétrole [56 par an (85)], complexe pétrochimique, sidérurgie. *Escale :* 450 lignes de navig. Débouché artificiel dep. 1872 : Nouvelle Voie maritime (Nieuwe Waterweg) ; et dep. 1970 bassins creusés près de la mer du Nord, l'Europort accessible à des pétroliers de 365 000 t (avec tirant d'eau de 74 pieds). **Trafic.** *Navires de mer* (89) : 31 313 (marchandises 291,9 millions de t dont pétrole brut : 89 millions de t (30,5 % du trafic), dérivés pétr. : 37,3 (12,8) ; minerais : 45 (15,4) ; céréales et dérivés : 20,2 (6,9) ; charbon : 17 (5,8) ; autres pondéreux 24,4 (8,3) ; colis 59 (20,2). *Navires fluviaux :* 180 000.

Tourisme. 3 113 700 vis. (1987, clientèle hôtelière uniquement).

Commerce (milliards de florins, 88). **Exp.** 203,7 *dont* mach. et équip de transport 45,1, prod. chimiques 38,6, prod. alim. et animaux vivants 36,7, prod. man. de base 29,4, fuel et lubrifiants 17,3 *vers* All. féd. 53,4, Belg.-Lux. 30, *France 21,9*, G.-B. 21,9, Italie 13,0. **Imp.** 196,3 *dont* mach. et équip. de transport 57,1, prod. man. de base 31,6, prod. chimiques 21,3, prod. alim. et animaux vivants 21,2, pétrole et prod. pétroliers 18,4 *de* All. féd. 51,7, Belg.-Lux. 28,8, G.-B. 15,1, U.S.A. 15, *France 15.* **Excédent** (milliards de florins). **Balance des paiements.** *1985 :* 17,7 ; *87 :* 7. **Commerciale.** *1985 :* 10 ; *86 :* 12,2 ; *87 :* 10,6 ; *88 :* 7,4.

Rang dans le monde (88). 4e gaz nat. 9e p. de terre (85) 12e porcins (85). 14e rés. gaz nat.

PÉROU

Carte p. 911. Voir légende p. 837.

Situation. Amérique du S. 1 285 216 km². *Frontières* 7 099 km, avec Brésil 2 822, Équateur 1 528, Colombie 1 506, Bolivie 1 047, Chili 196 ; *côtes* 3 079 km. *Alt. max.* Huascaran 6 768 m.

Régions. **Costa,** côte aride (150 km au N.) 11 % de la sup., 35 % de la pop. Malgré une pluie très fine (garua) de mai à nov., température basse (le courant froid de Humboldt longe la côte) (extrêmes à Lima + 12 °C, + 28 °C). Vers Noël, certaines années, le courant d'*El Niño* [l'Enfant (Jésus)], réchauffement des eaux, normalement froides de l'Équateur au S. du Pérou, fait fuir les anchois (ex. : 1972, les pêches tombent de 4 à 1,5 millions de t). El Niño s'accompagne généralement de pluies torrentielles. En 1100, des inondations détruisirent le système de canaux d'irrigation du peuple chimu qui, affamé, ne put ensuite résister aux conquérants venus du Sud. **Sierra,** montagnes de 6 000 m et hauts plateaux (Puna) de 4 000 m, 25 % de la sup., 55 % de la pop. (« Tache indienne » constituée par l'Ancash, Huancavelica, Ayacucho, Apurimac, Cuzco et Puno et habitée par les Indiens), climat sec. **Selva** (forêts vierges), piémont oriental des Andes et plaines de l'Amazonie, 60 % de la sup., 10 % de la pop. ; tropical, humide, pluies déc. à mars. **Puna, hauts plateaux andins** (3 500 à 4 500 m) dans le S. Lac Titicaca entre Pérou et Bolivie, 8 030 km² dont Pérou 4 340, Bolivie 3 690, altitude 3 850 m, prof. 304 m.

Population (en millions). *1875 :* 2,6 ; *1900 :* 4,6 ; *40 :* 7 ; *50 ;* 8,5 ; *60 :* 10,4 ; *70 :* 13,5 ; *80 :* 17,7 ; *90 :* 23,33 dont (%) Indiens 46, Métis 38, Blancs 15, divers (Asiatiques, Noirs) : Japonais 300 000, Chinois 700 000, *prév. 2000 :* 27,952. D. 16,1. **Âge :** – *de 15 a. :* 41 %, + *de 65 a. :* 4 %. *Cholo :* croisement d'un Métis et d'une Indienne, en fait catégorie sociale (Indiens urbanisés et évolués). *Pongo :* Indien serf, jamais rémunéré (n'existe plus dep. réforme agraire, 1969).**Pop. urb.** 63 %. **Mortalité** *infantile. 1988 :* 69 ‰ (zones indiennes 250 ‰). **Espérance de vie** (89) : 61 ans (62 il y a 10 ans), 45 ans à Cuzco. **Villes** (en millions). *Lima* 6 à 10 (*1614 :* 0,025, *34 :* 0,028, *2 000 (prév.) :* 14) [500 bidonvilles (barriadas) regroupant 2 500 000 h., taux d'humidité sup. à 90 %], Cuzco 1 (1 165 km ; à 3 360 m d'alt.), Arequipa 0,8 (1 030 km), Callao 0,5 (à 30 km, son débouché naturel sur le Pacifique), Trujillo 0,4 (570 km).

Langues. *Off. :* espagnol, quechua 40 %, aymara 5 %. Langues aborigènes 7 %. [r. *1940* 2 millions parlaient quechua (3 millions en 1970). 800 000 bilingues]. **Analphabétisme.** 15 %. **Religion.** Catholiques 95 % *(off.).*

Empire des Incas. Socialiste ; religion fondée sur le culte du Soleil. Architecture civile (taille parfaite des blocs de pierre). Régression artistique. Bois (gobelets), métallurgie (bijoux, outils), vases et petites lames en argent, ponchos. Sites notables : Cuzco, Machu Picchu (aurait servi de position de repli après la conquête esp.), Ollantaitambo, Limatambo, Pachacamac, Sacsahuamán. Tissus de Paracas, céram., orfèvreries. Ignoraient la roue. Avaient peut-être une écriture. Emploi des cordes « quipus » pour la comptabilité.

Histoire. Périodes : archaïque 8000-1250 av. J.-C. agriculture apparaît v. 4000 ; maïs et poterie v. 1500 ; **agricole 1250-800 av. J.-C.** civilisation de Chavin de Huantar (grands édifices, culte du jaguar, céramique noire polie, métallurgie) ; **développement 850 av. J.-C. à 400 apr. J.-C.** civilisation de la péninsule de Paracas (vie urbaine, petits États guerriers, agriculture intensive en terrains irrigués) ; **jusqu'à 900 apr. J.-C. civilisation Mochica (côte N.)** vases, portraits à anse en étrier (2 tons, génér. marron/blanc) ; **civil. Nazca (côte S.)** vases polychromes à motifs zoomorphes : dragons, poissons, oiseaux et animaux divers ; **période expansionniste 1000** Tiahuanaco, Nazca, Huari : civ. des Indiens Quechuas et Aymaras : tumulus, rectangles tracés au sol de 850 × 110 m (peut-être utilisés pour la mise en place des fils de tissage) ressemblant à des pistes d'atterrissage, configurations au sol (silhouette humaine, animal stylisé) [pour rites religieux et funèbres (?)], céramique, polychrome ; s'éteint v. 1100. **Énigme de Nazca :** des lignes droites de 15 km de long, des dessins en forme d'animaux (singes, poissons, oiseaux) si vastes qu'on ne peut distinguer leurs contours qu'à env. 5 000 m d'altitude ont été repérés. Certains ont vu là des pistes d'atterrissage pour engins interstellaires, d'autres (Paul Kosoc et Maria Reiche) des repères astronomiques, mais il s'agit plutôt de pierres, destinées à dévider des fils longs de plusieurs dizaines de km. Les civilisations précolombiennes ne connaissant pas l'usage de la roue, et ne sachant pas enrouler les fils, les faisaient passer d'une pierre à l'autre, sur des distances considérables. **Période côtière 1100.** États organisés des *Chimus,* sur côte N. : métallurgie, tissage, céramique noire anthropomorphe ou zoomorphe ; vases en étrier (généralisation de l'usage du moule) et des *Chinchas* sur côte S. **XIe s.** 1er empereur inca (titre des emp. régnant sur une confédération de Quechuas et Aymaras) : *Manco Capac Ier.* **1532** les Esp. *Francisco Pizarro* (v. 1475-1541) et *Diego de Almagro* (1475-1538) battent le chef inca *Atahualpa* (1500-33) puis son frère *Manco Capac II* († 1544). **1535**-*18-1* Pizarro fonde Lima. **1544** création de la *vice-royauté de Lima.* **1548-55** Mendoza (v. 1540-1617) rétablit l'ordre parmi les conquistadores. **1572** Vilcabamba (à 150 km au N.-O. de Machu Picchu) prise par Esp. (dernière cité inca, résista 36 a.). **1686** Lima : séismes. **1780** soulèvement inca (avec *Túpac Amaru II* † 1781) réprimé. **1821-24** lutte pour indépendance. **1824**-*9-12* victoire d'*Ayacucho* sur les Esp. **1836-39** féd. avec Bolivie. **1866** g. avec Esp., flotte esp. de Valparaiso et de Callao bombardée (motifs : *1863* le P. refuse de payer des dettes datant de la g. d'indépendance ; des Esp. sont brutalisés à Talambo ; *1864* une escadre esp. occupe l'archipel des Chinchas ; *1865* alliance P.-Chili). *-27-4/8-5* Esp. bombardent et bloquent Callao, *-9-5* se retirent aux Philippines. **1879**-*14-8* tr. de paix à Paris. **1879-84** *g. du Pacifique,* P. allié à Bolivie contre Chili, battu, perd Tacna, Arica et Iquique (*tr. d'Ancon* 8-3-1884). **1911** l'Amér. Hiram Bingham découvre le Machu Picchu. **1929** P. récupère Tacna *(tr. de Lima).* **1941** guerre éclair avec Éq. P. reprend 200 000 km² (Voir encadré ci-contre) **1948** Gal Manuel Odria († 1974) Pt ; assisté par Odristas, persécute « Apristes ». **1950**-*21-5* Cuzco endommagé à 90 % par séisme. **1956** Manuel Prado Pt.

Différend avec Équateur. 1542 les 3 provinces contestées par l'Éq. (Tumbes, Jaën et Maynas) font partie de la vice-royauté du P. **1717** transférées à la vice-roy. de Santa-Fé ou de Nouvelle-Grenade. **1723** gouv. esp. révoque cette décision. **1739** reviennent à la vice-roy. de N.-Grenade. **1784 et 1802** réintégrées à la vice-roy. du P. **1821** ces 3 provinces envoient leurs représentants au Congrès pér. Les 2 États acceptent pour définir leurs limites : le principe de l'« uti possidetis » (conserver les territoires selon les titres et les possessions que les colonies avaient au moment de l'émancipation), et celui de la libre détermination de leurs peuples à s'intégrer à la nation à laquelle ils se sentaient unis par une plus grande affinité et les liens les plus étroits. **1832** tr. ratifié par les 2 parties reconnaissant les possessions exercées à cette date jusqu'à la conclusion d'un arrangement sur les frontières. **1904-10** arbitrage auprès du roi d'Esp. suspendu lorsque l'Éq. sait qu'il sera défavorable ; proposition du Pérou de recourir à la Cour internationale de justice repoussée. **1941** incidents de frontière : l'Éq. provoque le conflit et accuse P. d'être l'agresseur (le P. répond qu'il exerçait normalement sa souveraineté sur les 3 prov. réclamées par l'Éq.). **1942**-*29-1* protocole souscrit à Rio de Janeiro en présence des représentants de l'Argentine, du Chili, du Brésil et des U.S.A. qui garantirent la bonne exécution du traité. **Dep. 1951** démarcation des limites (sur 1 600 km, 78 km restent à borner).

1962-*18-6* coup d'État du Gal Pérez Godoy. **1963**-*mars* du Gal Lindsey. *-28-7 Fernando Belaunde Terry* Pt. Découverte des ruines del Abiseo (Gran Pajaten) du V-VIe s. **1964**-*déc.* match de football Argentine-P., l'arbitre refuse un but ; émeute, 300 † ; rupture diplom. entre les 2 pays. **1968**-*3-10* coup d'État, Gal *Velasco Alvaredo* (1910-77) chef d'État : nationalisations, rapprochement avec U.R.S.S., code minier, grands travaux, ébauche d'autogestion. **1969**-*24-6* réforme agraire. **1970**-*31-5* séisme (50 000 †). **1973**-*7-6* adhère au groupe des pays non-alignés. *-24-7* rupture diplom. avec France (cause : essais atomiques fr. dans Pacifique). **1975**-*5-2* troubles à Lima (86 †). *-25/30-8 conf. des non-alignés* à Lima. *-29-8* coup d'État : Gal et PM *Francisco Morales Bermudez.* **1976** *janv.* grèves. *-13-7* état d'urgence. **1977**-*19-7* grève gén. (10 †). *-30-8* levée de l'état d'urgence. **1978**-*15-5* troubles (plusieurs †). *-18-6* él. Ass. constituante, présidée par *Victor Haya de la Torre.* **1980**-*18-5 F. Belaunde Terry* (AP) élu Pt contre Armando Villanueva (APRA) (850 000 Indiens analphabètes votent), début de la guérilla du *Sentier Lumineux.* **1981-82** incidents frontaliers avec Équateur. **1982**-*12-10* état d'urgence Ayacucho. **1983**-*26-1* 8 journalistes tués à Uchuraccay (Ayacucho). *-3-4 :* 80 paysans tués par Sentier lum. *-22-8* nouvelle attaque, 42 †. **1983**-*31-4* affrontements dans les Andes 100 †. *-30-5* état d'urgence. *-13-11* élec. municipales (%) APRA 33,13, IU 28,9, AP 17,44, PPC 13,89. **1984**-*15-1* incident frontalier avec Équateur. *-22-3* au *7-8* offensive du Sentier lum., répression. **1985**-*14-4* Sentier lum. tue Luis Aguilar, député de l'APRA. *Mai* Sentier lum. : + de 20 explosions à Lima ; 4 500 arrestations. *-9-6* explosion palais présidentiel (1 bl.). *-10-7* Sentier lum. tue gouverneur d'Ayacucho. *-15-8* FMI refuse tout crédit au P. *-10-9:* 8 généraux, 118 colonels limogés. *-28-10* MRTA (Mouv. révol. Tupac Amaru) reprend guérilla urbaine. **1986**-*4-2* attentats à Lima. *-8-2* état d'urgence. *-20-6* mutineries du Sentier lum. dans prisons (+ de 350 †). *-25-6* Cuzco attentat contre « train des touristes » : 8 †, 35 bl. **1987** *févr.* troubles à l'université. *-Mai* Lima, attentats. *-7-6* Uchiza, Sentier Lum. (50 †) attaque police (6 †). *-26-6* Guillermo Larco Cox remplace PM démissionnaire, Luis Alva Castro. *-21-8* manif. (100 000) contre projet de nationalisation des banques. *-8-10* guerilla (MRTA) dans le N.-E. *Déc.* Inti dévalué de 39,4 %. **1988**-*14-5* armée tue 50 paysans. *-19-7* grève gén. : 1000 pers. arrêtées à Lima. *-29-7* avocat du Sentier lum. tué par escadron de la mort. *-7-8* incendie de réserve Machu Picchu. *-6-9* plan d'urgence de 120 j. contre inflation. *-29-12* P. renoue avec FMI. **1989**-*6-1* Inti dévalué de 28,5 %. *-21-1* tentative d'assassinat contre Mario Vargas Llosa (n. 1936), écrivain, candidat du Front dém. dep. 18-12. *-27-4* député de la Gauche Unie assassiné. *-6-5* député de l'APRA tué. *-3-6* commando attaque escorte prés. à Lima (8 †). *-20-6* Aguaytia 35 † dont 15 milit. *-28-6* Gal Reynaldo Lopez Rodriguez condamné à 15 ans de prison pour trafic de cocaïne. *-5-7* marins soviét. blessés (attentat à Callao). *-6-7* incidents avec guerilleros, 22 †. *Oct.* 3 Français assassinés. *déc.* 43 paysans tués. **1990**-*13-1* 2 Français assassinés. *3-3* Julian Huamani, candidat aux législ., tué. *-5-3* Julio Cesar Mezzich, chef mil. du Sentier, capturé. *-23-3* José Salvez Fernandez, leader du Front démocr. tué. *Mars* 500 000 P. sont partis en 6 mois pour USA avec visas falsifiés. *-8-4* 1er tour élect. présidentielles Mario Vargas Llosa 33,8 % des voix, Alberto Fujimori 30,7 %. *-10-6 :* 2e t., Fujimori 58 %, Vargas Llosa 42. *-8-8* hausse de 3 000 % du prix de l'essence : 165 % d'inflation. *-16-9* 70 guérilleros tués dans attaque manquée d'un pénitencier. *-23-11* Javier Puigros Planas, Pt du Parti pop. chrétien, tué par Sentier lum. **1990-91** choléra. *-5/6-4* attentats Sentier lum. à Lima (panne d'électr.). *Mai* action constit. contre Pt Garcia, accusé d'enrichissement illicite.

Statut. Rép. *Constitution* du 12-7-79. *Pt* élu au suffr. univ. dir. p. 5 a. et non rééligible. 12 soulèvements militaires en 30 ans, dont 5 réussis ; 8 Gaux Pts de la Rép. en 18 ans ; sur 4 Pts civils en 30 ans, 1 seul a accompli tout son mandat. *Sénat* 60 m. élus pour 5 a. par les régions (11). *Chambre des dép.* 180 m. élus au suffr. univ. dir. p. 5 a. *Départ.* 24 divisés en 164 *provinces.* **Fête nat :** 28-7 (indépendance). **Drapeau :** adopté 1825 : bandes rouges et blanche centrale (choisies après le passage d'un vol de flamands audessus des troupes rév. en 1820).

Chefs d'Etat depuis 1931. 31-*déc.* Luis Sanchez Cerro (assassiné). **33**-*avril* Oscar Benavides. **39**-*déc.* Manuel Prado y Utarteche. **45**-*juil.* José Bustamente y Rivero. **48**-*oct.* Gal Manuel Odria (1974). **50**-*juin* Zenon Noriega. *-juil.* Manuel Odria. **56**-*juil.* Manuel Prado y Ugarteche. **1962**-*18-6* Gal Ricardo Pérez Godoy. **1963**-*mars* Gal Nicolas Lindley Lopez. *-28-7* Fernando Belaunde Terry. **68**-*3-10* Juan Velasco Alvaredo (1910-77). **75**-*29-8* Gal Francisco Morales Bermudez. **80**-*18-5* Fernando Belaunde Terry. **85**-*23-7* Alan Garcia Perez (n. 1948). **90**-*10-6* Alberto Fujimori (28-7-1938), surnommé « El Chinito » (le petit Chinois).

Sentier lumineux (Sendero luminoso). **1970** fondé par Abimael Guzman (n. 1931, m. P.C., prof. de sociologie à Ayacucho), dit Pt Gonzalo, engageant à suivre le sentier lumineux des écrits de Jose Carlos Mariategui (1894-1930) qui proposait un retour aux communautés paysannes indiennes incas parlant le quechua. **1976** s'affirme maoïste et contre Den Xiaoping, essaiera plusieurs fois de dynamiter l'ambassade de Chine à Lima. **1980**-*17-5* à Chuschi, un groupe brise l'urne électorale et brûle les listes élec. *-18-5* début de la lutte armée. Exécute voleurs de bétail, usuriers, commerçants, métis et propriétaires, puis dirigeants syndicaux qui s'opposent au démantèlement des coopératives ; interdit aux paysans de produire des excédents, ferme les marchés locaux. **1981** *(fin)* 600 attentats pour se procurer : fonds dans les banques, armes dans les postes de police et explosifs dans les mines ; assassinats de notables et cadres locaux ; actions spectaculaires (bombes dans le palais présidentiel, coupures répétées de courant dans Lima). **1982**-*2-3* attaque prison d'Ayacucho (300 prisonniers libérés), violences, répression, guérilla s'étend à Huamuco (collabore avec trafiquants de drogue). **1983** exécute hauts fonctionnaires. *Janvier* tue publiquement 67 « traîtres ». *-18-4* tue 2 instituteurs devant leurs élèves. *-nov.* coupe les phalanges de ceux qui ont voté aux municipales (et portent une marque de tampon sur le doigt) ; activités en milieu urbain. **1984**-*20-1* appel à l'armée, état d'urgence dans 10 provinces (sur 146) ; *août* offensive du Sentier 2 000 †. **1988**-*1-5* 200 sendéristes défilent à Lima. *-13-5* tirent sur hôtel de la ville. *-14-5* attentat déjoué contre pape. *juin* 1re victime étrangère : Amér. Constantin Grégory, de l'A.I.D. *-12-6* Osman Morote Barrionuevo, dit Camarade Remigio, no 2 du Sentier l., arrêté. *-4-12* 2 agronomes français du CICDA tués. **1989** *janvier* tue 12 paysans et 14 policiers, *-28-2* 40 paysans. *-20-4* offensive de l'armée contre Sentier et Tupac Amaru (70 †). *2-5* 15 sendéristes tués. **1990** 35 dirigeants du Sentier arrêtés à Lima. **Zones d'influence :** Ayacucho (bases opérationnelles) puis Haut-Hullaga : contrôle 200 000 ha de coca (50 % du marché amér.) ; 10 % des revenus perçus pour bases aériennes et achat d'armes. Tête de pont à Huancayo. **Effectifs** (1991). 2 000 à 7 000 adeptes.

Répression gouv. Escadrons de la mort, formés par groupes de choc de l'APRA, policiers entraînés aux U.S.A. **Bilan de la violence.** *Urbaine 1990 :* 1 891 †. *Politique 1980-90 :* 19 263 dont *1980 :* 3, *81 :* 4, *82 :* 170, *83 :* 2 807, *84 :* 4 319, *85 :* 1 359, *86 :* 1 268, *87 :* 697, *88 :* 1 986, *89 :* 3 198, *90 :* 3 452 (civils 1 584, rebelles 1 542, forces de l'ordre 258, narcotrafiquants 68).

Premiers ministres. 1984-*9-4* Sandro Mariategui. -*oct.* Luis Percovich Roca. **85**-*juil.* Luis Alva Castro. **87**-*26-6* Guillermo Larco Cox. **88**-*16-5* Armando Villanueva. **89**-*8-5* Luis Alberto Sanchez (n. 1901). **90**-*28-7* Juan Carlos Hurtado Miller. **91**-*16-2* Carlos Torres y Torres (n. 1941).

Partis (date de fondation et leader). *Action pop.* (1956) Javier Alva Orlandini, Fernando Belaunde Terry. *Alliance populaire révol. américaine (APRA)* f. 1924 par Victor Haya de la Torre († 1979), Alan Garcia dep. oct. 82. *Front nat. des travailleurs et paysans (FRENATRACA)* f. 1978, Dr Roger Caceres Velasquez. *Gauche unie (IU)* f. 1980, rassemble 6 partis : *P. unifié mariateguiste (PUM), P. communiste pér. (PCP), Front ouvrier, paysan, étudiant et popul. (FOCEP), Union nat. de la gauche révolut. (UNIR), Mouvement d'affirmation soc. (MAS), Action politique soc. (APS), Mouv. Liberté* f. 1987, regroupé avec AP et PPC dans le *Front démocratique (FREDEMO)* aux él. de 1990. *Gauche soc. (IS)* f. 1990. *Mouv. Changement 90* f. 1990.

Économie

P.N.B. *1982 :* 1 260 $ par h. ; *83 :* 885 ; *84 :* 864 ; *85 :* 960 ; *87 :* 1 200 ; *88 :* 1 899. **Pop. active** (%, et entre parenthèses part du P.N.B. en %). Agr. 34 (12), ind. 14 (28), services 48 (47), mines 4 (13). *Chômage* (83) : 12 % ; sous-emploi 48 %. **Inflation** (%). *1980 :* 59,2 ; *81 :* 75,4 ; *82 :* 64,4 ; *83 :* 111,2 ; *84 :* 110 ; *85 :* 163 ; *86 :* 77,9 ; *87 :* 160 ; *88 :* 2 000 ; *89 :* 2 775 ; *90 :* 7 650. **Croissance (%).** *1986 :* 8,5 ; *87 : 6,7 ; 88 :* – 8,4 ; *89 :* – 13. **Part de l'économie clandestine** (%). PIB 50, h. de travail 60, commerce 42, ind. 25, transp. 12, services 11, construction 6 (Banque parallèle : 12,5 milliards de $). **Fiscalité.** 1,5 % de la pop. paie l'impôt sur le rev. (300 000 pers. pour 21 millions d'hab.) contre 43,2 % au Chili, 0,7 % paie l'impôt sur les ventes (32,2 % au Chili). **Déficit budgétaire** (88). 10 % du PNB. **Dette extér.** (milliards de $). *1980 :* 9,6 ; *89 :* 19,9. **Service de la dette** (89). 2. **Balance des paiements** (millions de $). *1984 :* – 252, *85 :* + 67, *87 :* – 500. **Aide** (86). 0,8 milliard de $. **Réserves de change** (milliards de $). *1985 :* 1,54, *88 :* 0,17.

Politique économique. *1976-80 :* libéralisme tempéré et croissance de la dépense publique. *1981-85 :* libéralisation des changes, politique monétaire et fiscale restrictive, reconstitution des réserves de change. *1985 :* relance de la prod., stimulation de la consommation (hausses des salaires, subventions aux produits de 1re nécessité). *1986-87 :* hausse de la croissance par le refus de consacrer + de 10 % du montant des exp. au remb. de la dette ext. (26 % en 87). *1988 (fév.) :* crise écon., perte de pouvoir d'achat de 50 % sur un an, baisse de 6 % des ventes de biens de cons. (mi-88). Investisseurs étr. délaissent le P. Raisons : expropr. de multinat. (amér. Belco en 1986) et blocage des bénéfices (levé en juil. 88).

Agriculture. *Terres cult.* 3 %. *Production* (milliers de t, 89) canne à sucre 6 300, pommes de terre 1 700, maïs 980, riz 965, manioc 380 (88), plantain 415 (88), oranges 130, p. douces 156 (88), orge 120, oignons 118, café 105, coton 96, citrons 90. *1990 :* sécheresse.

Drogue. Coca : 1er prod. : région du rio Hullaga (70 %), versant amazonien des Andes. *Surfaces cultivées* (est.) : 150 000 à 300 000. *Revenus* (milliards de $) : *1987 :* 1 (15 % du P.N.B., 135 % de la prod. agric., 145 % des exp. de 1986), *88 :* 1,5 à 2 dont 0,6 à 0,8 restent au P. Police insuffisante (300 pol. antidrogue sur 70 000) et corrompue (mal-payée : 25 $ par mois).

Élevage (milliers de têtes, 89). Poulets 48 000, moutons 13 000, bovins 3 800, porcs 2 500, chèvres 1 700, chevaux 655 (88), ânes 490 (88), mulets 220 (88). **Pêche.** 5 700 000 t (88). **Guano.**

Énergie. Charbon : *réserves* 2 300 000 t. **Pétrole** (millions de t, 86) *réserves* 75 (1/5e exploré), *production* (90) : 7 (130 000 b/j. en 89, contre 190 000 en 80), import. de 1963 à 78, puis dep. 1988 : 100 millions de $, 89 : 360. **Gaz** gisement de Camisea (rés. de 3 milliards de barils). **Autres mines** (milliers de t, 88) : fer 2 315, argent 1 551, zinc 480, cuivre 278, plomb 149, or 5,3, bismuth, molybdène, tungstène. **Industrie.** Raffineries de pétrole. Transformation des métaux.

Transports (km). *Routes* 65 000. *Chemins de fer* (86) 3 451 (jusqu'à 4 829 m, record du monde). **Tourisme. Visiteurs** (88) : 320 000. **Quelques lieux :** Lima (palais du gouv., cath., musées), Arequipa (couvent Sta-Catalina), Cuzco, Machu Picchu, Pachacamac, Nazca (alignements), Sacsahuamán, Pisac, Ollantaitambo, Ica (musée), îles Ballestas ou Guanos, Chinchero (marché), Puno (lac Titicaca), Iquitos, Marcahuasi (cité sacrée).

Commerce (millions de $ US, 87). *Export.* 2 672 (88) *dont* cuivre 516, pétrole 274, plomb 251, zinc 234, café 143 *vers* (85) U.S.A. 1 008, Japon 300, U.R.S.S. 139, All. féd. 136, Bén. 136. *Import.* 2 556 (88) *dont* mat. 1res div. 1 450, biens d'équip. 923, autres biens de consomm. 405, blé 92, maïs 36 *de* (85) U.S.A. 522, Japon 181, All. féd. 180, Argentine 178. *Balance (1985) :* + 1 098, *86 :* – 20, *87 :* + 603, *88 :* + 116.

Rang dans le monde (89). 2e argent. 6e pêche. 8e cuivre. 17e café. 21e ovins.

PHILIPPINES

V. légende p. 837.

Nom. Donné 1543 par esp. Ruy Lopez de Villalobos en l'honneur du futur Philippe II d'Espagne.

Situation. Asie. 300 439 km². *Côtes* 17 500 km. Montagneux. *Alt. max.* Mt Apo 2 955 m. **Climat.** *Saisons : sèche* nov.-mai (26,9 à 28,1 °C ; mois les plus chauds avril-mai ; été officiel avril à juin) ; *humide* juill.-oct. (25,4 à 26,5 °C) ; sept. (23,5 °C). *Pluies :* 2 336 mm/an. *Sud du Mindanao,* équatorial, pas de saison sèche ; *rég. occ.,* tropical, sèche nov. à mars, pluies d'été (Manille 2 280 mm/an) ; *côte orientale,* pl. d'été, d'hiver (alizé du N.-E.).

Population. *1799 :* 1,7 ; *1903 :* 7,6 ; *20 :* 10,3 ; *39 :* 16 ; *50 :* 19,2 ; *60 :* 27 ; *70 :* 36,6 ; *81 :* 48,9 ; *88 :* 58,7 ; *89 :* 60,2 ; *90 :* 61,5. *2000 (prév.) :* 75,2. *Majorité :* origine malaise. *Minorités :* Negritos 30 000, Gonotes 150 000 dans montagnes, Moros (musulmans) côtes des îles du Sud 150 000, Bontoc 57 708, Ifugao 180 000, Buid 36 000, Mandaya 210 000, Talaandig 9 000, T'bolis Tagbanua 60 000, Ubos 5 000, Batangan, Maguindanao 550 000, Maranao 450 000, Badjao, Jama Mapin, Yakun, Taosug, Samal 619 000. En 1971, découverte d'env. 28 Tesadays, peuplade primitive. **Âge :** *- de 24 a. :* 59,6 %, *+ de 50 a. :* 10,8 %. D. 196. **Taux de croissance.** 2,4 %. **Émigrés.** *U.S.A., G.-B., All. féd., Italie* 1 400 000, *pays du Golfe* 500 000 (dont Arabie S. 150 000), *Malaisie* 100 000 (Sabah). **Étrangers** (1984) : Chinois 23 796, Américains 4 916, Indiens 657, Britanniques 432, Espagnols 219. **Urbanisation :** 42,2 %. **Villes** (1980). *Manille* 1 626 249 (agg. 8 000 000), *Quezon City* 1 165 990 (cap. légale de 1948 à 80, à 15 km de Manille), Davao 611 311, Cebu 489 208, Iloilo 244 211.

Iles. 7 107 dont 2 773 ont un nom. : *Luçon* (104 687,8 km², 15 299 790 h. D. 105), *Mindanao* (94 630,1 km², 5 814 164 h. D. 30), *Negros* 12 709,9 km², *Samar* 13 080 km², *Panay* 11 515 km², *Palawan* 11 785,1 km², *Mindoro* 9 735,4 km², *Leyte* 7 214,4 km², *Cebu* 4 422 km², *Masbate* 3 269 km², *Bohol* 3 864,8 km². *Archipel de Jolo* 2 618 km². *Kalayaan (Spratleys)* 227 000 km², dont 225 000 submergés, à 500 km des Ph., 600 du Viêt-nam ; chef-lieu : Pagasa (Thitu) ; revendiquées par plusieurs états ; intérêt mil.

Langues. 87 langues et dialectes. 3 l. nationales : anglais 40 %, tagalog (base de la l. off. qui s'appellera le philippin) 21 %. *Dialectes l. maternelle* (en %, 1980) : visayan (Cebuano) 24,1, tagalog (Filipino) 21, ilocano 11,7, panay hiligan 10,4, bicolano 7,8, visayan (Samar et Leyte) 5,5, pampango 3,2, pangasinan 2,5. **Religions** (%). Catholiques romains 85, protestants 3, aglipayans (cath. phil., fondé par G.G. Aglipay 1902) 4, Iglesia ni Kristo 2, musulmans 4.

Histoire. Jusqu'au XVIe s., culture autonome ; contacts avec Chine, Inde, Arabie. **1521** découvertes par Magellan. Colonie esp. **1896**-*avril* révolution, *-12-6* indépendance, *-10-12 tr. de Paris :* Esp. cède Ph. aux USA pour 20 millions de $, anglais langue de l'enseignement ; combats pour ind. jusqu'en 1902. **1935** Commonwealth des Ph. (indép. prévue dans les 10 ans). **1941**-*8-12* invasion jap. **1944** débarq. de MacArthur à Leyte. Bataille aéronavale de Leyte. **1945** libération, restauration du Commonwealth. **1946**-*23-2* Gal Tomoyuki Yamashita exécuté [le trésor (+ de 1 000 t d'or) laissé par les Jap. sera longtemps cherché]. *-4-7 indépendance.* Rép. **1961** Diosaldo Macapagal Pt. **1964** Marcos rejoint parti nationaliste. **1965**-*9-11* Marcos élu Pt (accusé de fraude par Macapagal). **1968**-*1-5* Muslim Independent Movement (MIM) déclare l'indép. des îles de Sulu, Palawan et Mindanao. **1969** Pt Marcos réélu (climat de violence). **1971**-*24-8* bombe dans meeting libéral, 8 †. *-25-8* habeas corpus suspendu. **1968 à 1972** 480 incidents violents, action des Ilagas (chrétiens) contre musulmans. **1972**-*21-9* loi martiale. *Oct.* rébellion mus. à Mindanao (FNLM : Front nat. de libération Moro) ; après conf. islamique de Kuala Lumpur, rebelles réclament autonomie régionale complète. **1974** prennent île de Jolo (Lupah Sug à

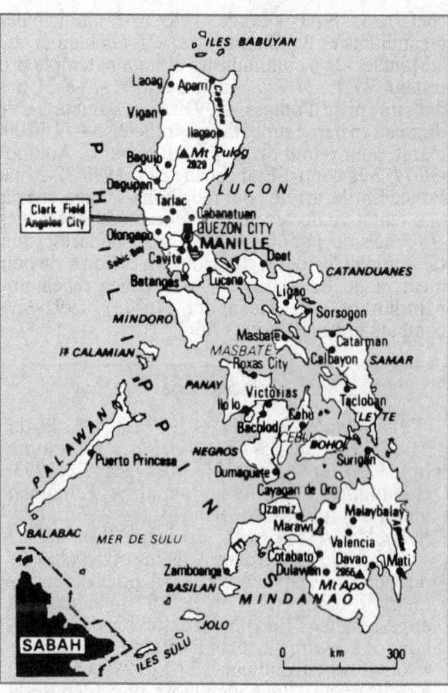

90 % mus.), ville rasée. **1974-75** combats (env. 3 000 †). **1975** *avr.-nov.* reddition de milliers de reb. mus. *Juin* rel. dipl. avec Chine, Marcos à Pékin. **1976** *nov.* référendum sur prolongation de la loi martiale. *-23-09* accord de Tripoli : cessez-le-feu dans le S. [*dep. 1968 :* 50 000 civils et 4 000 mil. †, 1/3 de la pop. moro sinistrée ou déplacée, 200 à 300 000 réfugiés au Sabah (qui jusqu'aux él. de 76 a soutenu le FNLM)]. **1977**-*25-3* autonomie de 13 provinces du S.-O. *-17-4* référendum en prov. puis création de gouv. rég. autonomes. *Sept.* combats reprennent. *-17-10* MNLF tue Gal Bautesta et 32 off. **1980** *mars* attentats (52 † et env. 100 bl.). *Mai* Benigno Aquino (leader du Laban) libéré. *Août-oct.* Manille, attentats [mouvement « Libération du 6 avril » (chrétien progressiste)]. *Oct.-déc.* procès des dirigeants de l'opposition (pas de verdict). **1981**-*17-1* loi martiale levée (800 peines de mort de 1972 à 81 mais non appliquées). Pt conserve pouvoirs exceptionnels. *-17/21-2* Jean-Paul II aux Ph. *-7-4* référendum pour élect. du Pt au suffr. univ. *-16-6* Pt Marcos réélu (88 % des voix, fraudes). **1982**-*févr.-mars* recrudescence activité du FNLM et de la NAPC (Nouvelle Armée du Peuple) (communiste). *-27-8* complot éventé. **1983**-*21-8* Benigno Aquino (n. 27-11-32) tué à son retour d'exil. *-31-8 :* 2 000 000 manif. pour ses obsèques. *Oct.-nov.* manif. contre Marcos. **1984**-*14-5* législatives (violences). *-21-8 :* 500 000 à 900 000 manif. pour anniv. mort Aquino. **1985**-*3-11* Marcos annonce élec. présidentielle anticipée sous pression des USA. *-11-12 :* 10 min. avant clôture du dépôt des candidatures, Corazón (« Cory ») Aquino (veuve de Benigno) conclut accord avec Salvador Laurel, chef de l'Unido (parti d'opposition), et brigue présidence. **1986**-*7-2* élec. ; pendant campagne 57 †. *-15-2* Marcos proclamé Pt par 10,8 millions de voix et 9,29 pour C. Aquino. 900 000 manif. à Manille où C. Aquino prône « désobéissance civile ». *-17-2* le « Reform Army Movement » appelle soldats à refuser tout recours à la force contre civils contestant résultats de l'élec. *-21-2* C. Aquino forme un « cabinet fantôme » ; « La Pravda » écrit : réélec. de Marcos satisfait le Kremlin. *-22-2* Juan Ponce Enrile (min. de la Défense) et Fidel Ramos (chef d'état-major) se retranchent au min. de la Défense et soutiennent C. Aquino. *-25-2* Marcos et sa famille abandonnent. *-26-2* C. Aquino prête serment. *-25-3* Constitution provisoire, C. Aquino a pleins pouvoirs. *-9-5* cessez-le-feu avec FNLM. *-3-7* rebelles communistes tuent civils. *-6-7* échec coup d'État d'Arturo Tolentino. *-2-11* Rolando Olalia, Pt du PNB, assassiné. *-22/23-11* coup d'État milit. manqué grâce à Fidel Ramos ; Gal Rafael Ileto remplace chef d'E.-M. Juan Ponce Enrike, min. de la Déf. *-30-11* cessez-le-feu de 60 j avec PCP. **1987**-*23-1* manif. paysanne, 12 †. *-26/29-1* rébellion milit. momentanée. *-2-2* référendum 76,29 % pour la Constitution. *-9-2* reprise guérilla communiste. *-Avril* mutineries matées. *-22-7* réforme agraire sur 5,4 millions d'ha. *-2-8* Jaime Ferrer, min., tué. *-28-8* échec putsch du col. Gregorio Honasan (30 †). *Sept.* nouveau gouv. sans la gauche. *Oct.* 4 Amér. tués. **1988** *janv./févr.* guérilla comm. *Janv.* élec. locales, + de 100 †. *Juillet* attentats contre personnalités de gauche, création de milices civiles armées. *Août* milliers d'arrestations dep. janv. : PCP, soldats de la NAP, activistes. *-12-11* Romulo Kintanar,

chef de la NAP s'évade. **1989**-*28-3* municipales, 6 candidats et 2 militants tués. *-21-4* col. amér. tué à Manille. *-25-6* communistes attaquent temple protestant, 37 †. *-11-7* C. Aquino en Fr. *-15-8* 21 tués dans une prise d'otages. *-28-9* F. Marcos meurt. *-29-9* drapeau en berne sur bâtiments officiels. *-4-11* 50 000 manif. pour retour du corps (refusé par C. Aquino). *-30-11/2-12* coup d'Etat ; bilan : 24 †. **1990**-*27-2* Juan Ponce Enrile, arrêté pour rébellion. *-4-3* gén. tué par une tentative de rébellion. *Fin mars* 59 NAP tués. *-16-7* séisme (1 500 †). *-28-9* 16 militaires (dont Gal Luther Custodio) condamnés à prison à vie pour meurtre de B. Aquino. *-3/5-10* échec rébellion à Mindanao (col. Alexander Noble). **1991**-*févr.* combats armée/guérilla : 56 †.

Les Marcos

Ferdinand Edralin (11-9-1917/28-9-89) Pt du 31-12-1965 au 25-2-86 [*Imelda :* sa femme (n. 1930), épousée 1954, Miss Manille 1953, élue min. des Ressources humaines. *Ferdinand* junior : son fils, dit « Bong Bong » ; *Elizabeth Keon Marcos :* sa sœur ; *Benjamin Romualdez :* son beau-fr., dit « Kokoy », assurent des charges politiques]. Poursuivis aux USA pour détournement de fonds (transfert de 103 millions de $ appartenant à l'État phil. et extorsion de 165 millions de $ à 3 org. fin. pour l'achat de 4 immeubles à New York). Condamnés 27-12-1990, en Suisse, à restituer aux Ph. 330 millions de $ (déposés à Fribourg et Zurich).

Fortune (en milliards de $) : 10 dont 3 aux USA (immeubles 0,11 à 0,35, tableaux 0,01), 1,5 aux Ph. (143 titres de propr., 81 voit., 31 avions et hélic., 14 bateaux).

Statut. Rép. *Constit.* du 9-2-1987. *Pt* (élu 6 ans pour un seul mandat) : Cory Aquino (n. 1933) dep. 1986. *Vice-Pt/PM* Salvador Laurel (dep. 26-2-86). *Chambre des représentants* 250 m. (dont 200 élus au suffr. univ., 50 nommés par le Pt). *Sénat* 24 m. **Élections.** *14-5-84 :* KLB (mouvement pour la nouvelle société, Pt Ferdinand Marcos), 109 s., Unido 49, Indépendants 8, Laban 6. Nationalistes 4. *11-5-1987 :* coalition C. Aquino, 127 s. **Drapeau.** Origine 1890, adopté 1946 : bandes bleue et rouge, triangle blanc orné d'un soleil à 8 rayons (pour les provinces révoltées contre l'Espagne 1898) et de 3 étoiles (princ. îles). **Fête nat.** 12-6 (indépendance).

Partis. *PCP (Parti communiste ph.)* f. 1968 par José Maria Sison (enfermé 1977-mars 86), 30 000 m. Anime le courant « démocratique national », comprenant notamment *NAP (Nouvelle Armée du peuple)* f. 1969, 12 000 à 26 000 h., *FDN (Front démocr. nat.)* clandestin, fondé 1973. *PNB (Partido ny Bayan)* P. du peuple, f. août 1986, 2 000 000 m. *Bisig* f. mai 1986. *FLIM (Front de libér. islam. Moro).* **Guérilla** (bilan officiel). 1979-85 : 16 250 † ; contrôle 20 % des villages.

Bases américaines. (les + imp. à l'étranger) : *Subic Bay* (escale VIIe flotte, relais IIe et IVe fl., 200 bâtiments de surface, 44 sous-marins), *Clark Field* (QG de la 3e escadre aérienne de l'U.S. Air Force) : 40 000 h. font vivre 500 000 pers. et apportent 450 millions de $ par an. Contrôle circulation mar. et aérienne en Asie (passage de 70 % du pétrole pour le Japon). URSS a proposé en sept. 88 de démanteler sa base de Cam Ranh (Viêt-nam) contre celui des bases amér. aux Ph. *-17-10-88* accord sur maintien des bases jusqu'en 1991 (limite du bail conclu 1947) : USA verseront 481 millions de $ d'aide écon. chaque année. Avions et navires à capacité nucléaire autorisés (contraire à la Const. phil.). **1991**-*17-3* Pte Aquino pour maintien des bases US pendant 7 ans, contre 825 millions de $ par an.

Économie

P.N.B. ($ par h.). *1983 :* 760. *85 :* 600. *86 :* 542 ; *87 :* 594 ; *88 :* 650 ; *89 :* 732. **Pop. active** (% et, entre parenthèses part du P.N.B. en %) : agr. 45 (25), mines 3 (3), ind. 13 (25), services 34 (47). **Chômage** (89) : 8,2 %. 50 % de la pop. dans la « pauvreté absolue ». **Croissance.** *1984 :* – 5,3, *85 :* – 4,5, *86 :* + 1,5, *87 :* 5,7, *88 :* 6,6, *89 :* 5,6, *90 :* 3,1, *91 :* (prév.) : 1,3. **Inflation** (%). *1983 :* 10 ; *84 :* 50 ; *85 :* 23 ; *86 :* 0,8 ; *87 :* 3,8 ; *88 :* 8,8 ; *89 :* 10,6 ; *90 :* 14,7 ; *91 :* (prév.) : 14. **Dette extérieure** (90). 28,4 milliards de $. Rachat en 1989 de 1,3 milliard de la dette commerciale (sur 12 dont 7,5 à moyen ou long terme). **Déficit budgétaire** (en % du P.N.B.). *1989 :* 5,1, *90 :* 1,5, *91 :* 0,6. **Évasion de capitaux** (1984-85). 27 milliards de $. Moins de 200 familles possèdent l'essentiel des terres [dont familles Marcos (terres sous séquestre), Romualdez (famille de Mme Marcos), Cojuanco (C. Aquino est née Cojuanco)]. **Investissements privés** (88). 665 millions de $ dont 145 de l'étranger. **Aide extérieure** (milliard de $, 1989). Japon 1, USA 0,5, FMI 0,5.

Nota. – En *1990-91,* retour d'une partie des 500 000 Philippins du Proche-Orient (rapportaient 3 milliards de $ par an).

Agriculture. *Terres* (milliers d'ha, 81) arables 7 050, cult. 2 890, pâturages 1 050, forêts 12 100, eaux 183, divers 6 727. *Réforme agraire (1988) :* concerne 30 millions de pers. (1978 : 10 % possèdent 90 % des terres) : 5 ha max. par pers., 3 autres par enfant héritier travailleur. Coût : 10 à 15 milliards de $: compensation : 37 000 pesos l'ha. *Production* (millions de t, 89) : canne à sucre 15, noix de coco 10,8 (88), riz (Palay, non traité) 9,4, maïs 4,5, bananes 3,5, coprah 1,8, manioc 1,7 (88), patates douces 0,7 (88), légumes 0,8 (88), café 0,15, tabac, abaca, kapok, coton, mangue, ramie, caoutchouc. **Forêts** (88). 38 214 000 m³. **Elevage** (millions de têtes, 89). Poulets 65, porcs 7,8, canards 6 (88), buffles 2,9, chèvres 2,2, bovins 1,7. **Pêche** (88). 2 028 000 t.

Énergie (sources) (1992, en %). *Locale* 46 (dont biologique 13, hydraulique 10, géothermique 9, pétrole 8, charbon 6). *Importée :* 54 (dont pétrole 49, charbon 5). **Électricité** (1988). *Capacité installée :* 5 782 MW. *Production :* 22 944 GWH. **Pétrole.** *Prod.* (millions de t) *1979 :* 1,2, *81 :* 0,25, *85 :* 1,7, *88 :* 0,44. **Mines** (milliers de t, 88). Charbon 1 336, sel 466,4 (87), cuivre 218,2, chrome 95,7, nickel 12,3, argent 54,7 t (88), or 32,5 t (88).

Transports (km). Routes 157 448 (88), ch. de fer 1 059.

Tourisme. Visiteurs (milliers, 1989). 1 000 (dont en 88, USA 212, Japon 182, Hong K. 133, Taïwan 56, Austr. 45, *France 8*).

Commerce (millions de $, 89). *Exportations :* 7 821 *dont* électronique 1 751, vêtements 1 575, huile de coco 377, cuivre métal 330, prod. chim. 279, concent. de cuivre 237, crevettes 231, aliments et boissons 206, meubles 204, bananes 146 *vers* U.S.A. 2 946, Japon 1 586, All. féd. 335, G.-B. 329, P.-Bas 329, Hong Kong 305. *Importations :* 10 148 *dont* prod. pétr. 1 112, générateurs et machines spéc. 987, mat. et accessoires pour fabr. d'app. élect. 885, équip. de communication et machines élect. 761, métaux de base 743, textiles filés 452, broderies 437, prod. chim. 410, résines artif. 289, équip. de transport 253 *de* Japon 2 043, USA 1 979, Singapour 493, Hong Kong 481, Corée du S. 423, All. féd. 408. **Déficit commercial.** *1984 :* 679, *85 :* 483, *86 :* 202, *87 :* 1 017, *88 :* 1 085, *89 :* 2 597.

Rang dans le monde (89). 2e noix de coco. 8e or. 10e riz, cuivre. 11e café. 13e canne à sucre. 15e bois.

PITCAIRN (ILES)

Carte p. 1047. V. légende p. 837.

Situation. Pacifique. 49 km². *4 îles :* Pitcairn (4,6 km²) et 3 inhabitées (Henderson 31,1 km², Ducie 3,8 km² + 4,4 km² de lagune et Oeno 5,1 km²). A 2 220 km de Tahiti. Falaises de 200 à 300 m.

Population. *1988* 59 h. D. 1,2 (Pitcairn uniquement). Pop. issue de 9 mutins du *Bounty* et de leurs compagnons. *Cap. :* Adamstown. **Langue.** Anglais (mélangé de tahitien). **Religion.** Adventistes du 7e jour dep. 1886, mais la rel. chrétienne (ens. par J. Adams) demeure la base de la vie sociale.

Histoire. Habitées par des Polynésiens à une époque indéterminée (vestiges d'art). **1767** découvertes (désertes) par le navigateur brit. Carteret. **1790**-*23-1* après la mutinerie du *Bounty,* 9 mutins anglais, 12 Tahitiennes, un bébé, 6 Noirs y débarquent. **1808** redécouverte par un nav. brit. **1829** John Adams (le chef de la communauté) meurt. **1831** transfert d'habitants à Tahiti (surpopulation). **1832** reviennent. **1838** colonie brit. **1839**-*29-11* rattachée officiellement à la Couronne brit. **1856** nouveau transfert de 194 h. dans l'île de Norfolk. **1858** 16 reviennent. **1863** 30 reviennent. **1897** établissement brit. **1898** juridiction du haut-commissaire pour le Pacifique O. **1902** annexion de Ducie, Oeno, Henderson. **1952** transférées au gouv. des îles Fidji. **1970** *oct.* sous l'autorité d'un gouv. désigné par le haut-comm. de N.-Zélande.

Statut. Colonie brit. *Gouverneur* Robin Byatt (ht-commissaire brit. en N.-Zélande). *Magistrat de l'île et Pt du conseil* Brian Young (élu pour 3 ans). *Conseil* 10 m. dont 1 *ex officio,* 4 élus tous les 25-12, 5 nommés. A conservé son statut et ses « lois » instituées par John Adams ; la répartition des terres est celle établie par Fletcher Christian en 1790. Pas d'impôts. C'est le plus petit groupement humain du monde ayant son propre statut constitutionnel interne.

Économie. Pêche, timbres-poste, fruits, légumes, artisanat. *Import.* farine, sucre, conserves, tissus.

POLOGNE

Carte p. 1043. V. légende p. 837.

Nom. Tribu slave des Polanes qui habitait l'actuelle Pologne, nommée alors *polé,* « la plaine ».

Situation. Europe. 312 683 km² (388 634 en 1938). *Frontières :* 3 538 km, avec Tchécoslovaquie 1 310, U.R.S.S. 1 244, All. dém. 460. *Côtes :* 524 km (mer Baltique). *Alt. max. :* Mt Rysy (Tatry) 2 499 m, *moy.* 174, *min.* Raczki Elblaskic – 1,8 m (voïvodie d'Elblag). Pays de plaines (75 % du terr. en dessous de 200 m d'alt., 20 % de 200 à 500 m, 5 % à + de 800 m). **Régions :** *frontière S. :* montagnes [*à l'E.* Beskides (chaînes des Carpates, anciennes ; alt. 1 400 m) ; une partie des Htes Tatras slovaques (type pyrénéen), à l'extrême S., se trouve en P. (station hivernale de Zakopane) ; *à l'O.,* monts des Sudètes, chaîne de 300 km (hauteurs de Lusace, massif des Géants), anciens (alt. 1 600 m)]. *Au pied des montagnes :* terrasses étagées, couvertes de lœss (plateaux de Lublin à l'E., de Sandomierz au centre, de Silésie à l'O.) : croupes boisées 611 m au centre (Mts de la Ste-Croix), 256 m à l'O. (hauteur de Trzebnica), dépression centrale drainée par Oder (854 km dont 742 en P.), Vistule (1 047 km) et leurs affluents (Bug, Warta) dont la direction ancienne était E.-O. (captés ensuite vers le N.) ; plaines fertiles : blé, betteraves et pommes de t. [Petite P. (S.-E.), Mazovie (centre N.), Grande P. et Posnanie (O.)]. *Ceinture baltique :* morainique (sables, dunes, cailloutis, landes, marais) ; alt. max. 316 m à l'E. de la Vistule (Mazurie) ; 331 m à l'O. (Poméranie). Vallées de la Vistule et de l'Oder encaissées et fertiles. Lande aux 2/3 boisée en résineux ou convertie en prairies et champs de seigle. **Sols :** montagneux 2,21 %, podzoliques 72,5 %, bruns 4,67 %, tchernozioms (humus) 0,74 %, noirs 1,14 %, marécageux 4,4 %. *Qualité :* très bons 4 %, bons 24/27 %, moyens 55/60 %.

Climat continental. *Moy. :* janv. – 3,16 °C, juill. + 18,5 °C (extrêmes : janv. – 27,1 °C, juill. + 35,1 °C). *Pluies :* 500 à 600 mm (plaines), + de 800 mm (montagnes). *Carpates :* climat de montagne. *Le plus froid :* – 42 °C (Nowy Targ). *Gel :* 25 j au bord de la mer, 60 au N.-E., 130 en montagne.

Lacs. 9 300 de plus de 1 ha (1 % de la superficie, 3 200 km²) dans le N. (Mazurie 2 500), en Poméranie, Gde Pologne, Cujavie et le long du littoral ; *les plus grands :* Sniardwy (113,8 km²), Mamry (104,4 km²) ; *les plus profonds :* Hancza (108 m), Drawsko (79,7 m) ; *120 artificiels* (dont Zegrze 33 km², Goczalkowice 32 km², Otmuchowskie 23,5 km², Glebinowskie 22 km², Solina 21 km²). **Sources** *d'eau minérale.* **Flore.** 2 250 spécimens de plantes capillaires, 630 de mousses, 1 200 de lichens. **Parcs nationaux** 13 (116 000 ha), **réserves naturelles** 643.

Population (millions). *1920 :* 27 ; *30 :* 31,9 ; *39 :* 34,7 ; *46 :* 23,6 ; *50 :* 25 ; *60 :* 29,8 ; *70 :* 32,7 ; *83 :* 36,57 ; *90 :* 38,18 ; *prév. 2000 :* 41,39. **Âge.** - *de 15 ans* 25 %, *+ de 65 a.* 9 %. **Taille et poids moy.** Hommes 169 cm, 68 kg ; femmes 157 cm, 61 kg. **Par origine.** Polonais 98 %. *En 63 :* Ukrainiens 180 000, Biélorusses 165 000, Juifs 31 000, Allemands 23 000,

Carmel d'Auschwitz. 1984 l'État cède à l'Église cath. le « Théâtre » près du camp d'Auschwitz qui sert d'entrepôt pour le gaz zyclon B et les objets récupérés sur les cadavres. *Oct.* 8 religieuses s'y installent. **1985** *Oct.* à la suite d'une collecte, de nombreuses réactions. **1986**-*22-7* à l'initiative de Théo Klein, responsable du CRIF (Conseil représentatif des institutions juives de Fr.) et du cardinal Lustiger, 1re rencontre à Genève avec le cardinal Macharski, archevêque de Cracovie. **1987**-*22-2* accord à Genève : dans les 2 ans les religieuses rejoindraient un autre centre. **1989**-*22-2* Mgr Ducourtray demande un nouveau délai de 5 mois. *-11-7* une parcelle est acquise et le permis de construire délivré. Les travaux seront faits dans 4 ou 5 ans. *-14-7* des j. américains venus protester à la porte du carmel sont violemment repoussés par des ouvriers et des voisins. *-10-8* le card. Macharski dénonce la « violente campagne d'insinuation » organisée par les communautés j. *-26-8* le card. Glemp dénonce « l'antipolonisme » de certains j. *-2-9* il demande une renégociation de l'accord de févr. 87.

Slovaques 21 000, Russes 19 000, Tchèques 12 000, Lituaniens 10 000, Grecs 5 000, Macédoniens 5 000, Tsiganes 12 000, Bohémiens. **Immigration** (87). 1 800. **Émigration.** *1988 :* 600 000 dont 60 000 diplômés de l'ens. sup. **Polonais à l'étranger.** 15 000 000 [USA 10 000 000, URSS 1 167 000, France 1 000 000, Brésil 840 000, Canada 324 000, G.-B. 145 000, All. féd. 132 000, Australie 100 000]. **Pop. urbaine.** 59,5 %. D. 121,1. **Villes** (87). *Varsovie* 1 671 400, Łódź 844 900 (à 133 km de la cap.), Cracovie 744 900 (à 294 km), Wrocław 640 200 (à 348 km), Poznán 585 900 (à 303 km), Gdańsk (ex-Dantzig) 469 100 (à 343 km), Szczecin 396 600 (à 516 km), Bydgoszcz 372 600 (à 161 km), Katowice 368 600 (à 285 km), Lublin 333 000 (à 161 km).

Religions. Catholiques (86) : 35 758 318 (94 % baptisés, 78 % pratiquants) ; *séminaristes : 1981 :* 6 714, *87 :* 9 038, *89 :* 8819 (dont 5 499 diocésains et 3 320 religieux) ; *ordinations : 1981 :* 688, *85 :* 964, *87 :* 1 009, *89 :* 1 152 (dont 826 diocésains et 326 religieux) ; *prêtres : 1981 :* 20 676, *87 :* 23 432 (dont 5 706 religieux) ; *séminaires :* 46 ; *ordres masc.* 59 (9 805 moines), *fémin.* 102 (25 333 nonnes) ; *églises, chapelles* 13 519 ; *paroisses* 8 636 ; *catéchisation* 19 737 points ; *catéchistes* 15 792. **Orthodoxes** 400-600 000. **Protestants** 117 000 dont 5 000 méthodistes. **Polonais cathol.** 30 000. **Mariavites** 25 000. **Juifs** 2 000 (*1939 :* 3 500 000).

☞ *En 1939* (en %) : cath. 75,2 ; orthodoxes 11,8 ; juifs 9,8 ; protestants 2,6.

Histoire

V. 1000 av. J.-C. les Paléoslaves se différencient des Germains et des Celtes entre Vistule, Pripet et Carpates. *Au Ier millénaire* Vislanes, Polanes et Mazoviens remplacent les Germains dans le bassin de la Vistule. **Après J.-C.** Obotrites et Poméraniens (Kachoubes) colonisent côtes de la Baltique au Ier millénaire. **966** conversion au christianisme de Mieszko Ier, duc des Polanes. **IXe et Xe s.** les Slaves se convertissent. Les Piasts avec Mieszko (966-992, fondateur de la dynastie, capitale Poznan, converti au catholicisme) et son fils Boleslaw Ier Chobry (le Vaillant, 992-1025 couronné roi en **1025**) réunissent P., Silésie et Mazovie. **1138** division en 4 duchés. **1226** Konrad Ier, duc de Mazovie, fait venir les Chevaliers teutoniques pour exterminer Prussiens et Lituaniens. **1241** invasion tartare. **XIVe s.** unité avec Ladislas Ier et Casimir le Grand. **1320** Lasdislas II dit « Petite Coudée » couronné roi à Cracovie, réunifie la P. **1333-70** Casimir III le Grand cède Poméranie aux Teutoniques mais conquiert Ruthénie (capitale Lwow). **1364** université de Cracovie fondée. **1370** Louis de Hongrie (famille d'Anjou) devient roi. **1384** sa sœur ép. Ladislas Jagellon gd-duc de Lituanie. Union de P., Lituanie et partie de l'Ukraine. **1410**-*15-7* Grünwald *(Tannenberg) :* Ladislas Jagellon bat Teutoniques. Sigismond II (1548-72) réunit P., Livonie. G. contre Suède, Turquie et Russie. **1413** union P.-Lituanie. **1466** 2e paix de Torun après g. de 13 ans contre teutoniques. L'ordre t. restitue Poméranie et se reconnaît vassal des Jagellon en Prusse orient. **1525** ordre sécularisé. Sigismond Ier règne aussi sur Prusse or. **1548-72** Sigismond II « Auguste ». **1569** *« Union de Lublin ».* Royaume de P. et Gd Duché de Lituanie deviennent une Rép. (« Respublica »). Trône électif. **1573** Henri de Valois (futur roi de Fr. Henri III) élu roi de P. Voir p. 1 045 b. **1587-1632** Pce suédois Sigismond III Vasa élu. G. dynastiques contre Suède et Russie. **1596** Varsovie capitale. **1648** Ukraine, révolte des cosaques du Dniepr. **1655-56** Charles X Gustave de Suède envahit P. **1673** Jean Sobieski (1624-96) bat Turcs à Chocim *(Hotin).* **1683** les arrête à Vienne et les chasse de Hongrie. **1697**-*26-9* élect. d'Auguste II le Fort, électeur de Saxe. Battu, la P. passe sous l'influence de Pierre le Grand. **1704** Stanislaw Leszczyniski élu. **1709** chassé par Russes. **1733** réélu. **1733-38** g. de succession de P. ; à la mort d'Auguste II la Fr. reconnaît Auguste III, candidat d'Autr. et Russie. **1738** Stanislas rechassé par Russes. **1764-95** Stanislas-Auguste Poniatowski dernier roi de P. Ne peut rétablir l'indép. **1768-72** *Confédération de Bar* (union de patriotes pol.) contre Russie, échec. **1772** *1er partage de la P.* (Autr. : Galicie. Russie : E. de la Biélorussie. Prusse : Poméranie). **1791**-*3-5* Constitution progressiste. **1793** *2e part.* (Russie : Ukraine, O. de la Biélorussie. Prusse : Gde Pologne). **1794** soulèvement de Kosciuszko (1746-1817). **1795** *3e part.* (Prusse, Russie, Autr. : la P. disparaît). **1807** *7 et 9-7 tr. de Tilsit.* Création du grand duché de Varsovie, donné à Frédéric-Auguste, roi de Saxe. **1809** paix avec Autr. à Schönbrunn. **1815** création du *royaume de P.* ou *« P. du Congrès » ;* autonomie apparente sous domination russe (le tsar étant roi de P.) ; Cracovie devient ville libre.

1830-31 soulèvements empêchant le tsar d'envoyer son armée réprimer la révolution à Paris, autonomie abolie. **1846** Autr. annexe Cracovie. **1848** insurrection de la Gde P. **1863-64** soulèv. antirusse réprimé. **1914** invasion all. **1916**-*5-11* All. et Autr., dans un manifeste commun, proclament l'indép. de la P. sans préciser ses frontières ni sa Constitution. **1918**-*6-11* formation à Lublin d'un gouv. provisoire pop. [Pt Ignacy Daszynski (socialistes et populistes)]. *-11-11 indépendance. Josef Pilsudski proclame la Rép.* et devient chef de l'État ; capitulation all. à Varsovie. **1919**-*28-6 tr. de Versailles :* la P. est reconnue. **1919-20** g. avec URSS. **1920** *avr.* tr. de coopération avec Petlioura, chef du nouvel État ukrainien. L'armée p. entre à Kiev et y installe Petlioura. Les Russes repoussent l'armée p. jusqu'à Varsovie et l'a. uk. à Zamosc. Pilsudski aidé de Weygand (conseiller mil. en P.) repousse attaque russe. **1921** nouvelle Constitution républ. *-18-3 tr. de Riga :* un territoire plus grand que celui délimité par la ligne « Curzon » (frontière proposée par G.-B. et imaginée en 1919 par Lord Curzon suivant les rivières Bug et San) est accordé à la P. Galicie et partie de la Hte Silésie lui sont restituées. **1926**-*5* Vincent Witos PM (droite). *-12/14-5* putsch du Mal Pilsudski, 379 †. Élu Pt de la Rép., il démissionne 3 j après, n'acceptant pas sa fonction ; remplacé par le professeur Ignacy Moscicki jusqu'en sept. 39. **1932** pacte de non-agression avec URSS. **1934**-*26-1* avec All. **1935** *avr.* Constitution. *-12-5* Pilsudski meurt (cancer). **1938**-*2-10* la P. occupe Teschen (en Tchécosl.) que les Tchèques ont occupé en 1919-20 pendant la g. pol.-soviét.

1939-*1-9* invasion all. (1 500 000 h. et 2 700 avions contre 750 000 h. et 300 av.). *-17-9* invasion russe qui rejoint troupes all. *-18-9* gouv. p. et Ht-Commandement passent en Roumanie avec quelques unités. *-27-9* Varsovie capitule. *-28-9* All. et URSS se partagent la P. All. organise sa zone, annexe une partie, et forme un gouvernement général dans une autre sous son protectorat. URSS prend 200 000 km², 13 millions d'h. dont 5 500 000 Pol. ; organise des él. à candidat unique. Les Ass. votent pour le rattachement à la Rép. d'Ukraine et à la Russie blanche. *Oct.* gouv. pol. (en exil, Sikorski) installé à Angers (émigre en G.-B. en 40). **Hiver 1939/40** déportation d'env. 1 500 000 P. en Russie et Sibérie. **1940** *mars-avril* massacre de 4 143 off. pol. à *Katyn* près de Smolensk [dont 2 815 ont été identifiés ; aucun document trouvé sur eux n'est postérieur au 23-4-40 (15 000 Pol. prisonniers le 17-9-39 ont disparu après mai 1940, peut-être noyés dans la mer Blanche)] et 10 000 dans un lieu inconnu, transportés des camps de Starobielsk et Kozielsk, attribué par les Russes aux All., par les All. aux Russes (qui ne le reconnaîtront qu'en 1990). *Avril-mai* fermeture des camps de prisonniers de g. p. en URSS : Kozielsk, Starobielsk, Ostachkov. *Mai-juin* une armée p. participe à la bataille de France et aux combats de Narvik, et rallie après la G.-B. *Nov.* les All. enferment 1 500 000 Juifs dans le *ghetto de Varsovie* (100 000 meurent de faim et d'épidémie, 300 000 seront déportés principalement à Treblinka et mourront). **1941**-*22-6* All. attaque Russie et occupe toute la P. *Juillet-août* 1res libérations de prisonniers et de déportés p. en URSS *Déc.* accord Sikorski-Staline. **1941** démarches p. pour retrouver les officiers perdus et les P. retenus en camps sov. **1942** naissance du Parti ouvrier p. (PPR) ; formation en Russie d'une armée p. (Gal Anders) qui rejoindra le M.-O. *-14-2* Armée de l'Intérieur (AK), 350 000 h. **1943**-*19-4* devant le refus sov., la Croix-Rouge intern. renonce à envoyer une commission d'experts à Katyn. *-26-4* Moscou rompt relations dipl. avec P. *-19-4/10-5* ghetto de Varsovie, insurrection des 40 000 survivants : 200 reçoivent une arme ; *-10-5,* 80 s'échappent par les égouts, 50 d'entre eux seront tués les j suivants ; la plupart des 30 autres mourront au cours de l'insurrection de Varsovie d'août et sept. 1944 ; Marek Edelman (cardiologue à Łódź) restait en 1983 le seul survivant. *Mai* division Tadeusz Kosciuszko formée en Russie. *-4-7* Gal Wladyslaw Sikorski (1881-1943), chef du gouv. p. en exil, tué (accident d'avion). Mikolajczyk Pt du gouv. en exil. Conseil nat. de l'Unité (RJN) créé. *-26-9* Armée rouge reprend région de Katyn. **1944**-*1-1* création du Conseil nat. du peuple (clandestin, pro-soviét.) et de l'Armée populaire (AL). *-21-7* Comité pol. de libération nat. créé à Lublin. *-22-7* Rép. pop. de P. *-1-8* insurrect. de Varsovie (63 j), env. 60 000 insurgés, échoue (3-10) faute d'aide ext. (l'armée soviét. arrêtant le 1-8 son offensive en direction de Varsovie). *-31-12* gouv. provisoire (Edward Osobka-Morawski) formé à Lublin par Comité nat. de libération reconnu par URSS [différent du gouv. libre de Londres (Stanislas Mikolajczyk) reconnu par USA, France (de Gaulle) et G.-B.]. **1945** Russes prennent Varsovie (17-1), Cracovie (18-1), Poznan (27-1), Torun (1-2), libèrent la P. (mars). La g. a fait 6 028 000 † dont 3 000 000 de Juifs morts en camps de concentration. Prisonniers de g. pol. : sur 230 000 faits par l'Armée rouge, 82 000 sont revenus vivants. Civils déportés en camp de travail : 1 600 000 dont 600 000 morts de froid et de malnutrition. 2 901 m. du clergé tués par All.

1945-*28-6* gouv. d'union nat. *-5-7* Mikolajczyk devient 2e vice-Pt d'un gouv. unifié à Varsovie. *Août* nouvelles frontières : la P. perd 180 000 km², annexés à l'E. par URSS en 1939, et reçoit 102 000 km² de l'All. **1945-47** g. civile : tués : 22 000 comm., 28 000 opposants. **1946** *janv.* élections ; industrie nationalisée. *-30-6* référendum (truqué) sur suppression du Sénat (oui 68 %), réformes agraires [déjà faites (oui 77 %), restitution des territoires de l'E. (oui 91 %)]. *-30-9* tribunal militaire de Nuremberg ne retient pas le meurtre de Katyn à charge contre les criminels de g. nazis. *Fin 1946,* 429 condamnés à mort pour motifs polit. **1947**-*19-1* él. faussées : 9 000 000 de

La ligne Oder-Neisse (Odra-Nysa)

Frontière occidentale dep. les accords de Potsdam (tr. P.-All. dém. 6-7-1950 ; P.-All. féd. 7-12-1970). **Silésie :** *1327* passe de la suzeraineté p. à celle de l'emp. roi de Bohême, de la dynastie de Luxembourg ; *1748* tr. d'Aix-la-Chapelle, prise aux Habsbourg (successeurs des Lux. sur trône de Bohême) par Frédéric II, roi de Prusse. **Poméranie** *« propre »* (seule est actuellement p. l'Est de l'ancienne principauté) ; *1180* suzeraineté de l'emp. all. Frédéric Barberousse ; *1231* aux Pces ascaniens de Brandebourg, duché all. autonome ; *1648* annexée par Frédéric-Guillaume, électeur de Brandebourg et duc de Prusse (sauf Stettin, ville suédoise dans l'Empire jusqu'en 1720). **Prusse orientale :** *XIIIe s.* conquise par Chevaliers teutoniques sur Prussiens, peuple païen de langue lituanienne ; *1466* paix de Torun : vassale du roi de P. jusqu'en 1657 ; *1525* sécularisée ; *1618* duché de Prusse passe aux Hohenzollern du Brandebourg ; *1701* devient roy. **Poméranie ultérieure** ou **Pomérélie :** *1107* détachée de la Poméranie ; attribuée à un duc résidant à Gdańsk ; *1295* devient p. ; *1308* annexée (non occupée) par Chevaliers teutoniques (appelée « Prusse occidentale ») ; *1466* redevient p. sous le nom de « Prusse royale » ; *1772* Frédéric II l'annexe au 1er partage de la P. (sans Dantzig) ; *1793* Fréd.-Guillaume II annexe Dantzig ; *1807* D. ville libre ; *1813* défendue 11 mois (janv.-déc.) par Gal Rapp ; *1814* Prusse récupère D. ; *1919* tr. de Versailles : D. ville libre ; le reste de la Pomérélie (le *« corridor polonais »*) est, après 147 ans de domination pruss., rendu à la P. qui crée port artificiel de Gdynia. *1939* All. reprend D.

1943 *nov. conférence de Téhéran.* Churchill propose un tracé suivant le cours de l'Oder et de son affluent de rive gauche, la Neisse orient. (Neisse de Glatz). La Silésie minière revenait ainsi à la P., la Silésie agricole restait à l'All. **1945**-*4/11-2 Yalta,* la décision finale est reportée. *Juillet* conférence de *Potsdam* entérine le choix de Staline : la Neisse occidentale (ou Neisse de Lusace). Churchill accepte pour éviter que Silésie et Poméranie ne deviennent une nouvelle Alsace-Lorraine. On incorpore ainsi dans la P. des terres allemandes depuis le XIIIe s. et qui n'avaient été véritablement p. qu'à la fin du Xe s.

voix au Bloc démocratique (dominé par communistes) ; gouv. de Jozef Cyrankiewicz. Mikolajczyk s'échappe. *Janv.* 150 000 prisonniers polit. *Oct.* 1 500 000 P. rapatriés d'URSS, 400 000 Ukrainiens rentrent en URSS. **1948** *déc.* soc. et comm. forment Parti ouvrier p. unifié. *Wladyslaw Gomulka* (1905-82, 1er secr. de déc. 45 à juill. 48) limogé, puis expulsé du parti, 1951, et emprisonné (1951 à déc. 1954). *Déc.* 1er secrétaire *Boleslaw Bierut* (1892-1956). **1949**-*17-8* tr. avec URSS ; le nord, autour de Königsberg-Kaliningrad, forme une *oblast* (région administrative) de 13 000 km² séparée de la Lituanie et directement rattachée à la Rép. de Russie. **1952** Constitution. **1953**-*26-9* card. *Stefan Wyszynski* arrêté. **1956**-*28-6 émeutes de Poznań,* Edward Ochab (1er secr. du PC), ordonne au gal russe Rokossowski, min. de la Défense, de tirer (113 †). *Gomulka,* réhabilité, élu 21-10 1er secr. du Parti. *-28-10* card. Wyszynski libéré. 87 % des terres rendues aux petits propriétaires (l'État garde le monopole de la commercialisation des prod. agric.). **1968**-*8-3* émeutes d'étudiants. *-8-4* Pt Ochab (1906, Pt dep. 12-8-64) démissionne.

1970-*7-12 tr. P.-All.* sur normalisation de leurs relations. *-15/19-12* émeutes (Gdańsk et autres villes) après hausse des prix alim. de 30 %, 45 †, 1 165 bl., 3 000 arrestations, 19 immeubles et 220 magasins incendiés. *-19-12* Gomulka démissionne, *Edward Gierek* (ancien mineur en France et Belg. 1930) le remplace ; hausse des prix annulée. **1972** Vatican reconnaît frontière Oder-Neisse. *Mars* pénurie alim. *-17/20-6* Pt Giscard d'Estaing en P. *-28/29-7* Pt Ford en P. **1976** *févr.* Constitution amendée (rôle dirigeant du Parti et amitié obligatoire avec URSS). *-21-3* élections. *-25-6* grèves à Ursus, Zeran, Swierk, Plock, émeutes à Radom après augm. des prix alim. (+ 60 %), hausse annulée. **1977**-*10-11* loi permettant de louer des magasins d'État (boucheries, joailleries, vins et liqueurs) à des personnes privées qui pourront avoir 3 ou 4 employés. Décision de faciliter la vente de terres de l'État à des particuliers (non appliquée). **1978**-*18-10* Jean-Paul II, 1er pape pol. [cardinal Wojtyla (n. 1920), archevêque de Cracovie]. *-6-11* 60e anniversaire gouv. de Lublin. *-11-11* 60e ann. de l'Ind. célébré par l'Église. **1979**-*13-5* : 900e anniv. de la mort de Stanislas (symbole de l'affranchissement Église/État). *Juin* Jean-Paul II en P.

1980 *févr.* Gdańsk, 1re grève chantiers. *-11/15-2 :* 8e congrès du POUP, *Edward Babiuch* (n. 1927) remplace Piotr Jaroszewicz (PM, exclu du Parti), équipe Gierek renforcée, tension Parti, Église et opposition. *Juill.* grèves contre hausses de prix. *-16-8* création d'un comité de grève inter-entreprises. *-16/31-8* Gdańsk : grève chantiers. *-24-8* Edward Babiuch PM démissionne, remplacé par *Jozef Pinkowski.* *-26-8* cardinal Wyszynski lance un appel à la fin de la grève. *-28-8* grèves s'étendent. *-30-8* Gdańsk : accord MKS de *Lech Walesa*/négociateur Jagielski, sur création de syndicats « autogérés ». *-5-9 Stanislaw Kania* 1er secr. *-14-11 :* 1re entrevue Kania et Walesa. *-16-12* Gdańsk monument aux ouvriers de la Baltique tués en 1970 (3 croix d'acier de 42 m de haut et 3 ancres de marine crucifiées, 134 t) inauguré. **1981**-*10 et 24-1* grève pour samedi libre (prévu par accords de Gdańsk). *-13-1* Walesa à Rome. *-10-2 Gal Wojciech Jaruzelski* (min. de la Défense) PM. *-28-5* card. Wyszynski meurt. *-1-7 Mgr Jozef Glemp,* év. de Warmia (n. 18-12-28), primat de P. *-14/20-7* 9e congrès du POUP. Gierek exclu. *-18-7* Kania réélu 1er secr. [(1 311 v. sur 1 939) devant Kazimierz Barcikowski (568 v.)]. *-25-7* marche de la faim à Kutno. *-27-7* à Łódź. *-29-7* grève des transports à Varsovie. *-3/5-8* transporteurs bloquent le centre de Varsovie. *-15-8* Jaruzelski et Kania voient Brejnev en Crimée. *-5/10-9* 1re partie du congrès de Solidarité à Gdańsk, 912 délégués. *-26-9/7-10* 2e : Walesa réélu Pt. *-15-10* accord gouv.-Solidarité sur prix alim. *-18-10* Jaruzelski, élu (par 104 v. devant Kania 79) 1er secrét. du POUP, reste PM et min. de la Défense. *-13-12 état de g. proclamé.* Conseil militaire de salut nat. (Pt Jaruzelski, 15 généraux et 5 colonels), 100 000 interpellations, 5 906 arrêtés dont *Walesa interné* à V. plusieurs †. *-14-12* grèves, en particulier dans les mines. *-16-12 :* 324 bl. à Gdańsk. *-17-12* à Wujek, Silésie, 7 † (ou 66?), 200 en tout en Silésie. *-23-12* armée et police évacuent grévistes des aciéries de Huta-Katowice. *-28-12* fin grève des mineurs de Piast (Silésie). *-30-12* travail oblig. pour hommes de 18 à 45 ans. **1982**-*4-1* zloty dévalué de 71 %, prix augmentent de 300 %. *-17-2* 145 000 interpellés. *-26-2* bilan : 6 647 arrêtés. *-12-4* 1re émission de Radio-Solidarnosc. *-28-4 :* 1 000 libérés dont le Pt de Solidarité rurale. *-1/3 5* manif. anniversaire de la Constitution de 1791, 1 372 arrêtés. *13-5* manif. Solidarité. *-4-5* troubles à Szczecin, couvre-feu à Varsovie et dans plusieurs voïvodies. *-5-5 :* 597 personnes jugées (amendes pour 356, prison 115). *-13-6* manif. à Wrocław et Cracovie, 238 arrêtés. *-14-6* levée couvre-feu à Szczecin, 257 libérés. *-16-6* troubles à Wrocław. *-28-6* milliers de manif. à Poznan. *-1-7* levée du couvre-feu à Varsovie. Création du Mouvement patriotique de renaissance nat. *-31-8* manif. dans 66 villes, 5 †. *-1/3-9* incidents à Lublin. *-6/9-9* l'Armée patriotique révolut. p. prend 13 otages à l'ambassade de P. à Berne. *-13/15-9* affrontements à Wrocław. *-8-10* loi sur syndicats, dissolution des organisations suspendues pendant l'état de g. (dont Solidarité) ; grèves. *-10-11* grève générale échoue. *-12-11 Walesa libéré, 14-11* rentre à Gdańsk. *-13-12* bilan d'un an d'état de g. selon le gouvernement : 10 131 internés (en reste 317), 15 †. *-31-12 suspension de l'état de g.,* libération des internés sauf 7 de Solidarité ; reste 3 600 emprisonnés dont 700 doivent être graciés. **1983**-*6-1* Mgr Glemp, cardinal. *-16/23-6* Jean-Paul II en P. *Sept.* 23 190 pers. condamnées au travail oblig. (loi sur « parasitisme social » en janv.). *-5-10 Walesa prix Nobel de la paix* (sa femme le recevra pour lui le 10-12). *Déc.* loi permettant un « état d'exception » en cas de « calamité naturelle » ou de « menaces contre l'ordre social ». **1984**-*17-6* élect. locales, 40 % d'abstentions. *-20-7* amnistie, 652 libérés. *20-11* la P. quitte l'OIT qui lui reproche ses atteintes à la liberté. **1985**-*7-2* procès à Torun des assassins du père *Popieluszko* (tué 19-10-84) (1 colonel condamné à 25 ans de prison, 1 capitaine et 2 lieutenants à 15 et 14 ans). *-4-12* Jaruzelski en Fr., reçu à sa demande par Pt Mitterrand. *-7-12* Willy Brandt à Varsovie pour 15e ann. du tr. germ.-pol. **1986**-*1-2* 7e dévaluation du zloty dep. 1982. *-7-3* rééchelonnement de la dette. *-31-5* Zbigniew Bujak, responsable clandestin de Solidarité, arrêté. *-15/16-6* Wiktor Kulerski le remplace. *-11-9* amnistie polit. *-10-10* conseil provisoire de Solidarité (constitué 30-9), déclaré illégal. **1987**-*13-2* Jean-Paul II reçoit Jaruzelski à Rome. *Févr.* USA lèvent dernières sanctions. *-30-3* hausse prix 20 à 51,9 %. *-9-5* Constitution modifiée : des référendums pourront être organisés. *8/14-6* Jean-Paul II en P. *-29-11* référendum, abstentions 32,68 % ; approuvent les réformes écon. 42,28 % des inscrits (66,04 des v.), la démocratisation 46,29 % (69,03 des v.). **1988** *-1-2* dévaluation de 15,8 %. *mai* grèves. *-13-6* Jaruzelski reconnaît échec politique des prix et salaires. *-17-6* suppression du serment de fidélité à l'armée soviét. pour les conscrits. *-19-6* municipales, abstentions 44 %. *Août* grèves Silésie et côte balte. *-19-9* PM Zbigniew Messner démissionne. *-4-11* Mme Thatcher en P. rencontre Walesa à Gdańsk. *-11-11/-13-12* manif. *-1-12* Gdańsk, chantiers fermés. *-23-12* lois sur activité écon. et investissement étranger. *-25-12* message de Noël de Mgr Glemp (1re fois dep. 1945). **1989**-*18-1* POUP adopte résolution sur pluralisme syndical. *-21-1* Père Stefan Niedzielak battu à mort. *Févr.* mort du Père Stanislaw Suchowolec. *-14-2* PM Rakowski en Fr. *-20-2* dévaluation de 7,45 %. *Févr.* env. 100 opposants arrêtés. *Mars* ouverture de bureaux de change libres. *-5-4* table ronde dep. 6-2 (57 m. pouvoir, opposition, Église). Pt de la Rép. élu ; entrée de l'opposition au Parlement, rétablissement du Sénat, légalisation de Solidarité, indexation des prix sur salaires. *-17-4* USA accordent aide d'1 milliard de $. *-18-4* rencontre Jaruzelski-Walesa. *-4/18-6* élections à la Diète et au Sénat (Solidarité : 90 s. sur 100 au Sénat, 160 dép. sur 161 auxquels elle avait droit). *-14/16-6* Pt Mitterrand en P. *-1-7* blocage prix et salaires pour 30 j. *-1-8* libération prix agro-alim., grèves. *-2-8* Gal Czeslaw Kiszczaki (n. 1925) PM (Solidarité refuse de participer au gouv.) ; *-14-8* démissionne. *-17-8* Jaruzelski accepte principe d'un gouv. de coalition. Walesa propose 3 PM possibles. *-18-8* Tadeusz Mazowiecki PM. *-12-9* Diète approuve nouveau gouv. (402 pour, 0 contre, 13 abst.). *-23-9* Andrzej Drawicz, m. de Solidarité, nommé Pt de la radio-tv. *-17-11* Varsovie, statue de Félix Dzerjinski (d'origine p., fondateur de la Tchéka russe) déboulonnée. *-7-12* amnistie 17 000 délinquants. *-29-12* Diète abolit rôle dirigeant du POUP, adopte écon. de marché (plan de Leszek Balcerowicz, vice-PM et min. des Finances). **1990**-*1-1* hausse prix de l'énergie, zloty dévalué de 46 %. *-30-1* P. demande adhésion au Conseil de l'Europe. *-21-2* PM demande tr. garantissant frontières. *-5-2* prêt FMI de 723 millions de $ sur 13 mois. *Fév.* Club de Paris accepte rééchelonnement dette pour 9,4 milliards de $. *Mars* privatisation de la Bank Inicjatyw Gospodarczych. *-5-4* décision de privatiser chantiers de Gdansk (420 millions de $ en 400 000 actions). *-7-4* P. demande à URSS 4,5 milliards de roubles pour le travail de 2 000 000 déportés pendant la g. *-13-4* Radio-Moscou annonce : le NKVD est reponsable massacre de Katyn et de celui de 15 000 officiers. *Avril* congrès de Solidarité. *-24-6* rupture au sein de Solidarité, l'entente du Centre soutient Walesa. *-13-7* loi sur privatisations (328 v. pour, 2 contre, 38 abst.). *-18-9* Jaruzelski accepte de réduire la durée de son mandat. Wladyslaw Ciaston, Zenon Platek et Miroslaw Miewski arrêtés et inculpés pour meurtre du père Popieluszko. *-9-12* Walesa élu Pt (74,25 % des voix) contre Stanislaw Tyminski (n. 1947, milliardaire ayant fait fortune au Pérou et au Canada). *-11-12* prête serment devant la Vierge noire de Czestochowa. Jaruzelski présente des excuses publiques pour la loi martiale (il avait déclaré auparavant que l'URSS l'aurait menacé d'intervention s'il ne supprimait pas Solidarité). *-12-12* Tyminski au Canada (accusé de diffamation envers PM Mazowiecki, doit payer caution de 100 000 zlotys). *-14-12* PM Mazowiecki démissionne. *-15-12* Jan Olszewski, avocat de Solidarité chargé de former nouveau gouv. (renonce le 18). *-20* et *27-12* Walesa demande à Mazowiecki de rester en fonction (refusa). *-22-12* Walesa investi officiellement au château royal de Varsovie : pouvoirs remis par M. Ryszard Kaczarowski, Pt exilé à Londres en 1940, qui lui remet les insignes de l'État (scellés, drapeau et Const. de 1935 emportés lors de l'invasion all.). **1991**-*4-1* Jan Bielecki PM ; Tyminski rentre en P. *-12-1* Bielecki investi par Diète (272 v. pour, 4 contre, 62 abst.). *-14-3* Stanislaw Tyminski fonde le parti « X ». *-8-4* Polonais autorisés à se rendre dans les pays signataires de la convention de Schengen. *-9-4* Walesa en France. *-3-5* bicentenaire de la Constit. de 1791. *-12-5* Mazowiecki fonde l'Union démocratique. *-17-5* Diète ; demande d'abroger loi de 1956 autorisant l'avortement (500 000 et 1 million de cas par an). *-20-5* Walesa en Israël.

Politique

Statut. Rép. de Pologne. République populaire avant le 28-12-1989. **Constitution** du *22-7-1952* (amendée 1954, 57, 60, févr. 76, 7-4-89). *30-12-89* (votée par la Diète par 374 v. contre 1 et 11 abst.) : la P. devient un État démocratique de droit (était avant un État socialiste), loi fondamentale mentionnant le « rôle dirigeant » du POUP qui introduit la liberté de formation de partis politiques, assure la liberté économique et la protection de la propriété privée. Le parquet est placé sous la tutelle du ministre de la Justice ; auparavant, relevait de la présidence de la République. **Congrès. Sénat :** supprimé 1948 ; rétabli 7-4-89 ; 100 m. (2 par voïvodie et 3 pour ceux de Varsovie et Katowice) ; élus au scrutin libre ;

diète : *(Sejm)* 460 m. élus pour 4 ans au suffr. univ. dont 299 s. réservés au pouvoir (35 personnalités, 264 candidats du pouvoir) et 161 s. aux candidats indépendants ; 1 représentant pour 60 000 h.

Pt de la Rép. élu pour 6 ans au suffr. univ. **PM** élu par Diète. Jan Bielecki (n. 1951) dep. 4-1-91.

Élections parlementaires **(4/18-6-89).** *Participation :* 1er tour 62 %, 2e 25,3 %. *Sénat :* Solidarité 99 sièges sur 100. *Diète :* POUP 173 s., Solidarité 161 s., P. Paysan (PUP) 76 s., P. démocratique 27 s., PAX-PZKS-UCHS (catholiques pro-gouv.) 23.

Voïvodies. 49 (dont 3 villes autonomes : Varsovie, Łódź, Cracovie). Fête nat. 3-5 (Const. de 1791). **Emblème de l'État.** Aigle blanc sur fond rouge. Dep. déc. 89, de nouveau surmonté d'une couronne (supprimée par les comm.). Drapeau. Adopté 1919.

Partis. *P. ouvrier unifié polonais* (POUP), f. 1948, Ier **secr.** Mieczylaw Rakowski dep. 31-7-89, 2 015 000 m. en 89 (de juillet 81 à mars 84 perte de 1 000 000 m., démissions et limogeages). 28-1-90, XIe et dernier congrès du POUP, 1 129 délégués sur 1 637 votent sa transformation en *P. social-démocrate p.* (SDRP), *Pt* Aleksander Kwasniewski (35 ans), *secr. gén.* Leszek Miller (44 ans). *Union social-démocrate p.* (USDPR), f. janv. 90 par 106 dissidents du SDRP, *Pt* Tadeusz Fiszbach. *P. socialiste p.* (PPS) créé par Jan-Josef Lipski. *P. uni des paysans* (PPU), f. 1949, Roman Malinowski (n. 26-2-35), 500 000 m. (1-1-86). *P. démocratique,* f. 1939, Witold Miynczak (n. 1934), 100 700 m. (85). *Mouv. démocr. pour un renouveau nat.,* f. 1982. *Conféd. pour une P. indép.* (KPN), f. 1979 ; principaux dirigeants arrêtés en sept. 80, condamnés en 82 à 7 ans de prison, libérés 84. *Action démocratique* (Road), f. 1990 par dissidents de Solidarité.

Syndicats. **Solidarité** *(NSZZ Solidarnosc).* Indép. autogéré. *1980-22-9* créé. *1981-13-12* suspendu. *1982-8-10* dissous. *1989-5-4* légalisé [(12 000 000 m., leader Lech Walesa (n. 1943)]. **Solidarité rurale.** *1981-19-3* créé. *-10-5* sous le nom de Syndicat ind. et autogéré des agriculteurs individuels-Solidarité (NSZZRI-Solidarnosc), leader Jan Kulaj. *-13-12* suspendu. *1982-8-10* dissous. *1989-5-4* légalisé. **Union indép. des étudiants** (NSZ). *1981-19-2* reconnue par gouv. (accord de Łódź). *1982 janv.* dissoute. **Comité d'autodéfense sociale** (KOR). f. 1976 par des intellectuels pour défendre les ouvriers poursuivis après les émeutes de Radom et Ursus. *1981-31-2* dissous. Créent une presse clandestine puis syndicale avec Solidarité.

☞ **Prisonniers** (au 31-1-86). 112 936 (dont jeunes de 17 à 21 ans : 12 382, femmes : 4 664) soit 300 détenus pour 100 000 h. (Europe occ., taux moyen : 30 à 100, France : 75). **Détenus pol.** *1983* (13-10) : 310 ; *86* (10-3) : 159 (241 selon l'opposition).

Chefs d'État

• Dynastie des Piast. **Ducs de Pologne** (titre porté à l'origine par les chefs de l'État, de la période préchrétienne). Ziemomysl († 963). **960** Mieszko Ier (v. 922-992), s. f. ; baptisé sur instances de son ép. Dubrawka de Bohême ; christianisa la P. (966).

Rois de Pologne (dignité catholique qui permet l'indépendance de l'État vis-à-vis de l'Empire et le droit de nommer les évêques). **993** Boleslas Ier le Vaillant (967-1025), s. f. **1025** Mieszko II l'Indolent (990-1034), s. f. **1031** Bezprym (986-1031), s. fr. **1034-1038** interrègne. **1038** Casimir Ier le Rénovateur (1016-52), f. de Mieszko II. **1058** Boleslas II le Hardi (v. 1039-81), s. f. (ass. St Stanislas, excomm. et chassé 1079).

Ducs de Pologne (l'excom. de Boleslas II entraîna la perte de la dignité royale, ses successeurs reprirent le titre de « ducs de Pologne » d'origine). **1080** Ladislas Ier Herman (v. 1043-1102), s. fr. **1102** Zbigniew († 1112), s. fr. (bâtard). **1102** Boleslas III Bouche-Torse (1086-1138), f. de Ladislas Ier.

Ducs de Cracovie (Cracovie étant la capitale, il suffisait de tenir cette ville pour accéder à la fonction suprême dans l'État et la dynastie). **1139** Ladislas II l'Exilé (1105-52), s. f. **1146** Boleslas IV le Crépu (1125-73), s. fr. **1173** Mieszko III le Vieux (1126-1202), s. fr. **1177** Casimir II le Juste (1138-94), s. fr. **1190** Mieszko III le Vieux (2e règne). Casimir II le Juste (2e règne). **1194** Leszek le Blanc (1186-1227). **1198/99** Mieszko III le Vieux (3e règne). **1201** Leszek le Blanc (2e règne). Mieszko III le Vieux (4e règne). **1202** Ladislas III Jambes-Grêles (1161-1231), s. f. Leszek le Blanc (3e règne). **1228** Ladislas III Jambes-Grêles (2e règne). **1229** Konrad Ier (1187-1247), f. de Casimir II. Henri Ier le Barbu (1167-1238), f. de Boleslas le Haut, duc de Silésie (1129-1201), f. de Ladislas II l'Exilé ; ép. Ste Hedwige de Méranie, canon. 1267. **1238** Henri II le Pieux (1191-1241), s. f. **1241** Konrad Ier (2e règne). **1243** Boleslas V le Chaste (1226-89), f. de Leszek le Blanc ; ép. Ste Cunégonde de Hongrie, béat. 1690. **1279** Leszek le Noir (1240-88), f. de Casimir Ier duc de Couïavie (v. 1229-66), lui-même f. de Konrad Ier. **1288** Henri IV le Probe (v. 1257-90), f. d'Henri III duc de Silésie (v. 1229-66), lui-même f. d'Henri II le Pieux.

• Rois de Pologne (rétablissement de la dignité royale). **1295** Przemysl II, duc de Poznań (1257-96), f. de Przemysl Ier, duc de Poznań (1220-57) (gendre d'Henri II le Pieux), f. de Ladislas, duc de Poznań (v. 1190-1239), f. d'Odon, duc de Poznań (v. 1141-94), lui-même f. de Mieszko III le Vieux.

Maison royale de Bohême (Piast indirects). Élue par bourgeois de Cracovie. **1300** Wenceslas Ier (II de Bohême) (1271-1305), ép. 1303 Ryxa-Élisabeth de Pol. (1288-1355), f. de Przemysl II. **1305** Wenceslas II (III de Bohême) (1289-1306), s. f.

Rétablissement des Piast directs. 1305 Ladislas Ier le Bref (1260-1333), fr. de Leszek le Noir ; ép. v. 1293 Hedwige de Gde Pol. (v. 1266-1339), f. de Boleslas duc de Kalicz, ép. de Ste Yolande de Hongrie, béatifiée 1827, lui-même fr. de Przemysl Ier duc de Poznań. **1333** Casimir III le Grand (1310-70), s. f. ; dans son testament désigna pour succ. 1) Louis Ier roi de Hongrie, s. neveu, 2) Casimir IV duc de Slupsk, s. p.-f.

Maison d'Anjou (Capétiens). Piast en ligne féminine et successeurs à ce titre : **1370** Louis Ier le Grand, roi de Hongrie (1326-82), f. de Charles Ier Robert, roi de Hongrie († 1342), et d'Élisabeth de Pol. (s. de Casimir III le Gd). **1384** Hedwige Ire (1373-99), sa f., ép. 1386 Ladislas Jagellon, Gd-Duc de Lituanie (1351-1434), roi de P. avec sa femme 1386.

• Dynastie Jagellon. **Grands-Ducs de Lituanie** (avant 1386). **1292** Pukuwer († 1296). **1296** Witenes († 1315), s. f. **1316** Gedymin (1275-1341), s. fr. **1341** Jewnut-Twan († 1366), s. f. **1346** Olgierd († 1377), s. f. **1377** Ladislas (1351-1434) roi de P., s. f. En 1401, tout en se réservant le titre de Grand-Duc souverain, confie le gouv. de la Lituanie à des Pces de sa famille avec titre de Gd-Duc : **1401** Witold-Alexandre (1352-1430), f. de Kiejstut, duc de Triki († 1382). **1430** Swidrygiello-Boleslas († 1452), fr. de Ladislas. **1432** Sigismond († 1440), fr. de Witowd-Alexandre.

Rois de Pologne-Grands-Ducs de Lituanie. 1386 Ladislas II (1351-1434) roi de P. par son mariage (1386) avec Hedwige d'Anjou, fille de Louis Ier, roi de Hongrie et de P., et confirmé par élection. **1434** Ladislas III (1424-44) [roi de Hongrie (L. V), 1440] s. f. **1445** Casimir IV (1427-92), s. fr. ; ép. Elisabeth de Habsbourg (desc. du roi Casimir III le Gd par Elis. s. de Casimir IV, duc de Slupsk). **1492** Jean Ier Olbracht (1459-1501), s. f. **1501** Alexandre Ier (1461-1506), s. fr. (hérite de son épouse, Hélène Paléologue, les droits sur l'Empire byzantin). **1506** Sigismond Ier le Grand (1467-1548), s. fr. **1548** Sigismond II Auguste (1520-72), s. fr.

• Rois élus. Principes de droit successoral au trone : 2 catégories d'héritiers : 1°) *dits « de nécessité »,* fils du prédécesseur ; 2°) *« hypothétiques » :* filles du prédécesseur, leurs époux, leurs descendances des 2 sexes ; l'ensemble des collatéraux masculins et féminins du prédécesseur égaux entre eux.

Le principe de la primogéniture n'était pas obligatoire. Le prédécesseur pouvait désigner son successeur parmi ses fils et les « hypothétiques ». Le nombre des « hypothétiques » allant en s'élargissant, on en vint à une monarchie élective (cependant on s'attachait à ce que les rois élus soient issus des Piast ou Jagellon, excepté pour les rois Jean III, Auguste II et Auguste III).

1573 Henri III de Valois (1551-89), fiancé à Anne Jagellon (1523-96), sœur de Sigismond II Auguste. **1576** Étienne Báthory, Pce de Transylvanie (1533-86), ép. 1576 Anne Jagellon (1523-1596). Élu 9-5, amoureux de Marie de Clèves, Pcesse de Condé, il ne part que le 2-12, forcé par son frère, Charles IX, roi de France (couronné le 21-2-1574) ; le 15-6, il apprend la mort de Ch. IX (le 30-5) ; devenu roi de Fr. à son tour, il s'évade (galopant 30 h pour échapper aux Pol. qui veulent le retenir).

Maison Wasa. 1587 Sigismond III, roi de Suède (1566-1632), f. de Jean III Wasa, roi de Suède (1592) et de Catherine Jagellon (1526-83), elle-même s. de Sigismond II Auguste. **1632** Ladislas IV (1596-1648), s. f. **1648** Jean II Casimir (1609-72), s. fr. **Autres maisons. 1669** Michel, Pce Korybut-Wisniowiecki (1640-73), desc. en ligne mâle de Korybut-Dymitri Pce de Nowogrod-Siewierz († 1404), fr. de Ladislas II Jagellon. **1674** Jean III Sobieski (1624-1696), ép. Marie-Casimire d'Arquien (1643-1716). **1697** Auguste II le Fort, Frédéric Auguste Ier él. de Saxe (1670-1733). **1704** Stanislas Ier Leszczyński (1677-1766) descendant en ligne féminine des ducs de Silésie-Raciborz, dyn. des Piast. **1709** Auguste II le Fort (2e règne) (1670-1733). **1733** Stanislas Ier Leszczyński (2e règne). Auguste III, Frédéric Auguste II él. de Saxe (1696-1763), f. d'Auguste II. **1764** Stanislas II Auguste Poniatowski (1732-1798), desc. du fr. de Ladislas II Jagellon. Promulgua la Const. du 3-5-1791 (monarchie héréditaire dans la Mon de Saxe) annulée suite à la conféd. de Targowica (1792), conduite par Stanislas-Félix, Cte Potocki. Dernier roi légitime.

• Duc de Varsovie. Duché créé par Napoléon Ier. **1807** Frédéric-Auguste Ier, roi de Saxe (1750-1827), p.-f. d'Auguste III.

• Rois de Pologne. Royaume créé au Congrès de Vienne, 1815 (jusqu'en nov. 1830). Au profit des tsars de Russie d'Alexandre Ier (1777-1825) à Nicolas II (1868-1918).

• Conseil de Régence. **1915** Régents : Cardinal Kakowski (archevêque de Varsovie, Primat de P. ; en cas de vacance de la Couronne, le Cal Primat est de droit régent) ; Pce Zdzislaw Lubomirski (1865-1941) cousin d'Alexandre II (1876-1966) héritier de la couronne de P. ; Ostrowski. Dissous en 1918 à l'arrivée du Mal Pilsudski.

• République. **1918** Mal Joseph Pilsudski (1867-1935). **1922** Gabriel Narutowicz (1865-assassiné 1922). Stanislas Wojciechowski (1869-1953) démiss. mai 1926. **1926** Ignace Moscicki (1867-1946), Pt en titre [Mal Joseph Pilsudski, dictateur avec le titre de ministre des Aff. militaires et inspecteur gén. des forces armées] ; démissionnaire après son internement en Roumanie, 29-9-1939.

Gouvernement polonais en exil. Président. 1939-*30-9* Raczkiewicz (1885-1947) ; siège à Angers (France) jusqu'au 12-6-1940 ; puis à Londres à partir du 20-6-1940. Ryszard Kaczarowski jusqu'au 28-6-45. **1947-***9-6* Auguste Zaleski (1883-1972). **De 1972 à 1989** présidence revendiquée par 3 personnes.

• République populaire polonaise. **Président. 1947-52** Boleslas Bierut (1892-1956) Pt du Comité de Lublin en 1944. **Présidents du Conseil d'État** (la présidence de la Rép. étant abolie). **1952-***20-11* Alexandre Zawadzki (1899-1964). **1964-***12-8* Édouard Ochab (1906-89). **1968-***11-4* Mal Marian Spychalski (1906-80). **1970-***23-12* Joseph Cyrankiewicz (1911-89). **1972-***28-3* Henryk Jablonski (27-9-1909). **1985-***6-11* Gal Wojciech Jaruzelski (6-7-1923).

• République polonaise. **1989-***19-7* Gal Wojciech Jaruzelski élu par le Parlement (à 1 voix de majorité compte tenu du quorum requis ; 270 v. pour, 233 contre, 34 abst., 7 v. nulles, 15 élus étaient absents). **1990-***9-12* Lech Walesa [*25-11-90* (1er tour) Lech Walesa (47 ans) 39,96 %, Stanislaw Tyminski (42 a.) 23,1, Tadeusz Mazowiecki (63 a.) MOAD 18,08, Wlodzimierz Cimoszewicz (42 a.) Soc.-dém. 9,21, Roman Bartoszcze (44 a.) PSL 7,15, Leszek Moczulski (60 a.) RPN 2,5. *-9-12-90* (2e t.), 53 % de taux de part. : Walesa 74,25 % (élu), Tyminski 25,75].

• Premiers ministres. **1989-***18-8* Tadeusz Mazowiecki (n. 1927), investi 24-8 (1er PM non communiste de l'Europe de l'Est), démissionne 14-12-90. **1991-***5-1* Jan Krzysztof Bielecki (n. 1951).

Économie

• P.N.B. (88). 1 688 $ par h. **Pop. active** (% et entre par. part du P.N.B. en %). Agr. 25 (20), ind. 40 (45), services 28 (27), mines 7 (8). **Chômage** (91). 7,7 % (1 500 000). **Déficit budgétaire** (milliards de zlotys). *1982 :* 240 ; *83 :* 130 ; *84 :* 60 ; *85 :* 200 ; *86 :* 67 ; *87 :* 193 ; *88* (prév.) : 269. **Inflation** (%). *1980 :* 10 ; *81 :* 25 ; *82 :* 30 ; *83 :* 25 ; *84 :* 16 ; *85 :* 15 ; *86 :* 17,5 ; *87 :* 26 ; *88 :* 60 ; *89 :* 2 500 ; *90 :* 250 ; *91* (janv.) : 12, (avril) : 2,6. **Salaire moyen dans le secteur nationalisé.** 125 $ (1989) par mois pour 178 heures. **Salaires mensuels.** Médecin diplômé : 1 million de Z. (600 F) par mois, maçon : 3 (1 800 F), architecte : 3,5 (2 100 F). *Temps nécessaire pour acheter :* 1 tablette de chocolat 4 h, 1 kg de café 34 h, 1 télé noir et blanc 314 h, 1 réfrigérateur 345, 1 machine à laver 532 h.

• Agriculture. **Terres** (milliers d'ha, 86). Arables 14 403 (87), vergers 260, prairies 2 510, pâturages 1 550, forêts 8 665, divers 2 849, eaux 825. *Exploitations (86) :* secteur socialisé 3 546 sur 5,3 millions d'ha, privé 2 729 000 sur 13,6 m. d'ha. 78,6 % des exploit. ont en moyenne 5,5 ha. 1 700 000 fermes de – de 5 ha. 284 240 fermes de + de 5 ha. **Production** (milliers de t, 89). Bett. à sucre 13 900, p. de terre 36 000, blé 8 300, seigle 6 000, orge 4 400, avoine 2 420, pommes 1 900, choux 1 793 (87), oignons 600, fraises 334 (87), groseilles 102 (87). **Forêt.** Au XIIe s., couvrait 37 % des terres. Pins et sapins à 80 %. 22 848 000 m³ (88). 27 % des terres (82).

• Élevage (milliers de têtes, 89). Porcs 19 600, bovins 10 350, moutons 4 075, chevaux 1 030 (88), poulets 58 000, canards 4 812 (88), oies 1 008 (88), dindes 548 (88), ruches 1 699 (88). Pêche (milliers de t). 637 (88) dont poissons de mer 548 (89), d'eau douce 47.

• Mines. **Charbon :** *réserves* (8e du monde), 45 milliards de t (Silésie, bassins de Lublin) ; *prod.* (millions de t) *1985 :* 192 ; *86 :* 192 ; *87 :* 193 ; *88 :* 193 ; *89 :* 178. **Lignite :** *réserves* 14,8 milliards de t ; *prod.* (millions de t) *1985 :* 55 ; *86 :* 66 ; *87 :* 73,2 ; *88 :* 73,5 ; *89 :* 71,8. **Fer :** *1986 :* 8,8 ; *87 :* 6,3 ; *88 :* 6,3. **Pétrole :** *1987 :* 145 ; *88 :* 140. **Sel :** 6 100 (88). **Soufre :** *1987 :* 4 967 ; *88 :* 5 004. **Cuivre :** *1989 :* 390 (milliers de t). **Plomb. Magnésite. Nickel. Argent. Zinc. Gaz :** *prod.* (millions de m³) *1987 :* 5 781 ; *88 :* 5 714 ; *89 :* 5 377.

• Industrie (%). Électronique 31, légère 12, énergie 14, chimie, alim., métallurgie.

• Transports (km, 88). *Routes* 156 500. *Chemins de fer* 24 309 dont 10 508 électrifiés. Tourisme (89). 8 233 000 vis.

• Problèmes économiques. **Dette extérieure à l'égard des pays de l'O.** (en milliards de $) : *1975 :* 6,9 ; *76 :* 10,2 ; *80 :* 21 ; *85 :* 31,2 ; *90 :* 46 ; *91 (mars) :* publique 33,5 (totale 43). **Principaux pays créanciers** (part en milliards de $, 1990). All. 5,92 ; *France 5,10 ;* Autriche 3,67 ; USA 3,50 ; Brésil 3,36 ; Canada 2,88 ; G.-B. 2,74 ; Italie 1,62 ; Japon 1,26. *En 1991 :* annulation de + de 50 % de la dette (70 % de celle due aux USA, + de 50 % de celle due à la France, soit 13 à 15 milliards de F sur 25). **Aide** (millions de $) : *alimentaire de la CEE* (déc. 80 et 23-3-81) : 358. *De l'URSS* (sept. 80) : 155 et 260 de crédits sur 10 ans. *Des USA* (1989) : 100. *Du Japon* (oct. 89) : 80. *De l'All. féd.* (oct. 89) : 3 milliards de DM.

• Réforme économique en 1988. Pour la 3e fois dep. 1981, hausses de prix (gén. : 36 %, sans compter alcool et cigarettes). Compensations salariales prévues. Tentatives d'arriver ainsi à un équilibre du marché et, à plus long terme, à la convertibilité du zloty. Crise du logement et de l'agric. Abandon partiel du dirigisme écon., autonomie de gestion des entreprises. Développement de nouvelles formes de coop. avec l'étranger (« joint-ventures ») pour accroître les export. afin de résorber la dette extér.

• Situation économique en 1990. Libéralisation (installation, commerce, propriété) et privatisation de l'économie [loi du 13-7 : transformation de 7 600 entreprises (80 % de l'économie) en Stés par actions détenues par le Trésor, puis privatisations de 500 grandes entr. par des offres publiques d'achat]. Système bancaire (80 établissements au lieu de 9), Bourse de Varsovie ouverte en juillet, création de 500 000 à 1 million de PME. 130 000 Pol. ont acheté 4,33 millions d'actions pour 350 milliards de zlotys (demande supérieure à l'offre). *Secteur privé* [35 % du commerce de détail, 60 % du transport routier, prod. + 17 % (entreprises d'État – 20 % à 25 %), subventions : 20 % des dépenses budg. (avant 60). *Monnaie :* zloty dévalué 1-1-90 (1 $ = 9 500 Z), suppression du marché noir]. **Points négatifs.** Baisse du revenu nat. de 13 % ; du pouvoir d'achat des salariés de 28 % ; montée du chômage (2,7 millions prévus en 1991) ; investissements occid. faibles (350 millions de $, 3 fois moins qu'en Hongrie).

• Pollution. 27 régions (sur 49) fortement menacées, 4 au seuil d'une véritable catastrophe écologique (dont Hte Silésie).

• Commerce (milliards de zlotys, 88). *Exportations :* 16 163,5 (89) *dont* électroménager 2 350, prod. chim. 656, énergie 611,5 (dont charbon 478,6), métallurgie 605, prod. alim. 504,5 *vers* URSS 1 474,6, All. féd. 747, Tchéc. 359, G.-B. 301,7, All. dém. 264, Autriche 184. *Importations :* 9 606 *dont* électroménager 1 882, prod. chim. 837, énergie 781, prod. alim. 468, métallurgie 432 *de* URSS 1 228, All. féd. 687, Tchéc. 336, All. dém. 265, Suisse 240, Autriche 230.

Nota. – Le 19-9-89, la CEE a décidé d'abolir en 3 étapes (1990, 92 et 94) les restrictions quantitatives aux exportations pol. En 1990, hausse de 40 % des échanges vers l'Ouest.

Balance commerciale (en milliards de $). *1990 :* + 3,8. **Balance des paiements courants** (en milliards de $). *1990 :* + 1.

Rang dans le monde (89). 2e p. de terre ; 4e charbon ; 5e lignite (87) ; 6e porcins ; 7e argent, cuivre, rés. de lignite ; 8e rés. de charbon ; 9e orge ; 11e céréales ; 16e blé.

POLYNÉSIE FRANÇAISE

Carte p. 1047. Voir légende p. 837.

Situation. Océanie. A 17 500 km de la France, 7 000 de l'Amér., 6 000 de l'Australie. Ensemble d'env. 130 îles et atolls du Pacifique. 4 200 km² (3 265 habitables) dispersés sur 4 000 000 km². 5 archipels d'origine volcanique (Société, Marquises, Australes, Gambier) ou corallienne (Tuamotu). *Alt. max.* Mt Orohena 2 237 m. Toutes les îles (sauf Marquises) ont un récif barrière, coupé de passes. *Zone d'expansion économique* 200 miles (4,5 millions de km²). *Marées* faibles, semi-diurnes, avec influence prépondérante pour la Lune ; à Papeete très faibles (influence du Soleil égale celle de la Lune), marées des quartiers nulles ; à la pleine et à la nouvelle lune : marnage de 20 à 35 cm ; « hautes » mers v. 1 h et 13 h ; autres marées hautes plus faibles et à des h. variables.

Climat. Tropical variant avec latitudes. Ex. Papeete, moy. 26 °C, mars 28 °C (mois le plus chaud), août 20 °C (le plus froid). Humidité relative moy. : 78 %. *Été :* déc. à avril, *hiver :* juin à oct. *Pluies* 2 500 à 3 000 mm (Marquises), surtout déc. à févr. (le moins, juill. à nov.). **Cyclones :** 14 importants de 1831 à 1982 dont *févr. 1878 :* 117 †, *janv. 1903 :* 517 ; *05, 06 :* 150 ; *58, 67, 68, 70, 76, 81, 82* Lisa (10-15/12), *83* Nano (23-27/1), Orana Nisha (27-28/2), Reva (8-17/3), Veena (9-14/4), William (12-22/4). Risques par siècle : 1 au N. des Marquises, 1 à 3 des Marquises au N. des Tuamotu, 4 à 8 des Tuamotu aux Gambiers (en passant par Tahiti et Bora-Bora), 30 à 50 des îles Cook aux îles Australes.

Flore. *Fleurs :* tiaré (emblème de Tahiti), hibiscus, bougainvillées, frangipaniers, camélias. *Fruits abondants :* mangues, papayes, avocats, caramboles, corossols, ananas, pamplemousses, oranges. Faune. Autochtone : cochon, chien, poulet, rat de cocotier amenés par les 1ers Polynésiens. Le capitaine Cook importa bétail et chats. Ni insectes ni animaux venimeux. *Poissons communs :* thon, dorade.

Population (au 6-9-88). 194 600 h. (90) dont *Polynésiens et assimilés :* 158 155 [dont Polynésiens (Maoris : teint clair, cheveux lisses, gens de mer et agriculteurs) 126 453 ; Demis (nés d'unions souvent fort anciennes entre Maoris et Blancs ou plus récemment entre Maoris et Chinois) 31 702] ; *Européens et assimilés :* 21 636 (dont Européens 19 206, Métis à dominante europ. 2 430) ; *Asiatiques et assimilés :* 8 078 (dont Asiatiques 7 232, Métis à dominante asiatique 846) ; *autres :* 945. *2000 (prév.) :* 218 000. *Français* métrop. 2 781, *Chinois* 5 681. D. 48,7. **Age** (88) : *– de 20 ans :* 50. *20 à 60 :* 45,6. *+ de 60 :* 4,4. *En 1989 :* mariages 1 093, naissances 5 364, décès 1 021. **Taux brut** (‰, 85) : *natalité* 30,8, *mortalité* 5,5, (*infantile* 22,3), *accroissement* 25,3. **Villes** (r. 88). *Papeete* (chef-lieu à Tahiti) 23 555 (agg. Faaa 24 048, Pirae 13 366), Uturoa (île de Raiatea) 3 098. Langues. Français *(off.)*, tahitien *(off.)*. Religions (%) : protestants 54, cath. 30, divers 10. Sans religion déclarée 6.

Histoire. **1595** l'Esp. Mandana visite Marquises. **1605** l'Hispano-Portug. Queiroz traverse les Tuamotu. **1767** Wallis découvre Tahiti qu'il nomme « King George's Island ». **1768** Bougainville la redécouvre, la baptise la « Nouvelle Cythère » et ramène un Tahitien qui accréditera la légende du bon sauvage de Rousseau. **1769, 1773 et 1777** Cook visite Tahiti et certaines îles Sous-le-Vent, Marquises et Australes. **1791** l'amiral Marchand prend possession de plusieurs des îles Marquises au nom du roi de Fr. **Avant 1793** chaque île a un chef indép. et un gouv. propre. **1793** dynastie des Pomaré. Tahiti et les îles forment les États du protectorat. **1796** Cook, envoyé par la Royal Society de Londres, arrive à Tahiti pour observer le passage de Vénus devant le Soleil. **1797** arrivée des protestants de la Sté missionnaire de Londres, ils baptisent le roi Pomaré II (1815) et convertissent une partie de la population. **1836** le missionnaire George Pritchard (1796-1883), qui fait fonction de consul d'Angl., expulse des missionnaires cath. fr. Le cap. de vaisseau Dupetit-Thouars obtient réparation de la reine Pomaré IV (1827-77). **1842**-*9-9* Pomaré ayant sur l'insistance de Pritchard fait du protestantisme la religion off., Dupetit-Thouars l'oblige à reconnaître le protectorat fr. **1842** Marquises deviennent fr. **1843**-*25-3* Louis-Philippe ratifie acceptation prov. du protectorat. *-17-4* cap. de vaisseau Bruat nommé gouv. de l'Océanie fr. ; troubles (Pomaré déposée, Pritchard expulsé, retour de Pomaré) : protectorat rétabli (1847). **1844** protectorat fr. sur Gambier (annexion 1881). **1880**-*29-6* Pomaré V cède à la Fr. ses droits sur Tahiti. **1888** annexion des îles Sous-le-Vent, **1900** des Australes. **1940**-*1-9* ralliement à Fr. Libre. **1946** création d'une Ass. représentative des Établiss. fr. de l'Océanie ; devient TOM. **1956** autonomie. **1958** *nov.* référendum pour rattachement à la Fr. **1963**-*4-2* installation du Centre d'expérimentation du Pacifique (10 000 pers.). **1971** *déc.* 44 nouvelles communes (total 48). **1977**-*12-7* autonomie interne. **1982-83** 6 cyclones (dégâts 880 millions de FF). **1984** autonomie interne. **1987**-*7-2* Gaston Flosse, Pt du gouv., démissionne (nommé secr. d'État chargé des problèmes du Pacifique). *-31-8/3-9* 6 brûlés vifs à Faïté (atoll, 180 h.) (chasse aux démons). *-7-12* Jacky Teuira (Pt du gouv.) démissionne. *-23-10* émeutes, 8 immeubles incendiés, dégâts : 250 millions de F. **1990** crise écon., dépenses de fonctionnement publ. trop fortes. **1991**-*17-3* él. territoriales : victoire du RPR (18 s. sur 41).

Statut. Terr. d'O.-M. dep. 1946. Nouveau statut dep. 6-9-84. **Haut-commissaire de la Rép.** Jean Montpezat dep. 1987. **Pt du gouvernement.** Élu par Ass. terr., choisit ses min. : *1984 :* Gaston Flosse (24-6-31) RPR. *87 :* Jacky Tevira. *-9-12* Alexandre Leontieff (n. 20-10-48, non inscrit). *1991-4-4* Gaston Flosse RPR. **Ass. territoriale.** 41 conseillers élus au suffr. universel pour 5 a. [5 circonscriptions : Iles du Vent (22 subdivisions administratives), Sous-le-Vent (8), Tuamotu-Gambier (5), Australes (3), Marquises (3)]. **Comité écon. et social.** Consultatif 30 m. max. **Comité d'État-Territoire.** Dep. août 81. **Subdivision adm.** 5. **Députés** 2. **Sénateur** 1. **Conseiller écon. et social** 1.

Élections. **Législatives** (en %). **14-6-81 :** abst. 42,62 ; PS 15,47 ; UDF-RPR 58,01 ; *élus :* 1 non-inscrit, 1 RPR. **16-3-86 :** abst. 26,72 ; RPR 41,12 ; divers opp. 19,16 ; gauche 38,68 ; élus 2 RPR. **26-6-88 :** inscrits 107 934 ; abst. 44 ; div. opp. 57,46 ; RPR 42,54 ; élus 2 div. opp. **A l'Ass. terr. (16-3-86) :** Tahoeraa Huiraatira 25 s., Ia Mana Te Nunaa 3, Pupu Here Ai'a 2, Ai'A Api 2, Te Aratia O te Nunaa 2, Front de libération de la Polynésie 2, Taatira Polynesia 1, Porinesia No Ananahi 1, Te E'a No Maohi Nui 1. **(17-3-91) :** nombre de sièges et, entre parenthèses en % des voix : abst. 21,65 %. Tahoeraa Huiraatira 18 (31,41), Union pol. 14 (23,27), Patrie nouvelle 5 (12,28), Front indép. de libération de la P. 4 (11,43).

Partis politiques. *Rassemblement pour la Rép. de Pol. (Tahoeraa Huiraatira) RRP* fondé 1958 (Gaston Flosse n. 24-6-1931, RPR) ; *Pupu Here Aia*, centriste, f. 1965 (Jean Juventin) ; *Te e'a No Maohi Nui*, f. 1985 (Jean-Marius Raapoto), *Pupu Taina*, f. 1976 (Michel Law) ; *Ia Mana Te Nunaa*, f. 1976, indépendantiste (Jacques Drollet). *Entente polynésienne*, f. 1976 (Arthur Chung) ; *Ai'A Api*, f. 1981 (Émile Vernaudon) ; *Te Aratia O te Nunaa (Tinomana Ebb)* f. 1984 par dissidents du Pupu Here Aia. Front indép. de libér. de la P. (Oscar Temaru).

Subdivisions

Nota. – Population en 1988. (1) 1984.

• 5 archipels. 1°) **Iles du Vent.** 140 341 h. *Tahiti* 1 042 km², 115 820 [1] h. Montagneuse, plaine côtière étroite, alt. max. mont Orohena 2 237 m et mont Aorai 2 065 m. *Moorea* 132 km², 9 032 h. *Mehetia. Tetiaroa. Maiao* 231 h.

2°) **Iles Sous-le-Vent.** 22 232 h., 507 km². *Raiatea* à 200 km à l'O. de Tahiti, 240 km², 6 406 h. [1], chef.-lieu Uturoa. *Tahaa* 88 km², 4 005 h. *Huahine* 73 km², 4 479 h. *Bora Bora* 38 km², 4 225 h. *Maupiti* 13 km², 963 h. Atolls [1] : *Mopelia* 360 ha, *Scilly* (atoll de 140 îlots) 400 ha, *Bellinghausen* 280 ha, 28 h., *Tupai* 1 100 ha, 35 h.

☞ Iles du Vent et Sous-le-Vent font partie de *l'archipel de la Société* (1 647 km²) découvert par Wallis (1767), Bougainville (1768), Cook (1769) qui le nomma du nom de la Royal Society de Londres.

3°) **Archipel des Tuamotu** ou **Touamotou.** 12 374 h. (les Pomotus), 774 km². 78 atolls dont *Anaa* 648 h., *Mururoa* (base d'expérimentations nucléaires), *Hao* (soutien logistique du centre d'expér.) 1 333 h., *Rangiroa* 75 km², 1 874 h. *Makatea* 21 km², 58 h. Sans sources ni rivières. Cocotiers. Nacre.

Archipel des Gambier. A 1 900 km de Tahiti. 36 km². Population : *1831 :* 2 141 h., *1902 :* 480, *1911 :* 1 512, *1988 :* 620. 8 îles principales dont Mangareva (580 h. [1], alt. max. Mt Duff 441 m) et une vingtaine d'îlots. Ville : Rikitea. *1572* et *1606* signalé par le Portugais Fernandez et Queiroz. *1797* découvert par le cap. angl. Wilson, qui leur donna le nom de l'amiral angl. Gambier (1756-1833). *1834* missionnaires cath. *1836-25-5* le roi Te-Wapotea solennellement baptisé : prend le nom de Gregorio Maputeo. *1844-16-1* protectorat fr. (officialisé 1871). *1881* annexion pour écarter All. *1986* rattaché aux Tuamotu.

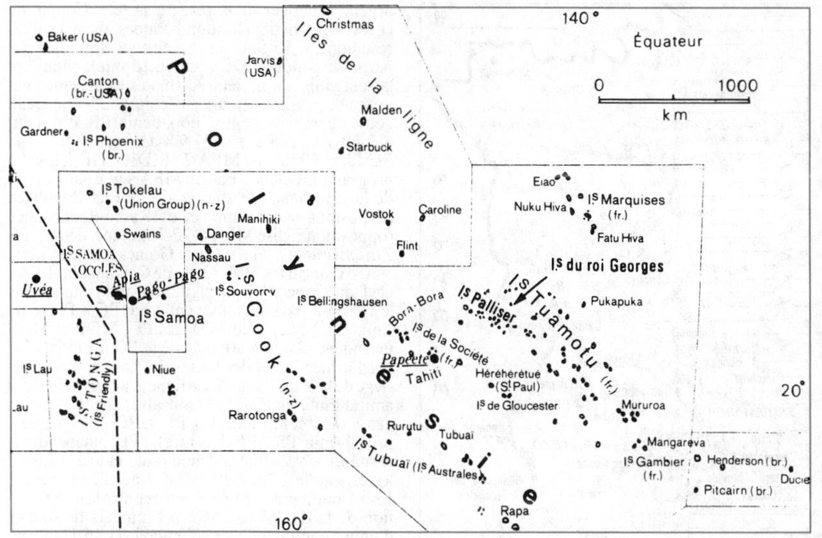

4°) **Archipel des Australes** ou **Tubuaï.** 174 km², 6 509 h. A 600 km de Tahiti, 5 îles volcaniques de 160 à 230 km les unes des autres (*Rimatara* 8 km², 969 h., *Rurutu* 29 km², 1 953 h., *Tubuaï* 48 km², 1 846 h., *Raïvavae* 16 km², 1 225 h., *Rapa* 40 km², 516 h.), quelques atolls.

5°) **Archipel des Marquises.** 1 274 km², 7 358 h. ; chef-lieu Taiohae dans Nuku-Hiva. A 1 500 km de Tahiti. 10 îles volcaniques dont *Nuku-Hiva* 482 km², 2 100 h., *Ua-Pou* 1 918 h., *Ua-Huka* 65 km², 539 h., *Hiva-Oa* 150 km², 1 671 h. (où Gauguin et Brel sont enterrés, Mt Keavi 1 260 m), *Tahuata* 633 h., *Fatu-Hiva* 77 km², 497 h.

• 1 dépendance : **Clipperton (atoll de)** ou **île de la Passion.** *Situation :* Atoll, à 6 500 km de Tahiti, 1 300 km du Mexique et 2 300 du Guatemala ; plat (alt. max. 29 m), 7 km², long. 3 km, larg. 2 km, circonf. 12 km. *Temp.* moy. 22 à 30 °C, humide. *Pluies* (mai à oct.) tornades. Pêche au thon. Inhabité. La zone de 200 milles qui l'entoure représente 425 220 km². **Histoire.** *1705* le pirate Clipperton et son équipage traversent le Pacifique du Mexique à Macao (19 000 km) et découvrent l'île. *1711-3-4* Martin de Chassiron et Michel du Bocage la baptisent « île de la Passion ». *1858-17-11* annexée par la Fr. *1895* les Amér. tentent d'exploiter le guano. *1897* la Fr. reprend C. mais le Mexique accordant une autorisation d'exploitation se considère souverain. *1906* le Mex. envoie 7 hommes sur l'île avec leur famille (40 pers.) et les oublie. Les Angl. débarquent ; l'exportation du guano reprend. La garnison oubliée par le Mex. est atteinte de scorbut ; le cap. pense trouver du secours auprès d'un bateau qu'il croit apercevoir au large et chavire avec quelques hommes. 1 Noir se déclare roi de C. ; resté seul avec 4 femmes, il est assassiné par 2 d'entre elles en 1917. Un croiseur amér. venu vérifier l'absence de base ennemie recueille les 4 femmes et leurs enfants le lendemain. *1931-31-1* arbitrage du roi d'Italie. C. est reconnu à la Fr. *1935-26-1* le *Jeanne-d'Arc* marque la souveraineté de la Fr. *1936-12-6* rattaché à la Polynésie fr. *1942* la Marine U.S. aménage une base aérienne de secours, puis une station radio météo, en 1944. *1945* la paix revenue, abandonne les lieux. Le phosphate, seule ressource économique, est épuisé. *1979-24-1* compétence juridictionnelle à Paris. *1986-18-3* classé dans le domaine public de l'État, gestion assurée par le min. des DOM-TOM. *1986-88* Norbert Niwes Nirves crée une base pour thoniers.

Économie

P.N.B. (88). 10 850 $ par h. **Pop. active** (%, entre parenthèses, part du P.N.B. en %). Agr. 11,3 (4), ind. 18,1 (18), services 70,6 (78). **Nombre.** 76 630 (*83 :* 40 997 h. et 19 743 f.) dont *83 :* 45 061 dans îles du Vent (36,6 % de leur pop.), 68 760 en 1986. *En 88,* sur 48 700 inactifs (33 934 Polynésiens et 5 773 Européens) 14,9 % étaient chercheurs d'un emploi. Fonctionnaires et assimilés (88) : 23 863 (y compris 6 000 des communes et contractuels du territoire). **Inflation** (%). *1987 :* 3,2, *88 :* 2,2, *89 :* 2,9. **Concours financiers extérieurs** (milliards de F CFP). *1981 :* 35,2, *82 :* 45,4, *83 :* 53,7, *86 :* 76,3, *89 (déc.) :* 59,4 dont dépenses civiles 36,2, militaires 23,3 [dép. FIDES (section générale) 1,1, DCAN 1,9, comptes spéciaux du trésor 0,06. *Total général dép. État :* 62,5]. **Budget** (millions de F, CFP). *Recettes : 1985 :* 40,5, *86 :* 46,2, *87 :* 60,1, *88 :* 66,6. *Dépenses (y compris dép. militaires) : 1985 :* 83,7, *86 :* 87,2, *87 :* 90,7, *88 :* 103,8.

Agriculture. **Terres cult.** 19 % (plaines côtières, fond des vallées). *Production* (en milliers de t) : *coprah 1985 :* 13,4 ; *86 :* 13,7 ; *87 :* 15 ; *88 :* 11 ; *89 :* 11. *Vanille 1989 :* 54 t. *Café* commercialisé (t) *1979 :* 180 ; *82 :* 55 ; *83 :* 141 ; *85 :* 53,2 ; *86 :* 15. *Légumes* (t, 86) p. de terre 1 220, taros 502, patates douces 177, amères 45 (83), tarua 116. *Fruits* (t, 86) ananas 3 000 (88), bananes 700 (88), papayes 179, mangues 156, citrons 173, pamplemousses 198, oranges 52 (en extinction). Élevage (86). *Bovins* 9 907, *porcins* 22 942, *œufs* 1,7 million de douzaines, *poulets* 423 t (83). Pêche (88) **industrielle :** *armements japonais et coréens :* 4 952 t (Jap. 2 916, Coréens 2 036) ; *américains :* 4 050 t (germon) ; **artisanale :** *hauturière :* 125 bonitiers (1 500 t/an) ; pêcheurs prof. : + de 300 ; armateurs et arm.-pêcheurs : 90 ; *côtière :* 272 « potimarara » pêchent marara, thon, mahi mahi (500 t/an) ; *lagonaire :* îles Tuamotu (parcs à poissons), de la Société (env. 4 600 t/an). **Aquaculture :** crevettes 60 (88). **Huîtres :** nacrières et perlières (les plongeurs descendent jusqu'à + de 40 m) 447 kg exp. en 1987. **Perliculture :** 0,9 t (87). Forêts. 10 000 ha (plantation annuelle prévue 770 ha). Phosphates (Mataïm). Prod. possible 10 millions de t/an pendant 10 à 15 ans. Industrie. Huileries.

Énergie renouvelable (potentiel). Ensoleillement : 5,3 kWh/m²/jour en moyenne ; potentiel éolien : alizés du S.-E. de 5 à 6 m/s ; biomasse : 50 000 t par an de déchets de coprah ; hydroélectricité : 15 à 20 MW équipables à Tahiti. **Électricité** (88). *Production* 266,4 millions de kWh (thermique 207, hydraulique 59,4), *abonnés* 28 445 à Tahiti.

Présence du CEP (Centre d'expérimentation du Pacifique) et des forces de souveraineté. **Dépenses locales** (milliards de F CFP). *1981 :* 16,8. *82 :* 18,4. *83 :* 27,3. *88 :* 36,8. **Effectifs** (armées et CEA). *Militaires : 1985 (mai) :* 5 000, *89 :* 4 170 ; *civils : 85 :* 4 000, *89 :* 2 215. Des renforts civils peuvent être acheminés lors des expérimentations.

Tourisme. *Visiteurs : 1980 :* 88 959, *86 :* 161 000, *87 :* 142 820, *88 :* 135 387, *89 :* 139 705 (U.S.A. 50 406, France 21 351). **Revenus** (88). 16,5 milliards de F CFP 13,2 % (86) du P.N.B. **Main-d'œuvre** (86). 3 637 (5,3 % de la pop. active). **Capacité hôtelière.** *1986 :* 2 827 (lits) 3 étoiles.

Commerce (en milliards de F, CFP, 89). *Exportations :* 10,3 *dont* perles de culture 3,8, huile de noix de coco 0,3, nacre 0,1, vanille 0,04 *vers* (87) *France 4,8,* E.-U. 1,7. *Importations :* 88,7 *dont* (%, 88) équip. prof. 29,7, biens de cons. 16,7, prod. agroal. 15,4 *de France 47,9,* Australie 5,4, Japon 3,6, N.-Zélande 4,1.

PORTO RICO

Carte p. 917. V. légende p. 837.

Nom. Officiel dep. 17-5-1932 (port riche).

Situation. Grandes Antilles. 4 îles dont 3 petites à 129 km de la Rép. Dominicaine, 74 km à l'O. de St-Thomas. 8 897 km² (160 sur 55 km). *Côtes* 450 km. *Alt. max.* pic Cerro de la Punta 1 341 m. **Climat** tropical très humide ; 17 à 36 °C.

Population. *1990 :* 3 600 000, *2000* prév : 4 212 000. Blancs 80 %, Noirs 20 %. **Âge :** *- de 15 a. :* 30 %. *+ de 65 a. :* 8 %. D. 379,5. *Émigrés* 2 000 000 de P.R. aux U.S.A., surtout à New York (le *Barrio :* quartier en espagnol). **Villes** (80). *San Juan* 428 900, Bayamón 202 500, Ponce 190 900, Mayaguez 101 000. Langues. Espagnol (off.), anglais (env. 529 000 bilingues en 70). Religion. 85 % cath.

Histoire. Habitée par Indiens arawaks (clans dirigés par un cacique). **1493**-*19-11* découverte par C. Colomb [nommée « San Juan Báutista » ; Ponce de León débarquant 11 ans plus tard se serait écrié : « Que puerto rico ! » (quel port riche !) d'où le nom actuel de l'île]. **1508** espagnole. **1511** révolte indigène réprimée par Esp. ; Arawaks décimés et remplacés par des Noirs africains. **XVI**e **s.** incursions Indiens caraïbes, pirates français, anglais ou holl. [échecs des Angl. Francis Drake *(1595),* G. Clifford *(1598),* du Holl. B. Hendrik *(1625)*]. Centre important de contrebande (surtout à partir de **1736**). **1736** café introduit. **1797** échec de l'Anglais Ralph Abercromby. **1865** libéraux exigent abolition de l'esclavage. **1868**-*sept.* révolte échoue. **1873** esclavage aboli. **1897** autonomie partielle (gouverneur, 2 chambres). **1898** g. hispano-amér. *-10-12* tr. de Paris, U.S.A. reçoivent P.R. **1900**-*1-5* loi Foraker, fin du contrôle militaire. **1909**-*15-7* « Olmsted Act » laissant au Pt des U.S.A. et au Conseil exécutif de grandes responsabilités. **1917**-*2-3* « Jones Act » : P.R. est terr. américain ; P.R. ont la citoyenneté amér. **1938** création du Parti pop. démocr. par Luis Muñoz Marín († 1980). **1946** nomination d'un gouv. P.R. Jesus Piñero. **1948**-*2-11* gouv. est élu par les P.R. (Luis Muñoz Marín). **1950**-*1-11* tentative d'assassinat du Pt Truman par 4 nationalistes p.r. **1952**-*25-7* Etat libre associé. **1967**-*23-7* plébiscite, 425 081 (60,5 %) pour statut actuel, 273 315 (38,9 %) p. devenir 51e Etat U.S., 4 205 (0,6 %) p. indépend. **1975**-*17-12* projet d'autonomie élargie. **1981**-*10-1* attentat : 11 avions détruits. **1982**-*31-12* New York, att. FALN. **1983**-*sept.* Macheteros volent 7 millions de $ aux USA (arrêtés août 85, procès 87). **1986**-*31-12* incendie criminel hôtel Dupont-Plaza 96 †.

Statut. État libre associé aux U.S.A. *Const.* 25-7-1952. *Sénat* (27 m.) et *Ch. des représ.* (53 m.), élus au suffr. univ. **Gouverneur** (élu pour 4 a.). Rafael Hernández Colón. **Pt du Sénat.** Élu pour 4 ans au suffr. univ. (Miguel Hernández Agosto). P.R. est représenté au Congrès par un *Resident Commissioner* élu pour 4 ans qui n'a pas le droit de vote. **Élections** *du gouv.* (8-11-88) : PNP 45,8 % ; PPD 48,7 % ; PIP 5,5 %. Drapeau. Adopté 1952 ; date de 1895 (mouv. rév.).

Partis. *PIP (P. de l'indép. p.)* fondé 1934, Pt Ruben Berrios Martinez. *PNP (P. néo-progressiste),* f. 1967, Pt Carlos Romero Barcelo. *PPDC (P. pop. démocr.),* f. 1939, Pt Rafael Hernández Colón, au pouvoir 1940-68, 72-76 et dep. nov. 84. PC *(P. communiste p.),* f. 1934. PRN *(P. de la Rénovation nat.),* f. 1983. PS *(P. socialiste p.),* f. 1971, Pt Carlos Gallisa.

• Dépendances. Iles Mona 40 km², Culebra 28 km², 1 265 h. (80), Vieques 43 km², 7 628 h. (80).

Économie

P.N.B. ($ par h.). *1982 :* 3 720 ; *83 :* 2 890 ; *84 :* 4 200 ; *89 :* 6 079. **Pop. active** (%, entre parenthèses part du P.N.B. en %) agr. 3 (3), mines 0 (0), ind. 24 (38), services 73 (59). *Chômage* (89) 15 % de la pop. **Inflation** (%). *1987 :* 3,1 ; *88 :* 3,6 ; *89 :* 4,5. **Aide fédérale améric.** 30,7 % du P.I.B.

Agriculture. *Terres* (%) 14,2 arables 1,6 dont cult. 48 (38 pour le café), pâturages 22,42, forêts 25,28. *Production* (milliers de t, 89) canne à s. 1 261, sucre 83, bananes 80, ananas 55, café 12, tabac 4,6 (86). Mélasse 44 588 226 l (82). Doit importer 90 % de son alim. Élevage (millions de têtes, 88). Poulets 10,97, bovins 0,6, porcs 0,2. Mines. Cuivre, sel, marbre, nickel. Industrie. Ciment, électricité, raffineries de pétrole (capacité 14 millions de t), constr. mécan., textile, prod. alim. (rhum). Siège de sociétés (exemptions fiscales). Tourisme (88). 2 801 000 visiteurs dont 1 425 603 des U.S.A.

Commerce (en millions de $ US. 88). *Exp.* 13 141 (vers U.S.A. 11 568). *Imp.* 11 869 (des U.S.A. 7 928).

PORTUGAL

Carte p. 1047. V. légende p. 837.

Situation. Europe. 92 072 km² dont continent 88 944, Açores 2 247 km², Madère 794. Long. 561

km, larg. max. 218 km. *Alt. max.* Torre dans le massif de la Serra da Estrela 1 993 m. *Côtes* 832 km (dont 660 km à l'O. et 172 km au S.). Le cap de la Roca (côte O.) est l'extrémité la + occidentale de l'Eur. continentale. *Frontières* (les + anciennes d'Eur.) avec Esp. 1 215 km. **Régions** délimitées par le Tage : *Nord* plateaux et montagnes (alt. 400 à 900 m), *Sud:* plaines (alt. 160 m) ; étroite bande côtière (sable et falaise) puis l'alt. augmente vers l'intérieur. **R. touristiques :** côte Verte, c. d'Argent, montagnes, c. de Lisbonne, Alentejo, Algarve (c. sud, sable fin, plages abritées, temp. moy. en été 25 °C, en hiver + 15 °C). *Plages :* Nazaré, Estoril, Costa da Caparica, Praia da Rocha, Albufeira. **Climat :** océanique, mois les + chauds et les + secs : juill.-août (max. 17 à 31 °C, min. 7,5 °C à 13 °C). *Pluies :* N. du Tage 700 mm/an (1 355,8 mm en 77 à Porto), au S. 500 mm/an.

Population. (millions). *1864:* 4,2 ; *1900:* 5,4 ; *1920:* 6 ; *1940 :* 7,7 ; *1960 :* 9,1 ; *1970 :* 9 ; *1990 :* 10,5, prév. *2000 :* 11. **Âge :** *- de 15 a. :* 21,5 % ; *+ de 65 a. :* 12 %. D. 112. **Villes** (81). *Lisbonne* 817 637, Porto 330 199 (à 307 km), Amadora 93 683, Setúbal 76 812 (40), Coimbra 71 782 (200).

Portugais à l'étranger. 3 000 000 dont *France 844 000 (86),* Afr. du S. 600 000, Brésil 620 000, Venezuela 350 000, U.S.A. 270 000, Canada 240 000. Entre 1976 et 1985, 140 000 P. ont émigré [vers U.S.A. 36 %, France 10 % ; 60 % étaient des h., 90 % avaient - de 45 a. La plupart venaient des régions les + déshéritées à l'E. d'une ligne passant du district de Vila-Real à Faro (Bragança a perdu 23 % de sa pop., Beja 25 %)]. Les h. de Madère émigrent vers l'Amérique du S. (Venezuela) ; les h. des Açores vers le Canada. **Rapatriés.** 650 000 (Blancs ou de couleur) des possessions d'outre-mer devenues indépendantes (dont 90 % de l'Angola).

Langues. Portugais *(off).*, français (l'enseign. du fr. n'est plus obligatoire dans les lycées), anglais.

Religion. Catholique 89 %. En janv. 90, 33 évêques pour 20 diocèses. *Prêtres* (88) diocésains 3 536, religieux 1 086. *Grands séminaristes : 1970 :* 666, *78 :* 377, *86 :* 385, *87 :* 339, *90 (janv.) :* 389. *Étudiants dans les ordres religieux : 70 :* 301, *78 :* 146. *Religieuses : 1970 :* 6 005, *78 :* 7 479, *86 :* 7 252. *Pratique (%) :* Braga 60, Viana do Castelo 50, Porto 35, Lisbonne 11, diocèses du Sud 3 à 8.

Nota. – Pèlerinage de Fátima (Vierge apparue le 13-5-1917 à 3 petits paysans, qui leur donna rendez-vous pendant 6 mois, chaque 13 du mois).

Histoire

Antiquité occupé par tribus ibères (Lusitaniens). **Ier s.** province romaine. **Ve-VIe s.** envahi par Vandales, Suèves, Wisigoths. **VIIe s.** par Arabes. **Xe s.** nommé Terra Portucallis, de Portus Calle (nom romain de la ville de Porto). **1094** Henri de Bourgogne reçoit du roi de León une partie du P. **1139** son f. prend le titre de roi du P. **1143** tr. de Zamora, indép. **XVe s.** et **XVIe s.** expéditions coloniales au-delà de l'Équateur, Tanger et Arzila **(1471),** Le Cap (Dias **1486-1487**), Indes (Vasco de Gama **1497-99**), Brésil (Cabral **1500**), Chine **(1518),** Japon **(1542). 1578** le roi Sébastien écrasé à Alcaar Quibir (Maroc) disparaît. **1580-1640** réuni à l'Esp. **1703** tr. de Methuen avec Angl. (le P. accepte des laines angl. contre du vin p.). **1755**-*1-11* séisme de Lisbonne (voir index). **1756-77** Pombal (1699-1782) PM. **1807**-*29-10* tr. franco-esp. de Fontainebleau prévoyant partage du P. : N. à Marie-Louise, f. de Charles IV (en échange du roy. d'Étrurie, donné à Elisa Bacciochi), S. à Godoy, favori de Charles IV, centre, avec Lisbonne, à Napoléon. *Nov.* l'armée fr. (Junot) occupe le P., la Cour se réfugie au Brésil. **1808-20** immixtion angl. **1820** la Cour rentre. **1822**-*12-10* indépendance du Brésil.

1910-*5-10* Rép. exil de Manuel II jusqu'au 28-5. **1911**-*28-5* Assemblée constituante. *-3-9* Constitution. **1915** *mars* Gal Pimenta de Castro dictateur. *-14-5* renversé. **1916**-*9-3* Allemagne déclare g. au P. **1917**-*janv.* départ des 1ers contingents, soulèvement, victoire du germanophile Sidonio Pais : « Nouvelle République ». **1918**-*14-12* Sidonio Pais assassiné. **1921**-*19-10* « Nuits sanglantes » : assassinat de plusieurs personnalités républ. (du 19-10-21 au 28-5-26, il y aura 7 Parlements, 9 chefs d'État et + de 50 gouvernements). *-28-5* soulèvement mil. à Braga : Gal Gomes da Costa devient PM en juin. *Juill.* remplacé par Gal Carmona (coup d'État). Parlement et partis dissous. Presse censurée. **1927**-*7-2* révolution mil. réprimée. **1928** Gal Carmona (candidat unique) élu Pt. *-27-4* Antonio de Oliveira Salazar min. des Finances. **1932**-*5-7* devenu PM, établit une dictature, fonde l'État nouveau et crée l'Union nat. (parti unique : association civique). Rébellions mil. à Nadire et aux Açores. **1933** plébiscite pour un État

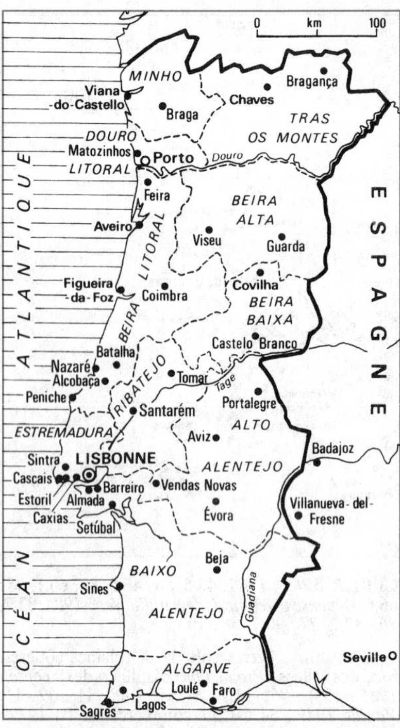

corporatif. Police de Vigilance et de Défense de l'État (PVDE) créée. **1935** Gal Carmona, candidat unique, réélu Pt. **1936** fondation des Jeunesses p. et de la Légion p. Les Viriatos (volontaires fascistes portugais) participent à la g. d'Espagne (6 000 †). **1939**-*18-3* tr. de non-agression et d'amitié avec Esp. **1940**-*7-5* concordat avec St-Siège (interdit le divorce). **1942** P. et Espagne créent Bloc péninsulaire. **1943**-*18-8* facilités accordées aux Alliés aux Açores. **1945** l'opposition peut participer aux élections. PIDE (Police Intérieure et de Défense de l'État) créée. *-4-5* demi-journée de deuil national lors de la mort de Hitler. **1946** révolte mil. à Porto. Plan Marshall : 51,3 millions de $ au P. **1949** Gal Carmona (Union nationale) réélu Pt. Mesures de sécurité. *-4-4* entrée à l'OTAN. **1950**-*16-1* terr. d'O.-M. deviennent prov. d'O.-M. (Angola, Cap-Vert, Macao, Mozambique, São Tomé et Príncipe, Guinée et Timor). **1955** entrée à l'ONU. **1956** mesures de sécurité relâchées. **1958** amiral Americo Tomas (Union nat.) élu Pt, Gal Humberto Delgado (1906-65) (opposition) a 25 % des voix. **1959** Const. révisée : Pt élu par un collège (Ass. nat., des représentants des municipalités et prov. d'O.-M.). **1960** adhère à l'AELE. **1961**-*22-1 :* 70 h. avec cap. Henrique Galvão arraisonnent, sur côte E. du Brésil, paquebot *Santa-Maria* (4-2 obtiennent asile polit. à Recife). *-2-2* début de rébellion en Angola. *-17-2* Inde envahit Goa, Damao et Diu. **1962** révolte mil. à Beja. Possessions des Indes perdues. **1963**-*23-4* début de rébellion en Guinée. **1964**-*25-9* au Mozambique. **1965**-*13-2.* Gal Delgado assassiné en Esp. **1967** Paul VI au P. **1968**-*17-9* Salazar (hémorragie cérébrale) quitte ses fonctions. *-27-9* Marcelo Caetano, PM. L'État social remplace l'E. nouveau. **1969** *nov.* él. à l'Ass. nat. (seuls les candidats de l'Union nat. sont élus). La PIDE devient DGS (Dir. gén. de la Sûreté).

1970-*1-7* le pape reçoit 3 combattants ang. (prenant parti contre le P., il exigera en mai 1971 le rappel des Pères blancs d'A.). *-27-7* Salazar meurt. L'Union nat. devient Action nat. pop. (unique). **Dep. 1971** attentats de l'ARA (Action révolut. armée) et des BRA (Brigades révolut. armées). **1974**-*14-3* Gal Costa Gomes et son adjoint le Gal de Spínola destitués (désaccord sur politique afr.). *-18-3* mutinerie régiment de cavalerie ; échec militaire du MFA (Mouv. des forces armées). *-25-4 coup d'État mil.,* Spínola préside la junte constituée le *26 ;* 6 † ; Pt de la Rép. et PM Marcelo Caetano renversés ; prisonniers pol. libérés, censure abolie. *-6-5* offre de cessez-le-feu aux nationalistes afr. *-15-5* Spínola Pt. Gouv. civil provisoire. Adelino da Palma Carlos (ind.) Pt. *-9-7* démissionne. *-12-7* Vasco Gonçalves PM avec 7 min. milit., Alvaro Cunhal (communiste) et Mário Soares (socialiste). *-30-9* Spínola (désaccord avec MFA et gauche) démissionne. Gal Costa Gomes Pt. *-28-10* Conseil sup. du MFA (c. des vingt). **1975**-*21-1* loi sur unicité syndicale (opposition des soc.). *-8-2* pouvoirs législatifs pour junte de salut national. *-11-3* putsch mil. échoue ; Spínola part en Esp. *-12-3* MFA organe supérieur de la rév. ; à sa tête, Conseil de la rév. *-13-3* nationalisation banques, dizaines d'arrestations. *-15-3* Spínola se retire au Brésil. *-18-3* 3 partis suspendus : Dém. chrét. (droite), Mouv. p. la réorganis. du prolétariat (maoïste), Alliance ouvrière et paysanne (marxiste-lénin.). *-25-3* nouveau gouv. : comm., soc. et p. pop. dem. (PPD) restent. *-25-4* él. Ass. const., soc. 37,9 % des voix ; PPD 26,4 ; PC 12,5 ; CDS 7,6 ; MFA 7 ; MDP/CDE 4,1. *-21-6* programme d'action pol. du MFA agréé par Conseil de la rév. *Juin-juill.* affaires du journal Republica (opposition soc.-comm.) et de Radio-Renaissance (opposition Église-MFA). *-12-7* min. soc. démis, *-26-7 triumvirat mil.* [Gaux : Costa Gomes, chef de l'État ; Vasco Gonçalves, PM ; Otelo de Carvalho (n. 1936), chef du Copcon]. *Août* agitation anti-comm. dans le N. *-18-8* paysans attaquent siège PC à Ponte de Lima : 1 † ; aux Açores sièges PC, MDP et MGS incendiés. *-25/26-8* attaque siège PC à Leiria ; 2 † par l'armée. *-27-8* des unités du Copcon occupent siège de la 5e div. ; manif. extrême g. à Lisb. *-29-8/-5-9* amiral Pinheiro PM (Gal Gonçalves chef état-major gén.). *-13-9* compromis PS, PPD, PC. *-19-9* 6e gouv. prov. [4 min. PS, 2 PPD (centre), 1 PC, indépendants et milit.]. *-29-9* armée occupe radio et télé. à Lisb. ; les évacue le 1-10. *8-10* manif. (métall. en grève à Lisb.), mutineries armée (Porto) contre la « restauration de la discipline ». *Fin oct.* milliers de soldats d'unités « indisciplinées » démobilisés. *-6-11*-affrontement ouvriers, agric. pro-comm. et propriétaires terriens au N. de Lisb. : 2 †. *-7-11* paras dynamitent Radio-Renaissance. *-9-11* manif. pour gouv. à Lisb. ; incidents. *-12/14-11* milliers d'ouvriers du bâtiment assiègent Ass. et résidence du PM (hausse des salaires). *-16-11* manif. d'extr. g. (appui PC) à Lisb. *-20-11* gouv. refuse de travailler et somme Pt de rétablir l'autorité. *-21-11* Carvalho accepte, puis refuse d'abandonner le command. de la région milit. de Lisb. *-25-11* Conseil de la révol. remplace Carvalho par Gal V. Lourenço ; rébellion de paras à Tancos ; état d'urgence, puis de siège partiel, combats près du palais de Belém ; rebelles arrêtés. *-2-12* état de siège levé. *-12-12* MFA reconnaît la supériorité du pouvoir pol. *-27-12* accord constit. signé par MFA et partis.

1976-*1-1* manif. à Porto (3 †). *-11-1* 10 000 petits et moyens propriétaires et fermiers du N. manif. contre réforme agraire à Braga. *-19-1* Carvalho arrêté. *-21-1* manif. d'extr. g. à Lisb. (1 †). *-28-1* journal Republica rendu à son adm. « légale ». *-8-2* meeting de droite à Lisb. (25 000 pers.). *Févr.* pacte constitutionnel : suprématie du pouvoir pol. *-5-3* Carvalho en liberté provisoire. *-2-4* Constitution votée. *-25-4* él. Ass. législative (PS 35 % des voix ; PPD 24,35 ; CDS 16 ; PC 14,6). *-27-6* Gal Ramalho Eanes élu Pt (60,8 % des voix). *-6-7* Mário Soares PM. *-10-8* Spínola rentre à Lisb. *Sept.* restitution de 600 000 ha à des propr. *-12-12* PS 32 % des v. aux él. locales. **1977**-*25-2* escudo dévalué de 15 %. *28-3* demande d'adhésion à CEE. *-8-12* chute du gouv. Soares (159 voix contre 100). **1978**-*23-1* Soares PM (gouv. de coalition PS-CDS), destitué 27-7. *-28-8/14-9* Alfredo Nobre da Costa, indépendant, PM. **1980**-*3-1* Francisco Sá Carneiro PM, sans militaires (1re fois dep. 25-4-1974). **1981** sécheresse. *Juin* dénationalisation des banques, assurances, engrais et ciments votée par Parlement. *-18-7* veto du Conseil de la révol. *Déc.* Spínola et Costa Gomes nommés maréchaux. **1982**-*1-5* Porto, manif. pro-comm. 2 †. *13-5* Jean-Paul II au P. (500 000 pèlerins à Fátima). **1983**-*10-4* Islam Sartaoui OLP tué à Lisb. *-9-6* Soares PM, allié au PSD centriste. **1984** *juin* Carvalho arrêté. **1985** attentats du FP 25 (Forces popul. du 25 avril ; extr. g.). *-25-6* PM Soares démissionne. *-12-7* Parlement dissous. *-6-10* élect., succès PRD. **1986**-*1-1* adhésion CEE. *-26-1/-16-2* élect., Soares élu Pt. *13/14-7* attentat Lisb., 2 †. **1987**-*28-4* ass. lég. dissoute. *-20-5* Carvalho condamné à 15 ans de prison pour actions liées au terrorisme. *-28-11* cond. à 18 ans. **1988**-*29-6* réforme propriété agricole. *-19-7* législatives. *-25-8* incendie du magasin Grandela détruit Vieux Lisbonne (XVIIIe s.) sur 10 000 m² (magasin du Chiado, Musée discographique, Café Ferrari), 1 †. Coût : 50 milliards d'esc. (2,15 milliards de F.). *-14-10* accord PS/PSD pour révision const. (entr. nationalisées 1974 et 1975 pourront être privatisées). **1989** *févr.* 1re privatisation dep. 1974. *-24-5* révision Constit. : suppression des articles d'inspiration marxiste, réforme agraire assouplie. *-16-10* Pt Soares en Fr. *-17-12* municipales, succès socialiste (36,6 % des voix ; PSD 37,3 ; CDU 14,1 ; CDS 10,5). **1991**-*10/12-5* Jean-Paul II à Lisbonne et à Fátima (pour le 10e anniversaire de son attentat ; la balle qui l'avait blessé a été sertie dans la couronne de la Vierge).

Statut : République dém. *Const.* du 21-2-1976, votée 2-4-76, révisée 24-9-82 et 24-5-89. *Nouvelle*

Const. du 8-8-89 (sans référence au socialisme). *Pt de la Rép.* élu pour 5 a. au suffr. universel. *As. législative* 250 m. élus pour 4 a. au suffr. universel. Fêtes nationales : 10-6 (jour de Camões, dep. env. 1910), 5-10 (procl. de la Rép.), 1er déc. (indép. recouvrée), 25-4 (jour de la liberté). Drapeau : adopté 1910 : rouge (sang de la lutte pour l'indép.) et vert (mer) ; armoiries (rôle du P. dans les grandes découvertes).

Composition de l'assemblée (Droite et, entre parenthèses, **Gauche). Constituante :** *avril 1975 :* 98 (152). **Ass. :** *déc. 76 :* 102 (148) ; *déc. 79 :* 128 (122) ; *oct. 80 :* 134 (116) ; *25-4-83 :* 105 (145) ; *6-10-85 :* 110 (140) ; *19-7-87 : voix :* PSD 50,5 %, PS 22, CDUC (coalition avec PC, écologistes, dissidents du MDP) 12 (PC *1985 :* 15,5 %, *83 :* 18 %) ; CDS 4,5 ; PRD (Gal Eanes) 4,5 ; abstentions 27,5. *Sièges :* PSD 145 (avant 88) ; PS 60 (57) ; CDU 31 (38) ; PRD 6 (45) ; CDS 4 (22).

Élections européennes du 18-6-89 (% des voix). PSD 33,25 ; PS 28,5 ; CDS 14,25 ; CDU 14 ; divers 10.

Partis. *P. social-démocrate (PSD)* fondé 1974, Pt Anibal Cavaco Silva, 100 000 m. ; *P. du centre démocr. et social (CDS)* f. 1974, Pt Diogo Freitas do Amaral, 100 000 m. ; *P. popul. monarchiste (PPM)* Pt Gonçalo Ribeiro Teles. *Mouv. démocr. p. (MDP-CDE),* f. 1969, Pt José Manuel Tengarrinha ; *PC port. (PCP)* f. 1921, légalisé 1974, secr. gén. Alvaro Cunhal, 199 275 (88). *P. socialiste (PS)* f. 1973, secr. gén. Jorge Sampaio, 100 000 m ; *Union démocr. popul. (UDP)* f. 1974, Pt Mario Tomea. *P. rénovateur démocr. (PRD)* f. 24-2-1985 par Gal Eanes, Pt Herminio Martinho, 8 000 m. *Os Verdes* (Écologistes) f. 1981.

Premiers ministres. **1931** Antonio de Oliveira Salazar (1889-1970). **69**-*9-5* Marcello Caetano (1906-80). **74**-*15-5* Adelino da Palma Carlos. *-17-7* Gal Vasco Gonçalves (n. 1921). **75**-*19-9* Amiral Pinheiro de Azevedo (1917-83). *-23-7* Mário Soares (n. 7-12-24). **78**-*28-8* Alfredo Nobre da Costa (n. 1927). *-21-11* Mota Pinto (1936-85). **79**-*31-7* Maria de Lourdes Pintassilgo (n. 10-1-30). **80**-*3-1* Francisco Sá Carneiro (1934, 4-12-80 † accident d'avion). *-4-12* Diogo Freitas do Amaral (vice PM) (n. 21-7-41). **81**-*5-1* Francisco Pinto Balsemao (n. 1-9-1937), démissionne 20-12-82. **83**-*9-6* Mário Soares (n. 7-12-1924). **85**-*6-11* Anibal Cavaco Silva (n. 11-7-1939).

Chefs d'État

Rois

Maison Alphonsine (1128-1385) (capét.). **1128** Alphonse Ier [(1109-85) ; roi 1139]. **85** Sanche Ier (1154-1211), s.f. **1211** Alphonse II le Gros (1185-1223), s.f. **23** Sanche II (1207-48), s.f. **48** Alphonse III (1210-79), s. fr. **79** Denis Ier (1261-1325) s.f. **1325** Alphonse IV le Brave (1291-1357), s.f. **-57** Pierre Ier [1320-67, s.f. (marié secrètement 1345 à Inês de Castro, assassinée par ordre d'Alphonse IV 1355 ; reconnue reine à titre posth. 1357)]. **67** Ferdinand Ier (1345-83), s.f. **83** Béatrice (v. 1368-v. 1410), s. f., reine de Castille (ép. du roi Jean Ier de C.).

Maison d'Aviz (1385-1590) (capét.). **1385** Jean Ier le Grand (1357-1433). s. demi-fr. **1433** Duarte Ier l'Éloquent (1391-1438), s.f. **38** Alphonse V l'Africain (1432-81), s. f. **81** Jean II (1455-95), s.f. **95** Manuel Ier (1469-1521), s. cous. germ. **1521** Jean III (1502-57), s. f. **57** Sébastien Ier (1554-78), s. pt.-f. **78** Henri le Cardinal (1512-80), s.f.

Maison d'Autriche (1580-1640). **1580** Philippe II d'Espagne [Ph. Ier du P. (1527-98)]. **98** Philippe III d'Esp. [II du P. (1578-1621)] s.f. **1621** Philippe IV d'Esp. [III du P. (1605-65)], s.f.

Maison de Bragance (1640-1853) (capét.). **1640** Jean IV (1604-56) duc de Bragance. **56** Alphonse VI (1643-83) s. f. déposé. **68** Pierre II (1648-1706) s. fr. Régent (après avoir déposé son frère dont il épouse la femme), puis roi après 1683. **1706** Jean V (1689-1750) s. f. **50** Joseph Ier Emmanuel (1714-77) s.f. **76** Marie-Anne de Bourbon (1727-85) sa femme, régente. **77** Marie Ire de Bragance (1734-1816) s.f. partage le trône avec son mari Pierre III (4e fils de Jean V) (1716-86). Devenue folle, elle abandonne le trône à son f., le futur Jean VI, en 1799. **1816** Jean VI (1767-1826) s.f. **26** Pierre IV (1798-1834) s.f. abdique (emp. du Brésil Pierre Ier 1822). Marie II de Bragance (1819-53) s. f. **28** Michel Ier (1802-66) f. de Jean VI, fiancé à Marie II 1826, banni 1834, ép. 1851 Adélaïde de Löwenstein. **34** Marie II de Bragance (1819-53) restaurée. **37** Ferdinand de Saxe-Cobourg-Gotha, son mari, prend le titre de roi (Ferdinand II).

Maison de Saxe-Cobourg-Gotha (1853-1910). **1853** Pierre V (1837-61) f. de Marie et de Ferdinand II, roi-régent (1853-55). **61** Louis Ier (1838-89) s. fr. **89** Charles Ier (1863-1908) s. f. assassiné. **1908** Manuel II (1889-1932) s. f. déposé.

Nota. – Une réconciliation entre les 2 maisons de Saxe-Cobourg-Gotha et de Bragance eut lieu en 1920 et en 1932 à la mort sans postérité de Manuel II. L'héritier était *dom Duarte Nuno, duc de Bragance* (23-9-07/24-12-76), pt-f. du roi Michel Ier [2e f. du prétendant Michel, duc de Bragance (1853-1927) ; son frère aîné, Michel, duc de Viseu (1878-1923) ayant épousé une roturière amér., Anita Stewart (n. 1909), avait renoncé à ses droits]. Ép. 1942 Pcesse Françoise d'Orléans et Bragance (1914-68) f. du Pce Pierre d'O. et B. et de la Pcesse, née Elisabeth Dobrzensky de Dobrzenicz, sœur de la Ctesse de Paris, 3 enfants : *Édouard-Pie* (Dom Duarte Pio) duc de Guimarães (15-5-45), duc de Bragance (1976), *Miguel* (3-12-46), *Henri-Jean* (6-11-49).

☞ **Titres du roi du Portugal.** Sa Majesté très fidèle N... roi du Portugal et des Algarves en deçà et au-delà des mers, en Afrique, seigneur de Guinée, de la conquête, de la navigation et du commerce de l'Éthiopie, de l'Arabie, de la Perse et des Indes, etc. Le roi devait être catholique.

Présidents de la République

1910 *Teófilo Braga* (1843-1924), PM. **11** *Manuel de Arriaga* (1840-1917), démissionne 29-5-1915. **15** *Teófilo Braga* (1843-1924). *Bernardino Luis Machado* (1851-1944), renversé déc. 1917, revient déc. 1925, déposé 28-5-26. **17** *Cardoso da Silva Pais* (1872-1918), assassiné. **18** *Am. João de Canto e Castro* (1834-1924). **19** *António José de Almeida* (1843-1929). **23** *Manuel Texeira Gomes* (1860-1941), démissionne 1925. **25** *Bernardino Luis Machado*, démissionne févr. 1927. **26** *Mendes Cabecadas, Gal Gomes da Costa, Mal Oscar Carmona* (1869-1951, gouv. prov. du 1-6 au 29-11). **28** *Mal Carmona.* **51** *Mal Craveiro Lopez* (1894-1964). **58** *Amiral Américo Tomás* (1894-1987), démissionne 25-4-1974. **74** *15-5 Gal Antonio de Spínola* (11-4-1910). *30-9 Gal Costa Gomes* (30-6-14). **76**-*14-7 Gal Antonio (dos Santos Ramalho) Eanes* (25-1-35), élu 27-6-76, réélu 7-12-80 par 56,4 % des voix (appuyé par PS) devant Gal Soares Carneiro (PPD/PSD, CDS) 40,23 ; Cdt de Carvalho (extrême gauche) 1,49 ; Gal Galvão de Melo (indép.) 0,84 ; Col. Pires Veloso (indép.) 0,78 ; Aires Rodrigues (POUS/PST) 0,22, abstentions 15 %. **86**-*9-3 Mário Soares* (n. 1924) . [*26-1*, 1er tour : abstentions 24,6 %, Freitas do Amaral, soutenu par CDS et PSD, 46 % des v. ; Soares (PS) 25,4 ; Salgado Zenha (soc.), soutenu par PRD et PC, 20,8 ; Lourdes de Pintasilgo (gauche) 7,2. *-16-2*, 2e tour : abstentions 21,7 %, Soares 51,35 %]. **91** (13-1) réélu par 70,4 % des voix (appuyé par PS et PSD) devant Basilio Horta (CDS) 14,16, Carlos Carvalhas (PCP) 12,92, Carlos Marques (UDP) 2,5, abstentions 38.

Dépendances

Iles de Madère. Atlantique. Découvertes début du XVe s. par Port. A 978 km de Lisbonne. *Gouvernement* autonome (semi-indép.). *Ass.* locale. 817 km² (50 km × 23 km) : 7 îles dont Madère (740 km², alt. max. Pico Ruivo 1 861 m), Porto Santo (42 km², 3 740 h.), îlots déserts des Désertes et des Sauvages (33 km²). *Population :* 267 400 h. (85) [Blancs d'origine port.]. D. 323,9. *Catholiques. Villes : Funchal* 98 113 h. (76). *Émigrés* 1 000 000 (dont en Afr. du S. 300 000), qui envoient 9 à 10 milliards d'esc. par an. RESSOURCES : maïs, canne à sucre, fruits tropicaux, bananes, p. de terre, vin [*Sercial* (ceps rhénans), *Boal* (c. bourguignons), *Malvoisie* (v. doux), *Verdelho* (demi-sec)], bovins, pêche (conserveries), broderies [30 entreprises, 1 500 pers. 30 000 à domicile. Exportées Italie (80 %)], articles en osier, tourisme (1985 : 376 400 vis., 87 : 425 700, dont 77 700 Brit., 60 000 All. ; 13 000 lits, 25 000 prévus).

Açores. Atlantique. A 1 200 km de Lisbonne, 3 401 km de New York. *Découvertes* par Port. entre 1431 et 1464. *Gouv. autonome* (semi-indép. dep. 25-7-1980). *9 îles* et des îlots : São Miguel (750 km², alt. max. Ponta do Pico 2 345 m), Santa Maria (103 km²), Terceira (399 km²), Graciosa (64 km², séisme le 1-1-80), São Jorge (241 km²), Pico (436 km², alt. max. de l'archipel 2 345 m), Flores (152 km²), Corvo (20 km²), Faial (170 km²). Les « caldeiras » (cratères des volcans) forment des lagunes (la plus grande : Caldeira das Sete Cidades, 12 km de périmètre, 70 m de prof.). 3 *districts* autonomes : 2 344 km². *Population :* 252 200 h. (81). D. 107,6. *Émigrés :* 350 000 (en Amér. du N.). *Catholiques. Villes : Ponta Delgada* (San Miguel) 146 600 h. (79), Angra do Heroismo (Terceira) 77 400, Horta (Faial) 35 800. RESSOURCES : ananas, maïs, tabac, betteraves, thé, laitages, pêche, conserves de poisson, huile de cachalot, broderies, dentelles, fruits *(Pico)*. Le Front de libération des Açores revendique l'indépendance.

Macao. Voir p. 1012.

• **Colonies devenues indépendantes.** Brésil 7-9-1822 ; Goa annexée par Inde 14-3-1962 ; Guinée-Bissau 10-4-74 ; Mozambique 25-6-75 ; Cap-Vert 5-7-75 ; São Tomé et Principe 12-7-75 ; Angola 11-11-75 ; Timor annexée par Indonésie 17-7-76.

Économie

P.N.B. *1989 :* 4 558 $ par h. **Croissance du P.I.B.** (%). *1988 :* 5,4. **Pop. active** (en % et, entre parenthèses part du P.N.B. en %). Agr. 18,9 (6,6), ind. 35,2 (38,1), services 45,9 (55,3). **Travail « noir ».** 25 % de l'écon., 1/7 du P.I.B., 660 000 actifs. **Chômage :** *1990 :* 5,1 %. **Inflation** (%). *1981 :* 20 ; *82 :* 22,4 ; *83 :* 25 ; *84 :* 30,9 ; *85 :* 17,7 ; *86 :* 9,1 ; *87 :* 9,4 ; *88 :* 9,5 ; *89 :* 12,7 ; *90 :* 13,4. **Dette extérieure** (milliards de $). *1980 :* 8,9 ; *85 :* 16,7 ; *89 :* 17,7. Dettes du secteur public (dep. 1974) : 13 milliards de $. **Transferts des émigrés : de France** (en milliards de F) : *1977 :* 3,62 ; *82 :* 7,8 ; **du monde** (milliards de $) : *1985 :* 2,1 ; *89 :* 3,4. **Balance des paiements** (milliards de $). *1983 :* – 1,64 ; *84 :* – 0,62 ; *85 :* 0,41 ; *86 :* 0,5 ; *87 :* 0,5 ; *88 :* – 0,6. **Investissements directs étrangers autorisés** (90). 509 milliards d'esc. dont (%) : CEE 69, AELE 9, USA 3. **Aide de la CEE** (89) : 0,7 milliard de $. **Investissements portugais en Espagne** (en milliards de pesetas, 89) : 4,4, **espagnols au Portugal :** 55,5.

Agriculture. **Terres** (milliers d'ha, 1981) cult. 585, arables 2 965, pâturages 530, forêts 3 641, eaux 44, divers 1 443. Avant avril 1974, 80 % des propriétés occupaient de 18,5 % de la surface cultivable ; 1,1 %, plus de la moitié des t. cultivables au S. (latifundia, cult. extensive avec prédominance du blé) ; au N., petite exploitation sur t. irriguées [maïs, vigne, olivier, sylviculture (pins et eucalyptus)]. **Réforme agraire :** la loi du 25-4-1975 touchant 1 300 000 ha (1/4 de la surf. cultivable), 100 000 devant être exploités par des coopératives (surtout au S. du Tage), a été remise en question. **Production** (milliers de t, 89) : p. de terre 1 000, maïs 650, blé 602, riz 150, avoine 130, seigle 97, orge 87, riz, maïs, vin 845, huile d'olive 30, vins (en milliers d'hl, est. 90) 10 000 [dont Porto distribué 686 (90)], liège (50 % de la prod. mondiale). Forêts (88). 10 151 000 m³. Élevage (millions de têtes, 89). Volailles 18, moutons 5,3, porcs 2,4 (86), bovins 1,2 (86), chèvres 0,7, ânes 0,1 (86). Pêche (88). 352 000 t.

Mines (milliers de t, 88). Pierre de calcaire 15 418, granit 7 701, marbre 672, anthracite 241 (88), kaolin 92 (85), tungstène 2,2 (85), cuivre 1,2 (85), uranium 0,144 (85), fer (minerai) 0,013 (85), or, étain. Électricité (88). 22,5 milliards de kWh dont 12,3 par hydroélectricité. Industrie (88, part en % de la production). Alimentation et tabac 11,8, textiles et tannage 15,7, vêtements et chaussures 4,5, bois et liège 5,3, papier 4,6, chimie 14,4, minerais non métal. 7,8, métallurgie 3,5, prod. métal. 6, machines non électr. 2,9, machines et matériels électr. 5,3, mat. de transport 7,3, ind. d'extraction 2,5, électricité et gaz 8,4.

Transports (km, 88). *Routes* 18 879 (86). *Chemins de fer* 3 607. Tourisme (89). *Visiteurs* 18 422 000. *Lits d'hôtels* 179 000. *Monuments romains,* voir Italie, p. 992, 993.

Commerce (milliards d'escudos, 90). *Exportations :* 2 138 dont (en %) alimentation et tabac 6,8, mat. premières 13,6, chimie 5, machines et mat. de transport 18,3, autres prod. manufacturés 56,3 ; *vers* (en %) All. féd. 16,5, *France 15,7,* Espagne 13,2, G.-B. 12,2, P.-Bas 5,7, autres CEE 10,4, USA 4,9 (est.). *Importations :* 3 247 dont (87) mat. élect. 374, mat. de transp. 228, pétrole et prod. min. 218, prod. ferreux 79, coton 68, prod. chim. 59 (*de* en %) Espagne 14,6, All. féd. 14,2, *France 11,5,* Italie 10, G.-B. 7,4, P.-Bas 5,8, autres CEE 5,4, USA 3,9 (est.).

Rang dans le monde (89). 10e vin.

QATAR

Carte p. 887. V. légende p. 858.

Situation. Asie (golfe Arabique). 11 437 km². Péninsule. Plat, collines (côte occid.), désert calcaire et sel mélangés de 10 000 km². Petites îles. **Climat.** Frais déc. à mars (env. 20 °C), chaud et humide mai à sept. (45 °C en juin). *Pluie :* 50 à 150 mm par an.

Population. *1953 :* 20 000 h., *87 :* 384 970, *90 :* 420 139 [dont *est. v. 1986/87 :* 150 000 Pakistanais et Indiens, 80 000 Arabes (Palestiniens, Égyptiens, Libanais), 60 000 autres Asiat. (Sri Lankais, Bengalis, Philippins), 70 000 Qataris, 5 000 Européens (dont 3 500 Angl.)], *prév. 2000 :* 469 000. **Âge.** *– de 15 a. :* 34 % ; *+ de 65 a. :* 3 %. D. 35,1. **Villes** (86). *Cap.*

Doha (al-Dawḥa) 217 294 h., Rayyan 91 996, Wakrah 23 682, Oum Saïd 11 161 h. (Bassora 563 km, Ormuz 498 km). Langues. Arabe *(off.)*, anglais. Religion. Islam *(off.)* (wahhābites 98 %).

Histoire. Vassal de Turquie. **1916**-*3-11* protectorat britannique. **1935** 1re concession pétrolière (Anglo-Iranian Oil Co). **1940** pétrole découvert. **1949** exploitation. **1953** Shell et Qatar Oil Co (Japon) en concurrence. **1960** cheikh héritier Khalifa Bin Hamad Al-Thani s'impose. **1971**-*3-9* indép. **1972**-*22-2* cheikh Bin Ali (1917-77) destitué par son cousin. **1974** contrôle total du capital des Stés.

Statut. Émirat. *Chef de l'État et PM* cheikh Khalifa Bin Hamad Al-Thani (n. 1932) dep. 22-2-72. *Pce héritier* son fils aîné Cheikh Hamad Bin Khalifa Al-Thani dep. 21-5-77. *Const.* de juill. 1970. *Cons. des min.* et *cons. consultatif* (30 m). *Partis :* aucun. Drapeau. Du XIXe s., adopté 1971 : blanc et marron, effet du soleil sur la bannière rouge.

Économie. **P.N.B.** ($ par h.). *1983 :* 21 850, *89 :* 15 200. **Pop. active** (en % et entre parenthèses part du P.N.B. en %). Agr. 3,1 (1,2), mines (pétrole) 2,4 (27,1), ind. 29,8 (18,5), services 64,7 (53,2). **Inflation** (89). 4,5 ; *90 :* 5.

Agriculture. *Terres cult.* 5 200 ha. *Production* (en milliers de t, 89) : fourrage vert 87,6, légumes 21 (88), fruits et dattes 7,1 (dont dattes 5,3), céréales 3,2 (88). Élevage (milliers de têtes, 89). Moutons 126,2, chèvres 90, chameaux 23,4, vaches 9,8, chevaux 1,1. Pêche. 2 880 (88).

Énergie. **Pétrole** (millions de t) : *réserves :* 285. *Production et,* entre parenthèses, *revenus* en millions de $: *1963 :* 9 (59,5), *71 :* 20,2 (197,8), *79 :* 25 (3 000), *80 :* 23,6 (5 600), *81 :* 19,5, *82 :* 16. *84 :* 20,1 ; *85 :* 14,5 ; *86 :* 16, *87 :* 15, *88 :* 17 (1 500), *89 :* 19 (2 204). **Gaz :** *réserves* 5 000 milliards de m^3. Gisement de North Field (un siècle de réserves, à 80 km en mer ; exploité dep. 1988 ; 1,2 à 1,6 milliard de $ investis). Fournit 90 % de l'énergie du Q. Industrie. Pétrochimie, sidérurgie, engrais. Projet une fonderie d'aluminium et une usine de liquéfaction de gaz à Ras Laffan. Transports. *Routes* 946 km.

Commerce (milliards de $ US, 89). *Exportations :* 2,7 (dont pétrole brut 71 %) ; *vers* Japon, France. *Importations :* 1,3 (dont mat. 1res, prod. ind. de base 29,4 %) ; *de* (%) Japon 18,8, G.-B. 11,7, U.S.A. 8,8, Italie 7,8, All. féd. 7,2, *France 4,7.* **Balance commerciale** (milliards de $ US). *1982 :* + 2,5 ; *83 :* + 1,8 ; *84 :* + 2,2 ; *85 :* + 1,9 ; *88 :* + 0,94 ; *89 :* 1,4.

Rang dans le monde (88). 5e rés. gaz. nat. 18e rés. pétrole (86). 28e pétrole.

LA RÉUNION

V. légende p. 837.

Nom. Donné par la Convention (décret du 23 ventôse an I), à l'île Bourbon en souvenir de la réunion des Marseillais et des gardes nationaux pour l'assaut des Tuileries (10-8-1792).

Situation. Océan Indien [forme avec l'île Rodrigues et l'île Maurice (à 210 km) l'archipel des *Mascareignes*]. 2 510 km^2 (72 × 51 km). *Distances :* Paris 9 180, Bombay 4 600, Djibouti 3 680, Johannesburg 2 825, Tananarive 880. *Côtes* 207 km. *Alt. max.* Piton des Neiges 3 069 m ; à l'E., Piton de la Fournaise (2 631 m, au piton Bory encore en activité). Terrain volcanique, relativ. fertile ; roches poreuses et friables. *Principale rivière :* R. de Mât (35 km). **Climat** tropical tempéré, nombreux microclimats. *Saisons :* chaude et humide (déc.-mars), fraîche (mai-nov.). *Zone au vent* (côté E. de l'île) modérément chaude, très humide, pluie + de 5 m ; *sous le vent* (O.) plus sèche (pluie 0,7 m) et plus chaude. *Temp.* 18 à 31 °C (côte), 4 à 18 °C (selon l'altitude). *Cyclones* tropicaux : entre nov. et avril. La plupart, nés entre Diego Garcia et Seychelles ; peuvent atteindre la R. par le N. D'autres se forment sur le canal du Mozambique et viennent par l'O. (généralement moins violents).

Population. *1646 :* 12 h., *1707 :* 734, *17 :* 2 000, *77 :* 35 469, *1804 :* 65 152, *37 :* 110 000, *72 :* 182 700, *87 :* 163 900, *1921 :* 173 190, *41 :* 220 955, *61 :* 349 282, *67 :* 416 525, *74 :* 480 152, *82 :* 515 798, *90 :* 597 823, *prév. 2000 :* 685 000. D. 238. **Age.** *– de 15 a. :* 31,6 %, *+ de 65 a. :* 5 %. **Illettrés** (%). *1967 :* 39, *74 :* 28,4, *82 :* 21,3. **Européens :** 120 000 (descendants de Fr., Angl., All., Hol., Ital.). **Métropolitains.** *1954 :* 1 722, *67 :* 5 667, *74 :* 12 174, *82 :* 21 270 [dits *Z'oreilles* (le métropolitain, qui comprend mal le créole et fait répéter, passe pour être « dur d'oreille ») ; on dit aussi qu'à l'origine les Z'oreilles étaient des Blancs qui coupaient une oreille à leurs esclaves qui avaient tenté de s'échapper afin de les

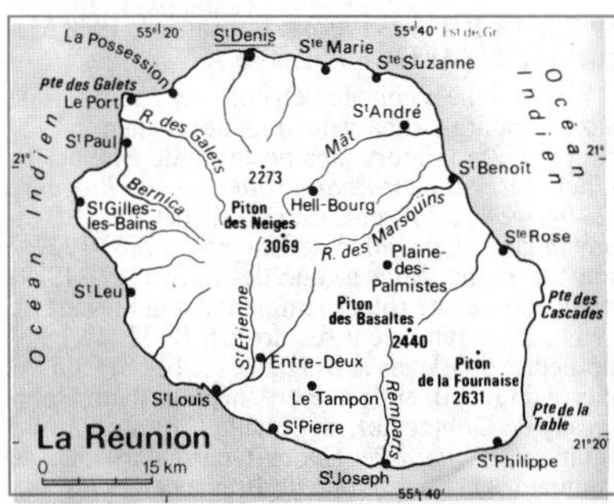

reconnnaître en cas de récidive]. Les descendants des 1ers Européens (« *petits Blancs* ») étaient pauvres et prolétarisés au début du XXe s. [600 vivent encore isolés (noms courants : Casabois, de Boisvilliers)]. La bourgeoisie créole actuelle est faite de descendants d'émigrants de fin XVIIIe, début XIXe s. **Indiens.** En majorité métis 120 000 (dits *Malabars*, bien qu'importés de la côte de Coromandel et de Madras, religion tamoule brahmanique). **Chinois.** 20 000 (les 1ers arrivèrent v. 1860). **Indiens musulmans** dits *Z'arabes.* 7 000 (originaires de Bombay et du Gujerat après 1870), Métis 200 000. **Taux** (88) *fécondité* 2,64, *natalité* 23,6 ‰, *mortalité* 5,7 ‰ (dont infantile 6,6). **Espérance de vie.** *1951 :* 50,4 ans, *82 :* 67,9, *88 :* 71,1. **Solde migratoire.** *1980 :* – 4 682, *81 :* – 3 725, *82 :* – 1 209, *83 :* + 670, *84 :* – 435, *85 :* – 1 244, *86 :* – 168, 87. + 64, *88 :* – 1 563. **Réunionnais en métropole** (87). 214 000 dont 82 000 nés en métropole. Sur 12 000 jeunes arrivant chaque année sur le marché du travail, 3 000 trouvent un emploi dans l'île, 6 000 viennent en métropole. **Villes** (90). *St-Denis* 121 299 (chef-lieu), St-Paul 71 669 (à 27 km), St-Pierre 58 846 (86 km), Le Tampon 47 593 (93 km), St-Louis 37 420, St-André 35 049, St-Benoît 26 187. Langues. Français *(off.)*, créole. Religions. Majorité de cath. ; musulmans (7 000) ; hindous ; bouddhistes. Éducation. *Scolarisation : 75 :* 17,5 %, *89 :* 38 % ; 20 % parviennent au niveau du bac. Académie créée 1985.

Histoire. **1507** découverte par le Portugais Diego Fernandez Pereira. Visitée par Mascarenhas. **1642**-*sept.* possession française, mais non colonisée, appelée île Bourbon. **1646 et 1654** sert à la déportation de mutins. **1664** concédée à Cie des Indes orientales. **1665** 1ers colons. **1715** introduction du café. **1719** passe à la Cie fr. des Indes orientales. **1735-46** Mahé de La Bourdonnais gouv. **1764**-*4-8* achetée par la Couronne à la Cie. **1767**-*14-7* rétrocession effective à la Couronne. **1793**-*13-3* appelée île de la Réunion. **1806**-*15-8* île Bonaparte. **1810**-*8-7* île Bourbon. **1810/15**-*6-4* occupation brit. **1848**-*9-6* à nouveau île de la Réunion. **1942**-*27/30-11* se rallie à de Gaulle après l'arrivée du *Léopard* (4 †). **1946**-*9-3* DOM. **1980**-*janv.* cyclone Hyacinthe (*du 15 au 27-1 ;* 4 194 mm d'eau sur La Plaine-des-Palmistes : 25 †, 15 disparus, 7 500 sinistrés, destruction des récoltes de géraniums 100 %, vanille et tabac 30 à 50 %). **1981**-*14-1* lancement de Radio-Free-DOM. *-11-12* 30 000 manif. à St-Denis contre régionalisation. **1986**-*févr.* cyclone Clotila, 7 †, dégâts 400 millions de F. **1988** *sept.* incendie de forêt (4 000 ha). **1989**-*28/29-1* cyclone Firinga (vents de 220 km/h) : 3 †, 4 disparus. Dégâts : 1 milliard de F. *Juil.-août* scandales politiques. *-16-11* 7 condamnés pour fusillade lors des municipales de mars. **1990**-*mars* émeutes. *Mai* CSA demande saisie du matériel de la station pirate Télé-Free-DOM [*1986-mars* émet illégalement. *-9-9* son resp., Camille Sudre, condamné à 3 mois de prison avec sursis, à 800 000 F de dommages et à la confiscation de son matériel. *1988-mai* jugement infirmé. *1989-mai* Cour de cass. estime décision non fondée et renvoie l'affaire au 21-2-91 (reportée au 26-9)]. **1991**-*22/23/2* émeutes après saisie de l'émetteur de Télé-Free-DOM (10 †). *-17-3* visite PM Rocard ; émeute. *-28-3* reprise émissions Radio-Free-DOM.

Statut. Dép. français d'outre-mer dep. 19-3-1946. *Préfet* Daniel Constantin. *Cons. gén.* 44 m. *Cons. régional* 45 m. 5 *députés,* 3 *sénateurs. Région* dep. 2-3-1973.

Élections. **Législatives 16-3-86 :** inscrits 278 193, abst. 25,33 % ; Union de l'oppos. Michel Debré 38,86 % des v. (2 élus) ; PC Paul Vergès 29,37 (2 élus) ; divers oppos. 17,07 (1 élu) ; P.S. 13,70 ; div. gauche (1,07) ; FN (1,01) ; div. oppos. (0,85). **12-5-88 :** inscrits 293 054, abst. 26,64 % ; URC-RPR-UDF Auguste Legros (2 élus) ; URC-div. dr. 13,97 (1 élu) ; PC Paul Vergès 39,97 (2 élus) ; PS (9,4) ; div. dr. (0,4). **Régionales 20-2-83 :** inscrits 268 337, votants 200 481, exprimés 197 975, abstentions 25,28 %. *Nombre de sièges :* 45. % obtenus : RPR-UDF 38,77 ; PC réun. 32,73 ; PS 12,99 ; Div. droite (UNIR) 10,49 ; Dissidents PS (Forum soc.) 2,93 ; RSD 2,07. **16-3-1986 :** inscrits 278 761, suffr. 198 082, abst. 25,72 % : Un. opp. 36,78 %, 18 sièges. PC 28,18, 13 s. Div opp. 17,26, 8. PS 14,09, 6. FN 2,23.

• Dépendances. **Iles éparses.** *Statut :* dépendent du préfet de la R. mais ne constituent pas des dépendances de la R. Revendiquées par Madagascar et l'île Maurice (importance stratégique, stations météo pour prévoir les cyclones, missions zoologiques, pêche sur 645 000 km^2). **Tromelin** [1 km^2 (1 500 × 1 700 m), à 535 km au N. de la Réunion, 600 km de Toamasina (Madagascar), de station météo] nom du chevalier français qui y débarqua 1776, revendiquée par île Maurice. **Les Glorieuses** (5 km^2, banc madréporique, long. 16 km. 3 îles : du Lys, des Roches Vertes, Grande Glorieuse, à 220 km au N.-O. de Madagascar). **Juan de Nova** (4,4 km^2, à 150 km à l'O. d'Antseranana, Madagascar). **Bassas da India** (atoll presque entièrement recouvert par la mer, à 380 km à l'O. de Madagascar). **Europa** (28 km^2, île circulaire, 6 km de diamètre à 350 km à l'O.-N.-E. de Toleara, Madagascar). Sous la juridiction du préfet de la Réunion. Pas de pop. permanente.

Économie

P.N.B. ($ par h.). *1983 :* 4 400, *84 :* 3 261, *85 :* 3 522, *86 :* 3 933, *87 :* 4 910, *88 :* 5 300, *89 :* 5 750. **Pop. active** (82) 118 490 (% par secteur). *Primaire* 14,7 ; *secondaire* 16,2 (dont bâtiment, génie civil et agr. 9,4, ind. agroalim. 3,5, prod. et distrib. d'énergie 0,6, autres 2,7) ; *tertiaire* 68,4 (dont transp. et télécom. 5,0, commerce 12,1, serv. marchands 12,3, serv. non marchands 37,6, organ. financiers 1,1, autres 0,3) ; non déterminé 0,7. *Répartition par catégories :* agr. exploitants 9 869, salariés agr. 6 382, patrons de l'ind. et du commerce 8 327, prof. libérales, cadres sup. 6 687, cadres moyens 14 448, employés 22 735, ouvriers 32 615, agents de service 14 216, autres 3 211. *Chômage* (%) : *85 :* 38 ; *86 :* 37, *87 :* 37, *88 :* 35,7, *89 :* 39. **SMIC** (1989). Inférieur de 20 % à celui de la métropole. **RMI** (1989). Plafond 1 625 F (2 050 en France). *Montant total :* 800 à 1 000 millions de F ; touche 44 000 foyers (20 % de la pop.).

Inflation (%). *1985 :* 7,2 ; *86 :* 2,5 ; *87 :* 2,9 ; *88 :* 6,5 ; *89 :* 4,9. **Aide de la métropole** (84). 4 031 millions de F, **Budget** (millions de F, 87). *Dépenses budgétaires de l'État* 7 404, fonctionnement 6 118 (dont personnel 3 517), investissement 636 (dont subventions directes 455) ; *région* 1 000, fonct. 527, investissements 474 ; *département* 2 865, fonct. 1 899, inv. 966 ; *communes* 3 569, fonct. 1 997 (dont personnel 1 018), inv. 1 102. *Recettes budgétaires de l'État* 3 371 : fiscales 2 558 (dont impôts sur le revenu 930, sur les Stés 292, T.V.A. 941) ; *des coll. locales :* taxes spéciales sur carburants (régions) 455, octroi de mer (communes) 679, D.G.F. communes 516, D.G.F. départ. 209 (85), impôts locaux 602.

Agriculture. *Terres* (ha, 87) : S.A.U. 65 133 (dont canne à sucre 37 000, fruits et vignes 3 892, cult. vivrières et maraîchères 4 170, céréales 2 340, fruits 1 270, jachères 2 600), bois 87 730, landes et friches 60 957, divers 38 180. *Production* (89) : canne à sucre 2 200 000 t, sucre 206 000 t (baisse de 20 à 30 % due au cyclone et à la sécheresse ; quota de 300 000 t), rhum et alcool de mélasse 106 606 hl (85), essence de géranium 20,6 t (88), essence de vétiver 7,9 t (88), vanille verte 54,4 t (88), tabac 190 t (88), thé, maïs. Élevage (milliers de têtes, 88). Bovins 20, caprins 44, porcs 75. Pêche (t, 88). 1 930 (*88 :* grande pêche 1 438,4, côtière 411,6, au large 88). Pêcheurs (88) 468 inscrits. Industrie. Sucre, rhum, bâtiment, travaux publics, géothermie, cons. mécaniques. Électricité (88). 762,8 millions de kWh (dont 55,3 % hydraulique, en 82 : 98,6 %). Transports. Routes (85, en km) : nationales 347 dont à 4 voies 40, chemins départementaux 742, communaux 1 620. Tourisme (88) 144 300 nuitées, 30 hôtels, 1 334 chambres.

Commerce (millions de F, 88). *Exportations* 987,8 *dont* sucre 747,7, langoustes 27,3, rhum 17, essence de géranium 15,1, ess. de vétiver 9,5, mélasse 7,4, *vers* (%) France 70,4, Portugal 7,2, Mayotte 3,7, Madagascar 3,6, Japon 2,3, G.-B. 1, All. féd. 0,9, Maurice 0,7. *Importations* 10 006,5 *dont* automobiles 1 180 (87), chaudières, machines 846 (87), pétrole 455, *de* (%) France 67,4, Italie 3,6, All. féd. 3,5, Bahreïn 2,8, Japon 2,6, Afr. du S 2,1.

ROUMANIE

Carte p. 1051. V. légende p. 837.

Situation. S.-E. de l'Europe. 237 500 km^2 *Long. max.* (E.-O.) 720 km ; *larg. max.* (S.-N.) 515 km. *Côte :*

sur la mer Noire 234 km. *Frontières :* 3 190,3 km, avec U.R.S.S. 1 325,9, Hongrie 444,8, Yougoslavie 544,3, Bulgarie 631,3. *Forêts* 26,6 %. **Grandes provinces historiques.** *Valachie* (formée de Munténie, Olténie et Dobroudja), *Moldavie, Transylvanie* (y compris Banat Crisana et Maramures). **Relief.** Montagnes 31 % [chaîne des Carpates, formant un arc de 1 000 km de long, au centre : 10 sommets supérieurs à 2 500 m (au S.) ; alt. max. pic Moldoveanu (massif du Fagaras) 2 544 m] ; plateaux 36 % [à l'O. (dans l'arc des Carpates) : de Transylvanie (alt. 400-700 m) ; à l'E. : moldave ; au S.-E. : de la Dobroudja] ; plaines 33 % [à l'O. : frange de la plaine hongroise ; au S. : entre Carpates et Danube (2 zones : Piémont gétique ; plaine danubienne) ; au N.-E. : moldave]. **Fleuves** (long. en R. en km et, entre parenthèses, long. totale) : Danube 1 075 (2 857, delta 5 050 km² dont 4 345 km² en R.), Prut 716 (950), Mureş 768 (803), Olt 736 (736), Siret 596 (706), Ialomita 410 (410), Somes 388 (435). **Lacs.** 3 500 dont 2 300 naturels (Razim 415 km², Sinoe 171, Golovita 119). **Climat.** Continental [tempéré (de transition) à l'O. (faibles infl. océaniques) et au S.-O. (infl. méditer.) ; excessif au N.-E. ; modifications locales dues à l'alt.] : hiver long, printemps très court, été très chaud, automne long, moy. annuelle 9 à 11 °C [hiver : – 3 °C ; été : 22/24 °C ; min. absolu – 38,5 °C (à Bod, dépression de Braşov 25-1-1942) ; max. abs. : + 44,5 °C (à Ion Sion, au Bárágan 10-8-1951)], pluie 359 à 1 346 mm [moy. 637 mm/an (max. : Htes Carpates ; min. : Bárágan, Dobroudja, Danube inférieur)]. **Faune** (variée). Cerfs, chevreuils, sangliers, ours, loups, renards ; espèces rares : pélicans, loutres, chamois, coqs de bruyère, lynxs.

Population (millions). *1834 :* 2,1, *59 :* 8,6, *1912 :* 12,8, *30 :* 14,3, *41 :* 16,1, *48 :* 15,9, *56 :* 17,5, *66 :* 19,1, *77 :* 21,6, *85 :* 22,7, *91 :* 23,2, *prév. 2000 :* 30. **Espérance de vie.** *1980 :* 70, *88 :* 69,27, *89 :* 69,42. **Mortalité :** *infantile* (‰) : 26 à 28, *maternelle :* 16 pour 1 000 naissances. **Âge.** – *de 15 a. :* 25 %, *+ de 65 a. :* 10 %. **Par nationalités.** Hongrois 1 670 568 (79, en Transylvanie), Allemands 110 000 (*1944 :* 800 000, *77 :* 322 205 ; surtout en Transylvanie), Ukrainiens 51 503, Tziganes (est.) 500 000 à 3 000 000, Russes 17 480, divers 148 447. D. 97,3. **Réfugiés** (90). 129 714 dont All. 95 671, Roumains 17 782, Hongrois 13 210, juifs 1 289, autre 1 762. **Villes** (90) (agg.). *Bucarest* 2 325 037, Braşov 352 260 (à 171 km), Iaşi 334 371 (411), Timişoara 324 651 (571), Cluj-Napoca 318 975 (433), Constanţa 312 504 (265), Galaţi 305 065 (246), Craiova 297 585 (299), Ploieşti 248 739 (60), Brăila 238 516 (216), Oradea 228 258 (585), Bacău 195 763 (287), Arad 193 766 (546), Sibiu 182 580 (272), Tîrgu Mureş 166 029 (347), Piteşti 162 802 (114), Baia Mare 152 129 (594), Buzău 146 224 (113), Satu Mare 137 936 (650), Botoşani 121 351 (475), Piatra-Neamţ 117 325 (345), Reşiţa 110 902 (502), Drobeta-Turnu Severin 107 982 (336), Suceava 106 905 (432), Rîmnicu Vîlcea 105 810 (180), Tîrgovişte 101 332 (75).

Langues. *Roumain (off.)* (issu du latin parlé dans les prov. rom. de Dacie et Mésie, et ne dérivant pas du parler urbain de Rome, mais de dialectes ruraux italiens). *Autres langues :* hongrois, allemand.

Religions (%). **Orthodoxes** roumains 82 (10 000 prêtres, 8 200 paroisses, 2 000 moines et moniales). **Catholiques** 10 (1 500 000) [pour partie de rite latin ; origine : All. ou Hongrois de Transylvanie ; en 1948, le gouv. supprima 5 diocèses sur 7 ; les cath. uniates (de rite grec) qui existaient dep. 1687 en Transylvanie et avaient été reconnus off. en 1930, ont dû rentrer dans l'Égl. orthodoxe de 1948, (ils étaient alors env. 2 000 000 en 1990)]. **Protestants** 7 (700 000 Hongrois calvinistes). **Juifs** 0,09 (*1939 :* 900 000 dont 500 000 périrent dans les provinces cédées à l'URSS et la Hongrie en 1939-40 ; *1983 :* 32 000 ; *1990 :* env. 20 000).

Politique vis-à-vis des minorités (avant 1990). **Juifs :** *Dep. 1948,* 350 000 à 400 000 sont partis pour Israël. Chaque visa était payé 5 000 à 7 000 $ à Ceauşescu (dep. 1979, env. 1 500 départs par an). **Allemands :** *1957* accord avec All. féd. permettant à 20 000 All. de quitter la R. en 10 ans. *1978* nouvel accord sur 10 000 puis 15 500 départs par an. Prime : 3 400 à 5 400 $ par personne. *1988* 12 902 départs. **Gitans :** trafic à la frontière (env. 7 000 lei par personne pour sortir).

Histoire. **Av. J.-C. 2000** immigration de tribus de Daces ou Gètes, venues des steppes de la Caspienne ; appartiennent au groupe central des Indo-Européens, les Thraco-Illyriens ou Thraco-Cimmériens, qui colonisent Balkans et N. de l'Anatolie. Langue voisine de l'étrusque et de l'albanais moderne. Civilisation empruntée aux Celtes (métallurgie, agriculture) et aux Scythes (cheval). **VII-VIe s.** fondation de colonies grecques sur la mer Noire (Histria, Tomis, Callatis). **V. 300** 1er roi gétodace attesté : Dromichaïtès. **70-44** roy. centralisé de Burebista. **Apr. J.-C. 101-106** conquête par l'emp. romain Trajan. **106-271** prov. romaine. **IIIe-XIIIe s.** invasions Goths, Huns, Gépides, Avares, Slaves, Tatars, venus du N. et de l'E. **XIVe-XVIIe s.** division en États indépendants : Munténie ou Valachie *(1330),* Moldavie *(1359)* et Transylvanie [conquise par Hongrie : principauté autonome, elle sera *(1699)* incorporée à l'Autr.-Hongrie jusqu'en *1918*]. *Princes les plus renommés :* **Valachie :** Mircea le Vieux (1386-1418) ; Vlad Tepeş (l'Empaleur 1456-62) ; Michel le Brave (1593-1601), vainqueur des Turcs, qui réalise pour un an (1599-1600) l'unité des 3 principautés ; Mathieu Basarab (1632-54) ; Constantin Brâncoveanu (1688-1714). **Moldavie :** Alexandre le Bon (1400-32) ; Étienne le Grand (1457-1504), surnommé le Prince de la Chrétienté ; Ion II l'Arménien (1572-74) ; Dimitrie Cantemir (1710-11). **1699** Habsbourg annexent Transylvanie. **1711-1821** en Moldavie, **1716-1821** en Valachie, princes régnants grecs nommés par Turcs (dits Phanariotes : *Phanar :* phare, quartier d'Istanbul). **1746** (Valachie) et **1749** (Moldavie) Pce Constantin Mavrocordato libère les serfs ; accentuation de l'influence fr. notamment au début XIXe s. **1806-12 et 1828-34** occupation russe. **1821** mouvement de Tudor Vladimirescu. **1834-42** Alexandre Ghika (1795-1862) Pce de Valachie. **1842-48** Georges Bibesco (1804-48), hospodar de Valachie, abdique. [*Successeurs :* **1849-53** Barbu Ştirbei. **1853-54** Dimitri Bibesco (1801-69), fr. de Georges. Grégoire Ghika (1807-67), Pce de Moldavie, essaya de réunir Mol. et Valachie]. **1848-49** révolution bourgeoise-démocratique. **1854-56** Barbu Ştirbei. **1856** *Convention de Paris :* autonomie des 2 provinces. *Févr.* esclavage des Tziganes aboli par le Pce Barbu Ştirbei. **1858** abolition des rangs et privilèges des boyards. **1859** union Moldavie et Valachie qui deviennent la R. avec le Pce Alexandre Ioan Cuza, qui abdique (1866) sous la pression des boyards (propriétaires terriens hostiles à ses réformes). **1866** Pce Charles de Hohenzollern-Sigmaringen le remplace. **1877** g. russo-turque. **1878**-*13-7 tr. de Berlin, indépendance* (proclamée *9-5-1877*) reconnue ; les R., alliés aux Russes, perdent 3 départ. de la Bessarabie (Cahul, Bolgrad, Ismaïl), gagnent Dobroudja. **1881**-*22-5* Pce Charles devient roi Carol Ier de R.

1913 à févr. 1918 Jean Bratianu (1864-1927) PM. **1913**-*29-6* g. contre Bulgarie ; alliée à Grèce et Serbie, la R. reçoit au tr. de Bucarest un terr. du S. de la Dobroudja. **1916**-*14/27-8* la R. entre en g. ; vaincue par All. puis victorieuse avec l'aide de la Fr. 238 000 † au combat et 300 000 civils † du typhus. **1918** union de tous les Roumains en un seul État. **1919**-*10-9* tr. de St-Germain. **1920**-*4-6 tr. de Trianon :* réalise son unité en recevant Bessarabie, Transylvanie (avec Banat), Bucovine. **1920-21** Petite Entente appuyée par Fr. (alliance avec Pol., Tchéc., Youg.). **1921** réforme agraire. **1923** constitution, conquêtes sociales (droit de grève et d'association, mutualisme, suffrage universel masculin). **1924** le PC créé 1921 est interdit ; vit au travers des associations telles que le Secours rouge (au max. 1 000 membres et sympathisants jusqu'en 1944). **1933** PM Ion Duca tué par la Garde de fer. **1934**-*févr.* Entente balkanique (avec Turquie, Grèce, Youg.). **1938**-*févr.* dictature du roi Carol II qui supprime la constitution. Corneliu Z. Codreanu fondateur de la Garde de fer fasciste exécuté. **1939** PM Armand Calinescu tué par la Garde de fer. **1940**-*26-6* URSS, après ultimatum, occupe Bessarabie (45 650 km²) et Bucovine du N. (10 432 km²) [env. 4 000 000 h.], le roi Carol II cède et ignorant que l'URSS agit conformément au protocole secret signé avec l'All. le 23-8-39 laisse faire le rapprochement avec l'All. -*4-7* gouv. Ion Gigurtu, profasciste. Conquêtes sociales de 1923 abolies. -*30-8* l'All. oblige la R. à céder N. de la Transylvanie à Hongrie (43 492 km², 2 667 000 h.). -*6-9* coup d'État du Gal Antonescu (1882-1946), appuyé par Garde de fer : Carol abdique pour son fils Michel. -*7-9* S. de Dobroudja (quadrilatère) cédé à Bulgarie. -*23-11* la R. adhère au pacte tripartite (All., Italie, Japon). -*18-12* syndicats interdits. **1941**-*21/23-1* putsch (légionnaires de la Garde de fer) contre Gal Antonescu, 500 lég. exécutés. *Juin* pogrom de Jassy, 12 000 †. -*22-6* R. entre en g. contre URSS, engage 780 000 soldats (350 000 mil. †, 270 000 civils †). **1944** à partir de Stalingrad, Antonescu et l'opposition clandestine cherchent à conclure un armistice séparé ; Ştirbei, émissaire de l'opposition, accepte les conditions alliées laissant le libre passage à l'Armée rouge ; il obtient la garantie des frontières de 1939 et de la démocratie parlementaire selon la Constitution de 1923 et rejoint le camp allié. -*23-8* gouv. d'Union nat. avec sociaux-dém. et comm. Antonescu arrêté (exécuté 1946), la R. se retourne contre l'All., engage 540 000 soldats (170 000 †, + 80 000 † civils). -*12-9* convention d'armistice (à Moscou) ; Bessarabie et Bucovine cédées à URSS, Transylvanie du N. cédée par Hongrie. -*25-10* libération complète. **1945**-*6-3* après 3 semaines de manif. anticomm. (provoquées par l'installation par la force des communistes dans mairies et préfectures) écrasées par l'Armée rouge, le gouv. est « démissionné » par Vychinsky, min. soviét. des Aff. étr. et remplacé par un gouv. prosoviét. avec Petru Groza. -*23-3* réforme agraire. -*8-11* manif. en faveur du roi. **1946**-*19-11* élections (la plupart des bureaux de vote sont tenus par les communistes), bloc paysans libéraux et sociaux-démocr. a 79,8 % des voix. **1947**-*10-2 tr. de Paris :* la R. perd Bessarabie, Bucovine du N. cédées à URSS, Dobroudja du S. à Bulgarie et regagne Transylvanie. -*30-12* roi Michel abdique et s'exile. Rép. populaire. **1948**-*21/23-2* Communistes et sociaux-dém. forment le Parti ouvrier r. -*28-3* victoire comm. aux élec., Constitution suspendue. -*11-6* nationalisations, économie planifiée, socialisation de l'agr. **1958**-*juin* troupes soviét. se retirent. **1962** socialisation de l'agr. achevée. **1964** collabore avec tous les pays, quelle que soit leur structure politique. **1965**-*19-3* Gheorghiu-Dej meurt ; Ceauşescu secr. du P. ouvrier (juillet) devient PC. **1968** refuse de participer à l'intervention en Tchéc. **1974** loi de « systématisation du territoire » pour 300 000 ha de t. cultivables. Raison off : gain de place pour l'agr. Objet officieux : déplacement de la minorité hongroise de Transylvanie, comme l'a été la minorité all. **1975** *juillet* Jacques

Chirac PM en R. **1977**-*4-3* séisme : 1 541 † identifiés dont 1 391 à Bucarest. Début des destructions de monuments historiques. *Août* grève des mineurs du Jiu. **1978**-*24-7* Gal Ion Pacepa demande asile pol. à l'ambassade amér. à Bonn. **1979** *mars* Pt Giscard d'Estaing en R., F. Mitterrand (1er secr. du PS) en R. **1980** *juillet* Ceauşescu en Fr. **Dès 1981** *alimentation scientifique* (rationnement) : 160 g de pain par personne et par j ou 150 g de farine par mois ; par mois : 1/3 de litre d'huile, 350 g de sucre, 500 g de bœuf, porc ou volaille. **1981** début de la politique de remboursement accéléré de la dette extérieure. *Déc.* manif. pacifistes contre nucléarisation de l'Europe. **1982** Virgil Tănase (écrivain réfugié en Fr.) disparaît 3 mois (protégé par DST contre attentat éventuel). **1983** Pt Ceauşescu décide le remboursement anticipé de la dette ext. **1984** temp. max. dans les habit. fixée à 14°. *-1-4* Paris, Nicolae Iosif (menuisier) poignardé et jeté par la fenêtre de l'ambassade de R. *-26-5* canal Danube-mer Noire inauguré. **1986**-*23-11* référendum sur réduction de 5 % des dépenses milit. du Pt Ceauşescu : 99,9 % de participation. **1987**-*juin* rideau de fer le long de la Hongrie (300 km construits de juin 87 à juin 88). *-15-11* 10 000 manif. à Braşov contre réduction des salaires et pénurie aliment. **1988**-*3-3* Ceauşescu parle de la systématisation : 7 000 sur 13 000 villages doivent être détruits (en fait 5 le seront), pop. regroupée dans 600 « agro-villes ». *-14-4* arrêt des emprunts à l'étranger. *-24-4* CEE rompt négociations commerciales. **1989** *août* Front de salut national (FSN) fondé par Brucan, Bîrlădeanu, Iliescu, Mazilu et Militaru. *-23-11* Ceauşescu annonce purge pour résoudre les insuffisances écon. et dénonce l'accord de 1940 ayant entraîné la perte de la Bessarabie. *-24-11* Ceauşescu réélu secr. gén. du PC. *-16-12* 25 000 manif. à Timişoara pour empêcher le déplacement du pasteur László Tökes, défenseur de la minorité hongr. La radio hongr. annonce que l'armée a chargé la foule. Manif. à Arad. *-17-12* 10 000 manif. à Timişoara, bâtiments officiels pris d'assaut, livres et portraits de Ceauşescu brûlés. *-18/20-12* Ceauşescu en Iran. *-18-12* Radio Free Europe et la radio hongr. parlent de « massacres ». On annonce 4 632 † (la radio hong. parle de 70 000 ; en fait, 150). L'armée contrôle Timişoara, Oradea et Cluj. Incidents à Curtici *-20-12* à 20 h Ceauşescu annonce à la TV que l'armée est intervenue à Timişoara, traite les manifestants de « hooligans », et proclame l'état d'urgence à Timişoara. *-21-12* la foule le conspue. La TV interrompt la retransmission. L'armée tire sur les manif., certains sont écrasés par les blindés. Insurrection à Bucarest. *-22-12* Bucarest, affrontements. État d'urgence dans toute la R. La radio annonce le suicide du Gal Vasile Milea, min. de la Défense (sans doute exécuté pour refus de faire tirer sur la foule). A Bucarest, armée et manif. fraternisent. Vers 12 h, la radio annonce que Ceauşescu abandonne le pouvoir (fuite en hélicoptère de l'immeuble du PC organisée par G[al] Stănculescu). Front de salut national prend le pouvoir. L'armée se rallie, mais des éléments de la *Securitate* (police politique) continuent le combat. 15 h 30, la radio annonce l'arrestation à Tîrgovişte (70 km de Bucarest) de Ceauşescu et sa femme, Elena ; 16 h 10, de leurs fils Nicu à Sibiu (n. 1951, 1er secr. du PC local) et Valentin (n. 1948, chercheur en physique atomique). 17 h 50, gouv. démissionne. La Suisse bloque les comptes de la famille Ceauşescu (est. 400 millions de $ en or). FSN prend le pouvoir (Pt : Ion Iliescu). **Comité** [1/3 de dissidents, 1/3 de milit. et 1/3 de dirigeants du PC limogés par Ceauşescu ; *dirigé* par Corneliu Manescu (n. 8-2-1916, min. des Aff. étr. de 1961 à 72). *Membres importants :* Doïna Cornea (dissidente, prof. de français à l'université de Cluj, démissionne 22-1-90), László Tökes, Mircea Dinescu (écrivain), Gal Nicolae Militaru (min. de la Défense, limogé 84, condamné à † mais pas exécuté), Silviu Brucan (démissionne 4-2-90)]. *-23-12* combats à Bucarest, Jean-Louis Calderon, journaliste de La Cinq, écrasé par un char. *-24-12* poursuite des combats. Zoïa Ceauşescu arrêtée. *-25-12* procès des époux Ceauşescu organisé par Gelu Voican Voiculescu. Tribunal militaire dans la garnison de Tîrgovişte présidé par Gal Georgică Popa (Pt du tribunal milit. de Bucarest dep. 1987, se suicide 1-3-90 par crainte des représailles). Condamnés à mort pour : génocide d'env. 60 000 personnes, noyautage de l'État par actions armées contre le peuple et le pouvoir d'État, vol et destruction de biens publics, mainmise sur l'écon., tentative de fuite pour récupérer des fonds déposés dans des banques étrangères. Ceauşescu et sa femme Elena sont exécutés (*12-5* un officier affirme que Ceauşescu est mort d'une crise cardiaque lors d'une séance de torture visant à obtenir les n[os] de ses comptes bancaires à l'étranger). *-26-12* Pt par intérim Ion Iliescu. *-27-12* min. de la Santé annonce 766 † dep. le 22-12. *-28-12* Marin Ceauşescu, frère de Nicolae, directeur de la mission commerciale r. à Vienne, se suicide. *-30-12* Gelu Voican (géologue de formation) nommé vice-PM. Dissolution de la Securitate. *-31-12* Gal Julian Vlad, chef de la Securitate, arrêté.

1990 *Janv.* Petre Roman PM (1969-74, docteur de l'Institut de mécaniques des fluides de Toulouse). *-12-1* manif. à Bucarest, Timişoara et Cluj. Décrets rétablissant la peine de mort et interdisant le PC (annulés *13 et 17-1*). *-18-1* P[cesses] Marguerite et Sophie de R. (filles du roi Michel) en R. *-24-1* Bucarest, 1 000 manif. devant siège du Conseil du FSN contre sa décision de présenter des candidats aux élections. *-27-1* tribunal mil. : procès d'Emil Bobu (n°s 3 du clan Ceauşescu), Ion Dincă (vice-PM), Tudor Postelnicu (min. de l'Intérieur et de la Securitate) et Manea Mănescu (vice-Pt du Conseil d'État) condamnés le 2-2 à perpétuité. *-28-1* manif. à Bucarest contre FSN. *-16-2* Gal Nicolae Militaru, min. de la Défense, démissionne. *-1-2* **Conseil provisoire d'Union nationale** (CPUN) [créé : 253 membres dont FSN 111, différents partis 111, représentants des minorités 27, *Pt :* Ion Iliescu]. *-18-2* manif. saccagent siège du gouv., molestent un vice-min., l'armée intervient. *-5-3* Bucarest, statue de Lénine abattue (12 t en bronze). *-13-3* aide USA à l'agr. (80 millions de $). *-14-3* pape nomme 12 évêques ; de rite latin 7, grec 5. *-20-3* à Tîrgu Mureş affrontements R./Hongr. : 4 †. *-1-4* Bucarest, 3 500 à 4 500 manif. contre Ion Iliescu. *-2-4* procès du Gal Nicolae-Andruţa Ceauşescu (frère de N. Ceauşescu, condamné à 15 ans). *-12-4* gouv. annule visa de l'ex-roi Michel Ier. *-13-4* Bucarest, manif. de protestation. *-24-4* Bucarest, 10 000 manif. anticomm. Ion Raţiu, candidat du PNP chrétien-démocrate aux présidentielles, attaqué par partisans d'Iliescu. *-28-4* Alliance nat. pour la déclaration de Timişoara créée par partis d'opposition, but : éliminer le communisme. *-29-4* manif. contre Iliescu dans plusieurs villes de province. *-11-5* PNP se retire du CPUN. *Juin :* **bilan officiel de la révol.** (déc. 89) : 1 033 † [Bucarest 640, Timişoara 96, Sibiu 90 (ville de Nicu Ceauşescu), Braşov 66, Cluj 26], 2 198 blessés (dont Bucarest 1 040). *-20-5* élections. *-13-6* police évacue la place de l'Univ. à Bucarest. *-15/16-6* mineurs « rétablissent l'ordre » à Bucarest (6 †, 542 bl.). *-13-7* 10 000 à 50 000 manif. pour la libération du dirigeant étudiant Marian Munteanu, détenu dep. 18-6. *-2-8* Marian Munteanu libéré. *-17-8* Valentin et *-18-8* Zoïa Ceauşescu libérés. *-9-9* réconciliation mineurs/étudiants. *-21-9* Nicu Ceauşescu condamné à 25 a. de prison et 14 de privation de droits civiques, dont 10 pour instigation au meurtre. *-1-11* prix des produits intermédiaires libérés. *-15-11* dizaines de milliers de manif. contre gouv. *-19-11* 5 000 manif. à Bucarest contre reconstitution du PC sous le nom de PS roumain. *-25-12* ex-roi Michel reconduit en Suisse après quelques h. passées en R. (visa délivré par « erreur »). **1991** *janv.* il recouvre sa citoyenneté. *-1-4* prix des produits de base libérés. *-12-4* à Bucarest, 100 000 manif. réclament démission de Ion Iliescu. *-30-4* mouv. gouv. Roman. *-3-5* dissidents du FSN créent FSN social-dém. (dirigé par Velicu Radina). *-10-5* manif. monarchistes. *-20-5* 20 000 manif. à Bucarest.

Politique

• **Statut avant 1990.** Rép. socialiste. *Const.* du 21-8-1965, amendée mars 74 ; oct. 86, pour autoriser les référendums (seule const. des pays de l'Est à le faire). Une *Grande Assemblée nationale* (369 m. élus pour 5 ans) élit Conseil d'État, Conseil des ministres et *Pt de la Rép. Départements* 40. Municipalité de Bucarest. *Villes* 237 (260 en 90). *Communes* 2 705 (2 388 en 90). *Villages* 13 123 (prév. 6 000 ?). *Parti communiste,* f. 8-5-1921 (*membres : 1944* 800 000, *1987* 3 700 000).

Élections du 17-3-1985. Législatives. 369 députés. 356 573 électeurs (2,27 %) votent contre les candidats du Front de l'unité et de la démocratie soc. de R.

• **Statut depuis 1990.** République. Constitution prévue 1992. **Pt :** élu au suffrage universel. **Sénat. Assemblée.**

Partis. *Front de salut national.* Voir plus haut. *Pt.* Petre Roman (n. 1946). *P. social-démocrate :* Pt Sergiu Cunescu. *P. national libéral :* Pt Radu Câmpaenu (n. 28-2-1922). *P. national paysan :* Pt Corneliu Coposu. *Union démocratique des Magyars de R. :* Pt Domokos Geza. 600 000 m.

Fête nat. *1-12* (union de tous les Roumains en un seul État en 1918). **Drapeau.** Adopté 1948, modifié 1965 : bandes bleue à la hampe, jaune et rouge (couleurs de Moldavie et Valachie) ; emblème ressources nationales avec étoile communiste (enlevé lors de la révolution).

Élections du 20-5-1990, Présidentielles : Ion Iliescu 85,07 %. Radu Câmpeanu (n. 1922, P. nat. libéral) 10,64 %. Ion Raţiu (n. 6-6. 1917, P. nat. paysan) 4,29 %. **Sénat** (119 m.) : FSN 92 s. **Ass.** (487 m.) : FSN 66,31 % (233 s.). **UDMR** 7,23 (29). PNL 6,31 (29). Mouv. écologiste roumain 2,62 (12). PNP 2,51 (12). Alliance pour l'unité des R. 2,11 (10). P. démocrate agraire de R. 1,78 (8). P. écologiste r. 1,70 (8). P. social-dém. 1,05 (2). Divers 8,38 (5). Sénat et Ass. doivent former une **ass. constituante.**

☞ En janvier 1990, les biens de Ceauşescu (21 palais, 41 villas et 22 pavillons de chasse) et ceux du PC [Office économique central Carpati (entreprise d'import-export, 48 000 employés, C.A. 12 milliards de F), 55 000 ha de terres agr. regroupés en 545 unités (18 000 employés)] sont transférés à l'État.

Chefs d'État

Union des Principautés

1859-66 Alexandre Joan CUZA (1820-73). **1866-81** P[ce] Carol (voir ci-dessous).

Royaume

Maison de Hohenzollern-Sigmaringen sans doute la branche aînée des Hohenzollern ; séparée dep. le XIIIe s. de la branche prussienne. Cath., elle donna des P[ces] au St-Empire, qui régnèrent jusqu'en 1849 sur les principautés de Hohenzollern-Hechingen et de Hohenzollern-Sigmaringen.

1881 CAROL Ier de Hohenzollern-Sigmaringen (1839-1914) P[ce] depuis 1866. Sans enf. de son mariage (1869) avec Élisabeth de Wied (en littérature : Carmen Sylva, 1843-1916). **1914** FERDINAND Ier (1865-1927) s. nev. ép. 1892 Marie de Saxe-Cobourg et Gotha, P[cesse] de G.-B. et d'Irlande (1875-1938). **27** MICHEL Ier (25-10-1921) s. pet.-f. (le 28-12-25 son père Carol II ayant renoncé au trône et vivant en exil) conseil de régence dirigé par son oncle le P[ce] Nicolas de R. **30** CAROL II (2-10-1893/4-4-1953) s. père reprend le pouvoir. Sa renonciation est annulée. Michel devient P[ce] héritier avec le titre de Grand Voïvode d'Alba Iulia. Carol avait épousé 1°) 31-8-1918 Jeanne Constantinovna Lambrino morganatique (1898-1953), mariage annulé 8-1-19, dont 1 fils : Mircea de Hohenzollern [(8-1-20) appelé Mircea Lambrino jusqu'en 1955; reconnu légitime 1955 par tribunal portugais, 1963 par trib. fr. ; porte le titre princier de son propre chef, dep. 1959 (non reconnu par Michel Ier) qui aura 1 fils : Paul de H., n. 13-8-48]. 2°) 10-3-21 P[cesse] Hélène de Grèce (1896-1982) f. du roi Constantin Ier, mère du roi Michel (divorce 21-6-1928). Quand Carol devint roi, titrée reine de Roumanie elle dut s'exiler et vécut en France. A terminé sa vie à Lisbonne. 3°) 8-7-47 civilement et 19-8-49 religieusement Hélène (dite Magda) Wolf, alias Lupescu (1902-77) divorcée du lieutenant Tampeano et dep. 1928 sa compagne, titrée P[cesse] Hélène de Hohenzollern. **40** MICHEL Ier (25-10-1921) restauré, son père Carol ayant abdiqué ; abdique 30-12-47. Réside en Suisse. Ép. 10-6-48 P[cesse] Anne (18-8-23) f. du P[ce] René de Bourbon, P[ce] de Parme et de la P[cesse] n. P[cesse] Marguerite de Danemark. 5 *enfants :* Marguerite (25-3-49), Hélène (17-11-50), Irène (28-2-53), Sophie (28-10-57), Marie (13-7-64).

Nota. – Roi et P[ces] de la Maison royale devaient être élevés dans la religion orthodoxe orientale.

République

Chefs d'État. **1947** Constantin PARHON (1874-1969) Pt provisoire, puis 1948 Pt de la Grande Ass. nat. **52** Petru GROZA (1884-1958) id. **58** Ion Gheorghe MAURER (1902) id. **61** Gheorghe GHEORGHIU-DEJ (1901-65) Pt du Conseil d'État. **65** Chivu STOÏCA (1900-75) id. **67**-*9-12* Nicolae CEAUŞESCU (26-1-1918/25-12-89) id. puis Pt de la Rép. dep. 28-3-74. Secr. gén. du P.C. dep. 22-3-65 (dit le « Génie des Carpathes » ou le « Danube de la pensée »). Sa femme Elena (académicien, docteur et ingénieur en chimie) 1er vice-PM dep. 29-3-80 (7-1-1919/25-12-89). Son fils, Nicu, min. de la Jeunesse et 1er secr. du départ. de Sibiu (considéré comme successeur de son père) et ses frères Ilie vice-min. de la Défense et Ion 1er vice-Pt de la Commission du plan. **90**-*20-5* Ion ILIESCU (n. 3-3-1930) élu par 85 % des voix (ancien secr. du comité du PC, limogé 1971).

Premiers ministres. **1961** *mars* Ion Gheorghe MAURER (23-09-02). **73**-*26-3* Manea MĂNESCU (9-8-16) beau-frère de N. Ceauşescu. **79**-*30-3* Ilie VERDEŢ (10-5-25) beau-frère de N. Ceauşescu. **82**-*21-5* Constantin DĂSCĂLESCU (2-7-23) écarté à la suite de la révolution de 89, démissionne 22-12-89. **90** *janv.* Petre ROMAN (22-6-1946), fils de Walter Roman († 1983), m. du Comité central, créateur de la Securitate.

Économie

P.N.B. (89) 2 600 $ par h. **Croissance** (88). 3,2 %. **Pop. active** (%, entre parenthèses part du P.N.B. en %) Agr. 23 (15), ind. 32 (37), services 35 (33), mines 10 (15). **Chômage** (1990, off.). 120 000. **Productivité** (88). 2,1 %. **Inflation** (%). *1982 :* 16 ; *83 :* 6,2 ; *84 :* 0,2 ; *85 :* – 0,4 ; *86 :* – 0,1 ; *91 (janv.) :* 150,3 dep. oct. 90 (dont 185,7 % de hausse des prod. alim.). **Dette extérieure** (milliards de $). *1976 :* 2,7 ; *81 :* 10,5 ; *85 :* 7 ; *88 :* 3 ; *89 :* 0. *En 1987 :* 2,9 % du P.N.B. a servi à rembourser la dette, *88 :* 6,3 %. **Part du secteur socialiste** (%). Industrie 99,7 ; forêts 100 ; agriculture (selon la sup. agricole) 90,7 ; transports de voyageurs 100 ; commerce extérieur, banques, assurances 100. **Rationnement** (par mois, 87). Viande 1 kg, électricité 35 kWh par ménage. Loi foncière à l'étude.

Situation économique (90). Début de privatisation (agriculture et services). Investissements en baisse de 35 %, productivité de 20 % et PIB de 15. Fuite des cerveaux (20 000 ?). Risque de fermeture d'entreprises non rentables (60 000 à 65 000 licenciements). Coût estimé de la g. du Golfe : 3 milliards de $. **Investissements étrangers** (90). 1 500 entreprises créées pour un montant de 150 millions de $, dont All. 22,4, Italie 16, P.-Bas 11, Grèce 10, Suisse 9, *France 6.*

Agriculture. *Terres* (milliers d'ha, 89) arables 10 080,4, cult. 9 846,8, pâturages 3 256,9, forêts 6 678,5, eaux 903,9, divers 1 497,6. *Arables* (%) : céréales à grains 61,2 ; plantes fourragères 11,5 ; pl. industrielles 15,7 ; p. de terre, légumes et melons 6,2 ; légumineuses 3,1, autres 2,3. *Irriguées* 3 168 700 ha (89). Propriété privée 5 000 m² min. 28,3 % des t. agr. sont en propriété privée. 411 entreprises agr. d'État avec 2 092 700 ha ; 3 172 coopératives agr. de prod. avec 8 963 700 ha ; 573 entr. pour la mécanisation de l'agr. (89) 28,5 % de la pop. active. *Céréales* (production en millions de t) : *1980 :* 20, *88 :* 19, *89 :* 18 (60 selon Ceauşescu), *90 :* 17,6. 60 % de la prod. exportée vers U.R.S.S. *Production* (90) : blé et seigle 7,3, orge 2,7 maïs 6,8, bett. à sucre 8,3, p. de terre 2,8, tournesol 0,5, raisins 0,9, lin et chanvre 0,3, légumes 2,2, fruits 1,5. **Forêts** (88). 20 369 000 m³. **Élevage** (millions de têtes, 90). Volailles 56,5, moutons 18,4, porcs 5,7, bovins 0,8. **Pêche** (86). 271 100 t.

Énergie. Charbon (millions de t, 1989). 66,4 dont lignite 45 (*réserves lignite* : 3 900). **Pétrole.** Exploité dep. 1857 (en millions de t) : *réserves* 130 ; *prod. 1984 :* 11,5 ; *85 :* 10,7 ; *86 :* 10,1 ; *87 :* 9,5 ; *88 :* 9,4 ; *89 :* 9,2 (38 consommés). **Gaz** (milliards de m³, exploitation ind. du méthane dep. 1857). *Réserves* 120, *prod. 1984* 40 ; *85 :* 27,2 ; *86 :* 26,8 ; *87 :* 25,3 ; *88 :* 36,8 ; *89 :* 32,9 ; *90 :* 24,6. **Électricité.** 75,9 milliards de kWh (89) [60 % d'origine nucléaire]. **Mines** (milliers de t, 88). *Sel* 5 395 (87), *fer* (métal) 2 482. **Industrie** (milliers de t, 89). Acier 14 415, laminés 10 263, fonte 9 052, caoutchouc synthétique 150, aluminium 269, pétrochimie. Tracteurs 17 124, véhicules auto. 144 000 dont tourisme 123 000.

Transports (km, 89). *Routes* 72 816 dont 36 893 modernisées, *chemins de fer* 11 343 (électrifiés 3 654). *Principaux ports :* Constanţa, Mangalia, Sulina (maritimes) ; Giurgiu, Drobeta-Turnu Severin, Călărasi, Brăila, Galaţi, Tulcea (fluviaux). **Tourisme.** *Visiteurs :* 4 500 000 (86). *Régions :* Bucarest, mer Noire, vallées de la Prahova, de l'Olt, monastères au N. de la Moldavie, delta du Danube, le Maramures, Mts Apuseni, N. de l'Olténie, Transylvanie, Dobroudja, Carpates.

Commerce (en milliards de lei, 1989). *Exportations* 167,8 *dont* combustibles, mat. 1res minérales, métaux 32,1, machines, outillages, moyens de transp. 29,3, march. ind. de grande cons. 18,6, prod. chim., engrais, caout. 9,5, denrées aliment. 4,3, autres produits 6,7 *vers* (89) U.R.S.S. 22,6, Italie 16,7, All. féd. 6,5, All. dém. 5,3, *France 2,4. Importations* 134,9 *dont* combustibles, mat. 1res minérales, métaux 56, machines, outillages, moyens de transp. 25,5, prod. chim., engrais, caout. 5,6, mat. 1res non aliment. et prod. finis 5,4, denrées alim. 1,5, autres produits 6, *de* (89) U.R.S.S. 31,4 (50 % des imp. en 1990), Égypte 18,1, Iran 12,7, All. dém. 7,4, Pologne 4, *France 0,6.*

☞ **Échanges avec l'Ouest en 1989** (en milliards de $) **et,** entre parenthèses, **en 1980.** Importations 1,1 (4) ; exportations 4 (2,6 en 82). *Balance commerciale* (en milliards de $). *1988 :* +4, *90 :* – *1,2.*

Rang dans le monde (88). 4e maïs. 6e gaz nat. 7e p. de terre. 8e vin, porcins. 10e lignite, céréales. 14e orge, blé. 17e ovins.

ROYAUME-UNI

Carte p. 1054. V. légende p. 837.

Géographie

Situation. Europe. Archipel de 244 103 km² (dont G.-B. séparée du continent vers 7000 av. J.-C. 229 983 ; 3 041 km² eaux intérieures). *Longueur* 960 km, *largeur max.* 480 km. Aucun point du pays n'est à plus de 120 km de la mer ou d'un cours d'eau remonté par la marée. *Alt. max.* Angleterre : Scafell 978 m. Écosse : Ben Nevis 1 342 m. Galles : Snowdon 1 085 m.

Plus longues rivières (en km). Severn 354, Tamise 346, Trent 298, Aire 259, Great Ouse 230, Wye 217, Tay 188, Nene 161, Clyde 159, Spey 158. **Plus grands lacs** (en km²). Lough Neagh 381,74, Lower Lough Erne 105,08, Loch Lomond 71,22, Loch Ness 56,64, Loch Awe 38,72, Upper Loch Erne 31,73, Loch Maree 28,49, Loch Morar 26,68, Loch Tay 26,39, Loch Shin 22,53. **Plus grandes chutes d'eau** (en m). Eas Coul Aulin 201, Chutes de Glomach 113, Pistyll y Lyn 91, Pistyll Rhaeadr 73, Chutes de Foyers 62,5, Chutes de la Clyde 62,2, Chutes de la Bruar 61, Caldron Snout 61, Grey Mare's Tail 61, Chutes de Measach 46.

Régions. 1°) **N.** (au N.-O. d'une ligne Exeter-Newcastle). Massifs très anciens, morcelés en blocs par des effondrements et travaillés par les glaciers (cirques, vallées en auge, firths, profonde pénétration de la mer) ; prolongé vers N.-O. et N. par des archipels : Hébrides, Orcades, Shetland. Subdivisé en 3 sous-régions (du N. au S.) : Hautes Terres du N. (Highlands) ; Basses Terres (Lowlands), couloir d'effondrement ; Hautes Terres du S. (Southern Uplands). 2°) **O. et S.-O.** Massifs anciens peu élevés : a) moitié N. : chaîne Pennine, orientée N.-S. ; b) moitié S. : 2 chaînes orientées E.-O. : Galles, Cornouailles ; c) dépressions : plaine du Cheshire (entre Pennine et Galles) ; golfe de Bristol (entre Galles et Cornouailles). 3°) **E. et S.-E.** Bassin sédimentaire de Londres : terrains secondaires en pente vers l'E. (drainés par la Tamise). 3 sous-régions : plaine argileuse au centre ; côtes calcaires de l'O. (Costwold Hills, jurassiques ; Chiltern Hills, crayeuses) et de l'E. (les Downs crayeuses, à pic sur la mer).

Climat. Océanique froid (à la limite des masses d'air polaires). La côte orientale, abritée des vents d'O. par les montagnes, est plus « continentale », gelées hivernales, chaleurs d'été, 550 mm de pluie. **Ensoleillement moyen annuel.** N. : 1 000 h ; S. : 1 600 h. **Temp. moy.** 4,4 °C janvier, 15,6 °C juill. [à Lerwick (Shetland) 4 °C déc., janv., févr. ; 12 °C juin, juill., août : Wight, 5 °C hiver, 16 °C été]. *Endroits les plus chauds :* St-Hélier (Jersey) 11,9 °C (moy. ann.), Penzance et îles Scilly (ou Sorlingues, Cornouailles) 11,5 °C ; *les plus froids :* Bracmar (Aberdeenshire) 6,5 °C ; *le plus sec :* Stretham (île d'Ely). *Pluies :* 200 j par an (Angl. 854 mm ; îles 1 016 mm dont Mts Snowdon et Ben Nevis 5 080 ; S.-E. de l'Angl. 508).

Démographie

Population (en millions). *1750 :* 7,5 ; *1801 :* 11,9 ; *1811 :* 13,4 ; *1821 :* 15,5 ; *1841 :* 20,2 ; *1861 :* 24,5 ; *1871 :* 27,4 ; *1901 :* 38,2 ; *1911 :* 42,1 ; *1921 :* 44 ; *1931 :* 46 ; *1951 :* 50,2 ; *1961 :* 52,7 ; *1971 :* 55,5 ; *1989 :* 57,24. **Pop. urbaine.** 92 % (40 % dans des villes de + de 1 000 000 h.) (sans îles de Man et de la Manche). D. 234,6. **Âge.** – *de 15 a.* 19 %, + *de 65 a.* 15 %.

Émigration. De 1820 à 1913 env. 10 000 000 d'h. vers les pays de langue angl. *Moyennes annuelles : 1913 :* 389 000 ; *1920-22 :* 219 000 ; *23-30 :* 155 000 ; *31-38 :* 30 000 ; *47-54 :* 143 000 ; *55-79 :* 200 000 dont, *vers U.S.A.* (%) : *1912 :* 70 ; *19 :* 7 ; *23-30 :* 74 ; *31-38 :* 81 ; *47 :* 81 ; *54 :* 87.

Immigration. Statistiques. *Moyennes annuelles* (en milliers) : *1923-30 :* 58, *31-38 :* 54, *47-54 :* 66, *60 à 62 :* 338, *85 :* 232, *86 :* 250, *87 :* 212 (dont citoyens du Commonwealth 146, Afrique du S. 15, Australie 14, Bangladesh-Inde-Sri Lanka 14, USA 13, Nlle-Zélande 11, Canada 7), étrangers 66 (CÉE 22, USA 15). **Étrangers** (en milliers, 83). 3 500 dont 969 d'origine européenne, non-Européens (85) Inde 790, Antilles-Guyane 510, Pakistan 350, Chine 160, Afrique 92, Bangladesh 83, Arabes 69. % **des immigrés dans quelques villes** (82). Londres 29 [47 % de couleur], Birmingham 15, Coventry 9,5, Manchester 7,8, Glasgow 2,5. **Législation.** *1948,* loi spécifie que tout citoyen du Commonwealth a droit d'entrée en G.-B. (le C. est alors composé principalement d'États blancs). Ils jouissent des mêmes droits que les Brit. : allocations familiales, Séc. soc., égalité de salaire, droit de vote (parfois, priorité pour le logement). *1962,* loi permettant de limiter l'entrée des ressortissants du C. incapables de subvenir à leurs besoins ou sans emploi ; *1968,* loi étendant le contrôle de l'immigration aux citoyens du R.-U. et de ses colonies sans liens étroits avec lui (d'une manière générale, ceux qui ne sont ni nés, ni naturalisés, ni adoptés, ni inscrits au R.-U. ou dont aucun parent ou grand-parent ne l'a été). *1971,* entrée possible des personnes à charge ou ayant liens de parenté avec des immigrés déjà installés. *1973 (30-1)* droit de s'installer librement en G.-B. étendu aux cit. du Commonwealth « blancs » ayant 1 grand-parent cit. brit. (avant : père ou mère). *1976,* loi contre la discrimination raciale ; la CRE (Commission pour l'égalité raciale) chargée de veiller à son application est devenue un groupe d'action anti-Blancs et sa suppression a été demandée en juin 1980. *1983,* 3 catégories de citoyenneté : brit., cit. des territoires sous administration brit. et brit. d'outre-mer [4 millions concernés (de Hong Kong et de Malaysia d'origine chinoise) ; la nationalité ne confère pas le droit de résider en G.-B.)]. *1990-19-4* Parlement attribue passeport brit. à 50 000 chefs de famille de Hong Kong (env. 225 000 personnes).

Natalité. Moy. annuelle (‰ de la pop.) *1861-80 :* 35,3 ; *1881-1900 :* 31,2 ; *1901-10 :* 27,2 ; *10-14 :* 24,2 ; *15-19 :* 19,4 ; *20-24 :* 21,3 ; *25-29 :* 17,1 ; *30-34 :* 15,3 ; *35-39 :* 14,9 ; *40-45 :* 15,6 ; *46-50 :* 18 ; *51-55 :* 15,3 ; *64 :* 18,8 ; *74 :* 13,3 ; *80 :* 13,5 ; *82 :* 12,8 ; *85 :* 13,3 ; *87 :* 13,6. **Mortalité.** *1851-60 :* 23,3 ; *61-70 :* 22,5 ; *71-80 :* 21 ; *81-90 :* 20,1 ; *91-1900 :* 18,8 ; *1901-10 :* 16 ; *11-20 :* 14,8 ; *21-30 :* 12,1 ; *31-40 :* 12,2 ; *41-45 :* 11,8 ; *46-50 :* 11,7 ; *51-55 : 76 :* 12,2 ; *80 :* 11,8 ; *85 :* 11,8 ; *87 :* 11,3. **Accroissement.** 0,84 ‰.

Prénoms les plus fréquents. *Filles :* Alice, Charlotte, Sophie, Emma, Emily, Lucy, Katherine, Harriet, Alexandra, Sarah. *Garçons :* James, Thomas, William, Alexander, Edward, Charles, Oliver, Nicholas, Christopher, Henry/Robert. **Noms les plus fréquents.** Smith, Jones, Williams, Brown, Taylor, Davies/Davis, Evans, Thomas, Roberts, Johnson.

Langues. *Anglais* (*off.* dep. 1399). *Brittonique* [Gallois (Welsh) 21 % du pays de Galles, Cornouillais (Cornish) quelques centaines], *Écossais* 88 000 (Highlands et rég. côtières de l'O.) [en 64]. Au pays de Galles, le « Welsh Language Act » affirma en 1967 l'égalité des l. anglaise et galloise dans la conduite de la justice et des aff. publiques. *En Irlande du N.,* quelques familles parlent le « gaélique » irlandais. Dans l'*île de Man* et la *Cornouailles* le celte n'a plus qu'un intérêt culturel. Dans les *îles anglo-normandes* un patois normand-français subsiste. *A Jersey,* le français est la l. off., mais l'angl. domin dep. 1945. *A Guernesey,* l'angl. est utilisé dans presque toutes les procédures offic.

Histoire de la langue angl. : VIe-VIIe s. les conquérants anglo-saxons introduisent la langue germanique occidentale (81 % du vocabulaire quotidien est germ.) en G.-B. celtophone. *XIe-XIVe s.* la noblesse normande introduit le dialecte d'oïl normand-picard (important vocabulaire, simplification de la syntaxe, transformation de l'orthographe et de certains sons) ; le clergé introduit des mots savants empruntés au latin. *Après le XVe s.,* anglais moderne : la prononciation se différencie des sons germaniques [multiplication des voyelles (longues, brèves, diphtonguées, entravées, non entravées, accentuées, atones) due aux influences française et celtique (l'accent tonique reste plus fort qu'en allemand)]. Fusion des vocabulaires germanique et latino-fr. (des préfixes et suffixes latino-fr. sont adaptés). Plus de 100 000 mots non germaniques existent en anglais moderne, mais en dehors des termes courants.

Histoire des langues celtiques : 1°) *Le goïdel,* introduit en Irlande et en Écosse v. 1700 av. J.-C. et formant un groupe à part (irlandais, mannin, gaélique d'Écosse) ; langue indo-européenne ayant gardé le *kw* primitif (réduit actuellement à k). 2°) *Le brittonique* (cornouaillais et gallois), dit improprement gaélique, du même groupe que les langues gauloises (où le *kw* de l'indo-europ. est devenu un p). Exporté en Armorique (Bretagne) aux VIe et VIIe s., proche des parlers bretons.

☞ Anglais de base mis au point v. 1920 par C.K. Ogden et I.A. Richards : 850 mots env. (600 substantifs, 150 adjectifs, 18 verbes et 85 « mots de structure »).

Religions [membres par communauté en milliers (85)]. **Chrétiens.** *Anglicans* (voir Index) 7 323 dont *protestants* 5 008 : épiscopaliens 2 058, presbytériens 1 483, méthodistes 485, baptistes 226, divers 756, *catholiques romains* 2 315. **Églises non trinitaires.** 349 dont mormons 102, témoins de Jehovah 92, spiritualistes 53, scientologistes 45, christadelphiens 20,

scientistes 14, unitariens 9, théosophes 5, divers 9. **Autres religions.** 1 524 dont sikhs 175, hindous 140, musulmans 900, juifs 111, Krishna 50, bouddhistes 20, mouvement Ahmadiyya 12, École de la méditation 6, divers 110.

Nota. – Dep. le 1-9-1990, le Conseil des Églises pour la G.-B. et l'Irlande remplace le Conseil brit. des Églises et les catholiques en font partie.

Statistiques cathol. *Angleterre* 5 provinces, 21 diocèses, 45 évêques, 2 666 paroisses. *Écosse* 1 province, 8 diocèses, 9 évêques. Pratiquant : (allant à la messe au moins une fois par mois) : 45 % ; ne pratiquant pas : 30 %. 66 % des mariages cath. se font avec des non-cath.

Histoire

Période préceltique. Nombreuses colonies d'*Ibères* venus d'Espagne et de *Ligures* venus des régions rhénanes ou des côtes S. de la Manche. **1700 av. J.-C.** des *Celtes, Goidels* et *Pictes*, débarquent dans le S.-E. Les Goidels colonisent l'Irlande, puis une de leurs branches, les Scots, occupent l'Écosse ; les Pictes développent en G.-B. la civilisation du Bronze. **Entre 500 et 300 av. J.-C.** *les Bretons* (civilisation de La Tène) développent l'agriculture ; langue gauloise. *Principales tribus* : Brigantes (York), Ordovices (Chester), Iceni (Fens), Dobuni (Devon), Domoni (Cornouailles), Cornovii (Galles). **V. 200 av. J.-C.** débarquement de tribus *belges* : Cantii (Kent), Durotriges (Dorchester), Silures (S.-Gallois), Catalauni (Chiltern Hills), Trinobantes (Colchester). **55 av. J.-C. à 410 apr. J.-C. Période romaine.** César ne fait que 2 raids rapides en *55 et 54 av. J.-C.* (combats contre les Cantii). Conquête systématique **après 43 apr. J.-C.** (Claude). **78-85** gouvernement d'Agricola. **130** mur d'Hadrien (long. 112 km ; de la Tyne à la Salway : rempart continu, avec fossé et forts détachés, au N.). **138** mur d'Antonin [130 km plus au N., de la Forth à la Clyde (58 km), avec 19 forteresses isolées.] **304** martyre de St Alban. *Principales cités :* Eburacum (York), Camulodunum (Colchester), Londinium (Londres), Aquae Sulis (Bath), Venta Belgarum (Winchester), Dubris (Douvres). **430** début des *invasions* : *Angles, Saxons* et *Jutes* se répandent dans l'île à partir des côtes E. et S.-E. **446** dernier appel des Celtes à l'aide romaine (pas de réponse) ; Celtes refoulés vers p. de Galles, Cornouailles et Cumberland. *Heptarchie* (7 roy.) : Wessex, Essex, Sussex (Saxons), Kent (Jutes), Est-Anglie, Mercie, Northumbrie (Angles) unifiés par Egbert. **597** début de l'évangélisation (St Augustin). **1017-42** conquête danoise. **1066** normande par Guillaume le Conquérant (fils de Robert le Diable) après victoire de Hastings. **1152** Aliénor d'Aquitaine (divorcée le *21-3-1152* du roi de Fr. Louis VII) ép. Henri II Plantagenêt et lui apporte S.-O. de la Fr. **1170** Thomas Becket, arch. de Canterbury, assassiné par des gentilshommes qui avaient cru comprendre qu'Henri II voulait sa mort. **1171** Irlande conquise. **1189-99** Richard Cœur de Lion participe aux croisades et répudie suzeraineté française. **1199-1216** Jean sans Terre lutte contre Ph. Auguste et perd tous ses territoires au N. de la Loire.

XIIIe-XVe s. disparition du servage. **1215** *Grande Charte* imposée par seigneurs. **1258** *Provisions d'Oxford* (réformes imposées) ; *tr. de Paris* (le roi d'Angl. redevient vassal du roi de Fr. comme duc de Guyenne). **1261-65** g. d'Henri III contre Simon de Montfort, Cte de Leicester, dont le père Simon IV de M. avait participé à la croisade des Albigeois (tué à Evesham). **1282** pays de Galles rattaché au roy. d'Angl. Écosse (avec Robert Bruce) résiste aux Angl. **1314** *Bannockburn Bruce* bat Angl. **1327** Parlement se divise en Ch. des lords et Ch. des communes. **1337-96** *1re période de la g. de Cent Ans* [*1340* vict. nav. de l'Écluse, *1346* de Crécy, *1356* de Poitiers, *1360* tr. de Brétigny récupérant S.-O. fr. (confié au Prince Noir), *1396* Angl. conservent seulement Bayonne et Bordeaux]. **1348-49** *peste noire* tue 1/3 de la pop. (1 500 000 †). **1373** *tr. d'amnistie perpétuelle avec Port.* **1381-82** soulèv. des Travailleurs (John Ball et Watt Tyler). **1415-53** *2e période de la g. de Cent Ans* [*1415* débarquement à Harfleur, vict. d'Azincourt. **1420**-*21-5 tr. de Troyes* (approuvé 6-12-1420 par États généraux ; janv. 1421 par Parlement de Paris). Henri V, régent de Fr. *-2-6* ép. Catherine de Fr. (fille du roi Charles VI de Fr.). **1422**-*21-8* Henri V meurt. *-21-6* Charles VI de Fr. meurt. Henri VI (n. 6-12-1421), fils de Henri V devient roi de Fr. (sacré à N.-D. le 17-12-1431). **1431**-*30-5* Jeanne d'Arc brûlée à Rouen. **1453** fin de la g., les Angl. gardent Calais (jusqu'en 1558)]. **1455-85** *g. des Deux Roses* (Blanche, maison d'York ; Rouge, de Lancastre) ; triomphe des Lancastres avec Henri VII Tudor. **1483** Richard III d'York fait tuer les enfants d'Édouard IV (Édouard V et Richard).

XVIe s. Institutions des clôtures *(enclosures)* : les pâturages communaux deviennent propriété privée et sont clôturés ; les petits paysans doivent renoncer à l'élevage et n'ont plus que des lopins cultivés (pauvreté générale). **1512-14** g. contre Fr. et Écosse. **1533** rupture d'Henri VIII avec Rome (après son divorce). **1534** *l'Acte de Suprématie* du Parlement retire au pape tout pouvoir religieux. **1536** union complète avec p. de Galles, après des siècles de luttes sporadiques (annexion de *1284*) : représentation galloise au Parlement. **1539** *le Bill des 6 articles* destiné à abolir la diversité des opinions permet à Henri VIII de persécuter cath. comme traîtres et protest. comme hérétiques. **1547-53** favorable aux calvinistes, Édouard VI fait publier une révision du Livre de prières *(Prayer Book).* **1554** Marie Tudor rétablit catholicisme.

1558-1603 Élisabeth Ire restaure protestantisme. **1560** Écosse adopte réforme calviniste. **1562** *Confession de foi des 39 articles* marquant davantage l'aspect protestant de la doctrine anglicane. **1566** *l'Acte d'Uniformité* exige une exacte *conformité* aux règles liturgiques et ecclésiastiques. **1572** infiltration du presbytérianisme écossais qui devient le *non-conformisme* anglais (surnommé *puritanisme* car il prétend purifier l'Église anglicane des dernières traces de papisme). **1580** introduction du baptisme par des mennonites holl. **1587** Marie Stuart exécutée. **1588** destruction de la flotte esp. (*l'Invincible Armada :* 130 vaisseaux, 10 000 matelots, 19 000 soldats) assurant suprématie maritime angl.

1600 Cie des Indes orientales fondée. **1603-25** Jacques Ier Stuart réunit en sa personne couronnes d'Angl. et d'Écosse. Agitation croissante des *non-conformistes ; presbytériens* voulant que l'Égl. soit gouvernée par une hiérarchie de corps constitués ; *indépendants* ou *congrégationalistes* insistant sur l'autonomie de la paroisse, société de croyants ; *baptistes* réservant le baptême aux adultes convertis. **1605** découverte de la *Conspiration des poudres* (Guy Fawkes). **1607** 1re implantation coloniale en Virginie. **1620** 1er exode des puritains en Amérique (sur *Mayflower*). **1625** Charles Ier roi. **1637** soulèvement en Écosse. **1642-47** g. civile des *Cavaliers* (partisans du roi) contre *Têtes rondes* (pour le Parlement). **1649**-*16-2* Charles Ier exécuté. **1649-53** Commonwealth (République) ; Irlandais cath. vaincus à Drogheda *(1649).* **1651**-*3-9* Charles II battu à Worcester. *-15-10* s'embarque pour la France. **1653-58** dictature d'Oliver Cromwell († 1658), « Lord Protector », puis de son fils Richard (sept. 1658 à mai 59). **1660** restauration des Stuarts grâce au Gal Monck (1608-70). Charles II, puis Jacques II restent sous la protection de Louis XIV. **1665** *Grande Peste* (75 000 † sur 460 000 Londoniens). **1666**-*2-9 Grand Incendie* de Londres (13 200 maisons détruites, 87 églises, cath. St-Paul ; 6 †). **1679** *l'Habeas Corpus* interdit toute arrestation ou détention arbitraire. **1688** Jacques II (roi cath.) se réfugie en Fr., laissant la couronne à son beau-frère protest. **1689** *déc. Déclaration des Droits (Bill of Rights)* fondant définitivement le régime constit. *Édit de Tolérance* (sauf pour cath. et sociniens ou antitrinitariens). **1692** massacre des MacDonald, stuartistes écossais (jacobites). **1698** 1re société missionnaire protest. créée : *Society for the Propagation of the Gospel in Foreign Parts.*

1701 loi sur la succession confirmant la succession protest. au trône. **1707** *Acte d'Union :* Angl. et Écosse deviennent un seul roy. **1713**-*11-4 tr. d'Utrecht* l'Angl. acquiert Gibraltar, Minorque, Terre-Neuve et Acadie ; Louis XIV renonce à rétablir Stuarts cath. **1714** Georges, électeur de Hanovre, devient roi d'Angl. à 54 ans (il n'apprendra pas l'anglais et résidera surtout au Hanovre). **1739** début de l'organisation des *Églises méthodistes* à la suite du réveil suscité par John et Charles Wesley, Whitefield (ministres anglicans). **1746**-*16-4 Culloden,* défaite de Ch.-Édouard Stuart et de ses partisans écossais indépendantistes. **1752** calendrier grégorien adopté (le 2-9 devient le 14-9, année commune 1-1 et non plus le 25-3). **1763**-*10-2 tr. de Paris,* prépondérance aux Indes et en Amérique. **1779** Ned Ludd (simple d'esprit du Leicestershire) aurait détruit des machines à fabriquer des bas en coton [début du luddisme (lutte contre mécanisation ind.), soulèvements entre 1810 et 19]. **1783**-*3-9 tr. de Versailles,* perte des États-Unis. **1787** 1re colonie brit. en Afrique (au Sierra Leone). **1793-1815** g. Angl. contre Fr. **1800**-*15-2* acte d'union avec Irlande : Roy.-Uni créé. **1807** traite des esclaves abolie sous l'impulsion de Wilberforce. **1813** *Bill de Tolérance* pour unitariens (sociniens). **1814** *tr. de Vienne,* Angl. garde Malte, Trinité, Le Cap, Maurice, Ceylan. **1815**-*18-6* vict. de *Waterloo* (Wellington). **1829** *Bill d'émancipation des catholiques.* **1832** réforme électorale : abolition des *« bourgs pourris »* (circonscriptions où, en vertu de privilèges anciens, les députés étaient élus malgré l'absence presque totale d'électeurs). **1833** *Mouvement d'Oxford :* rapprochement avec doctrines et liturgie romaines ; fondation de l'anglo-catholicisme (Edward Pusey, 1800-82) ; esclavage aboli dans les colonies brit. **1840** abrogation des *Corn Laws* protectionnistes ; autonomie accordée au Canada. **1853-56** *g. de Crimée* (1re alliance avec Fr. dep. 1685). **1867** réforme élect. donnant droit de vote à la petite bourgeoisie et aux ouvriers aisés. Canada devient le 1er dominion. **1868** fondation du Trade Union Congress. **1876**-*1-5* reine Victoria, impératrice des Indes. Union des nonconformistes angl. et des presbytériens écossais d'Angl. au sein de l'Église presbytérienne d'Angl. (calviniste). **1885** suffrage universel. **Fin XIXe s.** acquisitions coloniales en Afrique. **1899-1902** g. des Boers (Afr. du Sud).

1900 Australie dominion. **1903** *mai* visite off. d'Édouard VII à Paris. **1904** *Entente cordiale* avec Fr. (dep. 1888). **1907** N.-Zélande dominion. **1910** 2 élections. **1911**-*août* pouvoir de la Ch. des Lords réduit, le roi crée des pairs libéraux. **1914-18** participe à la 1re G. mondiale. **1918-28** femmes obtiennent droit de vote. **1922** Irlande autonome, reste membre du Commonwealth. **1926** Afr. du S. dominion. *-13-5* grève générale. **1929**-*3-1* crise économique. Sir Oswald Mosley (1898-1981) crée le parti fasciste angl. **1931** *Statut de Westminster* (création du Commonwealth). **1932** *août* conférence d'Ottawa : constitution de la *zone sterling.* **1938** crise monarchique. Edouard VIII abdique. **1939**-*27-4* conscription militaire. **1939-45** participe à la 2e G. mondiale [après la défaite de la France, en juin 1940, Hitler essaie d'obtenir une paix négociée avec G.-B. (projet d'enlever le duc de Windsor), mais le PM Winston Churchill rejette toute négociation ; le duc de Windsor rejoint les Bahamas (dont il sera gouverneur durant la g.) ; *la Bataille d'Angl.* (aérienne, *juill.-nov. 1940*), perdue par les All., le débarquement all. ne peut avoir lieu]. **1943-48** fondements de l'État-providence (séc. sociale, soins médicaux gratuits...). **1946-50** nationalisations. **1947-48** indépendance de Ceylan, Inde, Pakistan, Birmanie. **1950** Klaus Fuchs [All. (n. 1912, † 28-1-1988)] arrêté pour espionnage, condamné à 14 ans, réduit à 9 ans, part pour All. dém. (réfugié en G.-B. 24-9-33, naturalisé Anglais 7-8-42, ayant travaillé à la mise au point de la bombe A USA en 1943). **1952** *déc.* smog sur Londres, 4 000 †. **1956** expédition anglo-franco-israél. de Suez contre Egypte (Anthony Eden, PM, menacé par USA d'une vente massive de livres sterling, retire ses troupes après 24 h de combat). **1958**-*3-7* dernière présentation des débutantes à la Reine. **1960-70** décolonisation : 22 pays deviennent indépendants. **1963**-*14-1* de Gaulle s'oppose à l'entrée de la G.-B. dans la CEE. *-18-1* Hugh Gaitskell, leader travailliste meurt. *-17-6* John Profumo, min. de la G., démissionne (son nom avait été associé à celui d'une call-girl, Christine Keeler, qui avait des relations avec des diplomates soviét.). **1965** peine de mort par pendaison abolie. **1967** nationalisation partielle de la sidérurgie. *Mai* nouvelle demande d'entrée CEE : rejetée. Loi sur l'avortement. **1968**-*7-10* Irl. du N., début des troubles. *Nov.* nouvelle demande d'entrée CEE rejetée (voir Index). **1971**-*19/20-5* rencontre Heath-Pompidou à l'Élysée. *-28-10* Communes approuvent principe de l'adhésion à la CEE : pour 356 (282 conservateurs, 69 travaillistes, 5 libéraux), contre 244 (39 conserv., 204 trav., 1 lib.), abstentions 21 (2 conserv., 19 trav.). **1972** 30 000 Asiatiques de nat. brit. expulsés d'Ouganda. **1973**-*1-1* entrée dans CEE. Terrorisme irl. Grèves des mineurs. *Mai* Lord Lambton, sous-secr. à la Défense, et Lord Jellicoe, leader de la Chambre des Lords, démissionnent pour affaire de call-girls. **1974**-*7-2* Parlement dissous. *-10-2* grève gén. des mineurs. *-25-2* élect. : succès trav. (gouv. minoritaire). *-17-6* bombe aux Communes (11 bl.). *-17-7* bombe à la Tour de Londres (1 †, 32 bl.). *-10-10* élect., les trav. gagnent 15 s. mais n'ont que 1 voix de majorité aux Communes. *Oct.-nov.* attentats dans pubs, à Guilford (7-10 : 5 †), Woolwich (7-11 : 2 †) et Birmingham (21-11) (21 †, 162 bl.). *-25-11* bombes dans 2 gares de Londres (20 bl.). *Déc.* dans grands magasins, boîtes aux lettres et centraux téléphoniques (dizaines de bl.). *-23-12* bombe chez l'ancien PM, Edward Heath. **1975**-*20-1* abandon du tunnel sous la Manche. *-6-6* référendum sur maintien dans la CEE [oui 34 763 370 (67,2 % des votants), non 16 940 146]. *-11-7* accords gouv.-syndicats sur politique des revenus. *-9-10* bombe à Piccadilly (1 †, 17 bl.). *-23-10* Kensington (1 †). *-12-11* Mayfair (1 †, 15 bl.). *-27-11* éditeur assassiné par l'IRA prov. à Londres. **1976**-*16-3* PM Wilson démissionne. *-5-4* J. Callaghan PM (élu par P. travailliste : 176 v. contre 137 à Michael Foot). **1977** recul trav. aux él. partielles. *-10-8* la reine en Ulster. **1978**-*3/5-5* él. locales, avance des conserv. sur trav. : 2 %. *-28-9* bombe sur Grand-Place à Bruxelles contre fanfare milit. brit. (2 bl.). **1979** *janv.* grèves. *-1-3* référendum pour certaine autonomie [*Galles :* oui 243 048 (11,91 %) ; non 956 330 (46,9 %) ; abstentions 41,2 %. *Écosse :* oui 1 230 937 (32,85) ; non 1 153 502 (30,78) ; abst. 36,33 ; 3 régions ont voté non, 3 oui]. Il fallait 40 % de oui pour mise en vigueur. *-28-3* gouv. trav. renversé par 311 voix contre 310. *-30-3* député conservateur Airey Neave tué (voiture explose). *-3-5* élect. : victoire conserv. *-27-8* Lord Mountbatten et son petit-fils tués par bombe sur leur bateau près de l'Eire ; bombe en Irl. du N. 18 soldats †. *-23-10* contrôle des changes aboli (en vigueur dep. 25-8-39). **1980** *févr.* le gouv. vend des participations (BP notamment). **1981**-*10/12-4* émeutes raciales à Brixton. *-3/14-7* émeutes immigrés et chômeurs à Londres, Liverpool, Leicester, Derby, Manchester, Birmingham, Newcastle, nombreux bl., importants dégâts. *Oct.-nov.* dénationalisation partielle téléphone et pétrole. *-10-10/14-11* 5 attentats à Londres : 3 † et plusieurs bl. **1981** grève de la faim des rép. irlandais de la prison de Maze. Bobby Sands et 9 autres †. **1982**-*2-4* Argentine occupe Falklands, envoi d'une force navale brit. (voir Falklands). *-28-5/2-6* visite du pape. *-3-6* S. Argov, ambassadeur d'Israël, blessé dans attentat. *-9-7* M. Fagan pénètre dans la chambre où dort la reine, à Buckingham (acquitté 19-7). *-20-7* 2 attentats I.R.A. : à Hyde Park (voiture piégée) et Regent's Park (bombe sous kiosque à musique) : 8 †, 60 bl. (dont plusieurs militaires). **1983**-*1-1* panique à Londres près de Big Ben, 3 †, 500 bl. *-17-12* attentat I.R.A. devant magasin Harrods à Londres (5 †, 91 bl.). **1984** *mars à mars 85* grève de mineurs [en partie financée par Libye ? et URSS (Arthur Scargill sera en 1990 accusé d'avoir détourné + d'1 million de £ venant des quêtes de solidarité des mineurs sov.)] contre Mme Thatcher. *-12-10* IRA : *bombe* au Grand Hôtel de Brighton au congrès conservateur 5 †, 30 bl. *-23 au 26-10* Pt Mitterrand en G.-B.. **1984-87** grève perlée des enseignants. **1985**-*29-1* l'Université d'Oxford par 738 voix contre 319 refuse titre de docteur Honoris Causa à Mme Thatcher « à cause des dommages causés par son gouv. à l'enseignement et à la recherche scient. ». *-9-9* émeutes à Handworth près de Birmingham, 3 † ; *-28-9* à Brixton ; *-1-10* à Toxteth ; *-6-10* à Tottenham, 1 policier †, 220 bl. *-12/16-9* 31 diplomates soviét. expulsés. *-31-12* G.-B. quitte UNESCO. **1985** grèves BBC et presse. **1986** *janv.* démission de plusieurs ministres, suite de l'affaire Westland (constructeur d'hélicopt.) ; *avril* roi d'Esp. en G.-B. ; 320 Libyens expulsés. *-7-5* des extrémistes protestants tuent une jeune femme prot. ayant épousé un cath. *-8-5* élec. locales et partielles, revers conservateurs. *-10-6* Patrick Magee (IRA), reconnu coupable de l'attentat de Brighton (12-10-84). *Juil.* accord avec URSS sur remboursement dette tsariste. *Sept.* émeutes à Bristol. *-24-10* rupture relations dipl. avec Syrie (après condamnation du terroriste Hindawi). *-27-10* informatisation de la Bourse. Jeffrey Archer, vice-Pt du parti conservateur, démissionne (affaire de mœurs). **1987** *févr.* émeutes à Wolverhampton. *Fin mai* Mme Thatcher en URSS. *-18-5* dissolution. *-11-6* élections. *-18-11* incendie dans métro King's Cross, 31 †. **1988** *janv.* grève des infirmières, *févr.-juin* des marins, *sept.-oct.* des postiers. *-7-6* Communes votent contre rétablissement de la peine de mort (341 contre, 218 pour). *-22-8* pubs autorisés à ouvrir de 11 à 23 h (15 h le dimanche). Dep. 1915, ils devaient fermer de 15 à 17 h. *Oct.* la reine en Espagne. *-7/11-11* Pce Charles en Fr. *-21-12* Lockerbie (Écosse), 1 Boeing de la Pan Am explose en vol. **1989** *Mars* scandale Pamela Bordes. *-7-3* rupture relations dipl. avec Iran à cause des menaces contre Salman Rushdie, auteur des *Versets sataniques. -10-5* P. travailliste renonce au désarmement unilatéral. *Juill.* sécheresse, 500 000 Londoniens privés d'eau. *-28-8* à la fin du carnaval antillais de Notting Hill : bagarres. *-13-9* York, bombe devant librairie Penguin (éditeur des *Versets sataniques*). 3 autres bombes désamorcées. *Oct.* réhabilitation des 4 de Guildford après 14 ans de prison. **1990**-*18-1* réforme de l'impôt local (dep. XVIIIe s., payable par maison selon taille et confort) : la *poll tax* (exigible en Écosse dep. 1 an) est applicable à partir du 1-4 en Angl. et Galles. Payable par les + de 18 ans (les assujettis passent de 12 000 000 à 35 000 000 personnes) ; en moyenne, 3 500 F/an/personne. *-9-3* Arthur Scargill, Pt du Syndicat des mineurs, accusé d'avoir reçu des fonds libyens en 1984-85. *-31-3* 200 000 manif. à Londres contre *poll tax.* 132 bl. dont 58 policiers, importants dégâts. *-4-3* Peter Walker, secr. d'État au P. de Galles démissionne. *-1-4* mutinerie prison de Manchester. *-3-5* élect. locales (5 327 conseillers municipaux) : travaillistes + 300, conservateurs – 200). *-14-3* remise en liberté des 6 de Birmingham après 16 ans de prison (condamnés à perpétuité en 1975 pour attentats du 21-11-74). *-16-5* bombe contre 2 mil. brit. à Londres. *Mai* réhabilitation famille Maguire condamnée 1976 pour avoir fabriqué des explosifs. *-20-7* bombe IRA à la Bourse de Londres, dégâts (pas de victime). *-30-7* député conservateur, Ian Gow, tué par IRA. *Août à mars 91* participation à la g. du Golfe (voir Index). *-18-9* att. IRA contre Sir Peter Terry, ancien adjoint du Cdt suprême de l'OTAN et ancien gouv. de Gibraltar. *-1-11* Sir Geoffrey Howe, vice-PM démissionne. *-22-11* PM Margaret Thatcher démissionne. *-28-11* Major PM. *-18-12* Communes votent contre le rétablissement de la peine de mort. **1991**-*7-2* 3 obus de mortier tirés contre le 10 Downing Street ; 1 camionnette explose près du ministère de Défense. *-18-2* Londres, att. (IRA) dans 2 gares : 1 †, 43 bl. *-19-3* TVA sera augmentée de 15 à 17,5 % et la Poll Tax diminuera jusqu'à sa réforme (avril 93), son niveau moyen (390 £ par personne) paraissant insupportable. *-30-4* PM réunit unionistes, protestants et nationalistes pour parler de l'avenir de l'Ir. du N. *-2-5* élect. de 12 370 conseillers locaux et municipaux (travaillistes 38 %, conservateurs 36 %).

Politique

● **Statut.** Monarchie constitutionnelle remontant au IXe s. (la plus ancienne du monde) : Royaume-Uni de Grande-Bretagne, Écosse et Irlande du N. *Pas de Constitution* écrite mais une tradition de lois fondamentales (Gde Charte 1215, lois de 1628, 1700, 1707, 1832, 1911, 1942, 1949).

● **Souverain.** *Titres :* Sa Majesté Elisabeth II par la grâce de Dieu reine du Royaume-Uni de Grande-Bretagne et d'Irlande du Nord et de ses autres royaumes et territoires, chef du Commonwealth, défenseur de la Foi. De 1340 à 1802, signe aussi « roi de France ». Ne règne directement que sur Angleterre, pays de Galles, Écosse. En Irlande du N., dans les petites îles de l'archipel brit. (Man, îles anglonormandes), dans les monarchies du Commonwealth et dans les « dépendances », les fonctions royales sont assurées par un gouverneur général (ou un gouverneur, un lieutenant-gouverneur, commissaire, administrateur ou résident), généralement nommé sur la recommandation du pays intéressé. Il agit conformément à la pratique constitutionnelle de ce pays et est entièrement indépendant du gouv. brit. Les autres pays du C. ont chacun leur propre chef d'État. Il n'a pas le droit de vote. On distingue la personne du souverain et la « Couronne » dont les fonctions sont exercées par le Cabinet, responsable devant le Parlement. Le chef du Cabinet (PM) est traditionnellement le leader du parti de la majorité à la Ch. des Communes.

Actes gouvernementaux exigeant la participation du souverain : adresse lue au Parlement ; prorogation et dissolution de la Ch. des Communes ; octroi de l'assentiment royal aux textes de lois passés par les 2 ch. du Parlement ; nomination à tous les postes importants de l'Administration : ministres, juges, officiers, gouverneurs, diplomates et hauts dignitaires de l'Église anglicane ; collation des titres de noblesse, de chevaliers et des autres décorations (la plupart des décorations accordées le sont sur avis du PM ; quelques-unes sont laissées au choix personnel du souv. : Ordre de la Jarretière, du Chardon, du Mérite et Ordre royal de Victoria). Droit de grâce partielle ou totale pour crimes de droit commun. Le souv. choisit le PM (il doit être le leader du parti ayant la majorité à la Ch. des Communes). Lorsqu'il n'y a plus de parti majoritaire ou lorsque le parti maj. n'a pas de leader, le souv. peut prendre tous les avis qu'il désire sur la question. Il peut déclarer les guerres, conclure les traités de paix, les accords internationaux, reconnaître les États et régimes étrangers, annexer ou céder des territoires.

Sauf quelques rares exceptions, ces actes ainsi que tous les actes impliquant l'exercice de la « prérogative royale » sont accomplis par un gouvernement responsable devant le Parlement et peuvent être remis en question pour certaines de leurs dispositions. La loi n'exige pas que le Parlement donne son autorisation avant que les actes soient accomplis, mais il peut changer cette législation et restreindre ou même abolir le droit de prérogative.

Succession à la Couronne. Réglée par une loi de 1701, applicable à l'Écosse en 1707 et aux pays du Commonwealth en 1931 : il n'y a pas d'interrègne entre la mort d'un souverain et l'avènement de son héritier. Sont héritiers, par rang d'âge : les fils du souv. ou, s'il n'y a pas de fils, ses filles. Seuls les descendants protestants de la Pcesse Sophie (électrice de Hanovre, petite-f. de Jacques Ier) peuvent accéder au trône. Chaque souverain doit appartenir à l'Égl. anglicane, s'engager à maintenir la religion anglicane en Angleterre et l'Église presbytérienne en Écosse.

L'héritier du trône ne peut se marier sans le consentement du souverain et des 2 Ch. du Parlement. Il lui est interdit (loi de 1701) d'épouser une cath. ; comme futur chef de l'Égl. anglicane, il doit également renoncer à épouser une divorcée.

Famille royale. Depuis 1714, les descendants en ligne mâle du souverain sont appelés Pces et Pcesses de G.-B. et d'Irl. du N. Les enfants et leurs fils sont altesses royales ; les arrière-petits-fils du souverain sont altesses.

Cour d'Angleterre. A Buckingham (voir ci-dessous). La reine possède les plus beaux diamants d'Occident, une importante collection d'œuvres d'art dont les 2/3 des dessins de Léonard de Vinci (800 env.). Tous les *cygnes* du pays (autrefois gibier royal) appartiennent à la Couronne, sauf, par un privilège accordé en 1473, certains cygnes de la Tamise, qui peuvent appartenir aux corporations des teinturiers et des marchands de vin (les ailes des jeunes cygnes royaux de la Tamise sont rognées au cours d'une cérémonie annuelle).

Les *« poissons du roi »* – esturgeon, dauphin, marsouin et baleine – doivent être offerts en cadeau au souverain s'ils sont pêchés dans les eaux territoriales (pour la baleine, le roi a droit à la tête, la reine à la partie postérieure ; le cas ne s'est jamais produit sous le règne d'Elisabeth II). Cependant, les esturgeons pêchés en amont du London Bridge appartiendraient au lord-maire.

La famille royale coûte env. 35 centimes par an et par habitant. *Liste civile* (en milliers de £, *90) :* 6 327 dont 5 090 vont à la reine [la reine dispose en outre des revenus de ses propriétés personnelles et des revenus héréditaires du duché de Lancastre (300 000 £ par an) ; au total 8 millions de £ (87) ; la liste civile était fixée dep. 1937 à 410 000 £ mais une loi de 1952 a permis d'indexer ce montant, et mis au compte du budget de nombreuses dépenses de fonctionnement] ; *reine-mère* 439,5, *(Pce Philippe, duc d'Edimbourg)* 245, *Duc d'York* 169, *Duc de Kent* 161,5, *Pcesse Royale* (Anne) 154,5, *Pcesse Alexandra* 154, *Pcesse Margaret* 148,5, *Duc de Gloucester* 119,5, *Pcesse Alice, Pcesse de Gloucester* 60,5, *Pce Edward* 20. *Le Pce Charles,* héritier du trône, ne reçoit pas d'indemnité mais dispose, en tant que duc de Cornouailles, des revenus (nets d'impôts) de 52 000 ha situés dans le sud-est de l'Angleterre et à Londres (417 000 £).

En 1990, un membre de la famille royale (ou plus) a participé à 2 946 cérémonies en G.-B. et à 1 112 à l'étranger.

Résidences royales. 1°) 5 châteaux de la Couronne entretenus sur le budget public (ministère de l'Environnement) : **Buckingham Palace** (rés. de la reine à Londres depuis 1837, 600 pièces, 1 000 fenêtres, 9 km de corridors ; bât. du XVIIIe s., modifié 1825 ; façade refaite en pierres 1913) ; **Windsor Castle** [rés. principale dep. 850 ans ; construit par Guillaume le Conquérant (1066-87), agrandi XIVe et XVe s., restauré par George IV (1820-30)] ; **Holyrood House** (rés. officielle de la reine comme souveraine d'Écosse, construite XVIIe s. sur l'emplacement d'une abbaye) ; **St James's Palace** à Londres (rés. officielle de 1698 à 1837, d'où l'expression de *« Cour de St James »,* en vigueur dans les milieux diplom.) ; **Kensington Palace** à Londres (rés. de la Pcesse Margaret). **2°) 2 châteaux personnels de la reine** entretenus sur son budget personnel : **Balmoral** (construit 1855 par le Pce Albert, époux de la reine Victoria) et **Sandringham** (acheté 1863 par le futur Édouard VII et reconstruit 1871).

• **Gouvernement.** Appelé « Gouvernement de Sa Majesté », car il gouverne le pays au nom de la reine (mais les actes gouvernementaux importants exigent toujours la participation de la reine). La reine doit choisir comme PM le chef de la majorité à la Chambre des Communes (Lord Salisbury fut le dernier PM pris parmi les pairs en 1902). A l'origine la responsabilité du gouv. s'est traduite par d'éventuelles poursuites (le poursuivant était la Chambre des Communes et le juge la Chambre des Lords). Cette procédure d'*impeachment* permettait aux Communes de se débarrasser d'un cabinet avec lequel elles étaient en conflit, mais elle était lourde et les conséquences graves car, à partir de l'Acte d'Établissement, il fut interdit au roi de gracier l'individu condamné à la suite d'une procédure d'*impeachment.* Alors apparut la responsabilité politique. Celui que menaçait la procédure d'*impeachment* pouvait l'esquiver en démissionnant. Lord Walpole (1742) et Lord North (1782) se retirèrent ainsi. La pratique devint coutume (la dernière tentative d'accusation, visant Lord Melville, date de 1804). *Origine du Cabinet :* de 1714 à 1830, 4 rois hanovriens se succèdent, les deux premiers parlent mal l'anglais et ne peuvent suivre les débats des min. George III est aveugle et devient fou, George IV est ivrogne et paresseux. L'équipe des min. se détache du roi et siège, en dehors de lui, dans une petite pièce, « le cabinet » qui lui donnera son nom. Les min. sont ensuite reçus par le roi, mais bientôt un seul l'approche. Le cabinet travaille en dehors du monarque. La pratique devient coutume ; en 1837 quand Victoria devient reine, le conseil lui refuse de participer aux délibérations. Le PM réside 10 Downing Street (donné à Sir Robert Walpole en 1735 par George II). *Jouissance des Chequers:* maison de campagne (Buckinghamshire, 50 km de Londres) léguée 1921 par le Lord lee of Farsham pour offrir au PM un moyen de délassement). **Gouvernement** formé le 28-11-90. *PM* John Major (1943). *Intérieur* Kenneth Baker. *Lord chancelier* (justice) Lord Mackay of Clashfern (n. 1927). *Affaires étrangères* Douglas Hurd (n. 1930). *Chancelier de l'Échiquier* (finances) Norman Lamont (1942). *Défense* Tom King. *Industrie* Peter Lilley. *Lord président du conseil* (cons. privé de la reine) Lord Waddington.

• **Parlement. Ch. des Lords (House of Lords)** comprend (au 31-1-90) 1 180 pairs (dont 841 barons, 102 vicomtes, 156 comtes, 27 marquis, 24 ducs, 24 évêques, 4 pairs de sang royal, 2 archevêques). Le dernier repr. irl. est mort en janv. 1961. *Présidée* par le Lord Chancelier. Les lords sont convoqués par une ordonnance. Ils siègent env. 140 j par an. En moy., 270 m. présents les j de grands débats. Ils examinent, amendent si nécessaire les projets de lois renvoyés à la Ch. des Communes et ne peuvent que retarder l'entrée en vigueur des mesures gouvernementales. Droit de *Veto* a été rendu temporaire en 1911 et limité en 1949 à 2 sessions successives, avec une durée d'un an. Depuis 1911 les Lords n'ont plus de pouvoir sur les projets de lois à caractère financier. En 1963 il a été admis qu'un Lord quitte la Ch. des Lords et se fasse élire aux Communes en renonçant à la pairie ; Sir Alec Douglas Home devint ainsi PM.

Salle : 24,40 m de long, 13,50 m de large, 13,50 m de haut. Commencée 1840, terminée 1860, utilisée pour la 1re fois en 1847 (un incendie avait détruit la plus grande partie de Westminster en 1834). Plans de Sir Charles Barry et Augustus W. N. Pugin. De 1941 à 51, utilisée par la Chambre des Communes, ses bâtiments ayant été détruits, les lords se réunissant dans l'Antichambre de la Reine. Trône dessiné par Pugin surmonté d'un dais représentant le Drap d'État. Devant le trône, sac de laine contenant des échantillons venant d'Angleterre, pays de Galles, Écosse, Irlande et pays du Commonwealth sur lequel siège le grand chancelier qui est aussi ministre et chef du pouvoir judiciaire. 2 autres sacs de laine et la Table de la chambre se trouvent devant le sac. On appelle côté spirituel la partie réservée au parti au pouvoir et côté temporel celle de l'opposition.

Ch. des Communes (House of Commons). 650 m. élus au suffr. univ. direct pour 5 ans [Angl. 523, Écosse 72 (sa population ne devrait lui donner droit qu'à 57 m.), Galles et Monmouthshire 38 (leur pop. ne devrait leur donner droit qu'à 31 m.), Irl. du N. 17]. *Speaker,* membre de la Chambre proposé par le Gouv. après consultation de l'opposition. Élu au début de chaque nouveau Parlement pour présider la Chambre et faire respecter les règlements. Après son élection, il doit se montrer impartial. La Chambre est fréquemment dissoute avant la fin de son mandat.

Nota. – *Big Ben* (18,54 t) a été placée en 1858 dans la tour de l'horloge des Communes.

Lois. La plupart sont applicables à la G.-B. ou à tout le Roy.-Uni, mais dans certains cas, on vote, pour l'Angl. et le P. de Galles d'une part et l'Écosse d'autre part, des lois séparées qui tiennent compte de la différence des institutions, des coutumes et des conditions. L'Irlande du N. a son propre gouvernement et son parlement qui légifèrent sur les questions relatives aux affaires intérieures (voir p. 1059).

Nombre d'électeurs (en millions). *1831 :* 0,435 ; *32 :* (après le Reform Bill) 0,652 ; *66 :* 1 ; *69 :* 2 ; *83 :* 2,6 ; *85 :* 4 ; *1918* (suffrage universel) : 21 ; *28* (l'âge devient le même pour les femmes) : 29.

• **Partis. P. conservateur** (à l'origine *tory* = maquisard catholique d'Irlande), f. 1870, représentant alors les propriétaires fonciers, devient en 1830 le parti conservateur. *Membres :* 1 500 000. *Leader :* John Major (1943) dep. 27-11-1990 [élu 1991 (1er tour, 20-11 : Mme Thatcher 204 v., Michael Heseltine 152 v. ; 2e t. : Mme Thatcher ne se représente pas) 185 v. ; John Major devant Michael Heseltine 131 v. et Douglas Hurd 56 v. qui se retirent ; pas de 3e t.]. *Pt :* Chris Patten. **P. travailliste** (Labour Party). *Origine :* 1900 du Labour Representation Committee et en 1906 du Labour Party, *statuts* de 1909 : soutenu par Trade Unions [5 908 149 m. dont 288 829 m. individuels, 5 564 477 m. affiliés aux syndicats et au mouv. coopératif (1987)]. *Leaders :* Neil Kinnock (28-3-42) dep. 2-10-83 [avant, Michael Foot (23-7-1913)]. **P. communiste.** f. 1920, *Secr. gén. :* Nina Temple 6 500 m. **P. des démocrates libéraux** (*LD*), f. 3-3-1988, 110 000 m, *Leader* Patty Ashdown (1941) dep. 1988. *Leader à la Chambre des Lords* Lord Jenkins of Hillhead. *Pt* Charles Kennedy MP. Regroupe le **P. social-démocrate** *(SDP),* f. 26-3-1981, par 19 m. de la Ch. des Communes dont Roy Jenkins, David Owen et Shirky Williams et 59 pairs, issus du P. travailliste. *Pt :* Ian Wrigglesworth, env. 6 000 m) (se saborde le 3-6-90) et le **P. libéral** [à l'origine, parti *Whig* (*whiggamore* = maquisard presbytérien d'Écosse)] f. 1877 par William Gladstone, représente le monde des affaires et défend le libre-échange. A sa gauche, les partisans de réformes vont devenir les libéraux (à partir de 1815). En 1931, il se divise en *Samuelistes* [Sir Herbert Samuel (1870-1963)], continuant la tradition libérale, et *Simonistes* [Sir John Simon (1873-1954)], abandonnant le libre-échangisme puis rejoignant les Conservateurs. *Leaders : 1945 :* Clement Davies (n. 1884). *1956 :* Jo Grimond (n. 1913). *1967 :* Jeremy Thorpe (n. 1929). *1976 :* David Steel (n. 1938). *1988 :* Paddy Ashdown (n. 1941). Obtint 7 300 000 voix en 1987 (22,6 %), 20 m Ch. des Com., 59 m. Ch. des Lords. **Ecology,** f. 1973. *1987 :* 1,4 % (5,9 % aux él. locales), *1989 :* europ. 14,99 %.

• **Syndicats** (Trade Unions). **Affiliés** (millions). *1979 :* 12 ; *84 :* 10 ; *85 :* 9,8 ; *88-89 :* 8,7. *Taux de syndicalisation* (%). *1969 :* 44 ; *79 :* 54 ; *85 :* 43,5. Dep. 1906, les synd. ne sont pas tenus pour responsables des délits du travail commis par leurs membres. Jusqu'en 1980, ils pouvaient, par ex., mettre des piquets de grève dans les usines étrangères à un conflit

Élections à la Chambre des Communes (sièges et % des voix)

Élections	Nombre total des sièges	Conservateurs	Libéraux	Travaillistes	Autres
1931 (27-10)	615	521 (60,5)	37 (7)	52 (30,6)	5 (1,7)
1935 (14-11)	615	432 (53,7)	20 (6,4)	154 (37,9)	9 (2)
1945 (5-7)	640	213 (39,8)	2 (9)	393 (47,8)	22 (2,8)
1950 (23-2)	625	298 (43,5) [1]	9 (9,1)	315 (46,4)	3 (1,3)
1951 (25-10)	625	321 (48) [2]	6 (2,5)	295 (48,7)	3 (0,7)
1955 (25-5)	630	344 (49,8) [2]	6 (2,7)	277 (46,3)	3 (1,2)
1959 (8-10)	630	365 (49,4) [2]	6 (5,9)	258 (43,8)	1 (0,9)
1964 (15-10)	630	303 (43,4) [2]	9 (11,1)	317 (44,2)	1 (1,3)
1966 (31-3)	630	253 (41,9) [2]	12 (8,5)	363 (47,9)	2 (1,7)
1970 (18-6) [6]	630 [3]	330 (46,4) [4]	6 (7,5)	288 (43)	6 (3,1)
1974 (28-2)	635	297 (38,2)	14 (19,3)	301 (37,2)	23 (5,3)
1974 (10-10)	635	277 (35,8)	13 (18,3)	319 (39,3)	26 (6,6)
1979 (3-5)	635	339 (43,9)	11 (13,8)	268 (36,9) [5]	17 (5,4)
1983 (9-6)	635	397 (42,4)	23 (24,6)	194 (27,6)	21 (4,6) [7]
1987 (11-6)	652	376 (42,3)	22 (22,6)	229 (30,8)	25 (4,1)

Nota. – (1) Y compris lib. nat. (2) Y compris associés. (3) Y compris 1 nat. écossais, 5 ind. et le speaker. (4) Y compris les unionistes d'Ulster. (5) Ulster 10, SNP 2, Plaid Cymru 2, divers 3. (6) Ulster 11. (7) Dont P. nat. écoss. 3 (1,3), Plaid Cymru 3 (0,4), Unionistes officiels nord-irl. 9, démocratiques nord-irl. 3, populaires nord-irl. 1, sociaux-démo. et travaillistes nord-irl. 3, Sinn Fein 1, Speaker 1.

du travail, pour paralyser une concurrence gênante (droit supprimé en 1980). Beaucoup les ont rendus responsables de la ruine de l'industrie brit. 1°) ils se sont opposés à l'adoption des techniques nouvelles entraînant des suppressions d'emplois ; 2°) ils ont déclenché de nombreuses grèves, souvent pour des motifs futiles (*1979:* 29 millions de journées perdues ; *1980:* 12 millions) ; 3°) ils empêchaient tout licenciement pour faute professionnelle grave, grâce à des recours devant les « tribunaux du travail », qui absolvaient les syndiqués. Leur influence politique a décliné dep. 1981 notamment dep. l'échec de la grève des charbonnages déclenchée contre le plan de restructuration pour 1984-85 (réduire la production de 100 à 96 millions de t, supprimer 20 000 emplois par départs volontaires, moyennant de généreuses indemnités de licenciement) qui s'était terminée sans que le gouv. cède après 51 semaines, du 12-3-84 au 3-3-85. La grève qui n'avait jamais été totale (30 000 mineurs du Nottinghamshire ne s'y sont jamais associés) avait coûté (en millions de £) : 2 976 dont subventions aux centrales électriques utilisant des hydrocarbures 1 624 et aux charbonnages 733, pertes en impôts non payés par les mineurs 370, police 155, aides sociales aux familles de mineurs 64, pertes de productivité des mineurs ayant continué à travailler 30.

Police (1991). 146 500 policiers dépendant de 52 autorités régionales, ne portant en général pas d'armes à feu. A Londres, 2 510 sur 28 000 en portent (soit 1 sur 11).

Rois et Reines

• **Saxons et Danois. 802** EGBERT (v. 775-839) roi de Wessex puis de toute l'Angleterre. **39** ETHELWULF († 858) s. f. **58** ETHELBALD († 860) s. f. **60** ETHELBER († 866) 3e f. d'Ethelwulf. **66** ETHELRED Ier, St († 871) 4e f. d'Ethelwulf. **71** ALFRED LE GRAND (v. 848-901). **99** EDOUARD L'ANCIEN († 924) s. f. **925** ATHELSTAN (895-940) s. f. **39** EDMOND Ier (v. 922-assassiné 946) 3e f. d'Édouard l'Ancien. **46** EDRED († 955) 4e f. d'Éd. l'Ancien. **55** EDWY (940-59) f. d'Edmond. **59** EDGAR LE PACIFIQUE (944-75) 2e f. d'Edmond. **75** EDOUARD LE MARTYR (963-assassiné 978) s. f. **79** ETHELRED II (968-1016) s. fr. **1016** EDMOND II CÔTES DE FER (v. 988-1017) s. f. **17** (1) CANUTE LE DANOIS (995-1035) par conquête et élection. **35** (1) HAROLD Ier (1017-40) s. f. illégitime (lutte de 1035 à 37 avec Hardicanute) élu. **40 S1** HARDICANUTE (1018-42) f. de Canute. **42** EDOUARD LE CONFESSEUR, St (v. 1002/1007-1066) f. d'Ethelred II. **66** HAROLD II (1022 ?-Hastings 1066) s. beau-fr.

Nota. – (1) Danois.

• **Maison de Normandie. 1066** GUILLAUME Ier LE CONQUÉRANT (v. 1027-87) f. illégitime du duc de Normandie Robert Ier et d'Arlette (fille d'un peaussier de Falaise), obtient la couronne par conquête. Ép. Mathilde de Flandres. **87** GUILLAUME II LE ROUX (v. 1056-1100) s. 3e f. **1100** HENRI Ier BEAUCLERC (1068-1135) 4e f. de Guillaume Ier. Ép. 1°) Mathilde d'Écosse 2°) Adèle de Louvain 24 enfants. **35** ÉTIENNE DE BLOIS (1097-1154) 3e f. du Cte de Blois et d'Adèle, f. de Guillaume Ier. Ép. Mathilde de Boulogne.

• **Maison des Plantagenêts. 1154** HENRI II (1133-89) f. de Geoffroy Plantagenêt et de Mathilde, seule f. d'Henri Ier. Épouse Éléonore d'Aquitaine. **89** RICHARD Ier CŒUR DE LION (1157-99) s. f. Épouse Bérengère de Navarre. **99** JEAN SANS TERRE (1167-1216) s. fr. 4e f. d'Henri II. Épouse 1°) Isabelle de Gloucester 2°) I. d'Angoulême.

• **Maison des Capétiens. 1216-17** LOUIS, f. de Philippe II Auguste (futur Louis VIII), appelé par des barons anglais, occupe le S. de l'Angl. ; sans être sacré roi à Londres, qu'il détenait, se fait prêter serment. La mort de Jean sans Terre († 12-10-1216) et sa défaite à Lincoln lui font regagner la France.

• **Maison des Plantagenêts. 1216** HENRI III (1207-72) s. f. 1er roi né en G.-B. Ép. Éléonore de Provence. **72** ÉDOUARD Ier (1239-1307) s. f. Ép. Éléonore de Castille. **1307** ÉDOUARD II (1284-assass. 1327) s. f. Ép. Isabelle de France. **27** ÉDOUARD III (1312-77) s. f. 1er roi parlant anglais. Ép. Philippa de Hainaut. **77** RICHARD II (1367-1400) f. du Prince Noir (f. aîné d'Édouard III), déposé en 1399. Ép. 1°) Anne de Bohême 2°) Isabelle de France.

• **Maison de Lancastre. 1399** HENRI IV (1367-1413) f. de Jean de Gand (4e f. d'Édouard III). Ép. 1°) Marie Bohun 2°) Jeanne d'Angleterre. **1413** HENRI V (1387-1422) s. f. Ép. Catherine de Valois, fille du roi de Fr. Charles VI. **22** HENRI VI s. f. (1421-assassiné 1471) déposé en 1461, remis sur le trône en 1470. Ép. Marguerite d'Anjou dont 1 fils Edouard († s. n.).

• **Maison d'York. 1461-70** et **71-83** ÉDOUARD IV (1442-83) f. de Richard duc d'York, pet.-f. d'Edmond, (5e f. d'Édouard III). Ép. Elisabeth Woodville. **83** ÉDOUARD V (1470-83) s. f. assassiné avec RICHARD III (1452-Bosworth 1485, dernier roi tué dans une bataille) f. de Richard duc d'York, fr. d'Édouard IV. Ép. Anne Neville.

• **Maison des Tudors. 1485** HENRI VII (1457-1509) f. d'Edmond Tudor Cte de Richmond (f. aîné légitimé 1453 d'Owen Tudor et de Catherine de Valois, veuve d'Henri V) ; sa mère, Marguerite de Beaufort, était l'arrière-petite-fille de Jean de Gand. Ép. 1486 Élisabeth d'York. 1er roi à toucher les écrouelles. **1509** HENRI VIII (1491-1547) s. f. 1er roi appelé « Votre Majesté ». Ép. 1°) 1509 Catherine d'Aragon (1485-1536) répudiée après 23 ans et 11 mois ; 2°) 1533 Anne Boleyn (v. 1507-36 ; elle avait 3 seins et 11 doigts) décapitée après 3 ans et 4 mois ; 3°) 1536 Jane Seymour (1509-37) morte après la naissance de son fils, le futur Édouard VI ; 4°) 1540 Anne de Clèves (1517-57), mariage annulé après 6 mois ; 5°) 1540 Catherine Howard (v. 1522-42) décapitée après 1 ans et 6 mois ; 6°) 1543 Catherine Parr (1512-48) veuve après 3 ans et 6 mois, se remaria en 1547 à Sir Thomas Seymour. **1547** ÉDOUARD VI (12-10-1537/6-7-1553) s. f. (par Jane Seymour). **1553** (9 j) JEANNE GREY (v. 1537-décapitée le 12-2-1554) petite-f. de Marie (la plus jeune sœur de Henri VIII). [Le tuteur d'Édouard VI, John Dudley (n. 1502), 1er duc de Northumberland, prévoyant la mort prochaine de son protégé, avait marié le 21-5-1553 son fils lord Guildford Dudley avec lady Jane Grey, arrière-petite-f. d'Henri VII, et la fit proclamer héritière présomptive du trône le 21-6-1553 puis reine d'Angl. le 10-7-1553 après la mort d'Édouard VI le 6-7-1553. Marie (Tudor), héritière légitime, fit alors détrôner lady Jane Grey le 19-7-1553 (elle sera surnommée la « Reine de 9 j »), la fit emprisonner à la Tour de Londres avec son époux et son beau-père, juger puis exécuter]. MARIE Ire TUDOR (1516-58), dite la reine sanglante ou Bloody Mary, f. d'Henri VIII (seule reine régnante ayant épousé un souverain régnant) et de Catherine d'Aragon. Ép. le 25-7-1554 Philippe II d'Esp. Henri VIII n'ayant pas laissé de descendant légitime, pour l'Église catholique, l'héritière est Marie (Stuart) reine d'Écosse, dauphine de Viennois, puis reine de France. Son mari et elle se titrent roi et reine d'Angl. et d'Irlande. Elisabeth Ire la fera décapiter. **1558** ÉLISABETH Ire (1533-1603), dite la Gloriana, la Reine Vierge, Notre bonne reine Bess., f. d'Henri VIII et d'Anne Boleyn. Non mariée.

• **Maison des Stuarts. 1603** JACQUES Ier (19-6-1566-1625) (Jacques VI d'Écosse) f. de Marie, reine d'Écosse, pet.-f. de Jacques IV et de Margaret, f. d'Henri VII. Ép. 1589 Anne de Danemark (1574-1619). **25** CHARLES Ier (1600-décapité le 30-1-1649) s. f. Ép. (1625) Henriette-Marie de France (21-11-1609/10-9-1669, fille d'Henri IV et de Marie de Médicis, jamais couronnée car ayant voulu rester catholique). Dernier souverain à entrer à la Chambre des Communes.

> **Marie Stuart (1542-87). 1542**-*14-12* reine des Écossais, à la mort de son père. **1543**-*9-9* couronnée à Stirling. **1548** élevée en France car fiancée au dauphin François (futur roi François II). **1558** ép. François II. **1560** 1er veuvage, regagne l'Écosse ; fin de la régence en Écosse de sa mère la Pcesse Marie de Guise. **1565**-*29-7* ép. son cousin germain Henry Stuart, lord Darnley (1545-67), créé à l'occasion de son mariage Cte de Ross puis duc d'Albany et associé au trône. **1566** *mars* Darnley assassine à Holyrood House le favori de Marie, Rizzio. **1567**-*10-2* Darnley assassiné par des conjurés dont James Hepburn (v. 1536 : 78), 4e Cte de Bothwell, à Kirk O'Fields à Edimbourg. -*15-5* Mary épouse Bothwell, créé duc d'Orkney ; ce mariage provoque une révolte. -*24-7* Mary abdique en faveur de son fils Jacques VI. Elle s'était aliéné presbytériens et noblesse par son catholicisme intransigeant. **1568-87** réfugiée en Angleterre et prisonnière. **1587**-*8/18-2* décapitée de 3 coups de hache au château de Fotheringay après découverte d'un complot, fomenté en son nom contre Élisabeth Ire, par les catholiques.

• **Commonwealth.** Fondé 19-5-1649.

• **Dictature. 1653** OLIVER CROMWELL (1599-1658) Lord Protector. **58** RICHARD CROMWELL (1626-1712) Lord Protector, s. f., démissionne 1659.

• **Restauration (Stuart). 1660** CHARLES II (1630-6-2-85) f. de Charles Ier couronné 23-4-1661. Ép. Catherine de Bragance. **85-88** JACQUES II (Jacques VII d'Écosse) (1633-1701), s. fr. Déposé 1688. Réfugié en France 1690. Ép. 1°) Anne Hyde 2°) Marie de Modène. Sa descendance revendiqua le trône jusqu'en 1801.

> **Armoiries.** Depuis Richard Cœur de Lion (v. 1200), elles sont celles des ducs de Normandie : 3 léopards d'or sur champ de gueules (rouge). En 1339, Édouard III (qui revendiquait la couronne de France) écartela son écu avec les fleurs de lys d'or semées sur champ d'azur (réduites à 3, pour imiter les rois de Fr., à partir du xve s.). A partir de 1603, les armes d'Écosse (un lion de gueules, dans un cadre également de gueules, sur champ d'or) et celles d'Irlande (une lyre d'or sur champ d'azur) sont jointes aux 2 précédentes. Guillaume III y rajoute en 1688 lion et billettes de Nassau. En 1801, on enleva les fleurs de lys de Fr., mais on rajouta un écusson de prétendance avec les armes du Hanovre, que la reine Victoria supprima en 1831. Depuis, les armoiries royales sont écartelées en 1 et 4 d'Angleterre, en 2 d'Écosse et en 3 d'Irlande.
>
> **Devise.** *« Dieu et mon Droit »,* prononcée en 1190 par Richard Cœur de Lion à la bataille de Gisors. L'orthographe correcte serait plutôt « Dieu *est* mon Droit » (les Plantagenêts sont ducs de Normandie « par la grâce de Dieu » et non par concession des rois de Fr.).
>
> **Drapeau.** Dit Union Jack soit à cause du roi Jacques Ier qui l'a dessiné soit parce que sur les navires de g., il est obligatoirement le pavillon de beaupré (en angl. : *jack*). Superposition des *croix de St-Georges* (Angleterre, rouge sur fond blanc, adoptée au XIIIe s.), *St-André* (Écosse, blanche sur fond bleu, ajoutée en 1707), *St-Patrick* (Irlande, rouge sur fond blanc, ajoutée en 1801). Seul le bâtiment de l'amiral de la flotte le porte au grand mât. Les autres navires de guerre y arborent l'« enseigne blanche » de la Royal Navy (croix de St-Georges, avec petit Union Jack, case 1). **Symboles floraux.** Rose d'Angleterre, chardon d'Écosse, trèfle d'Irlande, poireau du pays de Galles.
>
> *L'étendard royal,* qui indique la présence de la reine dans un bâtiment ou sur un navire, représente les armoiries écartelées des 3 royaumes, sans leurs supports (lion couronné et licorne), sans devise et sans crête (heaume avec couronne royale, surmontée d'un lion couronné).

• **Interrègne.** *11-12*-**1688**/*13-2*-**1689.**

• **Maison d'Orange. 1689** GUILLAUME III (1650-1702) f. de Guillaume II Pce d'Orange et pet.-f. de Charles Ier (stathouder de Hollande depuis 1674).

• **Maison des Stuarts. 1689** MARIE II (1662-94), f. aînée de Jacques II et d'Anne Hyde, s'associe son mari, Guillaume III, comme roi corégent. **1702** ANNE (1665-1714) 2e f. de Jacques II. Ép. George Pce de Danemark.

• **Maison de Hanovre. 1714** GEORGE Ier (1660-1727) f. d'Ernest, électeur de Hanovre et de Sophie, pet.-f. de Jacques Ier. Ép. 1682 sa cousine Sophie Dorothée Pcesse de Zelle (mariage dissous 1694. Sophie soupçonnée d'adultère, recluse jusqu'à sa mort 1726). **27** GEORGE II (1683-1760) s. f. Ép. 1705 Caroline d'Anspach (1683-1737). Dernier roi à conduire ses troupes à la bataille. **60** GEORGE III (1738-1820) pet.-f. de George II. Ép. 1761 Charlotte-Sophie de Mecklembourg-Strelitz. **1820** GEORGE IV (1762 au 26-6-1830) s. f. Ép. 1785 secrètement Marie-Anne Fitzherbert (1756-1837), jeune veuve cath. et officiellement (1795) Caroline de Brunswick (1768-1821). **30** GUILLAUME IV (Guillaume Ier de Hanovre, II d'Irlande, III d'Écosse) (21-8-1765 au 20-6-1837) s. fr. Ép. 1818 Adélaïde de Saxe-Cobourg-et-Meiningen. Dernier roi à renvoyer son PM. **37** VICTORIA (24-5-1819 au 22-1-1901) f. d'Édouard 4e f. de George III. Ép. 1840 le Pce Albert de Saxe-Cobourg-et-Gotha (1819-61). Eut 4 fils, 5 filles. Le Hanovre régi par loi salique se sépare de G.-B.

• **Maison de Saxe-Cobourg. 1901** ÉDOUARD VII (8-11-1841/1910) s. f. Ép. 1863 Alexandra (6-5-1844/1925), fille aînée du roi Christian IX de Dan.

• **Maison de Windsor.** Depuis le 17-7-1917, les descendants de la reine Victoria qui sont sujets britanniques, ne peuvent user de leurs titres allemands et ont adopté le patronyme de Windsor. George V ayant limité le droit de ses descendants au titre princier, plusieurs d'entre eux s'appellent Lord ou Lady Windsor. Les descendants de la reine Élisabeth et du Pce Philippe ont le patronyme de Mountbatten-Windsor, (acte du 8-2-1960).

1910 GEORGE V (3-6-1865/20-1-1936) mort par euthanasie, s. f. Ép. 1893 Marie de Teck (1867-1953). **36** (20-1) ÉDOUARD VIII (23-6-1894/28-5-1972) s. f. investi Prince de Galles en 1911 (invention de Lloyd

George). Abdique 1-12-36. Devient le duc de Windsor. Ép. 3-6-37 au chât. de Candé (Fr.) Bessie Wallis Warfield (1896-1986). Il abdiqua, non parce que sa future femme était roturière (Édouard IV, Henri VIII, et George IV avaient épousé des roturières), mais parce qu'elle avait divorcé 2 fois [1927 du Cte Winfield Spencer et 1936 (27-10) d'Ernest Aldrich Simpson, ses 2 maris vivant encore], ce qui rendait difficiles les relations avec l'Église anglicane. *11-12* GEORGE VI (14-12-1895/6-2-1952) s. fr. Ép. 26-4-1923 Lady Elizabeth Bowes-Lyon des C^{tes} de Strathmore et Kinghorne (4-8-1900). **52** (6-2 ; couronnée 2-6-53) ELISABETH II (21-4-26) s. f. Ép. 20-11-47 P^{ce} Philippe de Grèce et de Danemark (Alt. roy.), le 28-2-47 devient sujet brit. et s'appelle Philip Mountbatten (10-6-21) (f. du P^{ce} André de Grèce et de Danemark et de la P^{cesse} n. Alice de Battenberg), titré 20-11-47 duc d'Edimbourg, Cte de Merioneth et Bon de Greenwich, et créé 22-2-57 P^{ce} du Roy.-Uni de G.-B. et d'Irlande du Nord (régent éventuel par une loi de 1953), Prince Consort.

Enfants. P^{ce} *Charles* P^{ce} de Galles, Cte de Chester, duc de Cornouailles, duc de Rothesay, Cte de Carrick, Bon Renfrew, Lord des Isles et Grand Steward d'Écosse (14-11-48), ép. 29-7-81 Lady Diana Frances Spencer (1-7-61), f. d'Edward John 8e Cte Spencer (n. 1924) et de Frances Roche (n. 1936) divorcés (1re fois dep. 1659 que le P^{ce} héritier épouse une Anglaise). 2 enf. : Guillaume (21-6-82), Henry (15-9-84) ; P^{cesse} *Anne* (15-8-50) ép. 14-11-73 lieut. Mark Phillips (22-9-48), séparés dep. 30-8-89, divorce prévu 92, 2 enfants : Peter Mark Andrew (15-11-77) ; Zara (15-5-81) ; P^{ce} *André,* Duc d'York, Cte d'Inverness, Baron Killy Leagh ; (19-2-60) ép. 23-7-1986 Sarah Ferguson (15-10-59), 2 enfants : Béatrice (18-8-88), Eugénie (23-3-90) ; P^{ce} *Édouard* (10-3-64).

Ordre de succession au trône. *1er* P^{ce} de Galles, *2e* P^{ce} Guillaume de G., *3e* P^{ce} Henry de G. (fils du P^{ce} de G.), *4e* Duc d'York, (P^{ce} Andrew), *5e* P^{cesse} Béatrice d'York sa fille, *6e* P^{cesse} Eugénie d'York, *7e* P^{ce} Edouard, *8e* P^{cesse} Anne, sœur du P^{ce} de Galles, *9e* Master Peter Phillips, *10e* Miss Zara Phillips (enfants de la P^{cesse} Anne). *11e* P^{cesse} Margaret (sœur de la reine).

Sœur de la reine. P^{cesse} *Margaret* (21-8-30) ép. 6-5-60 Anthony Charles Armstrong-Jones (7-3-30) [f. de Ronald Owen Armstrong et d'Anne Messel (divorcés 1934)] titré (oct. 61) Cte de Snowdon. Divorcé dep. mai 78, 2 enf. : *David* Armstrong-Jones Vte Linley (3-11-61), Lady *Sarah* Armstrong-Jones (1-5-64). Lord Snowdon s'est remarié le 15-12-78 avec sa secrétaire Lucy Lindsay-Hogg, 1 enf.

Autres enfants de George V. P^{cesse} Mary (25-4-97/28-3-1965) ép. (28-2-22) Vte Henri Lascelles, 6e Cte de Harewood (1882-1947), 2 enf. : George (7-2-23), Gerald (21-8-24). **Henry, duc de Gloucester,** Cte d'Ulster, Bon Culloden (31-3-1900/10-6-74) ép. 6-11-35 Lady Alice Montagu-Douglas-Scott (25-12-01). 2 enf. : P^{ce} Guillaume (18-12-41/28-8-72) et P^{ce} *Richard* (26-8-44), ép. 8-7-72 Brigitte Van Deurs (20-6-46) [3 enf. : Alexandre (24-10-74), Cte d'Ulster, Davina (19-11-77) Rose (1-3-80)]. **P^{ce} George, duc de Kent** (20-12-02 – tué 25-8-42 dans un accident d'avion). Ép. (29-11-34) P^{cesse} Marina de Grèce et de Danemark (1906-68) f. du P^{ce} Nicolas de G. et de D. et de la Grande-D^{esse} Hélène Wladimirovna de Russie (1882-1957). *3 enf. :* P^{ce} *Edouard* duc de Kent, Cte de St-Andrew, Bon Downpatrick (9-10-35) [ép. 8-6-61 Katharine Arthington Worsley (22-2-33), 3 enf. : George Cte de St-Andrews (26-3-62, ep. 9-1-88 Sylvana Tomaselli, 1 fils : Lord Down patrick n. 2-12-88), Lady Helen Windsor (28-4-64), Lord Nicolas Windsor (25-7-70)]. P^{cesse} *Alexandra* (25-12-36) [ép. 24-4-63 l'Honorable Angus Ogilvy (14-9-28) dont 2 enf. : James (29-2-64, ép. juill. 88 Julia Rawlinson, n. 28-10-64), Marina (31-7-66)]. P^{ce} *Michel* (4-7-42) [ép. 30-6-78 B^{onne} Marie-Christine von Reibnitz (15-1-45), 2 enf. : Lord Frederick 6-4-79, Lady Gabriella 23-4-81].

• **Souverains nés hors des îles Britanniques.** Guillaume le Conquérant (Falaise, Normandie, 1027). Guillaume le Roux (Norm. r. 1051-60). Étienne de Blois (Blois, v. 1096), Henri II (Le Mans, 1133). Richard II (Bordeaux, 1367). Édouard IV (Rouen, 1442). Guillaume III (La Haye, 1650). George Ier (Osnabrück, 1660). George II (Hanovre, 1683).

• **Age de l'accession au trône.** *Les plus jeunes.* Henry VI : 8 mois, Henry III : 9 ans et 1 m., Édouard VI : 9 a. 3 m., Richard II : 10 a. 5 m., Edouard V : 12 a. 5 m. *Les plus vieux.* Guillaume IV : 64 a., Edouard VII : 59 a., George IV : 57 a., George I : 54 a., Jacques II : 51 a.

• **Souverains ayant vécu le plus longtemps.** Victoria : 81 ans, George III : 81 a., Edouard VIII : 77 a., George II : 76 a., Guillaume IV : 71 a.

• **Règnes les plus longs.** Victoria Ire : 63 ans 7 mois (1837-1901). George III : 59 a., 3 m. (1760-1820). Henri III : 56 a. 1 m (1216-72). Édouard III : 49 a. 9 m. (1327-77). Elisabeth Ire : 44 a. 4 m. (1558-1603). **Les plus courts.** Jane Grey : 14 j. (1553). Édouard V : 75 j. (1483). Édouard VIII : 325 j. (1936).

Prétendants possibles au trône d'Angleterre

1°) Albert de Bavière (n. 3-5-1905), héritier des Stuarts (voir p. 1056a). La succession du souverain aurait pu être : *Jacques III* († 1766) fils de J. II (mort en exil). *Charles III* († 1788) son fils, sans postérité légitime. *Henri IX* († 1807) cardinal-duc d'York, dernier des Stuarts, son frère *Charles-Emmanuel IV* (1751-1819) roi de Sardaigne (1796-1802) (descendant de Henriette, sœur de Jacques II, ép. de Philippe, duc d'Orléans). *Victor-Emmanuel Ier* (1759-1824), rois de Sard. (1802-21), s. fr. *Marie-Béatrice de Savoie,* sa f., ép. son oncle François IV (1775-1840), duc de Modène ; archiduc d'Autriche-Este. *François V* († 1875), son f., duc de Modène. *Marie-Thérèse d'Autriche-Este* († 1919) sa nièce, ép. Louis III, roi de Bavière. *P^{ce} Robert* (Ruprecht) de B. († 1955). *D^{uc} Albert de B.* son f. **2°) P^{cesse} Élisabeth de Bourbon-Parme** (n. 1904 sans alliance). Si l'on considère que la descendance de Marie-Béatrice n'est pas dynaste (car elle avait épousé son oncle) la lignée s'établirait ainsi : *Marie-Thérèse de Savoie* (1824-79) sœur cadette de Marie-Béatrice, ép. Charles II (Louis II de Bourbon), roi d'Etrurie, duc de Lucques puis duc de Parme. *Robert Ier*, duc de Parme (1879-1907) son petit-f., *Henri* (1907-39) son f., *Joseph* (1939-50), son fr., *Elie* (1950-59) son fr. ; *Robert II* (1959-74) son f., *Elisabeth,* sans alliance, sœur de Robert Ier. **3°) Duc de Buccleuch** (n. 1923). Héritier du duc de Monmouth, fils aîné de Charles II. Le roi a refusé d'admettre la légitimité de son mariage avec Lucy Walter, mère de Monmouth (point controversé). **4°) Archiduchesse Robert d'Autriche-Este** (n. 1930). Née P^{cesse} Margherita de Savoie-Aoste, héritière des droits d'Élisabeth, reine de Bohême, fille aînée du roi Jacques Ier. **5°) Lady Kinloss** (n. 1944). Héritière des droits de Jane Grey, descendant de la sœur de celle-ci, Catherine, ép. d'Édouard Seymour, Cte de Hertford, transmission conforme au testament d'Henri VIII. **6°) Ctesse de Loudoun** (n. 1919) si l'on considère comme illégitimes les enf. nés d'Édouard IV et d'Élisabeth Woodville. Héritière de Marguerite, *Ctesse de Salisbury,* et des rois Plantagenêts.

Premiers ministres

☞ *Légende.* – (1) Coalition. (2) Conservateur. (3) Libéral. (4) National Government. (5) Tory. (6) Whig. (7) Labour.

1721 Sir Robert Walpole (1676-1745) ^{6} 1er lord de la Trésorerie et chancelier de l'Echiquier. **42** Cte de Wilmington (1673-1743) ^{6}. **43** Henry Pelham (1696-1754) ^{6}. **54** Thomas Pelham ^{6}. Duc de Newcastle (1693-1768), fr. du précédent. **56** Duc de Devonshire (1720-64) ^{6}. **57** Duc de Newcastle (1693-1768) ^{6}. **62** Cte de Bute (1713-92) ^{5}. **63** George Grenville (1712-70) ^{6}. **66** Mis de Rockingham (1730-82) ^{6}. **66** Cte de Chatham (1708-78) ^{6}, avant, William Pitt l'Aîné. **68** Duc de Grafton (1735-1811) ^{6}. **70** Lord North (1732-92) ^{5}. **82** Mis de Rockingham ^{6}. Cte de Shelburne (1737-1805) ^{6}. **83** Duc de Portland (1738-1809) C. William Pitt le Jeune (1759-1806) ^{5}.

1801 Henry Addington, Vte Sidmouth (1757-1844) ^{5}. **04** William Pitt le Jeune ^{5}. **06** Lord Grenville (1759-1834) ^{6}. **07** Duc de Portland (1738-1809) ^{5}. **09** Spencer Perceval (1762-1812) ^{5}. **12** Cte de Liverpool (1770-1828) ^{5}. **27** George Canning (1770-1827) ^{5}. Vte Goderich (1782-1859) ^{5}. **27** Duc de Wellington (1769-1852) ^{5}. **30** Cte Grey (1764-1845) ^{6}. **34** Vte Melbourne (1779-1848) ^{6}. Duc de Wellington. Sir Robert Peel (1788-1850) ^{5}. **35** Vte Melbourne ^{6}. **41** Sir Robert Peel ^{5}. **46** Lord John Russell (1792-1878) ^{6}. **52** Cte de Derby (1799-1869) ^{5}. Cte d'Aberdeen (1784-1860) Peelite. **55** Vte Palmerston (1784-1865) ^{3}. **58** Cte de Derby ^{2}. **59** Cte Palmerston ^{3}. **65** Cte Russell, avant Lord John Russell ^{3}. **66** Cte de Derby ^{2}. **68** Benjamin Disraeli (1804-81) ^{2}. William Ewart Gladstone (1809-98) ^{3}. **74** Benjamin Disraeli ^{2}, devint Cte de Beaconsfield en 1876. **80** W. E. Gladstone ^{3}. **85** Mis de Salisbury (1830-1903) ^{2}. **86** W.E. Gladstone ^{3}. Mis de Salisbury ^{2}. **92** W. E. Gladstone ^{3}. **94** Cte de Rosebery (1847-1929) ^{3}. **95** Mis de Salisbury ^{2}.

1902 (12-7) Arthur James Balfour (1848-1930) ^{2}. **05** (5-12) Sir Henry Campbell-Bannerman (1836-1908) ^{3}. **08** (5-4) Herbert Henry Asquith (1852-1928) ^{3} puis (25-5-1915) ^{1}. **16** (7-12) David Lloyd George (1863-1945) ^{1}. **22** (23-10) Andrew Bonar Law (1858-1923) ^{2}. **23** (23-5) Stanley Baldwin (1867-1947) ^{2}. **24** (22-1) James Ramsay MacDonald (1866-† en mer 1937) ^{7}. (4-11) Stanley Baldwin ^{2}. **29** (5-6) J.R. MacDonald ^{2}. **31** (23-8) J.R. MacDonald ^{4}. **35** (7-6) Stanley Baldwin ^{4}. **37** (28-5) Neville Chamberlain (1869-1940) ^{4}. **40** (10-5) Sir Winston Churchill (1874-1965) ^{4} puis (23-3-45) ^{2}. **45** (26-7) Clement Attlee (1883-1967) ^{7}. **51** (26-10) Sir Winston Churchill ^{2}. **55** (avril) Anthony Eden. **57** (10-1) Harold MacMillan (1894-1986). ^{2}. Démissionne 11-10-63 (1984 : créé Cte de Stockton). **63** (18-10) Sir Alec Douglas-Home (1903) ^{2}. **64** (16-10) Harold Wilson (1916) ^{7}. **70** (19-6) Edward Heath (1916) ^{2}. **74** (4-3) Harold Wilson ^{7}. Démissionne 15-3-76. **76** (5-4) James Callaghan (27-3-1912) ^{7}. **79** (4-5) Margaret Thatcher [(13-10-1925, anoblie : baronne en déc. 1990) ; fille d'épicier ; ép. 1951 Denis Thatcher [dont elle a des jumeaux : Mark et Carol (1953) ; études de chimie et droit ; *1951 :* avocate ; *1959 :* député ; *1975 :* leader du Parti]. ^{2}. **90** (28-11) John Major [(1943), le plus jeune PM)] ^{2}.

Premiers ministres qui furent le plus longtemps en fonction : Sir Robert Walpole : 20 ans et 10 mois, William Pitt le jeune : 18 a. 11 m. (2 fois), Cte de Liverpool : 14 a. 8 m., Mis de Salisbury 13 a. 9 m. (2 f.), William Gladstone : 12 a. 4 m. (4 f.), Lord North : 12 a. 2 m., Margaret Thatcher : 11 a. 2 m. (au 1-7-90) (1 f.), Vte Palmerston : 9 a. 5 m. (2 f.), Herbert Asquith : 8 a. 8 m. (1 f.), Winston Churchill : 8 a. 8 m. (2 f.), Harold Wilson : 7 a. 9 m. (2 f.). **Le moins longtemps** : Bonar Law : 1 a. 7 m. (1 f.) ; Douglas-Home : 1 a. (1 f.) ; Eden : 1 a. 9 m. (1 f.).

Churchill, Sir Winston Leonard Spencer-C. (1874-1965). Fils de Lord Randolph Spencer, lui-même fils du 7e duc de Marlborough. Mère américaine. **1895** sous-lieutenant de hussard. **1898** combattant à Omdurman. **1899-1900** journaliste, correspondant de g. en Afr. du S. **1900** député (conservateur) aux Communes [considéré comme roturier, le titre de lord de son père (fils de duc) n'est pas héréditaire]. **1911** 1er lord de l'Amirauté. **1915** rendu responsable de l'échec des Dardanelles et forcé de démissionner. **1916** colonel d'infanterie sur le front français. **1917** ministre des Munitions. **1918** min. de la Guerre. **1921** min. des Colonies. **1924-29** chancelier de l'Échiquier. **1940** PM et min. de la Défense. **1941** signe la Charte de l'Atlantique. **1945** à Yalta, tente de s'opposer à la politique russophile de Roosevelt. **1945** échec des conservateurs aux élections : perd le pouvoir. **1945-64** député conservateur (de Wood Ford). **1951** PM. **1953** Prix Nobel de littérature. **1955** démissionne : raison de santé ; sur la Côte d'azur, peint.

Noblesse

• **I. La Pairie (peerage).** *Titres qui la confèrent :* duc (duke), marquis (marquess), comte (earl), vicomte (viscount), baron (baron).

Les pairs siègent à la *Chambre des Lords* à titre héréditaire (sauf les pairs barons ou baronesses créés à vie depuis 1958). Depuis son avènement, la reine Élisabeth II a créé chaque année une dizaine ou plus de nouveaux pairs. Elle n'a pas créé de pairs héréditaires de 1965 à 1982 mais en a créé 2 (vicomtes) en 1983 et 1 en 1984 [Cte de Stockton : l'ancien PM Mac Millan]. En 1969, pour la 1re fois, un Noir (Sir Learie Constantine) a été nommé pair à vie. Dep. 1963, les pairs peuvent renoncer à leur pairie : ils perdent alors leur titre qui passe à leur successeur immédiat, lequel pourra, à leur mort, siéger à la Chambre des Lords. Celui qui renonce ne peut pas recevoir une nouvelle pairie héréditaire ; (ainsi l'ancien PM Sir Alec Douglas-Home, qui a renoncé en 1963 au titre de Cte de Home, fut nommé en 1979 pair à vie comme Lord Home of the Hirsel (the Hirsel : son château familial) et son fils aîné ne deviendra qu'à la mort de son père (15th) Earl of Home. Les *pairs d'Irlande* n'ont pas le droit de siéger à la Chambre des Lords (de 1800 à 1921, ils pouvaient élire 28 représentants). Les *pairs d'Écosse* ne purent siéger de 1707 à 1963, mais dep. 1963, chaque pair d'Écosse en a le droit. Quelques « *Law Lords* », barons à vie nommés Lords of Appeal in Ordinary dep. 1876, exercent la plupart des pouvoirs de la Chambre en tant que cour d'appel. Les *Lords Spiritual* [archev. de Canterbury et York, évêques de Londres, Durham et Winchester, et 21 autres év. les plus anciens (par date de consécration)] sont qualifiés « Lords » mais ne sont pas pairs. Les aînés des ducs et marquis portent le 2e titre de leur père, titre dit de courtoisie (ex. : le fils du duc de Bedford est Mis de Tavistock). Les autres enfants sont appelés ainsi : Lord Edward, Lady Caroline. Les aînés des Ctes portent le 2e titre de leur père, les autres fils sont appelés l'Honorable John, et les filles Lady Elizabeth... Les enfants des vicomtes et des barons ne portent aucun titre distinct et sont appelés l'Honorable Robert, l'Honorable Mary.

En 1988, le grand rabbin du Royaume-Uni, né en Prusse orientale, est devenu Baron Jakobovits of Regents Park. Il avait été fait chevalier 7 ans plus tôt. Il n'a pas prêté un serment d'allégeance à la reine sur « l'Ancien Testament », mais a simplement présenté une déclaration de loyauté à « Sa Majesté, ses héritiers et ses successeurs ».

• II. La Nobility. 1) **Baronet.** Titre héréditaire instauré en 1611 pour combler l'écart entre les pairs du royaume et les chevaliers beaucoup plus nombreux. Sous Jacques Ier et Charles Ier ce titre fut parfois vendu (700 livres en 1619, 220 en 1622). Les *baronets* (env. 1 364) sont qualifiés de « Sir » (prénom et nom).

2) **Chevaliers (knights).** *a) Membres d'un ordre de chevalerie :* conféré par la reine (ordres de la Jarretière, du Chardon, du Bain, de St-Michel et St-George, Royal Victorien, de l'Empire britannique) : leur titre n'est pas héréditaire (sauf 3 chev. en Irlande). Les 4 derniers ont 2 classes de chevaliers : Knight Grand Cross et Knight Commander. Leur nom est précédé de « Sir » et suivi des initiales indiquant l'ordre auquel ils appartiennent (KCB Knight Commander of the Bath. KG Knight of the Garter, Voir Index). *b) Knights bachelors :* descendants des anciens chevaliers.

Nota. – 14-6-1989, la reine a élevé Ronald Reagan au titre de chevalier honoraire. N'étant pas britannique, il n'est pas appelé *sir.*

3) **Certains chefs de clans** des Highlands en Écosse et quelques chefs de famille. « Mac » indique « fils de » ; un chef s'appelle sans prénom (ex. The MacKintosh). En 1990 il y a 121 membres du « Standing Council of Scottish Chiefs » dont 23 portent le terme « Mac » dans leur patronyme.

4) **Noblesse non titrée** (Écuyers, Gentilshomme : la « gentry »). Les armoiries légitimes sont enregistrées chez les Rois d'Armes (au Collège d'Armes de Londres ou à la Cour Lyon à Édimbourg, et jadis au château de Dublin pour l'Irlande (aujourd'hui Londres pour le N. de l'Irlande). Environ 5 000 familles.

☞ Seule la noblesse a droit aux armoiries.

Nota. – En 1800, on comptait 50 000 à 60 000 nobles pour 6 millions d'h. L'abolition des fiefs a été décrétée en 1656, et confirmé en 1661. La tenure militaire a été alors abolie, mais le droit de basse justice (assez restreint) a été maintenu dans chaque manoir. La tenure dite « copyhold » (soumise au cens du manoir, de plus en plus faible) a continué jusqu'en 1925, et le droit de tenir la « Cour baron » du manoir jusqu'en 1976. Actuellement, les possesseurs de fiefs n'exercent plus de droits territoriaux, fiscaux ou judiciaires sauf sur les duchés de Cornouailles et de Lancastre. Les lords of the manoir (les seigneurs du manoir) subsistent de nos jours et possèdent sous cette dénomination des droits sur les terrains publics qui ne dépassent pas, dans certains cas, quelques mètres carrés. Ces appellations se vendent comme des biens privés avec les droits et archives y afférents. Elles n'ont aucun caractère nobiliaire. Le titre de « Seigneur » de Sercq (féminin « Dame » de Sercq), île Anglo-Normande, est resté attaché à l'exercice de prérogatives seigneuriales féodales, tant judiciaires que fiscales, comme au XVIe s.

Nombre de titres. **Prince** titre n'existant que dans la famille royale. **Ducs** *royaux :* 5 : Édimbourg créé (1947), Cornouailles (1337, porté par Charles), York (1986), Gloucester (1928), Kent (1936). *Autres ducs :* 26 (date de création et titre décerné) : 1868 Abercorn (Irlande). 1701 Argyll (Écosse et R.-U.). 1703 Atholl (Écosse). 1682 Beaufort. 1694 Bedford. 1663 Buccleuch (and Queensberry ; 1706) (Écosse). 1694 Devonshire. 1900 Fife. 1675 Grafton. 1643 Hamilton (Écosse). 1766 Leinster (Irlande). 1719 Manchester. 1702 Marlborough. 1707 Montrose (Écosse). 1756 Newcastle (under Lyme). 1483 Norfolk. 1766 Northumberland. 1716 Portland. 1675 Richmond (and Gordon ; 1876). 1707 Roxburghe (Écosse). 1703 Rutland. 1684 Saint-Albans. 1547 Somerset. 1833 Sutherland. 1814 Wellington. 1874 Westminster. **Marquis :** 38. **Comtes :** 211. **Vicomtes :** 136. **Barons** 719 héréditaires, 371 à vie.

Régions

Grande-Bretagne

• Angleterre. 130 441 km². *Long. max.* 590 km. *Larg. (base)* 510. Aucun lieu n'est à plus de 125 km de la mer. **Population** (millions). *Fin XIe s.* env. 2. *fin XVIIe s.* 5,5. *1801 :* 8,89. *31 :* 13,9. *61 :* 20,07. *91 :* 29. *1921 :* 37,89. *51 :* 43,76. *88 :* 47,53. *D.* 364,4. **Villes** (87). *Londres* agg. 6 770 400 h., Birmingham 998 200 (à 177 km), Leeds 709 000 (314), Sheffield 532 300 (274), Liverpool 476 000 (309), Bradford 462 500 (325), Manchester 450 100 (264), Bristol 384 400 (187), Kirklees 375 800, Wirral 334 800, Coventry 308 900 (148), Wakefield 310 300, Wigan 307 200, Dudley 302 600, Sandwell 298 400, Sefton 297 300, Sunderland 297 100, Stockport 291 100, Doncaster 290 100, Newcastle 282 700 (465), Leicester 279 700 (166), Nottingham 276 800 (205), Walsall 261 800, Hull 262 300 (320), Bolton 261 600, Plymouth 255 800 (348), Rotherham 251 700, Wolverhampton 250 500, Stoke 246 700 (250), Southampton 199 100 (126), *1986 :* Portsmouth 186 900 (116), Canterbury 127 700, Oxford 116 200 (92), York 106 600, Cambridge 99 800 (87). **Comtés** 45 (ou shires) + Greater London avec 309 **districts** (découpage de 1974).

☞ Les 5 ports (Douvres, Hastings, Hythe, Romney et Sandwich) jouissaient de certains privilèges.

• Principauté de Galles et Monmouthshire. Rattaché à la Couronne par l'Acte d'Union de 1535. 20 768 km². **Population** (millions). *1871 :* 1,22. *1901 :* 1,71, *31 :* 2,16, *51 :* 2,17, *86 :* 2,82, *88 :* 2,85. D. 137,6. **Villes** (86). *Cardiff* 283 900 (87) (à 232 km de Londres), Swansea 187 000, Newport 129 800. **Langues** *(off.).* Anglais et gallois (1re langue pour 70 % de la pop. dans l'O. du pays). **Comtés** 8 et **districts.** 37. Des *lords-lieutenants* repr. la reine. **Partis.** *Plaid Cymru* (prononcé « plaïd coummri »).

• Écosse. 78 775 km². *Largeur min.* 50 km. **Population** (millions). *1801 :* 1,6. *41 :* 2,6. *1921 :* 4,48. *31 :* 4,83. *51 :* 5,1. *88 :* 5,09. D. 65. **Émigrés.** 1 850 000 Écossais ont émigré entre 1841 et 1921. 390 000 entre 1921 et 1931. **Langues.** Anglais, gaélique, écossais et braid scots (dialecte anglo-écossais des Lowlands ou *lallans*). En 1961, env. 1 079 h. parlaient seulement gaélique et 76 587 gaél. et angl. ; tous les ilallandophones sont bilingues. **Villes** (87). *Édimbourg* 438 700 (à 629 km de Londres). Glasgow 715 600 (à 642 km de L., 70 km d'Éd.), Aberdeen 213 200. Dundee 177 700 (86). 5 villes nouvelles implantées depuis 1965 dans les Lowlands : Irvine, Cimbernauld, East Kilbride, Glenrothes. Livingstone (+ de 200 000 h.). **Statut.** Rattachée à l'Angl. par l'Acte d'Union de 1707. Le cabinet brit. comprend un secr. d'Etat pour l'Écosse qui coiffe 4 départements (agriculture et pêcheries, éducation, santé, intérieur). **Régions.** 9 dep. 1975 (comprenant 54 districts). **Iles.** 3 (Orkney, Shetland, îles Occidentales). **Parti** *nat. écossais* (SNP, Scottish National Party) demande indépendance et possibilité de profiter du tr. d'alliance avec France (1346), voix : févr. 74 : 21 % (7 dép.), oct. 74 : 30,4 % (11 dép.).

Irlande du Nord (Ulster)

• **Situation.** 14 120 km², frontière 412 km (avec Eire). **Population** (millions). *1986 :* 1,57. *88 :* 1,58. D. 111. **Villes** (83). *Belfast* 303 800 (87), Derry 214 900, Bangor (68) 35 000. **Religions** (%, 1981 et entre par. 1971). Cath. 28 (31,4), presbytériens 22,9 (26,7), Church of Ireland 19 (22), méthodistes 4 (4,7), divers 7,6 (5,8), non spécifié 18,5 (9,4). **Statut.** Avant 1972, *gouvernement* dirigé par un *gouverneur* nommé par la reine. Dep. 1972, (démission du gouv.) administration directe : un secrétariat d'État pour l'Irl. du N. assume les fonctions de gouv., en répercutant sur les autres min. brit. les affaires les concernant. *Secr. d'État :* Tom King [avant James Prior (dep. sept. 1981)]. **Comtés** 6 avec 26 **districts** urbains et 27 ruraux. *Représentés* à Westminster (Ch. des Communes) par 12 m. (10 UUUC, 1 SDLP, 1 indép.). **Assemblée d'Ir. du N.** 78 m. élus 20-10-82, dissoute 1986. **Forces brit.** maintiennent l'ordre dep. 1969 [effectif *1980 à 82* env. 12 000 h., *1984* 9 000 h. + 7 000 auxiliaires (Ulster Defence Regiment)].

• **Histoire** (IN = Irlande du Nord). **XVIIe s.** les conflits entre rois Stuart et Parlement prennent en Irl. la forme d'une lutte opposant catholiques et protestants. **1690** Jacques II Stuart battu par Guillaume d'Orange, ses troupes ne peuvent prendre *Derry* malgré un long siège (2-8), définitivement battu à *La Boyne* près de Drogheda (12-8) et à Aughrim ; capitule à *Limerick.* **1770** 50 % de la pop. se compose de colons (protestants de l'Église établie, et dissidents) ; privés de divers droits civiques, catholiques et dissidents réclament l'indépendance. **1798** soulèvements au N. et au S. échouent. **1800** *loi d'Union* Irl. G.-B., suppression du Parlement indépendant irl. **1803** soulèvement à Dublin échoue. **1829** mouvement de réforme. **1870** séparation d'Église protest./État, interprétée comme une victoire accordant des libertés aux cath. **Fin XIXe s.** l'autonomie *(Home Rule)* apparaissant possible, la majorité des hab. du N.-E. s'oppose à l'établissement d'un Parlement irl. à Dublin où ils seraient une minorité menacée. **1968**-*16/17-8* émeutes à Londonderry. **1969**-*16/17-8* émeutes : 8 †. *-20-8* accord Wilson-Chichester Clark (PM d'IN). Londres assume la réalité du pouvoir en IN. **1972**-*30-1* « Bloody Sunday » à Londonderry : 13 †. *-24-3* IN administrée directement de Londres à cause des troubles. *-8-3* référendum sur maintien dans Roy.-Uni : 591 820 pour (57,6 % des inscrits), 6 463 contre, 41,4 % d'abstentions. *-6/9-12 accord de Sunningdale* G.-B./IN et chef de l'exécutif de Belfast : prévoit un conseil de l'Irl. (7 min. du S. et 7 du N.), formation d'un exécutif avec cath. et protest. en IN. **1978**-*17-12* 12 civils † dans restaurant. **1982** *Avr.* plan Prior pour autonomie progressive. *Oct.* élect. à l'Ass. régionale d'IN : protestants 47 s., SDLP 14, Sinn Fein (= Nous seuls, aile extrémiste de l'IRA provisoire) 5. *-7-12* attentat à Ballykelly, 18 † (dont 7 soldats). **1985**-*28-2* 9 policiers (attaques au mortier d'un commissariat). *-20-5* attentat IRA à Newry, 4 policiers tués. *Mai* élect. locales, Sinn Fein 12 %, P. Unioniste 29 %, P. Unioniste dém. 24 %. *-2-11* fondation du *Front union des loyalistes de l'Ulster* regroupant P. unioniste officiel, P. unioniste démocratique et paramilitaires protestants de l'Ulster Defense Association (UDA). *-15-11 accord de Hillsborough* G.-B./Irl. sur IN (ratifié G.-B. 27-11 par 473 v. contre 47) ; création d'un secrétariat permanent et d'une conférence inter-gouvernementale. **1986**-*23-1* élect. partielles pour remplacer 15 députés unionistes ayant démissionné. *-3-3* grève des protestants. *-15-11* violence, 2 † à Belfast. **1987**-*8-5* 8 membres de l'IRA † en attaquant police. *-30-10* marine franç. intercepte cargo *Eksund* chargé de 200 millions de F d'armes fr. pour Libye (150 t). *-8-11* att. à Enniskillen, 11 † devant monument aux morts. **1988**-*6-3* 3 mil. IRA tués à Gibraltar. *-8-3* manif. à Belfast. *-16-3* lors d'un enterrement, un protestant tue 3 cath. (65 bl.). *-19-3* 2 soldats brit. lynchés à Belfast lors d'un enterrement. *-30-4* 3 soldats brit. tués aux P.-Bas. *-15-6* attentat à Lisburn (6 soldats brit. †) *-23-6* IRA touche un hélicoptère brit. *-1-8* attentat contre caserne au N.-O. de Londres, 1 †, 9 bl. *-30-8* 3 m. IRA tués par équipe du SAS. **1989**-*19-3* un catholique tué par balles. *-20-3* 2 chefs de la police †. *-22-9* Walmer (Kent), att. IRA contre caserne de la musique de la marine, 10 militaires †, 22 bl. *-18-11* att. IRA 3 paras †. *-13-12* attaque poste frontière, 2 †. **1990**-*9-4* 4 soldats brit. †. *-24-7* bombe IRA, 3 policiers et une religieuse †.

Troubles récents. *1969-89 :* 2 753 † dont 80 % de civils.

• **Économie.** L'Irl. du N., qui reçoit des subsides du reste du R.-U. (2 375 millions de £ en 84), est + prospère que la Rép. d'Irl. Le revenu par h. dans le N. est 25 % + élevé que dans le S. *Chômage* (88) 17,4 %. *Vivent en dessous du seuil de pauvreté :* 25 %.

• **Partis politiques.** *P. unioniste de l'Ulster* (UUP) [(fondé 1905, protestant, leaders : 1943 B. Brook (Vte Brookeborough, 1952), 1963 T.M. O'Neill, 1964 J. D. Chichester-Clark, 1971 A.B.D. Faulkner, 1974 H. West, 1979, J. Molyneaux)]. *P. unioniste démocrate* (DUP f. 1955, prot., Dr. Paisley). *P. travailliste et social-démocrate* (SDLP) (cath., John Hume). *P. de l'Alliance* (f. 1970, intercommunautaire, J. Alderdice). *Ulster Liberal Party et Ulster Progressive Unionist Party* (protestants modérés). *Sinn Fein* (f. 1905, branche politique de l'IRA provisoire, Gérard Adams).

Autres organisations (interdites). **Extrême droite :** *Volunteer Political Party* (protestant extrémiste), organisation paramilitaire ; *l'Ulster Volunteer Force* (f. 1966). **Centre :** *Unionist Party of Northern Ireland* (UPNI) (f. 1974, transfuges de l'UUP, leader : Ann Dickson). **Gauche :** *Northern Ireland Labour Party* (f. 1927 associé au Labour brit.), *People's Democracy* (f. 1968, socialiste révolut.). **Divers pour l'indépendance :** de l'Ile entière réunifiée : *Irish Independance Party* (f. 1977, cath. républicain) ; de l'Irl. du N. à part : *New Ulster Political Research Group* NUPRG.

• **Organisations paramilitaires. Irish Republican Army** (IRA), catholique. Issue des mouv. révol. du XIXe s. et en particulier de la Fraternité rép. irl. fondée 1860. 2 tendances : *1o : Officials* (400 militants, mouvement *Sinn Fein,* dir. Thomas McGiolla, Cathal Goulding et Roy Johnston à Dublin) ; *2o : Provisionnals* (IRA « provisoire », fondée 1970) qui ont quitté le Sinn Fein pour reprendre la lutte armée (issus de la scission de la section de l'IRA de Belfast, aidée par Américains d'origine irl. sous le couvert

48 États membres date du statut actuel	Statut	Superficie (en km²)	Population
Antigua (1981)	Monarchie	442	81 500 (86)
Australie (1901) (1931)	Monarchie	7 682 300	16 800 000 (89)
Bahamas (archipel) (1973)	Monarchie	13 939	250 000 (89)
Bangladesh (1971)	République (1972)	143 998	108 851 000 (88)
Barbade (La) (1966)	Monarchie	431	255 200 (88)
Belize (1981)	Monarchie (1981)	22 965	184 000 (90)
Botswana (1966)	République (1966)	582 000	1 200 000 (90)
Brunei (1984)	Monarchie indigène	5 765	249 000 (89)
Canada (1867) (1931)	Monarchie fédérale	9 215 430	26 500 000 (90)
Chypre (1960 et 1961)	République (1960)	9 251	698 800 (89)
Dominique (1978)	République (1978)	750,6	81 000 (88)
Gambie (1965)	République (1970)	11 295	822 000 (88)
Ghana (1957)	République (1960)	238 537	14 425 000 (89)
Grenade (1974)	Monarchie	344	102 000 (88)
Guyana (1966)	République (1970)	214 969	800 000 (89)
Inde (1947)	Rép. fédérale (1950)	3 287 263	843 900 000 (91)
Jamaïque (1962)	Monarchie	10 991	2 375 000 (89)
Kenya (1963)	République (1964)	582 389	23 200 000 (89)
Kiribati (1979)	République (1979)	717	68 207 (88)
Lesotho (1966)	Monarchie indigène	30 355	1 722 000 (89)
Malaisie (1957 puis 1963)	Monarchie élective	330 434	16 921 000 (88)
Malawi (1964)	République (1966)	118 484	8 278 000 (88)
Maldives (îles) 1982 m. spécial (1985)	République (1968)	298	214 139 (90)
Malte (1964)	République (1974)	316	354 900 (90)
Maurice (île) (1968)	Monarchie	1 865	1 036 000 (90)
Nauru (1968) membre spécial	République (1968)	21,3	9 350 (89)
Nigeria (1960)	Rép. fédérale (1963)	923 768	118 000 000 (90)
N.-Zélande (1907) (1931)	Monarchie	268 112	3 350 000 (89)
Ouganda (1962)	République (1967)	241 139	16 195 000 (88)
Papouasie-N.-Guinée (1975)	Monarchie	462 840	3 800 000 (90)
Royaume-Uni Grande-Br. (1931)	Monarchie	244 103	57 270 000 (89)
Saint-Christopher-Nevis (1983)	Monarchie	269,4	44 380 (88)
Sainte-Lucie (1979)	Monarchie	616	148 183 (89)
Saint-Vincent (1979) m. spécial (1985)	Monarchie	389,3	112 589 (87)
Salomon (1978)	Monarchie	27 556	310 000 (90)
Samoa occidentales (1962) (1970)	République (1962)	2 831	168 000 (88)
Seychelles (îles) (1976)	République (1976)	308	67 378 (90)
Sierra Leone (1961)	République (1971)	71 740	3 938 000 (88)
Singapour (1965)	République (1965)	621,7	2 685 400 (89)
Sri Lanka (Ceylan) (1948)	République (1972)	65 610	16 800 000 (89)
Swaziland (Ngwane) (1968)	Monarchie indigène	17 363	725 000 (88)
Tanzanie (1961 et 1963)	République (1962)	945 087	24 000 000 (88)
Tonga (1970)	Monarchie indigène	748	100 100 (86)
Trinité et Tobago (1962)	République (1976)	5 128	1 215 049 (90)
Tuvalu (1978) membre spécial	Monarchie	26	8 500 (88)
Vanuatu (1980)	République (1980)	12 189	149 000 (88)
Zambie (1964)	République (1964)	752 614	7 531 119 (88)
Zimbabwe (1980)	République (1980)	390 759	9 500 000 (89)

États associés et colonies	Statut	Superficie (en km²)	Population
Afrique			
Sainte-Hélène (île)	Colonie	122	5 645 (89)
Amérique			
Anguilla	Colonie	90,6	8 000 (88)
Bermudes	Colonie	53	58 616 (88)
Falkland (îles)	Colonie	12 173	1 915 (89)
Iles Vierges brit.	Colonie	153	11 858 (84)
Caimans (îles)	Colonie	259	25 355 (89)
Montserrat	Colonie	102,6	12 250 (88)
Turks et Caicos (îles)	Colonie	430	12 500 (88)
Antarctique			
Antarctique britannique	Colonie	1 222 480	Pas de pop. permanente
Asie			
Hong Kong	Colonie	1 067,65	5 736 100 (88)
Europe			
Gibraltar	Colonie	5,86	30 689 (89)
Océanie			
Pitcairn	Colonie	49	59 (88)

Nota. – **Brunei** (Asie) a des relations spéciales avec la G.-B. (V. Index), **les îles Cook et Niu** ont un gouv. autonome et sont associées à la Nlle-Zélande. **Ont quitté le Commonwealth :** République d'Irlande (1949), Afrique du S. (1961), Pakistan (1972), Fidji (1987). **N'ont pas rejoint le Commonwealth au moment de l'indépendance :** Birmanie et Palestine (1948), Soudan (1956), Somalie brit. (1960 forme avec la Som. ital. la Rép. de Somalie), Cameroun du S. (1961), Îles Maldives (1963, 1982 juill. deviennent m. spécial), Aden (1967).

d'une aide charitable (dont l'Irish Northern Aid Committee). Les 2 combattent l'armée brit. ; mais les « Officials » veulent créer une « rép. des travailleurs des 32 comtés » (toute l'Irl.), et veulent réformer le Stormont avant de réunifier les 2 Irl. ; les « Provisionnals » accordent la priorité à la lutte armée, veulent supprimer le Stormont et réunifier rapidement les 2 Irl. (cellules composées de 500 militants). **INLA** *(Armée nat. de libér. irl.),* créée 1975 par dissidents de l'*IRA IPLO (organisation de libération du peuple irl.).* **UDAC** *(Ulster Defence Association)* f. 1972, protestant, légale ; 5/10 000 membres. **UFF** *(Ulster Freedom Fighters),* créé 1973, clandestin. **UVF** *(Ulster Volonteer Force),* créée 1966. Interdite.

Ile de Man

• **Situation.** 572 km². **Population.** 64 282 h. (86). D. 112. *Cap. :* Douglas 20 368 (86). *Langue :* manx. parlé en 1978 par 150 h. **Statut.** Dépendance de la Couronne (autonomie reconnue 1765), n'envoyant pas de députés à la Ch. des Communes. *Lord of Man :* reine Elisabeth II ; son conseil privé promulgue les lois manuines. *Gouv.* nommé par elle : Maj. Gen. Laurence New. *Parlement* (Tynwald) : *Conseil législatif* (10 m.) et *House of Keys* (24 m.). *Justice :* pratique encore les châtiments corporels (coups de verge) pour auteurs de violences et voleurs. *Impôt* sur le revenu 21,25 %. Pas de droits de succession.

Iles Anglo-Normandes

• **Situation.** 194,6 km². **Population.** 137 196 h. (86). Détachées du continent par un mouvement de terrain entre 6500 et 5000 av. J.-C. **Climat.** Très doux (il ne gèle presque jamais). *Temp. moy. :* année 14,3 °C ; févr. 8,1 °C ; août 20,6 °C ; *max. :* année 36 °C ; févr. 17 °C ; août 36 °C. *Ensoleillement :* 1 915 h par an. **Histoire.** Seule partie du duché de Normandie gardée par Angl. [au tr. de Paris 1258, le roi d'Angl. renonça au duché, mais resta seigneur des îles (que les négociateurs avaient oubliées)]. **1284-1468** 7 tentatives fr. de reconquête. **1483-1689** neutralisées, par décret du pape. **1689** base navale angl. **1779/1781** 2 attaques fr. **1799-1800** reçoivent une garnison russe de 17 000 h., commandée par Charles de Viomenil (G^al^ fr. émigré). **1941-45** occupées par All. **Statut :** *Dépendances* (pour défense et diplomatie) de la Couronne, ne faisant pas partie du Roy.-Uni et n'envoyant pas de députés à la Ch. des Communes. *Lieutenants-gouverneurs,* 1 à Jersey, 1 à Guernesey et dépendances (Aurigny, Burhou, Sercq, Herm, Jethou, Lithou), personnages d'apparat nommés par la Couronne. *Parlements* (États) à Jersey, Guernesey et Sercq. *Chefs de gouv. :* les 2 *baillis* de Jersey et de Guernesey, nommés par la Couronne, et relevant séparément du Conseil privé qui promulgue les lois votées par les Parlements. Pas de douane, de droits de succession, ni de T.V.A. Impôt sur le revenu (taux de 20 %). *Loi civile* résulte de l'ancienne coutume de Normandie (influencée auj. par le droit anglais) ; l'usage a longtemps prévalu que les 2 baillis aient étudié à l'université de Caen. **Langue.** Français (occasions officielles) supplanté par l'anglais, seule langue connue de l'ensemble de la population.

• **Jersey.** A 25 km de la France (autrefois, presqu'île). 116,2 km². 18 km sur 9. *Côtes* 76 km. 82 536 h. (89). *Chef-lieu : St-Hélier* 27 549 h. *États :* 12 sénateurs, 12 constables, 29 députés (tous élus au suffr. univ.). *Lieutenant-gouverneur et Cdt en chef :* Air Marshall John Sutton. *Langues :* français (off.), anglais (dominant), jerriais (patois anglo-normand). *Ressources :* pommes de t., primeurs, fleurs, élevage, 2e aéroport d'Angl., sièges de sociétés (avantages fiscaux), tourisme (1 500 228 vis, en 89 dont 321 838 continentaux).

Dépendances. Îles des Minquiers, et les Écrehous disputés entre France et G.-B., attribués à la G.-B. en 1953. **Écrehous.** *1 203* Pierre de Preaux, seigneur des Iles de La Manche pour le compte du Roi Jean Sans Terre, les donne en franche-aumône aux moines cisterciens de Val-Richer. *Statut :* seigneurie autonome, 3 à 4 ha de superficie, une dizaine d'habitants, capitale Marmotier.

• **Guernesey.** A 25 km de la France et 130 km de la G.-B. 65 km². 55 482 h. (86). *Chef-lieu : St-Peter Port. Lieutenant-gouv. et Cdt en chef :* Sir Alexander Boswell dep. 1985. *États :* bailli, 12 conseillers, 33 députés, 10 représentants des Douzaines, 2 repr. d'Aurigny. *Langue off. :* anglais. *Ressources :* tomates, fleurs, banque, finance.

Dépendances. Aurigny (Alderney). 7,9 km². Long. 6 km, larg. 1,8. 2 000 h. (85). *Chef-lieu : Ste-Anne. Pt* J. Kay-Mouat. *États* (9 m.). **Grand Burhou, Sercq (Sark).** 5,5 km² (Petite S. 0,9 km², Grande S. 4,2 km²). 604 h. (86). *Histoire. 1368* invasion espagnole. *1460-63* inv. française de la moitié de l'île. *1565 (6-8)* Élisabeth d'Angl. donne l'île à Sir Helier de Carteret, qui s'engage, lui et ses descendants, à verser une redevance de 50 louis d'or à la Couronne brit. *1730* les Carteret, ruinés, vendent S. à dame Susan Le Pelley (née Le Gros), originaire de Jersey. *1842* ruinés, les Le Pelley cèdent S. à Mme Mary Collins née Allaire, arrière-grand-mère de dame Sybil Hathaway (1884-1974, 21e seigneur, grand-mère du 22e seign. actuel, J.M. Beaumont). *Statut.* Seigneurie féodale. *Parlement :* 40 fermiers (tenants) et 12 députés élus, présidé par un sénéchal. *Pas d'impôts :* les 40 « tenants » de l'île doivent 10 % de leurs récoltes et les non-propriétaires 2 j de corvée par an pour réparer les chemins (ou 30 anciens shillings, soit 15 F). Pas de « voitures à moteur » (sauf tracteurs). Pas de divorce, ni de criminalité (les habitants sont gendarmes à tour de rôle). Il est interdit, sous peine d'amende, de tirer sur des mouettes (« leurs cris indiquent la présence des rochers aux navigateurs »), d'élever des pigeons (« ils s'attaquent aux grains de semence »), de posséder une chienne dep. 1689 (seul le seigneur peut en avoir une : une chienne mordit la main de la petite-fille de Sir Charles de Carteret). *Langues :* anglais, dialecte normand français. *Touristes :* 40 000 vis. par an. **Petit Burhou, Ortach, Brechou** (ou île des Marchands). 0,3 km², **Herm** 1,29 km², 100 h., *tenant :* A.G. Wood, **Jethou** 0,18 km², **Lihou.** 0,15 km².

• **Wight.** 381 km². 119 800 h. « Communauté insulaire ». N'a pas d'autonomie interne.

• **Lundy** (canal de Bristol). 4 km². 10 h. résidents. Autonome, appartient dep. 1969 au National Trust ; comté distinct dep. 1-4-1974 : détaché du comté de Hampshire. Refuge de nombreux oiseaux. Pas d'impôts sur les revenus gagnés dans l'île.

Commonwealth

• **Nom.** Terme forgé au XVIIIe s. pour traduire le latin *res publica* (avec le sens d'« État ») ; depuis la dictature de Cromwell (1649-53) prend le sens de « république » : titre officiel des États de Kentucky, Massachusetts, Pennsylvanie, Virginie et de Puerto-Rico. Utilisé en 1900 pour désigner la confédération des États australiens, puis en 1917 une association internationale groupant Royaume-Uni, Canada, Australie, Nouvelle-Zélande, Afrique du Sud et Terre-Neuve (alors dominion jusqu'en 1933 avant de devenir 10e province canadienne en 1949) et officiellement l'Irl. dans le traité anglo-irlandais de 1921.

• **Statut.** *Statut de Wetminster,* voté par le Parlement de Londres le 11-12-1931 reposait sur la libre coopération de ses membres. Il n'évoquait pas le droit de sécession. Lorsque, plus tard, Irlande et Afrique du Sud l'ont revendiqué, il leur a été accordé à l'unanimité. En 1947, la Ch. des Communes décida que le

C. pourrait admettre Inde et Pakistan, puis en 1957 les pays d'Afrique.

Libre de sa politique intérieure et extérieure, chaque État membre est responsable individuellement de ses obligations internationales. Les échanges de vues, sans caractère officiel diplomatique, permettent de coopérer dans des domaines divers : radio et télévision, médecine, échanges de savants, énergie nucléaire, recherche spatiale, commerce ou aide économique bilatérale. Il y a chaque année une rencontre des min. des Finances, et tous les 2 ou 3 ans des rencontres des chefs de gouv., des min. de la Santé, de l'Éducation, de la Justice.

Composition. 1°) *une association libre de 49 États indépendants souverains* dont 4 membres : Maldives, Nauru, Tuvalu et St-Vincent ont un statut spécial ; 2°) *1 État associé* (la G.-B. assurant la défense et les Aff. étr.) ; 3°) *quelques territoires* (en majorité des petites îles). La plupart des États membres sont des démocraties parlementaires.

Chef. Tous les pays du C. reconnaissent la reine Élisabeth II comme chef du C. Elle est chef de l'État pour Antigua, Australie, Bahamas, Barbade, Belize, Canada, Fidji, Grenade, Jamaïque, Maurice, N.-Zélande, Papouasie-N.-Guinée, R.-Uni, St-Kitts, Ste-Lucie, St-Vincent-Grenadines, Salomon, Tuvalu.

• **Production du Commonwealth en % de la production mondiale.** Thé 71 [1]. Nickel (minerai) 60 [2]. Étain (minerai) 53 [2]. Bauxite 50 [2]. Zinc (minerai) 35. Riz 29. Plomb (min.) 28. Zinc (métal) 24. Plomb (métal) 23. Sucre (canne) 22. Beurre 22. Manganèse 21. Diamants 16 [3]. Charbon 13 [5]. Blé 11. Pétrole brut 1 [4]. L'interdépendance économique entre la G.-B. et ses anciennes colonies s'est réduite.

Nota. – (1) Sauf Chine, URSS. (2) Sauf Chine, URSS, Tchécosl. et Viêt-nam. (3) Sauf URSS, Chine, Liberia, Indon. (4) Sauf Chine. (5) Sauf URSS.

Économie

• **P.N.B.** (89). 14 575 $ par h. **Pop. active** (% et entre par. part du P.N.B. en %). Agr. 2,4 (2,4), mines 4 (7,5), ind. 25,8 (22,5), services 67,8 (67,6). *1990* : 28 700 000 actifs. Mineurs *1973* : 600 000, *1983* : 200 000. **P.I.B.** (milliards de £). *1985* : 355,3, *86* : 380,9, *87* : 418,6, *88* : 465,9, *89* : 508,9, *90* : 555,8. *Croissance* (en %). *1985* : 3,7, *86* : 3,6, *87* : 4,7, *88* : 4,5, *89* : 2,3, *90* : 1. En 1991, 11 000 000 de personnes vivent en dessous du seuil de pauvreté. Sans-abris à Londres : *1975* : 250, *90* : 3 000. **Chômage.** (%). *1985* : 11,6, *86* : 11,8, *87* : 10,4, *88* : 8,2, *89* : 6,2, *90* : 5,9. *En millions* : *1925* : 1,56, *26* : 1,76, *27* : 1,37, *28* : 1,53, *29* : 1,5, *30* : 2,38, *31* : 3,25, *32* : 3,4, *33* : 3,1, *34* : 2,6, *35* : 2,43, *36* : 2,1, *37* : 1,8, *38* : 2,2, *79* : 1, *84* : 3, *91* : 2,1.

Inflation (%). *1985* : 6,1, *86* : 3,4, *87* : 4,1, *88* : 4,9, *89* : 7,8, *90* : 9,3. **Balance commerciale** (milliards de £). *87* : – 10,9, *88* : – 20,8, *89* : – 23. **Des paiements courants** (milliards de £). *85* : + 3,4, *86* : + 151, *87* : – 2,69, *88* : – 13, *89* : – 19,9, *90* : – 12,79. **Avoirs brus à l'étranger.** 80 milliards de £. **Pouvoir d'achat.** *1982* : – 2, *83* : + 2,4, *84* : + 2,6, *85* : + 2,8, *86* : + 4,25. **Budget** (milliards de £). *1986-87* : recettes 175, dépenses 171 ; *1988-89* : recettes 186, dépenses 183 (dont intérêt à la dette 26). **Endettement des ménages.** *Janv. 1988* : 38 milliards de £.

Indicateurs (en % du PIB) **Exportation de biens et services.** *1985* : 28,9, *86* : 25,8, *87* : 25,6, *88* : 23,3, *89* : 24,2, *90* : 25,3. **Imp.** *1985* : 27,9, *86* : 26,7, *87* : 26,8, *88* : 26,9, *89* : 27,9, *90* : 27,4. **Balance des paiements courants.** *1985* : 0,9, *87* : – 1, *88* : – 3,2, *89* : – 4,1, *90* : – 2,8. **Prélèvements publics.** *1961-73 (moy.)* 31,6, *74-80 (moy.)* 34,4, *87* : 36,6, *88* : 36,6, *89* : 35,9. **Dépenses publiques.** *1987* : 39,8, *88* : 37,7, *89* : 36,7. **Déficit public.** *1987* : 1,5, *88* : – 0,9, *89* : – 0,8.

Dépenses publiques (% du PNB). *88-89* : 39, *89-90* : 38,8, *90-91* : 39, *91-92* : 38,7, *92-93* : 38,5.

Investissements japonais en G.-B. (milliards de $). *1981* : 1,2, *82* : 2,1, *83* : 2,3, *84* : 2,4, *85* : 2,8, *86* : 3,1, *87* : 4,1.

Fiscalité. Impôts sur le revenu, taux max. : *1978* : 83 % au-dessus de 24 000 £, *79* : 60 % si + de 25 000 £, *86* : 60 % si + de 41 200 £, *88* : 40 %. **Sur les sociétés :** *1978* : 50 %, *86* : 35 % ; **T.V.A.** *1978* : 8 ou 12,5 %, *79* : 15 %. **Droits de succession** taux max. unique 40 %.

Faillites. *1980* : 10 651, *84* : 21 682, *85* : 20 943, *86* : 20 680, *87* : 17 405, *88* : 16 652, *89* : 18 163, *90* : 24 442.

Crise économique. *Industrie.* Début du XXe s. : la G.-B. importait des mat. 1res et exportait des prod. manufacturés. De nouveaux pays ind. l'ont supplantée avant qu'elle ait modernisé ses installations. *Énergie* : déclin du charbon supplanté par le pétrole importé. *Débouchés* : perte de l'Empire, d'où important chômage, chute de l'ind., hypertrophie du tertiaire et baisse du niveau de vie. Crédit trop cher, chute des investissements.

• **Agriculture.** *Terres* (milliers d'ha, 84) utilisées pour l'agriculture 18 720, dont arables 6 990, pâturages 5 105, pâturages non entretenus 4 895, bosquets 299, divers 218 ; forêts et divers 6 496 (81), eaux 322 (81). L'urbanisation enlève chaque année environ 15 000 ha (0,2 %). **Régions agricoles :** *montagnes* (Highlands, Cheviot, Centre gallois, chaîne pennine, Dartmoor) : ovins en plein air ; vallées : élevage naisseur de veaux ; embouche : Devon, Leicestershire, Aberdeen. *Produits laitiers* : plaines de l'O., Lowlands écossais. Angl. moyenne (1re ressource agricole angl.) ; œufs : Lancashire, S. gallois ; culture maraîchère : Cornouailles, Devon. *Région de l'E.* : terres arables (plateau de l'E. Angl. 70 %) : orge, blé, p. de terre et betteraves ; régions côtières, légumes (polder du Fen, 1er district légumier) ; conserves de petits pois. Kent : houblon, pommiers, framboisiers. Élevage industriel des volailles dans les terres à orge. *Côtes de la Manche* : culture en serre (fleurs, concombres, tomates) ; golfe du Wash : tulipes. EXPLOITATIONS : 258 000 (57 % faire-valoir direct), 296 000 paysans (80 000 à temps partiel), 365 000 salariés (205 000 à temps complet). **Production** (millions de t, 89). Blé 13,9, orge 8, avoine 0,6, p. de t. 6,4, bett. à sucre 8, légumes, pommes, poires, prunes.

• **Élevage** (millions de têtes, 89). Bovins 11,9, moutons 29, porcs 7,6, volailles 127. **% de la consommation** *(couvert par la production)* : œufs, lait, porcs et volailles 100, bœufs 75, moutons 55, bacon 35, fromages 40, beurre 8 ; orge, avoine, p. de t. 100, fruits 33, sucre 30, blé 50.

• **Pêche.** *Production* (milliers de t, 88) 937 (89) dont poisson 645,5 (morue 77,7, haddock 97,6, maquereau 176,1, sole 45,6, merlan, hareng, pilchard), crustacés 96,5. *Principaux lieux* : mer du Nord Long Forties 40 %, Dogger Bank 13 % ; mer d'Écosse 15 % ; mer d'Irlande 4 %. *Principaux ports* : Grimsby (200 nav. de grande pêche), Hull (160), Yarmouth, Milford Haven, Aberdeen, Fleetwood. 35 % des prises sont destinées à la conserve ou au surgelé.

• **Énergie. Charbon :** à l'origine, base de l'ind. brit. 35 % de l'énergie (record de la C.E.E.). *Principaux bassins* : Clyde, Newcastle, Lancashire, Yorkshire, Cardiff. *Réserves* : 45 milliards de t dont 5 exploitables. *Prod.* (millions de t). *1956* : 220, *72* : 140, *83* : 100, *84* : 51 (grève), *85* : 94, *86* : 106, *87* : 101,6, *88* : 101,4, *89* : 103. *Effectifs* : *1976* : 246 000, *84* : 186 000. *Plan* : réduire la production à 60/70 millions de t, et les effectifs à 100 000. *Prix de revient de la t* (84) 48 £ (charbon importé d'Australie 31, d'Afr. du S. 25). **Pétrole** (mer du N). *Réserves* : 1,2 milliard de t. *Prod.* (millions de t) *1975* : 1,5, *80* : 79, *81* : 89, *82* : 102, *83* : 115, *84* : 125, *85* : 128, *86* : 128,5, *87* : 123, *88* : 114, *89* : 92. *Revenus pétroliers* (milliards de £) : *1985-86* : 11,4, *86-87 (estim.)* : 6. *1988 juill.* baisse de la prod. de 10 % (explosion plate-forme), *déc.* de 10 % (rupture d'un pipe-line). **Gaz** (mer du N.). *Réserves* : 946 milliards de m³. *Prod.* (milliards de m³) : *1985* : 42 ; *86* : 45 ; *87* : 48 ; *88* : 44. **Électricité :** *1989* : 314,4 milliards de kWh ; 5 408 kWh par h. ; origine (%) thermique charbon 75, nucléaire 59 (86), pétrole 7, hydraulique 7 (86).

• **Mines.** Fer (prod., 88) 45 000 t. *Principales mines* : N.-E., entre Tyne et Tees, East-Midlands, Sheffield-Rotherham, Coventry.

• **Industrie.** RÉGIONS : *Londres* : transformation, articles de luxe (pas de textile) ; *Midlands ou Pays Noir* : ind. lourde, textile, poterie ; *Yorkshire* : laine, aciérie ; *Lancashire* : coton en régression, sidérurgie, chimie ; *S.-Gallois* : charbon, petite mécanique ; N.-E. : constr. navale, petite ind. ; *Centre Écosse* : charbon, constr. navale ; *Belfast* : constr. aéronautique. Structures et infrastructures anciennes. 3,2 millions d 'emplois supprimés entre 1971 et 1986.

Prod. automobile. *1989* : 1,3 million de véhicules (2 prévus en 2000).

• **Nationalisations.** *Avant 1945* : aviation civile, *46 févr.* : banque d'Angl., *juil.* : charbon, électricité, transports terrestres, *48* : gaz, *51 févr. à 67-22-3* : sidérurgie (soit 200 entreprises et 90 % du secteur), *75* : British Leyland, *77* : ind. aéronautique, chantiers navals, pétrole de la mer du N. **Dénationalisations** (recettes nettes en millions de £). *80* : National Enterprise Board, *81 févr.* : British Aerospace (390), *oct.* : Cable et Wireless (1 021), National Freight Corporation (5), British Sugar, *82 févr.* : Amersham International (isotopes radioactifs) (64), *nov.* : BNOC et Britoil (1,053), *79 oct. et 83 sept.* : British Petroleum 6,137, *83 févr.* : Associated British Ports (97), British Rail Hotels, International Aeroradio, *84* : Sealink (transp. marit.), Entreprise Oil (384), Jaguar (autom.), Inmos (circuits intégrés), chantiers navals militaires, British Telecom. (3,685) (déc. 84, 51 % du capital, effectifs 240 000 employés, le plus gros employeur, 3 milliards d'actions), *85* : British Airways (854), British Gas (5,23), aéroports, Rolls-Royce (1,028), arsenaux, manuf. d'armes (prévues), *88* : *mars* Rover, *déc.* British Steel (2,418). *89* : *nov.* Cies des Eaux (10 sociétés). *90-91* : Central Electricity Energetic Board (sauf le Nucléaire). *91* : National Power, Power Gen. *91-92* : British Coal. *Après les élections* : British Rail. *Date indéterminée* : BBC. *Montants* (en milliards de £) : *86-87* : 4,7, *87-88* : 5 ; *88-91* : électricité 37.

• **Transports.** Marchandises transportées par ch. de fer, *1955* : 48 %, *82* : 14 %. **Tourisme.** *Visiteurs* (89) : 17 338 000. *Revenus* (89) : 6 945 millions de £. *Monuments les plus visités* (milliers de visiteurs, 89) : British Museum 4 400, National Gallery 3 368, abbaye de Westminster 3 250, Ch. de Windsor 2 800 (83), Madame Tussaud's 2 609, Cathédrale St-Paul 2 500, Alton Towers 2 382, Tour de Londres 2 214, Musée d'histoire naturelle 1 490, Thorpe Park 1 300, Blackpool Tower 1 249, Chessington World of Adventure 1 236, Zoo de Londres 1 221, jardins de Kew 1 207, jardins d'hiver de Duthie Park 1 130 (87), musée des Sciences 1 121, Flamingo Land Zoo 1 001 (88), Windsor Safari Park 1 050, Ch. d'Édimbourg 1 034, jardins de Stapeley 1 000 (87), Frontierland 984 (88), bains romains et salle des pompes de Bath 954 (88), jardins botaniques d'Édimbourg 761 (88), appartements royaux de Windsor 709 (87), Ch. de Warwick 642 (87), jardins de Wisley, Surrey 614 (87), Beaulieu, Hampshire 500 (86), Stonehenge 496 (86).

• **Commerce** (milliards de £, 88). *Exp.* 81,4 *dont* mach. et équip. de transp. 31,8, prod. man. de base 12,7, prod. chim. 11,3, prod. man. divers 10,1, fuel et lubrifiants 5,8, prod. alim. 3,4 *vers* USA 10,5, All. féd. 9,5, *France 8,2*, P.-Bas 5,5, Benelux 4,2, Italie 4,1, Irlande 4. *Imp.* 106,4 *dont* mach. et équip. de transp. 40, prod. man. de base 19,5, prod. man. divers 14,2, prod. chim. 9,3, prod. alim. 9, mat. 1res 5,6 *de* All. féd. 17,6, USA 10,7, *France 9,3*, P.-Bas 8,3, Japon 6,5, Benelux 4,9, Italie 5,8.

• **Rang dans le monde** (88). 5e gaz nat. 6e orge. 7e pétrole. 8e blé, charbon. 9e potasse, rés. de charbon. 10e p. de t. 11e ovins. 16e céréales. 17e rés. de gaz nat. (85). 18e bovins, rés. de pétrole. 20e porcins.

RWANDA

Carte p. 892. V. légende p. 837.

Situation. Afrique. 26 338 km². *Frontières* avec Ouganda, Tanzanie, Burundi, Zaïre. *Alt. max.* Mt Karisimbi (volcan, 4 507 m), *moy.* 1 600 m (hauts plateaux). **Climat** équatorial tempéré par l'alt. 18 °C en moy. 4 *saisons* : sèche (mi-déc.-janv.), pluies (févr.-juin), sèche (juin-sept.), pluies (mi-sept.-mi-déc.).

Population. 7 336 000 h. (90), [prév. *2000* : 10 000 000] : Bahutus, agriculteurs, 89,8 % ; Batutsis, pasteurs d'origine nilotique (250 000 à 500 000 ont émigré depuis l'indép.), 9,8 % ; Batwas, chasseurs pygmoïdes, premiers hab. du pays, 0,4 %. **Taux** (‰). *Fécondité* 8,6 ; *mort. infantile* 122. **Pop. urbaine** 8 %. D. 290 (la plus forte d'Afrique). **Étrangers (1900) :** 1 600 Belges, 670 Français. **Villes (90) :** *Kigali* 363 607 h. (28 % de 20 à 40 a. séropositifs en 1988), Butare 38 964 (à 136 km), Ruhengeri 32 332, Gisenyi 21 560 (à 179 km). **Langues :** kinyarwanda *(nat.)* et français (12 %) *(off.)* ; kiswahili et anglais. **Religions** (%) : catholiques 50, animistes 30, protestants 12, musulmans 8.

Histoire. 1890-1914 partie de l'Afr. orientale all. **1922** forme avec Burundi, le Rwanda-Urundi, confié sous mandat à la Belgique (Usumbura capitale). **1925** uni au Congo belge. **1959** *nov.* séparation ; soulèvement des Bahutus contre monarchie féodale batutsi. **1961**-*28-1* renversement du roi (le *Mwami* Kigeli V). *-25-9* Rép. autonome. **1962**-*1-7* indép. Bahutus prennent le pouvoir. Milliers de Batutsis massacrés. **1963** les Batutsis réfugiés dans les pays voisins veulent reconquérir le pouvoir et sont refoulés. **1964** 10 000 à 20 000 Batutsis †. **1973** *févr.* incidents raciaux (300 †). *-5-7* coup d'État militaire, Pt Grégoire Kayibamda (1924-76 ; dep. 26-10-61) déposé. **1982** *oct.* arrivée de réfugiés ougandais. *-7-10* Pt Mitterrand au R. **1984**-*8-1* nouveau gouv. *-10-12* passage du Pt Mitterrand. *-20-12* M. Gatabazi condamné à 5 a. de prison. **1988** *août* Burundais réfugiés au R. après massacres. **1990**-*7-9* visite de Jean-Paul II. *-30-9/-1-10* 2 000 à 3 000 h. du Front patriotique rw. (Tutsis venant d'Ouganda) attaquent

Kigali (chef Fred Rwigyema tué). France, Belg. et Zaïre envoient 300, 480 et 500 soldats. Départ de 300 Belges. 150 à 335 †. *-10-10* cessez-le-feu. *-27/28-10* nouveaux combats. *-1-11* départ soldats belges. **1991**-*23-1* rebelles prennent Ruhengeri. *-29-3* cessez-le-feu sous l'égide de l'OUA. *-28-4* multipartisme légitimé par le MRND (Mouv. révolutionnaire pour le développement) créé 5-7-1975.

Statut Rép. *Const* du 17-12-1978. *Pt* et *PM* Major-Gal Juvénal Habyarimana (n. 8-3-37) dep. 5-7-73, élu pour 5 a. 24-12-78, réélu 19-12-83 (99,97 % des voix) et 19-12-88. *Ass.* 70 m. élus pour 5 a. *Préfectures* 11. *Communes* 145. **Fête nat.** 1-7 (indépend.). **Drapeau.** Adopté 1962.

Économie

P.N.B. (88). 328 $ par h. **Pop. active** (%, entre parenthèses, part du P.N.B. en %). Agr. 82 (41), ind. 6 (24), services 11 (34), mines 1 (1).

Inflation (%). *1985 :* 1,7 ; *86 :* – 1,1 ; *87 :* 4, *88 :* 3. **Aide extérieure** (85). 200 millions de F.

Agriculture. *Terres* (milliers d'ha, 88) *espace cultivé :* 1 102 ; *en 82 :* arables 705, cult. 256 (0,8 ha par famille), pâturages 484, forêts 275, eaux 139, divers 775. *Production* (milliers de t, 89) plantain 2 140 (88), manioc 390 (88), patates douces 800 (88), p. de terre 184, café 35, thé 11, haricots secs 150, sorgho 179, maïs 121, pois 14, coton. **Forêts.** 5 842 000 m³ (88). **Pêche.** 1 600 t (87). **Élevage** (milliers de têtes, 88). Poulets 1 223 (83), chèvres 1 200, bovins 660, moutons 360, porcs 92. **Mines** (t, 88). Béryl (85) 27, wolfram 4,7, cassitérite 2, colombo-tantalite 0,6, or (kg) 16.

Commerce (milliards de F rwandais, 89). *Exportations* 8,4 dont (88) café 56 % ; *vers* (valeur en FOB en millions de FRW) All. féd. 1 502 (dont café 1 495,2, Belgique 958,9 (dont café 745,3, thé 3,7), P.-Bas 944,4 (dont café 890,7, thé 4,1), USA 348,7 (dont thé 49,07). *Importations* 26,7 *de* (valeur CIF en millions de FRW) All. féd. 1 433,8 Italie 555, P.-Bas 102.

SAHARA OCCIDENTAL

V. légende p. 837.

Situation. Afrique. 286 000 km². **Régions :** 1°) *septentrionale* 92 000 km² (Saguia et Hamra), *El-Ayoun* f. 1932, 50 000 h., Smara 7 280 h. 2°) *méridionale* 194 000 km² (Oued Eddahab), *Dakhla* (ex-Villa Cisneros) 5 424 h. Un mur protège le nord du Sahara occ. des incursions du Polisario, abritant 220 000 h. + 120 000 militaires. **Climat :** désertique.

Population. *1989 :* 170 000 h. [selon le Polisario : 1 000 000 dont 400 000 h. au N. de la Mauritanie, 250 000 dans la région de Tan-Tan et Tarfaya (80 000 à 100 000 dans des camps de réfugiés mar.)] ; selon rec. mar. de 1988 (camps de Tindarf) : 47 000. **Langues :** espagnol, arabe, dialecte hassaniya. **Religion :** musulmane.

Histoire. **1491** bande côtière, possession esp. **1884-86** Emilio Bonelli occupe le S. (Rio de Oro). **1912**-*27-11* tr. franco-esp. établissant frontière. **1934** Esp. occupe le N. (Saguia el-Hamra). **1957** l'armée esp. recule devant armées sahraouie et marocaine. **1958**-*10-2* armée mar. écrasée par opération franco-esp. *-1-4 accords de Cintra,* les 2 territoires forment une province contrôlée par Esp. qui rétrocède zone de Tarfaya au Maroc sous protectorat esp. **1970**-*17-6* soulèvement à El-Ayoun (préparé par l'Organisation sahraouie de libér. du Sahara, créée 1967), échec. **1973**-*10-5 Front Polisario* (Front pop. pour la libération du Saguia el-Hamra et Rio de Oro, leader Mohamed Abdelaziz), créé. **1974** *juill.* administration interne. *-20-8* Hassan II s'oppose à tout référendum pouvant entraîner l'indép. *-17-9* saisit la Cour intern. de La Haye. **1975**-*14-10* ONU recommande référendum sous son contrôle. *-16-10* Cour de La Haye favorable à l'autodétermination. *-6/9-11 « marche verte »* mar. (350 000 personnes) au S. occ. *-14-11 accord de Madrid* (Esp., Maroc et Maur.) : Esp. se retirera 28-2-76. *-20-11* Alg. dénonce l'accord. *-28-11* entrée officielle des troupes mar. *-3-12* Conseil nat. provis. sahraoui créé à Alger. *-19-12* Maur. prennent La Guera (plus de 100 †). *-31-12* départ armée esp. **1976**-*11-1* Maur. entrent à Dakhla. *-19-1* Polisario enlève 2 Français, libérés 27-12. *-27/29-1* à Amgala combats Mar.-Alg. : Alg. (200 †, 100 prisonniers) se retirent. *Févr.* Maur. contrôle partie du Oued-Eddahab (ex-Rio de Oro) qui lui revient. *-12-2* Mar. occupe Mahbès (capitale du Polisario) ; 50 000 Sahraouis se réfugient en Alg. *-14/15-2* Amgala, combats. *-26-2* départ des Esp. ; S. partagé entre Maroc (au N.) et Maur. (au S.). *-27-2 Rép. arabe

sahraouie démocr. (RASD)* créée. *-5-3* PM Mohamed Lamine Ould Ahmed. **1977**-*1-5* Zouerate, raid Polis. (Maur.), 6 Français enlevés, libérés déc. 78. **1978-79** négociations Mar.-Maur. **1978**-*10-7* coup d'État en Maur., cessez-le-feu avec Polis. *Nov.* Bamako, 1re rencontre Mar.-Polis. **1979**-*5-8* Maur. reconnaît Polis. et renonce au S. *-11-8* Mar. prend Dakhla. *-14-8* le S. administré auparavant par Maur. devient la province mar. Oued-Eddahab (ex-Tiris-El-Gharbia). **1981** *juin* mur d'env. 400 km de Zag à El-Ayoun pour protéger Maroc. Référendum sur autodétermination (Maroc). *-13-10* Polis. attaque Guelta-Zemmour, que Maur. évacue 9-11. **1982**-*25-2* RASD entre à l'OUA. *-10-7* Maroc reprend exploitation des phosphates de Bou Craa (interrompue dep. 1975-76). *-3/19-7* attaques Polis. repoussées. **1984**-*19-4/10-5* 3e mur de 320 km en bordure du Zag (80 000 soldats mar.). Hassan II vient à El Aïoun (Laayoune). **1987** *févr.-mars-nov.* attaque Polis. **1988**-*16-5* rel. dipl. Alg. Maroc rétablies (après 12 ans). *-30-8* Maroc et Polis. acceptent plan de paix ONU (cessez-le-feu et référendum d'autodétermination pour la pop. sahraouie recensée 1974). *-16-9* attaque du Polis. 50 †. *-11-12* Polis. abat par erreur avion amér. **1989**-*4-1* rencontre Hassan II/dir. du Polis. *-13-1* Hassan II propose au Polis. un plan de régionalisation. *-7-10* attaque Polis. (190 mar. †) **1990** *janv.* attaque Polis. échoue (15 mar. et 94 Polis. †). **1992** référendum prévu.

Ressources. Orge, ovins, dromadaires, phosphates (réserves 1,7 milliard de t en 73), pêche, pétrole offshore, cuivre, fer.

Statut. **République arabe sahraouie :** reconnue par 72 pays. *Pt* Mohamed Abdelaziz dep. 16-10-1982 (gouv. en exil).

SAINT-CHRISTOPHER (ST-KITTS), NEVIS

Carte p. 1019. V. légende p. 837.

Situation. Iles Sous-le-Vent (Antilles). 269,4 km². 44 380 h. (88), *prév. 2000 :* 68 000. D. 159,6. **Capitale.** *Basseterre* 14 161 h. (80) sur St-Kitts. **2 îles : St-Kitts,** 176,2 km², 36 087 h. (83) ; **Nevis,** 93,2 km², à 3 km au S.-E. de St-Kitts, 9 620 h. (83), *Charlestown* 1 771 h.

Histoire. **1493** découvertes par Christophe Colomb. **1623** colonisation anglaise de St-Kitts, **1628** de Nevis. **1871-1956** membre de la fédér. des Iles Leeward, **1958-62** de la féd. des Indes occid. **1967**-*27-2* autonomie. **1967** Anguilla fait sécession (légalisée 19-9-80). **1983**-*19-9* indépend. *-23-9* entre ONU.

Statut. Fédération. État associé au Commonwealth. *Ass.* 13 m. (9 élus, 3 nommés, 1 de droit). *Gouv.* Clement Athelston Arrindell dep. 19-9-83. *PM* Kennedy Alphonse Simmonds (n. 12-4-36) dep. 19-9-83. **Drapeau.** Adopté 1983 : vert (fertilité) et rouge (lutte pour l'indép.), jaune (soleil), noir (héritage africain), 2 étoiles (espérance, liberté).

Économie. **P.N.B.** (88) 2 324 $ par h. **Budget** (90 en millions de $ EC). Recettes 97. Dépenses 94. **Prod. agricoles** (milliers de t, 90) : sucre 15,4, mélasse 5,7, fruits et légumes 3 (87), noix de coco 2 (87), coton, coprah, sel, homards. **Élevage** (têtes, 89). Moutons 1 766, porcs 1 411, bovins 701, chèvres 621, volailles 13 (83). **Pêche** 1 134 t (88). **Tourisme** (90) 106 465 séjours et 33 941 passagers de croisière. **Commerce** (millions de $ EC, 89) *exp.* 77,2 *imp.* 275,1.

SAINTE-HÉLÈNE

Carte (voir planisphère, fin du volume). V. légende p. 837.

Généralités. Ile de l'Atlantique S. (à 1 950 km de l'Angola), d'origine volcanique. 122 km². *Alt. max.* Diana's Peak 820 m. **Climat.** Doux. **Population.** 5 645 h. dont 200 expatriés (87). D. 46,2. **Chef-lieu** (87). *Jamestown* 1 413 h. **Langue.** Anglais. **Religion.** Anglicane.

Histoire. **1502** découverte par le Portugais João da Nova Castella. **1633** annexée par Hollande. **1659** prise par Cie des Indes orientales angl. **1834** cédée à Couronne brit. (après avoir été louée au gouv. pour l'exil de Napoléon du 16-10-1815 au 5-5-1821).

Statut. *Colonie brit. Gouv.* Alan Hoole Obe dep. 1991. *Conseils exécutif* (7 m. et le gouverneur) et *législatif* (12 m. élus, 2 m. de droit et le gouverneur).

Agriculture. Bananes, légumes. **Élevage** (88). Moutons 1 513, chèvres 1 354, bovins 1 134, porcs 599, volailles 10 931, ânes 312. **Forêts. Pêche** (87) 334 t. **Commerce** (milliers de £, 87-88). *Imp.* 5 656,4 *dont mach. et équip. de transport 1 082,5,* prod. alim. 892, fuel 242,2, équip. et pièces 212, *exp.* (81-82) 32 *dont* poissons 24,7 (85), artisanat 3,4 (85). *Partenaires com. :* G.-B., Afr. du S.

Dépendances

Ascension. 88 km². A 1 131 km au N.-O. de Ste-H. 1 155 h. (mars 88) dont St-Héléniens 729, Brit. 220, Amér. 193, autres 13. Découverte 1501, le j. de l'Ascension, inhabitée 1815 à 1922. Annexée par G.-B. 1922. *Chef-lieu : Georgetown. Administr. :* J.J. Beale. *Tortues* vertes. *Base* U.S. *Relais* télécom.

Tristan da Cunha. 98 km². 306 h. (88). A 2 600 km à l'O. du Cap, 4 000 de Montevideo, 2 120 de Ste-Hélène ; volcanique (Alt. max. 2 060 m). **1506** *mars* découverte par le Portugais Tristão da Cunha. **1816**-*14-8* annexée par G.-B. *-28-11* occupée par garnison (5 off., 36 sous-off. et soldats, avec familles) par crainte d'un enlèvement de Napoléon. **1821** mort de Napoléon, garnison évacuée ; 3 militaires reviennent. **1825** 25 hab. N'ayant pas de femmes, ils font venir des Noires de Ste-Hélène. **1880** 109 h. (métis). **1927** 135. **1938**-*12-1* dépendance de Ste-Hélène. **1961**-*10-10* les 280 h. sont évacués en G.-B. (crainte d'éruption volcanique), reviennent (1963-67). Langoustines. *Administr. :* Bernard E. Pauncefort. **Dépendances : Ile Inaccessible** (10 km², pingouins), **Ile Nightingale** (2 km²), **Ile Gough** (91 km²), station météo.

SAINTE-LUCIE

Carte p. 1019. V. légende p. 837.

Situation. Ile des Antilles. 616 km². **Population.** 148 183 h. (89), [prév. *2000 :* 158 000] dont (%) Noirs 90,3, Métis 5,5, Indiens 3,2, Blancs 0,8, divers 0,1. **Âge.** – *de 20 a.* 49,6 %, + *de 60 a.* 7,7 %. D. 273. *Capitale : Castries* 56 000 h. (89) **Langues.** Anglais, patois français (Kweyol). **Religions** (%). Cathol. 90,5, anglicans 3,4, adventistes 2,4, baptistes 1,1, méthodistes 0,9, divers 0,1.

Histoire. **1502**-*15-6* découverte par Christophe Colomb. **1605-38** établissement anglais. **1650** devient française. **1814** tr. de Paris : cédée par France à G.-B. **1838** esclavage aboli. **1967**-*1-3* État associé au Commonwealth. **1979**-*22-2* indép. **1980-81** troubles politiques. **1983** *sept.* cyclone.

Statut. État m. du Commonwealth. *Const.* du 22-2-1979. *Chef de l'État* reine Élisabeth II. *Gouv.* Sir Stanislas James dep. 1988. *PM* John Compton dep. 7-5-82. *Sénat* 11 m. dont 6 sur avis du PM, 3 du leader de l'opposition et 2 après consultation d'organismes représentatifs. *Ass.* 17 m. élus pour 5 a. *Élections du 6-4-87 :* UWP 9 s., SLP 8, **Partis.** *P. travailliste St-Lucien* (SLP), f. 1950, Pt Julian R. Hunte. *P. travailliste progressiste* (PLP), f. 1981, Pt George Oldum. *P. uni des travailleurs* (UWP), f. 1964, Pt John Compton.

Économie. **P.N.B.** (88) 4 158 $ par h. **Pop. active** (87) (%, entre parenthèses part du P.N.B. en %) agr. 30 (32), ind. 20 (14), services 50 (54). *Chômage* 27 %. **Agriculture.** *Terres* (%) agricoles diverses 35, bois 31, pâturages 15, urbanisées 10, bananes 9. *Production* (milliers de t, 87) bananes 133, mangues 45 (88), noix de coco 31, tubercules 11, coprah 5 (89), ignames, manioc. **Élevage** (milliers de têtes, 88). moutons 15, bovins 13, porcs 12, chèvres 12, volailles 200 (82).

Pêche (88) 362 t. Tourisme (88). 214 271 vis., 152 millions de $. **Aide extérieure** (87) env. 15 millions de $.

Commerce (millions de $ US, 89). *Exp.* 294,6 *dont* bananes 183 (88), huile de coco, papier, vêtements *vers* G.-B. 42,5 %, Jamaïque 13 %. *Imp.* 739,1 d'USA 36,7 %, G.-B. 12,3 %.

SAINT-MARIN

Carte p. 991. V. légende p. 837.

Nom. Du diacre Marino qui fonda St-M. en 301.

Situation. Enclave en Italie, à 20 km de Rimini, dans les Apennins. 60,5 km². *Alt. max.* Titano 749 m. *Frontières :* env. 70 km. **Climat** continental (été max. + 30 °C, hiver min. – 10 °C).

Population 23 156 h. (90) (12 000 citoyens vivent au-dehors : It., Fr., USA, Belg.). D. 374,9. **Villes** (87). *San Marino* 2 777 h. Langue. Italien. Religion. Catholique.

Histoire. **301** fondé par Marino, diacre dalmate. **1000-1100** inst. en commune. V. **1440-63** république. St-M. participe aux g. du côté de Montfeltro et des ducs d'Urbino contre les Malatesta seigneurs de Rimini ; **1463** pape Pie II reconnaît l'autonomie de St-M. **1627** tr. de protection avec St-Siège. **1739-40** le pape Clément II refuse l'annexion de St-M. préparée par le card. Alberoni, légat de Romagne. **1862**-*22-3* tr. de bon voisinage avec It. **1957** crise polit. dénouée après intervention discrète des USA et blocus de l'armée it. au profit des dém.-chrétiens et soc.-démocrates. **1968** tr. révisé avec It. **1971** retrouve droit de frapper monnaie. *-10-9* suppression des termes « amitié protectrice » dans la Convention it.-St-M. du 31-3-1939. **1986**-*26-8* gouvernement de compromis : démocrates chrétiens/communistes.

Statut. Rép. (la plus ancienne du monde). *Const.* d'oct. 1600. *Grand Conseil* (Parlement, 60 m. élus p. 5 a.) qui élit tous les 6 mois 2 capitaines régents, qui exercent le pouvoir exécutif avec le *Congrès d'État* (Gouvernement, 10 m.). *Élections du 29-5-88 :* dém.-chrétiens 27, com. 18, soc. unit. 8, soc. 7. Fêtes nat. 3 sept. (St Marin), 5 févr. (Ste Agathe). Drapeau. Bandes bleue (ciel) et blanche (montagnes enneigées).

Économie. **P.N.B.** (87) 14 000 $ par h. *Terres* arables 6 000 ha, forêts 5 000, causses. Blé, vin. *Philatélie. Tourisme* (2 917 061 vis. en 88). *Industrie* (text., habill., ciment, cuir, papier, céramique, tuiles, caout. synth.). *Union douanière* avec Italie.

SAINT-PIERRE-ET-MIQUELON (ILES)

V. légende p. 837.

Généralités. Amérique du N. 242 km². *Côtes* 120 km. Archipel (8 îles) à 25 km de Terre-Neuve. *Alt. max.* 240 m. **Pop.** 6 392 h. (90). D. 26. **Climat.** Rude (moy. ann. 5,6 °C), vents et humidité, hiver long, froid et enneigé (parfois – 14 °C, – 17 °C) ; printemps froid et brumeux, été court et frais (rarement + 20 °C). *Pluies* 1 400 mm. *Végétation* rabougrie. Religion. Catholique 99 %. Langue. Français *(off.)*.

Iles principales. *St-Pierre* (25 km², 5 683 h. en 90), *Langlade* (91 km²) et *Miquelon* (110 km², 709 h. en 90), à 6 km de St-Pierre. (Langlade et Miquelon sont reliées par un isthme sablonneux de 12 km utilisable en voiture tout terrain.) Plusieurs îlots : *î. aux Marins* 0,50 km², *Grand-Colombier* 0,50 km², *î. aux Vainqueurs* 0,10 km², *î. aux Pigeons* 0,04 km².

Histoire **1520**-*21-10.* Découvertes par José Alvarez Faguendez (Port.). Appelées îles des Onze Mille Vierges (j. de la fête religieuse du même nom). **1536** nom actuel donné par Jacques Cartier. **1604** des pêcheurs fr. fondent un 1er établissement permanent. **1713** cédées à l'Angl. (tr. d'Utrecht). **1763** rendues à la Fr. (tr. de Paris). **1778** réoccupation angl. **1783** rendues à la Fr. (tr. de Versailles). **1793** occupation angl. **1802** restituées à la Fr. **1803** reperdues. **1814**-*14-5* rendues à la Fr. (tr. de Paris). **1941** *déc.* se rallient à la Fr. libre. **1946** territoire d'O.-M. **1972** accord de pêche avec Canada. **1988** différend avec Canada sur quotas de morues pour chalutiers fr. (12 dont 6 de St-P.-et-M.) et zones de pêche réservées.

Statut. *Collectivité territoriale* dep. 11-6-1985 (auparavant DOM). *Conseil général* (19 m. élus). 1 *sénateur,* 1 *dép.,* 1 *conseiller écon. et social. 1 préfet.*

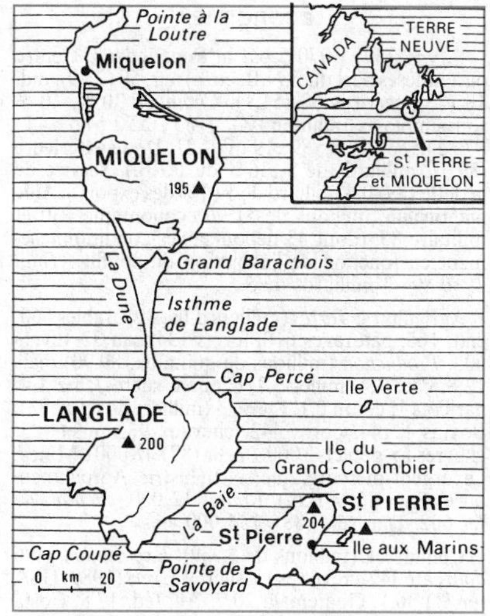

Économie. **P.N.B.** (88) 53 800 F par h. **Pop. active** 2 850. *Pêche* (90) artisanale 143 t, ind. 12 150 t (7 chalutiers, 4 891 tonneaux). Usine de transformation et de congél. de poissons, frigorifique de stockage. *Station internation. de quarantaine animale* (350 têtes) (fermée). *Trafic portuaire :* 1 272 navires, 1 001 313 tx. *Chômage* (90) 9,6 %. *Tourisme :* 14 059 vis. *Intervention de l'État (89) :* 259 millions de F dont 64,7 d'investissements.

Commerce (millions de F, 90). *Exportations* 137 535 (prod. locale : morue salée, séchée, filets de poisson congelés, farine de poisson, capelans, déchets) *vers* USA, France, Canada, Portugal. *Importations* (90) 470 995 *de* Canada, France, USA, P.-Bas. G.-B.

SAINT-VINCENT et les GRENADINES

Carte p. 1019. V. légende p. 837.

Généralités. Ile des Antilles dont dépendent certaines Grenadines [Bequia, Moustique (achetée vers 1960 par l'Angl. Colin Tenant au gouv. de St-Vincent), Canouan, Mayreau, Prune, Petit-St-V., Union (10 km²)], 389,3 km² dont St-Vincent 344. *Alt. max.* volcan de la Soufrière 1 245 m (1979 éruption, destruction de 70 % de la prod. de bananes). **Climat** tropical chaud. 20 à 32 °C. *Saison touristique* décembre à mars.

Population. 112 589 h. (est. 87) (avec dép.), Noirs 65,5 %, Métis 23,5, Indiens 5,5, Blancs 3,5, Amérindiens 2. D. 289,2 *Capitale* (est. 87) : *Kingstown* 19 028 h. Langue. Anglais. Religions. Chrétiens (protestants 81 %, catholiques 13 %, autres 6 %).

Histoire. **1498**-*22-1* découverte par C. Colomb. **1783** colonie brit. **1969** *oct.* État associé. **1979**-*27-10* indép. *-5-12* élections : SVLPC St-Vincent Labour Party (leader Vincent Beache) 11 s., *-7-12* tentative de rébellion. **1981**-*29-7* échec coup d'État. **1984**-*25-6* él. NDP (New Democratic Party G.S., James F. Mitchell) 9 s., SVLP 4 s. **1989**-*16-5* él. NDP 21 s.

Statut. Rép. ind., État membre du Commonwealth dep. 27-10-1979. *Const.* du 27-10-1979. *Chef de l'État* reine Élisabeth II. *Gouv.* Henry H. Williams dep. 29-2-88. *PM* James F. Mitchell. *Gouvernement :* 10 NDP et 35 SVLP. *Ass.* 21 m. (15 élus, 6 nommés). **Fête nat.** 27-10 (indépendance). **Drapeau.** Adopté 1979 : bandes bleue, jaune avec liserés blancs, verte ; armes de l'île et feuille d'arbre à pain.

Économie. **P.N.B.** (88) 1 000 $ par h (dont en %) agriculture 30, industrie 10, services 60. **Pop. active** (%, 88) agr. 35, ind. 10, services 60. Agriculture. *Terres cult.* 53 %. *Prod.* (milliers de t, 87) bananes 47, patates douces 11,1, plantain, noix de coco, coprah, cacao, café, marante. Élevage (milliers de têtes, 88). Moutons 15, bovins 7, porcs 9, chèvres 5, poulets 153 (83). Tourisme (87). 111 735 vis. Aide (87). 13 millions de $.

Commerce [millions de E.C. $ (East Carribean $), 86]. *Imp.* 235,6. *Exp.* 173,3 dont bananes 52,3, tubercules 31,6, patates douces 15,3, farine 15,1.

SALOMON (ILES)

Carte p. 1130. V. légende p. 837.

Situation. Pacifique (à l'E. de la N.-Guinée). 28 530 km². 310 000 h. (est. 90), *prév. 2000 :* 457 000. D. 11,1. [10 grandes îles dont **Guadalcanal** (5 300 km², alt. max. Mt Makarakamba 2 330 m) 35 187 h., **Malaita** (4 644 km²) 50 659 h., **San Cristobal** (4 489 km²), **New Georgia** (3 199 km²), **Santa Isabel** (4 644 km²), **Choiseul** (2 941 km²), **Shortland** (1 161 km²), **Mono** ou **Trésor, Vella Lavella** (3 290 km²), etc. et 4 groupes de petites îles] dont (%) Mélanésiens 93, Polynésiens 4, Gilbertiens 1, Européens 1. *Capitale : Honiara* 30 499 h. (86). *Pop. rurale* 90 %.

Population. **Âge** : – *de 15 a.* 48,4 %. Langues. Anglais *(off.)*, pidgin english, env. 87 langues indigènes. Religions. 95 % de chrétiens (anglicans 33 %, catholiques 17 %, évangélistes 17 %, United Church 11 %, adventistes 10 %).

Histoire. **1568** découvertes par Alvaro de Mendana. **1885** conquête allemande. **1893-99** *protectorat brit.* **1942** occ. jap. *Août* débarquement US à Guadalcanal. **1960** création d'un conseil ex. et lég. **1973** élections (Mamaloni chef du People's Progressive Party devient PM). **1976**-*2-1* autonomie interne. **1978**-*7-7* indépendance.

Statut. Monarchie. Membre du Commonwealth. *Const.* du 7-7-1978. *Reine* Élisabeth II. *Gouverneur* Sir George Lepping dep. 21-6-88. *PM* (élu parmi les m. du Parlement) Salomon Mamaloni (n. 21-1-43) dep. 1986, réélu 28-3-89. *Chambre :* 38 m. élus pour 4 a. Drapeau : adopté 1978 : bleu (mer), vert (pays), jaune (soleil) ; 5 étoiles (districts).

Économie. **P.N.B.** (89) 280 $ par h. **Pop. active** (%, entre parenthèses part du P.N.B. en %) agr. 74 (64), mines 1 (1), ind. 5 (5), services 20 (30). **Inflation** (%). *1985 :* 9,6, *86 :* 13,7, *87 :* 11, *88 :* 17,3, *89 :* 12. **Aide extérieure** (90). 23 millions de $.

Agriculture. *Terres cult.* 2 %. *Production* (milliers de t, 89), noix de coco 200 (87), coprah 20, huile de palme 15, riz 2 (87), cacao 2 000, patates douces, ignames. Élevage (87). Cochons 51 000, bovins 23 000. Pêche 54 900 t (86). Coquillages, peaux de crocodile. Forêts (88) 589 000 m³. Mines. Phosphate, bauxite, or, argent. Tourisme. 12 555 vis. (87).

Commerce (millions de $, 90). *Exportations* 80 *dont* poisson 32, bois 15, coprah 6,2, huile de palme 5,5, cacao 2,7, or 1,8, *vers* (%) Japon 36,7, Thaïlande 22,4, G.-B. 8,6, Australie 4, All. féd. 3,2. *Imp.* 107,8 *dont* (87, $ IS) mach. et équip. de transp. 39,3, prod. man. de base 27,7, prod. alim. 20,3, prod. pétr. et lubrif. 19,9 *de* (en %) Australie 40,4, Japon 17,1, Singapour 8,2, Nouvelle-Zélande 7,7, G.-B. 4,2.

SALVADOR (EL)

Carte p. 962. V. légende p. 837.

Nom. Donné en l'honneur du Très Saint Sauveur.

Situation. Amér. centrale. 21 393 km² dont lacs intérieurs 247 km². *Long.* 175/225 km, *larg.* 75/110 km. *Côtes :* 321 km. *Frontières :* avec Honduras 341 km, Guatemala 147. Plaines basses 12 %, le reste est montagneux (90 % du sol d'origine volcanique). **Régions.** Tierra caliente (0 à 800 m) 22 à 28 °C ; t. templada (800-1 200 m) 19 à 22 °C ; t. fria (1 800-2 700 m) 16 à 19 °C. **Climat.** Tropical, 1 saison sèche (nov.-avr.) et 1 humide (mai-oct.). Humidité de l'air 71 à 81 %.

Population. 5 210 000 h. (89) dont (%) Métis 90, Indiens 5, Blancs 5 ; *prév. 2000 :* 8 708 000. **Age** – *de 15 a.* 46 %, + *de 65 a.* 4. D. 238,7. **Taux** (85-90, ‰). Natalité 36,3, mortalité 8,4 (dont infantile 57,4). **Villes** (85). 262, dont *San Salvador* 1 057 964, Santa Ana 476 843 (à 66 km), San Miguel 155 000 (à 138 km), Zacatecoluca 70 000 (en 79, à 41 km). Analphabètes (85) 28 %. **Émigrés.** 1 000 000 ? (dont 500 000 aux U.S.A.). **Réfugiés.** Env. 400 000, dont du Honduras 40 000, Nicaragua 20 000, Costa Rica 10 000, Belize 1 000. Langues. Espagnol *(off.)*, nahuatl, potom (– de 3 %). Religions. Catholiques (96 %), d'origine protestante (mormons, témoins de Jéhovah).

Histoire. **1523** conquis par l'Esp. Alvarado. **1821**-*15-9* indép. **1821-39** fait partie de la Féd. d'Amér. centrale. **1932** révolte paysanne réprimée par Gal Martinez (30 000 †). **1961-64** membre du Marché commun centraméricain. **1969** *juill.* g. de 5 j avec Honduras (suivant l'expulsion de Salvadoriens vivant au H.). **1970** zone démilitarisée entre S. et Hond. *-25-3* coup d'État du Cel Benjamin Mejia échoue (env.

200 †). **1972**-*mai* élect. truquées. *Juin* José-Napoléon Duarte (1925-90) exilé. **1977**-*20-2 Gal* Carlos Humberto Romero élu Pt ; l'opposition dénonce les irrégularités ; 6 † (200 selon l'opposition). **1977-78** luttes sociales ; milices privées. **1979**-*20-1* 5 †. *-1-2* attentat (ERP), 16 †. *-4-5/1-6* prise en otage de l'ambassadeur de Fr. par le BPR (Bloc pop. révol.). *-15-10* coup d'État milit. Gal C.H. Romero renversé. *-28-11* amb. d'Afr. du S. enlevé. **1980**-*3-1* junte milit. dém.-chrét. *-11-1* FAPU (LP-28), BPR et UDN s'unissent. Amb. de Panamá et Costa Rica enlevés. *-22-1* commémoration de la révolte de 1932 : 21 † ; fusillade (env. 67 †). *-5-2* prise d'otages à l'amb. d'Esp. par des paysans. *-6-3* état de siège : réformes agr. [exploitations de + de 500 ha expropriées : représentent 224 083 ha (13,6 % des terres cult.), aux mains de 244 propr. fonciers]. *-7-3* nationalisation banques, café et sucre. *-23-3* Mgr Oscar Romero, archev. de San S., lance un appel aux milit. : un soldat n'est pas obligé d'obéir à un ordre de tuer. *-24-3* Mgr Romero tué par terroristes de droite. *-30-3* obsèques, fusillade (50 †). *-30-10* paix avec Honduras. **1981**-*1-10* offensive gén. de la guérilla, échec. **1982**-*28-3* élect. Constituante, Démocratie chrétienne 24 s., Coalition d'extr. droite du major Roberto d'Aubuisson 36 s. (dont ARENA 19 s.). *Déc.* Pt provisoire remplace Pt José Napoléon Duarte. **1983**-*6-1* mutinerie du lt-col. Sigfrido Ochoa-Perez dans le N. *Mars* offensive antiguérilla région de Guazapa. *-6-3* visite de Jean-Paul II. *28-3* él. Constituante (Dém.-chrét. 24 s., ARENA 19, P. Conciliation nat. 14, Action dém. 2, P. pop. salv. 1). *Déc.* guérilla attaque et prend caserne El Paraiso (100 soldats †). **1984**-*6-5* Duarte élu Pt. *-15-10* La Palma, rencontre Pt Duarte/Guérilla (Guillermo Ungo, Ruben Zamora). *-30-11* 2e rencontre. **1985**-*5-1* Pedro René Yanès conseiller du Pt tué par extrême droite. *-24-10* Inès Duarte, fille du Pt, libérée 44 j après enlèvement en échange de guérilleros invalides et 22 prisonniers pol. **1986**-*10-10* séisme 1 000 à 1 500 †. **1987**-*31-3* guérilla tue env. 100 soldats (à El Paraiso). **1989**-*24-1* guérilla propose de participer aux él. prés. (y renonce 10-3 et demande boycott 16-3). *févr.* Roberto d'Aubuisson mis en cause dans l'assassinat Mgr Romero. *-19-3* él. prés. : 45 à 50 % d'abstentions ; dans 10 % des communes, vote empêché par affrontements : 43 † (29 rebelles, 10 mil. et 4 civ.). Nombreux combats, notamment *nov. 89 :* 3 000 † (guérilla 1 600, soldats 400, civils 1 000), la guérilla occupe quelques j. le Sheraton de S. Salvador, 6 jésuites esp. tués par milit. *-15-4* Madeleine Lagadec, infirmière fr., assassinée. **1990**-*12-1* Hector Oqueli, secrétaire gén. adjoint MNR assassiné. *Nov.* guérilla (100 †). **1991**-*1-1* hélicoptère amér. abattu (3 †). *-10-3* législatives : ARENA perd maj. absolue. *Mai* négociation gouv./guérilla.

Bilan de la guerre. De 1980 à 1990 : 70 000 † (dont *1980-81 :* 33 000 †, 7 000 disparus). 350 000 pers. déplacées ; 2 milliards de $ de dégâts.

Statut. République. *Const.* du 20-12-1983. *Pt* Alfredo Cristiani (ARENA) (n. 22-11-47) élu 19-3-89 avec 53,8 % des voix, Fidel Chavez Mena (dém.-chr.) 36,9 %, P. de conciliation nat. 4,21 %, Guillermo Ungo (Convergence dém.) 3,2 %. **Fête nat.** 15-9. **Drapeau.** Adopté 1912 : bleu, blanc et bleu, avec devise « Dieu, Union, Liberté », ou armoiries.

Élections. 20-3-1988 : 1 650 000 inscrits, 1 083 000 votants. ARENA 31 s., dém.-chrét. 23, PCN 6. **10-3-1991 :** 84 sièges parlementaires. ARENA 39, PDC 28, PCN 9, CD 8.

Partis. *P. de l'action démocratique* (PDA), f. 1981, Pt Ricardo Gonzalez Camacho. *Alliance républic. nation.* (ARENA), f. 1981, Pt Armando Calderon Sol. *De conciliation nationale* (PCN), f. 1961, Pt Hugo Carrillo. *P. démocrate-chrétien* (PDC), f. 1960 par José Napoléon Duarte (1925-90), Pt Rodolfo Castillo Claramount, env. 150 000 m. *P. d'orientation pop.* (POP), f. 1981, Pt vacant. *P. popul. sal.*, f. 1966, Pt Francisco Quinonez Avila. *Mouv. nat. Rév.* (MNR), Pt Guillermo Ungo. *Mouv. pop. social chrétien* (MPSC), Pt Ruben Zamora. *P. social-démocrate* (PSD), Pt Reni Roldan. Depuis 1987, MNR, MPSC et PSD sont regroupés dans la *Convergence Démocratique* (CD), coordinateur Ruben Zamora.

Guérilla. *Front Farabundo Marti de libération nat.*, f. 1980, Pt Guillermo Ungo († fin 1991). 20 groupes, 12 000 combattants env. : *Armée révol. des peuples ERP* (4 000 h. Joaquin Villalobos), *Forces popul. de libér. FPL* (3 000 h.), *Forces armées de résistance nat. FARN* (2 000 h.), *Parti révolut. des trav. d'Amér. centrale PRTC, Forces armées de libér. FAL* (nom de guerre PC), *Front démocratique révolut. FDR*, regroupe p. de gauche, « organisations pop. » liées à guérilla, associations, syndicats, etc. FMLN et FDR coordonnent en principe leur action avec une Direction révolutionnaire unifiée (DRU).

Économie

P.N.B. (89) 1 070 $ par h. **Pop. active** (%, entre parenthèses part du P.N.B. en %) agr. 50 (23,9), ind. 18 (25), services 32 (51,1). *Chômage* 30 %, 40 % sous-employé. **Inflation** (%). *1985 :* 22,2 ; *86 :* 40 ; *87 :* 24 ; *88 :* 19,8 ; *89 :* 19 ; *90 :* 21. **Dette extérieure** (89). 2 milliards de $ (36 % du P.I.B.). Service de la dette (89) 0,4 milliard de $ (4 % des export.). **Aide américaine** (millions de $) *90* économique 230 et militaire 85, (dont 43 déboursables conditionnellement en fonction de l'évolution du conflit). *Total 1980-89 :* 3 milliards de $.

Agriculture. *Terres* (milliers d'ha, 80) arables 560, cult. 165, pâturages 610, forêts 134, eau 32, divers 603. *Production* (millions de quintaux, 89-90) maïs 12,8, café 3,4, millet 3,2, canne à sucre 3, riz 1,4, haricots 1, coton 0,1. **Élevage** (milliers de têtes, 88). Bovins 1 144, porcs 442, chevaux 93, mulets 23, chèvres 15, poulets 3 000. **Pêche** (87). 18 000 t. **Mines.** Or, argent, mercure, zinc, sel. **Industrie.** Agroalimentaire. **Transports** (km). *Routes* 12 000, *chemins de fer* 602. **Tourisme** (88). 134 000 vis.

Commerce (millions de $, 89). *Exportations* 496 *dont* café 342, crevettes 15, sucre 15, *vers* (1989) USA (en %) 36,1, Guatemala 20,7, All. féd. 17,8, Costa Rica 8,1, Honduras 3,1. *Importations* 1 161 *dont* matériel de transport 124, pétrole 93, mat. de construction 70, fertilisants 30, *de* (89, en %) USA 40,2, Guatemala 11,3, Mexique 8,4, Venezuela 4,8, All. féd. 4,7. **Solde commercial (millions de $).** *1985 :* - 266, *86 :* - 180, *87 :* - 403, *88 :* - 417.

Rang dans le monde (88). 12e café.

SAMOA OCCIDENTALES

Carte p. 1047 V. légende p. 837.

Situation. Océanie, au S. des îles Phoenix. 2 831 km². 2 îles principales : Savaii 1 708 km² et Upolu 1 123 km², et d'autres îles dont Manono, Apolina. *Alt. max.* 1 876 m. **Climat.** *Temp. moy.* 26,3 °C ; *pluies :* 2 852 mm/an.

Population. 170 000 h. (89) dont (%) Polynésiens 88, Métis 10, Européens 2. D. 59,3. **Capitale.** *Apia* sur Upolu 33 170 h. (81). Importante émigration. **Langues.** Anglais, samoan *(off.)*. **Religions** (%). Protestants 70, catholiques 20.

Histoire. **1722** découvertes par le Hollandais Roggeveen. **1830** évangélisation. **1880-1914** colonie puis protectorat all. **1899** division des Samoa en 2 sphères d'influence : *occ.* infl. all., *orientale* amér. **1920** mandat néo-zélandais. **1962**-*1-1* indép.

Statut. Royaume. État membre du Commonwealth. *Chef d'État* (O le Ao O le Maló) : roi Malietoa Tanumafili II (n. 4-1-1913) dep. 1-1-62, à sa mort, la royauté sera abolie et son successeur élu par l'ass. *PM* Tofilav Eti Alesana. *Const.* du 28-10-1960. *Ass. lég.* 47 m. [45 élus par les collèges des chefs (*mataï* ; total : 11 000 votants) et 2 au suffr. univ., pour 3 a.]. **Élections** (23-2-88). P. des droits de l'homme 24 s., P. chrétien dém. 23 s. **Drapeau** : adopté 1948, modifié 1949 : rouge, carré bleu, avec 5 étoiles (Croix du Sud).

Économie. P.N.B. (88) 632 $ par h. **Pop. active** (% et entre par. part du P.N.B. en %) agr. 58 (30), ind. 10 (12), services 32 (58). **Agriculture.** *Terres cult.* 42 %. *Production* (milliers de t, 88) noix de coco 200, taro 40, bananes 23, coprah 15 (89), cacao 1. **Élevage** (milliers de têtes, 88). Porcs 65, bovins 27, chevaux 3, volailles 1 000 (84). **Pêche** (87). 3 400 t. **Tourisme** (86). 49 710 vis. **Inflation** (%). *1986 :* 5,7 ; *87 :* 4,6 ; *88 :* 8,5. **Aide extér.** (87). 35 millions de $.

Commerce (millions de talas). *Exportations* 29,2 (89) *dont* prod. alim., coprah., taro et taamu, cacao, *vers* USA, N-Zél., Australie, All. féd. *Importations* 174,6 (89) *dont* pétrole (absorbe 99 % du revenu des exp.), *de* N.-Zél., Australie, Japon, Fidji, Chine.

SAO TOMÉ ET PRÍNCIPE (ILES DE)

V. légende p. 837.

Situation. Afrique 964 km² (dans le golfe de Guinée à 200 km de la côte). 2 îles : *São Tomé* 836 km², *Príncipe* 128 km², et quelques îlots. *Alt. max.* Pic de São Tomé 2 024 m. Jungle montagneuse et cultures. **Climat** chaud et humide (moy. 27 °C). **Population.** 120 000 h. (est. 88). D. 123,4. *Capitale : São Tomé* 25 000 h. (est. 84). **Langue.** Portugais *(off.)*. **Religion.** Catholique (80 %).

Histoire. **1471** découvertes par Pedro Escobar et João Gomes. **1522-1974** Colonie puis T.O.M. portugais. **1973** *mars* création d'une Ass. législative. **1974**-*25-11* accord avec Port. pour l'indép. **1975**-*12-7* indép. **1990**-*22-8* 72 % de oui au référendum sur nouv. Const. instaurant multipartisme. **Statut.** Rép. dém. *Const.* du 15-12-82. *Chef d'État* Miguel Trovoada dep. mars 91 [avant Manuel Pinto da Costa (n. 1940) dep. 12-7-1975, réélu 30-09-85]. *Ass.* 40 m. élus pour 4 a. **Opposition.** *Front de la Résistance nat.* basé au Gabon. **Fêtes nat.** : 15-9 (déclaration de l'indépendance), 5-11 (1er cri d'indépendance). **Drapeau** : adopté 1975 : bandes vertes et jaune avec 2 étoiles noires (les 2 îles) ; triangle rouge.

☞ **Tentatives de coup d'État.** 1978, 1979 et 8-3-1988 (2 †). Influence soviét.

Économie. P.N.B. (88) 210 $ par h. **Pop. active** (% et entre par. part du P.N.B. en %) agr. 80 (50), ind. 5 (10), services 15 (40). **Agriculture.** *Terres cult.* 37 %. *Production* (milliers de t, 89), noix de coco 35 (87), cacao 5 (en 75, 10) (soit 60 kg par h., record du monde), coprah 4, bananes 3, café. **Élevage** (milliers de têtes, 88). Chèvres 4, bovins 3, porcs 3, moutons 2, poulets 100 (83). **Pêche.** 2 500 t (87). **Aide extérieure.** Pays Occidentaux. **Dette extérieure.** (87) 101 millions de $.

SÉNÉGAMBIE

Carte p. 1065. V. légende p. 837.

Origine. **1981**-*17-12* Confédération créée à la suite de l'intervention sénégalaise en Gambie. **1982**-*1-2* entrée en vigueur effective. **1983**-*12-1* 1er conseil des min. de la confédération. **1990** dissolution de la conféd. **Statut.** *Pt* Abou Diouf, Pt du Sénégal. *Vice-Pt* Sir Dawade Kairaba Jawara, Pt de la Gambie. *Ass. confédérale :* 60 m. dont 20 venant du parlement gambien et 40 du p. sénégalais. Pol. étrangère, défense et sécurité dépendent de la Confédération ; pol. intérieure de chaque État.

Gambie

Situation. Afrique [bande de 350 km le long du fleuve Gambie (larg. 50 km) enclavée dans le Sénégal]. 11 295 km². Forêt et mangrove (cours inf. du fleuve), savane à l'intérieur. **Climat.** Très chaud surtout févr. à nov. (côtes, plus frais). *Pluies* juin-oct. (1 m), sec de déc.-mai.

Population. 840 000 h. (89) dont Mandingues 42,3 %, Foulas 18,2 %, Wolofs 9,5 %, Diolas 9 %, Sarakolés 8,7 %, Akous 1 % (descendants des esclaves enlevés aux négriers et installés en G. par la G.-B. après l'abolition de la traite) ; *prév. 2000 :* 898 000. **Âge :** *- de 15 a. :* 46 %, *+ de 65 a. :* 3 %. **Mort.** *infantile* (88) 148 ‰. D. 72,8. **Villes.** *Banjul* (cap., avant 1974 appelée Bathurst) 44 505 h. (83), Serrekunda 68 433, Brikama 19 584, Bakau 19 309, Gunjur 4 700, Sukuta 3 800, Farafeni 3 800, Gambisara 3 600, Salikeni 3 300, Georgetown, Basse, Kerewan, Kaur, Mansakonko. **Langues.** Anglais *(off.)* et langues tribales. **Religions** (%). Musulmans 85, animistes 8, protestants 12.

Histoire. **1455** occupation portugaise. **XVe-XVIIIe s.** rivalités europ. (facilités offertes par le fleuve pour la traite, attrait de l'or). **1765** Anglais occupent St-Louis du Sénégal et Gambie et créent prov. de Sénégambie. **1783** tr. de Versailles, Sénégal revient à France. **1808** traite interdite. **1843** colonie de la Couronne ; développement de l'arachide. **1866-88** forme avec Sierra Leone, Côte de l'Or et Lagos Établ. brit. de l'Afr. occid. **1888** colonie et protectorat. **1962** autonomie interne, complète le *4-10*-**1963**. **1965**-*18-2* indépendance. **1970**-*24-10* rép., référendum (suffr. exprimés 120 606 : oui 84 968, non 35 638). **1980**-*31-10* intervention sén. pour rétablir l'ordre. **1981**-*29-7* coup d'État de Kukoi Samba Sangang. *-30/31-7* intervention sén. *-2-8* Pt Jawara rentre. *-17-12* confédérée avec Sénégal (Sénégambie). **1990** Sénégambie dissoute.

Statut. Rép. Membre du Commonwealth. *Const.* du 24-4-1970. *Assemblée* (50 m. dont 36 élus au suffr. univ. pour 5 a., 4 choisis par une ass. de chefs, 4 nommés). *Pt* Sir Dawda Kairaba Jawara (n. 16-5-1924) dep. 24-4-70, réélu 6-5-82 avec 72,4 % des v., et 11-3-87 avec 59 % des v. (était PM dep. 65) (P. progressiste du peuple). *Élections du 11-3-87 :* P. du peuple (31), P. de la Convention nat. (5). **Drapeau.** Adopté 1965 : bandes rouge (soleil), bleue avec lisérés blancs (riv. Gambie), verte (champs).

P.N.B. ($ par h.). *1982 :* 360, *85 :* 200, *86 :* 224, *87 :* 259, *88 :* 231. **Pop. active** (%, entre parenthèses

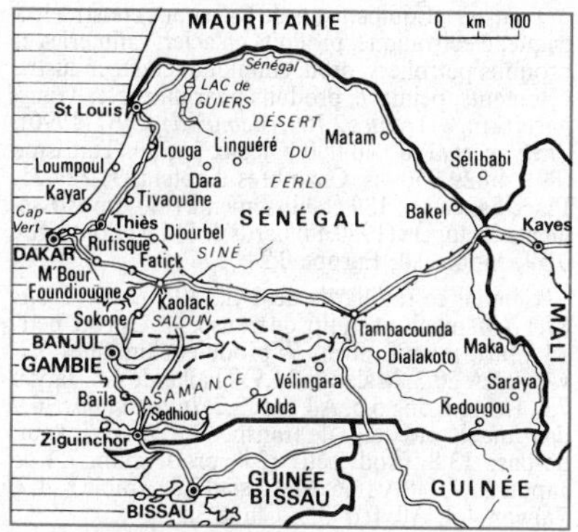

part du P.N.B. en %) agr. 70 (35), ind. 5 (10), services 25 (55). **Dette ext. 88 :** 231 millions de $.

Agriculture. 23 % de terres cult. *Production* (milliers de t, 89) arachide 120 (65 % des t. cultivées), millet 65, riz 30 (88), maïs 16 (88), manioc. **Élevage** (milliers de têtes, 88). Bovins 300, chèvres 200, moutons 200, volailles 300 (83), porcs 13. **Pêche** (87). 14 400 t. **Tourisme** (89) env. 100 000 vis.

Commerce (millions de dalasis 85-86). *Exportations* 136,9 *dont* prod. de l'arachide 52,8, poisson 2,5 *vers* Suisse 46,8, P.-Bas 30,2, Guinée-B. 17, G.-B., Italie, Belgique, Suisse. *Importations* 567,6 *de France 81,5,* G.-B. 64,3, Chine 31,2, P.-Bas, All. féd.

Sénégal

Nom. Du fleuve [adj. latin mod. *senegale,* tiré de Zenaga ou Sanhadja, nom des Berbères sahariens ou de Sunu Gaal (en wolof : notre pirogue)].

Situation. Afrique. 196 192 km². *Alt. max.* 581 m. *Côtes :* 700 km. **Régions.** 5 : côtière large 100/120 km ; Casamance au S. de l'enclave de la Gambie, plus humide ; Centre-N. très sec (plaines du Ferlo, brousse très claire à épineux) ; S.-E. plus vallonné ; vallée du Sénégal, longue, étroite, décrue. **Climat.** Tropical, saison des pluies, chaude (juill.-oct.) ; saison sèche (nov.-mai). *Temp.* moy. à Dakar : 23,8 °C (janv. 21,1 °C, juil. 27,3 °C).

Population. *1988* (27-5) 6 928 405 h, *prév. 2000 :* 10 036 000. D. 35. **Âge.** – *de 20 a.* 57,7%, + *de 60 a.* 5 %. Dont en % : Wolofs 43,7 (fonctionnaires, instituteurs, cultivateurs, commerçants ; surtout dans les régions de Dakar et du bassin arachidier : Diourbel, Louga), Toucouleurs (rive gauche du Sénégal entre Podor et Matam) et Peuls (gardiens de troupeaux, agriculteurs) 23,2, Sérères 14,8 (agriculteurs, régions de Thiès, Fatick et Kaolack), Mandingues 9 (81), Diolas 9 (81), Bainouks et Balantes 3 (81) (régions de Ziguinchor et Kolda), Lébous (région de Dakar, pêcheurs), Sarakollé, Bambaras, Maures, Bassaris, Coniaguis. **Mort.** *infantile :* (88) 135 ‰. **Émigration en France** (1-1-84) : 35 000 (en situation régulière). **Immigration.** Guinéens 220 000, Mauritaniens 130 000 en 1990/200 à 300 000 (avant avril 89), Français 16 000 (88), Libanais 30 000. **Pop. urbaine (88)** 39 %. **Villes** (ag., 84). *Dakar* 1 150 000 (85), Thiès 160 000 (70 km), Kaolack 120 000 (192 km), Saint Louis 108 000 (264 km), Ziguinchor 100 000 (454 km), Diourbel 73 000.

Langues. Français (off.), wolof (80 %). **Religions** (%). Musulmans 84 (plusieurs confréries : mouridisme, tidjanisme ou Niassene, Khadria, Layenne), catholiques 6, animistes 7.

Enseignement (1987). *Élémentaire :* 611 000 élèves (40 % de filles), *moyen (6e à 3e) :* 103 000, *secondaire :* 30 000 (30 % de filles), *supérieur :* 15 000. 3 910 reçus à la 2e partie du bacc., 697 au CAP. Analphabètes 72 % (88).

Histoire. **Xe s.** siège du roy. de Tekrour ou Tokoror (francisé en Toucouleur). **XIe s.** Toucouleurs deviennent musulmans. Nar Diabi fonde (dans le Fouta) dynastie des Mannas, qui après 3 siècles sont renversés par les Tondions, amis vassaux des Mandingues. **XIVe s.** *apogée de l'empire mandingue.* **XVe s.** les roy. sérère et wolof se détachent du Tekrour, d'autres divisions surviennent (**1559** le Cayor quitte l'empire wolof). **1445** le Portugais *Gadamosto* découvre cap Vert et s'installe à Gorée. **V. 1638** des Français fondent St-Louis et s'installent à Gorée et en Casamance (traite des Noirs et trafic de gomme arabique). **1814** tr. de Paris accorde à la Fr. monopole du commerce avec le S. **1854-65** *Faidherbe* soumet l'intérieur (repousse Maures au N. du fleuve Sénégal et Toucouleurs d'El Hadj Omar). **1857** Protet fonde Dakar. **1898** conquête achevée. **1903** sécurité établie. **1958**-*25-11* Rép. autonome. **1959**-*4-8* adhère à Fédération du Mali. **1960**-*4-4* accords d'indépendance signés à Paris. *-20-6 indép. en union avec Mali. -20-8 quitte la Féd. du Mali.* **1962**-*11-12* coup d'État échoue ; Pt du Conseil Mamadou Dia (n. 1910) arrêté. **1964** dissol. du FNS **1966** UPS parti unique. **1968** *mai* manif. étudiants (29-5 : 1 †). **1969**-*11-6 au 23-6* état d'urgence. **1974** *mars* M. Dia libéré. *Août* pluripartisme rétabli. **1976** *déc.* UPS devient PS **1978**-*26-2* Senghor réélu Pt (82,02 % des v.) contre Abdoulaye Wade (PDS) (17,38 % des v.). **1980**-*31-12 Senghor démissionne, remplacé par Diouf* jusqu'en avril 1983 (expiration du mandat en cours). **1981**-*30/31-7* intervention en Gambie sur demande du Pt gambien. *-17-12* confédération de Sénégambie avec Gambie créée. **1981-83** Habib Thiam PM. **1982**-*24/25-5 visite du Pt Mitterrand. Fin juin-début juill.* mise à sac de campements originaires de Guinée-Bissau par des paysans de Casamance : 15 †. *-26-12* manif. à Ziguinchor pour l'indép. de la Casamance. **1983**-*27-2* Diouf élu Pt. *mai* Senghor élu à l'Académie française. *-19-12* affrontements en Casamance entre indépendantistes et forces de l'ordre (24 †). **1986**-*4-1* jugement de clémence pour les 105 prévenus. **1987** *févr.* agitation étudiante. *Avril* rébellion policière, 6 000 pol. mis à pied. **1988**-*28-2* élec. *-29-2* Wade arrêté. *-1-3* état d'urgence (levé 18-5) ; *mai* Wade condamné à 1 an de prison avec sursis. **1989** sit. détériorée dans agr. et ind. *avril* pillages et meurtres récipr. au Sén. de Maurit., en Maurit. de Sén. (env. 600 †). Rapatriements croisés : 150 000 pers. *-22-5* relations dipl. rompues avec Mauritanie (revendications communes de souveraineté sur rive droite du Sén.). *-24/26-5* 3e sommet francophone (Mauritanie absente). *mai/juin* exode de Mauritaniens noirs au Sén. *-19-6.* Abdul Ahad Mbacké, calife général de la confrérie musulmane soufie des mourides, meurt. *-31-7* conflit de frontière maritime avec Guinée-Bissau. *-30-9* dissolution de la Conféd. Sénégambienne. **1990** incidents police maurit./Noirs voulant s'infiltrer en Maur. : 5 à 10 † par semaine. *Sept.* affrontements armée/séparatistes en Casamance (40 †). *-14-11* manif. à Dakar. **1991**-*15-2* violences en Casamance (2 †). *-7-4* Hanib Thiab PM.

Statut. Rép. présidentielle. *Constit.* 7-3-1963, révisée 22-2-70, 21-9-91. *Pt* élu p. 5 a., en même temps que les m. de l'Ass. nat., au suffr. univ. *Pt* Abdou Diouf (7-9-35) dep. 1-1-81, réélu 27-2-83 et 28-2-88. *PM* Hanib Thiab dep. 7-4-91. *Ass. nat.* 100 m. élus pour 5 a. (scrutin majoritaire et proportionnel). *Conseil suprême de la magistrature. Cour suprême. 10 régions* (30 départements) : Dakar, Ziguinchor, Diourbel, St-Louis, Tambacounda, Kaolack, Thiès, Louga, Fatick, Kolda. **Fête nat.** 4-4 et 1-2 (pour la Sénégambie). **Drapeau.** Adopté 1960 : bandes verte, jaune et rouge ; l'étoile verte.

Élections. **Présidentielles du 28-2-88 :** inscrits 1 932 265, votants 1 135 508, bulletins nuls 4 033, suffrages exprimés 1 131 468. Abdou Diouf 828 301, Abdoulaye Wade 291 869, Babacar Niang 8 449, Landing Savané 2 849. **Législatives du 28-2-1988** et, entre parenthèses, **du 27-2-1983.** Participation : 58 % (55), PS 103 sièges [111 s. (79,92 %)] ; PDS 17 s. [8 s. (13,98 %)] ; RND [1 s. (2,62 %)].

Partis. *P. socialiste* (PS) (UPS), créé 1958, leader A. Diouf. *P. démocr. s.* (PDS) (opposition libérale), créé 1974, secr. gén. Abdoulaye Wade, marié à une française. *P. africain de l'indép.* (PAI) (marxiste-léniniste), légalisé août 1976, Majhemouth Diop. *Mouv. rép. s.* (conservateur), créé 1977 vacant. *Rassemblement nat. dém.* (RND) créé 1976, légalisé 1981, Ely Madiodio Fall. *And Jef* ou *Mouv. révol. pour la dém. nouvelle,* Landing Savané. *Mouv. dém. pop.,* Mamadou Dia. *Ligue dém.-Mouv. pour le parti du trav.,* Abdoulaye Bathily. *Union pour la dém. pop.,* l. Hamadine Racine Guissé. *P. pop. s.,* l. Dr Oumar Wone. *Organisation socialiste des trav.,* f. 1982, P. Mbaye Bathily. *Ligue communiste des travailleurs,* f. 1982, l. Doudou Darr. *P. africain pour l'indép. du peuple,* f. 1982, l. Aly Niane. *Union dém. sén.,* f. 1985, l. Mamadou Fall.

• **Économie.** **P.N.B.** ($ par h.). *1982 :* 490. *83 :* 440. *84 :* 342. *85 :* 368. *86 :* 518. *87 :* 642. *88 :* 660. Pop. active (%, entre parenthèses part du P.N.B. en %) agr. 70 (24), ind. 12 (22), services 15 (58), mines 3 (2). **Chômage.** 38 % (*1987 :* 25 000 jeunes sortis de la scolarité et 4 000 emplois nouveaux disp.). **Inflation** (%). *1985 :* 13. *86 :* 6,4. *87 :* – 4,3. *88 :* – 1,8. *89 :* + 0,4. **Aide extérieure.** 600 millions de $ par an. **Dette extérieure (88).** 16,7 milliards de FF, dus aux org. multilatérales 38 %, gouv. 38 %, banques 10 %. Rééchelonnée déb. 89 par les 11 créanciers publics du S. France annule 1/3 des échéances et accorde remboursement des 2/3 sur 14 ans ; 4 pays [dont USA et Belg. décident rééchelonnement aux taux du marché sur 25 ans (formule n° 2)] ; 5 (dont G.-B.) optent pour un taux réduit de 3,5 % sur 14 ans ; 1 pays retient formules 2 et 3. **Service de la dette** (88). 125 milliards de F CFA. **Taux de remboursement** (en milliards de F CFA) *1981 :* 11 ; *88 :* 44.

Agriculture. *Terres* (milliers d'ha, 81) arables 5 225, cult. 5, pâturages 5 700, forêts 5 318, eaux 419, divers 2 957. (L'arachide occupe 21 % des terres cult., le millet 15 %.) *Production* (milliers de t, 89), arachides 815, canne à sucre 700 (87), millet 650, mil sorgho 594 (88/89) (1 177 en 75-76), riz paddy 146 (88/89), maïs 123 (88/89), manioc 54 (88/89), coton 45 (88/89), patates douces, légumes. **Élevage** (milliers de têtes, 88). Moutons 3 792, bovins 2 465, chèvres 1 100 (87), porcins 356, ânes 210 (87), chevaux 208, volailles 12 635. **Pêche.** 328 718 t (88). Conserveries.

Mines. Phosphates de chaux et d'alumine, sel marin, fer (Falémé), pétrole (prospection au large de la Casamance, gisement de Dome-Flore). Tourbe (Saloum, Casamance). Gaz (Diam-Nadio) **Industrie.** Alim. (huileries), filature, tissage, cuir, engrais, pesticides, mat. de construction, ciment. Raffinerie de pétrole à Mbao. **Transports** (km). Routes 14 500, chemins de fer 1 186. **Tourisme** (1988). Arrivées 300 000. Nuitées 1 180 000. Recettes brutes (milliards de F CFA) 42,4.

Commerce (milliards de F CFA, 87). *Exportations* 226,5 *dont* produits arachidiers 34,9, phosphates 23,6, produits pétroliers 13,8, de la pêche 51,5, autres 85,7, *vers* (85) *France 64,6,* Mali 17,6, Côte-d'Ivoire 13,2, Inde 11,5, G.-B. 11,3. *Importations* biens intermédiaires 101,5, produits alimentaires 84 (dont riz 10,1), biens d'équipement 50, produits pétroliers 39,7, autres produits de consommation 68,4, *de* (85) *France 111,6,* USA 28,1, Côte-d'Ivoire 22,9, Espagne 22,6, Algérie 19,9.

Rang dans le monde (89). 1er arachides (88). 9e phosphates.

SEYCHELLES

Carte p. 1066. V. légende p. 837.

Situation. Océan Indien. Archipel (115 îles). A 1 100 km de Madagascar et 1 760 km de Mombasa. 308 km² (455 avec le lagon). *Alt. max.* Morne Seychellois 905 m. *Côtes* 400 km. *Sol :* granite et corail. *Temp.* moy. 29,8 °C. *Pluies* 2 276 mm. Humidité 80 %. *Tortues* géantes (1,50 m de haut, 300 kg). *Oiseaux* de mer.

Population (90). 67 378 h. dont plus de 55 800 (89) dans Mahé [majorité de Noirs ou Métis, grands Blancs, vieux Bl., Bl. rouillés, Mulâtres, Indiens (Lascars ou Malabars) 2 %, Chinois], *prév. 2000 :* 85 000. **Âge.** – *de 20 a.* 49 %, + *de 60 a.* 9 %. D. 148. **Villes.** *Port-Victoria* (capitale) [24 325 h. dans Mahé (87)]. 115 îles sur 150 000 km². 46 habitées. *Principales :* Granitiques : 32 îles (Mahé 144 km² ; Praslin 45 km², 4 400 h. ; Silhouette 15 km², 390 h. ; La Digue 15 km², 1 911 h.), Coraliennes 60, Frégate 2 km², 25 h. **Langues** (%). Créole 95 *(off.),* anglais 45 *(off.),* français 37 *(off.).* **Religions (%) :** cathol. 90, anglicans 8.

Histoire. **XVIe s.** découvertes par des Portugais. **1742-44** explorées par le Fr. L. Picault ; deviennent « La Bourdonnais ». **1756** propriété de la Cie des Indes ; deviennent « Seychelles ». **1770** premiers colons sur l'île de Ste-Anne. **1792** Jean-Baptiste Quéau de Quinssy adm. **1810** occupées par Anglais. **1814** colonie brit. rattachée à Maurice. **1888** création d'un poste d'administrateur. **1897** gouverneur. **1903** *nov.* colonie autonome. **1970** *nov.* Constitution. **1976** *juin* G.-B. rend îles Aldabra, Farquhar et Desroches qui dépendaient du Terr. brit. de l'océan Indien. *-29-6* indép. **1977**-*5-6* révolution : Pt James Mancham (n. 1939) renversé. **1981**-*25-11* échec coup d'État de 49 mercenaires sud-afr. dirigés par Mike Hoare. **1982**-*17-8* mutinerie échoue, 7 †, 23 bl. **1985**-*29-11* Gérard Hoareau, opposant assass. à Londres. **1986**-*sept.* complot déjoué. **1990**-*juin* Pt Mitterrand en visite off.

Statut. Rép. État membre du Commonwealth. *Const.* du 26-3-1979. *Pt* France Albert René (n. 16-11-1935) dep. 5-6-77, élu 26-6-79, réélu 17-6-84 et 12-6-89 (97 % des voix). *Ass. populaire* 25 m. dont 23 élus (juin 79) et 2 nommés. **Parti unique.** Front progressiste du peuple s., f. 1978 (18 000 adhérents). **Fête nat.** 5-6 (libér.). **Drapeau.** Adopté 1977 : bandes rouge, blanche ondulée (O. Indien) et verte.

• **Économie.** **P.N.B.** (89) 4 300 $ par h. **Pop. active** (%). Agr. 11, ind. 26, services 63. **Inflation (%).** *1985 :* 5 ; *86 :* 5 ; *87 :* 2,6 ; *88 :* 1,8, *89 :* 3,3. **Balance des paiements (89,** en millions de roupies). – 7. **Dette extérieure (89).** 622,7. **Service de la dette (89).** 382.

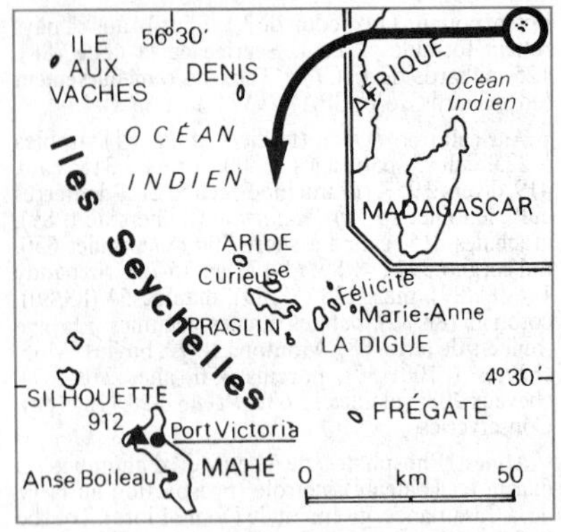

Agriculture. *Terres* (milliers d'ha, 81) terres 4, forêts 5, eau 1, divers 17. *Prod.* (t, 88) noix de coco [le coco de mer (vallée de Mai à Praslin) donne des noix de 30 kg, parfois ressemblant à une anatomie féminine] 19 000, coprah 3 000 (89), bananes 2 000, cannelle 213, thé 117. **Élevage** (têtes, 88). Porcs 15 000, chèvres 4 000, bovins 2 000, volailles 130 000 (81). **Pêche** (88). *Thon :* 2 230 000 t transbordées à Port Victoria ; *pêche artisanale :* 4 000 t. **Guano.**

Industrie. Bière, tabac, conserveries (dont 1 de thons), jus de fruits. **Tourisme.** *Visiteurs : 1990 :* 103 770 (Français 24 012, Angl. et Irl. 19 166, Italiens 19 147).

Commerce (millions de roupies S, 89). *Exportations* 67,8 *dont* cons. de thon 43,8, poisson frais et congelé 13,1, coprah 2,5, écorce de cannelle 1,4. *Importations* 925,8 *dont* prod. manuf. 255,1, équipement et transport 242,6, produits alimentaires, boissons, tabacs 171, prod. pétrol. 170, prod. chim. 59,6 *de* G.-B. 137,5, Afr. du S. 121, Singapour 92,7, *France 88,2,* Japon 64,5. *Réexport. (prod. pétroliers) (88) :* 73. *Balance commerciale (89) :* – 856,7 millions de roupies.

SIERRA LEONE

Carte p. 1010. V. légende p. 837.

Nom. Signifie « montagne du lion » en espagnol *(sierra)* et italien *(léone).*

Situation. Afrique, au S. de la Guinée. 71 740 km². *Côtes* 644 km. Zone basse au S.-O., plateaux et montagnes à l'intérieur, au N. et à l'E. **Climat.** Plus humide au S.-E. (végétation trop., pluies mi-juin-mi-sept.) qu'au N.-E. (savane). *Temp.* : Freetown 23,7 °C à 29,4 °C ; *pluies :* 3 015 mm par an.

Population. 4 050 000 h. (est. 89) dont (%) Mendes 31, Temmes 29,8, Limbas 8,5, Créoles env. 40 000, Guinéens 400 000, Libanais 25 000 (détiennent 60 % du commerce), *prév. 2000 :* 4 868 000. **Âge.** *- de 15 a. :* 41 %, *+ de 65 a. :* 3 %. **Mort.** *infantile :* 176 ‰. **D.** 54,9. **Villes** (85). *Freetown* 470 000 à 500 000 h., Koidu 80 000, Bo 50 000, Kenema 40 000, Makeni 30 000. **Langues :** anglais *(off.),* krio lingua franca, temme, mende, soussou, malinké, foulah, lokko. **Religions** (%). Animistes 30, chrétiens 10, musulmans 60.

Histoire. 1462 le Portugais Pedro da Cintra débarque sur la côte. **1787** 1ers colons, esclaves amér., de Nlle-Écosse, réfugiés en G.-B. et voulant fonder une *province de la liberté.* **1790** arrivée de *Marrons,* esclaves fuyant Jamaïque. **XIXe s.** arrivée des *recaptives,* esclaves repris par Anglais aux navigateurs fr., esp. et port. continuant la traite (abolie 1807). **1808** colonie brit. **1961**-*27-4 indép.,* Milton Marguai PM. **1964** *avr.* son frère, Albert Marguai PM. **1967** *mars* législatives, succès d'opposants (Siaka Stevens). Putsch : une partie de l'armée (Gal David Lansana) tente de maintenir le PM au pouvoir ; contre-coup d'État. *-23-4* Lt-col. Juxon-Smith instaure conseil de réforme mil. **1968**-*18-4* coup d'État du col. David Bangura ; Siaka Stevens PM († 29-5-88). **1971**-*23-3* empêche un putsch du Gal Bangura. *-19-4* proclamation de la rép. *-29-6 Gal* Bangura exécuté. **1974** *oct.* état d'urgence. **1977**-*31-1* manif. étudiantes. **1987**-*22/23-3* putsch échoue. **1989** 6 exécutions (pour tentative coup d'État 1987). **1991** *mai* 3 000 à 5 000 civils tués par rebelles du Front patriotique du Libéria dep. mars.

Statut. Rép. Membre du Commonwealth. *Const. du 13-6-1978. Pt* Major-Gal Joseph Saidu Momoh (n. 26-1-37) dep. 28-11-85, élu 1-10-85 au suffrage univ. 1er *vice-Pt* A.B. Kamara. *2e vice-Pt* Salia Jusu-Sheriff. *Parlement* 127 m. dont 105 élus, 12 chefs élus et 10 nommés par le Pt. *Élections du 28-5-86 :* 17 résultats annulés entraînant des partielles. *P. unique dep. juin 78 :* All. People's Congress (A.P.C.), f. 1960, Pt Joseph Saidu Momoh. **Fête nat.** 27-4 (indép.). **Drapeau.** Adopté 1961 : bandes verte (agriculture), blanche (paix) et bleue (O. Atlantique).

Économie

P.N.B. (88) 280 $ par h. **Pop. active** (%, entre parenthèses part du P.N.B. en %). Agr. 65 (35), ind. 5 (5), services 20 (49), mines 10 (11). **Inflation** (%). *1984 :* 66,6 ; *85 :* 76,6 ; *86 :* 80,9 ; *87 :* 194 ; *88 :* 30. **Aide extérieure** (87). 94 millions de $.

Agriculture. *Terres* (milliers d'ha, 86) arables 1 620, cult. 146, pâturages 2 204, forêts 2 060, eaux 12, divers 1 132. *Production* (milliers de t, 89) riz 395, manioc 116 (88), cédrat 70 (86), huile de palme 44, café 9, maïs 13 (88), cola 7 (86), tabac, gingembre 0,004 (86), noix de coco, bananes, millet, caoutchouc. **Forêts** (88). 2 938 000 m³.

Élevage (milliers de têtes, 88). Poulets 6 000, bovins 330, moutons 330, chèvres 180, porcs 50. **Pêche** (87). 53 000 t. **Mines** (87). Diamants 314 000 carats. Bauxite 1 391 000 t. Rutile 113 000 t. Platine, or 2 914 onces (85), fer, chrome.

Commerce (millions de leones, 89). *Exportations* 8 235, *dont* rutile 3 867, bauxite 1 498, diamants 1 220, cacao 539 *vers* USA 2 194, G.-B. 1 837, P.-Bas 972, All. féd. 710, Suisse 206. *Importations* 10 901 dont mach. et équip. de transp. 3 652, prod. alim. 2 959, fuel et lubrifiants 1 507, *de* (%, 86), G.-B. 13,3, USA 9,9, All. féd. 9,7, Nigeria 9, *France 6,7.*

Rang dans le monde (88). 6e diamants.

SINGAPOUR

Carte p. 1015. V. légende p. 837.

Situation. Asie 626,4 km². 59 îles dont Singapour (573,9 km², 42 km sur 23 km). *Alt. max.* Bukit Timah Peak (165 m, *côtes* 138,6 km) et petites îles, en malais : Pulau (45,6 km²) dont Tekong 17,92 km², Ubin 10,19 km², Sentosa 3,28 km². Séparées de la Malaisie par le détroit de Johore (larg. 640 m à 914 m). **Climat.** Équatorial chaud et humide (24 à 31 °C). *Saison* relativement sèche févr. à juillet, *mousson* septembre à janvier. *Pluies :* 2 368 mm.

Population. 2 685 400 h. (89) dont (%) Chinois 75,9, Malais 15,2, Indiens 6,5, divers 2,4 ; *prév. 2000 :* 2 930 000. **Âge :** *- de 15 a.* 23,1, *+ de 60 a.* 8,6 %. D. 4 287. **Urbanisation.** 95 %. **Ville.** *Singapour* (80) 1 049 591 h., 97,4 km². **Langues off. :** malais, chinois, tamoul, anglais. **Religions.** Musulmans 16 %, taoïstes et bouddhistes 56 %, chrétiens 10 % (cathol. 4), hindouistes 4.

Histoire. 1511 1ers missionnaires portugais. **1819** fondation par Sir Thomas Stamford Raffles (1781-1826), colonie brit. **1942-45** occupation japonaise. **1959**-*3-6* autonomie. **1963**-*16-9* indépendance, adhère à Féd. de la Malaisie. **1965**-*9-8* s'en sépare. *-22-12* république. **1985** *nov.* crise boursière.

Statut. Cité-État. *Const.* de 1958. Membre du Commonwealth. *Pt* (élu pour 4 a. par le Parlement) Wee Kim Wee (n. 4-11-15) dep. 2-9-85. *PM 1959 (5-6)* Lee Kuan Yew (n. 16-9-23). *1991 (29-11)* Goh Chok Tong (n. 20-5-41). *Parl.* (81 m. élus pour 5 a. au suffr. univ. + 1 membre non électeur et 2 membres nommés). *Él. lég. du 3-9-88 :* PAP (People's Action Party) 80 s. (63,1 % des voix), Singapore Democratic P. 1 s. (34,7 %). **Fête nat.** 9-8 (Indép.). **Drapeau.** Adopté 1959 : bandes rouge (fraternité humaine) et blanche (pureté). Croissant blanc, ascension de la nation, guidée par 5 étoiles (démocratie, paix, progrès, justice, équité).

Économie

P.N.B. (89) 10 050 $ U.S. par h. **Croissance** (%) *1984 :* 8, *85 :* 1,7, *86 :* – 1,8, *87 :* 6,8, *88 :* 10,9, *89 :* 9,2, *90 (prév.) :* 7. **Pop. active** (%, entre parenthèses part du P.N.B. en %) agr. 1 (0,4), ind. 34,5 (28,5), services 58 (63,5), constr. 7,7 (6,7). *Totale* (1989) : 1 277 400. **Chômage** (89) : 3,3 %. **Inflation** (%). *1985 :* 0,5 ; *86 :* – 1,4 ; *87 :* 0,5 ; *88 :* 1,5 ; *89 :* 2,4. **Salaire moyen** (89). 731 $ US par mois (env. 2 000 F). **Dette extérieure publique** (89). 71 millions de $ US.

Agriculture. *Terres* (km², 89) agglomération 307,4, agricoles 12, forêts 28,6, marécages 15,7. **Élevage** (en millions de têtes, 89). Poulets 2,5, canards 0,5, porcs 0,4. **Pêche** (89). 10 567 t.

Industrie. Équipements de transport, constr. électrique, électronique, produits en acier, raffineries et produits pétroliers, prod. chimiques et gaz industr., vêtements, peinture, produits pharmac., etc. **Transports** (km, 87) *routes* 2 760, *chemins de fer* 67 (1990). *Trafic portuaire :* 40 000 bateaux par an. Tourisme (89). 4 829 950 vis. Chambres d'hôtel (89) 22 675. **Place bancaire :** 139 établissements (89). **Investissements étrangers** (1990, milliards de $) 1,41 dont USA 0,59, Japon 0,4, Europe 0,24.

Commerce (milliards de $ S., 89). *Exportations* 87,1 *dont* mach. et équip. de transp. 43,1, prod. pétr. 13,4, art. manuf. divers 7, produits chimiques 5,7, *vers* USA 20,3, Malaysia 11,9, Thaïlande 4,8, Japon 7,4, Hong Kong 5,5, All. féd. 3,2. *Importations* 96,9 *dont* mach. et équip. de transp. 42,8, prod. manuf. de base 13,8, prod. pétr. 13,4, prod. chim. 7,4 *de* Japon 20,7, USA 16,6, Malaysia 12,8, Arabie S. 4,7, Taïwan 4,4, All. féd. 3,5, Chine 3,3.

SOMALIE

Carte p. 951. V. légende p. 837.

Noms. *Terre de Punt ou Pouanit* (Égyptiens), *Terre des Aromates* (Romains), *Barral agiab* (terre des étrangers, Arabes), *Biladu somal* (terre des Somaliens). *Somalie* vient de *soo mal* (« va traire », en somali, pour offrir du lait aux hôtes) ou *zumal* (en arabe, « peuple riche en bétail »).

Situation. Afrique. 637 657 km² (Corne de l'Afrique formée de Somalie ex-ital. 462 539, Somalie ex-brit. 176 118). *Frontières* 2 500 km env. dont Éthiopie 1 540 km, Kenya 700 km, Djibouti 80 km. *Côtes* 3 200 km. *Alt. max.* 2 500 m. Plaine (au S.), haut plateau (500 à 1 000 m), savane, montagne au N.

Climat. Chaud et sec, *temp. moy.* à Mogadiscio : janv. 25,6 °C, juill. 26,1 °C, à Berbera : 42 °C de juin à sept. *Pluies :* mars à juin, et sept. à déc., 32 à 50 mm/an dans le S., 410 mm/an à Mogadiscio.

Population. 7 290 000 h. (89) ; 75 % pop. nomade ; *prév. 2000 :* 7 079 000. **Âge.** *- de 15 a. :* 45 %, *+ de 65 a. :* 4 %. **Mort.** *Infantile* (88) : 137 ‰. **D.** 11,4. **Réfugiés.** 445 000 en 1990 selon H.C.R. (dont 340 000 veulent rester en S.). **Villes.** *Mogadiscio* 800 000 h. (85), Kisimayo 90 000 (à 500 km de la cap.), Hargeisa 90 000 (à 1 400 km), Berbera 70 000 (à 1 350 km, base navale), Merca 62 000, Chisimaie 25 000, Burao, Baidoa. **Langues.** Somali, arabe *(off.),* italien, anglais. **Religions.** Musulmans sunnites (99,5 %), minorité chiite, 2 000 catholiques (Italiens), animistes.

Histoire. V. 1400 sultanat de Harrar. **V. 1500** Ahmed Ibrahim Gurey, le Gaucher, réorganise le pays et interdit de payer tout tribut au négus d'Abyssinie. **1506** bombardements portugais (Zeilah, Brava, Mogadiscio), Ahmed Gurey tué. **XIXe s.** accords pour partage en zones d'influence [**1884** Angl.-Ital., **1888** Angl.-Fr. sur la Côte des Somalis, **1889** Éthiopie-It., **1891** Angl.-Ital., **1897** Fr.-Éthiop. Côte fr. des Somalis] ; la Fr. occupe la Côte fr. des S., la G.-B. le N. *(British Somaliland)* et au S. le Jubaland, l'Italie le S. (*Somalia Italiana,* colonie adm. en 1899 par G.-B. de 1941 à 1949, confiée sous mandat à l'It. du *1-4*-1950 au *30-6*-1960). **1948** G.-B. cède à l'Éthiopie Ogaden et « Reserved Area ». **1954** région du haut et reste de la Res. Area (ce terr. aurait dû se trouver sous administration fiduciaire de l'It. sur mandat de l'ONU). **1960** indép. de l'ex-British Somaliland *(26-6)* et de l'ex-Somalia Italiana *(1-7)* qui fusionnent en rép. de Somalie. **1969** *oct.* Dr Ali Shermake Pt assassiné. *-21-10* coup d'État mil. **1974**-*14-2* adhère à Ligue arabe. **1975** facilités accordées aux Soviétiques à Berbera et dans îles Bajuni ; construction base aérienne à Wanle-Weyn (à 80 km de Mogadiscio). Aide mil. sov. : 130 millions de $ par an. **1976**-*1-7* constitution du P. socialiste révolut., dissolution du Conseil suprême de la Rév. (créé 21-10-69). **1977** participe à g. de l'Ogaden, mais battue (V. Éthiopie). *Nov.* expulsion des conseillers sov. **1978**-*9-4* coup d'État mil., échec : 20 †. *Oct.* 17 officiers condamnés à mort. **1979** *févr.* l'opposition [Front d'Action Dém. : (FAD) responsable du coup d'État du 9-4-78] réorganisée en « Front de Salut s. » (FSS) avec appui éthiopien (2 000 h. : secr. général Mustapha Haaji Nuur). *-23-12* facilités offertes aux Américains à Berbera. **1982** *févr.* troubles à Hargeisa. *-5-7* combats éthiopiens en S. **1982-83** troubles (Centre et Nord) : opposition soutenue par Éthiopie. **1985**-*1-1* mise en œuvre du plan du FMI **1986**-*23-12* Pt Barré (seul candidat), élu (99,93 % des voix). **1987**-*24-1* des rebelles enlèvent 10 Français « Médecins sans frontières », (libérés le 6-2). **1988**-*19-7* rebelles du SNM atteignent Berbera (après l'attaque de Hargeisa en mai). *Août* 3 000 Som. par j. se réfugient en Éthiopie et Djibouti. **1989**-*9-7* Mgr Salvatore Colombo, év. de Mogadiscio assassiné. *-14-7* émeutes à Mogadiscio, 24 † officiellement, 1 500 selon opposition. *Juil.-oct.* mutineries dans l'armée. **1990**-*12-12* rebelles attaquent Mogadiscio. **1991**-*21-1* Omar Arteh Ghaleb PM. *-27-1* rebelles prennent palais présidentiel. *-29-1* Ali Mahdi Mohamed chef de l'État. *-30-1* rebelles prennent Berbera. *Févr.* 600 réfugiés éth. tués par rebelles (sur 75 000). SNM refusent conférence unitaire du 28-2 proposée par USC. *Mai* rebelles USC prennent Kisimayo (70 000 réfugiés). *-24-5* SNM proclame Rép. du Somaliland dans le N.

Statut. *Rép.* dém. *Const.* du 2-12-1984. *Parti* unique : P. socialiste révolut. de S., f. 1976. *Chef de l'Etat* Ali Mahdi Mohamed dep. 29-1-91 [avant *Secr. gén. PM* et *Pt de la Rép. :* Gal Mohamed Syaad Barré (n. 1919) dep. 26-1-80]. *Régions :* 15, statut spécial pour Mogadiscio. *Districts* 64. *Ass. nat.* 171 m. élus 5 ans au suffrage univ. et 6 m. nommés. **Fête nat.** 21 octobre (Révolution). **Drapeau.** Adopté 1954 : bleu avec étoile blanche (5 branches pour 5 régions).

Opposition. *Front démocratique de salut de la S.* (FDSS, clan majertein), f. 1981 (fusion du Front de salut de la S., Front dém. de la S.P. des travailleurs som.), Pt Hassan Ali Mireh. *Mouvement nat. som.* (SNM, clan nordiste issak), f. 1981 à Londres, Pt Abdirahman Ahmed Ali, dans la guérilla dep. 82. FDSS et SNM ont créé 8-10-82 : *Front commun. Somalia First,* f. 83, Pt Mahmud Shaykh Ahmad. *Congrès de la Somalie unifiée* (USC, clan sudiste hawiyé), f. 1989.

Économie

P.N.B. (88) 161 $ par h. **Pop. active** (%, entre parenthèses part du P.N.B. en %) agr. 65 (48), ind. 8 (10), services 27 (42). **Inflation** (%). *1985 :* 37,8 ; *86 :* 35,8 ; *87 :* 28,3 ; *88 :* 100 ; *89 :* 250-300. **Dette extérieure** (milliard de $). *1982 :* 1, *88 :* 2,25. **Transferts des émigrés du Golfe.** 30 % du P.N.B. **Aide extérieure** (millions de $). *1985 :* 370, *86 :* 610, *87 :* 600.

Agriculture. *Terres* (milliers d'ha, 83) arables 8 150, pâturages 28 850, forêts 8 800, eaux 1 032, brousse 6 197, divers 26 765. *Production* (milliers de t, 89) canne à sucre 450 (88), sorgho 291, maïs 260 (88), bananes 116, sésame 50 (88), légumes 55 (88), pamplemousses 28, fruits, haricots 21 (86), arachides 6, riz 12 (88), coton 2 (88), tabac, kapok. Myrrhe, encens. **Élevage** (millions, 88). Chèvres 20, moutons 13,5, chameaux 6,6, bovins 5, ânes 0,02, mulets 0,02. Viande, cuirs et peaux. **Pêche.** 17 000 t (87). **Mines.** Non exploitées : fer, plomb, étain, manganèse, lignite, sépiolite, gypse, uranium, thorium. Recherches pétrole. **Industrie.** Inexistante.

Commerce (millions de shillings s., 88). *Exportations* 9 914 *dont* bananes 3 992, animaux vivants 3 806, cuirs et peaux 492, *vers* Arabie Saoudite, Italie, URSS, G.-B., Yémen. *Importations* 11 545 *dont* prod. pétrol. 3 815, engrais 2 411, prod. alim. 1 216, machines et pièces 957, *de* G.-B., Italie, All. féd. Chine.

Rang dans le monde (85). 1er chameaux.

SOUDAN

V. légende p. 837.

Nom. Autrefois, on appelait *« Nubie »*, « le pays de l'or » en langue indigène le N. du Soudan (entre 6e et 1re cataractes) et le Soudan « *Royaume de Méroé* » puis « *Roy. de Sinnar* » de 1605 à 1821 et « *Soudan Anglo-Égyptien* ».

Situation. Afrique. 2 505 813 km², 1,7 % de la surface terrestre du globe, plus grand pays d'Afr. (8,3 % du continent). *Frontières* (km) : Éthiopie 2 210, Tchad 1 300, Égypte 1 260, Rép. centrafricaine 1 070, Zaïre 660, Ouganda 460, Libye 380, Kenya 240. *Côtes :* 870 km (mer Rouge). *Alt. max.* Mont Kete 3 187 m. **Régions.** N. et E. : désert de Nubie ; centre : plaine du Nil ; O. et S. : plateaux avec montagnes. **Climat.** Tropical continental, équatorial au S. *Records :* – 2 °C et + 52,5 °C (Khartoum 31 °C en janv., 23 °C en juill.). *Pluies :* 0,1 à 1 500 mm/an (Khartoum 161 mm/an). *Saison touristique :* hiver.

Population. 24 490 000 h. (89), *prév. 2000 :* 32 926 000. *– de 15 a. :* 45 %, *+ de 65 a. :* 3 %. *Mort. infantile :* 112 ‰. 572 ethnies. En % : Noirs 58, Arabes 33, Éthiopiens 3. D. 9,5. 80 % d'analphabètes. *Réfugiés* (90) 953 000 (834 000 Éthiopiens, 11 000 Tchadiens, 5 000 Ougandais, 4 000 Zaïrois). *Émigrés* 1 000 000 (pays du Golfe et Libye). **Villes** (90). *Khartoum,* Omdurman et Khartoum North 4 800 000 h., Wad Medani 1 029 700 (183 km), Port-Soudan 987 200 (à 1 200 km par route), El Obeid 823 400 (à 690 km), Fasher 639 000, El Atbara 576 000 (à 326 km par route), Juba 320 000. **Langues.** Arabe (*off.*), anglais, dinka, env. 200 dialectes. **Religions** (%). Musulmans sunnites (70), coptes, cathol. (1 700 000 pers.) et protest. dans le N. christianisés (9) et fétichistes, animistes (18) dans le S.

Histoire. Siège de l'ancien roi de Nubie et de la civilisation du fer à Méroé, le S. a connu de nombreuses g. intestines. **XIVe s.** islamisation. **XVIe s.** roy. de Sinnar. **1820-21** conquête par Mehemet Ali. **1830** Khartoum fondée. **1880** Mohammed Ahmed Ibin Abdoullah († 1885) mystique se proclame mahdi et, avec ses Ansars (disciples), s'oppose aux Égyptiens et aux Chrétiens. **1885** prend Khartoum. **1885-99** règne du Khalifa Abdullahi Ibn Mohamed. **1896-98** expédition anglo-ég. ; affaire de Fachoda (v. Index). **1899** condominium anglo-égyptien. **1914-18** les Anglais se rapprochent des Ansars. Abdel Rahman fils du mahdi devient un fidèle des Anglais. **1924** révolte de la Ligue du drapeau blanc. **1938** tr. anglo-ég. redéfinit condominium. **1941** la confrérie Khatmiya proche des Égyptiens fonde son parti Al Achikka (Frères). **1945** Ansars fondent parti Oumma. **1948** élections législ. organisées par Britanniques ; parti Oumma vainqueur, les Archikkas (pour les Ég.) boycottent él. **1951** Farouk se proclame roi d'Ég. et du S. **1953** élections : parti Oumma vaincu (22 s. sur 97). **1955** Ansars s'allient au Parti comm. (f. 1946 comme Mouv. de libér. nat.) ; parviennent à imposer l'indépendance. **1956**-*1-1*-Rép. indép. ; g. civile. **1958** coup d'État mil., dictature du M^{al} Abboud. **1964** renversé. **1969**-*25-5* coup d'État du Gal Mohammed Gaafar Nemeyri (1-1-1930), réélu avr. 77. **1970**-*9-11* alliance R.A.U., Libye-Soudan. **1971**-*19-7* coup d'État procommuniste du C^{el} Hachem el-Atta, échec. Répression. *-12-10* Nemeyri élu Pt. **1972**-*26-2* accord d'Addis-Abeba entre gouv. et C^{el} Joseph Lagu (22-11-31), chef de l'Anyanya Liberation Front, mettant fin dans le Sud à la g. menée dep. 19-8-55 par 4 000 000 d'animistes ou christianisés (500 000 †). *Juill.* relations dipl. avec U.S.A. reprises. Refus d'adhérer à l'Union des rép. arabes. **1973**-*25-1* complot contre Nemeyri découvert. *Mars* 8 terroristes tuent 3 diplomates (ambassadeur et conseiller U.S., chargé d'aff. belge) dans l'amb. saoudienne. *Août* constitution. **1974**-*20-10* émeutes dans le S. **1975**-*5-9* coup d'État du Lt-C^{el} H.H. Osman, échec. **1976**-*3-1* 6 officiers auteurs du coup d'État exécutés. *-2-2 :* 10 autres exécutions. *-2-7* putsch échoue (env. 1 000 †). *-15-7* pacte de défense commune avec Égypte. **1979** *mai* Nemeyri devient maréchal. **1981** *mars* complot : échec. Nombreux raids libyens. **1982** *janv. et déc.* manif. contre hausses de prix. *-2-7* vice-Pt Abdel Magia Khalil démis, remplacé par Joseph Lagu. **1983**-*16-5* seconde guerre civ. : rébellion mil. à Bor. C^{el} Garang envoyé sur place prend le maquis. *Sept.* loi islamique (charia) en vigueur (nombreuses amputations). *-29-9* 13 000 amnistiés. **1984** recrudescence guérilla dans le Sud. Sadek el Mahdi chef des Ansars libéré. **1985**-*18-1* Mahmoud Mohamed Taha (chef du mouvement islamique des « frères rép.», 76 ans), exécuté. *-27-1 :* 4 otages (dont 2 Fr.) pris 10-2-84 libérés par ALPS contre rançon (20 millions de F ?) ; famine ; aide améric. *-27/28-3* émeute de la faim, 8 †. *-6-4* G^{al} El Dahab, renverse Nemeyri, qui revenant des U.S.A. est prévenu au Caire et ne rentre pas au Soudan **1986**-*1/12-4* élections. *-16-8* Fokker civil abattu dans le S. (63 †) **1987**-*28-3* 1 000 Dinkas (noirs) tués par Rizagats (arabes) à Ed Dai'en au Sud. *-11/12-8* 250 à 600 civils tués à Wau par armée. **1988** famine (centaines de milliers de †). *-15-5* 2 attentats commis par 5 Palestiniens à Nairobi 6 † dont 5 Brit. *Mai* Front nat. islamique entre au gouv. *-16-11* accord guérilla/PUD pour arrêt des combats. *-29-12* manif. contre hausse des prix. PUD se retire du gouv. de coalition. **1989**-*28-1* rebelles prennent Nasir. *-1-2* Hassan Al Tourabi, chef du FNI, min. des Aff. étr. *-16-2* rebelles prennent Liria. *-12-3* gouv. dém. *-3-4* Parl. approuve par 128 v. contre 23 accord de paix, *-10-4* ajourne débats sur l'application de la charia. *-17-4* rebelles prennent Bor. *-23-5* affrontements arabes et Fours (453 †). *-30-6* coup d'État. *-6-7* Sadek el-Mahdi (PM renversé, arrêté). *Déc.* 2 hommes d'affaires, Mahjoub Mohamed (accusé de détention illégale de devises), et Saïd Ahmed Gaballah (coupable de trafic d'héroïne), exécutés. *-21-12* avion de Médecins sans frontières abattu (4 † dont 3 Français). **1990**-*6-1* Sadek-el-Madhi en résidence surveillée (lib. le 10). *Févr.* APLS assiège Juba. *-25/28-3* Darfour, lutte opposants tchadiens et armée tch. *-23-4* coup d'Etat échoue. *-24-4* 28 officiers fusillés. *Sept.* forces Tchad occupent 3 villes du Darfour (Al Geneina, Kutum et Zalengei). **1991**-*22-3* nouveau code pénal, fondé sur la charia, dans les régions à maj. musulmane.

Statut. République *Const.* oct. 1985, suspendue juin 89. Gén. Omar Hassan el-Bechir, Pt de la junte (PM dep. 10-7-89). *Assemblée du peuple. Régions :* (dep. 1980) *5 :* Darfour, Kordofan, Est, Nord et Centre, chacune dirigée par un gouverneur et des ministres nommés par le gouv. 3 régions autonomes du S. (Bahr el-Ghazal, Ht-Nil, Équatoriale) pas encore dotées de Pts nommés par le Pt fédéral et d'un parlement élu au suffr. univ., comme prévu 1982. **Élections du 26-4-86.** P. Oumma (de Sadek, El Mahdi) 99 sièges, PUD (P. unioniste dém. de El Mirghani) 63, Front nat. islam. 51. **Fête nat.** : 1-1 (indép.). **Drapeau :** bandes rouge (lutte pour l'indép.), blanche (islam et paix), noire (nation), triangle vert (prospérité et agr.).

Guérilla dans le Sud. MPLS [Mouv. pop. de libération du Soudan appuyé par Éthiopie et Kenya, dir. par le Col. John Garang (chef de l'APLS) qui demande l'abrogation de la loi islamique]. Razzia des Misseyas (musul.) chez les Dinkas (chrétiens).

Nota. – Bilan de la guerre (1983 à 1988) : 259 000 civils †. *Coût :* 1 million de $ par jour.

Économie

P.N.B. (88) 371 $ par h. **Pop. active** (%, entre par. part du P.N.B. en %) agr. 72 (40), ind. 9 (8), services 18 (52), mines 1 (0). **Inflation** (%). *1985 :* 45,4 ; *86 :* 26,4 ; *87 :* 21,2 ; *88 :* 7. **Dette extér.** 16 milliards de $ (89). Apport des **salaires des émigrés** dans les pays du Golfe. **Revenu mensuel moyen** (1989). *Sud :* 125 £ soudanaises, *nord :* 325 (100 £ = 55 F). **Syndicats.** Puissants (1 à 2 millions d'adhérents). **Aide** américaine : 50 milliards de $ par an, suspendue dep. mars 1990.

Agriculture. *Terres* (milliers d'ha, 81) arables 12 390, cult. 55, pâturages 56 000, forêts 48 630, eaux 12 981, divers 120 522. *Production* (milliers de t, 89) canne à sucre 4 500 (88), sorgho 2 800, arachide 400, millet, sésame 278 (88), blé 225, coton 151 (687 en 70), mangues 132, dattes 130, manioc 65 (88). Gomme arabique, bananes. **Élevage** (millions, 89). Poulets 30, bovins 22,6, moutons 19, chèvres 14, chameaux 2,8 (88), ânes 0,6 (88). **Pêche** 24 000 t (87).

Mines. Fer, manganèse, mica blanc, quartz, marbre, cuivre, or, chromite, sel, magnésite. **Pétrole.** Dans le Sud : *réserves* 1,5 milliard de t, *pipe-line de* 1 440 km jusqu'à la mer Rouge, *prod.* 50 000 barils par j. **Industrie.** Prod. alim., tissage du coton. **Transports** (km) : *routes* 6 600, *ch. de fer* 4 786 (87). **Tourisme** (83) 22 000 visiteurs.

Commerce (millions de £ soudanaises, 85). *Exp.* 1 497 (87) *dont* coton 366 (86), gomme arabique 134,8, arachides 10 *vers* Italie 81, Japon 46, All. féd. 60, Chine 71, *France 31. Imp.* 2 613 (87) *dont* (84) pétrole 437,6, sucre 31,5, blé 106, fer et acier 36 (83), thé 20 *de* G.-B. 165, USA 161, All. féd. 103, Égypte 64 (83), *France 87.* **Rang dans le monde** (89). 11e coton. 12e bovins. 14e ovins.

SRI LANKA (CEYLAN)

V. légende p. 837.

Nom. Primitif : *Sri Lanka* (île resplendissante) ; adopté 22-5-1972. Vers le IIe s. av. J.-C., nom sanskrit *Tamraparni,* « feuille de cuivre » (les Grecs, puis les Romains en ont fait *Taprobane*). *Ceylan* vient du pali *Sinhala* ou *Sihala,* « lion », abréviation de *Sihaladvipa* (« l'île des lions »). Le mot *Sihala* était lui-même tiré de *Sihabahu,* « le bras de lions », père de Wijaya, 1er conquérant du pays.

Situation. Asie. Ile tropicale de l'océan Indien. 50 km de l'Inde (détroit de Palk). 65 610 km² (long. max. 435 km, larg. 225). *Côtes :* 1 400 km env. Pidurutalagala 2 697 m. **Relief.** *Centre :* montagnes (913 à 2 697 m), plateaux (304 à 936 m), forêts denses. *Littoral :* mangrove. **Climat.** Tropical, tempéré. *Temp. :* 26,6 à 27,7 °C (10 °C entre le matin et le soir). *Soleil :* 2 900 à 3 100 h/an. *Humidité* relative : 70 % le jour, 90 à 95 % la nuit, 60 % dans les zones les plus sèches. *Pluies :* 3 sortes de moussons, convectionnelles et dépressionnelles (Colombo 2 480 mm/an). *4 saisons :* mousson du S.-O. (mai à sept.), inter-moussons (oct. et nov.), mousson du N.-E. (déc. à fév.), inter-moussons (mars et avril).

Population (millions). *1871 :* 2,4. *1911 :* 3,6. *1971 :* 12,7. *1983 :* 15,4. *1990 :* 17. *prév. 2000 :* 20,8. D. 261. *1988 : Cinghalais (de Cingha,* lion) 12,2 (74 %). *Tamouls* autochtones 2,08 (12,6) (300 000 se seraient réfugiés en Inde) ; immigrés *81 :* 0,8 (5,56), doivent être rapatriés en Inde (450 000 rap. fin 1987) (T. venus au XIXe s., pour les plantations de thé). *Musulmans* 1,2 (7,1) venus vers le Xe s. *Autres* 0,13 (0,8). En moy. 2 † par j. par piqûre de serpent. 30 % de la population vit en-dessous du seuil de pauvreté. *Émigration :* 0,89 (dont 0,2 entre 1983 et 86) (dont Inde 0,13, Europe et Amérique N. 0,05 à 0,07). **Âge :** *- de 15 a. :* 35 %, *+ de 65 a. :* 4 %. **Villes** (88). *Colombo* 683 000 h., Dehiwala-Mount Lavinia 191 000 h., Moratuwa 162 000 h., Jaffna 127 000 h., Kotte 107 000, Kandy 102 000 h. (115 km) [*alt.* 558 m ; moy. 25° C, centre du bouddhisme : Maligawa ou temple de la Dent (relique) ; Fêtes juill.-août], Galle 82 000 h.

Langues. Cinghalais *(off.)* 72 %, tamoul 20,5 % (off. dep. 1977) et anglais *(off. dep. 1983).* **Religions** (%, 88). *Bouddhistes* 69,3 (cinghalais à 90 %), *hindouistes* 15,5 (dont tamouls 80 %), *musulmans* 7,5, *chrét.* 7,5 (dont cingh. 700 000, tam. 300 000).

Histoire. Avant J.-C. VIe s. colonisée par des h. du N. de l'Inde. **V. 450** roi Vijaya fonde dynastie des Sinhala. **V. 350** Anuradhapura fondé. **V. 250** roi Mahatissa ; bouddhisme introduit. Tissamaharama, capitale dans le S. lors d'invasions de Damilas (Tamouls). **100 ou 101** roi cinghalais Datta-Gamundi chasse les Damilas du roi Pandya de Madurai, Ellara. **Vers 60** invasion dravidienne : Dambulla capitale, roi Vattagamini Abhaya. **Après J.-C. 41 à 50** relations maritimes avec Empire romain. **V. 200** roi Vihara Tissa : introduction du sanscrit. **V. 240** roi Vija Indu, prince brahmaniste. **V. 260** roi Sangabo Abhaya, soutien du Bouddhisme. **V. 330** développement du culte des Maitreya. Arrivée de la « Dent ». **350-XIe s.** essor puis apogée de la civ. cinghalaise, capitale Anuradhapura. **V. 360** roi Buddha-Dasa. **480** roi Dhatu-Sena libère Lanka des envahisseurs tamouls. **V. 490** révolte de Kassyapa, Dhatu-Sena assassiné, capitale créée à Sigiriya. **Entre 490 et 510** guerre civile. **V. 772-777** invasion tamoule, Polonnaruwa devient la capitale cinghalaise. **V. 800** roi lettré Dapula II. **831-851** Tamouls pillent Anuradhapura. **851-885** Sena II chasse Tamouls. **XIe s.** population commence à se retrancher vers le S., [instabilité politique (invasions sud-indiennes)]. **V. 1000** Sous Mahinda V, pillage d'Anuradhapura. **1032** Mahinda V meurt. **1055-1110** roi Vijaya Bahu I libère S.L. des Tamouls. **1153-86** Parakrama Bahu J., restaure Bouddhisme. **1186-96** roi Nissam Kamala : raids tamouls. **1215-40** N. occupé par armées tamoules du roi Pandya Narasimba II. Nouvelle capitale : Dambadeniya. **1240** Parakrama Bahu II chasse Tam. **1273** nouvelle capitale à Yapahuwa. **1285** Tam. prennent Yapahuwa et emportent la « Dent » à Madurai. **1286** Parakrama Bahu III se reconnaît vassal des rois Pandyas. **1290-1327** Parakrama Bahu IV se révolte contre Tam. nouvelle capitale : Kurunegala. **1347** invasions tam. : roi Buwanaïké Bahu I ; Gampola capitale. **XVe s.** début de domination europ. **Vers 1410** Vira Alekeswara : Kotté capitale. **Vers 1430** Parakrama Bahu VI. **1505** le Port. Francisco de Almeida débarque et domine le pays sauf roy. de Kandy. Catholicisme introduit (5 % de la pop.). **1518** Portugais à Colombo. **1534** 3 rois à Ceylan : Kotté : Buwanaïké VII (1534-42) ; Sitavaka : Mayadunné (1534-81) ; Jaffna : roi tamoul. **V. 1550** 4 rois : Kotté : Dharmapala (1542-97) ; Sitavaka : Mayadunné (1534-81) ; Kandy : Vikrama Vira (1542-89) ; Jaffna : roi tamoul. **1602** arrivée du capitaine holl. Joris Spilberg. **1604-36** Sénerat : alliance entre Kandyens et Holl. **1658** Holl., grands commerçants : favorisent commerce, construction de canaux, culture de la cannelle. **1672** Amiral Blanquet de la Haye occupe la baie de Trincomalee : traite avec Rajah Sinha II ; « fort du Soleil » français pendant quelques mois. **1687-1739** Wimala Dharma Suriya II résiste aux Holl. et favorise catholiques à Kandy. **1796** côtes annexées par Angl. **1802** colonie brit. **1815** roy. de Kandy annexé. **1815 et 45** rébellions contre Brit. **1817** révolte Cinghalais (10 mois). Britanniques prennent la « Dent ». Colonie de la Couronne. **1828** café introduit. **1848** révolte. **1850** Britanniques restituent la « Dent » aux moines de Kandy. **1867** thé introduit. **1876** hévéa d'Amazonie introduit. **1880** cocotier. **1948**-*4-2* indépendance (Ceylan état laïque). **1956** État bouddhiste, srilankais langue off. Tam. accusés de vouloir détruire le bouddhisme, protestent contre l'établissement de Cinghalais dans l'est. **1957**-*25-7* compromis entre PM Salomon Bandaranaike et parti fédéral : langue tamoule reconnue minoritaire et employée dans l'administration des provinces du N. et de l'E. ; certaine autonomie accordée. **1958** *avril* pacte annulé par clergé bouddhiste. **1959**-*25-9* PM S. Bandaranaïke assassiné. **1960** sa femme est PM (1re f. au monde à être PM), poursuit sa politique : diminuer l'influence des élites occidentalisées, mieux répartir les richesses nationales et favoriser l'accès à l'école et à l'université (taux d'alphabétisation de 93 %). **1964** accord avec Inde, en 15 ans 600 000 Tamouls indiens regagneront l'Inde (de 1964 à 75, 75 000 repartiront). **1965** Conservateurs au pouvoir. Étudiants fondent le Janatha Vimukthi Peramuna (JVP), Front populaire de libération (FPL), dirigé par Rohana Wijeweera (renvoyé 1964 de l'université de Moscou pour opinions maoïstes) : exige la nationalisation de l'économie. **1970** Jaffna, création d'un mouvement étudiant tam. (MET), qui dresse le FPL contre Tam. Réforme constitutionnelle : le pays devient bouddhiste ; Mme Bandaranaïke PM. **1971**-*5-4* insurrection déclenchée par le JVP (Wijeweera condamné à prison à vie 20-12-74, lib. 1977) réprimée. *Mai* 15 000 à 20 000 †. Aide soviét. (armement et experts) pour la lutte anti-terroriste. Le parti communiste (PC PS, prosoviétique) et le Lanka Sama Samaja parti (LSSP, trotskiste), accusent le FPL de révolte « raciste et fasciste ». *Juin* aide chinoise. **1972** avec Chine opposés à l'Inde. *Mai* Ceylan devient Sri Lanka, bouddhisme religion d'Etat, fusion parti fédéral et Congrès tamoul [Tamul United Front (TUF)]. Création des NTT (Nouveaux Tigres tamouls) par Vellupai Prabhakaran revendiquent un Etat tamoul indépendant *(Eelam)* au Nord et à l'Est. **1975**-*27-7* Prabhakaran et 2 complices tuent maire tam. de Jaffna. **1976** NTT deviennent les LTTE (Libération Tiggers of Tamil Eelam, Tigres pour la lib. du Tamil Eelam). **1977**-*16-2* état d'urgence dep. avril 71 levé. *-19-2* PC quitte gouv. *Juill.* défaite électorale de Mme Bandaranaïke, J.R. Jayawardene (conservateur) PM, puis Pt en 78. *Août* affrontements Tam.-Cinghalais. 4 Tamouls ayant été tués par police à Jaffna, 40 000 T. se réfugient au N. **1980**-*16-10* Mme Bandaranaïke déchue pour 7 a. de droits civiques par le Parlement (droits rendus 1-1-86). **1981**-*4-6/17-8* état d'urgence. **1982** *août* affrontements à Galle. **1983** *mai.* affrontements à l'université Peradeniya à Colombo. *-18-5* état d'urgence. *-1-8* fin des combats (470 à 1 000 †, 79 000 sinistrés). *-4-8* 6e amendement constit. : interdit aux députés de défendre tout séparatisme (démission des 14 députés du TULF). Inde entraîne guérilla tam. **1984** bonzes lancent campagne de guerre totale contre Tam. Tigres recrutent 10 000 h. (guérilla contre l'armée et l'OLET) ; dans le Nord, plusieurs centaines de †. *Mai* Israël (relations rompues depuis 1970) ouvre une « Section of Interest » dans l'ambassade américaine pour l'entraînement anti-terroriste du NIB (services secrets). *Oct.* 7 bombes à Colombo. *-30-11* 70 Tigres tués. **1985**-*14-5* pour se venger Tam. tuent 148 personnes à Anuradhapura. **1985** *sept.* 3 des 5 députés tam. kidnappés. **1986**-*20-4* digue rompue 2 500 †. *-3-5* attentat Colombo 22 †. *-13-7* négociations échouent. *-19-12* Tigres refusent fusion administrative des provinces du Nord et de l'Est proposée, demandent indépendance. **1987**-*6-4* Colombo bombe, 117 †. *-21-4* Colombo attentat, 127 †. *-17-4* 122 passagers d'autocars tués par Tam. *-3-5* attentat contre avion, 17 †. *-4-6* Inde parachute 25 t de vivres et médicaments à Jaffna. *Juil.* FPL forme branche armée (Front patriotique populaire). *-23-7* 500 suspects arrêtés. *-29-7* accord Inde/Sri L. sur régionalisation de la partie tam. L'Inde, garante de la paix, doit désarmer Tigres et guérill. dans les 72 h. FPL refuse l'accord et appelle les étudiants à la guerre. *-5-8* force

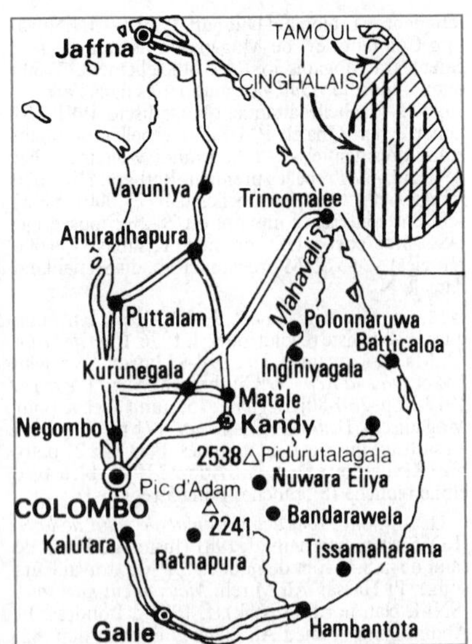

de paix indienne (6 000 h.) à Jaffna. *Août* rivalités entre Tam. : dizaines de tués. *-18-8* attentat contre Pt Jayewardene au Parlement (1 min. †, plusieurs bl.). *Sept.* FPI renforcée. *-10-10* Ind. reprennent Jaffna aux « Tigres ». *-10-11* attentat, 32 † Colombo. **1988**-*30-6* nouvelles concessions aux Tam. *-22-5* Jayewdene (82 ans) provoque en duel Wijeweera dirigeant du JVP. *Juil.-août* FLP et Tigres organisent grèves. *Sept.* fusion administrative des provinces du N. et de l'E. *-26-9* min. de la reconstruction assassiné. *-19-11* él. provinciales : 65 % de votants malgré l'opposition des Tigres. FPRLE a tous les sièges au N. *-10-12* JVP attaque prison de Bogambara et *-13-12* prison de Colombo (225 détenus lib., 30 †). *-19-12* présidentielle, 55 % de participation. R. Premadasa élu Pt, 50,43 % des voix (a promis 2 500 roupies par famille pauvre), Mme Bandaranaïke 44,9 %, Ossie Abeygooneseka (gauche) 4,5 %. **1989**-*11-1* levée de l'état d'urgence. *-5-2* attentat Mme Bandaranaïke blessée. *-15-2* législatives P. tamouls participent, sauf TLET (+ de 700 † en 7 semaines). *-7-3* combats tamouls (50 †)/soldats ind. (8 †). *-19-367* † en 2 j. *-12-4* cessez-le-feu d'une semaine. *-13-4* Trincomalee bombe (41 †). *-1-6* Pt Premadasa demande retrait FPI pour 29-7. *-29-6* Inde refuse d'appliquer cessez-le-feu avec Tam. *-13-7* Appapillai Amirthalingam, chef du FULT assassiné. *Du -25-6 au -15-7* 542 assassinats polit. *-19-7* Inde décide de retirer ses troupes. *-29-7* maintient 620 h. en place. *-25-8* attentat contre Pt Premadasa échoue. *Oct.* 35 tués dans université. Tigres prêts à arrêter guérilla si retrait total FPI et annulation des élect. de nov. 1988. *-13-11* Wijeweera, chef du JVP tué. *Déc.* 170 † au S. **1990**-*24-3* départ derniers soldats ind. (zones reprises par Tigres). *-21-5* armée bombarde Jaffna tenue par rebelles tamoul. *-16-6* cessez-le-feu. *-19-6* reprise de la guerre civile. *-3-8* + de 140 musulmans massacrés dans 2 mosquées. *-2-3* Ranjan Wijeratne, min. de la Défense, assassiné. *Mai* entre 500 000 à 800 000 réfugiés (région de Manmar). *-11-5* él. locales : UNP 190 s. sur 237, SLFP 36. *-23-5* TLET suspecté dans l'assassinat de Rajiv Gandhi.

● **Statut.** Rép. dém. socialiste dep. 1978. *Constit.* du 7-9-1978. Membre du Commonwealth. *Pt* (élu p. 6 a. au suffr. univ.). **1972** William Gopallawa († 1981) (gouv. dep. 1962). **1978**-*4-2* Junius Richard Jayawarume (16-9-06). **1988** Ranasinghe Premadasa (n. 23-6-24) PM Dingiri Banda Wijetunga. *Ch, des représentants* 225 m. élus p. 6 a. au suffr. univ. *Élections du 15-2-89* (avant-dernières élections juill. 77 ; référendum du 22-12-83 prolonge le mandat des députés de 6 a.). *Sièges :* P. national unifié 125, P. de la liberté 67. *Sénat :* aboli déc. 1971. *Provinces* 29, *districts* 24. **Fête nat.** 4 février. **Drapeau.** Adopté 1848, modifié 1951, 1972 : lion jaune (anc. royaume bouddhiste) sur fond brun, bandes verte (musulmans) et orange (tamouls) sur fond jaune.

☞ Les Tamouls revendiquent un État tamoul indépendant : l'**Eelam.** Appellent les Sri Lankais « mlechchas » (impurs). En 1987, ils disposaient de 6 000 combattants et de 40 000 mobilisables (contre 16 500 soldats gouvernementaux). En mai 1985, 3 groupes armés sur 5 se réunirent dans le **Front de libération de l'Eelam Tamoul (FLET),** puis l'**Organisation de libération de l'Eelam (OLET),** *fondée* 1973 par des étudiants, dont Thangathurai (condamné à mort 1982, mais tué en prison par ses codétenus) les a rejoints soutenus par l'Inde, prosoviétiques.

Tigres libérateurs de l'Eelam tamoul (TLET) (tigre symbole du royaume de Jaffna du XVIIIe s.), leaders : Anton Balasingham, Velupillai Prabhakaran, dit Thamby (« petit frère ») 15 000 combattants, dont 2 000 femmes, levée de l'impôt et conscription obligatoire. **Sathasivam Krishnakumar (dit Kittu),** 1 200 en 89 (exécuteront 200 rivaux en 1986-87). **Front révolut. de libér. du peuple de l'Eelam (FRLPE),** *fondé* 1981, marxistes, leader Varatharaja Terumal, dirige Conseil provincial du N. et de l'E., armé par l'Inde pour lutter contre Tigres. **Organisation révolut. de l'Eelam (Eros),** *fondé* 1975 à Londres par Aliathamby Ratnasabathy (marxiste). **Organisation de libér. du peuple tamoul de l'Eelam (OLPTE),** n'a pas rejoint le front, f. 1980, scission du TLET, leader Uma Maheswaran, marxiste. **Armée nationale tamoule (TNA),** armée et financée par l'Inde pour contrer les Tigres.

Extrémistes cinghalais. Rohana Wijeweera (tué 23-11-89) *fonde* en 1964 **Janatha Vimukti Peramuna (JVP).** Marxiste, puis nationaliste. 2 000 m. (jeunes, venus du Sud), infiltré dans clergé bouddhiste, adm., armée et police. Peut à tout moment paralyser la vie économique du pays (Organisation démantelée en 1989). **Milices privées.** Black Cats, Grey Tigers.

Partis. *P. ceylanais pour la liberté (SLFP),* fondé 1951, leader Mme Sirimawo Bandaranaïke (centre gauche). *P. national unifié (UNP),* f. 1947, leader Ranasinghe Premadasa. M.C.M. Kaleel (centre droite). *Lanka Sama Samaja Party (LSSP),* f. 1935, Bernard Soysa. *P. communiste (CP),* f. 1943, K.P. Silva (léniniste). *Tamoul United Liberation Front (TULF)* né 1976 après fusion 1972 du *P. fédéral tamoul (FP),* f. 1949, Amirthalingam avec *Congrès tam.* (f. 1944, S.R. Kanaganayagam), leader Murugesu Sivasithamparam. *Ceylon Worker's Congress,* f. 1940, Savumyamoorthy Thondaman. *Democratic Worker's Congress,* f. 1938, 1. Abdul Aziz. *P. du peuple de Sri L.,* scission de l'aile gauche du SLFP, f. 1984, Vijaga Kumaranatunga, tué 16-2-88. *Congrès des musulmans de Sri L. (SLMC),* f. 1980, Pt M.H.M. Ashraff.

Force de Paix indienne (FPI). *1987 :* 3 000 h., *88 :* 70 000 à 100 000 h. Retrait du 1-1-89 au 23-4-90. *Coût de l'engagement (1989) :* 900 millions de F. **Bilan de la guérilla.** *1983-90 :* env. 25 000 † (?).

Économie

P.N.B. (88). 375 $ par h. **Croissance** (%). *1977 :* 2,4, *78 :* 8,2, *79 :* 6, *83 :* 4,2, *88 :* 3,5, *90* (prév.) : 0. **Pop. active** (%, entre parenthèses part du P.N.B. en %) agr. 54 (23), ind. 14 (16,5), services 31 (50), mines 1 (3). **Chômeurs.** *1989 :* 1 million. **Inflation** (%). *1984 :* 18 ; *85 :* 1,5 ; *86 :* 8 ; *87 :* 6,5 ; *88 :* 12 ; *89 :* 20 à 35, *90 :* 30. **Dette extérieure.** *1989 :* 5,25 milliards de $, *90 :* 4,2. **Déficit budgétaire.** *1990 :* 1,30 milliard de $.

Situation économique. *1970-77 :* socialisation (*1972 :* 110 000 ha sur 242 000 des plantations de thé nationalisés.). *1983-88 :* ralentissement économique (budget de la Défense : *1983 :* 3,5 %, *84 :* 4,5 %, *85 :* 10 %, *86 à 88 :* 15 %). *1988 :* Pt Premadasa promet 2 500 roupies aux 1 400 000 familles pauvres (coût estimé à 40 milliards de roupies, soit 3/4 du budget, ramené à 10, pour seulement 300 000 familles). *1989 :* 500 entreprises étrangères acceptées (117 000 emplois créés) dans l'électronique, jouets, textiles (350 usines). *1990 :* guerre du Golfe (en millions de $). *Perte :* salaires des émigrés 30 à 40, embargo sur le thé 24.

Agriculture. *Terres cult.* 33 % (dont riz 38 %, thé 12 %, caoutchouc 18 %). *Production* (milliers de t, 89), riz 2 088, noix de coco 1 933 (88), canne à sucre 660 (87), manioc 429 (87), thé 233 (90), caoutchouc 125, patates douces 80 (87), café 8. **Élevage** (milliers de têtes, 88). Poulets 9 000, bovins 1 820, buffles 1 050, chèvres 503, porcs 101, moutons 27. **Pêche** (88) 197 536 t.

Mines. Graphite, mica, sable, silice, quartz, sel, pierres précieuses (Ratnapura), kaolin, fer. **Industrie.** Thé, caoutchouc, sucre, coton, noix de coco, raffinerie de pétrole.

Transport (88). *Routes* 25 466 km. *Chemins de fer* 1 453 km. **Tourisme.** *Visiteurs 1980 :* 400 000, *88 :* 182 662, *90 :* 300 000. *Sites archéologiques.* Anuradhapura (IIe s. av. J.-C.-VIIe s. apr. J.-C.) : stupas (reliquaires monumentaux) et restes de palais. Aukana : bouddha colossal. Mihintale : stupas. Sigiriya : palais-forteresse et fresques. Polonnaruwa (XIe-XIIe s.) : stupas, restes de palais, statues colossales de Bouddha (Gal Vihara). Régions centre-N. et S.-E. : vastes réservoirs d'irrigation antiques.

Commerce (millions de roupies, 88). *Exp.* 46 920 *dont* tissus et vêtements (n. c.), thé 12 299, caoutchouc 3 706, pierres précieuses ou semi-précieuses 2 614, noix de coco séchée 1 538, huile de noix de coco 242 *vers* U.S.A. 12 433, All. féd. 3 519, G.-B. 2 580, Japon 2 327, Irak 1 642. *Imp.* 71 200 *dont* prod. pétrol. 7 839, mach. et équip. 7 047, blé 2 982, sucre 2 927, riz 1 795 *de* Japon 10 680, G.-B. 4 912, USA 4 857, Chine 3 336, All. féd. 3 255, Inde 3 238, Singapour 2 955. **Balance commerciale** (en millions de $). *1980 :* – 989, *89 :* – 390.

Rang dans le monde (88). 1er thé (90). 6e caoutchouc.

SUÈDE

Carte p. 918. V. légende p. 837.

Nom. *Sverige,* « royaume des Suiones », l'une des 3 ethnies primitives ; le souvenir des 2 autres : les Goths (Gota) et les Vénèdes [nom donné à une tribu slave (« Venda »), qu'on retrouve dans Wendes], s'est perdu au XIIIe s.

Situation. Europe. 449 964 km² (dont 38 459 d'eaux intérieures), *long.* 1 574 km, *larg.* 499 km. *Laponie Sud.* 165 000 km². *Frontières* 2 205 km (avec Norvège 1 619, Finlande 586). *Côtes :* 2 390 km. 96 000 lacs. **Régions.** *N.-O.* sommets élevés : Kebnekaise 2 111 m, Saretjakko 2 090, Sulitelma 1 860, vallées glaciaires (Torne, Lulevatten, Hornavan, Storuman) ; *Norrland et Dalécarlie :* plaines et plateaux du golfe de Botnie aux monts Kölen, coupés de vallées profondes où les fleuves (älv) ont un cours rapide ; *Svealand et région des grands lacs* (entre Baltique et le Skagerak) : plaines et lacs (en km²) (Vänern 5 585, Vättern 1 912, Mälaren 1 140) ; *Småland :* plateau, marécages, lacs ; *Scanie et îles* Oeland 1 344 km² et Gotland 3 001 km² ; *littoral* découpé de baies profondes [fjord (bras de mer), vik (baie)]. **Climat :** rude mais influencé par le Gulf Stream ; moy. janv. – 14 °C (extr. N.) à – 1 °C (S. méridionale), juill. 13 à 17 °C [à *Stockholm :* janv. – 3 °C, juill. 15 à 17 °C ; *pluies* 560 mm. Soleil 1 700 h (lever : *21-6 :* 3 h 28, *21-12 :* 8 h 37 coucher : *21-6 :* 20 h 52, *21-12 :* 15 h 36). *Soleil de minuit* pendant 2 mois env., au-delà du cercle polaire.

Démographie

Population (millions). *1750 :* 1,78, *1800 :* 2,35, *1850 :* 3,5, *1900 :* 5,14, *1939 :* 6,34, *1950 :* 7,04, *1960 :* 7,49, *1970 :* 8,07, *1982 :* 8,32, *88 :* 8,45, *90 :* 8,56, *prév. 2000 :* 8,8, *2025 :* 9. **Âge.** - *de 15 a.* 18 %, + *de 65 a.* 18 %. **Espérance de vie** (86) H. 74, F. 80. **Taux** (‰). *1988 : natalité* 13,3, *mortalité* 11,5. Env. 15 000 Lapons (Norvège 40 000, Finlande 4 000). 90 % vivent dans le N. (Laponie Sud). **Émigration :** *De 1840 à 1910 :* 600 000 ; *1984 :* 22 800 ; *1985 :* 22 036 ; *86 :* 24 495 ; *87 :* 20 679 ; *88 :* 21 461 ; *89 :* 21 484. **Étrangers** (en milliers). *1981 :* 414, *84 :* 399 (+ 400 naturalisés) ; *89 :* 456 dont Finlandais (beaucoup ont le suédois comme langue maternelle) 124, Youg. 40, Norv. 35, Iraniens 35, Danois 28, Turcs 24, Chiliens 19, Polonais 15, All. 12. Les immigrés estoniens sont aujourd'hui citoyens suédois. *1989 :* 65 866 immigrants dont 21 086 nordiques. *Immigration nette totale : années 70 :* 155 000, *1981-85 :* 40 600, *1988 :* 27 000. *1988 :* 51 092 dont 14 097 nordiques. *Étrangers en % de la pop. 1950 :* 1,8, 60 : 2,5, *70 :* 5,2, *80 :* 5,1, *89 :* 5,3. **Villes** (89) : *Stockholm* 672 187 h. (ag. 1 481 679), Göteborg 431 840 (ag. 725 971) (à 478 km), Malmö 232 908 (ag. 471 146) (604 km), Uppsala 164 754 (90 km), Linköping 120 562 (208 km), Orebro 120 353 (215 km), Norrköping 119 921 (165 km), Västeras 118 386 (115 km), Jönköping 110 860 (338 km), Helsingborg 108 359 (578 km), Borås 101 231 (531 km), Kiruna 26 551 (87, 1 352 km).

Langue. Suédois *(off.).* **Religions.** Prot. luthériens 92 %, cath. 130 000, orthodoxes de rite oriental 106 000, musulmans 50 000, juifs 16 000. L'Égl. luthérienne d'État (instituée en 1527) est religion d'État. Le roi doit professer la doctrine évangélique telle qu'elle est établie et expliquée par la Confession d'Augsbourg.

Histoire

V. 2500 av. J.-C. populations agricoles, néolithiques ; climat chaud et sec. **V. 1400 av. J.-C.** civilisation du Bronze introduite par des germaniques, venus du sud de la Baltique et du Jutland. **V. 1000 av. J.-C.** (âge du fer) certaines tribus germ. du N. (Goths, Vandales, Burgondes) émigrent vers l'Ukraine, sans doute en raison d'un changement climatique. Leurs régions d'origine (Gotland, Vendel, Bornholm) restent encore habitées. **IXe s. apr. J.-C.** Vikings suédois se dirigent de préférence vers : Lettonie, Pologne, Russie. La sous-tribu des Varègues colonise les côtes de la mer Noire. **829 et 853** échecs de tentatives d'évangélisation par St Anschaire, év. de Hambourg. **V. 980** Vikings suédois s'allient aux Danois ; Éric le Victorieux († 994) roi du Danemark et de la Westrogothie suédoise. **1016-35** Knut le Grand, roi chrétien d'Angl. et de Dan., a de nombreux vassaux suédois. **V. 1020** il charge le missionnaire angl. St Sigfrid d'York de christianiser la S. Sigfrid fonde évêché de Wexiow et baptise le roi Olof, fils d'Éric. **XIe-XIIIe s.** g. civile entre descendants d'Éric (Westrogothie) et de Stenkil (Ostrogothie), d'abord païens, puis partisans des missionnaires immigrés contre le prêtre suédois des Ériquistes. **1397-1521** Union de Calmar avec Norv. et Danemark. **1523**-*6-6* Gustave Vasa élu roi, fonde l'Église nationale s. (luthérienne). **1595** *Paix de Teusina.* Narva et Estonie deviennent s. La S. contrôle golfe de Finlande.

1604 royauté héréditaire. **1605** à Kirkholm, Polonais battent Suédois. **1617** *tr. de Stolbova :* possession d'Estonie, Ingrie et Carélie confirmée à la Suède. **XVIIe s.** Axel Gustafsson Oxenstierna (1583-1654) conseiller du roi. **1634** Const. **1630-35** la S. intervient dans la g. de 30 Ans (1618-48). **1643-45** g. contre Danemark. *Tr. de Brömsebro :* Dan. perd Gotland, Oselec et Halland. **1648** *tr. de Westphalie ;* S. reçoit Poméranie, Stettin, Wismar, Brême, Verden. **1655** Charles X envahit Pologne et Lituanie. **1656** occupe Pologne du roi Jean-Casimir, et attaque Dan. **1657** g. contre Brandebourg. **Début 1658** Charles X occupe Jutland et menace Copenhague. **1658** *mars* médiation franco-hollando-anglaise. *Tr. de Roskilde :* S. gagne Scanie, Bornholm et provinces norvég. du Bohuslän et de Trondheim. **Août** Charles X reprend les armes. **1659** médiation franco-anglo-holl. Pourparlers de Copenhague entre Dan. et S. et d'Oliva avec Pologne, Brandebourg et Autriche. **1660**-*3-5* *tr. d'Oliva :* Jean-Casimir de Pologne renonce au trône de S. La S. voit la possession de Poméranie confirmée. *-6-6 tr. de Copenhague :* S. rend Bornholm au Danemark. **1661** *juill. paix de Cardis* entre S. et Russie. S. gagne Livonie. **1672** *tr. franco-s. :* contre Provinces-Unies, visant à fermer la Baltique au commerce holl. **1675** S. battue à Fehrbellin par Grand Électeur de Brandebourg. **1676-79** g. de Scanie. **1692** diète de Verden proteste contre édits de réduction dépouillant barons baltes. Révolte de Reinhold Patkul. **1698** *tr. franco-s.* d'alliance défensive. **1699** *nov.* accord secret russo-danois de Préobrajenkoé contre S. Accord semblable avec Auguste II de Saxe-Pologne et Baltes révoltés.

1700 *été* début de la « guerre du Nord » : S. contre coalisés. Frédéric IV envahit Schleswig-Holstein, dont le duc est un beau-frère de Charles XII et assiège Tœnningen. Ch. XII bat Danois à Copenhague *(8-8),* Russes à Narva *(30-11).* **1701-07** Ch. XII conduit campagne de Pologne et Saxe. **1701**-*18-7* bat Saxons à Kockenhusen. **1702** *mai* prend Varsovie. *-19-6* bat Auguste II à Klissow. Cheremetiev bat S. à Erestfer et Hummelshof. Apraxine les bat à Ingrishof et Pierre-le-Grand prend Notéborg. Pays baltes ravagés. **1703**-*1-5* Ch. XII bat les Polonais à Pultusk. Capitulation de Thorn. Stanislas Leszczynski élu roi de Pologne sous pression s. **1704** *août* Stanislas fuit Varsovie. Ch. XII repousse Saxons au-delà de l'Oder. Pierre-le-Grand prend Narva, Dornat et conquiert Livonie et Estonie. **1705** *nov.* alliance Pologne-S. contre Russie. **1708** *févr.* Ch. XII prend Grodno. *-13-7* S. vainqueurs à Hollosin. Ch. XII marche sur Ukraine pour rejoindre Mazeppa, révolté contre tsar. **1709**-*8-7* à Poltava S. battus. **1709-14** Ch. XII réfugié en Turquie (**1715**-*22-12* rentre en S.). **1709** *oct. tr. de Thorn :* entre Saxe et Russie ; *tr. de Copenhague :* entre Russie et Dan. **1713** tsar prend Helsingfors, les Prussiens Poméranie, Danois Verden, Brême et Wismar. **1717** *tr. d'Amsterdam ;* France puissance médiatrice entre Suède et Russie. **1718** *janv.* congrès russo-s. des îles d'Aland. **1719** *sept. tr. de Stockholm :* avec Hanovre (George Ier d'Angl.) ; S. abandonne Brême et Verden. **1720**-*21 janv. tr. de Stockholm :* Prusse obtient Stettin et Poméranie Occid. *Mai* débarquement russe en S., tsar demande médiation de la France. *-9-6 tr. de Stockholm :* avec Dan. **1721**-*18-9 tr. de Nystad :* S. perd Livonie, Estonie, île d'Ösel, Ingrie, partie de Finlande et de Carélie, Vyborg. **1743**-*17-8 tr. d'Abo :* perte d'une autre partie de Finl. **1751-71** rivalité [les *« Chapeaux »* (avec Ch. XII), 1er parti pol., voulaient la restitution des terr. pris par les Russes, souhaitaient une pol. plus mercantiliste et s'opposaient aux partisans de Horn (les *« Bonnets »*) à qui ils reprochaient une politique digne de « bonnets de nuit »]. **1792** Gustave III assassiné. **1792-1809**

Gustave IV lutte contre Napoléon, perd reste de Finl. et îles Aland ; est déposé.

1809-18 Charles XIII son oncle lui succède ; il prend pour héritier le Mal fr. Bernadotte (élu prince héritier 1810 sous le nom de Charles-Jean par la Diète : il était populaire en Scandinavie pour avoir été gouverneur du Jutland et des villes hanséatiques en 1808-09). **1809**-*6-6* Const. Cession de Finlande à Russie et fixation des frontières de la S. **1814** intervention contre Nap., puis contre Dan. *Tr. de Kiel:* S. reçoit Norv. du Dan. et renonce à Poméranie.

1905 sécession de Norv. **1909** *août* « grande grève », affrontement entre patronat (SAF) et syndicats (LO), échec pour les synd. ouvriers. **1914-18** S. reste neutre. **1918-21** suffr. univ. pour hommes et femmes. **1919** journée de travail de 8 h. **1938** accords de Saltsjöbaden entre SAF et LO. **1939-45** S. reste neutre. **1967**-*1-9* adopte conduite aut. à droite. **1969** *déc.* grève sauvage des mineurs de Kiruna. **1971** début du Parlement monocaméral (1 chambre). **1976**-*19-9* sociaux-démocrates battus aux élec. Plan d'austérité. **1980**-*23-3* référendum : 58,2 % pour la mise en service d'un maximum de 12 réacteurs nucléaires et leur fermeture avant 2010. *Mai* grève de 1 000 000 de salariés pour relèvement des salaires. **1981**-*27-10* sous-marin soviét. échoue dans archipel Karlskrona. **1982**-*19-9* sociaux-démocr. reprennent pouvoir. *Oct.* 6 sous-marins russes (?) près de la base mil. de Muskö. *-8-10* dévaluation de 16 %. **1984**-*16/18-5* Pt Mitterrand en S. (1re vis. off. d'un Pt fr. dep. celle de R. Poincaré en 1914). **1985**-*15-9* élect., sociaux-dém. gardent le pouvoir. **1986**-*28-2* PM Olof Palme assassiné. **1989**-*25-4* TVA passe de 19 à 21 % off. (en fait 23,46 à 25,46 %). *-1-7* contrôle des changes supprimé. *-27-7* Christer Pettersson, accusé du meutre d'O. Palme, condamné à la prison à vie, *-12-10* acquitté. **1990**-*15-2* plan d'austérité rejeté (190 voix contre 153). *Avril* TVA portée off. à 25 %. *-13-6* réforme fiscale (en vigueur 1-1-91) ; 9 contribuables sur 10 ne paieront plus qu'un impôt communal de 31 % environ ; les revenus de + de 180 000 couronnes par an payeront 20 % d'impôt d'État supplémentaire. **1991** *janv.* programme de 3,8 milliards de couronnes (3,5 milliards de F) pour sauvegarder ressources énergétiques. *-17-5* couronne suédoise liée à l'Écu (marge de fluctuation de 1,5 %).

Politique

Statut. Royaume. Pays neutre. *Constitution* du 1-1-1975 abrogeant celle de 1809 (la plus ancienne d'Europe) ; réformes réduisant les pouv. du roi dep. 1968-69. Dep. 75, le roi ne désigne plus le *PM* (c'est le Pt du Parlement qui le fait) et ne préside plus le Conseil des m. La responsabilité gouv. repose sur le parti de la majorité au *Parlement* ou *Riksdag* (310 m. élus au suffr. univ. dir. et 39 m. au suffr. proportionnel p. 3 a.). Dep. le 1-1-80, le 1er enfant du roi (fils ou fille) est l'héritier de la couronne (même s'il s'agit d'une fille qui a un frère après elle). 24 *départements.* **Fête nat.** 6-6 (élect. de Gustave Vasa en 1523 et Constitution de 1809). **Drapeau.** Adopté 1906 (origine XVIe s.) : croix jaune sur fond bleu venant d'armoiries repr. 3 couronnes dorées sur fond bleu (1364).

Partis. *P. social-démocrate des travailleurs* (SAP), f. 1889, au pouvoir de 1932 à 1976 et dep. 1982 ; 1 060 000 m. (86) ; Pt Ingvar Carlsson. *P. du centre,* f. 1910, avant 1957, p. agrarien ; Pt Olof Johansson ; 220 000 m. *P. libéral,* f. 1902 ; Pt Bengt Westerberg ; 46 000 m. (87). *Rassemblement modéré,* f. 1904, issu de l'ancienne Organisation nat. de la droite, devenue ensuite le P. conservateur ; 144 416 m. (89) ; Pt Carl Bildt. *P. de gauche* (VP), f. 1917, 12 935 m. (89) ; Pt Lars Werner. *P. chrétien-démocr. (KDS),* f. 1964 ; 27 000 m. ; Pt Alf Svensson. *P. écologiste* (Miljöpartiet de Gröna), f. 1981.

Répartition en % des électeurs

Année	*Conserv.*	*Libér.*	*Centre*	*Soc.-dém.*	*K.D.S.*	*Comm.*	*Divers*
1932	23,1	12,2	14,1	41,7		8,3	
1940 [1]	18	12	12	53,8		4,2	
1948	12,3	22,8	12,4	46,1		6,3	
1956	17,1	23,8	9,4	44,6		5	
1958 [2]	19,5	18,2	12,7	46,2		3,2	
1964	13,7	17	13,2	47,3		5,2	3,6
1968	12,9	14,3	15,7	50,1		3	4,1
1970	11,5	16,2	19,9	45,3	1,8	4,8	0,5
1973 [3]	14,3	9,4	25,1	43,6	1,8	5,3	0,5
1976	15,6	11,1	24,1	42,7	1,4	4,8	0,4
1979	20,3	10,6	18,1	43,2	1,4	5,6	0,8
1982	23,6	5,9	15,5	45,6	1,9	5,6	3,8
1985	21,3	14,2	10	44,7	2,4	5,4	2
1988	18,3	12,2	11,3	43,2	2,9	5,8	6,2

Nota. – (1) Furent considérées comme un vote de confiance pour le PM social-démocrate. (2) Él. extraordinaires sur la question des pensions, après dissolution du Parlement. (3) Depuis 1976, les immigrés peuvent voter aux élections départementales et communales.

Élections au Parlement du 18-9-1988. Votants 86 %. % des voix (et sièges). Sociaux-dém. 43,2 %, 156 s. ; Conserv. 18,3 %, 66 s. ; Centristes 11,3 % 42 s. ; Libér. 12,2 %, 44 s. ; Comm. 5,8 %, 21 s. ; Écol. 5,5 %, 20 s. ; KDS 2,9 %.

Souverains

Dynastie Vasa. 1523 Gustave Ier Vasa (1496-1560). **60** Eric XIV (1533-77) s. f. détrôné 1568. **68** Jean III (1537-92) 2e f. de Gustave Ier. **92** Sigismond III Vasa (1566-1632) s. f. (roi de Pologne 1587-1632), détrôné 1599. **99** Charles IX (1550-1611) f. de Gustave Ier. **1611** Gustave II Adolphe (1594-1632) s. f. **32** Christine (1626-89) s. f. Abdique 1654.

Dynastie palatine. 1654 Charles X (1622-60) pet.-f. de Charles IX. **60** Charles XI (1655-97) s. f. **97** Charles XII (1682-1718) s. f. **1718** Ulrique-Éléonore (1688-1741) s. sœur. Abdique. **20** Frédéric Ier de Hesse-Cassel (1676-1751) s. mari.

Dynastie Holstein-Gottorp. 1751 Adolphe-Frédéric (1710-71) élu. **71** Gustave III (1746-92) s. f. assassiné. **92** Gustave IV Adolphe (1778-1837) s. f. détrôné. **1809** Charles XIII (1748-1818) f. d'Adolphe-Frédéric. Roi de Norvège à partir de 1814.

Dynastie Bernadotte. 1818 Charles XIV ou Charles-Jean (1763-1844) ép. 1798 Désirée Clary (1777-1860), belle-sœur de Joseph Bonaparte ; maréchal de France 1804 ; Pce de Ponte Corvo 1805 ; Pce héritier de Suède (f. adoptif de Charles XIII) 1810. **44** Oscar Ier (1799-1859) s. f. Roi de Norvège, ép. 19-6-1823 Joséphine de Leuchtenberg. **59** Charles XV (1826-72) s. f. régent dep. 1857. Roi de Norvège, ép. 19-6-1850 reine Louise d'Orange (1828-71). **72** Oscar II (1829-1907) s. fr. Roi de Norv. jusqu'en 1905, ép. 6-6-1857 Pcesse Sophie de Nassau (n. 1836). **1907** Gustave V (1858-1950) s. f., ép. 20-9-1881 Pcesse Victoria de Bade (n. 1862). **50** Gustave VI Adolphe (11-11-1882/15-9-1973) s. f., ép. 1° 1905 Marguerite de Saxe-Cobourg-Gotha (1882-1920), 2° 1923 Louise de Battenberg (Lady Mountbatten 1889-1965). **73** Charles XVI Gustave (n. 30-4-46) s. petit-f. Roi de Suède, des Goths et des Vendes, ép. 19-6-76 Silvia Renate Sommerlath (All. n. 23-12-43). *Enfants* Victoria (n. 14-7-77), Charles-Philippe (n. 13-5-79), Madeleine (n. 10-6-82). Fils de *Gustave-Adolphe, duc de Västerbotten* (22-4-06 – † accident d'avion 26-1-47) ép. 1932 Pcesse Sibylle de Saxe-Cobourg-Gotha, duchesse de Saxe (18-1-08 ; † 28-11-72).

Sœurs du roi. *Marguerite* (31-10-34) ép. 30-6-64 John K. Ambler, homme d'affaires brit., *Brigitte* (19-1-37) ép. 30-5-61 Pce Jean-Georges de Hohenzollern (31-7-32), 6e enfant du Pce Frédéric-Victor de H., chef de la maison princière de H., *Désirée* (2-6-38) ép. 5-6-64 baron Nicolas Silfverschöld (31-5-34), *Christine* (3-8-43) ép. 15-6-74 Tord Magnusson (7-4-41).

Oncles et tantes du roi. 1°) *Sigvard, duc d'Uppland* (7-6-07) titré Cte Bernadotte (5-6-54) et Cte Bernadotte de (af) Wisborg par la Gde-Duchesse de Luxembourg. Par suite de son mariage 1° en 1934 avec Erika Patzeck, div. 1943, puis 2° en 1943 avec Sonia Helina Robbert, div. 2e fois, et 3° 1961 avec Gullan Marianne Lindberg (1924), perd ses droits de succession et n'appartient plus à la maison roy. Il a eu de son 2e mar. le Cte *Michel* Sigvard Bernadotte de (af) Wisborg (1944). 2°) *Ingrid* (28-3-10) ép. 24-5-1935 Frédéric IX de Danemark, alors Pce héritier. 3°) *Bertil, duc de Halland* (28-2-1912) ép. 7-12-76 Lilian Marie Davies (div. Craig) (n. 30-8-15), actrice galloise. 4°) *Charles-Jean, duc de Dalécarlie* titré Cte par la Gde-Duchesse de Luxembourg le 2-7-51 [Cte Charles-Jean *Bernadotte de (af) Wisborg*] (n. 31-10-16) ; ép. 1e (1946) Kerstin Elin Wijkmark (1910-87), 2e (1988) Ctesse Gunilla Marta Louise Wachtmeister (n. 12-5-23) perd ses droits de succession et n'appartient plus à la maison royale.

Premiers ministres (depuis 1932). **1932** Per Albin Hansson (soc.-dém.) **45**-*31-7* Tage Erlander (1901-85, soc.-dém.). **69**-*14-10* Olof Palme (soc.-dém.). **76**-*19-9* Thorbjörn Fälldin (24-4-26, P. du centre). **78**-*18-10* Ola Ullsten (23-6-31, libéral). **79**-*11-10* Thorbjörn Fälldin (24-4-26, P. du centre). **82**-*5-10* Olof Palme (30-1-27, soc.-dém. ; réélu *15-9-85,* assassiné 28-2-86). **86**-*12-3* Ingvar Carlsson (9-11-34, soc.-dém.).

De 1932 à 1976 (avec interruption en 1936), les sociaux-démocr. ont gouverné seuls ou en coalition : de 1936 à 1939 avec Parti agrarien, de 1939 à 1945 en coalition quadripartite, et de 1951 à 1957 avec agrariens. En 1976, les 3 partis « non socialistes » [rassemblement des modérés (conservateurs), P. du centre et P. libéral] ont obtenu la majorité au Parlement et formé le 1er gouvernement exclusivement « bourgeois ». (PM : Thorbjörn Fälldin, chef Parti du centre). Ce gouvernement a éclaté (dissensions au sujet du nucléaire). Le P. libéral a formé un gouvernement minoritaire, Ola Ullsten. Après élection de 1979, les non-socialistes ont formé un gouv. tripartite, Fälldin. En 1981, le Rassemblement des modérés a quitté le pouvoir (dissensions sur système fiscal) puis les 2 partis du centre ont formé un gouvernement, Fälldin. Aux élec. de 1982, les sociaux-démocr. ont reconquis le pouvoir, Olof Palme.

Économie

P.N.B. (90). 144 000 couronnes par h. **Croissance** (%). *1989 :* 2,1 ; *89 :* 1,7 ; *90 :* 0,9. **Pop. active** (%, en 88, entre parenthèses part du P.I.B. en %) agr. 3,8 (3,4), ind. et mines 21,1 (24,4), services 68,8 (64,4), bât. 6,3 (7,8). 1 325 000 fonctionnaires (86) (32 % de la pop. active). **Chômage** (%) *86 :* 3, *88 :* 1,7, *89 :* 1,3, *90 :* 1,5 à 1,8 (4,2 de 16 à 24 a.), *91 (févr.) :* 4.

Inflation (%). *85 :* 7,4 ; *86 :* 4,2 ; *87 :* 4,5 ; *88 :* 6,5 ; *89:* 7,4 ; *90:* 10,4. **Dette extérieure** (90). 83,6 milliards de couronnes. **Dévaluation.** *1981 :* 10 %, *oct. 82 :* 16 %. **Impôts (90) :** *sur revenu :* taux max. 72 % (50 % au 1-1-91) ; *sur fortune :* 3 % (+ 28 % d'augmentation au 1-1-91). Pour des raisons fiscales, 14 % des travaux ne seraient pas déclarés, soit un chiff. d'aff. de 30 à 40 milliards (5 à 8 % du P.N.B.), 100 000 mariages seraient simulés. **Prélèvements obligatoires** (% par rapport au P.N.B.). 56,7 en 1987. **Déficit budgétaire.** *1982-83* 13,1 % du P.N.B., *85-86 :* 7,2 %, *89-90 :* 0 %, *90-91 :* 0,3 %, *91-92 :* 0,2 %. **Aide au tiers monde** 1 % du P.N.B.

Balance commerciale et, entre parenthèses, des services et transferts (en milliards de SEK). *85 :* + 14,7 (– 25,2), *86 :* + 30,8 (– 30,2), *87 :* + 22,5 (– 29,1), *88 :* + 23,4 (– 37,5), *89 :* 20 (– 48,2), *90 :* 22,4 (– 59,9), *91 (prév.) :* 21,9 (– 74,5). **Balance des comptes courants.** *85 :* – 10,4, *86 :* + 0,6, *87 :* – 6,7, *88 :* – 14,1, *89 :* – 28,2, *90 :* – 37,5, *91* (est.) : – 52,6.

Finances publiques. Budget annuel (en milliards de couronnes, 1991-92). Revenus de l'État 454,9, dépenses 455,5, déficit du budget 0,2, service de la dette 61. **Dette publique** (en milliards de couronnes, 90). Total 583 dont emprunts à l'extérieur 84.

Agriculture. *Terres* (%) : forêts 52,2, t. incultes 29,4, cult. 7, eaux 8,5. *Production* (milliers de t, 89) bett. à sucre 2 654, orge 1 670, blé 1 750, avoine 1 455, pommes de t. 1 175, plantes oléifères 417, seigle 319. Bois 52,75 millions de m³ (88). La S. exporte 50 % des prod. de l'ind. forestière : pâte à papier. **Élevage** (milliers de têtes, 89). Poulets 11 159, porcs 2 264, bovins 1 688, moutons 240, chevaux 51 (81). Animaux à fourrure. Rennes 292. **Pêche.** (89) 238 961 t.

Mines (milliers de t, 89). Fer [(teneur 65 %, la plus grande mine du monde à Kiruna (à ciel ouvert), Laponie)], minerai de fer 21 578, lingots 2 638 (réserves 2,7 milliards de t), pyrite 428,6 (87), zinc 191 (88), plomb 83 (88), cuivre 73,6 (88), argent. **Industrie.** Ind. méc. (Volvo a produit en 90 376 100 voitures), équip. élec., constr. navales, sidérurgie, ind. du bois, papier et pâte à papier, agroaliment. ind. chim. **Électricité** *(89).* 143,9 milliards de kWh, dont 65,9 nucléaire (49 % de la consommation en 1988 ; 12 réacteurs au sud de la S. assurent env. 50 % de la prod.), projet de démantèlement de 2 unités (coût : de 21 à 46 milliards de F.), programme condamné à terme (1995 repoussé à 2010). 12 sociétés de prod. (Vattenfall, entr. pub., 11 000 agents, 50 % de la prod.), 304 entr. de distr. (2 000 en 1969). *Prix du kWh* 25 à 40 cent., hausse des prix. **Dépendance énergétique** (%) : *1973 :* 78, *90 :* 55.

Répartition de la propriété des entreprises ind. en % (État, coop. de consommation en italique, privé entre parenthèses ; effectif). Mines : 50, (50) ; 11 853. Métall. et constr. méc. : 3, *1,* (96) ; 457 340. Industries extractives ; carrières, mat. de constr. : (100) ; 34 000. Industries forestières : 3, *2,* (95) ; 170 800. Industries alim. : 4, *8,* (88) ; 87 500. Industries textiles : 1, (99) ; 36 683. Industries chim. : 2, *3,* (95) ; 79 300. Toutes industries : 4, *2,* (94) ; 931 000.

Transports (85, km). Routes 415 000, chemins de fer 11 491 dont 7 464 électrifiés. **Tourisme** (89). 36 219 vis.

Commerce (milliards de couronnes, 89). *Exportations* 333 *dont (%)* machines et équip. divers 22,4, équip. de transp. 25,8, papier et carton 18,9, prod. manuf. divers 10,3, prod. chim. 7,9, acier et fer 11,3, pâte à papier 4, bois 3,4, prod. alim. 1,7 ; *vers* (%)

CEE 55, All. féd. 12,7, G.-B. 11,2, USA 9,3, Norvège 8,2, Danemark 7, Finlande 7, *France 5,3,* P.-Bas 4,8. *Importations* (88) 278,8 *dont (%)* machines et équip. divers 26,4, équip. de transp. 12,7, prod. chimiques 10, *de* (%) All. Féd. 21,2, G.-B. 8,4, USA 7,5, Finlande 7, Danemark 6,6, Japon 6,5, Norvège 6, *France 5,* Italie 4, P.-Bas 4.

Rang dans le monde (89). 9e bois, fer. 11e argent. 17e orge, cuivre.

SUISSE

V. légende p. 837.

Nom. De Schwyz, un des cantons fondateurs.

Situation. Europe. 41 293,2 km². **Frontières** 1 881,8 km. Enclaves comprises, avec Italie 741,3, *France 571,8,* All. 362,5, Autr. 164,8, Liechtenstein 41,1. **Long.** N.-S. 220,1 km. **Larg.** E.-O. 348,4 km. **Alt. max.** Pointe Dufour 4 634 m, *min.* Lac Majeur 193 m. **Village le plus élevé** Juf (Gr.) 2 126 m, **le plus bas** Ascona (Ti.) 196 m.

Lacs naturels. + de 1 000 dont Léman 582 km² (dont à la Suisse 343,4, France 239) [*grand lac :* 503 km², *petit lac :* 79. *Périmètre des rives :* 167 km dont nord 95, sud 72, rive française 54. *Larg. max. :* entre Amphion et baie de Morges : 13,8 km. *Long. :* axe Villeneuve-Genève : 73 km. *Altitude :* niveau de base : pierres du Niton (rive gauche du Rhône) 373,6 m au-dessus de la mer. Dep. 1892, régulé par le barrage du pont de la Machine à Genève : 372 m. *Prof. max. :* 309,7 m entre Évian et Ouchy. Petit lac : 78 m ; moyenne : 157,2 m. *Bassin d'alimentation :* 6 830 km². *Volume des eaux :* 88,9 millions de m³ (dont petit lac 3,3). *Iles artificielles* (hauts-fonds consolidés) : îles Laharpe, 5 000 m², de Peilz 77, la Roche-aux-Mouettes 1 600. *Seiches :* rapides variations de niveau, quelques minutes à une heure ; quasi quotidiennes, dues à une brusque dépression causée par vent ou à l'augmentation de la pression atmosphérique comprimant la nappe. L'eau s'abaisse, une onde se forme qui traverse le lac jusqu'au bord opposé, où le niveau monte ; haut. exceptionnelle (20-8-1890) : 0,63 m. *Marées :* semi-diurnes de quelques mm, aux extrémités de la nappe. *Brouillard :* 19 j/an à Genève, 15 à Lauzanne. 1953 : du 9-11 au 16-12. *Niveau :* jusqu'en 1713 : nappe à écoulement libre. XVIIIe s. : Genève établit des barrages pour alimentation en eau et pour force motrice pour industrie textile, d'où procès opposant cantons de Vaud et du Valais (1877 et 84) ; construction des barrages à rideaux mobiles du pont de la Machine. *Régime :* max. normal 372 m, min. 371,7 m (371,5 m dans les années bissextiles). *Frontière :* passe par le milieu du lac. *Convention franco-suisse :* 25-2-1953. *Bateaux à moteur :* + de 26 000 embarcations immatriculées, 11 617 points d'amarrage (Suisse 9 877, France 1 736). *Mouvements des eaux : couche profonde ou hypolimnion* 200 m de prof. env. jusqu'au fond (15 % du volume total des eaux, renouvellement en 20 ans), *moyenne ou métalimnion* entre 50 et 200 m de prof. (55 % de la masse liquide, renouvellement en 10 ans), *supérieure ou épilimnion* 50 m à la surface, la plus agitée sous l'effet des vents, des variations brusques de température et de l'évaporation. *Vagues :* dues aux vents, except. : 2,50 m entre crête et creux (moy. : 1,50 m en eau profonde pour une vitesse de 5 m). *Température : été* (juillet-août) : 20 à 30 m de prof. dans le grand lac, 20 °C en moy. ; *hiver* env. 24 °C]. **Autres lacs.** Constance 541 km² (profondeur max. 252 m), Neuchâtel 218 (153), Majeur 212 (372), Quatre-Cantons 114 (214), Zurich 90 (143), Lugano 49 (288), Thoune 48 (217), Bienne 40 (74), Zoug 38 (198), Brienz 30 (261), Walenstadt 24 (144), Morat 23 (46). **Lacs artificiels.** 50. **Glaciers.** 140 (1 556 km²) dont Aletsch 86,76, Gorner 68,86, Friesch 33,06. **Cours d'eau** (long. en Suisse, en km). Rhin 375, Aar 295, Rhône 264, Reuss 159, Linth-Limmat 140, Sarine 129, Thur 125, Inn 104.

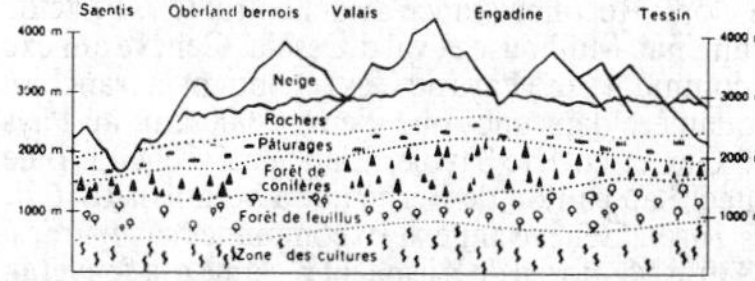

Régions. Alpes (70 %) séparées par vallées du Rhône et du Rhin supérieur, en 2 chaînes : N. (Dents du Midi, Alpes bernoises, des Quatre-Cantons et glaronaises) et S. [Mt Blanc, Alpes valaisanes, tessinoises, groupe de l'Adula prolongé vers l'E. par 2 chaînes de l'Engadine N. et S., de part et d'autre de

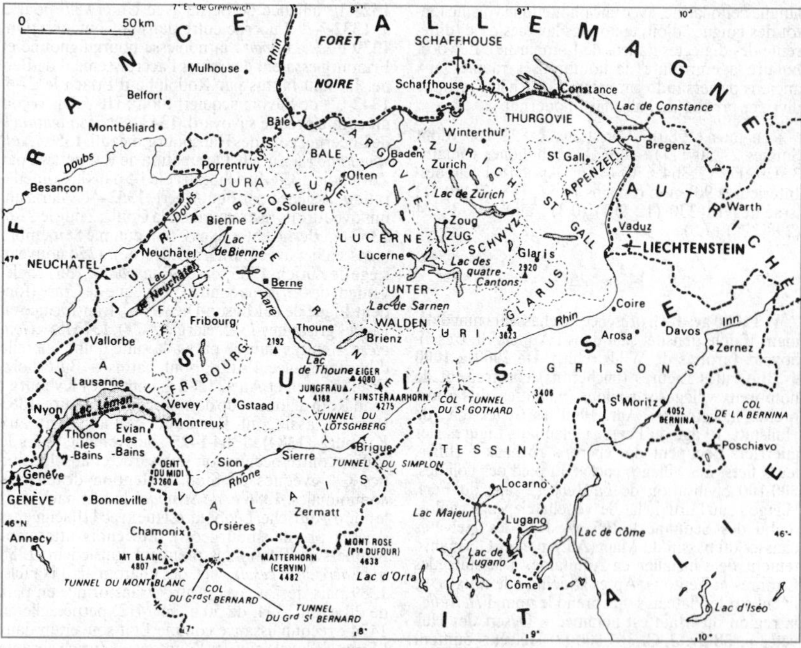

la vallée de l'Engadine (long. 90 km, larg. 2 km)]. **Jura** (10 %, alt. max. Mt Tendre 1 679 m) : altern. de synclinaux et d'anticlinaux parallèles et réguliers (monts et vaux) coupés par des vallées transversales (combes). **Plateau suisse** (Mittelland, entre Alpes et Jura). Non plissé au N. (dépôt de mollasses du Miocène), plissé au S. (collines préalpines ; altitude maximale Napf 1 408 m).

Climat. Tempéré ; méditerranéen au S. des Alpes ; semi-méd. avec influence océanique autour du Léman ; continental au N.-E. ; semi-cont. avec infl. océanique au N.-O. La temp. moy. diminue de 0,59 °C par 100 m d'altitude (1 °C pour 177 m d'alt.). Une grande partie du territoire peut être classée comme de climat *alpestre.* Le *fœhn* venu de l'Adriatique, frais et humide sur les pentes S. des Alpes, devient sec et chaud en redescendant les pentes N., par suite d'un phénomène de compression ; il contribue à élever la température moyenne dans les régions montagneuses de Suisse et d'Autriche. Il souffle en moy. 34 j par an (hiver 9, printemps 11, été 4, automne 10).

Démographie

Population (en millions). *1600 :* 1,1, *1930 :* 4,05, *1950 :* 4,69, *1980 :* 6,37, *1987 :* 6,61, *1988 :* 6,67, *89 :* 6,72, *90* (est.) : 6,71, *prév. 2000 :* 6,81, *2005 :* 6,88. **Âge.** *– de 19 a. :* 24 %, *+ de 65 a. :* 15 %. D. 161 (250 en ne tenant compte que du terr. habité de façon permanente). En 1989 : *naissances* 12,2 ‰ ; *décès* 9,2 ‰ ; *mariages* 6,8 ‰ [Suisse-Suissesse 31 019, Suisse/Étr. 6 731, Étr./Étr. 3 833, Étr./Suissesse 3 483]. *Divorces* (89) 12 720.

Étrangers (en milliers). *1880 :* 211 (7,5 % de la pop.), *1910 :* 552 (14,7), *30 :* 356 (8,7), *50 :* 285 (6,1), *60 :* 585 (10,8), *64 :* 1 065 (16,8), *71 :* 1 000 (17), *74 :* 1 075, *83 :* 926 (14,5), *85 :* 940 (14,6 ; 22,3 % de la pop. active). *88 :* 1 033 (16,4) + 142 300 frontaliers. *89 :* 1 126 dont Italiens 36,5, Youg. 11,2, Espagnols 11, Allem. 7,8, Portugais 6,6, Turcs 5,7, *Français 4,7,* Autrichiens 2,7, Anglais 1,6, Hollandais 1,1, Américains 0,9, Grecs 0,8, Vietnamiens 0,7, Belges 0,5, Polonais 0,5, Tchèques 0,5, Hongrois 0,4, Suédois 0,4, autres pays 6,3. **Demandes d'asile.** *1986 :* 21 500, *87 :* 24 300 (dont Turcs 58 %), *88 :* 30 063, *89 :* 40 106.

Acquisition de la citoyenneté Suisse. *1985 :* 14 393, *86 :* 14 416, *87 :* 12 370, *88 :* 11 356, *89 :* 10 342 dont naturalisation 6 863 (dont ordinaire 6 445, réintégration 41, facilitée 377), reconnaissance de citoy. 388, mariage avec citoyen suisse 2 488, adoption 603.

Mesures prises. 1977, par référendum, les Suisses repoussent par 1 182 820 v. contre 495 904 un projet proposant de réduire le % d'étrangers vivant en Suisse à 12,5 %. La limitation à 4 000 par an des naturalisations est aussi rejetée. *Dep. 1980,* la S. cherche à stabiliser le nombre des étrangers. Certains ont une autorisation de séjour à l'année, d'autres une autorisation d'établissement (pouvant alors résider en S. pour une durée illimitée et exercer librement une activité lucrative). **1988** (déc.) permis annuels 238 600, d'établissement 753 400, saisonniers 76 200, frontaliers 142 300, fonctionnaires internat. 26 200. Référendum : limitation de l'immigration rejetée par 67,3 % des voix.

☞ Il existe 26 régimes de naturalisation différents (1 par canton). Un candidat doit justifier de 12 ans au moins de séjour en Suisse (les années entre 10 et 20 ans comptant double), se soumettre à des enquêtes et à des examens pour prouver qu'il a bien assimilé la mentalité locale. Des facilités sont accordées aux conjoints d'un(e) Suisse. Les enfants d'un Suisse ou d'une Suissesse sont suisses dès leur naissance, quelle que soit la nationalité de l'autre parent.

Suisses établis à l'étranger (86). 402 785 [dont 251 506 avec double nationalité, 151 279 avec nationalité suisse seulement], dont en Europe 241 660, Amér. 114 418, Afr. 17 153, Australie et Océanie 17 034, Asie 12 520. *De 1850-88 :* 290 000 Suisses ont émigré ; à partir de 1890, le mouvement se renverse.

Env. 1 000 000 de soldats s. servant à l'étranger sont morts au combat de la fin du Moyen Age aux g. napoléoniennes (voir Index). Le régiment des gardes suisses joua un rôle capital au début de la Rév. fr. Des gardes suisses assurent depuis des siècles la protection du Vatican.

Villes [en 1989 et, entre parenthèses agg. en 86]. *Berne* 135 825 h. (301 316), Zurich 347 021 (840 313) (à 95 km), Bâle 171 465 (363 029) (67 km), Genève 167 934 [382 000 (85)] (127 km), Lausanne 124 897 (262 217), Winterthur 85 882 (107 812), St-Gall 73 889 (125 879), Lucerne 59 932 (160 594), Bienne 52 038 (82 544), Thoune 37 817 (77 536), La Chaux-de-Fonds 36 107, Köniz 35 670, Schaffhouse 34 101 (53 902), Fribourg 34 089 (56 839), Neuchâtel 32 757 (66 142), Coire 31 078.

Langues. *Nationales (%) :* allemand 65, français 18,4, italien 9,8, romanche 0,8. *Autres* 6.

Langues parlées : allemand 4 140 901 (dont Suisse 3 986 955), français 1 172 002 (1 088 223), italien 622 226 (241 758), romanche 51 128 (52 238), autres 379 203 (53 812).

Nota. – La limite du français et de l'allemand, qui était sur l'Aar au Ve s., a reculé sur la Sense au IXe s. (1re poussée germanique), la Sarine au XIIIe s. (2e poussée), la Thielle au XVIIIe s. (3e poussée). Dans la hte vallée du Rhône, Brigue est devenue germanophone lors de la 1re poussée, Raron et Visp lors de la 2e, Loèche et Sion (enclave) lors de la 3e.

On distingue 12 patois *franco-suisses* dont aucun n'est une langue écrite et publiée (sauf pamphlet et satire) et 6 dialectes *germano-suisses* (alémaniques) utilisés, notamment dans la presse (80 % des germanophones utilisent couramment un dialecte local). Depuis 1945, une langue suisse alémanique commune, le *Schwyzerdütsch,* s'impose à côté des 6 dialectes locaux.

Le *romanche* est un parler « rhéto-roman » divisé en romanche proprement dit (Grisons) et en *ladin* (Engadine). Les tribus de la Rhétie étaient en grande partie celtiques et le romanche moderne est une langue celto-latine, avec une phonétique voisine tantôt des langues d'oïl, tantôt des langues d'oc (différente des dialectes italiens de Lombardie). Le vocabulaire a emprunté de nombreuses racines aux anciens parlers indo-européens des Rhètes (groupe illyrien, proche de l'albanais moderne).

Religions (1980). Protestants 2 822 266 (dont Suisses 2 730 111) (44,3 %) ; catholiques romains 3 030 069 (2 364 670) (47,6 ; Appenzell Rhodes-Intérieures 90), non romains 16 571 (15 675) (0,3) ; israélites 18 330 (12 201) (0,3) ; autres 478 724 (298 329) (7,5).

Histoire

V. 12000 av. J.-C. présence de chasseurs magdaléniens [faible densité, sauf dans l'Appenzell, très giboyeux (grottes de Wildkirchli)]. **De 2000 à 1000 av. J.-C.** des Ligures (bûcherons) construisent de nombreux villages sur pilotis (palafittes, dits à tort « cités lacustres »). **Apr. 1000** les Celtes (civ. de Hallstatt, 1er âge du Fer) se mêlent aux Ligures : les guerriers occupent des éperons rocheux fortifiés, leurs fiefs, des villages enclos au pied des collines. **500-100** civilisation de *La Tène* (2e âge du Fer), village s., au bord du lac de Neuchâtel, péage gaulois (tribu des Séquanes). **105 av. J.-C.** les Helvètes chassés du bassin du Main (All.), par les Germains, tentent de s'installer en Aquitaine, à la suite des Cimbres et Teutons. Après la défaite de ceux-ci, se fixent sur le Plateau s. qui prend le nom d'*Helvétie ;* la région du Main est nommée « Désert des Helvètes ». **58 av. J.-C.** 363 000 (?) Helvètes quittent la S. pour coloniser la Saintonge. Battus par César à Bibracte chez les Éduens, ils sont refoulés sur le Plateau s., réduits à 110 000. **57 av. J.-C.-407 apr. J.-C.** période romaine : le Plateau s. forme la cité des Helvetii, cap. Aventicum (Avenches). Au N.-E., cité des Rauraci, cap. Vindonissa (Windisch). Bâle (Basilea) fondée. Au S.-E., dans les montagnes, province celto-illyrienne de Rhétie, cap. Curia (Coire). **381** 1re mention d'un évêque suisse, Théodore, év. d'Octodurum (Martigny). **Apr. 407** Alamans occupent Helv. orientale jusqu'à l'Aar (les 2/3). **443** Burgondes installés comme colons en Helv. occidentale (1/3). **496** Francs, maîtres de l'All., battent Alamans et annexent Helv. alémanique à Franconie. **532** roy. des Burgondes annexé à Francie occidentale (reste romanophone). **614** St Gall (Irlandais) fonde l'abbaye de ce nom, future principauté. **843** *tr. de Verdun,* Helv. alémanique fait partie du duché d'Alémanie (roy. germ.) ; Burgondie, de la Lotharingie. **888** démembrement de l'Empire carolingien : partie lotharingienne de la S. appartient au roy. de « Bourgogne Transjurane » de Rodolphe, Cte d'Auxerre, puis (933) au roy. d'Arles. **934** Rodolphe II achète roy. d'Arles, et englobe Bourg. Transj. dans roy. de Bourg.-Provence. **1033** emp. Conrad II hérite du roy. de Bourg.-Pr., désormais rattaché à l'Empire germ. **1097** ducs de Zaehringen deviennent recteurs de Bourg. **1191** Berthold V fonde Berne. **1205** l'abbé de St-Gall Pce d'Empire ; son fief comporte l'Appenzell. **1218** extinction des Zaehringen : leurs fiefs bourg. et alémaniques (50 % de la Suisse, du Léman au lac de Constance) passent aux Ctes de Kybourg, puis, par mariage, aux Habsbourg. Berne, Zurich et Soleure obtiennent l'immédiateté impériale (c.-à-d. le privilège de relever directement de l'emp.) ; Genevois et Bas-Valais sont aux Ctes de Savoie. **1231** vallée d'Uri reçoit l'immédiateté impériale, échappant à la suzeraineté des Habsbourg. **1240** emp. Frédéric II accorde immédiateté impériale à Schwyz. **1273** Rodolphe de Habsbourg devient emp. et remet en cause immédiatetés suisses. **1291** alliance perpétuelle des pays d'Uri et de Schwyz (immédiats) avec moitié de l'Unterwald (Nidwald), non immédiat, fief des Habsbourg. Plus tard, l'autre moitié de l'Unterwald (Obwald), non immédiat, s'y joint. Combat contre les Habsbourg pour maintenir immédiateté de Schwyz et Uri, et la faire obtenir à Unterwald. **1298** Bernois vainqueurs des vassaux habsbourgeois (notamment milices de Fribourg) à Donnerbühl et près d'Oberwangen ; Petite Alliance entre Berne, Bienne, Morat et Soleure.

1307-*10-11* épisode de *Guillaume Tell* [milicien condamné par le bailli habsbourgeois Gessler (pour avoir refusé de le saluer) à faire tomber d'un coup de flèche une pomme placée sur la tête de son fils ; même anecdote racontée par les sagas norvégiennes (XIe s.) ; reconnu légendaire, cet épisode a été retiré des manuels d'histoire en 1901]. **1309** l'emp. élu Henri VII de Luxemb. accorde immédiateté à Unterwald (sous forme d'un pseudo-« renouvellement »). **1310-14** Schwyzois prennent bailliage autr. d'Einsiedeln. **1315**-*15-11* victoire des Confédérés à Morgarten. -*9-12* renouvellement de l'alliance (à Brunnen). **1323** 1re alliance de Berne avec Unterwald pour 3 a. **1332**-*7-11* Lucerne entre dans la Confédération. **1339** *g. de Laupen :* la noblesse bourguignonne et Fribourg essaient de freiner l'accroissement de Berne. Ils sont battus par Rodolphe d'Erlach le *21-6.* **1342** Cte de Savoie acquiert Sion ; Ht-Valais reçoit un comte-évêque savoyard. **1343** *« Nuit sanglante »* de Lucerne ; parti des Habsbourg anéanti. **1350** *« Nuit sanglante »* à Zurich. Occupation de Rapperswil par Zurichois. **1351** Zurich, entrée le 1-5 dans la Confédération, assiégée par duc Albert. **1352**-*4-6* Glaris admis avec droits restreints dans la Conf. ; Zoug le *27-6.* **1353**-*6-3* Berne entre dans Conf. comme 8e membre (sans s'allier avec Zurich ni Lucerne). **1354** nouveau siège de Zurich. **1355** *paix de Ratisbonne.* **1367** soulèvement des Grisons contre Cte-évêque de Coire (fondent Ligue de la Maison-Dieu *1367,* transformée en Ligues grisonnes *1395,* élargie *1424*). **1375** les *« Gouglers »,* entrés dans le pays à la suite d'une querelle d'héritage avec l'Autr., sont battus à Buttisholz, Fraubrunnen et Anet. **1382** g. contre les Kybourg : Jean Roth déjoue coup de main contre Soleure. **1383** Bernois assiègent Berthoud et l'achètent aux Kybourg **(1384). 1384-1425** soulèvements dans le Valais contre occupation savoyarde et absolutisme des Ctes-évêques de Sion. Obtention de chartes communales. **1386** *g. de Sempach* [à Sempach (9-7) le duc d'Autriche, Léopold, est tué avec 110 seigneurs suisses pro-habsbourgeois]. Zurichois attaquent Rapperswil, Schwyzois prennent Einsiedeln. **1388** *massacre de Weesen ;* vict. des Glaronnais à Næfels. **1389** paix de 7 a. avec Autr. : transformée en paix de 20 a. en 1394, de 50 a. en 1412, perpétuelle en 1474 : reconnaissance comme État souverain dans l'Emp. de la « Ligue des 8 cantons » (Zurich accepte d'abord l'alliance avec Berne ; puis son maire, Schöno, quitte la Ligue et s'allie avec l'Autriche *(1393-95),* réintègre la *Ligue (1395).* **1393** *« Convenant de Sempach »,* 1re loi milit. suisse, assurant la protection des civils.

1401-29 *g. d'indép. de l'Appenzell,* [alliance avec la ville de St-Gall (1401) contre le Pce-abbé ; victoire des Appenzellois à Vögelinsegg (1403), au Stoss (1405) ; déf. de Bregenz (1408) ; entrée dans la Conf. comme État protégé (1411) ; indép. reconnue par Pce-abbé (1429)]. **1403-40** *politique du Gothard :* g. contre duc de Milan et conquête de la Léventine et du Val d'Ossola (1426) malgré la déf. d'Abedo (1422). **1405** *grand incendie de Berne.* **1414-18** concile de Constance met un terme au schisme d'Occident. **1415** Frédéric de Habsbourg, partisan du pape schismatique Jean XXIII, mis au ban de l'Emp. : les confédérés envahissent Argovie autr. **1436** Ligue des Dix Juridictions fondée à Davos (8-6). **1436-50** 1re g. de Zurich [Alter Krieg, « vieille g. » (par opposition à celles de 1529-31)] : l'héritage du Cte de Toggenbourg oppose Zurich aux autres cantons. Ses troupes sont battues en **1443** à St-Jacques-sur-la-Sihl. **1444** massacre de Greifensee. -*26-8* déf. de St-Jacques-sur-la-Birse : le dauphin (futur Louis XI) appelé par les Autr. au secours de Zurich assiégée, écrase Confédérés, puis signe avec eux une alliance. Zurich délivrée réintègre la Conf. **1450** paix (répartition entre cantons des fiefs Toggenbourg). **1451** le Pce-abbé de St-Gall entre dans la Conf. **1460** profitant de la querelle entre pape et duc Sigismond, les Conf. prennent Thurgovie (annexée **1468**). **1474-77** Berne entraîne Conf. dans g. de Bourgogne. **1474** paix perpétuelle avec Autr. ; bailli Hagenbach exécuté. **1475**-*13-10* vict. de la Planta : Savoyards chassés du Valais. **1476** Charles le Téméraire vaincu le -*2-3* à Grandson, le *22-6* à Morat ; tombe devant Nancy en **1477. 1478** expédit. vict. contre Bellinzone. Milanais battus à Giornico. **1481**-*22-12* entrée de Fribourg et de Soleure dans Conf. **1498** Grisons, hostiles au Tyrol, deviennent pays allié. **1499** *g. de Souabe,* après le refus des Suisses de reconnaître la Chambre imp. de justice et de payer le denier commun. Vict. de Bregenz, Luziensteig, Bruderholz, Schwaderloh, Frastenz, Calven et Dornach. - *22-9 tr. de Bâle :* les cantons cessent de dépendre des tribunaux et des services fiscaux de l'Emp. (indépendance de fait).

1501 Bâle et Schaffhouse entrent dans la Conf. : neutralité dans la g. d'Italie (Frédéric II/Louis XII). **1511** Matthieu Schinner, év. de Sion, conclut alliance pape et Conf. pour chasser Fr. de Milan. **1512** conquête de Milan ; duc Sforza se met sous le protectorat des S. et leur donne Tessin et Valteline. **1513** vict. de Novare. Appenzell devient 13e canton. **1515** défaite Suisse à Marignan impose leur neutralité ; Mulhouse s'allie à la Conf., tout en restant ville impériale. **1516** *paix perpétuelle avec Fr.* **1519** Zwingli commence à prêcher à Zurich. **1523** 67 thèses de Zwingli : Réforme introduite à Zurich ; **1524** en Thurgovie, à St-Gall (Pce-abbé chassé), Bâle, Schaffhouse, Soleure et Berne. **1527** sac de Rome : mort héroïque de la Garde pontificale suisse. **1528** Berne, Glaris, St-Gall, Schaffhouse adoptent Réforme. **1529** *1re g. de religion* (*g. de Cappel :* paix de compromis entre cath. et zwingliens). **1531** *2e g. de Cappel,* provoquée par Zwingli, réclamant droit de prêcher dans cantons cath. ; mort de Zwingli ; 2e paix nat. [cath. maintiennent leurs positions (Pce-abbé de St-Gall rétabli)]. **1536** Calvin introduit Réforme à Genève ; Jean-Fr. Nageli conquiert canton de Vaud. **1541** Calvin fonde à Genève un régime politico-religieux d'une grande austérité. **1555** l'Aragonais Michel Servet, antitrinitaire, exécuté. **1569** *tr. de Thonon :* Savoie renonce au Valais. **1584-86** *alliance perpétuelle* (Genève, Berne et Zurich). **1586**-*5-10* la *Ligue Borromée,* ou *Ligue d'Or* réunit les 7 cantons cathol. [nom du card. Charles Borromée (1538-84), archev. de Milan, qui avait eu le Tessin sous sa juridiction]. **1597** Appenzell partagé en 2 demi-cantons (Rhodes-Extér. prot., Rh.-Int. cathol.).

1620-39 *g. de la Valteline* [épisode de la *g. de Trente Ans (1618-48)*: **1620** conquête par les Esp. ; massacre des prot. (600 †) ; **1624-27 :** conquête par les Fr. (alliés des Grisons) ; **1627-31 :** reprise par Esp. et troupes pontificales. **1635-37 :** reconquise par Fr. ; **1639** attribuée aux Grisons (condition : maintien du catholicisme)]. **1647** « Défensional de Wil », Constitution milit. suisse complétée en 1668. **1648** paix de Westphalie, l'indép. des cantons vis-à-vis de l'Emp. all. est reconnue juridiquement ; Neuchâtel érigé en principauté souveraine, mais le Pce-abbé de St-Gall devient Pce suisse ; Mulhouse, cessant d'être ville impériale, devient, de fait, une rép. suisse. **1653** *g. des paysans :* Nicolas Leuenberger et Christian Schybli exécutés. **1656** *1re g. de Villmergen :* cantons cath. conservent leurs positions. **1663** alliance de cantons conf. avec Louis XIV. **1685** révocation de l'édit de Nantes : huguenots affluent.

1707 principauté de Neuchâtel attribuée à la maison de Prusse. **1712** *2e g. de Villmergen* (troubles du Toggenbourg) : influence des cantons prot. ; dans les bailliages communs, principe de la parité. **1715** *« Trucklibund » :* alliance des cantons cath. avec Fr. [modifié en 1777 par Vergennes (*tr. de Soleure*) : tous les cantons (cath. et prot.) alliés.] **1721-84** soulèvements contre patriciats : **1721** paysans du Werdenberg contre Glaris ; **1723** Major Davel à Lausanne ; **1740** Pierre Péquignat à Porrentruy ; **1749** « Bürgerlärm » à Berne (Samuel Henzi) ; **1754** en Léventine ; **1781** révolte des paysans fribourgeois (Chenaux). **1729-84** luttes pour le pouvoir à Zoug, Lucerne, Schwyz, Appenzell, Rhodes-Int. **1792**-*10-8* défense de la Garde suisse aux Tuileries. -*19-11* Rép. rauracienne (Porrentruy). **1793**-*10-3* son Assemblée vote pour la réunion à la Fr. **1794-95** Affaire de Stäfa. Réconciliation avec abbaye de St-Gall. **1797** Pierre Ochs, César de La Harpe et Mengaud travaillent au renvers. de la Conf. Bonaparte occupe Valteline et l'incorpore à la *Rép. cisalpine,* fait occuper l'évêché de Bâle. **1798** Fr. annexent Mulhouse et occupent pays de Vaud, Soleure et Fribourg. Dernière diète à Aarau. -*5-3* chute de Berne (Neuenegg, Fraubrunnen, Grauholz) : écroulement de l'ancienne Confédération. **1798-1803** *Rép. helvétique* (État unitaire) : lutte contre la résistance des cantons montagnards. **1798**-*9-9 « Jour d'horreur »* dans le Nidwald. Pestalozzi à Stans. **1799** révoltes contre gouv. helvétique. La S., théâtre des g. européennes.

1802 Gal suisse Andermatt fait bombarder Zurich ; gouv. helvétique expulsé après la *« g. des Bâtons » (Stecklikrieg).* Luttes entre unitaires et fédéralistes. **1803** Acte de Médiation : Conférence des 19 cantons avec Bonaparte comme médiateur (St-Gall devient canton laïque ; le dernier Pce-abbé, Pancrace, exilé à Muri). **1804** *G. du Bocken* (troupes féd. contre paysans révoltés d'Affoltern et Horgen). **1810** Napoléon annexe Valais à la Fr. **1812 :** 8 000 Suisses meurent dans la retraite de Russie (Berezina). **1813** suppression de l'Acte de Médiation. **1814-15** *« Longue Diète de Zurich »* et nouveau pacte fédéral : rétablissement des pouvoirs aristocratiques et de l'ancienne conf. d'États. **1815** *Congrès de Vienne :* Genève, Valais et Neuchâtel [qui demeure fief personnel du roi de Prusse (statut mixte)] entrent dans la Conf. Reconnaissance de la neutralité s. Perte de Valteline, Mulhouse et val d'Ossola. Genève annexe 6 communes fr. (Pays de Gex) et obtient la franchise douanière dans une zone d'env. 2 000 km² au Pays de Gex et en Hte-Savoie. L'ancien évêché de Bâle intégré au canton de Berne (Jura bernois). **1816** *tr. de Turin.* Genève annexe 16 communes savoyardes. **1830** le Mémorial de Küsnacht réclame « la souveraineté populaire par la représentation populaire » : renversement des patriciats [Thurgovie, Zurich (journée d'Uster), St-Gall, Lucerne, Soleure, Schaffhouse, Argovie, Vaud], nouvelles Constitutions libérales. **1831** frères Schnell convoquent l'assemblée pop. de Münsingen ; patriciens bernois cèdent la place à un gouv. libéral. Troubles à Bâle, qui se sépare en 2 demi-cantons. **1839** affaire Strauss et putsch de Zurich ; gouv. et Gd Conseil zur. remplacés par des libéraux conserv. **1841** Lucerne se donne une Constitut. conservatrice. Suppression des couvents d'Argovie et expédition de « corps francs » contre Lucerne, alliance des cantons conservateurs. **1844** combat du Trient : le Ht-Valais cons. dirige le canton. Lucerne rappelle les jésuites. **1845** 2e expédition des corps francs contre Lucerne, soutenue par les cantons libéraux (déf. de Malters : 104 †, 1 800 pris.). Alliance de la S. primitive avec Fribourg et Valais. **1847** Diète à Berne : réforme du Pacte fédéral, suppression du Sonderbund, expulsion des jésuites. Gal Henri Dufour (100 000 h.) termine en 26 j la *g. du Sonderbund* contre Gal de Salis-Soglio [85 000 h. (pertes : fédérales 78 †, 260 bl., séparatistes 24 †, 116 bl.)]. **1848** nouv. Constitut. fédérale acceptée. Soulèvement et victoire des républicains dans la principauté de Neuchâtel. **1856** coup de main des royalistes prussiens à Neuchâtel ; contre-attaque des rép. La Prusse menace d'entrer en g. ; Napoléon III intervient. **1857**-*26-5* roi de Prusse renonce à ses droits (tr. de Paris). **1856-70** mouvements pop. contre libéraux-radicaux (*1856*, Soleure ; *1861-64* Genève, renvers. de la dictature Fazy ; *1864* Bâle-Campagne, où pour la 1re fois le référendum obligatoire et le droit d'initiative sont introduits ; *1867* Zurich ; suivent jusqu'en *1870 :* Thurgovie, Argovie, Soleure, Lucerne, Berne ; plus tard, référendum obligatoire ou facultatif, droit d'initiative et élection directe du gouv. sont également adoptés par autres cantons). **1859** interdiction du service mercenaire. **1860** malgré le tr. de 1564 et les revendications suis., la Savoie est rattachée à la Fr. ; la zone franche savoyarde (Chablais et Faucigny) est maintenue sous régime français. **1862** accord avec la Fr. sur la vallée des Dappes. **1864**-*22-8* 1re *Convention de Genève* (12 États signataires, but : amélioration de la cond. des mil. blessés). **1868** 1re grève en S. (Genève). **1870-71** g. franco-all. : troupes s. occupent frontière. Internement de l'armée fr. de Bourbaki (100 000 h.). **1871** *Kulturkampf* [ou « combat pour la civilisation », anticatholique de Bismarck, en Allemagne, influence en Suisse (Berne, Soleure, Genève)] : un régime conservateur remplace le gouv. libéral à Lucerne puis au Tessin en 1875. **1874** nouvelle Const. féd., favorable à un renforcement de la centralisation, acceptée. **1875** tribunal féd. créé à Lausanne. **1883** fin du *Kulturkampf.* **1890** soulèvement au Tessin contre conservateurs : intervention de la Conf. et introduction du système proportionnel. **1893-95** g. douanière avec Fr. [la Chambre des dép. fr., gagnée au protectionnisme, rejette le tr. de commerce (conclu en juill. 1892) détaxant certains produits s. La S. riposte en surtaxant les produits français].

1909-*11* séparation de l'Égl. et de l'État à Genève et à Bâle-ville. **1914-18** mobilisation sous les ordres du Gal Wille. **1918** grève gén. **1919**-*8-11* système proportionnel pour élect. au Conseil nat. ; semaine de 48 h dans entreprises industrielles. **1920** entre à la SDN [référendum (416 870 oui, 323 719 non)] ; principe de neutralité confirmé par la *déclar. de Londres.* **1921** création de l'Office du travail. **1924** convention arbitrale avec Fr. au sujet des zones franches de Savoie. **1925** fondation de Migros (transformée en coopérative en 1940) par Gottlieb Duttweiler (1888-1962). **1929** adhésion au pacte Kellog : renonciation au recours à la g. **1931** la Cour intern. de La Haye soutient la plainte suisse au sujet de la Savoie. **1932**-*9-11* émeute à Genève : 13 † (la droite avait organisé un meeting contre 2 révolutionnaires genevois : Léon Nicole et Dicker ; les socialistes les attaquent, la police tire ; Nicole est arrêté). **1936** dévaluation du franc. **1939-45** mobilisation sous les ordres du Gal Guisan (1874-8-4-1960). **1940** internement de troupes fr. et polon. **1943** 1er conseiller féd. socialiste : Ernest Nobs. **1945** fin 2e g. mond., démobilisation ; la S. ayant été déçue par la SDN et s'estimant empêchée par son statut de neutre, renonce à organiser un référendum sur une entrée éventuelle à l'ONU. **1950** adhésion à l'OECE. **1959** adh. provisoire au GATT ; vote des femmes adopté (Vaud, puis 1960 Neuchâtel et Genève). **1960** adhésion à l'AELE. **1961** à l'OCDE. **1963** au Conseil de l'Europe. **1971**-*7-2* référendum pour vote des femmes en matière d'él. et de votation féd. (621 109 oui, 323 882 non) ; Uri, Schwyz, Obwald, Glaris, St-Gall, Appenzell ont une majorité de non. *-30/31-10* les femmes votent aux législatives. *-3-12* référendum sur l'accord de libre-échange pour prod. ind. avec la CÉE : votants 52,9 %, 1 344 994 pour, 509 465 contre. **1972**-*22-7* signature accords avec CÉE (*3-12* approuvée par vote). **1974**-*20-10* référendum sur projet de loi visant à ramener en 3 a. de 1 million à 500 000 le nombre d'étrangers en S. : double rejet par 1 691 632 voix (65,79 %) contre 878 739 (34,21 %) et les 22 cantons. *Mai* à Zurich, contestation des jeunes (origine : protestation contre une subvention de 150 millions de F à l'Opéra) ; bagarres chaque week-end jusqu'à mars 81. **1977** référendum : peuple et cantons adoptent, 976 839 voix contre 504 924, le recours au référendum pour certains traités importants. **1978**-*24-9* création du canton du Jura. **1979** référendum : rejet du droit de vote à 18 ans au niveau fédéral (au lieu de 20).

1980 *mars* référendum refusant séparation Église/État. **1981**-*5-4* réf. rejetant par 83,8 % de non un projet de réforme du statut des immigrés. *-14-6* réf. acceptant projets sur l'égalité entre hommes et femmes et la protection des consommateurs. **1982**-*6-6* réf. rejetant projet de loi sur travailleurs étrangers. **1983**-*14/16-4* visite du Pt Mitterrand (1re visite off. d'un Pt Fr. dep. Fallières les 15/16-8-1910). **1984**-*28-2* réf. sur projets : relatif aux objecteurs de conscience (64 % non) ; *-20-5* limitant secret bancaire (73 % non) ; *-12/17-7* voyage du pape Jean-Paul II. *-23-9* réf. antiatomique et énergétique (55 % non) ; *-2-10* Elisabeth Kopp (n. 1936), radicale 1re femme élue conseillère féd. (124 v. contre 95 à Bruno Hunziker). Devient min. de la Justice. *-2-12* réf. concernant assurance maternité (84 % non). **1985**-*1-1* Conseil fédéral limite vitesse à 120 km/h sur autoroute et à 80 sur route pour 3 ans (définitif en 1987). Réf. sur *-10-3* nouvelle répartition des tâches entre Conféd. et cantons [2 acceptés, 1 repoussé (les bourses d'études ne seront pas exclusivement cantonales)] ; *-9-6* projet « droit à la vie » (contre l'avortement) (69 % non) ; *-22-9* garantie des risques à l'innovation (57 % non), nouveau droit du mariage (55 % oui) ; *-1-12* suppression de la vivisection (70 % non). **1986** réf. sur *-13-3* adhésion à l'ONU (1 591 150 non, 511 713 oui) ; *-28-9* culture (projets repoussés) et formation prof. (82 % non) ; économie sucrière (62 % non) ; *-7-12* protection des locataires (oui 2/3). **1987**-*5-4* droit de référendum en matière de crédits d'armement (non 59,4 %), de restrictions à la loi d'asile (67,4 % oui). *-18-10* élection du Conseil national. Possibilité de voter simultanément oui à l'initiative et au contre-projet (62 % oui) ; *-6-12* développement des transports RAIL 2000 (57 % oui), révision assurance-maladie et maternité (71 % non), protection des marais (58 % oui). *-6-12 :* abaissement de l'âge de la retraite de 65 à 62 ans pour les hommes, et de 62 à 60 ans pour les femmes : 65 % non. **1988**-*4-12* initiative sur semaine de travail de 40 h. (68,5 % non), sur limit. de la spéculation foncière (69 % non). *-12-12* Elisabeth Kopp, min. de la Justice (P. radical) démissionne (aurait averti son mari d'enquête sur le « blanchiment » de 1 million de $ venant de la drogue) et doit renoncer au poste de vice-pte de la Confédération prévu en 1990. **1989**-*27-2* Conseil nat. lève à l'unanimité l'immunité d'E. Kopp. *-26-11* référendums : 1) suppression de l'armée rejetée [68 % de participation : non 64,4 %, oui 35,6 % (Genève 50,4 %, Jura 55,5 %)] ; les partis s'y opposent, sauf socialistes (pas de mot d'ordre), extrême gauche et Jeunesses socialistes (si accepté : licenciement de 20 000 employés et 1 800 instructeurs et 625 000 citoyens-soldats libérés des obligations militaires. Économie : 1/5 env. du budget de la Confédération). 2) relèvement des limitations de vitesse de 120 à 130 km/h sur autoroute et de 80 à 100 sur route. **1990**-*22-2* E. Kopp acquittée (simple amende). *-29-4* réf. *Sept.* pétitions pour entrée dans CÉE (partisans 68,8 % en Suisse romande, et 39,3 en S. alémanique). *-23-5* hold-up à l'Union des banques suisses à Genève (31,3 millions de FS volés). *-29-5* auteur arrêté. *-23-9* réf. sur le nucléaire [52,9 % pour son maintien (18 cantons sur 26), 65 % contre (à Genève), 54,6 % pour un moratoire de 10 ans sur la construction de nouvelles centrales (69,2 % à Genève, 22 cantons pour), 52,8 % pour l'interdiction des détecteurs de radars et le retrait du permis pendant 2 mois minimum pour refus de prise de sang]. *-26-9* crucifix interdit dans les écoles (contraire à la neutralité constit.). *Déc.* fermeture des parcs pour drogués (Platzspiz de Zurich et Kleine Schanze de Berne). **1991**-*3-3* référendum : 72,8 % pour le droit de vote à 18 ans (au lieu de 20, uniquement au niveau fédéral).

Politique

Statut. Rép. État *fédératif.* **Constitution** de 1848 révisée 1874. Il faut au moins 100 000 électeurs pour en demander la révision (totale ou partielle). **Fête nat. :** 1-8 (serment du Grutli en 1291 : alliance entre les peuples des vallées d'Uri, de Schwyz, d'Unterwald). **Drapeau :** adopté 1848 : croix blanche sur fond rouge (origine XIVe s.).

Législatif. **Assemblée fédérale** formée de : *Conseil des États :* 46 m. (2 par canton, 1 par demi-canton). Élection au système majoritaire sauf Confédération, le canton du Jura (él. se déroulant à la proportionnelle). *Conseil national :* 200 m. élus p. 4 a. Grands cantons : Zurich 35 sièges, Berne 29 ; petits : Uri, Nidwald, Obwald, Glaris et Appenzell Rhodes-Intérieures 1 [él. avec système majoritaire (dans les 21 autres, él. à la proportionnelle avec méthode du quotient)].

Élections **(18-10-87) :** abstentions : 53,4 %. *% des voix :* socialistes 19 ; radicaux 22,9 ; dém.-chrétiens 19,7 ; Union dém. du centre 11 ; indépendants 4,2 ; libéraux 2,7 ; progressistes 4,1 ; évangéliques 1,9 ; P. du travail 0,8 ; automobilistes 2,6 ; écologistes 5,2 ; autres 5,9. *Sièges. Conseil national* (et *c. des États*) : dém.-chrétiens 42 (17) ; radicaux 51 (15) ; socialistes 42 (5) ; Union dém. du centre 25 (4) ; indép. et évangéliques 12 (1) ; libéraux 9 (3) ; nationalistes 3 (0) ; progressistes et alternatifs 5 (0) ; écologistes 9 (0) ; automobilistes 2 (0). *Total* 200 (46). **Genève.** **(15-10-89) : él. au Grand Conseil** (Parlement cantonal), sur 100 sièges : Parti libéral 22 (+ 3 par rapport à 1985), P. socialiste 21 (+ 3), P. suisse du travail 8 (–), écologistes 13 (+ 5), P. radical-démocr. 13, P. Vigilance 9 (– 10). **(24-3-91) : él. municipales** (sièges et, entre parenthèses en 1987) : partis de « l'Entente bourgeoise » (droite) 40 (40), PLS 21 (17), Alternative-1991 (soc.) 15 (14), PST 14 (10), écol. 11 (11), Vigilance 0 (9).

Exécutif. *Conseil fédéral :* 7 m. élus p. 4 a. par les 2 autres Conseils réunis. Ils élisent le Pt pour 1 a., le vice-Pt lui succède. Sur 7 s., 2 ou 3 sont normalement réservés à des représentants des minorités de langues française et italienne. La réélection, après 4 ans, est généralement assurée. Les membres sont égaux en droit. Le Pt n'agit qu'en tant que « primus inter pares », à côté de diverses obligations de représentation. Les membres du gouv. ne font pas partie du Parlement, ils disposent d'un droit d'intervention (mais pas de décision) [à l'origine d'un seul parti (radicaux), de plusieurs dep. 1891 (dep. 1959 : 2 rad., 2 soc., 2 dém.-chr., 1 dém. du centre)].

Neutralité. Depuis Marignan (1515), la S. a cessé de prendre part aux conflits européens, sa *neutralité* a été reconnue par le Congrès de Vienne en 1815. De nombreuses organisations internationales ont établi de ce fait leur siège en Suisse (ex : Comité international de la Croix-Rouge, BIT, Office européen des Nations unies, UPU, UIT, Org. eur. pour la recherche nucléaire, BRI). La S. est membre de l'UNESCO, mais non de l'ONU.

Initiative et référendum. **Initiative populaire :** permet de faire valoir des idées politiques sous forme de projets d'articles constitutionnels, qui sont ensuite soumis au vote du peuple et des cantons. Pour qu'elle fasse l'objet d'un scrutin, ceux qui l'ont lancée doivent recueillir en 18 mois au moins 100 000 signatures d'électrices et électeurs. *Référendum :* permet de demander l'organisation d'un vote populaire sur une loi fédérale nouvelle ou révisée. Il faut recueillir au minimum 50 000 signatures en 3 mois.

Femmes et politique. *Droit de vote.* Dep. 1971. Appenzell Rhodes-Intérieures : dep. 27-11-1990 (jugement du tribunal féd.) (28-4-91 : 1re participation). *Conseil fédéral :* 1 élue Elisabeth Kopp (1985, a démissionné 12-12-1988). *National :* 29 (sur 290). *Des États :* 5 (sur 46).

Hymne national suisse

Sur nos monts, quand le soleil
Annonce un brillant réveil,
Et prédit d'un plus beau jour le retour,
Les beautés de la patrie
Parlent à l'âme attendrie ;
Au ciel montent plus joyeux
Les accents d'un cœur pieux.

Lorsqu'un doux rayon du soir
Joue encore dans le bois noir,
Le cœur se sent plus heureux, près de Dieu.
Loin des vains bruits de la plaine,
L'âme en paix est plus sereine ;
Au ciel montent plus joyeux
Les accents d'un cœur pieux.

Lorsque dans la sombre nuit
La foudre éclate avec bruit,
Notre cœur pressent encor le Dieu fort ;
Dans l'orage et la détresse,
Il est notre forteresse.
Offrons-lui des cœurs pieux
Dieu nous bénira des cieux.

Des grands monts vient le secours,
Suisse, espère en Dieu toujours !
Garde la foi des aïeux, vis comme eux !
Sur l'autel de la patrie
Mets tes biens, ton cœur, ta vie !
C'est le trésor précieux
Que Dieu bénira des cieux.

Présidents depuis 1970

☞ Présidents de 1939 à 1970 voir Quid 82.

70 Hans Peter Tschudi (1913). **71** Rudolf Gnaegi (1917-85). **72** Nello Celio (1914). **73** Roger Bonvin (1907). **74** Ernst Brugger (1914). **75** Pierre Graber (1908). **76** Rudolf Gnaegi. **77** Kurt Furgler (1924). **78** Willy Ritschard (1918). **79** Hans Hürlimann (1918). **80** Georges-André Chevallaz (1915). **81** Kurt Furgler. **82** Fritz Honegger (1917). **83** Pierre Aubert (1927). **84** Leon Schlumpf. **85** Kurt Furgler. **86** Alphonse Egli (1924). **87** Pierre Aubert (1927). **88** Otto Stich (1927). **89** Jean-Pascal Delamuraz (1936). **90** Arnold Koller (29-8-33). **91** Flavio Cotti (18-10-93) [Vice-Pt René Felber (1933)].

Partis

P. démocrate-chrétien (PDC). *Origine : 1848* les vaincus du Sonderbund, conserv. cathol., ont 8 députés. *1880* Union conservatrice s. *1894* P. populaire cathol. *1912-22-4* P. pop. conservateur s. *1957 févr.* P. cons. chrétien-social. *Déc. 1970* nom actuel. Tous les cantons, sauf Neuchâtel. *Tendance* fédéraliste, chrétienne, sociale ; aile conservatrice, progressiste. *Principes :* liberté, solidarité, subsidiarité. *Slogan :* « Des défis, de l'audace » *Pt* Eva Segmüller. *Membres* 65 000. *Électeurs* (1987) : 378 405.

P. radical-démocratique (PRD). *1948* rôle principal. *1878* groupe créé au parlement fédéral. *1894* p. nat. rassemblant partis cantonaux. *Rayonnement* national, sauf en Appenzell (Rhodes-Int.). Centriste, défenseur des libertés et de l'économie de marché. *Slogans :* « Les radicaux : du cran et du cœur. » « Plus de liberté et de responsabilité – moins d'État. » « les r. : les optimistes réalistes ». *Pt* Franz Steinegger. *Membres* 150 000. *Électeurs :* 440 384.

P. socialiste suisse (S). Organisation nat. *1880* Union syndicale s. *1888* fondation. *1920-10/12-12* scission (refus d'adhérer à la IIIe Internationale). *Rayonnement* nat. sauf Nidwald, Appenzell R.-I. *Tendance* sociale démocr. et réformiste. *Slogans :* « Forts et solidaires » (romand). « Les socialistes : la conscience sociale de la Suisse all. ». *Pt* Helmut Hubacher. *Membres* 42 000. *Électeurs (87) :* 364 182.

Parti suisse du travail (PST). *1920* 1re scission du p. socialiste. *1921* mars P. communiste s. *1939* sections vaudoises et genevoises exclues du *PSS* en raison de l'attitude de Léon Nicole envers l'URSS. *1940-45* interdit par Conseil fédéral. *1944* oct. fondation du P. *Rayonnement :* Genève, Neuchâtel, Vaud, Jura, Tessin, Bâle, Berne, Zurich. *Tendance :* socialisme. *Slogan :* « Vivre mieux et autrement. » *Pt* Jean Spielmann. *Électeurs (87) :* 15 273.

Union démocratique du centre (UDC). *Origine :* opposition à la politique de libre-échange. *1897* Union s. des paysans. *1937* P. s. des paysans, artisans et bourgeois. *1971* sept. fusionne avec p. démocr. *Rayonnement :* Argovie, Bâle-campagne, Berne, Fribourg, Glaris, Grisons, Schaffhouse, Saint-Gall, Thurgovie, Tessin, Vaud, Zurich, Genève, Schwyz, Appenzell Rhodes-Extér., Jura. *Tendance* pour un État politiquement fort ; pour la sauvegarde du fédéralisme. *Slogan :* « Avec courage vers l'avenir. » *Pt* Hans Uhlmann. *Membres* 83 000. *Électeurs (87) :* 213 252.

Parti libéral suisse (PLS). Successeur de l'Union libérale dém. s., f. 1961. Évolue vers le centre, puis la droite au début XXe s. *Rayonnement :* Bâle-ville, Vaud, Neuchâtel, Genève, Fribourg, Bâle-campagne, Valais, Berne. *Tendance :* défend le fédéralisme et la liberté d'action individuelle, opposé à toute ingérence exagérée de l'État. *Pt* Claude Bonnard dep. 22-4-89. *Membres* 15 000. *Électeurs (87) :* 51 844.

Alliance des indépendants (I). *Origine : 1925* Gottlieb Duttweiler (1888-1962) fonde la Migros (principes nouveaux de vente directe). Soutient les candidats sans parti, favorables à ses thèses. *1935* fonde son propre mouvement. *Rayonnement :* Grisons, Neuchâtel, Soleure, Thurgovie, Vaud, Zurich, Berne, Bâle-ville et B.-campagne, Appenzell, Schaffhouse, Lucerne, St-Gall, Argovie. *Volonté :* pour une démocr. réelle et non seulement formelle. *Slogan :* « Écologie, Solidarité, Liberté. » *Pt* Franz Jaeger. *Membres* 6 000. *Électeurs (87) :* 82 235 (4,2 %).

Parti évangélique (PEV). *Fondé 1919. Rayonnement :* Argovie, Bâle-ville et B.-campagne, Berne, Schaffhouse, Soleure, St-Gall, Thurgovie, Zurich. *Objectifs :* indép. de toute Église particulière, tend à créer une société personnaliste d'inspiration chrét. *Pt* Max Dünki. *Électeurs (87) :* 36 970.

Parti républicain suisse. *Fondé 1971 avec le Parti Vigilance* de Genève (f. 1965), mouvement civique et patriotique qui entend respecter les valeurs morales dans la vie publique du pays. *Rayonnement :* Zurich. *Pt :* Franz Baumgartner. *Dissous* 22-4-1989.

Démocrates suisses. *Fondé 1961.* Entend maintenir une S. libre nation vivante et résolue ce qui implique la réduction de l'emprise étrangère. *Pt* Rudolf Keller. *Électeurs (87) :* 56 611.

Organisation progressiste (POCH). *Fondée 1969. Slogan :* « La vie plutôt que le profit. » Programme : prendre des thèses alternatives. *Secr. gén.* Georges Degen. *Électeurs (87) :* 20 714.

Parti écologiste suisse. *Fondé 1983. Rayonnement :* Argovie, Bâle-ville et B.-campagne, Berne, Fribourg, Genève, Glaris, Lucerne, Neuchâtel, St-Gall, Schwyz, Soleure, Thurgovie, Tessin, Valais, Vaud, Zurich. *Pt* Irène Gardiol. *Électeurs (87) :* 107 307.

Vigilance (extrême-droite). *Fondé* 1965. *Secr. gén.* Jacques Andrié. *Voix obtenues à Genève él. municipales : 1985 :* 21 % ; *87 (avr.) :* 11 ; *(oct.) :* 7 ; *91 :* négligeable ; 0 siège.

Parti des automobilistes. *Fondé* 1985.

Cantons

Liste

Nom abrégé, date d'entrée dans la Ligue ou la Confédération, superficie et population (1989), densité, langue, capitale (agglom. au 1-1-87).

Appenzell [1] **(Rhodes-Extérieures)** (AR 1513) 243,2 km^2 51 167 h. D. 210. Allemand. *Herisau* 14 160 h. (80). **Appenzell** [1] **(Rhodes-Intérieures)** (AI 1513) 172,1 km^2 13 656 h. D. 79. Allem. *Appenzell* 5 300 h. (80). **Argovie (Aargau)** (AG 1803) 1 404,6 km^2 489 567 h. D. 348. Allem. *Aarau* 15 788 h. (80).

Bâle-ville [1] **(Basel Stadt)** (BS 1501) 37,2 km^2 192 271 h. D. 5 168. Allem. *Bâle* 171 465 h. (ag. 363 029). **Bâle-campagne** [1] **(Basel Land)** (BL 1501) 428,1 km^2 229 787 h. D. 536. Allem. *Liestal* 12 158 h. (80). **Berne (B)** (BE 1353) 6 049,4 km^2 942 721 h. D. 155. Allem. et franç. *Berne* 135 825 h. (ag. 300 316).

Fribourg (Freibourg) (FR 1481) 1 670 km^2 203 878 h. D. 122. Allem. et franç. *Fribourg* 34 089 h. (ag. 56 839).

Genève (Genf) (GE 1815) 282,2 km^2 377 108 h. D. 1 336. Franç. *Genève* 167 934 h. (ag. 384 507). **Glaris (Glarus)** (GL 1352) 684,6 km^2 37 686 h. D. 55. Allemand. *Glaris* 5 800 h. (80). **Grisons (Graubünden)** (GR 1803) 7 105,9 km^2 177 096 h. D. 24. Allem., ital., rom. *Coire* 31 078 h.

Jura [2] **(Jura)** (JU 1978) 837,5 km^2 65 376 h. D. 78. Franç. *Delémont* 11 682 h. (80).

Lucerne (Luzern) (LU 1332) 1 492,2 km^2 316 210 h. D. 211. Allem. *Lucerne* 59 932 h. (ag. 160 594).

Neuchâtel (Neuenburg) (NE 1815) 796,6 km^2 159 543 h. D. 200. Fr. *Neuchâtel* 32 757 h. (ag. 66 142).

Saint-Gall (St-Gallen) (SG 1803) 2 014,3 km^2 416 578 h. D. 206. Allem. *Saint-Gall* 73 889 h. (ag. 125 879). **Schaffhouse (Schaffhausen)** (SH 1501) 298,3 km^2 71 210 h. D. 238. Allem. *Schaffhouse* 34 101 (ag. 53 302). **Schwyz** (SZ 1291) 908,2 km^2 108 576 h. D. 117. Allem. *Schwyz* 12 100 h. (80). **Soleure (Solothurn)** (SO 1481) 790,6 km^2 223 803 h. D. 283. Allem. *Soleure* 15 778 h. (80).

Tessin (Ticino) (TI 1803) 2 810,8 km^2 286 537 h. D 101. Italien. *Bellinzona* 16 743 h. (80). **Thurgovie (Thurgau)** (TG 1 803) 1 012,7 km^2 201 773 h. D. 199. Allemand. *Frauenfeld* 18 607 h. (80).

Unterwald [1] **Nidwald** (NW 1291) 275,8 km^2 32 323 h. D. 117. Allem. *Stans* 5 700 h. (80). **Unterwald** [1] **Obwald** (OW 1291) 490,7 km^2 28 831 h. D. 58. Allem. *Sarnen* 7 200 h. (80). **Uri** (UR 1291) 1 076,5 km^2 34 042 h. D. 31. Allem. *Altdorf* 8 200 h. (80).

Valais (Wallis) (VS 1815) 5 225,8 km^2 245 263 h. D. 47. Français et allem. *Sion* 22 877 h. (80). **Vaud (Waadt)** (VD 1803) 3 219 km^2 576 319 h. D. 179. Français. *Lausanne* 124 897 h. (ag. 262 200).

Zoug (Zug) (ZG 1352) 238,6 km^2 84 742 h. D. 355. Allemand. *Zoug* (80) 21 609 h. (ag. 52 200). **Zurich** (ZH 1351) 1 728,6 km^2 1 152 769 h. D. 664. Allemand. *Zurich* 347 021 h. (ag. 840 313).

Nota. – (1) 3 cantons sont divisés en demi-cantons : Unterwald (dès les origines) ; Appenzell (dep. 1597, à la suite de la Réforme) ; Bâle (dep. 1833, à la suite d'une g. civile). (2) Détaché du canton de Berne en 1978, à la suite de campagnes menées par les séparatistes francophones depuis 1914. Gouvernement en fonctions le 1-1-1979.

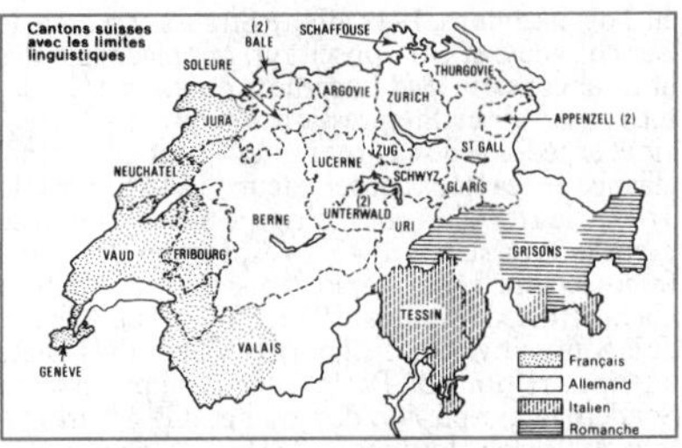

Statut

La Conf. assure la sécurité intérieure et extérieure, garantit les Constitutions cantonales et entretient des rapports diplomatiques avec les États étrangers. Sont de son ressort : douanes, poste, télégraphe et téléphone, monnaie, régie des poudres et organisation militaire. Elle arme les troupes, crée un droit uniforme (Code des obligations, Code civil, Code pénal), contrôle trafic et chemins de fer, économie forestière, chasse, pêche et utilisation des forces hydrauliques. Elle prend des mesures pour le développement économique du pays (protection de l'agric., par ex.) et de la prospérité générale (assurances sociales, etc.).

• **Cantons. Confédération :** les 20 cantons et les 6 demi-cantons sont souverains.

Assemblée populaire annuelle ou Landsgemeinde : *Origines : Gerichtsding* (cours de justice des citoyens libres) et gestion commune des biens fonciers. *1309* pour les cantons primitifs. *1387* Glaris. *1389* Zoug. *1403* Appenzell. Les jeunes âgés de 16 ans (parfois 14) avaient le droit de voter. *1623* Glaris introduit une *Landsgemeinde* catholique, une réformée, une collective (dissoutes 1836). *1848* Schwyz et Zoug suppriment les Land. *1928* Uri. *1991* les Land. ont encore lieu dans *5 cantons ou demi-cantons. Dernier dimanche d'avril : Appenzell, Rhodes-Intérieures* (les citoyens se rendent à l'ass. annuelle avec leur épée), *Rhodes-Extérieures ; Unterwald* (Obwald et Nidwald). *1er dimanche de mai : Glaris.* Au XVIIIe s., on comptait par ailleurs 9 démocraties souveraines et 17 régions ayant une constitution.

Cantons n'ayant pas de Landsgemeinde, *Grand Conseil (Grosser Rat, Kantonsrat),* élu généralement p. 4 ans, exerce le pouvoir lég., désigne les titulaires de certaines charges et contrôle les actes du gouvernement. *Conseil d'État (Regierungsrat),* collège exécutif de 5 à 9 membres, dispose du pouvoir réglementaire et prépare la majorité des projets de loi.

Le droit de révocation des autorités (analogue au *recall* amér.) subsiste théoriquement dans une dizaine de cantons, mais il est rarement appliqué ; l'initiative populaire constitutionnelle et législative, le référendum législatif (obligatoire dans 16 cantons) et financier figurent dans les Const. locales, qui fixent le nombre des signatures nécessaires pour valider la demande. Les cantons peuvent conclure entre eux des accords ou « concordats » sur des objets précis et limités, avec l'approbation et l'aide de la Confédération (ainsi l'assistance au lieu de domicile en 1960 ; la coordination scolaire entre cantons en 1970).

• **Communes.** 3 022 ; *les plus vastes :* Bagnes (Valais) 282,3 km^2, Davos (Grisons) 254,2, Zermatt (Valais) 242,9 ; *les plus petites :* Ponte Tresa (Tessin) 0,28 km^2, Kleingurmels (Frib.) 0,30 km^2, Roveredo (Tessin) 0,31 et Rivaz (Vaud) 0,32 ; *les moins peuplées :* Landarenca (Grisons) et Goumoëns-le-Jux (Vaud) 20 h.

Architecture

Époque romaine. *Augst* (Bâle), *Avenches, Martigny, Windisch.* **Paléochrétienne-préromane.** *Riva San Vitale* (baptistère), *Münster-Müstair* (fresques), *St-Maurice* (fouilles, trésor). **Romane.** Abbayes et prieurés : *Romainmôtier, Payerne, Grandson, St-Pierre-des-Clages, St-Sulpice, St-Ursanne, Spiez, Amsoldingen, Giornico, Schaffhouse* (cloître). Cathédrales : *Bâle, Coire.* Collégiales : *Neuchâtel, Zurich.* Paroissiale : *Zillis* (plafonds peints sur bois).

Époque gothique. Cathédrales et collégiales : *Genève, Lausanne, Fribourg, Sion, Berne.* Abbayes : *Königsfelden* (vitraux), *Wengenetti* (cloître), *Hauterive, Bâle* (Cordeliers). Châteaux : *Chillon, Grandson, Hallwil, Oron, Nyon, Lenzbourg, Kyburg, Bellinzona, Tarasp, Vufflens, Aigle, Thoune, Burgdorf, Champvent.* Hôtels de ville : *Berne, Bâle, Sursee, Zoug.* Ensembles urbains : *Berne, Fribourg, Morat, Lucerne, Stein am Rhein, Werdenberg.*

Époque Renaissance. Cathédrales et collégiales : *Lugano* (façade), *Lucerne*. Église paroissiale ou chapelle : *Stans, Riva San Vitale* (S. Croce). Fortifications : *Schaffhouse, Soleure*.

Époque XVIIe-XVIIIe s. Cathédrales, abbatiales et collégiales : *Arlesheim, Muri, Disentis, Rheinau, St-Urban, Bellelay, St-Katharinental, Einsiedeln, St-Gall. Soleure*. Églises des jésuites : *Lucerne, Soleure*. Paroissiale : *Schwyz*. Temples protestants : *Berne* (St-Esprit), *Morges, Genève* (Fusterie). Hôtels de ville : *Zurich, Neuchâtel*. Maisons, palais, maisons de corporations : *Zurich* (Meise), *Bâle* (Blaues et Weisses Haus, Kirschgarten), *Berne* (von Erlach, von Wattenwyl), *Neuchâtel* (du Peyrou), *Genève* (rue des Granges). Châteaux, maisons de campagne : *Berne* (Hindelbank, Thunstetten, etc.), etc.

Époque moderne. *Bâle* : École des arts et métiers, Église St-Antoine. *Berne* : gare, cité du Tscharnergut, Éc. des arts et métiers, palais Fédéral (1902). *Cointrin* : aéroport. *Corseaux* : maison Le Corbusier. *Genève* : maisons Le Corbusier (« Clarté »), cité du Lignon. *Kloten-Zurich* : aéroport. *St-Gall* : université. *Vevey* : bâtiment Nestlé. *Winterthur* : Hôtel de Ville (1868). *Zurich* : université, centre Le Corbusier. *Lausanne* : Laboratoire école polytech.

Économie

PIB (1989). 175,2 milliards de $ par h. *Croissance PIB. 1987* : + 2,3 %, *88* : – 3, *89* : – 3,5, *90* : – 2,6 (est.). **Pop. active** (en 1989, en %). Agr. 5,8, ind. 34,4 (dont construction 27,1, machines outils 12,9, métaux 8,3, alimentation, boissons, tabac, textile, habillement 4,9, horlogerie 2,9, autres 31,9). **Chômage** (en %). *1985* : 1, *86* : 0,8, *87* : 0,8, *88* : 0,6, *89* : 0,6, *90* : 0,5, *91 (avr.)* : 1,1 (dont 2,9 à Genève). 1 salarié sur 3 travaille + de 45 h par sem.

Agriculture. *Terres* (milliers d'ha, 85) arables 391, cult. 20, pâturages 1 609, forêts 1 052, eaux 152, divers 905. Sauf pour la région du lac Léman au canton de Schaffhouse, les conditions naturelles conviennent davantage aux fourrages. EXPLOITATIONS AGRICOLES (85) : 119 731 *dont – de 1 ha* : 27 682, *1 à 5 ha* : 22 401, *5 à 10 ha* : 17 489, *10 à 20 ha* : 32 941, *20 à 50 ha* : 18 141, *+ de 50 ha* : 1 077). PRODUCTION (milliers de t, 89) pommes de terre 19, bett. à sucre 762 (86), blé 520, orge 301, avoine 49, seigle 20, pommes 260, poires 170 (86), raisin 152. *Vigne* (coteaux ensoleillés du lac Léman, Neuchâtel, Bienne, Zurich, vallées du Rhône, du Rhin, Tessin) : 0,62 % de la sup. arable et alpestre exploitée, 1,25 % de la S.A.U., rend. moyen 95 hl de moût/ha.

Forêts. (en %) Jura 17, Préalpes 18, Plateau 19, Alpes 32, S. des Alpes 14 ; forêt publique 74 dont communes et corpor. de droit pub. 68 ; cantons 6, f. privée 26. *Conifères* (surtout sapins) 80. *Feuillus* (hêtre) 20. *Bois* : 4 521 000 m³ (88). Élevage (milliers de têtes, 89). Bovins 1 850, poulets 6 356 (88), porcs 1 869, moutons 367 (88), chevaux 49 (88). **Productions** (en milliers de t, 89) lait 3 795, viande 486, fromage 131, beurre 37, œufs 44. Pêche. 4 850 t (88).

Énergie. **Charbon** : importé d'All. féd. 493 000 t (88), exporté 27 000 t (88). **Nucléaire** : centrales atomiques à Beznau I et II, Mühleberg, Gösgen et Leibstadt. **Pétrole** : importé par pipe-lines de Gênes, Lavéra et Ferrare ou par voie fluviale ; raffineries. Part du pétrole dans la consommation : 64,9 % (89). **Gaz** : extrait du pétrole ou importé de Hollande par gazoduc ; part du gaz dans la consommation : 8,4 % (89). **Électricité** (prod. 88/89) : 55,3 milliards de kWh dont *hydroélectricité* 32,7 (440 usines, puissance 11,4 millions de kWh) ; *nucléaire* 21,5. *Exp.* d'électr. 24,7 milliards de kWh. *Part de l'électr.* dans la cons. 21,1 % (89). *Imp.* d'énergie complémentaire 19,6. *Consommation d'énergie* : produits pétroliers 12,1 millions de t (dont combustibles 6,5, carburants 5,6), électricité 45 502 (GWh), gaz 18 156 (GWh), charbon et coke 503 000 t, bois de chauffage 1 372 000 m³.

Nota. – Projet d'énergie à l'hydrogène « Shee-Tree » (Solar Hydrogen and Electrical Energy-Trans European Entreprise) de l'ingénieur Gustav Grob : 1 400 km² de capteurs solaires au Sahara, pipe-line pompant dans la Méditerranée 4 millions de litres d'eau à l'heure, dont l'électrolyse produirait jusqu'à 50 milliards de m³ d'hydrogène par an, gazoduc de 3 300 km traversant l'Italie qui alimenterait la Suisse en carburant. *Coût* : 220 milliards de FS (840 milliards de F).

Industrie. Industrie à forte valeur ajoutée. 33 % exportés. 1°) MÉTALLURGIE DE TRANSFORMATION : (machines, équipement él. et élect., matériel scient., instr. de précision, machines-outils, machines text.), dont Zurich est la métropole ; *grandes firmes* : Asea-Brown-Boveri, Alusuisse, Sulzer, Ascom, Landis + Gyr, Oerlikon-Bührle. 2°) CHIMIE : (80 % est. export., 21 % des exp., 70 000 employés), notamment à Bâle. *Ciba-Geigy, Hoffmann-La-Roche, Sandoz* : 10 % des médicaments, 15 % des colorants fabriqués dans le monde. 3°) HORLOGERIE : *effectifs (1990)* : 33 600 (Jura, Genève, Bienne, Granges et Schaffhouse). Concurrence jap. et amér. *Exp.* (milliards de FS) : *1982* : 3,5, *88* : 5,05, *90* : 6,8 (dont électronique 3,5), *Vers* CEE 2,44, USA 0,9, Japon 0,62, Singapour 0,4, Moyen-Orient 0,3. 4°) TEXTILE : au N.-E. : Bâle, St-Gall (capit. broderie), Zurich (text. chim.). 5°) AGRO-ALIM. : Nestlé, Jacobs-Suchard, Lindt et Sprüngli (prod.), Migros, Coop (prod. et distr.). Chocolat (1988) : prod. 104 208 t, 1,071 milliard de FS, consom. nat. 66 008 t (11,1 kg/hab.).

Balance des revenus (1988). *Solde* : 9 141 dont trafic marchandises – 9 281, services tourisme 9 862, revenus trav. et capitaux 11 137, transferts unilat. – 2 577.

En 1985, dans l'ind. et les arts et métiers, 30 % des entreprises employaient – de 50 pers., 39 % de 50 à 500, 31 % de + de 500. Dans le bâtiment et le génie civil, 57, 38 et 5 %.

Activités financières. 1er rang mondial pour le chiffre d'aff. par hab. 3e centre bancaire du monde (3 % de la pop. active, 9 du PNB). Fournit 8 milliards d'impôts. *Epargne bancaire par hab.* : 41 271 FS (89). 1 207 hab. par point bancaire. *Revenu des capitaux étrangers placés en Suisse* : 1re source de revenu national, avant le tourisme. Entre 1977 et 1980, pour décourager l'afflux des capitaux, le gouv. fédéral a fixé un intérêt négatif. *Origine des fonds* : déficit de la balance des paiements des U.S.A. ; marché de l'or (rôle d'intermédiaire dans les ventes du pétrole du Proche-Orient). *Transactions quotidiennes des banques* : 250 000 ordres de paiement (100 à 400 milliards de FS). *Argent de la drogue blanchi* : 1,4 milliard de FS en 1988.

Nota. – Multinationales et holdings : nombreuses implantations dans les pays de l'OCDE en priorité. Assises diversifiées dans principaux pays du tiers monde. *Canton de Zoug* (loi de 1928 visant à attirer les sociétés de capitaux) : paradis fiscal, 10 000 holdings, un des 1ers centres mondiaux de commerce du pétrole.

Transports (km, 89). *Routes* 70 926. *Chemins de fer* 5 020. *Navigation rhénane*. Bâle [trafic env. 11,3 millions de t (dont entrées 85 %) ; redistribue les marchandises importées]. Grâce au grand canal d'Alsace, la navig. est possible toute l'année.

Nota. – La S. possède une flotte maritime de 320 333 tx basée principalement à Gênes, Marseille, Rotterdam.

Tourisme (89). *Visiteurs* : 7 666 600 (prov.) dont étrangers 3 593 800. *Nombre de lits* : 278 000. *Lits recensés (en milliers)* : 1 143,7 (dont hôtel 271,2, cure 6,9, chez l'habitant 360, camping-carav. 269,5, autres 236,1). *Recettes* des touristes étrangers en % des exp. (1989) : 13,3.

Nuitées (en millions). 76,9 (dont hôtel 35,3, chez l'habitant 24,1, camping-carav. 7,8, autres 15,7). *Hôtes en % du pays* : 53,3 dont All. 19,6, P.-Bas 4, G.-B. 3,4, *France 3,2*, USA 3,2, Belg. 2,5, Italie 2,3.

Principales entreprises en Suisse (vente consolidée en milliards de FS, 1989). Nestlé 48, Asea-Brown Boveri 33,4, Marc Rich Group 27,5, Ciba-Geigy 20,6, Migros 12,5, Sandoz 12,5, Maus Frères 10,4, PTT 9,9, Roche 9,8, Coop 9,1, Danzas 8, André 7,6, Alusuisse-Lonza 7,1, Jacobs-Suchard 6,7, Sulzer 6,4, Adia/Inspectorate 6, Tetra Pak Group 5, Swiss Federal Railways 5, Kühne und Nagel 5, Holderbank 5, Swissair 5, Oerlikon-Bührle 4,7, Panalpina 4, Schindler 3,5.

Finances publiques fédérales (milliards de FS, 1989). **Recettes** : 28,3 dont *impôts* 26,3 [imp. de la consommation 15,1 (dont chiffre d'aff. 9,2, droits sur les carburants 3, droits d'entrée 1,1, imp. sur tabac 0,9, autres 1), imp. sur le revenu et la fortune 11,2 (dont fédéral direct 6, anticipé 2,7, droits de timbre 2,4, taxe d'exemption du service militaire 0,1)], autres 2. **Dépenses** : 27,5 dont prévoyance sociale 5 773 (dont assurances soc. 5 685), défense nationale 5 223, transports et énergie 4 524 (dont trafic 4 142), économie publique 3 063 (dont agriculture 2 566), dépenses du service financier 3 003, enseignement et formation 2 499, relations avec l'étranger 1 613, administration générale 953, justice et police 285, protection et aménagement du territoire 241, culture, loisirs 215, santé 57. **Comptes de la Confédération, des cantons et des communes** (1988, en milliards de FS). *Solde* : 1,6 dont confédération recettes 27,9, dépenses 26,6, solde 1,2 ; cantons r. 35,3, d. 34,8, s. 0,4 ; communes r. 25,9, d. 26, s. – 73.

Inflation (en %). *1970* : 3,6, *74* : 9,8, *78* : 1, *81* : 6,5, *82* : 5,7, *83* : 2,9, *84* : 2,9, *85* : 3,4, *86* : 0,8, *87* : 1,4, *88* : 1,9, *89* : 3,2, *90* : 5,4. **Balance des comptes courants** (en milliards de FS). *87* : 11,3, *88* : 13,2, *89* : 12,2 [marchandises – 11,2, services + 11,2 (dont tourisme 2), rev. du travail – 5,9, des capitaux + 21,4, contributions extér. au PNB 15].

Place financière (en milliards de FS, 1989). *Banque nationale suisse* : réserves monétaires 51,73, encaisse or 11,90, devises 39,71, billets en circulation 29,17.

Commerce (en milliards de FS, 90). *Exp.* 88,3 *dont* (89) mach. et appareils 28,6, prod. chim. et pharmaceutiques 17,8, instr. de précision et horlogerie 6,04, textile 4,8, alim. 2, *vers (%)* All. féd. 21,9, *France 9,9*, Italie 8,9, G.-B. 7,5, Japon 4,8. *Imp.* 96,6 *dont* (89) mat. 1res et prod. semi-ouvrés 34,9, biens de consom. 32,7, biens d'équip. 23,9, prod. énergétiques 3,7, *de (%)* All. féd. 32,5, *France 10,7*, Italie 10,2, USA 5,9, G.-B. 5,1, Japon 4,2. **Déficit commercial** (en milliards de FS). *1980* : 11,25, *88* : 8,3, *89* : 10,94.

SURINAM

Ancienne Guyane hollandaise.
Carte p. 964. V. légende p. 837.

Situation. Amérique du S. 163 265 km². A 400 km de Cayenne. *Frontières* : env. 500 km avec Guyane française. **Climat** chaud et humide. *Températures moy.* : sur la côte jour 27 °C, nuit 23 °C ; max. sept. 32 °C, min. févr. 22 °C. *Pluies* : côte 2 200 mm, intérieur 300 mm ; max. mai et juin 300 par mois. 80 % d'humidité en moy. Ouragans. 4 *saisons* : assez peu pluvieuse déc. à févr., assez sèche févr. à avril, pluies avril à mi-août, sèche mi-août à déc.

Population. 408 864 h. (est. 88) dont (%) Créoles 39, Hindous 38, Javanais 18,4, Chinois, 7,74, Amérindiens 1,48, Européens 0,49, autres 0,72, non classés 0,23 ; *prév. 2000* : 423 000. **Âge** : *– de 15 a.* : 37 %, *+ de 65 a.* : 4 %. **Taux** (‰) : natalité 28, mortalité 7,9. **Espérance de vie** : 64,5 ans. **Émigration** : vers Hollande (200 000 S. y vivaient en 1982), *Guyane fr.* (10 000 en 1988). D. 2,1. **Villes** : *Paramaribo* à 32 km de la mer 192 109 h (87), Wanica 68 582, Nickerie 36 896.

Langues. Néerlandais *(off.)* anglais, espagnol ; l. de chaque ethnie, sranantongo, chinois, javanais, sarnami, hindi.

Religions (71). Hindouistes env. 100 000 (86), catholiques 70 175, musulmans 74 078, frères év. 51 868, réformés et luthériens 3 911, bouddhistes.

Histoire. **1498** découv. par Espagnols. **1594**-*23-4* Domingo de Vera en fait une possession esp. **1614** établissement anglais fondé par le capitaine Charles Leigh. **1630** échec colonisation française de Maréchal. **V. 1640** installation de Noailly et de quelques Français. **1650** établissement des Anglais Francis Willoughby et Laurens Hide. **1664** arrivée de Juifs de Cayenne avec David Nassy. **1667** le Holl. Abraham Crÿnssen prend S. aux Angl. ; tr. de Breda : S. reste holl. (Guyane holl. 1668). **1683** États de Zélande vendent le S. à la Cie des Indes Occid., la ville d'Amsterdam et la famille Van Sommelsdijck. **1765-93** rébellions d'esclaves (dirigées par Joli Cœur, Baron et Boni). **1804-16** domination angl. **1808** esclavage aboli [sur 315 000 esclaves, il y a alors 37 000 escl. importés au S. Beaucoup se sont réfugiés à l'intérieur. Leurs descendants (Marrons) habitent encore à l'intérieur]. **1816** redevient holl. (convention de Londres). **1850** 1ers immigrés Chinois (total de 3 000). **1863**-*1-7* abolition offic. de l'esclavage. **1873** 34 000 immigrés de l'Inde Brit. (ouvriers sous contrat sur les plantations) ; 2/3 restent. **1890** immigrés de l'Inde holl. surtout de Java (total 33 746 dont 2/3 restent). **1922** partie de territoire du Roy. des P.-Bas. **1948** règlement intérimaire ; suffrage universel. **1954**-*29-12* autonomie interne. **1973** *févr.* grèves et troubles politiques. *Oct.* élect. gagnées par Créoles et Javanais (NPK et PNR) devant P. hindoustani (VDP). **1975** *mai* troubles Créoles-Hindoustanis *-25-11* indép. ; 130 000 Sur. ont quitté le S. pour les P.-Bas avant l'indép. **1980**-*25-2* soulèvement mil. *-31-3* Chin A Sen PM *-13-8* coup d'État, les procastristes éliminés de l'équipe dirigeante. *-14-8* Chin A Sen chef d'État et PM *-20-11* Constitution (suspendue 25-2-80). **1981**-*15-3* coup d'État (Sergent Hawker), échec. **1982**-*4-2* coup d'État mil. Fred Ramdat Misier P^t de la Rép. *-11-3* coup d'État par l'ex-lieutenant Rambоçus, échec. Hawker libéré, sera repris et exécuté. *-31-3* Neyhorst PM. *-8-12* coup d'État. Gouv. démissionnaire *9-12* P^t Bouterse fait exécuter 15 opposants. Arrêt de l'aide apportée par P.-Bas, suspension par USA de tous liens économ. et financiers. **1983**-*28-2* Alibux PM. *-1-11* expulsion des conseillers et diplomates cubains. *-19-12* grève à Suralco (bauxite). **1984**-*9-1* Alibux démissionne. **1986**-*24-3* cap. Étienne Boerenveen (2e homme du régime), accusé de trafic d'héroïne, arrêté à Miami. *Juillet* guérilla des « Bushnegroes » (Ronny Brunswijck, puis Michel Van Rey). **1987**-*30-9* référendum. **1989** *juil.* accord de paix guérilla/Gouv. signé à Kourou, inappliqué (opposition de l'armée). **1990** *juin* combats armée/guérilla ; Ronny Brunswijck arrêté, puis libéré 20-6 pour « raison d'État », assigné à résidence 21-6 à Paris. Guérilla chassée de ses bases (bastion de Moengo). *Bilan des combats dep. 1986 :* 500 †. *-24-12* coup d'État mil. (inspiré par Desi Bouterse). *-27-12* Pt Shankar démissionne. M. Johan Kraag nommé Pt par l'Ass.

Statut. Rép. *Const.* 1987 (adoptée par référendum 30-9 avec 94 % de oui). *Ass. nat. :* 51 m. *Pt :* Johan Kraag (n. 1914) dep. 24-12-90. *Vice-Pt et PM :* Jules Wydenbosch dep. 24-12-90.

Élect. 25-11-87. Participation 88,2 %. « Front pour la démocratie et le développement » [VHP (hindoustanis), NPS (créoles) et KTPI (Javanais) 40 s. sur 51 (85,5 % des votes validés)] ; NDP (Nat. Democratic Party, f. 1987 à l'initiative du Cdt Bouterse) 3 s. (9,3 %) ; p. Pendawalima (p. javanais, scission 1979 du KTPI) ; 4 s. (1,6 %) ; PALU (p. des ouvriers et paysans progressistes) 4 s. (1,7 %). **25-5-91** « Front nouveau pour la démocratie » 28 à 30 s. **Fête nat. :** 25-11 (indép.). **Drapeau :** adopté 1975 : bandes vertes, blanches et rouges ; étoile jaune (unité et avenir doré de la nation).

Économie

P.N.B. (88) 2 395 $ par h. **Pop. active** (%, entre parenthèses part du P.N.B. en %). Agr. 20 (17), ind. 35 (38), services 40 (35), mines 5 (10). **Chômage** (89). 34 %. **Inflation** (%). *1986 :* 18,7, *87 :* 53, *88 :* 30, *89 :* 53. **Aide des Pays-Bas** suspendue dep. 1982, rétablie 12-7-89 (200 millions de florins par an).

Agriculture. *Terres* (milliers d'ha, 80) arables 40, cult. 12, pâturages 10, forêts 15 530, eaux 180, divers 555. *Production* (milliers de t, 89) riz 300 (92 % des t. cult.), canne à sucre 49, bananes 32,4 (87), noix de coco 10, huile de palme 7, citrons 14, légumes 16. **Forêts** (88). 202 000 m³. **Drogue.** Surinam fournit 30 % de la cocaïne des P.-Bas (transite parfois par Guyane). **Pêche** (87). Poissons 862 t. Crevettes 3 144 t. **Élevage** (milliers de têtes, 87) : bovins 76, chèvres 5 (86), moutons 3 (86), porcs, volailles 5 400. **Bauxite :** (expl. dep. 1900) transformée sur place en aluminium. Extraction annuelle : env. 1,2 million de t. 80 % des revenus d'export., 60 % des rentrées fiscales, 6 % des emplois en 1985. Prod. (87) 2 522 t. *Ventes extér. (millions de florins) : 1980 :* 150, *84 :* 64, *85 :* 54. **Hydroélectricité :** 1,3 milliard de kWh (permet de transformer la bauxite). **Transports** (km) : *routes* 1 335, *chemins de fer* 120. **Tourisme :** 10 264 vis. (89).

Commerce (millions de florins sur., 88). *Exportations* 744,3 *dont* alumine 535, riz 71,1, crevettes 55,8, bananes 36,2, aluminium 26,5, bauxite 0,5 *vers* (87) P.-Bas 135,1, Norvège 119,1, É.-U. 109,6, Japon 71, Brésil 37,5. *Importations* 626,3 *dont* mat. 1res et prod. semi-finis 250, mach. et équip. de transp. 147,6, prod. pétr. 90,3 *de* (87) P.-Bas 103,3, Antilles néerl. 58, Trinité-et-Tobago 51,2, Brésil 46,7.

Rang dans le monde (84). 6e bauxite.

SWAZILAND

Carte p. 839. V. légende p. 837.

Nom. Ancien royaume de *Ngwane.*

Situation. Afrique. 17 363 km². D'O. en E. : haut Veld (1 200-1 300 m), région montagneuse ; moyen Veld (500-700 m), larges vallées ; bas Veld (150-300 m), plaine ; plateau (Lebombo) (500-900 m). **Climat :** plus humide en altitude ; savane des régions basses.

Population. *1988 :* 725 000 dont 2,1 % de Blancs, *prév. 2000 :* 1 041 000. **Âge :** *- de 15 a. :* 46 %, *+ de 65 a. :* 3 %. *Mort. infantile :* 129 ‰. D. 42. **Villes :** *Mbabane* 40 000 h. (88), Manzini 18 818 h. (83). **Langues :** anglais, swazi *(off.),* afrikaans, zoulou. **Religions** (%) : chrétiens 77, animistes 23.

Histoire. XVIIIe s. migration des Swazis vers S. du Swaziland actuel. **1881 et 1884** conventions de Pretoria et Londres, décident de l'indép. et des frontières du S. **1894**-*10-12* administration confiée à la rép. du Transvaal. **1899** début de la g. des Boers, le Tr. retire ses administrateurs. **1902** la régente demande protection brit. **1903** droits du Tr. transférés au gouv. mil. brit. du Tr. **1906** au haut commissaire brit. pour Basutoland et Bechuanaland. **1922** Sobhuza II roi (1899, † 21-8-1982, 112 femmes légitimes, env. 600 enfants). **1967**-*25-4* autonomie. **1968**-*6-9* indép. **1982**-*21-8* Sobhuza II meurt. **1982** accord avec Afr. du S. pour accès à la mer (100 000 ha, + env. 800 000 h. de l'ethnie swazi), pas encore appliqué. **1983**-*10-8* reine Dzeliwe régente, déposée. **1986** *fév.* Pce Msanasibili arrêté.

Statut. Royaume. Membre du Commonwealth. *Const.* du 13-10-78. *Roi* Mswati III prince Makhosetiwe (n. 1968) dep. 25-4-86. *Régente* reine Ntombi Latfwala dep. 10-8-83. *PM* Obep Dlamini dep. juin 89. *Ass.* à base tribale (40 m. élus et 10 nommés). *Sénat* 10 m. élus, 10 m. nommés. **Drapeau :** adopté 1968 : repris sur celui du Swazi Pioneer Corps (2e g. mond.). Bandes bleues, jaunes et marron (avec emblème de 1890 ; bouclier en cuir de bœuf, 2 sagaies et un bâton de combat).

Économie

P.N.B. (89) 850 $ par h. **Pop. active** (%, entre parenthèses part du P.N.B. en %). Agr. 70 (45), ind. 10 (15), services 19 (38), mines 1 (2).

Inflation (%). *1985 :* 19,7, *86 :* 11,8, *87 :*12,8, *88 :* 14. **Apport des salaires des émigrés :** env. 20 % du PNB.

Agriculture. *Prod.* (milliers de t, 88) : canne à sucre 4 000 (89), agrumes 110, maïs 90, coton 25, ananas 8, riz. **Forêts** (88) : 2 223 000 m³. **Élevage** (milliers de têtes, 88) : bovins 650, poulets 620 (82), chèvres 320, moutons 35, porcs 19, ânes 14. **Mines** (milliers de t, 88) : charbon (réserves 5 milliards de t) 165, fer, amiante 22,8, or, étain, argent, mica. **Industrie :** pâte de bois (87) 179 972 t, sucre brut (87/88) 436 976 t. **Transports** (km) : routes 2 750, chemins de fer 370. **Tourisme** (casino) : 113 763 vis. (83).

Commerce (millions d'emalangeni, 87). *Exportations* 710 *dont* sucre 248, bois et prod. en bois 143,5, pâte à papier 128, fruits et légumes 78,1, fruits en conserve 38,5, amiante 21,3. *Importations* 907 *dont* mach. et équip. de transp. 135,4, fuel et lubrifiants 131,3, prod. alim. 119, prod. man. de base 102,6, prod. chim. 67,5. *Partenaires :* Afr. du S., G.-B.

Rang dans le monde (89). 11e amiante, 15e rés. charbon.

SYRIE

V. légende p. 837.

Situation. Asie. 184 050 km². *Frontières* 2 276 km (avec Turquie 808, Irak 592, Jordanie 353, Liban 278, Golan occupé 70). *Côtes* 175 km. *Alt. max.* Mt Hermon 2 814 m. **Régions :** littoral côtier étroit (petites plaines dominées par les monts de Lattaquié) humide ; fossé étroit. N.-S. du Ghab, arrosé par l'Oronte entre monts de Lattaquié et djebel Zawiya ; plateaux et vallées dans le reste du pays (200 mm de pluies par an) ; steppes ; à l'E. désert (Djezireh au N., Chamiya au S.). **Climat :** continental et sec à l'intérieur, maritime et humide sur le littoral, très froid de déc. à avril. Été jusqu'à 45 °C. *Saison touristique :* automne. *Pluies :* env. 200 mm à Damas.

Population (millions). *1970 :* 6,3, *87 :* 10,9, *88 :* 11,3, *2000 (prév.) :* 18,1. **Âge :** *- de 15 a. :* 49,2 %, *+ de 65 a. :* 4,3 %. D. 62. Arabes 88 %. **Taux** (‰) : natalité 11,6, mortalité 4. **Minorités :** Kurdes 6,8 %, Arméniens 2,8, Tcherkesses 40 000, Assyriens (réfugiés mésopotamiens araméophones) 30 000, Juifs 5 200 (40 000 en 1948). **Émigrés :** 400 000 (surtout dans le Golfe). **Villes** (86) : *Damas* 2 419 000 h. (88), Alep 1 500 000 (à 362 km), Homs 404 872 (167 km), Hama 276 182 (214 km), Lattaquié 200 430 (477 km), (Damas-Beyrouth 109 km). **Pop. urbaine** (88) : 40,3 %. **Occupé par Israël :** Golan (1 250 km²) 15 000 h.

Langues (%) : arabe *(off.)* 90, circassien (tcherkess), arménien 2, araméen. **Analphabètes :** 17 %. **Religions :** *Musulmans :* sunnites 6 850 000 (74 % de la pop.), chiites (10 %, secte alaouite ; région côtière de l'Ansarieh) 550 000 (très influents), druzes 120 000. *Chrétiens non cath. :* grecs orthodoxes (melkites arabes) 172 783, syriens jacobites 53 000, protestants 15 000, nestoriens 12 000, arméniens grégoriens 11 648. *Catholiques :* melkites cath. 57 344, syriens cath. 32 000, arméniens cath. 24 000, Chaldéens 18 000, maronites 17 000, latins 6 880. *Juifs* 4 300 à 5 200 (40 000 en 1948) (ne peuvent sortir que pour raisons médicales sous caution 15/20 000 $).

Histoire. 3000-1000 av. J.-C. établissement de peuples sémites : Cananéens, Amorrhéens et Araméens. **2400-2250** royaume d'Ebla (actuelle Tell-Mardikh) ; pop. sémite. **IIe millénaire** la S. est disputée entre Égyptiens et Hittites. **Ier millénaire** la S. est soumise aux Emp. assyrien, babylonien, perse. **VIe s. av. J.-C.,** les Perses fondent une satrapie. **274** Aurélien, détruit royaume de Palmyre, fait prisonnière la reine Zénobie. **331 av. J.-C.** conquête par Alexandre. **312-05** attribuée à Antigonos, à la mort d'Alexandre. **305** Séleucos Ier Nikator, satrape de Babylonie, annexe Syrie, y installe sa capitale [Antioche, avec comme port Séleucie de Piérie (bouches de l'Oronte)], fonde la dynastie des Séleucides (20 rois en 240 ans : Séleucos Ier à VII et Antiochos Ier à XIII). **64 av. J.-C.** Pompée dépose Antiochos XIII et son rival Philippe, et transforme la S. en province romaine. **395-640** rattachée à Byzance, accueille hérésies chrétiennes antibyzantines : nestorianisme, monophysisme, monothélisme. **611-22** annexée par roi perse Chosroês. **622-40** récupérée par emp. byzantin Héraclius. **640 apr. J.-C.** Byzantins capitulent à Césarée devant Arabes ; libération de la domination byzantine. **661** dynastie omeyyade, Damas fondée capitale de l'Emp. arabe. **IXe s.** morcellement politique. **850-900** reconquête byzantine partielle. **XIIe-XIVe s.** Croisés fondent des principautés franques (Pté d'Antioche et Cté d'Édesse). **XIVe-XVe s.** souveraineté des Mamelouks. **1516-17** invasion turque de Selim Ier. **1799** échec à St-Jean-d'Acre de la tentative d'invasion de Bonaparte. **1833** la Turquie cède la S. à l'Égypte de Méhémet-Ali, puis **1841** la reprend. **1860** intervention de la France (après massacres des chrétiens). **1916-18** Arabes se révoltent contre l'Empire ottoman ; proclament l'indépendance. Damas devient le centre du mouvement. **1918** constitution du Congrès national et d'un gouv. nat. **1918-19** intervention angl. en Palestine (Gal Allenby) et fr. en S. (Gal Gouraud en exécution de l'accord Sykes-Picot). **1919** commission King-Crane (Américains envoyés par Pt Wilson), recommande État unifié réunissant Palestine et Liban (autonomie). **1920**-*8-3* Congrès nat. refuse mandat fr., proclame émir Fayçal ben Hussein roi de S. *Juin* intervention fr. (Gouraud), bataille de Maissaloun. *-25-7* Fr. bombarde Damas, Fayçal (devient roi d'Irak) et son gouv. chassés. *-1-9* Gouraud proclame le « Grand Liban » auquel il rattache des territoires musulmans (Bekaa, Tyr, Tripoli), puis crée l'*État d'Alep* [avec régime spécial pour le *Sanjak d'Alexandrette* : 4 700 km², 220 000 h. en 1937 (80 000 Turcs, 90 000 Arabes, 25 000 Arméniens, + Kurdes, Circassiens, divers)], l'*État de Damas,* le *territoire des Alaouites* (promu État 1922) et, en mars 1921, l'*État du Djebel druze.* **1923** Catroux en S. : fédération s. regroupe Damas, Alep et Alaouites. **1924** l'État alaouite séparé à nouveau. **1925-27** insurrection partant du Djebel druze dirigée par Sultan Pacha el-Atrache (1891-1982). **1930**-*14-3* Chambre dissoute. **1932** Méhémet-Ali Abed élu Pt de la Rép. **1933**-*21-11* Fr. propose alliance mais maintient États druze et alaouite en dehors. Nationalistes refusent. **1934** chambre dissoute. **1935** agitation. **1936**-*9-9* tr. prévoyant indép. après 3 ans. **1939**-*23-6* Fr. cède Alexandrette à Turquie. *-7-6* Pt S. démissionne. *-10-7* Fr. dissout la Chambre, suspend la Constitution et nomme un conseil gouvernant par décrets. **1941**-*8-6* intervention des troupes brit. et des forces du Gal Catroux ; Gal Dentz (vichyste) capitule ; « au nom de la Fr. libre », Catroux proclame que Lib. et Syr. seront « des peuples souverains et indépendants » qui pourront « se constituer en États séparés ou s'unir ». Dans les 2 cas, indépendance et souveraineté seraient garanties par un traité négocié avec la Fr. *-28-9* il réaffirme l'indép. de la Syrie. **1945-46** armée brit. oblige Fr. à évacuer S., puis part à son tour. **1946**-*7-4* évacuation des troupes fr. achevée. *-17-4* indép. complète. **1948** *mai*-**1949** *avr.* g. avec Israël. **1949** 3 coups d'État : Husni Zaim, Sami Hinnawi et Adib Chichakli qui devient Pt de la Rép. *(juill. 1953),* puis est exilé *(févr. 1954).* **1955** pacte mil. avec Égypte et Arabie S. signé. **1958** *févr.* RAU [Rép. ar. unie (S. s'en sépare sept. 1961)]. **1963**-*17-4* projet de fédération RAU, Irak et S. abandonné après répression putsch pronassérien à Damas *(18-7)*. **1967**-*5/10-6* g. contre Israël qui prend le Golan.

1970-*27-11* adhère au pacte de Tripoli (alliance Égypte-Libye-Soudan). **1971**-*17-4* membre de l'Union des Rép. arabes (URA : S., Lybie, Égypte). **1972**-*4-3* assassinat à Tripoli (Liban) du Gal Amran, anc. min. syr. de la Défense. **1973** *janv.* émeutes relig. et pol. ; g. contre Israël, voir Israël. *Sept.* réconciliation avec Jordanie (sommet du Caire Assad-Hussein). *-6-10* g. contre Israël, libération de Kuneita. **1975** *avril* différend avec Irak (utilisation des eaux de l'Euphrate). **1976**-*21-1* intervention au Liban (V. Liban). *-4-10* Pt Sadate chef de l'URA [Le Caire cap. (ses inst. n'ont jamais eu d'existence réelle, à la suite des divergences entre Ég. et Libye)]. *-1-6* intervention au Liban. **1978**-*10-2* S. et Irak se réconcilient contre Égypte. *-24-10* Pt Assad à Bagdad. *-26-10* charte commune. **1979**-*16-6* : 60 off. tués (école d'artillerie d'Alep). **1980**-*16-1* Abdelraouf Kassem PM. 2 000 conseillers soviétiques (dont 800 techniciens pour barrage sur l'Euphrate). *-29-1* attentat amb. de S. à Paris (1 †). *Juin* capitaine Ibrahim Youssef, « cerveau » du massacre de l'école d'Alep 16-6-79 tué. *-26-6* attentat manqué contre Pt Assad (plusieurs centaines de fusillés). *-21-7* Salah Eddin Bitar (n. 1912), ancien PM, assassiné à Paris. *-7-8* reddition d'env. 300 frères mus. **1981** *avr.* incidents avec frères mus. à Hama. *-3-9* explosion voiture piégée à Damas (20 †). *-4-9* L. Delamare, amb. de Fr. tué au Liban (par services secrets syr. ?). *-29-11* voiture piégée idem (60 † et 135 bl.). *Nov.* législatives, pour la 1re fois. Pas d'élus communistes. **1982**-*2/17-2* complot de 150 off. sunnites, répression (10 000 à 25 000 †), destruction de Hama, 500 millions de $ de dégâts. *Mars Alliance nat. pour la libération de la S.* (Frères mus. et Front islamique) pour lutter contre régime. *-8-4* frontière fermée avec Irak. *-10-4* oléoduc Kirkouk-Banias (Irak-Syrie) fermé. *-6-6* g. du Liban (voir Liban) ; pertes (80 avions, 20 batteries missiles sol-air, 200 chars). **1983** *mars* visite du Pt lib. Gemayel, accord israélo-lib. abrogé. *Juin-nov.* exil « forcé » de Rifaat el-Assad, frère du Pt. *-26/28-11* Pt Mitterrand en S. **1985**-*28-12* accord de Damas avec milices lib. (chiites, druzes, chrétiens). **1986**-*6-4* attentats 140 †. **1986-87** intervention à Beyrouth. **1987** *févr.* coup d'État échoue (49 pilotes exécutés). **1988**-*24-4* Arafat à Damas. **1989**-*13-4* hélic. syriens tirent par erreur sur navires sov. *-28-12* relations diplom. rétablies avec Égypte. **1990**-*28-4* Pt Assad en URSS. *-2-5* Pt Moubarak en S. **1991** *mai* traité s.-lib. : S. reconnaît l'indép. du Liban pour la 1re fois, mais estime que les 2 pays appartiennent à une même nation.

☞ Selon le Département d'État améric., la S. a été de 1983 à 86 impliquée dans 50 attentats (500 †) imputables à des organisations comme Abou Nidal, Septembre noir et Abou Moussa. Selon d'autres rapports, elle organise un trafic de drogues au Liban (rapport : 1 milliard de $ par an).

Nota. – S. et URSS sont liées par traité d'amitié et de coopération dep. 1981. *Conseillers soviétiques. 1987 :* 2 240, *88 :* 1 240, *1990 (avril) :* 440.

Statut. Rép. Démocratie pop. socialiste. *Const.* du 31-1-1973, soumise à référendum 12-3-73 (votants 88,9 %, oui 97,6 %). *Pt* (islamique élu pour 7 ans par référendum sur proposition de l'Ass.) Hafez el-Assad (n. mars 1930, Alaouite) dep. 12-3-71, réélu 10-2-85 (99,97 %). 3 vice-Pts. *PM* Moahmoud Al Zou'bi. *Conseil du peuple* 195 m. élus p. 4 a. au suffr. univ. *Mohafazats* (préfectures) 14. **Élections** (23-5-1990) : F.N.P. 162 (Baas 134, P.C. 8). **Partis.** *Front national progressiste,* f. 1972, Pt Hafez el-Assad, regroupe : *P. socialiste arabe baath,* f. 1947, secr. gén. Hafez el-Assad ; *P. fédéral socialiste* secr. gén. Safwan Koudsi ; *P. socialiste unioniste,* secr. gén. Fayez Ismaïl ; *Mouv. unioniste socialiste,* secr. gén. Abdel Ghani Kannout ; *P. communiste de S.,* secr. gén. Youssouf Faisal. **Prisonniers politiques.** Des milliers torturés (selon Amnesty Internat.). Nombreux détenus sans jugement. Fête nat. : 17-4 (départ des Français en 1946). Drapeau : adopté 1972 : bandes rouge, blanche et noire. 2 étoiles vertes au centre (avant, aigle).

Économie

P.N.B. (88) 1 265 $ par h. **Pop. active** (%, entre parenthèses part du P.N.B. en %) agr. 28 (13), ind. 20 (22), services 50 (55), mines 2 (10). **Inflation** (%) : *1985 :* 14, *86 :* 70, *87 :* 59, *88 :* 38. **Aide extérieure** (85) : 1,9 milliard de $. *Aide arabe* (depuis 86) : 500 millions de $/an. **Dette extérieure** (milliards de $) : *1987 :* 4,67, *88 :* 4 + aide militaire, *89 :* 4,9. **Budget militaire** (89) 29 % du budget total (armée 400 000 h. + service de sécurité 200 000 h.).

Agriculture. *Terres* (milliers d'ha, 87) pâturages 8 277, cult. 6 133, forêts 534, eaux 117, incultes 3 574. Le barrage de Tapka sur l'Euphrate permettra d'irriguer 640 000 ha en 2000 (la S. dispute à Turquie et Irak l'utilisation du fleuve). *Production* (milliers de t, 89) : blé 864, orge 288, bett. à sucre 440 (86), p. de terre 425 (88), tomates 580, olives 230, raisin 520, coton 310, oignons 95, lentilles 89 (87), riz, tabac 20. Roseraies. Élevage (milliers de têtes, 89) : bovins 135 (88), poulets 12 000, moutons 13 900, chèvres 1 100.

Énergie. **Pétrole** (millions de t) : *réserves* 2 à 300, *prod. 1985 :* 9 ; *86 :* 9,2 ; *87 :* 12 ; *88 :* 14 ; *89 :* 16 ; *90 :* 20. *Revenus* (1988-89) : 490 millions de $. **Gaz** (milliards de m³) : *réserves* 156, *prod. 1988 :* 7,5 (grâce à de récentes découvertes, pourrait exporter 120 000 barils/j). **Électricité** (en milliards de kWh, 89) 8 dont hydraulique 2,5 : barrage du 6-Octobre sur l'Euphrate (1989-1994), retenue 1,4 milliard de m³ ; fournira 12,5 % de l'énergie électr. Mines (milliers de t, 87) : phosphates 1 985, sel 81, marbre, gypse, lignite, asphalte.

Industrie. Raffineries de pétrole, cuir, cuivre, textile, tapis, agro-alim., métallugie, B.T.P. Transports (km, 87) : *routes* 30 208. *Chemins de fer* 2 052. *Oléoducs* de Syrie, d'Irak et d'Ar. Saoudite. **Tourisme** (87) : *visiteurs* 1 217 564 dont 73 % de musulmans (Iran 45 %, Turquie 30 %). *Sites touristiques.* Damas (mosquée des Omeyyades, tombeau de Saladin, palais Azem, chapelle de Ste-Honorine, Bab Charki, fenêtre de St-Paul, souks), krak des Chevaliers, Palmyre, Bosra (ruines), châteaux de Marqab et de Saladin, Ugarit (1er alphabet du monde), basilique St-Siméon.

Commerce (milliards de L.S., 88). *Importations* 9,7 *dont* (%) équip. et fournitures industriels 42,8, machines 20,6, prod. manuf. 24 (86), agro-alimentaire 17, pétrole 8,9 *de* (%) Japon 11,1, *France 10,5,* U.R.S.S. 8,6, R.F.A. 8. *Exportations* 5,3 *dont* (%) pétrole 43,7, équip.et fournitures industriels 25,5, biens de consom. 21,81 *de* (%) U.R.S.S. 29,1, Italie 20,1, Roumanie 8,2, *France 7.*

Rang dans monde (89). 11e coton (83). 24e ovins.

TANZANIE

V. légende p. 837.

Nom. De *Tan*ganyika et *Zan*zibar.

Situation. Afrique. 945 087 km² (dont 2 643 km² pour Zanzibar et Pemba). *Alt. max.* Mt Kilimandjaro 5 895 m. *Lacs* Victoria et Tanganyika. **Climat :** très humide (côte et îles, 23 à 28 °C), chaud et sec (plat. central), semi-tempéré (montagnes). Grosses pluies avril-mai, petites oct.-nov. *Saisons :* chaude et sèche (janv.-mars), fraîche et sèche (juin-sept.).

Population. *1988 :* 24 000 000 h., prév. *2000 :* 40 000 000. Bantous 95 %, Sukumas 2 000 000, Chaggas, Makondes et Hayas 350 000, Masaïs 60 000 (env. 500 000 en 1990). **Âge :** *- de 15 a.* 48 %, *+ de 65 a.* 3 %. D. 25,3. **Divisions :** *Tanganyika* 937 063 km², 20 506 000 h. Afr. 98 %. D. 18,6. *Zanzibar* 1 658 km² et *Pemba* 985 km², 555 000 h. (79). D. 185,3. **Régions** (78) : Dodoma 971 845, Arusha 934 904, Kilimandjaro 910 823, Tanga 1 031 018, Morogoro 938 736, Dar es-Salaam 870 020, Zanzibar 270 736, Pemba 207 919, Mwanza 1 443 907. **Villes** (78) : *Dar es-Salaam* (cap. transférée en 1990 à *Dodoma*) 1 600 000 h. (aggl. 88), Mwanza 170 883, Tanga 143 878 (à 568 km), Zanzibar 90 000 (72 km), Arusha 88 155 (841 km), Moshi 32 000 (763 km). Langues : *off. :* swahili (l. nat.), anglais (2e l.). Religions (%) : musulmans (sunnites, chaféites, ismaéliens) 30 ; chrétiens (cath. et prot.) 44 ; animistes 32.

Histoire. **VIIIe s.** arrivée d'Arabes d'Oman. **XIe s.** arrivée de Persans. **1000-1500** culture swahilie sur la côte. **XVIe s.** installation portugaise sur la côte. **XIXe s.** traite des esclaves très développée. **1828** l'imam d'Oman Sayyid Saïd installe sa capitale à Zanzibar. **1886** tr. Angl./All. reconnaissant autorité du sultan Sayid Barghash Ben Saïd (1833-88) sur les îles de Zanzibar, Pemba, Mafia et Lamu et sur 5 à 10 miles de côte entre les rivières Mniajani et Mogadishu. **1888**-*16-8* All. prend officiellement possession du Tanganyika. Le sultan meurt. **1888-90** Sayid Khalifa Ben Saïd (1854-90), frère de Barghash, règne. **1890-93** Sayid Ali Ben Saïd, dernier fils de Sayid Saïd Ben Sultan succède. **1911** Kattwinkel (All.) découvre fossiles humains dans la gorge d'Odulvaï (fouilles reprises par Louis et Mary Leakey). **1959** Mary découvre l'homme d'Arusha, *Homo habilis.*

Zanzibar et Pemba : 1856 sultanat indép. **1890**-*1-7* sous protectorat brit., reconnu par Fr. (contre Madagascar) et All. (contre Héligoland). Noirs tuent 5 000

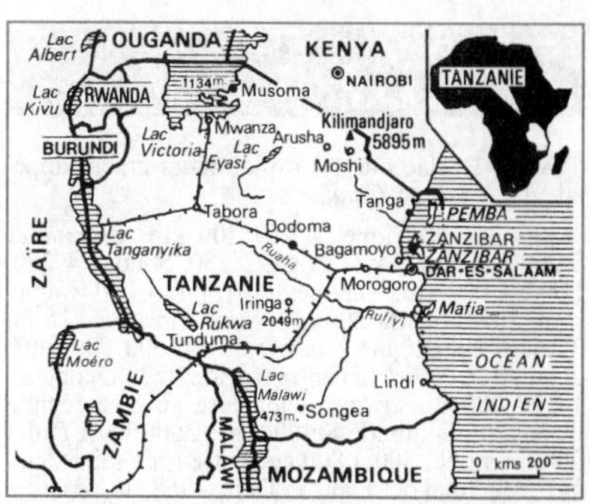

Arabes. 10 miles de bande côtière aux Anglais. **1911-60** Sayid Khalifa Ben Haroub sultan. **Tanganyika : 1885-1919** terr. de l'Afr. orientale all. **1919** mandat brit. **1954** formation du TANU. **1961**-*9-12* indép. **1962**-*9-12* répub. **Tanzanie : 1964** nom adopté 29-10 par la rép. unie de Z. et T. formée 26-4. **1967** déclaration d'*Arusha :* socialisme, rôle prédominant des collectivités rurales (ujamaas) [1970-75 construction du « Tazara » (entre T. et Zambie), 1 859 km, 2 000 ponts et viaducs, 19 tunnels, 147 gares ; travaux effectués par 15 000 Chinois et 40 000 Afr.]. **1972**-*7-4* vice-Pt Cheikh Karumé (67 ans) assassiné. **1978** *nov.* invasion ougandaise. **1979** *mars* armée t. pénètre en Oug. (coût de la g. 500 millions de $). **1981** *mai* se retire d'Oug. **1983** *janv.* complot, env. 600 militaires et 1 000 civils arrêtés. **1990**-*20-7* Parlement dissous. *-1/4-9* visite de Jean-Paul II. Ouverture au multipartisme.

Statut. Rép. membre du Commonwealth. *Const.* de janvier 1985. *Pt* élu au suffr. univ. pour 5 ans. *Ass. nat.* 238 m. dont 111 élus pour 5 a. *Pt* Ali Hassan Mwinyi (n. 1925, musulman) élu 27-10-85, réélu 28-10-90 avec 95,5 % des voix. *Vice-Pt et PM* John Malecela, dep. 9-11-90. *Pt de Zanzibar* Salmin Amour élu 21-10-90 avec 97,7 % des v. 25 *régions* (dont 5 à Zanzibar).

Parti unique. *Chama Cha Mapinduzi* (CCM, parti de la révolution) f. 5-2-77, issu de l'Afro-Shirazi Party (ASP) (Zanzibar) et de la TANU (Tanganyika African National Union). *Pt* Ali Hassan Mwinyi, *vice-Pt* Rashidi Mfaume Kawawa. Fête nat. : 26-4 (Union du T. et de Z.). Drapeau : adopté 1964 : vert (agriculture) et bleu (eau et Zanzibar), bandes obliques noire (peuple) et jaune (ressources minérales).

Économie

P.N.B. (88) 220 $ par h. **Croissance** (est., %). *1988 :* 4, *89 :* 4,5, *90 :* 4,5. **Pop. active** (% et entre parenthèses part du P.N.B. en %) agr. 83 (44), mines 1 (0,5), ind. 5 (6,5), services 11 (49). **Inflation** (%) : *1985 :* 27, *86 :* 32,4, *87 :* 30, *88 :* 31,2, *89 :* 24. **Dette extérieure** (au 31-12-88) : 4 milliards de $. **Aide** (millions de $, 90) : 520.

Agriculture. *Terres* (milliers d'ha, 79) arables 4 110, cult. 1 030, forêts 42 260, pâturages 35 000, eaux 5 905, divers 6 204. *Production* (milliers de t, 89) : manioc 5 000 (88), café 44, canne à sucre 1 190 (88), maïs 3 159, mangues 185, patates 230 (88), coton 86, sorgho 503, sisal 30, plantain 1 300 (88), bananes 1 350, noix de coco 350 (88), coprah 30, riz 570, millet 300, thé 17, cajou 25 (88), tabac 14, pyrèthre. Forêts (88) : 31 954 000 m³. Élevage (milliers de têtes, 89) : bovins 13 500 (88), poulets 31 000, moutons 5 000, chèvres 6 650, canards 3 000 (88), porcs 184 (88), ânes 172 (88). Pêche (87) : 313 500 t.

Mines. Charbon (gisements importants, pas expl.). Fer, diamants, or, sel gemme, kaolin, étain, gypse, pierres semi-précieuses, écume de mer. Transports : *routes* 82 000 km (88). *Chemins de fer* 2 600 km (88). Tourisme (87) : 103 209 vis. **Sites :** cratère de N'gorongoro (6 500 m², amphithéâtre de 20 km de large, 600 m de prof.), gorge d'Olduvaï. *Parcs nationaux :* Serengeti (12 950 km²), lac Manyara (314 km²).

Commerce (millions de $, 1987). *Exportations* 348 *dont* (%) café 53, produits manufacturés 11, coton 9, prod. pétroliers 8, minéraux 4, thé 4, tabac 4, noix de cajou 4, sisal 2, autres 8 *vers* (%) All. féd. 24, G.-B. 16, P.-Bas 6. *Importations* 900 (85) *dont* (%) biens d'équipements 47, biens intermédiaires 32 [dont 14 % pour produits pétroliers], biens de consommation 20, divers 1 *de* (%, 1984) G.-B. 12,5, R.F.A. 12, Japon 12, Italie 7.

Rang dans le monde (89). 16e bovins.

TCHAD

V. légende p. 837

Nom. Du lac que les explorateurs arabes appelaient *Lû sad* ou *Chad.*

Situation. Afrique. 1 259 200 km². *Frontières* 5 200 km env. ; avec Niger 1 250, Soudan 1 200, Libye 1 000 km, Rép. centrafricaine 1 000, Cameroun 800, Nigeria 200. *Alt. max.* Tibesti 3 415 m. **3 zones climatiques :** *désert* au N. 500 000 km², 250 000 h., *Sahel* au centre (région de N'Djamena) 1 500 000 h., *savane* soudanaise au S. à régime tropical semi-humide 400 000 km², 2 000 000 h. *Pluies* 20 mm au N., 300 à 800 au centre (juin-sept.), 800 à 1 200 (mai-oct.) au S. Dep. 1968, le désert a progressé de 50 à 70 km ; la partie N. du lac Tchad est sèche. **Port le plus proche :** Douala au Cameroun (1 600 km). **Fleuves :** *Chari* 1 200 km (débit 180 à 3 600 m³/s selon saison) ; *Logone* 970 km (55 à 900 m³/s). **Lac** *Tchad* côtes 100 à 250 km, 10 000 à 25 000 km² selon saison ; prof. 2,20 m.

Population. *1990:* 5 500 000, *prév. 2000:* 7 304 000. *Islamisés :* (Blancs) 1 500 000. Étr. 44 453 (68), dont 38 195 d'or. afr., 5 664 Eur. *En 90 : 1 250 Fr.* (*70 :* 6 500), 5 000 Européens (85), Libanais, Syriens. **Âge :** *- de 15 a. :* 44 %, *+ de 65 a. :* 2 %. **Mortalité :** infantile 143 ‰. D. 4,3. **Villes** (86) : *N'Djamena* (la ville où l'on se repose, ex-Fort-Lamy) 511 700 h., Sahr (Fort-Archambault) 100 000 (à 476 km), Moundou 90 000, Abéché 71 000 (756 km). **Langues :** 169 langues et plusieurs dialectes, français *(off.),* arabe *(off.),* dazaga, tedaga. **Religions** (%) : musulmans 44 (dans le Dar-el-Islam au N.), animistes 23, chrétiens 33 [Dar-es-Soudan au S. (1ers prêtres 1930, 1er évêque 1986)].

Nota. – *Toubous :* guerriers musulmans. *Saras :* cultivateurs ou fonctionnaires, animistes ou cathol.

Histoire. IVe s. av. J.-C. au XVIIe apr. J.-C. civilisation Sao. **VIIIe s.** empires : *Kanem-Bornou* (fondé *800,* apogée XIIIe s.) autour du lac Tchad ; *Baguirmi* (Tchad central XVIIe-XIXe s. ; devient vassal du Ouaddaï en **1870**) ; *Ouaddaï* (**XVIIe au XXe s.,** battu par les Fr. en **1909**) à l'Est ; *Bornou* (rôle important aux XIVe s., XVe s. Souverain représenté au Kanem par l'alifa Mao). **XIe-XIXe s.** islamisation. **1886-96** le Soudanais Rabbah (n. 1845) prend le Sud. **1897** Émile Gentil, explorateur fr., part au T. 1er tr. de protect. avec Gaourang, sultan de Baguirmi. **1899**-*21-3* accord franco-brit. plaçant Aozou au Tchad. **1900**-*22-4* Kousseri, C^dt^ Lamy bat Rabbah († tous les 2). *-5-9* création du T., protectorat fr. **1902** rattaché à l'Afr. équat. fr. **1906** incorporé à l'Oubangui-Chari. **1909** *juin* l'Ouaddaï se rend à la Fr. (sultan Doud-mourra). **1913** à Faya, C^el^ Largeau bat khalife Achmed ech-Cherif. **1916** soumission du Borkou-Ennedi-Tibesti (BET). **1920** sous administration civile. **1922**-*26-8* colonie. **1928** introduction du coton. **1935**-*7-1* tr. de Rome franco-it. ; tr. ratifié en Fr. 22-3 (Chambre par 570 voix contre 10) et 26-3 Sénat (295 voix contre 0), et en Italie par le Grand Conseil : rectification de frontière avec Libye (alors italienne), en vertu des promesses faites à Londres à l'It., en avril 1915, pour la décider à entrer dans la guerre ; l'It. obtient la bande d'Aozou [114 000 km² dont les oasis de Aozou, Yebbi Souma, Guezenti et Ouri ; minerais rares dont uranium bien que coût d'exploitation (isolement et climat)], la Fr. conserve oasis de Wour, Bardaï, Tekro et salines de Gouro. Mussolini, insatisfait, refuse d'occuper les territoires cédés. **1938**-*17-12* le Cte Ciano (min. des Aff. étr. ital.) dénonce tr. car instruments de ratification non échangés. **1940** *juil.* ralliement à la France libre ; Félix Éboué (Cayenne 1884-1944) gouverneur. **1946** Gabriel Lisette fonde P. pop. tch. (PPT). **1955**-*10-8* « tr. d'amitié et de bon voisinage » Fr.-Libye. Une annexe énumère la liste des actes internationaux (dont déclaration franco-brit. de 1899, convention franco-brit. de sept. 1919) en vigueur qui définissent les frontières de la Libye avec pays sous administration fr., plaçant Aozou au T. L'accord Laval-Mussolini n'y figure pas. **1956** loi-cadre élargit pouvoirs de l'Ass. terr. **1957** création de conseils du gouv. **1958**-*28-11* Rép. **1959** élections lég. : PPT vainqueur. **1960**-*11-8* indép. **1962** 1 seul parti autorisé (PPT). **1963** *sept.* répression, env. 100 †. **1964** les Fr. évacuent le BET. **1965** *janv.* le N. (580 000 km²) contrôlé par l'armée fr. passe sous administration t. *-27-10* rébellion (région du Guéra et du Tibesti). *-10-11* paysans luttent contre Sudistes. **1966**-*22-6* création au Soudan du Front de lib. nat. [Frolinat avec Ibrahim Abatcha (qui sera livré par ses soldats contre 3 millions de CFA et tué en 68) et Dr Abba Siddick (n. v. 1922)]. **1968** *févr.* interv. mil. fr. contre rébellion.

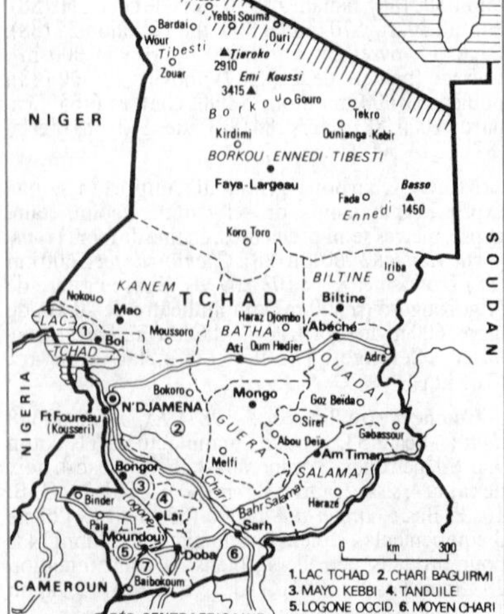

1971 *août* coup d'État, échec ; T. rompt relations dipl. avec Libye. **1972** *févr.* reprise des relations. *Août* Soudan n'aide plus les rebelles. *Sept.* fin de l'intervention directe fr. (au total, 39 militaires fr., 200 mil. et 400 civils tch., 2 000 « rebelles » tués dep. le début de l'intervention, qui a coûté env. 200 000 000 FF). *-28-8* Outel Bono (opposant) tué à Paris. *Oct.* combats : + de 140 †. **1973** Libye occupe bande d'Aozou que le Pt Tombalbaye lui aurait vendue (accord secret). **1974**-*21-4* Françoise Claustre, ethnologue fr., Dr Steawens (All., libéré 11-6-74 contre 4 milliards de F), sa femme († de ses blessures), Marc Combe (s'évadera 23-5-75) enlevés à Bardaï (Tibesti) par rebelles Toubous (chef Hissène Habré). Persécution des chrétiens refusant l'initiation aux rites du Yondo. **1975**-*12-4* C^dt^ Pierre Galopin, négociateur, envoyé à la demande du gouv. tchadien, exécuté par rebelles. *-13-4* coup d'État du Gal Malloum ; Pt Tombalbaye tué. *Sept.* la Fr. accepte de payer 10 millions de F pour F. Claustre. *-25-9* partie de la rançon remise à Habré, mais celui-ci exige des armes. *-27-9* le T. reproche à la Fr. d'avoir cédé à Habré et demande départ des troupes fr. *Oct.* elles évacuent Sahr. **1976**-*5/6-3* J. Chirac au T. : « réconciliation ». *-13-4* attentat contre Malloum, échec. *-18-10* Habré se sépare de son adjoint Goukouni Oueddeï (chef coutumier, dernier fils du *Derdei*) qu'il estime trop proche de la Libye ; retour progressif des troupes fr. **1977** Frolinat contrôle centre et E. ; Goukouni, soutenu par Libye, tient le Tibesti ; Habré, dans l'E., garde quelques hommes (et la rançon de F. Claustre). *-30-1* F. et Pierre Claustre (prisonnier dep. août 75) libérés par Frolinat. *-1-4* coup d'État, échec. *-20-6* offensive du Frolinat dans le N. La Fr. appuie Malloum. **1978**-*18-1* enlèvement d'un Fr. et d'un Suisse (libérés en avr.). *Févr.* Frolinat prend Faya-Largeau. Intervention fr. *Août* affrontements au sein du Frolinat (30 † à Faya-Largeau). *-29-8* Habré, *PM* du gouv. de « réconciliation nat. », ne veut pas intégrer son armée (FAN : 1 000 h.) dans l'armée nat. (ANT : 4 000 h.). **1979** *févr.* combats à N'Djamena FAN-ANT ; intervention fr. pour évacuer 3 700 Fr. *-10/11-2* gouv. de réconciliation nat. *-15-2* Habré contrôle capitale. *Mars* sudistes et FAT (Malloum) se réfugient au S. (Moundou et Sahr). Affrontements (625 †). *-14-3* accord de Kano (Nigeria) (sauf Frolinat du Dr Abba Siddick) pour « cessez-le-feu et réconciliation ». Malloum et Habré démissionnent. *-23-3* Goukouni Pt du Conseil d'État provisoire. Intervention lib. et nigérienne. Massacres (10 000 † ?). *-21-8* accord de Lagos entre 11 factions.

1980 *févr.* il reste 1 200 mil. fr. ; *mars* reprise des combats. FAN contre Forces armées pop. (Goukouni, Forces armées t. du C^el^ Kamougué et Front d'action commune d'Ahmat Acyl). *-26-4* Goukouni démet Habré *-17-5* fin de l'évacuation fr. *-15-6* accord de défense Libye-Goukouni. *-6-12* offensive contre Habré. *-14-12* Habré s'enfuit au Cameroun (80 000 réfugiés). Intervention lib. : 5 000 mil. dont 3 500 lib. et 1 500 de la Légion islamique (mercenaires), env. 150 experts est-allem., des Cubains et des mercenaires ital. *-15-12* victoire Goukouni. **1981**-*6-1* accord fusion T.-Libye. *-14-1* résolution de Lomé, 12 pays afr. la condamnent. *-3-11* départ des Lib. (alors 10 000 h.). *Nov.* envoi (décidé 10/11-2 à Nairobi par OUA), d'une force interafricaine (4 000 h. du Zaïre, Nigeria, Sénégal), mission se terminant 30-6-82. *Déc.* offensive des FAN d'Habré. **1982** *févr.* ont reconquis 2/3 du pays. *-28-2* cessez-le-feu. *-7-6* FAN prennent N'Djamena. *-22-6* Goukouni, ex-Pt, s'exile en Algérie. *-19-7* mort d'Ahmat Acyl (soutien de Libye). *-4-9* FAN du S. reprennent pays tenu par C^el^ Kamougué (chef des FAT). **1983** *mai* combats dans le N. *-24-6* Goukouni reprend Faya-Largeau aidé par Lib. *-30-7* troupes gouv. reprennent Faya ; l'aviation lib. la bombarde. *-10-8* troupes gouv. l'évacuent. Opération *Manta :* 314 milit. fr. envoyés à N'Djamena. *-28-8* 8 avions de combat (Jaguar et Mirage) soutiennent les 3 000 h. des forces fr. **1984** *janv.* forces fr. s'installent dans une « zone rouge » à la hauteur du 15e parallèle. *-25-1* un Jaguar fr. abattu (1 †) et un Mirage touché. *-7-4* 9 paras fr. tués (imprudence). *-16-9* accord fr.-libyen sur retrait simultané. *Nov.* les Lib. ne se retirent pas. *-10-11* départ des derniers éléments de la force Manta (*Bilan :* 13 †, plusieurs bl.). **1984-85** rébellion dans le S. (les Codos). **1985**-*1-4* rencontre avortée Habré/Goukouni à Bamako. *Situation au 1-4 :* troupes lib. 5 000 h. dans le N., Gunt 4 000 h., ANL opposition. **1985** *nov.* nombreux ralliements à Habré. **1986**-*10-2* offensive du Gunt et des Lib. au S. du 16e parallèle. *-16-2 :* 11 Jaguar fr. détruisent piste d'aviation d'Ouadi-Doum contrôlée par Libye. *-17-2:* 1 Tupolev lib. sur piste d'aviation de N'Djamena. *-17-3* bilan des combats dep. 10-2, selon les FANT : 235 † du Gunt et 2 Libyens, destruction du PC de la légion islamique, 186 prisonniers dont 5 lib. ; 200 véhicules récupérés. *Nov.* rapprochement Habré/Goukouni. *-18-11* Acheikh Ibn Omar remplace Goukouni à la tête du Gunt. *-11-12* Lib. attaquent Bardaï, Wour, Zouar. *-17-12 :* 2 Transall français parachutent 16 t de vivres, munitions, carburants aux partisans de Goukouni dans le Tibesti. *-20-12* contre-offensive tchad. à Zouar (Lib. 400 †). **1987**-*2-1* à Fada (Libyens 784 †, 154 chars détruits ; Tchadiens 18 †). *-21-1* Zouar dégagé. *-22-3* Ouadi-Doum repris (1 269 Lib. †). *-23/26-3* Lib. évacuent Faya-Largeau. *-12/15-7* Habré en Fr. *-8-8* Tch. prend Aozou, 500 Lib. †, 100 Tch. †. *-28-8* Lib. reprennent Aozou. *-5-9* Tch. détruisent en Libye base de Maaten-es-Sarra, 1 713 Lib. †, 65 Tch. †, 22 avions détruits. *-7-9* 2 Tupolev 22 lib. vont vers N'Djamena. 1 est abattu par les Fr. ; 1 bombarde Abéché, 2 †. *-11-9* cessez-le-feu. *-21/22-11* combats près du Soudan avec lég. isl. lib. **1988**-*7-3* attaque lib. à Karkour, 20 Lib. †. *-1-5* Goukouni forme nouveau gouv. d'union nat. de transition. Colonel lib. Aftar et 30 off. rejoignent Front nat. du salut lib. (opposition). *Août* Libye se proclame neutre dans le conflit tch. *-3-10* rel. diplom. T./Libye reprises. *-19-11* réconciliation gouv./Acheikh Ibn Oumar, chef du Front nat. tchadien. *-8-12* combats tch./Légion isl. au S.-E. de Gozbeida (122 lég. et 8 Tch. †). *-25-12* 312 pris. tch. libérés. **1989** *janv.* dispositif Épervier allégé. *Mars* Acheikh Ibn Oumar min. des Rel. ext. *Avril* rébellion d'Idriss Déby, ancien C^dt^ des FANT. *-1-4* complot de Déby échoue. *-11-4* Hassan N'Djamous, vainqueur de la g. contre Lib., fait prisonnier au Soudan, meurt à N'Djamena. Idriss Déby s'échappe. Son frère Itno, min. de l'Intérieur † (tué en détention ?). *-21-7* Bamako, rencontre Kadhafi/Habré. *-31-8* accord ; passé 1 an, le « différend » sera porté devant Cour intern. de Justice de La Haye. Retrait de 7 000 à 8 000 soldats lib. du N. du T., libération 2 000 prisonniers lib., 500 prisonniers dont 3 colonels sont dans l'opposition lib. en exil. *-16-10* combats dans le Darfour (O. Soudan) contre maquisards (2 000 h. ou + ; chef : Idriss Déby) : 50 à 90 † selon T., + de 1 200 † selon maquisards. *-30-10* l'armée t. fait 600 †. **1990**-*31-1* Jean-Paul II au T. *-25-3* attaque légion islamique prolib. (2 500 h. d'I. Déby) près de frontière soudan. *-4-4* victoire armée t. (légion isl. 330 †). *-8-7* él. législ. *-22-8* Rabat, rencontre Habré-Kadhafi. *-10, 15 et 25-11* Déby, avec 2 000 h., bat 9 000 h. de l'armée. *-29-11* Abéché pris. *-1-12* entrée des forces Déby à N'Djamena ; Habré fuit au Cameroun. *Déc.* cour criminelle créée pour juger Habré qui aurait détourné 140 millions de FF. *-7-12* armée amér. évacue 200 des 700 soldats lib. ralliés à Habré. **1991**-*12-2* Pt Déby en France. *-14-2* manif. à N'Djamena, 1 †. *-11-6* Frolinat dissous.

☞ **Dispositif Épervier** (assistance française) déc. 1990 : 1 800 h. [dont à N'Djamena : 1 500, à Abéché : 300 dep. le 15-2-1986 (à la suite de l'offensive lib.)]. *Matériel :* N'Djamena : 7 Mirage F 1, 4 Transall, 1 C-135, 4 hélic. Puma, missiles Crotale ; Abéché : blindés légers.

Statut. Rép. Charte nationale du 28-2-1991. *Conseil d'État provisoire* dep. 4-12-90. 5 *inspections territoriales.* 14 *préfectures.* **Fête nat. :** 11-8 (indépendance). **Drapeau :** adopté 1959 : bandes bleue (ciel), jaune (soleil et désert), rouge (sacrifice nat.). La Libye revendique le nord du Tchad et occupe la bande d'Aozou (114 000 km²) ; procédure devant Cour de La Haye.

Pertes libyennes : env. 7 000 h. ; **présence lib.** (en 1988) : 12 000 h.

Présidents. 1960 François Tombalbaye (1918-75), Sara Madjingaye, protestant. **75-***13-4* Félix Malloum (n. 13-9-32), chrétien, Sara Mbaye. **79-***23-3* Lol Mahamat Shoua (n. 15-6-39), musulman, Kanembou. **79-***29-4* Goukouni Oueddeï (n. v. 1944), musulman, toubou, chef du Frolinat. **82-***21-10* El Hadj Hissène Habré (n. 1942). **90-***4-12* Idriss Déby (n. 1952), musulman, Bideyat, chef du MPS (f 8-3-90).

Économie

P.N.B. (89) 150 $ par h. **Pop. active** (% et entre parenthèses part du P.N.B. en %) agr. 85 (64), mines 0 (0), ind. 7 (7), services 8 (29). **Dette extérieure** (millions de $, 1987) : 318. **Déficit commercial** (millions de $, 1987) : 149,5. **Aide de la France** (en millions de FF) : *1986 :* aide civile 400, force Épervier 1 500 ; *87 (1er trim.) :* armement 500 ; *91 :* force Épervier 1 500.

Agriculture. *Terres* (milliers d'ha, 79) cult. 3 150, pâturages 45 000, forêts 20 580, eaux 2 480, divers 57 190. *Production* (milliers de t, 88) millet et sorgho 690, manioc 330, arachides 80 (89), légumineuses 63, coton 51 (89), sucre 290, riz 52, tabac. **Élevage** (milliers de têtes, 88) : bovins 4 060, chèvres 2 245, moutons 2 245, poulets 4 000, chameaux 509, ânes 255, chevaux 150. **Mines.** Uranium, cassitérite, wolfram, or, bauxite, fer, natron.

Commerce (millions de F CFA, 83). *Exportations :* 4 120 *dont* coton 3 753 (70 % des recettes), animaux 49, viande 23, cuirs et peaux 16, *vers France 3 806,* Cameroun 106, Nigeria 104, Centrafrique 35, Congo 9. *Importations :* 13 539 *dont* prod. pétroliers 2 280, céréales 2 272, prod. chim. et pharmaceutiques 1 561, équip. de transp. 987, mach. 843, *de France 10 597,* Nigeria 2 805, P.-Bas 2 116, U.S.A. 1 786, G.-B. 1 542.

Rang dans le monde (80). 9e millet. 10e chameaux.

Tchécoslovaquie après Munich (30-9-1938/15-3-1939)

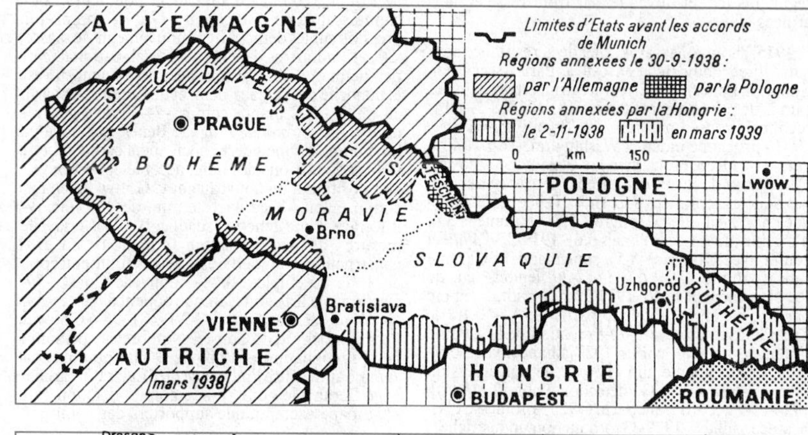

TCHÉCOSLOVAQUIE

V. légende p. 837.

Situation. Europe. 127 900 km² [*régions tchèques :* 78 864 (Bohême 52 769, massifs entourant des plateaux, alt. max. Snezka 1 602 m dans les monts des Géants ; Moravie 26 095), *Slovaquie* 49 036, montagnes htes et basses Tatras]. *Frontières* 3 472 km ; avec URSS 196 km, Pologne 2 620, All. dém. 918, All. féd. 712, Autriche 1 140, Hongrie 1 358. *Alt. max. :* pic Gerlach 2 655 m. **Climat** tempéré presque continental : – 1,6 °C en janvier, + 21,1 °C en juill. (Bratislava). *Pluies :* 400 mm à 1 700 mm dans les montagnes. *Été* froid et pluvieux (si vents d'O.), sec et chaud (si vents d'E.).

Population. 15 649 765 h. (89) [Bohême 10 360 034, Slovaquie 5 264 220] dont (%, 87) Tchèques 62,9, Slovaques 31,8, Hongrois 3,8, Polonais 0,5, Allemands 0,3, Ukrainiens et Russes 0,3, autres 0,4 ; 391 000 Tziganes (88) ; *prév. 2000 :* 16 776 000. **Âge :** *– de 15 a. :* 24 %, *+ de 65 a. :* 11 %. D. 122,4. **Villes** (janv. 90) : *Prague* 1 214 885 h., Bratislava (cap. de la Slovaquie) 440 629, Brno 390 986, Ostrava 331 219, Kosice 235 729, Plzen 174 666. **Langues** (%). Tchèque 66,2, slovaque 18, hongrois 3,1, allemand 1,2, ukrainien 0,6, polonais 0,6 [*Recensements suivant la langue maternelle* (en 1930, en %). Tchèques et Slovaques 66,91 %, Allemands 22,32, Hongrois 4,78, Russes et Ukrainiens 3,79, Juifs 1,29, Polonais 0,57].

Religions. *Église catholique romaine :* 6 millions de personnes, 12 diocèses. *Vieille-cath. :* tradition hussite de Jan Rokycana († 1471), 2 000. *Cath. grecque :* 200 000 en Slovaquie. *Orthodoxe :* 180 000 en 4 éparchies. *Tchécosl. hussite :* appelée hussite en 1972, fondée 1919 ; renoue avec les traditions utraquistes : communion sous les 2 espèces, liturgie en tchèque, pas de célibat chez le clergé [1 patriarche, 5 évêques, 300 pasteurs (40 % de femmes)]. Nombre des fidèles diminue. *Évangélique des frères moraves :* 200 000 en Bohême-Moravie. *Slovaque c.A. :* 400 000 en Slovaquie. *Silésienne c.A. :* 30 000 Polonais silésiens. *Chrétienne réformée en Slovaquie :* 100 000 d'origine hongr. *Union des frères :* 3 000 croyants. *Église des frères :* 9 000 membres. *Baptistes :* 5 000 croyants. *Méthodiste :* 3 000 croyants. *Temples chrétiens :* mouvement de 5 000 membres. *Église adventiste du 7e jour :* 20 000 croyants.

Histoire

Av. J.-C. XVe s. Bohême occupée par des Celtes (Boïens) ; civilisation d'Unetice (bronze). **IIe s.** invasion des Marcomans (Germains occ.) ; Celtes se réfugient en Bavière (Boaria). **Ap. J.-C. IIe s.** contacts étroits entre Marcomans et Romains de Norique et Pannonie (guerres, puis échanges commerciaux). **IVe s.** Marcomans remplacés par Quades (Germains orientaux). **Ve s.** Lombards repoussent Celtes vers l'O. Tchèques occupent Bohême et Moravie. **VIe s.** Slaves chassent Lombards, duché slave (tch.). **627-662** Samo crée État slave indépendant. **IXe s.** Ptés de Morava et Nitra forment Empire de Grande Moravie. **840** Pribina de Nitra dirige les 2 principautés unies en un État chrétien (converti par Sts Cyrille et Méthode 863-65). **864** attaque de Louis le Germanique, allié aux Bulgares pris à revers par Byzance. Gde Moravie sous tutelle germanique. **869** Svätopluk, imposé par Germains, se retourne contre eux. **874** battu, reconnaît souveraineté de Louis le Germ. **880** obtient protection du pape (bulle *Industriae tuae). 894* Germains et Magyars provoquent chute Gde Moravie. **905-07** Arpad, r. des Magyars, écrase Moraves et assujettit tribus s. **905-21** Vratislav Ier fonde dynastie bohémienne des *Prémyslides.* **924** Venceslas (v. 907/28-11-929) duc vénéré depuis comme St patron. **955-***10-8* poussée magyar arrêtée. **1086** Vratislav II couronné r. de Bohême à titre viager par l'emp. Henri IV. **1192** monarchie bohémienne devient héréditaire avec Ottokar Ier. **1212** Ottokar Ier († 15-12-1230) reçoit titre de r. de Frédéric II de Hohenstauffen (« bulle d'or » de Sicile) ; bien que non allemand est l'un des 7 électeurs du St-Empire. **1273** Rodolphe de Habsbourg élu emp. contre roi de Bohême : Ottokar II. **1278-***26-8* défaite et mort d'Ottokar II à Dürnkrut en tentant de prendre Vienne. **1283** Venceslas II élu (1300 r. de Pologne), ne parvient pas à faire proclamer son fils r. de Hongrie, sous le nom de Ladislav V ; roy. prospère (mines d'argent de Kutna Hora). **1310-47 dyn. des Luxembourg** (4 rois de 1310 à 1437). **1310** *Jean de Lux.* (1296-aveugle 1339, combat du côté fr. à Crécy où il est tué 26-8-1346), f. de l'emp. Henri VII, r. de Bohême par mariage avec Élisabeth, sœur de Venceslas. **1335** acquiert Silésie en échange renonciation au titre de r. de Pologne. **1338** bourgeois de Prague autorisés à construire un hôtel de ville. **1344** archevêché de Prague créé. **1346** *Charles IV* (1316-78), f. de Jean de L., emp. du St-Empire, roi de Bohême. Tch. devient langue off. **1348** université de Prague fondée. **1355** Charles IV couronné à Rome emp. Slov., intégré au roy. de Hongrie (Haute-Hongrie) ; paysans continuent à parler Slov. **1356** statut autonome du roy. de Bohême confirmé (bulle d'or de Charles IV), « Couronne de St-Venceslas ». **1363** *Venceslas IV* f. de Charles IV (1361-1419), couronné roi de Boh. du vivant de son père, élu emp. 1378 après la mort de celui-ci. **1410-15** réformateur : *Jan Hus* (n. 1370-brûlé vif 1415). **1419** *Sigismond* frère de Venceslas IV (1368-1437), élu emp., roi de Bohême. *-30-7 1re défenestration de Prague :* membres de la municipalité jetés par fenêtres hôtel de ville par peuple de Prague, mené par Jean Zelivsky, ancien moine lié aux millénaristes du mouvement Tabor. **1420-21-22-27-31** croisades du pape et de Sigismond contre Hussites (dont Jean Zizka, prêtre Procope le Grand). **1434** Lipany, défaite armées hussites. **1437 Albert II de Habsbourg** (1397-1439), roi d'All. et de Hongrie, élu roi de Bohême. **Jusqu'en 1471** insurrection contre noblesse et bourgeoisie en majorité all. *Georges de Podiebrady* (1458-71), partisan des Hussites, élu roi de Bohême (1er roi « national »). **Dynastie des Jagellon** (polonaise ; 2 rois de 1471 à 1526). **1471** *Ladislas II J.,* fils du r. Casimir de Pologne. **1485** paix religieuse de Kutna Hora (distingue foi rel. des fidèles de celle de leurs seigneurs). **1515** accords de Vienne Jagellon/Habsbourg. **1516** *Louis II J.* meurt à Mohacs (1526). **1526 dynastie Habsbourg :** la couronne de Bohême passe aux Habsbourg avec Ferdinand Ier, qui a épousé Anna Jagellon. **1547-***7-7* défaite des États tch. ; villes perdent leur administration autonome. Fin autonomie Égl. calixtine. **1564** monarchie boh. héréditaire dans famille Habsbourg. **1618** *2e défenestration de Prague* (des 2 gouv. impériaux, allemands et cathol. par nobles et bourgeois tch. évangélistes) : début de *la g. de Trente Ans.* **1620-***8-11* bat. de *la Montagne Blanche ;* Tch. vaincus, Bohême sera province de l'emp. d'Autriche et recatholicisée [de 90 % de protestants à moins de 10 % ; émigr. des nobles vers All. ; des intellectuels, notamment Comenius (1592-1670), vers P.-B.]. **1627** « Constit. du pays renouvelé » : égalité all./tch. **1648** paix de Westphalie maintenant Bohême et Moravie parmi États cath. **1784** 4 villes de Prague unifiées. **1838** Hist. de la Bohême de Palacky publiée. **1848-***2/12-6* Prague, 1er congrès panslave. *Juillet* Parlement élu au suff. univ. direct. *-7-9* droits féodaux abolis avec indemnisation. **1848-60** répression. **1860** *oct.* diplôme rétablissant constitutions particulières et régime censitaire. **1867** début émigration USA. **1869** firme Skoda créée. **1874-***25-12* parti des Jeunes Tch. créé. **1876** début tentative magyarisation S. ; langue limitée à ens. primaire. **1878** parti ouvrier soc.-dém. créé. **1882** langue tch. même statut que all. (difficultés avec minorité all. : suspension) ; université tch. restaurée. **1896** émeutes. **1907-***26-1* suffr. univ. en Bohême. **1911** él. : P. agrarien domine (P. social-dém. 37 % des v.). **1914-18** régiments tch. et slovaques sur front russe et dans armées alliées.

1915 Thomas Masaryk, chef de la résistance anti-autr., crée gouv. tch. en exil à Paris (secr. gén. Édouard Benès). **1917** recrute armée tch. dans les camps de prisonniers autr. en Sibérie. **1918**-*29-6* Fr. reconnaît conseil nat. tch. -*14-10* gouv. provisoire. -*18-10* proclame indép. à Washington. -*28-10* à Prague. -*14-11* Rép. proclamée, ass. et gouv. provisoires. *Déc.* Masaryk élu Pt de la Rép. ; sécession des All. des Sudètes réprimée (pop. en % : Tchèques et Slovaques 65,5, All. 23,4, Hongrois 5,7, Ukrainiens 3,4, d'origine juive 1,3, Polonais 0,6). **1919**-*27-4 à juillet* conflit avec Hongrie. -*8-5* a sous mandat l'Ukraine subcarpatique. -*28-9 (au 30-11-20)* légions tch. de Russie évacuent la R. **1920**-*29-2* Constit. : régime parlem. bicaméral (env. 20 partis pol.). -*4-6* tr. de Trianon avec Hongrie. -*14-8* création de la « Petite Entente », appuyée par Fr. 1922 [alliance avec Youg. (adh. de Roumanie juin 1921, tr. de non-agression avec URSS. 4-7-1933, défection yougosl. 1936)]. **1924**-*25-1* accord franco-tch. (1925 : promesse d'assistance milit.). **1929-33** production industrielle : – 40 %. **1933** 1 200 000 chômeurs. **1935**-*16-5* alliance avec URSS. Benès Pt de la Rép.

1938-*29-7* territoire sudète habité par des All. (ralliés autour de Konrad Heinlein, nazi) cédé à l'All. après Munich (30 000 km², 3 000 000 h.). *29/30-9* conf. de Munich. -*1-10* Pologne prend Tesin (en all. : Teschen) (1 270 km², 28 600 h.). -*5-10* Benès résigne ses fonctions. Partira en G.-B. le 22-10. -*6-10* Slovaquie autonome (PM Mgr Joseph Tiso). -*8/26-10* Ruthénie autonome renommée Ukraine subcarpatique. -*20-10/2-11* Slovaquie du S. et S. de l'Ukraine sub. cédés à Hongrie. Arbitrage de Vienne au bénéfice de la Hongrie. La Tch. a perdu 41 098 km² et 4 876 000 h. dep. le 1-10. **1939**-*14-3* la Diète slovaque proclame l'indép. de l'État slovaque. Hongrois occupent Ukraine subcarpatique et la Wehrmacht envahit les pays tch. -*15-3* occupation all. commence : protectorat de Bohême-Moravie créé avec à sa tête : Karl von Neurath et K.H. Frank. -*21-7* Slovaquie constituée en république sous protection du Reich (plus tard assimilée), Mgr Tiso Pt (14-3-39). Ukraine sub. occupée par Hongrois. Gouvernement tch. à Londres (Pt Benès). -*28-10* manif. fête nat. : 9 bl. (dont 1 étudiant : Jan Opletal † le 11-11 de ses blessures). -*17-11* fermeture des universités, exécution de 9 leaders étudiants et déportation de plusieurs centaines. **1940**-*9-7* Comité national, reconnu par Paris et Londres en nov. et déc. 1939, assure la continuité étatique tch. en G.-B. **1941**-*27-9* Reinhardt Heydrich (n. 1904), protecteur du Reich remplaçant. Proclame état de siège ; répression. -*16-10* transport de Juifs de Prague à Lódz. **1942**-*27-5* Heydrich blessé par partisans meurt 4-6. -*10-6* massacre à Lidice (184 h. tués, 235 f. déportées). **1944**-*25-8* début du soulèvement national slovaque.

1945 la Tch. récupère les Sudètes en expulsant les h. (d'origine all.) ; 240 000 S. seraient morts (selon les All.) dans les camps. *Janv.* libération de la Slov. orientale par Russes. -*4-4* gouv. de Front national présidé par le social-dém. de gauche Zdenek Fierlinger. -*21-4* Américains (du Gal Patton) entrent en Tch. *Avr.* cabinet Fierlinger, fusion du gouv. Benès émigré à Londres en juil. 1940 et du mouv. émigré en URSS, 4 partis tch. représentés (socialiste, social-dém., communiste, populiste) et 2 p. slov. (dém., comm.). -*5-5* soulèvement de Prague 4 j avant l'arrivée de l'Armée rouge. -*9-5* libération de Prague ; Benès proclame la IIe Rép. *Juin* Pologne restitue Teschen. -*29-6* Ruthénie sub. (confiée en mandat en 1919) cédée à URSS (env. 750 000 h.). -*24-10* nationalisation des mines, industries, banques par actions, assurances et ind. alimentaire. **1946**-*25-1* 1er transport d'All. : 2 170 000 seront expulsés de la Tch. -*26-5* él. à l'Assemblée nat. constituante. *Pays tchèques :* PCT 40,17 % des voix, socialistes nationaux 23,66, populistes 20,23, sociaux-dém. 15,59. *Slovaquie :* P. dém. 61,43, PCS 30,48, P. de la liberté 4,2, P. du Travail 3,11. Élections : communistes 114 s. sur 300. Gouv. de coalition formé par Pt du Conseil, comm. Klement Gottwald (1896-1953). -*19-6* Benès élu Pt de la Rép. **1947** *juil.* le gouv. accepte à l'unanimité le plan Marshall. Staline l'oblige à refuser. *Sécheresse :* récolte de 40 % moins abondante qu'avant guerre, rations alimentaires diminuées (beaucoup accusent les communistes qui détiennent la plus grande part du pouvoir). *Nov.* congrès du parti social-démocrate, Pt Zdenek Fierlinger et aile gauche battus. *Nouveau Pt :* Bohumil Lausman ; le PC renforce ses positions ; le min. de l'Intérieur et le min. de la Défense [Gal Ludvik Svoboda (officiellement « sans parti »)] sont communistes. **1948**-*7-1* expropriation des terres au-delà de 150 ha cultivés. -*13-2* les min. social.-nat. et pop. demandent au min. de l'Intér. (comm.) d'annuler la nomination de 8 commissaires de pol. comm. -*17-2* les comm. font pression sur les démocrates (mouvements de masse). -*20-2* 12 ministres de 3 partis (social.-national, chrétien-dém. et dém.-slovaque) démissionnent. Il reste la majorité des sociaux-dém. et des « sans-parti » (14 en tout). -*21-2* manif. comm. -*24-2* grève générale de 1 h. -*25-2 Coup de Prague :* Benès, persuadé par les comm. qu'une guerre civile menacerait s'il refusait les démissions des min., accepte et approuve la composition d'un nouveau gouv. Gottwald (en maj. comm.), Jan Masaryk reste min. des Aff. étr. -*9-3* il tombe d'une fenêtre (suicide ?). -*28-4* nouvelles mesures de nationalisation (commerce en gros, construction, commerce extérieur et toute entreprise de + de 50 employés). -*9-5* nouvelle Const. -*30-5* élections : la liste gouv. unique obtient 89 % des voix. -*7-6* Benès démissionne († 3-9-1948). -*14-6* Gottwald Pt, Zapotocky Pt du Conseil. Nombreuses personnalités rel. condamnées. **1949**-*1-1* 1er plan quinquennal. *Juin* pour détruire l'influence de l'Égl. cath. (archev. Mgr Beran), le gouv. fonde comité d'action cath. -*20-6* pape excommunie supporters des comm.

1950 nombreux procès [3 types : ennemis du peuple (Mme Horakova, Z. Kalandra) ; nationalistes slovaques (Clementis, Husak) ; agents du sionisme (Slansky)]. 12 exécutions [dont 3-12-52 Slansky (vice-Pt, PM), Vladimir Clementis (min. Aff. étr.)]. **1953**-*14-3* Gottwald † ; PM A. Zapotocky devient Pt. -*7-8* émeutes contre réforme monétaire. **1957**-*17-11* Zapotocky †. -*13-11* Novotny Pt. **1961** difficultés écon. **1962** Slansky et Clementis réhabilités ; Barak, min. de l'Int., incarcéré. Restes de Gottwald transférés hors de son mausolée (Mt Vitkov) de Prague. **1968**-*5-1* Alexander Dubcek 1er secr. du PC remplace Novotny. -*22-3* Pt Novotny démissionne sur ordre de l'Ass. nat. -*6-4* Gal Ludvik Svoboda élu Pt, Oldrich Cernik PM : « **printemps de Prague** », programme libéral. -*30-5/30-6* manœuvres du pacte de Varsovie, dernières troupes sov. partent *3-8*. *Juill.* pression sov. sur Dubcek pour restreindre libéralisme. -*29-7* Politburo sov. arrive à Cierna. -*9/11-8* Tito et *15-8* Ceausescu en Tch. pour soutenir Dubcek. -*21-8* membres du comité central et du gouv. arrêtés et emmenés à Moscou ; intervention étrangère (20 000 h. puis 650 000 Sov., Pol., Hongr., All. de l'Est, Bulg.). Les représentants des 5 États du tr. de Varsovie constatent que la « contre-révolution » en Tch. menace le rég. soc. et qu'il est impossible de résoudre le problème en ayant seulement recours aux moyens pol. [Sur 90 PC du monde, 11 approuvent URSS (URSS, Pol., Hongr., All. dém., Bulg., N.-Viêt-nam, Corée du N., Mongolie, Colombie, Chili, Syrie), le PCF désapprouve]. -*27-8* Dubcek et Pt Svoboda vont à Moscou pour obtenir la libération des ministres prisonniers, en échange de concessions : stationnement « temporaire » en Tch. des troupes russes, annulation de plusieurs réformes. -*13-3* censure préventive. -*16-10* accord sur stationnement des troupes étr. **1969**-*1-1* Tch. devient État fédéral (sigle CSST) regroupant État slov. et État tch. (Bohême et Moravie). -*16-1* Jan Palach (étudiant, n. 11-8-48) s'immole par le feu sur place Venceslas pour protester contre occupation sov. -*19-1* obsèques. -*25-1* manif. d'unité nationale ; Jan Zajic, étudiant, s'immole par le feu. -*21-3 :* 1re victoire de l'équipe tch. sur URSS aux championnats du monde de hockey sur glace à Stockholm, explosion de joie. -*28-3 :* 2e vict. : enthousiasme (Prague, bureau Aeroflot mis à sac). -*6-4* présidium du PC « blanchit » 10 anciens dirigeants accusés de collaboration et de trahison dep. l'intervention : Bilak, Barbirek, Kolder, Piller, Rigo, Svestka, Lenard, Kapek, Indra et Jakes. -*17-4* comité central du PC remplace Dubcek (Husak 1er secr.). -*3-6* Lubomir Strougal, Pt du bureau du PC pour Bohême et Moravie, devient off. le dauphin de Husak. -*19 au 21-8* manif. lors du 1er anniv. de l'intervention : 4 †, 424 blessés et 2 174 arrestations en Bohême et Moravie. -*22-8* champion d'échecs Ludek Pachman arrêté. -*3-9* présidium du PC slov. annule sa résolution d'août 1968 condamnant intervention étr. Tous les organes du PC feront de même. -*25-9* comité central révoque Dubcek de la prés. du Parlement (et l'exclut du présidium) ; Josef Smrkovsky, de la prés. de la Ch. du Peuple (et l'exclut du comité central avec 9 autres, 19 démissionnent). Épuration du parti. -*9-10* interdiction des voyages en Occident et Youg. -*16-10* épuration au Parlement, qui proroge ses pouvoirs jusqu'en janv. 1971. -*17-12* Smrkovsky démissionne. Parlement crée des délits « contre l'écon. soc. », etc., permettant de sanctionner n'importe quoi. *Réfugiés tch. dep. l'intervention soviét. :* 50 000 [12 000 admis en Suisse, 7 300 au Canada, 8 000 en All. féd. (voir Quid 1971, p. 863)].

1970-*28-1* Strougal PM. **1975**-*12/14-11* Strougal en France : accord de coop. écon. (p. 10 ans). **1977**-*5-1* 242 intellectuels signent la *« Charte 1977 »*, « afin de permettre à tous les Tch. de travailler et de vivre comme des êtres humains » [rédacteur : Jean Patocka, créateur du cercle philosophique de Prague (1907-mars 77, † après interrogatoire policier)]. **1979**-*11-2* Iaroslav Sabata, porte-parole de la « Charte », emprisonné. -*23-10* procès de la Charte 77 (4 accusés : Vaclav Havel, Jiri Dienstbier, Petr Uhl, Vaclav Benda). **1980**-*13-1* Jiri Lederer, journaliste, signataire de la Charte 77, libéré après 3 ans de prison († 12-10-83 en exil). *Juil.* Rudolf Battek, m. du Vons (Comité de défense des personnes injustement poursuivies) et porte-parole de la Charte 77, condamné à 7 ans de prison. **1982**-*29-1* accord Tch.-G.-B.-USA prévoyant restitution de 18,5 t d'or volées par nazis et récupérées par alliés en échange de l'indemnisation des émigrés tch. en G.-B. et USA. **1986**-*9-11* mort à Londres d'Artur London (juif, n. 1915, membre du PC, ancien des brigades intern. en Esp., résistant en Fr., déporté, vice-min. des Aff. étr. en Tch., arrêté 1951, jugé nov. 1952, gracié, auteur de *l'Aveu*, nov. 1970, déchu de la nation. tch.). **1988** -*1-1* 1res mesures de privatisation et de rentabilisation de l'économie prennent effet. -*21-8* 4 000 manif. à Prague pour anniv. de l'invasion soviét. (+ grande manif. dep. 1969), 77 arrêtés. -*27-10* amnistie. -*28-10* manif. pour anniv. de la fond. de la Rép. -*31-10* 200 opposants arrêtés, dont écrivain Vaclav Havel (lib. -1-11). -*8/9-12* Pt Mitterrand en Tch. -*10-12* 1re manif. autorisée dep. 20 ans (3 000 pers.). -*15-12* Vasil Bilak (n. 1917) démissionne de la dir. du PC. **1989** *16/21-1* manif. à la mémoire de Jan Palach. Arrestations, dont dir. de la Charte 77 et Vaclav Havel. -*21-8* manif. pour 21e anniv. de l'intervention soviét. (376 arrêtés). -*29-9* Prague, 2 500 All. de l'E. réfugiés dans ambassade All. féd. -*28-10* dissidents arrêtés (dont Vaclav Havel). -*28-10* Prague (place Venceslas), 10 000 manif. pour 71e anniv. de la fondation de la Rép. (355 arrestations). -*17-11* Prague, 50 000 manif. pour anniv. du soulèvement étudiant contre nazis : répression voulue par services secrets soviét. et tch. [561 bl. dont 1 étudiant (Martin Smid) passé pour mort (en fait un agent des serv. secrets : lieutenant Ludek Zivak) : but, remplacer Milos Jakes et Miroslav Stepan, discrédités par cette « bavure » par un proche de Gorbatchev, Zdenek Mlynar (signataire de la Charte 77, vivant en exil à Vienne) ; mais Martin Smid démentit sa mort et Mlynar déclina l'offre du KGB]. *Révolution de velours :* -*18-11* 200 000 manif. -*19-11* Havel et 12 mouvements indépendants constituent Forum civique. -*21-11* Ladislav Adamec rencontre délégation du Forum civique. -*23-11* Bratislava, Dubcek parle devant 200 000 pers. -*24-11* manif. -*25-11* Prague, 750 000 manif. sur plaine de Letna ; démission du Secr. gén. du PC, Milos Jakes (remplacé par Karel Urbanek) et des m. dirigeants. -*26-11* Adamec rencontre Havel et Dubceck. -*27-11* grève générale. -*29-11* articles 4 (rôle dirigeant du Parti) et 16 (référence au marxisme-léninisme) de la Constitution abandonnés. -*30-11* ouverture frontière avec Autr. -*3-12* Adamec forme gouv. de coalition (5 non-comm.). -*4-12* visas de sortie supprimés. Sommet du pacte de Varsovie à Moscou condamne intervention d'août 68. -*5-12* commission d'enquête parlementaire sur répression du 17-11 désigne Jakes et Milan Stepan (resp. du PC à Prague) comme principaux « responsables ». -*6-12* 28 m. de l'Académie des sciences de Tch. démissionnent, 14 anciens m. réintégrés. -*7-12* PM Adamec démissionne ; Jakes exclu du PC. *Pacem in terris* (f. 1970) dissous. -*9-12* Marian Calfa (PC sortant) forme nouveau gouv. d'entente nat. (10 PC sur 21 m.). -*10-12* Husak, Pt de la Rép., démissionne. -*17-12 fin officielle du rideau de fer Tch./Autriche.* -*20-12* Adamec Pt du PC (59,2 % des v.), Vasil Mohorita 1er secr. (57 % des v.) -*29-12* Havel élu Pt de la Rép. par 323 m. de l'Ass. féd. Dubcek Pt du Parlement féd. **1990**-*janv.* couronne dévaluée de 18,6 % (1 $ = 17 couronnes au cours commercial et 38 au cours touristique). Amnistie (problèmes dans l'ind. automobile fonctionnant grâce aux prisonniers, ex. : usine-prison de Mlada Boleslav : 1 500 détenus amnistiés). -*2-1* Havel à Berlin-Est et Munich. -*6-1* nouveau comité central du PC élu (80 pers.). -*16-1* 1re commémoration off. de Jan Palach. -*17-1* Dubcek reçoit prix Sakharov. -*28-1* Olomouc, 20 000 manif. pour départ rapide des troupes soviét. -*30-1* 120 nouveaux députés élus au Parlement (138 comm. sur 350). -*14-2* pape nomme évêques [dans 4 diocèses vacants (sur 13)]. -*25-2* suicide Viliam Salgovic, ancien Pt du conseil nat. slov. -*26-2* retrait 2 500 soldats soviét. (73 500 quitteront Tch. d'ici mai 1991). Havel en URSS : fin du tr. d'amitié, de coopération et d'assistance mutuelle. -*3-3* fin des « syndicats révol. » officiels, nouvelle confédération constituée. -*4-3* Dubcek à Paris. -*15-3* Richard von Weizsacker, Pt All. féd., en Tch. -*30-3* Bratislava, Mouv. pour l'indépendance de la Slov. : 2 000 manif. -*21/22-4* Jean-Paul II à Prague. -*9-5* rapport sur événements de nov. conclut à la responsabilité du KGB [Gal Alois Lorenc (vice-min. de l'Intérieur et chef des services secrets) et G[al] soviét. Victor Grouchko (vice-Pt du KGB)]. *-23-5* suicide d'Antonin Kapek, ancien m. du bureau pol. du PC. *-8/9-6* législatives. *-12-6* Marian Calfa maintenu PM. *-14-6* Josef Bartoncik, chef du Parti pop., suspendu pour avoir été 17 ans un agent de police secrète. *Juil.* P[ce] Karl von Schwartzenberg [Cte de Sulz, duc de Krummau (n. 1937), exilé 1948, installé à Vienne et adopté par un oncle, héritier d'une des plus grosses fortunes d'Autriche], Pt du Parlement. *-13-9* visite Pt Mitterrand. *-23/24-11* élect. locales : victoire Forum civique. **1991**-*21-2* Tch. entre au Conseil de l'Europe. *-21-2* loi sur l'indemnisation des biens nationalisés de 1945 à 48. *-23-2* scission du Forum civique (O F, créé nov. 89) en Parti démocratique civique (OTS, Vaclav Klaus) et Mouvement civique (O H, Pavel Rychetsky). *-13-3* Bratislava, manif. nationaliste slovaque. *-21-3* Pt Havel à l'OTAN. *-27-3* Mgr Miloslav Vlk (n. 17-5-1932) archev. de Prague en remplacement de Mgr Frantisek Tomasek archev. dep. 78. *-26-5* Pt Havel contre la publication des noms des m. de l'ancienne Stani Bezpecnost (police pol.).

Politique

Statut. Rép. fédérative tchèque et slovaque (nom dep. 20-4-1990). *Const.* du 11-7-1960 amendée en 68, 71 et 75. Fédération de 2 Rép. nationales : Bohême-Moravie et Slovaquie dep. 1-1-1969. *Assemblée fédérale* (2 Ch.) : Ch. du peuple, 200 m., et Ch. des nations, 150 m. élus pour 5 ans ; élit le *Pt* pour 5 a. Celui-ci désigne le Pt du gouvernement responsable devant l'Ass. *Chaque Rép. nationale* a un conseil nat. élu pour 5 a. : Cons. tch. 200 m., slovaque 150. Droit de vote à 18 ans, éligibilité à 21 ans. **Drapeau** : adopté 1920 : bandes blanche et rouge (Bohême), triangle bleu (Moravie et Slovaquie). **Fête nat.** : 28-10 (proclamation de la Rép. tch. en 1918).

Parti communiste. *Fondé* 1921. *Membres : 1987 :* 1 717 016. *1991 :* 760 000. *Secr. gén. : 1948* (févr.) Klement Gottwald (1896-1953), *53* (mars) Antonin Novotny (1904-75), *68* (5-1) Alexandre Dubeck [(n. 27-11-1921, Slovaquie). Ouvrier chez Skoda, 1951 député, 1955-58 école sup. du PC sov. à Moscou, 1968 (5-1) chef du PC, 1969 (17-4) démissionne. Pt de l'Ass. nat. (15-12), ambassadeur en Turquie, 1970 (janv.) démissionne du comité central du PC, (26-6) exclu du PC, 1988 (13-11) docteur honoris causa de l'univ. de Bologne (1er sorti à l'ouest dep. 18 ans), 1989 (29-12) Pt du Parlement fédéral, 1990 (17-1) reçoit prix Sakharov du Parlement européen], *69* (17-4) Gustave Husák (10-1-13), *87* (17-12) Milos Jakes (12-8-22), *89* (25-11) Karel Urbanek (22-3-41), (20-12) Vasil Mohorita, (4-11) Pavol Kanis.

Autres partis. *Forum civique* (OP) f. 1989, *Pt :* Vaclav Klaus. *Public contre la Violence* (VPN) f. 1989, *Pt :* Fedor Gal. *Union chrétienne démocrate* (KDU), coalition du *P. populaire tch.* (f. 1919 : 90 000 m., *Pt :* Josef Lux), du *P. chrétien-dém.* (f. 1989, *Pt :* Vaclav Benda) et du *Mouv. chrétien-dém.* (f. 1990, *Pt :* Jan Carnogursky). *Mouv. autonomiste morave* (MORSL), *Pt :* Boleslav Barta. *P. nat. slovaque* (SNS), *Coexistence* (ou Souziti, coalition de minorités), *Pt :* Miklos Duray.

Pt du gouv. tchèque Petr Pithart ; *slovaque* V. Meciar.

Présidents de la République. 1918-*14-10* Tomás MASARYK (1850/14-9-1937). **35** *18-12* Edvard BENÈS (1884-1948). **38** *30-11* Emil HÁCHA (1872-† 10-5-1945 en prison). **45** *avril* Edvard BENÈS, démissionne 7-6-48, meurt 3-9. **48** *14-6* Klement GOTTWALD (1896-1953). **53** *21-3* Antonín ZÁPOTOCKY (1884/17-11-1957). **57** *13-11* Antonín NOVOTNY (1904-1975). **68** *6-4* Gal Ludvík SVOBODA (1895-1979). **75** *29-5* Gustáv HUSÁK (10-1-1913) emprisonné pour « déviationisme » (1951-60) démissionne 10-12-89. **89** *29-12* Vaclav HAVEL réélu 5-7-90 pour 2 ans par 234 v. contre 50 (n. 1936). Fils de riches entrepreneurs ; ne peut faire d'études ; obtient ses diplômes par cours du soir en travaillant le jour dans un laboratoire de produits chimiques et une brasserie. *1968* collabore au théâtre d'avant-garde de la Balustrade. *1969* signe Manifeste en 10 points ; ses textes et pièces de th. sont interdits. *1977* cofondateur de la Charte 77. *1979-83* emprisonné. *1989-21-2* condamné à 9 mois pour hooliganisme. *-17-5* libéré.

Pt du gouvernement fédéral. 1946 (juillet) Klement Gottwald (1896/14-3-1953). **1948** (juin) Antonin Zapotocky (1884/17-11-1957). **1953** William Siroky. **1963** (sept.) Joseph Lenárt. **1968** (6-4) Oldrich Cernik. **1970** (janv.) Lubomir Strougal (19-10-24). **1988** (oct.) Ladislav Adamec (10-9-26). **1989** (9-12) Marian Calfa.

Élections des 8 et 9-6-1990 à l'Ass. fédérale. Voix en %, entre parenthèses sièges. **Chambre du peuple.** 150 s. (dont 101 tchèques et 49 slovaques). Forum civique (OP) et Public contre la violence (VPN) 46,6 (87). P. comm. tch. (PCT) 13,6 (24). Union chrét.-démocr. (KDU) 12 (20). Mouv. autonomiste morave (MORSL) 5,4 (9). Parti nat. slov. (SNS) 3,5 (6). Coexistence [minorités (ESWMK)] 2,8 (4). Autres (éliminés) 16,1. **Chambre des Nations.** 150 s. (dont 75 t. et 75 slov.). Forum civique 45,9 (82). PCT 13,7 (24). KDU 11,3 (20). MORSL 6,2 (8). SNS 3,6 (9). Coexistence 2,7 (7). Autres (éliminés) 16,6.

Économie

P.N.B. (89) 7 260 $ par h. **Pop. active** (% et entre parenthèses part du P.N.B. en %) agr. 9 (9), mines 3 (3), ind. 57 (56), services 31 (32). **Chômage** *1991 (est.) :* 500 000. **Inflation** (%) : *1980 :* 2,9 ; *81 :* 0,8 ; *82 :* 0,8 ; *83 :* 0,9 ; *84 :* 0,9 ; *85 :* 2,3 ; *86 :* 0,3 ; *87 :* 0,3 ; *88 :* 0,5 ; *89 :* 1,5 ; *91 (1er semestre) :* 30.

☞ En 1945, niveau de vie comparable à celui de l'All., 1990 inférieur de 40 à 60 % à celui de la RFA.

Dette extérieure brute (91). 12 milliards de $.

Agriculture. *Terres* (milliers d'ha, 82) agricoles 6 843 (arables 4 809, jardins 12, vignes 47, pâturages 1 672), forêts 4 584, étangs 53. *Production* (en milliers de t, 89) blé 6 200, orge 3 700, seigle 420, maïs 1 170, bett. à sucre 7 750, p. de terre 3 688, raisin 229, lin 16, houblon 12, tabac 5, navette 387, fruits et légumes. **Forêts** (89). 18 026 000 m³. **Élevage** (en milliers de têtes, 89). Bovins 5 075, porcs 7 384, moutons 1 080, chevaux 42, chèvres 51, poulets 46 000. **Pêche** (89). 21 574 t.

Charbon (milliards de t, 89) : *réserves* 11, *prod.* 0,025. **Lignite :** *réserves* 9,8, *prod.* 0,003. **Électricité** nucléaire (milliards de KWh). *1980 :* 5,3, *89 :* 89. *En janv. 1991,* l'Autriche a réclamé la fermeture des 2 1res tranches de la centrale nucléaire de Jaslovske Johunice (à 100 km N.-O. de Vienne) mettant en cause son système de refroidissement, et proposé en échange de fournir gratuitement de l'électr. à la Tch. pour 3,5 milliards de schillings. **Mines** (89, milliers de t) : *fer* 1 780, *magnésite* 642, *zinc* 14, *cuivre* 20.

Industrie : métallurgie développée ; acier (millions de t, 1989) *brut :* 15, *laminé :* 11 ; aluminium : 0,03 ; prod. alim. ; bière ; ciment (millions de t, 1989) 10 ; textile ; chaussures ; voitures (tourisme, 1989) 188 600 dont 2/3 exp. ; cristalleries (Bohême) ; bijoux en verre ; céramique ; chimie. **Transports** (km, 89) : *routes* 73 444, dont autoroutes 550, *chemins de fer* 13 103. **Tourisme :** 24 486 814 vis. (88) dont 7 % d'Occidentaux.

Commerce (milliards de Kcs, 89). *Exportations* 217,5, *dont* mach. et équip. de transp. 96, prod. manuf. 48,8, prod. manuf. divers 21, prod. chim. 17,6, fuel et lubrifiants 11,3, prod. alim. 10 *vers* URSS 66,4, Pologne 18,4, All. féd. 18, All. dém. 14,2, Autriche 9,9, Hongrie 8,6. *Importations* 214,7 *dont* mach. et équip. de transp. 79,3, fuel et lubrifiants 37,1, prod. manuf. 22,3, mat. 1res sauf fuel 18,8, prod. alim. 14,9, prod. manuf. divers 13,2 *de* URSS 63,8, All. féd. 19,9, Pologne 18,4, All. dém. 16,8, Autriche 11,8. **Entreprises privées** (1990) : 150 000.

Rang dans le monde (89). 4e lignite. 8e réserves de lignite. 11e réserves de charbon. 13e orge. 15e p. de terre. 18e blé.

THAÏLANDE

Carte p. 1082. V. légende p. 837.

Nom. *Siam* (employé officiellement de 1856 au 24-6-1939 et de 1945 à 1946). *Muang Thai*, nom populaire, encore usité.

Situation. Asie. 513 115 km². *Frontières* 3 720 km dont Cambodge 600 km, Laos 1 200, Birmanie 1 500, Malaisie 420. *Longueur* 1 700 km. *Larg. max.* 770. *Alt. max.* Doi Inthanon 2 590 m. *Côtes* 2 613 km (golfe de Thaïlande 1 874, océan Indien 739). 5 *régions :* plaine de la Chao Phya orientée N.-S. comprenant le bassin de Bangkok et la plaine sup. de la Ménam ; chaîne continentale, bordant la Th. à l'O., orientée N.-S. ; plateau de Korat ; régions côtières du S.-E. ; péninsule de Malaisie. + *longue rivière :* Moon River 675 km. **Climat :** tropical humide. *3 saisons :* chaude (mars-mai), pluvieuse (juin-oct.), fraîche (nov.-févr.). *Moy.* 25 à 30 °C. *Pluies* 500 mm (Korat) à 3 000 mm (péninsule).

Population (millions). *1911 :* 8,3 ; *19 :* 9,2 ; *29 :* 11,5 ; *56 :* 20,1 ; *90 :* 56,8, *prév. 2000 :* 66,1. **Âge :** *- de 15 a. :* 37 %, *+ de 65 a. : 3 %.* D. 110,7. **Taux** (88) : *natalité* 15,8 ‰, *mortalité :* 4,2 ‰. **Ethnies :** Thaïs 94 % [Thaï, Thaï Korat, Lao (Yuan, Kao, Wieng, Poan, Song), Shan ou Ngio, Lu, Putai, Yaw, Yuai, Sanam] ; *Mon-Khmers* (Sakai, Lawa de Chiang Mai, Kamuk ou Puteung, Chaobon, Chawang, So, Saek, Kaleung, Ka Brao, Ka Hinhao, Sui ou Kui, Khmer, Mon, Annamite) ; *Chinois* 4 % (venus du S., avant la fondation du 1er roy. thaï ; commerçants, ils s'établirent dans les villes côtières. Le roi Mongkut (fin XIXe s.) encouragea leur immigration ; *Tibéto-Birmans* [Lahu (Musser), Akha (Ee-Kor), Lisu (Lisor), Karen (Karian), Méo (Maeo), Yao, Tin ou Ka-Tin, Kha Tong Leung (Phi Tong Leung), Lawa de Kanchanaburi] ; *Negritos* (Semang) ; *Austronésiens* [Malay, Chao Nam (gitans de la mer)]. **Capitale :** *Bangkok* 5 670 692 h. (86) [agg. 8 000 000 h. en 87 (9,3 millions en 1991)] ; nom usuel : Phra Nakhon « sainte cité » ; nom officiel : Krungthep Maha Nakorn.

Provinces *(chefs-lieux et pop.) :* Nakhon Ratchasima 2 314 749 (à 265 km), Ubon Ratchathani 1 987 930 (à 967 km), Udon Thani 1 754 925 (à 728 km), Khon Kaen 1 644 422 (à 618 km), Nakhon Si Thammarat 1 385 406 (à 845 km), Chiang Mai 1 335 613 (à 900 km au N. de Bangkok, alt. 310 m), Buriram 1 392 747, Srisaket 1 271 785, Roi Et 1 194 174.

Réfugiés (vietnam. et cambodg.). *1975-82 :* 583 668. *90 :* 300 000 Khmers dans 6 camps, 180 000 Laotiens et Viet. *1990 :* 30 000 Viet. arrivés. 83 000 pers. sous le contrôle du HCR, les autres sous celui de l'UNRO.

Langues. Thaï *(off.)*, chinois, malais, anglais (l. des affaires). **Religions** (%). Bouddhistes Theravâda (rel. *off.*) 94, musulmans 4, chrétiens 1,5, divers 0,5. 150 000 moines (bikkhus). Les jeunes gens passent au min. 3 mois comme novices (samanens).

Histoire. Pénétration lente des Thaïs venus du Yunnan vers la péninsule indochinoise au commencement de l'ère chrétienne ; *Chiengsaen* (cap. f. XIIe s.), puis *Sukhotai* (1238-1378, annexion par le roi Boramaraja d'Ayutthaya), période d'*Ayutthaya* (fondée 1350 par un P[ce] d'U-Thong, 1350-1767). **1578** Birmans chassés du Siam. **1605** arrivée des Holl. à Ayutthaya. **1608** échanges d'ambassadeurs : Port., Malacca, P.-Bas. **1612** arrivée Angl. à Ayutthaya. **1613** 1er comptoir holl. **1634** 1re amb. du Japon. **1662** *arrivée missionnaires français. Louis XIV envoie ambassadeur.* **1684** *amb. siamois à la cour de Louis XIV.* **1685-87** *amb. fr. à Ayutthaya.* **1687** garnisons fr. à Bangkok et Mergui. **1688** soulèvement xénophobe. **1767**-*7-4* Birmans prennent et détruisent Ayutthaya. **1767-82** interrègne. Gal Taksin chasse Birmans et gouverne depuis Thonburi, comme roi du Siam. **1782** Gal Chao Phya Chakri bat Cambodgiens. **Dep. 1782** roy. du Siam : Bangkok capitale. **1851-68** modernisation. Tr. d'amitié et de commerce avec : G.-B. **1855,** USA. **1856,** Fr. **1856,** etc. **1852** G.-B. annexe partie de la Birmanie. **1882** F. conquiert Annam. **1888** Tch. cède territoires à la Fr., au N.-E. du Laos, puis **1893** cède toute la rive gauche du Mékong (Luang Prabang). **1896** *reconnaît protectorat Fr. sur Cambodge.* Accord fr.-angl. reconnaissant intégrité du T. **1905-07** cède d'autres territoires prov. de Battambang, de Siemréap (Cambodge). Cède à G.-B. en Malaisie, États de Kelantan, Trenganu, Kedah et Pérak. **1917** se joint aux Alliés dans la g. **1932**-*24-6* coup d'État de Pridi Bhanomyong (1901-83) (fin de monarchie absolue). **1935** roi Prajadhipok (1925-35) abdique pour son neveu Ananda Mahidol. **1940** *sept.* **1941** *mars conflit avec Fr. qui cède partie du Cambodge.* **1941**-*8-12* occupation jap., Th. déclare g. à G.-B. et USA. Mouvement thaï libre résiste contre Jap. (dirigé par Pridi Bhanomyong). **1943**-*25-10 pont de chemin de fer de la rivière Kwaï* inauguré [construit par les Jap. dans des conditions dures (40 000 prisonniers du camp de Kanchanaburi †)]. **1945** fin de la g. **1946**-*1-1* abandon des territoires cédés par la Fr. *-9-6* Ananda Mahidol tué accidentellement, son frère Bhumibol Adulyadej lui succède. **1947**-*9-11* gouv. renversé et remplacé par des civils conservateurs. **1948** M[al] Pibul Songgram redevient PM, dictature mil. **1949** *févr.* coup d'État, échec. **1951** Constitution de 1932 restaurée. **1958** *oct.* Gal Sarit Dhanarat élu forme gouv. de droite avec Gal Thanom Kittikachorn (n. 1911), PM adjoint. **1959** Const. provisoire. **1963**-*9-12* mort du Gal Sarit ; Kittikachorn PM. **1968**-*20-6* nouvelle Const. **1971**-*7-11* loi martiale. **1973**-*13-10* émeutes à Bangkok (100 †), M[al] Kittikachorn démissionne et s'enfuit. **1974** *juil.* émeutes à Bangkok (dizaines de †) ; état d'urgence. **1975** *janv.* législatives : droite milit. 40 % des sièges, civile 35, centre gauche 11, gauche 9. *-17-1* réforme agraire (maïs). Retrait partiel des Amér. Violence (manif., meurtres). *-28-2* secr. gén. du P. soc., B. Punyodhaya tué. *-1-4* él., Seni Pramot (n. 26-5-05)

PM. *-20-7* départ dernier soldat amér. (7 bases aériennes et 44 406 h. étaient en Th.). *-17-8* M[al] Prapass, rentré d'exil, expulsé vers T'ai-wan. *-19-9* M[al] Kittikachorn rentre et se fait bonze. *-24-9* Seni Pramot PM. *-29-9* étudiants exigent départ du M[al] Kittikachorn. *-6-10* droite attaque université Thammasat (41 †, 3 000 ét. arrêtés). Coup d'État mil. (un accord tacite du roi à l'amiral Sagnad, min. de la Déf.) soutenu par le *Krating Daeng* [(Buffles sauvages rouges), paramil. regroupant dep. déc. 1974 étudiants des collèges et centres techn. contre l'extrême g.]. Parlement dissous. **1977** *janv.* raids Khmers rouges ; M[al] Prapass rentre. Lutte contre musulm. du S. *-26-3* coup d'État manqué du Gal Chalard Hiranyasiri (exécuté 21-4) ; Gal Arun Thavatsin tué. *Oct.* coup d'État du Gal Kriangsak Chomanan qui démissionne en déc.

1980 *janv.* rébellion comm. dans le S. recule. *-3-3* Gal Prem Tinsulanonda PM. *Oct.* **80**-*mars* **81** ralliement d'intellectuels (3 000 à 5 000) ayant pris le maquis en oct. 76 aux côtés du PC. *-31-3* avion détourné à Bangkok par 5 Indonésiens (tués). *-1-4* coup d'État mil., Prem (PM) démissionne, son adjoint Gal Sant Chitpatima (n. 1921) le remplace. *-2-4* Prem et famille royale se réfugient au N.-E. *-3-4* Prem reprend pouvoir. *Mai* 180 000 Khmers expulsés (30 000 vers USA, 104 000 au Cambodge, 66 000 vivant le long de la frontière et non considérés comme réfugiés). Accès interdit aux *boat people.* **1982** *avr.* 15 000 Laotiens expulsés. *-17/30-12* : 64 000 Khmers expulsés. **1983** *févr.* reddition d'env. 1 000 guérilleros communistes. **1985**-*9-9* putsch avorté. **1986**-*1-5* Assemblée dissoute. *-23-6* écologistes incendient usine de tantale à Phuket. **1987**-*22-12* suicide de Chaleronchai Buathong, responsable du sceau royal, impliqué dans scandale des décorations. **1988**-*18-2* cessez-le-feu avec Laos (après combats dep. 15-12-87 pour une zone de 75 km²). *-29-4* dissolution de la Chambre. *-24-7* législatives : victoire de la coalition (p. Chart Thai, p. démocr., p. de l'adm. sociale Rassadorn, p. dém. uni). *-2-8* Chatichai Choonhavan PM (1er civil dep. 1966). *Nov.* inondations dans le S. (+ de 1 000 †). **1991** *févr.* camion de dynamite explose (171 †). *-23-2* coup d'État du Gal Sunthorn Kongsompong (17e dep. 1932). *-24-2* loi martiale. *-26-2* roi Bhumibol soutient la junte.

• **Statut.** Royaume. Junte mil. dep. 23-2-91, dirigée par Gal Sunthorn Kongsompong. *PM : 1988*-2-8 : Chatichai Choonhavan (n. 1922). *1991*-2-3 : Anand Panyarachun (n. 1932). *Const.* du 22-12-78 (13e dep. 1932), révisée 21-4-83. *Ass.* 357 m. élus au suffr. univ. *Sénat* 267 m. nommés par le gouv. *Changwad* (provinces) 73 avec un *gouverneur,* divisées en *amphur* (districts), *tambol* (sous-districts) et *muban* (villages). **Fête nat.** : 5-12 (anniv. du roi). **Drapeau** : 2 bandes rouges et 2 blanches (emblème trad. sur les éléphants), et bande bleue ajoutée 1917 en solidarité avec les Alliés de la guerre mondiale.

Dynastie Chakri. **1782** Rama Ier (Phra Buddha Yod Fa Chulalok) (1737-1809). **1809** Rama II (Phra Buddha Lert La Nobhalai) (1768-1824), s.f. **1824** Rama III (Phra Nang Klao) (1788-1851), s.f. **1851** Rama IV (Phra Chom Klao ou Mongkut) (1804-68), s. demi-fr. **1868** Rama V (Phra Chula Chom Klao ou Chulalongkorn) (1853-1910). **1910** Rama VI (Vajiravudh) (1881-1925). **1925** Rama VII (Phra Pok Klao ou Prajadhipok) (1893-1941), s. fr., abdique. **1935** Rama VIII (Ananda Mahidol) (1926-46), s. neveu, mort accidentelle. **1946** (9-6) Rama IX [Bhumibol (« force de la Terre ») Adulyadej] s. fr. (5-12-27), ép. 28-4-50 P[cesse] Sirikit Kitiyakara. *4 enf.* : P[cesse] Ubol Ratana 5-4-51, P[ce] (héritier) Vajiralongkorn 28-7-52 (ép. 3-1-77 Somsawali Kitiyakara), P[cesse] Maha Chakri Sirindhorn 2-4-55, P[cesse] Chulabhorn 4-7-57.

Élections à l'Ass. du 24-7-88. Chart Thai 96 s., Ekkaparb 62, PAS 53, P. dém. thai 48, Prachakorn 31, Rassadorn 21, Prachachon 19, Puangchon Chao Taï 17, Palang Dharma 15, UDP 5, Mass Party 5, P. lib. 3, SDFP 1. **Ass. intérimaire du 15-3-91.** 149 militaires sur 292.

Partis. *Chart Thai Party* (P. de la nation thaï), Pt Chatichai Choonhavan. *Democrat P.* : f. 1946, Pt Bhichai Rattakul. *National Democracy P.* : f. 1981, Pt Kriangsak Chomanan. *New Force P.* : f. 1974, Pt Chatichawal Chompudaeug. *Pracha Rasdr* : Pt Sira Pattamakom. *Prachakorn Thai* (P. des citoyens tch.) : Pt Samak Sundaravej. *Social Action P.* : f. 1981, Pt Kukrit Pramoj. *Liberal P.* : f. 1981, Pt Col. Narong Kittikachorn. *Democratic Labour P.* : f. 1988, Pt Prasert Sapsunthorn. *Mass P.* : f. 1985, Pt Chalerm Yubamrung. *Pra chaseri* : Pt Wattana Khieovimol. *Pra cha thai P.* : Pt Thawee Kraikupt. *Progress P.* : Pt Uthai Pimchaichon. *Saha Chart* : Pt Pattana Payaknithi. *Siam Democratic P.* : Pt Shirdsak Sanvieses. *Puangchon Chao Thai* (ex-*Thai People's P.*) : f. 1981, Pt Gén-Arthit Kamlang-Ek. *Community Action P.* : f. 1981, Pt Boonchu Rojanastien.

Architecture

Principales périodes. *Môn (Dvaravati)* (VIe ou VIIe-XIe), *Srivijaya* (VIIIe-XIIIe), *Lopburi* (XIe-XIIIe), *Chiengsaen* (v. XIe-XVIIIe), *U-tong* (v. XIIe-XVe), *Sukhotai* (XIIIe-XIVe), *Ayudhya* (XIVe-XVIIIe), *Bangkok* (fin XVIIIe-début XXe).

Matériaux employés. *Bois* : charpentes, décoration (dorées ou incrustées de mosaïque de verre) ; *mosaïque* de verre : décor des pignons, piliers (dorée, rouge foncé, noire) ; *feuilles d'or ; porcelaine, terre cuite vitrifiée* (anciens temples), morceaux brisés (période de Bangkok) : revêtement des monuments en briques ; *stuc* : portes, fenêtres, etc. ; *laque* : portes et fenêtres (dessins dorés, fond en laque noire).

Quelques termes. *Wat* : groupe de bâtiments religieux (correspond aux monastères). *Bot* (ou *Ubosoth*) : sanctuaire consacré limité par des bornes, utilisé pour certaines cérémonies (ordination de bonzes...). En certaines occasions, les femmes n'y sont pas admises. *Sima* : bornes déterminant l'aire consacrée. *Viharn (Vihara)* : sanctuaire pour communauté des moines. *Stupa ou Phra Chedi* (dit aussi *Prang* si de forme allongée dérivée du style khmer comme pour le Wat Arun) : abritait autrefois les reliques du Bouddha et plus tard les cendres des rois et des religieux éminents. *Kuti* : résidence d'un bikkhu (bonze, moine bouddhiste). *Mondop* : bâtiment carré abritant en général une empreinte du pied du Bouddha (Prabat). *Sala* : pavillon ouvert servant aux réunions, sermons et parfois à des débats. *Sala Kan Parian* : pièce commune où les laïcs viennent apprendre les principes du bouddhisme. *Ho Rakhang* : beffroi formé de 4 mâts surmontés d'une structure en forme de temple.

Ornements symboliques. *Naga* (ou *Nak*) : serpent céleste, pourvoyeur de pluie (souvent représenté comme ornement de toit ou balustrade). *Cho Far* (ou tête de Naga) : orne le pignon des toits. *Thevada* : être céleste. *Garuda* : oiseau mythique devenu le symbole royal de la Th. *Kinaree* : femme-oiseau.

Principaux monuments. **Temples** : 23 474 temples bouddhiques *(Wats)* dont 381 à **Bangkok.** [Wat Arun (temple de l'Aurore), restauré par roi Taksin (1767-82), tour principale 74 m ; Wat Phra Keo (temple du Bouddha d'Émeraude), chedi doré, peintures murales et incrustations de nacre décorant les portes ; Wat Rajabopit, recouvert de tuiles chinoises vitrifiées ; Wat Saket, sur colline artificielle (mont d'Or ou Phu Khao Thong) ; Wat Suthat (monastère céleste du dieu Indra), un des plus grands temples de Bangkok ; sur la place le Si-Kak Sao Ching Cha (Balançoire géante), brahmanique, portique de teck laqué rouge. Wat Po (t. du Bouddha couché, statue : h. 12 m, long. 49 m). Wat Benchamaborpitr (t. de Marbre), Bouddha couché (h. 15 m, long. 45 m) ; Wat Trimitr Bouddha (1238-78, or pur, 5,5 t, h. 3 m) ; Wat Yannawa base en forme de jonque chinoise]. **Nakorn Pathom** : Phra Pathom Chedi, le plus ancien et le plus grand recouvert de faïence dorée (h. 115 m) ; **Chiengmai** : Wat Phra That Doi Suthep, XIVe et XVIe s. à 1 050 m d'alt., surmonté d'un chédi de 22 m ; Wat Suan Dork (Jardin de Fleurs) ; Wat Phra Singh ; **Lop Buri** : Wat Phra Sri Ratana Maha That, monastère (XIIe) ; **Sukhothai** : Wat Sra Sri, Wat Phra Badh Noi ; Wat Chetupon ; **Nakhon Si Thammarat** : Wat Mahathat Xe s., chedi, flèche en or massif (400 kg), h. 78 m ; **Ayuthia.**

Triangle d'or

Confins de : Birmanie, Thaïlande, Laos. *Production d'opium* (Birmanie 2 000 t, Laos 200, Thaïlande 35), soit 130 à 150 t d'héroïne. *Intoxiqués* 600 000 (90). *Peines prévues pour les trafiquants* transportant 1 à 25 g : 10 à 20 ans de prison ; au-dessus, perpétuité ou la mort.

Palais. **Bangkok** : P. royal ; P. Dusit (P. de l'Ass. nat.) ; P. Suan Pakkad ; P. Petchaburi. **Lop Buri** : P. Naraï. **Ayuthia** : P. Chandrakasem.

Économie

P.N.B. (89) 1 130 $ par h. **Taux de croissance** (%). *1985* : 3,5, *86* : 5, *87* : 9,5, *88* : 13,2, *89* : 12, *90* : 9,5 à 10, *91 (prév.)* : 9 (1960-70 : 8 %). **Pop. active** (% et entre parenthèses part du P.N.B. en %) agr. 59 (21), mines 3 (1,5), ind. 10 (25,5), services 28 (52). **Chômage** (%). *1986* : 6,8, *89* : 4,6 (1 540 000 pers.), *90 (est.)* : 4,9. **Inflation** (%) : *1986* : 1,9 ; *87* : 2,5 ; *88* : 3,8 ; *89* : 5,4 ; *90 (est.)* : 7 ; *91 (prév.)* : 9 à 10. **Dette extérieure** (milliards de $). *1981* : 4,9 ; *85* : 12,8 ; *88* : 17,8 [**service** (en % des recettes d'exp.) : *1986* : 30, *88* : 13]. Salaires des émigrés dans le golfe Persique (89) : 1 milliard de $.

Agriculture. *Terres* (milliers d'ha) (arables 19 321, cult. 1 785, pâturages 145, forêts 14 664, eaux 223, divers 17 289). *Surface forestière* (dans le Sud) (%). *1961* : 50, *85* : 21. 500 000 ha de forêt détruits par an. *Production* (milliers de t, 90) canne à sucre 34 000 (9 % de la val. aj. agr.), manioc 20 550, riz (49 % des t., 1er exp. mondial) 16 100 (22 % de la val. aj. agr.), maïs 3 660, bananes 1 610 (89), ananas 1 900 (89), caoutchouc 1 250, patates douces 368 (88), sorgho 230, haricots 652, kenaf et jute 185, coton 92, coprah 65 (89). Riz, caoutchouc, maïs, manioc et jute représ. 30 % des exp. (85 % en 1970). **Forêts** (87). 2 149 000 m³ (dont 38 100 m³ de teck) ; (88) 1 900 000 m³. *Surface* : *1960* : 53 % du terr. t. *85* : 89 %, *90* : 25 000 km² de forêts de teck. Depuis 1975 l'exportation de troncs bruts, grumes est interdite. **Élevage** (milliers de têtes, 89) : poulets 95 000, canards 16 000 (88), buffles 6 000, bovins 5 100, porcs 4 270, chevaux 19 (88), chèvres 79, ovins 131. Env. 3 390 éléphants domestiqués et travaillant dans les forêts. **Pêche** (87) : 2 165 100 t.

Mines (milliers de t, 88) : *étain* 19,4, *lignite* 7 273, *fer* 99,2, *manganèse* 7,6, *plomb* 69,3. *Gaz naturel* (88) réserves 365 milliards de m³, prod. 6,4 milliards de m³. *Pétrole* (90) réserves 32 millions de t, prod. 1,8 million de t. **Industries** : agro-alim., textile, sucre, ciment (88) 11,6 millions de t, acier (88) 387 571 t, (89) 503 900 t, 10 % de croissance par an. **Transports** (km, 87) : routes 151 200, chemins de fer 4 452 (89). **Tourisme** (89) : 4 800 000 vis. (dont France 186 960), (est. 90) 5 400 000 vis. (dont France 207 000). Revenus 2 milliards de $, (prév. 1991) 6 000 000 vis.

Commerce (milliards de baht, 89). *Exportations* 590 (90) *dont* prod. alim. 173,3, prod. manuf. de base 93,4, mach. et équip. de transp. 91,7, mat. 1res sauf fuel 35,3 *vers* USA 111,6, Japon 87,9, Singapour 36,8, P.-Bas. 25, All. féd. 21. *Importations* 820 (90) *dont* mach. et équip. de transp. 250,3, prod. manuf. de base 151,7, prod. chim. 74,5, fuel et lubrifiants 58,4 *de* Japon 199, USA 73,4, Singapour 47, All. féd. 33,6, Taiwan 32. **Déficit commercial** (milliards de bath et entre parenthèses milliards de $, 1990) : 153 (6, 12). **Investissements thaïlandais à l'étranger** (en millions de $). *1989* : 49,2 ; *90* : 174.

Rang dans le monde (89). 2e manioc, latex. 5e riz. 7e canne à sucre. 14e bois. 17e céréales.

TOGO

Carte p. 954. V. légende p. 837.

Situation. Afrique. 56 785 km². *Long.* 600 km. *Larg.* 50 à 150 km. *Frontières* 1 700 km ; côtes 50 km (érosion très importante, recul de 140 m par endroit en 6 ans). *Alt. max.* Mt Agou 984 m. **Régions :** maritime 6 100 km² (927 753 h.) ; plateaux 15 540 (662 873) ; centrale 20 000 (357 208) ; Kara 4 490 (280 697) ; savanes 8 470 (311 254). **Climat :** 3 *régions : N.* (sécheresse nov.-avril), *Centre* (transition), *S.* (2 saisons de pluies mars-juin et oct.).

Population (millions). *1958 :* 1,44 ; *70 :* 1,95 ; *80 :* 2,52 ; *90 :* 3,5 ; *prév. 2000 :* 4,75. *Mort. infantile :* 117 ‰. En % (81) : Ewé 20,76 ; Kabyè 13,89 ; Ouatchi (Ewé) 11,95 ; Losso 5,97 ; Mina 5,83 ; Cotocoli 5,07 ; Moba 4,79 ; Gourma 4,38 ; Akposso 2,78. D. 61,6. **Âge :** *- de 15 a.* 44 %, *+ de 65 a.* 3 %. **Villes** (81) : *Lomé* 375 000 h. (89), Sokodé 48 098 (à 350 km), Kara 28 480 (428 km), Kpalimé 27 669 (121 km), Atakpamé 24 377 (167 km), Tsévié 20 247 (35 km), Bassar 17 764, Dapaong 17 476 (662 km), Aného 14 272 (45 km), Vogan 11 087. **Langues :** français *(off.),* l. nat. (ewé, kabié). **Religions** (%) : animistes 50, cathol. 26, musul. 15, protestants 9.

Histoire. 1884-*5-7* colonie allemande, explorée par Nachtigal. **1894-1914** protectorat all. **1897-1900** pacification. **1914**-*26-8* occupation franco-angl. **1919** *-19-7* mandat confié à Fr. (Togo fr., 55 000 km²) et G.-B. (Togoland, 30 000 km²). **1933**-*24/25-1* émeutes à Lomé et en province causées par fiscalité. **1956**-*26-6* fin du mandat angl. *-30-8* T. fr. devient Rép. autonome. **1957** T. brit., après plébiscite, intégré à la Côte de l'Or (Ghana) ; peuple Ewé se trouve ainsi divisé. **1960**-*27-4* indépendance. **1963**-*13-1* Pt Sylvanus Olympio (1902-63) tué. *-15-5* Nicolas Grunitsky élu Pt. **1967**-*13-1* renversé par militaires († 1969). **1974** *-24-1* Pt Eyadema réchappe à un accident d'avion. *-2-2* nationalisation phosphate. **1979**-*30-12* Constitution (référendum 1 293 872 pour, 1 693 non) ; Pt Eyadema réélu ; législ. 96 % des voix pour RPT. **1980**-*13-1* IIIe Rép. **1982**-*23-9* frontière avec Ghana fermée : cause contrebande (café et cacao). **1983**-*13-1* Pt Mitterrand au T. (un complot aurait dû éclater le même j). **1985**-*24-3* législ. (77,45 % de participation). *-4-12* attentat, 1 †. **1986**-*24-9* commando attaque Lomé, 26 à 200 † officieux. **1989** *juin* deviendra zone franche d'ici 1990 (200 000 emplois créés). **1990** législ. (1,3 million d'électeurs de + de 18 ans, 230 candidats). Manif. à Lomé (5 † le 5-10 ; 2 † en nov.). **1991** émeutes. *-16-3* 11 †. *-5-4* 2 †. *-9-4* couvre-feu. *-10-4* gouv. admet multipartisme. Émeutes. *-11-4* 20 cadavres découverts dans lagune.

Statut. Rép. *Const.* du 30-12-79. *Pt* (élu pour 7 a. au suffr. univ.) Gal Gnassingbe Eyadema (26-12-37), dep. 14-1-67, réélu 1979, 1986. *Ass.* 77 m. élus pour 5 a. au suffr. univ. 5 *régions adm.* 21 *préfectures.* **Parti :** *Rassemblement du peuple togolais* (RPT) f. 1969. **Fêtes nat. :** 13-1 (libération), 24-1 (libération écon.), 24-4 (indépendance), 21-6 (journée des Martyrs), 23-9 (agression). **Drapeau :** adopté 1960 : bandes vertes (agric.) et jaunes (ressources minérales), étoile blanche (pureté nationale) sur fond rouge (effusion de sang et combat).

Économie

PIB (89) 350 $ par h. **Pop. active** (% et entre parenthèses part du PNB en %) agr. 67 (32), mines 5 (8), ind. 10 (15), services 18 (45). **Inflation** (%). *1983 :* 9,4 ; *84 :* – 3,5 ; *85 :* – 1,8 ; *86 :* 4,1 ; *87 :* 4 ; *88 :* 2 ; *89 :* 0,8. **Dette extérieure** (milliards de F CFA). *1975 :* 41 ; *78 :* 211 ; *83 :* 200 ; *84 :* 320,5 ; *87 :* 278 ; *88 :* 308 ; *89 :* 266.

Agriculture. *Production* (milliers de t, 88) manioc 413,1, maïs 296,1, millet et sorgho 178,1, coton 80 (90), riz 28,7, arachides 25,2, café 11 (90), cacao 9 (90), ignames 378,7, palmistes 226,9. **Élevage** (milliers de têtes, 88) : volailles 5 000, moutons et chèvres 2 300, porcs 237, bovins 255. **Pêche :** 13 000 (88). **Forêt** (88) : 840 000 m³. **Mines :** phosphates 2 455 401 t en 90, prod. en baisse ; fer, marbre. **Industrie :** ciment, prod. alim., boissons. **Transports** (km, 90) : routes 7 870, chemins de fer 550. **Tourisme** (89) : 123 550 vis. (dont 23 969 Français), recettes 6,9 milliards de CFA. *Sites :* Lomé, Boulomé, Ketao, Fazao, Kpalimé, Tamberma. *Châteaux :* Temberma, Kéran, Malfakassa. *Parc nat.* de Fazao (200 000 ha).

Commerce (milliards de F CFA, 89). *Exportations.* 78,2 *dont* (88) phosphates 35,8, coton 12,5, café 6,6, cacao 6 *vers (%)* Canada 12,5, *Fr. 8,7,* Espagne 7,7, Italie 7,5, P.-Bas 6,2, G.-B. 5,5. *Importations* 150,6 *dont* (88) agro-alim. 30,2, textiles 15,5, mat. de transport 12,4, mach. 5,2, *de (%) France 29,6,* P.-Bas 11,8, All. féd. 7,7, USA 5,7, G.-B. 4,2, Japon 4,2.

Rang dans le monde (90). 6e phosphates.

TONGA ou DES AMIS (îles)

Carte v. page de garde. V. légende p. 837.

Situation. Polynésie, 650 km à l'E. des îles Fidji. 748 km². 150 îles, 3 archipels. *Groupe des Tongatapu* dont : Tongatapu 257 km², Elua 87 km² ; *gr. des Ha'apai,* 36 îles principales, 118 km² dont : Tofua 46,6 km², Kao 12,5 km² ; *gr. des Vava'u,* 34 îles principales, 115 km² dont Vava'u 89 km², Okoa 0,5 km², Utungake 1,9 km² ; *gr. des Fonulei-Tuku,* à 64 km N.-O. de Vava'u, 32 îles ; *gr. des Niuatputapu-Tafahi,* à 240 km N. de Vava'u ; *Niuafo ; Minerva Reefs,* à 500 km au S.-O. de Tongatapu. **Volcans** actifs 106 à 1 433 m (Mt Kao). **Zone économique** 700 000 km². **Temp.** moyenne annuelle : Vava'u 23,5 °C, Tongataou 21 °C. **Pluies :** Niuatoputapu 2 500 mm, Vava'u 2 000 mm, Tongatapu 1 500 mm.

Population. 100 100 h. (86). **Origine** polynésienne. D. 143. **Âge :** *- de 15 a.* 44,4 %. **Émigrés :** 2 % de la pop. (vers N.-Zél. et USA). Achat de terres interdit aux étrangers. **Capitale :** *Nukualofa* (sur Tongatapu) 27 740 h. (85). **Religions** (%) : méthodistes 78, catholiques 15. **Langues :** anglais, tongan.

Histoire. 1616 reconnues par le Holl. Jacob Le Maire. **1643** nouveaux contacts avec Hollande (Tasman). **1767** arrivée de l'Angl. Wallis, suivi par Cook qui nomme les îles « îles des Amis ». **1797** arrivée de missionnaires de la London Missionary Society. **Début XIXe** s. g. civiles. **1834** conversion de Taufa'Ahau (futur roi George Tupou Ier) au méthodisme qui s'impose face à minorité cath. (missionnaires fr.). **1850** indépendant. **1886** neutralisé (déclaration de Berlin). **1893** Tupou II. **1918** Tupou III († 1963) (Pcesse Salote). **1900** protectorat angl. **1958** autonomie. **1970**-*4-6* indépendance.

Statut. Royaume membre du Commonwealth. *Const.* du 4-7-1875. *Roi* Taufa'Ahau Tupou IV (4-7-18 ; 160 kg) dep. 16-12-1965 [a déshérité en 1980 son fils aîné, le Pce Tupouto'A (n. 1948) pour s'être marié sans son autorisation]. *PM* Pce Fatafehi Tu'ipelehake (7-1-22) dep. 16-12-65. *Conseil privé :* Roi, Cabinet et Gouverneurs de Vava'u et de Ha'apai. *Assemblée législative :* 21 membres (élus par le roi 7, leurs pairs 7 et le peuple 7). **Drapeau :** adopté 1875.

Nota. – *Tabou* vient du polynésien *tapu* (sacré).

Économie. PNB (89) 850 $ par h. **Pop. active** (% et entre parenthèses part du PNB en %) agr. 58 (25), ind. 5 (10), services 37 (65). **Aide extérieure** (surtout G.-B.) 22 % du PNB.

Agriculture. *Terres cult.* 79 %. *Production* (milliers de t, 88) noix de coco 53, coprah 6, patates douces 18, manioc 17, bananes 5, oranges 3, tomates 1. **Élevage** (milliers de têtes, 88). Porcs 65, chevaux 9, bovins 8, chèvres 11, volailles 131 (84). **Pêche** (87) : 2 800 t. **Tourisme** (86) : 44 677 vis. (26 % du PNB). **Aéroport :** dep. 1981 avec capitaux libyens. **Timbres-poste :** 8 % des revenus. Dep. 1987, le Tonga vend des passeports à Hong Kong (273 000 $ HK pièce).

Commerce (millions de $ Tonga, 86). *Exp.* 8,1 *dont* noix de coco, melons, vanille *vers* N.-Zélande 3,1, Australie 2,4. *Imp.* 56,5 *dont* prod. man. de base 15,7, prod. alim. 13,9, mach. et équip. de transp. 9,4, fuel et lubrifiants 7, prod. chim. 4,6, *de* N.-Zélande 22,2, Australie 16,9, Japon 5,1, Fidji 3,3, USA 1,8.

TRINITÉ-ET-TOBAGO

Carte p. 1019. V. légende p. 837.

Situation. Iles des Antilles à 40 km l'une de l'autre. 5 128 km². *Alt. max.* Mt El Tucuche 940 m. *Climat* tropical ; saison sèche de janv. à mai, humide de juin à déc., moy. 26 °C. **Trinité** 4 828 km² (80 km du N. au S., 48 d'E. en O.). **Tobago** 300 km² (41 km × 12). **23 petites îles** dont Petite Tobago 1 km², Monos 4,1, Chacachacare 3,9, Gasparee 1,3, Huevos 0,8.

Population (1990). 1 215 049 h. dont (%) descendants d'Africains 40,8, Indiens 40,7, Métis 16,3, Chinois 5, Blancs 0,9 ; *prév. 2000 :* 1 321 000. D. (88) 240,8. *Trinité* 1 234 388 h. *Tobago* 50 282 h. **Âge :** *- de 25 a. :* 34 %, *+ de 60 a. :* 6 %. **Villes** (90) : *Port of Spain* (cap.) 50 878, San Fernando 30 092, Arima 29 695. **Langues :** anglais *(off.),* dialectes hindis, patois français dans certaines régions. **Religions** (%) : catholiques 33,6, hindous 25, anglicans 15, musulmans 5,9, presbytériens 3,9, divers 16,6.

Histoire. Trinité. 1498 découverte par C. Colomb, **XVIe s.** occupée par Esp. **1797** conquise par Anglais. **1802** tr. d'Amiens leur concède l'île. **Tobago. 1632** colonisée par Holl. *(Nieuwe Walcheren).* **1717** saccagée et laissée déserte par Esp. **1737** occupée par Angl. **1748** neutre. **1762** conquise par Angl. **1834** esclavage aboli. **1958**-*3-11*/**1962**-*31-5* membre de l'OEA *-31-8* indépendance. **1976**-*1-8* Rép., m. du CARICOM. **1990**-*28-7* coup d'État musulman, dirigé par Yasin Abu Bakr (20 †), qui prend en otage le PM (lib. 31-7). *-1-8* reddition.

Statut. Rép. Membre du Commonwealth. *Const.* du 1-8-1976. *Sénat* 31 m. nommés (Pt 9, PM 16, opposition 6). *Ass.* 36 m. élus p. 5 ans. *Pt de la Rép.* Noor Hassanali (15-8-18) dep. 16-3-87. *PM* Raymond Robinson (16-12-26) dep. 15-12-86. **Fête nat. :** 31-8 (indép.). **Drapeau :** adopté 1962 : bande oblique noire (force du peuple et ressources) et blanche (espérance et mer), sur fond rouge (chaleur et vitalité du peuple). **Élect. à l'Assemblée** (15-12-1986). NAR 33 sièges, PNM 3 sièges. **Partis.** *Nat. Alliance for Reconstruction* (NAR) (f. 1986), leader Raymond Robinson. *People's Nat. Movement* (PNM) (P. nat. du peuple, f. 1956), Patrick Manning (n. 4-10-20). *Nat. Joint Action Committee* (f. 1971), Makandal Daager.

Économie. PNB (89) 3 350 $ par h. (6 500 $ en 1982). **Pop. active** (% et entre parenthèses part du PNB en %, 88) agr. 10 (2), mines 5 (15), services 51 (48), ind. 34 (35). *Chômage* (89) 22,1 %. **Inflation** (%). *1986 :* 15,2 ; *87 :* 8,3 ; *88 :* 13,8 ; *89 :* 11,9. **Solde** (millions de $). **Balance des paiements :** *1986 :* -712 ; *87 :* -230 ; *88 :* -62,5 ; *89 :* -156,7 ; **commerciale :** *1986 :* + 13,5 ; *87 :* + 282 ; *88 :* +25. **Dette extérieure :** *1988 :* 260, *89 :* 256, *90 :* 412.

Agriculture : *terres cult.* 31 %. *Prod.* (milliers de t, 89) sucre brut 129,3, agrumes 4,7 (88), coprah 2,9, cacao 2, noix de coco 1,5, café 1,2, tabac 0,07. Rhum 3,3 millions de gal. (89). **Pétrole** (millions de t) : *réserves* 74, *production* 8,5 (54 509 000 barils en 89) (22 % du PIB). **Gaz** (milliards de m³) : *réserves* 280, *prod.* 7,2 (88). **Asphalte** (milliers de t) : *prod.* 35,7 (89). **Industrie :** raffinage du pétrole. Ammoniaque, ciment, acier, engrais, métaux, urée, méthanol. **Tourisme** (88) : 186 270 vis. (3 % du PIB).

Commerce (milliards de $ US, 89). *Exportations* 1,4 (88) *dont* (%) prod. pétroliers 62, prod. chim. 19, prod. finis 11, alim. 5, *vers* (%) USA 54, Caraïbes 6,5, G.-B. 2,5, *France 2,2. Importations* 1,1 (88) *dont* (%) biens manufacturés 27, machines-outils 27, alim. 17, prod. chim. 14, *de* (%) USA 49, Caraïbes 15, G.-B. 8.

TUNISIE

Carte p. 1084. V. légende p. 837.

Situation. Afrique. 154 530 km². *Alt. max.* 1 544 m (Djebel Chambi), *moy.* 300 m. *Long.* 1 200 km. *Larg.* 280 km. *Côtes :* 1 250 km. *Frontières* avec Libye (480 km), Algérie (1 050 km). **Régions :** *N.,* plaines de la Medjerda (25 000 km²) entre montagnes de Kroumirie et collines des Mogods d'une part, la « Dorsale tunisienne » d'autre part (climat méditerranéen ; entre 400 et 1 534 mm pluie à Ain Draham) ; *centre,* hautes steppes et basses steppes (climat continental chaud ; entre 150 et 400 mm pluie) ; *S.,* plaine côtière de la Djeffara et plateau du Dahar (climat saharien, semi-désertique, 300 mm de pluie). **Temp.** Tunis, hiver 11 °C, été 26 °C ; Djerba, 12 °C à 28 °C.

Population. *Début du XXe s. :* 1 904 551 h. [dont Européens 148 476 (Français 46 044, It. 88 082, Maltais 11 300, Grecs 696, Esp. 587, divers 1 767), indigènes 1 756 075 (musulmans 1 706 830, israélites 49 245)]. *1980 :* 6 392 300. *1987 :* 7 639 000, *prév. 2000 :* 9 725 000. **Français.** *1880 :* 708, *91 :* 10 030, *1901 :* 24 201, *11 :* 46 044, *26 :* 71 020, *57 :* 180 440, *86 :* 12 500 (dont en % femmes fr. de Tun. 40, coopérants 25, cadres et tech. du secteur privé 20, autres 15). **Italiens.** *1881 :* 11 000, *1931 :* 91 000, *51 :* 84 000, *86 :* 88 000. **D.** 49,4. **Âge :** *- de 15 a. :* 40 %, *+de 65 a. :* 4. **Taux** (‰, 87) natalité 29,3, mortalité 6,3, accroissement net naturel 2,31. *Contrôle de la croissance (87) :* âge min. mariage des femmes relevé à 17 ans, monogamie, alloc. fam. limitées à 4 enfants, puis à 3 en 89 (4 dinars, soit 30 F par enfant et par mois), contraception (par 51 % des T). **Émigration :** 350 000 dont *France 250 000* (88) [dont 90 % du sud de la T. (Djerba, Gabès, Tataouine...)], Libye 80 000 (l'été 1985, la Libye expulsa 22 000 T. et leurs familles), All. féd. 19 000, Italie 16 000, Algérie 10 000, Suisse 2 500.

Gouvernorats (86). Béja 286 000, Bizerte 412 700, Gabès 264 000, Gafsa 253 300, Jendouba 379 800,

Kairouan 451 000, Kassérine 322 700, Le Kef 256 000, Mahdia 290 400, Médénine 324 400, Monastir 297 700, Nabeul 489 600, Sfax 627 000, Sidi Bouzid 314 500, Siliana 232 700, Sousse 346 000, Tunis N. 944 130 (84), Tunis S. 205 907 (84). **Villes** (84). *Tunis* 556 654 h. (84) [*XII*[e] *s. :* 100 000, *1911 :* 170 369 (dont 17 875 Français, 75 000 musulmans, 26 500 juifs, 5 986 Anglo-Maltais, 45 237 It., 1 381 Européens). *1956 :* 300 000], Grand Tunis (87) 1,5 million (2000 : 2 millions). Sfax 231 911 (à 269 km), Bizerte 94 509 (64 km), Djerba 92 269, Gabès 92 259 (364 km), Sousse 83 509 (141 km), Kairouan 72 254 (157 km), Gafsa 60 870 (400 km), Béja 46 708.

Langues : arabe (*off.*), français (parlé). Dans quelques villages (Jebel, Matmata, sud de Djerba), berbère mais pop. bilingue. **Enseignement** (88-89) : primaire 1 326 150 élèves, secondaire 477 795, supérieur 40 830 (86-87) + 8 000 (84) (en France). **Religions** : islamique (*off.*, le chef de l'État doit être musulman, 85 % de rite malékite, 15 % de rite hanéfite) ; catholiques 13 000 (1956, 60 000), juifs env. 20 000 dans la région de Tunis et Djerba (en 1956, 57 792).

Histoire

Période préromaine : **av. J.-C. jusqu'au XIV**[e] **s.** habitée par les Capsiens (Capsa = *Gafsa,* « mangeurs d'escargots »). **XIV**[e] **s.** Phéniciens fondent Utique qui, avec Hippone (Algérie), est leur plus important comptoir africain. **814** Carthage (*Kart hadschath :* la « ville neuve ») fondée. **574** Tyr en Phénicie détruite ; Carthage capitale du monde phénicien ou punique (Afr. du N. et Espagne) ; g. navales contre Grecs, notamment Phocéens de Marseille (victoire d'une flotte étrusco-carth. à Aléria, Corse, 536). **264-146** *g. puniques* contre Rome (v. Italie) avec Hamilcar *(v. 290-228),* Hannibal son fils *(247-183),* Hasdrubal frère d'Hannibal († 207). **Période romaine. 146** Carthage rasée par Scipion Émilien ; son territoire devient la province d'Afrique (cap. Utique). **122** Carth. reconstruite (Colonia Junonia). **46** César bat Pompée à *Thapsus* (Moknine) : la prov. d'Afrique agrandie, à l'O., de la moitié de la Numidie, à l'E. du littoral libyen. **14** Carth. redevient cap. **Apr. J.-C. 37 :** 2 capitales : Carth. (prov. Proconsulaire) ; Hadrumète [Sousse (prov. bizacienne)]. **Dep. 220** métropole chrétienne (Tertullien, St Cyprien). **314** schism. des Donatistes. **429-533** invasion Vandales (ariens) qui favorisent donatistes. **533-647** occupation byzantine (Bélisaire).

Période arabe. 647 débuts de l'invasion arabe. **670** Kairouan, ville sainte, fondée par Okba ibn Nafi. **698** chute de Carthage. Islamisation et arabisation ; le dernier évêque chrétien est Cyriaque (1073). **702** échec de la résistance berbère animée par Dihia la Kahena dans l'Aurès alg., les monts des Nementcha et ceux de Tebessa, et un peu dans les Matmata. **800-909** *dyn. des Aghlabides* (Kairouan) : apogée de la civ. isl. **910-73** *dyn. des Fatimides* (cap. : Mahdyia). **1045** rupture avec califat fatimide du Caire. **1050-57** Arabes hillaliens, venus d'Égypte (200 000), éliminent dynastie berbère. **1159** Normands de Sicile vaincus par Abd el-Moumen, sultan almohade du Maroc qui conquiert la T. (Ifrika). **1228-1574** *dyn. Hafside* à Tunis [**1268** Charles d'Anjou, roi de Sicile, en g. contre Hafsides. **1270** St Louis meurt devant Tunis (8e croisade). **1526-73** Hafsides, soutenus par Esp. luttent contre Turcs. **1573** Don Juan d'Autriche prend Tunis].

Période turque. 1574 conquête turque. **1577** *1*[er] *consul français.* **1590** les *Janissaires* (du turc *Yeni Tcheri,* nouvelle milice, chrétiens convertis à l'islam) installent un dey secondé par un bey. Les deys gouvernent de 1598 à 1630 (accueil des Andalous 1609-12) ; les beys de 1631 à 1702. **1705** Hussayn ben Ali fonde beylicat héréditaire (*dyn. hussaynite régnera jusqu'en 1957).* **XVIII**[e]**-XIX**[e] **s.** conquête de l'intérieur. **1741-42** *g. contre la Fr.* (reprise de Tabarka et du cap Nègre). **1756** Algériens saccagent Tunis. **1769-70** *g. contre la Fr.* (cause : annexion de la Corse). **1846** esclavage aboli. **1861** Constitution. **1860-73** mauvaise gestion du PM Mustapha Khaznadar (chassé *1873*). **1873-77** Khereddine PM. **1878** *congrès de Berlin, l'Angl. laisse à la Fr. le champ libre en T.* contre la reconnaissance de son bail à Chypre.

Période française. 1881-*12-5 tr. du Bardo* complété et précisé par *tr. de La Marsa (8-6-1883) :* protectorat fr. **1885** mouvement bourgeois de Tunis veut résister aux Fr. **1907** création du *Parti révolutionnaire t.* (Jeunes T. ; leader : Ali Bach Hamba). **1909-10** naturalisation des juifs. **1911**-*7-11* affaire du cimetière de Jellaz (lieu vénéré que l'adm. milit. voulait immatriculer), incidents sanglants ; état de siège jusqu'en *1921.* **1920** création du *Destour* (parti libéral constitutionnel). **1923** Turquie renonce à ses droits. Loi sur la naturalisation. **1924** création d'une CGT t. (interdite 1925). **1930** congrès eucharistique de Tunis. **1934**-*2-3* congrès de Ksar Hellal, Bourguiba fonde Néo-Destour, sera arrêté sept. 1934, libéré 1936, arrêté après émeute à Tunis le 9-4-1938 p. 5 ans. **1942** *nov.*-**1943** *mai* occupation all., campagne de Tunisie ; Moncef bey remplacé par Lamine bey (à cause de son nationalisme, exilé en Fr. où il mourra). **1943**-*24-8* Gal Charles Mast (1889-1977) résident. **1946** congrès clandestin ; tous les courants nation. réclament l'indép. **1947** Mons résident, quelques réformes libérales. A Sfax 29 grévistes tués. **1949** *juin* projet de Constitution néo-destourien. **1950**-*10-6* R. Schuman parle d'indép. *-22-11 :* 7 grévistes tués à Enfidaville. **1951** réformes : meilleure représentation t. dans la fonction publique. *-7-11* mémorandum du PM Chenik sur autonomie interne. *-15-12* R. Schuman répond : « La participation des Français de T. au fonctionnement des institutions pol. ne peut être écartée... Les rapports futurs de 2 pays ne peuvent être fondés que sur la reconnaissance du caractère définitif du lien qui les unit. » *-21-12* Néo-Destour, UGTT appellent à une grève générale de 3 j. **1952**-*18-1* Bourguiba arrêté. Incidents dans le Sahel. *-28-1/1-2* ratissage au cap Bon (200 †). *-25-3* gouv. Chenik arrêté, envoyé dans le S. *-28-3* Salaheddine Baccouche PM. *-1-8* bey puis conseil des 40 refusent plan de réformes fr. La *Main rouge,* formée de colons, tente par des attentats d'étouffer la révolte. *-5-12* Farhat Hached (syndicaliste) assassiné par *Main rouge. -15-12* grève du sceau du bey. **1953** attentats terroristes ; représailles de la Main rouge (Hedi Chaker tué *sept.*). **1954**-*4-3* programme de réformes repoussé par nationalistes. Fellaghas (2 500 en groupes mobiles de 15 à 30) entretiennent l'insécurité. *-21-5* Bourguiba transféré à Groix. *-17-6* min. Mohamed Salah Mzali démissionne. *-31-7* Mendès France, Pt du Conseil, accompagné du M[al] Juin et de Christian Fouchet proclame à Carthage principe de l'autonomie interne. *Juin* rébellion (Salah ben Youssef, instigateur). *Déc.* fellaghas désarmés. **1955** *-1-6* Bourguiba rentre à Tunis. *-3-6* autonomie interne ; Salah ben Youssef, exclu du Parti destourien, veut continuer lutte armée pour l'indép. totale : terrorisme.

Opérations en Tunisie (du 1-1-1952 au 31-12-1957). **Effectifs.** *Engagés* français 250 000. **Morts.** *Armée de terre :* 199 † [dont 80 tués (combat ou attentat), 119 par maladie, suicide, noyade]. *De l'air :* 47 † [dont 13 tués (opérations et accidents aériens), 26 accidents divers, 8 de maladie].

Indépendance. 1956-*20-3* indépendance. *-28-7* Ben Youssef se réfugie au Caire. *Août* él. 95 % des voix (598 000 v.) pour le Front nat. animé par le Destour. *-11-4* Bourguiba Pt du Conseil. *-11-8* polygamie et droit de répudiation interdits. **1957**-*1-6* Bourguiba demande départ des troupes fr.

République. 1957-*25-7* bey destitué, Bourguiba Pt. **1958**-*8-2* armée fr. bombarde Sakhiet-sidi-Youssef (75 †, 80 blessés, réfugiés algériens). *-17-6* accord prévoyant l'évacuation des troupes fr. sauf Bizerte. **1961**-*25-7* conflit fr.-tun. à Bizerte, la T. ayant tenté un coup de force pour accélérer son évacuation (en 3 j, 1 000 T. et 30 Fr. †). *-30-9* 1er accord avec Fr. **1961** Salah Ben Youssef tué à Francfort. **1962** *août* relations dipl. reprises avec Fr. *Déc.* complot contre Bourguiba, 13 condamnés à †. **1963**-*13-12* Fr. évacuent Bizerte. **1964**-*12-5* loi nationalisant 400 000 ha appartenant à des étrangers (270 000 à des Fr.). Fr. suspend aide fin. et dénonce convention de 1959. **1968** Fr. rétablit aide fin. *Août* complot. **1970** accord avec Algérie, la frontière tracée en pointillé dep. 1929 (de Bir-Romane à Fort-Saint) partage la nappe pétrolifère d'El-Borma qu'exploitait la T. dep. 4 ans. *Mars* Ben Salah arrêté (ancien min. de l'Écon., partisan du collectivisme), condamné *24-5* à 10 ans de trav. forcés, s'évadera *5-2-73.* **1972**-*27/30-6* Bourguiba en Fr. **1974**-*12-1* Bourguiba et Kadhafi signent à Djerba projet de fusion T.-Libye (prévu par référendum, mais repoussé plusieurs fois). *-14-1* Chatti min. des Aff. étr. (remplace Masmoudi, artisan de la fusion). *-5/24-8 :* 202 accusés de complot. *-3-11* Bourguiba réélu (99,98 % des voix). *Déc.* gouv. refuse d'organiser référ. sur union avec Libye. **1975**-*4-10* Cour de Sûreté condamne opposants (prison). *-7/8-11* Pt Giscard d'Estaing en T. **1976**-*21-3 :* 3 Libyens accusés d'avoir voulu tuer Bourguiba et PM arrêtés. Tension avec Libye. **1978**-*26/27-1* émeutes (50 à 100 †), arrestations de syndicalistes. *Oct.* procès de 30 synd. (dont Habib Achour, ancien secr. gén. de l'UGTT, condamné à 10 ans de trav. forcés). **1979**-*1-6 et -3-8* certains synd. graciés. **1980**-*26/27-1 :* 300 T. armés en Libye attaquent Gafsa. *-30-1 :* 3 bâtiments de g. fr. croisent dans le golfe de Gabès ; *-10/27-3* procès des conjurés de Gafsa (13 pendus 12-4). *-23-4* Mohammed M'Zali (n. 23-12-25) PM [succède à Hedi Nouira (n. 5-4-11), PM dep. 9-2-72, victime en février d'une hémorragie cérébrale]. *-10-11* Bourguiba gracie la plupart des synd. condamnés après émeutes du 26-1-78. **1982**-*23/27-2* Kadhafi en T. *-10-8* T. accueille Arafat et dirigeants OLP expulsés de Beyrouth. **1983**-*19-3* tr. d'amitié avec Algérie. **1983**-*29-12*-**1984**-*3-1* « révolte du pain » dans le Centre (Kasserine) et le Sud (Gafsa, Gabès), 99 †. *-16-6* Driss Guiga, min. de l'Intérieur, jugé responsable des émeutes, condamné à 10 ans de travaux forcés. *-19-6* 8 condamnés à mort graciés. **1985**-*12-5* municipales ; participation 92 %, boycott de l'opposition ; 3 450 cand. (dont 418 femmes) présentés par PSD élus. *-20-8* Libye expulse 253 T. accusés d'espionnage. *-26-9* rupture relations diplom. avec Libye. *-1-10* raid israélien contre QG OLP à Tunis. **1986**-*20-6* devant le faible % de candidats reçus au bac, Bourguiba annonce « session exceptionnelle » pour sept. *-8-7* Rachid Sfar, PM. *-24-9* accord Fr.-T. sur avoirs des Français ne résidant plus en T. *Oct.* accord pour débloquer avoirs de 12 471 Fr. (180 millions de F). *-2-10* M'Zali condamné à 1 an de prison par contumace pour franchissement illégal de la frontière le 3/4-9. *Déc.* fils et gendres de M'Zali condamnés pour mauvaise gestion. **1987**-*26-3* T. rompt rel. diplom. avec Iran. *-23-4* troubles à Tunis (étudiants islamiques). *-24-4* M'Zali (en Suisse) condamné à 15 ans de travaux forcés. *-2-8* attentats dans 4 hôtels (Sousse et Monastir) (12 touristes bl.) ; revendiqué *10-8* par Djihad islamique, groupe Habib Dhaoui (exécuté 31-7-1986 pour attaques à main armée). *-10-8* Mohamed Ben Salah Ghodbani (participant de l'attaque de Gafsa en 1980) exécuté. *-27-9* 7 militants du MTI condamnés à † dont 5 par contumace, travaux forcés à perpétuité pour Rachid Ghannouchi. *-2-10* Zine El-Abidine Ben Ali PM. *-8-10* Mehrez Boudegga et Boulbaba Dekhil exécutés. *-7-11* PM Ben Ali destitue Pt Bourguiba pour « incapacité », et lui succède. Hedi Baccouche (n. 15-1-30), PM. *-23-11* annonce d'un complot contre Gal Ben Ali. *Déc.* 2 487 prisonniers et 791 détenus politiques graciés. *-25-12* Cour de Sûreté (créée 1968) supprimée. **1988**-*4-2* Kadhafi en T. *-18-3* 2 044 condamnés polit. et droit commun graciés, 1 275 réhabilités. *-11-4* Pt Ben Ali prend min. de la Défense. *-30-4* A. Ben Salah gracié (rentre 16-6), après 15 ans d'exil. *-14-5* Rachid Ghannouchi gracié. *11 et 12-6* 2 statues de Bourguiba déboulonnées à Kairouan. *-28-6* multipartisme autorisé. *-25-7* suppression de la présidence à vie. Pt (40 à 70 ans) rééligible 2 fois consécutives. *-6-8* Pt Ben Ali en Libye. *-11-8* Tunis, statue de Bourguiba déplacée (à La Goulette) ; avenue Bourguiba devient av. du 7-Nov. *-12-9* Pt Ben Ali en Fr. (visite Coëtquidan, où il fut formé). *-22-10* Bourguiba transféré à Monastir. Tahar Belkhodja, anc. min. de l'Inform., condamné (détournement de fonds). **1989** *-18-3* 1 246 détenus graciés (9 696 dep. le 7-7-87). *-1-4* Pt Ben Ali réélu avec 49,27 % des voix. *-9-4* amnistie gén. *-5/6-6* Pt Mitterrand en T. *Juin* gouv. refuse au mouvement

Ennahdaa (islamiste) de créer un parti. *-27-9* Hedi Baccouche PM et *28-9* Ismael Khelil, min. de l'Économie, renvoyés. *-31-10* Tahar Belkhodja revient (condamnation de 1988 : 2 ans de prison avec sursis et amende). *-7-11* 1 354 remises de peines (dont Jelloul Azzouna, dirigeant du groupe dissident du PUP). **1990** *janv.* inondations Centre et Sud. Manif. : 30 †, 15 disparus (200 millions de $ de dégâts). *-10-6* élections municipales : 1 700 269 inscrits, 1 349 566 votants (79,37 % de partic.) ; RCD : 3 774 candidats (dans 245 circonscriptions) contre 328 indépendants. *-11-9* g. du Golfe (voir Index) : la T. approuve les résolutions du Conseil de sécurité. *Déc.* liée au mouv. Ennahdha, 200 arrêtés. **1991**-*2-1* manif. réclament leur libération. *Mars* 93 % des Tunisiens prêts à soutenir l'Irak. *-29-3* Union gén. t. des étudiants suspendue. *-9-4* Pt Ben Ali institue comité sup. des droits de l'homme. *-9-5* Tunis, univ. : 2 étudiants †. *Fin mai* 300 impliqués dans tentative de complot islamiste (arrêtés).

☞ **Biens immobiliers français.** Concernent 2 800 familles. *1965* (sept.) convention franco-t. de réciprocité : T. et Fr. peuvent librement acheter, vendre et gérer des biens immobiliers dans l'autre pays. *1989* (4-5) accord : les biens immobiliers fr. à caractère social ou professionnel (95 % du total) ne pourront être vendus jusqu'en 1993 qu'à l'État t. pour un prix fixé sur ceux de 1955 majoré d'un coefficient de 2,5 [accord rejeté par l'ADEPT (Association pour la défense des biens patrimoniaux), selon laquelle un coeff. de 10 à 15 aurait été réaliste)].

Politique

Statut. Rép. État islamique. *Const.* du 1-6-1959 (amendée 1988). En cas de carence du Pt, le Pt de l'Ass. assure l'intérim (avant PM) ; il ne peut se présenter à l'élection qu'il doit organiser dans les 6 mois. *Ass. nat.* 136 m. élus p. 5 a. au suffr. univ. *Gouvernorats régionaux* 23 divisés en *délégations, communes* et *cheikhats.* **PM** Hamid Karoui (n. 1927) dep. 27-9-89. **Fêtes nat.** : 20-3 (indép.), 1-6 (retour du Pt Bourguiba), 25-7 (proclam. de la République). **Drapeau** : adopté 1835 : inspiré du dr. turc, rouge, avec croissant et étoile rouges dans cercle blanc.

Élections lég. 2-11-1981. Front national (PSD et UGTT) 136 s. (94,6 % des voix), MDS 3,28 %, MUP 0,81 %, PCT 0,78 %, Indépendants 0,35 %. Il faut au moins 5 % des voix pour être représenté. **2-11-86.** PSD a les 125 sièges. Protestant contre irrégularités, l'opposition a boycotté le scrutin. **2-4-1989.** Inscrits 2 711 925, abstentions 23 % : RCD 80,48 % des voix (141 élus), Indépendants (intégristes) 15 %, MDS 3,76 %.

Partis. *Rassemblement constitutionnel démocratique* (RCD), dep. 27-2-1988 [ex-*P. socialiste destourien* (PSD) (Destour : Constitution en arabe, référence à celle de 1861) dep. oct. 1964 ; ex-*Néo-Destour* f. 2-3-1934 par Bourguiba]. *Mouv. des dém. soc.* (MDS), leader Ahmed Mestiri. *Mouv. de l'unité pop.* (MUP), f. Ahmed Ben Salah, 1973. *P. de l'unité pop.* (PUP), Mohamed Ben Hadj Amor. *Rassemblement soc. progressiste* (RSP) f. 1983, Nejib Chebbi. *P. communiste tun.* (PCT), interdit 1963, autorisé 18-7-81, secr. gén. Mohamed Harmel. *Union dém.-unioniste* (UDU), reconnu 26-11-88, f. Abderrahamane Tlili. *Mouv. de la tendance islamique (MTI)* : f. janv. 1981, « émir » Rached Ghannouchi (n. 1941) intégriste, 5 à 6 000 m., interdit. *Ennahdha (Renaissance),* intégriste, interdit ; leaders en exil en France : Rached Ghannouchi (dep. 1989), Salah Karkar et Habib Mokni (dep. 1987) ; en Algérie : Mohamed Chemame (dep. janv. 91), Abdelffetah Mourou et Hamadi Jelabi. *P. social pour le Progrès* (PSP) f. 1988, Mounir Beji. Dep. le 18-4-90, MDS, PCT et MUP forment une coalition. **Syndicats :** *Union gén. des trav. tun.* (UGTT), secr. gén. Ali-Serbahni (n. 1947), élu 11-4-89 (l'*UNTT* créé 19-2-1984, secr. gén. Abdellaziz Bouraoui, a fusionné avec elle en sept. 86).

Beys depuis 1705. 1705 Husseïn ibn Ali [fils (?) de Benedetto Orsini (n. Sartène 26-4-1642), enlevé 1661 par des Sarrasins, connu en T. comme Ali-Orsino]. **1735** Ali Pacha. **1756** Mohammed. **1759** Ali. **1782** Hammouda. **1814** Othman ; Mahmoud Pacha. **1824** Husseïn. **1835** Mustapha Pacha. **1837** Ahmed Pacha. **1855** M'hammed. **1859** Es-Sadoq. **1882** Ali. **1902** El-Hadi. **1906** En-Nasr. **1922** El-Habib. **1929** Ahmed Pacha. **1942** El-Moncef (mort 1949 à Pau, exil). **1943** El-Amina (ou Lamine Bey Pacha, ou Lamine Ier) (1881-1962, † à Tunis), il eut droit au titre de « Monseigneur » jusqu'à sa mort.

Présidents. 1957 Habib BOURGUIBA (3-8-03) Pt dep. 25-7-57, surnom : « Combattant suprême » [ép. 1° en 1927 Mathilde Lorrain, veuve, née Le Fras (1892-1976), divorcé 1961, dont Habib (9-4-27, ambassadeur en Italie 1957-58, France 1958-60, USA 1961, secr. prés. 1966, min. Aff. étr. 1970, min. Justice 1971, dir. banque 1971, hémiplégie 1977, au 6-1-86, conseiller spécial du Pt ; dep. Pt banque BDET), 2° 12-4-62 Wassila Ben Ammar, divorcé 11-8-86], réélu 59, 64, 69, 74, Pt à vie dep. 18-3-75 (par 99,85 % des suffr. expr.), déposé 7-11-87. **1987** Gal Zine El-Abidine BEN ALI (n. 3-9-36) dep. 7-11-87 ; réélu 2-4-89 (candidat unique).

Résidents. 1881 (oct.) ROUSTAN, Th. (1833-1906). **1882** (nov.) CAMBON, Paul (1843-1924). **1886** (nov.) MASSICAULT, Justin (1838-92). **1892** (nov.) ROUVIER, Charles (1849-1915). **1894** (nov.) MILLET, René (1849-1919). **1901** (déc.) PICHON, Stephen (1857-1933). **1907** (janv.) ALAPETITE, Gabriel (1854-1932). **1918** (nov.) FLANDIN, Étienne (1853-1922). **1920** (déc.) SAINT, Lucien (1867-1938). **1929** (janv.) MANCERON, François (1872-1937). **1933** (juil.) PEYROUTON, Marcel (1887-n.c.). **1936** (mars) GUILLON, Armand (1880-1983). **1938** (nov.) LABONNE, Érik (1888-1971). **1940** (3-6) PEYROUTON, Marcel (1887-1983). **1940** (26-7) ESTEVA, amiral Jean-Pierre (1880-1951). **1943** (24-8) MAST, Gal Charles (1889-1977). **1947** (21-2) MONS, Jean (1906-n.c.). **1950** (31-5) PÉRILLIER, Louis (1900-86). **1951** (21-12) HAUTECLOCQUE, Jean Cte de (1893-1957). **1953** (26-9) VOIZARD, Pierre (1896-n.c.). **1954** (30-7) BOYER DE LA TOUR DU MOULIN, Gal Pierre (1896-1976) en **1955** devient Ht-commissaire.

Économie

P.N.B. par h. ($). *1960* : 230 ; *70* : 380 ; *80* : 1 310 ; *84* : 1 080 ; *88* : 1 250. 27,5 % des ménages vivent en dessous du seuil de pauvreté. **Taux de croissance du P.I.B. (88) :** 1,5 %. **Pop. active** (% et part du P.N.B. en %) agr. 32 (15), mines 4 (8), ind. 28 (26), services 36 (51). *Chômage* (87) : 20 % (off. 14,3 soit 270 000 pers.). **Inflation** (%) *1985* : 8 ; *86* : 5,8 ; *87* : 7,2 ; *88* : 6,4. **Dette extérieure** (87) 4, 400 milliards de dinars. *Endettement (% du P.I.B.). 1986* : 59,5, *87* : 55,5, *88* : 58. *Service de la dette (% des exp.). 1986* : 26,9, *87* : 26,4. *Déficit des fin. pub.* : *1986* : 6,6 %, *87* : 5,8 % ; *commercial* : *1987* : 734,8 millions de dinars ; *de la balance des paiements (% du P.I.B.). 1986* : 7,4 ; *87* : 1. **Apport du salaire des émigrés** (Fr., Libye) 2,6 milliards de F en 84. **Aide française** (milliards de F). *1956 à 86* : 7. *88* : 1. *89* : 1,06 [dont aides-projets 0,46, aides-programmes (balance des paiements) 0,29, équipements TV 0,15, aux investissements 0,1, aide alimentaire 50 000 t].

Agriculture. *Terres* (milliers d'ha). Superficie labourable 4 826. Jachère 1 255. Autres terres 7 050. Parcours 3 365. Bois, forêts et autres terres non agricoles (y compris l'alfa) 982. Céréaliculture 1 190. Fourrages 302, annuels 202, pluriannuels 100. Légumineuses 112. Arboriculture 1 888. Secteur coop. et étatique : env. 450 000 ha de terres fertiles. *Production* (milliers de t, 89) : céréales 19 millions de quintaux (87) (sécheresse en 88 : 2,8 millions de qu.), olives 330, tomates 450, melons 250 (88), orge 63, p. de terre 160 (88), poivre 150 (87), agrumes 250 (87), tabac, artichauts, amandes 30 (88), dattes 72, alpha, seigle, raisin de table 45 (88), r. de cuve 133. Vigne (milliers d'hl) *1965* : 1 850 ; *81* : 554 ; *85* : 580. **Élevage** (milliers de têtes, 88). Moutons 5 581, chèvres 1 098, chevaux et ânes 276, bovins 634, chameaux. **Pêche** (88) 102 600 t. Conserves, crustacés. **Autosuffisance alim.** 60 %.

Pétrole (millions de t). *Au S. en mer près de Djerba* : réserves 246, prod. 4,5 ; *off-shore d'El-Bouri (1986)* : à 125 km de Tripoli, attribué à Libye par Cour de La Haye : 500 puits, prod. 10. La T. perçoit 10 % de la prod. **Gaz.** Cap Bon, El-Borma, îles Kerkenna, Zarzis (milliards de m³), réserves 85, prod. 0,33. **Autres** (millions de t., 87). *Phosphates* de chaux (à Gafsa, Kalaa-Djerba, Sehib) 6 215. *Fer* 291. *Sel* 422. *Zinc* 10,7. *Plomb* 3. *Mercure.*

Industrie. Automobile, textile, vêtements, cuir, ciment 3,2 milliards de t, prod. alim., 420 000 hl vin, huile d'olive 132 000 t (87), artisanat (tapis, orfèvrerie), métallurgie, pétrochimie. **Transports** (km). *Routes* 27 710 (87). *Chemins de fer* 2 167 (87). *Gazoduc* Algérie-Italie traversant la T. inauguré 18-5-1983 (T. touche sur quantités transportées, soit en 1986 : 102 millions de $). *Aérodromes internationaux* : Tunis-Carthage, Monastir-Skanes, Djerba-Zarzis, Tozeur-Nefta, Sfax-El Maou.

Tourisme (88). *Visiteurs* : 3 468 400 dont Libyens 1 236 000, Français 479 300, All. 474 000, Algériens 412 200, Angl. 225 600, Italiens 133 400, Hollandais 88 900, Belges 75 600, Suisses 43 800, Autrichiens 37 300, Danois 40 700 (87), Suédois 28 600 (87), Moyen-Orientaux 23 800 (87), Marocains 12 300 (87), Américains 8 100, divers 148 800. *Employés* : temps complet 40 000 pers., indirectement 150 000. *Lits* : 93 275. *Complexe de Tabarka* : projeté au N.-O. (frontière alg.) : 10 000 lits *Recettes* (milliards de $) : *1987* : 0,6, *88* : 1,3. **Architecture.** *Berbère* : troglodytes de Matmata, Ksours (greniers des crêtes en limite du désert). *Punique* : Carthage. *Romaine* : colisée d'El Jem, maisons à étage, souterrain de Bulla Regia (*Monuments romains,* voir Italie p. 992, 993). *Judaïque* : synagogue de Jerba (la Ghriba). *Islamique* : Kairouan (grande mosquée), Sousse (Ribat), Zitouna (mosquée, Tunis), Sidi Bou Saïd.

Commerce (en millions de dinars, 88). *Exp.* 2 055,5 *dont* vêtements 354 (87), prod. pétroliers 330,7, acide phosphorique 142, phosphates 26,9 *vers France 532,* Italie 395,5, All. féd. 288,8, Bénélux 121,8, P.-B. 60,2, USA 21,5. *Imp.* 3 167 *dont* prod. pétroliers 196,6, prod. plast. 111,8, prod. pharmac. 68,8, *de France 785,2,* Italie 416,1, All. féd. 400, USA 224,4, Bénélux 152,9, Espagne 139,3.

Rang dans le monde (86). 6e phosphates.

TURKS ET CAICOS (îles)

Carte p. 917. V. légende p. 837.

Nom. *Turks* : cactus dont la fleur ressemble à un fez turc. *Caicos* : de l'espagnol pour *îlot.*

Situation. Amérique, au S.-E. des îles Bahamas, 150 km au N. de la rép. Dominicaine. 430 km² (30 îles dont 8 habitées). *Alt. max.* 48 m. *Côtes* 35 km.

Population. 12 500 h. (88) dont 90 % de descendants d'Africains. D. 17. **Capitale** *Cockburn Town* sur Grand Turk, 3 146 h. **Langues** : anglais, créole français (Haïtiens) 5 %. **Religions** : anglicans, baptistes, méthodistes, catholiques.

Histoire. 1512 découvertes par Juan Ponce de León. **1670** cédées par Esp. à G.-B. **1776** agent brit. résident. **1838** abolition de l'esclavage. **1873-1965** annexées à Jamaïque. **1965-73** annexées à Grande Bahamas. **1973** colonie séparée. **1985**-*6-3* PM Norman Saunders arrêté avec son min. du Commerce à Miami pour trafic de drogue.

Statut. Colonie brit. *Const.* de sept. 76. *Conseil législ.* (11 m. élus pour 4 a.) et *exécutif* (8 m. élus ou nommés). *Gouverneur* Michael Bradley.

Économie. P.N.B. (88) 5 300 $ par h. Place financière. Pêche. Tourisme 47 079 vis. (88). **Commerce** (millions $ US, 83-84). *Exp.* 3 (langoustes, crustacés, poissons, coquillages). *Imp.* 26,3 (prod. alim., man., boissons, tabac, textiles). **Budget** (millions $ US, 85-86) dépenses 12,8, recettes 10,6.

TURQUIE

Carte p. 1086. V. légende p. 837.

Situation. Europe et Asie. 779 452 km² (*1910,* 2 969 500 km² ; *1939* 762 736 km²) dont Thrace 23 764, Anatolie 755 688. *Longueur max.* 1 565 km ; *largeur moy.* 550 km. *Côtes* : 8 372 km dont Égée 2 805, Méditerranée 1 577, m. Noire 1 695, Marmara 927. *Frontières* : 2 753 km dont Syrie 877, URSS 610, Iran 454, Irak 331, Bulgarie 269, Grèce 212. *Lacs* : 9 423 km² dont Van 1 713 km², Tuz Gölu 1 642, Beysehir 650, Egridir 486, Iznik 303. *Alt. max.* : Mt Agri (Ararat) 5 165 m ; *moy.* : 1 131 m (terres au-dessus de 500 m : 80 %).

6 zones. *T. septentrionale* (côte mer Noire), plis et dépressions (660 à 3 500 m), pluies 879 mm/an. Hiver doux, été tempéré (Sinope : janv. 7,1 °C, août 21,2 °C), forêts, arbres fruitiers. *Des détroits* (Dardanelles, Bosphore) transition avec → *Zones égéenne* et *méditerranéenne* (côte), plaines riches au S., été très chaud et sec (27,6 °C en juill., max. 40 °C), bananiers, canne à sucre. *Taurus* (montagne + de 3 500 m). *Anatolie int.,* plateaux 800 à 1 500 m, bassins 100 à 300 m, massifs, été chaud et sec, hiver rude (400 mm pluie). *T. orientale,* montagneuse, suivant l'alt. : été très chaud et hiver rude (moy. hivernale : 0 °C, – 10 °C ; pluies 500 à 1 000 mm).

Fleuves principaux (km) : *Kizilirmak* (Halys) 1 182, *Sakarya* (Sagaris) 824, *Seyhan* (Sarus) 560. **Iles :** *Gökçeada* 279 km², *Marmara* 117 [archipel : îles d'*Avsa, Ekinik, Koyun, Pasalimani* ; autres îles de la m. de Marmara : *Imrali* ; archipel *des Princes* (îles de Burgaz, Büyük, Heybeli, Kinali, Sedef), *Bocaada* 40, *Uzunada* 25, *Alibey* 23. **Zones sismiques.** 91,4 % de la T. De 1925 à 76 : 23 séismes liés à l'activité de la *cicatrice anatolienne* : *Erzincan* (1939) 40 000 †, *Niksar-Erbaa* (1942) 3 000 †, *Tosya-Ladik* (1943) 5 000 †, *Bolu-Gerede* (1944) 2 831 †, *Varto* (1957)

2 394 †, *Varto* (1966) 2 934 †, *Lice* (1975) 2 385 †, *Erzurum* (1983) 1 330 †.

Population. En millions. *1910 :* 24 (dont Europe 6,5, Asie et Afrique 17,5), *14 :* 18,5, *27 :* 13,6, *35 :* 17,5, *40 :* 17,8, *50 :* 20,9, *60 :* 27,7, *70 :* 35,6, *75 :* 40,1, *90 :* 57, *prév. 2000 :* 68,5, *2020 :* 100. D. 73,1. **Taux.** *Natalité* 30 ‰ ; *mortalité :* 11 ‰ (infantile 92) ; *croissance* 2,3 % par an. **Age :** *-de 15 a.* 36 %, *+ de 65 a.* 4 %. **Ruraux** 43,7 % (25 millions, dont propriété nulle 3 ; propr. inférieure à 3 ha 16) ; *citadins* 56,3 %. *Exode rural moyen* 3 % annuel. **Analphabètes** 24 % (8 % offic.). **Ethnies** (%) Turcs 90, Kurdes 15, Arabes 1,2, Circassiens, Grecs, Arméniens, Géorgiens, Lazes (Caucasiens), Juifs. 100 000 (?) Kurdes irakiens réfugiés. *Bases américaines :* env. 6 000 Amér. **Travailleurs émigrés** (85) 1 071 000 [3 000 000 avec familles et clandestins dont All. féd. 586 000 (1 400 000 avec fam.)], P.-B. 78 000 (180 000), *France 66 000* (+ de 200 000), Belgique 31 000.

Villes (85) : *Ankara* 3 462 880 (*1910 :* 30 000 ; *1927 :* 74 784 ; *1928 :* 107 641 ; *1955 :* 435 000), Istanbul 5 856 745 [(à 438 km) *1912 :* 1 125 000 ; *1927 :* 673 000 ; *1940 :* 793 949 (superficie : vieille ville 22,5 km² ; territoire municipal 240 km² ; agglomération 362 km²)], Izmir (Smyrne) 2 316 843 (à 595 km), Zongouldak 954 512 (80) (268 km), Adana 777 554 (486 km), Bursa (Brousse) 612 510 (427 km), Gaziantep 478 635 (697 km), Konya 439 181 (262 km), Kayseri 373 937 (328 km), Eskischir 366 765 (236 km), Erzurum (Erzeroum) 246 053 (924 km), Trabzon (Trébizonde) 108 403 (80) (798 km), Antioche 70 000 (679 km), Pergame 35 000 (600 km).

Langue off. Turc. **Religions.** Musulmans 98 %. **Autres** (r. 1965) : orthodoxes 73 725, grégoriens 69 526, juifs 38 267, catholiques 25 883 (16 000 en 88), protestants 25 853, autres chrétiens 14 768. Istanbul est le siège du patriarcat œcuménique.

Histoire

Avant J.-C. civilisations connaissent agriculture dep. 6500, cuivre 4300, bronze 2800 (fouilles d'Hacilar : objets de 7000 à 5400 av. J.-C.) ; *Çatal Höyük* (fresques les plus anciennes, la plus ancienne agg. connue), *Tell Halaf* (3800-3500), *Troie I* (fondée v. 3300, ancien nom : Wilusa ?). **Après 3000** invasions indo-europ. : *Hattiens* ou *Protohittites* (v. 3000), qui adoptent civilisation assyrienne entre *1905* et *1775 ; Hittites* (apr. 1775), capitales Hattousha, puis Koushshar (cap. du roy. de Mourshil Ier, conquérant d'Alep et Babylone v. 1600), puis de nouveau Hattousha [cap. de l'Emp. hittite de Shouppiloulliouma Ier (v. 1380-44) et de Mourshil II (v. 1344-10) titré Grand Hatti] ; occupent Cappadoce et régions continentales de l'E. anatolien ; créent la civilisation du fer v. 1400, qui leur confère suprématie militaire. *Proto-Illyriens archaïques* (à partir de 2200) occupent régions occid., aux bords des mers Égée et Méditerranée, seront appelés en 1190 *« Peuples de la Mer » :* Dardaniens (sur les Dardanelles) ; Teucres, soustribu des Dardaniens, en Troade (fondent v. 1850 la ville de l'Iliade, Troie VI) ; Briges en Phrygie ; Sardes en Lydie (vallée du Pactole où vivra le roi Crésus) ; Mésiens en Mysie ; Pélasges et Tyrséniens (cap. Tyrsa) sur côtes S. et dans les îles. **V. 1250** les « Peuples de la Mer », qui ont adopté les civilisations crétoise, égéenne et mycénienne (bronze, commerce maritime), détruisent l'Emp. hittite, adoptent l'armement en fer et partent à la conquête du monde méditerranéen. *A la même époque,* des Mycéniens détruisent Troie VI (voir Grèce). **XIe au VIIe s.** Asie Mineure : *Occident :* roy. thraco-illyriens (Phrygie, Lydie, Lycie, Pamphilie, Mysie), de plus en plus soumis à l'influence culturelle grecque ; *centre et E. :* petits roy. « néo-hittites », sous influence assyrienne ; *extrême E. :* roy. *d'Urartu* (Anatoliens antérieurs aux Hittites) qui devient une puissance importante avec civilisation particulière ; résiste victorieusement aux Assyriens, mais est détruit par l'Emp. mède (indo-eur. du groupe partho-scythe) Cyaxare **v. 610.** Remplacé par Arménie (voir ci-dessous). **582** Cyaxare partage Anatolie avec Lydiens (frontière : fleuve Hayls). **551** Cyrus II, roi perse, prend l'Emp. mède ; incorpore toute l'Asie Mineure, y compris territoires hellénisés de l'O., dont il fait la IIIe satrapie de l'Emp. *achéménide* (que les Grecs appellent Emp. *mède*). **494** révolte des Grecs d'Asie Mineure (chef : Aristagoras, roi de Milet), matée par Perses ; Milétiens déportés sur le Tigre. **492-77** *g. médiques :* Perses chassés d'Europe, gardent Asie Mineure. **334** conquête macédonienne d'Alexandre, victorieux au Granique, Issos (333) et Arbelles (331). A sa mort, rivalités ; 4 roy. hellénistiques : Cappadoce, Pont, Bithynie et Pergame, qu'Attale III lègue à Rome en **133. 123-63** g. de Rome contre Mithridate VII, roi du Pont, qui conquiert Cappadoce et Bithynie, mais est vaincu à Chéronée par Sylla en 86. Pompée en 68. **47** César bat Pharmace.

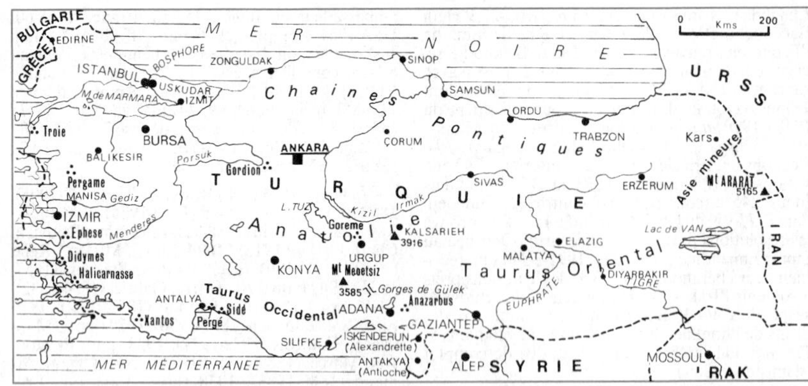

Après J.-C. puissance romaine consolidée par Hadrien (117-138), Marc Aurèle (161-180), Carus, qui repousse les Perses sassanides (v. 276-293). Après période d'anarchie, Constantin transfère la capitale de l'empire à Byzance (inaugurée *11-5-***330**). **395-610** l'Asie Mineure (entièrement hellénisée) est le bastion de l'empire romain d'Orient ; résiste aux Slaves (en Europe) et Perses (Emp. sassanide, Asie). **610** Héraclius, 1er *grand empereur byzantin.* Son rival est l'empereur sassanide Khosroês. **628** triomphe d'Héraclius, mais les 2 emp. se retrouvent épuisés devant l'Islam. **634-636** les Arabes prennent Syrie. **639-643** Égypte byzantine. **676-77 et 717-18** bloquent Constantinople et envahissent plusieurs fois Cappadoce. **867 à 1056** Byz. repousse Arabes et étend son contrôle en Syrie. **V. 1037** Tugrul Bey fonde *Empire seldjoukide* (tribu turque) en Iran, effectue de nombreuses incursions en Asie byz. **1071**-*26-10* désastre byz. de *Manzikert* (Malazgirt) ; Turcs colonisent les 2/3 E. de l'Asie Mineure. **1077** Gazi Souleïman fonde royaume seldjoukide d'Anatolie.

Croisades : **1096** cr. de Pierre l'Ermite écrasée. **1097** cr. des chevaliers : Byz. reprend Nicée, Bithynie et Ionie ; rivalise avec Francs pour territoires reconquis ; s'allie temporairement aux Turcs. **1176** Kiliç Arslan II (1155-92), Pce de Konya qui a pris le titre de sultan, bat Manuel Comnène. **1204** Croisés (4e croisade) prennent Constantinople (empire). Des Comnènes se réfugient à Trébizonde et fondent une dynastie qui dure jusqu'en *1461*. Théodore Lascaris, époux d'Anne Lange, fille d'Alexis III, s'allie au sultan turc d'Ikonion et fonde État byz. en Lydie et Phrygie, avec Nicée comme capitale jusqu'à la reprise de Constantinople *25-7*.

Empereurs romains d'Orient (Byzance)

Dynastie des Constantins. 306 Constantin Ier (Occident 270/288-307). **337** Constance II (317-61) avec Constantin II (317-340) et Constant Ier (320-50) Occident. **361** Julien l'Apostat (331-63) (Occident).

Jovien. 363 Jovien (v. 331-64).

Valentiniens. 364 Valentinien Ier (321-75). **364** Valens, son fr., associé à l'Empire (328-378). **375** Gratien (359-83) (Occident), f. de Valentinien.

Théodosiens. 379 Théodose Ier le Grand (v. 347-95). **408** Théodose II le Jeune (401-50), s. f. **450** Marcien (v. 391-457).

Dynastie de Thrace. 457 Léon Ier (411-474). **474** Léon II, s. pet.-f. **474** Zénon l'Isaurien (v. 426-91), 1er époux d'Ariadne, f. de Léon Ier. **491** Anastase Ier (v. 430-518), 2e époux d'Ariadne.

Justiniens. 518 Justin Ier (v. 450-527). **527** Justinien Ier le Grand (482-565). Collabore avec Justin Ier dep. 518. **565** Justin II († 578), s. nev. **578** Tibère II († 582). **582** Maurice (v. 539-602), s. gendre. Décapité avec s. f.

Phocas. 602 Phocas (usurpateur) († 610), mis à mort par la foule.

Héraclides. 610 Héraclius Ier (v. 575-641). **641** Constantin III Héraclius (612-41), s.f. **641** Héraclius II Héraclonas (618-45). **641** Constant II Héraclius (630-68), s. nev. **668** Constantin IV Pogonat (654-85). **685** Justinien II Rhinotmète (669-711). **695** Léonce (usurpateur). **698** Tibère III († 705), usurpateur exécuté par Justinien II. **705** Justinien II (669-711) restauré. **711** Philippique Bardanès, renversé par les militaires. **713** Anastase II († 716). **716-717** Théodose III († 722).

Isauriens. 717 Léon III l'Isaurien (v. 675-741). **740** Constantin Copronyme (718-75), s. f. **775** Léon IV le Khazar (750-80), s. f. **780** Constantin VI (771-805), s. f., détrôné (797) par sa mère. **797** Irène (752-803), sa mère. **802** Nicéphore Ier, usurpateur († 811), assassiné à la tête de son armée. **811** Staurace († 811), s. f., associé dep. 803. **811** Michel Ier Rangabé († après 840), époux de Procapia, f. de Nicéphore Ier. **813** Léon V l'Arménien († 820). **820** Michel II le Bègue († 829). **829** Théophile, s. f. († 842). **842** Michel III l'Ivrogne (838-67), assassiné par Basile Ier. **Macédoniens. 867** Basile Ier (v. 812-86). **886** Léon VI le Sage (866-912), f. de Michel III. **912** Alexandre (886-913), s. fr., associé dep. 871. **912-59** Constantin VII Porphyrogénète (905-59), s. f. **920-44** Romain Ier Lécapène († 944), usurpateur associé 919 à s. beau-père. **944-46** Constantin, s. fr., appelé par certains C. VIII, associé au trône de Constantin II. **959** Romain II (939-63), s. pet.-f. **963** Basile II le Bulgaroctone (957-1025) avec : Nicéphore II Phocas (913-69) emp. 963-69, Jean Ier Tzimiskès (925-76) emp. 969-76, empoisonné. **1025** Constantin VIII associé dep. 961 (v. 960-1028). **1028** Théodora (995 ?-1056) et Zoé Porphyrogénète (978-1050), s. filles, associées. Zoé évince Théodora et gouverne avec : Romain III Argyre (v. 970-1034), son 1er mari (1028-34), qu'elle assassine, Michel IV le Paphlagonien, s. 2e mari (1034-41), Michel V le Calfat, neveu de Michel IV, adopté par Zoé (1041-42), Constantin IX Monomaque, s. 3e mari (1042-55). **1055** Théodora (995?-1056) associée dep. 1042, sœur de Zoé. **1056-57** Michel VI Stratiokos († 1059), s. f., renversé.

Comnène. 1057 Isaac Ier (v. 1005 ?-1061) abdique.

Doukas. 1059 Constantin X Doukas (1007-67). **1067** Eudoxie, sa veuve, qui ép. 1068 Romain IV Diogène, général († 1071). **1067-78** Constantin (dit C. XII), le plus jeune fr. de Michel VII. **1071** Michel VII Doukas, f. de Constantin X.

Usurpateur. 1078 Nicéphore III Botoniate († après 1081), général élu par ses troupes révoltées contre Michel VII, relégué dans un couvent.

Principauté d'Antioche. Avant J.-C. 300-*22-5* Antioikeia fondée par Séleucos, héritier d'Alexandre le Grand. **300-64** cap. du roy. hellénistique des Séleucides. **64** métropole de Syrie romaine (300 000 hab.). **Apr. J.-C. 341** métropole patriarcale de l'Orient chrétien (Église arienne, opposée à Rome). **526** séisme, 250 000 †. **VIIe-Xe s.** occupée par Arabes. **969-1084** réoccupée par Byzantins. **1084-98** occupée par Turcs seldjoukides. **1098**-*3-6* conquise par croisés francs : principauté chrétienne. **1159** reconnaît suzeraineté byzantine. **V. 1200** fusionne avec roy. de Petite Arménie (Pce : Raymond Rouben, Franco-Arm.). **1268** conquise par Mamelouks ; dans l'Emp. turc jusqu'en 1920 (devient une bourgade de 6 000 h.). **1920-39** mandat fr. **1939** rendue à Turquie avec sandjak d'Alexandrette. Les 3 dignitaires ecclésiastiques chrétiens portant le titre de « patriarche d'Ant. » (catholique, orthodoxe, jacobite), résident à Beyrouth, Damas, Le Caire.

Sandjak (préfecture) d'Alexandrette (Iskenderun). (5 570 km² à la frontière de la Syrie et de la Turquie). Contient Antioche. **1921**-*8-8* mandat français, une administration particulière (*mutassarif* et délégué du haut-commissaire) est prévue, à la demande de l'Angl. (Al. étant le débouché de l'Irak, sous mandat brit.). **1923**-*23-3* rattachée à l'État d'Alep, avec régime économique international. **1925** à l'État de Syrie. **1937** *nov.* nouvelle loi fondamentale. **1938** république du Hatay. **1939**-*23-6* cédée par Fr. à T., garde zone franche irakienne.

Comnènes. **1081** Alexis Ier (1048-1118), neveu d'Isaac Ier, ép. Irène Doukas. **1118** Jean II (1088-1143), s. f. **1143** Manuel Ier (v. 1122-80), s. f. **1180** Alexis II (1167-83), s. f., étranglé. **1183** Andronic Ier (1122-85), son oncle, tué.

Anges. **1185** Isaac II (v. 1155-1204) détrôné, petit-f. de Théodora Commène (fille d'Alexis Ier, ép. de Constantin Ange de Philadelphie). **1195** Alexis III († 1210), s. fr. **1203** Isaac II (1155-1204) et s. f. Alexis IV (v. 1182-1204), assassinés par Alexis V, gendre d'Alexis III.

Doukas. **1204** Alexis V Murzuphle, usurpateur.

Empires latin et grec

1261-*25-7* Michel Paléologue reprend Constantinople qui redevient cap. **1268** l'emp. latin d'Orient (Constantinople et sa banlieue, et Thrace européenne) s'écroule après la prise d'Antioche.

Empereurs latins

1204 Baudouin Ier, Cte de Flandre (1171 ; vaincu et fait prisonnier par les Bulgares, alliés des Byzantins en 1205 ; il serait retourné en Flandre, où sa fille Jeanne, héritière du comté, refusa de le reconnaître). **1206-16** Henri Ier de Hainaut s. fr. **1217** Pierre de Courtenay (v. 1167-1217), s. beau-fr. (ép. Yolande de Flandre et Hainaut). **1221** Robert Ier de Courtenay († 1228), s. f. **1228-61** Baudouin II de Courtenay (1217-73), s. f. Sa femme, l'impératrice Marie, marquise de Namur, vendit le marquisat de Namur en 1263 à Gui de Dampierre, fils de Marguerite de Flandre. Les droits à la couronne latine de C. auraient donc passé aux Dampierre, marquis de Namur : 7 tenants du titre jusqu'à Jean-Thierry ou Jean III, seigneur de Winendale (marquis de Namur en 1418, † 1429). En 1421, celui-ci vendit son marquisat à Philippe le Bon, duc de Bourgogne, par lequel les droits passent à la monarchie espagnole. Néanmoins, Philippe, seigneur de Duy, fils naturel de Jean-Thierry et de Cécile de Savoie, est considéré parfois comme le véritable héritier de ces droits (ses descendants portent les titres de Vte d'Elzée et de Bon de Jonqueret).

Empereurs grecs de Nicée

1204 Théodore Ier Lascaris [couronné 1206 par Michel Autorianius († 1222)]. **1222** Jean III Doukas Vatatzès (1193-1254), s. gendre. **1254** Théodore II Doukas Lascaris (1222-58), s. f. **1258** Jean IV Doukas Lascaris (v. 1250-61), s. f. **1258-61** régence de Michel Paléologue.

Empereurs grecs de Constantinople

Paléologues. **1261** Michel VIII (1224-82). **1282** Andronic II (1258-1332), s. f., avec de 1295 à 1320, Michel IX (1277-1320), s.f. **1328** Andronic III (1295-1341), s. f. **1341-54** Jean V (1332-91), s. f.

Cantacuzène. **1345-55** Jean VI (v. 1293-1383), usurpateur.

Paléologues. **1355-76** Jean V, restauré. **1376** Andronic IV (1348-85), s. f. **1379-91** Jean V, restauré. **1391** Manuel II (1348-1425), s. oncle, associé à Jean V s. père, avec, de 1399 à 1402, Jean VII. **1399-1402** Jean VII (1366-1420), f. d'Andronic IV, usurpateur. **1425** Jean VIII (1390-1448), f. de Manuel II. **1448** Constantin XI Dragasès (1405-53), s. fr. **1453** *Fin de l'Empire.* **1460** le dernier Pce régnant de la dynastie, Thomas Paléologue, despote de Morée (héritier de Constantin XI), chassé de Patras par les Turcs, se réfugie à Rome près de Pie II. Il y meurt en 1465. Son fils André, † 1502, lègue ses États aux Rois Cathol. Ferdinand et Isabelle. **1472** Zoé, fille de Thomas, épouse, grâce à une dot du pape, le grand-duc de Russie Ivan III Vassilievitch, et transmet ses droits sur l'Empire à sa sœur Hélène, épouse d'Alexandre Ier Jagellon, roi de Pologne.

Les Ottomans

1290 les Ottomans supplantent les Seldjoukides avec Osman (dyn. des Osmanlis). **1354** début de la conquête des Balkans. **1357** Soliman prend Gallipoli ; Kosovo : bat Bulgares, Serbes et Bosniaques et prend Andrinople. **V. 1370** *janissaires* (*Geni Seri,* « nouvelle troupe ») créés par Mourad Ier. **1402**-*20-7* Ankara : Tamerlan bat Bajazet Ier. Rivalités entre émirats turcs. **1430** Mourad II prend Salonique, bat Polonais à Varna et Hongrois à Kosovo **(1448). 1453** Mehmet II prend Constantinople et en **1461** Trébizonde. **Apogée de l'Emp. ottoman** avec *Bajazet II* (1481-1512) et *Soliman le Magnifique* (1520-66) ; prise de Bagdad, échec devant Vienne (1529), annexion d'Algérie et Tunisie (Barberousse). **1517** conquête de l'Égypte. **1520** de Rhodes. **1521** de Belgrade. **1526** vict. de Mohacs livre Hongrie. **1533** de Bagdad. **1538** de Préveza : Barberousse bat flotte de Charles Quint et de ses alliés. **1541** Transylvanie soumise. **1569**-*18-10* 1res capitulations franco-ottomanes avec Soliman. **1571**-*15-8* Famagouste prise (conquête de Chypre) ; *-7-10 Lépante :* don Juan d'Autriche bat flotte de Selim II. Chypre conquise. **1595** Mehmet III prend le pouvoir en faisant tuer ses 19 frères. **1623-40** prise de : Azerbaïdjan, Géorgie, Mésopotamie. **1645** débarquement en Crète (mort du duc de Beaufort et capitulation de Candie *1669,* évacuation totale par les Vénitiens *1710*). **1656-1710** la famille des Koprülü détient la charge de grand vizir. **1683** échec devant *Vienne,* sauvée par Jean Sobiesky. **1687** *Mohacs :* Charles V de Lorraine (1643-90) bat T. qui perd Hongrie. **1699** *tr. de Karlowitz* avec Autriche, Russie, Pologne et Venise : T. renonce à Hongrie, Transylvanie, Ukraine, Azov. **1718** Ahmed III perd Belgrade, Albanie, Dalmatie, Herzégovine. **1768-74** g. russo-turque. **1774** *tr. de Kutchuk-Kaïnardji :* Abdul Hamid laisse à Russie droit de libre commerce en mer Noire ; Crimée séparée de l'emp. ottoman. **1788-92** g. russo-turque. **1791** *tr. de Svitchov* avec Autr. **1792** *tr. de Jassy :* territoire à l'E. du Dniestr et Crimée perdus. Paix avec France. **1807** hostilité russo-t. **1812** *tr. de Bucarest,* T. cède Bessarabie à Russie mais garde Moldavie. **1821** soulèvement grec (voir Grèce). **1826** janissaires supprimés. **1827**-*20-10 Navarin :* flotte t. détruite par flotte internationale (Fr., G.-B., Russie). **1828** *avril* g. russo-t. **1829**-*14-9 tr. d'Andrinople :* fin de la g. russo-t. ; Grèce indépendante. **1830** Serbie autonome. **1832-40** g. avec Mehmet Ali qui s'est imposé en Égypte et vient de Syrie. **1853-56** *g. de Crimée.* T. alliée à France. **1856**-*30-3 tr. de Paris,* indépendance t. garantie. **1861** Liban autonome. **1865** création des « Jeunes T. ». **1876** Constitution (suspendue 1878). **1876-78** g. russo-t. [250 000 R. contre 135 000 T. dans les Balkans ; 70 000 R. contre 70 000 T. en Anatolie orientale]. **1877** *Juil.-déc.* résistance t. à Plevna (30 000 R. †). *-18-11* Russes prennent Kars (2 500 R. †, 5 000 T. †, 10 000 pris). **1878**-*9-1 Senova* R. battent T. (36 000 T. pris). *3-3 tr. de San Stefano :* principauté bulgare vassale créée ; Russie annexe Kars, Batoum, Ardahan. *-13-7 tr. de Berlin :* Serbie et Roumanie indépendantes, Bulgarie et Roumélie orientale autonomes, promesse à la Grèce d'aménagement frontalier en Thessalie ; Bosnie et Herzégovine passent sous administration autrichienne mais restent sous domination t.

1908 *juil.* révolte des Jeunes T. réclamant Const. de 1876 ; Autriche annexe Bosnie-Herzégovine. **1909**-*13-4* « Sté d'union et de progrès » renverse Abdul Hamid. Bulgarie indépendante. **1911-12** *g. italo-turque,* Tripolitaine perdue. **1912** *1er g. balkanique : -17-10* Bulgarie, Serbie, Grèce décl. g. à T. *-5-11* bat. de Monastir (contre Serbes), 20 000 T. tués. **1913**-*13-3* Grecs prennent Janina, 30 000 T. prisonniers. *-26-3* Bulgares, Serbes prennent Andrinople, 60 000 T. prisonniers, 9 500 alliés †. *-30-5 tr. de Londres :* T. abandonne possessions europ., sauf presqu'îles de Chatalja et Gallipoli. *2e g. balkanique* entre Bulg., Serbie. T. en profite et réoccupe Andrinople. **1914**-*2-8* tr. d'alliance avec All. *-9-9* T. abroge capitulations. *-15-9* amiral all. Souchon commande flotte t. *-20-10* Russie déclare g. à T. *-31-10* entre en g. Angl. prennent Bassorah. **1915** *mars* Angl. et Fr. déb. aux Dardanelles, mais doivent évacuer en août. *-25-4* troupes australo-néo-zélandaises déb. près de Carakkale (bataille de Gallipoli). Enver Pacha et des « Jeunes T. » « pan-touraniens » (pour la restauration de l'empire des Steppes) se détournent des Balkans et s'orientent vers est du Caucase et Asie centrale. Les Arméniens peuvent constituer un obstacle : national (ils ne sont pas T.), religieux (ils sont chrétiens) et milit. (certains servent dans l'armée tsariste). **1915-18** des centaines de milliers d'Arm. de T. massacrés. **1918**-*30-10* armistice de Moudros. Occupation alliée. **1919-22** *g. d'indépendance.* **1920** Rép. arm. (voir ci-dessous Arménie). Anglais occupent partie d'Istanbul *-16-3* Chambre dissoute. *-23-4* à Ankara une Ass. nat. récemment élue délègue ses pouvoirs à un conseil des min. présidé par Mustafa Kemal. *-30-5* armistice avec Fr. en Cilicie (la Fr. a reconnu implicitement Kemal). *-10-8 tr. de Sèvres :* T. perd Syrie, Palestine, Arabie, Irak, Chypre ; des États kurde et arménien et la division de l'Anatolie en zones d'influence (Fr., It., G.-B.) sont prévus ; Smyrne est donnée aux Grecs qui revendiquent toute l'Anatolie occ. et attaquent

Sultans

1299 Osman Ier le Victorieux (1258-1324).

1326 Orhan (1288-1360). **1359** Mourad Ier le Souverain (v. 1326-89). **1389** Bajazet Ier (Bayezid Ier) la Foudre (1357-1403), s. f.

1402-13 interrègne. **1413** Mehmet Ier le Seigneur (1387-1421), s. fr. **1421** Mourad II (v. 1402-51). **1451** Mehmet II le Conquérant (1432-81). **1481** Bajazet II le Saint (1452-1512), s. f., abdique.

1512 Selim Ier le Terrible (1466-1520), s. f. **1520** Soliman Ier le Magnifique (1495-1566). **1566** Selim II l'Ivrogne (1524-74). **1574** Mourad III (1546-95). **1595** Mehmet III (1566-1603), assassiné.

1603 Ahmed Ier (1590-1617), f. de Selim II. **1617** Mustafa Ier (1591-1639), s. f., déposé 1618. **1618** Osman II (v. 1604-22), déposé, étranglé sur ordre de Mourad IV. **1622** Mustafa Ier (1591-1639), déposé une 2e fois, étranglé sur ordre de Mourad. **1623** Mourad IV (v. 1609-40). **1640** Ibrahim Ier (1615-48), s. fr., déposé et empoisonné. **1648** Mehmet IV (1642-93), déposé. **1687** Soliman II (1642-91), s. fr., déposé. **1691** Ahmed II (1643-95), s. fr. **1695** Mustafa II (1664-1704), s. nev., f. de Mehmet IV, forcé d'abdiquer.

1703 Ahmed III (1673-1736) s. fr., déposé. **1730** Mahmoud Ier (1696-1754), s. nev., abdique. **1754** Osman III (1699-1757), f. de Mustafa II. **1757** Mustafa III (1717-74). **1774** Abdülhamid Ier (1725-89). **1789** Selim III (1761-1808), déposé et tué par Mustafa IV. **1807** Mustafa IV (1779-1808).

1808 Mahmoud II (1785-1839). **1839** Abdülmecit Ier (1823-61). **1861** Abdülaziz (1830-76), abdique, assassiné. **1876** Mourad V (1840-1904), s. nev., déposé. **1876** Abdülhamid II le Rouge (1842-1918), déposé en 1909.

1909 Mehmet V Resat (1844-1918), s. f. **1918** Mehmet VI Vahdettin (1861 - San Remo, Ital. 1926), s. nev., abdique en 1922. Son cousin Abdülmecit II (1868-1944), fils de Abdülaziz, sera calife de 1922 à 1924 : après la suppression du califat (1924), il vivra en exil à Paris.

Empire ottoman en 1914

● **Statut.** Empire créé par Othan ou Osman, émir d'une tribu de Turcs orgouz (venue d'Asie centrale avec les Seldjoukides, et fixée en Anatolie sur le fleuve Sakarya, dans la région de Sögüt). Formait une monarchie absolue et théocratique. Le *sultan* ou padichah prenait aussi les titres religieux de *khalife* et de *Commandeur des croyants (Émir el-Mouminin).* Pour les affaires politiques, il était assisté du *Grand Vizir* ou *Sadr Azam,* faisant fonction de PM, et pour les affaires religieuses, du *Cheikh ul-Islam.* A côté, constituant avec eux la Sublime Porte, des ministres se répartissaient les divers services.

Divisions : vilayets ou provinces gouvernées par des valis nommés par le sultan. Se divisent en *sandjaks* administrés par des *moutesarrifs* nommés par le sultan. Quelques sandjaks, à cause de leur importance ou pour des raisons politiques (au Liban, à Jérusalem, ...) étaient autonomes et relevaient directement du pouvoir central.

Armée : 900 000 h. dont a. active (ou Nizam) 350 000, la territoriale (Rédif) 300 000, réserve de la terr. (Moustahfiz) 250 000. Tout musulman faisait un service de 3 ans, mais pouvait se racheter au bout de 5 mois contre 30 livres turques ; chrétiens et juifs exemptés, mais payaient une taxe.

● **Possessions directes.** 2 775 880 km², 22 600 000 h. dont **vilayets d'Europe,** 175 880 km², 5 800 000 h. *Kossovo, Monastir, Scutari, Janina, Salonique, Andrinople* et partie du vil. de Constantinople (cap. de l'Empire, env. 873 000 h.) ; **vil. d'Asie,** 1 800 000 km², 16 000 h. [Asie Mineure (503 608 km², 19 230 000 h.), *Anatolie or.* (187 000 km², 2 472 400 h.), *Syrie et Mésopotamie* (543 300 km², 4 667 900 h. dont Liban et Syrie), Arabie du Nord, act. Jordanie (450 000 km², 1 050 000 h.)] ; *Tripolitaine* 800 000 km², 800 000 h.

● **Territoires unis par un lien de vassalité.** 3 500 245 km², 19 555 000 h. dont *Bulgarie* et *Roumélie or.* (unies dep. 1886, 96 660 km², 3 310 000 h.), *Bosnie-Herzégovine* et partie de *Novi-Bazar* (administrées par Autriche-Hongrie dep. tr. de Berlin et lui appartenant en fait, 58 500 km², 1 568 999 h.), *Crète* (autonome dep. 1898 sous un Pce grec, 8 614 km², 294 000 h.), *Samos* (const. dep. 1852, gouvernée par un Pce fonctionnaire ottoman, 471 km², 49 000 h.), *Égypte* (autonome dep. 1871, 1 036 000 km², 9 734 h.), *Hedjaz,* actuelle Arabie Saoudite (2 300 000 km², 1 000 000 h.), *Turquie* d'Europe.

T. **1921**-*4-3* tr. avec Russie confirme restitution de Kars, Trébizonde et Ardahan par Arméniens. *-31-3* à *Inönü*, Ismet Pacha bat Grecs (il prendra le nom d'Ismet Inönü). *14-8/13-9* Kemal bat les Grecs sur le Sakarya. **1922**-*30-8* bat Grecs à Doumloupinar. *-9-9* reprend Smyrne (en feu le 13-9). *-11-10* sur médiation franç. alors que Lloyd George envisageait une g. avec la T. *armistice de Moudania,* fin de la g. avec Grèce.

République

1922-*30-10* (loi 1-11) sultanat aboli. Mehmet VI garde quelque temps le titre de calife (remplaçant ou vicaire sur la terre du Prophète aux yeux des Sunnites), puis s'enfuit 17-11 dans une ambulance britann., son cousin Abdul Mejid lui succède après son départ en exil. **1923** *juin/août* triomphe kémaliste. *-24-7 tr. de Lausanne :* Grèce éliminée d'Asie Mineure (1 350 000 Grecs seront échangés contre 430 000 T. de Grèce). Il n'est plus question d'Arménie ni de Kurdistan. *-13-8* élec., victoire kémaliste. *-2-10* puissances de l'Entente évacuent Istanbul. *-6-10* armée kémaliste rentre à Istanbul. *-13-10* Ankara capitale. *-29-10* Rép. proclamée : Mustafa Kemal élu Pt, Ismet Inönü PM. **1923-38** Kemal, avec parti unique (P. rép. du peuple), modernise la T., écrase séparatisme kurde et réaction intégriste religieuse. **1924**-*3-3* califat aboli. Abdülmecit et les Pces et Pcesses de la dynastie d'Osman sont conduits à la frontière bulgare (sans bagage). *-4-3* tribunaux religieux, écoles coraniques et « medersas » (collèges religieux) supprimés. Langue kurde interdite. *-30-4* Constitution. **1925**-*13-2/15-4* 1re grande révolte au Kurdistan turc, capture de son chef Cheikh Saïd. *-25-11* loi impose aux Turcs port du chapeau (*shapaka*), interdit port du *fez* ou *tarbouch* (qui permet pendant la prière de frapper le front contre terre). *-30-11* dissolution des *tarikat* (ordres de derviches), fermeture des couvents, dervicheries et *türbe* (tombeaux de marabouts lieux de pèlerinage) ; mesures contre devins, chiromanciens et charlatans ; suppression des ulémas, imams, mollahs et muftis. *-17-12* tr. alliance avec URSS. **1926**-*1-1* calendrier grégorien remplace cal. arabe. *-13-1* tr. anglo-t. de Bagdad ; T. renonce à Mossoul. *Juillet* émeutes pour le port du fez, sévère répression. **1927**-*19-6* loi autorisant le transfert des Kurdes vers l'O. de la T. **1928** *avril* l'islam ne sera plus religion d'État. Alphabet latin phonétique adopté. *Mai* tr. avec Italie qui renonce à Smyrne, Adalia, Adana. **1930** *février* tr. avec France met fin au conflit au sujet de la Syrie. *-10-9* chute de la rép. kurde de l'Ararat établie par Ihsan Nouri à la frontière iranienne, répression et déportation en masse. **1932** *juillet* T. entre à la SDN. **1934** droit de vote pour les femmes. Ordonnances obligeant tous les T. à prendre un nom de famille. **1936**-*20-7 Convention de Montreux :* T. assure défense des Dardanelles. **1937**-*5-9* révolte de Dersim écrasée au Kurdistan. **1938**-*10-11* Kemal †. Ismet Inönü lui succède (1938-50). **1939**-*23-6* Fr. cède sandjak d'Alexandrette (Hatay). **1941**-*18-6* tr. d'amitié avec Allemagne ; la T. reste neutre. **1945**-*23-2* T. déclare g. à All. et Japon sans y prendre de part active. *-19-3* Staline rompt tr. d'amitié avec T. et réclame Kars et Ardahan. *Déc.* création du parti démocrate. Nouveaux partis pol. autorisés. **1946** *juillet* 1er scrutin direct et secret aux législatives ; P. démocrate entre au Parlement. **1949** catéchisme coranique rétabli dans les écoles. **1950** *mai* élect., P. démocrate (dissidents du PRP) 53,6 % des voix (PRP 40 %) ; troubles en province. Celal Bayar Pt (1950-60), PM Adnan Menderes (P. démocrate, rétablit l'appel à la prière en arabe). **1950-60** appel aux capitaux étrangers. **1954**-*25-2* des blocs de glace venus du Danube (– 2 °C à – 6 °C à Istanbul) permettent de traverser à pied le Bosphore (1re fois dep. 1 000 ans). **1955** *févr.* pacte de Bagdad (devenu CENTO en 1958) réunissant T., Iran, Pakistan, G.-B., USA. *-6-11* émeutes à Istanbul contre minorités. **1957** *oct.* élect. anticipées, le P. dém. garde la majorité. L'opposition se durcit ; à Istanbul, heurts gr./t. *Déc.* lois répressives. **1960**-*27-5* armée (Gal Gürsel) prend pouvoir. P. dém. dissous. **1961**-*13-7* Const. adoptée par référendum accordant droit de grève, liberté d'expression, réunion, association. *-17-9* Menderes (ex-PM) et 2 autres min. exécutés, Celal Bayar emprisonné à vie. Puis amnistie générale. *-20-11* Ismet Inönü : gouv. de coalition. **1962**-*22-2* coup d'État, échec. *Sept.* association avec CEE. **1963**-*21-5* putsch des off. de l'École de g. écrasé à Ankara. **1965**-*10-10* él. : Süleyman Demirel (Pt du P. de la justice) PM. **1970** crises, bagarres. *Juin* état de siège partiel, livre t. dévaluée des 2/3. **1971** *janv.-mars* violences, crise écon. *-12-3* chute du gouv. Demirel : l'armée prend le pouvoir. *-26-4* état de siège dans 11 dép. Répression (gauche et intellectuels). *-22-5* consul d'Israël, otage des gauchistes, assassiné. *-22-7* P. ouvrier interdit. **1972**-*26-3* gauchistes enlèvent 3 techniciens angl. qui seront tués *30-3*. *Mai* centaines de pers. de gauche arrêtées. **1973**-*14-10* législatives. PRP 185 sièges, PJ 149, PSN (P. de salut nat.) 48. Fin état de siège. **1974**-*25-1* Ecevit PM. *Début juil.* culture du pavot, arrêtée en 72, autorisée. *-20-7* intervention à Chypre. Incidents sanglants dans univ. *-18-9* Ecevit démissionne. *Déc.* assistance milit. US, suspendue (pour intervention à Chypre), reconduite jusqu'au *5-2-75*.

Régime juridique des détroits *Bosphore* (mer Noire/mer de Marmara, long. 4 km, larg. min. 760 m, max. 3 500 m ; dep. 1973 pont de 1 074 m), *Dardanelles* (long. 65 km, larg. min. 1 375 m, max. 8 275 m) a subi des modifications. **Tr. de Kutchuk-Kaïnardji (1774),** la Russie obtient le libre passage des navires de commerce. **Tr. d'Andrinople (1829),** droit étendu aux navires de commerce de toutes nationalités. **Tr. d'Unkiar-Skelessi (1833),** la R. obtient de la T. de fermer le détroit aux navires de g. étrangers. **Convention de Lausanne (1923)** liberté de passage, neutralisation, internationalisation (seule réserve : interdiction des nav. de g. étrangers). **Convention de Montreux (20-7-1936),** signée par France, G.-B., Japon, T., URSS, Yougoslavie, Grèce, Roumanie et Bulgarie [les USA ont signé à Ouchy (Suisse) un accord séparé avec la T.], confie la garde des Dardanelles et du Bosphore à la T. : Dardanelles, mer de Marmara et Bosphore sont ouverts constamment aux navires de g. de surface (sauf porte-avions) des riverains de la mer Noire, sauf s'ils sont belligérants, et aux navires marchands de tous les pays à l'exception de ceux en g. avec la T. Ils sont aussi ouverts à un tonnage déterminé des flottes des autres puissances si elles ne sont pas belligérantes et si la T. reste neutre. Les sous-marins doivent transiter de jour et en surface et les canons, par ex., ne peuvent pas dépasser 203 mm. Un État en g. n'a pas le droit de faire franchir à ses navires la mer de Marmara qui donne accès à la mer Noire, sauf en cas d'assistance prêtée à un État victime d'une agression en vertu d'un tr. d'assistance mutuelle engageant la T. et conclu dans le cadre du pacte de la SDN. **Accord secret de Potsdam** *(2-8-1945) :* USA, URSS, G.-B. décident une nouvelle procédure (URSS avançant que les interdictions de Montreux ne pouvaient jouer pour les navires allant de la mer Noire à la Méditerranée). *En 1956* (mission Chepilov au Caire), l'URSS déclare appliquer les accords de Potsdam. Pas de révision de la réglementation dep. ces accords.

Problème de la mer Égée. Voir page 958.

Problème de Chypre. *Position turque :* C. doit être un État indépendant fédéral, où les 2 communautés gr. et t. vivront en paix, chacune dans un secteur formant un territoire homogène ; le gouv. fédéral ne doit disposer que de pouvoirs limités, et tenir compte de la sécurité des populations.

Position cypriote grecque : voir Chypre, p. 910.

1975-*31-3* gouv. de coalition Demirel après 6 mois de crise. *Juin* attaques armées extrême droite contre progressistes. *-26-7* arrêt du fonctionnement des bases US (25 bases, 8 000 soldats), en réplique à embargo sur armes. *Sept.* affrontements (étud. de gauche et de droite). **1976**-*13-10* Cours de sûreté de l'État créées 1973 supprimées (avaient jugé 3 244 personnes). *Nov.* univ. d'Ankara et Istanbul fermées. **1977**-*1-5* manif. (40 † à Istanbul). *-5-6* majorité de droite aux législatives. **1978**-*2-1* Ecevit PM. Nombreuses arrestations. *-9-10* réouverture bases amér. *-24-12* affrontements à Karamanmaras entre Alevis (chiites) et sunnites (100 à 200 †). *-26-12* état de siège. **1979**-*14-10* él. partielles : PRP perd 11 s. au Sénat. *-24-10* Ecevit démissionne. Demirel PM. *Déc.* état de siège maintenu dans 19 des 67 provinces. *-22-12* Paris, attaché de presse t. tué par ASALA. **1980**-*24-1* politique libérale : *-27-1* livre t. dévaluée de 33 %. Prix + de 30 à 200 %, taxe à l'importation ramenée de 25 % à 1 %. *-8/11-2* soulèvement à Izmir ; 1 000 gauchistes internés. *-21-3* présidentielles, Koruturk maintenu. *-12-9* coup d'État mil. (Gal Kenan Evren) (2 000 † dep. 1-1-80). Constit. de 1961 abolie. *-26-9* Selluk Bakkalbasi, attaché d'amb., blessé à Boulogne-Billancourt par ASALA. **1981**-*19-8* procès de 594 militants du P. d'action nation. (extrême droite) et de leur chef l'ancien vice-PM Alpaslan Türkes. *-16-10* partis dissous. *-3-11* Ecevit, ancien PM, condamné à 4 mois de prison ferme pour avoir critiqué le régime. **1982** *janv.* Parlement européen suspend relations avec T., Conseil de l'Eur. condamne régime milit. et atteintes aux libertés. *Juin* dépôt de bilan de banque Kastelli ; *-6-7* Ecevit, condamné à 2 mois 27 j de prison pour interview au *Spiegel*. *-14-7* vice-PM, Turgut Özal, démissionne. *-6-9* Istanbul, Djihad islamique attaque synagogue, 20 †. *Oct.* plus de 26 000 détenus pol. *-7-11* référendum sur Constitution, oui 91 % (95 % de votants). **1983** *mars* nouveaux partis pol. autorisés ; interdits : anciens p., activité pol. de leurs dirigeants pendant 10 ans, références au marxisme, à une religion ou à l'extrême droite. *-7-3* coup de grisou (Zongouldak), 100 †. *Mai* opération contre Kurdes en Irak. *-6-11* législatives *-13-12* Turgut Özal PM. **1984** *mars* état de siège levé dans 13 provinces. *Mai* T. retrouve droit de vote au Conseil de l'Eur. *Août-oct.* guérilla Kurdistan. *-3-12* pont sur le Bosphore vendu au public 10 milliards de livres turques (env. 200 millions de F). **1985** *juin* barrage de Keban sur l'Euphrate (25 % de l'énergie élect. t.) vendu 880 millions de F. *-19-7* état de siège levé dans 6 départements et état d'urgence dans 6 autres. **1986**-*15-8* raid aérien en Irak, 150 à 200 †. **1987**-*5-1* 1re zone franche à Mersin. *-4-3* raid en Irak contre Kurdes. *4 au 12-3* 0,80 m de neige à Istanbul. *Mars* différend gréco-t. sur zones de recherche pétrolière en mer Égée. *-14-4* candidature à CEE. *-18-6* Parlement européen reconnaît génocide des Arméniens. *-20-6* après raid kurde à Pinarcik, massacre : 30 †. *-6-9* référendum sur levée des interdictions pesant sur anciens politiciens, oui 50,16 %. *-16-11* 2 dirigeants du PC clandestin rentrent d'exil. d'exil. *-5-12* condamnés à 70 ans et 3 mois de prison chacun. *-29-11* législatives, vict. ANAP du PM Turgut Özal. **1988**-*1-4* 20 militants du PT du Kurdistan et 3 soldats tués. *-1-6* Niyazi Adiguzel, Pt chambre de comm. d'Istanbul, assassiné. *-13/15-6* PM Turgut Özal en Grèce. *-18-6* attentat manqué contre Özal. *-23-6* glissement de terrain à Catak près de Trébizonde, 300 †. *Sept.* 120 000 Kurdes irakiens se réfugiens en T. *-25-9* référendum sur municipales anticipées, non 65 %. *-28-11* PM Turgut Özal en Fr. **1989**-*4-1* Kaya Erdem, vice-PM, démissionne (scandale fin.) *-26-3* élections locales : ANAP 21,9 % des voix (perd 59 grandes villes) ; PSDP : 28,2, PJV : 25,6, P. islamiste 9,7. *-29-3* dép. tué au Parlement après dispute. *-24-6* Istanbul, 30 000 manif. contre arrivée de réfugiés bulgares (70 000 d'origine t.). *Août* 300 000 à 500 000 réfugiés en 3 mois. *-8/9-8* droits de douane réduits de 200 % à – de 40 %. *-14-8* livre convertible. *-16/17-8* attentats à la bombe. *-31-10* présidentielles : Turgut Özal élu au 3e tour par 267 v. devant Fethi Celikbas 14. *Déc.* CEE refuse adhésion T. **1990** *janv.* zone de sécurité créée frontière Syrie-Irak. *-13-2* Pt Özal en France. *-29-7* affrontements kurdes : 43 †. *-6-10* Mme Bahriye Uciok, anc. dép. tuée par extrémistes musulmans. **1991**-*16-1* Gal Hulusi Sahin assassiné. *-5-4* 250 000 réfugiés kurdes irak. en T. *-6-4* Gal Memduh Unluturk assassiné. *-11-4* usage privé du kurde autorisé (interdit dep. 1983), articles réprimant délit d'opinion abrogé, lib. des détenus depuis plus de 10 ans (43 000 sur 46 000). *-23-5* Gal Ismaïl Selen assassiné. *-4-6* Pt Özal en France.

Violence politique. Selon Amnesty International, il y a eu + de 250 000 prisonniers politiques en 8 ans de 1980 à 1988. Au printemps 1988, il en restait 4 313 y compris auteurs d'actions violentes, en particulier les séparatistes kurdes du Parti des trav. du Kurdistan. Selon l'Association des droits de l'homme, env. 150 sont morts de mauvais traitements de 1980 à 88 (en 87, 17 † après torture).

Bilan de l'état-major général. **Incidents :** *78-79 :* 9 052, *79-80 :* 23 841, *80-81 :* 5 789, *81-82 :* 1 170. **Attaques ou affrontements armés :** *78-79 :* 2 080 ; *79-80 :* 7 010 ; *80-81 :* 630 ; *81-82 :* 132. **Tués :** *78-79 :* civils 869, m. des forces de sécurité 29, terroristes 37 ; *79-80 :* c. 2 677, m. 135, t. 109 ; *80-81 :* c. 227, m. 55, t. 174 ; *81-82 :* c. 63, m. 18, t. 44. **Terroristes arrêtés :** *80-81 :* 43 140, *81-82 :* 13 346. De 1978 à 87, à cause de la loi martiale, 500 condamnations à mort dont 50 exécutées dep. 1980 (21 pour des délits de droit commun, 29 pour délits politiques avec actes de violence). Pas d'exécution dep. 1984.

Politique

Statut. Rép. *Const.* approuvée par référendum (91,5 %) 7-11-82. *Pt de la Rép.* élu pour 7 a. par l'Ass. nat. *Conseil du Pt* comprend 4 m. du Conseil nat. de sécurité (commandants des 3 armes et de la gendarmerie). *Ass. nat.* 450 m. élus pour 5 a. au suffrage univ. 73 *vilayets* gouv. par un vali. *Loi civile,* celle du Code civil suisse (dep. 1926) : monogamie théoriquement obligatoire, mais la tradition islamique (4 épouses) se maintient parfois chez les notables ruraux. **Fête nat. :** 29-10 (j de la Rép.). **Drapeau :** adopté 1923 (origine 19e s.) : croissant blanc (symbole t. et islamique) et étoile blanche sur fond rouge. Le drapeau de la présidence porte en outre un soleil (la République t.) entouré de 16 petites étoiles évoquant les États de Hiong-Nou en Chine (Huns), Scythes,

Huns orientaux, empire des Hephtalites (Turkestan et Afghanistan), États ou khanats des T'ou-kine orientaux, États t. d'Europe orientale et de la mer Noire (Avars, Petchenègues, Qipcak ou Coumans), grands États t. d'Asie centrale (khanat ouïgour, État des Kara-Khitaï, État des Khazars, État des Karbourg), Samanides, Ghaznévidés, Karakhanides, Seldjoukides de Perse et d'Anatolie, État du Khwarezm, État timouride (de Tamerlan), État de Babur (sultanat de Delhi et Empire moghol), empire ottoman.

Élections législatives **du 29-11-87 :** PMP 8 273 572 voix (36,3 %) 292 s., PSDP 5 647 082 voix (24,7 %) 99 s., PJV 4 397 077 voix (19,2 %) 59 s., PGD 1 946 784 voix (8,5 %), PP 1 598 843 voix (7 %), PON 659 832 voix (2,9 %), PDR 186 858 voix (0,8 %), divers 80 640 voix (0,3 %).

Partis politiques. Dissous 16-10-1981 (Voir Quid 1982 p. 1102), reconstitués 1983. *P. de la mère patrie* (ANAP ou PMP) droite libérale f. 16-5-83. Mme Turgut Özal. *P. de la juste voie* (PJV) (droite agrarienne), f. 23-6-83, leader Süleyman Demirel ancien PM (dep. 24-9-87). *P. de la gauche dém.* (PGD), f. 1985, leader Bulent Ecevit (dep. 13-9-87). *P. social. dém. populiste* (PSDP) f. 1985, leader vacant, fusion du *P. populiste* (PP) (f. 1983, Centre gauche, leader M. Gurkan) et du *P. social-démocrate* (SODEP f. 1983, leader Erdal Inönü). *P. de l'œuvre nationale* (PON) extr. droite nation., leader colonel Turkesh dep. 4-10-87. *P. de la prospérité :* traditionaliste musulman, leader H. Erbakam. *P. dém. de la réforme* (PDR) : traditionaliste musulman, leader M. Edibaci. *P. des travailleurs du Kurdistan* (PKK) f. 1978. Séparatiste.

Composition de l'Ass. nat. (au 25-1-88). PMP 292, PSDP 99, PJV 59.

Présidents. **1923**-*29-10* Gal Mustafa Kemal Atatürk (Père de tous les Turcs) [Salonique 19-5-1881, mort le 10-11-38 d'une cirrhose du foie, né Mustafa Ali Rhiza, dénommé Kemal (« Perfection », à l'École militaire où il excellait en math. et finances), général, min. de la Guerre en 1911, 5-8-1921 titre Gazi (le Destructeur des chrétiens) par l'Ass. nat. avec pouvoirs dictatoriaux]. **38**-*11-11* Gal Ismet Inönü (Ismet Pacha) (1884-1973). **50**-*22-5* Gal Celal Bayar (1884-1986), déposé. **60**-*26-10* Gal Cemal Gürsel (1895-1966). **66**-*29-3* Gal Cevdet Sunay (1900). **73**-*6-4* Gal Fahri Korutürk (1903). **80**-*12-9* Gal Kenan Evren (1918). **89**-*9-11* Turgut Özal (n. 1927) [2e Pt civil après Celal Bayar et 1er hadji (musulman ayant fait le pèlerinage à La Mecque)] élu.

Premiers ministres. **Régime du parti unique (PRP). 1923** (29-10) Ismet Inönü (1884-1973), **24** (nov.) Fethi Okyar (1880-1943), **25** (mars) Ismet Inönü, **37** (nov.) Celal Bayar (1883-1986), **39** (janv.) Refik Saydam (1881-1942), **42** (juill.) Sükrü Saracoglu (1887-1953). **Régime du pluripartisme. 46** (août) Recep Peker (1889-1950), **47** (oct.) Hasan Saka (1886-1960) (PRP), **49** (janv.) Semsettin Günaltay (1883-1961) (PRP), **50** (mai) Adnan Menderes (1899-exécuté 17-9-1961), **60** (mai) Gal Cemal Gürsel (1895-1966), junte militaire, **61** (20-11) Ismet Inönü (PRP), **65** (févr.) Süleyman Demirel (n. 1924), dissident du PJ, **71** (mars) Nihat Erim (n. 1912), populiste, **72** (mai) Ferit Melen (n. 1906), droite, **73** (nov.) Naim Talü (n. 1919), indép., **74** (25-1) Bülent Ecevit (28-5-24) (coalition PRP-PSN), **74** (déc.) Sadi Irmak (n. 1901 indép.), **75** (mars) Bülent Ecevit (coalition), **77** (1-8) Süleyman Demirel (coal. PJ), **78** (2-1) Bülent Ecevit (coal. PRP), **79** (25-11) Süleyman Demirel (coal. PJ), **80** (21-9) amiral Bülent Ulusu (n. 1923), **83** (13-12) Turgut Özal (n. 1927), **89** (9-11) Yildirim Akbulut (n. 1935), **91** (16-6) Mesut Yilmaz (n. 1948).

Économie

PNB (88) 1 240 $ par h. (1 313 en 80). **Taux de croissance (83-87)** 6 %, **(87)** 7,4 %, **(88)** 6,5 %, **(89)** 1,1 %, **(90)** 9,2 %, **(91)** (prév.) 3,5 %. **Pop. active** (% et entre parenthèses part du PNB en %) agr. 51 (25), mines 2 (2), ind. 15 (26), services 32 (47). *Chômage* (%) *1989 :* 16,25 (touche + de 40 % des – de 25 ans et 23 % des 25-30 ans), *90 :* 20.

Inflation (%). *1979 :* 64 ; *80 :* 107 ; *81 :* 37 ; *82 :* 27 ; *83 :* 27,5 ; *84 :* 54 ; *85 :* 45 ; *86 :* 35 ; *87 :* 70 ; *88 :* 75,4 ; *89 :* 73 ; *90 :* 62 ; *91* (prév.) : 45 à 50. **Dette extérieure** (90) 45 milliards de $. **Service de la dette** (% du PIB) : 5,4 (0,5 en 1980) (% du PNB) 10, (% des exp.) 50, (% du budget) 25. **Dette intérieure** (89) 27 % du PIB (17 en 1980). **Transferts des émigrés** (milliards de $). *1982 :* 2,2, *85 :* 1,7. **Balance** (milliards de $). **Paiements** *1985 :* – 1,03, *86 :* – 1,53, *87 :* – 1 ; **commerciale** *1985 :* – 2,9, *86 :* – 3,8, *87 :* – 3,9, *88 :* – 2,6. **Déficit budgétaire (% du PIB).** 2,4 (5,4 en 1984).

Commerce extérieur (% du PIB). 25,5 en 87 (13,5 en 80). **Aide milit. amér.** 0,6 milliard de $ par an.

Agriculture. *Terres* (milliers d'ha, 80) cult. 24 568, forêts 20 199, vignes, jardins, vergers 3 911. *Production* (milliers de t, 89) blé 16 500, bett. à sucre 11 500, orge 4 500, tomates 5 250, raisins 3 000, melons 5 500 (87), p. de terre 4 350, pommes 1 850, oranges 650, thé 150, riz 181 (88), coton 621, tabac 185, fruits secs (noisettes, amandes, figues, raisins, pistaches), maïs 2 600, seigle. Opium. Forêts. 16 809 000 m3 (88). Élevage (millions de têtes, 89). Poulets 59, moutons 34,8, chèvres 13,1, bovins 12, ânes 1,20, chevaux 0,6, chèvres angoras 1,97, buffles 0,54, dindes 3,31, mulets 0,21. Pêche. 580 900 t.

Mines (milliers de t, 88). Pétrole 3 717 (90), lignite 37 824, charbon 3 720, fer 2 510, uranium, manganèse, sulfure, antimoine, chrome, zinc, borax, soufre, écume de mer, asphalte. Industrie. 250 organismes étatisés : complexes sidérurgiques, banques, textiles, bières, etc. (12 % des investissements globaux, 50 % des investiss. industr.) ; déficit : 85 milliards de L.T.

Transports (km). *Routes* 59 302 (87). *Chemins de fer* 8 439 (87) dont 567 élec. Tourisme. *Visiteurs* 2 675 515 (87). Monuments romains, voir p. 992, 993 ; grecs, voir p. 957, 958.

Commerce (milliards de $ US, 89). *Exportations* 11,6 *dont* prod. ind. 9, prod. man. divers 4,4, textiles 3,5, prod. agric. 2,1, prod. minéraux 0,4 *vers* All. féd. 2,1, Italie 0,9, USA 0,9, G.-B. 0,6. *Importations* 22,3 (90) *dont* mach. 3,2, prod. pétr. 2,7, fer et acier 2,2 *de* All. 2,2, USA 2, Irak 1,6, Italie 1.

Nota. – Important commerce clandestin (par camions depuis Syrie et Irak ; par bateaux depuis îles grecques) : café, thé, cigarettes, or, drogue.

Rang dans le monde (89). 6e ovins, 7e thé, blé, coton. 8e orge. 9e lignite, céréales. 12e rés. lignite. 13e p. de t. 15e bovins.

Arménie

Situation. À cheval sur Turquie, URSS et Iran. Hauts plateaux, montagnes (Alpes pontiques, Caucase, Taurus) et plaines. *Alt. max.* mont Ararat (5 172 m). *Fleuves* coulant vers des dépressions et non vers la mer (endoréisme). *Climat* continental.

Origine. *Biblique.* Les A. descendraient de Haïk, arrière-petit-fils de Noé. *Ourartéenne.* Ourartous et Arméniens auraient la même origine. *Thraco-phrygienne.* Seraient d'origine balkanique et auraient émigré en Anatolie orientale au VIe siècle av. J.-C. *Sud-caucasienne.* Seraient apparentés par leur race et leur culture aux peuples du Sud-Caucase. *Touranienne.* Certains soulignent les ressemblances de langue et de culture entre Arméniens et tribus turques et azéries du Caucase. Langue : arménien.

Diaspora. *1914* 4 470 000. *1981 nov.* 6 400 000 dont URSS (rép. d'Arménie) 2 770 000, Amér. du N. 600 000 (USA 500 000, Canada 100 000, Mexique moins de 2 000), Proche-Orient 630 000 (Iran 220 000, Liban 170 000, Syrie 120 000, Turquie 80 000), Europe 420 000 (France 300 000 surtout S.-E. et Marseille), Amér. du S. 160 000 (Argentine 80 000, Uruguay 50 000, Brésil 30 000), Australie 40 000, Afrique 19 000.

Histoire. **Av. J.-C. 610** parmi les vassaux du roi mède Cyaxare, qui détruit le royaume d'Urartu, se trouve une tribu thraco-illyrienne, les Haïkans (fondateur mythique : Haïk). Fixés par Cyaxare dans les montagnes de l'Urartu ; adoptent civilisation locale (anatolienne), fondent nation armén. **480** vassaux de Xerxès, combattent à Marathon contre Grecs. **334-190** autonome dans l'emp. d'Alexandre, puis l'État des Séleucides. **322-215** 1re dynastie Oronte Ier. **190** Gal grec Artaxias proclame l'indépendance de l'A. appelée Artaxata (haut bassin du fleuve Araxe). **V. 80** Tigrane le Grand (95-54), descendant d'Artaxias, conquiert rives de la Caspienne et prend titre de « roi des rois » ; capitale Tigranocerta. **69** protectorat romain. **Après J.-C. 114-117** province romaine (cap. Artaxata). **V. 135** Hadrien rétablit autonomie. **287** alliance Tiridate III, roi d'A., et Romains contre Perses sassanides. **IVe s.** christianisée par St Grégoire l'Illuminateur. **301** christianisme, religion officielle. **387** coupée en 2 : O. (Arsace II) byzantin, E. ou Persarménie (cap. Dwin) annexée par Perse. **405** Mesrob Matchots (361-440 Persarménien) invente l'alphabet. **411** 1er texte en langue a. publié. **VIe s.** adopte monophysisme (rompt avec Byzance). [l'A. indépendante à 250 000 km2 (de la Cilicie au Caucase) ; 10 à 15 millions d'h.]

654 choisissent protectorat arabe contre Byzance. **IXe s.** dynastie nationale des Bagratides. **1022** annexion à Byzance. **1071** invasion turque et exode des A. **1137-1375** un royaume arm. de Cilicie ou Petite Arm., allié des croisés de Terre sainte et de Chypre, se maintient au bord de la Méditerranée (détruit par Mamelouks en 1375 ; dernier roi : Léon VI de Lusignan). **XVIIe s.** Ottomans dominent Grande Arm. et Perses en récupèrent partie est. **1828** N. de l'A. perse annexé par Russie (tr. de Turkmantchaï). **1859** 1re insurrection a. à Zeytoun. **1860**-*24-5* Constitution nationale octroyée aux A. (sultan ratifie 17-3). **1875** *oct.* insurrection a. à Zeytoun. **1877-78** g. russo-turque ; pop. des régions de Bayazid, Diadin, Alachkert exterminées. **1878**-*3-3 tr. de San Stefano :* Turcs promettent autonomie et cèdent Kars et Ardahan aux Russes. *-13-7 tr. de Berlin :* art. 61 promet des réformes admin. mais autonomie écartée. **1878-94** pol. de désarménisation de la Turquie. **1890** *juin* 1re révolte à Erzurum : env. 100 † ; émeutes à Istanbul. Au Caucase le comité Tasnaksutian veut fédérer les mouvements. **1892-93** émeutes à Kayseri, Yozgat, Corum et Merzifon. **1894** insurrection et massacres à Sassoun. **1895** troubles à Istanbul. **1894-96** massacres par T. **1895** *juil.* révolte à Zeytoun. Massacres en Arm. occ., soulèvement de Van. *-18-9* manif. à Bab Ali contre sultan. *-25-12* 3 000 A. brûlés dans la cath. d'Ourfa ; env. 300 000 †, 50 000 conversions forcées. 1re émigration. **1896**-*16-8* commando Dachnag occupe siège de Banque ottomane à Istanbul et menace de la faire sauter si les puissances signataires du tr. de Berlin continuent d'ignorer son article 61. **1903**-*12-6* gouvernement russe confisque des biens de l'Église. **1904** *-mars-avril* révolte à Sassoun. **1905** *-3-8* attentat manqué contre sultan Abdul Hamid. **1909**-*1-4* massacres d'Adana (20/30 000 †). **Pop. arm. avant 1914** (sur le terr. de l'ancienne Arménie indép.). *Selon les Arméniens* 5 860 000 h. (en Turquie 3 788 000, Russie 2 072 000 dont 3 211 000 chrétiens, 2 308 000 musulmans, 341 000 de relig. diverses) ; en T. *selon le Livre jaune français (1893-97) :* 1 555 000 ; *l'Annuaire britannique (1917) :* 1 056 000 ; *les sources turques :* 1 295 000 dont 120 000 A. d'Istanbul ou d'Anatolie occid. **1915** *janv.* les soldats a. servant dans l'armée (250 000) sont désarmés, beaucoup sont fusillés. *-20-4* révolte de Van qui instaure gouvernement a. provisoire, Pt Aram Manouguian. *-24/25-4* début de la déportation des A. Intellectuels et notables (650) de Constantinople arrêtés. Meurtres en cours de route *selon les A.* 1 200 000 à 1 500 000 †, pour env. 2 000 000 départs ; *selon les T.* 300 000 † (conditions climatiques, déplacement dans de mauvaises conditions, vengeance). Pour le « Tribunal des peuples » qui a siégé à la Sorbonne (Paris) du 13 au 16-4-84 : les A. ont été victimes d'un génocide (600 000 sur 1 800 000 en 1914 auraient survécu). *19-5/31-7* Russes occupent Van. *-27-5* publication d'une loi favorisant l'extermination. *Juin-oct.* résistance a. à Chabine, Djebel Moussa, Durfa. **1917** *déc.* formation du corps a., puis armistice russo-turc. **1918** *févr.* reprise des hostilités avec T. *Avr.* le gouv. du Seim déclare la g. à T. ; Rép. fédérative de Transcaucasie proclamée. *Mai* éclate en 3 rép. indép. : Azerbaïdjan, Géorgie, Arménie. *-23/24-5* victoire a. de Sardarabad. *-28-5* Rép. indép. d'A. (9 000 km2, cap. Erevan) proclamée, revendique 67 000 km2. *-4-6* tr. de paix arméno-turc de Batoum. La T. (vaincue avec son allié All.) reconnaît l'A. *Déc.* conflit a.-géorgien ; les T. évacuent Cilicie. **1919** T. cède à Russie les provinces de Kars et d'Ardahan. *Avr.* conflit a.-tatar ; blocus de la Rép. a. ; début de l'arrivée des secours amér. *Janv.-nov.* 20 000 A. rapatriés en Cilicie. **1919-75** les A. s'organisent notamment sur le plan religieux (patriarcat d'Antelias au Liban). **1920**-*28-1* Conseil supérieur allié reconnaît les 3 Rép. : A. (85 000 km2), Géorgie, Azerbaïdjan. *-31-5* Sénat amér. refuse mandat sur l'A. proposé par Wilson *-10-8* tr. de Sèvres reconnaît l'A., État libre et indép. (Wilson fixe ses limites). A. dirigée par FRA (Daschnagtzoutioum) majoritaire, adopte une Const. T. rejette le tr. *-23-9* armée t. envahit Rép. a. *-15-11* SDN rejette demande d'admission de la Rép. a. *-29-11* Armée rouge envahit A. *-3-12 tr. d'Alexandropol* avec T. qui récupère Kars et Ardahan. Proclamation de la *Rép. soc. soviét. d'A.* (29 800 km2, 2 200 000 h., cap. Erevan). **1921**-*15-3* Soghomon Tchlirian abat à Berlin Ahmat Talaat. *Oct.* tr. de Kars entre les 3 Rép. transcaucasiennes soviétisées et la T., fixant les frontières actuelles. *-20-10* accord franco-turc d'Ankara : Fr. évacue Cilicie. *-6-12* Archavir Chirakian abat à Rome Saïd Halim Pacha, ancien Pt du Conseil turc. **1922**-*25-7* Djémal Pacha abattu à Tiflis (Géorgie) par Bédros Der Boghassian et Ardachès Kévorkian. *-3-8* Enver Pacha abattu. **1923**-*24-7* tr. de Lausanne abrogeant tr. de Sèvres. **1936**-*5-12* Rép. socialiste soviét. d'Ar. membre à part entière de l'URSS. Purge. **1946** Staline invite émigrés à regagner leur pays. **1965**-*24-4* cinquantenaire du génocide. Manif. dans la Diaspora et à Erevan. **1979**-*15-3* commission des Droits de l'homme de l'ONU saisie de la question a. (vote négatif, sur intervention t.). **1980**-*24-4* anniv. des massacres de 1915, manif. dans le monde (dont Paris et Marseille). **1983**-*20/24-7* IIe Congrès mond. a. à Lausanne, demande au gouv. t. de « reconnaître la réalité du génocide, prologue à l'ouverture d'un dialogue en vue de régler la question a. », invite URSS et Rép. soc. sov. d'A. à soutenir les efforts de la diaspora a. **1984**-*1-2* 4 Ar. qui avaient investi le 24-9-81 le consulat t. à Paris (1 †) condamnés à 7 ans de réclusion. **1985**-*29-8* rapport voté à l'ONU sur le crime de génocide (commission des Droits de l'homme).

Organisations. 3 PARTIS NATIONAUX : *Hintchak,* social-démocrate f. 1887 à Genève (prosoviét.) ; *Ramgavar* (libéral, non marxiste mais reconnaissant l'A. soviét. comme partie de l'A.) ; *Dachnak,* p. révolut. fédératif a. fondé 1890 à Tiflis (pro-occid.).

ORGANISATIONS CLANDESTINES : *Armée secrète ar. de libération de l'A.* (ASALA) f. 20-1-1975 siège à Beyrouth jusqu'en 1982, leader Hagop Hagopian. *Comité de défense de la cause a.* (CDCA) f. 1965. *Commando des justiciers du génocide a.* (CJGA) f. août 75, affilié à la FRA *Armée révolut. a.* (ARA) f. juillet 83.

Position turque sur le problème arménien. Sous l'Empire ottoman, la minorité a. vécut 6 siècles dans une liberté et une prospérité qu'elle n'avait pas connues jusqu'alors. Puis la situation se détériora à partir de la 2e moitié du XIXe s. Les puissances occidentales (France, G.-B., All., USA ainsi que l'URSS), voulant démembrer l'Empire ottoman, incitèrent les A. à s'insurger en leur promettant la création d'un « État » a. sous leur protection, sans tenir compte du fait que ceux-ci étaient en minorité dans toutes les provinces ottomanes. Au début, les missionnaires des collèges d'Istanbul, Trabzon, Beyrouth, puis toutes les églises et écoles appartenant à des A. tinrent lieu de quartiers généraux et de dépôts de munitions. Les consulats des puissances servirent de centres de propagande. Des comités terroristes comme Hintchak et Dachnak entraînés et équipés à l'étranger agirent. En *1914,* des bandes a. se constituèrent au-delà de la frontière turco-russe et se signalèrent par des massacres à Van, Mus, Bitlis, Erzurum, Erzincan, Kars, Hakkari, Maras, Adana, Urfa attaquant les arrières de l'armée t. Le tsar Nicolas II remercia même le comité a. de Van (avril 1915) pour son aide. Dans le journal a. *Gotchnak* (mai 1915), les A. se vantèrent de n'avoir laissé que 1 500 T. à Van (430 000 h.). A cette époque, les T. se battant sur le front de Galicie, des Dardanelles, d'Erzurum, de Palestine et d'Irak, les bandes a. avaient les mains presque libres. Le gouv. t. décidera ensuite de déporter les A. vers le Sud ce qui causa la mort d'au moins 300 000 A. (sur une pop. n'excédant pas à l'époque 1 300 000 pers. ; 700 000 quitteront la T., 180 000 resteront sur place).

Attentats récents commis par l'ASALA et les « Justiciers du génocide arménien ». **1973**-*27-1* Santa Barbara (Californie) consul de T. et son adjoint tués par Kourken Yanikian (78 ans). **1975**-*22-10* Vienne ambassadeur de T. -*24-10* Paris amb. t. (Ismail Erez) et son chauffeur. **1977**-*9-7* amb. t. auprès du Vatican. **1978**-*2-6* l'épouse de l'amb. en Espagne. **1979**-*12-10* La Haye fils de l'amb. (27 ans). **1980**-*9-11* Strasbourg, consulat t. attentat. **1981**-*4-3* Paris, 2 diplomates t. -*24-9* Paris, prise d'otages au consulat de T. 1 †. **1982**-*4-5* Boston Orhan Gunduz. -*7-8* attaque aéroport d'Ankara, 7 †, 63 bl. -*27-8* conseiller mil. de l'amb. t. à Ottawa. **1983**-*28-2* Paris contre agence de voyages, 1 †. -*9-3* Belgrade amb. t. (meurt 12-3). -*14-7* Bruxelles attaché adm. à amb. -*16-6* Grand Bazar d'Istanbul, 2 †. -*15-7* Orly bombe devant comptoir d'enregistrement des lignes t. (8 †, 63 bl.). -*27-7* Lisbonne, 7 † dont l'épouse de l'amb. t. ; 5 Arméniens de l'ARA (Armée révol. arm.) tués en déposant les bombes. **1984**–*20-6* attaché commercial tué par l'ARA (42e victime des extrémistes arm. dep. 1973 dont 31 dipl. tués à l'étranger).

☞ Voir aussi France p. 659.

TUVALU (îles)

Carte page de garde. V. légende p. 837.

Situation. Milieu Pacifique. 26 km² (anciennes îles Ellice). 9 atolls coraliens (8 habités) en km² : Nanumea 3,61, Niutao 2,26, Nanumanga 3,10, Nui 3,37, Vaitupu 5,09, Nukufetau 3,07, Funafuti 2,54, Nukulaelae 1,66, Niulakita 0,41 ; 580 km de long. *Eaux territoriales :* 1,3 million km². **Population.** 8 500 h. (88). 2 000 travaillent à l'étranger (Nauru, Kiribati). **Langues.** Anglais et tuvaluan (polynésien). **Religion.** Église de Tuvalu (congrégationalistes) 97 %. **Capitale.** *Funafuti* 2 120 h. Fangasale (centre adm.). D. 327.

Histoire. 1568 Mendana (Espagnol) découvre archipel. **XIXe s.** fournit main-d'œuvre pour mines du Pacifique, d'Australie et d'Amér. du S. ; missionnaires protestants. **1877** sous juridiction britannique. **1892** protectorat brit. **1916** rattachées aux îles Gilbert (voisines). **1972** typhon. **1974** référendum pour séparation. **1975**-*1-10* séparations effectives. **1977** autonomie interne ; prennent le nom actuel (« Huit unis ensemble »). **1978**-*1-10* indépendance.

Statut. État membre du Commonwealth. *Const.* du 1-10-78. *Ass.* 12 m. élus pour 4 a. au suffr. univ. *Chef de l'État* reine Élisabeth II. *PM* Bikenibeu Paeniu dep. sept. 89. *Gouverneur* Toalipi Lati dep. 1-10-90. **Drapeau :** adopté 1978 : bleu clair avec Union Jack ; 9 étoiles jaunes pour les atolls.

Économie. *PNB* (88) 660 $ austr. par h. Noix de coco, coprah, fruits et légumes. Pêche. Timbres. Devises des émigrés. *Aides austr. et G.-B.*

URSS (Union des Républiques socialistes soviétiques)

Carte p. 1092. V. légende p. 837.

Géographie

• **Situation.** 22 402 200 km², env. 1/6 des terres habitées (16 831 000 en Asie et 5 571 000 en Europe) y compris mer Blanche 90 000 km² et mer d'Azov 37 300 km². Env. 15 % des terres émergées. 8 980 km d'E. en O. 4 490 km du N. au S.

Frontières : + de 60 000 km (1 fois 1/2 circonférence terr.) ; avec Finlande 1 269 km, Norvège 156, Pologne 1 000, Tchécoslovaquie 110, Hongrie 215, Roumanie 800, Turquie 560, Iran 2 675, Afghanistan 2 000, Chine 4 800, Mongolie 3 200, Corée 50. **Littoral** (y compris les îles) 106 360 km. **Alt.** *max. :* pic du Communisme (Pamir) 7 495 m, *min. :* dépression de Karaghé – 132 m (E. de la mer Caspienne).

• **Régions naturelles.** 1°) **Baltique** (N.-O. de la partie européenne). *Climat* continental tempéré. Relief glaciaire avec collines par endroits, plateaux de hauteur moyenne. Forêts et prairies ; champs de seigle, prés, bois. 2°) **Plaine russe** de l'océan Glacial Arctique aux contreforts du *Caucase* et de la frontière O. à l'Oural. Relief uniforme : faibles élévations, plaines étendues, vallées fluviales très ouvertes. Occupées par la prairie depuis le quaternaire, les plaines du Centre-O. et du S.-E. (Ukraine, ou moyen) ont une couche d'humus de 11 m d'épaisseur : terre noire ou *tchernoziom,* bonne pour betterave et blé ; plus au N. : seigle, pommes de t., prés, bois. *Climat* continental. *Temp.* variant (selon la latitude) de – 22 °C à – 11 °C (hiver) et de + 10 °C à + 25 °C (été). Toundra, taïga (résineux) et forêts de bouleaux au N., steppes et régions semi-désertiques au S. 3°) **Chaînes carpato-caucasiennes.** Le cèdre domine au Caucase, le sapin dans les Carpates ; paysage méditerranéen en Crimée. Montagnes du *Caucase :* Elbrouz 5 642 m, Kazbek 5 033 m ; de *Crimée :* Roman Koch 1 545 m ; des *Carpates :* Mt Goberia 2 061 m. 4°) **Oural** (« ceinture », en turc) et **Nouvelle-Zemble.** Chaînes de montagnes peu élevées de la N.-Zemble à Mougodjar. Du N. au S., *climat* arctique, puis climat des steppes moins rigoureux graduellement. L'Oural est couvert de résineux au N., de bouleaux au S. 5°) **Kazakhstan.** Élevé. Steppes à absinthe, avec rares graminées, déserts et semi-déserts plus au S. ; avec champs de coton dans les vallées irriguées (la rive O. de la Caspienne est plus humide : coton, élevage, cultures tropicales). Climat continental prononcé. 6°) **Plaine d'Asie centrale.** Au S. et à l'E. demi-cercle de chaînes de montagnes. *Climat* continental sec et chaud. Déserts. 7°) **Montagnes d'Asie centrale.** Tian-Chan, Altaï, Pamir (pic Pobieda 7 439 m) (pâturages d'été jusqu'à 5 000 m). 8°) **Dépression de Sibérie occidentale** entre Oural et Ienisseï. Relief plat. Vallées des grands fleuves. *Climat :* intermédiaire entre tempéré-continental et continental prononcé. Alternance de zones allant de la toundra aux steppes. Nombreux lacs, marécages vers le N. ; culture industrielle des céréales (blé, maïs), de la pomme de t., betterave, tournesol en bordure du Kazakhstan. 9°) **Sibérie centrale.** Entre Ienisseï et montagnes de la Sibérie N.-E. Montagnes du Saïan (alt. max. 2 122 m), vallées inondées, plateaux, dépression du lac Baïkal, séparée des régions du Pacifique par les Mts Iablonovyi. *Climat* continental prononcé. Pergélisol au N. du cercle polaire ; taïga plus au S., avec zones de défrichement. 10°) **Montagnes de Sibérie méridionale.** Altaï, Salaïr, Salny, Alataou du Kouznetsk, etc. *Climat* rigoureux. Hivers très froids et longs. 11°) **Sibérie du N.-E.** Entre cours inférieur de la Lena et détroit de Béring. Chaînes de montagnes et plateaux. *Climat* polaire ; la taïga persiste au Kamtchatka, grâce à un adoucissement dû à l'océan Pacifique (moy. de janvier : de – 36 °C à – 50 °C). 12°) **Extrême-Orient.** Côtes du Pacifique jusqu'à Vladivostok et bassin de l'Amour. Montagnes, volcans en activité. Culture industrielle du soja dans les vallées. Pêcheries à Sakhaline.

• **Climat.** Pour 50 % du terr. climat tempéré continental. **Temp. moy :** *Janv. :* Ouest – 4 °C, r. centre et partie europ. – 10 °C, Baïkal et Extrême-Orient – 16 °C, Sib. occ. – 20 °C (parfois – 45), Sib. or. – 20 à – 40 °C (dépressions près de Verkhoïansk et Oïmiakon parfois – 48 à – 68), Extrême-Nord – 30 °C pendant la nuit polaire (4 mois), S. de la Turkménie 0 °C. *Juill. :* centre de la partie eur. 18 °C, Sib. et Extrême-Orient 16 °C, Yakoutie et Kamtchatka 12 °C, Extrême-Nord 4, sud de Turkménie 32. **Pluies** (mm) : partie eur. 500, Sib. 300, Asie centrale 100 à 200, Transcaucasie occ. + de 3 000, montagnes env. 3 200. La *merzlota* (sol gelé en profondeur) occupe plus de 10 000 000 km² (toundra de la partie eur. et moitié de la Sib. occ. et presque toute la Sib. or.). **Zones subtropicales :** littoral mer Noire, Crimée et Caucase ; S. de Caspienne et Asie centrale ; flore riche dans régions humides (Kolchide, Lenkoran).

• **Flore.** Env. 20 000 variétés de plantes. **Forêts :** 769,8 millions d'ha (34,4 % du territoire), réserves de bois env. 81,8 milliards de m³ (1er prod. et exp. de bois) : chêne, bouleau, sapin, pin, tilleul, peuplier, tremble, cèdre, mélèze, hêtre, charme, érable.

• **Faune.** Env. 300 mammifères, 750 oiseaux, 140 reptiles, 30 amphibiens, 1 400 poissons. **Dans le Nord :** morse, veau marin, phoque, loutre de mer, ours blanc, mouette, eider ; **toundra :** lemming, renne, lièvre, loup, glouton, hermine, perdrix, oie, canard, rat musqué ; **taïga :** élan, cerf, zibeline, écureuil, lynx, ours, coq de bruyère, gelinotte, petit tétras, pic, hibou ; **forêts de feuillus :** chevreuil, cerf, aurochs, vison, martre, serpents, canard, oie, rossignol, loriot, pic ; **d'Extrême-Orient :** tigre de Sibérie (500), panthère, sanglier, ours, cerf ; **steppes :** lièvre, renard, gerboise, rat de blé, outarde, alouette, aigle, serpents ; **déserts :** gerboise, antilope, coulan, outarde, corbeau, varan, tortue. **Ont une importance économique :** *Chasse :* zibeline, écureuil, rat musqué, renard, renard bleu, taupe, martre, hermine, cerf, sanglier, chevreuil, loup, ours. *Pêche :* esturgeon et salmonidés ; crabe du Kamtchatka (80 % de la prod. mondiale des conserves).

• **Cours d'eau.** *Longueur totale :* env. 9 600 000 km. *Les plus importants :* Ob (5 410 km), Ienisseï, Lena, Amour, Volga (3 530 km). Débit total 4 714 km³. *Fleuves navigables :* voir p. 1112 a.

Lacs. 2 800 000. *Surface totale :* 490 000 km² [en excluant les 2 mers intérieures : *Caspienne* (371 000 km²) et *Aral* (66 500 km²) ; en 30 ans, niveau baisse de 12 m, superficie d'1/3 et volume de 60 % ; d'anciens ports sont à 100 km du rivage (causes : fleuves détournés pour l'irrigation)]. 14 lacs ont plus de 1 000 km², 30 000 plus de 1 km². *Lac Baïkal* [âge : 25 millions d'années, 31 685 km² dont 23 000 d'eau potable, long. 636 km, larg. moy. 46 km (le + prof. du monde 1 647 m), 20 % des réserves mondiales d'eau douce (potable), 80 % des réserves sov. ; 7 km de sédiments au fond ; contient 1 300 espèces préhistoriques, dont 70 % inconnues ailleurs (notamment le *golomiaka,* qui supporte la pression de 1 700 m d'eau, mais se dissout près de la surface) ; alimenté par 336 rivières, a un seul déversoir : l'Angara (7 000 m³/s, alimentant la centrale d'Irkoutsk)], *Issyk-Koul* (6 280 km², 1 609 m au-dessus du niveau de la mer), *Sevan* (1 360 km², 1 905 m), *Balkhach* (18 200 km²), *Ladoga* (18 400 km²), *Onega* (9 610 km²), *Taïmyr* (4 560 km²), *Khanda* (4 400 km²), *Tchoudsko-Pskovskoie* (3 550 km²).

Irrigation. Env. 1 000 retenues d'eau de + de 1 000 000 m³ et 150 de + de 100 000 000 m³. *Irkoutsk* lac Baïkal (Angara) 31 685 km² (48,5 km³), *Svir* supérieur lac Onega (Svir) 9 930 (260), *Kouibychev* (Volga) 6 448 (58), *Boukhtarma* (Irtych) lac Zaïssan 5 500 (53), *Bratsk* (Angara) 5 470 (169,3), *Rybinsk* (Volga) 4 580 (25,4), *Volgograd* (Volga) 3 117 (31,5), *Tsymliansk* (Don) 2 700 (23,9), *Krementchoug* (Dniepr) 2 250 (13,5), *Kakhovka* (Dniepr) 2 155 (18,2), *Krasnoïarsk* (Ienisseï) 2 000 (73,3).

Régime. La majeure partie de l'eau circule au printemps et se gaspille en inondations ; les projets de transférer l'eau excédentaire du N. et de Sibérie vers Volga, mer Caspienne, Kazakhstan et mer d'Aral ont été abandonnés en 1986.

Démographie

• **Population totale** (en millions). *1800 :* 35,5 ; *1850 :* 68,5 ; *1897 :* 126,4 (1er rec. national) ; *1913 :* 159,2 ; *40 :* 194,1 ; *46 :* 167 ; *50 :* 181,7 ; *59* (rec.) : 208,25 ; *70* (rec.) : 241,7 ; *79* (rec.) : 262,08, dont 52,4 % de Russes ; *89 (rec.) :* 286,7, dont 50,8 % de Russes ; *90 (est) :* 288,8 ; *prév. 2000 :* 314. **Nationalités :** *nombre :* env. 100 reconnues dont 70 de – de 1 million d'hab. *Principales* (en millions) : *1979 :* Russes 137,4, Ukrainiens 42,3, Ouzbeks 12,5, Biélorusses 9,5, Kazakhs 6,6, Tatars 6,3, Azerbaïdjanais 5,5, Arméniens 4,2, Géorgiens 3,6, Moldaves 3, Tadjiks 2,9, Lituaniens 2,9, Turkmènes 2, Allemands 1,9, Kirghizes 1,9, Juifs 1,8, Tchouvaches 1,75, Lettons 1,439, Bachkires 1,37, Moraves 1,2, Polonais 1,15, Estoniens 1. *1989 :* Russes 147,3, Ukrainiens 51,7, Ouzbeks 19,9, Kazakhs 16,5, Biélorusses 10,2, Azerbaïdjanais 7, Géorgiens 5,4, Tadjiks 5,1, Moldaves 4,4, Kirghizes 4,3, Lituaniens 3,7, Turkmènes 3,5, Arméniens 3,2, Lettons 2,6, Estoniens 1,5. *Effectifs les + faibles (en unités) :* Outches 2 600, Saames 1 900, Oudèghes 1 600, Esquimaux 1 500, Itelmènes 1 400, Orotches 1 200, Kètes 1 100, Nganassans 900, Ioukaguirs 800, Tofalars 800, Aléoutes 500, Neguidaliens 500. **Densité.** 12,9 h./km². *Russie d'Europe :* région de Moscou + de 100, Ukraine du S. et région de Kiev + de 80, Moldavie, Géorgie et Azerbaïdjan + de 100, reste de la Russie d'Europe 25 à 70. *Au-delà de l'Oural :* peuplement discontinu sauf le long du Transsibérien jusqu'au Kouzbass, 10 à 50. *Asie centrale :* oasis, régions de piedmont, vallées fluviales parfois + de 200. *Reste de l'U.R.S.S. :* – de 5. **Répartition (%) :** Hommes 47,3, femmes 52,7. **Ages** (87) : – de 15 a. : 26 % (18 % en 1913), + de 65 a. : 9 % (19 000 centenaires). **Taux d'accroissement :** *1979 à 89 :* Tadjiks 34,5, Ouzbeks 29,3 %, Turkmènes 28 %, Kirghizes 22 %, Azerbaïdjanais 16,6 %, Kazakhs 12,6 %, Moldaves 10 %, Lituaniens 8,6 %, Géorgiens 8,6 %, Arméniens 8,3 %, Russes 7,1 %, Biélorusses 6,7 %, Estoniens 7,3 %, Lettons 6,3 %, Ukrainiens 4 %. *Total :* 9,3. **Natalité :** 1,99 % (5 000 000 par an), max. 3,78 % (Tadjikistan), min. 1,37 % (Lettonie). **Mortalité infantile** (‰) : *1971 :* 22,9 ; *74 :* 28 ; *81 :* 36 ; *88 :* 25,4 ; *89 :* 24,7, max. 58,2 (Turkménistan) min. 11,6 (Lituanie). **Avortements :** + de 7 millions par an dont env. 35 % illégaux (7 à 8 par naissance dans la partie occid.). **Suicides :** *1987 :* 54 000. **Sida** (est.) : *1990 (févr.) : 1 600, 94 (prév.) :* séropositifs 600 000, malades 6 000 ; *2000 :* s. 15 000 000, m. 200 000. **Espérance de vie :** *1897 :* 32 ans ; *31 :* 47 ; *72 :* h. 64, f. 74 ; *80 :* h. 63, f. 74, *82 :* h. 61,9, f. 73,5, *86 :* h. 64, f. 73. **Pop. urbaine :** 66 %. **Famines :** *1918-22 :* 5 000 000 † ; *1932-34 :* 6 000 000 †. **Drogués :** 123 000 (nov. 87). **Résidents à l'étranger :** 150 000.

• **Alcoolisme.** 1 Soviétique sur 6 naît débile ou atteint d'une tare héréditaire due à l'alcoolisme. **Buveurs** (1988). 150 à 160 millions dont 20 à 30 abusent de boisson, dont 5 à 6 sont alcooliques. *Consommation de vodka : 1952 :* 51 litre par an et par hab., *83 :* 30. **Méfaits :** 1 million de morts par an. L'alcoolisme est à l'origine de 85 % des meurtres, viols, actes de banditisme et vols. En 1986, 1 million de conducteurs ivres arrêtés. **Bouilleurs de cru punis :** *1985 :* 80 000, *86 :* 150 000, *87 :* 397 000.

Nota. – Samogone : vodka clandestine à base de sucre.

• **Émigration. 1918-20** pers. de toutes conditions et une partie de l'Armée blanche (145 673 partirent avec le Gal Wrangel le 11-11-1920) ; à peine 10 % des évêques et 0,5 % des prêtres partirent. Il y avait au total 1 000 000 émigrés en 1931 [dont *71 928 en France* ayant un passeport Nansen, plus beaucoup de clandestins ou en partance pour l'Amérique, pays balkaniques (Yougoslavie), Constantinople, Angleterre, Belgique]. **1945** « personnes déplacées », prisonniers de guerre, déportés (env. 500 000) ; il y avait, en 1950 en France, 75 000 imm. russes dont 30 000 nouveaux. **1970-77** intellectuels contestataires ; juifs. Entre oct. 72 et avril 73, les émigrés devaient payer une taxe selon leur niveau d'instruction [ex. : diplômés de l'Institut des Sc. humaines 4 500 roubles (+ de 5 000 $), docteur ès sciences 19 400]. **Émigration juive :** voir ci-contre. **Nombre d'émigrés :** *1979 :* 51 000, *85 :* 6 100, *86 :* 6 900, *87 :* 39 600, *88 :* 108 500, *89 :* 235 400, *90 :* 453 600 dont (en %) vers Israël 60, All. 31,3, Grèce 5,3, USA 2,9, *91 (est.) :* 500 000.

• **Voyages à l'étranger.** Pour sortir d'URSS, il faut un passeport, un visa et une invitation venant de l'étranger. Le *20-5-90 :* loi légalisant la liberté de voyager et d'émigrer (320 voix pour, 37 contre, 32 abst.), applicable le 1-1-93. Plus d'invitation, passeport valable 5 ans. Selon certains, cette loi entraînerait le départ de 8 000 000 de Soviétiques.

• **Villes** (en milliers d'hab., 1-1-89). *Moscou* 8 967, St-Petersbourg (12-6-91 54,86 v. pour) (Petrograd de 1914 à 24, Leningrad de 1924 à 91) 5 020, Kiev 2 587, Tachkent 2 073, Bakou 1 757, Kharkov 1 611, Minsk 1 589, Nijni-Novgorod (ex-Gorki) 1 438, Novosibirsk 1 436, Sverdlovsk (ex-Iekaterinbourg) 1 367, Samara (ex-Kouibychev) 1 257, Tbilissi (Tiflis) 1 260, Dniepropetrovsk 1 179, Erevan 1 199, Odessa 1 115, Omsk 1 148, Tcheliabinsk 1 143, Alma-Ata 1 128, Oufa 1 083, Donetsk 1 110, Perm 1 091, Kazan 1 094, Rostov-sur-le-Don 1 020, Volgograd (ex-Tsaritsyne, puis de 1925 à 61 Stalingrad) 999, Saratov 905, Riga 915. **Distances de Moscou (km).** Bakou 2 472 km, Minsk 747, Tachkent 3 330, Tbilissi 2 390, Kiev 856. *Frontières* de Finlande 903, Pologne 1 035, Hongrie, Tchécosl. 2 035, Roumanie 1 410. **Nombre d'aggl.** 228 de 100 000 à 500 000 h., 29 de 500 000 à 1 million et 22 de + d'1 million.

• **Langues.** Env. 162. *Slaves :* russe [off. ; en 1979, l. maternelle de 153 500 000 h. dont 137 200 000 Russes et 16 300 000 d'autres nationalités ; 2e l. de 61 300 000 h. ; parlent couramment : 82 % de la pop. tot. 62 % des non-Russes], ukrainien, biélorusse. *Baltes :* lituanien, letton. *Romane :* moldave. *Langues iraniennes :* tadjik, ossète. *Arménienne. Indienne :* tzigane. *Germanique :* yiddish. *Caucasiennes :* géorgien, abkhaze, abazin, adyghée, kabardatcherkess, tchétchène, ingouche, avar, lesghien. *Turques :* tchouvache, azerbaïdjanais, turkmène, gagaouz, kazakh, kara-kalpake, tatar, bachkire, ouzbek, altaï, kirghiz, touvin, yakoute, khakasse. *Ouraliennes :* estonien, carélien, live, erzian, mokchan, marii, oudmourte, komi, komi-permiak, khanty, nénets, mansi. *Mongoles :* bouriate, kalmouk. *Toungouss-mandchoues :* évenk, évène, néguidal, nanaï, oudyghée. *Paléo-asiatiques :* tchoukote, koriak, itelmène, esquimau, aléoute.

Chaque Rép. fédérée a sa langue off. *Langues indo-européennes : 3 slaves :* russe, biélorusse, ukrainien ; *2 balto-slaves :* letton, lituanien ; *1 latine :* moldave ; *2 irano-arméniennes :* arménien, tadjik ; *5 l. turco-mongoles :* azerbaïdjanais, kazakh, kirghiz, ouzbek, turkmène ; *1 l. finno-ougrienne :* estonien ; *1 l. caucasienne :* géorgien. De nombreuses « régions autonomes » (oblast) utilisent des parlers locaux.

Allemands de la Volga. *1764-1773 :* appelés dans la région de la basse Volga (gouvernements de Saratov et de Samara) par Catherine II (Pcesse all. d'Anhalt-Zerbst, ép. du tsar Pierre III). *1921 :* 75 000 émigrent aux U.S.A., *1924 :* forment une République [28 212 km² ; 587 700 h dont (%) All. 66,5, Russes 20,4, Ukrainiens 11,9]. *Cap. :* Engels (avant Pokrowsk). *1941 :* déportés, République dissoute. *1964* (29-8) réhabilités par décret. *1987 :* env. 11 000 émigrent en All. féd.

• **Alphabet cyrillique.** Créé IXe s., à partir des majuscules de l'alphabet grec par St Cyrille. [L'al. plus ancien, glagolitique (du vieux slavon *glagol,* « verbe »), avait été créé pour certains dialectes slaves, à partir des minuscules grecques ; encore utilisé par les catholiques dalmates pour leurs livres liturgiques ; les rois de France prêtaient serment, à Reims, sur un évangile en caractères gl., attribué à St Jérôme]. Seules 18 majuscules grecques ont passé telles quelles dans l'al. russe (+ le *phi,* adopté comme un *f*). Les 17 autres caractères sont d'anciennes lettres glagolitiques, plus ou moins déformées. Au XVIIIe s., Pierre le Grand imposa une réforme de l'al. civil, désormais distinct de celui de l'Eglise.

Lettres majuscules (et minuscules) : prononciation approximative. А (а) : *a.* Б (б) : *b.* В (в) : *v.* Г (г) : *g* dur. Д (д) : *d.* Е (е) : *é* ; après consonne, *ié* (ex. : нет *niet*). Ё (ё) : *io.* Ж (ж) : *j.* З (з) : *z.* И (и) : *i.* Й (й) : *i* bref (ex. : Толстой *Tolstoï*). К (к) : *k.* Л (л) : *l* dur en finale ou devant *a, o, ou, y* ; *l* mouillé devant *ié, iou, ia.* М (м) : *m.* Н (н) : *n.* О (о) : *o.* П (п) : *p.* Р (р) : *r.* С (с) : *s* (ex. : совет *soviet*). Т (т) : *t.* У (у) : *ou.* Ф (ф) : *f.* Х (х) : *kh* (ex. : Хрущёв *Khrouchtchov*). Ц (ц) : *ts* (ex. : цар *tsar*). Ч (ч) : *tch* (ex. : Горбачёв *Gorbatchov*). Ш (ш) : *ch.* Щ (ш) : *chtch* (ex. : борщ *borchtch*). Ъ (ъ) : signe dur (ex. : подъезд *pod''ezd* « porte »). Ы (ы) : *y,* entre *i* et *u* français. Ь (ь) : signe mou, mouillure (ex. : день *dién'* « jour »). Э (э) : *è.* Ю (ю) : *iou.* Я (я) : *ia.*

• **Religions.** L'art. 52 de la Const. garantit la liberté de conscience (loi du 1-10-90). En 1989, selon le min. des Cultes, 25 % des Sov. seraient croyants. **Chrétiens orthodoxes.** (18 %) 56 millions. 85 % des paroisses sont uniates. *Patriarche : 1971* (2-2) Pimène (Serge Izvekov 1911-2-5-90) *1990* (7-6) Alexis (23-2-29). *Prêtres : 1914 :* 117 000 (77 000 églises ; 1 000 monastères, 95 000 moines) ; *1917 :* 77 676 ; *54 :* 20 000 à 30 000 ; *61 :* 8 252 ; *74 :* 5 994 pour 7 500 églises ; *86 :* 7 500 pour 5 800 égl. (v. Index). *1989 :* 8 100 (9 374 paroisses, 35 monastères). *Nombre d'églises réouvertes : 1985 :* 3 ; *86 :* 10 ; *87 :* 16 ; *88 :* 809 (200 en Ukraine) ; *89 (sept.) :* 2 185. *Budget du Patriarcat* (en millions de roubles, sept. 89) : *recettes* 7,83, *dépenses* 14,7. **Arméniens, Grégoriens, Protestants.** 1 500 000 à 3 000 000 (adventistes 35 000, baptistes 300 000, pentecôtistes 120 000, luthériens 110 000, Témoins de Jéhovah 40 000, mennonites 8 000, mormons 150). **Catholiques** (12 000 000).

Musulmans. [47 000 000 (18,5 %) : 88 % sunnites, chiites 200 000, ismaéliens 100 000, bahaïs 50 000, yézidis 25/50 000] ; *prév. an 2000 :* 66/75 000 000 (22 à 24 % de la pop. totale). *Mosquées : 1917 :* 26 000, *86 :* 400, *90 :* 1 400 (dont Russie 200).

Juifs. *Nombre : 1897 :* 5 200 000, *1904-16 :* 1 100 000 partent pour USA, 24 000 pour Palestine fuyant les pogroms (60 000 †), *39 :* 3 000 000, *40 :* 5 235 000 avec partie Pologne et Pays Baltes annexés. *41-45 :* 3 200 000 tués par les All. (dont 200 000 au combat), *85 :* 2 à 3 000 000 dont 380 000 ont demandé à partir, *1990 :* 2 000 000. **Émigration des refuzniks** (qui refusent de rester en URSS) : *1952-71 :* 43 133 ; *72 :* 32 021 ; *73 :* 34 818 ; *75 :* 13 731 ; *78 :* 28 864 ; *79 :* 51 333 (dont 60 % vers USA) ; *80 :* 21 471 ; *81 :* 9 447 ; *82 :* 2 688 ; *83 :* 1 314 ; *84 :* 896 ; *85 :* 1 140 ; *86 :* 914 ; *87 :* 8 068 ; *88 :* 22 000 (dont 2 300 en Israël) ; *89 :* 71 196 [dont 12 900 en Israël (USA quota de 40 000 à 50 000 dep. oct. 89)] ; *90 :* 200 000 en Israël ; *91 (prév.) :* 400 000. *Croyants* (%) : *1920-30 :* 80 ; *35 :* 50 ; *78 :* 15 à 20 (chez les adultes, diminution d'env. 10 % par an) ; *80 :* 2 à 3 pour les – de 20 ans, 8 de 20 à 30 ans. La mention *juif* figure obligatoirement sur les passeports. *Langue : yiddish,* parlé par 19,6 % des Juifs sov. qui le déclarent comme langue maternelle ou 2e l. ; n'est plus enseigné (sauf dep. 1980 au Birobidjan « État autonome juif »). *Synagogues : 1926 :* 1 103 ; *80 :* 91 (dont env. 60 en activité). *Moscou :* 2 pour env. 250 000 J. ; *Karkov :* 0 pour 75 000 J. *Enseignement rabbinique : Yeshiva* (éc. sup. rabbinique) à Moscou : aucun rabbin n'en est sorti dep. sa réouverture en 1974 ; ens. en hébreu dep. 1990. *Dep. 1948,* il n'existe plus d'école où l'ens. soit donné dans une langue j. bien que la Const. sov. garantisse l'ens. « dans la langue maternelle ». *1990* création d'une chaire d'hébreu à l'univ. de Moscou. Aucun des actes de la vie juive ne pouvait avoir lieu avant 1990 : circoncision, bar-mitsva, mariage relig. ou enterr. Il n'existe plus de cimetières juifs. *Enfermés pour des raisons relig. en 1986 :* de 300 à plusieurs dizaines de milliers de pers.

Nota. – En 1989, un Juif quittant l'URSS devait payer 800 $ de renoncement à la nat. sov., 140 $ les visas israéliens (délivrés par l'Amb. des P.-Bas à Moscou) ; pouvait emporter 150 $ et 2 valises et prendre le train pour Vienne (via Varsovie) d'où 10 % gagnaient Israël et 90 Ladispoli près de Rome, où ils attendaient un visa pour un autre pays.

Histoire

Protohistoire : v. 4000 av. J.-C. steppes de la Russie du S., du Dniepr au Ht Ienisseï, occupées par Indo-Européens qui créent civilisation de Kurgan (russe : « tertre ») : aristocratie militaire occupant les buttes fortifiées ; villages d'agriculteurs dans les plaines, élevage du cheval. **V. 2000 av. J.-C.** cavaliers indo-européens conquièrent vaste domaine de l'Iran à l'Atlantique ; les steppes au N. de la Caspienne restent occupées par une de leur tribu, les *Cimmériens.* **V. 1000 av. J.-C.** les *Scythes,* Indo-Européens de la moyenne Volga, conquièrent domaine cimmérien et créent Empire cimméro-scythe qui durera jusqu'au IIIe s. apr. J.-C. (détruit par les *Huns,* venus de Sibérie centrale) ; *à la même époque* tribus indo-eur. des *Slaves* (agriculteurs) se différencient des Celtes et Germains entre Carpates, Vistule et Pripet. Pendant 1 500 ans, progresseront lentement dans le bassin du Dniepr. Les communautés villageoises (*mirs,* « terre » ou « paix ») possèdent les terres réparties tous les 3 ans entre les familles de cultivateurs (chacune néanmoins possède un lopin inaliénable). **200-375** steppes scythiques traversées par les *Goths* (Germains) venus de Baltique ; ils laissent le terrain aux nomades sibériens *Huns,* puis *Avars* et *Khazars* qui conquièrent les plaines de la mer Noire à l'Oural. **Conquête slave : du Ve au VIIIe s.** les *Slaves Polians*

occupent l'Ukraine ; les *Severians,* le haut Donetz ; les *Radimitches,* la Biélorussie [autres tribus du même groupe (« Slaves orientaux ») : Drevlians, Slovènes, Krivitches, Dregovitches, Viatitches, Ouglitches, Tivériens] ; ils fondent des villes : Kiev, Beloozero, Novgorod, Ladoga, Polotsk, Smolensk. **IXe s.** Novgorod et Kiev sont organisées en principautés militaires par des *Normands* venus de Suède. 1er prince normand de Novgorod : *Rjurik* [(date légendaire 862), il a donné son nom à la Russie, Rurikia] ; 1er prince normand de Kiévie : *Oleg* (v. 900) ; il unifie les 2 principautés, créant la voie commerciale Baltique-Byzance par le Dniepr et s'emparant de Byz. en 907 (accord commercial 911). **940-44** nouvelles g. contre Byz., menées par Igor, successeur d'Oleg (tué 945 ; sa veuve Olga convertie 957, future Sainte) ; avait établi à Kiev son fils Iaropolk et à Novgorod son bâtard Vladimir Ier le Grand [dit l'Ardent Soleil (n. v. 956/† 15-7-1015) canonisé 1 203]. **980** prend Kiev, devient Gd-Prince de Kiévie et fait exécuter Iaropolk. **988** relègue sa femme Rogneda au couvent, se convertit pour épouser Anne, sœur de Basile II, emp. de Byzance. **XIe s.** colonisation intensive (90 fondations de villes). Sté féodale régie par un code, la « vérité russe ». **1040** Anne, fille du Gd-Pce Iaroslav, épouse roi de Fr. Henri Ier ; g. contre nomades sibériens, notamment Petchenègues et Polovtses. **1054** Kiévie se sépare de Rome avec Byzance ; s'étend de mer Noire au lac Onega. **Fin XIe s.** se désagrège en plusieurs États féodaux, notamment Rép. féodale de Novgorod (au N.) ; le plus puissant est Rostov-Souzdal [Russie centrale (apogée avec Iouri Dolgorouki, 1115-57, qui fonde Moscou en 1147)]. **1157** Andrei Bogolioubski, Pce de Rostov-Souzdal, capitale à Vladimir (Pté de Vladimir-Souzdal).

1200 fusion des Ptés de Vladimir et de Galicie. **1223** invasion des Mongols de Gengis Khan qui battent les Russes sur la rivière Kalka. **1237-42** invasion du khan Batou. **1240** Mongols, commandés par le fils de Gengis Khan, le khan Batou, pillent Vladimir, Moscou, Kiev. Kiévie disparaît, remplacée au N.-O. par Moscovie qui lutte contre Mongols venus d'Ukraine et catholiques romains venus de Baltique. *-15-7* Pce Alexandre de Novgorod bat Suédois sur Neva d'où son surnom de *Nevski.* **1242-*5-4*** bat Chevaliers teutoniques sur la glace du lac Peïpous. Mongols créent l'État de la *Horde d'Or* dans la basse Volga et font payer tribut à tous les princes russes. Ils décernent le titre de Prince de toutes les Russies au prince de leur choix. **1250** rôle de Moscou grandit (capitale à partir de 1300). **1328** Ivan Ier Kalita obtient des Mongols titre de Gd-Pce. **1380-*8-9*** son petit-fils, le Pce Dmitri, bat l'empereur mongol Mamaï à Koulikovo, mais est battu à son tour (1382). **1389-1425** Vassili II, 1er Gd-Pce couronné sans l'autorisation des Mongols. **1480** Ivan III unifie la R. ; allié au khan de Crimée, il bat la *Horde d'Or* et prend Novgorod. **1497** code rural, autorisant les paysans à changer de domaine, dans la semaine du 19 au 26 nov. **1534-84** *Ivan IV le Terrible* lutte contre Tatars de Khazan (construction de la ligne fortifiée Kalouga-Toula-Zaraïsk), boïars (grands seigneurs russes), chevaliers Porte-glaives et Polonais ; conquiert Sibérie. **1550** création des *Streltsy,* corps d'arquebusiers, servant de gardes au tsar. **1556** conquête d'Astrakhan : les colons r. y pratiquent une forme plus ancienne du *mir,* dû aux immenses réserves de terrain ; chaque famille choisit librement chaque année les champs qu'elle veut cultiver. **1565** cr. des *opritchinas* (territoires gouvernés milit., où les gardes du corps pouvaient confisquer les terres des boïars). **1580** crise du servage : de nombreux villages r. sont devenus la propriété d'un noble *(barine)* ; les paysans doivent lui payer des redevances en nature *(barchtchina)* ou en argent *(obrok)* ; **après 1581,** certaines années, ils ne peuvent quitter librement le domaine. **1603-12** *Temps des Troubles :* invasion pol. (**1610** Moscou pris, libéré 27-10-1612), succession de tsars éphémères, révoltes pop. (la plus importante, conduite par le marchand Minine et le Pce Pojarski, libère le pays). **1607** le code des lois de Basile Chouiski (Oulojenié) interdit aux maîtres de libérer leurs serfs. **1613** *févr.* les boïars élisent un des leurs, *Michel Romanov,* comme souverain. **1654** conquête de l'Ukraine sur les Pol. 1er livre russe imprimé. **1667-71** révolte armée des paysans (Stéphan Razine). **1682** les *Streltsy,* devenus un corps de prétoriens, aspirent à jouer un rôle politique.

1682-1725 Pierre le Grand (1672-1725). En 1682, à 10 ans, il est associé au trône de son demi-frère Ivan V, mais écarté par sa demi-sœur *Sophie, régente,* qui le confine dans le faubourg « allemand » de Moscou. Passe sa jeunesse au milieu des étrangers, notamment le Genevois Francis Lefort (1656-99) et l'Écossais Patrick Gordon (1635-99) qui l'initient, tous deux, au métier d'officier [doué d'une force colossale (il mesurait 2 m)]. 1688 (à 17 ans) il renverse Sophie (qui sera enfermée dans un couvent) et Ivan et prend le pouvoir. *Projets politiques :* 1°) accroître la puissance éc. et mil. de la R. par l'occidentalisation ; 2°) utiliser cette puissance pour agrandir le territoire. *Réalisations :* 1°) *L'occidentalisation : 1er voyage en Europe (1697-98).* But : se former aux techniques modernes : travaille comme charpentier aux chantiers navals d'Amsterdam ; fait des stages aux laboratoires de Londres ; visite académies et musées (Angl., Hollande, All.) ; à Vienne, essaye d'entraîner l'empereur Léopold à une croisade contre les Turcs. 2°) *Réformes politiques et sociales : 1698* dissout le corps d'armée des *Streltsy* (arquebusiers), opposés à toute réforme ; prend des mesures brutales contre les traditionalistes russes (notamment interdit la barbe chez les nobles, maniant lui-même les ciseaux, impose l'usage du tabac et le calendrier julien). *1700* supprime le patriarcat, faisant administrer les biens de l'Église par des fonctionnaires laïcs (d'où sa réputation d'impie, cause de nombreuses révoltes). *1703* fonde St-Pétersbourg. *1711* crée un Sénat, remplaçant la Douma des Boïars. Protection accordée à la classe des marchands ; les bourgeois riches sont admis à l'anoblissement ; les nobles sont invités à servir comme militaires ou administrateurs. *Politique militaire (1701-21) :* constamment en g. contre révoltés de l'intérieur ou étrangers (Suédois, Turcs), combat comme soldat ou officier subalterne, sous les ordres de ses généraux. *1711* évite d'être capturé par les Turcs grâce à sa femme Catherine (la future Catherine Ire), qui corrompt le grand vizir. *1716-17* voyage officiel en Europe occidentale (notamment rend visite à Louis XV enfant à Versailles). *1718* fait torturer à mort son fils le tsarévitch Alexis, chef de l'opposition religieuse et traditionaliste. *1721* titre d'empereur conféré par le Sénat. *1725* crée l'Académie des Sciences de St-Pétersbourg. Meurt quelques jours après, usé par la débauche. *Bilan :* administration centralisée (corps de fonctionnaires), flotte militaire (29 navires basés à St-Pétersbourg), armée de 130 000 h., industrie minière de l'Oural (centre : Iekaterinbourg, créé 1721 ; 86 usines métallurgiques), 15 fabriques de draps, 14 de cuir, 15 de laine, 9 de soie, 6 de coton, scieries, poudreries, verreries.

1725-27 Catherine Ire (1684-1727), influence du Pce Menchikov (Alexandre Danilovitch, 1672-1729).

1727-30 Pierre II (1715-30). **1730-40 Anne** [favori : Ernest Johann von Bühren, dit *Biron* (1690-1772), qu'elle fait duc de Courlande]. **1732** rend les provinces de la Caspienne aux Turcs et annexe l'Alaska. **1734** contrôle l'Ukraine.

1741-62 Élisabeth traite avec Suède. **1743** reçoit partie de la Finlande. **1755** 1re université russe. **1760** prend part à la g. de Sept Ans et occupe Berlin.

1762 (janv.-juin) **Pierre III** (1728-62).

1762-96 Catherine II (1729-96). En réaction contre le duc de Courlande, son 1er mari, allemand et prussophile, apprend le russe et se pose en défenseur de l'orthodoxie. Prend de nombreux amants et reste sans rapports avec son mari (le futur tsar Paul Ier n'était sans doute pas le fils de Pierre). *Principaux favoris : Stanislas-Auguste Poniatowski* (1763-1813), *Grégoire Orlov* (1734-1783), *Grégoire Alexandrovitch, Pce Po-*

temkine (1739-1791), *Platon Alexandrovitch, P^ce Zubov* (1767-1817). **1762**-*9-7* pour éviter la répudiation justifiée par ses adultères, renverse (avec l'aide de la garde, dont 2 officiers, les fr. Orlov, sont ses amants) Pierre III, qui sera étranglé. Règne en « despote éclairé », protégeant les « philosophes » fr. comme Voltaire et Diderot. **A partir de 1763** elle attire en Russie 27 000 All., en leur promettant immunité fiscale et dispense de service armé. Création de petites ind. : métall. ouralienne (au bois), centres textiles de Moscou, Ivanovo, Vladimir ; transformation de la fonte anglaise à St-Pétersbourg (n'évolue pas jusqu'en 1830). **1764** sécularise les biens de l'Église (2 millions de paysans deviennent serfs de l'État). **1767** convoque une commission législative. **1768-74** lutte contre Turcs, vict. navale de Tchesma, Crimée prise (annexion définitive : *1770). **1772** 1er partage de la Pol.* **1773-75** révolte de *Pougatchev* (cosaque du Don, ayant soulevé les serfs ; exécuté 21-1-75). **1775** *2e partage de la P.*. **1785** *avril* transforme la Russie en État nobiliaire (publication de la Charte de la noblesse). **1787** voyage officiel dans la « Nouvelle Russie » (terres enlevées aux Turcs). **1790** prend parti contre la Révol. fr. et mène une politique réactionnaire (condamnation de l'écrivain libéral Radichtchev). **1795** *3e partage* et disparition de l'État pol.

1796-1801 Paul Ier (1754-1801) entre dans la coalition contre la France [**1799** vict. de Souvorov à Novi *(15-8)* ; déf. de Souvorov *(23-9)* et Korsakov *(27-9)* à Zurich]. **1801**-*23-3* violent et fou, assassiné par des officiers dont N. Panine, le Cte Pahlen et le P^ce Yaschvill.

1801-25 Alexandre Ier (1777-1825) prend part à la conjuration (il voulait sans doute éviter l'exécution, mais a eu la main forcée par Pahlen). **1801**-*12* période libérale : donne le droit de remontrance au Sénat, permet la libération des serfs [(1803) ; serfs rachetés de 1803 à 1858 : 1,5 %], encourage le projet Speranski de Const. avec Parlement élu. **1804-13** g. contre l'Iran (*tr. de Gulistan, 1813* Azerbaïdjan du N. et Daghestan annexés). **1805-07** s'allie à Autr. puis Prusse contre Nap. [*1805-2-12* déf. d'*Austerlitz*; *1807-7-2* demi-vict. d'Eylau ; *14-6*-déf. de Friedland. *-7-7 tr. de Tilsit*]. **1808-09** s'allie à Fr. contre Angl. et Suède, enlevant Finlande aux S. *(tr. de Fredrikshavn,* 17-9-09). **1812**-*28-5 tr. de Bucarest* : les Turcs abandonnent l'alliance avec Napoléon ; *-23-6* la Grande Armée de Nap. (600 000 h.) franchit le Niémen. *-7-9* bataille de *Borodino* (à 124 km de Moscou), 28 000 † chez les Fr. et + de 45 000 chez les Russes. *-14-9/19-10* les Fr. occupent Moscou. *-28/29-11* défaite fr. à la Bérézina. **1812** pol. autocratique. **V. 1814,** sous l'influence d'une mystique, Barbara Juliane von Vietlinghoff, baronne de Krüdener (1764-1824), se convertit à une sorte de méthodisme (Sté biblique). **1818** affranchit les serfs des provinces baltes. **1820** revient à une pol. antirévol. (à l'extérieur : Ste Alliance ; à l'intérieur : déportation sans jugement des serfs en Sibérie). **1825** déclaré mort au cours d'un voyage en Crimée. *14-12* révolte des officiers « décembristes » réprimée. **1826** la tombe d'A. Ier, ouverte, est retrouvée vide (le tsar se serait retiré pour vivre en ermite sous le nom de Fédor Kousmistch). Fréquents soulèvements des serfs [*1826-29* : 85 ; *1830-34* : 60 ; *1835-39* : 78 ; *1840-44* : 138 ; *1845-49* : 207 ; *1850-54* : 141 ; *1855-61* : 474 (notamment dans le bassin de Moscou, vers Kiev, et Kherson)]. *Causes :* esclavage total, même judiciaire [dep. 1767, les serfs ne peuvent faire appel au tsar contre la justice seigneuriale (peines prononcées : knout, prison, déportation) ; dep. 1800 env., ils peuvent être vendus ou hypothéqués comme du bétail : en cas de faillite, ils sont vendus d'office ; les oukases de 1833 et 1841, interdisant de vendre les parents sans les enfants, sont souvent tournés].

1825-55 Nicolas Ier (1796-1855). **1829** *tr. d'Andrinople* avec Turquie ouvrant les détroits et libérant la Grèce. **1831** insurrection pol. réprimée. **1833**-*8-6 tr. d'Unkiar-Skelessi* signé par Orlov avec la Porte, dépendance de la Turquie vis-à-vis de la Russie. **V. 1835** modernisation de l'industrie textile (200 000 ouvriers dont 90 000 dans l'ind. cotonnière) ; adoption à Moscou de la teinture chimique des laines (famille Goutchov) ; création de l'ind. sucrière ukrainienne (les ouvr. sont dits serfs de possession ; juridiquement libres, mais ne peuvent pas quitter leurs usines). Mais la métallurgie stagne (2,5 fois moins que la Fr., 10 fois moins que la G.-B.) ; le charbon est peu exploité (50 000 t contre 67 000 t en G.-B.). *Causes :* insuffisance du marché, dépenses militaires excessives, indifférence des autorités, insuffisance des banques. **1834-59** *soulèvement du Daghestan* [*chef rebelle :* Samuel Chamil (1797-1871) ; vaincu à Gunib (1859)]. **1845** *déc.* relations dipl. avec Vatican. **1848** la R. aide l'Autr. contre Hongr. **1851** 1re liaison ferroviaire St-Pétersbourg/Moscou. **1853-56** g. de Crimée.

Guerre de Crimée (1854-55)

Causes. 1°) Lointaines. Désir de l'Angl. de contrer les ambitions russes au Caucase et au Moyen-Orient ; désir de Nap. III de remporter des victoires contre les coalisés de 1815 (en s'alliant avec les uns contre les autres) ; désir de l'Église cath. de ne pas perdre le protectorat des chrétiens de Turquie, que le tsar orthodoxe cherche à acquérir. **2°) Immédiates 1853** a) *9/14-1* Nicolas Ire parle à l'ambassadeur anglais Sir Hamilton Seymour de la Turquie comme d'un « homme malade » dont il faut se partager l'héritage : l'Angl. est prête à sauver l'Empire turc, même par les armes. b) *Févr.* sur les conseils de l'ambassadeur anglais Redcliffe, le sultan repousse une ambassade de Menchikov venu lui réclamer le protectorat des orthodoxes de Turquie (10 millions d'h.). c) Nap. III persuade (20-3) les Anglais d'envoyer une escadre fr.-angl. en mer Egée : Menchikov quitte Constantinople en lançant un ultimatum. d) les Russes occupent (3-7) les principautés roumaines (ils ont contre eux les Autrichiens, alliés aux Prussiens, qui essayent en vain de les convaincre de reculer).

Causes de la défaite russe. 1°) Infériorité maritime de la Russie. Angl. et Fr. : 2 premières puissances maritimes du monde, peuvent attaquer la R. par toutes les mers à la fois. **1854**-*22-4* bombardement d'Odessa, puis des ports r. du Caucase ; *-16-8* débarquement aux îles Aaland (Baltique), destruction de Bomarsund. **1855** bombardement de Sveaborg (Baltique), Sovoletski (mer Blanche), des arsenaux de Petropavlosk et des forts de l'Amour (mer d'Okhotsk). **2°) Hostilité de toute l'Europe.** Les Autrichiens, sans déclarer la g. à la R., mais avec l'appui de la Prusse, occupent les « principautés danubiennes » (roumaines), que les R. évacuent après le débarquement anglo-fr. en Crimée. **3°) Désorganisation de l'armée et de la marine russes.** Les forces anglo-fr. sont plus disciplinées, mieux équipées, mieux encadrées (défaite terrestre de l'Alma, *20-9-1854 :* sabordage de l'escadre russe à Sébastopol, *octobre* 54). A partir de nov. 1854 les Russes se réorganisent, grâce à l'ingénieur Todleben et aux équipages de la flotte (15 000 h.), servant comme artilleurs de forteresse. **4°) Réveil de l'opposition en Russie.** Les défaites de l'Alma (devant les Anglo-Fr.) et de Silistrie (devant les Turcs) déchaînent une violente opposition contre le régime tsariste : nombreux pamphlets anonymes, qui démoralisent le tsar Nicolas Ier (qui meurt le 2-3-1855). **5°) Difficultés logistiques des Russes.** Ils ont à lutter à l'extrémité de leur territoire (l'armée de terre se déplace à pied : un convoi maritime fr. venu de Marseille arrive à Sébastopol avant un régiment r. parti à pied d'Odessa). **6°) Crise financière en Russie.** Après l'évacuation de Sébastopol par Alexandre II (8-9-1855), les R. annoncent leur volonté de résister à outrance au N. de la Crimée, mais les caisses sont vides (les banques payent en papier ; le public refuse la monnaie-papier du gouvernement). **7°) Menace d'intervention suédoise.** 1855-21-11 la Suède signe avec la Fr. un tr. qui laisse prévoir une offensive combinée en Baltique. Alexandre II craint un débarquement à St-Pétersbourg. **8°) Compensation d'amour-propre en Arménie.** Les R. prennent Kars après un long siège ; 1855-21-11 le G^al russe Mouraviev oblige l'Angais Williams à capituler. Alexandre II présente ce succès comme une revanche de Sébastopol, lui permettant d'ouvrir des négociations. Kars sera rendu aux Turcs contre des conditions de paix avantageuses (aucune cession de territoire).

1855-81 Alexandre II (1818-81). **1856** fin de la g. de Crimée. **1858** recensement : 22,7 millions de Russes vivent dans le servage (42 %), 20 050 000 paysans libres (dans les mirs), 20 173 000 serfs de domaines privés, 2 019 000 serfs des domaines impériaux (1 500 000 serfs sont domestiques chez leurs propriétaires). **1861**-*19-2* abolition du servage ; influence de Dimitri Alexeievitch, Cte Milioutine (1816-1912). Création des *zemstvos* (assemblées régionales) et distribution aux serfs libérés de lopins de terre (réforme mal appliquée : les lopins sont petits et chers ; 500 000 moujiks en acquièrent et y vivent dans la pauvreté ; 300 000 restent sur les domaines seigneuriaux comme domestiques agricoles). **1863** insurrection polonaise. **1866** extension aux 18 000 000 anciens serfs des domaines de la Couronne de la loi agraire de 1861. **1867** *Alaska vendu aux USA* pour 7 200 000 $. **1869** création à St-Pétersbourg du 1er cercle révolut. **1875** annexion de Sakhaline. **1876** création de la société terroriste *Zemlia i Volia.* **1878**-*3-3 tr. de San Stefano* avec Turquie, puis *13-7 de Berlin* avec puissances europ. reconnaissant l'influence r. au Caucase, Turkestan et sur l'Amour. Acquisition de Kars, Batoum et de la Bessarabie. Michel Tarielovitch Tainov, comte Loris Melikov (1826-88), min. libéral, prépare des réformes. **1881** *13-3* Alexandre II assassiné ; création de l'*Okhrana* (« défense »), police politique tsariste.

1881-94 Alexandre III (1845-94). **1891** *tr. commercial avec Fr.* (signé juin 1893), avec tarif douanier protectionniste ; *Transsibérien* (achevé 1917).

1894-1917 Nicolas II (1868-1918). Éduqué à la fr. (notamment par Gustave Lanson). Caractère faible et indécis, est envoûté par sa femme (qui, à partir de 1905, fait appel à un pseudo-guérisseur, Raspoutine, pour lui confier le tsarévitch Alexis, atteint d'hémophilie ; Raspoutine envoûte la famille impériale, se présentant à la tsarine comme l'envoyé de Dieu). **1892-1903** Cte Serge Witte (1849-1915) développe l'économie [1897 libre circulation de l'or ; 1900 rattrapage du niveau fr. pour charbon, fonte, acier, construction méc. (prod. ind. sextuplée entre 1860 et 1900)]. 1900 Lénine crée le journal marxiste clandestin *Iskra,* « l'Étincelle ». **1904** *févr.* g. russo-jap. *-28-7* PM Viatcheslav Plehve (n. 1846) assassiné.

Guerre russo-japonaise (1904-05)

Causes. 1°) Lointaines. a) *Désir de l'Angleterre d'affaiblir la Russie en Asie.* N'ayant aucun allié asiatique militairement valable en Perse et Asie centrale, elle mise sur le Japon en Extrême-Orient, et s'allie avec lui par traité en 1902. b) *Rivalité russo-jap. en Chine du N.-O. :* les R. veulent annexer la Mandchourie (avec Port-Arthur), qui leur permet de faire aboutir le Transsibérien dans une mer non gelée en hiver (leur port Vladivostok, plus au nord, est obstrué l'hiver) ; les Jap. cherchent à annexer la Corée. **2°) Proches.** a) *L'Angl., pour isoler la R., signe avec la Fr. le 30-4-1904* un accord naval l'empêchant d'aider les R. en Extrême-Orient. Malgré l'alliance fr.-russe, les forces fr. d'Indochine ne feront rien pour empêcher la victoire jap., ce qui pousse le J. à attaquer. b) *Le PM russe Plehve est convaincu que la* g. *contre le J.* sera « courte et victorieuse », ce qui renforcera le prestige du régime tsariste. c) *Le secr. d'État russe Bezobrazoff, chargé des questions d'Extrême-Orient,* est en même temps dir. de la Sté Bezobrazoff qui exploite forêts, mines et chemins de fer de Mandchourie. Il refuse d'exécuter l'accord russo-jap. de 1902, prévoyant l'évacuation de la Mandchourie par les R., de la Corée du N. par les J.

Déroulement. 1904-*26-1* le J. remet une note à Moscou, réclamant l'évacuation de la Mandchourie (pas de réponse) ; *-8-2* l'amiral jap. Togo Heihachiro (1847-1934) attaque par surprise Port-Arthur ; coule 7 navires r. et bloque la rade ; *févr.-mai* attaque générale jap. contre la péninsule de Kouang Tong, pour isoler Port-Arthur du gros des forces terrestres r. *Commandant en chef :* M^al Oyama Iulao (1842-1916). Hésitations du commandement r. : 1°) amiral Alexeiev veut sauver Port-Arthur en forçant le goulet de Kouang Tong ; 2°) Gal Kouropatkine (1848-1925), ministre de la G., puis C^dt en chef veut se replier au N. de la Mandchourie pour attendre des renforts, et reconquérir ensuite le terrain. Les J. ont l'initiative et refoulent les R. Victoires jap. : *14-6* Wafangou ; *26-8/3-9* Leao Yang ; *-10/8-10* Cha-ho ; *-15-10* les R. décident d'envoyer par Le Cap et l'océan Indien leur escadre de la Baltique [amiral Rodjestvenski (1848-1909)], rejointe en route par l'escadre de la mer Noire, pour débloquer Port-Arthur ; mais elle va mettre 8 mois à faire la traversée. **1905**-*2-2* Port-Arthur capitule. *-20-2/-9-3 Moukden :* [(310 000 R. contre 310 000 J.), front de 65 km, pertes : R. 100 000, J. 70 000], les R. se retirent en bon ordre à 100 km au N. *-27-5* bataille navale de *Tsoushima :* amiral Togo attaque par surprise l'escadre r. de la Baltique alors qu'elle arrive dans la mer de Chine : sur 8 navires de ligne, 8 croiseurs et 9 torpilleurs, seuls échappent 1 croiseur et 2 torp. (réfugiés à Vladivostok ; 3 torp. internés à Manille). *-23-8 tr. de Portsmouth* après médiation américaine du Pt Theodore Roosevelt : cède P.-Arthur et partie de Sakhaline.

Conséquences. 1°) *1re victoire des Asiatiques sur les Eur.* (les Anglais ont pavoisé lors de la victoire de leurs alliés j. à Tsoushima, mais c'est le début de la fin de la suprématie blanche en Asie). **2°)** *Détérioration de l'alliance fr.-r. :* tombés dans le piège de l'accord naval angl., les Fr. ont laissé battre leurs alliés, alors que l'escadre fr. d'Indochine aurait facilement débloqué Port-Arthur. Guillaume II, qui a soutenu les R. à cause de ses idées sur le « péril jaune », passe pour le meilleur ami du tsar. Les Fr., pour maintenir l'alliance r., doivent se racheter : ils souscrivent un emprunt de 2,5 milliards de F-or, soutiennent le régime tsariste lors du « dimanche rouge » et de la révolution de 1905. **3°)** *Le régime tsariste, ébranlé par la défaite, tombe dans la répression* (Raspoutine devient tout-puissant).

A l'époque les contemporains n'ont pas compris l'importance de cette g. : 1°) *Tactique et stratégique :* tranchée, fil de fer barbelé, mitrailleuse, gros effectifs ont renouvelé l'art de la g. Les All. ont tenu compte de cet enseignement (qu'ils ont fait passer à l'armée turque qui battra les Bulgares à Andrinople en 1913). Les Fr. l'ont ignoré. 2°) *Diplomatique :* les Fr. n'ont pas su voir que la défaite r. venait de la corruption et de la désorganisation de l'administration tsariste. L'état-major all. l'a compris, et a perdu sa crainte du « rouleau compresseur r. » ; il envisage avec plus de confiance une g. sur 2 fronts, jugeant l'armée r. incapable de l'attaquer efficacement pendant sa campagne contre la Fr. 3°) *Pour Anglais et Américains* la défaite r. est un coup d'arrêt à l'expansion r. en Extrême-Orient. Ils sont persuadés qu'ils vont profiter eux-mêmes de la victoire jap. (le J. ayant été, croient-ils, un instrument entre leurs mains). Ils ne sont pas conscients du sentiment triomphal éprouvé par le peuple et les militaires jap.

1905-*9/22-1* « *dimanche rouge* » à St-Pétersbourg, manif. pacifique de 100 000 ouvriers sans armes conduits par le moine *Gapone* (agent secret de la police, n. 1870, tué 28-3-1906), l'armée tue 1 000 pers., 5 000 blessés (3 millions d'ouvriers font grève pour protester). *-4-2* gd-duc Serge assassiné [(gouv. de Moscou, cousin germain d'Alexandre III), n. 1857]. *-14/25-6* révolte du cuirassé *Potemkine* à Odessa. *Déc.* soulèvement réprimé, notamment à Vladivostok. *-7-12* grève générale à Moscou. *-9/19-12* insurrection armée à Moscou. **1906** *juillet* Piotr Stolypine (n. 1862) PM. *-9-11* les paysans pourront quitter leur communauté agricole. **1911**-*18-9* P. Stolypine assassiné au théâtre devant l'empereur Nicolas II et la cour. **1912** mène une politique violemment réactionnaire ; décidé à intervenir militairement en Europe, pour restaurer le prestige de la Russie (assez lié avec son cousin germain Guillaume II, il cherche à éviter la g. avec l'All.). *-4-4* massacre des ouvriers en grève des mines d'or de la Lena. *-22-4* 1er numéro de la *Pravda.* **1914**-*19-7* déclaration de g. de l'All. (voir p. 638). **1914-15** Nicolas II laisse le commandement au gd-duc Nicolas. **1915-17** destitue Nicolas et prend lui-même le commandement, mais se révèle incapable. **1917**-*15-3* abdique, sans tenter de résister, en faveur de son fr. Michel (qui refuse la couronne). **1918**-*16/17-7* massacré avec toute sa famille à Iekaterinbourg (aujourd'hui Sverdlovsk) [une de ses filles, Anastasia, aurait été sauvée et ne serait autre que Mme Anderson ; reconnue par certains membres de la famille impériale ou certains proches, elle a été désavouée par d'autres et n'a pu faire reconnaître ses droits (1er procès en 1938, 2e en 1957 à Hambourg, 3e 1967 appel perdu. Le 18-2-69, le trib. féd. de Karlsruhe a rejeté le pourvoi en cassation) ; mariée en 1969 au Dr Manahan, morte le 12-2-84]. Le 25-2-1990, Boris Eltsine a révélé avoir, comme 1er secr. du parti à Sverdlovsk, fait détruire la maison où fut assassiné le Tsar.

Politique intérieure russe de 1825 à 1904

De 1825 à 1917. Idéologie conservatrice : Nicolas Ier : 1825 dès le 1er j de son règne, écrase la révolution des *décembristes,* et défend l'autocratie. Crée la classe des bourgeois-notables ; ajourne l'affranchissement des serfs ; nomme le général Prolassof administrateur du St-Synode de l'Église. Crée un cordon sanitaire policier et douanier pour isoler la R. de l'Europe ; refuse de relier les chemins de fer r. au réseau européen ; crée des enseignements secondaire et supérieur entièrement r., pour éviter le recours aux maîtres étrangers. Interdit de quitter la R. pour plus de 5 ans (nobles) ou 3 (roturiers). Remplace l'enseignement de la philo. dans les universités, par la théologie. Renforce la censure : seul journal non inquiété : *le Moscovite* (organe des *slavophiles ;* – programme à l'extérieur : coopération des peuples slaves ; dans l'empire : unité de la culture r.). **Alexandre II** est plus libéral. **1861**-*10-2* affranchit les serfs (23 millions sur 42 millions de R.). **1862-65** libéralise le système judiciaire (débats publics, jury d'assises, juges d'instruction, tribunaux d'arrondissement remplaçant la justice seigneuriale, cours d'appel, etc.). **1881** accorde une *Constitution,* est assassiné le jour où le texte part à l'imprimerie. **Alexandre III,** son fils, revient, par réaction, à l'autocratie (sous l'influence du Gal Ignatief). **1882** loi sur la presse. **1887** limitation de l'accès aux universités. **1889** les chefs de canton remplaçent assemblées locales de serfs affranchis.

Fin de la Russie tsariste

• **Réformes en Russie de 1905 à 1913. Causes :** concessions faites à l'opposition : l'intelligentsia réclame des institutions de type occidental ; les ouvriers réclament la propriété collective de leurs usines, les paysans le partage des terres. **1904** *nov.* le tsar autorise un congrès de zemstvos (états généraux des seigneurs et des paysans). **1905**-*3-3* il charge le min. de l'Intérieur de créer une Assemblée représentative. *-30-10* loi électorale organisant la *Douma* [mot médiéval : conseil du souverain (mot à mot : pensée)]. **1906**-*10-5* *1re Douma* [ass. consultative élue ; elle prétend continuer les anciens Zemskii Sobor (états généraux), supprimés sous Pierre le Grand]. Les K.D. (cadets) libéraux sont en majorité, grève générale à Moscou réprimée dans le sang (décembre). **1907**-*5-3* *2e Douma,* conflit avec Stolypine, PM, dissolution. *Nov.* *3e Douma* réactionnaire s'appuie sur Stolypine (auteur d'une réforme agr.) qui est assassiné (18-9-1911) ; réorganisation de l'armée, reconstruction de la flotte ; refonte de l'administration ; statut des peuples allogènes. **1912** *4e Douma,* empêchée d'agir par l'état de guerre. **1917** *févr.* elle prend contact avec ouvriers et soldats des soviets ; réclame l'abdication de Nicolas II, mais est aussitôt après éliminée par les bolcheviks.

• **État politique de la Russie avant 1914.** Les *Doumas* sont élues au suffrage restreint, et la composition du corps électoral peut être modifiée par décret. Le tsar reste souverain absolu, et gouverne au moyen d'un puissant corps de fonctionnaires, surnommés les *tchinovniki* (les « hommes du tchin » : le tchin était le tableau d'avancement qui divisait le corps des fonctionnaires en rangs hiérarchiques). **Principaux groupes politiques :** *Bund,* parti social-démocrate ouvrier juif ; *Cent-Noirs,* extrême droite (terme provenant de la sotnia cosaque, groupe militaire) ; *KD,* constitutionnels démocrates ; *Narodniki,* populistes (narod : peuple) ; *Octobristes,* modérés, partisans de la charte d'octobre 1905 ; *SD,* socialistes démocrates (m. du POSDR, Parti ouvrier soc. dém. russe), divisés en bolcheviks et mencheviks dep. 1903 ; *SR,* socialistes révolutionnaires ; *Zemlia i volia,* gr. terroriste issu des narodniki. **Principaux groupes sociaux-ruraux :** *batrak,* ouvrier agricole ; *biedniak,* paysan pauvre ; *koulak,* paysan riche ; *seriednak,* exploitant moyen ; **urbains :** *koupet,* riche marchand ; *koustar,* artisan ; *mechtchanin,* cat. intermédiaire, marchand-artisan. **Principales divisions administratives :** *goubernija,* « gouvernement » ; *ouezd,* « district » ; *volost,* « canton ».

Exécutions. *De 1821 à 1906 :* 997 criminels et 194 prisonniers politiques (*de 1917 à 1923,* 1 861 568 opposants seront fusillés).

État financier. La R. a 3 budgets : 1°) *ordinaire,* publié off. pour influencer les prêteurs étrangers, mais inappliqué. 2°) *extraordinaire,* en progression (12 % de dépenses productives sur 7 milliards annuels) ; en déficit dep. 1880 (1911 : dette nationale : 9 milliards de roubles). 3°) *« administratif »,* alimenté par les emprunts contractés en Fr., sert aux dépenses de la Cour et au maintien de l'ordre.

Rôle de l'alliance française. Par la promesse de mettre l'armée r. à la disposition de la Fr. dans une g. fr.-all. (reconquête de l'Alsace-Lorraine), la R. obtient le droit d'emprunter sur le marché financier l'argent dont elle a besoin pour son budget « administratif ». En principe, l'or fr. alimente dépenses militaires et infrastructure stratégique (ch. de fer biélorusses et polonais). En fait, le coulage est tel dans l'armée r. que son sous-équipement lui enlève une grande part de sa valeur.

Rôle de Raspoutine. Grégoire Yefimovitch (1872-1916) surnommé le Starets (« le saint »), paysan sibérien souvent considéré comme un moine (il appartenait à une des nombreuses sectes mystiques florissant en Russie, sans être religieux). Il avait un pouvoir de magnétiseur-guérisseur, et 2 fois (1907, 1908), il sauva la vie du tsarévitch Alexis (1904-18), hémophile et atteint d'hémorragies internes infectées. La tsarine Alexandra lui vouait une confiance absolue et l'avait comme directeur de conscience, malgré ses orgies connues de tous, auxquelles il mêlait des dames de la haute société de St-Pétersbourg. Il influençait également le tsar en matière politique (intervenant notamment dans les nominations de fonctionnaires). Doué d'une vive intuition, il s'opposa à la g. de 1914, estimant qu'elle se terminerait tragiquement pour la Russie impériale. Il passa dès lors pour un agent de l'All., et fut objet de plusieurs attentats. En 1916, il recommande au tsar de se montrer plus souvent aux troupes, de préparer la paix, de décider une réforme agraire favorable aux paysans, d'être plus tolérant à l'égard des Juifs, des nationalités (notamment les Tatars) et des musulmans. La haine du peuple pour Raspoutine a contribué au discrédit de la famille impériale. Le *30-12-1916* abattu (à coups de revolver) par le prince Youssoupov, le grand-duc Dimitri Pavlovitch, le député d'extrême droite Pourichkevitch (une tentative d'empoisonnement ayant échoué). Son corps jeté dans la Neva fut repêché 3 j plus tard. Youssoupov se réfugia en 1919 en France, où il mourut le 27-9-67.

Les deux révolutions russes de 1917

• **Révolution de février 1917** (mars d'après le calendrier grégorien). **Causes lointaines.** *1°) Inadaptation aux nouvelles conditions sociales :* la *Douma* créée en 1905 n'a pas permis aux nouvelles forces sociales : paysannat, prolétariat urbain, intelligentsia libérale, de se faire représenter. Le régime électoral favorise l'aristocratie terrienne (absentéisme : les grands seigneurs, richissimes, vivent à l'étranger). *2°) Faiblesse de Nicolas II.* Il est indifférent aux problèmes politiques (quand on lui annonce le désastre de Tsoushima en 1905, il n'interrompt pas sa partie de tennis). 3°) *Méfiance des aristocrates envers le tsar.* A cause de la présence de Raspoutine haï et méprisé.

Causes proches. 1°) *La g. et les défaites.* La g. a permis de juguler l'opposition (arrestation des 5 députés bolcheviks de la Douma), mais déconsidère les chefs milit. incapables de résister aux Allemands (seul Broussilov, en 1916, fait figure de vainqueur, mais ses succès sont sans lendemain). En nov. 1916, Milioukov (KD) tente de faire donner à son parti la responsabilité de l'effort de g. ; les chefs mil. complotent pour l'élimination de Nicolas II (avec l'aide des industriels). 2°) *La famine et la misère.* Elles sont dues à la baisse de la prod. agricole (10 millions de paysans mobilisés), à la désorganisation des transports (voies ferrées réquisitionnées). Les villes ne sont plus ravitaillées, les prix triplent. 3°) *Généralisation des grèves.* A partir de janv. 1917, les ouvriers réclament une adaptation des salaires au coût de la vie, notamment à Petrograd (usines Poutilov, tramways) ; les bolcheviks encadrent les grèves et organisent des manif. de femmes contre la pénurie.

Déroulement. *-8-3* défilés de femmes et d'ouvriers sans travail criant : « du pain, à bas la g. » ; *-9-3* grève quasi générale (drapeaux rouges ; cris « à bas l'autocratie ; vive la Rép. ») ; *-10/12-3* tsar envoie troupe contre manif. : elle obéit mal ; *-12-3* régiments de la garde fraternisent avec insurgés, entraînant toute la garnison de Petrograd. *Prise de l'arsenal et du Palais d'Hiver.* A 18 h 30, démission du gouv. Galitzine ; insurgés maîtres de la ville. *-13-3* formation de 2 gouv. provisoires : 1°) *la Douma* constitue un comité provisoire à majorité KD (*Pt :* Pce Lvov ; *Aff. étr. :* Milioukov ; *Justice :* Kerenski). Régime souhaité ; monarchie parlementaire ; 2°) *un Soviet,* imité de celui de 1905, élu par ouvriers et soldats, qui s'installe à Petrograd et réclame une Rép. socialiste. *-14-3* tsar dissout Douma ; son comité provisoire fusionne avec Soviet. *-15-3* délégation du comité se rend près du tsar à Pskov, exigeant son abdication ; il abdique en faveur de son fr. Michel, qui refuse. Une Rép. de fait s'installe.

• **Révolution d'Octobre 1917** (novembre, d'après le calendrier grégorien). **Causes lointaines.** 1°) *Le Gouvernement provisoire* rép. est paralysé par la désagrégation de l'administration ; par l'agitation autonomiste (notamment en Ukraine) ; par l'opposition entre ses membres modérés et extrémistes. Il décide la poursuite de la guerre (impopulaire) et en compensation décrète l'amnistie générale (libération des agitateurs bolcheviks). Les problèmes politiques et sociaux sont renvoyés à plus tard (théoriquement en décembre : élection d'une Constituante). 2°) *Les Soviets* s'installent partout (révocation de fonctionnaires, distribution des terres aux paysans, occupation des usines, prise du commandement par les hommes de troupe). *-16-6* 1er Congrès panrusse des Soviets (s'arroge le pouvoir souverain et désigne un comité exécutif).

Causes proches. 1°) *Action de Lénine* (rentré à Petrograd le *17-4,* en profitant de l'amnistie générale : les Allemands l'ont autorisé à passer de Suisse en Suède, d'où il est venu par chemin de fer). *-18-4* Lénine rejette toute collaboration avec le gouv. provisoire. Dans son programme *(« thèses d'avril »),* il exige la nationalisation des banques, le contrôle ouvrier sur les usines, la terre aux paysans, la paix immédiate, le transfert du pouvoir aux Soviets [plan d'opération : insurrection armée renversant le gouv. provisoire (*-16-7* échec d'une 1re tentative ; le Gal Kornilov dégage Petrograd ; Lénine s'enfuit en Finlande)]. 2°) *Affaiblissement du gouvernement provisoire.* Après l'échec du putsch du *16-7,* les ministres KD se retirent ; Kerenski, chef du gouv., est combattu à la fois par Kornilov (échec d'un putsch d'extrême droite, *15-9*) et les ouvriers (gagnés au bolchevisme). 3°) *Action de Trotski.* Élu Pt du Soviet de Petrograd le *6-10*-1917. Il entreprend le noyautage des Soviets par les bolcheviks, pour avoir la majorité au IIe Congrès panrusse convoqué pour nov. Il crée une milice révolutionnaire, la *Garde rouge* (recrutée parmi les ouvriers), et il contrôle la garnison grâce au CMR (comité militaire révolutionnaire).

Déroulement. 1917-*23-10* Lénine revient de Finlande et décide avec Trotski de déclencher l'insurrection le *6-11,* veille de la réunion du IIe Congrès panrusse des Soviets (où les bolcheviks doivent normalement être majoritaires). Trotski s'assure l'appui de la garnison en lui faisant croire que Kerenski veut l'envoyer au front. Nuit du *6/7-11 :* Garde rouge et unités de la garnison, sous la direction du CMR, s'emparent des édifices publics (gares, centraux télégraphique et électrique, ministères, etc.). La population ne participe pas à l'action. *-7-11* (25-11 du calendrier russe) à 18 h, *bombardement du palais d'Hiver* par l'*Aurora,* venu de Cronstadt. Kerenski s'enfuit, à 20 h 40. Réunion du IIe Congrès panrusse des Soviets (majorité bolchevik : 390 sièges sur 650). Il désigne un Conseil des commissaires du peuple (Sovnarkom), entièrement bolchevik (*Pt :* Lénine ; *Aff. étr. :* Trotski ; *Nationalités :* Staline). Décrets sur : *-8-11* paix (immédiate et inconditionnelle, offerte à tous les belligérants) ; terre (distributions aux paysans, accomplies par les Soviets au cours de l'été, homologuées). *-14-11* pouvoir ouvrier (Soviets d'entreprises reçoivent autorité de gestion). *-15-11* nationalités allogènes (obtiennent autodétermination). *-20-11* garantie de la liberté de culte aux musulmans. *Fin nov. et déc.* grandes villes enlevées à l'administration menchevik par les mêmes moyens qu'à Petrograd (coups de main des gardes rouges et des garnisons bolchevisées, ex. : à Moscou, action de Boukharine). *-15-12 armistice avec empires centraux.* **1918** *début janv. élections à l'Ass. constituante,* majorité menchevik (il n'y a que 2 500 bolcheviks en Russie). *-18-1* Ass. dissoute (elle a siégé 1 j) ; police politique créée (Tchéka), presse d'opposition supprimée. *8-2-* démobilisation décidée. *18-2* All. rompent armistice et reprennent marche sur Petrograd. *-1-3* pourparlers reprennent à *Brest-Litovsk*. *-5-3* accord, les Sov. acceptent de céder Pologne, Ukraine, Russie blanche, Pays baltes, Finlande, Géorgie, Arménie. *-12-4 gouv. Lénine* (dictatorial) s'installe à Moscou et prend le nom de *Politburo* (5 membres : Lénine, Trotski, Staline, Kamenev, Boukharine). *-16/17-7* tsar, tsarine et leurs enfants exécutés à Iekaterinbourg ; grand-duc Michel (fr. du tsar) exécuté à Perm. *Juill.-août* révolte opposants d'extrême gauche. *-30-8* Fanny Roid Kaplan (socialiste révolut.) blesse grièvement Lénine. *Septembre* S.R. sont liquidés par léninistes.

Guerre civile de 1918-22

• **Causes. a) Opposition tsariste. Gal Antoine Denikine** (1872-1947), commandant en chef sous Kerenski, participe au putsch manqué de Kornilov ; puis commande *l'armée blanche d'Ukraine* [formée à Novorosiisk, armée par les Anglo-Fr. (matériel payé par des envois de blé russe en Fr.)], et avance jusqu'à 300 km de Moscou ; battu, il fusionne ses troupes avec celles de Wrangel. **Amiral Alexandre Koltchak** (1874-1920), chef de la flotte impériale de mer Noire. Le 18-11-1918, prend le titre de *régent,* installe un gouv. antirévolutionnaire à Omsk (Sibérie occid.) et prend le commandement suprême des armées blanches. Maître de la Sibérie et de l'O. de l'Oural jusqu'à la Volga. Ayant dû battre en retraite, il est pris par les Rouges à Irkoutsk et exécuté le 7-2-1920. **Gal Laurent Kornilov** (1870-1918). Après son putsch manqué contre Kerenski (9-9-1917), tué au combat à Krasnodar en Ukraine (13-4-1918). **Gal Nicolas Ioudenitch** (1862-1933), généralissime sur le front de Turquie. Rejoint les côtes baltes sur un navire anglais et s'avance en juin 1919 jusqu'aux faubourgs de Petrograd. Abandonné par les Anglais, il part pour l'exil et y meurt. **Gal Pierre Wrangel** (1878-1928), commande l'armée d'Ukraine en 1919-20 (victoires sur le Dniepr et au Kouban). Abandonné par les Français, se rembarque en nov. 1920. **b) Opposition populaire.** Surtout en Sibérie, hostile au pouvoir central (Koltchak aurait gagné la partie s'il avait proclamé l'indépendance de la Sibérie et s'il n'avait pas tenté de reconquérir la R. d'Europe). Les Cosaques, religieux et monarchistes, fournissent des unités combattantes. **c) Action des Tchèques.** Ils ont une « légion » de 45 000 h. en Sibérie. **d) Intervention des Alliés** qui voient dans les Sov. des alliés des All. (exception : quand les pourparlers de Brest-Litovsk sont rompus, momentanément du 18 au 26-2-1918, les Fr.-Anglais acceptent de fournir vivres et munitions à Lénine). **1918**-*11-3* (8 j après Brest-Litovsk), les Angl. débarquent à Mourmansk ; *-20-7* rompent avec le gouv. sov., favorisant la création de l'armée Denikine, qui s'engage à reprendre l'Ukraine aux All. ; *-2-8* occupent Arkhangelsk ; *-13-8* débarquent à Bakou, Am. pénètrent en Sibérie ; *-25-10* blocus des côtes déclaré. A partir de nov. les Alliés ne voient plus dans les Sov. des partisans de l'All. (ils déclarent nulle la paix de Brest-Litovsk et les annexions austro-all. et turques), mais leur reprochent leur messianisme révolutionnaire. Ils craignent notamment que les communistes r. prennent en main le communisme all. *-20-11* une flotte fr.-angl. pénètre en mer Noire ; en déc., les Fr. débarquent à Odessa. Dès lors, les Alliés envisagent de constituer des protectorats dont ils contrôleraient les richesses économiques : les Anglais convoitent les pétroles de Bakou et les pêcheries des mers polaires ; les Fr. espèrent récupérer l'Ukraine, appuyée au S. sur la Crimée occupée, et au N.-O. sur la Pologne alliée (les richesses de l'Ukraine serviraient de gage aux emprunts r. de l'avant-guerre) ; les Jap. espèrent coloniser l'Extrême-Orient r. et la Sibérie. Impérialismes secondaires : les Polonais en Ukraine ; les Turcs au Turkestan (action d'Enver Pacha), les All. dans les pays baltes (tentatives pour créer des États baltiques indépendants, mais germanisés). **e) Forces centrifuges.** En principe, Lénine accorde aux populations allogènes de l'empire le droit à l'autodétermination. Celles-ci veulent s'émanciper de Moscou pour adopter des régimes non socialistes et indépendants. Font dissidence : Finlande, Estonie, Lituanie, Russie blanche, Ukraine, Crimée, Géorgie, Arménie, Azerbaïdjan qui se rallient aux armées blanches.

• **Déroulement. 1918**-*21-1* Trotski crée l'Armée rouge ; *mai-juin* divisée en 12 armées locales de 8 000 à 15 000 h. (sauf la Xe Armée : 40 000 h., 240 canons, 13 trains blindés), tient tête à l'armée cosaque du Don (ataman Krasnov) à peu près aussi forte et aux 2 armées du Caucase septentrional (100 000 h.) ; total des troupes ralliées aux Blancs 1 million d'h. ; *déc.* la Xe Armée réoccupe le bas Dniepr et s'avance sur le Don jusqu'à Rostov. **1919** *juin-août* avec l'aide de la flotte fr.-angl., l'armée blanche de Denikine prend Kertch, puis Odessa. *Sept.* Trotski réunit 189 000 h. contre lui. *Déc.* les Angl. exigent de Denikine la reconnaissance des États polonais et roumain (agrandi de la Bessarabie ex-russe). *Mai* Denikine ne peut établir la liaison avec Koltchak, sur la Volga. *Juin* les Rouges reprennent Oufa à Koltchak. *Août* Koltchak est écrasé et rejeté derrière l'Oural. *Sept.* les Angl. évacuent Arkhangelsk. *-21-10* Ioudenitch battu devant Petrograd. *-15-11* Koltchak perd Omsk. **1920**-*1-1* Trotski déclenche une contre-offensive contre Denikine. *-15-1* Koltchak démissionne. *-16-1* levée du blocus par les Alliés. *-2-2* Koltchak pris et fusillé à Irkoutsk. Wrangel remplace Denikine. *Mai-juin* Polonais occupent Kiev (7-5 au 11-6) mais sont rejetés (armistice de Riga 12-10). *-17-6* Wrangel écrase XIIe Armée rouge à Mélitopol. *-14-10* est battu à Nikopol. *Oct.* le baron Ungern-Sternberg, successeur de Koltchak en Sibérie, se réfugie avec son armée en Mongolie (il y proclame un empire indépendant). **1921**-*28-2/8-3* soulèvement des marins de Cronstadt qui réclament le retour aux sources du pouvoir soviétique et rejettent la dictature ; écrasé par l'Armée rouge (Trotski et Toukhatchevski) [épuration pol. (social-révol. de droite, de gauche et mencheviks)]. *Juin* Ungern-Sternberg vaincu par une Armée rouge et fusillé. *-29-10* proclamation à Tchita (Sibérie orientale) d'une Rép. d'Extrême-Orient (pro-sov.) ; *nov.* Rouges forcent les lignes de Perekop et conquièrent Crimée ; armée Wrangel (130 000 h.) évacuée sur Constantinople par flotte anglo-fr. **1922**-*14-11 l'Armée rouge réoccupe Vladivostok,* la Rép. de Tchita est rattachée à la Russie sov. La Mongolie extérieure devient un protectorat.

• **Causes de la défaite des Blancs. a) Corruption des cadres.** Négligence, paresse, goût de la *dolce vita.* En Sibérie, à l'arrivée de Koltchak, il y avait 196 états-majors sans troupes. De nombreux régiments blancs comptaient 2 ou 3 officiers pour 1 seul homme. Une grande partie du matériel fourni par les Alliés était revendue au marché noir, et en fin de compte, rachetée par les Rouges. **b) Trahison des Tchèques de Sibérie.** Anciens prisonniers de g. autrichiens, réarmés contre l'Autr., ils avaient rejoint Koltchak après la paix de Brest-Litovsk, les All. ayant exigé qu'ils leur soient livrés. Pris en main par une mission militaire française (Gal Janin), ils devaient être le noyau de la reconquête de la Russie d'Europe, à partir de l'Oural. Mais le gouv. tchèque (Bénès) leur interdit d'agir contre les Rouges. Ils s'organisent donc en « grandes compagnies », occupant la ligne du Transsibérien, et accaparant le matériel ferroviaire (qui transporte leur butin). Ils se replient lentement (4 ans) vers Vladivostok, négociant leur retraite avec les Rouges : ils arrêtent Koltchak à Irkoutsk et le livrent aux Bolcheviks. **c) Mésentente entre les Alliés.** Chacun des Alliés cherche à profiter de la g. civile pour favoriser ses propres intérêts : les Anglais poussent en avant Koltchak qui leur a promis des avantages en Oural et au Caucase. Le Gal français Janin décide de faire soutenir Koltchak en nov. 1918 par l'armée jap. (inutilisée) qui aurait été transportée par le Transsibérien jusqu'à l'Oural. Wilson met son veto, craignant de voir les Jap. s'incruster en Extrême-Orient russe. Les Anglais ont gêné l'action de Denikine, puis de Wrangel, car ils voyaient en eux des créatures de l'état-major fr. (projet d'un protectorat fr. en Ukraine et Russie du S.) ; ils ont abandonné Ioudenitch, pour ne pas favoriser l'établissement des All. dans les pays baltes, etc. **d) Habileté diplomatique des Soviets.** Ils ont compris qu'il fallait faire des concessions aux nouveaux États, pour les amener à se retirer de la lutte ; ils ont accordé l'indépendance ou fait d'importantes concessions territoriales à : Finlande, Estonie, Lettonie, Lituanie, Pologne, Roumanie, États transcaucasiens, Extrême-Orient, Boutchara. Une fois la paix rétablie, ils ont récupéré les territoires abandonnés en Asie (les concessions faites en Europe seront reprises en 1940 et 1944). **e) Valeur militaire de l'Armée rouge.** Les combattants sont motivés : ouvriers communistes formant la Garde rouge ; paysans décidés à acquérir des terres ; les officiers, anciens sous-off. ou soldats, espèrent monter en grade, malgré leur roture (ce qui était impossible dans l'armée tsariste). Trotski se révèle un bon chef de g. : sens de l'organisation, volonté de vaincre, intelligence stratégique. **f) Affaiblissement de l'esprit de croisade anticommuniste.** Vers 1921-22, les nations occidentales craignent de passer pour réactionnaires si elles luttent contre le bolchevisme [effet de la propagande menée auprès des mouvements ouvriers occidentaux par le Komintern (créé mars 1919)]. Épisode marquant : *la mutinerie des marins fr. de la mer Noire,* les marins fr. apprennent (*10-4-1919* à Odessa) le succès de la manif. parisienne le 6-4 (150 000 contre l'acquittement de Raoul Villain, l'assassin de Jaurès : 2 †, 10 000 arrestations) et croient à la vict. de la révolution communiste à Paris. *16-4* mutinerie du *Protet,* en pleine mer [chefs : André Marty (1886-1956), Badina] ; *20-4* en rade d'Odessa, de la *Justice,* la *France,* du *Jean-Bart,* du *Waldeck-Rousseau.* L'escadre française doit être ramenée à Toulon, ce qui affaiblit les armées blanches de Denikine.

• **Conséquences de la guerre civile. a) Renforcement de l'État dictatorial.** Le 30-12-1922, création de l'URSS, comprenant les territoires reconquis depuis la fin de la g. civile : Turkestan, Sibérie occidentale, Biélorussie, Ukraine, Fédération transcaucasienne. La Constitution (promulguée 31-1-1924) reprend les grands traits de la Const. de l'État russe de juillet 1918 : Congrès des Soviets souverain ; comité exécutif central de 2 chambres (Conseil de l'Union et Conseil des nationalités). [Praesidium de 21 membres élu par le conseil exécutif, chef d'État collectif, aux pouvoirs illimités ; désignant notamment le Politburo (composé en 1924, après la mort de Lénine, de Trotski, Zinoviev, Kamenev, Staline, Tomski, Boukharine)]. *La Tchéka* est remplacée le 6-2-1922 par l'*O. Guépéou,* qui, par le moyen des tribunaux révol., liquide l'opposition SR, et tient en main l'administration de chaque Rép. fédérée ; il ne dépend que de son chef, à Moscou [1922-24 : Dzerjinski, dir. adjoint Beria (23 ans)]. Il arrive à faire du parti com. officiel un parti unique. **b) Expansion du communisme.** La IIIe Internationale réunie à Moscou en août 1920 dicte aux partis nationaux qui la composeront 21 conditions, notamment : discipline rigide, alignement sur les positions du Komintern, refus des compromis, promotion de la Révolution, soutien à l'URSS. Trotski fera de l'expansion du communisme à l'extérieur l'objectif no 1 de l'URSS. Il se heurtera à Staline (partisan du repliement provisoire sur l'URSS) et sera éliminé. **c) Difficultés économiques.** Lénine a dû improviser : répartition socialiste (le dirigisme étatique tolère provisoirement la petite entreprise privée) ; – travail obligatoire avec égalité des salaires ; – nationalisation des banques, du commerce extérieur, des transports et des entreprises utilisant + de 5 ouvriers (avec force motrice) ou + de 10 (sans force motrice) ; – réquisition des récoltes (on laisse à chaque famille paysanne de quoi se nourrir pendant 1 an) ; – cours forcé de la monnaie (en 1923, 1 rouble-or vaudra 50 milliards de roubles-papier, inflation comparable à celle de l'Allemagne). Réaction de défense des populations : les ouvriers travaillent au ralenti ; les paysans ne produisent plus que pour leurs besoins (leurs surplus étant réquisitionnés pratiquement pour rien) ; niveau de la production 1921 (1913 : indice 100) : industrie 18 ; agriculture 65. La famine de 1921 nécessite l'intervention du comité Nansen (1 million †). Les révol. non bolcheviks déclenchent des émeutes. **d) Morts dues à la révolution** (en millions). Selon le démographe Maksudov : *entre 1918 et 1928 :* 10,3 [g. civile, répression, famine et grandes contagions favorisées par les troubles (typhus, etc.)] ; *en 1933-34 :* 7,5 (famine provoquée par la collectivisation, exécutions et déportations au « goulag » ou ailleurs) ; *de 1939* *à 45 :* militaires 7,5 ; civils 9 à 11 d'exécutions et déportations (nationalités allogènes, anciens prisonniers de guerre, etc.). *Total pour 40 ans :* 42,3 (60 selon d'autres auteurs).

La NEP

En russe *Novaïa Ekonomitcheskaia Politika* (Nouvelle Politique économique).

Définition. Décidée par Lénine le *16-3-1921,* après les désordres de févr. 1921 (notamment la mutinerie de Cronstadt, qui réclamait : liberté de parole et de presse ; élection des soviets au scrutin secret ; liberté d'action pour socialistes, anarchistes, syndicats ; libération des détenus politiques ; liberté de production pour les artisans non employeurs ; suppression des réquisitions ; égalité du rationnement).

Causes. 1°) *le Comité central craint que la révolte des marins n'entraîne la paysannerie,* excédée par les prélèvements (quadruplés entre 1917 et 1920). 2°) *la révolution vient d'échouer en All. :* Lénine, qui, pendant 2 ans, avait compté sur l'adhésion au bolchevisme d'une All. hautement industrialisée, comprend qu'il ne peut plus compter sur les biens d'équipement all. ; il faut donc faire prendre patience au peuple.

Déroulement. 1°) *21-3-1921, loi supprimant le prélèvement automatique* des récoltes [total des prélèvements de céréales prévus pour 1921 : 240 millions de pouds (contre 423 en 1920), le reste pourra être vendu par les prod. qui auront le droit de se procurer eux-mêmes les produits dont ils ont besoin]. 2°) *autres mesures éc. :* les entreprises de l'État sont tenues à une gestion capitaliste (investissements, bénéfices) ; certaines propriétés agr. de l'État sont cédées à bail ; la circulation monétaire redevient libre ; la monnaie est stabilisée par l'émission de *tchervonets* (10 roubles-or) et roubles du trésor (1 rouble-or, équivalant à 50 milliards de r. papier). 3°) *mesures sociales :* l'outillage collectiviste est rendu aux paysans, les entreprises de – de 10 ouvriers (avec force motrice), 20 (sans force motrice) sont dénationalisées ; retour à la hiérarchie des salaires ; autorisation de créer de nouvelles entreprises privées ; 4°) *accords avec l'étranger.* Lénine décide de faire venir en R. des techniciens étrangers, il passe des accords commerciaux avec l'Allemagne (Rapallo 16-4-22), avec paiements stipulés en tchervonets (un accord analogue signé avec l'Angleterre se heurte au veto américain).

Résultats. 1922, la production agricole remonte à l'indice 100 (*1913 :* 100) et la prod. ind. à l'indice 50 ; les prix agr. baissent ; au contraire, l'État maintient des prix ind. élevés, pour pouvoir investir (« crise des ciseaux »).

Conséquences sociales. Naissance d'une classe sociale de petite et moyenne bourgeoisie : ruraux (koulaks, ou gros paysans) ; citadins (nepmen, ou petits patrons).

Seuls certains Occidentaux (notamment Lloyd George) ont cru que la NEP prouvait le pragmatisme de Lénine : avec l'expérience du pouvoir, il deviendrait un politicien de la vieille école. En R., comme dans les partis communistes étrangers, on a compris généralement que la NEP n'était qu'un repli tactique dans la marche vers la Révolution mondiale.

1922-23 Léon Trotski et Staline s'opposent sur « l'exportation de la révolution et la politique économique » ; la *troïka* (attelage à 3 chevaux, au figuré : triumvirat) : Staline, Kamenev, Zinoviev (« 1er tr. », la 2e étant celle de *1926*). *-27-3/2-4* XIe Congrès nomme Staline secrétaire général du parti. *-16-4* accord de *Rapallo* relations diplom. avec Allemagne rétablies. *-1-5* 1re ligne aérienne intern. soviét. Moscou/Berlin. *-19-5* création des Jeunesses comm. *-30-12 fondation de l'URSS.* Voir ci-dessus.

1924-*21-1 Lénine meurt.* *-31-1* 1re Const. de l'URSS. *-2-2* relations diplom. avec G.-B., puis avec It., Autriche, Norvège, Suède, Chine, Danemark, Mexique [avec la France le *28-10* (gouvernement Herriot)]. **1925** création du prix Lénine. *-15-1* Trotski cesse d'être commissaire à la Guerre. *-10-4* Tsaritsyne devient Stalingrad. *-24-4* tr. de neutralité et de non-agression entre Allemagne et URSS. **1926** *oct.* Trotski exclu du Bureau politique [il forme avec Lev Borissovitch Rosenfeld, dit Kamenev (1883-1936, fusillé), et Grigori Ievseïevitch Zinoviev (1883-1936, fusillé) une *troïka* d'opposition]. **1926** Pie IX envoie le jésuite Michel d'Herbigny pour sacrer des évêques

L'URSS après Lénine

1°) Application des idées de Lénine :

– *établissement d'un parti au pouvoir dictatorial,* capable de structurer le prolétariat (maintien du Guépéou devenu le NKVD ; identification du parti et de l'État ; nomination aux postes clefs d'exécutants disciplinés) ;

– *poursuite de la lutte révol. à l'étranger* (la IIIe Internationale a permis à de nombreux partis communistes locaux de prendre le pouvoir et de créer des États marxistes) ;

– *collectivisation et socialisation de l'économie* (le XVe Congrès du Parti communiste, en décembre 1927, a mis fin à la NEP). La propriété privée des moyens de production est abolie, la terre devient propriété de l'État (la *« dékoulakisation »* de 1930 élimine 8 millions de propriétaires moyens, déportés ou exécutés), ainsi que forêts, mines, usines, banques ; un secteur privé [exploitations collectives (coopératives) ou privées et individuelles, paysannes ou artisanales, fondées sur le travail personnel] subsiste ; la propriété privée édifiée avec les revenus du travail est possible. Les 3 plans quinquennaux (1928-41) qui aboutissent à stabiliser une économie socialiste veulent mettre en exploitation le continent soviétique, en vertu d'un plan établi, et non pour la recherche du profit individuel.

2°) Divergences entre léninisme et stalinisme : a) *L'État stalinien est resté fidèle au panrussisme tsariste.* Bien que géorgien, Staline n'a guère appliqué les idées libérales de Lénine en matière de nationalités. Il a favorisé la russification de l'URSS (emploi généralisé du r. comme langue de travail, implantation de R., Biélorusses, Ukrainiens dans les États allogènes). b) *La coexistence pacifique est surtout conçue comme favorable à la défense nationale :* l'URSS doit jouer des rivalités entre ses adversaires pour accroître sa propre puissance (et aider les nations com. à accroître la leur). c) *Le stalinisme est moins favorable aux Juifs que le léninisme.* Lénine, d'accord avec Trotski, voyait dans les Juifs un élément international, utile pour le triomphe d'une société socialiste mondiale. Staline voit dans les Juifs une nationalité à part, peu assimilable : les Juifs sont éliminés : Trotski, Kamenev, Zinoviev, Radek, Joffe, Frounze, etc. d) *Le culte de la « personnalité » :* Lénine avait pris parti, de son vivant, pour Trotski, contre Staline et, dans son « testament », il s'est montré nettement antistalinien. Pour les trotskistes, Staline a fait dévier la révolution vers une dictature réactionnaire n'ayant plus rien à voir avec le socialisme (réponse des staliniens : vivant à l'époque des fascismes, Staline a pu triompher de Hitler et de Mussolini en les battant sur leur propre terrain ; Trotski aurait perdu la partie contre eux et aurait amené la ruine du socialisme en voulant défendre à tout prix la non-personnalité du pouvoir dirigeant). e) *Banalisation du « communisme de guerre ».* La terreur policière (Tchéka, Guépéou) et la mise en veilleuse des droits de l'homme étaient pour Lénine une nécessité momentanée, à laquelle on ne devait avoir recours que dans des circonstances exceptionnelles, pour empêcher l'échec de la révolution. Pour Staline, au contraire, le respect des droits de l'homme n'est pas une valeur en soi. La suppression des libertés fondamentales de l'individu peut être envisagée sans limite de temps. f) *L'idéologie internationaliste est mise en veilleuse.* L'URSS stalinienne a créé une sorte de ligue d'États communistes, étroitement solidaires, mais fidèles aux patriotismes locaux. La mentalité internationaliste est mal vue : c'est le capitalisme qui n'a pas de patrie (l'épithète « multinational », quasi synonyme d'« international », a pris un sens péjoratif).

État de l'URSS en 1940

• Population en 1913 et, entre parenthèses, en 1937, en % : *urbanisée :* 18 (33) ; *active :* secteur primaire 75 (56) ; secondaire 9 (24) ; tertiaire 16 (20). *Niveau de vie :* pouvoir d'achat des salaires + 10 % par rapport à 1913, mais de façon inégale (cadres, membres du parti, techniciens bénéficiant de prestations diverses) ; développement de l'instruction primaire (ens. sec. et supérieur encore peu dispensé : 1,4 million d'élèves).

• Économie. **Croissance dep. 1913** (en %). *Production agricole :* 57 (céréales 32, betteraves sucrières 98, coton 281). *Industrielle :* 714. *Biens de consommation :* en retard. **Causes du progrès.** *Formation de cadres techniques. Aide étrangère :* + de 20 000 techniciens et spécialistes étrangers (All., Amér.). *Rationalisation* du travail avec les *oudarniks* (ouvriers de choc), émules de l'ouvrier mineur *Stakhanov* (voir p. 1128b).

Agriculture. Collectivisation : pratiquement achevée. **Production** (millions de t, 1913 et 1940) : *céréales* 80 (96) ; *betterave à sucre* 10 (21) ; *coton* 0,7 (2,3) ; *bovins* (M. de têtes) 60 (60). **Surfaces cultivées** (millions d'ha) 105 (137).

Industrie. Production (millions de t 1913 et 1940) : *charbon* 29 (166) ; *pétrole* 9 (31) ; *électricité* (milliards de kWh) 2 (48) ; *acier* 4 (19). *L'ind. du caoutchouc* – à peu près inexistante jusqu'en 1928 – couvre 50 % des besoins [plantes à latex acclimatées (saphys, glaïeul du Mexique) et c. synthétique].

Transports. Fluviaux : réseau amélioré par les canaux Baltique-mer Blanche, ouvert 1933, Moskova-Volga achevé 1937 faisant de Moscou un grand port fluvial. **Voies ferrées :** *Transsibérien* entre Omsk et Tcheliabinsk doublé puis triplé ; liaisons Moscou et Leningrad avec Donbass-Arkhangelsk-Moscou doublées, lignes Moscou-Kharkov reconstruites ; Turksib, lignes Oural-Kouznetz, Karaganda-Balkach et Oural-Karaganda réalisés ; liaison Baïkal-Pacifique projetée.

• Rang dans le monde. 3e puissance industrielle (2e d'Europe) sans avoir aliéné son indépendance au profit de créanciers étrangers, mais le niveau par habitant est très bas. 2e fer, pétrole, or ; 3e énergie électrique (40 milliards de kWh en 1938 contre 2,5 en 1928), fonte, acier, coton ; 4e houille, moteurs d'automobile. Commerce et industrie privée sont éliminés. Dans le commerce mondial. *1932 :* 2,3 % ; *37 :* 1,3 % [0,8 % de la prod. nationale est disponible pour l'exportation (11,6 en 1913), les produits manuf. représentent 68,1 % des export. *1909-12 :* 29,4 %. Les imp. de matières 1res s'accroissent. Le rouble a été dévalué de 80 %.

• Situation militaire. **Effectifs** (1940) : 151 divisions d'inf., 32 de cav., 38 brigades motor., 4 flottes et 3 flottilles (mais la marine est très en retard). Mais les *purges de 1937* ont désorganisé l'armée. Si les effectifs sont restés stables (1 750 000 h.), l'encadrement a été décapité. Il reste 2 maréchaux sur 5 ; 2 gén. d'armée sur 15 ; 28 de corps d'armée sur 85 ; 85 de division sur 195 ; 186 de brigade sur 406. Les cadres nommés après la purge manquent d'expérience, notamment dans la coordination entre les différentes armes et dans la logistique (transports par voie ferrée ; peu de moyens motorisés). En déc. 1939 l'U.R.S.S. ne peut pas aligner contre la Finl. plus de 9 div., d'où son échec contre une armée 12 fois inférieure en nombre (les All. en ont tiré la conclusion erronée de la nullité militaire de l'U.). Armement (usines créées v. 1930 par les All.) : *artillerie* (la meilleure du monde) : obusiers de 203 mm, canon antiaérien de 76 mm, antichar de 45 mm ; artillerie lourde à longue portée ; fusées (batteries lance-roquettes légères ou Katiouchka, uniques au monde) ; *blindés* (1941) 20 000 : 6 types dont le T 34 avec un canon de 76 mm (le meilleur char du monde, 115 ex. en 1940, 1 475 en 1941) ; *avions :* 12 000 [dont Yak et Iliouchine (production 4 400 par an)].

États baltes

1939 *sept.-oct.* l'U. oblige Lettonie, Estonie et Lituanie à signer des traités d'assistance donnant toutes facilités à son armée. **1940**-*15-6* exige leur occupation totale par l'Armée rouge, la démission immédiate de leur gouv. Les opposants sont éliminés. *-14-7* invasion sov., élections sous contrôle. **1944** *juin* les All. installent d'éphémères gouv. puis réintégration dans l'U. Les cathol. (Lituanie) sont persécutés. **1945** le sort des 3 Rép. baltes n'est pas précisé à Yalta. Longtemps, les Rép. baltes seront interdites aux étrangers. Expulsés : *1941 :* 170 000, *1943 :* 400 000 Lituaniens, *1948-49 :* 150 000 Lettons, *1949 :* 35 000 Estoniens.

clandestins. **1927** le Code pénal définit comme « contre-révol. » toute action ou toute « inaction » tendant à l'affaiblissement du pouvoir. **1927**-*12-5* rupture des relations anglo-soviét. *Déc. Trotski est éliminé ;* trop populaire pour être exécuté, il est d'abord déporté à Alma-Ata (Kazakhstan), puis expulsé en Turquie (févr. 1929).

1928 *1er plan quinquennal* pour l'industrie lourde (adopté au congrès des Soviets de 1929). **1929**-*21-6* un arrêté « sur les mesures relatives à la consolidation du système kolkhozien » marque le début de la collectivisation forcée. *-18-9* 1re moissonneuse-batteuse sov. *-5-11* création d'Intourist. **1930** disgrâce de Rykov et de Boukharine, dékoulakisation : les paysans riches (ou *koulaks*) sont dépossédés. École primaire obligatoire. **1931** 1re locomotive à vapeur sov. **1932**-*29-11 pacte de non-agression franco-sov.* **1933**-*16-11* relations diplom. avec USA. **1933-34** 15 millions de paysans chassés de leurs terres, déportés en Sibérie, 6 millions de † (1 000 000 d'exécutés et famine en Ukraine). Famine (5 à 6 000 000 †). **1934**-*18-9* entrée à la SDN. *-27-10* le NKVD a toute autorité sur les camps de travail et les institutions de tr. correctif. *2e plan quinquennal. -1-12* Sergheï Mironovitch Kostrikov, dit Kirov (n. 1886 ; membre du Politburo et proche collab. de Staline) assassiné par Leonid Nicolaïev. Coupables non découverts, mais prétexte à des épurations sanglantes et massives ; plusieurs milliers de fusillés sans jugement ; sur 139 membres et suppléants du comité central, 98 sont « liquidés ».

1935-*25-1* Kouïbychev meurt subitement (empoisonné ?). *-7-4* une loi prévoit la condamnation à mort des enfants à partir de 12 ans. *-2-5 tr. d'assistance mutuelle franco-sov.* (Pierre Laval). *-15-5* 1re ligne du métro de Moscou (11 km). **1936**-*19/24-8* procès du « contre-terrorisme-trotskiste-zinovievien » (c.-à-d. la « troïka oppositionnelle »). Principaux accusés (dont Kamenev et Zinoviev) condamnés à mort. *-5-12* Constitution approuvée par un congrès extraordinaire. **1937-38** arrêtés 7 000 000, exécutés 1 000 000, décédés dans les prisons et camps 2 000 000. **1937**-*23/30-1* procès du « centre antisoviétique trotskiste » ; parmi les accusés et condamnés : Piatakov, Radek. *-16-6* exécution du Mal Mikhaïl Nikolaïevitch *Toukhatchevski* (n. 1893) et de nombreux chefs de l'Armée rouge (4 maréchaux sur 5, 75 m. du conseil militaire sur 80, 14 gén. d'armée sur 16, 60 de corps d'armée sur 67, 136 de division sur 199, 221 de brigade sur 397, les 8 amiraux, les 11 commissaires politiques d'armée, 35 000 officiers supérieurs et subalternes). *Raison :* provocation montée à l'aide de faux documents par les services secrets hitlériens (dans le but de décapiter l'Armée rouge) et dont le Pt tchèque Bénès s'était fait involontairement le complice. **1938**-*2/13-3* procès du « bloc antisoviétique des droitiers et trotskistes ». Parmi les accusés et condamnés : Boukharine, Rykov (ancien chef du gouv.). Épuration des cadres techniques et administratifs (déportés en camps 20 000 000). *Juill.-août* agression jap. repoussée près du lac Khassa.

1939-*23-8 pacte de non-agression germano-sov.* (8 j av. la g. de Pol.) protocole secret plaçant dans la sphère d'influence soviétique : Pologne orientale, Bessarabie roumaine, Estonie et Lettonie. *-17-9* Armée rouge entre en Pologne. *-27-9* partage de la Pol. avec l'All. (Ukraine et Biélorussie pol. réunies aux R.S.S. de même nom). *-29-9* protocole secret ajoutant Lituanie dans sphère sov. et programmant une étroite coopération écon. et militaire avec l'All. *30-11*-**39**/*12-4*-**40** g. de Finlande (qui perd Carélie et partie de la Laponie) ; URSS exclue de SDN. **1940**-*26-6* après ultimatum, la Roumanie cède à l'U. Bessarabie (45 650 km²) et Bukovine (10 432 km²). *-14/18-6* occupation des pays baltes, incorporés à l'U., élections gén. sous contrôle des Sov. **1941**-*6-5* Staline (secr. du parti) devient chef du gouv. *-22-6 invasion all.* (Voir g. germano-r. p. 648). Staline pris au dépourvu préparait lui-même une attaque pour le 7-7 (Opération Orage) et avait démantelé ses défenses, Hitler, sans préparatifs le devança, craignant que l'URSS ne le coupe du pétrole roumain. *-30-6* formation d'un Comité d'État à la Déf. (chef : Staline). *-28-8 :* 800 000 All. de R. (dont 400 000 de la Rép. all. de la Volga) sont déportés au Kazakhstan. **1941-42** 1 360 grandes entreprises ind. (10 millions d'ouvriers) sont déplacées vers Oural, Volga, Sibérie. **1943** *oct.* à **1944** *juin* Staline déporte 1 000 000 de Tchétchènes, Ingouches, Karatchaïs, Balkars, Kalmouks, Tartares [la rép. tartare de Crimée (qui avait collaboré avec All.) est supprimée, et 300 000 Tartares sont installés en Ouzbékistan]. *-8-8* URSS (48 h après Hiroshima) déclare g. au Japon qui capitule *2-9.*

1945 libération, Mal Joukov (1896-1974) reçoit la capitulation all. Le Gal Vlassov (1900-46) qui avait lutté avec les All. se rend avec 3 divisions, 18 000 h., le *7-5-45* à la 3e Armée amér., mais est livré à l'URSS et pendu 1946. De 1945 à 1947 les Occidentaux livrent 2 000 000 de réfugiés soviétiques à l'URSS (dont la *France 102 481*).

État de l'URSS en 1945

• **Destructions dues à la g.** 1 710 villes, 70 000 villages, 65 000 km de voies ferrées, 1 135 mines de charbon (production : 130 millions de t) ; 7 millions de chevaux, 17 millions de bêtes à cornes, etc. 25 millions de sans-abri. *Retard du programme de développement :* 9 ans. *Valeur totale* des destructions (30 % des richesses nationales) : 2 560 millions de roubles, soit 7 années de travail (supérieures aux pertes de 1914-21). **Pertes en hommes :** 26 000 000 (dont milit. 7 000 000) selon Gorbatchev (mai 90).

☞ 900 000 Soviétiques ont combattu du côté de l'Allemagne : 110 000 Turkmènes, 110 000 Caucasiens, 35 000 Tatars, 82 000 Cosaques, 27 000 Lituaniens, 3 divisions S.S. de Lettons, 2 autres d'Estoniens, 1 de Biélorusses, 2 escadrons de Kalmouks, 300 000 soldats du Gal Vlassov et 220 000 Ukrainiens.

• **Agrandissements territoriaux. Territoires acquis dep. 1939** (en km², entre par. pop. 1939 en millions). 682,8 (22,7) dont provinces finlandaises 44,1 (0,5), prov. polonaises 178,7 (11), roumaines : Bessarabie 44,3 (3,2) et Bukovine septentrionale 10,4 (0,5). États baltes : Estonie 47,4 (1,1), Lettonie 65,8 (1,9) et Lituanie 55,7 (2,9), Tannou-Touva 165,7 (0,06), Prusse orientale 11,6 (0,3), Tchécoslovaquie (Ruthénie) 12,7 (0,72). Sud de Sakhaline 36 (0,4) et îles Kouriles 10,2 (0,02) perdues 1905.

A *Yalta,* l'U. a obtenu la reconnaissance des agrandissements de 1940 (Finlande, Roumanie), plus la Pologne orientale et la Bukovine. Elle dut renoncer à annexer une partie de l'Iran (S. de l'Azerbaïdjan), mais étendit, en revanche, son influence sur les États « satellites », Pologne, Hongrie, Tchéc., Roumanie, Bulgarie, et (plus tard) All. de l'E., dont économies et armées furent intégrées aux siennes.

• **Déportations de nationalités.** All. de la Volga 380 000 (dont env. 50 % meurent en route), Karatchaïs 75 000, Kalmouks 124 000, Tchétchènes 408 000, Ingouches 92 000, Balkhass 43 000, Tatars de Crimée 300 000. Ils sont remplacés par des Slaves (Biélorusses, Russes, Ukrainiens). *Ont été rétablis dans leurs régions : 1957 :* Tchétchènes, *1960 :* Ingouches, *1958 :* Kalmouks – Karatchaïs – Balkhass. Expulsés des États baltes. Voir Estonie, Lettonie, Lithuanie p. 1107 et 1108.

1948-*20-6* début du blocus de Berlin. *-28-6* la *Youg. est exclue du Kominform.* **1949**-*25-1* création du *Comecon* (voir p. 830). *-11-5* fin du blocus de Berlin. *-14-7* 1re bombe atomique sov. **1950**-*14-2* tr. d'amitié sino-sov. **1952**-*5/14-10* au XIXe Congrès, Staline prépare un important remaniement de la direction du parti. **1953**-*13-1 complot des médecins* [visant Beria : il aurait constitué une équipe de 9 méd. (dont 6 juifs, « associés à la juiverie internationale ») chargés de faire mourir discrètement les personnalités sov. ; ils auraient tué Chtcherbakov en 1945 et Jdanov en 1948]. *-5-3 Staline meurt* (après 14 h, sans soins, sur ordre de Beria).

1953-55 Malenkov (1902-88) chef du gouvernement. *-9-3* enterrement de Staline (10 à 500 † étouffés). *-28-3* décret d'amnistie (les méd. du « complot des blouses blanches » sont libérés) ; révision du Code pénal. *-10-7* Beria arrêté (exécuté 23-12-53). *-20-8* communiqué sur l'expérimentation de la bombe H. *-3-9 Khrouchtchev,* 1er secrétaire, critique la politique agricole stalinienne. 1953-58 *Boulganine* (1895-1975) Pt du Conseil en 55, puis à la Défense. **1954**-*17-8* décret sur mise en valeur des terres vierges (env. 1 million de volontaires). *-14-9* bombe A sov. larguée sur troupes en manœuvres (pas de morts ni blessés, mais aucun suivi des radiations).

1955-58 Boulganine remplace Malenkov à la présidence du gouv. *-14-5 pacte de Varsovie. -26-5/2-6* Khrouchtchev à Belgrade. **1956**-*14/25-2 XXe Congrès,* dans son rapport secret, Khrouchtchev dénonce fautes et crimes de Staline (motivation de la « déstalinisation » : absoudre les compagnons de Staline qui lui succèdent au pouvoir). *Sept.* 1er vol d'un avion de ligne à réaction, le TU-104. *-22-10* l'U. accepte le retour de Gomulka à la tête du PC polonais. *-4-11 intervention armée à Budapest.* **1957** *le Docteur Jivago* de Boris Pasternak paraît en Italie. *-31-1* réhabilitation de 18 victimes des purges de 1936 dont Toukhatchevski. *-22/29-6* le comité central exclut les membres du « groupe antiparti » Molotov, Malenkov, Kaganovitch, etc., qui ont voulu destituer Khrouchtchev. *-4-10 1er spoutnik. -15-10* accord atomique secret avec Chine. *-27-10* mar. Joukov cesse d'être min. de la Défense ; sera exclu de la direction du parti. *-5-12* 1er brise-glace à propulsion nucléaire *Lénine.*

1958-64 Khrouchtchev (1894-1971) remplace Boulganine à la direction du gouv. [déstalinisation ; suppression des livraisons obligatoires à l'État ; parcs de MTS (stations de machines et tracteurs) vendus aux kolkhozes ; défrichement des terres vierges : création de 105 sovnarkhozes (de Sovietnarodnoie Khozaistvo) (mai 1957), conseils écon. régionaux, puis de 17 grandes régions ind. (60) ; plan de 7 ans (1959-65)]. *-31-3* U. suspend essais nucléaires. *-4-11* Khrouchtchev demande révision du statut de Berlin-O. qui devrait être transformé en « ville libre ». **1961**-*12-4 vol de Gagarine. -3-6* rencontre Khrouchtchev-Kennedy à Vienne. *-17/31-10 XXIIe Congrès :* reprise des attaques contre Staline. Différend avec Chine rendu public. Rupture avec Alb. qui accuse U. de révisionnisme. **1962** *oct.-nov. affaire de Cuba* (retrait des fusées sov.). *Réconciliation avec Tito.* **1963**-*13-5* espion Oleg Penkovski, fusillé. *-16-5 Valentina Tereshkova,* 1re femme dans l'espace. *-5-8 pacte de Moscou* (avec G.-B., USA et la plupart des nations sauf Fr. et Chine) interdisant expériences nucléaires (sauf souterraines).

1964-80 Khrouchtchev remplacé par *Brejnev* (1er secr.) et **Kossyguine** (PM) (1904-81) (opération préparée par A. Chelepine) [reproches : échec agricole, 1963 pour la 1re fois achat de blé étranger, politique intern. (échecs : Cuba, rapports avec Chine, décoration de héros de l'Union sov. donnée à Nasser en 1956)]. Réforme des entreprises ; stimulants écon. (bénéfices) prévus. **1965** suppression des sovnarkhozes, créés en 1957-58, les ministères industriels sectoriels étant reconstitués. **1966** *Mars XXIIIe Congrès* consacre changements décidés lors de la chute de Khrouchtchev. Brejnev, secrétaire gén. du comité central. *Sept.* comité central approuve réforme de Kossyguine qui accroît pouvoirs des gestionnaires. **1967** *juin* rencontre Johnson-Kossyguine à Glassboro (New Jersey, USA). **1968**-*20/21-8 intervention en Tchéc.* **1969** *mars* incidents avec Chinois sur l'Oussouri. L'U. envisage un bombardement nucléaire des installations nucléaires chin. **1970**-*12-8 tr. avec All. féd. de non-recours à la force. Déc.* procès à Leningrad de 9 juifs qui ont voulu détourner un avion de l'Aeroflot, 2 condamnés à mort ; peines commuées en 15 a. de détention. **1971** *Déc.* soutien à Inde et Bangladesh contre Pakistan. **1972**-*23/30-5* Nixon à Moscou. Accords U./USA : partiel sur limitation des armements stratégiques (acc. Salt) ; pour éviter incidents entre navires de g. en haute mer ; sur expérience spatiale commune en 1975 ; de coop. médicale, scient., technol. ; tr. maritime ouvrant 40 ports d'U. et des USA aux cargos de chacun des pays ; contrat de livraison à l'U. de 750 millions de £ de céréales et règlement des dettes de g. sov. aux USA (commerce entre les 2 pays passera de 200 millions à 2 milliards de $ par an) ; *prévisions :* achat de 20 millions de m³ par an de gaz naturel sov. pour 25 ans, à partir de 1980. *-17-7* Égypte expulse R. **1973** fusée Cosmos explose (9 †). **1974**-*23-2* Soljenitsyne expulsé [1er Sov. expulsé depuis Trotski (1929)]. *-9-6* reprise (après 56 a.) relations dipl. avec Portugal. *-27-6/3-7* Nixon à Moscou. *-23-11* à Vladivostok, accord de principe Brejnev-Ford sur armements. **1975**-*15-1* dénonciation du tr. de com. signé en 72 avec USA. *Août* la revue *Kommunist* condamne les P.C. qui ne s'opposent pas au maoïsme. *-9-11* mutins détournent destroyer *Storojevoï* (3 575 t, équipage 240 h.) vers Suède ; attaqué par aviation sov., doit stopper : on parle alors de 50 tués par l'aviation (dont 35 sur un destroyer du même type bombardé par erreur) (pas de † sur le Storojevoï d'après les Izvestia en 1990, un officier mutin sera fusillé). *-17-12 :* 4 artistes dissidents autorisés à quitter l'U. *Déc.* controverses entre *Pravda* et *Humanité* à propos des camps de travail en U. **1976** *Janv.* Brejnev « cliniquement mort » après attaque ; pénurie de pain (récolte céréales 1975 : 140 millions de t sur 215 prévus). *-20/23-1* visite de Kissinger : accord de principe sur SALT (v. index). *-24-2/25-3 XXVe Congrès* (débat entre U. et eurocommunistes). *Nov.* Trofim Lyssenko, biologiste, meurt à 79 ans. **1977**–*8-1* Moscou, attentat dans métro, 7 †. *16-6* Podgorny destitué ; Brejnev le remplace.

1977-82 Brejnev (1906-82). Intervention en Angola et Éthiopie. *-7-10* nouvelle Const. *-13-11* Somalie expulse le R. **1978**-*30-12* Sverdlosk, incendie centrale nucléaire. **1979**-*31-1 :* 3 dissidents arméniens accusés d'attentat dans le métro sont fusillés. *-27-5* les Juifs sont autorisés à émigrer. *Juin* rencontre Brejnev-Carter à Vienne. *Déc.* intervention mil. en Afghānistān. **1980**-*4-1* embargo américain sur livraisons de céréales. *Mars* fusée Vostok explose au cours du remplissage des réservoirs (50 †). *-19-7* Jeux Olympiques. *-10-11* l'historien Andreï Amalrik (n. 1938) † en Espagne (accident voiture). **1981**-*24-4* embargo américain sur céréales levé. *-23/25-10* émeutes à Ordjonikidze. *Nov.* au Caucase. *-1-12* arrêt de travail d'1/2 h à Tallin (Estonie) à l'appel du Front nat. et démocratique de l'Union soviét. (demande rappel des troupes d'Afghānistān, non-ingérence en Pologne, fin des exportations alim. en particulier vers Cuba, libération des détenus pol., diminution de la durée du service milit.). **1982**-*26-1* Mikhaïl Souslov

(n. 1903) meurt. *-15-6* Gromyko annonce que l'URSS s'engage à ne pas utiliser en premier l'arme nucléaire. *-10-11 Brejnev meurt.*

1983-84 Andropov (1914-84). **1983**-*5-4* : 47 diplomates sov. expulsés de France. *-5-6* naufrage sur Volga, 170 †. *-1-9* la chasse sov. abat un Boeing sud-coréen (269 †) survolant par erreur l'URSS *-2/11-11* manœuvres secrètes de l'OTAN (Able Archer) ; l'URSS croit à une guerre. **1984**-*9-1 Andropov meurt.*

1984-85 Tchernenko (1911-85) élu secr. gén. du comité central du PC. **1984**-*11-4* élu Pt du Praesidium du Soviet suprême. *-8-5* U. boycottera J.O. de Los Angeles. *Mai* Juan Carlos Ier en U. (1er voyage off. d'un chef d'État esp. en U.). *13-5* explosion base de Severomorsk (mer de Barents), env. 200 † et 200 bl. ; 1 000 missiles détruits. Incendie : 5 j. *-20/23-6* Pt Mitterrand en U. *Juil.* Molotov, min. des Aff. étr. de Staline en disgrâce dep. 1957, réadmis dans le PC à 94 ans. *Mi-déc.* explosion dans usine travaillant pour la défense en Sibérie, centaines de †. *-19-12* Mal Oustinov, min. de la Défense, meurt. *-22-12* Mal Sokolov, le remplace. **1985**-*10-3 Tchernenko meurt.*

1985 Gorbatchev. *-17-5* mesures contre l'alcoolisme (vente après 14 h, âge min. 21 ans, amendes). *-2-7* Gromyko élu Pt du Praesidium du Soviet suprême ; remplacé aux Aff. étr. par Édouard Chevarnadze qui entre au Politburo dont Grigori Romanov est évincé. *-2/5-10* Gorbatchev à Paris. *-19/21-11* rencontre Gorbatchev-Reagan à Genève. **1986** radar de Krasnoïarsk terminé. *-4-2* 43 dissidents libérés. *-25-2* XXVIIe congrès du PC. *-28-3/-1-4* Mme Thatcher en U. *-15-4* condamnation du raid amér. en Libye. *-26-4* accident nucléaire à *Tchernobyl :* coût de 170 à 215 milliards de roubles (1 600 à 2 000 milliards de F jusqu'à l'an 2000). (V. Index). *-25/-27-5* Gorbatchev en Roumanie. *-27-5* U. expulse 119 ressort. amér. *-18-8* Sov. et Israéliens se rencontrent à Helsinki (1re consultation off. dep. 1967). *-31-8* paquebot *Amiral Nakhimov* coulé mer Noire par cargo (426 †). *-20-9* échec détournement d'avion 6 †. *-22-9* l'or de l'*Edimbourg,* bât. anglais coulé pendant la 2e g., est remonté et partagé entre G.-B. et U. *-30-9* Nick Danilov, journaliste inculpé d'espionnage, rentre aux USA, en échange de Guennadi Zakharov, fonctionnaire sov. à l'ONU, arrêté pour espionnage en août 86 à New York. *10/13-10* rencontre Gorbatchev-Reagan à Reykjavik. *-19-10* U. expulse 55 dipl. amér. *-19/21-10* U.S.A. expulsent 80 dipl. sov. *-19-11* loi sur le travail individuel. *-8-12* Anatoli Martchenko (n. 23-1-38), ouvrier devenu écrivain, un des fondateurs du Comité pour la surveillance de l'application des accords d'Helsinki, meurt en prison. **1986** *déc.* à **1987** *févr.* env. 200 dissidents libérés. **1987** manif à Moscou pour Iosseip Begun (mathématicien juif arrêté nov. 82, condamné oct. 1983 à 7 ans de réclusion + 5 de relégation pour « propagande et agitation anti-sov. »). *-23-1* Begun libéré. *-24-4* Anatoly Koryaguine, médecin condamné à 7 ans de camp en 1981 pour avoir dénoncé l'utilisation des hôpitaux psychiatriques à des fins politiques, autorisé à émigrer. *-28/3-1/4* Mme Thatcher en U. *-6-5* Moscou, manif. de *Pamiat. 28-5* Moscou, *Mathias Rust* (Ouest-All., 19 ans) atterrit place Rouge avec Cessna 172 ; (condamné, 4-9-87, à 4 ans de prison, relâché 3-8-88). *-30-5* Gal A. Koldounov, Cdt en chef des forces de défense aérienne et Gal Sergueï Sokolov, min. de la Défense, remplacés. *-18-6* amnistie partielle. *-6-7* Tatars manif. place Rouge. *-18-8* Démétrios Ier, 1er patriarche de Constantinople à venir à Moscou dep. 4 siècles. *-23-8* pays baltes, milliers manif. contre l'anniversaire de leur rattachement à l'U. *-9-9 :* 6 dissidents juifs dont I. Begun, autorisés à émigrer. *Oct.* Zalman Apterman, refuznik de 99 ans, obtient visa de sortie. *-3-10* Ida Nudel, « mère des refuzniks », autorisée à émigrer. *-8/10-12* Gorbatchev à Washington. Tr. de démantèlement des forces nucléaires intermédiaires. **1988**-*1-1* loi sur l'autonomie des entreprises. Hôpitaux psychiatriques rattachés au ministère de la santé. 1ers chèques en U. *-13-1* accord U./Suède sur partage des zones écon. en mer Baltique (Suède obtient 75 % de la zone en litige). *-28-1* ville et arrondissement de Moscou appelés du nom de Brejnev retrouvent leurs anciens noms. *-19/22-1* emprunt internat. de 100 millions de F suisses auprès de banques eur. et jap. *Janv.* min. des Relations écon. extérieures (MVES) : fusion du min. du Commerce ext. et du comité d'État aux Relations écon. ext. *-9-2* réhabilitation de 20 condamnés du 3e procès de Moscou de 1938 dont Boukharine et Rykov (10 avaient déjà été réhabilités). *-14-2* bibl. de Leningrad : 396 000 livres brûlés, 3 600 000 endommagés par l'eau. *-8-3* détournement d'avion Aeroflot échoue (13 †). *-14/18-3* Gorbatchev en Youg. *-14-4* accords à Genève sur Afghanistan. *-27-4* suicide de Valeri Legassov (académicien). *-11-5* Kim Philby (n. 1912), espion anglais, réfugié à Moscou en 1963, meurt. *-15-5* début du retrait d'Afghanistan. *-26-5* loi sur coopératives. *-29-5/2-6* Reagan à Moscou. *-6-6* concile orthodoxe à Zagorsk (1er dep. 1917). *-6/11-6* millénaire de l'évangélisation de la Russie. *-9-6* Gorbatchev reçoit Mgr Casaroli. Iouri Koroliev, chef de section au secrétariat du praesidium suprême, reconnaît le trucage des élections en U. *-28-6/2-7* 19e conférence nat. du PC (n'avait pas été convoquée dep. 1941). 5 000 délégués (1 pour 3 780 adhérents) « au scrutin secret » (4 991 présents). Création d'un poste de chef de l'État élu au scrutin secret par un nouveau Congrès des députés du peuple. Projet de « Mémorial » dédié aux victimes de Staline. *-27-7* destruction du 1er SS-20 en présence d'Américains. *-29-7* Gorbatchev propose des baux à long terme pour paysans (25, 30, 50 ans). *-28-8* destruction de 3 missiles SS-20. *Sept.* allègement des restrictions sur l'alcool. *-9-9/-1-10* Gorbatchev élu chef de l'État par Soviet suprême ; *-24/27-10* visite officielle du chancelier Kohl. *-28-10* réforme de la Constitution adoptée. *Nov.* construction de 6 centrales nucléaires arrêtée. *-29-11* fin du brouillage des émissions en russe des radios occ. *-1-12* Soviet suprême adopte définitivement amendements à la Const. *-2-12* autorisation d'acheter les appartements d'État. Détournement d'un avion vers Israël ; extradition des 5 auteurs. *-3-12* violoniste Yehudi Menuhin retourne en U., après 10 ans d'interdiction. *-6-12* rencontre Gorbatchev, Reagan et Bush à New-York. *-16-12* nouveau code pénal. *-29-12* suppression des noms de Brejnev et Tchernenko dans dénominations off. *Déc.* dévaluation de 50 % du rouble officiel au 1-1-90 et suppression du contrôle sov. dans les stés mixtes (joint ventures).

1989-*7-1* Pravda annonce la réhabilitation collective des victimes du stalinisme. *-22-1* Moscou, 1er concours de beauté : miss Charm 89. *-15-2* fin du retrait d'Afghanistan. *-16-2* Lituaniens se prononcent pour autodétermination. *-17-2* 1er ambassadeur auprès de CEE. *Du 22-11-88 au 7-2 :* 141 000 Azéris ont fui l'Arménie et 158 800 Arméniens l'Azerbaïdjan. 43 800 Arméniens et 4 100 Azéris sont rentrés chez eux. *-28-2* manif. à Erevan (1er anniversaire de Soumgaït). *Fév.* report de la réforme des prix. *-3-3* la ville d'Andropov reprend son nom de Rybinsk. *-8-3* l'U. reconnaît la compétence de la Cour intern. de La Haye pour la protection des droits de l'homme. *-26-3* 1er tour des élect. au Congrès des députés du peuple (2e t. 9-4, 3e t. 14-5). *Mars* U. émet à Francfort 750 millions de marks d'obligations. *-5-4* Gorbatchev à Londres. *-7-4* naufrage d'un sous-marin nucléaire en mer de Norvège (court-circuit), 27 rescapés, 42 †. *-25-4 :* 110 cadres du plénum du comité central démissionnent. *Avr.* publication du rapport Khrouchtchev. *-1-5* rationnement du sucre à Moscou : 2 kg par mois et par pers., confitures 3 kg l'été. Sucre utilisé clandestinement pour faire de l'alcool (dep. restriction de la vodka en 1985). *-5-5* Mgr Lustiger à Moscou abrège son voyage. *-16-5* Pékin, rencontre Gorbatchev/Deng Xiaoping. *-20-5 :* 200 000 manif. à Erevan, demandent libération des dirigeants arm. *-21-5* 14 Brit. expulsés (dont 8 dipl. et 3 journalistes). 100 000 pers. à Moscou à meeting pour la dém. *-25-5* Congrès élit Gorbatchev chef de l'État (2 123 v. pour, 87 contre). *-27-5* Congrès élit Soviet suprême (libéraux écartés, Eltsine élu). Charnier découvert à Minsk. *Juin* Gorbatchev en All. féd. *Juillet* l'Union des écrivains recommande la publication de *l'Archipel du Goulag.* 1ers plans exacts de Moscou disponibles. *-4-7* Gorbatchev à Paris. *-4-7* après avoir volé une heure sans pilote, un Mig-23 s'écrase en Belgique (1 †). *-11-7* grève de 12 000 mineurs de l'Oural. *-17-7* messe de requiem pour le tsar Nicolas II célébrée à Moscou (la 1re dep. 1918). *-18-7* pour obtenir l'arrêt des grèves, Gorbatchev annonce 100 milliards de F d'importations de biens de consommation. *-31-7* la propagande antisoviétique ne sera plus un crime contre l'État. *Août* Soljenitsyne à la T.V. sov. 200 maquettes pour un monument aux victimes du stalinisme. Egor Ligatchev blanchi des accusations de corruption. *-3-8* Nikolai Vorontsov (biologiste, 55 ans) min. pour la protection de la nature, 1er membre du gouv. n'appartenant pas au PC. *Sept.* l'U. accepte de démanteler le radar de Krasnoïarsk. *-22/23-9* U. renonce à lier l'accord START à l'abandon par USA du projet de « g. des étoiles ». *6/7-10* Gorbatchev en RDA. *-9-10* loi réglementant le droit de grève (jusqu'alors interdit dans secteurs clés). *Oct.* canonisation du 1er patriarche Job et de Tikhon, 1er patriarche après le rétablissement du patriarcat en 1918. 1re messe au Kremlin dep. 1918, (400e anniv. du patriarcat). *-23-10* l'U. propose de supprimer pour l'an 2000 toutes bases militaires à l'étranger. *-24-10* le Soviet suprême propose l'élection des Pts des Républiques au suffrage universel. *-30-10* manif. devant KGB. *-29-11* Gorbatchev à Rome, rencontre Jean-Paul II. *-6-12* Kiev, rencontre Gorbatchev-Mitterand. *-31-1* 1er McDonald à Moscou place Pouchkine.

1990. 1re revue homosexuelle (5 à 10 % de la pop.). *-4-2* Moscou 100 000 manif. pour la démocratie. *-27-2* Pt Havel à Moscou. *-4-3* législatives dans les Républiques. *-3-4* loi sur les modalités de sécession des républiques, principe constitutionnel affirmé par l'art. 72 : jusque-là n'était organisé par aucun texte. *-13-4* agence Tass reconnaît que Katyn a été un « grave crime de l'époque stalinienne ». *-23-4* accord sur le tr. de l'Union entre les 9 + 1 (9 républiques et 1 fédération) ; 6 rép. voulant leur autonomie ou leur indép. refusent d'y participer (3 baltes, Moldavie, Géorgie, Arménie). *-1-5* défilé organisé pour la 1re fois par syndicats (et non PC) : Gorbatchev hué par 10 000 à 30 000 opposants quitte la tribune. *-5-5* U. participe à la réunion ministérielle de l'OTAN sur unification allemande (Conférence 2 + 4). *-15-5* Gorbatchev élu Pt de l'Union. *-16-5* l'U. obtient statut d'observateur au GATT. *-17-5* suspension du retrait des troupes sov. en RDA confirmée. *-25-5* Pt Mitterrand en U. *Juin* Film *l'Aveu* présenté à Moscou. *-13-6* Soviet suprême approuve principe de l'*« économie de marché contrôlée »* (dénationalisation de la propriété d'État, réforme agricole, financière et bancaire). *-19-7* bombe dans un train (4 †). *-20-7* plan « Eltsine » de privatisations et de libération des prix. *-30-7* relations diplom. avec Albanie (rompues dep. 1961). *-1-8* censure pol. supprimée. *-9-8* création d'un fonds des privatisations. *-9-9* Moscou, père Alexandre Menn assassiné. *-16-9* 50 000 manif. pour la démission du PM Nikolaï Ryjkov. *-30-9* relations consulaires avec Israël officielles. *-1-10* loi sur la liberté de conscience. *-7-11* Alexandre Chmonov tire 2 coups de feu sur Gorbatchev. *-18-11* Gorbatchev au Vatican. *-24-11* Traité de l'Union définit les structures d'une « U. des Rép. souv. d'URSS » et permet à chaque Rép. d'agir en tant qu'État souverain sur son propre territoire, l'État féd. étant chargé de la coord. des politiques étr., écon. et de défense. *-29-11* l'U. vote la résolution 678 de l'ONU autorisant le recours à la force en Irak. *-20-12* Chevardnadze, min. des Aff. étr. dep. 1985, démissionne pour protester contre « l'avancée de la dictature ». *-24-12* loi obligeant les 15 Rép. à organiser un référendum sur leur appartenance à une « Union sov. rénovée », suivi d'un autre référendum sur la propriété de la terre. *-27-12* révision constit. : cabinet min. resp., vice-Pt, conseil de sécurité, cour suprême d'arbitrage et conseil de la féd. *-29-12* décret applicable au 1-1-1991 créant TVA à 5 % sauf sur alimentation.

1991-*7-1* pour la 1re fois dep. 1917, Noël orthodoxe devient férié. *Mars-avril* grève des mineurs. *-17-3* référendum sur « maintien de l'Union des rép. soc. sov. en tant que fédération renouvelée de rép. souveraines et égales en droits ». Sur 15 rép., 6 (Estonie, Lituanie, Lettonie, Moldavie, Géorgie, Arménie) refusent de voter, 4 (Biélorussie, Kirghizie, Turkménistan, Tadjikistan) posent la question exacte, 5 posent une question différente (ex. au Kazakhstan État et non rép.) ou ajoutent une question (ex. Russie : pour ou contre l'élection du Pt de Russie au suffr. universel direct ; 75,09 % des électeurs donnent leur avis : oui 69,86 %). 1 059 circonscriptions. Participation 80 % : 148 574 606 votants : oui 76,4 %, non 21,7, nuls 1,9. *Résultats officiels* (participation en % et, en italique % de oui) : RSFSR 75,4 ; *71,3.* Ukraine 83,5 ; *70,2.* Biélorussie 83,3 ; *82,7.* Ouzbékistan 95,4 ; *93,7.* Kazakhstan 88,2 ; *94,1.* Azerbaïdjan 75,1 ; *93,3.* Kirghizie 92,9 ; *94,6.* Tadjikistan 94,4 ; *96,2.* Turkménistan 97,7 ; *97,9.* Bachkirie 81,7 ; *85,9.* Bounatie 80,2 ; *83,5.* Daghestan 80,5 ; *82,6.* Kabardino-Balkane 76,1 ; *77,9.* Kalmykie 82,8 ; *87,8.* Carélie 75,8 ; *76.* Komi 68,2 ; *76.* Mari 79,6 ; *79,6.* Mordovie 84,3 ; *80,3.* Ossétie du N. 85,9 ; *90,2.* Tatarie 77,1 ; *87,5.* Touva 80,6 ; *91,4.* Oudmourtie 74,3 ; *76.* Tchétchènes-Ingouches 58,8 ; *75,9.* Tchouvachie 83,1 ; *82,4.* Iakoutie 78,7 ; *76,7.* Karakalpakie 98,9 ; *97,6.* Abkhazie 52,3 ; *98,6.* Nakhitchévan 20,6 ; *87,3. -1-4* hausses de prix. *-9-4* début du retrait des troupes sov. de Pologne. *-13-4* Jean-Paul II nomme 6 évêques et administrateurs apostoliques. *-16-4* Gorbatchev au Japon. *-9-5* Chine et U. déclarent qu'ils ne sont plus une menace l'un pour l'autre. *-12/19-5* 1re visite d'un secr. général du PC chinois (Jiang Zemin) dep. 1957. Accord sur tracé frontière orientale. *-12-5* destruction du dernier SS-20. *-22-5* U. demande à l'Occident 100 milliards de $ pour sauver la perestroïka. *-5-6* Gorbatchev à Oslo pour recevoir Prix Nobel de la Paix 90. Voir également Dernière heure p. 11.

Glasnost (transparence) : au XIXe s. : « publicité » des débats, des décisions de justice, etc.

Perestroïka (réforme) : au XIXe s. : refonte intérieure de l'âme, restructuration d'une affaire ou réorganisation de l'État.

Politique extérieure 1825 à 1917

Soutien aux États conservateurs. Nicolas Ier est l'allié de Charles X de 1827 à 1830 (opérations contre Turquie) ; il s'oppose à Louis-Philippe, considéré comme un chef révol. (l'apparition du drapeau tricolore sur l'amb. de Fr. à Varsovie a déclenché le mouvement pol. de 1830-31), l'empêche d'annexer la Belg. en 1832, décrète un deuil off. de 21 j lors de la mort de Charles X (1836). En 1848 il sauve la monarchie autr. des libéraux germanophones et nationalistes hongrois ; impose le statu quo de 1815 ; il sauve aussi la monarchie prussienne. Il la croyait conservatrice, alors qu'elle était protestante, anticatholique, décidée à remplacer la Confédération de 1815, conservatrice, par un empire novateur, empêchant une coalition d'États conservateurs de lui casser les reins. **1849** il prend parti pour Nap. III, à cause de son conservatisme clérical (écrasement de la révol. romaine ; destruction de la IIe Rép. fr.). **Après 1855** la victoire franco-anglo-turco-piémontaise de Crimée et l'humiliant *tr. de Paris* (1856) conduisent Alexandre II à ne s'intéresser qu'à l'expansion russe par tous les moyens : le choix des alliés eur. ne dépend plus du conservatisme de leur gouv. mais de leur utilité dans l'expansionnisme russe.

Expansionnisme. Au XVIIIe s. pour Pierre le Grand et Catherine II, l'empire r. ne doit pas cesser de s'agrandir, s'il ne veut pas rétrograder. Au XIXe s. principaux objectifs : a) **Constantinople et les Détroits** (en r., Constantinople se dit *Tsarigrad,* « la ville des tsars ») ; b) **Europe orientale :** constitution d'une double fédération, qui serait sous la protection de la R. : α) *féd. des nations slaves* [Polonais (catholiques), Tchèques (protestants), Bulgares, Serbes (orthodoxes), Bosniaques (musulmans), Croates (catholiques), etc.] ; les Slaves sont dans l'ensemble russophiles, sauf les Pol., antirusses ; β) *féd. des nations orthodoxes,* quelle que soit leur race : Roumains (latins), Grecs ; ethnies balkaniques diverses (surtout slaves) ; églises arabes du Proche-Orient ; c) **Régions caspiennes :** depuis le tr. de *Tourkmantchaï* (22-2-1828), les R. ont progressé en Géorgie, Arménie, Azerbaïdjan jusqu'à l'Araxe. Il leur faudrait conquérir l'Iran (ou l'Afghan.) pour accéder au golfe Persique ; d) **Asie centrale :** s'agrandir aux dépens des nomades asiat. ; e) **Extrême-Orient :** acquérir des prov. maritimes, au littoral dégagé des glaces, pour accéder au Pacifique.

Politique vis-à-vis des différents États

Angleterre. Nicolas Ier la considère comme un adversaire pour des raisons relig. et pol. (libéralisme, protestantisme, accord avec les libéraux fr.). **A partir de 1841,** elle est la principale rivale à l'expansion r. vers Méditerranée et mers chaudes de l'Asie. L'Angl. veut : 1) empêcher le démembrement de la Turquie, qui livrerait à la flotte r. Constantinople et l'accès vers la Méditerranée ; 2) écarter les R. de Perse et d'Afghanistan, d'où ils pourraient couper ses communications avec l'Inde ; 3) empêcher leur hégémonie en Extrême-Orient. Elle ne fera la g. qu'une fois (g. de Crimée, avec l'alliance fr. et turque 1854-55, voir p. 632), mais s'opposera à la R. par tous les moyens jusqu'à 1914 (voir plus loin). **1895** l'Angl. impose à la R. une frontière laissant à l'Afghanistan une bande de 20 km de large le long du fleuve Oxus (ainsi, pas de frontières communes R.-Inde). **1896** les R. obtiennent la concession d'une voie ferrée en Perse de la Caspienne au golfe Persique, et le monopole des nav. de g. en Caspienne ; ils créent la *Banque des prêts de Perse* qui leur assure la maîtrise financière de l'État persan. L'Angl. se fait attribuer les recettes douanières des ports du golfe Persique. **1896** *affaire de Transchinois :* Nicolas II veut organiser à partir de Moukden et de Port-Arthur un réseau ferré lui assurant le monopole du commerce chinois. Il constitue une Sté r.-fr. puis une Sté r.-belge. L'Angl. fait donner par la Chine la concession aux Américains. **1904-05** l'Angl. entreprend de faire battre la R. par le Japon. Elle détache la Fr. de la R. (car l'escadre fr. d'Extrême-Orient est inférieure à la marine jap.), en signant le 8-8-1904 avec la Fr. un accord naval. **1907**-*31-8* accord naval anglo-r. : l'Angl. appuie la R. contre l'All. (son réarmement naval voulu par Guillaume II en fait l'ennemi no 1). **1914** *août* l'Angl. laisse les 2 cuirassés all. *Goeben* et *Breslau* rejoindre la mer Noire et renforcer la flotte turque. **1915** elle monte (avec les Fr.) l'opération des Dardanelles, pour occuper Constantinople et renégocier sa remise à la R., puis abandonne l'attaque des Dardanelles alors que la résistance turque est à bout (manque de munitions). **1916** l'Angl. reconnaît à la R. le droit d'annexer Constantinople.

Autriche. Jusqu'en 1848 l'Autriche conservatrice est une alliée privilégiée [intervention armée pour sauver François-Joseph (1848-49)]. Mais en **1854** l'Autr. s'oppose à l'annexion des principautés roumaines par la R. [elle voudrait acquérir le bassin du Danube jusqu'à la mer Noire, alors que les R. suivent un axe N.-S. d'Odessa vers la mer Égée (de cette rivalité naîtra la g. de 1914-18)]. *-20-4* l'Autr. s'allie avec la Prusse : la R. doit renoncer à l'annexion des principautés ; *juin,* la Turquie autorise l'Autr. à les occuper provisoirement jusqu'à la fin de la g. Pressée par les Anglo-fr. d'entrer en g. contre la R., elle reste neutre (2-12-1854) et adhère seulement à leurs propositions de paix. La R., dès lors, soutient ses sujets slaves et orthodoxes en perpétuelle rébellion. **1856** (congrès de Paris), l'Autr. s'oppose à la réunion en un seul État des 2 principautés roumaines (voulue par la R.). **1878** (congrès de Berlin), l'Autr. s'allie à l'Angl. et obtient d'occuper la Bosnie-Herzégovine, ce qui fait d'elle une puissance balkanique (ennemie de la Serbie pro-r.) et sera la cause directe de la g. de 1914. **A partir de 1880,** les pangermanistes autr. mènent la même politique expansionniste que les All., alliés aux Hongrois, anti-r., anti-roumains, anti-serbes. Il n'y a plus d'accord possible avec la R. **1914** l'armée russe porte ses coups les plus violents contre l'Autr. (1 328 000 prisonniers autr. en 3 ans).

France. 1830-49 elle est d'abord une ennemie, car libérale sous Louis-Philippe et républicaine en 1848-49. **1849-54** avec Napoléon III, la Fr. redevient conservatrice et Nicolas Ier lui accorde sa sympathie. **1854-55** N. III s'allie à Angl. et Turquie (g. de Crimée). **1870-71** par ressentiment, Alexandre II laisse écraser la Fr. par la Prusse. **A partir de 1881,** l'alliance fr. devient indispensable au tsar pour des raisons financières : pour la Fr., le « rouleau compresseur r. » permettra de vaincre l'All. et de récupérer l'Alsace-Lorraine. Les Fr. investirent ainsi 16 milliards de F-or en R. jusqu'à 1911 ; mais l'or fr. profite essentiellement au commerce all., les R. achetant leurs biens d'équipement en All. (les révolut. r. jugent la Fr. complice des excès tsaristes ; *1917* ils refuseront de rembourser l'argent prêté, le considérant entaché de crimes contre les droits de l'homme). **1911** *déc.* après avoir aidé la Fr. à s'installer au Maroc, Nicolas II réclame aux Fr. de prendre position en faveur de l'occupation par la R. du Bosphore et des Dardanelles. La Fr., craignant l'Angl., ne cédera qu'en 1915, une fois la Turquie entrée en g. aux côtés de l'All.

Prusse. Indifférence tant que l'All. se désintéresse de la question d'Orient. *A partir de 1879,* quand Bismarck satisfait de victoires à l'O., a joué la carte autrichienne (expansion du germanisme vers le bas Danube et la Turquie), la Pr. devient une ennemie en puissance (exception : en Pol., la prussianisation est bien vue, elle affaiblit le polonisme). **1863**-*8-3* convention avec Bismarck pour réprimer militairement la subversion pol. russo-all. **1875** querelle Gortchakoff-Bismarck [Bismarck voudrait attaquer la Fr. (simple bluff). Gortchakoff le hait et le méprise ; Alexandre III interdit à Bismarck de menacer la Fr.]. **1878** *tr. de Berlin,* Bismarck se rapproche de l'Angl. après les victoires r. sur la Turquie, et fait annuler le tr. de San Stefano, avantageux pour les R. **1881** à partir d'Alexandre III l'All. est considérée comme une ennemie en puissance, comme l'Autr., d'où rapprochement avec la Fr. Cependant, Nicolas II et Guillaume II étaient amis et parents (cousins germains par alliance, la tsarine étant cousine germaine de G. II). **1905**-*24-7* à *Björkö* Guillaume arrache à Nicolas un tr. d'alliance défensive, séparant la R. de la Fr. hostile à l'All., mais le ministre russe Lansdorf le fait annuler. D'ailleurs, à cette époque, les « pangermanistes » all. songeaient à enlever à la R. les plaines à blé de l'Ukraine (*« Drang nach Osten » :* marche vers l'E.).

Turquie. La R. cherche à conquérir Constantinople et les détroits (accès vers la Méditerranée). **1676** 1re g. de conquête. **1687-1792** 6e g. : avance du Donetz au Dniestr et au Caucase. **1798-1806** alliance militaire (unique) ; les escadres r. franchissent librement les détroits et conquièrent les bases françaises de l'Adriatique. **1806-12** 8e g. : la R. atteint le Danube (annexion de la Bessarabie 1812), mais perd l'Adriatique. **1828-29** offensive r. : Balkans (Andrinople pris) et Arménie (Kars et Ezzeroum pris, marche sur Trébizonde) ; **1829**-*14-7 tr. d'Andrinople ;* la R. annexe bouches du Danube et littoral oriental de la mer Noire jusqu'à la baie de St-Nicolas. **1833**-*8-7 tr. secret d'Unkiar-Skelessi :* alliance défensive et offensive pendant 8 ans ; en échange, la T. ferme les Dardanelles à tout navire de g. étranger. **1841**-*13-7* l'Angl. intervient pour substituer le *tr. de Londres* à celui d'Unkiar-Skelessi. Une garantie internationale remplace le protectorat r. : détroits neutralisés et interdits à tout navire de g. **1853-56** Mentchikoff réclame le protectorat des orthodoxes de T. (10 millions d'h.) ; le sultan est soutenu par l'Angl. et la Fr. (qui avait le protectorat des chrétiens de Terre Sainte dep. 1740). **1853**-*4-11* la T. déclare la g. et grâce à la victoire fr.-angl. de Sébastopol, s'en tire aux moindres frais : les principautés roumaines sont placées sous le protectorat de l'Europe ; la mer Noire est démilitarisée (avantage pour la T.). **1877-78** g. déclarée par la R., par suite de représailles t. contre les orthodoxes des Balkans (Bulgares, Serbes, Monténégrins). Conquête de Bulgarie et Thrace. Prise de San Stefano, près de Constantinople, mais l'arrivée d'une escadre angl. dans la mer de Marmara sauve Constantinople. **1878** *mars tr. de San Stefano :* une « Grande Bulgarie » (protectorat r.) menace Const. ; *août tr. de Berlin :* les R. sont spoliés de leur victoire ; leurs alliés roumains, bulgares, serbes et monténégrins obtiennent quelques satisfactions. **1912** g. contre les Turcs par États (balkaniques) interposés, qui arrachent des concessions aux T., et finiront par les chasser des Balkans. Mais les R. les avertissent : Constantinople est un domaine réservé aux tsars. **Après 1913,** les manœuvres r. pour enlever Constantinople sont, en fait, dirigées contre l'Autr. : le tsar sait qu'il ne pourra réussir qu'à la faveur d'une g. europ. **1914-16** la R. en g. obtient des Angl. et Fr. la cession de Const. L'Angl. a cédé, par crainte d'une défection r. La défaite r. de 1917-18 empêche la réalisation du projet russe.

Protection des petits pays. Outre les États slaves et orthodoxes d'Eur. (voir ci-dessus), la R. s'est intéressée à l'*Éthiopie* (assimilant les coptes à des orthodoxes). **1889** un aventurier russe, Achinoff, tente avec des mercenaires de conquérir l'Éthiopie ; il échoue, mais laisse de nombreux missionnaires. **1893** les Églises orthodoxes et éth. signent des accords de coopération (en 1900 le Gal russe Leonteoff sera nommé gouverneur gén. des possessions équatoriales de l'Éthiopie). **1898** lors de l'affaire de Fachoda, R. d'Éthiopie collaborent avec Fr. du Soudan ; mais la Fr. recule devant la g., et la R. n'insiste pas.

Politique depuis 1917

Responsables de la diplomatie. 1917-18 Trotski. **1918** *mars*-**30** Georges Vassilevitch Tchitcherine (1872-1936). **1930-39** Litvinov (Wallach Finkelstein) (1876-1951). **1939-45** Molotov (Viatcheslav Skriabine, 1890-1986). **1957-85** Gromyko (n. 1909). **1985-90** Chevarnadze (n. 1928).

Guerre contre les puissances capitalistes. 1917 *nov.* Lénine proclame le décret sur la paix, l'idéal révol. étant incompatible avec l'état de g. Mais les All. refusent de mettre fin aux hostilités sans conditions : lançant une offensive contre Petrograd, ils obligent les bolcheviks à signer un tr. classique de vaincus (Brest-Litovsk, *3-3-1918).* Trotski forge l'Armée rouge qui, après l'effondrement austro-all. de nov. 1918, mènera la g. contre les Alliés, antibolchevistes et protecteurs des tsaristes, ou Russes blancs. **1918-20** l'Angl. mène de nombreuses opérations en mer Noire contre les bolcheviks et occupe la Géorgie (afin de contrôler les champs pétrolifères du Caucase). **1919** s'oppose à la remise de Constantinople aux Grecs (la France, v. après). Les bolcheviks reconquièrent les parties r. de l'U., mais font de lourdes concessions (Finlande, Pays baltes, Pologne orientale, Roumanie). Ces territoires, détachés, forment un « cordon sanitaire » entre l'Europe capitaliste et l'U. Leur reconquête sera un des 1ers objectifs de l'U. Après la g. r.-turque de 1919-22, la R. fait des concession en Arménie. Au XXe s., la question de Constantinople est moins importante pour l'U. [progrès de la navigation dans les autres mers (Baltique, océan Glacial Arctique, Pacifique) ; régime plus libéral des Détroits].

Concessions aux capitalistes. Tchitcherine rétablit des relations commerciales avec nations capitalistes. Motifs : *a)* les investissements étrangers sont indispensables. En 1931 les USA exportent 60 % de leurs machines vers l'U., et en 1932 la G.-B. 80 %. Sans les transferts occidentaux de techniques, d'usines clés en main et de spécialistes, les grands travaux staliniens n'auraient pu être réalisés ; les aciéries de Magnitogorsk (1er complexe mondial du genre) ont été fournies par MacKee Corporation, le barrage hydro-électr. du Dniepr avait comme maître d'œuvre Hugh Cooper, les raffineries du 2e Bakou furent construites par l'Universal Oil Products, la Badger Corporation et la Lummus Company, les Amér. construisirent le barrage de Dnieprostroï. *b) l'Armée rouge* a besoin de la technologie militaire all. (après l'accord de Rapallo le 16-4-1922 avec l'All. les All. utilisent des terrains de manœuvre en U.).

Expansionnisme révolutionnaire. Le *Komintern* soutient les révolutionnaires de tous les pays, notamment en Chine, Indochine, Mexique, aussi les relations pol. avec les États occid. restent tendues malgré les bonnes relations commerciales et financières.

Rapprochement apparent avec les démocraties (1934-36). Staline prend apparemment parti contre Hitler (mais la coopération mil. avec l'All. n'est pas interrompue). **1934** l'U. entre à la SDN. **1935** accord limité avec Fr. (Pierre Laval), *mai* accord avec Tchéc. (aide mil. sov. reste subordonnée à l'accord de Roum. et Pol.). **1936** accord secret avec Fr. pour faire passer des armes à l'Esp. rép. **1939** la victoire de Franco persuade Staline que les démocraties sont incapables de résister au fascisme.

Préparation de la 2e g. mondiale (1936-41). Hitler veut conquérir la R. **1936** Staline, manœuvré par les services secrets nazis, anéantit les cadres de l'Armée rouge (affaire Toukhatchevski). *-25-11* Hitler signe avec Japon puis avec l'Italie (*6-11-1937*) le *pacte anti-Komintern.* Staline l'interprète comme une manœuvre de propagande pour mobiliser en faveur de l'All. l'idéologie antibolchevique (en fait, le Jap. n'a pas soutenu Hitler contre l'U. en *juin 1941,* et Mussolini a fait très peu ; seule la Hongrie, ayant adhéré en *avril 1939,* a pris le pacte au sérieux). **1939** Molotov (révolutionnaire réaliste) remplace Litvinov (tendances occidentales) : Staline croit à la g. entre puissances « capitalistes ». Occasion pour l'U. de renforcer sa puissance. **1939**-*23-8 pacte germano-sov.* [Staline veut récupérer les territoires perdus en 1920-23 (objectif atteint entre sept. 1939 et oct. 40) et refaire son armée désorganisée par les purges de 1936]. **1941**-*22-6* agression all., l'U. ne cherche qu'à résister, avec l'aide des Alliés.

Expansionnisme soviétique après 1944. Staline estime possibles de vastes annexions en Europe et en Extrême-Orient, et organise une Europe centrale com. soumise à son influence. L'aide aux mouvements révolut. dans le tiers monde (Viêt-nam, Cuba, Afrique) devient très active, sauf dans la zone atlantique, où les accords de Yalta ont reconnu la suprématie amér. (abandon de la révol. portugaise, *1974*). Coût de l'établissement en Éthiopie d'un régime marxiste-léniniste 3 milliards de $; fournitures d'armes aux pays africains, 7 milliards de $; entretien de Cuba 6 millions de $/j (en 1979). Intervention en Afghanistan. Voir p. 837.

Guerre froide (1946-63)

Origine. **1946**-*5-3*-à Fulton (Missouri) Churchill parle de « rideau de fer » (fermeture des frontières entre États satellites et Europe occid.). **1947**-*12-3* Truman proclame sa « doctrine » (à propos des visées sov. sur Grèce et Turquie) promettant une aide écon. et mil. à tout pays menacé par l'U. *Avr.* conférence sur l'All. à Moscou, échec : les zones d'occupation occid. et sov. restent séparées ; aucune paix définitive en vue. *Mai,* com. exclus des gouv. fr. et it.

Du plan Marshall à la guerre de Corée. **1947**-*5-7* le Gal américain Marshall met au point son plan de sauvetage des pays européens ; la Chine de Tchang Kaï-chek semble perdue ; les Am. veulent conserver l'aide prévue par la doctrine Truman aux États eur., y compris l'Allemagne ; ils espèrent attirer les pays de l'E., par l'espoir d'une aide économique. *-2-7* les pays de l'E. refusent. *-5-10* l'U. crée le *Kominform,* remplaçant le Komintern (créé 1919, dissous 1943) et chargé de coordonner, en politique extérieure, l'action des États et des partis communistes.

1948 *févr.* la Tchéc. tente de quitter le camp du « rideau de fer », mais un coup d'État policier pro-comm. *(« coup de Prague »)* la remet dans le camp sov. Les Occidentaux décident, en compensation, de relever l'All. de l'O. Riposte sov. : *blocus de Berlin* (juin 1948/mai 1949). Les Occid. ravitaillent B. par avion. *Juin* la Youg. quitte le bloc sov., sans rejoindre le bloc occidental (titisme = non-engagement).

1949 *avr.* création de l'OTAN. *Mai/oct.* proclamation de 2 États all. : occidental (RFA), communiste (RDA). *Sept.* les comm. achèvent la conquête de la Ch. 1re bombe atomique sov. Les Russes mettent au pas l'armée polonaise (Mal Rokossovski, Mal sov. d'or. pol., ministre de la Défense en Pol.).

De la guerre de Corée à la conférence de Genève (1950-53). **1950** g. de Corée (Staline teste la volonté de résistance am.). L'ONU soutient la C. du S, la g. froide semble dégénérer en g. mondiale. Mais l'U. sait que Truman n'interviendra pas contre elle si l'U. ne prend pas part directement au conflit : elle n'envoie pas de troupes officielles et remporte un succès moral. **1953**-*5-3* Staline meurt. La tension diminue : *juill.* armistice en Corée. *12-8* 1re bombe thermonucléaire sov. **1954** *oct.* les Fr. rejettent la CED, d'où réarmement de l'All. occ. **1955** *mai : pacte de Varsovie* (alliance mil. des pays de l'E.) *Juil.* R. et Am. se rencontrent à Genève ; ils n'aboutissent à aucun accord sur le désarmement mondial, mais la tension diminue du seul fait de la conférence.

Effets de l'« esprit de Genève » (1956-63). **1956** *févr.* Khrouchtchev proclame la déstalinisation au XXe Congrès du Parti. *Oct.-nov.* les Hongrois se révoltent contre l'U. ; au même moment les Français (mollement soutenus par les Angl.) ont attaqué le canal de Suez pour faire tomber Nasser. L'U. exige le retrait des Fr.-Brit., la Fr. accepte et laisse l'U. écraser la révolte hongroise. Le prestige de Khrouchtchev est renforcé. **1957**-*4-10* lancement du Spoutnik. L'équilibre pol. et écon. semble rétabli entre les 2 « Super-grands » et la g. froide perd sa raison d'être. **1958** conférence de Genève sur l'arrêt des essais nucléaires. **1959** rencontre Eisenhower-Khrouchtchev. **1960** *mai* Khrouchtchev lance la doctrine de la *« coexistence pacifique »* et accepte une conf. à 4 à Paris [mais un U2, avion espion am. (pilote Gary Powers) ayant été abattu en U., il quitte la conf.]. **1961** *août* construction du mur de Berlin pour empêcher les All. de l'Est d'émigrer en All. féd. **1962** les R. installent des fusées à Cuba, mais les retirent dès le 1er ultimatum de Kennedy (oct.) (les Amér. retirent leurs fusées de Turquie). **1962-63** rupture entre U. et Chine. **1963** *juill.* renonçant à la g. froide voulue par la Chine, l'U. signe avec U.S.A. *l'accord de Moscou* sur l'arrêt des essais nucléaires. Le rapprochement entre Fr. et Chine crée une sorte de 3e force, niant la bipolarisation du globe.

Liste non exhaustive des conflits régionaux où des militaires soviétiques ont combattu depuis 1950. Afghanistan (22-4-1978/30-11-79, puis intervention officielle 1979-89), Angola (nov. 75-nov. 79), Corée (50-53), Égypte (18-10-62/31-3-63 ; 1-10-69/16-7-72 ; 5-10-73/31-3-74), Éthiopie (9-12-77/30-11-79), Syrie (5 au 13-6-67 ; 6 au 24-10-73).

Relations franco-soviétiques

Après la Révolution de 1917 la Fr. tentera de récupérer ses investissements en R. En 1918-20 avec l'aide de la Pologne francophile, et s'appuyant sur ses bases navales d'Odessa et de Crimée, elle protège le gouv. dictatorial du chef cosaque Petlioura en Ukraine, qui reconnaît pratiquement son protectorat et lui accorde la mainmise sur l'ind. du Donetz comme garantie de la dette contractée par les tsars. La défaite de Petlioura consacre la liquidation des avoirs fr. en R. **Après 1921,** les bolcheviks joueront contre la France la carte allemande.

1924-*28-10 la Fr. reconnaît l'U.* **1932**-*29-11 pacte de non-agression.* **1934**-*5-12* tr. sur l'intéressement mutuel dans la conclusion d'un pacte régional oriental. **1935**-*2-5 pacte d'assistance mutuelle Staline-Laval.* **1941**-*30-6* relations dipl. rompues par Vichy. *-26-9 l'U. reconnaît le Gal de Gaulle chef de la Fr. libre.* **1944**-*2/10-12 visite du Gal de G., tr. d'alliance et d'assistance mutuelle pour 20 a.* **1955**-*7-5* l'U. dénonce le pacte ; cause : ratification fr. des accords de Paris avec l'All. féd. **1956**-*6-11* tension à propos de Suez. **1960**-*23-11/3-12 Khrouchtchev à Paris,* accord économique. **1964**-*30-10* accord commercial pour 1965-69. **1966**-*20-6/1-7 de Gaulle en U.* **1969**-*26-5* accord écon. pour 5 a. **1970**-*6/7-10* Pt Pompidou en U. **1971**-*25/30-10* Brejnev en Fr. **1973**-*10-7* programme décennal de l'approfondissement de la coop. écon. et ind. *-23-7* scient. et techn. **1974**-*12/13-3* rencontre Pompidou-Brejnev à Pitsounda (Géorgie). *Déc.* Giscard d'Estaing-Brejnev à Rambouillet. **1975**-*19/24-3* J. Chirac en U. *-14/18-10* Pt Giscard d'Estaing en U. ; rencontres périodiques au sommet prévues ; 5 contrats écon. (2 455 milliards de F) **1976**-*16-7* accord sur arme nucléaire. **1977** déclaration sur détente. **1980** *mai* rencontre Brejnev-Giscard d'Estaing à Varsovie. **1982** contrat d'achat de gaz sov. **1983**-*5-4* 47 dipl. sov. expulsés de Fr. **1984** *juin* Pt Mitterrand en U. **1985** *oct.* Gorbatchev en Fr. **1986**-*7/10-7* Pt Mitterrand en U. **1987**-*14/16-5* PM Chirac en U. **1988**-*25/26-11* Pt Mitterrand en U. **1989** *4/7* Gorbatchev en Fr. *-6-12* Pt Mitterrand à Kiev. **1990**-*25-5* Pt Mitterrand en U. *-28/29-10* Gorbatchev à Paris. *29-10* traité franco-sov. d'entente et de coopération signé à Rambouillet.

Politique intérieure

• **Statut fédéral.** L'URSS (fondée 30-12-1922) « est un *État multinational fédéral uni,* constitué selon le principe du fédéralisme socialiste, par suite de la libre autodétermination des nations et de l'association librement consentie des Républiques socialistes soviétiques égales en droits » (art. 70). Elle comprend *15 Rép. fédérées souveraines,* qui peuvent faire sécession (art. 72) mais il faut (loi du 3-4-1990) un référendum avec majorité des 2/3 des inscrits et l'approbation du Parlement féd.

Républiques fédérées. Chacune a sa Constitution (établie sur la base de la Constit. de l'U. et qui tient compte de ses particularités nationales) ; possède ses organes supérieurs du pouvoir d'État : Soviet suprême, Présidium du Soviet suprême, Conseil des min., Cour suprême, soviets des députés, des travailleurs et leurs comités exécutifs, législation civile et criminelle, du travail, de la famille, hymne, drapeau, armes et capitale. Chacune a le droit d'entrer en relations directes avec un État étranger, de signer des accords, d'échanger des représentants diplomatiques et consulaires, de sortir librement de l'U. Certaines Rép. féd. comprennent des Rép. autonomes.

Républiques autonomes (20 dont RSFSR 16, Géorgie 2, Ouzbékistan et Azerbaïdjan 1). Chacune est une formation politique qui fait partie intégrante de la Rép. fédérée (elle possède une Constitution et des organes supérieurs du pouvoir [Soviet suprême (1 seule chambre élue pour 5 ans), Conseil des ministres]. Son territoire ne peut être modifié sans son consentement.

Régions autonomes (8 dont RSFSR 5, Géorgie 1, Azerbaïdjan 1, Tadjikistan 1). Formations nationales et territoriales qui bénéficient de l'autonomie administrative. Le Soviet des députés des travailleurs de la région autonome en est l'organe du pouvoir d'État.

Districts autonomes (13 dont RSFSR 10, Géorgie 1, Azerbaïdjan 1, Tadjikistan 1). Réservés aux minorités.

• **Fêtes nationales.** 7-8 nov. (révolution d'Oct.) ; 9 mai (j de la victoire) ; 7 oct. (j de la Constit.).

• **Constitution de l'URSS du 7-10-1977** amendée le 1-12-1988 (modifiant celle du 5-12-1936). « État socialiste du peuple entier » (art. 1). L'*État socialiste,* au cours de son développement, traverse *2 étapes historiques* : 1°) **passage du capitalisme au socialisme** jusqu'à la victoire totale et définitive de ce dernier ; l'État soc. est alors un État de *dictature du prolétariat,* forme particulière selon Lénine de l'alliance des ouvriers et des paysans conclue en vue de renverser complètement le capital et d'instaurer et de consolider le socialisme. La classe ouvrière en tant que classe la plus avancée et politiquement la mieux organisée joue le rôle dirigeant. 2°) **après la victoire définitive du socialisme,** réalisée en U., l'État est devenu un État du peuple tout entier exprimant la volonté et les intérêts de l'ensemble du peuple soviétique, et non plus les intérêts et la volonté d'une classe déterminée. L'État agit en fonction de l'idéal communiste : le libre développement de chacun est la condition du libre développement de tous. « Tout le pouvoir appartient au peuple » qui « exerce le pouvoir d'État par l'intermédiaire des Soviets des députés du peuple, qui constituent la base politique de l'U. Tous les autres organes d'État sont soumis au contrôle des Soviets... et responsables devant eux » (art. 2). « L'organisation et l'activité de l'État... se conforment au principe du centralisme démocratique : tous les organes du pouvoir d'État... sont élus et doivent rendre compte de leur activité au peuple, les décisions des organes supérieurs sont exécutoires pour les organes inférieurs » (art. 3), « Les questions les plus importantes de la vie de l'État sont soumises à la discussion populaire ainsi qu'au référendum » (art. 5). « L'orientation fondamentale du développement du système politique... est l'approfondissement continu de la démocratie socialiste. »

Amendements. Du 1-12-1988 : ils instituent une *présidence de l'État,* un *Soviet suprême* issu du Congrès des députés du peuple, une *nouvelle loi électorale* et un *comité de surveillance constitutionnel* (composé d'un Pt, d'un vice-Pt et de 21 m. élus pour 10 ans par le Congrès des députés du peuple « parmi les spécialistes de la politique et du droit » et incluant des représentants de chaque Rép. fédérée). **Du 13/15-3-1990 :** ils abrogent le rôle dirigeant du PC.

• **Propriété.** La *base économique* de la société sov. est la propriété socialiste des moyens de production. 1° *propriété socialiste,* appartient au peuple en entier (terre, richesses du sous-sol, forêts, eaux, principaux moyens de production, ind. du bâtiment et agricoles, banques, moyens de transport et de communication, institutions scientif. et culturelles, biens des entreprises commerciales, services communaux, la majeure partie des fonds locatifs urbains et autres entrepr. organisées par l'État, les autres biens nécessaires à la réalisation des tâches de l'État) ; 2° *propriété kolkhozienne,* coopérative (machines, bâtiments, entreprises et bétail collectif, production) qui appartient aux diverses collectivités de travailleurs (seuls les membres de la coopérative ont le droit de la gérer). *Propriété personnelle,* fondée sur les revenus issus du travail ; terre remise aux kolkhozes en jouissance perpétuelle et gratuite. *Peuvent être propriété person-*

nelle les objets d'usage, de commodité et de consommation personnelle, les biens de l'économie domestique auxiliaire, une maison d'habitation, et les épargnes venant du travail. La propriété personnelle des citoyens et le droit de l'hériter sont protégés par l'État. Les citoyens peuvent avoir en jouissance des lots de terre qui leur sont accordés selon les modalités établies par la loi, pour pratiquer l'économie auxiliaire (incluant bétail et volaille), le jardinage et la culture potagère, ainsi que pour construire des habitations individuelles. Les biens en propriété personnelle ou donnés en jouissance aux citoyens ne doivent pas être utilisés pour en tirer des revenus ne provenant pas de leur travail, ni au préjudice des intérêts de la société (art. 13). La loi autorise les métiers individuels artisanaux, agricoles et de services, fondés sur le travail accompli personnellement par leur possesseur, sans exploitation du travail d'autrui.

☞ *Loi du 15-3-1990 :* reconnaît la propriété privée (votée au Congrès du peuple par 1 771 voix contre 164 et 76 abst.).

• **Économie.** Dirigée sur la base des plans d'État.

• **Droits et libertés du citoyen.** Droit au travail, le *travail consciencieux* est un devoir pour tous les citoyens (*autres devoirs :* respect de la Constitution et des lois, de la propriété socialiste, d'autrui, des nationalités et ethnies, de la nature, sauvegarde des intérêts de l'État, service militaire, éducation des enfants, internationalisme) ; le principe : « De chacun selon ses capacités, à chacun selon son travail » est réalisé. Droit au repos, à l'instruction, à bénéficier des acquis de la culture ; liberté de création scientifique, technique et artistique ; droit de participer à la gestion des affaires de l'État et des organisations sociopolitiques, de faire des suggestions et des critiques aux organes de l'État et des organisations sociales ; liberté d'expression, de presse, de réunion, de meeting, de défilé et de manifestation dans la rue ; droit de se grouper en organisations sociales ; liberté de conscience ; égalité de l'homme et de la femme, et droit aux allocations familiales ; inviolabilité de la personne, du domicile et de la correspondance ; droit à la protection de la justice, de porter plainte contre les fonctionnaires. Les libertés doivent s'exercer dans l'intérêt des travailleurs et afin de consolider le régime socialiste, et seule l'éducation communiste est reconnue.

• **Présidence de l'Union.** Poste créé par le Soviet suprême le 27-2-1990 par modification de la Constit. *Pt :* élu pour 5 ans par le Congrès des députés du peuple [le 13-3-1990 (votée par 1 817 voix contre 133, 61 abst. et 11 refus de vote), à partir de 1995 (au suffrage univ.) 65 ans max., renouvelable une fois]. *Pouvoirs :* droit de légiférer par décret, de recourir au référendum, de veto et de déclarer la guerre. Pt assisté de *2 organes consultatifs :* Conseil présidentiel et Conseil de la fédération (où siégeront les dirigeants des Républiques).

Conseil présidentiel. Créé 23-3-1990. *Membres :* Édouard Chevardnadze, Youri Maslioukov, Vladimir Krioutchkov, Dmitri Yazov, Aleksander Yakolev, Stanislas Chataline, Albert Kaouls, Veniamine Yarine, Valentin Raspoutine, Tchinguiz Aitamov, Vadim Bakatine, Valery Boldine, Youri Osipian.

☞ **Avant 1989, Conseil des ministres** (appelé Conseil des commissaires du peuple avant le 16-3-1946) assure l'exécutif, responsable devant le Soviet suprême, ou, entre les sessions, devant le Présidium du Soviet suprême. *Composition* fixée par le Soviet suprême ou son Présidium : *Présidium du C. des M. :* 14 m., Pt, 1ers Vice-Pts, Vice-Pts ; *ministres* 87.

• **Parlement de l'URSS. Congrès des députés du peuple.** Créé par l'amendement du 1-12-1988. 2 250 m. *750 députés du peuple* représentant la pop. sov., élus au suffrage universel dans des circonscriptions territoriales, 1 pour env. 257 000 électeurs. *750 représentants des nationalités* représentant les 15 Rép., élus au suffrage univ. dans des circonscriptions nationales territoriales, par Rép. fédérée 32, Rép. autonome 11, région autonome 5, district autonome 1. *750 repr. des organisations légales* (ex. PC 100, syndicats 100, Union des femmes 75, Jeunesses comm. 75, Académie des Sciences 25, Écrivains 10, Comité pour la paix 7, Union des philatélistes), élus avant ou après le 26-3-89 par les m. des organisations. *Pouvoirs :* constituant : adoption et révision de la Const., él. Soviet suprême, Pt du Soviet suprême, adopte ou peut révoquer les lois votées par le Soviet suprême.

Élections du 26-3-1989 au Congrès des députés du peuple. *Participation* 89,8 %. Sur 2 250 dép., 2 044 élus dont (en %) femmes 17,1 ; ouvriers 18,6 (– 10,2 %) ; kolkhoziens 11,2 (– 6,5 %) ; m. du PC 87,6 (20 % des dir. battus). Ils appartiennent à 60 nationalités. **1er tour** 1 264 dép. élus. **-9-4 2e tour** dans les circonscriptions où un candidat n'a pas atteint la majorité (64 circ. sur 1 500). **-14-5 3e tour,** 192 circ. où aucun cand. n'avait eu 50 % (Egor Ligatchev, chef des conservateurs, élu député de Leningrad avec 60 % des voix).

• **Soviet suprême** élu par le Congrès du peuple. Comprend 542 membres répartis en 2 chambres Soviet de l'Union 271 et Soviet des nationalités 271. Nomme le Pt du Conseil de min. et gouv. (responsables devant lui). 2 sessions ordinaires par an de 3 ou 4 mois. Pour la 1re fois, l'U. se dote d'un Parlement permanent (doit siéger en 2 sessions de 7 à 8 mois par an). Chaque année, ses effectifs doivent être renouvelés afin qu'à l'issue des 5 ans de la législature, tous les 2 250 députés de l'U. aient siégé au Soviet suprême.

Présidence du Soviet suprême. *Élection du 14-3-90 :* Anatoly Loukianov.

☞ **Avant 1989, le Soviet (Conseil) suprême** comprenait env. 1 500 m. élus pour 5 a. et répartis dans 2 chambres : le **Soviet de l'Union** (750 m. élus par circonscription selon la population, 1 pour 360 000 hab. ; s'occupant des intérêts généraux) et le **S. des nationalités** (32 dép. par Rép. féd., 11 par Rép. aut., 5 par région aut., 1 par district autonome, soit 750 m., exprimant les particularismes).

Les élections avaient lieu au suffrage univ., égal et direct, et au scrutin secret. Droit de vote et éligibilité à partir de 18 ans. Les dernières élections eurent lieu le 4-3-84 : 184 006 373 électeurs (99,99 % des inscrits). Élus : 1 071 communistes et 428 sans parti ; 492 femmes ; 527 travailleurs manuels ; 242 kolkhoziens.

Le *présidium du Soviet suprême* était élu à la séance commune des 2 chambres avec son Pt (chef de l'État), son 1er vice-Pt, 15 adjoints (un pour chaque Rép. féd.), le secr. du Présidium et 21 m. Le Soviet suprême lui déléguait entre les sessions (2 par an) l'exercice du pouvoir exécutif. Les lois étaient adoptées à la simple majorité des voix ou par référendum organisé sur sa décision.

• **Comité de contrôle institutionnel.** (Loi du 31-12-1989). Élu pour 10 ans par le Soviet suprême, désigné parmi des juristes originaires des diverses Républiques fédérées, doit contrôler l'application des lois et des décisions prises.

Nota. – Russes, Biélorusses et Ukrainiens représentent 80 % des membres du PC, et 82 % des membres du Politburo.

• **Soviets locaux.** 5 000. **Élections du 20-6-1982 :** 2 288 885 députés (ouvriers 44,3 %, kolkhoziens 24,9, femmes 50,1, – de 30 ans 34, sans-parti 57,2). **Des 21-6 et 5-7-87 :** apparition de candidatures multiples dans 4 % des circonscriptions.

☞ **27-12-1990.** *Révision constitutionnelle :* sont créés : cabinet ministériel directement soumis au chef de l'État, responsable devant lui mais aussi devant le Soviet suprême à la majorité des 2/3, Conseil de sécurité, placé auprès du chef de l'État, vice-Pt de la Rép., Cour suprême d'arbitrage, Conseil de la Fédération (35 m. représentant des 15 Rép. féd. et de Rép. autonomes).

• **Parti communiste de l'Union soviétique (PCUS).** *Fondé* 1903 par Lénine (terme bolchevik abandonné en 1952). **Membres :** *1917 janv. :* 23 600, *avril :* 100 000, *août :* 240 000, *oct. :* 350 000, *39 :* 2 300 000. *52 :* 6 700 000 ; *66 :* 12 500 000 ; *86 :* 18 309 693 ; *90* *(1-10) :* 17 742 634 dont (%) ouvriers 27,6, kolkhoziens 7,6, salariés 40,5. Inactifs 17,4. *90-91 :* officiellement 1 600 000 départs (est. 6 000 000).

Rassemble 14 PC des Républiques sov., 6 organisations du Parti régionales, 150 organisations du P. départementales, 4 384 organisations du P. urbaines et d'arrondissement, et plus de 141 cellules de base constituées selon l'appartenance aux unités de production. Un bureau ou un comité sont élus au scrutin secret, à chaque niveau. **Adhésion :** dep. 1966, il faut avoir 23 ans et être parrainé par un membre depuis plus de 5 ans dans le Parti. Les – de 23 ans adhèrent d'abord aux Komsomols. **Rôle (avant 1990** seul parti légal) : « Force qui dirige et oriente la société soviétique, c'est le noyau de son système politique, des organismes d'État et des organisations sociales. Existe pour le peuple et au service du peuple. Il définit la perspective générale du développement de la société, les orientations de la politique intérieure et étrangère de l'U. Il dirige la grande œuvre créatrice du peuple sov., confère un caractère organisé et scientifiquement fondé à sa lutte pour la victoire du communisme ». **(Depuis 15-3-1990)** « Le Parti participe à la direction du pays », mais « n'assume pas toute l'autorité gouvernementale » (le multipartisme est adopté). « Son rôle est d'être leader politique, sans prétention particulière sur la société inscrite dans la Constitution ».

Organes suprêmes. Congrès au moins une fois tous les 5 a. (XXVIIe : 1986, XXVIIIe : juil. 1990 ; voir liste des congrès dans Quid 1982, p. 1 115 c), env. 5 000 participants. Comité central élu par le Congrès pour 5 a. à bulletin secret [au 25-4-89 : 249 m. (en mai 1988 : dont *+ de 70 ans :* 13,7 %, *60 à 70 :* 36,8, *50 à 60 :* 42, – de 50 : 6,5), 115 m. suppléants, dirige toute l'activité du Parti, réunions plénières 2 fois/an], **Commission de révision** (70 m.), **Bureau politique ou Politburo :** dirige les travaux du Parti entre les plénums du Comité central (au moins 2 fois par an). Politburo et secrétariat se réunissent chaque semaine. Le secrétaire du Parti ne peut modifier le Bureau politique, ni lui imposer une nouvelle politique. Sur 27 personnalités qui ont siégé au Politburo de 1917 à oct. 1962, 15 au moins ont péri de mort violente (assassinat, exécution, suicide). Composition (juillet 1991) *24 m. 2 de droit :* Gorbatchev (1931), secr. du CC ; Ivachko (58 a.) ; *7 m. élus par le CC :* Prokofiev (51 a.), Ianaïev (53 a.), Stroïev (53 a.), Frolov (61 a.), Chenine (53 a.), Dzasokhov (66 a.), Semionova (53 a.) ; *15 m. de droit, 1ers secr. des Rép. fédérées :* Burokiavitchius (63 a., Lituanie), Goumbaridze (45 a., Géorgie), Gourenko (54 a., Ukraine), Karimov (52 a., Ouzbékistan), Loutchinski (50 a., Moldavie), Makhkamov (58 a., Tadjikistan), Masaliev (57 a., Kirghizie), Moutalibov (52 a., Azerbaïdjan), Movsisian (Arménie), Nazarbaïev (50 a., Kazakhstan), Niazov (50 a., Turkménistan), Polozkov (55 a., Russie), Rubiks (55 a., Lettonie), Sokolov (64 a. Biélorussie), Sillari (46 a., Estonie) ; *7 m. sans resp. dans les Rép. :* Chenine, Dzasokhov, Frolov, Prokofiev, Semionova, Stroïev, Ianaïev. **Secrétariat du Politburo** (18 m.) : *Secr. gén.* (élu à main levée) : *1922-(4-4)* Joseph Staline (1879-1953). *1953-(13-11)* Nikita Khrouchtchev (1894-1971). *1964-(14-10)* Leonid Brejnev (1906-82). *1982-(12-11)* Iouri Andropov (1914-84). *1984-(13-2)* Constantin Tchernenko (1911-85). *1985-(11-3)* Mikhaïl Gorbatchev (n. 2-3-31 à Privolnoïe, terr. de Stavropol) ; *Secr. gén. adjoint* Volodymir Ivachko, réélu 1990 ; *11 secr. du C.C. :* Baklanov (58 a.), Guidaspov (57 a.), Guirenko (54 a.), Dzasokhov, Kouptsov (53 a.), Manaenkov (54 a.), Semionova, Stroïev, Faline (64 a.), Chenine, Ianaïev ; *5 m. recrutés à la base :* Aniskine, Gaïvoronski, Melnikov, Teplenitchev, Tourgounova.

Nota. – On appelle *apparatchiks* les membres permanents du Parti (400 000 à 500 000 salariés à temps complet) et *nomenklatura* toute l'élite officielle, politique, administrative ou intellectuelle dont la nomination à ces postes dépend du Parti, des syndicats ou des Soviets (leur liste constitue une nomenclature).

Presse du PCUS. La *« Pravda »* (« vérité », f. 1912, tirage env. 11 000 000 ex.). *« Sovietskaïa Rossia », « Sotsialistitcheskaïa indoustria », « Selskaïa jizn », « Sovietskaïa koultoura »,* hebdo *« Ekonomitcheskaïa gazeta ».* Revues *« Kommunist »* théorique politique (1 000 000 ex.), *« Agitator », « Partiinaïa jizn », « Polititcheskoïe samoobrazovanié ».* Éditions *« Pravda », « Éditions de littérature politique », « Plakat ».* Les partis com. des Rép. fédérées ont leurs propres éditions et publications.

En avril 1991, le député Alexandre Routskoï a créé le Groupe communiste pour la démocratie (au sein du PC).

• **Partis. Forces réformatrices. Gorbatchéviens.** Pour un socialisme humain et démocratique. *Leaders :* Mikhaïl Gorbatchev, Alexandre Iakovlev, Andreï Gratchev, Leonid Abalkine, Nikolaï Petrakov, Abel Aganbegian, Fedor Bourlatski, Alexandre Bovine, Vitali Korotitch. **Plate-forme démocratique.** *Fondée* 1990 (janv.), tendance du PCUS. Radicalisation des réformes, démocratisation du PCUS, renoncement au marxisme-léninisme, fondation d'un nouveau parti. *Leaders :* Boris Eltsine, Youri Afanassiev, Anatoli Sobtchak. **Radicaux-réformateurs** (groupe interrégional du Congrès des députés du peuple). Marché, démocratie parlementaire, nouvelle politique sociale, pour une démocratisation à l'occidentale. *Leaders :* Gavril Popov, Nikolaï Chmeliov, Tatiana Zaslavskaïa (Andreï Sakharov en était membre). *2 courants :* libéral et social-démocrate. **Réformateurs autoritaires,** *Leaders :* Igor Kliamkine, Andronik, Migranian. **Mouvements démocratiques informels.** Démocratie, autogestion, écologie, marché, droit des peuples à l'autodétermination. *Organisations :* fronts populaires de Moscou, Leningrad, Tcheliabinsk, de l'Oural, etc. qui se regroupent tous les trimestres au sein de l'Assoc. interrégionale des organisations et mouv. démocratiques (MADO). **Verts.** Écologie, soutien aux réformes et aux nationalismes traditionalistes. Nombreuses organisations. **Mouvements ouvriers favorables aux réformes.** *Organisation :* Union interrégionale des comités de grève

Soviétiques expulsés pour activités indésirables

Du Bangladesh : *1983 :* 33 diplomates. **Bolivie :** *72* (avr.) : 49. **Chine :** *74 :* 3 dipl. **Colombie :** *72* (août) : 8. **Danemark :** *83* (févr.) : 1. **Égypte :** *72 :* 17 000 experts. *81 :* l'ambassadeur, 249 dipl. et conseillers divers. **Espagne :** *dep. 1977 :* 14. **France :** *65* (févr.) : directeur de l'Aeroflot à Paris. *70 :* 5 dipl. *73 :* attaché de l'air adjoint. *77* (11-2) : 1 fonctionnaire de l'U.N.E.S.C.O. *78 :* attaché militaire adjoint. *80* (9-2) : 1 membre du consulat, 1 consul à Marseille. *83* (5-4) : 47 dipl. *86* (1-2) : 4 dipl. **G.-B. :** *71* (sept.) : 105 dipl. et fonctionnaires sur 500 ; *de 72 à 84 :* 9 autres ; *85* (avril) : 5 dipl. (sept.) 25 dipl. ; *89* (mai) 14 dipl. **Grenade :** *83 :* 49 dipl. **Iran :** *83 :* 18. **Italie :** *82 :* 2 dipl. **Pays-Bas :** *81* (avr.) : correspondant de Tass. **Portugal :** *82 :* 7. **Suisse :** *83* (début) : 3. **U.S.A. :** *77 :* correspondant de Tass. *78 :* 3 dipl. *86 :* 80 dipl. **Zaïre :** *63 :* toute l'ambassade (15 pers.).

Opposition

• Opposition intellectuelle (*samizdat :* « auto-édition » d'œuvres clandestines, mot forgé par analogie avec la Gossizdat, « édition d'État »). Œuvres littéraires (souvent médiocres), rapports politiques, scient., sociologiques, histor. ; traductions d'auteurs étr. interdits officiellement. Tirages limités, mais les exemplaires circulent de la main à la main. *Principaux centres de diffusion :* les universités de Moscou et Leningrad. Le KGB intervient ponctuellement, voulant éviter les procès, mal vus par l'opinion.

• **Goulag** [de Glawnoje OUprawlenie LAGuereï (direction principale des camps de travail forcé)]. Les camps ont été créés en 1918 pour bourgeois, opposants, antibolcheviques, et v. 1928 pour les paysans hostiles à la collectivisation des terres et les victimes des purges. D'abord établis dans les îles Solovki (mer Blanche), d'où l'expression « l'Archipel du Goulag » de l'écrivain Soljenitsyne, les camps sont maintenant situés en majorité en Russie d'Europe, et le long de la voie ferrée Baïkal-Amour, en Extrême-Orient soviét. Certains sont réservés aux femmes (elles gardent avec elles leurs enfants jusqu'à 2 ans). Certains regroupent les enfants d'âge scolaire, les adolescents (10 ou 14 ans à 18 ans). Les personnes sont affectées à des travaux publics, miniers, agricoles. Selon Amnesty international, *de 1975 à 83 :* 200 internements psychiatriques politiques, *1988 :* 1 906 pris. pol. (503 pour Sté intern. des droits de l'homme, 53 pour les Soviét.).

Nombre de détenus (en millions) : *1930 :* 1,5. *33 :* 3,5. *36 :* 6,5. *38 :* 11,5. *41 :* 13,5. *85 :* 4 (2 000 camps, 20 000 † par an). *89 :* 0,8 (selon le min. de l'Intérieur).

☞ Les tribunaux prononcent environ 100 condamnations à mort chaque année. Certaines frappent des dirigeants accusés de corruption. La peine de mort a été abolie pendant de brèves périodes : 1917, 1920 (par Lénine) et 1947.

(Kouzbass, Donbass, Vorkuta, Karaganda), Syndicat officiel des mineurs, Association des syndicats socialistes (SOTSPROF). **Mouvement « mémorial ».** Cherche à faire la lumière sur la terreur stalinienne (réhabilitation des prisonniers pol.). **Organisations anticommunistes radicales.** Hostiles à Gorbatchev, pour un renversement pacifique du régime. *Organisations :* Union démocratique, Dignité civique, Union populaire du travail (NTS) composée d'héritiers des Solidaristes jadis collaborateurs des nazis. **Sociaux-démocrates.** *Organisations :* Association social-démocrate (leader : Oleg Roumiantsev), partis sociaux-démocrates de Russie, Géorgie, Ukraine et pays baltes. **Libéraux :** P. lib. dém., P. dém. d'Union sov. **Démocrates-chrétiens. Mouv. chrétien-dém. de Russie. Gauche socialiste.** Comité des nouveaux socialistes (leader : Boris Kagarlitsky). **Autres partis.** P. des démocrates constitutionnels, P. constitutionnel dém. (P. de la lib. pop.) issu du précédent, P. dém. de Russie.

Forces du socialisme d'État. **Conservateurs.** *Leaders :* Egor Ligatchev, Nina Andreeva. **Étatistes socialistes.** Modernisation sans libéralisme, défense des valeurs nationales, défense de l'empire. *Leaders :* Alexandre Prokhanov, Piotr Proskurine. Influents au sein de l'armée et du KGB. **Mouvement ouvrier antiréformateur.** *Organisations :* Front uni des travailleurs de Russie (OFT), fronts internationaux (Interfront) rassemblant Russes immigrés dans pays baltes, P. ouvrier marxiste.

Nationalismes. **Traditionalistes.** Restauration des valeurs religieuses et paysannes (chez certains monarchiques). *Leaders :* Alexandre Soljenitsyne, Valentin Raspoutine, Vasili Belov, Viktor Astafiev. *Organisations :* Assoc. d'écologie et de restauration des monuments anciens, mouvance Pamiat (Mémoire) disputée par divers groupes ultras, antisémites et fascisants dont le Front patriotique (dirigé par Dimitri Vassiliev), Front antisioniste et antimaçonnique, opposé à la Perestroïka, qui serait un complot juif ; interdit 1980 (Emelianov), groupe Russie (Sytchev), Patrie (Sverdlovsk, Tcheliabinsk), Fidélité à Irkoutsk, Parti constit. monarchiste de Russie (leader : Sergueï Iourkov-Engelgardt), P. pop. rép. de Russie. **Nationalistes non russes.** Nombreux mouvements.

Nota. – Il existe également une sensibilité populiste (justice sociale, lutte contre la mafia et la corruption).

Contestataires (Quelques). **Vladimir Boukovski :** *1971*-5-1 cond. à 7 a. de privation de liberté, *1976*-18-12 échangé contre le Chilien Luis Corvalán. **Valery Chalidze :** phys., *1972* à *1990*-15-8 privé de liberté. **Anatoli Chtaranski** (n. 1948) : *1978*-10-7 condamné, *1986*-11-2 échangé contre espions émigrés en Israël. **Youri Daniel :** *1988*-30-12 émigré. **G**[al] **Grigorenko** († 22-2-87) : *1969* interné dans clinique psychiatrique, *1974*-26-6 libéré, privé de lib. jusqu'à *1978*-10-3. **Alexandre Guinzbourg :** *1978*-10-7 condamné, *1979*-24-2 échangé (en même temps que les autres dissidents Kouznetsov, Dymchitz, Moroz et Vins) contre 2 espions (Enger, Tcheriviev) condamnés aux USA. **S. Kovaliev :** biol., *1975*-12-12 cond. à 7 a. de camp et 3 a. d'exil. **Jaurès Medvedev :** biol., *1973* privé de liberté. **E. Neizvestny :** sculpteur, *1976*-10-3 quitte l'U. **Leonid Plioutch :** math., autorisé à quitter l'U. après 3 a. d'hôpital psychiatrique, *1976*-11-1 exilé à Paris. **Rostropovitch et son épouse** (cantatrice **Galina Vichnievskaïa**) : *1974* exilés, *1978*-15-3 déchus de leur citoyenneté, *1989*-8-2 réintégré dans l'Union des compositeurs, *1990*-16-1 retrouvent leur nationalité. **Andreï Sakharov** (1921/14-12-89), savant nucléaire : père de la 1re bombe H sov., académicien (*1969* prix Staline), fonde Comité pour la défense des droits de l'Homme. *1970* (veuf dep. 1969) épouse Elena Bonner (médecin). *1975* (prix Nobel)-12-11 visa refusé pour Oslo. *1980*-22-1 exil à Gorki avec sa femme. *1981*-22-11/-8-12 avec elle, grève de la faim pour que leur fille puisse rejoindre aux USA son mari Alexei Semionov (fils d'un 1er mariage d'Elena), *1983* on lui refuse la possibilité d'émigrer car détient des secrets d'État, *1985*-7-12 Elena va se faire soigner aux USA. *1986*-24-12 libéré revient à Moscou, *1988*-20-10 élu au présidium de l'Ac. des Sciences, *Nov.* 1er voyage à l'étranger, *1989*-20-4 élu au Congrès des députés du Peuple par l'Ac. des Sciences (806 voix sur 1 101). **André Siniavski :** *1966* condamné à 12 a. de travaux forcés, *1973* émigre en France, *1989*-4-1 autorisé à rentrer en U. **Soljenitsyne :** *1974*-12-2 arrêté, *-23-2* expulsé, *1990*-15-8 nationalité rendue. **Valery Tarsis :** écrivain, *1966* à *1990*-15-8 privé de liberté. **Alexandre Zinoviev :** philosophe, *1978* sept. déchu (le *6-8-78* avait été autorisé à se rendre 1 an à l'univ. de Munich).

Réhabilités (Quelques). **1987**-*19-2* Boris Pasternak († 1960) écrivain. **1988**-*9-2* 20 condamnés du 3e procès de Moscou de 1938 dont Boukharine et Rykov (10 avaient déjà été réhabilités). *-13-6* Zinoviev, Kamenev, Piatokov et Radek. *-21-3* Boukharine et Rykov réintégrés à titre posthume par Politburo. *-10-7* Zelinski, Ivanov, Zoubarev, Grinko, Krestinski, Ikramov, Charangovitch et Khodjaev réintégrés dans PC (ainsi que Boukharine, Rykov, Rozengolts, Tchernov, Boulanov, Maximov-Dikovski, Rakovski réhabilités pénalement en février). Pour Tomski (suicidé avant d'être condamné), son appartenance est confirmée au parti dep. 1904. *-9-9* la « Pravda » reconnaît pour la 1re fois le rôle de Trotski dans la rév. **1989**-*28-4* historien Roy Medredev réadmis au PC. *Août* « groupe de Zinoviev » réintégré dans PC.

• Union des jeunesses communistes léninistes de l'URSS ou Komsomols (Koummounistitcheskyi Soyouz Molodioji). 40 000 000 m. (87). *Fondée* 1918, regroupe les jeunes de 14 à 28 ans.

• Syndicats. *Membres* 140 000 000 (87) ouvriers, kolkhoziens, employés et ét. (env. 99 %). 731 000 orgnais. de base groupées en 31 synd. sectoriels (ex. synd. de l'automobile). *Organis. synd. kolkhoziennes et sovkhoziennes* 91 605 groupant 28 000 000 de m. Congrès par branche tous les 5 a. Dans l'intervalle, le Conseil central des synd. sov. (CCSS, Pt A. Chibaev) assure la direction. Les syndicats ont le droit d'initiative législative, gèrent la Sécurité sociale, le contrôle de l'application de la législation du travail et de la sécurité du travail. Comités d'entreprise (690 000 en 75) signent chaque année des conventions collectives avec l'administration. Presse : Troud (18 700 000 ex.), Syndicats soviétiques (600 000 ex.).

Services de renseignements

• KGB (Komitet Gosudarstvennoy Bezopasnosti, comité pour la sécurité de l'État). *Siège :* édifice de la Loubianka, place Dzerjinski. *Origine :* 1917 *Tcheka* ou *Vetcheka* (Tcherezyvytchainaja Komissija, commission extraordinaire panrusse pour la lutte contre la contre-révolution et le sabotage), fondée 20-12-1917, chef Félix Dzerjinski (1877-1926) jusqu'en 1926 ; *GPU* ou *Guépéou* (Gosudarstvennoe politjtcheskoe upravlenie, administration politique de l'État), f. 1-3-1922, directeur adjoint Beria (22 ans) ; *OGPU* ou *Oguépéou* à partir de 1923 ; *NKVD* (Narodnij kommissariat vnutrennykh del, Commissariat du peuple aux Affaires intérieures), f. juill. 1934 ; *NKGB-NKUD* de 1941 à 46 ; *MGB-MVD* (Ministerio vnutrennykh del, ministère de l'Intérieur), f. 1946 ; *KGB* dep. 13-3-1953. *Missions :* sécurité intérieure et extérieure de l'U. 6 directions : centre de formation des cadres, gardes-frontières, police secrète, technique, contre-espionnage et étranger (dont section D : désinformation). *Employés* 700 000 agents, 6 000 000 correspondants, 70 % des diplomates travaillent pour le KGB. *Directeur :* Vladimir Krioutchkov (n. 1924) dep. oct. 88.

• VKP (Voïenno-Promychlennaïa Komissia, commission du présidium du Conseil des ministres pour les questions d'industr. militaire). Technologie occidentale acquise par espionnage (%) : américaine 61,5, ouest-all. 10,5, française 8, britannique 7,5, japonaise 3. *Pt :* Leonid Smirnov, vice-Pt du Conseil des min.

• GRU (Service de renseignement et d'action militaire). *Employés* 30 000 dont 4 000 officiers en U. et dans pays de l'Est, ou en service extérieur. Contrôle les *Spetsnaz* (unités d'élite pour commandos, terrorisme et sabotage).

Nota. – Selon le G[al] du KGB Alexandre Karbanov, les polices secrètes sov. auraient exterminé 5 millions de Sov. de 1917 à 1954 (1,2 par l'Oguépéou et le Guépéou, 3,5 par le NKVD), et 4 millions de « contre-révolutionnaires » auraient été condamnés sous Staline ; 30 espions, dont 2 agents du KGB, ont été arrêtés en U. de 1985 à 90 et 29 exécutés.

Chefs d'État

Ancienne Russie

• Princes de Novgorod et de Kiev. **862** Rurik (ou Riourik) Ier (v. 800-74) f. de Haffdarne margr. de Frise. **874** Igor s. f. († 891). **879** Helgi ou Oleg Ier cousin germain de Rurik Ier († 880). **882** Helgi ou Oleg II (912) s. f.

• Grands-ducs de Kiev. **912** Igor II (v. 875-945) nev. de Helgi II ?, tué. **945** Sviatoslav Ier (v. 936-72) s. f., tué. 973 Iaropolk Ier (951-80) s. f., tué. **980** Vladimir Ier (988 se convertit, ainsi que son pays, canonisé 1203) (v. 956-1015) s. fr. **1017** Sviatopolk Ier (980-1019) f. de Iaropolk Ier. **1019** Iaroslav le Sage (978-1054) f. de Vladimir Ier. **1054** Iziaslav Ier s. f. (1025-78), détrôné. **1069** Venceslas, s. nev. († 1101), détrôné. **1069** Iziaslav Ier, restauré. **1073** Sviatoslav II s. fr. (1027-76), tué. **1075** Iziaslav Ier, restauré. **1078** Vsevolod Ier (1030-93) fr. d'Iaroslav Ier. **1093** Sviatopolk II (1050-1113) f. d'Iziaslav Ier. **1113** Vladimir II Monomaque (1053-1125) f. de Vsevolod. **1125** Mstislav Ier Harald (1076-1132) s. f. **1132** Iaropolk II (1082-1139) s. fr. **1139** Viatcheslav Ier (v. 1083-1146) s. fr. **1139** Vsevolod II (v. 1085-1146) pt-f. de Sviatoslav II. **1146** Igor III s. fr., détrône puis tué (1147). **1146** Iziaslav II (1100-54) f. de Mstislav, détrôné. **1149** Georges Ier Dolgorouki (1090-1157) f. de Vladimir II. **1150** Iziaslav II. **1150** Georges Ier Dolgorouki, restauré. De sa mort (1157) à 1249, 22 grands-ducs, dont 11 chassés et rappelés plusieurs fois, se succédèrent à la tête du grand-duché de Kiev. La suprématie revint vers cette époque aux grands-ducs (puis grands-princes) de Vladimir dont :

• Grands-ducs puis grands-princes de Vladimir. **1157** André Ier (v. 1110-1174) f. de Georges Ier. **1175** Iaropolk († 1196) s. nev. **1175** Michel Ier (1151-76) fr. d'André. **1176** Vsevolod III (1176-1212). **1212-17** *Anarchie de la « Grande Nichée ».* **1217** Constantin Ier (1185-1218) f. de Vsevolod III. **1218** Georges II (1189-1238) s. fr., tué. **1238** Iaroslav II (1190-1246) s. fr. **1246** Sviatoslav II (1196-1258) s. fr., déposé. **1248** Michel II († 1249) f. de Iaroslav II, tué. **1249** André II (1222-64) s. fr. **1252** Alexandre Ier dit Nevski (1220-63) f. de Iaroslav II. **1263** Iaroslav III (v. 1230-71) s. fr. **1272** Vassili Ier (1236-76) s. fr. **1276** Dmitri Ier (v. 1254-94) f. d'Alexandre Nevski. **1294** André III (v. 1255-1304) s. fr. **1304** Michel II (1271-

1319) f. de Iaroslav III, tué. **1319** Dmitri II (1299-1325) f. de Michel III. **1327** Alexandre II (1301-39) s. fr. (dernier grand-duc de Vladimir).

• **Grands-princes de Moscou.** **1317** Georges III (1281-1325) petit-f. d'Alexandre Nevski [f. de Daniel (1261-1308), P^ce^ de Perciaslav, 4e f. d'Alexandre]. **1325** Ivan Ier Kalita (« à la Bourse ») (v. 1304-41) s. fr. **1341** Siméon l'Orgueilleux (1316-53) s. f. **1353** Ivan II le Doux (1326-59) s. fr. **1359** Dmitri III l'Usurpateur (1323-89) f. de Constantin de Souzdal. **1363** Dmitri IV Donskoï (1350-89) f. d'Ivan II. **1389** Vassili II (1371-1425) s. f. **1425** Vassili III l'Aveugle (1415-62) s. f. **1433** Georges IV l'Usurpateur (1374-1434) s. oncle. **1434** Vassili III, restauré. **1462** Ivan III le Grand (1440-1505) s. f.

• **Grands-princes de Russie.** **1505** Vassili IV (1479-1533) s. f. **33.** Ivan IV le Terrible s. f. qui suit.

Tsars

1547 Ivan IV le Terrible (1530-84) le titre de tsar lui est accordé par le Sénat.

1584 Fédor Ier (1557-98) s. f.

Le temps des troubles

1598 Boris Godounov (1551-1605) s. beau-fr., élu tsar. **1605** Fédor II (1589-1605) s. f., tué par les nobles. **1605** Dmitri V (1580-1606), imposteur, tué. **1606-10** Vassili V Chouiski (1553-1612), descendant de Rurik, déchu. **1607-10** Dimitri (André Nagii) († 1610), tsar de Touchino, ép. Marina Mniszech, veuve de Dmitri V. **11** Ivan le Petit Brigand (1607-11) s. f., pendu. **11** 3e faux Dmitri (le moine Sidone) († 1612, empalé). **11** Interrègne.

Dynastie des Romanov

1613 Michel III Romanov (1596-1645) f. du patriarche Philarète, petit-nev. de la tsarine Anastasie, ép. d'Ivan IV ; élu par les nobles ; ép. 1626 Eudoxie Streeschnev (1608-45).

1645 Alexis (1629-76) s. f., ép. 1°) 1648 Marie Miloslawski (1629-69), 2°) 1671 Nathalie Narichkine (1651-94).

1676 Fédor III (1661-82) s. f., ép. 1°) 1680 Agraphia Grouschewski (1665-81), 2°) 1682 Marfa Apraxin (1664-1716).

1682 Ivan V (1666-96) s. fr., déposé, ép. 1684 Praskovia Soltykov (1664-1723).

1682 Pierre Ier le Grand (1672-1725) s. demi-fr., f. d'Alexis, ép. 1°) 1689 Eudoxie Lapoukine (1672-1731), 2°) 1707 Catherine qui suit.

1725-*28-1* Catherine Ire (1684-1727), née Marthe Rabe (f. de Jean Rabe ou de Samuel Skavronski, paysan lituanien), appelée Martha Skavronskaïa jusqu'à sa conversion à la rel. orthodoxe ; ép. 1°) 1703, soldat prussien Kruse, † déporté en Sibérie apr. 1710, 2°) 1707 Pierre Ier.

1727 Pierre II (1715-30) p.-f. de P. le Grand.

1730 Anne f. d'Ivan V (1693-1740), ép. Frédéric-Guillaume, duc de Courlande (1692-1711).

1740 Ivan VI (1740-74) fils de la grande-duchesse Anna Leopoldovna (f. de Catherine Ire) et d'Antoine Ulrich de Brunswick, petit-nev. d'Anne, détrôné, emprisonné à partir de 1756. Etranglé par 2 officiers d'Élisabeth (qui suit).

1741 Élisabeth (1709-62) f. de P. le Grand et Cath. Ire, ép. 1742 Alexis Razoumosky (1709-71).

1762 (janv.-juin) **Pierre III** (1728-62) f. d'Anna (1708-28), sœur d'Élisabeth et mariée à Charles-Frédéric, duc de Holstein-Gottorp [maison issue d'Egilmar, Cte d'Aldenbuch († 1090), qui posséda les duchés de Schleswig et de Holstein et dont une branche a donné la maison royale de Danemark, puis celles de Grèce et de Norvège], son véritable père aurait été Saltykoff, gentilhomme de la Cour. Épouse en 1745 Catherine (qui suit).

1762 Catherine II la Grande (1729-96) f. de Christian Auguste, P^ce^ d'Anhalt-Zerbst, et de Jeanne de Holstein. Appelée Sophie-Augusta-Frédérique d'Anhalt-Zerbst (son nom de Catherine lui a été donné lors de son baptême orthodoxe en 1744). Fille d'un prince au service de la Prusse, est élevée à la française par des huguenots. *1743* choisie par l'imp. Élisabeth comme fiancée du P^ce^ héritier Pierre, dont elle est la cousine germaine (sa mère était P^cesse^ de Holstein). *1745* sacrée à la cathédrale de Moscou.

1796 Paul Ier (1754-1801) s. f. et officiellement celui de Pierre III, ép. 1°) 1773 P^cesse^ de Hesse-Darmstadt (1755-76), 2°) 1776 P^cesse^ Dorothée de Wurtemberg (1759-1828). Fou, assassiné par des officiers.

1801 Alexandre Ier (1777-1825) s. f., ép. Élisabeth, P^cesse^ de Bade (1779-1826). Élevé à la française par le colonel suisse La Harpe (idées libérales).

1825 Nicolas Ier (1796-1855) s. fr., ép. 1817 Charlotte de Prusse (1798-1860).

1855 Alexandre II (1818-81) s. f., ép. 1°) 1841 Marie, P^cesse^ de Hesse, 2°) 1880 P^cesse^ Dolgorouki (1847-1922), assassiné par Russakov.

1881 Alexandre III (1845-94) s. f., ép. 1866 Marie Fedorovna, P^cesse^ Dagmar de Danemark (1847-1928).

1894-1917 Nicolas II (6-5-1868/16/17-7-1918) s. f., ép. 1894 Alexandra Fedorovna, P^cesse^ Alix de Hesse (1872-1918).

Gouvernement provisoire

1917-*15-3* P^ce^ Lvov, Georges (1861-1925). Ancienne noblesse ; gouverneur de Toula jusqu'en 1905, puis député à la Douma (aile droite du *kadet,* parti constitutionnel libéral). *1914-17* responsable de la Santé militaire, se rend très populaire. *1917*-14-3 élu Pt du Conseil ; évincé par Kerenski au bout de 2 mois, démissionne le 25-7. Prisonnier des bolcheviks, s'échappe, se réfugie à Neuilly.

1917-*5-8* Kerenski, Alexandre (1881-1970). Avocat à Petrograd, *1912* élu député à la Douma (officiellement socialiste, mais en réalité membre du P. socialiste révolutionnaire clandestin) ; remarqué comme orateur de gauche. **1917**-*17-3* min. de la Justice dans le ministère Lvov, *5-5* min. de la Guerre (avec tous les pouvoirs), et monte l'offensive Broussilov en juin. -25-7 Pt du Conseil (pouvoirs dictatoriaux) ; attaqué par la droite (Kornilov) et la gauche (Lénine) ; chassé par la rév. d'octobre (exil en Europe, puis aux USA 1940-70). Crée 1949 une Union pour la libér. du peuple russe.

Titres du tsar

Sa Majesté N..., empereur et autocrate de toutes les Russies, tsar de Moscou, Kiev, Vladimir, Novgorod, Kazan, Astrakhan, de Pologne, de Sibérie, de la Chersonèse taurique, de Géorgie, Seigneur de Pskow, gd-duc de Smolensk, de Lithuanie, Volhynie, Podolie et Finlande, pr. d'Estonie, Livonie, Courlande et Seingalle, Samogitie, Bielostok, Carélie, Tver, Yougorie, Perm, Viatka, Bolgarie, et d'autres pays, etc.

Chef actuel de la maison impériale

Vladimir (17-8-17) f. du grand-duc Cyrille [(1876-1938) petit-f. d'Alexandre II et cousin germain de Nicolas II, exclu de la succession par N. II pour avoir épousé en 1905, malgré son interdiction, l'ex-épouse du frère de l'impératrice] et de la Gde-D^esse^ Victoria Fedorovna [n. P^cesse^ Victoria de Saxe-Cobourg et Gotha (1876-1936)], chef de la maison après la mort de Nicolas II. Ép. 15-8-48 P^cesse^ Leonide Georgievna Bagration-Moukhransky (23-9-14) f. du P^ce^ Georges A. B.-M., veuve en 1res noces de Summer Moore Kirby ; 1 fille Marie (23-12-53), ép. 22-9-76 François-Guillaume de Hohenzollern, P^ce^ de Prusse (3-9-43), qui par décret du grand-duc Vladimir a été admis dans la maison impériale de Russie comme grand-duc Michel avec qualification d'Altesse impériale ; 1 fils Georges (14-3-81).

Sœurs. *Marie* (1907-51) ép. 1925 Charles, P^ce^ de Leiningen (1898-1946) ; *Kyra* (1909) ép. 1938 P^ce^ Louis-Ferdinand de Prusse (V. Index).

Russie soviétique (URSS)

Présidents du Présidium du Soviet suprême

1917 Sverdlov, Jacques (1885-1919). *1901* militant révolutionnaire depuis *1901* (Parti social-démocrate), plusieurs fois déporté en Sibérie *1912,* rallié à Lénine en *1912. 1917* chef du mouvement bolchevik en Oural, y prend le pouvoir avant la rév. d'Octobre. 21-11. Pt du comité exécutif central à Moscou. *1918* Juillet fait approuver par le peuple le massacre de la famille impériale. *1924* son nom est donné à Iekaterinbourg où avait eu lieu ce massacre (Sverdlovsk).

1937 Kalinine, Michel (1875-1946). Fils de paysans, ouvrier dans une usine de munitions *1898 ;* membre du Parti social-démocrate. *1899* 10 mois de prison. *1904-05* déporté en Sibérie. *1908-13* banni de Petrograd, ouvrier-paysan à Tver. *1913* déporté, évadé, clandestin à Petrograd. *1917* combattant de la rév. d'Octobre. *1919* membre du comité central. *1922* Pt du Tsik (comité central des Soviets). *1930* membre du conseil de la police sov.

1946 Chvernik, Nicolas (1888-1970). *1905* à Petrograd, membre du parti clandestin local. Chargé de l'agitation à Toula et à Samara ; plusieurs fois en prison et exilé. *1917* leader nat. des ouvriers des ateliers d'artillerie. *1921-23* Pt du comité des syndicats de la métallurgie du Donetz. *1923* membre du Présidium, commissaire du peuple (RSFSR) pour l'Inspection ouvrière et paysanne. *1942* Pt de la commission d'enquête sur les crimes nazis. *1953* élu à Vienne vice-Pt de la féd. mondiale des synd.

1953-*6-3* Vorochilov, Clément (1881-1969). Fils d'un cheminot ukrainien. *1897* ouvrier mineur à 16 ans. *1903* membre du Parti social-démocrate, se lie avec Lénine au congrès de Stockholm. *1907-14* prison et déportation. *1917* chargé par Lénine du commandement militaire de l'Ukraine. *1918* adjoint de Staline pour la défense de Tsaritsyn. *1919* membre du conseil de la guerre et du Politburo. *1920* G^al^. *1921* membre du Comité central. *1935* M^al^ (le 1er de l'Union soviétique). *1937* épure l'armée. *1940* vaincu en Finlande, destitué. *1941* commandant du front du N. *1945* négociateur des armistices finlandais et hongrois ; gouverneur de Hongrie.

1960-*7-5* Brejnev, Leonid (1906-82). Fils d'ouvriers métallurgistes ukrainiens. *1923* entre au Komsomol. *1931* membre du Parti. 1935 ingénieur métallurgiste. *1938* secrétaire du comité régional de Dniepropetrovsk. *1944-45* général de brigade (direction politique de l'armée). *1946* 1er secrétaire du comité régional de Zaporojié. *1947* de Dniepropetrovsk. *1950* 1er secrét. en Moldavie (met fin à l'agitation pro-roumaine). *1952* membre du comité central. *1953* disgracié à la mort de Staline (envoyé au Kazakhstan). *1956* réintégré par le XXe congrès. *1957* membre titulaire du Présidium. *1960* remplace Vorochilov comme Pt. A partir de 1960 diminué physiquement. *1964* laisse son poste à Mikoyan et travaille à la chute de Khrouchtchev (le remplace comme 1er secr. général du parti) ; -14-10 « secr. gén. du comité central du PC », titre qui n'avait pas été attribué dep. la mort de Staline. *1973*-1-5 prix Lénine de la Paix. *1976*-8-5 maréchal ; -19-12 héros de l'U. sov. *1977*-16-6 remplace Podgorny à la tête du Présidium suprême (fonction cumulée avec le secr. gén., par suite d'une modification de la Constitution). *1978*-20-2 reçoit l'ordre de la Victoire (retiré sept. 89 par Présidium du Soviet suprême). *1979* prix Lénine de littérature. *1982*-10-11 inhumé dans le mur d'enceinte du Kremlin. *1988*-30-12 son gendre Youri Tchourbanov (3e mari de Galina) ancien 1er vice-min., arrêté 3-2-86, condamné à 12 ans pour corruption.

1964-*17-5* Mikoyan, Anastase (1895-1978). Arménien. *1908* au séminaire. *1913* révolutionnaire, dans la clandestinité à Bakou. *1918* arrêté en Arménie par les Anglais, évite de justesse l'exécution. *1922* au comité central. *1926* suppléant au bureau politique (titularisé 1934). *1927* commissaire du peuple au Commerce (nombreux voyages d'études à l'étranger). *1956* un des leaders de la déstalinisation. *1957* tente de liquider Khrouchtchev (échec). *1962* mission à Cuba (rapprochement avec Fidel Castro).

1965-*9-12* Podgorny, Nikolaï (1903-83). Fils d'un métallurgiste ukrainien. *1918* ouvrier, membre du Komsomol. *1930* du parti, étudiant à l'université ouvrière de Kiev. *1931* ingénieur. *1939* commissaire du peuple à l'Alimentation (Ukr.). *1945* représente Ukr. au conseil des ministres. *1950* 2e secr. du Parti (Ukr.). *1957* 1er secr. du Parti (Ukr.). *1958* suppléant au bureau politique. *1960* titularisé ; fait partie des khrouchtchéviens. *1964* renverse Khrouchtchev ; rivalité avec Brejnev et Kossyguine pour le secrétariat gén. du Parti. *1965* renonce au secr. gén., accepte la présidence. *1977* destitué.

1977-*16-6* M^al^ Brejnev. Voir ci-dessus.

1982-*10-11* Kouznetsov, Vassili (1900-90) (1er vice-Pt dep. 7-10-77) intérim.

1983-*16-6* Andropov, Youri (15-6-14/9-2-84). Père cheminot. Télégraphiste, projectionniste, techn. en navigation fluviale. *1939* entre au parti. *1940-44* envoyé par Staline en Carélie. *1951* Comité central *1953-56* ambass. en Hongrie. *1957* chef de section au comité central. *1961* élu au CC *1962* secr. du CC *1967 mai-1982-24-5* Pt du KGB *1967 juin* m. du Politburo (suppléant). *1973 avril* m. du Politburo. *1982-24-5* m. du secr. du CC, remplace Souslov. *-12-11* secr. gén. du Parti. *-23-11* m. du Présidium du Soviet suprême.

1984-*12-4* Tchernenko, Constantin (24-9-11/10-3-85). *1929* chef de service de la propagande des komsomols. *1930* volontaire dans l'Armée rouge. *1933* garde-frontières. *1943* études à l'École sup. des organisateurs du Parti. *1945* secr. du comité du Parti de Penza. *1948* chef du département de propagande et d'agitation du CC du Parti de Moldavie. *1956* chef du secrétariat du service de l'Agitprop. *1960* à la tête du secrét. du présidium du Soviet suprême. *1965* chef du service général du Comité central. *1966 à 1971* membre suppléant du CC. *1971 mars* membre du CC. *1976 mars* secrét. du CC. *1977* suppléant au Politburo. *1978* député au Soviet suprême.

1985-*2-7* **Gromyko,** Andreï (18-7-09-/2-7-89). *1943* ambassadeur aux USA. *1946* à l'ONU. *1949* 1er vice-min. des Aff. étr. *1952* amb. à Londres. *1953* 1er vice-min. des Aff. étr. *1957 avril-1985 juill.* min. Aff. étr. *1973-85* au Politburo. *1983* 1er vice-Pt du gouv.

1988-*1-10* **Gorbatchev,** Mikhaïl (2-3-1931 à Privolnoïe, territoire de Stavropol). *1971* membre du comité central. *1980 oct.* m. du Politburo. *1985-11-3* secr. gén. du PC. *1989-25-5* Chef de l'État, seul candidat élu par le Congrès des dép. du peuple par 2 123 v. contre 87 et 11 abst.

1990-*15-5* **Lioukanov,** Anatoli (n. 1931).

Président de l'URSS

1990-15-5 **Gorbatchev,** Mikhaïl élu par le Congrès des dép. du peuple par 1 329 v. contre 495 et 54 abstentions.

Vice-Pt. **Guennadi,** Ianaev (n. 1937), élu 27-12-1990 au 2e tour par 1 237 v. contre 563.

Présidents du Conseil des ministres

1917 **Lénine,** Vladimir Illitch Oulianov (22-4-1870/21-1-1924). D'une famille de bourgeoisie anoblie. *1887* son frère Alexandre exécuté (attentat contre le Tsar). *1894* instructeur dans les cercles ouvriers. *1895 juill.-août* contacts en Suisse avec le groupe de Plekhanov, puis visite Paris ; *nov.* création de « l'Union de lutte pour la libération de la classe ouvrière » ; -21-12 arrêté. *1897* déporté à Chouchenskoïe (Sibérie), il est rejoint par sa mère et par Nadège Kroupskaïa [(1869-1939) ; ép. 22-7-98]. *1900*-10-2 libéré ; -28-7 quitte la Russie, *1902 avril* exil à Londres, travaille au British Museum. *1903*-25-6 et *1904*-23-2, juil. voyages à Paris. *1905 avr.* convoque à Londres le congrès du parti ouvrier (les mencheviks l'emportent) ; *nov.* rentre à Saint-Pétersbourg. *1908-20-1* exil à Genève. *-12* exil à Paris (4, rue Marie-Rose, XIVe). *1911* ouvre une école du Parti à Longjumeau. *1912-14* séjour à Cracovie (Pologne autrichienne). *1914-17* en Suisse (conférence de Zimmerwald 1915 ; de Kienthal 1916). *1917*-16-4 autorisé par les All. à traverser l'All., -25-10 (c.-à-d. -7-11) rédige *l'appel aux citoyens de Russie* et renverse le régime tsariste ; *déc.* création de la Tcheka. *1918*-30-8 blessé dans un attentat (balle dans le cou). *1921* tombe malade (artériosclérose), se retire aux env. de Moscou. *1923*-6-3 rupture avec Staline (incident entre Staline et Nadège Kr.) ; -9-3 attaque d'apoplexie : demeure aphasique jusqu'à sa mort. *Œuvres :* Matérialisme et Empiriocriticisme (1909), l'Impérialisme, stade suprême du capitalisme (1917), l'État et la Révolution (1917), Manifeste aux ouvriers du monde (1921), Testament (1922).

1922 **Rykov** Alexis (1881-1938, exécuté). Militant révolutionnaire à Saratov ; *1902* arrêté (troubles du 1er Mai) ; *1905* reprend son activité. 1917 collaborateur de Lénine. *1918* directeur du ravitaillement de Moscou. *1921* vice-Pt du Conseil des commissaires du peuple. *1924* succède à Lénine comme Pt. *1930* accusé de déviationnisme de droite, fait son autocritique. *1936* compris (procès de Moscou) avec Boukharine. *1988* réhabilité.

1930 **Molotov,** Viatcheslav Skriabine (dit) (9-3-1890/10-11-1986). Origine bourgeoise (cousin du compositeur Scriabine). Étudiant à l'école polytechnique de Saint-Pétersbourg. *1906* militant clandestin sous le nom de Molotov « marteau ». Plusieurs déportations en Sibérie ; collaborateur de Staline à la *Pravda. 1917* m. du comité rév. de Petrograd, 2e secr. du Parti. *1930-41* chef du gouv. *1939* min. des Aff. étr. (signature du traité germano-sov. 23-8-1939). *1941* vice-Pt (Pt : Staline). *1949-53* laisse les Aff. étr. à Vychinsky. *1956* les laisse à Chepilov. *1957* éloigné en Mongolie (ambassadeur). *1964* exclu du parti.

1941-*7-5* **Staline,** Joseph Vissarionovitch Djougatchvili (dit) du mot russe *stal* (acier) (à Gori, Géorgie 21-12-1879/5-3-1953, taille 1,65 m), ép. Nadedja Allilouïeva (suicide 9-12-1932), dont Svetlana Allilouïeva [*1970* en exil volontaire (privée de citoyenneté), *1984*-3-11 rentre en U. avec sa fille Olga, elles retrouvent leur nationalité sov. *1988 mai* reperd nat. pour être retournée aux USA], Jacob († 1945 sur le front, aviateur), Vassili († 1962 ; eut 1 fils, Vassili, † nov. 72). *1889* agitateur à Tiflis (Géorgie). *1893-99* séminaire de Tiflis. *1902, 08, 10-11, 12* déporté en Sibérie et évadé. *1912* coopté au comité central du p. bolchev. *1917* libéré de son exil à Krasnoiarsk par la révolution, rédacteur en chef de la *Pravda. 1917-22* commissaire du peuple aux Nationalités. *1922* secr. gén. du Parti. *1924* chef du triumvirat ou « Troïka » avec Zinoviev (1883-1936, exécuté) et Kamenev (1883-1936, exécuté). *1941* commissaire à la Guerre ; Pt du Conseil des commissaires du peuple. *1943* maréchal sov. *1953*-5-3 meurt d'une hémorragie cérébrale (ou assassiné par des proches redoutant une nouvelle purge ?).

1953-*6-3* **Malenkov,** Georges (1902-88). *1918-20* dans l'Armée rouge. *1920* étudiant à l'école technique de Moscou. *1925* secr. particulier de Staline. *1935-38* responsable des purges des procès de Moscou. *1939* secr. du comité central. *1941-45* chargé de la production aérienne. *1946* m. du Politburo, 2e secr. du Parti. *1952* m. du comité central. *1953* Pt du conseil des min. *1955* renversé par Khrouchtchev. *1957* exclu du Présidium, puis du Parti.

1955-*8-2* **Mal Boulganine,** Nicolas (1895-1975). Ingénieur, entre au Parti en *1917. 1917-22* chef de la police secrète. *1922-27* m. du Conseil supérieur de l'éducation. *1938* directeur de la Banque d'État. *1939* m. du comité central. *1941* responsable civil de la défense de Moscou. *1941* Gal de division. *1944* Gal d'armée. *1947* Mal, min. des Armées. *1949* remplacé par Vassilevski, devient vice-Pt du Conseil des min. (ami influent de Staline). *1953* forme une « troïka » à la mort de Staline, avec Malenkov et Molotov. *1955* conflit avec Khrouchtchev. *1958* accusé d'activités antiparti, limogé (Pt du conseil provincial de Stavropol). *1960* retraite à Moscou.

1958-*27-3* **Khrouchtchev,** Nikita (1894/11-9-1971). Fils d'un mineur ukrainien, travaille comme mineur dès son enfance ; v. 20 ans apprend à lire. *1918* m. du PC. *1929* étudiant à l'Académie de Moscou. *1932* secrét. du Comité du Parti (région de Moscou). *1938-49* secr. P.C. ukrainien (*1939* membre du Politburo). *1949* secr. du Comité central du Parti. *1953* remplace Malenkov comme 1er secr. *1954-64* ouverture sur l'étranger (nombreux voyages). *1964* renversé par Brejnev, se retire dans une datcha, près de Moscou. Ses Mémoires, parus en Occident avant sa mort, ont été contestés.

1964-*15-10* **Kossyguine,** Alexis (1904-81). *1919* volontaire dans l'Armée rouge à 15 ans. Ingénieur textile. *1927* au Parti. *1938* maire de Leningrad. *1939* commissaire de l'Industrie textile. *1948-53* membre du Politburo. *1960* vice-1er min. de Khrouchtchev. *1964* remplace Khr. comme 1er min. *1980-22-10* démissionne.

1980-*23-10* **Tikhonov,** Nicolas (n. 1905). Ukrainien, m. du Parti dep. *1940.* Ingénieur métallurgiste. Ministre. M. du Politburo dep. *27-11-79.*

1985-*2-7* **Ryjkov,** Nikolaï (n. 1929).

1991-*14-2* **Pavlov,** Valentin.

Léon Trotski (1879-1940). Leiba Bronstein, dit Lev Davidovitch. Origine bourgeoise et juive. *1898* (19 ans) déporté en Sibérie. *1902* s'évade, et vit en Angleterre avec un faux passeport au nom de Trotski. *1905* rentré en Russie, arrêté, déporté, de nouveau évadé. *1905-17* en exil en Suisse, France, Espagne, U.S.A. *1917 juill.* rejoint Lénine à Petrograd ; *oct.* min. des Aff. étr. *1918-25* commissaire à la G., vainqueur des armées blanches. *1924 oct.* publie *les Leçons d'octobre,* pamphlet antistalinien. *1925 janv.* écarté du ministère de la G. *1926* chassé du Politburo. *1927* exclu du parti. *1928 janv.* relégué au Kazakhstan. *1929 janv.* exclu, conduit à frontière ukr. *1929-33* exilé en Turquie, *1933-35* en France (expulsé par Laval). *1937-40* au Mexique (*1938* y fonde la IVe Intern. dont il est Pt) ; *1940-21-8* y est assassiné par un agent stalinien espagnol, Ramón Mercader del Río (pseudonyme Jacques Monard ou Jacson, n. 1904, libéré 1960).

Noblesse russe

• **Origine.** *Dvorianstvo* (noblesse territoriale) constituée des descendants des anciens compagnons des Pces varègues d'origine normande, IXe s., des chefs militaires venus de Pologne, Lituanie, Hongrie, All., Italie avec leurs armées, des Begs tartares vaincus par les Russes et passés au service de la Moscovie, et de quelques Russes purs (commerçants, artisans, et surtout agriculteurs).

Les nobles ou *dvorianes* recevaient du Pce des domaines ou *pomestias* et devaient en retour des contingents en cas de guerre. Ils ne portaient pas de titres, sauf celui de Pce dans les familles des maisons régnantes inféodées par les Pce de Moscou (ex. Bariatinsky, Galitzine, Dolgorouky, Gortchakoff), mais ce titre ne leur donnait aucun privilège. Certaines familles formaient autour du trône une oligarchie ; les *boyards* (dignité non héréditaire). Les grands-Pces, puis les tsars, choisissaient leurs épouses dans les familles des Pces boyards ou dvorianes. Pierre le Grand recruta dans le *dvorianstvo* la plupart des jeunes qu'il envoya à l'étranger. Il ne nomma plus de boyards (le dernier, le Pce Ivan Troubetzkoy, mourut en 1750). Ayant établi une nouvelle échelle fondée sur les services rendus à l'État, il se forma autour du trône une caste de courtisans et de fonctionnaires. Pour récompenser certains, le tsar demanda des brevets de titres étrangers à l'Empereur d'All. (St-Empire) : ex. baron, comte, prince.

• **Titres. Maison impériale.** *Titres portés* (ukase des 2/14-7-1886). **Grand-duc :** titre réservé aux fils, filles, frères et sœurs du tsar, à ses petits-fils et petites-filles, avec traitement d'*Altesse Impériale.* **Prince :** Pce de Russie avec le traitement d'*Altesse :* arrière-petits-enfants des tsars et le fils aîné de chaque arrière-petit-fils, avec le traitement d'Altesse Sérénissime reconnu aux autres descendants du sang impérial dans la ligne masculine, sous réserve d'être issus d'un mariage égal en naissance, et non d'un mariage morganatique. Le titre de prince se transmettant en Russie à tous les membres de la famille, il y avait au moins 2 000 princes *(Kniaz).*

Autres familles titrées. Prince. *Avant Pierre le Grand,* 20 à 30 Ptés médiévales et de nombreuses Ptés grandes ou petites. En 1911, sur 19 familles de cette ancienne noblesse, 11 étaient issues de boyards. *A partir de Pierre le Grand,* titre donné pour services rendus (1er Pce, Menchikov 1705). **Comte.** Conféré à partir de Pierre le Grand (en 1706) parfois à de puissantes familles nobles non princières (anciens boyards). Ex. Cheremetiev (1er titre en 1706), Golovine, Tolstoï, Apraxine. **Baron.** Conféré à partir de Pierre le Grand. Rarement donné à des Russes (1er titré, Chavirov 1717). Surtout donné à des étrangers [banquiers, industriels (Dimsdale, médecin de Catherine II et de Paul Ier)] et même à des Juifs de haut mérite, ce que critiquait la noblesse balte en Russie, issue des chevaliers Teutoniques.

☞ Il n'y eut pas de titres russes de duc, marquis, vicomte.

• **Noblesse non titrée.** La noblesse dite héréditaire remontait, pour quelques familles, à l'époque des premiers souverains qui régnèrent sur la Russie. Elle comptait de grands noms, souvent d'origine boyarde, tels que les Cheremetiev qui n'étaient pas tous comtes, les Narychkine d'où était issue la mère de Pierre le Grand, les Golovine, les Pouchkine. Les vieilles familles non titrées, illustres surtout par l'ancienneté, étaient nombreuses.

• **Noblesse administrative.** Le *Tchin* comprenait un certain nombre de rangs. Le *katalogos* des rangs fut importé en 1472 lors du mariage de Sophie Paléologue (venue de Byzance) et d'Ivan IV, et transformé par Pierre le Grand en *Table des rangs.* Un étudiant figurait au 14e rang, un lieutenant et un secrétaire du gouvernement au 12e, un colonel ou un conseiller de collège au 6e, un général ou un conseiller privé au 2e, le feld-maréchal et le chancelier de l'Empire au 1er. On était vraiment considéré comme noble à partir du 8e rang. Cela représentait environ 200 000 personnes. Le père de Lénine y figurait comme directeur de collège. Chaque rang avait son traitement : Votre Haute Excellence, Votre Haute Origine, Votre Haute Noblesse, Votre Noblesse, etc.

• **Classification de la noblesse.** La législation nobiliaire subit des modifications à chaque changement de règne. Cependant, le statut de Catherine II du 21-4-1785 resta en vigueur jusqu'en 1917. Les nobles étaient divisés en 6 groupes, inscrits distinctement dans le registre généalogique de la noblesse, tenu dans chaque province russe, sous l'autorité d'un *maréchal de la noblesse*, assisté de députés élus de la province. 1re, noblesse récente (anoblie par lettres patentes ou décrets), 2e, n. militaire, 3e, n. acquise dans les services civils, 4e, n. étrangère, 5e, n. titrée (princes, comtes, barons créés par lettres patentes), 6e, « n. ancienne » constituée par les n. pouvant prouver la possession de l'état noble avant 1685, c'est-à-dire les anciens nobles dont les ancêtres avaient été inscrits sur le registre de velours rouge institué par Ivan III, et continué par Ivan IV, de 1462 à 1533.

• **Nombre de nobles.** *1762 :* 560 000 pour 21 millions d'h. ; *1795 :* 600 000 après les 3 partages de la Pologne, avec une partie de la noblesse polonaise ; *1917 :* 1 900 000. **Familles titrées.** Env. 850 [dont 250 portant le titre de prince (1/6 issu de Rurik ou de Guedimine ; beaucoup d'origine géorgienne), 300 comtes, 250 barons, 1 duc [1], 4 marquis [1]].

Nota. (1) Titres étrangers. Les titres ont été abrogés dep. le 25-11-1917. Cependant A.N. Tolstoï (1883-1945), écrivain rallié au régime, fut toujours désigné, même par Staline, comme « Comte Tolstoï ». Les grands-ducs décernèrent quelques titres en exil.

Républiques socialistes soviétiques fédérées

☞ Au 1-1-1989, l'URSS se composait de 15 Rép. divisées en 120 territoires et régions, eux-mêmes divisés en 3 193 districts, 2 190 villes, 628 districts urbains et 4 026 zones urbaines (42 712 districts ruraux regroupent les villages), incluant 20 Rép. autonomes, 8 régions autonomes et 10 districts autonomes.

Nota. – Les Républiques marquées d'un astérisque (*) sont celles dont l'appartenance à l'U.R.S.S. n'est pas reconnue par les puissances étrangères. Population au 1-1-1989.

République socialiste fédérative soviétique de Russie (Moscou) [RSFSR]

Généralités. *Fondée* 7-11-1917 (Constit. 10-7-1918), unie à l'URSS 30-12-1922, 17 075 400 km² (76 % de la surf. totale de l'URSS). *Population :* 147 386 000 h. 82,6 % de la pop. est russe. + de 100 nat. et ethnies dont (en 86) : Russes 82,6 %, Tatars 3,6 %, Ukrainiens 2,7 %, Tchouvaches 1,2 %. *Capitale : Moscou* 8 967 000 h. D. 8,6. *Divisions :* 16 RSSA (Rép. socialistes soviétiques autonomes), 5 régions autonomes, 6 territoires, 49 régions, 10 districts autonomes, 1 805 villes, 2 065 bourgs. **Économie.** *Place de la Russie en URSS (en %) :* Territoire 76. Population 51. Pétrole 91,3. Gaz 74,8. Charbon 54,6. Bois 81. Prod. agricole 47,3. Céréales 51. Blé 52. P. de terre 54. Viande 49,9. Lait 51. Poisson 74,3. Prod. ind. 54,5. Ciment 60. Acier 58. **Histoire.** **1987**-*11-11* Boris Eltsine démis pour « excès de réformisme » de la direction du PC de Moscou ; remplacé par Lev Zaïkov. **1989**-*18, 22* et *25-3* manif. pour Eltsine. **1990** *mars* élec. du Parlement. : 1 026 dép. *-29-5* Eltsine élu Pt du Parlement. *-8-6* Congrès des dép. proclame primauté des lois et const. russes sur celles de l'U. par 544 v. contre 271. *-9-6* élec. des 252 dép. au Soviet suprême de R. *-12-6* déclaration de souveraineté (907 v. pour, 13 contre, 9 abst.). *-15-6* Ivan Silaiev (60 a.) PM. *-22-6* 1ᵉʳ Congrès du PC russe, Ivan Polozkov élu 1ᵉʳ secr. *-12-10* Constitution adoptée. *-31-10* Parlement vote le contrôle de toutes les ressources. *-11-12* Congrès demande au Pt de l'U. de ne plus impliquer l'armée dans conflits ethniques. *-24-12* loi autorisant la propriété privée des terres (602 v. pour, 369 contre, 40 abst.). **1991**-*26-2* Moscou 100 000 manif. pour Eltsine. *-15-4,* Eltsine à Strasbourg et Paris. *-6-5* fin grève mineurs (9 semaines), accord avec gouv. central transférant mines à la R. *-13-5* 1ʳᵉ émission de la télé de R. (6 h/j) sous contrôle du Parlement . *-20-5* Moscou 15 000 manif. pour Eltsine. *-22-5* loi instaurant régime présidentiel (690 v. pour, 121 contre, 87 abst.). *-12-6* présidentielles : participation 75 %. **Statut.** Constitution du 12-10-1990. *Pt* élu pour 5 a. au suffrage universel. *Parlement. Pt* **1991**-*12-6* Boris Eltsine [(n. 1-2-1931) *1961* m. du PC. *76* 1ᵉʳ secr. du comité régional de Sverdlovsk. *81* m. du Comité central. *85-avril* département de la construction au comité central, *déc.* comité du Parti de Moscou. *85-juill. à 86-fév.* m. suppléant du bureau pol. *87* vice-min. de la Construction, *nov.* perd son poste de 1ᵉʳ secr. du Parti de Moscou. *89-26-3* dép. de Moscou au 1ᵉʳ Congrès des dép. sov. (89,4 % des v.). *90-mars* dép. de Sverdlovsk au Parlement de Russie, *mai* Pt du Parlement de Russsie (élu au 3ᵉ tour par 535 v. devant Alexandre Vlassov 467 v.)] élu avec 57,3 % des v. devant Nicolai Rijkov 16,8, Vladimir Jirinovski 7,8, Vadim Barakine, Albert Mikachov. *Vice-Pt :* colonel Alexandre Routskoï.

Régions

• **Moscou et sa région.** **Moscou :** *alt. :* Moskova 115 m, Mt Lénine 195 m. *Température moyenne :* déc. : – 7,8 °C, janv. : – 10,5 °C, févr. : – 9,7 °C, mars : – 4,7 °C, avril : + 4 °C, mai : 11,7 °C, juin : 16 °C, juillet : 18,3 °C, août : 16,3 °C, sept. : 10,7 °C. *16-3* neige commence à fondre. *12-4* Moskova brise ses glaces. *2-5* 1ᵉʳ orage éclate. *24-5* pommiers fleurissent. *26-8* 1ʳᵉˢ feuilles tombent. *14-9* 1ᵉʳˢ gels nocturnes. *28-10* 1ʳᵉ chute de neige. *18-11* Moskova gèle. *23-11* couche de neige s'installe. *Histoire :* 1ʳᵉ mention écrite sur Moscou en 1147. Construite sur 7 collines. Groupée autour du Kremlin, d'abord château féodal, puis ensemble de palais et de cathédrales. Les boulevards concentriques correspondent aux anciens remparts. Depuis le XIXᵉ s., s'agrandit : vers le N. et N.-O. (habitations), S.-O. (quartier universitaire), E. et S.-E. (industries) ; actuellement, le long des grands axes à l'intérieur d'un cercle d'environ 20 km de rayon constitué par une autoroute circulaire. **Kremlin (cité) :** triangle irrégulier de 27,5 ha, ceinturé de 2 235 m de murs (épaisseur 3,5 à 6,5 m), 20 tours (1485-95) ; au XVIIᵉ s,, tours exécutées sous forme de tentes et galeries. Étoiles de rubis placées au sommet de 5 des tours (1937). *Tour du Sauveur* (avec l'étoile de 3,75 m de diamètre) 71 m., *t. de la Trinité* (1495) 80 m. *Clocher « Ivan-le-Grand »* (1505-08), surélevé en 1600, haut. 81 m. *Cath. :* de l'Assomption (1475-79), l'Annonciation (1484-89), l'Archange-St-Michel (1505-08), des 12 Apôtres (1484-89). *Palais* à Facettes (env. 500 m², 1487-91), P. de Terem (1635-36), des Amuseurs (1651-52), Arsenal (1702-36), des Armures (1844-51), Conseil des min. de l'U. (ancien Sénat 1776-87), Grand Palais avec les salles Gueorguievski, Vladimirski et autres (1839-49), p. des Congrès (1959-61, 800 salles dont 1 de 6 000 places). *Tsar Pouchka* (tsar des canons 1586, 40 t, long. 5,34 m, calibre 890 mm, n'a jamais tiré) ; *tsar Kolokol* (cloche-reine 1734-35, 200 t dont 1 morceau cassé 11,5 t, haut. 6,14 m, diam. 6,6). *Place Rouge* 70 000 m², 695 m × 130 m (larg. max.). Cath. Basile-le-Bienheureux (église de l'Intercession, haute de 57 m), goum (magasin universel d'État construit 1895, reconstruit 1953 ; galeries marchandes 2,5 km de long) ; mausolée de Lénine ; tombe du Soldat inconnu. Le long du mur, tombes, urnes avec les cendres des personnalités sov. et étrangères en vue (dont Clara Zetkin, Sen Katajama, John Reed, Fritz Heckert), fosses communes des morts d'oct. 1917 et de la g. civile. **Environs.** *Arkhanguelskoïé* à 23 km (palais XVIIᵉ), *Koskovo, Ostankino* [château (1792-97), tour de télé 533 m], *Zagorsk* (à 71 km monastère). **Ressources énergétiques :** charbon de Toula, utilisé en partie sur place pour électricité thermique et ind. chimique ; usines hydroélectriques de la haute Volga ; pétrole du Nouveau Bakou et gaz naturel amenés par conduites. *Communications fluviales :* la Moskova, affluent de l'Oka, elle-même tributaire de la Volga, reliant Moscou à la région ind. de Gorki et, par un canal moderne à la haute Volga. *Ind.* légères diverses créées fin XIXᵉ s., *textile :* lin des régions baltes, laine des steppes, coton du Turkestan ; artificiels, au N. et au N.-E. de M. jusqu'à la Volga (à Ivanovo, Iaroslavl et Kalinine), *mécanique* (outillage, mat. ferroviaire, auto.) Moscou, vallée de l'Oka (Riazan), bassin de Toula et villes de la Volga : Gorki (confluent Oka Volga, ancien centre commercial), *chimique* (30 % de l'URSS) lourde sur le bassin de Toula et à Moscou (engrais) ; de transformation (produits pharm.) plus dispersée.

• **N.-O. et Leningrad.** **Leningrad** [2ᵉ ville du pays (5 020 000 h)] : *temp. moy :* janv. : – 9,3 °C, juillet : 17,7 °C ; *nuits blanches :* 20-5 au 20-6. *Fondée* par Pierre le Grand, en 1703, sur 42 îles de la Neva (ex-St-Pétersbourg, appelée Petrograd de 1915 à 1924). Capitale de 1712 à 1918. Assiégée du 8-9-1941 au 27-1-1944 (900 j). Plus de 50 musées dont Ermitage (400 salles), 26 théâtres, 300 ponts dont 21 à tablier mobile, 86 rivières, colonne Alexandre, monolithe granit rouge, 47,5 m, 600 t. Statue de Pierre le Grand (Falconet). Cath. St-Isaac (haut. 101,5 m, long. 111,2 m, larg. 97,6 m). St-Pierre et St-Paul (haut. 120 m). Perspective Newski : long. 4,5 km, larg. 25 à 60 m. **Environs :** Palais : *Pavlosk* à 35 km, *Petrovdorets* (ex-Peterhof) à 30 km, *Pouchkine (ex-Trarkoïeselo)* à 25 km. *Centre industriel :* bois, textile (lin), aluminium, constr. méc. ; *port maritime,* le plus actif de l'URSS. **Région N.-O. :** *Bas plateaux* (alt. max. : 350 m) et *plaines* marquées par l'empreinte glaciaire : vastes marais et nombreux lacs reliant haute Volga à Baltique et Leningrad, elle-même reliée à la mer Blanche. *Climat* continental avec influences atlantiques : amplitudes thermiques plus faibles et précipitations plus abondantes. *Végétation :* au nord du 60ᵉ parallèle (lat. de Leningrad), forêt sauf un liséré de toundra en bordure de l'océan Arctique ; au sud du 60ᵉ parallèle, forêt entaillée de clairières, de plus en plus nombreuses et vastes, cultures alimentaires adaptées au climat humide et froid et à la médiocrité des sols forestiers : pommes de t., seigle ; lin 2/3 du total mondial ; bovins surtout près des agglomérations.

• **Oural.** Montagne peu élevée (alt. max. mont Narodnaya 1 894 m), aisément pénétrable (larges dépressions transversales). *Villes principales :* Magnitogorsk (fondée 1928) 4 210 000 h. (84), Sverdlovsk 1 367 000 (89), Tcheliabinsk 1 143 000 (89). *Ressources énergétiques :* charbon près de Sverdlovsk, pétrole à l'O. entre Perm et Oufa (surnommé le « 2ᵉ Bakou »), hydroélectriques ; *minérales :* or, cuivre, manganèse, nickel, zinc, fer surtout dans le S. entre Tcheliabinsk et Magnitogorsk, (tout près se dresse la Magnitnaïa, « montagne aimantée »). *Ind. ancienne :* forges établies dep. Pierre le Grand : armes, outillage, quincaillerie étaient vendus dans les grandes foires de : Kazan, Nijni-Novgorod (aujourd'hui Gorki). *Récente. Développée 1939-45,* la R. d'Europe étant alors en partie occupée : à partir du minerai de l'Oural et du charbon amené d'autres régions : combinat *Oural-Kouzbass,* trop vaste (environ 2 000 km entre fer et charbon), supplanté auj. par le combinat *Oural-Karaganda.* On utilise aussi de plus en plus le charbon de l'Oural lui-même ; *constr. méc. :* matériel ferroviaire, tracteurs, machines-outils, armement, dans l'Oural : Nijni-Taguil, Sverdlovsk, Tcheliabinsk, qui assurent de 30 à 40 % des ind. méc. ; *chim. :* utilisant les sous-produits de la métallurgie (Magnitogorsk) et les gisements de potasse et de phosphates du bassin de la Kama (région de Perm).

• **Kamtchatka.** 31 000 km². *Capitale : Pallana,* petit port de pêche sur la mer d'Okhotsk. *Histoire : 1697* découvert par 60 cosaques agissant pour le compte d'un négociant en fourrures d'Irkoutsk, Vladimir Atlasov. *1701* rattaché à l'empire r. par Pierre le Grand. Les indigènes (Kamtchadales), surmontant leurs rivalités, résistèrent 30 ans. Il en subsiste environ 9 000 : 3 000 Selcups et 6 000 Koriaks, éleveurs de rennes et pêcheurs groupés dans le district national des Koriaks, au N.

• **Ile de Sakhaline.** 76 000 km². 948 km de long, du N. au S. Latitudes comparables à la France et à l'Irlande, mais climat sibérien (toundra, rennes). 700 000 h dont 50 à 70 000 d'origine coréenne. *Cap. Loujno Sakhalinsk* (10 417 km de Moscou, 100 000 h.) (85). *Histoire : 1643* le Hollandais De Vries la découvre et la prend pour une presqu'île. *1782* La Pérouse l'identifie comme île. *1805* explorée par les R. *1856* par les Jap. (au S.) ; entièrement r. (le Jap. cède le S. contre les Kouriles). *1875* annexée à la Russie. *1905* les Jap. reprennent le S. (jusqu'au 50ᵉ parallèle). *1945* Yalta : attribuée entièrement à l'U., ainsi que les Kouriles.

• **Régions arctiques.** Environ 1/5 de l'U., climat continental : hiver long, très rude (– 47 °C en janvier à Verkhoïansk) ; été très court, précipitations médiocres, de plus en plus faibles vers l'E. La région autour de Mourmansk, au N.-O., bénéficie de l'influence adoucissante de la dérive nord-atlantique (prolongement du Gulf Stream). Sol perpétuellement gelé en profondeur (la *merzlota,* à l'O. de l'Oural, au-delà du cercle polaire), à l'E., beaucoup plus loin vers le S. Obstruction des embouchures des cours d'eau (gigantesques débâcles dans le cours moyen). Toundra : limitée par le cercle polaire à l'O. de l'Oural, s'élargit progressivement vers l'E. ; au-delà de la Lena, s'étend sur toute la Sib. or. et le Kamtchatka, entre océan Arctique, océan Pacifique et mer d'Okhotsk. Élevage nomade du renne. *Mines :* nickel, presqu'île de Kola (région de Mourmansk), nickel et cuivre (Norilsk, delta du Ienisseï), métaux précieux de la vallée de la Lena (région de Iakoutsk), fer (presqu'île de Kola), houille (bassin de Vorkouta), lignite (vallée moyenne de la Lena) et houille (Toungouska, affluent de droite du Ienisseï). *Difficultés :* approvisionnement alimentaire (en dépit des progrès de l'agriculture arctique), relations difficiles, par chemins de fer (3 lignes en Europe, aboutissant à Mourmansk, Arkhangelsk et Vorkouta), voie d'eau en été, mer (« voie maritime du Nord », 13 000 km d'Arkhangelsk à Vladivostok), avion. *Villes* rares ; Mourmansk 412 000 h., Arkhangelsk 403 000 h.

• **Sibérie** 12 800 000 km² (57 % de l'U.) sur 8 000 km de l'Oural au Pacifique et 3 000 km de l'Arctique à la Chine. **Population** *(en millions) : 1926 :* 6,5 ; *59 :* 17 ; *70 :* 25 (pour la 1ʳᵉ fois, plus de 10 % de l'U.) ; *83 :* 29,6. **Ressources :** 58,7 % des réserves mondiales de pétrole, 41 % du fer, 88 % du manganèse, 54 % de la potasse, 25 % du bois. 60 % cuivre de l'U., 90 % de ses réserves de charbon, 80 % de ses ressources hydro-élec. *Production* (82 et, entre parenthèses, est. 90) : pétrole 353 (1 000) millions de t, gaz 231 (1 000) milliards de m³. *Agriculture :* 30 millions d'ha défrichés entre 1955 et 77. Mais le rendement des nouvelles cultures reste insuffisant (4 h 1/2 de travail pour 1 quintal de blé, contre 1 h aux USA). Obstacles principaux : climat (7 mois de gel) ; distances, rareté des hab. (densité de 2,3 par km²) ; pauvreté des sols (tchernoziom 10 % de sup. ; sols marécageux, sablonneux, siliceux et montagneux 90 %). *Actions entreprises :* utilisation massive des engrais ; mise en culture du désert, notamment Kazakhstan (irrigation, lutte contre l'érosion due aux vents ; utilisation de machines spéciales travaillant le sol sans ôter la couche végétale) ; création d'une agric. polaire (serres chauffées et éclairées) ; peuplement systématique (d'abord forcé, puis encouragé par primes appels au patriotisme ; la plupart des points d'implantation en Sibérie sont tenus par des jeunes ; avantage : dynamisme accru ; inconvénient : instabilité, forte proportion de départs).

Transports : hélicoptères, avions, ferroviaires (voies construites sur pieux de béton de 12 m de haut, enfoncés dans le sol gelé). Ligne de navigation polaire (convois précédés d'un brise-glace ; ouverture du port de Norilsk à l'embouchure du Ienisseï, permettant l'acheminement du matériel lourd par la m. de Barents). Transports par gazoducs, oléoducs. L'aménagement d'un réseau de transports efficace (et par conséquent l'exploitation de la Sib.) dépasse les forces de l'U. (aides extérieures possibles : capitaux américains, techniciens japonais, main-d'œuvre chinoise).

Républiques autonomes de la RSFSR (Villes en 1989)

Bachkirie (*Oufa* 1 083 000 h.). 143 600 km². 3 952 000 h. *1557* annexée , rép. aut. *1919*-23-3. *1990*-12-10 Soviet suprême déclaration souveraineté ; la Rép. s'appelle désormais Rép. soc. sov. bachkire ou Bachkortostan.

Bouriatie (*Ulan-Udé* 353 000). 351 300 km². 1 042 000 h. *1689* : tr. de Nerchinski et tr. de *1727* Kyakhta : *cédée par la Chine. 1920*-1-3 f., *1923*-30-5 Rép. aut..

Carélie (*Petrozavodsk* 270 000). 172 400 km². 792 000 h. Annexée à la Russie ; *1920*-8-6 f. en tant que commune de travail ; *1923*-25-7 Rép. aut. *1990*-10-8, proclame sa souveraineté.

Daghestan ou *Pays des montagnes* (*Makhatchkala* 315 000) 50 300 km². 1 792 000 h. 80 % de musulmans. Env. 30 langues. (*1723* cédée par la Perse, *1859* annexée ; *1921*-20-1 Rép. aut.).

Iakoutie (*Iakoutsk* 187 000). 3 103 200 km². 1 081 000 h. XVIIe s. conquise ; *1922*-27-4 Rép. aut.

Kabardino-Balkare (Rép.) (*Naltchik* 235 000). 12 500 km². 760 000 h. *1557* annexée, *1921*-1-9 région aut. des Kabardes ou Kabardins (Tcherkesses orientaux), 1922 région aut. de Kabardino-Balkarie, *1936*-5-12 Rép. aut.

Kalmoukie (*Elista* 81 000 [1]). 75 900 km². 600 000 h. (1991) Déb. XVIIe s. dominée par les Russes, *1920*-4-11 région aut., *1935*-20-10, rép. aut., *1990*-19-10, proclame sa souveraineté.

Komis (Rép. des) (*Syktyvkar* 233 000). 415 900 km². 1 263 000 h. XIVe s. annexée, *1921*-22-7 Rép. aut.

Mariis (Rép. des) (*Iochkar Ola* 242 000). 23 200 km². 750 000 h. *1552* annexée, *1920*-4-11, Rép. aut.

Mordovie (*Saransk* 312 000). 26 200 km². 964 000 h. XVIe s. occupée par les Russes, *1930*-10-1, région aut., *1936*-20-12 Rép. aut.

Ossétie du Nord (*Ordjonikidze* 300 000). 8 000 km². 634 000 h. En 1991, Ossètes 52 %, Russes 39, Ingouches, Géorgiens, Arméniens. Majorité de musulmans. XVIIIe s. annexée, *1918*-4-3, Rép. aut. *1921*-20-1, rép. aut. des Montagnes, *1924*-7-1 région aut., *1936*-5-12, Rép. aut.

Oudmourtie (*Ijevsk* 635 000). 42 100 km². 1 609 000 h. XVe et XVIe s. annexée, *1932* région aut. de Votsk, *1934*-28-12 Rép. aut.

Tatarie (*Kazan* 1 094 000). 68 000 km². 3 640 000 h. Conquise 1552, région aut. 27-5-1920). Les Tatars dits « T. de la Volga » sont 1 536 000, soit 1/4 de la pop. tatare d'URSS (5 931 000). Autres groupes importants : T. d'Astrakhan (divisés en Koundroffs et Karagachs) et T. de Crimée. *1921*-13-10/*1944*-26-6 rép. aut. de Crimée, faisant partie de la RSF d'Ukraine ; (*1941-44*) collabore avec All. et Roumains déportations et rép. supprimée. Territoire, incorporé directement à la RSF d'Ukraine, repeuplé de R. et d'Ukr. Actuellement, vivent en Ouzbékistan (574 000) et Kazakhie (288 000). Ne sont pas reconnus comme « Tatars », mais comme « citoyens ayant autrefois habité la Crimée ». Musulmans, ils ont gardé des attaches avec les Turcs (autrefois maîtres de la Crimée). Revendiquent leur retour dans leur prov. d'origine.

Tchétcheno-Ingouthie (*Grozny* 401 000). 19 300 km². 1 277 000 h. *1850-60* conquise, *1922*-30-11 région aut. des Tchétchènes, *1924*-7-7 région aut. d'Ingouthie, *1934*-15-1 région aut. de T.-I., *1936*-5-12 rép. aut.

Tchouvachie (*Tchéboksary* 420 000), 18 300 km². 1 336 000 h. 1552 dominée par les Russes, *1920*-14-6 région aut., *1925*-21-4 Rép. aut.

Touva (*Kyzyl* 75 000 [1]). 170 500 km². 309 000 h. 1914 protectorat russe, *1921*-14-8 rép. populaire de Tahnou-Touva, *1926* rép. pop. de Touva, *1944*-13-10 région aut., *1961*-10-10 Rép. aut.

Nota. – (1) : 1985.

Régions autonomes de la RSFSR (Population en 1989)

Adyghes (*Maikop* 149 000). 7 600 km². 432 000 h. *1922*-27-7 établie.

Gorno Altaïsk (*Gorno Altaïsk* 40 000 en 76). 92 600 km². 192 000 h. *1922*-1-6 établie, région Oirot, *1948*-7-1 rebaptisée, 25-10-1990 République autonome.

Juive (*Birobidjan* 80 000 [1]). 36 000 km². 216 000 h. (dont 128 000 Russes, 15 000 Juifs en 70, 10 000 en 80, 14 000 Ukrainiens). **Histoire :** *1934*-7-5 créée pour utiliser, en faveur de l'Extrême-Orient soviétique, l'esprit « pionnier » des sionistes. 20 000 Juifs d'U. occidentale s'installèrent au B. entre 1934 et 1937. *1936*-29-8 décret créant un territoire nat. juif. Le yiddish était langue officielle à égalité avec le r. *1945-48,* l'immigration reprend [survivants des persécutions nazies (max. de la population j. *1948 :* 30 000)]. *1948* mesures antisémites de Staline (notamment abolition de la culture yiddish en B.), la population décroît. *1983* campagne pour inciter à l'émigration dans cette région.

Karatchevo-Tcherkess (*Tcherkess* 113 000). 14 100 km². 418 000 h. *1922*-12-1 établie.

Khakass (*Abakan* 154 000). 61 900 km². 569 000 h. *1930*-20-10 établie.

Nota. – (1) 1986.

Districts autonomes de la RSFSR (Population en 1978)

Aguinski-Bourlatski (*Aguinskoïé* 8 000). *1937*-26-9 fondé. Partie de la région de Tchita. 19 000 km² 69 000 h..

Komis-Permiaks (*Koudymkar* 26 000). *1925*-26-2 fondé. Région de Perm. 32 900 km². 177 000 h.

Koriakz (D.A. des) (*Palana* 3 000). *1930*-10-12 fondé. Région de Kamtchatka. 301 500 km². 36 000 h.

Nénetz (D.A. des) (*Narian-Mar* 17 000). *1929*-15-7 fondé. Région d'Arkhangelsk, comprend îles Kolgouïev et Vaïgacth. 176 700 km². 44 000 h.

Taïmyr (*Dolgano-Nénetz, Doudinka* 20 000). *1930*-10-12 fondé. Terr. de Krasnoïarsk. 862 100 km². 44 000 h.

Oust-Ordynski Bouriatski (*Oust-Ordynski* 11 000). *1937*-26-9 fondé. Région d'Irkoutsk. 22 400 km². 130 000 h.

Khanty et Mansis (D.A. des) (*Khanty-Mansiisk* 25 000). *1930*-10-12 fondé. Bassin central de l'Ob. 523 100 km². 498 000 h.

Tchoutchkes (D.A. des) (*Anadyr* 8 000). *1930*-10-12 fondé. Région de Magadan. 737 700 km². 129 000 h.

Evenks (D.A. des) (*Toura* 4 000). *1930*-10-12 fondé. Terr. de Krasnoïarsk. 767 600 km². 15 000 h.

Iamalo-Nénetz (D.A. des) (*Salékharde* 23 000). *1930*-10-12 fondé. Bassin inférieur de l'Ob et du Nadim. 750 300 km². 144 000 h.

Arménie (ASSR)

Généralités. 29 800 km². *Population :* 3 305 000 h. [en % Arméniens 93,3, Azerbaïdjanais 5,3 (87), Kurdes 1,7, Russes 1,5]. *Capitale : Erevan* (1 218 000, en 1990). D. 110,9. **Arméniens dans le monde** (en milliers) : 7 000 dont Arménie 3 000, reste de l'U. 1 500, Moyen-Orient 650, USA 600, *France 400,* Turquie 70. **Économie.** Métall. non ferreuse, ind. chim., élec., textile, cuirs et peaux, vins, conserveries. *Revenu par hab. :* 1 938 roubles (en 1985).

Histoire (Voir Arménie turque p. 1089). **1828** tr. de Turkamantchâi avec Perse, laissant à la Russie l'A. perse, avec Erevan et Echmiadzin (27 000 km²), incorporée à la prov. de Transcaucasie. Les A. de Turquie (pour 1/3 env.) constituent un parti prorusse, voyant dans le protectorat russe (et dans l'annexion à la Transcaucasie) le meilleur moyen de protéger la chrétienté a. contre les Musulmans (au XIXe s., 150 000 A. se réfugient en Russie, dont 40 000 en Géorgie). **1853-55** et **1877-78** g. russo-turques : l'A. russe atteint 455 000 km² (Kars annexé 1878). **1914**-*4-11* offensive r. en A. turque (120 000 A. servent dans l'armée r.). Conquête du lac de Van. **1915-16** conquête de l'A. turque (Van, Tiflis, Erzeroum). **1917**-*20-9* l'A., y compris les territoires récemment conquis, se proclame *partie de la Rép. fédérale de Transcaucasie,* fondée à Tiflis. **1918**-*3-3* tr. de Brest-Litovsk : les All. exigent la restitution aux Turcs des terr. conquis en 1914-16, et des provinces annexées en 1877-78 (Kars) ; *-13-4* la rép. de Transcaucasie déclare la g. à la T., pour empêcher l'occupation de l'A. ; *-26-5* elle se disloque : une « rép. d'Erevan » (arménienne) continue seule la g. contre les T. ; *-4-6* tr. arméno-turc de Batoum : la rép. d'Erevan accepte les frontières d'avant 1877 (Kars cédé à Turquie). *-28-7* les Anglais débarquent à Bakou, mais doivent rembarquer, les A. ayant refusé leur collaboration. *-30-10* défaite des T. (armistice de Moudros) ; les Alliés rétablissent la frontière de 1878 (Kars à l'A.) et occupent les ports de Géorgie. **1919** *nov.* les Sov. s'allient aux T. kémalistes contre les 3 rép. de Transcaucasie. **1920** *avr.* les Sov. réoccupent l'Azerbaïdjan, isolant la rép. d'Erevan ; *sept.-nov.* les kémalistes conquièrent la rép. d'Erevan et installent un gouv. à Erevan ; les non-communistes se replient au Karabakh (enclave a. en Azerbaïdjan) ; *-29-11* soulèvement pop. contre Turcs, proclamation de la rép. soc. sov. d'A. *-2-12* le chef du gouv. com., Khatizian, signe à Tarnapol un tr. de paix avec les kémalistes : l'A. libre reconnaît les frontières de 1878-1914 (rend Kars ; réduite à 34 000 km²). **1921**-*6-3 tr. de Moscou* entre Sov. et kémalistes : la frontière est reconnue ; *-13-10* tr. arméno-t. de Kars : confirmation de la frontière de Tarnopol. **1922**-*1-3* l'A. fait partie de la RSFST. *-30-12* la Transcaucasie devient une rép. de l'URSS. **1923**-*24-7 tr. de Lausanne :* la frontière a.-t. reconnue par la SDN. **1936**-*5-12 dissolution de la Transcaucasie :* l'A. (réduite à 29 800 km²) devient une Rép. sov. fédérée (Karabakh devient un *oblast* autonome azerbaïdjanais). **1946-48** retour d'env. 100 000 A. rescapés de Turquie. **1987**-*17/19-10* manif. à Erevan. **1988**-*11/26-2* manif. pour le rattachement à l'A. du Ht-Karabakh. *-15-6* le Soviet d'A. demande le rattachement du Ht-Karabakh, refus du Soviet d'Azerbaïdjan. *-7-12* séisme : Spitak détruite à 100 %, Leninakan à 80 %, env. 100 000 †, 500 000 sans-abri. **1989** *-15-4* siège du KGB attaqué à Erevan (1 †). *-1-12* Parlement vote rattachement du Ht-Karabakh à l'A. **1990**-*27-5* affrontements A./militaires (20 †). *Juill.* décret de Gorbatchev désarmant les milices. *-4-8* Levon Ter-Petrosian (n. 1945) élu Pt du Parlement. *-23-8* proclame indép. **1991**-*fin avril* offensive sov. contre Arm., dizaines de †, 4 000 réfugiés. *-4-5* Moscou, rencontre Gorbatchev-Ter-Petrosian pour désarmer milices. *-9/10-5* 3 villages attaqués, 48 †. *-21-9* référendum prévu sur l'indép.

Azerbaïdjan (Azerb. SSR)

Généralités. 86 600 km². *Population :* 7 145 600 h. au 1-1-90 (en % Azerbaïdjanais 70, Arméniens 8, Russes 5,6). La plus forte natalité d'URSS. *Mort. inf.* 75 ‰ ; cancers 7 fois + nombreux qu'ailleurs ; 80 % des femmes anémiques. *Capitale : Bakou* (1 757 000 dont 200 000 Arméniens et 200 000 Russes en 1988). D. 82,5. **Azéris dans le monde** (en milliers) : Iran 5 000, reste de l'URSS 2 000, Turquie 500. **Économie.** Pétrole (30 millions de t dont 15 sous-marines ; gaz naturel, fer, alunites, sel gemme, mat. de construction, raffineries (70 % de l'ind. parapétrolière sov.), constr. méc., chim., électrotechnique, verre, porcelaine, faïence, bois, raisins (1 024 400 t en 89), céréales, fruits, thé, coton (581 900 t en 89). *Revenu par hab. :* 1 730 roubles (en 1985).

Histoire. **Jusqu'en 1806,** fait partie, avec l'Azerbaïdjan iranien, de *l'Albanie* (en arabe *Arran*), peuplée dep. le XIIIe s. de Turcs Seldjoukides, chiites.

• **Pays du Caucase. Situation.** Chaîne jeune d'âge alpin formée surtout de calcaires (Elbrouz, alt. 5 633 m.), boisée, avec alpages sur hautes pentes et vastes champs de neige sur sommets. Séparée, par les montagnes, l'*Arménie*, profonde dépression longitudinale. A l'O., la *Géorgie,* climat subtropical, riches cultures (vignes, thé, canne à sucre, maïs). A l'E., l'*Azerbaïdjan* plus sec (irrigation pour la culture du coton). Occupé par les R. au XIXe s. dans un but politique (pénétration en Perse et mainmise sur l'Empire ottoman). Azerbaïdjan, Arménie, Géorgie ont de 1922 à 1924 constitué la rép. de Transcaucasie.

Ressources. *Pétrole* découvert 1863. 2 gisements : au S. Bakou, jusqu'aux abords de Tbilissi (Tiflis), à l'intérieur ; au N. Grosny et Maïkop. Longtemps 1er producteur de pétrole de l'U. (80 % en 1928, actuellement 10 %). Oléoducs vers Batoum sur mer Noire (transport vers Odessa et exportation) et Rostov. *Plomb. Zinc. Manganèse. Tungstène. Molybdène. Cuivre* (Arménie). *Hydroélectricité. Houille* près de la mer Noire. *Industrie* métallurgie lourde (non ferreux), ind. légères.

Le chemin de fer transcaspien franchit par ferry-boat la mer Caspienne entre Krasnovodsk et Bakou, d'où la voie ferrée remonte vers le Nord.

Principales villes (89) : Bakou 1 757 000 h., Tbilissi (Tiflis) 1 260 000, Erevan 1 199 000.

1806 Alexandre Ier conquiert sur la Perse la région de Bakou. **1813** Bakou annexée, devient capitale d'un gouv. **XIXe s.** exploitation du pétrole ; construction des chemins de fer Bakou-Tiflis-Batoum et Bakou-Stavropol. **1905** pogroms à Bakou. **1917** *mars* indépendance (à Bakou, un gouv., dirigé par l'Arménien Stepan Shaumian, fait sécession et reste uni aux bolcheviks russes) ; *-20-9* les séparatistes s'unissent à A. et Géorgie en une *Féd. de Transcaucasie*. **1918**-*4-6* alliance avec Turquie contre communistes de Bakou ; -27-8/14-9 Anglais occupent Bakou puis sont forcés de se réembarquer. *-17-9* Fath Ali Khan Khoysky occupe Bakou et y établit le gouv. de la rép. d'Azerbaïdjan ; *-7-12* élections, victoire sociaux-démocrates. **1920**-*5-1* reconnu *de facto* par les Alliés ; *-27-4* conquis par Armée rouge ; *-28-4* proclamation de la *rép. sov. de l'A.* **1921**-*1-2* : 1er congrès du parti com. a. **1922**-*12-3* partie de la *rép. sov. de Transcaucasie*. *-30-12 Rép. fédérée*. **1923** 1er gisement offshore exploité. **1988**-*28-2* Soumgaït pogroms anti-arméniens : 32 †. *21-5* 1er secr. du PC destitué. *-19/24-11* affrontements Arméniens-Azéris à Kirovabad. *-21-11* 100 000 manif. à Bakou. **1989**-*20-5* Erevan 200 000 manif. réclament lib. de dir. arméniens. *Automne*, nombreuses manifestations. **1990**-*1/7-1* manif. aux frontières d'Azéris pour libre circulation avec l'Iran. *-13-1* Bakou pogroms anti-arm. : 34 †. *-19/20-1* intervention d'armée et des troupes du min. de l'Intérieur 160 †. État d'urgence à Bakou. *-Nov.* proclame sa souveraineté, la rép. d'Az. n'est plus socialiste ni sov. **1991**-*30-4* assaut des OMON et forces spéciales azéris contre 2 villages arm. : 36 †. Pt Ayaz Moutalibov (n. 1938).

1 région autonome dep. 7-7-1923 : **Nagorny Karabakh.** 4 400 km². 188 000 h. (en 89). Arméniens 80 %. *Capitale : Stepanakert.* (35 000 en 76). **1988** troubles. A. veulent rattachement à l'Arménie (12-7 Soviet est pour). **1989** *janv.* combats : dizaines de †. *-20-1* rattaché à Moscou. *Sept.* 120 † dep. mars. 80 000 familles a. réfugiées en Arménie, 100 000 en Russie. *-28-11* suppression du Comité spécial chargé d'administrer le Haut-K. dep. janv. 89. **1991**-*14-5* déplacement des pop. arm. : hommes emmenés en détention en Azerbaïdjan, femmes et enfants doivent quitter la rép. et partir en Arménie ou ailleurs. *-16-5* le gouv. central décide de désarmer les volontaires arm. (avant l'armée encerclait les villages et les miliciens azéris faisaient les contrôles). *-23-5* affrontements : 3 † dont 1 soldat.

1 Rép. autonome. dep. 9-2-1924. **Nakhitchevan** 5 500 km². 295 000 h. (89). Arméniens 1 %. *Capitale : Nakhitchevan* 37 000 h. en 76. **1828**-28-4 annexée par la Russie, enclavée dans la Rép. arménienne.

Biélorussie (BSSR)

Nom signifiant Russie Blanche, c'est-à-dire Russie occid. (le blanc étant, chez les Slaves, le symbole de l'O.). Appelée *Russie Blanche* jusqu'en 1939, les noms Biélorussie et Biélorusse s'imposaient car il y avait confusion entre les *Blancs-Russiens,* ses habitants, et les *Russes blancs* (réfugiés politiques antisoviét.). 207 600 km². *Population :* 10 200 000 h. (dont, en %, Biélorusses 79, Russes 13,1, Polonais 4,2, Ukrainiens 2,4, Juifs 1,4). *Capitale : Minsk* (1 589 000). D. 49,1. 6 provinces. **Économie.** Tourbe, sel gemme, potassium, pétrole, phosphorite, mat. de constr., houille, lignite, schiste ; constr. méc., usinage des métaux, automobiles ; céréales, bett. à sucre, p. de t., légumes, viande, lait, œufs, forêts. *Revenu par hab. :* 2 549 roubles (en 1990). **Histoire.** **1919**-*1-1* rép. soc. sov. **1922**-*30-12* fait partie de l'U. **1989** *août* pape nomme 1er évêque dep. la guerre. **1990** *avril* 100 000 h. de 526 villes attendent d'être évacués (suite de Tchernobyl). *-27-7* proclame sa souveraineté.

Estonie (ESSR)

Généralités. 45 100 km². 1 520 îles dans la Baltique. *Population :* 1 573 000 h. (en % Estoniens 65 (1940 : 95), Russes 30,3, Ukrainiens 3,1, Biélorusses 1,6). *Capitale : Tallin* 482 000 h. D. 34,8. **Économie.** Schistes bitumineux (3/5 de l'extraction soviétique), phosphates, énergie élec., papier, ind. alim. (beurre, viande, poisson), engrais, textile, conserves, lait, œufs. *Revenu par hab. :* 2 670 roubles (en 1990). **Forêts.** 38 % du territ.

Histoire. **IIe s. av. J.-C.** peuplée par des Finno-Ougriens, proches des Finlandais, que Tacite appelle *Aesti,* les Estes. **1030** demeurés païens, ils repoussent une croisade russe menée par le Pce Yaroslav. **1180** début de la christianisation par les Germano-Danois. **1202** fondation des chevaliers Porte-Glaive ; **1219** prise de la cap. rebaptisée Tallin : Taani Linn (château danois) ; **1237** fusion des Porte-Glaive et de l'Ordre teutonique ; **1290** conquête achevée. **1346** l'Ordre teutonique se rachète de la vassalité danoise (devient o. souverain). **1410**-*15-7* battu à Tannenberg, devient vassal du roi de Pologne. **XVIe s.** les chevaliers se convertissent en masse au luthéranisme, et se transforment en aristocratie terrienne protestante (germanophone), les « barons baltes ». **1558** Ivan le Terrible conquiert Narva. **1561-81** luthériens suédois chassent les R. de Narva. **XVIIe s.** province suédoise. **1709** Poltava : les R. battent Suédois et conq. l'E. **1721** paix de *Nystad :* la Suède cède l'E. aux R. **XVIIIe-XIXe s.** prov. r., la noblesse reste de culture germanique ; les serfs sont de langue eston. **1917** les libéraux r. accordent l'*autonomie* aux Est. ; *oct.* ceux-ci proclament l'indép. (contre bolcheviks). **1918**-*28-1* ils appellent à l'aide l'armée all. ; *-12-4* ils offrent la couronne à l'emp. Guillaume II ; *-11-11* défaite Allem., *-28-11* invasion sov. ; *-12-12* intervention d'une escadre britannique ; *-24-12* Rép. indépendante. **1919-20** intervention décisive des volontaires all. de Rüdiger von der Goltz. **1920**-*2-2 tr. de Tartu* avec U.R.S.S. : indépend. reconnue. **1920-40** rép. (dictature du Gal Pats dep. 1933). **1934** Conseil des États baltes avec Lettonie et Lituanie. **1940**-*16-6* ultimatum sov. (en vertu de l'accord Molotov-Ribbentrop du 23-8-39) : instauration d'un régime com. ; *-21-7* le gouv. com. demande son rattachement à l'U. *-6-8 adhère à l'U.* **1941-44** partie de *l'Ostland,* administrée par armée all. **1944**-*22-9* réoccupation sov. **1950** *avr.* gouv. destitué pour « déviation nationaliste ». **1988**-*11-9* drapeau estonien autorisé. *-16-11* et *7-12* Parlement estonien proclame souveraineté de la Rép. et la primauté de ses lois sur celles de l'URSS. **1989**-*18-1* estonien langue off. de la Rép. *-24-2* manif. commémorant l'indép. de 1918. *-18-5* Parlement crée une monnaie : le korus. *-21-7* manif. de milliers de Russes contre autonomie. *-27-11* Soviet suprême accorde l'autonomie écon. aux 3 Rép. baltes à partir du 1-1-90. **1990** *fév.* nouvelle monnaie (esti kroon, couronne est.) valant 1 rouble, en circulation en déc. 90. *-18-3* législatives. *-30-3* proclame indép. *-14-5* Gorbatchev déclare illégale l'indép. **1991**-*24-1* Bertil Whinberg et Ove Fredriksson, syndicalistes suédois, assassinés à Tallin. *-3-3* référendum sur indép. *-23/26-5* forces spéciales du min. de l'Intérieur (OMON) attaquent postes de douane. **Pt du Parlement.** Arnold Rüütel. **Partis.** *Front populaire* (nationaliste), majoritaire au Parl. *PC est.* divisé.

Géorgie (GSSR)

Généralités. 69 500 km². 5 500 000 h. en 1991 [en % Géorgiens 68,8, Arméniens 9, Russes 7,4, Azerbaïdjanais 5,1, Ossètes 3,2, Abkhaz 1,7, Grecs 1,9, Juifs 0,6, Kurdes 0,5, Ukrainiens 0,9, divers 0,9 (dont 400 000 Coréens descendant des déportés de 1937)]. *Capitale : Tbilissi* (Tiflis) (1 264 000). D. 78,1. **Économie.** Ind. minière (manganèse), engrais, cuir, papier, énergie hydraulique, constr. méc. ; cultures subtropicales, vignobles et vergers (27 % de la surf. cultivée), thé, élevage. *Revenu par hab. :* 2 063 roubles (en 1985). **Histoire.** **Antiquité** connue sous le nom d'Ibérie (langue asiatique, d'origine inconnue). **300 av. à 265 apr. J.-C.** conquise par Perses arsacides. **IIIe-VIIIe s.** par Sassanides. **311** christianisée (Ste Nino, martyre 330, patronne de Géorgie). **787** indépendance dynastie des Bagration. **1184-1212** apogée sous la reine Thamar. **1386** conquise par Tamerlan. **1407-42** par les Turcs ottomans. **1615** conversion de rois à l'islam et souveraineté de la Perse. **XVIIIe s.** roi Heraclius II reconquiert indép. **1783** par tr., se met sous la protection R. **1795** sac de Tiflis par Persans (la R. n'intervient pas). **1799** le dernier roi, Georges XII, négocie nouveau tr. de protectorat avec le tsar Paul Ier. Les Angl. occupent Batoum. **XIXe s.** partie du gouv. de Transcaucasie (garde sa culture, avec des écrivains de langue nationale). **1801** *annexée à R.,* église rattachée au synode r. **1917**-*20-9* union avec A. et Azerbaïd. au sein de la *féd. de Transcaucasie.* **1918**-*26-5* féd. dissoute, Géorgie indép. **1920**-*15-1* indép. reconnue par Alliés ; *-7-5* par Sov. *-4-6* Angl. réembarquent. **1921**-*27-1* invasion sov. ; *-22-2* alliance turco-sov. ; *-25-2* proclamation d'une *Rép. sov. à Tiflis ; -16-3 tr. de partage turco-sov. à Moscou :* U. reçoit Batoum ; Turquie garde Artvin et Ardahan. **1922**-*12-3* partie de la *rép. sov. de Transcaucasie.* **1924**-*27-8* insurrection nationale, organisée par Kaikhosro Cholokashvihi (échec : 3 000 †, 130 000 Géorgiens déportés en Sibérie). **1936** purges. *-5-12* dissolution de la Transcaucasie : forme une *Rép. membre direct de l'Union.* **1944** 150 000 Meskhs (G. musulmans islamisés au XVIIe s.) déportés en Asie centrale (surtout Ouzbékistan). **1953** 400 000 Géorgiens seraient morts dep. 1921 vict. de la répression. **1989**-*9-4* Tbilissi, armée tire sur manif. contre rattachement d'Abkhazie à RSFSR (20 à 200 †?). *-26-5 :* 200 000 pers. célèbrent pour la 1re fois l'anniversaire de la Rép. de 1918. *-16/21-7* heurts interethniques (14 †). *25-7* 18 000 manif. pour indép. *Oct.* Merab Kostava, nationaliste g., meurt dans accident de voiture (500 000 pers. à ses obsèques). *20-11* proclamation de souveraineté. *-23-11* affrontements en Ossétie du S. **1990** *fév.* parti social-démocrate g. reconstitué (créé 1893, dissous 1921, secr. gén. Gouran Moutchahidze). *-6-3* Tbilissi, statue de Lénine renversée. *-9-4* Tbilissi, 100 000 manif. pour commémorer événements d'avril 89. *-25-3* législatives. *-28-10 et 11-11* élect. (opposants 140 P. nationalistes au PC) au Soviet suprême de G. vict. Table ronde-Géorgie libre (154 s., PC 64 s.). *-14-11* Zviad Gamsakhourdia désigné Pt par le Parlement 232 v. pour, 5 contre. *-21-11* loi créant une garde nat. et interdisant la conscription dans l'Armée rouge. *-8-12* PC de G. quitte PC sov. *-10-12* le Parlement supprime la région autonome d'Ossétie du S. **1991**-*7-1* décret de Gorbatchev exigeant que la G. abandonne ses ambitions. *-31-3* référendum, participation 90,5 % : 98,93 % pour indép. *-9-4* Parlement proclame indép. *-14-4* modifie la Const., crée un poste de Pt. *-28-4* affrontements avec Ossètes. *-26-5* Z. Gamsakhourdia élu Pt au suffrage universel (87 % des v., 1re fois en URSS).

2 Rép. autonomes : Abkhazie 8 600 km². 537 000 h. (en % : Géorgiens 44, Abkhazes 17, Russes 16, Arméniens 15). **Ier s.** royaume. **VIe s.** soumis à Byzance. **Fin VIe s.** autonome. **978** principauté de Géorgie. **XVe s.** indép. **XVIIe s.** converti à l'islam. **1810** protectorat russe. **1814** annexé. **1921**-*4-3* rép. sov. *-16-12* rattaché à Géorgie [Abkhazes divisés entre Abkhazie et région autonome de Karatchaï-Tcherkessie (rattachée à Russie) où ils sont appelés Abasas]. *Capitale : Soukhoumi* 121 000 h. **Adjarie** 3 000 km². 393 000 h. *Capitale : Batoumi* 136 000 h (en % Adjars 40, Géorgiens 29). Annexée 1878, rép. 16-7-1921. **1 région aut. : Ossétie du Sud** 3 900 km². 125 000 h. (91). (en % : Ossètes 66, Géorgiens 29) (89). *Capitale : Tskhinvali* 34 000 h (76). Annexée apr. g. Russes/Turcs (1768-74), rég. aut. 20-4-1922. **1989** Front Pop. Ossète demande réunification ossète dans Fédération de R. **1990**-*nov.* déclaration d'indép. par rapport à la Géorgie (Moscou annule la décision). *-déc.* état d'urgence, couvre-feu. **1991**-*20-3* cessez-le-feu entre O. et G. *Pt :* Thores Gouloumbegov, emprisonné (1991).

Kazakhstan (Kaz. SSR)

Généralités. 2 717 300 km². *Population :* 16 538 000 h. (en % Russes 37,5, Kazakhs 36, Allemands 6, Ukrainiens 5,4, Tatars 2,1). *Capitale : Alma-Ata* 1 128 000 h. D. 6. 19 régions. **Économie.** + de 90 minéraux utiles (fer, cuivre, plomb, zinc, charbon, pétrole, phosphorites, mat. de constr) ; engrais, cuir ; élevage ; céréales, coton, riz, bett. à sucre, vignobles et vergers. Centre spatial de Baïkonour. Partie du territoire utilisée pour essais nucléaires. *Revenu par hab. :* 1 605 roubles (en 1985). **Histoire.** **1920**-*26-8* Rép. soc. de Kirghizie. **1925** nommé Kazakhstan. **1936**-*5-12* adhère à l'U. **1986**-*16-12* émeutes à Alma-Ata centre, nomination d'un Russe à la tête de la Rép. Plusieurs †. **1989** *juin* violences contre minorités venues du Caucase. **1990**-*24-4* création d'une présidence. *-26-10* proclame sa souveraineté, la supériorité de ses lois sur celles de l'Union, la propriété de ses ressources nat., l'interdiction des essais nucléaires. **1991** *avril* Pt Noursoultan Nazar signe l'accord des 9 + 1 (voir URSS).

Kirghizie (Kirg. SSR)

Généralités. 198 500 km². *Population :* 4 372 000 h. au 1-1-90 (en % Kirghizes 50, Russes 21,5, Ouzbeks 12, Ukrainiens 3,1, Ouïgours, Kazakhs, Tadjiks, Allemands de la Volga, déportés en 1941). *Capitale : Frounze* 626 900 h. D. 22. *3 régions.* **Économie.** Mercure, antimoine, houille, pétrole, gaz naturel, plomb, zinc, uranium ; moutons, chevaux de race, bétail à cornes ; arboriculture fruitière, viticulture, plantes industrielles (kénaf, chanvre méridional, pavot médicinal), coton 74 000 t (89), céréales 1 654 000 t (89). *Revenu par hab. :* 1 209 roubles (en 1985). **Histoire.** **1870** annexée. **1924**-*14-10 région aut. de Kara-Kirghizie.* **1925**-*25-5 de Kirghizie.* **1926**-*1-2 rép. aut. rép. soc.* **1936**-*5-12* adhère à l'U. **1990** *fév.* émeutes à Frounze ; *mai* incidents : 78 †. Kirghizes-Ouzbeks. *-6-6* affrontements interethniques (36 †) ; *juin* bilan : 186 †. *-25-10* création d'une présidence.

Lettonie (Let. SSR)

Généralités. 64 600 km². *Population :* 2 681 000 h. (en % Lettons 54, Russes 33,8, Biélorusses 4,8, Polonais 4, Ukrainiens 3,4). *Capitale : Riga* 915 000 h. D. 41,5. Économie. Chimie et pétrochimie, ind. du livre, constr. méc., usinage des métaux, constr. navales ; élevage de vaches à lait, céréales, p. de terre. *Revenu par hab.* : 2 723 roubles (en 1990, le + élevé d'URSS).

Histoire. **IXe s.** occupée par des Indo-Européens, les *Latgals* ou *Latviens* (d'où le 2e nom de la Lettonie : Latvie). Langue proche du lituanien. Colonisation et christianisation : voir Estonie. **1561** divisée en Courlande, duché autonome, et Livonie, intégrée à la Pologne. **1581** Riga annexée à la Pologne. **1621** conquise par Suédois. **1762** Russie annexe Livonie au 1er partage de la Pol. **1795** R. annexe Courlande (3e partage). **XIXe s.** les 2 prov., devenues r., sont administrées par des gouverneurs nommés par le tsar (presque tous des barons baltes). **1861** loi agraire permettant à quelques paysans lettons d'accéder à la propriété. **1915** 355 000 déportés en R. lors de l'offensive all. **1917** *mars* autonomie proclamée à Riga ; *-3-9* All. occupent Riga. **1918** *avr.* barons baltes offrent la couronne de Courlande à Guillaume II ; *-18-11* indép. (rép. de Lettonie). **1919** 3 occupations de Riga par bolcheviks. **1919-20** reconquête par troupes hétéroclites (« Russes blancs », All., Anglais, volontaires lettons, Polonais). **1920**-*11-8 tr. de Riga* : l'U. reconnaît l'indép. **1936** dictature du Gal Ulmanis. **1940**-*21-7* rép. soc. *-5-8* incorporation à l'U. **1988**-*14-6* manif. pour un monument aux victimes du stalinisme. **1990**-*15-2* Parlement vote l'indép. par 177 voix contre 48. *-1-5* Congrès des citoyens (élu par 700 000 Lettons) demande retrait des forces sov. *-3-5* Anatoli Gorbounov réélu Pt du Soviet suprême de Lettonie (153 voix sur 196) devant Anatoli Alexeïev, Pt du mouvement Interfront (pour maintien de la L. dans l'U.) 20 v. *-4-5* Parlement pour l'indép. (avec transition). *-14-5* décret de Gorbatchev annulant l'ind. *-27-7* la L. ne participera pas à l'élaboration d'un nouveau tr. de l'Union. *8-9* Pt Anatoli Gorbounov quitte PC. *-19-11* l'U. s'oppose à la participation des min. baltes des Aff. étr. au sommet de la CSCE à Paris. **1991**-*2-1* OMON (forces sov.) investissent imprimerie du Parti occupée par indépendantistes. *-7-1* arrivée de renforts sov. *-9-1* appel à refuser la conscription forcée. *-14-1* un Comité de salut nat. de L. favorable au maintien de la L. dans l'U. exigea démission du gouv. et du Parlement letton. *-15-1* Gorbatchev met en garde la L. *-16-1* 1 tué par OMON. Refus des indépendantistes de lever les barricades érigées dep. le 13. *-19-1* l'agence Tass annonce la prise du pouvoir par un Comité de salut nat. *-20-1* OMON attaquent min. de l'Intérieur : 5 †. *-21-1* Parlement crée unités d'autodéfense. *-3-3* « sondage d'opinion », en fait, référendum sur indép. **Partis.** *Front populaire* (nationaliste). *PC letton* (minorité indép. a fait scission le 8-4-90). **Élections législatives du 18-3-90 (1er tour).** 70 % de participation ; 390 candidats pour 201 sièges. 170 élus. Front populaire 120.

Lituanie (Li.SSR) *

Généralités. 65 200 km². *Population* : 3 690 000 h. (en % Lituaniens 80, Russes 9,3, Polonais 77, Biélorusses 1,7, Ukrainiens, Juifs 14 000, dont 11 000 à Vilnious). De 1940 à 60, 1 000 000 h. réprimés ou déportés. *Capitale : Vilnious* (Vilna) 582 000 h. D. 56,6. 850 000 Lituaniens aux U.S.A. Économie. Tourbe, ambre ; viande, lait, lin, bett. à sucre, pomme de t. ; chimie, métallurgie, c. navales, engrais, papier. **Agriculture.** 52 % du P.T.B. 97 % des besoins importés. **Énergie.** 97 % de la consommation importée. *Électricité* : centrale de 1 600 MgW de type RBMK (comme Tchernobyl). *Pétrole* : [26 puits, 1 en exploitation : Krelinga (15 t brut/j), possibilité max. de 460 t/j]. **Revenu par hab.** : 2 412 roubles (en 1990).

Histoire. Nation baltique (indo-europ.). Résiste aux chevaliers Teutoniques et demeure païenne jusqu'au XVIe s. **1315** Gédymin fonde dynastie des Jagellon, qui crée une puissante principauté lit. [conquiert Biélorussie et Ukraine jusqu'à la Crimée ; capitale Vilna, fondée 1323]. **1386** Jagellon ép. la reine de Pol., accepte le baptême catholique et unit Pol. et L. **1440** les 2 couronnes fusionnent en une seule. Langue off. : biélorussien jusqu'au XVIe s., puis pol. **1565** *Union de Brest* : les orthodoxes de L. deviennent catholiques « uniates », rattachés à Rome. **1654** conquis par tsar Alexis Romanov. **1667** tr. d'Androussovo : Smolensk cédé aux R. **1772-93** *rattachée à la R.* (1er et 2e partages de la Pol.). **1839** Uniates forcés de redevenir orthodoxes. **1840** code r. remplace code l. **1880** naissance d'une intelligentsia lituanophone. **1915**-*8-9* All. prennent Vilna. **1917**-*22-9* organisent un congrès qui réclame la restauration d'un royaume. **1918**-*11-7* la couronne est offerte à Guillaume d'Urach (duc de Wurtemberg, de la branche cath.). *-2-11* Guillaume refuse, la L. *devient rép.* **1919**-*5-1* l'Armée sov. prend Vilna : le gouv. se replie à Kaunas : *-20-4* les Pol. de Pilsudski prennent Vilna, annexée à la Pol. **1921-23** querelle avec Pol. sur Vilna. **1923-32** la SDN tranche en faveur de la Pol. ; la L. refuse de reconnaître sa décision. **1926** coup d'État d'Augustinas Voldemaras. **1929** dictature d'Antonas Smetova. **1939**-*21-3* Hitler prend Memel (Klaipeda) ; *août* la L. confie à la Banque de Fr. 2,2 t d'or ; *-10-10* les R. rendent Vilna à la L. en échange de bases mil. **1940**-*15-6* gouv. com., et occupation sov. *-21-7* rép. soc. *-3-8* adhère à l'U. **1941-44** fait partie de l'*Ostland* hitlérien (installation de 4 700 de colons all.) ; 230 000 à 250 000 Lituaniens †. **1944**-*13-7* reconquête sov. (resp. du parti : Souslov) : 80 000 Lit. se replient en All. **1945-49** env. 200 000 Lit. déportés en Sibérie. **1984** 500e anniv. de la mort de St-Casimir. *-10-3* pape nomme 2 arch. et 1 évêque. **1987** 600e anniv. de baptême de la Lituanie. **1988** *sept.* création d'un Conseil central du mouv. Sajudis. **1989** *janv.* lituanien langue officielle. *-16-2* L. pour autodétermin. *Oct.* 1-11 et 25-12 reconnus j de fête. *-7-12* abolition du rôle dirigeant du PC. *-20-12* PC indépendance du PCUS. **1990**-*11/13-1* Gorbatchev à Vilnious. *-24-2* législatives, vict. des indépendantistes. *-7-3* coût de l'indép. selon Gorbatchev : 21 milliards de roubles (210 milliards de F) payables en devises, dont 17 pour invest. directs et 4 pour marchandises non livrées ; fin des livraisons de mat. 1res à prix réduit, désorganisation des fournitures d'énergie, du système postal et téléphonique. *-11-3* Parlement l. proclame indép. à l'unanimité (– 6 abstentions). *-12-3* France prend acte de la déclar. d'indép. *-23-3* mesures mil. d'intimidation. *-19-4* L. privée de gaz et pétrole (1 gazoduc sur 4 en service : 3,5 millions de m³ au lieu de 19). *-23-4* raffinerie de Mazeïkiaï (37 000 t/j ; prod. 11,5 millions de t/an) fermée. *Mai* Pt Landsbergis demande médiation franco-all. *-10-5* PM Kazimiera Prunskiene en France ; *-14-5* décret annulant l'indép. ; Gorbatchev propose séparation L./U. dans 2 à 3 ans, contre la suspension de la déclaration d'indépendance (29-5 suspension pour 100 j). *-18-7* loi sur formation mil. l. *-10-8* Lit. demande à Moscou de cesser l'enrôlement des Lit. dans l'armée sov. **1991**-*7-1* troupes sov. envoyées dans pays baltes pour contraindre les appelés baltes à rejoindre leurs régiments. *-8-1* manif. russes enfoncent les portes du Parlement ; Pt Landsbergis appelle la pop. à le défendre. *-11-1* Soviétiques prennent département de la Défense, imprimerie. *-12-1* prennent 2 bâtiments de la police puis, le *-13-1* la télévision : 19 †, 145 bl. selon min. lit. de la Santé. *-5-2* par décret, Gorbatchev annule par avance la consultation prévue le *9-2* (« sondage d'opinion », en fait référendum sur l'indép., participation 84,4 %, oui 90,4 %). *Mai* opérations des OMON contre postes de douanes entre L. et Lettonie. *-4-5* Vilnious, 100 000 manif. contre occupation sov. *-13-5* Vilnious assaut spetsnatz (forces spéciales) contre télévision : 14 †. *-18/19-5* 1 garde frontière l. et 1 policier biélorusse †. **Pt. du Parlement. 1990**-*11-3* Vytautas Landsbergis (n. 1932, prof. de musique, député sov. non membre du PC, Pt du Sajudis). **PM. 1990**-*17-3* Kazimiera Prunskiene (n. 1943, cooptée au Politburo lit. 22-12-89, démissionne du PC en janv., élue député 24-2). **91**-*10-1* Albertas Shimenas. **Élections législatives du 11-2-90.** Sajudis 90 sièges sur 141 (dont 46 à ses candidats directs), sociaux-dém. 9 s., PC 7, écol. et chrétiens dém. 2. Partis. *Sajudis* (pro-indép.) f. 1988. Pt Vytautas Landsbergis. *PC lituanien* (divisé, majorité favorable à l'indép.). *Edinstov* (opposé à l'indép.). 230 000 m., dont Russes 75 %, Lituaniens 4 %, Polonais, Biélorusses et Ukrainiens.

Nota. – La Biélorussie revendique certains territoires cédés à la L. en 1939-45, et Moscou menace de rattacher le territoire de Klaïpeda à la région de Kaliningrad.

Moldavie (AMSSR)

Généralités. 33 700 km² (0,2 % du territoire) à l'O. du Dniestr, jusqu'au Prout (Bessarabie N.) : 27 000 ; à l'E. (Transnistrie) : 6 700. *Population* : 4 341 000 h. [en % Moldaves 64, Ukrainiens 13,8, Russes 12,9, Gagaouzes 3,5 (turcophones chrétiens) juifs 2]. *Capitale : Kichinev* 665 000 h. D. 128,8. *Langues* : moldave (off., roumain écrit en caractères cyrilliques), gagaouze (turc non osmanli, écrit en caractères grecs). Économie. Ind. alim., constr. d'app. de précision, de machines, articles de bonneterie, chaussures ; 2,5 % de la prod. agr. de l'URSS, tabac, raisin, tournesol, plantes à parfum, élevage. *Revenu par hab.* : 1 702 roubles (en 1985). **Histoire. 1367-1944** la rive O. du Dniestr, jusqu'au Prout est appelée Bessarabie (Bessarab, dynastie moldave). **XVe s.** conquête turque (unie à province moldave tributaire), à l'O. du Prout. **1812** conquête russe (tr. de Bucarest). **1856** partition (N. : russe ; S. : moldovalaque). **1878** tout entière russe. **1918** tout entière roumaine. **1924**-*12-10* la rive E. du Dniestr est érigée en « Rép. autonome de la Moldavie », dépendant de la Rép. fédérée d'Ukraine. **1940**-*2-8* annexion de la Bessarabie (rive O.) ; nouveau découpage = Bessarabie N. + Transnistrie = rép. autonome de M. ; – Bessarabie S. annexée à Ukraine. **1941-44** Roumanie récupère Bessarabie et annexe unilatéralement Transnistrie. **1944** retour au découpage de 1940, mais la M. devient Rép. fédérale, indép. d'Ukraine. **1989** *été* création d'un Front populaire. *-27-8* 400 000 manif. à Kichinev. *-31-8* l. moldave langue off. comme le russe. *-10-11* incidents police/manif. ; démission du secr. du PC mold. **1990**-*23-6* proclame indépendance. *-26-10* état d'exception dans le Sud. *-30-10* Parlement prive de leurs mandats les députés gagaouzes. *-2-11* Doubossary, heurts russes et mold. : 6 †. *-25-11* législatives dans la minorité russophone. *-23-12* ultimatum de Gorbatchev pour rétablir l'ordre. **1991**-*19-2* Parlement mold. refuse d'organiser référendum du 17-3 (184 v. contre, 66 pour, 29 abst.) *-28-5* Valerin Tudor Muravski Pt.

Gagaouzie. 1 800 km². 200 000 h. *Langue* : turc. Chrétiens dep. XVe s. *Capitale : Komrat* 27 500 h. **1990**-*19-8* se déclare Rép. indép. (illégalement selon U. et Mold.). *-26-10* se dote d'un Parlement et d'un Pt (Stepan Topal). *-22-12* décret de Gorbatchev dissolvant la rép. République de la rive gauche du Dniestr. **1990**-*3-9* créée par les Russes de Moldavie. Nom reconnue par Moldavie.

Ouzbékistan (Uzb.SSR)

Généralités. 447 400 km². *Population* : 19 906 000 h. (en % Ouzbeks 70, Russes 8, Tatars 4, Kazakhs 4, Tadjiks 4, Karakalpacks 1,9, Coréens 1,1). *Cap. Tachkent* 2 073 000 h. D. 44,5. Économie. Pétrole, gaz naturel, cuivre, minerais polymétalliques, or, bauxite, kaolin, charbon, gypse, marbre, potassium ; soufre, sables ; sel ; principal prod. de coton de l'U. (accélère l'assèchement de la mer d'Aral) ; élevage (astrakan). *Revenu par hab.* : 1 209 roubles (en 1985). Histoire. **1868** reconnaît la suzeraineté de la R. **1924**-27-10 Rép. soc. *-3/4-5* affrontements Ouzbeks/Turcs (71 †). **1989** *juin* pogroms contre Meshks chiites. *-6-9* Normankhanmadi Khoudaïberdiev, ancien PM, condamné à 9 ans de camp pour corruption. **1990**-*24-3* présidence créée. *-20-6* déclare sa souveraineté.

1 rép. autonome : Karakalpackie. 165 600 km². 1 214 000 h. *Cap. Nukas* 169 000 h. *10 prov.* Rép. aut. 20-3-1932, partie de l'O. dep. 5-12-1936.

Tadjikistan (Tad.SSR)

Généralités. 143 100 km². *Population* : 5 200 000 h. (en % Tadjiks 63, Ouzbeks 23, Russes 7,6). En 1990, 23 000 personnes partent dont 14 500 Russes. *Capitale : Douchanbe* 595 000 h. D. 35,7. Économie. Charbon, gaz, pétrole, plomb, zinc, aluminium, sel gemme, sources minérales ; ind. légères, alim., enrichissement des métaux ; coton, sériciculture, arboriculture fruitière, céréales. *Revenu par hab.* : 1 042 roubles (en 1985). Histoire. **1917** rég. sov. procl. dans les régions sept. **1924**-14-10 rép. soc. **1929**-16-10 adhère à l'U. **1989**-*23-1* séisme 4 000 †. **1990**-*11/13-2* émeutes à Douchanbe (50 †). *-24-8* proclame sa souveraineté. *-30-11* création d'une présidence.

1 région autonome : Gorno-Badakhchan. 63 700 km². 161 000 h. *Capitale : Khorog* 15 000 h. (76). Région dep. 2-1-1925.

Turkménistan (Turk.SSR)

Généralités. 13 prov. 488 100 km². *Population* : 3 621 700 h. au 1-1-90 (en % Turkmènes 70, Russes 9,5, Ouzbeks 8,5, Kazakhs 2,9). *Capitale : Achkhabad* 402 000 h. D. 7,4. Économie. Pétrole, gaz, mirabilite ; transf. des métaux, ind. du gaz, chim., pétrochimie, constr. méc. ; cotonnades, soie ; principale cult. : coton : 1 381 000 t (89). *Revenu par hab.* : 1 375 roubles (en 1985). Histoire. Sous contrôle russe dep. **1860-80. 1918-24** rattachée à la Rép. autonome du Turkestan. **1924**-*27-10* Rép. soc. **1941**-*28-4* à la suite de l'avance des All., un décret supprime la rép. autonome sov. des All. de la Volga et ordonne le transfert au-delà de l'Oural de 700 000 sov. d'origine all., dont les familles étaient fixées au T. depuis le XVIIIe s. **1990**-*23-8* proclame sa souveraineté. *-12-10* création d'une présidence.

Ukraine (Ukr. SSR)

Généralités. 25 provinces. 603 700 km² (445 000 av. 1939). *Population :* 51 704 000 h. (en % Ukrainiens 73,6, Russes 21,1, Juifs 1,3, Biélorusses 0,8, Polonais 0,5 Moldaves 0,6, Bulgares 0,5, Hongrois). D. 85,6. **Religions.** Ukrainiens orthodoxes (indép. et auton. adm. reconnue en 1990) et Uk. catholiques uniates (interdits 1946 par pseudo-synode convoqué par NKVD, et rattachés à l'E. orthodoxe, puis autorisés en 1988). **Villes.** *Capitale : Kiev* 2 602 000 h. Kharkov, surtout industriel, 1 611 000 h. ; Dniepropetrovsk 1 179 000 h., Odessa 1 115 000 h. (port maritime et centre ind.). Donetsk 1 110 000 h. (bassin houiller), 2 massifs anciens, très usés, mais qui obligent Dniepr et Don à de longs détours. Hiver doux (– 6 °C à Kiev, – 3 °C à Odessa, contre – 10 °C à Moscou en janvier), étés chauds (respectivement 19 °C, 22 °C et 17 °C). Prairies (terres noires fertiles).

Économie. 1/6 du P.N.B. sov. *Revenu par hab. :* 2 030 roubles (en 1985). **Cultures.** Avant 1914 blé (exportations par Odessa et Rostov). Cultures nouv. : fourrages artificiels, coton. Fournit les 2/3 du sucre et du maïs, 1/4 des p. de terre, 1/5 du blé et possède 1/3 des porcs et 1/4 des bovins de l'U. **Industrie :** *Donbass* (Donetzkii basseïn, bassin du Donetz). Partie de la région éc. Don-Dniepr (21 000 km², 20 millions d'hab.), avec le district de Rostov (RFSR), peuplé presque entièrement de R. et de russophones. *Charbon :* prod. (1988) : 181,8 millions de t, *électricité :* (88) 297,2 milliards de kWh (20 % de la prod. sov.), *fer* (Krivoï Rog ; 60 % du fer sov.), *manganèse* (Nikopol), *mercure.* Métallurgie (40 % de l'acier sov., zinc, mercure, titane, zirconium), ind. de transformation, chimique. **Transports.** Réseau ferré dense et grandes voies navigables (liaison avec Moscou par le canal Don-Volga).

Histoire. IXᵉ au XIIIᵉ s. principauté slave (capitale Kiev, qui forme un Etat jusqu'en 1240). **1341** détruite par une invasion tartare. **XIVᵉ-XVIᵉ s.** conquise par Lituaniens. **1596** passe au roy. de Pol. (forme une Église uniate, dépendante de Rome). **1635** révolte des cosaques orthodoxes, mercenaires des Pol. **1648** alliés aux Tartares, ils battent les Pol. à Jovti Vody et à Korsoun. **1652** vaincus, ils appellent à l'aide le tsar de Moscou, Alexis Mikhaïlovitch. **1667** tr. r.-pol. d'Andruszov : l'U. de l'E. (rive g. du Dniepr) devient Pté autonome des cosaques, sous le protectorat des tsars. **1708** Mazeppa, chef des cosaques, se fait reconnaître indépendant par Charles XII de Suède. **1709** défaite des Suédois à Poltava, les cosaques redeviennent vassaux. **1772** 1er partage de la Pol. : la région de Lvow devient autr. **1775** 2ᵉ partage : Catherine II annexe la majeure partie de l'U. et supprime l'autonomie des cosaques à l'E. du Dniepr (leur terre est divisée en 3 gouv.). **XIXᵉ s.** résistance culturelle à la russification [centre à Lvow (zone autr.)]. **1914** *sept.* les R. prennent Lvow. U. unie et russifiée. **1917**-*25-12* rép. U. autonome antisoviétique, la Rada à Kiev (à Kharkov, les Rouges fondent un autre gouvernement u. prosoviétique). **1918** *janv.* large autonomie accordée aux juifs ; le gouv. ukr. comprend 6 min. juifs, 20 % des députés de la Rada sont juifs. *-9-2* tr. séparé de la Rada u. avec All. et Autr. à Brest-Litovsk ; *-24-4* proclamation de l'indép. sous l'autorité de l'*Hetman* des cosaques *Pavlo Skoropadsky.* **1919** *22-1* Rép. nationale uk. et Rép. nat. de l'Uk. occidentale (dépendante avant de l'Autriche) fusionnent en Rép. nat. uk. *Mai-sept.* le Gal blanc Denikine contrôle l'U. (prend Kiev, -1-9) ; *déc.* Denikine battu ; *-20-12* les Rouges reprennent Kiev ; *-28-12* Rakovsky, chef des com. u., signe avec Lénine l'union de l'U. et de la Russie. **1920**-*22-4* Simon Petlioura (1877-1926), chef des U. anticom., s'allie avec Mal pol. Pilsudski ; *-6-5* ils reprennent Kiev. **1920-21** défaite pol., le Pol. Pilsudski abandonne Petlioura. **1921**-*18-3 tr. de Riga* entre Pol. et les 2 gouv. com. de Russie et d'U. : en échange de la Podolie et de la Volhynie, la Pol. reconnaît l'Ukr. sov. Le chef des Uk. anticommunistes Andryi Livitsky forme un gouv. en exil à Paris (replié à Munich en 1945). **1922**-*30-12* l'Uk. devient rép. féd. de l'URSS (l'ukr. est l'unique langue off.). **1928** fin de l'autonomie culturelle (le russe devient langue off.). **1933** famine, 7 millions de †. **1934-39** 500 000 tués (élites). **1939**-*17-3* annexion à l'Uk. des provinces reprises à la Pol. **1941**-*30-6* les All. proclament à Luiv (ex. Lemberg) la restauration de l'État uk. mais l'Uk. est déclarée en déc. 1941 « pays colonial »). **1945**-*29-6* la Tchéc. cède la Russie subcarpatique à l'Uk. ; *-16-8* la Pol. confirme la frontière du 17-3-39. **1946** les indépendantistes uk. déclenchent une g. civile (contre URSS et Pologne) ; ils seront vaincus en 1950, mais combats continueront jusqu'en 1952 (pertes polono-sov. 100 000 †) ; 2 000 000 d'Uk. déportés en Sibérie. **1947**-*10-2* la Roumanie abandonne à l'Uk. Nord-Bukovine et Bessarabie. **1953** 1er secr. du PCU est pour la 1re fois à un Uk. (Kirichenko) [dep. 1925, tous étaient R., notamment Khrouchtchev (1938 à 1949)] ; de nombreuses organisations uk. antisov. sont fondées aux USA, Canada, Allemagne. **1954** entre à l'UNESCO. **1989**-*17-9* Lvov, 150 000 manif. contre entrée des Soviétiques en Uk. occid. en 1939. *-4-5* Vladimir Ivachko, chef du PC ukrainien, élu Pt de la Rép. d'Ukraine, par 278 voix contre 52 sur 450 députés. *-22-6* Stanislas Gourenko (n. 1936) élu 1er secr. du PC d'Ukraine. **1990** ukrainien langue off. *-16-7* U. proclame sa souveraineté (355 v. pour, 4 contre, 1 abst.), déclare primauté des lois U. sur celles de la Fédération, le droit de lever une armée, de frapper monnaie et de créer un système bancaire. *-1-10* 20 000 manif. à Kiev contre PM et Pt du parlement. **1991** *mai* Leonid Kravtchoulk, Pt du Soviet suprême d'U.

Partis. *Rukh* (nationaliste, composé d'indépendantistes et de partisans de relations avec U.) 280 000 m. *Emblèmes :* drapeau bleu et jaune de la Rép. d'Ukr. de 1917-18 et trident de St-Vladimir. Succès électoraux en mars 90 (Ukr. occ. et Kiev).

Nota. – Ukraine et Biélorussie ont toujours un siège à l'ONU (voir Politique intern., p. 816).

Économie de l'URSS

☞ De l'aveu même des Soviétiques depuis 1985, statistiques économiques sujettes à caution. *Exemples. PNB sov. (par rapport au PNB amér.) :* 50 % officiellement (en fait 14 %, mais 33 % selon CIA) ; *rang mondial : 2ᵉ* (en fait 8ᵉ) ; production de viande (en millions de t) : 19 (en fait 11 à 12) ; *dépenses militaires (en milliards de roubles) :* 70 (en fait 200, soit près de 25 % du P.N.B. et non 15 à 17 %) ; *prod. de matériel de guerre* 32 (en fait 70 à 80).

Données globales

PNB (88) 6 270 $ par h. (91) – 20 % prévu. **Pop. active** (%, entre parenthèses part du P.N.B. en %) agr. 17 (12), ind. 34 (39), services 44 (34), mines 5 (15). **Taux de croissance** (%). *1966-70 :* 41. *71-75 :* 28. *76-80 :* 21. *81-85 :* 16,5. *89 :* 2,4 à 3. **Revenu nat.** *1988 :* + 4,4 % (625 milliards de roubles). **Emploi** (millions, 85). 117,7 dont ind. 38,1, agr. 12,2, construction 11,4, transp. 10,9, commerce 10, éducation 9,8, santé-sport-assistance sociale 6,7, services communaux et logement 4,8, science 4,5, fonctionnaires d'État, des coopératives et des organismes publics 2,6, communication 1,6, emplois productifs divers 1,6, culture 1,3, crédit-assurances 0,68, forêts 0,46. L'alcoolisme très répandu entraîne une baisse de 10 % de la prod. ind. La cons. d'alcool aurait baissé de 38 % de juillet 85 à fin 86. **Chômage.** Était censé ne pas exister (il y avait 500 000 « parasites et vagabonds »). *1989 :* 6 700 000 avoués (2 à 30 millions dans les prochaines années ?).

Budget (1990, en milliards de roubles). *Dépenses* 510. *Recettes* 452. *Déficit* 58,1 (1er trim. 91 : 27,1). **Militaire** (1989) : 15,6 % du P.N.B. dont armement 32,6, entretien des troupes 20,2 ; spatial 6,9, dont mil. 3,9, navette Bourane 2,1.

Dette brute extérieure (milliards de $). *1985 :* 24. *86 :* 43. *87 :* 37,5. *88 :* 40,8. *89 :* 48. *90 :* 58, *91 :* 60. **Aide extérieure française** (88). 12 milliards de F ; **allemande** (90) 5 milliards de DM. **Crédits des banques occidentales.** 40 milliards de F fin 1988 (peu utilisées par URSS). **Arriérés sov. auprès d'entreprises occidentales** *1990 :* 2 milliards de $ (dont 0,35 envers fr.). *1991 :* 5. En déc. 1990, la France a accordé un crédit de refinancement d'arriérés de 1,6 M de F. **Aide sov. aux pays en développement** (milliards de roubles). *1986 et 89 :* report de remboursement pour 14,2. *Fin 1989 :* 0,9 de dettes annulées (dont Viêt-nam 70 %). *1990 :* baisse de l'aide.

Économie parallèle. 145 milliards de $ (plusieurs milliers de millionnaires clandestins).

Agriculture, pêche, forêts

• **Terres** (millions d'ha, 76). Disponibles 2 200, cultivables 606 (dont arables 227, pâturages 329,2, foin 42,8). 60 % des t. labourées se trouvent dans la zone d'agriculture « risquée » (elle est de 1 % aux USA) [le sol est trop humide dans les Rép. baltes, en Biélorussie, dans les rég. centrales de la RSFSR ; par contre l'Ukraine, les rég. de la Volga, du Kazakhstan (principales rég. productrices de l'URSS) sont très sèches (tous les 3 ou 4 ans elles souffrent d'une grande sécheresse) ; sur 40 % des labours : – de 400 mm de précipitations par an]. *Surface totale des terres dotées d'un réseau d'assèchement et des terres irriguées* (en millions d'ha) : *1985 :* 36,3 (20,8 irrigués, 15,5 asséchés). *1969 à 89 :* 22 millions d'ha cultivés abandonnés.

• **Formes d'exploitation.** 1985 : 26 200 kolkhozes (+ 400 ko. de pêche) et 22 687 sovkhozes (87). *Surface exploitée* (1980, en millions d'ha) : ko. 175,3, so. 372,5, jardins privés 3,7. *Élevage* (%) : bovins : ko. 43,2, so. 35,8, j. p. 21. Porcs : ko. 43,2, so. 34,5, j. p. 22,3. Moutons : ko. 36, so. 46,5, j. p. 17,5.

Kolkhozes (*kollektivnoïé khozaïstvo,* exploitations collectives ou coopératives) : créées 1922. Disposent de la terre qui appartient à l'État et leur est concédée gratuitement et à perpétuité, possèdent instruments de production (bâtiments, machines...) et bétail ; gérées par un bureau élu par leurs membres. Ceux-ci, rémunérés selon travail et qualification professionnelle, peuvent posséder individuellement maison, jardin, enclos, porcherie, basse-cour. Un ko. moyen a : 6 500 ha dont 3 600 ha labourés, 4 600 bêtes, 41 tracteurs, 11 moissonneuses, 19 camions. Les ko. fournissent env. 60 % des prod. agricoles.

Sovkhozes *(sovietskoïé khozaïstvo) :* exploitations agricoles appartenant à l'État (terre, moyens de production). Directeur nommé par l'État. Un s. moyen a 16 300 ha dont 5 300 ha labourés, 6 200 bêtes, 57 tracteurs, 18 moissonneuses, 25 camions.

Jardins privés. Kolkhoziens, ouvriers et employés des sovkhozes disposent de terrains individuels (0,5 ha en moy.) prélevés sur les fonds des kolkhozes et sovkhozes (8 100 000 ha au total). Ils peuvent vendre leur surplus au cours du marché ou par l'intermédiaire de la coop. de consommation, le *tsentrosoyouz.*

Nota. – Le gouv. autorise les citadins à exploiter des lopins avec au max. 20 poulets, 5 lapins et 5 ruches. Dans les associations de « cultures de vergers », les membres travaillent le week-end et se partagent les revenus. Contrats entre secteurs indiv. et secteur coop. Ko. et so. confient des animaux à engraisser à des expl. indiv. Dep. avril 1989, possibilité de location de terres pour 5 à 50 ans, et de vente aux étrangers par l'installation de centres touristiques ou de parcs de loisirs.

Paiements des surplus agricoles en devises convertibles. Dep. août 1989. Pour toute production supérieure aux objectifs du Plan : pour 1 t de blé valant 200 $ sur le marché intern., le prix proposé aux agriculteurs pour les prod. payables en devises sera de 40 à 60 roubles la t (64 à 96 $). Résultats au 1-1-90 : 228 000 t de surplus (1,5 % de la prod. céréalière totale) pour un gain de 10,7 millions de roubles convertibles.

Part du marché libre (en % en 1988 et, entre parenthèses en 1970). Viande 23 (30), prod. laitiers 19 (33), œufs 30 (52), p. de terre 62 (77).

• **Parc** (trateurs en milliers et, entre parenthèses moissonneuses-batteuses). *1940 :* 531 (182) ; *60 :* 1 122 (497) ; *70 :* 1 977 (623) ; *80 :* 2 562 (722) ; *84 :* 2 735 (815).

• **Production** (millions de t, 89). Blé 92 en 1990 (22 % des t. cult.), seigle 17,6, orge 53, avoine 17, maïs 14,5, millet 3, riz 3, bett. à sucre 89, p. de terre 72, coton 4,9, lin 0,4 (87), tournesol 6,5, pois secs 8,5, sorgho 0,1 (87), légumineuses diverses 10, raisin 5,4, thé 0,14, tabac 0,33, légumes et melons 28,3 (81), fruits (sauf melons) 15 (81), vin 19 millions d'hl.

Part des diverses catégories d'exploitations (kolkhozes, sovkhozes, parcelles invididuelles) dans la production des principaux produits agricoles (en %). Céréales : K 52, S 47, P 1 ; coton K 70, S 30 ; betterave à sucre K 90, S 10 ; tournesol K 75, S 23, P 2 ; légumes K 28, S 43, P 29 ; viande K 34, S 37, P 29 ; œufs K 8, S 58, P 34.

Production de céréales (millions de t). **1913 :** 92,4, **40 :** 95,6, **50 :** 81,2, **65 :** 149, **73 :** 220, **75 :** 140 (215 prévus par le plan, importations 12,3), **76 :** 223,8 (imp. 19,2), **77 :** 195,7 (imp. 12), **78 :** 238 (imp. 18), **79 :** 179 (imp. 31), **80 :** 189,2 (imp. 34,5), **81 :** 170 à 175 (imp. 40 dont 18 des USA), **82 :** 180 (imp. 46 dont 15,3 des USA), **83 :** 190 (imp. 35,3), **84 :** 170 (imp. 50 ?), **85 :** 191,7 (imp. 37), **86 :** 210,1, **87 :** 211,3 (232 prévues), **88 :** 197 (235 prévues, imp. 38), **89 :** 198,5 (250 prévues), **90** 260 (imp. 36), **91** 210 (prévues, imp. 25).

Déficit. Insuffisance des investissements ; prélèvements de l'État, fixation arbitraire des prix d'achat de la production. Semences médiocres, mécanisation insuffisante (mauvaises pièces de rechange, 60 % du matériel inemployé), manque de personnel (20 % des moissonneuses-batteuses sans conducteurs), manque d'engrais, récolte mal dirigée (25 % reste sur place), stockage déficient (parfois 40 % de la récolte se détériore), distribution mal coordonnée. *Pertes :* céréales 20 à 25 %, fruits et légumes 60 à 70 %.

Import. de céréales des USA (en millions de t). *1988 :* maïs 16, blé 5,4 ; *1989 :* maïs 2,2, soja 0,1.

Programme agricole. *Part d'invest. dans l'agr.* par rapport au total des invest. dans l'éco. (entre parenthèses en milliards de roubles). *1961-65 :* 20 % (48), *76-80 :* 27 (171), *85-88 :* (88), *86-90 (prév.) :* 33,35. *Fourniture d'engrais minéraux à l'agr.* (en millions de t). *1913 :* 0,18 ; *50 :* 5,3 ; *83 :* 22,8 ; *85 :* 26,5 ; *90 :* 30/32.

Aide alimentaire d'urgence (1991). CEE (millions d'écus) 750 dont crédits 500, dons 250 + aide technique 400 (en 1991), 600 à 700 (en 1992). 2 milliards de $ seraient prévus jusqu'en 1993. [1res livraisons en juillet: 50 000 t de poudre de lait, 10 000 t d'aliments pour nourrissons, 15 000 t de viande bovine en boîte et 5 000 t de conserves de porc], Israël 20 t de vivres, All. 100 000 t.

• Élevage. *Cheptel* (millions de têtes) : **1913 :** bovins 58, porcins 23, moutons 90, chevaux 33. **51 :** b. 59, p. 27, m. 108, c. 15,4. **61 :** b. 82, p. 67, m. 137. **88 :** bovins 118,8, porcs 77,7, moutons 139,5, chèvres 6,5, buffles 0,31, volailles 1 160. *Production* (millions de t, 89) : Viande 19,6 [dont bœuf et veau 8,8, porc 6,4, volaille 3,2, mouton et chèvre 0,8, divers 0,11], lait 107,3, laine 0,48, beurre 1,7, margarine 1,5, sucre 7,8 (85). Le manque de fourrages a décimé le cheptel et entraîné des restrictions de viande (800 g par mois par hab. dans certaines villes).

• Pêche. *Lieux :* 47 000 km de côtes + pêche dans les eaux internationales. **Flotte** la plus importante du monde (50 % du tonnage) représentant 22 % des bateaux de pêche mondiaux et 80 % des navires frigorifiques et usines. En 1981, 3 870 bateaux de pêche, 600 navires-usines et de transport de poisson, 260 bateaux scientifiques soit 7 200 000 tx. **Quantités pêchées** (millions de t). *1938 :* 2 ; *60 :* 3 ; *80 :* 8,9 ; *82 :* 10 ; *83 :* 9,6 ; *84 :* 10 dont Arctique et Atlantique 3,1, Pacifique 6,1, eaux intérieures 0,8, Méditerranée et mer Noire 0,4, océan Indien 0,06 ; *85 :* 10,7 ; *86 :* 11,3 ; *87 :* 11,1. *Prise de baleines* 3 220 (87).

• Consommation (1984, en kg par an par hab. et, entre parenthèses, norme recommandée par la diététique). Viande 60 (82), lait 317 (405), œufs (unités) 256 (292), poisson 17,5 (18,2), sucre 44,3 (40), légumes et cucurbitacées 103 (146), fruits et baies 45 (113), pain 135 (110). **Pénurie alim.** *1988 :* Viande rationnée dans 8 rép. sur 15. Beurre avec tickets dans 32 régions, sucre dans 53.

• Forêts. 49,6 % de la superficie. Bois d'œuvre sans stockage des kolkhozes 378 970 000 m^3 (88).

Mines

• Fer. **Réserves** considérables (60 % en Europe, assez près des gisements de charbon). **Production** (millions de t de fer contenu, et entre par. % du total mondial). *1913 :* 4,7 ; *46 :* 11,2 (15) ; *55 :* 41,7 (24) ; *70 :* 106 (25,2) ; *80 :* 147,5 (27,7) ; *82 :* 131,9 ; *85 :* 152 ; *86 :* 150 ; *87 :* 150,6 ; *88 :* 143,5. **Gisements.** *Krivoï-Rog* (riche assez profond, superficiel assez pauvre, teneur 30 à 40 %, 1/3 de la prod.). Anomalie magnétique de Koursk (exploité dep. 1959, assez profond). Ile de *Kertch* (pour sidérurgie locale sur littoral de la mer d'Azov). *Carélie* et *Kola* (pour l'usine de Tcherepovetz). *Azerbaïdjan* (pour Roustavi en Géorgie). *Oural,* faible teneur, petits gisements, parfois associés à des métaux non ferreux comme vanadium, chrome ; épuisement progressif des plus riches (magnétites de Magnitogorsk). *Kazakhstan* (Temirtau), *Altaï, Monts Saian et Angara* pour sidérurgie du Kouzbass.

• Autres minerais. **Bauxite.** Leningrad (Tikhvin), Oural, Sibérie, Kazakhstan. **Cuivre.** Oural (Sverdlovsk, Tchéliabinsk, Orenburg), Kazakhstan (lac Balkach), Ouzbékistan, Arménie, Oudokan (près du lac Naïkal). **Plomb et zinc.** Oural, Caucase, monts Altaï, monts Iablonovoï, Kazakhstan. **Manganèse.** Ukraine (Nikopol), Géorgie (Tchiatura), Oural, Sibérie, Extrême-Orient. 37,5 % des rés. mondiales. **Nickel.** Péninsule de Kola, Sibérie centrale, Yakoutie. **Or.** Prod. (en t) : *1970 :* 202, *80 :* 311, *85 :* 271, *86 :* 330, *87 :* 275, *88 :* 280. Ventes (en t) : *1989 :* 300, *1990 :* 234 (env. 983 millions de $). **Diamants.** Prod. (en millions de carats) : *1970 :* 7,8, *85 :* 11,8, *87 :* 10,8, *88 :* 11. Dep. 25-7-90, diamants commercialisés par De Beers pendant 5 a., contre crédit de 1 milliard de $. **Chrome, magnésium, titane, nickel.** Oural, Kazakhstan (Khrom-Taou). **Apatites.** Presqu'île de Kola (1er gisement mondial). **Phosphorites.** Bassin de la Kama-Viatka et Kazakhstan. 50 % des rés. mondiales. **Sels potassiques.** Lvov, Haute-Kama. 1res rés. du monde (33 %). **Soufre.** Kouibychev, Oural, Asie centrale. **Sel.** Rives de la Caspienne. **Sel gemme.** Oural, Berezniki.

Énergie

Production totale d'énergie et, entre parenthèses, **consommation totale d'énergie** (millions de t.e.p., 1987). 1 682 (1 396), dont combustibles solides 364 (349), pétrole 625 (433), gaz nat. 601 (523), él. nucléaire 43, hydro-él. 50 (él. prim. 90).

• Charbon. **Réserves** (milliards de t) : charbon 6 789 (58 % du monde), lignite 1 702 (68 %). **Production** (millions de t, charbon et, entre parenthèses lignite) : *1913 :* 28 (1) ; *28 :* 32 (3) ; *29 :* 41 ; *40 :* 140 (26) ; *50 :* 187 (74) ; *60 :* 380 (130) ; *70 :* 433 (145) ; *85 :* 726 (159) ; *86 :* 512 (150) ; *87 :* 589 (166) ; *88 :* 602 (170) ; *89 :* 740 ; *90 :* 693,7 ; *91 (est.) :* 686. **Gisements :** Occidentaux fournissent : *1940 :* 72 % de la prod., *60 :* 64 % ; *80 :* 42 %. *Donbass* fournit en moy. 225 millions de t par an. *Toula,* en déclin, alimente des centrales thermiques. *Vorkouta* fournit du coke aux hauts fourneaux de Tcherepovets et de l'Oural. Petits gisements géorgiens : 2 millions de t. Orientaux (Oural compris) : 90 houillères à ciel ouvert (40 % de la prod. tot.). Prix de revient 4 à 5 fois moins cher. *Kouzbass* haut pouvoir calorifique, 45 % de la prod. (155-160 millions de t) exportés ; 1990-91 : prod. en baisse de 5 millions de t. *Oural* gisements dispersés, faible pouvoir calorifique, peu cokéfiable. *Karaganda* prod. env. 48 millions de t. *Gisements de l'avenir.* Ekibastouz en exploitation, cendreux et médiocre, 67 millions de t (en 80), 90 (en 85). Kansk-Atchinsk, en projet 8 centrales thermiques de 8 400 MW. Yakoutie du S. réserves importantes dont 98 % cokéfiable. *Gisements divers.* Intérêt local. Sakhaline, Bouréia, Tcheremkovo, Tchita.

• Électricité. **Production** (milliards de kWh) : *1913 :* 2 ; *28 :* 5 ; *32 :* 13,5 ; *38 :* 36,2 ; *40 :* 48,6 ; *45 :* 43,3 ; *50 :* 91,2 ; *55 :* 170 ; *60 :* 292 ; *70 :* 741 ; *78 :* 1 202 ; *80 :* 1 294 (dont nucléaire 72,9) ; *82 :* 1 367 (100) ; *85 :* 1 545 (167) ; *88 :* 1 705 (216)) ; *89 :* 1 772. **Consommation** (%) : Ind. 61, transports 7,5, particuliers 6. **Centrales :** Thermiques classiques : capacité installée (80) 212 000 MW. Localisation sur les gisements de lignite (Toula, Ekibastouz), tourbe (Biélorussie, Pays baltes), charbon (Donbass, Oural, Kouzbass, Tcheremkovo), hydrocarbures ou près des oléoducs, près des centres de consommation. Dep. 1990, nombreuses centrales fermées pour raison « écol. ». Conséquence : besoin en eau chaude pour le chauffage des villes n'est plus assuré qu'à 80 %. Hydro-électriques. 1/10 actuellement utilisé. 2/3 du potentiel en Sibérie et Extrême-Orient. *Europe,* équipement du Dniepr (6 centrales, 12 milliards de kWh), Don, Volga (7 c., 40 Md de kWh), Kama (4 c. dont 2 en projet). Importantes possibilités en Transcaucasie (prod. actuelle 15 Md de kWh). *Asie,* Ob et Irtych (2 c.), Ienisseï (2 centrales, puissance installée : 6 millions de kWh), Angara (3 c. : 14 millions de kWh) ; Léna, Amour et affluents ne sont pas utilisés. *Asie centrale,* centrales sur le Piémont ou dans les hautes vallées (Nourek). Nucléaires : 1re centrale entrée en service près de Moscou, à Obnins, en 1954. Puissance théorique *1985 :* 30 000 MW, *est. 2000 :* 150 000 MW (150 réacteurs). L'uranium vient du Turkestan. 60 centrales nucléaires de type Tchernobyl fermées dep. 1986.

Nota. – Le transport de l'électricité pose des problèmes à cause de l'importance des distances, pertes en ligne de 8 à 15 % de la prod. 80 % des ressources énergétiques sont situées à l'est de l'Oural alors que la partie europ. en consomme 80 %.

• Gaz. **Réserves** *prouvées :* 45 milliards de m^3 soit 43 % des rés. mondiales. **Production** (milliards de m^3 et, entre parenthèses, en % de la prod. européenne sans l'Oural) : *1929 :* 2,3 ; *40 :* 3,2 ; *55 :* 9 (90) ; *60 :* 45,3 (93,5) ; *65 :* 28 (82) ; *70 :* 198 (70) ; *75 :* 269 (64) ; *80 :* 435 ; *85 :* 643 ; *87 :* 727 ; *88 :* 772 ; *89 :* 796 ; *90 :* 815. **Gisements :** occidentaux : au pied du Caucase, *Stavropol* (dep. 1949) et *Krasnodar* (dep. 1956), 9 % de la prod. 2e Bakou, le gaz accompagne le pétrole vers Volgograd et Oufa, 8 % de la prod. Ukraine, g. de Datchava et Chebelinka, 18 % de la prod. orientaux et Oural : en Sibérie occid., gisements considérables de *Berezovo, Tioumène, Medvezdye* (1974), *Urengoï* (1978), *Yambourg,* + de 60 % des réserves dont 6 000 milliards de m^3 à Urengoï. Exploitation difficile : épaisseur du permafrost (sous-sol gelé en permanence ; en russe, *merzlota*). Asie centrale : G. d'*Ouzbekistan* (Gazli-Moubarek) et *Turkménie* (Dauletabad, 1974, 61 milliards de m^3 en 79) représentent 20 % de la prod. S. de l'Oural, Orenburg (1974, réserves 2 000 milliards de m^3), 10 % de la prod. *Yakoutie* (réserves 800 milliards de m^3), pas encore exploité. **Consommation :** 30 % des besoins énergétiques sov. **Gazoducs** (en km) *1971 :* 70 000 ; *80 :* 135 000. Le Sojuz (Orenburg-Europe orientale, 2 677 km) en service dep. 79 permet d'env. 2,8 milliards de m^3 de gaz à chaque pays du CAEM par an (sauf Roumanie 1,5). Urengoï (Sibérie, gisement de Jamal) à la frontière tchèque, soit env. 5 000 km (ouvert 1985-86). En 1986-88, le Japon importe du gaz par Sakhaline. **Export. :** 60 milliards de m^3 vers 33 pays de l'E. et 27 d'Europe occid. en 81.

• Pétrole. **Réserves** *potentielles* 10 milliards de t, *prouvées* 8. **Production** (millions de t et entre parenthèses en % de la prod. mondiale). *1917 :* 8,8 ; *28 :* 11,6 ; *29 :* 13 ; *42 :* 22 ; *45 :* 19,4 ; *50 :* 38 (8), *55 :* 70,8 (9,2), *60 :* 148 (13,6), *65 :* 243 (15,6), *70 :* 353 (15,2), *75 :* 490,8 (18,1), *80 :* 603 (18,7), *86 :* 615 (21,4), *88 :* 625, *89 :* 607, *90 :* 569, *91 (est.) :* 560, *95 (prév.) :* 700. **Gisements.** *En 1913,* 4 gisements (Bakou, découvert 1873, Grosnyi, Maïkop et Emba) fournissent env. 25 % de la prod. mondiale, mais sont dominés par des intérêts étrangers (Shell, Nobmazout). *Après 1917,* pétrole délaissé au profit du charbon. *Dep. 1950,* en expansion. Dep. 1974, 1er pays prod. *Perspectives :* les *gisements découverts avant 1930* (Bakou, Grosnyi, Maïkop) sont en voie d'épuisement. *2e Bakou* (exploit. dep. 1940), groupe 3 bassins (au N., Perm, au centre Tartarie et Bachkirie, au S., champs de Kouibychev, Saratov, Volgograd, Orenburg), mais dep. 1950 leur prod. décline. *Gisements moyens récents :* Biélorussie env. 10 millions de t, Ukraine 13, Asie centrale et Kazakhstan (Mangychlak) découverts en 1963, 40 millions de t. *Sibérie occidentale et 3e Bakou,* prod. dep. 1965 représentent env. 40 champs le long de l'Irtych, de la Chanda et de l'Ob (dont Chaïm-Surgut, Fjodorovak et Samotlor 143 millions de t), 48 % de la prod. Nouv. gisement découvert en 1990 en Sib. occ. (Ourengoï, 300 t par j). *Arctique,* mer de Barents et de Kara, env. 21 millions de t par an. Le plateau continental (6 millions de km^2) offre 70 % de chances d'y trouver des hydrocarbures. *Gisement secondaire,* Sakhaline. **Exportations.** 127,3 millions de t en 89. Surtout vers les pays de l'Est par les oléoducs Drujba (amitié), branches N. et S. **Oléoducs.** (En km) *1965 :* 27 000 ; *70 :* 35 000 ; *81 :* 70 800. *Oléoducs* vers régions consommatrices : Bakou relié à Ukraine et Moscou ; « 2e Bakou » à Irkoutsk, Moscou, Pologne, All. dém. (centre de raffinage de Schwedt) et Tchécoslovaquie. **Raffinage.** Capacité insuffisante. 253 millions de t en 79 (13,1 % de la capacité mondiale).

Nota. – 21 millions de m^3 de gaz et env. 400 000 t de pétrole perdus près de Tiouren en 1990 (accidents dus à vétusté).

Industrie

• Métallurgie. **Ferreux. Acier** (millions de t) : *1913 :* 5 ; *30 :* 6 ; *39 :* 17 ; *46 :* 13,3 ; *50 :* 27,3 ; *55 :* 45,2 ; *60 :* 65,3 ; *65 :* 85 ; *70 :* 116 ; *80 :* 148 ; *85 :* 155 ; *86 :* 161 ; *87 :* 162 ; *88 :* 163. **Non-ferreux. Production** [en milliers de t, en 1987, entre parenthèses, en % de la prod. mondiale 86 (métal contenu sauf bauxite) et, entre crochets, prod. métallurgique (en 83)] : *Bauxite* 4 600 (5) [2 420 (15)], *Chrome* 3 600 (21,6 [1]). *Cuivre* 630 (11,6) [1 150 (14,5)]. *Manganèse* 2 800 (33 [1]). *Nickel* 185 (21) [170 (25)]. *Plomb* 440 (15) [780 (14,3)]. *Zinc* 810 (13,3) [1 060 (17,2)].

Nota. – (1) 1980.

Métallurgie lourde. Combinats (v. Index). **Principaux centres :** *Donbass-Krivoï-Rog,* reconstruit après la g., + du 1/3 de l'acier (env. 30 millions de t). *Oural-Kouzbass,* créé 1927. Les distances (2 000 km) rendant difficile le fonctionnement, ce combinat s'est morcelé, Magnitogorsk utilisant davantage le charbon de l'Oural, et le Kouzbass utilisant un gisement de fer découvert au pied de l'Altaï (dissous 1960, après la découverte du charbon de Karaganda). *Oural-Karaganda :* fer de l'Oural et charbon de Karaganda (1 200 km). Combinats moins importants à Moscou et en Asie (Irkoutsk-Tcheremkovo : Extrême-Orient). **Métallurgie de transformation.** *Moscou, Leningrad* et *Donbass-Krivoï-Rog,* centres anciens fabriquant surtout matériel ferroviaire et automobile, machines textiles et armes. *Vallée de la Volga* (Gorki et Kazan au N., Saratov et Volgograd au S.) : autos, tracteurs, machines-outils. *Oural* (Nijni-Taguil, Sverdlovsk, Tcheliabinsk) : outillage, armes, autos. *Turkestan* (Tachkent) : machines agric. *Sibérie* (Novosibirsk, Irkoutsk et centres du Kouzbass) : outillage, matériel agricole et ferroviaire. **Électro-ménager et biens de consommation.** Ind. récente (créée plan de 7 ans, 1959-65) : insuffisante dans beaucoup de domaines. **Commerce ext. :** L'U. doit importer certains matériels (locomotives él. fr., machines-outils allemandes, etc.), mais exporte vers Europe et certains pays d'Asie.

• Textile. Lin, coton, laine, soie. Avant 1914 : région centrale de la R. d'Eur., autour de Moscou. Depuis 1919 : textiles bruts se développent : lin (terrains humides de Biélorussie) ; laine (steppes asiatiques) ; coton [irrigation en Turkestan et Ferghana (haute vallée du Syr-Daria)]. Électrification des anciennes régions manuf., notamment Leningrad et Moscou (avec env., notamment Ivanovo), qui travaillent lin de Biélorussie, coton du Turkestan, laine des steppes. *Centres nouveaux* en Turkestan (« combinats » cotonniers, notamment à Tachkent), Biélorussie (Vitebsk)

Quelques précisions

• **Plans quinquennaux** *(piatilietka)*. Élaborés par branches, régions écon., rép. Fixent les chiffres de base de la prod. et les orientations de l'essor écon. Discutés et adoptés aux congrès du Parti. Les projets de plan des rép. sont soumis au Comité du Plan d'État (Gosplan) du Conseil des min. de l'U. Les *1er* (1929-32) et *2e* (1933-37) plans ont été exécutés avant terme, le *3e* (1938-42) a été stoppé par la guerre.

Objectifs du 12e plan (1986-90). *Augmentation* (en %) : revenu nat. 19 à 22 ; par tête 15 ; production indus. 21 à 24 ; productivité du travail 20 à 23 ; prod. agricole annuelle 14 à 16 %. *En millions de t. :* céréales 250-255 ; pétrole 630-640 ; charbon 780-800 ; viande 21 ; gaz 835 (850 milliards de m^3). Électricité 1 860 milliards de kwh. Logements 565 (570 millions de m^2).

• **Budget de l'État. Budget fédéral** (env. 57 % du b. de l'U), **1989** (milliards de roubles). *Recettes* 458,4 dont venant de l'économie nationale 355,6 ; (paiement sur le profit 121,2 ; impôt sur le chiffre d'affaires 104,1 ; recettes du commerce ext. 60,0 ; cotisation sociales 31,4) ; impôts et taxes sur personnes physiques 39,4 ; emprunts d'État 63,4 ; *Dépenses* 494,7 dont mesures socio-culturelles 163,5 (recherche 21,5) ; subventions pour produits alim. et les autres besoins sociaux 103,0 ; financement centralisé de l'économie 172,7 ; commerce ext. 28,6 ; défense 20,2 ; administration 2,9 ; fonds de réserve 3,7. **1991.** Recettes 250,1. Dépenses 276,8.

Déficit budgétaire (milliards de roubles). *1988 :* 36. *89 :* 120. *90 :* 100 (+ de 10 % du PNB) ; *objectif du gouv. :* 60. *91 :* 26,6. **Subventions d'État.** *1989 :* 90.

• **Prix.** *Avant les réformes :* théoriquement, l'inflation n'existait pas (à une hausse d'un produit correspondait la baisse d'un autre), mais les produits nouveaux n'intervenaient pas dans l'indice des prix, la baisse concernait souvent des produits désuets ou introuvables. Pour la 1re fois en juill. 79, les prod. de luxe avaient augmenté de 50 %, les voitures de 18 %, les meubles importés de 30 %, les restaurants et cafés de 25 à 30 %, mais il n'y eut pas de baisse sur les articles démodés. *Taux d'inflation : 1984 :* – 3,4 %, *85 :* – 1,6 %, *88 :* + 5 à 7 %, *89 :* 7,5 %. *Quelques prix (en roubles).* Kg de viande 25 à 30, douze œufs 20, bout. de vodka 25 (marché libre). Mercedes (marché noir) 250 000.

Le 25-5-90, projet « d'économie de marché contrôlé » en 3 étapes. *1) 1990 :* prix du pain (inchangé depuis 1930) multiplié par 3 jusqu'à la fin 1992. (Prix libres dep. 15-11-90 sur certain prod.) *2) 1991-92 :* réforme des prix : 50 % fixes (établis par l'État), 25 à 30 % souples ou régulés (à l'intérieur de marges), 15 à 20 % libres ; hausse moyenne de 46 %, de 100 % pour l'alimentation (réduction des subventions alimentaires de 100 à 45 milliards de roubles) ; 70 % des rentrées budgétaires (191 milliards de roubles) réinvesties sous forme de hausse des salaires ; réforme du secteur bancaire et des impôts sur les entreprises ; part de l'État dans l'économie réduite à 60 %, au lieu de 100 % (92 % pour les échanges commerciaux). *3) 1993-95 :* mise en place totale du marché contrôlé.

• **Salaires mensuels** (en roubles, 1985-87 ; 1 rouble = 10,02 F). Général, académicien, ouvrier (Grand Nord Sibérien) 600. Cadres techniques 220,8, ouvriers et employés 190, kolkhoziens 150, enseignants, infirmières, débutants 85 à 90. Allocations diverses (85) : 530 roubles par hab. En 1989, 14 % (41 millions) de la pop. vit au-dessous du seuil de pauvreté (78 roubles par mois), le salaire min. est de 220 roubles/mois (manœuvre 260). *% de pop. disposant de moins de 78 roubles par mois (1988). Sud-Est musulman :* Tadjikistan 56,6, Ouzbékistan 47,7, Kazakhstan 40, Kirghistan 37,1, Turkménistan 36,6, *Sud caucasien* Azerbaïdjan 33,3, Arménie 18,1, Géorgie 16,8. *Ouest et Nord :* Moldavie 13, Ukraine 8,1, Russie 6,3, Biélorussie 5. *Pays baltes :* Estonie 3,9, Lituanie 3,6, Lettonie 3,2. *Impôts :* en moy. 8,7 % du budget annuel d'une famille d'ouvrier ou d'employé.

• **Commerce de détail.** 8 réseaux : magasins d'État, coopératives d'État (*en 1989* : 193 400 ; 4,86 millions d'employés ; 40,36 milliards de roubles de revenus), marché kolkhozien à prix libres, magasins fermés pour privilégiés (en cours de suppression), nouvelles « coopératives » privées, « marché gris » des trocs et transactions irrégulières (mais tolérées), marché noir hors la loi, commerce en devises étrangères.

• **Stakhanovisme** [du nom de son promoteur Alexei Stakhanov (1906-77) appliquant une nouvelle technologie du travail ; dans la nuit du 30 au 31-8, il réussit à extraire 105 t de houille (la norme étant de 7 t) et fit extraire le 19-9-1936, 227 t. Le Komsomolskaïa Pravda a révélé que Stakhanov n'était pas seul pour ses records, mais était aidé secrètement par 2 assistants (Borisenko et Chigolev)]. Encouragé par Staline, le st. a été critiqué par les dirigeants syndicaux (nouvelle exploitation ouvrière, classe d'ouvriers privilégiés, priorité quantitative et non qualitative). La sanglante épuration des cadres syndicaux entre 1936 et 1938 s'explique en partie par le rejet de la doctrine.

• **Difficultés économiques.** *Causes.* Prod. agricole trop soumise au climat. Progression des dépenses militaires. Endettement croissant vis-à-vis de l'Occident. Accroissement du coût des mat. 1res, à cause de la mise en valeur des terres orientales. Mauvais fonctionnement du système. Problèmes des entreprises, de la planification. **Productivité :** – 30 % par rapport à l'Occident. *Causes :* absentéisme élevé, alcoolisme, mobilité élevée (1/5e des ouvriers changent d'emploi chaque année, durée moy. pour trouver un nouveau travail 20 à 25 j.), mauvais entretien des machines (insuffisance des pièces détachées ; part excessive du matériel en réparation) ; ruptures de stocks fréquentes ; mauvaises habitudes de gestion (les directeurs déclarent une faible productivité pour disposer de plus de personnel) ; pertes et vols très importants dans les entreprises ; retard considérable en informatique ; manque d'ouvriers qualifiés ; cadres non motivés.

Journées de travail perdues (1989). 40 millions (140 000 absences), dont 7 à cause des grèves. Perte de production : 4 milliards de roubles, dont 1 à cause des grèves (10 milliards de F).

Nota. – 30 milliards d'h. par an d'attente dans les queues.

Réformes. 1979 : primes allant jusqu'à 50 % du salaire pour récompenser les initiatives ; renforcement de la responsabilité et de la discipline (méthode Zlobin : expérience de 1979 dans la brigade de Nicolas Zlobin qui s'engage à faire un travail dans certains délais, à un coût déterminé, parfaitement fini ; en échange elle est autonome et se partage salaires et primes). **1985-88** Perestroïka (restructuration, refonte). Système écon. de gestion et de direction préconisé par Gorbatchev ; se caractérise par la glasnot (transparence de l'information) transformation de la planification, modernisation des échanges int. et ext., défis scient. et techn. mais aussi refonte du système de rémunération, « dév. de la démocratie dans l'entreprise comportant l'élection des cadres à tous les niveaux et ultérieurement l'autogestion ». **1986**-*19-11* loi sur le « travail individuel » rétablit partiellement à compter du 1-5-1987 l'initiative économique privée dans le commerce, l'artisanat et les services. **1987-1-1** syst. de contrôle de la qualité dans 1 500 entreprises. Gorbatchev se prononce pour la hausse des prix et l'abandon des subventions. *-30-6* loi sur l'entreprise d'État prévoit pour 1988 la mise en place progressive d'une autonomie de gestion dans tous les secteurs d'activité. **1988** 8 millions de fonctionnaires devaient perdre leur emploi. *-juill.* 32 500 coopératives de prod. de biens de cons. et de services. **1990** réformes. *-1-7* plan de dénationalisation : 70 % des Stés d'État cédées au privé, à leurs salariés ou à des actionnaires sov. ou étrangers qui pourraient posséder jusqu'à 100 % d'une société sov. **1991** report de la réforme des prix et mesures unilatérales dans les États baltes.

• **Sociétés.** *Mixtes :* 1 300 en 1989. *Joint-Ventures : 1989 :* 200 (conditions trop rigides. Devaient être sov. : 51 % du capital, le dir. général et la législation du travail.), *1990 :* 1 000 (1 000 autres en préparation ; conditions d'établissement supprimées).

Coût de l'« Empire ». *Vers 1985 :* 1,4 % du PNB par an (USA 0,3 %).

Aide sov. à Cuba. 40 milliards de $ dep. 81, dont 3 milliards de roubles en 89.

Conseillers militaires et civils (1984-85). Soviétiques, Cubains *C*, et Allemands de l'Est *A*. *Amérique latine :* Cuba 12 000 ; Nicaragua 50, *C* 3 200 ; Pérou 175, *C* 10. *Afrique :* Angola 700, *C* 8 000, *A* 450 ; Congo 850, *C* 950, *A* 15 ; Éthiopie 2 400, *C* 5 900, *A* 550 ; Mali 635, *A* 20 ; Madagascar 370, *C* 55 ; Mozambique 500, *C* 1 000, *A* 100. *Moyen-Orient et Afrique du N. :* Algérie *C* 170, *A* 250 ; Irak 8 000, *C* 2 200, *A* 160 ; Libye 2 300, *C* 3 000 ; Yémen du N. 475 ; Y. du S. 2 500, *C* 800, *A* 325 ; Syrie 4 000, *C* 5, *A* 210. *Asie :* Afghanistan 105 000, *C* 100 ; Inde 1 550.

et rép. baltes (lin). Textiles artif. surtout en Eur. (Moscou, Leningrad, Kiev). Depuis 1945 bonneterie, confection restent localisées de préférence en Eur. (majorité des consommateurs).

• **Industrie chimique.** 2e du monde après les USA (en millions de t, 87) engrais minéraux à 100 % 37,1 (88), pesticides 0,6 (86), soude caustique 3,3, acide sulfurique 28,5, fibres et fils chimiques 1,6 (88), pneus (unités) 67,8, détergents synthétiques 1,2 (86), papier 6,2, ciment 139 (88).

• **Construction mécanique.** 2e du monde. Utilise plus de 115 000 chaînes automatisées et 18 500 ensembles de transferts. **Machines énergétiques et électrotechniques.** Puissance totale des turbines fabriquées : 28 600 000 kW en 1987 ; générateurs pour turbines en 87 : 12 800 000 kW ; moteurs élec. à courant alternatif en 87 : 54 600 000 kW. **Construction de matériel roulant.** Locomotives élec. et diesels 7,3 millions de CV. **Ind. automobile** (prod. totale et, entre parenthèses voitures de tourisme, en milliers). *1929 :* (8) ; *46 :* 74,7 (5) ; *55 :* 445,3 (107,8) ; *65 :* 616,3 (201,2) ; *75 :* 1 964 (1 201) ; *79 :* 2 173 (1 314) ; *86 :* 2 230 (1 330) ; *87 :* 2 232 (1 332) ; *95 (obj.) :* 2 400. **Moissonneuses-batteuses** (87). 112 000. **Deux-roues** (en millions). *Motocyclettes et scooters :* 0,98 (88), *bicyclettes, vélomoteurs et cyclomoteurs :* 5,6 (88). **Téléviseurs** (en milliers) : *1955 :* 495 ; *60 :* 1 726 ; *65 :* 3 655 ; *70 :* 6 682 ; *79 :* 7 271 ; *85 :* 9 000 ; *88 :* 9 600 ; *95 (obj.) :* 13 600. **Réfrigérateurs** (en milliers). *1955 :* 151 ; *60 :* 529 ; *65 :* 1 675 ; *70 :* 4 140 ; *79 :* 5 954 ; *81 :* 5 700 ; *85 :* 5 900 ; *88 :* 6 200. **Machines à laver** (en milliers). *1955 :* 87 ; *60 :* 895 ; *65 :* 3 430 ; *70 :* 5 243 ; *79 :* 3 661 ; *84 :* 4 110 ; *88 :* 6 100.

• **Armement.** Voir Index.

• **Taux d'équipement des ménages** (1986, en %). TV 97, TV couleur 27 (en 1982), radio 90 (82), magnétophone 37, téléphone 28,5 ; (en milliers, 82) abonnés au réseau câblé 1, micro-ordinateurs 2, télex 50.

Transports

• **Trafic intérieur. Marchandises** (milliards de t/km, *85*) : 6 901 *dont* ferroviaire 3 854 (87), fluvial 261, automobile 477, oléoduc 1 312, gazoduc 1 130. *1913 :* 114 ; *40 :* 484 ; *68 :* 3 422 ; *81 :* 6 307. **Passagers** (85) : 1 018 milliards de pass.-km.

• **Aviation. Réseau :** + de 1 000 000 km (88) de lignes dont 250 000 internat. (88). **Aéroports :** 140. 124 millions de passagers (88). **Vols intérieurs :** 2 500 par j.

• **Chemins de fer. Réseau** (milliers de km) : *1913 :* 69,7 ; *40 :* 100 ; *84 :* 143,6 dont 46,8 électrifiés ; *86 :* 144,9 ; *87 :* 146,1 ; *89 :* 146,7. Densité assez forte en Europe (3/4 des voies), Pays baltes, Biélorussie, Ukraine, Moldavie 26 à 40 km pour 1 000 km^2, Centre et Volga 16 à 26 km pour 1 000 km^2. En Asie, densité faible, 0,9 à 15 km^2. Nombreuses lignes à voie unique. 51 700 km électrifiés en 87, dont le Transsibérien entre Moscou et Irkoutsk (en 85, électrifié jusqu'à Khabarovsk). **Matériel** (prod., 1981) : locomotives diesel 3 730 000 CV, électriques 3 500 000 CV, wagons 61 000. **Vitesse** (km/h) : *trains de marchandises 1971 :* 33,8. *81 :* 31 ; *de voyageurs* 60 à 80 en moy., 160 sur Moscou-Leningrad (bientôt 200). **Transsibérien :** construit à partir de 1891. Moscou-Vladivostok, 7 600 km, 96 stations, électrifié sur 5 000 km, diesel du Baïkal au Pacifique, 2 voies, 1/6 du trafic soviétique, 9 % du trafic mondial, fréquence : vers l'Est, 1 train toute les 5 mn, vers l'Ouest, 1 tous les 1/4 d'h (20 trains de voyageurs par j à Irkoutsk). Moyenne de chaque train, 4 500 t. *Embranchements principaux :* Novossibirsk vers Turkestan ; Irkoutsk vers Pékin (Transmongol ; à Tchita vers le Mandchoukouo et Port-Arthur). *Transsibérien du Sud* ou *Yousib* double la voie principale sur 4 000 km en Sibérie. *B.A.M.* (Baïkal-Amour-Magistral) ou *Transsibérien du Nord (Sevsib)* construit 1959-84 pour doubler le Transsibérien oriental et relier Ust-Kut à Sovietskaïa Gavan, 3 145 km. **Transcaspien** (de Moscou à Tachkent avec traversée de la mer Caspienne entre Bakou et Krasnovodsk). **Transsteppique** (ou Transaralien). **Turksib** [du Turkestan (Tachkent) à la Sibérie (Novossibirsk)]. **Transcaucasien.** Projet de liaison sous le Caucase de la Féd. de Russie et des rég. transcauc. dont la Géorgie : 188 km, 11 tunnels dont 1 en haute montagne (24 km de long). Durée des travaux : 15 ans.

• Transports fluviaux. **Réseau navigable** 550 000 dont 150 000 km exploités dont 20 700 de canaux artificiels. *Sibérie :* fleuves facilement navigables (Ienisseï 3 400 km, Ob 3 600, Lena 4 100, Irtych 3 700, Amour 2 800, Angara 1 500), mais l'embâcle dure 180 à 240 j. *Europe :* fleuves bien aménagés et reliés entre eux par le système des 5 mers (Caspienne, Azov, mer Noire, mer Blanche, Baltique) ; 63 écluses, passage de navires de 3 000 t et 3,50 m de tirant d'eau, comprend : lac Onega, canal de la mer Blanche, voie Leningrad-lac Onega, canal Volga-Baltique (490 km), Volga moyenne (2 350 km), basse Volga (600 km), canal Volga-Don, partie navigable du Don (480 km), canal Moscou-haute Volga (320 km), navigable 6 à 7 mois par an (la Volga est accessible en hiver grâce à des brise-glace), assure environ les 2/3 du trafic, intérêt militaire (possibilité de faire transiter de la Baltique à la mer Noire de petits navires en 18 j). Dniepr : accessible jusqu'à Kiev à des bateaux de 3 500 t, 2e transversale en direction de la Pologne. **Projets.** Canal de l'Ob à l'Ienisseï pour relier le lac Baïkal à l'Irtych. **Parc.** 15 000 bateaux de marchandises (17 200 000 t en 86).

• Transports maritimes. **Cabotage :** surtout mer Noire, Caspienne et Baltique (des brise-glace maintiennent la voie ouverte 3 mois l'été). **Flotte marchande** (milliers de tonneaux) : *1955 :* 2 500 ; *60 :* 3 400 ; *70 :* 14 800 ; *80 :* 23 450 ; *86 :* 28 145. 2/3 des bateaux ont – de 10 ans. Beaucoup de nav. récents, souvent achetés à l'étranger (Pologne, RDA, pays scandinaves, CEE, Japon). Peu de grosses unités, car l'U. n'a pas de grands ports en eau profonde. *Ports* mal équipés. 2 peuvent recevoir des bateaux de 100 000 t de port en lourd (Klajpeda sur la Baltique et Novorossisk en mer Noire), capacité de chargement et déchargement insuffisante. Saturation au-dessus de 28 millions de t par an.

• Routes. **Réseau** (84) : 1 516 700 km dont 1 097 100 revêtus. **Trafic :** sur de petites distances, en moy. 8 km (880 pour les ch. de fer). **Parc :** camions insuffisant (900 000 produits par an), véhicules spécialisés (citernes, bennes) trop peu nombreux, voitures de tourisme env. 1 200 000. **Accidents :** *1988 :* 47 000 †. *1989 :* 58 460 †.

Commerce extérieur

Évolution. **Avant 1914** exportation de matières 1res vers Eur., de prod. man. vers Asie, importation de machines, café, vins, etc. **A partir de 1917,** volonté d'autarcie (à peu près complète en 1932). Au cours des années 20, USA, All., It. et France ont fourni l'essentiel des importations sov. en machines et en matériel. **1945 à 1960** (g. froide), aide au tiers monde, utilise Comecon. **Après 1960,** échanges par contrats bilatéraux avec Eur., Japon et (1972) USA (en général : produits bruts contre biens d'équipement de technologie avancée). Simultanément, décroissance du commerce avec Comecon qui ne peut fournir ces produits, et avec tiers monde qui n'a que des produits bruts (souvent concurrentiels) et ne peut payer en devises fortes. **1974 à 1982 :** l'U. accumule des « créances stériles » : 15 milliards de $ pour le commerce avec l'Europe et l'Est (25 env. avec l'ensemble du CAEM). Cependant, par le jeu des prix, l'U. paraît gagnante.

Statistiques. **Exportations :** représentent 8 à 9 % de la prod. nette. 4 % des échanges mondiaux. Montant par an par habitant (v. 1982) : 950 F (All. féd. 10 000, *France 6 400,* G.-B. 5 500, Japon 3 800, USA 2 900).

☞ COCOM (Comité coordinateur pour le contrôle multilatéral des échanges Est-Ouest) créé 1949, regroupe les pays de l'Alliance atlantique et le Japon, filtre les export. « sensibles » vers l'Est.

Montant (en milliards de roubles, exportations. et entre parenthèses importations). *1938 :* 0,2 (0,3), *50 :* 1,6 (1,3), *60 :* 5 (5), *70 :* 11,5 (10,5), *80 :* 49,6 (44,4), *81 :* 57,1 (52,6), *82 :* 63,2 (56,4), *83 :* 67,9 (59,6), *84 :* 74,4 (65,3), *85 :* 72,4 (69,1), *86 :* 68,3 (62,6), *87 :* 68 (60), *88 :* 67 (65), *89 :* 68,6 (72,1).

Déficit calculé (milliards de $). *1982 :* – 4. *83 :* – 1,5. *84 :* – 2,1. *89 :* – 5,4 (baisse des exp. pétrolières et hausse des imp. de céréales), (milliards de roubles) *89 :* – 3,3. *Déficit avec pays capitalistes. 1985 :* 0,71. *86 :* 2,7.

Monnaie. Institution d'un rouble touristique en nov. 1989, correspondant à une dévaluation de 90 %, 1 $ = 6,26 r. au lieu de 0,62 (10 au marché noir), et 1 rouble vaut en 1990 10 F au cours officiel (1 F officieusement), et 1 $ = 1,80 r dep. 1-11-90.

Le rouble n'étant pas une monnaie convertible, l'URSS règle en or (elle est le 2e producteur). Elle en a ainsi vendu 300 t par an vers le milieu des années 70 et 150 t en 1984. 200 en 89 (total mondial 1 500).

Balance des paiements courants (en milliers de $) : *1982 :* + 4,43, *83 :* + 4,71, *84 :* + 4,17, *86 :* + 4,1, *87 :* + 8,3, *88 :* + 4,8, *89 :* + 0, *90 :* – 5,7.

Part des pays. **Socialistes :** exp. 54 % (imp. 55 %), **capitalistes :** 30 (33). **En voie de dévelop. :** 16 (12).

Avec les pays socialistes (milliards de roubles, 85). **Exp.** 86,5. **Imp.** 42. **Valeur des échanges** All. dém. 15,2, Tchéc. 13,4, Bulg. 12,4, Pol. 12, Hongrie 9,4, Cuba 7,9, Youg. 6, Roumanie 4,2, Chine 1,6, Mongolie 1,5, Viêt-nam 1,4, Corée du N. 1.

Avec les pays non socialistes. **Exp.** 22,7 dont en % : pétrole 28,2, armes 25,5, gaz 11,6, machines 10,8, divers 23,9 *vers (1987)* All. féd. 2,5, Italie 1,8, Finlande 1,7, G.-B. 1,5, *France 1,5,* Japon 0,9, Autr. 0,4, USA 0,2. **Imp.** 20,7 dont en % : machines 29,2, minerais et métaux 14,2, prod. alim. 9,6, chimie 9,3, pétrole 8,9, céréales 8,3, biens de cons. 8, divers 12,5 *de (1987)* All. féd. 2,6, Finlande 2, Italie 1,6, Japon 1,6, *France 1,* USA 0,9, Autr. 0,6, G.-B. 0,5.

Échanges avec l'Amér. latine (millions de $, en 1988 et, entre parenthèses en 1987). *Exp. :* Nicaragua 405 (1 438), Argentine 39 (64), Brésil 28 (72), Uruguay 17 (3), Panama 13 (12), Colombie 9 (6), Pérou 8 (94), Mexique 4 (10). *Imp. :* Argentine 896 (659), Brésil 248 (398), Mexique 144 (44), Uruguay 73 (37), Pérou 127 (83), Nicaragua 4 (24), Panama 3 (0).

Commerce avec USA (millions de $, 1987). *Exp.* 408, dont prod. man. 143, combustibles minéraux 96, prod. chimiques 92, mat. 1res 47, produits agricoles 21, machines et équip. de transport 9. *Imp.* 1 477, dont prod. agr. 879, chim. 264, manuf. 136, mach. et équip. de transp. 88, mat. 1res 56, comb. min. 54.

Aide publique au développement (milliards de $, 1989). 11 selon l'URSS, 2,4 selon l'OCDE (0,2 % du PNB sov.) ; 12 % de l'aide mondiale (avec l'Europe de l'Est).

Organisation. *Monopole d'État.* Les échanges s'effectuent obligatoirement par des centrales spécialisées. Les étrangers n'ont pas de contacts directs avec leurs « clients » sov. *Planification.* L'URSS imp. les biens dont elle manque pour réaliser ses plans, et les paie par des exportations en principe au moins équivalentes. Exp. et imp. se font en grande partie par terre avec démocraties populaires et États contigus, et par mer avec les pays éloignés.

Rang dans le monde (89). 1er p. de terre, orge, pétrole, gaz, fer, potasse, réserves de charbon, lignite et gaz. 2e blé, ovins, porcins, lignite, or, phosphates. 3e coton, bovins, céréales, argent, charbon, cuivre. 4e thé, maïs. 5e vin, rés. pétrole.

URUGUAY

Carte p. 868. V. légende p. 837.

Situation. Amérique du S. 176 215 km². *Frontières* 2 120 km (avec Brésil 985, Argentine 500). *Côtes :* 670 km (sur l'Atlantique 220, les Rio de la Plata et Uruguay 450). *Alt. max.* (Sierra de las Animas) 513,6 m. **Climat.** Tempéré, très venteux. Forte humidité. Moy. hiver (juin-sept.) 11 à 15 °C, été (déc.-mars) 20 à 26 °C. *Pluies* irrégulières : 1 200 mm/an.

Population. 3 060 000 h. (88) dont (82) Blancs 85 %, Métis 10 %, Mulâtres 5 % ; *prév. 2000 :* 3 364 000. D. 17,4. **Âge :** *– de 15 a.* 27 %, *+ de 65 a.* 11 %. *Natalité :* 50 ‰ par an (le plus bas d'Amérique). *Nés à l'étranger* (en milliers) 135,1 dont Argentine 19,3, Brésil 15,3, Amér. latine 4,6, Espagne 45,1, Italie 22,7, Europe 24,2, divers 4,4. **Émigration :** + de 500 000 h. vivent à l'étranger (Argentine, Brésil, Australie, Canada, USA, Espagne et France). 50 000 h par an quittent U. **Immigration :** Espagne, Italie, Allemagne, France. **Villes** (85) : *Montevideo* 1 303 942 (86), Salto 77 400 (498 km), Paysandu 75 200 (379 km), Las Piedras 61 300 (20 km). *Pop. urbaine :* 85 %. *Stations balnéaires* Punta del Este (140 km), La Paloma (220 km). Langues : Espagnol *(off.)* (français et anglais enseignés). Religions : Catholiques 66 % (pas de rel. d'État), israélites 2 %, protestants 2 %.

Histoire. **1516** découvert par Juan Diaz de Solis (Esp. † 1516), soumis par les Esp. **1519** expédition de Magellan. **1527** Sébastian Gaboto (Vénitien 1476-1557) construit un fort à l'embouchure du Rio San Salvador. **1574** Juan Ortiz fonde San Salvador (auj. Dolores). **1624** jésuites fondent Santo Domingo de Soriano et commencent la colonisation. **1680-1778** rivalités Port. et Esp. **1726** Esp. fondent Montevideo. **1750** *tr. de Madrid :* ils reçoivent l'U. contre l'abandon des limites du tr. de Tordesillas (1494), qui leur attribuait les terres à l'O. d'une ligne N.-S. passant à 370 lieues des îles du Cap-Vert. **1776** création de la vice-royauté du Rio de la Plata dont fait partie l'U. **1806-07** installation des Anglais à Montevideo (l'Esp. alliée de Napoléon, ayant perdu sa flotte à Trafalgar, 1805). **1811** *Las Piedras* victoire de José Artigas (1764-1850) et des partisans de l'indép. **1814** Artigas chasse Esp. **1816** invasion portugaise. **1821** annexion au Brésil de la bande orientale. **1825**-*25-8 indép.* **1827** g. contre Brésil. **1830**-*18-7* Rép. **1835-39** g. civile entre *Colorados* (Rivera) et *Blancos* (Oribe). **1842-51** g. civile (guerra grande) avec aide de la G.-B. et de la Fr. **1865-70** alliance avec Arg. et Brésil contre Paraguay. **1904** apaisement des luttes intérieures. **1913-33** et **1952-66** Pt remplacé par gouv. collectif. **1958** él. : Blancos battent Colorados (au pouvoir dep. 90 a.). **1963** début, du MLN (Mouv. de libér. nat.) *Tupamaros* (du chef inca rebelle Tupac Amaru) créé par Raul Sendic (1925/27-4-89) contre impérialisme nord-amér. **1967** rég. présidentiel, Pt Oscar D. Gestido, puis, à sa mort, Jorge Pacheco. **1971** consul du Brésil enlevé (libéré contre rançon en février), conseiller américain de la police (exécuté), ambassadeur brit. Geoffrey Jackson enlevé. **1972** attentats, répression et écrasement des Tupamaros (*-1-9* Sendic, arrêté, libéré 1985). *Juan Maria Bordaberry* Pt. **1973** *févr.* armée prend pouvoir mais garde Pt Bordaberry (accusé en mars d'avoir vendu secrèt. 20 % des réserves d'or du pays). *-27-6* Parlement dissous, remplacé par Conseil d'État (25 m.) ; milit. renforcent leur pouvoir. *Oct.* intervention milit. à l'université qui passe sous contrôle de l'État. *-9-11* partis et syndicats interdits. **1974**-*19-12* Tupamaros tuent attaché milit. à Paris. **1976** *janv.* arrestations, tortures. *-12-6* Pt Bordaberry déposé par junte, Alberto Demicheli, vice-Pt, assume présidence (12-6). *-14-6* Aparicio Mendez désigné Pt pour 5 a. **1980** pianiste Miguel Angel Estrella libéré. *-30-11* référendum constitutionnel, 57,81 % de non. **1981**-*1-9* Gén. Gregorio Alvarez (n. 26-11-25) élu Pt par Conseil de la Nation (c. d'État de 35 m. et junte des officiers généraux). **1982**-*28-11* élec. pour désigner dans les 3 partis autorisés des chefs de partis et des candidats aux présidentielles, victoire de l'opposition. **1983**-*25-8* concert de casseroles, 2 000 manif. *-27-11 :* 300 000 manif. pour retour à « la démocratie exclusive ». **1984**-*mars* Gal L. Seregni (Frente amplio) libéré. *août* accord du Club naval organise départ des mil. *-16-6* Wilson Ferreira Aldunate (leader blanco) arrêté le j. où il rentre après 10 a. d'exil (libéré 30-11). *-25-11* élections sous conditions : partiellement libres (candidats de gauche injustement invalidés, PC devant changer de nom). Acceptées pour hâter départ des mil. discrédités (échec écon. et violations des droits de l'homme). Les chefs mil. refusent tout procès car « on ne demande pas de comptes aux vainqueurs ». **1985**-*11-2* Gal Alvarez démissionne. Bilan dep. 1973 : 150 † ou disparus. PNB – 19 %. Dette 4,7 milliards de $ (nulle en 1973). *-15-2* Parlement en fonction. *-1-3* 1er gouv. civil dep. 11 ans. *-8-3* amnistie. *-14-3* détenus pol. libérés. **1986**-*22-12* amnistie pour 300 militaires ayant violé Droits de l'homme. **1987**-*oct.* Pt Mitterrand en U. **1989**-*16-4* référendum sur amnistie : 56 % pour. *-26-11* élections [A rétabli les garanties et libertés, fait participer l'U. au Groupe d'appui à Contadora (avec Pérou, Argentine, Brésil), établi des relations diplom. avec Cuba et Chine pop.].

Statut. Rép. *Const.* de 1966. *Pt* Luis-Alberto Lacalle (n. 1941) dep. 1-3-90 (élu 26-11-89) avant Julio Maria Sanguinetti (n. 1936) dep. 1-3-85 (élu 25-11-84). *Sénat* 30 m. et *Ch. des députés* 99 m. élus pour 5 a. au suffr. universel. 19 *départements. Vote* obligatoire. **Partis.** *P. colorado,* modéré libéral, Pt Américo Ricaldoni *P. blanco,* nationaliste, Pt Dr Roberto Rubio. *Union civica,* social-chrétien, Pt Juan Vicente Chiarino. *Frente amplio,* f. 1971, gauche (socialistes, communistes, Tupamaros). *Mouvement de lib. nat.,* rad.-soc., ex. Tupamaros, f. 1962, Pt José Mújica. **Élections. Du 25-11-84 :** Pt Sanguinetti (P. Colorado) élu par 744 999 v., devant Alberto Zumaran (Blanco) (634 166 v.), José Crottogini (Frente Amplio) (393 949 v.) ; *Sénat* et entre parenthèses *Chambre :* Colorado 13 (41), Blanco 11 (35), Frente Amplio 6 (21), Union Civica 2. **Du 26-11-89.** *Votants :* 2 300 000. 1res él. réellement libres dep. 1973. Blancos et Colorados présentaient chacun 3 candidats sur des programmes se ressemblant : dette extérieure, hypertrophie de l'Etat (272 000 fonctionnaires sur 1 200 000 actifs), syndicats, privatisations, investissements étrangers. Victoire de Luis Lacalle (P. Blanco) sur Jorge Battle (Colorado). Fêtes nat. 19-4 (débarquement des partisans de l'Indép.) ; 18-5 (bataille de Las Piedras) ; 19-6 (naissance de José Artigas) ; 18-7 (j de la Constit.) ; 25-8 (indép.) ; 12-10. (j de la Race). Drapeau : adopté 1830.

Nota. – Pays de naissance de Lautréamont, Jules Laforgue, Jules Supervielle.

Économie

PNB (88) 2 380 $ par hab. **Taux de croissance.** *1987 :* 5 %, *88 :* 2 %, *89 :* 1. **Pop. active** (% et entre parenthèses part du PNB en %) agr. 11 (11), ind. 32 (34), services 57 (55). *Chômage 1989 :* 10. **Inflation** (%). *1980 :* 63,5 ; *81 :* 34,1 ; *82 :* 19 ; *83 :* 51,5 ; *84 :* 66,6 ; *85 :* 83 ; *86 :* 70 ; *87 :* 57,3 ; *88 :* 70 ; *89 :* 90. **Dette extérieure** (milliards de $) *90 : (juin) :* 6,9. **Service.** 1/3 des exportations.

Agriculture. *Terres* (milliers d'ha, 1981) cultivables 15 400 dont pâturages 12 350, t. cultivées 1 750 ; forêts 3 295 000 m³ (88). *Production* (milliers de t, est. 89) blé 414, riz 530, p. de terre 126 (87), sorgho 79, maïs 60, avoine 60, orge 204, bett. à sucre 142, canne à sucre 495 (88), lin 2.

Élevage (millions de têtes, 88). Moutons 24,6, bovins 10,3, chevaux 0,5, porcs 0,2 (89). Viande de bœuf 346 000 t. (89). Laine : 87 000 t. **Pêche** 107 500 t (88). Accord de pêche avec URSS.

Mines. Granit, marbre, chaux, dolomite, sable, argile, gravier, pierres semi-précieuses. Électricité hydraulique. Pas de pétrole. Industrie. Alim., text., cuir, caoutchouc, chimie, ciment 420 000 t. (88). Transports (km, 86). *Routes* 12 000. *Chemins de fer* 3 000. Tourisme. *Visiteurs : 1983 :* 269 071, *86 :* 1 120 000, *88 : 843 500.*

Commerce (millions de $ US, 89). *Exportations* 1 702,2 *dont* textiles 485, prod. alim. 391,6, cuirs et peaux 235, prod. végétaux 168, *vers* Brésil 422,2, USA 177,4, All. Dém. 123, Argentine 77,7, Espagne 65,7. *Importations* 1 411 (90) *dont* prod. minéraux 218,5, machines 211,3, prod. chim. 200,4, équip. de transp. 133,8, *de* Brésil 308,2, Argentine 186,7, USA 115,2, All. féd. 74, Mexique 71, G.-B. 34.

Rang dans le monde (89). 7ᵉ laine. 12ᵉ ovins (88).

VANUATU

V. légende p. 837.

Nom. Anciennes Nouvelles-Hébrides. Dep. 30-7-1980, *Vanuatu,* l'île qui s'élève au-dessus de la mer.

Situation. Archipel du Pacifique. 12 190 km², env. 80 îlots et îles s'étendant sur 800 km [N.-Calédonie à 540 km, Auckland (N.-Zél.) 2 250, Sydney (Austr.) 2 550, Tahiti 4 500, Paris 21 000]. Sol d'origine volcanique, et corallienne dans les parties basses. *Alt. max.* Mt Tabwemassana (Santo) 1 879 m. Certains volcans encore actifs (Lopévi, Yasour à Tanna, Bembow, Marum à Ambrym). **Climat** tropical, janv.-juin chaud et pluvieux, juin-déc. relativ. sec et frais. *Temp.* 15 à 34 °C. *Pluies :* env. 2,30 m par an.

Population. 149 000 h. (88) : Mélanésiens 94 %, Européens 2 % ; *prév. 2000 :* 223 000 h. **Âge :** – *de 15 a.* 57 %, + *de 65 a.* 3 %. 105 600 Mélanésiens, hommes de la côte, souvent chrétiens, et de quelques noyaux de l'int. des îles (small nambas et big nambas, dernier roi éteint à Malekula en 1987), 690 Asiatiques, 1 470 originaires du Pacifique (Tahitiens, Wallisiens, Futuniens, autochtones néo-calédoniens, Fidjiens, Gilbertains), plus de 2 500 Eur. (dont 900 Français). D. 12,2. **Villes** (86) : *Port-Vila* (île de Vate) 18 796, Luganville (Santo) 5 621.

Langues *(off.).* Français (40 %), anglais (60 %), bichlamar (déformation de l'anglais), 130 dialectes locaux. Religions. Dans la pop. chrétienne : catholiques 18 %, protestants 68 %, animistes 15 %. A Tanna, culte de John Frum.

Histoire. Hab. originaires Mélanésiens *(Canaques)* apparentés aux Papous, auxquels se sont ajoutés des Polynésiens, des Tonga et des Samoa. **1606**-*1-5* le Port. Fernandez de Queiros découvre l'I. d'Espiritu-Santo. **1768** Bougainville passe entre Santo et Mallicolo et découvre Pentecôte, Aoba et Maewo, qu'il appelle *Grandes Cyclades.* **1774** Cook établit 1ʳᵉ carte des N.-H. Autres navigateurs : Lapérouse (1788), d'Entrecasteaux (1793), Cap. Bligh (aux Banks 1793), Dumont d'Urville (1828), Belcher et Markham. **XIXᵉ s.** fréquentées par baleiniers, acheteurs de santal et recruteurs de main-d'œuvre, qui ont maille à partir avec autochtones et missionnaires qui commencent à s'installer à partir de 1828. **1887**-*16-11* Fr. et Brit. instituent une Commission navale mixte constituée par Cdts et officiers des navires de g. faisant campagne aux N.-H. **1906**-*27-2 Convention de Londres,* ratifiée *20-10.* **1911**-*6-8* protocole franco-brit. (ratifié 18-3-1922), reconnaissant les N.-H. « territoire d'influence commune », placées sous un *régime de condominium.* **1954**-*28-3* pourparlers franco-brit. d'Honiara : les hab. participeront aux affaires publiques. **1957**-*4-4 Conseil consultatif* créé. **1975**-*18-1* réformes. *-10-11* législatives (vict. du National

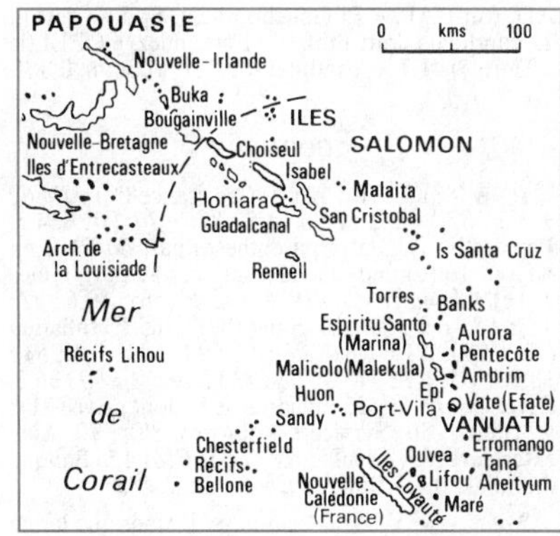

Party) ; annulées pour fraude, le Nat. Party refuse de participer à la vie pol. *-27-12* déclaration unilatérale d'ind. d'Espiritu-Santo par Jimmy Stevens (n. 1922) du mouvement Fédération Nayriamel. *-30-12* Fr. et G.-B refusent l'ind. **1976** *juin* conseil coutumier (Malfatu Mauri créé). **1977** *févr.* boycott de l'ass. par élus du VAP *-29-11* él. de 2 ass. [VAP ne présente pas de candidats ; parti modéré (francophone cath.) a tous les sièges], VAP crée gouv. pop. provisoire. **1978**-*11-1* 1ᵉʳ gouv. autonome (*Pt :* George Kalsakau, modéré). *-5-4* trêve entre les 2 partis. *-22-12* gouv. d'union nat. (*Pt :* Gérard Leymang, prêtre cath., modéré). **1979**-*19-9* projet de const. approuvé. *-14-11* él. au Parlement (VAP 26 s., divers 13 s.). *-29-11* gouv. du pasteur anglican Walter Lini ; modérés portent plainte (en vain) pour fraude électorale. *Nov.* tentative de sécession des îles francophones de Santo et Tana avec J. Stevens. **1980**-*30-4* négociations angloph. et francoph. échouent. *-28-5* francoph. dirigés par J. Stevens prennent Luganville, cap. de Santo. *-31-5* Brit. et angloph. de Santo évacués sur Vaté. *-2-6* Lini fait réoccuper Tana. *-3-6* la Fr. s'oppose à une réoccupation de Santo, tout en approuvant l'ind. *-5-6* J. Stevens forme gouv. à Santo. *-11-6* manif. francophiles à Tana, † du député Alexis Yulou, 25 bl. *-24-7* contingent mil. fr.-brit. doit rétablir l'ordre. *-30-7* indép. *-12-8* 24 Fr. et 2 Austr. expulsés. *-18-8* arrivée à Santo d'un contingent mil. de Papouasie-Nlle-G. après départ de la force fr.-angl. *-31-8* J. Stevens arrêté, fin de la sécession de Santo. 2 274 arrestations dont 760 à Santo. **1981**-*2-2* expulsion de l'amb. de Fr. *Oct.* retour. **1983**-*10-3* débarquement temporaire sur îles Matthew et Hunter (inhabitées, à la Fr. et rattachées à la Nlle-Calédonie, importantes à cause de la zone des 200 miles). Amb. de Fr. rappelé. **1987** *févr.* cyclone Uma. *-1-10* Henri Crépin-Leblond, amb. de Fr. expulsé pour ingérence. **1988**-*16-5* manif. 1 †. *16-12* Pt Sokomanu dissout Parl. ; gouv. intérimaire (Barak Sopé PM, Carlot vice-PM) ; *-19-12* PM Lini assigne à résidence Pt (lui conteste le droit de dissoudre le Parl. et de former un gouv.) ; Cour suprême donne raison au PM *-21-12* Pt et 26 pers. arrêtées pour incitation à la mutinerie.

Statut. Rép. Membre du Commonwealth. *Const.* du 30-7-80. *P.M.* pasteur Walter Hadye Lini (n. 1943) élu nov. 79 (réélu 21-11-83). Pt George Ati Sokomanu (n. 1938) élu 30-7-80, démissionne le 17-2-84, réélu 8-3-84, déchu janv. 89, condamné à 6 ans de prison 7-3-89, acquitté avril. **Élections. Du 2-11-83 :** VAP 56 % des voix (24 s.), UMP 44 % (12 s.), Nayriamel 2,8 (1 s.), Namaki Anté 2,6 (1 s.), F. Mélanésien 2,3 (1 s.), VIAP 3,9 (0 s.). **Du 30-11-87 :** VAP 47 % des voix (26 s.), UMP (20 s.). **1989**-*30-1* Fred Karlomuana Timakata (n. 1936). **1991** VAP s. sur 46 (dép. de l'opp. renvoyés), Ton Union 6 s. *Pt* (élu pour 5 a. par un collège électoral composé de l'ass. et des Pt des conseils régionaux). Drapeau : adopté 1980 : rouge et vert, triangle central noir et jaune, avec corne de sanglier.

Partis. *Vanuaaku Pati* (VAP, P. de notre terre, f. 1972, anglophone et protestant, ex-New Hebridean Culture Association, devenue 1971 New Hebrides National Party) ; *Pt* Walter Lini. *Union des communautés néo-hébr.* (UCNH), forme dep. févr. 1977 le Tan Union ; f. févr. 1974 par des Fr. et des francophones, *Pt* Vincent Boulekone (influent île de Pentecôte). *Natatok Efate* (Natifs de Vaté), f. 1977, *Pt* George Kalsakau (influence à Vaté et îles env.). *Manh* (mouv. autonomiste des N.-H.), f. 1975. *Vanuaaku Independant Alliance P. (VIAP),* f. 1982, *Pt* Thomas Seru. *Union des P. modérés,* f. 1979 ; ne siège plus au Parl dep. 1988. Inclut le mouv. Nagriamel (contraction de Nagaria et de Namuele, noms coutumiers), 1960 (d'abord mouv. rural et agr.). *Pt* Maxime Carlot. *National Démocratic P. (NDP),* f. 1986, *Pt* John Naupa. *New People's P. (NPP),* f. 1986, *Pt* Frank Abel. *Vanuatu Labour P.,* f. 1986, *Pt* Kenneth Satungia. *Melanesian Progressive P.* (MPP), f. 1988, anglophone *Pt* Barak Sope. *Fren Melanesial P. (FMP),* partie de l'UPM jusqu'en dec. 89, *Pt* René Luc (influence à Santo). *Leba P., Pt* Ephrain kalsakau.

Circonscriptions administratives

Iles du Nord : *Groupe des Torres* (Iles de Hiu, Toga, Lo, Tegua) 98 km², 400 h. *Groupe des Banks* (Iles Vanua Lava, Mota Lava, Gaua ou Santa Maria, Mota, Mere Lava, Ureparapara) 722 km², 3 059 h. *Santo* (ou Tierra Australia del Espiritu-Santo) 3 712 km², 6 300 h. (île principale, chef-lieu : Luganville). *Malo* 180 km², 837 h. *Aoré* 57,5 km², 339 h. *Aoba* 383 km², 5 614 h. *Maewo* (ou Aurora) 270 km², 898 h.

Iles du Centre (2ᵉ Subdivision) : *Mallicolo* 2 060 km², 10 900 h., Lamap (chef-lieu). *Ambrym* 663 km², 3 670 h. *Pentecôte* 439 km², 4 876 h. *Paama* 33 km², 2 582 h. *Lopévi* 30 km², non habitée.

Iles du Centre (1ʳᵉ Subdivision) : *Vaté* 1 076 km², 14 000 h. *Epi* 455 km², 1 300 h. *Shepherds (Tongoa, Emaé, Tongariki, Ewose, Makura, Matasso, Buninga) ; Nguna ; Pélé ; Mau ; Leleppa ; Mosso.*

Iles du Sud : *Erromango* 975 km². *Tanna* 550 km², 8 241 h. Autres îles : *Aniwa* 19 km², 198 h. *Futuna* 12 km², 375 h. *Anatom* 145 km², 246 h.

Économie

PNB (88) 880 $ par h. **Croissance PNB** (%) *(1986 :* – 2, *87 :* + 0,7, *88 :* – 0,9, *89 :* + 4,5. **Pop. active** (%, entre parenthèses part du P.N.B. en %) agr. 75 (25), ind. 0 (0), services 25 (75). **Inflation** (%). *1987 :* 15,9, *88 :* 8,7, *89 :* 7,7. **Aide ext.** (en millions de F, 89). G.-B. 46, Australie 41, *France 26,* N. Zélande 2.

Agriculture. *Terres* (milliers d'ha) cult. 95, forêts 16. *Production* (milliers de t, 89) noix de coco 330 (87), coprah 24, café, cacao 1,5, arachide. Élevage (milliers de têtes, 87). Bovins 103, porcs 73, chèvres 12, volailles 158. Pêche (87). 3 249 t. Mines. Manganèse (arrêté dep. 79), pouzzolane. Routes. 1 000 km. Tourisme (89). 25 000 vis. **Place financière.** (10 % du PNB). **Pavillons de conplaisance :** 500 bateaux enregistrés.

Commerce (millions de vatus, 89). *Exportations* 1 611 *dont* coprah 751, viande bovine 267, cacao 193, *vers* (%) P.-Bas 51, Japon 15, *France 6,* Belgique 4, Singapour 2. *Importations* 7 580 *de* (%). Australie 45,5, N.-Zélande 10,5. Japon 9,3, *France 9.*

VENEZUELA

Carte p. 911. V. légende p. 837.

Nom. Petite Venise, donné par Americo Vespucci en souvenir de Venise, que lui rappelaient les huttes lacustres du lac de Maracaïbo.

Situation. Amérique du S. 912 050 km². *Alt. max.* pic Bolivar 5 007 m. *Côtes :* 2 816 km. *Iles :* 72 dont Puerto Piritu, Lecheria, Puerto la Cruz, Chimanas, Plata, La Borracha, Margarita (+ Coche, Cubagua). *Archipel de Los Roques. Lac de Maracaïbo :* 14 000 km². *Lagune de Sinamaica. Frontières :* 4 793 km ; avec Colombie 2 050, Brésil 2 000, Guyane 743. **Climat, régions :** *côtière* du N.-O. : température élevée, sèche, palmiers, cactus géants. *Montagneuse :* cordillère de Merida (alt. max. Pico Bolivar 5 007 m) : humide, plus froid ; chaîne côtière : sec et ensoleillé. *Plaine* (llanos) : bassin de l'Orénoque, tropical en saison sèche, savanes, forêt-galerie. *Guyane :* chaud, humide, tempéré sur plateaux (alt. 2 500 m), forêts, savanes. *Sites :* Canaïma, Salto Angel, « Grande Savane ». *Temp. moy.* Caracas : juin à oct. 17 à 30 °C, nov. à mai 12 à 25 °C, de 600 à 2 000 m d'alt. : 10 à 25 °C. *Saisons :* sèche nov. à avril, pluies mai à oct.

Nota. – Le V. revendique 161 000 km² de Guyana (ex. G. brit.), pris fin du XIXᵉ s. par G.-B.

Population. *1800 :* 780 000 ; *50 :* 1 366 470 ; *1920 :* 2 411 952 ; *50 :* 5 034 838 ; *71 :* 10 721 522 ; *85 :* 18 552 000 ; *87 :* 18 272 000 ; *88 :* 18 759 000 ; *89 :* 19 245 522 dont (%, 85) Métis 69, Blancs 20, Noirs 9, Indiens 2 ; *prév. 2000 :* 27 207 000. **Âge.** – *de 15 a.* 40 %, + *de 65 a.* 3 %. D. 21,1. **Immigration :** Colombiens + d'1 000 000, Espagnols 300/350 000, Italiens 250 000, Portugais 220 000. **Population urbaine** (85). 84 %. **Villes** (89) : *Caracas* 3 373 059, Maracaïbo 1 365 308 (706 km), Valencia 1 227 472 (158 km), Maracay 923 673 (109 km), Barquisimeto 764 216 (453 km), Ciudad Guayana 516 596, Barcelona/Puerto La Cruz 442 677, San Cristobal 355 895 (816 km), Departemento Vargas 338 312, Ciudad Bolivar 277 013 (599 km), Maturin 268 640.

☞ 30 % de la population vit en état de pauvreté absolue.

Langues. Espagnol (anglais : l. des affaires ; français : dans les classes cultivées). **Religions.** Catholiques 94,8 %, protestants 1 %, juifs 1 %.

Histoire. Peuplé de Caraïbes et d'Arawaks. **1498** découvert par C. Colomb à son 3e voyage. **1499** Alonso de Ojeda avec Vespucci explorent région de Maracaïbo. **1528** Charles Quint confie la colonisation à des banquiers augsbourgeois, les Welser. **1529-47** gouv. allemand **1546** expédition esp., depuis la N.-Grenade (Colombie) ; fin du régime de monopole all. **1560** rattaché au Pérou. **1567**-*25-7* Diego de Losada fonde la ville de Santiago de León de Caracas. **1731** création d'une capitainerie générale du Venezuela. **1777** rattachement à la capitainerie générale du V. des prov. de Cumaná, Maracaïbo, Guayana, et des îles de Trinidad et Margarita, détachées de la vice-royauté de Bogotá. **1810**-*19-4* autorités coloniales esp. déposées par les notables de Caracas. **1811**-*5-7* indép. **1812** Francisco Miranda (1752-1816) vaincu par les Esp. qui rétablissent leur pouvoir. **1819** *déc.* uni à N.-Grenade (Colombie) et Équateur, le V. s'en sépare en *1830.* **1821**-*24-6 bataille des Carabobo :* Esp. battus par Simon Bolivar (24-7-1783, d'origine basque/17-12-1830 meurt en exil, disant « J'ai labouré la mer ! ») ; indépendance. **1861-70** g. civiles. **1908-35** dictature de Gomez. **1935-58** dictatures milit. **1958**-*23-1* rég. démocratique présidentiel. **1958-69** P. de l'action démocratique au pouvoir (Pts Rómulo Bétancourt, Raul Léoni). **1964**-*21-9* De Gaulle au V. **1969-73** Pt Rafael Caldera (social-chrétien). **1973**-*9-12* Pt Carlos Andrés Pérez (Action dém.) élu. **1975**-*1-1* nationalisation mines de fer. *-29-8* de l'ind. pétrolière. **1978**-*3-12* élections législ. et présid. (victoire du COPEI). **1980**-*24-12* expulsion 300 000 illégaux (90 % Colombiens). **1983**-*18-2* contrôle des changes. *-23-2* bolivar dévalué de 74 %. *-4-12* Jaime Lusinchi (Action dém.) élu Pt. **1987**-*1-12* fermeture universités après affrontements. **1989**-*4-12* Carlos Andres Perez, élu Pt. *-18-2* plan d'austérité : suppression du taux de change préférentiel (1 $ = 40 bolivars), liberté des prix et des taux d'intérêt (prix de l'essence, le + bas du monde, augmenté de 150 %), salaires + 30 %. *-27-2* émeutes suite au doublement des tarifs des transports : pillage de Caracas, répression [bilan off. : 246 †, (500 à 1 200 selon certains)]. *-9/10-10* Pt Mitterrand au V. (pris d'un léger malaise). *-3-12* élections de 269 maires (700 candidats) et 20 gouverneurs (70 candidats) (avant, gouverneurs désignés par l'Etat, pas de maires) ; 70 % d'abstentions. **1990**-*20-2* pillages. *-20-3* accord sur réduction de la dette avec 400 banques.

Statut. Rép. féd. 9 *régions.* 20 *États,* 1 *district fédéral,* 2 *territoires,* 72 *îles* (dépendances féd.). *Const.* du 23-1-61. *Pt* élu au suffr. univ. pour 5 a. *Sénat* (47 m.) et *Chambre des députés* (196 m.) élus au suffr. univ. pour 5 a. Vote obligatoire. **Fête nat.** : 5 juil. (indép. 1811). **Drapeau** : bandes jaune (avec armoiries), bleue (avec 7 étoiles : provinces), et rouge.

Élections législ. du 4-12-88. AD 52,91 % (97 députés, 23 sénateurs). COPEI 40,42 % (67 dép., 22 sén.). MAS-MIR 2,73 % (18 dép., 3 sén.). NGD (6 dép., 1 sén.). LCR (3 dép.). Autres (10 dép.).

Partis. *Action dém.* (AD) f. 1941 par R. Bétancourt († 9-81, socialiste et nationaliste), 1 450 000 m., Dr. Gonzalo Barrios. *Com. d'org. pol. des élect. indép.* (COPEI) f. 1946, dém.-chrétien, + de 800 000 m, Rafael Caldera, Rodriguez, Luis Herrera Campins. *Mouv. vers le socialisme* (MAS) f. 1971, dém.-soc., Pompeyo Marquez. *Mouv. élect. du peuple* (MEP) f. 1967, 100 000 m, Luis Beltran Prieto Figueroa. *P. communiste du V.* (PCV) f. 1931 (1 % des suffr. en 1973, Jesús Faria). *Union républ. démocr.* (URD) f. 1946 (Jovito Villalba). *Mouv. d'intégration nat.* (MIN) f. 1977, Gonzalo Pérez Hernàndez. *Mouv. de la Gauche révol.* (MIR) f. 1960. Moises Moleiro. *Nouvelle alternative,* f. 1982, Eduardo Machado, Clemente Castro, Pedro Troconis. *Opinion nat.* (OPINA), f. 1961, 22 000 m., Pedro Luis Blanco Penalver. *Droite Emergente du V.* (DEV), f, 1989 ; Vladimir Gessen, Rhona Ottolina, Godofredo Marin. *La Causa Radical* (LCR).

Présidents depuis 1945. 45 (20-10) Rómulo BETANCOURT (1908-81). **48** (15-2) Rómulo GALLEGOS (1884-1969). **52** Perez JIMENEZ (1914), dictateur. **59** (13-2) Rómulo BETANCOURT. **64** (11-3) Raul LEONI (1905/5-7-72). **69** (11-3) Rafael CALDERA (24-1-16). **74** (12-3) Carlos Andrés PEREZ (17-10-22). **79** (12-3) Luis HERRERA CAMPINS (4-5-25). **84** (2-2) Jaime LUSINCHI (27-5-24, soc.-dém.). **88** (-4-12) Carlos Andrés PEREZ AD, (dit CAP, « El Gaucho ») élu, 54,5 %, devant 22 candidats dont Eduardo Fernandez, COPEI (le « Tigre ») 41,7 %, candidat soc. 2,7 % comm. 0,8 %.

Économie

PNB (88) 3 170 $ par h. Croissance (%) : *1986 :* + 3,3 ; *87 :* + 3,2 ; *88 : - 1,8 ; 89 : - 10. 90 :* + 4,5. **Pop. active** (%, entre parenthèses part du PNB en %) agr. 16 (6), ind. 25 (22), services 57 (56), mines 2 (16). *Chômage* (%) : *1985 :* 14, *86* (fin) : 10,6 ; *87 :* 8,5 ; *88 :* 6,9 ; *89 :* 10. **Smig** (89) : 765 F. **Inflation** (%). *1980 :* 21,6 ; *81 :* 16 ; *82 :* 9,8 ; *83 :* 6,4 ; *84 :* 18,32 ; *85 :* 11 ; *87 :* 36 ; *88 :* 35 ; *89 :* 81 ; *90 :* 36,5. **Dette ext.** *fin 89 :* 33 milliards de $ (dont privée 21) ; *90* (juin) : 30. **Service** (% des exp. 88) : 70. **Aide extérieure** (89, en milliards de $) : FMI 4,6, Banque mondiale 0,75, Banque Centr. du V. 0,5.

Nota. – Le V. est le seul pays d'Amérique latine à avoir remboursé sa dette (capital + intérêts) jusqu'en déc. 1988.

Agriculture. *Terres* (%) forêts 39, pâturages 19,6, cult. 7,6. 2,2 % des familles rurales possèdent 89 % des terres cult., 61,5 %, 11 % des t. ; 11 % n'ont pas de t. *Production* (milliers de t, 89) canne à sucre 8 100, bananes 1 100, riz 354, maïs 800, manioc 318 (88), oranges 424, p. de terre 217, tomates 175, noix de coco 168 (87), café 76, cacao 15, sésame 67 (88), tabac 14, épices, coton 50. **Élevage** (milliers de têtes, 89). Bovins 13 095, porcs 2 961, chèvres 1 400, moutons 425, volailles 50 000. **Pêche** (87) 283 600 t. Perles.

Énergie. Pétrole (millions de t) *réserves* 8 088 dans la ceinture de l'Orénoque, *prod. 1981 :* 115, *85 :* 89, *86 :*97, *87 :*98,2, *88 :*94,4, *89 :*96,7, *90 :*113,8. *Revenus* (milliards de $) : *84 :* 19 (90 % des recettes d'expl.), *85 :* 12,4, *86 :* 8,2, *88 :* 8. **Gaz** (milliards de m³). *Réserves* 2 991 *prod.* (90) 11,4. **Électricité.** Barrage de Guri (+ grand du monde). **Mines.** *Fer* 11 millions de t. (87). *Or, diamants, cuivre, nickel, bismuth, vanadium, bauxite, manganèse, phosphates. Bitume,* réserves 300 milliards de t (région d'Orénoque). **Industries.** Raffinerie, chimie, engrais, prod. alim., ciment, métall., aluminium, cuir, mécanique. **Transports** (km). *Routes* 100 571 (86) dont 33 289 revêtus. *Chemins de fer* 400 (projet de construction de 2 000 km pour 2000). **Tourisme** (89). 410 300 vis.

Commerce (milliards de $ US). *Exportations* (88) : 10,2 dont prod. manuf., fer, café, cacao, aluminium, or, diamants, prod. mét. *vers* (%, 87) USA 28,1, Japon 18,5, Colombie 9,3. *Importations 82 :* 12,6, *83 :* 6,8, *84 :* 6,8, *85 :* 6,5, *86 :* 6,1, *87 :* 8,7, *88 :* 11,5 *de* (%, 87) USA, 43,9, All. féd. 8,6, Japon 6. **Rang dans le monde** (89). Réserves de pétrole. 10e fer. rés. de gaz. 12e or. 13e gaz. 17e bovins. 20e café.

ILES VIERGES BRITANNIQUES

Carte v. page de garde. V. légende p. 837.

Situation. Iles des Petites Antilles. À 96 km à l'E. de Puerto Rico. 40 îles dont 11 habitées. 153 km². Toutes volcaniques et élevées, sauf Anegada qui est plate et corallienne. **Climat** subtropical, peu de pluies, fortes chaleurs, atténuées par les alizés. **Population** (87). 12 500 h. (majorité noire) dont Tortola (56,39 km²) 9 600, Virgin Gorda (21,37 km²) 2 500, Anegada (38,85 km²) 140, Jost Van Dykes (2 îles, 9,07 km²) 130, autres îles 130. D. 81,6. *Capitale : Road Town* sur Tortola 3 976 h. (80). **Langue** : anglais. **Religion** : méthodistes, anglicans, catholiques, divers.

Histoire. 1493 découverte par C. Colomb. **1648** établissement hollandais. **1660** ét. anglais. **1774** constitution. **1816** colonie rattachée à St-Christophe, Nevis et Anguilla. **1834** abolition de l'esclavage. **1867** nouvelle association instituée. **1871** partie de la Fédération des îles Leeward. **1950** introduction d'un gouv. représentatif. **1956** quitte la Féd., devient colonie. **1967** nouvelle const. amendée en **77.**

Statut. Colonie brit. *Const.* de 1977. *Gouv.* J. Mark Herdman. LVO. *Min. principal* H.L. Stoutt. *Conseil législatif* 9 m. élus pour 4 a., 1 d'office et 1 « speaker » élu en dehors du conseil. *Conseil exécutif* gouv., 1 m. d'office (procureur gén.), min. principal et 3 min.

Économie. PIB (87) 9 000 $ par h. Élevage. Pêche. **Tourisme** (89) : 306 000 vis. **Commerce** (millions de $). *Exportation US.* (88) 2,7 *dont* poisson, gravier, sable, fruits et légumes *vers* îles Vierges US *Importation.* 11,5 *dont* mat. de construction, prod. alim., mach., moteurs *de* USA et G.-B., pétrole *de* Trinité.

VIÊT-NAM

V. légende p. 837.

• **Définitions. Indochine,** ensemble colonial français comprenant Viêt-nam, Cambodge, Laos, n'existe plus depuis 1954. **Viêt-bac** ou « Grand Nord », région mitoyenne de la Chine qui servit de base au Viêt-minh. **Viêt-cong** mouvement nationaliste et paracommuniste du Sud. **Viêt-minh** abréviation de Viêt-nam Dôc Lâp Dông Minh (Ligue pour l'indépendance du Viêt-nam). **Viêt-nam** ou « Sud au-delà », du S. de la Chine aux bouches du Mékong, [de 1954 à 75 : 2 Viêt-nam (N. et S.) de chaque côté du 17e parallèle]. **Annam** ou « Sud Pacifié », nom donné par les Chinois au Viêt-nam, repris par les Français pour le centre du Viêt-nam (Nord : Tonkin ; Centre : Annam ; Sud : Cochinchine).

• **Situation.** Asie du S.-E. 329 566 km² (plusieurs milliers d'îles). *Frontières :* avec Laos 1 650 km, Chine 1 150, Cambodge 930. *Côtes :* 3 260 km. *Relief :* varié, formé aux 3/4 de montagnes et de plateaux. *Long. :* 1 650 km, *larg. :* 600 km (min. 50 km). *Archipels :* Paracels (occupés par les Chinois dep. 1974), Spratley (pétrole).

Nord (ancien V. du N.) : 158 750 km². *Alt. max. :* pic Fan Si Pan (Hoang Liên Son) 3 143 m. 23 000 km² de plaines dominées par des montagnes. *Climat :* tropical (mousson), avec saison fraîche (mousson du N.-E. : déc.-mars ; 16-17 °C) ; *temp. moy. :* à Hanoi 23,5 °C (janv. 16,3 °C, juill. 29,9 °C) ; *taux d'humidité* (en %) : 84 à Hanoi. **Sud** (ancien V. du Sud) : 170 906 km². *Alt. max. :* plateau du Lang Biang 2 267 m. *Plaines côtières du Centre V.-N.* (Trung Bô) : dominées par la cordillère Truong Son (4 m de pluies dans arrière-pays de Nha Trang), forêt tropicale sur le versant maritime, forêts et savanes sur le versant intérieur. *Hts plateaux du Centre. Plaine du S. V.-N.* (Nam Bô) : plaines et delta du Mékong, rizières, hévéas. *Climat :* de mousson : sec nov.-avril, humide mai-oct. ; *temp. :* 28 à 36 °C ; *pluies :* 1 678 mm/an à Hanoi.

Cours d'eau Fleuves 41 000 km, canaux 3 100km. *Fleuve rouge* (510 km au V.), par an, débit 122,1 milliards de m³, apporte 80 millions de m³ d'alluvions, le delta gagne chaque année 100 m sur la mer ; affluents : Da (543 km), Lô (277), Gâm (210), Chay (306), le Day (bras) (241). *Thai Binh,* formé de : Câu (290), Thuong (156), Luc Nam (178). *Ky Cung* (230). *Ma* (426). *Ca* (379). *Gianh* (155). *Bên Hai* (66). *Thu Bôn* (102). *Da Rang ou Ba* (290). *Dong Nai* (500). *Mékong* (4 220 dont 220 au V.). Source au Tibet. Delta en 9 branches (Cuu Long : 9 dragons), avançant tous les ans de 60 à 100 m dans la mer. Les deltas forment des plaines fertiles.

Principales plaines. Hâu Giang 3 354 000 ha, Tiên Giang 2 241 000 ha, delta du fleuve Rouge et du Thai Binh 1 500 000 ha, Thanh-hoa et Nghê Tinh 680 000

ha, Trung Bô méridional 610 000 ha, plaine des Joncs 585 000 ha, Binh Tri Thiên 200 000 ha.

• **Population** (en millions). *1901* : 13 ; *21* : 15,6 ; *31* : 17,7 ; *36* : 19 ; *43* : 22,6 dont Bàc Bô (Tonkin) 9,8, Trung Bô (Annam) 7,2, Nam Bô (Cochinchine) 5,6 ; *55* : 27,2 (Nord 13,6, Sud 13,6) ; *60* : 31,6 ; *74* : 46,2 ; *76* : 49,9 ; *79* : 52,7 (Nord 27,4, Sud 25,3) ; *83* : 57,1 ; *88* (est.) : 63 ; *89* : 64,4 ; *prév. 2000* : 90 ; *2020* : 121. **Natalité :** 3,4 ‰, **mortalité :** 10,2 ‰. **Croissance démogr (%) :** *1982* : 2,5, *89* : 2,13 (ou 3 ?). 54 ethnies dont Viêt 85 % (plaines et ag. urbaines). **Espérance de vie :** 66 ans. **Minorités ethniques** (dans hautes et moyennes régions, en 76) : Tay 742 000, Khmer 651 000, Thaï 631 000, Muong 618 000, Nung 472 000, H'mong 349 000, Dao 294 000, Gia Rai 163 000, E-dê 142 000, Ba Na 78 000, Cham 65 000, Co Ho 63 000, Rê 57 000, San Diu 53 000, Sodang 53 000. D. 195,4 (1 000 dans les deltas). **Âge :** *– de 19 a.* : 53,1 %. *+ de 65 a.* : 4 %. **Villes** (4-89) : *Hanoi* 2 937 800 h. (2 139 km²), 4 arrondissements, 11 districts ; 286 communes rurales ; Hô Chi Minh-Ville (Saigon) 3 667 600 (à 1 738 km, 2 029 km²), 21 districts ; Haiphong 1 420 900 (1 503 km²), villes administrées directement par le gouv.) ; Da Nang 370 670 ; et Nam Dinh 165 649, Nha Trang 213 687, Qui Nhon 160 091, Huê 211 085.

Réfugiés indochinois. Env. 3 000 000 ont fui l'Indochine dep. 1975, soit 5 % de la pop. (V.-Nord 2 %, Laos 10, Cambodge 25 à 30). Beaucoup (450 000 ?) se sont noyés ou ont été massacrés par des pirates aux frontières. 1 102 793 ont été recensés par le HCR et accueillis entre 1975 et fin fév. 83 dans les pays de 1er accueil (dont Thaïlande 631 475, Malaisie 200 692, Hong Kong 105 563, Indonésie 90 356, Philippines 32 478, Singapour 25 577, Japon 7 555, Macao 7 097) + 276 000 d'origine chinoise, accueillis en Chine.

Nombre total d'émigrés vietnamiens (1989) : 1 500 000 dont USA 750 000, Fr. 150 000. *De 1977 à 1989* : 1 060 285 V. sont arrivés par voie de mer dans les camps HCR de la région (*1987* : 39 382, *88* : 61 043, *89* : 110 360). *Départs légaux : 1988* : 21 268, *89* : 30 000. **1991** : 110 000 emigrés encore dans les camps d'Asie du SE.

• **Langues.** Vietnamien, l. de la majorité viêt (ou kinh) *(off.)*, chinois, anglais, russe, français, l. des minorités ethniques. **Alphabétisation :** 82,5 %. **Religions.** *Bouddhistes. Caodaïstes* (10 %). *Catholiques* (8 à 9 % de la pop.). *Culte des ancêtres. Protestants* (3/400 000). *En 1954*, 670 000 cath. avaient fui le N.-Viêtnam pour le S. *1990*, égl. édifiée à Hô Chi Minh-Ville (1re dep. 1975), création d'un séminaire à Cân Tho (3 en fonctionnement au V.). *Dep. 1976* : env. 20 ordinations au S. et 15 au N. *En 1989*, 230 prêtres et 3 000 bonzes détenus.

• **Provinces (Du N. au S.)** (pop. 4-89) : *Lai Châu* 17 142 km² (terrains montagneux 90 %). 438 000 h. (Thaï 63,2 %. Viêt, Meo, Dao...), bois, oranges, pavot ; *Son La* 14 210 km² (forêts et montagnes), 682 000 h. (Thaï 61,4 %, Viêt 17,2 %, Meo 10 %), gomme laque ; *Hoang Liên Son* 11 852 km², 1 032 000 h. (Viêt 39 %), prod. forestiers, plantes médicinales, apatite ; *Ha Tuyên* 13 632 km², 1 026 000 h., thé, prod. forestiers ; *Cao Bang* 8 445 km² (terr. montagneux 35 %), 566 000 h. (Nung, Thaï, Viêt, Dao, Meo), bananes, anis, tabac, bauxite ; *Lang Son* 8 180 km², 611 000 h. (Thal, Nung Han) ; *Bac Thaï* 6 503 km² (71,9 % montagneux), 1 033 000 h. (Viêt 64 %, Thaï, Nung, Dao, San diu, San chi), thé, fer, acier ; *Ha Son Binh* 5 792 km² (59 % de forêts), 1 840 000 h., prod. forestiers, soie ; *Vin Phu* 4 569 km², 1 806 000 h ; *Ha Bac* 4 616 km² (41,8 % de forêts), 2 061 000 h. (Viêt en maj.), thé, ananas, pamplemousses, laque ; *Hai Hung* 2 555 km², 2 440 000 h., phosphates, marbre, fer, quartz, plaines fertiles (riz) ; *Quang Ninh* 5 938 km², 814 000 h., houille, pêche, forêts ; *Thaï Binh* 1 533 km², 1 632 000 h., riz ; *Ha Nam Ninh* 3 796 km², 3 157 000 h., ind. textile, alim. ; *Thanh Hoa* 11 138 km², 2 991 000 h. (Viêt 85,9 %), chrome, artisanat, plantations de cannelle ; *Nghe Tinh* 22 491 km², 3 582 000 h. (Viêt 92,6 %), ind. du bois, poisson ; *Binh Tri Thien* 17 560 km², 1 995 000 h., poisson ; *Quang Nam-Da Nang* 11 981 km², 1 739 000 h., or, plomb, cuivre, zinc ; *Nghia Binh* 11 896 km², 2 288 000 h., noix de coco, cannelle, sel ; *Phu Khanh* 9 804 km², 1 463 000 h., riz, sucre de canne, corail ; *Gia Lai-Kontum* 25 596 km², 873 000 h., prod. forestiers ; *Dac Lac* 19 800 km², 974 000 h., café, caoutchouc nat. ; *Lam Dong* 10 173 km², 693 000 h., fruits, légumes, thé ; *Thuân Hai* 11 374 km², 1 170 000 h., forêts, élevage, pêche ; *Dông Nai* 7 585 km², 2 007 000 h., tabac, café, caoutchouc ; *Sông Bé* 9 546 km², 939 000 h., caoutchouc (34 % de la sup. du c. planté en Ind.) ; *Tây Ninh* 4 027 km², 791 000 h., caoutchouc ; *Long An* 4 338 km², 1 121 000 h., agriculture et pêche ; *Bên Tre* 2 246 km², 1 214 000 h., riz, cocotiers ; *Tiên Giang* 2 339 km², 1 484 000 h., riz (1re des prov. du V.), pêche, fruits ; *Hâu Giang* 6 161 km², 2 682 000 h., agriculture et élevage ; *Cuu Long* 3 857 km², 1 812 000 h., riz (90 % de la prov.), élevage ; *Dong Thap* 3 276 km², 1 337 000 h., agriculture et pêche ; *Kiên Giang* 6 213 km², 1 198 000 h., riz, fruits, pêche ; *An Giang* 3 423 km², 1 793 000 h., agriculture et élevage (bovins), pêche ; *Minh Hai* 7 775 km², 1 562 000 h., forêts (dont mangrove), riz, pêche.

Histoire

Peuplement très ancien (500 000 a.). Un *Homo sapiens vietnamensis* a vécu au paléolithique à Yen Bai et à Ninh Binh. **Âge du bronze,** civilisation de Dông Son (Tonkin) qui rayonne dans S.-E. asiatique et Pacifique. **2000-258 av. J.-C.** royaume de Van Lang (15 tribus austro-asiatiques mettent en valeur delta du fleuve Rouge). **258-214 av. J.-C.** roy. d'Au Lac (aristocratie militaire). **IIIe s. av. J.-C.** fin des roy. austro-as. : au N., occupation chinoise et constitution de l'ethnie viet. ; au S., roy. indien, le *Champa,* qui résistera au Nord-V.-N. jusqu'au XVIIIe s. **939** victoire de Bach Dang, quasi-indépendance des rois viet. (investiture par emp. chinois et paiement d'un tribut symbolique). *Domination chinoise* : IIIe s. av. J.-C.-Xe s. apr. J.-C. *Invasions chin.* : XIe s. (Song), XIIIe s. (Mongols), XVe s. (Ming), XVIIIe s. (Tsing). La résistance consolide le Viêt. **Dynasties** Dinh **968-90,** Lê antérieurs **980-1009,** Ly **1009-1225,** Trân **1225-1413,** occupation chin. Dynastie des Lê postérieurs **1427-1527** et **1533-1789. Du Ie-XVIIIe s. insurrections 40** des 2 sœurs Trung, **544** de Ly Nam Dê, **939** de Ngô Quyên, **1075** de Ly Thuong Kiêt, **1257-88** de Trân, de Hung Dao, **1418-27** de Lê Loi et Nguyên Trai, **1789** de Quang Trung qui a pu réunifier le pays divisé par une longue g. de sécession. **1802-20** Nguyên Anh (Gia Long) fonde dynastie des *Nguyên.* **1820-41** *Minh Mang* († 21-1-1841) persécute chrétiens (favorables à pénétration française) qui se soulèvent (Cochinchine 1833-36), impose protectorat au Cambodge (1834). **1841-47** *Thieu* Tri.

1848-83 *Tu Duc,* la Fr. intervient pour protéger ses missions et s'assurer des débouchés, attaque Da Nang. **1858** occupe Saigon. **1859** attaque Hanoi. **1873 et 1883** finit par imposer un protectorat. **1884** (au Tonkin ont été tués Francis Garnier 21-12-1873 par les Pavillons noirs, et Henri Rivière 19-5-1883). *-11-5 1er tr. de Tien-Tsin* que reconnaît la Chine, mais les combats reprennent **1885**-*28-3* Fr. battus à Langson, puis la Chine renonce (9-6, 2e *tr. de Tien-Tsin)* **1886** Paul Bert (1833-86), gouverneur Annam et Tonkin, fait du Tonkin une vice-royauté. **1887** *création de l'Union indochinoise.* **1908** révolte du De Tham († 1913) au Tonkin. **1930**-*3-2 conférence de Kowloon* : Hô Chi Minh fonde P.C. indoch. *-9/10-2* soulèvement de 2 Cies de tirailleurs du Tonkin (Yên Bai) réprimé, plusieurs †. *-14-2* attentat à Mao Khé, troubles en Cochinchine. **1930** *mai*/**1931** *sept.* émeutes agraires « soviets du Nghe Tinh » provoquées par P.C.I. **1932** Bao Dai emp. d'Annam. **1935**-*27/31-3* congrès du PC à Macao.

1940 (25 millions d'hab., 40 000 Fr.). *-26-6* Gal Catroux (qui a demandé appui de G.-B. et USA) destitué. L'amiral Decoux le remplace. *-22/29-9* autorise installation de bases jap. **1941**-*9-5* Siam obtient terr. au Cambodge et Laos. *Juil. protocole Darlan-Kato* la Fr. accorde au Japon utilisation d'aérodromes et stationnement de troupes sur tout le territoire. Le Jap. obtient riz et matières premières, mais s'engage à respecter souveraineté fr. *Sept.* Hô Chi Minh fonde *Viêt-minh.* **1944**-*22-12* création de l'Armée de libération. **1945**-*9-3* Jap. attaquent garnisons fr., occupent toute l'Indoch. et proclament indép. du Viêt-nam (11-3), la domination fr. s'étant estompée du fait de l'occup. jap., les Amér. cherchent des remplaçants pour obtenir des renseignements sur la situation pol. et milit. de la région (l'AGAS, service amér. chargé de secourir les pilotes abattus en Indoch. est en relation avec Viêt-minh). *-27-4* Hô Chi Minh rencontre en Chine le Cdt A. Patti [amér. à la tête de l'OSS (Office of Strategic Services) chargé des opérations dans le N. contre régime colonial fr.]. Repli dans le S. de la Chine des détachements des gén. Alessandri et Sabattier. Contacts entre Q.G. avancé, fr. de Colombo (Ceylan) et groupes épars tenant le maquis. *Juin-juill.* équipe amér. du Cdt Allison K. Thomas, baptisée Deer Team, parachutée en zone v., initie pendant 4 semaines 200 combattants v. au maniement des armes amér. *-15-8* capitulation jap., Indoch. occupée au N. du 16e parallèle par Chine, au S. par Brit. (selon accords de Québec 1943 et Potsdam 1945). Hô Chi Minh convoque Convention. nat. ; celle-ci, impressionnée par la photo dédicacée de C. Chennault (Cdt de l'escadrille des Tigres volants), la présence des Amér. et les armes qu'ils ont distribuées, élit un gouv. prov. dont Hô Chi Minh prend la tête. Le bruit court que les USA soutiennent le Viêt-minh (le Deer Team accompagne soldats du Gal Giap jusqu'à Hanoi). *-16-8* l'amiral Thierry d'Argenlieu nommé haut-commissaire pour rétablir souveraineté fr. *-19-8* révolution à Hanoi. *-20-8* Viêt-minh prend Hanoi. *-25-8* Bao Dai (empereur d'Annam) abdique. *-2-9* Rép. démocr. du V. fondée. *-12-9* troupes chin. arrivent au Tonkin. *-12/20-9* détachement anglo-indien et 150 Fr. arrivent à Saigon. *-24/25-9* massacres d'Européens cité Heyraud à Saigon. *-2/5-9* 1res troupes fr. avec Gal Leclerc reprennent peu à peu pays (évacuation chin.). **1946**-*6-1* élection de la 1re Ass. nationale de la Rép. dém. du V.-N. Hô Chi Minh élu Pt accepte (6-3) que le V. soit, avec Cambodge et Laos, 1 des 3 États associés de la Fédér. ind., partie de l'Union fr., mais réclame Cochinchine. Fr. refuse et promet seulement un référendum sur cette question (*conf. de Fontainebleau 6-7/10-9* ; Hô Chi Minh arrive en visite off. à Paris le 22-6, réembarque à Toulon le 19-9).

• **Hauts-commissaires en Indochine. 1945**-*29-8* Amiral Georges Thierry d'Argenlieu (1889-1964). **47**-*5-3* Émile Bollaert (1890-1978). **48**-*20-10* Léon Pignon (1908-76). **50**-*6-12* Gal Jean de Lattre de Tassigny (1889-1952). **52**-*1-4* Jean Letourneau (1907). **53**-*3-7* Maurice Dejean (1899-1982).

• **Commandants en chef. 1945**-*18-8* Gal Leclerc (Philippe de Hauteclocque) (1902-47). **46**-*14-7* Gal Jean Valluy (1889-1970). **48**-*7-5* Gal Blaizot (n.c.). **49**-*6-8* Gal Marcel Carpentier (1895-1977). **50**-*6-12* Gal Jean de Lattre de Tassigny (1889-1952). **52**-*6-1* Gal Raoul Salan (1899-1984). **53**-*8-5* Gal Henri Navarre (1898-1983). **54**-*17-6* Gal Paul Ély (1897-1975).

• **Bao Dai.** Né 22-10-1913, f. de l'emp. d'Annam Khaï Dinh. *1925* (12 ans) emp., appelé Vinh Thuy prend le nom de Bao Dai (grandeur retrouvée). 1927-33 lycée Condorcet puis Sciences po. à Paris. *1933-35* règne à Huê. *1945-11-3* se rallie aux Jap. ; *25-8* abdique en faveur du Viêt-minh et devient conseiller suprême du gouvernement Hô Chi Minh ; se réfugie à Hong kong avec l'accord de Hô Chi Minh. **1948**-*5-6* rétabli sur le trône par les Fr. Vivra souvent à Cannes (enrichi, dit-on, par trafic des piastres). **1955**-*25-10* déposé.

• **Hô Chi Minh.** Nguyên Ai Quoc [1890/2-9-1969 et non 3-9 comme on l'affirmait jusqu'en 1989 pour que la date de son décès ne coïncide pas avec la fête nationale), prit en 1941 le pseudonyme *Hô Chi Minh,* « à la volonté éclairée »]. Fils de magistrat révoqué par l'administration coloniale fr. **1911-17** photographe en Fr., membre du P. socialiste. **1920** au congrès de Tours, passe au PC **1923-25** travaille au Komintern de Moscou. **1925-27** mission secrète en Chine. **1927-30** au Siam. **1930-31** emprisonné par Angl. à Hong Kong. **1931-40** missions secrètes du Komintern, notamment en Chine. **1941** *sept.* fonde Viêt-minh au V.-N. dans le Viêt-bac. **1942-45** lutte contre Jap. **1945**-*9-3* Jap. renversent l'administration coloniale fr. *-21-8* abdication de Bao Dai. *-2-9* proclame indép. et Rép. démocr. du V-nam. **1946**-*6-3* reconnu par la Fr. chef de cette Rép. ; *-19-12* lutte armée contre Fr. **1954**-*20-7* accords de Genève : chef de l'État communiste au N. du 17e parallèle. **1959** lutte contre présence amér. D'après son testament, il voulait être incinéré et désirait que ses cendres soient mises dans 3 vases en céramique enterrés dans le centre et le S. du V. sur 3 collines plantées d'arbres, refusait toute stèle ou statue et souhaitait que les paysans soient exonérés pendant un an de tout impôt avant la fin de la guerre contre le Sud-V. ; mais son corps a été embaumé (mal) et repose dans un cercueil de verre (mausolée place Ba-Dinh à Hanoi).

Guerre d'Indochine

• **Déroulement. 1945**-*23-5* 1ers accrochages Fr./viêt-minhs du S. **1946** *-24-11* Haiphong : barricades viêt, tirs sur les Fr., les Fr. ripostent : 300 † (en *46* le Viêt-nam dira 3 000 puis en *66* 6 000). *-19-12* coup de force viêt-minh à Hanoi et dans d'autres garnisons : *début de la g. d'Ind.* Hô et Giap se réfugient dans les montagnes du N. **1947**-*12-5* Hô repousse conditions fr. d'armistice. Guérilla continue au Tonkin. *-27-8* Fr. décide de négocier avec Bao Dai. *-10-9* haut-commissaire en Indoch., Bollaert, offre au Viêt-Nam, Cambodge et Laos la liberté « dans les limites qu'impose l'appartenance de ces territoires à l'Union fr. ». *-7-10* défaite fr. à Sông Lô (Viêt-Bac). *-6/7-12* *entretiens, en baie d'Along,* Bollaert/Bao Dai. **1948**-*5-6 accords de la baie d'Along.* La Fr. accorde à Bao Dai reconnaissance de l'indép. du V., droit à l'unité des trois KY (Tonkin, Annam, Cochinchine) et statut d'État associé. **1949** *sept.* conférence de Pau fixant modalités de transfert des pouvoirs de la Fr. aux « États associés » d'Indochine (V. unifié, Cambodge, Laos). *-30-12* accords fr.-v. accordant au V., État associé, autonomie interne. **1950**-*16-1* Chine reconnaît Hô Chi Minh et l'aide. *-29-1* Ass. nat. ratifie accords conclus avec Viêt-nam, Cambodge et Laos par 401 voix contre 193. *-30-6* 1re livraison de matériel de g. am. à l'armée fr. d'Indoch. *-3-10* armée fr. évacue Cao Bang ; désastre fr., 2 000 †, + de 3 000 prisonniers *-19-10* évacue Lang Son (sans détruire stocks). *-6-12* Gal *de Lattre de Tassigny* haut-commissaire et Cdt sup. des troupes. *-30-12* convention mil. fr.-v. : armée v. sous autorité de Bao Dai. **1951**-*13/17-1* bataille de Vin-Yen, Giap perd 6 000 † et 500 prisonniers (l'aviation fr. utilise pour la 1re fois le napalm). *-24-9* de Lattre obtient des USA aide mil. am. accrue *-14-10/10-12* contre-offensive de Lattre, échec à Hoâ Binh. *-13-11* Fr.-V. prennent Hoâ Binh. **1952**-*11-1* de Lattre †. *-24-2* Fr.-V. évacuent Hoâ Binh. *-12-4* gén. *Salan* Cdt en chef. *Oct.* offensive v. au Tonkin. **1953** *janv.* off. en Annam. *Avr.* au Laos. *-8-5* gén. *Navarre* com. en chef. *-13-8* Fr. abandonnent camp retranché de Na-san. *-17-10* Bao Dai fait adopter par un Congrès national une motion demandant l'ind. « totale ». *-22-10* « tr. d'amitié et d'association entre Fr. et Laos » (devient indép. au sein de l'Union fr.). *-20-11 Diên Biên Phu* (cuvette de 20 km de long) devient camp retranché (décision du Gal Cogny). *-7-12* Cel Christian de Castries commandant du camp (nommé général 15-4). *-10-12* Fr.-V. évacuent Lai-Chau. *-25-12* offensive viêt-minh au Laos atteint Mékong. **1949**-*9-3* la Fr. reconnaît unité et indép. du V. dans le cadre de l'Union. **1954** *janv.* Pce Nguyen Phuoc Buu Loc († 27-2-90) PM. *-13-3* début offensive v.-minh contre Diên Biên Phu. *-17-3* dernière évacuation sanitaire, (Geneviève de Galard, convoyeuse bloquée). *-26-4* ouverture *conférence de Genève* sur Corée et Indoch. *-28-4* « déclaration reconnaissant l'indép. totale du V. et sa souveraineté pleine et entière ». *-7-5 chute de Diên Biên Phu* à 18 h. Isabelle, point d'appui à 5 km cessera le combat le 8-5. PERTES : *françaises :* sur 16 000 h. 1 600 †, 1 600 disparus, 4 800 blessés et 8 000 prisonniers (3 900 furent restitués après cessez-le-feu) ; *viêt-minh :* sur 40 000 h. (+ 20 000 de maintenance) 10 000 †. *-23-6* entretiens Mendès France-Chou En-lai à Berne. *-26-4/21-7 Conf. de Genève :* hostilités cessent ; pays coupé en 2 zones par 17e parallèle (proche du mur de Dông Hoi construit 1631 pour séparer les Nguyên des Trinh) ; dans les 300 j les forces fr. se regrouperont au S. ; les V.-minh au N. Laos et Cambodge sont neutralisés. Indépendance, unité, souveraineté du V.-N. sont reconnues. Des él. générales sont prévues en 1956 pour unifier les 2 zones (mais ces él. n'auront pas lieu) ; la Rép. Dém. du V. s'installe au N. du 17e parall. (*PCVN :* Truong Chinh. *Pt :* Hô Chi Minh. *PM :* Pham Van Dông. *Min. de la Défense :* Vo Nguyen Giap) [le 6-6, à Paris, tr. d'indépendance et association signées avec Pce Buu Loc]. **1955**-*13-5* troupes fr. évacuent V.-nam N.

• Forces en présence. **Françaises et vietnamiennes. CEFEO** (Corps expéditionnaire français d'Extrême-Orient). *1946 :* 70 000 ; *48 :* 120 000 ; *50 :* 160 000, *51 :* 190 000 h. (armée de terre 175 000, aviation 10 000, marine 5 000) dont 69 000 Français. 53 000 autochtones, 30 000 Nord-Africains, 18 000 Noirs, 20 000 légionnaires, secondés par 55 000 supplétifs. **1954** *mai* 470 000 h. dont 225 000 autochtones (150 000 réguliers et 50 000 supplétifs viet., 15 000 Laotiens, 10 000 Cambodgiens). 250 avions, 11 à 20 hélicoptères dont 5 en service en même temps.

Forces viêt-minh (au 1-1-1954) 375 000 (150 000 réguliers, 150 000 miliciens, 75 000 régionaux).

• Dépenses militaires (en milliards d'AF). *1945 :* 3,2 ; *51 :* 308. **Aide américaine** (en milliards d'AF). *1952 :* 196 (dont 86 en matériel), *53 :* 269 (119), *54 :* 475 (200), soit en 3 ans 940 (dont 405 en matériel) et 535 en devises. De 1951 à 1954, a représenté 80 % du coût de la guerre.

• Pertes militaires. **Français** [*tués* et, entre parenthèses, *blessés. (Source :* J.O. 12-1-55)] : *autochtones réguliers du corps expéditionnaire* 27 700 (21 200) [des armées des États associés 17 600 (12 100)]. Français métropolitains 20 700 (22 000). Africains et Nord-Afr. 15 200 (13 900). Légionnaires 11 600 (7 200). *Prisonniers du Viêt-minh de 1945 à 54 :* 20 800 mil. (dont 6 000 Français, 6 000 lég., 6 000 N.-Africains et Africains, 1 700 Séneg.). Environ 8 000 soldats français ne furent jamais rendus. Une nécropole accueillera à Fréjus (Var) 25 000 cercueils rapatriés. **Viêt-minh :** 9 000 pris. libérés en 1954. 500 000 tués (?). Pertes civiles. De 800 000 à 2 millions.

République du Viêt-nam Sud

1955-*23-10* Bao Dai déposé par référendum (98 % votent contre lui) ; Ngô Dinh Diêm (cathol.) Pt de la Rép. **1956**-*28-4* troupes fr. évacuent définitivement le V.-N. Sud (Saigon). *-26-10* le V.-N. Sud se retire de l'Union et adopte Constitution : aide américaine. **1960**-*20-12* création du Front national de libération soutenu par le V.-N. Nord surnommé Viêt-cong (« communistes vietnamiens »), leaders Nguyên Huu Tho (avocat), Huynh Tân Phat († 30-9-89) architecte, Trân Buu Kiêm, Mme Nguyên Thi Binh, etc. **1961**-*19-10* état d'urgence. **1963** bonzes lancent campagne contre Diêm *-8-5* répression d'une manif. bouddhiste (9 †). *Mai-juin* Pt et son entourage cath. (surtout son fr. Nhu et sa b.-sœur) persécutent bouddhistes et opposants. *-11-6* bonze Quang Duc s'immole par le feu. *Juill.* pression amér. sur Diêm pour élargir bases du régime. *Sept.-oct.* préparatifs de complot (Gal Duong Van Minh). *-1-11* coup d'État soutenu par CIA renversant Diêm (tué avec Nhu le 2-11). **1964**-*30-1* Gaux Nguyên Khãnh et Trân Thiên Khiêm renversent junte dirigée par le Gal Duong Van Minh. *-26-10* retour du pouvoir civil. *-1-11* Ass. nat. (élue 27-9-63) dissoute. **1965**-*27-1* Gal Nguyên Khãnh reprend pouvoir. *-21-2* Gal Trân Van Minh commandant en chef. *-20-6* Directoire mil. Gal Nguyen Van Thieu (Pt) et Gal Nguyên Cao Ky (PM). **1970** *mars* réforme agraire (1 003 325 ha distrib. de 3-70 à 3-73). **1971**-*26-9* él. lég. *-3-10* élu prés.

Guerre du Viêt-nam (4-8-1964 au 27-1-1973)

• Déroulement. *-2/5-8 incident du golfe du Tonkin :* l'armée pop. du N.-V. tire sur 2 destroyers amér. ayant pénétré dans eaux territoriales du N.-V. : prétexte pour intervention amér. *-4/5-8* début des raids amér. au S. **1965**-*5-2* début des bomb. quotidiens amér. au N. *-6-3* 1er contingent de marines amér., à Da Nang. *-18-6* 1er raid des bomb. B-52. **1966**-*29-6* 1er bomb. de dépôts de carburants, à Hanoi et Haiphong. **1968**-*20-1* au *8-4* siège de Khé-Sanh, vict. U.S. *-31-1 offensive du Têt :* principales villes investies, mais la pop. ne se rallie pas aux révolut. *-16-3* massacre de *My Lai :* 120 GI de la 11e brigade d'infanterie légère tuent 500 paysans (Lt William Calley condamné à détention à perpétuité, gracié au bout de 3 ans par Pt Nixon). *-31-3* arrêt des raids amér. au N. du 20e parallèle. *-11-8* reprise. *-25-11* arrêt. **1969**-*25-1* ouverture de négociations à Paris. *Juin* Constitution du GRP (Gouv. Rév. provisoire) (Pt : Huynh Tan Phat). Mme Nguyên Thi Binh, min. des Aff. étr. *-3-9* mort d'Hô Chi Minh. **1971**-*26/31-11* bomb. massifs au V.-N. Nord. **1972** *avr.* début offensive des forces armées de libération. *-9-5* USA minent port d'Haiphong. *-18/30-12* raids massifs : 40 000 t de bombes sur Hanoi ; 1 318 †, 1 261 blessés n.-viets. *-30-12* fin bomb. amér. au N. du 17e parallèle. **1973**-*15-1* cessation de tout bomb. et minage au V.-N. *-27-1 accords de paix de Paris* par les 4 parties [V.-Nam N., FNL (dep. juin 69 GRP), USA, V.-Nam S.], les 4 participants à la conférence de Genève de 1954 (Chine, France, G.-B., URSS), les 4 m. de la commission de contrôle [Canada, Hongrie, Indonésie, Pologne] en présence du secr. gén. de l'ONU. Autodétermination de la pop., réunification sont prévues sous le contrôle de commissions milit. mixtes et d'une commission internat. *-28-1* cessez-le-feu prévu, non respecté. *Févr.* violents accrochages. *-28-3* retrait complet des troupes amér. ; derniers prisonniers amér. relâchés.

• Forces en présence. **Viêt-nam Sud.** Au 15-10-72 : 1 100 000 h (dont 520 000 endivisionnés) ; **USA** *1961 printemps :* 400 conseillers ; *fin année :* 15 000 ; *63 (fin) :* 16 000 ; *64 (15-7) :* 125 000, *déc. :* 185 000 ; *66 (déc.) :* 390 000 ; *67 (déc.) :* 510 000 ; *68 (déc.) :* 580 000 ; *69 (début) :* 549 000 ; *72 (févr.) :* 133 700 ; *-15-70 :* 34 000 h. (dont 10 300 de l'US Air Force). **Corée du S.** 39 000 h. Au 1-2-1968, les Amér. avaient 2 900 avions, 2 560 hélicoptères, 850 tanks, 2 590 mortiers, 1 375 canons. Ils disposaient de plus du double des forces françaises pour un territoire 6 fois moins étendu, et la supériorité numérique était de 74 % sur l'adversaire (pour les Français, de 31 %). **Australie** 6 500, **Thaïlande** 2 500, **Philippines** 2 000, **N.-Zélande** 400.

Viêt-cong et Viêt-nam Nord : FNL (viêt-cong) 80 000 dont 35 000 combattants (?) ; **Viêt-nam N.** 165 000 combattants (?). 65 avions (au N.), 20 tanks ?, 3 000 mortiers, 420 canons.

• Pertes. **Viêt-nam Sud.** *Militaires :* 200 000 † et 500 000 blessés (dont, en 1969, 24 000 † et + de 100 000 bl. et disparus). *Civils* (de 1965 à avril 1973) : 450 000 † et 1 000 000 bl., 12 millions de pers. ont été déplacées dans le cadre du programme US d'urbanisation forcée. Selon les USA, de 1968 à fin 1972 : 48 511 incidents « terroristes » auraient fait chez les civils 24 218 † et 53 468 bl. 37 556 personnes (dont 13 752 en 1972) auraient été enlevées.

USA *Militaires* (du 1-1-61 au 27-1-73) : 153 329 blessés et 46 572 tués [*1961-62 :* 42 ; *63 :* 78 ; *64 :* 147 ; *65 :* 1 369 ; *66 :* 5 008 ; *67 :* 9 377 ; *68 :* 14 589 ; *69 :* 19 414 ; *70 :* 4 221 ; *71 :* 1 381 ; *72 :* 300 ; *73 :* 219], morts pour d'autres causes 10 390.

Viêt-cong et Viêt-nam-Nord. *Militaires :* 737 000 tués (selon USA) dont 157 000 en 1969. *Civils :* (de 1965 à 73) 50 000 tués et 100 000 blessés.

Cambodge. *Militaires :* 10 000 tués et 20 000 blessés. *Civils :* 150 000 tués et 300 000 blessés. *Réfugiés :* 8 millions (soit 50 % de la pop.).

Laos. *Militaires :* 40 000 tués et 80 000 blessés. *Civils :* 50 000 tués et 100 000 blessés. *Réfugiés :* 1 million (soit 1/3 de la pop.).

• Coût de la guerre (milliards de $). *Dépenses USA* au V.-N. Sud : 108 (aide écon. non comprise). *Aide de l'URSS* au V.-N. Nord : 1,66, *de la Chine :* 0,67.

• Dégâts. **Bombes déversées.** De 1965 à 1971, 6 300 000 t [V. du N. 600 000, V. du S. 4 000 000, le reste sur la piste Hô Chi Minh ravitaillant le Viêt-nam (Laos 2 300 000) et le Cambodge], et 7 000 000 t de munitions par bombardements terrestres et navals, presque tous sur le V. du S. qui aurait reçu 1 000 377 t de bombes par an (l'Europe de 1939 à 1945 avait reçu 1 540 000 t). Napalm au Viêt-nam (selon le SIPRI) 372 000 t entre 1961 et 1972 (14 000 pendant la g. de 1939-45, 32 000 pendant celle de Corée). Défoliant (agent « orange ») 40 millions de litres entre 1965 et 1971. *Au Sud,* destruction des villages [9 000 touchés (sur 15 000), *au Nord,* destruction des centres industriels et des communications] l'urbanisation forcée de 10 millions de personnes. 10 000 000 ha cult. et 5 000 000 ha de forêts touchés par bombes ; 1 500 000 buffles et bœufs †.

Guerre de Réunification (1974-75)

1974 : 151 disputes avec Chine qui revendique archipels des Hoang Sa (Paracels), Truong Sa (Spratley) [depuis toujours rattachés administrativement au terr. vietnamien]. Combats (2 j). *-6-8* Pt Nixon démissionne, Congrès amér. supprime crédits au V.-N.-S. [aide amér. (millions de $) : *1972-73 :* 1 614 ; *73-74 :* 1 026 ; *74-75 :* 700] ; l'armée s.-v. qui atteignait 710 000 h. (dont 130 000 déserteurs du N. récupérés en 1973) voit sa puissance de frappe réduite de 60 %. *-28-8* offensive FNL près de Hué. Chinois occupent îles Paracels. **1975** *janv.* Gal Tra (chef des maquisards au S. de 51 à 75) avec l'appui du secrét. gén. du PCV. Le Duan, surmontant les hésitations de l'état-major (qui prévoyait la grande offensive pour 1976) ordonne de prendre la province de Phuoc-long. *-6/8-1* GRP occupe celle-ci. *-9-3* offensive du GRP aidée des forces n.-v. sur hauts plateaux (Banmethuot, Kontum, Pleiku) qui ouvre la route de Saigon. *-17/22-3* l'armée s.-v. abandonne hauts plateaux (1/5 du V.-S.), exode massif. *-27-3* Hué prise ; Gal Ky forme à Saigon un « Comité pour le Salut national ». *-29-3 chute de Da Nang. -1-4* abandon de Qui Nhon et de Nha Trang ; plus de 50 % du terr. contrôlés par GRP. *-8-4* un pilote s.-v. bombarde palais présidentiel à Saigon. *-21-4* Pt Thiêu démissionne. 44 nav. US évacuent Amér. et env. 70 000 V.-N. *-27-4* Gal Minh investi des pleins pouvoirs. Offre de négociations, GRP refuse. *-29-4* évacuation des derniers américains. *-30-4 capitulation, Saigon* rebaptisée Hô Chi Minh-Ville ; la Chine cesse son aide mil.

Viêt-nam unifié

1975 *juin* banque unique (autres banques supprimées). Une partie de la pop. de Saigon regagne les campagnes (on y comptait 200 000 prostituées, 150 000 drogués, 200 000 policiers. 500 000 pers. arrêtées, dont 100 000 policiers). Apparition de maquis. *-15/17-7* les 2 Viêt-nam posent leur candidature à l'ONU *-2-10* veto USA *-9-11* réunification des 2 V. décidée : sera précédée par des él. générales et le vote d'une Const. par la nouvelle Ass. *-13/21-11* confér. nat. sur la réunification. **1976**-*21-1* pouvoir civil remplace milit. *-12/13-2* affrontements à Saigon dans l'église de Vinh Son : 3 †. *-15-2* démantèlement d'un 2e réseau de dissidents (à Biên-Hòa). *-25-4* él. d'une Ass. nat. par le V.-N. et S. *-2-7 fondation de la Rép. socialiste. Déc.* IVe congrès du PCV. Des prochinois sont exclus du Comité central. Troubles à la frontière chin. **1975-77** inflation de 800 %, camps de rééducation. Tentative de mise en culture de terres nouvelles. **1977** incidents frontaliers avec Cambodge. Opposition bouddhiste. *Avr.* PM Pham Van Dông en Fr. **1978** *g. avec Cambodge.* Collectivisation des terres. *-25-3* grandes entreprises privées abolies au V.-S. *Mai* tension avec Chine (milliers de Ch. expulsés). *-27-6* rejoint COMECON. *-3-7* Ch. interrompt son aide et rappelle experts. *-25-8* incidents de frontière (10 Ch. tués). *-17-10* Thich Thien Minh (dirigeant bouddhiste arrêté 13-4) meurt en prison. *Oct.* inondations (500 000 ha). *-3-11* tr. de coop. sov.-v. *-15-12* d'après Pékin il y a eu 1 100 incidents de frontière en 78. **1979**-*7-1* le FUNSK soutenu par l'armée v. entre au Cambodge, prise de Phnom Penh. *-17-2* invasion ch. (320 000 dont 170 000 au V.-N.) pour contrer invasion Camb. *-22-2* Ch. prennent Lao Cai et Cao Bang. *-5/16-3* retrait Ch. *Bilan* Chinois 26 000 †, 37 000 bl., 260 blindés, 66 canons. N.-V. 30 000 †, 32 000 bl., 1 638 prisonniers, 185 blindés, 200 canons, 6 stations de missiles.

1980 150 000 soldats v. au Cambodge (voir p. 893). *-23-7* Soyouz 37, avec cosmonaute v., Pham-Tuan. **1981**-*26-4* législatives. *-7-5* incidents de frontière avec Chine (300 †). *-4-7* Truong Chinh (n. 1907) Pt du Conseil d'État. **1982** *juill.* construction d'un mur de 200 km à frontière camb. pour éviter infiltrations des Khmers rouges. *Fin 82* tentative de soulèvement mil. (?). **1983**-*16/17-4* Chinois bombardent positions v. Redistribution des terres. **1984** *déc.* Tran Van Ba (39 ans, de nationalité fr., non reconnue officiellement à Paris), Le Quoc Quan (43 a.), Ho Thai Bach (58 a.) accusés d'avoir voulu organiser une résistance armée, exécutés. **1986** *nov.* dévaluation de 92 %. *-18-12* 6e Congrès du P.C. Nguyen Van Linh secr. gén. ; début du Doi moi (renouveau) préconisé par l'économiste Nguyen Xuan Oanh (diplômé de Harvard, ancien vice-PM du Gal Nguyen Cao Ky). Truong Chin (secr. P.C.), Pham Van Dông (P.M.) Li Duc Tho (n. 14-10-1910) démissionnent. **1987**-*20-4* él. Ass. nat. *-17-6* Pham Hung PM, Vo Chi Cong Pt. *-17-8* Lê Duc Tho et son frère Gal Mai Chi Tho min. de l'Intérieur, s'opposent à libération des prisonniers pol. et à solution rapide du problème du Cambodge. *Sept.* 20 ans de prison pour Gal Nguyen Truong Xuan (trafic marchandises), *-2-9* 2 474 prisonniers pol. et 4 211 de droit commun libérés. *-7-9* Gal Nguyen Truong Xuan, commandant du port de Haiphong condamné à 20 ans de prison, et 20 de ses subordonnés à 15 ans pour prévarication. *-30-9* Industrial and Commercial Bank créée : 1re banque privée. Capital 7 millions de $ détenu par 829 actionnaires. *-1-12* dong dévalué de 78 %. *-31-12* loi sur investissements étrangers permet possession à 100 % d'une entreprise, rapatriement des bénéfices et nombreuses exemptions d'impôts. **1988**-*1-1* Code des investissements. *-21-1* accord avec USA 30 000 Amérasiens regagnent USA (3 500 sont rentrés de 79 à 86). *-17-2* 3 820 prisonniers pol. (dont 1 ancien min., 10 généraux, 25 aumôniers milit.) et 2 586 droit-commun libérés. *-10-3* PM Pham Hung meurt. *-14-3* affrontements avec Chinois aux Spratley, 80 † viet. Famine dans le N. : 8 millions de personnes fuient vers le S. *-5-4* début de décollectivisation des terres. *-10-5* 3 vice-PM démis. *26-5* le V. retirera 50 000 soldats vietnamiens du Cambodge d'ici à la fin de l'année. *22-6* Do Muoi PM (soutenu par Nguyen Van Linh). *-Juillet* paysans du S. dem. les terres redistrib. en 1983. *-Sept.* URSS propose de ne plus utiliser Cam-Ranh. Les Amér. quittent Philippines. *2-9* 5 083 prisonniers libérés, 9 657 remises de peine. *Octobre* limitation des naissances : la mère doit être âgée de 22 ans au 1er enfant et le père de 24, 3 ans doivent séparer le 1er du 2e (taux de natalité doit passer de 2,5 % à 1,7 en 1990 et 1,1 en l'an 2000). *-8-11* paysans manif. à Saigon (1re fois dep. 1975). *Déc.* 12 000 (sur 50 000) soldats viet. rentrent du Cambodge. **1989** *Févr.* presse avertie qu'elle doit rester au service du parti et ne pas remettre en cause le socialisme. *Fin 89* URSS retire avions de base de Cam-Ranh (reste entre 6 et 10 appareils). **1990** 75 000 pers. des entr. d'État licenciées, 500 000 milit. démobilisés en 2 ans. Env. 22 000 prostituées à Hô Chi Minh-Ville et 26 000 toxicomanes). **1991** *Avril* Mme Duong Thu Huong, écrivain, exclue du PC et arrêtée. Selon min. de l'intérieur, il reste quelques centaines de détenus en camp de rééducation.

Politique

Statut. Rép. socialiste. *Const.* du 18-12-1980. *Pt du Conseil d'État* (élu pour 4 a. par l'Ass. nat.) Vo Chi Công dep. 18-6-87. *P.M.* (élu par l'Ass. nat.). *Ass. nat.* 496 m. élus pour 5 a. au suffr. universel. 3 villes, 36 provinces, 1 région spéciale. **Fête nat. :** 2 septembre. **Drapeau :** utilisé par Hô Chi Minh dans sa lutte de lib. ; adopté par communistes 1945. Rouge avec étoile jaune. **PM. 1976** Pham Van Dông (18-3-08 ; avant PM du Viêt-nam dep. 10-9-55). **87** (18-6) Pham Hung (1912/10-3-88). **88** (11-3) Vo Van Kiet (n. 1922) ; (22-6) Do Muoi.

Parti communiste du V.-N. *F.* 1976, 1 800 000 (88) dont Hô Chi Minh-Ville 69 000 (sur 4,2 millions d'h.). *Secr. gén. 1960* (10-9) : Lê Duan (1908-86). *86 (juil.)* : Truong Chinh (1907-88), *18-12* : Nguyen Van Linh (n. 1-7-1915).

Économie

PNB (90) 160 $ par h. **Taux de croissance** (1988) 5,4 %. Pop. active (% et entre parenthèses part du PNB en %) agr. 65 (48), mines 2 (2), ind. 13 (25), services 20 (25). Hô Chi Minh-Ville assure 30 % du PNB, 40 % des exp., produit 40 % des biens de cons. ; rev. moyen de 60 % sup. au reste du pays. *Chômeurs :* 6 000 000. **Inflation** (%) : *1980 :* 30 ; *81 :* 50 ; *82 :* 80 ; *83 :* 55 ; *84 :* 50 ; *85 :* 160 ; *86 :* 700 ; *87 :* env. 1 000, *88 (off.)* 300 ; *89 :* 700 ; *90 :* 400. **Dette extérieure** (milliards de $, 88) : URSS 6, pays occ. 2, FMI 0,1 (arrêt des paiements dep. 81). **Aide extérieure** (millions de $). *Chinoise :* très importante jusqu'en 79 (invasion du Cambodge) ; *URSS :* plan quinquennal *1986-90 :* 11,7 à 13,2 (80 % des camions et de l'acier, 75 % des engrais, 60 % de l'électr., 87 % du charbon, 40 % du ciment, 100 % du pétrole et du coton). *Déb. 1990 :* 0,1 ; – de 70 % du pétrole et – de 60 % des engrais ont été livrés. Pour rembourser ses dettes, le V.-N. envoie des travailleurs dans les pays de l'Est (voir *nota*). *V. réfugiés à l'étranger* (88) : 0,5 milliards de $. *ONU* (88) : 100 millions de $. *Aide Française (milliards de F) 1973-77 :* 1,6 (contre l'achat par le Viêt. de produits franç. pour 1,55 de 73 à 79) ; *81 :* 0,200 (suspendue dep. 82), *90 :* 0,045.

☞ **Travailleurs viêtnamiens dans pays de l'Est.** *(80-90) :* + de 290 000, dont URSS 70 000 à 125 000 (90 % de la pop. immigrée), All. dém. + de 60 000, Tchéc. 38 000, Pol. 30 000, Bulg. 25 000 à 33 000, Irak 16 000. *91 :* 80 000 rapatriés (60 000 en 90), dont les 2/3 des Viêt. de l'ex All. dém. [15 000 encore sur place (27 000 en Tchéc., 72 000 en URSS)].

Budget (milliards de dongs, 85). Recettes 41, dépenses 53, déficit 12.

Conditions de vie. *Salaire mensuel moyen (en dongs) :* 15 000 (22,75 F). *Prix (en dongs)* de : 12 œufs : 2 000, pantalon : 25 000, bicyclette : 50 000 (300 000 si étrangère), 1 kg de riz : 900.

☞ Dans les régions du centre, des familles affamées vendent leurs enfants pour 1,5 kg de riz .

Agriculture. *Terres* (milliers d'ha, 85) arables 6 942, cult. 6 016, pâturages 4 870, forêts 26 620 [88 ; off., en fait, *1949* 13 (42 % de la superficie), *82* 7,8 (33 %), *88* 6 (20 %)], eaux 420, divers 11 271. Grands besoins hydrauliques (*1989 :* réseaux couvrent 2,4 millions d'ha et utilisent 400 grands barrages, 2 000 moyens et 4 000 petits). *Production* (millions de t, 88) riz [*1987 :* 15, *88 :* 17, *89 :* 18,2 ; (kg par hab.) : *1975 :* 350, *85 :* 304, *87 :* 280] dont 1,3 exp. (1,5 à 2 en 90) (*rendement :* 3,11 t/ha, soit 6,3 % de + qu'en 88) prod. insuffisante (24 sont nécessaires), céréales 17,1 (89), manioc 2,9, canne à sucre 6,7, maïs 0,5, patates douces 2,1, fruits 3,8, légumes 3,2, arachides 0,3, café 0,01, thé 0,03 t, hévéa 0,06 t. **Aide céréalière** (millions de t). *1979 :* 3 ; *80 :* 2,5 ; *81 :* 1,5. **Élevage** (milliers de têtes, 88). Bovins 2 923, buffles 2 809, porcs 12 051, poulets 71 000 (89), ovins 24 (89), canards 27 000, chèvres 446 (89), chevaux 136. **Pêche** (87). 871 400 t.

Nota. – 20 à 25 % des récoltes perdues par transports et stockages insuffisants.

Énergie. Charbon : *prod. 89 :* env. 6 100 000 t, *réserves* plusieurs milliards de t. **Pétrole :** *prod.* (millions de t) *87 :* 0,27, *88 :* 0,70, *89 :* 1,49 (extrait du champ off-shore du tigre blanc par la Sté mixte soviéto-viet. Viexto-petro), *90 :* 2,5, *91 (est.) :* 3,6. **Gaz** (en mer). **Électricité :** 3,47 milliards de $. Projet hydro-électrique de la rivière Ma. **Mines.** Phosphates (300 000 t en 87), sel, tourbe, fer, chrome, étain, titane, cuivre, plomb, zinc, manganèse, or, mercure, uranium, thorium, bauxite. **Industrie.** Tourne à 50 % de ses capacités.

Investissements étrangers (88-90, en milliards de $). 1,8 dont France 0,3 (1er rang).

Transports. *Voies ferrées :* le Transvietnamien Hanoi/Hô Chi Minh-Ville (1 730 km, vitesse moy. 25 km/h). *Routes carrossables :* 347 243 km (83). *V. fluviales :* 10 783 km ; maritimes : 2 700 km.

Tourisme. *1988 :* 30 000 dont 300 Français. *1990 :* 187 000.

Commerce. *Exportations* 880 (millions de $ US, 87) *dont* charbon 12, hévéa 28, prod. marins 73, thé 16, café 28 *vers* URSS, Singapour, Hong Kong, Japon (pétrole 77 000 t. en 88, 280 000 t. en 89), Corée (charbon). *Importations* 2 191 (millions de $ US, 87) dont (milliers de t, 85) prod. pétroliers 3 000 (89), engrais 1 500, riz 400, acier 300 *de* URSS (75 %), Japon, Australie, Hong Kong, France, Singapour.

Commerce avec France (millions de F). *Exp. franç.* (céréales, pharmacie, chimie, mach. et app. méc.) *1981* 402, *87* 224, *88 (sept.)* 241. *Imp. franç.* (agroalim., anthracite, huiles) *1981* 40, *87* 111, *88 (sept.)* 55.

Rang dans le monde (89). 6e riz. 10e porcins. 13e thé.

WALLIS-ET-FUTUNA (îles)

Carte v. page de garde. V. légende p. 837.

Situation. *Pacifique Sud.* 274 km². A 2 100 km au N.-E. de la N.-Calédonie, 3 200 km de Papeete, 4 800 km d'Honolulu, 22 000 km de Paris. *Liaisons :* maritime mensuelle de Nouméa, aérienne 1 fois par semaine Nouméa-Wallis-Papeete et retour, 2 avec Nouméa via Nandi (Fidji), et 4 entre Wallis et Futuna. **Climat.** Chaud et humide, *temp. moy.* 26,6 °C. Hygrométrie 80 %. *Pluies* 2 500 à 3 000 mm par an. Zone de formation de cyclones. **Flore.** Fougères arborescentes, manguiers, cocotiers, pandanus, arbres à pain, bananiers, citronniers, orangers, taro, manioc, tubercules, ananas, ignames. **Faune.** Terrestre peu diversifiée, perruches, martins-pêcheurs, pigeons, râles, roussettes.

Population. 13 705 h. (90) dont Wallis 8 973 et Futuna 4 732. *Émigration* en N.-Calédonie : env. 15 000. D. 49. *Taux de croissance* 4 %. **Chef-lieu :** *Mata-Utu* (sur Uvéa) 1 222 h. **Religion.** Catholique à 100 % (évêché à Lano).

2 archipels. Wallis : *Uvéa* (159 km², île volcanique, 95 km², alt. max. mont Lulu 142 m, 80 % ne dépassent pas 40 m d'alt., lacs de cratères dont le + grand est le lac Lalo-Lalo, pas de cours d'eau) ; 22 îlots d'origine volcanique ou madréporique situés sur le récif ou dans le lagon ; *récif corallien* à 3 km du rivage, 1 seule passe, Honikulu au sud, 3 passes accessibles aux petites embarquations. **Futuna :** à 240 km de Wallis, appelée aussi îles de Horn, 110 km². Plusieurs îles dont *Futuna* (64 km², île volcanique, alt. max. Mt Puke 524 m, côte escarpée, plaine côtière de 100 à 200 m, nombreuses sources) et *Alofi* (51 km² au S.-E., à 2 km, montagneuse, alt. max. Mt Bougainville 417 m, côte N. récifs, côte S. abrupte).

Histoire. XIIe s. colonisation de Wallis par hab. de Tonga. **1616** les Hollandais Lemaire et G. Schouten découvrent Futuna et Alofi qu'ils appellent îles de Horn. **1767** l'Anglais Samuel Wallis découvre Wallis. **1837** arrivée des pères maristes, 1res missions, érigent une théocratie (le père Chanel, martyrisé en 1841, sera canonisé en 1964). **1887** protectorat fr. à Wallis. **1888** Futuna protec. *-27-11* rattaché au gouv. de N.-Calédonie. **1909** *juin* décret organisant l'administration fr. **1913** roi de Wallis demande rattachement à la Fr. **1942-46** occupation amér. **1959**-*27-12* référendum pour statut de TOM : 94,12 % de oui. **1961**-*29-7* érigé en TOM

Statut. Territoire d'outre-mer français. *Administrateur supérieur* Robert Pommies. *Conseil territorial,* consultatif, Pt adm. supérieur, 6 m. [3 de droit (rois de Wallis, Alo et Sigave) et 3 nommés par l'adm. sup.]. *Ass. territoriale* 20 m. élus pour 5 a. au suffr. univ. à la proportionnelle (él. du 15-3-1987 : RPR 7, UPL 5, UDF 4, UNF 4), *Pt* Clovis Logologofolau. *1 député* Kamilo Gata (MRG). *1 sénateur* Sosefo Makapé Papilio (RPR). *1 cons. écon. et social* Gaston Lutui.

Administration. 3 circonscriptions (Uvéa, Alo, Sigave) dont les limites recouvrent celles des royaumes. **Organisation coutumière. 3 royaumes : Uvéa :** sur Wallis ; roi Lavelua choisi par les familles royales (société divisée en roturiers, familles nobles ou aliki et familles royales) ; 3 districts (Hihifo, Hahake et Mua) dirigés par des *faipules* (chefs de district) ; districts divisés en 20 villages dirigés par des chefs de village (Hihifo : 4, Hahake 6, Mua 10). **Sigave :** sur Futuna ; roi Tuisigave ; 6 villages. **Alo :** sur Futuna ; comprend l'île d'Alofi ; roi Tuiagaïfo ; 9 villages ; les rois de Sigave et d'Alo ont 5 ministres, des chefs de village, un chef de cérémonie, un chef de la police.

Économie. PNB (87) 1 500 $ par h. **Agriculture.** 80 % de la pop. active. 25 % des terres cult. *Production* (milliers de t, est. 88) bananes 4, fruits de l'arbre à pain 4,4 (81), taro 2, kapé 1 (81), manioc 2, ignames 1, ananas, mangues, noix de coco 3, trocat 1,5 (81).

Élevage. (milliers de têtes, 88) : Porcs 30 000, chèvres 8 000, chevaux 75, bovins 50, volailles 53 000. Pêche (85-87) : 1 000 t. Accord avec Japon et Corée pour la pêche dans la zone des 200 milles. Barracudas, carangues, tazards, langoustes thonides. *Zone écon. excl.* : 271 050 km². Aide (87) : 183 millions de F. Salaires des émigrés. Commerce (millions de F. CFP, 83). *Exportations* 0,15 *dont* (86) trocat 1,7 t. *Importations* 1 302 (84) *dont* (t, 85) farine 448, sucre 289, viande 237, riz 205.

YÉMEN

Carte page 867. V. légende p. 837

Nom. Yémen signifie la « droite » car le pays est situé à la droite de la « Kaaba », pierre noire sacrée de La Mecque.

Situation. Asie. 536 869 km². **Population.** 13 000 000 h. **Capitale.** San'ā'. (Aden, cap. écon. et comm. dans l'attente d'une zone franche). **1988**-*4-5* accord entre les 2 Y. Exploitation pétrolière commune avec zone démilitarisée de 2 200 km² de chaque côté de leur frontière. *Pt.* : Ali Abdallah Saleh, *vice-Pt* : Ali Salem Al Bidh. *PM* : Haidar Abubaker Al Attas (ancien Pt Sud-Y.) dep. 24-5-90. **1989**-*30-11* accord d'Aden entre Pt Ali Abdallah Saleh (N.-Y.) et secr. gén. du P. socialiste Ali Salem Al Bidh (S.-Y.) : adoption en 12 mois (6 pour les assemblées et 6 pour l'organisation d'un référendum) de la Constit. du Y. unifié. **1990**-*Juill.* affrontements dans le Nord. **1991**-*15/16-5* référendum sur Const. 98,3 % de oui. 1992 législatives.

Statut. Rép. Const. du 21-5-90. *Conseil présidentiel (5 m)* : Ali Abdallah Saleh *(Pt)*, Ali Salem Al Bidh *(vice-pt.)*, Abdulaziz Abdulghani, Salem Saleh Mohamed, Abdulakarim Al Arashi. *Pt. du Parlement* : Yassin Said Noman (Parl. composé des anciennes ass. du S. et du N. + m. nommés). *PM* : Haidar Abubaber Al Attas, dep. 24-5-90. *Conseil consultatif* 40 m. Multipartisme autorisé 1990 (env. 40 partis). Fête nat. : 22-5 (unification).

Situation économique. **Dette extérieure** (milliards de $) : *1988* : *5*, *90 (mars)* : 7,2 (dont ex-Y. du S. 4,3, du N. 2,8). Service de la dette (91) : 0,60. **Prod. pétrole** : (*réserves* : 4,5 milliards de barils) arrêtée dep. juil. 90. Reprise *fin 1990* : 240 000 barils/j (180 000 exp.), *91 (est.)* : 300 000, *94-95 (prev.)* : 500 000.

Yémen du Nord

Situation. 200 000 km². *Alt. max.* : djebel Nabi Shuayb 3 760 m (point culminant de la péninsule arabique). *Régions* : en bordure de la mer Rouge, plaine côtière, la Tihāma ; moyens plateaux ; hauts plateaux au centre (basalte, granite, gneiss) ; zones volcaniques au centre et au N.-O. de San'ā' (dernière coulée connue 1256). **Climat** tempéré au centre, désertique sur la Tihāma et sur les plateaux de l'E. *Saisons* : petite s. des pluies mars-avr., pluies importantes de juin à sept. (Taiz 610 mm par an, Ibb 1 000, San'ā' 300, Tihāma 100 à 200). *Temp. max.* et *min.* : San'ā' 28 °C, – 5 °C ; Taiz 32 °C, 15 °C ; Tihāma (moy. an.) été 32 °C, hiver 23 °C.

Population. 8 742 000 h. (88), *prév. 2000* : 9 859 999. **Âge** : – de 15 a. : 49 %, + *de 65 a.* : 3 %. **Mort. infantile** : 135 ‰. D. 43,7. **Émigration** (86) : 1 000 000 (800 000 en A. Saoudite). **Travailleurs étrangers** : 80 000 (dont 20 000 enseignants égyptiens, 5 000 occidentaux, 2 500 Chinois). **Villes** (86) : *San'ā'* (2 200 m d'alt.) 427 185 h., Taiz 150 000 (à 250 km), Hodeidah 170 000 (à 226 km), Ibb 48 806 (à 150 km), Dhamar 40 000. Langue : arabe *(off.)*. Religions : musulmans zaïdites (50 % dans le N.) et chaféites (50 % dans le S.).

Histoire. **Du XVe s. au IIe s. av. J.-C.** 5 roy. : Maïn, Saba, Qataban, Aoussane, Hadramut. **V. 615 av. J.-C.** construction d'une digue (Mareb détruite 572 apr. J.-C.). **V. 100 av. J.-C.** fusionne avec les Himyarites, de religion judaïque. **120 apr. J.-C.** 1re rupture de la digue de Mareb. **IVe s. apr. J.-C.** occupation éthiopienne. Pénétration christianisme et judaïsme. **525 à 575** domination abyssine. **575 à 628** sassanide. **628** islamisation. **893** dynastie zaïdite constituée à Saadah. **1173** Saladin envahit Y. **1232-1454** dynastie des Banī Rassul. **1515-29** conquis par Égyptiens. **1538-1630** occupation turque. **1630** indépendance. **1849-1918** occupation turque. **1904** imam Yahya se révolte contre Turcs. **1911** *tr. de Daan* : Turquie reconnaît *indép.* **1934** Y. cède Assir (env. 80 000 km²) à l'Arabie S. **1945** adhère à Ligue arabe. **1947** membre ONU. **1948** *févr.* imam Yahya assassiné ; imam Ahmad succède. **1949** 50 000 Juifs partent pour Israël. **1958**-*8-2* s'associe à RAU : « États-Unis arabes », union dissoute 26-12-61. **1962**-*26-9 proclamation de la Rép.* Imam Badr Bin Ahmed déposé (chef religieux zaïdite et temporel), soutenu par Arabie S., entretient lutte armée contre rép. soutenus par 70 000 Égyp. **1965**-*24-8* accord, Ég. et Arabie retirent leur concours (août 1967). **1967**-*5-11* Pt Sallal (zaïdite) renversé ; Conseil nat. rép. [Pt Abdel Rahman El Iriani (chaféite)] ; G^al Al-Amri PM. **1970**-25-3 fin de la g. civile. -*23-7* Y. du N. reconnu par Arabie s. -*29-12* Const. **1971** *sept.* Al-Amri exilé. **1972** *renvoi des experts russes* (avant, jusqu'à 2 000 Chinois et 1 000 Russes). *Juill.* reprise relations dipl. avec USA et aide écon. amér. De 150 000 à 300 000 réfugiés du S. au N., regroupés pour former Front national uni du S.-Y. (Pt Mekkaoui, anticommuniste). -*26-9* combats entre les 2 Y. -*28-11* accord sur fusion du N. et S. **1973**-*30-5* Cheikh Osman assassiné, lutte contre des révolut. **1974**-*13-6* coup d'État mil. pro-saoudien. Cadi Abdul Rahman El Iriani renversé, remplacé par lieut.-col. Ibrahim Al Hamdi (n. v. 1940). Const. suspendue, parti unique dissous (Union yém.). *Juill.* Mohsen El Aïni PM. **1975**-*16-1* démis. -*25-1* nouveau gouv. -*22-10* Conseil consultatif et Ass. nationale dissous. **1977**-*11-10* Pt Al Hamdi assassiné. **1978**-*24-6* Pt Ahmad Hussein Al-Ghachemi tué (mallette piégée). *Oct.* tentative coup d'ÉTat. **1979** *févr.* g. avec Y. du S. -*4-3* cessez-le-feu, retrait troupes du Y. du S. -*7-3* reprise combats. -*9-3* USA accorde 300 millions de $ de matériel mil. -*21-3* retrait des troupes. *Avr.* plan de réunification avec Y. du S. **1980** *aide mil. soviét.* **1981** *août* exécution de 12 officiers qui auraient tenté un coup d'État. **1982**-*3-4* : 5e cessez-le-feu dep. 1981. *Mai* FND, soutenu par Aden, renonce à l'action armée. -*13-12* séisme près de Dhamar (3 000 †). **1988**-*5-5* législatives : sur 3 510 000 de + de 18 ans, 1 083 000 hommes et 30 000 femmes inscrits, votant pour 3 000 candidats (aucune femme) pour 128 sièges.

Statut. Rép. islamique. *Const.* provisoire du 19-6-74. *Pt de la Rép., secrét. gén. du Congrès gén. pop., Cdt en chef des forces armées* col. Ali Abdallah Saleh (n. 1942) dep. 17-7-78, réélu 17-7-88. *PM* Abdul Aziz Abdulghani dep. 12-11-83. *Conseil consultatif* 159 m. dont 128 élus le 5-7-88 et 31 nommés par le Pt de la Rép. *Congrès général du peuple* 1 000 m. dont 700 élus en août 86. *Partis* interdits. Fête nat. : 26-9 (chute de l'imamat). Drapeau : adopté 1962.

Économie

PNB (88) 645 $ par h. **Pop. active** (%, entre parenthèses part du P.N.B. en %) agr. 61 (20), ind. 10 (13), services 24 (54), mines 5 (13). **Inflation** (est. 85). 55 %. **Transfert des travailleurs émigrés** dans les pays du Golfe *1980-83* : 1 milliard de $, *86* : 0,6 ; *87* : 0,8 ; *88* : 0,3 [*entre 82 et 85* : apport égal à 40 % du PNB]. **Aide** (milliards de $). *1982* : 0,47, *83* : 0,19, *84* : 0,14, *85* : 0,1, *88* : 0,2. **Dette extérieure** (milliards de $). *1985* : 6 dont 31 % à URSS, *87* : 3,2, *88* : 2,9 (42 % du PNB.)

Agriculture. *Terres cult.* 14 % (dont 68 % en sorgho). *Irrigation* : 10 000 ha par barrage (long. 760 m. haut. 39) retenant lac artificiel de 30 km². *Production* (milliers de t, 89) sorgho 500, p. de terre 117 (88), légumes 465 (88), maïs 53 (88), légumineuses 47, orge 50, blé 132 (88), café 5 (moka), coton 4 (88), raisin 129 (87), tabac 6 (88), qāt (plante narcotique, *Cathula edulis*). Élevage (millions de têtes, 88). Chèvres 1,7, moutons 2,6, ânes 0,5, volailles 18, bovins 1,05, chameaux 0,06. Pêche (88). 25 000 t.

Mines (non exploitées). Nickel, fer, cobalt, marbre, zinc, cuivre. Sel. Pétrole. *Potentiel* 10,6 millions t/an. Gisement de Mareb-Djouf, découvert 1984. *Prod.* (89) : 165 000 barils/j. Gaz. *Réserves* 7/20 000 milliards de m³. Industrie. Peu développée [manque de main-d'œuvre (émigration), d'investissements], les Y. sont + commerçants qu'industriels. Prod. alim., chim., électricité, textile, ciment. Transports (km, 87). Routes 37 285, pistes 13 500 (82). Tourisme (89). 55 000 vis. *Lieux* : San'ā', Jiblah (60 mosquées), Taïz (souks), Mokha, Sebid, Mareb (capitale de la reine de Saba), Wadi Dhar, Manakha, Al Tawila, Al Mahwit.

Commerce (millions de rials, 88). **Exp.** 4 600 *dont* pétrole 3 800, café 270, peaux 74. *Imp.* 13 670 (89) *dont* prod. alim., équip. transp., prod. man. (%) d'Arabie Saoudite 17,04, *France 10,51,* Japon 8,31, USA 8,18, G.-B. 5,72, All. Féd. 4,24, P.-Bas 4,15. Contrebande avec Arabie S. : 1,5 milliard de $ par an.

Yémen du Sud

Situation. 336 869 km². 6 gouvernorats. Le 1er comprend Aden et sa périphérie, plus les îles du pays (Socotra, Abd-Al-Kuri et Périm). Les autres se succèdent d'ouest en est. *Côtes* : 1 200 km (de Ras-Murad à l'Oman). *Alt. max.* : 2 700 m. Plateau granitique et volcanique s'élevant d'E. en O. ; plaine côtière étroite au S. et à l'O. ; vallée intérieure (Wadi Hadramaout). **Climat.** Chaud, aride sur la côte, plus frais à l'intérieur et en alt. Aden : janv. 22 à 29 °C, juin 29 à 36 °C, chaud et humide mai-oct. (max. 41 °C).

Population (rec. 88). 2 345 266 h. Yéménites (75 %), faibles communautés somal. (8 %), ind. (11 %), pakist. D. 6,8. **Villes** : *Aden* 343 000 (est. 80 y compris Mansourah et Sheik Othman). Mukalla 100 000, Seiyun. **Émigration** : + de 2 millions (Indonésie, Koweït, Arabie Saoudite, Yémen du N., Éthiopie, Somalie, G.-B., U.S.A.). Avant 1986 il y avait entre 4 000 et 5 000 conseillers civils et mil. sov. et env. 2 000 Cubains et All. de l'E. **Langues** : arabe *(off.)*, + 6 langues sud-arabiques en voie de disparition dont Mehri et Soqotri. **Religions** (%) : musulmans chaféites 96 ; chrétiens 1 ; hindous 3.

Histoire. On distinguait la *colonie d'Aden* annexée le 19-1-**1839** par l'Angl. (194 km², plus dépendances : île de *Périm* 13 km², occupée 1857, île de *Kamaran* 22 km², prise aux Turcs 1915, îles de *Kouria* et *Mouria* 28 km²), le *protectorat d'Aden* (287 490 km²) divisé en pr. or. et pr. occid. [dont 6 émirats furent en 1959 le noyau de la *Féd. des émirats ar. du S.,* qui devint la *Féd. d'Ar. du S.* le *4-4*-**1962** (58 016 km², 820 000 h)]. Les 17 États (Lahej, Aqrabi, Aden, Haushabi, Alawi, Dalha, Muflahi, Shaïb, Ht-Yafa, Bas-Yafa, Fadhli, Audhali, Dathina, Beihan, Haut-Aulaqi, Bas-Aulaqi, Wahidi) formant la Féd. d'Ar. du S. qui ont fusionné avec les *3 États* [État Qu'aiti de Shihr et Mulkalla, État Kathiri de Saï'un et le sultanat Mahri de Qishn et Socotra (3 625 km², 6 000 h.)] qui formaient le pr. d'Aden or. (229 667 km², 326 000 h.). **1963** insurrection contre brit. **1967**-*30-11 indépendance,* NLF (Front nat. de lib., f. 28-7-63) l'emporte sur FLOSY (Front de la lib. du Sud-Y. occupé, f. mai 1966). **1969**-*22-6* Pt Qahtan as-Shaabi (n. 1921), Pt dep. 30-11-67, remplacé par un *Conseil de la Présidence de la Rép.* de 5 m. **1970**-*8-11* proclamation de la RDPY, réformes, nationalisations, réforme agraire. **1978**-*27-6* Salem Rubayya Ali (Pt du Conseil dep. *22-6-69*) exécuté, remplacé par Abdel Fatah Ismaïl. **1979** *févr.* g. avec Y. du N. *Avr.* plan de réunification avec Y. du N. -*25-10* tr. avec URSS. **1980** Al Nasser Mohamed Pt. **1981**-*16-2* tir de 2 roquettes contre l'ambassade y. à Paris. **1982** *mars* inondations, 482 †, 1 milliard de $ de dégâts. **1985** relations rétablies avec Oman (après rupture due à l'aide du Y. à la rebellion du Dhofar). **1986**-*13-1* coup d'État manqué. -*24-1* Pt Ali Nasser Mohamed renversé. -*16/24-1* : 6 832 étrangers évacués par mer. -*25-1* rébellion des partisans du Pt déchu (en fuite au Y. du N.) g. civile, env. 9 000 † dont ancien Pt Ismaïl (1978-80), anciens dirigeants du PSY : Ali Antar, Saleh Mouslah Kassem et Ali Chaya. 10 000 réfugiés au Y. du N. *Mars* amnistie proposée aux réfugiés. **1987**-*11-10* incident frontière oman., 8 †. -*12-12* Ali Nasser Mohammed, (exilé au Y. du N.) et 14 de ses partisans condamnés à mort ; 60 cond. à prison dont 20 par contumace ; 6 acquittés, 29 amnistiés. -27-12 11 peines de † confirmées. -*29-12* 5 condamnés exécutés. **1988** *mars* incident de frontière avec Y. du N. prospections pétrolières. -*29-10/1-11* Pt Haider à Mascate. **1989**-*4-3* 35 condamnés en déc. 87 libérés. *26/28-11* élections conseils locaux des gouvernorats. 909 candidats (certains indép. pour la 1re fois) pour 354 s. dans 148 circonscriptions. 75 à 79 % de partic., 246 élus. **1990** rétablit liens avec USA.

Statut. Rép. démocr. et pop. dep. 30-11-70. *Const.* promulguée 30-12-70. *Pt du praesidium du Conseil suprême du peuple* : Haider Aboubaker Al Attas dep. 8-2-86. *PM* Yassine Said Noomane dep. 8-2-86. *Conseil suprême du peuple* 111 m. représentant les 20 émirats soumis autrefois à la G.-B. *6 gouvernorats.* Partis *P. socialiste yém.* (PSY) f. oct. 78, ancien NLF. *Secr. gén.* Ali Salem Al Bidh. Fêtes nat : 14-10 (1963 : 1re étincelle de la révol.) et 30-11. Drapeau : adopté 1967 : bandes rouge, blanche et noire ; triangle bleu avec étoile rouge (révolution).

Économie

PNB (88) 470 $ par h. **Pop. active** (%, entre parenthèses part du PNB en %) agr. 36 (10), ind. 18 (17), services 46 (72), mines 0 (1). **Aide** (88). 450 millions de $, soit 1/3 du budget [143 en 82]. **Base navale** utilisée par l'U.R.S.S. **Transferts des émigrés** *1884* : 491 millions de $, *88* : 253. **Dette** (millions de $, 88). 2 093 (199 % du PNB) ; **envers URSS** (88) : 900. **Service de la dette** : 35.

Agriculture. *Terres cult.* 0,2 % des t., soit env. 600 km² (cultivables env. 2 000 km²), uniquement oasis et fonds des vallées. *Production* (milliers de t,

88) millet 25 (89), blé 15, coton 10, sésame 5, orge 2, café. **Élevage** (milliers de têtes, 88). Chèvres 1 427, moutons 938, ânes 171, bovins 97, chameaux 81. **Pêche** (87). 90 000 t.

Pétrole. Prod. dep. le 15-4-87. Gisement de Chabwa, (7 000 barils/j., soit 1,25 million de t/an, est. 90) ; *raffineries* à Aden. **Sel. Conserveries** de poisson.

Commerce (millions de $ US). *Exp.* 118 (89) *dont* prod. pétroliers 34, prod. alim. 14, coton 2,5 *vers* pays arabes 20, *France 12,* Japon 10, All. féd. 6. *Imp.* 600 (89) *dont* pétrole 100, équip. de transp. 120, prod. alim. 120 *de* URSS 100, G.-B. 50, Danemark 24, Australie 24, Japon 22, All. féd. 13.

YOUGOSLAVIE

V. légende p. 837.

Nom. Apparaît au XIXe s., calqué sur le mot *südslawisch* (slave du S.) créé par les linguistes pour les pop. des Alpes à la mer Noire.

Situation. Europe. 255 804 km^2. **Frontières :** 2 969 km dont Hongrie 623, Roumanie 557, Bulgarie 536, Albanie 465, Autriche 324, Grèce 262, Italie 202. **Relief** : 70 % du territoire dépasse 200 m d'alt. Montagnes au S. de la Save et du Danube, du N.-O. au S.-E. *Alt. max.* Mt Triglav 2 864 m. Plaines au N. en bordure du Danube, de la Drave, de la Save, de la Tisza de la Morava et du Vardar. Chaîne dinarique le long de l'Adriatique. **Côtes :** 2 092 km (610 km à vol d'oiseau). 1 269 *îles* dont Krk 405,3 km^2, Cres 405,7 km^2, Brac 395,7 km^2, Hvar 297,5 km^2, Pag 284,3 km^2, Korcula 271,7 km^2. **Lacs** 300 dont 19 ont plus de 10 km^2 de sup. **Cours d'eau** 1 850 de plus de 10 km de long représentant 118 000 km (3 bassins : Adriatique 20 %, mer Égée 10 %, mer Noire 70 %). *Danube* : 588 km en Youg. (sur 2 783 km), navigable sur toute sa longueur. *Save :* 945 km, affluent le plus important du Danube, nav. sur 653 km. **Climat** méditerranéen, continental et montagneux.

Population (en millions d'hab.). *1920 :* 12, *39 :* 15,7, *50 :* 16,3, *60 :* 18,5, *70 :* 20,3, *80 :* 22,4, *88 :* 23,5, *prév. 2000 :* 25,6. D. 92. En 1988, Serbes 36,3 %, Croates 19,8 %, Bosniens 8,9 %, Slovènes 7,8 %, Albanais 7,7 %, Macédoniens 6,0 %, Monténégrins 2,6 %, Hongrois 1,9 %. Autres ethnies (Turcs, Roms, Valaques, Ruthènes, Ukrainiens, Slovaques, Bulgares, Roumains, Tchèques, Italiens) moins de 1 % chacune. 2 919 réfugiés des pays de l'Est en Y. en 83 dont 1 830 Roumains. Se sont déclarés Yougoslaves 5,4 %. **Taux** (‰). *Natalité* 16,5. *Mortalité* 8,9. **Accroissement nat.** 0,7. *- de 15 a. :* 24 %, *+ de 65 a. :* 9 %. **Pop. urb.** (84) : 46 %. **Villes** (81) : *Belgrade* 1 470 073, Zagreb 855 558 (86) (à 382 km), Skopje 504 392 (436 km), Sarajevo 448 519 (318 km), Ljubljana 305 211 (87) (522 km), Novi Sad 257 685 (74 km), Split 235 922 (605 km), Priština 210 040 (358 km), Rijeka 193 044 (571 km), Titograd 132 290 (450 km).

Émigration aux XIXe et XXe s. 1 500 000 émigrés y. vivent dep. 1945 à l'étranger, dont **Amér. du N.** 1 050 000, **Amér. centrale** 15 000, **Amér. du S.** 260 000, **Australie-N.-Zélande** 30 000, **Asie** 20 000, **Afrique** 9 000, **Europe** 200 000. Ils viennent de Croatie 840 000, Slovénie 350 000, Serbie et Vojvodine 160 000, Bosnie-Herzégovine 50 000, Macédoine 40 000, Monténégro 30 000.

Yougoslaves trav. à l'étranger (81). 625 069 (+ 249 899 femmes et enfants) dont 24 % de Croatie, 22 % de Bosnie-Herzégovine, 9 % de Macédoine et 36,5 % de Serbie. En All. 324 000, Autriche 98 000, *France* (85) 36 000 (68 000 femmes et enfants compris), Australie 28 000. Une loi exonère partiellement ou totalement d'impôts et de droits de douane ceux qui rentrent avec machines ou outils pour installer un atelier, un café ou un restaurant.

Langues. Serbo-croate (la + répandue, langue de l'armée), slovène et macédonien sont à égalité.

Religions (est.). *Orthodoxes* 8 000 000, 36 % (150 à 200 monastères). *Catholiques* 29 %, 6 500 000. *Musulmans* 14 %, 3 000 000 (env. 2 000 mosquées). *Protestants* 1 %. *Juifs 1941* 80 000, *45* 16 000, *87* 7 000. *Athées* 4 500 000, 20 %. La Constitution garantit le libre exercice des cultes.

Histoire

Illyrie. Xe s. av. J.-C. habité par Illyriens (région Dinarique), Pannoniens (région Danubienne). **VIIe s.** relations avec monde grec. **IVe s.** début de colonisation de l'Adriatique par Grecs. **XIIe-IVe s. av. J.-C.** formation de plusieurs roy. illyriens. **385** le roi ill. *Bardylis unifie le pays.* **IIIe s.** les corsaires ill. font la g. de course contre les navires romains dans l'Adriatique. **219** conquête de l'Ill. par Rome. **168** organisation de la 1re province ill. **35 av. J.-C.** *prov. romaine* (la langue ill. disparaît, sauf en Albanie). **284 apr. J.-C.** coupée en 2 : Ill. occid. (dep. de Rome) à l'O. de la Drina ; Ill. or. (dépendant de Salonique, puis **après 330** de Constantinople) à l'E. de la Drina. **VIe s. et VIIe s.** invasion des Slaves et des Avars, puis Serbes et Croates ; ils adoptent l'alphabet latin à l'O., l'alphabet glagolitique puis cyrillique à l'E. (V. Hist. des républiques).

Yougoslavie. *1914-18* pertes serbes/youg. 1 200 000 †, dont 376 000 au combat. **1918**-*29-10 indép.* des terr. slovènes, croates et serbes de l'Autriche-Hongrie ; *-1-12* incluses dans le *roy. des Serbes, Croates et Slovènes* (les Monténégrins étant assimilés à des Serbes, ce que certains n'admettent pas) ; l'élément serbe est politiquement dominant (95 % des hauts fonctionnaires) ; *-1-12* proclamation officielle. **1919**-*25-2* réforme agraire. **1920** 1re Constitution. **1920-21** *Petite Entente* avec Tchéc. et Roumanie contre Hongrie (qui voulait la révision des tr. de Trianon et St-Germain). **1927** tr. avec France. **1928**-*8-8* Stjepan Raditch (n. 1871) tué au Parlement. **1929** un député de Zagreb, *Ante Pavelitch* (1889-28-12-1959 en Espagne), anime à l'étranger l'*Oustacha,* terroriste qui lutte contre l'unification de la Y. *-6-1* Constit. suspendue, gouvernement provisoire du roi Alexandre Ier. *-3-10* adoption du nom Y. **1931** nouvelle Constitution. **1934** tr. commerce avec All. Entente avec Grèce, Roumanie, Turquie. *-9-10* roi Alexandre tué à Marseille par Oustachis ; conseil de régence du Pce Paul (1893-1976) assisté de Radenko Stanovitch et Ivo Perovitch. **1935-38** entente avec Grèce, Roumanie, Turquie ; alliance avec Bulgarie ; tr. avec Italie. **1941**-*25-3* Pce Paul signe à Vienne un pacte d'alliance avec l'All. *-27-3* soulèvement à Belgrade, Pierre II est proclamé majeur. Pce Paul destitué. *-6-4* Y. envahie par All., Ital., Hongr., Bulg., Alb. *-10-4* création d'un État croate indép. (satellite de l'All. et de l'It.) qui annexe Bosnie-Herzégovine, Srijem et donne la Dalmatie à l'It. [Ante Pavelitch, revenu d'Italie, en est le chef (poglavnik) avec les Oustachis]. Massacres de Serbes en Croatie, Dalmatie, Bosnie-Herzégovine par les Oustachis. Le duc de Spolète, neveu du roi Victor-Em. d'Italie, choisi comme roi, ne vient pas. *-17-4* capitulation, gouv. et roi s'exilent à Londres (le roi ne pourra pas rentrer en 1945, il résidera quelques années en France) ; *-19-4* Y. est démembrée. *-7-7* soulèvement en Serbie. *-13-7* Monténégro. *-21-7* Slovénie. *-27-7* Croatie ; Bosnie-H. *-11-10* Macédoine. *Avril* mouvement de résistance du colonel (plus tard gén.) Draja Mihailovic (1893-1946). *Juillet* mouvement de résistance communiste. *Automne* les 2 mouvements collaborent, mais les comm. exigent le changement immédiat de toutes les autorités civiles dans les territoires libérés ; les partisans de Mihailovic veulent attendre la fin de la g. pour opérer des réformes par la voie démocratique et constitutionnelle. Une lutte s'ensuivra entre les 2 mouv.

1942-*26/27-11* création de l'AVNOJ (Conseil antifasciste de lib. nat. de la Y.). **1943**-*28-11/-1-12* conf. de Téhéran, reconnaissance de l'armée de lib. nat. y. comme armée alliée, arrêt du soutien aux royalistes et à Mihailovic. *-29-11* l'AVNOJ transforme le comité nat. en gouv. prov. dirigé par Tito (malgré l'opposition de Staline), décide que le nouv. État sera édifié sur une base fédérative et abolit monarchie. **1945**-*7-3 gouv. de Tito reconnu par Alliés.* [La g. a fait 1 700 000 tués dont env. 50 % dans des luttes fratricides. En 1941, il y avait 80 000 partisans, 1944, 800 000. Ils tuèrent env. 450 000 ennemis ; plus de 300 villages de 300 à 7 000 h. furent rasés et leurs h. fusillés ; l'épuration (1945-50) a fait 300 000 victimes croates (dont 1 000 prêtres cathol.), 70 000 Allem., 12 000 Slovènes, 6 000 Monténégrins, 3 000 Serbes.] **1946** *juill.* exécution de nombreux chefs de Tchetniks dont Mihailovic. *-29-11 référendum pour la Rép.* et contre la royauté. **1947**-10-3 *tr. de Paris,* Ital. cède Istrie (presque entière), Zadar (Zara) et île de Lastovo (Lagosta). **1948** *rupture avec Moscou,* la Y. est expulsée du Kominform. **1950** début de l'autogestion. **1953** Tito à Londres. **1954**-*5-10* après accord Y., Ital., U.S.A. et G.-B., reçoit zone B (525 km^2 au S. de la ville) du terr. de Trieste (73 500 h.) qu'elle administrait dep. 1945 et qui sera divisée entre Slovénie et Croatie. **1955** Boulganine et Khrouchtchev à Belgrade. **1956** *juin* Tito à Moscou (1re visite dep. 1948). **1960** Cardinal Stepinac meurt (1946 condamné à 16 ans de prison pour collaboration, 1951 assigné à résidence). **1968** mouvements étudiants : la Y. condamne l'intervention sov. en Tchéc. **1971** lutte contre centralisme : mouvements nationalistes surtout en Croatie. *-12-12* démission des dirigeants de la Ligue com. croate opposée au centralisme. **1972** *oct.* épuration idéologique. Démission des dirigeants de la ligue des com. serbes (libéralistes). **1974**-*22-9* : 32 m. d'un groupe « kominformiste » pro-sov. condamnés à la prison. **1975** (4e) condamnation de l'écrivain M. Mihajlov (à 7 ans de prison). 200 arrestations (nationalistes, irrédentistes, staliniens ou « kominformistes »). **1976**-*12-1* reprise des livraisons d'armes U.S. (arrêtées dep. 15 ans). *Févr.* procès à huis clos de Dusan Brkitch (ex-vice-Pt du gouv. de Croatie) et de 3 accusés de « kominformisme ». *-7-2* vice-consul youg. assassiné à Francfort. *Mars* procès contre une trentaine de « kominformistes » (il y a env. 4 000 Youg. « kom » en U.R.S.S.). *-28-8* Yvan Tuksor (secr. de l'Union fédéraliste croate) abattu à Nice. *-14-9* détournement d'un Boeing 727 de la TWA sur New York-Chicago par des Croates. *6/7-12* Pt Giscard d'Estaing en Y. **1977**-*21-1* Djemal Bjeditch (n. 1917), chef du gouv. fédéral, tué (accident d'avion). **1979**-*10-2* mort d'Edvard Kardelj (n. 1910), « dauphin » de Tito. *Avr.* tremblement de terre, 200 †.

1980-*4-5 Tito meurt ; -5/15-5* intérim de Lazare Kolichevski (n. 1914). *Juin* dinar dévalué de 30 %. *-24/25-6* Pt Carter en Y. **1981** intervention FMI. *-25-2* accord écon. avec CEE. *-11-3/4-4* émeutes au Kosovo. Voir p. 1122 a **1982**-*1/2-4* émeutes à Pristina (Kosovo). *-16-5* une femme, Milka Planinc (n. 1925) PM. *Oct.* dinar dévalué de 20 % ; plan de stabilisation à long terme du FMI. **1984** *févr.* J. O. d'hiver à Sarajevo. **1987** *mars* grève ; loi prévoyant blocage ou diminution des salaires de 20 à 50 %. *-3-9* Paracin (Serbie), 4 militaires tués par conscrit albanais. *-12-9* Hamdija Pozderac († 6-4-88), vice-Pt de la Fédération, compromis dans scandale financier Agrokomerc, démissionne. *Nov.* dévaluation de 24,6 %. *-2/3-12* Pt Lazar Mojsov à Paris. *-14-12* Ivan Stambolic, élu Pt de Serbie. **1988**-*14/18-3* Gorbatchev en Y. *-9/10-6* Club de Paris accepte rééchelonner dette y. sur 10 ans. *-Juin* grèves et manif. après loi du 15-5 sur encadrement des salaires. *-Nov.* révision partielle de la Const. adoptée (compromis autogestion et marché, contrôle possible de Serbie sur Kosovo). *-30-12* gouv. démissionne. **1990**-*20/23-1* XIVe Congrès extraordinaire de la LCY interrompu par départ de délégation slovène. *-28-5* possibilité acceptée pour certaines rép. de faire sécession, et pour la Y. de se transformer en confédération. *-15-5* Borisav Jovic, repr. de la Serbie, élu Pt de la Féd. (Stipe Suvar, croate, vice-Pt). *-29-7* PM Ante Markovic crée parti réformateur. *-8-8* syst. d'autogestion supprimé officiellement. *-25/26-8* explosion mine de charbon à Kreka-Dobrnja (134 † ?). **1991**-*mars* blindés à Belgrade. *-15/16-3* démissions : Borisav Jovic (Pt), Nedad Bucin (repr. du Monténégro) et Jugoslav Kostic (repr. de la Voïvodine). *-18-3* Parl. de Serbie limoge Riza Sapundzija, repr. du K. à la prés. (celle-ci ne compte plus que les repr. de Slovénie, Croatie, Bosnie-H. et Macédoine). *-27-3* 50 000 manif. à Belgrade contre PM. *-4-4* gouv. condamne décision des Serbes de Croatie de se rattacher à la Serbie. *-Mai* dir. macédoniens et slovènes veulent retirer leurs recrues de l'armée féd. *-15/16-5* Stipe Mesic, cand. croate à la présidence, n'obtient pas la maj. *-20-5* décide de passer outre . *-23-6* CEE refuse de reconnaître indép. Slovénie et Croatie.

Statut. Rép. socialiste fédérative comprenant 6 rép. et 2 provinces dans le cadre de la Rép. de Serbie. *Constitution* du 21-2-1974 révisée le 9-6-1981 et le 29-12-1987. PRINCIPES : socialisme, démocratie, travail librement associé et autogestion (supprimée le 8-8-90). *Assemblée youg. : Conseil fédéral* (220 délégués, élus pour 4 a., 30 par rép. et 20 par province ; définit la politique int. et ext., adopte les lois, le budget...). *Conseil des rép. et des provinces* (88 délégués, élus pour 4 a., 12 par rép., 8 par prov. ; adopte le plan social, s'occupe de l'économie, des finances...). *Présidence de la République*, collégiale, 8 m. représentant les rép. ou prov. élus pour 5 a. Le Pt de la présidence est élu pour 1 a. parmi les 8. *Vice-Pt* élu pour 1 a. parmi les 8, Pt intérimaire en cas de mort du Pt. *Conseil exécutif fédéral* élu pour 4 a. par les 2 conseils de l'Ass. dont il est l'organe exécutif. *Économie.* Les moyens de prod., qui étaient propriété sociale, peuvent maintenant être publics ou privés. *Pt de la présidence collective :* Stipe Mesic, Croate, du 20-5-91 au 25-5-92 [avant, Borisav Jovic du 15-5-90 au 15-5-91 (avant, Janez Drnovsek du 15-5-89 au 15-5-90)]. *Pt du conseil exécutif* (PM) : *1982* (16-5) : Milka Planinc (n. 1925), *1986* (15-5) : Branko Mikulic (n. 1928). *1989* (15-3) : Ante Markovic (croate, n. 1925).

Partis. **Ligue des communistes de Yougoslavie :** *f.* avril 1919. *Pt du praesidium* (23 m. du praesidium, 165 m. du comité central) Miomir Grbovic. *Secr.* Petar Skundric. 2 099 613 m. (juin 87). **Alliance Socialiste du peuple travailleur de Y. (SAWPY) :** *Pt du praesidium* (32 m., incluant 3 de chaque rép. et 2 par province) Jelena Milojevic. *Secr.* Josip Hrvatin (mai 88-mai 90). 14 151 135 m. (1981). **Féd. de la Jeunesse soc. y. :** *Pt* Branko Greganovic. **P. radical :** *f.* 1881, restauré 1990. **Alliance sociale-démocrate.** *f.* 1990. **P. des travailleurs :** *f.* 1990, *Pt* Milos Jovanovic. **P. démocratique :** *f.* 1990. **P. vert :** *f.* 1990. **P. locaux :** voir chaque Rép.

Fêtes nat. : 1-1, 1-5, 4-7. (j du combattant), 29-11. (fête de la Rép.). **Drapeau** : couleurs serbes adoptées 1918 : bandes bleue, blanche et rouge (datent du XIXe s.). En 1946, armoiries remplacées par étoile communiste.

Josip Broz, dit **Tito** (pseudonyme pris 1934) **(1892-1980).** 7e enf. de Franjo Broz, paysan croate. Apprenti, puis ouvrier d'usine. *1914* combattant dans l'armée austro-hongroise (prisonnier des Russes 25-3-1915). *1917-20* combattant dans l'Armée rouge. *1919* adhère à la section youg. du PC soviét. *1923-28* agent du PC (clandestin) en Y. *1928-34,* 5 ans de prison en Y. *1934-36* au Komintern à Moscou. *1936-37* participe aux brigades intern. (g. d'Espagne). *Fin 37* chef du P.C. clandestin de Y. *1941* des partisans comm. *1943 nov.* maréchal. *1944-25-5* échappe à un raid allemand, se réfugie île de Vis. *Août* accord avec Churchill. *1945 mars* chargé de former le ministère par le Conseil de Régence. *-29-11* proclame la Rép. *1948*-29-6 rupture avec Moscou. *1953*-14-1 Pt de la Rép. *1974 mai* Pt à vie. *1977* met sa femme en résidence surveillée. *1980*-4-5 meurt après 4 mois d'agonie.

Chef de la maison royale (Karageorgevitch) : Mgr le P[ce] héritier (titre officiel) Alexandre de Youg. (n. 27-7-45). Fils unique du roi Pierre II (1923-70) et de la reine Alexandra [n. P[cesse] de Grèce (25-3-21), f. d'Alexandre Ier, roi des Hellènes (1893-1920)]. Ép. 1° (1972) P[cesse] Maria da Gloria d'Orléans-Bragance (n. 12-12-46), dont P[ce] Pierre (5-2-80), P[ce] Philippe et P[ce] Alexandre, jumeaux (15-1-81), div., 2° (21-9-85) Katherine Clara Batis. Réside en G.-B.

Frères de Pierre II : Tomislav (9-1-1928) ép. 6-6-57 P[cesse] Margravine Marguerite de Bade, puis 1982 Linde Bonnay ; *André* (28-6-1929) ép. 2-8-1956 P[cesse] Christine de Hesse (10-1-1933), puis P[cesse] Kira de Leiningen (1930).

Républiques

Bosnie-Herzégovine

● **Situation.** 51 129 km²2 (dont Herzégovine 9 119), 4 443 000 h. (88) dont (1981, %) : Musulmans 39,5, Serbes 32, Croates 18,4, Youg. 7,9, divers 2,2. *Alt. max. :* Mt Maglic 2 386 m. *Cap. : Sarajevo* 448 519 h. (81). **Ressources.** 85 % des rés. de minerai de fer de la Y., plus de 40 % des rés. de charbon et de lignite, 100 % du sel gemme, plomb, zinc, manganèse, bauxite, baryte, rés. hydro-énergétiques 16 milliards de kWh (25 % de la Y.). *Forêts* 2 331 000 ha (en 79) (26 % des sup. boisées de la Y., 23 % de la masse de bois). En 1989, a participé pour 16,7 % aux exp. youg. ; 12,2 % au revenu nat. de la Y. **Tourisme.** Parcs naturels de Kozara (3 375 ha) et Sutjeska (17 250 ha). Sarajevo, Mostar, montagnes Jahorina, Bjelasnica. *Stations thermales :* Banja Vrucica, Ilidza, Guber, Fojnica, Kiseljak, Laktasi.

● **Bosnie.** **VIIe s.** peuplée de Slaves. **Xe s.** début d'organisation d'État. **948** soumise par le Grand Zupan (préfet) de Serbie, Caslav Klonimirovié, avec l'aide des Byzantins ses suzerains. **960** réincluse et annexée par Michel Kresimir II. **991** domination bulgare. **1018** byzantine. **1042** réunie au roy. croate par Étienne Ier. **Fin Xe s.-1250** hérésie bogomile ; 33 « Djed » ou papes bogomiles reconnus par les Bogomiles byzantins *(1110),* les cathares de France *(1222),* d'Italie. **Début XIIe s.** indép. ; gouvernée par des Ban (chef). **1138** province de Hongrie-Croatie. **1167-80** domination byzantine. **1180** vassale de Hongrie-Croatie, mais autonome en fait, g. par des Ban (ban Kulin). **1299** possession des princes croates Subic de Bribir. **1322** vassale de Hongrie-Croatie. **1377** le Ban Tvrtko Kotromanic (1354-91) couronné roi des Serbes et de la B. **1463** conquête turque, islamisation. Le sultan Mehmed II garantit la liberté de confession aux chrétiens du sandjakat de Bosnie. **1516** persécutions sporadiques. **1878** occupation mil. par Autr.-Hongrie. **1908** annexion par A.-H. qui ne réunit pas la Bosnie-Herzégovine. **1914**-*28-6* attentat de Sarajevo. **1918**-*26-10* indép. des territoires slovènes, croates et serbes de l'Autr.-Hongrie. Le « Conseil national » de Zagreb décrète l'union des Serbes, Croates, Slovènes : 1er gouv. nat. de B.-H.

● **Herzégovine.** **VIIe s.** peuplée de Slaves. **IXe s.** principautés (Zeta, Raska). **1322-1463** incluse dans Bosnie. **1391-1482** gouvernée par ducs croates indépendants Kosatcha. **1448** duc Étienne Vouktchitch Kosatcha intitulé *« Herzog »* (« Herceg » en croate) par l'empereur germanique Frédéric III. Territoires (*Terre du Herceg* ou *Hercegovina*) : actuelle Herzégovine, S.-E. et S.-O. de Bosnie actuelle, Dalmatie centrale jusqu'à Kotor, N. du Monténégro actuel, S.-O. de la Serbie actuelle (17 000 km²). **1470-82** conquête turque ; sandjkat d'H. inclus dans pachalik de Bosnie en 1580. **1832-51** autonome dans l'Empire turc (pachalik), gouverné par le vizir Ali-pacha Stotchèvitch. **1875-78** insurrection chrétienne. **1878** Pljevlja (Pliêvlia) et Prijepolje (Priyèpoliè) incorporés au sandjkat de Novi Pazar, Niksic (Nikchitch), Piva et Banjani (Baniani) au Monténégro ; occupée, annexée avec Bosnie **1908** par A.-H.

Statut. Rép. *Présidence collégiale* avec 6 vice-Pts, élus au suffrage univ. au scrutin de liste maj. *Pt. :* Alija Izetbegovic (P. d'action dém.) élu 28-11-90 parmi 28 candidats. *PM :* Jure Relivan, dep. 28-11-90. *Parlement : Ch. socio-écon.* (130 m. élus au scrutin propr.) et *Ch. des Communes* (110 m. élus au scrutin maj. à 2 tours). **Elections. du 18-11 et 2-12-90 :** 38 partis, P. d'Action dém. (SDA) 33 % (Ch. socio-écon.) et 39 % des voix (Ch. de C.), P. Dém. serbe (SDS) 26 et 32,7 %.

Croatie

● **Situation.** 56 538 km², 4 681 000 h. (88) dont (1981, %) : Croates 75,1, Serbes 11,5 (600 000 pers., dont la moitié dans la région de Krajina), Youg, 8,2, divers 5,2. *Cap. : Zagreb* 855 568 h. (84). *Alt. max.* Dinara 1 831 m. **Ressources.** Vins, huile d'olive, pétrole au N., constructions navales à Pula, Rijeka et Split, ind. chimique, pharmaceutique, plastiques, colorants, carbones et alliages de fer. En 1989, a participé pour 20,6 % aux exportations de la Y., 25,3 % au revenu national. **Tourisme.** Côte : lacs de Plitvice (20 000 ha), Risnjak (3 014 ha), Kornati (22 000 ha). *Parcs naturels :* Brioni (3 000 ha), Mljet (3 100 ha), Paklenica (3 617 ha).

● **Histoire.** **626** Croates (ou Horvats : en vieux perse « alliés ») s'installent ; ce seraient des Iraniens (1re mention 520 av. J.-C.) émigrés au N. de la mer Noire (Ier s. av. J.-C.), puis en Europe centrale, y fondant la Cr. Blanche autour de Cracovie (Horvat) où ils se slavisent (les monts Carpates porteraient aussi leur nom) (IVe-Ve s.), conquièrent et s'établissent dans les prov. romaines de Pannonie, Dalmatie, Illyrique Norique (Autriche du S., Slovénie, Croatie, Bosnie-H., Monténégro du S. actuels), occupées par Avars. L'empereur Héraclius Ier leur attribue les terres conquises (Avars rejetés au N. du Danube). **V. 800** 1re principauté du S. (1er *knez* ou prince dont le nom est connu, Vicheslav), puis 2e au N. Formation d'États : Croatie Carinthienne (743), Pannonienne (897), Dalmate (siège du souverain suprême), Illyrique (appelé C. Rouge, 753), s'étendant du Semmering (Autriche) à l'Albanie du S. (Vlorë, la Dhrina), et de la Carinthie occid. à l'Istrie et aux fleuves Mur, Drave et Danube. **VIIe-VIIIe s.** alliés indép. de Byzance. **626-1097** dynasties nationales Kloukas-Trpimirovitch, Domagoyevitch, Svatchitch. Notamment Tipimir Ier (845-64), Tomislav [910-28 (roi vers 925)] et Étienne Drzislav (969-95), roi de Croatie et Dalmatie (988). **630-880** christianisation. **799** *Lovran* (Istrie) le margrave franc Eric, tentant de conquérir la C. Dalmate, vaincu et tué par duc Vicheslav. **803-878** suzeraineté franque (nominale 830) sur la C. littorale. **806-817** g. entre C., alliés aux Francs, et Byzantins : nouvelle frontière (Albanie du N. : sur le Drim). **819-23** soulèvement du knez P[ce] Ljudevit, contre domination étrangère, échec. **Milieu du IXe s.** consolidation de la Pté c. de Dalmatie (villes côtières et îles restent au pouvoir de Byzance). **V. 878** émancipation du pouvoir franc, brève suprématie de Byzance. Essor de la C. Dalmate sous le knez ou P[ce] Branimir et surtout sous Tomislav (roi à partir de 925) qui refoule assaillants bulgares, expulse Hongrois de C. Pannonienne et obtient contrôle de partie byzantine de Dalmatie. **1000** conquise par Venise en conflit avec C. dep. milieu du IXe s. (menaçait leur navigation sur Adriatique). **1060** Byzance confie administration de Dalmatie au roi Pierre Krešimir. **1097** dernier souverain national Pierre Svačić tué (bataille contre Hongrois). **1102** union personnelle roy. de C.-Dalmatie/Hongrie *(Pacta Conventa).* C. gouvernée par ban (vice-roi) et à partir de 1273 sabor (parlement de patriciens). **1242** *vict. de Grobnitchko Poliè :* princes c. Fridik Ier et Bartoul III de Krk refoulent Khan Batou (chef tartare de la Horde d'Or) qui a conquis Moldavie, Hongrie, Bulgarie. **1301-86, 1397-1408** maison d'Anjou de Naples. **1409** Venise achète Dalmatie au dernier roi angevin. **1526** *Mohacs (Mohač) :* Turcs détruisent armée hongroise et détachements c. Hongrie et C. acceptent Habsbourg d'Autriche comme souverains. Turcs conquièrent plus grande partie du territoire hongrois-c. **1573** révolte paysanne (20 000) en C. et Slovénie ; échec, nombreux insurgés †. **1593** Turcs définitivement arrêtés à Sisak. **1664-70** complot de nobles c. et hongrois (pour renverser Habsbourg) échoue, chefs décapités dont ban de C. **1699** *tr. de Karlowitz :* Hongrie reprend la C. qui forme avec Dalmatie non vénitienne et Esclavonie le « roy. triunitaire » ou roy. d'Illyrie. **1797** Autr. annexe Dalmatie vénitienne. **1806-13** *« Provinces illyriennes » françaises* avec littoral ex-vénitien et, à partir de 1809, la C. méridionale (gouverneur : Marmont, duc de Raguse). **1813** retour à l'Autriche. **1848** mouvements révolutionnaires en C. ; abolition du servage, g. avec Hongrie. **1867** compromis austro-hongrois (monarchie bicéphale) : C. et Esclavonie (43 000 km²) font partie du roy. de H. ; Dalmatie et îles (12 000 km²), de l'emp. d'A. **1868** compromis *(nagodba)* hongr.-c. : C. et Escl. ont une autonomie restreinte au sein du roy. hongr. **1871** Eugène Kvaternik proclame un gouv. nat. mais est tué dans l'insurrection. **1918**-*29-10* Parlement Cr. proclame l'*indép. de la vice-royauté de C. ; nov.* occupation ital. ; *-1-12* englobée dans *roy. des Serbes, Croates et Slovènes ;* Dalmatie du N.-O. à l'Italie. **1941**-*10-4* État indépendant (roi : duc de Spolète, qui ne vient pas). Voir p. 1119. **1943**-*20-9* Dalmatie, Istrie, îles du Kvarner, Zadar, Lastovo et autres territoires (italiens dep. 1919) sont rattachés à la C. et à la Y. par le Conseil national antifasciste de libération populaire de C. (ZAVNOH).

Actuellement souhait d'un État c. indépendant ; C. ont des liens avec C. émigrés aux USA (800 000 C. dans Ohio et Illinois). Attentats [*1962* contre consulats y. (Bad Godesberg, 3 blessés) ; *1966* (Stuttgart) ; *1968* bombe au club y. de Paris (1 †) ; *1971* ambassadeur y. à Stockholm tué ; *1975-13-1* groupe « Jeune Armée c. » revendique attentat d'Orly ; *-29-3* vice-consul assassiné à Lyon ; *1966-80* assassinat de 31 indépendantistes c. et de Serbes anticommunistes (65 † en 20 ans)]. *1990-août-sept.* troubles *19-8* et *2-9* référendum (interdit) : minorité serbe pour une province autonome, *1991-Janv./Mai* troubles. *-2-3* incidents à Pakrac. *-31-3* à Plitvice (2 †) [région serbe de Krajina, proclamée autonome août 1990, décide 1-4-91 son rattachement à la Serbie]. *-8-4* procès du Gal Spegelj, min. de la Déf., interrompu par manif. *-2-5* affrontement Serbes/ Croates à Borovoselo (15 †). *-6-5* manif. à Split (1 soldat †). *-19-5* référendum pour sécession de la C. 94 % de oui (83 % de part.). *-29-5* C. proclame sa souveraineté. Serbes formaient 75 % de la police locale, 50 de la pol. politique et 90 des gardiens de prison de C.).

Statut. Rép. *Constit.* du 21-12-90 supprimant le communisme. *Pt :* Franjo Tudjman, dep. 30-5-90. *PM :* Stipe Mesic, dep. 31-5-90. *Parl. tricaméral :* 356 m. **Élections.** *Du 22-4-90 :* U. dém. croate (600 000 m.) 205 s. sur 356, devant P. du Chang. dém. (ex-Ligue des Comm.) et coalistion d'entente nat. Police 70 000 h.

Macédoine

• Situation. 25 713 km², 2 088 000 h. (88) dont (%, en 81) : Macédoniens 67, Albanais 19,8, Turcs 4,5, Serbes 2,3, Roms 2,3, Youg. 0,7, *Cap. : Skopje* 504 932 h. (81). **Climat.** Continental, modéré, influence méditerranéenne par la vallée du Vardar. Montagnes, forêts, plaines fertiles. *Alt. max. :* Golem Korab 2 753 m. Ressources. Primeurs et Fruits, tabac, coton, pavot, riz, tournesol, betterave à sucre. Ovins, bovins et volailles. Fer, plomb, zinc, nickel, molybdène, wolfram, mercure, or. Aciéries de Skopje, ind. chimique. Participe pour 5,3 % aux exp. de la Y. en 1989, 5,7 % au revenu national. **Tourisme.** Lac d'Ohrid, Sar Planina (montagne de Sara). Parcs naturels de Mavrovo (73 088 ha), Galĭcnica (22 760 a), Pelister (12 500 ha).

• Histoire. **VII**[e] **s. av. J.-C.** roy. fondé ; peuple d'origine indo-eur. (apparenté aux Grecs et aux Illyriens) sous la dynastie hellénisée des Argeades. **338** Philippe II établit son hégémonie sur Grecs. **168 av. J.-C.** incorporé à l'Emp. romain après défaite de *Pydna.* Partie de l'Emp. d'Orient (cap. Salonique), puis de l'Emp. byzantin. **518** tribus slaves (chtokaviens èkaviens), originaires de la région du Dniepr, commencent à envahir Illyrie orientale ; occupent zone de Char Planina, du Pinde à Ohrid et Salonique. **806** khan des Bulgares Krum commence conquête de la M. **IX**[e]**-X**[e] **s.** Bulgares conquièrent successivement N., O., S. de la M. sous les règnes de Presiam (836-852), Boris (853-889), Siméon (893-927) ; slavisation des Bulgares. **863** Cyrille et Méthode traduisent livres saints en macédonien. **865** évangélisation (liturgie byzantine). **976-1014** État macédonien sous l'empereur Samuel : Zahumlje Bosnie, Dukla et Raška jusqu'à l'Épire et Thrace, capitale : Ohrid. **1018-1258** conquête byzantine. **1282** Ouroch II, roi de Serbie, conquiert M. centrale, dont Skopje, jusqu'à la Bregalnica, et Poreč, Kicevo et Debar en M. occid. **1349** Douchan (1331-55), couronné empereur des Serbes et des Grecs (son empire va jusqu'à Athènes), promulgue le code des lois. **1355** Empire serbe éclate : P[ce] Voukachine règne sur N. et Centre de la M., les Dèanovitch sur M. orientale. **1371** *Maritsa :* Turcs battent Voukachine, la M. devient vassale des Turcs (*1392* prise de Skopje). **1389** *Kosovo :* Turcs battent le tsar serbe Lazare. **XV**[e] **au XIX**[e] **s.** répartie entre vilayet de Monastir (slave et turc) et celui de Salonique (slave et grec). **1689-90** insurrection menée par Karpos, matée. **1878** *tr. de San Stefano* attribuée par la Russie à la Bulgarie. *Congrès de Berlin* projette une M. autonome sous suzeraineté turque ; insurrection déclenchée par cette décision sans suite. **1903**-*2-8/2-11* insurrection de Ilinden (vilayet de Monastir), 30 000 combattants contre 200 000 Turcs ; insurgés 1 000 †, Turcs 5 328 †, répression turque : 200 villages rasés, 4 866 †, plus les victimes des combats. **1912**-*8-10*/**1913**-*30-5* Bulgarie, Serbie, Grèce, Monténégro (648 000 h.) enlèvent Sandjkak de Novi Bazar, Kosovo et M. à la Turquie (368 000 h.) ; Bulgarie demande révision du tr. **1913**-*29-6/29-9 2*[e] *g. balkanique :* Serbie, Grèce, Roumanie, Monténégro, Turquie battent Bulgarie (tr. de paix turco-bulgare 29-9). *-10-8 tr. de Bucarest :* 19 000 km² annexés par Grèce, 16 000 par Serbie, 4 000 par Bulgarie. **1915** Alliés proposent M. à la Bulgarie contre son entrée en g. à leurs côtés. *-20-10* Bulg. entre en g. contre les Alliés, et prend M. « serbe ». **1919** *tr. de Neuilly :* Bulgarie rend partie de la M. conquise pendant la g. et région de Strumica au roy. serbe. **1919-24** en M. égéenne, la Grèce évacue 50 000 M. vers Turquie et 30 000 vers Bulgarie et installe des Grecs à leur place. **1941-44** occupation [M. « yougoslave » et E. de la M. égéenne par Bulgarie, O. par Italie (rattaché à l'Albanie), centre de la M. égéenne par All.]. **1945** République de la féd. youg. **1991**-*25-1* Parl. proclame sa souveraineté et son droit à la sécession.

Statut. Rép. *Pt* (élu par la Chambre) : Kiro Gligorov (LCM-PTD) dep. 9-12-90. *Chambre* unique : 120 m. élus au scrutin maj. **Élections.** *Des 11/25-11 et 9-12-90 :* 16 partis. P. Nationaliste Mac. (VMRO) 27,5 % desv., Ligue Comm. de M.-P. pour la Transformation Dém. (LCM-PTD) 23,3 %, P. Dém. (souche alb.) 15,8 %.

Monténégro

• Situation. 13 812 km². Montagnes ; golfe des Bouches de Kotor très découpé. *Alt. max.* Durmitor 2 522 m. **Climat** méditerranéen sur littoral et en bordure du lac Skadar (369,7km², le plus grand des Balkans) et du cours inférieur des rivières Moraca et Zeta ; au N. montagneux, cl. continental. 633 000 h. (88) dont (1981, en %) Monténégr. 68,5, Musulmans 13,4, Albanais 6,5, Youg. 5,3, Serbes 3,3, Croates 1,2. *Cap. : Titograd* 132 290 h. (81). Ressources. 530 000 ha dont 56 000 cultivables ; tabac, agrumes, oliviers, vignes, élevage. Bauxite, plomb, zinc, charbon, bois. Participait pour 1,8 % aux exp. de la Y. en 1989 ; part du revenu national 2 % en 89. 110 000 pers. en dessous du seuil de pauvreté. *Chômage* 25 %. **Tourisme.** Parcs naturels de Biogradska Gora (3 400 ha), Durmitor (33 000 ha), Lovcen (2 000 ha). Littoral.

• Histoire. **Antiquité** tribus illyriennes (Docléens, Labéates, Autoriates, etc.). **III**[e] **et II**[e] **s. av. J.-C.** État illyrien (Risan, Scodra). **168** au pouvoir de Rome. **297** réorganisation de Dioclétien, fait partie de la Dalmatie supérieure (Prévalitane), puis, après la dislocation de l'Empire, de l'Emp. d'Orient puis de Byzance. **Fin VI**[e]**-début VII**[e] **s.** Slaves s'installent en Duklja (Dioclée). **XI**[e] **s.** Duklja (Zeta) va de la Bojana et des Prokletije jusqu'à la Piva et Risan, et confine au N.-E. à la Raška. **970-1016** knez ou P[ce] Vladimir ; l'empereur Samuel de Macédoine envahit la Zeta, qu'il annexe à Byzance. **1035** 1re insurrection contre Byzance sous Vojislav (échec). **1042** 2e ins. (victoire et extension de l'État de Zeta). Sous P[ce] Bodin (1092-1101), l'évêché de Bar devient archevêché. **1189** le souverain de Serbie Stefan Némanya annexe la Zeta à la Raška [début de la domination serbe (jusqu'à 1366)]. **1296** 1re mention de la Crna Gora (Tserna Gora) ou Montagne Noire d'où Monténégro, désignant originellement le territoire allant de Niksic et de Grahovo au lac de Skadar, et de l'est de Kotor à Danilov Grad. **1360-1421** après éclatement de l'empire serbe, dynastie des Balchitch (issus des nobles français « des Baux ») en Zeta [dans le N. (1402) et S. (1385) de l'Albanie]. **1421-39** despotat de Serbie annexe Zeta. **1439-99** dynastie orthodoxe des Tsernoyevitch régnant en Zeta, mention fréquente du « Monténégro ». **1479-81** Zeta occupée par Turcs. **1482** Cettigné fondée. **1482-99** Zeta agit indépendamment, mais envoie un otage à Constantinople (le fils d'Ivan Crnojević). Zeta est vassale privilégiée des Turcs, paie tribut au sultan. Lutte permanente pour libération complète. Assemblée indép. des représentants nationaux. **1499** perd indép. **1514-1697** certaine autonomie. Danilo Pétrovitch Niégoch élu prince-évêque ; les neveux succèdent aux oncles jusqu'en 1860. **1711** alliance des princes-évêques Niégouche et du tsar (Pierre le Grand) contre Turcs (subside annuel de 1 000 ducats). **1842** Pierre II Niégoch délimite frontières avec Autriche sans intermédiaire turc. **1852** Danilo II Niégoch renonce à l'épiscopat et se proclame P[ce] séculier. Repousse invasion turque. **1853** invasion t. arrêtée par Autrichiens. **1858** Turcs battus à Grahovo par le duc Mirko Petrović. **1859** frontières délimitées par commission internat. **1862** Omer Pacha conquiert partie du M. jusqu'à Cettigné ; arrêté par intervention eur. **1876** Nicolas Ier Njegosh attaque les T. (victoires 1876-78). **1878** *tr. de Berlin : indép. reconnue par Turquie* avec débouchés sur Adriatique. **1910** P[ce] Nicolas de M. qui a marié ses 4 filles dans les maisons royales d'Europe (notamment Italie, 1896) devient roi (août). **1914** entrée en g. côté serbe contre Autriche. **1916** conquis par Autr., le roi se retire en Fr. **1918**-*13-11* Assemblée m. pour renverser dynastie, *incorpore M. au roy. de Serbie* en présence des troupes serbes. **1919**-*7-1* combat entre partisans de l'indép. et pro-serbes ; général français Venel met fin au combat et arrête indépendantistes. **1922** M. reçoit golfe de Kotor, partie de la Dalmatie province du royaume triunitaire croate. **1988**-*20-8* 20 000 manif. à Titograd contre situation au Kosovo *-7/8-10* 50 000 manif. ; gouv. local démissionne, sauf dir. rég. du Parti. **1989**-*11-1* 80 000 manif. ; dir. collégiales du PC et de la rép. du M. démissionnent. *-13-1* Parl. dissous. *-9-4* Nenad Bucin élu au suffr. univ. représ. à la présidence de la Y.

Statut. Rép. **Présidence** collégiale avec 4 vice-Pts élus au suffr. univ. maj. *Pt :* Momir Bulatovic (Ligue Comm.) élu 9-12-90 (65,8 % de part.) avec 76 % des v., devant Ljubisa Stankovic (Alliance des des Forces Réf.) 21,4. *Chambre* unique : 125 m. élus au scrutin proportionnel. **Election.** *Du 9-12-90 :* 25 partis. Abstensions 25 %, Ligue Comm. 83 s. (66,5 % des v.), Alliance des Forces Réf. 17 s., Coal. Dém. 13 s., P. Nat. 12 s.

• Chef de la maison royale (Petrovitch Niégosh) : S.A.R. P[ce] Nicolas de Monténégro (24-7-1944), f. du P[ce] Michel (1908-86) et de Geneviève Prigent (1919-89 ; ép. 1941 ; div. 1949) ; arr.-p.-f. du roi Nicolas Ier. Épouse France Navarro (27-1-50) dont Altinaï (28-10-77) et Boris (20-1-80). Vit en France.

Serbie

• Situation. 88 361 km² dont 55 968 pour la République, sans les prov. autonomes. Partie centrale des Balkans. *Alt. max.* Djeravica 2 656 m. *Cours d'eau* 52 000 km (le bassin du Danube occupe 84 % de la sup. totale de la S.). 9 778 000 h. (88), dont (1981, %) : Serbes 66,4, Albanais 14, Youg. 4,7, Hongrois 4,2, Musulmans 2,3, Croates 1,6, Monténégrins 1,6. **Cap. :** *Belgrade* 1 470 073 h. (81). Ressources. *Part (en %) en Y.* Prod. 48,5 (betterave sucrière 73, maïs 66, blé 60) ; surfaces cultivables 50. Magnésite 97 ; charbon 57 ; plomb, zinc 47 ; antimoine 43 ; gaz naturel 23 ; énergie hydroélectrique 45, les plus grands gisements de cuivre. Revenu national : 37,8 % ; exportations youg. en 89 : 33,2 %. **Tourisme.** Monastères, rapides de la Drina, ville de Belgrade, montagne de Zlatibor. Parcs naturels de Derdap (64 000 ha), Tara (19 200 ha), Kopaonik (12 000 ha), Fruska Gora (22 460 ha).

• Histoire. **I**[er] **s. apr. J.-C.** 1re mention des Serbes, installés N.-O. du Caucase, [ils seraient des Asianiques (non indo-européens), ayant parlé une langue alarodienne (du groupe vannique, près du lac de Van)]. **Fin IV**[e] **s.** s'installent en Saxe, entre fleuves Elbe et Saale, y fondent un État. **VII**[e]**-VIII**[e] **s.** Serbes ou Sorabes de Saxe, vassaux du roi des Francs. **638** une partie s'installe en Thessalie (635), puis entre Drina, Lepenica, Piva et Lipljan, le Lab et le massif Rudnik ; suzeraineté byzantine. **IX**[e] **s.** union tribale devient P[té] de Ras (Raša, Raška), entre le Lim et la montagne Rudnik, s'étend au cours de luttes, contre Byzance et Bulgares. **1168-1371** dynastie Nèmanyitch. **1180** après mort de l'empereur byzantin Emmanuel Comnène, indép. **Fin XII**[e] **s.** extensions sous le règne de Stefan Nèmanyia (1168-96) : Zéta, Pirot, Kosovo. **1346** Stefan Douchan couronné « empereur des Serbes et des Grecs » ; 1re puissance des Balkans. **1389** *Champs de Kosovo* victoire turque et mort du sultan Murat Ier : Serbie vassale des Turcs. **1392** Turcs soumettent principauté de Vuk Brankovitch (Kosovo). **1459** chute du Despotat, dernier État serbe. **1521** Turcs prennent Belgrade. **1718-39** occupation autrichienne dans le N. **1787-91** insurrection s. soutenue par Austro-Russes. **1791** *paix de Svichstovo* conclue par Autr., puis Russie ; *paix de Iassy* avec Turquie ; insurgés amnistiés. **1804-13** soulèvement contre janissaires turcs en Choumadiya, dirigé par un marchand de porcs Djordje Petrovitch dénommé Kara-Djordje (Georges le Noir) (1752-1817). **1808-11** conflits entre chefs s. **1812** *tr. de Bucarest :* Russie cesse de soutenir insurgés (chute de Belgrade 1813). **1815-17** insurrection, dirigée par un autre marchand de porcs Miloch Obrenovitch (1823-68), rival de Kara-Djordje (auteur de la mort de son demi-frère). Après négociations, Miloch obtient large autonomie de S. (ports d'armes, impôts, justice) comprenant 4 « nahiya » (districts). **1817** Kara-Djordje rentre en S., Miloch le fait tuer et envoie sa tête au sultan (24-7). **1830** *tr. russo-turc d'Andrinople :* Miloch P^ce^ héréditaire sous suzeraineté turque. **1835** 1re Constit. **1839** en conflit avec la Skoupchtina (Assemblée), Miloch abdique. **1842** Alexandre Karadjordjevitch renverse Michel Obrenovitch. **1858** M. Obrenovitch renverse A. Karadjordjevitch, s'appuyant sur Autr. **1868** M. Obrenovitch assassiné. **1878** *Congrès de Berlin : reconnaît indépendance S. ;* S. acquiert territoires (Nis, Pirot) ; influence autr. croissante. **1882**-*6-3* Milan Obrenovitch, roi de S. **1885** g. contre Bulgarie : *Slivnitsa* S. battue, paix sans pertes territoriales. **1893** Alexandre Obrenovitch renverse régence et abroge Const. de 1889. **1903**-*10-6* son épouse Draga et lui tués par nationalistes de la « Main Noire » soutenant les Karageordjevitch. -*15-6* Pierre Ier Karadjordjevitch, roi de S., s'appuie sur Russie. **1912** *1re g. balkanique :* S., Bulgarie, Monténégro et Grèce contre Turquie. **1913** *2e g. balk. :* S., Monténégro, Grèce, Turquie et Roum. contre Bulgarie. -*10-8 tr. de Bucarest :* S. annexe Kosovo, Metohija, N. et Centre de Macédoine. **1914**-*28-6* la « Main Noire », dirigée par le colonel Dragoutine Dimitriyevitch-Apis, chef du service de renseignements du haut état-major serbe, mêlée à l'*attentat de Sarajevo.* -*28-7* Autr.-Hongrie déclare g. à S. (soutenue par Monténégro et Russie). -*24-9* victoire s. sur la Tser. -*8-12* vict. de Roudnik. -*15-12* Belgrade reprise. **1915**-*15-12* Allem., Autr. et Bulg. battent S. ; retraite troupes et gouv. s. vers Corfou, à travers l'Albanie (pertes : 150 000 h.). **1918** *royaume des Serbes, Croates et Slovènes.* **1981** révolte albanaise (9 †, 1 000 à 2 000 arrest.). **1987** 4 soldats tués par Alb. **1988**-*22-9* 130 000 manif. pour soutenir minorité s. et montén. du Kosovo. *Oct.* réforme de la Const. de 1974 au Com. centr. de la Ligue : S. demande contrôle sur Kosovo et Vojvodine -*19-11* 1 million de manif. à Belgrade. **1989**-*28-3* nouvelle constitution s. promulguée. *Mai* Borisav Jovic représentant de la S. à la présidence collégiale de Y. -*28-6* 1 million de S. assistent au 600e anniv. de la bataille de Kosovopolje. *Juill.* P.C. se transforme en P. socialiste. **1990**-*25-7* + de 100 000 manif. pour autonomie. -*28-9* nouv. Const. -*9* et 2-12 législatives. **1991**-*mars* manifs.

● **Provinces autonomes.** **Kosovo** 10 887 km², 1 894 000 h. (88) dont (en 1981, %) : Albanais 77,4 (60 % en 1945), Serbes 13,2, Musulmans 3,7, Monténégrins 1,7, Roms, Turcs 0,8. *Taux de natalité :* Serbes 2 ‰, Albanais 3,4 ‰ (le + fort d'Eur.). *L. off. :* albanais et serbo-croate. *Cap. : Pristina* 140 656 h. (81). *Région la plus pauvre* de Y., chômage 50 % (40 000 Alb. ont émigré pour travailler en Europe occ.). Agr. arriérée sur 584 000 ha, 51 % de terres cult. et 30 % de pâturages. Blé, maïs, seigle, orge, avoine, tournesol, bett. à sucre, bovins, ovins. Nickel, zinc, plomb, cadmium, bauxite, chrome, manganèse. 2,1 % du rev. nat. de la Y. en 89 et 1,4 % des exp. y. en 85. **Histoire. Basse Antiquité,** établissement d'Illyriens ou de Thraces d'où descendraient les Alb. **Moyen Age,** établissement des Serbes. **1346** cœur de la Serbie médiévale où résidait, à Pec, le patriarche de l'Église orth. s. (1346-1463 et 1557-1766). **1389** domination turque. **1880** 1er gouv. provisoire alb. **1918** intégré à la Y. **1914-39** polit. d'assimilation et d'émigration forcée ; résistance armée alb. **1966** fin de la pol. répressive (destitution de Rankovitch, vice-pt y. et min. des Aff. intérieures). **1968** Alb. nationalistes réclament statut de Rép. fédérée. **1974** Const. youg. donne large autonomie. **1981** Alb. réclament statut de rép. -*13-3/4-4* émeutes, 9 †. **Dep. 1981** départ de 30 000 Serbes. **1982**-*1/2-4* émeutes à Pristina. **1986** *avril* manif. **1988**-*20-10* 20 000 Serbes et Montén. manif. à Kosovo-Polje contre « l'albanisation » du K. -*17-11 :* 100 000 Alb. manif. à Pristina. **1989**-*1-3* état d'urgence partiel. -*2-3* 20 Alb. arrêtés. **1990**-*5-7* Parl. dissous par autorités serbes. Juil.-août reprise en main. -*7-9* ex-dép. de souche alb. promulguent « Const. de la Rép. du Kosovo », fixent él. lég. au 28-11, j de la fête nat. alb.. -*12-10* Rahman Morina, chef de la Ligue des comm. du K (LCK) †. **1991**-*18-3* Parl. de Serbie limoge Riza Sapundzija, repr. du K. à la prés. collégiale, et décide, par 211 voix, l'abrogation de la prés. de la province.

Vojvodine 21 506 km², 2 052 000 h. (88) dont (en 81, en %) : Serbes 54,4, Hongrois 18,9, Yougoslaves 8,2, Croates 5,4, Slovaques 3,4, Roumains 2,3, Monténégrins 2,1, Ruthènes 0,9, divers 4,4. 24 nationalités. *Cap. : Novi Sad* 250 138 h. (81) *Langues off. :* serbo-croate, hongrois, slovaque, roumain, ruthène. *Ressources* (83) : terres cultivables 1 622 000 ha. Blé, maïs, bett. à sucre, tournesol, houblon, p. de terre, luzerne, tabac, élevage porcins et bovins. En 1989, 11 % du revenu nat. de la Y. et 9,1 % des exp. *1989-5/6-10* manif. à Novi-Sad pour rapprochement avec Serbie.

Statut. Rép. *Const.* du 28-9-90. *Pt* (élu au suffr. univ. maj. à 2 tours) : Slobodan Milosevic (n. 1941, Pt du P. Soc. de Serbie) réélu 9-12-90 [65,34 % des v., devant Vuk Draskovic (Pt du P. du renouveau serbe, nation.) 16 40 % et Ivan Duric (Alliance des Forces Réf.) 5,52 %, autres cand. 2 %]. *Chambre unique :* 250 m. élus au scrutin maj. à 2 tours. *Élections des 9 et 23-12-90 :* 43 partis, abst. 51,1 %. P. Soc. de Serbie (ex-Ligue Comm.) 194 s. (78 % des v.), P. d'opp. 56 s. (dont P. du Renouveau serbe 19, P. Dém. 7).

Slovénie

● **Situation.** 20 251 km². *Alt. max. :* Triglav 2 864 m. 1 943 000 h. (88) dont (81, en %) : Slovènes 90,5, Croates 2,9, Serbes 2,2, Musulmans 0,7, Hongrois 0,5, Italiens 0,1. *Cap. : Ljubljana* 305 211 h. (81). **Ressources.** Agriculture 18 % de la pop. Élevage, fruits, vignes. Ind. électrique, chimique, caoutchouc, papier, métaux, alim. En 1989, 17,8 % du revenu nat. de la Y. et 22 % des exp. **Tourisme.** Littoral, lacs Bled et Bohinj, Pohorje, Kranjska gora. *Parcs naturels :* Triglav (84 800 ha).

● **Histoire. Fin VIe-début VIIe s.** Slovènes occupent Alpes orientales, entre Danube moyen et golfe de Trieste. **VIIe s.** raids en Bavière, N. de l'Italie et Istrie. **VIIIe s.** chefs nationaux (Knez) sous suzeraineté bavaroise. **VIIIe-Xe s.** christianisation par évêché de Salzbourg et patriarcat d'Aquilée. **788** Carinthie incorporée avec Bavière au royaume franc. Maintien des chefs nationaux jusqu'en 820. **907-955** domination hongroise. **955-1260** inclus dans l'Empire all. **XIe-XVe s.** division en duchés et comtés (Styrie, Carinthie, Carniole) gouvernés par patriarches d'Aquilée et dynasties allemandes : Babenberg, Andechs-Meran, Spanheim, Sanneck C^tes^ de Cilli, C^tes^ de Goritz. Réunis peu à peu par Habsbourg, sauf Frioul et Istrie, qui sont conquis par Venise. **XVe-XVIIe s.** colonisation all. **1809-13** *partie des provinces illyriennes françaises :* Sl. s'appuient sur Fr. contre culture all. **1813** retour à l'Autriche. **1814 :** 2 provinces autr., capitales Laybach (Ljubljana) et Trieste. **1918**-*29-10* indép. des territoires sl., croates et serbes de l'Autr.-Hongrie. -*3-11* Goritsa, Gradiska, Istrie et Trieste, Carniole du S.-O. occupés par Italiens, Britanniques, Français. -*1-12* incluse dans le roy. des Serbes, Croates, Sl. **1919**-*12-8* reçoit région du Prekomurje (« au-delà de la Mura »). -*10-9 tr. de St-Germain :* vallée de Mezica et Jezersko en Carinthie inclus avec le S. de la Styrie dans roy. des Serbes, Croates, Sl. **1920**-*13-10* plébiscite en Carinthie du S.-E. (Slaves 70 %, Allemands 30 %) : 59,14 % votent pour union à Autriche. -*12-11 tr. de Rapallo :* anciens comtés de Goritsa et Gradiska, Trieste et S.-O. de la Carniole cédés à l'Italie. **1947**-*10-2 tr. de paix italo-youg. de Paris :* partie de la Vénétie Julienne et de l'Istrie (N. inclus à la Sl., Sud à la Croatie) reviennent à Y. (zone B en 1954). **1988**-*21-11* 15 000 manif. à Ljubljana pour droits de l'homme. **1989**-*11-1* création d'un groupe pol. indép. du P.C. **1990**-*8-4* élections. -*2-7* S. déclar. d'indép. -*23-12* référendum : 88,2 % pour l'indép. (condamné par prés. féd. le 18-12). **1991**-*20-2* résolution sur la « dissociation de la Youg. en 2 ou plusieurs Etats souverains ».

Statut. Rép. *Pt :* Milan Kukan élu 8-4-90 avec 58,3 % des voix contre 41,7 % à Joze Pucnik (Demos). *Parl. Elections du 8-4-90.* Demos 55 % des v.

Économie

PNB *1982 :* 3 100 $; *85 :* 2 070 ; *86 :* 2 300 ; *87 :* 2 480 ; *88 :* 2 250 par h. **Population.** *Origine* (%) : Croatie 25,5 ; Serbie 22 ; Slovénie 18 ; Bosnie 12,5 ; Voïvodine 10,6 ; Macédoine 5,5 ; Kossovo 2,3 ; Monténégro 2. **Taux de croissance** (%) : *1986 :* 3,7, *87 :* 2,7, *88 :* 1,7, *89 :* 1,5. **Pop. active** (% et entre par. part du PNB en %) agr. 25 (13), ind. 30 (31), services 44 (53), mines 1 (3). *Chômage* (%). *1989 :* 15, *90 :* (1 400 000). **Monnaie.** Dinar lié au Deutsche Mark 9 DIN = 1 DM dep. le 1-1-1991, 13 = 1 DM dep. 19-4-91.

Inflation (%). *1980 :* 30 ; *81 :* 46 ; *82 :* 30 ; *83 :* 39 ; *84 :* 57 ; *85 :* 76 ; *86 :* 88 ; *87 :* 118 ; *88 :* 199 ; *89 :* 1 256 ; *90 :* 120. **Salaire moyen** (janv. *91) :* 5 917 DIN. par mois (Bosnie et Herzégovine 4 524, Mont 5 031, Croatie 6 370, Macédoine 4 049, Slovénie 7 374, Serbie sar. 6 053, Kosovo 4 127, Voivodine 5 969).

Agriculture. *Terres* (milliers d'ha, 89) agricoles 14 186 dont cult. 9 806, pâturages 4 294. Forêts 9 504. 80 % du sol appartient à la propriété privée. *Production* (milliers de t, 89) : blé 5 599, maïs 9 415 (32 % des t. arables), seigle 70, tabac 72, chanvre 5, bett. à sucre 6 797, p. de terre 2 359, tournesol 420, raisins 1 022, prunes 819, pommes 546. *Forêts* 15 186 000 m³ (88). **Élevage** (milliers de têtes, 90). Chevaux 314, bovins 4 705, moutons 7 596, porcs 7 231, volailles 73 524. **Pêche** (t, 89). Poissons d'eau douce 25 129, de mer 46 808, crustacés et coquillages 1 969. **Chasse** (89). Cerfs 28 036, biches 317 000, chamois 23 556, ours 3 173, sangliers 62 482, lièvres 1 028 000.

Énergie (millions de t, 89). **Lignite :** *réserves* 21 582, *prod.* 60,27. **Pétrole :** *réserves* 40, *prod.* 3,6. **Gaz.** 2 871 millions de m³. **Électricité :** projet abandonné de centrale à Bijli Breg. Un barrage menacerait le canyon de la Tara (le plus profond du monde, à 1 300 m, après celui du Colorado) de 82,65 milliards kWh. Projet de 4 barrages sur Moratcha, dont un de 150 m de haut (lac de 26 km). Risques : monastères et Titograd menacés en cas de rupture (région sismique). Financement : 60 à 70 % par Banque Mondiale (insuffisant). **Mines** (milliers de t, 89). Fer 5 080, cuivre 30 078, plomb et zinc 3 885, bauxite 3 252, chrome, mercure, antimoine, manganèse, sel, baryte, argent, or. **Industrie.** Alumine (1 170 000 t, 89), ciment, acier, mat. d'équip., prod. chimiques, mat. de construction, métaux de base, papier, textile, prod. alim., cigarettes. En 89 : 8 446 entreprises employant 2 715 000 salariés et produisant (en 86) pour 9 544 165 millions de dinars. **Transports** (km, 89). Chemins de fer 9 567 dont 3 782 électrifiés, routes 122 571. **Tourisme.** *Revenu* (milliards de $) : *1986 :* 1,3 ; *87 :* 1,7 ; *88 :* 2,02 ; *89 :* 2,2 ; *90 :* 2,6. *Visiteurs* (89) : 8 600 000 dont All. féd. 2 462 000, Italie 1 424 000, Autriche 746 000.

Commerce (millions de $, 90). *Exportations* 14 308 *dont* mach. et mat. transp. 4 303, prod. man. 2 285, prod. chim. 1 398, prod. alim. prod. bruts 981, *vers* U.R.S.S. 2 670, Italie 2 469, All. féd. Tchécoslovaquie 465, G.-B. 328. *Importations* 18 871 *dont* mach., mat. de tranport 5 018, prod. chim. 2 201, prod. bruts 1 682, alim. et animaux vivants 1 955, *de* All. féd. 3 408, U.R.S.S. Italie 2 456, Tchéc. 518, G.-B. 425. **Echanges bi-latéraux avec France :** 1 756 millions de $ en 1990.

Balance (en milliards de $) **Commerciale :** *1985 :* – 1,5 ; *86 :* 2,1 ; *87 :* 1,2 ; *88 :* 0,6 ; *90 :* – *4,5.* **Des paiements** (90) – 2,35. **Transferts et envois de fonds des travailleurs émigrés** (en millions de $). *1985 :* – 1 ; *86 :* 0,92. **Réserves de change** (mars 91). 5,8 milliards de $. **Dette extérieure** (1988). 20 milliards de $. (25 % du rev. des exp.) (90). **Aide de l'Europe** *1991-95 :* 807 millions d'Ecus.

Rang dans le monde (88). 5e maïs, 6e bauxite, charbon brun et lignite, 7e lignite, 8e flotte marchande (86), 8e blé, plomb (87), 9e filés de laine, 11e vin, 13e automobiles (87), 14e argent, 16e cuivre, 19e porcins.

ZAÏRE

Carte p. 1123. V. légende p. 837.

Nom. D'origine portugaise, désignait au XVIe s. le fleuve Congo. Indépendant sous le nom de Congo, prend le nom de Zaïre [En kikongo, *nzadi :* fleuve (déformation du mot)] le 27-10-1971.

Situation. Afrique. 2 344 885 km². *Alt. max.* 5 119 m (Pic Marguerite, Mts Ruwenzori). *Frontières* 9 165 km (moins de 40 km sur la mer). Bassin du Zaïre (Congo) ; plateaux à l'O., au S. et à l'E. **Climat** *équatorial* au centre [humide, chaleur uniforme (25 °C minimum), pluies réparties toute l'année (1 500 à 2 000 mm/an)] ; *tropical humide* au N. et au S. [à Kinshasa, alternance de saisons sèches (4 m. en tout) et humides ; à Lubumbashi, 6 m. de sécheresse relative] ; *d'altitude* à l'E. ; *océanique* à l'embouchure du Zaïre. *Temp.* max. 26 à 28 °C. Forêt humide (48 %), savanes, zone équatoriale. Le fleuve *Zaïre* (long. 4 700 km, débit 40 000 m³/s) forme avec ses affluents 14 000 km de voies navigables.

Population. 33 460 000 h. (88), *prév. 2000 :* 52 410 000 dont Bantous 15 000 000, Soudanais ou Nilotiques 3 000 000, Pygmées 100 000, 60 groupes ethniques. Env. 880 000 étrangers en 74 dont 400 000 Angolais et 300 000 Rwandais. La Rép. comprend Kinshasa (capitale) et 8 *régions* (pop. en 1985 et dens. entre parenthèses) : Bandundu 4 644 758 (15,7),

Équateur 3 960 187 (9,8), Kasaï occ. 3 465 756 (22), Kasaï or. 2 859 220 (16,9), Shaba (ex-Katanga) 4 452 618 (8,9), Kivu 5 232 442 (20,3), Bas-Zaïre (ex-Congo central) 2 158 595 (40), Haut-Zaïre (ex-Province or.) 5 119 750 (10,1), Kinshasa-Ville 2 778 281 (278,8). **Âge :** *- de 15 a. :* 46 %, *+ de 65 a. :* 3 %. **Mortalité :** *infantile :* 103 ‰. D. 14,2. **Pop. urb. :** 39 %. **Villes** (1976) : *Kinshasa* (ex-Léopoldville) 3 500 000 (est. 85), Kananga 704 211, Lubumbashi (ex-Elisabethville, à 2 403 km par voie fer.) 451 332, Mbuji Mayi 382 632, Kisangani (ex-Stanleyville, à 1 734 km par fleuve) 339 210, Bukavu 209 051, Likasi (ex-Jadotville) 194 465 (84), Kikwit 172 450, Matadi 143 598 (à 366 km par voie fer.), Mbandaka 134 495. Il y avait 88 913 Belges avant l'indép. (40 000 en 1974). **Langues.** Français *(off.)* ; nationales véhiculaires : swahili, tshiluba, lingala, kikongo ; il y a plus de 400 dialectes. **Religions.** Catholiques 14 341 691 (85) et 342 763 catéchumènes (85), protestants 8 000 000, kimbanguistes (Église du Christ fondée en 1921 par Simon Kimbangu) 700 000, animistes 1 000 000, musulmans 300 000 (1,25 %).

Histoire. 1874-78 exploré par Henry Morton Stanley (1841-1904) pour son propre compte, puis pour AIC. **1876** *sept.* Léopold II de Belg. organise Conf. géogr. intern. débouchant sur création de l'AIA (Association intern. afr.) chargée « d'ouvrir l'Afrique à la civilisation ; abolir la traite des esclaves ». **1878**-*30-10* accord Stanley/Léopold II : création de postes au Congo en concluant tr. avec chefs locaux au nom de l'AIA devenu CEHC (Comité d'études du Haut-Congo). **1883** devient AIC (Association intern. du Congo) présidée par Léopold II. **1884**-*15-11* Congrès de Berlin, AIC reconnue comme l'État indépendant du Congo (souverain : Léopold II, gouvernement à Boma puis à Léopoldville). Exploitation commence par commerce ivoire et caoutchouc de la région de l'Équateur ; création de la Compagnie du C. pour le comm. et l'indus., Cie du chemin de fer du C., Sté belge du Haut-C., etc. **1890-94** production de caoutchouc multipliée par 4. **1904**-*24-7* Commission intern. d'enquête créée sur pratiques utilisées (politique des mains coupées, prise d'otages) pour production du caoutchouc. **1906**-*27-2/2-3* accusations des parlementaires belges : scandale. *-13-12* annexé à l'État belge, Léopold II dépossédé. **1908**-*20-8* charte faisant du C. une colonie belge. **1959**-*4-1* émeutes à Léopoldville, 42 † et 250 bl. *-13-1* le roi admet l'indép. **1960**-*29-1* Table ronde pol. b.-cong. *Février* table ronde éco. *-10/18-5* Parlement belge vote loi fondamentale du futur État. *-23-6* Patrice Lumumba PM, Joseph Kazavubu Pt. *-30-6 indép.*, confusion après départ des cadres b. ; g. civile. *-7-7* forces milit. b. interviennent pour protéger vie des b. et mater mutinerie de la force publique. *-11-7* Katanga, appuyé par les B. [Pt *Moïse Tschombé* (n. 1919-69)] se proclame indép. (jusqu'au 15-1-63) ; non reconnu, entre au sein du C. après intervention armée de l'ONU. *-5-2* Pt Kazavubu destitue PM Patrice Lumumba (n. 1925), leader du Mouv. nat. c., qui avait demandé l'intervention de l'ONU. *-1-12* arrêté. **1961**-*17-1* exécuté. **1960** *août*-**1962** *sept.* Albert Kalondji se proclame emp. des Balubas et chef de l'État autonome du sud Kasaï. **1964** *mars* convention C./Belgique, portefeuille de l'ancien C. belge (37 milliards de F b.) reste au C., dette contractée par Belgique au nom du C. divisée en 2. *-10-7* Tschombé, rappelé après reprise des révoltes, forme gouv. de coalition. *-7-9* Christophe Gbenye instaure rép. pop. à Stanley-ville, soumise *avr.* **1965** Tschombé renvoyé *13-10* ; *24-11* Pt Kasavubu (1913-69) et PM Evariste Kimba renversés par Gal Mobutu qui dénonce corruption C./B. **1966**-*2-6* Kimba et 3 anciens min. pendus. **1967**-*30-6* Tschombé kidnappé dans un avion privé, incarcéré en Algérie (y meurt 29-6-69). **1970**-*31-10* Mobutu élu Pt. **1972** *janv.* conflit avec catholiques, cardinal Malula expulsé. *Mai* Mobutu refuse présidence à vie. **1973** nationalisation grandes entreprises. **1974** *nov.* des petites et moyennes. **1975** soutient FNLA en Angola. *Juin* complot déjoué. *Août* fermeture chemin de fer Benguele ligne Lubumbashi-Lobito [2 000 km (1 300 en Angola), transportant prod. miniers du Shaba (30 % du cuivre exp., 80 % du mat. lourd imp.)] *-7/9-8* Pt Giscard d'Estaing au Z. **1976** *janv.* Corée du N. retire env. 100 instructeurs milit. **1977** *mars* g. au Shaba (ex-Katanga), *avr.* soutien marocain (transport sur Transall français) ; 219 † (soldats 2 †, 250 à 300 rebelles †) mais Shaba repris. **1978** *févr.* complot déjoué, 13 exécutions. *-11-5 :* 4 000 rebelles (anciens gendarmes katangais) venus d'Angola assiègent **Kolwezi** au Shaba ; des Europ. ont été massacrés. Parachutistes fr. du 2e REP (Légion) lâchés sur K. (700 Z. †, 91 étrangers †, 5 para. fr. †, 1 Belge †). *-21-5* Eur. rapatriés en Europe. *Juin* force inter-afr. (Maroc, Gabon, Sénégal, C.-d'Iv., Togo). *-15-7* chemin de fer de Benguela (fermé août 75) rouvert. *-19/20-8* rencontre officielle Mobutu et Pt angolais Neto à Kinshasa. **1979**-*30-6* les Z. relèvent la force inter-afr. **1980** *avr.* Jean-Paul II au Z. **1981** *avr.* démission du PM Nguza Karl I Bond. **1982** *oct.* sommet franco-afr. à Kinshasa. **1984**-*1-12* Pt Mitterrand au Z. **1985**-*6-8* Philippe de Dieuleveult et 6 coéquipiers français disparaissent en descendant le Zaïre. **1989** *janv.* Z. dénonce « accords léonins » le liant à la Belgique et exige réouverture du dossier du « contentieux b.-z. ». *-26-7* accord Z./B. : annulation de 11 milliards de FB de la dette z., renouvellement de la coopération b. **1990**-*26-4* fin du parti unique : 3 partis. Constit. rétablissant la dém. sera rédigée avant le 30-4-91. *-7-4* Lunda Bululu PM de transition. *-11/12-5* plusieurs dizaines d'opposants tués à Lubumbashi. *22-6* 700 cogérants belges renvoyés. **1991**-*13/14/15-4* manifs à Mbuji Mayi (42 †).

Statut. Rép. démocratique. *Const.* du 24-6-1974, révisée 78, 80 et 81. *Pt* (élu pour 7 a. au suffr. univ.) du Congrès, du Comité central, du Bureau pol., du Comité exécutif et du Conseil exéc. Maréchal Mobutu Sese Seko Kuku Ngbendu Wa Za Banga (le coq qui chante victoire, le guerrier qui va de conquête en conquête sans que l'on puisse l'arrêter) (n. 14-10-30) dep. 24-11-65. *Ass.* élue pour 5 a. au suffr. univ. (210 m., élus sept. 87). *PM* Lunda Bululu dep. avril 90 (dém. 14-3-91). *Parti politique :* Mouvement pop. de la révol. f. 1967, tout Zaïrois est membre de droit (unique jusqu'au 26-4-90).

Fêtes nat. 30-6 (indép., 1960), 24-11 (anniv. du nouveau régime, 1965), 4-1 (j. des Martyrs de l'Indép.), 24-6 (j du poisson), 14-10 (j de la jeunesse), 27-10 [j des 3 Z (pays-monnaie-fleuve)], 17-11 (Forces armées z.). **Drapeau.** Adopté 1971 : vert avec emblème du Mouv. pop. : torche repr. l'esprit de la révolte et la vie des révolutionnaires morts.

Économie

PNB ($ par h.). *1982 :* 180 ; *85 :* 141 ; *86 :* 178 ; *87 :* 161 ; *88 :* 177 **Croissance** (%). *1989 :* – 2, *90 (est) :* – 3 à – 4. **Pop. active** (%, entre parenthèses part du P.N.B. en %) agr. 58 (50), ind. 8 (10), services 32 (30), mines 2 (10). **Inflation** (%). *1979 :* 87,7 ; *80 :* 42,1 ; *81 :* 34,9, *82 :* 37,2 ; *83 :* 76 ; *84 :* 52,2 ; *85 :* 23,8 ; *86 :* 46,7 ; *87 :* 85 ; *88 :* 82,7 ; *89 :* 104. **Dette extérieure** (milliards de $). *1983 :* 4,1 ; *88 :* 7. Rupture avec FMI dep. 1987 (baisse investissements étrangers et départ des multinat.).

Agriculture. *Terres* (milliers d'ha, 80) arables 5 800, cult. 552 (6 % du territoire en 88), pâturages 9 221, forêts 177 280, eaux 7 781, divers 33 907. *Production* (milliers de t 89) manioc (30 % des t. cult.) 16 254 (88), canne à sucre 1 200 (88), palmier à huile 178, maïs 740, riz 315, arachides 400, plantain 1 520 (88), prod. maraîchers, légumineuses 140, coton 50, cacao 6, thé 6, café 100, tabac 8 (88), hévéa. **Élevage** (88). Bovins 1 400 000, porcins 780 000, Bovins 880 000, caprins 3 040 000, volailles 19 000 000. **Pêche** (87) 166 000 t.

Mines (t). Cuivre (Shaba) 472 000 (89), [350 000 (est. 90)]. charbon (près de Kalémie, ex-Albertville, et Luena, réserves 60 millions de t) 91 800 (88), zinc 146 852 (86), cobalt 10 000 (88), argent 43,3 (87), diamants de Lubilash 5 593 000 carats, du Kasaï 6 175 000 carats (83), étain, manganèse, or, wolframite, monazite, pétrole 1 586 000 (87), colombo-tantalite, cassitérite, cadmium, gaz (lac Kivu). **Industrie.** Prod. alim., ciment, textile. *Barrage d'Inga :* I (terminé) 350 MW ; II (en construction) 1 272 MW ; III (projet) 1 200 MW. **Transports** (km, 88). *Routes* 160 000, dont goudronnées 3 000 ; *chemins de fer* (en cours de rénovation) 5 118 ; *voies navigables* 17 285. **Tourisme.** *Visiteurs* 109 000 (89). *Parcs nationaux :* P. de la Virunga (ex-Pce Albert de la Rwindi), 8 000 km² (22 000 hippo., 35 000 éléphants, 20 000 buffles, 15 000 antilopes, 500 lions) ; l'Upemba, 11 730 km² (3 000 él., 1 000 antil. noires, 500 zèbres) ; la Garamba, 5 000 km² (5 000 él., 15 000 buffles, 15 000 antil., 150 lions, 580 girafes).

Commerce (millions de zaïres). **Exportations :** 65 279 (86) *dont* cuivre, cobalt, café, diamants *vers* (%, 88) Benelux 43,4, Amér. du N. 19,4, All. féd. 11,4, Italie 8,2, *France 4,5.* **Importations :** 32 721 (86) *dont* (%, 88) Benelux 16,2, *France 7,4,* Amér. du N. 5,5, Italie 5,5, All. féd. 5,2.

Rang dans le monde (89). 1er cobalt, diamant. 6e cuivre. 16e café.

ZAMBIE

Carte p. 1124. V. légende p. 837.

Situation. Afrique. 752 614 km². *Alt. max.* Nyika Plateau 2 164 m. Plateaux (900-1 500 m), collines, lacs et plaines. Pays de savanes typique. Plateaux couverts de hautes herbes et d'arbres ; plus au nord, les arbres sont plus hauts et forment un vrai rideau ; dans les vallées : taillis. **Climat :** *3 saisons :* froide et sèche (mai à août ; temp. de 10 à 25 °C) ; chaude et sèche (sept. à nov.), chaude et pluvieuse (nov. à avr.) 25 à 32,2 °C. *Pluies :* + 1 270 mm au N., 508 à 762 mm au S., pouvant commencer en oct. et se terminer en mars.

Population. 7 531 119 h. (est. 88) (58 000 Eur. et Asiatiques ; *au r. de 1969 :* 43 390 Eur., 10 785 Asiatiques), *prév. 2000 :* 11 237 000. D. 10. **Âge :** *- de 15 a.* 47 %, *+ de 65 ans* 3 %. **Mort.** *infantile :* 84 ‰. **Croissance** par an : *1961-71 :* 2,8 % ; *1971-81 :* 3,2 % ; *83 :* 3,1 % ; *85 :* 3,6 %. **Immigration :** Zimbabwe, Malawi, G.-B., Asie (les personnes qui immigrent viennent temporairement, souvent sous contrat). *Pop. urb.* 45 % (84). **Villes** (89) : *Lusaka* 1 200 000, Ndola 500 000 (321 km), Kitwé-Nkana 450 000 (à 359 km), *+ de 100 000 h :* Mufilira, Chingola, Kabwe, Luanshya, Livingstone. **Langues.** Anglais *(off.)*, dialectes (bemba, nyanja tonga, lozi, lunda). **Religions.** Chrétiens 75 % (dont catholiques 50 %, réformés, anglicans, méthodistes, presbytériens), animistes 25 %, quelques musulmans.

Histoire. **1890** 1ers colons. Territ. brit. de Rhodésie du N. **1899-1924** administré par British South Africa Co. **1964**-*24-10 indépendance,* prend nom de Zambie. **1973***janv.* Rhodésie ferme frontière avec Z. (qui aide des guerilleros de Rh.). **1975**-*23-3* arrestation des dirigeants (50) du Zanu (Union nat. africaine Zimbabwe). **1978** grève de 300 techniciens blancs de « la ceinture de cuivre », contre crimes organisés par hindous (secte Thug), « les étrangleurs du Bengale », et exécutés par des Noirs. *Oct.* réouverture frontière avec Rhodésie ; raid rhod. (destruction de 12 bases de guérilleros partisans de N'komo). **1980**-*26-1* mort de l'ancien vice-Pt Simon Kapwepwe. *Oct.* échec coup d'État. **1982** sécheresse. **1982-85** mévente du cuivre. **1986**-*19-5* attaque sud-afr. contre ANC. *Déc.* émeutes de la faim (15 †). **1987**-*mai* rupture avec F.M.I. *-6-7* ferry-boat « Le Maria » heurte un rocher : 400 † (les crocodiles du fleuve Luapala déchiquetèrent les corps). **1989**-*3-5* Jean-Paul II en Z. Selon l'O.M.S. 350 000 séropositifs. **1990**-*30-6* coup d'¿tat échoue.

Statut. Rép. membre du Commonwealth. *Constit.* du 25-8-73. *Pt* élu pour 5 a. au suffr. univ. *Ass.* 125 m. élus au suffr. univ. p. 5 a., plus 10 nommés par le Pt. *Ch. des chefs* 27 m. *Pt* Kenneth David Kaunda (28-4-24) dep. 24-10-64, réélu 29-10-88 avec 90 % des voix. *Secrétaire général du Parti :* G. Zulu. *PM* Gal Malimba Masheke. *Parti unique :* P. de l'Union nat. pour l'indép., f. 1958, 9 *provinces* divisées en districts. **Fête nat. :** 24-10 (indép.). **Drapeau :** adopté 1964 : vert, aigle (liberté), 3 bandes orange (cuivre), noire et brune.

Économie

PNB (90) 300 $ par h. **PIB** (90) - 0,2 %. **Pop. active** (%, entre parenthèses part du P.N.B. en %) agr. 65 (20), ind. 8 (10), services 16 (46), mines 11 (24). **Inflation** (%). *1987 :* 43,2 ; *88 :* 60 ; *89 :* 75. **Dette extér.** (89). 7 milliards de $ (dont 1 300 millions envers FMI et Banque mond.).

Agriculture. *Terres* (milliers d'ha, 81) arables 5 150, pâturages 35 000, forêts 20 350, eaux 1 189, divers 13 564. *Production* (milliers de t, 88) canne à sucre 1 318, maïs 1 861 (89), manioc 240, millet 26 (89), sorgho 37 (89), arachides 30 (89), tomates 28, coton 28, soja 21, blé 35, riz 9, oignons 27, patates douces 24, tournesol 16 (89), légumineuses 11. Tabac (89) 4 000 t. **Forêts** (88) : 12 149 000 m³. **Élevage** (milliers de têtes, 88). Volailles 15 000, bovins 2 864, chèvres 420, porcs 180, moutons 80. **Pêche** (87). 68 000 t.

Mines (t, 87) : Cuivre 440 000 (90) (90 % des recettes de l'État), charbon 463 000, zinc 56 000, cobalt 5 580, plomb 12 000, argent 58 kg, cadmium, gypse, manganèse, pétrole. Cuivre et cobalt représentent 95 % des recettes publ. *Barrage* Kariba sur Zambèze, à cheval sur Z. et Zimbabwe, 13,1 milliards de kWh (84). **Industrie** (milliers de t., 87). Prod. alim. (sucre) 130, cigarettes 1,5 milliard, engrais 14 (86), ciment 468, métaux.

Transports (km). *Routes* (88) 37 359 dont 6 387 goudronnées. *Chemins de fer* (88) 2 164 dont Tazara (Tanzania-Zambia Railway) [construit 70-75 avec prêt chinois de 412 millions de $, long de 1 860 km (dont 891 en Z.)] de Ndola à Dar el-Salam (en Tanzanie) ; voies 1,067 m, capacité 5 millions de t/an (2,5 dans chaque sens), fret transporté 984 millions de t (85-86) ; machines détériorées (manque de devises pour pièces détachées), voies détériorées (manque d'entretien, terrorisme), mauvais fonctionnement du port de Dar el-Salam (par lequel s'effectue 55 % du commerce z.). **Tourisme** 113 000 (89).

Commerce (millions de DTS, 89). *Exportations* 928 *dont* (%, 87) cuivre 84,7 (88), cobalt 5,8, zinc 1,6, plomb 0,2 *vers* (%, 85) Japon 23,1, G.-B. 7,3, USA 2,9. *Importations* 500 *dont* (%, 84), pétrole 19,5, maïs 0,7 *de* (%, 85) Afr. du S. 18,7, G.-B. 15,3, USA 9,3. **Rang dans le monde** (89). 5e cuivre.

ZIMBABWE

Carte p. 1125. V. légende p. 837.

Nom. Maison de pierre ou forteresse. Nommé 1923 *Rhodésie* (de Cecil Rhodes qui fonda la British South Africa Company, dissoute cette année-là).

Situation. Afrique (entre Zambèze et Limpopo). 390 759 km². *Alt. max.* Mt Inyangani 2 592 m, *min.* 162 m, *moy.* 1 430 m. *Frontières :* Mozambique 1 200 km, Zambie 900, Botswana 800, Afr. du S. 200. **Climat.** Chaud et pluvieux : nov. à févr. ; plus frais : mi-mai à mi-août. *Moy. annuelle* (Harare) 17 à 19 °C. *Pluies* 831 mm.

Population (millions). *1890 :* 0,5 ; *1962 :* 4,1 ; *70 :* 5,13 ; *74 :* 5,9 ; *82 :* 7,85 ; *89 :* 9,5 (Noirs : 77 % de Shona et 18 % de Ndébélé) ; *prév. 2000 :* 15,13. **Âge** *- de 15 a. :* 48 % ; *+ de 65 a. :* 3 %. *Européens 1975 :* 275 000 (dont nés en Rhodésie 93 000, venus d'Europe 6 700, d'Afr. du S. 50 000, de pays devenus indép. 13 000), *81 :* 190 000 ; *83 :* 130 000 ; *87 :* 90 000 ; *89 :* 100 000. *Métis* (1978) 23 600, *Indiens* (1978) 10 500. D. 24,3. **Villes** [88 (et 78)] *Harare* ex-Salisbury 910 000 [(alt. 1 480 m) (Eur. 117 500, Afr. 480 000, Asiat. 4 800, Métis 8 000)], Bulawayo 500 000 [à 441 km (Eur. 52 000, Afr. 294 000, Asiat. 3 000, Métis 9 000)], Gweru 85 000 (Afr. 58 000, Eur. 8 800), Mutare 75 000 [à 262 km (Eur. 9 100, Afr. 51 000)], Kwekwe 55 000 (à 214 km), Kadoma 47 000, Masvingo 32 000. **Mortalité** *infantile (‰)* 1978 : 130, *89 :* 65. **Immigration et émigration :** *1955-75 : im.* 224 000, *ém.* 176 207, solde + 48 193. *1975-80 : ém.* 81 728, *im.* 40 548, solde - 41 180. *1981 :* - de 20 000 Européens. *83 :* 19 076 (7 000 arrivants). **Langues :** anglais, shona 70,8 %, ndébélé 15,8 %. **Religions** (%) : anglicans 36, cath. 15, presbyt. 12, méth. 9, animistes.

Histoire. **V. 10 000 av. J.-C.** peuples de « Bushmen » du désert de Kalahari. Des Bantous (du S. du Soudan et du bassin du Congo) repoussent Bushmen vers désert. **XVI** emp. Galla **XVIII**e emp. de Monomotapa. **1817** Mzilikazi († 1868), Gal du roi zoulou Shaka, fonde v. 1840 roy. du Matabele. **1855**-*15-11* missionnaire anglais *David Livingstone* (1813-73) découvre chutes Victoria. **1859** Robert et John Moffat fondent 1er établissement permanent européen (mission Inyati). **1868** Adam Renders découvre ruines de Zimbabwe. **1888** Lobengula roi des Matabele. **1890**-*12-9* des pionniers, partis de Kimberley le *6-5,* atteignent le site de Harare. Administré par British South Africa Company. **1891**-*9-5* protectorat brit. sur Bechuanaland, Matabeleland et Mashonaland. **1893**-*9-6* g. contre Matabele. **1894** Lobengula meurt. **1895** Mashonaland et Matabeleland appelés Rhodésie. **1896**-*9-7* rébellion du Mashonaland. **1923** *autonomie* (Rhodésie du S.). **1953**-*15-12 féd. avec Rh. du N. et Nyassaland.* **1960** barrage de Kariba inauguré. **1963**-*31-12* féd. avec Nyassaland dissoute. **1964**-*14-6* Ian Smith PM. **1965**-*11-11 déclare indép. contre volonté de la G.-B.* qui désire des droits politiques plus importants pour les Afr. Embargo organisé par G.-B. et sanctions de l'O.N.U., mais soutient Afr. du S. et Portugal. **1966**-*9-5/25-8* négociations à Londres. **1967**-*22-4 ne reconnaît plus d'allégeance envers G.-B.* **1969**-*20-6* référendum. **1970**-*2-3 rép.* *-16-4* Clifford Dupont Pt († 28-6-78). Régime foncier : « zones blanches » (pénétration facile, près des grandes villes) et « zones noires », ou terres tribales (accès interdit aux étrangers sans autorisation du gouv.). **1971**-*24-11* accord anglo-rh. ; commission d'enquête (Lord Pearce). **1972** 1re insurrection armée. **1973**-*10-1* frontière avec Zambie fermée, réouverte *4-2.* **1974**-*12-12* libération des dirigeants nationalistes. **1975** *juin* combats à Harare ZAPU/ZANU. *-25-8* 1re conf. constitutionnelle entre Noirs et Blancs (sur le Zambèze). *-15-12* nouvelle conf. **1976** *janv.-mars* guérilla accrue. *-14-1* John Whrathall († 31-8-78) Pt. *-3-3* Mozambique ferme frontières. *-5-3* I. Smith rompt négociations avec J. Nkomo. *-22-3* Callaghan (PM brit.) dit qu'un accord anglo-r. est subordonné à l'accession des Noirs au pouvoir dans les 2 ans. *-27-4* Kissinger annonce mesures contre Rh. si elle n'accepte pas les propositions brit. *-9-8* raid. rh. contre camp de réfugiés à Nyazonia (Moz. : + de 300 †). *-28-10/14-12* conf. à Genève pour un gouv. de transition ; ajournée *sine die.* 2 des 6 ministres noirs du cabinet Smith quittent gouv. et forment le ZUPO. **1977**-*24-1* Smith rejette plan brit. *-22-1* Chitepo, 2e vice-Pt du Conseil national afr., assassiné à Lusaka (colis piégé). *-30/31-1* 400 écoliers afr. enlevés par maquisards à Tuli. *Févr.* ZANU (?) massacre 4 religieuses et 4 jésuites à Musami. *-6-8* attentat (11† et 60 blessés) à Salisbury. **1978**-*3-3* accord Smith et 3 modérés [Ndabaningi Sithole (aile intérieure de l'A.N.C.), Jeremiah Chirau (ZUPO), l'évêque Abel Muzorewa (UANC : Conseil nat. afr. unifié)]. Accord rejeté par ONU et dir. du Front patriotique (ZAPU et ZANU). *-20-3* gouv. de transition, Smith reste PM. *Juin* 8 missionnaires brit. et leurs 4 enf. massacrés. *-3-9* Viscount d'Air Rh. abattu par missile de Nkoma, 48 † (dont 10 massacrés). *Oct.* raid en Zambie et Moz. (1 560 †).

1979-*31-1* 84,4 % des Blancs approuvent const. *-2-2* abolition des lois raciales. *-12-2* Sam-7 abat Viscount d'Air Rh. (59 †). *-22-2* raid en Angola (160 †). *-28-2* Parlement dissous. *-17-21/4 : 1res él. suffr. univ.* sous contrôle d'étrangers pour les 72 m. noirs. *-28-5* Josiah Gumede (Noir Ndébélé n. 1920) élu Pt par Sénat et Ass. *-1-6* A. Muzorewa PM, gouv. d'union nat. Smith min. sans portefeuille. *-19-7* l'armée tue 183 « auxiliaires afr. » qui refusaient d'être transférés (accusés d'intimidation). *-5-8 accords de Lusaka.* *-10-9* début conf. de Londres (gouv. brit., rh., Front patr.). *-22-11* Muzorewa accepte plan brit. *-5-12* idem pour rebelles. *-11-12* Parlement dissous. *-12-12* Rh. *redevient (provisoirement) colonie brit. ;* gouv. Lord Soames ; Pt Gumede lui transmet ses pouvoirs. *-21-12 accord final de Londres* (Lord Carrington, Muzorewa, Nkomo, Mugabe). ONU lève sanctions éco. *-23-12* frontières avec Zambie et Moz. réouvertes. *-26-12* Gal Josiah Tongogara, chef. mil. de la guérilla meurt (accident). *-28-12* début cessez-le-feu. **1980**-*10-2* attentat manqué contre Mugabe. *-18-4* indép. *-31-7* Salisbury manif. abattent statue de Rhodes. *-5-8* Edgar Tekere, min. du Travail, arrêté pour meurtre d'un fermier blanc. *-17-9* Gal Peter Walls révoqué. *-9/10-11* Bulawayo affrontements Zanla Zipra, 38 †. **1981**-*11/14-2* affrontements, 300 †. *-8/9-8* arrivée de 600 instructeurs coréens. *-16-12* attentat siège ZANU, Salisbury, 6 †. **1982**-*17-2* Nkomo éliminé du gouv. assigné à résidence. *-24-6* demeure PM Mugabe mitraillée. *Juill.* couvre-feu. *-26-7* sabotage de 12 avions à Thornhill. **1983** *févr.* 3 000 Ndébélés (Nkomo) tués au Matabeleland. *-8-3* Nkomo réfugié au Botswana, puis G.-B. *-16-8* rentre à Harare. *-31-10* Muzorewa, ancien PM, arrêté. **1984**-*4-9* libéré. **1985** Matabeleland troubles. **1986**-*22-10* manif. antiblancs à Harare. **1987**-*2-4* Smith suspendu pour 1 an du Parlement. *-26-11* 16 Blancs et 4 Noirs tués (ferme du Matabeleland). *-22-12* pacte Zanu/Zapu pour parti unique (vice-Pt Joshua Nkomo). **1988** *mai* amnistie. *-11/13-9* Jean-Paul II au Z. **1989**-*19-12* création du ZANU-PF (fusion ZANU/ZAPU). **1990**-*28/29/30-3* él. générales, victoire du ZANU-PF (1er scrutin présidentiel au suffr. univ., 1re él. à la chambre unique sur base non raciale). *-25-7* état d'urgence (en vigueur depuis 25 ans) levé.

Bilan de la guérilla. **De 1972 au 30-11-79.** 14 469 † (dont forces de sécurité 1 146, civils blancs 473, Noirs 7 548, terroristes 10 273). *Conséquences écon. :* malaria, réfugiés au Mozambique ; 30 % du bétail africain mort. **De 1982 à mi 1988.** 1 000 à 3 500 † dont 50 Blancs.

Statut. République dep. 18-4-1980. Membre du Commonwealth. *Const.* du 29-11-69. *Pt* Robert Gabriel Mugabe (n. 14-4-28) dep. 31-12-87, élu pour 6 ans par le Parlement. *Assemblée :* 100 m. *Sénat* 40 m. 21-8-87, suppression des sièges réservés aux Blancs. **Drapeau.** Adopté *1980* bandes verte, jaune, rouge et noire, étoile rouge (idéal nat.) oiseau (emblème nat.) dans triangle blanc.

Élections à l'Assemblée *du 1/4-7-85.* 80 s. réservés aux Noirs : ZANU (R. Mugabe) 63 s. (57 en 1980), ZAPU (de J. Nkomo), 15 (20 en 1980), pasteur N. Sithole 1, reste à pourvoir 1 ; 20 s. réservés aux Blancs : Alliance conserv. de I. Smith 15, indépendants 5. **Élections** *des 28/29/30-3-90* (participation 55 %) : ZANU-PF 117 s., ZUM 2, ZANU 1.

Partis. **Européens.** *Front républicain,* f. 1962, leader Ian Smith (n. 8-4-19). *Rhodesia Party,* f. 1972. **Partis noirs.** *UANC (United African Council),* f. 1971, leader l'évêque méthodiste Abel Muzorewa (Shona

n. 14-4-25), démissionne 12-11-85 ; secr. gén. Walter Mutimukulu. *ZDP (Zimbabwe Democratic Party),* f. 1979, scission de l'UANC, leader James Chikerema. *ZANU (Z. African Nat. Union),* f. 1977, leader Reverend Ndabaningi Sithole (n. 21-7-20) en exil à Londres. *ZUPO (Z. United People's Organization),* f. 1976, leader chef Jeremiah Chirau (Ndabaningi). *UNFP (United Nat. Federal Party),* f. 1978, leader chef Kayisa Ndiweni (n. 16-7-16). *ZANU-PF* f. 19-12-1989 [fusion du *ZAPU (Zimbabwe African People's Union),* f. 1963, leader Joshua Nkomo (Ndebele, n. 1917), branche militaire *[ZIPRA (Z. People's Revolutionary Army)]* opérait à partir de Zambie, et du *ZANU (PF) [Z. African Nat. Union - Patriotic Front]*: regroupe ethnie shona ; leader Robert Mugabe, PM. *ZUM (Z. Unity Movement),* leader Edgar Tekere.

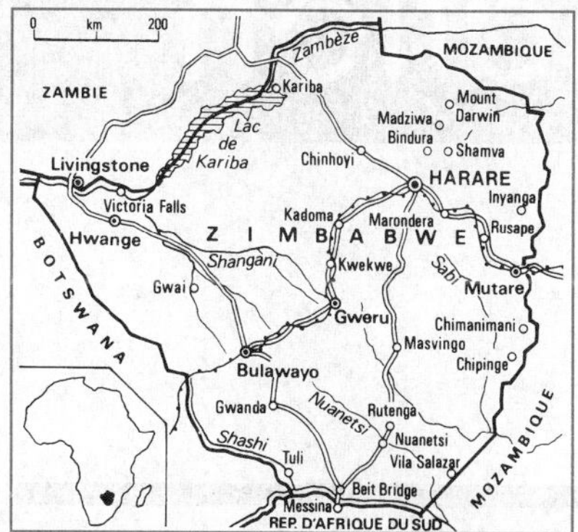

Dhlo Dhlo, Nalatale, Nyahokwe ; lac artificiel de Kariba (sur le Zambèze, un des + grands lacs artif.) ; parc Wankie (13 030 km²).

Terres réservées (Land Tenure Act partageant le terr. en 2 parties égales entre Blancs et Noirs, aboli en 79) : Africains 181 940 km² dont Tribal Trust Land (maintenu) 162 240 ; Blancs 181 596 km² dont General Land 156 297 ; terres nat. 26 708 km².

Commerce (millions de $ Z,87). *Exportations* (89 : 727 millions $ US) 1 703 *dont* prod. man. 537,5, tabac 421, prod. alim. 326, mat. 1res (sauf fuel) 277 *vers* G.-B. 244,4, All. féd. 193,6, Afr. du S. 185,4, E.-U. 129,4, *Importations* 1 741 *dont* (86) mach. et équip. de transp. 622, prod. chim. 260, pétrole 248, prod. man. 238 *de* Afr. du S. 361,4, G.-B. 200,2, E.-U. 163,5, All. féd. 152, Botswana 99,2.

Actuellement, 70 % du commerce transite par l'Afr. du S. et 30 % par Beira au Mozambique.

Rang dans le monde (89). 13e or, argent (87). 14e rés. charbon.

Économie

PNB ($ par h.) *85 :* 581 ; *86 :* 608 ; *87 :* 620 ; *88 :* 640 ; *89 :* 710. **Pop. active** (%, entre parenthèses part du P.N.B. en %) agr. 45 (15), ind. 18 (27), services 30 (50), mines 7 (8).

☞ Les Blancs (1 %) contrôlent l'économie.

Inflation (en %). *85 :* 9 ; *86 :* 14 ; *87 :* 12 ; *88 :* 6 ; *89 :* 12,9. **Aide.** 510 millions de F (2,5 % du PNB en 80). **Dette extérieure** (89) 2,75 milliards de $ (absorbe 20 % des exportations).

Agriculture. *Terres* (milliers d'ha, 81) arables 2 678, cult. 78, pâturages 4 856, forêts 23 810, eaux 391, divers 7 323. *Production* (milliers de t, 89) canne à sucre 3 622, maïs 1 931, millet 142, blé 250 (88), sorgho 81, arachides 101, tabac 129. Sécheresse en 82-84, redressement de la prod. en 85. 4 400 C.F.U. (fermiers commerciaux dont env. 100 Noirs) cultivent 13 millions d'ha (en 80, 5 200 C.F.U.). 850 000 fermiers africains traditionnels cultivent 16 millions d'ha. **Forêts** (88). 7 832 000 m³. **Élevage** (milliers de têtes, 88). Bovins 5 700, moutons 580, porcs 190, chèvres 1 650, ânes 101, volailles 10 000. 35 000 éléphants (83). **Charbon** (millions de t, 9) : *réserves* 8 320, *prod.* 4. **Mines** (milliers de t, 89) : chrome 639, abeste 187, cuivre 15,7, nickel 11,6, cobalt, or 16 t, argent, cuivre, bauxite, fer, amiante, lithium. Barrage de Kariba (voir Zambie). **Industrie** : prod. alim., textile, tabac. **Transports** (km) : routes (88) 85 784, chemins de fer (87) 2 745. **Tourisme** : *visiteurs : 1989 :* 504 000 (dont en 86, 160 000 Afr. S.). *Sites :* chutes Victoria sur le Zambèze (parc national), ruines de Zimbabwe (XVIe ou XVIIe s.), Inyanga, Khami,

Noms des dirigeants

Algérie : Zaïm. *Allemagne :* Chancelier (PM), Führer (guide, nom donné à Hitler). *Arabie :* Émir, Cheikh. *Buganda :* Kabaka (roi). *Burundi :* Mwami. *Égypte :* Raïs. *Espagne :* Caudillo (Franco). *Éthiopie :* Négus, Ras. *Inde :* Rajah. *Irlande :* Taoiseach (Pt), Sean O'Loinsigh (PM), Tanaiste (PM adjt.). *Italie :* Duce (guide, Mussolini). *Japon :* Tenno (empereur). *Luxembourg :* Grand-duc. *Malaysia :* Yan di Pertuan Agong. *Samoa occid. :* Ole Ao Ole Malo. *Turquie :* Sultan, Ghazi (Ataturk).

Attentats politiques

☞ Voir également l'histoire de chaque pays (pages 837 et suivantes).

Liste non limitative

Nota. – (1) L'attentat échoue. *En italique :* auteurs des attentats.

Afghanistan. **1919**-*20-2* Habibullah Khan Émir. **1933**-*8-11* Nadir Shah. Roi. **1978**-*27-4* Mohammed Daoud. **1979**-*14-2* Adolph Dubs, amb. des USA. -*14-9* Nur Mohammed Taraki. Pt. -*27-12* Hafizullah Amin. Pt.

Afrique du Sud. **1966**-*6-9* H. F. Verwoerd, PM.

Algérie. **1967**-*6-1* Mohammed Khider, chef de l'opposition en exil, à Madrid. **1968**-*5-6* Houari Boumediene, Pt attaqué à la mitrailleuse sur l'esplanade d'Afrique, à Alger [1]. **1970**-*18-10* Krim Belkacen, V.-Pt du G.P.R.A.

Allemagne. **1844**-*26-7* Frédéric-Guillaume IV, r. de Prusse *(Tschesch)* [1]. **1850**-*27-5 (Sofelage).* **1861**-*14-7* Guillaume Ier *(Oscar Becker)* [1]. **1866**-*7-3* Bismarck *(Blind)* [1]. **1874**-*13-7* Prince Otto von Bismarck *(Kullman)* [1], à Bad Kissengen. **1878**-*11-5* Guillaume Ier *(Heinrich Max Hödel)* [1]. *2-6 (Dr Karl Edouard Nobiling)* [1]. **1900**-*20-6* Baron Klemens von Ketteler, min. résident à Pékin. *16-11* Guillaume II *(Frau Schnapke* [1], déséquilibrée). **1919**-*15-1* Karl Liebknecht et Rosa Luxemburg, chefs révolutionnaires allemands *(escorte).* **1919**-*21-2* Kurt Eisner, PM de Bavière *(Cte Arco-Valley). 12-4* Otto Newvig, dirigeant politique de Saxe *(opposants). -8-10* Hugo Haase, député social-démocrate. **1921**-*26-8* Mattias Erzberger *(négociateur du traité de Rethondes).* **1922**-*24-6* Walter Rathenau, min. des Aff. étrangères. **1934**-*30-6* Röhm, gén. von Schleicher, Klausener *(nuit des « longs couteaux »).* **1938**-*7-11* Ernst von Rath diplomate *(Grynszpan).* **1939**-*8-2* Hitler (1889-1945) *(Georg Elser)* [1]. **1943**-*13-3* (bombe) [1]. **1944**-*20-7* (bombe placée par le *colonel von Stauffenberg)* [1]. **1958**-*10-4* Konrad Adenauer (bombe) [1].

Angleterre, Irlande. **946**-*26-3* Edmond l'Ancien. **979**-*18-3* Edmond le Martyr. **1170**-*19-12* Thomas Becket, archev. de Canterbury. **1327**-*23-9* Edouard II. **1437**-*21-2* Jacques Ier d'Écosse. **1483**-*juill.* Edouard V. **1485** Richard III *(Henri Tudor).* **1488**-*11-6* Jacques III d'Écosse. **1567**-*9-2* Darnley (Henri Stuart Lord), époux de Marie Stuart *(Bothwell).* **1628**-*23-8* duc de Buckingham (favori) *(John Felton).* **1812**-*11-5* Spencer Perceval, 1er ministre *(Bellingham,* fou). **1840**-*10-6* reine Victoria *(le maître d'hôtel Oxford)* [1]. **1849**-*19-5 (William Hamilton)* [1]. **1872**-*29-2 (O'Connor)* [1]. **1882**-*2-3* reine Victoria *(Roderick Maclean)* [1]. -*6-5* Lord F. Cavendish, secr. d'État pour l'Irlande. **1922**-*22-6* Maréchal de l'Air Henry M. Wilson. M. Collins, dirigeant révolutionnaire irlandais **1927**-*10-7* Kevin O'Higgins, vice-Pt de l'État libre d'Irlande. **1979**-*27-8* Lord Louis Mountbatten of Burma, dernier vice-roi des Indes, cousin de la reine, oncle du Pce Philippe ; son petit-fils Nicolas Brabourne (14 ans) ; 1 jeune garçon (15 ans) ; Lady Brabourne blessée († 28-8). par l'IRA. **1981**-*16-1* Bernadette Devlin Mc Alistey et son mari [1]. **1984**-*12-10* Mme Thatcher, à Brighton par l'IRA[1].

Arabie saoudite. **1975**-*25-3* roi Fayçal (1903) *(Pce Fayçal Ibn Abdel Aziz).*

Argentine. **1970**-*début juin* Pedro Aramburu, ex-Pt (séquestré par les *Montoneros*).

Autriche. **1853**-*18-2* Francis Joseph, empereur *(Libenyi)* [1]. **1882**-*6-5 (Overdank)* [1]. **1898**-*10-9* Elisabeth (n. 1837), impératrice, à Genève *(Luccheni).* **1908**-*12-4* Alfred Potocki, gouverneur de Galicie *(Miroslas Siczynski).* **1914**-*28-6* archiduc François-Ferdinand et sa femme, à Sarajevo *(Prinzip).* **1916**-*21-10* Karl Sturgkh, chancelier PM *(Friedrich Adler).* **1927**-*6-11* Karl Seitz, maire socialiste de Vienne *(nationalistes).* **1934**-*25-6* Engelbert Dollfuss, chancelier *(Otto Planetta).*

Bangladesh. **1975**-*15-8* Cheikh Mujibur Rahman Pt, Mansoor Ali, PM. **1981**-*30-5* Zia-Ur Rhaman, Pt.

Belgique. **1901**-*26-1* Baron Edouard Orban de Xivry, gouverneur *(Schneider)* à Arlon. **1950**-*18-8* Julien Lahaut, Pt du Parti communiste.

Birmanie. **1947**-*19-7* U Aung San, PM. **1983**-*9-10* (21 † dont 5 membres du gouv. de Corée du S.).

Bolivie. **1946**-*21-7* Gualberto Villarroel, Pt.

Brésil. **1897**-*5-11* Prudente Moraes, Pt *(Bispo de Melle)* [1]. Carlos Vbittencourt, min. de la Guerre.

Bulgarie. **1891**-*27-3* Belchev, ministre des Finances (3 balles, destinées au PM Stamboulov). **1895**-*15-7* Stephan Stamboulov, PM *(3 hommes dont Halju, exécuté en 1902).* **1902**-*6-2* Kasanchev, ministre *(Kerandyoukov).* **1907**-*11-3* Nicolas Petkov, PM. **1923**-*9-6* Alexandre Stamboulyski, PM. **1925**-*14-15/4* Boris III (bombe, *2 communistes*) [1]. **1943**-*28-8 (Gestapo ?).*

Burundi. **1961**-*13-10* Pce Louis Rwagasore *(un jeune Blanc).* **1965**-*15-1* Pierre Ngendadumwe, PM.

Canada. **1970**-*oct.* Pierre Laporte, ministre du Travail du Québec.

Chili. **1986**-*7-9* Gal. Augusto Pinochet [1].

Chine. **1928**-*4-6* général Tchang Tso-lin, chef militaire et politique (bombe).

Colombie. **1990**-*22-3* Bernando Jamamillo Ossa, candidat Pt.

Congo. **1977**-*18-3* Harien Ngouabi, Pt.

Corée du Sud. **1979**-*26-10* Park Chung Hee, Pt (Kim Jal Kyu, chef de la CIA). Voir Birmanie.

Égypte. **1944**-*6-11* Lord Moyne, Ht commiss. au Moyen-Orient, au Caire *(terroristes israéliens).* **1945**-*24-2* Ahmed Maher Pacha, PM. **1948**-*28-12* Nokrachy Pacha, PM Frères musulmans *(Abdul Meyed Hassan).* **1967**-*18-9* maréchal Abdel Hakim Amer, second de Nasser *(hommes de Nasser).* **1981**-*6-10* Anouar El Sadate, Pt *(militaires).*

Équateur. **1875**-*6-8* Gabriel Garcia Moreno, Pt *(Manuel Cornejo, Roberto Andrade, Faustio Rago).*

Espagne. **1852**-*2-2* Isabelle II (*Martin Merino,* prêtre) [1]. **1856**-*28-5* (*Raymond Fuentes,* moine) [1]. **1870**-*28-12* Gal Juan Prim, dictateur *(José Paúl y Angulo).* **1872**-*19-7* Amédée Ier, roi [1]. **1878**-*25-10* Alphonse XII (*Juan Oliva Mencasi,* anarchiste) [1]. **1879**-*30-12 (Francisco Gonzalez)* [1]. **1892**-*24-9* Gal Martinez Campos *(Paulino Pallás)* [1]. **1897**-*8-1* Canovas del Castillo, 1er min. **1905**-*1-6* Alphonse XIII *(anarchistes)* [1]. A Paris, avec Loubet. **1906**-*31-5* *(Mateo Morral, anarchiste)* [1]. La reine Victoria-Eugénie également visée. **1912**-*12-11* José Canalejas y Mendez, PM (*Pardina,* anarchiste). **1921**-*8-3* Eduardo Dato y Irader, 1er min. *(opposants).* **1926**-*1-8* Miguel Primo de Rivera [1]. **1936**-*13-8* Calvo Sotelo, monarchiste (*amis du Pt Castillo,* tué à son tour par des fascistes). **1973**-*20-11* Carrero Blanco, PM.

Éthiopie. **1937**-*19-2* maréchal Rodolfo Graziani, vice-roi *(un Éthiopien).*

☞ Suite p. 1169.

L'Information

Journaux

Statistiques

Journaux les plus vieux. Allemagne. 1609 : *Relation aller fürnemmen und Gedenk wüdigen Historien.* 1616 : *Frankfurter Oberpostamtszeitung.* 1645 : *Post och Inrikes Tidningar* fondé par l'Académie royale des lettres de Suède. 1660 : *Leipziger Zeitung* (1er quotidien). **Angleterre.** 1621 : *Weekley News.* 1625 : *Mercurius Britannicus.* 1702 : *Daily Courant* (quotidien). **Belgique.** 1605 : *Nieuwe Tydingen* (disparu). **Chine** : *Tching Pao,* paru de 400 à 1934. **Espagne.** 1641 : *Gaceta Semanal.* **Italie.** A Rome : *Acta Diurna Populi Romani* (journal gravé sur des tablettes). 1640 : *Gazzetta Pubblica.* **Suède.** 1624 : *Hermes Gothicus.* **Suisse.** 1610 : *Ordinari Wochenzeitung.* **France.** 1631 (janvier) : *Les Nouvelles ordinaires de divers endroits :* absorbées par *la Gazette* de Théophraste Renaudot (fondée le 30 mai 1631) qui devint *la Gazette de France* le 1-1-1762 et cessa de paraître le 30-9-1915. Tirage moyen au XVIIe s. : 1 200 ex., au XVIIIe s. : 12 000. 1650 : *La Muse historique.* 1777 (1-1) : *le Journal de Paris* (quotidien).

Journaux publiés sans interruption depuis le plus longtemps. Angleterre : *Berrow's Worcester Journal* (fondé 1690 et hebdo. dep. 1709). Pour les quotidiens le *Lloyd's List* (fondé 1734). Le *Times* a pour origine le *Daily Universal Register,* journal fondé 1-1-1785 (titre actuel depuis 1788). **France :** *Journal de la Corse* (fondé 1814, encore tiré à 3 500 ex.). **Suède :** *Post och Inrikes Tidningar* (fondé 1645).

Journaux les plus lourds. *Sunday New York Times* 6,35 kg en août 1987. *Vogue* américain de sept. 1987 comptait 828 pages. **Les plus grands.** *The Nantucket Inquirer and Mirror* (hebdo. américain) : 76 × 56 cm. *The Constellation,* imprimé par George Roberts aux États-Unis le 4-7-1859, mesurait 130 × 89 cm. **Les plus petits.** Le *Diario di Roma* (1829) mesurait 9 × 11 cm et le *Daily Banner* de Roseburg aux États-Unis 7,6 × 9,5 cm. *Le Petit Format* (Apt, Vaucluse) 7,5 × 10,5 cm.

Tirages les plus forts. Nombre d'exemplaires 1989. **Quotidiens.** ALL. FÉD. : *Bild Zeitung* 4 360 000 [4]. ANGLETERRE : *Sun* 4 050 000 [3]. CHINE : *Le Quotidien de l'Armée de Libération* 100 000 000 [2]. ÉTATS-UNIS : *Wall Street Journal* 1 990 000 [2]. FRANCE : *Ouest-France* 786 463 ; *Le Figaro* 432 225. Le 1er journal à avoir atteint un million d'ex. fut le *Petit Journal* en 1886 (il coûtait 5 centimes). JAPON : *Yomiuri Shimbun* 14 596 303 (matin 9 847 338, soir 4 748 965), *Asahi Shimbun* [3] 7 643 000. U.R.S.S. : *Trud* 15 400 000 ; *Pravda* 10 700 000 [1], *Komsomolskaïa Pravda* 10 000 000 [1], *Izvestia* 8 600 000 [1].

Périodiques. International. Mensuel *Reader's Digest.* 100 millions de lecteurs, 39 éditions en 15 langues, 28 millions d'acheteurs. Monde (en milliards de $ 1989) : *chiffre d'aff.* 1,8 ; *bénéfice après impôt* 0,21. France (millions de F 1989) *CA* 897 ; *bén.* 82. **Nationaux.** ANGLETERRE : *The News of the World,* journal du dimanche 4 954 000 [3]. FRANCE (diffusion) : hebdo. : *Télé 7 jours* 3 095 704 (no de Noël 1984 : 3 490 000 ex., record absolu) et *Télé Poche* 1 768 511 ; mensuel : *Modes et Travaux* 1 132 461 [3]. JAPON : *Iye ho Hikari* 1 147 000 [3]. U.R.S.S. : *Rabonitza* 13 300 000 [1].

Nota. – (1) 1983. (2) 1985. (3) 1986. (4) 1988.

☞ Voir la liste des principaux quotidiens et périodiques en France, pages 1139 et suivantes.

Agences de presse

Généralités

Nombre. Env. 120 agences nationales dans le monde dont 5 touchent 99,8 % de la population mondiale.

Définition juridique en France (ordonnance du 2-11-1945 et loi du 19-10-70). Organismes privés qui fournissent aux journaux et périodiques des articles, inform., reportages, photos et autres éléments de rédaction, et dont ils tirent leurs principales ressources. Les agences de presse peuvent donc vendre leurs services à d'autres organismes dans la mesure où la majeure partie de leur chiffre d'affaires est réalisée avec la presse. Il leur est interdit de faire « toute forme de publicité en faveur des tiers » et de « fournir gratuitement des éléments de rédaction aux journaux et périodiques ».

Principales agences

• **Agence France-Presse. Siège :** Paris, 13, place de la Bourse, 2e. **Fondée** le 30-9-1944, elle reprit l'Office français d'information, 1941 (42, av. des États-Unis, Clermont-Ferrand), ancien service de nouvelles de l'Agence Havas fondée 1835 par Charles Havas (1785-1858). **Statut** (loi du 10-1-1957 et décret du 9-3-1957) : « organisme autonome doté de la personnalité civile et dont le fonctionnement est assuré suivant les règles commerciales. » **Pt-dir. gén. :** élu par le Conseil d'administration en dehors de ses membres, pour 3 ans (renouvelables), et par 12 voix au moins aux 3 premiers tours. **Pt :** *1954 à avril 75 :* Jean Marin (Yves Morvan, n. 24-2-09 dit). *1975* (13-6) Claude Roussel (n. 7-2-19). *1978* (29-5) Roger Bouzinac (28-7-20). *1979* (8-10) Henri Pigeat (13-11-39). *1987* (22-1) Jean-Louis Guillaud (5-3-29). *1990* (26-1) Claude Moisy (26-6-27). **Conseil d'administration :** 8 représentants des directeurs de quotidiens désignés par leurs organisations (par suite d'un accord entre elles, la Féd. nat. de la Presse franç. en désigne 5 et le Synd. nat. de la Presse quotidienne régionale 3 ; l'un de ces délégués est obligatoirement vice-Pt), 2 pour radio et télévision nommés par le PM (porte-parole du Gouv.), 3 pour services publics usagers de l'agence (1 désigné par le PM, 1 par le min. des Aff. étrangères, 1 par le min. de l'Écon. et des Finances), 2 pour élus du personnel de l'agence (1 journaliste et 1 non-journ.). **Effectifs :** 1 069 journalistes et correspondants permanents + 1 785 pigistes, 111 photographes et corr. permanents + 80 photographes pigistes, 159 cadres et ouvriers de transmission, 290 cadres, employés administratifs et locaux. **Budget** (millions de F) : *Recettes. 85 :* 711. *86 :* 739. *87 :* 769. *88 :* 801. *89 :* 856. *90 :* 905 (prév.). *91 :* 946 (prév.). **Clientèle :** *médias :* 100 agences, 7 000 journaux, 2 500 radios, 400 TV ; *autres :* env. 2 000 (administrations, entreprises, etc.). **Principaux services :** généraux d'actualité par téléscripteurs 24 h sur 24, en 6 langues (fr., angl., espagnol, arabe, portugais, all.), photographique national et internat., écon., sportif, télématique, audio (services texte et sonores), infographie, magazine. **Implantation :** 150 bureaux dans le monde.

• **Agence Reuter. Siège :** Reuters Holding PLC, 85, Fleet Street, EC4P 4A5, Londres (G.-B.). **Bureaux à Paris :** 101, rue Réaumur, 2e. **Fondée** 1851 par Paul-Julius Reuter (All. ; 1816-99, ancien collaborateur d'Havas). **Statut :** cotée à la Bourse de Londres et de New York. **Principaux services aux médias :** nouvelles générales mondiales en 4 langues (angl., all., arabe, espagnol) et photos d'actualité ; **à la communauté financière :** services d'information en temps réel, transactionnels, systèmes de salles de marchés, bases de données historiques spéciales. **Effectifs** (au 31-12-1990) : 10 811 dont 1 312 journalistes à plein temps, dans 78 pays. **Abonnés :** 20 000 utilisant 19 800 terminaux vidéo d'ordinateurs et 4 161 téléscripteurs, dans 158 pays. **Chiffre d'aff.** (1990) : 1,37 milliard de £ (bénéfice avant impôt : 320 millions de £).

• **Associated Press. Siège :** 50, Rockefeller Plaza, New York (U.S.A.). **Bureaux à Paris :** 162, rue du Fg-St-Honoré, 8e. **Fondée** 1848. **Statut :** Sté coopérative sans but lucratif. **Clients :** *U.S.A.* 7 000 stations radio et TV, 1 700 quotidiens ; *étranger* + de 15 000 quot. et radios, *en France,* 43 titres abonnés (75 % de la diffusion nationale) + radios et TV. *Transmet* quotidiennement 17 millions de mots. Services dans 7 langues. **Implantation :** dans tous les pays sauf ceux où la presse occidentale n'est pas tolérée. **Budget** *annuel :* 317 millions de $ (1990). **Effectifs :** 3 030 personnes dont 1 580 journalistes. **Dir. :** Louis D. Boccardi dep. 1985. **Affilié :** AP-Dow Jones, informations économiques et financières en anglais (plus de 2 000 abonnés dans le monde).

• **United Press International. Siège :** 1400, Eye Street N.W., Washington, DC 20005 (U.S.A.). **Bureaux à Paris :** 2, rue des Italiens, 9e. **Créée** mai 1958 (fusion United Press Association fondée 21-6-1907 par E.W. Scripps et International News Service fondé 1909 par le groupe Hearst). Appartenait au groupe Scripps-Howard ; achetée 1982 par Media News Corporation ; rachetée 1986 par Mario Vázquez-Raña, propriétaire du groupe El Sol, Mexico. **Dirigée** dep. le 19-2-1988 par World News Wire Group Inc. cons. d'adm. : Dr Earl Brian ; **Pt-dir. gén. :** Paul Steinle. **Implantation :** 180 bureaux mondiaux. **Effectifs :** 1 130 employés, 7 500 dans le monde (U.S.A. : 2 500 abonnés).

• **Agence Tass (Telegrafnoe agentstvo sovietskogo soïouza). Siège :** Tverskoï bulvar 10, Moscou (U.R.S.S.). **Bureau à Paris :** 27, av. Bosquet, 7e. **Fondée** 1-12-1917. **Dir. gén. :** Lev Spiridonov. **Clients :** *U.R.S.S.* 4 000 journaux, télévision et radio, *étrangers :* 1 300. **Implantation :** dans 115 pays en russe, français, anglais, espagnol, portugais, arabe et allemand.

Quelques autres agences

Albanie. *Agence télégr. alb. (A.T.A.).* **Algérie.** *Algérie Presse Service (A.P.S.).* **Allemagne démocratique** (Berlin). *Allgemeiner Deutscher Nachrichtendienst (A.D.N.).* **Allemagne fédérale** (Hambourg). *Deutsche Presse Agentur (D.P.A.), Bonn Deutscher Depeschen Dienst GmbH (D.D.P.), Vereinigte Wirtschaftsdienste (vwd, Eschborn).* **Autriche.** *Austria Presse Agentur (A.P.A.).* **Belgique.** *Agence Belga. Agence Day. Centre d'information de Presse (C.I.P.).* **Bulgarie.** *Bulgarska Telegrama Agentzia (B.T.A.).* **Chine.** *Chine nouvelle.* **Danemark.** *Ritzaus Bureau (R.B.).* **Espagne.** *Agencia Efe. Agencia Mencheta* (inf. sportives principalement). *Agencia Logos* (inf. catholiques, accord avec la Radio du Vatican). *Central Prensa. Colpisa. Europa Prensa. Euskadi Prensa. Iberia Prensa. Multiprensa.* **États-Unis.** *Central News of America* (New York). *Central Press Association* (Cleveland). *Dow Jones and Co. Inc.* (New York), publie 3 journaux. *Jewish Telegraphic Agency Inc.* (New York). *Newspaper Enterprise Association Inc.* (Cleveland). *North America Newspaper Alliance* (New York). **Finlande.** *Oy Suomen Tietotoimisto (S.T.T.).* **France.** *Agence centrale de Presse-Communication* (ACP-C), *créée* 1990, rachetée ACP [fondée 1951 à l'initiative du *Provençal* de Gaston Defferre et de *Nord-Matin* (socialiste), *1986 :* rachetée (à 66,8 %) par Maxwell ; rachète A.P.E.I. Opéra Mundi. *1989-15-11* dépose le bilan, *1990-29-3* mise en liquidation (passif 105 millions de F pour actif de 20)] ; capital Telpresse 51 %, Maxwell 34 %, Socoma 15 %. *Pt :* René Tendron.

Principaux services. 6 fils d'information : informations générales, économie/finances/social, manager, entreprises/affaires, collectivités Europe. *Agence générale d'informations* (f. 1980, succède à l'ag. Aigles f. 1967). *Agra Presse. Presse Service. Sté générale de Presse. Agence Libération* (f. juin 1971 par M. Clavel et J.-P. Sartre). **Grande-Bretagne.** *Press Association (P.A.). Exchange Telegraph Company (EXTEL).* **Grèce.** *Agence d'Athènes (A.A.).* **Hongrie.** *Magyar Tavirati Iroda (M.T.I.).* **Israël.** *Agency of Associated Israeli Press. Jewish Telegraphic Agency. Mednews Agency. World Zionist Organization Press Service.* **Italie.** *Agenzia Nationale Stampa Associata (A.N.S.A.).* **Japon.** *Kyoto News Service. Jiji Press Service.* **Maroc.** *Maghreb Arabe Presse (M.A.P.).* **Norvège.** *Norsk Telegrambyraa. Norsk Presse Service A/5.* **Pays-Bas.** *Algemeen Nederlandsch Press-bureau (A.N.P.).* **Pologne.** *Polska Agencia Prasowa (P.A.P.). Polska Agencja Interpress.* **Portugal.** *Agencia Noticiosa Portuguesa (A.N.O.P.). A. Europeia de Impresa Lda (A.E.I.). A. Literaria Imprensa e Promoções Lda. A. de Representações Dias da Sila Lda (A.O.S.). A. universal de Impresa Lda (Unipress).* **Roumanie.** *Agerpress.* **Suède.** *Tidningarnas Telegrambyra (T.T.). Svenska Nyketsbyran Svensk. Internationella Pressbyran (S.I.P.).* **Suisse.** *Agence télégraphique suisse (A.T.S.).* **Tchécoslovaquie.** *Ceskoslovenska Tiskova Kancelar (C.T.K.).* **Tunisie.** *Tunis Afrique Presse (T.A.P.).* **Turquie.** *Anadolu Ajansi* (*A.A.* ; f. 1920 ; 200 abonnés, utilise turc, anglais, français). *Akdeniz Haber Ajansi (Akajans). Ankara Ajansi (A.N.K.A.). Türk Haberler Ajansi (T.H.A.). Hürriyet Haber Ajansi (H.H.A.).* **U.R.S.S.** *Agentstvo Petchati Novosti (A.P.N.* ; f. 1961). **Vatican.** *Agence Fides.* **Yougoslavie.** *Tanyug (Telegrafska Agencija Nova Yugoslavija),* Belgrade. *UPA (Ujesnikova Press Agencija),* Zagreb.

Agences de photos françaises

Gamma. *Fondée* 1967. *Pt :* Jean Monteux. 40 photographes exclusifs, 1 500 collaborateurs. *Diffusion* dans 50 pays. *Ventes* à l'étranger : 60 %. *C.A. 1990 :* 90 millions de F.

Magnum. *Fondée* 1947 par Henri Cartier-Bresson, Robert Capa, George Rodger, David Seymour. Coopérative internat. (38 membres propriétaires). *Bureaux :* Paris, New York, Londres, Tōkyō. 14 agents à l'étranger. *C.A. 1988 :* 10 000 000 F.

Sipa Press. *Fondée* 1973 par Goksin Sipahioglu. *Bureaux :* Paris, New York, Los Angeles, Istanbul. 45 représentants dans le monde. 45 photographes à Paris, 3 200 correspondants à l'étranger. *C.A. 1989:* 65 000 000 F dont 60 % à l'export.

Sygma. *Fondée* 1973 par Hubert Henrotte (16-6-1934). Rachetée 1990 (à 51 %) par Oros Communication. 50 photographes exclusifs et 150 correspondants. *Bureaux :* New York, Los Angeles, Londres. *C.A. 1990 :* 109 millions de F (dont 60 % à l'exportation).

Presse étrangère

Légende. – Date de fondation, tirage en milliers d'exemplaires. Quot. : quotidien ; hebdo. : hebdomadaire ; bimens. : bimensuel.

Afrique du Sud

• **Groupes.** *Argus :* The Star, The Daily News, The Argus, Diamond Field Advertizer. *Quot. :* Kimbuley, Natal Mercury, Pretoria News, Sunday Tribune, Post, Ilanga. *Times Media :* Business Day, The Cape Times, Sunday Times, Financial Mail (majorité dans : Eastern Province Herald, Evening Post, Week-End Post). *Quot. indépendants :* Daily Dispatch, Natal Witness.

• **Quot.** *Star* (1887) 221. *Business Day* (1985) 32. *Argus* (1857) 103. *Daily News* (1878) 98. *Die Burger* (1915) 75. *Cape Times* (1876) 59.

• **Hebdo.** *Sunday Times* 521. *Rapport* 362. *Huisgenoot* (fondé 1802) 517. *Sunday Tribune* 127. *W/E Argus* 103.

Albanie

• **Quot. Tirana :** *Zeri i Popullit* (La Voix du Peuple) (1942) 105. *Bashkimi* (Unité) (1943) 30.

Algérie

• **Quot. Alger :** *El Moudjahid* [2] (1962) 367. *El Chaab* [1] (1962) 80. *Horizons 200* [2] (1985). *El Massa* [1] 45 (1985). **Constantine :** *El-Nasr* [1] (1963) 60. **Oran :** *El Djoumhouria* [1] (1963) 20.

• **Hebdo. Alger :** *Algérie-Actualité* [2] (1965) 235. *Révolution africaine* [2] 50. *El-Asr* [1] (1980) 21. *Révolution et Travail* [1,2] 10. *El-Moudjahid* [1]. *L'Unité* [1]. *El-Mountakhab* [1] 120 (1986). *Ethaoura oua El Fellah* [1]. *Adhwa* (1983). **Constantine :** *El-Hadef* [2] 225. *El-Hadef Week-end* (1989).

• **Mens. Alger :** *Alouane* [1] 84. *Amal* [1] 24. *El Djazair-Réalités* [1,2]. *AfricSport* [2] (1985). *Afric/Eco* [2] (1985). *Actualité-Économie* [2] (1986). *Ethakafa* [1]. *1er Novembre* [1,2]. *Al Açala* [1]. *Parcours* [1,2] (1986). *Économie* [1,2]. *El Djazairia* [1]. *Tribune du petit commerçant et artisan* [1,2] (1987). *Développement et Wilayate* [1,2]. *Culture et Société* [1,2]. *Politique Internationale.*

Nota. – (1) En arabe. (2) En français.

Allemagne démocratique (RDA)

• **Quot.** (tirage vendu, 1989) : **Berlin :** *Junge Welt* (1947) 1 500. *Neues Deutschland* (1946) 1 102. *Berliner Zeitung* (1945) 439. *Tribüne* (1945) 414. *BZ am Abend* (1949) 205. *Deutsches Sportecho* (1947) 185. *Neue Zeit* (1945) 114. *Bauern-Echo* (1948) 94. *Der Morgen* (1945) 63. *National-Zeitung* (neu : *Berliner Allgemeine*) (1948) 56. **Cottbus :** *Lausitzer Rundschau* (1951) 293. **Dresde :** *Sächsische Zeitung* (1945) 569. *Sächsisches Tageblatt* (1946) 66. *Union* (1945) 64. *Sächsische Neueste Nachrichten* (1950) 29. **Erfurt :** *Das Volk* (neu : *Thüringische Allegemeine*) (1946) 404. *Thüringische Landeszeitung* (1945) 68. *Thüringische Neueste Nachrichten* (1951) 33. *Thüringer Tagesblatt* (1945) 32. **Francfort-sur-l'Oder :** *Neuer Tag* (1946) 239. **Gera :** *Volkswacht* (neu : *Ostthüringische Nachrichten*) (1946) 239. **Halle :** *Freiheit* (1946) 590. **Karl-Marx-Stadt :** *Freie Presse* (1963) 664. **Leipzig :** *Leipziger Volkszeitung* (1894) 484. *Mitteldeutsche Neueste Nachrichten* (1951) 22. **Magdebourg :** *Volksstimme* (1946) 454. **Neubrandenbourg :** *Freie Erde* (1945) 204. **Potsdam :** *Märkische Volksstimme* (1890) 351. *Brandenburgische Neueste Nachrichten* (1951) 23. *Märkische Union* (1945) 4. **Rostock :** *Ostsee-Zeitung* (1952) 295. *Norddeutsche Neueste Nachrichten* (1954) 40. *Der Demokrat* (1945) 18. **Schwerin :** *Schweriner Volkszeitung* (1946) 203. *Norddeutsche Zeitung* (1946) 23. **Suhl :** *Freies Wort* (1945) 179.

• **Hebdo. Berlin :** *FF-Dabei* (1969) 1 484. *Wochenpost* (1954) 1 243. *Für Dich* (1963) 939. *NBI-Die Zeit im Bild* (1945) 796. *Eulenspiegel* (1954) 496. *Freie Welt* (1954) 363. *Neue Deutsche Bauernzeitung* (1958) 225. *Horizont* (1968) 130. *Die Wirtschaft* (1946) 25.

• **Mens. Berlin :** *Das Magazin* (1954) 569. *Neues Leben* (1952) 560. *Armee-Rundschau* (1956) 342.

Allemagne fédérale (RFA)

Données globales. Quotidiens 395 (24,7 millions d'ex.), 48 journaux le 7e jour (1,9 million d'ex.), 1 131 périodiques dont 356 magazines (95,3 millions d'ex.).

• **Groupes. Axel Springer Verlag AG** (*fondé* par Axel Springer 1912/22-9-1985). *Chiffre d'affaires* (en milliards de DM) *1990 :* + de 3 (bénéfices : 0,065). *6 quot. :* Die Welt, Hamburger Abendblatt, Bild, Berliner Morgenpost, Elmshorner Nachrichten, Bergedorfer Zeitung, Berliner Zeitung. *2j. du dimanche :* Die Welt am Sonntag, Bild am Sonntag. *Plusieurs mag. :* Hörzu, Funk Uhr, Journal für die Frau, Bild der Frau, Bildwoche, Auto-Bild, Sport Bild. *Maisons d'édition :* Ullstein Langen Müller.

Süddeutscher Verlag (Dir. Martin Stahel, Dr G. Braun, Manfred Winterbach), Süddeutsche Zeitung 380.

Jahreszeiten-Verlag GmbH (Inn. Thomas Ganske), Für Sie, Für Sie Spezial, Petra, Zuhause, Vital, Selber Machen, Architektur + Wohnen, Feinschmecker, Schöner Reisen, Tempo.

Heinrich Bauer Verlag (Inn. Heinz Bauer), TV Hören und Sehen, Neue Revue, Neue Post, Das Neue Blatt, Praline, Quick, Bravo, Fernsehwoche, Tina, Playboy, Wochenend, Bella, Neue Mode, Mikado, Auto Zeitung, Selbst ist der Mann, Motorrad Reisen Sport, Das Neue, Chancen, Kreative Frau, Kochen + Geniessen, Maxi, Auf einen Blick, Wohnidee.

Burda GmbH. *Fondé* par Franz Burda (1903-86), Dr Hubert Burda (n. 1940) ; Bunte, Bild + Funk, Freizeit Revue, Glücks Revue, Freundin, Das Haus, Meine Familie + Ich, Mein Schöner Garten, Pan, Ambiente. Elle, Holiday, Jupiter, Forbes, Elle Décoration, Super Illu, Super TV.

Edition Aenna Burda. Burda Moden, Carina, Anna, Verena.

Gruner + Jahr AG & Co KG (Inn. Bertelsmann AG, Constanze-Verlag, GmbH & Co.), Stern, Geo, Art, Brigitte, Schöner Wohnen, Häuser, Capital, Impulse, Essen + Trinken, YPS, Eltern, Prima, Flora, Sports, Schöner essen, P.M., Hamburger Morgenpost, Viva, Frau im Spiegel, Sandra. *Chiffre d'affaires* (en milliards de marks) *1987-88 :* 2,75 dont 1,49 hors d'All.

Bertelsmann. Groupe détenu en mars 1986 à 98 % par la famille Mohn. 1er groupe médiatique europ. *Chiffre d'affaires* (en milliards de marks) *1983-84 :* 6,72, *87-88 :* 11,32 dont 7,63 hors d'All. *Bénéfices : 1986 :* 0,33 (dont en %, All. 40, U.S.A. 30, Europe 28, Amér. lat. 2) dont presse 31, club livres et disques 28,4, imprimerie 20, édition 13,3, vidéo musique 7,3. *Chiffre d'affaires édition :* 1,14 ; *imprimerie-industrie :* 1,56 ; *filiale magazine Gruner und Jahr :* 2,35. *Filiale en France :* Prisma Presse (Géo, Prima, Ça m'intéresse, Femme actuelle, Télé-Loisirs, Voici, Partance, Guide cuisine actuelle). *Contrôle aux U.S.A. :* R.C.A. Records, Doubleday, Bantam Books. Voir Index.

• **Quot.** (tirage vendu, 1989). **Augsbourg :** *Augsburger Allgemeine* (1945) 358. **Berlin :** *B.Z.* (1877) 293, *Berliner Morgenpost* (1898) 188. **Bonn :** *Die Welt* (1946) 222. **Cologne :** *Kölner Express* (1964) 312, *Kölner Stadt-Anzeiger* (1876) 283. **Dortmund :** *Ruhr-Nachrichten* (1949) 222. **Düsseldorf :** *Rheinische Post* (1946) 391, *Express* 122. **Essen :** *Westfälische Nachrichten/Zeno Zeitungen* 216. **Francfort/Main :** *Frankfurter Allgemeine Zeitung* (1949) 361, *Frankfurter Rundschau* 195. **Hambourg :** *Hamburger Abendblatt* (1948) 297, *Bild* (1952) 4 328, *Hamburger Morgenpost Hamburg* 158. **Hanovre :** *Hannoversche Allgemeine Zeitung* (1949) 510. **Ludwigshafen :** *Die Rheinpfalz* (1945) 248. **Munich :** *Süddeutsche Zeitung* (1945) 380. *Abendzeitung* (1948) 250. *Münchener Merkur* (1946-69) 354. **Nuremberg :** *Nürnberger Nachrichten* (1945) 346. **Stuttgart :** *Stuttgarter Zeitung* (1945) et *Stuttgarter Nachrichten* 225.

• **Hebdo.** (tirage vendu, avril 1989). **Hambourg :** *Die Zeit* (1946) 495. *Welt am Sonntag* (1948) 368. **Stuttgart :** *Sonntag Aktuel* (1984) 877.

• **Périodiques** (tirage vendu, avril 1988). *ADAC Motorwelt* 8 814, *Hör zu* 3 149, *Hören und Sehen* 2 567, *Das Haus* 2 517, *Fernsehwoche* 2 329, *Bild am Sonntag* 2 215, *Funk Uhr* 2 003, *Neue Post* 1 646, *Tina* 1 530, *Freizeit Revue* 1 404, *Stern* 1 349, *Das Beste* 1 327, *Burda Moden* 1 254, *Das Neue Blatt* 1 160, *Brigitte* 1 064, *Gong* 1 033, *Neue Revue* 1 008, *Bunte* 1 006, *Bravo* 1 004, *Bild und Funk* 997, *Der Spiegel* (f. 1946 par Rudolf Augstein) 965, *Bildwoche* 963, *Frau im Spiegel* 802, *Für Sie* 785, *Freundin* 784, *Meine Familie und Ich* 772, *Quick* 754, *Praline* 733, *Die Aktuelle* 685, *Wochenend* 573, *Eltern* 542, *Bella* 536, *Neue Mode* 356, *Das Neue* 533, *Geo* 532, *ACE Lenkrad* 502, *Goldene Blatt* 489, *Sport* 472, *Carina* 457, *Petra* 455, *Journal für die Frau* 441, *Wohnen* 353, *Frau im Leben* 317, *Echo der Frau* 302, *Frau Aktuel* 301, *Weltbild* 292, *Penthouse* 272, *Motor & Reiser* 259, *Essen & Trinken* 246, *Lui* 187, *7 Tage* 184, *Frau mit Herz* 171, *Gute Fahrt* 153.

Autriche

Source : Verband österreichischer Zeitungsherausgeber und Zeitungsverleger, 1 010 Wien, Schreyvogelgasse 3.

☞ *En 1990 :* 16 quotidiens (2,7 millions d'ex.).

• **Groupes.** Bohmann Verlag, Mediaprint, Niederösterreichisches Pressehaus, Österreichischer Agrarverlag, Österreichischer Wirtschaftsverlag, « Styria » Steirische Verlagsanstalt.

• **Quot. Vienne :** *Neue Kronen-Zeitung* (1900, ind.) 1 060, *Kurier* (1954, ind.) 440, *Neue AZ* (1889, ind.) 101, *Die Presse* (1848, ind.) 76, *Der Standard* (1988, ind.) 96, *Wiener Zeitung* (1703, ind.) 26. **Graz :** *Kleine Zeitung* (1904, ind.) 272, *Neue Zeit* (1945, ind.) 71. **Salzburg :** *Salzburger Nachrichten* (1945, ind.) 96. **Linz :** *Oberösterreichische Nachrichten* (1865, ind.) 114. **Innsbruck :** *Tiroler Tageszeitung* (1945, ind.)

102. **Bregenz :** *Vorarlberger Nachrichten* (1945, ind.) 74. **Klagenfurt :** *Kärntner Tageszeitung* (1945, soc.) 57.

Belgique

Source : Assoc. belge des éditeurs de journaux (20, rue Belliard, bte 5, 1040 Bruxelles).

☞ *En 1989 :* 22 entreprises de presse, 35 titres de journaux (dont édités en français 19, néerlandais 15, allemand 1). *Tirage total quot.* (1989) : 2 221 (dont quot. authentifiés par le C.I.M. 2 034, non authentifiés par le C.I.M. 87). *Investissements publicitaires dans les quot. belges :* 9 142 millions de FB (1989). *Chiffre d'aff. des entreprises de presse quotidienne :* 21 872 millions de FB (1989).

Journaux gratuits. *Principaux groupes :* Rossel (a racheté Vlan groupe de presse gratuite en 1981) ; Roularta. *Titres :* 463. *Exemplaires :* hebdo. 15 500 000, bimensuels 2 600 000, mensuels 585 000.

• Titres (1991). **Anvers :** *De Antwerpse Morgen, Gazet Van Antwerpen* (f. 1891), *De Lloyd/Le Lloyd, De Nieuwe Gazet, De Financieel Ekonomische Tijd.* **Arlon :** *L'Avenir du Luxembourg.* **Bruxelles :** *La Dernière Heure* (f. 1906, par Maurice Brébart) / *Les Sports, L'Écho, Het Laatste Nieuws* (f. 1888, par Julius Hoste), *La Lanterne* (f. 1944), *La Libre Belgique* (f. 1884), *Libertés* (f. 1991), *De Morgen, De Nieuwe Gids, Le Soir* (f. 1878), *De Standaard/Het Nieuwsblad.* **Charleroi :** *La Nouvelle Gazette* (f. 1887, par E. Rossel), *Le Rappel, Le Journal* (f. 1838) *et Indépendance, Le Peuple.* **Eupen :** *Grenz-Echo.* **Gand :** *De Gentenaar, Het Volk* (f. 1891), *Vooruit.* **Hasselt :** *Het Belang van Limburg.* **Liège :** *La Libre Belgique/Gazette de Liège, La Meuse, La Wallonie* (f. 1903). **Malines :** *Gazet van Mechelen.* **Namur :** *Vers l'Avenir.* **Tournai :** *Le Courrier de l'Escaut.* **Verviers :** *Le Jour-Le Courrier.*

• Tirage des principaux groupes (1990). *De Standaard + Het Nieuwsblad + De Gentenaar* 378. *Het Laatste Nieuws + De Nieuwe Gazet* 288,5. *Le Soir* 198. *La Meuse + La Lanterne* 132. *La Nouvelle Gazette + La Province* 111. *Het Volk + De Nieuwe Gids* 187. *Gazet van Antwerpen + Gazet van Mechelen* 191. *La Dernière Heure/Les Sports* 97. *La Libre Belgique/Gazette de Liège* 89. *Vers l'Avenir + Le Courrier-Le Jour + Le Courrier de l'Escaut + L'Avenir du Luxembourg + Le Rappel* 150. *Het Belang van Limburg* 106. *De Morgen + De Antwerpse Morgen + Vooruit* 46. *La Wallonie* 48 [1]. *Le Peuple + Le Journal et Indépendance* 19. *L'Écho. De Financieel Ekonomische Tijd* 38. *Grenz-Echo* 13 [1]. *De Lloyd/Le Lloyd* 10 [1]. *Libertés* 15 [1].

• Hebdo. (tirage). **Flamands :** *Blik* 140 [2], *Dag Allemaal/Zondagnieuws* 311 [2], *Kerk en Leven* 765, *Libelle* 197 [1], *De Bond* 339 [2], *T.V.-Story* 195, *Humo* 261, *TV Ekspres / TV Strip Zie Magazine* 183, *Flair* (fl.) 204, *Sport 90 magazine* 75, *Zondagsblad* 74, *Knack* 127, *Het Beste uit Reader's Digest* 84 [2], *De Post/Panorama* 109 [1], *Teveblad* 239, *Het Wekelijks Nieuws* 56 [1,2] *De Krant van West-Vlaanderen* 120 000 [1,2], *Het Vrije Waasland* 21 [1,2], *De Voorpost* 23 [1,2], *De Rode Vaan* 3 [1,2], *Vlaams Weekblad* 39 [1,2], *Trends/Tendances* 63, *Jœpie* 127, *Kwik* 77, *T.V. GDS* 108 [1]. **Francophones :** *Dimanche* 440, *Télémoustique* 216, *Femmes d'Aujourd'hui* 153 [1], *Le Ligueur* 136 [2]. *Sélection du Reader's Digest* 111 [2], *Le Soir illustré* 103, *Télépro* 167, *L'Instant* (lancé 6-9-90) 55, *L'Événement* 30 [1,2], *Le Marché / De Markt* 32 [1], *Dimanche-Presse* 10 [1], *Le Courrier* 15 [1,2], *La Semaine d'Anvers* 40 [1,2], *Le Courrier de Gand* 19 [1,2], *Le Courrier du Littoral et de Bruges* 13 [1,2], *Le Vif/L'Express/Pourquoi Pas ?* 104 [1], *La Cité* 16,5 [1,2], *Flair* 76, *L'Hebdo au féminin* 70 [2].

Nota. – (1) Tirage non contrôlé. (2) 1989.

Brésil

• Quot. (1989). *O Globo* (f. 1925) *287, O Estado de São Paulo* (f. 1875) 242, *O Dia* 208, *Jornal do Brasil* (f. 1891) 169, *Zero Hora* 124, *Jornal da Tarde* 105, *A Tarde* 74, *Diário de Pernambuco* 40, *Correio Braziliense* 32, *Folha de São Paulo.* **Périodiques.** *Veja* 779, *Playboy* 408, *Cláudia* 419, *Desfile* 109, *Visão* 111, *Manchete* 149, *Istoé Senhor, Jornal do Jornalista* 30.

Bulgarie

• Sofia : *Douma* (Parole, successeur de Rabotnichesko Delo, Œuvre ouvrière 1927, dep. le 4-4-1990) 800. *Otetchestven Vestnik* (Journal de la Patrie, successeur de Otetchestven Front, Front de la Patrie 1942, dep. 9-6-1990) 200. *Troud* (Travail 1946) 300. *Vetcherni Novini* (Informations du soir 1951) 111. *Mladezh* (Jeunesse, successeur de Narodna Mladezh 1944, dep. 23-5-1990) 140. *Zemya* (Terre, successeur de Kooperativno Selo 1951, dep. 1-8-1990) 248. *Zemedelsko Zmane* (Drapeau agrarien 1902) 180. *Narodna Armia* (Armée populaire 1944) 50. *Demokratzia* (Démocratie 1990, n° 1 le 12-2-1990). *Svoboden Narod* (Peuple libre 1990, n° 1 le 1-2-1990). 45 (hebd.), 68 (quot.).

Canada

☞ 109 quotidiens (tirage total 5 825).

• Quot. de langue française. Tirage moyen de la semaine sauf samedis (en milliers) et, entre parenthèses, tir. du dimanche (période de 6 mois finissant le 30-9-1990). *Quebecor Inc. :* Le Journal de Montréal (f. 1964) 303 (322), Le Journal de Québec 106 (98), Winnipeg Sun, Manitoba 50 (56), Sherbrooke Record, Quebec 6. *Les Publications J.T.C. INC. :* La Voix de l'Est, Granby 16, La Presse 199 (184), La Tribune (Sherbrooke) 38, Le Nouvelliste, Trois Rivières 52 [2]. *Unimedia INC. :* Le Quotidien du Saguenay 34 [1], Le Soleil (Québec) 108 (93), Le Droit (Ottawa) 34.

Indépendants. Le Devoir (Montréal) 26, L'Acadie nouvelle 14.

• Quot. de langue anglaise. Tirage moyen de la semaine sauf samedis (en milliers) et, entre parenthèses, tir. du dimanche (période de 6 mois finissant le 30-9-1990). *Armadale Cie Ltd :* The Leader-Post 74 [1], The Star-Phoenix 64 [2]. *Irving Newspapers :* The Daily Gleaner 29, The Times-Transcript 43, The Telegraph-Journal 31, The Evening Times-Globe 33. *Sterling Publications :* Summerside Journal-Pioneer 12. *The Sun Publishing Corporation :* The Toronto Sun 287 (463), The Calgary Sun 71 (100), The Edmonton Sun 85 (125), The Ottawa Sun 36 (41), The Financial Post 90 [4]. *Southam Newspapers INC. :* The Gazette (Montréal) 175 (161), The Hamilton Spectator, Ontario 115 [2], The Ottawa Citizen 180 (160), Calgary Herald 129 [3] (118), Edmonton Journal 162 [3] (152), The Province (f. 1898) 184 (227), The Sun (f. 1886) 242 [1], Whig-Standard, Kingston (Ontario) 36 [2]. *Thomson Newspapers :* The Globe and Mail (Toronto) (f. 1844) 331 [1], Winnipeg Free Press 161 (147). *Times Colonist* 82. *The St. Catharines Standard Ltd :* The Standard, St. Catharines (Ontario) 43.

Indépendants. The Chronicle-Herald 88, The Mail-Star, Halifax 55 [2], The London Free Press (Ontario) 125, The Toronto Star (f. 1892) 510 (531), The Daily News, Halifax 24 (34).

Nota. – (1) Tirage moyen 1989. (2) Du lundi au samedi. (3) Lundi, jeudi, samedi. (4) Du mardi au vendredi.

Périodiques. En milliers (période de 6 mois finissant le 31-12-1990). Reader's Digest (can., angl.) 1 290, Chatelaine (angl.) 921,5, T.V. Guide (angl.) 816, Maclean's 599, Leisure Ways 577 [1], Canadian Living 573, Legion Magazine 543 [1], Selection du Reader's Digest (can., fr.) 319, Time (can.) 357, Châtelaine (fr.) 218, Canadian Churchman (fr.) 273 [1], T.V. Guide (fr.) 269 [1], l'Actualité 241.

Nota. – (1) 1986.

Chine

• Quot. **Pékin :** *Renmin Ribao* (Quot. du Peuple) (f. 1948) 5 000. *Jiefangjun Bao* (Quot. de l'armée de libération) (f. 1955) 2 300. *Guangming Ribao* (Clarté) (f. 1949) 1 000. *Gongren Ribao* (Quot. ouvrier) (f. 1949) 1 700. *Beijing Ribao* (Quot. de Pékin) (f. 1952) 600. *Beijing Wan Bao* (Quot. du soir de Pékin) (f. 1958) 500. **Trihebdo :** *Zhongguo Qingnian Bao* (Journal de la jeunesse ch.) (f. 1951) 3 000.

Danemark

• **Copenhague** (tirage contrôlé, février 1991) : *Ekstra Bladet* (1905, libéral) 214 (196 dim.). *B.T.* (1916, ind.-conservateur) 193 (216 dim.). *Politiken* (1884, libéral) 150 (196 dim.). *Berlingske Tidende* (1749, ind.-conservateur) 129 (181 dim.).

Égypte

• Quot. **Le Caire :** *Al Ahram* (1875, ind.) 1 000. *Al Ahram International* (1984). *Al Ahram soir. Al Akhbar* (1952, ind.) 748. *Al Gomhouria* (La République) (1953) 650. *Le Journal d'Égypte* (1950, français) 72. *Pho* (1896) 20. *Le Progrès égyptien* (1890, français) 19. *The Egyptian Gazette* (1880) 32. *Misr* (1977, parti socialiste arabe). *Al Missa* 105. *Maya* (parti national démocratique) 350. *Al Wafd* (parti Wafd).

• Hebdo. *Akhbar el-Yom* 1 032. *Al Mussawar* 162. *October Akher Saa* 250. *Al Kawakeb* (cinéma) 38. *Al Ahrar* (parti libéral socialiste-opposition droite). *Al Ahali* (Rassemblement). *Mayo* (parti nat.-démocrate). *Al Ahram al-Iqtisadi* 35. *Al Shaab, Al Nour* (islamique). *Al Liwa Al Islami* (islam.). *Al Minbar* (islam.). *Al Ahram Weekly* (en anglais).

• Mensuels. *Al Doctor* 30. *Al Difaa* (défense). *Al Siyassa Al Dawliya* (géopolit.). *Computer & Electron. Al Megalla al Ziraia* (agric.). *Al Shabab wa Ouloum al Mustakbal* (jeunesse). *Fosoul* (littér.). *Ibdaa* (littér.). *Alam al Kotob* (littér.).

Espagne

• Groupes. **Zeta :** Periodico Catala, Gaceta de Negocios [1], Tiempo [2], Panorama [2], Interviu [2], Man [3], Cuadrifoglio [3], Ronda Iberia [3], Novedades [3], Tiempo de Viajar [3], Conocer [3], Penthouse [3], Primera Linea [3], Estar Mejor [3], Ardi [3], Visa Oro [3]. **Prisa** (f. 1976) : *(C.A. 1989 :* env. 2 milliards de F ; bénéfice 1990 avant impôt 0,43). El Pais [1], Edipais, Progresa, Estructura, Cinco Dias [1], Revista Mercado [3], Distasa, S.E.R., Canal Plus, Sogetel. **Grupo 16 :** Diario 16 [1], Cambio 16 [2], Motor 16 [2], Historia 16 [3], Gran Auto 16 [3], Marie Claire 16 [3], Gentes y Viajes [3]. **Prensa :** ABC ; Claro (50 % ; Springer 50 %).

Nota. – (1) Quotidien. (2) Hebdo. (3) Mensuel.

• Quot. (diffusion moy. nat. et internat. en milliers d'ex. 1990). **Madrid :** *El Pais* (1976) 376 (852 jour férié). *Ya* (1935, ind. cath. droite) 75. *A.B.C.* (1905, mon., cath., ind.) 280 (547 j. f.). *As* (1967, sport) 157. *Diario-16* (1976, dr. lib.) 140 (177 j. f.). *Marca* 144. El Sol (1990) 250. *Claro* (prév. 1991) 600. **Barcelone :** *La Vanguardia* (1881, dr. lib., ind.) 211 (345 j. f.). *El Periódico* (1978) 172 (357). *Avui* (1976, cath. ind.) 37. *El Correo Catalán* (1876, dr. ind.) 30 (1984). *El Mundo Deportivo* (1904, sports) 55. *Sport* (1979) 50. **Bilbao :** *El Correo español-El Pueblo vasco* (1937, droite) 123. *Deia* (cons.) 50. *La Gaceta del Norte* (1901, ind.) 4.

• **La Corogne :** *La Voz de Galicia* 82. **Navarre :** *Diario de Navarra* 43. **Oviedo :** *La Nueva España* (1937) 36. **Saragosse :** *Heraldo de Aragon* 49. **Saint-Sébastien :** *El Diario Vasco* 81. *Egin* 40. **Valence :** *Las Provincias* 57.

• Hebdo. (1987-88). *Pronto* 924. *Teleprograma* 727. *Hola* 583. *Clan TV* 445. *Lecturas* 390. *Diez Minutos* 377. *Semana* (1942) 341. *Interviu* (1976) 235. *Mia* 176. *Tiempo* 156. *Cambio 16* 110.

• Mensuels (1987-88). *Reviste Cruz Roja* 320. *Muy interesante* 217. *Natura* 67. *Ronda Iberia* 189. *Commercio y Industria* 145. *Nuevo Estilo* 143. *Greca* 125. *Ser Padres* 104. *Labores del Hogar* 100. *El Europeo* 25.

• Bimens. *Super Pop* 242. *Villa de Madrid* 149.

États-Unis

Source : Audit Bureau of Circulations.

☞ *Nombre de quotidiens : 1945 :* 1 749, *86 :* 1 657 (62,5 millions d'ex., 268 ex. pour 1 000 h.). 45 grandes villes (689 en 1910) ont plusieurs quot., ex : New York en a 3 traditionnels + des quot. de quartier atteignant parfois de gros tirages.

• Groupes (chiffre d'aff. en milliards de $). **News Corporation** (Pt Rupert Murdoch). C. A. 1984 : 2,1. *U.S.A. :* The New York Post, The Chicago-Sun Times, The Boston Liberal, Daily, New York Magazine, Star, New Woman, European Travel and Life, 7 stations de télévision, Twentieth Century Fox (maison d'édition), Groupe Triangle (T.V. Guide, Seventeen Magazine, Daily Racing Form), Harperand Row. *G.-B. :* voir News Group. En mai 91, vend 9 titres 0,65 md $ à K III Holdings. *Australie :* 14 journaux, dont The Australian, possède 4 maisons d'édition, Herald and Weekly Times. **Newhouse Newspapers Group.** New York (Pt Samuel Newhouse), possède 20 journaux dont le New Yorker (dep. mars 1985). **Time Inc.** New York (Pt James A. Linen) (familles Luce et Temple) : Time éd. des U.S.A., Sports Illustrated, Fortune, Money, People, Washington Star, T.V., câble, électronique, (*C.A.* : 2,8). **Gannett :** 85 quotidiens rég., dont U.S.A. Today, 12 hebdo., 6 stations de télé., 16 radios, Institut de sondage Louis Harris, (*C.A.* : 2). **Dow Jones** (*C.A.* : 1,7), Wall Street Journal. **Knight-Ridder** (*C.A.* : 1,6), 27 quot. dont Miami Herald, Philadelphia Inquirer. **New York Times** (*C.A.* : 1,2), 21 quot. 15 magazines dont *Family Circle*. **Times Mirror** (*C.A.* : 2,7). **Los Angeles Times, Newsday,** cinéma, audiovisuel. **Washington Post** (*C.A.* : 0,9). **Newsweek** livres, édition, audiovisuel, électronique. **Reader's Digest** (*C.A.* : 1,8).

• Quot. Tirage moyen de la semaine sauf samedis (en milliers) et, entre parenthèses, tir. du dimanche (période de 6 mois finissant le 30-9-1990). **New York :** *Wall Street Journal* (f. 1889) 1 857. *Daily News* (1947 : 4 500) 1 098. *N.Y. Times* (f. 1851) 1 108 (1 687). *N.Y. Post* (f. 1801) 510 (358) (pertes annuelles 27 millions de $). *N.Y. News Wars.* **Chicago :** *Tribune* (f. 1847) 721 (1 102). *Sun Times* 527 (548). **Boston :** *Globe* 521 (792). *Herald* 359 (239). *Christian Science Monitor* (f. 1908 par Mary Baker Eddy, scientiste) 104. **Detroit** *News* 690. *Free Press* 626. **Los Angeles :** *Times* (f. 1881) 1 196 (1 518). *L.A. Herald Examiner* (créé 1962, fusion L.A. Examiner f. 1903 par Hearst, et Herald f. 1877). Diff. *1977 :* 720, *88 :* 232 (174), fermé 1989. **Philadelphie :** *Inquirer* 520 (978). *News* 225. **Saint Louis :** *Post Dispatch* (f. 1878 par John Pulitzer) 275. **San Francisco :** *Examiner and Chronicle* (f. 1986) (711). *Chronicle* (f. 1986) 563. *Examiner* (f. 1986) 136. **Washington :** *W. Post* (f. 1877) 781 (1 137).

☞ Le *New York Herald Tribune* a disparu en 1966. Une association entre le *Washington Post* (30 %), le *New York Times* (33 %) et la *Whitney Communication Corporation* ancienne éditrice duNew York Herald Tribune (37 %) a décidé en 1967 de continuer l'éd. parisienne, lancée 1887 par J. Gordon-Bennett.

• Périodiques. En milliers (période de 6 mois finissant le 31-12-1990). *Reader's Digest* 16 265 [1], créé 1922 par De Witt Wallace. *TV Guide* 15 604 [3]. *National Geographic Magazine* 10 190 [1]. *Better Homes and Gardens* 8 007. *Family Circle* 5 432 [1]. *Good House-Keeping* 5 153 [1]. *McCall's* 5 020. *Ladies Home Journal* 5 002. *Woman's Day* 4 803 [1]. *Time* 4 095 [2] (f. 1923). *Redbook* 3 907 [1]. *National Enquirer* 3 804. *Playboy* (f. 1954 par Hugh Hefner) 3 488 [1] (7 200 en 1972, 13 versions étrangères, 1 500 articles). *Newsweek* 3 212 [1] (f. 1933). *U.S. News and World Report* (f. 1933) 2 312 [2]. *Popular Science* 1 808 [1]. *Parent's Magazine* 1 743 [1]. *Penthouse* 1 613 (avant, 6 000). *Vogue* 1 216 [1]. *Business Week* (f. 1929) 1 005. *Fortune* (f. 1930) 793. *True Story* 770 [1]. *Mirabella* (f. 1989) 385. *New Yorker* [2] (f. 1925 par Harold Ross, † 1951) 614.

Nota. – (1) Mensuel. (2) Hebdomadaire. (3) Bihebdomadaire. (4) Bimensuel.

Look, créé 1937, a disparu le 19-10-1971. Son tirage était passé de 2 500 000 ex. en 1946 à plus de 7 500 000. Il a disparu par manque de publicité, bien qu'il eût abaissé son tirage à 6 500 000 et diminué ses tarifs calculés d'après la diffusion. *Life,* créé 1936 par Henry Luce, a cessé de paraître fin 1972, bien qu'on ait réduit le tirage de 8,5 à 5,5 millions. Chaque numéro était vendu au-dessous du prix de revient, les budgets publicitaires ayant diminué (une page couleur coûtant 64 000 $, soit 320 000 F, beaucoup d'annonceurs préféraient se payer 1 mn de télévision).

☞ **Chiffre d'affaires des groupes de presse** (1985, en millions de $ et, entre parenthèses de l'activité radio télé.). *Time* 3 067 (41) [1]. *Times Mirror* 2 959 (8,5) [2]. *Gannett* 2 209 (11,9). *Tribune* 1 938 (15,7) [3]. *Knight Ridder* 1 730 (3,8). *McGraw Hill* 1 491 (0). *New York Times* (84) 1 394 (5,6). *Washington Post* 1 079 (14,4). *Dow Jones* 1 039 (non significatif). *MacMillan* 677 (0). *Meredith* 475 (24). *Harper and Row* 204 (0). *Scripps Howard* n.c. (0). *Hearst* n.c.

Nota. – (1) *Time* ne possède pas de stations de radio ou de télévision. Il s'agit de la part du C.A. relative à HBO (télévision à péage) et American Television and Communications (gestion de réseaux câblés). (2) 16,9 % avec la gestion des réseaux câblés. (3) Y compris la gestion de réseaux câblés. C.A. 1985 de Scripps Howard Broadcasting : 134,5.

Chiffre d'affaires des réseaux (1985, en millions de $, dont entre parenthèses « Broadcasting », et, en italique « Édition »). ABC [1] 3 707 (3 304) *316*. CBS 4 755 (2 785) *710* [2]. RCA/NBC (2 647).

Nota. – (1) 1984. (2) La plus grande partie de l'activité d'édition a été vendue en 1986.

Finlande

• Quot. *Helsingin Sanomat* (1904, indép.) 470. *Aamulehti* (1881, conserv.) 144 (147 dim.). *Turun Sanomat* (1905, indép.) 136. *Ilta-Sanomat* (1932, indép.) 206. *Uusi Suomi* (1847, indép.) 73. *Savon Sanomat* (1907, centre) 89.

• Périodiques. *Valitut Palat* 340, *Aku Ankka* 298, *Seura* 284, *Apu* 279, *Kotiliesi* 195, *Anna* 162, *Kotiläakari* (1889) 53.

Grande-Bretagne

☞ La presse était en déclin à la fin des années 70. Les mesures prises en 1980 et 1982 ont atténué le caractère impératif de l'affiliation syndicale, réglementé la présence des piquets de grève en cas de conflits sociaux, permis d'adopter des techniques de presse ultramodernes et un retour au bénéfice.

• Principaux groupes. **Associated Newspapers Holdings** (Pt Viscount Rothermere) : *2 quot. :* Daily Mail (nat.), The Evening Standard, *14 quot. prov., 28 hebdo.* (dont The Mail on Sunday, nat.).

Guardian and Manchester Evening News plc (Pt H.J. Roche) : *2 quot. :* The Guardian (nat.). Manchester Evening News, *1 hebdo.* : Guardian Weekly.

Quotidiens d'information générale en 1988

Pays	Nombre de titres	Exemplaires pour 1 000 hab.	Tirages (en milliers)
All. féd.	318	347	21 104
Belgique	23	219	2 174
Canada	119	225	5 811
Danemark	46	359	1 842
Espagne	102	75 [1]	2 967
Finlande	67	551	2 719
France	*96*	*193* [1]	*9 328*
G.-B.	99	421 [1]	22 730
Italie	73	105	6 005
Japon	158	566 [1]	71 228
Norvège	83	551	2 309
P.-Bas	46	314	4 606
Pologne	45	184	6 939
Suède	107	526	4 387
Suisse	98	504	3 280
U.R.S.S.	723	474	133 979
U.S.A.	1 657 [1]	259 [1]	62 502

Nota. – (1) 1986. *Source :* U.N.E.S.C.O. 1990.

Maxwell Foundation (Pt : Robert Maxwell) : Cie privée, ancienne filiale de Reed International ; *3 quot. :* Daily Mirror (nat.), Sporting Life (nat.), [Cecil King († 1987) avait dirigé de 1951 à 1968 l'I.P.C. (International Publishing Corp.), groupe Mirror que Maxwell racheta en 1985], Daily Record (écossais) ; aux USA, Daily News a racheté *3 hebdo. :* The People (nat.), Sunday Mirror (nat.), The European (1990), j. de provinces dont Daily Record et Sunday Mail. V. aussi News Corporation (États-Unis). **Maxwell Communication Corporation :** *C.A. 1988 :* 11 milliards de £ (en 1988 a investi 2 milliards de £ pour racheter Macmillan et une partie de Dun et Bradstreet).

News Corporation Ltd (Australia). En *Australie,* contrôle 67 % de la presse. *Pt :* Rupert Murdoch (Amér. d'origine austral. qui détient avec sa famille 45 % de son groupe). *Endettement* (au 1-1-91) : env. 8 milliards de $ dus à un groupe de 150 banques. *Aux USA :* 20 th Century Fox et Fox Television. *En Espagne :* 25 % du groupe Zeta achetés en 1989 375 millions de F. *En G.-B. :* 3 quot. : The Sun (nat.), The Times [racheté 1981, *C.A.* (milliards de $) *1984 :* 1,69 ; *88 :* 4,35], Today ; 1 hebdo. : News of the World (nat.). Possède 50 % de B Sky B.

Il a porté plainte devant la Commission européenne des droits de l'homme contre les montants versés pour des procès en diffamation (*juill. 87 :* 500 000 £ à Jeffrey Archer, vice-Pt du parti conservateur ; *nov. 88 :* 300 000 £ à Koo Stark, ex-amie du P[ce] Andrew, 450 000 £ à un officier de marine).

Pearson Longman plc (Pt Viscount Cowdray) : *1 quot. :* Financial Times (nat.). *11 quot. prov., 34 hebdo., 29 quot. gratuits, possède 50 % de l'Économiste ;* a acheté en France Les Échos. *C.A. 1988 :* 1,19 milliard de £ (dont 60 % hors de G.-B.).

United Newspapers plc (Pt Lord Stevens) : *3 quot. :* Daily Express, Daily Star, Yorkshire Post ; *7 quot. du soir ; 1 hebdo. :* Sunday Express ; *50 hebdo. prov. payants ; 68 hebdo. prov. gratuits ; 194 magazines dont 55 mensuels* publiés aux U.S.A. A racheté en 1985 le groupe Express (Daily Express, Daily Star et Sunday Express) créé par Lord Beaverbrook (1879-1964).

Daily Telegraph (Pt Conrad Black) : *1 quot. :* The Daily Telegraph (nat.). *1 hebdo. :* The Sunday Telegraph (nat.). *1 magazine hebdo. :* The Spectator.

• Principaux journaux. Moyenne des tirages vendus (juillet-déc. 1990, en milliers). Entre parenthèses date de fondation. (*Source :* A.B.C.).

Quotidiens. Matin. Populaires : 12 461 dont *The Sun* [1] (1964 ; ex-*Daily Herald* f. 1911 racheté 1961 par Cecil King et 1969 par groupe Murdoch) 3 855. *Daily Mirror* [1] (1903) 3 083. *Daily Mail* [1] (1896 ; 1971 absorbe le Daily Sketch) 1 708. *Daily Express* [1] (1900 par Pearson, repris *1911* par Beaverbrook et *1964* par United Newspaper) 1 585. *Star* (1978) 912. *Record* 778. *Today* (1986) 540. **De qualité :** 2 621 dont *Daily Telegraph* [1] (1855) 1 076. *Guardian* [3] (1821, 1888 appelé Manchester G. jusqu'en 1950) 424. *The Times* [1] [1785 ; repris 1966 par Roy Thomson, reparu le 12-11-1979 après 50 semaines de grève (coût : 30 millions de F), mais augmentation de productivité de 30 %) ; repris 1981 par R. Murdoch] 420. *The Independent* (1986) 411. *Financial Times* [1] 290. **Sports :** *Sporting Life* (1859) 76. *Racing Post* 44. **Soir :** *Evening Standard* (1827) 502.

Journaux du dimanche. Populaires : 14 484 dont *News of the World* [1] (1843) 5 036. *Sunday Mirror* [1] (1915) 2 894. *The People* [1] (1881) 2 566. *The Mail on Sunday* (1982) 1 902. *Sunday Express* (1918) 1 664. *Sunday Sport* 551. **De qualité :** 2 664 dont *Sunday Times* 1 165. *Sunday Telegraph* (1961) 594. *Observer* (1791) 551. *The Independent on Sunday* (1990) 352.

Périodiques (juil.-déc. 1990). **TV et Radio :** *Radio Times* (1923) 2 892. *TV Times* (1968) 2 827. **Féminins :** *Woman's Weekly* [4] (1911) 1 067. *Woman's Own* 1 (1932) 830. *Woman* [4] (1937) 806. *Prima* 674. *Woman's Realm* [1,4] (1958) 483. *Woman & Home* (1926) 466. *Family Circle* [1,5] (1964) 434. *Cosmopolitan* [2,5] (1972) 427. *Good Housekeeping* (1922) 366. *She* (1955) 236. *Elle* [7] 220. *Woman's Journal* (1977) 189. *Marie-Claire* 182. *Woman's World* (1977) 161. *Slimmer* [7] 127. *Harper's and Queen* [5] (1929) 83. **Divers :** *The Reader's Digest* [7] 1 610. *Best* 679. *Peoples Friend* 499. *Weekly News* 488. *Smash Hits* 470. *Contact* [6] 379. *The European* (1990) 340 (dont 187 en G.-B.) en juillet 1990. *Mayfair* [6] (1966) 332. *Fiesta* 272. *Ideal Home* 251. *Just Seventeen* 245. *Homes and Gardens* (1919) 206. *Private Eye* 197. *Vogue* 173. *Theatre-Point* 171. *Shoot* (1969) 170. *Your Computer* [6] 154. *Sky Magazine* 150. *House & Garden* [5] (1920) 145 [7]. *Look-In* 138. *Motor Cycle News* 138. *New Scientist* (1956) 105. *British Farmer & Stockbreader* [6] 123. *Jackie* 99. *Time Out* 83. *Tatler* 58. *True Story* [7] 51. *Parents* 47. *Spectator* 40. *Punch* (1841) 33.

Nota. – Aucun journal n'est directement possédé par un parti. (1) Indépendant. (2) Conservateur. (3) Libéral. (4) Hebdomadaire. (5) Mensuel. (6) 1984. (7) 1989.

Grèce

• Quot. Matin *Rizospastis* (P. com.) 39 995, *Kathimerini* (indep., 1919) 23 074, *Dimo Kratikos Logos* 9 962, *Acropolis* (modéré, 1881) 7 636, *Avgi* (P. com. de l'intérieur, 1952) 4 712, *Avrianh* 99 500. Soir *Ethnos* (1982) 147 000 et *Neá* (1945) 114 156 (gauche), *Apogevmatini* (droite, 1881) 84 000, *Eleftheros Typos* 142 100, *Eleftherotypia* 119 000.

• Hebdo. *To Vima* (libéral, 1945) 93 000.

Hongrie

• Quot. **Budapest :** *Népszabadaság* (1957, Liberté du peuple) 360. *Népszava* (1873, Voix du peuple) 200. *Némzeti Sport* (1945, Sport national) 150. *Esti Hirlap* (1957, Journal du soir) 130. *Magyar Nemzet* (1938, Nation hongr.) 120. *Mai Nap* (1985, Aujourd'hui) 120. *Magyar Hirlap* (1968, Journal hongr.) 100. *Kurir* (1990) 70 matin, 30 soir. *Pesti Hirlap* 30. *Világgazdaság* (1960, Économie du monde) 17.

• Hebdo. *Szabad Föld* (1945) 700. *Magyarország* (1964) 100. *Élet ès Irodalom* (1957) 60. *Magyar Nök Lapja* (1990) 400. *Uj Ludas* (1990) 200. *Reform* (1988) 400. *Heti Világgazdaság* (1978) 170.

Inde

• Principaux groupes. **Times of India Group :** Times of India, Evening News of India, Navbharat Times, Maharashtra Times, périodiques... **Indian Express Group :** Indian Express, Loksatta, Dinamani Andhra Prabha Illustrated Weekly. **Hindustan Times Group :** Hindustan Times, Hindustan Times Evening News, Eastern Economist... **Ananda Bazar Patrika Group :** Ananda, Bazar Patrika, Business Standard, Hindustan Standard, Sunday...

☞ **Indian Newspaper Society** : 601 publications dont *quotidiens* 290 (dont grand format 63, moyen 119, petit 108), *Hebdo.* 116 (dont 49, 41, 26), *bimensuel* 54, *mensuel* 135, *autres* 6.

• Quot. **Bombay :** *Navbharat Times* (1950, Hindi) 96. **Delhi :** *Hindustan Times* (1924) 270. *Times of India* (anglais) 280. *Indian Express* [1] 96. **Madras :** *The Hindu* (1878, anglais) 420. *Daily Thanthi* (1942, tamil) 297. **Calcutta :** *Ananda Bazar Patrika* (1922, bengali) 408. *Statesman* (1875, anglais) 214. *Amrita Bazar Patrika* (1868, anglais) 128.

Nota. – (1) A Delhi et Chandigarh. Mensuel en français *Le Trait-d'union* (Pondichéry).

Irlande

• Quot. (janv. à juin 1986). **Dublin :** *Irish Independent* (1905) 158,6. *Evening Press* (1954) 125. *Evening Herald* (1891, ind.) 120. *Irish Press* (1931) 83,2. *Irish Times* (1859) 88,7. *Cork Examiner* (1841) 58,5.

• Hebdo. (janv. à juin 1986). *Sunday World* 363,7. *Sunday Press* (1949, ind.) 257,4. *Sunday Independent* (1906) 222,3. *Sunday Tribune* (1983) 96,1.

Israël

Nota. – La plupart des journaux sont en hébreu, les autres : arabe, anglais, français, polonais, hongrois, allemand, roumain, russe, bulgare et yiddish.

• Quot. (1987, approxim.) *Yedioth Aharonoth* 350. *Ma'ariv* 200 (1949, ind.). *Ha'aretz* 50/70 (1918). *Davar* 40/50 (1925). *Jerusalem Post* 50 (1932). (Tirages antérieurs) *Viata Noastra* 30 (1950). *'Al-Hamishmar* 20/25 (1943). *Letzte Nayess* 23 (1949). *Uj Kelet* 20 (1918). *Israël Nachrichten* 20. *Nowinyi Kurier* 15 (1952). *Hamodia* 5/6 (1964). *Hatzofeh* 10/15 (1938). *Sha'ar* 6 (1964).

Italie

☞ Nombre de quotidiens. *1946:* 136, *76:* 77, *88:* 69.

• Groupes **Mondadori Espresso :** *C.A. 1990 :* 2 350 milliards de lires, 13 quot. dont *La Repubblica* ; périodiques : *Panorama, L'Espresso, Epoca, Guida TV, Confidenze, Grazia, Dolly.* **RAI.** *C.A. 1989 :* 3 296 milliards de lires. **Finivest :** *C.A. 1989,* consolidé : 6 677 milliards de lires. **Rizzoli Corriere della Sera.** *C.A. 1990 :* 2 438 milliards de lires ; quot. *Il Corriere della Sera, Oggi, Europeo, il Mondo.*

• Quot. (tirage moyen par jour en 1989, diffusion par n°, en milliers). **Bari :** *La Gazzetta del Mezzogiorno* (1921) 85. **Bergame :** *L'Eco di Bergamo* 61. **Bologne :** *Il Resto del Carlino* (1855, ind.) 246. **Brescia :** *Giornale di Brescia* 58. **Cagliari :** *L'Unione Sarda* 94. **Catane :** *La Sicilia* 65. **Florence :** *La Nazione* (1859) 206. **Gênes :** *Il Secolo XIX* (1886) 161. **Livourne :** *Il Tirreno* (1877) 99. **Messine :** *La Gazzetta del Sud* 77. **Milan :** *La Gazzetta dello sport* (1896) 529 (lunedi 855). *Il Corriere della Sera* (1876, ind.) 674. *Il Giorno* (1956) 184. *Il Sole 24 Ore* (1865, financ., ind.) 261. *Il Giornale* (1974) 160. *Italia Oggi* (1986) 33. *La Notte* (1951) 67. *Avvenire* (1968, cath.) 90. **Naples :** *Il Mattino* (1891) 178. **Palerme :** *Il Giornale di Sicilia* (1860) 66. **Rome :** *Il Corriere dello Sport-Stadio* (1924) 355 (lunedi : 571). *La Repubblica* (1976) 622. *Il Messaggero* (1878, ind.) 307. *L'Unità* (1924, communiste) 179. *Il Tempo* (1944, ind.) 107. *Il Manifesto* (1971) 36. *Avanti !* (1896, soc.) (87) 58. *Il Popolo* (1944, dém.-chrét.) (87) 43. **Sassari :** *La Nuova Sardegna* 77. **Trieste :** *Il Piccolo* 53. **Turin :** *La Stampa* (1868, ind.) 412. *Tuttosport* (1945) 116 (lunedi : 153). *Stampa Sera* (1868, ind.) 18. **Venise :** *Il Gazzettino* (1887, ind.) 141. **Vérone :** *L'Arena* 59. **Udine :** *Il Messaggero Veneto* 49.

• Périodiques (diffusion par n°, 1989). **Hebdo. :** *Sorrisi e Canzoni* 2 273. *Famiglia Cristiana* 1 044. *Gente* 771. *Telesette* 731. *Oggi* 591. *Grand Hotel* 450. *Topolino* 502. *Intimita* 423. *Panorama* 441. *Guida TV* 353. *Novella 2000* 344. *Gioia* 340. *Stop* 319. *L'Espresso* 305. *Grazia* 291. *Bella Più* 354. *Confidenze* 279. *Cioé* 290. *Anna* 215. *Eva Express* 238. *Onda TV* 200. *Amica* 176. *Donna Moderna* 404. *Epoca* 156. *Il Giornalino* 169. *Guidacucina* 183. *Radio Corriere TV* 187. *Telepiu* 449. *Telesette* 731. *Visto* 401. **Mens. :** *L'Automobile* 1 272. *Messagero di S. Antonio* 923. *Selezione R. D.* 755. *Quattroruote* 691. *Gente Motori* 266. *Sale & Pepe* 199.

Japon

• Quot. **Édition du matin et** entre parenthèses **du soir** (en milliers, juil.-déc. 1990). *Yomiuri Shimbun* (1874) 9 705 (4 745). *Asahi Sh.* (lumière du matin) (1879) 8 192 (4 742). *Mainichi Sh.* (1872) 4 184 (2 149). *Nihon Keizai Sh.* (1876) 2 973 (1 783). *Chunichi Sh.* (1942) 2 154 (869). *Sankei Sh.* (1933) 2 091 (1 109). *Hokkaido Sh.* (1942) 1 143 (793). *Nishi-Nihon Sh.* (1877) 810 (217). **Tirage total des quotidiens** (1990). 71 457 075 ex. dont matin 69 % (124 quotidiens, soit 1,91 journal par ménage), y compris les quot. sportifs, vente au numéro négligeable. Les journaux sont livrés à domicile, matin et soir, par des agences de distribution locales. La livraison des 2 éditions est comprise dans le prix de l'abonnement mensuel.

• Hebdo. **et périodiques** (en milliers, janv.-juin 1990). *Iye no Hikari* (mens.) 1 060. *Josei Jishin* 886. *The Television* 865. *Josei Seven* 807. *Shukan Post* 715. *Weekiy Playboy* 681. *Shukan Hoseki* 848. *Shukan Bunshum* 635. *Shukan Josei* 607. *Shukan Gendai* 606. *Shukan Shincho* 561. *Shukan Asahi* 467. *Bisho* 448.

Liban

• Quot. **En arabe :** *An-Nahar* (1933). *Al-Amal* (1939). *Al-Anba* (1951). *Al-Nida* (1935). *Al-Bayrak* (1928). *Al-Anouar* (1948). *As-Safir* (1951). *Al-Liwa* (1940). *Ach-Cha'b* (1912). *Ach-Charq* (1926). *Ad-Diar. An-Nida'a. Al-Hayat.* **En Français :** *L'Orient-le Jour* (1924, fusion 1972). *Le Réveil.*

• Hebdo. **En arabe :** *Ad-Dounia. Al-Ousbouh al'Arabi* (1961). *Al-Afkar* (1938). *Al-Syyad* (1943). *Al-Hawadeth* (1911). *Al-Tadamum* (1982). *Al-Dustur* (1968). *Al-Hadaf. Sabah al-Kheir* (1951). *Al-Chira* (1950). *Al-Kifah al-Arabi* (1957). *Al-Mustagbal* (1938). *Al-Watan al-Arabi* (1976). *Al-Massira* en fusion avec Telegraf Beyrouth (1982). *Al-Nahar al-Arabi wal Dawli* (1977). *Bayrut al-Massa* (1946). *Ar-Rayeh. As-Sayad. Ilal Aman. Lissan-Ul-Hal. Al Bilad. Al Houriah. Ach-Chirah. Al-Awassef. Al Bina'a.* **En français :** *Le Commerce du Levant* (1927). *La Revue du Liban* (1941). *Nouveau Magazine* (1956). MAGAZINES : *Styx. La Coupe. La Lettre de Paris Beyrouth. Libanoscopie. Objectif. Public. An Nahar Arabe et International* (version fr.). **En anglais :** *Monday Morning* en fusion avec le Sada Al-Janoub (1972).

Luxembourg

• Quot. **En allemand et français :** *Luxemburger Wort* (1848, chrét.-soc.) 85. *Tageblatt* [1] (1927, soc.) 26. *Letzeburger Journal* (1948, lib.) 10. *Zeitung v. Letzeburger Vollek* (1946, comm.) 8. **En français :** édition lux. du *Républicain lorrain* (1963, imprimé à Metz) 15. *Tirage* par jour (1990) : 144.

Maroc

• Quot. **En arabe :** *Al Anbaa* (1970, gouvernemental) 20. *Al Alam* [1] (1946) 60. *Al Haraka* [7] (1977) 10. *Al Mithaq Al Watani* [4] (1977) 25. *Al Bayane* [2] (1975) 25. *Al Ittihad Al Ichtiraki* [3] (mai 1983) 60. *Assahra Al Maghribia* (1989, progouv.) 30. *Rissalat Al-Oumma* [6] (mai 1983) 25. *Annidal Addimocrati* [5] (1984) 10. **En français :** *Maroc-Soir* (1971, progouv.) 40. *Le Matin du Sahara et du Maghreb* (1971, progouv.) 60. *L'Opinion* [1] (1965) 50. *Al Maghrib* [4] (1977) 25. *Al Bayane* [2] (1975) 25. **En espagnol :** *La Mañana del Sahara y del Maghreb* (1990, progouv.) 20.

• Hebdo. **En arabe :** *Anoual* [8] (1983) 25. *1ere Heure* (1989, communication et loisirs) 25. *Al Ousboua Assahafi* (1988, social) 10. *Adimocratia Al Oummalia* [9] *(1986)* 5. *Al Ousboua Assahafi* (1988, social) 10. *Al Kaafila* (1990, culture) 5. *Al Ousboua Addahik* (1987, satirique) 5. *Attarik* (1988, social) 5. *Al Mountakhab* (1988, sport) 5. *Studio* (1988, artistique) 5. *Arriyada* (1983, sport) 5. *Chououn Jamaiya* (1988, social) 3. *Al Hadaf Arriyadi* (1988, sport) 3. *Al Moultaka Arriyadi* (1988, sport) 3. *Al Alam Arriyadi* (1988, sport) 3. **En français :** *Le Message de la Nation* [6] *(1983)* 15. *Libération* [3] (1976) 15. *Maroc Magazine* (1971, progouv.) 15. *La Vie Economique* (1976) 20. *La Vie Touristique* (1980, tourisme) 5. *La Vie Industrielle et Agricole* (1980, éco.) 5. *Le Journal de Tanger* (1980, régions) 5. *Cedies-Informations* (1988, éco.) 5. *La Gazette du sport* (1990) 5. *Sport et loisirs* (1990) 5.

• Mensuels. **En arabe :** *Al-Assas* (1980, gauche) 10. *8 Mars* (1983, féminin-gauche) 5. *Al Majalla Assihiya* (1976, médecine) 5. *Daâwat Al Hak* (1975, religion) 5. **En français :** *Al Assas* (1977, gauche) 10. *Le Libéral* (1988, libéral) 15. *Enjeux* (1989, éco.) 15. *Le Monde agricole et la Pêche maritime* (1986, éco.) 10. *Micro-Plus* (1988, informatique) 10. *Le Contrat* (1990, communication) 5. *Télé plus* (1990, média) 15.

Nota. – (1) Istiqlal. (2) Parti du progrès et du socialisme. (3) Union socialiste des forces pop. (4) Rassemblement nat. des indépendants. (5) P. nat. démocrate. (6) Union constitutionnelle. (7) Mouv. pop. (8) Organisation de l'action démocr. et populaire. (9) Conféd. démocr. du travail.

Norvège

• Quot. **Oslo :** *Verdens Gang* (1945) 367. *Aftenposten* (1860, cons.) 265 (matin) 192 (soir). *Dagbladet* (1869, lib.) 219. *Arbeiderbladet* (1884, trav.) 51. **Bergen :** *Bergens Tidende* (1868, lib.) 98. **Trondheim :** *Adresseavisen* (1767, cons.) 88. **Stavanger :** *Stavanger Aftenblad* (1893, lib.) 68.

Pays-Bas

• Quot. **Amsterdam :** *De Telegraaf* (1897, ind.) [2] 726. *De Volkskrant* (Journal du Peuple, 1920) [2] 335. *Het Parool* (1940, ind.) [1] 101. *De Courant Nieuws van de Dag* (1923) [1] 57. *Trouw* (1943, calviniste) [2] 120. **La Haye :** *Haagsche Courant/Het Binnenhof* (1883, ind.) [1] 172. **Rotterdam :** *Algemeen Dagblad* (1946, ind.) [2] 408. *Het Vrije Volk* (1900) [1] 116. *NRC Handelsblad* (1970, ind.) [1] (Nieuwe Rotterdamse Courant 1844, Algemeen Handelsblad 1828) 235.

Nota. – (1) Soir. (2) Matin.

• Périodiques. *Kampioen* 2 335. *Veronica* 901. *Avro-Bode* 577. *Margriet* 545. *Libelle* 704. *Varagids* 505. *Het Beste* 417. *Donald Duck* 349. *Marion* 157. *Eppo* 118. *Elseviers Magazine* 111. *Vrij Nederland* (H) 85. *Elseviers Weekblad* 143. *Nieuwe Revue* 162. *Pano* 218. *Knip* 194. *Mikrogids* 395. *NCRV-gids* 465. *Televiser* 436. *Ouders* 136. *Privé* 498. *Story* 424. *Studio* 295. *Tina* 106. *Tip* 219. *Tros Kompas* 723. *Viva* 143. *Voetbal International* 193. *VPRO-gids* 145. *Weekend* 220. *VT Wonen* 125.

Pologne

• Quot. **Varsovie :** *Trybuna Ludu* (1948) 460, *Gazeta Wyborczà* (8-5-1989) 530 à 700, *Express Wieczorny* (1946) 382. *Zycie Warszawy* (1944) 262, *Dziennik Ludowy* (1945) 147, *Rzeczpospolita* (1982) 256, *Sztandar Mlodych* (1950) 203, *Kurier Polski* (1957) 145, *Slowo Powszechne* (1947) 65, *Zolnierz Wolności* (1943) 19. **Katowice :** *Trybuna Robotnicza* (1945) 456. **Łódź :** *Glos Poranny* (1945) 150. **Bydgoszcz :** *Gazeta Pomorska* (1948) 197. **Poznań :** *Gazeta Poznańska* (1948) 164. **Cracovie :** *Gazeta Krakowska* (1948) 170. **Gdańsk :** *Glos Wybrzeza* (1948) 190. **Szczecin :** *Glos Szczeciński* (1947) 104. **Wrocław :** *Gazeta Robotnicza* (1948) 235.

• Hebdo. **Varsovie :** *Przyjaciółka* (1948) 1 909, *Kobieta i Zycie* (1946) 696, *Swierszczyk* (1946) 406, *Polityka* (1957) 443, *Perspektywy* (1969) 156, *Szpilki* (1935) 80. **Katowice :** *Panorama* (1954) 425. **Cracovie :** *Przekrój* (1954) 436, *Tygodnik Powszechny* (1945) 95, *Zycie Literackie* (1951) 50.

Portugal

• Quot. **Lisbonne. Matin :** *Diário de Noticias* [1] (1865) 59. *O Diário* (1976) 40 [2]. *Jornal de O Dia* (1988), ex-*O Dia* (1975) 46. *Correio da Manhã* (1979) 78. *Publico* (1990). *Diário Economico* (1990). **Soir :** *Diário Popular* [1] (1942) 62. *A Capital* [1] (1968) 45. *Diário de Lisboa* [1] (1921) 42. **Porto. Matin :** *Jornal de Noticias* [1] (1888) 79. *O Comércio do Porto* [1] (1854) 54. *O Primerio de Janeiro* (1868) 40. *O Jogo* (1984) (sport).

• Périodiques. Hebdo. : *O Tempo* (1975) 72. *Expresso* (1973) 90. *O Jornal* (1975) 80. *Semanário* (1983) 59. *Tal e qual* (1980) 84. *Sete* (1978) 72. *O Diabo* (1977) 50. *Jornal de Letras* (1981) 24. *Semanario Economico* (1987). *O Independente* (1988). *O Liberal* (1989). *Africa* (1984). *Sabado* (1988). *Blitz* (1986). *Nova Gente* (1976). *TV Guia* (1979). *Volante* (1927). *Motor* (1963). *Autosport* (1977). **3 x sem.** : *A Bola* (1944, sport) 150. *Gazeta dos desportos* (1984) 25. *Record* (1949, sport) 37. **Mens.** : *Africa Hoje* (1985). Général : *Homen* (1989). Eco : *Negocios* (1989) ; *Classe* (1988) ; *Exame* (1989). Femmes : *Elle* (1988) ; *Maxima* (1988) ; *Marie Claire* (1988) ; *Mulher Moderna* (1989) ; *Mulheres Magazine* (1989). Hommes : *Elan* (1986). **Trimestr.** : *Grande Reportagem* (1990).

Nota. – (1) Avec une intervention de l'État depuis la nationalisation des banques en 1975. (2) Cesse de paraître le 13-6-90.

Roumanie

• Quot. **Bucarest** : *Adevărul* (1989) 600. *România Liberà* (1944) 350. *Tineretul Liber* (1989) 300. *Libertatea* (1989) 110. *Realitatea* (1990) 100. *Curierul naţional* (1990) 90. *Románian Magyar* (1948, langue hongroise) 75. *Azi* (1990) 70. *Dimineaţa* (1990) 40. *Jurnal Naţional* (1990) 20. *Neuer Weg* (1949) 10.

• Périodiques. *Magasin* (1957) 200. *Romania Mare* (1990) 150. *Buccurai Coppilor* (1990) 150. *Magazin Istorie* (1988) 150. *Flacara* (1952) 100. *Week-End Plus* (1990) 100. *Universul Copiilor* (1990) 100. *Tehnium* (1970) 100. *Stiinta si Tehnica* 90. *Week End* (1990) 70. *Ordinea* (1990) 70.

Suède

• Quot. **Stockholm** : *Expressen* (1944, lib.) 567. *Dagens Nyheter* (1864, lib.) 407. *Aftonbladet* (1830, dém.) 371. *Svenska Dagbladet* (1884, cons.) 231. **Göteborg** : *Göteborgs Posten* (1958, lib.) 278. **Malmö** : *Sydsvenska Dagbladet* (1848, indépendant lib.) 115. *Arbetet* (1887, dém.) 115.

• Hebdo. *Aret Runt* (1946) 312. *Hemmets Veckotidning* 305. *Hemmets Journal* 291.

Suisse

☞ **Nombre de titres** : 277 quotidiens. Env. 1 600 périodiques, 100 feuilles officielles ou f. d'annonces, 50 titres grand public.

• Quot. **francophones. Bienne** : *Journal du Jura/Tribune Jurassienne* (1864, indép.) 13. **Délémont** : *Le Démocrate* (1877, indép.) 18. **Fribourg** : *La Liberté* (1871, ind.-chrét.) 41. **Genève** : *La Suisse* (1898, ind.) 63 (semaine), 107 (éd. dimanche). *Tribune de Genève* (1879, ind.) 60. *Journal de Genève* (1826, lib.) 22. **La Chaux-de-Fonds** : *L'Impartial* (1880, ind.) 32. **Lausanne** : *24 heures* (1762, ind.) 96. *Le Matin* (1893, ind.) 54 (semaine), 161 (dimanche). *Gazette de Lausanne* (1798, lib.) 8. **Neuchâtel** : *FAN Feuille d'Avis de Neuchâtel* (1738, ind.) 34. **Sion** : *Nouvelliste* et *Feuilles d'Avis du Valais* (1960, ind., chr.) 44.

☞ *Vente en Suisse* (en 1985) : France-Dimanche 20. Ici-Paris 12. Le Monde 4 (dont 1 000 abonnements). Le Figaro-L'Aurore 2. Libération 2. France-Soir 1.

• Quot. **germanophones. Aarau** : *Aargauer Tagblatt* (1849, rad.) 58. *Badener Tagblatt* (1849, ind.) 42. **Bâle** : *Basler Zeitung* [1977 ; fusion du National Zeitung (1842) et du Basler Nachrichten (1845)] 115. **Berne** : *Berner Zeitung* [fusion du Berner Nachrichten et du Berner Tagblatt (1888, ind.)] 122. *Der Bund* (1850, ind. lib.) 62. **Bienne** : *Bieler Tagblatt* (1850, ind.) 32. **Brigue** : *Walliser Bote* (1840, cons.) 26. **Coire** : *Bündner Zeitung* (1876, ind.) 38. **Frauenfeld** : *Thurgauer Zeitung* (1798, bourg. lib.) 28. **Liestal** : *Baselland-schaftliche Zeitung* (1832, bourgeois, ind.) 20. **Lucerne** : *Tandem* 98. *Luzerner Neueste Nachrichten* (1897, ind.) 60. **St-Gall** : *St-Galler Tagblatt* (1838, bourg. lib.) 70. *Die Ostschweiz* (1874, chrét.-dém.) 26. **Schaffhouse** : *Schaffhauser Nachrichten* (1862, bourgeois) 25. **Solothurn** : *Solothurner Zeitung* (1907, rad.-dém.) 46. **Spiez** : *Berner Oberländer* (1897, bourgeois) 19. **Stäfa** : *Zürichsee-Zeitung* (1845, rad.) édition totale 30. **Wetzikon** : *Der Zürcher Oberländer* (1961, rad.-dém.) 34. **Winterthur** : *Der Landbote* (1836, indép.) 41. **Zurich** : *Blick* (1959, ind.) 368. *Tages Anzeiger* (1893, ind.) 261. *Neue Zürcher Zeitung* (1780, rad.) 149.

Quot. italophones. Lugano : *Corriere del Ticino* (1891, ind.) 35. *Giornale del Popolo* (1916, cath.) 21.

• Périodiques et journaux spécialisés. *Touring*, édit. allem. (4) (1896) 724. *Schweizerische Beobachter* (3) (1927) 410. *Trente Jours* (1) (1949) 402. *Zuriwoche* (4) (1983) 345. *Touring*, édit. fr. (4) (1936) 316. *Télé* (4) (1978) 299. *Das Beste* (1) (1948) 261. *Schweizer Familie* (4) (1894) 257. *Télé Top Matin* (1988) 231. *Meyers Modeblatt* (4) (1924) 201. *Junior* (1) (1951) 205. *Schweizer Illustrierte* (4) (1911) 178. *Glückspost* 198. *Radio TV 8* (1923) 155. *TR7* (4) (1973) 151. *Orella* (1) (1939) 109. *L'Hebdo* (1981). *Annabelle/Femina* (fusion) (1930) (4) 109. *L'Illustré* (4) (1921) 103. *Weltwoche* (3) (1933) 104. *Illustrazione Ticinese* (1) (1929) 88. *Sélection* (1) (1947) 85. *Brigitte* (1969) édit. pour la Suisse 80. *Touring* (3) (1957) éd. ital. 79. *Sport* (2) (1926) 77. *Maky (anc. Tim/Rataplan)* éd. all. (1) 68. *Sonntag* (4) (1920) 61. *Automobil Revue* 54. *Tip* (4) (1938) 50. *Schweizer Jugend* (1924) 48. *La Femme d'Aujourd'hui* (1924) 47. *Revue Automobile* (4) (1905) 22. *Maky/Rataplan* (4) (1981) *(anc. Tim/Rataplan* (1) 1954) éd. fr. 12.

Nota. – (1) Mensuel. (2) 3 par semaine. (3) 2 ou 3 par mois. (4) Hebdomadaire.

Syrie

• Quot. **Damas** : *Al Baath* (Renaissance) 40. *Al Thawrah al Ziraia* (1965, agr.) 7. *Tishreen. Al Jamahir al Arabia* 10. **Homs** : *Al-Oroubah*. **Hama** : *Al-Fedaa'*. **Alep** : *Al-Jamaheer*. **Lataquie** : *Al-Wahdah*.

Tchécoslovaquie

• Quot. **Prague** : *Rudé Právo* (1920, Droit rouge) 400. *Zemedelské Noviny* (1945, le Journal agricole) 380. *Mladá Fronta Dnes* (Front de la jeunesse d'aujourd'hui) 360. *Svobodné Slovo* (1945, Parole libre) 280. *Práce* (1945, Travail) 240. *Lidová Demokracie* (1945, Démocratie populaire) 170. *Obcansky denik* (Journal civique) 130. **Bratislava** : *Práca* (1946, Travail, synd.) 235. *Národna obroda* (1990, Renaissance nationale, gouvern.) 98. *Pravda* (1920), Vérité, comm.). *Slovenský dennik* (1990, Quotidien slovaque, mouvement dém.-chrétien) 40. *Slobodný piatok* (1990, Vendredi libre, indép.) 38,6. *Smena* (1947, Équipe, jeunesse indép.) 20,5. *Vereinost* (1989, Public, mouvement public contre la violence) 17.

Tunisie

• Quot. **Tunis. Matin** : *La Presse de Tunisie* (1936, fr.) 60. *Assabah* (1951, ar., politique) 80. *Le Renouveau* (1988, Fr.) 40. *Al Amal* (1934, ar.). 50. *Le Temps* (1975, fr.) 30.

• Périodiques. *Ach-Chaâb* (1963, ar.) 15. *Biladi* (1974, ar.). 90. *Le Sport* (1965, fr.). 20. *Dialogue* (1974, fr.) 50. *Tunis-Hebdo* (1973, fr.) 40. *Al-Oumma* (1977, ar.) 8. *El-Bayane* (1977, ar.) 100. *Ar-Rai* (1977, ar.) 20. *Démocratie* (1978, fr.) 5. *Le Phare* (1980, fr.) 8. *Al-Moustaqbal* (1980, ar). 20.

Turquie

• Quot. **Ankara** : *T. Daily News* (1961, angl.) 30. **Istanbul** : *Sabah* (1984) 635. *Hürriyet* (1948) 516. *Türkiye* (1970) 467. *Milliyet* (1950) 415. *Tan* (1983) 187. *Tercüman* (1961) 116. *Cumhuriyet* (1924) 123. *Günes* (1982) 76. **Izmir** : *Yeni Asir* (1895) 50.

• Périodiques (total 300, déc. 1990). *Nokta* (1983) 21. *Gırgır* (1976, satirique) 46. *Tempo* (1987) 16. *Blue-Jean* (1986, mens.) 63. *Playmen* (1985) 88. *Playboy* (1985) 33. *Kapris* (1987) 4.

• Radio-Télévision. + une 4e ch. spécialisée pour la région S.-E. (Gap) et une 5e ch. diffusée par satellite en Europe.

U.R.S.S.

☞ Tirage total des quotidiens : 175 000 000 (en 65 langues dont 10 étrangères). Ci-dessous tirage en milliers.

• Quot. Moscou : *Pravda* (Vérité) (5 mai 1912) 9 500 org. du Comité central P.C.U.S. *Komsomolskaïa Pravda* (1925) 21 000 org. du Comité central de la jeunesse communiste. *Selskaïa Jizn* (Vie à la campagne) (1918) 7 000. *Izvestia* (Nouvelles) (1917) 10 000 org. du Présidium du Soviet Suprême. *Trud* (Travail) (1921) 20 000 org. du Conseil central des Syndicats. *Sovietski Sport* (1924) 5 200. *Krasnaïa Zvezda* (1924) 2 000 org. du ministère de la Défense. *Literatournaia Gazeta* hebdo, org. de l'Union des écrivains 6 300. *MosKovskie Dtovosti* (Nouvelles de Moscou) 1 500.

• Périodiques. *Argumenty i Fakti* (hebdo) 31 000. *Rabotnitsa* (1914, Travailleuse) 23 000. *Krestyanka* (1922, Paysanne) 21 000. *Zdorovie* 17 000. *Krokodil* (1922, trimensuel satirique, éd. par Pravda) 5 300. *Ogoniok* (Flambeau, 1923) 4 600. *Unost* (Jeunesse, 1955, mens.) 3 200. *Novy Mir* (Monde Nouveau, 1925, mens.) 2 700. *Nauka i Jizn* (Science et Vie) 2 000. *Znamia* (Drapeau, 1933, mens.) 1 000. *Nach Sovremennik* (Le Contemporain, 1933, mens.) 497.

Vatican

• Quot. *Osservatore Romano* (1861) 40.

• Hebdo. en italien (1947), français (1949), anglais (1968), espagnol (1969), portugais (1969), allemand (1970). **Mensuel** en polonais (1980).

Yougoslavie

• Quot. **Belgrade** : *Vecernje Novosti* (1953) 268. *Politika* (1904) 227. *Politika ekspres* (1963) 216. *Sport* (1945) 69. *Borba* (1922, soc.) 41. **Ljubljana** : *Delo* (1944) 99. *Ljubljanski dnevnik* (1951) 58. **Novi Sad** : *Dnevnik* (1942) 41. *Magyar SZO* (1943) 23. **Pristina** : *Rilindja* (1945) 31. *Jedinstvo* (1944) 4. **Sarajevo** : *Vecernje novine* (1964) 87. *Oslobodjenje* (1942) 56. **Skoplje** : *Vecer* (1963) 28. *Nova Makedonija* (1944) 25. **Titograd** : *Pobjeda* (1944) 21. **Zagreb** : *Vecernji list* (1960) 223. *Sportske novosti* (1945) 101. *Vjesnik* (1940) 91.

La presse en France

Quelques dates

Ancien Régime

Fin XVe s. Feuilles volantes, sous forme d'*occasionnels* (récits d'événements politiques) ou de *canards* (événements extraordinaires, faits divers criminels ou merveilleux), de *libelles* religieux ou politiques qui avaient les caractéristiques de la presse sauf la périodicité. **1611-48** *Mercure François* (annuel). **1631** *Janv. Nouvelles ordinaires de divers endroits*, 1er périodique fr. *31-5 La Gazette* de Théophraste Renaudot, hebdomadaire, devient 1762 l'organe officiel du ministère des Affaires étrangères, sous le titre de *Gazette de France*. **1665** *Journal des Savants* créé par François-Eudes de Mézeray (1610-83) et Denis de Salho (notices bibliographiques publiant les Nouvelles de la République des lettres qui disparaissent en 1792). Pour la 1re fois, le mot journal est employé en Fr. **1672** *Mercure Galant* devenu *Mercure de France* fondé par Jean Donneau de Visé (1638-1710), *Nouveau Mercure Galant* (1724), puis *Mercure français*. Disparu en 1820 ; titre repris 1889 par une revue littéraire. **1777-1-1** *Le Journal de Paris* : 1er quotidien fr. **1787** env. 50 périodiques à Paris et 30 en province. Ex. : *Journal de Trévoux* (1701-67), *Nouvelles ecclésiastiques* (1728-1803), *Journal historique et politique* (1772-92), *Journal encyclopédique* (1756-1773).

De 1789 à 1814

1789-19-5 autorisation de la publication de périodiques. **26-8** article XI de la Déclaration des Droits de l'homme définissant la liberté de la presse. **Mai-déc.** parution de plus de 1 500 périodiques. *Journal des débats et décrets* fondé sept. 1789 par Baudouin (J. de l'Empire sous Napoléon Ier), paru jusqu'en 1944 ; *Moniteur universel* ; *Gazette de France* devenue *Gazette nationale* ; *Journal de Paris* ; *Feuille villageoise*. Nombreuses feuilles appartenant à des particuliers : *le Patriote français* (Brissot) ; *le Courrier de Provence* (Mirabeau) ; *le Journal politique et national* (Rivarol) ; *les Révolutions de France et de Brabant* (C. Desmoulins) ; *l'Ami du Roi* (Suleau) ; *les Actes des Apôtres* (Peltier) ; *l'Ami du peuple* (Marat) ; *le Père Duchesne* (Hébert). **1792-10-8** la liberté de la presse n'est plus respectée : de nombreux journalistes seront exécutés. Fin des journaux royalistes puis girondins. C. Desmoulins puis Hébert sont exécutés. **1794 (juill.)** des j. royalistes reparaissent : *la Quotidienne* (Michaud) ; *l'Orateur du Peuple* (Fréron) ; *le Journal des Hommes libres* (jacobins) ; *le Tribun du peuple* (Babeuf). **1796** plus de 70 périodiques à Paris. Établissement de la censure. **1800-17-12** arrêté réduisant à 13 le nombre des j. parisiens et faisant du *Moniteur universel* l'organe officiel du gouvernement. **1805** *le Journal des débats* devient le *J. de l'Empire.* **1810** 1 j. par département. **1811** arrêté ne laissant que 4 j. à Paris et confisquant leur propriété ; en province les j. traitent la politique par extrait du *Moniteur.* **1814** parution du *J. de la Corse* d'Ajaccio, le plus ancien des j. français actuels.

De 1815 à 1914

Conditions générales

Développement des tirages, de la pub. Abaissement des prix de vente, progrès techniques. **1819** Lorilleux met au point l'encrage par rouleau. **1832-35** fondation de l'Agence Havas. **1847** Marinoni met au point la presse à réaction qui imprime 8 000 numéros à l'h, puis en 1867 la rotative qui, en 1900, tire 50 000 ex. de 4 p. à l'h). **1852** Nicolas Serrière met au point le clichage qui permet la duplication. **Après 1870,** remplacement du papier à pâte de bois par du papier chiffon qui permit ensuite le papier en bobine pour les rotatives. **1874** le transcripteur Baudot transmet + de 5 000 mots à l'h. **1879** les journaux louent des fils à l'adm. des postes (télégraphe inventé 1845). **1881-29-7** loi assurant la liberté de la presse. **1884** la Petite Gironde installe un bureau de rédaction à Paris (grâce au télégraphe). **1886** Mergenthaler invente la composition mécanique (mais la linotype ne pénètre en France qu'au XXe s.). **1892** Hachette s'intéresse aux messageries de journaux.

Principaux journaux

• **Restauration.** *La Quotidienne* et *la Gazette de France* soutiennent les conservateurs, *le Journal des débats* le gouvernement, *le Constitutionnel* (fondé 1815) les libéraux. *Le Temps,* fondé en 1829 par J. Coste, persiste jusqu'en 1942. Les ordonnances de Charles X menaçant la liberté de la presse, *le National* (crée 3-1-1830 par Thiers, Mignet, Sautelet et Carrel) et *la Tribune* provoquent la Révolution de 1830.

• **Monarchie de Juillet.** Presse plus libre. J. royalistes : *les Débats, le Constitutionnel, la Presse.* J. d'opposition : *la Réforme, le Siècle, le National* (républicain à partir de 1832 ; 4 300 ex en 1846). Légitimistes : *la Gazette de France.* Lancement le 1-7-1836 de journaux à 40 F d'abonnement par an au lieu de 80 F (*la Presse* j. gouvernemental de Girardin, *le Siècle* j. d'opposition de Dutacq), de journaux illustrés [*le Charivari, la Caricature),* de magazines illustrés [*l'Illustration* (5293 numéros ; 1er numéro : 4-3-1843. *1845 :* 15-2 1re bande dessinée (hist. de M. Cryptogame). *1884 :* couleur apparaît (litho). *1885 :* 1re photo publiée (*1897* régulières), *1907 :* 1re photo couleur ; tirage *1847 :* 13 400 ex., *1848 :* 35 000, *1900 :* 52 000, *1915 :* 300 000. *1921 :* 98 000, *1929 :* numéro sur la mort de Foch 650 000, *1930 :* 210 000, *1938 :* 142 000, *1940 :* 220 000, *1944 :* 103 000) le no 5076 du 15-6-1940 ne fut pas distribué ; dernier no 5292-5293 ; 12/19-8-4 : procès contre les Baschet (non lieu) 5-12-1944 : et la Sté d'Illustration (condamnation) ; *Petite Illustration* créée 1913 : *Le Monde Illustré* (lancé 18-4-1857, sabordé 1940, reparu de févr. 1945 à 1948, fusionne avec *France Illustration* (créée 1945, qui devient mensuelle en 1953 et fusionne en 1956 avec *Femina*)], de revues savantes *(Revue des deux mondes).* En 1840, *la Liberté* d'Alexandre Dumas vendu 1 sou (5 c) est tiré à plus de 100 000 ex.

• **IIe République.** Févr.-juin 1848 liberté presque absolue, 200 titres à Paris. Lois du 12-8-1848, 29-7-1849, 29-7-1850 liberté restreinte. Après le coup d'État du 2-12-1851 ne subsistent que 11 j. 23-2-1852 instauration du système des avertissements (imposant aux j. une autocensure).

• **Second Empire. Empire autoritaire (1852-60),** Paris, j. gouvernementaux : *le Moniteur universel, le Pays, le Constitutionnel* et *la Patrie ;* catholiques : *l'Univers* (devenu ultramontain avec Veuillot, supprimé de 1860 à 1867 et remplacé par *le Monde*) ; *le Siècle* de Havin (le plus fort tirage, anticlérical) soutient la politique des nationalités. **De 1860 à 1868,** le gouv. ne pouvant plus contrôler les j. favorise les créations pour affaiblir leur audience [*l'Opinion nationale* de Guéroult en 1859, *le Temps* de Neffzer en 1861, *l'Avenir national* de Peyrat en 1863, *la Liberté* acquise par Girardin en 1866, *le Figaro* hebdo. créé 1854 par Hippolyte de Villemessant (1810-1879) devenu bihebdo. en 1856, puis quot. en 1866]. Le 1-12-1863 est créé *le Petit Journal* (j. à 1 sou : 5 c) par Moïse Millaud, non politique, de demi-format, 4 pages (6 en 1901) ; en 1870, il tire à plus de 400 000 ex. **De 1868 à 1870,** la loi du 11-5-1868 supprime l'autorisation préalable et les avertissements. Des titres nouveaux apparaissent, ex. : *l'Électeur libre* de J. Favre et E. Picard, *le Réveil* de Delescluze, *le Rappel* inspiré par V. Hugo, *la Lanterne* (hebdo.) et *la Marseillaise* (quot.) d'Henri Rochefort.

• **IIIe République.** J. légitimistes : *l'Union, la Gazette de France* et *l'Univers ;* bonapartistes : *l'Ordre, le Gaulois, le Pays* et *le Petit Caporal ;* orléanistes : *le Français, le Journal de Paris, le Soleil ;* Mgr Dupanloup soutenait Mac-Mahon dans *la Défense sociale et religieuse, le Journal des débats* modéré, *le Rappel* radical, *le Temps, le XIXe Siècle, le Petit Journal* (contrôlé par Girardin), *la France* et *la République française,* organe de Gambetta. **1880,** TIRAGE DE QUOTIDIENS : *Républicains :* Le Petit Journal 583 820 (1 000 000 en 1895, antidreyfusard). La Petite République 196 372. La Lanterne 150 531. L'Intransigeant 71 601. La Paix 52 949. Le Petit National 46 837. La France 43 753. Le Petit Parisien 39 419. Le Rappel 33 535. La Marseillaise 28 818. Le Nouveau Journal 27 384. Le Temps 22 764. *Conservateurs :* Le Figaro (avec son supplément) 104 924. Le Petit Moniteur 100 476. Le Soleil 45 190. Le Petit Caporal 25 051. La Petite Presse 22 629. Le Gaulois 14 854. La France nouvelle 14 554. Le Moniteur universel 13 872. L'Univers 10 367.

1900-1914. Grand public. *Le Petit Parisien* (relancé 1888 par Jean Dupuy ; *1896* 600 000 ; *1901* 850 000 puis 1 500 000 ex., le plus fort tirage du monde), *le Journal* (1er numéro 28-9-1892) de Letellier (*1900 :* 500 000) et *le Matin* de Bunau-Varilla (env. 1 000 000 chacun en 1914). **Presse de qualité du centre :** à 20 ou 15 c, tous moins de 100 000 ex., *le Figaro* conservateur, *le Gaulois* monarchiste, *le Journal des débats* lu pour ses chroniques, *le Temps* d'Adrien Hebrard, j. de référence. **Presse d'opinion : de droite :** *l'Écho de Paris, l'Éclair, la Libre Parole* (fondée 1892, par Édouard Drumont, antisémite), *l'Autorité* de Paul de Cassagnac antirépublicaine, *l'Action française* de Charles Maurras et Léon Daudet, quot. dep. 1908, *l'Intransigeant* de Rochefort en 1881 ; **religieuse :** *l'Univers, la Croix* des Pères Assomptionnistes f. 1883 ; **du centre :** *la République fr., la Patrie, la Presse, la Liberté, le Siècle, le XIXe siècle* plus ou moins de droite ; **radicale :** *le Rappel, la Lanterne, le Radical, le Voltaire, l'Action* (f. 1903, anticléricale), *la Justice* (f. 1880, inspirée par Clemenceau), *l'Aurore* (1897), *l'Homme libre* (1913) ; **socialiste :** *le Cri du Peuple* de Jules Vallès (1883-86), *la Petite République* (après 1892), *l'Humanité* (f. 1904 par Jaurès) ; **divers :** *Comoedia* (littéraire, f. 1907), *Gil Blas* (grivois), *le Vélo* (1er quotidien sportif, f. 1891), *l'Auto* (f. 1900). **Presse de province :** ses titres se multiplient (242 quot. en 1914).

Tirages en 1912. Paris : Le Petit Parisien 1 295 000. Le Journal (créé en 1882) 995 000. Le Petit Journal 850 000. Le Matin (créé en 1883) 647 000. La Croix 300 000. Excelsior 110 000. L'Éclair 77 000. La Liberté 77 000. La Presse 75 000. L'Humanité 63 000. La Petite République 47 000. L'Intransigeant 46 000. La Patrie 46 000. Le Temps 45 000. La Libre Parole 44 000. Le Figaro 36 000. Le Radical 32 000. La Lanterne 28 000. Le Journal des débats 26 000. Paris-Midi 24 000. Le Gaulois 20 000. Le Paris-Journal 18 000. Le Rappel 14 000. La Gazette de France 5 000. **Province :** *supérieurs à 200 000 :* le Progrès (de Lyon), Lyon Républicain, l'Ouest Journal (Rennes), la Petite Gironde (Bordeaux), la Dépêche (Toulouse), le Petit Marseillais, *d'env. 100 000 :* l'Écho du Nord (Lille), la France (Bordeaux).

De 1914 à 1945

1914-18. Censure appliquée dep. le 2-8-1914.

1919-39. *Le Petit Parisien* (tirage env. 1 500 000. jusqu'en 1935, ensuite concurrence de *Paris-Soir*). *Le Petit Journal* devient l'organe des Croix-de-Feu et décroît. *Le Matin* décroît. *Le Journal,* acquis par l'Agence Havas, reste à + de 400 000 ex. *L'Écho de Paris* disparaît en 1937. *L'Intransigeant,* le plus grand journal du soir des années 20, décroît après 1931 [Léon Bailby (1867-1945) fonde *le Jour*]. **Groupe Coty :** (François, parfumeur d'origine corse) achète *le Gaulois* qu'il fusionne avec *le Figaro* acheté 1922 et lance en 1928 *l'Ami du Peuple* (vendu 10 c au lieu de 25, boycotté par les Messageries Hachette et l'Agence Havas, tire cependant avec son édition du soir jusqu'à 700 000) ; le groupe fut dispersé en 1933. *Le Figaro* (avec Lucien Romier et Pierre Brisson) retrouvera style et clients habituels. **Groupe Prouvost :** f. par Jean Prouvost (1885-1978, industriel du textile soutenu par le groupe sucrier Béghin) achète *Paris-Midi* en 1924, puis *Paris-Soir* en 1930 qu'il fait monter de 60 000 à plus d'1 500 000 en 1934 ; créé en 1938 *Match* (illustré) et *Marie-Claire* (hebdo. féminin). **J. du centre :** *Le Figaro. Les Débats. Le Temps* (env. 70 000 ; en 1931 des participations de groupes du charbon et de la métallurgie le font pencher à droite). **Catholiques :** *La Croix* et les périodiques de la Maison de la Bonne Presse. *La Vie Catholique illustrée* (fondée 1924) et *l'Aube* (f. 1932 par les démocrates chrétiens). *Sept* (hebdo., 1934-37). *Temps présent* (1937-38). **De droite :** *L'Écho de Paris. L'Intransigeant. Le Petit Journal* (après 1937). *L'Ami du Peuple. L'Ordre. L'Écho national* (André Tardieu, 1919-34). *La Liberté* (reprise par Taittinger, puis 1937 organe de Doriot). *L'Action française* (condamnée par le Vatican en 1926). *Candide* (f. 1924, dirigé par J. Bainville, puis P. Gaxotte, + de 500 000 en 1937). *Je suis partout* [1er numéro 29-11-1930, directeur Pierre Gaxotte, 1936 racheté à Fayard, devient fasciste et antisémite , Robert Brasillach réd. en chef (26-6-1937), collaborateur après 1940]. *Gringoire* (f. 1929, dirigé par H. de Carbuccia, 800 000 en 1937). **De gauche :** presse variée et importante. *Le Quotidien* (d'Henry Dumay, f. 1922, atteint 380 000, puis chute après 1926). *L'Œuvre* (+ de 200 000 ex., influencée par Marcel Déat après 1936). **Radicaux :** *l'Ère nouvelle, la République* et *la Dépêche de Toulouse.* **Communistes :** *l'Humanité* (1920 : 150 000, 1939 : 350 000), *le Soir* (f. 1937). **Socialistes :** *le Populaire* (dirigé par Léon Blum, important vers 1936), Hebdo : *le Canard Enchaîné* (1915). *Marianne* (1932, Gallimard, Emmanuel Berl), *la Lumière* (1927), *Vendredi* (1935, Jean Guehenno, André Chamson ; organe de combat du Front populaire).

Tirages en 1939. Paris : Paris-Soir 1 739 594. Le Petit Parisien 1 422 401. Le Journal 411 421. L'Humanité [6] 349 587. Le Matin 312 597. Ce Soir [6] 262 547. L'Œuvre [7] 236 045. Le Jour-L'Écho de Paris [2] 183 844. Le Petit Journal [5] 178 327. Le Populaire [1] 157 837. La Croix [8] 140 000. L'Intransigeant 134 462. Excelsior 132 792. Paris-Midi 102 000. Le Figaro 80 604. L'Époque [10] 80 000. Le Temps 68 556. L'Information 50 000. L'Action française [9] 45 000. La Liberté [12] 30 000. Le Journal des débats [2] 25 000. Le Peuple [13] 15 000. La République [3] 15 000. L'Homme libre [2] 5 000. Le Petit Bleu [2] 5 000. L'Ordre [14] 5 000. **Province :** L'Ouest-Éclair (Rennes) 350 000 [2]. La Petite Gironde (Bordeaux) 325 000 [2]. L'Écho du Nord (Lille) 300 000 [2]. La Dépêche de Toulouse 260 000 [3]. Le Progrès de Lyon 220 000 [3]. Le Réveil du Nord (Lille) 200 000 [4]. Le Petit Dauphinois (Grenoble) 200 000 [2]. La France de Bordeaux 180 000 [3]. Le Petit Marseillais 150 000 [2]. Les Dernières Nouvelles de Strasbourg 150 000 [2]. L'Est Républicain (Nancy) 140 000 [2]. La Presse réunie (12 q. alsaciens) 140 000 [1]. La Dépêche du Centre (Tours) 140 000 [3]. L'Éclaireur de Nice (+ édit. du soir) 130 000 [2]. Le Nouvelliste de Lyon 130 000 [1]. Le Petit Provençal 120 000 [3]. La Tribune républicaine (St-Étienne) 120 000 [4]. L'Éclaireur de l'Est (Reims) 100 000 [3]. Le Courrier du Centre (Limoges) 100 000 [2].

Nota. – (1) Démocrate. (2) Modéré. (3) Radicalisant. (4) Socialisant. (5) Devenu l'organe du P.S.F. (Croix-de-Feu). (6) Communiste. (7) Radical de gauche. (8) Catholique. (9) Monarchiste. (10) Droite antimunichoise. (11) Socialiste. (12) P.P.F. de Doriot. (13) Syndicaliste. (14) Indépendant antimunichois.

1939-45. Zone Sud : la plupart des journaux se replient à Lyon *(le Figaro, l'Action française, le Journal, le Temps).* Sauf *l'Action française,* la plupart se saborderont en 1942 après l'invasion de la zone sud (*le Figaro* le 11-11, *le Temps* le 29-11). *La Croix* continuera à paraître à Limoges jusqu'au 21-6-1944, mais résistera le plus possible aux ordres de Vichy. *Paris-Soir* sabordé le 12-11, contraint à reparaître, disparaîtra le 25-5-1943 (édition de Toulouse en fin 1943). **Zone Nord :** les Allemands feront reparaître la plupart des grands régionaux et favoriseront à Paris la reparution de j. collaborationnistes *[(le Matin* dès le 17-6-40, *le Petit Parisien* le 8-10, *Paris-Soir* le 26-6, *l'Œuvre* (Déat) le 24-9, *le Cri du Peuple* (Doriot), *les Nouveaux Temps* (Jean Luchaire) le 1-11] et d'hebdomadaires comme *Signal* (traduit de l'allemand), *Au Pilori, Je suis partout* (300 000 ex. en 1944).

De 1945 à nos jours

L'ordonnance du 20-8-1944 interdit la publication de tous périodiques ayant paru sous l'occupation allemande. Ainsi, *l'Illustration* ne peut reparaître ; *France Illustration* lui succède en oct. 1945. *Réalités* créé 1946, absorbe *Femina-Illustration* 1956, est absorbé par *Spectacles du Monde* 1980.

L'ordonnance du 30-9-1944 interdit la reparution des quotidiens qui avaient continué de paraître en zone Nord après le 25-6-1940 et en zone Sud après le 26-11-1942. Cette date permettait d'empêcher la reparution du *Temps* qui avait cessé de paraître le 29-11-1942 et d'autoriser celle du *Figaro* (suspendu le 20-11-1942). 2 j. furent néanmoins autorisés à reparaître : *La Croix* (grâce aux appuis MRP) ; *La Montagne* (grâce aux appuis socialistes). Disparition des j. collaborationnistes. Floraison de nouveaux titres de la Résistance. Certains disparaîtront dès 1947. *L'Aube, Libération* (avec Emmanuel d'Astier de la Vigerie, paru de 1944 à nov. 1964), *le Matin, le Pays, le Soir, Franc-Tireur* [(f. 1942) racheté 1957 par Del Duca et devenu *Paris-Journal* puis *Paris-Jour; diffusion 1960* : 103 971, *65* : 225 994, *70* : 259 395, disparu depuis], *Combat* [(f. 1941, disparu 30-8-1974) 9 376 numéros publiés ; *diffusion 1947* : 130 000, *50* : 89 000, *60* : 60 000, *74* : 10 000 ; son Pt-dir. gén. Henri Smadja était mort le 15-7-74], *le Populaire, Paris-Presse* (f. 1944, disparu 12-7-70 ; *diffusion 1960*: 88 868, *65* : 58 974). *Autres quotidiens disparus : Le Temps de Paris* 66 numéros (disparu 1956). *Vingt-Quatre Heures* (f. oct. 1951 par Marcel Dassault, disparu 1966). *La Nation* (gaulliste, tiré à 15 000 ex., diffusé à 3 000, disparu le 12-7-74). *L'Imprévu,* paru 11 j (janv.-févr. 1975). *J'informe* (f. par Joseph Fontanet, disparu le 17-12-77 après 77 numéros). *Le Quotidien de Paris* (du 4-4-74 au 26-6-78, a reparu dep. 29-11-79). *Rouge* (quot. de la Ligue communiste révolutionnaire du 15-3-76 au 2-2-79, redevenu hebdo.). *Le Matin de Paris* (f. 1-3-77 par Claude Perdriel, a déposé son bilan le 6-5-87). *Forum International* (paru du 15-5-79 au 28-5-80). *Combat socialiste* (paru du 24-2 au 10-7-81) ; *Paris ce soir* (du 8-1 à févr. 84) ; *Le Sport* (du 12-9-87 à juil. 88).

Quelques règles

Clause de conscience (Loi du 29-3-1935 instituant le statut des journalistes devenue l'article 761-7 du Code du travail). Un journaliste peut démissionner avec le bénéfice des indemnités de licenciement en 3 circonstances : cession du journal ou du périodique (« clause de cession ») ; cessation de la publication pour quelque cause que ce soit ; changement notable dans le caractère ou l'orientation du journal ou du périodique si ce changement crée, pour la personne employée, une situation de nature à porter atteinte à son honneur, à sa réputation ou, d'une manière générale, à ses intérêts moraux.

Délits de presse [2]. Peuvent être poursuivis ceux qui, par des écrits, des affiches, des films ou des discours, auront appelé à commettre un crime ou un délit (provocation, qu'elle soit ou non suivie d'effet). Il faut un lien direct entre la provocation et le délit ou le crime qui peuvent éventuellement être commis par des tiers ; la discussion publique des actes politiques du Pt de la Rép. est autorisée et s'arrête là où commence l'offense au chef d'État. Le ministre est libre de poursuivre qui il veut.

Dépôts. Administratif [2] : 10 ex. (quotidiens), 6 (hebdomadaires, bihebdomadaires et trihebdomadaires), 4 (publications mensuelles) au service juridique et technique de l'information (69, rue de Varenne, Paris) et à la préfecture ou à la sous-préfecture (autres départements). **Judiciaire :** 2 ex. au parquet du tribunal de grande instance. *Publ. pour la jeunesse :* 5 ex. au min. de la Justice. **Légal** [1] **:** 4 ex. à la Bibliothèque nationale, 1 au min. de l'Intérieur (publication éditée à Paris), ou à la préfecture (en dehors de Paris) [en outre, pour *l'imprimeur :* 2 ex. à la Bibliothèque nationale (si ses ateliers sont à Paris ou dans la région parisienne) ou à la bibliothèque municipale habilitée (autres départements)].

Directeur [2]. Doit être Français, majeur et ne pas être privé de ses droits civiques.

Droit de réponse [2]. Si l'on est mis en cause par un article, on peut répondre dans le journal. Le directeur doit insérer cette réponse dans les 3 j de sa réception ou, s'il ne s'agit pas d'un quotidien, dans le numéro suivant. Cette insertion gratuite peut atteindre la longueur de l'article auquel elle répond, avec un maximum de 200 lignes. Elle ne doit contenir aucun terme contraire à la loi, aux bonnes mœurs ou à l'honneur du journaliste qui a écrit l'article. Le refus injustifié d'insertion est un délit passible d'amende et de dommages et intérêts.

Nota. – (1) Loi du 21-6-1943, décrets du 21-11-1960 et 16-1-1982. (2) Loi du 29-7-1981.

Liberté de la presse. Inscrite dans la Constitution et la Déclaration universelle des droits de l'homme. Fait partie du droit constitutionnel positif français ; le préambule de la Constitution de 1958 réaffirme les principes de la Déclaration des droits de 1789 et ceux de la loi de 1881 sur la liberté de la Presse. Comporte le droit de publier ce que l'on veut. Mais *on doit publier :* 1° *mentions obligatoires* dans chaque numéro : nom du directeur, de la publication, nom et adresse de l'imprimeur, tirage, etc. 2° *insertions :* résultent de jugements rendus par les tribunaux, ou de l'application du droit de réponse ; n'interviennent que de manière ponctuelle. La censure et l'exigence d'un cautionnement sont prohibées.

Loi du 1-8-1986. Elle reprend les dispositions de l'ordonnance du 26-8-1944, relatives à l'interdiction du prête-nom, au caractère nominatif des actions et à l'agrément par le conseil d'administration de toute cession d'actions. On est tenu d'indiquer le nom du directeur de la publication et du responsable de la rédaction, du propriétaire ou du représentant légal de l'entreprise éditrice et de ses 3 principaux associés.

La loi reprend le principe de l'article 7 de l'ordonnance du 26-8-1944 selon lequel l'actionnaire majoritaire doit être le directeur de la publication mais précise qu'il ne doit l'être que s'il s'agit d'une personne physique. Dans les autres cas, le représentant légal de l'entreprise éditrice est le dir. de la publication. Le dir. de la publication jouissant de l'immunité parlementaire européenne doit (comme les bénéficiaires de l'immunité parlementaire nationale) désigner un codirecteur de la publication sur lequel pèsent les responsabilités pénales et civiles.

Il est interdit de recevoir des fonds ou avantages d'un gouvernement étranger. Les prises de participations étrangères dans des publications en français existantes sont limitées. Les créations sont libres et aucune restriction ne concerne les publications en langue étrangère. Les situations existantes à la date d'entrée en vigueur de la loi ne sont pas remises en cause.

Dans ses décisions des 10 et 11-10-1984 et du 29-7-1986, le Conseil constitutionnel a précisé que le pluralisme des quotidiens d'information politique et générale est un objectif de valeur constitutionnelle. Le dispositif de la loi du 23-10-1984, estimé contraignant pour la liberté d'entreprendre, a été remplacé. Désormais, il est interdit d'acquérir, de prendre, en location-gérance ou sous son contrôle, une publication existante, au-delà d'une diffusion atteignant 30 % de l'ensemble de la diffusion des quotidiens d'information politique et générale. Ces dispositions n'empêchent pas de créer des titres nouveaux ou de développer la diffusion de publications existantes.

Loi du 27-11-1986. Elle complète la loi du 1-8-1986, à la suite de la décision du Conseil constitutionnel du 29-7-1986 déclarant non conformes à la Constitution certaines dispositions de la loi, concernant l'acquisition, la prise de contrôle ou la prise en location-gérance d'une publication quotidienne imprimée d'information politique et générale et l'abrogation de l'ordonnance du 26-8-1944 sur l'organisation de la presse française ainsi que la loi du 23-10-1984 visant à limiter la concentration et à assurer la transparence financière et le pluralisme des entreprises de presse.

☞ Ordonnance du 26-8-1944 sur la presse et l'affaire Hersant, et loi du 12-9-1984 sur le pluralisme et la transparence de la presse. Voir Quid 1987, p. 1036.

Pressions externes. *Juridiques* (saisies, poursuites judiciaires, blocage avant distribution) ; *fiscales* (menace de modifier le régime fiscal du journaliste de manière défavorable) ; *financières* [amendes, préjudices des saisies, retrait des contrats de publicité d'État (Loterie nationale, emprunts, bons du Trésor, P.T.T.), ou du secteur nationalisé, refus de facilités bancaires] ; *professionnelles* (raréfaction des informations, interdiction d'accès à certaines sources) ; *flatteuses* (décorations, invitations, sollicitations).

Publications dangereuses. Loi du 16-7-1949 sur les publications destinées à la jeunesse. Le min. de l'Intérieur peut interdire la mise en vente aux mineurs (1er degré d'interdiction), l'exposition à la vue du public et la publicité par voie d'affiches (2e degré), ou toutes formes de publicité (3e degré) à l'égard des publications de toutes nature présentant un danger pour la jeunesse en raison de leur caractère licencieux ou pornographique, ou de la place faite au crime ou à la violence, à la discrimination ou à la haine raciale, à l'incitation à l'usage, à la détention ou au trafic de stupéfiants.

En 1988 : 9 interdictions (dont *1er degré :* 4, *3e :* 5). En 1989 : *1er degré :* 10, *2e :* 1, *3e :* 1.

Publications étrangères. Le min. de l'Intérieur peut interdire la circulation et la diffusion de journaux et livres étrangers (ou les faire saisir) ; les écrits « de provenance étrangère » rédigés en français et publiés en France.

Régime fiscal. Exonération de la taxe professionnelle. Dep. le 1-1-1982, les entr. de presse sont assujetties à la TVA (sauf pour les publications éditées par des assoc. et n'ayant pas un numéro de commission paritaire des publ. et agences de presse).

Responsabilité. *Juridique :* délits de presse. *Morale :* relève surtout de la conscience et de l'honneur du journaliste et de la morale professionnelle (déontologie). A l'intérieur du journal, le directeur, qui peut avoir à répondre de tout ce qu'il imprime, a le droit de s'opposer à certaines insertions dont il estime ne pouvoir porter le fardeau. Le directeur de la publication et le journaliste sont responsables de leurs écrits.

Saisie. *Administrative* (justifiée par la nécessité du maintien de l'ordre public). *Dans le cadre de poursuites pénales. Pour la défense d'intérêts privés* (contrefaçon, atteinte à l'intimité de la vie privée).

En cas d'infraction par voie de presse, une saisie judiciaire (sur 4 exempl.) peut être ordonnée par le juge d'instruction si le dépôt légal n'a pas été effectué. On peut saisir des écrits considérés comme dangereux, au-delà de 4 ex., même si le dépôt légal a été effectué : écrits attentatoires à la moralité publique, publications anarchistes, publ. contenant des « provocations » au vol, au meurtre, au pillage ou aux violences contre les personnes, incitant les militaires à la désobéissance.

En matière de crimes et de délits contre la sûreté de l'État et s'il y a urgence, en matière de saisie, les préfets ont les mêmes pouvoirs qu'un juge d'instr.

Vente sur la voie publique. Colportage, vente ou distribution sur la voie publique des journaux, livres, brochures et tracts, sont libres. Les colporteurs professionnels doivent faire une déclaration préalable à la préfecture (vente dans le cadre d'un département), sous-préfecture (arrondissement), mairie (commune). Ils reçoivent un récépissé. Préfet ou maire peuvent interdire la vente et la distribution en certains endroits. A Paris, un arrêté du 5-2-1929 et une ordonnance du 8-11-1948 les interdisent notamment près des établ. scolaires et des églises, et aux abords immédiats des marchés. Sont également interdites les ventes en groupe et les ventes immobiles qui provoquent des attroupements et gênent la circulation.

Organismes

Fédération nationale de la Presse française (FNPF). *Fondée* 1945. *Adhérents :* 7 organisations représentant 2 300 journaux et publications. *Pt :* Claude Puhl (n. 16-9-30).

Féd. nat. de la presse d'information spécialisée (FNPS). 7 syndicats : presse agricole et rurale ; culturelle et scientifique ; des entreprises et des professionnels ; sociale ; écon., juridique et polit. ; d'informations spécialisées ; médicale et des professions de santé. Représente 1 700 titres, 66,5 % de tous les titres syndiqués. *C.A. total* (1990) des revues adhérentes : 15 milliards de F (H.T.) dont recettes de ventes 55 %, publicitaires 45 %. *Papier utilisé :* 150 000 t. *Tirage total annuel :* 900 millions d'ex., diffusés à 80 % par la poste. *Tirage moyen d'un titre :* 40 000 ex. *Périodicité (en %) :* quotidiens 1,5 ; hebdo., bi et tri-hebdo. 12,1 ; mensuels, bi-mens. et décadaires 48,2 ; trimestriels, bimestriels 35,2, autres 3.

Syndicat de la presse parisienne (SPP). *Fondé* 26-10-1944.

Féd. nat. de la presse hebdomadaire et périodique (FNPHP). *Fondée* 1952. 3 synd. : publications d'informations générales ; spécialisées ; périodiques spécialisés. Env. 400 titres. 1,2 milliard d'ex.

Union nationale de la presse périodique d'information (UNPPI). 3 synd. : *Synd. nat. de la presse hebdo. régionale d'information (SNPHRI)* (180 adhérents, tirage : 3 000 à 50 000 ex.) ; *Synd. nat. des publications régionales (SNPR) ; Synd. de la presse judiciaire de province (SNPJP)* (30 adhérents). *Origine :* Synd. nat. de la presse périodique de province, créé à la Libération, transformé 1973 dans les 3 syndicats ci-dessus, regroupés dans l'UNPPI créée 1970 entre le SNPPP et la Féd. fr. de la presse périodique. 280 titres. *Tirage total :* 3 millions d'ex. par parution.

Syndicat de la presse hebd. parisienne (SPHP). 110 titres.

Syndicat des quotidiens départementaux (SQD). 30 quotidiens.

Syndicat de la presse quotidienne régionale (SPQR). *Constitué* 11-6-1986 par fusion du Syndicat nat. de la presse quotidienne régionale et du Syndicat des quotidiens régionaux. 44 titres. 450 éditions. 10 000 pages quotidiennes. 6,8 millions d'ex. par j. *Points de vente :* 80 000. *Lecteurs :* 20 millions. *C.A.* (1990) : 14 milliards de F. *Collaborateurs :* 25 000. *Pt :* Jacques Saint-Cricq.

☞ **Fédération internationale des éditeurs de journaux (FIEJ).** *Créée* 1948.

Statistiques générales

Budget

Aides à la presse 1991 (en millions de F). **Directe :** 278,45 [dont réduction des tarifs S.N.C.F. pour transport de presse 180,4 ; téléphone pour correspondants de presse 37,55 ; fonds d'aide à l'expansion de la presse à l'étranger 41,42 ; fonds d'aide aux quotidiens nat. d'information générale à faibles ressources publicitaires 13,48 (en 90 : 13,39 dont La Croix 6,68, L'Humanité 6,7)] + abonnements des administrations à l'AFP aux quot. de province à faibles ressources de petites annonces 5,6 (1989) 452,13. **Indirecte :** ne donne pas lieu à inscription de crédits dans la loi de finances, mais consiste en des moins-values de recettes résultant pour l'État. En *1990 :* 5 276 (dont tarifs postaux préférentiels 3 300,6, allègement TVA 1 130, régime spécial des provisions pour investissements 290).

Un régime d'aides était primitivement destiné aux publications ayant « un caractère d'intérêt général d'instruction, d'éducation, d'information du public ». Un jour a été ajouté : le mot *« récréation »* et le régime a été progressivement étendu à l'ensemble des publications. Pour en bénéficier, il faut obtenir un n° d'inscription auprès d'une commission paritaire des publications et agences de presse. Les publications n'ayant pas obtenu un n° d'inscription sont soumises à la TVA au taux normal (18,6 %) ou au taux majoré (33 %) si elles présentent un caractère pornographique.

Contrôle : Une commission auprès du ministère de la Justice, présidée par un conseiller d'État et composée d'une trentaine de personnes (représentants de divers ministères, de mouvements et organisations de jeunesse, d'associations familiales, d'éditeurs, dessinateurs, membres de l'enseignement, magistrats, députés et sénateurs) signale aux autorités compétentes les agissements ou infractions de nature à nuire, par voie de presse, à l'enfance et à l'adolescence. Les publications ayant fait l'objet, à la suite de cet avis, de 2 des 3 interdictions (d'affichage, de faire de la publicité ou d'être vendues à des mineurs) sont soumises au taux majoré de TVA de 33 %. *Du 16-7-1982 à 86 :* 620 journaux (surtout pornographiques importés) ont été l'objet d'interdictions prévues par la loi du 16-7-1949. *Le 13-3-1987 :* un arrêté du min. de l'Intérieur a interdit 6 mensuels (Absolu, Lettres, le Club, Privé Madame, édités par les éditions de la Fortune, et Absous et Privé, édités par la Sté française de revue) à la publicité, l'affichage et la vente aux mineurs (conformément à l'art. 14 de la loi du 16-7-1949). L'interdiction à la vente aux mineurs et à l'affichage entraînant notamment la suppression de l'inscription à la commission paritaire et de la distribution par les NMPP. Environ 25 journaux dont le Gai Pied et Newlook, Penthouse, Photo et l'Écho des Savanes (Éd. Filipacchi) ont été avertis qu'ils tombaient, par leur contenu, sous le coup de l'art. 14 de la loi du 16-7-1949.

Dépenses des Français. Par ménage : 743 F de journaux en 1990 selon les NMPP. Longtemps le prix du journal a suivi celui du timbre-poste : *en 1957 :* ils coûtaient tous deux 20 F (20 c d'aujourd'hui), *1967 :* timbre 0,30 (journal 0,40) ; *1987-91 :* 2,20 F (3,40 à 5 F).

Prix. Quotidiens en mars 1988 (en F) : All. féd. 1,75 à 5, Belgique 3,20, Espagne 3, États-Unis 1,75 à 2,75, *France :* province 3,40 à 4, nationaux 4,50 (coût réel 7,10, dont rédaction 1,10, papier 0,90, frais généraux 0,80, fabrication 2, distribution 2,30), G.-B. 1,80 à 2,50, Italie 3,70, Japon 1,75 à 3,50. **Magazines:** *France* (moyenne 1990). 8,65 (presse télé : 5,67).

Prix de revient en 1985 à l'exemplaire tiré en F. Presse nationale : *quotidiens :* 2,51 dont % papier 30, impression 43, rédaction 27 ; *magazines d'information :* 6,12 dont p. 32, i. 38, r. 29 ; *magazines d'inf. illustrés :* 4,55 dont p. 37, i. 39, r. 24. **Quotidiens locaux (semaine) :** 2,20 dont p. 26, i. 45, r. 28.

Recettes. Chiffre d'affaires (1988, prov., en milliards de F) : recettes des ventes et, entre parenthèses, de la publicité. *1965 :* 4 (44). *70 :* 6 (42). *75 :* 10 (37), *81 :* 27,3 (40). *86 :* 43,8 (40,1). *87 (prov.) :* 43,8. *88 (prov.) :* 48,21. **Information générale et politique nationale :** 9,75 (4,19) dont *quot.* 5,98 (2,74). **Locale :** 13,93 (6,01) dont *quot.* 12,5 (5,10). **Presse spécialisée « grand public »** (hors journ. d'annonces gratuits) : 19,13 (7,54). **Technique et professionnelle :** 5,40 (3,09). **Chiffre d'aff. global** des quotidiens, périodiques et autres publications : 48,21 (20,83).

Comptes d'exploitation

Quotidien (moyenne)

Charges. COÛT DE PRODUCTION : *rédaction* 20 % des charges. *Frais de documentation et d'agence* 2 à 3 %. *Services administratifs et commerciaux* 11 à 14 %. *Amortissement des équipements* 3 à 5 % des coûts de production. *Papiers* 25 à 30 % (un numéro du *Pèlerin :* 86 pages/tirées à 550 000 ex. consomment 140 t de papier ; par an : 6 000 t (production de 2 000 à 3 000 ha de forêt). *Fabrication (salaires)* 30 % [charge importante due à la puissance du Syndicat du Livre qui, défendant l'intérêt de ses syndiqués, entraîne une limitation de la productivité et le maintien d'effectifs en surnombre]. COUT DE DISTRIBUTION : 6 à 10 % (30 à 50 % du prix de vente du journal).

Produits. VENTES : 50 %. PUBLICITÉ : 50 % (*en 1983 :* Le Figaro 66 %, L'Humanité 12 %, Le Monde 56,8 %).

Exemples

Compte d'exploitation (en millions de F)

Le Canard Enchaîné (1989). **Compte de résultat :** produits d'exploitation 134,4, charges 117, résultat 17,4 ; produits financiers 6,4, charges 0,006, résultat 6,4 ; résultat courant 23,8 ; produits exceptionnels 0,271, charges 3,1, résultats – 2,9 ; impôts sur les bénéfices 8,2, total des produits 141,1, des charges 128,4 ; bénéfice 12,7.

La Croix (1989). **Recettes :** ventes 110,8, publicité brute 11,8, aide à la presse 6,4. **Charges :** 135,1 (dont en % : rédaction 31,3, papier, impression 27,4, gestion, distribution 18,5, promotion, frais généraux 22,7). **Déficit :** 6,2.

L'Humanité et **l'Humanité-Dimanche** (1989). **Dépenses :** 237,7 dont (en %) salaires et charges 26,6, impression 26,5, distribution 24,3, papier 8,9, fournitures à la rédaction 4,9, administration 4,7, amortissement 3,1, impôts 1, frais financiers 0,2. **Recettes :** 230,9 dont (en %) vente 68,1, publicité 14,2, souscriptions et fête de l'Humanité 9,5, loyer et produits de gestion courante 5,2, aide de l'État (quot. à faibles ressources publicitaires) 3.

Le Monde S.A.R.L. (1989). **Dépenses :** 1 218 dont (en %) traitements et salaires 29,5, frais de vente 23,9, charges sociales 11,9, papier 11,5, frais généraux 10,3, autres charges d'exploitation 8,23, P.T.T. 3,4, impôts et taxes 0,12, courtage et frais de publicité 0,07. **Recettes :** 1 070 dont *Le Monde* 940 (87,93 %) dont (en %) publicité 46,4, ventes 42,6, abonnements 9,5, prod. divers 0,82, travaux faits par l'entreprise pour elle-même 0,29, reproduction d'articles 0,19, vieux papiers 0,12 ; *autres activités* (12,07 %) dont travaux commerciaux et divers 43, Dossiers et Documents 30,8, Monde diplomatique 20,9, Monde de l'Éducation 17,1, Sélection hebdomadaire 8,6, Monde des philatélistes 8,2, Weekly sélection 0,5. **Chiffres d'affaires :** *1982 :* 717,6, *83 :* 768,7, *84 :* 759,4, *85 :* 781,8, *86 :* 805,6, *87 :* 915, *88 :* 1 047 (consolidé 1 239), *89 :* 1 218 (consolidé 1 247), *90 :* 1 184. **Résultats courants :** *1988 :* + 36,3, *89 :* + 22,6, *90 :* – 38. **Prix de l'abonnement en F.** *1968 :* 120, *69 :* 120, *70-71 :* 150, *74 :* 300, *77 :* 400, *78 :* 400, *80 :* 545, *81 :* 590 puis 780, *82 :* 910, *83 :* 980, *84 :* 1 080, *85-88 :* 1 200, *90 :* 1 300.

Libération (1989). **Dépenses :** 424 dont (en %) distribution 25,56, frais de personnel 24,09, impression 10,97, papier et autres mat. 1res 10,16, frais généraux et loc. 20,63, autres charges 3,07. **Recettes** (C.A.) : 426 dont (en %) ventes 58,06, publicité commerciale et petites annonces 35,43, télématique 3,87, copyright 0,12, produits divers 2,52. **Bénéfice :** 16,8.

Le Point (1989). **Produits** (hors taxes) : 385,6 dont diffusion 202,6, pub. 174,1, divers 8,9. **Charges d'exploitation :** 385 dont personnel 85,4, papier et impression 110,1 achats et serv. extérieurs 111,1. **Déficit :** 10 (1990).

Titres et tirages

Titres par périodicité

Nombre global. 15 300, du quotidien d'information générale à la revue semestrielle. 10 733 inscrits à la Commission paritaire des publications et agences de presse. **Quotidiens :** *1982 :* 143, *84 :* 128, *85 :* 130. **Hebdo :** *82 :* 941, *84 :* 902, *85 :* 898 (dont journaux gratuits d'annonces 327, hebdo. départementaux 300, magazines de tous types 271). **Mensuels :** *82 :* 1 341, *84 :* 1 166, *85 :* 1 205 (dont magazines 1 104, journaux gratuits d'annonces 101). **Trimestriels :** *82 :* 667, *84 :* 660, *85 :* 674 (dont magazines 670, journaux gratuits d'annonces 4). **Autres périodiques :** *82 :* 54, *84 :* 26, *85 :* 30.

Titres par catégorie

☞ *Légende.* – h. : hebdomadaire, m. : mensuel, q. : quotidien, t. : trimestriel.

Information générale et politique. *Nationale :* 15 titres (dont q. 10, h. 3, m. 2). *Presse d'opinion :* 35 dont *politique* 18 (dont h. 9, t. 4, m. 5). *Religieuse :* 10 (dont m. 6, h. 4). *Satirique :* 4 (dont h. 3, t. 1). *Autres :* 3 (dont h. 2, m. 1). *Magazines d'inform. :* 13 (dont h. 11, m. 2). **Locale.** *Inform. gén. et pol. et d'opinion :* 332 [q. 76 (dont 6 pour D.O.M.-T.O.M., 22 « Journaux du 7e Jour »), h. 225, m. 9]. *Magazines régionaux :* 25 (m. 18, t. 6, h. 1). *Annonces judiciaires et légales :* 74.

Presse spécialisée grand public. *TV, radios (dont programmes, spectacles)* 15 (h. 9, m. 4, t. 2), TV, radio 18. *Bande dessinée :* 149 dont enfant adolescent 132 (t. 67, m. 61, h. 2, autres 2), adulte 17 (m. 13, t. 4). *Maison et décoration :* 21 dont maison 16 (m. 7, t. 8, h. 1), jardin 5 (m. 4, autre 1). *Familiale et sociale :* 28 dont religion 8 (m. 7, h. 1), famille 5, 3e âge 4 (m. 3, t. 1), autres 11 (m. 7, t. 3, h. 1). *A sensation :* 21 (périodiques porno. non compris) dont actualité, mode 6 (m. 5, t. 1), actualité, sensation 6 (h. 5, m. 1), sciences occultes 7 (m. 6, t. 1), actualités, jeux 2 (h. 2). *Masculine :* 16 (m. 14, h. 1, t. 1). *Féminine et du cœur :* 57 dont généraliste 19 (h. 7, m. 10, t. 2), mode 13 (m. 8, h. 2, t. 2, autre 1), arts ménagers 13 (m. 5, t. 6, h. 2), santé beauté 9 (m. 7, t. 1, autre 1). *Des jeunes :* 27 dont adolescent 11 (m. 9, h. 2), enfant 13 (m. 10, h. 2, t. 1), lycéens et étudiants (après bac) 3 (t. 2, m. 1). *Culturelle (littér., beaux-arts) :* 42 (m. 28, t. 14). *Loisirs :* 291 dont mots croisés et assimilés 105, photo, cinéma, vidéo 27, bricolage, modélisme 26, hi-fi, musique, instruments 22, loisirs auto. 19, jeux, détente 15, collections et antiquités 16, chasse, pêche, nature 15, loisirs informatiques 21, tourisme, voyage, gastronomie 8, autres 17. *Économique :* 19 (m. 7, h. 5, t. 5, q. 2). *Sportive :* 79 dont généralistes et divers 27 (m. 18, t. 4, h. 2, q. 1, autre 2), hippisme et turfisme 18 (dont h. 11, m. 4, q. 2, t. 1), auto-moto 16 (m. 13, h. 3), ballons 10 (m. 5, h. 5), nautiques 8 (m. 6, t. 2). *Vulgarisation scientif. et techn. :* 12 (m. 10, t. 2). *J. d'annonces :* 464 (gratuits 432, payants, divers 14, payants, immobilier 18).

Technique et professionnelle. *Agriculture, sylviculture, pêche :* 146 dont agricole, 102 (h. 61, m. 40, t. 1), cult. spécialisées 22 (m. 13, t. 6, h. 2, q. 1), pêche et élevage 17 (m. 12, h. 1, t. 4), autre 5 (t. 3, m. 2). *Agro-alim. :* 42 (m. 29, t. 6, h. 5, q. 2). *Énergie :* 18 (m. 10, t. 6, h. 1, q. 1). *Immobilier :* 14 (m. 11, t. 3). *Biens intermédiaires :* 42 dont prod. minerais, métaux 16 (m. 11, t. 5), chimie de base 9 (m. 5, h. 2, t. 2), mat. de constr. et céramique 5 (m. 4, t. 1), papier carton 4 (m. 4), verre 3 (t. 2, m. 1), autres 5 (t. 3, m. 2). *Biens d'équipement :* 51 dont constr. électr., électron. 15 (m. 8, t. 6, h. 1), mécanique 13 (m. 10, t. 3), navale, aéronautique, armement 9 (m. 4, t. 4, h. 1), auto. et assimilés 4, autre 10 (m. 6, t. 3, h. 1). *De consommation courante :* 65 dont cuir textile et chaussure 23 (m. 9, t. 10, h. 3, autre 1), imprimerie, presse, édition 17 (m. 11, t. 4, h. 2), parachimie et ind. pharmaceutique 2 (m. 1, t. 1), autre 23 (m. 13, t. 10). *Assurances :* 8 (m. 6, h. 1, t. 1). *Finance et bourse :* 15 (dont q. 6, m. 4, t. 3, autre 1). *Mise en œuvre du bâtiment, génie civil et agricole :* 51 dont trav. publics, gros œuvre, bâtiment, urbanisme 29 (m. 12, t. 12, h. 4, autre 1), second œuvre 22 (m. 13, t. 9). *Transports et télécom. :* 26 dont transports 23 (m. 15, h. 4, t. 2, q. 1, autre 1), télécom. 3 (m. 3). *Services non marchands :* 134 dont recherche scient. et techn. 84 (t. 67, m. 6, h. 2, autre 9), enseignement 27 (m. 20, t. 7), admin. 18 (m. 14, t. 4), autre 5 (t. 4, m. 1). *Commerce :* 65 non alim. 40 (m. 28, t. 11, h. 1), alimentaire 15 (m. 12, t. 2, h. 1), techn. comm. 10 (dont m. 7, h. 2, t. 1). *Services marchands :* 255 dont gestion, admin., entreprise 116, services com. 22, manutention, stockage, hygiène, sécurité 21, informatique 16, réparation, commerce, auto. 16, hôtels, cafés, restaurants 12, spectacle 13, pub. 12, architecture 7, autres 20. *Presse médicale* : 252 (spécialiste 139, généraliste 51, pharmaceutique 16, hospitalier 15, dentaire 14, paramédical 9, vétérinaire 8).

Tirage

Exemplaires produits par an (en millions) et entre parenthèses **quotidiens.** *1965* : 7 089 (3 946). *75* : 6 933 (3 515). *85* : 7 799 (1 022). *88* : 7 918.

Consommation de papier (1985). 1 161 923 t dont en % papier journal 55,75 papier magazine couché brillant 24,42 non couché satiné 13,6, couché mat 3,8, non satiné 2,3.

Entreprises (1988). *Nombre* : 578 exerçant à titre principal une activité de presse (54 662 personnes). 30,9 % emploient moins de 20 personnes, réalisant – de 3 % du C.A. *Chiffre d'aff. total* : 72,64 milliards de F HT.

Vente et distribution

Diffusion de la presse-éditeur en 1988

	Diffusion totale annuelle en millions d'ex.	Répartition de la diffusion en %			
		Vente au N°	Vente par abt.	Services gratuits	Invendus
Info. gén. & politique nationale	**840,3**	**54,2**	**18,3**	**2,9**	**24,6**
Info. gén. & polit.	621,1	58,0	12,8	3,0	26,1
Presse d'opinion	46,7	55,1	16,4	3,4	25,1
Magazine	172,6	38,7	40,4	2,5	18,5
Locale	**2 342,5**	**63,0**	**22,2**	**3,5**	**11,3**
Info. gén. & polit.	2 311,1	63,5	21,7	3,4	11,3
Magazine	4,9	38,1	22,9	21,3	17,8
A.J.L.	26,5	20,3	65,0	9,5	5,2
Presse spécialisée grand public	**1 743,5**	**57,2**	**16,1**	**2,0**	**24,7**
Jounaux d'annonces	15,5	52,8	5,0	12,2	30,0
Bandes dessinées	50,5	64,2	6,2	1,0	28,6
Presse culturelle	30,2	18,0	59,3	3,5	19,1
Maison & Décoration	39	35,0	39,6	2,7	22,7
Économie	64,8	17,2	43,5	9,9	29,4
Presse féminine	330	67,4	9,7	0,9	22,0
Presse des jeunes	53,5	45,6	28,2	1,5	24,6
Loisirs	119,7	41,9	22,6	2,2	33,4
Presse masculine	11,7	63,3	4,1	2,8	29,8
Sport	238,1	57,6	3,8	3,1	35,5
Science & Technique	15,4	34,4	44,5	1,1	20,0
T.V./Spectacle	569,7	66,8	15,8	1,0	16,3
Sensation/Evasion	142,8	65,4	2,1	0,5	32,1
Famille/Société	62,7	16,2	67,6	2,8	13,1
Gratuits	**1 489,1**	**0,0**	**0,0**	**99,8**	**0,0**
Presse spécialisée tech. & professionnelle	**324,6**	**5,7**	**65,1**	**20,6**	**8,4**
Presse agricole	79,9	3,0	75,5	17,7	3,8
Bâtiment/T.P.	10,9	3,3	77,8	11,1	7,1
Commerce	9,1	3,3	59,6	23,2	13,9
Presse médicale	84,2	1,1	62,1	33,1	3,7
Biens d'équipements	5,7	10,3	49,2	22,3	18,2
Finances/Bourse	14,3	6,9	74,2	6,5	12,5
Agro-alimentaire	6,4	1,4	71,6	22,4	4,7
Biens intermédiaires	1,4	1,8	55,2	34,6	8,5
Location/Crédit/Immo.	2	4,3	87,4	3,3	5,0
Services marchands	88,4	11,6	59,1	14,8	14,0
Services non marchands.	10	6,8	63,4	17,8	11,9
Prod./Distr. énergie		1,5	77,2	12,7	8,6
Assurance	1,3	1,0	86,3	6,6	6,1
Transport & Télécom.	5,1	14,8	46,2	22,6	16,4
Biens consommation	5,6	6,0	49,3	37,6	7,1
Ensemble	**6 740**	**45,6**	**17,6**	**21,9**	**14,8**

• **Frais de distribution** (% du prix de vente). *Moyenne* 40 (dont NMPP 16, grossistes 6, détaillants 18). *Quot. province* 30 à 40, *Paris* 40 à 50 (Le Monde 55).

• **Abonnements.** La plupart des quotidiens gèrent eux-mêmes leurs abonnés. Les périodiques font souvent appel à une entreprise de messagerie, la Sté Presse-Routage. **% des abonnements dans les ventes totales** *(1989)* : Nouvelle Famille Éducatrice 99,9, L'Enseignement public 99,7, Bonheur 98,4, La Voix des Parents 97, La Vie du Rail 96, Messages du Secours Catholique 95,4, Pèlerin Magazine 89,3, Rustica 88, La Croix/L'Événement 87,8, La Vie 87,1.

• **Invendus.** % les plus forts en 1989. Micro Systèmes 47,7, Best 47,1, Alpi Rando 42,4, Vingt Ans 41, Le Haut-Parleur 40,3, Historia 37,1, Maison et Travaux 36,9, Le Monde de l'Éducation 36,1, Salut 35,9, Tennis de France 35,2.

• **Numéros gratuits** (en %, en 1989). L'Éclair de Nantes 20, Les Échos 18,2, Dépêche Mode 14,5, La Liberté du Morbihan 14,1, Le Havre Presse 13, Le Soir/Le Provençal 11,8, Investir 11,6, Journal de la Maison 9,9, Éclair des Pyrénées 9,1, Expansion 8,9.

• **Portage à domicile.** Largement utilisé pour les quotidiens aux U.S.A., G.-B., All. féd., peu en France sauf dans certaines régions du Nord, de l'Ouest et de l'Est (en Alsace : 80 % de la diffusion des quotidiens). A Paris, le Parisien libéré, Le Monde, Le Figaro utilisent ce procédé.

• **Vente au numéro.** Env. 40 000 points de vente, boutiques, kiosques spécialisés (290 à Paris, concessionnaires de la ville), crieurs. Pour prévoir les fluctuations de la vente, les journaux doivent livrer un surplus d'exemplaires dans la plupart des points de vente. Pour les quotidiens, les conditions météo peuvent créer des variations importantes.

Les marchands de journaux (env. 3 500 dépositaires centraux) n'achètent pas les ex. qui leur sont fournis. Ils perçoivent un % sur ceux qu'ils ont écoulés (détaillants 15 %, grossistes 8 %). Les exemplaires invendus (en moy. 13,9 % pour les quotidiens) sont renvoyés et facturés aux éditeurs.

Selon la loi du 29-7-1881, les éditeurs peuvent distribuer leurs journaux par leurs propres moyens ou par des messageries libres de fixer leurs conditions. Les *Messageries Hachette,* fondées 1897, poursuivirent en 1940 leur activité en zone libre sous le contrôle de Vichy et, en zone occupée, furent réquisitionnées et prirent le nom de *Messageries coopératives des journaux français.* Les Allemands instaurèrent un taux unique de remise par catégorie de journaux et non par titre. A la Libération, la distribution des journaux fut confiée aux *Messageries françaises de presse* (MFP), dirigées par des personnalités d'obédience communiste, qui réquisitionnèrent elles aussi les Messageries Hachette. En 1947, elles avaient accumulé 500 millions de F de passif.

La loi Robert Bichet du 2-4-1947 définit les règles toujours en vigueur. Les journaux qui désirent avoir accès au réseau doivent se regrouper (par nature : presse quotidienne, régionale, etc.) pour adhérer à des coopératives créées à cet effet ; ces dernières confient leur distribution aux NMPP. La garantie de distribution ne peut être refusée à un nouveau journal s'il a un numéro de commission paritaire et satisfait aux obligations légales du statut de la presse. Tout journal, quelle que soit son importance, paie le même taux de base pour se faire distribuer et bénéficie (en théorie) d'un même traitement pour conditions de transport et délais de mise en place. En contrepartie, il doit donner à la collectivité l'exclusivité de sa distribution au numéro. En principe, un éditeur verse aux NMPP un taux de base de 38,5 % du prix fort de son journal (TVA incluse) et reste propriétaire de son journal jusqu'à la vente. Il faut y ajouter les frais d'invendus, de statistiques, les pénalisations ou les bonifications. Au total, coût moyen de 50 % du prix de vente.

Titres vendant le plus au numéro (en %, en 1989). Nouveau Détective 98,9, Progrès Dimanche 98,8, Midi Libre Dimanche 98,1, Sud-Ouest Dimanche 98, Ici Paris 97,9, Dauphiné Libéré Dimanche 97,7, Marie-Claire 97,4, Pariscope 97,1, Cosmopolitan 97, L'Équipe 96,8.

• **Messageries de presse.** *Créées* 1947 sous forme de coopérative. Comprennent, en 1990 : NMPP, SAEM Transport-Presse, les Messageries lyonnaises de presse et Rhônes-Alpes Diffusion. Assurent : tri, groupage, transport, distribution aux principaux points de vente et gestion (facturation, statistiques, centralisation du produit de la vente, collecte des invendus). En province, chaque entreprise assure, par ses propres camions et motos, sa distribution.

• **NMPP (Nouvelles Messageries de la Presse Parisienne).** 111, rue Réaumur, Paris 2e. *Créées* par la loi Robert Bichet du 2-4-1947. *Capital* : 51 % détenu par *5 coopératives d'éditeurs de journaux* (Quotidiens de Paris, Presse hebdomadaire et périodique, Publications hebdo. et périodiques, Presse périodique et Publications parisiennes) rassemblant 752 titres, détiennent 51 % du capital des NMPP ; 49 % par groupe Hachette. Un responsable d'Hachette assure traditionnellement la direction générale. *Effectifs* : 4 300 (dont centre de tri 2 300). *Diffuse* vers 36 000 points de vente en France et à l'étranger env. 2 000 titres français, 600 étrangers (2,7 milliards d'ex. au total) pour 22,4 milliards de F. *C.A.* : 2,9 milliards de F (C.A. théorique, calculé sur le prix de vente des ex. sans les invendus). *Vente en kiosque (1990)* : 1 766 millions d'ex. [dont 11 pour 16 milliards de F (dont 11,33 en kiosque)]. Sa filiale, la *Sté d'Agence et de Diffusion,* assure la distribution dans les 20 plus grandes villes de France. La *Librairie Hachette* est concessionnaire de points de vente de journaux et de librairie dans les gares, les stations du métropolitain, les aéroports, etc.

Principaux groupes de journaux

☞ Depuis 1951, la presse française a subi une forte *concentration.* [Causes : *Augmentation du prix de vente* qui conduit de 1951 à 62 les journaux départementaux (tirage de 2 000 à 100 000 ex.) à se regrouper ; *adoption du couplage publicitaire* (à partir de 1963) ; *financement de matériel moderne* (à partir de 1966) ; *réduction des recettes publicitaires* au profit de la Télévision.]

Diffusion moyenne payée (1989). Hachette 9 700 860, Hersant 9 048 400, Prisma Presse 5 531 000, Éditions Mondiales 4 847 000, Bayard Presse 3 160 000, Filipacchi 3 025 900, Marie Claire Album 1 788 800, La Vie Catholique 1 455 200, Éditions Amaury 1 369 900, Excelsior 1 201 200.

Liste

• **Amaury (Éditions).** *P.-D.G.* : Philippe Amaury (6-3-40) dep. le 18-11-83. *Dir. gén.* : Jean-Pierre Courcol. *1975* grève. *1977-2-1* mort d'Émilien Amaury. *1978-14-5* mort de Claude Bellanger, dir. *1983* conflit entre héritiers, tranché. *Quotidiens* : Le Parisien. L'Équipe. Le Maine Libre. Le Courrier de l'Ouest. *Hebdo.* : L'Équipe Magazine. France Foot. Liberté Dimanche. *Hebdo. gratuits* : Magazine, Super Maine, Inter Hebdo. *Mensuels* : Tennis de France, Vélo Magazine. *Autres activités* : Service télématique (« P.L. », Le Point, M6), organisation d'épreuves sportives (Société du Tour de France). Régie publicitaire (Manchette). **C.A.** (1990) : 1,85 milliard de F (résultat net + 0,065). *Effectifs* : 1 800.

• **Bauer.** *Allem.* Maxi, Marie-France.

• **Bayard-Presse** (avant 1969, Maison de la Bonne Presse, fondée 1873, propriété des Assomptionnistes). *Pt du Conseil de surveillance* : Claude Bourgois (1-12-25). *Pt du Directoire* : Bernard Porte (7-3-38). PRESSE : *Quot.* : La Croix-l'Événement (créée 1883). *Revues adultes* : Bonne Soirée, le Chasseur français, Pèlerin-Magazine, Notre Temps, Les Jeux de Notre Temps, Les Pages de l'Événement, Medias Pouvoirs (total 1 200 000 ex.). *Jeunes* : Popi, Pomme d'Api, Pomme d'Api Soleil, Les Belles Histoires, Astrapi, J'aime lire, Okapi, Je bouquine, I Love English, Phosphore, Youpi, Images Dos, Grain de Soleil, La Semaine de Babar, Today in English. *Religieuses* (total 425 000 ex.) : La Foi aujourd'hui, La Documentation catholique, Le Monde de la Bible, Signes d'aujourd'hui, Points de Repère, Vermeil, Prions en Église, Dimanche, Panorama (co-éd.), Écritures (co-éd.), Signes Musiques. *Hors Série* : Almanach de Pèlerin Magazine, Guide de la retraite, Guide des Études. ÉDITION : Bayard Presse, Le Centurion et diffusion de livres : Sofedis. *International (Bayard Presse International).* Filiale créée 1989 avec, pour 33 %, 5 partenaires : S[té] Générale 13,3, CIC 6,7, BFCE 6,7, Banque Worms 3,3, Sofinindex 3,3. *Hong Kong* : Little Red Apple, Red Apple, White Antilope, I Love English, Okapi. *Espagne* : El Mundo de la Biblia, Leo Leo, Caracola, I Love English, Gente Se. *Canada* : Le Bel Age, J'aime lire (licence). *Belgique* : Notre Temps, Onze Tijd. *Italie* : Club 3. Il Mondo Delle Biblia. *G.-B.* : Choice, Yours. *P.-Bas* : Plus, Pippo (licence). I Roditeck. ACTIVITÉS INDUSTRIELLES (Photogravure, Photocomposition, Impression, Expédition, Routage) : BMI, BRP, SCIA., B + R. INFORMATIQUE : BSI, Quantics. AUDIOVISUEL : Telcima, Maximum, Canal J. VOYAGES : NDS. *Effectifs* : 1 700. **C.A.** (en millions de francs). *1989* : 1 146,9 dont presse jeunes 354, adultes 315, senior 295,3, religieuse 46,6 livres 30, autres 106. *1990* : 1 600.

• **Bonnier.** *Suède. Pt-dir. gén.* : Daniel Bonnier. *Mensuels* : Mon jardin et ma maison, le Journal de la maison, Maison bricolages, Saveurs. **C.A.** (1990) : 170 millions de F.

• **Breteuil.** *Dir.* : Michel de Breteuil (6-12-1926). Journaux d'Afrique : Amina, Annuaire de la Défense africaine, Afrique défense, African Defence Journal, Afrique Médecine et Santé.

• **C.E.P. Communication (Compagnie européenne de publication).** Groupe français de Presse et d'édition, créé fin 1975. *Pt-dir. gén.* : Christian Brégou (19-11-1941). **C.A.** *1989* : 4 850 millions de F.

Presse économique et professionnelle : France : env. 70 titres dont L'Usine Nouvelle, A pour affaires économiques, Le Moniteur des travaux publics et du bâtiment, Industries et Techniques, La France agricole, Mesures, Caractère, Pétrole Informations, La Gazette des Communes, 01 Informatique, L'Ordinateur individuel, Électronique international hebdo, LSA (Libre Service Actualités). Participation de 35 % dans le Nouvel Économiste. Étranger : env. 30 titres à travers des filiales locales dont G.-B. (Builder Group), Italie (Alfa Linea, Agepe), Espagne (Cetisa, Boixareu Editores). *Organisation de nombreux salons et congrès internationaux* dont : Emballage, Graphitec, Manutention, TPG, Sircom, Laboratoire, Mecanelem, Medec, Merchandising, Machine Outil, Intermat, Pêche etc. *Presse spécialisée dans le domaine de la maison :* Maison Française, Maison Individuelle. *Édition :* C.E.P. Communication est associée à La Générale Occidentale au sein d'une filiale 50/50 qui contrôle majoritairement le Groupe de la Cité (voir p. 349).

• **Condé Nast.** *U.S.A. Pt :* S.I. Newhouse Jr. Vogue, House & Garden, Glamour, Mademoiselle, Bride's, Self, GQ, Vanity Fair, Gourmet, Condé Nast Traveler. *Europe Pt :* Daniel Salem (29-1-1925). *Londres :* Vogue, House & Garden, Brides & Setting up Home, Tatler, The World of Interiors, Business, QG. *Paris :* Vogue, Vogue Hommes, Maison & Jardin, Vogue Décoration, Glamour, Automobiles classiques. *Milan :* Vogue, l'Uomo Vogue, Casa Vogue, Vogue Sposa, Vogue Gioiello, Uomo Mare, Vogue Bambini, Lei, Myster, Vogue Pelle, Vanity Fair, Auto In, Vogue Speciale, Vogue Pellicce, Casa Vogue Antiques. *Munich :* Vogue, Männer Vogue, Miss Vogue. *Madrid :* Vogue, Casa Vogue.

• **Dargaud.** *Pt-dir. gén. :* Claude de Saint Vicent. *Pér. hebdo :* Rustica. Éditions de bandes dessinées. Pilote a disparu fin 1989. **C.A.** (1989) : 330 millions de F.

• **Dauphiné libéré.** *Fondateur :* Louis Richerot (1898-1988). *Pt du Conseil de surveillance :* Xavier Ellie. *Pt du directoire :* Guy Lescœur. *Dir. gén. :* Charles Debbasch. *Dir. politique :* Jacqueline Line Reix-Richerot. *Quot. :* Le Dauphiné libéré (Grenoble), Loire-Matin/La Dépêche (St-Étienne), Lyon-Matin (Lyon), Le Quotidien Rhônes-Alpes, Vaucluse-Matin (Avignon). *Hebdos :* Le Dauphiné libéré Dimanche (Grenoble), Loire-Matin (St-Étienne), Lyon-Matin (Lyon), Vaucluse-Matin (Avignon).

• **Échos (Les).** *Fondé* 1908, vendu 1988 par Jacqueline Beytout (qui a quitté la présidence le 20-1-1989) au groupe Pearson P.L.C. (éditeur du Financial Times). *Pt :* Luc de La Barre de Nanteuil. *Quot. :* Les Échos, Panorama du médecin. *Bi-hebdo. :* Tonus. *Hebdo. :* la Lettre des Échos, les Échos de l'exportation. *Mensuels :* Dynasteurs. *Trim. :* Grandes écoles, Revue du praticien, Annales de l'internat. **C.A.** (1989) : 547 millions de F.

• **Éditions Mondiales.** *Fondateur :* Cino del Duca (1899-1967). Groupe cédé 1979 au groupe Cora que rejoignit fin 1982 le groupe Revillon. *Pt d'honneur :* Mme Simone Cino del Duca (18-7-1912, P.-D.G. de 1967 à 1980). *Pt-dir. gén. 1981-87 :* Antoine de Clermont-Tonnerre (18-6-1941), *dep. 87 :* Francis Morel (16-7-1948) pour *Activité Presse* (filiale du groupe Cora-Révillon) : Télé-Poche, Est Télé Flash, Nous Deux, Intimité, Bonne Soirée, Camera Vidéo, Grands Reportages, Tilt, majorité des capitaux dans Modes et Travaux (dep. 1979), Diapason, Dépêche Mode (en association avec le gr. Cible dep. janv. 1988), France Golf, Joyce, La Veillée des Chaumières. Antoine de Clermont-Tonnerre *Activité audiovisuelle :* R.C.V., Revcom Films, Revcom Télévision. *Activité édition :* Générique. Librairie Del Duca : 26, bd des Italiens, 75009 Paris. **C.A.** (1988) : env. 2 milliards de F.

Nota. – Modes de Paris a été cédé au groupe Éditions du Hennin en 1984.

• **Excelsior-Publications.** *Pt-dir. gén. :* Paul Dupuy. *Dir. gén. :* Jean-Pierre Beauvalet. *Mensuels :* Science et Vie, L'Action automobile et touristique, S. Vie Micro (S.V.M.), SVM Macintosh. S. Vie Économie (S.V.E.), Junior, 20 ans. *Bimestriel :* Casus Belli. *Annuel :* Guide de camping et de caravaning. **C.A.** (1990) : 450 millions de F.

• **Expansion (Groupe).** Constitué par la holding Ponex S.A. *Pt-dir. gén. :* Jean-Louis Servan-Schreiber (31-10-1937). *Répartition du capital* (1991) : Holding Ponex 43,5 % et Agefi-Développement 20 % contrôlés par J.-L. Servan-Schreiber, Marc Ladreit de Lacharrière 12,1 %, Edmond de Rothschild, Dow Jones. Le 2-3-1987, rachat de + des 3/4 du groupe Berthez (la Vie française, l'Agefi, la Tribune de l'économie, devenue la tribune de l'Expansion) spécialisé dep. 8 ans dans les livres éco. et fin. et de 45 % du capital du Journal des Finances cédé en 1989 à la Sté européenne d'investissement et de communication. **C.A.** (1990, en millions de F) : 1 023 dont : *Presse économique :* l'Expansion (bimensuel) 223, l'Entreprise (mensuel) 68, Harvard-l'Expansion (trimestriel) 30, la Lettre de l'Expansion 16. *Presse financière :* la Vie française (hebdo.) 150, l'Agefi (quotidien) 102, la Tribune (quotidien) 144. *Autres :* Architecture d'aujourd'hui (bimensuel) 22, Voyages 8, l'Expansion hommes 2. *Maison d'édition :* L'Expansion-Hachette-J.-C. Lattès (publications pour les exportateurs). *Produits hors presse :* agendas, articles de bureau, conférences, répertoires. Biannuel : l'Exemplaire (catalogue de vente par correspondance des dirigeants). *Journées d'information :* Forum de L'Expansion. *Réunions mensuelles :* Club de conjoncture. – Groupe Expansion Direct : séminaires, sessions de formation, méthode Templus sur la maîtrise du temps, formations sur les transformations industrielles avec sessions inter et intra entreprises.

• **Express (Groupe).** Filiale de la Générale Occidentale (elle-même filiale de la C.G.E.). La presse représente 40 % des investissements de la Générale Occidentale. *Hebdos :* L'Express, l'Express Paris, l'Express international, Télécâble, le Vif Express (Belg.), Spotkania (Pologne). *Mensuels :* Lire, Biba, Enfants magazine. *Bimestriel :* l'Officiel Homme. *Pt-dir. gén. :* Willy Stricker. *Dir. des rédactions :* Yann de l'Écotais. **C.A.** (H.T. en millions de F) : *1983 :* 434, *84 :* 514, *85 :* 635, *86 :* 761, *87 :* 865, *88 :* 1 000, *89 :* 1 120, *90 :* 1 250.

• **Filipacchi (Groupe).** Né du succès de Salut les Copains (créé 1963). *Dir. :* Daniel Filipacchi (12-1-1928), Franck Ténot (31-10-1925). *Pér. :* Paris Match (f. 1949, racheté 1976 au groupe Prouvost), Pariscope (1966), Lui (1963), Newlook (1983), Penthouse (1985), Union (1972), Photo (1967), Écho des savanes (1982, racheté 1984), O.K., Age Tendre (1964), Podium Hit (1972, racheté 1982), Jazz magazine (1954, racheté 1958), Les Grands Écrivains (1984), Grands Peintres (1987), 7 à Paris (1981, racheté 1986), Jeune et Jolie (1987), Sexologie (1987), Grands Personnages (1988). *Autres activités :* radios libres (réseau Skyrock), télématique, édition. **C.A. Consolidé** (1989, en millions de F) : 1 609 dont ventes 937, revenus publ. nets 509, autres 162 (*bénéfice net consolidé :* 111,7).

• **Fleurus presse** (S.A.R.L.). Contrôlé par l'Union des œuvres catholiques de France (49 %) et la Sté des publications et éditions réunies (SPER) (51 %) associant les autres groupes cath. *Pt* Michel Normand (12-7-1925). *Dir. gén. :* Gérard Quittard (26-2-46). *Hebdos :* Fripounet, Perlin. *Bimens. :* Triolo. Comprend aussi la Centrale Saint-Jacques. L'U.O.C. a vendu au groupe Ampère (voir Média participation) ses parts dans les éditions Fleurus.

• **France-Libre (Éditions).** *Pt-dir. gén. :* Roger Alexandre. *Quot. :* Paris-Turf.

• **Gicquel.** *Pt-dir. gén. :* Hervé Gicquel (24-10-58). *Hebdos :* La Lettre du comptant, Bulletin des étrangères et des mines.

• **Hachette.** *Créé* 1826. Devenu le 4e dans le monde de la communication [derrière Time Warner, Bertelsmann, Capital Cities (ABC)]. *Pt-dir. gén. :* Jean-Luc Lagardère (10-2-28). *Vice-Pt :* Daniel Filipacchi (12-1-28). *Vice-Pt-dir. gén. :* Yves Sabouret (15-4-36). Groupe international multimédias qui édite et distribue des livres, des journaux, des programmes de télévision, de cinéma, de micro-informatique. **Activités** (en %) : Distribution 34,6. Presse 35,2 dont 30 % à l'étranger. Édition 24,1. Audiovisuel et Affichage 6,1. **C.A. consolidé** (milliards de F) : *1983 :* 9, *84 :* 10,7, *85 :* 11,6, *86 :* 14,7, *87 :* 17,2, *88 :* 24,4 (*bénéfice net consolidé* 0,215), *89 :* 28,9 (*bénéf. net* 0,47) (dont plus-value de 2,02 milliards de F grâce à la vente de l'immeuble des NMPP), *1990 :* 31,4 (dont international 51 %) dont distribution et services 11,1 (int. 80 %), livre 6,8 (int. 46 %), presse 10 (int. 27 %), audiovisuel 3,5 (dont Europe 1 Communication 2,1, La Cinq 1,4) (*bénéf. net* 0,49). **Endettement** (juin 91) : 10,9 milliards de F. **Effectifs** (1990) : 30 737 dont +de 50 % à l'International.

Capital de la Sté mère Hachette (en %). Marlis 51,6, actions dans le public 48,4 [dont Montana Management 8,4 % (qui serait possédé par les Irakiens)]. Le holding Marlis est détenu par : M. Floirat 41,7, Multi-Médias-Beaujon (M.M.B.) 11,3, Groupe Filipacchi 35, Crédit lyon. 12. *Quotidiens :* associé à 32,6 % au groupe Le Parisien-L'Équipe ; contrôle en province Les Dernières Nouvelles d'Alsace, Le Provençal, L'Écho républicain. *Magazines :* contrôle 9 hebdo : Le Journal du Dimanche, Elle, France-Dimanche, Ici Paris, Le Journal de Mickey, Télé-7 jours, TV Hebdo, TV Couleur, Le Nouvel Économiste (pour moitié avec la Compagnie européenne de publications-Communication) ; 16 mensuels dont Max, Onze, Parents, Vital, Fortune, Première...

Activités « livre » : *Littérature générale :* Hachette-Littérature Générale, Fayard, Grasset-Fasquelle, Lattès, Le Chêne, Edition n° 1, Stock, C.I.L. *Grande Diffusion :* Hachette-Jeunesse, C.I.L., Harlequin, Librairie des Champs-Élysées, L.G.F. (Livre de Poche), Adès, Média 1000, Editions Gérard de Villiers. *Hachette Éducation (livres scolaires) :* Classiques, Édicef, L.P.C. *Vente directe :* Le Livre de Paris, Rombaldi, Quillet. *Filiales étrangères :* 9 filiales (Amér. du N., latine, Japon). A acheté en 1988 Grolier (USA) 2,5 milliards de F et Salvat (Esp.).

Activités « presse » : *Édi 7 :* Télé 7 Jours, Elle, Journal du Dimanche, France-Dimanche, Week-End, Parents, Vital, Télé 7 Jeux, Prévention Santé. Le 7-7-88, prend Ici Paris en location-gérance. *Edi-Monde :* Journal de Mickey et Publications Walt Disney, Première, Onze. *Groupe Loisirs :* Tennis magazine, Neptune Yachting, Ski magazine, Vidéo 7. *Sté Écho Républicain :* Écho Républicain de Chartres. *Participations* dans Groupe Média, Groupe Parisien libéré (32,6 %). *A l'étranger,* contrôle directement ou en association 16 éditions mensuelles de Elle dont Elle-U.S.A. (827 000 ex.), Elle-Grande-Bretagne, Elle-Espagne, Vital italien, Téléprogramma (Espagne), Womans' Day (4,7 millions d'ex.). En 1988, Hachette a acheté avec Filipacchi 712 millions de $ Diamandis Communication qui publie 16 titres dont Woman's Day [titre qu'Hachette aurait voulu revendre (en 1990) 200 millions de $].

Hachette-Filipacchi : pub. le Nouvel Économiste.

Filiales : *Biblio Club de France et Cie* (ex. C.E.L.I.V.) : vente de livres en solde. *Grasset et Fasquelle :* romans, essais, livres pour la jeunesse. *Jean-Claude Lattès :* romans, ouvrages historiques, musiques et musiciens, cinéma. *Édition n° 1 :* grand public. *Stock :* romans, livres pratiques, essais. *Arthème Fayard :* collections historiques, religieuses et sociales, romans. *Librairie générale française :* Livre de poche. *Le Livre de Paris :* vente en gros, détail de marchandises diverses (livres, publications, disques, matériel audiovisuel, etc.). *Éditions classiques d'expression française (E.D.I.C.E.F.) :* livres pour p. francophones. *Nouvelles Éditions Marabout :* livres, guides tour. et régions, jeunesse.

Distribution du livre : Centre de distribution du livre de Maurepas, 16 centres régionaux.

International distribution presse : 15 filiales en Europe et Amérique du Nord. 1er distributeur international du monde.

Vente au détail : réseau de 900 points de vente sur les concessions S.N.C.F., R.A.T.P., aéroports, multistore Hachette Opéra et 12 points de vente en « duty free » dans les aéroports du Mexique.

Activités industrielles : informatique éditoriale : I.O.T.A., M.I.S. Offset : Brodard et Taupin, Brodard Graphique, Arts graphiques modernes. Hélio : Imprimerie Hélio-Corbeil, Sté des encres de Choisy. Impression en continu : Formeurop-Lavauzelle, I.M.C.O., Frontère-Dudognon.

Activités audiovisuelles : *Hachette seul :* Hachette première : production cinématographique ; Télé-Hachette : production télévisuelle ; Channel 80 : production et prestations vidéo ; Vision 7 : presse-audiovisuel ; Hachette média câble : études et prestations pour les réseaux câblés ; Canal J (simple département de la société) : programme pour enfants destiné aux réseaux câblés. *En participation.* Astral-Hachette inc. (50 %) : coproductions au Canada ; Centre audiovisuel Monaco (Caudim, 50 %) : prestations et production vidéo ; Communication service (33 %) prestations câble et nouveaux médias ; Dupuis (25,5 %) : édition et audiovisuel ; Europe 1 (39,8 %, 50,3 % en voix) : multimédias (le 4-3-1986, la Sofirad a cédé à Hachette pour 500 millions de F sa participation ; 34,19 % du capital, 47 % des droits de vote qui, ajoutés aux 10,1 % d'actions d'Europe détenus par la Sté Sce Multi-Médias Beaujon donne à Hachette le contrôle) ; la Cinq [22 % du capital à Hachette 5 (80 % Hachette, 20 % Europe 1)] dep. le 28-5-90 (coût 430 millions de F).

Distribution de presse. Hachette détient une participation minoritaire de 49 % dans les N.M.P.P.

• **Hersant.** *1950* Robert Hersant (31-1-1920) fonde l'Auto-Journal. *1958-60* crée Centre-Presse à partir de petits journaux de l'ouest et du sud du Massif Central puis reprend entièrement ou partiellement Le Havre libre, La Liberté du Morbihan (Vannes), L'Éclair et Presse-Océan (Nantes), Nord-Eclair (Roubaix), Nord-Matin (Lille) et, *1972* Paris-Normandie. *1975* rachète Le Figaro au groupe Prouvost. *1976* rachète France-Soir au groupe Hachette (45 millions de F avec les imprimeries). *1978-juillet* rachète l'Aurore à Marcel Fournier. *-28-11* inculpé d'infraction à l'ordonnance du 26-8-1944 (usage de prête-noms et direction de plus d'un quotidien). Cette poursuite n'aboutit pas. *1983* achète le Dauphiné Libéré. *1985-déc.* achète Le Progrès de Lyon. *1986-janv.* achète l'Union de Reims. *1988* rachète Jours de France. *1991* achète le Bien public. Contrôlant env. 24,22 % du tirage des quotidiens en 1989. *P.-D.G. :* Robert Hersant. *Soc Presse.* Capital au 31-12-1989, en % : Hersant Robert 60, Rolande 15, enfants 9,3 ; publicité annonces (contrôlé par Hersant) 15,7.

Périodiques : Figaro-Magazine. *Groupe du Progrès-Dauphiné* Dauphiné libéré-Dimanche/Loire Matin Dimanche. Le Progrès Dimanche. Jours de

France. L'Ami des Jardins. La Bonne Cuisine. Lyon Matin Dimanche. Market. Points de vente. La Tribune de Montélimar. Vaucluse Matin Dimanche. L'Indépendant de Louhans et du Jura (trihebdo). Votre Tricot, La Layette, Champion. *Autres:* L'Auto-Journal. Sport Auto. La Pêche et les Poissons. La Revue nationale de la chasse. Bateaux. Le Pays d'Auge. L'Action républicaine. Le Courrier de l'Eure. La Renaissance-Le Bessin. Le Journal d'Elbeuf. Les Nouvelles de Falaise. La Voix du Bocage.

QUOTIDIENS : Le Figaro-L'Aurore. France-Soir. *Groupe du Progrès-Dauphiné* Dauphiné libéré-Loire Matin. Le Progrès et La Tribune. Lyon Matin. Les Dépêches (Dijon). Lyon-Figaro. L'Espoir. Vaucluse Matin. *Autres* : Nord Éclair-Nord Matin. Presse Océan. Le Havre Libre. L'Éclair (Nantes). Centre-Presse (Poitiers). La Liberté du Morbihan. Le Bien public (Dijon). DOM-TOM : Les Nouvelles Calédoniennes.

Groupe France-Antilles : dirigé par Philippe Hersant : Paris-Normandie. L'Union de Reims. Le Havre Presse. France Antilles.

Avec le Progrès (dont il a pris le contrôle en janv. 1986), R. Hersant possède également : une imprimerie, une agence de publicité (la Maison de la Petite annonce), une régie publicitaire interne (S2P), un centre serveur télématique (Médias Progrès) et une radio locale privée (Radio-Lyon).

Effectifs du groupe (y compris Progrès) : 12 250 personnes. *Chiffre d'aff. Soc. Presse* (en milliards de F) : *1986 :* 2,42, *87 :* 2,84 (dont recettes publicitaires 1,77, vente de journaux 1,06), *89 :* 3,5 (non consolidé : 8). *Bénéfices comptables Soc. Press : 89 :* 211 000 F.

FILIALES OU PARTICIPATIONS (bénéfices ou pertes en 1987, en millions de F) : *Le Dauphiné Libéré* + 22, *Presse Océan* + 5,16, *Presse* et *Auto-Journal* + 6,59, *Nord Matin* + 1,08. Presse Alliance : *France-Soir* – 27,5, *Nord-Éclair* – 1,29. *Figaro :* 5 Stés se partageant salaires, impressions, gestion du titre, mais pas la publicité – 1,85. *Ensemble des Stés contrôlées* + 40. *La Cinq :* pertes supportées par Hersant pour sa quote-part – 760 (1988).

Le groupe comprend aussi des régies publicitaires, (souvent plus rentables), Stés liées à France Antilles (*Paris Normandie,* les journaux des DOM-TOM, du Havre et *l'Union de Reims*) dont les comptes ne sont pas publiés. Le groupe détient en outre 10 % du *Midi libre, l'Indicateur Bertrand, Votre Tricot, Chevaux et Cavaliers, Carrières et Emplois, France-Amérique* (diffusé aux U.S.A.), 25 000 ex., etc. Il contrôle plus de 30 radios locales par l'intermédiaire de ses journaux ou de l'Agence française de communication. Il prépare aussi une chaîne de télévision à l'échelle européenne (T.V.E.).

PARTICIPATION EN BELGIQUE : le groupe a pris le contrôle, fin 1984, de 3 journaux belges : *le Rappel* (Charleroi), *l'Écho du Centre* (La Louvière) et *la Province* (Mons). Hersant est aussi administrateur du quotidien bruxellois *le Soir.* EN ESPAGNE : en avril 1989 a acheté 30 % de l'éditeur espagnol Grupo 16 (Diaro 16, Cambio 16).

Agence de presse (A.G.P.I.), *Agence de pub.* (Publi-Print), *Centre d'impr. offset* (Paris-Print) comprenant 79 groupes de rotatives et 7 sorties, capacité de tirage 1 250 000 journ./j, avec 8 centres de traitement par fac-similés (Toulouse, Caen, Marseille-Vitrolles, Nantes, Nancy, Lyon, Roubaix, Poitiers).

• **Hennin (Éditions du).** En règlement judiciaire. *Femme d'aujourd'hui* et *Femme pratique* en location-gérance (Edifap). *Encyclopédies :* activités vendues à Diffusion C. de France (D.C.F.). *Unide : édite Chez Nous.* Verniquet éditait *Dépêche Mode* jusqu'en 1986, depuis en règlement judiciaire. *Dépêche Mode S.A.* a repris le titre.

• **Liaisons.** G.L.E. *Créé* 1987. *Pt* Patrice Aristide Blank. **C.A.** (1990) : 520 millions de F (2e groupe de presse professionnelle après C.E.P.). *Publications:* 40 titres, 523 000 ex. en 1987 (dont 65 % par abonnement). Liaisons Sociales Mensuel (fondé 1946), Bref social, Points de Vente, Gap Sport, Tourhebdo, Cultivar, Le Moniteur des Pharmacies et des Laboratoires, l'Officiel des Transporteurs, Constructions Neuves et Anciennes, Echo de la Presse hebdo, Sonovision hebdo et mensuel, Tour hebdo, Expo news. *Autres activités :* éditions de livres et organisation de salons prof. *A racheté en 1988* les éditions Chotard et Associés (filiale des éd. France-Empire créées 1969 par Yvon Chotard, Pt-dir. gén. de France-Empire, vice-Pt du CNPF de 1972 à 86).

• **LVMH.** Possède 49 % de Cosmopolitan, Femme, Marie-Claire.

• **Marie-Claire.** *Dirigé* par Évelyne Berry (née 1939 Prouvost), petite-fille de Jean Prouvost (1885-1978). *Mens. :* Marie-Claire, M.-C. Maison, Cosmopolitan, M.-C. bis, Cuisine et Vins de France. M.-C. Japon, M.-C. Arabe, M.-C. Espagne, M.-C. Italie, M.-C. G.-B., M.-C. Turquie, M.-C. Grèce, M.-C. Portugal, Avantages. **C.A.** (1989) : 682 millions de F. *Bénéfices avant impôts :* 59.

• **Méaulle.** 15 hebdo. payants (Hauts-de-Seine, Yvelines, Eure, S.-Maritime, Orne, Calvados), *tirage total :* 167 950 (Courrier des Hts-de-S., Yvelines, Mantes, Éveil normand, de Pont-Audemer, de Lisieux, Côte normande, Impartial des Andelys, Réveil de Neufchâtel, Bresle et Vimeu, Bulletin, Journal de l'Orne, Réveil normand, Orne Hebdo.). 12 éd. de « 8 Jours » hebdo. gratuits (Yvelines, Seine-St-Denis, Val d'Oise, S.-Maritime, Eure, Orne, Calvados), *tirage total:* 1 298 100. Journaux mensuels de l'immobilier notarial, *tirage total :* 3 250 000. *Pt :* Bernard Méaulle (28-9-1941). *Vice-Pt :* Christine Méaulle.

• **Média S.A. (Groupe).** *Créé* 1975. *Pt-dir. gén. :* Willy Stricker. Vendu aux Presses de la Cité (janv. 1988), filiale du gr. Express dep. juin 1988. *Mens. :* Enfants magazine, Biba. **C.A.** (1990) : 146 millions de F.

• **Média-Participations** (ex-groupe Ampère, *créé* 1985 par Rémy Montagne, ancien secr. d'État de R. Barre à l'Action sociale, beau-frère de François Michelin ; holding belge au capital de 1,28 milliard de FB). *Pt :* Jean-Loup Dherse. *Édition :* Fleurus, Le Lombard, Dargaud, Droguet-Ardant, Tardy, Gedit (Mame, Signe de Piste, Le Sarment-Fayard, Le Chalet, Édit. universitaires, Gamma religieux, Gamma jeunesse, Desclées). *Presse :* Rustica, Tintin + Témoins, Pilote, Presse Fleurus (Aubes, Bouton d'or, Virage, Oxyjeunes).

• **Ouest France.** Détient 51,4 % du Prépart (Clinvest filiale du Crédit Lyonnais 48,6 %) qui contrôle 75 % de Spir-Communication (3e groupe de Presse gratuite).

• **Perdriel.** *Pt-dir. gén. :* Claude Perdriel (25-10-1926). *Titres :* Le Nouvel Observateur, Science et Avenir. **C.A.** (1987) : 314 millions de F.

• **Presse Conseil.** *Pt-dir. gén. :* Robert Monteux (16-9-1937). *Hebdos :* La Lettre recommandée, La Lettre privée, Express-Documents. *Mensuel :* Le Revenu français. *Périodiques :* Guide fiscal français, Guide immobilier français. *Journées d'information :* Forum/Débats du Revenu français.

• **Prisma Presse.** Filiale du groupe allemand Grüner + Jahr. **C.A.** (1988) : 1,52 milliard de F. *Titres :* Ça m'intéresse, Femme Actuelle, Géo, Prima, Télé-Loisirs, Voici.

• **Sebdo-Le Point.** *Contrôlé* au 30-6-1989 par Gaumont 51 %, Ringier Suisse 20 %, Éditions Mondiales 10 %. *Filiales :* Éditions Culturelles et Musicales (E.C.M.), Télé Consulte (banque de données juridiques), le Point-Communication, Gault-Millau. *Parution :* hebdomadaire. *Pt-dir. gén. :* Bernard Wouts (n. 1941).

• **Société générale de Presse.** *Fondateur :* Georges Bérard-Quélin (1917-90). *Pt-dir. gén. :* Marianne Bérard-Quélin (5-10-1960). *Quot. :* Correspondance économique, Corr. de la Presse, Corr. de la Publicité, L'Index-Revue quotidienne de la presse française, Bulletin quotidien. *Hebdos :* Bilans hebdomadaires, Actualités économiques, Documents et Informations parlementaires, La Lettre financière, La Lettre de l'Énergie, Électrique-Électronique, Mécanique, Transports, Lettre d'Allemagne, Textiles-Habillement, Hommes d'aujourd'hui et de demain, Europe Afrique-Service, Europe-Service. *80 services de documentation* (ab. annuels comprenant : volumes et mises à jour régulières, service de renseign. par tél., politique, économie, administration, presse et information publicité, C.E.E., etc.). *Agence Française d'Extraits de Presse.*

• **Télé-Star.** Filiale à 100 % de la Compagnie luxembourgeoise de télédiffusion. *Hebdo. :* Télé-Star. *Mens. :* Télé-Star jeux. *Pt :* Claude Darcey. *Filiale* Star-Presse : Top Santé (créé 1990).

• **Telpress.** *Pt :* René Tendron (8-3-1934). Journal des Finances, Epargner, Agence ACP.

• **Tesson.** *Pt :* Philippe Tesson (1-3-1928). *Quot. :* Le Quotidien de Paris (créé 1974), Quot. du Médecin (créé 1971), Quot. du Pharmacien (créé 1985).

• **Valmonde & Cie C.F.J.** *Pt du directoire :* François d'Orcival (11-2-1942) succède à Raymond Bourgine (1925-90). *Mens. :* Le Spectacle du monde/Réalités-Perspectives, le Bien Commun. *Hebdo. :* Valeurs actuelles.

• **Ventillard.** *Pt :* J.-P. Ventillard (22-12-34). *Périodiques :* Audio Vidéo Magazine, Audio Vidéo Tech. Électronique Pratique, Haut-Parleur, Hifi Vidéo, Micro-Systèmes, Électronique Radio Plans, Sono, Système D, Almanach Vermot, Le Hérisson, Micro-news, Unisystem.

• **Vie catholique (publications de la).** *Pt du directoire :* Antoine de Tarlé (23-9-39) dep. 1989. Stés éditoriales : Malesherbes-Publications. *Pt-dir. gén. :* Jean-Claude Petit. **C.A.** (1988) : 1,25 milliard de F. *Hebdo :* La Vie [ex-La Vie catholique illustrée, née de la fusion de Sept (lancé 1934) par les Dominicains et La Vie catholique de Francisque Gay (f. 1924) animée par Georges Hourdin]. *Pér. :* Actualités religieuses dans le monde, Croissance des jeunes nations, Image du mois, Prier. Télérama. **SEBAM.** *Pt-dir. gén. :* Claude Sales. *Pér. :* Le Monde de la mer. *Publications historiques : Pt-dir. gén. :* Philippe Boitel (7-9-34). *Mens. :* Notre Histoire. **SPER.** *Pt-dir. gén. :* Jacques Guespereau. *Mens. :* Famille Magazine. *Fleurus Presse : gérant :* Georges Robin. *Autres activités :* Presse-Informatique, Édi-Informatique, Publicat, La Procure, Desclée de Brouwer.

Nota. – Plusieurs groupes se partagent parfois les participations d'un même journal.

• **Périodiques de l'État.** *Nombre :* 2 500 dont min. de la Défense 38, services du 1er ministre 34, P.T.T. 26, Éducation 25.

• **Presse catholique.** *C.A. :* 4 milliards de F (dont Bayard 1,2, Vie Catholique 1,1, Média-Participations + de 1). *Titres :* 80. *Tirages* (en millions) : presse grand public 5, presse des mouvements catholiques 5,3, presse paroissiale 2,5, titres institutionnels 0,1.

Presse communiste

Évolution *1944-45 :* + de 30 titres (avec J. sympathisants) dont 2 quot. à Paris et 17 en province (tirage global 2 100 000 ex.). *1951 :* 13 (960 000 ex.), *1958 :* 4 (200 000 ex.). *Jusqu'en 1953 :* le PC a disposé d'un 2e quotidien national (Ce soir : 478 000 ex. en 1947) ; le quotidien Libération (animé par Emmanuel d'Astier de La Vigerie) défendait des positions proches. *En 1947 :* la presse communiste représentait 16 % de la presse nationale, *1977 :* 2,5 %, *1983 :* 5 % de la diffusion française.

Situation (1990). Quotidiens : L'Humanité (organe central), L'Écho du Centre (Limoges), La Liberté (Lille), La Marseillaise (Marseille). **Hebdos nationaux :** Humanité Dimanche, Révolution, La Terre ; **régional bilingue :** Humanité d'Alsace et de Lorraine. **Mensuels nationaux :** Les Cahiers du Communisme, Économie et Politique, L'École et la Nation, L'Avant-Garde (destiné aux lycéens, jeunes salariés et chômeurs). **Trimestriel national :** Le Nouveau Clarté (destiné aux étudiants). **Divers :** env. 50 hebdos départementaux ; 300 journaux de villes (bimestriels) et trimestriels ; 150 j. d'entreprises dont 15 mensuels.

☞ Certains ont présenté le PCF comme le 1er magnat de la presse française en disant qu'il avait 500 titres, en comptant les publications d'organisations proches du PC, tels La Vie Ouvrière (organe de la CGT), les journaux du SNES et de l'UNEF, ou encore Heures Claires (mensuel de l'Union des femmes françaises), les éditions Vaillant (dont publications pour enfants, notamment Pif-Gadget), les éditions Miroir-Sprint (Miroir du football, Miroir du cyclisme, Miroir du rugby et Mondial), Logement et Famille, Le Réveil des combattants. Cette assimilation est contestée par les animateurs de ces journaux.

Presse juive

L'Arche : *fondé* 1957, mensuel, 30 000 ex. (15 000 ab.). **Information Juive :** *fondé* 1948 Alger, mensuel, 12 000 (env. 10 000 ab.). **La Presse Nouvelle (PN) :** mens. (en français), tous les 5 j (en yiddish). **Magazine progressiste juif. Tribune Juive :** *fondé* 1968, hebdo. 15 000 (8 000). **Notre Parole :** (en yiddish, 4 fois/sem.). **Actualité juive :** hebdo. **Passages :** mensuel. **Les Nouveaux Cahiers :** trimestriel.

Publications gratuites

Quelques dates. *1963 :* 1er hebdo. *1973 :* f. du SNPG. *1981 :* adhésion au Bureau de vérification de la publicité. *1982 :* f. du CDPG (organisme de constat de la distribution des périodiques gratuits.

Nombre de titres. 573. **Exemplaires diffusés.** 40 millions par semaine (par les boîtes aux lettres 90 %, mises en dépôt dans des commerces 10 %).

Grands réseaux nationaux ou pluri-régionaux. **Comareg :** (*créée* 1968, alliée à Havas, *Pt* Paul Dini). 167 hebdo., 15,5 millions d'ex. par semaine. *C.A.* (millions de F). *1988 :* 1 089, *90 :* 2 000. *Résultats 1988 :* 14,3, *89 :* 88, *90 :* 130. **Le Carillon :** (appartenant à Ouest-France) : 8,4 millions d'ex. par sem. **Spir-Communication :** (f. 1971, Aix-en-Prov. par Claude Léoni) [racheté à 75 % 999 millions de F en janv. 1991 par Prépart (contrôlé à 51,4 % par Ouest-France). *C.A.* (1990) : 575 millions de F (résultat net 72)].

Réseaux régionaux ou pluri-départementaux (une dizaine) 4,8 millions d'ex. par sem. : *Groupe S3G* (Sté des gratuits de Guyenne et Gascogne, le plus important, appartient au groupe Sud-Ouest) ; *Promafair ; BIP ; El Plus ; Gessie Publicité ; GDM ; Image et communication ; Indépendant-Midi libre ; Inter-Régies* (filiale du Parisien) ; *Éditions de l'Échiquier.*

Gratuits indépendants hors réseaux. Une quinzaine.

☞ 24 titres de la presse quotidienne régionale ou départementale sur 90 existants possèdent un organe de presse gratuite. Les 10 plus importants contrôlent 13,5 millions d'ex., soit 40 % du marché total. **Petites annonces.** 350 000 par sem. **Recettes** (millions de F). *1980 :* 0,7. *85 :* 2 100. *87 :* 3 000 (dont 450 pour le groupe Havas, Comareg et Spir). *88 :* 3 700. Représente 20 à 30 % de la pub. locale (25 F la ligne).

Périodiques

Diffusion

• **Périodiques les plus diffusés en 1989** (*Source* O.J.D.). Télé 7 Jours 3 051 462, Télé-Star 1 872 763, Femme Actuelle 1 810 973, Télé-Poche 1 730 179, Prima 1 267 009, Notre Temps 1 115 360, Sélection 1 100 405, Modes et Travaux 1 002 307, Paris Match 875 959, Figaro-Magazine 649 613, France-Dimanche 628 923, Nous Deux 564 950, Le Particulier 511 784, Télérama 511 157, Art et Décoration 381 071 [1], Le Pèlerin 345 697, L'Action Automobile 338 249, Marie-France 307 013, Madame Jours de France 149 131.

• **Périodiques par secteurs. Agricoles :** La France Agricole 225 201, La Terre 194 200, Le Nouvel Agriculteur 98 841 [1], L'Agriculteur du Sud-Est 83 600, Paysan Breton 83 462, Cultivar 82 953 [1].

Audiovisuels : Télé 7 Jours 3 051 462, Télé-Star 1 872 763, Télé-Poche 1 730 179, Télérama 511 157, Télé-Magazine 374 304, Première 273 567, Télé K-7 206 386, Vidéo-7 152 521, L'Informatique Magazine 89 000, Télé-Journal 81 865 [1], L'Ordinateur Individuel 50 542, Micro-Systèmes 32 748.

Économiques et sociaux : Le Particulier 511 784, L'Expansion 180 341, Mieux Vivre 139 459, La Vie Française-L'Opinion 109 411, Le Nouvel Économiste 99 167, L'Usine Nouvelle 61 855.

Enfants (millions d'ex.) : *1956 :* 166 (dont presse pour petits 4). *1974 :* 137 (petits 18). *1984 :* 87,7 (petits 11,5, spécialisés 5,9, enfants et préadolescents 70,3).

Féminins : Femme Actuelle 1 810 973, Prima 1 267 009, Modes et Travaux 1 002 307, Maxi 754 417, Marie-Claire 606 285, Nous Deux 564 950, Voici 403 723, Elle 374 454, Marie-France 307 013, Cosmopolitan 298 492, Intimité 264 543, Bonne Soirée 221 322, Biba 220 115, Jeune et Jolie 177 246, Femme Pratique 171 055, Madame Jours de France 149 131, La Bonne Cuisine 121 785 [1], Glamour 103 484 [1], Votre Beauté 84 905, Vogue 75 836.

Maisons : Art et Décoration 381 071 [1], Rustica 286 615, Votre Maison 240 000 [1], Maison et Travaux 238 637, Mon Jardin et Ma Maison 214 538, Le Journal de la Maison 207 494, La Maison de Marie-Claire 193 103, Maison Bricolage 106 087, Maison et Jardin 92 281, La Maison Française 90 065, Plaisirs de la Maison 83 600.

Opinions : L'Express 579 858, Le Nouvel Observateur 403 467, Le Point 316 268, Valeurs Actuelles 100 657, Minute 92 851 [2], Témoignage Chrétien 85 000, L'Homme Nouveau 27 184, Réforme 7 000.

Sports et Loisirs : *Auto-Moto :* Auto-Moto 357 009, L'Action Automobile 338 249, Auto-Journal 280 807 [1], L'Automobile 204 023, Échappement 131 432, Sports-Auto 106 049 [1], Moto-Journal 71 814, Moto-Revue 66 462 [1]. *Bateau :* Bateaux 70 100 [1], Les Voiles et Voiliers 65 606. *Autres :* France-Football 168 453, Onze 177 305, Miroir du Cyclisme 61 880, La Voix des Sports 73 749, Tennis Mag. 70 691, Tennis de France 50 034, Ski Flash Mag. 31 564.

Nota. – (1) 1988. (2) 1987.

• **Audience.** *Nombre de lecteurs* (en milliers) *ayant déclaré avoir lu ce titre au cours de la dernière période* (la semaine précédente pour les hebdomadaires, les 15 j précédents pour les bimensuels, le mois précédent pour les mensuels, les 2 mois précédents pour les bimestriels) *et,* entre parenthèses, *lecteurs réguliers,* ayant déclaré lire toutes les sem. un hebdo., tous les 15 j un bimensuel, tous les mois un mensuel et tous les 2 mois un bimestriel. (Source : C.E.S.P., 1989/90, cumul de 5 vagues d'enquêtes réalisées en avril, mai, octobre 89 et janvier, février 90).

Hebdomadaires : Bonne Soirée 834 (721). Chez Nous 794 (849). Elle 1 927 (1 191). L'Équipe du lundi 2 520 (2 125). L'Équipe du samedi 1 750 (1 391). L'Événement du jeudi 1 423 (843). L'Express 2 592 (1 602). Femme Actuelle 7 902 (6 501). Femme d'Aujourd'hui 1 923 (1 497). Figaro Magazine 2 828 (2 045). La France Agricole 1 098 (1 005). France Dimanche 2 328 (1 714). France Football 1 251 (1 084). Ici Paris 1 997 (1 445). Intimité 1 273 (998). Journal du Dimanche 1 468 (1 152). Madame Figaro 2 439 (1 843). Madame Jours de France 1 511 (904). Maxi 3 076 (2 525). Nous Deux 2 174 (1 853). Nouvel Économiste 491 (371). Nouvel Observateur 2 268 (1 457). L'Officiel des Spectacles 1 209 (481). OK Magazine 1 157 (1 042). Pariscope 504 (180). Paris-Match 4 258 (2 345). Pèlerin Magazine 1 513 (1 445). Le Point 1 796 (1 230). Point de Vue-Images du Monde 780 (657). Rustica 1 050 (1 068). Télé journal/Télé Z 5 122 (4 331). Télé Loisirs 4 073 (3 547). Télé Magazine 1 190 (820). Télé Poche 7 023 (6 162). Télérama 2 054 (1 769). Télé 7 Jours 11 189 (9 713). Télé 7 Vidéo 1 089 (1 006). Télé Star 6 324 (5 517). Top 50 1 460 (1 112). V.S.D. 2 322 (1 451). La Vie 1 279 (1 142). Voici 1 927 (1 489).

Mensuels : L'Action Automobile 2 582 (1 458). Actuel 1 899 (744). L'Ami des Jardins et de la Maison 1 345 (714). L'Automobile 2 130 (1 085). Auto-Moto 2 880 (1 850). Best 758 (361). Biba 1 401 (574). Ça m'intéresse 2 773 (1 692). Le Chasseur Français 2 962 (2 291). Cheval Magazine 801 (547). Famille Magazine 1 049 (829). Cosmopolitan 1 044 (482). Échappement 1 449 (879). L'Écho des Savanes 1 079 (450). Enfants Magazine 1 497 (846). L'Étudiant 1 181 (438). Femme Pratique 2 796 (1 374). Gault et Millau Magazine 642 (369). Géo 4 830 (2 724). Glamour 433 (176). Grands Reportages 708 (380). Guide Cuisine 1 165 (589). L'Histoire 632 (381). Historama 753 (414). Historia 1 278 (650). Jeune et Jolie 673 (469). Le Journal de la Maison 800 (376). Lire 792 (438). Maison Bricolages 1 635 (811). Maison Française 568 (272). Maison et Jardin 1 482 (618). La Maison de Marie-Claire 1 304 (587). Marie-Claire 4 019 (1 828). Marie-France 3 086 (1 398). Médecines Douces 971 (532). Mieux Vivre votre Argent 578 (361). Modes et Travaux 4 778 (3 307). Le Monde de l'Éducation 1 518 (748). Mon Jardin Ma Maison 1 854 (905). New Look 1 238 (533). Notre Temps 3 552 (3 044). Onze 1 697 (1 197). Parents 3 124 (1 861). La Pêche et les Poissons 1 563 (1 132). Photo 1 338 (569). Photo Magazine 968 (464). Podium Hit 1 452 (932). Première 1 943 (954). Prévention Santé 1 108 (686). Prima 5 080 (3 620). La Recherche 864 (449). Le Revenu Français 670 (404). La Revue Nationale de la Chasse 1 099 (796). Rock and Folk 878 (428). Santé Magazine 3 168 (1 770). Sciences et Avenir 1 205 (712). Science et Vie 3 401 (1 832). Sciences et Vie Économie 1 302 (709). Science et Vie Micro 758 (401). Sélection du Reader's Digest 3 844 (3 244). Sport Auto 1 151 (575). Studio Magazine 939 (432). Système D 1 379 (786). Télé 7 Jeux 3 119 (1 762). Tennis France 587 (293). Tennis Magazine 881 (512). Terre Sauvage 974 (558). 30 Millions d'Amis-La Vie des Bêtes 1 768 (1 110). Vidéo 7 1 617 (973). Vingt Ans 574 (316). Vital 1 082 (420). Votre Beauté 1 007 (557). **Bimensuels :** L'Auto Journal 1 639 (763). L'Expansion 925 (637). Salut 935 (812). **Trimestriels :** Art et Décoration 4 152 (1 144). La Bonne Cuisine 1 765 (681). Maison Individuelle 1 307 (297). Maison et Travaux 2 749 (682). Votre Maison 984 (278).

• **Périodiques politiques** (assimilés fiscalement aux quotidiens). *1978, 28-4 :* Le Canard Enchaîné, l'Express, France Nouvelle, l'Humanité Dimanche, Minute, Le Nouvel Observateur, Le Point, Réforme, Syndicalisme Hebdo C.F.D.T., Témoignage Chrétien, Tribune Socialiste, Valeurs Actuelles, La Vie Ouvrière-C.G.T. *27-10 :* Le Nouvel Économiste, Charlie Hebdo, Jeune Afrique, La Sélection Hebdomadaire du monde. *1979, 26-4 :* Le Pèlerin, La Vie, Paris-Match. *Publications non habilitées pour périodicité insuffisante :* Le Courrier du Parlement, Heures Claires, Afrique-Asie, l'Économiste du tiers monde ; *faute de consacrer en moyenne plus du tiers de leur surface rédactionnelle à l'actualité politique :* France Catholique Ecclesia, Le Hérisson, La Terre, La Vie Française, VSD ; *parce qu'elle répond principalement aux préoccupations d'une catégorie particulière de lecteurs :* La Lettre de l'Expansion.

Quotidiens

• **Nombre de titres** (non compris les quot. spécialisés) **et,** entre parenthèses, **tirage global** (en milliers). **Paris. 1788 :** 2 (4). **1803 :** 11 (36). **12 :** 4 (35). **15 :** 8 (34). **25 :** 12 (59). **31-32 :** 17 (83). **46 :** 25 (145). **67 :** 21 (763, dont 560 de petits journaux non politiques à 5 centimes). **70 :** 36 (1 070). **80 :** 60 (2 000). **1914 :** 80 (5 500). **17 :** 48 (8 250, chiffre du 1-7, après le passage des journaux de 5 à 10 c., le tirage tomba à 6 100 en oct.). **24 :** 30 (4 400). **39 :** 31 (5 500). **46 :** 28 (5 950). **52 :** 14 (3 412). **72 :** 11 (3 877). **80 :** 12 (2 913). **87 :** 12 (2 713). **88 :** 11 (2 952).

Province : 1788 : 1 (0,5). **1812 :** 4 (3). **31-32 :** 32 (20). **50 :** 64 (60). **67 :** 57 (200). **70 :** 100 (350). **80 :** 190 (750). **1914 :** 242 (4 000). **39 :** 175 (5 500). **46 :** 175 (9 165). **52 :** 117 (6 188). **72 :** 78 (7 498). **87 :** 67 (7 030). **88 :** 65 (7 155).

• **Audience** (en 1989/90 cumul de 5 vagues d'enquêtes réalisées en avril, mai, octobre 89 et janvier, février 90, en milliers). *Source :* C.E.S.P.. **Quotidiens nationaux.** *Nombre de lecteurs de la dernière période* (ayant déclaré avoir lu ce titre la veille de l'enquête) *et,* entre parenthèses, *lecteurs réguliers* (ayant déclaré lire tous les jours un quotidien) : Le Parisien 1 191 (1 006). Le Figaro 1 070 (703). Le Monde 1 115 (764). Libération 756 (456). L'Équipe 772 (457). France-Soir 654 (485). L'Humanité 302 (277). La Croix-L'Événement 214 (197).

Audience moyenne d'au moins un quotidien. *Nombre de lecteurs* (en milliers, en 1988) *et,* entre parenthèses, *pénétration* (en %). France 22 270 (53,4, *89 :* 50,8, *87 :* 54,7, *86 :* 56,1), régional 18 366 (53,8, *87 :* 55,1, *86 :* 56,1), national 4 966 (12, *87 :* 12,3, *86 :* 12,7).

• **Diffusion. Quotidiens les plus diffusés** *(diffusion totale, gratuits compris et, pour les journaux non contrôlés, estim., en 1989. Source* O.J.D.). **Parisiens :** Le Figaro 428 736, Le Parisien 405 263, Le Monde 381 549, France-Soir 301 716, L'Équipe 268 320, Libération 178 216, Paris-Turf 126 671, Les Echos 104 509, La Croix 104 329, L'Humanité 95 452, Le Quotidien de Paris (estim.) 80 000, La Tribune de l'Expansion 57 110, Présent (estim.) 8 000. **Régionaux :** Ouest-France 786 463, La Voix du Nord 372 172, Sud-Ouest 375 636, Le Progrès 354 784, Le Dauphiné Libéré 293 642, La Nouvelle République du Centre-Ouest 268 777, Nice-Matin 256 104, La Montagne 250 290, L'Est Républicain 245 719, La Dépêche du Midi 238 818. **Suppléments hebdomadaires :** Figaro Magazine 649 613, Le Progrès Dimanche 479 693, Le Dauphiné Libéré Dimanche 379 905, L'Est Républicain Dimanche 308 566, Sud-Ouest Dimanche 295 403, La Montagne Dimanche 265 663, Nice-Matin Dimanche 245 616, La Dépêche Magazine 240 615, Midi Libre Dimanche 217 774, France-Soir Magazine n.c.

Années de meilleure diffusion (de 1962 à 1984). France-Soir : *1961* (1 101 167 ex.), Le Parisien libéré : *1973* (785 734), Le Monde : *1979* (445 370), Le Figaro : *1969* (434 077), L'Aurore : *1963* (368 753), Le Matin de Paris : *1981* (178 847), L'Humanité : *1968* (160 695), La Croix : *1970* (132 927), Libération : *1983* (95 000), Le Quotidien de Paris : *1981* (78 000).

Abonnés (%, 1988, *source :* O.J.D.). Présent 100, La Croix 87,9, Les Échos 62,55, L'Humanité 39,38, La Tribune de l'Expansion 20,68, Le Monde 19,15, Le Quotidien de Paris (estim.) 18, Le Figaro 17,45, Le Parisien 8,88, Libération 3,91, L'Équipe 1,68, Paris-Turf 0,50.

Ventes à Paris (%) et, entre parenthèses, **à l'étranger (%).** (1988, source O.J.D.). Le Parisien 75,24 (0,22), Le Quotidien de Paris 63, France-Soir 62,14 (4,51), Les Échos 59,43 (1,49), L'Humanité 59 (estim.) (14,15), Libération 53,66 (6,18), Le Figaro 50,44 (3,68), La Tribune de l'Expansion 45,93 (0,92), Le Monde 44,87 (17,09), L'Équipe 40,01 (4,15), Paris-Turf 26,99 (10,85), La Croix 25,50 (2,17).

• **Pages. Nombre de pages moyen :** *1900 :* 4. *14 :* 10. *39 :* 12. *44 :* 2. *46 :* 4. *50 :* 8. *60 :* Paris 15,8 (province 14,5). *70 :* 18,7 (19,9). *80 :* 23,6 (25,1). *88 :* 36,3 (29,4).

• **Prix de vente (le plus courant).** 0,15 F (1875) ; 0,05 F (1900) ; 0,07 F (1914) ; 0,20 F (1920) ; 0,25 F (1925) ; 0,30 F (1926) ; 0,40 F (1937) ; 0,50 F (1938) ; 0,75 F (1-1-1941) ; 1 F (1-5-1941) ; 2 AF (23-8-44) ; 1,5 AF (14-1-45) ; 2 AF (12-6-45) ; 4 AF (26-6-46) ; 5 AF (26-10-47) ; 6 AF (6-7-48) ; 7 AF (21-10-48) ; 8 AF (16-12-48) ; 10 AF (22-5-50) ; 12 AF (12-3-51) ; 15 AF (3-10-51) ; 20 AF (9-12-57) ; 25 AF (2-2-59) ; 0,30 F (1-8-63) ; 0,40 F (1-10-67) ; 0,50 F (13-6-68) ; 0,70 F (1-3-72) ; 0,80 F (27-12-73) ; 0,90 F (10-5-74) ;

1 F (1-8-74, province) ; 1,20 F (2-5-75, oct. 75) ; 1,30 F (16-2-77 ou 1-3-77) ; 1,60 F (4-78) ; 2,20 F (3-80) ; 2,50 F (7-80) ; 2,80 F (3 à 5-81) ; 3 F (7-81) ; 3,50 F (1-82) ; 3,60 F (1-83) ; 4 F (1-84) ; 4,20 F (1-85) ; 4,50 F (5-86 au 4-90).

• **Prix moyen. D'un quotidien parisien** (en francs de l'époque et, entre parenthèses, en F de 1988) : *1834 :* 0,25 (13,03). *1851 :* 0,10 (3,97). *1914 :* 0,05 (0,68). *38 :* 0,50 (1,02). *44 :* 2 (1,52). *47 :* 5 (1,10). *57 :* 20 (1,60). *63 :* 0,30 (1,70). *74 :* 1 (3,08). *79 :* 2 (3,86). *81-mai :* 2,80, *-juillet :* 3 (4,50). *86 :* 4,50 (4,77). *88 :* 4,50 (4,50). *90 :* 5 (5,35). **De l'abonnement annuel à un quotidien** (en heures de travail d'un manœuvre de province, d'après Jean Fourastié) : *1795 :* 600, *1834 :* 421, *1836 :* 205, *1851 :* 210, *1871 :* 164, *1889 :* 96, *1910 :* 73, *1921 :* 27,5, *1936 :* 20,1, *1939 :* 26,8, *1944 :* 35,6, *1950 :* 26,8, *1955 :* 25,3, *1962 :* 23, *1974 :* 29. Au « Figaro » pour un smicard. *1983 :* 52, *86 :* 61,4, *88 :* 66,4, *89 :* 59,7, *91 :* 64,2.

Principaux titres

Cette liste donne en italique le *tirage* (nombre d'exemplaires imprimés) ou, en caractères ordinaires, la *diffusion* (total des ventes nettes au numéro, des abonnements payants et des services gratuits permanents). En 1989 ou pour la période juillet 89/juillet 90, sauf spécification contraire. Lorsque ces données ont été fournies par l'O.J.D. (Office de justification du tirage), le titre est suivi d'un astérisque.

☞ *Légende : f. :* fondé. A : annuel. np : diffusion non payée. ab : abonnements. BH : bihebdo. BM : bimensuel. BMT : bimestriel. H : hebdo. M : mensuel. Q : quotidien. SMT : semestriel. T : trimestriel. TH : trihebdo. *Source : Tarif Média,* Guide des supports publicitaires de France (4 numéros annuels), 61, av. Victor-Hugo, 75116 Paris, et journaux.

Quotidiens de Paris

Affiches parisiennes 10 200.
Agefi (Agence économique et financière) *f.* 1911. *1988 : 7 000.*
Aurore (L') * 156 128 (79) ab. 18 280 np. 3 496. *1942 f.* par Robert Lazurick († 1968) et sa femme Francine († 1990), *1944* s'installe dans les anciens locaux de L'Œuvre à la Libération. *1948* (6-7) absorbe la France libre. *1951* Marcel Boussac († 1980) contrôle 74,3 % du capital, R. Lazurick reste gérant statutaire. *1978* (6-7) Boussac vend à Franpress le holding Aurore SA qui contrôle L'Aurore et Paris-Turf. *1984* (1-9) le groupe Hersant en devient officiellement propriétaire. *Dif. : 1960 :* 355 257. *65 :* 347 705. *70 :* 301 577. *77 :* 268 839. *78 :* 217 989. *81 :* 125 000. *82 :* 53 000. *83 :* 35 000. Édition du Figaro dep. 1985.
Combat Socialiste a cessé de paraître le 10-7-81.
Correspondance (La). De la presse *f.* 1947 par Georges Bérard Quelin *3 800.* **De la publicité** *3 000.* **Économique** *4 100.*
Cote Desfossés * *f.* 1825, 27 344 (np. 1 603).
Croix (La) * *f.* 16-6-1883, catholique. *1960 :* 88 917. *65 :* 114 296. *70 :* 132 927. *80 :* 118 817. *83 :* 125 920. *85 :* 109 807. *90 :* 103 590 (91 % d'ab.). Déficit d'exploitation *1990 :* 10 millions de F, *91 (prév.) :* 8.
Échos (Les) * *f.* 1908 par Robert Servan-Schreiber. *1959 :* 34 777. *67 :* 44 585. *75 :* 54 285. *81 :* 60 931. *86 :* 80 437. *89 :* 104 509 (np. 20 494).
Équipe (L') * *f.* 1946. *1960 :* 197 508. *67 :* 227 352. *76 :* 211 854. *81 :* 240 142. *82 :* 223 234. *86 :* 254 251. *87 :* 226 734. *89 :* 268 613. *90 :* 300 208. **Équipe Magazine supplément** (L') *f.* 1980. *1988 :* 263 980. *89 :* 297 053. *90 :* 330 412.
Europe Journal (chinois) 25 000.
Figaro (Le) * *1826-15-1* hebdo. de 4 p. F. par Maurice Alhoy (chansonnier) et Étienne Arago (romancier). *1827-16-6 :* quotidien. *1834 à 1854 :* parution irrégulière. *1854-2-4* Hippolyte de Villemessant (1812-79) reprend l'hebdo. *1866-16-11* devient Le Figaro quotidien (le plus ancien de Paris), 56 000 ex. *1922-1-3* François Coty prend des parts. *1929-25-3* redevient Le Figaro. *-1-4* fusionne avec Le Gaulois. *1934 juin* Mme Léon Cotnaréanu (ex. Mme Coty) principale actionnaire. *-7-6* redevient Le Figaro. *1942-10-11* suspendu par le secr. d'État à l'Information. *1944-23-8* reparaît. *1950* Mme Léon Cotnaréanu vend 50 % de ses actions au groupe Prouvost ; bail cédant à une Sté financière, direction et gestion du F. *1952* 1er concours. *1965* Jean Prouvost et Ferdinand Béghin rachètent les actions Cotnaréanu. *1975 juill.* Jean Prouvost vend à Robert Hersant 72 millions de F. *1977-6-6 Raymond Aron (dir. politique) le quitte et Jean d'Ormesson (dir. gén.) se retire en restant éditorialiste. 1987 :* 83 000 participants au concours. *Diffusion : 1886 :* 80 000. *1960 :* 390 943. *65 :* 412 294. *69 :* 434 077. *70 :* 429 714. *76 :* 347 379. *79 :* 311 926. *86 :* 443 006. *89 :* 428 736 (np. 20 093).
France-Soir * *f.* 8-11-1944, suite du j. clandestin *Défense de la France. 1946* contrôlé par Hachette. *1972-21-4* mort de Pierre Lazareff. *1973* Philippe Bouvard réd. en chef. *1976-juin* vendu à Sté Presse-Alliance (Robert Hersant) et dirigé par Paul Winkler. *1987* Philippe Bouvard dir. gén. adjoint et dir. de la rédaction (part mars 89). *Diffusion : 1960 :* 1 115 783. *70 :* 868 927. *76 :* 530 276. *80 :* 433 432. *85 :* 397 933. *88 :* 301 716 (np. 32 317).
Humanité (L') * *f.* 1904 par Jean Jaurès. *1939*-26-8 interdite ; clandestine jusqu'en 1944, communiste. *Diff. : 1946 :* 400 000. *60 :* 142 962. *65 :* 148 721. *67 :* 160 695. *72 :* 150 686. *75 :* 151 387. *79 :* 137 103. *80 :* 142 560. *81 :* 154 293. *82 :* 140 956. *83 :* 118 710. *84 :* 117 005. *86 :* 106 671. *88 :* 109 314. *89 :* 95 452 (np. 2 812).
International Herald Tribune * *f.* 4-10-1887 ; suspendu 1940-44. *1985 :* 170 234. *86 :* 168 908. *87 :* 174 200. *90 :* 195 690 dont 41 177 en France (np. 37 496).
Journal de l'Avancée médicale *f.* 1989. 52 000.
Journal officiel 1er numéro 1-1-1869 repris depuis 1880 en régie directe par l'État ; édition des « lois et décrets » 60 000 ; Ass. nat. 10 000, Sénat 8 000/9 000. *Recettes des J. O. : prév. 1989 :* 501,8 millions de F (dont ventes au numéro 32,5, abonnements 46,1, annonces 410,5, travaux 20, bases de données 3,7).
Libération * *f.* 18-4-1973 ; arrêté 21-2-81, reparu le 13-5-81 (avec Serge July). *Diff. :* 1974 : 20 000. *75 :* 16 580. *80 :* 41 619. *81 :* 53 282. *82 :* 54 803. *83 :* 95 000. *84 :* 116 682. *85 :* 138 536. *86 :* 165 539. *87 :* 164 791. *88 :* 195 098. *89 :* 178 216 (np. 2 322). *90 :* 179 310 (8 263 ab.). *Propriétaire :* S.A. Investissements Presse. Déficit (en millions de F) : *1986 :* 9,5, *87 :* 27,5 (dont Lyon Libération 10), *88 :* + 16,1 (C.A. 428), *89 :* + 16,8 (C.A. 426), *90 :* + 10,9 (C.A. 449,7).
Matin (Le) *f.* 1-3-1977 par Claude Perdriel. *1985 février :* racheté par Max Théret, cofondateur de la FNAC. *Avril : Max Gallo dir., départ de 38 journalistes. 1986 :* J.-F. Pertus, vice-Pt-dir. gén. de l'agence publicitaire D.D.B.R., nommé Pt-dir. gén. apporte 27 millions de F. Déficit : 60 millions de F. *1987-6-5 :* dépôt de bilan. *1977 :* 104 743. *80 :* 162 049. *81 :* 178 847. *82 :* 175 708. *83 :* 170 094. *84 :* 140 163. *85 :* 104 348. *86 :* 91 517 (np. 4 368).
Monde (Le) * *f.* 19-12-1944 (date du 1er numéro paru le 18-12). *Créé* par Hubert Beuve-Méry (1902-89), successeurs : *1969* Jacques Fauvet (n. 9-6-14), *1985* André Fontaine (n. 30-3-21), *1991-11-2* Jacques Lesourne. *Diffusion : 1946 :* 110 000. *58 :* 164 355. *60 :* 166 910. *65 :* 230 012. *72 :* 360 006. *76 :* 439 937. *79 :* 445 370. *80 :* 426 183. *81 :* 439 124. *82 :* 400 168. *83 :* 385 084. *84 :* 357 117. *85 :* 342 945. *86 :* 363 663. *87 :* 362 443. *88 :* 387 449. *89 :* 381 549. *90 :* 386 103 dont payants 375 285 (dont France 322 931). *Tirage moyen : 1990 :* 530 546. *Records : 1981-11-5.* 1 058 226 (2e tour présidentielles), *15-6 :* 1 024 075 (1er t. législatives). *1988-10-5 :* 1 087 709 (2e t. présid.).
Panorama du médecin *60 000.* **Tiercé** *80 000.*
Parisien (Le) * *f.* 22-4-1944. *1960* se régionalise. *Mars 1975 au 16-8-1977* conflit avec ouvriers de l'imprimerie sur la modernisation. *1977-2-1 mort d'Émilien Amaury. 1985* 4 nouvelles éditions sur Paris et proche banlieue. *Diffusion : 1960 :* 756 775. *65 :* 743 564. *74 :* 785 734. *76 :* 359 112. *77 :* 360 213. *82 :* 337 428. *85 :* 352 361. *89 :* 405 263 (np. 8 181).
Paris-Turf * 126 671 (np. 523).
Pratique médicale quotidienne (La) 55 000.
Praxipharm (ex-Journal des pharmacies et des laboratoires) * *f.* 1985 : 24 522, *1989 :* 15 485.
Présent *f.* 5-1-1982 5 j/sem. Catholique. Env. 50 000.
Quotidien du Médecin (Le) *f.* 30-1-1971. *87 :* 61 670. *88 :* 65 369, ab. 31 091.
Quotidien du Pharmacien (Le) *f.* 1985 : 21 000.
Quotidien de Paris (Le) *f.* 4-1-1974 par Philippe Tesson, suspendu du 28-6-78 au 29-11-79. *Diff. : 1975 :* 20 000. *77 :* 110 000. *78 :* 15 000. *79 :* 40 000. *80 :* 45 000. *82 :* 65 000. *83-84-85-86 :* 120 000. *87-88-89 :* 80 000. *C.A. (MF) 1988 :* 75, *89 :* 59,4 (déficit 22), *90 :* (déf. 46).
Sport (Le) *f.* 12-9-1987 : 45 000. Suspendu 29-6-88 (passif 70 millions de F).
Tribune de l'Expansion (La) * *f.* 15-1-1985, achète Tribune de l'Économie qui remplace le Nouveau Journal dep. 1984. *1988-4-1* change de nom, racheté 51 000 F par le groupe Entreprendre le 31-12-88. *1985 :* 35 000. *87 :* 39 906. *88 :* 52 087. *89 :* 57 110 (np. 14 683). *C.A.* 110 millions de F (pertes 30).

Quotidiens de province

Action Républicaine (L') * BH *1987 :* 9 720.
Aisne Nouvelle (L') * TH. 29 542.
Alsace (L') * Q (Mulhouse) a absorbé le 1-1-1966 Le Nouveau Rhin français. *1961 :* 93 040. *82 :* 128 010. *86 :* 124 130. *89 :* 125 244. **Du lundi** * H *1963 :* 67 963. *82 :* 72 407. *86 :* 68 832. *88 :* 71 377. *89 :* 70 932.
Ardennais (L') * Q (Charleville) *1961 :* 28 291. *75 :* 31 096. *83 :* 29 470. *89 :* 27 487.
Berry Républicain (Le) * Q (Bourges) *1961 :* 40 726. *82 :* 41 170. *86 :* 36 958. *89 :* 37 823. Vendu au groupe Hersant, 29-12-81 racheté par Centre France.
Bien Public (Le) * Q (Dijon) *f.* 1850. *1961 :* 36 654. *82 :* 51 456. *84 :* 53 383. *88 :* 57 387. *89 :* 52 213.
Centre Presse * Q (Poitiers) *1960 :* 89 622. *71 :* 124 264. *81 :* 77 108. *82 :* 12 908 (le 13-2-82 supprime 6 éditions). *85 :* 15 549. *88 :* 18 002.
Centre Presse Aveyron (Rodez) Q * *1986 :* 24 696. *87 :* 25 187 (np. 916).
Charente Libre (Sud-G.) * Q (Angoulême) *1962 :* 28 240. *83 :* 39 246. *85 :* 39 068. *88 :* 48 433.
Courrier (Le). Cauchois * H *1982 :* 43 124. *85 :* 42 347. *87 :* 41 688. *89 :* 43 274. **De l'Ain-Expansion** 4 800. **De l'Ouest** * Q (Angers) *1961 :* 90 589. *82 :* 113 103. *85 :* 106 795. *89 :* 108 780. **Picard-Picardie Matin** * Q Amiens *1960 :* 68 414. *75 :* 89 095. *79 :* 81 050 (avec C. de l'Oise). *84 :* 63 803. *85 :* 73 942. *87 :* 64 499. *88 :* 78 410. *89 :* 79 156.
Courrier de Saône-et-Loire (Le) * Q (Chalon-sur-Saône) *f.* 1920. *1960 :* 21 086. *82 :* 45 608. *84 :* 46 021. *86 :* 45 670. *89 :* 46 685. **Dimanche** 30 290.
Dauphiné libéré (Le) (Groupe Rhône-Alpes-Bourgogne) * Q (Grenoble) *1960 :* 329 809. *67 :* 406 003. *76 :* 332 794. *83 :* 380 955. *84 :* 361 226. *85 :* 365 965. *86 :* 359 489. *87 :* 339 020 (avec Loire-Matin). *88 :* 294 200. *89 :* 293 642. **Dimanche** *1987 :* 402 917 (avec Loire-Matin Dim.). *88 :* 372 438 (avec Vaucluse-Martin Dim.). *89 :* 379 905.
Dépêche (La) Du Midi * Q (Toulouse) *f.* 1870. *1960 :* 248 699. *67 :* 289 491. *70 :* 274 210. *82 :* 253 451. *87 :* 245 565. *89 :* 238 818 (np. 9 782). **De Tahiti** *20 000.*
Dépêches (Les) *. Du Centre-Est Q (Dijon) 19 092. **Du Doubs** voir Est Républicain.
Dernières Nouvelles d'Alsace (Les) * Q (Strasbourg) *1961 :* 134 928. *82 :* 218 619. *83 :* 219 413. *84 :* 218 636. *86 :* 220 855. *89 :* 222 337 (np. 7 540).
Dernières Nouvelles du lundi (Les) * H *1960 :* 62 349. *82 :* 123 583. *87 :* 125 674. *89 :* 128 260.
Dordogne libre (La) * Q *1986 :* 3 561. *89 :* 4 512.
Écho (L'). Du Centre Q (Limoges) 52 202. **De la Dordogne** 11 041. **Républicain** * Q *1987 :* 34 192. *89 :* 34 503 (np. 1 520, ab. 16 828). [*1961 :* 21 174].
Éclair (L') * Q (Nantes) a des pages communes avec Presse-Océan. *1983 :* 21 014. *88 :* 17 209. *89 :* 16 459 (np. 3 295).
Éclaireur brayon (L') * BH 4 227.
Éclair-Pyrénées * Q (Pau) *1988 :* 9 768. *89 :* 10 271.
Espoir (L') * Q (St-Étienne) contrôlé par Le Progrès de Lyon dep. *1963 :* 31 151. *83 :* 16 984. *84 :* 15 654. *85 :* 13 613. *86 :* 13 269. *87 :* 9 966.
Est (L'). Éclair * Q (Troyes) *1989 :* 31 216. **Républicain** * *f.* 1889. *1960 :* 218 657. *82 :* 255 116. *83 :* 311 870. *85 :* 256 628. *86 :* 248 594. *87 :* 251 236. *88 :* 248 347. *89 :* 245 719. **Dimanche** *89 :* 308 566.
Éveil de la Haute-Loire (L') * Q (Le Puy) *1987 :* 13 657. *89 :* 14 027. **Dimanche** H 13 119.
France (La) * Q (Bordeaux) *1960 :* 100 305. *68 :* 38 468. *76 :* 16 621. *86 :* 9 283. *88 :* 7 142.
France Antilles Q 50 000.
Gazette provençale (La) TH (Avignon) 7 360 – *8 000.*
Groupe Rhône-Alpes * *1988 :* 813 352. *89 :* 790 920.
Haute-Marne libérée (La) * Q (Chaumont) *1967 :* 20 986. *83 :* 15 337. *87 :* 14 651. *89 :* 14 802.
Havre (Le). Libre * Q *1988 :* 25 064. *89 :* 24 914. **Presse** * Q *1988 :* 17 486. *89 :* 17 360.
Indépendant (L') * Q (Perpignan). *f.* 1846. *1963 :* 62 131. *83 :* 74 117. *88 :* 74 214. **Du Louhannais et du Jura** * TH *1989 :* 5 607.
Informateur corse (L') H (Bastia) 16 000.
Informations dieppoises (Les) * BH *1989 :* 16 933.
Journal (Le) * Q (Lyon) 19 543. **Du Centre** * Q (Nevers) *1961 :* 39 270. *85 :* 38 125. *89 :* 36 903 (ab. 15 481). **De la Corse** * BH *3 600.* **De l'île de la Réunion** Q *1987-mars à août* 20 032. **Rhône-Alpes** * *f.* 1977 16 960. **De Toulouse.** *f.* 23-1-1988 (gratuit) *45 800.*
Journée vinicole (La) Q *16 500.*
Libération Champagne * Q (Troyes) *1988 :* 15 287. *89 :* 14 726 (np. 1 066).
Liberté Q (Lille) *f.* 1944 : *103 350.* **Dimanche** * H *122 986.* **De l'Est (La)** * Q (Épinal). *1988 :* 32 261. *89 :* 31 968. **De l'Est dimanche** *. *1989 :* 30 357. **Du Morbihan (La)** * Q (Lorient) *1989 :* 8 814.
Loire-Matin-La Dépêche (St-Étienne) * Q *1988 :* 18 275.
Lyon Figaro Q *f.* 1986 : 19 086.

Lyon Libération * *f.* 1986. *1988 :* 9 130. *89 :* 8 678.
Lyon Matin Dimanche (avant le 5-5-80, Dernière heure lyonnaise) H. *1988 :* 48 577. **Semaine.** *1988 :* 42 773. *89 :* 39 124.
Maine Libre (Le) * Q *1960 :* 48 321. *83 :* 56 927. *84 :* 57 278. *88 :* 55 625. *89 :* 54 624.
Manche Libre (La) * H *1964 :* 47 000. *82 :* 64 085. *84 :* 63 713. *88 :* 63 498. *89 :* 74 711.
Marchés (Les) * Q *1989 :* 11 914, ab. 10 478.
Marseillaise (La) *146 406.* **Du Berry** Q 11 880. **Du Languedoc** * *61 536.* « **Var** » Q 24 725.
Méridional-La France (Le) * Q (Marseille) *f.* 1914 : 334 054. *1960 :* 83 397. *67 :* 108 813. *80 :* 57 196. *82 :* 64 831. *83 :* 72 688. *85 :* 72 737. *88 :* 67 539. *89 :* 70 795. **Dimanche** * H *1988 :* 58 366. *89 :* 62 743 (np. 2 605).
Midi Libre * Q (Montpellier) *f.* 1944. *1960 :* 161 900. *83 :* 194 838. *85 :* 181 398. *86 :* 185 707. *87 :* 179 583. *88 :* 185 817. *89 :* 148 274. **Dimanche** * H *1988 :* 217 879. *89 :* 217 774.
Montagne (La) * Q (Clermont-Ferrand) *f.* 1919 (1er nº le 4-10) par Alexandre Varenne, dép. soc. *1960 :* 149 246. *67 :* 223 583. *75 :* 255 645. *82 :* 256 447. *85 :* 255 831. *89 :* 250 290 (np. 7 690). **Dimanche** * *1989 :* 265 663 (np. 1 856).
Montagne Noire (La). La Voix Libre Q (Mazamet) 2 800. *3 000.*
Narodowiec Q polonais *créé* Berlin 1909, à Lens dep. 1924 ; a disparu le 17-7-1989 (*1988 :* 7 000).
Nice-Matin * Q *1960 :* 161 900. *82 :* 261 926. *83 :* 262 234. *84 :* 259 006. *85 :* 262 660. *89 :* 256 104 (np. 6 080). **Dimanche** *1988 :* 245 616.
Nord-Éclair * Q (Roubaix) *f.* 1944. *1963 :* 73 307. *70 :* 100 832. *82 :* 91 329. *85 :* 95 601. *86 :* 92 868. *88 :* 54 426. *89 :* 56 498.
Nord Littoral * Q (Calais) *f.* 1944. *1970 :* 17 500. *82 :* 10 888. *85 :* 8 943. *88 :* 7 136. *89 :* 7 204.
Nord-Matin * Q (Lille) *f.* 1944. *1975 :* 108 019. *82 :* 76 034. *83 :* 74 168. *86 :* 77 883. *89 :* 99 012.
Nouvel Alsacien (Le) * Q *f.* 1885. *1961 :* 32 722. *82 :* 21 851. *86 :* 13 906 (cesse de paraître).
Nouvelle République du Centre-Ouest (La) * Q (Tours) *f.* 1944. *1961 :* 238 176. *82 :* 280 910. *84 :* 270 887. *85 :* 273 647. *89 :* 268 777 (np. 5 587). **Des Pyrénées (La)** * Q (Tarbes) (le samedi).
Nouvelles calédoniennes Q *20 000. 1989 :* 17 262.
Ouest France * Q (Rennes) *f.* 7-8-1944 : 277 000. *61 :* 535 179. *70 :* 623 174. *82 :* 707 661. *85 :* 735 172. *86 :* 736 423. *87 :* 739 047. *88 :* 765 195. *89 :* 786 463 (np. 20 470).
Paris-Normandie * Q (Rouen) *f.* 1944. *1961 :* 137 044. *70 :* 160 533. *82 :* 134 848. *89 :* 117 501.
Petit Bastiais (Le) H 1 200.
Petit Bleu du Lot-et-Garonne (Le) * Q (Agen) *1982 :* 12 217. *84 :* 12 408. *85 :* 12 745. *88 :* 12 658. *89 :* 12 827.
Populaire du Centre (Le) * Q (Limoges) *f.* 1905. *1988 :* 55 967. *89 :* 55 845.
Presse de la Manche (La) * *f.* 5-11-1889 Le Réveil cherbourgeois BH puis Cherbourg-Éclair Q, nom actuel 1953. Q (Cherbourg) *1989 :* 27 524.
Presse Océan * Q (Nantes) *1960 :* 73 327. *83 :* 83 775. *86 :* 80 929. *87 :* 80 586. *89 :* 84 186 (np. 4 466).
Progrès (Le) * Q (Lyon) *f.* 12-12-1859, vendu 1986 env. 300 millions de F à R. Hersant. *1961 :* 354 896. *67 :* 460 227. *80 :* 347 526. *82 :* 300 085. *83 :* 302 474. *84 :* 288 946. *85 :* 271 563. *86 :* 271 035. *87 :* (av. La Tribune) 282 020. *88 :* 362 396. *89 :* 354 784 (np. 9 464). **Dimanche** * H *1988 :* 342 183.
Provençal (Le) * Q (Marseille) *f.* 23-8-1944. *1961 :* 193 534. *67 :* 307 950. *75 :* 181 977. *83 :* 158 439. *84 :* 161 003. *85 :* 166 397. *86 :* 174 321. *87 :* 172 745. *88 :* 162 389. *89 :* 158 910 (np. 8 972). **Dimanche** * H. *1988 :* 167 366. *89 :* 164 961. **Le Soir** * Q (Marseille) *1961 :* 44 146. *82 :* 20 158. *88 :* 13 994. *89 :* 14 232.
Quotidien de la Réunion (Le) Q *1988 :* 24 298. *89 :* 28 667.
Républicain lorrain (Le) * Q (Metz) *f.* 1919. *1961 :* 166 898. *67 :* 225 795. *82 :* 202 037. *85 :* 201 488. *86 :* 200 739. *87 :* 198 018. *88 :* 194 178. *89 :* 193 031. **Lundi Matin** *1989 :* 169 018 (np. 8 252).
République (La). Du Centre * Q (Orléans) *1961 :* 56 704. *75 :* 74 318. *85 :* 65 634. *88 :* 65 704. *89 :* 64 435. **Des Pyrénées** * Q (Pau) *1963 :* 18 758. *82 :* 28 300. *84 :* 27 972. *89 :* 29 632.
Sénonais Libéré BH *5 000.*
Soleil du Sénégal Q *35 000.*
Sud-Ouest * Q (Bordeaux) *f.* 29-8-1944 (prend la suite de La Petite Gironde *f.* 1872). *1959 :* 301 756. *70 :* 374 768. *83 :* 365 147. *84 :* 356 989. *85 :* 364 426. *86 :* 360 766. *88 :* 367 170. *89 :* 375 636 (np. 15 982).
Télégramme (Le) * Q (Morlaix) *f.* 1944. *1961 :* 111 699. *82 :* 172 220. *85 :* 176 251. *89 :* 184 021 (ab. 18 126).
Temps de la Finance (Le) paru du 23-10-1989 au 27-2-90. *Dif. payante* 14 000 ; *gratuite* 85 000.
Tribune (La) * St-Étienne. Le Progrès l'a racheté en 1963. **De Montélimar** * H *1989 :* 20 837.
Union (L') * (Reims) *1961 :* 139 201. *70 :* 152 720. *82 :* 127 637. *86 :* 112 672. *89 :* 110 334 (np. 3 579).
Var Matin-République * Q (Toulon) *1960 :* 34 925. *82 :* 82 186. *85 :* 83 384. *86 :* 85 333. *87 :* 86 389. *88 :* 85 089. *89 :* 81 858.
Vaucluse Matin * Q Édition du Dauphiné libéré *1989 :* 10 979. **Dimanche** 11 860.
Voix du Nord (La) * Q *f.* 1941. *1961 :* 336 614. *67 :* 399 539. *85 :* 374 171. *86 :* 377 219. *87 :* 380 956. *89 :* 372 172 (np. 23 948), ab. 17 022.
Yonne républicaine (L') * Q (Auxerre). *1988 :* 41 025. *89 :* 31 968 (ab. 21 827).

Périodiques

A (Le) M 12 000 – *20 000.*
Abbeville libre H *6 000.*
A.B.C. Décor BMT *1965 :* 47 746. *84 :* 50 000. *85 :* 38 000. *86 :* 32 000. *87 :* *32 500,* 30 500. **Des voyageurs** M 12 000 – *20 000.*
Abeille (Épinal) H *12 000.*
Abeille de France et l'Apiculteur (L') M 35 000, ab. 32 500.
Achats et Entretien * M *1986 :* 11 027.
Action agricole. Picarde H *8 500.* **De Touraine** * H 6 187. **Du Tarn-et-Garonne** * BM *1988 :* 10 210.
Action (L'). Automobile et touristique * M *f.* 1934 *1960 :* 441 773. *85 :* 414 037. *89 :* 338 249, ab. 237 904. **Nice-Côte d'Azur** M 15 000. **Poétique** T *2 500.* **Sociale et Santé** BMT *70 000* à *150 000* (nos spéciaux). **Vétérinaire** H *5 000.*
Action commerciale M *16 000.*
Action guns M *45 500,* 40 000.
Actua Ciné * *f.* 1979 M 503 957.
Actualité (L'). Chimique BMT *3 500.* **Hippique Hebdo** H 6 000 – *8 000.* **Juridique – Droit administratif** * M 6 506. **Religieuse dans le monde** M *f.* 1950 *25 000.*
Actualités économiques H *3 500.* **Pharmaceutiques (Les)** M *16 200.*
Actuel * M *f.* 1972 par J.-F. Bizot (paru 1970-75). *1979 :* 174 524. *81 :* 311 584. *82 :* 246 705. *83 :* 225 275. *84 :* 216 410. *85 :* 215 029. *86 :* 223 584. *87 :* 206 611. *88 :* 180 905. *89 :* 171 633.
Aéroports Magazine * M 7 622.
Affiches H *27 500.* **D'Alsace et de Lorraine (Les)** BH *12 000.* **De Grenoble et du Dauphiné** * H 11 737.
Africa M *41 450.*
Afrique. Agriculture M *8 034.* **Magazine** M *1989 :* 89 129. **Asie** * *f.* 1969, disparu 1987 BM 95 101. **Automobile** BMT 22 000. **Industrie** Dep. 30-9-1988, suppl. m. de Marchés Tropicaux.
Agriculteur (L'). De l'Aisne * H *1987 :* 7 637. **D'Anjou** * M 12 843. **De la Dordogne** * H *1988 :* 15 057. **Du Loir-et-Cher** * BM 8 110. **Normand** * H *1988 :* 27 180. **Provençal** * H 11 399. **Du Sud-Est** * BM 83 600.
Agriculture * M *1986 :* 6 834, ab. 5 864. **Magazine** M 58 100. **De la Nièvre** * H *7 600.* **Du Pas-de-Calais** * H 24 440. **Des Pyrénées-Orientales** H *13 000.* **44** M 21 000 – *22 500.* **Et vie** T *5 000.* **Sarthoise** * H *1987 :* 13 704.
Agrisept * *f.* 1964, H *130 000,* issu du Foyer Rural *f.* 1936.
Ain agricole * H 10 405.
Air Actualités M *30 000.* **Et Cosmos** * H 12 749, ab. 8 220. **Fan** * M 14 173.
Aix Hebdo H gr. 94 800. **Sept** H gr. 81 056.
Aladin M *35 000.*
Allier magazine M 2 475.
Allobroges (Les) (Isère) T *60 000.*
Allô Paris H 34 953. **Sambre** H 104 899.
Alma M. *f.* 1976 : 150 000 (?) arrêté après 8 numéros.
Al Mostakbal * H (arabe) *1987 :* 62 935.
Alpi-rando * M 28 724.
Alsace automobile (L') * M *f.* 1927 : *53 500.*
Alternatives économiques * M 33 940.
Al Watan al-arabi * H (arabe) 53 712.
Ami (L'). Des foyers chrétiens (Moselle) H *20 250.* **Des jardins et de la maison** * M *1962 :* 72 100. *82 :* 138 923. *85 :* 166 265. *88 :* 150 214, ab. 74 235. **Du peuple** * H *1960 :* 102 398. *89 :* 49 730.
Amina M *92 770.*
Amphitryon BMT *35 000.*
Amputé de guerre (L') M 11 000.
Ancien d'Algérie (L') * M 306 493.
Animaux mag. M *66 000,* ab. 49 000.
Anjou agricole * H 9 818. **Économique** BMT *12 000.*
An Nahar Arabe et International * H 50 700.
Annales (Les) n.c.
Annales de l'Institut Pasteur (éditées en anglais dep. avril 1989).
Annecy catholique BM 45 000.
Annonces (Les) H 5 000 – *10 000* ab. 500. **Du Bateau** M *f.* 1955 : *30 000.*
A.P.A.V.E. * T *1988 :* 13 091.
Après bac (L') M *100 000.*
Aquarama BMT *1986 :* 12 212.
Arboriculture fruitière (L') * M 5 553.
Arche (L') M *20 000.*
Archéologia M 55 000 ab. 30 000.
Architecture d'aujourd'hui (L') * BMT *1988 :* 22 687. **Intérieure-Créé** 6 nos/an * *1988 :* 18 250.
Argus (L') H * 20 634, ab. 18 955. **De l'automobile et des locomotions (L')** H *189 000.* **De la miniature** M *10 000.* **Des collectivités (L')** M *12 000.* **Du fonds de commerce et de l'industrie** BMT *30 000.*
Armée et défense BMT 22 900 – *23 000.*
Armées d'aujourd'hui * M *1988 :* 118 014. *89 :* 119 310.
Armes International M *48 000.*
Armor Magazine M 38 000 – *40 000.*
Art et Curiosité T 4 000. **Et décoration** * 8 nos/an 381 071. *1960 :* 37 181. **Et Poésie** T *3 000.*
Artistes et Variétés-Revue de l'accordéoniste 8 nos/an *20 000* ab. 1 200.
Arts et Manufactures * M *1988 :* 10 443. **Et Métiers** * M *1987 :* 18 707.
As * M 338 249. **As 36** (Châteauroux) H 54 631.
Aspects de la France H *f.* 10-6-1947. *30 000.*
Assiette au Beurre. Paru de 1901 à 1936.
Astral M *70 000* ab. 15 000.
Astres M *100 000* ab. 20 000.
Atlas M *300 000.*
Atout (Reims) H 135 000.
Aube. Contact BM 85 000. **Nouvelle** H Montrouge 12 000 ; Malakoff 15 000.
Aude Informations H 59 900.
Audio journal (L') T *15 000* ab. 14 000.
Aujourd'hui Madame H *f.* juin 1988 : 600 000. Cesse mars 89 (380 000 ex.). Perte 100 millions de F.
Aurore paysanne (L') BM *7 900.*
Auto. Défense *f.* 1981 BMT 100 000. **Expertise** * BMT 11 311. **Hebdo** * H *f.* 1976 : 59 453. **Journal** * BM *f.* 1950. *1988 :* 280 807 ab. 98 300. **Moto** * M 357 009. **Moto Rétro** * M *1988 :* 54 120. **RCM** M *38 000.* **Stéréo** M *50 000.* **Verte** * M *1988 :* 61 021. **Volt** * M *1988 :* 6 538.
Automobile Magazine (L') * M *f.* 1945. *65 :* 161 406. *84 :* 207 181. *87 :* 202 542. *89 :* 204 023 ab. 52 279. **Et tourisme** T 6 200.
Automobiles classiques *f.* 1983, 33 000 (10 000 ab.).
Automobilisme ardennais T *10 000.*
Automobiliste (L') T *f.* 1966. *18 000* ab. 4 000.
Autre (L'). Journal H *f.* 1984 (avec Les Nouvelles littéraires). *1986 : 100 000. 88 : 150 000. 90 :* 140 000 (nouvelle formule). **Monde** M 35 000 ab. 6 000.
Auvergnat de Paris (L') H 17 800 ab. 12 297.
Auvergne agricole * H 9 404. **Magazine** M 5 950.
Avantages Magazine Féminin M *f.* sept. 1988. 641 770.
Avant-garde M 145 000. **Scène Théâtre.** BM 6 000.
Avenir agricole de l'Ardèche * H 6 018. **De la Côte d'Azur-Indépendant** H 7 000. **De la Mayenne** * H 11 561. **Et viticole aquitain** BM *23 500.* **Hebdo** H *30 000.* **Du Pas-de-Calais** * H 22 862. **Et santé** * M *1988 :* 16 681.
Aviasport-Aviation générale M *f.* 1954. 11 000.
Aviation 2 000 M 25 000. **Magazine international** * BM *1988 :* 19 020.
Aviculteur (L') M *7 300.*
Azur et or SMT *8 000.*
Bancs d'essai du tourisme (Les) BMT *100 000.*
Banque * M 17 841 ab. 15 889.
Barème des coefficients M *25 000.*
Basket-ball 10 nos/an *22 000.*
Bateaux * M *1970 :* 43 162. *86 :* 74 081. *88 :* 70 100.
Bâtiment artisanal (Le) * M 84 589.
Batirama M *1988 :* 7 653.
Beaux-Arts magazine * M 46 664.
Best * M 65 067.
Betteravier français (Le) M (de mai à sept.). BM (oct. à avr.) 49 500.
BIBA * M *f.* 1980. 220 115 ab. 43 000.
Bien-être et Santé * 9 nos/an 410 256.
Bijoutier (Le) * M *1988 :* 4 746.
Bilans hebdomadaires H *3 400.*
Biofutur M *9 000,* 7 500.
Bip-41 * H gr. *1988 :* 43 864.
Bois national (Le) H *25 000.*
Boisson Restauration Actualités M 60 000.
Boissons de France M *6 000.*
Bonheur-La Revue des familles * M. *1960 :* 475 082. *89 :* 1 064 640.
Bonjour 91. Évry H 360 000.
Bonne cuisine (La) * BMT *1988 :* 121 785. **Soirée** H *f.* 1922 (Belg.) diffusée en Fr. dep. 1947, 231 322, ab. 39 861. **Soirées-Télé** * H *f.* 1922, *1960 :* 608 246. *89 :* 229 245. **Table et tourisme** BMT *75 000* ab. 74 500.
Bordeaux Madame H *f.* 1975 : 25 000.
Boucherie française (La) M *22 500.*
Bouilleur de France (Le) T 10 000 ab. 8 000.
Boulangerie française (La) BM *4 500.*

Boulangerie Rhône-Alpes (La) M *4 000.*
Boulanger-Pâtissier (Le) M 12 500.
Bourbonnais Hebdo H 24 800.
Boutiques de France * BM *1987 :* 13 045.
Bretagne à Paris (La) * H 9 500. **Économique** 10 nos/an *15 000.*
Bricolage-service * M *1988 :* 4 889.
Bridgerama M *9 000* ab. 6 000.
Bridgeur (Le) M 25 000 ab. 23 800.
B.T.P. Magazine 9 nos/an *25 000.*
Budget famille *f.* 1990. M. *250 000.*
Bulletin. De l'Afrique noire H *5 000.* **De l'Antiquaire et du Brocanteur** M *5 500.* **Des Métiers et de l'Artisanat (Le)** M *25 000.* **Officiel d'annonces des Domaines** BM *35 500* ab. 34 000. **Des semences** * T 12 532.
Bureau et Informatique 8 nos/an. *35 000.*
Business Bourse * H *f.* 1987, 32 123.
But BH *f.* 1969, *140 000.*
Câble télévision BM *f.* 1989 : *40 000.*
Cadres C.F.D.T. 5 nos/an 27 000.
Cadres et dirigeants des P.M.E. *60 000.*
Caducée (Le) * M *13 000.*
Cafetier-restaurateur parisien (Le) M *4 700.*
Cahiers. De Bibliographie thérapeutique française * 10 nos/an 18 310. **Du Crédit mutuel** * BMT 12 404. **Du Cinéma** M *f.* 1951, *70 000* – 38 000. **Du communisme** M *f.* 1924, n.c. **De L.A.D.A.P.T.** T *6 000.* **De la puériculture** T *6 500.* **Techniques du bâtiment** * M *1988 :* 13 188.
Camaraderie 4 nos/an *35 000* ab. 30 000.
Caméra international BMT *20 000.*
Caméra Vidéo * M *f.* 1987 : 41 384.
Ça m'intéresse * M *f.* 1981, 365 971.
Camions magazine * M 23 640.
Camping-car (Le) * 7 nos/an *1988 :* 61 052.
Canal BMT *12 000.*
Canal 51 H **Reims** 129 430. **Châlons** 57 500. **Épernay** 50 888.
Canard enchaîné (Le) feuille de tranchées, publiée au 74e régiment d'infanterie, véritable début 5-7-1916. H *1946 :* 536 436. *50 :* 145 650. *55 :* 120 915. *60 :* 282 014. *70 :* 450 000. *82 :* 441 729. *83 :* 412 608. *84 :* 387 000. *85 :* 350 000. *87 :* 395 622. *88 :* 423 100 (*577 839*) (ab.) : 51 355. *89 :* 374 000 [records *72 janv. :* 580 000 (feuille d'impôts de Chaban-Delmas), *sept. :* 750 000 (affaire Aranda), *79 oct. :* 850 000 (suicide de Boulin), 650 000 (diamants de Bokassa), *80 :* 900 000 (après tél. de Bokassa)]. *81 :* 2e t. de l'élection présid. 1 229 574 (record). C.A. 1989 (millions de F) : 134 (bénéfice 23,8).
Canoe Kayak magazine BMT *35 000.*
Caravanier (Le) * 7 nos/an *1988 :* 85 372.
Caractère * BM (+ cahier techn. de l'Imprimerie Nouvelle dep. fin 86) 8 167.
Carillon 03 (Le) H 29 448 à 44 035. **18** H 55 000. **23** H 20 802. **33** H 215 646. **45** H *75 000.* **58** H 68 785. **87** H 80 249. **Tours** H 99 900.
Carotte moderne T *20 000.*
Carrefour des métiers * 6 no/an 24 567.
Cartes postales et collections BMT *20 000* ab. 9 000.
Casse-tête magazine BMT *27 300.*
Casse-tête spécial poche BMT *28 900* – 15 000.
C.B. News Communication * H *f.* 1986, 10 053.
C.E.C. * T 26 056.
Cent blagues M *50 000.*
Centrale des particuliers H 80 858.
Centre. Ouest Football H *10 000.*
C.F.D.T. Magazine M 330 000.
Cette semaine H 71 000.
Challenges * 71 392.
Champigny notre ville M *32 000.*
Chantiers coopératifs * M *1987 :* 6 586. **De France** 10 nos/an *15 000.* **Du Cardinal** T *72 000.*
Charcuterie et Gastronomie (La) M *26 000.*
Charentais annonces H 135 853.
Charlie Hebdo *f.* 1970 (ex-Hara Kiri *f.* 1960) disparu mai 1981.
Charpente-Menuiserie-Parquets * 6 097.
Chasseur français (Le) * M *f.* 1885 (1er numéro 15-6). Cédé à Manufrance puis, 1981, Bernard Arnault, Clément Venturi, Didot Bottin ; vendu à Bayard-Presse en juin 90 : 160 MF). *1930 :* 400 000. *1963 :* 778 281. *86 :* 556 646. *87 :* 562 043. *88 :* 578 689. *89 :* 570 531. *90 :* 581 765 ab. 434 294. C.A. (1989) : 106 millions de F (résultat net : 15 millions de F) ; dette : 40 millions de F. **De l'Est** T *37 000.* **D'images** * M 100 654.
Chaud-Froid-Plomberie * M 11 390 ab. 5 383.
Chausser * M 5 094.
Chef (Le) * 9 nos/an *f.* 1987. 12 204.
Cheminées Magazine T *50 000.*
Cheminot retraité * M 106 211.
Cheval Magazine * M *f.* 1971. *1986 :* 96 073. *89 :* 100 650 ab. 30 094.
Chèvre * **(La)** BMT *1986 : 5 819. 88 :* 6 545.
Chiens de Chasse M n.c.
Chiens de France M *40 000.*
Chirurgien-dentiste de France (Le) * H 22 650.
Choc du mois (Le). M. 45 000.
Chouan (La Roche-sur-Yon) H gr. 95 000.
Christianisme au vingtième siècle (Le) H *f.* 1871 n.c., *6 000.*
Chronique du transporteur M *13 000.* **Républicaine** * H 15 489.
Cibles M *55 000.*
Ciel et Espace * M 35 685 ab. 12 692.
Cimaise BMT *15 000.*
Ciné-mag. M *150 000.*
Cinématographe M 20 000.
Ciné-News M *100 000* – 60 000
Ciné Télé Revue H 158 000
Circuler BMT 12 000.
Circus * M *1986 :* 44 687. *87 :* 25 600.
City M *f.* 1984 : *48 000* – 28 000.
Clair Foyer * v. Famille magazine M *1960 :* 245 913. *88* (janv. à juin) : 300 837.
Clefs d'or (Les) T *8 200.*
Club maison T 10 000.
C.N.P.F.-La revue des entreprises M *32 000.*
Cœur et santé T *15 000* (éd. méd.) *50 000* (éd. pub.).
Cogito T *72 000* – 51 000.
Coiffeur de France (Le) * M *1988 :* 13 337.
Coiffure Beauté International * BMT *1986 :* 52 827.
Coiffure de Paris (La) * M 47 543.
Coiffures Modes * BMT 15 634.
Collectionneur français (Le) M *25 000* ab. 8 000.
Collectivités express * M 12 370.
Cols bleus * H 8 932 ab. 15 531.
Combat pour la paix 8 nos/an *8 000* ab. 6 000.
Comédie-Française * M *1987 :* 5 988.
Commerce actuel M *50 000.*
Commerce et Industrie M 100 000 – *105 000* à *108 000.* **Forain** BM *25 000* ab. 20 000.
Commerces M *34 500.*
Commentaire *f.* 1978 par Raymond Aron T.
Communes de France * M *1987 :* 10 476.
Communiquez ! M 11 500, tirages spéciaux *20 000.*
Compact M *46 000* – 38 000.
Computer Design M 103 054.
Concours médical * H *1988 :* 54 323.
Confidences * H *1971 :* 280 767. *86 :* 350 000.
Confiserie (La) * 8 nos/an *1988 :* 2 058.
Connaissance. Des Arts * M 47 118 ab. 38 426. **De la chasse** * M 39 196. **De la pêche** * M 95 968. **Des hommes** 5 nos/an *12 500.* **Du Rail** M *8 500.* **Du Pays d'Oc** BMT 17 500 – *20 000.*
Conseils par des notaires BM *50 000.*
Constructions neuves et anciennes M 44 000.
Consultation (La) T *35 100* – 35 000.
Contact M (franco-allemand) *3 000.* **Lille Contemporaine** M *f.* 1991 : n.c.
Correspondance municipale M *5 000* ab. 3 000.
Corrèze magazine M 4 225.
Cosmopolitan * M *f.* 1973. *1974 :* 159 752. *82 :* 282 277. *84 :* 294 060. *87 :* 300 304. *88 :* 297 486. *89 :* 298 492. **Hommes** SMT *f.* 1982. *1986 : 425 000.*
Cote. Des Arts M *6 000 à 8 000,* 4 500, ab. 3 400. **Desfossés** * Q *f.* 1825, 27 044.
Courir Magazine M *40 000.*
Courrier. De l'Eure * H 8 824. **De Mantes** * H 9 088. **De Paimbœuf** * H 14 119. **Du Loiret** * H *87 :* 7 752. **Du meuble** * **(Le)** H *88 :* 6 646. **Français** (Bordeaux) H 6 100. **De la Mayenne** * H 31 591. **Des employés d'immeuble** M *22 000.* **Des Yvelines** * H 9 903. **Indépendant** * H 8 651. **Mutualiste** T 65 000. **Du Parlement** M *10 000.* **Savoyard** H *9 575.*
Courses. De Marseille et du Sud-Est (Les) Trihebdo *15 000.* **Et Élevage** BMT *10 000.*
C.R.A. infos BM *24 000.*
Crapouillot (Le) rédigé au front par Jean Galtier-Boissière (31e d'infanterie), imprimé à Paris, parut en août 1915. 6 nos/an *100 000* – 70 000.
Création magazine * M 14 132.
Créez M *80 000.*
Crémier fromager (Le) M *6 000.*
Creuse agricole BM *5 000.*
Creuset, La Voix des Cadres (Le) voir Cadres et Maîtrise.
Critique M *f.* 1946 n.c.
Croissance des jeunes nations M 22 000 – *25 000.*
Croix (La). Du Nord magazine * H (Lille) *1969 :* 30 084. *88 :* 13 053. **Du Midi** H (Toulouse) 25 600. **Jurassienne** * H *1986 :* 17 478.
Cryptogrilles M *34 800* – 20 000.
Cuisine et vins de France M * 63 515 ab. 30 765.
Cultivar 2000 * BM *1987 :* 2 953.
Cuniculture BMT *4 500* à *5 500* ab. 4 200.
Cycle (Le) M *65 000* ab. 12 750.
Cyclotourisme M *35 000.*
Danser M 17 000.
Débitant de tabac (Le) M *6 000.*
Décision micro * H 25 474.
Décisions Médias M *f.* 1989 : *10 500* – 8 500.
Défense Nationale M *9 000* ab. 7 600. **Paysanne du Lot** * BM 15 309.
Défis * M 27 061.
Demeure historique (La) T *5 000* ab. 5 000.
Demeures et châteaux 5 nos/an *33 400* – 25 000.
Démocrate vernonnais H 9 000.
D.E.P. 93 Nord H 147 800. **Sud** 157 700.
Départements et Communes * M 26 277.
Dépêche (La) * H (Évreux) 23 148. **D'Auvergne** BH *5 600.* **De l'Aube** *80 000.* **Commerciale et agricole** H *15 000.* **Meusienne** H *28 560.* **Mode** * *f.* 1972 M. 10 nos/an 95 517. **De Provence** H *5 000.* **Du Val-d'Oise** M 210 000. **Vétérinaire** * H *1988 :* 5 980.
Diapason-Harmonie * M 56 686.
Différences M *f.* 1981, *15 000,* ab. 10 000.
Dimanche M *175 000* – 150 000.
Diogène T *2 000.*
D.I.S.C. BMT *25 000.*
Distance BMT *120 000* ab. 1 000.
Dix-huit (Bourges) H *28 500.* **Millions de retraités** M. *100 000.*
Documentation. Catholique BM *25 000.* **Organique** H 12 200. **Par l'image** M 90 000.
Documents et informations parlementaires H *2 000.*
Dossier Familial *f.* 1973, 325 698.
Droguerie-Couleurs-Ménage M 8 000. **Française** BM *8 500.*
Droit et Liberté M *12 000* ab. 10 000.
Droit maritime français (Le) M *12 000.*
Dunkerque Expansion BM *10 000.*
Dynasteurs M *f.* 1986, 100 000. **Dynastie** 60 000.
Échappement * M *f.* 1968. *1972 :* 61 163. *86 :* 165 078. *87 :* 150 693. *88 :* 141 555. *89 :* 131 432.
Écho (L'). De la presse et de la publicité H *f.* 1945, *8 500* 8 200. **De l'Armor et de l'Argoat** * H 11 610. **De la timbrologie** * M 27 462 ab. 15 537. **De l'Ouest** H *19 000.* **D'Enghien-Montmorency** H *20 000.* **Des concierges** M *15 000.* **Des dépositaires et des libraires** M *7 300* – 6 636. **Des savanes** * M 105 310. **Touristique** H *9 500.*
Échochim * 10 nos/an *1986 :* 10 894.
Éclaireur (L') * H 10 622. **Des coiffeurs** * H 14 218. **Du Gâtinais et du Centre** * H 25 632.
École (L'). Libératrice * H 200 124. **Et la Nation** M 90 000 ab. 78 000. **Des Parents et des Éducateurs** M *20 000* ab. 16 000.
Économie. Et comptabilité * T *1988 :* 4 360. **Et politique** M 15 000 à 20 000.
Economist (The) H (monde) : 425 366.
Écrits de Paris M *f.* 1947, 20 000 ab. 5 000.
Éducation. Enfantine 9 nos/an 100 000. **Musicale** 10 nos/an *7 000* – 6 180 ab. 5 288. **Physique et Sport** BMT *32 000* ab. 29 746.
Égérie golf M *23 000.*
Égoïste A *f.* 1977 par Nicole Wisniak 35 000.
Électro-négoce M 5 500 – *7 000.*
Électronique. Pratique * M *f.* 1950, 58 454 ab. 19 996. **Radio plans** * M *f.* 1933, 36 842. **Techniques et industries** * M 6 506.
Élektor * M 39 091.
Éléments T *10 000.*
Élevage M 30 000.
Éleveur. De France BMT gr. 40 000. **De lapins** 5 nos/an *4 400.*
Elle * H *f.* 21-11-1945. *1960 :* 653 303. *81 :* 393 973. *82 :* 436 670. *83 :* 410 909. *84 :* 395 007. *85 :* 383 121. *86 :* 369 581. *87 :* 360 056. *88 :* 380 617. *89 :* 374 454. (*86 :* éd. amér. 700 000, angl. 20 000, esp. 140 000).
Élu (L'). D'aujourd'hui M ab. 34 500. **Local** M *22 000* – 21 000.
Emballage-Digest M 11 000.
Emballages magazine * 10 nos/an 9 574.
Encyclopédie médico-chir. * BMT 58 298.
Énergie fluide * M 4 226.
Enfance et la Mode (L') T n.c.
Enfant (L'). D'abord M 100 000 ab. 19 500. **Du 1er âge** A 600 000.
Enfants magazine * M *f.* 1976. 167 280.
Enseignement public (L') * M *1971 :* 497 548. *86 :* 418 100. *87 :* 404 236. *89 :* 374 101.
Ensemble M *15 000.*
Entreprendre M *130 000* – 100 000.
Entreprise voir Nouvel Économiste.
Entreprise (L') M *f.* mai 1985. 72 386, diff. payée 64 662.
Éperon (L') M voir Information Hippique 35 000 ab. 10 000.
Épicerie française (L') BM 13 664.
EPS 1 5 nos/an 26 000 ab. 24 340.
Équipée (L') 6 nos/an *15 000.*
Équipe magazine * H 297 053.
Ère nouvelle (L') BMT *12 000.*
Esprit M *f.* 1932 par Emmanuel Mounier, *10 000.* **De Vie-L'Ami du Clergé** H 18 000 ab. 10 000.
Essentials *f.* 1989. 609 831.
Essor (L') (St-Étienne) H 25 000. **De la Gendarmerie nationale** M *40 000.* **Du Limousin** BM *15 000.* **Savoyard (Hte-Savoie)** H 15 300.
Est agricole et viticole * H 18 063.
Estampille (L') M 45 000 ab. 22 000.

Études M *f.* 1856. *15 500* ab. 13 200.
Étudiant * (L') M *f.* 1975. *1986 :* 61 805.
Étudiants commerce 4 n^os^/an 6 500 - *7 000.*
Eure (L'). Agricole * H 5 407. **Inter Annonces** H (Évreux) *93 000.*
Europe M *f.* 1923. 6 000. **Échecs** M *30 000* ab. 7 000. **Outre-mer** M 16 000 - *17 000.*
Éveil. De Lisieux * H 9 972. **De Nanterre** H *24 000.* **De Pont-Audemer** * H 25 969. **Normand** * H 14 136.
Événement du Jeudi (L') * *f.* 1984 par Jean-François Kahn avec le soutien de 19 000 petits actionnaires 1er n° : 25 000. 3e : 160 000. *1987 :* 150 061. *88 :* 176 772. *89 :* 179 389. *90 (6-9) :* 253 000 (75 000 ab). C.A. 1989 : 300 millions de F.
Éventail France. 10 n^os^/an. 15 000.
Évolution pharmaceutique (L') M *4 500.*
Expansion (L') * BM *f.* 1967. *1968 :* 86 392. *83 :* 169 342. *85 :* 168 733. *87 :* 192 058. *88 :* 190 975. *89 :* 180 341. **Voyages** T *f.* 1981. 180 000 ab. 150 000.
Expert-automobile (L') * M 15 325.
Exploitant (L'). Agricole de Saône-et-Loire * H *1987 :* 14 814. **Familial** BM *66 000* ab. 63 261.
Explora magazine *f.* oct. 1988, disparu mai 89.
Exportation magazine (L') M 25 000.
Express (L') *f.* 15-5-1953 (supplément hebdo. des Échos, appartient aux Servan-Schreiber) ; 1er n° : 16-5 ; quot. 1953 au 9-3-1956 vendu 1977 à J. Goldsmith 60 millions de F, racheté 1987 par la C.G.E. (C.A. 55 millions de F). * H *1959 :* 138 180. *72 :* 614 101. *82 :* 479 000. *83 :* 513 041. *84 :* 517 157. *85 :* 519 000. *87 :* 555 093. *88 :* 553 659. *89 :* 566 688 (dont 300 000 ab., 120 000 ventes au numéro, 161 000 hors de Fr.).
Faditt (Le) A 128 675.
Faire face * M 46 694 np. 17 012.
Famille. Chrétienne H 65 000. **Du cheminot (La)** M *20 000.* **Magazine** M *f.* 1988 (ex-Clair Foyer *f.* 1954). 232 365.
Fanauto-Auto passion BMT *80 000* - 52 000. **Fana de l'aviation (Le)** M 37 000.
Femme * M *f.* 1984 (succède à F. Magazine * M *f.* 1978. 222 491. *81 :* 543 416. *82 :* 222 491). *1987 :* 50 768. *88 :* 48 030. *89 :* 46 440. **Actuelle** * H *f.* 1984. *1987 :* 1 979 597. *89 :* 1 810 973. **Pratique** * M *1961 :* 274 419. *82 :* 237 531. *83 :* 215 083. *84 :* 201 151. *85 :* 168 172. *88 : 300 000.*
Femmes d'aujourd'hui * H *1968 :* 868 735. *82 :* 561 307. *84 :* 1 057 896. *85 :* 849 854. *87 :* 420 000. *88 :* 279 408. *89 :* 171 055 (*1989* C.A. : 100 millions de F, déficit 29 millions de F ; *1990-avril :* dépôt de bilan).
Fer de lance * 6 n^os^/an 22 039.
Fiction M 15 000.
Figaro Magazine (Le) * H *f* 9-10-1978. *1984 :* 640 757. *86 :* 688 668. *88 :* 665 094. *89 :* 649 613. *En 1988 :* publicité : 3 500 pages, recettes 485 millions de F.
Filière viande M *10 500.*
Film français (Le) H 15 250.
Films et Documents BMT *1 000.*
Flash 77. M *100 000.*
Fleurs de France * M *1988 :* 5 935.
FM News *f.* 9-10-1990. 1er n° : 40 000.
F.O.E.V.E.N. T *10 000.*
Foi aujourd'hui (La) M *40 000.*
F.O. Magazine * M *1965 :* 263 283. *82 :* 668 637. *83 :* 605 667. *84 :* 724 570. *85 :* 672 102. *86 :* 664 694. **Paris-Ile-de-France** M *40 000.*
Football clubs M *170 000.*
Forêt privée (La) BMT *4 000.*
Forêts de France * 10 n^os^/an *1986 :* 9 199.
Fortune-France M *f.* 1988. *1989 :* 37 928 (cesse en 1990).
Forum BTP T *15 000.*
Français du monde (Les) BMT *15 000* - 13 000.
France. Agricole * H *f.* 1947. *1960 :* 100 284. *89 :* 225 221. **Auto** M *30 000* - 25 000. **Aviation** BMT 51 000 ab. 49 861. **Carrières** M 40 000 ab. 38 500. **Catholique** *f.* 1925 H. Ecclesia *25 000.* **Cycliste** BM *1986 :* 35 000 ab. 25 000. **Dimanche** * H *1971 :* 1 062 268 - *1 401 396. 83 :* 682 602. *86 :* 721 001. *87 :* 706 338. *88 :* 665 372. *89 :* 628 923 np. 3 389 ab. 29 261. **Élevage** M *1983 :* 35 000. **Football** * H *f.* 1947. *1959 :* 114 269. *89 :* 168 453 ab. 22 563. **Golf** M *f.* 1980. *32 000,* n^os^ spéciaux *47 000.* **Horizon-Le Cri du rapatrié** M 25 000. **Horlogère (La)** * M 6 298. **Industries** M *16 000.* **Moto** M *20 000.* **Pays arabes** M *10 000.* **Pêche** M *8 000.* **Pharmacie Laboratoires** T 1 500. **Routes** * 75 172. **Soir Est** (gratuit) 303 000. **Soir Paris** H 405 000. **Tabac** M *1988 :* 19 552. **Tennis de table** BMT *15 000.* **U.R.S.S. magazine** M 25 099.
Franchise magazine M *f.* 1982. *40 000.*
Frères d'armes BMT *15 000.*
Frêt aérien international BMT *16 026.*
Full-Intimité-Nous Deux * H 1 139 747.
Futuribles M *3 500,* 3 000, ab. 2 500.
G.A.B. (Grandes Annonces Bisontines) Besançon H 76 438.
Gai-Pied H *f.* 1979. *40 000* - 28 000.
Gain (Le) M *30 000* - *904 (86).*
Galeries-Magazine BMT *30 000* - 20 000.
GAP (Groupe Avant-Première) * 11 n^os^/an *1987 :* 13 256. Parution suspendue.
Gault-Millau * M *1986 :* 125 685. *87 :* 111 789. *89 :* 100 068.
Gazette. De la Manche * *1988 :* 15 821. **De la Région du Nord** TH *14 500.* **De l'Hôtel Drouot** H *f.* 1891 *75 000* ab. 30 000. **Des armes et des uniformes** M *25 000.* **Des communes, des départements, des régions (La)** * BM 18 050. **Du Palais (La)** TH *26 000.* **Du Parlement** *f.* par Félix Colin (n° spécial annuel : Le Trombinoscope 6 000 ex. vendus). **Du Val-d'Oise** H *18 500.* **Hôtelière (La)** * M 4 293. **Médicale** H *40 000.*
Gé-magazine - la Généalogie aujourd'hui M *12 000.*
Généraliste (Le) BH 44 530.
Géo * M *f.* 1979. 587 498.
Géopolitique T *f.* 1982. 25 000.
G.-I. Gay Infos M *40 000* - 25 000.
Glacier français (Le) M *4 500.*
Glamour M *f.* 1988 : 103 484 (dévasté par attentat 31-7-88).
Globe * M *f.* 1985. 50 301.
Golf européen M *f.* 1971. *30 000* - 25 000 ab. 14 000. **Magazine** M *25 000.*
Grand Froid M *11 500* - 11 000.
Grands Reportages * M *f.* 1978. 102 080.
Gratannonces 94 H 168 000.
Greens *f.* 1987 M *57 000.*
Greffier municipal (Le) T *7 000* ab. 6 000.
Grenoble magazine catholique T 35 000.
Guide (Le). De l'enfant A *180 000.* **Cuisine** M *1988 :* 104 031. **De l'entrepreneur du bâtiment et des Trav. publ.** * BMT 60 239. **Du routard** A 619 826.
Guidor A *9 000.*
Guitare et claviers * M *1988 :* 32 522.
Gyn obs. BM 30 000.
Harakiri *f.* oct. 1960, disparu ; titre racheté 6-11-90 : 80 000 F par Bruno Larebière (Louftallah).
Hard-Rock magazine M *125 000* - 85 000.
Harmonie voir Diapason.
Harper's Bazaar * M *30 221.*
Harvard-L'Expansion T 8 000 (sur ab.).
Haut Anjou * H 15 081. **Parleur** * M *f.* 1926. 49 943.
H.D. 14 (Caen) H *14 300.*
Hebdo-Tex de la Blanchisserie-Teinturerie H 8 000. **Clermont** H *1985 :* 125 850. **Cuir** * H 7 011.
Hebdo. Dijon H 118 695. **Gironde** H gr. 273 014. **Saint-Étienne** H *190 000.*
Hérisson-Marius-L'Épatant (Le) H *f.* 1937. *130 000.*
Hifi vidéo * M 23 149.
Histoire (L') * M 56 078.
Historama * M (fusion 1984 avec Histoire Magazine) *1983 :* 69 405. *85 :* 132 000. *86 :* 66 435. *87 :* 65 190. *88 :* 66 311.
Historia * M *f.* 1946. *1959 :* 290 248. *81 :* 131 054. *85 :* 104 097. *87 :* 87 025. *89 :* 72 830 ab. 40 563.
Historiens et Géographes BMT *12 500.*
Homéopathie française BMT 3 500.
Homme (L'). Nouveau * BM *1986 :* 27 139. *88 :* 28 223. *89 :* 27 194 ab. 23 099. *1971 :* 20 930. **N° 1** * M 724 410 ab. 272 218.
Hommes. Et Commerce * BMT 9 972. **Volants** BM 15 000.
Horizon 59 * H 49 710.
Horoscope M *160 000. 1960 :* 102 250.
Horticulture française (L') M 5 400.
Hospitalisation nouvelle M *6 000.* **Privée** M *5 000.*
Hôtelier (L') M *6 000* ab. 5 500.
Hôtellerie (L') * H 71 986.
Humanisme *f.* 1976, Grand Orient de France.
Humanité (L'). D'Alsace et de Lorraine H *60 500.* **Dimanche** H *1960 :* 460 141. *68 :* 415 557.
Icare * T *1987 :* 7 643.
I.C.F. Commerce M 22 900. **Entreprise** 11 n^os^/an *25 000.* **Franchise** 11 n^os^/an n.c.
Ici Paris * H *1960 :* 705 718 - *816 347. 89 :* 400 641.
Idiot International (L') H *f.* 1969 par Jean-Edern Hallier avec J.-P. Sartre et Simone de Beauvoir ; relancé 1984, mars 89, nov. 90, arrêté 30-5-91. 50 000 à 100 000 (?).
Ile-de-France cycliste H *15 000.*
Immobilier Conseils BMT *35 000.* **Sarthois** H gr. *140 000.*
Immunologie médicale T *30 000.*
Impact (Longwy) H 38 050. **Impact internat** M *10 000.*
Impartial (Les Andelys) * 12 558. (Romans) *15 000.*
Imprimerie française. Nouvelle * voir Caractère.
Inconnu (L') M *60 000.*
Index SVP H *16 000.*
Indicateur. Bertrand BM 130 000 (4 éditions). **Guiot** M 20 000. **Lagrange** M *25 000.*
Industrie hôtelière (L') * M 43 688.
Industries. Alimentaires et agricoles M 7 181 - *8 000.* **Des céréales** * BMT *1988 :* 1 543. **Mécaniques** * BM *1988 :* 6 264. **Et Techniques** * 20 n^os^/an + 2 guides + 3 n^os^ spéciaux 34 620.
Infirmière magazine (L') * M 61 663.
Information. Agricole M *1988 :* 10 183. **Dentaire** * 44 n^os^/an 16 840. **Diététique** T 3 500. **Géographique** 5 n^os^/an *1989 : 3 000.* **Historique** * 5 n^os^/an *1989 : 3 500.* **Immobilière** * M 113 709. **Juive** M *f.* 1948. 11 000. **Littéraire** BMT *5 000.* **Du véhicule** 20 lettres, 6 magazines, 1 annuaire/an 15 000 - *15 300.*
Informations. Agricoles H *12 000* - 10 500. **Catholiques internationales** * M *32 000.* **Chimie** * M 6 070. **Fleuristes** BMT 11 820. **Laitières** H 2 500 ; supplément BM *12 500.*
Informatique magazine M *89 000.*
Ingénieur Constructeur ETP (L') M *6 000.*
Ingénieurs. Aujourd'hui M 49 000. **Et cadres de France** BMT 110 545.
Instrumentation systèmes * M 9 n^os^/an 8 709.
Intellect BMT *48 700* - 25 000.
Inter automatique M *3 000.*
Inter-Banlieue 59 (Lille) H gratuit 169 267.
Inter-forain BM 18 500.
Intermédiaire des chercheurs et des curieux (L') *f.* 1864, suspendu de mai 1940 à avril 51.
Intimité (Le Nouvel) * H *1959 :* 588 706. *80 :* 633 345. *84 :* 509 622. *85 :* 420 681. *88 :* 316 998. *89 :* 264 543.
Intramuros 6 n^os^/an *15 000.*
Investir * H *f.* 1974. *1990 :* 118 596 (70 829 ab.). **Magazine** * M 129 906.
J'accuse M *f.* 1990. Parution suspendue.
Jardin. Du cheminot * BMT 115 161. **Des modes** * M *f.* 1979. *1980 :* 89 581. *82 :* 52 096. *83 :* 45 362. *84 :* 37 404. *85 :* 32 230. *87 :* 18 826. **Familial de France (Le)** BMT 22 000 - *23 000.*
Jardinerie - Végétal * BM 9 198.
Jardins de France * M 9 792.
Jaune et la Rouge (La) * M *1986 :* 12 668. *88 :* 12 071.
Jazz. Hot M 25 000. **Magazine** M 20 000.
Jeune. Afrique * H *f.* 1960. *1972 :* 40 000. *81 :* 100 267. *82 :* 92 038. *84 :* 84 328. *86 :* 112 405. *88 :* 85 070. *89 :* 80 009. **Économie** * 11 n^os^/an *f.* 1981. 29 532. **Et jolie** M 177 246. **Magazine** *f.* 1983. *1984 :* 66 648. *85 :* 70 233. *86 :* 120 342. *87 :* 104 642.
Jeunes (Les) M *10 000.* **Agriculteurs** M *32 000.*
Jeux. De l'esprit BMT *22 000* - 17 800 ab. **Et jouets** * M 3 492. **Et stratégie** * M 59 120, ab. 14 303.
Jic (Narbonne) H 45 819.
Job pratique magazine BMT *85 000* ab. 26 000.
Jogging international * M (11 n^os^/an) *f.* 1983. *1986 :* 42 447.
Journal (Le). De l'amateur d'art M *20 000.* **D'Elbeuf** * BH 6 154. **De Doullens** H *5 600.* **De Gien** * H 20 546. **De Millau** * H 6 355. **De l'Orne** * H 7 848. **De Chirurgie** 10 n^os^/an *1988 :* 3 500. **De la Confédération musicale de France** 6 n^os^/an *10 300.* **De la Formation continue** BM *21 000.* **De la Maison** * M *1970 :* 46 994. 207 494 ab. 72 799. **De la Marine marchande** H n.c. **De la Paix-Pax Christi** M *4 000* ab. 3 800. **De la Robotique** M *10 000* - 5 000. **De la Sologne et de ses environs** * T 11 635. **Des Architectes** T *16 000.* **Des Communes** M *7 000* ab. 5 500. **Des Finances** H *f.* 1867. *103 000* ab. 37 000. **Des Instituteurs** M 100 000. **Des Maires** * M *1988 :* 12 740. **Des Ménagères** (Mulhouse) H *10 500.* **Des mots croisés** H *39 000.* **Des notaires et des avocats** BM *6 000.* **Des Oiseaux** M *5 000.* **Du Bâtiment et des Travaux publics** * H *12 000.* **Du Chasseur** BMT *15 000.* **Du Dimanche** H *f* 1948. 358 758 np. 12 153 [*1960 :* 582 132]. **Du Fermier et du Métayer** M *20 000.* **Du Jeune Praticien** Décadaire *23 000.* **Du Parlement** BM *12 000.* **Du Pâtissier** * M 8 544. **Du Textile** * H 17 839. **International de Médecine** BM *61 500.*
Jours de France * H *créé* 11-11-1954 par Marcel Dassault. *1961 :* 385 235. *72 :* 622 300. *81 :* 520 425. *82 :* 541 846. *83 :* 505 209. *84 :* 424 605. *85 :* 371 358. *86 :* 271 556. *88 :* 205 452. *89 :* 149 131.
Judo 6 n^os^/an *60 000.*
Karaté-Bushido M *f.* 1984-87 *65 000.*
Kinésithérapie actualité * H 12 273.
Kouakou 6 n^os^/an *417 000.*
Kyrn H *35 000.*
Lalu M gratuit 24 000.
Langue française T 2 000.
Lectures françaises M *f.* 1957.
LED M *60 000.*
Lettre (La). Du médecin H 10 000. **De l'Expansion** H *f.* 1970. 7 000. **De la prévention** BM *40 000.*
Lettres françaises BT *f.* 1941, cesse 1972, reparaît 1990. 25 000.
Liaisons sociales * M 32 565.
Liberté. Dimanche * H *1960 :* 31 635. *89 :* 122 986. **L'Homme de Bronze** H *22 000.* **De l'Yonne** H 2 800.
Licence IV M *40 000.*
Lien horticole * H 13 392.

Lion (The) * M 34 756.
Lire * M *f.* 1975, dirigé par Bernard Pivot. *1976 :* 103 014. *87 :* 151 129. *88 :* 147 661. *89 :* 150 220 (audience : *mars 1990 :* 792 000 lecteurs).
Littérature T *1 500.*
Livres de France M *6 500.* **Hebdo** H *9 500.*
Loco-revue * M 19 948.
Logement et famille * M *1988 :* 132 391.
Loisirs magazine Suppl. SMT à l'Officiel des comités d'entreprise *30 000.* **Nautiques** M 41 000. **Santé** 5 nos/an *40 000.*
Losange (Le) M 44 000 ab. 40 000.
Lozère nouvelle * H *1986 :* 20 885. *88 :* 21 524. *89 :* 22 937.
L.S.A. * H 24 692.
Lu M *75 000.*
Lui M *f.* 1963. *1964 :* 131 466. *80 :* 466 864. *82 :* 438 590. *83 :* 444 304. *84 :* 366 653. *85 :* 304 128. *86 :* 300 201. *87 :* 258 154. *88 :* 200 817.
Lyon Poche H 9 704.
Machine-Outil * M 10 000.
Machines production * tous les 10 jours. *1987 :* 12 219.
Madame Figaro *f.* 1980. M puis BM 1983 et H 1984 642 334.
Magazine. De la discothèque M 6 000. **Hebdo** H *f.* 15-4-1983, disparaît janv. 1985. 150 000 (84). **Littéraire** M *f.* 1966. 55 872.
Maille (La) T *2 000.*
Maintenance et entreprise M *7 500.*
Mairies de France SMT 40 000.
Maison. Bricolages * M 116 087. **De Marie-Claire** * M *1973 :* 369 885. *87 :* 203 080. *88 :* 200 871. *89 :* 193 103. **De Rustica** * M (suppl. gr. de Rustica) *1960 :* 129 169. *86 :* 284 197. **Et Jardin** * M *1960 :* 48 424. *89 :* 92 281 ab. 26 819. **Française** * M 90 065 ab. 36 426. 1964 : 56 981. **De France** M *25 000 à 30 000.* **Individuelle** * 9 nos/an 124 075 ab. 28 782. **Et Loisirs** BMT 180 883. **Et Travaux** * BMT 238 637.
Marchand Forain (Le) M 16 000.
Marchés (Les) * M *1986 :* 11 887. *89 :* 14 076. **Tropicaux et méditerranéens** * H 5 327.
Mariages * T. n.c.
Marianne M 37 000.
Marie-Claire * M *f.* 3-3-1937 par Jean Prouvost. *1960 :* 1 021 298. *81 :* 531 661. *85 :* 601 795. *87 :* 610 370. *88 :* 604 293. *89 :* 606 285 ab. 12 905. **Bis** SMT *370 000.*
Marie-France * M *f.* 1955. *1960 :* 646 067. *79 :* 524 796. *85 :* 378 649 ab. 139 096. *87 :* 308 575. *88 :* 315 058. *89 :* 307 013 ab. 65 646.
Marin (Le) * H 19 850.
Marine T *10 000.*
Marius H *f.* 1924 voir Hérisson.
Market * 21 nos/an *1988 :* 26 512.
Marne (Meaux) * H *1970 :* 16 855. *89 :* 28 378.
Marseillaise de l'Essonne H *20 000.*
Marseille-Sept Immobilier H 330 000.
Mass 67 (Strasbourg) H 183 896.
Max M *f.* 1988 150 000.
Maxi H *f.* 1986. 754 417.
Maxi-Basket * M 35 704.
Maximots BMT *44 800.*
Médaille militaire (La) T *83 000.*
Médaillé du Travail (Le) T *f.* 1930. 30 000.
Médecin de France (Le) H *40 000.*
Médecine Actuelle *. **Naturelle** BMT *85 000* – 60 000 ab. 13 210. **Tropicale** T *6 000.*
Médecines. Douces * M *f.* 1981. 56 154. **Nouvelles** *f.* 1985. 41 000.
Médecins des hôpitaux publics (Les) BMT *10 000.*
Médias * M *f.* 1980. 11 166.
Médica gestion BM *25 000.*
Méga Hertz M *50 000* – 32 000 ab. 5 500.
Meilleur (Le) H *f.* 5-3-1971 par Alain Ayache. 450 000 – *580 000.*
Mensuel 1er no 26-3-90 : arrêté sept 91.
Mer et Bateaux (ex-Année Bateaux Magazine) M *32 000.*
Messager H 50 400.
Messages du Secours catholique * M *1960 :* 435 867. *82 :* 934 510. *85 :* 1 076 000.
Mesures * BM 10 747.
Métro M 98 000.
Métropolis * T *5 000.*
Micro-Mag M *80 000.* **Systèmes** * 42 748 ab. 14 516.
Midi-Auto-Moto * M *f.* 1936. *1987 :* 18 942 ab. 17 279. **Mut** * BM 120 000. **Olympique Rugby France** *f.* 1919 H 150 000.
Mieux-Vivre votre argent * M *f.* 1979. 139 459.
Migrations M *1986 :* 41 270. *88 :* 36 153.
Mikado * M 43 955.
Mineurs de France M *45 000.*
Minis et micros * BM 9 163.
Minute * H *f.* 6-4-1962 par Jean-François Devay († 1971). *1962 :* 33 976. *78 :* 188 084. *81 :* 148 472. *83 :* 169 519. *84 :* 146 137. *85 :* 135 395. *86 :* 120 000. *87 :* 92 851. *88 (mars) :* 70 000. *89 :* n.c. (racheté juillet 1986 par Yves Montenay). Règlement judiciaire nov. 1987, repris janv. 90 par proches du Front National.
Miroir du Cyclisme * M *f.* 1960. *80 000* – 61 880.
Missi * T 14 636.
M.O.C.I. Commerce International * H *1987 :* 14 071.
Modèle. Magazine * M *1988 :* 23 042. **Réduit d'avion** M *23 000* ab. 2 500. **Réduit du bateau** M *22 500* ab. 3 500.
Modes de Paris * **Modes et Travaux** * M *f.* 1919. *1960 :* 1 041 095. *80 :* 1 472 193. *84 :* 1 357 081. *86 :* 1 132 461. *87 :* 1 072 282. *88 :* 1 074 802. *89 :* 1 002 307.
Monde (Le). Diplomatique * M *f.* 1953. 128 518 (90). **De l'Éducation** * M 90 806 (90). **De la Bible** BMT *13 000* ab. 10 000. **De la Mer** * BMT 29 096. **De la Musique** * M *1988 :* 28 435. **De la Moto** M 36 456. **Des Philatélistes** * M 33 414 (90). **Du Tennis** M *f.* 1979. *105 000.* **Et vie** BM *12 000.* **Informatique** * H 30 831. **Sélection hebdomadaire (Le)** * H 23 524.
Mondial * M *f. 1986* voir Onze.
Moniteur (Le). Du commerce et de l'industrie H. *20 000.* **Des pharmacies et des laboratoires** * H 35 808 ab. 32 151. **Des travaux publics et du bâtiment** * H 76 829 ab. 71 488. **Des ventes** BH *10 500* ab. 8 300. **Vinicole** BM *16 000* ab. 10 000.
Mon jardin et ma maison * M *1962 :* 83 604. *84 :* 215 179. *89 :* 214 538 ab. 115 139.
Montagne et Alpinisme (La) * 4 nos/an 38 768.
Montagnes magazine * M *f.* 1978. 37 532.
Monuments historiques BMT *15 000* ab. 6 000.
Moto. Crampons M 60 435. **Flash** M 47 000 *74 000.* **Journal** * H *f.* 1972. 71 394. **Revue** * H *1973 :* 71 483. *76 :* 88 571. *83 :* 65 030. *86 :* 63 124. *88 :* 66 462. **1** * M 25 377. **Verte** * M 119 489.
Motorisation * M *40 000.*
Mots Croisés. De Guy Hachette BMT *23 400* – 11 000. **De poche** BMT *28 600* – 13 000. **Récréatifs** BMT *25 100* – 12 500. **Voyage** BMT *36 500* – 18 000.
Mots. Décroisés M 35 000 – *70 000.* **En zigzag** M *26 900* – 14 500. **Imbriqués** M *43 300* – 23 000. **Mêlés** M *85 800* – 52 000. **Mêlés géants** BMT *71 300* – 37 000.
Multicoques magazine BMT *25 000.*
Multi-médias magazine M *10 000 à 15 000.*
Musées et Collections publiques T *1 800.*
Mutualiste R.A.T.P. (Le) T *70 000.*
Mutualité 10 nos/an 290 000 ab. 270 000.
Nantes Poche H *8 000.*
Natation M 9 000.
National hebdo *100 000.*
Naut'Argus T *35 000.*
Navires, Ports et Chantiers M 6 675.
Négoce M *12 000.*
Néo-Restauration Hôtellerie * M *1988 :* 12 488.
Neptune – Yachting M *f.* 1984. 49 500.
Neuilly-Journal indépendant M *30 000.*
New Look * M 245 794.
Nice-Matin Dimanche * H 245 616.
Nitro * M *f.* 1981. 29 481.
Nord. Automobile M *f.* 1925. 40 000 (ab.). **Dauphiné** BM gr. *53 100.* **Hebdo Éclair** H 411 267.
Normandie. Actualités voir Ouest Actualités. **Magazine** M *25 000*-15 000, ab. 5 000.
Nos Maisons familiales de vacances T 55 000.
Notre. Flamme M *10 000.* **Histoire** * M 32 894 ab. 17 986. **Temps** * M *f.* 1968. *1969 :* 85 821. *83 :* 651 505. *84 :* 770 787 ab. 477 743. *87 :* 974 291. *88 :* 1 024 046. *89 :* 1 115 360 (ab. 747 936). **Terre** M 30 000.
Nous BMT *15 000*-13 000. **Deux** * H *f.* 14-5-1947. *1960 :* 1 303 819. *80 :* 946 676. *85 :* 785 011. *86 :* 760 142. *88 :* 645 408. *89 :* 564 950.
Nouveau Détective (Le) * H 227 613.
Nouveaux Cahiers (Les) T *3 000.*
Nouvel (Le). Économiste * *f.* 1975 (regroupe Entreprise et Les Informations) *1976 :* 127 679. *83 :* 116 063. *87 :* 100 778. *88 :* 86 662. *89 :* 99 167. **Observateur** * H Héritier de l'Observateur *f.* 1950 par Claude Bourdet, Hector de Galard, Gilles Martinet, Roger Stéphane (1er numéro 13-4) et repris en 1964 par Claude Perdriel *1966 :* 69 301. *80 :* 373 055. *82 :* 381 047. *84 :* 364 313. *85 :* 333 726. *86 :* 337 115. *87 :* 340 278. *88 :* 369 845. *89 :* 403 457. (En millions de F) : *C.A. 1987 :* 94. *88 :* 122. *89 :* 140. *Résultats 1984 :* –84. *85 :* –18. *86 :* +8. *Publicité 1987 :* 94. *88 :* 122. *89 :* 140.
Nouvelle. École SMT *f.* 1968. *8 000.* **Famille éducatrice** * M *1960 :* 750 897. *84 :* 870 797. *88 :* 824 822. *89 :* 807 101. **Revue pédagogique** M 56 000. **Revue du son** M *55 000.* **Revue socialiste** BM *f.* 1974.
Nouvelles (Les). Littéraires *f.* 21-10-1922 par Frédéric Lefevre avec Jacques Guenne et Maurice Martin du Gard. 1922-71 publiées par Larousse. 1970 contrôlées par R. Minguet. 1975 reprises par Ph. Tesson. 1983 vendues 2,5 millions de F à Ramsay, suspendues juin 84, devenues l'Autre Journal. 1985 achetées par la Fnac, redeviennent le 5-12-85 Les Nouvelles. **De Bordeaux et du Sud-Ouest** H 42 000. **De Falaise Condé** * BH 4 895. **De la boulangerie** BM *30 500.* **De la Nièvre** H *19 500.* **De Loire-Atlantique** H *30 000.* **De Moscou** (éd. fr.) *14 000* (parues de juin 89 à août 90). **Des Ardennes** H *15 500.* **Du Pays Messin** T *40 000.* **Du 16e** M *80 000.* **Du Tarn** H *20 100.* **Du Tarn-et-Garonne** H *16 300.* **Du Val-de-Marne** H *50 000.* **Esthétiques** * M 12 535. **Hebdo 31** H *17 000.*
N.R. Services (Tours) H gr. 70 000.
N.R.F. (Nouvelle Revue Française) *f.* 1909 (publie *la Porte étroite* d'André Gide).
Numismatique et Change M *15 000.*
Objectif et Action mutualistes * M 287 171.
Objectifs croissance T *40 000.*
Océans M *48 000.*
Œil (L') M 35 000 – *40 000* ab. 13 000.
Office des prix du bâtiment T *9 000.*
Officiel (L'). De la Couture et de la Mode de Paris * M 43 865. **De l'Artisanat rural** 6 nos/an *5 000.* **De la sage-femme** 10 nos/an *3 500.* **De l'automobile** BM *18 000* – 17 913. **Des comités d'entreprise et services sociaux** M *11 000.* **Des métiers de la chaussure** BMT *5 000.* **Des spectacles** *238 371* – 186 036. **Des textiles** T *10 000* ab. 6 600. **Des transporteurs** * H 21 316. **Du cycle et du motocycle** M 12 000. **Du prêt-à-porter** T *10 000* ab. 6 800. **Hommes** * 6 nos/an *f.* 1977. 16 679 ab. 1 830.
Oise Avenir H *18 000.*
Olympia (L') M *15 000.*
Onze * M *f.* 1976 (fusion avec Mondial 1989). *1984 :* 211 159. *85 :* 207 846. *86 :* 225 055. *87 :* 175 187. *88 :* 141 301. *89 :* 177 305.
Opéra international M *30 000.*
Option auto * BMT 70 601.
Option-Finances (1988). H 20 000.
Options * BM *1988 :* 39 306.
Ordinateur individuel (L') * M 50 542.
Orne combattante * **(L')** 14 931.
Orphelinat (L') * M 125 418 ab. 120 103.
Or vert (L') * M 40 666.
Pack-Info BM 10 000.
Pag (Nancy) H 144 823.
Panorama 80 000. **Aujourd'hui** * M *1960 :* 167 512. *84 :* 84 076. *86 :* 85 000. **Du Médecin** *f.* 1975 voir quotidiens de Paris.
Papetier (Le). De France * M *1988 :* 9 173 ab. 4 684. **Libraire** M 5 484.
Papier, carton et cellulose * M 2 392.
Paradoxes T 5 250 – *6 000.*
Parents * M *f.* 1969 : 235 991. *84 :* 345 611. *85 :* 338 744. *86 :* 359 948. *87 :* 326 273. *88 :* 327 479. *89 :* 332 960. **D'élèves** 4 nos/an *85 000.*
Paris. Aux Cent Villages * M *50 000.* **Boum Boum** H gr. *300 000.* **Côte d'Azur** BM *7 000* – 7 000 (82). **Dayori** M 42 000. **Joyce** * BMT *f.* 1987 : 32 240. **Le Journal** M *350 000.* **Match** * H *créé* 1928 par Léon Bailby, racheté 1938 par Jean Prouvost (*1940 :* 1 700 000 ex.). 25-3-1949 reparaît sous son nom actuel, racheté 18-6-1976 par Daniel Filipacchi. *1959 :* 1 448 299 – *1 656 647. 76 :* 558 000. *78 :* 693 278. *80 :* 836 257. *81 :* 919 223. *82 :* 926 650. *83 :* 928 007 ab. *84 :* 888 590. *85 :* 900 127. *86 :* 897 027. *87 :* 883 318. *88 :* 875 419. *89 :* 875 959 (dont 857 517 payés). **Nord-Oise** H gr. *79 000.* **Paname** H gr. 540 000. **Programme** M gr. *32 500.* **15e** M gr. *100 000.* **Saint-Germain magazine** 2 à 3 nos/mois 35 000. **16e** M *35 000.* **Tel** M *85 000.*
Pariser Luft BMT *25 000.*
Particulier (Le) * 22 nos/an *f.* 1949. *1960 :* 134 360. *82 :* 426 622. *89 :* 511 784 ab. 503 827.
Particulier à Particulier (De) H *100 000.*
Passages M *75 000.*
Passeport pour les 5 continents BMT *150 000.*
Passerelle (La) n.c.
Passion M *50 000.*
Passion des Vins de France SMT *100 000.*
Pâtre * M *1988 :* 9 835 ab. 8 376.
Patriote Côte d'Azur H *1986 : 55 000.*
Patronat voir CNPF la Revue des Entreprises.
Pause Mots croisés BMT *26 200* – 13 000.
Pays. D'Auge * BH 15 706. **Breton** M *63 000.* **De Cognac (Le)** M *8 000.* **Roannais** * H 35 855 (4 éditions).
Paysage actualités M 12 750.
Paysan. Breton * H 83 462 (4 éditions). **D'Auvergne** H * 10 485. **De Haute-Garonne** M *15 000* – 13 200. **D'Ille-et-Vilaine/Agri Coopé** * H 18 064. **Du Haut-Rhin** * H 7 893. **Du Midi** H *28 000.* **Nantais** * BM 3 625. **Savoyard** BM 5 300. **Vosgien** * H 4 129.
Pêche. Et les Poissons (La) * M 95 968 ab. 32 124. **En mer** M *65 000* – 43 000.
Pêcheur de France (Le) * M 76 350 ab. 40 650.

Pèlerin-Magazine (Le) (Le Pèlerin jusqu'au 5-10-84) H *f.* 1873. *1960:* 554 600. *86:* 427 539 ab. 373 296. *87:* 385 826. *88:* 364 497. *89:* 345 697 ab. 308 487 (ventes kiosques 15 000, églises 25 000).
Pensée (La) BMT *f.* 1939. 4 000 – *5 000* ab. 2 500.
Penthouse M *1986* : 154 726.
P.H.M.-revue horticole M *12 500.*
Périgord-Magazine M *1986 : 6 500.*
Périphérie Publicité H gr. 2 149 150.
Perspectives. Agricoles M *10 000.* **Immobilières** * BMT 9 960.
Petit. Meunier H *15 000.* **Quimpérois** H gr. 71 825.
Pétrole informations * M 5 318.
Peuple libre (Le) * H (Valence) 11 184.
Pharmacie mondiale M 15 000.
Pharmacien de France (Le) * BM 16 572.
Philatélie française M *20 000* ab. 19 000.
Phosphore * M 97 920.
Phot'Argus * BMT *1988 :* 17 554.
Photo * M *1969 :* 60 871. *81 :* 204 349. *83 :* 228 021. *86 :* 156 706. *88 :* 100 665. *89 :* 94 043. **Magazine** * M *1988 :* 57 079. **Reporter** * M 51 193.
Photographe (Le) * M *1988 :* 9 559.
Photographie M 11 000.
Phytoma * M 7 694.
Pic * M 15 275.
Pigeon voyageur de France BM *3 000.*
Pile ou face BMT *46 600* – 23 000.
Piscines-Spas Magazine * T 13 437.
Plaisir de la maison BMT 83 600. *1965 :* 28 692.
Plaisirs de la chasse * M 34 491.
Planche Mag M *f.* 1980. *60 000.* **N° 1** T *80 000.*
Plastiques. Et Environnement T *30 000.* **Flash** M 6 550. **Modernes et Élastomères** * M *1988 :* 6 644.
Playboy * M *f.* 1953 aux U.S.A. *1974 :* 205 885. *82 :* 168 916. *83 :* 144 749. *85 : 250 000* min. *86 :* 220 000 min.
Plein air et culture T *30 000.*
Pleine forme magazine * BMT 33 306.
Pluriel BM *f.* 1990 (gratuit) 120 000.
PME-PMI magazine T 36 500.
Poésie I BMT 5 000 – *6 000.*
Poids lourds A 30 000.
Point (Le) * H *f.* 25-9-1972. *1972-73 :* 163 910. *76 :* 221 788. *81 :* 309 818. *82 :* 327 780. *83 :* 328 859. *84 :* 329 658. *85 :* 337 909. *86 :* 330 949. *87 :* 310 826. *88 :* 267 748. *89 :* 316 268. *90 :* 265 513. C.A. (millions F) : *87 :* 355. *88 :* 358. *88/89* (bén. 0,51). *89/90 :* 387,6 (déficit 17,8).
Point de vue-Images du monde * H *1960 :* 163 779. *82 :* 418 076. *83 :* 401 624. *84 :* 378 110. *85 :* 356 325. *86 :* 365 854. *88 :* 337 630. *89 :* 341 787.
Point économique (Le) BMT *25 000.*
Points de vente * BM *1988 :* 19 946.
Politique. Étrangère T 4 500. **Internationale** M *f.* 1978. n.c.
Politis H *f.* janv. 1988. 16 000.
Pomme de terre fr. (La) * BMT *1988 :* 5 054 ab. 4 532.
Pom's BMT *15 000.*
Porc Magazine * M 10 238.
Porphyre * M 15 319.
Porsche Club Magazine T *20 000.*
Positif M *f.* 1952. *15 000.*
Pour. La danse. La science * M *f.* 1977. *1988 :* 60 123 ab. 29 708. **L'enfant vers l'homme** M *80 000.* **Nos jardins** * BMT 643 649. *1961 :* 782 849.
Pourquoi ? M 53 700.
Pouvoirs T *f.* 1977.
Praticiens et 3e âge M *18 000* ab. 8 800.
Pratique * M 60 934.
Premier Sourire A 750 000.
Première * M *f.* 1977. *1976 :* 139 101. *82 :* 217 936. *84 :* 364 298. *86 :* 424 468. *89 :* 273 567.
Présence. Énergie M *20 000.* **De l'enseignement agricole privé** * BMT 42 718.
Presse. D'Armor * H 6 465. **Française (La)** H *36 000* ab. payants 29 500. **Médicale (La)** * 43 nos *16 000* **Parlementaire** *f.* 1906.
Prévention routière BM *1960 :* 108 119. *86 :* 317 679. Voir Auto-Moto-Revue de la Prév. rout. **Prévention routière dans l'entreprise** * BMT 49 338.
Prévention, Santé * M 128 330.
Prévisions H 7 000 ab. 1 100.
Prima M *f.* 1982. 1 267 009.
Production laitière moderne * M 29 882.
Professionnel Vidéo (Le) M 13 500.
Profils médico-sociaux * H *60 000.*
Progrès agricole et viticole (Le) BM *21 000* – 20 000.
Projet T *f.* 1966. *5 300* ab. 3 700.
Promofluid * M 9 695.
Propos utiles aux médecins H *15 000* – 14 200.
Propriété agricole (La) * 11 nos/an. 19 009 **Propriétés de France** BM *f.* 1989. n.c.
Provence. Libérée H *7 000.* **Sept** (Marignane) H 42 618.
Psychologies * M 45 012 ab. 21 104.
P'tit. Basque H gr. 83 192. **Bergeracois** H gr. 46 988.
P.T.T. Syndicaliste M 58 158.
Publi-Aveyron H gr. 50 367. **62** H gr. 208 948. **Toulouse** H gr. 266 000.
Publival (Orléans) H gr. 114 913.
Q.S.O. Magazine T *35 000.*
40 (Le) (Mont-de-Marsan) H gr. 71 349.
4 × 4 Magazine * M *f.* 1981. *1988 :* 38 871 ab. 3 619.
Quatre Saisons du jardinage (Les) BMT *23 000* – 22 000 ab. 19 000.
91 Annonces H 234 700.
84 (Le) (Avignon) H 112 215.
95 Val-d'Oise (Le) H 211 850.
93 Actualités H *125 000.*
Que Choisir ? M *240/250 000* 72 000, ab. 140 000.
Question de T 6 500 – *8 000.*
Quid * A 462 186.
Quincaillerie moderne (La) M 8 000.
Quinzaine (La). Littéraire BM *f.* 1966. 33 000 – *40 000* ab. 10 500. **Universitaire (La)** BM *30 000.*
Racing Magazine 7 nos/an 21 000.
Radio C.B. Magazine M *40 000* – 25 000.
Radio-plans * M *f.* 1933. 48 533 ab. 12 911. **R.E.F.** M *10 000.*
Rail International M *21 000.*
Randonnée * 6 nos/an 12 711.
Randonnées équestres BMT *27 000.*
RCM M *38 500* – 26 500.
Recherche (La) * M *f.* 1970. 91 329 ab. 55 834.
Récréation Jeunesse BMT *37 700* – 18 000.
La Redoute SMT 3 000 000.
Réforme H *f.* 1945. *7 500* – 7 000 ab. 6 500.
Regards. Sur la Loire H 32 000. **Sur l'Eure** H 20 000. **Sur le Jura** H 15 600.
Régional de Cosne H 8 677.
Relais. Frandis M 7 000. **Routiers** M 3 500.
Relations. Écoles-Professions BMT *15 000* – 12 000.
Renaissance. Le Bessin * BH 7 385. **Du Val-d'Oise** H *30 000.*
Renouveau * H *1986 :* 14 608. *89 :* 12 896.
Reporter M *f.* 6-1-1988.
Républicain (Le) * H (Évry) 40 697. **Du Lot-et-Garonne** * H 11 821.
République * (Melun) 46 939.
Retraité militaire (Le) M 40 000.
Réveil. De Maurillac H *7 100.* **Des Combattants (Le)** M *90 000.* **Du Vivarais et de la Vallée du Rhône** H *20 000.* **Normand** * H 13 555.
Revenu français (Le) * M *f.* 1968. 180 502 ab. 137 498.
Révolution H *f.* 1980. *150 000* ab. 52 000.
Revue. Aérospatiale M *75 000.* **Avicole** M *6 000* ab. 4 250. **Chien 2000** * M *1988 :* 51 915. **De l'Art** T 2 500 – *2 500.* **Automobile médicale** * BMT 16 622. **D'économie politique** *f.* 1887, n.c. **De la Cavalerie blindée** T *5 000.* **L'Ameublement** * M *1988 :* 4 657. **L'Habitat français** * M 25 285. **L'Infirmière** * BM 40 003. **Médecine vétérinaire** M *2 500* ab. 2 350. **Pédiatrie** M *6 000.* **Des Collectivités locales** T ab. 5 920. **Communes et des établissements publics** * M 22 160. **Deux Mondes** *f.* 1829 M *50 000* ab 23 000. **Ingénieurs et techniciens eur.** T n.c. **Œnologues** T *10 000* à *13 000.* **Tabacs** BMT *25 000.* **Du Cinéma** *f.* 1951 M *80 000.* **Louvre et des musées de France** BMT *12 000* – 12 000. **Marché commun** M *4 000.* **Palais de la Découverte** M *5 500* ab. 4 000. **Praticien** * H 41 525. **Vinicole internationale** * 11 nos/an. 8 123. **Vin de France** M *38 000* – 35 000. **Fiduciaire** M *180 000* ab. 131 554. **Générale de l'hôtellerie, de la gastronomie et du tourisme** M *12 000* (éd. hôt.), *8 000* (éd. rest.). **Générale nucléaire** * BMT 5 217. **Hospitalière de France** M *5 500* ab. 5 300. **Internationale de défense** M 35 984. **Laitière française** * M *1988 :* 6 538. **Maritime** M *5 000.* **Moto technique** T 15 000. **Nationale de la chasse** * M *1988 :* 84 910 ab. 36 427. **Plain-pied** BM 12 500. **Parlementaire** M *25 000.* **Politique et parlementaire-RPP** BMT *5 000.*
Revue française. De comptabilité M 20 500. **de diététique** T 5 500. **De généalogie** BMT *17 000* – 15 000. **De logistique** M (10 nos/an) 6 500. **Des télécommunications** T *40 000.* **D'apiculture** M *30 000* ab. 25 000.
Revue technique. Automobile * M 27 170 ab. 24 761. **Des hôtels et des restaurants** * M 19 081. **Du bâtiment et des constructions industrielles** * BMT *1988 :* 20 044.
R.I.A. * BM *1988 :* 4 638.
Rivarol H *f.* 1951 par René Malliavin. *20 000.*
Rock & Folk * M *1988 :* 55 904.
Rock News M *105 000* – 70 000.
Rotarien (Le) * M 37 191.
Rouerguat * H 4 151.
Rouergue Magazine M 2 300.
Rouge et or * T *1987 :* 13 081.
Routiers (Les) M 45 000 ab. 42 000 (82).
Rugby. Drop International M *67 000,* 41 000.
Rungis Actualités BM 20 000.
Rustica * H *f.* 1928 ab. 184 865 ; *1960 :* 129 169. *83 :* 226 853. *89 :* 286 615 ab. 252 250.
Saint-Hubert (Le) * M *30 000* – 20 000.
Saisons de la danse (Les) M 21 000.
Sans intermédiaire H 28 000. **Frontière** H *40 000.*
Santé et Sport BMT *25 000.*
Santé magazine * *f.* 1988. 411 769.
Sapeur-pompier (Le) M *62 000.*
Sarthe nouvelle H *40 000.*
Sauvagine et sa chasse (La) * M *1988 :* 27 572 ab. 24 586.
Science. Et Avenir * M *f.* 1947. *1960 :* 77 016. *87 :* 164 330. *89 :* 186 767 ab. 156 634. **Et technologies** * 11 nos/an 15 089. **Et Vie** * M *f.* 1913. *1959 :* 193 249. *89 :* 357 233 ab. 157 648. **Et Vie économie** * M *f.* 1984. 124 499. **Et Vie Junior** *f.* 1989. 158 464. **Et Vie-micro** * M 124 128.
Scientifica *f.* 1988.
Scrabblerama M *4 500* ab. 400.
Sécurité civile industrielle M *30 500.*
Sélection du Reader's Digest * M *f.* 1947 (aux U.S.A. 1922) (*1947 :* 1er no : 300 000, 3e : 600 000). *1959 :* 1 183 692. *78 :* 1 096 872. *81 :* 1 132 392. *85 :* 962 365. *86 :* 982 858. *87 :* 1 001 400. *88 :* 1 035 096. *89 :* 1 100 405 ab. 974 902. (En millions de F) : C.A. *1989 :* 897 (bén. 82).
Semaine (La). Des hôpitaux H *14 000.* **Juridique** H *28 000* C.A. *1988 :* 710 millions de F. **de Paris-Pariscope (Une)** * 103 922. **Provence** H 18 000 (6 éditions).
Semences et progrès T *12 500.*
7 à Paris H *70 000.*
Service. 2000 T *4 000.* **Public information** M 150 000.
Service compris M, supplément de l'hebdo. L'Hôtellerie (59 920).
Show magazine 4 000.
Signature * M 64 337.
Sillon. Des Landes et des Pyrénées H *20 000.* **Limousin** * M *1986 :* 40 354.
Ski. Magazine M *50 000.* **Français** * 5 nos/an *1988 :* 53 386 ab. 40 251.
Soft et micro * 11 nos/an *f.* 1984. 45 632.
Soins M *30 000* – 28 000.
60 (Le) (Creil) H gr. *1988 :* 91 640.
71 (Le) (Mâcon) H gr. 55 500.
69 « Affaires » (Le) H gr. *1987 :* 396 501.
74 (Le) (Éd. d'Annecy) H gr. 71 278.
76 H gr. 114 800 (Le Havre).
73 (Le) (Chambéry) H gr. 77 179.
Son-Vidéo-Mag M *50 000.*
Sono * M *f.* 1976. 23 966 ab. 4 647.
Sonovision HM 15 000 – *15 000.*
Souder * 6 nos/an *1988 :* 1 875.
Souvenir. Français T *25 000.* **Napoléonien** * BMT *3 000.*
Spécial. Bricolage M 12 000. **Dernière** * H *1970 :* 169 378. *71 :* 163 578. *80 :* 358 364. *83 :* 268 555. *84 :* 217 755. **Jardin** * M *1986 :* 43 573. **Karting** 6 à 8 nos/an *6 000.* **Techniques forestières** BM *10 000.*
Spectacle infos BMT *60 000.* **Du Monde-Réalités-Perspectives (Le)** * M *f.* 1962 ; a repris en 1980 Réalités [*Fémina...* qui avait repris en 1962 *Fémina-Illustration* (fusion de *Fémina* et de *France Illustration* en 1956)]. *1962 :* 22 636. *82 :* 112 633. *83 :* 113 000. *84 :* 94 055. *89 : 90 352* – 86 839.
Spelunca T *6 000* ab. 4 000, 1 000 non membres.
Sport (Le) quot. de sept. 1987 à juin 88 ; hebdo. dep. 20-10-89 ; vendu par Robert Laffont (Groupe Entreprendre) aux Éditions Mondiales le 1-3-90. 65 000. **Dans la cité** T *18 000* ab. 12 500. **Et plein air** M *70 000.*
Sport-Auto * M 16 928. *84 :* 104 641. *86 :* 104 282. *87 :* 104 883. *89 :* 106 049 ab. 13 524.
Sprint 2000 *f.* 1981 voir Vélo Sprint 2 000 Magazine.
Starfix M *100 000.*
Stéréo automobile BMT *24 000* – 45 000.
Stratégies * H 14 111 ab. 9 426.
Structures décoratives BMT voir Bureaux de France.
Studio Magazine M 90 703.
Sucrerie française (La) * M *1988 :* 620.
Sudestasie BMT *20 000.*
Sud-Ouest Dimanche * H 295 403.
Super Télé * H *f.* 1979. *1980 :* 323 565. *82 :* 413 834. *85 :* 363 093. *87 :* 550 000.
S.V.I.P. annonces H gr. *71 000.*
Syndicalisme. C.F.T.C. M *200 000.* **Fonction publique** BMT *30 000.* **Hebdo C.F.D.T.** H 36 000.
Syndicaliste (Le) T *5 500.* **Forain** BM *25 200.*
Syndicat agricole H *16 500.*
Synthèse médicale H 40 000.
Système D * M *f.* 1924. 161 360 ab. 77 052.
T.A.M. (Terre-Air-Mer) * M 160 158.
Tarif Média 5 nos/an 3 722 ab. 3 157.
Tarn libre * H 21 986.
Techniques. Et Architecture * BMT 16 875. **Hospitalières** 10 nos/an *6 500* ab. 6 300.
Télé. Câble *f.* 1990. 100 000. **Couleur** *f.* 1982. **Guide** *f.* 1977. **Hebdo** 392 644. **Hebdo** (Brest) H 112 336. **Journal** * H *f.* 1974. *1975 :* 155 178. *82 :* 202 177. *83 :* 172 026. *85 :* 130 611. *88 :* 91 865. **K 7** H * *f.* 1983. 206 386. **Télé Loisirs** * *f.* 1986. 1 108 579.

Magazine * H *f.* oct. 1955. *1959 :* 218 206. *65 :* 280 929. *82 :* 162 757. *83 :* 194 090. *84 :* 273 958. *85 :* 344 121. *87 :* 375 750. *89 :* 374 304. **Télé. Poche** * H *f.* 12-1-1966 par Cino Del Duca (origine : 1960 : Télé Juniors, 1962 : TV France. 1965 TV Dernière). *1965 :* 832 452. *80 :* 1 875 638. *83 :* 1 811 787. *85 :* 1 827 050. *88 :* 1 779 666. *89 :* 1 730 179. **7 Jeux** * M *f.* 1978. 388 921. **7 Jours** * H *f.* 26-3-1960 par Jean Prouvost et Hachette ; 1976 : Jean Prouvost vend ses parts à Hachette. *1960 :* 204 122. *63 :* 870 000. *70 :* 2 500 000. *80 :* 1 694 844. *82 :* 2 710 575. *83 :* 2 709 850. *84 :* 2 821 585. *85 :* 3 063 412. *86 :* 3 137 039. *88 :* 3 095 704. *89 :* 3 051 462. **Star** * M *f.* oct. 1979. *1981 :* 542 406. *82 :* 1 040 897. *83 :* 1 289 644. *84 :* 1 379 464. *85 :* 1 055 844. *86 :* 1 530 421. *89 :* 1 872 763. **Télé de A à Z** * H *f.* 1982. *1990 :* 1 458 326. **Télex 57** (Metz) H gr. 92 293. **Télérama** H *f.* 1950 (ex-Radio-Cinéma-Télévision qui devient Télérama en 1955). *1959 :* 67 259. *82 :* 429 666. *83 :* 466 304. *85 :* 508 707. *86 :* 514 724. *87 :* 498 059. *88 :* 486 579. *89 :* 511 157. *90 :* 514 770 (276 770 ab.). **Télé Vidéo** (ex. T.V. Couleur) *f.* 1989.

Témoignage chrétien succède à la Libération aux Cahiers du Témoignage chrétien *f.* 1941 par le Père Chaillet (jésuite). H *85 000* ab. 45 000.

Temps des poètes (Le) T *5 000.* **Micro** M 28 445. **modernes (Les)** M *f.* 1er n°. 25-10-1945 par J.-P. Sartre, *4 500.* **Retrouvé (Le)** * 307 901.

Tennis de France * M *f.* 1953. 50 034 ab. 23 585. **Info** M *20 000.* **Magazine** * M 70 691.

Terre (La) * H *f.* 1937. *1960 :* 140 511. *81 :* 238 796. *82 :* 230 008. *83 :* 230 520. *84 :* 212 858. *86 :* 197 000. *89 :* 194 200. **De chez nous** * (Besançon) H 9 591. **Magazine** 10 n^{os}/an 70 000. **Vivaroise** * H 10 426.

Thalassa M *31 000* ab. 4 100.

Théorie et pratique thérapeutiques M *35 000.*

Tilt Microloisirs * M 81 984.

Timbroscopie * M 52 275.

Time International (éd. Eur.) H 510 000.

Tir à l'arc (Le) 6 n^{os}/an *15 000.*

TN * 10 n^{os}/an 4 795.

Tonus (médical) BH *60 000.* **Dentaire** * BM *1987 :* 14 095.

Toulon 7 H gr. 119 470.

Tour hebdo H *12 500.*

Tout-Lyon (Le) * BH 8 306.

Tout Prévoir * M 62 971.

Toute l'alimentation M 13 000.

Toutes les nouvelles * H 37 855 (6 édit. : Essonne, Hts-de-Seine, Yvelines). **De l'hôtellerie et du tourisme** * M *1988 :* 12 834 ab. 12 378.

Transaction T *25 000.*

Transports Actualités * H *1988 :* 10 119.

Travailleur Catalan H 14 810. **De la Somme** H *60 000.* **Du sous-sol (Le)** BM *83 000.*

Travail social actualités H *13 000.*

Travaux agricoles de France M *6 000.* **Publics et Bâtiment du Midi** * H 15 678.

Trégor (Le) * H 19 785.

13 (Le) (Arles) H gr. 42 800. (Marseille) gr. 349 510. **Treize Magazine** 10 n^{os}/an *20 000.*

30. Hebdo (Le) H gr. 102 397. **Millions d'amis-La Vie des Bêtes** * M *f.* 1978. *1988 :* 116 902.

32 (Le) H gr. 36 867.

31 (Le) H gr. 300 000.

38 (Le) H **Nord-Isère** 49 791. **Voiron** 28 696. **Rhône-Vallée (Le)** H 55 175. **Affaires** 162 238. **Immobilier** 161 694.

34 (Le) (Montpellier) H gr. 137 930.

36 000 communes 10 n^{os}/an *8 000.*

Tribune * H (Montélimar) 20 835. **De l'Assurance (La)** BM *6 000.* **De la vente** M *f.* 1952. *3 000.* **Gaulliste** BMT *15 000.* **Juive** H n.c. **Libre des Forces de Vente** * M *1987 :* 22 152. **Médicale** H 50 500. **Parlementaire française et europ.** M *f.* 1985. 15 000. **Régionale** (Issy-les-M.) M *25 000.*

Triomphe BMT *52 200* – 28 000.

Trouvailles * BMT 20 962 ab. 3 780.

T.V. Câble *f.* 1990 : 140 000. **Couleur** * H *f.* 1983. 501 365. **Magazine** *f.* 7-2-1987, *4 400 000* – 4 028 000. **Vidéo Jaquettes** * M *1988 :* 83 667.

Uniformes M *26 000* – 17 000.

Union M *358 000* – 301 000. **Agricole** *H 10 290. **Paysanne de la Corrèze** BM *5 100.*

Union Agricole et Rurale-Cantal BH *1988 :* 10 455. **Loire-Atlantique** BM 5 000. **Seine-Maritime** H 11 200. **Hte-Vienne** H 7 743.

Université Autonome 10 n^{os}/an *15 000.* **Syndicaliste (L')** * H 100 380.

Urbanisme et Architecture M 11 000.

Usine nouvelle (L') H 11 n^{os}/an. *1971 :* 60 150. *89 :* 61 855 ab. 48 014.

Val 18 H gr. *1988 :* 76 420.

Val magazine (Oise) H gr. 28 000.

Valeurs Actuelles H *f.* 1966 (avant : **Finance**). *1967 :* 72 417. *73 :* 125 190. *79 :* 127 688. *82 :* 112 907. *83 :* 105 922 (dont 20 554 gr.). *86 :* 97 982. *87 :* *105 908* – 95 506. *88 :* 104 456 ab. 95 015. *89 :* *109 155* – 100 657.

Var Information (Le) BH n.c.

Vaucluse agricole * H 7 241.

Vécu BM 40 000.

Veillées (Les) H 66 849 (79). *Créé* le 5-11-1877 sous le titre Les Veillées des Chaumières [1961 : 80 640].

Vélo Sprint 2 000 Magazine * M *f.* 1978. 39 101.

Vendée agricole H *15 000.*

Vendredi *f.* 1989 H 270 000.

Vénerie * T 6 699 ab. 6 311.

Vertical * 6 n^{os}/an *f.* 1985. 19 009.

Vidéo 7 * M 11 n^{os}/an *fondé* juill. 81. 152 521.

Vie (La) * BM *f.* 1924 par Francisque Gay sous le nom de La Vie catholique. *1959 :* 477 159. *83 :* 324 878. *85 :* 331 842 ab. 298 292. *87 :* 313 256 ab. 245 826. *89 :* 265 232 ab. 231 025. **Agricole et coopérative** (Nice) M 10 000. **Charentaise** * H 5 961. **Claire** M *65 000* – 42 000. **Communale et départementale** * M *88 :* 17 007 ab. 12 439. **Corrézienne** H *15 000.* **De l'Auto** * H *1988 :* 39 224. **Des métiers** M 70 000 ; **Le boucher-charcutier-traiteur** M 6 800 ; **Le boulanger-confiseur-glacier-pâtissier** M 12 500. **Économique du Sud-Ouest** H *7 000.* **Naturelle** M *90 000.* **Du rail** * H *f.* 1950. 235 925 ab. 228 633. 55 % SNCF, 15 % Le Monde, 15 % Ouest France. **Et santé** * M *1987 :* 45 622. **Française – L'Opinion** * H *f.* 1945. *1988 :* **La Vie française** 109 401 ab. 81 646. **Judiciaire** H 17 000. **Médicale** * BM *27 000.* **Ouvrière** H *f.* 1909. *120 000.* **Publique** * M *10 500,* ab. 10 000. **Quercynoise** H *8 300.*

Vieilles Maisons françaises * BMT 20 991.

Vienne rurale * H *1987 :* 10 175.

Vigneron du Midi (Le) M *1986 : 16 000.*

Villages des bords de Marne * *1988 :* 1 764.

Ville de Paris M *230 000.*

Villefranchois (Le) * H 9 445.

21 (Le) H gr. 119 575.

25 (Le) (Besançon) H 73 389.

26 (Le) H gr. 104 660.

Visemot M *35 000* – 18 500.

Vital * M *f.* 1980. 166 152.

Viti * M *1988 :* 25 238 ab. 15 991.

Viva * M 829 904.

Vivre M *42 000.* **A Metz** M gr. *56 000.* **A Strasbourg** M gr. *125 000.* **Nu magazine – La Vie au soleil** BMT *60 000.*

Vocable * BM 139 560 ab. 116 716.

Vogue * M *f.* 1921. *1950 :* 24 508. *81 :* 65 424. *83 :* 71 710. *86 :* 70 552 ab. 7 606. *88 :* 75 950. *89 :* 75 836. **Hommes** * M *créé* 1972-76. *1986 :* 47 115. *89 :* 53 806.

Voici * H *f.* 1987. *1989 :* 403 723. *90 :* env. 600 000.

Voies ferrées BMT *20 000* – 19 000.

Voiles et voiliers * M *f.* 1972. 65 606 ab. 22 843.

Voix – Le Bocage * BH 5 320. **Du Cantal** H 6 200. **De France** 6 n^{os}/an 36 500 ab. 34 259. **De la Terre** BM 32 670. **De l'Ain** * H 22 260. **De l'Est** H *1986 : 15 600.* **Des Bêtes (La)** BMT *50 000.* **Des communes, des départements et des régions** 11 n^{os}/an *10 700.* **Des employés et cadres** 10 n^{os}/an *50 000.* **Des parents** * BM 173 669 ab. 168 497. *1971 :* 525 382. **Du retraité** M *25 000* ab. 18 250. **Des sous-officiers** M *28 000.* **Des sports** * H 73 749 ab. 4 300. **Du cheminot ancien combattant** T *7 000.* **Du combattant** * M *1988 :* 267 545. **Du peuple** (Tours) H 22 600. **Du Sancerrois** H 7 338. **Populaire** H *18 000.*

Volley-Ball BMT *96 000* dont 95 000 ab.

Vol libre magazine * H *f.* 1976. 13 000 – *20 000.*

Volonté du commerce, de l'industrie et des prestations de services M 59 745. **Paysanne de l'Aveyron** * H 11 638. **Paysanne du Gers** * BM 17 519.

Votre Beauté – Votre Santé * M *1961 :* 60 147. *89 :* 84 905 ab. 18 398. **Maison** * BMT *1966 :* 38 272. *87 :* 253 040.

Vous et votre argent M *f.* 1989. *95 000.*

Vous et votre avenir * M *1988 :* 30 212.

Voyageur représentant (Le) T *58 000.*

VSD (vendredi, samedi, dimanche) * H *f.* 1977 par Maurice Siegel. 280 216.

Week-end Quot. 450 000. *1963 :* 127 788.

Wind * M *f.* 1980. *1988 :* 50 033 ab. 11 889.

Yonne agricole H *5 200.*

08 - Ardennes H 109 700.

09 (Le) H *70 000.*

06 (Le) (Nice) H 164 717.

06 - Antibes (Le) H gr. 70 411.

01 (Le) H 65 615. **01 Digest** A 40 000 (édition 1987). **01 Informatique** A 45 000. **hebdo** * H 45 114. **01 Références** * BMT 38 653.

Zéro Vu Magazine – Audio Vidéo Pro M *15 000.*

Zoom * M 39 125 (85).

Presse pour les jeunes

Abricot M *f.* 1987. 80 000 ab. 17 000.

Astrapi * BM *f.* 1978. *1985 :* 99 367 ab. 74 350. *87 :* 92 294 ab. 70 946. *88 :* 93 095 ab. 70 701. *89 :* 92 758 ab. 68 617.

Belles Histoires de Pomme d'Api M *f.* *1979 :* 55 000. *83 :* 62 875. *85* et *86 :* 70 000.

Best * M *1986 :* 85 588. *89 :* 65 067.

Blaireau M 30 000.

Diabolo M *70 000.*

Équipée (L') 6 n^{os}/an 15 000.

Fripounet * H *f.* 1946. *1961 :* 134 139. *76 :* 170 886. *79 :* 140 442. *82 :* 120 044. *83 :* 107 655 ab. 92 012. *84 :* 91 819. *86 :* 75 450. *88 :* 67 262 ab. 58 469. *89 : 100 000.*

Grain de Soleil M.

Guide de France M ab. 15 000.

I Love English 9 n^{os}/an 87 626.

Images Doc. M

Jacinte * M *f.* 1975. 123 237.

J'aime lire M *f.* 1977. *1982 :* 134 000. *83 :* 129 077. *86 :* 140 000. *89 :* 150 000.

Je Bouquine M *f.* 1984. *1986 :* 60 000. *89 :* 72 000.

Jeunes (Les) BM 10 000.

Jeux de poche des jeunes M *28 147* – 14 000.

Journal de Mickey (Le) H *f.* 1936. *1963 :* 375 233. *81 :* 379 672. *85 :* 307 116. *86 :* 304 517 ab. 72 916. *87 :* 272 561. *88 :* 244 082. *89 :* 224 500. **Des Enfants** H *f.* 1984, supplément de l'Alsace. *1989 :* 85 000.

Loisirs Jeunes H 9 800.

Nouveau Clarté (Le) 7 n^{os}/an *95 000.*

O.K. Age Tendre * H *f.* 1964. *1964 :* 267 942. *80 :* 251 021. *83 :* 283 469. *85 :* 233 732. *86 :* 241 076. *87 :* **O.K !** 241 502. *88 :* 263 094. *89 :* 212 298.

Okapi * BM *f.* 1971. *1973 :* 91 752. *81 :* 86 075. *83 :* 84 760. *85 :* 81 251. *88 :* 116 392. *89 :* 129 443 ab. 98 858.

Perlin H *f.* 1956. *98 000.*

Phosphore * M *f.* 1981. *85 :* 57 749. *86 :* 66 938. *87 :* 78 981. *88 :* 87 241. *89 :* 97 920 ab. 57 910 (88).

Picsou-Magazine * M *f.* 1972. *1972 :* 312 181. *83 :* 363 391. *85 :* 306 176 ab. 73 795. *88 :* 226 810 ab. 21 776. *89 :* 234 611.

Pif gadget * H *1971 :* 334 080. *81 :* 400 034. *83 :* 365 150. *84 :* 364 313. *87 :* 215 250. *89 : 205 000.*

Pilote * M 1er n° le 29-10-1959. *1962 :* 126 796. *82 :* 68 008. *84 :* 52 125. *85 :* 40 287. *86 :* 43 761.

Podium HIT * M *f.* 1972. *1973 :* 225 992. *82 :* 240 578. *83 :* 289 255. *84 :* 320 063. *85 :* 285 303. *86 :* 291 258. *87 :* 265 464. *88 :* 246 026. *89 :* 219 872.

Pomme d'Api * M *f.* 1966. *1977 :* 155 273. *85 :* 149 954. *87 :* 156 305 ab. 91 056. *88 :* 157 048 ab. 92 245. *89 :* 150 852 ab. 91 434.

Popi M *f.* 1986. *150 000* – 110 000.

P'tit Loup * M *f.* 1989 (7 à 10 ans). 60 334.

Routes nouvelles 6 n^{os}/an *5 000.*

Salut * BM *f.* 1962 (Salut les copains). M *1962 :* 493 290. *72 :* 742 169. *79 :* 229 217. *82 :* 196 388. *83 :* 229 864. *84 :* 236 696. *87 :* 176 608. *88 :* 173 271. *89 :* 140 252. Record : 1 million d'ex. pour le mariage de Sylvie Vartan et Johnny Hallyday.

Scouts 6 n^{os}/an *100 000.*

Semaine de Babar (La) *f.* 1900. 240 000.

Spidey M *50 000* – 40 000.

Spirou * H *f.* 1936. *1960 :* 99 256. *82 :* 72 195. *83 :* 66 766. *84 :* 46 773. *85 :* 44 475. *87 :* 33 155.

Strange M *f.* 1970. *80 000* ab. 1 500.

Tintin * H *f.* Belgique 1946, France 1948. *1959 :* 187 373. *77 :* 105 558. *81 :* 54 249. *82 :* 46 088. *83 :* 52 119. *84 :* 36 304. *85 :* 35 164. *86 :* 35 600. Remplacé fin 1988 par Tintin Reporter.

Toboggan * M *f.* 1982. 113 380.

Today in english M *f.* 1991. 60 000 (prév.).

Toupie *f.* 1984. 130 000.

Triolo BM *100 000.*

Vingt Ans M *f.* 1960. *1965 :* 76 048. *82 :* 123 559. *83 :* 120 454. *84 :* 119 692. *86 :* 115 792. *88 :* 81 101. *89 :* 88 827.

Wakou 100 000.

Wapiti * M 139 911.

Winnie l'Ourson * M *f.* 1985 : 128 000. *86 :* 170 047. *87 :* n.c. *88 :* 136 385. *89 :* 120 357.

Principaux journaux d'entreprise

● **Source.** Union des journaux et journalistes d'entreprise de France (U.J.J.E.F.), 63, av. La Bourdonnais, 75007 Paris. *Pt :* Ghyslaine Pertusot. *Délégué admin. :* Philippe Serdet.

● **Statistiques.** 700 publications couvrant 600 entreprises et 15 000 000 de lecteurs par mois pour 5 000 000 d'ex. – Ministère des P.T.T. (Messages) 375 000, Groupe Maison familiale (Maison et Loisirs) 230 000, Sodel E.D.F. (La Vie électrique) 230 000, ministère de l'Éducation nationale (Les cahiers de l'Éducation nationale) 160 000, Houillères du Nord (Relais) 135 000, U.T.A. (Distance) 120 000, Automobiles Peugeot (Peugeot Magazine) 80 000, Assistance publique (Assistance publique actualités) 76 000, Banque Nationale de Paris (Dialogue) 70 000, R.A.T.P. (Entre les Lignes) 70 000, Michelin (B.I.P.) 66 000, Alsthom Atlantique (Inter 7) 55 000, Société Générale (Sochechos) 53 000, Mairie de Paris (Mairie et Département) 50 000, Automobiles Citroën (Traction 2000) 50 000, Rhône-Poulenc (Rhône-Poulenc) 50 000.

Fédération des travailleurs du Livre, du Papier et de la Communication FILPAC-C.G.T., 263, rue de Paris, 93100 Montreuil. *Origines :* la Fédération française des travailleurs du Livre, créée 1881, a fusionné avec celle des industries papetières en 1986. Les ouvriers du livre ont, dès le XVIe s., formé une élite car ils devaient savoir lire et écrire ; ils ont toujours eu une tradition corporatiste, les maîtres imprimeurs étant de petits artisans. Regroupe 220 syndicats des travailleurs du livre (imprimerie de labeur et de presse, édition, reliure-brochure, sérigraphie, reprographie). En 1905, elle obtint l'instauration du *label,* apposé sur tous les imprimés exécutés dans les ateliers dont tout le personnel technique adhère à la fédération. Les ouvriers du livre obtinrent souvent des conditions de travail enviables par rapport aux autres corporations du métier, notamment la limitation à 6 h des horaires journaliers en presse. *Regroupe* plus de 90 % des salariés des imprimeries de journaux quotidiens, gérant de fait l'emploi dans les quotidiens de Paris.

Synd. nat. des employés et cadres de presse, d'édition et de publicité C.G.T.-F.O., 3, rue du Château-d'Eau, 75010 Paris. *Fondé* 1946, prend l'appellation C.G.T.-F.O. en 1948. *Secr. gén. :* Jacques Girod.

Journalistes

• **Prix de la presse. Pulitzer.** *Créé* 1917 ; 14 distinctions : reportage, article de fond, correspondance, etc. **International de journalisme.** *Décerné* par l'O.I.J. **Albert-Londres** (voir p. 332 c). **De la Fondation Mumm pour la presse écrite.** *Créé* 1985. **Pierre-Lazareff.** *Créé* 1989. **Stendhal.** *Créé* 1990.

• **Statistiques.** La presse emploie en France 90 000 personnes, dont au 1-1-91 : 26 065 journalistes professionnels dont 8 993 femmes (en *1960 :* 8 092 dont 1 161 f. *1970 :* 11 493 dont 2 177 f. *1980 :* 16 619 dont 3 833 f.)], et env. 38 000 personnes pour la distribution. *Age* (en %) : *jusqu'à 30 a. :* 15,7, *31 à 35 a. :* 23,2, *36 à 45 a. :* 29,8, *46 a. et + :* 28,6. *Études* (en %) : primaires 17,9 ; sec. 15,1 ; sup. 66,2 (38 en 1966), n.c. 0,8.

Journalistes tués dans le monde dans l'exercice de leur profession. *1969-89 :* 715 dont Amérique 393, Asie 171, Proche-Orient 65, Europe 46, Afrique 40. *86 :* 19. *87 :* 32. *88 :* 45. *89 :* 71 (dont Colombie 15, Salvador 11, Pérou 7). *90 :* 36 (ou 43 ?). **En prison** (au 1-1-91) : 198. *91* (11-1 au 31-5) : 20.

Carte de presse officielle d'identité des journalistes professionnels. *Créée* par la loi du 29-3-1935, attribuée par une commission paritaire de 32 membres, 16 directeurs de journaux (dont 8 suppléants) et 16 journalistes professionnels (dont 8 suppl.). **Nombre attribué** (1991, entre parenthèses nombre de femmes) : c. titulaires 16 459 (5 141) ; c. stagiaires 3 019 (1 541) ; c. pigistes 2 344 (1 075) ; stagiaires pigistes 869 (435) ; reporters : photographes 808 (60) ; pigistes 639 (70) ; rep.-dessinateurs 43 (6) ; pigistes 62 (3) ; cameramen et presse filmée 26 ; pigistes 4 ; sténographes-rédacteurs 232 (204) ; pigistes 5 (5) ; reporteurs d'images 479 (23) ; rédacteurs réviseurs 168 (87) ; traducteurs 78 (47) ; bénéficiaires de l'art. R 761-14, 830 (296) (dont 137 de 55 à 60 ans et 211 de + de 60 a.). Directeurs (anciens journ.) 349 (62), Paris 16 587, province 10 027, journ. honoraires 2 089. *Total 26 614 (9 055).*

• **Syndicats de journalistes. Synd. national des j.** 33, rue du Louvre, Paris 2e, autonome, *fondé* 1918. *1er secr. gén. :* François Boissarié. **Union synd. des j. français CFDT** 47, av. Simon Bolivar, Paris 19e, *f.* 1886. *Secr. gén. :* Philippe Laubreaux. **Synd. nat. des j. CGT** 50, rue Edouard-Pailleron, Paris 19e, *f.* 1934. *Secr. gén. :* Gérard Gatinot. **Synd. gén. des j. CGT-FO** 8, rue de Hanovre, Paris 2e, *f.* 1948. *Pt :* Max Rollan. *Secr. gén. :* Marie Pottier. **Synd. des j. CGC** 64, rue Taitbout, Paris 9e, *f.* 1972. *Pt :* Daniel Pautrat. *Secr. gén. :* Claude Leturcq. **Synd. chrétien des j. CFTC** 13, rue des Écluses-St-Martin, Paris 10e, *f.* 1972. *Pt :* Hervé Louboutin.

Élections à la commission de la carte des journalistes professionnels (1991) : SNJ 44,3 % des voix (4 sièges), CFDT 21 (2 s.), CGT 11,6 (1 s.), CGC 10 (1 s.), FO 7, CFTC 5,3.

Nota. – A côté de ces syndicats, il existe différentes associations. *L'Union nationale des Syndicats de Journalistes (UNSJ) :* fondée 1966 regroupe le SNJ, l'USJF-CFDT et le SNJ-CGT ; le SGF-FO l'a quitté en févr. 1983 à la suite de la « mainmise » du livre CGT sur le journal *l'Union* de Reims.

☞ **Fédération internationale des journalistes** (FIJ) : *fondée* 1952, réunit une trentaine de syndicats de journalistes des pays occidentaux. **Organisation internationale des journalistes** (OIJ) : *fondée* 1946 à Prague, groupe les journalistes de 112 pays. **Union internationale de la presse catholique** (UIPC) : Case postale 197, 1211 Genève 20, *fondée* 1936 à Rome.

Publicité

Sources des statistiques : IREP, SECODIP, AACP, UDA, Advertising Age.

☞ Une publicité perçue une seule fois s'il s'agit d'une affiche est mémorisée par 4 % des gens, message radio 5 %, presse 10 %, télévision 15 %, cinéma 75 %. S'il n'y a qu'un message dans un écran publicitaire TV, il sera mémorisé par 76 % du public, s'il y en a 7 ou 8 par 50 %, s'il y en a 15 par 44 %.

Annonceurs

En France

Annonceurs (1988) : 19 906 ont investi 58,3 milliards de F dont en % presse écrite 55,6, télé 24,6, affichage 11,7, radio 7,2, cinéma 1.

Dépenses publicitaires des annonceurs, frais de production compris (en millions de F). (*Source :* IREP) **1988 :** 58 300 dont *grands médias* (sans petites annonces) 36 900 (63,3 %), presse [1] 16 925 (29), télévision 11 320 (19,4), pub. extérieure [2] 5 135 (8,8), radio 3 120 (5,4), cinéma 420 (0,7). *Autres actions pub. et promotionnelles* 21 380 (36,7). Promotion (échantillonnage, couponing, objets publicitaires, cadeaux, primes, remises promotionnelles, concours) 9 115 (15,6). Pub. directe et édition d'imprimés pub. 5 395 (9,3). Pub. sur le lieu de vente 3 315 (5,7). Expositions, foires, salons, congrès 940 (1,6). Insertions dans annuaires, programmes 265 (0,5). Sponsoring sportif et culturel, mécénat 2 220 (3,8). Autres 130 (0,2). **1989 :** 65 000. **1990 :** 70 200.

Nota. – (1) Sans les petites annonces. (2) Affichage sous toutes ses formes.

Dépenses pub. par tête (en F.). *1975 :* 199. *80 :* 379. *81 :* 430. *82 :* 502. *83 :* 565. *84 :* 635. *85 :* 726. *86 :* 810. *87 :* 937. *88 :* 1 046 (les dép. pub. représentent 0,9 % du P.I.B. et 1,44 % de la consommation des ménages). *90 :* 1 241. *Source :* IREP.

1ers investisseurs pluri-médias (5 grands médias, en millions de F, 1989). (*Source :* SECODIP). B.S.N. 1182, L'Oréal 1 050, Renault 1 043, Nestlé 1 026, Peugeot 903, Unilever 716, Procter & Gamble 562, V.A.G. 556, Philips 550.

Campagnes d'information du gouvernement (en millions de F). *1980 :* 3, *1987 :* 236,7 (37 campagnes), *1988 :* 244,1 (34 campagnes). *1989 :* 275. *1990 :* 322 (53 actions de 27 administrations) dont (en millions de F) : lutte contre le sida, promotion des préservatifs 30 ; préparation de la réforme hospitalière 10 ; Postes et Télécom. 43 ; économie et finances 27,6 ; industrie et aménagement du territoire 24,6 ; travail et formation prof. 23,5 ; fonction publique 22,9 ; sécurité routière 9,4 ; défense 8 ; prévention des violences conjugales 7,6.

Média (en millions de F). Presse 31, télévision 85.

Part du coût de la publicité dans le prix des produits (en % du prix de vente T.T.C., en 1981). Automobile 1, produits de lessive 6.

Dans le monde

Annonceurs principaux aux U.S.A. (Budget magazines + radio + TV + affichage, en millions de $, en 1988) (*Source :* Advertising Age). Philip Morris Cos. 2 058,2. Procter & Gamble Co. 1 509,6. General Motor Corp. 1 294. Sears, Roebuck & Co. 1 045,2. R.J.R. Nabisco 814,5. Grand Metropolitan P.L.C. 773,9. Eastman Kodak Co. 735,9. Mc Donald's Corp. 783,3. Pepsi-Co. Inc. 712,3. Kellogg Co. 683,1.

Dépenses publicitaires (en milliards de F, en 1988). U.S.A. 428, Japon 145, G.-B. 64,2, All. Féd. 52, *France 41,3,* Italie 30,1, Espagne 23,3, P.-Bas 15,3, Suisse 11,7, Finlande 9, Suède 7,5, Belgique 5,7, Norvège 4,5, Danemark 4,4, Autriche 4,4, Grèce 1,8, Portugal 1,3, Irlande 1,2, Turquie 1. **Par hab. en F.** Finlande 1 818, Suisse 1 800, U.S.A. 1 759, Japon 1 187, G.-B. 1 129, Norvège 1 076, P.-Bas 1 047, Suède 897, Danemark 861, All. féd. 855, *France 743,* Espagne 599, Autriche 582, Belgique 578, Italie 525, Irlande 332, Grèce 180, Portugal 127, Turquie 19.

Dépenses mondiales (hors pays de l'Est) en milliards de F. *1989 :* 1 854,5 ; *2000* (prév.) : 5 130.

Agences de publicité

En France

Principaux groupes. *Marge brute en millions de F, 1990 (Source :* AACC). Publicis 952,2, RSCG 909,7, BDDP 707,8, HDM 699, Bélier 666,8, Young & Rubicam 458,1, DDB Needham 371, Lintas 300, Ogilvy & Mother 284,5, FCA 256,3, Mc Cann 242,4, Saatchi & Saatchi 224,3, Synergie 219,2. CLM/BBDO 200,1, Gray 156,4, FCB 143,3, MGTB/Ayer 140 ? BL/LB 139,1, BSB 116,2, Jo Walter Thompson 105,7.

Effectifs (1988). 13 000 salariés.

Dans le monde

Principales agences. *C.A. et* entre parenthèses *marge brute en 1989, en millions de $. (Source :* Advertising Age) : Saatchi & Saatchi P.L.C. 11 193 (1 650), W.P.P. Group P.L.C. 10 580 (1 584), Interpublic Group of Cos. 8 532 (1 279), Omnicom Group 8 255 (1 151), F.C.B. Publicis 4 210 (632), Eurocom 3 314 (476), Lowe Group P.L.C. 1 365 (200), B.J.K. & E 1 302 (182), B.D.D.P. Group 637 (96), Lopex P.L.C. 566 (84). **Activité en Europe.** Publicis-F.C.B. (France-Eur.) 2 234 (327), Saatchi et Saatchi Worldwide (G.-B.) [1] 2 093 (289), Young et Rubicam (U.S.A.) 1 784 (268), Mc Cann-Erickson Worldwide (U.S.A.) [3] 1 762 (264), Backer Spielvogel Bates (G.-B.) [1] 1 664 (263), Ogilvy et Mather (G.-B.) [2] 1 565 (249), Lintas : Worldwide (U.S.A.) [3] 1 430 (214), J. Walter Thompson (G.-B.) [2] 1 438 (195), H.D.M. : Havas-Dentsu-Marsteller (FR.-Jap.-U.S.A.) 1 266 (186), D'Arcy Masius Benton et Bowles (U.S.A.) 1 232 (170).

Nota. – (1) Réseaux du groupe Saatchi. (2) du group Wire and Plastic Products. (3) du group amér. Interpublic.

Effectifs (1984). Young et Rubicam 8 418. Ted Bates 5 345. Ogilvy 7 428. J. Walter Thompson 8 174.

Spécialistes médias

Indépendants des agences de création publicitaire, ils gèrent plus du tiers des investissements médias en Europe (53 milliards US $ en 1989).

Carat. (Chiffre d'aff., en milliards de F) : **France** *(Carat espace)* 10,4 (20 % part de marché). **Europe** (groupe Carat) (présent dans 15 pays) 26.

Achat d'espaces. Principales centrales. *Volume d'achat* (en milliards de F, 1990) : Carat 10,4, PMS 9,1, TMP 7,5, Eurocom 7,2, Horizons 2,7, Idémédia 2,6, Club Média [1] 2, 2010 Média 1,7.

Nota. – (1) 1989.

Organismes professionnels

En France

AACC (Association des agences conseils en communication). 40, bd Malesherbes, 75008 Paris. *Fondée* 1972 (sous le sigle AACP, Assoc. des Agences conseils en publicité). Regroupe 230 agences de publicité, marketing direct et promotion des ventes, sponsoring T.V. et pub. médicale. *Pt :* François Tiger. *Vice Pt, délégué gén. :* Jacques Bille.

BVP (Bureau de vérification de la publicité). 5, rue Jean Mermoz, 75008 Paris. *Fondé* 1935. *Adhérents* 1 100 (organisations professionnelles, annonceurs, agences de pub., supports et régies). *Missions :* conseil auprès de ses adhérents, contrôle après diffusion du message pub. Il prend toute mesure lui paraissant propre à faire cesser les manquements à la législation et à l'autodiscipline. Il n'attribue ni label de conformité, ni visa ou garantie sur un message.

CESP (Centre d'étude des supports de publicité). 32, av. Georges-Mandel, 75116 Paris. Association *fondée* 1956. *Adhérents :* 300 (annonceurs, publicitaires, quotidiens, magazines, radios, télévisions, régies de cinéma, sociétés d'affichage). *Objectif :* fournir à ses adhérents des données d'audience sur les supports (sondages d'env. 15 000 personnes de 15 ans et plus). Missions d'audit et de contrôle d'études « privées » financées de façon autonome, à la demande d'adhérents. *Pt* François Tiger (21-12-40).

FNP (Fédération nationale de la publicité). 40, bd Malesherbes, 75008 Paris. *Co-Pts :* Pierre Chatelus, François Tiger. *Regroupe :* Association des Agences conseils en communication (AACC), Féd. nat. de l'information médicale (FNIM), Union des chambres synd. fr. d'affichage et de pub. extérieure (UPE), Presspace – Union de la pub. presse. Confédération nat. de la pub. audiovisuelle (CNPA), Annuaire Télématique et Communication (ATC), Synd. nat. de la promotion et de la pub. sur le lieu de vente (SNPLV), Féd. fr. des activités de l'exposition (FFAE), Synd. de la presse gratuite (SPG).

IREP (Institut de recherches et d'études publicitaires). 62, rue La Boétie, 75008 Paris. *Fondé* 1957, adhérents 170 (agences, annonceurs, médias, organismes d'études et des universitaires). *Pt :* Jean Mauduit.

OJD (Office de justification de la diffusion). 40, bd Malesherbes, 75008 Paris. *Origine :* 1922 Charles Maillard fonde OJT (Office de justification des tirages) constitué 26-1-26 sous forme d'association. Étienne Damour (1888-1933) insiste sur l'idée d'un contrôle des tirages. 1946 devient l'OJD. *Association tripartite :* Féd. de la presse française, Union des annonceurs, Féd. nat. de la pub. *Objet :* contrôler tirage et diffusion des publications qui se soumettent volontairement à son contrôle. *Adhérents :* 1 038 dont presse 845 (soit 85 % de la diffusion totale de la presse), publicitaires 66, annonceurs 35, C.H.C.P. (contrôle hors commission paritaire) 53, C.D.P.G. (constat de la distribution des périodiques gratuits) 390, C.A.S.T. (contrôle de la diffusion des supports audiovisuels et télématiques) 5, membres associés 39. *Pt :* Jean Miot (Le Figaro). *Dir. :* Alain Meyer.

UDA (Union des annonceurs). Représente + de 1 millier d'entreprises et env. 75 % des dépenses de pub. et de promotion faites en France.

Médias

Statistiques globales

En France

• **Médias privilégiés** (en %, en 1986).

☞ *Légende.* – C : cinéma, P : publicité, PLV : publicité sur le lieu de vente, Pr : presse, R : radio, T : télévision, MC : mécénat-sponsoring.

Alimentation, boissons. Grands médias 56, dont T 25, Pr 9, P ext. 13, R 4,5, C 4,5 ; autres actions 44, dont promotions 27, PLV 5, P directe, éditions d'imprimés publicitaires 2. MC 7,5.

Culture, loisirs, distractions. Grands médias 65, dont Pr 32, T 12,5, P ext. 11,5, R 7,5, C 1,5 ; autres actions 35, dont P directe, édit. d'impr. pub. 11,5, promotions 10, PLV 7. MC 4.

Distribution. Grands médias 54, dont Pr 30, P ext. 13, R 10, T 0,5, C 0,5 ; autres actions 46, dont P. directe, édit. d'impr. pub. 33, promotions 5,5, PLV 5.

Équipement et entretien de la maison. Grands médias 56, dont Pr 23, T 17, R 9,5, P ext. 6, C 0,5 ; autres actions 44, dont promotions 28, P directe, édit. d'impr. pub. 7,5, PLV 4.

Habillement. Grands médias 62, dont Pr 34, P ext. 15, T 8,5, R 2,5, C 2 ; autres actions 38, dont PLV 10, promotions 9,5, P directe, éditions d'impr. pub. 8,5. MC 4. Expo-salons 4,5.

Hygiène beauté. Grands médias 54, dont Pr 22,5, T 22, R 6, P ext. 2,5, C 1 ; autres actions 46, dont promotions 30, PLV 13,5, P directe, édit. d'impr. pub. 0,5.

Services. Grands médias 58, dont Pr 35, T 8,5, R 6, P ext. 7, C 1,5 ; autres actions 42, dont P. directe, édit. d'impr. pub. 19, promotions 7, PLV 3. MC 5.

Transports, communications, tourisme. Grands médias 71, dont Pr 35, R 10,5, P ext. 15,5, T 8,5, C 1,5 ; autres actions 99, dont promotions 12, directe, édit. d'impr. pub. 5,5, PLV 3,5. MC 4,5.

Répartition des recettes publicitaires (en %) [1]

Source : IREP	1976	1980	1985	1987	1988	1989	1990
Presse [2]	62,5	60	59	56,9	55,6	56,2	56
Télévision	14	14,5	17	22,4	24,6	24,7	24,9
Pub. extér. [3]	13	14	13	12,2	11,7	11,5	11,7
Radio	9	10	9	7,4	7,2	6,8	6,6
Cinéma	1,5	1,5	2	1,1	0,9	0,8	0,8
TOTAL	100	100	100	100	100	100	100

Nota. – (1) Hors taxes, dégressifs déduits, y compris commissions d'agences et rémunérations de régie s'il y a lieu. (2) Petites annonces et publicité locale comprise. (3) Affichage toutes formes.

Affichage

Réglementation

☞ La loi du 29-7-1881 sur la liberté de la presse évoque l'affichage dans son article 15, mais protège les panneaux réservés à l'affichage admin. et non les murs des propriétés privées. Un propriétaire qui peint sur son mur « défense d'afficher loi du 29-7-1881 » n'est donc pas protégé. Il peut seulement arracher ou faire arracher toute affiche, même officielle, apposée contre son gré.

• **Généralités.** L'affichage, dès lors qu'il est visible de toute voie ouverte à la circulation publique, est réglementé dans un but de protection du cadre de vie, par la loi du 29-12-1979 et ses décrets d'application (notamment le décret du 21-11-1980), et dans l'intérêt de la circulation routière, par le décret du 11-2-1976. La loi du 29-12-1979 module en fonction des sites la possibilité d'apposer toute inscription ou image destinée à informer le public ou attirer son attention. La publicité est interdite de manière absolue dans les espaces très sensibles (immeubles ou sites classés, parcs nationaux, réserves naturelles, sur les arbres), qu'ils soient situés en ou hors agglomération, le terme agglomération étant défini selon les règlements de la circulation routière.

• **Affichage politique.** Interdit sur papier blanc (réservé aux affiches officielles) et tricolore (bleu, blanc, rouge, s'il s'agit d'affiches électorales).

• **En agglomération.** La publicité est interdite dans les lieux protégés (secteurs sauvegardés, sites inscrits à moins de 100 m et dans le champ de visibilité des monuments historiques). Elle peut être réintroduite de manière dérogatoire. Dans les secteurs non protégés, elle est soumise au respect des règles nationales permettant de garantir la protection du cadre de vie (types de supports interdits, publicité interdite sur les murs des bâtiments présentant un caractère d'habitation et dont les ouvertures ne sont pas de surface réduite, publicité scellée au sol ou installée sur le sol interdite dans les agglomérations de – de 10 000 h. ne faisant pas partie d'un ensemble multicommunal de + de 100 000 h. défini selon l'I.N.S.E.E., dimensions des publicités en rapport avec la taille de l'agglomération...). Les communes peuvent adapter ces règles en fonction du tissu urbain et de leurs objectifs particuliers.

• **Hors agglomération.** La publicité est interdite dans l'espace naturel. Cette interdiction peut être levée dans les groupements d'habitation à proximité immédiate des établissements industriels et commerciaux des centres artisanaux, par une réglementation spéciale élaborée par élus et représentants de l'Administration, à l'initiative du maire.

Certaines activités, dont celles utiles aux personnes en déplacement (restauration, garage, station-service...) peuvent être signalées hors agglomération à l'aide de pré-enseignes – considérées comme des publicités de proximité – scellées au sol ou installées directement sur le sol, en conformité avec le décret du 24-2-1982 (dimensions, nombre, distance).

• **Sanctions.** Administratives et pénales selon les préjudices occasionnés. Elles relèvent de la compétence des maires et des préfets. La personne qui a apposé, fait apposer ou maintenu une publicité irrégulière, est redevable d'une astreinte administrative par jour et par infraction, de 198,62 F (1991). En cas de condamnation, le tribunal judiciaire peut prononcer une amende de 50 à 10 000 F par j. et dispositif en infraction (doublée en cas de récidive).

Si une affiche est diffamatoire ou appelle à commettre certains crimes contre les personnes, les biens ou la sûreté de l'État, les peines prévues par la loi de 1881 peuvent s'appliquer à l'auteur de l'affiche ou, à son défaut, à l'imprimeur. Si aucun n'est connu, l'afficheur peut être poursuivi. Si la provocation à commettre des crimes a été directement suivie d'effet, les auteurs de l'affiche tombent, en application des règles de la complicité, sous le coup des dispositions du Code pénal réprimant ces infractions. Maires ou préfets peuvent faire procéder à des lacérations d'affiches, mais la jurisprudence n'en admet la légalité que si, vu l'urgence, elles sont nécessaires pour prévenir ou faire cesser les troubles graves de l'ordre public provoqués par la nature des affiches.

On risque 1 mois à 2 ans de prison pour toute « dégradation de monuments, statues et autres objets destinés à l'utilité ou à la décoration publiques ». Si l'inscription peut être effacée sans laisser de traces, il n'y a plus délit, mais simple contravention jugée par le tribunal de police.

Affichage d'images contraires à la décence. 600 à 1 200 F d'amende et 8 j max. de prison.

Tarifs à Paris (H.T. en milliers de F)

Affichage mural. *Panneau de 12 m²* (4 × 3) : emplacement de prestige – panneau de chantier (ex. place du M[al]-Juin) : 20 à 25 (7 j) ; bon emplacement 5 à 15 (7 j) ; banlieue 1,5 (14 j) ; *réseaux :* 560 à 640 pour 200 panneaux (7 j) à Paris ; env. 500 pour 450 panneaux en banlieue (7 ou 10 j). **Mur peint publicitaire.** (Interdit dep. 1943, ré-autorisé en 1979) 10 à 300 par an (suivant surface du mur et situation).

Autobus. *Arrière :* 1/2 parc. 2 250 arrières pendant une semaine : 865. *Côtés extérieurs :* 1/2 parc ; vendus par sem., ensemble de 2 500 côtés gauches 865, 2 000 côtés droits 470.

Métro. EXEMPLES : prix pour 2 semaines : 210 panneaux quais : 460. 1 000 panneaux couloirs : 420. *Pour 1 semaine :* oriflamme double face dans la totalité des voitures : 235.

Publicités lumineuses. PRIX ANNUEL : *Toits et murs aveugles :* Paris et périphériques : 180 à 350 (jusqu'à 500). *Balcons :* centre ville, de 100 à 140 ; Opéra, Champs-Élysées, Madeleine 250 à 500.

Tarifs en province (H.T. en F)

Affichage dans les rues. Emplacements vendus à l'unité, ou en réseaux. Prix moyen (comprenant location de l'emplacement, pose et entretien des affiches) pour 2 semaines, le panneau de 12 m² : *unité urbaine de + de 100 000 h.* : 1 200 à 4 725 F le panneau ; *50 000 à 100 000 h.* : 700 à 1 575 F ; *20 000 à 50 000 h.* : 500 à 1 250 F ; *10 000 à 20 000 h.* : 500 à 800 F. Pour assurer une couverture puissante et homogène du message, il faut prévoir : *Unité urbaine de 10 000 à 20 000 h.* : 16 à 20 emplacements ; *20 000 à 50 000 h.* : 21 à 29 : *50 000 à 100 000 h.* : 30 à 41 ; *100 000 à 200 000 h.* : 42 à 53 ; *200 000 à 300 000 h.* : 54 à 65 ; *300 000 à 500 000 h.* : 66 à 80 ; *500 000 à 900 000 h.* : 81 à 117.

Autobus. 100 agglomérations (population touchée : 21 millions d'h). *Côtés extérieurs* (flancs gauches, format 274 × 68 cm) : environ 10 000 emplacements. 1 sem. 3 700 000 F environ.

Métro. Pub. France Bus : Lyon (3 lignes, 21 stations). Réseaux *Traboules* : 120 emplacements (format 120 × 174 cm), 2 semaines : 118 000 F. Marseille (2 lignes, 24 stations). Réseau : 110 faces (format 120 × 176 cm), 1 semaine : 50 000 F.

Aéroports (en milliers de F, 1985). *De Paris* (Orly et Roissy) : vitrines ou caissons lumineux, suivant dimensions et situation 25 à 50 ; emplacements except. 60 à 250 ; sphères écran de CDG 1 500 ; vidéo Orly-Ouest 100 par mois ; extérieurs 150 à 300 par an ; réseau aéroplans : 100 par mois. *Internationaux* (Nice, Marseille, Toulouse, Bordeaux, Strasbourg, Lille, Nantes, Lourdes) : 10 à 35. *De province* (Grenoble, Toulon, Biarritz, Perpignan, Brest, Nîmes, St-Étienne, etc.) : 7 à 15. *Autres* : 3 à 6.

☞ **Principaux afficheurs en France.** *Chiffre d'affaires en milliards de F* : Avenir n.c. ; Dauphin *1989* : 1,01, *90* : 2,5 (env. 50 000 panneaux dont 2 000 à Paris dont 500 concédés par la municipalité : palissades de chantiers, murs et clôtures propriétés de la ville).

C'est *Avenir* qui a lancé en 1981 la campagne « L'afficheur qui tient ses promesses ». 1re affiche le 2 sept. (Myriam jeune mannequin en bikini annonçait j'enlève le haut), 2e le 4 sept. (annonce j'enlève le bas), 3e (paraît de dos).

Publicité aérienne

• **Prix de l'heure** (en F, TPS de 18,60 % en sus).

Banderole 1,6 × 50 m (texte maximum 40 lettres et espaces) et **panneau** jusqu'à 50 m² de 1 645 à 1 805, **panneau** de + de 50 m² de 1 805 à 1 985. **Exemples de circuits** : *Méditerranée* : Collioure-Montpellier 2 h, Montpellier-Fréjus 3 h, Fréjus-Menton 2 h 30. *Atlantique* : Hendaye-Arcachon 2 h 50, Arcachon-La Rochelle 3 h 30, La Rochelle-La Baule 3 h 10, La Baule-Quiberon 1 h 40, Quiberon-Quimper 2 h 10.

Écriture dans le ciel (employée pour la 1re fois par Citroën en 1923). Se pratique à 4 000/6000 m d'alt. par des avions équipés de générateurs de fumée, zone de lisibilité du sol : diamètre de 50 à 60 km (hauteur des majuscules : 900 à 800 m, longueur d'un mot de 7 maj. : env. 6 km) visible 10 à 20 minutes.

Ballons dirigeables (Sté Airship services). Volent à 1 600 m, lettres : hauteur 4 m, lumineux de nuit.

Films publicitaires

Prix d'un film. De 20 à 180 secondes, sur toute la France : 407 738 à 3 669 645 F. **Distribution.** Unité de vente : le contact spectateur/seconde/semaine. *Tarif moyen au 1-1-1990* : Exemple : *film de* 30 s., diffusé une semaine dans les 3 157 salles publicitaires Médiavision et circuit A de France : 587 397 F.

Investissements totaux (1983). 455 millions de F dans l'ind. cinémat. fr., 1 400 nouveaux films produits (soit l'équivalent de 71 longs métrages, c.-à-d. 48 % de la production fr.), 2 600 rôles, 29 000 j de travail.

Salles publicitaires en France (1989). 3 157 dont Paris 316, banlieue 295, province 2 546. **Parc de fauteuils.** (1988). 1 115 740 dont Paris 182 132. **Entrées hebdo.** (1988). 2 447 489 dont Paris 811 491.

Presse

Les tarifs tiennent compte de l'audience et de la nature de la publication, de l'emplacement dans le journal, de la forme du placard (surface, illustration, couleur), de la fréquence de publication de l'annonce, etc. Certains sont sujets à révision, compte tenu des variations de tirage, des mois, des tarifs spéciaux pour campagne de masse. Certains journaux n'acceptent pas de publicité, ex. : *Le Canard enchaîné, Que choisir ?, 50 Millions de consommateurs.* D'autres refusent la publicité de certains produits (ex. : *Sélection* pour les cigarettes).

Chiffre d'affaires publicitaire

Recettes publicitaires (en milliards de F, en 1988). 22,4 dont Quotidiens de Paris 2,7, régionaux 5,2, magazines 7, spécialisés 3,8, gratuits 3,7.

Journaux ayant réalisé + de 130 millions de F de C.A. publicitaire (en millions de F, en 1988). Le Figaro-L'Aurore 1 007, Le Figaro Magazine 745, Télé-7 jours 731, Le Monde 627, L'Express 623, Madame Figaro 520, Elle 438, Paris-Match 398, Télé-Star 351, Le Nouvel Observateur 345, Le Point 338, Marie-Claire 300, Femme actuelle 279, TV magazine (Le Figaro) 279, Les Échos 275, L'Expansion 273, Télé-Poche 269, Le Nouvel Économiste 228, Télérama 219, V.S.D. 206, Libération 204, Usine nouvelle 193, Le Parisien 184, France-Soir 180, Prima 168, L'Équipe 165, Modes & Travaux 161, La Vie française 159, Télé Loisirs 157, L'Événement du jeudi 131.

Prix de la page (en milliers de F, H.T., en 1991)

• **Quotidiens.** *La Croix* 49 (recto), 42 (verso). *L'Équipe* 155 (p. rubriques), 275 (lundi, samedi). *Le Figaro* 386 (p. int.). *France-Soir* 235 (p. int.). *L'Humanité* 45,10 F (le mm, p. int.). *Herald Tribune* 65 F (le mm, tarif de base). *Libération* 104,6 (p. int.). *Médiasud* 60 (le mm info. gén.). *Le Monde* 357 (p. int., 5-7-9-11). *Ouest France* (I.-et-V.) 115 F [2] (le mm en semaine). *Le Parisien* 185 (p. recto). *Le Quotidien de Paris* 46,5 (recto). *Sud-Ouest* (Gironde) 50 (page int.). *Le Progrès* (Rhône) 530 F [1] (p. int., au mm, dim. + 1 j.). *La Voix du Nord* 50 F (au mm, p. int., info. rég.).

Page la plus chère. Page 4 de couverture en quadrichromie du magazine américain *Parade* (tirage 33,2 millions/semaine) : 436 000 $ en janv. 1989.

• **Périodiques.** Prix d'une page, format utile, noir et blanc (1er chiffre) ; en 4 couleurs (entre parenthèses). *Chasseur Français* 69,5 (113,4). *Connaissance des Arts* (34,2). *Elle* 85 (126,7). *L'Expansion* 76 (117,6). *L'Express* 111,3 (178,8). *France Dimanche* 68 (95). *Historia* 22,9 (34,5). *L'Humanité Dimanche* 74,4 (107,2). *Intimité* 36,5 (54,7) [2]. *Journal de la Maison* 40,1 (64). *Jours de France* 56 (81) [1]. *Lui* (éd. nat.) 59,3 (95). *Marie-Claire* 96 (164). *Marie-France* 68 (128).

• **Presse des jeunes.** Prix d'une page noire format utile et d'une page quadri. : *A suivre* 14,5 (21) [1]. *OK !* 35,1 (55,5). *Pilote* 13 [1]. *Podium Hit.* 37,4 (57,8). *Rock and Folk* 23,1 (34,6).

• **Bottin mondain** (1988, en F). Débuts de chapitres : 19 530 (noir), 24 800 (quadri.) ; corps de chapitres : 14 250 (noir), 20 002 (quadri.) ; 1/2 page : 8 150 (noir), 12 000 (quadri.) ; 1/4 page : 4 365 (noir).

Nota. – (1) 1989. (2) 1990.

Radio

• **Formes diverses.** *Communiqués* (textes courts en général) 30 s et 120 mots au max. *Minutes publicitaires, concerts entrecoupés de publicité, programmes sponsorisés.* Pour éviter la saturation, le temps accordé à la publicité est limité (ex. sur RTL, pas plus de 7 minutes de publicité par 1/2 h).

• **Statistiques globales.** 521 349 messages publicitaires ont été diffusés en 1990 par Europe 1, Nostalgie, NRJ, RTL, RMC, Sud Radio + WIT FM dont en % : édition information média 25,64, distribution 13,06, industrie du transport 10,93, sanitaire décoration ameublement 9,84, services 7,9, boissons 5,86, alimentation 4,19, enseignement formation 0,15.

Publicité radio en %, en volume et, entre parenthèses, **en recettes publicitaires.** Europe 1 : 26 (30), RTL : 22 (35), RMC : 22 (15), NRJ : 13 (14), Nostalgie : 10 (5), Sud + WIT FM 7 (2). *Source* : SECODIP 1990.

Radios locales. C.A. de 583 stations FM : estimations 89 : 1 500 millions de F. *Source* : A.A.C.

Revenus publicitaires (en millions de F, en 1990). RTL 2 215,2, Europe 1 1 888,3, RMC 916,9, NRJ 865,6, Sud + WIT FM 122,2.

• **Tarifs H.T.** (en milliers de F). **Publicité de messages de marques** : *30 s en semaine* selon l'heure.

Europe 1 (1991). *5/6* : 0,9 à 1,2. *6/6.30* : 11,5 à 14,2. *6.30/9* : 49,7 à 59,7. *9/12* : 15 à 20. *12/13.30* : 20 à 25. *13.30/18* : 2,5 à 3,5. *18/19.30* : 12 à 14,5. *19.30/20* : 5 à 6,5. *20/22.30* : 0,9 à 1,3. *22.30/23* : 3,5 à 4,5. *23/24* : 0,5 à 0,6.

France-Inter (1991). *5/6* : 1. *6/6.30* : 5,4. *6.30/7* : 26. *7/9* : 39. *9/10* : 20. *10/12* : 9,7. *12/14* : 15,3. *14/17* : 1,6. *17/17.30* : 3,9. *17.30/18.30* : 5,5. *18.30/20* : 12. *20/20.30* : 7,5.

Radio France International (1990). *Avant 7.30* : 4,9. *7.30/9* : 3,57. *9/12* : 1,94. *12/14* : 2,66. *14/17* : 1,82. *17/19* : 3,68. *19/21* : 4,9. *Après 21* : 1,45.

R.T.L. (1991). *5/6* : 2,1 à 2,5. *6/6.30* : 15 à 16. *6.30/7* : 44 à 51,5. *7/9* : 54 à 63. *9/11* : 30 à 35. *11/13* : 33 à 38. *13/14* : 15,5 à 18. *14/16.30* : 6,5 à 7,7. *16.30/18* : 18 à 21. *18/19* : 17 à 20. *19/20.30* : 5,5 à 7,1. *20.30/24* : 2 à 2,6.

Sud + WIT FM (1991). *5/6* : 0,4 à 0,45. *6/6.30* : 1,7 à 1,9. *6.30/7* : 5,3 à 6. *7/9* : 7 à 7,7. *9/12* : 4,7 à 5,3. *12/16* : 1,6 à 1,8. *16/19* : 2,7 à 3. *19/20* : 1,2 à 1,3. *20/24* : 0,2 à 0,25.

Télévision

Publicité « télé » en France

• **Formes. Publicité « compensée » :** 1re admise [collective pour groupes de produits ou organismes officiels (Loterie nationale, Caisse d'épargne, etc.)]. **De marques** introduite sur la *1re chaîne* 1968 (1-10), *2e* 1971 (1-1), *3e* 1983 (1-1).

• **Films publicitaires diffusés sur les 6 chaînes** (1988). 1 810 dont : reprises de l'année précédente 410, tournés à l'étranger 350.

Spots publicitaires (1990). 252 164 dont *TF1* : 73 332 (428 h), *La 5* : 66 312 (388 h), *A2* : 42 665 (248 h), *M6* : 33 726 (220 h), *FR3* : 22 869 (128 h), *Canal +* : 13 260 (75 h).

• **Taxe sur la pub. télévisée** (du 1-1-82 au 1-1-1984, except. œuvres reconnues d'utilité publique). 10 à 420 F par message ; produit estimé : 70 millions de F, pour financer l'aide aux quotidiens nationaux aux faibles ressources publ.

• **Temps moyen (par jour) de diffusion de publicité (marque + collective).** *1990* : *TF1* 1 h 10 min 22 s. *La 5* 1 h 03 min 47 s. *A2* 40 min 57 s. *M6* 36 min 09 s. *FR3* 21 min 05 s. *C+* 12 min 27 s.

• **Temps autorisé max. (par h).** TF1, A2, Cinq, M6 : 12 min ; FR3 10 min ; Télé. locales 9 min. *Moyenne quotidienne par h.* 6 min. *Coupures de films de cinéma* : Cinq 6 min ; M6 4 min 30 s.

Durée totale parrainage et, entre parenthèses, **publicité classique** (1989). *TF1* : 146 h 50 (343 h 02), *A2* : 44 h 12 (230 h 37). *FR3* : 31 h 24 (70 h 06), *Canal +* : 37 h 57 (72 h 18), *La 5* : 102 h 05 (444 h 52), *M6* : 43 h 53 (114 h 59). *Total* : 406 h 23 (1 285 h 54).

Principaux sponsors (1989). UAP 20 h 47, Crédit Lyonnais 12 h 44, Conforama 11 h 18, Bouey & Fils (Télé 7) 11 h 03, Coca-Cola 10 h 25, Orangina 9 h 54, Éditions mondiales 9 h 54, Uti Horlogerie (Seiko) 9 h 09, Edi 7 8 h 21, Darty 7 h 35, Europe 1 7 h 19, Suchard-Tobler Chocolat 6 h 51, Télé Star 5 h 51, AGF 5 h 39.

• **Secteurs interdits de publicité sur les chaînes de télévision publiques** (en vertu de leur cahier des charges), **privées nationales et locales** (décret du 26-1-1987), **réseaux câblés** (décret du 28-9-1987). Edition. Cinéma. Presse. Distribution (entreprises de distribution comme Casino, ED, Nouvelles Galeries qui ont des activités de fabricants mais réalisent la majorité de leur chiffre de vente par la vente de produits d'autres marques n'ont pas accès à la publicité télévisée). Alcool. Dep. mai 1988 la publicité pour l'édition musicale, phonographique et pour les partitions musicales est autorisée. L'interdiction de l'édition littéraire et du cinéma repose sur le désir de favoriser la diversité dans ces secteurs et de ne pas privilégier les entreprises disposant de moyens financiers les plus importants. La distribution est interdite parce que ce secteur finance plus de 80 % de la presse quotidienne régionale et pour protéger le petit commerce qui n'a pas les moyens de s'offrir des campagnes publicitaires.

Recettes publicitaires (en millions de F, en 1990). TF1 7 153,6, La 5 2 301,6, A2 2 022,8, M6 1 048,2, FR3 910,8, C+ 336,6.

• **Audience. Durée d'écoute quotidienne par individu (en min) et,** entre parenthèses, **% de l'écoute totale en 1990.** *TF1* : 78 (43,3), *A2* : 40 (22,2), *La Cinq* : 22 (12,2), *FR3* : 20 (11,1), *M6* : 13 (7,2), *Canal +* : 7 (3,9). Total 180.

Contrôle. Dispositif installé dans + de 3 000 foyers représentatifs dont Médiamat + de 2 000, Nielsen + de 1 000.

Comparaisons internationales

Durée max. en min., de la publicité par jour sur les télévisions nationales. All. féd. : *Z.D.F.* 20, *A.R.D.* 20. **Autriche :** *O.R.F. 1* 20. **Belg./Lux. :** *R.T.L.* 68. **Canada :** 12 min/h (pour toutes les stations). **Espagne :** *T.V.E. 1* 57, *T.V.E. 2* 42. **Finlande :** *M.T.V. 1* 16, *M.T.V. 2* 9. **France :** *T.F. 1* 18, *A. 2* 18, *F.R. 3 (à partir du 1-1-83)* 18. **G.-B. :** *I.T.V.* 90, *4ᵉ ch.* 50. **Grèce :** *E.R.T.* 35, *Y.E.N.E.D.* 75. **Irlande :** *R.T.E. 1* 58, *R.T.E. 2* 25. **Italie :** *R.A.I. 1* 28, *R.A.I. 2* 34, *R.A.I. 3* 4, *T.V. privée* 15 %/h. **P.-Bas :** *P.-Bas 1* 21, *P.-Bas 2* 15 ; durée max. autorisée par sem. : 6 h. **Portugal :** *R.T.P. 1* 90, *R.T.P. 2* 45. **Suisse :** *S.R.G. (allemande)* 23, *S.S.R. (italienne)* 23, *S.S.R. (française)* 23.

Pas de publicité : Belgique (publicité commerciale interdite sur R.T.B.F.), **G.-B.** (B.B.C.), **Japon** (N.H.K.), U.R.S.S.

Coût de la publicité à la télévision aux U.S.A. *Message de 30 s sur un grand réseau :* 70 000 à 270 000 $, moyenne 118 840 (CBS 120 700, NBC 118 100, ABC 117 700), *sur une T.V. indépendante :* de 10 à 15 000 $. **Message radio** 1 $ (petites villes) à 300 $ ou +.

Nouveaux films réalisés (1988). U.S.A. 35 000, Japon 11 000, G.-B. 7 000, Brésil 2 500, Italie 2 000, All. Féd. 1 800, Espagne 1 300, *France 1 100.* **Durée** 51 % de 20 à 30 s., 3 % + de 1 min.

Médiamat : audimètres (chaque membre de la famille possède une touche attitrée communiquant directement au dispositif sa tranche d'âge et sa qualité). Toutes les nuits (entre 3 et 5 h) le centre informatique de médiamétrie recueille les informations données par le réseau téléphonique. *Nielsen :* audimètres à bouton-pressoir.

Proportion de téléspectateurs regardant les spots TV. Interruption de film : 75 % regardent la publicité, dont 52 % ne font que cela, 43 % ont une activité parallèle, 9 % feuillettent un journal, 8 % cousent, tricotent, repassent ou bricolent, 6 % mangent ou bavardent, 3 % font le ménage, préparent le repas ou desservent la table, 2 % travaillent, écrivent ou jouent, 10 % font du zapping.

Coût du 1 % « individus » (1 point « individus 15 ans et + » = 427 000 individus Médiamétrie) en 1990, en F. C+ : 26 435. La 5 : 23 357. M6 : 21 176. TF1 : 15 077. A2 : 13 702. FR3 : 12 103.

Écran le plus cher (spot de 30 s, en milliers de F, en 1990). TF1, dimanche 21 h 30 : 470. A2, mardi 20 h 30 : 293. La 5, dimanche 21 h 35 : 210. FR3, lundi 20 h 35 : 150. M6, lundi et jeudi 21 h 15 : 100. C+, samedi 20 h 15 : 62.

Tarifs hors taxe (en milliers de F, 1991)

☞ *Légende :* heures de diffusion en italique.

TF1 (messages de 30 s). *Du lundi au vendredi. 6.30 :* 1 ; *7.10 :* 1,5 ; *7.20 :* 20 ; *7.40 :* 32 ; *8.00 :* 45 ; *8.30 :* 16 ; *9.00 :* 5 ; *9.30 :* 5 ; *10.00 :* 5 ; *10.30 :* 5 ; *11.00 :* 3 ; *11.30 :* 5 ; *11.40 :* 5 ; *12.00 :* 30 ; *12.30 :* 123 ; *13.00 :* 165 ; *13.30 :* 95 ; *14.10 :* 75 ; *14.30 :* 55 ; *15.00 :* 50 ; *15.30 :* 50 ; *16.00 :* 50 ; *16.10 :* 30 ; *16.30 :* 30 ; *17.00 :* 20 ; *17.20 :* 35 ; *17.30 :* 35 ; *17.40 :* 40 ; *18.10 :* 90 ; *18.40 :* 120 ; *19.10 :* 230 ; *19.30 :* 190 ; *20.00 :* 350 ; *20.30 :* 385 ; *20.31 :* 360 ; *20.40 :* 365 ; *20.41 :* 320 ; *21.20 :* 320 ; *21.21 :* 350 ; *21.40 :* 330 ; *21.50 :* 330. *21.51 :* 320 ; *22.30 :* 200 ; *22.31 :* 200 ; *23.00 :* 150 ; *23.01 :* 140 ; *23.10 :* 140 ; *23.30 :* 35 ; *23.31 :* 40 ; *23.40 :* 25 ; *24.00 :* 18 ; *24.10 :* 10 ; *24.20 :* 10 ; *24.30 :* 2 ; *24.40 :* 2 ; *24.50 :* 2 ; *25.40 :* 1,5. *Samedi/Dimanche. 6.30 :* 1/1 ; *7.10 :* 1,5/1 ; *7.20 :* 1,5/1 ; *7.30 :* 5/2 ; *7.40 :* 5/2 ; *8.00 :* 10/15 ; *8.30 :* 10/35 ; *9.00 :* 15/60 ; *9.30 :* 25/70 ; *10.00 :* 25/40 ; *10.30 :* 15/40 ; *11.00 :* 5/40 ; *11.30 :* 5/50 ; *11.40 :* 10/70 ; *12.00 :* 30/80 ; *12.30 :* 120/120 ; *13.00 :* 175/185 ; *13.30 :* 200/215 ; *13.50 :* 145/215 ; *14.10 :* 115/215 ; *14.20 :* 115/170 ; *14.30 :* 100/170 ; *14.50 :* 100/220 ; *15.00 :* 115/220 ; *15.10 :* 115/170 ; *15.30 :* 95/150 ; *16.00 :* 90/130 ; *16.10 :* 90/130 ; *16.30 :* 110/90 ; *17.00 :* 85/75 ; *17.20 :* 85/75 ; *17.30 :* 60/80 ; *17.40 :* 60/80 ; *18.00 :* 60/115 ; *18.10 :* 60/115 ; *18.30 :* 65/160 ; *18.40 :* 100/160 ; *19.00 :* 100/145 ; *19.20 :* 100/210 ; *19.30 :* 160/210 ; *20.00 :* 250/260 ; *20.30 :* 370/400 ; *20.31 :* 390/400 ; *20.32 :* 440/400 ; *20.40 :* 420/440 ; *20.41 :* 430/440 ; *20.42 :* 455/440 ; *21.20 :* 460/440 ; *21.21 :* 480/440 ; *21.32 :* 480/440 ; *21.40 :* 480/480 ; *21.50 :* 500/480 ; *21.51 :* 510/480 ; *22.30 :* 230/290 ; *22.32 :* 230/290 ; *23.00 :* 230/190 ; *23.02 :* 230/190 ; *23.30 :* 120/90 ; *23.40 :* 120/40 ; *23.50 :* 120/40 ; *23.52 :* 120/40 ; *24.00 :* 120/40 ; *24.10 :* 120/25 ; *24.20 :* 120/5 ; *24.30 :* 30/5 ; *24.40 :* 5/5 ; *24.50 :* 5/5.

Antenne 2 (messages de 30 s). *Lundi et, entre parenthèses, samedi/dimanche. 7 :* 16. *7.30 :* 19. *7.55 :* (–/5)[1]. *8 :* (5/–). *8.35 :* 20 (–/6)[1]. *8.45 :* (–/5)[1]. *8.50 :* (10/–)[2]. *9 :* 7. *9.30 :* (10/–)[2]. *10.05 :* 5 (10/–)[2]. *10.15 :* (10/–)[2]. *11.05 :* 5. *11.10 :* (10/–)[2]. *11.25 :* 10. *12.05 :* 11,6 (22/30). *12.30 :* 48,6. *12.55 :* 69 (32/41,6). *13.15 :* (40/–)[2]. *13.20 :* (34/55). *13.35 :* 60,9. *13.40 :* 54,3. *14.15 :* 25 (45/–)[2]. *14.45 :* 15 (–/100)[1]. *16.30 :* (30/70). *17 :* (30/–)[2]. *17.05 :* 12,5. *17.30 :* 15 (15/60). *17.45 :* (45/–)[2]. *18 :* 25. *18.15 :* 31,1 (25/–)[2]. *18.40 :* (–/100)[1]. *18.55 :* 28. *19 :* (34/–)[2]. *19.20 :* 70. *19.30 :* (44/104). *19.35 :* 70. *19.55 :* 76 (53,3/146). *20.25 :* 200 (323/230). *20.30 :* 200 (178/220). *22.15 :* 64 (75/56). *23.10 :* 18. *23.15 :* (20/10). *23.40 :* 11 (15/5).

Nota. – (1) Pas de publicité à cette heure le samedi. (2) le dimanche.

FR3 (messages de 30 s). *Lundi. 7.00 :* 8 ; *7. 45 :* 8 ; *8.00 :* 8 ; *8.45 :* 8 ; *9.00 :* 8 ; *9.15 :* 8 ; *10.00 :* 8 ; *10.15 :* 8 ; *11.00 :* 8 ; *11.30 :* 8 ; *12.00 :* 8 ; 12.30 : 10 ; *12.45 :* 10 ; *13.00 :* 8 ; *14.00 :* 8 ; *15.00 :* 8 ; *16.00 :* 8 ; *17.00 :* 8 ; *17.30 :* 10 ; *17.45 :* 16 ; *18.15 :* 15 ; *18.30 :* 20 ; *19.00 :* 37 ; *19.15 :* 80 ; *19.30 :* 80 ; *20.00 :* 100 ; *20.20 :* 100 ; *20.35 :* 130 ; *20.37 :* 130 ; *21.30 :* 130 ; *22.15 :* 60 ; *22.30 :* 25 ; *23.30 :* 25 ; *23.45 :* 25 ; *24.00 :* 10 ; *24.15 :* 10 ; *24.30 :* 10. *Samedi/Dimanche. 7.00 :* 8/8 ; *7.15 :* 8/8 ; *7.30 :* 10/10 ; *7.45 :* 10/10 ; *8.00 :* 10/10 ; *8.45 :* 10/10 ; *9.00 :* 10/10 ; *9.15 :* 10/10 ; *10.00 :* 10/10 ; *10.30 :* 8/10 ; *11.00 :* 8/8 ; *12.00 :* 10/8 ; *12.30 :* 10/8 ; *12.45 :* 10/8 ; *13.00 :* 8/8. *13.30 :* 8/8. *14.00 :* 8/8 ; *14.45 :* 8/8 ; *15.00 :* 8/8 ; *16.00 :* 8/8 ; 17.00 : 8/10 ; *17.30 :* 8/20 ; *18.00 :* 20/20 ; *18.30 :* 60/40 ; *19.00 :* 60/60 ; *19.15 :* 60/60 ; *19.30 :* 60/60 ; *19.50 :* 60/85 ; *20.00 :* 60/85 ; *20.20 :* 60/65 ; *20.35 :* 60/65 ; *20.40 :* 60/65 ; *21.30 :* 60/30 ; *22.00 :* 60/15 ; *22.15 :* 60/15 ; *22.30 :* 10/15 ; *23.45 :* 8/8 ; *24.00 :* 8/7 ; *24.30 :* 6/7 ; *24.45 :* 6/7 ; *0.15 :* 6/7.

Canal + (messages de 30 s). *Lundi. 7.10 :* 8 ; *7.20 :* 8 ; *7.55 :* 4 ; *12.40 :* 14 ; *13.00 :* 14 ; *13.20 :* 14 ; *18.30 :* 10 ; *18.40 :* 12 ; *18.50 :* 16 ; *19.05 :* 30 ; *19.20 :* 30 ; *19.40 :* 45 ; *19.50 :* 50 ; *20.05 :* 55 ; *20.20 :* 45 ; *20.30 :* 45 ; *20.45 :* 55. *Samedi. 7.10 :* 8 ; *7.20 :* 8 ; *7.40 :* 4 ; *13.00 :* 18 ; *18.40 :* 17 ; *18.40 :* 34 (en clair) ; *19.05 :* 35 ; *19.30 :* 45 ; *19.45 :* 65 ; *20.15 :* 85 ; *20.30 :* 60. *Dimanche. 7.10 :* 8 ; *7.20 :* 8 ; *12.50 :* 18 ; *13.15 :* 18 ; *13.30 :* 17 ; *13.45 :* 17 ; *20.00 :* 60 ; *20.15 :* 60 ; *20.30 :* 55.

La Cinq (messages de 30 s). *Lundi. 7.25 :* 5 ; *7.30 :* 5 ; *7.45 :* 14 ; *7.50 :* 14, 5 ; *8.15 :* 19 ; *8.20 :* 19 ; *8.40 :* 11 ; *8.45 :* 11 ; *9.00 :* 5 ; *9.20 :* 5 ; *10.05 :* 5 ; *10.30 :* 7 ; *11.00 :* 7 ; *11.30 :* 5 ; *11.50 :* 5 ; *12.00 :* 5 ; *12.30 :* 5 ; *12.45 :* 9 ; *13.00 :* 12 ; *13.15 :* 14 ; *13.30 :* 24 ; *14.10 :* 35 ; *14.30 :* 27 ; *15.00 :* 24 ; *15.25 :* 22 ; *16.00 :* 25 ; *16.30 :* 17 ; *16.35 :* 17 ; *16.55 :* 18 ; *17.00 :* 18 ; *17.05 :* 30 ; *17.10 :* 30 ; *17.20 :* 40 ; *17.25 :* 40 ; *17.50 :* 50 ; *17.55 :* 50 ; *18.00 :* 43 ; *18.05 :* 43 ; *18.25 :* 37 ; *18.30 :* 37 ; *18.50 :* 15 ; *19.10 :* 20 ; *19.20 :* 35 ; *19.40 :* 24 ; *20.30 :* 60 ; *20.45 :* 101 ; *21.35 :* 130 ; *22.20 :* 48 ; *22.50 :* 55 ; *23.25 :* 17 ; *23.40 :* 15 ; *23.55 :* 11 ; *24.10 :* 11 ; *24.50 :* 8 ; *0.10 :* 5. *Samedi/Dimanche. 7.25 :* 5/10 ; *7.45 :* 22/10 ; *8.15 :* 39,5/10,5 ; *8.40 :* 29,5/14,5 ; *9.00 :* 5,5/13 ; *9.20 :* 10/20,5 ; *9.40 :* 10/23,5 ; *10.05 :* 7/29 ; *10.15 :* 7/30 ; *10.30 :* 5,5/30 ; *10.45 :* 5,5/30 ; *11.00 :* 5,5/15 ; *11.30 :* 5,5/18,5 ; *11.45 :* 5,5/18,5 ; *12.00 :* 5,5/20 ; *12.30 :* 14/31 ; *12.45 :* 20/31 ; *13.00 :* 20/25 ; *13.30 :* 20/28 ; *14.10 :* 35,5/28 ; *14.30 :* 25/30 ; *15.00 :* 20/30 ; *15.25 :* 18,5/17 ; *16.00 :* 21/17 ; *16.30 :* 17/17 ; *16.55 :* 17/20,5 ; *17.05 :* 28/20 ; *17.20 :* 25,5/34 ; *17.50 :* 20/34 ; *18.00 :* 20/25,5 ; *18.25 :* 20/41,5 ; *18.50 :* 25,5/43 ; *19.00 :* 30,5/60 ; *19.30 :* 49/114 ; *19.40 :* 41/65 ; *20.30 :* 55/92 ; *20.45 :* 60/180 ; *21.35 :* 65/220 ; *22.20 :* 62/52 ; *22.50 :* 58/45 ; *23.25 :* 35/45 ; *23.40 :* 24/45 ; *24.10 :* 24/13 ; *24.30 :* 16/13 ; *24.50 :* 16/8,5 ; *0.10 :* 16/5.

M6 (messages de 30 s). *Lundi. 7 :* 5 ; *7.45 :* 5 ; *8 :* 5 ; *8.30 :* 5 ; *9 :* 5 ; *9.30 :* 5 ; *10 :* 5 ; *11.15 :* 5 ; *11.55 :* 10 ; *12.15 :* 15 ; *12.30 :* 24 ; *12.50 :* 28 ; *13.15 :* 34 ; *13.40 :* 30 ; *14 :* 20 ; *14.30 :* 20 ; *15 :* 10 ; *15.30 :* 10 ; *16 :* 10 ; *16.15 :* 10 ; *16.45 :* 10 ; *17 :* 15 ; *17.30 :* 20 ; *17.55 :* 20 ; *18.05 :* 20 ; *18.30 :* 20 ; *18.45 :* 20 ; *19.10 :* 28 ; *19.30 :* 40 ; *19.50 :* 64 ; *20.05 :* 82 ; *20.15 :* 90 ; *20.30 :* 96 ; *21.15 :* 110 ; *22 :* 50 ; *22.30 :* 42 ; *23 :* 24 ; *23.15 :* 24 ; *23.30 :* 20 ; *0 :* 10 ; *0.15 :* 10 ; *1 :* 5. *Samedi/Dimanche. 7 :* 10/10 ; *7.45 :* 10/10 ; *8 :* 10/10 ; *9 :* 10/10 ; *9.30 :* 10/10 ; *10 :* 10/10 ; *11.15 :* 10/10 ; *11.55 :* 10/10 ; *12.15 :* 20/20 ; *12.30 :* 20/20 ; *12.50 :* 28/28 ; *13.15 :* 34/30 ; *13.40 :* 32/30 ; *14 :* 20/20 ; *14.30 :* 20/20 ; *15 :* 15/15 ; *15.30 :* 15/15 ; *16 :* 15/15 ; *16.15 :* 15/15 ; *16.45 :* 15/15 ; *17 :* 15/15 ; *17.30 :* 20/20 ; *17.55 :* 20/25 ; *18.05 :* 25/25 ; *18.30 :* 30/30 ; *18.45 :* 30/30 ; *19 :* 34/40 ; *19.10 :* 34/40 ; *19.15 :* 34/40 ; *19.30 :* 50/40 ; *19.45 :* 55/40 ; *19.50 :* 68/66 ; *20.05 :* 68/74 ; *20.15 :* 74/80 ; *20.30 :* 60/84 ; *20.35 :* 60/84 ; *21.15 :* 56/70 ; *22 :* 36/42 ; *22.15 :* 30/30 ; *22.30 :* 34/30 ; *23 :* 40/40 ; *23.15 :* 40/40 ; *23.30 :* 20/40 ; *0 :* 10/10 ; *0.15 :* 10/10 ; *1 :* 5/5.

Abattements tarifaires. *Exemples :* **TF1** (en 1990) : – 20 % du 1 au 7-1, – 15 % du 8 au 14-1, – 5 % du 30-4 au 1-6, – 10 % du 2 au 29-6, – 30 % du 30-6 au 13-7, – 50 % du 14-7 au 26-8, – 20 % du 27-8 au 2-9, – 15 % du 17-12 au 23-12, – 20 % du 24 au 31-12. **Antenne 2 :** – 10 % en janv. ; – 20 % en juil.-août. *Emplacement préférentiel et ordre de passage :* + 15 %.

RTL-Lorraine (oct. 90). *Ex. de tarifs :* messages (30 s) vidéo ou filmés. Prix de location de l'antenne (hors frais de réalisation des spots publicitaires). En semaine, *écran de 21 h 15 :* 14 ; le sam. 8 et le dim. : 8.

Publicité directe

Par fichier-adresses. Coût d'envoi du message (achat de l'adresse, confection de la lettre, routage, manutention) 1 F et + sans mettre d'adresse. **Par dépôt.** Nombre max. d'adresses d'un fichier commercialement exploitable : 4 millions. Seules la radiotélévision nationale et l'EDF possèdent des fichiers (non négociables) plus vastes (jusqu'à 12 millions).

Radiodiffusion et télévision dans le monde

Technique

Ondes

● **Caractéristique. Vitesse de propagation.** Env. 300 000 km/s. Fréquence X longueur d'onde = vitesse de propagation, habituellement exprimée ainsi : f (en Hz) X λ (en km) = c (km/s). $\lambda = \frac{c}{f}$.

Un signal radio de fréquence 100 MHz (c'est-à-dire 100 millions de Hz) a une longueur d'onde de :

$$\lambda = \frac{300\ 000\ \text{(km/s, vitesse de la lumière)}}{100\ 000\ 000}$$

= 0,003 km, soit 3 m.

Dans un câble en cuivre, la vitesse est plus faible que dans le vide ; la longueur d'onde sera plus petite car $\lambda = \frac{V}{F}$; quand un signal de fréquence donnée se propage dans des milieux différents (où la vitesse de propagation est différente), la fréquence du signal ne change pas, mais sa longueur d'onde. La longueur d'onde donne une indication sur l'ordre de grandeur de la longueur des antennes émission ou réception à utiliser.

Réflexion. Les ondes se réfléchissent sur les couches ionisées de l'atmosphère : couches D (à 75 km d'altitude) et E (à 100 km) le jour seulement ; couche F entre 150 et 400 km de jour et de nuit. *O. très longues ou VLF (very low frequency) et longues ou LF (low frequency) :* se réfléchissent sur la couche la plus basse. *O. moyennes (MF : medium frequency) :* ne se réfléchissent pas le jour, seule l'o. de surface est utilisée ; la nuit, se réfléchissent sur la couche F, leur portée croît considérablement. *O. courtes (HF : high frequency) :* se réfléchissent de jour et de nuit sur la couche F. *O. métriques (VHF : very high frequency), décimétriques (UHF : ultra high frequency) et centimétriques (SHF : super high frequency) :* traversent l'ionosphère sans se réfléchir.

Fréquence (en mégahertz) et **longueur d'onde** (en mètres). *Radiodiffusion :* grandes ondes 0,1 à 0,375 MHz, (3 000 à 800 m) ; petites 0,375 à 3 MHz (800 à 100 m). *Radiodiffusion et communications radiotéléphoniques :* O. courtes 3 à 30 MHz (100 à 10 m). *Télévision :* 30 à 300 MHz (10 à 1 m).

Télévision et radar : 300 à 3 000 MHz (1 à 0,1 m). *Radar et communications téléphoniques interurbaines :* 3 000 à 30 000 MHz (0,10 à 0,01 m).

● **Bandes de fréquence attribuées à la télévision.** *Plan de Stockholm (1952) : I* 7,31 à 4,41 m, 41 à 68 MHz ; *II* 1,85 à 1,39 m (162 à 216 MHz). *Plan de 1961 : IV/V* 63,8 à 31,2 cm (470 à 960 MHz). La gamme des ondes centimétriques est utilisée par les satellites de télécommunication régionaux ou transcontinentaux. En 1977, l'UIT a planifié la bande 11,7 à 12,5 GH pour la radiodiffusion par satellite dans les régions I (Eur. et Afr.) et II (Asie).

Attribution en France. *LF (ou LW) [ondes longues kilométriques (148,5 kHz, 283,5 kHz)] :* modulation d'amplitude (AM). *MF (ou MW)[ondes moyennes* *nectométriques (526,5 kHz, 1 606,5 kHz)] :* AM. *HF (ou SW) [ondes courtes décamétriques (5 950 kHz, 21 100 kHz)] :* AM service international. *VHF (ondes métriques) :* télévision bande I, Canal +, 47 à 68 MHz ; *radio MF* (modulation de fréquence) 87,5 à 10 MHz ; télé bande II 174 à 223 MHz ; télé bande III (partagée avec « service mobile terrestre »), Canal +. *UHF [ondes décimétriques (470 MHz, 854 MHz)]* télé bande IV et V, Canal 5 et TV 6. *SHF [ondes centimétriques (11,7 à 12,5 GHz)] :* TV et radio par satellite. *Ondes millimétriques (40,5 à 42,5 GHz) :* TV par satellite à terme (vers an 2000).

Le spectre des fréquences radio est entre 9 kHz et 400 GHz, partagé, selon le Règlement de Radiocommunication annexé à la Convention internationale des Télécom., entre 37 services de radiocommunication civils ou militaires, dont 19 « de Terre » et 18 « spatiaux », dont : *Services fixes* (ex. : liaisons par faisceaux hertziens) ; *mobiles : terrestres* (ex. : radiotéléphone, radio-taxi, pompiers, police, etc.) ; *maritimes* (ex. : liaisons téléphoniques entre navires ou entre navires et la côte, signaux de détresse) ; *par satellite* (ex. : liaisons avec sondes spatiales). *Radionavigation : maritime* (ex. : service des phares et balises, pilotage dans ports ou estuaires) ; *aéronautique* (ex. : relevé des points, atterrissage aux instruments). *Radiolocalisation et radiodétection* (ex. : radars de ports et d'aéroports, radars embarqués, suivis d'un vaisseau spatial). *Radiométéorologie. Radioamateurs. Radiodiffusion.*

• **Canal.** Petite bande de fréquences assignée à une émission. Les bandes IV et V de télévision ont été divisées en 48 canaux de 8 MHz, numérotés de 21 à 68 ; les programmes de TF1, A2 et FR3 émis de la tour Eiffel occupent les canaux 25, 22 et 28, la 5 canal 30, la 6 canal 33.

Réseaux français

Ondes métriques, décimétriques ou centimétriques se propageant uniquement en ligne directe (il n'y a pas de réflexion sur la couche ionisée de l'atmosphère), le récepteur doit être « en vue » de l'émetteur, 2 réseaux ont été mis sur pied :

I. Réseau hertzien terrestre

Les émetteurs sont placés dans les endroits les plus élevés possible pour étendre au maximum leur portée (ex. : Pic du Midi de Bigorre 2 888 m, Puy de Dôme 1 465 m, Aiguille du Midi 3 842 m). Le centre de Romainville (près de Paris) assure la coordination.

• **Émetteur.** **Sources sonores :** disques, magnétophones, microphones (le son ou onde acoustique est transformé en impulsion électrique de très faible énergie dans un microphone). Modulation d'amplitude (l'impulsion modifie l'amplitude de l'onde électromagnétique porteuse). **Procédés d'émission :** mod. de fréquence : elle modifie son nombre d'oscillations par seconde. Un circuit oscillant (formé d'un condensateur et d'une bobine), en résonance avec l'onde qui le parcourt, diffuse l'onde par l'antenne. Un transistor ou un tube à vide compense les pertes d'énergie et permet un fonctionnement permanent.

• **Récepteur.** Son **antenne** capte les ondes émises. En modifiant les caractéristiques d'un circuit oscillant, on fait varier la fréquence (et la longueur d'onde) du courant électrique de résonance et on sélectionne ainsi les ondes d'une station émettrice. Puis le circuit de démodulation sépare les oscillations de fréquences audibles, des ondes porteuses à haute fréquence. L'**amplificateur** (transistor ou tube) alimenté par la tension du secteur augmente l'amplitude des ondes audibles. Le **haut-parleur** transforme les oscillations électromagnétiques en sons.

• **Nombre d'émetteurs et réémetteurs** (au 1-1-1986), en France métropolitaine.

Radio-France. Émissions à modulation de fréquence : 350 ém. principaux et 431 réém., radios locales autorisées, 1 486 stations. **En modulation d'amplitude :** *réseau A,* 1 ém. à ondes kilométriques (o. longues) à Allouis (Cher) rayon 300 à 400 km, suivant conditions géographiques ou géologiques, 12 ém. à ondes hectométriques (o. moyennes) à la périphérie du territoire (diffusent France Inter avec à certaines h. des « décrochages » par rapport au programme en modulation de fréquence). *Réseau B,* 20 ém. à ondes hectométriques diffusent Radio Bleue matin en semaine, France Culture le reste du temps.

Radios périphériques. Dotées chacune, pour une partie du territoire français, de fréquences en bande II (mod. de fréquence), en ondes kilom. (Luxembourg, Europe 1, Radio Monte-Carlo) et une station en ondes hecto. (Sud Radio, en Andorre).

Télévision (au 1-1-1986). *Stations* 8 850 pour les 3 chaînes (TF1, A2, FR3) (340 émetteurs principaux et 8 510 réémetteurs). 102 pour Canal Plus (55 émetteurs principaux et 47 réémetteurs).

II. Liaisons par satellites

• **Satellites de transmission.** **1re génération :** utilisés comme réflecteurs d'ondes, ils ne peuvent assurer les liaisons qu'à temps partiel au moment où ils sont en visibilité simultanée des stations à relier. Ils nécessitent au sol des installations coûteuses et un personnel très qualifié (la puissance des signaux d'un sat. recueillis au sol est d'environ 1 millionième de 1 millionième de watt). 18-12-58 Score (U.S.A.), altitude 185 à 1 492 km. 12-8-60 Echo I (U.S.A.), 598 à 1 691 km. 4-10-60 Courrier IB (U.S.A.). 10-7-62 Telstar (U.S.A.), 952 à 5 634 km, spécialisé dans le relais des télécom. à large bande [des images envoyées d'Andover (U.S.A.) relayées par Telstar sont reçues en France à Pleumeur-Bodou]. 23-7-62 1re retransmission de programmes en « Mondovision ». 16-4-64 1re transmission en direct Japon-France (et une trentaine d'autres pays) par *Relay* (alt. 1 323 à 7 433 km) au moment où il survole la Mandchourie.

Stations au sol : + de 100 dont *All. féd.* 3 (Raisting). *Angleterre* 2 (Goonhilly Downs). *Brésil* 1 (Rio de Janeiro). *Canada* 4. *France* 5 (dont 1 à TDF, pour le satellite « Symphonie », Pleumeur-Bodou). *Italie* 4 (Fucino). *Japon* 4. *Puerto Rico* 1. *Suède* 2. *Trinidad* 1. *U.S.A.* 32 + 1 à bord du *Kingport,* etc.

• **Sat. de transmission.** **2e génération :** permettant des relations permanentes. *Molnyia/soviétique* placés dep. 1965 sur la même orbite (460 à 40 000 km) ; il y en a toujours un dans la bonne position pour relayer les communications. *Sat. synchrones* et *géostationnaires américains* placés dep. 1963 sur une orbite telle (alt. 35 786 km, rayon 42 164 km) qu'ils mettent pour tourner autour de la Terre le même temps que met celle-ci à tourner sur elle-même : 23 h 56 min 4 s. Pour un observateur situé sur Terre, ils apparaissent immobiles dans le ciel. **1963-64** 3 *Syncom* (*I* lancé : *14-2-63, II : 27-7-63, III : 9-4-64*) a assuré en oct. 1964 la retransmission en direct aux U.S.A. des J.O. de Tokyo, puis par bande enregistrée en Europe. *Early Bird* placé 6-4-65, au-dessus de l'Atlantique, a permis des liaisons commerciales régulières France-U.S.A. *Radouga* placé 1975, sat. synchrone soviétique.

• **Sat. de diffusion.** **3e génération :** les émissions peuvent être captées directement par des récepteurs individuels ou communautaires dotés d'un dispositif particulier. *1ers sat. expérimentaux. ATS 6* (USA, 30-5-74), arrêté 1979. *CTS* (Hermes) (Canada, 17-1-76), arrêté 1978. *Symphonie 1* et *2,* lancés 18-12 et 26-8-1974 : construits par 3 Stés all. (MBB, Siemens, AEG Telefunken) et 3 Stés fr. (Thomson CSF, SAT, SNIAS) arrêtés. Voir p. 41c.

Télévision

• **Bande passante.** Ensemble de toutes les fréquences existant dans le signal de la plus faible à la plus élevée. *Ex. :* bande passante de 6 MHZ = fréquences transmises de 0 à 6 MHZ.

• **Caméra.** Elle possède un tube à rayons cathodiques sensible à la lumière : quand il est frappé par des photons, des électrons sont émis et pénètrent dans le tube. Quand un élément de la surface du tube est très éclairé, sa charge électrique devient plus positive que celle du reste de la surface, puisqu'il perd davantage d'électrons ; la caméra fournit ainsi une *copie électrique* de la scène qu'elle photographie. Cette copie est ensuite *analysée :* le faisceau d'électrons émis passe à travers 2 systèmes de plaques disposées perpendiculairement à l'intérieur du tube. Le 1er système déplace le faisceau de gauche à droite, le 2e de haut en bas. La surface du tube est balayée 25 fois par seconde.

Balayage cathodique et balayage matriciel. La surface à analyser est parcourue par un faisceau d'électrons dévié par un champ magnétique, d'où un balayage qui n'est pas rigoureusement linéaire ; on ne peut être assuré que chaque « *eldim* » ou « *pixel* » occupe la même position à l'émission ou à la réception. Le développement des écrans plats à la réception et des « *sensor* » à l'émission conduit au « *balayage matriciel* », chaque « eldim » occupant sur la surface d'une image une position rigoureusement définie en x et y. Les caméras d'amateur modernes utilisent, à la place des analyseurs cathodiques, des éléments photosensibles « C.C.D. » *(charge coupled device :* dispositif à transfert de charge) du type « balayage matriciel ». Celui-ci s'imposera sans doute à l'émission comme à la réception, permettant de diminuer la bande passante, de projeter sur grand écran sans perdre de luminosité (projecteur « Kodak ») et de voir la télévision en relief sans lunettes (voir Stéréotélévision).

• **Définition.** Nombre de lignes sur l'écran. **France 1939 :** 455 lignes, *1945 :* 441 (matériel installé par les Allemands rue Cognacq-Jay), **1948 :** 819, l'image est supérieure, surtout pour la réception collective sur moyen ou grand écran (les récepteurs individuels, alors coûteux, sont peu répandus). On pensait aussi qu'une définition plus élevée rendrait plus facile ultérieurement l'adoption de la couleur. Le 819 l. protégeait la France contre une concurrence étrangère, mais l'isolait. **1952 :** 1ers convertisseurs capables de modifier la définition. **Après 1960 :** l'inconvénient du 819 l., qui exige une plus grande largeur de bande passante, grandit (les bandes I et III attribuées à la télévision contiennent 6 canaux en 625 l. contre 2 en 819). **1961 :** en raison de l'encombrement des ondes, on ne peut utiliser pour la 2e chaîne la 2e bande réservée dans les ondes métriques (V.H.F.) et on adopte les ondes décimétriques (U.H.F.) en se ralliant au standard européen de 625 l. **1983 :** la *duplication* (coexistence des 819 et 625 l.) est supprimée et tous les récepteurs sont compatibles avec la norme 625 l., les émissions en 819 sont arrêtées.

Nota. – En 1948, la **Belgique** opta pour un double réseau (625 et 819 lignes). **Les autres pays,** sauf la G.-B. qui avait un 405 l., adoptèrent le 625.

• **Télévision haute définition** (TVHD). *Projet japonais :* 1 125 l. [(fréquence 60 demi-images par seconde, format de l'écran rapport 16/9 (au lieu de 4/3)] avec un balayage entrelacé. Incompatible avec le parc des téléviseurs, les normes numériques de la télévision adoptées par le CCIR depuis 1982, et les nouveaux standards MAC (D2-MAC-Paquet européen, C-MAC-Paquet anglais, et B-MAC australien). Il a été conçu pour les réseaux électriques à 60 Hz (Japon et U.S.A.), ce qui pénalise les Européens (réseau à 50 Hz). Au début de la télévision, la fréquence du courant alternatif avait servi de base de temps pour caler en permanence le balayage de l'écran, et conditionna le nombre de lignes à balayer sur l'écran. Américains et Japonais alimentés en 60 Hz choisirent une définition de 525 l. Les Européens alimentés en 50 Hz choisirent une définition de 625 l. pour PAL et SECAM. Le passage du 50 au 60 Hz est possible par conversion, mais le procédé est coûteux, produit des parasites et altère plus ou moins le signal vidéo.

Système MUSE (Multiple Sub-nyquist Sampling Encoding) conçu par NHK pour la TVHD. Permet de réduire la bande passante à un canal de 8 MHz mais exige une mémoire de grande capacité dans le téléviseur afin d'y stocker les 4 salves de signaux avant reconstitution de l'image sur l'écran. Japon : télévision vendue 150 000 F (1991). **1987 :** avec les satellites de diffusion directe, mise en place des normes du type MAC pour les nouveaux programmes. **1988-89 :** introduction du numérique au stade de la production. **1989-90 :** introduction d'une mémoire d'image dans les téléviseurs 4 : 3 (format actuel) permettant de doubler la cadence trame : 50 images au lieu de 25 (pays à réseau de 50 Hz) ; 60 images au lieu de 30 (pays à réseau de 60 Hz), étude d'un système unique à 100 Hz. **1990 :** EDTV en Europe ; apparition sur le marché des 1ers récepteurs pour le D2 MAC (France et Allemagne) au format 16/9. Les systèmes MAC font partie de la « télévision améliorée », qui n'est pas encore la vraie TVHD. Les définitions du SECAM (210 000 points d'analyse efficaces), celles du D2 MAC (180 000) et de la TVHD (400 000) sont inférieures à la définition théorique à cause principalement de la compression de l'image pour réduire la bande passante. Les normes de la TVHD europ. seront adoptées en principe en 1995, le système TVHD europ. sera compatible avec les systèmes à 525 l., ce qui n'est pas le cas du système japonais.

Standard HDP (High Definition Progressive). Projet Eureka 95 [1 250 lignes par image, 50 images complètes par seconde, balayage progressif (continu), format 16/9e]. Nécessite un débit numérique série de + d'1 milliard de bits par sec. Pour y arriver, des standards intermédiaires ont été créés [base d'échantillonnage 4:2:2 (norme de production en composantes numériques)]. Afin de permettre aux canaux de TV actuels d'accepter ces débits, on a recours à des techniques de compression d'image. Ex. : *Thomson :* facteur de compression de 20, *General Instrument :* 100. Ces performances remettent en question les normes MAC. Les Américains veulent arriver directement à la haute définition numérique sans étapes intermédiaires. *Mac* (Multiplexage analogique de composantes) : codage utilisant un multiplexage temporel, alors les codages SECAM et PAL font appel à un multiplexage fréquentiel. Les signaux sont comprimés dans le temps (étape numérique) avant de moduler successivement la même porteuse. Il n'y a plus de pollution de l'image par la présence de la sous-porteuse couleur. MAC permet 4 canaux sonores de très haute qualité ou 8 de bonne qualité ; acheminement de télétextes avec une plus grande capacité de transmission que le SECAM ou PAL. **Écrans plats à matrice active :** taille max. actuelle (35 cm) : env. 35 000 F.

CDI (Compact-Disc Interactif) et DVI (Digital Video Interactive). Comprenant un ordinateur et un lecteur de CD-ROM (le compact-disc à la fois audio et informatique), moyennant un décodeur, pourront capter des images vidéo (de chaîne, magnétoscope, vidéodisque) en temps réel et quel que soit le standard d'origine.

Format. Largeur actuelle des écrans : rapport 4/3, insuffisante pour capter correctement le regard (Hte Définition, 16/9e : celui du cinéma ; si l'on s'installe à la distance optimale, c.-à-d. 3 fois la hauteur de l'écran, l'œil a un angle de vue de 30 degrés, proche du champ de vision naturel).

• **Émetteurs.** Après avoir été amplifié, le message électrique fourni par la caméra est transmis aux émetteurs au moyen de faisceaux hertziens en utilisant la modulation de fréquence. Les émetteurs diffusent en modulation d'amplitude l'onde porteuse jusqu'aux récepteurs dont l'antenne est convenablement orientée vers l'émetteur le plus proche. *Portée maximale théorique* (limitée de plus par le relief) *d'un émetteur :* hauteur de l'antenne et portée : 10 m (15 km) ; 100 m (47,5 km) ; 300 m (82 km) ; 500 m (106 km) ; 1 000 m (150 km).

• **Magnétoscope grand public.** Permet l'enregistrement et la lecture sur une cassette (ruban magnétique) des images captées par une caméra ou à partir d'une émission télé (image et son) puis de les faire passer sur un téléviseur. Principe semblable à celui d'un magnétophone (synonyme : *ampex*). **Standards :** *Video Home System (VHS)* mis au point par JVC en 1976 (Matshushita, Jap.), 90 % du marché mondial en 1988, commercialisé en Fr. par Thomson (75 % des ventes). *Betamax* (Sony, Jap.) ; *V 2 000* (Philips). Le standard « 8 mm » utiliserait la même minicassette sur toutes les marques des app. futurs (incompatible avec les app. actuels).

• **Multiplex.** Émission (radio ou TV) réalisée depuis plusieurs lieux différents, reliés à la station émettrice par câble téléphonique ou ondes hertziennes.

• **Pixel.** « Picture Element » en anglais et « Eldim » en français (« élément d'image »). Œil (pouvoir séparateur) : env. 2′. Il peut distinguer 280 000 points d'image de format 4/3 en télévision. En portant ce nombre à 480 000, l'image paraît plus fine. Le « pixel » est couramment utilisé pour définir le pouvoir de résolution des capteurs d'image à CCD, des camescopes, des téléviseurs à cristaux liquides. Ne va plus sur téléviseurs à tube cathodique dep. que les canons sont disposés en ligne (PIL) et non plus en triangle. Le pouvoir de résolution se définit en nombre de lignes (horizontales et verticales). Les luminophores étant déposés en bandes verticales, la pureté de couleur est indépendante des impacts dans la direction verticale.

• **Récepteur.** Il reconstitue dans le tube image l'image de la scène analysée, à partir des signaux hertziens captés par son antenne. Les électrons sont projetés vers la face interne du tube par un filament chauffé : le canon à électrons. Ce flux d'électrons modulé par le signal TV reçu est focalisé en un faisceau qui balaye l'écran fluorescent au moment même où un faisceau balaye la surface du tube de la caméra dans le studio. Le balayage rapide de l'écran produit une image constituée de petits points. Le « spot » (impact du faisceau) part du haut de l'écran, parcourt les lignes impaires, constitue une trame sur 1/50 de seconde. Il remonte alors en haut de l'écran et parcourt, encore en 1/50 de seconde, toutes les lignes paires pour constituer la 2e trame. Il a donc exploré 2 fois la surface de l'écran en 1/25 de seconde pour reconstituer une image complète formée de 2 trames ou 2 demi-images. Il y a donc 25 images par seconde mais 50 trames entrelacées dont chacune ne comporte que la moitié du nombre de lignes. Cet entrelacement évite un papillotement qui serait désagréable et fatigant pour le téléspectateur.

Écrans les plus grands du monde (système suisse) : 25 m H × 40 m L. *Les plus petites montres avec téléviseur incorporé :* 80 g, écran 30,5 mm : 3 000 F.

• **Régie.** Salle de contrôle concentrant les appareils de commande d'un studio ou d'un car de reportage. De la régie, le réalisateur choisit les images venant des différentes caméras. **Finale.** Installation recevant toutes les sources d'images (émissions toutes faites : régie de studio, magnétoscopes, télécinéma, car de reportage, etc.) et chargée de les enchaîner pour fabriquer le programme envoyé aux émetteurs.

• **Stéréotélévision.** *Procédé des anaglyphes* (du milieu du XIXe s. pour la photo en noir et blanc) repris en 1964 par le Tchécosl. Vladimir Novotny. Nombreux essais faits aux USA, en URSS, Japon, France (en déc. 1984 en particulier), mais résultats mauvais surtout pour la TV en couleurs. *Procédés actuellement exploités :* a) *Double image* (Delbord et Roeper, avec anamorphose en 1948 au CNET ; Chauvierre sans anamorphose en 1974 chez Lierre) repris commercialement par Américains et Allemands. Il faut des lunettes spéciales réglables selon la distance. b) *Transmission successive des images droite et gauche avec lunettes à obturateurs optoélectriques synchronisés avec le récepteur :* très développé au Japon, USA (Stereographic), France (Céralion). Pour l'holographie (étude en cours) il faudra des années pour un résultat concret. Une solution a été proposée en 1978 par Marc Chauvierre d'un réseau lenticulaire (Yves aux USA et Bonnet en France pour la photo) combiné avec le balayage matriciel (le balayage d'un rayon cathodique n'est pas assez linéaire) ; idée reprise par Jacques Guichard au CNET (Issy-les-Moulineaux), donnant de bons résultats en noir et blanc et développé en couleur avec de grands moyens (6 caméras, projection sur grand écran) à l'Institut Heinrich Hertz (Berlin-Ouest). Études reprises à Rennes au CCETT (Bruno Choquet). Techniquement les problèmes de la TV 3 D sont résolus, mais la compatibilité, avec les appareils existants, reste un problème.

• **Télévision en couleurs.** Fondée sur l'analyse *trichrome* des images : 3 images « primaires » (rouge R, verte V et bleue B) sont formées à partir de l'image à transmettre par l'interposition de filtres colorés et, à la réception, la superposition des 3 images primaires reconstitue l'image d'origine. *Ex. de technologie possible :* 3 canons à électrons projettent 3 faisceaux dont chacun reconstitue l'une des images primaires R, B, V. Pour qu'elles se superposent parfaitement, on interpose un « masque » percé de 400 000 petits trous à travers lesquels les 3 faisceaux vont frapper sur l'écran 3 petits points correspondant chacun à l'une des couleurs primaires. Ce tube aux cathodes disposées en delta (Δ) présente des difficultés de convergence des faisceaux, un rendement lumineux assez faible et une forte sensibilité aux champs magnétiques extérieurs. Depuis une dizaine d'années, il a été remplacé par des tubes autoconvergents dont les cathodes sont placées sur un même plan horizontal. Les luminophores sont devenus des lignes verticales de phosphore déposé en bandes discontinues et alternées (RVB). Le masque comporte des ouvertures ovales en quinconce. *Avantages :* meilleure restitution, plus grande luminosité, insensibilité au champ magnétique terrestre, meilleure pureté, plus grande fiabilité due à la suppression des réglages de convergences.

Compatibilité. Chaque signal correspondant à l'une des couleurs primaires est transformé en un signal donnant une image en noir et blanc *(luminance)* et en deux signaux de couleurs *(chrominance)* superposés à cette image, invisibles sur un récepteur noir et blanc.

NTSC (National Television System Committee). Procédé américain. Lancé en 1953. On l'a surnommé « Never Twice The Same Color » (jamais 2 fois la même couleur). Fait transporter simultanément sur la même onde sous-porteuse les 2 signaux de chrominance correspondant à un élément d'image, imposant ainsi à la sous-porteuse une double modulation combinée d'amplitude et de phase. Fonctionne en 525 lignes et 30 images/seconde.

PAL (Phase Alternative Line). Procédé allemand, améliorant le système NTSC. Il repose aussi sur la transmission simultanée du signal de luminance par l'onde porteuse et des 2 signaux de chrominance par la sous-porteuse. Fonctionne en 625 lignes et 25 images/seconde. Plus économique que le SECAM.

SECAM (« Séquentiel Couleur à Mémoire »). Procédé français dû à Henri de France (1911-86), mis au point par la Cie française de télévision (filiale de la CSF et de St-Gobain). Présenté officiellement en décembre 1959. Mis en service en oct. 1967. Repose sur la transmission simultanée du signal de luminance par l'onde porteuse et d'un seul signal de chrominance par la sous-porteuse, l'autre étant transmis, après, séquentiellement (ces signaux de différence de couleurs sont nommés D_r (R-Y) et D_b (B-Y), Y = Luminance, R = Rouge, B = Bleu). Le signal transmis est en mémoire et est réutilisé au moment où parvient le signal suivant de façon à disposer, sur chaque ligne, de chacun des 2 signaux de chrominance. Le procédé SECAM de « balayage alterné » n'impose à la sous-porteuse que la modulation de fréquence, entraîne une plus grande stabilité de l'image et une meilleure couleur, ne provoque aucun risque d'interférences entre les divers signaux, et permet l'utilisation sans modifications des équipements d'émission, de relais et d'enregistrement du noir et blanc. Ne permet pas le son stéréo.

Pays ayant adopté le SECAM. France, All. dém., Arabie Saoudite, Bulgarie, C.-d'Ivoire, Cuba, Égypte, Grèce, Haïti, Hongrie, Irak, Iran, Liban, Luxembourg, Maroc, Monaco, Pologne, Tchécoslovaquie, Tunisie, U.R.S.S., Zaïre ; **le PAL :** Afrique du S., Albanie, Algérie, All. féd., Australie, Belg., Brésil, Danemark, Esp., G.-B., Italie, Lux., Norv., P.-Bas, Suède, Suisse, Youg. ; **le NTSC :** Canada, Mexique, Japon (NTSC modifié), U.S.A.

Nota. – Les brevets SECAM sont tombés dans le domaine public en 1988. Le groupe Eureka associe les grandes firmes eur. de TV grand public et les meilleurs ingénieurs. Les 1ers travaux ont abouti au système D2MAC, qui correspond à une définition de 625 lignes améliorée, mise en service pour le satellite TDF 1, pour la SEPT. La réception nécessite des antennes paraboliques et des récepteurs spéciaux, ou des adaptateurs avec les récepteurs classiques. Les prototypes des caméras et des téléviseurs à haute définition (1 250 lignes) existent. Ils seront exploités localement pour la retransmission des jeux olympiques de la mer. Les normes complètes de la haute définition ne sont pas encore officielles et l'exploitation commencera en 1994 ou 95. Thomson a mis sur le marché des récepteurs prévus pour recevoir la TVHD.

• **Télévision numérique.** Le récepteur traite les informations reçues des stations en une succession de chiffres (0 ou 1) avant de les transformer en image. *Avantages :* meilleure image (suppression du moiré et du papillotement), maintenue nette en permanence (effets du vieillissement du tube automatiquement compensés) ; manipulation possible de l'image (la télécommande permet d'arrêter l'image, de faire un zoom, d'insérer une 2e image d'une autre chaîne, en fenêtre) ; son stéréo ; émissions bilingues (après la mise en place des satellites) ; suppression de 500 des 600 composants du récepteur.

• **Vidéo.** Signal électrique complexe. Permet de transmettre à l'émetteur les images électroniques issues d'une caméra électronique. Permet la réalisation d'émissions en direct ou l'enregistrement sur bande magnétique. *Camescopes :* caméras vidéo à magnétoscope incorporé. En vente depuis 1983-84.

• **Vidéoclubs.** *1980 :* 500, *83 :* 4 000.

• **Vidéodisque.** Permet de faire passer sur un téléviseur des images préenregistrées sur disque. *1927 :* J.-L. Baird expérimente le stockage de signaux vidéo sur un gramophone avec un disque 78 tours reproduisant une image de 30 lignes à 30 périodes/seconde. *1980-82 :* après l'annonce du lancement du vidéodisque à grande échelle, les ventes s'effondrent provisoirement pour des raisons techniques et commerciales. **Standards :** Philips (Laservision), RCA (Sélectavision), JVC-VHD ne fonctionnant que sur téléviseur NTSC amér. *Prix :* lecteur de vidéodisque 4 000 à 20 000 F ; disque moy. 220 F.

• **Vidéotransmission.** Moyen de communication collective permettant de faire participer au même événement et en direct des spectateurs situés en divers lieux dans des salles équipées d'écrans géants. La transmission des images et des sons est assurée par les réseaux hertziens terrestres ou par satellite. Peut permettre aux participants de dialoguer avec les auteurs du message ou entre eux.

Histoire

Radiodiffusion

1890, le Français Édouard Branly (1844-1940, physicien et médecin) invente et construit le 1er radioconducteur (tube rempli de limaille de fer mis en circuit avec un galvanomètre et une pile). **1894,** le Français Branly imagine la 1re antenne. **1896** *mars,* l'ingénieur russe Alexandre Popov (1859-1906) met au point l'antenne et, avec un mât de 18 m, transmet sur 250 m le 1er message sans fil en morse. *2-6* l'Italien Guglielmo Marconi (1874-1937) s'installe en G.-B. et dépose le 1er brevet d'un appareil de T.S.F. Il effectue des liaisons sur 3 km puis en **1897** sur 13 km (mars) et 20 km (juillet) entre 2 navires de guerre italiens. Le Français Eugène Ducretet (1844-1915) construit le 1er app. TSF français. **1898,** Lord Kelvin transmet les 1ers radiogrammes entre 2 stations Marconi installées à l'île de Wight et à Bournemouth (G.-B.) éloignées de 23 km. **1898**-*26-10,* Ducretet établit une liaison télégraphique tour Eiffel/Panthéon (4 km) avec un équipement dérivé de celui de Popov. **1899**-*28-3,* Marconi établit la 1re liaison radio au-dessus de la Manche, grâce à 2 stations d'essai (Douvres et Wimereux). **1899**-*28-3,* liaison radiotélégraphique entre South Foreland (G.-B.) et Wimereux (Fr.) sur 50 km.

1900, 1re station commerciale d'émission en Allemagne. **1901,** Sté française de télégraphie et de téléphonie sans fil fondée sous la présidence technique de Branly. *12-12,* 1re liaison transatlantique entre Poldhu en Cornouailles et Terre-Neuve par Marconi. **1902** *févr.,* des messages de Poldhu sont reçus à bord du *Philadelphia* à 2 500 km. **1903,** sous l'impulsion du capitaine Ferrié (1868-1932), création du poste de la tour Eiffel avec le concours de l'Observatoire de Paris. **1907,** invention du tube à vide par l'Américain Lee De Forest (1873-1961) ; en amplifiant les ondes hertziennes, il permettra la radiophonie puis d'autres perfectionnements. **1907** *oct.,* 1re liaison commerciale régulière transatlantique entre Clifden (Irlande) et Glace Bay (Terre-Neuve) ; long. 3 650 km. **1909,** *1er sauvetage maritime grâce à un message TSF* (collision *République-Florida,* 760 rescapés). **1910,** Dunwoody/Pickard (U.S.A.) inventent le poste à galène. **1912**-*14-4,* les appels radio du *Titanic* alertent le *Carpathia* et permettent de sauver 703 personnes. Depuis, installation radio et écoute obligatoire des SOS à bord des bateaux. **1920,** programmes quotidiens d'info. et de musique en G.-B. (Marconi-Company), env. 300 auditeurs (récepteurs à galène). USA apparition des stations radio. *2-11* à la station KDKA (Westinghouse Cy), Pittsburgh (USA), un bulletin quotidien d'information annonce l'élection du Pt Harding. 1res émissions radio en URSS. **1921** *février,* 1ers essais à Radio-Tour Eiffel avec capitaine Ferrié. *Mars,* foire de Paris où pour la 1re fois des récepteurs radiodiffusion sont exposés. *22-6,* diffusion d'un concert donné à la Salle des ingénieurs civils. *Déc.,* 1res transmissions par radio à partir de la tour Eiffel [longueur d'ondes 2 650 m, puissance 900 W (6 lampes de 150 W), 2 h de programme par j entre 17 h et 19 h]. **1925,** USA, Pt Hoover utilise la radio pour sa campagne élect. **1933,** 1ers postes miniatures (Pigmy). **1938**-*30-10* sur les ondes de la CBS, USA, Orson Welles, 23 ans, déclenche la panique en annonçant un débarquement de Martiens.

Télévision

1817, Jons Jacob Berzelius (1779-1848), chimiste suédois, découvre la propriété du sélénium d'augmenter ou diminuer sa résistivité selon l'éclairement reçu. Cette propriété donnera naissance à la cellule photovoltaïque, moyen de transformer la lumière en courant électrique. **1843,** essais de transmission Londres-Portsmouth par télégraphe automatique de l'Anglais Alexander Bain (1810-77), abandonnés faute de synchronisation entre émetteur et récepteur. **1847,** travaux de l'Allemand Karl Braun sur les rayons et l'oscillographe cathodique annonçant l'analyse électronique de l'image. **1848,** synchronisation réussie par l'Américain Bakewell en enroulant feuille de départ et d'arrivée par des cylindres tournant à vitesse constante. **1856,** France, l'abbé florentin Giovanni Caselli (1815-91) réalise un système semblable (*pantélégraphe*) qui sera utilisé par la transmission de dessins et lettres (sur les lignes du télégraphe électrique) en 1866 entre Paris et Lyon, puis prolongé entre Lyon et Marseille. **1873,** 2 télégraphistes anglais, Joseph May et Wiloughby Smith, confirment les travaux de Berzelius sur le sélénium. **1875,** G.R. Carey, physicien américain, propose d'utiliser le sélénium pour la transmission des images à distance. **1878,** idée reprise par le Français Constantin Senlecq (1842-1934), notaire à Ardres (P.-de-C.), qui fait paraître, dans la revue « la Lumière électrique », un article sur le « *télectroscope* » (en 1877, il avait réussi à transmettre une image avec un télégraphe autographique). Il expose la théorie d'un appareil dont les principes sont ceux des 1ers appareils de télévision mécanique : l'image est projetée sur une multitude de petits grains sensibilisés au sélénium, puis analysée point par point par un commutateur tournant. L'appareil est relié à un récepteur composé de minuscules lampes, chacune d'entre elles étant reliée à un des grains de sélénium. A la réception du signal, la lampe brille d'autant plus que le grain correspondant a été plus violemment éclairé. Cet appareil ne sera jamais réalisé ; il aurait été trop encombrant et aurait interdit la transmission de l'image à grande distance. **1880,** Maurice Leblanc (1857-1923, physicien français) propose de projeter sur l'image un rayon lumineux mobile, 1er pas vers la technique du *flying spot* mise au point, utilisée ensuite dans les appareils de télécinéma (transformation de l'image film en image télévision). **1884,** Paul Nipkow (1860-1940), ingénieur allem., réalise un disque analyseur d'images qui sera utilisé du début à 1939, pour la télé. **1887,** Heinrich Hertz (1857-94), physicien allem., démontre que les rayons ultraviolets de la lumière provoquent une émission de charges électriques négatives par certains métaux : découverte des électrons (expliqués par Albert Einstein en 1905). **1889** Lazare Weiller (1858-1928), ingénieur franç., remplace le disque de Nipkow par une roue comprenant une succession de miroirs d'inclinaison différente. **1898,** Marcel Brillouin, physicien franç., remplace les trous du disque de Nipkow par de petites lentilles encastrées et augmente ainsi la quantité de lumière reçue par la cellule.

1907, *apparition du mot « télévision »* (article du « Scientific American »). *1re photo* transmise par l'Allemand Arthur Korn, entre Verdun et Paris. Procédé perfectionné par Edouard Belin (1876-1923), ingénieur franç., à partir de 1911. **1907-11,** le Russe Boris Rosing conçoit le tube cathodique qui prévoit un balayage électronique de l'image à transmettre. **1921,** Belin envoie de France aux USA *1er message fac-similé* (procédé, *bélinographe :* image ou texte est enroulé sur un cylindre et éclairé). Les pinceaux lumineux, variables selon la teinte du papier aux endroits successivement explorés, sont réfléchis sur une cellule photoélectrique reliée par un réseau télégraphique à un récepteur. Sur un papier photosensible, le pinceau lumineux reconstitue se projette. **1923,** *1er système de télé.* par John L. Baird (1888-1946), physicien brit. Crée un télévisor, en utilisant un disque de Nipkow à l'émission et, à la réception, un amplificateur à lampes et, pour moduler la lumière, un obturateur électromagnétique. Définition de la 1re image transmise par 18 lignes. *Déc., iconoscope,* 1er tube électronique analyseur d'images, par Wladimir Kosma Zworykin (1889-1982), élève de Rosing, émigré aux USA, réalisé pour la Cie Westinghouse (brevet 1923, démonstration publique, 18-11-1929) ; permet les hautes définitions et constitue le vrai départ de la télé. **1924,** Charles Jenkins (1867-1934), Amér., crée une *lampe au néon à cathode plate* qui permet de mieux suivre les variations du courant-lumière. **1925,** Baird intègre la lampe de Jenkins à son appareil et fait une 1re démonstration publique en avril dans le magasin Selfridge's (Londres). **1926**-*27-1, naissance off. de la télé.* Baird, à la Royal Institution, transmet l'image d'une figure humaine d'une pièce à l'autre. Il fonde la *1re Sté de télévision,* la Baird Television Cy. **1927** la *Bell Telephone* organise une émission télévisée en direct entre New York et Washington. **1928** *juillet, 1ers essais de tél. en couleurs* (G.-B. par Baird). Baird transmet la 1re image tél. par-dessus l'Atlantique (long. d'ondes 35 m). **1929**-*30-9,* Baird : définition de 30 lignes pour des émissions expérimentales de la B.B.C. (émetteur de Daventry de 11 h à 11 h 30, ondes moy. de 363 m ; puissance 1,5 kW) ; construit le *1er type de récepteur,* le Televisor. 1ers essais de tél. à 50 lignes entre New York et Washington (380 km) par la Bell. *8-3, 1res émissions régulières de 30 lignes* en Allemagne (par la Deutsche Reichpost). *1er appareil français avec lampe au néon et disque de Nipkow :* René Barthélemy (1889-1954) et ses collaborateurs Strelkoff et Marius Lamblot.

1930 *juillet,* retransmission d'une pièce de Pirandello. **1931**-*14-4, 1re transmission à distance* par Barthélemy entre studio de Montrouge et École sup. d'électricité de Malakoff ; définition 30 lignes ; réception sur écran de 40 × 30 cm. Henri de France (1911-86), ingénieur franç., fonde au Havre la Cie gén. de télévision et met au point des appareils à 60 lignes. Marc Chauvierre, chez Integra, réalise une caméra en flying-spot utilisée plus tard à Radio Lyon, et met sur le marché du matériel pour le grand public. *3-6, 1er reportage en plein air* (G.-B., Baird). **1932,** *1er réseau de tél. français :* Paris-Télévision, Barthélemy utilise l'émetteur de Paris-PTT. Émissions expérimentales de 30 lignes le jeudi de 15 à 16 h à partir de déc. ; tous les j (sauf dimanche) à 8 h 15 ou 14 h 15 (30 à 45 min) à partir de janv. ; long. d'onde 441 m, puissance 0,8 kW ; env. 30 destinataires. *1re émission expérimentale de tél. électronique* à New York. **1933**-*24-12,* fête à l'hôtel Majestic pour Branly, émission de tél. du poste PTT. *-25-4,* démonstration publique de télé. parlant dans l'auditorium du Poste parisien (Champs-Élysées). *9-9, 1re séance de cirque télévisé à 16 h 30.* **1934** *juin, 1re prise de vues en plein air en France* dans les jardins voisins du ministère du Commerce. Ces 1res émissions sont reçues par quelques personnes qui ont bricolé elles-mêmes leur appareil, mais sont captées à des distances plus grandes que maintenant, car elles sont diffusées sur ondes moyennes. La nuit, on peut recevoir des émissions anglaises à Paris, et on captera à Toulouse des émissions faites au Havre. *1er récepteur public de tél.* par la Cie des compteurs, *l'Integra ;* 400-500 récepteurs fin 1934 en Fr. **1935**-*26-4,* Paris-PTT diffuse (caméra 60 lignes) la *1re émission télévisée,* à 20 h 15 (103, rue de Grenelle) avec Béatrice Bretty, de la Comédie française. *-10-11,* Georges Mandel inaugure à la tour Eiffel la 1re émission publique 180 l. ; les émissions peuvent être reçues en radio à Paris par les sans-filistes payant des récepteurs spéciaux. *18-11,* 17 h 30 à 19 h 30, démonstration pour la presse, avec Susy Wincker (1re speakerine, dep. juin 1935) (caméra 180 lignes). Expériences à Toulouse (oct.), Strasbourg (nov.) et Limoges (déc.). Récepteurs (ex. Barthélémy sous la marque Emyvisor) en vente 5 000/10 000. **1936** station de tél. d'Alexandra-Palace à Londres (BDC) ; 2 standards, Baird (240 l.), Marconi (405 l.). Jusqu'au *2-11, 1res émissions régulières de tél. électronique.* Allemagne, pendant 16 j, 150 000 spectateurs assisteront en direct aux J.O. de Berlin, retransmis par câble à Hambourg, Leipzig, Munich, Nuremberg. Marc Chauvierre présente à la Sorbonne le 1er récepteur français à tube cathodique, pour grand public, le « *visiodyne* » (actuellement aux Arts et Métiers). **1937**-*4-1, émissions régulières* de tél. en Fr., émetteur de 25 kW (semaine de 11 h à 11 h 30, 20 h à 20 h 30 ; dimanche 17 h 30 à 19 h 30). L'Allemagne adopte le 441 lignes. **1938** émissions régulières en 445 l. de la tour Eiffel (long. d'onde 6 m, puiss. 30 kW). **1939** *janv.,* émetteur renforcé de la tour Eiffel (puiss. max. 45 kW).

1940 foire internationale de New York. *30-4,* émissions publiques régulières. **1941** émissions régulières aux USA à partir de l'Empire State Building. **1942** la Cie des compteurs et la firme allemande Telefunken signent un accord pour une station Paris-Télévision. **1943** inaugurée le 29-9, elle diffuse en 421 l. de la tour Eiffel des émissions de distractions (variétés, films, actualités de la semaine) pour les Allemands dans les hôpitaux parisiens. *Vedettes :* Howard Vernon, Léo Marjorie, clowns Pipo et Rhum, Jacques Chesnay, Olivier Hussenot. **1943** *1er journal télévisé* à Schenectady (USA). **1944** Paris : émissions d'avril à août ; env. 1 000 récepteurs les reçoivent dont 500 dans les hôpitaux où sont les blessés allemands ; programme de 10 h à 24 h. *1er système de tél. en couleurs* par John L. Baird. **1945** l'émetteur de la tour Eiffel de 441 l., endommagé en 1940, assure à nouveau les émissions. Marc Chauvierre et Jacques Donnay présentent au GTIR un système de télévision avec transmission de l'image et du son sur la même porteuse (son en numérique). **1946** 1 h par j (16 h 30 à 17 h 30) et soirée mardi et vendredi. *Oct.,* Paris-Cocktail (qui deviendra Télé Paris) de Jacques Chabannes et Roger Féral. *17-12,* 1er bulletin météo en Fr. **1948**-*25-7,* 1re arrivée du Tour de France en direct. *-20-11,* l'arrêt Mitterrand (min. de l'Information) fixe le standard fr. à 819 l. ; mais l'émetteur à 441 l. doit poursuivre ses émissions jusqu'en 1958 (il sera détruit par un incendie le 31-1-56). *-24-12,* messe de minuit en direct de N.D. de Paris. **1949**-*25-5,* 2 speakerines recrutées sur concours, Jacqueline Joubert et Arlette Accart. *29-6,* Pierre Sabbagh présente le 1er *journal télévisé. 30-7,* loi taxe sur les récepteurs : 3 000 AF (6 000 dans lieux publics). *Oct. 1re émission pour enfants* (magicien Télévisius). *9-10, 1re messe des dimanches* (à 18 h). *15-12,* 2e émetteur de TV sur 819 l.

1950-*10-4,* l'émetteur de tél. de Lille en service, de façon provisoire (il y a alors 3 794 récepteurs en Fr.). **1951**-*24-5,* loi autorisant publicité compensée. *-26-6,* 1re émission publique de tél. couleurs (CBS à New York). En Fr., 2e studio : st. I de la rue Cognacq-Jay, rénové. **1952**-*14-2,* relais hertzien, Paris-Lille. *9-7,* mise en service du convertisseur qui permet aux récepteurs 441 l. de recevoir émissions extérieures et reportages en direct comme sur 819 l. **1953**-*2-6,* couronnement de la reine d'Angl. en direct en Fr. *2-11* émetteur de Strasbourg en service. *25-12,* relais assurent sa liaison avec Paris. Début de la « Séquence du spectateur » (record de longévité en Fr.). *-31-12,* loi affirmant monopole de programmation et de production. **1954,** Eurovision. *11-5,* 1re retransmission en Fr. par relais mobiles (de Tours à Paris) sur grand écran (théâtre du Palais de Chaillot). *13-6,* 1re retransmission en direct des 24 h du Mans. **1956**-*2-1, 1res élections lég.* en direct. *2/3-1,* l'émetteur de 441 l. de la t. Eiffel incendié ne sera pas réparé ; échange des appareils en 441 l. (remise de 5 000 AF). **1957**-*16-6, 1res images en direct du fond de la mer* (Cdt Cousteau). **1958**-*1-1* 1re des *Cinq Dernières Minutes* de Claude Loursais. **1962**-*11-7, 1re liaison régulière Amérique-Europe* avec le satellite Telstar captée à Pleumeur-Bodou. **1963**-*16-5,* émetteur expérimental parisien de la 2e chaîne diffuse programme couleurs, sur canal 22, puissance 100 kW. *21-12, début officiel de la 2e ch.* en noir et blanc sur 625 l. **1967**-*1-10,* début officiel de la couleur en

Fr. **1968** *févr.*, retransmission des J.O. de Grenoble, en direct dans 32 pays ; + de 600 millions de téléspectateurs. **1969**-*21-7,* Armstrong pose (en direct) le 1er pied humain sur la Lune. **1972**-*31-12,* en Fr., 3e chaîne sur 625 l. **1976**-*1-1,* 1re chaîne diffuse la couleur en 625 l. **1981**-*1-1,* TF1 séquence de 10 min. pouvant être vue en relief avec des lunettes spéciales. **1983,** le 819 l. de la bande VHF est couvert par Canal Plus en 625 l.

Stations locales privées

Radio. A l'origine, les *Radio-pirates* étaient des stations dont les émetteurs situés en mer au-delà de la limite des eaux territoriales échappaient aux contrôles technique, juridique et financier des gouvernements des pays vers lesquels ils diffusaient. La 1re, *Radio-Veronica,* entra en action en avril 1960, à bord du navire *Veronica,* au large des côtes hollandaises, à la hauteur de La Haye. Une dizaine d'autres stations suivirent, presque toutes au large des côtes anglaises. *Radio-Caroline,* créée 1964, fut pendant 4 ans et 8 mois la plus écoutée. Elle touchait de 28 à 50 millions d'auditeurs. Le 15-8-1967, à la suite de plaintes répétées de 9 pays du Conseil de l'Europe, dont la France, un décret du Parlement britannique les mettait hors la loi.

Télévision. 1re station fondée en déc. 1965 à bord du bateau *Cheeta,* au large de Malmoe, par la Sté *Radio-Dyd,* qui exploitait depuis 1961 une station de radio en ondes métriques. **France :** *1973 à 1977,* Valleraugue (Gard) recevant mal les images des ch. nationales, eut son propre émetteur. *1981 :* essais à Lyon (canal 22), à Paris XIIIe (Captain Vidéo). *1983 févr. :* « Antenne I » qui voulait émettre entre minuit et 3-4 h. **Belgique :** *Télé contact* dep. oct. 1980. **Italie :** *1976*-23-7 : légalisation des stations locales « libres ». *1982 :* 1 208 stations privées, 60 % des Ital. choisissent en priorité la 1re ch. (R.A.I. *1*), 45 % les stations privées, en 2e choix 35,6 la R.A.I. *2,* 1,9 la R.A.I. *3,* à vocation régionale. *Coût d'un émetteur :* 6 000 à 8 000 F.

Organisation

Généralités

Organismes internationaux de radiotélévision. UER (Union européenne de radiodiffusion). *Créée* 1950. *1954* fondation de l'Eurovision. *1989* d'Euroradio. **OIRT (Organisation internat. de radio et de télé).** *Créée* 1946. URSS et pays d'Europe de l'Est. *1960* fonde Intervision. **ASBU (Arab States Broadcasting Union).** *Créée* 1969. 34 pays. **ABU (Asia-Pacific Broadcasting Union).** *Créée* 1964. *1984* fonde Asiavision. **OTI (Organisacion de la Télé).** *Ibero-americano. Créée* 1971. 22 pays. **CBU (Caribbean Broadcasting Union).** *Créée* 1970. **URTNA (Union des radios et télé nat. afric.).** *Créée* 1962. **NANBA (North American Nat. Broadcasters).** *Créé* 1978.

Marchés de la télévision. Europe. *MIP-TV :* Marché international des programmes de télévision (1963, Cannes). *MIP-Com. :* Marché internat. des programmes audiovisuels (1985, Cannes). *Mifed :* Marché internat. du film et du documentaire de télévision (1959, Milan). *Festival internat. de télévision de Monte-Carlo* (secteur commercial dep. 1979). *London Multi-Media Market (« 3 M »)* (1982 Londres). **Etats-Unis.** *NATPE :* National Association of Television Program Executives (1963, devenu international 1978). *AMIP :* American Market for International Programs (1983, Miami).

Temps d'écoute moyen. (en min, 1990). Esp. 214, Portugal 210, G.-B. 200, Belgique 195, *France,* Irlande 188, Italie 180, All. féd. 160 (foyers câblés 165), URSS 150, Danemark 131, Pologne 129 (290 le week-end), Norvège 102, Suède 93, P.-Bas 89.

Redevance (en F, 1990). Esp., Luxembourg, Monaco, Turquie : aucune. All. féd. (radio/TV) 650, Belgique 900, Danemark 1 070, *France* 566, Grèce (en fonction de la consom. d'électr.), Irlande 530, P.-Bas 392, Pologne 48, G.-B. 710, Suède 850, Suisse 1 000 env. (30 % d'augmentation prévue).

Marché publicitaire (% sur la télé). *All. Féd.* 13,4. *Belgique* 14. *Espagne* 30,1 (TVE1 65,5 ; TVE2 7,3). *France* 24,6 (TF1 49,6 ; A2 17,1 ; FR3 12 ; Canal + 2,6 ; La Cinq 18,6 ; M6 5). *Grèce* (ET1, ET2 et ET3) 94. *Irlande* 28,9 (RTE1 et Network 2 100 jusqu'en 1990). *Italie* 47,1 (RAI Uno 10,4 ; RAI Due 6,6 ; Rai Tre 0,8 ; Canale 5 34,8 ; Italia Uno 16,3 ; Rete Quattro 11,4 ; Odeon TV 6 ; TMC Italie 9,1 ; Italia 7 4,7). *Portugal* RTP1 94,9 ; RTP2 5,1. *P.-Bas* 10. *G.-B.* 30,3 (ITV/Channel 3 env. 100) (84,4 sans Channel Four). *Suisse* 6,7.

Ressources publicitaires de chaînes publiques en milliards de F et, entre parenthèses, **en % du total des recettes** (1988). **France** *A2* 1,8 (63) ; *FR3* 0,4 (14) [TF1, pour mémoire : 3,7 (100)]. **All. féd.** *ARD* 2,9 (17) ; *ZDF* 1,9 (41). **G.-B.** TV publiques (0). **Espagne** *TVE* 3,8 (100). **Italie** *RAI* 3,1 (33).

Interruptions de films par la publicité. *Danemark, Grèce, Portugal, Suède, Suisse :* non. *All. féd. :* oui (sauf sur chaînes publiques) : 1 fois après 60 min pour les films, 1 fois après 45 min pour les séries. *Belgique :* non (sauf sur *VTM :* 1 fois après 50 ou 60 min, une 2e fois dans un film de + d'1 h 1/2). *Espagne :* oui (sauf sur *Canal + Esp.*). *Tele Cinco :* jusqu'à 3 ou 4 fois par h. *France : TF1 :* coupure de 4 min maxi pour les films et téléfilms ; *A2 et FR3 :* non ; *La Cinq :* 4 min et 30 s maxi pour les films et téléfilms ; *M6 :* 6 min maxi ; *la Sept :* seule chaîne nationale sans pub. *G.-B. : chaînes publiques :* non ; *ITV Channel* et *Grampian TV :* oui (7 min par h). *Irlande :* oui. *Italie :* oui (films proposés en 2 parties suivant la formule de l'entracte). *Luxembourg :* oui. *P.-Bas : Netherland 1 et 3 :* pub. regroupée autour des journaux TV et entre 2 émissions à certaines heures ; *Netherland 3 :* non ; *RTL 4 :* oui. *URSS :* 24 min par jour. *Turquie :* 7 min par h en fin de matinée, début d'après-midi et au journal de 20 h.

Organisation dans quelques pays

Légende. – ab. : abonnés, aud. : audience, bud. : budget (en milliards de F), ch. : chaîne, prod. : production propre ou coproduction, pub. : publicité, red. : redevance, ress. : ressources.

• **Allemagne féd.** Pas de monopole d'État. **Télévision Ch. publiques :** Nationales : *1ère ch. :* [*ARD* (Arbeitsgemeinschaft der offentlichrechtlichen Rundfunkanstalten der Bundesrepublik Deutschland/Communauté de travail des établissements publics de radiotélévision de l'All. féd.)], fondée 1950 ; ch. lancée 26-12-1952 ; aud. 30 % ; bud. 20 ; ress. : red. 80 %, pub. 20 ; prod. 60,2 %. 9 établissements publics de radio des Länder, qui gèrent la 1re ch. nat. de TV et les programmes régionaux de radio et de TV dits 3e ch, 98,93 % de la pop. desservie au 15-7-1982 ; personnel 18 610 (radio + télé). *2e ch. : ZDF* (Zweites Deutsches Fernsehen/établissement public), lancée 1961 ; aud. 30 % ; bud. 5 600 ; ress. : red. 60 %, pub. 5,1 ; prod. 55,1 %. Régionales. **Troisième Réseau** (5 programmes généralistes réalisés par les 9 établ. publics de radio : lancé 1963 ; aud. 11 % ; ress. : red. 80 %, pub. 20 ; prod. 60 2 %. **Autres :** *Eins Plus :* lancée 29-3-1986 [ch. publique culturelle réalisée avec DRS (suisse-all.)] aud. 1 % ; prod. 90 à 95 %. *RTL Plus :* lancée 1984 ; aud. 11,6 % ; bud. 1,07 ; ress. : pub. 100 % ; prod. : 14,4 %. *SAT 1 :* lancée 2-1-1985 ; aud. 9 % (foyers câblés 22) ; bud. : 1,6 ; ress. : pub. ; prod. : 1 %. *Télé 5 :* lancée 1984 ; aud. 3 % ; bud. : 0,3 ; ress. : pub. ; prod. 1 %. *Pro 7 :* lancée avr. 1989 ; aud. 1 % ; bud. 0,34 ; ress. : pub. ; prod. 2 %. *Première :* lancée 1991. Abonnés attendus : 300 000 (91), 800 000 (93) ; bud. 0,35 (1re année), 1 (2e) ; ress. : abonnements et pub.

Radio : Stations : *9 régionales :* Bavière, Hesse, Nord, Brême, Sarre, Berlin, Sud, Sud-Ouest, Ouest, *2 fédérales :* Deutschlandfunk (émissions vers les 2 États all. et étranger européen), Deutsche Welle (étranger, surtout l'outre-Mer) ; la *station RIAS-Berlin* est une institution américaine. L'État n'intervient pas. Les Länder sont compétents pour la législation intéressant les stations de l'ARD, le ZDF et les stations privées. Organes de contrôle propres aux différents offices : le Rundfunkrat ou le Fernsehrat (parlements votant le budget ou élisant le P.-D.G.), où sont représentés de grands groupements : syndicats, églises, partis, ch. de commerce, ch. professionnelles ; et le Verwaltungsrat (conseil de surveillance comme dans une Sté anonyme).

Récepteurs : *radio* 26 391 322 (au 31-12-1987) ; *télé* 24 600 000 (au 30-09-90).

• **Andorre.** A hébergé des radios périphériques : Radio-Andorre (faillite 1981) et Sud-Radio (auj. en France). A lancé le 1-1-1991 Radio-Andorre (station d'État) et TVA (tél. hertzienne, 4 h programme/j).

• **Belgique.** 3 organismes publics de radiodiffusion *(BRF* radio de langue allemande, *BRT* radio et TV en néerlandais et *RTBF* radio-TV française). *RTL TV,* associée aux éditeurs de journaux belges (TV 1), n'a plus le monopole de la publicité commerciale télévisée en Belgique francophone. La RTBF a droit à un montant plafonné des ressources de la publicité audiovisuelle. 95 % des foyers reçoivent + de 20 ch.

BRT (Belgische Radio en Televisie) : *effectifs* 2 600 pers. *Émissions :* en néerlandais. **Radio :** 4 ch. FM, 3 ch. AM. Pop. desservie 99,9 %. Émissions mondiales en ondes courtes. **TV :** en 625 lignes, système PAL, 1re ch. TV1 (lancée le 31-10-1953), 2e ch. TV2 (26-4-1977). *Population desservie :* 1re : 100 %, 2e : 99,2 (aud. respectivement 23,7 et 8,8 % ; bud. 985,6 ; ress. : red. ; prod. : 50 %. Télé-émetteurs 9, réémetteurs 2.

RTBF (Radio Télévision belge de la Communauté française) : *effectifs :* 2 800 personnes. *Émissions* en français. *Financée* à + de 80 % par une subvention de l'État. Dep. 1988, publicité commerciale. **Radio** (1991) : 3 ch. ultra-courtes (FM), 1 ch. ondes moy. Réseaux émetteurs radio AM-4, FM-19. 4 programmes nationaux : Radio 1, Radio 2 et Radio 3, dep. 1983 Radio 21 (destiné aux jeunes). Diffuse en outre 4 services régionaux principaux et 3 services locaux. **TV :** en 625 lignes, système PAL. RTBF : *1re ch.* lancée 1953 ; *2e ch.* (Télé 2) lancée 26-4-1977. *Population desservie : 1re :* 100 %, *2e :* 92 ; aud. 21,6 et 2,8 % ; ress. (%) : red. et subventions 72, pub. 4, autres 24 ; prod. : 65 %.

RTL-TV1 : lancée 1955, francophone, aud. 24,5 % ; ress. : pub. ; prod. 23 %.

VTM : lancée 1-2-1989, néerlandaise, aud. 45 % en Flandre ; ress. : pub. et sponsor ; prod. 45 %.

Canal + Belgique : lancée 27-9-1989, francophone ; abonnés : 26 000 (juil. 90) ; ress. : abonnements 97 %, pub. 3 (5 % max. autorisé) ; *prod.* propre 12,22 % (obligation progressive), coprod. avec communauté francophone 13 % (id.).

Câblage. 1er réseau 1960-62 Coditel. **Licences** (1-1-1991). Radio sur véhicule 2 252 338 (*1989 :* 2 066 632 dont Flandre 1 327 841, Wallonie 580 983, Bruxelles 153 818) ; TV 3 296 412 (dont Flandre 1 948 172, Wallonie 1 041 543, Bruxelles 306 673) dont couleur 2 899 255. Belgique Licence Combinée.

Production (BRT). *1989 : Radio :* 31 303 h. *TV :* 5 165 h.

• **Canada. Réseau publics :** *CBC/SRC* (Canadian Broadcasting Corporation/Sté Radio-Canada, f. 1936). Gère : *4 réseaux nat. de radio* (2 pour chaque langue en AM et FM), soit 65 stations et 21 privées affiliées et 46 centres régionaux de production ; *2 réseaux nat. de TV :* 13 stations francophones, 18 anglophones, relayées par 29 stations affiliées et 30 centres de production régionales.

Réseaux privés TV dont : francophones (Québec) : *TVA* (Télédiffuseurs associés, 1961), *Télé Quatre Saisons* (1986) ; anglophones : *CTV* (Televison Network Ltd, 1961), *Global Communication Ltd* (1974).

Radiodiffusion : *origine :* privée. *1936* réorganisée, avec la fondation de la *CBC* (« Radio Canada »), Sté de droit privé, indépendante de l'Etat, chargée d'organiser un service national. *1952* ouverture des réseaux de télé. : réglementation par le Conseil de la radiotélévision et des communications can. (CRTC). Radio Canada fonctionne à 80 % avec des crédits votés par le Parlement. *Concurrence :* réseaux privés (Télémétropole : 25 % de l'audience), câble (78,8 % des foyers équipés), Etats-Unis.

• **Chine. Télévision :** *créée* 1958. Monopole d'État (CCTV) : 3 chaînes nat. (1 pour Pékin, 2 pour tout le pays). Env. 50 stations émettrices locales. *1er sat. lancé* 1986. **Pub. :** 2 % du temps de diffusion.

• **Danemark. DR :** lancée 1951 ; aud. 49,1 % ; bud. 0,6 ; ress. : red. ; prod. 68 %. **TV2 :** lancée 1-10-1988 ; aud. : 44,1 % ; bud. : 0,49 ; ress. : red. 33,33 %, pub. 66,66 ; prod. 30 % ; exploite 8 ch. régionales. **KANAL 2 :** lancée nov. 1984 ; danois et anglais à péage ; aud. 23 % ; ress. : pub. et location de décodeurs ; prod. 40 % ; reçoit aussi TV3, chaîne scandinave par satellite, Filmnet, TV5, CNN, BBC TV Europe, Superchannel, Screensport, Lifestyle et MTV.

• **Espagne. Télévision.** Loi du 10-1-1980. **RTVE (Radiotelevision española) :** établissement public à caractère commercial : **6 réseaux radiophoniques** (Radio 1, Radio 2, Radio 3, Radio 4, Radio 5, Radio Exterior de España) et **4 ch. TV** [*TVE 1 :* lancée 1954, *TVE 2 :* lancée 1965 ; aud. 34 et 24 % ; ress. : pub. ; prod. 55,13 %), *TVE internacional, TVE América*]. *Pt :* Jordi Garcia Candau.

9 TV publiques autonomistes émettent sur la 3e ch. : *TV3* (Catalogne ; lancée 1989 ; aud. : 15,5 % ; ress. : pub. et subventions,; prod. : 30 %), *ETB 1 et 2* (Euskal Télébista, au pays Basque) et *TVG* (Galice), *RTV et Canal 9* (Valence ; lancée 9-10-1990 ; langue : valencien ; aud. : 10 % ; bud. : 0,035 ; ress. : subventions 81,25 %, pub. : 18,75 %), *Canal Sur* (Andalousie ; lancée 27-2-1989 ; aud. : 13,5 % ; ress. : pub. 24 %, subventions du gouv. régional 76 % ; prod. : 60 %), *TM36 Telemadrid* (Madrid ; lancée 1983 ; langue : catalan et esp. ; aud. : 30 % à Barcelone ; ress. :

subventions et pub.). **Ch. privées :** *Antena 3* (lancée 25-1-1990 ; aud. : 8,5 % ; ress. : pub. et parrainage ; bud. : 0,6), *Tele Cinco* (lancée 3-3-1990 ; aud. : 25 % ; bud. d'invest. : 0,8 ; prod. : 35 %) et *Canal + Espagne* (lancée 14-9-1990 ; ress. : abonnements et pub. ; abonnés attendus : en 1991 450 000, codée).

Radio : *principe :* monopole d'Etat, participation à la gestion du service public de sociétés privées concessionnaires auxquelles le gouv. attribue des fréquences. *Stations :* 1 805 publiques (dont RNE 206), 1 023 privées (dont SER 240, Cope 192, Onda Cero 160).

• Eurovision. *Fondée* 1954. Structure d'échange de programmes de télé entre les membres de l'UER, f. 1950, 97 membres dans 66 pays. Budget : 230 millions de F suisses. 1 448 programmes transmis par an. *Sujets d'actualité (1989) :* 14 318. *Indicatif :* quelques mesures du *Te Deum* de Marc-Antoine Charpentier. *Coordination technique des transmissions :* centre de contrôle Eurovision (EVC), à Bruxelles. *Réseau* (début 1987) 371 947 km de circuits vision (365 114 par faisceaux hertziens et 6 833 par câbles) + voies vision dans les systèmes de satellites géostationnaires. Dessert plus de 28 169 émetteurs et réémetteurs qui diffusent 60 programmes dans 32 pays d'Europe et le Bassin méditerranéen. Ces pays comptent 127,7 millions de récept. *Auditoire potentiel* max. : + de 300 millions de personnes. *Radio :* 150 millions de récepteurs.

• France. Voir p. 1156.

• Grande-Bretagne. ORIGINE *1927 : BBC,* organisme public mais non étatique, reçoit le monopole de la radiodiffusion. *Début des années 50 :* perd son monopole d'émission. Un organisme public, l'ITA, contrôle le fonctionnement d'ITV. Des Cies régionales privées diffusent leurs programmes sur ITV après obtention d'une licence d'exploitation. *1972 :* même système appliqué à la radio. La *BBC* ne conserve plus qu'un monopole sur la diffusion radiophonique nationale, remis en cause en 1988.

Télévision. (405 l. jusqu'à 1986 et 625 l.). **2 ch. nationales publiques : BBC1 :** lancée 2-11-1936, codeur dep. 1969, et **BBC2** (lancée 20-4-1964, codeur dep. 1967) ; aud. 37 % et 12 ; bud. *BBC1 :* 4, *BBC2 :* 2,2 ; ress. : red. et vente de programmes ; prod. 77,6 %. **2 réseaux privés : ITV Independant Tel** (Channel 3) lancé 1955 ; aud. 42 % ; bud. (1989) 10 ; ress. : pub. 90, ventes de programmes et sponsors 10 ; prod. 63 %. 15 ch. régionales dont *Thames TV :* lancée 1968 ; aud. 37 % ; + importante chaîne d'ITV ; *Granada TV :* 1956 ; aud. 43 % ; *Central TV :* 1980 ; aud. 47 % ; *London Weekend TV :* 1968 (du vendredi soir au lundi matin) ; *Yorkshire TV :* 1968 ; aud. 44 % ; *Grampian Television :* 30-9-1961 ; ress. : pub. ; prod. 5,1 % ; diffuse sur l'Écosse. *Channel Four :* lancée 1982 ; aud. 76 % ; 17,1 % du marché des chaînes privées ; bud. 3 000 ; ress. : pub. 99.

Par le satellite : CHAÎNES DU GROUPE MURDOCH : lancées 5-2-1989 : *Sky One, Sky News, Sky Movies* et *Eurosport* ; bud. *Sky Movies :* 0,35, *Sky News :* 0,1 ; ress. : pub., abonnements (Sky Movies). Eurosport est diffusé également en néerlandais et allemand (5 langues prévues). DU GROUPE W.H. SMITH : *Screensport :* lancé 1984 ; diffusé en anglais, allemand, français, néerlandais, prévision espagnol. *Lifestyle :* lancé 30-10-1985. *Cable Jukebox :* lancé 1984 ; bud. : Lifestyle 0,50, Screensport 0,135 ; ress. : pub. : 50, abonnements 50. DU GROUPE BSB : *The Movie Channel, Galaxy, The Sports Channel, Now, The Power Station ;* lancées 25-3-1990 ; ress. : abonnements 1 500 000 et pub.

Children's Channel : privée ; lancée 1-9-1980 ; aud. 0,7 % ; bud. (1989) 0,02.

☞ *Personnel de la BBC :* 25 666 (dont 2 604 serv. extérieurs radio, 1990). *Écoute moy. annuelle par tête et par semaine :* TV : 23 h 51, Radio : 10 h 12. *Red.* (1990) : couleur 18 085 849, Noir et Blanc 1 518 000.

Radio. *Secteur public :* BBC : créé 1922, 4 ch., 3 services régionaux, 37 stations locales (dont 2 dans îles anglo-normandes, pour la BBC). *Secteur privé :* coordonné par l'IBA (Independent Broadcasting Authority, ex ITA). 56 stations locales (Independent Local Radios, ILR).

• Grèce. **3 ch. publiques :** *ET1 :* lancée 23-2-1966, *ET2* (1968), *ET3* (1989) ; ress. (%) : red. 36,7, pub. 43,3, subventions 20 ; prod. 35 %. En 1990, apparition des **ch. privées :** *Mega Channel :* lancée 20-11-1989 ; aud. 26 % ; bud. 0,2 ; ress. : pub. *Kanali 29* (déc. 1989). *Antenna TV* (déc. 1990). *New Channel* (mars 1990). *TV Plus* ch. payante.

• Irlande. **2 ch. publiques nationales :** *RTE1 :* lancée 31-12-1961. *Network 2* (1972) ; aud. en prime time, *RTE1 :* 25 %, *Network 2 :* 9 % ; ress. (%) : red. 44, pub. 54, autres 2 ; prod. 50. **Ch. privée :** *TV3 :* lancée printemps 1991 ; aud. : attendue 10 % ; ress. : pub.

• Italie. Radio et TV. *RAI* (Radiotelevisione italiana) *créée* 1944. *1947* monopole d'exploitation de la radio sous forme de concession, renouvelée et étendue à la TV 1952. Sté de droit privé, majoritairement détenue par l'Etat. *Années 70* apparition de télé locales privées, légalisées par la Cour constitutionnelle (arrêt du 10-7-1974). *1975-avril* confirmation du monopole de la RAI. *1976-28-7* la Cour constitutionnelle déclare le monopole inconstitutionnel ; les stations locales hertziennes se multiplient (env. 1 200 en 1981), puis se structurent. *1979* des réseaux se constituent, d'abord contrôlés par des groupes de presse, puis rachetés par Silvio Berlusconi (Fininvest). *1981* une sentence de la Cour constitutionnelle de juillet (n° 148) confirme la légalité du monopole d'État en matière de service télévisé à l'échelon national. Les TV privées ne peuvent diffuser des émissions en direct (ni reportages sur des événements ayant lieu en It., ni journaux télévisés) ; la publicité ne doit pas dépasser 16 % du temps d'antenne. La faculté d'émettre à l'échelon régional est reconnue à l'initiative privée.

Secteur public : *RAI* gère : 3 programmes nationaux de radio (Radio 1, Radio 2, Radio 3) ; 3 de TV (représentant Chrétiens Démocrates, PSI, PCI) : **RAI UNO** (lancée 1954) aud. 26,2 % ; bud. 1,8 ; prod. 73,3 % ; ress. : red., pub. (max. 12 %). **RAI DUE** (1961) bud. 1,35 ; aud. 13,8 %, ress. : red., pub. (max. 12 %) ; prod. 65 %). **RAI TRE** (1979) aud. 8,5 % ; bud. 0,45 ; ress. : red., pub. (max. 12 %) ; prod. 80 %.

Réseaux de T.V. privés : quasi-monopole détenu par la Fininvest (dirigée par Silvio Berlusconi), propriétaire dep. août 1984 de 3 réseaux nationaux (*Canale 5, Italia 1, Rete 4*) + de 62 % du marché pub. ; CA en 1989 : + de 32 milliards de F. 240 stations locales sous la tutelle des chaînes de Berlusconi (*réseaux Junior TV, Italia 7, TV Capodistria*), de la RAI (*Cinquestrelle, Video Music, RETE A*) ou en autonomie (*Retecapri, PanTV, Odeon TV*). *TSI* (Suisse italienne) et *Antenne 2* dep. 1974 émettent sur le Nord et le Centre. **Canale 5 :** lancé 1980 ; aud. 19,7 % ; ress. : pub. ; prod. 60 %. **Italia 1 :** (1982, racheté par Berlusconi 1983) aud. 11 % ; ress. : pub. ; prod. 40 %. **Rete 4 :** (1982, rachetée par Fininvest 1984) aud. 7 % ; ress. : pub. ; prod. 30 %. **Odeon TV :** (1987) aud. 3 % ; ress. : pub. ; prod. 30 %. **TMC ITALIE :** (1983) aud. 3 % env. ; ress. : pub. ; prod. (1989) 100. **Italia 7 :** (1987) aud. 2 % ; ress. : pub. ; prod. 20 %. **Télé Plus** (1991) : à péage.

☞ **Audience** (en %, en 1990) : *RAI 1 :* 25,12, *Canale 5 :* 18,99, *Rai 2 :* 14,61, *Rai 3 :* 11,57, *Italia 1 :* 11, *Rete 4 :* 7,26. *Total RAI :* 51,3 (3 points de + qu'en 1989), *Fininvest :* 36,87 (– 1 point) : **Radios et télévisions privées** (nombre, fin 1989) : Radios 4 531, TV 992 dont 249 affiliés à 14 réseaux.

• Japon. **Secteur public :** *NHK* (Nippon Hoso Kyokai, 1926) : 3 programmes nationaux de radio, 4 pr. de TV (dont 1 émission scolaire et éducative). **Privé :** 138 Stés locales et régionales dont : *NTV* (Nippon TV Network) 1er actionnaire : groupe Yomiuri ; *Fuji TV* (groupe de presse Sankei) ; *TBS* (Tokyo Broadcasting System), affilié au groupe Mainichi ; *Asahi Broadcasting Corporation,* division radio-TV du gr. Asahi. 8 canaux de TV directement reliés par satellite d'émission, autorisés au niveau national. En janv. 1984, févr. 1986 et août 1990, ont été lancés les 1er, 2e et 3e satellites DBS utilisables qui fournissent à NHK les 2 canaux pour la diff. de ses progr. 1re ch. privée par sat. (JSB : Japon, Sat. Tél.), lancée 1-4-1991 ; abonnés : 4 millions (prévus fin 1994). *Écoute moy. par j. (1990) :* 3 h 39 min (lundi à samedi) 3 h 54 min (dimanche).

• Luxembourg. **Origine :** *1929-19-12* loi fixant le régime de la radio. *1930* la Sté lux. d'études radiophoniques obtient la concession exclusive de la radio. *1931* devient Cie lux. de radio. (CLR). *1954* a par concession le monopole de la télé, et devient Cie lux. de télédiffusion (CLT) qui exploite sous le sigle RTL. **Implantation :** *France* (RTL-Lorraine, M6, RTL Paris, Maximum). *Belgique* (RTL-TVI, Radio Contact). *Allemagne* (RTL-Plus, Tele 5, RTL-Radio, RTL Baden-Würtemberg). *P.-Bas* (RTL 4). *G.-B.* (RTL Internat., Radio Luxemb. London, Radio Atlantic 252). *Luxembourg* (Hei Elei Kuck Elei, RTL 92,5).

RTL TV : 1re ch. commerciale lancée en 1954 en Europe ; aud. : 1re ch. en Lorraine entre 20 h et 0 h : 30 % d'aud. cumulée (33 % chez les – de 35 a.), 2e ch. derrière TFI en parts de marché ; bud. 0,075 ; ress. : pub. et contribution des câblo-opérateurs ; prod. 10 %.

• Monaco. **Télé-Monte-Carlo :** appartient à la Sté spéciale d'entreprise qui exploite la concession de télé. attribuée à Radio Monte Carlo par l'État monégasque depuis nov. 1954. *Capital :* Radio Monte-Carlo 60 %, État monégasque 40 %. *Pt :* César-Charles Solamito. Dep. la convention de Stockholm, l'État monégasque exploite 5 fréquences hertziennes : 3 UHF (C 30, C 33, C 35) et 2 VHF (C 2 et C 8). Le Canal VHF C 2 n'est plus protégé car il peut être utilisé pour des services de télécom. Émetteur Mt Agel (1 104 m) en zone militaire franc. orienté *vers Italie* (relayé par 70 réémetteurs assurant la diffusion du programme it. de TVI) et, *vers la Fr.* (relayé par des réémetteurs à Toulon et Marseille). Actuellement, fréquences 33 et 35 utilisées *vers l'Italie.* Diffusion de MCM vers France : par le Canal 30 (relayé par réémetteurs TDF de Marseille et Toulon). Canal VHF 8 : duplique programmes du Canal 30 sur la zone couverte du côté franç. (Bassin Monte-Carlo-Côte-d'Azur). **Chaîne 1** en français : Canal 10 VHF de nov. 1954 à nov. 1984 (en couleurs dep. 1974) ; 8 VHF dep. nov. 1984 et 30 UHF couleurs Secam. Dep. 15-10-1984, TDF relaie TMC à Toulon et à Marseille (2 émetteurs de 20 et 2 kW). *Réception :* grand Toulon (de Cassis à Hyères), B.-du-Rh. et frontières du Gard, de l'Hérault et des Alpes-de-Hte-Pr. *Auditoire potentiel :* 3 500 000 personnes. *Programme :* 7 h 30 à 19 h 45 : MCM Euromusique. 19 h 45 : infosud. 20 h/20 h 20 : programme régional. 20 h 25/22 h : film ou émission. 22 h/0 h 30 MCM Euromusique. **Chaîne 2 :** dep. 1974. PAL (canal 35 UHF) couleurs dep. 1978. *Réception :* Monaco, Alpes-M., Italie (Ligurie, Piémont, Lombardie, Vénétie, Émilie, Romagne, Toscane, Lazio). *Ressources :* publicité. *Perte* (1988) : 40 millions de F.

• Norvège. **Ch. publique :** 1. *NRK :* lancée 20-8-1960 ; aud. 73 % ; budget 1,2 ; ress. : red. 75 et divers comme vente de programmes 25 ; prod. 60 %. **Ch. commerciale** généraliste privée : 1. *TV Norge* diffusée sur le câble. 38 % des foyers reçoivent les 2 ch. publiques suédoises, et TV3 (ch. scandinave par satellite) ; sur les réseaux câblés, réception de nombreuses ch. étrangères (Filmnet, SuperChannel, EuroSport, etc).

• Pays.-Bas. **Ch. publiques :** 3. *Netherland 1 :* lancée 2-10-1951, 4-4-1988 sous sa forme actuelle ; aud. 20 à 35 % ; bud. 1,25 ; ress. : red. 63, pub. 36, vente de magazines ; prod. 60 %. *2 :* lancée 1964, 4-4-1988 sous sa forme actuelle ; bud. 1 ; prod. 65 %. *3 :* lancée 1-4-1988 ; aud. 10 à 15 % (45 % pour foot) ; bud. 0,55 ; prod. 65 %. Toute association déclarée d'utilité publique peut prétendre, avec 15 000 signatures, à une licence d'émission sur l'un de ces 3 canaux. **Ch. privées :** *RTL4 :* lancée 2-10-1989 (ex. RTL-Véronique), diffuse dep. le Luxembourg ; aud. 25 % ; 1re ch. sur les 22 réseaux câblés néerl. ; bud. 0,4 ; ress. : pub. ; prod. 30 %. *Kindernet :* lancée 6-3-1988 (pour la jeunesse) ; ress. : abonnements.

• Pologne. **Ch. publiques :** 2. *TP1 :* lancée 1952. *TP2 :* lancée 1970 ; ress. (%) : 53,1, subventions 31,1, pub. : 5,8, autres : 10 ; prod. *TP1 :* 50 %, *TP2 :* 60. Reçoit programmes all., tchéc. et sov. et depuis le 7-5-1990, la Sept peut réémettre 3 h 1/2 de programmes quotidiens alternativement sur TP1 et TP2. Idem pour Canal France International.

• Portugal. **Télévision** constitutionnellement monopole d'Etat : *Radiotelevisao Portuguesa* (RTP), 2 ch. (lancées 7-3-1957) : Canal 1 et Canal 2 (RTP-Madeira lancée 6-8-1973 et RTP-Açores lancée 10-8-1975 ; aud. *RTP1 :* 69 %, *RTP2 :* 31 ; bud. *RTP1 :* 0,7, *RTP2 :* 0,3 ; ress. : red. et pub.). Ch. privées : prévues. **Radio :** *Radiodifusao Portuguesa* (RDP), entreprise publique : fusion de l'ancien *Emissora Nacional* (Emetteur national) et des émetteurs de stations privées nationalisées après 1974. Quelques radios privées, telle *Radio Renascença,* fondée 1938 ; catholique.

• Suède. **Ch. publiques :** 2. *Kanal 1 :* lancée 1957 et *SV2* lancée 1969 ; aud. 65 % ; bud. *Kanal 1 :* 53, *SV2 :* 0,5 ; ress. : red. ; prod. : 58,7 %. **Ch. commerciale privée :** 1. **NT/TV4 (Nordisk Television/TV4) :** lancée 15-9-1990 ; ress. : pub. ; prod. : 60 %. **Ch. privées :** 3 à destination du marché scandinave par le satellite ou sur les réseaux câblés : *TV3. TV. 1000 :* lancée 27-8-1989 ; ab. (1990) 40 000 ; ress. : abonnements et pub. *SF Succe :* lancée déc. 1989 ; ab. (juin 1990) 50 000 ; ress. : abonnements et pub.

• Suisse. **Radio et TV :** *1922* 1er émetteur public de radio en S. (Champ de l'Air Lausanne). *1951* 1re émission expérimentale de télé, à Lausanne. *1956* début de l'Eurovision (1re émission, Montreux). *1965* publicité à la télé. *1968* début off. de la couleur. *1979-28-1 Radio 24* 1re à briser le monopole de la *SSR ;* émet de l'Italie Pizzo Groppera. Condamnée puis autorisée 1983. **Sté suisse de radiodiffusion et télévision (SSR) :** Sté de droit privé bénéficiant d'une concession du Conseil féd. Programmes dans les 4 langues nat. *PAL* couleurs dep. 1968. Reçoit 77 % des recettes venant des taxes (les PTT, responsables techniques, reçoivent les 23 % restants). *Taxes* radio 118,8 F par an ; TV 231,6 F. *Publicité* autorisée 29 min (dont 1 pour les campagnes d'intérêt public) par j ouvrable, à la télé. seulement.

Radio-Télév. Suisse Romande (siège à Lausanne) ; *Radiotelevisione della Svizzera italiana* (s. à Lugano) ; *Radio Suisse Intern. et Télédiffusion* (s. à Berne).

Au 1-8-1990 : 1 366 émetteurs (et réémetteurs TV), 6 ondes moy. radio 479. Radio FM, 11 ondes courtes. *Population desservie* 99,5 %.

Ch. publiques : 3. *DRS :* lancée 1955 ; aud. (en %) : S. aléman. 39, francophone 4, ital. 4,1 ; bud. 450 ; ress. : red. 60, pub. 32, autres 8 ; prod. 60 % (20 % en coprod.). *TRS :* lancée 1954 ; aud. (en %) : S. franc. 35 %, S. aléman. 3, ital. 3,3 ; prod. 60 % (co-prod. : 20 %). *TSI :* lancée 1961 ; aud. : S. ital. 28 %, aléman. 2, franc. 2,4 ; bud. 450 ; ress. : red. 70, pub. 30 ; prod. 55. **Ch. locales :** 6. *Canal Alpha + :* lancé 1987 ; langue franç. ; ress. : red. du câblo-distributeur, subventions, dons et parts sociales. *Canal 9 :* lancé 1984 ; langue franç. ; ress. : fonds propres et abonnements. *Hasli TV :* lancé 19-5-1985 ; langue all. ; ress. : fonds propres. *Diessenhofen TV. Wil TV. Winti TV.*

TV à péage sur câble : 2. *Téléclub :* lancée 3-5-1984 ; langue all. ; ab. 63 000 (Suisse), 7 000 (All. féd.). ; prod. 10 %. *Télé ciné.*

Ch. all. et autr. représentent 40 % de l'audience en Suisse alémanique, TF1 28 %, A2 et FR3 26 % en S. romande ; les ch. italiennes 40 % en S. ital.

• **Turquie.** **Monopole d'État : TRT1** généraliste, touche 90 % de la population (prod. 80 %). **TRT2** 60 % de la pop. (prod. : 60 %). **TRT3** 45 % de la pop. (prod. 20 %). **TV-GAP** créée juil. 1990, destinée aux Kurdes en particulier. **TRT-INT** pour Turcs à l'étranger ; ress. : pub., taxe sur la vente des téléviseurs (2 à 3 % sur factures d'électricité). **Ch. privée :** 1. **Magic Box-Stari** qui émet en turc dep. l'Allemagne.

• **U.R.S.S.** Un décret du 16-7-1990 a mis fin au monopole de l'État et du Parti sur Radio et Télévision. **Radio :** 2 réseaux, transmis dep. Moscou (le 2e dit « Maïak », le phare). Nombreuses ch. locales.

Télévision : *4 ch. :* **CT1 :** en russe sur l'ensemble du territoire ; **CT2 :** en russe sur 80 % ; **CT3 :** à vocation éducative ; **4e réseau régional** (25 % du temps diffusé en langues nat., ukrainien, géorgien, turkmène, etc.) et 2 autres ch. fonctionnant 6 h par jour (*TV Moscou* et *TV Leningrad*) sur le mode occidental.

CT1 et **CT2 :** ont signé des accords de coopération avec des ch. de l'Europe de l'Ouest, dont Canal +. *Émetteurs* + de 1 000 puissants ordinaires, près de 7 000 relais, 90 stations « Orbita », près de 6 000 récepteurs compacts puissants, des systèmes de télédiffusion « Écran » et « Moscou » pour les régions éloignées. *Diffusion :* + de 4 100 h/jour (télé. centrale : en moy. 160 h/jour). Les programmes de télé. centrale sont transmis en couleur (système SECAM dep. 1967). *Publicité :* sur les ch. nationales.

• **U.S.A.** **Équipement** (par foyer) : radio 5,6 en moy., télé 2 ou + dans 65 % des foyers ; canaux reçus (câble compris) : 30,5 en moy. **Télévision** (févr. 1991) : stations 1 470 dont 353 non commerciales (la plupart subventionnées par le gouvern.). N'importe qui peut en principe construire une station TV et diffuser une émission. Aucune station ne peut être contrôlée directement à + de 20 % par des intérêts étrangers. Les propriétaires de stations doivent être agréés par une agence gouvern. Dep. avril 1985, une station peut contrôler au max. 24 stations de radio (12 à ondes moyennes et 12 en FM) et 12 de T.V. (7 auparavant). *Distribution par câble : 1991 :* 9 562 réseaux câblés, des villes entières bénéficient d'antennes communes CATV (Cable Television) pouvant supporter jusqu'à 120 chaînes à la fois (sert + de 59 % de ménages américains). *Pay-TV* (dep. 1975) : diffusion par 6 chaînes de films à 39,2 millions d'abonnés (sur 55 millions disposant du câble). *TV de faible puissance :* 2 009 (dont autorisées 1 188) ; 36 DBS satellites.

Secteur public. TV : *PBS* (Public Broadcasting Service, fondé 1969), diffuse sous l'autorité de CPB (Corporation for Public Broadcasting, fondée 1967) les émissions produites par 320 stations à but non lucratif (États, municipalités, institutions universitaires et scolaires, associations etc.) et financées par aides de l'État, mécénat d'entreprise ou fondations. *Audience :* env. 4 %. **Radio :** *NPR* (National Public Radio, 1972) ; *APR* (American Public Radio, 1982). Services radio vers l'étranger : *20 VOA* (Voice of America) ; *Radio Free Europe/Radio Liberty* (fusion le 1-10-1976 de Radio Free Eur. fondée 1949 et R. Liberty fondée 1951) financées au début par la C.I.A., mais dep. 1973 par le BIB (Board for International Broadcasting) ; budget 1991 : 183,3 millions de $, transmetteurs 22 (All., Esp., Portugal, puissance totale : 9 220 kW). Émet en 41 langues (d'Europe de l'Est, Etats Baltes, U.R.S.S., Afghanistan). 1 080 h par semaine. Brouillée jusqu'à fin 1988. *Audience* (semaine moy.) : 127 millions.

Secteur privé. Radio-TV : 3 grands réseaux : *NBC* (National Broadcasting Company f. 1962, rachetée par G.E.) ; *CBS* (Columbia Broadcasting System, 1927) ; *ABC* (American Broadcasting C. f. 1943, rachetée mars 1985 par Capital Cities). **Radio :** + de 100 réseaux mais 55 à 60 % des stations sont affiliées à l'un des 3 grands. **TV :** 652 stations locales affiliées à l'un des 3 grands réseaux (*ABC :* 223, *NBC :* 209, *CBS :* 200) ; 339 st. indépendantes.

Au total (secteurs public et privé) : 10 830 stations de radio (dont 1 438 non commerciales), 1 470 TV hertziennes (dont 354 non commerciales).

Radio Amateurs

Services Amateurs. *Objet :* instruction individuelle, intercommunication et études techniques ; activ. effectuées par des amateurs autorisés s'intéressant à la technique à titre personnel et sans intérêt pécuniaire. Sous la tutelle des Télécommunications-DTRE. Dépendant précédemment du ministère des PTT, désormais rattaché à la CNCL. **Autorisation d'émettre :** délivrée après : 1° agrément de la candidature (min. des PTT) ; 2° obtention du certificat d'opérateur radiotéléphoniste ou radiotéléphoniste-radiotélégraphiste après examen. 3° constatation de la conformité de l'installation aux conditions techniques prévues. *Groupes de licences : A :* 13 ans + certificat d'opérateur radiotéléphoniste. *B :* comme A + certificat de radiotélégraphiste. *C :* comme A mais avoir 16 ans. *D :* comme B mais 16 ans. *E :* 3 ans d'exploitation en D sans rappel à l'ordre ou sanction.

Fréquences. 32 bandes autorisées en métropole, de 1,810 MHz à 250 000 MHz. Jusqu'à 10 000 MHz communications à très longue ou très courte distance. Au-delà de 10 000 MHz, domaine plutôt expérimental. **Puissance autorisée :** varie selon groupes et classes d'émission. De 30 à 500 W. **Indicatifs :** *France continentale :* F, suivie de A, B, C, D ou E (groupe du radio-amateur) puis chiffre de 0 à 9, puis groupe de 2 ou 3 lettres caractérisant le titulaire. Ex. : FD6XZB, FE9IV. *Indicatifs anciens :* chiffre 8, 9, 2, 3 ou 5 ; *récents :* 6 ou 1. *DOM-TOM :* préfixes spéciaux. Ex. : FM, Martinique, FR La Réunion, etc. *Pays étrangers :* lettres ou chiffres. Ex. : G Angleterre, EA Espagne, LU Argentine, 9V Singapour, 9H4 Malte, etc. **Redevance :** 150 F. **Infrastructure :** dans de nombreux pays, réseaux de relais émetteurs-récepteurs VHF (en France près de 40 relais VHF, bande 144 MHz, et 40 relais UHF 430 MHz). Balises émettant signal fixe pour étude de la propagation. Dans l'espace, 2 satellites américains, 4 soviétiques. En France, des radio-amateurs ont conçu et construisent au CNES (Centre national d'études spatiales de Toulouse) le 1er satellite Arsène (Ariane Radio-amateur Satellite pour Enseignement de l'Espace) à vocation pédagogique, qui sera lancé par Ariane en 1987.

Modes de trafic. Télégraphie, téléphonie, téléscripteur, télévision à balayage lent, télévision de type classique, fac-similé (télécopie), transmission de données (packet-radio). *Choix* des fréquences et modes se combinent pour réaliser liaisons : en vue directe, à grande distance, intercontinentales, par réflexion sur lune ou sur essaims de météorites, par satellites radio-amateurs. **Trafic radio-amateur :** le radio-amateur communique au moins : indicatif officiel, prénom, localité, conditions de réception, matériel utilisé (antenne, émetteur...). Informations technico-scientifiques seulement (ni messages privés, ni politique, religion ou langage cru...). Parfois, termes abrégés directement issus du code télégraphique ; QRA : domicile ; QRG : fréquence ; QRM : interférences ; QSB : affaiblissement passager ; QSL : carte accusé de réception, confirme la liaison radio ; OM (Old Man), opérateur ; YL (Young Lady), opératrice. Beaucoup d'autres abréviations employées sur d'autres canaux sont à proscrire chez les radio-amateurs ; SWL (Short Wawe Listener) : pratique l'écoute avec virtuosité, édite souvent une carte QSL pour confirmer écoute des stations entendues. Peut obtenir un indicatif F11 (50 F en 1987, en s'adressant au REF ou à la DTRE).

Autres activités. *Réseaux d'urgence :* exercices et alertes réelles dans le cadre du service de Protection civile et du plan ORSEC. *Compétitions :* maximum de liaisons en un temps déterminé. Exemple : championnat de France (REF). *Diplômes :* obtenus pour liaisons réussies avec correspondants déterminés dans des conditions précises. Le Réseau des émetteurs français assure le transit des cartes QSL et octroie des diplômes. *Radiogoniométrie sportive :* dite chasse au renard. Compétitions de localisation d'une prise par radio. *Radio-clubs :* théoriques et pratiques.

Nombre de radio-amateurs. MONDE : env. 2 000 000 (U.S.A. 360 000, Japon 300 000). FRANCE : *1925 :* 255, *1939 :* 650, *1950 :* 3 000, *1960 :* 4 000, *1970 :* 6 000, *1980 :* 11 000, *1982 :* 12 939, *1983* 13 050, *1984 :* 12 937, *1985 :* 13 239, *1986 :* 13 720. **Radio-amateurs illustres :** roi Hussein de Jordanie JY1, roi Juan Carlos d'Espagne, sénateur Goldwater des USA, Owen Garriott, W5LFL 1er astronaute radio-amateur en 1985. *Écoute des radio-amateurs :* très facile, avec récepteurs ordinaires, dans les bandes 7, 14, 21 et 28 MHz. **1re liaison :** avril 1922, le Français Léon Deloy (« F8 AB ») réussit plusieurs liaisons bilatérales avec l'Angleterre et la 1re liaison avec l'Amérique en 1923.

Renseignements. *Direction des Télécommunications des réseaux extérieurs (DTRE) (France Telecom).* Service amateurs, 37-39, avenue Ledru-Rollin, 75012 Paris. Sur Minitel : 36-14 AMAT. *Réseau des émetteurs français.* B.P. 2129, 37021 Tours Cedex. Fondé 30-5-1925. Reconnu d'utilité publique, J.O. du 3-12-1952. *Pt :* Thérèse Normand. *Adhérents :* 10 000. *Mensuel :* Radio REF.

Canaux banalisés (CB)

Définition. Émetteurs-récepteurs fonctionnant sur les canaux banalisés, dits postes CB, destinés à des communications à courte distance. *Fréquences* collectives de la bande 26,960 à 27,410 MHz (en pratique, liaisons en onde directe variant de quelques km à 200/300 km suivant la position de l'émetteur et du récepteur, notamment en montagne et en mer. En période de forte activité solaire, la plupart des liaisons deviennent intercontinentales, mais les liaisons avec les pays étrangers sont interdites).

Réglementation CB. Licences délivrées par ACTEL. Les appareils doivent être homologués par les PTT ou conformes à un type homologué. Ils doivent notamment être portatifs, fixes ou mobiles ; fonctionner sur, au max., 40 fréquences préréglées avec un espacement de 10 kHz entre canaux de fréquences adjacents ; émettre en modulation de fréquence et/ou en modulation d'amplitude (double bande latérale et/ou bande latérale unique) avec une puissance max. de 4 W en crête de modulation, quel que soit le type de modulation. Cette puissance correspond à 4 W de puissance de la porteuse en modulation de fréquence ; 1 W de p. de la porteuse en modulation d'amplitude double bande latérale ; 4 W de p. en crête en bande latérale unique, cette puissance étant mesurée selon les méthodes préconisées par le CCIR, soit avec 2 oscillations sinusoïdales modulantes : 2 W de p. moyenne, soit avec un texte lu d'une voix égale : 0,4 W de p. moyenne. Il est interdit d'utiliser des amplificateurs de puissance. L'utilisation d'antennes directives de gain inférieur à 6 dB est autorisée.

Coût : autorisation valable 5 ans (170 F pour 5 ans). La licence peut être annulée ou révoquée à tout moment, sans indemnité.

Code CB. Issu du code Q utilisé dans les services radio-maritimes et aériens. *QQR :* appel de détresse. *QRA :* situation de la station (en fixe). Domicile. *QRB :* distance entre stations. *QRD :* route suivie. *QRG :* fréquence. *QRK :* visibilité, qualité des signaux. Rapport d'écoute. *QRL :* occupé. *QRM :* brouillage. Tout ce qui empêche de moduler : *QRM-pro* (travail professionnel) ; *QRMgastro* (repas) ; *QRM22* (police) ; *QRMbleu* (policier) ; *QRMrouge* (gendarmerie), etc. *QRN :* parasites atmosphériques. *QRO :* puissant, grand, fort (signal). Par extension abusive : chic, sympa, serviable... *QRP :* faible, petit (signal). Par extension. *QRPP :* très petit, enfant (*QRPépette :* petite fille). *QRQ :* plus vite (parlez QRQ). *QRS :* plus lentement (parlez QRS). *QRT :* cessez les émissions : « je passe QRT » (se conjugue). *QRU :* plus rien à dire. *QRV :* prêt.

Expressions. *Boîte à images :* radar routier. *Break :* signale que l'on désire prendre part à une conversation (QSO) en cours. *Copier :* entendre, recevoir une émission. *Galette :* sélecteur de canaux. *Gastroliquides :* boisson, apéritif. *Gastro :* repas. *Glouglou :* boisson. *Mike :* microphone (prononcer "maïke"). *Moduler :* émettre. *Moustacher :* émetteur qui « bave » sur les canaux adjacents ou émission BLU qui passe en MA. *Om :* homme (par extension : opérateur CB). *Pastille :* micro. *Push-pull :* voiture. *P-P 2 roues :* moto. *P-P mille pattes :* camion, routier. *Radio :* degré d'intelligibilité. *Rateau :* antenne directive. *Roger :* prononcer "rodgeur", compris. *Santiago :* indication de l'aiguille du Smètre, de 0 à 9. *Skip :* saut dans une transmission, distance entre 2 points éloignés. *Stand-by :* attente sur canal d'appel ou tout autre canal. *Sucette :* micro. *Tonton :* amplificateur linéaire (interdit !). *Tonton Victor :* TV. *QRM Tonton Victor :* parasites TV. *Visu :* rencontre physique. *Vitamines :* watts, d'où « boîte à vitamines » : amplificateur linéaire. *Whisky :* watts. *XYL :* femme de l'opérateur. *YL :* opératrice CB.

« P.P.L. » **(Postes Privés Libres.** Talkie-walkie, jouet). Puissance max. 5 milliwatts, ne sont pas taxés, mais doivent être homologués.

Licence de télécommande de modèles réduits. Délivrée par les P.T.T. pour une période de 5 ans. *Coût :* 190 F. *Réglementation :* 26,815 à 26,905 MHz : TMR (tous types de modèles réduits) ; 41 à 41,1 : réservé à l'aéromodélisme ; 41,1 à 41,2 : TMR ; 72 à 72,5 : TMR ; 144 à 145 : TMR ; 436 à 437 : TMR.

Nota. – Puissance alimentation d'une station pour la télécommande de modèles réduits : limitée à 5 W.

Radiocommunications avec mobiles terrestres

• **Réseaux publics.** **Radiocom 2000** (dépendant de France Télécom). Système radiotéléphonique de type cellulaire permettant l'accès à 2 services : téléphone de voiture et réseau d'entreprise. *Lancement :* nov. 1985. *Abonnés : 1986* 10 000, *janv. 89* 100 000. Début 88 toutes les régions sont ouvertes au service ; 65 % du territoire et 70 % de la population couverts (mi-1991 85 et 98 %) ; 350 relais sur 500 en service. *Terminaux :* 17 marques homologuées. *Prix moyen :* 20 000 HT. *Concurrent :* SFR (Sté française du radiotéléphone). *Postes pour 1 000 hab. (fin 1988) :* France 1,65, All. féd. 1,50 ; G.-B. 8,36 ; Suède 27,96. **R. 150.** Fermé progressivement à partir du 1-1-1990. **R. 450.** En cours de fermeture. *Eurosignal* et *Alphapage* relèvent de la filiale de France Télécom, Télécom systèmes mobiles.

• **Réseaux privés.** 40 000 bilatéraux, avec env. 200 000 mobiles qui utilisent des fréquences assignées par l'administration. Utilisés par des groupes fermés d'utilisateurs (taxis, ambulances, sociétés de services, etc.) ; ne permettent pas l'accès au réseau téléphonique ; limités à une couverture de 30 km. **Postes téléphoniques sans cordon :** *puissance* 40 mW. *Norme max. :* AFNOR NF C 98-220 obligatoire. *Fréquences :* sens fixe vers mobile : 26,5 MHz ; sens mobile vers fixe : 41,5 MHz. Réseaux et postes sans cordon relèvent du CSA (Conseil supérieur de l'audiovisuel).

• **Radiocommunications avec mobiles maritimes.** *Service manuel* (communication avec les services en mer) : assuré par les centres radio-maritimes. *Radiotéléphone maritime et fluvial, en ondes métriques :* permet des communications dans le sens terre-navire et navire-terre (VHF bidirectionnelle). *Radiotélex automatique, en ondes décamétriques :* relie en permanence les navires équipés du système TOR (Telex Over Radio) au réseau télex terrestre. *Service maritime par satellite Inmarsat :* assure les communications télex et téléphoniques à destination ou en provenance des navires se trouvant dans les océans Atlantique, Indien ou Pacifique.

☞ *Dir. des Radiocommunications avec les mobiles (RCM).* 246, rue de Bercy, 75584 Paris Cedex 12.

Télédistribution

Origine. *1948* U.S.A. : John Walson installe une antenne collective à Manoha City (Pennsylvanie). *1950* Canada : zones rurales. *G.-B. :* zones d'ombre. *1960* P.-Bas : réseaux dispersés, souvent exploités par les municipalités. *1966* USA : lutte des radiodiffuseurs pour protéger leurs stations hertziennes. *1972* USA : programmes non locaux autorisés. *1973* Belgique : 300 000 foyers équipés. *1982* G.-B. : développement. *1984* France ; réseau expérimental fibre optique de Biarritz (21 mai). Loi fixant le statut des Stés locales d'exploitation du câble (SIEC).

Câble à l'étranger. **Implantation** (y compris réseaux communautaires [1], 30-6-89) : *nombre de foyers télévision,* entre parenthèses *de prises raccordables et* en italique *d'abonnés en millions.* All. Féd. 23,1 (12,6) *5,4 ;* Belgique 3,5 (3,4) *3,37 ;* Danemark 2,2 (0,4) *0,2 ;* Espagne 9,5 (n.s.) *n.s. ;* Finlande 1,7 (0,37) *0,26*[1] ; France 19,5 (1,5) *0,18 ;* G.-B. 20,6 (0,47) *0,07 ;* Grèce 2,9 (n.s.) *n.s. ;* Irlande 0,9 (0,3) *0,3 ;* Italie 17,5 (n.s.) *n.s. ;* Luxembourg 0,13 (n.c.) *0,7 ;* Norvège 1,5 (0,63) *0,38*[1] ; Pays-Bas 5,3 (4,7) *4,25 ;* Portugal 2,8 (n.s.) *n.s. ;* Suède 3,3 (0,22) *0,17*[1] ; Suisse 2,1 (1,44) *1,3*[1] ; U.S.A. 87,8 (69,5) *42,8.*

Nota. – (1) Estimation ; n. s. : non significatif ; n. c. : non connu.

Câble en France. Voir p. 1163 (Télédistribution).

Principaux prix et festivals de télévision

Dans le monde

Prix décernés par des pays ou des associations étrangères auxquels participe la France.

Prix Italia. *Créé* par Gian Franco Zaffrani, dir. de la RAI, en 1948. En sept. en Italie. Prix décernés : Italia : œuvre musicale, œuvre dramatique ; de la RAI ; de la Presse ital. Concours élargi à la Télévision en 1957 : œuvres dramatiques, documentaires et musicales. **Palmarès (1990).** *Fiction :* La fracture du myocarde (réalisé par Jacques Fansten et coproduit par A2 et Canal +). *Art télévisé :* L'orchestre [réalisé par Zbigniew Rybczynski et coproduit par Canal + et PSB (USA)]. *Documentaires :* Nous entendez-vous ? Rouge brûlant (réalisé par Yuris Podnieks et Lev Guscin, ITV). *Prix pour l'écologie :* Les ours polaires peuvent-ils nager éternellement ? (réalisé par Lawrence Morre, ITV). *Prix spécial pour les productions d'art télévisé :* Una stravaganza dei Medici (réalisé par Paul Kafno et Jonathan Hills et produit par Channel 4).

Rose d'or de Montreux (Suisse). *Créée* 1961. Début mai : *Concours* par émissions de music-hall, variétés, musique légère, jazz, pop « personality shows », humour. Ouvert aux télé. nationales et producteurs indépendants. *Prix :* Rose d'or, d'argent, de bronze, d'or des indépendants. *Jury :* international (1 juré par organisme participant au concours, j. des indépendants, j. de la presse internationale). **Palmarès concours officiel (1990).** *Rose d'or :* Mr Bean (Thames Television, ITV/UKIB). *R. d'argent :* Norbert Swith, a life (Channel 4). *R. de bronze :* Neutral Policy (MIV Finland). *Mentions attribuées :* Variations (Magyar Radio es Televisio, MIV) ; The Soren Kierkegaard Roadshow (Danmarks Radio, DR) ; Tuvia on the Roof (Israel Television, IBA). *Prix spécial de Montreux :* Carrott's Commercial Breakdown (Celador Productions Ltd). *Mention attribuée :* The Wonder Years, St Valentine Day Massacre (New World Intern.). *Prix spécial de la Ville de Montreux pour l'œuvre la plus gaie :* Mr Bean (Thames Television, ITV/UKIB). *R. d'or des producteurs :* Nigel Kennedy, Vivaldi's Four Seasons (Picture Music Intern.). *Prix de la presse :* Mr Bean (Thames Television, ITV/UKIB).

Festival de Monte-Carlo. *Créé* 1961. Début févr. *Prix :* Nymphes d'or. Prix Amade, UNDA, de la Croix-Rouge monégasque, de SAS le Prince Rainier, de la Critique internationale (magazines de télévision). *1988. G.-B. :* 2 Nymphes d'or : *Starlings* (Les Étourneaux) et *Retrait d'Afghanistan,* 4 Nymphes d'argent, prix du public pour *Better Days. France :* 3 prix dont prix spécial pour *Sauvons les Rhinos. Espagne :* 2 Nymphes d'argent. *Japon :* 2 mentions spéciales.

Prix Louis-Philippe Kammans. *Créé* 1974. *Décerné* par les membres de la Communauté des télév. francophones : *S.S.R.* (Sté suisse) ; *R.T.B.* (belge) ; *S.R.C.* (Canada) ; *TF1 ; A2 ; FR3.* Récompenses dramatiques en français. *1980 :* A2 Le Mécréant (Jean L'Hote). *1981 :* RTBF Mini trip (Jean-Pierre Joassin). *82 :* RTBF Le coup de bol (J.-A. Lacour). *83 :* pas de concours. *84 :* pas de prix décerné.

Prix Futura. *Créé* 1982. Couronne une œuvre scientifique. En avril, à Berlin, tous les 2 ans.

International Enmy's Awards. A New York, décembre.

Prix Ondas. *Créé* 1954. Décerné à Barcelone par la Sté esp. de radiodiffusion (SER) et dep. 1983 par l'Union europ. de radiodiffusion (UER). 2 jurys : 1er : national, 2e : international. *Prix :* personnalités radio et tél., meilleure émission régulière tél.

Prix de l'Association française des critiques et informateurs de télévision. *Créé* 1950 (meilleur réalisateur et meilleure émission de l'année).

7 d'or de Télé-7 Jours. *Décernés* dep. 1975 par la rédaction de Télé-7 Jours et en fonction du courrier des lecteurs. *Palmarès* (1990). *7 d'or d'honneur :* Jean-Christophe Averty, Dan Rather et Pierre Tchernia. *Comédien :* Roger Hanin (Navarro, TF1) ; *spot publicitaire :* Eram (Cendrillon) ; *téléfilm :* Le prix du silence (Canal +/TF1) de Jacques Ertaud (également meilleur *réalisateur de fiction*) ; *reporter sportif :* Gérard Holtz (A2) ; *magazine culturel :* Thalassa (Georges Pernoud, FR3) ; *musique écrite pour le petit écran :* Michel Portal [Ivan Ivanovitch Kossiakoff (l'ami Giono), A2] ; *photo :* Michel Carré (Les grandes familles, A2) ; *son :* Michel Aringoli (Champs Élysées, A2) ; *décor :* Michel Millecamps (dernière d'Apostrophes, A2) ; *montage :* Paul Zerbib (La télé des Inconnus, A2) ; *feuilleton ou série :* Condorcet (Michel Soutter TF1) ; *réalisateur de direct :* Maurice Dugowson (La marche du siècle, FR3) ; *magazine d'actualité :* Envoyé spécial (Paul Nahon et Bernard Benyamin, A2) ; *présentateur de journal télé :* Bruno Masure (TF1) ; *émission pour les enfants :* Babar (Canal +) ; *de variétés ou de divertissement :* Carte blanche à Frédéric Mitterrand (A2) ; *spéciale :* Génération sida FR3 (Jean-Marie Cavada) ; *grand reportage :* J'ai douze ans et je fais la guerre (Gilles de Maistre, Canal +) ; *animateur de débat :* Anne Sinclair (7/7, TF1) ; *documentaire :* De Nuremberg à Nuremberg (Frédéric Rossif et Philippe Meyer, A2) ; *auteur ou adaptateur de fiction :* Jacques Fansten (La fracture du myocarde, Canal +) ; *comédienne :* Delphine Seyrig (décédée) (Une saison de feuilles, A2) ; *animateur de variétés :* Patrick Sébastien (Sébastien c'est fou, TF1).

Prix Jean-d'Arcy. *Créé* avril 1984 par TF1 en hommage au fondateur de l'Eurovision. *Décerné* pour la 1re fois le 24-12-1984 (prix 1985).

Parc de récepteurs

Nombre en 1987	Récepteurs TV			Récepteurs radio	
	Total (milliers)	Pour 1 000 h	Couleurs (milliers)	Total (milliers)	Pour 1 000 h
Algérie	1 700	71	–	5 456	223
All. féd.	23 011	379	10 500 [1]	58 050	956
Autriche	3 650	487	–	4 699	627
Belgique	3 175	320	2 700 [3]	4 620	466
Chine	27 000	24	–	203 000	184
Danemark	2 695	526	900 [2]	2 314	452
Espagne	14 871	380	900 [2]	11 820	302
États-Unis	199 000	812	–	519 450	2 120
Finlande	2 400	486	450 [2]	4 922	997
France	*22 200*	*399*	*4 500* [1]	*49 800*	*895*
G.-B.	24 700	435	11 000 [2]	65 100	1 146
Grèce	1 755	175	–	4 150	415
Irlande	950	260	160 [2]	2 125	581
Italie	24 000	419	750 [2]	45 250	790
Libye	295	70	–	940	223
Luxembourg	92	250	–	229	625
Malte	255	731	–	124	354
Maroc	1 320	55	9 [2]	4 950	207
Monaco	22	768	–	30	1 082
Norvège	1 466	350	460 [2]	3 330	795
Pākistān	1 509	13	–	9 775	86
P.-Bas	7 000	478	2 550 [2]	13 350	912
Portugal	1 640	160	–	2 200	215
Suède	3 292	395	2 050 [2]	7 300	875
Suisse	2 650	408	600 [2]	2 605	401
Tunisie	540	69	3 [2]	1 400	180
Turquie	9 200	172	–	8 600	161
U.R.S.S.	90 000	319	–	193 850	686
Yougoslavie	4 000	179	400 [2]	4 573	195

Nota. – (1) 1976. (2) 1977. (3) 1986. – *Source :* UNESCO 1989.

Organisation en France (radiodiffusion et télévision)

Quelques dates

Origine du monopole. Repose sur une assimilation entre radiodiffusion et télécommunications. **XVe s.** (2e moitié), Louis XI crée le monopole des postes. **1793**-*23-7,* monopole des télégraphes malgré la déclaration des droits de l'Homme (art. 11). **1837**-*2-3,* loi interdisant les transmissions de signaux sans autorisation à l'aide de machines télégraphiques ou de tout autre moyen. *-2 et 6-5* lois instaurant le monopole des transmissions télégraphiques. **1851**-*27-12,* décret-loi établissant le monopole de l'État sur les lignes téléphoniques dont les services sont ouverts au public (télégraphe puis téléphone). Définit les modalités de leur contrôle. **Jusqu'en 1919,** les émissions privées de messages radiophoniques seront interdites, la radio étant une arme de guerre. **1922**-*8-11,* création de Radio-Paris, station privée (exploitée par la Cie fr. de radiophonie, à Levallois puis à Clichy) ; elle deviendra Radio Paris puis le Poste national ; 1re radio d'État : Radio-PTT. **1923**-*30-6,* loi de finances rectificative (art. 85) étendant le monopole à l'émission et la réception des signaux radioélectriques de toute nature. Ce monopole étant « justifié » par divers arguments : rareté des fréquences hertziennes, inaliénabilité du domaine public hertzien, respect des conventions internationales relatives à la répartition des fréquences, exercice de la souveraineté nationale, sécurité du pays. La loi laissait à l'État la faculté de délivrer des autorisations d'exploitation à des stations privées (accordées par le ministre des PTT), précaires et révocables, l'Administration se réservant le droit d'exercer un contrôle technique sur leurs détenteurs. A partir de 1923, l'État développe un réseau public sous l'égide de la Direction de la radiodiffusion, service extérieur du ministère des PTT Radio-PTT commence ses émissions régulières [1re station sur ondes moy. (450 m)]. *23-11,* décret : les récepteurs doivent être déclarés (pour des motifs de Déf. nat.), les émetteurs doivent demander l'autorisation des PTT. **1924,** « Radiola » émet un journal régulier, de la tour Eiffel. **1925,** postes privés régionaux. **1926**-*28-12,* décret loi Bokanowski : réalisation des programmes confiée à des groupements (service public, groupements artistiques et écon., auditeurs, presse) ; l'État rachètera les postes privés à partir de 1933. **1928**-*19-3,* loi admettant 14 postes privés (stations confirmées) : Poste parisien, Radio-Agen, Radio-Béziers, Radio-Bordeaux-Sud-Ouest, Radio-Juan-les-Pins, Radio-LL, Radio-Lyon, Radio-Mont-de-Marsan, Radio-Montpellier, Radio-Nîmes, Radio-Toulouse, Radio-Vitus, Radio-Paris, Radio-Normandie (légal. en 1933). **1929** (à partir de) aucune autorisation nouvelle n'est accordée à une station privée, *1re publicité à la radio* en France. **1933,** l'État rachète Radio-Paris et divers postes provinciaux. *31-5,* taxe sur les récepteurs, en contrepartie les postes publics ne feront plus de publicité. **1935**-*13-2,* (décret mondial) institution du Conseil sup. de la radio. **1937,** le réseau de radiodiffusion d'État Radio-PTT est mis en place avec 3 postes nationaux et 18 relais en province. **1938**-*17-10,* arrêté sur le droit de contrôle politique de l'État sur la radio. **1939**-*29-7,* le Service de la radio devient autonome. Radiodiffusion nationale dotée d'un budget autonome et rattachée à la Présidence du Conseil (1er directeur Jean Giraudoux). **1940,** gouvernement de Vichy, passe sous le contrôle du Ht-Commissariat puis du ministère de l'Information (dont Pierre Laval a la charge jusqu'en 1942).

1945-*23-3,* 2 ordonnances confirment le monopole de l'État réquisitionnant toutes les installations de postes privés. La RN devient RDF (Radiodiffusion Fr.). **1946,** organisation provisoire de la Radio et de la Télé. 4 réseaux complémentaires. Paris-Inter (France I), Fr. II (régional), Fr. III (culturel national), Fr. IV (haute fidélité). **1949**-*9-2,* la RDF devient la RTF (Radiodiffusion et télévision de Fr.). Dir. gén. : Wladimir Porché. **1951**-*24-5,* loi autorisant la publicité collective dans les émissions de la RDF. **1953**-*31-12,* loi relative aux crédits affectés à la RTF pour 1954, formulant pour la 1re fois le monopole de programmation et de production. **1959**-*4-2,* la RTF devient établissement public de l'État à caractère industriel et commercial, doté d'un budget autonome, placé sous l'autorité du ministre chargé de l'Information (pas d'organe délibérant). **1963**-*20-10,* les programmes nationaux de radio sont diffusés sur 4 « chaînes » : Paris-Inter (France I), programme régional (FR. II), national (FR. III) et haute fidélité (Fr. IV). **1964,** disparition des émetteurs à vocation régionale, création de France-Inter, France-Culture, France-Musique. *27-6* **loi créant l'ORTF** (22-7 décret d'application). **Mission :** satisfaire aux besoins d'information, de culture, d'éducation et de distraction du public. Placé sous la tutelle (et non plus l'autorité) du ministère de l'Information visant à contrôler le respect des obligations de service public. *Organisation :* conseil d'administration de 14 à 28 membres (représentant État 50 % et auditeurs et téléspectateurs, presse écrite, personnes hautement qualifiées 50 %). Directeur gén. et gén. adjoint nommés par décret en Conseil des ministres. Pt nommé par le Conseil des ministres. Budgets et comptes soumis au contrôle a posteriori du ministre de Tutelle et du min. des Finances (contrôle d'État institué en 1968). Chaque année, lors du vote de la loi de finances, le Parlement est appelé à autoriser la perception de la redevance pour droit d'usage des postes de radio et de télévision. Le monopole de production (énoncé en 1953 et réaffirmé en 1960) ne figure plus dans le décret sur le statut des personnels. **1966**-*2-7,* loi instituant au profit des auditeurs et téléspectateurs un droit à l'antenne et des garanties concernant la liberté et la qualité de réception. **1968**-*20-8/1-10,* après des grèves, reprise en main de l'ORTF. Décret élargissant la composition du conseil d'admin. ; allégement de la tutelle du min. des Finances, le min. de l'Information devient secrétariat d'État. **1969** *sept.,* 2 unités distinctes d'information télévisée entrent en concurrence ; dirigées par 2 dir. distincts (janv. 1970). **1970,** publicité de marque à la TV sur les 2 chaînes. *-30-6,* commission d'études (Pt : Lucien Paye) préconise de remplacer l'ORTF par un holding d'État contrôlant plusieurs Stés autonomes de radio. et de télé., le monopole étant préservé.

1972-*3-7,* loi modifiant le statut de l'ORTF, mais confirmant le monopole de programmation et diffusion. L'ORTF demeure un établissement public industriel et commercial, mais le P-DG est désormais nommé pour 3 ans par décret en Conseil des ministres [1er P-DG, Arthur Conte (n. 31-3-1920) démis de ses fonctions après 16 mois]. Conseil d'administration de 24 membres. *Création de 2 chaînes distinctes, cr. du Haut Conseil de l'audiovisuel présidé* par le 1er ministre (comprend des représentants du Parlement et des personnalités artistiques qualifiées dans les domaines culturel, artistique, scientifique, technique, juridique, professionnel, familial et syndical, a un rôle consultatif et intervient à la demande du gouvernement). La publicité ne peut dépasser 25 % des ressources de l'ORTF. *-31-12, lancement de la 3e* chaîne de TV (couleurs).

1974-*7-8,* **loi divisant l'ORTF en 6 organismes autonomes** [*Sté française de production (SFP),* d'économie mixte à participation majoritaire de l'État ; *3 Stés nationales* de programme au capital entièrement détenu par l'État : *TF1, Antenne 2* et *FR3* (chargée de coordonner les délégations régionales de l'ORTF devenues centres régionaux à autonomie renforcée) ; *Télédiffusion de France,* établissement public, industriel et commercial, chargé de la diffusion des programmes et de l'entretien des réseaux ; *Institut nat. de l'audiovisuel* (INA), établissement public, industriel et commercial, assurant conservation et gestion des archives audiovisuelles, chargé de la recherche en matière de création audiovisuelle] ; tutelle du PM et du min. délégué ; Pts des organismes et certains administrateurs nommés par l'État ; haut conseil de l'audiovisuel maintenu ; fixation du plafond de 25 % aux recettes de publicité de marques confirmé, création d'une *Commission de la redevance* et d'une *Commission de la qualité ;* élaboration de cahiers des charges précisant les missions des 6 organismes créés. Le démembrement de l'Office entraînera la multiplication des doubles emplois, l'amenuisement des moyens et la concurrence entre les chaînes se fera aux dépens de la qualité des programmes.

1976-*1-1,* émissions en couleurs sur la 1re chaîne. **1977**-*13-2, accords de Genève* sur la radiodiffusion par satellite en Europe : la France se voit reconnaître une position sur l'orbite géostationnaire, 5 fréquences et une ellipse de diffusion directe couvrant la plus grande partie de l'Europe ; *mars, Radio Verte* lancée par Brice Lalonde. *-15-5,* expérimentation d'*Antiope* (ouverture d'Antiope Bourse). *-23-9,* décret donnant à TDF le monopole des réseaux câblés et limitant leur utilisation à la retransmission des signaux « normalement reçus sur le site ». **1978**-*28-7,* création d'une infraction assortie de peines correctionnelles à l'encontre de toute personne qui diffuserait en violation du monopole une émission de radio ou de TV. *Rapport Nora-Minc ;* réseau Transpac, adapté aux transmissions de données à grand débit, est ouvert aux services professionnels (applications informatiques). Mise au point de la norme *Télétel.* 1ers magnétoscopes grand public en France. **1979** *févr.,* accord franco-allemand pour la construction des satellites de radiodiffusion directe TDF1 et TV Sat (févr.). *Développement des « radios libres » :* elles sont brouillées (cf. mai : affaire Lorraine Cœur d'Acier) ou poursuivies pour infraction au monopole radio et TV (par ex. août : affaire Radio Riposte, station parisienne du PS). **1981,** la Commission présidée par *Pierre Moinot* préconise la décentralisation, l'autonomie garantie par une Hte Autorité indépendante du pouvoir, l'incitation à la création. *-9-11,* loi établissant un régime transitoire et prévoyant une dérogation au monopole applicable seulement à la diffusion de programmes de radio sonore en modulation de fréquence, autorisant la création de radios locales privées par des associations de la loi de 1901, allégeant les sanctions infligées (peines contraventionnelles) aux personnes qui diffuseraient sans autorisation.

1982-*29-7, loi consacrant le principe de la liberté de communication* (art. 1 « Les citoyens ont droit à une communication audiovisuelle libre et pluraliste ») ; le monopole de la programmation est aboli, les personnes privées peuvent accéder aux installations audiovisuelles, sous forme de services ou de programmes, mais l'art. 7 soumet l'usage des fréquences radioélectriques sur le territoire national à autorisation de l'État [déclaration pour les services relevant de la télématique interactive, autorisation préalable pour la diffusion de programmes (radios et télévisions locales), concession de service public pour les services de télévision hertzienne autres que locaux] ; TDF conserve le monopole de la diffusion ; institution de la **Haute Autorité de la communication audiovisuelle (HACA),** autorité administrative indépendante composée de 9 membres de 65 ans max. [3 dont la Pte (Michèle Cotta n. 15-6-37) désignés par Pt de la Rép., 3 par Pt du Sénat, 3 par Pt de l'Ass. nat.] renouvelée par tiers tous les 3 ans (mandat non renouvelable), chargée de veiller au respect des grands principes tels que le pluralisme et l'équilibre et de garantir l'indépendance du service public (nomme les Pts des sociétés de programmes et veille au respect de leurs cahiers des charges par les organismes du secteur public), accorde les autorisations d'exploitation des services locaux (radios, télévisions hertziennes et réseaux câblés), mise en place d'une procédure pour l'attribution des fréquences aux radios locales privées (TDF intervenait pour l'établissement du plan de fréquences en étant juge et partie, puisqu'il déterminait les règles et assurait la diffusion de certaines radios locales). Les décisions de la Hte Autorité ne seront guère respectées (radios émettant sans autorisation, ou sur une fréquence différente de celle attribuée, ou d'un lieu différent, ou dépassant la puissance autorisée). Elle ne pouvait saisir directement le juge, son seul moyen d'action réel était le retrait ou la suspension d'autorisation [en déc. 1984, elle prit à l'encontre de plusieurs radios locales parisiennes (dont NRJ) des mesures de suspension qui entraînèrent à Paris une manif. de plusieurs milliers de personnes ; le gouvernement se désolidarisa de la Hte Autorité et n'appliqua aucune sanction aux contrevenants même si ceux-ci, suspendus, continuèrent d'émettre ; la DGT accepta même de louer des canaux du satellite Télécom1 aux contrevenants et TDF laissa les radios liées à elle par un contrat de diffusion, subir le brouillage des stations émettant illégalement]. Instauration d'une redevance sur les magnétoscopes ; exonération de la redevance, pour les personnes âgées et sans ressources, sur les récepteurs de télévision. *29-7, loi supprimant le monopole de programmation.*

1982-*3-11,* plan d'équipement de la France en réseaux câblés de télécommunications. **1983,** programmes propres sur les 12 stations régionales de FR3. *6-12,* l'État concède à l'Agence Havas la chaîne à péage Canal Plus. **1984**-*1-8,* publicité autorisée sur radios locales privées. *Nov.,* lancement de *Canal Plus.* **1985,** rapport de *Jean-Denis Bredin* préconisant la création de 2 chaînes de télé privées diffusées en clair, financées par la publicité et fonctionnant sous le régime de la concession prévu à l'art. 79 de la loi du 29-7-1982 ; au niveau local : de chaînes privées diffusées en clair, financées par la publicité et autorisées par la Hte Autorité. Mais les contraintes politiques, techniques, financières conduisent à la construction de la télévision privée à partir de chaînes nationales et non de télévisions locales. *31-7,* création de 2 réseaux hertziens multivilles, concessions à la *Sté France Cinq* [formée par Jérôme Seydoux (Les Chargeurs réunis), Christophe Riboud (IFOP), Silvio Berlusconi (Fininvest) le 16-11-85] et à la *Sté TV6* [(28-1-86) groupe composé notamment de Publicis (25 %), Gaumont (25 %), NRJ (18 %)]. *13-12,* loi créant le cadre juridique des télévisions privées locales.

1986-*30-9, loi relative à la liberté de communication* abrogeant en presque totalité la loi du 29-7-1982 ; liberté d'établir des installations (ex. 1 réseau câblé), d'exploiter des services (ex. diffuser 1 programme), d'accès des usagers (ex. installer 1 antenne). Remplace la HACA et crée la CNCL qui n'a pas le pouvoir d'autoriser l'établissement et l'utilisation d'installations de télécom. réservées à un usage privé, le min. des PTT restant compétent pour les réseaux ouverts à des tiers. Pour les réseaux câblés de distribution, la DGT perd son monopole de maîtrise d'ouvrage, les collectivités locales pouvant faire appel à d'autres opérateurs. **1987,** attribution des 5e et 6e chaînes à La Cinq et M6, après annulation des concessions accordées à France 5 et TV6 ; privatisation de TF1 et rachat des 50 % de TF1 par F. Bouygues, après autorisation de la CNCL. Suppression de la redevance magnétoscopes. **1988,** création d'une télévision locale privée par voie hertzienne à Toulouse. Développement des réseaux câblés.

1989-*17-1, loi modifiant et complétant la loi du 30-9-1986,* remplaçant la CNCL par le CSA (voir p. 1158). *3-10,* directive concernant : publicité : maximum 15 % du temps de transmission quotidien et 20 % des tranches horaires de grande écoute ; délai de 2 ans entre la sortie en salle d'un film et son passage à la télé. ; règles de protection des enfants et adolescents ; obligation de diffuser une proportion majoritaire d'œuvres communautaires chaque fois que c'est réalisable ; lorsque cette proportion ne peut être atteinte immédiatement, elle ne doit pas être inférieure à celle constatée en 1988 (1990 pour Grèce et Portugal). Marché européen : 250 000 h de programmation à 400 000 h dans les années 90 ; il resterait aux producteurs américains la possibilité de diffuser en Europe 200 000 h (part actuelle : env. 80 000 h). En France, 1 h de fiction coûte entre 3 et 5 millions de F, alors que l'acquisition d'une série américaine, amortie par ailleurs, est de 200 000 F.

1990-*18-1, 2 décrets sur questions de diffusion.* Les chaînes doivent immédiatement diffuser 50 % de films et d'œuvres audiovisuelles d'origine française et 60 % d'origine communautaire. A partir du 1-1-1992, mêmes quotas aux heures de grande écoute : chaque jour de 18 à 23 h et le mercredi après-midi (dès 14 h). Le gouvernement a trouvé un « subterfuge » pour exonérer télévisions locales ou décrochages locaux : les obligations de production sont assises sur le C.A. net des chaînes, la part des émissions régionales exclue. Pour les œuvres audiovisuelles, les télé. nationales doivent choisir, avant fin mars 1990, de consacrer 15 % de leur C.A. net à des commandes françaises et en diffuser 120 h minimum en *prime time,* ou investir 20 % de leur C.A. dans des œuvres communautaires, 15 % allant alors obligatoirement à des œuvres françaises. Quel que soit leur choix, les chaînes devront favoriser l'essor de la production privée indépendante en lui réservant 10 % de leurs C.A. Une Sté de production indépendante ne doit pas détenir plus de 5 % du capital d'une chaîne.

1991-*1-1,* les chaînes doivent consacrer au minimum 3 % du C.A. net de leur exercice précédent à la production cinématographique. -*29-12,* loi sur la réglementation des télécom.

Commission nationale de la communication et des libertés (CNCL)

Créée lois du 30-9 et 27-11-1986. Remplace la Haute Autorité. *Installation officielle* 12-11-1986 (56, rue Jacob, 75006 Paris). **Membres :** 13. *Nommés par : le Pt de la Rép. :* 2 ; *le Pt de l'Ass. nationale :* 2 ; *le Pt du Sénat :* 2 [Gabriel de Broglie (n. 21-4-31, conseiller d'État élu pour 5 ans par les membres, le 14-11-1986) et Jean Autin (1921-91, élu pour 9 ans)] ; *le Conseil d'État :* 1 ; *la Cour de cassation :* 1 ; *des comptes :* 1 ; *l'Académie fr. :* 1 ; 3 personnalités qualifiées cooptées par les membres nommés. **Budget** (1988, en millions de F) : 154,8. **Effectif** (1988) : 250.

Conseil supérieur de l'audiovisuel (CSA)

Créé par la loi du 17-1-1989, modifiant et complétant les lois des 30-9 et 27-11-1986. Remplace la CNCL. *Installation officielle* 13-2-1989 (56, rue Jacob, 75006 Paris). **Membres** : 9. *Nommés par le Pt de la Rép. :* 3 [Roger Burnel [1] (n. 27-10-26), Jacques Boutet [2] (n. 17-3-28, Pt 24-1-89), Geneviève Guicheney [3] (n. 13-5-47)] ; *le Pt du Sénat :* 3 [Francis Balle [1] (n. 15-6-39), Daisy de Galard [2] (n. 4-11-29), Roland Faure [3] (n. 10-10-26)] ; le *Pt de l'Ass. nationale :* 3 [Igor Barrère [1] (n. 17-12-31), Bertrand Labrusse [2] (n. 7-6-31), Monique Augé-Lafon [3] (n. 26-5-32)].

Les fonctions de membre du CSA sont incompatibles avec tout mandat électif, emploi public et autre activité professionnelle. Les membres ne peuvent, directement ou indirectement, exercer des fonctions, recevoir d'honoraires ni détenir d'intérêts dans une entreprise de l'audiovisuel, du cinéma, de l'édition, de la presse, de la pub. ou des télécommunications.

Nota. – (1) 4 ans. (2) 6 ans. (3) 8 ans.

Budget (1991, en millions de F) : 197,4 (dont 99,1 de remboursement à TDF). **Effectif** (1991) : 250. **Missions générales :** autorité indépendante qui assure l'égalité de traitement ; garantit l'exercice de la liberté de la communication audiovisuelle, l'indépendance et l'impartialité du secteur public de la radiodiffusion sonore et de la télévision ; veille à la protection de l'enfance et de l'adolescence, à favoriser la libre concurrence, à la qualité et à la diversité des programmes, au développement de la production et de la création audiovisuelles nationales et à la défense et à l'illustration de la langue et de la culture françaises. Il peut formuler des propositions sur l'amélioration de la qualité des programmes. Il est consulté sur la définition de la position de la France dans les négociations internationales sur la radiodiffusion sonore et la télévision. Il favorise la coordination des positions des services de communication audiovisuelle publics et privés sur le plan international ; contrôle l'objet, le contenu et les modalités de programmation des émissions publicitaires diffusées par les Stés nationales de programme et les services de communication audiovisuelle autorisés.

Compétences particulières : *secteur public :* nomme des administrateurs dans les organismes publics de l'audiovisuel et les Pts des Stés nationales de programme (de Radio France, RFO, RFI, et un Pt commun pour A2 et FR3 : loi du 2-8-1989) ; fixe les règles des émissions électorales et les modalités du droit de réplique ; veille au respect des obligations des cahiers des missions et des charges. **Secteur privé :** autorise l'établissement et l'utilisation des installations de télécom. autres que celles de l'État pour la diffusion des services de communication audiovisuelle par voie hertzienne terrestre et des services de radio sonore et de télé. par satellite ; les services de radiodiffusion sonore (pour 5 ans max.) et de télévision (pour 10 ans max.) diffusés par voie hertzienne terrestre ou par satellite, l'exploitation des réseaux câblés (pour 20 ans) (l'autorisation est subordonnée à la conclusion d'une convention passée entre le CSA, au nom de l'État, et le service concerné). Contrôle le respect des obligations auxquelles ces différents services sont assujettis. Reçoit les déclarations préalables des services de communication audiovisuelle qui y sont soumis. Le Pt du CSA a qualité pour agir en justice au nom de l'État.

Organisation nationale du service public de la radiodiffusion sonore et de la télévision

☞ **Nombre des Pts qui se sont succédés** à la tête des organismes publics de l'audiovisuel de l'automne 1974 à mai 1991. *Antenne 2 :* 8. *FR3 :* 7. *RFO :* 4. *La Sept :* 3 (dep. 1986). *INA :* 6. *SFP :* 7. *TDF :* 6. *Radio-France :* 5. *RFI :* 5. *SOFIRAD :* 8.

TDF (Télédiffusion de France)

Siège : 21-27, rue Barbès, 92120 Montrouge. **Organisation :** établissement public à caractère industriel et commercial doté d'autonomie administrative et financière transformé le 5-6-1987 en sté anonyme commerciale, chargée d'assurer la diffusion en France vers l'étranger, par tous procédés de télécommunications, des programmes du service public de la radiodiffusion sonore et de la télé. **Capital :** 1 043,5 millions de F dont (en %) État 49, Cogecom (filiale de France-Télécom) 40, budget annexe de PTT 11. **Gère :** 10 000 émetteurs et réémetteurs de télévision, *assure la diffusion* de Radio France, RFO, RFI, des radios périphériques, de 361 radios privées, TF1, A2, FR3, Canal Plus, La Cinq, M6 et Télé Monte-Carlo dans la région de Marseille. Les radios locales privées (RLP) dont la puissance dépasse les 500 watts doivent se soumettre à l'inspection technique de TDF. A la maîtrise des régies finales des chaînes françaises. Est chargée de l'« embrouillage » des signaux de Canal Plus. Émet des magazines de télétexte, Antiope, mis au point à partir de 1976. Antiope propose le sous-titrage d'émissions, un service de dépêches et un service kiosque. Actuellement placé sous la tutelle du ministre des PTT et du ministre de la Communication. **Pt :** Xavier Gouyou-Beauchamps (n. 25-4-37) dep. 17-12-1986 [avant, Claude Contamine (29-8-29)] ; **Dir. gén. :** Pascal Machuel (n. 1-2-38). **Effectif** (31-12-1988) : 3 927.

Compte de résultat prévisionnel (en millions de F, hors TVA, en 1991). *Charges d'exploitation :* 4 011,3 dont dotation aux amortissements, provisions et charges exceptionnelles 1 311, personnels 1 265,7, achats et variation de stocks 531,7, charges financières 91, autres 801,9. *Produits d'exploitation :* 4 044,9 dont clients secteur public 2 055,6, clients privés 1 440,5, produits financiers 41, autres produits 466,3, divers 41,5. *Déficit* (1990) : 202.

Chiffre d'affaires (1990-91). *Total* 3 988,3 dont activité satellite 237,9. Activités terrestres 3 750,4 dont clients traditionnels 1 973,9 (dont *FR3 :* 591, *A2 :* 537,6, *Radio France :* 454,3, *RFO :* 230,4, *RFI :* 144,2, *La Sept :* 16,4). TV privées 1 228,5. Radios privées 81,7. Autres produits commerciaux 466,3.

SFP (Sté française de production et de création audiovisuelles)

Siège : 36, rue des Alouettes, 75935 Paris. **Créée** 1974. **Pt-dir. gén. :** Jean-Pierre Hos (n. 6-6-46). **Capital social au 31-12-1987** (en milliards de F) : *Total :* 185,7 dont (en %) : *État :* 50,86 ; *TF1 :* 22,51 ; *Antenne 2 :* 22,51 ; *FR3 :* 4,09 ; *CDC* participations (filiales de la Caisse des dépôts et consignations) : 0,03. **Organisation :** Sté anonyme, le capital doit être détenu majoritairement par des organismes publics. Dep. 20-7-82, ne bénéficie plus du système de « commandes obligatoires » des chaînes publiques. **Au 31-12-1989 :** 185,7 dont : *État :* 79,42 % ; *TF1 :* 4,38 ; *Antenne 2 :* 13,06 ; *FR3 :* 3,13 ; *CDC :* 0,01. **Effectifs :** *1989* (31-12) : 2 185 ; *91* (31-12 prév.) : 1 487. **Productions :** en film et en vidéo (télévision, cinéma, publicité, films d'entreprise), vidéotransmission, fournit des prestations de toute nature, effectue des études d'ingénierie. Fabrique annuellement env. 1 700 h de programmes dont 1/3 env. en production. **Production totale** (1987) : 572 h 42 mn dont *TF1 :* 190 h 39 mn, *A2 :* 297 h 28 mn, *FR3 :* 7 h 22 mn, *La 5 :* 66 h 30 mn, *La 7 :* 2 h, autres 8 h 43 mn.

Chiffre d'affaires (en millions de F). *1985 :* 1 317, *86 :* 1 193, *87 :* 1 120, *88 :* 1 070, *89 :* 988, *90 :* + de 900.

Commandes. Des Stés nationales de programmes (en millions de F) : *1986 :* 1 005,6, *87 :* 820,8, *88 :* 518,8. **Chaînes privées :** *1986 :* 478,6, *87 :* 318,9, *88 :* 233, *89 :* 245,6 dont *TF1 :* 231, *La 5 :* 10,4, *Canal Plus :* 4, *M6 :* 0,2.

Coût horaire de production (1988, en millions de F). Fiction film 4,7, vidéo 1,9.

Pertes nettes de la SFP *1981 :* – 53,8, *82 :* – 79,8, *83 :* – 54,9, *84 :* – 46,6, *85 :* – 3,5, *86 :* – 161,1, *87 :* – 160,8, *88 :* – 129,7, *89 :* – 383,4, *90 :* – 479. **Charges d'exploitation** (1989) : 1 425 [dont achats et services extérieurs 323, personnel 732 (dont permanents 591, occasionnels 47, cachets 94)]. **Produits par genre** (1989) : 1 084 (dont variétés, jeux, magazines, sports 612 ; publicité, communication d'entreprise, institutions 30 ; divers 72 ; fiction 370). **Relations avec les chaînes publiques :** les Stés de programme s'adressent de plus en plus à des producteurs privés, qui se tournent ensuite vers la SFP, qui agit en prestataire de services. **Produits d'exploitation** (1988 prévisions, en millions de F) : *total :* 404 dont *Antenne 2 :* 340, *FR3 :* 50, *RFO :* 2, *La Sept :* 12.

INA (Institut national de l'audiovisuel)

Siège : 4, av. de l'Europe, 94366 Bry-sur-Marne Cedex. **Organisation :** établissement public industriel et commercial de l'État. *Pt :* Georges Fillioud (n. 7-7-1927) dep. 13-1-90, avant Janine Langlois Glandier (n. 16-5-1939). *Dir. gén. :* Marc Avril (29-8-1945). *Dir. de la communication :* Yann Cotten (n. 20-1-1941). **Effectif** (1-6-88) **:** 909. **Mission :** chargé de la conservation et de l'exploitation des archives de la radio et de la télévision. Assure la formation continue des personnels du secteur public et privé de la communication audiovisuelle, assure des recherches sur la production, la création et la communication audiovisuelles et produit des œuvres et documents audiovisuels en liaison avec ses activités de recherches. **Archives :** l'INA est propriétaire (5 ans après la diffusion à l'antenne) de : 32 ans d'archives TV (1949-1981), soit 500 000 émissions ou sujets d'actualité ou 250 000 h de programmes ; 37 ans d'archives sonores et radiophoniques (1945-81), soit 450 000 disques d'enregistrement direct, 600 000 bandes magnétiques (ou 400 000 h d'enregistrement) ; 30 ans d'actualités cinématographiques (1939-1969), soit 12 000 sujets ou 400 h de documents. *Formation professionnelle* (stages). *Recherche :* études sur l'évolution des réseaux et systèmes de communication (câble, satellite, applications de la télématique, radio-télévision, interactivité), sur la programmation et les publics. Recherche-Image, production expérimentale, synthèse d'image bi- et tridimensionnelle. Coordination du Plan Image. *Productions :* prod. ou coprod. avec les chaînes de l'audiovisuel, nouveaux réseaux et des partenaires privés.

Budget (prév. 1990, en millions de F). **Recettes d'exploitation** (hors production immobilisée et reprise sur provision) : 456,7 dont redevance 124,2, C.A. réalisé avec secteur public 122,5, services rendus aux administrations 8,3, recettes commerciales et div. 201,1. **Charges de fonctionnement :** 421,2 dont achats 22,2, services extérieurs 69,3, autres services extérieurs 28,2, impôts et taxes 9,7, personnel 281,8, autres charges 6. **Répartition des activités** (1990) : sur 481,7 millions de F : conservation des archives 117, formation prof. 48,5, recherche 35,9, production de création 28,8, charges de logistiques 137,9, de structures 73,5, missions particulières (câble action internationale et rég. 9,9, amortissement des productions immobilisées 30,2).

Sociétés nationales de radiodiffusion sonore et de télévision

Radio France

Siège : 116, avenue du Pt-Kennedy, 75786 Paris Cedex 16. **Organisation :** chargée de la conception et de la programmation d'émissions de radiodiffusion sonore dont elle fait assurer la diffusion. Assure la gestion et le développement d'orchestres et de chœurs. *P-DG :* Jean Maheu (24-1-31) dep. 10-2-89, avant Roland Faure (10-10-26) ; *Dir. gén. :* Jean Izard (2-12-29) ; *Dir. de l'Information :* Ivan Levaï (n. 1937) dep. 29-3-89, avant, Michel Meyer (21-12-42). **Personnel** (1991) : 3 066 collaborateurs sous contrat permanent. **Moyens techniques :** *Paris :* 52 studios de production et diffusion dont 7 salles ouvertes au public, 6 régies mobiles de prise de son, 20 cabines de post-production, 16 voitures équipées (enregistrement et transmission). *Province :* 47 centres de production d'importance variable sont répartis sur le territoire national pour l'ensemble des radios locales de Radio France, 10 régies mobiles.

Budget prévisionnel (en millions de F, en 1991). *Recettes :* 2 151,6 dont redevance 1 990,6, recettes commerciales et immobilières 71,7, publicité collective 69, parrainage 10, produits financiers 8, services rendus aux administrations 2,30. *Dépenses :* 2 151,6 dont personnel 1 102,6.

Budget fonctionnel (en millions de F, en 1990-91). 2 151,6 dont programmes 1 187,5 (dont nationaux 637,8, radios locales 417,5, orchestres 166,7, France-Culture 159,8, progr. musicaux 148,1, France-Inter 133,8, versements aux Stés d'auteurs et droits voisins 100,1, Radio Bleue 16,6, FIP 12,8, autres 32,1), diffusion 477,3, information 169,5 (dont nationale 121,2, France-Info 48,3), fonctionnement général et services communs 96,2, contributions obligatoires 50,2 (dont INA 20, cotisations diverses 2,5, taxes diverses 27,7), action sociale 43,6, formation prof. et communication interne 24,5, affaires commerciales et prestations ext. 21,4.

Diffusion, volume horaire annuel (1991). 460 020 dont Paris 48 300 (France-Inter 8 880, Fr.-Info 8 760, Fr.-Musique 8 760, Fr.-Culture 8 760, FIP-Paris 8 760, Radio Bleue 4 380) ; radios locales 411 720. **Répartition** (hors radios locales, en %). Musique 33, information 21, documentaires et magazines 19, animation et jeux 15, rediffusions 5, fiction parlée 2, divers 5. **Audience annuelle moyenne** (avril-juin 1990). Radio France 19,3, France-Info 6,5, France-Musique 1,6, France-Culture 0,7, Radio Bleue 0,7. *R.-Fr. locales :* Creuse 31, Berry 23,5, Lourdes 20,5, Lyon 0,9.

• **Programmes.** 3 chaînes nationales (France-Inter, Fr.-Musique, Fr.-Culture), 1 ch. multiville d'information continue (Fr.-Info, 1re radio européenne d'information continue), 1 programme thématique (Radio Bleue), 38 stations locales (radios décentralisées de service public), 4 thématiques de grandes villes, 2 programmes nationaux à audience locale (FIP à Paris et 5 FIP dans les régions), plusieurs programmes spécifiques pour auditoires particuliers (étudiants, immigrés, épargnants). *Formations permanentes :* Orchestre National de France, Orchestre Philharmonique de Radio France, Chœurs et Maîtrise de Radio France.

• **France-Inter.** Programme nat. diffusé 24 h sur 24 en stéréo. *Émetteurs : ondes longues :* 1 à Allouis (Cher) de 2 000 kW – 1852 m/162 kHz ; *ondes moyennes :* 11 émetteurs à modulation d'amplitude de 10 à 600 kW ; *modulation de fréquence :* 107 émetteurs de 0,25 à 12 kW et 228 de complément de 1,50 à 100 W.

• **France-Info.** *Créée* 1-6-1987. *Diffusion :* en modulation de fréquence 24 h sur 24 h. *Émetteurs :* 94 de 500 W à 10 kW et 8 de – de 100 W. *Dessert* env. 80 villes françaises et 75 % de la pop.

• **France-Culture.** *Diffusion :* en modulation de fréquence 24 h sur 24 en stéréo. *Émetteurs :* 106 de 0,25 à 12 kW et 224 de complément de 1,50 à 100 W.

• **France-Musique.** *Diffusion :* en mod. de fréquence 24 h sur 24 en stéréo. *Émetteurs :* 108 à modulation de fréquence de 0,25 à 12 kW et 226 de complément de 1,50 à 100 W.

• **Radio Bleue.** *Créée* 1980, pour les + de 50 ans et « inter-générations », 100 % de chansons fr. *Diffusion :* de 7 h à 19 h sur le réseau B. Ondes moyennes. *Émetteurs :* 16 de 20 kW à 300 kW et 4 de complément de 1 à 4 kW.

• **FIP.** *Créé* 5-1-1971. Programme spécifique de musique ininterrompue et d'informations de services. *Diffusion :* 14 h par j, en stéréo pour Paris et sa région de 7 h à 21 h. *Émetteurs :* 1 en mod. de fréquence (10 kW)/90,4 MHz, 1 en ondes moy. (10 kW)/585 kHz.

• **47 radios locales.** Créées par Radio France ou développées à partir des anciennes radios de FR3, couvrant un peu plus de 50 % du territoire. 3 catégories : 38 *généralistes « de pays »* ; 4 *thématiques de grandes villes* (Lyon, Marseille, Nice et Toulouse) : programme d'accompagnement et de service, sur le ruban musical FIP (Modulation France, de 21 h à 7 h du matin) ; 5 *FIP régionaux* diffusant, sur le programme musical FIP venant de Paris, des messages de service (météo, état des routes, spectacles...) pour Bordeaux, Lille, Metz, Nantes et Strasbourg. *Radio France* Alsace (Strasbourg), Armorique, Auxerre, Belfort (Belfort, 14-12-82), Berry Sud (Châteauroux, 23-4-82), Besançon, Bordeaux-Gironde, Bourgogne, Bretagne Ouest (Quimper, 3-8-82), Corse Frequenza Mora, Cherbourg, Côte d'Azur (Nice, 19-10-82), Creuse (Guéret, 5-9-82), Drôme (Valence, 18-7-83), Fréquence Nord, Hérault, Isère, Landes (Mont-de-Marsan, 17-5-83), La Rochelle, Limoges, Loire Océan (Nantes), Lyon, Marseille, Mayenne, Melun (studio atelier), Nancy, Nîmes, Normandie Caen, Normandie Rouen, Orléans, Pays basque (Bayonne), Pau Béarn (Pau), Périgord (Périgueux, 26-10-82), Picardie (Amiens), Provence (Marseille), Puy-de-Dôme (Clermont-Ferrand, 19-4-83), Reims, Roussillon, Tours, Toulouse, Vaucluse (Avignon, 29-6-82), Savoie.

Effectifs (moyenne) : 20 permanents, 80 à 120 pigistes. **Coût unitaire** (en millions de F) : investissements (avec aide collectivités loc.) 3,5 ; fonctionnement annuel (versé par Radio Fr.) 8.

• **4 ateliers de création** [Atelier de l'Est (Strasbourg), Provence Méditerranée (Nice), Grand Ouest (Nantes), Midi-Aquitaine (Bordeaux)] ont été mis en place pour les besoins des radios locales en création radio (feuilletons, concerts, documentaires).

• **Émissions universitaires.** Diffusées sur réseau B, en ondes moyennes, par région. **Sorbonne-Radio France.** Programme diffusé sur l'émetteur de Paris-Romainville (312 m).

Maison de Radio France. 116, avenue du Pt-Kennedy, 75016 Paris. *Architecte :* Henry Bernard. *Coût :* 250 millions de F (1963). *Superficie :* terrain 4 ha, maison 2 ha. *Couronne extérieure :* circonférence 540 m, haut. 37 m, plancher 106 000 m², façade aluminium 27 400 m², couloirs 5 km. *Tour :* haut. 67,80 m, étages 22, section 32 × 14 m. *Chauffage et climatisation* par centrale thermodynamique, utilisant l'eau d'un forage profond de 550 m. *Studios :* radiodiffusion 61, *101* (100 places) et *102* (850 pl.), d'enregistrement *103* pouvant accueillir un grand orchestre, grand auditorium *104* (920 pl.), *105* (250 pl.), *106* (180 pl.). *Occupation :* Radio France (propriétaire) ; divers locataires (FR3, RFI, INA, etc.).

Radio France Internationale

Créée par la loi du 29-7-1982. **Organisation :** a succédé à la direction correspondante de Radio France dont elle demeurait une filiale. Devenue Sté nationale par la loi du 30-7-1986 (art. 44). Assure des actions de coopér. et le service d'une agence de presse spécialisée sur le tiers monde MFI (Médias France Intercontinents) *créée* 1-5-1982. *Effectif permanent :* 505 + 90 à TDF. *Points de diffusion :* 5. *Émetteurs ondes courtes :* 24. *Location et échange d'h et fréquence par j :* 45,5 h. *Location de voies satellites de diffusion :* 3, *transmission :* 7.

Statistiques (1990). **Audience :** 80 000 000 de personnes. **Émissions :** 24 h sur 24 : diffuse 389,25 h de programmes par semaine (dont en français 198, espagnol 42, anglais 17,5, polonais 15,75, allemand 14, arabe 14, roumain 14, russe 14, serbo-croate 14, chinois 14, brésilien 14, vietnamien 10,5, portugais 7, créole 0,5) dont 356 h de productions originales.

Diffusion (en h par semaine) : *Moyen-Orient :* fr. 9, arabe 2, angl. 1. *Asie :* fr. 6,5, chinois 2, vietnamien 1,5, angl. 1. *Amér. latine et centrale :* fr. 12, esp.-castillan 5, angl. 0,5. *Afr. du N. :* fr. 17, angl. 1, arabe 1 ; *Afr. :* fr. 20, angl. 1, port. 1. *Europe de l'Est :* fr. 18,75, polonais 2,25, roumain 2, russe 2, serbo-croate 2, all 1. *Amér. du N. :* ondes courtes : fr. 10, esp. 2, angl. 0,5 ; + accords avec chaînes transmises par satellite (TV 5 Québec-Canada, Telemedia, Scola qui arrose 36 universités améric. *Europe :* émissions ondes courtes destinées à la radio internat. : fr. 22, all. 2,5, angl. 1,5, esp. (castillan) 1, portugais 0,5 ; sur satellite TDF 1 : fr. 24 ; aux communautés étrangères en Fr. (africaines francophones, vietnamiennes, laotiennes, cambodgiennes, turques, portugaises, arabes, espagnoles, yougoslaves) : 1 h 30 sauf dimanche. Fournit, grâce à son service de coopération, 745 h de programmes enregistrés originaux à env. 500 clients.

Budget (millions de F) : *1990 :* 460,7 dont redevance 198,1, publicité 3,5, concours publics 241,8, recettes commerciales + produits financiers 17,3. *P-DG :* André Larquié (26-6-38) dep. 30-11-89, avant Henri Tezenas du Montcel (8-1-43).

Nota. – En févr. 1985, entrée en service du 1er centre français d'émissions en ondes courtes hors métropole, à Montsinéry (Guyane). Les 3 émetteurs (500 kW) couvrent l'ensemble de l'Amér. latine et des Caraïbes. *Coût :* 131 millions de F.

Comparaisons : *VA :* Voice of American (USA), *BR :* BBC (G.-B.), *D :* Deutsche Welle (All. féd.), *R :* RFI (France). *Nombre d'émetteurs* VA 99, BR 81, D 30, R 24. *Points d'émission* (leur nombre et leur dispersion sont déterminants pour la qualité de diffusion) VA 24, BR 16, D 9, R 5 (y compris location et échange). *Nombre d'heures fréquence diffusées par jour* VA inc., BR 1 150, D 600, R 430. *Nombre de collaborateurs* VA 3 000, BR 1 150, D 600, R 555 (dont TDF 90). *Budget annuel de fonctionnement* (en milliards de F) VA 1,5, BR 1,1 (hors amortissement 0,2 par an), D 0,9, R 0,42.

Antenne 2 (A2)

Siège : 22, av. Montaigne, 75387 Paris Cedex 08. Sté de télévision à vocation métropolitaine nationale (loi du 30-9-1986, art. 44-2). **Organisation :** production, conception et programmation d'émissions de télévision. *P-DG : 1975-janv.* Marcel Jullian (n. 31-1-1922). *1977-déc.* Maurice Ulrich (n. 6-1-1925). *1981-août* Pierre Desgraupes (n. 18-12-1918). *1984-nov.* Jean-Claude Héberlé (n. 3-2-1935). *1985-oct.* Jean Drucker (n. 18-8-1941). *1986-déc.* Claude Contamine. *1989* (10-8) à *1990* (19-12) (démission) Philippe Guilhaume (Pt A2 et FR3). *1990-déc.* Hervé Bourges. *Dir. gén. :* Éric Giuily dep. 10-1-1991 [avant : Jean-Michel Gaillard (n. 1947) dep. 27-9-89 et *Dir. des programmes* dep. mai 90]. **Effectif** (1-1-91) : 1 380 collaborateurs permanents. **Diffusion :** en couleurs en 625 l. UHF (au 1-1-88 population atteinte 100 %). **Programmation** (1989) : 6 644 h. dont fiction 1 483, documentaires, magazines et émissions culturelles 1 227, information 1 180, divertissements et jeux 845, jeunesse 575, sports 383, films cinéma 284, divers 661. **Émetteurs :** principaux 112, réémetteurs 3 207, réseaux communautaires 247.

Budget (en millions de F hors TVA, en 1991) : *recettes* 3 285,1 dont redevance 1 738,1 ; publicité 1 446,7 ; parrainage 40 ; recettes commerciales 40 ; produits financiers 1,3 ; divers 19. *Dépenses :* 3 285,1 dont achats et variations des stocks de programmes 936,3 ; autres achats et var. de stocks 593,2 ; services extérieurs (+ TDF) 649,4 ; autres services ext. 140,3 ; impôts 30,2 ; personnel (+ charges sociales) 579,3 (dont permanent 398,5, contrats à durée déterminée 29,8, cachets et piges 131, suppléments de cachets 20) ; autres charges : gestion courante 262,8, financières 15, exceptionnelles, dotations, amortissements et provisions hors programmes 78,6. **Fonctionnel.** *Dépenses :* 3 463,4 dont information 648,9, programmes 2 065,9 [dont prod. de programmes 1 472,7, cinéma 227,8 (dont achats de droits de diffusion 140,9, compte de soutien 41,3, parts-antenne 31,6, coproductions 14)], diffusion 498,9, fonctionnement général et services communs 169,4, autres 80,3. **Déficit :** *1988 :* 100, *89 :* 316, *90 (cumulé) :* 876 (net comptable 744,2), *91 (autorisé) :* 255. *Préjudice financier de la grève du 21 au 29-9-88 :* 102,2. *Aide accordée en 1991 :* 500.

FR3 (France Régions 3)

Siège : 116, avenue du Pt-Kennedy, 75790 Paris Cedex 16. Sté de télévision à vocation métropolitaine et régionale (loi du 30-9-1986, art. 44-3). **Organisation :** *Pt-dir. gén. : 1975-janv.* Claude Contamine.

1981-juin Guy Thomas. *1982-sept.* André Holleaux. *1985-oct.* Janine Langlois-Glandier. *1986-déc.* René Han (n. 16-8-1930). *1989-août* Philippe Guilhaume (Pt A2 et FR3). *1990-déc.* Hervé Bourges. *Dir. gén. :* Mme Dominique Alduy dep. 27-9-89. *Dir. du cabinet du Dir. gén. :* Jean-Louis Richard. *Dir. gén. de l'antenne :* Jacques Chancel. *Dir. des programmes :* Pierre Badel. *Dir. de la chaîne :* Jeanine Thiers. *Dir. de la rédaction :* Norbert Balit. **Effectif** (1-1-91) : 3 564 permanents (536 postes seront supprimés).

Audience (ensemble journée). *1985* (mai) 14,7. *1989* (juillet) 9,5. Score (1989) : actualités régionales 10,3. Océanique 2. *1990* (janvier) 12,6. **Programmation** (1988). 11 943 h [dont nationale 4 877 ; régionale (1989) 8 039,35 (info 4 927,11, autres 2 782,28), émissions à dif. nat. 197,32, décrochages exceptionnels régionaux 132,24)]. **Diffusion par genre** (en %, en 1989). Culture et connaissance 23, magazines 19,7, fiction 16,1, informations 12,3, sports 9,4, dessins animés 9,2, divertissements 7, films 6,3, théâtre musique classique 2,9, publicité 2,2, autres 13,7.

Budget (1991, en millions de F hors taxes). *Recettes :* 3 400 dont redevance 2 769,6, publicité 496,9, parrainage 10, recettes commerciales 60,5, services rendus aux administrations 7,7, produits financiers 27, divers 28,3. *Dépenses :* 3 480 dont achats et variations des stocks de programmes 265 ; autres achats et var. de stocks 543,2 ; services extérieurs (+ TDF) 733,4 ; autres serv. ext. 117,4 ; impôts 67,6 ; personnel (+ ch. sociales) 1 176,2 (dont permanent 916,2, contrats durée déterminée 129,5, cachets et piges 124,7, suppléments de cachets 5,8) ; autres charges : gestion courante 331, financières exceptionnelles 5,1 ; dotations amortissements et provisions hors programmes 161,1. **Budget fonctionnel :** 3 480 dont programme national 1 343, information 842,2, diffusion 566,4, programme régional 315,4, fonctionnement général et services communs 256,6, contributions obligatoires 61,1, action sociale 45,9, formation professionnelle 25,1, affaires commerciales 13,2. *Déficit : 1990 :* 179,8, *91 (autorisé) :* 255.

Budget de fonctionnement des antennes régionales (1991, en millions de F) et, en italique, **effectifs budgétaires totaux.** Provence Côte d'azur-Corse 136 *400.* Nord-Picardie 121 *384.* Midi Pyrénées-Languedoc-Roussillon 110 *240.* Rhône-Alpes-Auvergne 110 *300.* Bretagne-Pays de la Loire 92 *250.* Lorraine-Champagne-Ardenne 83 *182.* Limousin-Poitou-Charentes 70,5 *189.* Alsace 67,7 *183.* Ile-de-France-Centre 65 *125.* Aquitaine 60 *160.*

Diffusion (1989, *nombre d'heures).* Aquitaine 362 ,37. Bourgogne/Franche-Comté 573,15. Nord-Picardie 674,16. Limousin/Poitou-Charentes 595,31. Rhône-Alpes/Auvergne 773,22. Provence-Côte d'Azur-Corse 975,17. Lorraine/Champagne-Ardennes 755,01. Paris-Ile de France-Centre 577,19. Bretagne/Pays-de-Loire 707,81. Alsace 559,23. Midi-Pyrénées/Languedoc-Roussillon 735,16. Normandie 553,05. *Total : 7 842,03.*

☞ FR3 ne peut diffuser plus de 4 h par jour en moyenne du programme national de télévision ; peut consacrer plus du 1/7 du temps total à la programmation de films (4 par sem. au moins) ; doit réserver des temps d'antenne à des émissions consacrées à l'expression directe des diverses familles de croyance et de pensée (5 quarts d'heure par sem.). (« Liberté 3 »).

Télévisions régionales

Alsace : *Dir. :* Georges Traband. *Adresse :* 1, place de Bordeaux, 67011 Strasbourg. **Aquitaine :** Jimmy Jonquart, 136, rue Ernest-Renan, 33075 Bordeaux. **Bourgogne-Franche-Comté :** Robert Thévenot, 6, av. de la Découverte, 21003 Dijon. **Bretagne-P. de Loire :** Jean-Pôl Guguen, 9, avenue Janvier, 35031 Rennes. **Limousin-Poitou-Charentes :** Jean-Louis Balandraud, 1, avenue Marconi, 87060 Limoges. **Lorraine-Champagne-Ardennes :** Jean-Pierre Lannes, 14, route de Mirecourt-Vandœuvre, 54042 Nancy Cedex. **Midi Pyr.-Languedoc-Roussillon :** Bernard Mounier, Chemin de La Cépière-Le Mirail, 31081 Toulouse. **Nord-Pas-de-Calais-Picardie :** Jean Reveillon, 36, bd de la Liberté, 59024 Lille Cedex. **Normandie :** Alain Gerbi, 77, place des Cotonniers, 76100 Rouen. **Paris-Ile-de-France-Centre :** Christian Dauriac, 28, cours Albert I, 75008 Paris. **Prov.-Alpes-C. d'Azur-Corse :** François Werner, 2, allée Ray-Grassi, 13271 Marseille Cedex 8. **Rhône-Alpes-Auvergne :** Joseph Paletou, 14, rue des Cuirassiers, 69399 Lyon Cedex. **Télé Dauphiné-Vivarais :** Gilles Bourg, Domaine de Gaste, 26380 Peyrins. **Télé-Monte-Carlo :** *Pt :* Jean-Louis Médecin, 16, bd P^cesse^-Charlotte, Monte-Carlo.

Utilisation du réseau hertzien par la radio et la télé en France. Contrôlé par TDF. 2 gammes d'ondes : UHF (TF1, A2, FR3) et VHF (Canal Plus). 58 canaux théoriquement utilisables (48 sur UHF, 10 sur VHF). Une partie de ces canaux pourrait être libérée si un grand nombre d'émetteurs n'était plus monopolisé pour atteindre l'ensemble du territoire (cas actuel) ou si les chaînes nat. étaient diffusées par satellite (près des 3/4 des canaux deviendraient disponibles, seuls les programmes régionaux de FR3 étant diffusés par eux). Actuellement, dans ces conditions, 80 chaînes privées ne pourraient être diffusées que localement.

RFO (Sté nationale de radio et de télévision pour l'outre-mer)

• **Organisation :** *créée* 1983 par transfert des activités de la délégation pour l'outre-mer de FR3. *Capital social :* détenu par l'État dep. 11-4-1988. *Pt : 1983* René Mahé. *1986* (2-12) Jean-Claude Michaux (n. 28-10-33). *1989* (28-3) François Giquel (n. 29-4-38). Produit des émissions consacrées à l'outre-mer et retransmises en métropole par FR3. Gère une agence d'images internationales (AITV), voir ci-dessus. De Paris, coordonne l'activité des 9 stations basées outre-mer.

Chaque station de RFO (sauf Wallis-et-Futuna et Mayotte) dispose de 2 chaînes, l'une à vocation locale, l'autre diffusant France-Inter en radio, Antenne 2 en télévision sauf publicité et journaux d'information. Envoi à Nouméa et Papeete de cassettes ou bandes, à l'exception de certaines émissions politiques ou retransmissions sportives. Le journal d'Antenne 2 n'est pas envoyé dans les TOM en raison du coût de satellite.

Production locale. Diffusion (1988) : 41 869 h de programmes dont émissions d'information 1 410 h, artistiques 1 035 h. Pas de télé légale concurrente dans DOM/TOM, mais des télé privées diffusent illégalement et irrégulièrement en Guadeloupe et Réunion. Télé étrangères reçues en Guyane [ch. américaines et brésiliennes (Globo)], Guadeloupe et Martinique (américaines).

• **Télévision. Stations :** St-Pierre-et-Miquelon [3], Guadeloupe [2] (2 ch. dep. déc. 1984), Martinique [2] (2 ch. dep. déc. 1984), Guyane [2], N.-Calédonie [3], Polynésie [3], la Réunion [1] (2 ch. dep. 1983).

Nota. – Diffusion en couleurs : (1) 1976. (2) 1977. (3) 1978.

1er canal. Information : *journal télévisé national et international,* fabriqués à Paris. *DOM* (+ St-Pierre-et-Miquelon et Mayotte) : réalisés en direct. *Zone Pacifique :* diffusés en léger différé. *Journaux télévisés régionaux :* durent généralement 20 min. ; diffusés avant le journal national. **2e canal.** DOM et St-Pierre-et-Miquelon : diffusion en continu des programmes de fin d'après-midi et de soirée Antenne 2, sauf publicité et journaux d'information. Moyenne : 7 h par j en semaine, 9 h samedi et dimanche.

• **Radio sonore. Stations :** 9 : Radio-Guyane, Guadeloupe, Martinique, St-Pierre-et-Miquelon, la Réunion, Mayotte, N.-Calédonie, Wallis-et-Futuna et Tahiti. **Diffusion** (1988) : 103 695 h (dont production locale 45 208 h) dont sur le 1er réseau : 58 187 h ; le 2e (programme de France-Inter) : 45 208 h.

Budget (1991, en millions de F). *Recettes d'exploitation :* 879,9 dont redevance 761,6, publicité 69, produits financiers 11,5, divers 37,8. *Dépenses :* 879,9 dont personnel permanent 338,5, services extérieurs 194, achats 109,9, autres services ext. 66,9, cachets et piges 41, autres charges de gestion courante 38,8, personnel occasionnel 36,5, amortissements 32,4, impôts et taxes 17,6, réserve budgétaire 4, charges financières 0,2. **Budget fonctionnel** (1991, en millions de F hors TVA). *Total :* 879,9 dont information 244,8 (dont télévision 209,6, radio 35,2), programmes 153,9, (dont télé 99,4, radio 54,5). Autres 481,2.

• **Agence internationale d'images télévisées (AITV).** Dep. 1986, chargée de la collecte d'images, de leur traitement et de leur diffusion vers les télévisions des pays ayant des accords de coopération avec la France ou ayant passé directement une convention avec RFO. **Production** (1988) : 533 sujets d'actualité. **Diffusion :** *quotidienne :* 3 éditions de 10 min. chaque j : Asie (en anglais, en PAL) ; Afrique et Proche-Orient (français, SECAM) ; Amér. latine (espagnol, NTSC). *Hebdomadaire :* 3 éditions de 30 min. (Afrique anglophone, Asie-Proche-Orient, Amér. latine), distribuées par envoi de vidéo-cassettes. **Destinataires :** services par satellite. Afrique 21 pays, Proche-Orient 5, Amér. latine 20 télévisions de 6 pays, Asie 2. *Nombre de cassettes envoyées :* Amér. latine : 26 pour 15 pays ; Afrique : 11, 7 pays ; Asie : 11, 17 pays.

LA SEPT

Origine. 1986-*23-2* création de la Sté d'Édition de Programmes de Télévision, SA à directoire et conseil de surveillance. *-30-9* SA avec Pt et conseil d'admin. **1987**-*8-5* 1re diffusion sur FR3. **1988**-*28-10* début des émissions à partir de TDF 1. *-4-11* accord franco-allemand pour une chaîne culturelle bilingue. **1989**-*14-3* devient une Sté de diffusion. *-20-4* reçoit canal 9 du satellite TDF 1. *-31-10* déclaration franco-all. fixant statut et perspectives. **1990**-*3-2* diffusion sur FR3 le samedi. *-3-10* signature à Berlin du projet de traité interétatique. La 7 sera un groupement européen d'intérêt économique et demeurera Sté d'édition de programmes. Diffusion par TDF 1 (norme D2 Mac Paquet) et Kopernikus (norme PAL). **Capital initial :** 306 000 F (dont en %, FR3 : 44, État : 24,5, Radio France : 14,7, INA : 14,7) porté ensuite à 60 000 000 F (dont FR3 45 %, État 25, Radio France 15, INA 15). Dep. 30-9-86 régime de SA avec Pt et conseil d'adm. reviendra à sa forme d'origine. **Pt du Conseil de surveillance :** Georges Duby [était Pt.-dir. gén. dep. 20-10-87 (avant, Bernard Faivre d'Arcier)]. **Vice-Pt :** Daniel Toscant du Plantier (dep. juin 1991). **Dir. gén. :** André Harris (n. 31-7-33) dep. 14-3-89. **Pt du Directoire :** Jérôme Clément (n. 18-5-45).

Budget (1991, en millions de F hors TVA). *Total :* 507,1 dont redevance 284,5, ressources propres 22,6, subventions 200 [*fonctionnel :* programmes 341,1 (dont production TV 229, cinéma 39,4 dont coproduction et parts-antenne 18,7, achats de droits 14, compte de soutien cinéma 6,7), diffusion 97,1, taxes diverses 3, formation prof. 0,5, fonctionnement général et services communs 65,4].

Diffusion à l'étranger par câble. *Zones et nombres de foyers :* Pologne [1] 9 800 000, Yougoslavie 5 500 000, Tchécoslovaquie [1] 4 300 000, Hongrie (prév.) 300 000, Belgique 250 000, Suisse 200 000, Danemark 50 000, Luxembourg 20 000.

Nota. – (1) Reprise des programmes sur réseaux hertziens.

Stés régionales de télévision. La loi du 29-7-1982 avait prévu, pour 1986, 12 Stés régionales de télévision. 1 Sté a été créée dans le Nord-P.-de-C. en 1983, 2 autres l'ont été en Lorraine et en Aquitaine en 1984.

Action extérieure du service public de la radiodiffusion sonore

4e chaîne : « Canal + »

Chaîne à péage, brouillée (système DISCRET 1), **mise en service** 4-11-1984. **Statut :** Sté anonyme ayant une concession de service public pour 12 ans (du 6-12-83 au 6-12-95). *Cahier des charges* publié le 14-3-86 au JO. Seules obligations de service public à respecter : ordre public, bonnes mœurs, objectivité, équilibre des familles de pensée, droit de réponse. *Pt-dir. gén. :* André Rousselet. *Dir. gén. :* Pierre Lescure.

Capital : 362 600 000 F dont (en %) Havas 24,72, Cie gén. des eaux 21,5, L'Oréal-Paror 6,92, Caisse des dépôts 6, Geneval (gr. Sté Générale) 5,93, gr. CCF 5,18, autres 29,9. *Résultat net* (en millions de F) *1987 :* 407, *88 :* 616, *89 :* 761, *90 :* 910. *C.A. consolidé* (milliards de F) *1987 :* 3,40, *88 :* 4,34, *89 :* 5,12, *90 :* 6,13, *91 (prév.) :* 6,7. *Ressources venant des abonnements* (milliards de F) *1987 :* 3,07, *88 :* 3,9. *Fonds propres* (milliards de F) *1987 :* 0,44, *88 :* 1,06. **Effectif :** 575 (31-12-88).

Caractéristiques techniques. Réseau VHF 819 lignes noir et blanc de la 1re chaîne reconverti au 625 l. **Abonnement :** 160 F/par mois + 500 F de garantie pour le décodeur. **Horaires :** de 7 h à 3 h du matin en semaine, sans interruption le week-end. *En 1985.* Durée des émissions visibles sans décodeur portée de 1 h 55 à 4 h par jour, accueil de la publicité commerciale. **Émissions :** *programmes* autorisés en 1re diffusion entre 12 h et 1 h du matin : 365 films par an, et en rediffusions : nombre illimité. 7 films différents par semaine, rediffusés chacun 6 fois ; 10 flashes d'information par jour ; feuilletons, téléfilms, séries, spectacles, sports. *En 1987 :* 3 400 h de films, 170 millions de F d'investissement cinéma, 600 millions de F d'achats de droits cinéma. **Populations desservies :** *fin 1988 :* 87 %. **Abonnés** (en millions) : *1985-1-1 :* 0,245, *31-12 :* 0,693. *1986 mai :* 1, *31-12 :* 1,54. *1987-31-12 :* 2,17. *1988-31-12 :* 2,58. *1989-31-12 :* 2,87. *1990 :* 3,1 (taux de réabonnement 94 % en 1989).

Satellites TV européens

Satellites de télévision directe

☞ Voir Astronautique, p. 40.

• **Atlantic Sat** (Irlande). *Lancé* 1990.

• **Astra 1A.** *Lancé* 11-12-1988 par le 1er vol commercial d'Ariane IV. *Mis en service* 5-2-89. Position orbitale de 19,2° long. E. Fabrication américaine. 1 820 kg, 16 réémetteurs de 45 W + 6 de réserve (dont 1 n'est plus opérationnel) pouvant chacun diffuser un programme de télé et 4 progr. de radio (sur les 16 canaux de télé, 14 transmettent des programmes avec la norme PAL et 2 en D2 Mac). *Exploité* par une Sté de droit luxemb., la Sté européenne de satellite (SES) créée 1985. *Contrats :* 1er : consortium britannique Sky Television, filiale du groupe News International de Rupert Murdoch (pour location de 4 répéteurs aux chaînes Sky One, Sky Movies, Sky News et Eurosport exploitée en anglais, allemand et néerlandais). 2e : groupe brit. WH Smith Television loue 2 canaux pour TV Sport (exploitée en collaboration avec la Générale des eaux et Canal Plus, et diffusée en anglais, français, allemand et néerlandais). 3e : Lifestyle qui partage un canal avec The Children's Channel. 4e : MTV Europe qui associe Robert Maxwell (51 %) et Viacom (49 %), maison mère de MTV aux USA, loue 1 canal pour la ch. musicale MTV (distincte du programme amér.). 5e : 2 groupes suédois de ch. à péage, Kinnevik (TV 3 et TV 1000), et Esselle (Filmnet) la CLT, avec RTL-Véronique, en temps partagé avec la ch. éducative europ. Channel E. Fin 1989 : chaînes privées all. : 3 généralistes Sat 1, RTL Plus et Pro 7, et 1 ch. cinéma à péage Teleclub. Avril 1990 : Astra 1A loue son dernier canal disponible à une 1re ch. publique all., 3 sat. *Bénéfice de SES* (Sté européenne des satellites) en 1989 : 32 millions de F, en exploitant Astra I et Astra II. Sur le 1er satellite Astra : 15 répéteurs ont été loués pour 6 millions d'écus (42 millions de F). Revenus supplémentaires de la SES : location sur chaque répéteur de 4 sous-porteuses utilisables pour diffusion de programmes à des stations de radio (11 abonnées pour 42 500 F par an. Coût de lancement d'un satellite : 300 millions d'écus (soit 2,1 milliards de F).

• **Astra 1B.** *Lancé* 2-3-1991. 60 W, 16 canaux. *Clients :* ARD, Première, Canal Plus, groupe Kirch, Tele 5. Astra 1B occupe la même position orbitale ; capté avec la même antenne.

Commandes passées à la Sté amér. Hughes Aircraft : Astra 1C et Astra 1D prévus pour être lancés par Ariane en 1993 et 94 ; durée de vie 15 ans avec 18 répéteurs de 63 W et 6 rép. de secours ; même position géostationnaire équatoriale de 19,2 Est ; Astra 1C servira d'abord de secours et pourra accueillir de nouveaux programmes. Les 16 chaînes de télévision d'Astra 1A sont reçues par env. 20 millions de foyers en Europe (dont 1,5 million de foyers en réception individuelle). Avec Astra 1B, la capacité passe à 32 chaînes.

• **BS 2b.** Japonais, lancé le 12-2-86.

• **BS 2x.** Lancé févr. 1990 (vol 36 d'Ariane), échec.

• **BS 3a.** Lancé 28-8-90.

• **BS 3.** Acheté d'occasion aux USA, lancé 19-4-91, échec.

• **BS 3B.** Lancement prévu avril 1991 par fusée jap.

• **BSB** (G.-B.). Opérateur : British Satellite Broadcasters (fusionne 5-11-90 avec Sky Television). *Lancé* 1990.

• **Eutelsat.** Organisation européenne de télécom. par satellite. *Créée* 1977 pour exploiter en Europe des satellites pour des services fixes et mobiles de télécom. Les 28 pays membres signataires Eutelsat sont des opérateurs publics et privés de télécom. SATELLITES : 4 *Eutelsat I* lancés avec succès entre 1983 et 88 (F1, F2, F4, F5) ; 6 *Eutelsat II* prévus dont 1er lancé 1990, 2e en janv. 91. Chaque Eutelsat II peut exploiter 16 répéteurs simultanément. Dessert les 28 pays membres et atteint Afr. du N. et Pr.-Orient. Les sat. Eutelsat transmettent divers services de télécom. dont programmes radio et TV, échanges de l'Union eur. de radiodiffusion, téléphonie, trafic numérique d'entreprise et communications terrestres mobiles.

• **Intelsat.** 35 satellites. *VF-2* (chaînes norvégienne et suédoise). *VF-11* et *VF-12* (ch. anglophones et germanophones essentiellement). *VF-15* (*lancé* 26-1-89).

• **Olympus** (G.-B., P.-Bas, Portugal ; *lancé* juin 1989). Opérateur : Agence spatiale européenne. 8 chaînes.

• **TDF.** **1977**-*13-2* la conférence administrative mondiale pour la radiodiffusion attribue à chaque pays une position orbitale géostationnaire et 5 canaux pour des programmes de télévision. **1979**-*2-10* sommet franco-allemand décide construction TDF 1, TDF 2 et TDF 3 ; à la suite du rapport Cannac, la France s'engage dans les 2 filières techniques : *faible et moyenne puissance* (20 à 50 W avec Télécom 1) et *forte puissance* (230 W, avec TDF 1). TDF 1 est conçu par le consortium Eurosatellite regroupant des Stés françaises et allemandes et 1 firme belge, pour le compte de TDF et du CNES, dans le cadre d'une coopération franco-all. prévoyant le développement en commun d'un système de diffusion directe par satellite (TDF pour la France, TV Sat pour l'Allemagne), relayant chacun 4 chaînes et capable de couvrir l'Europe entière. **1983** les progrès de l'électronique rendent moins évident l'avantage des satellites de forte puissance. **1984**-*9-3* rapport Gérard Théry : TDF 1 est technologiquement dépassé et économiquement non viable. **1985** Pt Mitterrand autorise la création de chaînes privées hertziennes, ce qui fait perdre de son intérêt au satellite. **1986**-*11-3* 5 canaux attribués à la chaîne culturelle, à La Cinq et à un consortium mené par Berlusconi, Maxwell, Seydoux et Kirch. *Mai* accord annulé par le nouveau gouv. **1987**-*12-1* rapport Contamine : conclut à la faisabilité de la constitution d'une Sté de commercialisation des satellites TDF 1-TDF 2. Gérard Longuet, min. des PTT, et François Léotard, min. de la Culture et de la Communication, s'opposent à la poursuite du programme. *-21-10* rapport Jean-Pierre Souviron (ancien dir. gén. de l'Industrie) : TDF 1 n'est pas rentable, il a déjà coûté 1,7 milliard de F à l'État. Son arrêt complet en coûterait 0,6 et son lancement 0,8 (1,361 avec TDF 2). **1988** *automne* selon M. Charasse, min. délégué au Budget (coût en milliards de F) : paiements réalisés ou financés 1,9 ; arrêt complet 0,3 ; lancement de TDF 1 seul (sans problème technique) 0,7, de TDF 1 et de TDF 2 sans génération suivante 1,6. De TDF 1 et 2 et financement de TDF 3 et 4 : de 3,3 à 4 selon les tarifs de location de canaux (de 0,4 à 0,7) ; arrêt du programme 3. *-31-8* Michel Rocard (PM) juge la situation « parfaitement détestable » mais autorise le lancement de TDF 1 sous certaines conditions. Plus de 2 milliards de F d'argent public ont déjà été dépensés. L'abandon de TDF 1 suivant l'échec de l'Allemand TV Sat 1 risquerait de priver de moyens l'industrie européenne pour la conquête des marchés de la télé haute définition. *-28-10* TDF 1 lancé par Ariane 2. *-28-11* 1re émission. **1989**-*20-4* le CSA répartit les canaux à partir de 1990 ; 6 chaînes télé sur ses 5 canaux image : Canal Plus, Canal Plus Deutschland, Canal Enfants jumelé à Euromusique, Sport 2/3 et La Sept. 2 propositions pour la radio : Radio France avec 2 canaux stéréo (programme musical et culturel) et RFI avec 1 canal mono (pour sa duplication). Canal Plus garantit « un droit d'accès aux opérateurs concurrents ». *-1-8,* 20 h 35 TDF 1 tombe en panne. 2 h plus tard, 4 canaux sur 5 remis en marche ; le canal 1 (attribué à Sport 2/3) reste en panne et est neutralisé le 27-9. **1990**-*24-7* TDF 2 lancé par Ariane 4 (vol 37), déclaré totalement opérationnel le 16-8. *-12-9* défaillance du canal 17 de TDF 1. *-21-9* CSA réattribue les canaux de TDF 1 avec le départ de Canal Plus Allemagne qui libère son canal. *-11-10* défaillance des tubes 1 et 13 de TDF 2 à la suite d'une éclipse solaire. *-26-11* rapport Eymery rendu public. Consacre l'abandon de la filière TDF sur les satellites de forte puissance et propose une négociation sur les plans de fréquences. **1991**-*14-5* Canal 17 de TDF2 remis en service.

Capital de TDF. *Budget annexe des P. et T.* 11 %, *COGECOM* (filiale de France-Télécom) 40 %. **Compte de résultat prévisionnel pour la partie satellite** (1990, en millions de F). *Charges d'exploitation :* 623,5. *Produits d'exploitation :* 203,4 dont clients secteur public 96,7, privés 106,7. *Pertes :* 420. **Coût total TDF 1 et 2.** 3,8 milliards de F (dont 2,2 pris en charge par l'État et le CNES). Le reste est financé par TDF, partie en fonds propres, partie en emprunts.

Tarif de base TDF 1/TDF 2. Contrat de 8 ans. *Prix annuel hors taxe* (en millions de F) : image + 2 sons mono (ou 1 son stéréo) : 75 ; 2 sons mono (ou 1 son stéréo) : 8 ; 1 son : 4,8 ; image + 4 sons mono : 80. Le maître d'ouvrage et le fournisseur du système TDF 1-TDF 2 est le consortium Eurosatellite qui regroupe l'Aérospatiale (maître d'ouvrage délégué) et les firmes Alcatel Espace, MBB, Thomson, TST (AEG), ANT et ETCA.

TDF 1, TDF 2. *1991* (févr.) 4 canaux exploités (1, 5, 9 et 17). Théoriquement affectés à Canal Plus, La Sept, Antenne 2 et Canal J couplée avec Euromusique. Le canal 13 affecté par le CSA au projet Sports 2-3 est « mis en réserve » comme secours commun. *1993* satellite de remplacement Eutelsat prévu.

• **Télécom 1** (12 canaux, vie prévue 7 ans). **1 A** (*lancé* 4-4-84, mis en service déc. 84). Diffuse NRJ, Radio-Nostalgie, Europe 2, Skyrock, Fun, RFM, Kiss FM et Pacific FM ; achemine des services numériques et une dizaine de programmes du réseau des radios privées. **1 B** (*lancé* 8-5-85, mis en service 31-7-85). Vie prévue 7 ans. Tombé en panne 15-1-88. Coût 700 MF dont lancement 300. Achemine images de la 5 et de M6 vers leurs réémetteurs et ceux de Canal J vers le réseau câblé. Ses images peuvent être captées par des paraboles individuelles de 95 cm. **1 C** (*lancé* 11-3-88, exploité commercialement dep. juin 88).

• **Télécom 2** (vie prévue 10 ans) 26 canaux. 1er *lancé* prévu fin 91.

• **Télé X** (Suède). *Lancé* avril 1989. 4 chaînes.

• **TV-Sat 1** (All. féd.). *Lancé* 20-11-1987, n'a pas déployé l'un de ses 2 panneaux solaires et n'aurait pu fonctionner compte tenu d'une usure des tuyères servant à le stabiliser (coût 1,3 milliard de F). **2** (All. féd. lancé 9-8-1989). 2 chaînes.

• **Projets.** Tel-Sat (Suisse), Nordsat (Suède), Unisat (G.-B.), Sarit (Italie), Sabs (Arabie Saoudite), BS 3 (Japon).

☞ TV-Sat 1 et TDF 1 ont une puissance d'émission de 230 W, pèsent 2 t, peuvent embarquer 5 réémetteurs dont 4 actifs. L'énergie disponible est fournie par des panneaux solaires alimentant 5 tubes à ondes progressives (TOP) pesant 7,3 kg avec leur bloc d'alimentation.

Participations. *Canal + Belgique* (créée août 1988) 25 %, 44 891 ab. (mars 1991). *C. + Allemagne* (créée à parité avec Bertelsman 30-1-1989) 50 %, 110 000 ab. (mars 91). *C. + Espagne* (créée à parité avec groupe Prisa août 1989, lancée 2-7-1990) 50 %, 300 000 ab. (fin 91). En câblage filiale avec GVT : *Visicâble. TV Sport* [chaîne câblée fondée par Générale d'images (filiale de la Générale des eaux) ; abonnés : 270 000 sur réseaux câblés de France et de Suisse ; appartient au Réseau européen du sport (12 millions d'abonnés) regroupant chaînes Screensport (G.-B.), Sportkanal (All.), Sportnet (P.-Bas)] 28,01 et *ESN* (European Network) 28,01. *Com-Dev* 10,05. *LBS* 5,92.

SOFIRAD

Origine : *1942-7-11* Sté financière de radiodiffusion (SOFIRA) créée par Pierre Laval (SA au capital de 20 puis 40 millions d'AF. Pt : gén. Denain). *1943* l'État (Vichy) rachète 79 967 actions et devient propriétaire de la SOFIRA qui possède des actions de Radio-Impérial (à Tanger) cédées par Charles Michelson à la France, et 50 % du capital de Radio Monte-Carlo rachetés à l'Ofepar. *1945* se transforme en SOFIRAD. Récupère actions allemandes et italiennes de Radio Monte-Carlo (contrôle + de 80 %). *1945 à 1958* finance la création d'Andorre-Radio qui deviendra Sud-Radio. *1956* crée Cie libanaise de télévision. *1959* rachète 35,76 % d'Europe 1 pour 13 millions de F avec 46,85 % des voix. *1960* vend 600 000 F *Télé 60* (ex-*Radio 44* qui deviendra *Télé 7 jours*) à Jean Prouvost. *1977* gère des participations de l'État français dans les postes privés de radio et de télé en France et à l'étranger. *1986-4-3* vend à Hachette sa participation d'Europe 1 (34,19 %). *1987* désengagement des activités radio du secteur concurrentiel, redéploiement vers coopération internationale. *1987-10-9* cède Sud-Radio Services au groupe Pierre Fabre SA pour 36 015 483 F.

Capital : 176 400 000 F détenu à 99 % par le Trésor public. **Participations** (% détenu) : Radio Monte-Carlo 83, Somera 90, Radio des Vallées (Andorre)

99,99 : directement ou indirectement dans Sté marocaine Radio Méditerranée Internat. (RMI) qui exploite Medi I, dans Sté gabonaise qui gère Africa n° 1 et dans Sté gérant Radio Caribbean International 82 Ltd. CIRT [Cie Internat. de radio et de télé (contrôlée à 99,6 %)], Radio Paris Lisbonne Paris (SFPC, 64 %). Canal France Internat. (CFI, 100 %). Images Sud Nord (SOFREA, 100 %, SOBRASCOM 100 %, HMI (Havas Media Internat.) (60 %) dep. le 1-1-88 Régie de media internat. à l'étranger 53 % de la Cie libanaise de télévision. Canal Horizon : 34 %. TV5 : 22,15 %. *P.-D.G.* (nommé pour 3 ans par le Conseil des min.) : Gérard Ganser (dep 17-1-1991) [avant : Hervé Bourges (dep. 28-9-89)].

Budget (millions de F) : *ressources : 1989 :* 23,3, *90 :* (perspective) : 16,7. *Résultat net. : 1986 :* 257,9, *87 :* - 60,8, *88 :* - 18,7, *89 :* - 7.

Statistiques

Données générales

Personnel permanent des organismes du secteur public de l'audiovisuel (autorisé et, entre parenthèses, réel). *1986 :* 18 564 (y.c. 50 créations autorisées en gestion 1986 : 35 à TDF, 10 à RFI, 5 à Radio France) (18 285). *87* (hors SFP, TF1 et FM1 dorénavant) : 14 128 (13 620). *88* (y.c. SEPT dorénavant). : 13 971 (13 798). *89 :* 14 029 (y.c. 33 à RFI financés par la subvention de 30 MF du min. des Aff. étrangères, initialement prévue en équipement) (13 798 au 31-7-89).

Compte de soutien en 1990 (compte spécial du Trésor n° 902-10) (en millions de F). **Ressources :** 1 460 dont *Section cinéma* 832 (dont taxe additionnelle au prix des places de cinéma 420,3, sur les ressources des ch. de télé 395, contribution de l'État n.c., divers 16,7) ; *Section audiovisuel* 628 [dont taxe sur les ressources des ch. de télé 527, contribution de l'État (chap. 43-40 du min. de la Culture) 100, divers 1]. **Emploi :** 1 460 dont *Section cinéma* 832 (dont subventions diverses 147, avances sur recettes 103, soutien automatique à la production 318, soutien à l'exploitation 240, divers 24) ; *Section audiovisuel* 628 (dont subventions à la production 614, divers 14).

Part du secteur audiovisuel dans le compte de soutien (loi de finances initiale) (en millions de F). *1987 :* -202. *88 :* -322. *89 :* -329. *90 :* -308 (taxe sur les ressources des ch. de télé 922, subventions à la production audiovisuelle 614).

Ressources (exploitation + équipement) du secteur public audiovisuel. Budgets nets des amortissements corporels et incorporels ainsi que des accroissements de valeur de stocks (en millions de F). *1988 :* 9 424,1, *89 :* 9999,3, *90 :* 10936,6, *91 :* 11 504,2 dont redevance 7 783,7, publicité 2 085,1 (dont A2 : 1 446,7, FR3 : 496,9, RFO : 69, Radio France : 69, RFI : 3,5), parrainage 60 (dont A2 : 40, FR3 : 10, Radio France : 10), subventions 895,4, autres recettes 680.

Services rendus aux administrations. Ex. formation des personnels étrangers par l'INA (financée par le min. des Aff. étrangères), diffusion d'émissions universitaires par Radio France (financée par le min. de l'Éducation nat.), bulletin Inter-services Mer de Radio France (financé par le min. de la Mer). 280,9 dont INA : 8,3, A2 : n.c., FR3 : 14,2, SEPT : n.c., RFO : 20,6, Radio France : 2,5, RFI : 253,3.

Prise en charge des dépenses liées à l'action internationale de la France. RFI (entre parenthèses, en % du budget de RFI). *1987 :* 6 (1,5), *88 :* 17,3 (4,4), *89 :* 35,3 (7,6), *90 :* 253,3 (51,1). **Dépenses de fonctionnement liées à l'A.I.T.V. : RFO :** 20,6.

Redevance

Assujettis. Due par tout possesseur (achat, prêt, cadeau) d'un récepteur de télévision. Perçue par foyer quel que soit le nombre de téléviseurs. En cas de non-paiement dans les 2 mois, majoration de 30 %. Si l'on se sépare de son appareil sans le remplacer, formuler auprès du Centre régional une demande de résiliation de compte.

Personnes exemptées : sous réserve de ne pas être assujetties aux impôts sur le revenu : 1°) les personnes âgées d'au – 60 ans au 1-1 de l'année de mise en recouvrement, qui vivent seules ou avec leur conjoint et le cas échéant avec des personnes à charge (c.-à-d. comprises dans la détermination du quotient familial de leur imposition sur le revenu) ou non imposables ; 2°) mutilés et invalides civils ou militaires atteints

Budget (en millions de F)

	TDF	INA	A 2	FR3	SEPT	RFO	R. France	RFI
Budget 1990	3 909,8	466,2	3 306,1	3 341,9	540,1	799,9	2 003,4	460,7
dont :								
Redevance	27,7	130,9	1 323,6	2 694,9	417,5	710,3	1 852,4	204,6
Publicité	–	–	1 796,7	455,3	–	49,5	59	3,5
Parrainage	–	–	40	10	–	–	10	–
Ressources propres	1 920	212,8	45,8	101,7	122,6	19,5	82	22,6
Subventions	–	–	100	80	–	20,6	–	230
Versements des sociétés publiques	1 962,1	122,5	–	–	–	–	–	–

d'une infirmité ou d'une invalidité les empêchant de subvenir par leur travail aux nécessités de l'existence, qui vivent seuls, ou avec leur conjoint et le cas échéant avec des personnes à charge, des personnes non passibles de l'impôt sur le revenu, avec une tierce personne chargée d'une assistance permanente.

En fait, l'exonération est consentie aux invalides titulaires d'une carte d'invalidité au taux d'au moins 80 %, ou d'un titre de pension de 2e ou de 3e catégorie de la Séc. soc. ou d'un régime assimilé, ou de l'allocation aux adultes handicapés, ou d'une pension ou allocation assortie de la majoration pour aide d'une tierce personne.

Assiette théorique 20,3 millions de comptes dont résidence principale 19,6, résidence secondaire 0,7, **réelle** 18,75. **Fraude** 1,55 (*coût 1989* : 590 millions de F). **Exonérations** 3,71 (coût 1,7 à 1,8 milliard de F). **Comptes payants.** *Taux de recouvrement* 94,4 %.

Comptes exonérés (entre parenthèses **% du total des comptes**). *1982 :* 1 054 244 (6,6); *1990-31-12 :* 4 195 670 (dont en %+ 60 ans non soumis à l'impôt sur le revenu 86,15, invalides 13,28, établissements hospitaliers 0,57).

Comptes (au 31-12-90). *Téléviseurs noir et blanc* 2 001 440 (dont 1 080 413 payants), *couleurs* 17 490 625 (14 215 982). Au 31-12-1986 : *Magnétoscopes* 379 483 (369 382) *Télés (noir et blanc)/magnétoscopes* 32 645 (26 554). *Télés couleurs/magnétoscopes* 1 032 309 (979 302). *Total* 18 071 911 (15 185 962).

Comptes ouverts télévision

1950	297	1969	10 153 000
1951	3 794	1970	11 008 000
1952	10 558	1971	11 655 000
1953	24 209	1972	12 279 000
1954	59 971	1973	13 017 000
1955	125 088	1974	13 632 026
1956	260 508	1975	14 161 804
1957	442 433	1976	14 693 156
1958	683 229	1977	14 973 393
1959	988 594	1978	15 523 600
1960	1 368 145	1979	15 862 965
1961	1 901 946	1980	16 192 264
1962	2 554 821	1981	16 959 232
1963	3 426 839	1982	17 413 686
1964	4 400 278	1983	17 962 600 [1]
1965	5 414 276	1984	18 349 107
1966	6 489 014	1988	18 640 000
1967	7 471 992	1989	19 071 911 [2]
1968	9 278 000		

Nota. – (1) Dont tél. couleurs 11 339 957, magnétoscopes 750 792. (2) Dont 2 376 573 n. et b., 16 695 338 c.

Ressources de redevance (1991, en millions de F). *Prévisions d'encaissement* 8 232,7 dont frais de fonctionnement du service 405.

Coût des exonérations (au 30-6-1989). 1862, 6 millions de F (% du nombre d'exonérés par rapport au nombre de comptes payants : 20,2 %).

Montant de la redevance en F. *Téléviseurs noir et blanc et,* entre parenthèses, *couleurs : 1980 :* 221 (331) ; *81 :* 238 (358) ; *82 :* 280 (424) ; *83 :* 311 (471) ; *84* (1-1) : 331 (502) ; *85* (1-1) : 346 (526) ; *86* (1-1) : 356 (541) ; *87* (1-1) : 333 (506) ; *88* (1-1) : 333 (506) ; *89* (1-1) : 343 (533) ; *90* (1-1) : 355 (552) ; *91* (1-1) : 364 (566).

Comparaison de la redevance pour un téléviseur couleurs pour usage privé (en F, en 1990). Allemagne 774, Autriche 723, Belgique 1 070, Finlande 1 146, France 552 (91 : 563), G.-B. 740, Grèce gratuit, Italie 581, Norvège 1 016, P.-Bas 581, Suède 1 073.

Montant global de la redevance [en milliards de F 1989 (prév.) et, entre parenthèses, 1988]. *G.-B.* 11 597,3 (11 445,7), *France* 7 514 (7 142,8), *Belgique* 3 065,1, *All. féd.* (12 262), *Italie* (6 541,5), *P.-Bas* (2 247).

• **Répartition de la redevance. Modalités.** Faite annuellement par le min. délégué et soumise à l'approbation du Parlement (loi de Finances) en fonction de certains critères [ex. *pour les chaînes en fonction du volume d'écoute* mesuré par le nombre d'auditeurs ou de spectateurs par heure pour l'ensemble des programmes de chaque Sté (on tient compte de la variation du volume d'écoute d'une année à l'autre dans la limite de 10 % en plus ou en moins) *et de la qualité des programmes :* une notation est établie par une Commission de la qualité (membres choisis par le Prem. min.), des sondages sur la qualité sont réalisés périodiquement par le Centre d'études d'opinion. Le service d'observation des pr. vérifie le respect par les Stés de leurs obligations, notamment en ce qui concerne la pub. clandestine].

Répartition de la redevance en 1991 (en millions de F, hors TVA). *Total* 7 783,7 dont *FR3 :* 2 769,6, *Radio France :* 2 007,2, *A2 :* 1 751, *RFO :* 769,6, *Sept :* 284,5, *INA :* 150,5, *RFI :* 51,3. **En % du budget de chaque organisme.** *A2 :* 40, *FR3 :* 80,6, *RFO : 88,8, Sept :* 77,3, *INA :* 28,1, *Radio France :* 92,5, *RFI :* 44,4.

Recettes publicitaires

Nombre de spots publicitaires. *1985 :* 126 000. *89 :* 235 570. *90 :* 245 810.

Taux moyen de zapping lors des spots de publicité (de mi-mars à fin mai 1988). *Jeux (19 h 30) :* 1,3 (dont 3,4 jeunes 15-35 ans). *Films (20 h 35) :* 8,4 (dont 14,6 jeunes, 19,4 classes moyennes et aisées). *Variétés (21 h 30) :* 4,6 (dont jeunes 5,7, classes moyennes et aisées 11,6). *Total :* 4,8 dont jeunes 7,9, classes moyennes et aisées 10,3.

Secteurs interdits de publicité. Décret n° 87-37 du 26-1-1987, portant application de la loi du 30-9-1986 modifiée par le décret du 6-5-1988. L'interdiction concerne : produits ayant fait l'objet d'une interdiction législative ou réglementaire [armes à feu – loi du 12-7-1985, tabac et produits pharmaceutiques – décret du 23-9-1987, certains services (services financiers-loi du 10-1-1987). Secteurs économiques ; boissons alcoolisées de plus de 1°, édition littéraire, cinéma, presse, distribution]. L'article 97 de la loi n° 87-588 du 30-7-1987 a mis fin à la distinction des 5 groupes de boissons dotées de régimes publicitaires, au-delà du seuil de 1 % d'alcool.

Durée maximale de publicité autorisée par heure d'antenne pour les télévisions. *Moyenne dans l'année :* 6 min. (Radio France : 30 min./j) ; *maximale pour 1 h donnée :* 12 min. (FR3 : 10, La 5 et M6 : 10 min. 48 s.).

Interruption unique des films, durée max. autorisée (en min.) : TF1 : 4, La 5 : 4 min. 30 s., M6 : 6, A2 et FR3 : sans.

Recettes publicitaires. Nettes en millions de F hors taxes, dégressifs et commissions d'agences et de régie ; communiquées par les régies (A2, FR3, Canal +) ou estimées à partir des recettes brutes communiquées par les régies (entre parenthèses part de marché en %), **1988** *TF1 :* 5 333,7 (61). *Antenne 2 :* 1 674,3 (19,1). *FR3 :* 408 (4,7). *RFO : 63,2 (0,7). Canal + :* 205,3 (2,3). *La Cinq :* 864 (10). *M6 :* 193,4 (2,2). *Total : 8 741,9 (100).*

Chaînes du secteur public. Recettes nettes encaissées après déduction des commissions d'agence et de régie, des taxes et avant reversement à la R.F.P. (1989 : en millions de F). *Antenne 2 :* 1 796,7. *FR3 :* 415,3. *RFO :* 46,7.

Investissements publicitaires (en millions de F, 1990). *TF1 :* 7 153, *Antenne 2 :* 2 203, *FR3 :* 630, *Canal Plus :* 337, *La Cinq :* 2 302, *M6 :* 630. *Source :* SECODIP.

Prévision d'évolution de la publicité dans les médias et à la télévision (en milliards de F). *Recettes pub. grands médias dont,* entre parenthèses, *télévision :* **1988 :** 41,3 (dont 10,1), **89 :** 46,2, (12), **90 :** 50,8 (13,8). **91 :** 55,4 (16), **92 :** 59,9 (18,2).

Recettes de publicité de marques (en millions de F) **1982 :** 2 053,6 dont *TF1 :* 1 095, *A2 :* 930, *FR3 :* 28,6. **1986 :** 3 302 dont *TF1 :* 1 443, *A2 :* 1 394,3, *FR3* [1] : 350, *RFO :* 35. **1989 :** 2 050 dont *A2 :* 1 629,7, *FR3 :* 375,3, *R.F.O. :* 45. **Collective : 1989 :** 267,2 dont *A2 :* 177. *FR3 :* 40. *RFO-Radio France :* 45. *RF1 :* 3,5.

Nota. – (1) 1987.

• Recettes de parrainage. Développées afin d'offrir aux annonceurs de nouveaux espaces et de permettre aux secteurs interdits de publicité télévisée d'accéder à ce support.

Contribution au financement des émissions, en contrepartie de la présentation du nom et des signes distinctifs de l'entreprise qui participe à ce financement, à l'exclusion de toute promotion des caractéristiques des biens et services produits ou offerts par celle-ci, avant ou après l'émission, ou pendant l'émission de façon ponctuelle.

Recettes autorisées (en millions de F). **1989 :** 100 dont *Antenne 2 :* 60, *FR3 :* 30, *Radio France :* 10. **1990 :** 60 dont *Antenne 2 :* 40, *FR3 :* 10, *R. France :* 10.

• Recettes commerciales des organismes publics et, entre parenthèses, part dans le budget d'exploitation (1990, en millions de F). *INA :* 200,2 (41,6). *Antenne 2 :* 21,8 (0,7). *FR3 :* 51,9 (1,6). *SEPT :* 11,9 (7,6). *RFO :* n.c. *Radio France :* 71,5 (3,6). *RFI :* 0,2 (n.c.).

Prix de revient d'émissions

• Émissions produites. **Coût horaire** (en milliers de F, 1984). *De quelques productions :* Formule 1 1 209. La Belle vie 890. Le Jeu de la vérité 750. Champions 486. Droit de réponse 307. La Bouteille à la mer 225.

Par type d'émission (en moyenne) sur TF1. Fiction 2 560, musique 726, retransmissions théâtrales 627, documentaires et magazines de soirée 505, divertissements et jeux 509, info. et sports 285 [1], jeunesse 262 [1], après-midi (plateau et documentaires d'après-midi) 210, émissions religieuses 182.

Coût d'une minute (en F). **Informations :** 1 663 (toutes charges comprises) sur Canal Plus contre (budgets alloués dans la loi de finances 1985) [1] 10 663 sur TF1, 9 891 sur A2 et 9 769 sur FR3 ; 154 pour une intervention du P.M. (prix de la diffusion). **Autres émissions : sur TF1 :** 33 000 à 66 000 [Cocoricocoboy Collaro 15 000, documentaire du C[dt] Cousteau 11 000, « Histoire à la Une » 10 500, théâtre de P. Sabbagh 8 000, après-midi de Bertho 1 500, retransmissions de concerts, matchs de tennis et football (internationaux) 1 000]. **Antenne 2 :** Champs-Élysées de M. Drucker 29 400, Grand Échiquier de J. Chancel 20 000. **FR3 :** théâtre 660, documentaire 9 500, fiction 21 600. **Cinéma.** A partir de 2 000 (pour une version originale). *Ex.* (sur FR3) : Rio Bravo (montré 5 fois) 4 000, la Grande Vadrouille 9 000, la Boum 22 000, le Grand Blond avec une chaussure noire + de 30 000. *Moyenne :* 7 758 sur TF1, 6 700 sur A2, 7 666 sur FR3, 4 370 sur Canal Plus (L'As des As : 25 000).

Nota. – (1) Sans compter les dépenses de personnel et de matériel.

Coût global des émissions de variétés (en 1984, en milliers de F). Grand Échiquier [2] 1 567, Carnaval [1] 1 550, l'Académie des bas arts [1] 1 550, Salut les Mickeys [1] 1 200, Champs-Élysées [2] 1 118. **Émissions depuis 1983 :** Vive la crise [2] 1 565, Histoire à la Une [1] 1 210, Psy Show [2] 652, Cocoricocoboy [1] 230, Résistances [2] 209, Étoiles et Toiles [1] 175, Branchés Musique [1] 135, Théâtre de Bouvard [2] 93,5, A nous deux [2] 28, Téléforme [1] 27.

Nota. – (1) TF1. (2) A2.

• Émissions louées par la TV *(contre droits de retransmission).* **Films de cinéma** (vieux de 3 a. et +, except. les films coproduits par les Stés de programme). *Nombre de films passés en 1974* 440. *1975* 469. *1976* 517 (TF1 150, A2 127, FR3 240). *1984 :* 485 (TF1 142, A2 130, FR3 213 dont 99 étrangers). Sur les 3 000 films français produits entre 1934 et 1958, 300 au plus présentent aujourd'hui un niveau artistique acceptable.

Droit de diffusion. En moyenne (milliers de F) : *1974* 75, *1975* 150, *1980* 1re diffusion 500 à 2 000, 2e 200 à 600, *1988* 1re diffusion 1 000 à 10 000 (Rambo), 2e 300 à 600.

Séries et téléfilms étrangers, achats de droits de diffusion (en millions de F). *1980 :* 28,2, *84 :* 83, *85 :* 72,9, *86 :* 120,8 (dont TF1 : 37,4, A2 : 66,5, FR3 : 16,9), *87 :* 123,1 (dont A2 : 69,4, FR3 : 53,7), *88* (par heure de série : Dallas, Dynastie, Santa Barbara ; en milliers de F) : 30 à 500, moyenne 200. Le doublage d'une dramatique d'1 h 30 coûte env. 100 000 F. **En volume horaire.** *1980 :* 315 h 30, *81 :* 328 h 27, *82 :* 297 h 38, *83 :* 368 h 14, *84 :* 537 h 06, *85 :* 495 h 48 (dont *TF1 :* 247 h, *A2 :* 177 h, *FR3 :* 71 h 40).

Émissions sportives. TF1 a obtenu de la Féd. fr. de football la diffusion prioritaire pendant 5 ans de 15 à 20 matchs par an dont les 5 matchs de l'équipe de France et la finale de Coupe de France contre un droit d'entrée de 1,7 million de F, 6 millions de F pour les directs et 3 pour les différés. A2 a retransmis 11 matchs en 1987 pour 33,31 millions de F en 1988, 4 pour 27 millions de F. **Droits d'Antenne 2** (en millions de F) *1987 :* All. féd./France : 6, Panatinaïkos/Auxerre : 6, France/Norvège : 6, Bordeaux/Leipzig : 1,5, Bordeaux/Moscou : 0,9, Auxerre/Zurich : 0,8. *1988 :* Coupe d'Europe pour l'équipe de Metz ou l'équipe de France direct 6, différé 3. **Droits de retransmission des J.O. de Séoul (1988).** 1986, l'Union européenne de Radiodiffusion (UER) achète les droits pour 28 millions de $ (176,5 millions de F) + 15 millions de frais opérationnels et 94,5 les frais de satellite. *Quote-part de la France :* 5 millions de F [TF1, A2 et FR3 se sont répartis le coût et l'exclusivité des droits de retransmission pour la France. FR3 a passé un accord de vente d'images à La Cinq et à M6 (3 min maximum, 30 000 F la min, passage à l'antenne limité de 20 à 24 h)]. **Coût des retransmissions en 1986** (en millions de F). *Football.* Match de championnat national direct (Canal Plus) : 2, différé : 0,8 ; Coupe d'Europe des clubs direct : de 0,7 à 1 ; émission Multifoot avec quadruplex (TF1) : de 1 à 1,5. *Paris-Dakar.* Frais techniques de retransmission par satellite (TF1), opération de coproduction et de parrainage : 8 à 10. *Tennis.* Prix de Flushing Meadow (exclusivité pour la Cinq) : 4,2 ; Roland-Garros (frais techniques de retransmission de la quinzaine) : 4. *Cyclisme.* Tour de France (Antenne 2 pilote) (facture technique SFP-TDF pour la couverture globale) : 7. *Rugby.* 2 matchs du tournoi au Parc des Princes (exclusivité A2) : 0,78, 2 test matchs France/All Blacks : 0,78, finale du championnat de France (droits de retransmission) : 0,63, 2 matchs de demi-finale : 0,33.

Retransmissions sportives en France (1986, en %) : France-All. féd. (TF1) 50, France-Italie (A2) 44,9, France-U.R.S.S. (A2) 43,6, France-Brésil (A2) 41, France-Hongrie (A2) 39,7.

Production

Production française. **Émissions de fiction produites ou coproduites en heures.** *1980 :* 479, *81 :* 454, *82 :* 396, *83 :* 399, *84 :* 407, *85 :* 452, *86 :* 437 (dont *A2 :* 215, *TF1 :* 149, *FR3 :* 73).

Télédistribution

Quelques dates

1881 Clément Ader lance à Paris le *« théâtrophone »* (réseau téléphonique reliant des théâtres aux abonnés du téléphone). **1922** formule utilisée pour diffuser les programmes de Radio-Paris. **1945** le monopole de la radiotélévision interdit pratiquement toute initiative privée de transmission des images par fil. Quelques cas tolérés, ex. : HLM des Hauts-du-Lièvre à Nancy (réseau frontalier à Willer-Thur en Alsace qui diffuse 9 programmes), Flaine (Hte-Savoie), Montigny-lès-Metz (Moselle, 1970). **1972**-*2-3* création de la SFT (Sté française de télédistribution, filiale de TDF, Sté mixte, capital : 2 millions de F, financée pour moitié par ORTF et PTT) qui doit faire 7 expériences : Metz, Grenoble, Créteil, Rennes, Chamonix, Nice et Cergy-Pontoise [chacune dominée par un certain type d'utilisation du câble (enseignement, informations municipales, etc.) sauf à Rennes où l'expérience revêt tous les aspects]. **1977**-*28-9* décrets réaffirmant le monopole de TDF (héritier de l'ORTF) pour la réalisation et la propriété des réseaux câblés qui doivent être exclusivement réservés à la distribution du service national de la radiotélévision diffusé par voie hertzienne (et évent. à des programmes étrangers sur le site). **1982**-*3-11* lancement du *plan câble* qui prévoit 1 400 000 foyers équipés pour 1986, puis 1 million par an ; investissements : 50 milliards de F en 20 ans ; réseaux à structure en étoile en fibres optiques. Les PTT se chargent de la maîtrise de l'ouvrage, de l'exploitation technique et sont propriétaires des réseaux. Les collectivités locales créent des Stés locales d'exploitation commerciale (SLEC) regroupant des personnes privées ou publiques, notamment TDF, qui sera responsable de l'équipement et de l'exploitation des têtes de réseaux. Ces Stés locales feront, pour les programmes, appel à des producteurs privés et publics (cahier des charges fixé par la loi sur la communication audiovisuelle du 29-7 à respecter). **1983**-*20-1* 1re convention des villes câblées, Télécâble 83 (organisée par le Syndicat communautaire d'aménagement de Marne-la-Vallée et la Féd. de l'audiovisuel indépendant). *Déc. mission câble* créée (Pt Bernard Schreiner) pour informer, coordonner les négociations, expérimenter des services « à valeur ajoutée », suivre les réalisations. **1984**-*21-5* inauguration du réseau expérimental en fibre optique de Biarritz et 1re liaison Paris-Biarritz par visiophone. *Loi du 1-8 :* les organismes chargés d'exploiter les services locaux de radiotélévision par câble devront être des Stés d'économie mixte locales (régime de la loi du 7-7-1983). Est défini comme local (exploitation autorisée par la Haute Autorité) le service dont le réseau n'excède pas 60 km et 2 départements. *Entre 1983 et 1985,* plus de 150 collectivités locales candidates à la création d'un réseau. 56 protocoles d'accord signés avec PTT. **1985** 1re convention cadre avec PTT Rennes, 12-3, Paris 30-4, Montpellier 14-5. **1986**-*30-9* *loi « Communication et Liberté » :* les communes autorisent l'établissement des réseaux (les PTT n'ont plus le monopole de leur propriété) et proposent à la CNCL la Sté pour une autorisation d'exploitation du réseau. La CNCL fixe les spécifications techniques et obligations concernant exploitation des réseaux et programmes distribués. Le câblage systématique de la Fr. n'est plus envisagé [*raisons :* coût de la fibre optique, concurrence de chaînes hertziennes gratuites, réticences administratives de la DGT (dir. gén. des Télécom.)]. *-31-12,* arrêt des négociations entre PTT, villes et opérateurs pour la construction, dans le cadre du plan câble de 1982, de 52 réseaux, les autres seront construits dans le cadre concurrentiel défini par loi du 30-9-1986. **1987**-*29-9* les règles générales sont fixées par décret. **1989** création de l'*Agence Câble,* département du Service juridique et technique de l'information (SJTI).

Quelques chiffres

• Situation en janv. 1991. **Câble large bande** (au moins 15 canaux) : 123 réseaux en exploitation dont 60 réseaux Plan Câble pour lesquels l'opérateur technique (France Télécom) est distinct de l'opér. commercial, et 63 réseaux hors Plan Câble dont 58 réseaux « nouvelle donne » (loi de 1986) et 5 « anciens réseaux ».

Anciens réseaux (moins de 15 canaux) : antérieurs au Plan Câble, répartis essentiellement dans le Nord et l'Est de la France ou dans les villes nouvelles, env. 70 000 abonnés, ne distribuent souvent que 5 ou 6 chaînes. Une vingtaine de réseaux (les + importants) distribuent une dizaine de ch.

Antennes collectives et réseaux de lotissement : distribuent les 6 ch. nationales françaises.

• Réseaux. *Siter exploités* (en mars 91) : 136. **Prises raccordables dont abonnés** (au 31-12, en milliers). *1987 :* 623 (dont abonnés 150), *1988 :* 1 204 (228/255), *1989 :* 1 928 (243), *1990 :* 2 777 (356) [dont réseaux Plan Câble 2 031 (221), « nouvelle donne » 631 (99), anciens 114 (36)], *1991* (mars) : 2 910 (576). *Abonnés (prév.) : 1991* (31-12) 900, *92 :* 1 300.

Abonnés du câble (en milliers, au 31-12-1990). Nombre de sites en exploitation (15 chaînes ou +) [nombre d'abonnés individuels raccordés au service de base (collectifs raccordés au serv. de base) *au serv. antenne*]. Cie Générale des Eaux : CGV-Téleservice 44 [110 664 (1 065) *36 884*], région câblée (dont Nice) 8 [43 445 (2 262) *11 820*]. Cité câble (estim.) 7 [3 800]. Communication-développement 32 [55 496 (47 278) *37 633*]. ÉDF Vidéopole 2 [1 093 (93)]. Eurocâble 3 (9 904 (12)]. Lyonnaise communications (dont Paris) 11 [90 548 (10 869) *2 431*]. Réseaux câbles de France 2 [7 100]. Sté régionale de communication 2 [1 297 (1 104) *3 369*]. France Télécom (Biarritz expérimental) 1 [1 095 (360)]. LC/CGV-T/COM-DEV (Bordeaux +) 1 [6 061 (146) *148*]. SEM ou structure à majorité capitaux publics 10 [25 518 (2 448) *865*].

Coût. *Investissement moyen par réseau Plan Câble :* 500 à 600 millions de F dont 90 % à la charge de la DGT et 10 % à celle des opérateurs.

Financement assuré par la DGT/France Télécom [autorisations de programmes (en milliards de F), *1983 :* 0,6; *84 :* 0,7; *85 :* 2,2; *86 :* 1,9; *87 :* 3,1; *88 :* 3,3; *89 :* 3,3; *90 :* 3,3 dont réseaux câblés locaux 3, aide aux programmes 0,01, autres dépenses (y compris recherche et développement) 0,29. *Total cumulé dep. la mise en place du Plan câble :* 18,4 pour le budget annexe des P et T, lui-même financé par les recettes commerciales de la DGT (usagers) et par recours à l'emprunt.

Tarifs d'abonnement. 144 F en moyenne/mois dont : 44 versés à France Télécom pour la location du réseau (uniquement Plan Câble), 20 dans les programmes thématiques, 10 aux droits d'auteur, 70 aux frais de gestion et amortissements.

Programmes. Chaînes françaises réservées aux réseaux câblés : 8, distribuées sur la plupart des sites en exploitation. *Canal Infos* vidéographie et images fixes, déc. 1988) : ch. vidéographique d'info. (coproduite avec AFP) : dernières nouvelles, synthèse de l'actualité, magazines (diffusion 18 h/j.). *Canal J* (pour enfants, déc. 1985) : pour 3/12 ans : dessins animés, plateaux animés par enfants, feuilletons et documentaires ; au moins 10 h de programmes originaux par semaine (diffusion 7 h à 20 h, 21 h 30 mardi, samedi et vacances). *Canal Jimmy* (les années 60, janv. 1991) : 1re télé de génération : films, séries, programmes musicaux, Talk show, diffusion 20 h à 3 h du matin, sauf mardi, samedi et vacances à partir de 21 h 30, à la suite de Canal J). *Ciné-Cinéfil* (films de répertoire, janv. 1991) : ch. cryptée, films noir et blanc. *Ciné-Cinéma* (films couleur récents, janv. 1991) : ch. cryptée, 28 films récents en couleur en 1re diffusion par mois, documentaires sur tournages, portraits de comédiens, interviews. *Planète* (documentaires, sept. 1988) : reportages d'actualité, documentaires sur géographie, voyages, environnement, culturels et artistiques. *TV Sport* (févr. 1988) : env. 50 sports différents représentés (sports nord-américains), retransmission intégrale de manif. sportives. *Paris Première* (cinéma, divertissements, déc. 1986) : thème : Paris ; magazines : culture, art de vivre, etc... ; événements : retransmissions exclusives sports/spectacles, cinéma, théâtre, jazz, rock, opéra.

Programmes propres autres qu'en vidéographie : 16 réseaux dans un *canal local.*

Chaînes françaises ou étrangères : distribuées par satellites par la plupart des réseaux câblés : La Sept (franco-all., culturelle), TV5 (francophone), BBC TV Europe (anglophone généraliste), RAI (italienne, divertissements), RTVE (espagnole, généraliste), CNN (amér., informations), SAT 1 (all., TV privée), ZDF (all., TV publique), Superchannel (britannique, divertissements), MTV Europe (rock, musique).

Nouveaux services. Propositions par certains réseaux câblés : *services en paiement à la séance :* (films, voyages, télé-coiffure) sur les réseaux de Région Câble ; *à destination des écoles : Educable :* banque de films éducatifs en auto-programmation par les professeurs des écoles raccordées au réseau câblé d'un site ; *vidéo-surveillance :* sur le réseau câblé interactif de Roubaix-Tourcoing pour la sécurité urbaine.

AUTRES SERVICES EN PROJET : principalement dans domaines de l'éducation et la formation professionnelle.

Le Câble français. 1ers RÉSEAUX NON PTT EN EXPLOITATION COMMERCIALE : *Munster* (oct. 78) : 13 chaînes ; *Metz* (juin 79) : 16 ch. ; *Dunkerque* (janv. 84) : 15 ch. ; *Nice* (sept. 84) : 1ers RÉSEAUX PTT EN EXPLOITATION COMMERCIALE : *Biarritz* (sept. 84), réseau expérimental fibres optiques : 15 canaux ; *Cergy-Pontoise* (déc. 85), 14 ch.

Paris-Câble. 1, square Béla-Bartók, 75015 Paris. Sté d'économie mixte. *Créée* mai 1985. *Capital (en %) :* Lyonnaise des Eaux 59, Ville de Paris 30, Caisse des Dépôts 11. Permet de capter 9 chaînes généralistes de langue française (les 6 ch. françaises, Télé-Monte-Carlo, RTL Télévision, TV5) ; 2 étrangères (BBC One et Rai I) ; 4 ch. thématiques spécialisées (Sky Channel : seule chaîne entièrement européenne musicale ; Cable News Network : informations 24 h sur 24 ; Canal J : pour enfants ; Paris Première : pour Paris). *Pt :* Bernard Pons. Tout Paris sera câblé d'ici à 1993 (env. 200 000 par an). Distribution fibre optique (XIe et XIIe arr.) puis coaxial. En 1989, 25 000 abonnés sur 327 000 raccordés.

Technique

La tête de réseau reçoit les programmes transmis par les émetteurs terrestres hertziens locaux ou par satellites, générés localement dans le câble. Ils sont acheminés par un réseau de transport en fibre optique (Montpellier, Rennes, Sèvres-Suresnes-Saint-Cloud, Mantes), ou en coaxial.

Coûts techniques de télédistribution (1985). *Câble coaxial :* 3 500 F la prise + équipement de 0 à 3 000 F si l'usager s'abonne ou non à des services « protégés » contre le piratage. *Fibre optique* env. 12 000 F la prise.

Parts d'audience des chaînes européennes (en %, en 1988). *Source :* BIPE. ITV [1] : 12,7, BBC [1] : 11,3, TF1 [2] : 10,4, ARD [3] : 9,3, ZDF [3] : 8,7, A2 [2] : 7,9, RAI 1 [4] : 6,1, Canal Cinque [4] : 4,5, RAI 2 [4] : 4, FR3 [2] : 2,3, La 5 [2] : 1,4.

Nota. – (1) G.-B. *(2) France.* (3) All. féd. (4) Italie.

Postes privés périphériques

Europe 1

Histoire

Statut. 1952-*27-6,* le gouvernement sarrois transfère le monopole d'exploitation de la radiotélévision à une Sté d'État, la *Sté sarroise de radiodiffusion,* en précisant dans les statuts que les associés ne pourraient être que la France (30 %) et la Sarre (70 %). Cette Sté accorde à son tour à une nouvelle Cie, la *Sté sarroise de télévision,* fondée par Charles Michelson, la concession pour 50 ans d'un émetteur TV et d'un émetteur radio de 400 kW en Sarre. Michelson, Roumain d'origine, en France depuis 1930, avait obtenu en 1939 du gouv. français la concession de l'exploitation d'un émetteur à Tanger, projet que la guerre avait empêché d'aboutir. Après la guerre, faisant valoir ses droits à une compensation, il avait obtenu en 1949 une option pour la concession de l'exploitation de la télévision à Monte-Carlo et fonda la Sté anonyme *Images et Son* et la *Sté sarroise de télévision* dont il fit une filiale d'*Images et Son.* **1954,** *Images et Son* a pour principaux actionnaires : *RBV Radio-Industrie* (450 millions de F) ; *Cie Thomson-Houston* (100) ; *Sté monégasque de Banque et Métaux précieux* (550) ; *le Trésor princier* (50) (Michelson s'est progressivement retiré du groupe en cédant ses parts à *RBV* et à la *Sté monégasque).* **1955** *Sept.* la *RBV* a déposé son bilan ; *oct.* Sylvain Floirat, P.-D.G. des établissements *Breguet,* constitue la *Sté d'exploitation, de constructions, d'outillage et d'électronique* (capital 50 millions de F), pour poursuivre les activités de *RBV.* Il entre ainsi à *Images et Son.* **1957** Floirat devient Pt d'*Images et Son.* Le capital est alors réparti entre lui (35 %), *RBV,* en règlement judiciaire (34 %), *Thomson-Houston* (10 %) et des petits porteurs. **1957**-*1-1 la Sarre redevient allemande.* **1959,** le juge commissaire qui s'occupe du règlement judiciaire de *RBV* autorise la cession à la *SOFIRAD* pour 1 200 millions de F des 42 944 actions *Images et Son* qui figurent à son actif. **1962,** le capital d'*Images et Son* est de 15 millions de F réparti ainsi : *SOFIRAD* 35 % des actions (+ de 46 % des voix) ; *Groupe Floirat* 35 % (31 % des v.) ; *Pté de Monaco* 5,5 % (3,5 % des v) ; *Thomson-Houston* 2 % (1,65 % des v) ; + 15 % de petits porteurs. **1964**-*17-3 Images et Son-Europe n° 1* au capital de 18 millions de F (720 000 actions de 25 F), est introduite à la cote officielle de la Bourse. **1983** Europe n° 1 Images et Son devient *Europe 1 Communication.* **1986,** l'État français (SOFIRAD) se retire du capital en cédant sa participation au groupe Hachette.

Fréquences. 1955-*1-1* à 6 h 30, 1re émission expérimentale (fréquence 240 kHz). A 7 h, il faut stopper, la fréquence est celle du radiophare de l'aéroport de Genève. *2-1,* 1re émission régulière lancée sur 250 kHz mais la Finlande se plaint de brouillage. Europe 1 passe à 245 kHz, mais le Danemark proteste : c'est la fréquence de son émetteur de Kalundborg, puis la Norvège s'émeut. *5-1* Eur. 1 doit suspendre ses émissions. *10-1* elle passe à 238 kHz, mais Radio Luxembourg qui est à 233 est brouillée. Eur. 1, accusée de contrevenir à la Convention de Copenhague (1948) qui avait prévu que la Sarre ne pourrait pas disposer d'un émetteur ondes longues, rétorque que Radio Lux. n'est pas lui-même signataire de cette convention et qu'elle émet sur une longueur d'ondes qui lui a toujours été refusée. *19-1* les émissions cessent ; pendant 3 mois la station disparaît ou réapparaît selon les circonstances. *3-4* Europe 1 reprend sur 180 kHz (1 667 m G.O.). **1975** *nov.* la Conf. internat de Genève de l'U.I.T. attribue à la Fr. pour *Europe 1* 182 kHz avec une puissance apparente rayonnée de 38 décibels dans l'axe de 222°.

Organisation

• **Conseil d'administration.** Administrateur, *Pt d'honneur :* Sylvain Floirat (n. 1899), *Pt délégué :* Frank Ténot (n. 1925), *Vice-Pt délégué,* Dir. gén. : Jacques Lehn (n. 1944), Dir. gén. adjoint : Jean-Pierre Ozannat (n. 1945).

• **Capital.** 144 320 000 F (1 443 200 actions de 100 F). *Répartition* (au 28-2-1989) : Groupe Hachette 39,73 % d'actions (50,41 % de voix), Financière et Immobilière du Rond-Point 19,99, Principauté de Monaco 4,91, autres actionnaires 35,31.

• **Budget** (exercice du 1-10-87 au 30-9-88, en millions de F.H.T.). *Chiffre d'affaires consolidé du groupe* 1 606. *Bénéfice net d'Europe 1 Communication* 30,2. *Part dans les bénéfices nets après impôt du groupe (et hors dividendes inter-groupe)* 52,5.

• **Émetteur.** Sur le plateau de Felsberg en Sarre. Grandes ondes (1 648 m). *Puissance* 2 000 kW, *fréquence* 182 kHz. Modulation de fréquence en France 104,7 MHz.

• **Émissions. Célèbres restées très longtemps à l'antenne d'Europe 1.** *Bonjour monsieur le maire :* 6 h à 7 h (P. Bonte, années 60 à oct. 1984). *J.-L. Lafont :* 17 h à 19 h (Mozik 1972, Basket 1977, Hit Parade 1981), de 1972 à avr. 1984. *F. Diwo :* 21 h 30 à 23 h (Disco 1 000, Disco Danse, Chlorophylle, Programme Secret), de 1976 à 1981.

Émissions et animateurs qui ont marqué Europe 1. *Daniel Filipacchi :* Salut les Copains 1960 à 1968 (17 h à 19 h). *Maurice Biraud et Anne Pérez :* 1964 à 1968 (9 h à 12 h). *Michel Lancelot :* Campus 1968 à 1972 (20 h à 22 h). *Gérard Klein :* Mélodie Parade 1974 à 1975 (10 h à 12 h).

• **Programmes.** *Semaine :* de 5 h du matin à 2 h du matin. *Samedi et dimanche :* 24 h sur 24. *1 même programme :* 183 KHz et modulation de fréquence : 104.7 MHz. *2e programme :* Europe 2 en cours de réalisation : essentiellement musical, coupé de bulletins d'information et de flashes horaires réguliers ; destiné aux 25/40 ans ; diffusion par satellite Télécom 1 B, couverture nationale à partir des villes de + de 100 000 h.

• **Publicité. Régies publicitaires. Régie n° 1 :** Régie pub. radio, dont Europe 1 Communication détient le capital à parts égales avec Publicis. *Directeur général :* Michel Cacoualt. *Dir. délégué :* Jean-Robert Parturier. **Fréquence service régie :** Régie publ. F.M.

Temps réservé à la publicité (en heures). *1978 :* 983 ; *79 :* 1 099 ; *80 :* 1 202 ; *81 :* 1 118 ; *82 :* 1 174 ; *83 :* 1 198 ; *84 :* 1 198 ; *85 :* 1 083. *86 :* 1 074 (moyenne : 2 h 51 min par jour, 8 min 49 s par heure).

Tarif moyen pour un message de 30 s d'Europe 1 (en F). *Janvier 1971 :* 2 605, *mai 1975 :* 3 619, *janv. 1980 :* 6 705, *janv. 1981 :* 7 545, *oct. 1981 :* 8 571, *nov. 1982 :* 9 042, *oct. 1983 :* 9 315, *modulation avril 1983 :* 9 316, *oct. 1984 :* 9 869. *Oct. 1985 :* (lundi, jeudi, vendredi) 10 962. *Oct. 1986 :* (mardi, jeudi) 11 271.

• **Statistiques. Zone d'écoute :** France, G.-B., littoral d'Afrique du N., Belgique et Suisse.

Filiales

• **Filiales et participations. C.E.R.T. (RFA) :** émetteur radio G O, titulaire de la concession du gouvernement sarrois. **Europe n° 1 télécompagnie :** programmes radio. **Promotion et spectacles d'Europe n° 1 :** promotion radio. **Europe n° 1 immobilier :** domaine immobilier. **Régie n° 1 :** régie publicitaire radio. **Europe Image :** holding production cinéma et télévision. **Financière n° 1 :** holding financier du groupe Affichage Giraudy contrôlé par Groupe Europe 1 : 55,6 %.

• **Sous-filiales. Europe News :** agence de presse. **Europe 2 communication :** créée 1987, programmes musicaux FM. **Régie radio music :** régie publicitaire Europe 2. **Top télé, Channel 1 :** production télévision. **Canal J (34 %) :** programme télévision. **Hachette Première :** production cinématographique. **Production Philippe Dussart, Télé Hachette :** production séries télévisées. **Affichage Giraudy :** affichage. **Édition n° 1 :** ouvrages de librairie. **Audipar (26 %) :** holding de contrôle d'UGCDA (droits cinématographiques). **Éditions musicales Hachette.**

Radio Adour Navarre

(Radio Adour Navarre et Radio Pyrénées Loisirs)

Créée 1-7-1978. *Pt :* Georges Eguimendya. **Sièges, studios :** Domaine Ste-Croix, route d'Olhette, 64500 Ciboure. **Fréquence :** 99,4 MHz et 88,7 MHz en FM. **Émissions :** 24 h sur 24. Retransmet par réception satellite partie des programmes de R.T.L. **Émetteurs** à l'Ursuya et à La Pierre-St-Martin. Informations locales et régionales propres à la station. **Écoute :** 1 000 000 d'auditeurs potentiels (Pyr.-Atl., Landes, Htes-Pyr., Gers, partie de Gironde Sud).

Radio Antilles

Créée 1965 par Jacques Tremoulet. **Siège :** Montserrat (Antilles Britanniques). Émissions diffusées de Montserrat sur 930 et 740 kHz et de St-Vincent sur 1 450 kHz. **Programmes français** couvrent la Guadeloupe, la Martinique et dépendances ; *Anglais* couvrent l'ensemble des Petites Antilles anglophones. Le cyclone « Hugo » qui a ravagé Montserrat en sept. 89 a détruit en grande partie les installations de la station. Aucune date n'est fixée pour la reprise des émissions.

Radio Télé Luxembourg (RTL)

• **Créée** 1931. A bénéficié de la part du gouvernement du Luxembourg d'une concession de 25 ans, prorogée jusqu'en 1995. **1re émission : radio** 12-1-1931, **télévision** 23-1-1955.

Statut

• **Appartenance de RTL.** Appartient à la CLT, S.A., capital de 1 200 000 000 de F lux. divisé en 1 066 680 parts sociales sans valeur nominale dont 746 676 parts nominatives (leur cession n'est permise que si le gouv. lux. n'exerce pas le droit de veto et si le conseil d'adm. de la CLT donne son agrément), et 320 004 parts au porteur librement accessibles. **Direction.** *Adm. délégué de la C.L.T. et P.-D.G. :* Jacques Rigaud (n. 2-2-32). *Vice-Pt :* Rémy Sautter (n. 15-4-45). *Dir. gén. des programmes :* Philippe Labro (n. 27-8-36). *Secr. gén. de l'antenne :* Jean-Pierre L'Henan (n. 29-3-36).

• **Principaux porteurs de parts en 1990 :** Audiofina 56,7 % (groupe Bruxelles-Lambert, Havas), Paribas 22,4, Audiolux 6,1, UAP 5.

• **CLT (Compagnie luxembourgeoise de télédiffusion). CA** (en milliards de F) : *1990 :* 6,27. **Bénéfices :** *1989 :* 0,052, *90 :* 0,146. **Direction :** *Pt-dir. gén. :* Gaston Thorn (3-9-28) dep. juin 1987. *Pt du comité de direction :* Jean-Pierre de Launoit. *Administrateur délégué :* Jacques Rigaud (n. 2-2-32). *Dir. gén. adjoint :* Jules Felten. **Conseil d'administration :** 32 administrateurs dont 19 Luxembourgeois, 8 Français, 3 Belges, 2 Allemands.

Principales filiales de la CLT. *Radio :* RTL Paris, Maximum, RTL International, Radio Luxembourg London (RLL), Radio Atlantic 252, RTL Radio, RTL Baden Württemberg, Radio Contact, RTL 92,5. *Télévision :* RTL Lorraine, RTL TVI, RTL Plus, Télé 5, M6, RTL 4, Hei Elei Kuck Elei. *Production – distribution :* International Film Production (IFP), Hamster Productions, Télé-Union, Vidéo-Communication France (VCF), Pandora, RTL Productions, CERISE. *Presse-Edition :* Télé-Star, Télé-Star Jeux, Top Santé, 7 extra, Revue, Auto Revue, RMI, Editions Calmann-Lévy.

Émetteurs (au Luxembourg)

• **Radio.** *Beidweiler,* ondes longues, 1 271 m (234 kHz), 2 000 kW pour RTL-France ; *Junglinster,* ondes courtes, 49,26 m (6 090 kHz), 250/500 kW programme allemand ; ondes courtes, 19,54 m (15 350 kHz), 10 kW, progr. angl. ; ondes longues secours émetteur 1 282 m (234 kHz), 1 200 kW. *Marnach,* ondes moy. 208 m (1 440 kHz), 600/1 200 kW progr. allemand et anglais ; *Hosingen,* modulation de fréquence, canal 6, 88,9 MHz, 100 kW et canal 33, 97 MHz, 100 kW progr. allemand ; modulation de fréquence canal 18, 92,5 MHz, 50 kW progr. luxemb. et « RTL Community ».

• **Télévision.** *Dudelange* au Luxembourg ; *canal 7,* 100 kW (10 kW pour le son), couleurs PAL, pour RTL plus ; *canal 21,* 1 000 kW (100 kW pour le son) couleurs SECAM, pour RTL Télévision France ; *canal 27,* 1 000 kW (100 kW pour le son) couleurs PAL pour RTL Télévision Belgique.

Programmes radio

1°) **RTL-France,** sur ondes longues, 234 kHz (1 271 m) 24 heures sur 24. Une liaison spécialisée louée aux PTT relie les studios du 22, rue Bayard (Paris 8e), à l'émetteur situé au Luxembourg. Un secours est assuré par une liaison satellite. *En modulation de fréquence :* dep. 1986 RTL dispose d'émetteurs FM sur le sol français. *Réseau au 31-7-1991 :* Albi 94.4. Angers 100.1. Angoulême 98.7. Arcachon 105.1. Bayonne 99.4. Belfort 103.2. Besançon 104. Blois 103.6. Bordeaux 105.1. Brest 104.3. Brive 102.5. Cannes 104.3. Carcassonne 100.1. Castres 98.9. Châlons-sur-M. 93.1. Chambéry 97. Charleville-Mézières 103.4. Châteauroux 104.1. Châtellerault 101.3. Chaumont 101.2. Clermont-Fd 104.3. Concarneau 103.9. Épernay 93.4. Gap 102.7. Grenoble 97.4. La Rochelle 104.3. Laval 103.8. Le Havre 104.3. Le Mans 104.3. Lille 93. Limoges 104.3. Lorient 92.5. Lyon 105. Marseille 101.4. Metz 104.8. Montauban 102.4. Montpellier 102.3. Nancy 105.1. Nantes 104.3. Nevers 102.3. Nimes 105.3. Niort 106. Orléans 104.3. Paris 104.3. Parthenay 99.8. Pau 88.7. Périgueux 96.2. Perpignan 94.1. Poitiers 104.3. Quimper 104.3. Reims 104.4. Rennes 104.3. Sedan 100.4. Sens 105.7. St-Amand 104.3. St-Brieuc 99.4. St-Dizier 103.9. St-Étienne 105.1. St-Gaudens 99. St-Malo 91.4. St-Nazaire 104.3. Strasbourg 105.7. Toulon 100.4. Toulouse 99.5. Tours 104. Troyes 104.2. Vichy 92.9. Vitry-le-François 94.6.

☞ **RTL ondes longues** est géré et exploité par 3 filiales : **Ediradio :** *Pt administrateur délégué de la C.L.T. :* Jacques Rigaud. *Vice-Pt gén. :* Rémy Sautter. *Dir. gén. des programmes* (informations et variétés) : Philippe Labro. S'occupe de la gestion de la station et de la partie « Programmes ». *Effectifs :* 270 (1989). **Information et diffusion :** *Cogérants :* Philippe Labro et Rémy Sauter. *Dir. de la rédaction :* Olivier Mazerolle. Regroupe journalistes et secteurs de l'information. *Effectifs :* 100 (1989). **SCP** *(Sté commerciale de promotion et de publicité) : Pt :* Philippe Labro. *Dir. gén. :* Stéphane Duhamel. *Effectifs :* 23 (1986).

2°) **Programmes radio allemand « RTL Radio »,** sur la bande FM (88,9 MHz et 97 MHz), sur ondes courtes (49,26 m/6090 kHz) et moyennes (1 440 kHz) tous les j. de 5 h 30 à 1 h. *Audience quotidienne :* 4 050 000. *Dir. prog. :* Bernd von Zur Muehlen.

3°) **Programmes radio anglais, « Radio Luxembourg-London ».** Tous les soirs de 19 h à 3 h sur ondes moy. (208 m). *Audience quot. :* 2,4 millions. **« RTL International ».** Diffusé à travers toute l'Europe 24 h/24 à travers le satellite Astra. *Dir. prog. :* John Catlet.

4°) **Programmes radio luxembourgeois « RTL 92,5 »,** (FM Canal 18, 92,5 MHz). En luxembourgeois. *Audience quot. :* 71 %. Émissions (3 h par semaine) en italien, espagnol, yougoslave et portugais destinées aux immigrés au Luxembourg.

Programmes télévision

1°) **RTL-Lorraine,** RTL Télévision *créé* 1955. 1er programme TV de la CLT. Progr. en français diffusé vers Luxembourg et Lorraine. *1991* appelé RTL-Lorraine. *Dir. :* Hugues Durocher. 2°) **RTL-TVi** *créé* 1987. Progr. spécial pour la Belgique francophone (avant RTL-Télévision). Distribué par câble ; a conquis 1/4 de marché après 2 ans. 1re ch. fr. de Belgique. *Dir. :* Jean-Charles de Keyser. 3°) **RTL-plus** *créé* 1984 (la CLT détient 49 %). 1re ch. privée en Allemagne. Reçue par + de 65 % des ménages. *Part de marché :* 12,5 %. 1er rang des TV privées all. *Dir. :* Dr. Helmut Thoma. 4°) **Télé 5,** CTL a acheté en août 1990, 24 % des parts. Établie à Munich. *Audience :* 4,5 %, 21 millions d'All. peuvent la capter. *Dir. :* Gerhard Zeiler. 5°) **M6** *créé* 1987 (CLT détient 25 %). 3e position et 12 % de part de marché pour émissions jeunes. *Dir. :* Jean Drucker. 6°) **RTL 4** *créé* oct. 1989. *Audience :* P.-Bas : 30 %. *Dir. :* Freddy Thyes. 7°) **Hei Elei Kuck Elei,** progr. hebdo. diffusé en lux. *Audience :* 51 %. *Dir. :* Jean Octave.

Radio Monte-Carlo

• **Histoire. 1942** *créée* le 20-3. **1943** la Sofira prend une participation de 50 %, le reste étant partagé entre des capitaux allemands (la Sté Inter Radio) et italiens. *17-7* 1res émissions. **1944** août, après le départ des Allemands, les émissions s'arrêtent. **1945** (début) la part de la Sofira (qui devient la Sofirad) passe de 50 à 83 %, le reste est attribué au trésor monégasque. *23-6* les émissions reprennent.

• **Organisation. Conseil d'adm. :** 18 membres (12 français, 6 monégasques). Pt nommé sur proposition du prince de Monaco. **Effectifs** (1991) : 525 (statutaires ou au contrat). **Directeurs généraux :** *1944* Robert Schick, *1962* Jean Gondre, *1964* Jean Béliard, *1966* Jacques Maziol, *1973* Henri Dolbois, *1977* Frédéric de La Panouse, *1978* Michel Bassi, *1982* Jean-Claude Héberlé (3-2-35), *1985* Jean-Pierre Hoss (6-6-46), *1986* Pierrick Borvo (5-4-42) démissionne 9-11-88. *1988*-18-11 Hervé Bourges (2-5-33). *1991*-23-1 Jean Noël Tassez (n. 1957). *Dir. délégué auprès du Dir. gal :* Jean-Luc Gallini. *Pt délégué du conseil d'admin. :* César-Charles Solamito (29-8-14). *Dir. des programmes :* Yves Mourousi (20-7-42) dep. 15-2-1991. **Capital :** 42 millions de F (83,33 % détenus par la Sofirad et 16,67 % par l'État princier). *Participations de RMC (en %, 1988) :* Technisonor : 38,28 ; Somera 55 (TDF en détient 45) ; RMC Audiovisuel : 80 (Sofirad en détient 20) ; CIRT : 20 ; Éditions musicales Train Bleu : 50 (Technisonor en détient 50) ; Télé Monte-Carlo : 60 (Principauté de Monaco 40). Nouvelles participations : Gestival : 10 ; Éditions Radio Monte-Carlo : 50 (Édit. Flammarion en détient 50).

Chiffre d'affaires (1986-87) : 562,9 millions de F dont en %, émissions ondes courtes et moyennes TWR 4,7, RMC Italie (ondes moy.) 2,3, productions 12,3, RMC France (ondes longues) 80,7.

☞ RMC, concessionnaire exclusif de la Radiodiffusion sonore et visuelle, a confié l'exploitation de la TV à Télé Monte-Carlo (voir p. 1154c).

• **Émissions. Émetteur :** 2 000 kW à Roumoules (Alpes-de-Hte-Prov.) dep. le 15-10-1974. **Mode d'émission :** *ondes longues* (1 400 m, 216 kHz) relayées en modulation de fréquence dans plusieurs villes du sud de la France : Nice 104,5 MHz – Avignon, Bayonne, Biarritz, Bordeaux, Cannes, Dijon, Grenoble, Lyon, Marseille, Montpellier, Perpignan, Saint-Étienne, Toulon, Toulouse, Valence, Chambéry : 104,3 MHz – Clermont-Ferrand, Limoges, Nantes : 105,1 MHz – Reims : 102,1 MHz et à Paris 103,1 MHz. *Moyennes* (205 m, 1 467 MHz). *Modulation de fréquence* (98,5 MHz et 98,9 MHz) ; RMC Côte d'Azur (90,3 MHz, 95,4 MHz) ; RMC Classique (102,7 MHz) ; RMC Ondes moyennes et ondes courtes (programme « T.W.R. » d'émissions religieuses), toutes langues à destination de l'Europe, Moyen-Orient, Afrique du Nord.

• **Zone d'écoute.** JOUR : *ondes longues :* au sud d'une ligne Nantes-Dijon ; *moy. :* S.-E. France et Italie ; *mod. de fréquence :* région Côte d'Azur et 25 villes fr. NUIT : *longues :* France entière ; *moyennes :* jusqu'à 3 000 km autour de Monaco ; *courtes :* jour et nuit jusqu'à 4 000 km autour de Monaco.

• **Audience** 1988 (sondages Médiamétrie) 3 032 000 auditeurs quotidiens. **Durée d'écoute moyenne par auditeur :** 114 mn.

• **Filiales. Radio Monte-Carlo Chypre** (243 m, ondes moy., 1 233 kHz). *Émetteur* de 600 kW à Chypre (cap Greco). *Émissions* quotid. réalisées à M.-C., en arabe 80 %, français 20 %. *Écoute :* Égypte, Liban, Irak, Arabie Saoudite, Koweït, partie de la Syrie et quelques pays d'Afr. noire. **Radio Monte-Carlo Italie** (428 m, ondes moy., 701 kHz). *Créée* 1966. *Émetteur* de 1 200 kW.

Sud-Radio

• **Origine. 1951** accord Puiggros-Sofirad (voir R. Andorre, Quid 1982, p. 1179 c et 1180 a). **1958** accord de l'évêque d'Urgel, coprince d'And., pour des émissions quot. de 2 h, exclusivement réservées à de la musique ininterrompue. *18-9* « Andorre-Radio » commence à émettre de 12 à 14 h et, contre la décision de l'évêque, de 19 à 23 h. Le Conseil des Vallées, mécontent, démissionne. **1960** *27-10* Puiggros se retire de l'affaire, Andorre-Radio devient Andorradio. *Nov.* le Conseil le reconnaît. **1962**-*22-10* devient Radio des Vallées, Andorre 1, et exploite la station sous le nom de Sud-Radio. **1981**-*6-11* le Conseil des Vallées ferme l'émetteur de Sud-Radio en Andorre ; *15-11* reprise des émissions sans messages publicitaires mais installation à Muret (Hte-G.) par TDF. **1983**-*16-3* émissions reprises dep. le pic Blanc en Andorre. **1987**-*6-9* la Sofirad vend S.-R. 36 millions de F à un GIE constitué par Pierre Fabre (Laboratoires Fabre, 25 %). **1989** accord de partenariat avec WIT FM (radio locale Bordeaux et Gironde). **1990** commercialisation du couplage pub. Plein Sud (Sud + WIT FM). **Chiffre d'affaires** (1988). 72 millions de F (bénéfices 7). **Pt** Jean Poudevigne (n. 3-4-1922) (dep. 11-9-81).

• **Émetteurs.** *Ondes moyennes* (366 m, 819 kHz) ; modulation de fréquence (102 MHz). Pic Blanc en Andorre (alt. 2 700 m) ; de grande puissance (900 kW, le plus haut du monde). 2 émetteurs importants : *Pic du Midi 102, Pic de Nore 104.7.* Renforcés par plusieurs émetteurs FM : Bordeaux 105.5, Bayonne 103.9, Cahors 104.7, Toulouse 104.7 et 105.1, Albi 104.7, Carcassonne 104.7, Montpellier 104.7, Perpignan 104.7 et 103.2.

• **Audience.** (*Source :* Médialocales févr.-juin 89). *Auditoire global :* 5 824 500, *cumulé :* 642 700.

• **Zone couverte.** Midi-Pyrénées, Aquitaine, Languedoc-Roussillon.

Radios locales privées
Quelques dates

France. 1926-*28-12,* décret-loi répartissant les « postes privés radioélectriques et les stations émettrices de radiodiffusion » sous l'autorité du ministre des PTT en 3 postes nationaux et 18 postes régionaux. Le gouvernement autorisa des postes privés (Radio-Paris, Radiola, Radio-Vitus, Radio LL, Poste parisien). **1942**-*7-11,* loi de Vichy réorganise la radio et l'autorise à prendre des participations dans les postes privés ainsi placés sous tutelle de l'État. **1944**-*22-6,* ordonnance crée une Direction de la Radiodiffusion. **1945**-*23-3* met sous séquestre les postes ayant « collaboré », et supprime les postes privés. **1972**-*3-7*, loi limitant les dérogations au monopole de radio à 4 cas : les programmes destinés *« à des publics déterminés »*, les émissions en circuit fermé *« dans des enceintes privées »*, les expériences de recherche scientifique et les cas où *« l'intérêt de la défense nationale ou de la sécurité publique »* est en jeu. **1974**-*8-7*, loi déléguant le monopole d'État à Télédiffusion de France. **1978**-*28-7*, loi édictant que « toute personne qui viole le monopole sera punie d'un emprisonnement d'un mois à un an et d'une amende de 10 000 F à 100 000 F ou de l'une de ces 2 peines seulement. **1975-81** [Radio active, Radio verte 1977 ; Lorraine Cœur d'acier 1978 riposte (F. Mitterrand fut inculpé d'infraction au monopole)], les stations pirates se multiplient, TDF se défendant par un brouillage systématique. **1981**-*9-11*, une loi autorise la dérogation au monopole d'État de la radio pour 3 ans ou +, renouvelables. La station doit annoncer « autant que possible tous les quarts d'heure » son nom et sa fréquence d'émission (art. 4), « diffusion répétitive de programmes enregistrés » et « retransmission simultanée en différé de programmes d'une autre station » sont interdites (art. 5). 80 % des programmes doivent être « propres » à la station et durer au moins 24 h par semaine (art. 6). Il ne peut y avoir de publicité. Au-dessus de 500 W, TDF doit assurer les émissions. Un cahier des charges soumis au contrôle de TDF doit être respecté. Sur 21 membres de la commission de répartition des fréquences, 16 sont choisis sur présentation d'un ministre. **1982**-*29-7*, nouvelle loi sur la communication audiovisuelle (v. Quid 1988, p. 1103). **1984**-*1-8*, loi autorisant la publicité. *-12-11*, fin de la période de tolérance sur les conditions d'émission annoncée par la Haute Autorité de l'audiovisuel. *-4-12*, 3 décrets d'application de la loi du 1-8. 6 stations (NRJ, 95,2, Radio-Solidarité, Radio-Libertaire, T.9.F.93, la Voix du Lézard) suspendues par la Haute Autorité pour avoir émis à + de 500 W (décisions publ. au J.O. le 9-12). *-8-12* 50 000 manif. protestent à Paris contre ces sanctions. *Déc.*, la Haute Autorité renonce à faire appliquer les sanctions, bien que des contrevenants continuent à émettre. **1985**-*11-1*, convention entre TDF et NRJ : TDF diffusera NRJ (qui émettait à 40 kW). *-31-1* l'Agence française de communication (groupe Hersant) dépose devant le Conseil d'État un recours pour excès de pouvoir contre l'obligation faite aux radios locales privées d'inclure dans leurs programmes propres leurs bulletins d'information. *-20-2* NRJ dénonce cet accord pour mauvaise qualité technique de la diffusion. *-4/11-3* procès intenté par Radio France et TDF à Radio Solidarité et 95.2 pour « troubles causés sur la modulation de fréquence ». *Juillet :* fermeture de Radio Gilda (née 1981). *-19-9* Radio France Loire-Océan compromet l'audition de Radio Alouette (500 000 auditeurs). *Oct.* plusieurs stations abandonnent le label NRJ *-10-12* loi permettant à une même personne de disposer de 3 autorisations de radios locales privées. *-13-12* RMC rachète Fréquence Libre et y diffuse des émissions dans la tranche des 20 %. **1986**-*27-1* NRJ devient l'un des principaux partenaires de la chaîne musicale aux côtés de Gaumont, Publicis et Gilbert Gros. *-12-7* radio 95.2 et Solidarité, poursuivies par TDF, sont relaxées par la cour d'appel. *-30-9* loi Léotard : la notion de radio locale disparaît, les réseaux sont autorisés, la CNCL délivre les autorisations.

Groupes FM d'envergure nationale

Nombre de stations et, entre parenthèses, **nombre de filiales. NRJ** 77 (23), *créée* par Jean-Paul Baudecroux (11-3-46). *1re émission :* juil. 1982 (à partir d'une chambre de bonne parisienne). *1989 août* lancement d'un 2e réseau « Chérie FM » (sur 50 agglomérations) ; *-8-12* introduite en Bourse sur le second marché à 380 F. *1990* 3e réseau « Rires et chansons » (Ile-de-Fr.). *Nombre total des stations :* 150. *Chiffre d'affaires consolidé* (en millions de F) : *1988 :* 228 (résultat de l'exercice : 57), *89 :* 270 (84), *90 :* 314 (97). **Nostalgie :** 139, *créée* 1983 à Lyon par Pierre Alberti ; *1986 :* a + de 120 stations en franchise, s'associe avec RMC, *1989-1-10 :* contrôlée par RMC, *1991* réseau 150 agglomérations, 22 millions d'hab., 70 émetteurs franchisés et réémetteurs nationaux. **Fun :** 97 (12). **Skyrock :** 37. **Métropolys :** 50 (14). **Europe 2** (fournisseur de programmes) 140. **Chérie :** 58. **RFM :** 80 (3), *créée* 1981 par Patrick Meyer.

Position des radios : NRJ, Radio Nostalgie, France-Info, Radio Tour Eiffel (déc. 1988 : 58 % d'écoute avec 644 000 pers.).

☞ **Radio Notre-Dame :** *créée* 1981, station catholique proche de l'archevêché, émet sur 100.7. Suivie quotidiennement par 75 000 auditeurs, et hebdomadairement par + de 400 000. **Radio Communauté judaïque** sur 98,4 ; 200 000 auditeurs. **Radio Fourvière :** *créée* août 1982, chrétienne, œcuménique. **Radio Super Loustic :** *créée* 1988 à Lyon pour les – de 15 ans. Réseau : Paris, Lyon, puis national 1991.

Statistiques

Nombre de radios libres. 1 800 dont 350 associatives (dont en *1989 :* 241 disposant de 100 000 à 500 000 F et 29 de – de 100 000 F). *En févr. 1989 :* la bande FM Paris-Ile-de-France abritait 126 radios libres dont 61 en zone 1 (jusqu'à 20 km de Paris-Notre-Dame), et 65 en zones 2 et 3 (jusqu'à 40 et 60 km).

Audience cumulée (nombre de personnes ayant écouté au moins 1 fois dans la journée) des radios locales privées en moyenne lundi-vendredi. *Janv. 1986 :* 8 318 300 (19 %) ; *1987 :* 10 527 000 (24,2). **Part d'audience des radios locales privées** (% de l'écoute de la radio en général). *1981 :* 4,6, *85 :* 22,6, *88 :* 34.

Peut-on entendre la radio en branchant son fer à repasser ?

C'est arrivé à des gens dont les voisins avaient installé une super-antenne. Mieux que cela : Pierre Bellemare dans *C'est arrivé un jour* a raconté le cas d'un homme habitant près de la tour Eiffel. Il avait 2 dents en métal qui s'étaient oxydées sans qu'il le sache. Chaque fois que ses dents entraient en contact, elles faisaient interférence avec l'antenne de la tour Eiffel et devenaient « réceptrices » des émissions radiophoniques. Lorsqu'il bâillait ou entrouvrait la bouche, le phénomène cessait. On lui mit des dents en porcelaine et le phénomène disparut.

Télévisions privées

Quelques dates

Avant 1985. *Réglementation :* une autorisation est nécessaire. Les amateurs ne doivent causer aucun brouillage aux stations officielles fonctionnant dans ces bandes, sous peine d'interdiction. *Systèmes autorisés :* télévision monochromes, 405 ou 625 lignes ou compatibles de tél. couleurs entre 1 250 et 1 260 MHz. *Bandes* 434,5-440 MHz et 1 250-1 260 MHz. *Puissance fournie* limitée à 70 watts au moment où la puissance HF émise est maximale. *Antennes utilisées* dans la mesure du possible, à polarisation verticale dans la bande 1 250-1 260 MHz.

1985-*4-1* le Pt Mitterrand déclare être « pour la liberté » mais « le problème est de savoir, comment l'organiser ». *-10-1* G. Fillioud, secr. d'État aux Techniques de la Communication, propose la création de 2 réseaux nat. contrôlés par des éditeurs de programmes privés ; chaque réseau aurait pour base un groupe de presse, une Sté de production et de distribution et un groupe publicitaire. *-11-1* ordonnance de non-lieu d'un juge d'instruction du Trib. de Paris en faveur d'Éric Féry et Michel Fiszbin responsables des émissions de la TV privée Antenne 1, inculpés d'usage de fréquence radioélectrique non autorisée ; l'ordonnance se fonde sur la constatation d'une antinomie entre les notions de concession et d'autorisation (une ordonnance de non-lieu du même juge en faveur de J.-L. Bessis, animateur de Canal 5, le 29-8-84, avait été infirmée par la chambre d'accusation qui avait ordonné le renvoi du prévenu devant le trib. correctionnel). *-14-1* R. Hersant annonce la « création immédiate » avec différents partenaires de *TVE (Teleurop)*, qui émettrait de 6 h à 24 h, avec 4 h quot. de programmes mises à la disposition de stations régionales et locales ; *dir. gén. :* Philippe Ramond. *-20-2* création d'une Sté *« Europe 1 »* (50-50 % des cap.) en vue d'un système de tél. nat. privée. *-4-3* 225 demandes d'attribution de fréquence adressées à la Haute Autorité dep. janvier (Ile-de-Fr. 40, Rhône-Alpes 14, Provence-Côte d'Azur 11, Midi-Pyrénées 11, Pays de la Loire 8, Aquitaine 1). *-20-5* rapport de Jean-Denis Bredin sur les nouvelles télévisions hertziennes (commandé le 14-1 par L. Fabius). Création de 2 chaînes nationales privées et, à l'intérieur de ces réseaux, grâce à un découpage horaire de *stations locales privées situées dans 62 « zones de desserte »* (dont 54 dans les agglomérations de + de 100 000 h.). V. Quid 1988, p. 1103. *-20-12* les propriétaires de sites ou d'édifices élevés ne pourront pas s'opposer à l'installation, « sur leur toit, terrasses ou superstructures », de moyens d'émission par voie hertzienne, décidée par l'établissement public de diffusion, qui conserve le monopole de diffusion sur le territoire français. L'opposition combattra cet amendement jugé par elle destiné à empêcher la Ville de Paris de disposer comme elle l'entend de la *tour Eiffel* lorsqu'entreront dans les faits les télévisions régionales.

1986-*16-3* télés locales accèdent aux nouveaux secteurs publicitaires et peuvent interrompre par des spots le cours des programmes. Grille, délais et quota de programmation des films sont alignés sur ceux en vigueur dans le service public. Le nombre de longs métrages diffusés par an est limité à 150. Pour la programmation d'œuvres audiovisuelles, un minimum de 50 % d'œuvres d'expression française est fixé. Chaque télévision locale doit diffuser un programme original (d'env. 1 h au minimum) conçu ou composé par chaque station, sa durée devra et pourra recourir « directement ou indirectement » à un même fournisseur de programmes commun à plusieurs stations pour plus de 50 % de la durée de sa programmation.

TF1

Privatisation

● **Circonstances.** Plusieurs groupes ou Stés étaient intéressés par TF1 : Silvio Berlusconi, Francis Bouygues, Filipacchi, Robert Hersant, Hachette, Robert Maxwell, Bernard Tapie. *En avril 1987,* restaient sur les rangs Hachette (associé à Havas, mais Havas s'était retiré le 9-2-1987) C.A. : 14,7 milliards de F en 1986 ; Bouygues (C.A. : 45,8 milliards de F), qui avait animé un groupe repreneur comprenant Bouygues 50 %, Pergamon Media Trust Pic (Maxwell, G.-B.) 20, GMF (Garantie mutuelle des fonctionnaires), FNAC 6, Éditions mondiales 4, Sté générale 4, Maxwell Media (F) 4, Groupe Bernard Tapie 3,33, Financière Faltas 3, Indosuez 2,32, Crédit Lyonnais 2,17, Sté pour le développement de la TV 0,17, « Le Point » 0,6, Groupe Marie-Claire 0,2, Expansion 0,1, « Le Quotidien du Médecin » 0,033, Gallimard 0,033, François Dalle 0,017, Le Seuil 0,017, Fleurus 0,017 ; Set Presse : partenaire associé.

1re phase : 1987-*16-4* l'État vend 50 % de TF1 au groupe animé par Bouygues pour 3 milliards de F (chèque remis le 16-4), soit à 280 F l'action.

A cette époque, on estimait que, comme l'avait promis le PM Jacques Chirac, on supprimerait après une période de transition, la publicité sur les chaînes publiques. TF1 et la Cinq pourraient ainsi avoir à se partager 5 milliards de F de recettes publicitaires (pouvant dégager des bénéfices permettant de rémunérer les actionnaires). Bouygues dira le 27-6-87 au *Monde :* « On nous a vendu la moitié de TF1 sans documents, sans comptes, sans rien. On nous l'a vendue sans garantie d'actif ni de passif. Or, nous avons constaté que dans les stocks, il manquait des choses. J'ai accepté ce marché parce que je pensais que nous étions entre gens de bonne compagnie et que les comptes étaient bons. »

2e phase : 1987 *juill.* offre publique de vente : l'État vend les 50 % restant. *Le 23-6,* la *commission de la privatisation* confirma la valeur minimale de TF1 à 4,5 milliards de F et fixa à 1,5 milliard de F le prix min. des cessions de 50 % de titres encore détenus par l'État. Sur 10 500 000 actions, 7 636 000 au nominal de 10 F (soit 36,40 % du capital) sont cédées par offre publique de vente, à 165 F l'action, et 2 040 000 sont offertes à la vente aux salariés et anciens salariés, à 132 F par action. Des délais de paiement de 3 ans leur sont accordés. Ils bénéficient d'une action gratuite pour une action acquise dans la limite de 4 815 F, soit 36 titres, à condition que les titres ainsi acquis soient conservés au moins 1 an à compter du jour où ils sont devenus cessibles. TF1 leur propose, en outre, des prêts représentant de 2 à 4 mois de salaire, remboursables sur 8 ans au taux de 1,5 %. Un fonds commun de placement leur permet d'acheter des actions à moitié prix (pour chaque franc versé par le personnel, la Une donne 1 F). 824 000 actions sont mises en réserve par l'État en vue d'assurer l'attribution gratuite d'actions aux petits porteurs et aux salariés dans les conditions prévues par la loi. Les petits porteurs sont servis les premiers jusqu'à 10 titres par personne. Ils peuvent bénéficier d'une action gratuite pour 5 actions achetées à condition de les conserver au moins 18 mois et dans la limite d'une contre-valeur ne dépassant pas 25 000 F. *24-7-87,* 1re cotation sur le 2e marché : prix offert au public 165 F, 1er cours 178 F, cours le + haut 210 F. *Fin déc.* le cours est toujours supérieur au 1er cours, alors que la Bourse baisse de + de 30 %. 1 384 salariés ou anciens salariés sont alors actionnaires de leur Sté ayant souscrit 2,33 % du capital sur les 10 % réservés par la loi.

La charge d'agents de change Cholet-Dupont avait estimé TF1 à 3 milliards de F, soit 140 F env. par action en s'appuyant sur : *1° La perspective des bénéfices ; 2° L'actif net* : 653 millions au 31-12-1986, soit 22 F par action ; *3° Des comparaisons internationales* : les chaînes de télé. britanniques cotées capitalisent environ 12 fois leurs bénéfices (en tenant compte du risque de non-renouvellement des autorisations d'émettre). Le risque était plus faible pour TF1, Bouygues étant concessionnaire pour 10 ans. Les télé. américaines : plus de 20 fois leurs bénéfices ; *4° Des comparaisons françaises* : de cours/bénéfice de Hachette ou de l'agence Havas est de 20 fois [ce qui, appliqué à TF1, lui aurait donné une valeur de 3,8 milliards (180 F par action)].

Estimations Cholet-Dupont

En millions de francs	*1986-87*	1988-89	1989-90	1990-91
Produits d'exploitation	**2 920**	**3 517**	**3 787**	**4 142**
dont publicité	2 820	3 397	3 647	3 982
Charges de programmes	1 155	1 250	1 280	1 330
Coûts de diffusion	580	640	610	610
Frais de personnel	605	710	740	780
Autres charges d'exploit.	510	585	655	685
Excédent brut d'exploit.	**70**	**332**	**502**	**737**
Amortissements et prov.	90	110	130	130
Résultat financier	P 3	14	30	35
Résultat courant	**P 23**	**236**	**402**	**642**
Impôt théorique		93	164	272
Résultat net part du groupe	**P 23**	**113**	**200**	**330**

Nota. – P : perte.

Organisation

Siège social et information : 19, rue Cognacq-Jay 75007 Paris. **Direction :** 17, rue de l'Arrivée 75015 Paris. *Pt-dir. gén.* : Patrick Le Lay (n. 1942). *Secr. gén.* : Cyrille du Peloux. *Dir. gén. de l'antenne* : Étienne Mougeotte (n. 1-3-40). *Dir. de l'information* : Michèle Cotta (n. 1937). *Dir. de la rédaction* : Gérard Carreyrou dep. 15-11-89, avant : Jean-Claude Pâris. *Dir. adjoint à l'information* : Patrick Poivre d'Arvor. *Dir. de la création française* : Pascale Breugnot. *Dir. artistique* : Dominique Cantien. *Dir. des opérations spéciales* : Jean-Claude Dassier. *Dir. de la communication* : Corinne Bouygues. *Dir. financier* : Michel Vinsonneau. *Relations extérieures* : Alain Schmit. TF1 était présidé, avant le rachat, par Hervé Bourges (n. 2-5-1933).

Répartition du capital (1989). Lors de la privatisation, la Syalis a été chargée d'assurer le portage provisoire des titres réservés au personnel et non souscrits par celui-ci lors de l'offre publique de vente, soit 7,2 % du capital de la chaîne au 31-7-1989. Le Trésor a autorisé, le 12-8-1989, la Syalis à revendre les titres en sa possession. 6,05 % du capital ont alors été répartis entre les 10 actionnaires de la Syalis (soit 10 % chacun), la Syalis conservant 0,8 % réservés aux salariés pendant une nouvelle période de 2 ans.

Structure du capital au 27-2-1991 (en %). Bouygues 25, Crédit lyonnais 7,9, Sté générale 6, GMF 5,9, Worms 5,7, Indosuez 2,3, Maxwell Media 2, Éditions mondiales 2, Groupe Bernard Tapie 1,7, Le Point 0,3, Marie-Claire, le Quotidien du médecin, Sodété 0,2 au total. Le personnel de la chaîne possède 4,2 % du capital et 36,8 % sont en Bourse, Silvio Berlusconi en contrôle 4,1 %, le groupe amér. Fidelity 4 %, l'éditeur italien Rizzoli 4 %.

Chiffre d'affaires consolidé (en millions de F). *1988* : 4,8 ; *89* : 5,3 + 0,54 d'activités de diversification (édition, vidéo, tél.-shopping, télématique et vente de programmes) ; *90* : 5,8. *Bénéfice net cons.* : *1988* : 0,161, *89* : 0,217, *90* : 0,3. La suppression de la pub. pour les boissons faiblement alcoolisées (– 7°) a entraîné une perte de ressources pub. de 200 MF. Si les coupures publicitaires dans les films et les fictions devaient être supprimées, la perte serait d'env. 800 MF. Maxwell a vendu en février 10 % des 12,6 % possédés, soit 2 100 000 titres à 290 F à la banque amér. Goldman Sachs qui les a recédés au noyau dur. **Capitalisation boursière** (avril 1990). 6 720 milliards de F, cours 320 F (cours extrêmes 334-448 F). 31 fois les bénéfices, dividende proposé de 5 F net par action : rendement boursier de 1 %.

Part de marché. *1990* : 41,9 %, *91 (mars)* : 43 (finale de Coupe d'Europe de football), *(mai)* : 67 (audience 49,7 % soit 17 500 000 spectateurs de 6 ans et +). **Part du marché pub. télévisé.** *1990 (déc.)* : 54,6 %.

Personnel (au 1-6-1990). 1 542 personnes dont : *Permanents* 1 473 (dont journalistes 249, cadres 322, techniciens et ag. de maîtrise 571, ouvriers et employés 331) ; *cachetiers, pigistes, intermittents* 443.

Installations. 20 650 m² à Paris répartis entre la tour Montparnasse (locataire pour 11 millions de F par an) et la rue Cognacq-Jay (copropriété avec TDF, immeuble de 200 à 350 millions de F).

Diffusion. Assurée par TDF grâce à 112 émetteurs et 3 100 réémetteurs, pour 526 millions en 1987. En 819 l. noir et blanc sur le réseau VHF, en 625 l. couleurs sur le nouveau réseau UHF inauguré le 1-1-76 et dont la couverture nationale est assurée dep. juill. 1981, en 625 l. couleurs sur le réseau FR3 dep. le 1-9-75, à midi et l'après-midi, jusqu'au démarrage de ses propres émissions : 18 h ou 18 h 35.

Stocks de films de cinéma. Env. 500 films achetés au prix unitaire moyen de 2 millions de F (valeur totale 1,85 milliard de F).

Obligation de cahier des charges 1989. 1 – Diffusion. Diffusion totale. *Service quotidien moyen* : 14 h, *information* : journaux télévisés 670 h, magazines 405 h. **Programme 1re diffusion.** *Œuvres TV « expression originale française »* : fictions tous publics 270 h, dessins animés 50 h ; *autres émissions* : documentaires de création, magazines élaborés, émissions scénarisées pour la jeunesse n.c. **% d'œuvres TV.** De la CÉE 70 %, d'expression originale française 50. **2 – Production, commandes, volume horaire et financement.** *Total* : pour 358 h, 559 millions de F dont : *œuvres d'expression originale française autres que cinématographiques* : fiction tous publics 260 h (468) [dont lourde 120 h (335)], dessins animés 28 h (22), documentaires de création 70 h (69) ; *émissions scénarisées pour la jeunesse d'expression originale française* : 100 h (15 % CA net) dont fiction 54 h, émissions scénarisées 46 h. *Commandes S.F.P. (art. 22)* (production et prestations techniques) : de 419 à 518 MF ; *budget écriture (art. 26)* : 2 % du budget création (art. 19) : 11,18 MF. **3 – Divers.** *Messages publicitaires (art. 18)* : moyenne quotidienne horaire 6 min, maximum horaire 12 min, intervention unique dans les œuvres cinématographiques et fiction de longue durée 4 min. *Œuvres cinématographiques (art. 25)* : 170 dont 104 maximum entre 20 h 30 et 22 h 30, participation à la production 120 millions de F, accroissement de la part du droit d'antenne par rapport à la part coproduction pour atteindre 50 % du financement n.c. *Divers (art. 13 du cahier des charges et art. 29 décision)* : spectacles dramatiques et lyriques et chorégraphiques 12, concerts (orchestres français) 10 h, spectacles artistiques 1re diffusion 60 h dont 8 spectacles en province et 16 h de concerts.

Participations et filiales. *Régie française de publicité R.F.P.-TF1*, contrôlée en totalité par la chaîne (après le rachat de la moitié des actions pour 19 millions de F), 22 % de la *S.F.P.*, diverses participations dans *TF1-Films Production, G.I.A., France Media International* et *Médiamétrie, Téléshopping*.

5e chaîne (« La 5 »)

Histoire. **1985**-*20-2* l'État accorde une concession pour 18 ans à un groupe constitué par : Finninvest 40 %, SEPC 60 % (dont en % Chargeurs S.A. 52, Heljer 11, Europe 1 10, Française de communication 7,5, MSC 10, RMC 5, Quercynoise de participation 4, l'Événement du Jeudi 0,5). **1987**-*23-2* attribuée par la CNCL au groupe Hersant-Berlusconi. La 5 était aussi convoitée par un groupe animé par Jimmy Goldsmith [Générale occidentale (J. Goldsmith) 25 %, David de Rothschild et associés 25, Cie du Midi (Bernard Pagezy) 25, Packer (Groupe australien) 20, Worms et Cie 5]. **1989** *juil.* le Conseil d'État condamne La 5 à verser 60 millions de F d'astreinte (montant total 72,18 millions dont 12,17 payés en fév.) : la part des œuvres audiovisuelles françaises n'ayant atteint que 32,6 % au lieu des 50 % demandés et celle des œuvres communautaires 34 % au lieu des 60 % exigés. **1990**-*28-5* Hachette et groupe Vernes autorisés par CSA à détenir 22 % chacun du capital. Départ du groupe Chargeurs, des Échos, de Télémétropole et des Mutuelles agricoles Groupama.

Organisation

Direction : *Pt-dir. gén.* : Yves Sabouret dep. nov. 90 [avant : Robert Hersant (n. 31-1-20)]. *Vice-Pt-dir. gén.* : Silvio Berlusconi. *Dir. généraux* : Yves de Chaisemartin, Angelo Codignoni. *Siège* : 241, bd Péreire, 75017 Paris. **Capital** : 1 770 207 600 F. *Répartition (en %)* : TVES (groupe Hersant) 25, Reteitalia (groupe Berlusconi) 25, Hachette 22, groupe Vernes 22, Expar 3,1, Crédit Lyonnais (Clinvest) 2, SMA (UIC) 0,9. **Budget** (en millions de F) : *1991* : 990. *Recettes publicitaires* (1989) : 1 200. *Pertes* : *1987* : 841,4, *88* : 794,8, *89 (prév.)* : 425,7. *Stock de films* : env. 900 millions de F.

Nombre d'émetteurs. *Fév. 1987* : 54 (à sa création) ; *févr. 88* : 101 ; *févr. 89* : 168. **Population recevant La 5.** *Juin 87* : 45 %, *88* : 90, *1-1-90* : 60,6 % la recevait dans de bonnes conditions. **Audience.** *1987* : 7 % de l'audience nat., *88* : 10,9, *89* : 14. *Programmes* également transmis par Télécom 1C dans plusieurs pays d'Europe et du Bassin méditerranéen.

6e chaîne (M6)

Histoire. **1986**-*22-2* l'État accorde une concession pour 18 ans à un groupe constitué par : Sté générale de gestion, de distribution et de marketing de Gilbert Gross. Env. 200 millions de F [répartis entre Publicis (25 %), Gaumont (25 %), NRJ (18 %), Gross (12 %) ; 20 % entre équipe de direction de la chaîne et personnes privées et Stés d'édition musicale]. **1987**-*23-2*, attribuée par la CNCL à la *Sté Métropole de Télévision*, constituée par la *CLT* et *la Lyonnaise des Eaux*. 4 autres candidats étaient en présence. *Maurice Lévy* [Publicis 25 %, Gaumont 25, GGMD (Gilbert Gross) 12, NRJ 18, personnel de la chaîne 10]. *Jean Drucker* [CLT 25, Lyonnaise des Eaux 25, Groupe Amaury 10, Marin Karmitz 2,5, Suez, Paribas, UAP, Parfrance (groupe Bruxelles-Lambert) 37,5]. *UGC* [UGC 25, Éditeurs musicaux (CBS, Polygram, Virgin) 20, Éditeurs indépendants 5, artistes 5, personnel 7,5, Établ. bancaires 12,5]. *Canal Plus* [Canal Plus 15, Bayard Presse 15, Larousse-Nathan 15, IDDH (Sté de dessins animés) 15, autres partenaires (Éditeurs de jeux et banques) 40].

☞ **1989** *juil.* condamnée par le conseil d'État à payer 484 000 F (la moitié de l'amende) pour manquement à ses obligations de diffusion d'œuvres françaises et européennes en 1988.

Organisation

Direction : *Pt-dir. gén.* : Jean Drucker. *Dir. gén.* : Nicolas de Tavernost. *Dir. de l'antenne et de l'info.* : Alexandre Baloud. **Capital** *réparti entre* : CLT 25 % ; Lyonnaise des Eaux 25 ; Crédit Agricole 10 ; Paribas 8,18 ; UAP 8,17 ; Cie Financière de Suez 5,32 ; Parfinance 4,98 ; MK2 Holding 2,5 ; L'Alsace 2,5 ; Bruxelles Lambert 2,49 ; Parthena Investissements 2,15 ; Sud Ouest 1 ; Éd. Amaury 1 ; Ouest France 1 ; Sté pour le dévelop. de la TV 0,7. **Budget** (en millions de F.) : *C.A. brut négocié* : *1987* : 70, *88* : 280, *89* : 450, *90* : 700. *Pertes* : *1987* : 371,3, *88* : 398,6, *89* : 320. *Frais de fonctionnement* : 700 millions de F par an. *Publicité* autorisée.

Programme. *Délais de programmation cinéma* : règles service public (3 ans ou 2 ans si le film est coproduit par la chaîne). *Quotas* : règles service public [(60 % de films CÉE, dont 50 % de films d'expression française)]. *Grille* : mêmes règles que pour le service public. *Nombre de films* : 104. *Contributions financières* : 1,5 % des ressources affecté au compte de soutien cinéma. *Production propre* : 1re année 350 h, 3e 500 h ; *vidéo-clips* : 1re année 100, 3e 150. *Contributions financières* : 3 % des ressources pour le compte de soutien, 20 % des bénéfices affectés au financement d'œuvres de création. *Informations* : facultatives.

Audience. *Couverture du territoire 1986* (1-3) : 7,6 millions d'h. *1987* (1-3) : 25 émetteurs, 39 % de la pop. fr. *1989* (31-12) : 139 ém., 71 %. *1990* (1-3) : 149 ém., 75 % ; (juin) : 160 ém., 75 %. *Audience sur 24 h* (en % des foyers) : *mars 1987* : 0,7 ; *janv. 89* : 5,6 ; *janv. 90* : 7,6. Bon score : *Adieu l'Ami* (22-1-90) : 14,7.

Télévisions

Audience en 1990

Source : Médiamat (en %).

	6 ans et +	15 a. et +	6-14 a.
TF1	41,9	42	41
A2	22,1	22,6	18,2
La 5	11,7	11,3	15,5
FR3	11	11,2	9,3
M6	7,3	7,1	9,5
Canal + ..	4,3	4,2	5,2

• **Parts de marché** (en %, 1er trim. 1991). *TF1* : 43,1, *A2* : 21,3, *FR3* : 11,2, *La Cinq* : 10,9, *M6* : 4,4.

• **Durée d'écoute** (en min) pour un jour moyen de semaine (du lundi au vendredi), sur l'ensemble des Français de + de 15 ans. **Par foyer.** *1982* : 233, *90* : 304. **Par individu. 1964** : 55, **68** : 90, **69** : 107, **70** : 126, **76** : 132, **80** : 124, **81** : 132 (*TF1* : 54, *A2* : 49, *FR3* : 26), **86** : 207,5 (*A2* : 116,9, *TF1* : 112,8, *Canal +* : 85,4, *FR3* : 72,5), **89** : 195 (*TF1* : 88, *A2* : 39, *La 5* : 24, *FR3* : 20, *M6* : 13, *Canal +* : 8, *autres* : 4), **90** : 192 (janv. 212, déc. 213).

Selon le sexe (1989). Hommes 171, femmes 198. **Selon l'âge** (1989). *6/10 ans :* 137, *11/14 :* 148,*6/14 :* 142. *15/34 :* 151, *35/49 :* 156, *15/49 :* 153, *50 et + :* 236. **Selon l'activité** (1989). *Actifs* 157, *inactifs* 216. *Ménagères - de 50 ans* 168, *50 et +* 245 ; avec enfants 170. **Selon les mois** (1989, **6/14 ans et,** entre parenthèses, **15 ans et +**). Janv. 209 (163), fév. 202 (168), mars 186 (141), avr. 186 (144), mai 160 (108), juin 166 (111), juil. 164 (138), août 166 (138), sept. 179 (125), oct. 189 (138), nov. 202 (154), déc. 210 (180) ; *moyenne* 184 (142).

• **Nombre de téléspectateurs ayant regardé au moins une fois dans la journée la TV** (en millions). Moyenne lundi-vendredi, entre parenthèses samedi, en italique dimanche. **1988** (sept. à déc.) *TV en général* 37,9 (37,9) *37,5, TF1* 28,4 (28,2) *28,2, A2* 19,3 (17,8) *22,7, FR3* 11 (10) *8, C+* 4 (4,4) *3,5, La 5* 9,9 (7,4) *12, M6* 5,4 (3,7) *4,4.*

D'après des études anglo-saxonnes, dans 20 % des cas, il n'y a personne devant la télé. Si quelqu'un se trouve dans une pièce où la télé est allumée, il ne regarde que de 40 à 80 % en moyenne de son temps.

Les plus « gros » consommateurs. 10 % regardent 7 h/j dont (en %) : femmes 60 ; + de 50 ans 70 ; inactifs 75. **Les plus « petits ».** 10 % regardent 8 min/j.

• **Audience des enfants. Durée d'écoute.** *Selon les jours de la semaine :* lundi, mardi, jeudi, vendredi 1 h 15, mercredi, samedi, dimanche 2 h 25. *Saisons :* automne 2 h 06, vacances de Noël 3 h 42, printemps 1 h 10. Plus l'enfant grandit plus il regarde la tél. Moyenne générale hebdomadaire : 1 h 49.

Nombre. *En moyenne de 8 à 14 ans, les enfants regardent la tél. :* tous les jours 43 %, presque tous les j 46, 1 ou 2 fois par sem. 10, - ou jamais 1.

Volume d'écoute le mercredi entre 7 h et 20 h (en %, *6 à 14 ans*). *Pas d'écoute :* 20,1 ; *- de 2 h :* 36,9 ; *2 h/4 h :* 24,5 ; *+ de 4 h :* 18,5.

• **Audience par tranches horaires** (en %). *24 h/7 h :* 2,8 ; *12 h/14 h :* 13,5 ; *18 h/22 h :* 46,2.

• **Audiences des chaînes en 1990.** Sur 1 048 heures de programmes diffusées par TF1, A2, FR3, La 5 et M6, les Français de 6 ans et + ont vu en moyenne 290 h de fictions télé, 132 h journaux télé., 106 h films, 103 h magazines, documentaires et débats, 103 h variétés et divertissements, 96 h jeux, 70 h publicité, 49 h émissions jeunesse, 56 h sport, 6 h théâtre et musique classique, 37 h autres.

• **Audience en France et à l'étranger.** *% de téléspectateurs regardant la télévision. - de 1 h par jour : Fr. 13,* All. féd. 12, G.-B. 3 ; *de 1 à 3 h : Fr. 57,* All. féd. 62, G.-B. 38 ; *de 3 à 5 h : Fr. 25,* All. féd. 21, G.-B. 35 ; *de 5 à 6 h : Fr. 3,* All. féd. 3, G.-B. 12 ; *+ de 6 h : Fr. 2,* All. féd. 2, G.-B. 12.

Nota. - Une pièce de théâtre est vue un samedi soir par 15 millions de spectateurs en France ; il faudrait 30 ans de succès ininterrompu dans une grande salle parisienne pour toucher pareil auditoire. Un film du dimanche soir devrait « tourner » 10 ans pour atteindre le même public.

Enquêtes d'audience

• **Enquêtes par sondage.** Au début, pendant 2 semaines, des télespectateurs choisis, devaient remplir quotidiennement un carnet d'écoute notant les émissions qu'ils avaient regardées et donnant leur appréciation. Les feuilles envoyées au jour le jour étaient transcrites sur cartes perforées et traitées par ordinateur.

Enquête du Centre d'études des supports de publicité (C.E.S.P.). 12 000 à 15 000 personnes interrogées à domicile durant 3/4 d'heure (en 3 vagues de 4 000 à 5 000 personnes correspondant chacune à une saison) sur leurs habitudes d'écoute et leur audience de la veille.

• **Procédés de détection automatique.** Appareils se contentant de noter quelle chaîne est allumée et pendant combien de temps ; app. enregistrant combien de personnes se trouvent devant l'écran. [**2 techniques :** 1°) *active :* le téléspectateur appuie sur une touche (voir Audimat et Nielsen ci-dessous) systèmes approximatifs. 2°) *passive :* app. détectant eux-mêmes, par un œil électronique, le nombre de personnes regardant l'émission (technique Motivac)].

• **Audimat puis Médiamat.** *Créée* par Thomson-CSF, reprise par Sté Bertin. *Médiamat (dep. 1989) :* panel de 2 300 foyers (5 630 individus de 6 ans et +). Chaque foyer est équipé d'un audimètre à touches individuelles, connecté au téléviseur et relié à un centre informatique par téléphone. Chacun dispose de sa propre touche qu'il enclenche directement ou avec une télécommande pour signaler sa présence. L'audimètre stocke ces différentes données d'audience en mémoire locale. S'il y a des invités, ceux-ci sont également sollicités pour déclarer leur présence en précisant âge et sexe. L'audimètre enregistre en permanence « à la seconde près » : marche/arrêt, écoute des différentes chaînes (hertziennes, câble, satellite), utilisation du magnétoscope en lecture et en enregistrement, du téléviseur pour des jeux vidéo ou comme moniteur. En cas de multi-équipement TV, tous les téléviseurs du foyer sont reliés à un audimètre. Entre 3 et 5 h du matin, le centre informatique appelle chaque audimètre et recueille les données stockées.

La *SECODIP :* tire ses données d'audimètres à 7 touches (Audimat A2) et *Audimédia* d'audimètres à 8 touches (Télékontrol V). Ces dispositifs permettent également de donner une appréciation sur les programmes avec des touches correspondant à des notes de 0 à 10.

Audimat Plus (1986) : fusionne les données d'audience des foyers fournies par l'Audimat avec des données recueillies chaque jour par une enquête téléphonique auprès d'autres foyers, indépendants de l'Audimat (180 interviews quotidiens).

• **Nielsen-SOFRES** (dep. oct. 1988). Appareils à 8 touches, dans 1 000 familles. Liaisons avec ordinateur central par ligne téléphonique spécialisée. *Ne retient pas les séquences d'écoute inférieures à 30 secondes.* Panel de 300 foyers renouvelés toutes les 2 semaines ; un membre de la famille tient un journal d'écoute et le transmet quotidiennement par minitel.

• **Motivac.** Un capteur photonique de particules lumineuses dénombre les individus devant le poste, détermine profils et choix de programmes et communique le résultat par le *réseau Transpac. Télémétric SA* commercialise l'appareil. L'audience révélée par Motivac est inférieure de + de 50 % à celle escomptée habituellement. L'appareil révèle l'inattention (une personne sur 2 ne reste pas plus de 15 min. devant l'écran). Beaucoup de télé (30 % dès 6 h 30) sont allumées sans télespectateur devant l'écran. Le CESP a admis le 4-7-1990, que le dénombrement des téléspectateurs était exact à 94 % ; mais en juin 1991, a infirmé ce jugement.

Meilleurs scores en 1990

(dates entre parenthèses)

• **En %, TF1 :** les Sous doués en vacances 29,5 [1] *(17-4),* Coupe du Monde, Argentine/All. Féd. 28,5 [2] *(8-7),* la Vache et le prisonnier 28,4 [1] *(23-9),* Sébastien c'est fou 28,2 [3] *(29-12),* Succès fous 27,6 [3] *(22-12),* le Jour de gloire 27,5 [1] *(22-4),* le Bébête show 27,4 [4] *(10-12),* les Sous doués 27,2 [1] *(10-4),* les Fugitifs 27 [1] *(4-3),* Surprise sur prise 26,9 [4] *(10-1),* la Carapate 26,3 [1] *(6-2),* Tous à la Une 26,3 [3] *(28-12).* **A2 :** Coupe du monde, Italie/Argentine 24,7 [2] *(3-7),* la Grande vadrouille 23 [1] *(25-9),* le Diamant du Nil 23 [1] *(1-),* les Hommes préfèrent les grosses 20,2 [1] *(4-12),* Champs Élysées 20,2 [3] *(3-3).* **FR3 :** Pale Rider 18,8 [1] *(22-2),* Gremlins 16,8 [1] *(24-6),* Elle boit pas, elle fume pas, elle drague pas mais elle cause 15,6 [1] *(15-11),* Actualités régionales 15,4 [7] *(12-11),* Et pour quelques dollars de plus 15,1 [1] *(10-9).* **Canal + :** Ça cartoon 5 [8] *(2-12),* la Plus belle nuit du cinéma 4,9 [9] *(26-11),* Top 50 4,4 [3] *(24-11),* Dis Jérôme 4 [10] *(9-12),* Flash 3,7 [7] *(23-12).* **La 5 :** Crocodile Dundee 15,8 [1] *(25-3),* le Flic de Beverly Hills 15,6 [1] *(7-1),* Indiana Jones et le temple maudit 15,1 [1] *(16-12),* les Aventures de l'arche perdue 11,8 [1] *(9-12),* Witness 11,5 [1] *(14-1).* **M6 :** Police Academy 8,2 [1] *(3-12),* les Cheyennes 7,5 [1] *(26-11),* les Rescapés de Sobibor 7,3 [5] *(27-8),* Nimitz retour vers l'enfer 7,1 [1] *(1-10),* la Bataille des Ardennes 7 [1] *(17-12).*

Nota : (1) film. (2) football. (3) variétés. (4) humour. (5) téléfilm. (6) série. (7) info. (8) dessins animés. (9) divertissement. (10) magazine. (11) talk show.

• **Par genre. Films :** les Sous doués en vacances 29,5 [1] *(17-4),* la Vache et le prisonnier 28,4 [1] *(23-9),* le Jour de gloire 27,5 [1] *(22-14),* les Sous doués 27,2 [1] *(10-14),* les Fugitifs 27 [1] *(4-13),* la Carapate 26,3 [1] *(6-2),* Retour vers le futur 25,4 [1] *(28-10),* En toute innocence 25,4 [1] *(4-1),* le Corps de mon ennemi 24,5 [1] *(20-2),* Inspecteur la bavure 24,5 [1] *(4-9).* **Téléfilms :** le Cavalier masqué 17,5 [1] *(27-12),* Notre Juliette 16,6 [2] *(19-12),* Deux flics à Belleville 14,9 [1] *(13-12),* le Denier du colt 13,4 [2] *(2-12),* Moi Général de Gaulle 13,2 [1] *(8-11),* les Amants du lac 13,1 [2] *(28-1),* le Blé en herbe 12,3 [2] *(28-3).* **Séries et feuilletons :** Navarro 23,2 [1] *(11-1),* l'Addition est pour moi 20 [1] *(26-2),* les Dossiers de l'Inspecteur Lavardin 18,2 [1] *(23-3),* Imogène 17,6 [1] *(18-1),* les 5 dernières minutes 17,4 [2] *(18-3),* le Triplé gagnant 17 [1] *(22-2),* Santa Barbara 16,4 [1] *(3-1),* Orages d'été 16,1 [1] *(5-7),* Scandales à l'amirauté 16 [1] (9-7), Hooker 15,5 [1] *(11-11).* **Théâtre :** l'Ex femme de ma vie 15,6 [2] *(19-2),* la Menteuse 15,5 [2] *(12-2),* la Dame, le voleur et le détective 14,7 [1] *(22-8),* Ténor 14 [1] *(23-4).* **Musique classique et ballets :** Concert du nouvel an 6,9 [2] *(1-1),* Concours Eurovision jeunes musiciens 3,2 [3] *(30-5),* Casse-noisette 2,8 [3] *(3-1).* **Variétés :** Sébastien c'est fou 28,2 [1] *(29-12),* Succès fous 27,6 [1] *(22-12),* Tous à la une 26,3 [1] *(28-12),* Avis de recherche 24,2 [1] *(22-6),* Sacrée soirée 24,1 [1] *(26-12),* Stars 90 22,5 [1] *(12-1),* Patrick Sébastien été 90 21,6 [1] *(1-9),* Champs Élysées 20,2 [2] *(3-3).* **Cirque :** le Plus grand chapiteau du monde 11,5 [3] *(6-6),* la Piste des clowns 8,3 [3] *(2-5).* **Jeux :** la Roue de la fortune 21,6 [1] *(30-1),* Intervilles 18,4 [1] *(6-7),* Une famille en or 16 [1] *(15-11),* le Juste prix 15,7 [1] *(10-2),* Jeux sans frontières 12,2 [2] *(12-7),* les Clés de fort Boyard 12 [2] *(22-9),* Des chiffres et des lettres, Coupe des champions 11,7 [2] *(26-2).* **Humour :** Bébête show 27,4 [1] *(10-12),* Surprise sur prise 26,9 [1] *(10-11),* Pas folles les bêtes 23,2 [1] *(18-12),* Fou rire 19 [1] *(25-8),* la Télé des Inconnus 19 [2] *(19-10).* **Documentaires :** Cousteau à la redécouverte du monde 12,1 [2] *(11-2),* Monaco le bonheur et les larmes 11,9 [1] *(7-10),* l'Amour en France 11,3 [2] *(24-4),* Paroles d'otages (1er) 8,8 [1] *(11-1),* Histoires naturelles 8,5 [1] *(14-5).* **Magazines débats :** 7/7 : Florence Arthaud 15,9 [1] *(9-12),* Ciel mon mardi 11,6 [1] *(6-2),* Et si on se disait tout 14,9 [1] *(28-12),* Santé à la une : Maigrir 10,1 [1] *(2-4),* Débat/dossier de l'écran : l'Amour en France 8,9 [2] *(24-4),* Apostrophes : dernière émission 8,2 [2] *(22-6),* Médiations : Mort, la vérité en face 7,8 [1] *(29-20),* En quête de vérité 7,8 [1] *(25-14).* **Magazines d'images :** Reportages 18,9 [1] *(30-9),* Envoyé spécial 15,8 [2] *(29-11),* 52 sur la une 13,5 [1] *(16-2),* l'Année 1990 12,4 [1] *(30-12),* Déjà dans les salles 12,3 [1] *(5-4),* Grands reportages 11,6 [1] *(14-9),* 30 millions d'amis 11,3 [1] *(29-12),* Ushuaia 11 [1] *(13-1).* **Émissions politiques :** l'Heure de vérité : Valérie Giscard d'Estaing 7,8 [2] *(24-9),* Jacques Chirac 7,4 [2] *(26-11),* Jean-Marie Le Pen 7,2 [2] *(9-5),* Charles Pasqua 6,5 [2] *(13-2),* Roland Dumas 6,3 [2] *(3-9),* Bernard Tapie 5,9 [2] *(12-6),* Jean-Pierre Chevènement 5,8 [2] *(22-10),* Jacques Delors 5,4 [2] *(23-11),* le Pouvoir et la vie (1) : Valérie Giscard d'Estaing 5,1 [1] *(11-5).* **Émissions spéciales :** la Nuit des 7 d'Or 18,7 [1] *(17-12),* Vœux du Président de la République 14,8 [1] *(31-12),* Élection de Miss France 14,7 [3] *(5-12),* Coluche qui dit mieux... 13,2 [1] *(14-5),* Spécial Irak 13,1 [2] *(2-12),* la Nuit des Césars 13 [2] *(4-3),* l'Europe en loto 12,7 [1] *(19-5),* les Restos du cœur 12,3 [2] *(5-1).* **Magazines sportifs :** Club mondial 16,1 [1] *(11-6),* Téléfoot 12,5 [1] *(9-12),* Antipasti 12,1 [2] *(12-6),* Stade 2 10,8 [2] *(11-2),* Journal du tour 7 [2] *(22-7).* **Retransmissions football :** *Coupe du monde :* Argentine/All. Féd. 28,5 [1] *(8-7),* Italie/Argentine 24,7 [2] *(3-7), d'Europe :* Benfica/Marseille 21,5 [1] *(18-4), du monde :* RFA/Angleterre 21,3 [1] *(4-7),* Angleterre/Cameroun 0,4 [1] *(1-7), de France :* RP1/Montpellier 19,3 [1] *(2-6).* **Autres sports :** *Cyclisme :* le Tour de France 13,5 [2] *(22-7), F1 :* Grand Prix d'Espagne 11,9 [1] *(30-9), Rugby :* Tournoi des 5 nations : France/Angleterre 11,6 [2] *(3-2). Cyclisme :* Paris Roubaix 11,2 [2] *(8-4), Boxe :* Championnat du Monde 11,1 [1] *(30-3), Tennis :* Roland Garros 11,1 [2] *(10-6).*

• **Par âge. Enfants de 6 à 10 ans, dessins animés :** *Disney Club :* Tic et Tac 26,4 [1] *(28-1), Club Dorothée :* le Collège fou fou fou 26 [1] *(3-1), Disney Club :* Dingo 25,4 [1] *(28-1), Club Dorothée :* Sherlock Holmes 25,1 [1] *(29-10),* Dragon Ball 23,8 [1] *(3-1).* **Tous genres confondus hors jeunesse et dessins animés :** *film :* Retour vers le futur 26 [1] *(28-10), jeu :* Intervilles 22,6 [1] *(6-7), variétés :* Sébastien c'est fou 22,5 [1] *(17-2).* **11 à 14 ans, tous genres confondus hors jeunesse et**

Les Français et leur télé

Place du poste (en %). Salle de séjour 53, salle à manger 27, cuisine 12, autre 8. **Position et place du téléspectateur** (en %) : assis 79, fauteuil 34, canapé 26, chaise 19, allongé 11, dans un lit 10, sur la moquette 1, ne se prononcent pas 10. **A partir de quelle heure ?** avant 19 h : 24, entre 19 h et 19 h 30 : 17, entre 19 h 30 et 20 h : 19, entre 20 h et 20 h 30 : 30, après 20 h 30 : 10.

Téléviseurs loués. 400 000 dont *Locatel* 200 000. *Viséa* 50 000. *Novatel-Granada* 40 000.

Équipement audiovisuel des foyers, 1989 en % *(enquête 36 000 Médiamétrie)* 94,6. Couleur 91,2, noir et blanc 8,8. Multi-équipé 20,7. Magnétoscope 28,1. Télécommande 61,8.

dessins animés : *films :* Retour vers le futur 38 [1] *(28-10),* les Sous doués en vacances 33,6 [1] *(17-4),* Orca 31,2 [1] *(30-12),* les Sous doués 30,9 [1] *(10-4),* Rambo 27,2 [1] *(2-9), humour :* Surprise sur prise 27 [1] *(7-4), variétés :* Sébastin c'est fou 25,9 [1] *(6-1), jeu :* Intervilles 25,4 [1] *(6-7), humour :* la Télé des Inconnus 25,4 [2] *(19-10), film :* la Carapate 25 [1] *(6-2), humour :* le Bêtisier 24,8 [2] *(31-12), variétés :* Succès fous 27 [1] *(22-12), films :* Rambo II 24,6 [1] *(20-11),* Je suis timide mais je me soigne 24,3 [1] *(17-7),* le Gendarme en balade 24,3 [1] *(6-5),* Plus beau que moi tu meurs 23,4 [1] *(22-15),* la Grande vadrouille 23,2 [2] *(25-9),* Airport 80 concorde 23 [1] *(26-8).*

Nota. – (1) TF1. (2) A2. (3) FR3. (4) La 5.

Un événement international comme les obsèques de Winston Churchill à Londres en janvier 1965 a été vu par 350 millions de personnes dans le monde, le lancement d'Apollo 11 vers la Lune le 16-7-69 par 528 millions, la récupération d'Apollo 13 le 17-4-1970 par 600 millions, les jeux Olympiques de 1972 et 1976, la visite du pape Jean-Paul II en Irlande (26-9-79) par 1 milliard.

Associations de téléspectateurs

Télé-Liberté 10, rue de Lancry, 75010 Paris. **Fédération nationale des téléspectateurs et ANTV 77** (Thérèse Gendebien Ladoucette) 8, rue de Bourgogne, 75007 Paris (ou 22, rue St-Dominique). Si tous les enfants du monde... Pour une télévision de qualité. 11 bis, rue Jean-Gougeon, 75008 Paris.

Association pour une télévision de libre expression (ATÉLE) [Jacques Baumel] 139, av. de Villiers, 75017 Paris.

Association des téléspectateurs et auditeurs (ATA). B.P. 1019, 66010 Perpignan Cedex. **Comité de défense des téléspectateurs,** Le Triangle, Allée Jules-Milhau, 34000 Montpellier.

Radiodiffusion

• **Réception.** *Modulation d'amplitude :* sur 100 % du territoire, *fréquence : 95 %.*

Taux d'équipement radio (en %, sept.-déc. 1990). Foyers disposant d'au moins 1 récepteur 99 % dont 85 % équipés en FM [dont radio-réveil 72, autoradio 71, baladeur 26].

Écoutes les plus importantes en semaine. 7 h-8 h 30 et 10-12 h. Les plus assidus sont les hommes, les Parisiens, les cadres moyens et sup.

Durée d'écoute par auditeur un jour moyen de semaine (en 1988). *Écoutent moins de 1 h :* 16 % des Français de 15 ans et +, *1 à 2 h :* 16,4, *2 à 3 h :* 11, *3 à 4 h :* 17, *4 à 5 h :* 15,7, *+ de 5 h :* 14,2. **Durée moy. en minutes** (jour moyen du lundi au samedi, 15 ans et +). *1981 :* 130, *85 :* 119, *86 :* 124, *87 :* 115, *88 :* 128, *89 :* 124, *91 (janv.-mars) :* 196 (selon Médiamétrie).

Audience cumulée en %, durée d'écoute par auditeur en minutes et, % de volume de l'écoute radio (avril-juin 1991)

	Audience[1]	Durée	Part écoute
Grands agrégats :			
Radio en général	76,3	192	100
Station de Radio France	23,5	123	19,7
dont stations locales	4,9	132	4,4
Stations périphériques	32,4	157	34,8
Radios locales privées	35,5	169	41,1
Divers autres	6,5	97	4,3
Stations généralistes :			
Europe 1	11,7	114	9,1
France Inter	11	110	8,3
RMC	4,9	120	4
RTL	18,8	164	21
À dominante musicale :			
Europe 2	4,8	127	4,2
Fun Radio	4,8	111	3,6
Nostalgie	4,5	145	4,4
NRJ	9,9	130	8,7
Skyrock	5,5	114	4,2
RFM	2	133	1,8
Thématiques :			
France Info	7,7	78	4,1

Nota. – (1) 1 % = 440 000 de 15 ans et +. *Source :* Médiamétrie 75 000.

Radios (entre parenthèses, nombre d'émetteurs)	Auditeurs potentiels [1]
NRJ (117)	32,6
Nostalgie (187)	43
Europe 2 (98)	21,5
Skyrock (53)	18
Fun (121)	21
RFM (50)	20,5
Kiss (59)	17
Pacific (50)	18

Nota. – (1) En millions.

Sondage CESP réalisé en janv.-fév. 89 auprès de 3 987 personnes de 15 ans et + et entre parenthèses *résultats 1985 à la même époque.* RTL 18,4 % (21,9 %), Europe n° 1 11,8 (17,9), France Inter 12,5 (15), NRJ 7,6, RMC 4,8 (7,7), Nostalgie 3,5, Fun 2,1, RFM 0,9, Kiss FM 1,1, périphériques 33,3, radios locales privées 27,7 (25,5), Radio France 19,1.

Part des radios locales privées (%). *1981 :* 4,6 ; *82 :* 11,4 ; *83 :* 16,9 ; *84 :* 18,7 ; *85 :* 22,6 ; *86 :* 24,3 ; *88 :* 34 ; *89 :* 37,6.

• **Répartition des auditeurs** (selon une étude de Cyclades, filiale de Carat, 1991).

Durée moyenne quotidienne d'écoute. Petits auditeurs (10 827) 48 min, moyens (11 741 000) 2 h 18, grands (11 741 000) 6 h 33.

Stations écoutées (en %, grands auditeurs et, entre parenthèses, petits auditeurs). France Inter : 7,7 (11,4), Europe 1 : 9,2 (10,2), RTL : 22,9 (15,5), Europe 2 : 5,2 (3,4).

Tranche d'âge (en %). **15-24 ans :** petits auditeurs 23,1, moyens 21,8, grands 16,5. **+ de 50 ans :** petits 31, moyens 32,5, grands 37,7. **Retraités :** petits 38,9, moyens 40,6, grands 47,6.

Catégorie professionnelle (en %). Ouvriers et agric. 38,4, employés 24,9, prof. intermédiaires 17,7, petits patrons 10,3, cadres sup. et prof. libérales 8,7.

Il existe encore en France env. 3 250 zones d'ombre (ex. : vallées encaissées) où les faisceaux hertziens ne parviennent pas. Il faudrait pour y remédier 2 050 installations locales.

Attentats politiques

☞ Suite de la p. 1125.

Nota. – Liste non limitative. (1) L'attentat échoue. *En italique :* auteurs des attentats.

France. 575 Sigebert Ier *(2 partisans de Frédégonde).* **584** Childéric, en rentrant de la chasse. **675** Childéric II, à la chasse. **679** Dagobert II, à la chasse. **1407**-*23-11* Louis d'Orléans, frère de Charles VI. **1563**-*18-2* François de Lorraine, duc de Guise *(Poltrot de Méré).* **1572**-*24-8* Nuit de la Saint-Barthélemy : amiral de Coligny et des centaines de protestants. **1588**-*23-12* Henri Ier, duc de Guise, à Blois *(sur l'ordre d'Henri III). -24-12* card. de Lorraine, fr. du duc de Guise *(sur l'ordre d'Henri III).* **1589**-*1-8* Henri III *(le moine Jacques Clément).* **1593** Henri IV *(Pierre Barrière)* [1]. **1594**-*27-11 (Jean Chastel)* [1]. **1610**-*14-5 (Ravaillac).* **1617**-*24-4* Concini, mar. d'Ancre *(Ph. de Vitry).* **1757**-*5-1* Louis XV *(Damiens)* [1]. **1793**-*13-7* Marat *(Charlotte Corday).* **1800**-*14-6* Gal Kléber *(Suleyman),* au Caire. *-24-12* Bonaparte, 1er consul (machine infernale de la rue St-Nicaise, par *Saint-Régeant, Carbon, Limoëlan)* [1]. **1809** devenu emp. Napoléon Ier, à Vienne *(Frédéric Staaps)* [1]. **1815**-*2-8* Mal Brune, à Avignon *(la foule). -17-8* Gal Ramel, à Toulouse. **1820**-*13-2* duc de Berry *(Louvel).* **1835**-*28-7* Louis-Philippe *(Fieschi)* [1]. **1836**-*25-6 (Alibaud)* [1]. *-27-12 (Meunier)* [1]. **1840**-*15-10 (Darmès)* [1]. **1841**-*13-9* Duc d'Aumale *(Quénisset)* [1]. **1846**-*16-4* Louis-Philippe *(Lecomte)* [1]. *-29-7 (Henri)* [1]. **1855**-*28-4* Napoléon III *(Pianori)* [1]. *8-9 (Bellemare)* [1]. **1858**-*14-1 (Orsini)* [1]. **1867**-*6-6* et le Tsar *(Berezowski)* [1]. **1887**-*10-12* Jules Ferry *Aubertin)* [1]. **1894**-*24-6* Sadi Carnot. Pt *(Caserio).* **1905**-*30-5* Émile Loubet, Pt *(anarchistes)* [1]. Avec Alphonse XIII d'Espagne. **1914**-*31-7* Jean Jaurès, Pt du Parti socialiste *(Villain).* **1919**-*19-2* Clemenceau *(Cottin)* [1]. **1922**-*14-7* Alexandre Millerand, Pt [1]. **1932**-*6-5* Paul Doumer, Pt *(Gorguloff).* **1934**-*9-10* Louis Barthou, min. des Aff. étr., et Alexandre de Youg., à Marseille. **1941**-*27-8* Pierre Laval (ancien vice-Pt du Conseil) et Marcel Déat (directeur de l'Œuvre) *(Colette)* [1]. **1942**-*28-4* Jacques Doriot, à Rennes [1]. *-24-12* Amiral Darlan (Haut-Commissaire, chef du gouv. d'Alger) *(Bonnier de la Chapelle).* **1944**-*20-6* Jean Zay, ancien min. de l'Éd. nat. *(Henri Millou). 28-6* Philippe Henriot, secr. d'État à l'Int. *(Charles Gonard, dit Morlot). -1-7* Georges Mandel *(milicien Mansuy).* **1955**-*12-6* Jacques Lemaigre Dubreuil, industriel, *(la « Main Rouge ») à Casablanca.* **1957**-*16-1* Gal Raoul Salan [1], Cdt en chef en Algérie (attentat au bazooka : le colonel Rodier est tué). **1961**-*8-9* Gal de Gaulle *(Martial de Villemandy)* [1]. **1962**-*22-8* Gal de Gaulle *(colonel Bastien-Thiry)* [1] au Petit-Clamart.

Ghana. 1962-*1-8* Nkrumah, Pt [1]. **1964**-*2-1* Nkrumah, Pt [1].

Grèce. 1831 Capo d'Istria, Pt *(Mavromikáhlis).* **1861**-*18-9* Amélie, reine *(Dioçios)* [1]. **1898**-*26-2* Georges Ier *(Karditzis).* **1905**-*13-6* Delvanni, PM. **1913**-*18-3* Georges Ier *(Schinas).* **1927**-*30-10* Pavlos Konundouriotes, 1er Pt provisoire [1]. **1968**-*13-8* Georges Papadopoulos, PM *(A. Panagoulis)* [1].

Guatemala. 1898-*3-7* José Maria Reine Barrios. Pt (assassiné à l'instigation de son neveu Prospero Moralès, qui lui succéda). **1957**-*26-7* Carlos Armas, Pt.

Hollande. 1584-*10-7* Guillaume d'Orange *(Balthasar Gérard).* **1672**-*20-8* Jean de Witt, grand pensionnaire.

Hongrie. 1912-*7-6* Comte Istvan Tisza, Pt de la Ch. des députés *(Kovacs, dép. de l'opposition ; essaie de se suicider, reconnu fou)* [1]. **1918**-*31-10* Cte Istvan Tisza, PM *(soldats déserteurs).* **1962**-*4-6* Bela Lapuanyik, espion hongrois déserteur (balle au cyanure).

Inde. 1872-*8-2* Richard Southwell Bourke, 6e comte de Mayo, vice-roi des Indes *(détenu musulman).* **1879**-*12-12* Lord Lytton, vice-roi des Indes *(un Eurasien,* ivre) [1]. **1948**-*30-1* Gandhi *(Nathuram Vinayak Godse).* **1980**-*14-4* Indira Gandhi, PM *(Lalwani)* [1]. **1984**-*31-10* Indira Gandhi, PM *(Sikhs).* **1991**-*21-5* Rajiv Gandhi, anc. PM.

Indonésie. 1962-*14-5* Pt Ahmed Sukarno [1]. **1965**-*30-9* Pt Ahmed Sukarno.

Irak. 1958-*14-7* roi Fayçal et Nouri Saïd, 1er min. **1963**-*8-2* Gal Kassem, Pt Rép.

Iran. 1896-*1-5* Nasser Eddin, shah *(le mollah Reza).* **1908**-*28-2* Mohammed Ali-Shah [1]. **1965**-*26-1* Hassan Ali Mansour, PM. *-10-4* Reza Shah (d'Iran) [1]. **1981**-*30-8* Ali Radjai (Pt) et Djavad Bahonar (PM).

Israël. 1948-*17-9* Cte Folke Bernadotte, médiateur de l'O.N.U.

Italie. 1537-*5-6* Alexandre de Médicis, duc de Florence *(Lorenzaccio).* **1854**-*27-3* Charles III, duc de Parme *(Antonio Carra).* **1856**-*8-12* Ferdinand II des Deux-Siciles *(Agésilas Melans)* [1]. **1878**-*17-11* Humbert *(Giovanni Pasananti)* [1]. **1894**-*16-6* François Crispi, PM [1]. **1897**-*22-4* Humbert I *(Acciarito)* [1]. **1900**-*29-7* Humbert Ier *(Bresci).* **1912**-*14-3* Victor Emmanuel *(Antonio Oalba)* [1]. **1924**-*10-6* Matteotti, chef du PS. **1926**-*mars-avril-juin* Benito Mussolini : 3 attentats : a) *Zanzinobi,* socialiste, arrêté ; b) *une Anglaise,* déséquilibrée ; c) *Lucetti* [1]. **1928**-*12-4* Victor Emmanuel III (17 tués, 40 blessés) [1].

☞ Suite p. 1252.

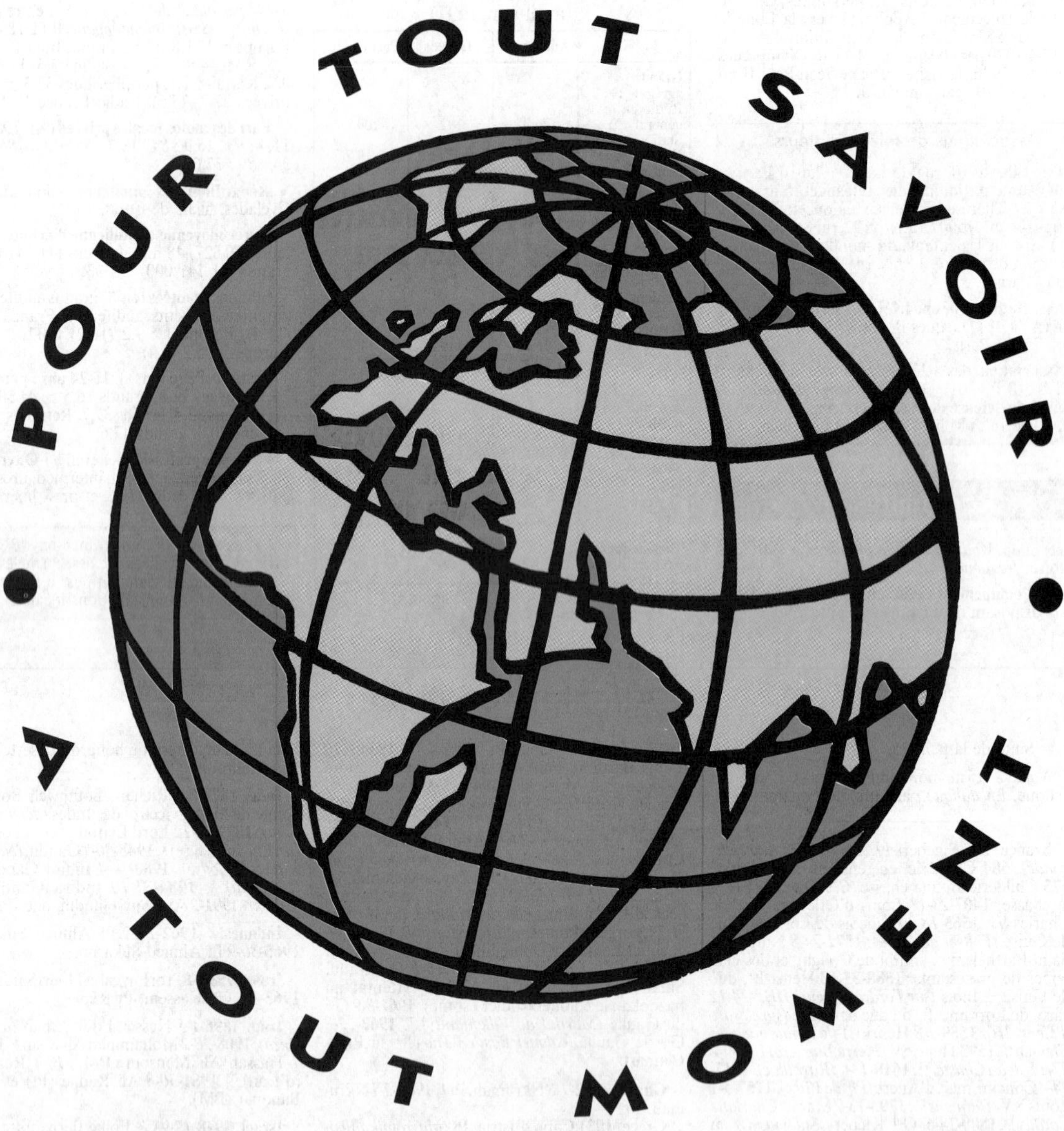
POUR TOUT SAVOIR
A TOUT MOMENT

(Information)

1ere INFO RADIO DE FRANCE

(Information)

LA COTE DESFOSSÉS A DÉVORER PENDANT QUE C'EST CHAUD

Le 1er quotidien tout en finance

7 F chaque soir chez votre marchand de journaux

42, rue Notre-Dame-des-Victoires, 75002 PARIS - Tél. 42.33.21.30 - Fax 42.33.12.36

(Information)

l'Humanité

ORGANE CENTRAL DU PARTI COMMUNISTE FRANÇAIS

« L'HUMANITE », organe central du Parti communiste français

Quotidien, rue Jean-Jaurès, 93528 SAINT-DENIS Cedex. Tél. : 49-22-72-72
Directeur : Roland LEROY. Fondateur : Jean JAURES
Rédacteur en chef : Claude CABANES
Contrôle O.J.D. 1990 : 95452

L'« HUMANITE DIMANCHE », le magazine du parti pris des gens

Tirage : 250.000 exemplaires
Directeur : Roland LEROY
Rédactrice en chef : Martine BULARD

(Information)

(Information)

Un guide du jeune diplômé lorrain attendu en juin
(En page « Actualités 54 »)

L'EST RÉPUBLICAIN
LE PLUS FORT TIRAGE DU...
FONDÉ EN 1889
MERCREDI
LORRAINE

Le temps de parole avec les voisins
Les étonnantes conclusions d'une enquête de l'INSEE.
(En page « Reflets » l'article de Patrick TARDIT)

Le triple médaillé d'or coprésident du comité d'organisation des Jeux

Albertville retrouve Killy

La crise du foot

Le président de Nancy : « Tous dehors ! »

Lire en « Sports » le dossier réalisé par Jean Rigoulot, Marc Vautrin et Jean-Pierre Hopp à partir des interviewes de Jacques Georges (UEFA), Jacques Thouzery (Sochaux), Pierre Mertès (FC Metz) et Jacques Brezinski (Nancy).

SOMMAIRE

Fabuleux : McEnroe le 8 mai à Nancy

L'EST REPUBLICAIN
rue Théophraste-Renaudot
Houdemont, 54180 Heillecourt
Téléphone 83.59.80.54
O.J.D. 1990 (au 31-12-90)
Tirage 269 900
Diffusion 246 282
L'EST RÉPUBLICAIN DIMANCHE
O.J.D. 1990 (au 31-12-90)
Tirage 347 776
Diffusion 316 073
4.500 points de vente.

Fondé en 1889 — le numéro 1 tiré à 1 200 exemplaires porte la date du 5 mai — « L'Est Républicain » est un des titres les plus anciens de la presse française.

En une vingtaine d'années, il étend sa zone de diffusion à toute la Meurthe-et-Moselle et la Meuse (26 500 exemplaires en 1913), puis à la Haute-Saône, au Territoire de Belfort et aux Vosges.

Le cap des 100 000 exemplaires est franchi en 1927.

« L'Est Républicain » cessa ses activités pendant toute la durée de l'Occupation et il est, de ce fait, un des très rares quotidiens français autorisé à reparaître sous son titre à la Libération.

Il poursuit alors son extension en direction de la Haute-Marne et la Franche-Comté et atteint les 200 000 exemplaires en 1951.

Sa zone de diffusion

Au travers de ses 17 éditions, elle couvre 7 départements : Meurthe-et-Moselle, Meuse, Vosges, Haute-Marne, Haute-Saône, Doubs et Territoire de Belfort.

Le groupe France-Est avec « L'Ardennais », « La Haute-Marne Libérée », « L'Est Eclair », « Libération Champagne », « L'Aisne Nouvelle », touche également la région Champagne-Ardenne.

Un quotidien complet

« L'Est Républicain » traite, chaque jour, de la façon la plus complète, grâce à ses 239 journalistes répartis entre 30 villes de sa zone de diffusion et à ses 1 100 correspondants, l'actualité sous toutes ses formes : politique, économique, sociale, sportive, etc. et, à tous les niveaux : mondial, national, régional et local.

En plus de l'information-service qu'il donne ponctuellement dans toutes ses rubriques, « L'Est Républicain » offre quotidiennement à ses lecteurs une page « Vivre aujourd'hui », axée sur un grand thème : les loisirs, la maison, la famille, les livres, l'automobile, le tourisme, les spectacles.

« L'Est Républicain Dimanche », outre les rubriques du quotidien, présente chaque semaine :

- Un supplément en couleurs « Magazine Dimanche », panorama de l'actualité et de l'évasion.
- Un supplément « TV Hebdo » de 80 pages en quadrichromie.

Un rôle économique irremplaçable

« L'Est Républicain » met à la disposition de ses annonceurs une structure commerciale complète et efficace avec ses représentants, ses concepteurs, ses dessinateurs-maquettistes, ses photographes, etc.

- La publicité régionale est reçue au siège et dans toutes les agences.
- La publicité extrarégionale est traitée pour l'ensemble du groupe par :

Régie Presse
7, rue de Monttessuy, 75332 Paris cedex, téléphone (16.1) 45.55.91.71.

D'autres services

Filiale de « L'Est Républicain » et implanté comme lui dans tout l'est de la France, L'EST VOYAGES étudie, pour les groupes et les particuliers, tous les projets de voyages ou de séjours de vacances.

Agence agréée, « L'Est Voyages » est le correspondant de toutes les grandes compagnies et de toutes les sociétés spécialisées. « L'Est Républicain » offre également les services de ses autres filiales.

P.M. CONSEIL, autre filiale, traite les campagnes publicitaires associant les autres médias, français ou étrangers.
5 bis, avenue Foch, 54000 Nancy, téléphone 83.59.80.54.

Photogravure
LA PHOTOGRAVURE NANCEIENNE SCAN'EST
rue Théophraste-Renaudot
Houdemont, 54180 Heillecourt
téléphone 83.56.44.12.

(Information)

nformation)

Le tourisme en Nord-Pas-de-Calais

NOS PREMIERS VISITEURS : LES ANGLAIS

Les clients suivants : les Hollandais, les Allemands et les Belges

Ethiopie

ENTRE LA PEUR ET L'ESPOIR

Les rebelles à portée de canon de la capitale
La population stocke tout ce qu'elle peut

Croissance

ACCÉLÉRATION INDISPENSABLE

L'HOMMAGE SOLENNEL A R. GANDHI

Dans un stade Bollaert plein comme un œuf...

R.C. LENS : BON POUR LES BARRAGES

Les « sang et or » ont éliminé Strasbourg (3 buts à 1)

La clôture

LILLE - METZ : 4-1

KEMPF : LA MORT D'UN ROMANTIQUE

Le célèbre pianiste allemand avait 95 ans

Grève des cheminots : un « vendredi noir » !

DEUX TRAINS SUR TROIS PRÉVUS AUJOURD'HUI

INFIRMIÈRES ANESTHÉSISTES : L'ACTION SE DURCIT

Lille-Lesquin

LE NOUVEL ENVOL DE L'AÉROPORT

22-24 avenue Charles-St-Venant
B.P. 563 - 59023 LILLE Cédex
Tél. 20.06.45.20

15 à 21 rue du Caire
59052 ROUBAIX Cédex 1
Tél. 20.75.92.56

PUBLIPRINT-RÉGIONS
3-5 boulevard de Courbevoie
92523 NEUILLY-S/SEINE Cédex
Tél. 47.47.85.00

L'ENSEIGNEMENT PUBLIC

Mensuel (durant la période scolaire : 8 ou 9 numéros par an).

Publié depuis la Libération par la Fédération générale de l'Enseignement (F.G.E.), devenue en 1946 la Fédération de l'Éducation nationale (F.E.N.).

Chaque numéro comprend un éditorial du secrétaire général consacré à l'actualité sociale et syndicale et une série de rubriques consacrées aux divers aspects de l'activité de la F.E.N. (pages économiques et sociales, problèmes corporatifs, pédagogiques, défense des libertés, de la laïcité, problèmes de la jeunesse, etc.). Des dossiers sur un thème donné sont parfois encartés dans le numéro.

Format : 21 × 29,7. Impression : totalité en quadri. Abondantes illustrations.

Impression offset par cahier de 16, 24 ou 32 pages tiré sur rotatives.

Le journal, préparé lors des réunions de l'exécutif fédéral national, est contrôlé par le rédacteur en chef (le secrétaire général de la F.E.N.) et réalisé sous la responsabilité du secrétaire de rédaction (responsable des publications) qui fait partie de l'équipe des secrétaires nationaux de la F.E.N.

– Directeur de la publication : Jacques Bory, trésorier de la F.E.N.
– Rédacteur en chef : Guy Le Neouannic, secrétaire général de la F.E.N.
– Secrétaire de rédaction : Jean Lambotin.
– Maquettes et illustrations : Pierre Dizier.
– Photocomposition-impression : Avenir Graphique.

Tirage : numéro de décembre 1988 : 400 000 exemplaires ; audience 816 000 (enquête C.E.S.P.).

Le journal est expédié à tous les adhérents de la F.E.N. (routé par France-Routages), l'abonnement étant inclus dans la cotisation.

(Information)

formation)

NORMANDIE

225 652 ex.

PARIS NORMANDIE
HAVRE LIBRE
LE HAVRE PRESSE
ET JOURNAUX ASSOCIÉS

NORD/PAS-DE-CALAIS

NORD ÉCLAIR
NORD MATIN] 178.040 ex.

HEBDO MÉTROPOLE NORD
420.116 ex.

POITOU

CENTRE PRESSE
20 078 ex.

CHAMPAGNE/ARDENNE/PICARDIE

L'UNION
110 334 ex.

D.O.M.-T.O.M.

FRANCE ANTILLES
FRANCE GUYANE] 79 000 ex.

LES NOUVELLES CALÉDONIENNES
18.000 ex.

LA DÉPÊCHE DE TAHITI] 20 000 ex.
LES NOUVELLES DE TAHITI] 25 000 ex. le samedi

RHONE ALPES/BOURGOGNE

813.352 ex.

LE DAUPHINÉ LIBÉRÉ
LE PROGRÈS
LE COURRIER DE SAÔNE-ET-LOIRE
LYON MATIN
LYON FIGARO
LA TRIBUNE/L'ESPOIR
LOIRE MATIN
VAUCLUSE MATIN
LES DÉPÊCHES
L'INDÉPENDANT
LA TRIBUNE DE MONTÉLIMAR

PUBLIPRINT-REGIONS

17, AV. DU GÉNÉRAL MANGIN - 75772 PARIS CEDEX - TÉL. : 44.30.31.32
TÉLÉCOPIE : 44.30.31.99

R.C.S. PARIS B 552 037 244

des hommes
des événements
un journal :

Le Républicain Lorrain
FRANCE JOURNAL

LA PLUS FORTE DIFFUSION DE LORRAINE

218.000 EXEMPLAIRES
665.500 LECTEURS

4 SUPPLÉMENTS HEBDOMADAIRES

LUNDI
LUNDI-MATIN-SPORT

MERCREDI
TV HEBDO

JEUDI
L'AMPLI

DIMANCHE
7 HEBDO

(Information)

formation)

franco-allemands au plus haut niveau et à de précédentes démonstrations d'amitié, la visite à Verdun avec M. Kohl et le discours devant le Bundestag en faveur des euromissiles notamment.

Tant de sollicitude se fonde sur un projet, un rêve peut-être : doter l'Europe d'un véritable pivot franco-allemand à la fois politique, économique, technologique et militaire. Et sur un calcul qui, fort simplifié, peut se résumer à l'addition des forces respectives du mark allemand et de l'atome français. Est-ce à dire que l'étincelle se produira cette semaine entre Aix-la-Chapelle, Cologne, Düsseldorf et Hanovre, itinéraire du président français, plus qu'elle n'a jailli des rencontres d'hier ?

La contrepartie majeure que Paris attend en tout état de cause de son puissant voisin est qu'il participe à ses côtés à la course à l'espace. La France espère en particulier que la RFA prendra part au projet de véhicule spatial Hermes, qu'elle compte lancer vers les années 1995-96. Mais Bonn se fait tirer l'oreille. Les Allemands lâchent de gagner du temps et de postposer tout engagement décisif de leur part. Le gouvernement allemand devrait prochainement examiner son futur programme spatial.

Sans doute peut-on s'attendre à quelque nouveau progrès dans la coopération des deux pays, en particulier dans le domaine de la défense. A la faveur du désarmement nucléaire de l'Europe négocié entre Washington et Moscou, Bonn et Paris pourraient ajouter une brique supplémentaire au mur de leur sécurité commune, un mur déjà étayé ces derniers temps de projets comme la production d'un hélicoptère de combat, la création d'une brigade franco-allemande et l'instauration d'un conseil de défense, ou cimenté par les récentes manœuvres « Moineau hardi », qui ont démontré la capacité de la force française d'action rapide à se porter au secours de la RFA.

LE SOIR

(Information)

(Information)

la bonne cuisine

N°100 JUIN JUILLET 1991 22F

BANC D'ESSAI: COTES DE PROVENCE ROUGES

SPECIAL NUMERO 100

CHARLES BARRIER
PAUL BOCUSE
MICHEL GUERARD
JOEL ROBUCHON
PIERRE TROIGROS
AUX FOURNEAUX

LA BOURGOGNE CACHEE DE BERNARD LOISEAU

MICHEL KEREVER

NOS FICHES GEANTES

L 1219 - 100 - 22,00 F

DANS
CHAQUE NUMERO
La leçon de cuisine de
Jöel Robuchon
Les dossiers cuisine
Le secret du chef
Vos achats du mois
Cuisine express
Arts ménagers
Sélection des vins

EN VENTE CHEZ TOUS LES MARCHANDS DE JOURNAUX

RÉDACTION-PUBLICITÉ : 8-10 rue Pierre Brossolette
92300 LEVALLOIS-PERRET - TÉL. 40 87 40 00
DIFFUSION TOTALE : 131 330 exemplaires - AUDIENCE : 1 736 000 lecteurs
BIMESTRIEL, PRIX AU NUMÉRO : 22 F - ABONNEMENT 1 AN : 108 F
RÉDACTEUR EN CHEF : Jean-Charles PIOT
DIRECTEUR DE LA PUBLICITÉ : J.-C. LETESSIER ASSISTÉ DE F. CAZENAVE-TAPIE

(Information)

LE CHASSEUR FRANÇAIS

Le Chasseur Français
14, rue Jean-Rey - 75015 Paris

Mensuel, 12 N^os^ par an.

Format, 255 mm x 185 mm

Abonnement.
1 an : 140 F - 3 ans : 399 F.
Le numéro : 14 F.

Directeur : **Alain Maury**

Fondé en 1885, le Chasseur Français illustre depuis plus d'un siècle, avec succès, la vie quotidienne des français. Tourné vers les loisirs de plein air : la chasse, la pêche, le jardinage, le sport..., il traite également de tout ce qui concerne la nature et particulièrement la faune et la flore.

Ce grand magazine aborde tous les sujets sous un angle pratique et concret, grâce à de nombreux bancs d'essai (fusils, cannes à pêche, produits pour le jardin...) et des conseils abondamment illustrés (jardin et bricolage).

C'est un véritable guide qui vous renseigne sur des sujets aussi variés que vos droits, les problèmes de santé, l'éducation de vos enfants, l'automobile ou les vins ! Chaque article est rédigé par un journaliste spécialiste : c'est ainsi que 250 collaborateurs participent chaque mois à la rédaction du Chasseur pour en faire un des titres les plus lus de la presse française.

Premier mensuel à dominante masculine, le Chasseur Francais diffuse aujourd'hui à plus de 576.000 exemplaires dont environ 430.000 par abonnement. Cette fidélité prouve le réel attachement des lecteurs à leur magazine qui, outre les conseils pratiques, leur offre de nombreuses pages de découverte et de détente.

Enfin, n'oublions pas les fameuses annonces du Chasseur Français (immobilier, voitures d'occasion, mariages, animaux), qui jouissent d'une incomparable réputation de sérieux, d'efficacité et de très haut rendement.

Avec plus de 2.900.000 lecteurs, le Chasseur Français se classe parmi le groupe de tête des grands supports publicitaires nationaux.

CHAQUE MOIS

Plus de 2.900.000 lecteurs

(Information)

FAMILLE magazine

LE PREMIER MENSUEL DE LA FEMME EN FAMILLE

AVEC FAMILLE MAGAZINE, vivez en harmonie avec vous-même et ceux que vous aimez :
- nos pages mode, forme, beauté vous aident à mettre votre personnalité en valeur.
- nos pages parents-enfants vous donnent tous les conseils pour l'éducation des petits et grands.
- notre rubrique couple vous aide à vivre pleinement un véritable dialogue.

AVEC FAMILLE MAGAZINE, évoluez avec votre temps grâce à nos interviews, nos enquêtes sur les principaux phénomènes de société : sexualité des jeunes, avenir professionnel, drogue, sectes...

AVEC FAMILLE MAGAZINE, découvrez chaque mois les événements qui rythment l'actualité culturelle d'aujourd'hui : musique, théâtre, cinéma, promenades, expos, télé... Goûtez l'air du temps, en famille bien sûr !

AVEC FAMILLE MAGAZINE, le quotidien est un plaisir. Tricot, couture, décoration, cuisine : un confort de vie « sur mesures » sans oublier notre supplément détachable de 12 pages, Famille Services, qui traite à fond toutes les questions de la vie pratique.

CARACTÉRISTIQUES :
Mensuel — format 210×282 — Prix au n° 14,50 F.
Abonnement 1 an :
— simple, 13 nos, 191 F inclus le spécial cuisine
— complet, 15 nos, 267 F inclus le spécial cuisine et 2 numéros hors série (parution avril, août).

Famille Magazine, 21, rue du Fg Saint-Antoine, 75550 Paris cedex 11. Tél. : 40 02 62 62

France Dimanche

LES INCONNUS

Derrière leur triomphe, un homme au flair de sorcier !

• Voir page 32

Le poignant sacrifice de CAROLINE à son amour défunt !

Sa beauté, sa jeunesse, ses longs cheveux qu'il aimait tant, elle les offre à Stefano pour toujours

Ce sourire radieux, cette élégance raffinée (à droite), Caroline a voulu que Stefano, son mari, les emporte avec lui.

Un nouveau visage austère pour commencer une nouvelle vie... sans lui !

M 1773 - 2332 - 6,50 F

Le 4 mai, à la fête des Fleurs : comme sa récente métamorphose serre le cœur !

• Lire en page 24

FRANCE DIMANCHE

6, rue Ancelle, 92525 Neuilly Cedex. Tél. : 40.88.60.00.

Hebdomadaire : Format 390 × 285.

Impression : Hélio.

Directrice : Anne-Marie Corre.

Rédacteur en chef : Bernard Pascuito. *Chef des Informations :* Jean Sebaux. *Chef du Service Photo :* Yves Leroux.

France Dimanche a fêté le 10 août 1991 ses 45 ans d'existence.

Journal parisien et impertinent à sa naissance, France Dimanche a conquis au fil des années un vaste public populaire en offrant à ses lecteurs un lien affectif, une familiarité avec les célébrités : princes et princesses, vedettes de l'écran, de la chanson ou de la télévision.

En lisant France Dimanche, l'on découvre que malgré leur beauté, leur fortune, leurs talents, leurs succès, les stars vivent les mêmes émotions que tout un chacun.

« Émotions », voilà le maître-mot de cet hebdomadaire qui veut faire partager à ses fidèles tout l'éventail des sentiments humains : amour, amitié, chagrins, joies ou problèmes familiaux, difficulté d'être et de s'affirmer, quelle que soit la situation sociale.

Mais le journal ne se contente pas d'émouvoir, d'informer et de distraire, il défend aussi ses lecteurs à travers des rubriques comme « Le Pavé dans la Mare » qui, chaque semaine, met les projecteurs du bon sens et du bon cœur sur un cas douloureux d'injustice sociale.

Avec ses pages médicales et pratiques, France Dimanche veut aussi rendre service à son public et l'aider à mieux vivre.

Sa formule se complète par des jeux : mots croisés et fléchés, des dessins humoristiques et l'horoscope de Madame Soleil.

*
* *

Pour la période du 1er janvier au 31 décembre 1990, la diffusion de France Dimanche a été de 645 975 exemplaires.

France Dimanche qui est mis en vente chaque samedi est acheté par les femmes (90 %), et parvenu dans les foyers, il est lu par environ 2,6 millions de personnes, dont 60 % de femmes et 40 % d'hommes.

Qui lit France Dimanche ? Tous les Français !

La courbe socioculturelle de ses lecteurs, établie par les instituts de sondage, est exactement parallèle à la courbe de l'ensemble de la population de l'hexagone. L'hebdomadaire touche aussi très largement le public belge puisqu'il est diffusé chez nos voisins à 55 000 exemplaires minimum chaque semaine.

Grâce à son succès auprès du grand public, France Dimanche s'affirme comme le support idéal pour les produits de grande consommation.

Une récente étude de la Secodip (Société d'Études de la Consommation, Distribution et Publicité) montre que les lectrices de France Dimanche achètent dans une proportion d'au moins 15 % supérieure à la moyenne nationale, les produits d'alimentation, les produits d'entretien, les produits de toilette et de parfumerie, les produits textiles.

(Information)

LE HÉRISSON
MARIUS-L'ÉPATANT
TOUTE L'ACTUALITÉ AVEC HUMOUR ET IMPERTINENCE
N° 2353 : DU 22 AU 28 MAI 1991 · ISSN 0750-0521

SUISSE : 2,40 FS — ESPAGNE : 175 PTAS — BELGIQUE : 55 FB — ITALIE : 2400 LIT. — LUXEMBOURG : 56 FL. — CÔTE-D'IVOIRE : 505 F CFA.

MYLÈNE FARMER

Hier provocante et libertine, Mylène Farmer est aujourd'hui «désenchantée». Titre-choc tiré de son nouvel album, qui caracole au sommet du Top 50. Mais qui se cache en réalité derrière la star adulée par les foules ?

PAGES 8-9

Festival de Lussac 91

JEAN BY CEP D'ARGENT "RIRÉVINÉ"

PAGE 10

T1848 - 2353 - 8,00 F

SOMMAIRE PAGE 40

ÉDITH À MATIGNON : PAS DE CRESSON SANS OSEILLE !

Édith s'installe à Matignon. Bérégovoy devra mettre la main au portefeuille pour gagner la bataille économique, écraser le Japon (la bête noire) et battre la droite en 93.

PAGE 3

MICHEL ROCARD "DÉMISSIONNE"

LE HÉRISSON

2 à 12, rue de Bellevue, 75019 Paris.
Tél. : 42.00.33.05.
Télex : PGV 230 472 F.
Hebdomadaire. Format 370 × 280.

Le Hérisson a 55 ans, mais il est toujours jeune et dynamique. Son premier numéro porte la date du 11 décembre 1936. Les fondateurs de l'hebdomadaire, Georges Ventillard et Albert de Bailliencourt, en suspendirent la publication pendant la durée de la guerre. Dès la Libération, le journal reparut sur papier vert : ses fondateurs voulaient ainsi affirmer une vocation humoristique.

L'actuel P.-D.G., Jean-Pierre Ventillard, est resté très attaché à la couleur de l'optimisme. Il a, par contre, décidé d'adopter, au début d'avril 1976, le format tabloïd, facilitant le maniement d'un hebdomadaire lu fréquemment dans les transports publics.

Actuellement, *le Hérisson* paraît sur quarante pages. Il est structuré à partir de cinq centres d'intérêt : le dessin humoristique, l'actualité avec humour et impertinence, le show-biz et les stars, les rubriques et les reportages et un cahier de jeux.

1) Le dessin humoristique est naturellement le support principal du journal. Toutes les études réalisées sur les motivations d'achat du titre, autant que l'abondant courrier des lecteurs, prouvent qu'une importante surface de dessins humoristiques est attendue.

Le rédacteur en chef, M. Carpentier, s'est attaché à constituer une équipe de dessinateurs homogène, n'hésitant pas, lorsque l'occasion s'en présente, à faire appel à de nouveaux talents. Parmi les maîtres du genre, on peut citer : Hoviv, Piédoue, Jeanby, Deligne, Gondot, Giraud, Mykaïa, Pinter... sans compter bon nombre d'autres humoristes, dont certains ont acquis une audience nationale, grâce au *Hérisson*.

2) L'actualité avec humour et impertinence. Chaque semaine, l'équipe des dessinateurs et chroniqueurs passe à la moulinette satirique les événements politiques et sociaux.

3) Le show-biz et les stars. Avec l'Héristar de J.-P. Fily, les Échos et Paris-sur-Scène de B. Serre.

4) Les rubriques et les reportages.

a) Les chroniques liées à l'actualité : Bernard Mabille, Arlette Didier, Célimène, Jean Amadou, Vittel, Baudry, Faure et Castellane.

b) Les rubriques magazine : Gastronomie (le Petit Louis-Philippe), Santé (Gardet... la forme), Mieux-vivre, Hériscope, Hippique... Théron, l'Almanach.

c) Les reportages : Hexagonalement vôtre, Tourisme, Bricolage, Ça c'est français, Zoo, Éphéméride, L'Homme du mois.

5) Les jeux : un cahier jeux de huit pages détachables.

ormation)

INVESTIR

16, rue de la Banque, 75002 Paris. Tél. 42-96-14-51.

— Pour ceux qui veulent protéger leur argent et le faire fructifier.

— Pour ceux qui veulent des jugements sur la situation économique et des conseils pratiques dans la conduite de leurs affaires ou de leur vie quotidienne.

Investir, chaque samedi, vous est indispensable.

*
* *

Chaque semaine, *Investir :*

— fait le point sur la conjoncture économique en France et à l'étranger, sur les faits significatifs de la politique internationale ;

— analyse l'évolution des grands secteurs industriels, publie des interviews et des tables rondes ;

— explique les mouvements qui agitent les marchés de l'or et des changes ;

— présente un panorama complet de la Bourse et donne des conseils précis sur le choix des titres avec le « Banc d'essai des valeurs » et le « Club Investir » (club d'investissement témoin) ;

— commente la tenue des places financières internationales, donne des informations sur la vie des affaires ;

— examine les différentes formules de placements : de la Caisse d'Epargne, dépôts bancaires, prêts hypothécaires, à l'immobilier et aux valeurs refuges comme les pièces d'or ou les œuvres d'art.

De plus, chaque mois, *Investir-Magazine,* supplément de 100 pages à l'hebdomadaire, apporte aux épargnants actifs une réponse complète et pratique sur tous les sujets importants concernant leurs investissements et leur gestion personnelle.

Investir est un journal indépendant des groupes industriels et financiers.

Prix du n° : 17 F.

Prix abonnement : 6 mois, 350 F ; 1 an, 595 F.

investir

LA SEMAINE PROCHAINE
INVESTIR MAGAZINE EN COULEUR
SUPPLÉMENT GRATUIT AVEC L'HEBDO

La croissance économique : un moteur pour la Bourse

Le prix du pétrole reste bas 5
Reflux du dollar 6
L'immobilier à Paris : le IXe arrondissement 10
Bon millésime pour les succursalistes 13
NOS SÉLECTIONS
• Les obligations convertibles
• Le portefeuille offensif
Havas a le vent en poupe 17
Wall Street désorientée 24
Trop de chômeurs en France 36

EN PAGE 11 : PRISES DE BÉNÉFICES À PARIS

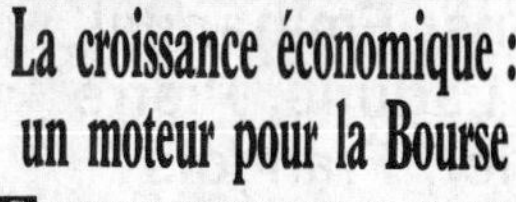

SCPI : NOS FAVORITES

A NOS LECTEURS

BOURSE INDICE CAC 40	DOW JONES NEW YORK	DOLLAR EN FRANCS	MARK EN FRANCS	MARCHÉ MONÉTAIRE (%)	OBLIGATIONS
2.094,21	2.738,51	5,53	3,38	9 3/4	9,91

(Information)

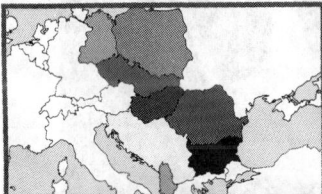

REVUES D'HISTOIRE ÉDITÉES PAR LES ÉDITIONS TALLANDIER

18, rue Neuve-des-Boulets 75548 PARIS Cedex 11

Tél. : (1) 43.70.53.53 S.A. au capital de 3 301 060 F – R.C. Paris B 552 061 103

Les Éditions TALLANDIER, qui ne s'appelaient pas encore ainsi, ont été fondées en 1865 par Georges Decaux. A la fin du XIXe siècle, elles furent célèbres sous le nom de Librairie Illustrée. Jules Tallandier, qui entra dans la société en 1883, en devint propriétaire au début de ce siècle, lui donna son nom et la dirigea jusqu'à sa mort en 1933.

Après lui, son gendre, Rémy Dumoncel, puis son petit-fils, Maurice Dumoncel, en assumèrent successivement la direction.

En 1909, Jules Tallandier, déjà éditeur de revues **Lisez-moi** consacrées à la fiction, fondait **Lisez-moi Historia**, une revue grand format, imprimée sur papier couché et abondamment illustrée. Cette première version inaugurait la vulgarisation historique. La guerre de 1914 devait en interrompre la publication. Après une brève renaissance entre les deux guerres, Maurice Dumoncel, en 1946, relance **Historia** dans la formule que nous lui connaissons aujourd'hui et en confie la direction à Christian Melchior-Bonnet qui avant les hostilités avait créé chez Flammarion le livre de poche d'histoire **Hier et Aujourd'hui.**

Chaque mois, les grands historiens sont au rendez-vous : Alain Decaux, de l'Académie française, Georges Duby, de l'Académie française, François Furet, Emmanuel Le Roy Ladurie, Jean Tulard, Michel Vovelle..., mais aussi d'autres historiens, d'autres universitaires, des journalistes et même des amateurs éclairés d'un sujet qu'ils connaissent parfaitement.

Chaque mois, toute l'Histoire... au carrefour de la mémoire et de l'actualité. Grands événements, grandes figures, réflexions, dossiers, documents, enquêtes. Des rubriques permanentes : Les événements, les livres d'Histoire, le cinéma et l'histoire... apportent aux grands sujets traités le « note » d'actualité.

Chaque mois, l'Histoire de tous les pays et sous tous ses aspects : art, littérature, médecine, techniques, société...

Le succès d'**Historia** a véritablement créé un mouvement vers la connaissance du passé. **Historia** a su mettre à la portée de tous la science des érudits et rester fidèle à sa mission de rendre l'histoire accessible en lui conservant le mouvement de la vie. **Historia** a toujours su respecter l'évolution des curiosités.

Si à l'origine nombre de lecteurs étaient attirés par le mystère et les passions... ils se sont progressivement intéressés à des sujets plus graves, nourris par l'avancement de la recherche historique. Aux études des événements, des personnalités, des destins politiques des nations... se sont ajoutés l'analyse des mentalités, l'ethnographie, les idéologies, les mouvements sociaux et économiques, l'archéologie, la démographie, les conditions de vie et de travail...

Un numéro d'**Historia** d'aujourd'hui ne ressemble plus à un numéro d'il y a quarante ans.

Depuis septembre 1989, **Historia spécial** a changé de périodicité et paraît tous les deux mois. Une autre revue qui aborde l'Histoire sous un jour nouveau. En effet, la mode et la musique, la médecine et la gastronomie, la faune et la flore, l'habitat et les loisirs... participent de l'Histoire. En outre, **Historia spécial** se tourne résolument vers l'avenir... l'inauguration d'un musée, la découverte d'un site archéologique, la sortie d'un film ou d'un livre peuvent donner lieu à un interview, un reportage photographique, un thème de concours ouvert à tous.

Historia spécial s'agrémente aussi de rubriques régulières : Fait divers, 36 chandelles, La mémoire des objets, Les couleurs de l'Histoire... En outre, chaque numéro privilégie un dossier particulier. Parmi les derniers dossiers proposés : *Les Français 1889-1989* (2 numéros) ; *les Gaulois ; La drôle de guerre ; Les croisades ; Le printemps de la défaite ; La Grèce antique ; Bagdad, l'âge d'or (750-1055), Le temps des cathédrales, Le siècle d'or de l'Espagne (1325-1648), l'Allemagne romantique...*

Historia, fidèle à sa vocation de rendre l'histoire accessible au plus large public, a lancé une série de *Guides Historia* conçus sur le principe « un lieu, un événement. » Parmi les titres déjà parus : *Le chemin des Dames, Les batailles de la Somme, Les 5 plages du 6 juin, Reims, ville royale, Le Louvre, Le canal du Midi, La ligne Maginot, La guerre de Vendée, Marie-Antoinette, prisonnière à la Conciergerie, De Lattre et la 1ère armée...*

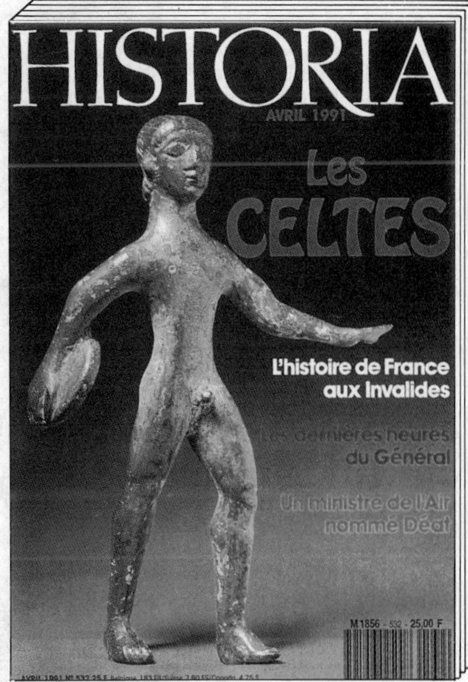

Directeur-rédacteur en chef : Jacques Jourquin

Fondateur : Christian Melchior-Bonnet

HISTORIA
Revue mensuelle
Rédacteur en chef adjoint : Viviane Berger
Secrétaire de rédaction : Marie Leroy

HISTORIA SPÉCIAL
Revue bimestrielle
Rédacteur en chef adjoint : Patricia Crété
Mise en page : Alain Bétry

Service photo : Jeannette Chalufour.
Vente, Promotion, Abonnements : Bertrand Desroche

Directeur de publication : Jacques Jourquin

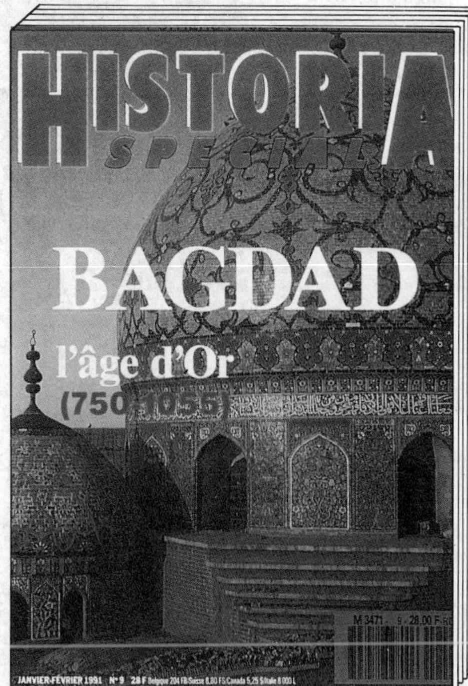

Tirage : 115 825 exemplaires - Diffusion : 72 830 exemplaires. **Répartition géographique :** Région parisienne, 24,5 % ; Bassin parisien, 14 % ; Nord 3 % ; Est, 5 % ; Sud-Est, 11 % ; Méditerranée, 11 % ; Sud-Ouest, 10 % ; Ouest, 10 % ; Etranger, 11,5 % (**O.J.D**)

1 076 000 lecteurs, dont 63 % d'hommes et 37 % de femmes, 33 % de personnes âgés de moins de 34 ans, 25 % de personnes ayant des revenus annuels supérieurs à 120 000 F. (**C.E.S.P.**)

Données techniques : **HISTORIA** – **HISTORIA SPÉCIAL** format : 170 × 240 mm.
Impression offset – Trame quadri 150 – Trame Noire 133

(Information)

PLUS d'un million et demi de lecteurs ! Avec son tirage de 535 000 exemplaires, **ICI PARIS** se place dans le peloton de tête des hebdomadaires français. Journal populaire par excellence, il ne cache rien à ses lecteurs de la vie des grands de ce monde : souverains, chefs d'Etat, vedettes du show- business, du théâtre, du cinéma et de la télévision. Interviews exclusives et révélations chocs : rien de ce qui se passe dans l'actualité n'échappe aux reportes d'**ICI PARIS.**

Les pages « médicales » et « régimes » permettent aux lectrices de se tenir à l'avant-garde des nouveautés « santé » et « beauté ». L'*Ami Public* défend tous ceux qui sont victimes d'une injustice et cette rubrique offre gratuitement à tous les lecteurs les conseils juridiques dont ils ont besoin.

ICI PARIS, c'est l'hebdomadaire qui défend, distrait et plaît à toute la famille.

ICI PARIS, ce sont les moments forts de l'actualité.

23-25, rue de Berri, 75388 Paris Cedex 08.
Tél. : (1) 49.53.49.53.

Directeur de la rédaction : Robert MADJAR
Rédacteur en chef : Jean-Pierre MONTESPAN
Chef des informations : Dany CHARDIN
Secrétaire générale de la rédaction : Betty TRUCK
Premier secrétaire de rédaction : Gérard ORIOL
Rédacteur en chef technique : Dominique PACAUD
Premier maquettiste : Yves DROUOT
Directeur de la publication : Ghislain LE LEU
Administrateur général : Christian LEVENEUR

(Information)

(Information)

le Meilleur

Créé le 5 mars 1971

L'hebdo vérité sans publicité

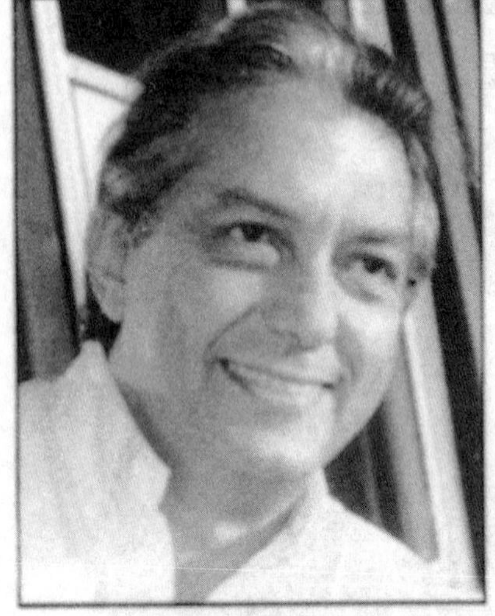

Alain Ayache
Directeur Général
Rédacteur en chef

La vraie vérité sur les hommes qui nous gouvernent

Mafalda DI MEO

Jean-Claude GOUDEAU

Hélène ATOUN

Jean-Claude MARCHAIS

6 EDITIONS REGIONALES

- Paris-Ile-de-France
- Sud-Ouest
- Midi-Pyrénées
- Provence - Côte-d'Azur
- Nord
- La Réunion

En vente le samedi

117, rue de la Tour, Paris 75016 — Tél. : 45 04 30 00 ■ Télécopie : 45 03 47 46

(Information)

(Information)

(Information)

Magazine mensuel fondé le 15 avril 1968, édité par Bayard-Presse : 2e mensuel français.

Directeur de la publication : Alain Moundlic
Directeur de la rédaction : Marcel Biard
Rédacteur en chef : Jacqueline Durand
Administrateur général : Yannick de Prémorel
Format 205×280 mm - Impression offset
Déclaration O.J.D. 90 : 1 125 070 exemplaires.

Notre Temps est un mensuel de grande diffusion au service du 3e âge. Il s'adresse aux retraités, mais aussi à l'ensemble des hommes et des femmes qui pensent à leur retraite et la préparent.

Il remplit auprès d'eux un double objectif :

- les aider à vivre leur âge en leur donnant une image valorisante d'eux-mêmes et en leur apportant les informations et les services dont ils ont besoin à cette période de la vie. En effet, chaque numéro de **Notre Temps** comporte un dossier sur les droits des retraités (Sécurité sociale, Notaire...),
- assurer une présence, la chaleur d'une amitié qui permettent à chacun de s'intégrer à la société et de rompre l'isolement.

Chaque article, confié à un spécialiste, est conçu et rédigé pour répondre aux goûts et aux besoins de lecteurs de plus de 55 ans.

Dans chaque numéro : un abondant courrier, des articles sur les droits et la condition sociale de ses lecteurs, des conseils pour garder bonne santé et bon moral, une mine d'idées pratiques, des reportages, des histoires, de l'humour.

En vente chez les marchands de journaux
Promotions et abonnements :
Notre Temps : 3, rue Bayard 75393 Paris cedex 08 - Tél. 44 35 60 60

sur

MINITEL

LES PROGRAMMES DE PARIS ET REGION PARISIENNE

CINEMAS
THEATRES
VARIETES
CABARETS
CONCERTS
MUSEES
EXPOSITIONS
VISITES GUIDEES
RESTAURANTS
etc.

Consultez aussi le

REPERTOIRE
des FILMS SORTIS à PARIS

Plus de 19 000 FICHES !

Tél. : 36.15 Code OFFi

(Information)

(Information)

POINT DE VUE IMAGES DU MONDE

L'hebdomadaire de l'actualité heureuse et princière

Paraissant le jeudi : format 230 × 297.

16, rue Chauveau-Lagarde, 75008 Paris.

Directeur fondateur : Charles Giron. Directeur de la publication : Mme Laure Boulay de La Meurthe.

Prix : 8 F.

* * *

L'histoire de *Point de Vue* est celle d'un magazine qui, sans concours financier et sans aucun lancement promotionnel, est parvenu, année après année, à se hisser au premier rang des grands périodiques illustrés français de classe internationale.

Les contrôles de sa diffusion (O.J.D.) en témoignent éloquemment :

	Tirage	*Diffusion*
1956	181 250	120 034
1966	261 858	201 876
1976	428 374	333 840
1987	486 489	365 854
1989	451 610	341 787
1990 (sur l'honneur)	475 000	356 000

Sa réussite trouve son explication dans une formule originale qui le classe à part de tous ses concurrents. Celle-ci réside dans un choix délibéré des événements pour ne retenir que ceux qui sont d'une « actualité heureuse » à la fois récréative, distrayante et instructive pour ses lecteurs.

La devise de *Point de Vue* est celle de Racine : « Il faut plaire et toucher. »

* * *

Hebdomadaire de la vie heureuse, il l'est aussi de l'actualité princière dont il s'est fait le spécialiste et avec un tel succès que, dans le monde de la presse, *Point de Vue* est surnommé comme « le journal des princesses ».

Disposant d'une iconographie exceptionnelle, d'un vaste réseau de correspondants, d'une équipe rédactionnelle spécialisée et surtout ayant acquis une notoriété et une considération incontestées, *Point de Vue* rend compte chaque semaine de tous les événements grands et petits du monde des cours royales, des familles princières et du Gotha international.

Les altesses et les princesses de notre temps appartiennent à tous les pays d'Europe (Angleterre, Espagne, Suède, Norvège, Danemark, Hollande) et elles vivent au cœur des événements. Les circonstances politiques veulent que cette Europe dite de l'Ouest se soit élargie depuis décembre 89 à l'Est. Qui mieux que *Point de Vue* peut parler historiquement des anciennes monarchies : la Roumanie, l'Albanie, la Yougoslavie, la Bulgarie ? Qui peut dire quelle sera l'évolution de ces pays ? Quelles sont leurs chances de retrouver leurs traditions ?

A ces aspects actuels, d'autres rubriques axées sur l'Histoire fourmillent dans les pages de l'hebdomadaire que ce soient les bijoux de la Couronne, les arbres généalogiques, les grandes familles, ou le patrimoine. Car l'Histoire se promène sans cesse sur les origines des familles nobles, et à travers elles sur leurs demeures et leurs restaurations, permettant d'entrer directement dans la vie actuelle puisque les châtelains ouvrent leurs demeures, tant en France qu'en Europe.

Les pages « Santé » connaissent également un intérêt soutenu. La chronique de l'espoir est désormais confiée à Martine Allain-Regnault, le docteur Bessuges répondant à un courrier aussi émouvant qu'abondant.

En ce qui concerne le monde animal, « Nos amies les bêtes », « Les Amis de Mabrouk junior », la chronique hebdomadaire de Jean-Pierre Hutin et « Animaux services » composent deux pages qui elles aussi attirent un courrier immense.

Quant à l'humour, par le texte, l'image ou le dessin, il apporte une note de distraction sans jamais tomber dans un vulgaire ou le mauvais goût.

Enfin, *Point de Vue* contient, outre une rubrique de bridge (Le Dentu) et un mot croisé (André Guillois), plusieurs petits jeux récréatifs et amusants. Tous ces sujets figurent régulièrement selon un rigoureux classement et dans une mise en pages très soignée permettant une lecture facile.

Bref, il est reconnu que chaque numéro permet de nombreuses heures d'une lecture agréable et enrichissante qui dépasse le côté éphémère des magazines hebdomadaires.

Après un premier changement de maquette en décembre 89 favorisant un renouveau du magazine et dans lequel sont apparues des chroniques nouvelles : « La Mode des altesses » admirablement mise en vedette par des couleurs et des formes chatoyantes. « Monde et Ville » reflet de l'actualité des grandes réceptions, les rallyes, premiers rendez-vous préludes à la chronique « Mariages ».

Dès lors *Point de Vue* paraît moitié en couleur, moitié en noir et blanc.

Deux nouvelles rubriques, « A la Une » ouvrant *Point de Vue* à des personnalités n'appartenant pas directement à la noblesse, mais dont la carrière, le talent en font des personnages dignes de l'interêt de tous, et le « Carnet mondain » ont vu le jour avec un grand succès.

* * *

Tout récemment, une dernière maquette du magazine transforme *Point de Vue* et le place visuellement au niveau de ses confrères de l'actualité, un format légèrement diminué, mais 12 pages supplémentaires portant sur une place prépondérante de l'actualité, un renforcement de l'ouverture vers les grands de ce monde, et bien dans le style traditionnel de *Point de Vue,* « Les Palais Gourmands », de la table de Louis XV, aux épices, et aux traditions gourmandes.

Point de Vue, dont la fidélité de la clientèle est sacrée allie donc le passé et la vie moderne ; il s'interdit le sensationnel comme le scandaleux ; il refuse le médiocre ; il laisse à d'autres les prises de position tranchées, les contestations permanentes et les mises en accusation systématiques.

Avant tout, *Point de Vue,* sur toutes ses pages et dans toutes ses rubriques, entend maintenir un rigoureux niveau de tenue et de bon ton. Ainsi s'explique qu'il réunisse l'approbation et la fidélité des publics les plus divers et même les plus exigeants.

Point de Vue entend offrir à ses lecteurs un reflet rigoureusement authentique mais tonifiant, souriant de la vie moderne. Il puise pour cela dans les richesses d'exemples et de traditions qu'ont accumulées 2 000 ans de notre Histoire, et dont l'actualité n'est jamais qu'un nouvel épisode.

* * *

Deux singularités de la publication méritent d'être soulignées.

– La première est dans la place faite à l'image photographique, tenue à *Point de Vue* pour le véritable langage moderne. Chaque numéro contient une moyenne de plus de 150 photos de toute nature : illustration, actualité, émotion, humour, etc.

– La seconde (sans précédent) réside dans la place réduite, réservée volontairement aux annonces publicitaires ; alors que tant de magazines se transforment en catalogue où le lecteur se perd, *Point de Vue* offre au contenu rédactionnel l'essentiel de sa pagination.

* * *

Point de Vue évolue : après les succès remportés en 1990 par le Hors-Série consacré aux 90 ans de la Reine Mère d'Angleterre, et le numéro Spécial édité en 40 h au moment de l'accident de Stephano Casiraghi, époux de la Princesse Caroline, *Point de Vue* lance de nouveaux Hors-Séries.

Luxueux, abondamment illustrés, portant soit sur des sujets thématiques, soit sur les Princesses et la Mode. Les numéros seront le fleuron indispensable au prestige de *Point de Vue.*

Des reliures haut de gammes permettent aux lecteurs de garder soigneusement ce magazine.

Point de Vue peut être mis *entre toutes les mains.*

Point de Vue intéresse *tous les âges* et *toutes les classes* de la société.

Point de Vue est l'hebdomadaire de la famille par excellence.

(Information)

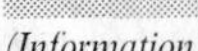

(Information)

le spectacle du monde

Realites Perspectives

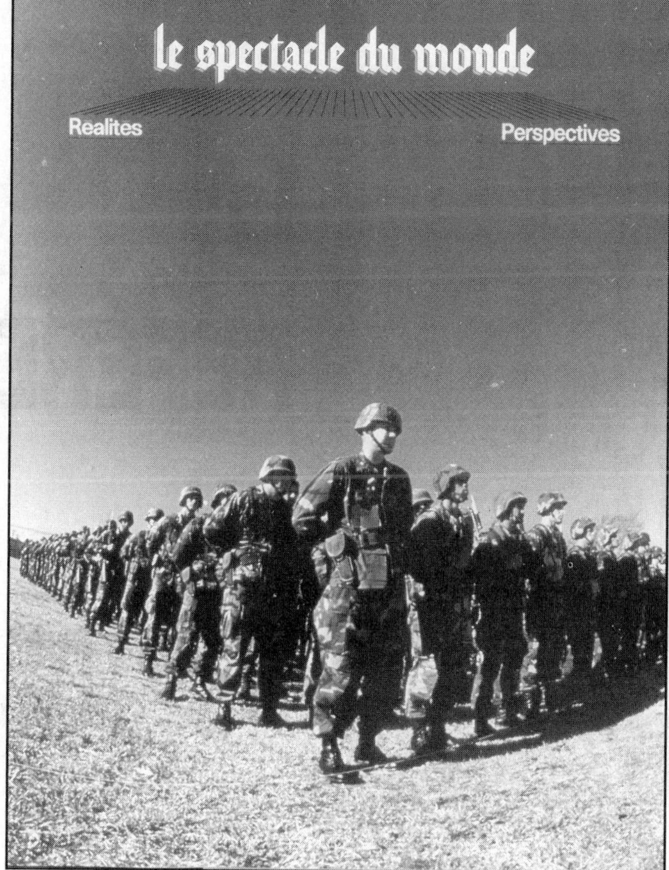

DIRECTEUR-FONDATEUR : Raymond Bourgine (†).

DIRECTION GENERALE : Jeanine Bourgine, François d'Orcival. Conseillers éditoriaux : Maurice Eisner, Michel Gurfinkiel.

REDACTION 54, rue Martre, 92586 Clichy Cedex. Tél. 42.33.21.84. Directeur général des rédactions : François d'Orcival. Rédacteur en chef : Michel De Jaeghere. Assistant : Christian Brosio. Directeur de l'illustration : Jeanine Bourgine. Politique : Eric Branca. Affaires étrangères : Frédéric Pons. Conseiller artistique : Michael Feld. Documentaliste-iconographe : Thierry de Béchade. Reporters photographes : Marc Gantier, Daniel Cande. Présentation artistique, maquettiste : Christine Sangerma. Secrétaire de rédaction : Marie-Paule Trottet.

PUBLICITE Directeur général : Jean-Jacques Schardner. Commerciaux : Sonia Elliot, Bernadette Quyollet. 54, rue Martre, 92586 Clichy Cedex. Tél. 47.66.04.06.

ABONNEMENTS (1 an : 12 numéros) : à nos bureaux, 54, rue Martre, 92586 Clichy Cedex. Règlements par chèque bancaire ou chèque postal (compte 18 58458 U Paris à « Valmonde et Cie ». France métropolitaine : 576 F TTC. France d'outre-mer : 586 F TTC. Etranger : 665 F. Les taxes aériennes sont à ajouter. Le numéro : 80 F TTC.

L'idéal et le réel

En créant « **Le Spectacle du Monde** » — il y aura trente ans en 1992 — Raymond Bourgine avait un objectif : donner à un public intelligent et curieux un outil d'observation sur le monde et son devenir.
C'est une tâche assez difficile que de conserver la foi dans son pays et de pressentir l'apparition de forces grandissantes sur la planète. Rester national dans l'ambition et universel dans la réflexion. La France et l'Europe sont confrontées à des réalités qui pèsent et pèseront sur son destin : la poussée démographique sur l'autre rive de la Méditerranée, la poussée économique du Sud-Est asiatique : tout cela était visible dans les années 1970 mais échappait aux observateurs superficiels, les yeux rivés sur le quotidien.

« **Le Spectacle du Monde** » n'est pas pour autant une revue de spéculation pure : c'est un mensuel d'actualités politiques, économiques, scientifiques et culturelles. L'utilisation de la couleur a donné un supplément de vie au texte. La photo et la légende qui l'accompagnent ont valeur d'explication.
Nos nouveaux collaborateurs, les successeurs d'un Pierre Gaxotte ou d'un Alexandre Vialatte, ont reçu pour mission d'être clairs. *« Ce qui n'est pas clair n'est pas français. »*
Nous avons choisi la méthode du récit : *« Je n'enseigne pas, je raconte »*, écrit Montaigne. Cette méthode ne signifie pas, il va de soi, que nous ayons jamais accepté la confusion des idées, l'égalisation des hommes et des talents. Elle permet une lecture agréable et surtout elle éclaire par l'anecdote et la confidence les événements du mois, les motivations réelles des gouvernements et des nations.
Ces nations que certains voulaient oublier et qui se dressent, bien vivantes, devant nos yeux.

(Information)

SYSTEME D

Pratique POUR LE BRICOLAGE ET L'AMELIORATION DE L'HABITAT

LA RÉFÉRENCE DU BRICOLAGE

UN MAXIMUM D'IDÉES ET D'ASTUCES PRATIQUES

Quid. Depuis sa création (1924), SYSTÈME D est le premier mensuel entièrement consacré au Bricolage astucieux et économique. Chaque mois, il propose à ses lecteurs des idées concrètes sur les mille et une façons de se dépanner en mettant à leur disposition les techniques des professionnels.

Son P.D.G., Jean-Pierre VENTILLARD a racheté, en 1989, la revue PRATIQUE, afin de donner à SYSTÈME D une nouvelle dimension et ainsi publier des articles à destination des femmes et des Bricoleurs débutants.

De ce fait, bricolage, jardinage, amélioration du cadre de vie, en réalisant des économies substantielles, font partie de l'objectif mensuel de la Rédaction.

Celle-ci, animée par Michel VISCONTE, est composée de journalistes parfaitement rompus aux techniques de l'équipement, de l'aménagement et de la décoration pratique.

La structure générale de chaque numéro repose sur des rubriques constantes. SYSTÈME D/PRATIQUE est le mensuel de référence du bricolage spécialisé. Il intéresse tous ceux qui veulent découvrir ou parfaire leurs connaissances du travail manuel et du savoir-faire. C'est une mine de trucs et d'astuces. Si vous cherchez une solution pour aménager ou transformer votre maison ou votre jardin, elle est dans SYSTÈME D/PRATIQUE.

SYSTEME D Pratique POUR LE BRICOLAGE ET L'AMELIORATION DE L'HABITAT

2 à 12, rue de Bellevue - 75019 PARIS
Téléphone : 42.00.33.05 - Télécopie : 42.41.89.40
Télex : PGV 220 409 F

Mensuel

(Information)

POUR LA SCIENCE

8, rue Férou – 75006 PARIS – 46.34.21.42
Directeur : Max BROSSOLET
Rédacteur en chef : Philippe BOULANGER
Directeur du marketing et de la publicité :
Henri GIBELIN

Mensuel. Abonnement 1 an : 310 F

Prix du numéro : 32 F

Créé en 1977 POUR LA SCIENCE est l'édition française de SCIENTIFIC AMERICAN, la revue scientifique la plus lue dans le monde :

- douze numéros par an dont un numéro spécial consacré à un thème unique
- huit grands articles chaque mois : sept issus de SCIENTIFIC AMERICAN et un article conçu par un chercheur de langue française
- huit rubriques régulières : "Présence de l'histoire", "Perspectives scientifiques", "Science et industrie", "Créations informatiques", "Visions mathématiques", "L'Expérience du mois", "Analyses de livres"

La qualité première de POUR LA SCIENCE réside sans doute dans sa parfaite clarté rédactionnelle. C'est ainsi que chaque article est conçu, structuré et rédigé pour être entièrement lu et compris par le lecteur non spécialiste. Une présentation élégante agrémente la lecture de POUR LA SCIENCE : photos, dessins, tableaux et graphiques contribuent à la compréhension des articles.

★

POUR LA SCIENCE édite également deux collections de livres : la Bibliothèque POUR LA SCIENCE et L'UNIVERS DES SCIENCES. Parmi leurs plus grands succès : Le Cerveau, Hérédité et Manipulations génétiques, la Dérive des continents, Le Monde mathématique de Martin Gardner, Les Molécules de la vie, Le SIDA, le Calcul intensif. La collection L'UNIVERS DES SCIENCES : Les Puissances de dix, Le Son musical, La Diversité des hommes, Le Monde des particules, Formes optimales et Mathématiques, Chaleur et Désordre, La Cellule vivante, La Drogue et le cerveau, L'Héritage d'Einstein. Et aussi une nouvelle collection : SCIENCES D'AVENIR avec 5 nouveautés.

★

UN MAGAZINE TOUT EN COULEUR

LE
PLUS FORT
DYNAMISME
DE LA PRESSE TÉLÉ
DANS
LE COMMERCE
MODERNE

Un grand format
pour un petit prix

Des programmes
clairs et pratiques

Une équipe de journalistes
spécialistes de la T.V.
et du spectacle

Des enquêtes, des reportages,
des jeux pour tous

LE GRAND MAGAZINE TÉLÉ
EN LIBRE-SERVICE

28, rue Jean-Jaurès - 92800 Puteaux
Tél. : (1) 47.76.44.14

(Information)

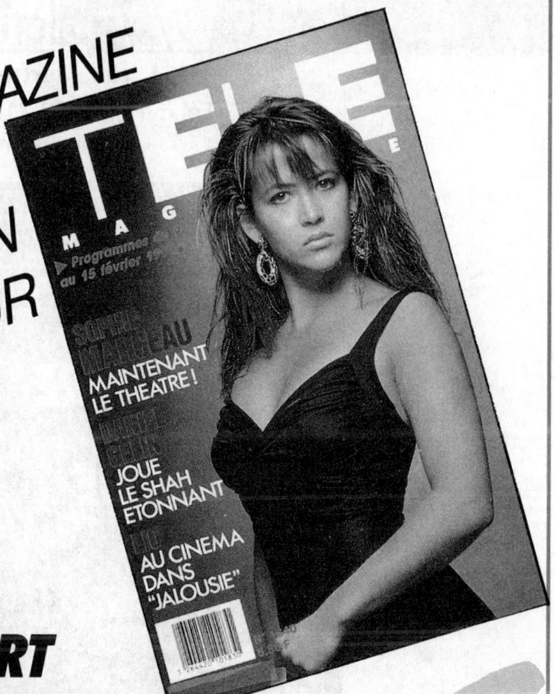

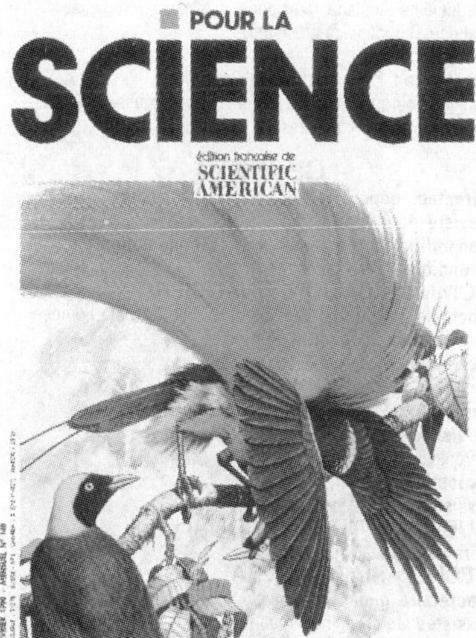

(Information)

163, boulevard Malesherbes, 75017 Paris
Tél.: (1) 48.88.46.00

FONDATEUR: Georges Hourdin
Directeur de la publication:
Jean-Claude Petit.

RÉDACTION:
Directeur: Jean-Paul Guetny.

Directrice adjointe: Dominique Mobailly

Rédacteurs en chef:
Jean-Philippe Caudron, Aimé Savard.

ADMINISTRATION - PROMOTION

Directeur général adjoint:
Georges Robin.

Directeur commercial:
Louis Stroebel.

«LA VIE» est éditée par «Malesherbes Publications» S.A. Capital 500 000 F. Durée 99 ans. Président-Directeur général: Jean-Claude Petit. Directeur général adjoint: Georges Robin. Principaux actionnaires: Groupe des publications de La Vie Catholique, Association du Personnel. Journal membre du Centre National de Presse Catholique.

PUBLICITÉ:
Media-Planète, 3, avenue de Madrid
92200 Neuilly-sur-Seine
Tél.: (1) 47 47 16 00

Données techniques
• De format 230 × 300 mm, «LA VIE» est tirée en hélio et offset, en quadrichromie.
• Le prix au numéro est de 14,50 F et celui à l'abonnement annuel en France est de 648 F (mai 91).

Qu'est-ce que «LA VIE»?

• Le premier numéro de «La Vie Catholique illustrée» paraît le 8 juillet 1945. Le journal prend rapidement de l'essor. Il s'appelle «La Vie Catholique» en 1968, puis «LA VIE», «Hebdomadaire chrétien d'actualité» en 1976.

• «LA VIE» tient une place spécifique dans la presse française:

Hebdomadaire d'opinion, «LA VIE» suscite un large dialogue sur toutes les grandes questions actuelles; il accorde une place particulière au combat pour les droits de l'homme.

Hebdomadaire d'enquêtes et de grands reportages, il privilégie la recherche sur le terrain; c'est un des rares journaux français à posséder encore une équipe de grands reporters.

Hebdomadaire chrétien, il publie chaque semaine l'Évangile et son commentaire et des informations sur la vie des croyants et des communautés chrétiennes en France et dans le monde.

• «LA VIE» offre à ses lecteurs une excellente qualité de **reproduction photographique:** elle leur parvient à plat, sous enveloppe plastique, afin de préserver la beauté des documents.

• «LA VIE» est un hebdomaire national **de grande diffusion,** qui compte plus de 300 000 exemplaires diffusés par semaine.

Le public de «LA VIE»

D'après l'enquête réalisée en 1990-91 par le C.E.S.P., «LA VIE» est lue par 1 263 000 personnes, dont 62 % de femmes et 38 % d'hommes.

«LA VIE» a un public jeune: 25 % de ses lecteurs sont âgés de 15 à 34 ans.

Géographiquement, ce lectorat se répartit de la façon suivante: région parisienne: 12 %; Nord: 5 %; Est: 10 %; Bassin parisien est: 7 %; Bassin parisien ouest: 7 %; Ouest: 21 %; Sud-Ouest: 13 %; Sud-Est: 15 %; Méditerranée: 10 %.

(Information)

(Information)

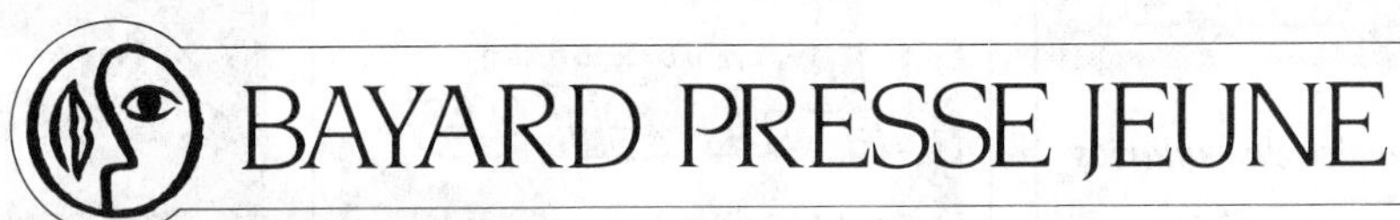

14 magazines, des lectures passionnantes de 1 an à 20 ans.

POPI

Dès 1 an, le journal de tous les bébés.
Un magazine gai et coloré, réellement adapté aux tout-petits. Des premiers mots aux premiers discours.
Mensuel.
Diffusion O.J.D. 90 : 98 086 ex.

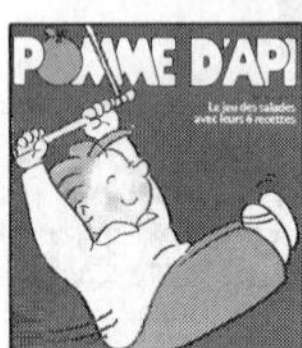

POMME D'API

De 3 à 7 ans, le grand journal qui fait jouer l'imagination.
Le magazine numéro 1 de sa catégorie. Une référence dans la presse enfantine. Au centre, un cahier spécial pour les parents.
Mensuel.
Diffusion O.J.D. 90 : 147 053 ex.

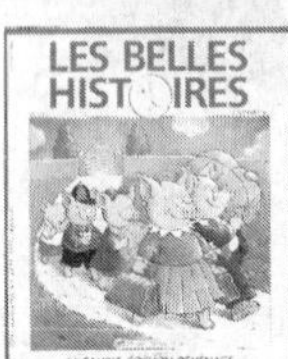

BELLES HISTOIRES

De 3 à 7 ans, le plaisir des histoires, la magie des images.
De grandes histoires merveilleusement illustrées. La première collection de magazines à lire encore et encore.
Mensuel.
Diffusion O.J.D. 90 : 72 594 ex.

YOUPI

De 3 à 7 ans, le journal des grands curieux.
Pour répondre aux "pourquoi et comment" des grands curieux et leur apprendre à tout faire tout seul comme "des grands".
Mensuel.
Diffusion O.J.D. 90 : 64 488 ex.

BABAR

De 3 à 8 ans, un journal de roi pour tous les enfants.
Pour le plaisir de retrouver les aventures de Babar, des découvertes étonnantes et des jeux futés.
Mensuel.
Diffusion 90 : 60 000 ex.

ASTRAPI

De 7 à 10 ans, pour tout comprendre en s'amusant.
Un vrai magazine à malices qui parle de tout ce qui intéresse les 7-10 ans. En supplément, Le petit journal, pour découvrir l'actualité avec humour.
Bimensuel.
Diffusion O.J.D. 90 : 87 888 ex.

J'AIME LIRE

De 7 à 10 ans, un drôle de petit livre qui donne le goût de lire.
Un vrai roman illustré, bien adapté aux lecteurs débutants. Des jeux, et Tom-Tom, une drôle de bande dessinée.
Mensuel.
Diffusion O.J.D. 90 : 145 182 ex.

GRAIN DE SOLEIL

De 8 à 12 ans, le journal des enfants curieux de Dieu.
Un magazine illustré, gai, moderne, pour éveiller leur foi et répondre à toutes les questions qu'ils se posent sur Dieu, la religion et les autres.
Mensuel.
Diffusion O.J.D. 90 : 67 682 ex.

IMAGES DOC

De 8 à 12 ans, le magazine-découvertes.
Un magnifique magazine qui fascine les enfants et leur donne envie de tout savoir.
Mensuel.
Diffusion O.J.D. 90 : 98 086 ex.

JE BOUQUINE

De 10 à 15 ans, le magazine pour découvrir le plaisir de lire.
Pour lire des romans inédits, écrits par de grands écrivains d'aujourd'hui et pour en savoir plus sur les meilleurs auteurs classiques.
Mensuel.
Diffusion O.J.D. 90 : 73 407 ex.

OKAPI

De 10 à 15 ans, le journal pour tout comprendre.
Avec ses 24 dossiers indispensables pour le collège, Okapi, tous les 15 jours, ouvre l'univers à ses lecteurs.
Bimensuel.
Diffusion O.J.D. 90 : 125 239 ex.

I LOVE ENGLISH

De 12 à 15 ans, leur premier magazine en anglais.
Un magazine séduisant entièrement écrit en anglais, avec un lexique dans chaque numéro, pour progresser de façon amusante.
Mensuel.
Diffusion O.J.D. 90 : 72 237 ex.

PHOSPHORE

De la 3ème à la terminale, le magazine des années-lycée.
Le seul magazine pour les lycéens avec des conseils pour réussir ses examens et choisir son futur métier. Des dossiers pour les cours et des fiches pratiques pour réviser.
Mensuel.
Diffusion O.J.D. 90 : 105 123 ex.

TODAY IN ENGLISH

De la seconde à l'après-bac, le magazine qui donne du souffle à votre anglais.
Une façon intelligente, originale et vivante d'enrichir son anglais. Pour lire couramment tout en s'informant sur le monde d'aujourd'hui.
Mensuel.
Diffusion 90 : 65 000 ex.

Editeur : Bayard Presse, 3 rue Bayard, 75393 Paris Cedex 08.
Directrice Bayard Presse Jeune : Mijo Beccaria. Directrice adjointe : Anne-Marie de Besombes.
Diffusion par abonnement au service relations abonnés Bayard ou top J chez les marchands de journaux.

(Information)

Un rôle et une présence jamais démentis en matière de presse enfantine grâce à la compétence de journalistes, d'éducateurs, de psychologues et de spécialistes de l'enfance et de la communication qui collaborent aux différentes revues.

FLEURUS PRODUCA

21, rue du Fg Saint-Antoine • 75550 PARIS CEDEX 11 • TéL (1) 40 02 63 00

abricot

Dès 18 mois

- mensuel,
- le premier compagnon des tout petits,
- tirage : 60 000 exemplaires.

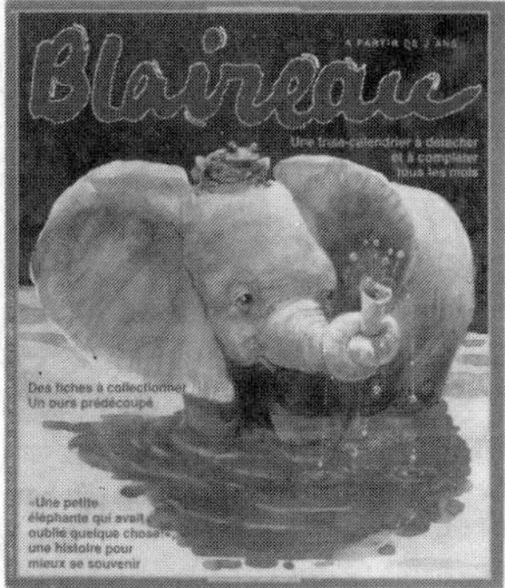

Blaireau

Dès 3 ans

- mensuel,
- coédition Gallimard,
- le magazine de l'éveil à la lecture,
- tirage : 65 000 exemplaires

perlin et pinpin

Dès 4 ans

- hebdomadaire,
- l'ami complice du mercredi,
- tirage : 40 000 exemplaires.

JE LIS DÉJÀ

Dès 6 ans

- mensuel,
- le premier magazine à lire tout seul,
- tirage : 47 000 exemplaires.

FRIPOUNET

Dès 8 ans

- hebdomadaire,
- le compagnon des enfants qui bougent et sont curieux de tout,
- tirage : 50 000 exemplaires.

TRIOLO

Dès 10 ans

- bi-mensuel,
- son premier vrai journal,
- tirage : 36 000 exemplaires.

Dès 3 ans

- mensuel,
- la découverte de la vie sauvage,
- Tirage : 54 000 exemplaires.

HIBOU

Dès 8 ans

- mensuel,
- pour vivre la grande aventure de la nature,
- tirage 80 000 exemplaires.

(Information)

(Information)

Types de jeux

Origine du mot. De l'italien *Casino* (maison de campagne).

Baccara banque. Jeu de cercle. La banque (baccara à 2 tableaux) se joue avec 6 jeux de 52 cartes placés dans un sabot. Le banquier joue contre les pontes répartis au 1er tableau situé à sa droite, et au 2e tableau à sa gauche. Au 1er coup, les cartes sont tenues sur chaque tableau par les 1er pontes à la droite et à la gauche du banquier. Les pontes doivent se prononcer au 1er tableau puis au 2e. S'il n'a pas abattu, l'ayant main doit poser ses cartes sur le tapis après avoir parlé ; elles ne pourront être retournées qu'après l'annonce du point du banquier. Sur chaque tableau, les cartes passent au joueur suivant, dès que l'ayant main a perdu le coup. Les points sont comptés selon la valeur nominale des cartes, l'as comptant pour 1 et tous les dix et figures pour 0. Si le total dépasse 10, on déduit 10 ou les multiples de 10, par exemple 2 six valent 2 et trois sept valent 1. Le banquier donne 2 cartes alternativement en commençant par le ponte du tableau de droite et en terminant par lui-même. Les joueurs sont tenus de se conformer au tableau de tirage. *Tableau de tirage des pontes :* le ponte demande une carte s'il a baccara (0), 1, 2, 3 ou 4. Il tire ou reste à son choix s'il a 5. Il reste s'il a 6 ou 7. Il abat s'il a 8 ou 9. Aussitôt que les pontes ont annoncé, le banquier retourne ses cartes, il tire ou reste en tenant compte de sa propre main et des cartes données aux pontes.

Black jack (ou vingt-et-un). Connu au XVIIe s. Se joue avec 6 jeux de 52 cartes, avec un croupier et un nombre indéterminé de joueurs (ou pontes). Le but consiste à obtenir « black jack » c'est-à-dire 21 points avec 2 cartes. A défaut, le joueur doit s'efforcer d'obtenir 21 points avec plusieurs cartes ou de s'en approcher. Celui qui dépasse 21 a perdu. Les joueurs déposent leurs enjeux. Puis le croupier distribue une carte à chacun, une à lui-même puis une 2e à chaque joueur. Celui-ci peut demander d'autres cartes. Les joueurs étant servis, le croupier se sert une 2e carte. L'as vaut 1 ou 11 points (selon la volonté du détenteur), les figures valent 10 pts, les cartes numérales gardent leur valeur. Le joueur faisant black jack (21) avec ses 2 premières cartes reçoit 1 fois 1/2 le montant de sa mise. Les titulaires d'une place « assise » pontent à tous les coups, le croupier plaçant les cartes devant chaque enjeu ; si le joueur est plus près de 21 que le banquier, il est payé, sinon le croupier encaisse la mise. Seul le joueur assis devant une case peut décider du jeu pour cette case. D'autres joueurs peuvent miser avec lui sur cette case si le total des mises ne dépasse pas le max. autorisé.

Boule. Une bille est lancée dans une cuvette circulaire avec 9 trous numérotés de 1 à 9 : le 5 est jaune ; 1, 3, 6 et 8 sont noirs ; 2, 4, 7 et 9 sont rouges. On peut jouer un numéro plein ou une chance simple : pair ou impair, manque (numéros 1 à 4) ou passe (6 à 9), rouge ou noir. *Gain :* pour les numéros pleins 7 fois, autres possibilités 1 fois. *Chances simples :* un joueur qui ne mise que sur le noir (nos 1, 3, 6, 8), le rouge (2, 4, 7, 9), le pair (2, 4, 6, 8), l'impair (1, 3, 7, 9) ne peut avoir que 4 chances sur 9 de gagner (le 5 n'étant pas compté). *Numéro plein :* le joueur a 1 chance sur 9 de voir sortir son numéro et il ne lui est payé que 8 fois (la mise plus 7). L'espérance mathématique n'est que de 8/9, ce qui est très défavorable pour le joueur.

Chemin de fer. Jeu de cercle. Se joue avec 6 jeux de 52 cartes placés dans un sabot après avoir été mêlés par le croupier et coupés par un joueur. Les joueurs jouent entre eux, le détenteur du sabot est le banquier ; les autres les pontes. Le 1er banquier est le joueur assis à la droite du croupier. La banque tourne ensuite dans l'ordre des numéros. Le banquier met en jeu une somme comprise dans des limites prévues. Le croupier annonce le montant du banco et les joueurs se prononcent dans l'ordre de leurs numéros. *Banco seul :* un joueur couvre seul le montant de la banque et joue contre le banquier. *Banco avec la table :* un joueur couvre la moitié du montant de la banque, l'autre moitié peut être couverte par les autres joueurs. Les cartes sont données au joueur ayant fait l'annonce. Celui-ci a la priorité sur les autres joueurs pour l'éventuel banco seul suivi. *Banco la table marche :* un joueur couvre au moins la moitié du banco et complète les enjeux après tout le monde, s'il y a lieu. Il a les mêmes prérogatives que dans le cas précédent. *La main suit :* quand le banquier a perdu. *La main passe :* quand le banquier le décide. Dans ce cas, elle est rachetée au taux dans l'ordre des numéros de la table, elle est ensuite proposée aux joueurs debout ; à défaut, elle est mise aux enchères par le croupier. Le banquier peut prendre un associé dans sa main ; chaque joueur ne peut s'associer plus d'une fois avec un banquier au cours d'un tour de sabot. L'associé du banquier peut racheter la main au taux, mais ne peut participer aux enchères. Le joueur ayant racheté une main au taux est tenu au premier coup de donner la totalité du banco. L'as compte pour 1 et tous les dix et figures pour 0. Si le total dépasse 10, on déduit 10 ou les multiples de 10, par exemple 2 six valent 2, 3 sept valent 1. Le banquier donne 2 cartes alternativement en commençant par le ponte. Les joueurs, banquier ou pontes, sont tenus de se conformer au tableau de tirage. *Tableau de tirage du ponte :* le ponte demande une carte s'il a baccara (0), 1, 2, 3 ou 4. Il tire ou reste à son choix s'il a 5. Il reste s'il a 6 ou 7. Il abat s'il a 8 ou 9. Quand le ponte a annoncé, le banquier retourne ses cartes ; il tire ou reste en tenant compte de sa propre main et de la carte qu'il a donnée (V. tableau de tirage Quid 84, p. 1592).

Machine à sous. **V. 1890** inventée en France. **1909**-*22-6* circulaire les taxant de 10 F par an. **1911** 120 000 appareils en France. **1938**-*31-8* interdiction totale. **1988** de nouveau autorisée.

Punto y banco. Jeu de cartes proche de la banque ouverte. Autorisé en France dep. 1987.

Roulette. Plateau mobile, avec cylindre de 56 cm de diam. divisé, en 37 cases correspondant aux 36 numéros + le zéro (18 rouges, 18 noirs, 18 pairs, 18 impairs ; les Nos 1 à 18 sont manque, 19 à 36 passe). Le plateau est lancé alternativement dans un sens puis, au coup suivant, en sens inverse. Une bille est lancée dans le sens inverse de la rotation du plateau.

Le joueur touchant un numéro plein reçoit 35 fois sa mise (1 chance sur 37) ; un cheval (2 num.) 17 fois ; une transversale (3 num.) 11 fois ; un carré (4 num.) 8 fois ; 4 premiers num. 8 fois ; un sixain (6 num.) 5 fois ; une douzaine ou une colonne (12 num.) 2 fois. Chances simples (jeu, pair, impair, rouge, noir, manque, passe : 18 num.) 1 fois ; mise à cheval sur 2 colonnes ou 2 douzaines (24 num.) 0,5 fois. Num. zéro 35 fois.

Maximums autorisés à la roulette

aux tables minimum :	10 F	20 F	50 F
Sur :			
1 plein	300	600	1 500
1 cheval	600	1 200	3 000
1 transversale	1 000	2 000	5 000
1 carré	1 200	2 400	6 000
1 sixain	2 000	4 000	10 000
1 col. ou douz.	5 000	10 000	25 000
1 chance simple	10 000	20 000	50 000
2 col. ou 2 double	20 000	40 000	100 000

Roulette américaine. Comporte 36 numéros et 2 zéros. Moins favorable : le joueur paie 35 fois la mise un numéro qui en vaut 37 (soit un prélèvement double), la maison ramasse entièrement les mises sur les égalités (rouge, noir, manque, passe, pair, impair) lorsque sort le zéro ou le double zéro. Les rapports des enjeux sont les mêmes qu'à la roulette.

Roulette anglaise. Même principe que la r. américaine. Tapis et cylindre français sans double zéro.

Trente-et-quarante. Se joue avec 6 jeux de 52 cartes. Valeur des cartes : figures 10, as 1, la valeur marquée pour les autres. Le croupier étale une 1re rangée de cartes appelée la noire, jusqu'à ce que le total atteigne au moins 31. Puis il étale une 2e, la rouge. La rangée la plus près de 30 gagne. Si la 1re carte de la série noire est de la même couleur que la série gagnante, on dit que *Couleur* gagne ; si elle est de l'autre couleur, c'est *Inverse* qui gagne. *Chance :* inscrites sur un tapis (où sont déposées les mises). Simples, payées à égalité (1 fois la mise), qui sont noirs, rouges, couleurs inverses. Chaque coup entraîne l'annonce de 2 chances : noir et couleur, noir et inverse, rouge et couleur, rouge et inverse. Le casino prélève 1 % environ. Pour le joueur, 0,912175 % quand la mise est « assurée ».

Vingt-trois. Roulette dont les numéros ont des rapports différents : 1, 2, 3, 4 rapportent 23 fois la mise, 5 à 11 : 11 fois, et 12, 13, 14 : 7 fois.

Casinos dans le monde

Nombre, entre parenthèses **nombre de visiteurs** en millions et, en italique **produit brut des jeux** en milliards de F (1987) USA 167 (52) *70* (uniquement Las Vegas et Atlantic City), *France 138 (1,9) 1,* G.-B. 115 (n.c.) *3,3,* All. féd 31 (7,5) *3,* Espagne 22 (3,5) *1,4,* Autriche 11 (1,8) *0,5,* Portugal 8 (n.c.) *1,1,* P.-Bas 6 (2,1) *0,6,* Macao 5 (n.c.) *1,7,* Italie 4 (2,3) *1,4,* Monaco 2 (n.c.) *0,7.*

Nota. – Le 2-4-1990, ouverture à Atlantic city (New Jersey, USA) du Taj Mahal, casino construit par Donald Trump ; 3 000 machines à sous, 167 tables de jeu.

Casinos en France

Réglementés par la loi du 15-6-1907. Réunis dans le Syndicat des casinos de France (SCF).

Exercice du 1-11-1988 au 31-10-89 [produit brut des jeux soumis à prélèvement (après abattement de 25 %) en millions de F et entre parenthèses jeux automatiques]. 1172,9 dont Divonne 251,9 (93), Deauville 226,3 (100,3), Cannes-Croisette 171,7 (118), Nice-Ruhl 169,4 (96,7), Lyon vert 122,6 (88), Evian 122 (66,5), Enghien 107,7 (autorisation de 12 tables de roulette et de 8 black jack le 1-3-1990), Cannes-Carlton 80,5 (pas d'autorisation), Mandelieu-Loews 60,9 (39), Amnéville 53,2 (39,4).

Casinos autorisés à exploiter les machines à sous (au 25-7-1991) : Aix-les-Bains Grand Cercle, Aix-les-Bains Nouveau Casino, Amnéville, Arcachon, Bagnères-de-Luchon, Brides-les-Bains, Canet-Plage, Cannes Croisette, Cap d'Agde, Cherbourg, Deauville, Dieppe, Divonne, Dunkerque, Evian, Forges-les-Eaux, Fort-Mahon, La Grande-Motte, Granville, Lacaune, Lons-le-Saunier, Luc-sur-Mer, Nice Ruhl, Niederbronn, Ouistreham, Pau, Perros-Guirec, Port-Barcarès, Pornichet, Royan, Sables-d'Olonne Sports, Sables-d'Olonne Plage, Saint-Amand-les-Eaux, Saint-Raphaël, Santenay, La Tour de Salvagny, Le Touquet Quatre-Saisons, Trouville.

Été 1988, 1 600 machines installées sur 5 000 prévues. Elles doivent rapporter 350 millions de F à l'État et aux communes.

Le 1-3-1989, fermeture par le ministre de l'Intérieur des Casino-club de : Nice, Beaulieu, La Rochelle, Royat-Chamallières, Vichy, Bandol, La Bateliere ; 30-4-1989 : Menton, Plombières.

☞ Le casino a le droit d'exclure un joueur sans justification ou d'interdire pour 1 soirée l'entrée de la salle de jeux sans donner d'explications ; en pratique pour tenue négligée, ivresse. L'interdiction pour tricherie est prononcée par l'État (elle concerne tous les casinos et pour toujours). Sont également interdits les mineurs, les gens en tutelle, en curatelle, privés de leurs droits civiques. Un joueur peut se faire interdire volontairement l'entrée des casinos. Cette interdiction d'une durée de 5 ans est irréversible. (En France, près de 5 000 personnes sont interdites de jeu dont plus de la moitié le sont volontairement.)

Flipper. *Origine :* XIXe s. le billard anglais ou bagatelle. **1929** John Sloan propose à la In and Outdoor Games Inc. le Whoopee. **1931** Richard T. Moloney crée le Ballyhoo. Sté amér. Bally crée le Rockelite. **1938** Samuel Gensberg invente le Beam-Light. **1947** apparition du mot flipper avec le Bermuda et le Humpty Dumpty.

Jackpot. U.S.A. *Record :* 40 millions de $ (356 millions de F) grâce au report d'une semaine sur l'autre des lots gagnants non attribués, le 1-9-1985 à Chicago (Illinois) ; Michael Wittowski (28 ans, imprimeur) recevra 2 millions de $ (17,8 millions de F) chaque année pendant 20 ans (moins 22,5 % d'impôts). Près de 23 millions de billets avaient été vendus pour le tirage. Le vendeur du billet gagnant a reçu 400 000 $ de récompense. **France.** *Record :* 1 246 297,30 F à Deauville en nov. 1988.

Juke-box. 1889 gramophone à cylindres public, muni de 4 écouteurs. **1906** phonographe Automatic Entertainer se remontant à la main. **1926** gramophone électrique. **1928** audiophone avec choix de 8 disques. **1941** disques à la verticale. **1948** le MIOOA avec 100 disques au choix. **1950** le MIOOB, 1er pour 45 t. **En service :** *1965* 26 456 ; *70* 31 818 ; *80* 45 471 ; *84* 32 000.

☞ Autres jeux : voir p. 1923.

Femmes

Généralités

Féminisation des noms de métier, fonction, grade ou titre (Circulaire ministérielle du 11-3-1986). *Noms terminés par un « e » muet :* féminin identique (architecte, comptable) ; *une autre voyelle :* f. en « e » (déléguée) ; *une consonne :* f. identique au masculin (médecin) ou en « e » avec éventuellement accent sur dernière voyelle ou doublement de la dernière consonne (agente, huissière, mécanicienne) ; *en « teur » :* si le « t » appartient au verbe de base : f. en « teuse » (acheteuse) sinon en « trice » (animatrice). L'usage actuel tend à donner un f. en « trice » même pour des noms dans lesquels le « t » appartient au verbe de base (éditrice). Dans certains cas, forme en « trice » non acceptée : dans ce cas f. identique (auteur). Autres noms en « eur » : f. en « euse » (vendeuse, danseuse).

Journée internationale des femmes (8 mars)

Origine. 1910 *août* 2e conférence internationale des femmes socialistes à Copenhague, Clara Zetkin (journaliste all.) fit voter une résolution proposant que les « femmes socialistes de tous les pays organisent une journée des femmes ». *-8-3* rappelle la grève des ouvrières du textile, qui opposa les f. à la police de New York, le 8-3-1857. **1911**-*8-3* un million de f. manifestent en Europe. **1913**-*8-3* f. russes organisent des rassemblements clandestins. **1914**-*5-7* manif. à Paris (group. des f. socialistes avec Louise Saumoneau). **1915**-*8-3* Oslo, f. défendent leurs droits et réclament la paix. **1917**-*8-3* f. russes manifestent pour le pain et contre la guerre (signal de la révolution). **1921** Lénine décrète le 8-3 Journée des femmes. **1924** célébrée en Chine. **1943**-*8-3* résistantes ital. manifestent. **1946** journée célébrée dans pays de l'Est. **1947**-*8-3* Léon Blum salue la place importante des f. dans la Résistance. **1948**-*8-3* à l'appel du PC et de la CGT, 100 000 f. défilent de la République à la statue de Jeanne d'Arc (30 000 à Marseille, 12 000 à Lille, 5 000 à Lyon). **1982** Statut officiel de la Journée en France (Pierre Mauroy et Yvette Roudy).

Décennie de la femme 1975-85. Du 10 au 26-7-1985 : Nairobi (Kenya), une conférence internationale des Nations unies a réuni 10 000 femmes du monde entier pour faire le bilan.

> **Record de fécondité.** 2 femmes ont eu 69 enfants en 27 couches ; une Russe († 1782), Mme Fiodor Vassilief, et une Autrichienne († 1911 à 56 ans), Mme Bernard Scheinberg. Les deux ont eu 4 fois des quadruplés, 7 fois des triplés et 16 fois des jumeaux. Bernard Scheinberg se remaria et eut 18 enfants de sa 2e femme.
>
> **La plus jeune grand-mère.** Une Noire musulmane du Nigeria, Mum-zi, concubine du chef de Calabar, mit au monde à 8 ans et 4 mois une fille qui fut mère à son tour à 8 ans. Elle fut donc grand-mère à 17 ans.
>
> **Grandes différences d'âge au mariage.** On peut citer Lucile de CHATEAUBRIAND (1764-1804), qui épousa à 32 ans Monsieur de Caud, de 37 ans son aîné, qui mourut un an après leur mariage. Le roi Philippe VI de Valois (56 ans) épousa en 2e noces, Blanche de NAVARRE (19 ans). Diane de POITIERS (1499-1566) était la maîtresse d'Henri II (il avait 20 ans de moins). Laure de BERNY (1777-1836), mère de 9 enfants, devint en 1822, à 45 ans, la maîtresse de Balzac (23 ans).

Différences hommes (H.)-femmes (F.). Agressivité. *F. :* moindre due à la prolactine (hormone). **Alcool.** *H. :* le supportent mieux, une enzyme le dégradant mieux chez eux. **Bégaiement.** 3 fois plus fréquent chez l'H. **Cerveau.** *F. :* capacités mieux réparties dans les 2 hémisphères du cerveau féminin. **Chromosomes sexuels.** *H. :* XY, *F. :* XX. **Graisse.** *F. :* en ont 2 fois + que les H., surtout poitrine, hanches. *H. :* surtout abdomen. **Mathématiques.** D'après différentes études et tests (controversés), *F. :* aptitude moindre. **Naissances.** Taux légèrement supérieur pour les filles. *Conceptions :* 130 à 150 garçons pour 100 filles, mais beaucoup de fœtus mâles sont victimes d'avortements spontanés. **Sommeil** (adolescence). *Troubles :* plus fréquents chez les filles. *Difficultés d'endormissement* (en %) : filles 46, garçons 35, *réveil nocturne :* f. 25 (g. 16), *cauchemars* f. 11 (g. 5). **Sport.** Coubertin, rénovateur des Jeux olympiques, disait en 1912 : « Une olympiade femelle serait impratique, inintéressante, inesthétique et incorrecte. » Certains records seront cependant détenus par des femmes : Jennie Longo, cycliste 46,352 km (bat les records de l'heure de Fausto Coppi 1942 et Jacques Anquetil 1956), mais avec un matériel amélioré. Angela Bandini, plongeuse en apnée, a battu d'un mètre Jacques Mayol (106 m). **Système cardio-vasculaire.** *F. :* hormones entraînant une meilleure élasticité des vaisseaux pour permettre les augmentations de volume sanguin liées à la grossesse. Hormones faisant produire plus de « bon » cholestérol. **S. immunitaire.** *F. :* œstrogènes renforçant l'immunité, les protégeant mieux contre les infections. **Taille.** *H. :* moyenne 10 cm de +.

Esclaves. Des centaines de femmes sont encore vendues comme esclaves en Inde, dans la région de Dholpur-Morena.

Excision. Ablation partielle ou totale du clitoris (clitoridectomie) et parfois des petites et grandes lèvres qui sont alors suturées (infibulation). Cette pratique, qu'aucune religion et législation nationale n'impose, se développe dans le monde arabe et en Afr. noire où l'on avance des motifs moraux, hygiéniques, sociaux et esthétiques. *Effets fréquents :* hémorragie (décès possibles), cicatrisation douloureuse, infections chroniques et complications obstétriques entraînant la stérilité, perturbation de la sexualité allant jusqu'à la frigidité. En France, l'excision d'une enfant de – de 15 ans relève de l'art. 312 du Code pénal. 75 à 85 millions de femmes sont excisées ou infibulées en Afr., Indonésie, Malaisie. En France 23 000 femmes et enfants.

> **L'Église catholique et les femmes**
>
> Selon une légende, un concile aurait débattu de cette question « Les femmes ont-elles une âme ? ». En fait, lors d'un synode provincial (Mâcon 585), un assistant protesta qu'une femme ne pouvait être appelée homme. Les évêques répondirent, en citant la Genèse : « Au commencement Dieu créa l'homme, il les créa mâle et femelle et leur donna le nom d'Adam ou homo terrenus, homme de la terre. L'épouse fut donc désignée comme le mari et tous deux furent appelés homme. » De même, le Christ est dit Fils de l'homme bien qu'il soit né d'une femme, car le mot femme est entendu ici au sens génétique, mais la protestation mal traduite donna « une femme ne peut être appelée créature humaine ».
>
> En 1965, dans un des textes de Vatican II (*Gaudium et Spes*), l'Église a condamné toute forme de discrimination. Mais le canon 1024 du nouveau code réserve le « pouvoir de l'ordre » (diacre, prêtre, évêque) aux hommes, et les femmes ne jouissent pas des pleins droits et devoirs des laïcs [le lectorat et l'acolytat (canon 230) sont réservés explicitement aux hommes]. Le canon 517 prévoit d'accorder des charges aux femmes « par suppléance ». Ex. être juges et assesseurs dans les tribunaux ecclésiastiques. Mais le canon 129 renforce le pouvoir clérical (« seuls les membres ordonnés sont habilités au pouvoir de juridiction ») et précise que les laïcs peuvent coopérer à l'exercice de ce même pouvoir, selon la norme du droit.

Femmes-girafes. Birmanie : les Padaungs portent des spirales de métal autour du cou qui, en provoquant l'affaissement du haut du thorax, font atteindre au cou 30 cm de hauteur.

Femmes à plateaux. Dans la tribu Saras-Djingés (sud du lac Tchad), les femmes portent 2 petits bouquets de feuilles attachés à la taille par une ficelle. L'homme choisit sa fiancée très jeune, souvent une fillette de 4 ou 5 ans, parfois un nourrisson ; entre 5 et 10 ans, il perfore ses lèvres puis y dispose des plateaux dont il augmentera le diamètre jusqu'à 7 cm pour la lèvre supérieure, 17 cm pour la lèvre inférieure (parfois 24 cm).

Place. Les femmes représentent 50 % de la population adulte mondiale et 1/3 de la main-d'œuvre officielle. Elles accomplissent près des 2/3 de l'ensemble des heures de travail, ne reçoivent que 1/10e du revenu mondial et possèdent moins de 1 % de la propriété mondiale. Dans le tiers monde, 40 % sont illettrées (hommes 20 %).

Les femmes en France

Statistiques générales

• **Nombre de femmes** (1985). 28,5 millions (51,3 % de la pop.) ; 13 en âge de procréer, 6,1 de + de 60 ans. Sur 22,5 millions de + de 15 ans (1985) : mariées 12,9, célibataires 5,2, veuves 3,2, divorcées 0,9.

• **Vie. Espérance de vie** (1989) : femme 80,6 ans, homme 72,3 ans. **Vie génitale féminine au XXe s. et,** entre parenthèses **au XIXe s.** *Âge des 1res règles* 13 (18), *de la ménopause* 53 (45). *Nombre de grossesses* 1,8 (10), *de mois d'allaitement par enfant* 4 (20). *Cycles stériles possibles* 200 (50). **Vie moyenne du couple.** Passée de 18 ans au XVIIIe s. à 45 ans en 1975.

Nombre d'enfants. *Au XVIIIe s. :* sur 1 000 filles nées vivantes, 440 parvenaient à l'âge moyen du mariage et 220 à 50 ans. Ces 220 avaient en moyenne 6 à 7 enfants nés vivants dont 3 ou 4 survivaient ; elles mouraient, en moyenne, à 50 ans. *En 1975 :* 975 filles sur 1 000 parvenaient à l'âge du mariage et près de 900 dépassaient 60 ans. Il suffisait que ces 900 femmes aient eu en moy. 2,05 enfants pour que la population fût stable.

• **Femmes seules** (1-1-1983). 9 293 600. **En %.** *75/85 ans :* 46, *+ de 85 ans :* 40 (hébergées par leur famille : 30) ; *en 1981 à Paris* (en %) : 78 % des femmes vivaient seules [*– de 30 ans :* 57, *entre 30 et 40 a. :* 30, *avec 1 enfant :* 42, *2 e. :* 25, *3 e. :* 19, *4 e. et + :* 11].

Célibataires (1985) *% de célibataires selon l'âge. 15-24 ans :* 71,6 ; *25-29 :* 31,7 ; *30-34 :* 15,8 ; *35-39 :* 8,9. *Total de célibataires.* 5 180 000 dont *15-24 ans :* 3 290 000 ; *25 à 54 :* 260 000 ; *55 et + :* 630 000.

Veuves (1-1-1983) : 3 212 600 dont *15-24 ans :* 2 600 ; *25-54 :* 310 000 ; *55 et + :* 2 900 000. – 60 % des – de 65 ans travaillent (contre 35 % des femmes mariées), 7 % n'ont pas d'enfants. Entre 65 et 69 ans, 56 veuves sur 100 000 se suicident (152 veufs). **Veuves civiles.** Nombre important s'expliquant par la plus grande longévité et par la surmortalité masculine. % par rapport à la population féminine (1982) : 11,5. **Veuves de guerre.** env. 195 000 dont *g. de 1914 :* 40 000 ; *1939-45, Indochine, Afrique du N. :* (y compris victimes civiles et hors guerre) env. 145 000.

• **Mères.** 6 900 000 dont *1 enfant :* 3 100 000 (de 0 à 16 ans), *2 :* 2 500 000, *3 ou + :* 1 300 000. **Isolées.** 821 000 dont séparées ou divorcées 464 000 (enfants confiés à la mère dans 85 % des divorces). *Divorcées (1983) :* 858 780 dont *15-29 ans :* 94 580 ; *30-39 :* 239 240 ; *40-49 :* 73 140 ; *50-59 :* 152 720 ; *60-69 :* 97 880 ; *70-79 :* 73 280 ; *80-89 :* 25 060 ; *90 et + :* 2 780. *Mères divorcées : 1981 :* 353 289. *1986 :* 399 000.

Niveau de formation de la population en % (recensement 1982)

Diplômes	15-29 ans		30-54 ans		55 ans et +		Effectif total	
	Femmes	Hommes	Femmes	Hommes	Femmes	Hommes	Femmes	Hommes
CEP ou –	43,3	44,8	58,9	51,5	85,3	78,8	14 128 720	11 769 760
BEPC, BE, BEPS	16,8	13,2	7,3	4,4	6,1	4,1	2 139 020	1 460 780
CAP-BEP	16,5	23,2	14,7	22,6	2,7	5,7	2 493 460	3 781 960
BAC	14,6	11,6	9,2	10,3	3,4	6,2	1 957 560	1 984 800
BAC + 2	6	4,2	5,9	4,1	1,7	1,2	1 005 840	697 160
> BAC + 3	2,8	3	4	7,1	0,8	4	584 340	1 036 760
Effectif par âge (rec. 1982)	*6 327 280*	*6 460 940*	*8 477 080*	*8 695 240*	*7 504 640*	*5 575 040*	*22 309 000*	*20 731 220*

Veuves 220 000. **Célibataires** 135 000 [40 % ont – de 30 ans ; en 1987, + de 6 000 enfants sont nés de mères de – de 18 a. (dont 10 % de – de 16 a.)]. Mieux aidées et comprises qu'auparavant, les mères célibataires, quel que soit leur âge, ne cherchent plus à « régulariser » leur situation à tout prix. Les mères célibataires de 2 enfants sont nombreuses.

● **Femmes battues** (1988) : 8 888 femmes battues (sur 2 millions) ont déposé plainte. 130 000 interventions de police urbaine, 60 % des appels Police Secours Paris. *En % :* dans la maison 87, en soirée 50, la nuit 22, à cause de l'alcoolisme 58. *Victimes :* entre 20 et 25 ans 85, mariées 54, vivant en concubinage 38. *Agresseurs :* maris 60, entre 18 et 30 ans : 39, entre 31 et 50 ans : 55, ouvriers 40, employés 19,3, chômeurs 30.

● **Éducation. % de filles élèves du 2e cycle long** (1989) : 56. **Présentées au baccalauréat selon la spécialité** (1983) : **A** littéraires 79 ; **B** sciences écon. et soc. 62,9 ; **C** math. et sc. phys. 36,2 ; **D** math. et sc. de la nature 54,8 ; **D'** sc. agronom. et techn. 31,4 ; **E** math. et techn. 5,1. *Total* 58,2. **Bac. de technicien : F** 31,6 ; **G** 75,3 ; **H** 37,2. *Total* 57,5.

Étudiants dans les universités. % de femmes : lettres 67,8, pharmacie 61,7, DEUG pluridisciplinaire 59,2, droit 52,4, médecine 43,8, dentaire 36,4, sciences écon. 42,4, IUT 37,6, sciences 32,9. *Ensemble* 51,1.

I.U.T. % de filles (1984-85) : carrières de l'information 77,2, sociales 67,8, biologie appliquée 63, gestion des entr. et des administr. 60, chimie 53, informatique 46, transp., logistique 34,2, hygiène et sécurité 30, génie chimique 17,5, g. thermique 13, g. civil 7, g. électrique 6,64, g. mécanique 3,5, maintenance industr. 1,4.

Classes préparatoires aux grandes écoles. % de filles (1988) : 34,3. Prépa littéraires (St-Cyr exclu) 73,6, au diplôme d'études comptables sup. 53,7, HEC en 1 an 50,7, biologie Maths (sup. ou spé.) 45, Maths sup. ou spé. (type M et P) 17,1, Maths sup. ou spé. techniques 5,5.

Grandes écoles. *Nombre de femmes élèves par rapport aux hommes* (en %) : *1983-84 :* Éc. de la magistrature 50, HEC 30, ESSEC 31, Éc. vétérinaire (Maisons-Alfort) 30,7, ENSET (électricité et technique) 26, ENA 20, ENSPTT (administrateurs) 20, ENS des Télécom. (ingénieurs) 12, Éc. des Mines 10, Ponts et Chaussées 10, Éc. Centrale 10, Polytechnique 7, ENSAM (Arts et Métiers) 2. *En 1989 :* env. 16 (Polytechnique 10,4, Centrale 10,4, Commerce 39, HEC 38, Sc. administrative 41, ENA 20/25. Journalisme 37).

● **Pouvoir. Participation des femmes aux instances du pouvoir** (%). **Personnel politique.** Voir p. 1217 c.

Fonction publique (1988) : ensemble des fonctionnaires 51,2, cadres 23,5, chefs de service, directeurs adjoints, sous-directeurs 11,9, directeurs d'administration centrale 3,1. **Haute fonction publique :** direction et sous-direct. dans les administrations 59 f. (11,9) ; grands corps de l'État 1988 dont Conseil d'État 32 (11,8), Cour des Comptes 8,1, Inspection gén. des Finances 34 f. (8,4) ; Corps préfectoral (1988) : sous-préfets 28 (5,1) ; préfet 1 f. (0,5) ; trésorier payeur général 1 (0,8) ; titulaires de mission diplomatique ayant rang d'ambassade (1987) 3,3 ; recteurs 3 (10,7). **Organisations patronales** (1983) (CNPF, CGPME, SNPMI) : équipe dirigeante 2 ; assemblée permanente (CNPF) 2. **Conseils d'administration d'organismes paritaires** (1983) : UNEDIC (ass. chômage) 4 ; CNAM (Caisse nat. d'assurances maladie) 11 ; ARRCO (retraite complément. salariés) 4 ; AGIRC (retraite cadres) 10. **Commissions paritaires en matière sociale :** Conseil écon. et social (1983) 7 ; Comm. nat. de la négociation collective (1983) 6 ; Comm. permanente du Conseil nat. de la formation professionnelle 22 ; Assemblée gén. de l'AFPA 7.

Magistrature (1989) : 42, Cour de cassation 16,42 ; cours d'appel 23,4 ; Pt de tribunal adm. 9,1 ; avocats 38,2 ; huissiers 10 ; notaires 5,7.

Entreprises : chefs d'entreprises d'au moins 500 sal. 12 ; de 50 à 500 sal. 10 ; de 10 à 50 sal. 13 ; administrateurs des banques nationalisées (1982) 9,5. (Équipes dirigeantes des 20 1res entreprises : 5 sur 264 dont C.G.E. 1, P.S.A. 1, St-Gobain 1, Citroën 1, C.R.D. Total France 1.).

Enseignement. Éducation nationale (au 1-1-1989). Inspecteurs généraux 18, d'académie 21, départementaux 29, autres 22. Professeurs d'université (1987) 10. Proviseurs de lycées 22, censeurs 35. Proviseurs de lycées professionnels 19, censeurs 39. Principaux de collèges 23, principaux adjoints 32. Enseignants lycées, collèges, lycées prof. 55. **Chercheurs au C.N.R.S.** (au 1-1-1985) 29,9 ; *par disciplines :* sciences de la vie 42,9, de l'homme 36,1, chimie 26,1, terre, océan, atmosphère, espace 25,8, physique nucléaire et des particules 13,6, sciences physiques pour l'ingénieur 11,7, mathématiques 8,5.

Information, arts et spectacles : journalistes, secrét. de rédaction 29 (dont j. TV 12, encadrement TV 26) ; auteurs, scénaristes, dialoguistes 34 ; cadres de presse, édition, audiovisuel et spectacles 23 (dont réalisateurs de films 5) ; cadres artistiques des spectacles 25 ; artistes plasticiens 24 ; professionnels musique et chant 20 ; dramatiques, danseurs 45 ; de variétés 41.

Syndicats : C.G.T. adhérentes 25, bureau confédéral 3 sur 18 m. **C.F.D.T.** adh. 30, bureau national 7 sur 39, commission exécutive 2 sur 11. **C.F.T.C.** adh. env. 30 ; bureau nat. 3 sur 27, conseil 6 sur 49. **C.G.C.** adh. 5, comité exécutif 3 sur 26, bur. exécutif 1 sur 8. **F.O.** adh. 40, bur. conféd. 1 sur 12, féd. nat. 2 sur 30, union départ. 4 sur 107.

● **Justice. % de femmes mises en cause :** voir Index. **Bagnardes :** sur env. 100 000 bagnards de 1859 à 1907, 2 000 furent des femmes, condamnées le plus souvent pour infanticide. Le 1er convoi (36 f.) partit de Brest en décembre 1858.

Travail

● **Nombre de femmes actives en millions et** entre parenthèses **en % de la population totale des femmes.** *1901 :* 7 (36), *21 :* 7,2 (35,6), *46 :* 4,7 (32,5), *62 :* 6,58 (29,6), *82 :* 9,58 (34,5), *85 :* 10,13 (36,8), *86 (mars) :* 10,3, *89 (mars) :* 10,5 (37,9). **Taux d'activité selon l'âge** (% en 1989) : *15-24 ans :* 35,2, *25-39 :* 74,2, *40-49 :* 71,9, *50-59 :* 53,2, *+ de 60 :* 5,8. **Selon le nombre d'enfants** (% en 1989). *1 :* 73,7. *2 :* 69,4. *3 et + :* 39,4.

Répartition (% en mars 1989). Employées 48,7, professions intermédiaires 20,2 (dont institutrices 5,7, santé et travail social 5,7, prof. administratives et commerciales des entreprises 4,7), ouvrières 12,8 (dont non qualifiées 7,8), artisans, commerçants, chefs d'entreprise 6,3, exploitantes agr. 5,1, cadres, prof. intellectuelles sup. 7 (dont professeurs, prof. scientifiques 2).

Secteurs où elles sont largement majoritaires (%). Personnels de service 83,4 %, pers. médico-social 75,2 %, éducation nationale 61 % (instituteurs et assimilés 62,4, prof. de collège 58, de lycée 59, d'université 9, maîtres de conférences 31, assistants 35) ; **minoritaires** (%) : contremaîtres et agents de maîtrise 6 %, policiers et militaires 5 % [Armée de terre 3,02 (1 général, 2 colonels, 6 lieutenants-colonels et 322 officiers d'active sur 19 051)], chauffeurs 3 %, ingénieurs 7 %, SNCF 11,08 %.

Professions les plus souvent exercées par les femmes (effectif total en milliers et entre parenthèses % de femmes) : assistante maternelle, gardienne d'enf., travailleuse familiale 188 (100) ; employée de maison, femme de mén. chez particuliers 203 (98) ; secrétaire 453 (98) ; secrét. aide familiale d'artisan 148 (98) ; dactylo, sténodact. 129 (96) ; aide soignante 219 (92) ; infirmier en soins gén. salarié 157 (92) ; ouvrier non qualifié de confection 149 (92) ; commis, adj. administr. de la fonction publ. 217 (86) ; agent de service des établissements d'enseignement 182 (85) ; vendeur en aliment. 173 (82) ; agent de serv. hospitalier 259 (81) ; employé des serv. comptables ou financiers 301 (78) ; instituteur 304 (77) ; agent de bureau de la fonction publ. 314 (76) ; employé adm. divers d'entreprise 359 (75) ; employé de nettoyage (sauf chez particulier et publ.) 255 (74) ; employé des serv. techn. assurances 156 (74), banque, guichetier 250 (55) ; agricult. sur petite exploit. sans orientation dominante 313 (40). *Ensemble des 20 professions* 4 729 (81). *Ensemble des professions* 21 405 (39,4).

Catégories socioprofessionnelles (1989, en milliers) : agriculteurs exploitants 466 ; artisans, commerçants, chefs d'entreprises 578 (dont artisans 204, commerçants et assimilés 354, chefs d'entreprise 10 sal. ou + 29) ; cadres, prof. intellect. sup. 640 [dont prof. libérales (y c. aides familiales) 82, cadres de la fonction publ. 55, professeurs, professions scientifiques 218, information, arts et spectacles 77, cadres administr. et commerciaux d'entreprise 156, ingénieurs, cadres techn. d'entreprise 49] ; professions intermédiaires (y c. 2 000 membres du clergé) 1 859 (dont instituteurs et assimilés 510, professions intermédiaires, santé et trav. social 534, prof. interm. administr. de la fonction publ. cat. B 189, prof. interm. administr. et commerc. des entreprises 507, techniciens 79, contremaîtres, agents de maîtrise 36) ; employés (y c. personnel de service) 4 474 (dont empl. civils, agents des serv., fonction publ. cat. C et D 1 421, policiers et militaires 27, empl. administr. d'entreprise 1 583, empl. de commerce 567, pers. des services directs aux particuliers 873) ; ouvriers (y c. agricoles 47) 1 176 [dont ouvriers qualifiés de type industriel 191, artisanal 82, manutention magasinage transports 18 ; chauffeurs 17 ; ouvriers non qualifiés industr. 583, artisanal 236]. *Total* 9 194. *Source :* enquête emploi, mars 1989.

● **Police.** 6 170 sur 120 000 (5,5 %) dont gradées ou gardiennes de la paix 4 302, inspectrices 1 282, enquêtrices 374, commissaires 165, officiers de paix 47.

● **% de femmes travaillant à temps partiel** (1986). Salariées 22,5 ; non salariées 27,2. Ensemble 24,8, (hommes 3,8).

● **Salaire.** *1989 :* salaire moyen masculin supérieur de 31,4 % au féminin. **Chômage.** *1989 :* 54 % des chômeurs. *Taux global :* 13,4 % (hommes 7,7 %).

● **Temps libre dont dispose une femme active par semaine en minutes, entre parenthèses inactive, en italique âgée de 65 ans et +. 1985-86.** 523 (1 309) *577* dont télévision 217 (703) *267*, conversation, courrier 85 (203) *57*, lecture 53 (173) *79*, spectacles, sorties 35 (47) *6*.

Femme au foyer. Coût du temps passé par mois (famille de 4 personnes) : *cuisine* 90 h par mois (soit au prix du SMIC un salaire d'env. 2 875 F), *ménage* 104 h (3 322 F), *soins de santé et d'hygiène* 60 h (1 916 F), *couture* 24 h (767 F), *gestion du budget familial et divers* 40 h (1 278 F). Total 318 h : 10 157 F.

● **Harcèlement sexuel.** Sondage réalisé pour Biba (octobre 1985) par l'institut Quotas, entre le 19 et le 29-7-85, auprès de 958 femmes. 36 % disent avoir subi des avances ou des sollicitations d'ordre sexuel sur leur lieu de travail ; 56 % de celles-ci précisent que les sollicitations étaient assorties de promesses (engagement, avancement...) et 26 % ont été victimes de menaces diverses. Dans la réforme du Code pénal, le harcèlement sexuel deviendrait un délit (amende de 200 000 F, peine de prison pouvant aller jusqu'à 2 ans).

Viol

Nombre. 35 000 par an. *En 1988 :* 3 776 ont fait l'objet d'une plainte. La police interpelle env. 2 500 violeurs par an, mais elle estime que 88 % des victimes préfèrent se taire. Voir Index.

Peines encourues. *Réclusion criminelle de 5 à 10 ans* (loi du 23-12-1980) avec possibilité d'augmenter la peine en cas de circonstances aggravantes (10 à 20 ans). *Réclusion à perpétuité* (art. 333 du Code pénal, loi du 13-5-1863) : viol commis sur une adolescente de moins de 15 ans (même si le coupable ignorait son âge), s'il s'agit du père, du grand-père, du tuteur, du concubin de la mère, de l'instituteur ou du patron de la victime (bref de tous ceux qui ont une autorité sur elle), d'un fonctionnaire ou d'un ministre du culte (même s'il ne connaissait pas la victime) ou en cas de viol commis par 2 personnes ou plus. *Droit pour certaines associations de se porter partie civile,* et pour le parquet d'ordonner la publication de l'arrêt de condamnation dans la presse ou sur les panneaux officiels du lieu de résidence. *Publicité des débats* sauf si la victime s'y oppose.

Moyens de contrainte reconnus. Violences physiques (coups, séquestration, menaces d'une arme) et morales (menaces policières, médecins profitant d'un examen gynécologique pour se livrer à des attouchements non justifiés par une nécessité professionnelle), recours aux aphrodisiaques, à l'alcool, aux méthodes hypnotiques.

Mouvements et organismes

☞ Le mot féminisme apparaît en France en 1837.

Association des centres d'accueil de femmes seules, 6, av. Général-Balfourier, 75016 Paris. **Association et entraide des veuves et orphelins de guerre** (AEVOG), 18, rue de Vézelay, 75008 Paris. **Bibliothèque Marguerite-Durand,** 79, rue Nationale, 75013 Paris.

Centre féminin d'études et d'information (CFEI Femme Avenir), 6, cité Martignac, 75007 Paris. *Créé* 1965, 50 000 adhérentes et sympathisantes. *Pt :* Maryvonne Trouvain. *Publications : Femme Ayenir* (journal) ; *Lectures* (lettre bimestr.) ; *Grand Écran Femme Avenir* (bimestr.). *Activités :* 300 délégations métropole outre-mer étranger. **Centre international de culture populaire** (CICP), 14, rue Nanteuil, 75015 Paris. **Centre national d'information et de documentation des femmes et des familles (CNIDFF),** 7, rue du Jura, 75013 Paris. *Créé* 1972. 300 points d'information (domaine : droit, emploi, santé). A accueilli 30 000 personnes à Paris et 450 000 en France en 1989. *Publications :* brochures de vulgarisation, 2 500 ouvrages, 800 dossiers thématiques. *Dir. :* Françoise Michaud. **Centre de recherches, de réflexions et d'informations féministes** (CRRIF), 1, rue des Fossés-Saint-Jacques, 75005 Paris. **Choisir,** 102, rue St-Dominique, 75007 Paris. *Créé* 1971 pour l'avortement, la contraception et l'information sexuelle. A étendu son activité : lutte contre les discriminations sexistes.

Prix Cognacq-Jay. *Créé* 1920 par Ernest Cognacq (1839-1928), fondateur de la Samaritaine, et sa femme née Marie-Louise Jay (1838-1925) ; récompense les familles méritantes de 9 enf. vivants et plus (un prix par départ.), de 5 enf. au moins (200 prix).

Secrétariat d'État chargé des droits de la femme, 31, rue Lepeltier, 75009 Paris. *Créé :* 28-6-1988. *Mission :* mettre en œuvre toutes mesures et actions destinées à améliorer les droits des femmes dans tous les domaines de la vie sociale et économique et corriger les inégalités auxquelles elles sont encore confrontées.

Fédération des associations de veuves chefs de famille (FAVEC), 28, place St-Georges, 75009 Paris. 630 permanences. **Fédération syndicale des familles monoparentales** (ex. Femmes chefs de famille), 53, rue Riquet, 75019 Paris. 49 associations.

Halte aide aux femmes battues, 14, rue Mendelssohn, 75020 Paris. **Ligue du droit des femmes,** 54, av. de Choisy, 75013 Paris. *Née* 1974 d'une scission du M.L.F. Était présidée par Simone de Beauvoir († 1986), dep. P[te] Anne Zelensky. Lutte contre le sexisme.

Maison des femmes, 8, cité Prost, 75011 Paris. *Publication : Paris féministe.* **Mouvement de libération des femmes (M.L.F.),** 12, rue de la Chaise, 75007 Paris. *Créé* 1968. *Publications :* le Torchon brûle (1971-73), le Quotidien des femmes (1974-76), Des Femmes en mouvement (1979-82) (hebdo). *Maison d'édition :* Des Femmes, 6 rue de Mézières, 75006 Paris. *Librairie :* Des Femmes, 74, rue de Seine, 75006 Paris.

Parti féministe unifié, 55, rue St-Antoine, 75004 Paris.

S.O.S. femmes alternative, 54, av. de Choisy, 75013 Paris. *Association* issue de la Ligue du droit des femmes. *But :* dénoncer les violences faites aux femmes, lutter contre le sexisme. A créé le *1er centre pour femmes et enfants victimes de violences* en France (Centre Flora-Tristan, 142, av. de Verdun, 92320 Châtillon-sous-Bagneux).

S.O.S. Viols femmes informations, 4, square St-Irénée, 75011 Paris.

UCTEH (Union contre le trafic des êtres humains), 92, bd de Port-Royal, 75005 Paris. **Union des femmes françaises (UFF),** 146, rue du Faubourg-Poissonnière, 75010 Paris. *Origine :* comités féminins de la Résistance. *Créée* 1945. *Adhérentes :* 190 000. *Comités locaux* 3 500. Œuvre pour la promotion des femmes et l'amélioration de leurs conditions d'existence. **Union féminine civique et sociale (UFCS),** 6, rue Béranger, 75003 Paris. Mouvement féminin de consommateurs. *Créée* 1925. *Adhérents :* 12 000. *Revue :* Dialoguer (5 n[os] par an).

☞ **Que pensent-elles ?** Voir Quid 1987, p. 1117 b. **Pratiques culturelles :** voir Quid 1988, p. 1161.

Prostitution

Répression de la traite des Blanches

Législation. 1904-*18-5* arrangement internat. traite des Blanches. **1910**-*4-5* convention relative à la répression de la traite des Blanches. **1921**-*30-9* convention internat. pour la répression de la traite des femmes et des enfants. **1933**-*11-10* conv. internat. pour la répression de la traite des femmes majeures. **1946** loi Marthe Richard ordonne la fermeture des « maisons de tolérance » (l'auteur de la prop. de loi est le dipl. Pierre Dominjon). **1947**-*20-10* protocole de l'ONU amendant la conv. de 1933. **1948**-*30-12* protocole de l'ONU modifiant la conv. de 1904. **1949**-*2-12* conv. pour la répression de la traite des êtres humains et de l'exploitation de la prostitution d'autrui. **1960**-*25-11* approbation de cette déclaration par la France (décret n° 601251). Principes consacrés : est punissable toute personne qui, pour satisfaire les passions d'autrui : 1) embauche, entraîne ou détourne en vue de la prostitution une autre personne même consentante ; 2) exploite la prostitution d'une autre personne même consentante.

En France

• **Nombre de prostituées** (estimations). 15 000 à 30 000 professionnelles (dont 95 % aux mains de 15 000 proxénètes), 60 000 occasionnelles. Environ 200 s'en sortent chaque année (soit 1 sur 100). **Prostituées fr. à l'étranger** (1979) 4 200 : Belgique 3 000, All. féd. 800 à 1 000, Côte-d'Ivoire et Sénégal 200, Hollande 100.

• **Fréquence des rapports.** 1 homme sur 10 a eu ses premiers rapports sexuels avec une prostituée, et 33 % des Français de plus de 20 ans ont avoué avoir fait cette « expérience ». Selon la police, il y aurait au moins 45 000 passes par jour.

• **A Paris.** Env. 3 000 sur le trottoir dont quartier rue St-Denis (le « plus chaud ») : 1700.

Travestis du Bois de Boulogne. Un contrôle a été opéré la nuit du 12 au 13-5-1986, de 22 h 50 à 5 h, par la B.S.P. (Brigade des stupéfiants et du proxénétisme). Sur 150 personnes contrôlées, il y avait 54 travestis ou transsexuels dont 12 Argentins, 11 Français, 9 Espagnols, 8 Colombiens, 5 Portugais, 5 Tunisiens, 2 Marocains, 2 Algériens.

• **Maladies vénériennes** (1976, origine de la maladie). *Syphilis :* prostituées 98, rapports libres 579, rap. conjugaux 190. *Gonococcies :* prostituées 1 133, rapports libres 11 937, rap. conjugaux 288.

• **Chiffre d'affaires de la prostitution.** Env. 10 milliards de F. Une professionnelle peut gagner en moyenne 38 000 F par mois à Paris, une call-girl jusqu'à 200 000 F. Les proxénètes en studio (env. 1 300 en France) reçoivent env. 120 F par client.

☞ La prostitution n'étant pas une activité illégale et ne tombant pas sous le coup de l'article 334 du Code pénal réprimant le proxénétisme, une prostituée qui exerce son activité en France, à titre individuel, de façon habituelle ou occasionnelle, doit la TVA à 18,60 % pour ses encaissements, la taxe professionnelle, l'impôt sur le revenu au titre des bénéfices non commerciaux sur l'écart entre ses recettes et ses dépenses et charges. Elle doit souscrire une déclaration de revenus, sous peine d'être taxée d'office.

☞ La *chandelle* stationne. La *marcheuse* fait les cent pas sur une portion de trottoir. L'*échassière* attend sur un tabouret de bar, l'*entraîneuse* dans le bar. La *zonarde* ou *bucolique* travaille dans les bois et les parcs. La *serveuse montante* de certaines auberges est inscrite à la Sécurité sociale. Pour toutes celles-ci, le prix de la passe varie entre 60 et 400 F.

Les *amazones* draguent au volant, les *call-girls* se font appeler par téléphone, les *michetonneuses* se font racoler aux terrasses de café, les *caravelles* fréquentent palaces et aérogares. L'*étoile filante* arrondit ses fins de mois. Tarifs de 600 à 3 500 F pour une nuit.

• **Répression.** La prostitution n'est ni interdite ni réglementée *en France,* la répression ne peut être que locale, momentanée et parfois illégale. **Peines encourues.** *Racolage :* attitude de nature à provoquer la débauche, sans gestes ni paroles ni écrits (par ex. prostituées dans la rue, debout dans une attitude provocante). Amendes de 80 à 160 F. *Proxénétisme :* emprisonnement de 6 mois à 2 ans et amende de 10 000 à 200 000 F (2 à 10 ans et 20 000 à 250 000 F s'il s'agit d'une mineure ou si la femme a agi sous la contrainte). *Proxénétisme en studios :* 2 à 10 ans, amendes et fermeture de tout ou partie de l'établissement.

☞ En 1975, env. 100 prostituées lyonnaises ont occupé l'église Saint-Nizier pour protester contre l'excès de zèle de la police.

Droits des femmes

Quelques dates

• **A Rome.** La femme pouvait parler au Forum.

• **Moyen Age.** Peu de distinction, du point de vue du droit féodal, entre la femme et l'homme seigneur de fief. Les femmes titulaires d'un fief peuvent désigner un mandataire ; celui-ci vote pour elles lors de l'élection des députés aux états généraux. Avant Philippe le Bel, certaines bourgeoises auraient été consultées par le roi. Certaines femmes ont été régentes (dont Mme de Sévigné qui a siégé aux états de Bretagne). *A Rome.* Sous le pape Innocent IX, droit électoral pour tous les majeurs de 14 ans, hommes et femmes. *En Angleterre,* certaines femmes de grandes familles seront représentées au Parlement et exerceront des fonctions de juge de paix jusqu'au début du XVIIIe s.

• **France. XIXe-XXe, 1804** Code Napoléon, la célibataire jouit en théorie de la plénitude de ses capacités civiles, mais le Code affirme l'incapacité juridique totale de la f. mariée. Elle porte le nom de son mari. Même séparée de corps, ne peut jamais changer de nationalité sans le consentement de son mari et, à défaut, sans l'autorisation du juge. L'enfant prend la nationalité du père. **1810** l'adultère est un délit. La f. adultère est passible de prison, l'homme d'une amende, seulement dans le cas de la présence d'une concubine au domicile conjugal. Le « devoir conjugal » est une obligation : pas de viol entre époux. **1838** 1re École normale de filles. **1842** *loi du 30-11* autorise les f. à devenir dentistes et médecins. **1848** la Constituante interdit aux f. d'assister aux réunions politiques. **1850** loi Falloux rendant obligatoire la création d'une école de filles dans toute commune de + de 800 h. **1880** organisation de l'ens. secondaire féminin mais sans préparation au baccalauréat. **1881** *loi du 9-4* la f. peut se faire ouvrir un livret de Caisse d'épargne sans l'assistance de son mari et retirer sans l'autorisation de son mari les sommes inscrites au livret. Création de l'École normale sup. de Sèvres. **1884** *loi du 27-7* rétablit le divorce et déclare que l'adultère de l'homme sera sanctionné par une amende et celui de la f. par de la prison. **1885**-*31-7* Eugène Poubelle (1831-1907), préfet de la Seine, fait signer l'arrêté ouvrant l'internat des hôpitaux aux f. (contre l'ensemble du corps médical et de l'Assistance publique). **1892** interdiction du travail de nuit des f. et instauration d'autres mesures protectrices concernant leur travail. **1893** *loi du 6-2* accorde à la f. séparée de corps la pleine capacité civile. **1896** *loi du 20-6* en cas de désaccord pour le mariage de leurs enfants, entre époux divorcés ou séparés de corps, l'avis des 2 époux a valeur égale. **1897** *loi du 7-12* la f. peut être témoin dans les actes civils ou notariés. **1898**-*23-1* les f. peuvent être électrices aux tribunaux de commerce. La durée du travail des f. dans les ateliers est réduite à 10 h. **1900** *loi du 1-12* les f. licenciées en droit peuvent prêter serment d'avocat et exercer la profession. **1906** École des chartes ouverte aux f. **1907** *loi du 13-7* la f. mariée administre les produits de son travail et ses économies et en jouit quel que soit son régime matrimonial. F. électrices et éligibles aux conseils des prud'hommes (loi du 27-5). Mlle Jousselin (synd. des couturières-lingères) élue. **1908**-*3-5* manif. à Paris pour droit de vote. **1909** *loi* instituant un congé de maternité de 8 semaines sans rupture du contrat de travail. Le port du pantalon n'est plus un délit si la f. tient à la main un guidon de bicyclette ou les rênes d'un cheval. **1914**-*3-2* 238 députés sur 591 refusent le vote des femmes. **1918** Éc. centrale ouverte aux f. **1919** création d'un bac fém. Loi votée par les députés accordant aux f. les droits pol., refusée par le Sénat. Création d'une agrégation f. de philosophie. Éc. sup. de chimie de Paris et Éc. sup. d'électricité ouvertes aux f. Poste de rédacteur au min. du Commerce ouvert aux f. **1920** les f. peuvent adhérer à un syndicat sans l'autorisation de leur mari. **1924** les programmes d'études dans le secondaire pour garçons et filles deviennent identiques, entraînant l'équivalence entre bac masculin et bac féminin. **1925** candidates communistes se présentent aux municipales (invalidées). Marie-Louise Paris fonde l'Éc. polytechnique fém. **1927** principe de l'égalité des traitements des professeurs titulaires des mêmes diplômes. **1928** généralisation du congé de maternité de 2 mois à plein traitement dans la fonction publique. **1931**-*9-12* les f. peuvent être élues juges. **1937** le Père Talvas fonde le mouvement du Nid pour aider les prostituées. **1938** *loi du 18-2* supprimant l'incapacité civile relative à la personne pour la f. mariée ; subsistent la fixation de la résidence par le mari, la possibilité pour le mari de s'opposer à l'exercice d'une profession par sa f., l'exercice de la seule autorité paternelle. La capacité relative à l'administration des biens dépend du contrat de mariage ; elle est réduite dans le régime de la communauté de biens. **1942** *loi du 22-9* abolition de la puissance maritale et, théoriquement, de l'incapacité de la f. mariée.

1944 *ordonnance du 21-4* prévoit le *vote des femmes et l'éligibilité ;* elles voteront pour la 1re fois le 29-4-45 aux municipales [1], puis les 23 et 30-11-45 aux cantonales (39 conseillères générales furent élues) et le 21-10-45 pour élire l'Assemblée constituante. Création de l'ENA (éc. mixte). **1945** congé de maternité (2 sem. avant, 6 après) obligatoire et indemnisé à 50 %. **1946** le préambule de la Constitution pose le principe de l'égalité des droits entre hommes et femmes dans tous les domaines ; fin de la notion de salaire fém. **1950** loi instaurant la *fête des mères.* **1959** Éc. des Ponts et Chaussées ouverte aux f. **1961** Éc. des Télécom. ouverte aux f. **1965** *loi du 13-7* réformant les régimes matrimoniaux visant à accroître les pouvoirs de la f. mariée sur les biens communs ; le mari ne peut plus s'opposer à l'exercice de l'activité professionnelle de sa f. **1966** congé maternité : 14 semaines. **1967** loi Neuwirth sur la contraception. **1970** « l'autorité paternelle » est remplacée par « *l'autorité parentale* » : les 2 époux assurent ensemble la direction morale et matérielle de la famille. Éc. Polytechnique ouverte aux f. Possibilité pour la f. mariée de contester la paternité du mari et de reconnaître son enfant sous son nom de naissance. **1972** *loi* posant le principe de l'égalité de rémunération pour les travaux de valeur égale. Éc. de la marine marchande, ESSEC, HEC (1re major en 1973) ouvertes aux f. **1974** remboursement des frais relatifs à la contraception. **1975** *loi* autorisant l'interruption volontaire de grossesse (définitive en 1979). *Loi* interdisant la discrimination à l'embauche en raison du sexe, sauf motif légitime. *Loi* interdisant toute distinction de traitement entre hommes et f. dans la fonction publique, sauf exceptions (recrutement séparé possible...). *Loi instituant le divorce par consentement mutuel.* Les 2 époux déterminent ensemble le lieu de résidence du couple. Peuvent choisir d'avoir 2 domiciles différents. **1977** création d'un congé parental d'éducation. Pension de vieillesse à 60 ans (au lieu de 65) pour 37,5 ans de travail. **1979** l'interdiction du travail de nuit dans l'industrie levée pour les f. occupant des postes de direction ou techniques à responsabilités. **1980** interdiction de licencier une f. en état de grossesse. Congé maternité : 16 semaines. Statut de conjoint collaborateur pour les f. d'artisan et de commerçant. Mesures visant à la reconnaissance de l'activité professionnelle des f. d'agriculteurs (actes d'administration de l'exploitation, congé maternité...). **1981** création du *ministère des Droits de la f.* **1982** *loi du 10-7* amélioration du statut des conjoints d'artisan, qui définit les droits professionnels et sociaux des femmes en leur permettant de choisir entre les statuts de collaboratrice, associée, salariée du conjoint ou chef d'entreprise ; *loi du 31-12* remboursement de l'interruption volontaire de grossesse. **1983** *loi du 13-7* sur l'égalité professionnelle, qui interdit toute discrimination en raison du sexe dans la vie professionnelle des salariés, et précise qu'en cas de litige, le juge chargé de l'affaire peut, avant de décider une sanction pénale, obliger l'employeur à prendre des mesures visant à faire disparaître les inégalités ; rapport annuel obligatoire sur l'égalité professionnelle dans les entreprises de + de 50 salariés. **1984** *loi du 22-12* recouvrement des pensions alimentaires impayées par les organismes débiteurs des prestations familiales ; reconnaissance de l'égalité des époux dans les régimes matrimoniaux et pour l'administration des biens des enfants. **1985** *loi* renforçant l'égalité des époux dans la gestion du patrimoine de la famille (égalité dans la gestion des biens des enfants et des biens en communauté). Les enfants légitimes peuvent porter à titre d'usage le nom de leur mère. **1986** circulaire légalisant l'emploi du féminin pour les noms de métier et fonctions : écrivaine, peintre, juge, maire-adjointe, docteure, auteure, professeure. **1987** abolition des restrictions de l'exercice du travail de nuit des f. et de certaines dispositions particulières à leur travail. **1990**-*12-7* loi permettant à des associations civiles de se porter partie civile avec l'accord de la personne victime de violences.

Nota. – (1) Au milieu du XIVe s., il y eut des élections à Provins et sa banlieue ; les habitants voulaient « demeurer sous le gouvernement de maires et eschevins », ou « être gouverné par le roi seulement ». Sur 2 701 votants, il y eut 350 femmes veuves et mariées, votant pour leur mari, leur fils.

• **Étranger. 1860** *G.-B. :* él. lég. (à partir de 30 ans, peuvent voter avec certaines restrictions lors des municipales). **1863** *Suède :* droit d'élire le conseil municipal. **1865** *Finlande :* même droit. **1869** *U.S.A. :* Wyoming : él. locales (11 États des U.S.A. suivront avant 1914). **1893** *N.-Zélande* [1]. **1902** *Australie* [1]. **1906** *Finlande* [1] (élues *1907* 19, *1908* 25, *1909* 21). **1907** *Norvège :* él. lég. pour les femmes payant l'impôt. **1908** *Danemark :* + de 25 ans et payant des impôts. **1913** *Norvège :* pour toutes (étaient éligibles à l'Ass. nat. dep. 1911). **1915** *Danemark* [1]. **1917** *Éthiopie :* impératrice Zaouditou remplace son neveu détrôné, jusqu'à sa mort (1930), mais le pouvoir appartient à Hailé Sélassié. *Pologne* [2], *Canada* (sur le plan fédéral ; sur le plan provincial, le Manitoba fut la 1re province à l'admettre, en janv. 1916, les 2 dernières furent Terre-Neuve, avril 1925, et Québec, avril 1940). **1919** él. lég., *Islande* [2], *Allemagne* [2], *P.-Bas* [2], *Finlande :* égalité des sexes dans la Constit. *N.-Zélande :* f. éligibles au Parlement. **1920** *Autriche* [1]. *Hongrie* [1]. **1921** *Tchécoslovaquie* [1]. **1928** *G.-B. :* droit de vote à partir de 21 ans. **1930** *Afr. du S* [1]. **1931** *Espagne* [1], *Portugal* [1] (pour f. diplômées de l'ens. sup.). *Brésil* [1]. **1935** *Philippines :* f. consultées par référendum pour leur accorder le droit de vote (oui : 90 %). **1945** *Italie* [1]. **1946** *Albanie* [1]. **1947** *Venezuela* [1]. *Argentine* [1]. *Yougoslavie* [1]. *Bulgarie* [1]. **1948** *Belgique* [1]. *Roumanie* [1]. **1949** *Chili* [1]. *Inde* [1]. **1952** *Bolivie* [1]. *Grèce* [1]. **1953** *Mexique* [1]. **1954** *Grèce* (aux municipales). *Pakistan* [1]. *Colombie* [1]. *Syrie* [1]. **1955** *Pérou* [1]. **1956** *Égypte* [1]. *Côte-d'Ivoire* [1]. *Madagascar* [1]. *Viêt-nam* [1]. **1960** *St-Marin.* **1961** *Paraguay* [1]. **1962** *Monaco.* **1963** *Iran* [1]. *Kenya* [1]. **1971** *Suisse* [1]. **1983** *Égypte,* loi réservant 38 sièges au Parlement à des f. **1984** *Liechtenstein* (7 communes sur 11). **1985** *24-10* Islande : grève des femmes.

Nota. – (1) Droit de vote accordé pour les législatives. (2) Élections locales.

• **Droits des veuves. Allocation d'insertion Assedic de solidarité.** Pour les femmes seules depuis moins de 5 ans si ressources inférieures à 7 866 F par mois, allocation d'insertion comprise (au 1-1-89). *Montant :* 87,4 par jour.

Assurances décès du régime général de la Séc. soc. Montant : 90 fois le salaire journalier de l'assuré décédé (min. 1 360,8 F, max. 34 020 F au 1-1-91). Un mois ou 2 ans pour faire la demande selon les cas. Pas de saisie possible.

Assurance maladie. Le conjoint survivant bénéficiant des prestations comme ayant droit de l'assuré décédé est couvert pendant un an à partir de la date du décès (prolongation jusqu'à ce que le dernier enfant à charge ait 3 ans), ensuite il doit être assuré personnellement (activité professionnelle ou assurance volontaire). L'ayant-droit d'au moins 45 ans, qui a eu à charge au moins 3 enfants, bénéficie du maintien des droits pour une durée illimitée.

Assurance veuvage. Temporaire (3 ans), allouée au survivant dont le conjoint décédé était salarié, ayant ou ayant eu au moins un enfant à charge et disposant de ressources inférieures à 10 249 F par trim., allocation comprise (au 1-1-91). *Montant mensuel :* 1re année : 2 733 F, 2e an. : 1 796 F, 3e an. : 1 367 F. Allocation maintenue jusqu'au 55e anniversaire du survivant âgé d'au moins 50 ans au décès du conjoint.

Prestations familiales. Maintenues tant que les enfants sont à charge + allocation de soutien familial : 429 F par mois et par enfant (au 1-1-91). Incluses dans allocation de parent isolé : minimum garanti avec un enfant à charge 3 810 F ; par enfant en plus 953 F.

Pension de réversion. 52 % de la pension de vieillesse du conjoint décédé (ou à laquelle il aurait eu droit) sous condition de ressources 66 435,20F/an et d'âge (55 ans). Majoration 437,12 F par mois et par enfant à charge.

• **Veuves de guerre** (droits spécifiques pouvant se cumuler avec les droits des v. civiles). *V. de « morts pour la France » et d'anciens combattants, invalides de guerre décédés des suites de l'invalidité pour laquelle ils étaient pensionnés au taux de 85 à 100 %, ou au taux de 60 à 85 % :* pension au taux normal : (– de 40 ans) : 2 770 F et (+ de 40 ans) : 2 850 F, ou, *spécial* (de 57 ans ou avant, si malades ou inaptes au travail, et, sous conditions de ressources) : 3 694 F. *Veuves de pensionnés au taux de 60 à 80 %,* décédés d'une affection sans relation avec l'invalidité pensionnée : pension au taux de réversion : 1 847 F (montant modulable selon date du décès ou % d'invalidité du mari).

Femmes élues

En France

Les femmes représentent 53 % du corps électoral. **Dep. 1945,** l'abstentionnisme des femmes est supérieur à celui des hommes de 7 à 10 %. 2 fois les femmes ont été aussi nombreuses que les hommes à voter : référendum de 1958 et présidentielle de 1965. **Dep. 1970,** leur participation électorale et leurs réponses aux sondages politiques sont équivalentes à celles des hommes. **Sous la Ve Rép.,** l'électorat gaulliste se composait d'une majorité constante de femmes (en moy. 55 %), l'UDR ayant récupéré une large partie des voix du MRP et de la droite classique. Le % des gaullistes s'accroît 3 fois plus chez les électrices que chez les électeurs après 50 ans. **En 1965,** au 2e tour, 39 % des femmes ont voté Mitterrand (51 % des h.). **En 1981,** aux législatives, 54 % ont voté pour la gauche (58 % des h.).

Femmes responsables de partis politiques (en %, juin 1982) : *P. communiste :* adhérentes 36, comité central 21, bureau pol. 18, secrétariat 17 ; *P. socialiste :* adh. 21, comité directeur 18, bureau exécutif 15, secrétariat 14 ; *P. rép. :* adh. 40, comité nat. 32, bureau pol. 20, secrétariat 6 ; *RPR :* adh. 43, comité central 8, conseil pol. 6, commission exécutive 8.

21 à 43 % des adhérents des partis sont des femmes.

Assemblée européenne (1989). Sur 81 dép. français, 16 femmes (3 PC, 5 PS, 2 UDF-RPR, 3 Écolo., 2 Veil, 1 FN). 19,75 %. Dép. all. 25, britan. 11, esp. 9, ital. 8, holl. 7, dan. 6, belg. 4, port. 3, lux. 2, grec 1, irl. 1. *Représentent* 18,5 % du Parlement (16,4 % en 1984).

Assemblée nationale. *Candidates* (en % des candidats) : **1946** 13,6. **51** 11. **56** 9,2. **58** 2,27 (64 candidates sur 2 809). **62** 2,44 (53 c. sur 2 172). **67** 2,92 (64 c. sur 2 190). **68** 3,3 (75 c. sur 2 265). **73** 6,6 (200 c. sur 3 023). **78** 16 (684 c. sur 4 266). **86** 33 (1 728 c sur 6 925). **Élues** (entre parenthèses % par rapport au total des élus) : **45** 33 élues. **46** juin 30. nov. 42 (6,4). **51** 22 (3,6). **56** 22 (3,1). **58** 6 sur 465 (+ 2 pour les dép. algériens) (1,6). **62** 8 sur 465 dép. (1,6). **67** 9 sur 470 (2). **68** 8 sur 470 (1,4). **73** 8 sur 473 (1,69). **78** 17 sur 491 (4,3). **81** 29 sur 491 (5,9). **82** 25 sur 495 (5). **86** 34 sur 577 (5,89). **88** 33 sur 577 (5,7) (17 PS, 2 UDC, 1 UDF, 1 PC, 10 RPR, 1 FN, 2 non inscrits).

Nota. – 26 départements sur 95 n'ont ni député ni sénateur femme.

Conseil économique et social. *Nommées :* **54-59** 3 sur 200 (1,5 %). **74-79** 7 sur 200 (3,5 %). **79-84** 16 sur 200 (8 %). **84-89** 22 sur 230 (9,56 %). **89-94** 26 sur 231 (11,25 %).

Conseils généraux. *Élues* (entre parenthèses % par rapport aux sièges à pourvoir) : **58** 12 (0,8 %). **61** 16 (1,1). **64** 17 (1,1). **67** 40 (2,3). **70** 22 (1,4). **73** 53 (2,7). **76** 41 (2,3). **Juill. 82** 154 (3,8). **84** 158 (4). **89** 157 (9,3). **91** *membres* 154 sur 3 694 (4,17 %) ; 1 Pte Janine Bardon (UDF, Lozère).

Conseils municipaux. Élues (% entre parenthèses) : **59** 11 246 (2,4). **65** 11 145 (2,3). **71** 20 684 (4,4). **77** 38 852 (8,4). **83** 70 854 (14,08). **89** 86 549 (17,03) [communes de *– de 3 500 h. :* 70 403 (16,28), *3 500 à 9 000 :* 8 571 (21,4), *9 000 à 30 000 :* 5 120 (23,05), *+ de 30 000 :* 2 455 (23,63)]. A Bizeneuille (Allier, 296 hab.) : 7 élues sur 11. **Conseils généraux.** *Membres* (1991) : 143 sur 1 682 (8,5 %).

Maires. *Élues* (% entre parenthèses) : **59** 381 (1). **65** 421 (1,1). **71** 677 (1,8). **77** 1 018 (2,8). **Juill. 82** 1 147 (3,1). **83** 1 496 (4,1). **89** 1 986 sur 36 441 communes (5,3) [communes de *– 3 500 h. :* 1 893

(5,53), *3 500 à 9 000* : 49 (3,46), *9 000 à 3 000* : 36 (5,33), *+ de 30 000* : 8 (3,55) dont 1 Catherine Trautmann (PS), maire d'une ville de + de 100 000 h. (Strasbourg)].

Nota. – Une loi votée en juillet 1982 prévoyait un quota d'au moins 25 % de candidats du même sexe sur les listes aux élections municipales, dans les communes de + de 3 500 h., mais le Conseil constitutionnel a rejeté ce principe de quota.

Sénat. *Candidates* : **59** 33. **62** 9. **68** 17. **71** 9. **74** 12. **77** 40. **80** 23. **83** 21. **86** 75. **89** 31. **Élues** (entre parenthèses en %). **47** 22 (7). **49** 12 (3,8). **52** 9 (2,8). **54** 9 (2,8). **56** 9 (2,8). **58** 6 (1,9). **60** 5 (1,63). **62** 5 (1,85). **64** 5 (1,83). **66** 5 (1,82). **68** 5 (1,77). **71** 4 (1,42). **74** 7 (2,47). **77** 5 (1,7). **80** 7 (2,3). **83** 9 (2,84). **86** 9 (2,82) (5 PC, 1 PS, 3 RPR). **89** 10 (3,2) (5 PC, 4 RPR, 1 PS). **91** (mai) Pierre Carous RPR († 14-1-90) ayant été remplacé par Marie-Fanny Gournay : 11 femmes dont 5 RPR sur 321 (soit 3,4 %).

Hautes responsabilités récentes

Dans le monde

Reines (en 1990) : *Danemark, Pays-Bas, Royaume-Uni.* **Vice-reine** : *Canada* : Jeanne Sauvé (n. 26-4-1922), gouverneur général 14-5-84. Présidentes de la République : *Argentine* : Maria Estela MARTINEZ dite Isabel PERON (4-2-1931) en 1974-76 ; *Bolivie* : Lidia GUEILER (Pte intérim.) (16-11-79 au 19-07-80) ; *Haïti* : Ertha TROUILLOT (Pte par intérim 1990) ; *Irlande* : Mary ROBINSON dep. 1990 ; *Islande* : Vigdis FINNBOGADOTTIR [n. 15-4-1930, élue au suffrage universel en sept. 1980, réélue 1988 avec 93 % des voix devant Sigrun Thorsteindottir (3 %)] ; *Malte* : Mlle Agatha BARBARA (n. 1922) dep. 16-02-82. *Philippines* : Corazón AQUINO (n. 25-1-1933). **Vice-présidente** : *Chine* en 1949 : Mme SUN YAT-SEN. Premiers ministres : *Antilles néerlandaises* : Maria LIBERIA-PETERS ; *Bangladesh* : Khaleda ZIA dep. févr. 91 ; *Centrafrique* : Élisabeth DOMINTREN (75/76) ; *Dominique* : Mary Eugénie CHARLES (n. 1919) dep. 21-07-80 ; *France* : Edith Cresson (27-1-34) 16-5-1991 ; *Inde* : Indira GANDHI (1917-84) de 1966 à 1977 et 1980 à 1984 ; *Israël* : Golda MEIR (1898-1979) de 1969 à 1974 ; *Nicaragua* : Violetta CHAMORRO dep. 25-2-90 ; *Norvège* : Gro Harlem BRUNDTLAND 1980, 86, 90 ; *Pakistan* : Benazir BHUTTO 1988-90 ; *Portugal* : Maria de Lourdes PINTASILGO (n. 1930) 7-07-79 au 3-01-80 ; *Royaume-Uni* : Margaret THATCHER (n. 1925) dep. 5-05-79 ; *St-Marin* : Maria ANGELINI capitaine régent en 1981 ; *Sri Lanka* : Sirimavo BANDARANAIKE (n. 17-04-16) 1960-65, 1970-77 ; *Yougoslavie* : Milka PLANINC (n. 1924) dep. 15-05-82. Présidente du gouv. fédéral : *Yougoslavie* : Mme Milka PLANINC (n. 1924) dep. 16-6-1982. Gouverneurs d'États : *U.S.A.* : Mme Dixy LEE RAY (dém.) (3-9-1914) État de Washington en 1976, Mme Ella GRASSON (dém.) Connecticut en 1974. Vice-présidentes d'assemblée : *All. féd.* Anne-Marie RENGER (7-10-1919) Bundestag (déc. 72) ; *Pologne* Halina SKIB (10-1-1921). Présidentes d'assemblée : *Norvège* : Inger GJORV. Femmes ministres, plusieurs pays en ont.

Nombre de femmes dans les gouvernements des États membres du Conseil de l'Europe (1987). Autriche 2 sur 16, Belgique 3 sur 28, Chypre 0 sur 11, Danemark 3 sur 21, Espagne 1 sur 28, *France 4* sur 42, Grèce 2 sur 39, Irlande 2 sur 30, Islande 1 sur 11, Italie 3 sur 89, Luxembourg 0 sur 12, Norvège 18 sur 38, P.-Bas 5 sur 25, Portugal 4 sur 43, All. féd. 2 sur 18, G.-B. 7 sur 47, Suède 5 sur 21, Suisse 1 sur 9, Turquie 0 sur 31.

Pouvoirs détenus par des femmes (en %, en 1983). **Diplomates** : G.-B. 19,8, Irlande 16, *France 14,* All. féd. 11,2, Danemark 10,2, Grèce 5,9, P.-Bas 5,4, Luxembourg 5,2, Italie 5, Belgique 4,6. **Magistrats** : *France 31,2,* Lux. 27,2, P.-B. 20, Belg. 15,2, All. 14,4, It. 10,8, Irl. 8,4, Gr. 4,1. **Ministres** : Dan. 19,04, P.-B. 13,33, *Fr. 13,04,* Lux. 11,11, Irl. 6,86, Belg. 6,66, All. 6,25, G.-B. 4,76, Gr. 4,54, It. 3,33. **Parlementaires** : Dan. 23,48, P.-B. 20,88, Lux. 10,17, All. 9,92, Irl. 8,84, Belg. 8,62. It. 6,56, G.-B. 5,37, *Fr. 4,77,* Gr. 4,33. **Parl. européen** : Dan. 25, Belg. 25, *Fr. 22,2,* P.-B. 20, Lux. 16,7, All. 14,8, G.-B. 13,6, It. 12,3, Gr. 8,3, Irl. 6,7. **Prof. facultés** : *Fr. 8,7,* All. 4,5, G.-B. 3,3, Gr. 2,6, P.-B. 2,5, Irl. 1,4. **Syndicats (directeurs)** : *Fr. 28,2,* It. 14, Irl. 11, All. 8,2.

Nota. – Ambassadeurs : France 4 (3 %), G.-B. 3, Danemark et Allemagne 2, Belgique, Irlande et P.-Bas 1, Grèce et Italie 0.

Couronnement d'une reine morte

En 1354 le roi Alphonse IV de Portugal, qui voulait marier autrement son fils, le Pce héritier, fit assassiner sa 1re épouse Inès de Castro. Pierre II de Portugal monta sur le trône 3 ans plus tard. Il ordonna qu'on retire le squelette d'Inès du tombeau et qu'on le place, revêtu des ornements du sacre, sur un trône somptueux. Inès fut alors couronnée « reine du Portugal » selon les formes officielles : une main était fixée au sceptre, et sur la paume de l'autre on avait posé le globe d'or. Les courtisans vinrent lui prêter hommage comme si elle avait été en vie.

En France

Femmes au gouvernement

• IIIe République. **1936,** Gouv. Blum : 3 sous-secrétaires d'État ; *Recherche scientifique* : Irène JOLIOT-CURIE (1897-1956), savante, prix Nobel ; *Éducation nationale* : Suzanne BRUNSCHVIG, présidente de l'Union pour le suffrage des femmes ; *Enfance* : Suzanne LACORE (1875-1977), institutrice.

• IVe République. **1947,** *1re femme ministre* : Mme POINSO-CHAPUIS (1901-81) min. de la Santé publique (gouv. Schuman), *1 sous-secrétaire d'État* (Jeunesse et Sports) : Mme Andrée VIÉNOT (n.c.) (1946-49, gouv. Bidault et Blum).

Puis, pendant 10 ans, il n'y eut plus en France de femmes membres du gouvernement.

• Ve République. **De 1958 à mai 1981. Secrétaires d'État** : *Action soc. et Réadaptation* : Marie-Madeleine DIENESCH (3-4-14) du 22-6-69 au 5-7-72. Hélène MISSOFFE (15-6-27) du 30-3-77 au 31-3-78. *Affaires algér.* : Nafissa SID CARA (18-4-10). *Affaires culturelles* : Françoise GIROUD (21-9-16) du 27-8-76 au 30-3-77. *Affaires sociales* : M.-M. DIENESCH du 12-7-68 au 20-6-69. *Chargée de l'emploi des femmes* : Nicole PASQUIER du 12-1-78 à juin 82. *Condition féminine* : Françoise GIROUD du 16-7-74 au 25-8-76. *Consommation* : Christiane SCRIVENER (1-9-25) du 12-1-76 à avril 78. *Éducation nat.* : M.-M. DIENESCH du 31-5 au 10-7-68. *Enseignement préscolaire* : Annie LESUR (28-3-26) du 8-6-74 au 11-1-76. *Justice* : Monique PELLETIER (25-7-26) du 12-1-78 à juin 81. *Réforme pénitentiaire* : Dr Hélène DORLHAC (4-10-35) du 8-6-74 au 25-8-76. *Santé* : M.-M. DIENESCH du 6-2 au 27-5-72. *Universités* : Alice SAUNIER-SEITÉ (26-4-25) du 12-1-76 à avril 78. **Ministres** : *Santé* : Simone VEIL (13-7-27) du 24-5-74 (de la Santé et du Travail dep. avr. 78) au 4-7-1979. *Universités* : Alice SAUNIER-SEITÉ d'avr. 1978 à juin 81.

De mai 1981 à mai 1991. Premier ministre : Edith CRESSON (27-1-34) nommée 15-5-1991. **Ministre d'État** : *Solidarité nat.* : Nicole QUESTIAUX (19-12-30) du 22-5-81 au 22-3-83. **Ministres** : *Affaires européennes* : Édith CRESSON. *Affaires sociales et solidarité nat.* : Georgina DUFOIX (5-2-42) du 19-7-84 au 7-12-84 *+ porte-parole du gouv.* du 7-12-84 au 20-3-86. *Agriculture* : Édith CRESSON du 22-5-81 au 22-3-83. *Commerce extérieur* : Édith CRESSON du 22-3-83 au 20-3-86. *Consommation* : Catherine LALUMIÈRE (3-8-35) du 23-6-81 au 22-3-83. *Coopération* : Edwige AVICE (13-4-45) nommée 16-5-91. *Environnement* : Huguette BOUCHARDEAU (1-6-35) du 19-7-84 au 20-3-86. *Famille et condition féminine* : Alice SAUNIER-SEITE (26-4-25) en 1981. *Jeunesse et sports* : Frédérique BREDIN (2-11-56) nommée 16-5-91. *Travail* : Martine AUBRY (8-8-50) nommée 16-5-91. **Min. déléguées** : *Affaires étrangères* : Edwige AVICE 1988. Élisabeth GUIGOU (6-8-48) nommée 16-5-91. *Affaires sociales* : Georgina DUFOIX (mai-juin 1988). *Communication* : Catherine TASCA (13-12-41) 1988-91. *Droits de la Femme* : Yvette ROUDY (10-4-29) 22-5-81 au 20-3-86 ; Hélène GISSEROT (11-5-36) 20-3-86 à 88. *Francophonie* : Catherine TASCA nommée 16-5-91. *Santé et Famille* : Michèle BARZACH (11-7-43) 20-3-86 à 88. *Temps libre, Jeunesse et Sports* : Edwige AVICE du 19-7-84 au 20-3-86. **Secrétaires d'État** : *Affaires européennes* : Catherine LALUMIÈRE du 7-12-84 au 20-3-86. *Affaires sociales* : Catherine TRAUTMANN (15-1-51) (mai-juin 1988). *Consommation* : Catherine LALUMIÈRE du 22-3-83 au 7-12-84. Véronique NEIERTZ (6-11-42) 1988. *Défense* : Edwige AVICE du 19-7-84 au 20-3-86. *Droits des Femmes* : Michèle ANDRÉ (6-2-47) 1988. Véronique NEIERTZ 16-5-91. *Enseignement* : Michèle ALLIOT-MARIE (10-9-46) du 20-3-86 à 88. *Environnement* : Huguette BOUCHARDEAU du 22-3-83 au 19-7-84. *Famille* : Georgina DUFOIX du 22-5-81 au 19-7-84. Hélène DORLHAC 1988. *Fonction publique* : Catherine LALUMIÈRE du 22-2-81 au 23-6-81. *Formation prof.* : Nicole CATALA (2-2-36) 1986 à 1988. *Francophonie* : Lucette MICHAUX-CHEVRY (5-3-29) 1986 à 1988.

Quelques femmes célèbres

☞ En 1975, Françoise Giroud, secrétaire d'État à la Condition féminine, disait que la femme sera « vraiment l'égale de l'homme le jour où, à un poste important, on désignera une femme incompétente ».

• Académiciennes. **Académie française.** Bien qu'aucun texte n'eût interdit l'entrée des femmes, la 1re ne fut élue qu'en 1980 (Marguerite YOURCENAR). 7 femmes avaient posé leur candidature : dont le 19-1-1893 Pauline SAVARI (romancière) qui brigua la succession d'Ernest Renan. L'Académie, « considérant alors que ses traditions ne lui permettaient pas l'examen de cette question », était passée à l'ordre du jour. En 1908, la Ctesse DE CHAMPION posa sa candidature au siège de François Coppée. En 1970, Françoise PARTURIER obtint 1 voix. En 1983, la Dchesse Edmée de LA ROCHEFOUCAULD obtint 10 voix (le Pt Senghor fut élu). En 1988, Jacqueline DE ROMILLY fut la 2e femme élue.

Académie des beaux-arts. A choisi comme membres associés l'impératrice d'Iran FARAH DIBA (1974), la reine Élisabeth de BELGIQUE et Mme FLORENCE J. GOULD comme correspondante.

Académie Goncourt. Judith GAUTIER (1850-1917), fille du poète Théophile Gautier, élue 28-10-1910. COLETTE (1873-1954), élue 4-5-1945. Françoise MALLET-JORIS (1930), élue 8-12-1970. Edmonde CHARLES-ROUX (1920) élue 1983. **Prix Goncourt.** Elsa TRIOLET (1945), Béatrix BECK (1952), Simone DE BEAUVOIR (1954), Anna LANGFUS (1962), Edmonde CHARLES-ROUX (1966), Antonine MAILLET (1979), Marguerite DURAS (1984).

Académie des inscriptions et belles-lettres. Jacqueline DE ROMILLY élue 1975. Colette CAILLAT élue 1989.

Académie des sciences. Après avoir préféré successivement Édouard Branly à Mme CURIE en 1911, Eugène Darmois (1951), Francis Perrin (1953) et Georges Chaudron (1954) à Irène JOLIOT-CURIE, a fini par élire en 1962 une physicienne, Mme Marguerite PEREY, comme correspondante (1909-75). Mme Marianne GRUNBERG MANAGO (née 6-1-21 Leningrad) élue dans la section biologie le 1-3-82 avait été la 2e correspondante (31-10-77). Mme Y. CHOQUET-BRUHAT (29-12-23) élue dans la section mécanique le 14-5-79. Mme Nicole LE DOUARIN (n. 28-8-30), 4e correspondante (4-2-80), élue dans la section biologie animale le 15-2-81.

Académie des sciences morales et politiques. 1969-24-11 Mme Louise WEISS a été battue (17 voix contre 21 à M. Pierre-Olivier Lapie). En mars 1971, Mme Suzanne BASTID (15-8-1906) a été élue dans la section de législation, droit public et jurisprudence. Son mari, Paul Bastid, était déjà membre de cette Académie.

Académie nationale de médecine. Lucie RANDOIN, membre libre (1946). Seule femme membre titulaire, Mme Thérèse BERTRAND-FONTAINE (n. 1895) élue 1969.

Académie vétérinaire. 1re femme membre titulaire, Mme DHENNIN-BALSSA dep. 1979.

• Amazones (du grec *a mazos* : sans-mamelle car censées se brûler le sein droit pour mieux tirer à l'arc). D'après Homère, envahirent Asie Mineure et Grèce avant la guerre de Troie (XIVe s. av. J.-C.), Hérodote en parle aussi. Au XVIe s., Orellana prétendit avoir lutté contre des amazones sur les bords du Maranon, d'où le nom d'Amazone donné au fleuve.

• Barbe (femmes à barbe célèbres). SAINTE WILGEFORTE d'après la tradition. Marguerite d'AUTRICHE duchesse de Parme (1522-86). Barbara ULSERIN (d'Augsbourg, née 1633). Madeleine VENTURA des Abruzzes (XVIIe s.). Marie-Madeleine LEFORT (Française, née 1799). Julia PASTRANA (née à Mexico 1832). Clémentine DELAIT, de Thaon-les-Vosges (1865-1939).

• Cantatrice ayant eu une longue carrière. Adelina PATTI (1843-1919), Italienne. Soprano léger, chanta plus de 60 ans.

• Comédienne (jeune). Mlle GEORGE (1787-1867), la plus jeune à jouer Clytemnestre à la Comédie-Française (en 1802, à 15 ans), fut la maîtresse de 2 empereurs : Napoléon Ier (1802-08) et le tsar Alexandre (1808).

• Compagnes de la Libération. *Décorées de leur vivant* : Émilienne MOREAU et Laure DIÉBOLD. *A titre posthume* : Bertie ALBRECHT (1895-1943), Maria HACKIN (disparaît avec son mari au cours d'une mission pour la France libre en 1941), Simone MICHEL-LÉVY (pendue au camp de Flossenburg pour un sabotage dans l'usine où elle travaille), Marcelle HENRY (déportée à Ravensbrück, † 8 jours après la Libération).

• **Criminelles.** LOCUSTE, Romaine, tua l'empereur Claude avec des champignons puis empoisonna Britannicus. AGRIPPINE, la mère de Néron. Ctesse Erzébet BATHORY (v. 1570-1614), Hongroise, torturait et égorgeait les jeunes filles (de 60 à 600, selon les sources). Marie-Madeleine d'Aubray, marquise de BRINVILLIERS (1630-76), Française (V. Affaire des poisons). Bella POULSDATTER SORENSEN GUNNESS (1859-1908), Américaine (16 assassinats + 12 victimes possibles). Violette NOZIÈRES et Marie CAPELLE (V. Justice). Fanny KAPLAN (militante soc. révolut. russe) 1918 tire sur Lénine et le blesse ; exécutée. Violet Albina GIBSON (Brit.) 1926 en Italie tire sur Mussolini.

• **Éducatrice.** Maria MONTESSORI (1870-1952), Italienne. *1re femme médecin d'Italie (1894).* Renouvela l'éducation des enfants de 3 à 6 ans.

• **Espionnes.** Thérèse Lachman, marquise de PAÏVA, puis comtesse de Donnersmarck, danseuse et aventurière d'origine russe (1819-84) ; lionne du Second Empire, elle servit d'agent de renseignements au profit de Bismarck. Virginia Oldoini, comtesse Verasis di CASTIGLIONE (1837-99), Italienne qui séduisit Napoléon III pour le compte de l'Italie. Mata HARI (Margareta Gertruida Zelle) (1876-1917, fusillée), Hollandaise. Louise de BETTIGNIES, Française, morte en déportation (1880-1918). Marthe RICHARD, Française (1889-1980).

• **Féministes. France :** Olympe de GOUGES (1748-guillotinée 1793) écrit en 1791 la Déclaration des droits de la femme et de la citoyenne. En 1789, elle proclamait : « Les femmes montent à l'échafaud, elles doivent avoir le droit de monter à la tribune. » Flora TRISTAN (1803-44), grand-mère du peintre Gauguin. Pauline ROLAND (1805-52). Marie DERAISMES (1828-94). Clémentine ROYER (1830-1902). Hariette MARLINEAU. Maria VÉRONE (1874-1938). Louise WEISS (1893-1983). Eugénie NIBOYET (née 1804). **G.-B. :** Mary WOLLSTONECRAFT (1759-1797) publie en 1792 un pamphlet, *Revendication des droits de la femme.* Annie BESANT (1847-1933). Mrs PANKHURST née Emmeline GOULDEN (1858-1928), de Manchester, crée en 1903 l'Union féminine sociale et politique ; leurs membres, dites les « suffragettes », militèrent de façon spectaculaire pour le vote des femmes (ont obtenu gain de cause en 1918). Mairead CORRIGAN et Betty WILLIAMS (Irl. du N.). **U.S.A. :** Betty FRIEDMAN crée en 1966 le mouv. réformiste NOW. Des New-yorkaises fondent en 1967 le mouv. WITCH (Women's International Terrorist Conspiracy of Hell : conspiration des femmes pour l'enfer), witch signifie sorcière. *1968-7-9* naissance officielle de Women's Lib à Atlantic City (N. Jersey). *1979* à la suite de revendications fém., la météo qui désignait les tornades par des prénoms fém. alterne avec des prénoms masc.

• **Femmes d'affaires françaises.** Jacqueline BAUDRIER (1922), P.-D.G. de Radio-France. Madame BOUCICAUT, née Marguerite GUÉRIN (1816-1887), épouse du fondateur du Bon Marché. Marie BRIZARD (1714-1801), Française qui lança une anisette. Mme CINO DEL DUCA (Italie 1912), éditrice. Veuve CLICQUOT, née Nicole-Barbe PONSARDIN (1777-1866), qui fonda une Sté de champagne. Francine GOMEZ (1932), P.-D.G. de Waterman. Yvonne FOINANT (1892), maître de forges. Marthe HANAU (1885-1935) directrice de journaux ; compromise dans un scandale. Marguerite LAROCHE-NAVARRON (1909), directrice de laboratoires pharmaceutiques.

Prix Veuve Clicquot de la femme d'affaires de l'année. *Créé* 1983. **Lauréates.** *1983 :* Annette ROUX (4-8-42), P.D.-G. des Chantiers Beneteau. *84 :* Marie-José JOBERT (16-7-41), Thalassothérapie Sofitel. *85 :* Catherine PAINVIN (23-7-47), Tartine et Chocolat. *86 :* Monique FIESCHI et Mylène GALHAUD, Point à la Ligne. *87 :* Gilberte BEAUX (12-7-29), Générale Occidentale. *88 :* Marion VANNIER (24-4-50), Amstrad France. *89 :* Évelyne PROUVOST (16-4-39), groupe Marie-Claire. *90 :* Brigitte DE GASTINES (22-3-44), S.V.P.

• **Femmes de lettres** Voir Quid 1982 p. 1613 ; *dont l'œuvre est parue dans « la Pléiade » :* Mme de Sévigné (1953), George Sand (1970), Marguerite Yourcenar (1982), Colette (1984).

• **Femme à laquelle « le crime a le plus rapporté ».** Agatha CHRISTIE (avec ses romans policiers best-sellers !).

• **Femme fidèle.** Juliette DROUET (1806-83) pendant 50 ans la maîtresse de V. Hugo (à partir de 1833) ; elle lui écrivit 17 000 lettres.

• **Femmes riches** (en milliards de F). *Selon Harpers and Queen (1991).* Élisabeth II, reine d'Angleterre (64 ans) 66. Johanna Quandt (63 ans, veuve du propriétaire de BMW, Allemande) 26. En 6e position : Liliane Bettencourt (67 ans, fille d'Eugène Schueller, créateur de L'Oréal) 1,3.

• **Fondatrices de religion.** Mary BAKER EDDY (1821-1910), Américaine, fondatrice de la Science chrétienne. Nakayama MIKI, Japonaise, créa le Tenri-Kyö. Alma BRIDWELL-WHITE fonda en 1917 l'Église du Pilier de Feu (méthodiste), 1re évêque.

• **Furies.** Déesses de la vengeance : Mégère, Alecto, Tisiphone.

• **Grandes (femmes les plus).** Jane BUNFORD (26-7-1895/1-4-1922, G.-B.) : 2,31 m (1,98 m à 13 ans). Zeng JINLIAN (26-5-1964, Chine) : 2,40 m, 147 kg (2,17 m à 13 ans).

• **Héroïnes.** Bertie ALBRECHT (1895-1943), Française, héroïne de la Résistance, morte en prison. Marie de BARBANÇON (fin du XVIe s.), protestante qui défendit son château contre les troupes royales. Renée BORDEREAU (1770-1828), chouanne. Edith Louisa CAVELL (1865-1915), infirmière anglaise, exécutée par les Allemands. Charlotte CORDAY (1768-93), par patriotisme, assassina Marat et fut guillotinée. Christine de Lalaing, princesse d'ÉPINOY, héroïne belge du XVIe s. ÉPONINE (79 après J.-C.), Gauloise qui, pour ne pas survivre à son mari Sabinus, insulta l'empereur et fut suppliciée. Jeanne Laisné dite HACHETTE (n. v. 1454) ; Française. Jeanne d'ARC (1412-31) ; Française. Philis de LA TOUR DU PIN DE LA CHARCE (1645-1703) ; dauphinoise, appela ses vassaux pour repousser l'armée d'Amédée, duc de Savoie (1692). Émilienne MOREAU (n. 1898), décorée de la Légion d'honneur et de la Croix de guerre à 17 ans. Florence NIGHTINGALE (1820-1910), fondatrice en Angl. des infirmières militaires. Gabrielle PETIT (1893-1916), Belge.

• **Hôtesses de l'air.** *1930* Ellen CHURCH (infirmière amér.) 1re hôtesse ligne San Francisco-Chicago (suivie par 7 autres). *1934* Nelly DIENER 1re Européenne (Swissair). *1935* T.W.A. *1943* Panam. *1946* 1er concours de recrutement Air-France : doivent mesurer de 1,55 m à 1,70 m, 21 à 30 ans, avoir le bac et connaître l'anglais. Jusqu'en 1963 le mariage signifie rupture de contrat (si ne se marient pas, limite : 35 ans) ; Solange CATRY en 1955 fit repousser cette limite. *1981* égalité avec les stewards pour l'âge de la retraite.

• **Inspiratrices.** De nombreux poètes, prosateurs, musiciens... ont rendu célèbre leur nom.

Écrivains étrangers. *Catulle :* Lesbia CLODIA (Ier s. av. J.-C.). *Dante :* Béatrice PORTINARI (v. 1265-90). *Pétrarque :* Laure de NOVES (v. 1308-?). *Milton :* Catherine WOODCOCK (v. 1640-57). *Gœthe :* Frédérique BRION, Minna HERZLIEB, Lili SCHÖNEMANN, etc.

Écrivains français. *Jaufré Rudel :* Odierne, comtesse de TRIPOLI (XIIe s.). *Joachim du Bellay :* La « Viole », Olive de SÉVIGNÉ (v. 1525-?). *Ronsard :* Cassandre SALVIATI (v. 1530-?). *Molière :* Armande BÉJART (1642-1700). *Racine :* « La Champmeslé », Marie DESMARES (1642-98). *Rousseau :* Mme de WARENS (1700-62), Mme d'ÉPINAY (1726-83), Mme d'HOUDETOT (1739-1813). *Voltaire :* M[ise] du CHATELET (Émilie de BRETEUIL 1706-49). *Diderot :* Sophie VOLLAND (1725-84). *Chateaubriand :* Mme RÉCAMIER (Julie BERNARD, 1777-1849), Pauline de BEAUMONT (1768-1803). *Lamartine :* « Elvire » (Julie CHARLES, née Bouchard des Hérettes, 1784-1817). *Benjamin Constant :* Charlotte de HARDENBERG (1771-1827). *Dumas fils :* Marie DUPLESSIS (1824-47) (La Dame aux camélias). *Vigny :* Marie DORVAL (1798-1849). *Victor Hugo :* Juliette DROUET (1806-83). *Gérard de Nerval :* Jenny COLON (1814-42). *Auguste Comte :* Clotilde de VAUX (1815-46). *Anatole France :* Mme de CAILLAVET (1844-1910). *Maurice Maeterlinck :* Georgette LEBLANC (1870-1932). *Louis Aragon :* Elsa TRIOLET (Elsa Kazan, 1896-1970).

Inversement, plusieurs poétesses célèbres eurent un inspirateur : *Louise Labé*/Olivier de Magny (v. 1529-v. 1561) ; *Marceline Desbordes-Valmore*/Olivier Henri de La Touche (1785-1851).

Musiciens. *Wagner :* Mathilde WESENDONCK (1828-1902).

• **Inventrices.** MARIE, sœur légendaire de Moïse, alchimiste, invente le bain-marie. Marie BRIZARD (Française, 1714-1801), lance à la cour de Versailles la liqueur que l'on conservera sous ce nom. La CAMARGO [Marie-Anne de Cupis de Camargo, dite] (Française, 1710-70), innove à l'Opéra l'usage des « collants », alors des espèces de caleçons. Antoinette NORDING (Suédoise), lança, en 1847, l'eau de Cologne. Julia BERNÈRES invente les 1res mouches artificielles pour la pêche. Marie HAREL, née Fontaine (Française, 1761-1813), invente le camembert. Mme MIRCKEL invente la 1re allumette à friction. Myrfrena VAN BENSHOTON invente le dé à coudre. Annie JUMP CANNON (Américaine, 1863-1941) fonde la classification des spectres stellaires, classe près de 600 000 étoiles. Marie MATÉ invente le télescope marin que perfectionnera sa fille.

• **Mannequins.** *1984* Inès de LA FRESSANGE (26 ans, 1,81 m, 55 kg), signe un contrat d'exclusivité de 7 ans avec Chanel ; salaire minimal annuel 300 000 $ (mannequin préféré de Karl Lagerfeld).

• **Mécène.** Wilhehmina C. HOLLADAY (Américaine, 1928) a fondé en 1987 le 1er musée consacré à 180 artistes femmes de 19 pays (500 œuvres). Le musée comprend une bibliothèque de 4 000 livres sur la contribution des femmes à l'art, 1 auditorium de 200 places.

• **Médecins.** Mary MONTAGUE (Lady Wortley) (1690-1762) ; f. de lettres atteinte par la variole, découvre l'inoculation. Suzanne NECKER (Mme Cuchod) (1739-1794) ; publie en 1750 un traité sur les inhumations précipitées. Madeleine BRES (1842-1922) ; 1re à soutenir une thèse de doctorat en 1875, « Mamelle et allaitement », fonde en 1885 1 des 1res crèches maternelles. Blanche EDWARDS-PILLET (1858-1940) ; lutte pour l'accession des f. aux concours des hôpitaux. Henriette MAZOT (1874-1972) 1re interne en pharmacie (1897), 2e sur 152 candidats. A. TALON 1re thèse en pharmacie en 1906. Augusta DEJERINE-KLUMPKE (1859-1927) 1re à passer le concours de l'internat des hôpitaux en 1886.

• **Mère cruelle.** IRÈNE, impératrice d'Orient de 780 à 790 et de 792 à 802 ; elle fit aveugler son fils pour gouverner seule.

• **Militaires.** Marie SCHELLINCK (Gand, 1757-1840) s'engage à 35 ans dans l'armée française, sous-lieutenant en 1806. Geneviève PREMOY (née 1660-début XVIIIe s.) dite la Dragonne, lieutenant de cavalerie, se fit connaître sous Louis XIV sous le nom de chevalier de Balthasar. PE-MEI-HUANG, sans doute la seule femme de notre époque à avoir capturé des navires de guerre, pendant la 2e guerre mondiale, dans la baie d'Along. Polina NEDYALKOVA (1916), général de brigade bulgare.

Voir aussi Légion d'honneur, Index.

• **« Miss ».** *1921* 1re Miss America. *1927* 1re Miss France Roberte CUSEY. *1929* Miss Europe (Hongroise). *1935* Miss Univers (Égyptienne). *1951* le fabricant de maillots de bain qui habille les concurrentes de Miss America dénonce son contrat et fonde 2 autres concours : Miss U.S.A. et Miss Univers. *1959* Colombie émet des timbres pour « sa » Miss Univers. *1983* 1re Noire Miss America Vanessa Williams. *1986* Trinidad et Tobago émet des timbres pour « sa » Miss Monde. 1re Miss Hongrie depuis la guerre ; se suicide. **Miss devenues célèbres :** Colette DEREAL (Fr., actrice), Sophia LOREN (Ital., actrice), Claudine AUGER (Fr., act.), Lucia BOSE (Ital., act.), Anita EKBERG (Sué., act.), Yvette LABROUSSE (Fr., Miss France 1930, épouse l'Aga Khan et devient Bégum). **1re Miss Moscou :** Macha KALININE. **Miss France : 1991** Mareva GEORGES, Tahitienne (21 ans, 1,71 m).

• **Mode.** Elizabeth ARDEN (1891-1966 aux U.S.A.). Coco CHANEL (1883-1971). Jeanne LANVIN (1867-1946). Nina RICCI (1883-1970). Helena RUBINSTEIN (1872-1965). Elsa SCHIAPARELLI (1890-1973), etc.

• **Morts tragiques (femmes qui eurent des).** La reine d'Austrasie, BRUNEHAUT (v. 534-613), attachée par les cheveux, un pied et un bras à la queue d'un cheval indompté ; elle fut déchiquetée. Eleonora Dori, dite GALIGAÏ (v. 1576-1617), femme de Concini, décapitée comme sorcière. La princesse de LAMBALLE (1749-92), massacrée par la foule ; sa tête fut promenée au bout d'une pique sous les fenêtres de Marie-Antoinette et son corps déchiqueté fut en partie mangé par la foule. MARIE-ANTOINETTE, Mme ROLAND, Olympe de GOUGES et beaucoup d'autres sous la Révolution. ELISABETH (1837-1898), impératrice d'Autriche (Sissi), assassinée à Genève. Isadora DUNCAN (1878-1927), danseuse étranglée par l'écharpe qu'elle portait, qui se prit dans les rayons d'une roue au cours d'une promenade en auto. Ginette NEVEU, violoniste (1919-49), morte dans un accident d'aviation aux Açores. Emily WILDING DAVIDSON (35 ans), suffragette, se jette au Derby d'Epsom (1913) au-devant du cheval Anmer portant les couleurs du roi ; elle mourra le 14-6 des suites de ses blessures. ALICE, tsarine, massacrée en 1917 avec ses quatre filles. Sharon TATE, assassinée 1969. Indira GANDHI, assassinée 1984.

• **Musiciennes compositrices.** (Voir aussi à l'Index virtuoses, chanteuses.) Louise BERTIN (1805-77). Lily BOULANGER (1893-1918) (1re qui obtint le grand prix de Rome de composition, 1913). Cécile CHAMINADE

(1861-1944). Gabrielle FERRARI (1806-1921). Augusta HOLMÈS (1847-1903) auteur du « Cher Petit Oreiller ». Elisabeth JACQUET (1664-1729).

• Peintres. **Françaises.** Louise ABBEMA (1858-1927). Marie BENOIT (1768-1826). Rosa BONHEUR (1822-1899). Elisabeth CHERON (1648-1711). Lucie COUSTURIER (1876-1925). Sonia DELAUNAY (1885-1974, or. russe). Eva GONZALES (1849-1883). Louise HERVIEU (1878-1954). Adélaïde LABILLE-GUIARD (1749-1803). Marie LAURENCIN (1885-1956). Berthe MORISOT (1841-1895). Séraphine LOUIS, dite SÉRAPHINE (1864-1934). Elisabeth VIGÉE-LEBRUN (1755-1842). Suzanne VALADON (1867-1938). Anne VALLAYER-COSTER (1744-1818). **Étrangères.** Vanessa BELL (1879-1961), Angl. Maria BLANCHARD (1881-1932), Esp. Anne BONNET (1908-60), Belge. Mary CASSATT (1845-1927), Amér. Artemisia GENTILESCHI (1593-1652), It. Marthe GUILLAIN (1890-1974), Belge. Angelica KAUFFMANN (1741-1807), Suisse. Judith LEYSTER (1609-60), Holl. Bridget RILEY (1931), Angl. Rachel RUYSCH (1664-1750), Holl. Sophie TAEUBER-ARP (1889-1943), Suisse. Maria Helena VIEIRA DA SILVA (1908), Port.

• Prix Nobel. **Paix. 1905** Bertha KINSKY, B^onne^ von SUTTNER (1843-1914), All. **31** Jane ADDAMS (1860-1944), Amér. **46** Emily GREENE BALCH (1867-1951). **76** Mairead CORRIGAN et Betty WILLIAMS (Irl. du N.). **79** Mère Teresa (Inde). **Littérature. 1909** Selma LAGERLOF (1858-1940), Suéd. **26** Grazia DELEDDA (1871-1936), Ital. **28** Sigrid UNDSET (1882-1949), Norv. **38** Pearl BUCK (1892-1973), Amér. **45** Gabriela MISTRAL (1889-1957), Chil. **66** Nelly SACHS (Berlin 1891-1970), Israël. **Physique ou chimie. 1903** Marie CURIE (avec son mari Pierre CURIE et H. BECQUEREL), née Sklodowska (1867-1934), Franç. d'origine polonaise ; **11** Marie CURIE (chimie). **35** Irène JOLIOT-CURIE (1897-1956), Franç. **63** Marie GOEPPERT-MAYER (1906-72), All. **Physiologie et médecine. 1947** Gerty CORI (1896-1957), avec Karl CORI (1896) ; tous 2 devinrent Américains en 1932. **77** Rosalyn YALOW (U.S.A.). **83** Barbara MCCLINTOCK (U.S.A.). **86** Rita LEVI-MONTALCINI (n. 1909, juive de Turin, naturalisée amér.), prix partagé avec son partenaire Stanley Cohen. **88** Gertrud Belle ELION (U.S.A.).

• Révolutionnaires. **Allemagne :** Rosa LUXEMBURG (Pologne russe, 1870-Berlin, 1919). **Espagne :** La PASIONARIA [Dolores Ibarruri (1895-1989)], héroïne de la guerre civile de 1936-39. **États-Unis :** Angela DAVIS (n. 26-1-1944), militante pour Noires. **France :** Mme ROLAND (1754-93). Anne-Josèphe TERWAGNE, dite Théroigne de Méricourt (Belgique, 1762-Paris, 1817), surnommée la « Belle Liégeoise » ou la « Furie de la Gironde », morte folle. Louise MICHEL, dite la Vierge rouge (1830-1905), héroïne de la Commune. **U.R.S.S. :** Vera FIGNER (1852-1942). Nadejda KROUPSKAIA (1869-1939), compagne de Lénine. Sofia PEROVSKAIA (1853-81), fille du gouverneur de Saint-Pétersbourg ; elle participa à l'attentat manqué contre le train impérial ; condamnée à mort, elle fut pendue.

• Saintes. % de femmes parmi les saints canonisés par l'Église catholique : 10 % jusqu'au début du XXe siècle ; 43 % depuis. Parmi les saintes : 14 mères de famille, 32 veuves, plusieurs centaines de religieuses, de martyres, de vierges.

• Savantes. Marie AGNESI (1718-1799), Ital., mathématicienne. Gertrude BELL (1868-1926), Angl., archéologue. A. BYRON, Ctesse LOVELACE (1815-1852), Angl., math. Jacqueline CIFFRÉO découvre en 1985 la comète qui porte son nom. Marie CURIE (1867-1934) et sa fille Irène, Fr. (voir ci-dessus Prix Nobel). Jeanne DIEULAFOY (1851-1916), Fr., archéologue qui portait un costume d'homme. Sophie GERMAIN (1776-1831), Fr., math. Caroline HERSCHELL, Hanovrienne (1750-1848) décrivit 3 nébuleuses. Sophie KOWALEVSKI (1850-1891), Russe, math. Stéphanie KWOLEK, Amér., découvre en 1965 le Kevlar. Mileva MARIC (1875-1934), femme d'Albert Einstein. Margaret MEAD (1901), Amér., ethnologue. Lise METTNER (1878-1908), Autr., physicienne. Maria MITCHELL (1818-89), Amér., découvrit une comète. Emmy NOETHER (1882-1936), Russe, math. Marguerite PEREY, Fr., assist. de Marie Curie, découvre le francium. Pauline RAMART, née Lucas (1880-1953), Fr., chimiste. Mary FAIRFAX SOMMERVILLE (1780-1872), Angl., math. Sheila WILDNALL, Amér. Pte du MIT.

• Scandaleuses (femmes les plus) (?). Angélique d'ESTRÉES (sœur de Gabrielle), abbesse de Maubuisson, mère de 12 bâtards de pères différents ; il fallut l'expulser de son couvent par la force armée en 1618. MESSALINE (25-48 apr. J.-C.) impératrice romaine, femme de Claude, son nom est devenu synonyme de débauche.

• Sculpteurs. Camille CLAUDEL (1864-1943). Marie-Anne COLLOT (1748-1821). Marie d'ORLÉANS, fille de Louis-Philippe, duchesse de Wurtemberg (1813-39). Louise NEVELSON (1900-88), Amér. d'or. russe.

• Sport. **Alpinistes :** Lucy WALKERT (1835-1916). Marie PAILLON (1848-1936). Fanny BULLOCK-WORKMAN (1839-1925) qui monta sur le Kun (7 085 m en 1906). Gertrude BELL (1869-1926). Claude KOGAN (1919-59). *1808 :* Marie PARADIS atteint le sommet du mont Blanc. *1903* Marie MARVINGT (1875-1963) : V. Aviatrice. *1975* Yunko TABEI atteint le sommet de l'Everest (1re). *1983* Martine ROLLAND, 1re guide de haute montagne.

Athlétisme. *1918* 1ers championnats de France fém. *1948 :* Micheline OSTERMEYER : 1re ch. olympique fr. *1978 :* Sara SIMEONI : 1re à sauter 2,01 m.

Aviatrices : Maryse BASTIÉ (1898-1952) qui franchit l'Atlantique Sud, 1er commandeur de la Légion d'honneur à titre militaire. Suzanne BERNARD, 1re f. victime de l'aviation, à 18 ans. Adrienne BOLLAND (1896-1975), 1re à franchir la cordillère des Andes 1921. Hélène BOUCHER (1908-34), morte à l'entraînement, détenait 7 records mondiaux. Isabelle BOUSSAERT, 1re pilote militaire, 1985. Jacqueline COCHRAN (Amér.) franchit le mur du son (18-5-1953) sur un Sabre canadien. Danièle DECURE, 1re pilote Air France, 1974. Élise DEROCHE, dite baronne Raymonde de LA ROCHE (1886-1919), 1re à recevoir, en mars 1910, son brevet de pilote. Jacqueline DROUET (n. 5-2-1917), épouse de Paul AURIOL fils du Pt de la Rép. Vincent Auriol, franchit le mur du son sur Mystère II (29-8-53), bat le record de vitesse fém. 1951, 1re pilote d'essai en vol 1955. Jacqueline DUBOUT, 1re pilote de ligne en Fr., 1967 Air-Inter. Amélia EARHART (1898-1937), Amér., 1re à survoler (en passagère) l'Atlantique. (En 1933, Eugénie ECHENWALD, 1re Cdt de bord.). Maryse HILSZ (1901-46), parachutiste d'exhibition, puis pilote. Marie MARVINGT (1875-1963), pilote, 1er record officiel de durée et de distance en avion. 1903, ascension des Grands Charmoz et du Grépon. 1905, conduit une locomotive, des bateaux à vapeur et fait en canoë Paris-Coblence. Accomplit à bicyclette un Nancy-Naples. En mer, nage 20 km ; remporte 20 premiers prix de ski, de luge, de bobsleigh, de patinage... et manie fleuret, épée et sabre. À cheval, 1re de son temps à accomplir le saut périlleux au galop ; 1er tireur du ministère de la Guerre ; parle 5 langues et l'espéranto ; 1er prix comme cordon-bleu. Amy MOLLISSON née Johnson (1908-41) : 1933, avec son mari, le capitaine Mollisson, 1re traversée aérienne de l'Atlantique sans escale, d'est en ouest. Gaby MORLAY (1897-1964), 1re à avoir passé son brevet de pilote de dirigeable. Mme PELTIER, 1re à voler en aéroplane. Yvonne POPE, Anglaise, 1re à avoir obtenu la qualification de pilote de ligne. Harriet QUIMBY, 1re à survoler la Manche, 1912. **Nombre de femmes pilotes** (1988). Air Canada 12 sur 800, Swissair 1 sur 1 200, Air France 9 sur 2 149 (1 dans la marine, 11 dans l'armée de terre).

Aviron *1909 :* Mme BINDER gagne la 1re course en France.

Équitation : Isabelle HENIN, 1re femme jockey.

Football. *1970 :* Football féminin reconnu.

Judo. *1934 :* 1er cours officiel féminin. *1951 :* Mme LEVANNIER, 1re Française ceinture noire.

Lutte. *1980 :* 1er ch. de France féminin.

Natation. *1912 :* femmes aux J.O. *1926 :* Gertrude EDERLE traverse la Manche.

Parachutisme. Jeanne GARNERIN (1775-1847), 1re à tenter et réussir une descente en parachute. *1912 :* Tiny BROADWICK, 1re parachutiste amér.

Patinage. *1909 :* Yvonne LACROIX, 1re champ. fr.

Ski. *1908 :* Hélène SIMOND, 1re championne fr. *1935 :* Maguy PELLETIER, 1re monitrice.

Tauromachie : Conchita CINTRON (Péruvienne n. 1922), 1re à être descendue dans l'arène, 550 combats, a mis à mort 350 taureaux. Clarita MONTEZ, *mars 1965 :* 1re femme autorisée, en Espagne, à combattre un taureau à pied (elle a 19 ans).

Tennis. *1879 :* à Dublin, 1re compétition ouverte aux femmes. *1900 :* tennis féminin aux J.O.

Voile. *1953 :* Ann DAVIDSON (Brit.) 1re à traverser l'Atlantique en solitaire. *1967 :* Mrs SHARON, 1re à traverser le Pacifique en solitaire.

Jeux olympiques d'été : Wilma RUDOLPH « la gazelle noire » *(athlétisme)* amér., 1re championne olympique à avoir commencé par marcher avec des appareils, étant à moitié infirme ; 3 médailles d'or (1960). Vera CASLAVSKA *(gymnastique),* Tchéc. n. 3-5-1942, 3 méd. d'or (1964), et 4 (dont 2 partagées) 1968. Shane GOULD *(natation),* Austr. n. 23-11-1956, battit 11 rec. du monde entre 1971 et 1973, 3 méd. d'or en 1972. Nadia COMANECI *(gymnastique),* Roum. n. 12-11-1961 ; 3 méd. d'or et 2 d'arg. (1976 : 1re gymnaste ayant obtenu des notes 10 en concours et 20 en finale), 2 méd. d'or et 2 d'arg. (1980, bien qu'elle ait grandi de 5 cm et grossi de 7 kg). Cornelia ENDER *(natation),* All. dém. n. 25-10-1958, battit 22 records du monde ; 4 méd. d'or et 1 d'argent 1976.

Jeux olympiques d'hiver : les sœurs GOITSCHEL, Fr. *(ski alpin) :* Christine (n. 29-6-1944), méd. d'or en slalom spécial (devant sa sœur) et méd. d'arg. en géant (1964) ; Marielle (n. 28-9-1945), méd. d'or en slalom géant (1964 devant sa sœur), d'argent en spécial, et d'or en spécial (1968).

Nota. – 1981 : élections au C.I.O. de Pirjo Haggmann-Wilmi (Finl.) et Flor Isara Fonseca (Venezuela).

• Sultane. Mlle de BARBEYRAC DE SAINT-MAURICE, enlevée par des pirates et vendue à Mahmoud II, sultan de 1809 à 1839 ; mère d'Abd-ul-Mejid (n. 1822, sultan 1839-61) et d'Abd-ul-Aziz (n. 1830, sultan 1861-76).

• Voyageuses. Jeanne DIEULAFOY (1851-1916), Française. Alexandra DAVID-NEEL (1868-1969). Rose de FREYCINET (1794-1832), Française, suivit son mari autour du monde. Ida PFEIFFER (1797-1858). Lady STANHOPE (1776-1889), Anglaise. Alexandrine TINNÉ (1839-69), Hollandaise.

Quelques « premières »

☞ Voir aussi rubriques précédentes.

En France

1694 *1re compositeur d'opéra,* Élisabeth Jacquet de La Guerre (« Céphale et Proscris »).

1767-69 *1re femme à naviguer autour du monde,* Jeanne Baret (sur le bateau de Bougainville). **1784** *1re effectuant un vol en ballon libre,* Mme Thible. **1849** *1re se présentant aux élections.* **1851** *1re décorée de la Légion d'honneur,* Angélique Duchemin (1772-1859). **1858** *1re licenciée ès sciences,* Mlle Chenu. **1861** *1re bachelière,* Julie Daubié (1824-74), institutrice de 37 ans, licenciée ès lettres *1871.* **1869** *1re reçue pharmacienne,* Mlle Doumergue. **1870** 1res *diplômées de la Fac. de médecine :* 2 étrangères : miss Garret (1870), miss Putman (1871). **1875** *1re soutenant sa thèse à la Fac. de médecine,* Madeleine Brès. **1882** *concours de l'externat de médecine,* Blanche Edwards et Augusta Klumpke. **1884** *1re enseignante à la Sorbonne* (sans chaire) Clémence Royer. **1885** *concours de l'internat,* Blanche Edwards et Augusta Klumpke. *1res autorisées* par Millerand, min. du Commerce, *à entrer comme dactylographes dans les services d'État. 1re docteur en sciences géographiques,* Dorothea Klumpke. *1re agrégée des sciences,* Mlle Borniker. **1892** *1re à passer le concours de l'assistance médicale de Paris,* Madeleine Pelletier. **1896** *1re metteur en scène* Alice Guy (future Mme Herbert Blatché) avec la Fée aux choux. 1er film à scène. **1897** *1re docteur en droit,* Jeanne Chauvin (1862-1926). *1re titulaire du permis de conduire automobile,* la duchesse d'Uzès. *1re interne en pharmacie,* Henriette Mazot. **1900** *1re inscrite au Barreau,* Jeanne Chauvin. *1re étrangère chevalier de la Légion d'honneur,* Mme de Rosthern. **1902** *1re docteur ès sciences,* Lucie Luzeau-Rondeau. *1re architecte sortie de l'école des Beaux-Arts,* Julia Morgan (Amér.). **1904** *1re concourant pour le Prix de Rome (musique),* Mlle Hélène Fleury. **1905** *1re agrégée de philosophie,* Mlle Baudry. *1re actrice chevalière de la Légion d'honneur,* Julia Bartet. **1906** *1er professeur titulaire de la chaire de physique générale à la Sorbonne,* Marie Curie. *1re admissible à l'École normale supérieure,* Mlle Robert. *1re chartiste,* Mlle Aclocque. *1re ayant soutenu une thèse en pharmacie,* A. Talon. **1907** *1re élue au Conseil des prud'hommes,* Mlle Jousselin, secrétaire du syndicat des couturières-lingères. *1res femmes cochères* à Paris, Mmes Dufaut et Charnier. *1re agrégée de sciences nat.,* Mlle Robert. **1908** *1re élève de l'École des Chartes,* Mlle Ocloque. *1re à plaider en Cour d'assises,* Maria Vérone, avocate. *1re chauffeur de taxi,* Mme Decourcelle. **1909** *1re instrumentiste à l'Opéra de Paris,* Lily Laskine (harpiste). **1910** *1re à l'Académie Goncourt,* Judith Gautier (1850-1917). **1911** *1re à la villa Médicis et 1er grand prix de Rome de sculpture,* Lucienne Heuvelmans (n. 1885). **1912** *1re nommée officiellement astronome,* Mme Edmée Chandon. *1re agrégée de grammaire,* Jeanne Raison. **1913** *1er grand prix de Rome de musique,* Lili Boulanger (19 ans). **1914** *1re docteur ès lettres,* Mlle Jeanne Duportal. *1re docteur en philosophie,* Léontine Zanta. **1918** *1re prix de littérature de l'Académie française,* Gérard d'Houville (pseud. de Marie de Régnier). *1re femme dipl. de l'Institut agronomique.* **1919** *1re*

dipl. de l'École des Mines de St-Étienne, Mlle Schrameck. **1920** *1re prof. d'enseignement sup. au Conservatoire,* Marguerite Long. *1re ingénieur de l'Ecole centrale,* Marie Buffet. **1921** *1re femme prof. de la faculté* (Grenoble). *1re prof. chevalier de la Légion d'honneur,* Marguerite Long. **1922** *1re élue C.G.T.U.,* Marie Guillot. *1re femme à l'Académie de médecine,* Marie Curie (1817-1934). **1923** *1re femme lieutenant de louveterie,* duchesse d'Uzès. **1924** *1re dipl. de l'École supérieure d'aéronautique,* Mlle Fradis. **1927** *1re chef de clinique titulaire,* Mme Odier-Dollfus. *1re major de la promotion de l'Institut agronomique,* Pcesse d'Annam, Nhu May. **1929** *1er grand prix de Rome de peinture,* Mlle Pauvert. **1930** *1re reçue à l'École vétérinaire,* Jeanne Miquel. *1re prix Renaudot,* Germaine Beaumont. *1re « médecin des hôpitaux de Paris »,* Mme Bertrand-Fontaine (concours ouvert aux femmes dep. 1927). 2e 1939 Jenny Aubry (sœur de Louise Weiss). *1re chef d'orchestre,* Jane Évrard (n. 1891). **1931** *1re vétérinaire. 1re Commandeur de la Légion d'honneur,* Anna de Noailles. *1re française à chanter à Bayreuth,* Marcelle Bunlet. **1932** *1re conseiller d'ambassade,* Suzanne Borel (qui épousera le 28-12-45 G. Bidault). *1re course de jockeys femmes à Maisons-Laffitte. 1re chevalier de la Légion d'honneur à titre militaire,* Maryse Bastié, aviateur (off. 1937, comm. 1974). *1re étrangère commandeur de la Légion d'honneur,* Anne Tracy Morgan. **1933** *1re commissaire-priseur,* Me Le Quéméner. **1934** *1re agrégée de médecine à Paris,* Jeanne Lévy. **1935** *1re assistantes de police. 1re jury au tribunal de commerce,* Mlle Sylvia Ollivier (Nice). **1936** *1res sous-secrétaires d'État,* Irène Joliot-Curie (1897-1956), Suzanne Brunschvig (1877-1946), Suzanne Lacore (1875-1977). *1re avocate élue secrétaire de la Conférence du stage,* Lucienne Scheid. **1938** *1re metteur en scène à la Comédie-Française,* Marie Ventura (Iphigénie). *1re contemporaine figurant sur un timbre,* Marie Curie (avec son mari). **1939** *1re agrégée de math major* (avec Roger Apéry), Jacqueline Ferrand. **1945** *1re admise à un Conseil de l'ordre,* Mme Blanchard-Pavie (Le Mans). *1re titulaire des grandes orgues d'une église de Paris,* Rolande Falcinelli (Sacré-Cœur). **1946** *1re élue à la Chambre de commerce de Paris,* Yvonne Foinant. 1re Station de métro à nom de femme : « Vallier » devient « Louise-Michel ». *1re élue au bureau confédéral de la C.G.T.,* Marie Couette. *1re secrétaire d'État,* Andrée Vinot (Jeunesse et Sports). **1947** *1re ministre,* Mme Germaine Poinso-Chapuis (1901-81) [Santé publique et Population (le décret Poinso-Chapuis du 22-5-1948 visant à aider l'enseignement privé provoque une crise gouv.) ; *2e ministre,* Simone Veil 1974 (même portefeuille)]. *1er magasin Prénatal* (St-Denis). *1res reçues à l'E.N.A.,* 3 (dont Yvette Chassagne). **1948** *1re huissier, garde champêtre,* **1949** *1re femme pasteur de l'Église réformée de Fr.,* Élisabeth Schmidt († 14-3-1986 à 77 ans). *1re notaire,* Me Gayet. *1res speakerines à la T.V.,* Jacqueline Joubert et Arlette Accart. **1950** *1re admise au Conseil de l'ordre des avocats de Paris,* Lucile Tinayre. **1953** *1res grand off. de la Légion d'honneur,* maréchale Lyautey, Colette. *1res auditeurs au Cons. d'État,* Mlles Trial et Griffon. *1re nommée au Conseil d'État,* Jacqueline Bauchet. **1955** *1re percepteur.* **1959.** *1re titulaire d'une chaire à la Faculté de médecine de Paris,* Jeanne Lévy. **1960** *1ers bigoudis chauffants.* **1961** *1re chauffeur d'autobus à Paris,* Marcelle Clavère. **1962** *1re à l'Académie des sciences,* Marguerite Perey. **1963** *1re pilule commercialisée en France. 1re maître des requêtes au Conseil d'État,* Nicole Questiaux. **1965** *1re assistante de police* (brigade des mineurs, Paris). **1967** *1re consul général,* Marcelle Campana (à Toronto). *1re pilote de ligne,* Danielle Decure (1942). *1re vice-prés. de l'Assemblée nat.,* Marie-Claude Vaillant-Couturier (communiste, jusqu'en 1968). *1re sous-directrice des Finances,* Yvette Chassagne. **1968** *1re doyenne de Faculté* (Lettres et Sc. humaines de Brest), Alice Saunier-Seïté (26-4-25). **1969** *1re major de l'E.N.A.,* Françoise Chandernagor (19-6-45). *1re membre titulaire de l'Académie de médecine,* Mme Thérèse Bertrand-Fontaine (15-10-95) ; fut aussi le *1er médecin des hôpitaux de Paris* (en 1930). **1970** *1re prés. de conseil général,* Évelyne Baylet (T.-et-G.). *1re secr. général du Conseil sup. de la magistrature,* Simone Veil. **1971** *1re membre de l'Institut,* Suzanne Bastid. *1res au défilé militaire du 14 juillet.* **1972** *1re présidente du Conseil municipal de Paris.* Nicole de Hauteclocque (10-3-13). *1re ambassadrice,* Marcelle Campana (à Panamà) ; depuis furent nommées Mlle M.-M. Dienesch, au Luxembourg, Mlle Christiane Malitchenko (n. 6-12-24), en Bulgarie. *1re officier des haras,* Nicole Gerrer. *1re reçue major à Polytechnique,* Anne Chopinet, 18 ans. *1re major du concours étranger,* Thu Thuy Ta, Vietnamienne, 19 ans. *1res inspectrices de police.* **1973** *1res reçues à HEC,* dont le major, Florence Cayla. *1re à l'École nationale de la marine marchande,* Alix Daujat, cours de capitaine de 1re classe. *1re recteur,* Alice Saunier-Seïté (26-4-25). 1re doyenne de faculté en 1968. *1re Pt d'un tribunal administratif,* Mme Marcelle Pipien. **1974** *1re au Collège de France,* Jacqueline de Romilly (26-3-13). *1res inspecteurs des finances,* Nicole Briat et Elisabeth Bukspan. *1re sous-préfet,* Florence Hugodot. *1re au Conseil d'État,* Françoise Jurgensen (Chandernagor, n. 19-6-45). *1re admise dans le Corps des mines,* Anne Chopinet. *1re candidate à la présidence de la République,* Arlette Laguiller. **1975** *1re Pt de chambre à la cour d'appel,* Mme Suzanne Challe, (n. 13-3-26). *1re conseiller à la Cour d'appel de Paris,* Mme Marie-Amélie Perraudin (n. 22-6-25). *1re élue à l'Académie des inscriptions et belles-lettres,* Jacqueline de Romilly. **1976** *1re général* (armée de l'air) Valérie André (21-4-1922) le 21-4. *1re avocate au Conseil d'État et à la Cour de cassation,* Martine Luc-Thaler (32 ans). *1re membre du Conseil supérieur de la Magistrature,* Mme Denise Rémuzon. *1res commissaires de police,* 4. *1re prés. du tribunal de grande instance de Paris,* Simone Rozès (n. 1920). **1977** *1re commissaire-priseur (à Paris),* Mme Chantal Pescheteau-Badin (n. 26-10-45). *1re élève-officier de la Marine nationale,* Dominique Roux (n. 23-11-49). **1978** *1res élèves à St-Cyr-Coëtquidan. 1re Pte de cour d'appel,* Mme Suzanne Challe à Nîmes. *1re conductrice de métro,* Marie-Jeanne Vignière à Lyon. *1res gardiens de la paix.* **1979** *1re à l'Académie des sciences,* Mme Yvonne Choquet-Bruhat (29-12-1923). *1re à l'Académie vétérinaire,* Mme Dhennin-Balssa. *1re officier d'administration de la Marine,* Mme Anne-Marie Guerder. *1re administrateur des affaires maritimes et 1re à embarquer sur un navire de la marine nat. pour une longue croisière :* Claude Lemale (n. 1954). *1re conseiller-maître à la Cour des comptes :* Yvette Chassagne (n. 28-3-22). *1re avocat gal à la Cour des comptes :* Hélène Gisserot.

1980 *1re arbitre de rugby,* Arlette Bouvier. *1re capitaine des sapeurs-pompiers,* Micheline Colin, médecin. *1re à l'Académie française,* Marguerite Yourcenar (1903). **1981** *1re procureur général près d'une cour d'appel,* Nicole Pradain. *1re préfet :* Yvette Chassagne (n. 28-3-22), devient dir. de l'U.A.P. en 1983. **1982** *1re conductrice de métro à Paris :* Yvonne Brucker. *1re recteur de l'Académie de Paris,* Hélène Ahrweiler. *1re à la tête d'une Église protestante,* pasteur Thérèse Klipfel, élue prés. du Conseil synodal de l'Égl. réformée d'Alsace et de Lorraine. *1re à l'Académie de chirurgie,* Claire Nihou-Fékété. **1983** *1re prés. d'un club de rugby,* Christiane Hiot (Albi). *1re femme officier embarquée* sur un bâtiment de guerre « Jeanne d'Arc », Dominique Roux (33 ans). *1re admission au prytanée militaire de La Flèche,* Sandrine Mathieu (16 ans). *1re femme 1er président de la Cour de cassation,* Simone Rozès (n. 29-3-20). **1984** *1re femme admise au Cadre Noir,* Florence Labran (30 ans). *1re femme gagnant une course à tiercé 1-4,* Darie Boutboul. *1re croupier,* Florence Micharoff. **1985** *1re femme Pte de section du Conseil d'État,* Suzanne Grévisse (4-11-27). *1re femme pilote de l'armée,* Isabelle Boussaert (22 ans), *1re femme agent de change,* Sylvie Girardet de Longevialle (Lyon). *23-10 1re femme général de brigade de l'armée de terre,* Andrée Tourne. **1986** *1res à atteindre le pôle Nord,* 6 Françaises et 2 Canadiennes. *1re trésorier-payeur gal :* Jeanine Meilhon (n. 8-10-30). **1987** *1re femme pilote à l'Aéronavale :* Christine Clément (n. 11-6-1960). **1988** *1re à prêcher à Notre-Dame de Paris,* Marie-Hélène Mathieu (conférence de Carême). **1989** *1re lieutenant de gendarmerie mobile :* Isabelle Guion de Mauritens (sortie de St-Cyr, n. 1962). *1re capitaine chef d'escadrille :* Nicole Riedel (n. 1956). *1re dont les obsèques ont lieu aux Invalides,* Marie-Madeleine Fourcade (Résistante). *1re maire d'un arrondissement de Paris,* Benoîte Taffin (2e). *1re prés. du Centre Pompidou,* Hélène Ahrweiler. *1re agrégée de math. major (seule),* Mireille Bousquet-Mélou. **1990** *1re rabbin,* Pauline Bèbe. *-17-7 1re femme gendarme tuée* en service (Isabelle Cuntz, 24 ans, par un poids lourd). **1991**-*20-2 1re femme gardien de la paix tuée* par balles en service (Catherine Choukroun, 27 ans).

A l'étranger

1849 *1re reçue docteur en médecine,* Miss Elizabeth Blackwell (USA) [en Europe Mlle Souslov (Russe) à Zurich, Suisse 1868]. **1865** *1re femme amér. exécutée* (pendue) après une condamnation régulière : Mary Eugénie Surrat (n. 1818). **1901** *1re évêque,* Alma Bridwell White (U.S.A., secte méthodiste). **1907** *1res députés :* 19 femmes en Finlande (des intellectuelles, 1 sage-femme, 1 cuisinière). *1re réalisatrice de films,* Loïs Weber (The Merchant of Venice). **1913** *1re député aux U.S.A.,* Nena Jolidon-Croake. **1916** *1re au Parlement U.S.A.,* Jeannette Rankin (Montana). **1917** *1re au gouv. U.R.S.S.,* Alexandra Kollontaï. *1re au Parlement, Canada,* Louise McKinney (Alberta). **1918** *1re ambassadeur, Hongrie,* Rosika Schwimmer (envoyée en nov. en Suisse par le gouv. du Cte Karolyi). **1919** *1re prof. à Harvard,* Alice Hamilton. **1920** Kotex : *1res serviettes périodiques jetables* aux U.S.A. **1921** *1re à l'Académie royale de littérature fr. de Belgique,* Anna de Noailles (1re Belge Marie Gevers 1938). *1re député au Canada,* Agnès McPhail. *1re ministre, U.S.A.,* Marie Ellen Smith. *1re prix Pulitzer,* Edith Wharton. **1923** *1re ministre* (Canada) (sans portefeuille), Mrs Mary Ellen Smith. **1924** *1re ambassadeur soviét.,* Alexandra Kollontaï (1872-1952), au Danemark. *1re femme sous-secrétaire d'État en Europe* (Mines), Miss M. Bondfield (G.-B.) cabinet MacDonald. *1re femme ministre* en Europe (Instruction publique), Nina Bang (Danemark). **1925** *1re femme gouverneur d'État* (Wyoming, U.S.A.). *1re Belge architecte,* J. Van Celts-Emonts. *1re à diriger un orchestre important, U.S.A.,* Ethel Leginska (pianiste brit.). **1927** *1re ministre Finlande,* Miina Sillanpäa (Affaires soc.). **1929** *1re tractoriste,* Pacha Anguelina (16 ans, U.R.S.S.). *1re ministre G.-B.,* Margareth Bondfield (Travail). **1930** *1re hôtesse de l'air,* Ellen Church (U.S.A., voir Index). **1932** *1er sénateur U.S.A.,* Hattie Caraway. **1933** *1re au Parlement, N.-Zélande,* Elizabeth McCombs. *1re ministre U.S.A.,* Frances Perkins. **1938** *1res « Héros de l'Union soviét. »,* Valentina Grizodoubova, Paulina Ossipenko et Marina Raskova pour un vol sans escale de + de 8 000 km. **1939** *1re titulaire de chaire à Cambridge,* Dorothy Garrod. **1946** *1re ministre Inde,* Vijaya Lakshmi Pandit. **1947** *1re ministre Suède,* Karin Hock. *1re ministre N.-Zélande,* Mabel Howard (Santé et Enfance). **1949** *1re ambassadrice accueillie en France,* Miss Cynthia Mackenzie (N.-Zél.) **1951** *1re au gouv. Italie,* A. Cingolani. *Suède,* Hildur Nygren. **1954** *1re ministre Grèce.* **1956** *1re au gouv. P.-Bas.* **1960** *1re PM,* Sirimavo Bandaranaike (Sri Lanka). **1961** *1re ministre All. féd;,* Elizabeth Schwarzhaupt (Santé). **1962** *1re chef de délégation à la conférence de Genève sur le désarmement,* Alva Myrdal (Suédoise). *1re auditrice au Concile Vatican II,* Marie-Louise Monnet (sœur de Jean Monnet). **1963** *1re dans l'espace,* Valentina Terechkowa (U.R.S.S.). *1re ministre Belgique,* Marguerite de Riemacker-Légot (Aff. familiales). **1968** *1re Noire élue au Congrès U.S.A.,* Shirley Chisholm. **1971** *1re juge à la Cour européenne des droits de l'homme,* Helga Pedersen (Danoise). *1re ministre Portugal,* Maria Teresa Lobo (Bien-être social). *1res prêtres anglicans,* 2 à Hong Kong. **1972** *1er rabbin aux U.S.A.,* Sully Priesand. *1er vicaire épiscopal (dans les temps modernes),* Mère Marie-Antoine Azcune, Compagnie de Marie (Brésil). *1re femme des neiges connue* (ayant la tête d'un singe et des mains trois fois plus grandes que celles d'un être humain ordinaire) tuée au Tibet. *1re prés. du Conseil de sécurité des Nations unies,* Jeanne-Martin Cissé (Guinéenne). *1re prés. du Bundestag (All. féd.),* Anne-Marie Ringer. **1973** *1res admises à l'Académie militaire de West-Point, U.S.A.* **1976** *1re ministre Italie,* Tina Anselmi (Travail). **1977** *1re Noire ministre aux U.S.A.* (Logement puis Santé et Éducation) Patricia Harris († 23-03-85 à 60 a.). **1978** *1re prés. de la Chambre des dép. italienne :* Leonilde Jotti. **1979** *1re Prés. de la Rép. Bolivie,* Lydia Gueiler Tejada (renversée par un coup d'État 8 mois après). *1re PM Portugal,* Maria de Lurdes Pintassilgo (6 mois). **1981** *1re à la Cour suprême américaine :* Sandra O'Connor. **1982** *1re ministre Brésil :* Figueiredo Ferraz. *1re gouverneur civil de province* (Espagne). *1re membre de la Cour suprême* (Canada). *1re Prés. du Conseil exécutif, Yougoslavie,* Milka Planinc. **1983** *1re Lord-maire de Londres,* Lady Donaldson. *1re conseillère d'État Suisse,* Hedi Lang (Zurich). **1984** *1re gouv. gén. du Canada,* Jeanne Sauvé. *1re candidate à la vice-présidence U.S.A.,* Geraldine Ferraro (démocrate). **1986** *1re Gal de l'armée israélienne* Amira Dotan. **1987** *1re pilote de chasse,* Nelly Speerstra (P.-Bas). *1re Noire élue à la Chambre des Communes G.-B.,* Diane Abbott. **1988** *1res commissaires européens,* Vasso Papandreou (Grèce), Christiane Scrivener (France). **1990** *1re officier amér. ayant mené un assaut,* Linda Bray (capitaine de police militaire, à la tête de 30 hommes contre 50 Panaméens).

1928 Dr Gräfenberg, All., invente le stérilet. **1937** Docteur Earle Haas (U.S.A.) invente le *tampon périodique* (Tampax, 1er commercialisé). **1960** *1re pilule qui supprime l'ovulation* (« Enovid ») commercialisée aux U.S.A. (expérimentée à Porto Rico) par les labo. Searle.

Noblesse

Blason

Origine et législation

• **Origine des armoiries.** Dès l'Antiquité, des décors à thèmes militaires ornent les « armes » [latin *arma,* désignant l'équipement défensif, notamment le bouclier (l'éq. complet se dit : *arma telaque*)] : les boucliers des hoplites étaient souvent décorés d'emblèmes de cités ou d'emblèmes individuels. Au XIIe s., les 1res armoiries apparaissent en Europe : seules, jusqu'à cette époque, les enseignes permettaient de reconnaître un groupe de combattants (le chevalier armé n'était pas reconnaissable). Ni les décors de boucliers représentés dans la Tapisserie de la reine Mathilde, ni ceux mentionnés dans la Chanson de Roland ne peuvent être considérés comme des armoiries : ils ne suivaient aucune règle et n'étaient pas héréditaires. Les décors des boucliers ne sont devenus des armoiries que lorsqu'ils se sont fixés et sont devenus héréditaires (vers 1130). Vers 1250, l'usage des armoiries s'était étendu à toute la noblesse : de marques distinctives, militaires, elles devinrent familiales et les 1ers sceaux frappés d'armoiries apparaissent [l'usage d'armoiries s'étend aux non-combattants (femmes, clercs, villes), et au XIIIe s. à l'ensemble de la société sans distinction de classe]. **Emblèmes :** les plus anciens figurent des animaux (lion, dragon, aigle) stylisés, mais quelques-uns comportaient un champ plain.

• **Droit de porter des armoiries en France.** Si les familles titrées ou issues de la noblesse possèdent toutes des armoiries, beaucoup de non-nobles, roturiers (tiers état et corporations) ou ecclésiastiques (clergé, faisant partie du premier ordre) avaient fait enregistrer (tantôt volontairement, tantôt obligatoirement) leurs armoiries à la suite de l'édit de 1696, pris dans un but fiscal, pour donner des ressources au royaume épuisé par les guerres ; de 1696 à 1709, 116 944 personnes (dont env. 80 000 non nobles), 2 171 villages, 934 villes, 28 généralités furent enregistrés (les enregistrements cessèrent en 1709 ; ils ont rapporté 5 800 000 livres au Trésor royal). Ces enregistrements sont conservés au Cabinet des Titres de la Bibliothèque nationale dans 70 volumes in-folio manuscrits à la disposition du public (35 de descriptions, 35 de blasons coloriés). Les armoiries des familles non nobles n'étaient pas timbrées (c'est-à-dire non surmontées d'une couronne ou d'un casque). En régime républicain, bien que les textes anciens relatifs aux armoiries n'aient pas été explicitement abrogés, l'Etat n'exerce aucun contrôle en cette matière. Ni en ce qui concerne les armoiries des personnes privées, ni en ce qui concerne les armoiries des personnes morales (communes, associations, académies, sociétés, firmes commerciales). La Chancellerie ne délivre ni concession, ni autorisation, ni confirmation, et aucune demande relative aux armoiries ne peut être prise en considération. Chacun est libre d'adopter les armoiries de son choix sous réserve des droits des tiers, c'est-à-dire à condition de ne pas prendre un blason déjà utilisé par une personne privée ou morale. Le blason, étant « le nom dessiné et colorié », jouit de la même protection que le nom. Les tribunaux civils sont compétents pour statuer sur les litiges relatifs aux usurpations d'armoirie. On peut faire protéger son blason en déposant son dessin à l'Office de la propriété artistique et industrielle : la protection et l'exclusivité du dessin entraînent celles du blason qu'il figure. Les personnes morales (villes, associations, académies, sociétés, firmes commerciales) ne peuvent prendre d'armoiries qu'avec accord de l'État (ord. de Louis XVIII, 26-9 et 26-12-1814).

Signes caractéristiques et représentations

• **Émaux. Métaux.** *Or* (couleur jaune) : points multipliés. *Argent* (blanc) : blanc simple.

Couleurs. *Azur* (bleu) : lignes horizontales. *Gueules* (rouge) : lignes verticales. *Sable* (noir) : lignes horizontales et verticales croisées. *Sinople* (vert) : diagonales de dextre à senestre de l'écu, de haut en bas. *Pourpre* (violet) : diagonales de senestre à dextre de l'écu. *Couleurs de carnation* (couleur humaine) *et au naturel* (animaux, fruits, fleurs, etc.). En G.-B., en outre, *orangé :* verticales croisées par des diagonales de senestre à dextre.

Fourrures. *Hermine :* fond d'argent parsemé de mouchetures de sable. *Contre-hermine :* fond de sable et mouchetures d'argent. *Vair :* petites pièces d'argent et d'azur en forme de cloche posées alternativement. *Contre-vair :* mêmes pièces, mais opposées entre elles par la pointe et par la base.

Cri d'armes

A partir du Xe s., les familles nobles avaient un cri traditionnel, pour animer leurs hommes d'armes au combat, et pour se faire connaître dans les batailles ou dans les tournois. Par ex. : Vicomtes de Melun : A moi Melun ! Marquis, puis comtes de Flandres : Flandres au lion ! Les cadets modifiaient légèrement les formules. Outre le cri de guerre, il y avait **7 cris rituels :** *1º invocation* (Montmorency : Dieu aide !) ; *2º résolution* (Dieu le veut !) ; *3º exhortation* (A la rescousse !) ; *4º défi* (Sires de Chauvigny : Chevaliers pleuvent !) ; *5º terreur* (Sires de Bar : Au feu ! ; Sires de Guise : Place à la bannière !) ; *6º événement,* c.-à-d. allusion à un fait anecdotique (Sires de Prie : Cant l'oiseau !, c.-à-d. « que l'oiseau chante », allusion à une victoire remportée dans un bois où chantaient les oiseaux) ; *7º ralliement* (maison royale de France : Montjoye Saint-Denis).

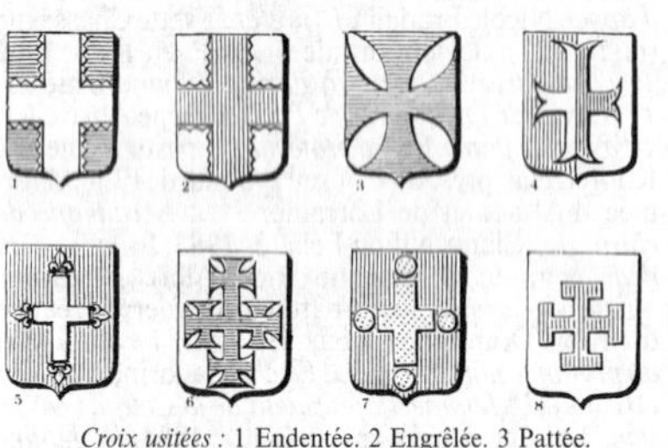

Croix usitées : 1 Endentée. 2 Engrêlée. 3 Pattée. 4 De l'un en l'autre. 5 Fleurdelisée. 6 Recroisetée. 7 Pommetée. 8 Potencée.

Émaux : 1 Azur. 2 Gueules. 3 Sable. 4 Sinople. 5 Pourpre.

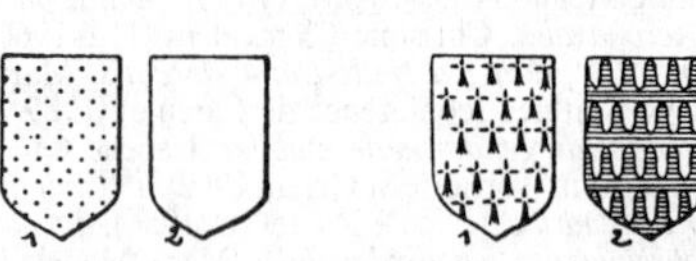

Métaux : 1 Or. 2 Argent. *Fourrures :* 1 Hermine. 2 Vair.

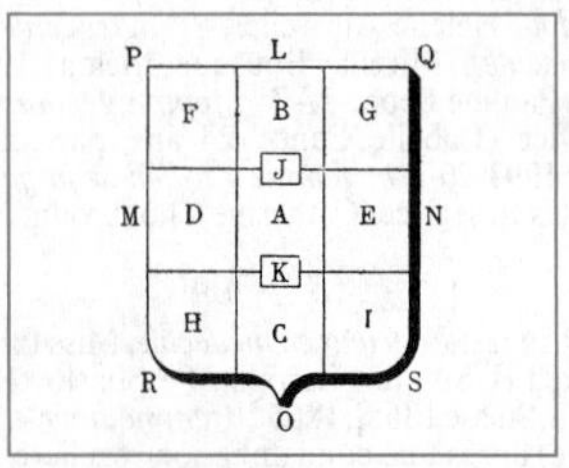

Partitions de l'écu

A Cœur. B chef. C Pointe. D Flanc dextre. E Flanc senestre. F Canton dextre du chef. G Canton senestre du chef. H Canton dextre de la pointe. I Canton senestre de la pointe. J Lieu d'honneur. K Nombril. L Bord du chef. M Bord ou côté dextre. N Bord ou côté senestre. O Bord de la pointe. P Angle dextre du chef. Q Angle senestre du chef. R Angle dextre de la pointe. S Angle senestre de la pointe.

On dit aussi : FBG Chef. HCI Pointe. FDH Flanc dextre. GEI Flanc senestre.

• **Manteaux.** *Origine :* les tentes d'armes qui servaient à l'exposition des armes des souverains ou grands seigneurs lors des tournois. Utilisés comme décor des armoiries par les souverains, fin XVe s., et princes, ducs et pairs et leurs familles à partir du XVIIe s. Armoriés à l'extérieur, doublés d'hermine, sortent d'une couronne placée très haut (le chancelier et le président aux Parlements les portaient de gueules et non armoriés ; les pairs de France sous la Restauration : d'azur bordé de broderies et doublé d'hermine, sortant de la couronne de titre comblée d'un bonnet d'azur à houppe d'or).

• **Cris et devises.** Le cri se met au-dessus du timbre ; la devise au-dessous des armes, l'un et l'autre sur un listel. Le cri figurant dans les armoiries est toujours le « cri de guerre » (voir encadré ci-contre). La devise était à l'origine un emblème (le corps) associé à une légende explicative (l'âme). Ex. les Corsard : une licorne (corps) avec la devise *Sans venin* (allusion à la corne qui blesse sans envenimer). Il existe des devises sans emblèmes ou sans sentences (badges anglais).

• **Brisures.** En principe, seul le chef de famille porte les armes pleines ; les cadets et même le fils aîné (jusqu'à l'héritage) doivent briser leurs armes, soit par changement des couleurs, augmentation ou diminution ou disposition différente des meubles ou ajout de certaines figures (brisures) dont le lambel (à 3 pendants, porté en chef, très répandu en France), la cotice et la bordure dentelée ou engrêlée. Les bâtards brisaient souvent d'une barre ou par réduction des armes de leur père dans une petite partie de l'écu. Depuis le XVIIe s., l'usage des brisures a disparu (sauf pour la maison royale).

• **Timbres.** Constitués par les coiffures surmontant l'écu : couronnes, cimiers, heaumes, drapeaux, etc. (privilège théorique de la noblesse, mais les familles bourgeoises eurent aussi des armes timbrées du heaume, et à tort). Les couronnes sont apparues aux XVIe et XVIIe s. (existaient auparavant seulement pour les souverains). Napoléon remplaça les couronnes par des toques (le mortier ou toque plate était l'insigne des magistrats avant 1789). En Grande-Bretagne sont réservées aux lords ; en Allemagne, Belgique, les barons portent une couronne (à 7 perles) ; les princes du Saint-Empire et des divers Etats allemands, du pape, russes, etc., portent une couronne fermée remplie d'un bonnet doublé d'hermine.

• **Insignes de dignité ou de fonction.** Beaucoup de dignités civiles, militaires ou ecclésiastiques se marquent traditionnellement par des ornements extérieurs au blason. *Connétable :* 2 épées hautes et nues (l'épée de connétable) flanquant l'écu, tenues par des mains qui sortent d'un nuage. *Maréchal de France :* 2 bâtons de maréchal passés en sautoir derrière l'écu. *Amiral de France :* 2 ancres passées en sautoir derrière l'écu, la trabe fleurdelisée. *Vice-amiral :* 1 ancre posée en pal derrière la trabe fleurdelisée. *Grand chambellan :* 2 clés d'or passées en sautoir derrière l'écu. *Chancelier de France :* 2 masses d'armes d'or passées en sautoir derrière l'écu ; manteau de gueules fourré d'hermine sortant d'un mortier d'or bordé d'hermine ; couronne de duc. *Grand veneur :* 2 cors de chasse flanquant l'écu. *Maréchal de la Foi* (Lévis-Mirepoix) : 2 bâtons d'azur semés de croisettes d'or passés en sautoir derrière l'écu.

Noblesse française

Régime juridique

Noblesse

• **Sous l'Ancien Régime,** le *noble* se définit ainsi selon Henri Jougla de Morenas († 1958) : le noble a seul droit de se qualifier d'écuyer, de chevalier, de porter l'épée et de timbrer ses armoiries ; il a préséance sur tous les roturiers, est seul capable de porter les titres de baron, vicomte, etc. Il est exempt de taille, de banalité, de corvée ; il partage noblement ses biens, est exempt du logement des gens de guerre, n'est pas sous la juridiction des prévôts. Il peut être jugé par la Grand-Chambre du Parlement. Il ne peut sans déroger faire de commerce (sauf maritime) ni exercer un métier (sauf celui des armes, de membre d'une cour souveraine, d'avocat, de notaire à Paris, de verrier, de métallurgiste). Il doit servir le roi quand celui-ci convoque son ban et son arrière-ban.

☞ Noble homme. D'après l'article 2 de l'arrêt du Conseil d'État du roi, du 4-6-1668, la qualité de *noble homme,* prise dans des contrats, avant et dep. 1560, ne peut établir une *possession de noblesse.* Mais d'après l'article 4 d'un autre arrêt du Conseil, du 15-5-1703, « outre les qualités d'écuyer et de chevalier, celle de *noble* est une qualification de noblesse dans les provinces de Flandre, Hainaut, Artois, Franche-Comté, Lyonnais, Dauphiné, Provence, Languedoc et Roussillon, et dans l'étendue des parlements de Toulouse, Bordeaux et Paris ».

Celle de *noble homme* est pareillement la qualification *noble,* mais pour la Normandie seulement.

Particule (de, du, d', de la, des). Elle servait, avant la Révolution, à désigner la terre possédée à titre de seigneurie par un noble ou celle possédée par un roturier, ou celle acquise en propriété, ou tout simplement le lieu d'origine. Elle n'a jamais impliqué la noblesse (décision de la Cour de cassation). Un anobli n'avait pas « droit » à la particule et d'innombrables roturiers la possédaient. Elle attestait l'origine ou la propriété ou sous-entendait parfois « seigneur de » ou « sieur de » (ce qui n'implique pas nécessairement la noblesse puisque, depuis l'ordonnance de 1579, un roturier pouvait acheter des fiefs et en devenir le seigneur sans devenir noble) ; il s'est créé ainsi une caste de « personnes vivant noblement », c.-à-d. des roturiers, gros propriétaires terriens.

Particules accordées par la procédure des changements ou addition de noms de janv. 1980 à janv. 1988 : 270 demandes, 33 autorisations et 1 autorisation pour supprimer la particule. Le Conseil d'État peut annuler un décret d'autorisation si le recours est engagé 1 an après la parution du décret au J.O.

Quartiers de noblesse. Ils correspondent au nombre d'auteurs nobles à un degré déterminé (père et mère nobles = 2 quartiers ; grands-parents = 4 ; arrière-grands-parents = 8, etc.). Jamais utilisés en France où l'on ne s'occupait que de la lignée mâle pour l'estimation de la noblesse. Les chapitres nobles (Lyon, Remiremont, Ottmarsheim, Andlau, etc.), les ordres de Malte et Teutonique (alsaciens) demandaient des quartiers (à la méthode allemande).

• **Régime actuel. Noblesse.** En 1955, le tribunal de la Seine a affirmé « la noblesse est une qualité qui n'a plus d'effet juridique ». La Constitution de 1958 a confirmé (en vertu du principe d'égalité affirmé par la Déclaration des Droits de l'homme et du citoyen du 26-8-1789 citée dans le préambule de la Constitution) qu'il ne peut exister en France ni nobles, ni noblesse, ni qualité nobiliaire, et même ni titres ou autres distinctions attachées à la naissance [*Constitution de 1958 (art. 2) :* « La France est une République indivisible, laïque, démocratique et sociale. Elle assure l'égalité devant la loi de tous les citoyens sans distinction d'origine, de race ou de religion. Elle respecte toutes les croyances. » *Déclaration des Droits de 1789 (art. 1er) :* « Les hommes naissent et demeurent libres et égaux en droits ; les distinctions sociales ne peuvent être fondées que sur l'utilité commune. »]. *Le décret du 20-6-1790* avait appliqué ce principe d'égalité en supprimant la noblesse héréditaire et tous les titres. Par contre, la charte de 1814 avait spécifié : « L'ancienne noblesse reprend ses titres. La nouvelle conserve les siens. »

En revanche, on peut se dire *d'ascendance noble ou titrée.* C'est ce qu'a autorisé le décret du 29-7-1967 de reconnaissance d'utilité publique de l'Association d'entraide de la noblesse française (A.N.F.) en approuvant ses statuts, en particulier l'article 3 qui demande au candidat de justifier qu'il est issu en ligne masculine d'un auteur pourvu de la noblesse acquise et transmissible. Cela équivaut seulement à perpétuer un souvenir, comme le font par exemple les descendants des combattants français de la guerre d'Indépendance des États-Unis (Sté des Cincinnati), ou les descendants des Français libres de 1940-43 (Association des Français libres).

Titres

• **Statut.** Si la loi française ne reconnaît pas juridiquement la noblesse, elle reconnaît les titres (qu'elle n'appelle d'ailleurs pas nobiliaires). Il subsiste un certain nombre de titres authentiques dont la jurisprudence admet encore la survivance en tant que compléments du nom. Leur existence est légale.

Nota. – Constitutionnellement, aucune disposition n'interdit au Pt de la Rép. de conférer un titre ou

Déclinaison des titres

Une ordonnance du 25-8-1817, *ne visant que la pairie,* avait autorisé le fils d'un duc et pair à porter le titre de marquis, celui d'un marquis et pair, le titre de comte, celui d'un comte et pair, le titre de vicomte, celui d'un baron et pair, le titre de chevalier. Cette « déclinaison » disparut légalement avec l'abolition de la pairie héréditaire en 1832. Constamment pratiquée pourtant de nos jours pour *tous* les titres, et non seulement les titres de l'ancienne pairie, elle ne repose plus sur aucun fondement juridique.

de régulariser un titre imparfait. Toutefois, il est d'usage de parler en ce cas de « titre » et non pas de « titre de noblesse », car l'art. 259 du Code pénal en vigueur sur l'usurpation des titres a volontairement omis de préciser « de noblesse », cette qualité n'étant plus accordée de nos jours. La jurisprudence des cours et tribunaux en matière de titres reconnaît que le titre régulier est une distinction héréditaire qui aide à distinguer les membres d'une même famille (seul le chef de famille ayant, en règle générale, droit au titre) sans porter atteinte à l'égalité des citoyens. Il aurait été question de conférer au maréchal Joffre le titre de « duc de la Marne »...

• **Contentieux actuel des titres. Compétence administrative.** Seule l'autorité administrative (Sceau de France au min. de la Justice) est compétente pour vérifier la validité du titre, et le reconnaître par un arrêté du Garde des Sceaux, moyennant paiement d'un droit de sceau. Le refus du ministre peut être déféré au tribunal administratif de Paris avec possibilité d'appel devant le Conseil d'État.

Compétence judiciaire. Le titre étant un accessoire du nom, destiné à honorer celui auquel il a été conféré, les tribunaux judiciaires peuvent statuer sur les litiges portant sur la propriété des titres à condition que le litige ne porte pas sur la validité, l'interprétation, le sens ou la portée des actes ayant conféré ou confirmé le titre, sinon la question relève de la compétence administrative. Mais la frontière entre les deux compétences reste indécise, car lorsqu'il n'y a pas contestation sur un titre, l'ordre judiciaire rend son jugement ou arrêt.

Droit pénal. L'usage d'un titre auprès des autorités publiques ou sur les actes qui leur sont soumis (état civil, procédure devant les tribunaux, actes notariés...), sans droit et en vue de s'attribuer une distinction honorifique, est sanctionné par l'art. 259, § 3 du Code pénal (rarement appliqué). En France, le titre est indivisible (sauf dans l'Est) et ne repose que sur une seule tête. Il est imprescriptible et il n'y a plus de dérogeance.

• **Investitures.** La collation ou création de titres est incompatible avec les institutions républicaines. Toutefois, en vertu de l'art. 7 du décret du 8-1-1859 modifié par le décret du 10-1-1872 « toute personne peut se pourvoir auprès du Garde des Sceaux pour provoquer la vérification de son titre par le conseil d'administration du ministère de la Justice ». Cette vérification ne peut donner lieu qu'à un arrêté du Garde des Sceaux (couramment, mais improprement dit « arrêté d'investiture ») autorisant l'inscription du nom d'un citoyen sur les registres du Sceau «comme ayant succédé au titre dont son ancêtre avait été revêtu ». Conformément à la déclaration du gouvernement à la chambre des députés (séance du 14-12-1906) cette autorisation ne peut être accordée qu'à propos de « titres sur lesquels ne peut s'instituer aucune contestation ». Le conseil d'administration vérifie que l'impétrant est bien l'unique personne apte, d'après les règles du droit nobiliaire français, à recueillir le titre devenu vacant. Toute requête tendant à un tel objet doit être obligatoirement présentée par ministère d'un avocat aux conseils. Un droit de sceau de 2 000 F est perçu. Le même titre doit faire l'objet d'une nouvelle autorisation d'inscription au décès du titulaire précédemment investi.

La formalité d'inscription sur le registre du Sceau n'est pas obligatoire et n'influe en rien sur l'authenticité du titre. La production de l'arrêté doit seulement être exigée par les autorités appelées à faire figurer ce titre tant sur les actes d'état civil que sur divers documents administratifs (passeport ou carte d'identité).

☞ Au Moyen Age, l'*investiture* consistait en la remise d'un objet symbolisant la faveur reçue (ex. : une motte de terre symbolisait le fief). De grands féodaux comme les ducs de Bretagne et de Normandie recevaient petite couronne, sceptre, épée, bannière. La remise de la barrette cardinalice par le Pt de la République était une survivance de cette coutume.

Familles d'ascendance noble (nombre)

Familles subsistantes

• **En 1789** env. 17 000 familles (12 000 fam. complétées par 5 000 branches cadettes sous Louis XVI).

• **Actuellement** env. 3 500 authentiques, et au moins 10 000 d'apparence noble (par le port de particules, de noms de terres, etc.). La durée moyenne d'une famille est de 350 années.

Selon Régis Valette, dans son *Catalogue de la noblesse française,* 3 225 familles dont le principe de noblesse paraissait valable subsistaient au 1-1-1989, ainsi réparties : **Ancien Régime** 2 811. *Noblesse d'extraction* 1 408 (dont extr. chevaleresque 312, ancienne extr. 531, extr. simple 565). *Anoblis ou confirmés* 594 (dont 413 par l. de patentes, 150 par l. de confirmation, 31 étrangers). *Anoblis par charges ou fonctions* 809 (dont 360 conseillers secrétaires du roi, 173 par charge municipale, 91 par les parlements, 185 par charges diverses). **Empire** 150 (il n'y eut que des titres et aucun anoblissement). **Restauration** 222 (titres et anoblissement par lettres). **Louis-Philippe** 12 (titres). **Second Empire** 23 (titres). **Noblesse de Savoie** (1800-60) 7 reconnus en France (par l'effet du traité de Turin rattachant la Savoie à la France en 1860). **Total noblesse XIXe s. :** 414.

Selon Etienne de Séréville et Fernand de Saint-Simon dans leur *Dictionnaire de la noblesse française,* 5 033 familles nobles subsistaient en 1900, 4 057 en 1975 [Ancien Régime 3 494 : extraction 1 600 (dont chevaleresque 365, ancienne 434) ; par l. patentes 640 ; par charges 1 010 (secrétaires du roi 441, noblesse municipale 224, autres charges 345) ; divers (Savoie, Comtat Venaissin, étrangers reconnus) 244].

Un certain décalage vient de ce que des familles titrées n'ont pas constitué de majorat avant 1835 (formalité nécessaire pour l'hérédité du titre), et que certains auteurs ne les considèrent pas ainsi comme anoblies héréditairement si le bénéficiaire du titre est décédé avant 1835.

• **Noms d'apparence nobiliaire.** Il y avait, d'après une étude faite sur le Bottin mondain en 1973, 7 000 à 8 000 noms d'apparence nobiliaire (or il faut compter env. 0,6 % d'extinction des noms par an). Chaque année, env. 6 autorisations de porter une particule par addition de nom (quand la famille est éteinte ou en extinction) sont données par décret du 1er ministre (6 en *1975,* 1 en *76,* 8 en *77,* 7 en *78,* 7 en *79, 2 fin août 80*). Les porteurs de nom d'apparence ne sont pas tous nobles (1 sur 3 seulement) : 9 familles nobles sur 10 ont un nom comportant une particule (sont généralement sans particule celles de la noblesse dite d'Empire, et quelques familles d'Ancien Régime).

D'après des sondages effectués sur l'ouvrage de Chasot de Nantigny (publié en 1751) et une liste parue dans *l'Annuaire de la noblesse française* (en 1857) concernant les concessions de titres réguliers, c'est-à-dire « érection de telle terre en fief de dignité sous le titre de... », par lettres patentes enregistrées et vérifiées, on aboutit, en dehors des ducs, aux % suivants, *avant 1789 :* marquis env. 60 % des titres réguliers, comtes 20 %, vicomtes 8, barons 12. *XIXe s. :* marquis réguliers 18 %, comtes 25, vicomtes 5, barons 52, le reste concernant le titre de chevalier rarement régularisé et très peu porté.

Classification d'après la source de noblesse

Noblesse d'Ancien Régime

• **1o Familles d'extraction (noblesse immémoriale).** Familles qui furent toujours réputées et tenues pour nobles, sans que l'on puisse trouver trace qu'aucun souverain ne leur ait jamais accordé la noblesse.

Classifications intermédiaires : *noblesse féodale* (familles connues à partir du XIe s.), *chevaleresque* (prouvées dès avant le XIVe s.). 1 469 familles subsistent. La noblesse de ces familles n'était admise que dans la mesure où le souverain les « maintenait » dans leur état de noblesse et privilèges afférents par un acte d'autorité. Louis XIV, voulant dresser le catalogue des nobles du royaume, prescrivit, dès 1666, à ses intendants de vérifier les titres des privilégiés ; la preuve centenaire suffisait. Ces « grandes recherches » furent le fondement juridique de presque toute la noblesse d'extraction (la 1re recherche fut faite sous Louis XI).

Nota. – On distingue aussi la **noblesse utérine** ou **coutumière,** c.-à-d. anoblie par le ventre (la mère). Autorisé à la suite de combats qui décimèrent la noblesse (en 841 à Fontenoy-en-Puisaye, dit une tradition légendaire), très étendu en France, cet usage ne fut conservé en Bourgogne que jusqu'en 1750. Dans la Lorraine et le Barrois, il fut expressément reconnu et conservé légalement lors de leur rattachement à la France en 1766, et maintenu jusqu'à la Révolution. Peu de cas connus.

• 2° Familles anoblies par lettres patentes. **1re lettre d'anoblissement connue :** délivrée par Philippe le Hardi en 1270 à son argentier Raoul (Ph. le Hardi anoblit par la suite son barbier, Pierre Labrosse) ; puis lettre d'an. pour Gilles de Concevreux en 1285 (Philippe le Bel), et Jean de Taillefontaine en 1290. Ph. le Long en 1320 anoblit son argentier Geoffroy Floriac ; en 1345, Jean, régent du royaume, anoblit son cuisinier, Jean de Gencourt. Cela devint une grâce courante (et payante) au XIVe s. L'an. par lettres subsistera jusqu'en 1830. A partir de 1339 (sous Philippe de Valois), les lettres d'an. devaient être visées par la Chambre des comptes, et plus tard devaient être enregistrées au Parlement et à la Cour des aides. Les an. par lettres ont été très nombreux : souvent à l'occasion d'événements affectant la famille royale (sacre, mariage, baptême) ou d'événements politiques (alliances, traités, victoires). La plus ancienne famille anoblie subsistante est celle des Hurault de Cheverny et de Vibraye.

Noblesse vénale ou de finances. Constituée par les anoblis par lettres vendues par les rois (pour renflouer leur trésorerie) : *1564 :* 12 lettres ; *1568 :* 30 ; *1576-77 :* 1 000 ; *1592 :* 40 ; *1594 :* 10 ; *1609 :* 10 ; *1645 :* 50 ; *1696 :* 500 ; *1702 :* 400 ; *1711 :* 100. Sous Louis XIV, les besoins du Trésor amèneront la chancellerie royale à adresser des lettres de noblesse « en blanc » aux intendants pour être vendues 6 600 livres, mais destinées cependant à des personnes jugées aptes par leurs mérites et leurs services. Par périodes, les an. par lettres étaient révoqués en bloc, quitte à payer une 2e fois les droits, ce qui advint le plus souvent lors de crises économiques. [*1593* révocation des anoblissements faits depuis le décès du roi Henri III († 1589). Les anoblis redeviennent taillables. *1598* annulation de tous les an. dep. 1578 ; *1640* annulation de tous ceux accordés dep. 1610 ; *1664* annulation de tous les an. octroyés depuis 1614 en Normandie, dep. 1611 dans tout le reste du royaume ; *1715* de tous ceux accordés dep. 1696. En *1556*, les an. durent payer la confirmation de leur noblesse 1 500 livres ; en *1713 :* 2 000 livres ; en *1715 :* 6 000.] Moins de 600 familles subsistent.

• 3° Familles anoblies par charges et par fonctions. **Charges de judicature et de chancellerie.** Certaines juridictions et les chancelleries anoblissaient au 1er degré, d'autres, la majorité, au 2e degré, c'est-à-dire en 1 ou 2 générations accomplissant chacune 20 ans de service ou mourant revêtue. *La noblesse de 2e degré*, dite graduelle, donnait au père, puis au fils, la noblesse personnelle. Elle était acquise dès réception dans la charge et transmissible parce qu'elle pouvait se transmettre héréditairement lorsque le fils avait servi 20 ans ou était mort revêtu. *La noblesse au 1er degré* donnait dès réception la noblesse héréditaire à la famille, gardée définitivement après 20 ans de service ou mort revêtu. Dans ces 2 formules, la démission prématurée sans accord du pouvoir royal (avant 20 ans) ou la suppression de la charge faisaient perdre la noblesse. Mais ces charges ne créèrent pas autant de nouvelles familles nobles, parce que certaines cours ne recevaient que des nobles (Parlements de Paris, Besançon, Nancy et Rennes ; Chambres des comptes de Bar et de Nancy), et parce qu'un bon tiers d'entre elles étaient exercées par des personnes déjà nobles, dispensées de l'impôt du marc d'or (qui n'était payé que par les roturiers acquérant une charge anoblissante).

Nombre de charges anoblissantes *(à la fin de 1789),* 4 160 : Conseil d'État 46, Requêtes 80, Grande et Petite Chancelleries 848 (360 subsistaient en 1989 selon Régis Valette), Grand Conseil 66 (8 subsistaient), Parlements et Conseils supérieurs 1 272 (91 subs.), Chambres des comptes 756 et Cour des aides 191 (81 subs.), Cour des monnaies 39 (6 subs.), Bureau des finances 769 (49 subs.), Présidiaux (Paris-Châtelet et Marseille) 93.

Fonctions universitaires : docteurs en droit en Avignon (parfois qualifiée de noblesse comitive : dignité de comte). État pontifical (mais la monarchie s'est opposée à l'établissement de ce mode d'anoblissement en France).

Noblesse municipale (dite de cloche), dont les charges ont été supprimées par le décret du 14-12-1789 (avant la suppression de la noblesse : décret 19/23-6-1790). 16 municipalités ont joui de la noblesse aux corps de ville : *Poitiers* (1372), *La Rochelle* (1373), *Toulouse* (1420), *Niort* (1461), *St-Jean-d'Angély* (1481), *Le Mans* (1482) pour leur fidélité au roi pendant la guerre de Cent Ans ; *Angers* (1475) pour sa fidélité au roi pendant les troubles de la Ligue du bien public ; *Tours* (1462) en raison de l'attachement que lui portait Louis XI ; *Bourges* (1474), *Lyon* (1495), non seulement pour leur fidélité mais à titre d'encouragement économique ; *Arras* (1481) pour des raisons politiques, économiques et démographiques ; *Angoulême* (1507) et *Nantes* (1560) également pour leur fidélité ; *Issoudun* (1651) et *Cognac* (1651) pour fidélité pendant la Fronde ; *Paris* en 1706. En 1666, le privilège anoblissant de ces villes a été restreint au seul maire, à l'exception de Paris, Lyon et Toulouse (capitouls).

Citoyens de Perpignan *(immatriculés de 1449 à 1785).* Bourgeois nommés par lettres du souverain ou élus par le conseil de la cité et inscrits au livre de la matricule de la ville. La reine Marie, épouse d'Alphonse IV d'Aragon, accorda le 18-8-1449 la chevalerie et la noblesse transmissible à ces citoyens [env. 2 citoyens furent anoblis chaque année par 9 notables et 5 consuls qui avaient ainsi le droit de conférer la noblesse ; le souverain pouvait aussi accorder la noblesse directement par lettre (Charles Quint le fit en 1542 pour Jacques Antich Triniach)]. 22 citoyens furent ainsi nommés de 1659 à 1763. Ces privilèges furent maintenus par les rois de France depuis le traité de Péronne (1461) jusqu'à 1789. 8 familles en descendent actuellement.

Noblesse militaire. L'édit de nov. 1750 accorda la nobl. héréditaire à tous les officiers généraux non nobles alors en service, et décida que la 3e génération consécutive d'officiers, dans le grade de capitaine au moins, et décorée de l'ordre de St-Louis, ou morte au service, serait anoblie de plein droit. Ces dispositions relativement libérales ne durèrent pas. Une déclaration du 22-1-1752 décida que chacune des 3 générations devrait solliciter des lettres patentes d'approbation de services scellées du grand sceau en fin de carrière. Il y avait peu d'officiers roturiers sinon dans les grades subalternes. 11 familles subsistent. L'édit de 1750 s'appliquait également à la marine très aristocratique et il ne s'est trouvé aucune personne pour en bénéficier en raison notamment du nombre infime de nominations dans l'Ordre de St-Louis (en 97 ans, 17 capitaines de Brulot décorés sur + de 10 000 nominations dans l'Ordre).

Autres sources de noblesse

Noblesse d'Empire. Nom impropre : il ne s'agissait pas d'anoblissement. Seuls des « titres impériaux », n'honorant qu'une personne par génération – c'est-à-dire le titulaire – étaient conférés [mais les cadets avaient le droit de succéder et de porter les armes (légèrement modifiées) du titre].

Noblesse de la Restauration. En 1814, l'article 71 de la Charte disposa : « La noblesse ancienne reprend ses titres, la nouvelle conserve les siens. Le roi fait des nobles à volonté, mais il ne leur accorde que des rangs et des honneurs sans aucune exemption des charges et des devoirs de la société. »

Noblesse du IIe Empire. Napoléon III n'anoblit pas mais accorda la particule à 34 personnes et conféra ou régularisa des titres.

Noblesse papale. Env. 400 familles françaises ont été anoblies par le Saint-Siège entre 1820 et 1920.

Noblesse étrangère. 31 familles (avec homologation dans la noblesse française) subsistent en France.

Association d'entraide de la noblesse française (A.N.F.). *Fondée* 1932 et reconnue d'utilité publique 29-7-1967. *Adresse :* 9, rue Richepanse, Paris 8e. *Pt :* Mis de Vogüé, *1er vice-Pt :* duc d'Estissac, *2e Vice-Pt :* Mis de Boisséson. *Pt de la commission des preuves :* Cte Jean de Bodinat. *Familles représentées au 1-1-1991 :* 2 034 dont une centaine éteintes (env. 1 400 familles d'origine noble ne sont pas encore représentées).

Réunion de la noblesse pontificale en France. *Pt :* Cte Bertrand de Pesquidoux. *Adresse :* 13, rue Bernoulli, Paris 8e.

Les plus anciennes familles de France

Nous donnons ci-dessous une liste de familles nobles dont il existe des descendants directs du nom avec la *date de filiation continue prouvée la plus reculée* (parfois date où le nom apparaît cité pour la 1re fois, puis celle à partir de laquelle la filiation noble est prouvée).

Pour plusieurs familles, comme les Harcourt, Rohan, Polignac, La Rochefoucauld, Maillé, Toulouse-Lautrec, Lévis-Mirepoix, Gramont, etc., la tradition peut remonter plus haut, mais nous signalons la date d'un premier document sûr. On peut, pour d'autres, remonter plus haut que la date indiquée, mais sans certitude ou avec la présence de roturiers.

Attention : cette liste (établie à partir du catalogue de la noblesse française de Régis Valette, éditions Robert Laffont, 1989), *qui n'est pas exhaustive* (notamment pour les familles bretonnes et de l'Est), *est donnée sous toute réserve.*

IXe siècle. Les Capétiens (début IXe ; certain 852).

Xe siècle. Harcourt 966 (du latin Hariulfi Curtis), v. 1050 Anchetil prend le nom Harcourt. Rochechouart-Mortemart 980 (issus des vicomtes de Limoges, 876).

XIe siècle. Gramont (issus des Ctes de Comminges) 1003. La Rochefoucauld 1019. Tyrel (de Poix) citée 1030. Caumont la Force 1040. Mailly-Nesle, Montesquiou-Fezensac 1050. Choiseul-Praslin 1060. Maillé de la Tour Landry 1069. Clermont (devenu Clermont-Tonnerre) 1080. Castellane 1089.

XIIe siècle. Rohan-Rohan (Bretagne) 1100. Gontaut-Biron 1124 (citée 926) (Suisse). Châteauneuf-Randon 1135. Arenberg (Maison de Ligne, St Empire et France) 1142 (connue avant). Viry 1160. Scorraille 1168. Sparre (Suède et France), Tournebu 1170. Wall 1171. Ligniville 1172. Walsh-Serrant (Angl.-Anjou) 1174. La Roche Aymon 1179. Lévis-Mirepoix 1180. Faucigny-Lucinge (Savoie, Bresse) 1180 (branche Faucigny 981). Andlau 1181 (citée IXe s.) Villeneuve (Languedoc) 1183. Prunelé 1191. Beaufort (issus des Thouars) 1198.

XIIIe siècle. Cosnac 1200. Bauffremont 1202 (citée 1090). Chalencon devenue Polignac (citée 1062) 1205. La Fare, Riencourt 1206, Gouyon-Matignon 1209. Reinach (Foussemagne, Werth, Hirtzbach) 1210. Pontevès d'Amirat, Regnauld de la Soudière (citée 1034). Sabran-Pontevès (citée 1064) 1213, Ginestous, Crussol d'Uzès (citée 1190) 1215. Quatrebarbes 1218. Menthon (Aviernoz) 1219. Argouges, Rasilly 1223. Noailles, Mostuejouls 1225. St-Phalle (citée 1171) 1230. Waldner de Freudstein 1235. Villeneuve (Trans, Flayosc, Bargemon, Esclapon) 1240. Talleyrand-Périgord 1245 (connue avant) éteint dans les mâles en 1968. Foucher de Brandois 1245. Briey 1247. Roys d'Eschandelys 1253. Carbonnières 1254. Vogüé 1256. La Panouse 1257. Reich de Reichenstein 1258. Tournemire 1259. Granges de Surgères 1261. Durfort-Civrac de Lorge (citée 1093), La Porte aux Loups 1262. Curières de Castelnau, Levezou de Vésins 1264. Beauvau-Craon 1265 (éteint, Foulques, 1er Beauvau mentionné, branche cadette probable des 1ers comtes d'Anjou, mort 1009). Lubersac 1267. Rohan-Chabot 1269 (Chabot citée 1040, devenue Rohan-Chabot en 1645). Gourcy 1270. Menou 1272. La Rochelambert 1274. Cadoine de Gabriac 1279. Pérusse des Cars 1281. Ludre-Frolois 1282. Saint-Gilles 1283. Croix, Montrichard 1285. Abzac, Loubens de Verdalle 1287. Albon (connue 1140), Noé, Rivoire de la Batie 1288. Esclaibes, Kerret 1290. Mérode (Belgique) 1295. Laguiche 1296. Foucauld 1298. La Tribouille 1299. Arcy, Budes de Guébriant 1300. La Grandière 1300.

1301-1350. Boisgelin, Lameth, Du Merle, Sade 1302. Galard de Béarn 1303. Goulaine 1304. Rodez-Bénavent 1307. Maulmont, Noue 1308. d'Aux de Lescout 1312. Carbonnel de Canisy, Yzarn de Freissinet de Valady, Adhémar (Panat, Cransac, Lantagnac) (citée en 1095) 1313. Damas (citée 1247), Guiny 1315. Charry 1316. Commarque, Montalembert 1317. Chasteignier 1318. Galard Terraube, Nuchèze 1320. d'Arces, Beaumont d'Autichamp (Repaire, Verneuil d'Auty, Beynac) 1322. Goys de Mézeyrac, Moÿ de Sons 1327. Bouillé, Chevron-Villette, Goesbriand, Hérail de Brisis, Kermabon 1328. Fayolle, Saint-Pern, Seyssel 1330. Colonna d'Istria, Raincourt 1331. Schauenburg 1332. Sallmard de Ressis 1333. du Authier, Rouvroy de Saint-Simon, Saint Priest d'Urgel, Villelume 1334. Grammont, Chastellux, La Tour d'Auvergne 1335. Busseul 1336. Mullenheim-Rechberg 1337 (filiation bourgeoise v. 1250). d'Albignac 1339. d'Andigné, Brémond d'Ars, Genève de Boringe, Hauteclocque, Kergariou, La Poëze (Harambure), Luzy de Pélissac, Parc Locmaria, Saint Pol, Saint Pol de Lias 1340. Grasse, Mathan 1341. Malet de Coupigny 1342, Dillon, Drée, Mauléon-Narbonne (citée 1209) 1343. Bosredon, Lesquen, du Plessis-Casso, Pechpeyrou-

Comminges de Guitaut 1346. Chabot (Rohan-Chabot, Chabot, Chabot-Tramecourt), Courseulles 1347. Hurault de Vibraye, Goullard d'Arsay, Leusse 1349.

1350-99 Croy, La Vergne de Tressan 1350. Ferrand, Lestrange, Sarret de Coussergues 1351. Beaurepaire, Chabannes (citée 1170) 1352. d'Espinay-Saint-Luc, Montault 1352. Forges de Parny, Ussel 1353. Huon de Kermadec, Villardi de Montlaur 1354. Soussay 1355. Chaumont-Quitry 1358. Aurelle de Paladines, Houdetot. Lancry de Pronleroy, La Rochette de Rochegonde 1360. Chauveron, Faydit de Terssac, Lambilly 1361. France, La Croix de Castries (charge anoblissante en 1487), Pins, Sartiges 1362. Hoffelize 1363. Coustin du Masnadaud, Doynel de La Sausserie (Saint Quentin) 1364. Achard de Bonvouloir, Bonneval (citée 1055) 1365. Foucaud et d'Aure, Joussineau de Tourdonnet, Orléans 1366. Brossin de Méré, La Laurencie, La Tour d'Auvergne-Lauraguais, Le Viconte de Blangy 1367. Nattes, Touchet 1369. Chevigné, du Couëdic de Kergoaler, Crécy, Gibon, La Fléchère de Beauregard, Loz de Coatgourhant, Tudert 1370. Amphernet de Pontbellanger, Coëtlogon, Lasteyrie (Saillant), Grouchy, Le Forestier de Vandeuvre, Méherenc de Saint-Pierre 1372. Espagne de Vénevelle, Fontanges 1373. Ligondès, Voyer de Paulmy d'Argenson 1374. Kérouartz, Malet (La Jorie, Roquefort), Le Roy de Valanglart. Mons, Prévost de Sansac de Traversay, Rougé, Sesmaisons 1375. La Bourdonnaye, Brillet de Candé 1376. Belloy de Saint-Liénard, Boisbaudry (citée 1150) 1377. Pierre de Bernis, Tristan, Vincens de Causans, Belzunce (cité 1145) 1378. Boberil, Des Monstiers-Mérinville, Quélen, Toucheboeuf Beaumond 1379. Castelbajac, Kergorlay, Kersaint-Gilly, La Roche-Saint-André, Luppé, Montecler 1380. Chardonnet, Ferron (Chesne), Gramont, La Villéon, L'Estourbeillon, La Sayette, La Tousche d'Avrigny, Solages, Tulle de Villefranche, Boisboissel 1382. Moy, Royère 1384. Comminges, Desgrées du Lou, Roffignac, Rolland de Renvergé, Tinteniac 1385. Freslon de la Freslonnière, Lancrau de Bréon, Nettancourt Vaubecourt, Pluvié, Vanssay 1386. Hays 1387. Autier de la Rochebriant, Fumel, Pindray d'Ambelle, Trolong de Rumain 1388. Conchy, Costa de Beauregard, La Jaille, Lestang Parade, Robien 1389. Audiffret et Audiffret-Pasquier, Audren de Kerdrel, Blacas, Castel, Dion, Kermoysan, Quengo de Tonquédec, Toulouse-Lautrec 1391. Anthenaise, Caupenne d'Aspremont 1391. Liniers, Percy 1391. d'Astorg, Brossard de Saint-Martin au Bosc, Certaines, Foras, Guiry, Hennezel (Francogney, Ormois, Essert, du Mesnil), Isle de Beaucheine, La Rivière du Pré d'Auge 1392. Beaunay, Chaunac-Lanzac, Frotier (La Messelière, La Coste-Messelière, Bagneux), La Haye Saint-Hilaire, Livron, Kelly Farrel, Penfentenyo (cité avant 1171), Roquefeuil (Montpeyroux, Cahuzac), Sainte Marie d'Agneaux 1393. Aigneaux, Zorn de Bulach, connu dès 1250 env. mais rupture de filiation fin XIVe s., Broglie, Hautpoul, Thy, Virieu 1394. La Cropte de Chantérac, Digoine du Palais, Morel de la Colombe, Poulpiquet du Halgouët (Brescanvel), Tryon-Montalembert, Banville 1395. Lantivy de Trédion, Lestang de Turigny (Ringère), Orglandes, Villers au Tertre 1396. Aymer de la Chevalerie, Bonald, Cumont, La Garde de Saignes, Lignaud de Lussac, Pouilly, Saint Pastou de Bonrepaux 1397. La Forest-Divonne, Montaignac de Chauvance 1398. Armagnac de Castanet, Breil de Pontbriand, La Celle (dans la Marche) (citée 1040). Navailles, Labatut 1399. Boisguéheneuc, Casteras Sournia, Chérisey, Gouyon de Coipel, Grave, Kermenguy, Kersauson, Le Gualès de Mézaubran, Mourins d'Arfeuille, Pontavice, Pontual, Vassinhac d'Imécourt, Vergier de Kerhorlay 1400.

Nota. – Cossé-Brissac (le nom apparut en 1180, achète Brissac en 1492, comte en 1560, duc 1611 et pair).

Titres

☞ La plupart des nobles authentiques portent un titre choisi dans la hiérarchie nobiliaire pour affirmer leur noblesse en face des non-nobles ; le plus souvent le titre, assumé par eux, n'a pas été conféré régulièrement par une autorité souveraine. Voir p. 1223.

Depuis 1975, le Pt de la Rép. a supprimé toute mention de titres, même authentiques, dans les réceptions de l'Élysée, mis à part certains titres royaux ou impériaux (Cte de Paris, Pce Napoléon).

Sortes de titres

• **Titres authentiques.** Seuls susceptibles d'être reconnus par le Sceau de France (min. de la Justice) en vertu d'un arrêté d'investiture pour les titres conférés par les chefs de l'État en France : *avant 1789* (de lettres patentes enregistrées en parlement et vérifiées par les cours souveraines, Cour des comptes, Cour des aides...) ; *de 1806 à 1814* (lettres patentes impériales de Napoléon Ier moyennant constitution d'un majorat qui seul pouvait en assurer la transmission héréditaire, obligation supprimée en 1835) ; *de 1814 à févr. 1824* (lettres patentes) ; *de 1824 à 1835* (avec obligation de constitution de majorats, sauf pour les lettres de noblesse qui ne furent plus délivrées après août 1830) ; *de 1835 à 1870,* sauf entre le *29-2-1848* et le *24-1-1852* (lettres patentes) ; *de 1871 à 1877* (décrets du Chef de l'État).

• **Titres réguliers.** Titres authentiques dont les bénéficiaires ont omis de demander l'investiture.

• **Titres de courtoisie.** Titres dont les preuves sont insuffisantes ou qui ont été transmis irrégulièrement. Avant 1789, l'expression, au sens strict, s'entendait pour les personnes qui, ayant fait leurs preuves pour les *Honneurs de la Cour* (c.-à-d. noblesse prouvée avant 1400, alliances de marque et importance des services rendus, avec aussi l'agrément royal qui pouvait dispenser des familles de l'une de ces 3 conditions), étaient présentées au roi et à la famille royale avec un titre assumé par elles, voire choisi par elles mais accepté par le roi qui, de sa main, sur chaque nom de la liste des honneurs, écrivait « bon » ou « ne se peut pas ». Seul le titre de duc avait un usage strictement réglementé puisque la plupart des ducs héréditaires siégeaient au Parlement. Le roi acceptait aussi, sans les reconnaître par des patentes scellées et enregistrées, des titres portés chez des familles d'ancienne noblesse, le plus souvent ducales. Aux XIXe et XXe s., on a jugé que l'appellation d'un noble avec un titre de courtoisie dans des documents publics (même dans des contrats de mariage signés par le roi) n'entraînait pas pour les familles honorées de cette appellation titrée, le droit au titre vis-à-vis du Sceau de France. Au XIXe s., l'expression « titre de courtoisie » s'étendit à tout titre porté par une famille noble mais non susceptible d'être reconnu par le Sceau de France. Mais un arrêt de la cour d'appel de Paris 5-2-1962 a reconnu implicitement les titres de courtoisie, c.-à-d. « validés par l'admission aux Honneurs de la Cour ». Par conséquent, de même qu'aux origines de la féodalité, les bénéfices s'étaient transformés en fiefs héréditaires, de même les fils de ceux qui avaient obtenu les Honneurs de la Cour et avaient été gratifiés d'un titre se considérèrent comme investis de ce titre dont la « qualité » n'était pas discutable alors, mais considérée comme telle de nos jours.

• **Titres irréguliers.** Autres t. français non reconnus par le Sceau, ni susceptibles de l'être, ni issus des Honneurs de la Cour. Ils peuvent être portés par des familles d'ancienne et illustre noblesse non titrée comme par des familles usurpant la qualité nobiliaire en plus des titres qu'elles se donnent et qui sont sans fondement juridique.

• **Titres étrangers.** Pour être authentiques, doivent être conférés par une autorité souveraine (sont donc exclus les titres conférés par des princes dont la famille n'est plus régnante). Considérés comme une distinction héréditaire ou personnelle (selon les dispositions de l'acte étr. conférant le titre). En France ils ne peuvent ni conférer la qualité de noble à celui qui ne la possède pas, ni être considérés comme titres réguliers pour un noble qui les reçoit.

Sous l'Ancien Régime comme au XIXe s., il a toujours été nécessaire, pour porter un titre étranger en France, d'obtenir une autorisation du souverain, moyennant de nouvelles lettres patentes enregistrées, ou un décret (au XIXe s.). Avant 1859, les titres purent être reconnus personnellement ou héréditairement (un texte de 1819 non publié, mais quelquefois appliqué, exigeait l'autorisation du roi pour porter un titre étranger). Après le décret du 5-3-1859, les titres furent simplement autorisés personnellement (et fort rarement).

Titres étrangers reconnus ou autorisés en France de 1830 à 1984. 1) **Avant le décret de 1859, par Louis-Philippe :** Bon Henrion (titre du Pape, 1838), Cte Lurde (titre du Pape, 1839, héréditairement), Cte de Bourguignon (Sardaigne, 1839, hérédit.), Cte de Fürstenstein (Westphalie, 1812, rec. 1839), Cte Reiset (titre du pape Grégoire XVI, 1842, rec. héréd. 1842), Bon Heeckeren (P.-Bas, 1847), duc de Santa Isabela (Bresson, Espagne, rec. 1847), titre de duc (Espagne) reconnu pour M. de Walsh Serrant en 1838 (il décéda en 1842, sans postérité masculine). 9 titres étr. reconnus en 18 ans (2 ducs, 5 comtes, 2 barons). Il n'y eut aucune reconnaissance entre 1848 et 1859. 2) **Depuis le décret du 5-3-1859** (toujours en vigueur) disposant que les titres étr. ne seraient reconnus en France que pour raisons graves et exceptionnelles : 27 titres de 1859 à 1988 (1 prince, 1 duc, 2 marquis, 20 comtes, 2 barons, 1 chevalier) dont : Pce de Sagan (Prusse, Talleyrand-Périgord, 1859), Casy, Cecille, Janvier de la Motte (Cte, titre du Pape, 1859), Glot, Rostolan (Cte, titre du Pape, 1860), Tresvaux de Berteux (Cte, titre conféré par Grégoire XVI, 1845, aut. 1861), Mis d'Iranda d'Arcangues (Espagne 1764, aut. 1862), Livio (chevalier, Bavière 1812, aut. 1864), de Boigne (Cte, Italie, aut. 1865), d'Adelsward (Bon, Suède, aut. 1866), Armand (Cte, titre du Pape, 1868), Lemesre de Pas, de Lanet, Vaysse de Rainneville (Mis), Le Goazre de Toulgoët-Treanna, Carmoy (5 titres de Cte du Pape, aut. 1874), Espivent de la Villesboinet, de Fresne, Despous, Despous de Paul, Niel, Maillères veuve Niel (5 titres de Cte et 1 de Ctesse, du Pape, aut. 1877), Bon de Malsabrier (Morin) (Rép. de Saint-Marin, 1877), Cte Lefebvre Pigneaux de Béhaine (du Pape, aut. 1893), duc de San Fernando Luis avec grandesse d'Esp. (Lévis-Mirepoix, 24-8-1961).

Titres sous l'Ancien Régime

Sous la monarchie, l'ancienneté de la noblesse, les illustrations et les alliances d'une famille pesaient plus qu'un titre. Ainsi les Montmorency (1ers barons chrétiens) étaient de plus grands seigneurs que bien des marquis du royaume. *Gentilhomme* n'était pas un titre, mais une qualité donnée au noble d'origine et non à l'anobli (d'où expression « le roi peut faire un noble et non faire un gentilhomme »). Tout roturier acquéreur d'une seigneurie s'en qualifiait *seigneur;* mais si la terre était une baronnie, un comté, etc., il ne pouvait se qualifier que *seigneur de la baronnie de X...,* et non *baron de X...* ou *comte de Y...*

Hiérarchie

Écuyer ou damoiseau. Noble d'ancienne souche ou d'anoblissement récent (à l'origine, damoiseau = jeune noble). Le titre d'écuyer est examiné par les juridictions administratives et judiciaires, pour les cas de noblesse inachevée « en cours de charge, la Révolution survenant ». Il peut être porté ou inscrit à l'état civil dans le Nord de la France et son féminin « Dame » figure sur quelques actes d'état civil.

Chevalier. Noble de race plus ancienne, ou anobli possédant une charge ou une fonction importante. Titre souvent porté par les cadets de grandes maisons.

Banneret. Chevalier possédant assez de biens pour lever une bannière (c.-à-d. grouper sous son autorité plusieurs chevaliers).

Baron. A l'origine, chez les Francs, fonctionnaire royal (au-dessous du comte), chargé de percevoir les amendes. Le mot est passé en latin avec le sens de « guerrier, homme libre » et également de « mercenaire ». Le chef de la maison de Montmorency portait dep. le XIVe ou XVe s. le titre de « premier baron chrétien » (du duché de France, avant 987, et non du royaume de France ?). Cette désignation est unique dans le droit français des titres nobiliaires.

Vidame. Du latin *vice domini,* désignait aux XIIe et XIIIe s. le seigneur chargé de la défense des biens temporels d'un évêché (Amiens, Beauvais, Cambrai, Châlons, Chartres, Laon, Le Mans, Meaux, Reims, Rouen, Senlis, Sens ; le roi de France, en qualité de comte du Vexin, était avoué de l'abbaye de Saint-Denis) ou d'une abbaye (dit avoué : charge donnée à de hauts barons). En outre, le vidame devait conduire à l'ost les troupes de l'évêché et protéger la maison épiscopale après la mort de l'évêque. Il avait le droit de prélever certaines redevances sur les habitants. A partir du XVe s., son rôle se réduit en corollaire de l'accroissement du pouvoir royal et communal.

Vicomte. A l'origine, remplaçait le comte dans les villes secondaires d'une province (chefs-lieux d'un *pagus*). Ils s'affranchirent de l'autorité comtale au Xe s. (Narbonne, Nimes, Albi), et devinrent de hauts barons au XIe s. (Melun, Bourges, Thouars).

Comte. A l'origine, dignitaire chargé de l'administration d'une province (à partir du Xe s., il possédait souvent des droits régaliens).

Marquis. A l'origine, chargé de la défense des provinces frontières (marches). Il a rang sur le comte.

Duc. A l'origine, chef militaire et administrateur. Titre donné ensuite aux comtes et marquis les plus importants. On distinguait en 1789 : les *ducs et pairs* (43) possesseurs de fiefs érigés en duché-pairie (à condition que la terre rapporte 8 000 écus de rente) relevant uniquement du Parlement de Paris (ex. : Uzès, Luynes, Fronsac, Mortemart, Noailles, Clermont-Tonnerre, Choiseul) ; *ducs non pairs* (15) : titre héréditaire décerné par le roi et enregistré par le Parlement (ex. : Chevreuse, Broglie, Polignac) ; *ducs à brevets d'honneur* (16) : titre non héréditaire ni enregistré (ex. : Lauzun, Castries, Mailly...). Tous étaient dits « cousins du Roi », comme les grands officiers de la Couronne (sauf le chancelier et le garde des Sceaux).

En 1582, Henri III fixa ainsi *l'assiette territoriale* devant servir de *support* aux titres : *duché :* il devait produire un revenu annuel de 8 000 écus (les terres érigées en duchés-pairies présentaient, pour leurs habitants, l'avantage de relever directement du Parlement, les dispensant ainsi de parcourir les degrés de juridictions intermédiaires) ; *marquisat :* 3 baronnies et 3 châtellenies ou 2 baronnies et 6 châtellenies ; *comté :* 2 baronnies et 3 châtellenies ou 1 baronnie et 6 châtellenies ; *baronnie :* 3 châtellenies unies ensemble. Sous Louis XIV, un comté comprenait une douzaine de sous-fiefs. L'importance des seigneuries était très différente de l'une à l'autre (elles étaient très nombreuses et plus petites dans les provinces qui dépendaient du Parlement de Paris).

Les Français créés **Grands d'Espagne** partageaient en France les honneurs des ducs en vertu de l'édit du 21-8-1774 (il fut appliqué en août 1961 par décret rendu en faveur du duc de Lévis-Mirepoix).

Prince. Il n'y avait, en droit, de princes que les princes de sang ou les princes étrangers. Toutefois, quelques seigneuries étaient fondées sur des **alleux** (terres **allodiales,** du francique *allod,* « propriété complète », franches et libres de toute suzeraineté depuis un temps immémorial). Ces **alleux** se situaient à la limite de plusieurs provinces (ainsi le titre de Bidache, à la limite de la Gascogne, du Béarn et de la Basse-Navarre fut porté sous l'Ancien Régime). Dans le Nord, entre St-Amand et la mer, beaucoup de parcelles de terre n'étaient pas soumises au régime féodal. Il s'agissait sans doute de biens qui n'avaient pas été conquis lors de l'invasion franque, ni distribués, et de là, non soumis à la féodalité jusqu'en 1789. Parfois les possesseurs d'alleux se groupèrent pour défendre leurs intérêts (les Estimaux, dans le N.). Le Franc-Alleu, petit pays du N., avait encore en 1789 des règles coutumières. Ces terres (il y en avait des centaines dans le N.) ne constituèrent généralement pas des principautés, car elles étaient souvent exiguës (un simple champ). Pour certaines, leurs seigneurs prirent la dénomination de prince (du latin *princeps, primum,* « premier », et *capere,* « occuper, prendre place »). Cette épithète (en réalité synonyme de seigneur) fut portée dans des familles d'ancienne noblesse à qui leur haut rang assura la tolérance du roi, qui leur confirma parfois la possession. Le roi érigea par lettres patentes des terres en principautés [Joinville, Lambesc, Martigues, Poix pour Noailles, Guéméné pour Rohan]. Il est arrivé que les arrêts d'enregistrement des Parlements ne mentionnent pas les qualifications de « prince » et « principauté » en France.

L'acquéreur roturier d'une terre noble qualifiée de principauté pouvait se titrer seigneur de la principauté *de X (nom de cette terre).*

1 Empereur. 2 Roi. 3 Prince (non français). 4 Duc. 5 Marquis. 6 Comte. 7 Comte sous l'Empire. 8 Vicomte. 9 Baron.

Seul Napoléon Ier créa des titres de princes, mais à la Restauration, si Louis XVIII et Charles X acceptèrent dans l'expositif des lettres patentes de titres de pairs de France de faire figurer, par courtoisie et à la demande des familles, la qualification de prince, jamais en revanche elle ne figura dans le dispositif proprement dit de ces lettres. Cependant Louis XVIII dans un brevet, fait Talleyrand Pce de Talleyrand compensant ainsi la perte de la Pté de Bénévent. Tous ces princes eurent le rang des ducs à la Chambre des Pairs.

Bâtards. Ceux reconnus des rois naissaient princes, ceux des princes naissaient gentilshommes ; les bâtards des gentilshommes ont été considérés comme nobles jusqu'en mars 1600. Une ordonnance d'Henri IV les a privés en principe de ce privilège, mais dans de nombreuses provinces, la coutume est restée la plus forte pendant encore plusieurs générations.

Chevaux de Lorraine. Nom donné en Lorraine à 2 groupes d'ancienne et illustre chevalerie. (*Grands chevaux :* du Châtelet, Lignéville, Haraucourt et Lenoncourt ; *petits :* 8 à 16 familles, notamment Bassompierre, Bauffremont, Nettancourt-Vaubécourt, Beauvau, Raigecourt, Choiseul, Custine, Gourcy, Briey, Haussonville, Ludre, Mitry.) *Origine de l'appellation.* Au XVIe s. mode (venant d'Italie) de souliers à talons très élevés dénommés grands chevaux. Au début du XVIIIe s., par comparaison à ces souliers, l'usage se prit de désigner ainsi les grandes familles de Lorraine qui fréquentaient la cour de Lunéville et dont le rang social était élevé.

Honneurs de la Cour. 942 familles avaient été admises aux Honneurs de la Cour (privilège de monter une fois dans des carrosses du roi après avoir été présenté à la famille royale) au XVIIIe s. (entre 1715 et 1790), sur preuves de l'ancienneté de leur noblesse (datant d'avant 1400), de l'illustration de leurs services et de leurs alliances, avec l'agrément du roi, seul maître d'accepter ou d'écarter les admissions. 302 de ces familles subsistent (dont 2/3 sont membres de l'A.N.F.).

Nombre théorique de nos ancêtres. *2e génération* (nos parents) : 2. *3e :* 4. *4e :* 8. *5e :* 16. *6e :* 32. *7e :* 64. *8e :* 128. *9e :* 256. *10e :* 512. *11e :* 1 024... *17e :* 65 536, etc. Si les alliances ne réduisaient pas la progression géométrique du nombre des aïeux, chacun aurait eu 32 aïeux sous Louis XVI, 32 768 sous François Ie, et 16 777 276 sous St Louis (soit le double de la population de cette époque. Mais le nombre réel est différent en raison des unions consanguines : ainsi Charlemagne se retrouve *4 200 000 fois* l'ancêtre du Cte de Paris, St Louis *plus de 15 000 fois,* Henri IV *108 fois.* A la 14e génération, le Cte de Paris n'aurait que 546 ancêtres au lieu de 8 192. Charlemagne aurait plus de 20 000 000 de descendants vivant actuellement (souvent par le biais d'enfants naturels) ; ce chiffre pouvant doubler en une génération.

Salle des Croisades à Versailles (1839). Désireux de ne créer que peu de titres nouveaux, mais soucieux de se concilier l'ancienne noblesse, Louis-Philippe, en restaurant le château de Versailles pour célébrer les gloires de la France, décida en 1839 de conserver des salles aux chevaliers croisés. Les familles issues des nobles ayant participé aux Croisades du XIe au XIIIe s. cherchèrent à se faire inscrire pour y figurer. Leur inscription constituait une sorte d'enregistrement de leur noblesse immémoriale. Le problème des preuves se posa. Alors apparut en 1842 la « Collection Courtois » avec des pièces du cabinet Le Tellier. Près de 200 documents furent acquis à prix d'or.

Dans les études publiées en 1954, 1956 et 1974, MM. Michel Fleury et Robert H. Bautier ont démontré la fausseté de ces documents. Fort bien imités (sous Louis-Philippe), ils se vendaient 500 F or à l'époque (contrats d'emprunts faits par les croisés à des marchands italiens, procurations passées en Terre sainte, quittances de chevaliers ou d'écuyers pour leur solde). 738 noms furent ainsi inscrits (316 en 1840, 347 entre 1840 et 1843, 75 ensuite). 200 noms y figurent à tort. 219 familles inscrites subsistent actuellement (mais en 1926 le Bon de Woelmont estimait devoir ramener ce chiffre à 160). *Dates d'inscriptions filiatives* la plus ancienne 1096, les plus récentes 1365 et 1521.

Titres de ducs

Seuls sont indiqués ici les titres encore portés actuellement. Date du titre (entre parenthèses, nom de famille s'il diffère).

1572 UZÈS (de Crussol). 1588 MONTBAZON (de Rohan), pair 1595. 1598 CROY. 1611 LUYNES (d'Albert), pair 1619. 1620 BRISSAC (de Cossé), pair. 1622 LA ROCHEFOUCAULD, pair 1769. 1648 ROHAN (de Rohan-Chabot), pair 1652. 1648 GRAMONT, pair 1663. 1650 MORTEMART (de Rochechouart), pair 1663. 1660 ORLÉANS. 1661 CHARTRES (d'Orléans). 1661 VALOIS (d'Orléans). 1663 NOAILLES, pair 1663. 1667 CHEVREUSE (d'Albert de Luynes). 1672 NEMOURS (d'Orléans). 1690 MONTPENSIER, (d'Orléans). 1700 HARCOURT, pair 1710. 1737 AYEN (de Noailles). 1742 BROGLIE, pair 1815. 1755 CLERMONT-TONNERRE, pair 1775. 1762 PRASLIN (de Choiseul), pair. 1773 LORGE (de Durfort-Civrac), pair 1815. 1780 POLIGNAC (Polignac ex-Chalencon), pair 1815. 1784 MAILLÉ, pair 1815. 1787 LA FORCE (de Caumont), brevet avec hérédité.

Certains ducs ayant plusieurs duchés avaient parfois reçu l'autorisation de faire porter par leur fils le titre de duc : CHEVREUSE, 1692, aîné du duc de Luynes. GUICHE, 1700, aîné du duc de Gramont. AYEN, 1737, aîné du duc de Noailles. LESPARRE, 1739, cadet de Gramont. LIANCOURT, 1758, aîné des La Rochefoucauld. La Maison de Rohan, titulaire des duchés de Montbazon (1588), de Bouillon (par héritage reconnu en 1816) et des titres princiers de Guéméné et de Rochefort (1728), etc., est fixée en Autriche.

Ducs à brevet et Grands d'Espagne français du XVIIIe siècle

1°) **Appelés à la pairie depuis 1814 avec le titre héréditaire de duc. Titres portés.** *Noailles, Pce de Poix* (titre français) *duc de Mouchy,* grandesse 1712 ; titre esp. mais le duc actuel n'est pas investi en Esp. ; *Chalais,* 1713 (subsiste par transmission chez les Galard de Brassac de Béarn, par confirmation de la grandesse, en Espagne, en 1883, et cédule royale en 1904, titre de courtoisie fr. non reconnu en Esp.) ; *Cossé,* duc à brevet non héréditaire 1756, 1774, 1784, duc-pair 1817 (duc de Brissac et pair de France 1611). **Éteints :** *Castries,* duc à brevet 1794, relevé après 1884, duc-pair 1817, éteint 1886 mais relevé ; *Caylus* (Robert de Lignerac), duc à brevet 1783, duc-pair 1818, éteint 1905, grandesse d'Espagne et titre ducal transmis par cédules espagnoles de 1893 au Cte de Rougé, et de 1963 à la Ctesse de Dampierre, elle-même déchue de son investiture de Caylus, pour n'avoir pas réglé ses droits.

2°) **Autres Grands d'Espagne investis.** *Croy-Dülmen,* grandesse 1528 par Charles Quint, duc (n'est plus investi en Esp.), souverain médiatisé ; *Valentinois,* duché-pairie 1642 pour Honoré II Pce de Monaco, puis nouvelle érection des terres en duché-pairie 1716, transmission à Honoré III et extinction dans les mâles 9-6-1949 avec la mort de Louis II de Monaco, titre devenu monégasque pour sa fille, créée (par un souverain étranger et en dehors du droit français pour une personne devenue monégasque) Desse de Valentinois en 1920 ; grandesse conférée par Philippe V ; *San Fernando Luis,* 1816 (au duc de Lévis-Mirepoix, seul investi en France dep. 1961). **Non investis.** *Doudeauville* (La Rochefoucauld), grandesse 1782 ; *Vogüé,* grandesse 1724 conférée au maréchal duc de Villars, puis léguée en 1777 au Cte de Vogüé ; *La Mothe-Houdancourt,* 1722, grandesse confirmée 1824 par Ferdinand VII pour M. de Walsh-Serrant, transmissible selon le droit espagnol par réhabilitation éventuelle ; *Saint-Priest* (Guignard), duc d'Almazan 1830 avec grandesse. **Éteints :** *Beauveau-Craon,* grandesse 1727 (les derniers princes n'étaient pas reconnus en Esp.) ; *Brancas,* grandesse 1730, ét. 1852 ; *Crillon,* grandesse 1782, ét. 1870 ; duc *d'Esclignac* (Preyssac-Fimarcon), grandesse 1787, ét. 1868 ; *Narbonne-Pelet,* 1789, ét. 1901 (les Narbonne-Lara s'éteignirent en 1916) ; *Saint-Simon* (Rouvroy), Mlle de St-Simon, Ctesse de Rasse, obtint en Esp. en 1803 confirmation de la grandesse conférée en 1722 au duc de Saint-Simon, le mémorialiste, puis transmise en 1751 par son testament ; duc de *Serent,* grandesse 1799, ét. 1822.

Nota. – La grandesse héréditaire étant transmissible par les femmes, une grandesse peut toujours être réhabilitée en Espagne s'il existe encore des descendants de celui qui se la vit conférer. Cependant la réhabilitation est à la fois un droit et une grâce du roi d'Espagne.

Qualifications de princes qui furent ou sont portées en France

Amblise (Champagne). Sirerie possédée avec la qualification de prince par la maison d'Anglure. **Amboise.** Titre porté par Louis d'Amboise (1392-1469), qui était Pce de Talmont. **Andlau.** L'abbesse était princesse du St Empire. **Andorre.** Voir Index. **Anet.** Sirerie, près de Dreux, aux ducs de Vendôme. **Antibes** (Provence). Attestée 960, passée aux Grimaldi et, par succession, à la Maison de Grasse. **Arenberg.** Chef de la maison et tous les cadets ducs du St Empire souverain 1806, médiatisé 1815, (devenue française par lettres de grande naturalisation de Charles X), puis pair de France ; sans majorat :

non héréditaire. Tous ses représentants portent en France le titre de Pce et Pcesse d'Arenberg. **Assier.** Aux Uzès. **Beaumont** (sur Sarthe). Le futur Henri IV, avant d'être roi de Navarre, était souvent appelé « Pce de B. » ; en réalité, il était, comme héritier de Navarre, Pce de Viane ; on reportait son titre princier sur sa duché-pairie de Beaumont, du domaine des Bourbon-Vendôme. **Beauvau-Craon** (St Empire 1775) admis sous ce titre aux honneurs de la Cour. **Bédeille** (Béarn). Souveraineté territoriale à la maison d'Albret passée en 1692 à Charles de Lorraine, comte de Marsan, qui ne disparut qu'en 1790. **Bidache.** Aux confins du Labourd, de la Guyenne et de la basse Navarre ; franc-alleu de temps immémorial possédé par les Gramont qui, y exerçant leur souveraineté sans partage, s'en qualifièrent souverains en 1570, ce que le roi leur contesta... Cette situation dura jusqu'en 1790 et ne fut jamais régularisée ensuite (prise du titre de prince au XIXe s.). **Bouillon.** Titre *ducal* (St Empire) lié à partir de 1520 au titre princier de Sedan (créé par François Ier en faveur de Robert II de La Marck). **Bourbon.** La qualification de Pce est de droit, avec parfois des désignations différentes, dans la descendance des Capétiens.

Carency (Artois). Terre ayant appartenu à des Bourbons dont les descendants par les femmes se titrèrent Pce de Carency (les La Vauguyon, Bauffremont, etc.). **Carignan.** Près de Sedan ; donnée en 1661 au comte de Soissons par Louis XIV qui érigea cette terre en duché en 1662, mais ses possesseurs continuèrent à s'en qualifier princes. **Céreste.** Titre porté par le frère du duc de Brancas, au XIXe s. **Chabanais** (Angoumois). Attesté 980 ; d'abord comté, puis principauté (XVIe s.), et enfin marquisat. **Chalais** (Périgord). Terre entrée dans la maison de Talleyrand par mariage après 1321. Ses possesseurs portèrent le titre de prince. **Charleville.** Bâtie en 1609 par Charles de Gonzague, duc de Nevers et de Mantoue ; passa ensuite aux Condé. **Châteauneuf-sur-le-Rhône.** Titre attaché à l'évêché de Viviers. Attesté 1718. **Château Porcien** (Champagne). Seigneurie du comté de Ste-Ménehould érigée en principauté (1551) pour les Croy, elle passa aux ducs de Nevers puis à Mazarin, aux Richelieu et au Pce de Monaco. **Château Renaud** (Hainaut). Érigée en comté (1470) par le duc de Bourgogne pour Jean de Croy, dont le petit-fils fut créé Pce du Saint Empire. Passée par alliance à la maison de Ligne, puis d'Hénin-Liétard (éteint 1806 – titre princier relevé par la branche cadette de la maison de Riquet de Caraman). Titre belge : Pce de Caraman Chimay 1824. **Châtelaillon** (Char.-Mar.). **Commercy** (Lorraine). Souveraineté, propriété des maisons de Nassau-Sarrebruck puis Gondi et Lorraine. **Condé** (Hainaut). Possédée par une branche cadette des Bourbon (éteint 1830). Le duc d'Aumale, neveu et filleul du dernier Pce de Condé, qui fut son légataire universel, ne releva pas le titre. **Conti** (Picardie, Somme). Une branche cadette de la maison de Bourbon-Condé acquit cette terre par le mariage de Louis Ier de Condé en 1551, mais le titre de prince de Conti fut porté pour la 1re fois par son fils François de Bourbon (1558-1614). Il s'éteignit à la mort de Louis François II (13-3-1814). **Courtenay.** Seigneurie qui n'était plus dans la maison des Courtenay quand ils se titrèrent Pces au XVIIe s., ce que le roi n'admit jamais ; les Bauffremont prirent le nom de Bauffremont-Courtenay au XIXe s. dans une branche cadette devenue aînée.

Delain (Franche-Comté). Sous Charles Quint, Jean de Goux, dit de Rupt, se qualifia souverain de Delain, terre passée aux Clermont d'Amboise. **Denain.** Titre attaché à l'évêché d'Arras. Attesté 1718. **Déols** (Berry). Les anciens seigneurs s'appelaient « Pces de la principauté déolaise » (éteinte sous Philippe Auguste). **Dombes.** Le Beaujolais « à la part de l'empire » devint Dombes sous François Ier lors de l'annexion de 1527. Formée d'un débris du roy. de Bourgogne, fut possédée par les Montpensier, puis rattachée à la couronne en 1762. **Donzère** (Dauphiné). Les évêques de Viviers portèrent le titre de Pces de Donzère et de Châteauneuf. **Elbeuf.** Qualification de prince portée par les cadets des ducs de ce nom. **Embrun.** Titre attaché à l'évêché. Attesté 1718. **Épinoy** (Artois). Châtellenie de la maison de Melun 1327, érigée en comté par lettres patentes de Louis XII (1514) en faveur de François de Melun créé prince par Charles Quint. Passée aux Rohan-Soubise (1724). **Espinoy.** Aux Vaudémont (Lorraine) cité par Saint-Simon en 1720. **Fénétrange.** Seigneurie libre et immédiate de l'Empire, partagée en 1469 en 2 coseigneuries passant aux Saarwerden et aux Croy-Havré. Aux Polignac en 1789. **Foucarmont.** Cité par Semonville en 1858. **Grenoble.** Titre attaché à l'évêché. **Grimberghe.** Titre porté dans la maison de Luynes. **Guéméné** (Bretagne). Érigée en principauté 1547 pour Louis de Rohan, comte de Montbazon.

Harcourt. Jean VII († 1452) était qualifié de Pce d'H. **Henrichemont** (Boisbelle-en-Berry devenu Henrichemont sous Henri IV). Franc-alleu de temps immémorial acheté par Sully aux Gonzague. **Isenghien et Masmines.** A Maximilien de Gand dit Villain, par lettres patentes de Philippe II du 29-5-1582. **Isle-sur-Montréal.** Qualification princière portée dans la maison de Mailly-Nesle. **Joinville** (Champagne). Possédée par les sires de Joinville puis principauté de la maison de Lorraine (9-5-1552). Le Pce de J. est sénéchal héréditaire de Champagne. Devint, par succession, bien patrimonial de la maison d'Orléans (et non un apanage).

Lamballe (Bretagne). Duché de Penthièvre en 1695 pour le comte de Toulouse, légitimé de France. Qualification de prince de Lamballe pour ses possesseurs. **Lambesc** (Provence). Principauté priv. érigée par le roi de France Cte de Provence. Quelques membres de la maison de Lorraine portèrent le titre de prince jusqu'en 1825 ; titre représenté par le chef de la Maison de Savoie. **La Roche-sur-Yon** (Vendée). Simple seigneurie entrée dans la maison de Bourbon (1454) et dont les possesseurs assumèrent la qualification princière. **Léon** (Bretagne). Les plus anciens seigneurs se qualifiaient comtes ou vicomtes. En 1363, le dernier vicomte de la branche aînée, Hervé VIII, mourut à 22 ans ; sa sœur Jeanne épousa le vicomte Jean Ier de Rohan, lui apportant ses biens. Le comté fut érigé en principauté sous Henri IV, passant ainsi aux Rohan. **Lillebonne.** Cité par Saint-Simon (f. Espinoy) en 1720. **Linchamps.** Cité par Semonville en 1858. **Listenois.** Qualification princière des Bauffremont (1762). **Lixin.** Qualification princière portée dans la maison de Lorraine. **Longjumeau** (Ile-de-Fr.). Baronnie de coutume possédée par les Lusignan (rois de Chypre) puis par la Maison de France ; passée par mariage dans la branche aînée des barons de Gaillard, agrandie par mariage, devenue le nom patronymique de la famille. **Lorraine.** Duché créé 895 (maison attestée depuis 1048). 8 pairies furent instituées en France, au bénéfice de ses différentes branches. Définitivement réunie à la France 1766. L'« archimaison d'Autriche » (actuelle famille Habsbourg-Lorraine) en est issue dep. 1736. Qualification de Pce inhérente aux membres de cette famille autrefois souveraine. **Lure.** L'abbé était Pce du St Empire dep. 1232. **Lurs.** Titre porté par les év. de Sisteron. **Luxe** (Basse-Navarre). Comté souverain passe par dot, 1593, aux Montmorency-Boutteville.

Marnay. Porté par les Bauffremont. Pce du St Empire (reconnu en France par Louis XV comme Pce de Bauffremont). **Marsillac** (Angoumois). Cette terre échut en dot à Gui de La Rochefoucauld dont l'arrière-arrière-petit-fils François, mort en 1533, fut le premier à être qualifié de Pce de Marsillac. **Martigues** (Provence). Terre vicomtale érigée, par Henri III en 1582, en principauté pour Marie de Luxembourg, elle passa aux Bourbon-Condé puis par acquisition au maréchal de Villars. Revendue aux Gallifet (1772). **Maubuisson** (Yvelines). Qualification portée par les Rohan. **Metz.** L'év. était Pce du St Empire. **Meurs.** Principauté de la maison de Croy. **Monaco** (V. États). **Montauban** (Ille-et-V.). Qualification portée par les Rohan. **Montbarrey.** Titre accordé 1774 par l'emp. Joseph II à Alexandre de St-Maurice, Cte de M. (1732-96 ; min. de la Guerre 1777-80) ; descendant du colonel franc-comtois Jean-Baptiste de St-Mauvis, vainqueur de la bataille de Prague 1620. Le fils du 1er Pce de M., guillotiné en 1794, a porté le titre de « Pce de St-Maurice ». **Montcornet** (Aisne). Charles Armand, duc de Mazarin, l'acquit en 1666, en même temps que Château-Porcien ; passée dans la maison de Monaco. **Mondragon.** Titre attaché à l'évêché. Attesté 1718. **Montlaux.** A la famille de Créquy. **Mortagne** (Saintonge). Quelques seigneurs en ont été qualifiés Pces (1487). Cette terre passa des Cœtivy aux La Trémoïlle, Gouyon-Matignon et Richelieu. **Murbach.** L'abbé était Pce du St Empire (titre réuni à celui de Lure 1554).

Nice. L'évêque de Nice (ville non française en 1789) bénéficiait d'un titre de Pce reporté sur une autre localité. **Orange** (Dauphiné). Ville et principauté enclavée dans la Provence passée en 1173 à la maison des Baux, en 1388 à celle de Chalon, puis à celle de Nassau jusqu'à Guillaume-Henri de Nassau, Pce d'Orange, stathouder de Hollande, décédé sans postérité 1702. Louis XIV, après avoir autorisé en 1706 Louis de Mailly-Nesle, héritier de la maison de Chalon, à se qualifier prince d'O., réunit O. à la couronne et la donna en 1712 à Louis-Armand de Bourbon-Conti. Le Mis de Mailly-Nesle s'est dit Pce d'O. **Phalsbourg.** Qualification princière portée dans la maison de Lorraine. **Poix** (Picardie). Les 1ers seigneurs de cette terre se qualifièrent de Pces (1159-1236). Ils étaient issus de la maison de Tyrel et cette seigneurie ainsi qualifiée passa à la maison de Créquy, puis fut érigée en duché-pairie (1652) et acquise par les Noailles. Lettres pat. de principauté en 1765. Pce (et duc pair sous la Restauration) de Poix est le seul titre « valable » du « duc de Mouchy » (titre espagnol dont il n'est pas investi). **Pons.** Qualification princière portée dans la maison d'Albret, passée à celle de Lorraine. **Rache** (Artois). Aux Berghes St-Winocq. Principauté 1682. **Raucoux.** Fief souverain en Luxembourg, aux ducs de Bouillon. **Remiremont.** L'abbesse était Pcesse du St Empire. **Revel.** Portée par les Broglie. **Rochefort.** A la maison de Rohan.

Salon. Titre attaché à l'archevêché d'Arles. Attesté 1718. **Sayans** (Vivarais). Chef-lieu d'une viguerie avec château, dont les ducs d'Uzès et les évêques de Valence se qualifièrent quelquefois de Pces (vraisemblablement en raison de leur suzeraineté en « paréage », comme, encore, de nos jours, l'Andorre). **Sedan, Jametz, Raucourt.** Pté composée de 32 paroisses, qui fut abandonnée au profit du roi Louis XIII le 15-9-1642 par le duc souverain de Bouillon (Frédéric Maurice de La Tour d'Auvergne), frère aîné de Turenne, et complice de Cinq-Mars (exécuté pour avoir comploté contre le roi). Cet abandon lui sauva la vie. En mai 1647, Frédéric Maurice, demeuré duc de Bouillon, réclame la restitution de sa principauté (échec). Le 20-3-1651, il consent à sa cession définitive, en échange du duché d'Albret. Ses descendants ont fait passer le titre princier sur leur vicomté de Turenne (voir ci-dessous). **Sieviers** (aux Lannes de Montebello). Pté faisant partie de la dotation de l'évêché de Cracovie (Pologne) et incluse dans la dotation accordée par Napoléon Ier au maréchal Lannes, par décret du 30-6-1807. Bien que le majorat n'ait pas été constitué, le titre de Pce de Sieviers a été parfois utilisé à tort dans cette famille. **Solre.** Titre princier par diplôme espagnol (1677) pour le lieutenant général de Croy au service de la France. **Soubise.** Sur la Charente, en Saintonge, d'abord seigneurie en 1218 avec Guillaume l'Archevêque, de Parthenay et de Soubise. Titre de Pce en 1667 pour les Rohan [qui s'ajoute pour cette famille à ceux de Pce de Léon (XVIe siècle et 1603), Rochefort (1728) et Guéméné (1570)]. **Strasbourg.** Titre de Pce du St Empire attaché à l'évêché. Attesté avant 1718.

Talmont. Louis de La Trémoïlle reçut Talmont lors de son mariage en 1446 avec Marguerite d'Amboise et se qualifia prince de Talmont ainsi que ses descendants. **Tancarville** (Normandie). De même que cidessus mais dans la famille de Montmorency. **Tarentaise.** Titre princier en Savoie porté par les évêques de Moutiers. **Tarente** (Naples). Porté par François de La Trémoïlle, arrière-petit-fils de Louis Ier (car il avait épousé, en 1521, Anne de Laval, héritière de sa mère Charlotte d'Aragon qui pouvait prétendre au roy. de Naples). Titre reconnu 1651 par Louis XIV pour les aînés et dignité princière pour tous les mâles. Dernier titulaire Louis Jean (1910-33), 12e duc de La Trémoïlle, 13e duc de Thouars, 13e Pce de Tarente, 17e prince de Talmont. **Tingry** (Picardie). Qualification portée dans la maison d'Albret, puis de Luxembourg par érection de la baronnie de Tingry, Hesdigneul et Hucqueliers, par lettres patentes d'Henri III de janvier 1587. **Tonnay-Charente** (Saintonge). A la Maison de Rochechouart (depuis le XIIIe s.) qui en porta le titre à partir de 1591. **Tourrette.** Un des fiefs de l'évêché d'Apt qui bénéficia d'immunités accordées par la reine Jeanne en 1355. **Turenne.** Vicomté souveraine passée aux La Tour d'Auvergne, qui furent un temps simultanément ducs de Bouillon et Pces de Sedan, comprenait une centaine de paroisses dans les dép. actuels de Corrèze et Dordogne, avec droit de frapper monnaie. Avant 1700, les vicomtes de Turenne prirent la qualification de Pces de Turenne. **Vaudémont.** A la maison de Lorraine. **Venise.** Titre accordé par Napoléon Ier le 12-12-1807 à son fils adoptif Eugène de Beauharnais, vice-roi d'Italie le 7-6-1805. Éteint lors du congrès de Vienne (1814-15). **Vergagne.** Aux cadets de la Maison de Mancini. **Vivarais.** Cité par Semonville.

Yvetot. Franc-alleu isolé dans le pays de Caux, attesté pour la 1re fois en 1024, dont les seigneurs portaient souvent le titre de « roi » ; composé des 3 paroisses d'Yvetot, de Sainte-Marie-des-Champs, de Saint-Clair et d'une partie de celle d'Écalle-d'Aix, bénéficiant de tous les privilèges de souveraineté jusque sous Henri II (1551). Dès lors, tout en conservant pour leur royaume de larges immunités et exemptions fiscales, ses possesseurs sous Louis XIV se qualifièrent de princes et princesses. Intégré à la nation française le 18-11-1789. Le Viking Ivar, originaire de Toft en Norvège (d'où Ivar Toft devenu Yvetot) eut ce territoire en alleu souverain, ce qu'acceptèrent Hrolf (Rollow) et ses successeurs, au Xe s. et après. [Le titre de prince d'Yvetot a été porté au XXe s., pendant une seule génération, par un marquis d'Albon (Antoine 1892-1965), sa famille, et quelques autres, descendant par les femmes des anciens souverains du lieu].

Sous la Révolution

Le 23-6-1790, Louis XVI promulgua un décret disposant que la noblesse héréditaire était pour toujours abolie. L'insertion des titres dans les actes fut interdite le 16-10-1791 et, le 17-6-1792, on ordonna de brûler les papiers concernant chevalerie et noblesse.

Titres sous le Premier Empire

Généralités

• **Nombre de titres accordés** : 2 191 (princes 7, ducs 33, comtes 251, barons 1 516, chevaliers 385). Seuls subsistent actuellement de 234 à 239 titres du Premier Empire + 66 personnes dont l'ascendant fut décoré du titre de chevalier. D'après Campardon, il y aurait eu 3 263 « anoblissements » (soit 1 chef de famille pour 10 000 citoyens en 1814 contre 7 pour 10 000 en 1789). 59 % sont des militaires, 22 % des hauts fonctionnaires, 17 % des notables.

☞ **Grandes dignités.** *Créées* en 1804, archichancelier (Cambacérès), architrésorier (Lebrun), connétable (Louis Bonaparte), grand amiral (Murat), grand électeur (Joseph Bonaparte) et 18 maréchaux d'Empire sauf Brune (qui deviendra pair de France pendant les Cent-Jours) et Jourdan (qui sera anobli par Louis XVIII le 1-1-1815 ; on a dit à tort que Napoléon l'avait fait duc de Fleurus).

• **Titres de la famille impériale.** Prince et princesse, traitement d'Altesse impériale. Sous le Ier et IIe Empire, pour les successibles et leurs filles : Pces et Pcesses français(es).

• **Titres accordés avec souveraineté, pris sur les territoires acquis ou conquis. Rois.** *Naples :* Joseph Bonaparte (30-3-1806) puis Murat. *Hollande :* Louis Bonaparte (5-6-1806). *Westphalie :* Jérôme Bonaparte (1807).

• **Autres titres.** *Grand-duc de Clèves et de Berg* 1806 à Murat, 1808 au fils aîné de Louis roi de Hollande. *Grande-duchesse de Toscane* 1808 Elisa Bonaparte. *Pce souverain de Neufchâtel :* Berthier (1806). *Pce souverain de Bénévent :* 5-6-1806 Talleyrand (c'était alors une enclave du St-Siège dans le royaume de Naples). *Pce souverain de Ponte Corvo* 5-6-1806 Bernadotte [il restitua son État à Napoléon en 1810 en devenant prince héritier de Suède ; Ponte Corvo passa à Murat, roi de Naples, le 5-12-1812]. *Principauté et duché de Guastalla* 1806 Pauline Bonaparte qui les rétrocéda aussitôt à Napoléon en n'en conservant que le titre.

Tous ces titres avec souveraineté seront « abdiqués » au congrès de Vienne en 1815, et leurs titulaires les perdirent lors de la remise en ordre de l'Europe et des restitutions des divers pays souverains à leurs monarques légitimes (par ex. : Neuchâtel et Valengin restitués à la Prusse, Bénévent au roi des Deux Siciles et Ponte Corvo au Saint-Siège, etc.).

• **Titres accordés sans souveraineté. Duchés, grands fiefs :** *attribués en dehors de la famille impériale et des grands dignitaires.* Le 20-3-1806, Napoléon avait institué, hors de France (pour ne pas manquer à son serment du 13-7-1804, lors de la distribution des 1res croix de la Légion d'honneur, de combattre toute entreprise qui tendrait à rétablir le régime féodal), mais sous son autorité, des duchés grands fiefs qui furent attribués ultérieurement aux maréchaux et hauts fonctionnaires de l'Empire en 1808-09. Ces duchés n'impliquaient aucun pouvoir féodal, mais une part des revenus de ces territoires formait le majorat obligatoire de chaque titre.

Autres titres. Des titres dits décoratifs (assimilables à des décorations) étaient accordés à titre personnel. Ils pouvaient devenir héréditaires après autorisation donnée sur constitution d'un *majorat* [bien inaliénable attaché au titre et transmissible avec lui, de mâle en mâle par ordre de primogéniture, il était exigé pour un duc 200 000 F de revenus, comte 30 000, baron 15 000, chevalier 3 000 ; l'abrogation de cette condition le 12-5-1835 bénéficia aux titres de l'Empire et aussi de la Restauration pour les titulaires qui, ayant négligé d'accomplir cette formalité entre 1808 et 1835, étaient encore en vie à cette dernière date]. Seuls 15 % des bénéficiaires constituèrent un majorat, formalité onéreuse et qui nécessitait 10 étapes de procédure. Les titres de l'Empire (prince, titre de « victoire », duc, comte, baron, chevalier) furent pour 59 % d'origine non noble.

Titres de fonction. Étaient automatiquement : *princes* les grands dignitaires (et *ducs* leurs fils aînés après constitution d'un majorat) ; *comtes* les ministres, sénateurs, conseillers d'État à vie, Pts du corps législatif, archevêques ; *barons* diverses fonctions publ. au niveau départemental (Pt de cour de cassation, procureurs gén., évêques, maires des 37 bonnes villes assistant au sacre, cons. d'État, préfets).

Titres historiques exceptionnels (sommet de la hiérarchie) : *1o 1er baron chrétien :* figure encore dans des lettres patentes de pairs de Louis XVIII pour l'aîné des Montmorency. Éteint. *2o Maréchal héréditaire de l'armée de la Foi* contre les Albigeois (depuis Simon de Montfort) : continue à être porté par l'aîné de la maison de Lévis-Mirepoix car il fut attaché à la terre de Mirepoix.

Légion d'honneur. Aux termes de l'art. II du décret du 1-3-1808 et des textes qui l'ont complété sous le Ier Empire, les membres de la Légion d'honneur, à quelque grade qu'ils appartiennent dans l'ordre, ont droit au titre de *Chevalier.* L'ordonnance du 8-10-1814 dispose, dans son art. II, que « lorsque l'aïeul, le fils et le petit-fils auront successivement été membres de la Légion d'honneur et auront obtenu des lettres patentes (supprimées depuis lors), le petit-fils sera noble de droit et transmettra la noblesse à toute sa descendance ».

L'Association des honneurs héréditaires, A.H.H., 32, sentier de l'Aubépine, 67000 Strasbourg, *fondée* 1967, regroupe les familles françaises remplissant ces conditions.

Ducs

Légende : é = éteint.

• **Duchés souverains.** GUASTALLA (Pauline Bonaparte) créé dans les états de Parme et Plaisance ; BÉNÉVENT (Talleyrand) ; PONTE CORVO (Bernadotte) créés dans les États du pape (voir plus haut).

• **Duchés grands fiefs (non souverains) créés hors de France. Duchés de l'Empire :** créés hors de France, Napoléon ayant prêté serment contre la féodalité lors de son sacre d'Empereur des Français. **13 dans le royaume d'Italie :** DALMATIE (Mal Soult) é 1857 ; ISTRIE (Mal Bessières) é 1856 ; FRIOUL (Gal Duroc) é 1813 ; CADORE (Contre-amiral Nompère de Champagny) é 1893 relevé ; BELLUNE (Mal Victor) é 1853 ; CONEGLIANO (Mal Moncey) é 1842 ; TRÉVISE (Mal Mortier) é 1912, relevé, é 1946 ; FELTRE (Gal Clarke) ; BASSANO (pour Maret, ministre) é 1906 ; VICENCE (Gal Caulaincourt) é 1896 ; PADOUE (Gal Arrighi de Casanova) é 1888 ; ROVIGO (Gal Savary) é 1872 ; *le duché de* MASSA DI CARRARA (détaché de l'Italie le 1-5-1806 et rattaché à la Pté de Lucques) fut accordé en 1809 au grand juge Régnier é 1962.

4 dans le royaume de Naples : GAETE (Gaudin, min. des Finances) é 1841 ; OTRANTE [1] (Fouché) ; REGGIO (Mal Oudinot) é 1956 ; TARENTE (Mal Mac Donald) é 1912. **3 dans les états de Parme et Plaisance :** PARME (Cambacérès, archichancelier) é 1824 ; PLAISANCE (Lebrun, architrésorier) é 1926 ; GUASTALLA (pour Pauline Bonaparte ; quand elle eut renoncé à sa souveraineté, voir plus haut).

• **Ducs portant des titres de victoires.** *1805* ELCHINGEN (Mal Ney) é 1969 ; *1807* DANTZIG (Mal Lefebvre) é 1820 ; *1808* ABRANTÈS (Gal Junot ; é 1813, réservé aux LE RAY, 1869, é 1985) ; AUERSTALDT [1] (Mal Davout ; é 1853, réservé aux descendants de Charles d'Avout, fr. cadet du Mal) ; CASTIGLIONE [1] (Mal Augereau) ; MONTEBELLO [1] (Mal Lannes) ; RAGUSE (M. Marmont) é 1816 ; RIVOLI [1] (Mal Masséna) ; VALMY (Mal Kellermann) é 1868 ; *1813* ALBUFERA [1] (Mal Suchet) ; WAGRAM (Mal Berthier) é 1918.

• **Autres titres. Ducs.** DECRÈS (vice-amiral Decrès, min. de la Marine) é 1820 ; d'ARENBERG [1] (titre de duc de l'Empire[2] conféré en 1811 au duc régnant d'Arenberg, en Allemagne, lors de l'annexion de son duché à l'Empire français) ; de SALM-KYBURG (même remarque que pour Arenberg[2]) ; duchesse de FRIOUL (Hortense Duroc en 1813 à la mort de son mari) é 1829 ; duchesse de NAVARRE, créé le 9-4-1810 pour l'impératrice Joséphine après son divorce, titre passé aux Beauharnais-Leuchtenberg, éteint en France dep. un arrêt du 10-8-1858.

Nota. – Les titres de ducs de LODI (accordé 1807 à François Melzi d'Ezril), de LITA étaient italiens. (1) Titre subsistant. (2) Pas de lettres patentes.

Princes

• **4 titres fondés sur des victoires.** Pces d'ECKMÜHL (Davout) éteint 1853, d'ESSLING (Masséna), de la MOSKOWA (Ney) é 1969, de WAGRAM (Berthier) é 1918, sans compter les membres de la famille impériale. Berthier, Davout et Masséna reçurent respectivement, par décret du 15-9-1809, les châteaux de Chambord, Brühl (Prusse rhénane) et Thouars, appartenant à la Légion d'honneur, érigés en principautés du nom de leur titre de victoire.

Titres sous Louis XVIII et Charles X

• **Nombre de titres accordés.** 2 130 dont *Ducs* avec lettres patentes enregistrées 19 (9 ducs à brevet et Grands d'Espagne français du XVIIIe s. avaient été appelés à la pairie depuis 1814, celle-ci étant héréditaire). *Marquis* 44. *Comtes* 205. *Vicomtes* 214. *Barons* 779. *Nobles* (lettres d'anoblissement) 726. *Confirmations de noblesse* 141.

• **Ducs. 10 subsistent actuellement :** *1817* SABRAN (relevé 1828 par son neveu, marquis de Pontevès ; d'où la Maison de Sabran-Pontevès) ; TALLEYRAND (de Talleyrand-Périgord ; la veuve porte le titre) ; DOUDEAUVILLE (br. cadette de La Rochefoucauld) et CROY ; *1818* BAUFFREMONT (de Bauffremont) ; *1822* DECAZES ; *1824* BLACAS D'AULPS ; *1828* ARENBERG (à vie, pas de majorat) ; *1830* DES CARS (Pérusse) avril 1830, patentes de juillet 1830, non scellées du fait de la révolution de Juillet. **Éteints :** AVARAY (Bésiade) 1818 (é 1943). CADEROUSSE (Grammont) 1825 (é 1865). CARAMAN (Riquet de), ordonnance 10-5-1830, sans patentes ultérieures, confirmé par Napoléon III 1869 ; le bénéficiaire décéda sans postérité en 1919, titre relevé. CASTRIES 1817 (é 1886), titre relevé. CAYLUS (Lignerac) 1818 [é 1905, retransmis ensuite selon la loi espagnole par cédule d'Alphonse XIII de 1843 et soumis (1976) à la procédure de succession en ligne fém. en Espagne]. CRILLON 1817 (é 1870). DAMAS-CRUX 1818 (é 1846). DAMAS D'ANTIGNY 1825 (é 1827), titre personnel. LA CHASTRE 1815 (é 1824), ordonnance sans patentes. LA VAUGUYON (de Quelen) 1818 (é 1837). MONTESQUIOU 1812 (é 1913, relevé). MONTMORENCY [plusieurs pairies conférées : 1817 duc-pair pour Mathieu Jean de Montmorency, cousin du précédent, duc réinstitué 1864 dans la famille des Talleyrand (é 1951)]. NARBONNE PELET 1817 (é 1901). RAUZAN (Chastellux) 1819 (titre personnel, relevé). RICHELIEU (Chapelle de Jumilhac) 1822 (é 1952). RIVIERE 1825 (é 1890). TASCHER 1818 (é 1901), relevé.

☞ Pierre d'Alcantara d'Arenberg figurait parmi les 76 pairs nommés par ordonnance le 5-11-1827. Par ailleurs il obtint l'autorisation personnelle et exceptionnelle de constituer directement un majorat de duc. Ce majorat n'était pas encore constitué à la chute de Charles X. Les nominations portées par l'ordonnance du 5-11-1827 ont été annulées par l'ordonnance du 7-8-1830.

Titres sous Louis-Philippe

• **Nombre de titres accordés.** 118 (66 créations, 52 régularisations, confirmations et autorisations). 5 familles titrées sous Louis-Philippe subsisteraient de nos jours.

• **Ducs. Créés :** PASQUIER (Audiffret) 1845, devenu Audiffret-Pasquier en 1862. ISLY (maréchal Bugeaud) 1845, é vers 1865. MONTMOROT 1847 (à Fernand Muñoz, époux de la reine Marie-Christine, veuve de Ferdinand VII), é 1873. **Régularisés :** CHOISEUL (Marmier) 1839 [gendre du duc de Choiseul-Stainville (1760-1838)], é 1947. **Étrangers espagnols reconnus :** WALSH-SERRANT 1838. SANTA ISABELA (Bresson) 1847.

• **Autres titres. Marquis** 0. **Comtes** créés 17 (9 subsistent), 10 confirmés, 2 n'eurent pas leurs patentes, 1 (Bourbon-Conti) « ajourné par le roi », 5 étrangers autorisés : 3 pontificaux (1 personnel), 1 Sarde, 1 de Westphalie. **Vicomtes** 7 confirmés dont 3 personnels. **Barons** 46 créés dont 4 personnels (13 subsistent), confirmés 23, étrangers reconnus 2 (1 pontifical, 1 des Pays-Bas). **Chevalier** 1 confirmé à titre personnel.

Titres sous le Second Empire

• **Nombre de titres. Créés** 43, régularisés 227. **Ducs :** *4 créés :* MALAKOFF (Mal Pélissier) *1856,* éteint 1864. MAGENTA (Mal de Mac-Mahon) *1859.* MORNY *1863,* é 1943. PERSIGNY (Fialin) *1863,* é 1885. *14 régularisés :* PLAISANCE (Maillé de la Tour Landry, é 1926). PARME (Cambacérès, é). ELCHINGEN (Ney, é 1973). DALBERG (Tascher), é 1901, relevé par les Tascher de la Pagerie. GADAGNE (Galléan) é CARAMAN (Riquet, Napoléon III régularise en 1869 le titre du 1er duc de 1830 pour le petit-fils mais celui-ci mourut célibataire en 1919). CHÂTELLERAULT (ayant droit actuel : Douglas Hamilton, duc d'Hamilton, duché étant passé par une femme, en cette maison, avant 1711 ; la branche est éteinte mais, avec ce système, l'actuel duc d'Hamilton semble effectif duc de Châtellerault). OTRANTE (Fouché, actuellement porté en

Suède). AUERSTAEDT (d'Avout ou Davout, duché du maréchal en 1808, conféré à un cadet de cadet non issu du maréchal). FELTRE (Goyon). ABRANTES (Le Ray, duché du Gal Junot en 1808, conféré à un descendant par une femme). AUDIFFRET-PASQUIER. MONTMORENCY (Talleyrand-Périgord), créé 1864, é 1951. MONTMOROT (conféré 1862 à un cadet du duc Muñoz, officier de la Légion étrangère, par transmission du titre paternel ; é 1863 ; relevé par les Muñoz d'Espagne).

• Autres titres. **Marquis :** 4 confirmés, 44 rég., 1 titre étranger. **Comtes :** 19 créés, 64 réguliers 7 titres étrangers **Vicomtes :** 4 créés, 14 rég. **Barons :** 16 créés, 61 réguliers **Chevaliers :** 22 réguliers et enregistrés, 1 titre étranger autorisé.

Titres sous la IIIe République

• Particules. Mac-Mahon en accorda 3 en 1874, 1877 et 1878, par décrets personnels (en dehors de la procédure normale de la loi de Germinal an XI sur les changements et modifications de noms toujours en vigueur).

• Régularisation de titres. *Jusqu'en 1877,* Mac-Mahon confirma des titres acceptés le 1-8-1870 par le Conseil du Sceau (Mis des Roys), autorisa une adoption (Bon Evain Pavée de Vandeuvre, 1873), une clause de réversion (Mis Rolland Dalon, 1874), confirma une possession de fait (Mis Carbonnier de Marzac 1874, Cte de Martimprey 1874, Mis de Vassinhac d'Imécourt 1877). *Après 1877,* il y eut 2 régularisations : Cte Regnault de Savigny de Moncorps, 1883 ; Mis de St-Brisson (Ranst de Berchem), 1908.

Du 4-3-1872 au 31-12-1987, 405 investitures de titres de noblesse ont été vérifiées, dont 188 depuis 1908 (ducs 47, princes 2, marquis 29, comtes 40, vicomtes 8, barons 62).

Titres d'origine étrangère

(titres portés en France mais dont beaucoup ne sont pas reconnus)

• Princes du Saint Empire. **1576** et **1674** ARENBERG (prince et duc). Sous la Restauration, la Chancellerie opposa contamment à Pierre d'Alcantara d'Arenberg sa renonciation à tous ses titres signée par lui lorsqu'il prit la qualité de Français (arrêté du 6 brumaire An XI : 29-10-1803) publié au *Bulletin des lois.* En compensation, Charles X aurait accordé un titre de duc-pair s'il n'y avait pas eu la révolution de 1830. **1722** BEAUVAU-CRAON (reconnu en Fr. en 1755) pair impérial 1815, éteint. **1734** LOOZ-CORSWAREM (prince et duc). **1742** CROY (reconnu en Fr. 1768). **1757** MARNAY (BAUFFREMONT, reconnu en Fr. en 1757). **1759** BROGLIE (reconnu en Fr. 1818). **1774** MONTBARREY [accordé par l'emp. François Ier au brigadier g^al Alexandre de Saint-Mauris, Cte de M. (1732-96), min. de la Guerre de Louis XVI (1777-80). Son fils aîné (guill. 1794) a porté le titre de P^ce de Saint-Mauris]. **1816** BOUILLON (duc pour le P^ce de Rohan, duc de Montbazon).

• Grandesses d'Espagne. **Ducs. 1782** DOUDEAUVILLE (La Rochefoucauld). **1816** SAN FERNANDO LUIS (Lévis-Mirepoix, autorisé en France 1961) : son petit-fils, investi en Esp. Antoine de Lévis-Mirepoix (1884-1981) a été autorisé en 1961 à porter en France le titre du duc de San-Fernando-Luis, auquel est attachée la grandesse d'Espagne, titre et grandesse relevés en faveur d'Adrien de Lévis-Mirepoix par la reine Isabelle II d'Espagne en 1866. **1893** CAYLUS (Rougé, titre concédé 1742, transmis 1770 aux Lignerac et reporté, éteint 1954 en France mais transmis légalement par les femmes en Espagne où il est reconnu 1963). Mme Jeanne Rous de la Mazelière, dame Philippe de Dampierre (n. 5-11-1917) avait été autorisée à relever le titre par décret du 16-7-1981, ayant hérité ce duché de la famille de Rougé ; déchue.

Princes espagnols. 1713 ROBECH (Lévis-Mirepoix, venu des Montmorency par mariage en 1906 avec Marie de Cossé-Brissac) éteint. **1904** CHALAIS (de Galard de Brassac de Béarn, titre attribué aux Talleyrand en 1714 et reporté).

• Saint-Siège. **Ducs. 1669** GALLEAN DE GADAGNE (éteint 1940). **1725** CRILLON (Berton des Balbes, éteint 1870). **1822** MONTBOISSIER DE BEAUFORT CANILLAC (é 1910). **1824** CANINO et MUSIGNANO vendus en 1853 par le P^ce Charles-Lucien Bonaparte aux Torlonia. Les Bonaparte princiers s'éteignent par les mâles avec le P^ce Napoléon-Charles † 1899 et ses filles disparaissent en 1947 et 1950. Roland et sa fille Marie (de Grèce) n'étaient ni prince ni princesse. **1831** STACPOOLE (restaurateur de St-Paul-hors-les-murs, naturalisé Français, créé comte par Louis XVIII). **1869** RARECOURT (de la Vallée de Pimodan). **1875** ACHERY (éteint 1923). **1875** RENART de FUCHSAMBERG (éteint 1881). **1893** LOUBAT (éteint 1927) ; HENRY DE NISSOLE (éteint 1927). **1898** ASTRAUDO (éteint 1944). SAN LORENZO (Dampierre, reconnu en Espagne 1903). FERY d'ESCLANDS (éteint 1969). **1899** LA SALLE (Rochemaure, éteint 1945). **1900** WARREN (éteint 1926). **1908** RAVESE (Rohan-Chabot, éteint 1964). **1909** VANDIERES (Desrousseaux).

Princes. 1820 POLIGNAC (reconnu en Fr. 1822). **1823** CLERMONT-TONNERRE (confirmé 1911). **1847** MONTHOLON-SÉMONVILLE (éteint 1951). **1853** LA TOUR d'AUVERGNE-LAURAGUAIS (reconnu en Fr. 1869). Titre attribué aux Latour de Saint-Paulet (originaires du Languedoc et qui ne portent le nom d'Auvergne que dep. le début du XIXe s.), contesté par une branche cadette des La Tour d'Auvergne portant ce nom depuis le XVIIIe s. **1951** DENTELIN (Le Salle). MÉRODE (P^ce de) et P^ce de Rubempré (roi des P.-Bas 15-10-1823) habitués en France.

Pairs de France

Ancien Régime. Issus de l'institution coutumière apparue vers 1200 qui persista jusqu'en 1789, ils bénéficient de privilèges judiciaires et honorifiques, notamment au sacre des rois. De 1200 à 1789, on a dénombré 7 pairies ecclésiastiques et 152 fiefs principaux érigés en pairie (ce qui fait avec les érections successives de certains fiefs 306 pairies ayant existé sous l'Ancien Régime). Le 4-8-1789 il existait 66 pairies : 4 princes de sang, 62 pairies (possédées par 48 personnes) dont 7 ecclésiastiques, 55 laïques (17 possédées par des princes capétiens, 4 par des princes étrangers, 34 par 33 membres de l'aristocratie). *En 1980,* subsistent encore 15 pairies d'Ancien Régime dont 5 *capétiennes* représentées par le comte de Paris (Orléans, Valois, Chartres, Nemours, Montpensier) et 10 ayant encore 1 représentant : Uzès, Montbazon (Rohan), Brissac, Luynes, Gramont, Rohan, Mortemart, Noailles, Harcourt, Clermont-Tonnerre (Fitz-James s'est éteint en 1967).

Cent-Jours. L'acte additionnel aux Constitutions de l'Empire (22-4-1815), institua une Chambre des Pairs, pairs par droit de naissance (8 membres de la famille impériale) et 114 pairs nommés, héréditaires, dont 29 étaient issus des 147 pairs déjà nommés par Louis XVIII, les 85 autres étant : 12 anciens sénateurs, 5 maréchaux, 39 lieutenants généraux et 4 ducs civils d'Empire, 1 ancien conventionnel régicide, 14 notables fidèles à Napoléon Ier et 10 représentants de l'ancienne noblesse, presque tous déjà titrés de nouveau par l'empereur. Ces 114 pairs, nommés le 2-6-1815, siégèrent 15 fois et se dispersèrent le 7-7-1815. 65 sur 114 furent rappelés par Louis XVIII, 1 par Charles X, 24 par Louis-Philippe, et 1 par succession. Il n'existait pas de titres spéciaux liés à cette pairie éphémère.

Sous Louis XVIII, Charles X et Louis-Philippe (jusqu'en 1832). Furent créées 434 pairies (118 confirmations dans la fonction par Louis XVIII, 39 réintégrations, 182 nominations nouvelles ; 95 par Charles X : 1 réintégration et 94 nominations nouvelles). Il y eut des barons, vicomtes, comtes, marquis et ducs-pairs. 309 furent instituées à titre héréditaire et 125 à titre viager par Louis XVIII, Charles X et Louis-Philippe (avant l'abolition de l'hérédité de la pairie) (dont 92 ecclésiastiques). 162 pairies sont considérées comme ayant eu le caractère héréditaire (lié à la délivrance des patentes et à l'institution des majorats). Tous ces pairs de France étaient nobles et généralement titrés (titres héréditaires s'ils avaient accompli, entre 1814 et 1831/35, les formalités, ou, sinon, viagers) ; Ravez pair sous Charles X n'était pas titré.

Sous Louis-Philippe. L'hérédité de la pairie fut abolie le 29-12-1831 à effet du 8-1-1832. A son avènement, 81 pairs laïcs furent exclus (80 de Charles X, 1 de Louis XVIII : Polignac). Le *dernier pair de France* (prince du sang, pair-né n'ayant pas siégé vu son jeune âge) mourut le 28-8-1922 : Gaston d'Orléans, comte d'Eu, petit-fils de Louis-Philippe.

☞ Actuellement, il reste 103 représentants de la pairie héréditaire de 1814-30, autres que les princes de la famille royale ou les princes du sang. Il y a en outre 19 représentants de pairs n'ayant pu bénéficier de toutes les formalités (lettres patentes ou majorat) et 3 ducs non pairs : La Force, Otrante, Rivoli.

Saint-Siège. Titres pontificaux concédés à des Français. Dep. le XVIe s. 577 [princes 13 (dont 5 héréditaires), ducs 28 (14 hér.), marquis 82 (30 hér.), comtes 429 (64 hér.), vicomte 1 (hér.), barons 24 (3 hér.) ; plus 9 anoblissements, soit 585 distinctions (126 hér.)]. **Décernés avant 1804 :** 116, *1804 à 1900 :* 418, *1900 à 1963* (plus de concessions à partir de janvier 1964) : 52, dans 576 familles (233 nobles, 343 bourgeoises). 22 titres romains furent reconnus en France de 1830 à 1877 ; il n'y a plus eu de reconnaissance depuis 1877, d'après M. Labarre de Raillicourt.

Autriche. P^ce PONIATOWSKI (1764) (mais les princes P. habitant en Fr. ont un titre autrichien de 1850), P^ce de BLACAS 27-11-1808. CROY (Picardie, 1207). Duc 1598, 1788 en France, pair 1814. 1803 indemnisé avec Dulmen, donc toujours duc de Croy (à Dulmen) ; médiatisé 1806 comme vassal du duc d'Arenberg (pleinement souverain dans la confédération du Rhin) ; remédiatisé 1815 comme sujet du roi de Prusse et reconnu P^ce à diverses dates au XIXe s. **Bavière.** P^ce de LA ROCHEFOUCAULD-MONTBEL (1909), P^ce de POLIGNAC (XIXe s.). **Belgique.** P^ce de CHIMAY (Riquet) (roi des Pays-Bas, 1824) et de CARAMAN (Riquet) (roi des Belges, 1856). **Danemark.** Duc de GLÜCKSBIERG (Decazes, 1818, reconnu en Fr. 1818). **Espagne.** Duc de CAYLUS (Rougé, 1817, éteint 1954). Duc d'ESTRÉES et VALLOMBROSA (assumé 1898 dans la famille de La Rochefoucauld Doudeauville, éteint 1907). Duc de LA MOTHE HOUDANCOURT (créé 1722 dans la famille de Cossé-Brissac, éteint en France dès 1842). Duc de MOUCHY (Noailles, 1867). **Géorgie.** P^ce AMILAKVARI, P^ce BAGRATION, P^ce DADIANI. **Hainaut** (XVe s.). LIGNE, P^ce d'EPINOY et du St Empire 1592 ; P^ce de LIGNE 20-3-1601 ; d'AMBLISE 20-4-1608 (P.-B.), duc belge. **Pays-Bas.** P^ce de BETHUNE HESDIGNEUL (1781). **Pologne.** P^ce SAPIEHA (Rozanski, 1512). **Prusse.** SAGAN (Talleyrand, créé 1846, éteint 1968). P^ce STURDZA (Moldavie). **Russie.** P^ce GALITZINE (1841). **Sardaigne.** Duc de VALLOMBROSA (Manca, 1715). **Deux Siciles.** Duc de BISACCIA [transféré 1851 par le roi Ferdinand II après le mariage 1807 du duc de Doudeauville (1785-1864) avec Elisabeth de Montmorency-Laval, éteint 1968, porté dans la famille La Rochefoucauld-Doudeauville (duchesse douairière vivante)]. Duc de DINO (créé 1817, éteint 1968 dans la famille de Talleyrand). Duc POZZO DI BORGO (créé 1852).

Titres de courtoisie

Arenberg (« P^ces et ducs d'Arenberg du St Empire », cas unique). Duc pair (1827). Le 1er duc n'a pas retiré ses patentes pour raisons politiques. **Beuvron** (1784, duc à brevet non héréd.). Famille d'Harcourt. **Cadore.** (Nompère de Champagny). Duc 1809 (é 1893). **Caraman** (de Riquet). Duc pair par ordonnance du 10-5-1830 sans être suivie des lettres patentes. Duc confirmé par Napoléon III 1869, en faveur du frère du bisaïeul du duc actuel, † 1919 célibataire. **Castries.** Duc à brevet le 24-1-1784 avec promesse de duché héréditaire, duc-pair héréditaire le 31-5-1817, avec faculté de transmettre par la ligne collatérale. Le titre s'éteignit en ligne directe le 19-4-1886 et une autre ligne, n'ayant pas d'ancêtre commun avec le 1er titre, se saisit du titre de duc. **Chaulnes et Picquigny** (Chaulnes 1621, é 1793). Titres appartenant à la maison d'Albert de Luynes. Le double titre de : duc de Luynes et duc de Chevreuse, s'explique, car après la mort de Charles d'Albert de Luynes, favori de Louis XIII, créé duc de Luynes 1619, sa veuve Marie de Rohan se remaria à Claude de Lorraine. Après la mort (sans postérité) en 1657 de ce 2e mari, duc de Chevreuse, Marie de Rohan eut le duché de Chevreuse qu'elle donna à Charles (aîné de son 1er mariage). Honoré, frère de Charles, épousa en 1620 l'héritière du comté de Chaulnes, à charge de prendre les noms, titres et armes de cette maison, érigée ensuite en duché-pairie en 1621. La maison d'Albert possédait aussi le duché non pairie de Picquigny (1695). Seule la souche des ducs de Luynes et Chevreuse subsiste et porte alternativement l'un de ces deux titres.

Dalmatie (Soult duc, 1808). Relevé par la famille Reille en 1911. **Dedeyan** (Arménie, maison Arzonni). Titre accepté par l'Office français des réfugiés et apatrides le 16-12-1953, comme princes en Sionnie 1867. **Des Cars** (Pérusse). Duc héréditaire créé le 11-4-1830, mais la révolution de 1830 empêcha que les lettres fussent scellées ; reconnu par Napoléon III. **Estissac.** Titre de duc 1737-58 transformé 1817 par lettres en Liancourt ; un cadet fut fait pair de Fr. (non héréditaire) comme duc d'Estissac en 1839. **Faucigny-Lucinge.** Prince. Sardaigne 1729 [issu des comtes souverains de Faucigny (souveraineté passée en 1234 à la Savoie)]. Reconnu en France en 1829 par Charles X sans qu'il y ait eu constitution de majorat puis lettres patentes. **Grasse** des princes d'Antibes. Présentation sous ce nom en 1764, 1766. Origine : Provence Xe s., selon le dossier de la Cour. **Guiche.** Le titre de duc (brevet du 16-1-1780) ne paraît pas héréditaire. Porté dep. traditionnellement par le fils aîné de Gramont. **La Roche-Guyon :** La Rochefoucauld (duc 1679, éteint 1762). Titre relevé au XIXe s. sans lettre de confirmation, par Alfred de La Rochefoucauld (1819-83), et porté par ses descendants. **La Tour d'Auvergne** (Pce de). Leur qualification de Pce français ne peut se soutenir. Par contre leur titre est pontifical (1853). Les La Tour d'Auvergne, vicomtes de Sedan, ducs de Bouillon, Pces de Sedan, sont éteints. **Lesparre** (duc à brevet, 1739). Famille de Gramont, relevé par une branche quand le titre s'éteignit en 1931. **Lévis-Mirepoix.** Duc 1723, éteint 1734. Par contre le titre espagnol de duc de San Fernando Luis a été reconnu en France par décret du 24-8-1961 pour un Lévis-Mirepoix. **Longueval.** Pce autrichien 1-6-1688. N'est plus porté depuis 1703 mais non éteint.

Montesquiou. Duc et pair le 30-4-1821, confirmé le 5-2-1832. Éteint 1913, relevé sans collation par une autre branche. **Poix** (1729). Titre espagnol donné à Ph. de Noailles, Grand d'Espagne. **Rauzan Duras** (Chastellux). Duc, 1819 brevet, duc et pair 1825, mais pas de lettres patentes. **Tascher de La Pagerie.** Duc 1818, puis réversion 1833, confirmation 1859, éteint 1901, relevé « proprio motu » ensuite. **Tonnay-Charente** (prince 1591). Pour le fils aîné du duc de Mortemart (Rochechouart-Mortemart). Le titre de duc de Vivonne (brevet 1668) fut parfois porté, mais seul le titre de Tonnay-Charente est inscrit à l'A.N.F. **Walsh-Serrant** (duc de La Mothe-Houdancourt 1830). Titre espagnol, reconnu en France 1838, en faveur d'Olivier-Louis W. de S. à l'occasion de son mariage avec Élise d'Héricy, descendante des La Mothe-Houdancourt, héritière d'une grandesse d'Espagne donnant droit au titre ducal. Sans postérité masculine, ce titre s'est éteint en 1842. Le titre de duc de Walsh-Serrant a été relevé en France par un porteur du nom. La grandesse demeure actuellement vacante en Espagne.

Statistiques des titres

Étienne de Séréville et Fernand de Saint-Simon ont dénombré en France en 1977 : 36 titres de ducs régulièrement portés par 33 maisons ou familles ; en effet, 3 titres se confondent : Ayen avec Noailles, Chevreuse avec Luynes, Liancourt avec La Rochefoucauld. Sur les 36 ducs, il y avait 29 ducs et pairs (dont : 15 de l'Ancien Régime, 6 ducs de l'Ancien Régime, devenus ducs et pairs sous la Restauration, 8 ducs et pairs créés par la Restauration, 7 ducs qui n'étaient pas pairs du Ier et du IIe Empire).

Régis Valette dans son « Catalogue de la noblesse française » (éditions Robert Laffont, 1989) relève 156 titres de l'Ancien Régime qui subsistent (duc 17, marquis 77, comte 37, vicomte 2, baron 23) et 494 du XIXe s. (duc 10, marquis 40, comte 126, vicomte 40, baron 278), soit au total 666 titres réguliers. **Labarre de Raillicourt** a publié un livre sur les titres pontificaux (1962).

Titres portés en France (1980-84)	Titres fr. réguliers subsistants (dont Ancien Régime)		Titres pontificaux subsistants attachés à des Fr.
Ducs	40 [1]	(21)	14
Princes	1 [2]	(0)	5
Marquis	146	(99)	30
Comtes	193	(33)	64
Vicomtes	37	(2)	1
Barons	406	(28)	3
Total	*823*	*(183)*	*117*

Nota. – (1) Authentiques et susceptibles d'être investis au Sceau de France ou réguliers mais lettres patentes non retirées du fait des événements de 1830, etc. (2) Le décès en 1974 du duc de Rivoli, prince d'Essling, entraîne le maintien pour son fils, né en 1950, du dernier titre de « victoire », avec la dénomination légale de Prince.

Duchés
(d'après Séréville)

Abrantès (1808-70, Le Ray, éteint). *Albufera* [1] (1813, Suchet). *Audiffret-Pasquier* [1] (1862 [4], Audiffret). *Auerstaedt* (1808-64/65 [4], Davout). *Ayen* [1] (1737, Noailles). *Bauffremont* [1] (1787-1818). *Blacas* [1] (1821). *Brissac* [1] (1611-20, Cossé). *Broglie* [1] (1742). *Chevreuse* [1] (1667-98, Albert de Luynes). *Clermont-Tonnerre* [1] (1775). *Croÿ* [1] (1598-1788). *Decazes* [1] (1820). *Doudeauville* [1] (1817, La Rochefoucauld). *Feltre* (1809-64 [4], Goyon). *Gramont* [1] (1648-63). *Harcourt* [1] (1700-01). *La Force* [1] (1637-87, 1784 Caumont). *La Rochefoucauld* [1] (1622-1758). *Liancourt* [1] (1758, La Rochefoucauld). *Lorge* [1] (1773, Durfort). *Luynes* [1] (1619-47, Albert). *Magenta* (1859, Mac-Mahon). *Maillé* [1] (1784, Maillé de La Tour Landry). *Montbazon* [1] (1588-94/99, Rohan-Rohan). *Montebello* [1] (1808, Lannes). *Mortemart* [1] (1650-63, Rochechouart). *Noailles* [1] (1663). *Otrante* [1] (1809, Fouché). *Poix* [1,2] (1817, Noailles). *Polignac* [1] (1780). *Praslin* [1] (1762, Choiseul). *Rivoli* [3] (1808, Masséna). *Rohan* [1] (1648-52, Rohan-Chabot). *Sabran* [1] (1825-29 [4], Pontevès). *Uzès* [1] (1565, Crussol).

Nota. – (1) Lettres patentes. (2) En 1817 L. XVIII décida que le fils aîné du duc de Mouchy (branche cadette des Noailles) serait duc comme le fils aîné des ducs de Noailles (qui portait le titre de duc d'Ayen). Une branche cadette des Noailles est Pces de Poix avec le titre de duc pour la pairie. Donc Pce-duc de Poix sur lettres patentes. Mais le titulaire préfère se titrer duc de Mouchy (titre espagnol dont il n'est pas investi en Espagne) et laisse le titre de Pce de Poix à son fils. (3) Le 5e duc de Rivoli, Victor-André, 7e Pce d'Essling (n. 1950) est par certains considéré comme le seul porteur d'un titre princier authentique en Fr., étant le seul descendant en ligne directe d'un des 4 maréchaux de Napoléon, créés Pce avec un titre de victoire. On admet néanmoins que les Pces Murat, dont le titre est d'autre origine (souverains étrangers), peuvent être considérés comme des princes français authentiques, à cause de la reconnaissance de leur titre en 1853. (4) Sur réversion.

☞ **Almanach de Gotha.** *Créé* par Guillaume de Rotberg à Gotha (Thuringe) en 1763, en français (20 pages contenant le calendrier astronomique, des tablettes gravées sur lesquelles on pouvait inscrire jour par jour pertes et gains de jeu, un tableau des départs et des arrivées du courrier et un autre indiquant la valeur des monnaies). Se subdivisant en 4 parties : généalogie [*1re partie :* maisons souveraines ou ci-devant souveraines : A européennes, B non européennes. *2e :* maisons seigneuriales médiatisées d'Allemagne (princières ou comtales ayant la qualité d'État du St-Empire et qui ont les droits d'égalité de naissance avec les maisons souv.). *3e :* autres maisons princières non souv. d'Europe], annuaire diplomatique, statistique, chronique. *Nombre de pages. 1763 :* 20, *1816 :* 296, *1824 :* 440, *1870 :* 1 108, *1914 :* 1 251, *1936 :* 1 432. *Dernière édition :* en français : 1944 (tirage 6 000 ex.), en allemand 1942.

Noblesse étrangère

• **Allemagne fédérale** (v. aussi à l'Index). **Noblesse.** Env. 50 000 personnes d'origine dont 8 000 à 10 000 portent des noms de famille différents. La particule *von* n'est pas toujours nobiliaire : dans l'All. du N. et de l'O., beaucoup de familles bourgeoises la portent devant le nom comme indicatif du lieu de leur origine ; les « traitements » [Kgl Hoheit (Altesse Royale), Durchlaucht (Altesse Sérénissime), Erlaucht (Altesse Illustrissime)] ont été supprimés en 1919 (pour la Prusse, les qualifications d'altesse ont été abolies par la loi du 26-6-1920). Le nom des terres nobles relié au patronyme est considéré par la loi comme partie du nom de famille, par exemple Kress von Kressenstein. **Titres** (hormis les titres souverains toujours portés dans les maisons encore régnantes en novembre 1918) : *Herzog* (duc), *Fürst* (prince chef de la famille), *Prinz* (qualité princière ou titre), *Graf* (comte), *Baron* [baron (seulement pour la noblesse d'origine étrangère : le titre allemand correspondant est *Freiherr*)], *Ritter* (chevalier), *Edler* (noble). Le titre nobiliaire hérité fait partie du nom, par exemple, le nom de famille est Graf (Gräfin) von Spee ; il passe aussi aux membres féminins et aux enfants naturels des filles. Un « trafic d'adoptions » s'est développé (moyennant finances) car le titre fait partie du nom.

• **Amérique latine** (titres hispano-américains de l'Amérique espagnole). Les rois d'Espagne anoblirent et titrèrent les principaux conquistadores (dont Pizarre et ses 13 compagnons). Le premier titré fut Fernand Cortés, au Mexique, le 6-7-1529, comme marquis de la Vallée d'Oaxaca. Christophe Colomb fut « amiral des Indes » et son fils devint duc de Veragua et Mis de la Jamaïque en 1537, etc. Puis la descendance de l'empereur Moctezuma fut titrée (V. Mexique). La concession des titres se poursuivit. Rien qu'au Pérou il y eut 8 titres créés sous Philippe IV, 21 sous Charles II, et davantage ensuite. Charles IV fixe de nombreuses conditions pour les nouvelles titulatures (noblesse préalable, alliances notables, services éminents, jouissance de revenus suffisants, etc.). Ces titres étaient concédés par le roi, ou plus rarement par les vice-rois, mais c'étaient des titres « bénéficiés » accordés en vertu de donations pécuniaires (30 000 pesos). Ils étaient enregistrés, indifféremment, par la Chambre des Indes ou celle de Castille. Le mariage des titrés nécessitait l'autorisation royale à partir de 1788. Il fut aussi décidé que l'on ne pouvait accéder à un titre de comte ou de marquis sans avoir été préalablement titré vicomte, et alors on payait deux fois les droits. Après la perte de l'empire colonial espagnol, subsistèrent Cuba, Porto Rico et les Philippines. Même après leur indépendance, Alphonse XIII accorda encore des titres à des citoyens des ex-colonies en raison des services rendus par eux à l'Espagne. Tous les titres concédés restent valables en Espagne mais ne sont pas reconnus en Amér. latine. V. : Argentine, Chili, Colombie, Cuba, Équateur, Guatemala, Mexique, Panamá, Pérou, Philippines, Porto Rico, Rép. Dominicaine (ex.-St-Domingue), Venezuela. Bolivie, Costa Rica, Équateur, Honduras, Nicaragua, Paraguay, Salvador, Uruguay n'eurent jamais de titres conférés.

États continuant à conférer noblesse et titres : Royaume-Uni (avec Canada, Australie, Nlle-Zélande), Liechtenstein, Belgique.

États conférant des titres sans conférer la noblesse : Espagne, Luxembourg, Monaco.

États reconnaissant la noblesse et les titres sans les conférer : Danemark, Finlande, ordre de Malte, P.-Bas, St-Marin (n'en confère plus dep. une loi de 1983), Saint-Siège (n'en confère plus dep. 1964), Suède.

États reconnaissant les titres sans les conférer : France, Irlande, Sri Lanka.

États ayant abrogé les titres, mais les reconnaissant comme : partie du nom : Allemagne (féd. et dém.), Cuba (dans une certaine mesure) ; *faisant figurer le prédicat du titre dans le nom patronyme :* Italie (pour les titres existant avant le régime fasciste, 1922).

États ayant abrogé les titres mais les tolérant : Autriche, Birmanie, États d'Amérique latine, États-Unis, Grèce, Inde, Indonésie, Islande, Norvège, Pakistan, Philippines, Porto Rico, Suisse, Tchécoslovaquie.

États ayant abrogé titres et noblesse et les prohibant : Albanie, Bulgarie, Hongrie, Mexique, Norvège, Pologne, Roumanie, U.R.S.S., Venezuela.

États où, constitutionnellement, il n'y a ni noblesse ni titres : Grèce, Roumanie, Tchécoslovaquie, Yougoslavie.

Pays ou États possédant des listes officielles : Belgique, Danemark, Espagne (noblesse titrée), Finlande, Hongrie (av. 1945), Irlande, Malte, P.-Bas, R.-Uni (sauf Écosse), Suède.

Pays ou États ayant des associations ou ouvrages semi-officiels : Allemagne, Autriche, Belgique, Italie. Pays Baltes, Pays-Bas, Portugal (Conseil de la noblesse sous l'autorité du duc de Bragance).

Pays ou États ayant des ouvrages ou listes exhaustives : Albanie, Espagne, Liechtenstein, Luxembourg, Pologne.

Les autres États, sans reconnaître les titres, en tolèrent souvent l'usage.

• **Andorre.** Seuls existent les titres liés à leur fonction et pour la durée de celle-ci : *princep sobira* ou « coprince épiscopal » pour l'évêque d'Urgel, et « coprince français » pour le Pt de la Rép. française. Noblesse abrogée de facto au XVIIIe s., mais rien n'empêche d'inclure des titres dans les actes de baptême, mariage, sépulture (seuls actes d'état civil existant en Andorre). Si un non-Andorran se marie catholiquement (seule confession admise) et qu'un titre figure sur l'acte religieux de mariage – seul admis – l'État français, qui ne peut aller en cette matière contre les droits souverains du coprince-Évêque, considère ce titre comme provisoirement valable. *Titre subsistant :* Areny, baron de Plandolit.

• **Argentine.** 4 titres conférés par l'Espagne (1675/1809) : 3 marquis, 1 comte. Port des titres interdit.

• **Autriche. Noblesse :** comprenait l'ordre des seigneurs (*Herrenstand)* qui exerçaient tous les pouvoirs locaux, et celui des chevaliers *(Ritterstand).* Pour entrer dans le « Herrenstand », il fallait être homme de qualité dans le « Ritterstand », avoir conclu une alliance très notable et payer 2 080 florins. Il y avait 4 ordres en tout (outre ces 2 ordres nobiliaires) avec le clergé et les villes libres. **Titres.** *Erzherzog* (archiduc) conféré pour la 1re fois en 1453 par l'empereur du St Empire. *Grossherzog* (grand-duc) pour le souverain de Toscane (qui dépendait de la maison de Habsbourg jusqu'en 1859) et qui fut conféré pour la 1re fois par le pape à Cosme de Médicis, alors duc de Florence. *Prinz et Fürst* quand aucune souveraineté territoriale ne s'y attache ou comme « qualité » pour les membres de maisons dynastiques, sauf pour la maison d'Autriche dont les membres dynastes portent le titre d'archiduc (archiduchesse). 1804 : Pces impériaux et archiducs d'Autriche, Pces royaux de Hongrie et de Bohême. *Graf* (comte). *Freiherr* (baron). *Ritter* (chevalier). Les titres du St Empire étaient reconnus en Autr. (Etat du St Empire jusqu'en 1806 dont le chef de la maison de Habsbourg était l'empereur). Ils sont acceptés dans la vie privée mais interdits comme tous les autres titres dep. 1919. Aux titres autr. s'ajoutèrent ceux de la Galicie (comte et baron) lors de son incorporation à l'Autr., et ceux de la partie de la Pologne annexée fin XVIIIe s. La noblesse a été abolie le 3-4-1919 et le port de la particule et des armoiries et de son usage dans les textes officiels le 19-4-1919. Otto d'Autriche (fils du dernier empereur) n'est en Autriche que « Dr Otto Habsburg-Lothringen ».

Titres *de « prince » conférés directement par l'empereur d'Autriche :* Clary et Aldringen (1767 et 1905), Collalto (1822), Dietrichstein (1868), Hanau (Hesse et Autriche 1853), Hohenberg (1900) et titre de duchesse (pers. 1900) pour l'épouse morganatique de l'archiduc héritier François-Ferdinand (assassinés tous deux à Sarajevo en 1914), Kinsky (Bohême 1746), Lynar (1807), Lieven (St Empire 1779 et Autriche 1846), Rohan (titre français reconnu comme prince en Autriche 1808), Starhemberg (Saint Empire et Autriche 1765), Thun et Hohenstein (1911), Weikersheim (1911).

Titres autrichiens de prince accordés en Hongrie (éteints aujourd'hui) : Perenyi, Kohary, Rakoczi et Grassalkovich (V. Hongrie).

Titres de prince émanant de la Pologne reconnus en Autriche : Radziwill (St Empire 1544, Pologne 1564, Autriche 1784-1883, puis Russie également), Sanguszko (Pologne 1569, Autriche 1785), Poniatowski (Pologne 1764).

• Belgique. **Noblesse.** Selon la Constitution aucun privilège ne peut lui être attaché ; elle n'a qu'un caractère honorifique. Appartiennent à la nobl. officielle du royaume les descendants légitimes du nom de ceux dont la noblesse ou les titres ont été reconnus ou concédés de 1815 à 1830 par le roi Guillaume Ier des P.-Bas et, après 1831, par le roi des Belges, ainsi que ceux qui, eux-mêmes, ont levé des lettres patentes nobiliaires. Lorsque le territoire belge et celui des Provinces-Unies furent unis (1814) pour former le royaume des P.-Bas (1815), la noblesse y avait perdu toute existence légale depuis l'annexion des provinces belges à la France (le décret de l'Assemblée nationale française de juin 1790, abolissant la noblesse, étant entré en vigueur dans le pays dès sa publication en novembre 1795).

Titres. Hiérarchie (disposition du 12-12-1838) : *Prince, duc, marquis, comte, vicomte, baron, chevalier.* Les non-titrés ont droit au titre d'*écuyer* (en néerlandais : *jonkheer* pour les hommes, *jonkvrouw* pour les jeunes filles). Tous ceux qui font partie de la noblesse ont droit, en français, à la qualification de messire (sans correspondant pour les femmes), en néerlandais à celle de Hoogwelgeboren Heer ou *Hoogwelgeboren Vrouw,* et *Hooggeboren Heer* ou *Hooggeboren Vrouw,* s'ils ont un titre de vicomte ou un titre supérieur.

Statistiques. Depuis 1814, 1 459 familles ont fait l'objet de reconnaissance ou d'anoblissement : 761 reconnues avant 1795 (date de l'application des lois françaises abolissant la noblesse), dont 358 éteintes ; 11 titrées par Napoléon, dont 5 éteintes ; 37 anoblies par Guillaume Ier, dont 23 ét. ; 586 anoblies par les souverains belges depuis 1831, dont 111 ét. (253 personnes an. dep. 1951, début du règne de Baudouin Ier). En 1986, 980 familles nobles subsistaient (dont 401 antérieures à 1789) : 9 princières, 5 ducales, 10 ayant titre de marquis, 85 de comte, 35 de vicomte, 317 de baron, 113 de chevalier, les autres ayant titre d'écuyer. En 1986, 18 nouvelles faveurs nobiliaires ont été accordées, dont 11 anoblissements et 7 promotions dans la hiérarchie nobiliaire.

Familles princières belges : d'Arenberg (St Empire 1576) ; Bernadotte : Pce et duc de Ponte Corvo (1806), Pce héréditaire de Suède et Norvège (1810), titre personnel de Pce concédé en Belgique 1938 ; de Béthune Hesdigneul (1781, éteint 1976) ; de Croÿ, Pce de Solre (1677) et du St Empire (1742) ; Habsbourg-Lorraine (St Empire 1274, admis en Belgique 1978) ; de Ligne (St Empire 1601) ; de Lobkowicz (St Empire 1624, admiss. en Belgique 1958) ; de Looz-Corswarem (1825 ; l'aîné est duc : 1734) ; de Mérode, confirmation des titres de Pce de Rubempré et d'Everberg (1823), Pce de Grimberghe (1842), titre de Pce de Mérode à tous (1930) ; de Riquet de Caraman Chimay (incorporé dans la noblesse belge 1824, avec le titre de Pce de Chimay).

Familles ducales belges : Arenberg (duc d'Arschot pour l'aîné, en 1612 ; titre avec souveraineté St Empire 1644), Croÿ (idem St Empire 1598), Looz-Corswarem [duc 1734, titre des P.-Bas autrichiens, avec souveraineté en St Empire (Rheina-Wolbeck) 1803], Ursel (duc 1716, titre des P.-Bas autrichiens, autorisé Belgique 1884), Beaufort-Spontin (duc, 1782, aux P.-Bas autr., Pce du St Empire en 1783).

• Brésil. **Titres.** *Prince :* réservé aux membres de la famille impériale ; *duc :* 3 titres octroyés par l'Empire dont 2 à une descendance naturelle de l'emp. ; *marquis ; comte ; vicomte ; baron.* Pas de réglementation officielle, les titres sont utilisés dans la vie sociale.

• Bulgarie. Seule la famille royale possédait un titre : Pce de Tarnovo pour l'héritier, Pce de Vidin et Preslav ensuite.

• Centrafricain **(ex-Empire).** Bokassa Ier a donné le titre de prince (ou princesse) à son oncle maternel Ambroise Denguiade, à sa sœur Catherine Ghagalama, à ses 59 enfants : Jean-Bedel (prince héritier), Georges, Jean-Charles, Charlemagne, Saint-Cyr, Nicaise, Nicole, Martine, etc.

• Chili. *Titres conférés par l'Espagne* 21 (1 duc, 11 marquis, 7 comtes, 1 vicomte, 1 baron). Ne sont plus off. reconnus, mais toujours en usage.

• Colombie. *Titres conférés par l'Espagne* 7 : 5 marquis, 2 comtes. Ne sont plus portés.

• Cuba. *Titres conférés par l'Espagne* 100 : 57 marquis, 48 comtes, 4 vicomtes. Dans certains cas, le titre peut devenir patronyme.

• Danemark. **Noblesse.** Une nouvelle noblesse fut instituée par le roi Christian V le 25-5-1671 avec les seuls titres de comte et de baron. 31 domaines furent alors érigés en comtés et baronnies, selon leur importance, mais 11 seulement appartenaient à des Danois, les autres étaient à des familles d'origine allemande. Depuis 1849 aucune concession de titre ou de noblesse n'est intervenue, excepté dans la famille régnante, mais seulement des autorisations de transmission, confirmation et reconnaissance héréditaire de noblesse et de titres (une centaine environ). **Titres.** *Prince* réservé à la famille royale (création du titre de Pce de Dan. en 1967 pour Henri de Laborde de Monpezat quand il épousa la Pcesse Margrethe de Dan., reine en 1972). *Duc. Comte* porté par le chef de famille, son fils aîné et sa fille aînée (si elle est née la première), les autres ayant le titre de baron ou baronne, sauf exceptions prévues par décret et accordant le titre à tous les membres de la famille. *Baron* porté par toute la famille (sauf Berner et Hambro ; porté par le seul chef de famille). **Statistiques.** En 1953, il subsistait encore 208 familles titrées dont 56 à l'étranger et 152 au Danemark. *Titres. Duc* 1 (Decazes af Glucksbierg) conféré 1818, reconnu en Fr. 1822. *Landgrave* 1 (Blücher af Altona) reconnu 1818. *Comte* 56 plus 16 titres de « Cte de Rosenborg » accordés à des membres de la famille royale en certaines circonstances (mariage morganatique). *Nobles sans titre* env. 3 000.

• Dominicaine (République). *Duc.* Après l'arbitrage rendu en 1538 par Diego Colón (fils de Christophe Colomb) en faveur de son neveu Luis Colón, celui-ci reçut le 16-3-1557, outre certains avantages, le titre de « duc de la Vega de la Isla de Santo Domingo » pour avoir renoncé également à certains de ses droits. Ce titre fut uni à celui de duc de Veraguas (V. Panamá). Quand ce pays revint sous l'autorité de l'Espagne, de 1861 à 1865, furent concédés les 2 titres de duc de la Torre (1862) et marquis de las Carreras.

• Égypte. Noblesse abolie le 30-7-1952.

• Équateur. *Titres conférés par l'Espagne* 6 : 5 marquis, 1 comte.

• Espagne. **Noblesse.** Jusqu'au 14-4-1931 (départ d'Alphonse XIII) comprenait : 1*) La noblesse non titrée (hidalguía).* La plus nombreuse, bien que n'ayant pas perdu son caractère juridique propre défini pour la 1re fois par Alphonse X le Sage dans ses « Partidas » (2e, titre XXI, loi 3) : « L'hidalguía est la noblesse qui vient aux individus par leur lignage » ; était hidalgo qui pouvait prouver la noblesse de son père et de son grand-père. Elle n'est cependant plus recensée dans les municipalités depuis 1836. Au 15-10-1982, plus de 5 000 personnes étaient groupées dans l'« Asociación de hidalgos a fuero de España » instituée en 1955, reconnue d'utilité publique par le Conseil des ministres espagnol du 1-4-1967, et en 1970. Elle patronne de nombreuses œuvres sociales. Franco (1892-1975), chef de l'État, en faisait partie ainsi que le Pce d'Espagne, devenu depuis le roi Juan Carlos Ier. Cette institution rassemble également les personnes pouvant prouver leur hidalguía (noblesse) en faisant remonter leur filiation à l'époque où de nombreux territoires appartenaient à la couronne d'Espagne (Flandre, Hainaut, royaume des Deux-Siciles, Amérique centrale et du Sud, etc.). Les personnes occupant de hautes fonctions entraînant l'hidalguía selon les statuts en vigueur jusqu'en 1835 (ex. magistrat du Tribunal suprême, conseiller d'État...) peuvent y entrer ainsi que celles qui ont été décorées d'ordres entraînant concession de noblesse (O. de Charles III...). 2*) La noblesse titrée. Hiérarchie :* duc, marquis, comte, vicomte, baron, seigneur. Les membres de la famille royale, enfants du roi ou du Pce des Asturies (l'héritier du trône), s'appellent *infants* ou *infantes.* Le titre de Pce n'a été accordé que 2 fois hors de la maison royale et à titre non héréditaire (Godoy, Pce de la Paix ; Espartero, Pce de Vergara). En 1972, le petit-fils d'Alphonse XIII avait été autorisé à porter le titre de duc de Cadix avec le traitement d'Altesse royale, mais un décret royal du 6-11-1987 a aboli l'hérédité des titres de la maison royale, ce qui le rendit non transmissible à son fils unique Luis Alfonso de Bourbon. 3*) Les Grands d'Espagne.* Instituée par Charles Quint en 1520, répartie jusqu'en 1874 en 3 classes, la grandesse offre le privilège de passer devant tout autre noble quel que soit son titre, de rester couvert du chapeau adéquat devant le roi, d'occuper certaines charges et d'être appelé « cousin » par le roi.

Régime actuel. Auj., seule la noblesse titrée et la grandesse sont reconnues (elles furent abolies du 1-6-1931 au début 1948, mais dep. 1936, le régime franquiste admettait implicitement les titres, la députation de la grandesse d'Esp. assurant un intérim officieux pour l'attribution des titres). Le 4-5-1948, une loi a rétabli la légalité des « titres du royaume ».

Statistiques. Titres créés de 1948 au 25-11-1975 : 1 prince (le « Pce d'Espagne » en 1969, devenu le roi Juan Carlos Ier), 5 ducs, 17 marquis, 14 comtes, 1 baron, 4 grandesses et 1 titre de « señora (dame) de Meiras » pour la veuve du général Franco († 1988), 1972. **Nombre de titres de la maison royale au 1-1-1983 2 ;** *titres avec la grandesse d'Espagne* 394 (146 ducs, 138 marquis, 99 comtes, 1 vicomte, 2 barons, 3 seigneurs dont 1 titre de « dame ») ; *grandesses sans titre* 5 ; *titres du roy. sans grandesse* 2 198 (1 135 marquis, 774 comtes, 131 vicomtes, 155 barons) ; *dignités* 2 : grand amiral des Indes, amiral d'Aragon ; *privilège* 1. *Total* 2 592 titres + 52 titres étrangers autorisés et portés par des Esp. (la plupart pontificaux), et 60 titres étrangers auxquels des Esp. ont succédé et qui étaient en cours de régularisation. **Titres créés par le roi Juan Carlos :** *1975* duchesse de Franco (fille de Franco) ; *1976* Mis de Arias Navarro avec grandesse (Pt du Gouvernement lorsqu'il quitta ses fonctions) ; Cte de Rodriguez de Valcarcel (Pt des Cortes et Pt du Conseil) ; *1977* Ctesse (veuve d'Antonio Iturmendi, Pt des Cortes) ; duc de Fernández-Miranda (Torcuato Fernández Miranda, Pt des Cortes). 21-1, le Pce Don Felipe de Bourbon et de Grèce, héritier de la couronne, a reçu du roi Juan Carlos, son père, sur proposition du gouvernement, le titre et la dénomination de Pce des Asturies à laquelle correspondent les titres et dénominations de Pce de Gérone et de Viana, duc de Montblanch, Cte de Cervera et seigneur de Balaguer ; *1981* duc de Suares (Adolfo Suares, ancien P.M.) ; duchesse de Soria (Marguerite de Bourbon, sœur du roi) ; Mis de Salobreña (Andrès Segovia), Mis de Bradomin (Carlos Luis del Valle-Inclán, en mémoire de Ramón del Valle-Inclán, homme de lettres) ; Cte de Villacieros ; *1982* Mis de Pubol (Salvador Dalí) ; *1983* 1 grandesse pour Mis de Valenzuela de Tahuarda. *Titre de « Seigneur ».* On a critiqué, sur le plan juridique nobiliaire, la concession du titre de « dame » de Meiras à la veuve du Gal Franco (éteint par son décès en 1988), sans nier la prérogative royale. Une instance est en cours devant les tribunaux pour solliciter le droit au titre de « seigneur », hérité légalement.

Cumul des titres. Un titre ne se perdant jamais, tant qu'un descendant par le sang subsiste en ligne masculine ou féminine, le cumul est légal si les formalités de succession au droit au titre ont été accomplies. Ainsi la 18e duchesse d'Albe, doña Maria del Rosario Cayetana Fitz-James Stuart y Sylva, est 8 fois duchesse, 1 fois comtesse-duchesse (d'Olivares) avec grandesse, 3 fois marquise avec gr., 10 fois marquise sans gr., 10 fois comtesse avec gr., condestable de Navarre avec gr., 10 fois comtesse sans gr., 1 fois vicomtesse. La duchesse de Medinaceli est 6 fois duchesse (avec gr. car son titre ducal s'accompagne de la grandesse, comtesse 1 fois avec gr., 10 fois marquise, 17 fois comtesse, 4 fois vicomtesse). Le « titre » passant par le sang, il y a env. 40 réhabilitations, demandes de succession de titres paraissant éteints, « partages » lors du décès d'une personne largement titrée (un décret royal annonce que X, Y et Z, succédant aux 10, 20, voire 100 titres du défunt, reçoivent 1 ou plusieurs titres, chacun, parmi ceux du défunt ou de la défunte).

• **États-Unis.** Titres interdits pour tout fonctionnaire (art. VI du 15-11-1777 et Constitution du 17-4-1787). Tout étranger demandant sa naturalisation doit renoncer sous serment à ses titres et appartenance à la noblesse. Avant 1777, quelques titres ont été accordés, dont certains à des Indiens (Pocahontas), et, depuis, certains titres pontificaux. *Familles notables :* la Sté des descendants du *Mayflower* a établi la généalogie des 162 passagers du bateau qui arriva le 11-11-1620 à Plymouth ; une liste des 184 premières familles des U.S.A. a été publiée en 1976 : Astor, Du Pont de Nemours, Ford, Getty, Gould, Grosvenor, Guggenheim, Hearst (Randolf), Hugues (Howard), Kennedy, Rockefeller, Roosevelt, Taft, Vanderbilt, Warren, Washington.

• **Éthiopie.** *Titres nobiliaires :* Pce, Pcesse, duc, duchesse, dans 10 familles environ ; les titres de Pce, Pcesse donnés aux pers. de sang royal sont abolis (21-3-1975). *Titres honorifiques* [acc. aussi à des étrangers. Ex. : Léonce Lagarde (1860-1936), gouverneur d'Obock puis ambassadeur en Éth. de 1877 à 1907 : *mesfin* d'Entoto], 10 000 personnes environ (appellations : *bitoded,* etc.).

• **Finlande.** Depuis le 22-11-1918 la noblesse est considérée comme corporation autonome. La Constitution du 17-7-1919 interdit la création de titres (dernière création en 1912). *Familles inscrites à la maison de la noblesse de Finl. au 31-12-1990 :* 357 dont 4 comtales ; 25 baronniales ; 121 nobles. Les titres appartiennent à tous les membres, mais seuls les chefs du nom ont droit de séance.

• **Géorgie, Mingrélie, etc.** *Géorgie :* royaume indépendant jusqu'en 1801 avec la dynastie des Bagration (remontant au IXe s.). L'empereur de Russie reconnut le titre de prince *(knias)* aux membres de l'ancienne dynastie ainsi qu'à d'autres familles très anciennes, Amilakvari entre autres, et également aux descendants des divers princes régnants de *Mingrélie* [(Dadian) indép. jusqu'en 1801], *Svanétie* [(Dadechkeliani) indép. jusqu'en 1858], d'*Imérétie* (indép. jusqu'en 1801) avec les Bagration, etc.

• **Grèce.** La Constitution de 1844 interdit de porter un titre mais de nombreuses familles, telles les Roma, Metaxas, Capodistria, jouissent de titres étrangers réguliers. L'héritier du trône est « diadoque ».

• **Guatemala.** *Titres conférés par l'Esp. :* 2 marquis.

• **Haïti.** A connu 3 souverains : *Jean-Jacques Dessaline* (1758-1806), empereur (1804-1806). *Henry Christophe* (1767-1820 : roi Henry Ier, 1811-20), institua le 5-4-1811 une noblesse héréditaire titrée (6 princes, 8 ducs, 1 marquis, 18 comtes, 34 barons, 7 chevaliers), titres qui ne survécurent pas au régime. *Faustin Soulouque* (1782-1867 : empereur Faustin Ier, 1848-55) ; créa 4 princes d'Empire, 59 ducs, 90 comtes, 2 marquises, 30 chevalières, 215 barons, 349 chevaliers.

• **Hongrie.** Le terme *Nobilis* fut utilisé dès le XIe s. Le 1er date de 1430. Le 1er Cte héréditaire fut créé en 1453, le 1er baron en 1506. En 1873, 1 titre de marquis (Csaky-Pallavicini de Körösszeg et Adorjàn), en 1911, 5 titres de Pce (Festetics de Tolna, Lónyay de Nagy-Lónya, Batthyany de Német-Ujvar, Esterházy de Galánta, Pálffy de Erdõd). On peut citer également d'autres titres de Pces mais conférés par l'Autriche et éteints de nos jours : Perényi, Koháry, Rákóczi et Grassalkovitch. Ces titres ne portaient que sur le nom patronymique sans assiette territoriale. *Dernier titre concédé,* 17-10-1918 aux Ungar (militaires). Titres abrogés et interdits par la loi du 14-1-1947.

Statistiques. *1784* 416 000 nobles (pour 9 millions d'hab.) ; on avait anobli des villages entiers pour avoir combattu les Turcs. *1918,* 325 titres sans hiérarchie nobiliaire.

• **Inde.** Voir à l'Index.

• **Italie. Titres :** *prince, duc, marquis, comte, vicomte, baron, noble, patricien, chevalier* et quelques titres anciens de *seigneur* et de *coseigneur.* Le royaume d'Italie ne s'étant formé qu'en 1861, les titres italiens comprennent également ceux conférés autrefois par le St Empire, l'Autriche (pour la Lombardie), la France (sous Napoléon Ier), les rois de Naples, Sicile, Sardaigne, les papes (av. 1870), les grands-ducs de Toscane et de Milan, les ducs de Modène, Parme et Lucques, les doges de Venise et de Gênes, etc., et aussi par les villes (surtout pour le titre de patricien). Les titres des États pontificaux (après 1870) et ceux de Saint-Marin sont étrangers, non reconnus, mais leur usage n'est pas interdit. Les titres étaient soit conférés aux descendants masculins ou à toute la descendance masculine et féminine, soit limités à la primogéniture, ou personnels (très rarement). Un seul titre pouvait ainsi être porté par toute la descendance et dans plusieurs branches. La Constitution de 1947 ne reconnaît pas officiellement les titres nobiliaires mais maintient le prédicat des titres conférés avant l'arrivée du fascisme (28-10-1922). Dans la vie courante l'usage des titres s'est maintenu. Les nobles se sont réunis dans le *Corpo della Nobiltà Italiana* qui a pris la place de la *Consulta Araldica* et dont les jugements sont reconnus par l'Ordre de Malte.

Statistiques. 10 000 à 12 000 titres figuraient dans *l'Elenco Ufficiale della Nobiltà Italiana* (publié en 1921 et 1931 par la Présidence du Conseil). A cette époque, 70 000 demandes avaient été reçues. *Familles (1978) :* 111 princières, 91 ducales portant de nombreux titres [ex. : le Pce Aldobrandini est 1 fois prince, 1 fois duc, marquis (du St Empire), 1 fois comte, 1 fois noble, 2 fois patricien, 14 fois seigneur ; le Pce Chigi est prince (du St Empire), 3 fois prince, 2 fois duc, 1 fois marquis, 3 fois noble, 2 fois patricien].

Nombre de titres subsistant (évaluation 1976) : Prince 260. Duc 226. Marquis 518. Comte 931. Vicomte 5. Baron 368. Chevalier 29. Seigneur 114. Coseigneur 5. En 1936 : Marquis 366. Comte 672. Vicomte 2. Baron 233. Chevalier 28. Noble 68. Seigneur 89. Coseigneur 68. Nombreux patriciens. S'y ajoutent, portés par les ducs et princes, env. 110 titres de marquis, 60 de comte, 65 de baron, 25 de chevalier et 25 de seigneur. *Concessions de 1936-1943 :* Duc 1. Prince 1. Marquis 13. Comte 82. Vicomte 3. Baron 19. *Par Umberto II* [comme lieutenant général puis comme roi d'Italie (mai-juin 1946) et en exil] : Prince 7. Duc 4. Marquis 29 (dont 2 personnels). Comte 117. Baron 51. Chevalier 1. Noble 2.

• **Liechtenstein.** Depuis 1662 les princes ont conféré : 12 *anoblissements* (particule « von » toujours nobiliaire), 1 titre de *chevalier (Ritter)* (1723), 7 de *baron (Freiherr),* 5 de *comte (Graf)* (tel le titre de Cte de Bendern, localité de la principauté). *Fürst (prince)* pour le prince régnant et pour un membre d'une maison antérieurement souveraine. *Duc :* pas de titres sauf parmi ceux portés par le souverain (duc de Troppau et Jägersdorf).

• **Luxembourg.** *Grand-duc* ou *grande-duchesse,* titre appartenant au souverain. *Pce ou Pcesse* de Lux. et de Nassau, qualification pour les membres de la maison régnante. *Octroi de titres* dep. le XIXe s. (indép.) : aucun, sauf aux Pces étrangers qui, par suite d'un mariage inégal en naissance ont, à l'étranger, perdu leurs droits (ex. : Cte de Viborg à des Ctes Bernadotte, non-dynastes de Suède).

• **Malte (île de).** En Angleterre, les Maltais titrés ont droit au traitement « Most noble ». **(Ordre souverain de Malte.)** Les titres de l'O., qui régna sur l'île jusqu'en 1798 furent reconnus par le gouv. britannique (jusqu'en 1716 : 1 confirmation de noblesse, 1 rénovation ; de 1719 à 1796 : 5 marquis, 5 Ctes, 9 barons). Aucune concession de titres actuellement.

• **Mexique.** *Titres accordés par l'Espagne :* duc 3 (Atrisco 1708, Regla 1858, Moctezuma de Tultengo 1865, comme issu de la famille de l'empereur Moctezuma, le titulaire étant né au Mexique en 1818), marquis 45 dont Fernand Cortés, qui revenant en Espagne, reçut (outre le titre d'« Amiral de la mer du Sud ») celui de « Mis de la Vallée d'Oaxaca » (6-7-1529) dont Charles Quint lui assura la possession inaliénable et territoriale pour lui et ses descendants, comte 42, vicomte 3, baron 1, seigneur 3 (uniques sur le continent américain) : à *Atrisco,* avec le duché du même nom, à José Sarmiento de Valladares, comte-consort de Moctezuma, vice-roi et capitaine général de la Nouvelle-Espagne ; vallée d'1 lieue 1/2 de large, dans la province de Tlaxcala à 5 lieues au S. de Los Angeles. *Tecamachalco,* avec (entre 1571 et 1574) 3 930 vassaux et un petit monastère (pour Rodrigue de Vivero). *Tula,* seigneurie unie au comté de Moctezuma, vicomté de Ilucan.

Titres de la famille Moctezuma : le 13-12-1627, Pedro Tesifon Moctezuma de la Cueva, arrière-petit-fils de Moctezuma II et de l'impératrice Miahuajochitl, fut créé Cte de Moctezuma après avoir été créé Vte de Ilucan le 24-2-1627. Ce titre reçut la grandesse d'Espagne le 13-5-1766, puis fut élevé à la dignité de duc le 11-10-1865 en faveur de Fernando Moctezuma, tandis que le titre de Mis de Moctezuma était créé pour Alonso Holgaso Moctezuma le 29-4-1864. Ces 2 titres sont légalement portés en Espagne actuellement. *Titres conférés par l'empereur Iturbide (1822-23) à sa famille :* reconnus par l'emp. Maximilien (1864-67) en adoptant comme successeur un fils d'Iturbide.

Législation actuelle. Selon la loi du 31-1-1917, la noblesse n'est pas reconnue et le Mexicain acceptant un titre étranger perd sa nationalité ou sa citoyenneté.

• **Monaco.** *Titres créés* au XIXe s. : 2 marquis, 1 comte, 1 baron. *Au XXe s.* quelques titres conférés pour la famille régnante : 1 titre *ducal* 1920 pour Charlotte de Monaco (Desse de Valentinois ; création selon le droit monégasque, le Valentinois et les Baux étant cependant des fiefs français) ; 1 *baronnial* Baronne de Massy (fief fr.) pour la sœur du Pce.

• **Monténégro.** Titres d'*archiduc, duc, marquis, comte,* conférés entre 1697 et 1852 avant l'indépendance. Danilo Ier conféra quelques titres de *baron* et Nicolas Ier accorda, même en exil en 1920, des titres de duc, marquis, comte, baron à des étrangers.

• **Norvège.** La Constitution du 17-5-1814 interdit la création de titres nobiliaires. En 1821, les titres sont abolis. Familles de l'ancienne noblesse (antérieure à 1821) subsistant : une quarantaine.

• **Panamá.** *Titres concédés* 4 (1 duc, 2 marquis, 1 comte), dont 3 dans la descendance de Christophe Colomb : duc de Veraguas concédé 19-1-1537 à Diego Colón, son fils, comme suite à la demande d'exécution, présentée par Diego Colón à Charles Quint, des promesses faites à son père en 1492 par les Rois Catholiques. Après l'arbitrage d'une commission présidée par le cardinal Loaysa, confesseur de l'empereur, la province de Veraguas (découverte par Colomb lors de son 4e voyage), située entre l'actuel Costa Rica et Panamá, lui fut concédée avec le titre de duc, la prééminence de la dignité d'amiral et 10 000 ducats de rente perpétuelle sur la maison des Indes. Elle fit retour au domaine royal après une transaction au milieu du XVIe s. ; la famille Colomb conserva le titre ducal et la rente ainsi que le titre de Mis de la Jamaïque concédé 1537.

• **Pays-Bas.** *Au Moyen Age,* seul subsistait la qualification de chevalier *(ridder)* à l'époque où les Pays-Bas étaient gouvernés par de hauts seigneurs féodaux dont les Ctes de Hollande et de Zélande, les ducs de Gueldre et de Brabant et les évêques d'Utrecht. Le Limbourg actuel relevait des ducs de Gueldre et de Clèves et de l'évêque de Liège. Des gouverneurs de la maison de Saxe régnèrent quelques années sur la Frise jusqu'à ce que Charles Quint l'inclût dans son territoire. *Sous les Habsbourg :* titres de droit espagnol conférés. *République (1579-1795) :* quelques titres de princes étrangers. *Sous Louis-Napoléon (1806-10) :* peu d'anoblissements et de concessions de titres. *Napoléon Ier* (annexion 1810-13) : quelques titres pour membres de familles féodales et autres. *1813 (retour de la maison d'Orange-Nassau avec le futur Guillaume Ier) :* les familles d'ancienne noblesse nationale (féodales) furent reconnues et reçurent le titre de baron qu'elles avaient déjà à la fin du XVIIe s., celles de noblesse étrangère furent incorporées et d'autres anoblies eurent droit au titre de *jonkheer* (écuyer). Les titres de comte et de chevalier remontent au St Empire romain ou à l'Empire français. Les anoblis grâce à leur mérite reçurent le titre de comte ou de baron, souvent par primogéniture. **Statistiques.** *Nombre de familles anoblies* à partir de 1814 (outre celles devenues belges en 1830-39 au moment de l'indépendance de la Belgique) : 571 (247 éteintes) dont portant le titre de marquis 1 (de Heusden, donné à Trench Le Poer, earl of Clancarty), comte 38 (20 éteintes), baron 196 (81 é), chevalier 2 (5 é), jonkheer 325 (141 é). *Titres de Pce des P.-Bas* fut concédé 1966 à Claus von Amsberg lors de son mariage le 10-3-1966 avec la Pcesse héritière Beatrix, comme ce fut le cas avec les époux des reines Wilhelmina et Juliana.

• **Pérou.** *Titres conférés par l'Espagne* 112 : 58 marquis, 53 comtes, 1 vicomte. François Pizarre, conquistador du Pérou, reçut de Charles Quint, à son retour en Espagne en 1537, un titre sans dénomination propre, avec 20 000 vassaux dans la région d'Altabillos et fut désigné comme « Mis d'Altabillos ». Son arrière-petit-fils, Juan Fernando Pizarro, fut le 8-1-1631 titré Mis de la Conquista.

• **Philippines.** *Titres conférés par l'Espagne* 8 : 2 marquis, 5 comtes, 1 vicomte.

• **Pologne. Noblesse.** Avant 1420 existait la Szlachta, noblesse constituée des magnats et propriétaires fonciers représentant env. 10 % de la pop., qui bénéficiait d'une égalité de droits entre ses membres et était hostile aux titres héréditaires. Seule la hiérarchie des fonctions assurait une distinction entre les nobles dans cette monarchie élective. Le plus élevé des honneurs était la noblesse et il n'y avait rien au-dessus. Même le roi élu ne pouvait rien contre cette égalité. L'Union de Lublin entre la Pologne et la Lituanie (1569) entraîna l'incorporation des qualifications de prince chez les anciennes familles dynastiques des deux États. Il y avait 725 000 nobles en 1760 pour 7 millions d'hab. *D'après la Constit. du 21-3-1921,* la P. (devenue une république indépendante) ne reconnaissait « aucun privilège héréditaire ou de classe, aucune armoirie, aucun titre de noblesse ou autre... » La *Constitution du 23-3-1935* abroge ce texte. Actuellement, noblesse et titres sont abolis.

Titres. *Pologne partagée.* Aucun ne fut conféré par les rois de P. mais par des puissances étrangères : Autriche, Prusse, Russie (qui s'étaient partagé 3 fois la Pol. en 1772, 1792, 1795), France (Ier Emp.), Italie, St Empire, Saxe. **Statistiques.** *Familles* titrées 286. *Princes :* 18 familles dont 10 d'origine dynastique, soit 2 descendants des P^ces^ qui régnèrent en Lituanie avant le XIVe s. (Giedroyc, Sanguszko), 5 issues de Rurik (dont Massalski, Oginski), 3 de Guedymine (dont Czartoryski) et 8 qui avaient obtenu leurs titres princiers [1 du pape, 4 du St Empire (dont Jablonowski, Radziwill, Lubomirski), 2 de la Diète de P. (Sapieha, Poniatowski), 1 du tsar de Russie]. 8 autres familles d'origine dynastique appauvries avaient abandonné leur qualification de P^ce^. *Marquis* 2 : Umiastowski, Wielopolski, C^tes^ du St Empire avec confirmation du titre de Mis par Alexandre II en 1879. *Comtes* 196 : du St Empire et de l'Autriche 104, Prusse et Allemagne 41, royaume de P. 19 (1815-30), pape 17, Russie 9, Saxe 4, Italie 2. *Vicomte* 1 : Verny-Geraud, autorisé 1824 à porter son titre. *Barons* 37 : Autriche 19, de Napoléon Ier 13, roy. de P. 3, Prusse 1, Saxe-Cobourg-Gotha 1. *Chevaliers* 41 de Napoléon Ier entre 15-3-1810 et 16-8-1813, mais comme 8 obtinrent des titres de baron ou de comte, il en reste 33.

• **Porto Rico.** *Titres conférés par l'Espagne* 6 : 3 marquis, 3 comtes. Titres interdits, mais tolérés mondainement.

• **Portugal.** Seuls sont reconnus les titres conférés sous l'ancienne monarchie (jusqu'en 1910), en petit nombre. Un Conseil de la noblesse autorisé par le prétendant au trône dom Duarte de Bragance († 1977) puis par son fils, autre dom Duarte (portant le titre de S.A.R. le duc de Bragance), constitue, non officiellement, le seul organisme en matière de titres, dont l'usage privé n'était pas interdit, voire toléré parfois, dans des décrets officiels, sans que cela ne constitue ni une règle ni un droit. **Titres :** Duc 3 (Cadaval, Palmela, Lafões) + 2 (1982) pour les frères de dom Duarte (infants Michel, duc de Viseu, Henri, duc de Coïmbra). Marquis 32. Comte 101. Vicomte 71. Baron 10. Seigneur 1 (actuellement la dame de Casa Solar do Paço de Pombiero). *Qualification* chevalier tombée en désuétude.

• **Roumanie.** Jusqu'au début du XVIIe s., la Moldavie est régie par des voïvodes de la dynastie des Musat et la Valachie par ceux de la dynastie des Basarab. Les trônes sont ensuite électifs. Il existait une noblesse de fait : familles de grands boyards, d'origine autochtone ou phanariote (venant du Phanar, quartier de Constantinople), se définissant par les hautes fonctions exercées dans le gouv. des 2 principautés. En 1858, la Convention de Paris (loi fondamentale du pays jusqu'au « coup d'État » du 2-5-1864 du P^ce^ Couza) abolit rangs et privilèges des boyards. Les principautés porteront le titre de Principautés unies de Moldavie et Valachie. Les Constitutions de 1866 et de 1923 interdisent les titres mais l'usage reconnut la qualité princière à certaines de ces familles, dont : Bibesco, Brancovan, Callimaky, Cantacuzène, Ghika, Mavrocordato, Moruzi, Rosetti, Soutzo, Stirbey, Stourdza. *Liste des familles autochtones :* Balaceanu, Baleanu, Bals, Bogdan, Bratianu, Campineanu, Catargi, Filipescu, Florescu, Golescu, Gradisteanu, Grecianu, Kogalniceanu, Magheru, Manu, Vacarescu. *L'héritier du trône* portait le titre de grand voïvode d'Alba Julia.

• **Royaume-Uni.** Voir à l'Index.

• **Russie.** Voir à l'Index.

• **Saint Empire.** Voir Allemagne à l'Index.

• **Saint-Marin.** Le Conseil grand et général a concédé des titres de 1621 à 1907, puis de 1928 à 1976 : duc, marquis, comte, vicomte, baron, patricien et noble. Dernier titre : 1976 (au comte François Porteu de La Morandière). Dep. le 13-2-1986, la concession des nouveaux titres est interdite. **Statistiques** (1861 à 1976). 177 titres concédés [1 princesse (Pallavicini, en 1961), 12 ducs, 19 marquis, 76 comtes, 4 vicomtes, 39 barons, 1 prédicat, 5 patriciens, 20 nobles (dont 73 héréditaires et seulement 3 personnels conférés entre 1960 et 77)].

• **Suède.** Les titres furent institués par Erik XIV en 1561 qui créa 3 titres de comte et 9 de baron. La maison des Nobles *(Riddarhus)* instituée 1626 par Gustave Adolphe « classa » la noblesse. Supprimée comme chambre haute en 1866, elle subsiste comme organisme représentatif de la noblesse suédoise. 200 familles britanniques entrèrent dans la noblesse, dont 44 d'origine anglo-écossaise. *Duc :* un titre autorisé : duc d'Otrante (Fouché). *Comte :* porté par le chef de nom et d'armes et par ses héritiers en primogéniture mâle (Brahe fut le 1er comte). *Baron :* porté par tous les descendants mâles du titre (Oxenstiern fut le 1er baron). Les filles non mariées des comtes et barons portent le titre de comtesse ou baronne avant leur prénom. *Nombre en 1990 :* comtes 46, barons 123, familles nobles sans titres 449.

• **Tchécoslovaquie.** Quelques titres de P^ces^ furent concédés dans le royaume de Bohême, tel celui de P^ce^ Kinsky (1746) porté encore en Europe. Noblesse et titres ont été abolis (loi du 10-12-1918).

• **Turquie.** Noblesse et port des titres abolis et interdits (Constitution du 10-1-1945).

• **Vatican.** *Titres :* prince, duc, marquis, comte (le plus fréquent), vicomte (un seul cas), baron et l'anoblissement. Les titres ont été délivrés le plus souvent « ad personam » et rarement héréditairement, et fort peu à des femmes (si le titre était héréditaire, le fils aîné de la bénéficiaire devait en demander confirmation). Les principales concessions furent faites à des Fr., des Italiens, des Espagnols. *Concessions depuis 1929* (création de l'État du Vatican) sont très rares : prince 1, marquis 1 (1929, Pacelli), comte 1 (1932). La concession des titres nobiliaires n'entraînait pas le droit de bourgeoisie à la Cité du Vatican. L'anoblissement héréditaire fut aboli le 11-11-1931 et le port de titres nobiliaires interdit aux évêques le 12-5-1951. Le pape Paul VI a fait savoir le 13-1-1964 qu'il n'y aurait plus de concession de titres.

• **Venezuela.** *Titres conférés par l'Espagne* 8 : Marquis 6. Comte 1. Vicomte 1.

• **Yougoslavie.** La Constitution du 3-9-1931 ne reconnaissait aucun privilège de naissance tel que ceux de la noblesse et des familles titrées. Mais le souverain pouvait conférer ou reconfirmer des titres. Le roi Alexandre Ier avait reconfirmé 3 titres (dont celui de comte Mijatovich). Le 29-11-1945 la monarchie a été abolie par l'Assemblée Constituante de la Y. démocratique fédérale (D.F.J.) bien que le roi Pierre II n'ait jamais abdiqué. *Statistiques 1988 :* familles nobles subsistantes 223. Le roi Pierre II a conféré et confirmé 7 titres : *prince* 1 (Premuda), *duc* 1 (Saint-Bar), *comtes* 4, *barons* 2 (dernier : 1964, Gilbert de Melita, d'origine anglaise, résidant au Portugal). Seuls les membres de la famille roy. étaient (et sont) P^ces^ (ou P^cesses^) de Youg.

Ordres et décorations

Ordres de l'ancienne chrétienté

• **Ordres religieux militaires.** *Origine.* La croisade – c.-à-d. la défense, sous le signe de la Croix – de la chrétienté dans les domaines spirituel et temporel contre l'hégémonie des Infidèles, a donné naissance à 2 catégories d'ordres : ceux des grandes croisades internationales comme les 5 ordres ibériques (Alcantara, Calatrava, St-Jacques de l'Épée, Montesa, Avis) qui furent d'abord militaires. Ces milices, levées pour repousser les Maures, obtinrent du pape bénédictions, approbations et règles, et de leur souverain des donations permettant d'ériger des établissements religieux où l'on remerciait Dieu, la Vierge et les saints ayant permis les victoires.

Après le départ de l'envahisseur, certains de ces ordres devinrent des communautés religieuses et/ou hospitalières. Plus tard sécularisés et rattachés à la couronne, ils ne furent plus que des corps de distinction et leurs insignes devinrent souvent de simples « décorations ».

• **Ordres de Terre sainte.** Dès le VIe s. des chrétiens d'Europe se rendaient en pèlerinage aux Lieux saints. Certains y restèrent et fondèrent de petites communautés religieuses pour accueillir, nourrir et soigner d'autres pèlerins ou la population locale. Ainsi, Godefroy de Bouillon entrant à Jérusalem en 1099 y trouva les frères de l'hôpital St-Jean. Les croisades suscitèrent de nombreuses fondations de ce genre qui reçurent du pape bénédictions, bulles d'approbation et règles. Certaines (Hospitaliers de St-Jean) organisèrent des milices privées pour assurer la sécurité du pays. Strictement religieuses au départ, ces communautés devinrent mixtes, comprenant des religieux voués aux tâches hospitalières, et des chevaliers avec leurs servants d'armes, qui affrontaient l'ennemi. Après le retrait des chrétiens du Levant, la plupart de ces ordres disparurent. 5, les plus importants, ont survécu. On peut supposer que les frères religieux étaient obligatoirement revêtus de la robe de leur état et de leur congrégation, frappée de l'insigne, robe qu'ils protégeaient sans doute d'un scapulaire de toile pour donner les soins aux malades et vaquer aux tâches domestiques.

Les frères militaires, afin de se reconnaître dans les mêlées, revêtaient sur le haubert un survêtement de tissu distinctif. Les chevaliers templiers avaient une cotte d'armes blanche frappée d'une croix rouge. Les chevaliers hospitaliers portaient une soubreveste rouge à la croix latine blanche.

Vœu de chasteté. Les religieux-soldats des ordres militaires sont, jusqu'au XIIIe s., tenus aux vœux de chasteté, pauvreté, obéissance, qui sont obligatoires dans les ordres religieux. Leur règle est souvent celle de St Benoît, modifiée spécialement pour eux par St Bernard (1128). Celle de St Augustin fut adoptée par les teutoniques et les frères du St-Sépulcre et de St-Lazare.

Les ordres militaires des Lieux saints

Généralités. Les 2 plus importants (souvent rivaux) ont été le *Temple* et l'*Hôpital* (St-Jean). Subsistent aujourd'hui 2 ordres à vocation internationale : [les Hospitaliers de St-Jean (ordre souverain de Malte), et les frères du St-Sépulcre (ordre équestre du Saint-Sépulcre de Jérusalem)] et les frères de Ste-Marie des Teutoniques, ces derniers constituant une communauté religieuse germanique (voir p. 1234 et 1235).

Ordres internationaux

L'ordre souverain de Malte et l'ordre équestre du St-Sépulcre de Jérusalem sont les 2 seuls ordres reconnus par le St-Siège et dans le monde entier, notamment par la France. Celle-ci reconnaît également, pour des raisons historiques, le Grand Bailliage de Brandebourg de l'ordre de St-Jean de l'Hôpital de Jérusalem (voir ci-contre).

Ordre souverain de Malte

Nom. Ordre souverain militaire et hospitalier de St-Jean de Jérusalem, de Rhodes et de Malte, ou ordre souverain de Malte (O.S.M.).

Origine. Dès la fin du IXe s. existaient à Jérusalem une église et un couvent placés sous le patronage de saint Jean, où des moines venus d'Italie donnaient des soins aux pèlerins chrétiens et aux malades de toutes confessions. Quand Godefroy de Bouillon (1re croisade) entra à Jérusalem en 1099, l'Ordre existait déjà sous l'autorité de frère Gérard (probablement né à Martigues en Provence ?), ultérieurement béatifié. L'ordre fut approuvé par le pape Pascal II en 1113. Après la mort de frère Gérard (env. 1120), son successeur, Raymond du Puy (premier qualifié maître de l'ordre), compléta le caractère originel de l'institution qui devint également militaire par l'organisation d'une milice privée. L'ordre était divisé en régions, dites **langues :** Provence, Auvergne, France, Italie, Aragon-Navarre, Castille-León-Portugal, Angleterre et Allemagne. Le chef de chaque langue portait le titre de *pilier.*

Les Hospitaliers, chassés par les Ottomans en même temps que les Croisés, s'établirent successivement à Chypre (1291), puis à Rhodes (1309) et à Malte (1530) que Charles Quint leur avait donné en fief. L'ordre resta souverain de l'île jusqu'à sa capitulation devant Bonaparte en 1798.

L'empereur Paul Ier de Russie, offrant asile à quelques chevaliers ne pouvant regagner leur pays d'origine, s'institua « protecteur » de l'ordre. Le 27-10-1798, les chevaliers exilés à St-Pétersbourg le proclamèrent « grand maître » mais cette élévation à la grande maîtrise d'un orthodoxe (donc schismatique), marié et n'ayant jamais appartenu à l'ordre (il était seulement décoré, en tant que monarque ami, de la grand-croix d'honneur), n'était ni constitutionnellement ni canoniquement valide, et Pie VI refusa de reconnaître cette élection. L'emp. Alexandre Ier, qui avait saisi l'irrégularité de la situation et ne souhaitait pas la prolonger, édicta le 16-3-1801, 4 j après son accession au trône, que l'ordre devait élire son grand maître selon ses statuts et usages antiques. Comme on ne pouvait convoquer une assemblée générale des membres de l'ordre, il fut convenu qu'il serait proposé au pape de choisir, pour cette unique fois, un grand maître parmi les candidats déjà élus par chacun des prieurés de l'ordre. Le 9-2-1803, Pie VII choisit le candidat élu par le prieuré de Russie, le bailli Jean-Baptiste Tommasi, qui devenait ainsi légitimement le 73e chef suprême de l'ordre. En 1801, l'ordre s'était installé définitivement en Italie.

L'ordre fut souvent un novateur. *1er service hospitalier :* un hospice international à Jérusalem pouvant recevoir plus de 1 000 malades à la fois (fin du XIe s.). *1er drapeau :* avant que la notion d'emblème national existât, l'ordre avait fait approuver par le pape Innocent II, en 1130, une oriflamme rouge à croix blanche que l'on doit considérer comme le 1er drapeau. *1re armée permanente. 1re école navale. 1re retraite du combattant.*

Entre-temps, l'Angleterre avait ravi Malte aux Français, en nov. 1800, mais le traité d'Amiens (1802) avait confirmé les droits de l'ordre sur l'île et ses dépendances. Les hostilités ayant repris entre Fr. et G.-B., celle-ci n'appliqua pas les clauses du tr. Le nouveau Grand Maître Tommasi s'installa donc en Sicile, y attendant la possibilité de recouvrer son territoire. En 1814, *le tr. de Paris* entérina une situation de fait en reconnaissant à la G.-B. la possession de Malte, décision confirmée par les tr. suivants, bien que l'ordre spolié n'ait jamais renoncé à sa souveraineté ainsi bafouée.

Statut. A Malte, l'ordre était le vassal du roi des Deux-Siciles, lui-même vassal du pape. Il fut très tôt une monarchie élective et constitutionnelle fortement hiérarchisée dont les membres étaient recrutés parmi de nombreuses nations (France, Italie, Espagne, G.-B., Allemagne). Il possédait un territoire, une population, une autorité responsable, une armée, le droit de battre monnaie et d'entretenir des relations diplomatiques avec d'autres nations par des ambassadeurs accrédités [jusqu'à son départ de Malte en 1798, l'ordre entretenait 4 ambassades : auprès du pape, de l'emp. des Romains roi de Germanie (Autr.), du roi de Fr. et du roi d'Esp. ; il en aurait eu auprès du roi d'Angl. si Henri VIII n'avait pas dissous et spolié l'ordre dans ses États en 1540]. De nos jours, ordre souverain, personnalité juridique de droit international, il possède dans Rome un territoire de quelques ha [2 parties : villa Malta, sur l'Aventin (ancien bien des Templiers, donné aux Hospitaliers en 1312 et devenu siège du grand prieuré de Rome), également résidence des ambassadeurs auprès du Quirinal et du Vatican ; palais de la via Condotti, siège du grand magistère et du gouvernement bénéficiant de l'exterritorialité]. Il bat monnaie (non reconnue), émet des timbres (il y a un surintendant des postes magistrales et de la monnaie. **Timbres :** valables pour la correspondance avec 37 pays : Argentine, Autriche, Bénin, Burkina, Cameroun, Cap-Vert, Chili, Comores, Congo, Costa Rica, C.-d'Ivoire, Cuba, Équateur, Gabon, Guatemala, Guinée-Bissau, Guinée Conakry, Honduras, Hongrie, Liban, Liberia, Macao, Nicaragua, Niger, Panamá, Paraguay, Philippines, Portugal, Salvador, São Tomé et Príncipe, Sénégal, Sierra Leone, Somalie, Togo, Uruguay, Venezuela, Zaïre et à Rome entre les 2 propriétés de l'ordre). *Relations diplomatiques* (ambassades ou légations) : est reconnu État souverain par 54 nations. Il a également des représentants auprès de la France, de la Suisse et de la Belgique, des délégués officiels en All. féd., au Luxembourg et à Monaco ainsi que des représentants auprès des institutions internationales : Conseil de l'Europe à Strasbourg, UNESCO, UNHCR, Comité internat. de la Croix-Rouge, OMS, Comité intergouvernemental pour les migrations européennes, tous à Genève.

Prince et Grand Maître. Élu parmi les chevaliers religieux (profès) par le Conseil complet d'État de l'ordre (élection soumise à l'approbation pontificale). Le gd maître Pierre d'Aubusson fut fait cardinal après avoir soutenu, victorieusement, le siège de Rhodes en 1480. Hugues de Verdalle (gd maître de 1581 à 98) fut également cardinal. Dep. 1630, le gd maître jouit des honneurs cardinalices d'où le prédicat d'Altesse Éminentissime, mais il ne participe ni aux conclaves, ni aux conciles, ni à aucune des assemblées du Sacré Collège. *Titre habituel :* Son Altesse Éminentissime, le Pce grand maître ; dans ses actes : frère N... par la grâce de Dieu, humble maître de l'hôpital sacré de St-Jean de Jérusalem et de l'ordre militaire du St-Sépulcre du Seigneur, et gardien des pauvres du Christ. *Gd maître (78e) :* S. A. É. Fra Andrew Bertie (Londres 15-5-1929), élu 8-4-1988. *Souverain Conseil :* véritable gouvernement, l'assiste.

Drapeau (le plus ancien du monde, approuvé 1130 par le pape Innocent II). De gueules à la croix d'argent. **Emblème.** Croix blanche à 8 pointes dite « de Malte ». **Distinction.** *Pro merito melitensi* (mérite de l'ordre), croix 5 cl. et médaille 3 cl.

Membres dans le monde. 11 000 (France 450). 3 classes : 1) *Chevaliers de justice et chapelains conventuels, profès de vœux de religion.* 2) *Chev. d'obédience et donats de justice* (promettent de tendre à la perfection de la vie chrétienne). 3) *Ceux qui ne font ni vœu de religion ni promesses,* divisés en 6 branches : chev. et dames d'honneur et de dévotion ; chapelains conventuels « ad honorem » ; chev. et dames de grâce et de dévotion ; chapelains magistraux ; chev. et dames de grâce magistrale ; donats de dévotion. La catégorie de « grâce magistrale » (aucun principe de noblesse requis) constitue plus de 60 % des effectifs.

Activités. Léproseries, hôpitaux, dispensaires, centres de rééducation, services d'ambulances, etc., répandus dans le monde entier. Équipes médicales et d'urgence en tout lieu pour aider les victimes de guerres ou de cataclysmes, auxquelles il apporte médicaments, vivres, abris, vêtements. Importante action au Liban.

En France. *Représentant officiel auprès de la France :* bailli Cte Géraud Michel de Pierredon (n. 22-4-16). *Prés. Ass. Fr. :* bailli Pce Guy de Polignac (29-4-05). *Adresse :* 92, rue du Ranelagh, 75016 Paris.

Fondation de l'ordre de Malte pour la recherche et la sauvegarde de son patrimoine. 92, rue du Ranelagh, 75016 Paris. *Créée* 1987. 7 membres fondateurs ; m. d'honneurs, bienfaiteurs, titulaires et associés.

Prière quotidienne des membres de l'ordre de Malte

Seigneur Jésus, qui avez daigné m'appeler dans les rangs de la Milice des Chevaliers de Saint-Jean de Jérusalem, je vous supplie humblement par l'intercession de la Très Sainte Vierge de Philerme, de saint Jean Baptiste, du Bienheureux Gérard et de tous les saints, de m'aider à rester fidèle aux traditions de notre Ordre, en pratiquant et en défendant la religion catholique, apostolique et romaine contre l'impiété et en exerçant la charité envers le prochain, avant tout envers les pauvres et les malades. Donnez-moi les forces nécessaires pour pouvoir mettre en exécution ces désirs, selon les enseignements de l'Évangile, avec un esprit désintéressé et profondément chrétien, pour la gloire de Dieu, la paix du monde et le bien de l'Ordre de Saint-Jean de Jérusalem. Ainsi soit-il.

Ordres de Saint-Jean

Grand Bailliage de Brandebourg de l'ordre des Chevaliers de Saint-Jean de l'Hôpital de Jérusalem. *Ordre protestant autonome. Vers 1250* le grand prieuré d'Allemagne des Hospitaliers de St-Jean de Jér. englobant bailliage de Brandebourg, Bohême, Hongrie et Dacie se constitue. *1332,* les chevaliers se donnent un chef local, le *maître et grand bailli (Herrenmeister). 1382,* le Gd Maître de l'ordre (alors à Rhodes), Jean-Ferdinand de Heredia, accepte l'élection du *grand bailli* sous réserve de l'approbation, toujours consentie, du Gd Prieur d'Allemagne. *A la Réforme,* 7 des 13 commanderies du gd bailliage embrassent la confession nouvelle. *1555* le tr. d'Augsbourg, établissant la tolérance religieuse, les reconnaît. *1648,* le tr. de Westphalie règle la situation du grand bailliage, vis-à-vis du grand magistère installé à Malte depuis 1530. Le grand bailliage acquiert sa liberté moyennant 2 500 florins d'or, reporte son allégeance sur les margraves de Brandebourg et prend la dénomination d'**ordre évangélique de St-Jean** ou **Johanniter Orden,** qui, par la suite, choisira ses maîtres parmi les princes de la maison de Hohenzollern. *1810,* Frédéric-Guillaume III, roi de Prusse, sécularise l'ordre, confisque ses biens, supprime la dignité de *grand bailli. 1812,* il institue l'*ordre royal prussien de St-Jean,* plus connu sous le nom de *St-Jean de Prusse,* dont il s'intitule grand protecteur. *1852,* Fréd.-Guill. IV rétablit l'*Ordre évangélique* selon la structure du grand bailliage de Brandebourg dont le *maître et grand bailli,* élu par les chevaliers reçus avant la sécularisation, fut le prince Charles de Prusse, frère du roi. Depuis leur fondation, les commanderies française, finlandaise, hongroise (actuellement en exil) et helvétique sont restées attachées au bailliage de Brandebourg, faute de pouvoir reporter leur allégeance sur un prince national de confession réformée. *Maître et grand bailli :* Pce Guillaume-Charles de Prusse. *Commanderie française :* 38, rue de Laborde, 75008 Paris. Commandeur : Bertrand de Bary. Sec. gén. M. de Luze. *Décoration :* Croix de mérite (2 classes).

☞ Le grand bailliage de Brandebourg a donné naissance à 2 rameaux nationaux :

Johanniterorden i Sverige. *1170,* Valdemar Ier de Danemark fonde un gd prieuré englobant les pays scandinaves. *A la Réforme,* les commanderies du prieuré sont confisquées et les chevaliers suédois se rattachent au gd bailliage de Brandebourg. *1920,* ils forment une commanderie nat. *1945,* le roi de Suède devient le *haut protecteur* héréditaire et nomme le *Kommendör* (Commandeur), actuellement le Gal Frederick Löwenhielm.

Johanniter Orden in Nederland. *1909,* les chevaliers néerlandais, jusqu'alors membres du Gd bailliage de Brandebourg, fondent une commanderie nat. *1946,* elle reporte son allégeance sur le souverain (la reine Wilhelmine) qui nomme le *Landcommandeur,* actuellement le Pce Bernard des P.-Bas.

Grand Priory of the British Realm of the most venerable Order of the Hospital of St John of Jerusalem ou The Order of St John. *1540,* le Gd prieuré d'Angleterre est supprimé par Henri VIII. *1557,* rétabli par Marie Ire. *1560,* spolié par Élisabeth Ire qui le met en sommeil sans l'abolir. *1827,* les chevaliers anglicans élisent un gd prieur et veulent reconstituer un ordre de leur confession. *1888,* Victoria octroie une charte royale au gd prieuré qui prend sa dénomination actuelle et fait acte d'allégeance à la reine qui devient *chef souverain (Sovereign Head)* par des liens personnels et non d'État. Depuis, tous les monarques britanniques portent ce titre et confèrent la dignité de *Gd Prieur (Lord Prior)* à un membre de la maison royale, actuellement le duc de Gloucester. The Order of St John est représenté auprès de l'ordre souverain de Malte par un officier de liaison.

Alliance des ordres de chevalerie des Hospitaliers de St-Jean de Jérusalem. Créée *1961* par les 4 ordres non catholiques cités ci-dessus. En sont également membres les 4 commanderies non allemandes du Gd bailliage de Brandebourg. *Siège* à Berne.

Ce sont là les 4 seuls ordres qui, issus de la même souche, peuvent, avec l'ordre souverain de Malte (catholique), se prévaloir du vocable de St-Jean de Jérusalem. Ils jouissent de la reconnaissance officielle des États dans lesquels ils existent.

Ordre équestre du Saint-Sépulcre de Jérusalem (1099)

Origine. *1099* fondé à Jérusalem, par Godefroy de Bouillon, chargé d'assurer la garde et la prière au St-Sépulcre. Les chevaliers, auxquels Baudouin Ier donna leurs premiers règlements en 1103, assistaient les clercs de la milice du St-Sépulcre (ultérieurement chanoines) et étaient comme eux soumis à l'autorité du patriarche latin de Jérusalem. *1291* après la disparition du royaume latin de Jérusalem, les chevaliers se replièrent dans leur pays d'origine, puis allèrent de nouveau se faire adouber à Jérusalem, sur le tombeau du Christ, par le Custode de Terre sainte rétabli en 1336. Tout au long de son histoire, l'ordre s'emploie à œuvrer pour la propagation de la foi, à faciliter les pèlerinages aux Lieux saints et à maintenir la présence catholique en Terre sainte. *1847* rétablissement du patriarcat de Jérusalem, le pape Pie IX dote l'ordre de nouveaux statuts et le donne comme soutien à ce patriarcat. Il autorise les chevaliers à se faire adouber dans leurs pays d'origine. Le patriarche devient alors « Recteur de l'Administration de l'Ordre ». Par la suite, Pie X,

Benoît XV et Pie XI assument la grande maîtrise de l'ordre, avant qu'elle ne soit confiée en 1939 à un cardinal. L'ordre du St-Sépulcre et l'ordre de Malte sont les seuls reconnus par le gouv. français.

Emblème. Les armes du roy. de Jérusalem : d'argent à la croix potencée cantonnée de 4 croisettes, mais d'émail de gueules (rouge) pour rappeler les 5 plaies du Christ.

Organisation. Grand magistère. *Grand Maître :* S. Em. le cardinal Caprio. *Grand Prieur :* Sa Béatitude Mgr Sabbah, patriarche latin de Jérusalem. *Assesseur :* Mgr del Gallo di Roccagiovine. *Gouverneur général :* Pce Massimo Lancellotti. *Lieutenances* dans 31 pays. *Chevaliers et dames* 12 000. **En France :** *Lieutenant de France :* Gal Cte Louis d'Harcourt (n. 2-5-1922). *Chancelier :* Me Roland Jousselin. 400 chevaliers et dames, 14 délégations régionales. *Association française des œuvres de l'ordre :* 5, av. Montaigne, 75008 Paris. Reconnue d'utilité publique par décret du 29-12-1975.

Buts et activités. Accroître, au sein de ses membres, la pratique de la vie chrétienne par des pèlerinages, retraites et recollections notamment à Paris : l'église St-Leu/St-Gilles, égl. capitulaire de l'ordre dep. 1780. Encourager conservation et propagation de la foi en Terre sainte en y soutenant les droits de l'Égl. catholique en contribuant aux œuvres du patriarcat latin de Jérusalem. L'ordre entretient en Terre sainte 52 paroisses, 42 écoles (14 000 élèves), des crèches, des dispensaires, le séminaire de Beit Jala qui forme 70 séminaristes par an. La lieutenance de France a en charge la paroisse de Taybeh (ancienne Ephrem de la Bible) où elle a implanté une maison des pèlerins, un centre de soins et 1 école de 350 élèves.

Ordre du Temple

Origine. *1119,* Hugues, originaire de Payns en Champagne, chevalier croisé, réunit à Jérusalem 9 autres compagnons qui prennent la dénomination de « pauvres chevaliers du Christ » et font vœu de défendre les pèlerins et de protéger les chemins menant en Terre sainte. Le roi Baudouin II leur concède pour logis une salle de son palais de l'esplanade du Temple ; d'où le nouveau nom de la communauté dite des Templiers. *1127,* le pape Honorius II accorde son agrément officiel. *1128,* le futur St Bernard réunit à Troyes un concile qui définit la règle de l'ordre. Les Templiers participent à la défense du royaume franc de Terre sainte, organisent le commerce avec l'Europe et gèrent les finances des croisés. A la chute du royaume franc, ils se replient sur leurs commanderies d'Europe et le maître de l'ordre établit la « maison chevétaine » au Temple de Paris où le roi de Fr. dépose le trésor royal dont il confie la gestion aux Templiers. *1310 (13-10),* le roi Philippe IV le Bel, désireux de briser la puissance de l'ordre et de s'en attribuer les biens, fait arrêter les Templiers de son royaume sous l'accusation d'apostasie, d'outrage à la personne du Christ, de rites obscènes et d'idolâtrie. Ceux qui « avouent » (sous la torture) sont condamnés à l'emprisonnement, ceux qui nient sont voués au bûcher comme relaps. *1312,* le pape Clément V supprime l'ordre et en attribue les biens aux Hospitaliers de St-Jean de Jérusalem. Nombreux dans la péninsule ibérique, les Templiers y sont reconnus innocents. *1318,* Denis de Portugal, pour défendre son royaume de l'invasion sarrasine, les regroupe, avec ceux échappés de Fr., dans l'ordre des chevaliers du Christ. *1319 (14-3)* leur dénomination originelle est approuvée par le pape Jean XXII. *1789,* sécularisé il devient l'ordre du Christ (voir Portugal, p. 1244c).

• **Ordre teutonique. Origine.** *1190* fondé en Terre sainte, sur l'initiative de négociants hanséatiques de Brême et de Lübeck, pour le service hospitalier des pèlerins et des croisés tombés malades. *1191*-6-2 mis sous la protection pontificale. *1196*-21-12 le pape Célestin lui reconnaît le statut d'ordre. *1198*-5-3 érigé en ordre religieux, comprenant des prêtres, puis également des chevaliers, originaires des régions germanophones du St Empire. *1199*-19-2 Innocent III confirme cette érection. Vers *1234-1300* colonise l'Europe de l'Est. *1190* siège de l'ordre St-Jean-d'Acre. *1291,* Venise. *1309* Marienbourg. Battu à Tannenberg *1410* par les Lituaniens et les Polonais, puis *1466* perdit la Prusse occidentale et *1525* tous ses territoires de l'Est et se retira en Allemagne. *1809* dissous par Napoléon. *1834* rétabli par l'empereur Ferdinand Ier d'Autr. *1929* -27-11 il renonce à son statut d'ordre chevaleresque pour devenir un ordre religieux de type courant, privilégiant néanmoins les authentiques valeurs de la chevalerie. **Organisation.** *Grand Maître* (Hochmeister) : Père Dr Arnold Wieland (1-8-1940), élu pour 6 ans le 29-8-1988 (réside à Vienne). *Prêtres* et *frères* servants 65, *sœurs* servantes 361, *chevaliers* honoraires 12, *marians* (n'exerçant pas de responsabilités et ne prenant pas d'engagement) 480.

• **Ordre de Saint-Lazare.** Entre *1099* et *1187* à Jérusalem, les Lazaristes furent des frères hospitaliers s'occupant particulièrement des lépreux, d'où l'invocation de st Lazare, patron de ces malades. *1187* (chute de Jérusalem) devient militaire. *1256* sur pied d'égalité avec les autres grands ordres. *1291* replié en France à Boigny, près d'Orléans (fief acquis 1154, baronnie 1288). Autre fief à Paris (St-Lazare), château avec léproserie (acquis en 1150 ; a donné son nom à ce quartier).

Italie : branche indépendante, à Capoue, relevant du pape. *1608* dissolution des 2 branches (v. France, Ancien Régime et Italie, ci-après).

Décorations et ordres français

Ancien Régime

Ordres de chevalerie

• **Ordre des chevaliers de la noble maison de St-Ouen** ou **chevaliers de l'Étoile.** *Créé* par Jean le Bon en 1351, il disparut dès le règne de Charles V, pour des raisons inconnues, mais non – contrairement à la légende – pour avoir été trop distribué.

• **Ordre de St-Michel.** *Créé* par Louis XI le 1-8-1469 pour répliquer à la fondation de l'ordre bourguignon de la Toison d'or. Nombre de membres limité à 36 « gentilshommes de nom et d'armes » élus par les membres de l'ordre sous la présidence du Roi, lors du « chapitre » annuel, à mesure des extinctions. *Siège* (théorique) : abbaye du Mont-St-Michel (transféré ensuite à la Ste-Chapelle de Vincennes, puis, par Louis XIV, aux Cordeliers de Paris). *Tenue rituelle jusqu'à la fin du XVIe s. :* manteau blanc, scapulaire cramoisi avec capuchon. *Obligations religieuses :* office quotidien de St Michel, chapitre des coulpes aux réunions de l'O. (on s'accuse publiquement des manquements à la règle). Serment de fidélité irrévocable liant les chevaliers au grand maître et à la couronne de France. *Évolution après 1560 :* le chiffre limite de 36 membres est abandonné ; l'O. est conféré à de nombreux courtisans parfois non combattants. Comme il est ainsi dévalorisé, Henri III crée, en 1578, l'O. du St-Esprit, qui sélectionne 100 de ses membres. En 1661-65, Louis XIV décide de limiter également à 100 les chevaliers de St-Michel non décorés du St-Esprit et le destine peu à peu (non officiellement) à honorer également artistes et savants, préalablement anoblis. Il remplace l'insigne primitif (un collier composé de coquilles reliées par des « lacs d'amour » auquel était suspendu un médaillon représentant St Michel terrassant le dragon) par un grand cordon noir auquel est suspendue une croix de Malte centrée de l'image de l'Archange. Aboli par la Révolution, continué en émigration, rétabli sous la Restauration mais pour les seuls civils, supprimé en 1830.

• **Ordre du St-Esprit.** *Créé* par Henri III le 31-12-1578 (après la dévalorisation de l'O. de St-Michel). Henri III le plaça sous l'invocation du Saint-Esprit en mémoire des 2 événements les plus importants de sa vie, arrivés la veille ou le jour de la Pentecôte, son élection au trône de Pologne le 9-5-1573, et son avènement au trône de France le 30-5-1574. *Membres :* 100 gentilshommes français nobles depuis au moins 3 générations paternelles reçus préalablement chevaliers de St-Michel hors contingent. *Office à réciter quotidiennement :* celui du St-Esprit. *Costume revêtu pour le chapitre annuel :* manteau noir brodé de flammes d'or doublé d'orange, mantelet vert et habit complet de draps d'argent. *Collier* formé de 29 maillons plats quadrangulaires, où alternent des H couronnés, des trophées et des fleurs de lys entourés de flammes d'émail rouge. *Insigne :* croix d'or à 8 pointes pommetées émaillées vert et blanc, cantonnée de fl. de lys et portant au centre, à l'avers la colombe, au revers le médaillon de St Michel. Les jours ordinaires, cette croix était portée suspendue à un cordon bleu, d'où le surnom de « cordons-bleus ». *Plaque* pailletée cousue sur l'habit, représentant la colombe. Devenue d'argent au XIXe s. La croix des ecclésiastiques porte des 2 côtés une colombe. Les membres de l'O. du St-Esprit s'intitulent « chevaliers des O. du Roi » car ils ont toujours les 2 titres. Au contraire, les membres du seul O. de St-Michel se disent « chevaliers de l'O. du Roi ». Aboli par la Révol., continué en émigration, rétabli sous la Restaur. jusqu'en 1830.

• **Ordre de St-Lazare et N.-D. du Mont-Carmel.** Henri IV voulant donner au pape des gages de la sincérité de sa conversion fit créer en 1608 l'O. de N.-D. du Mont-Carmel par le pape qu'il unit à la branche française de l'O. de St-Lazare moribond (replié en France en 1291) et attribua les biens de ce dernier au nouvel O., portant la double dénomination. Le pape avait attribué de son côté les biens italiens de St-Lazare à l'O. savoyard de St-Maurice. Les nouveaux chevaliers (100) étaient tenus à la récitation du rosaire. Ils portaient le scapulaire du Carmel avec croix verte à 8 pointes : centrée, d'un côté, de la Vierge à l'Enfant et de l'autre, de Lazare, suspendu à un cordon vert puis ponceau. Théoriquement militaire, l'ordre comprendra souvent des officiers civils (principalement des diplomates) de la haute noblesse. Le roi, souverain chef et protecteur, nommait le Gd Maître (au XVIIIe s. un prince du sang) qui n'était reconnu par le pape qu'en tant que Grand Maître de N.-D. du Mt-Carmel. *Révolution :* quelques décorations furent données en émigration mais Louis XVIII et Charles X laissèrent l'ordre (fondé sur des preuves de noblesse) s'éteindre à la Restauration car il était contraire à la Charte de 1814 consacrant l'égalité des sujets du roi.

Nouvel ordre. *Vers 1910,* un O. de St-Lazare vit le jour et prétendit continuer l'ancien. Cette continuation fut considérée comme abusive par le Vatican, par la République italienne et par la Rép. française. Les membres de ce groupement ont constitué une *association,* régie par la loi de 1901, et dépourvue des caractéristiques voulues pour être considérée comme un authentique ordre de chevalerie d'une lignée historiquement démontrée, légitime et continue depuis les croisades. *Protecteur spirituel* S.B. Maximos V, patriarche grec melkite catholique d'Antioche, Alexandrie et Jérusalem. En 1967, l'administration française destitua le *Grand Maître* don Francisco de Bourbon-Séville (n. 1912, Gd Maître dep. 1952) et élut, Charles duc de Nemours (1905-70). *1969* le duc de Nemours est déposé, et le duc de Brissac élu 47e Gd Maître. *1980,* abandonnant la dénomination d'« ordre », il dote de nouveaux statuts son association qui prit le titre d'*Hospitaliers de St-Lazare.*

Groupement dissident : le duc de Nemours n'avait pas accepté sa déposition de 1969. Il entendit conserver sa gde maîtrise et nomma coadjuteur le Pce Michel d'Orléans (n. 1941, fils du Cte de Paris). A la mort du duc, le 10-3-70, le Pce Michel d'Orléans assura l'intérim ; le 22-5-73, don Francisco de Bourbon-Séville redevint Gd Maître. Le Pce Michel d'Orléans quitta ce groupement en 1976. Le groupement (siège à Malte) a créé une association déclarée à Strasbourg, ce qui ne vaut que pour l'Alsace et non pour l'ensemble du territoire français.

Des tentatives d'unification entre les 2 branches ont échoué. En septembre 1986, au cours d'un chapitre réuni à Oxford, François de Cossé-Brissac, marquis de Brissac (né 19-2-29), déjà coadjuteur de son père, le duc de Brissac démissionnaire pour raison d'âge (né 13-3-1900), fut élu *« 48e Grand maître de tout l'Ordre »* ce qui est contraire aux statuts de l'association dite *« Hospitaliers de Saint-Lazare »* en France en 1980 et tolérée comme telle par la grande chancellerie de la Légion d'honneur. Les partisans de don Francisco de Bourbon-Séville considèrent cette élection irrégulière.

• **Ordre de Cincinnatus.** Ordre américain reconnu par la monarchie française. A l'échelon français, il a été attribué à des officiers supérieurs et généraux de l'armée ou de la marine et à des officiers subalternes blessés ou récompensés. Juridiquement, il ne pouvait pas être considéré comme un ordre national, Washington n'étant pas chef d'État lorsqu'il le fonda, mais comme une association héréditaire se prévalant d'un insigne distinctif qui ne peut être considéré comme une décoration. Le nombre des 1ers titulaires fr. a été évalué à 370 par le Bon de Contenson, à 362 par l'Amér. Asa Brid-Gardner. Certains officiers français ayant servi dans l'armée américaine ont été admis dans la branche française de l'ordre. *Textes officiels de la monarchie reconnaissant l'Ordre américain comme « 1er ordre étranger »* (l'insigne se portant après la croix de St-Louis) : lettres de Louis XVI du 8-8-1784, confirmées par une lettre du 12-12-1789, au vice-amiral Cte Jean-Baptiste d'Estaing (1729-94, guillotiné), *1er Pt de la branche française,* du Cte César-Henri de La Luzerne (1737-89), ministre de la Marine et frère d'Anne-César, Mis de La Luzerne (1741-91), membre fondateur de l'ordre. (Voir Sté des Cincinnati, p. 1236).

• **Ordres royaux repris.** Depuis la disparition de la monarchie, plusieurs prétendants au trône de France

• **Société des Cincinnati.** Ordre héréditaire, institué en 1783, et dont les statuts ont été rédigés par le Gal Henry Knox (1750-1806), chef de l'école militaire de West Point, qui en devient le secrétaire général (1785-90), puis le Vice-Pt gén. (1805). *Premier Pt gén.* (1783-99) : George Washington (1732-99). *But* : regrouper les officiers anciens combattants de la guerre d'Indépendance américaine, puis leurs descendants (culte du souvenir, aide sociale), et spécialement les officiers français pour maintenir à jamais des liens étroits avec la France, sans laquelle la victoire contre la Grande-Bretagne eût été impossible ; conserver intacts les droits et libertés de l'individu, maintenir entre les États l'union et l'honneur national à l'exemple de Lucius Quintius Cincinnatus, héros de l'Antiquité classique qui, ayant commandé 2 fois en chef l'infanterie romaine (en 459 et 437 av. J.-C.) avec le titre de *dictator,* reprit après la victoire son métier de laboureur. Il était prévu au début que la qualité de membre se transmettrait de mâle en mâle par primogéniture, mais dès 1784, la transmission par les femmes héritières fut admise en cas d'extinction de ligne masculine. *Organisation :* dans chacun des 13 premiers États de l'Union (New Hampshire, Massachusetts, Rhode Island, Connecticut, New York, New Jersey, Pennsylvanie, Delaware, Maryland, Virginie, Caroline du Nord, Caroline du Sud, Georgie) et en France (depuis le 18-12-1783), existe une « branche » dirigée par un Pt, un Vice-Pt et un comité, chargés notamment de reconnaître les titres d'un candidat à la succession d'un membre héréditaire, qui est ensuite élu par les membres de l'Ordre.

Insigne : dessiné par le major Pierre L'Enfant (1754-1825 ; 1er secr. français) ; aigle d'or amér. avec ruban bleu clair bordé de blanc et rosette : l'aigle à tête blanche *(bald eagle)* a servi de modèle à celui de l'écusson des U.S.A. ; il porte un médaillon à fond bleu avec Cincinnatus à sa charrue. Sous l'Ancien Régime, il se portait immédiatement après la Croix de St Louis. La Gde Chancellerie en autorise le port en France, à condition qu'il soit épinglé sur le revers droit, le ruban étant remplacé par une rosette. Le Pt gén. reçoit l'aigle orné de diamants qui avait été offert en 1783 à Washington par la marine fr. De 1978 à 1980, il y a eu à Washington un vice-Pt gén. fr. *Siège social :* Sté gén. représentant les 14 Stés d'État : résidence Anderson House (Washington D.C.), qui abrite également le musée de la société.

Branche française de la « Société des Cincinnati ». Elle n'est ouverte qu'aux descendants (représentants, par primogéniture, de chaque famille) des généraux, des colonels ou capitaines de vaisseaux et des officiers morts à la guerre ou blessés au combat pendant la guerre d'Indépendance. A la chute de la monarchie, elle a été « mise en sommeil » *(rendered dormant).* Le dernier Français d'origine mourut en 1854. Les sociétés américaines continuèrent leur existence pendant que les Français restaient inactifs. Après la guerre de 1914-18 ils ressuscitèrent la branche française en se constituant (4-7-1925) en association suivant la loi de 1901. Déclarée 1-7-1930, reconnue d'utilité publique par décret 20-7-1976.

Siège : 9, av. F.-D.-Roosevelt, 75008 Paris. *Pts dep.* 1930 : duc de Broglie (Maurice), duc de Lévis-Mirepoix, duc de Castries († 1986), Cte François de Castries. *Secr. gén. :* marquis de Bausset Roquefort. *Membres :* 213 titulaires (héréditaires) et 22 honoraires choisis *intuitu personae* (à titre personnel et sans hérédité). Alphonse de Bourbon, duc d'Anjou et de Cadix († 31-1-1989) était m. titulaire depuis 1983, représentant le roi Louis XVI, son fils Louis-Alphonse lui succédera. Le Cte de Paris était m. titulaire représentant son aïeul le duc de Chartres, mais a choisi de ne plus l'être. Voir également Ordre de Cincinnatus, ci-contre.

Fils de la Révolution américaine. 52, av. des Champs-Élysées, Paris 8e. Association fondée en 1926. Branche fr. de la National Society of the Sons of the American Revolution (fondée en 1879). Ouverte à l'ensemble des descendants des combattants de la guerre d'indépendance américaine. *But :* entretenir l'amitié franco-américaine née sur les champs de bataille. *Insigne :* Croix surmontée d'un aigle ; rosette bleu, blanc, chamois. *Pt d'honneur :* S.E l'amb. des États-Unis : Cte René de Chambrun (n. 23-8-1906). *Pt : Cte* Michel de Rochambeau. *Membres :* 350.

Filles de la Révolution américaine (D.A.R.). 47 bis, bd des Invalides, 75007 Paris. Branche française (fondée 1934) de la National Society of the Daughters of the American Revolution (N.S.D.A.R.), fondée aux U.S.A. en 1890, regroupant les descendantes directes des combattants de la g. d'Indépendance : env. 250 000 membres dans le monde. *Admission :* après examen de la généalogie, en remontant jusqu'à la guerre d'Indépendance. *Activités :* hôpitaux, écoles, entraide, recherche historique, souvenir, entretien de l'amitié franco-américaine. Commémoration du 4 Juillet à la statue de Rochambeau. *Régente de France :* Ctesse Bernard Celier. *Vice-régentes :* Mme Thadée Szewczyk, Mme André Dubois.

se sont considérés comme chefs souverains des ordres royaux. Le *Cte de Chambord* (Henri V) porta l'insigne du St-Esprit et donna une croix de St-Louis à son neveu le Cte de Bardi. Le *duc d'Orléans* (Philippe VIII) décerna le St-Esprit à de proches parents : Ferdinand Ier, roi des Bulgares, les ducs de Montpensier et de Vendôme, et Manuel II, roi du Portugal. De leur côté, 3 aînés de la maison royale d'Espagne, devenue branche aînée des Bourbons à la mort du Cte de Chambord, se sont tenus pour Grands Maîtres des ordres royaux français. *Don Carlos, duc de Madrid* (1847-1919) fit (en ayant hérité des colliers du St-Esprit déposés à Frohsdorf), en tant que Charles XI, plusieurs chevaliers français. Son fils *don Jaime, duc de Madrid* (1870-1931), en tant que Jacques Ier, duc d'Anjou, fit de même (dont les Pces Paul de Yougoslavie et Xavier de Bourbon-Parme, duc de Parme, en 1927). Le fils aîné du roi Alphonse XIII, *don Jaime, duc de Ségovie* (1908-75), en tant que Jacques Henri VI, duc d'Anjou (V. Index), a nommé 4 chevaliers du St-Esprit (ses 2 fils et les ducs de Bauffremont et de Polignac) et 4 de St-Michel (1972). Son propre fils, *duc d'Anjou et de Cadix* (1936-89), a confirmé les nominations qui n'avaient pu être faites en règle et fait de nouvelles nominations dont celle de son fils Louis, duc de Bourbon (n. 1974) devenu grand maître en 1989.

Ni la république française ni la monarchie espagnole entre autres ne reconnaissent ces ordres, disparus légalement en 1830.

Ordres de mérite

• **Ordre de St-Louis.** *Créé* par Louis XIV en 1693, pour les officiers français cathol. ayant servi 10 ans dans l'armée royale et dispensés de preuves de noblesse. *3 classes :* chevalier, commandeur et grand-croix. *Croix :* de Malte blanche et or avec fl. de lys aux angles ; au centre un médaillon avec à l'avers l'effigie de St Louis, au revers une épée passée dans une couronne de lauriers entourée de la devise. Ruban rouge feu. Les chevaliers la portent sur le sein gauche, les commandeurs et grand-croix sur la hanche gauche, pendue à une écharpe, et accompagnée, pour les gd-croix, d'une plaque pailletée portant St Louis. *Devise :* « Bellicae Virtutis praemium ». *L'office liturgique* prescrit en principe était celui de la Couronne d'épines ; mais, en fait, la seule obligation religieuse (peu suivie) était l'assistance à la messe de St-Louis le 25 août. Sous Louis XV, la réception dans l'ordre est le plus souvent déléguée à un haut dignitaire. Le port illégal (1er cas en 1749) entraîne : dégradation et perte de la noblesse, 20 ans de prison pour un noble ; les galères pour un roturier. En 1750, l'ordre de St-Louis fut assimilé à une charge anoblissante : après 3 générations de titulaires, une famille est anoblie par lettres patentes. De 1790 à 92, toujours réservé aux officiers, il est maintenu sous le nom de *Décoration militaire.* Continue à être conféré en émigration. Rétabli en 1814, aboli en 1830 mais porté (sans fleur de lis) par les titulaires pendant la monarchie de Juillet et sous Napoléon III.

• **Mérite militaire.** *Créé* par Louis XV le 10-3-1759, pour les officiers protestants étrangers servant dans l'armée royale et se trouvant dans l'impossibilité de recevoir l'O. de St-Louis (Suisses, All., Suédois). Ce n'était pas un ordre mais une institution, sans grand maître. Ses titulaires avaient les mêmes avantages que la Croix de St-Louis (titre de chevalier, pension, anoblissement après 3 générations). Il y avait 2 grand-croix et 4 commandeurs (chevaliers en nombre illimité). *Croix :* de St-Louis mais avec des médaillons différents (avers : épée en pal entourée de la devise ; revers : couronne de lauriers). *Ruban :* bleu foncé. *Devise :* « Pro virtute bellica » (Pour le courage militaire). Plaque avec une couronne de laurier pour les grands-croix.

Supprimé à la Révolution et rétabli à la Restauration, il fut, depuis le 28-11-1814, attribué aux off. protestants, même de nationalité française (1er titulaire fr. : marquis de Ségur-Bouzeli). Le ruban est alors de la même couleur rouge feu que la croix de St-Louis. Aboli en 1830, mais porté sous les mêmes réserves que l'O. de St-Louis.

Les filles de nombreux chevaliers de St-Louis furent élevées à la maison de St-Louis fondée par Mme de Maintenon à St-Cyr. Après la Révolution, il fut créé des maisons d'éducation pour les filles des membres de l'Ordre (les filles des off. protestants furent élevées aux frais de l'O. de St-Louis dans d'autres institutions).

Autres distinctions

• **Médaille des pilotes.** *Créée* par Louis XIV (1683) en faveur des matelots et pilotes, elle n'est pas dans la tradition des ordres mais dans celle des phalères romaines : médaille à l'effigie de Louis XIV.

• **Médaillon de vétérance.** *Créé* par Louis XV le 16-4-1771, pour les soldats et bas-officiers ayant servi 24 ans sous les drapeaux (double ou triple médaillon pour 48 ou 72 ans de service). Un modèle spécial pour les marins fut créé le 25-12-1774. Beaucoup d'officiers le portèrent après la disparition de l'ordre de St-Louis dont ils étaient titulaires.

Période révolutionnaire

• **Insigne des vainqueurs de la Bastille. Losange** pour les Gardes françaises. **Couronne murale** pour les citoyens bourgeois ayant pris part à l'assaut de la Bastille. **Ruban** *portant la mention* brodée d'or « Trésor de la Ville sauvé et conservé le 5 décembre 1789 » pour les hommes du bataillon de Belleville.

Consulat et Empire

• **Consulat. Armes d'honneur.** De 1800 à 1802, Bonaparte fit attribuer aux soldats ayant accompli des faits d'armes env. 2 000 récompenses dont 784 fusils d'infanterie ou fusils de dragons ; 151 mousquetons ; 94 carabines ; 429 sabres d'infanterie ou de cavalerie ; 241 grenades d'or (entourées d'un losange doré et placées sur fond de velours noir pour être portées sur le baudrier ou sur le bras gauche) ; 44 haches d'abordage en argent doré (portées sur le baudrier ou sur la poitrine à hauteur du troisième bouton) ; 6 haches de sapeur ; 39 baguettes de tambour ; 13 trompettes ; 53 (sans indication). Les bénéficiaires de ces récompenses, automatiquement admis dans la Légion d'honneur, en furent les premiers titulaires. Les généraux en chef purent donner des armes de récompense, souvent identiques aux armes d'honneur.

Légion d'honneur. Voir p. 1237 a. Décorations contemporaines.

• **Empire. Ordres créés dans le royaume d'Italie :** *Ordre de la Couronne de fer* (1805). Attribué aux sujets italiens de Napoléon, couronné roi d'Italie.

Dans les territoires annexés : *Ordre impérial de la Réunion* (créé par Napoléon 1811), civil et militaire. Décerné aux Français et aux membres d'ordres étrangers, supprimé pour ces derniers lors des annexions à l'Empire français. Aboli 1815.

Projet non réalisé : l'*Ordre des 3 Toisons d'or.* En 1809, après la conquête de Vienne (siège de la Toison d'or autrichienne), qui survenait 5 mois après la conquête de Madrid (siège de la Toison d'or espagnole), Napoléon décida de créer un ordre impérial [sur lequel figuraient 3 toisons d'or (les 2 précédentes, plus la française)] réservé aux héros les plus exceptionnels de son armée (certains étaient désignés par élection de leurs régiments) : 100 grands chevaliers, 400 commandeurs et 1 000 chevaliers, ainsi qu'aux drapeaux des régiments ayant pris part aux 8 plus grandes batailles d'Ulm à Wagram. Un décret du 15-8-1809 nomma un grand chancelier (le général Andreossy) et un grand trésorier (le comte Schimmelpenninck). Mais devant la désapprobation des titulaires de la Légion d'honneur, qui craignaient que leur décoration ne fût dévalorisée, Napoléon renonça à conférer son nouvel ordre, et le 27-9-1813, en prononça la dissolution et réunit sa dotation à celle de la Légion d'honneur.

Restauration

Décoration du Lys. *Créée* 26-4-1814 (fleur de lys ; ruban blanc) pour les membres de la Garde nationale de Paris, ralliée à Louis XVIII. Répandue largement par la suite et dévaluée. Chaque département reçut un ruban d'une couleur distinctive.

Brassard de Bordeaux. Accordé le 12-3-1814 aux gardes d'honneur du duc d'Angoulême ayant débarqué à Bordeaux. Large pièce de soie portée en brassard, du coude à l'épaule gauche, remplacée ensuite par un médaillon en or et émaux blanc et vert.

Décoration du siège de Lyon. *Créée* 1814 pour les vétérans du siège de Lyon (1793) : à l'origine, la même que le Lys, avec un ruban amarante.

Médaillon de Gand. *Créé* 17-5-1815 pour les jeunes Parisiens (étudiants en droit et étudiants en médecine) ayant suivi Louis XVIII à Gand. Ruban bleu et blanc.

Croix d'honneur de la duchesse de Berry. Même insigne que les « croix du Lys ». *Créée* 1814 par la duchesse de Berry à Dieppe, pour les dames nobles lui ayant fourni une escorte à cheval.

Croix de la Fidélité. *Créée* 1816 pour la Garde nationale de Paris. Destinée à remplacer le Lys distribué à quiconque le demandait et même à des enfants (Charles de Cazals reçut son brevet à 2 ans).

Médaille de l'Instruction primaire. Appelée médaille des Instituteurs. *Créée* 15-6-1818, pour les maîtres d'école ayant une certaine ancienneté. Toujours en vigueur. Elle palliait pour eux les « Palmes académiques » réservées à l'ens. supérieur et qui ne devinrent « décoration » que sous Napoléon III.

Monarchie de Juillet

Croix de Juillet. *Créée* 13-12-1830 pour les émeutiers des « Trois Glorieuses » (étoile à 3 branches, surmontée d'une couronne murale avec au centre un coq gaulois ; ruban bleu, liséré rouge).

Médaille de Juillet. Donnée aux émeutiers n'ayant pas obtenu la croix ; de ce fait, appelée « médaille des Mécontents » ; en argent.

Décorations contemporaines

Prescriptions

Toute décoration étrangère non conférée par une puissance souveraine est déclarée illégalement obtenue et son port puni d'une amende de 600 à 1 300 F. Amende de 1 300 à 3 000 F et ou emprisonnement de 5 j au plus pour quiconque porte en public des insignes, rubans ou rosettes présentant une ressemblance avec ceux des décorations conférées par l'État français ou fait usage de grades ou dignités dont la dénomination présente une ressemblance avec les grades ou dignités conférés par la Rép. fr. Nul Français ne peut accepter et porter une décoration sans y être autorisé par un décret du grand chancelier de la Légion d'honneur (amende de 250 à 600 F).

Ordre dans lequel les décorations doivent être portées. Un rang de préséance est fixé, par décret, pour : Légion d'honneur, Croix de la Libération, Médaille militaire, Ordre national du Mérite.

Pour les autres, l'usage établi prévaut : récompenses pour faits de guerre et activités patriotiques (Croix de guerre 1914-18, 1943-45, Théâtres des opérations extérieures, Valeur militaire, Médaille de la Résistance, etc.) ; récompenses pour actes de dévouement, anciens Ordres coloniaux ; Ordres ministériels : Palmes académiques, Mérite agricole, Mérite Maritime. Ordre des Arts et Lettres ; Médailles d'honneur décernées par le Gouvernement, Croix et médailles commémoratives selon l'ordre chronologique de leur création ; décorations étrangères dont le port a été autorisé ainsi qu'il est précisé ci-dessus.

Légion d'honneur

• **Origine.** *Créée* par Bonaparte, Premier Consul, le 19 mai 1802, pour récompenser les mérites civils et militaires en temps de paix ou de guerre. Sous le Consulat, puis l'Empire, du 24-9-1803 au 6-4-1814, ont été élevés aux *dignités* de Grand Aigle (créée en 1805, sous le nom de grande décoration ; appelée grand cordon le 28-3-1816, puis grand'croix en 1830) : 64 ; de grand officier : 137 ; aux *grades* de commandeur (appelé commandant jusqu'au 28-3-1816) : 649 ; d'officier : 3 069 ; de chevalier (appelé légionnaire jusqu'en 1808) : 32 906.

Nom. Faux-sens sur le participe latin *honoratus,* « honoré », c.-à-d. soldat romain titulaire d'un insigne honorifique (phalère, bracelet, etc.). Il aurait fallu dire : Légion des honneurs (au pluriel). Traduction du latin *Legio honoratorum conscripta,* « Légion composée de soldats décorés ». Bonaparte souhaitait composer un corps de soldats vétérans et de partisans politiques, qui aurait joué le rôle de « corps intermédiaire » entre l'État et le peuple. Sa *légion* groupait primitivement 16 grands officiers, chacun à la tête d'une *cohorte* régionale (regroupant 5 à 7 départements) ; les commandants étaient les chefs des légionnaires pour chaque département, les officiers pour chaque arrondissement. Chaque cohorte avait à sa disposition une rente de 200 000 francs en biens nationaux, plus un hospice réservé aux légionnaires (ancien couvent nationalisé). Cette organisation est tombée en désuétude dès 1809 (date à laquelle furent aliénés ses biens territoriaux), les légionnaires devenant des *chevaliers* (dans la tradition nobiliaire).

• **Insigne. Description.** Étoile blanche à 5 doubles pointes, entourée d'une ceinture de feuillage vert (branche de chêne et de laurier) surmontée d'une couronne ovale mi-chêne mi-laurier. *Médaillon :* face : profil de la République [1] avec légende « République française » ; revers : 1 drapeau et 1 étendard tricolores croisés ; légende « Honneur et Patrie ». *Ruban :* rouge inspiré du rouge feu de l'O. de St-Louis.

Nota. – (1) *Ier et IIe Empire :* profil de Napoléon, couronne impériale. *1816-48 :* profil d'Henri IV, couronne royale. *IIe République :* profil de Bonaparte, feuillages républicains.

Port. Chevaliers et officiers portent la croix sur la gauche de la poitrine, attachée à un ruban moiré rouge, orné d'une rosette pour les off. Les commandeurs la portent en sautoir avec un ruban plus large. Les gds off. portent la croix d'off. et une plaque en argent. Les grand-croix portent une croix de grand commandeur tenue par un ruban rouge moiré, porté en écharpe de l'épaule droite à la hanche gauche, et une plaque en vermeil. En costume de ville ou en petite tenue, pour les militaires, la croix est remplacée par : un ruban rouge (chevaliers), rosette rouge (off.), rosette rouge sur demi-nœud argent (commandeurs), argent et or (gds off.), or (grand-croix).

Collier. Le Gd Maître de l'O. a pour attribut de sa fonction un collier d'or ; l'actuel a été réalisé en 1953 par les artistes Arbus, décorateur, et Stubes, ferronnier. Poids : 1 kg (or massif), est porté uniquement le jour de l'entrée en fonction du Pt de la Rép. (qui devient en même temps Gd Maître de l'O.). Les Pts Giscard d'Estaing et Mitterrand se sont fait seulement présenter le grand collier. Il est formé de 16 maillons, portant chacun un médaillon rectangulaire avec figures symboliques représentant l'Armée (infanterie, chars, etc.) et la Civilisation française (agriculture, sciences, etc.). La croix est suspendue à un monogramme HP (Honneur et Patrie). Le précédent collier, conservé au musée de la Légion d'honneur, est de 1881.

• **Organisation. Grand Maître :** Pt de la Rép. **: Grand Chancelier :** choisi parmi les grand-croix, nommé par décret du Pt de la Rép. en conseil des ministres pour un mandat (renouvelable) de 6 ans ; il assure l'administration de l'O., en préside le Conseil et présente au Grand Maître rapports et projets concernant Légion d'h., Médaille Militaire. Il assure la discipline des titulaires de celles-ci et est obligatoirement consulté sur les questions de principe concernant les décorations fr. sauf l'O. de la Libération et la Médaille de la Résistance.

Grande Chancellerie. Administration centrale autonome (son budget est un budget annexe rattaché pour ordre au ministère de la Justice). *Derniers gds chanceliers : 1954* Gal Georges Catroux (1877-1969) ; *1969* Amiral Georges Cabanier (1906-76) ; *1975* Gal Alain de Boissieu (n. 5-7-1914, gendre du Gal de Gaulle), qui démissionna en 1981 pour protester contre l'élection de F. Mitterrand à la présidence de la Rép. et pour ne pas avoir à lui remettre personnellement le collier de Grand Maître de l'O. ; *1981,* 4-6 Gal André Biard (n. 23-7-1918). **Conseil de l'Ordre.** 16 membres (dont 14 dignitaires et commandeurs, 1 off., 1 chevalier) nommés par le Pt de la Rép. sur proposition du Grand Chancelier. Présidé par le Grand Chancelier.

Nominations et promotions. Faites par décret signé du Pt de la République, rendu sur rapport du Premier ministre et du ministre intéressé, et visé pour exécution par le gd chancelier, qui centralise les propositions des différents ministres pour soumission au conseil de l'Ordre. Admissions et avancements sont prononcés dans la limite de contingents fixés par décret du Pt de la Rép. pour 3 ans. Certaines nominations et promotions à titre militaire peuvent intervenir « hors contingents ». **3 grades :** chevalier, officier, commandeur. **2 dignités :** grand officier et grand-croix. Nul Français ne peut accéder à un grade ou une dignité supérieur(e) s'il n'est pas déjà titulaire du grade ou de la dignité inférieur(e), à l'exclusion du nouveau Pt de la Rép. à qui les insignes de grand-croix sont remis avant la cérémonie d'investiture par le Grand Chancelier.

Conditions exigées en temps de paix. *Pour être nommé chevalier :* 20 ans de services publics (ou 25 ans d'activités professionnelles) assortis de mérites éminents ; avoir satisfait aux enquêtes de moralité et d'honorabilité prévues par les textes. *Pour être promu officier,* il faut être chevalier depuis 8 ans ; *commandeur,* officier depuis 5 ans. *Pour être élevé à la dignité de grand officier,* commandeur depuis 3 ans ; *grand-croix,* grand officier depuis 3 ans. Ces délais ne s'appliquent pas aux promotions pour services exceptionnels. Les services de guerre et certains services militaires peuvent donner droit à des bonifications dans le calcul des annuités. Nul ne peut se prévaloir d'un grade ou d'une dignité dans la Légion d'honneur, ni en porter les insignes, rubans ou rosettes avant sa réception dans ce grade ou cette dignité. Le nouveau promu est « reçu » par un parrain (qu'il est généralement invité à proposer lui-même) qui doit être titulaire, dans la Légion d'honneur, d'un grade au moins égal au sien et avoir été préalablement délégué par le Grand Chancelier.

Nota. – Un décret du 28-10-1870 voulait réserver à l'ordre un caractère militaire, mais la loi du 25-7-1873 abrogea le décret.

Décorations à titre posthume. Depuis le décret no 62-1472 du 28-11-1962 abrogeant notamment le décret du 1-10-1918, il n'est plus prévu d'attribuer de distinctions dans la Légion d'honneur à titre posthume (Napoléon entendait d'ailleurs réserver la Légion d'honneur à l'élite vivante de la Nation).

Droits de chancellerie. Chevalier 110 F, Officier 176, Commandeur 264, Gd Off. 396, Gd'Croix 550.

• **Honneurs héréditaires.** D'après les *art. 11 et 12 du décret du 1-3-1808,* les membres de la Légion d'honneur portent le titre de chevalier ; ce titre est transmissible à la descendance directe légitime, de mâle en mâle, par ordre de progéniture, de celui qui en aurait été revêtu et qui justifierait d'un revenu net de 3 000 F au moins. *L'art. 22 du décret du 3-3-1810* limite la transmissibilité à l'aîné de ceux qui auraient réuni une dotation au titre de chevalier, et à la charge d'obtenir confirmation jusqu'à la 3e génération sans pourvoir au sort du titre des chevaliers non dotés. *Ordonnance du 8-10-1814, art. 1:* ordonne de continuer à expédier des lettres patentes conférant le titre personnel de chevalier et des armoiries aux membres de la Légion d'honneur qui se retireront à cet effet devant le chancelier de France et qui justifieront d'un revenu net de 3 000 F au moins, en biens immeubles situés en France ; *art. 2:* lorsque l'aïeul, le fils et le petit-fils auront été successivement membres de la Légion d'honneur et auront obtenu des lettres patentes conformément à l'art. 1, le petit-fils sera noble de droit et transmettra la noblesse à toute sa descendance. La *loi du 12-5-1835* éteint les « Majorats sur demande » et interdit d'en constituer de nouveaux ; supprime, en l'interdisant, l'obligation de justifier du revenu de 3 000 F. Sous le Second Empire, il n'est plus exigé de lettres patentes que si les impétrants sollicitent des armoiries ; sinon les titres sont conférés par simple décret.

Une association des honneurs héréditaires (32, sentier de l'Aubépine, 67000 Strasbourg) a regroupé les familles répondant aux critères des textes impériaux et royaux estimant que l'ordonnance du 8-10-1814 jamais abrogée continue ses effets de droit, et que c'est à tort que le gouvernement, depuis 1875, considère que la confirmation du 3e chevalier consécutif équivaut à une « collation du titre » et se refuse à appliquer les dispositions du décret du 8-1-1859 (toujours en vigueur). Si ce droit n'est pas « vérifié », le titre est néanmoins acquis sans que l'intervention de la puissance publique soit nécessaire.

Usurpant les droits de l'État, l'association enregistre des armoiries de membres comportant des signes intérieurs (ceux de chevalier sous le 1er Empire) et extérieurs (casque de noble sous la Restauration) relatifs au grade de chevalier et qui n'étaient attribués autrefois (1808-1830) que par lettres patentes.

• **Privilèges.** Les dignitaires de la Légion d'honneur ont droit aux honneurs militaires à leurs obsèques.

La qualité de légionnaire ou médaillé militaire est indiquée sur les registres de l'état civil. Quand la décoration est attribuée avant la réception de l'acte, elle peut aussi être mentionnée. Ex. : sur l'acte de décès, sur l'acte de mariage si le (ou la) marié(e) a la Légion d'honneur avant le mariage, mais jamais

Premiers comédiens décorés. Comédiens professeurs au Conservatoire : Philoctès Régnier (1807-85) le 5-8-1872, Edmond Got (1822-1901) le 4-8-1881, Louis Delaunay (1826-1903) le 4-5-1882. **1er comédien non professeur :** Mounet-Sully (1841-1916), chevalier en 1889, officier en 1910.

Premières femmes décorées. Cas douteux. *1808* selon une légende, Napoléon Ier aurait décoré, le 20-6, Marie-Jeanne SCHELLINCK (25-7-1757/1-9-1840), sous-lieutenant de 52 ans. Selon une 2e légende, démentie par le Gd Chancelier MacDonald, la 1re légionnaire aurait été Virginie GHESQUIÈRE, engagée volontaire au 27e de ligne et héroïne de la campagne du Portugal. **Cas certains.** *1851* Marie-Angélique DUCHEMIN, veuve Brulon [20-1-1772/13-7-1859, combattante des armées de la République ; pensionnaire des Invalides dep. le 14-12-1798 (réformée en juin 1798) ; nommée sous-lieutenant en 1822, avec 7 campagnes et 3 blessures ; retraitée aux Invalides]. Elle reçut la croix du Pce président Louis-Napoléon, le 15-8-1851. *1852* Mme ABSICOT de RAGIS, femme du maire d'Oizon (Cher) qui avait résisté à des malfaiteurs venus détruire les registres de la commune.

1853 Sœur Rosalie RENDU, 1re religieuse décorée ; Sœur Hélène DUSOULLIER, de l'hospice de La Ferté-sous-Jouarre ; Sœur PENON, supérieure des Filles de la Charité de l'hôpital gén. de la Grave-Toulouse ; Jeanne-Claire MASSIN, ancienne sup. de l'Hôtel-Dieu de Compiègne ; Mathurine-Foise FOURCHON, ancienne cantinière en Afrique. *1878* Juliette DODU (1848-1909), postière à Pithiviers (Loiret), maîtresse du Pce Frédéric-Charles de Prusse, pendant la g. de 1870-71, décorée de la Légion d'honneur (en 1878) et de la médaille militaire pour son prétendu héroïsme (elle aurait espionné les messagers prussiens et failli être fusillée).

En dehors des héroïnes de guerre, il y eut en 1865 Rosa BONHEUR, 1re femme artiste à être décorée [fait unique,; elle sera décorée par une femme non décorée (l'Impératrice)], et à devenir off., en 1895 ; 1886 Mme DIEULAFOY ; 1888, Marie LAURENT, comédienne, parce qu'elle avait fondé l'orphelinat des Arts ; 1906, Julia BARTET, 1re à titre de comédienne ; 1914, SARAH BERNHARDT, tragédienne. Le 14-12-1900, Mme DE ROSTHERN, femme du chargé d'affaires d'Autriche-Hongrie à Pékin, fut la 1re décorée à titre étranger.

En 1914, il y avait environ 110 femmes chevalières de la Légion d'honneur. En 1938, il y en avait 3 000.

Anna de NOAILLES (la 1re en 1931), Louise de VILMORIN, Yvonne SARCEY, Mme P. DUPUY, COLETTE, Marguerite LONG, Maryse BASTI (1re à titre militaire) ont été *commandeurs.* La maréchale LYAUTEY et COLETTE (en 1953), Louise WEISS (en 1974), le général Valérie ANDRÉ (1981) ont été nommées *gds officiers.* Seules quelques souveraines étrangères ont été *gd-croix.*

Premiers saints décorés. Jean-Marie VIANNEY, curé d'Ars, décoré le 15-8-1855. Il porta une fois sa croix : sur son cercueil, le 6-8-1859. Le bienheureux Eugène de MAZENOD (1782-1861), évêque de Marseille, avait reçu la Légion d'honneur en tant qu'évêque. Le père Daniel BROTTIER (1876-1936), de la congrégation du St-Esprit, béatifié le 25-11-1984 (missionnaire au Sénégal, fondateur de l'Association des Anciens Combattants, directeur de l'œuvre des Orphelins d'Auteuil).

Parmi ceux qui ont refusé d'être décorés. *Ier Empire :* La Fayette (« pour éviter le ridicule »), l'amiral Truguet, le poète Népomucène Lemercier. Le maréchal Augereau, républicain convaincu, refusa de répondre à l'appel de son nom lors de la remise des insignes en 1804.

Monarchie de Juillet : le chimiste Raspail, dont le nom fut cependant inscrit sur les registres de l'O. (Son fils, Camille, refusa également la croix sous Nap.III). Berryer, Montalembert, le chansonnier Béranger, Lamennais, Berlioz (on lui offrait la Légion d'honneur à la place de 3 000 F promis par le ministre de l'Intérieur pour son *Requiem*). Sainte-Beuve refusa la croix en 1837, mais l'accepta sous l'Empire. Gérard de Nerval l'aurait refusée, notamment pour éviter des frais de costume.

Second Empire : George Sand (elle craignait « d'avoir l'air d'une vieille cantinière »), Littré, Barbey d'Aurevilly, Francisque Sarcey, Paul de Kock, le sénateur Scheurer-Kestner (pour « rester dans la tradition républicaine »), Nadar, Gustave Courbet, Daumier (par modestie).

IIIe République : M. Sénard, Pt de l'Assemblée Constituante de 1848, qui avait déjà refusé la croix sous Louis-Philippe, Maupassant, Eugène Le Roy, auteur de « Jacquou le Croquant », la romancière Marcelle Tinayre (elle l'estimait déplacée pour une femme), le peintre Monet.

Ve République : Antoine Pinay (n. 30-12-1891), ancien Pt du Conseil sous la IVe Rép., nommé chevalier par décret du 31-12-1986 sur le contingent du ministère de l'Économie.

sur l'acte de naissance. Les militaires (non officiers) décorés ont droit au salut de la part des militaires de même grade non décorés (en théorie), les sentinelles à la porte des casernes rendent les honneurs aux personnes décorées de la Légion d'honneur (privilège tombé en désuétude).

Les membres de la Légion d'honneur peuvent mentionner leur titre sur leur carte de visite, mais non en faire usage pour des motifs commerciaux (ni l'inscrire en tête d'un papier à lettre commercial). Quiconque, dans un établissement commercial, ind. ou financier, fait figurer le nom d'un membre de la Légion d'honneur dans une publicité pour l'entreprise, est punissable de 1 à 6 mois de prison et d'une amende de 2 000 à 10 000 F.

• **Traitements.** Fixés sous le IIe Empire (décret des 22 et 25 janv. 1852) ; réservés aux décorés à titre militaire : chevaliers 250 F, officiers 500 F, commandeurs 1 000 F, grands officiers 2 000 F, grand-croix 3 000 F (en 1852, le salaire annuel d'un ouvrier agricole était de 105 F). En 1990 leur montant (fixé le 1-1-1982), en principe réservé aux militaires, est de : chevaliers 40 F par an, officiers 60 F, commandeurs 80 F, grands officiers 160 F et grand-croix 240 F. *Bénéficiaires d'un traitement* au 1-1-1991 : médaillés militaires 386 074, membres de la Légion d'honneur : 115 388 (dont grand-croix 28, grands officiers 329, commandeurs 2 999, officiers 18 636, chevaliers 93 496). *Coût annuel des traitements* (1988) : 18 413 070 F (dont grand-croix 7 440 F, grands officiers 53 920 F, commandeurs 260 160 F, officiers 1 180 380 F, chevaliers 3 980 600 F, médaillés militaires 12 930 570 F.

Nota. – Le traitement de légionnaire ne se cumule pas avec celui de médaillé militaire.

• **Radiation, exclusion ou suspension.** *Sont exclus de droit* les membres condamnés pour crime ou à une peine d'emprisonnement sans sursis d'au moins 1 an. *Peuvent être exclus,* au terme d'une procédure disciplinaire, les légionnaires condamnés à une peine correctionnelle ou qui ont commis un acte contraire à l'honneur. *2 autres peines disciplinaires,* prononcées après avis du Conseil de l'ordre : censure (c.-à-d. blâme) ou suspension pour une durée déterminée. Exclusion (sauf de droit) et suspension sont prononcées par décret du Pt de la Rép. publié au Journal Officiel. **Nombre d'exclusions. :** *88* 3, *89* 1, *90* 1.

• **Contingents annuels normaux** (du 1-1-1991 au 31-12-1993) **à titre civil et,** entre parenthèses **à titre militaire :** gd-croix 2 (2), gds off. 8 (8), commandeurs 61 (68), off. 384 (306), chevaliers 1 140 (800). **Pour les étrangers :** gd-croix 1, gds off. 15, commandeurs 27, off. 66, chevaliers 111.

• **Effectifs.** *1815 :* 30 747, *1870 :* 78 145, *1914 :* 50 439, *1924 :* 128 548, *1939 :* 208 157. *1965 : (1-1)* 317 314 (max.) *1989* (306) 229 124.

	Effectifs au 1-1-91 (sur contingents)	Objectifs
Grand-Croix	55	75
Grands Officiers	372	250
Commandeurs	3 759	1 250
Officiers	31 196	10 000
Chevaliers	132 662	113 425
Total	*168 044*	*125 000*

• **Maisons d'éducation de la Légion d'honneur.** *Créées* 15-12-1805. Réservées aux filles ou petites-filles de légionnaires français. Peuvent y être accueillies, s'il existe des places disponibles, les filles des membres français de l'Ordre National du Mérite dont la situation familiale le justifie, ainsi que les filles et petites-filles de légionnaires étrangers après consultation du Grand Maître. **Maison des loges** (St-Germain-en-Laye) : peut accueillir 600 élèves (de 6e à 3e). **Maison de St-Denis :** 500 élèves [2e à terminale et classes prépa : Lettres sup. et I.E.P. ; B.T.S. (commerce international)]. *Recrutement :* sur dossier à fournir avant le 15 mai pour les prépa., 31 mai pour les autres. Quelques élèves en situation particulière peuvent être admises à titre gratuit. Toutes les élèves sont internes. Sur leur robe d'uniforme, portent une ceinture qui varie selon la classe : 6e verte, 5e violette, 4e aurore, 3e bleue, 2e nacarat, 1re blanche, terminales multicolore. **Maison d'Écouen :** fermée 1962.

Ordre de la Libération

Origine. Ordre national *institué* par une ordonnance du général de Gaulle, prise à Brazzaville le 16-11-1940, pour récompenser personnes ou collectivités militaires et civiles qui se sont signalées d'une manière exceptionnelle dans l'œuvre de libération de la France et de son Empire. Il n'est plus attribué depuis le 23-1-1946 [excepté au roi George VI (à titre posthume) le 4-4-1960, et à Winston Churchill le 18-6-1958].

Insigne. Écu de bronze chargé d'un glaive sur lequel est posé une croix de Lorraine. *Devise : Patriam servando victoriam tulit* (En défendant la Patrie, il a remporté la victoire). *Ruban :* vert rayé de noir.

Statut. Le général de Gaulle fut l'unique grand maître. *Chancelier* (dep. la création) *1940 :* amiral Georges Thierry d'Argenlieu (1889-1964), démissionna ; *1958* général Joseph Ingold (4-4-1894), démissionna ; *1962* ambassadeur Claude Hettier de Boislambert (1906-86), démissionna ; *1978* gén. d'armée Jean Simon (30-4-1912). *Conseil de l'ordre :* chargé de la discipline. *Grade :* un seul : « Compagnon de la Libération » (tradition de l'Ordre du St-Esprit, qui était défini comme une compagnie, même si ses membres portaient le titre de chevaliers).

Membres. Nombre : il y eut 1 059 Compagnons de la Libération dont 238 nommés à titre posthume (296 étaient encore en vie au *1-11-1990*) ; *6 femmes* ont été nommées : Berthie Albrecht (1889-1943), Laure Diebold (1915-65), Émilienne Évrard (1898-1971), Marie Hackin (1905-41), Marcelle Henry (1895-1945), Simone Michel-Lévy (1906-45) ; *5 localités :* Grenoble, Ile de Sein, Nantes, Paris, Vassieux-en-Vercors ; *18 unités combattantes* de l'air, de mer et de terre. *Le plus jeune décoré :* Mathurin Henrio dit Barrioz (16-4-1929, résistant mort à 14 ans sous la torture le 10-2-1944 à Baud, Morbihan). *Le plus jeune décoré encore vivant en 1990 :* Lazare Pytkowicz (17 ans en 1945).

Quelques compagnons célèbres. Maréchaux Jean de Lattre de Tassigny (1889-1952), Philippe Leclerc (1902-47) et Pierre Kœnig (1898-1970), généraux Georges Catroux (1877-1969), René-Marie-Edgar de Larminat (1895-1962, suicidé), Alain de Boissieu (1914), Jean Simon (1912), Jacques Massu (1908), Antoine Béthouard (1889-1982), Pierre Billotte (1906), Jacques Chaban-Delmas (1915) ; colonel Pierre de Chevigné (1909), Pierre Messmer (1916) ; Georges Bidault (1899-1973), Maurice Bourgès-Maunoury (1914), René Pleven (1901), Gaston Palewski (1901-84), Achille Peretti (1911-83), Maurice Schumann (1911), François Jacob (1920), Eugène Claudius-Petit (1907), René Cassin (1887-1976), Louis Armand (1905-71), Jacques Baumel (1918), Robert Galley (1921), André Malraux (1905-76), Romain Gary (1914-80, suicidé), Dominique Ponchardier (1917-86), Pierre Clostermann (1921), Jean Moulin (1899-1943), Pierre Brossolette (1902-43, à titre posthume).

Médaille militaire

Origine. *Instituée* par le décret du 22-1-1852, abrogé et remplacé par le décret du 28-11-1962. Récompense les militaires et assimilés non officiers ; ne constitue pas un « ordre ». Les noms des titulaires figurent sur des contrôles détenus et mis à jour par la Grande Chancellerie de la Légion d'honneur.

Pour la rendre populaire auprès des hommes de troupe, qui la considéraient comme une Légion d'honneur au rabais, Napoléon III (qui la portait, ainsi que le pce impérial) décida le 13-6-1852 qu'elle serait concédée aux maréchaux de France (les 1res furent concédées à Reille et Vaillant le 10-5-1852) et aux généraux gd-croix de la Légion d'h. qui, en temps de guerre, ont exercé un commandement en chef devant l'ennemi, ou qui ont rendu des services exceptionnels (ex. : Gal Weygand). Depuis 1888, peut être donnée à des généraux de corps d'armée ; depuis 1909 à des inspecteurs généraux. Décernée au maréchal Tito et à sir Winston Churchill ; refusée par le Gal de Gaulle et le Gal Giraud. Le général Koenig avait gagné sa Médaille militaire comme aspirant sur le champ de bataille (décret du 8-9-1918). Le général de brigade Amanrich, admis à la retraite et rayé des cadres en 1914, s'engagea pour la durée de la guerre comme simple soldat et en cette qualité gagna la Médaille.

Statistiques. Médailles accordées aux combattants des guerres de *1870-71, 1914-18, 1939-45* : 1 million (dont 64 000 pour 1870-71) dont 4 700 à des femmes. *De 1952 à 1961* : 157 officiers gén. dont 33 amiraux ou vice-amiraux (*de 1852-69* : 31 gén., 11 amiraux. *1870-1913* : 35 gén., 12 am. *1914-38* : 35 gén., 6 am. *1939-61* : 23 gén., 4 am.). **Effectifs** (au 30-6-1990) 496 783. **Traitement.** 30 F par an (dep. 1-1-1982). **Contingents annuels** (1991, 92, 93) : 3 500.

Ordre national du Mérite

Origine. *Institué* par décret du 3-12-1963. **Organisation.** *Grand Maître* : Pt de la République. *Conseil de l'Ordre* : présidé par un chancelier qui est en même temps le grand chancelier de la Légion d'honneur. *Administration* : confiée à la Grande Chancellerie de la L. d'hon. *3 grades* : chevalier, officier, commandeur ; *2 dignités* : grand officier, grand-croix. *Membres* : contingent fixé par le Grand Maître. Les étrangers peuvent se voir attribuer des distinctions dans des conditions analogues à celles prévues par la Légion d'honneur.

Insigne. *Étoile* : à 6 branches doubles émaillées de bleu. Le centre est entouré de feuilles de laurier entrecroisées. Avec effigie de la Rép. avec l'exergue « République française ». Revers : 2 drapeaux tricolores avec inscription « Ordre national du Mérite » et date « 3 décembre 1963 » (Chevaliers : argent ; Off. et Commandeurs : or). *Ruban* : moiré bleu de Fr.

Effectifs (au 1-1-91). Gd-croix 147, gds officiers 407. Commandeurs 6 308. Officiers 34 445. Chevaliers 147 858. *Total 189 165.* **Contingents** (période 1-1-91 au 31-12-93) à titre civil (et entre parenthèses à titre militaire). Gd-croix 5 (5), gds off. 12 (12), commandeurs 173 (116), officiers 877 (585), chevaliers 3 344 (2 230). **Étrangers :** gd-croix 9, gds off. 21, commandeurs 120, officiers 285, chevaliers 480. **Exclusions.** *89* 2.

Autres décorations militaires

Croix de guerre. Voir p. 1242.

Croix de la Valeur militaire. D'abord dénommée « Médaille de la Valeur militaire ». **Instituée** 11-4-1956, à l'occasion des opérations en A.F.N., pour récompenser les militaires qui ont accompli des actions d'éclat au cours ou à l'occasion d'opérations de sécurité ou de maintien de l'ordre. Elle peut être attribuée, exceptionnellement, au personnel non militaire. Décernée jusqu'au 1-1-1963 pour les faits antérieurs au 1-7-1962 accomplis en Afrique du N., elle continue à être attribuée par décisions particulières pour les opérations de sécurité ou de maintien de l'ordre qui se sont déroulées ou se déroulent dans certains pays (Zaïre, Tchad, Djibouti, Mauritanie, Liban, Sinaï). **Étoile** *de bronze* (citation à l'ordre du régiment ou de la brigade), *d'argent* (division), *de vermeil* (corps d'armée), **palme** *de bronze* (armée). **Ruban** : écarlate, coupé de 3 raies blanches (1 raie large, au centre, et 2 raies étroites, au bord).

Médaille de la Résistance française. *Gérée* par la Chancellerie de l'Ordre de la Libération. **Créée** par le général de Gaulle, par les ordonnances des 9-2-1943 et 7-1-1944, pour « reconnaître les actes remarquables de foi et de courage qui, en France, dans l'Empire et à l'étranger, auront contribué à la résistance du peuple français contre l'ennemi et contre ses complices depuis le 18-6-1940 ». Une ordonnance du 2-11-1945 a créé la médaille avec rosette. **Médaille** en bronze portant à l'avers une croix de Lorraine avec l'exergue « 18 juin 1940 », et au revers l'exergue « Patria non immemor ». **Ruban :** rayé et bordé rouge sur fond noir. **Attribution :** bilan *au 31-3-47* : 6 000 à 6 500 sans rosette et 2 200 avec rosette (vivants et posthumes) ; 1 800 à titre posthume ; 55 à des collectivités (15 avec rosette, 40 sans). N'est plus attribuée depuis le 31-3-1947 (décret du 16-1), sauf pour les morts de la Résistance.

Mérite militaire. Créé par la loi du 22-3-1957 pour remplacer la Croix des Services militaires volontaires et sanctionner, en temps de paix, les activités volontaires des cadres réservistes dans l'instruction des réserves et la préparation de la défense nationale, ainsi que des cadres actifs participant à l'instruction des réserves en dehors de leur emploi habituel. *Supprimé* dep. le 1-1-1964. **Grades :** chevalier, officier, commandeur. **Ruban :** milieu rouge, encadré de bandes bleu roi de même largeur et liséré blanc. *Rosette* pour les Officiers, sur galon argent pour les Commandeurs. **Croix décernées :** Commandeurs 1 299 ; Officiers 3 223 ; Chevaliers 10 080.

Médaille des Services militaires volontaires. Créée par décret du 13-3-1975 pour récompenser les services particulièrement honorables accomplis par les militaires n'appartenant pas à l'armée active, au titre de l'information, de l'instruction et du perfectionnement des réserves, du recrutement, de la préparation militaire ainsi que l'activité au sein des associations. **Échelons :** Bronze, Argent, Or. **Insigne :** en bronze, argent ou or du module de 32 mm environ, présente à l'avers un profil de la République, au revers l'inscription « Services Militaires Volontaires ». **Ruban :** couleur bleu outremer partagé par une bande médiane rouge foncé du tiers de la largeur, pour la médaille de Bronze ; agrémenté d'un liséré blanc de 3 mm pour la médaille d'Argent ; avec rosette aux mêmes couleurs que la médaille d'Argent pour celle d'Or. *Attribution de sa création au 3-5-1975 : 20 979,* or 1 325, argent 5 211, bronze 14 443. *Contingents annuels* (du 1-1-86 au 31-12-88) : méd. d'or 130, argent 400, bronze 1 200.

Médaille de la Défense nationale. Créée par décret du 21-4-1982. Récompense les services particulièrement honorables rendus par les militaires à l'occasion de leur participation aux activités opérationnelles ou de préparation opérationnelle des armées, notamment les manœuvres, exercices, services en campagne, ainsi que les interventions au profit des populations. *3 échelons* : bronze, argent, or.

Médaille de la Gendarmerie nationale. *Créée* par décret du 5-9-1949. Décernée aux officiers et sous-officiers de la Gend. nat. cités à l'ordre de la Gend. Peut aussi être décernée, sans citation, à des personnes qui ont rendu à la Gend. des services importants ou qui, par leur aide particulièrement méritoire à l'occasion de ses missions spéciales, se sont acquis des titres à sa reconnaissance. *Ruban* : bande centrale jaune, bordée de 2 lisérés blancs, et encadrée de deux bandes bleu gendarme bordées à l'extérieur d'un liséré rouge vif. Grenade en bronze pour chaque citation à l'ordre de la Gend. *Nombre de méd. décernées au 1-1-1987* : 1 154 aux personnels de la gend., dont 574 à titre posthume ; 46 à des personnes étrangères à la Gend., dont 9 à titre posth. Femmes décorées : 3.

Croix du Combattant volontaire 1914-1918. *Créée* par la loi du 4-7-1935. *Délivrée* par le min. des Armées.

Villes décorées

• **Croix des mayeurs.** Décoration accordée à Péronne, en 1537, et St-Quentin, en 1746, qui ne fut pas ajoutée à leurs armoiries municipales, mais portée par leur maire, d'où son nom.

• **Légion d'honneur. Villes françaises. 1815**-*22-5* Chalon-sur-Saône, St-Jean-de-Losne, Tournus. **1864**-*7-5* Roanne. **1877**-*3-10* Châteaudun. **1896**-*19-4* Belfort, Rambervilliers. **1897**-*6-6* St-Quentin. **1899**-*18-5* Dijon. **1900**-*9-10* Bazeilles, Lille, Paris, Valenciennes. -*29-10* Landrecies. **1905**-*16-9* St-Dizier. **1913**-*3-10* Péronne. **1916**-*12-9* Verdun. **1919**-*14-6* Bitche. -*4-7* Reims. -*9-8* Dunkerque. -*14-8* Phalsbourg, Strasbourg. -*30-8* Arras, Lens. -*13-9* Cambrai, Douai. -*20-9* Longwy. -*10-10* Bapaume. -*11-10* Nancy. -*27-10* Metz. -*5-12* Béthune. **1920**-*10-1* Noyon. -*15-1* Soissons, Thionville. -*17-7* Château-Thierry. **1924**-*22-9* Montdidier. **1928**-*28-9* Nomény. **1929**-*20-4* Badonviller. **1930**-*23-7* Gerberviller. -*21-8* Audun-le-Roman, Longuyon, Pont-à-Mousson. **1932**-*15-4* Albert. **1947**-*10-7* Boulogne-sur-Mer, Calais. **1948**-*9-2* Brest. -*2-6* Abbeville, Amiens, Caen, St-Lô. -*8-7* St-Malo. -*2-8* Falaise. -*27-8* Évreux. **1949**-*28-2* Ascq, Etobon, Le Havre, Lorient, Lyon, Oradour-sur-Glane, Rouen, St-Dié, St-Nazaire. -*28-7* Argentan. **Étrangères. 1914**-*7-8* Liège. **1920**-*28-12* Belgrade.

• **Croix de guerre. Guerre 1914-18.** 2 952 (toujours avec palme). 1re : Dunkerque, oct. 1917 ; 2e : Thann, janv. 1919 (liste close 1926). **Guerre 1939-45.** 1 585 (avec palmes ou étoiles en bronze, argent, vermeil). **Villes ayant reçu les 2 Croix de guerre.** 209. **Département ayant le plus de villes décorées.** Aisne avec 713 (708 Croix 1914-18, 12 Croix 1939-45, 7 les 2).

• **Croix de la Libération. 1941**-*11-1* Nantes. **1944**-*4-5* Grenoble. **1945**-*24-3* Paris. -*4-8* Vassieux-en-Vercors. **1946**-*1-1* Île de Sein.

• **Ville la plus décorée de France.** Verdun (26 décorations). Lille a eu la Légion d'honneur et les 2 Croix de guerre.

Ruban : vert avec au milieu une bande rouge et à chaque bord une bande jaune. Aucune demande n'était plus acceptée depuis le 1-1-1952, mais la forclusion a été levée par décret du 21-9-1976. *Croix délivrées au 1-2-90* : 10 195 (hommes et femmes).

Croix du Combattant volontaire 1939-1945. *Créée* par la loi du 4-2-1953 (décret d'application du 19-11-1955 et instruction du 18-11-1956). *Attribuée* aux militaires engagés volontaires pendant la guerre 1939-1945, ayant appartenu à une unité combattante homologuée. Aucune demande n'était plus acceptée depuis le 31-12-1970, mais la forclusion a été levée par décret du 21-9-76. La loi du 4-2-1953 a été abrogée par décret n° 81-844 du 8-9-1981 créant une **Croix du Combattant volontaire,** dont le ruban est orné d'une barrette en métal blanc portant l'indication de la campagne ou de l'opération pour laquelle l'ayant-droit s'est engagé volontairement : **barrette Guerre 1939-1945.** *Créée* par décret n° 81-845 du 8-9-1981 et attribuée dans les mêmes conditions que la C.C.V. 1939-1945 (voir ci-dessus). *Croix délivrées au 1-2-90* : 106 583. **Barrette Indochine.** *Créée* par décret n° 81-846 du 8-9-1981 et attribuée aux militaires français titulaires de la carte de combattant et de la médaille commémorative au titre de cette campagne, ayant contracté un engagement pour servir en Indochine, entre le 15-9-1945 et le 11-8-1954. *Croix délivrées au 1-2-90* : 15 812. **Barrette Corée.** *Créée* par décret n° 81-847 du 8-9-1981 et attribuée aux militaires français titulaires de la carte du combattant et de la médaille commémorative au titre de cette campagne et ayant contracté un engagement pour la Corée entre le 26-6-1950 et le 27-3-1953. *Croix délivrées au 1-2-90* : 351. **Barrette A.F.N.** *Créée* par décret n° 88-390 du 20-4-1988 et attribuée aux militaires français titulaires de la carte du combattant (A.F.N.) et de la médaille commémorative aux titres des opérations de sécurité et de maintien de l'ordre, qui ont contracté un engagement et ont à ce titre participé, dans une unité combattante aux opérations en Algérie (du 31-10-1954 au 31-7-1962), au Maroc (du 1-6-1953 au 2-3-1956), en Tunisie (du 1-1-1952 au 20-3-1956). *Croix délivrées au 1-2-90* : 1 166.

Médaille des Évadés. *Créée* par la loi du 20-8-1926. Peuvent y prétendre les évadés militaires et civils des 2 guerres. L'évasion doit avoir été accomplie avec franchissement clandestin et périlleux d'un front ou d'une frontière. Les évadés de France (g. 1939-45) doivent en outre s'être engagés dans une unité combattante. *Attribuée* par le min. des Armées après avis d'une commission nommée par le min. des Anciens Comb. pour les évadés civils, nommée par le min. des Armées pour les autres catégories. *Ruban* : vert, trois raies orange. *Médailles décernées* : environ 7 300 (la guerre de 1914-18) et au *1-2-90* : 38 815 (1939-45). Le décret n° 81-1156 du 28-12-1981 (J.O. du 31-12-1981) a levé, sans condition de délai, la forclusion frappant les demandes d'attribution.

Anciens combattants et victimes de guerre

Croix du Combattant. *Créée* par la loi du 28-6-1930 et le décret du 24-8-1930, peut être portée par tous les titulaires de la carte du comb. *Délivrée* par l'Off. nat. des Anc. Comb., les bénéficiaires se procurent la médaille eux-mêmes. *Ruban* : bleu, coupé de bandes rouges. *Cartes délivrées (au 1-1-1987) : g. 1914-18 et T.O.E.* 4 424 602, *g. 1939-45* : 2 510 245, *Indochine et Corée* 153 942, *A.F.N.* 783 457.

Croix du Combattant volontaire de la Résistance. *Créée* par la loi du 15-4-1954. Relève du ministère des Anciens Combattants. Peut être *portée* par tous ceux qui possèdent la carte du même nom, dont l'attribution a été prévue en faveur de ceux qui ont appartenu, pendant 3 mois au moins avant le 6-6-1944, dans une zone occupée par l'ennemi, soit aux Forces françaises de l'intérieur, soit à une formation homologuée des Forces françaises combattantes, soit à une organisation de résistance régulièrement homologuée, soit encore sous certaines conditions aux Forces françaises libres. *Ruban* : noir, avec sur le bord une bande rouge et 4 bandes vertes au centre. *Cartes délivrées (au 1-1-89)* : 256 933.

Médaille de la Déportation et de l'Internement (politique). *Créée* par la loi du 9-9-1948. *Attribuée* à tout porteur de la carte de déporté ou interné politique de l'une ou l'autre guerre. *Ruban* : semblable à celui de la médaille précédente, mais bordé d'un liséré jaune. *Cartes délivrées* : 116 977 au 31-1-1985 (forclusion 1-1-1967 ; levée 6-8-1975).

Médaille de la Déportation et de l'Internement pour faits de résistance. *Créée* par la loi du 6-8-1948. Elle peut être *portée* par tous les titulaires de la carte de déporté ou d'interné résistant, et par les internés ou déportés résistants de la guerre 1914-18. *Ruban :* bordé d'un liseré rouge et coupé de bandes bleu et blanc, verticales pour les déportés, diagonales pour les autres, et comprenant une barrette métallique portant l'inscription 1914-18 pour les intéressés. *Cartes délivrées :* 74 864 au 31-1-1985 (forclusion 1-1-1967 ; levée 6-8-1975).

Médaille des Prisonniers civils déportés et Otages de la guerre 1914-18. *Créée* par la loi du 14-3-1936 pour les victimes de l'invasion de la g. 1914-18 et *délivrée* par le ministère des Anciens Combattants. *Ruban :* rouge, bordé d'un liseré vert et coupé d'une bande bleue entourée de deux bandes blanches. *Médailles accordées :* 10 431 (forclusion 1-2-1958).

Médaille du Patriote résistant à l'occupation des départements du Rhin et de la Moselle incarcéré en camps spéciaux. *Portée* par les titulaires de la carte du « patriote proscrit et contraint à résidence forcée en pays ennemi ». Peut être attribuée aux Français du Haut-Rhin, Bas-Rhin et Moselle qui, en raison de leur attachement à la France, ont été arrêtés et contraints par l'ennemi à quitter le territoire national pour être internés dans des camps surveillés (au moins trois mois, sans évasion, blessure ou maladie). *Délivrée par le ministère des Anciens Combattants. Ruban :* soie verte, partagé en son milieu par une bande noire, et bordé de part et d'autre d'un liseré tricolore. *Médailles décernées :* 11 908 au 31-1-1985 (forclusion 1-1-1968 ; levée 6-8-1975).

Médaille de la France libérée. *Créée* par décret du 12-9-1947 pour commémorer la Libération de la France. *Décernée* aux « ressortissants français ou alliés qui ont apporté une contribution notable à cette libération ». *Délivrée* par le ministère des Anciens Combattants. *Ruban :* couleur de l'arc-en-ciel, violet au centre et rouge sur les bords. *Médailles décernées :* 13 469 (forclusion 7-7-1957).

Médaille de la Fidélité française. *Créée* par la loi du 3-7-1922 en faveur des Alsaciens-Lorrains emprisonnés ou déportés par les Allemands de 1870 à 1918 pour leur attachement à la France. N'est plus attribuée. Pas de statistique. *Ruban :* tricolore avec agrafe portant l'inscription « Fidélité ».

Insigne du Réfractaire. *Créé* par arrêté du 21-10-1963. Peut être porté par tous les titulaires de la carte de réfractaire. *Ruban :* jaune orangé avec 6 raies rouges. *Cartes délivrées :* 99 497 au 1-1-1985 (forclusion 1-1-1967 ; levée 6-8-1975).

☞ En application du décret du 6-8-1975, les victimes de g. qui n'ont pu faire reconnaître dans les délais réglementaires leurs titres (déporté ou interné de la Résistance, déporté ou interné pol., combattant volontaire de la Résistance, réfractaire, personne contrainte au travail en pays ennemi ou en territoire étranger ou français occupé par l'ennemi, patriote résistant à l'occupation des départements du Rhin et de la Moselle) peuvent à nouveau le faire si elles remplissent les conditions exigées par les statuts.

Médailles commémoratives

• **Statut.** Elles commémorent une action militaire, campagne, bataille, occupation, etc., et peuvent être portées par ceux qui ont pris part à cette action. Le droit de porter la médaille est justifié par une pièce quelconque : livret militaire, état signalétique, attestation du chef de corps, etc.

• **Origine.** Les médailles commémoratives destinées à marquer le souvenir d'un événement historique (couronnement, victoire, fondation d'une institution), et non faites pour être portées sur les personnes, existent depuis l'Antiquité, et ont recommencé à se multiplier depuis la Renaissance, notamment sous le règne de Louis XIV, qui a fondé spécialement pour leur création l'*Académie des inscriptions et médailles* (1663, future Ac. des inscriptions et belles-lettres). Les médailles commémoratives d'une campagne militaire, distribuées à tous les hommes de troupe inscrits aux contrôles pendant la durée de cette campagne, et faites pour être portées au bout d'un ruban de couleur(s) distinctive(s), ont été créées en Angleterre au début du XIXe s.

• **Moyen Age.** En 1451 (fin de la guerre de Cent Ans), Charles VII fait frapper une médaille commémorative pour célébrer *l'Expulsion des Anglais* de son royaume. Il semble qu'elle ait été distribuée à d'anciens combattants, qui l'auraient portée sur eux au bout d'un cordon.

• **Monarchie de Juillet. Médaille de Juillet.** *Instituée* par ordonnance du 31-5-1831, en faveur des citoyens qui s'étaient distingués pendant les Trois Glorieuses.

Médaille de Mazagran. *Créée* 11-3-1840 pour les 123 officiers, sous-officiers et hommes de troupe de la 10e Cie du 1er bataillon d'inf. légère d'Afrique. M. non portable mais qui fut nantie ultérieurement d'une bélière et d'un ruban tricolore.

• **Second Empire. Médaille de Ste-Hélène** (12-8-1857). Attribuée à tous les vétérans des guerres de 1792 à 1815. Décoration officielle, destinée à remplacer les nombreux insignes des associations privées, tels que les **Débris de la Grande Armée.** Env. 500 000 décorés en France et à l'étranger. En 1869, une pension de 250 F était versée à 16 000 survivants.

Médaille d'Italie (11-8-1859). Attribuée aux militaires ayant pris part aux batailles de Montebello, Palestro, Turbigo, Magenta, Marignan, Solferino.

Médaille de Chine (23-1-1861). Portant au revers les noms des batailles de Takou, Chang Kia Wou, Palikao, Pékin. Le ruban porte tissés les 2 idéogrammes signifiant « Peking ». Reprise sous la IIIe République (15-4-1902) pour les membres de l'expédition de 1900-01.

Médaille du Mexique (23-8-1863). Ruban orné d'un motif tissé représentant l'aigle mexicain posé sur une croix de St André dévorant un serpent. Commémore les campagnes de 1862-67 : Cumbres, Carro-Borrejo, San Lorenzo, Puebla, Mexico.

Nota. – Napoléon III a autorisé les militaires français à porter les médailles commémoratives existant dans les armées étrangères pour les campagnes auxquelles l'armée fr. avait participé : m. britanniques de Crimée (1856) et de la Baltique (1856) ; m. turque de Crimée (1867) ; m. pontificales de Rome (1849), Castelfidardo (1860), Mentana (1867) ; m. sarde de Solférino (1859).

• **IIIe République. Médaille de 1870-71.** *Créée* 9-11-1911 pour les vétérans avec une agrafe en argent pour les volontaires. *Ruban :* vert et noir.

Campagnes coloniales : *Tonkin* 1883-85 (loi du 16-12-1885 ; 97 300 titulaires) ; *Madagascar* 1883-86 (31-7-1886), 1895 (15-1-1896) ; 52 000 tit. ; *Chine* (1902 ; 33 900 tit.) ; *Dahomey* 1892 (24-11-1892 ; 12 171 tit.) ; *Maroc* 1909 (22-7-1909 ; 63 200 tit.).

Médaille coloniale puis d'outre-mer. *Créée* par la loi du 26-7-1893 avec agrafe, pour récompenser les services militaires dans les colonies, résultant de la participation à des opérations de guerre, dans une colonie ou un pays sous protectorat. Sans agrafe, accordée aussi aux militaires ayant un certain nombre d'années de service dans les territoires d'outre-mer. *Ruban :* bleu ciel, coupé de trois bandes blanches ; barrettes portant la désignation des campagnes. *Attribuée* à 209 000 militaires.

Médaille du Maroc. *Créée* par la loi du 22-7-1909. *Ruban :* vert coupé par 3 raies blanches.

Médaille commémorative de la Grande Guerre (1914-18). *Créée* le 23-6-1920, pour tous les mobilisés. Les mobilisés combattants ont exigé une distinction spéciale (voir p. 1239c, Croix du combattant). *Ruban :* rayé rouge et blanc.

Médaille interalliée dite **Méd. de la Victoire** (1914-18). *Créée* le 24-1-1919 par le M[al] Foch (loi 20-7-1922). Peut être portée par les militaires combattants de toutes les armées alliées. Ronde en bronze. Victoire ailée, debout, au centre. Revers : inscription « La Grande Guerre pour la Civilisation – 1914-1918 », surmontée des majuscules R.F. encadrant un bonnet phrygien. *Ruban :* 2 Arcs-en-Ciel juxtaposés par le rouge avec sur chaque bord un filet blanc.

Médaille de Syrie-Cilicie. *Créée :* loi du 18-7-1922.

Médaille des Dardanelles. *Créée* par la loi du 15-6-1926 pour les vétérans de Gallipoli (1915). *Méd. :* en exergue *Dardanelles. Ruban :* coupé de 11 raies verticales blanches et vert foncé alternés.

Médaille d'Orient. *Créée :* loi du 15-6-1926 pour les vétérans de Salonique (1916-18). *Méd. :* en exergue *Orient. Ruban :* bleu avec 3 raies verticales jaunes.

• **IVe et Ve Républiques. Médaille commémorative de la guerre 1939-45.** *Ruban :* bleu et vert entre deux liserés rouges.

M. c. des Services volontaires dans la France libre. *Créée* par décret du 4-4-1946, elle définit la qualité de « Français libre » ; décernée à tous ceux qui ont servi effectivement et volontairement la Fr. libre, entre le 18-6-1940 et le 3-6-1943 (création du C.F.L.N. de Gaulle-Giraud) ou entre le 3-6-1943 et le 1-8-1943 pour les Forces armées (fusion des armées de Gaulle et Giraud). *Insigne :* croix de Lorraine d'argent. *Ruban :* bleu de France coupé de rayures obliques rouges. *Médailles attribuées :* 42 000 (env. 40 000 bénéficiaires éventuels ne se sont pas fait connaître ou ont disparu sans que leurs descendants aient fait des demandes à titre posthume).

M. c. de la Campagne d'Italie. *Créée* par la loi du 1-4-1953. *Ruban :* rayé rouge clair et blanc.

M. c. de la Campagne d'Indochine. *Créée* par décret du 1-8-1953. Peut être *portée* par tous les militaires qui ont participé au moins 90 j. à la campagne d'Indochine (sauf blessures ou citations). *Ruban :* bandes vertes et jaunes bordées d'un liseré vert.

M. c. française des Opérations de l'ONU en Corée. *Créée* par décret du 8-1-1952 pour les militaires qui ont séjourné au moins 2 mois en Corée à l'occasion des opérations (délai non exigé des blessés ou cités au cours de leur séjour). *Ruban :* couleurs de l'ONU, encadrées de 2 bandes tricolores.

M. c. des Opérations en Moyen-Orient. *Attribuée* aux militaires ayant participé entre le 1-9-1956 et le 22-12-1956 (inclus) aux opérations entre les parallèles 20° et 36° et les méridiens 24° E et 40° E (opérations de Suez), et aux non-militaires, dans les mêmes conditions, notamment aux équipages des navires marchands et des appareils de l'aviation commerciale. *Ruban :* bleu, coupé par trois raies jaunes, avec agrafe « Moyen-Orient ».

M. c. des Opérations de sécurité et de maintien de l'ordre. *Créée* par décret du 11-1-1958, abrogeant celui du 12-10-1956 créant cette m.c. pour le maintien de l'ordre en A.F.N. Peut être *portée* par les militaires des armées de terre, de mer et de l'air, qui ont participé pendant au moins 90 j (sauf blessures ou décorations de la Valeur militaire), dans une formation régulière ou supplétive, aux opérations de sécurité et de maintien de l'ordre : Tunisie, du 1-1-1952 au 5-5-1958 ; Maroc, du 1-6-1953 au 5-5-1958 ; Algérie, du 31-10-1954 au 1-7-1964 ; Mauritanie, du 10-1-1957 au 1-1-1960 ; Sahara, du 28-6-1961 au 1-7-1964. *Ruban :* une raie centrale bleue encadrée d'une raie rouge et blanc, et bordé de rouge.

Autres décorations

Ordres

Ordre des Palmes académiques (dit la Légion violette). En 1808, Napoléon Ier institua des titres (titulaire, officier de l'Université, off. des Académies) destinés à récompenser les services rendus à l'Enseignement par les « gradés fonctionnaires de l'Université », matérialisés par une double palme brodée sur la robe professorale. Les décorés recevaient le titre d'*Officier d'Académie,* puis d'*Officier de l'Université.* En 1850, le prince-président Louis-Napoléon Bonaparte la transforma en une véritable décoration, dont les titulaires sont appelés *Officiers de l'Instruction publique.* Toutefois l'ordre ne fut créé que le 4-10-1955. *Insigne :* 2 branches de palmier et d'olivier d'émail violet formant une couronne allongée. *Ruban :* violet. *3 grades :* chevalier, officier, commandeur. *Nominations et promotions :* à l'occasion du 1er janvier et du 14 juillet. *Contingent annuel (1983, 1-1) :* 1 340 chevaliers, 670 officiers, 35 commandeurs ; *14-7 :* 5 930 chev., 2 965 off., 205 comm. Quelques décorations hors contingent peuvent être attribuées à des étrangers. *Age min. :* 35 ans. *Ancienneté :* 15 ans de services rendus à l'Éducation nationale pour le grade de chevalier ; 5 ans dans le grade inférieur pour être nommé officier ou commandeur (des dérogations sont prévues). En 1923, les 3 frères Fratellini (clowns) en furent décorés.

Ordre du Mérite agricole (dit le « poireau »). *Créé* 7-7-1883 par Jules Méline, ministre de l'Agriculture, pour pallier l'insuffisance des contingents de Légion d'honneur. Destiné à récompenser tous ceux qui contribuent au développement de l'agriculture et à ses progrès. *Age* minimal 30 ans, et au moins 15 ans de services rendus à l'agriculture. *3 grades :* chevalier (1883), officier (18-6-1887), commandeur (3-8-1900). *Promotion* au grade supérieur : 5 ans d'ancienneté dans le grade immédiatement inférieur et justifiant de titres nouveaux. *Étoile* à 6 rais blancs reliés par une couronne de maïs et de blé. Au centre, médaillon doré à l'effigie de Cérès. *Ruban :* vert à bords rouges. *Contingent annuel :* 60 commandeurs, 800 officiers, 4 200 chevaliers. *Médailles attribuées dep. 1883 :* env. 430 000 dont com. 4 200, off. 62 000. *1re promo. (17-7-1883) :* 15 pers.

1re femme nommée chevalier : Mme Millet-Robinet, auteur d'ouvrages d'économie rurale (1884). Pasteur fut décoré en reconnaissance de ses travaux sur la vigne et le vin. Des décorations hors contingent peuvent être attribuées à des étrangers. 2 promo. par an (1-1 et 14-7). Réglementation en vigueur : décret 15-6-1959.

Ordre du Mérite maritime. *Créé* 9-2-1930. *Age* min. 30 ans, et 15 ans de services rendus. *3 grades. Contin-*

gent annuel : 9 com., 75 off., 260 chev. Croix attribuées dep. la création de l'O. : 503 commandeurs, 5 042 off. et 11 782 chevaliers. *Étoile* en forme de rose des vents à 16 branches avec une ancre. *Ruban :* bleu outremer avec 2 lisérés verts.

Ordre des Arts et des Lettres. *Institué* par décret du 2-5-1957, modifié par ceux des 29-9-1975 et 25-3-1987. Récompense les personnes qui se sont distinguées par leurs créations dans le domaine artistique ou littéraire, ou par la contribution qu'elles ont apportée au rayonnement des arts et des lettres en France et dans le monde. *Age minimal :* 30 ans pour être nommé chevalier. Nul ne peut être promu au grade supérieur s'il ne justifie d'une ancienneté de 5 ans dans le grade immédiatement inférieur (dérogations pour les candidats justifiant de titres exceptionnels, et les officiers et commandeurs de la Légion d'honneur qui peuvent être promus directement au grade correspondant). *Conseil de l'Ordre :* comprenant des membres de droit, des personnalités des milieux artistiques ou littéraires et un représentant du Conseil de l'Ordre national de la Légion d'honneur ; donne son avis au ministre de la Culture et de la Communication sur nominations et promotions et veille à l'observation des statuts et règlements. *3 grades :* Chevalier (insigne en argent), Officier (en vermeil), Commandeur (en or). *Contingent annuel :* 30 commandeurs, 90 off., 300 chevaliers. *Insigne :* croix double face à 8 branches comportant chacune 2 extrémités terminées par une boule dorée. Chaque branche est émaillée vert, sertie d'une arabesque dorée. Motif central, monogramme : A.L. entrelacés, serti d'une moulure dorée. Revers : le centre sur fond d'émail blanc, effigie de la République avec listel doré portant l'inscription « Ordre des Arts et des Lettres ». *Ruban* vert rayé de blanc.

Médailles

Médailles pour actes de courage et de dévouement. *Créées* 1818-20 par Louis XVIII, comme médailles non portables (pour les marins), en souvenir des médailles des pilotes créées par Louis XIV en 1693. Rendues portables par décret de Louis-Philippe (12-4-1831). Les *préfets par délégation du min. de l'Intérieur* décernent des récompenses (environ 400 par an) pour des traits de courage et de dévouement hors des eaux maritimes : Lettre de félicitations, Mention honorable, Médailles de bronze, d'argent de 2e cl., de 1re cl., de vermeil et d'or.

Le *ministre de la Défense* (Marine) et le *ministre des Transports* (Marine marchande) attribuent des distinctions à l'occasion d'actes de dévouement et de sauvetage suivant les risques courus : Lettre de félicitations, Mention honorable, Médailles d'honneur, de bronze, d'argent de 2e classe, de 1re cl., vermeil, or de 2e cl., de 1re cl. En 1989, ont été décernées par le ministre de la Défense : 69 bronze.

Marine : récompensant les actes accomplis dans les eaux maritimes par les militaires de la Marine nat. en activité de service, ou à terre dans l'enceinte d'un arsenal de la Marine, et en règle générale dans tout établissement de la Marine, par du personnel militaire ou civil en service, ayant eu pour objet de porter secours à un bâtiment de la Marine nat. ou un appareil de l'Aéronautique navale, quelle que soit la qualité de la personne à récompenser. *En 1982 :* 11 médailles de bronze et 1 d'argent de 1re cl. *Marine marchande :* actes accomplis en mer ou en rivière, dans les eaux soumises au régime des Affaires maritimes, lorsque ces actes ne relèvent pas de la compétence de la Marine nat. *Ruban :* tricolore de 3 cm de large, bandes verticales et égales (avec ancre dorée pour les médailles d'or, rouge pour les autres).

Médaille des Épidémies. *Créée* 31-3-1885 après l'épidémie de 1884 pour récompenser les personnes signalées par leur dévouement pendant des maladies épidémiques. N'est plus attribuée depuis la création de la Médaille d'honneur du Service de Santé des armées par décret du 1-9-1962.

Médaille d'honneur des Affaires étrangères. *Créée* 6-7-1887, pour récompenser les actes de courage et de dévouement accomplis par des Français en territoire étranger (vermeil, argent ou bronze).

Médaille d'honneur des marins du Commerce et de la Pêche. *Créée* 14-12-1901. *Promotions :* 2 par an (mars et septembre). Les marins comptant 300 mois de navigation, et dont les bons et loyaux services ont été reconnus, peuvent, sur la proposition des directeurs des Affaires maritimes, recevoir du ministre chargé de la Mer un diplôme d'honneur et une méd. d'argent. *Médailles attribuées :* env. 300 par an.

Médailles d'honneur des personnels civils du ministère de la Défense. *Attributions (1987) :* 539 « Échelon or » dont au titre de l'Armée de terre 324, de la marine 104, de l'Armée de l'air 111. Échelons « Bronze », « Argent » et « Vermeil » sont décernés par les autorités locales.

Fourragères et aiguillettes

Insignes honorifiques collectifs portés sur les uniformes et consistant en une tresse de couleur, terminée soit par un seul ferret (fourragère), soit par 2 ferrets (aiguillettes).

• **Aiguillettes** (déformation d'aiguillées). A l'origine, lacet réunissant les pièces d'armure. Aujourd'hui, ornement réservé aux officiers d'état-major, aux aides de camp, et aux gendarmes de la Garde républicaine de Paris. Se portent attachées à l'épaule droite et au 1er bouton de la tunique. Les aiguillettes de la Garde rép. (rouges pour gardes, d'or pour officiers et gradés) se portent à gauche.

• **Fourragères.** Cordes à fourrages portées par les dragons autrichiens autour de l'épaule gauche et adoptées par les hussards et les artilleurs de Napoléon. Supprimées de l'uniforme en 1870, ont reparu après la circulaire ministérielle du 21-4-1916, comme insignes de distinctions honorifiques, accordées définitivement à une unité militaire (attribuées de droit à tous les hommes faisant partie de l'unité décorée). On les porte attachées à la patte d'épaule, passant sous et sur le bras gauche. Destinées à rappeler les actions d'éclat de certains régiments et unités formant corps cités à l'Ordre de l'Armée. La fourragère est tressée *aux couleurs du ruban : de la Croix de guerre* pour les régiments ou unités ayant 2 ou 3 citations à l'Ordre de l'Armée ; *Médaille militaire* (4 ou 5 cit.) ; *Légion d'honneur* (6, 7 ou 8 cit.) ; *Lég. d'honn. et Croix de g.* (9, 10, 11 cit.) ; *Lég. d'honn. et Méd. mil.* (12, 13 ou 14 cit.).

Régiments décorés. Les drapeaux des régiments « à fourragère » portent sur la cravate les rubans des décorations correspondantes, avec étoiles et palmes des citations. La coutume de décorer les drapeaux remonte à Napoléon III, qui, en juin et juil. 1859 (campagne d'Italie), décora les drapeaux du 2e zouave et du 76e d'infanterie. Autres régiments décorés par Napoléon III (1859-65) : 5 ; par la IIIe Rép. avant la g. de 1914-18 (1880-1913) : 7.

☞ La cordelière de soie rouge à 1 ferret, portée par les policiers parisiens sur leur tenue de gala, n'est pas une fourragère. En effet, le drapeau des gardiens de la paix a été décoré de la Légion d'honneur en août 1944, mais le nombre de ses citations est insuffisant pour donner droit au port de la fourragère militaire. Par ailleurs, en tenue de cérémonie, certains personnels de la Gendarmerie nationale portent à l'épaule gauche une aiguillette de soie blanche à ferrets d'argent, dont l'existence remonte à l'ordonnance du 16-3-1720 sur la subordination et la discipline des nouvelles maréchaussées.

Médaille de la Famille française. *Créée* 26-5-1920 pour encourager la natalité, après les pertes en vies humaines de la guerre 1914-18. Le décret no 82-938 du 28-10-1982 et l'arrêté du 15-3-1983 ont modifié les conditions d'attribution. *Conférée* aux pères et/ou mères de famille qui élèvent, ou qui ont élevé, dignement de nombreux enfants afin de rendre hommage à leurs mérites et de leur témoigner la reconnaissance de la nation. *3 modèles :* de bronze (4 ou 5 enfants) ; d'argent (6 ou 7 enf.) ; d'or (8 enf. ou plus). Sont pris en compte enfants légitimes ou adoptés, et enfants recueillis au foyer. Demandes ou propositions doivent être déposées à la mairie de la résidence habituelle ; après avis de la commission départementale, le préfet attribue la médaille. A l'étranger, demandes ou propositions au consulat français (médaille conférée par arrêté du min. des Affaires sociales et de l'Emploi, après avis de la commission supérieure siégeant auprès de lui). *Remise :* chaque année à l'occasion de la fête des Mères. *Médaille (décret 28-10-1982) :* à l'avers une famille : père, mère et 3 enfants et l'inscription « Famille Française » (avant 1982, une mère tenant un enfant dans ses bras) ; au revers les mots « République française. La Patrie reconnaissante ». *Ruban :* une bande médiane vert lumière entre 2 bandes rouge ponceau ; pour médailles d'argent et d'or, porte une rosette aux couleurs du ruban. *Insignes :* de même couleur, nœud de ruban (pour la médaille de bronze), rosette (méd. d'argent et d'or).

Médailles décernées. Dep. 1921 : 918 945 (dont bronze 665 730, argent 168 090, or 85 135) au 1-1-1980. *En 1980 :* 6 477 (dont bronze 4 602, argent 1 110, or 765).

• **Tarifs de décorations neuves.** En F, au 17-9-1990 (T.V.A. incluse [1]). Modèle ordonnance (or : o ; argent : a ; bronze : b ; vermeil : v). **Médailles commémoratives :** 290 a (Chine et Maroc), 80 b argenté : campagne d'Italie. **Croix de guerre :** 57 b. Médaille militaire : 290 a. Méd. des services mil. volontaires : 270 v, 230 a, 57 b.

Légion d'honneur. Chevalier 780 a : 1 130 a, lég. o ; off. 1 140 v, lég. o ; 890 v ; commandeur 1 750 v ; croix, gd-croix 2 250 v ; gd off. plaque 2 630 a ; gd-croix plaque 2 860 v. **Mérite :** chevalier 780 a ; off. 890 v ; commandeur 1 750 v ; croix, gd-croix 2 250 v ; gd off. plaque 2 630 a ; gd-croix plaque 2 860 v. **Palmes académiques.** chevalier 300 a ; off. 345 v ; commandeur 1 190 v.

Nota. (1) Taux de la T.V.A. sur les décorations : 22 % (Légion d'honneur, ordre national du Mérite, ordre du Mérite agricole) ou de 18,6 % (la plupart des autres) selon composition de la décoration en entier ou en partie de platine, d'or ou d'argent : taux majoré est applicable ; métal commun, même doré, argenté, plaqué d'or ou d'argent, ou composée totalement ou partiellement d'argent, à l'exclusion de tout autre métal précieux et le poids de l'argent n'excédant pas 20 g (taux normal).

• **Droits de chancellerie.** Sommes à payer lors de l'admission dans un ordre pour couvrir les frais d'inscription. Ne sont perçus que pour les ordres nationaux (Légion d'honneur, Ordre du Mérite) et les ordres étrangers qui n'ont pas été reçus pour fait de guerre.

Médaille de l'Aéronautique. *Créée* 14-2-1945. Récompense la valeur professionnelle du personnel civil et militaire, navigant ou non navigant, relevant du ministère de la Défense et du ministère des Transports, ainsi que les mérites des citoyens qui se sont distingués dans le développement de l'aviation civile ou militaire. *Contingent annuel :* 275 médailles. *Total des médailles attribuées au 1-2-1990 :* 14 828.

Médailles d'Honneur. *Des P.T.T.* (créées 22-3-1882, bronze et argent, et le 1-12-1913, or) ; *des halles et marchés* (22-6-1900) ; *de la Police française* (30-4-1903 ; argent, avec étoile en argent sur le ruban pour acte exceptionnel, env. 2 000 par an) ; *des Sapeurs-Pompiers* (12-12-1934, argent, vermeil et or pour l'ancienneté ; argent et vermeil avec rosette pour acte exceptionnel ; 5 000 à 7 000 par an) ; *régionale, départementale et communale* (2-7-1987 remplaçant la méd. dép. et com. 9 000 à 12 000 par an) ; *de la Jeunesse et des Sports* décret 14-10-1969 (créée 4-5-1929, sous le nom de M. H. de l'Éducation physique 3 degrés : bronze 8 ans d'ancienneté, argent 12 ans, or 20 ans) ; *du Travail* (16-7-1886, m. de vermeil 18-10-1913) ; *de l'Enseignement du 1er degré* (loi du 30-10-1886, confirmant la médaille créée par Louis XVIII) ; *agricole* (arrêté du 31-12-1883, pour les ouvriers agr., 15 par an) ; *des Douanes* (décr. du 14-6-1894 ; 100 d'entre elles récompensé des douaniers résistants) ; *des Eaux et Forêts* appelée aussi *médaille forestière* (15-5-1883) ; *des Travaux publics* (1-5-1897) ; *des Chemins de fer* (13-8-1913) ; *des Stés musicales et chorales* (24-7-1924) ; *de la Mutualité* (1852, attribuée par le min. des Aff. sociales) ; *de l'Administration pénitentiaire* (6-7-1896) ; *des Syndicats professionnels* (14-2-1933).

Nota. – La méd. régionale, départementale et communale et la méd. des sapeurs-pompiers ont été déconcentrées au profit des préfets depuis le 1-1-1969.

Ordres, décorations et médailles supprimés ou n'étant plus attribués

• **Ordres de mérite ministériels.** La création (3-12-1963) de l'ordre national du Mérite entraîna la suppression, dès le 1-1-1965, des ordres ministériels particuliers : *du Mérite social* (créé 25-10-1936, se substituant aux méd. de la mutualité, de la prévoyance et des assurances sociales) ; *ordre de la Santé publique* (créé 18-2-1938, remplaçant les méd. d'honneur de l'Assistance publique, de l'hygiène publ. et de la protection des enfants du 1er âge, ruban bleu) ; *du Mérite commercial* (créé 27-5-1939, ruban gris, argent et or) ; *du Mérite touristique* (créé 27-5-1949, ruban bleu azur, vert, or, rouge) ; *du Mérite artisanal* (créé 1-6-1948, ruban gris, argent et bleu roi) ; *du*

Mérite combattant (créé 14-9-1953, ruban vert foncé et jaune d'or) ; *du Mérite postal* (créé 14-11-1953) ; *de l'Économie nationale* (créé 6-1-1954) ; *du Mérite sportif* (créé 1956) ; *du Mérite militaire* (créé 1957) ; *du Mérite du travail* (créé 1957) ; *du Mérite civil du min. de l'Intérieur* (créé 1957) ; *du Mérite saharien* (créé 1958).

• **Médaille de la Reconnaissance française.** *Instituée* par décret du 13-7-1917 et reprise par celui du 14-9-1945 pour personnes ou collectivités qui se sont distinguées par leur dévouement à la cause française au cours des guerres 1914-18 et 1939-45 (en dehors de toute activité à caractère militaire). *3 échelons :* vermeil, argent et bronze. N'est plus attribuée dep. 14-2-1959. *Méd. attribuées :* env. 15 000.

• **Croix de guerre 1914-18, des T.O.E. (Territoires d'opérations extérieures) 1939-45.** *Instituées* par les lois du 8-4-1915 et du 30-4-1921, et le décret-loi du 26-9-1939. L'idée d'une Croix de guerre peut être attribuée au général Boelle. Le sénateur Émile Cauvin s'en fit le défenseur mais le ministre de la Guerre, Millerand, refuse ; Boelle convainquit Maurice Barrès qui, du 23-11-1914 au 12-1-1915, mena campagne dans la presse « afin que le chef puisse décorer ses soldats sur le champ de bataille après chaque affaire ». Le 28-1-1915, 67 députés dont Georges Bonnefous déposèrent un projet de loi que le lieutenant-colonel Driant, son ami, soutint devant la Chambre des députés le 8-2-1915. Commémorent les citations à l'ordre de l'armée, du corps d'armée, de la division, de la brigade et du régiment. Quand la Légion d'honneur ou la Médaille militaire sont conférées, pour faits de guerre, avec une citation parue au Journal officiel, la Croix de guerre est attribuée automatiquement avec ces décorations. *Insigne :* croix pattée en bronze du module de 37 mm avec, entre les branches, deux épées croisées ; à l'avers, une tête de République, au bonnet phrygien ornée d'une couronne de laurier, avec en exergue « R.F. ». Au revers inscription « 1914-1918 » ou « 1939-1945 » ou « T.O.E. ». *Ruban 1914-18 :* vert, avec liséré rouge à chaque bord en comptant 5 bandes rouges de 1,5 mm ; *T.O.E. :* bleu clair, encadré de 2 bandes rouges ; *1939-45 :* rouge, à 4 bandes verticales vertes (en juillet 1940, le gouvernement de l'État français institua une commission de révision des Croix de guerre attribuées en mai et juin 1940 et, par décret du 28-3-1941, les croix « maintenues » reçurent un nouveau ruban, vert à 5 raies et liserés noirs ; une ordonnance du Gouvernement provisoire rétablit le ruban rouge à 4 bandes vertes le 7-1-1945).

Chaque *citation* comporte une *étoile* (citation à l'ordre du régiment et de la brigade : *de bronze ;* de la division : *d'argent ;* du corps d'armée : *de vermeil*) ou une *palme de bronze* (cit. à l'ordre de l'armée). Une *palme d'argent* peut remplacer 5 palmes de bronze.

Nombre de citations portant attributivement la Croix de guerre. 1914-18 : 2 065 000. *1939-45 et T.O.E. :* pas de statistiques.

Par la loi du 30-4-1921, la *Croix de guerre des T.O.E.* fut créée pour les opérations militaires menées entre 1918 et 1921, c.-à-d. Levant (Palestine-Syrie), Orient (Constantinople), Maroc, Afrique Équatoriale et Occidentale française, mission militaire aux Pays Baltes, Hte-Silésie, Pologne, Tchécoslovaquie, U.R.S.S., Hongrie, Roumanie. La loi prévoyait son extension à d'autres théâtres d'opérations. Furent depuis considérées notamment comme T.O.E. les opérations en Extrême-Orient, à Madagascar, en Corée et en Méditerranée orientale.

Association nat. des Croix de guerre et de la Valeur militaire. *Fondée* 1919. Pt : Gal Chevalier de Lauzières. Rassemble les personnes décorées des Croix de guerre 14-18, 39-45, des T.O.E., et de la Croix de la Valeur militaire ; ainsi que villes et communes citées au cours des g. 14-18 et 39-45. *Siège :* Hôtel des Invalides, Paris 7e.

État français (1940-44)

Francisque gallique. *Décoration créée, approuvée et régie* par les dispositions des arrêtés du 26-5-1941, loi du 16-10-1941 et décrets des 14-3-1942 et 31-7-1942. *Insigne :* 26,5 mm de haut sur 19,4 mm de large, rappelle la forme de la pseudo-hache à double tranchant des guerriers francs (c'était en fait une arme de jet à 1 fer). Le bâton de maréchal émaillé de bleu, à 10 étoiles et extrémités dorées, en est le manche où s'attachent les 2 fers émaillés de tricolore. *Attribution :* directement décernée par le maréchal Pétain, ou attribuée après étude du dossier par un conseil de 12 membres nommés par le maréchal (Pt : général Brécard, Grand Chancelier de la Légion d'honneur, nommé par décret du 1-8-1942). Le candidat devait avoir 2 parrains et « présenter des garanties morales incontestées et remplir des conditions : a) avant la guerre, avoir pratiqué une action politique nationale et sociale, et conforme aux principes de la Révolution nat. ; b) manifester depuis la guerre un attachement actif à l'œuvre et à la personne du maréchal ; c) avoir de brillants états de services militaires ou civiques ». Il devait prêter ce serment : « Je fais don de ma personne au maréchal Pétain comme il a fait don de la sienne à la France. Je m'engage à servir ses disciples et à rester fidèle à sa personne et à son œuvre. » *Nombre attribué :* de 3 000. De nombreux décorés ont poursuivi sous les IVe et Ve Rép. leur carrière politique (ex. François Mitterrand, n° 2202).

Ordre national du Travail. *Institué et régi* par décrets des 1-4-1942 et 16-4-1943. Destiné « à distinguer les personnes qui ont marqué leur activité professionnelle d'une qualité technique rare, ou d'un sens social élevé, ou d'un dévouement particulier et soutenu à la profession et à la nation ». Il fallait être français, avoir au moins 35 ans, jouir de ses droits civils et justifier de 10 années au moins de services professionnels. *Conseil de l'ordre* (institué auprès du secrétaire d'État au Travail et présidé par lui) : 12 membres dont 2 employeurs, 2 agents de maîtrise, 2 artisans, 2 employés et ouvriers. *Insigne :* croix à 8 pointes pommetées, en argent, émaillée de bleu foncé, reposant sur une couronne de palme et laurier en vermeil ; centre, en vermeil, à l'effigie du maréchal Pétain, portant en bandeau : « Philippe Pétain chef de l'État » ; au revers, francisque gallique et, en bandeau : « Ordre national du Travail ». *Ruban :* bleu de France avec une raie rouge près de chaque bord. Grades : chevalier, officier, commandeur. *Nominations :* 2, de 100 chevaliers chacune, les 1-4-1943 et 28-4-1944, à l'occasion de la fête du Travail.

Médaille du Mérite de l'Afrique noire française. *Instituée* par décret du 26-6-1941. Destinée « à récompenser les actes de courage, la distinction des services et les marques de loyauté du personnel européen et indigène de toutes catégories dans les territoires de l'Afrique noire et de la Côte française des Somalis ». *Attribuée* (par délégation du secrétaire d'État aux Colonies) « par le haut commissaire de l'Afrique fr. et le gouverneur de la Côte fr. des Somalis ». *Insigne :* médaille de bronze, ronde ; à l'avers glaive targui brochant sur la carte de l'Afrique ; au revers ancre croissant et étoile à 5 branches. *Ruban :* bleu pâle avec fines raies rouges et vertes près de chaque bord.

Médaille commémorative du Levant. *Instituée* par décret-loi du 24-12-1942. Destinée « à remplacer la médaille commémorative de Syrie-Cilicie (créée 1922, qui cesse d'être attribuée), pour services rendus postérieurement au 25-6-1940 ». *Insigne et ruban :* similaires à ceux de la méd. de Syrie-Cilicie, mais avec barrette portant : « Levant 1941 ».

Ces décorations, ordres et médailles ont cessé d'être attribués et d'avoir une existence légale dès la disparition de l'État français en août 1944.

Anciens ordres coloniaux français

Ordre royal du Cambodge (8-2-1864). Homologué ordre colonial le 12-1-1897. 5 classes.

Ordre du Dragon d'Annam (14-3-1886). Homologué ordre colonial le 10-5-1896. 5 cl.

Ordre du Nichan el Anouar (14-10-1887). *Fondé* par le sultan de Tadjourah (territoire de Djibouti). Homologué ordre colonial le 10-5-1896. 5 cl.

Ordre de l'Étoile noire (30-8-1892). *Fondé* par le roi Toffa de Porto-Novo (Bénin). Homologué ordre colonial le 10-5-1896. 5 cl.

Ordre de l'Étoile d'Anjouan (30-8-1892). *Fondé* par Saïd Mohammed, sultan d'Anjouan (Comores). Homologué ordre colonial le 1-5-1897. 5 cl.

Ordres tunisien et marocain. Nichan Iftikhar (Tunisie). *Créé* par le bey Mustafa le 20-5-1835. Ruban jaune à 2 bandes rouges. **Ouissam Alaouite** (Maroc). *Créé* par un dahir du sultan Moulay Youssef et du général Lyautey le 15-5-1913. Ruban orange clair, liséré blanc.

Le *Ouissam hafidien,* supprimé le 15-5-1913 par le dahir qui créait le *Ouissam Alaouite,* avait un ruban rouge à bandes blanches.

Pendant la période des protectorats, ces ordres servaient à la France de « décoration musulmane » : ils étaient fréquemment remis à des personnalités ayant rendu service à la France en pays islamiques.

Insignes souvenirs. *Créés* par des municipalités ou associations. Ne peuvent être portés qu'en privé ou dans les réunions des membres des fédérations ou Stés concernées. **G. 1914-18.** *Médaille de l'Aisne :* décernée par la municipalité de Soissons. *Argonne :* Varennes-en-Argonne. *Château-Thierry :* Château-Thierry. *Marne :* Meaux. *Verdun :* Verdun (la liste des combattants est conservée, dans la crypte du monument « à la victoire », sur un livre d'or). **G. 1939-45.** *Dunkerque :* Dunkerque. *Gembloux :* Conseil de la ville de Gembloux (Belgique). *Libération de Metz :* Metz. **Autres.** *Croix du Combattant de l'Europe :* Confédération européenne des anciens combattants, 56, bd Exelmans, 75016 Paris. *Méd. Franco-Britannique :* Ass. nat. franco-brit., 16, rue du Général-Guilhem, 75011 Paris. *Méd. du Souvenir Français :* Ass. « le souvenir français », 9, rue de Clichy, Paris 9e.

☞ Les *phalères romaines* sont à l'origine des médailles : plaques de bronze rondes, fixées sur les cuirasses, elles pouvaient être remplacées par des colliers (torques), des javelots d'honneur ou des bracelets. Elles ornèrent aussi les enseignes des centuries. Les Romains avaient emprunté cette coutume aux Grecs (couronnes) et peut-être aux Égyptiens (colliers).

Décorations et ordres étrangers (liste non limitative)

• **Allemagne. Pour le mérite.** *Créé* 1667 sous le nom d'ordre de la Générosité. 1740, devenu O. du Mérite. Pas décerné sur le plan milit. depuis 1918. **Croix de Fer.** *Créée* 1813 par Frédéric-Guillaume III. 2 classes et 1 Grand-Croix, décernée 19 fois (dernière à Gœring). En 1939, Hitler ajouta la Ritter Kreuz (croix de chevalier). **Pour le Mérite (Friedensklasse).** *Créé* 1842 par Frédéric-Guillaume IV de Prusse. Réservé aux savants, hommes de lettres, peintres, sculpteurs et musiciens. Continue à être décerné par un conseil privé non étatique. **Ordre du Mérite de l'Aigle allemand.** *Fondé* 1937 pour étrangers. 6 cl. **Deutsches Kreuz.** La plus haute décoration décernée par Hitler pendant la guerre. 2 cl. **Croix du Mérite militaire.** Instituée pendant la g. de 1939-45. **Ordre du Mérite de la République fédérale d'Allemagne [1].** *Créé* 1951. 8 cl. Seul décerné actuellement par la Rép. fédérale (certaines décorations sont décernées par les Länder).

• **Autriche. Décorations d'honneur pour services rendus à la République.** *Créées* 1952-55. 7 groupes. **Insigne d'honneur pour les Sciences et l'Art.** *Créé* 1955. 1 classe. Réservé à 36 Autrichiens et 36 étrangers. **Croix d'honneur pour les Sciences et l'Art.** *Créée* 1956. 2 classes. **Insigne d'honneur pour services rendus pour la libération de l'Autr.** *Créé* 1976.

• **Belgique. Ordre de Léopold.** *Créé* 11-7-1832. 5 classes : Chevalier, Off., Commandeur, Gd Off., Gd Cordon. *Ruban :* ponceau. **Décoration civique.** *Créée* 21-7-1867. 2 classes pour ancienneté et pour actions d'éclat. **Croix militaire.** *Créée* 11-2-1885. 2 cl. **Ordre de l'Étoile africaine.** *Créé* 30-12-1888 par Léopold II pour services rendus au Congo. 5 cl. et méd. (or, argent, bronze). N'est plus conféré dep. 1960. **O. royal du Lion.** *Créé* 9-4-1891 pour services rendus au Congo. 5 cl. et médailles (or, argent, bronze). N'est plus conféré dep. 1962. **O. de la Couronne.** *Créé* 15-10-1897 et complété 25-6-1898. 5 cl. : Chevalier, Officier, Commandeur, Gd Officier, Gd-Croix et, en outre, des palmes (or, argent), des médailles (or, argent, bronze). **O. de Léopold II.** *Créé* 24-8-1900. 5 cl. : Chevalier, Officier, Commandeur, Gd Officier, Gd-Croix et des méd. (or, argent, bronze). **Décoration militaire.** *Créée* 15-9-1902, renouvelée 1952. 2 cl. (1 ancienneté, 1 mérites spéciaux). **Croix de guerre.** 1914-18. *Créée* 25-10-1915. N'est plus conférée dep. 1952. **C. de guerre.** 1940. *Créée* 20-7-1941.

• **Brésil. Ordre de la Croix du Sud. O. académique de St-François d'Assise.**

• **Canada. Ordre du Canada.** *Créé* 1-7-1967. *Élisabeth :* souveraine. *Gouverneur général :* chancelier et compagnon principal. 3 grades, compagnons (150 au max.), officiers, membres.

• **Croix-Rouge internationale. Médaille Henry-Dunant.** *Créée* 1965 pour services exceptionnels de ses membres, ou actes de grand dévouement à la cause

La Toison d'or

• **Origine.** *Créée* 1430 par Philippe le Bon, duc de Bourgogne (Voir ancienne chrétienté p. 1233). La souveraineté de l'ordre, propriété héréditaire de cette maison, était, à défaut d'héritier mâle, destinée à l'époux de l'héritière jusqu'à la majorité du fils de celle-ci. La grande maîtrise passa donc aux Habsbourg par mariage, en 1477, de Marie, fille de Charles le Téméraire, dernier duc, avec l'archiduc (ultérieurement empereur) Maximilien d'Autriche. Par le mariage de Jeanne la Folle avec l'archiduc Philippe Ier, l'Espagne passa en 1516 à la maison de Habsbourg. Charles Quint légua la grande maîtrise de l'ordre avec le trône d'Espagne à son fils Philippe II, après avoir cédé ses États d'Autriche dès 1521 à son frère Ferdinand. En 1700, le dernier Habsbourg d'Espagne, Charles II, institua comme héritier son petit-neveu Philippe de France, duc d'Anjou, petit-fils de Louis XIV, qui devint Philippe V (désignation qui causa la guerre de Succession d'Esp.). Légitimes chefs souverains, Philippe V et Ferdinand VI lièrent la Toison d'or à la couronne d'Esp., le duché de Bourgogne n'étant plus que théorique (réuni à la couronne de France par Louis XI). En 1712, le chef de la Maison d'Autriche réclama l'O. avec la couronne d'Esp., mit la main sur le trésor qui fut apporté à Vienne (où il se trouve toujours), et s'affirma dès lors chef souverain. Depuis 1712 il y a donc eu 2 ordres de la Toison d'or (langue officielle : le français, encore utilisé par l'archiduc Otto ; l'espagnol étant maintenant utilisé par Juan Carlos), conférés l'un par le souverain d'Autr., et l'autre par le souverain d'Esp., chacun contestant la légitimité de l'autre. *Chevaliers reçus entre 1430 et 1700 :* 618.

• **Ordre de la branche autrichienne.** Il a conservé les statuts de création : rituel d'admission avec adoubement par l'épée et serment solennel. Depuis la fin de la monarchie (1918), l'empereur Charles Ier (1887-1922), puis son fils, Otto de Hab., chefs souverains, ont continué à le conférer. Reconnu personnalité juridique de droit international par la Rép. autrichienne (décret du 8-9-1953, par assimilation aux anciens ordres de religieux-soldats qui ont possédé jadis des territoires souverains).

Ordre de la branche espagnole. Seul reconnu par la France, devenu ordre royal à caractère civil, décrets de 1847 et 1851, décerné même à des non-catholiques [souverains et princes de : Russie, G.-B. (aussi à Wellington), Allemagne, Japon, Turquie ; et à des non-nobles : Pts de la Rép. française : Gaston Doumergue (protestant)]. Après la chute de la monarchie (1931) et jusqu'à sa mort, Alphonse XIII (1886-1941) ne fit aucune nomination. Depuis 1951, son fils le Cte de Barcelone (V. Index), chef de la maison royale d'Espagne, l'a conféré à 6 personnes de sang royal. Après la renonciation du Cte à ses droits, le roi Juan Carlos a nommé plusieurs Espagnols et plusieurs souverains étrangers.

Trois dérogations à la charte de fondation bourguignonne s'étaient produites au XIXe s. : le chef souverain a été une femme (Isabelle II) de 1833 à 1868 ; un roi élu par les Cortes (Amédée Ier), de 1871 à 73. Un roi, Joseph Napoléon, se considéra chef souverain (1808-1813) mais ses chevaliers furent rayés des registres de même que les membres de la famille Bonaparte.

Revenant sur ses renonciations (1933, 1943, 1949), don Jaime, duc de Ségovie (Voir Index), fils aîné d'Alphonse XIII, se proclama (Paris 1963) chef de la Toison d'or. Pas de liste des bénéficiaires. Les ducs de Bauffremont et de Polignac, titulaires aussi de l'ordre du St-Esprit de ce prince, en portent l'insigne. Les 3 cosmonautes américains Borman, Lovell et Anders ont été nommés sur simple télégramme.

☞ Voir projet de Napoléon p. 1236c.

• **Insigne.** Commun aux 2 branches ; collier d'or composé d'une succession de « briquets » alternant avec des pierres environnées de flammes, auquel est appendue une dépouille de bélier d'or. Cet insigne est porté attaché (sauf dans cérémonies d'apparat) à un ruban de moire rouge en sautoir au col.

de la Croix-Rouge. Attribuée en principe tous les 2 ans à 5 personnes au max. Dep. sa création à 1989 : 45 médailles décernées dont 15 à titre posthume. Plus haute décoration mondiale de la Croix-Rouge. **Méd. Florence Nightingale.** *Créée* 1912 en mémoire de cette Anglaise (1820-1910) qui se dévoua pendant la guerre de Crimée. Destinée aux infirmières et auxiliaires volontaires, membres actifs ou collaboratrices régulières de leur sté nat. de la Croix-Rouge ou du Croissant-Rouge, ou d'une institution de soins médicaux ou infirmiers affiliés à celle-ci. Attribuée tous les 2 ans selon contingent limité à 36 (de 1912 à 1982) et à 50 dep. 1982. De 1920 à 89 décernée à 1 015 infirmières et auxiliaires qui se sont distinguées d'une façon exceptionnelle par leur dévouement en temps de paix ou de guerre.

• **Danemark. Ordre de l'Éléphant.** *Fondé* 1462. Rétabli 1693 par Christian V. Classe unique. Réservé aux chefs d'État et Pces ; 1 ou 2 Danois en font partie. **O. du Dannebrog.** *Fondé* 1671. 6 classes et Croix d'honneur.

• **Deux-Siciles (Ordres royaux des). Ordre constantinien de St-Georges.** Selon la légende, Constantin, empereur de Byzance, aurait créé en 312 une Milice constantine de St-Georges, réformée en 1190 par l'empereur Ange Comnène. L'o. date en réalité du XVIe s. En 1697, Ange-André-Flave Comnène, dernier descendant des fondateurs, en céda à Jean-François Farnèse, duc de Parme, la grande maîtrise, qui, au XVIIIe s., revint aux Bourbons de la branche des Deux-Siciles. **O. de St-Janvier.** *Fondé* 1738 par le roi Charles (futur Charles III d'Espagne).

Nota. – 2 princes appartenant à 2 branches des Bourbons des Deux-Siciles issues d'Alphonse, Cte de Caserte (1841-1934), revendiquent la prétendance au trône et la grande maîtrise de ces ordres. L'Italie reconnaît l'ordre constantinien de Saint-Georges et l'Ordre de Saint-Janvier sous la grande maîtrise du Pce Ferdinand de Bourbon qui se dit chef légitime de la famille des Deux-Siciles. Le duc d'Anjou, le Cte de Barcelone, le roi d'Esp., le duc de Parme Robert II, etc. ont reconnu Charles, duc de Calabre (n. 1940) pour gd maître et chef de famille.

De plus, Marie-Louise, archiduchesse d'Autr., ex-impér. des Français, devenue duchesse de Parme, se déclara grande maîtresse du Constantinien. En fait, elle fonda un nouvel ordre de mérite civil en 1816, qui fut repris à sa mort par Charles-Louis II Ferdinand de Bourbon, duc de Parme, en 1847. Certains princes de Bourbon-Parme le portent encore.

• **Eire (Irlande). An Bonn Seirbhíse 1917-21** (Médaille du service 1917-1921). *Créée* 1941 pour récompenser les services actifs pendant la guerre de Libération. Donnée surtout aux anciens combattants de l'I.R.A. **An Bonn Mileata Calmachta** (Médaille militaire pour la vaillance). *Créée* 1944 pour reconnaître une vaillance exceptionnelle dans les missions non offensives. Décernée aux membres des groupes de défense, aux aumôniers et aux infirmières de l'armée. 3 classes. **An Bonn 1916** (Médaille de 1916). *Créée* 1961 pour les membres de l'insurrection de 1916. Décernée principalement aux anciens combattants de l'I.R.A.

• **Espagne. Ordre royal de Charles III.** *Créé* 1771 par Charles III. 5 cl. Encore décerné. **O. de St-Hermenégilde.** *Créé* 1814 par Ferdinand VII pour le mérite militaire. 3 cl. **O. militaire de St-Ferdinand.** *Créé* 1811. 5 cl. **O. royal américain d'Isabelle la Catholique.** *Créé* 1815 par Ferdinand VII. 4, puis 5 cl. **O. de Marie-Christine.** *Créé* 1890 par Alphonse XIII. 3 cl. **O. du Mérite militaire.** *Créé* 1864 par Isabelle II. 2 divisions de 4 cl. **O. du Mérite naval.** *Créé* 1891. 2 div. de 4 cl. **O. civil d'Alphonse XII.** *Créé* 1902. 4 cl. Remplacé par l'ordre d'Alph. X. **O. de Marie-Louise.** *Créé* 1792 par Charles IV. Réservé aux dames. Décerné par le Cte de Barcelone. Ne semble plus devoir être attribué (9 pers. en font partie). **O. de Bienfaisance.** *Créé* 1856 par Isabelle II. **Ordre impérial du joug et des flèches.** *Créé* 1937 par Franco. 5 cl., n'est plus attribué. **O. d'Alphonse X le Sage.** *Créé* 1939. 3 cl. Donné par l'Éducation nat. **O. de Cisneros. O. de saint Raymond de Peñafort.** *Créé* 1945. 5 cl. **O. du Maroc espagnol. Ordres de Mehdavia, de Hassania** (1949), **d'Afrique** (1950).

Pour 4 grands ordres chevaleresques (St-Jacques, Calatrava, Alcantara, Montesa), il n'y a plus de nominations dep. 1931 sans l'accord du pape, leur chef naturel (car religieux). On a laissé ces organisations devenir de simples associations et le roi d'E. n'a plus voulu se considérer grand maître ; les nominations nouvelles sont donc illégales.

• **États-Unis. Medal of honor.** Dite médaille du Congrès, car instituée par le Congrès américain le 12-7-1862 par un vote du Congrès. *Nombre :* avant 1914 : 2 625 (liste révisée – 911) ; guerre 1914-18 : 123, 39-45 : 433, de Corée 131, Viêt-nam 239. *Insigne :* étoile blanche, ceinte de feuillage, portant l'effigie de l'Union. *Devise :* valor ; *ruban :* bleu ciel, avec étoiles blanches. **Distinguished Service Cross** (2-1-1918). **Navy-Air Force Cross** (Navy 4-2-1919, Air Force 6-7-1910). **Distinguished Service Medal** (Army 2-1-1918, Navy-Marine Corps 4-2-1919, Air Force 6-7-1966, remplace l'Army Distinguished Service Order Personal Air Force). **Silver Star** (8-8-1932, accordée aux combattants cités à l'ordre du jour, mais non décorés ; 20 000 attribuées rétroactivement au titre de la guerre hispano-amér. ; Navy 7-8-1942). **Legion of Merit** (20-7-1942, attribuée aux citoyens non américains ; 4 grades : chief com., com., off., légionnaire). **Distinguished Flying Cross** (2-7-1926). **Soldier's-Airman's-Navy-Marine Corps Medal** (Army 2-7-1926, Navy-Marine Corps 7-8-1942, Coast Guard 1951, Air 6-7-1960). **Bronze Star** (4-2-1944). **Air Medal** (11-5-1942). **Joint Service Commendation Medal. Army-Navy-Marine-Air Force Commendation Medal** (Army 1954, Navy-Marine, Coast Guard 26-8-1947, Air Force 28-3-1958). **Purple Heart** (1782, par G. Washington). **Presidential Medal of Freedom** (1957, plus haute décoration en temps de paix décernée par le Pt aux civils et aux milit.).

• **Grande-Bretagne. Ordre très honorable de la Jarretière.** *Fondé* 1348 par Édouard III d'Angleterre. *Membres :* Souveraine la Reine, 2 chevaliers royaux (duc d'Édimbourg, Pce de Galles), 3 dames (la reine mère Élisabeth, la princesse Juliana des Pays-Bas, la reine du Danemark), 24 chevaliers compagnons, 7 *extra knights* (dont les rois de Belgique, de Suède, d'Esp. et le gd-duc de Luxembourg. En dehors de la famille royale, 2 dames ont reçu la jarretière : Lady Harcourt Maid, fille de Lord Grey, et la duchesse de Suffolk). *Devise :* « Honni soit qui mal y pense ». *Ruban* bleu, « Jarretière ». **O. très ancien, très noble du Chardon** (au titre du royaume d'Écosse). *Fondé* 1687 par Jacques II. *Membres :* la reine, la reine mère, 2 chevaliers royaux et 16 chevaliers écossais. *Devise :* « Nemo me impune lacessit » (Personne ne me provoque impunément). *Ruban* vert. **O. très illustre de St-Patrick** (au titre du royaume d'Irlande). *Fondé* 1788. *Devise en latin :* « Qui pourra nous séparer ? » *Ruban* bleu ciel. Plus décerné depuis 1934 [dernier chevalier : duc de Gloucester († 1974)]. **O. très honorable du Bain** [1]. *Fondé* 1399 et repris 1725, comprend un ordre civil et un ordre militaire, chacun à 3 cl. : Knight Grand Cross (G.C.B.), Knight Commander (K.C.B.), Companion (C.B.). Gd Maître : Pce de Galles (dep. 1975). *Ruban* cramoisi. **O. du Mérite** (O.M.). *Fondé* 1902. *Membres :* 24. *Ruban* bleu et cramoisi. **O. très éminent de l'Étoile des Indes** [1]. *Fondé* 1861. N'est plus conféré dep. 1947. *3 cl. :* Knight Grand Commander (G.C.S.I.), Knight Commander (K.C.S.I.), Companion (C.S.I.). *Ruban* bleu clair à bord blanc. **O. très distingué de St-Michel et St-Georges** [1]. *Fondé* 1818 par le régent (plus tard Georges IV). Récompense principalement les services rendus dans les Affaires étrangères et le Commonwealth. *3 cl. :* Knight ou Dame Grand Cross (G.C.M.G.), Knight Commander ou Dame (K.C.M.G. ou D.C.M.G.), Companion (C.M.G.). *Gd Maître :* duc de Kent (dep. 1967). *Ruban* bleu avec centre écarlate. **O. très éminent de l'Empire des Indes** [1]. *Fondé* 1877. Plus conféré dep. 1947. *3 cl. :* Knight Grand Commander (G.C.I.E.), Knight Commander (K.C.I.E.), Companion (C.I.E.). **O. royal de Victoria** [1]. *Fondé* 1896. *5 cl. :* Knight ou Dame Grand Cross (G.C.V.O.), Knight ou Dame Commander (K.C.V.O. ou D.C.V.O.), Commander (C.V.O.), Membre 4e ou 5e classe (M.V.O.). *Gd Maître :* reine mère Élisabeth (dep. 1937). *Ruban* bleu à bords rouge et blanc. **The Imperial Service Order.** *Fondé* 1902 par Édouard VII. *1 cl. :* Companion. **O. très excellent du « British Empire »** [1]. *Fondé* 1917. *5 cl. :* Knight ou Dame Grand Cross (G.C.B.E.), Knight ou Dame Commander (K.B.E. ou D.B.E.), Commander (C.B.E.), Officer (O.B.E.), Member (M.B.E.). *Gd Maître :* duc d'Édimbourg (dep. 1953). **Distinguished Service Order** (D.S.O.). *Fondé* 1880 pour les officiers. **O. des Compagnons d'honneur** (C.H.). *Fondé* 1917. *1 cl. Membres :* 65. **Victoria Cross** (V.C.). *Fondée* 1856. *Ruban* cramoisi. 1 346 accordées entre 1856 et 1945 ; depuis, 2 posthumes à la fin de la guerre des Malouines. **Military Cross** (M.C.). *Fondée* 1914. **George Cross** (G.C.). *Fondée* 1940. *Ruban* bleu foncé. **Distinguished Flying Cross** (D.F.C.). *Fondée* 1918 pour officiers de la Royal Air Force. **Distinguished Service Cross** (D.S.C.).

Nota. – (1) La reine en est souveraine.

• **Grèce. Ordre du Rédempteur.** *Créé* 1833. 5 cl. **O. de l'Honneur.** *Créé* 1975. 5 cl. **O. royal du Phœnix.** *Créé* 1926, remplacé par **O. du Phœnix.** 5 cl. **O. de la Bienfaisance.** *Créé* 1948. 5 cl. (féminin).

Nota. – Ordres qui ne sont plus décernés : *O. royal de Georges Ier* (créé 1915, 5 cl.), *O. de St-Georges et St-Constantin* (pour les membres masculins de la famille royale, 5 cl.), *O. de Ste-Olga et Ste-Sophie* (pour les femmes de la famille royale, 4 cl.).

• Islande. **Ordre du Faucon islandais.** *Créé* 1921. 4 cl. Seul ordre islandais.

• Israël. **Ot Ha Hagvoura,** décoration « pour l'Héroïsme ». **Ot Hakomenioût.** Médaille de la Liberté. **Magen Yeroushalaim.** Médaille de la Défense de Jérusalem. **Itour Hamofet,** Médaille de la « Valeur militaire ». **Itour Haoz,** Médaille de la « Bravoure ».

• Italie. **Ordres de la République. Ordre du Mérite de la République italienne.** *Créé* 1951. 6 cl. : Grand Cordon, Grand-Croix, Grand Officier, Commandeur, Officier, Chevalier. **O. de l'Étoile de la Solidarité italienne.** *Créé* 1951. 3 cl. (supprimé). **O. du Mérite du Travail.**

Ordres royaux. (*Grand Maître :* Pce Victor-Emmanuel de Savoie, Pce de Naples et fils du dernier roi, Humbert II, en tant que chef de la Maison royale de Savoie). **O. suprême de l'Annonciade (Annunziata).** *Créé* 1363 par Amédée VI, Cte de Savoie, sous le nom d'ordre du Collier ou du Lac d'Amour. Renouvelé 1518 par Charles III, duc de Savoie, sous son nom actuel. *1 cl. :* chevaliers (15 à la fondation, puis 20, et en nombre illimité à partir du XVIIIe s.). En 1859, Victor-Emmanuel II, roi d'It., modifia les statuts, et réserva l'ordre aux chefs d'État et personnages de marque, même non catholiques ou non nobles. **O. des Saints-Maurice-et-Lazare.** *St-Maurice* créé 1434 par Amédée VIII, 1er duc de Savoie, renouvelé 1572 et uni à la branche savoyarde de *St-Lazare* (V. St-Lazare et Mt-Carmel, p. 1235c. N'est plus décerné dep. 14-6-1946). Chapitre annuel en sept. en l'abbaye de St Maurice (Valois). 5 cl. **O. militaire de Savoie.** *Créé* 1815. 5 cl. Renommé après 1943 « O. du Mérite militaire d'Italie ». **O. civil de Savoie.** *Créé* 1831. Était limité à 70 chevaliers de cl. unique. **O. de la Couronne d'Italie.** *Créé* 1868 par Victor-Emmanuel II, roi d'It. 5 cl. N'est plus décerné depuis la mort d'Humbert II (18-3-1983) ; est remplacé par le nouvel **ordre du Mérite civil de Savoie.**

• Japon. **Ordre Suprême du Chrysanthème.** Collier, *créé* 1888 (remis depuis à 61 personnes : dont empereur, membres de la famille impériale, chefs d'État étrangers et hommes d'État qui se sont distingués au service du pays. Shigeru Yoshida, ancien PM († 1967), fut le seul Japonais décoré. Grand Cordon créé 1872. **O. du Soleil-Levant,** donné à des hommes ayant rendu des services méritoires à l'État. *Créé* 1875. *1re classe* (« O. du Soleil-Levant » et « O. du Soleil-Levant avec Fleurs de Paulownia ») *créée* 1888 8 cl., les 6 premières avec le soleil levant avec feuilles de paulownia, 7e et 8e avec seulement les feuilles de paulownia. **O. de la Précieuse Couronne,** *créé* 1888, donné à des femmes. 8 cl. **O. du Trésor Sacré,** *créé* 1888, remis à des hommes ayant rendu de louables services. Et dep. 1919, aussi à des femmes. 8 cl. **O. de la Culture,** *créé* 1937, personnes s'étant distinguées dans science, littérature, peinture, sculpture, architecture, musique ou théâtre. 1 cl. **Médailles d'honneur. Coupes d'argent et de bois.** Décernées pour services méritoires. **O. de la Vertu militaire (O. du Milan d'Or).** 7 cl. *Fondé* 1890, aboli 1945.

La Rose d'or

Distinction honorifique (orfèvrerie de prix) accordée par les papes à des étrangers de haut rang (en majorité des souverains). Selon une coutume ancienne (1050), on bénissait une rose au cours de la messe du Laetare (IVe dimanche de Carême). Louis VII reçoit ainsi une rose d'or en 1163. Le pape remettait traditionnellement cette rose à un étranger de passage à Rome, qu'il voulait honorer. Au cours des siècles, la rose est devenue un bijou d'or émaillé, avec un rubis au centre ; elle a parfois atteint un poids et une valeur considérables. Par ex., pour le Dauphin, fils de Louis XIV : 8 livres d'or.

Depuis le XVIIIe s., les envois de roses se font surtout à des dames : Marie Leszczyńska (France) 1736 ; Marie-Thérèse d'Autriche 1739 ; archiduchesse Marie-Christine (Autr.) 1776 ; Marie-Caroline de Naples 1791 ; impératrice Caroline-Auguste d'Autr. 1825 ; Marie-Christine de Sardaigne 1825 ; Anne d'Autr. 1836 ; Marie de Portugal 1842 ; duchesse Marie-Adélaïde de Savoie 1849 ; impér. Eugénie (France) 1856 ; Sophie de Bavière, reine de Naples 1860 ; Isabelle II (Esp.) 1868 ; Marie-Christine d'Autr., régente d'Esp. 1886 ; doña Isabel (Brésil) 1888 ; Amélie de Portugal 1892 ; Marie-Henriette de Belg. 1893 (la plus grande de toutes : 40 cm de haut) ; Victoire-Eugénie d'Esp. 1923 ; Élisabeth de Belg. 1925 ; Hélène d'Italie 1937 ; Charlotte de Lux. 1956.

Combien y a-t-il de héros de l'Union soviétique ?

Institué le 16-4-1934, 13 000 personnes l'ont reçu dont une centaine de femmes (24 pour leur lutte partisane).

L'ont reçu à l'occasion de la guerre de 1939-45 : 11 500 combattants dont 104 ont été décorés de 2 médailles de l'« Étoile d'or », 1 de 4 méd. (le Mal Joukov). 20 étrangers ont été titrés dont 5 Français (4 pilotes de « Normandie-Niémen » : Marcel Albert, Roland de La Poype, Jacques André, Marcel Lefèvre, et le cosmonaute Jean-Loup Chrétien, en temps de paix).

On remet au héros : l'Ordre de Lénine, décoration suprême de l'U.R.S.S. ; la médaille de l'« Étoile d'Or » ; le diplôme du Présidium du Soviet Suprême de l'U.R.S.S. Si un héros accomplit un autre exploit héroïque qui vaut le titre de « Héros de l'Union soviétique », il est décoré de l'Ordre de Lénine et de la 2e médaille de l'« Étoile d'or ». On érige dans la localité où il naquit son buste en bronze.

Les « Héros » jouissent des facilités suivantes : pension à titre personnel, remise de 50 % sur le loyer, déplacement gratuit une fois par an (1re classe, aller et retour) jusqu'à n'importe quel point de l'U.R.S.S. et par n'importe quel moyen de transport, transports urbains gratuits, octroi annuel d'un bon de séjour gratuit dans une maison de cure ou de repos, entrée prioritaire dans les établissements culturels et récréatifs, réalisation prioritaire des services courants.

• Luxembourg. Distinctions honorifiques civiles. **O. du Lion d'or de la Maison de Nassau.** *Créé* 1858, commun avec l'ordre du même nom des P.-Bas : v. P.-Bas. 1 cl. Très rarement décerné. **O. du Mérite civil et militaire d'Adolphe de Nassau.** *Créé* 1858. 8 grades ; plusieurs croix et médailles de mérite. **O. de la Couronne de Chêne.** *Créé* 1841. 5 cl. ; méd. de mérite. **O. de Mérite du Grand-Duché de L.** *Créé* 1961. 5 cl. et 1 méd. de vermeil. **O. de la Résistance 1940-44.** *Créé* 1946. 2 cl. ; méd. de mérite. **O. national de la Médaille du Mérite sportif.** *Créé* 1976. 3 grades. Insignes et médailles. **I. de Résistant.** *Créé* 1967. **Méd. de la Reconnaissance nationale.** *Créée* 1968. **Méd. du Mérite pour le don du sang.** *Créée* 1979. **Méd. commémorative 1981.** *Créée* 1981. Croix de service. Pour les agents des douanes. *Créée* 1967. **Pour les agents du service de garde des Éts pénitentiaires.** *Créée* 1979. **Médaille militaire.** *Créée* 1945. **Croix d'honneur et de Mérite milit.** *Créée* 1951. **Croix de Guerre 1940-45.** *Créée* 1945. **Croix de Guerre.** *Créée* 1951. **Médaille des Volontaires luxemb. de la Grande Guerre 1914-18.** *Créée* 1923. **De la Guerre 1940-45.** *Créée* 1945. **Croix de service pour les membres de l'Armée, de la Gendarmerie et de la Police.** *Créée* 1850.

• Monaco. **Ordre de St-Charles** (1858). 5 cl. **O. de la Couronne** (1960). 5 cl. **O. des Grimaldi** (1954). 5 cl. **O. du Mérite culturel** (1952). 3 cl.

• Norvège. **Ordre royal de St-Olav.** *Fondé* 1847 par Oscar Ier. 6 cl.

• Organisation des Nations unies. **Médaille de Corée.** *Créée* 12-12-1950. **Méd. des Forces d'urgence de l'ONU.** *Créée* 30-11-1957 pour les militaires qui ont patrouillé le long de la frontière israélo-égyptienne. **Méd. des Nations unies.** *Créée* 30-7-1959.

Médaille Nansen. *Créée* 1954, décernée par le haut commissaire des Nations unies pour les réfugiés, normalement une fois par an, à une personne ou organisation pour des services exceptionnels rendus à la cause des réfugiés. Depuis 1979, conjuguée avec la remise d'un prix (max. 50 000 $) destiné à la mise en œuvre par le lauréat ou par son intermédiaire d'un projet d'aide aux réfugiés, choisi de concert avec le Ht Commissariat pour les réfugiés.

• Pays-Bas. **Ordre militaire de Guillaume.** *Créé* 30-4-1815 par Guillaume Ier. Rétabli 30-6-1941. 4 cl. Pour civils et militaires de tous grades pour leur action devant l'ennemi. **O. du Lion des Pays-Bas.** *Créé* 29-9-1815 par Guillaume Ier. 3 cl. Pour services civils, œuvres scientifiques ou artistiques. **O. d'Orange-Nassau.** *Créé* 4-4-1892 par la régente Emma. 5 cl. Pour services rendus. **O. du Lion d'or de la Maison de Nassau.** *Créé* 29-1-1858, rétabli 20-7-1905. 1 cl. Octroyé aux chefs d'État. Commun aux maisons néerlandaise et luxembourgeoise. L'octroi dépend de l'initiative de la reine, sans ingérence du gouvernement (elle demande le consentement du grand-duc du Lux.). **O. de la Maison d'Orange.** *Créé* 19-3-1905. Rétabli 30-11-1969. 3 groupes. *O. de la Maison* 3 cl. *O. de Fidélité et Mérite* 2 cl. *Médailles d'honneur pour l'Art et la Science* ou *pour l'Expédition et l'Esprit. O. de la Couronne* 5 cl. L'octroi dépend de l'initiative de la reine, sans ingérence du gouvernement.

• Pologne. **Ordres royaux. Ordre de l'Aigle blanc.** *Fondé* 1325 par Ladislas Ier le Bref ; réorganisé 1705 par Auguste II, transformé en ordre impérial russe après le partage de la Pologne (1815). Redevient pol. 1921. **O. de St-Stanislas.** *Fondé* 1765 par Stanislas II (une branche créée en Russie après le Congrès de Vienne). **O. de la Vertu militaire.** *Créé* 1792. Repris 1919. 5 cl.

République. Ordre des Bâtisseurs de la République populaire de Pologne. *Créé* 1949. 1 cl. **O. de la Polonia Restituta.** *Créé* 1921. 5 cl. Pour services civils de tous ordres. **O. de la Croix de Grunwald.** *Créé* 1944. Militaire. 3 cl. **O. du Drapeau du Travail.** *Créé* 1949. 2 cl. **O. du Mérite de la République populaire de Pologne.** *Créé* 1974. 5 cl.

• Portugal. **Ordre militaire d'Aviz.** *Créé* 1144, comme ordre militaire religieux sous l'invocation de saint Benoît, sécularisé 1789, conservé par la République pour les services militaires, 3 classes (gd-croix, commandeur, chevalier). **O. de St-Jacques de l'Épée.** *Créé* 1290 comme ordre militaire religieux, sécularisé 1789, conservé par la Rép. comme O. de mérite pour sciences, littérature et arts, 5 cl. **O. du Christ.** *Créé* 1318, regroupant les chevaliers ibériques de l'ordre du Temple, supprimé (voir p. 1252a), approuvé par le pape Jean XXII (1319), sécularisé 1789, conservé par la Rép. pour d'éminents services civils et de hautes personnalités étrangères, 3 cl. **O. de la Tour et de l'Épée.** *Créé* 1459, réformé 1832 pour services civils et militaires, 5 cl. **O. de l'Empire** (1932). **O. de l'Infant Henri le Navigateur** (1960). **Ordres de mérite civil (Bienfaisance, Instruction publique, Mérite agricole et industriel,** etc.). Le duc de Bragance distribue l'ordre de N.-D. de la Conception de Villaviciosa, dont il est grand maître (ordre de famille).

• Saint-Siège. **Ordre suprême du Christ. (Milice de N.S.J.C.).** *Créé* 1319 par Jean XXII. Réorganisé 1905, très rarement décerné (chefs d'État, hommes d'État prééminents). 1 cl. : chevalier. Un seul protestant le reçut (Bismarck 1884). **O. de l'Éperon d'or** (et de la Milice dorée). *Décerné* dep. 1539, et sans doute avant. Changé 1841 en O. de St-Sylvestre, réinstitué 1905. 1 cl. : chevalier. **O. de Pie.** *Créé* 1847 par Pie IX, réorganisé 1905 et 1907. 4 cl. (Grand-Collier, Grand-Croix conférant jusqu'en 1939 héréditairement la noblesse, Commandeur conférant la noblesse personnelle, Chevalier). **O. de St-Grégoire le Grand.** *Créé* 1831 par Grégoire XVI pour les citoyens fidèles et les troupes autrichiennes qui défendirent le St-Siège. Réorganisé 1905. 2 divisions (civile et militaire), chacune de 3 cl. (Grand-Croix, Commandeur, Chevalier). **O. de St-Sylvestre.** *Créé* 1841 par Grégoire XVI en mémoire de son fondateur présumé (Sylvestre Ier, 314-335). Remplaça l'O. de l'Éperon d'or. Réorganisé 1905 comme O. du Mérite. **Croix d'honneur « Pro Ecclesia et Pontifice » et médaille « Benemerenti »** *instituées* 1888.

• Suède. Ces ordres ne sont plus décernés qu'à des étrangers. **O. des Séraphins.** *Fondé* 1335 par Magnus IV, rénové 1748 par Frédéric Ier. 1 cl. Rarement décerné. **O. de l'Épée.** *Fondé* 1748. 5 cl. Militaire. **O. de l'Étoile polaire.** *Fondé* 1748 pour les mérites civils. 4 cl. **O. de Vasa.** *Fondé* 1772 pour services rendus à l'industrie nat. 5 cl. **O. de Charles XIII.** *Fondé* 1811 pour francs-maçons de haut grade. 1 cl.

• Tchécoslovaquie. **Ordre militaire du Lion blanc pour la victoire.** *Créé* 1945. 2 cl. **O. du Lion blanc.** *Créé* 1922 pour les étrangers. 3 cl. **O. de Klement Gottwald. O. de l'Étendard rouge. O. de l'Étoile rouge du Travail. O. de Jan Zizka de Trochnova.** *Créé* 1946 pour les officiers. 3 cl. **O. du Février victorieux. O. du Travail. O. du Mérite pour l'édification de la Patrie socialiste. O. de la Croix de guerre.**

• Turquie. **Istiklal Madalyasi** (Médaille de l'Indépendance). *Créée* 1920 par Ataturk pour services exceptionnels rendus pendant la guerre d'indépendance (1919-22). En bronze, ruban triangulaire rouge (jusqu'en 1934, 4 couleurs différentes). Seule décoration de la République, n'est plus conférée. Port autorisé pour les descendants par ordre de primogéniture.

• U.R.S.S. **Ordre de Lénine.** La plus haute récompense. *Créé* 6-4-1930. Décerné par le président du Soviet suprême à certains Soviétiques et à des étrangers, des collectivités, des institutions, des entreprises et organisations sociales pour mérites particuliers dans l'édification du socialisme. Peut être décerné à ceux qui ont déjà eu le titre de Héros de l'Union soviétique et de Héros du Travail socialiste. Frappé d'un portrait en médaillon de Lénine. Au milieu, buste en relief de Lénine. En or, s'épingle sur l'habit à l'aide d'une forme à 5 côtés couverte d'un ruban de soie moirée. **Drapeau rouge du Travail.** *Créé* 7-9-1928. **Étoile rouge.** *Créée* 6-4-1930. **O. de la Guerre patriotique.** *Créé* 20-5-1942. 2 degrés. 1re décor. créée pour la 2e G. mondiale. **O. de Souvorov.** *Créé* 29-7-1942. **O. de Koutouzov.** 1re et 2e cl. *créées* 29-7-1942 ; 3e cl. 8-2-1943. **O. d'Alexandre Nevski.** *Créé* 29-7-1942. **O. de Bogdam Khmelnitski.** *Créé* 10-10-1943. **O. de la Victoire.** *Créé* 8-11-1943. Considéré aujourd'hui comme la plus haute décoration militaire. Décerné à 4 étrangers : Gal Dwight Eisenhower, Mal Montgomery, Mal Tito, ex-roi Michel de Roumanie. **O. de la Gloire.** *Créé* 8-11-1943. **O. d'Ouchakov.** *Créé* 3-3-1944. **O. de Nakhimov.** *Créé* 3-3-1944. **O. de la Gloire au Travail.** *Créé* 18-1-1973. 3 degrés « pour un travail de longue durée, de grand rendement et d'abnégation dans une seule entreprise, organisation, kolkhoze ou sovkhoze ». **Vétéran du travail.** *Créé* 18-1-1973. Pour « un travail consciencieux et de longue durée dans l'économie nationale, la culture, l'éducation, la santé, les établissements d'État et les organisations soc. ». **Insigne d'honneur.** *Créé* 25-11-1935. **« Mère héroïque ».** *Créé* 8-7-1944. **« Gloire maternelle ».** *Créé* 8-7-1944. 3 cl. Pour mères de famille nombreuse.

• Russie impériale. **Ordre de St-André.** *Créé* 1698 par Pierre le Grand pour souverains et nobles ; entraînant l'appartenance aux ordres de l'Aigle blanc, St-Alexandre Nevski, Ste-Anne et St-Stanislas. 1 classe. Rarement conféré par le Gd-Duc Wladimir, chef de la famille impériale russe. **O. de l'Aigle blanc.** *Créé* 1765. 3 cl. **O. de St-Georges.** *Créé* 1769 par Catherine II pour bravoure devant l'ennemi. 4 cl. Était le plus prisé. **O. de St-Vladimir.** *Créé* 1782. O. civil, puis après la guerre de Crimée, également militaire. 4 cl. **O. de Ste-Catherine.** *Créé* 1714 par Pierre le Grand pour les dames. 2 cl.

Franc-Maçonnerie

Généralités

• Histoire. **Origines.** Les « Old Charges », documents corporatifs anglais établis du XIIIe au XVIIIe siècle, donnent à la Maçonnerie « de métier » ou « opérative » des origines légendaires, bibliques et antiques. Par la suite, les Maçons ont fait intervenir les mystères anciens, les traditions égyptiennes et grecques, les Croisés ou les Templiers. **Périodes.** *Opérative* des constructeurs des cathédrales médiévales ; *de transition* (XVIe et XVIIe s.) ; *spéculative* de 1717 à nos jours (on appelait « maçons spéculatifs » ou « gentilshommes maçons » les maçons non opératifs, c.-à-d. les membres des loges maçonniques qui n'étaient pas des artisans de la maçonnerie), née en 1717 avec la fondation de la Grande Loge de Londres (révérend Dr Désaguliers ; devenue ensuite Gde Loge d'Angleterre, de caractère interconfessionnel), suivie par les Constitutions d'Anderson (1723).

Le passage de la période opérative aux suivantes s'est fait grâce à *« l'acceptation »,* qui a amené, dans les groupements ou « loges » des constructeurs britanniques, des notables n'appartenant pas au « métier ». Au début du XVIIIe s., celles-ci avaient perdu tout caractère professionnel et n'en conservaient plus que les symboles.

Relations avec les Templiers. Selon une légende réfutée, l'Ordre écossais serait un rameau secret de l'Ordre du Temple, dissous par le pape Clément V le 13-4-1312. Un religieux, Humbert Blanc, réfugié en Angleterre, y aurait perpétué les traditions des Templiers. De 1808 à 1830, un illuminé, Raymond de Fabré-Palaprat (1775-1838), reconstitua un pseudo « Ordre du Temple » dont il se proclama Grand Maître. Quelques francs-maçons le rejoignirent, convaincus de l'origine commune des 2 institutions. Charles-Louis Cadet-Gassicourt (1769-1821) était aussi convaincu de l'origine templière de l'Ordre.

Extension. *1711* Irlande, *1725* ou *1726* France [seigneurs anglais émigrés fidèles à la cause des Stuarts, tels les Gds Maîtres Philippe, duc de Wharton (1698-1731), et Charles Radclyffe, Cte de Derwentwater (1693-décapité en 1746)], 1733 Massachusetts, 1738 Allemagne, 1756 Pays-Bas, 1779 Russie...

• Symbolisme. *3 « Grandes Lumières » :* le Volume de la Loi sacrée, l'Équerre et le Compas ; *nombreux symboles :* sceau de Salomon, delta lumineux, maillet, ciseau, levier, règle, niveau, etc. Ces symboles, ainsi que « les colonnes du Temple », la lettre G dans l'Étoile flamboyante, la connaissance de la légende de Hiram, sont les supports de la progression dans la connaissance de l'*initié*. La symbolique a pénétré v. 1700 par le canal des « acceptés » qui amenèrent celle des hermétistes et de la Kabbale : elle s'imposa progressivement. Le terme « Volume de la Loi sacrée » est apparu au XXe s.

Calendrier. Dep. le XVIIIe s., les loges anglo-saxonnes, françaises et allemandes utilisent « l'Année de la Vraie Lumière », ou « Anno Lucis », pour faire remonter l'origine de la Maçonnerie à la création du monde selon la Bible. Ce calendrier, apparu chez les Maçons anglais, serait dû à James Usher (prélat anglican né à Dublin en 1580), qui, dans ses *Annales Verteris* et dans ses *Novi Testamenti* (1650-1654), utilisait une chronologie remontant à 4 000 av. J.-C. Anderson reprend dans ses *Constitutions* une datation proche, coïncidant avec les données bibliques.

Nota. – L'âge d'admission réel est celui de la majorité civile (dispenses très rares).

Signes de reconnaissance. Diffèrent selon les grades. Le plus célèbre de tous est le signe de détresse, que l'on fait en cas de danger de mort.

Tablier. Ancienne tenue de travail des maçons (opératifs), devenue tenue rituelle, utilisée au cours des réunions. La décoration varie selon les grades (les apprentis ont un tablier blanc sans broderies).

• Organisation. *Loges* autonomes, dirigées par un Pt élu (le Vénérable) et un collège d'Officiers (surveillant, orateur, expert, secrétaire, trésorier, etc.), dont les fonctions varient selon les Rites. *Obédience :* regroupe des Loges au niveau d'un pays [dite « Grande Loge » (Fédération de Loges) ou « Grand Orient » (Féd. de Rites)], dirigée par un Grand Maître, des Grands Officiers et un conseil. Une Grande Loge ou un Grand Orient seuls peuvent pratiquer plusieurs *Rites* [principaux : r. Émulation, r. Écossais rectifié, r. Écossais ancien et accepté, r. d'York (U.S.A.), r. Suédois, r. Français, r. de Memphis Misraïm, presque disparu, etc.].

Âge symbolique en grade. Un *Rite* (sauf le r. Émulation) comprend, en plus des 3 premiers grades (apprenti, compagnon, maître), dits « gr. symboliques » ou « gr. bleus », un certain nombre de « hauts gr. » ou « gr. de perfection » à l'origine variée. Le rite Écossais ancien et accepté a 33 gr. ou degrés : *1* Apprenti : 3 ans. *2* Compagnon : 5 a. *3* Maître : 7 a. et plus. *4* Maître secret : 3 fois 27 a. accomplis. *5* Maître parfait : 1 a. pour ouvrir les Travaux, 7 a. pour fermer les travaux. *6* Secrétaire intime : 10 a., le double de 5. *7* Prévôt et Juge : 14 a., le double de 7. *8* Intendant des bâtiments : 3 fois 9 a. *9* Maire Élu des Neuf : 21 a. accomplis, le triple de 7. *10* Illustre Élu des Quinze : 25 a. accomplis, 5 fois 5. *11* Sublime Chevalier Élu : 27 a. *12* Grand Maître Architecte : 45 a., 5 fois le carré de 3. *13* Royale Arche : 63 a. accomplis, 7 fois le carré de 3. *14* Grand Élu parfait et Sublime Maçon : 27 a. accomplis. *15* Chevalier d'Orient ou de l'Épée : 70 a. *16* Prince de Jérusalem : 25 a. accomplis. *17* Chevalier d'Orient et d'Occident : pas d'âge. *18* Chevalier Rose-Croix : 33 a. *19* Grand Pontife ou Sublime Écossais : pas d'âge. *20* Vénérable Grand Maître de toutes les loges régulières : pas d'âge. *21* Noachite : pas d'âge. *22* Chevalier Royal-Hache : pas d'âge. *23* Chef du Tabernacle : pas d'âge. *24* Prince du Tabernacle : pas d'âge. *25* Chevalier du Serpent d'Airain : pas d'âge. *26* Écossais trinitaire : 81 a. *27* Grand Commandeur du Temple : pas d'âge. *28* Chevalier du Soleil : pas d'âge. *29* Grand Écossais de Saint-André : 81 a. *30* Chevalier Kadosch (hébreu *saint*) : 1 siècle et plus. *31* Grand Inquisiteur Commandeur : pas d'âge. *32* Chevalier (Sublime Prince) du Royal Secret : pas d'âge. *33* Souverain Grand Inspecteur général : 33 a. accomplis.

• Situation actuelle. *Europe occidentale :* après avoir souffert des régimes nazi et fasciste – sauf en Suisse et Suède –, elle s'est relevée notamment en France, Belgique, Pays-Bas, Norvège, Allemagne, Italie, Autriche, Portugal et Espagne (où elle était interdite sous Franco). *Asie :* se développe en Inde, Japon, Philippines, Hong Kong, Formose, Liban et Israël. *Iran :* proscrite depuis la chute du Shah. *Amér. du Sud :* Maçons influents, mais divisés par des querelles de rites et des options politiques. *Pays socialistes :* a disparu en U.R.S.S. et dans les démocraties pop. (sauf à Cuba). *Afrique noire :* situation instable.

Nombre de Maçons dans le monde : 6/7 000 000 dont *U.S.A. :* env. 4 000 000. *G.-B.* 1 000 000 (Gd Maître de la Gde Loge d'Angl. : duc de Kent). *France :* 80 000.

Obédiences françaises actuelles

• Grand Orient de France. 16, rue Cadet, 75009 Paris. **Fondé** 1773 (Ainsi appelé parce que « de l'Orient vient la lumière »). **Grands Maîtres** (dep. 1944) : *1944* Arthur Groussier, ancien vice-Pt de la Chambre des députés, ancien secr. gén. adjoint de la S.F.I.O. ; *45* Francis Viaud ; *48* Louis Bonnard ; *49* F. Viaud ; *52* Paul Chevallier ; *53* F. Viaud ; *56* Marcel Ravel ; *58* Robert Richard ; *59* M. Ravel ; *62* Jacques Mitterrand, conseiller de l'Union française de 1947 à 58 (Union progressiste) ; *64* Paul Anxionnaz, ancien ministre, ancien député de la Marne (1946-51 et 56-58), secr. gén. du parti radical de 1945 à 48 ; *65* Alexandre Chevalier ; *66* P. Anxionnaz ; *69* J. Mitterrand (1908-91) ; *71* Fred Zeller ; *73* Jean-Pierre Prouteau, secr. d'État chargé des PMI ; *75* Serge Behar ; *77* Michel Baroin (1930-86) ; *79* Roger Leray ; *81* Paul Gourdot (20-8-30) ; *86* Roger Leray ; *87* Jean-Robert Ragache (12-12-39). **Conseil de l'ordre :** 33 m., élu par les loges locales et renouvelé chaque année par tiers. **Membres :** 30 000 (dont env. 100 députés et sénateurs en majorité socialistes, 10 ministres). **Loges :** 500.

Du 14 au 16-5-1987, le Grand Orient de France a organisé un rassemblement maçonnique international (le 1er dep. 1889), où étaient représentées les 2 traditions : originelle anglo-saxonne (vision déiste de l'Univers) et libérale.

• Grande Loge de France. 8, rue Puteaux, 75017 Paris. **Fondée** 1894. **Grands Maîtres** (dep. 1944) : Jacques Dumesnil de Gramont (1938-40, 44-48 et 50-52) ; Georges Chadirat (1948-50) ; Louis Doignon (1952-55, 1961-63) ; Antonio Coen (1955-56) ; Richard Dupuy (1914-1985) (1956-57, 58-61, 63-65, 66-69, 71-73 et 75-77) ; Georges Hazan (1957-58) ; Pierre-Simon (1969-71, 1973-75) ; Georges Marcou (n. 17-2-1923) (1977-78 et 1981-83) ; Michel de Just (n. 1934) (1978-81) ; Henri Tort-Nouguès (n. 1921) (1983-85) ; Jean Verdun (n. 21-3-31) (1985-88) ; Guy Piau (n. 6-5-30) (1988-90) ; Michel Barat dep. 24-6-90. **Membres :** 19 700. **Loges :** 490. Pratique du rite Écossais ancien et accepté.

• Grande Loge nationale française (GLNF). 65, bd Bineau, Neuilly. **Fondée** 1913 par Édouard de Ribaucourt (1865-1936) sous le nom de Grande Loge nationale indépendante et régulière. Seule Obédience française reconnue par la Grande Loge unie d'Angl. et la Maçonnerie anglo-saxonne, en raison de sa « régularité » c'est-à-dire en respect de la règle des *landmarks* de la Franc-Maçonnerie universelle caractérisée par sa croyance en Dieu et son apolitisme. *Nom actuel* depuis oct. 1948. A essaimé en Afrique noire francophone (Grande Loge du Gabon, districts africains du Togo, Sénégal et Côte-d'Ivoire). En 1982, a créé la Grande Loge d'Espagne. **Grands Maîtres.** *1913* E. de Ribaucourt, *1919* C. Barrois, *1929* H. de Mondehare, *1933* G. Jollois, *1938* M. Vivrel, *1947* P. Chéret, *1958* E. Van Hecke, *1971* A.-L. Derosières (1905-82), *1980-89* Jean Mons (1906-89), *1989* André Roux (n. 1927). **Membres :** 15 000. **Loges :** 700. Plusieurs rites pratiqués : Écossais ancien et accepté, Écossais rectifié, Émulation, Français, d'York. Au sein de l'Obédience fonctionne également un Grand Chapitre de l'Arche royale pour la France (présidé par le Grand Maître).

• Grande Loge féminine de France (GLFF). 101, rue de Charonne, 75011 Paris. **Fondée** 1945. **Gde Maîtresse :** France Sornet dep. sept. 1989. **Membres :** 7 200. **Loges :** 205 (France, Afrique, océan Indien, Amérique, Antilles).

• Grande Loge Traditionnelle et Symbolique Opéra (ex-Gde Loge nationale française Opéra). 235, rue du Fg-St-Martin, 75010 Paris. **Fondée** 1958 par des dissidents de la GLNF. Travaille de façon traditionnelle et spiritualiste. **Gd Maître :** Marc Santucci. **Loges :** 95. **Membres :** 1 650. En relation avec les Gdes Loges et Gds Orients de France et d'Europe non inféodés à la Gde Loge unie d'Angleterre. **Rites :** principalement Écossais rectifié, mais plusieurs loges pratiquent le r. Émulation et le r. Français traditionnel.

• Droit humain. *Ordre maçonnique mixte international,* 5, rue Jules-Breton, 75013 Paris. **Fondé** 1893 par une féministe française, Maria Deraismes (1828-94), et Georges Martin (1844-1916), sénateur de la Seine ; présent dans 50 pays. **Fédération française : Ateliers :** 380. **Gd Commandeur :** Élise Rouet, Gd Maître adjoint de l'Ordre. **Pt du Conseil national :** Jeanine Pinault. **Membres :** 11 000 env. **Adresse :** 49, bd de Port-Royal, Paris 13e. **Rites :** Écossais ancien et accepté.

• Grande Loge indépendante et souveraine des rites unis (GLISRU). B.P. 1404, 59015 Lille Cedex. **Fondée** 1976. **Loges :** masculines, féminines ou mixtes. **Grand Maître général :** René-Jacques Martin. **Rites pratiqués :** Français traditionnel, Écossais ancien et accepté, Écossais rectifié, Memphis Misraïm, Opératif de Salomon, Anglais ancien.

• Grande Loge Œcuménique d'Orient et d'Occident. Bt 4, La Coupiane, 83160 La Valette-du-Var. **Fondée** 1976 par Émile Delplanque (1910-87). **Membres :** *31-12-1989 :* 1 894. **Armoiries :** Étoile de David (noire), Croix latine (rouge), Croissant musulman (vert) entrelacés de rameaux d'olivier (Paix) et de laurier (Victoire). **Devise :** Dieu, Amour, Tous Frères. **Rites :** Œcuménique, Écossais ancien et accepté. **Grand Maître :** René Ripoll. **Loges et triangles :** en France, Europe, Afrique.

• Grande Loge Œcuménique féminine d'Orient et d'Occident (GLOF). Le Kallisté, Bt D, 267, bd Charles-Barnier, 88000 Toulon. **Créée** 1980.

• Grande Loge Mixte Universelle. 10, rue Saulnier, Paris 9e. **Fondée** 1973 par Raymond Jalu et Éliane Brault. **Membres :** 500. **Loges :** 21. **Grand Maître :** Madeleine Corteggiani. **Rites pratiqués :** Français et Écossais ancien et accepté. Fidélité à la mixité et à l'idéal laïque.

La Franc-Maçonnerie et l'Église catholique

• Au XVIIIe s. La *Maçonnerie spéculative anglaise,* créée par des membres du clergé protestant, excluait, dès 1723, athées et libertins. Elle considère toujours que la présence de la Bible sur l'autel et l'obligation de prêter serment sur le Livre saint [la croyance au « Grand Architecte de l'Univers » (expression non biblique, désignant le Dieu Créateur) et en sa volonté révélée] sont le « landmark » (« borne », marque distinctive) de la Maçonnerie. En pays musulman, aux Indes ou en Extrême-Orient, les protestants peuvent prêter serment sur le livre sacré de leur confession. Les diverses Églises issues de la Réforme, certaines Églises orthodoxes, le judaïsme, plusieurs sectes islamiques, les religions d'Extrême-Orient ont admis cet aspect libéral et humaniste interconfessionnel, mais l'Église catholique a entretenu avec la F.-M. de sérieuses querelles, aujourd'hui closes. **1738** 1re bulle papale contre les F.-M. (*In Eminenti* de Clément XII) en raison du secret de leurs assemblées et « pour d'autres motifs justes et raisonnables de Nous connus ». Selon Alec Mellor (n. 1907), ces motifs n'étaient pas d'ordre doctrinal (car l'ordre ne fut pas condamné comme hérétique), mais de nature politico-religieuse, le St-Siège protégeant les Stuart, détrônés et réfugiés à Rome, mais ne voulant pas détacher les Écossais du Nord, partisans des Stuart quoique protestants, du prétendant Charles-Édouard (qui préparait le débarquement de 1745 et qui aurait restauré le catholicisme en Angl.). M.-P. Chevallier, au contraire, pense que le pape a craint de voir dans la Maçonnerie une résurgence du jansénisme et du quiétisme. La bulle n'ayant pas été enregistrée par le Parlement de Paris ne fut pas applicable en France, mais rendit la vie maçonnique précaire en Espagne, au Portugal, en Amérique latine et dans les États italiens. **1751** bulle *Providas* de Benoît XIV, aussi peu explicite (mais il est douteux que les idées du XVIIIe s. et la philosophie des « Lumières » soient visées car l'offensive antireligieuse des Encyclopédistes n'était pas déclenchée). **1776** Pie VI condamne les idées du XVIIIe s. (bulle *Inscrutabili*), la F.-M. n'est pas nommée.

• XIXe. **1821** encyclique *Ecclesiam* de Pie VII. **1873** enc. *Et si multa* de Pie IX, condamnant moins la Maçonnerie que les *Carbonari* et autres sectes politiques secrètes qui noyautaient les Loges. **1877** après la Belgique, la Hongrie et divers pays d'Amér. du S., le Grand Orient de Fr. décide de supprimer de la Constitution l'article 1er imposant la croyance en Dieu et en l'immortalité de l'âme. Cependant, « La Maçonnerie n'exclut personne pour ses croyances. » Néanmoins, la rupture devient alors définitive entre Français et Anglo-Saxons (elle restera toujours moins nette entre la « Masonry » et les Obédiences continentales ou sud-amér. qui ont eu pourtant les mêmes problèmes). **1884** encyclique *Humanum genus* de Léon XIII reprochant à la Maçonnerie l'anticléricalisme militant, le positivisme et le rationalisme adoptés officiellement par le Grand Orient de Fr. (voir p. 1245). Cette enc. s'expliquait aussi par les tendances de la Maçonnerie italienne de l'époque, visant à détruire le pouvoir temporel des papes, et escomptant la destruction à plus ou moins longue échéance du catholicisme lui-même.

☞ En raison des condamnations de l'Église, la Maçonnerie prend souvent, en pays catholique, des formes différentes de la « Masonry » britannique : un certain mysticisme ésotérique, plus ou moins orthodoxe, s'y est introduit au XVIIIe s. et s'y maintiendra parfois avec ce caractère « catholique » de certains grades (Écossais Trinitaires par exemple) dans lequel certains ont voulu voir, à tort, la main des jésuites. A l'inverse, dès 1750, il y a sur le continent une Maçonnerie inspirée par l'Aufklärung allemande (philosophie des Lumières ou anti-obscurantisme) de Christian Thomasius (1655-1728), qui deviendra libérale et « nationale » au XIXe s. Ainsi, la Maçonnerie sud-amér. jouera un rôle important dans les guerres d'indépendance, bien des Maçons italiens seront des apôtres de l'Unité italienne, les loges tchèques et hongroises joueront un rôle capital dans la renaissance de leur pays.

• XXe s. **1904-05** *Affaire des fiches :* l'état-major du min. de la Guerre (Gal Louis André) demande aux loges locales du Grand Orient de ficher les officiers allant régulièrement à la messe (25 000 fiches établies) ; un employé des loges en communique au *Figaro* qui les publie le 27-10-1904. André doit démissionner et 35 députés F.-M. se désolidarisent du ministère Combes (les Loges avaient violé les statuts de l'ordre en travaillant pour un organisme d'État). **1913** des F.-M. français [Édouard de Ribaucourt (1865-1936) et ses compagnons] fondent la *Grande Loge nationale indépendante et régulière* (devenue 1948 LNF). Ce sera la seule obédience franç. reconnue par la G[de] Loge d'Angl. et par là, *ipso facto,* par les 6 millions de Maçons reconnus comme « réguliers » par elle. **1940-44** approuvé par l'Église de Fr., le régime de Vichy (1940-44) interdit la Maçonnerie et confisque ses biens. **1974**-*11-9* la Sacrée Congrégation de la doctrine de la foi (ex. St-Office), sous la signature du cardinal Seper, dit que le canon 2 335 du Code du droit canon qui interdit aux catholiques, sous peine d'excommunication, de faire partie de la F.-M. ou autres associations du même genre, ne viserait que les catholiques faisant partie d'associations agissant contre l'Église, ce qui n'est pas explicitement le cas de la « Masonry » anglo-saxonne, ni de la GLNF. Cependant, il reste toujours interdit aux clercs, religieux et membres des instituts séculiers, de faire partie d'une association maçonnique quelle qu'elle soit, sauf dispense individuelle délivrée par l'évêque du lieu. **1983** le nouveau Code de droit canon (c. 1184) ne mentionne pas les F.-M. parmi ceux auxquels on doit refuser des funérailles à l'Église. Il ne maintient pas l'excommunication prévue par l'ancien canon 2335 concernant ceux qui « donneraient leur adhésion à une secte maçonnique ou autre se livrant à des complots contre l'Église ou les pouvoirs civils légitimes ». Le nouveau ca-

• **Quelques maçons célèbres. Allemagne.** *Écrivains :* Goethe, Herder, Lessing, Richter, Schiller. *Empereurs :* Guillaume I de Prusse, Frédéric II, Frédéric III. *Hommes pol. :* Hardenberg, Stein, Stresemann. *Médecin :* Mesmer. *Militaires :* Blücher, Gneisenau. *Musiciens :* Bach, Hummel, Meyerbeer. *Peintre :* Zoffany. *Princes et rois :* Ernest de Hanovre, Georges V de Hanovre, Frédéric II de Prusse, Frédéric-Guillaume III de Prusse, Frédéric I de Wurtemberg. **Amérique du Sud.** *Hommes pol. :* Allende, Bolivar, Martin, Miranda, O'Higgins, San Martin. **Autriche.** *Musiciens :* Haydn, Mozart. **Belgique.** *Roi :* Léopold I. **Brésil.** *Empereur :* Pedro I. **Canada.** *Homme pol. :* Diefenbaker. **Danemark.** *Rois :* Frédéric VII, Christian IX, Frédéric VIII, Christian X. **Espagne.** *Hommes pol. :* Aranda, Arguelles, Riego. **Finlande.** *Musicien :* Sibelius. **France.** *Écrivains :* Beaumarchais, Brisson, Littré, Mallarmé, Montesquieu, Stendhal, Voltaire. *Famille Bonaparte :* Napoléon, Joseph, Jérôme, Joachim Murat, Louis, Lucien. *Hommes pol. :* Chautemps, Combes, Ferry, Gambetta, Guizot, La Fayette, Marat, Mendès France, Philippe Égalité, Pierre Brossolette, Ramadier, Schoelcher, Talleyrand. *Ingénieurs :* Eiffel, Montgolfier. *Militaires :* Masséna, Miollis, MacDonald, Ney, Soult, Gallieni, Joffre. *Musicien :* Boieldieu. *Peintres :* Greuze. *Pts :* Doumer, Faure. *Sculpteur :* Houdon. *Divers :* Guillotin. **G.-B.** *Écrivains :* Burnes, Doyle, Gibbon, Jerome, Kipling, Lytton, Pope, Scott, Sheridan, Wallace, Wilde. *Explorateurs :* Rurton, Scott. *Hommes pol. :* Churchill, Rhodes. *Médecins :* Fleming, Jenner. *Militaires :* Abercromby, Alexander, Auchinleck, French, Wellington. *Peintre :* Hoggarth. *Rois :* Georges IV, Guillaume IV, Édouard VII, Édouard VIII, George VI. **Grèce.** *Rois :* Georges I, Constantin I, Georges II. **Hawaï.** *Rois :* Kamehameha IV, Kamehameha V, David Kakana. **Hongrie.** *Homme pol. :* Kossuth. *Musicien :* Liszt. **Inde.** Aga Khan III. **Irlande.** *Cinéma :* Todd. *Écrivains :* Goldsmith, Swift. *Homme pol. :* O'Connell. **Islande.** *Pt :* Björnsson. **Italie.** *Écrivains :* Casanova. *Homme pol. :* Crispi, Garibaldi, Manin, Mazzini. *Musicien :* Rossini. **Norvège.** *Explorateur :* Amundsen. *Roi :* Haakon VII. **Pays-Bas.** *Roi :* Guillaume II. **Pologne.** *Roi :* Stanislas II. **Russie.** *Écrivain :* Pouchkine. *Homme pol. :* Kerensky. **Saint-Empire.** *Empereur :* François I. **Suède.** *Rois :* Adolphe Frédéric, Gustave IV, Gustave V Adolphe, Gustave VI Adolphe. **Suède-Norvège.** *Rois :* Charles XIII, Charles XIV Jean, Oscar I, Charles XV Louis, Oscar II. **Suisse.** *Divers :* Dunant. **Tchécoslovaquie.** *Homme pol. :* Masaryk. *Peintre :* Mucha. *Pt :* Benès. **U.S.A.** *Astronautes :* Aldrin, Cooper, Eiselle, Glenn, Grisson, Mitchell, Schirra, Stafford. *Aviateur :* Lindbergh. *Cinéma :* Borzage, Cantor, De Mille, Fairbanks, Gable, Griffith, Jolson, Lloyd, Mix, Murphy, Powell, Rogers, Wyler, Zanuck, Zukor. *Écrivain :* Twain. *Explorateurs :* Byrd, Peary. *Hommes pol. :* Dewey, Franklin, Goldwater. *Militaires :* Bradley, Clark, Jellicoe. *Pts :* Washington, Monroe, Jackson, Polk, Buchanan, Johnson, Garfield, Roosevelt, Taft, Harding, Roosevelt, Truman, Johnson, Ford. *Sports :* Dempsey. *Voitures :* Ford. *Divers :* Buffalo Bill, Houdin.

Contrairement à la légende, Danton, Pie IX, Lord Baden-Powell, le Dr Zamenhof n'ont pas été membres de l'ordre. L'appartenance de Beethoven, Rameau, Condorcet (il était membre de la Sté Olympique composée uniquement de Maçons), Mirabeau, Robespierre et du marquis de Sade reste discutée.

• **Politique et maçonnerie.** *1899* 8 ministres sur 11, 150 députés sont Maçons. *1934* l'affaire Stavisky rejaillit sur la F.-M. : 3 000 Maçons démissionnent. *1936* il y a 91 députés maçons (soit 15 % des dép.). On croit Maçons – à tort – Laval, Blum, Herriot qui ont refusé de l'être. *1940 août* le gouv. de Vichy ordonne la saisie des archives des Loges ; une exposition antimaçonnique est organisée au Petit Palais à Paris. *1958-68* pas de F.-M. au gouvernement, sinon Philippe Dechartre, Pt du mouvement Solidarité Participation (gaullistes de gauche). *1965* le Grand Orient soutient Mitterrand aux présidentielles. *Années 70 :* projets de loi sur insémination artificielle, divorce par consentement mutuel, greffe d'organes, droit des homosexuels, internement psychiatrique, euthanasie ont été étudiés dans les Loges. *1974-81 :* présidence de V. Giscard d'Estaing ; ministres F.-M. : Robert Boulin, J.-P. Prouteau. *1981* ministres F.-M. du gouv. Mauroy : Roland Dumas, Yvette Roudy, André Labarrère, Henri Emmanuelli, Joseph Franceschi, Guy Lengagne, Georges Lemoine, Christian Nucci, Edmond Hervé, Charles Hernu, André Cellard, André Henry, André Delelis, Louis Mexandeau. Jack Lang et Pierre Joxe l'ont été. *1986* ministres F.-M. du gouv. Chirac : Georges Fontès, André Rossinot, Alain Devaquet, Didier Bariani, Christian Bergelin, Lucette Michaux-Chevry, ex-sœur. La Fraternelle des parlementaires regroupe 172 députés (dont Olivier Stirn), sénateurs et conseillers économiques et sociaux. Avant le 16-3-86, ils étaient env. 220. Il y a des Maçons *de droite* [ex. ceux du CA 25 : cercle des amis du 25 mars (créé 1982 par référence au 25-3-77, date d'élection de Chirac à la mairie de Paris), 1 000 m. ; ceux de l'Atelier Montesquieu ; des partisans de Barre (2 000 ?) (Fraternelle maçonnique U.D.F. « Club de la Rue de Poitiers », Pt André Rossi)] ; d'autres de *gauche.* En N.-Calédonie : Georges Lemoine et Jacques Lafleur sont Maçons.

Nombreux Maçons dans police, assurances, PTT, justice.

non 1374 prévoit simplement que « doivent être punis d'une juste peine ceux qui donnent leur nom à une association qui se livre à des complots contre l'Église ; les promoteurs ou dirigeants d'une telle association seront punis par l'interdit ». *-26-11* la Congrégation pour la doctrine de la foi rappelle l'interdiction pour les cath. de s'inscrire dans une Loge, ceux qui s'y inscrivent « sont en état de péché grave et ne peuvent accéder à la sainte communion ». **1985**-*22-2* cette interdiction est à nouveau rappelée dans l'Osservatore Romano. **1987**-*13-7* le synode général de l'Église d'Angl., par 394 voix contre 52, qualifie la F.-M. d'hérétique et juge la pratique maçonnique incompatible avec l'appartenance à l'Église chrétienne.

La Franc-Maçonnerie dans les pays de l'Est. Les Loges y ont une très ancienne tradition. *Pologne,* 1re Loge à Varsovie, 1729. *Russie,* 1731. *Tchécoslovaquie,* Prague 1742. *Hongrie,* Buda 1770. *Bulgarie,* Kichinev 1820. *Roumanie,* Bucarest et Jassy 1856. La montée du fascisme entraîna leur dissolution (Roumanie 1937, Hongrie et Pologne 1938, Tchécoslovaquie 1939, Bulgarie 1941). De nombreux Maçons furent arrêtés et exécutés. Après la guerre, les Loges qui avaient pu se reconstituer furent à nouveau dissoutes par les communistes (Roumanie 1948, Hongrie 1950), et leurs membres emprisonnés et jugés pour haute trahison et espionnage. Certaines Loges survécurent dans la clandestinité ou en exil. La chute des régimes communistes a entraîné leur réveil. *Hongrie :* Gde Loge (450 frères survivants), 1re à se réveiller. *Tchécoslovaquie. URSS :* quelques Loges illégales tolérées. *Roumanie :* Gde Loge en exil, considérant que la révolution n'est pas terminée, a demandé aux Maçons de ne pas sortir de la clandestinité. En *Bulgarie* et *Pologne :* Loges encore fermées en raison de l'hostilité des gouvernements.

Pamphlétaires adversaires de la Maçonnerie

XVIIIe s. *Angleterre :* de 1717 à 1730, plusieurs libelles antimaçonniques, appelés *exposures* (divulgations), reprochent au Maçon : ivrognerie, homosexualité (à cause de l'exclusion des femmes), papisme (à cause de la grande maîtrise du duc de Norfolk qui était catholique, en 1729-30). Des processions burlesques sont organisées à Londres avec des ornements maçonniques. En *France :* de 1742 à la Révolution, les antimaçons sont surtout membres du parti antiphilosophique. Après 1797, ils sont antirévolutionnaires. Reproche principal : les F.-M. ont ourdi la Révolution [v. pamphlet du jésuite Augustin de Barruel (1741-1820), *Mémoires pour servir à l'histoire du jacobinisme,* publié à Londres 1797].

XIXe s. *Anglophobes :* dénoncent la collusion de la F.-M. et de l'Intelligence Service. *Antisémites :* soulignent les ressemblances entre la symbolique maçonnique et celle du Temple de Jérusalem. *Ésotéristes :* cherchent à démontrer le caractère luciférien de la Maçonnerie [Satan (Lucifer, l'Ange de lumière) serait adoré par les hauts grades, les grades inférieurs n'en sauraient rien]. L'ordre maçonnique doit réparer l'injustice et la condamnation de Lucifer. Pour d'autres, les F.-M. se livrent à des messes noires et à des cérémonies sacrilèges. Pamphlet principal : *les Mystères de la Franc-Maçonnerie dévoilés* de Gabriel Jogand Pagès, dit Léo Taxil (1854-1907), qui prétendait détenir ses informations de Diana Vaughan, ex-grande prêtresse du palladisme [haute-maçonnerie luciférienne ; le chef du culte palladiste était l'Américain Albert Pike (33e degré), le diable lui apparaissant chaque vendredi à 15 h]. En avril 1897, Léo Taxil dévoila son imposture.

XXe s. Reprennent les thèmes du XIXe s., mais développent surtout celui de l'arrivisme et du « copinage ». Principal écrivain : Roger Mennevée (1885-1973) ; principal historien : Bernard Fay, *la Franc-Maçonnerie française et la préparation de la Révolution* (thèse : les idées révolutionnaires sont les idées maçonniques) ; principal organisme : Ligue française antimaçonnique, fondée en 1910 par Paul Copin Albancelli (1851-1939).

Ordre de la Rose-Croix AMORC

Nature. Mouvement philosophique, initiatique et traditionnel mondial, non sectaire et non religieux, ouvert aux hommes et aux femmes, sans distinction de race, de religion ou de rang social. **But.** Perpétuer la connaissance des lois cosmiques et enseigner comment vivre en harmonie avec ces lois, de manière à acquérir la maîtrise de la vie, sur le plan matériel et spirituel.

Tradition. *Origines :* anciennes écoles de mystères d'Égypte v. 1500 av. J.-C. (règne de Thoutmôsis III). D'Égypte, l'Ordre s'est répandu en Grèce, Italie puis Europe du Moyen Age par le biais des alchimistes et des Templiers. *1er document écrit mentionnant la Rose-Croix :* « Fama Fraternitatis », imprimé à Cassel et Londres en 1614. Se réfère à un personnage du XVe s., Christian Rosenkreutz, personnage légendaire correspondant au titre symbolique que les dirigeants de l'Ordre ont porté à certaines époques de son histoire. Au XVIIIe s., il existait un lien étroit entre Rose-Croix/Franc-Maçonnerie (aujourd'hui indépendantes), même si l'un des grades maçonniques est celui de « Chevalier Rose-Croix ».

Rosicruciens célèbres. Léonard de Vinci, Paracelse, Rabelais, Francis Bacon, Jacob Boehme, Descartes, Pascal, Spinoza, Newton, Leibniz, Benjamin Franklin, le Cte de Saint Germain, Cagliostro, Louis Claude de Saint-Martin appelé le *« Philosophe Inconnu »* et inspirateur de l'Ordre Martiniste Traditionnel parrainé de nos jours par l'AMORC, baronne de Krüdener, Napoléon Ier, Faraday, Debussy, Erik Satie, etc., auraient été membres de l'Ordre ou en contact direct avec lui.

Enseignement. Des monographies sont adressées chaque mois à tous les membres, s'échelonnant sur 12 degrés, chaque degré étant consacré à l'étude d'un thème majeur (matière, conscience, vie, ontologie, thérapeutique rosicrucienne, phénomènes psychiques, âme humaine, alchimie spirituelle, etc...). Les Rosicruciens peuvent aussi se réunir dans des « Organismes affiliés » pour être initiés à la tradition orale : Pronaos (entre 20 et 40 membres), Chapitre (40 et 60 m.) et Loge (60 m. et +). Des conventions régionales, nationales ou mondiales sont organisées.

Structure actuelle. *Gde Loge Suprême* dirigée par l'Imperator. Actuellement, Christian Bernard (Fr. n. 1951). En dépendent 10 Gdes Loges dirigées chacune par un Grand Maître (Allemagne, Angleterre, Espagne, France, Grèce, Hollande, Italie, Japon, Nordique, Portugal). **Siège français.** Château d'Omonville, 27110 Le Tremblay. *Conseil International de Recherche* regroupant des Rosicruciens faisant autorité dans les sciences, littérature et arts. **Revue officielle de l'Ordre.** *Rose-Croix.* **Centres culturels.** Ouverts aux non-membres. 199 bis, rue St-Martin, Paris 3e.

Compagnonnage

Origine. Attesté depuis 1360, il est plus ancien que la Maçonnerie (les premières Loges sont du XVIIe s.). Mais nombreux historiens contestent que le compagnonnage ait été à l'origine de la F.-M. moderne. Ils estiment au contraire que les compagnons formaient d'abord des sociétés profess. dont le souci était la conquête (par népotisme) de la « maîtrise » permettant d'exercer un métier, au sein de corporations très fermées. Obligés à agir secrètement, ils auraient copié, au cours des XVIIIe et XIXe s., les attitudes et les rites des F.-M. Il est possible aussi que *compagnons* et *F.-M.* aient puisé à une même source ancienne certains symboles communs : Salomon, Hiram, le Temple, etc.

Organisation. Ensemble de sociétés regroupant des ouvriers d'élite et existant dans plusieurs corps de métiers, notamment ceux du bâtiment (coffreurs, tailleurs de pierre, charpentiers). Elles possèdent leurs rites, comme le hiéronyme (surnom comme *Louis-le-Charolais* ou *Manceau-la-Fermeté*), les épreuves (cérémonies d'admission avec des formules incantatoires), les tribunaux intérieurs, les signes de reconnaissance. Elles organisent des concours de *chefs-d'œuvre* et, pour les jeunes de 16 à 25 ans (3 000 à 4 000 par an), un *Tour de France* de formation professionnelle, comportant nécessairement un séjour dans certaines villes, dites villes *de devoir* ou *de boîte.* Ils y sont hébergés dans une maison appartenant aux compagnons et font leur apprentissage dans une entreprise choisie par ceux-ci. Tous les compagnons possèdent un passeport secret nommé le *« cheval »* ou l'*« arriat »*, plié de façon rituelle et ne devant être montré à personne, sinon aux autres compagnons (il est brûlé sur le cercueil d'un compagnon défunt).

Pour certains, il représente ce qu'était la Maçonnerie « opérative » avant de devenir au XVIIe s. la « Franc-Maçonnerie » ou Maçonnerie « spéculative », composée essentiellement de membres non ouvriers.

Sociétés de compagnonnage. **France.** *Association des Compagnons du Devoir et du Tour de France,* 82, rue de l'Hôtel-de-Ville, Paris 4e. *Fédération nationale compagnonnique des Métiers du Bâtiment,* 145, av. Jean-Jaurès, Paris 19e. *Union compagnonnique des Compagnons du Tour de France des Devoirs Unis,* 15, rue Champ-Lagarde, 78000 Versailles.

Cercles et clubs

☞ Ces listes ne sont pas limitatives.

Cercles

Aéro-Club de France. 6, rue Galilée, 75116 Paris. *Pt :* Yves Tayssier (n. 4-8-20).

Automobile-Club de France. 6, pl. de la Concorde, 75008 Paris, dep. 1903 (hôtel de Pastoret de Gabriel). *Fondé* 12-11-1895 par le Mis de Dion, le Bon de Zuylen de Nyevelt et M. Paul Meyan, comme une « Sté d'encouragement à la locomotion automobile ». *Admission :* par parrainage. 2 100 m. Toutes activités autom., sportives, culturelles, jeux. Restauration. *Cotisation annuelle :* 6 000 F + abonnement sportif éventuel 3 000 F. *Pt :* Philippe Clément (n. 16-5-22) depuis 1989.

Cercle Anglais. 1, rue Gontaut-Biron, 64000 Pau. *Pt :* Maurice Jeantet.

Cercle Carpeaux. 8, rue Scribe, 75009 Paris. *Pt :* Juan de Beistegui.

Cercle Foch. 33, av. Foch, 75016 Paris. *Fondé* 1973 par le baron Edmond de Rothschild (n. 30-9-26). *Admission :* par parrainage. *Droit d'entrée :* 6 000 F. *Cotisation :* 5 950 F. *Membres :* 625.

Cercle France Amérique. 9-11, av. Franklin-Roosevelt, 75008 Paris, dep. 1927 (hôtel Lemarois). *Fondé* 1909 par Gabriel Hanotaux. *Pt :* Jean Pineau (n. 26-1-21. Vice-Pt Conseil de la Concurrence). *Admission :* par parrainage.

Cercle de la Mer. Port de Suffren, 75007 Paris. *Pt :* amiral Christian Brac de La Perrière (n. 4-9-26).

Cercle militaire (Cercle national des armées). 8, place Saint-Augustin, 75008 Paris (immeuble construit en 1927 par Le Maresquier). *Fondé* 1887. *Pt :* Gal Valéry.

Cercle d'Orsay. 4 bis, av. Hoche, 75008 Paris. *Fondé* 1980. *Membres :* admis par parrainage (principalement diplomates français ou étrangers). *Pt :* Olivier Manet.

Cercle Républicain. 5, av. de l'Opéra, 75001 Paris. *Pt :* Marcel Martin.

Cercle Saint-Germain-des-Prés. 15, rue Princesse, 75006 Paris. *Fondé* 15-1-1981 chez Castel. *Pt :* Mis d'Arcangues.

Cercle de l'Union interalliée. 33, rue du Faubourg-St-Honoré, 75008 Paris (construit 1714). *Fondé* 1917 par le Cte Marc de Beaumont et le Mal Foch pour accueillir les officiers des armées alliées de passage à Paris. L'Association fut maintenue après la guerre pour créer entre les peuples des rapprochements nécessaires au maintien de la paix. *Admission :* par parrainage. *Cotisation :* 6 800 F (+ abonnement sportif éventuel 5 000 F : piscine, solarium, squash, gymnastique, yoga, aérobic). *Membres :* 3 000. *Pt :* Cte Jean de Beaumont (n. 13-1-1904) dep. 1975.

Jockey Club. 2, rue Rabelais, 75008 Paris. *Fondé* 1834 par la Sté d'encouragement pour l'amélioration des races de chevaux en France. S'installa 2, rue du Helder, se déplaça plusieurs fois ensuite avant de se fixer en 1863 rue Scribe et en 1924 rue Rabelais. Cercle de tradition. Réservé aux hommes. Souci de la distinction et de l'élégance. *Admission :* présentation par 2 parrains au suffrage des membres permanents (1 vote contraire annule 5 votes favorables : il faut donc recueillir 80 % des voix pour être élu). *Membres permanents :* env. 1 000. *Pt :* Alexandre de La Rochefoucauld, duc d'Estissac (n. 20-8-1917) dep. le 28-3-1985. Le 1er fut Lord Seymour.

Maison de la Chasse et de la Nature. 60, rue des Archives, 75003 Paris. Hôtel Guénégaud. Ouvert 1966. *Fondateurs :* Jacqueline et François Sommer. *Pt d'honneur :* Jean de Lachomette. *Pt :* André Damien (n. 10-7-1930). *Membres :* 700. *Cotisation :* 4 900 F (membres parisiens). *Dir :* Melchior d'Aramon.

Nouveau Cercle de l'Union. 33, fg St-Honoré, 75008 Paris. *Né* de la fusion du Nouveau Cercle et du Cercle de l'Union, le 27-6-1983. **Pt :** le Cte Arnold de Waresquiel (n. 9-1-1917), ex-Pt du Nouveau Cercle. **Origines du Nouveau Cercle :** 1835 fondation du Cercle agricole (surnommé « la Pomme de Terre ») ; 1916 fusion avec le Cercle de la rue Royale, prend le nom de Nouveau Cercle de la rue Royale ; 1946 fusion avec l'Union artistique. *Sièges successifs :* hôtel de Nesles (2, rue de Beaune), hôtel 288, bd St-Germain (construit spécialement sous le IIe Empire) ; 33, fg St-Honoré, 75008 Paris (à l'Interallié) dep. 1979. **O. du Cercle de l'Union :** fondé 1828 à l'instigation du Pce de Talleyrand, pour grouper à Paris une élite française et étrangère. Les membres permanents font partie de la Sté d'Histoire générale et d'Histoire diplomatique. Attribution de 2 prix littéraires annuels (1 d'Histoire et 1 de Souvenirs). *Admission :* par parrainage, acceptation et vote (1 vote contraire annule 6 votes favorables). *Cotisation :* 6 800 F. *Membres :* env. 450.

Le Siècle. 13, av. de l'Opéra, 75001 Paris. *Pt :* Jean-Claude Paye (n. 26-8-34). *Vice-Pts :* Jérôme Monod (n. 7-9-30), Jean Dromer (n. 22-9-29), Jean-Yves Haberer (n. 17-12-32). *Secrétaire gén. :* Étienne Lacour (n. 7-4-47). *Trésorier :* Jean Dromer.

The Travellers. 25, Champs-Élysées, 75008 Paris (hôtel de la Païva). Cercle privé, de rayonnement international. *Fondé* 1903. *Admission :* présentation par 2 parrains, dont un au moins de la même nationalité que le candidat. *Élection :* par le comité (un Pt, 2 vice-Pts et 15 m.). *Membres :* 850. *Pt :* Claude Foussier (n. 19-4-1925) dep. 29-9-1983.

Le Bottin mondain

Créé en 1903 par la société Bottin S.A. pour recenser les abonnés au téléphone qui n'étaient en général à l'époque que des « gens du monde ». Paraît chaque année (sauf de 1915 à 1919, 1940, 1941, 1944 et 1945). De 1947 à 1949, il fut divisé en 2 volumes (Tout Paris et Toute la France) qui ont fusionné en 1950. Ayant racheté en 1937 « l'Annuaire des châteaux », en 1939 « le Tout Paris » et en 1950 le « High Life », le Bottin mondain est devenu le seul annuaire national de la « bonne société ». Comporte 44 000 inscriptions. Les nouveaux inscrits sont en majorité descendants de personnes déjà mentionnées. *Renseignements donnés :* nom de famille, titre, prénom, décorations, diplômes, cercles et clubs, possession d'une automobile (de 1911 à 1943), d'un hôtel particulier (de 1911 à 1965), et depuis 1903 d'un yacht, d'un avion, d'une écurie de course ou d'un équipage de chasse à courre, nom de jeune fille de l'épouse, prénom et date de naissance des enfants, nom d'épouse des filles mariées. *Renseignements utiles :* gouvernement, ambassades, bienséance, cultes, plans de théâtres, saison lyrique, plan de Paris, etc. *Tirage : 1949 :* 5 000, *1991 :* 20 000. *Nombre de pages* (et, entre parenthèses, pour la liste mondaine) : *1903 :* 1 586 (1 046), *1991 :* 1 735 (1 323). *Prix éd. 1992 :* 890 F.

Clubs

☞ Clubs politiques, voir à l'Index.

Académie de l'Art de Vivre. 22, rue Legendre, 75017 Paris. *Fondée* 1961 par Pierre Benoît. *Membres :* 30. *Principales activités :* intellectuelles, artistiques, libérales, commerciales ou industrielles. *Pt :* S.E. Jacques Raphaël-Leygues (n. 18-12-13).

Académie du Second Empire. 116, av. des Champs-Élysées, 75008 Paris. *Pt :* Jean-Claude Lachnitt.

Académie des Sports. 4, rue de Téhéran, 75008 Paris. *Pt :* Claude Foussier.

Agora. *Fondé* 1987 par Annick Thierry. Rassemble les membres du ladie's Circle, les épouses des membres du club 41 et leurs amies. *Pte :* Annick Ferdinand. *Adresse :* 7, route d'Angers, 49220 La Meignanne.

Ambassador Club International. *Fondé* à Berne 1956. Club de contacts international. Clubs locaux composés d'un membre par profession se réunissant au minimum 1 fois par mois. *Affiliés :* 3 600 dans 210 clubs dans 12 pays d'Europe et 2 pays d'outre-mer, T'ai-wan, Philippines. *Pt international :* Dr Arno Meier ; *français :* Christian François, 06600 Antibes. *Secrétariat général :* François W. Gasser, CH-3001 Berne-BP 7451.

Les Amitiés françaises. 33, av. Foch, 75116 Paris. *Pt :* Pce Paul Mourousy.

Association des descendants de corsaires. Tour Grand'Porte, B.P. 133, 35402 St-Malo Cedex. *Pt :* Gilles Duverger-Nedellec.

Le Cent d'As. 8, rue Jean-Richepin, 75016 Paris. *Fondé* 1939 ; cercle de bridge. *Membres :* 140. *Pt :* baron Levert.

Centre des jeunes dirigeants d'entreprise (CJD). 13, rue Duroc, 75007 Paris. *Pt :* Jacques Chaize (n. 15-4-50).

Club des Explorateurs. 184, bd Saint-Germain, 75006 Paris. *Pt :* Jacques Villeminot. *Fondé* 1937 par l'éditeur Jean Lauga, P.-É. Victor, Théodore Monod, etc. *Admission :* par parrainage. *Activités :* bulletin, conférence hebdomadaire suivie d'un dîner.

Club des Habits rouges. 140, rue du Fg-St-Honoré, 75008 Paris. *Pt :* Bertrand Mirabard. *Membres :* 850.

Club 41 français. *Siège* chez M. Jean Camus, 1, rue des Troènes, 59610 Fourmies. *Fondé* 1961 à Brest par Maurice Fidelaire. Anciens membres (de la Table Ronde) et leurs amis de + de 40 ans. France : 205 clubs + 10 en formation. 4 000 m. *1975* fonde le Club 41 international (21 pays). *Devise :* amitié, tolérance, action.

Jeune Chambre économique française. 10, rue de Louvois, 75002 Paris. Affiliée à la *Jeune Chambre internationale,* créée 1915 par Henri Giessembier sous le nom d'« Association pour le progrès civique ». Nom actuel dep. 1944. *Membres* (1986) : 412 887 (dans 75 pays). En France la *JCEF,* fondée en 1952 par l'éditeur Yvon Chotard (n. 1920) et reconnue d'utilité publique le 10-6-1976, comptait, au 31-12-90, 280 jeunes chambres locales et 6 750 m. en France et DOM-TOM dont 40 % de femmes. *Age moyen :* 33 ans. *Cotisation annuelle :* env. 800 F. *Buts :* promouvoir l'étude, favoriser la compréhension et susciter la solution des problèmes économiques, sociaux et culturels parmi les responsables de moins de 40 ans ; développer les qualités individuelles de ses membres ; favoriser le développement économique et la compréhension entre les peuples. *Pt :* Marc Grimaldi du 1-1 au 31-12-91.

Kiwanis Club. Nom d'origine indienne signifiant « Nous communiquons ». *Devise :* « We build ». *Fondé* 1915 aux USA (Detroit) par Joe Prance et Allen Browne. Apolitique et philanthropique. *Membres :* 330 000 (dirigeants ou cadres supérieurs). *Clubs :* 8 500. **Kiwanis International-Europe.** 6331 Hunenberg (Suisse), im. Bosch 37. Fondé 9-6-1968 à Zurich. 770 clubs affiliés dans 21 pays. *Membres :* 22 500 (France 220 clubs, 5 200 membres).

Ladies Circle International. *Fondé* 1959. *Origine :* Grande-Bretagne et Irlande. Femmes de moins de 45 a. *Membres :* 30 000. Dans 30 pays. **Ladies Circle Français.** *Fondé* à Hirson, 26-11-1970, par Malou Coffin. *Adresse :* Laurence Verhelst, 135, av. de Montferrat, 83300 Draguignan. *Recrutement :* par parrainage. *Membres :* 400. *Clubs :* 30. Réunion mensuelle.

Lions International. 295, rue St-Jacques, 75005 Paris. *1er club* créé aux USA 1917 par Melvin Jones (1879-1961) ; en France (Paris) 1948 par Doumé Casalonga. LIONS signifie « Liberty Intelligence Our Nations Safety » (Liberté et compréhension sont la sauvegarde de nos nations). Association d'hommes choisis parmi les plus représentatifs de chacune des professions et responsables au niveau le plus élevé. Le Lions est un homme qui « cultive l'amitié et est animé du désir de servir ». *Réunions :* 2 fois par mois, débats animés par des conférenciers. *Recrutement* par cooptation avec parrainage 2 membres. *Clubs* (au 1-1-90) : 39 500. *Membres :* 1 355 000 (dans 166 pays) [en France, 1 080 clubs ; 33 500 m. dont médecins et pharmaciens 19,50 % ; P-DG direct. commerciaux et techniques 17,52 ; ind. et chefs d'entreprise 16,35 ; avocats, notaires, hauts fonctionnaires 12,09 ; ingénieurs, experts, cadres supérieurs 9,51 ; banquiers, assureurs, promoteurs immobiliers 8,52 ; architectes, décorateurs 2,45 ; admin. de Sté 2,40 ; hôteliers, restaurateurs 1,10 ; divers (commerçants, exploitants agr., rentiers, etc.) 12,15]. *Cotisation :* 1 000 F par an. *Pt international :* William L. « Bill » Biggs (USA).

LIONESS CLUBS. *En France :* 10 [1er créé 1976 à Biot (A.-M.) par Mme Jeanine Coldefy]. LÉOS CLUBS. *En France :* 100. Créés par les Lions pour les jeunes de valeur de 18 à 28 ans. Chaque club a son président.

Maxim's Business Club (MBC). 3, rue Royale, 75008 Paris. *Fondé* 1968 par Paul Dupuy (n. 3-3-1938), Patrick Guerrand-Hermès (n. 25-9-1932), Jean Poniatowski (n. 10-6-1935) et André-Pierre Tarbès. *Secr. gén. :* Nicole Frey. Club d'hommes d'affaires. *Réunions :* restaurant Maxim's, 3, rue Royale, Paris. *Membres :* 1 234 au 15-2-1991. *Cotisation annuelle :* 3 300 F en 1991. *Droit d'entrée :* 5 000 F (plus de 30 ans), 3 000 F (moins de 30 ans).

Mensa. *Fondée* 1945 à Oxford par l'avocat R. Berril et le Dr Ware. *Mensa* (latin *table*) symbolise la table ronde où tous sont assis sans ordre de préséance. Les candidats doivent subir un examen démontrant un niveau d'intelligence supérieur à celui de 98 % de la population [QI de 132 (échelle Stanford-Binet), ou 148 (éch. de Catell)]. *Activités :* séminaires et congrès ; SIG (Special Interest Groups) rassemblant les membres intéressés par le même sujet ; SIGHT (service d'hospitalité et d'accueil ; questionnaires nationaux et internationaux pour recueillir l'opinion des membres sur certains problèmes). *Membres* (1990) : env. 100 000 dans env. 80 pays (dont USA 50 000, G.-B. 33 000, Canada 2 500, *France 850,* Pologne et Yougoslavie env. 800 chacun, Australie 780, Allemagne 600, Finlande 600, P.-Bas 500, Autriche 450, Belgique 400, Italie 400, Tchécoslovaquie env. 300, N.-Zélande 260, Japon 250, Inde 110, Norvège 110, îles Anglo-Normandes 100, Israël 75, Malaisie 70, Suisse 50, Espagne 25, Côte-d'Ivoire 10). **Mensa France.** *Secrétariat général :* av. Hoche, 75008 Paris. *Pt :* Carlos Parra Perez [avant, Henri Delekta à l'origine de la création de l'ANPES (Association nat. pour les enfants surdoués) et de l'ALREP (Association Languedoc-Roussillon pour les enfants précoces)]. *Minitel :* 3615 Mensa.

Parisiens de Paris. 4, rue Joseph-Bara, 75006 Paris. *Pt :* Pierre-Christian Taittinger.

Rotary Club. 40, bd Émile-Augier, 75116 Paris. Club international *fondé* par Paul Harris réunissant des hommes d'affaires et des représentants des professions libérales (ex. à Paris, déjeuner hebdomadaire suivi d'une conférence). *1er Club* (Chicago) tint sa 1re réunion le 23-2-1905 et fut dénommé Rotary, car au début les membres se réunissaient par rotation dans leurs bureaux d'affaires. *Programme :* 1) Relations personnelles d'amitié entre ses membres en vue de leur fournir des occasions de servir l'intérêt général. 2) Observation des règles morales de haute probité et de délicatesse dans l'exercice de toute profession ; reconnaissance de la dignité de toute occupation utile ; effort pour honorer sa profession et en élever le niveau, de manière à mieux servir la société. 3) Application de l'idéal de servir, dans sa vie personnelle, professionnelle et sociale. 4) Compréhension mutuelle internationale, bonne volonté et amour de la paix, en entretenant à travers le monde des relations cordiales entre les représentants des diverses professions, unis dans l'idéal de « servir ».

Clubs (au 1-1-1990) : 25 244 dans le monde (830 en France). *Rotariens :* 1 110 576 dans le monde (32 125 en Fr.). *Pt Rotary Club de Paris :* Patrice Waller.

INNERWHEEL. Groupe les femmes de rotariens. *Membres :* 100 000 dans le monde. ROTARACT. *Créé* Paris 1968 pour les 18 à 28 ans (enfants de rotariens ou non, recrutement par cooptation). Juridiquement indépendant du Rotary. *Clubs* 4 929 (Fr. 85). *Membres* 113 367 (Fr. 1 300) dans 100 pays.

Saint-James's Club. *Créé* 1986. 5, place du Chancelier-Adenauer 75116 Paris (dans l'hôtel construit en 1892 par Mme Adolphe Thiers). *Droit d'inscription :* 5 000 F, *cotisation annuelle :* 5 000 F.

Skal Clubs. Nom initiales de 4 mots scandinaves signifiant Bonheur, Santé, Amour, Longue Vie. *Fondé* 1932 à Paris par Florimond Volckaert. Regroupe les professionnels du tourisme. *Association internationale.* Fondée 1934. *Membres :* 30 000. *Clubs :* 550 dans 80 pays. **France :** 24, rue Buffault, 75009 Paris. *Membres :* 1 200. *Clubs :* 33. *Président :* Claude Danton.

Soroptimist (du latin : sœurs pour le meilleur). 13, passage Ramey, 75018 Paris. *Fondé* 1921 à Oakland (USA) ; en France 1924. *Buts :* maintenir un niveau de moralité dans les affaires, la profession et dans la vie en général ; promouvoir les droits de l'homme et défendre la condition de la femme ; développer le sens de l'amitié et le sens de l'unité entre soroptimistes de tous les pays ; maintenir vivant l'esprit de service et de compréhension humaine ; contribuer à la détente internationale et à l'amitié universelle. *Clubs dans le monde :* 3 000 dans 90 pays, 95 000 *membres. En France :* 106 clubs, 3 300 m. *Pte* (France) : Alix Ivernel, 1990-92.

Table Ronde française. 18, rue Berthollet, 75005 Paris. *Fondée* 1926 par Louis Marchesi, membre du Rotary Club de Norwich (G.-B.), et, en France, en 1950 par Lucien Paradis et Michel Le Troquer. *Devise :* « Adopt, adapt, improve. » Rassemble des hommes de – de 40 ans, de professions différentes, « pour promouvoir les plus hautes valeurs morales, professionnelles et civiques, et favoriser l'entente, la compréhension et la paix internationales, par l'amitié, la tolérance et la solidarité ». *Clubs (1991) :* 328. *Membres :* 5 000. *Réunions :* 2 par mois (dîners suivis d'une conférence). *Recrutement* par parrainage. *Membre du Woco* (World Council des Young Men's Service Clubs) qui regroupe les clubs des Tables Rondes de 40 pays, ainsi que les clubs : Active 20-30 International (USA), Apex (Australie), Kinsmen Clubs (Canada), Junior Executive Council Clubs, JECC (Japon) et Sable Clubs (Afr. du S.).

Zonta international. c/o Brigitte Martin, 9, rue Miromesnil, 75008 Paris. *Créé* 1919 aux USA Organisation internationale de services groupant des femmes responsables du monde entier, souhaitant faire usage de leurs capacités et des expériences qu'elles ont acquises pour contribuer à la solution des problèmes de l'heure. *Membres :* 33 000. *Clubs :* 900 dans 50 pays. *Pte* du Zonta club, Paris 1 : Yvonne Pernet.

Clubs sportifs

Cercle du Bois de Boulogne (tir aux pigeons). *Adresse :* Route de l'Étoile, 75016 Paris. *Créé* 1867. *Admission :* par parrainage. *Droit d'entrée :* individuel 25 000 F, famille 40 000 F. *Cotisation annuelle* (tir et piscine inclus) : ménage 4 590 F, individuel 3 020 F. Utilise 1 terrain appartenant à la ville de Paris mais concédé par le conseil municipal à l'association pour l'encouragement des tirs en France (loyer annuel assis sur les recettes du cercle). *Activités sportives :* tir aux pigeons d'argile et aux hélices, tir aux pigeons vivants interdit dep. 1976, piscine d'été, tennis, patinage sur glace. *Membres :* 4 500 (y compris enfants). *Pt :* Cte Gérard de Gouvion St-Cyr dep. 1983. *Directeur :* Arnaud de La Mettrie.

Club international du Lys. B.P. 11, 60260 Lamorlaye. *Fondé* 1964. *Superficie :* 126 ha. *Activités :* golf (36 trous), tennis (29 courts), piscine (50 × 50 m), centre équestre (manège olympique, 40 boxes), nursery, village d'enfants, rugby, bridge, volley-ball, gymnastique. *Cotisation annuelle :* golf : couple 21 750 F ; enfant 4 450 F. Tennis : couple 11 550 ; enfant 4 450. *Membres :* 1 600 (750 familles). *Pt :* Pierre Roque dep. le 29-1-77. *Directeur :* Philippe Pontalier.

Étrier (S^té^ équestre de l'). Route de Madrid aux Lacs, Bois de Boulogne, 75116 Paris. *Fondé* 1-3-1895 par le duc de Brissac. *Activités :* club hippique, concours de dressage et de sauts d'obstacles nationaux, enseignement. *Admission :* par parrainage. *Droit d'entrée :* 750 F + supplément selon catégorie de membre choisie. *Cotisation annuelle :* 750 F. *Adhérents :* 878. *Pt :* vicomte Aymard de Jourdan-Savonnières. (Stage de perfectionnement de 9 mois, niveau compétition, ouvert aussi aux non-membres de l'Étrier.)

Golf de Mortfontaine. 60128 Mortefontaine. Club privé ; golf créé 1908 par le duc Gramont. *Superficie :* 135 ha, 2 parcours : 18 (par 70) et 9 (par 35) de catégorie internationale. Practice sur herbe. *Membres :* 400. *Pt :* M.-G. Boulot.

Golf de Saint-Cloud. Parc de Buzenval, 92380 Garches. *Fondé* 1911 par M. Cachard. 2 parcours : vert 18 trous 1913, jaune 18 trous 1931. *Admission* par parrainage. *Cotisation annuelle* en F (1991) : membres actifs : 10 750 (ménage 18 700). *Membres :* env. 2 000. *Pt :* Gérard Thibaud. *Dir. :* François Kerjean.

Golf de Saint-Nom-la-Bretèche. 78860 Hameau La Tuilerie-Bignon. *Fondé* 3-10-1957 par Daniel Féau. Golf privé par actions. Visiteurs admis en semaine, à condition d'être parrainés et classés (24/28 ncp). Driving-range, pitching-green, chipping-green, putting-green. 2 parcours de championnat SSS 72 (Bleu 6 128 m, record 62 par Ramón Sota, Open de France 1965. Rouge 6 165 m, record 63, par B. Lane et B. Langer, Lancôme 1987). *Cotisation annuelle* en F (1991) : membres actifs : 10 450 ; semainiers : 9 210. *Membres :* 1 600. *Pt :* Philippe Dailey ; *dir. :* Dan Pesant.

Liberty Country Club. 2, chemin de Neauphle, 78850 Thiverval-Grignon. *Fondé* 1987 par Marie-Claire Lamazou et Alain Corbon. Club familial (village d'enfants). *Superficie :* 8,5 ha. *Activités :* 2 piscines, 18 tennis (dont 6 couverts), salles de squash, gym, musculation. Ouvert aux clubs d'entreprises. *Cotisations :* 1 650 F à 4 875 F. Droit d'entrée 1 000 F.

Paris Country Club. 121, rue du Lt-Col.-de-Montbrison, 92500 Rueil-Malmaison. Propriété du groupe Gymnase Club. *Superficie :* 5 ha. *Activités :* piscines, 23 tennis. *Admission :* par parrainage. *Droit d'entrée :* 9 500 F (25 000 F pour une famille). *Cotisations annuelles :* 8 500 F (6 000 F pour non-joueurs). *Membres :* 3 000 (enfants 25 %). *Dir. :* Patrick Dalia.

Polo de Paris. Bois de Boulogne, 75016 Paris. Pelouse de Bagatelle (8 ha). *Fondé* 1892 par le Vte de La Rochefoucauld. *Sports :* tennis (17 courts), polo, équitation, piscine, practice de golf. *Admission* par parrainage. *Pts successifs : 1905* Marquis de Ganay ; *1921* Duc de Doudeauville ; *1940* Duc Decazes ; *1950* Bon J. de Nervo ; *1975* Bon Élie de Rothschild (n. 29-5-1917) ; *1983* Gal du Temple de Rougemont (n. 10-6-1910) ; *1985* Bon Michel Petiet (1919-88) ; *1988* Cte de Fels (n. 4-9-1919). *Membres :* 6 500. *Familles 1892* 112, *1989* 2 650 (dont env. 30 jouent au polo et 1 600 au tennis). *Droit d'entrée :* 45 000 F. *Cotisation annuelle :* 4 200 F.

Pyramides (les). 16, av. de St-Germain, 78560 Port-Marly. *Créé* 1986. *Membres :* 2 700. *Droit d'entrée :* 4 500 F. *Cotisation annuelle :* 6 950 F.

Racing Club de France. *Fondé* 1882 sur l'initiative d'élèves du lycée Condorcet qui, dep. 1880, pratiquaient la course à pied dans la « grande salle » de la gare St-Lazare. Rejoints par des élèves des lycées Monge et Rollin, ils créèrent au printemps 1882 le Racing Club et obtinrent de la ville de Paris l'autorisation d'utiliser chaque dimanche un terrain voisin du Tir aux pigeons au bois de Boulogne. En 1885, le Racing devient le Racing Club de France et, en 1886, obtint de la ville la concession de la Croix-Catelan au bois de Boulogne. *Pt :* Alain Danet (n. 24-6-1931) dep. 20-12-1984. *Membres : 1882 :* 48, *1885 :* 139, *1895 :* 520, *1905 :* 1 200, *1914 :* 2 200, *1925 :* 5 000, *1939 :* 9 000, *1955 :* 15 000, *1965 :* 20 000, *1985 :* 21 000, *1989 :* 20 000 (y compris sections sportives, golf et divers). CENTRES DU R.C.F. *Siège social :* 5, rue Éblé, 75007 Paris. 2 piscines de 25 m (9 lignes d'eau), 3 tennis couverts, basket-ball, badminton, volley-ball, escrime (16 pistes), tatami (312 m²), sauna. *La Croix-Catelan :* bois de Boulogne, 75016 Paris (7,2 ha). 24 tennis terre battue, 25 en « dur », piscines de 50 m (10 lignes d'eau), 33 m (5 lignes d'eau), piste en herbe (480 m), parcours de décathlon, pelouse de culture physique, 4 courts de volley, saunas. *Stade de Colombes :* 12, rue François-Fabert, 92700 Colombes (18 ha). Stade olympique, piste et aires de concours en Tartan, piste couverte en Tartan, salle de musculation, gymnase (15 × 70 m), 13 terrains de foot, 4 de rugby, 1 de basket. *Golf de la Boulie :* le Pont-Colbert, 78000 Versailles (106 ha). 2 parcours de 18 trous, 1 de 9, 1 practice, 2 puttings, 1 terrain de rugby, 4 de hockey (dont 1 en synthétique), 6 tennis terre battue, 1 en « dur ». *Tennis Saussure :* 154, rue de Saussure, 75017 Paris, 3 courts couverts. *Droit d'entrée et cotisation (1989) : Croix-Catelan* 15 000 F (ménage 22 500) ; cotisation annuelle avec tennis 5 850, piscine seule 4 200. *Golf de la Boulie* 70 000 (ménage 110 000) ; cotisation annuelle 11 500 (ménage 18 750). *1988-89* sections sportives : juniors 210 F, seniors 420 F.

Stade Français. *Sièges successifs :* rue Louis-le-Grand ; 56, rue Saint-Lazare, 75009 Paris ; actuellement, 2, rue du Commandant-Guilbaud, 75016 Paris. *Pt :* François Kosciusko-Morizet (n. 16-8-1940) dep. 1980. *Fondé* 1880 sous le nom de Sté de Gymnastique du Lycée St-Louis (nom actuel dep. 13-12-1883). Ses membres commencèrent par pratiquer la course à pied au Luxembourg et aux Tuileries avant d'obtenir la concession d'une piste et d'un tennis couverts au Champ-de-Mars après 1889. Cofondateur en 1887 de l'USFCP Dedet, Géo André, Rigoulot, Paoli, Lesieur, Jaureguy, Lacoste, Sera Martin, Ladoumègue, G. Drut, Lewden, El Mabrouk, Oestermeyer, Dujardin ont appartenu au Stade Fr. *Membres : 1883 :* 34, *85 :* 120, *95 :* 372, *1914 :* 1 483, *35 :* 3 000, *74 :* 6 000, *80 :* 8 000, *88 :* 12 000, *89 :* 14 000. *Installations Centre sportif Géo André :* 75016 Paris : aérobic, stretching, modern jazz, gymnastique traditionnelle, méthode Margaret Morris, 7 tennis couverts, 6 squashs, judo (300 m²), salle de 1 600 m² (basket, hockey, handball, tennis, volley). *La Faisanderie :* parc de St-Cloud, 10 ha, 36 tennis, piscine découverte (25 × 20) 8 lignes d'eau, rugby, hockey. *Haras Lupin :* Vaucresson, 27 ha, golf de 9 trous, parcours de 2 010 m par 31, centre d'entraînement, practice de 30 000 m² (66 tapis dont 24 sous abris), bunkers, 1 zone d'approche de 15 000 m², 2 puttings greens de 2 000 m², terrains football 3, rugby 3, hockey 3 dont 2 en synthétique. *Courson-Monteloup :* golf 2 × 18 trous par 72, putting green 1 500 m².

SPORTS LOISIRS. *Tennis :* droits d'admission 1 200 à 6 000 F selon âge ; cotisation annuelle 1 600 à 4 980 F ; *squash :* droit d'adm. 1 300 F ; cotis. an. 2 250 F ; formule tickets possible, centre sport. Géo André (carnet ou individuel) squash 525 à 1 050 F, tennis 700 F ; *golf practice :* admission 1 000 F, cotisations 450 à 1 200 F, seau de balle 13 F ou carnets. Admission 1 000 F. Cotisation de base 1 000 F. Supplément : tennis 3 000, squash 1 300.

SPORTS COMPÉTITION. *Athlétisme, basket, football, golf, handball, hockey sur gazon, judo, natation, rugby, ski, squash, tennis, triathlon, volley-ball :* selon sports et âges : admission 100 F, cotis. an. 300 à 1 150 F.

Yacht Club de France. 4, rue Chalgrin, 75016 Paris. *Fondé* 1867 sous les auspices du ministre de la Marine, l'amiral Rigault de Genouilly. Reconnu d'utilité publique 1914. *But :* concourir au développement de la navigation de plaisance sous toutes ses formes. *Admission :* par 2 parrainages. *Membres titulaires :* 640. *Flotte :* 558 yachts, 366 à voile, 132 à moteur. *Pt :* François Carn. *Vice-Pts :* Jean de Roany, Jacques Devailly, Philippe Guillou.

Confréries gastronomiques

Académie des Gastronomes. 23, rue d'Artois, 75008 Paris. *Fondée* 1928 par Curnonsky (Maurice Saillant, 1872-1956). Réunit certaines personnalités réputées pour leurs connaissances gastronomiques. *Membres* 40 (recrutés par cooptation) et au max. 10 m. libres. *Activités :* 1 déjeuner (hommes) par mois, 1 dîner (avec femmes) par mois, 2 grands dîners par an (habillés). *Pt :* M. Jean Sefert (n. 17-9-1908) dep. juin 1986. *Édite* dictionnaire et ouvrages culinaires.

Cercle des Gourmettes. 4, av. Élisée-Reclus, 75007 Paris. *Fondé* 1929 par Mme Ettlinger († 1957). *Membres :* 50. *Pte :* Marie-Andrée Thiault dep. 25-10-83.

Chevaliers du Tastevin (confrérie des). 21420 Aloxe-Corton. *Fondée* 1934 par Camille Rodier et Georges Faiveley. *But :* mettre en valeur grands vins et cuisine de Bourgogne ; chapitres traditionnels au Château du Clos Vougeot (21640, Vougeot, siège social) ; sélectionner les vins de Bourgogne pouvant porter le label de la confrérie (« tastevinage »). *Prix du Tastevin :* récompense chaque année une œuvre littéraire, artistique, cinématographique ou musicale. *Grand Maître :* Cte Daniel Senard (n. 15-3-13).

Club des Cent. 31, rue de Penthièvre, 75008 Paris. *Fondé* 4-2-1912 par Louis Forest. Déjeuner le jeudi. Manifestations à travers la France. *Membres :* 100. *Pt :* Maurice Letulle (n. 16-10-1923) dep. 1984.

Club gastronomique Prosper-Montagné. *Fondé* 1949 par les amis de Prosper Montagné (1865-1948), créateur des cuisines centrales des armées françaises et écrivain gastr. (directeur du Larousse gastr.). *But :* défendre la gastr. française et développer les grands établissements d'art culinaire. *Prix culinaire* annuel Prosper-Montagné. *Championnat des écaillers* et *coupe Léon Beyer* pour vitesse d'ouverture de 100 huîtres et présentation d'un plateau de fruits de mer. *Diplôme de maîtrise* et *panonceaux* de « Maison de qualité » décerné aux établissements dignes par leur loyauté, leurs efforts et la valeur de leurs produits ou de leur cuisine. A fondé l'*Ordre de St-Fortunat* (patron des gastronomes). *Secrétariat :* 45, rue St-Roch, 75001 Paris. *Pt :* Jean Gouvernel.

Confrérie de la chaîne des Rôtisseurs. 7, rue d'Aumale, 75009 Paris. *Membres :* 80 000 dans 118 pays. Grand chancelier président délégué : Jean Valby.

Usages

Correspondance

Définition. *Appel* utilisé au début d'une phrase (ex. Sire, Monseigneur, Monsieur l'Ambassadeur). *Réclame :* indication, en tête de lettre, des nom et titre du destinataire. *Suscription :* reproduction de la réclame sur l'enveloppe. *Traitement :* titre utilisé dans le corps d'une phrase à la place du pronom (il ou elle) quand on utilise la 3e personne (ex. Votre Majesté, Votre Excellence). On ne l'utilise pas à la 2e personne, ainsi il ne faut pas dire : « Comment allez-vous, Excellence ? » mais : « Comment allez-vous, Monsieur l'Ambassadeur ? », ou : « Monsieur l'Ambassadeur, comment va Votre Excellence ? ».

☞ **Enveloppe.** Voir cas particuliers ci-dessous sinon : Monsieur X..., Madame X... (certains continuent à répéter sur 2 lignes Monsieur Monsieur X. On ajoute souvent le titre sous le nom, ex. : Monsieur X Ministre de... – Ancien ministre – Ministre plénipotentiaire – Président de... – de l'Académie Française – membre de l'Institut – Préfet du... – Préfet honoraire.

Nota. – On n'abrège pas, en France, les appellations et les titres.

Formules particulières

☞ Il est devenu courant d'appeler les femmes exerçant des fonctions autrefois réservées aux hommes : Madame le Ministre (et non ... la Ministresse), l'Ambassadeur (et non l'Ambassadrice), etc.

Académicien. *Appel :* Maître. *Enveloppe :* Maître X... *En-tête :* Maître, Cher Maître.

Ambassadeur. *Appel :* Monsieur l'Ambassadeur. *Envel. :* à Son Excellence Monsieur X... (ou Monsieur le Comte...), Ambassadeur de... ; S.-E. Monsieur X..., Ambassadeur de... et Madame X ; ou S.E. Monsieur l'Ambassadeur et Madame X. *En-tête :* Monsieur l'Ambassadeur. *Traitement dans la lettre :* Votre Excellence. *Fin :* Veuillez agréer, Monsieur.., les assurances de ma (très) haute considération. Une femme terminera : Recevez (ou acceptez), Monsieur, l'expression de mes sentiments distingués. **Épouse d'ambassadeur.** *Appel :* Madame. *Traitement :* Votre Excellence.

Archevêque et Évêque. *Appel :* Monseigneur. *Envel. :* Son Excellence Monseigneur X... Évêque de V... ou Son Excellence Monseigneur X... Auxiliaire de Son Éminence le Cardinal Archevêque de Z. *En-tête :* Monseigneur. *Dans la lettre :* Votre Excellence. *Fin :* Daigne Votre Excellence recevoir mon plus profond respect... L'assurance de ma plus haute considération (ou très, ou plus, respectueuse considération). Dep. 1967, l'usage s'est instauré de dire Père au lieu d'Excellence [appellation qui date de Pie XI (31-12-1930), auparavant on disait Sa Grandeur].

Avocat. *Envel. :* Maître X... *En-tête :* Maître, Cher Maître, Monsieur le Bâtonnier.

Cardinal. *Envel. :* Son Éminence Révérendissime Monseigneur le Cardinal X..., Archevêque de... (ou Évêque) ; ou Son Éminence le Cardinal X. *Appel, en-tête :* Éminentissime Seigneur ou Éminence. *Dans la lettre :* Votre Éminence. *Fin :* Daigne, Éminentissime Seigneur, Votre Éminence agréer l'hommage de mon profond respect. Une femme dira : Je prie Votre Éminence d'accepter l'expression de mes sentiments de profond respect. Depuis 1967, l'usage s'est instauré de dire seulement Monsieur le Cardinal.

Clergé. *Envel. :* Pour un curé : Monsieur X..., Monsieur l'abbé X... (ou le chanoine X...), curé de Ste-Clotilde. Monsieur le chanoine X... curé archiprêtre de St-Vincent. Pour un vicaire : Monsieur l'Abbé X... *Début de lettre :* Monsieur le Curé, Monsieur l'Abbé. *Fin :* Agréez ou Recevez, Monsieur, l'assurance de ma considération distinguée (ou de mes sentiments très respectueux).

Commissaire-priseur. *Appel :* Maître.

Député. *Envel. :* Monsieur X... député de... *En-tête :* Monsieur le député.

Écrivain célèbre. *Envel. :* Maître. *En-tête :* Maître, Cher Maître.

Évêque. V. Archevêque.

Grand-duc de Luxembourg. *Appel :* Monseigneur. *Envel. :* A son Altesse Royale le... *Traitement :* Votre Altesse Royale. *Fin :* voir Rois.

Grande-duchesse. *Envel. :* A Son Altesse la... *Appel :* Madame. *Traitement :* Votre Altesse Royale. *Fin :* Daigne Votre Altesse Royale agréer l'hommage de mon profond respect.

Grand maître de l'Ordre souverain de Malte. *Envel. :* A Son Altesse Éminentissime, Monseigneur le Grand Maître de... *Appel :* Éminentissime Seigneur. *Traitement :* Votre Altesse Éminentissime. *Fin :* voir Rois.

Magistrature. *Envel. :* Monsieur X... Premier Président de la Cour des comptes. Monsieur le Conseiller. Monsieur le Professeur. *En-tête :* Monsieur le Premier Président... *Fin :* Veuillez agréer, Monsieur le..., les assurances de ma haute considération ou de ma considération la plus distinguée (ou très distinguée).

Maire. *Envel. :* Monsieur X... Maire de... *En-tête :* Monsieur le Maire.

Médecin. *En-tête :* Monsieur le Docteur, Docteur, Madame le Docteur.

Militaire. Les dames écriront Monsieur jusqu'au grade de capitaine ; au-dessus, elles diront : Commandant, Colonel, Général ou Monsieur le Maréchal. *Envel. :* Colonel X..., Colonel et Madame X..., Colonel et Baronne de X... Pour un général titré : Général Comte de – et Comtesse de, sinon Colonel X et Comtesse de... *En-tête :* à un Maréchal : Monsieur le Maréchal, sinon, mon Général, mon Colonel, etc. **A un marin.** *En-tête :* Amiral ; aux officiers supérieurs : Commandant. Pour les autres grades : Monsieur. *Épouse :* Madame la Maréchale, sinon : Madame.

Ministre plénipotentiaire. *Envel. :* Monsieur X... (ou titre nobiliaire), Ministre plénipotentiaire. Monsieur le Ministre et la Comtesse de X... *En-tête :* Monsieur le Ministre.

Ministre. *Envel. :* Son Excellence, Monsieur (Madame)... Ministre de... *Appel. En-tête :* Monsieur (Madame) le Ministre (min. de la Justice : Monsieur le Garde des Sceaux). *Fin :* Veuillez agréer, Monsieur (Madame) le Ministre, l'assurance de ma haute considération. **Ancien ministre.** *Envel. :* Monsieur... *En-tête :* Monsieur le Ministre. *Appel :* Monsieur le Ministre.

Nobles titrés. *Envel.* (nobles titrés qui ne sont pas de sang royal) : Monsieur le Duc et Madame la Duchesse de X..., Le Prince de X..., Madame la Princesse de X..., Prince et Princesse de X..., Marquis et Marquise de X..., Madame la Comtesse de Y..., Vicomte de X... Pour une femme titrée, il est plus courtois de faire précéder le titre de Madame. *Dans le corps de la lettre à un duc :* Monsieur le Duc (Madame la Duchesse), à un Prince (non de sang royal) : Prince (Princesse), simplement Monsieur ou Madame (sans le titre).

En Angleterre. *Duc. Appel :* Monsieur le Duc ; autres pairs : Mylord ; knight : Sir. *Envel. : Duc :* His Grace the Duke of... ; *Marquis :* His Worship the Marquis of... ; *Earl, Viscount :* titre suivi du nom ; *Baron :* Lord, Lady. *Baronet, knight :* Sir suivi obligatoirement du *prénom* avant le nom ; *Bourgeois :* John Smith Esq. (c.-à-d. Esquire), Mrs Smith.

Nonce du Pape. *Envel. :* Son Excellence Monseigneur X... Nonce apostolique auprès du Gouvernement de la République. *En-tête :* Monsieur le Nonce, ou Monseigneur.

Notaire. *Appel :* Maître.

Officier ministériel. *Envel. :* Maître X... *En-tête :* Maître, Cher Maître.

Pape. *Envel. :* A Sa Sainteté le Pape X... Pour *les catholiques, commencer la lettre :* Très Saint-Père, humblement prosterné aux pieds de Votre Sainteté et implorant la faveur de la bénédiction apostolique..., puis exposer la requête. *Fin de la lettre :* Et que Dieu... avec des points de suspension. Pour les *non-catholiques :* utiliser la même formule finale que pour un souverain temporel, en donnant appel et traitement appropriés.

Pasteur. *Envel.* et *en-tête :* Monsieur le Pasteur...

Patriarche œcuménique de Constantinople. *Appel :* Très Saint-Père. *Traitement :* Votre Sainteté. *Envel. :* A Sa Sainteté le Patriarche ... *Fin :* Daigne, Très Saint-Père, Votre Sainteté agréer l'hommage de mes sentiments de très profond respect.

Patriarche (autre). *Appel :* Monseigneur. *Traitement :* Votre Béatitude (pour les patriarches cardinaux : Votre Béatitude Éminentissime). *Envel. :* A Sa Béatitude Monseigneur X..., Patriarche de... *Fin :* Daigne Votre Béatitude agréer l'expression de ma très respectueuse considération.

Personne non titrée. Monsieur X..., Madame X... Pour une femme mariée, les prénom et nom de son mari seront précédés de Madame. Pour une femme divorcée : Madame suivi du prénom et du nom de jeune fille. S'il s'agit d'une femme exerçant une profession, il est préférable d'écrire le titre au masculin : Madame Jeanne Dupont, avocat à la Cour. *En-tête :* D'un homme à une femme : Madame, de préférence à Chère Madame. A un autre homme : Monsieur ou Cher Monsieur. D'une femme à une femme : Chère Madame. Pour marquer l'amitié et la déférence : Cher Monsieur et Ami.

Préfet, sous-préfet. *Envel. :* Monsieur X..., Préfet de... ; Sous-Préfet de... *Appel :* Monsieur le Préfet (le Sous-Préfet).

Prélat. *Appel :* Monseigneur. *Envel. :* Monseigneur, suivi du titre, s'il y a lieu : Monseigneur X, Doyen de la Faculté catholique de... *Fin :* Daignez agréer, Monseigneur, mes sentiments très respectueux (ou l'assurance de ma très haute considération).

Premier ministre. *Envel. :* Son Excellence M... Premier Ministre. *En-tête :* Monsieur le Premier Ministre. *Fin :* Veuillez agréer, Monsieur le Premier Ministre, l'assurance de ma haute (ou très respectueuse) considération. *Appel :* Monsieur le Premier Ministre. **Ancien Premier ministre.** *En-tête, fin* et *appel :* idem.

Président de la République. France. *Appel :* Monsieur le Président. *Envel. :* Monsieur le Président de la République. *En-tête :* Monsieur le Président de la République. *Fin :* Daignez agréer, Monsieur le Président de la République, l'hommage de mon profond respect (ou l'expression de ma très haute considération). **Étranger.** *Appel :* Son Excellence Monsieur le Président. *Traitement :* Votre Excellence.

Président du Conseil (ancien). *Appel, en-tête :* Monsieur le Président. *Fin :* voir Premier ministre.

Président, directeur ou administrateur de société. Les membres de la Sté peuvent écrire en tête : Monsieur le Président, Monsieur l'Administrateur, le Directeur, etc.

Prétendant au trône. *Appel :* Monseigneur. *Traitement :* le Prince. *Envel. :* A Monseigneur le Comte de (ou le Duc selon son titre). *Fin :* J'ai l'honneur de me déclarer, Monseigneur, du Prince le très dévoué et obéissant serviteur (ou Daigne, Monseigneur, le Prince agréer l'expression de ma très respectueuse considération). **Son épouse.** *Appel :* Madame. *Traitement :* la Princesse.

Prince et Princesse de maison souveraine. *Appel :* Monseigneur ou Madame. *Traitement :* Votre Altesse (Impériale, Royale ou Sérénissime). *Envel. :* A Son Altesse (Impériale, Royale ou Sérénissime). Monseigneur (ou Madame) le Prince (ou la Princesse X) (prénom) de... Le titre peut être en abrégé : S.A.R., S.A.S., S.A., LL.AA.RR. (Leurs Altesses Royales), sauf pour les princes de sang royal. *Fin :* Daigne, Monseigneur, Votre Altesse agréer l'hommage de mon profond et respectueux dévouement.

Prince souverain. *Envel. :* Son Altesse Impériale (ou Royale ou Sérénissime) le Prince X..., Madame la Princesse X... Leurs Altesses Impériales (ou Royales ou Sérénissimes) le Prince et la Princesse de X. Le titre peut être en abrégé : S.A.R., S.A.S., S.A., LL.AA.RR. (Leurs Altesses Royales), sauf pour les princes du sang. *Dans la lettre :* Employer la 3e personne avec Monseigneur ou Madame, votre Altesse (Impériale ou Royale ou Sérénissime). *Fin :* Je prie Votre Altesse (Impériale ou Royale ou Sérénissime) d'agréer l'assurance de ma (plus) respectueuse considération (ou de mon profond respect, ou l'hommage de mon respect, pour une Princesse). Les dames peuvent terminer : Je suis, Monseigneur (ou j'ai l'honneur d'être, Madame), de Votre Altesse

Impériale (ou Royale) la très respectueusement dévouée. Pour les Princes de Liechtenstein et de Monaco : Altesse Sérénissime.

Professeur de faculté. Monsieur le Professeur.

Rabbin. *Envel.* et *en-tête :* Monsieur le Grand Rabbin ou Monsieur le Rabbin. *Fin :* Veuillez agréer l'expression de mes sentiments très respectueux.

Religieux. **Supérieur.** *Abbé mitré :* Au Révérendissime Père X... abbé de... *Chartreux :* Révérend Père. *Directeur de Collège religieux :* Monsieur le Supérieur. *Frère des Écoles chrétiennes :* Supérieur général. *Frère prêcheur :* Préposé général. *Jésuite :* Préposé général. *Lazariste :* Monsieur. *Oratorien :* Supérieur général. *Sulpicien :* Monsieur le Supérieur. *Trappiste :* Abbé général. **Supérieur d'un couvent ou Religieux Profès :** *Envel. :* Révérend Père X... *En-tête :* Mon Révérend Père. *Fin :* Veuillez agréer, mon très Révérend Père, mon plus profond respect (ou mes respectueux sentiments). **Frère.** *Envel. :* Le Très Honoré Frère X... (ou le Très Cher Frère). *En-tête :* Très Honoré Frère (ou Très Cher Frère). *Fin :* Veuillez agréer, mon Frère (ou mon très Honoré Frère), mes respectueux sentiments.

Religieuse. **Supérieure d'un ordre.** *Envel. :* Madame la Supérieure Générale des Sœurs. *En-tête :* Madame. *Fin :* Je vous prie d'agréer, Madame, l'hommage de mon profond respect. **Autre religieuse.** *Envel. :* Révérendissime Mère Abbesse (ou Révérende Mère X... ou Sœur X...). *En-tête :* Ma Révérende Mère (ou Ma Sœur). *Fin :* Veuillez agréer, ma Révérende Mère (ou ma Sœur), mes respectueux sentiments.

Roi, reine, empereur, impératrice. *Envel. :* A Sa Majesté (Impériale et Royale pour un Empereur) le Roi de (ou l'Empereur). *En-tête* (appel) : Sire. *Dans la lettre* (traitement) : employer la 3e personne avec Votre Majesté. *Fin :* C'est avec un profond respect que j'ai l'honneur de me déclarer, Sire, de Votre Majesté le (la) très humble et obéissant serviteur. Je prie Sa Majesté d'agréer l'assurance de ma très respectueuse considération.

Secrétaire d'État. *Envel. :* Monsieur X..., Secrétaire d'État aux (Beaux-Arts) et Madame X... *Fin :* voir Ministre.

Sénateur. Voir député.

Formules de fin de lettre

Entre égaux. *Si vous entretenez déjà des rapports :* Veuillez trouver ici l'assurance de mon amitié (l'assurance de ma cordiale sympathie). Je vous adresse mon meilleur souvenir. Veuillez recevoir l'expression de mes meilleurs souvenirs ; de mon amical souvenir ; de mon fidèle souvenir.

Si vous ne vous connaissez que peu ou pas du tout : Veuillez recevoir, agréer ; *ou* daignez agréer ; je vous prie d'agréer, Monsieur, l'assurance ; l'expression de ma considération distinguée ; de mes sentiments les meilleurs ; de mes sentiments distingués ; de ma (très) haute considération ; de ma respectueuse sympathie, de ma parfaite considération.

A un supérieur. Je vous prie d'agréer, Monsieur, l'assurance de mon profond respect. Veuillez agréer, Monsieur, l'assurance de mon profond respect. Daignez agréer, Monsieur, l'expression de mes respectueux sentiments. Veuillez recevoir, Monsieur, l'expression de mes respectueux sentiments ; de mon respectueux dévouement. Veuillez croire, Monsieur, à mon entier dévouement.

A une dame. Veuillez agréer (ou recevoir), Madame, mes respectueux hommages.

A une jeune fille que l'on ne connaît pas. Veuillez recevoir, Mademoiselle, l'expression de mes respectueux sentiments.

Suivra la souscription, qui, sous la signature, est l'indication des nom et titre de l'expéditeur.

Dans la conversation

Armée. **Entre militaires :** *d'inférieur à supérieur :* Mon Général, Mon Capitaine, Mon Lieutenant. Pour les aspirants : Mon Lieutenant. Adjudant de Cavalerie : Mon Lieutenant. *De supérieur à inférieur :* Capitaine, Lieutenant (sans le *« mon »*).

De civils à militaires : Mon Général, Mon Colonel, Mon Commandant. Pratiquement, les civils ne donnent leur grade aux militaires qu'à partir de commandant. A un lieutenant-colonel, on dit Mon Colonel. *Femme de militaire :* Maréchale : Madame la Maréchale ; sinon, Madame.

Artiste réputé. Maître.

Corps diplomatique. *Ambassadeur :* Excellence, Monsieur l'Ambassadeur. *Ministre plénipotentiaire :* Monsieur le Ministre. *Consul :* Monsieur le Consul.

Ecclésiastique. *Pape :* Très Saint-Père. *Cardinal :* Éminence. *Évêque :* Excellence. *Prélat :* Monseigneur. *Curé :* Monsieur le Curé, Monsieur le Doyen, Monsieur le Chanoine (suivant les cas), Monsieur le Recteur. *Général d'un Ordre :* Mon Révérendissime Père, Monsieur l'Abbé, Mon Père (religieux, prêtre), Mon Frère (religieux non prêtre). *Supérieure d'un Ordre :* Ma Mère ou Ma Sœur. *Religieuse :* Ma Mère ou Ma Sœur. *Pasteur, rabbin :* Monsieur le Pasteur, Monsieur le (Grand) Rabbin.

Femme exerçant une fonction officielle : Madame l'Ambassadeur, Madame le Ministre (le Député, le Président, le Docteur, etc.).

Homme de loi (avocat, avoué, notaire, huissier agréé). Maître ou cher Maître.

Marine. *De civil à marin :* Amiral, Contre-Amiral et Vice-Amiral : dire Amiral. Capitaine de vaisseau, de frégate, de corvette : dire Commandant. Lieutenant de vaisseau : dire Capitaine. Enseigne de vaisseau : dire Lieutenant. On dira Commandant, à leur bord, aux lieutenants de vaisseau et enseignes, s'ils commandent un bâtiment.

Personnes titrées. *Empereur ou roi :* Sire, Votre Majesté. *Impératrice ou reine :* Madame. *Prince de Monaco :* Monseigneur. *Princes du sang :* Monseigneur, Votre Altesse Royale (ou Impériale). *Princesses du sang :* Madame, Votre Altesse Royale ou Impériale. *Duc et duchesse :* Monsieur le Duc et Madame la Duchesse. *Prince et princesse :* Prince, Princesse. Le titre ne se donne pas aux autres gens titrés.

Président de la République, du Sénat, de la Chambre, du Conseil. Monsieur le Président.

Professeur de l'Enseignement supérieur. Monsieur le Professeur, Maître.

Autres fonctions publiques. Les personnes appartenant au même corps de l'État donnent le titre, ex. : Monsieur le Premier Président, Monsieur le Conseiller. Les autres donnent le titre suivant les circonstances. Ex. : Monsieur le Préfet. Ministre ou ancien ministre : Monsieur le Ministre.

Les invitations

Une invitation d'ordre privé peut être faite par carte de visite imprimée, lettre ou verbalement. Dans ce dernier cas, il convient de la confirmer par une carte portant la mention : pour mémoire.

Ordres de préséances

Ordre officiel

Fixé par le décret 89655 du 13-9-1989.

- Art. I. **Pour les cérémonies publiques organisées sur ordre du Gouvernement ou à l'initiative d'une autorité publique.**

- Art. II. **A Paris,** lorsque les membres des corps et les autorités assistent aux cérémonies publiques. 1. Pt de la République. 2. Premier ministre. 3. Pt du Sénat. 4. Pt de l'Assemblée nationale. 5. Anciens Pts de la Rép. dans l'ordre de préséance déterminé par l'ancienneté de leur prise de fonctions. 6. Gouvernement dans l'ordre de préséance arrêté par le Pt de la Rép. 7. Anciens Pts du Conseil et anciens Premiers ministres dans l'ordre de préséance déterminé par l'ancienneté de leur prise de fonctions. 8. Pt du Conseil constitutionnel. 9. Vice-Pt du Conseil d'État. 10. Pt du Conseil économique et social. 11. Députés. 12. Sénateurs. 13. Grand Chancelier de la Légion d'honneur, Chancelier de l'Ordre nat. du Mérite et membres des conseils de ces Ordres. 14. Chancelier de l'Ordre de la Libération et membres du conseil de l'Ordre. 15. Premier Pt de la Cour de cassation et Procureur général près cette Cour. 16. Premier Pt de la Cour des comptes et Procureur général près cette Cour. 17. Chef d'état-major des armées. 18. Médiateur de la Rép. 19. Préfet de la région d'Ile-de-Fr., de Paris. 20. Préfet de police, de la zone de défense de Paris. 21. Maire de Paris, Pt du Conseil de Paris. 22. Pt du Conseil régional d'Ile-de-Fr. 23. Représentants au Parlement européen. 24. Chancelier de l'Institut de Fr., secrétaires perpétuels de l'Académie française, de l'Ac. des inscriptions et belles lettres, de l'Ac. des Sciences, de l'Ac. des Beaux-Arts et de l'Ac. des sc. morales et polit. 25. Secrétaire général du Gouvernement, secr. gén. de la Défense nat., secr. gén. du min. des Aff. étrangères. 26. Délégué gén. pour l'armement, secrétaire gén. pour l'administration du min. de la Défense, chef d'état-major de l'armée de terre, chef d'état-major de la marine, chef d'état-major de l'armée de l'air. Gouverneur milit. de Paris, commandant la 1re région militaire. 27. Pt du Conseil sup. de l'audiovisuel. 28. Pt de la Commission nat. de l'informatique et des libertés. 29. Pt de la Cour administrative d'appel de Paris. 30. Premier Pt de la Cour d'appel de Paris et Procureur gén. près ladite Cour. 31. Pt du Conseil de la concurrence. 32. Pt de la Commission des opérations de bourse. 33. Recteur de l'Académie de Paris, Chancelier des universités de Paris. 34. Hauts-commissaires, comm. gén., comm., délégués gén., délégués, secr. gén., directeurs de cabinet, directeur gén. de la gendarmerie nat., les directeurs gén. et direc. d'administr. centrale dans l'ordre de préséance des ministères déterminé par l'ordre protocolaire du Gouvernement et, au sein de chaque ministère, dans l'ordre de préséance déterminé par leur fonction ou leur grade. 35. Gouverneur de la Banque de Fr., directeur gén. de la Caisse des dépôts et consignations, gouverneur Crédit foncier de France. 36. Préfet, secrétaire gén. de la préfecture de la région d'Ile-de-Fr., préfet, directeur du cabinet du préfet de police, préfet, secrétaire gén. de la préfecture de Paris, préfet, secr. gén. de l'administration de la police, le préfet, secrétaire général de la zone de défense. 37. Membres du Conseil de Paris, m. du Conseil régional d'Ile-de-Fr. 38. Chef du contrôle gén. des armées, généraux de division ayant rang et appellation de gén. d'armée, vice-amiraux ayant rang et appellation d'amiraux, gén. de division aérienne ayant rang et appellation de généraux d'armée aér., gén. de division ayant rang et appellation de gén. de corps d'armée, les vice-amiraux ayant rang et appellation de vice-amiraux d'escadre, gén. de division aérienne ayant rang et appellation de généraux de corps aérien. 39. Pt du trib. administratif de Paris. 40. Pt du trib. de grande instance de Paris et procureur de la Rép. près ce trib. 41. Pt de la chambre régionale des comptes d'Ile-de-Fr. 42. Pts des universités de Paris, directeurs des grandes écoles nat., les directeurs des grands établ. nat. de recherche. 43. Pt du trib. de commerce de Paris. 44. Pt du conseil de prud'hommes de Paris. 45. Secrétaire gén. de la ville de Paris. 46. Directeur gén. des services administratifs de la région d'Ile-de-Fr. 47. Pts et secrétaires perpétuels des Académies créées ou reconnues par une loi ou un décret. 48. Pt du Comité économique et social de la région d'Ile-de-Fr. 49. Chefs des services extérieurs de l'État dans la région d'Ile-de-Fr. et dans le département de Paris dans l'ordre de préséance attribué aux départements ministériels dont ils relèvent et les directeurs gén. et directeurs de la préfecture de région, de la préfecture de Paris et de la préfecture de police. 50. Pt de l'Assemblée permanente des chambres de commerce et d'industrie, Pt de l'Ass. perm. des Ch. d'agriculture, Pt de l'Ass. perm. des Ch. de métiers. 51. Pt de la Ch. de commerce et d'industrie de Paris, Pt de la Ch. rég. de commerce et d'industrie d'Ile-de-Fr. 52. Pt de la Ch. rég. d'agriculture d'Ile-de-Fr., Pt de la Ch. interdépart. d'agriculture d'Ile-de-Fr. 53. Pt de la Ch. départem. de métiers de Paris. 54. Pt du Conseil de l'Ordre des avocats au Conseil d'État et à la Cour de Cassation. 55. Bâtonnier de l'Ordre des avocats au barreau de Paris et Pt de la conférence des bâtonniers. 56. Pts des Conseils nat. des Ordres professionnels. 57. Directeurs des services de la Ville de Paris dans l'ordre de leur nomination. 58. Commissaires de police, officiers de gendarmerie et officiers de la brigade de sapeurs pompiers de Paris. 59. Pt de la Chambre nat. des avoués près les cours d'appel. 60. Pt du Conseil supérieur du notariat. 61. Pt de la Chambre nat. des commissaires-priseurs. 62. Pt de la Chambre nat. des huissiers de justice. 63. Pt de la Compagnie nat. des commissaires aux comptes.

- Art. III. **Dans les autres départements et St-Pierre-et-Miquelon et Mayotte.** 1. Préfet, représentant de l'État dans le département ou la collectivité. 2. Députés. 3. Sénateurs. 4. Pt du Conseil régional ou, dans les départements de Corse-du-Sud et de Hte-Corse, Pt de l'Assemblée de Corse. 5. Pt du Conseil général. 6. Maire de la commune dans laquelle se déroule la cérémonie. 7. Représentants au Parlement européen. 8. Général commandant la région militaire, Préfet maritime com. la région maritime, Gén. com. la région aérienne, Gén. com. la région de gendarmerie, Gén. com. la division militaire territoriale. Dans les dép. et les collectivités territoriales d'outre-mer, l'autorité militaire exerçant le commandement supérieur des forces armées. 9. Dignitaires de la Légion d'honneur, Compagnons de la Libération et dignitaires de l'Ordre nat. du Mérite. 10. Pt du Comité économique et social de la région ou, en Corse-du-Sud et Hte-Corse, Pt du Conseil économique et social de la région Corse, C.-du-Sud et Hte-Corse, Pt du Conseil de la culture, de l'éducation et du cadre de vie. Dans les D.O.M., Pt du comité de la culture, de l'éducation et de l'environnement. 11. Pt de la Cour administrative d'appel. 12. Premier Pt de la Cour d'appel et Procureur général près ladite Cour ou, à St-Pierre-et-Miquelon et à Mayotte, Pt et Procureur gén. du tribunal sup. d'appel. 13. Pt du tribunal administratif ou, à Mayotte, du Conseil du contentieux administratif. 14. Pt de la Chambre régionale des comptes. 15. Membres du Conseil régional ou, en Corse-du-Sud et en Hte-Corse, membres de l'Assemblée de Corse. 16. Membres du Conseil général. 17. Membres du Conseil économique et social. 18. Recteur d'Académie, chancelier des universités. 19. Bas-Rhin, Haut-Rhin et Moselle : évêque, Pt du directoire de l'Église de la confession d'Augsbourg d'Alsace et de Lorraine, Pt du synode de l'Église réformée d'Alsace-Lorraine, grand rabbin, Pt du consistoire israélite. 20. Préfet délégué pour la police. 21. Sous-préfet dans son arrondissement, secr. gén. de la préfecture ou secr. gén. pour les affaires régionales et secr. gén. pour l'administration de la police, dir. du cabinet du préfet du département. 22. Pt du trib. de grande instance et procureur de la Rép. près ledit trib. ou, à St-Pierre-et-Miquelon et à Mayotte, Pt du trib. de 1re instance et le procureur de la Rép. près ledit trib. 23. Officiers généraux exerçant un commandement. 24. Chefs des services extérieurs des administrations civiles de l'État dans la région et dans le département, dans l'ordre de préséance attribué aux départements ministériels dont ils relèvent, l'officier supérieur délégué mil. départemental, l'officier supérieur commandant le groupement départ. de gendarmerie. 25. Pts des universités, dir. des grandes écoles nat. ayant leur siège dans le départ., dir. des grands établ. de recherche ayant leur siège dans le départ. 26. Directeur gén. des services de la région. 27. Directeur gén. des services du départ. 28. Conseillers municipaux de la commune dans laquelle se déroule la cérémonie. 29. Secrétaire gén. de la commune dans laquelle se déroule la cérémonie. 30. Pt du trib. de commerce. 31. Pt du conseil de prud'hommes. 32. Pt du trib. paritaire des baux ruraux. 33. Pt de la chambre régionale de commerce et d'industrie, Pt de la chambre régionale d'agriculture, Pt de la chambre ou de la conférence régionale des métiers, Pt de la chambre départementale de commerce et d'industrie, Pt de la chambre départementale d'agriculture, Pt de la chambre départementale des métiers. 34. Bâtonnier de l'Ordre des avocats, Pts des conseils régionaux et départementaux des Ordres professionnels. 35. Secrétaire de mairie.

☞ Polynésie, Wallis-et-Futuna : dispositions particulières.

• Art. VII. **Lorsque les corps sont convoqués ensemble.** Leurs délégations prennent place dans l'ordre de préséance des autorités qui assurent leur présidence. Les dignitaires de la Légion d'honneur et du Mérite, les compagnons de la Libération, et les membres de l'Institut prennent place respectivement avec le Grand Chancelier de la Lég. d'honneur et de l'O. national du Mérite, le Chancelier de la Libération, le Chancelier de l'Institut de France. Les membres du conseil de l'Ordre des avocats et de la conférence des bâtonniers prennent place avec le bâtonnier. **Lorsqu'ils sont convoqués ensemble à Paris, les Conseils** de l'O. de la Lég. d'honneur, de l'O. de la Libération et de l'O. du Mérite prennent place, dans cet ordre, immédiatement après députés et sénateurs ; les membres du Conseil supérieur de la magistrature immédiatement avant la Cour de Cassation ; le Collège de France immédiatement après le recteur de l'Académie de Paris ; les membres du Conseil économique et social immédiatement après les représentants au Parlement européen.

• Art. VIII. **Ailleurs qu'à Paris.** Si la cérémonie est présidée par le Pt de la Rép. ou le Premier min., corps et autorités mentionnés au 1° et 18° de l'art. 2 prennent place en tête, dans l'ordre des préséances observées à Paris. Corps et autorités mentionnés au 1° et 7° de l'art. 3 prennent place après les corps et autorités mentionnés à l'alinéa précédent, dans l'ordre de préséance fixé par les art., sauf le représentant de l'État dans le département qui accompagne l'autorité présidant la cérémonie. Corps et autorités mentionnés aux 24° à 28°, 31°, 32°, 34°, 35°, 38° de l'art. 2 prennent place dans l'ordre fixé par cet art., après les corps et autorités mentionnés à l'alinéa précédent et avant les autres corps mentionnés aux art. 3, 4, 5, 6, qui se placent dans l'ordre de préséance fixé par ces articles.

• Art. IX. **Dans les cérémonies publiques non prescrites par ordre du Gouvernement.** L'autorité invitante occupe le 2e rang après le représentant de l'État. Lorsque l'invitation émane d'un corps, les dispositions de l'alinéa précédent s'appliquent au seul chef de corps. Les membres du corps invitant et les autorités invitées gardent entre eux les rangs assignés par les art. 2 et 3.

• Art. X. **A Paris, en l'absence du Pt de la Rép. et de membres du Gouv.** Le préfet de la région d'Ile-de-Fr. prend rang après le Pt de l'Assemblée nat.

• Art. XI. **Dans les arrondissements, en l'absence d'un ministre ou du préfet.** Les sous-préfets occupent le rang du représentant de l'État dans le département.

• Art. XII. **En mer et dans l'emprise des bases navales.** Le préfet maritime occupe le 1er rang, accompagné le cas échéant du préfet du département ou du sous-préfet.

• Art. XIII. **Rangs et préséances ne se délèguent pas.** A l'exception des représentants de la Rép., les représentants des autorités qui assistent à une cérémonie occupent le rang correspondant à leur grade ou à leur fonction et non pas le rang de l'autorité qu'ils représentent. En revanche, les autorités qui exercent des fonctions à titre intérimaire ou dans le cadre d'une suppléance statutaire ont droit au rang de préséance normalement occupé par le titulaire desdites fonctions.

• Art. XIV. **Sous réserve de cette exception,** en l'absence du Premier min., les membres du Gouv. le représentant occupent le 1er rang. Les autres autorités sont placées à Paris dans l'ordre déterminé par l'art. 2, ailleurs dans l'ordre déterminé par l'art. 8. Par exception, un vice-président de l'Assemblée nat., du Conseil économique et social, d'un conseil régional ou général représentant le Pt de l'une de ces assemblées et un adjoint représentant un maire occupent le rang de préséance de l'autorité qu'ils représentent. Un vice-président représentant le Pt du Sénat vient après le Pt de l'Assemblée nat. Un membre du Conseil constitutionnel représentant le Pt dudit Conseil, un Pt de section représentant le vice-Pt du Conseil d'État, un Pt de chambre représentant le Premier Pt de la Cour de Cassation, un Pt de chambre représentant le Premier Pt de la Cour des comptes occupent le rang de l'autorité qu'ils représentent.

• Art. XV. **En l'absence d'un membre du Gouv.,** le préfet du dép. a seul qualité pour représenter le Gouv. dans les cérémonies publiques. Les membres des cabinets ministériels, les fonctionnaires des administrations centrales peuvent participer aux cérémonies publiques aux côtés du préfet, lorsque l'objet de la cérémonie le justifie. Le préfet de région, en dehors du dép. chef-lieu de région, n'a pas préséance sur le préfet du dép.

• Art. XVI. **Lorsque les autorités sont placées côte à côte,** l'autorité à laquelle la préséance est due se tient au centre. Les autres autorités sont placées alternativement à sa droite puis à sa gauche, du centre vers l'extérieur, dans l'ordre décroissant des préséances. **Lorsque les autorités sont placées en rangs successifs** de part et d'autre d'une allée centrale, l'autorité à laquelle la préséance est due se tient à la gauche de la travée de droite. L'autorité occupant le 2e rang se tient à la doite de la travée de gauche. Les autres sont placées, dans l'ordre décroissant des préséances, rangée par rangée et, pour une même rangée, alternativement dans la travée de droite, puis dans la travée de gauche, du centre vers l'extérieur. **Lorsque l'objet de la cérémonie et le nombre important d'autorités militaires présentes le justifient,** les autorités peuvent être scindées en 2 groupes, les civiles étant placées à droite et les militaires à gauche. Dans chaque groupe, les autorités sont placées dans l'ordre décroissant des préséances du centre vers l'extérieur et de l'avant vers l'arrière.

• Art. XVII. **Les ambassadeurs étrangers** prennent place, à Paris, immédiatement après le Gouv. et, dans les départements, après les représentants de l'État.

• Art. XVIII. **Des personnalités françaises ou étrangères,** notamment de la Communauté européenne qui ne sont pas au nombre des autorités mentionnées dans les art. 2 à 6 du décret peuvent, en fonction de leur qualité et selon l'appréciation du Gouv. ou de l'autorité invitante, prendre place parmi les autorités.

• Art. XIX. **Les cérémonies publiques ne commencent** que lorsque l'autorité qui occupe le 1er rang a rejoint sa place. Cette autorité arrive la dernière et se retire la première. Les allocutions sont prononcées dans l'ordre inverse des préséances.

Préséances à table

Le protocole des déjeuners et des dîners date du XVIIIe s.

Autorités religieuses : dans beaucoup de familles, le ministre du culte (même un simple prêtre) est mis à la 1re place. **Autorités étrangères :** chefs d'État, représentants des maisons souveraines, ambassadeurs en poste (ordre d'après leur prise de fonction, sauf pour le nonce qui passe avant tous les autres), simples étrangers méritant des égards particuliers ou invités pour la 1re fois. **Noblesse :** chefs de familles ayant régné sur la France, sinon seuls princes et ducs ont droit à une place particulière. Les ducs français ont en France la préséance sur les princes des maisons non souveraines. **Anciens Pts d'assemblée, chefs de gouvernement, ministres, hauts fonctionnaires :** en principe immédiatement après leurs homologues en activité. A rang égal, fonctionnaires et officiers sont placés par ordre d'ancienneté.

☞ *Attention :* dans les dîners privés ou semi-officiels, on tient compte de l'âge, de la notoriété [militaire, scientifique, artistique, littéraire, économique (responsables de grandes Sts)]. Les présidents de table peuvent être au centre (à la française) ou en bout de table (à l'anglaise). Si l'on veut honorer simultanément plusieurs personnalités, on peut organiser un repas par petites tables ou une présidence en croix. Pour un repas composé d'autant d'hommes que de femmes, si le nombre des invités est un multiple de 4, la table est présidée par 2 hommes ou 2 femmes. Si le nombre des invités est un multiple de 4 + 2, la table est présidée par 1 homme et 1 femme.

Attentats politiques (suite de la p. 1169)

Japon. 1901-*21-6* Hoshi Toru, dirigeant libéral *(tué au conseil municipal de Tokyo).* **1909**-*26-10* Ito. **1932**-*8-1* empereur Hirohito *(un Coréen)* [1]. -*15-5* Inukai, PM. **1933**-*21-11* Wakatauki, ancien PM *(par des officiers extrémistes)* [1]. **1960**-*12-10* Inejiro Asanuma, chef du Parti socialiste *(poignardé par un réactionnaire).*

Jordanie. 1951-*20-7* Roi Abdallah *(Mohammed Chaker).* **1960**-*28-8* Hazza Majah, PM (bombe). **1971**-*28-11* Wasfi Tall, PM.

Liberia. 1981-*12-4* William Tolbert, Pt.

Liban. 1982-*15-9* Bechir Gemayel, Pt. **1988**-*1-6* Rachid Karamé, PM. **1988**-*22-11* René Moawad, Pt.

Madagascar. 1975-*11-2* Gal Ratsimandrava.

Maroc. 1971-*10-7* Hassan, roi [1]. **1972**-*16-8* Hassan, roi [1].

Mexique. 1913-*23-2* Francisco Indalecio Madero, Pt. **1919**-*10-4* Emiliano Zapata, chef révolutionnaire. **1920**-*21-5* Venustiano Carranza, Pt. **1923**-*20-7* Pancho Villa, chef révolutionnaire. **1928**-*17-7* Alvaro Obregón, Pt *(Léon Toral).*

Nicaragua. 1956-*21-9* Anastasio Somoza Garcia, Pt.

Nigeria. 1966-*15-1* Samuel Akintola et Ahmadu Bello, Iers min. régionaux *(rebelles militaires).* -*29-7* général Ironsi *(coup d'État).* **1976**-*13-2* Gal Murtala Mohammed.

Pākistān. 1951-*16-10* Liaquat Ali Khan, Pt *(Said Akbar).*

Panamá. 1955-*2-1* José Antonio Rémon, Pt.

Paraguay. 1877-*12-4* Jean-Baptiste Gill, Pt.

Pérou. 1872-*25-7* José Balte, Pt *(Marceliano Gutièrrez).*

Philippines. 1972-*7-12* Mme Marcos [1].

Pologne. 1922-*16-12* Gabriel Narutowicz, Pt.

Portugal. 1908-*1-2* Charles Ier et Philippe, Pce héritier *(Buica* et *de Costa).* **1915**-*15-5* Dr Joao Chagas, PM. *(Sénateur Joao de Freitas,* qui fut tué) [1]. **1918**-*31-12* Sidonio Paes, Pt.

☞ Suite p. 1301.

Enseignement

L'enseignement dans le monde

Comparaisons

Enseignement public et privé. Répartition des effectifs scolaires et universitaires (en %). All. féd. : public 98 (privé 2). Tunisie 96,2 (3,8). Maroc 97 (3). Suisse 95 (5). G.-B. 91 (9). Italie 91 (9). Autriche 90 (10). Luxembourg 90 (10). *France 84,6 (15,4).* Espagne 69 (31). Belgique 39,79 (60,2). P.-Bas 28 (72). Japon 24,7 (75,3).

Équivalence des diplômes. Il est difficile d'établir une liste d'un pays à l'autre, étant donné les différences des programmes et des niveaux. Certains accords ont pu néanmoins être passés entre la France et plusieurs pays. *Équivalences franco-anglaises,* B.A. (Bachelor of Arts) : licence ; M.A. (Master of Arts) : doctorat ; Ph. D. (Philosophiae Doctor) : doctorat d'Etat.

• **Analphabétisme. Définition :** l'UNESCO définit comme *illettrée* (ou *analphabète*) une personne incapable de lire et d'écrire, en le comprenant, un exposé simple et bref de faits en rapport avec sa vie quotidienne.

Statistiques. Monde : *vers 1950 :* 44 %, *70 :* 32 (780 millions), *80 :* 28,9 (814), *90 :* 25,7 (948). Sur 198 pays, 97 ont un taux supérieur à 50 %. Un taux de 2 à 3 % est considéré comme normal [Hongrie 1,1 (1980), Japon 0,1 (1985)]. 100 millions d'enfants de 6 à 11 ans ne sont pas scolarisés.

% d'analphabètes chez les plus de 15 ans (estim. 1990). Algérie 50,4, Argentine 4,7, Brésil 18,9, Canada 25 (quasi anal.), Chine 26,7, (*1949 :* 80) Congo 43,4, Égypte 51,6, Gabon 39,3, Grèce 6,8, Inde 51,8, Indonésie 23, Iran 46, Italie 2,9, Liberia 60,5, Maroc 61,7, Mexique 12,7, Niger 71,6, Ouganda 51,7, Pakistan 65,2, Pérou 14,9, Portugal 15, Sénégal 61,7, Soudan 72,9, Syrie 35,5, Thaïlande 7, Tunisie 56,7, Turquie 19,3, USA 5 à 25, Yougoslavie 7,3.

Variations (exemples). **1° Selon l'âge :** *Maroc* pour les + de 65 ans (1982) : 92,3, pour les 10-14 a. : 42,5 ; *Martinique* pour les + de 65 a. (82) : 29,2, pour les 15-19 a. : 0,9. **2° Selon le sexe :** chez les + de 15 a. (estim. 1990) : *Rép. centrafricaine,* hommes 48,2 (femmes 75,1). *Mali* 59,2 (76,1). *Cameroun* 33,7 (57,4). *Maroc* 38,7 (60,2). *Bolivie* 15,3 (29,3). *Pérou* 8,5 (21,3). *Afghanistan* 55,9 (86,1). *Yémen (Rép. dém.)* 47,2 (73,9). *Inde* 38,2 (66,3). *Népal* 62,4 (86,8). *Syrie* 21,7 (49,2). *Grèce* 2,4 (10,9). Toutefois : *Seychelles* 44,4 (40,2 [4]). *Jamaïque* 1,8 (1,4). *Ste-Lucie* 19,2 (17,6 [3]).

Horaires moyens de l'enseignement dans les états de la C.E.E. (1989-90).

	Enseign. primaire [1]	Enseign. secondaire (1er cycle)	Enseign. secondaire (gén. et 2e cycle) [2]
Allemagne	600/780	1 280	1 280
Belgique	950	1 216/1 368	1 064
Danemark	540/780	1 080	1 200
Espagne	875	1 085	1 120
France	*972*	*1 067*	*1 050*
Grèce	603/656	1 020	1 173
Irlande	805/897	1 050/1 170	952
Italie	792/864	980/1 080	1 035
Luxembourg	954	954	1 080
Pays-Bas	660/768	1 120/1 148	1 200
Portugal	750/860	1 056/1 120	1 080
Royaume-Uni	560/620	1 080	720

Nota. – (1) Estim. en heures effectives sur l'année. (2) Valeur indicative compte tenu des options.

☞ **France.** *En 1988,* 20 % des Français étaient touchés par l'illettrisme. 2 200 000 avaient de grandes difficultés à maîtriser lecture et écriture (soit 6,3 % des adultes) ; 3 300 000 ne pouvaient ni lire, ni comprendre un texte simple ; 6 050 000 (10,6 %) avaient des difficultés à écrire (60 % étaient des hommes).

Selon le ministère de la Défense, sur 420 000 appelés, il y avait 30 000 illettrés (7,14 %) dont 1 000 analphabètes. 3,57 % restaient « non-lecteurs ». 14 000 avaient oublié, par manque de pratique, les notions de lecture et d'écriture acquises pendant la scolarité.

U.S.A. Selon une étude de l'université du Texas, 20 % de la pop. adulte serait incapable de lire et écrire correctement, 40 % des jeunes de 17 a. seraient incapables de comprendre le sens des phrases simples de la vie quotidienne.

• **Vacances scolaires.** Jours de classe et (entre par.) j. de vacances. **Allemagne** 200/226 (226), début de l'année scolaire 1er sept. [dates et longueur variables suivant États. **Autriche** enseign. scolaire 14,5 sem. (été 9 sem.), univ. 16 sem. (été 12 sem.). **Belgique** 182 (78) (été 2 mois, Noël 2 sem., Pâques 2 sem., 1er trim. 5 j, 2e trim. 5 j, 3e trim. 4 j). **Espagne** *1er degré* 185, *2e d.* 170, début de l'année scolaire 15 sept. (Noël 2 sem., Pâques 10 j, été 8 sem.). **Danemark** 200 (été 45 j, automne 1 sem., Noël 1 sem., Pâques 1 sem. + j de fête). **Finlande** hiver 2 sem., été 10 sem. **France** 180 (208), voir p. 1258. **Grèce** scolaire 175, universitaire 115. **Israël** élém. 1-7/31-8 ; second. 21-6/31-8 + 5 ou 6 sem. selon religions. **Italie** 200, début de l'année scolaire 1er sept. ; univ. 1er nov. (été 2 mois, Noël 15 j, Pâques 5, fêtes religieuses 19). **Japon** 240 (été 45 j). **Luxembourg** 216. **Maroc** 1er trimestre 16 j, 2e 15 j, 3e 2 j, d'été 2 mois 1/2. **P.-Bas** *1er degré* 200 (5 j/sem.) à 240 (6 j/sem.) *2e d.* 195. **Portugal** *1er degré* 175 (5 j/sem.) 208 (6 j/sem.) *2e d.* 164. **Royaume-Uni** *Angl., P. de G., Irl. du N.* 190 à 200 (+ 10 j éventuels), *Écosse* 190, début de l'année scolaire sept. (Noël 3 sem., Pâques 2 sem., été 6 sem.). **Tunisie** (13-6/15-9 + fêtes). **U.S.A.** 180 (été 3 mois). **U.R.S.S.** 2 mois (juillet, août).

• **Obligation de l'enseignement. Dans tous les pays sauf :** *Afrique* [1] : Botswana, Cameroun occ., Côte-d'Ivoire, Djibouti, Éthiopie, Gambie, Kenya, Malawi, Ouganda, Sierra Leone, Zambie. *Amérique du Nord :* Antilles néerlandaises. *Asie* [1] : Arabie Saoudite, Bhoutan, Liban, Maldives, Oman, Pakistan, Qatar, Singapour. *Océanie :* Fidji, N.-Guinée, Salomon britanniques, Samoa occid, Vanuatu.

Nota. – (1) Non connu pour certains États.

Limites de l'âge scolaire obligatoire. Afr. du Sud 7-16 ; Algérie 6-15 ; All. dém. 6-16 ; All. féd. 6-15 (16 pour Berlin et Rhénanie-Westphalie) ; ens. prof. à temps partiel jusqu'à 18 ; Argentine 6-14 ; Bahreïn 6-15 ; Belgique 6-18 (15 à 18 : temps partiel) ; Brésil 7-14 ; Canada 6-16 ; Comores 7-15 ; Congo 6-16 ; Danemark 7-16 ; Espagne 6-14 ; États-Unis 6-16 ; *France 6-16 ;* G.-B. 5-16 ; Grèce 5 1/2-14 1/2 (16 si non dipl. ens. sec. 1er cy.) ; Inde 6-11 ; Irlande 6-15 ; Israël 5-15 ; Italie 6-14 ; Japon 6-15 ; Luxembourg 5-15 ; Mali 6-15 ; Népal 6-11 (éc. anglaise) ; P.-Bas 5-16 ; Portugal 6-14 (15 pour él. scolarisés dep. 1987/88) ; Suède 7-16 ; Finlande 7-16 ; Togo 6-12 ; U.R.S.S. 7-17.

Scolarisation dans l'enseignement supérieur

Taux pour 1 000 h	1960	1970	1988
Canada	19,3	29,9	62,2
États-Unis	25,9	41,4	59,6 [1]
Suède	10,3	17,6	34,5
Israël	n.c.	18,7	34,1
All. Dém.	n.c.	17,7	33,1
Pays-Bas	9,5	17,7	32,4 [2]
All. Féd.	n.c.	8,3	31,8
Espagne	8,1	10,4	31,7 [2]
Belgique	8	12,9	31,5 [3]
France	*7,8*	*15,8*	*31,2* [2]
Japon	n.c.	17,4	29,7
Italie	5,5	12,8	26,3
Suisse	n.c.	8,2	24,8 [3]
U.R.S.S.	n.c.	18,8	23,6
G.-B.	8,7	10,8	22,8 [2]

Nota. – (1) 1986. (2) 1987. (3) 1989. *Source :* Unesco.

Enseignants dans le monde en 1988 (en milliers)

Pays	Préscolaire		1er Degré		2e Degré		3e Degré	
	Total	Femmes	Total	Femmes	Total	Femmes	Total	Femmes
All. dém.	72,7	72,7	57,5	51,3	158,3	84,8	42,7	n.c.
All. féd.	84,8	72,3	136,2	106,8	443,7	181,8	198,2	44,3
Belgique	19,8	19,7	47,7	29,7	52,8	19,3	19,3	5
Canada	17,1 [1]	17,1 [1]	315,7	185	130,5 [2]	59,5 [2]	59,5	14,8
Espagne	39,5 [5]	37 [5]	114,3	83,6	169,5 [5]	84,1 [5]	52,2 [5]	14,7 [5]
États-Unis	n.c.	n.c.	1 371 [3]	n.c.	1 042 [3]	n.c.	701	104,7
France	*73,8*	*70,7*	*198,9*	*133,7*	*414,3*	*234,7*	*45,2* [7]	*11,8* [7]
Italie	109,4	n.c.	258,5	232,1	582,6	356	53,9	n.c.
Pays-Bas	22,5 [2]	22,3 [2]	84 [5]	53,2 [5]	98	27,8	13 [4,7]	1,2 [4]
Royaume-Uni	26 [5]	26 [5]	215	168	297 [5,6]	150 [5,6]	89,1 [5]	15,4 [5]
U.R.S.S.	1 547	n.c.	2 906	n.c.	n.c.	n.c.	394	n.c.

Nota. – (1) 1979. (2) 1984. (3) 1985. (4) 1986. (5) 1987. (6) Enseignement général. (7) Universités uniquement.

Étudiants à l'étranger

Étudiants étrangers inscrits dans chaque pays en 1988 et, entre parenthèses, **étud. du pays inscrits à l'étranger.** U.S.A. 366 350 (21 151). *France 125 574 (14 434).* U.R.S.S. 115 360 (1 897). All. féd. 91 926 (25 708). Royaume-Uni 59 220 [5] (14 475). Canada 28 622 (17 317). Belgique 22 555 [5] (3 954). Italie 21 411 (19 534). Japon 20 373 (26 893). Australie 18 207 (2 655). Arabie Saoudite 17 971 [4] (6 186). Autriche 16 580 (6 172). Suisse 14 462 (4 514). All. dém. 13 343 (773). Syrie 12 309 [4] (9 169). Inde 11 039 [1] (24 850). Égypte 10 729 [5] (5 657). Saint-Siège 10 567. Suède 10 401 [2] (3 241). Pays-Bas 8 531 [5] (6 368). Turquie 7 502 (18 688). Yougoslavie 6 233 (6 209). Philippines 5 304 (1 083). Koweït 5 152 [5] (3 568). Tchécoslovaquie 5 056 (1 346). Cuba 4 660 (1 218). Danemark 4 534 [5] (2 041). Chine 4 408 [5] (70 795). Singapour 3 992 [1] (8 890). Nlle-Zélande 3 678 (1 325). Maroc 3 621 [5] (30 325). Pologne 3 619 (5 527). Portugal 3 397 [4] (5 175). Algérie 2 648 (13 997). Hongrie 2 569 (1 287). Irlande 2 537 [5] (3 336). Sénégal 2 456 [5] (3 852). Côte-d'Ivoire 1 749 [2] (3 778). Corée du Sud 1 598 (27 856). Qatar 1 452 (1 083). Tunisie 1 379 [4] (10 271). Finlande 1 230 (5 252). Pakistan 1 109 [3] (8 864). Jordanie 1 128 [5] (17 497). Émirats arabes unis 1 021 [3] (1 824). Panamá 890 [3] (2 034). Chypre 859 (6 484). Honduras 612 [5] (1 304). Chili 545 [5] (2 981). Togo 535 [5] (1 899).

Nota. – (1) 1983. (2) 1984. (3) 1985. (4) 1986. (5) 1987.

☞ Universités étrangères, voir Quid 1985, p. 1058.

L'enseignement primaire et secondaire en France

Source : ministère de l'Éducation nationale.

Quelques dates

• **Fin du Moyen Age** (surtout dans les villes marchandes). Naissance de la scolarisation. *« Petites écoles »,* apprenant à lire, écrire, compter en langue vernaculaire, tenues par des « régents », souvent mixtes malgré l'interdiction de l'Eglise ; *écoles pratiques,* formant au métier d'écrivain public ; *manécanteries,* éducation vocale, apprentissage de la lecture et de l'écriture ; *écoles « techniques »* (ou empiriques), organisées par des particuliers, artisans, etc. **XVI**e **s.** à partir du concile de Trente, *écoles de charité* destinées aux pauvres dans certaines paroisses urbaines. **XVI**e **et XVII**e **s.** essor de l'école urbaine et rurale, création des *éc. religieuses* tenues par les curés, des *collèges* tenus par les congrégations. **Jusqu'au XIX**e **s.** alphabétisation : avancée au nord d'une ligne Saint-Malo-Genève (80 à 90 % des hommes, 75 % des femmes savent écrire leur nom en Normandie) ; en dessous, la majorité ne sait ni lire ni écrire.

• **1791** *(lois des 3 et 14-9),* **1792** *(décret du 12-12),* **1793** *(décrets des 15-9 et 21-10) :* grandes lignes des 3 degrés d'enseign. (primaire, secondaire, supérieur).

• **1802** *(1-5 ; loi du 11 floréal an X).* **1808** *(décret du 17-3) :* créent l'Université nouvelle (d'État). La Fr. est divisée en Académies. Le primaire reste aux mains de l'Eglise, secondaire et supérieur passent sous le contrôle de l'État. **1816 (29-12)** *loi* obligeant les communes à pourvoir l'enseignement primaire. **1833 (28-6)** *loi Guizot :* créant aux chefs-lieux d'arrondissements une éc. primaire sup. ; à ceux de départements une éc. normale d'instituteurs. **1850 (15-3)** *loi Falloux :* affirme la liberté de l'enseign. ; l'Église a encore un droit de regard ; oblige les communes de 800 hab. et + à entretenir une éc. primaire de filles. **1867 (30-10)** *Victor Duruy* étend cette obligation aux communes de 500 hab. (34 a. de retard sur les garçons) ; crée des cours publics pour jeunes filles. **1879 (9-8)** *loi* obligeant les départ. à entretenir une école normale d'institutrices. **1880 (21-12)** *loi Camille Sée :* organise l'enseign. secondaire féminin. **1881 (16-6), 1882 (28-8)** *loi Jules Ferry :* instruction primaire obligatoire, l'éc. publique devenant neutre et gratuite. Charge des commissions municipales scolaires de contrôler l'assiduité. **1886 (30-10)** *loi Goblet :* laïcise le personnel enseignant et décide de l'organisation de l'enseign. primaire. **1889 (18-7),** les instituteurs deviennent des fonctionnaires d'État. **1890 (8-8)** enseign. secondaire moderne créé. **1912 (10-5)** *arrêt Bouteyre* du Conseil d'État. Les ecclésiastiques sont exclus de l'enseign. public. **1919 (25-7)** *loi Astier* sur l'enseign. technique. **1930 (12-3)** gratuité en 6e (étendue à tout le secondaire en 1930-32). **1936 (9-8)** *réforme de Jean Zay :* réorganisation du 1er degré pour que les mieux doués puissent passer dans le 2e degré, puis le supérieur ; prolongation de la scolarité de 1 an.

• **1946** *dans la Constitution :* égal accès pour tous à la culture. **1947 (19-6)** *rapport de la commission Langevin-Wallon :* prolongation de la scolarité obligatoire par paliers jusqu'à 18 ans ; prise en charge par l'école de la formation professionnelle à partir de 15 a. ; 3 cycles : 6-11 a. primaire, 11-15 a. orientation, 15-18 a. détermination ; supérieur : 2 années d'études préuniversitaires, 2 de licence, grandes écoles ou écoles d'application. Ce plan ne fut pas retenu. **1956 (3/4-6)** *projet Billières :* constitution d'éc. moyennes d'orientation : scolarité de 2 ans, collaboration de maîtres de divers degrés, établissements ni primaires ni secondaires ; enterré juillet 1957. **1959 (6-1)** *décret : réforme Berthoin :* scolarité obligatoire jusqu'à 16 ans ; cycle d'observation (6e-5e), nouvelles dénominations : C.E.T., C.E.G., lycées, lycées techniques.

Étudiants et diplômés de 3e degré dans le monde en 1988 *(Source : UNESCO).*

	Total étudiants	Total diplômés	*Répartition des étudiants par discipline*				
			Lettres Éduc. Beaux-Arts	Droit Sc. soc.	Sciences exactes et natur.	Sc. de l'ingénieur Urban. Agric. Transport Communic. Autres	Sciences médicales
Afghanistan [15]	17 509	2 299	4 713	3 628	2 160	4 355	2 653
Afrique du Sud [11]	98 577	7 558	3 875 *	1 766 *	311 *	716 *	464 *
Albanie	25 201	3 916 [15]	6 580	4 567	2 937	9 338	1 779
Algérie	180 755	34 748 [15]	16 502	39 195	29 926	63 896	31 236
All. dém.	438 930	125 317 [1]	71 644	72 081	14 045	222 718	58 532
All. féd.	1 686 725	230 237 [1]	325 659	487 051	205 075	455 643	213 297
Argentine	755 206 [15]	23 921 [10]	75 600 [15]	274 143 [15]	81 476 [15]	229 091 [15]	94 896 [15]
Australie	393 734 [15]	73 563 [2]	167 826 [15]	84 033 [15]	51 422 [15]	53 125 [15]	37 328 [15]
Autriche	215 187	14 051 [1]	53 987	79 490	25 545	35 354	20 811
Belgique [1]	254 329	51 539	43 997	101 063	26 506	47 568	37 195
Bénin	8 868 [15]	834 [9]	2 246 [15]	4 042 [15]	1 144 [15]	1 139 [15]	327 [15]
Brésil	1 503 560	228 074 [1]	388 828	621 275	91 500	274 432	127 517
Bulgarie	150 517	21 366 [15]	40 088	27 611	6 457	63 937	12 424
Cambodge [14]	9 988	790	231 *	168 *	56 *	203 *	115 *
Cameroun	10 631 [7]	1 804 [6]	1 588 [7]	3 075 [7]	162 [7]	1 198 [7]	319 [7]
Canada	1 123 280	192 152 [1]	184 095	337 424	78 261	439 911	83 889
Chili	224 338 [15]	24 164 [1]	51 565 [15]	65 275 [15]	22 637 [15]	68 129 [15]	16 629 [15]
Chine	2 065 923	404 014 [1]	540 226	217 796	241 581	880 067	186 253
Congo	12 043 [15]	1 375 [1]	2 778 [15]	7 645 [15]	563 [15]	563 [15]	494 [15]
Côte-d'Ivoire	19 600 [1]	5 243 [6]	8 212 [1]	5 104 [1]	2 209 [1]	1 625 [1]	2 510 [1]
Danemark	122 256 [15]	18 891 [1]	37 749 [15]	31 047 [15]	8 825 [15]	27 859 [15]	16 776 [15]
Égypte	589 111 [15]	116 854 [2]	178 293 [15]	236 656 [15]	26 242 [15]	97 890 [15]	50 030 [15]
Espagne	1 009 521 [15]	99 984 [2]	231 882 [15]	389 984 [15]	90 034 [15]	199 055 [15]	89 566 [15]
Finlande	146 857	22 916 [1]	38 066	30 015	18 589	38 047	21 140
France	*1 255 538* [3]	*269 841* [6]	*78 321* [6]*	*54 509* [6]*	*39 603* [6]*	*18 906* [6]*	*26 705* [6]*
Gabon	4 050 [15]	702 [1]	642 [15]	2 153 [15]	343 [15]	485 [15]	427 [15]
Ghana	8 327 [1]	2 277 [3]	2 277 [1]	1 709 [1]	1 164 [1]	1 634 [1]	718 [1]
Grèce	189 173 [15]	27 309 [2]	43 113 [15]	52 437 [15]	16 444 [15]	49 924 [15]	27 255 [15]
Guinée	6 245	1 129 [1]	1 149	1 299	2 289	957	551
Hongrie	99 124	24 056 [1]	42 639	17 111	2 388	27 757	9 229
Inde	4 470 844 [15]	1 095 682 [9]	1 878 000 [15]	1 032 604 [15]	739 087 [15]	639 334 [15]	449 711 [15]
Iran	315 657	28 868 [1]	123 147	29 385	29 974	76 683	65 468
Irlande	73 450	10 236 [1]	18 622	14 898	10 879	25 112	3 939
Israël	64 190	12 089 [1]	17 969	20 345	10 304	10 614	4 958
Italie	1 296 298	89 819 [1]	233 625	502 166	126 563	248 173	185 711
Japon	2 588 470	585 665 [2]	711 021	913 453	70 907	656 662	156 427
Jordanie	65 979	15 186 [2]	29 025	15 425	7 025	9 006	5 498
Kenya	26 839 [15]	2 386 [4]	7 933 [15]	6 240 [15]	348 [15]	1 271 [15]	319 [15]
Laos	5 322 [15]	1 236 [2]	3 212 [15]	64 [15]	–	1 134 [15]	1 012 [15]
Liban	70 510 [1]	6 005 [2]	18 671 [1]	36 050 [1]	6 821 [1]	6 408 [1]	2 560 [1]
Libye	30 000 [2]	2 256 [9]	861 [9]	845 [9]	162 [9]	377 [9]	11 [9]
Luxembourg	843 [3]	77 [13]	203 [3]	255 [3]	73 [3]	257 [3]	55 [3]
Malaisie occ.	108 091	15 163 [1]	41 839	34 039	10 790	18 482	2 941
Mali	5 536 [1]	1 195 [3]	1 539 [1]	1 680 [1]	–	1 785 [1]	532 [1]
Maroc [15]	212 151	16 344	81 932	47 977	53 315	20 967	6 953
Mexique	1 256 942	153 131 [15]	164 143	510 560	83 687	384 826	113 726
Nigeria	104 032 [1]	17 215 [6]	30 686 [1]	25 680 [1]	15 456 [1]	20 879 [1]	11 331 [1]
Norvège	114 855	38 340 [1]	25 049	41 876	7 090	28 744	12 096
N.-Zélande	117 814	11 798 [1]	31 649	46 318	10 985	19 883	8 479
Pakistan	60 716 [1]	37 488 [8]	12 480 [1]	9 023 [1]	12 884 [1]	24 592 [1]	1 737 [1]
Pays-Bas	395 714 [15]	58 731 [2]	105 110 [15]	139 607 [15]	13 759 [15]	97 940 [15]	39 898 [15]
Pérou	409 654 [15]	10 885 [1]	54 322 [15]	175 087 [15]	19 952 [15]	113 346 [15]	46 497 [15]
Pologne	493 552	109 304 [1]	156 326	102 235	17 274	139 824	78 893
Portugal	96 427 [15]	13 510 [3]	20 848 [15]	35 168 [15]	7 390 [15]	28 325 [15]	5 096 [15]
Réunion	2 326 [6]	296 [9]	94 [11]*	131 [11]*	27 [11]*	–	–
Roumanie	157 041 [15]	28 122 [1]	7 237 [15]	17 292 [15]	8 272 [15]	107 768 [15]	16 472 [15]
Royaume-Uni	1 086 092 [15]	297 784 [1]	219 862 [15]	311 928 [15]	142 702 [15]	260 804 [15]	150 796 [15]
– Angl. et Galles [13]	546 944	139 146	66 347 *	23 889 *	20 243 *	23 005 *	517 *
– Irl. du N. [13]	14 665	5 675	2 262 *	401 *	586 *	459 *	167 *
– Écosse [13]	75 472	20 092	8 921 *	4 686 *	2 848 *	2 554 *	1 083 *
Sénégal	14 833	4 339 [1]	4 149	4 857	2 960	365	2 502
Suède [15]	184 324	40 063	47 498	53 565	17 353	50 397	26 042
Suisse	125 158	11 054 [15]	24 684	47 700	12 658	29 531	10 585
Syrie [1]	182 933	28 832	55 302	42 735	17 164	48 787	18 945
Tchécoslovaquie	184 849	32 554 [1]	38 655	30 534	5 693	95 466	14 501
Tunisie	54 466	4 587 [15]	14 525	17 279	7 346	8 524	6 792
Turquie	594 662	75 827 [1]	96 803	279 492	37 552	121 834	58 981
U.R.S.S.	4 999 200	768 100 [15]	1 662 300	355 100	–	2 613 300	368 500
U.S.A. [2]	12 247 055	1 830 284	322 309 *	205 975 *	161 962 *	131 133 *	182 519 *
Venezuela	500 295	32 396 [15]	112 138	180 636	24 522	135 298	47 681
Viêt-nam	114 701 [7]	29 167 [8]	47 632 [7]	16 474 [7]	4 448 [7]	44 685 [7]	11 462 [7]
Yougoslavie	340 884	51 501 [1]	57 290	83 467	19 955	151 813	28 359
Zaïre [1]	38 656	3 460	12 236	8 306	1 923	10 708	5 483

Nota. – * diplômés. (1) 1986. (2) 1985. (3) 1984. (4) 1983. (5) 1982. (6) 1981. (7) 1980. (8) 1979. (9) 1978. (10) 1977. (11) 1976. (12) 1974. (13) 1973. (14) 1972. (15) 1987.

• **1963** *(8-8) décret :* porte à 4 ans le cycle d'observation et d'orientation ; 1er cycle du second degré (6e-5e-4e-3e) dans les C.E.S. ; après la 3e, cycle long [lycées, 3 voies (littéraire, scientifique ou technique)] ou court : sections industrielle, commerciale et administ., donne C.A.P. ou B.E.P.

• **1975 (11-7) Loi Haby.** *Extension du réseau des classes maternelles.* En 1980, 100 % des enf. de 4 à 6 ans sont accueillis.

Un soin particulier entoure l'*apprentissage* de la lecture, de l'écriture et du calcul (abandon de tout redoublement du cours préparatoire).

Institution d'un tronc commun de formation, de l'école primaire jusqu'à la sortie du collège (du cours préparatoire à la 3e). Disparition des cl. de 3e aménagées. Les enfants qui connaissent des difficultés graves sont accueillis dans des *S.E.S. (Sections d'éducation spécialisée).*

Actions de soutien : les maîtres doivent prêter une attention particulière aux élèves en difficulté dans 3 matières essentielles (français, math., langue vivante). *Activités d'approfondissement :* travaux variés accomplis de manière autonome par les enfants sous le contrôle des professeurs.

Gratuité de l'enseignement. Prêt à tous les élèves des collèges de tous les manuels scolaires (réalisé *1977-78* pour 6e, *78-79* 5e, *79-80* 4e, *80-81* 3e, *81-82* 2e, *82-83* 1re). Prise en charge progressive des frais de transport (ramassage scolaire) par l'État et les collectivités locales.

Grands principes

Liberté de l'enseignement : permet la coexistence d'un système public d'enseignement et d'établissements privés pouvant bénéficier de l'aide de l'État et soumis à un contrôle. **Instruction obligatoire** pour tous les enfants, jusqu'à 16 ans. **Laïcité :** l'enseignement public est neutre en matière de religion, de philosophie, de politique. **Gratuité :** sauf droits d'inscription dans les universités. **Collation des grades et diplômes réservée à l'État :** examens publics ouverts à tous les élèves. **Garantie d'égalité d'accès à l'instruction pour tous les enfants :** l'enseignement public relève de l'autorité directe du ministre de l'Éducation qui assure la responsabilité de l'organisation et du contrôle de l'éducation à tous les niveaux.

Exceptions : l'enseignement agricole relève du ministère de l'Agriculture ; divers départements ministériels (ministère de la Défense, de la Justice, de l'Industrie, etc.) assurent la responsabilité d'établissements spécialisés et de grandes écoles ; le ministère à la Jeunesse et aux Sports couvre les activités relevant de l'éducation populaire, des loisirs, de la jeunesse, des sports.

La loi relative à l'éducation s'applique à tous les établissements d'enseignement publics et privés sous contrat (90 % des établissements d'enseignement privé), ainsi qu'aux établissements d'enseignement français à l'étranger.

Bas-Rhin, Haut-Rhin et Moselle, annexés par l'Allemagne de 1871 à 1918, ont gardé le statut scolaire remontant à la loi Falloux de 1850. L'enseignement religieux (2 h par semaine) fait partie de l'horaire normal. Il est donné par des instituteurs volontaires. Les enfants peuvent s'en faire dispenser à la demande de leurs parents. 4 confessions sont reconnues : Église catholique, Église réformée d'Alsace et de Lorraine. Église de la confession d'Augsbourg (luthérienne) et confession israélite.

Programmes. Collèges : 24 h d'enseign. (6e, 5e) ; 24 h 30 (4e, 3e) ; tronc commun sur la base de 24 él. par cl. et d'1 h par él. au-dessus de 24 él. Français, maths, langue viv., histoire-géo., économie, sc. expérimentales, éduc. civique, artistique, manuelle et technique, physique et sportive. À partir de la 4e, libre choix de 1 ou 2 options : latin, grec, 2e langue vivante, option technologique, langue vivante renforcée. **Lycées :** en seconde et en 1re, culture générale commune en lettres et math., sciences humaines (hist., géo., initiation à l'étude des faits écon. et sociaux contemporains), sc. expérimentales (physique, chimie, technologie et biologie), langue, activités physiques et sportives ; philosophie en terminale. Gamme étendue d'options. La dernière année est consacrée à l'apprentissage d'un nombre plus restreint de disciplines, choisies par les jeunes eux-mêmes. **Baccalauréat.** Voir p. 1272.

Formations professionnelles. Menant aux CAP et BEP, dans les lycées d'ens. prof. (LEP) qui remplacent les collèges d'ens. technique (CET). **Éducation spéciale** donnée aux handicapés, dans des structures d'accueil aménagées. **Vie scolaire. Élection de délégués** dans chaque classe des collèges et lycées. *Participation* des élèves au fonctionnement de la classe et de l'établissement ; exercice de la responsabilité par l'élève dans le choix des options complémentaires et des voies de l'orientation. Recherche par tous les moyens de la *coopération entre l'école et les familles.*

Application de la réforme. 1977-78 : cours préparatoire et cl. de 6e ; *1978-79 :* cycle élém. 1re année (CE1) et 5e ; *1979-80 :* CE2 et 4e ; *1980-81 :* 1re a. du cycle moyen (CM1) et 3e ; *1981-82 :* 2e a. (CM2) et 2e ; *1982-83 :* 1re ; *1983-84 :* terminale.

• **1983-93. Réforme (collèges, lycées, enseign. sup.).** Élaborée à partir du constat de plusieurs rapports sur l'enseignement.

1983-84. COLLÈGES : 130 c. volontaires ont expérimenté tout ou partie des propositions du *rapport Legrand,* notamment la structuration des 6e et 5e en groupes de niveau. Élaboration d'un « projet d'établissement » ayant pour objectif l'accueil dans le cycle d'observation, et un effort d'attention aux CPPN et CPA. Élaboration de projets pédagogiques d'équipe avec autonomie de l'établ. pour le choix des méthodes et initiatives. Action pédagogique de sensibilisation au tiers monde (30 établ. volontaires). *Répartition selon les forces.* Les classes d'un même niveau, 6e et 5e, sont fondues dans un ensemble de 78 à 104 él. de toutes forces contenant des divisions de 26 él. max., soit de même force pour les maths, la langue vivante et 1/3 de l'horaire de français, soit toutes forces confondues pour les autres disciplines. La constitution de ces groupes de forces équivalentes nécessite 1 mois pour le français et les maths, 3 pour la langue vivante. En 4e et 3e même organisation de l'enseign. du tronc commun par groupes homogènes avec éventail plus large d'options. *Plus de redoublement.* Les capacités ne sont plus évaluées par addition de notes mais par constat d'une progression et de l'atteinte du but pédagogique défini par les programmes scolaires. À la fin de la 4e, il y a un bilan de l'él. avant la 3e, qui reste un palier de sélect. Les classes de CPPN (classes préprofessionnelles de niveau) et les LEP seront à terme supprimés, les LEP se transformant en lycées d'enseign. général favorisant les passerelles avec l'enseign. long. Horaires des cours : allégement à terme (50 mn au lieu de 1 h). *Nouvelles matières :* technologies modernes de la 6e à la terminale, h plus nombreuses pour arts et sports, décloisonnement des disciplines. *Tutorat :* exercé par le tuteur (professeur documentaliste ou conseiller d'éducation) sur 12 à 15 él. d'une même division pour leur enseigner une méthodologie, leur conseiller une gestion de leur temps, servir d'intermédiaire entre autres enseignants et d'interlocuteur privilégié auprès des parents.

LYCÉES : retour de l'enseign. des sc. nat. et enseign. obligatoire de la philosophie en terminales F5, G6, F7, F7'. Création d'une 1re G commune avant les bacs G1, G2, G3.

Rentrée 1986. ÉCOLES : Priorité donnée à l'accueil des enfants de 3 et 2 ans. COLLÈGES : mise en application des nouveaux programmes en 6e. Mise en place de nouvelles classes de 4e technologiques dans le cadre de la rénovation de la formation au BEP et au CAP. LYCÉE : mise en place du baccalauréat professionnel. Ouverture de l'option informatique à toutes les sections de la classe de 1re.

1986 (nov.). Projets Monory. Aménagement du second cycle long et du baccalauréat. *Horaire* hebdomadaire 26 h (max. 30 h pour 1res et terminales technologiques) en 10 demi-journées (3 h de cours le matin et 2 h l'après-midi). *Mercredi après-midi :* pas de cours. *Travail personnel :* 3 h par j en seconde et 5 h en terminale. *Programmes du bac recentrés vers la culture générale :* en 1re et terminale, 3 ensembles d'enseignements : matière principale (maths, lettres, technologie) 1/3 du temps, disciplines associées à cette matière 1/3 du temps, enseignements communs (culture générale et sport) 1/3 du temps surtout l'après-midi. *4 bacs : ès lettres* (lettres-sciences, l.-langues, l.-arts, l.-économie), *ès sciences* (maths-physique, m.-biologie, m.-technologie, m.-économie), *ès techniques industrielles, ès techniques économiques.* **Calendrier :** vacances intermédiaires plutôt courtes (Toussaint : 8 j, février : 10, Pentecôte : 5) ; rentrée plus tardive ; Noël et Pâques inchangés. **Maîtres.** Création du statut de *maître directeur* pour renforcer l'autorité des directeurs d'école. Suppression des mises à disposition, remplacées par des subventions. Interdiction de distribuer des formulaires d'assurances scolaires. Suppression des PEGC (prof. d'enseignement général des collèges) remplacés par des prof. certifiés (au moins licenciés).

1987 (mars). *Carte scolaire :* assouplie surtout pour l'entrée en 6e, les familles pouvant choisir entre 3 ou 5 établissements. *Rétablissement d'un vrai 3e trimestre.* En fin de 5e et de 3e, les *orientations* décidées dans l'enseignement privé sous contrat seront automatiquement homologuées dans l'enseignement public. *Nouveau brevet.* En juin 87, *1er bac professionnel. Corrections* du bac plus équitables. *Nouveaux livrets* scolaires. Simplification des *nominations* des instituteurs et prof. de l'enseignement privé sous contrat. Information avant nomination des surveillants d'externat et des maîtres d'internat. **Maître directeur d'école** (décret du 2-2-1987) : tout en restant chargé d'une classe, assume des fonctions : 1) administratives dans les écoles de plus de 2 classes (gestion des locaux, des emplois du temps...), 2) pédagogiques (admission des enfants, suivi des élèves), 3) sociales avec les parents, partenaires sociaux, enfants. *Recrutement :* inscription sur une liste d'aptitude possible après 1 an d'ancienneté + avis de l'inspecteur dép. ; stage de formation de 2 trimestres (en dehors du temps de travail) suivi d'une évaluation ; nomination après période probatoire de 1 an et inspection.

Éducation maternelle

Créée par décret du 18-1-1887. **Donnée** aux enfants de 2 ans (s'ils sont propres) à 6 ans dans écoles maternelles ou classes enfantines mixtes annexées à des éc. primaires. **Inscriptions.** En juin précédant la rentrée scolaire. Fournir : fiche d'état civil ou livret de famille ; certificat du médecin de famille ; carnet de santé attestant les vaccinations obligatoires ; certificat d'inscription délivré par le maire indiquant l'école que l'enfant fréquentera [mairie de la commune de résidence des parents (ou arrondissement pour Paris) avec preuve du domicile]. On peut demander un autre secteur scolaire au maire de la commune d'accueil (milieu rural), à la directrice de l'éc. sollicitée (villes), dans la limite des places disponibles de l'éc. demandée. S'il n'y a pas d'éc. maternelle, les enfants de 5 ans peuvent être admis dans une section maternelle (enfantine) de l'éc. élémentaire.

Scolarité. *Petite section* (2 à 4 ans) ; *moyenne* (4 à 5 a.) : éduc. corporelle, activités manuelles ; *grande* (5 à 6 a.) : transition avec cours préparatoire (préparation à la lecture, écriture, math.), éd. manuelle (dessin, peinture, poterie, céramique, confection de masques et marionnettes, etc.). Pas de redoublement. *Effectif max.* 35 él. par classe.

Enseignement primaire

• **Généralités. Donné** dans les écoles mixtes. Commun à tous les enfants. **Durée :** 5 ans (6 à 11 ans). À la fin du cycle moyen, l'élève accède *de droit,* s'il a atteint les objectifs de ce cycle, à la 1re année du collège. **Inscriptions :** juin précédant la rentrée. *Pièces à fournir :* voir éd. maternelle. *Dérogations :* pour les enfants ayant 5 ans avant le 1-9 de l'année civile en cours. Les parents peuvent demander leur inscription en présentant un dossier à l'inspecteur départemental de l'éd. avant la fin du 2e trimestre ; en cas de refus, les parents peuvent recourir à l'inspecteur d'académie qui statue en dernier ressort après avis d'une commission nommée par le recteur. Les familles peuvent aussi assurer elles-mêmes la scolarité obligatoire de leur enfant sur déclaration au maire et à l'inspecteur d'académie.

• **Cycles. Préparatoire** (CP) : correspond à la 1re année de l'école primaire (ancienne 11e). Apprentissage de la lecture, écriture, calcul. *Entrée* à 6 ans (dispenses pour les enfants ayant 5 a. avant le 1er sept.). *Pas de redoublement* mais les enfants pourront prolonger, sans redoubler, leur apprentissage de la lecture, de l'écriture et du calcul, en CE 1. *Effectif max.* 25 élèves par cl.

Élémentaire (CE) : 7 à 9 ans, réparti en 2 ans : CE 1 et CE 2 (anciennes 10e et 9e).

Moyen (CM) : 9 à 11 ans. CM 1 et CM 2 (anciennes 8e et 7e). *Passage en 6e (1re année des collèges) :* tous les élèves de CM 2 y entrent de droit sur proposition du maître de cette classe, et s'ils ont atteint les objectifs de la scolarité primaire (en général à 11 ans et au max. 12 ans, la dispense d'âge n'étant plus nécessaire). Le maître de CM 2 ou l'équipe éducative de l'éc. peut proposer le redoublement (on peut faire un appel devant une commission départ. présidée par l'inspection académique). Les élèves de l'ens. privé peuvent être admis en 6e dans l'ens. public sur décision d'une commission départementale d'homologation pour les établ. privés sous contrat, ou après examen d'admission (établ. sans contrat).

Durée hebdo (27 h)	Préparatoire	CE1 CE2	Cours moyen
Français	10 h	9 h 8 h	8 h
Mathématiques	6 h	6 h	6 h
Sciences et techn.	2 h	2 h 3 h	3 h
Histoire et Géographie	1 h	2 h	2 h
Éducation civique	1 h	1 h	1 h
Éducation artistique :			
– Éd. musicale	1 h	1 h	1 h
– Arts plastiques . .	1 h	1 h	1 h
Éd. phys. et sportive .	5 h	5 h	5 h

• **Classes de découvertes.** *Enseignement du 1er degré (1987-88). Établ. publics :* 425 600 élèves partis pour au moins 10 j (en moyenne 11 j) [10,1 % des él. (dont préélémentaire : 0,9 %, CP : 2,6, CE 1 : 3,2, CE 2 : 4,7, CM 1 : 12,3, CM 2 : 21,4) ; classes à plusieurs cours 4,6 ; initiation-adaptation 10,7 ; enseignement spécial 9,4]. *Privés :* 100 800 (10 %). *Classes :* de montagne (altitude > 1 000 m) 43,5, mer 18,6, verte 29,6, ville 0,7, étranger 1,7, artistiques 2,8, autres 3,2.

• **Certificat d'études primaires** (CEP). Couronnait la fin des études primaires pour les élèves n'entrant pas dans le secondaire, est tombé en désuétude du fait de la prolongation de la scolarité jusqu'à 16 ans et de l'entrée de tous les enfants au collège (6e). Il a été supprimé par décret le 28-8-1989 (en 1988 il y avait eu 48 candidats). Les *classes de fin d'études (FE)* des écoles primaires accueillant les enfants de 12 à 14 ans et préparant au CEP ont aussi disparu.

☞ Rapport Schwartz sur l'état de l'enseignement et de la recherche scientifique en France en 1981. Rapport Legrand sur les collèges du 6-1-1983. Rapport de la Commission Prost de nov. 1983. Propositions du Collège de France pour l'enseign. de l'avenir (rapport remis le 27-3-1985). Plan de rénovation de l'enseign. technique court. Formation professionnelle (plan jeunes). Voir Quid 1988, p. 1200.

Informatique à l'école. Objectifs du IXe Plan : 1 000 000 de micro-ordinateurs dans le système scolaire, 100 000 enseignants formés. *Coût :* 2 milliards de F. **Équipement :** *1988 :* 13 120 micros commandés (dont 5 906 Victor, 3 470 Goupil, 664 Léanord, 525 Bull, 184 Forum International). *1989 :* 105 000 postes de travail (dans 40 000 écoles) 170 000 classes, 2,5 postes/école, 1,6 classe et 35 élèves par poste.

Nota. – Pour certaines activités, des groupes d'élèves de 2 ou plusieurs classes peuvent être institués. Des actions de soutien, de pédagogie appropriée, des *classes* ou des *groupes d'aide pédagogique* sont organisés pour des él. éprouvant des difficultés particulières. Les écoles peuvent organiser des services d'accueil en dehors des h scolaires, financés par les collectivités locales, ou par des associations privées.

• Communauté scolaire. **Conseil des maîtres** (ensemble des enseignants affectés à l'école) : donne son avis sur l'organisation des services et les problèmes touchant à la vie de l'éc., 2 à 5 m. **Comité des parents** (élu par les parents) : à parité avec les maîtres, consulté sur les questions relatives à la vie de l'école. **Conseil d'école** (réunissant conseil des maîtres, comité des parents, psychologue scolaire, rééducateur, médecin scolaire et assistante sociale) : établit le règlement intérieur de l'éc. et décide de l'organisation d'actions de soutien au profit des élèves. **Équipe éducative** (composée des : directeur, maîtres, parents concernés, psychologue scolaire, rééducateur, médecin scolaire, assistante sociale) : assure la meilleure adaptation possible de l'enseign. à la situation particulière de chaque élève. Équipes pédagogiques constituées par l'ensemble des professeurs prenant certaines décisions ponctuelles.

GAPP (Groupe d'aide psychopédagogique) : comprenant 3 instituteurs spécialisés ; psychologue scolaire, rééducateur psychomoteur et psychopédagogique, chargés de recevoir les enfants envoyés par les instituteurs pour des consultations extérieures à la classe.

Élections de parents d'élèves (1990-91)

Comités de parents (primaire). *En % 1990 et entre parenthèses en 1989.* **Voix :** FCPE 37,38 (39,71). PEEP 8,51 (8,83). FNAPE 0,12 (0,10). UNAAPE 1,07 (1,15). Listes d'Union 5,76 (6,04). Divers 46,56 (44,23). **Sièges :** FCPE 38,86 (40,48). PEEP 7,65 (7,98). FNAPE 0,12 (0,09). UNAAPE 0,96 (1,06). Listes d'Union 5,88 (6,2). Divers 46,53 (44,19). **Taux de participation :** 45,75 (45,26).

Méthode Freinet

(Institut coopératif de l'école moderne). 1re école fondée en 1920 par Elise († 1983) et Célestin Freinet (1896-1966) à Vence. Stimule la créativité chez les él., en les incitant à prendre une part de responsabilité dans la vie de l'école ; les maîtres doivent travailler en équipe, en pratiquant une pédagogie individualisée ; les parents sont associés à la gestion.

Enseignement secondaire

Collège

• Généralités. Remplace le collège d'ens. secondaire (CES), le collège d'ens. général (CEG) et le 1er cycle du lycée.

Durée des études. 4 ans. *Sanction brevet des collèges.*

• Cycles. *C. d'observation* (6e-5e) où 8 disciplines obligatoires sont enseignées.

C. d'orientation (4e-3e) avec au moins une matière à option en plus choisie par les familles.

• Horaires. **Tronc commun :** Français 5 h. Maths 3 h (4e et 3e : 4 h). Langue viv. étrangère 3 h. Histoire, géographie, économie, éd. civique 3 h. Sc. expérimentales 3 h. Éduc. artistique (choix possible entre musique et arts plastiques en 4e et 3e) 2 h ; manuelle et technique 2 h (4e et 3e : 1 h 30) ; physique et sportive 3 h.

Particuliers 6e et 5e : possibilité d'ajouter en français, math., langue viv., 3 h d'enseign. de soutien et des activités d'approfondissement généralement dans les centres de doc. et d'information (CDI) des établissements. **4e et 3e :** 2 ou 3 h supplémentaires obligat. d'un enseign. optionnel : latin, grec, 2e langue vivante, option technol. (3 h), 1re langue viv. renforcée (2 h) ; les él. peuvent aussi choisir dans ces matières une 2e option facultative ; actions de soutien prévues en français, maths, langues vivantes, et intégrées à l'horaire normal de la classe (pédagogie différenciée adaptée aux besoins de l'élève).

Redoublements : à la fin de la 6e et de la 4e, les familles décident ; à la fin de 5e et 3e, le conseil des professeurs prend en compte les vœux de la famille pour proposer la poursuite des études ou le redoublement de l'él. S'il y a désaccord, la famille peut faire appel devant une commission ad hoc, ou décider que l'él. subira un examen (en 6e et en 4e, le redoublement ne peut intervenir qu'à la demande de la famille).

• Structures. **Conseil des professeurs :** étudie chaque trimestre le cas de chaque élève et établit des propositions qui sont ensuite examinées par le *conseil de classe.* **Autonomie pédagogique :** organisation des classes en groupes, l'emploi de contingents d'heures d'ens. mises à disposition, choix de sujets d'ens. spécifiques et d'activités facultatives. *Actions de soutien* en français, math., 1re langue vivante pour les élèves en difficulté (1 h pour chacun). *Activités d'approfondissement* dans les mêmes matières pour les élèves qui manifestent un goût particulier pour ces matières. *Classes à effectif réduit* pour él. ayant des lacunes graves. *Diversification des modalités d'aide pédagogique* en fonction des situations particulières. *Contenus d'enseign. nouveaux* éduc. manuelle et technique, remplacée progressivement à partir de 1985 par l'ens. de la technologie : électronique, mécanique et automatisme, gestion et bureautique, sc. physiques dès la 6e) ou *rénovés* (en part. l'éduc. artistique qui intègre notamment le dessin et la musique).

• Brevet des collèges. **Épreuves écrites :** *français* (3 h), noté sur 80 points (3 exercices : questions de vocabulaire, grammaire et compréhension à partir d'un texte ; rédaction ; dictée) ; *maths* (2 h) sur 80 points (travaux numériques et géométriques) ; *histoire et géo* (2 h) sur 40 points. **Éducation physique :** 40 points. **Autres disciplines :** prises en compte d'après les résultats de l'année portés sur une fiche scolaire (langues viv., sc. physiques et sc. naturelles). **Admissibilité :** il faut 100 points sur 200 pour les 3 épr. écrites et la moyenne pour l'ensemble des résultats.

☞ Poursuite des études en 2e ou en LP. En tenant compte des vœux de la famille, le conseil de classe propose la poursuite des études ou le redoublement. Si les parents ne sont pas d'accord, ils peuvent faire appel devant une commission ou par voie d'examen. La famille est informée de la décision d'affectation faite en fonction des décisions d'orientation (orientation vers une 2e de lycée ou vers un LP) et des possibilités d'accueil de la carte scolaire. Élèves des établ. privés sous contrat passant dans un établissement public, doivent au préalable être admis à entrer en 2e cycle (cette orientation doit être confirmée par une commission d'homologation). L'affectation se fait en fonction des capacités d'accueil. *Hors contrat,* doivent passer un examen.

Système de notation. 1er degré : *A* ou *I :* excellent ou très satisfaisant. *B* ou *II :* bien ou satisfaisant. *C* ou *III :* moyen ou insuffisant. *D* ou *IV :* médiocre ou insuff. *E* ou *V :* faible ou très insuff. **2e degré :** alphabétique (A, B, C, D, E) ou numérique (0 à 20), au choix de l'établissement.

Lycée

Enseignement général long (en 3 ans)

• Classe de 2e. Dite *de détermination,* commune à tous les él. (y compris ceux se destinant aux bac. de techn. ou à certains brevets de techn., non compris les 2e spécifiques préparant 24 brevets de techniciens, et à la 1re F 11 et bac. technique de musique). **Matières fondamentales communes :** possibilité d'un horaire maximal et, entre parenthèses, minimal (dep. la rentrée 1983). Français 5 h (4 h). Histoire, instruction civique, géo., 4 h (3 h). Langue viv. I, 3 h (2 h 30). Math. 4 h (3 h). Sc. physiques 3 h 30 (3 h). Sc. nat. 2 h (2 h). Éduc. physique et sportive 2 h (2 h).

Enseignements optionnels. Obligatoires : technologie ind. 11 h. Sc. et techn. de laboratoire 11 h. Sc. médico-sociales 11 h. Arts appliqués 11 h ou initiation économique et sociale 2 h et au choix grec 3 h. Latin 3 h. Langue vivante II 3 h. Latin-grec grand débutant 5 h. Langue viv. II grand débutant 5 h. Gestion 5 h. Techn. 3 h. Ens. artistique (arts plastiques ou musique) 4 h. Activités sportives spécialisées 3 h. 5 options technol. nécessaires pour passer en 1re et terminales E et F ou initiation économique et sociale + option au choix. **Complémentaires** (facultatifs). Ens. optionnels ci-dessus. Langue viv. III 3 h. Ens. art. (arts plastiques ou musique) 2 h. Préparation à la vie sociale et familiale 1 h. Dactylogr. 2 h. Ens. manuel et technique 2 h.

Nota. – Sections ayant un régime spécifique : BTn F 11 et F 11′ et 23 BT sur 45.

☞ Passage en 1re. Les él. peuvent choisir leur orientation : bac de techn., brevet de techn. (accès de certaines spécialités réservé aux él. ayant suivi l'enseign. optionnel correspondant), bac de l'enseign. du 2e degré (A, B, C, D, E).

• Classes de 1re (effectif max. 40 él.) et terminale (effectif max. 40 él., 35 si possible).

A. *A1 :* Lettres-Sciences (2 langues). *A2 :* Lettres et Langues (3 langues viv.). *A3 :* Lettres et Arts (musique ou arts plastiques et architecture). **B :** *Économique et sociale.* **S.** *(remplace C et D).* **D′ :** *sciences et techniques agricoles,* créée 1969 et préparée dans les lycées agr. Voir encadré p. 1257. **E :** *math. et techniques.*

• Horaires. **1re :** *Français A :* 5 heures, *B :* 4, *C :* 4. *Maths A1 :* 5, *A2, A3 ;* 2, *P :* 5, *C :* 6. *Hist.-géo. A, B, C :* 4. *Sc. physiques A1, B1, C :* 5. *Sc. nat. A, B :* 2, *C :* 2,5. *Sc. écon. et sociales C :* 4. *Langue vivante A1, B, C :* 3. *Éduc. physique et sportive A, B, C :* 2. *Enseign. à options obligatoires. A1 :* 3 heures : soit latin ou grec, ou langue vivante 2. *A2 :* 3 + 3 : soit latin-grec ou latin + LV (langue vivante) 2 ou grec + LV 2 ou LV 2 + LV 3. *A3 :* 4 : éduc. musicale ou arts plastiques et architecture, + 3 : latin ou grec + LV 2. *B :* 3 : latin ou grec + LV 2.

Terminale : *Philosophie : A :* 8 heures, *B :* 5, *C, D :* 3. *Math. : A2, A3 :* 2, *B :* 5, *C ;* 9, *D :* 6, *E :* 9. *Hist.-géo. : A, B :* 4, *C, D :* 3. *Langue vivante 1 : A, B :* 3, *C, D :* 2. *Sc. physiques : C, D, E :* 5. *Sc. nat. : C :* 2, *D :* 5. *Sc. écono. : B :* 5. *Éduc. phys. : A, B, C, D :* 2. *Enseign. à options obligatoires. A1 :* 3 heures : soit latin ou grec ou LV 2. *A2 :* 3 + 3 : soit latin + grec ou latin + LV 2 ou grec + LV 2 ou LV 2 + LV 3. *A3 :* 3 : latin ou grec ou LV 2, + 4 : éduc. musicale ou arts plastiques et archit. *B :* 3 : soit latin ou grec ou LV 2.

• Sanction. *Baccalauréat.* Épreuve de français (en fin de 1re), autres épreuves (fin de terminale).

Enseignement technique

• Généralités. Assure, après la 2e, la formation des techniciens en 2 a. (plus spécialisée dans un domaine professionnel précis que le bac de technicien) et prépare à l'exercice d'une activité prof. du niveau IV de technicien.

• Sanctions. **Brevet de technicien** (BT) (67 spécialités). *4 catégories :* B.T. industriel (T1) ; tertiaire ; artistique ; agricole.

Baccalauréat de technicien. Industriel F : 14 options : *F1* (constr. mécanique), *F2* (électronique), *F3* (électrotechnique), *F4* (génie civil), *F5* (physique), *F6* (chimie), *F7* (biochimie), *F7′* (biologie), *F8* (sc. médico-sociales), *F9* (énergie et équipement), *F10* (microtechnique), *F11* (musique), *F11′* (danse), *F12* (arts appliqués). *Accès aux sections :* pour les élèves ayant suivi en 2e, enseign.(optionnel) technologique spécialisé : *F1, 2, 3, 4, 9, 10 :* techn. ind. *F 5, 6, 7, 7′ :* sc. et techno. de labo. *F8 :* sc. médico-sociales. *F11, 11′ :* enseign. de la 2e spécifique. *F12* (arts plastiques) arts appliqués.

Baccalauréat de technicien du secteur tertiaire. *G1* (techn. administratives), *G2* (quantitatives de gestion), *G3* (commerciales). *1re G* commune aux 3 terminales avec enseign. de gestion complémentaire, s'il n'y a pas eu d'option gestion en 2e de détermination. *Informatique H :* créé 1969, préparé dans quelques lycées. Orientation à l'issue de la 2e de détermination (anglais obligatoire).

Nota. – Des écoles ou sections spéciales d'enseignement professionnel forment des techniciens supérieurs au cours d'études dont le programme et la durée varient avec la spécialité enseignée.

Enseignement agricole

☞ Sauf exception, l'enseign. agr. relève du min. de l'Agriculture et de la Forêt, 78, rue de Varenne, 75007 Paris.

Au 1-1-1986 mise en place de la régionalisation, création des établ. publics locaux (EPL). **1989-90** rénovation du CAPA. **1990-91** rénovation du BEPA et du BTSA. **1991-92** mise en place des fonctions à l'environnement.

• 2e cycle professionnel. **Certificat d'aptitude professionnelle agricole (CAPA) :** formation en 3 ans à partir de la 5e, ou en 2 ans après la 3e. **Brevet d'études professionnelles agricoles (BEPA) :** nouvelle option : aménagement de l'espace et protection de l'environnement. A partir de la 3e en 2 ans. Diplôme rénové en 1990 et 91. Possibilité d'accès en 1re BTA ou bac prof. **Bac professionnel** *« bio-industries de transformation »* (prépare aux métiers de l'agroalimentaire au niveau 4 de qualification) ; *« bureautique » ; « maintenance des équipements ».*

• 2e cycle général et technologique (lycées agricoles). A partir de la 2e, en 2 ans. **Brevet de technicien agricole (BTA) :** préparation aux fonctions d'exploitant agr. et de cadres moyens dans les domaines techniques, technico-commerciaux, administratifs. C'est le niveau minimal requis à partir de 1992 pour bénéficier des aides de l'État aux jeunes agriculteurs. *Enseignement* réparti en modules (6 de base + 3 ou 4 de secteur : production, commercialisation, transformation) ; sanction : contrôle continu 50 %, examen 50 %. **Bac. « sciences agronomiques et techniques » (série D')** permettant l'accès aux IUT, BTSA universités, classes prépa. aux grandes écoles (enseign. sup. agrono. ou vétérinaire).

• Cycle supérieur. **Brevets de technicien sup. agr. (BTSA) :** formation d'exploitants agr., chefs d'entreprises, cadres d'industries, sociétés para-agr., technico-commerciaux, métiers de l'environnement et de la forêt.

Classes préparatoires à l'enseign. sup. agr. et vétérinaire. Voir encadré p. 1274c.

• Enseignement privé (60 % des él.). **A temps plein :** Le CNEAP (Conseil national de l'enseign. agricole privé), 277, rue St-Jacques, 75005 Paris, regroupe 300 établ. catholiques d'enseign. à temps plein et 43 000 élèves et étudiants, de la 4e aux élèves ingénieurs, 4 000 professeurs, 2 000 personnels d'éducation, d'administration et de services. Il représente plus de 50 % du secteur privé. Chaque établ. dirigé par un chef d'établ. repose sur une association familiale de gestion (familles, professionnels de l'agriculture et personnes portant intérêt à l'établ.). Budget total des établissements : 1 milliard de F dont 0,5 vient de l'État. **En alternance** l'él. est tour à tour dans un établ. d'enseign. et dans l'exploitation familiale ; établ. de l'union nat. des maisons familiales rurales d'éducation et d'orientation (40,4 % des él.).

Enseignement spécialisé

Pour enfants et adolescents gênés dans leur scolarité par des difficultés ou des troubles variés (psychol., affectifs, caractériels, etc.) ou handicapés. **Inscriptions :** aux commissions d'éd. spécial. dans chaque département : celles-ci peuvent être saisies par des parents ou des personnes s'occupant des enfants. Adresses données par l'inspection d'académie ou la dir. dép. des affaires sanitaires et sociales. **Accueil :** *1er degré :* classes spécialisées dans les éc. maternelles et élémentaires, établ. scolaires spécialisés. *2e :* sections d'éducation spécialisée (SES) et classes-ateliers (CA) dans les collèges ; éc. nat. de perfectionnement (ENP). Les établ. médicaux et médico-éducatifs et les établ. socio-éducatifs dépendent du ministère de la Santé. *Effectifs.* Voir p. 1265c.

Apprentissage

• Généralités. Formation pratique des jeunes de 16 à 20 ans (15 ans pour les él. ayant terminé la 3e) dans une entreprise par un maître d'apprentissage, complétée par une formation théorique et générale de 360 h au moins dans un **Centre de formation d'apprentis (CFA) :** niveau 3e d'un collège. **Classes préparatoires à l'apprentissage (CPA) :** implantées dans collèges, LP ou centres de formation d'apprentis (CFA). *Enseignement* alterné (30 h de cours dans l'établ. scolaire et 30 h de stage en entreprise). *Après 1 an,* l'élève peut effectuer une 2e année de CPA ou de CPPN s'il a 15 ans ; il pourra, s'il a 16 ans, entrer en apprentissage (pour préparer un CAP) ou dans la vie professionnelle. Établ. conventionnés et contrôlés par l'État ; depuis le 1-6-1983, la région met en œuvre les actions d'apprentissage (l'État garde la responsabilité de la pédagogie). **Inscriptions :** s'adresser à l'ANPE, aux services académiques de l'inspection de l'apprentissage, au recto-rat de l'éd., à l'ingénieur général d'agronomie (agric.), aux chambres d'agr., de commerce, de métiers selon la formation envisagée, aux centres d'information et d'orientation, aux chambres syndicales pour trouver un maître d'apprentissage.

• Contrat d'apprentissage (de 1 à 3 ans), après avis d'orientation, délivré par les CIO (centres d'information et d'orientation), et un certificat médical d'embauche signés par le maître d'appr., le représentant légal du jeune et l'apprenti. L'apprenti perçoit un salaire minimal pour le temps consacré aux activités pédagogiques du centre de formation d'apprentis [1er semestre : 15 % du SMIC, 2e sem. 25 %, 3e sem. 35 %, 4e sem. 45 %, 3e année 60 % ; à partir de 18 a., les % sont majorés de 10 points].

• Sanction. Diplôme de l'enseign. technique, généralement CAP (certif. d'aptitude prof.), CAPA (cert. d'apt. prof. agricole), brevet de compagnon (Ht-Rhin, Bas-Rhin et Moselle) : EFAA (certificat de compagnon dans les autres départements). Possibilité de préparation de BEPA, BTA, BTSA.

• Effectifs des CFA (centres de formation d'apprentis, public et privé, 1988-89). 228 756 (dont 1re année : 109 412, 2e a. : 107 935, 3e a. : 3 377) [France sans TOM]. *Jeunes 16 ans :* 8 %, *17 a. :* 9,7 % (dont 11,8 des garçons de 16 ans et 13,8 des g. de 17 a.).

Groupes de formation (1987-88). 220 304 ap., dont : Agr., élevage, forestage 8. Pêche, navigation maritime et fluviale 49. Mines et carrières, travail des pierres 417. Génie civil, travaux publics, topographie 204. Construction en bât. 10 053. Couverture, plomberie, chauffage 9 183. Peinture en bât., peinture ind. 7 716. Prod. et 1re transformation des métaux 155. Forge, chaudronnerie, constr. métalliques 10 087. Mécanique gén. et de précision, travail sur mach.-out., automatisme 23 516. Électricité, électrotech., électromécanique 8 558. Électronique 958. Verre et céramique 438. Photographie, ind. graphiques 2 073. Papier et carton (fabrication, transformation) 53. Chimie, physique, biochimie, biologie, prod. chimiques 10. Boulangerie, pâtisserie 24 733. Abattage, travail des viandes 16 331. Autres spécialités de l'alimentation (transformation-préparation) 17 633. Textiles 508. Habillement, travail des étoffes 1 580. Tr. des cuirs et peaux 431. Tr. du bois 11 975. Conducteurs d'engins terrestres 436. Autres formations des secteurs primaire et secondaire 48. Dessinateurs du bât. et des travaux publics 265 ; ind. 30. Techniques administr. ou juridiques appliquées 577. Secrétariat, dactylo., sténo. 180. Tech. financières ou comptables, mécanographie comptable 678. Commerce et distribution 27 112. Arts et arts appliqués, esthétique ind. 833. Santé, secteur paramédical, services sociaux 9 408. Soins personnels 24 125. Services hôtellerie et collectivités 8 984. Autres formations 147.

Effectifs selon les organismes gestionnaires des CFA. (Cours oraux + cours par correspondance) (en %) : organismes privés 41,5, chambres des métiers 36,5, établ. publics d'enseign. 7,5, chambres de commerce et d'ind. 7,9, municipalités 5,9, conventions nationales 0,7.

Effectif des CPA relevant du ministère de l'Éducation nationale. *1988-89 :* 37 990 dont CPA de collèges ou LP 27 814, CPA de CFA 10 176.

• Origine des apprentis (en %). **1re année :** CPA. : 34,9 ; cl. de 3e : 22,9 ; CAP ou BEP de LP : 10,3 ; 4e : 9,3 ; SES 5,1 ; 5e : 5,3. **2e a. :** appr. de 1re année 87 ; redoublants 13,8 ; CAP ou BEP de LP 2,4. **3e a. :** 2e année 80,4 ; redoublants 8,7.

• Age des apprentis (1988-89, en %, cours oraux) : *17 a :* 37,3 ; *16 a :* 29,1 ; *18 a :* 18,7 ; *19 a :* 7 ; *15 a :* 1,6 ; *20 a et +* : 6,1.

• Horaires de 1re G. *Français* 3 heures. *Connaissance du monde contemporain* 2. *Langue vivante I* 3. *Maths* 1,5. *Éduc. physique et sportive* 2. *Économie générale d'entreprise, droit* 6. *Méthodes administratives et commerciales* 2. *Techniques quantitatives de gestion* 3. *Outils et techniques de communication* 3. *Travaux d'application et d'informatique* (trav. dirigés) 3. *Options :* expression 2, maths 2.

Enseignement professionnel

• Généralités. Donné dans des *lycées professionnels (LP) :* des séquences éducatives sont organisées dans les entreprises (110 000 él. concernés en 1981-82). Certains LP assurent des enseignements complémentaires au CAP et au BEP. Sanction : examen et délivrance d'une mention complémentaire.

• Études. a) **En 2 ans, Brevet d'études professionnelles** (BEP). *Créé* 1969 pour les élèves sortant de 3e. BEP types (secteurs industriel, économique, commercial, administratif, social). Les meilleurs élèves sortant des cl. de BEP peuvent avoir accès aux cl. de 1re des lycées techniques pour préparer en 2 ans un bac de tech. (BTn) ou un brevet de tech. (BT). *Classes d'adaptation* destinées à faciliter le passage du 2e cycle court au 2e cycle long pour les meilleurs élèves titulaires du BEP. L'entrée dans ces classes est décidée après étude du dossier du candidat.

b) **En 3 ans, Certificat d'aptitude professionnelle** (CAP). Sanctionne l'acquisition de la technologie de base d'un métier donné (ouvrier ou employé qualifié). Il existe 309 CAP nationaux, 39 départementaux. Après, le Brevet professionnel (BP) peut sanctionner une formation prof. acquise par la pratique du métier. Il existe 72 BP nationaux, 4 BP départementaux. Certains CAP sont préparés également en 2 ans après la classe de 3e de collège. Les titulaires du CAP peuvent entrer dans une 2e spéciale pour poursuivre des études technol. longues conduisant en 3 ans au BT, éventuellement au BTn.

• Classes préprofessionnelles de niveau (CPPN). Maintenues provisoirement. Accueillent les élèves ayant 14 ans en fin de 5e et qui n'ont pas encore atteint le niveau scolaire pour entrer en 1re année de CAP dans un LP. Ils suivent une initiation technologique dans certains domaines professionnels (1 an s'ils ont 15 ans, 2 s'ils en ont 14).

Éducation musicale et arts plastiques

Depuis 1983, création de centres de formation pédagogique pour musiciens intervenant en milieu scolaire, dans une dizaine de villes. Des professionnels de l'art (« intervenants associés ») forment les instituteurs pour les options du DEUG 1er degré. Classes « de patrimoine » et « arc-en-ciel » (en relation avec les écoles d'art) sont développées, permettant des sessions continues de sensibilisation artistique. Nombre de postes aux CAPES et agrégation d'enseignements artistiques maintenu à un haut niveau. Création d'ateliers d'arts plastiques dans 200 collèges (3 h pour les élèves volontaires de 4e et 3e). Extension des chorales et ensembles instrumentaux. Ouverture de nouvelles sections A3 dans les lycées dont 2 arts plastiques et 2 éducation musicale. Ouverture de 3 nouvelles sections conduisant au bac technologique Arts appliqués (F12). Ouverture de classes de prép. d'un diplôme sup. d'école de niveau post-BTS dans les 4 écoles d'arts appliqués de Paris. Création expérimentale d'une douzaine d'options en théâtre et expression dramatique, puis d'options cinéma et audiovisuel.

Éducation physique et sportive

Sections nationales et interrégionales (1er et 2e cycles) qui accueillent les él. d'un niveau sportif déjà confirmé pour leur permettre de suivre un entraînement intensif ; *sections sports-études promotionnelles :* pour les jeunes dont la vocation sportive est affirmée, et souhaitant accéder aux sections interrégionales ou nationales.

Il existe une Inspection générale pour l'éd. physique et sportive, une Inspection pédagogique régionale dans toutes les académies et une agrégation d'Éd. phys. et sportive depuis 1983 (30 postes).

Nota. – A la rentrée 1984, un nouvel enseignement technologique a commencé à remplacer l'ens. manuel et technique (EMT) dans + de 200 établissements en rénovation ; centré sur l'informatique, l'électronique et la gestion.

Implantées dans collèges ou LP. Enseignement à plein temps. *Horaires :* découverte du milieu social et professionnel et bancs d'essai (de fabrication, du bâtiment, de l'habillement, des collectivités, des services, dans les usines, ateliers...) [12 h], exploitation et préparation des activités précédentes et mise à niveau dans les domaines expression et communication (6 h), maths et sciences (6 h), éducation physique et sportive (3 h). *Après 1 an :* l'élève peut préparer un CAP en 3 ans s'il a 14 ans avant la fin de l'année civile, ou un CAPA (agricole), ou entrer en 2e année ou dans un CPA. *Après la 2e année :* il peut entrer en apprentissage pour préparer un CAP ou directement dans la vie professionnelle.

• **Certificat d'études professionnelles (CEP).** Préparé dans quelques LP, sanctionne une formation courte (1 an), pour les plus de 15 ans, permet d'occuper un emploi d'ouvrier ou d'employé spécialisé.

• **Certificat de formation générale.** Les jeunes sortis du système scolaire sans diplôme peuvent l'obtenir. 1 épreuve orale et 2 écrites (français et maths). Les jeunes qui ont bénéficié de formation alternée (plan 16-18 ans) ne passent que l'épreuve orale avec un dossier de stage. S'ils passent un diplôme technique professionnel, ils sont dispensés des unités de contrôle niveau I.

Vie scolaire

Collèges et lycées

• **Direction.** Collèges et lycées sont des établ. publics nationaux d'enseignement, dirigés par un *proviseur* pour les lycées, un *principal* pour les collèges, et aidés dans leur mission par un conseil d'établissement et sur le plan pédagogique par divers conseils.

• **Conseil d'administration.** *Membres :* le chef d'établ. (Pt) ; 5 représentants de l'administration ; 7 repr. élus des personnels d'enseign. et d'éducation ; 3 repr. élus des parents ; 5 repr. élus des élèves dans les lycées, 5 ou 7 dans les collèges ; 5 personnalités locales. *Rôle :* vote le budget, le règlement intérieur de l'établ. ; donne tous avis et présente toutes suggestions au chef d'établ. sur le fonctionnement pédagogique de l'établ. et de la communauté scolaire. Peut siéger comme conseil de discipline.

• **Comités de parents (secondaire). Élections de parents d'élèves (1990-91).** *En % en 1990 et, entre parenthèses, en 1989.* **Voix :** FCPE 58,17 (58,15), PEEP 27,48 (28,29), FNAPE 0,25 (0,31), UNAAPE 1,92 (1,99), listes d'Union 1,34 (1,38), div. 10,83 (9,89). **Sièges :** FCPE 59,18 (59,65), PEEP 21,75 (22,38), FNAPE 0,23 (0,26), UNAAPE 1,6 (1,64), listes d'Union 2,39 (2,39), div. 14,86 (13,68). **Taux de participation aux conseils d'établissement 1990-91 :** 32,14 % (1989-90 : 32,66 %).

Nota. – (1) *FCPE :* Féd. des conseils de parents d'él. des écoles publ. (2) *PEEP :* Féd. des parents d'él. de l'ens. public. (3) *UNAAPE :* Union nat. des Assoc. autonomes de parents d'él. (4) *FNAPE :* Féd. nat. des assoc. de parents d'él. de l'ens. public.

• **Conseil des professeurs.** Réuni tous les trimestres sous la présidence du chef d'établ. pour examiner le comportement scolaire de chaque élève et le guider dans son orientation.

• **Conseil de classe.** Réuni sous la présidence du chef d'établ. ou de son représentant. *Membres :* personnel enseignant de la classe ; 2 délégués des parents ; 2 dél. d'él. de la cl. ; et, s'ils ont eu à connaître le cas personnel d'un ou plus. él. de la cl. : le conseiller principal ou d'éducation, le cons. d'orientation ; le médecin de santé scolaire, l'assistante sociale, l'infirmière. *Rôle :* examine des questions pédagogiques intéressant la vie de la classe, et les résultats des travaux du conseil des professeurs.

• **Équipe éducative.** Responsable de chaque élève, composée de l'élève, de ses professeurs et de ses parents. Concertation nécessaire pour permettre une information réciproque et le bon déroulement de la scolarité.

• **Équipe pédagogique.** Groupe de professeurs responsables d'une classe de LEP avec coordination permanente des enseignements disciplinaires pour aider les él. en difficulté.

☞ **PACTE** (projet d'activités éducatives et culturelles. Substitue aux « 10 % ». Sur l'initiative des enseignants (audiovisuel, expression dramatique, développement de l'expression orale et écrite, développement de la connaissance de l'environnement et du patrimoine local). **PAE** (Projets d'actions éducatives). *But :* moyen de lutte contre l'échec scolaire et les inégalités sociales et culturelles, dans une perspective de plus grande autonomie des établ., sur l'initiative des élèves : activités interdisciplinaires, culturelles, socioculturelles scientifiques, cadre de vie... Introduits dep. janvier 1983 dans les éc. maternelles et élémentaires (environnement, arts, bibliothèques, lecture).

Vacances scolaires

Nombre de jours de vacances. *1800 :* 50 jours (*grandes vacances* 31-7/20-9). *91 :* 81 j. (*dont grandes vacances* 31-7/1-10). *1912 :* 75 j. (14-7/1-10). *39 :* 75 j (15-7/1-10). *65 :* 113 j (1-7/17-9 ou 10-7/27-9). *76 :* 120 j (30-6/14-9). *82 :* 108 j (29-6/9-9). *90 :* 108 j (5-7/9-9). *91 :* 108 j (6-7/10-9).

Congé hebdomadaire. Mercredi après-midi (au lieu du jeudi, dep. 1972). Samedi entier libre dans certains établissements (pour les classes secondaires).

Dates en 1991-92 et, entre parenthèses, **1992-93** (départs après la classe, rentrée le matin). **Rentrée :** 10-9 (10-9). **Toussaint :** 26-10/4-11 (24-10/2-11). **Noël :** 21-12/6-1 (19-12/4-1). **Hiver :** *zone A :* 15-2/2-3 (27-2/15-3). *B :* 22-2/9-3 (20-2/8-3). *C :* 29-2/16-3 (13-2/1-3. **Printemps :** *A :* 11-4/27-4 (24-4/10-5). *B :* 18-4/4-5 (17-4/3-5). *C :* 25-4/11-5 (10-4/26-4). **Été :** *A, B, C :* 8-7/10-9 (7-7/9-9).

ZONES. *A :* Caen, Clermont-Ferrand, Montpellier, Nancy-Metz, Nantes, Rennes, Toulouse, Grenoble [1]. *B :* Aix-Marseille, Amiens, Besançon, Dijon, Lille, Limoges, Lyon, Nice, Orléans-Tours, Poitiers, Reims, Rouen, Strasbourg. *C :* Bordeaux, Créteil, Paris, Versailles.

Nota – (1) En 1991-92 l'académie de Grenoble sera placée hors zone pour les vacances d'hiver et en zone B pour celles de printemps.

L'enseignement supérieur en France

Quelques dates

Moyen Age. Les universités sont des institutions autonomes, à statut propre, bénéficiant de privilèges (collation des grades), rassemblant tous les étudiants et maîtres, étudiant toutes les disciplines. Similaires aux corporations, elles sont divisées en facultés spécialisées : théologie (discipline prééminente) ; arts (lettres et sciences) ; droit (surtout droit canon) ; médecine. *Direction :* doyen et recteurs élus.

1793 (15-9), décret de la Convention supprimant les universités. **1806 (10-5),** création de l'Univ. impériale précisée par le décret du 17-3-1808. 5 ordres : théologie, droit, médecine, sciences (math. et physiques), lettres. Univ. d'État, elle a le monopole de l'enseign. Composée « d'autant d'académies qu'il y a de cours d'appel » (27). Les facultés sont des organismes d'État directement administrés par le pouvoir central qui désigne leurs doyens. **1850 (15-3),** *loi Falloux :* supprime l'Univ. de France (héritière de l'Univ. impériale) et la remplace par l'*Instruction publique,* prévoit une académie par département. **1854 (14-6),** division de la France en 16 *circonscriptions académiques.* **1855 (25-7),** création des *facultés.* **1885 (25-7),** création du *Conseil général des Facultés* pour rapprocher ces établ. **(28-12),** décret fixant l'organisation des facultés. **1893 (28-4),** attribution de la personnalité civile au corps formé par la réunion de plusieurs facultés de l'État dans un même ressort académique. **1896 (10-7),** les corps de faculté prennent le nom d'*universités.* **1920 (31-7),** un décret précise et élargit les règles de constitution des univ. et crée les *instituts* en complément des facultés et des universités.

1966 (22-6), *décret sur les facultés :* 1er cycle de 2 ans : diplôme DUES ou DUEL. 2e cycle : court, 1 an, licence ; long, 2 ans, maîtrise. 3e cycle : doctorat. Les IUT assurent en 2 ans la préparation du DUT.

1968 (12-11), loi d'orientation (dite loi Edgar Faure). *Autonomie administrative :* unités d'enseignement et de recherche (UER) et universités sont administrées par un conseil élu et dirigées respectivement par des directeurs et par un président, eux-mêmes élus ; *pédagogique :* elles déterminent programmes, modalités d'enseignement et procédés de vérification des connaissances ; *financière :* l'établissement autonome dispose librement des dotations budgétaires affectées par l'État et de ses ressources d'origine publique ou privée. *Participation,* au niveau de : *la gestion* dans le cadre des organismes élus où se trouvent tous ceux qui prennent part à la vie de l'univ. (essentiellement conseils d'UER et conseils d'univ.) ; *l'organisation de l'enseignement* au sein des mêmes conseils ; *la vie régionale et nationale* par la présence, dans les organismes de gestion et les différents conseils, de personnalités du monde extérieur, et la multiplication des relations avec les communautés locales et régionales, avec le monde économique et social, et avec les autres universités (notamment européennes et francophones). *Pluridisciplinarité :* cherchée dans le regroupement des UER, le remodelage des universités : contacts entre disciplines, nouvelles formations, définition de nouveaux diplômes nationaux.

1984 (26-1), loi sur l'Enseignement supérieur (dite loi Savary). Concerne toutes les formations.

Le système de l'ens. supérieur français est marqué par la coexistence d'une pluralité d'établissements ayant des finalités, des structures et des conditions d'inscription différentes. En général, les bacheliers choisissent entre un système de sélection (pratiqué dans les écoles, les formations technologiques courtes) et un système d'orientation en vigueur dans les universités pour l'accès à des formations très diversifiées, de difficulté croissante : la sélection s'effectue progressivement au cours de cycles d'études successifs. Les bacheliers ont le choix entre un ens. technologique supérieur court (2 ans) et un ens. supérieur long (3, 4, 5, 6, 7 ans et plus) incluant un passage obligatoire de 2 ans de préparation soit en 1er cycle universitaire (DEUG), soit dans une classe préparatoire des lycées qui prépare aux concours d'entrée aux grandes écoles.

Organes consultatifs nationaux

Conseil supérieur de l'Éducation nationale. *Origine :* Conseil de l'Université, présidé par un Grand Maître nommé par l'Empereur (1808). C. royal de l'Instruction publique (1815) ou C. royal de l'Université (1845), puis C. supérieur de l'Instruction publique (1850), et C. impérial de l'Instr. publ. (1852-70), à nouveau C. sup. de l'Instr. publ. (lois de 1873 et 1880), puis C. sup. de l'Enseignement public (ord. du 26-4-1945), C. sup. de l'Éd. nat. (lois du 6-4 et du 18-5-1946). *Rôle :* donne son avis au ministre ; organe juridictionnel d'intérêt national, d'appel compétent pour affaires admin. et surtout disciplinaires (maîtres et étudiants) : ses arrêts sont seulement susceptibles de recours en cassation devant le Conseil d'État.

Conseil national des universités (CNU). Chargé de se prononcer sur les questions des corps universitaires. Organe consultatif de gestion des personnels enseignants et collège de spécialistes chargé d'apprécier les candidatures des professeurs et des maîtres de conférences des universités et de les proposer au ministre, en vue de leur recrutement ou de leur avancement.

Conseil national de l'enseignement supérieur et de la recherche (CNESER). Présidé par le ministre de l'Éducation nationale. Composé de 40 membres élus représentant les universités et de 21 membres nommés représentant les grands intérêts nationaux. Il est chargé d'examiner toutes les questions ayant trait à l'organisation et au fonctionnement des enseignements supérieurs. Il est obligatoirement consulté pour les affaires budgétaires, statutaires, réglementaires, administratives et institutionnelles.

Conférence des présidents d'université (CPU). Se réunit soit à sa diligence, soit à l'initiative du ministre qui la préside, pour examiner les questions ayant trait au système universitaire.

Conférence des directeurs d'écoles et de formation d'ingénieurs (CDEFI). Traite des questions relatives à la formation des ingénieurs. Elle établit des relations privilégiées avec la **commission des titres d'ingénieurs,** organe de contrôle du niveau de la qualité du titre d'ingénieur décerné par une école et qui a le pouvoir d'habiliter les écoles privées à délivrer le diplôme et donne son avis lorsqu'il s'agit des écoles publiques.

Organisation générale de l'enseignement supérieur

Grands types d'établissements

Universités publiques. Ont le monopole de la collation des diplômes nationaux (enseignements fondamentaux et ens. pratiques appuyés sur la recherche et ses applications orientées sur le développement régional. (Voir ci-dessus). **Grandes écoles.** Accès sélectif, effectifs restreints, assurent une formation à objectif professionnel affirmé : formation professeurs, ingénieurs, haut enseignement commercial. Les grandes écoles publiques sont dirigées par un directeur nommé par le ministre de tutelle. Elles reçoivent leurs crédits directement de l'État et disposent d'un corps enseignant propre à chacune d'elles. Le conseil d'administration comprend un nombre important de personnalités extérieures.

Accès aux universités et écoles publiques d'enseignement supérieur. Le baccalauréat est nécessaire et suffisant pour suivre des études supérieures ; toutefois un examen spécial d'accès aux études universitaires (ESEU) permet aux non-bacheliers de poursuivre leurs études s'ils les ont interrompues dep. au moins 2 ans, sous réserve d'avoir 20 ans au moins et de justifier de 2 années d'activité professionnelle salariée ayant donné lieu à cotisation à la Sécurité sociale (y compris activité passée à élever un ou plusieurs enfants) ou d'avoir 24 ans au moins. L'étudiant peut choisir : *1°) un système d'orientation* au sein des universités pour l'accès à des formations diverses, de difficulté croissante, où la sélection s'effectue progressivement au cours des cycles d'études successifs : après 1 an en médecine, odontologie, pharmacie au moyen d'un concours classant ; 2 ans pour l'inscription à certaines maîtrises ou à un magistère ; 4 ans pour être admis à préparer un diplôme d'études approfondies (DEA) ou un dipl. d'études sup. spécialisées (DESS). *2°) un système de sélection* pratiqué dans les grandes écoles et les formations technologiques courtes. Le bac est complété par un concours ou par le dépôt d'un dossier examiné par un jury d'admission, système en vigueur dans les écoles scientifiques de formation des ingénieurs et des cadres civils et de la Défense (Polytechnique, Mines, Ponts et Chaussées, Navale...), les écoles d'ingénieurs (ENI, ENSI, INSA, ENSAM, écoles centrales...) ; les éc. de formation des prof. et des chercheurs et éc. littéraires : les 4 éc. normales sup. (Fontenay-St-Cloud, rue d'Ulm de Paris-Sèvres, Cachan, Lyon), École Nat. des Chartes ; instituts universitaires de formation des maîtres ; écoles sup. commerciales, toutes privées ; instituts d'études politiques (IEP) ; inst. univ. de technologie (IUT) au sein des universités ; établissements de formation professionnelle pour la préparation des brevets de technicien supérieur (BTS), formations paramédicales.

Universités

Elles dispensent des formations comprenant à part égale des enseignements fondamentaux et des ens. pratiques appuyés sur la recherche et ses applications. « Pluridisciplinaires, elles doivent associer autant que possible les arts et les lettres aux sciences et aux techn. pour permettre à l'étudiant de choisir dès le 1er cycle, dans des conditions propres à chaque université, plusieurs disciplines, et dès le 2e cycle favoriser la recherche interdisciplinaire. » Elles délivrent des diplômes nationaux, des titres, des dipl. d'univ. spécialisés et le doctorat. Elles assurent la formation de base des cadres supérieurs de l'enseignement et de la recherche, des secteurs judiciaires, de la magistrature, des administrations publiques et privées, de la culture, de la communication, des bibliothèques et des musées, du secteur santé (médecins, pharmaciens, dentistes et personnels paramédicaux), des industries et des petites et moyennes entreprises, de la banque et du commerce.

Interlocuteur officiel. La Direction des enseignements supérieurs au sein du ministère de l'Éducation nationale.

Nombre *(1991)*. Univ. 72 [71 univ. EPCSCP (Paris 13, province et DOM 58) + univ. fr. du Pacifique (établ. publ. à caractère administratif)]. Une ou plusieurs univ. peuvent être créées dans chaque académie.

Organisation centrale des universités

Président de l'université. Élu pour 5 ans par les membres des 3 conseils : *conseil d'administration, conseil scientifique, conseil des études et de la vie universitaire.* Il a autorité sur l'ensemble des personnels de l'établissement ; il est responsable du maintien de l'ordre. Il dirige l'univ. **Secrétaire gén.** *Nommé* par le min. de l'Éduc. nat. sur proposition du président.

Conseil d'administration. *Mission :* pouvoir de décision et d'exécution, vote le budget, détermine la politique de l'établ., répartit entre les différentes unités pédagogiques et les services communs (bibliothèques, gymnases, administration) emplois et ressources alloués par le ministère. *Composition :* 30 à 60 membres, élus au suffrage direct pour 4 ans, sauf les représentants étudiants, élus pour 2 ans. *Répartition :* représentants des enseignants-chercheurs, des enseignants et des chercheurs 40 à 45 %, repr. étudiants 20 à 25 %, personnalités extérieures 20 à 30 % (responsables économiques régionaux, syndicalistes, repr. des collectivités locales, etc.), repr. du personnel administratif, technique ouvrier et de service 10 à 15 %.

Conseil scientifique. *Mission :* définir la politique et les programmes de recherche. *Composition :* membres 20 à 40, répartition représentants des personnels 60 à 80 %, repr. étud. de 3e cycle 7,5 à 12,5 %, personnalités extér. 20 à 30 %.

Conseil des études et de la vie universitaire. Étudiants env. 40 %. *Mission :* représente au CA les orientations pédagogiques et toute mesure visant à favoriser l'orientation des étudiants ou à améliorer leurs conditions de vie et de travail. *Composition : membres* 20 à 40. *Répartition :* repr. d'ens. et état 75 à 80 % des personnels admin. et techn. 10 à 15 %, person. extér. 10 à 15 %.

Budget. *Ressources :* crédits attribués par l'État, ressources propres [donations, participations d'entreprises, subventions diverses (collect. territoriales), droits d'inscription].

Établissements des universités

Unités de formation et de recherche (UFR). Parfois appelées facultés ou départements, assurent les enseignements des grands secteurs disciplinaires de droit, sc. éco., lettres et arts, sc. humaines, sc. exactes et naturelles et technologie et formations de santé. A vocation de formation générale (ex. : UFR de 1er cycle), ou orientées vers des formations spécialisées (ex. : UFR de droit, de lettres, etc.), ou essentiellement tournées vers la recherche ou les enseignements de 3e cycle. Chaque unité est gérée par un Conseil élu (max. : 40 membres), comprenant des personnalités extérieures (20 à 50 %). Il détermine les statuts UFR ses structures internes et ses liens avec d'autres universités ou parties d'université, assure la gestion sur le plan pédagogique (programmes de recherches, méthodes), élit le directeur de l'UFR.

Instituts et écoles de formation ou de spécialisation. Préparent à des diplômes nationaux et/ou des diplômes qui leur sont propres. Certains sont conçus pour répondre à une mission nationale, régionale ou internationale de formation.

Services communs. Développent les liens entre la communauté scientifique enseignante, étudiante et professionnelle : les bibliothèques, les services d'information et d'orientation, les services de formation continue.

Écoles rattachées.

Instituts nationaux polytechniques (INP)

3 : Grenoble, Nancy et Toulouse (groupent des écoles nationales supérieures d'ingénieurs, anciennement instituts d'université).

Grands établissements

Établissements publics à caractère scientifique, culturel et professionnel. Institut d'études politiques de Paris, Observatoire de Paris, École des hautes études en sc. sociales, École pratique des hautes études, Muséum national d'histoire naturelle, École centrale, Institut national des langues et civilisations orientales, Collège de France, CNAM, Palais de la Découverte.

Organisation des études supérieures

Enseignement supérieur court

☞ Concerne surtout les secteurs industriels et tertiaires. Au bout de 2 ans (parfois 3), il est délivré un diplôme professionnel.

> « **Magistère** ». Diplôme d'université soumis à l'accréditation du min. de l'Éd. nat. *Créé* févr. 1985. Sanctionne une formation de haut niveau, très pluridisciplinaire, à finalité professionnelle. Durée : 3 ans. Peuvent y accéder : les titulaires du DEUG, d'un DUT, les élèves des grandes écoles, + présentation de dossier. *Nombre, rentrée 1985 :* 18 ; *1986 :* 39 ; *1987 :* 51, *1988 :* 67. *1989 :* 67. 4 500 étudiants en formation.
>
> ☞ « **Mastère** ». *Admission :* être tit. d'un dipl. d'ing. ou d'une éc. de gestion, d'un DEA ou d'un titre équivalent. *Durée min. des études :* 4 trimestres. *Nombre. 1986 :* 71 mastères (746 étudiants) ; *1988 :* 153 (1 493) ; *1989-90 :* 210.
>
> Ce diplôme est un label délivré par la conférence des grandes écoles, pas un diplôme universitaire.

Formations dispensées. *Dans les instituts universitaires de technologie (IUT)* au sein des universités. Sanctionnées par un diplôme universitaire de technologie (DUT) qui doit permettre d'exercer rapidement des responsabilités dans les secteurs secondaire et tertiaire. Accès soumis à une sélection rigoureuse.

Dans les sections de techniciens supérieurs, au sein des lycées. Sanctionnées par un brevet de technicien supérieur (BTS) à spécialité plus adaptée à des fonctions précises. Accès après étude de dossier.

Au sein de l'université même. Sanctionnées par un diplôme d'études universitaires scientifiques et techniques (DEUST) qui doit permettre d'entrer directement dans la vie professionnelle.

Au sein de l'université et dans des écoles relevant du ministère chargé de la santé, pour les formations paramédicales : orthophonie, orthoptie, audioprothèse, formation de sage-femme, d'assistante sociale. Accès très sélectif intervenant dès le bac, à l'issue d'un concours, d'un examen, d'un test ou d'un entretien. La durée d'études peut être prolongée jusqu'à 4 ans.

Instituts universitaires de technologie (IUT)

• **Organisation. Créés** 1966 au sein des universités, donnent une formation de technicien supérieur (niveau III), moins spécialisés que les BTS. **Durée :** 2 ans (après le bac). 35 h par semaine (cours, travaux pratiques et dirigés). Chaque département organise les 2 années d'études en fonction des centres d'intérêt primordiaux du secteur concerné. **Admission :** après examen du dossier par un jury et entretien ; sans bac, sur examen spécial et dans la limite de 10 % des places disponibles. **Passage en 2e année :** prononcé par le chef d'établissement. Un stage dans une entreprise ou un organisme public est obligatoire pour obtenir le diplôme en fin de scolarité. **Redoublement :** autorisé une seule année. *Nombre :* 72 IUT et 19 départements correspondant à une spécialité dont certains comportent des options en 2e année, et qui sont répartis en 350 implantations géographiques. **Sanction :** diplôme universitaire de technol. (DUT). **Corps enseignant :** ens. d'univ. ou du secondaire et technique, chercheurs des universités, professionnels (15 % en 1980). **Étudiants :** 1990 : 72 344. **Conseils d'admin. :** composés des représentants des employeurs, salariés, enseignants, diplômés et ministères concernés ; 1/3 viennent de l'extérieur de l'univ. **Commissions pédagogiques :** composées de représentants des professions et des formations, revoient régulièrement les formations en fonction des évolutions technol. et socio-économique.

Année spéciale ou année post-1er cycle : 1 an : pour les titulaires du DEUG, les diplômés des IUT ou les titulaires d'un BTS peuvent, après 3 ans de vie profess., entrer dans une formation conduisant au diplôme d'ingénieur : cycle préparatoire de 6 à 18 mois, associant cours par correspondance et périodes de regroupement, permettant aux stagiaires d'harmoniser leurs connaissances théoriques et d'accéder dans les meilleures conditions au cycle terminal (12 à 36 mois) tout en continuant à exercer leur emploi.

• **Adresses des IUT. Académie d'Aix-Marseille.** *II :* Aix, av. Gaston-Berger, 13625 Aix-en-Pr. *III :* IUT Marseille, traverse Charles Sosini, 13388 Marseille Cedex 13. **Amiens.** Av. des Facultés, Le Bailly, 80025. **Besançon.** 30, av. de l'Observatoire, 25009 ; IUT Belfort, 11, rue Engel-Gros, B.P. 527, 96016. **Bordeaux.** *I :* IUT A, Domaine univ., 33405 Talence Cedex. *III :* IUT B, rue Naudet BP 204, 33175 Gradignan Cedex. *Pau* (IUT des Pays de l'Adour) : 1, av. de l'Université, 64000 Pau, et av. Jean-Darrigrand, 64100 Bayonne. **Caen.** IUT, bd du Maréchal-Juin, 14032. **Clermont-Ferrand.** *I : Ensemble univ. des Cézeaux,* 24, av. des Landais, 63170 Aubière. *II : Montluçon,* av. Aristide-Briand, B.P. 408, 03107. **Corse.** 7, av. Jean-Nicoli, B.P. 24, 20250 Corte.

Dijon. Bd du Docteur-Petitjean, B.P. 510, 21014 ; 12, rue de la Fonderie, 71200 Le Creusot. **Grenoble.** *I*: 1, *Domaine univ.*, B.P. 67, 38402 St Martin-d'Hères Cedex. *II* 1, place Doyen-Gosse, 38031 Grenoble Cedex. *Chambéry : Annecy*, 9, rue de l'Arc-en-Ciel, B.P. 908, 74019 Annecy-le-Vieux Cedex. **Lille.** *I: IUT A*, Cité scientifique, B.P. 179, 59653 Villeneuve-d'Asq Cedex ; *IUT Littoral :* 19, rue Louis-David. B.P. 689, 62226 Calais Cedex, et 129, av. de la Mer, 59242 Dunkerque ; *Béthune :* rue du Moulin-à-Tabac, 62408. *II : IUT C*, Rond-Point de l'Europe, B.P. 557, 59100 Roubaix. *III : IUT B*, 9, rue Auguste-Angellier, 59046 Lille. *Valenciennes :* Le Mont-Houy, 59326. **Limoges.** Allée André-Maurois, 87065. **Lyon.** *I :* 43, boulevard du 11-Novembre-1918, 69621 Villeurbanne. *II :* 17, rue de France, 69100 Villeurbanne. *St-Étienne :* 28, av. Léon-Jouhaux, 42023. **Montpellier. 99,** av. d'Occitanie, 34075 Montpellier Cedex et 8, rue J.-Raimu, 30039 Nîmes. *Perpignan :* chemin de la Passio-Vella, 66025. **Nancy.** *I :* IUT Nancy B, Le Montet, 54600 Villiers-lès-Nancy. *II :* IUT Nancy A, 2 bis, bd Charlemagne, 54000. *Metz :* Ile-du-Saulcy, 57000. **Nantes.** *Angers :* 4, bd Lavoisier, 49045. *Nantes :* 3, rue du Maréchal-Joffre, 44041 ; *St-Nazaire ;* Le Heinlex, B.P. 420, 44606. *Le Mans :* route de Laval, 72017. **Nice.** 41, bd Napoléon-III, 06041. *Toulon :* av. de l'Université, 83130 La Garde. **Orléans-Tours.** *Orléans :* B.P. 6729, 45067 Orléans Cedex ; *Bourges* : 63, av. du Maréchal-de-Lattre-de-Tassigny, 18028. *Tours :* 29, rue du Pont-Volant, 37023. **Paris.** *Paris V :* 143, av. de Versailles, 75016. **Versailles.** *Paris X :* Ville-d'Avray, 1, chemin Desvallières, 92410 : *Orsay*, Plateau du Moulon, B.P. 23, 91406 ; *Cachan*, 9, av. de la Division-Leclerc, 94230 ; *Sceaux*, 8, av. Cauchy, 92330. **Créteil.** av. du Général-de-Gaulle, 94230. **Évry.** *Paris XII.* 22, av. Jean-Rostand, les Passages 91 025 Évry Cedex : **Melun-Sénart.** *Paris XII Lieusaint (77 127). Paris XIII : St-Denis*, place du 8-Mai-1945, 93206 ; *Villetaneuse*, av. Jean-Baptiste-Clément, 93430. **Poitiers.** Av. Jacques-Cœur, 86034 ; *La Rochelle*, route de Roux, 17027. **Reims.** *I :* rue des Crayères, B.P. 257, 51059 ; Troyes, 9, rue du Québec, B.P. 396, 10026. **Rennes.** *I :* rue de Clos-Courtel, 35000 ; *Lannion*, rue Édouard-Branly, B.P. 150, 22302. *II : Vannes*, rue Montaigne, B.P. 1104, 56008. *Brest*, Rue de Kergoat, 29287 ; *Quimper*, 2, rue de l'Université, B.P. 139, 29191 ; *Lorient*, rue Jean-Zay, 56100. **Rouen.** Place Émile-Blondel, B.P. 47, 76130 Mont-St-Aignan. *Le Havre :* place Robert-Schuman, B.P. 4006, 76077. **Strasbourg.** *I :* 3, rue de l'Argonne, 67000. *III :* 72, route du Rhin, 67400 Illkirch-Graffenstaden. *Mulhouse :* 61, rue Albert-Camus, 68093. **Toulouse.** *I :* 33, av. du 8-Mai 1945, 12006 Rodez Cedex. *II :* 5, allée Antonio-Machado, 31058. *III :* 115, route de Narbonne, 31077. **Antilles-Guyane.** Bd Victor-Hugo, B.P. 725, 97387 Kourou.

• Liste des IUT par disciplines (Chiffres romains : université, arabes : IUT).

1. **Biologie appliquée,** *options : – analyses biologiques et biochimiques :* Angers, Brest, Caen, Clermont-Ferrand I, Créteil, Dijon, Lille I, Lyon I, Montpellier, Quimper, La Rochelle, Toulon, Tours ; – *industries alim. et biologiques :* Amiens, Angers, Bourg-en-Bresse, Caen, Créteil, Dijon, Évreux, Lille I, Nancy I, Quimper, La Rochelle, Montpellier, Périgueux, Strasbourg I ; – *diététique :* Créteil, Lille I, Lyon I, Montpellier, Nancy I, Tours ; – *agronomie :* Amiens, Angers, Brest, Clermont-Ferrand I, Lyon I, Nancy I, Perpignan, Strasbourg I. ; – *génie de l'environnement :* Brest, Tours, Perpignan.

2. **Carrières de l'information,** *options : – documentation :* Besançon, Bordeaux III, Dijon, Grenoble II, Nancy II, Paris V, Strasbourg III, Toulouse III, Tours ; – *communication* (publicité-relations publiques journalisme) : Besançon, Bordeaux III, Grenoble II, Nancy II, Paris, Strasbourg III, Toulouse III, Tours.

3. **Carrières juridiques :** Colmar, Grenoble II, Lille II, Rouen, Villetaneuse.

4. **Carrières sociales,** *options : – éducateurs spécialisés :* Grenoble II, Lille III ; – *animateurs socio-culturels :* Bordeaux III, Paris, Rennes I, Grenoble II, Lille III, Tours ; – *assistance sociale :* Grenoble II, Paris.

5. **Chimie :** Besançon, Béthune, Grenoble I, Lille I, Lyon I, Le Mans, Marseille, Montpellier, Orléans, Orsay, Poitiers, Rennes, Rouen, Strasbourg III ; *options : – sc. des matériaux :* Grenoble I, Besançon, Béthune. – *productique chimique :* Marseille, Rennes.

6. **Génie chimique :** Nancy I, St-Nazaire, Toulouse III, Lyon I ; options : *-bio-industries :* Nancy I, *-ind. chimiques :* Nancy I.

7. **Génie civil,** *options : – travaux publics et bâtiment :* Amiens, Bordeaux I, Bourges, Lyon I, Nancy I, Rennes I, St-Nazaire, Strasbourg I, Toulouse III, Grenoble I, Béthune, Égletons, Nîmes, Reims, La Rochelle, Cergy-Pontoise ; – *génie climatique et équipement du bâtiment :* Amiens, Lyon I (IUT 1), Rennes, Strasbourg III, Toulouse III, Cergy-Pontoise, Bordeaux I, Égletons, Reims, La Rochelle.

8. **Génie électrique et informatique industrielle,** *options : – électronique :* Angers, Annecy, Belfort, Bordeaux I, Brive, Cachan, Calais, Cergy-Pontoise, Créteil, Grenoble II, Lannion, Lille, Kourou, Longwy, Marseille, Montpellier, Mulhouse, Nice, Rennes, Rouen, St-Étienne, Toulouse III, Tours, Troyes, Ville-d'Avray ; – *électrotechnique et électronique de puissance :* Béthune, Belfort, Brest, Cachan, Le Creusot, Grenoble I, Le Havre, Lyon I, Montluçon, Nantes, Nîmes, Poitiers ; – *automatismes et systèmes :* Angers, Annecy, Béthune, Brest, Bordeaux I, Cergy-Pontoise, Évry (Paris XII), Grenoble 1 (2 départ.), Le Creusot, Le Havre, Lille I, Longwy, Lyon I, Montluçon, Mulhouse, Nancy 1, Nantes, Nice, Nîmes, Poitiers, Rennes 1, St-Étienne, Toulon, Toulouse III, Valenciennes, Ville-d'Avray.

9. **Génie mécanique et productique :** Alençon, Aix, Amiens, Angoulême, Annecy, Belfort, Besançon, Béthune, Bordeaux 1, Bourges, Brest, Cachan, Le Creusot, Dijon, Évry, Grenoble I, Le Mans, Lille I, Limoges, Lyon I (2 départ.), Metz, Montluçon, Mulhouse, Nancy I, Nantes, Nîmes, Orléans, Poitiers, Reims, Rennes I, St-Denis, St-Étienne, Tarbes, Toulon, Toulouse III (2 départ.), Troyes, Valenciennes, Ville-d'Avray.

10. **Génie thermique et énergie :** Belfort, Dunkerque, Grenoble I, Lorient, Longwy, Poitiers, Ville-d'Avray, Montluçon, Pau.

11. **Gestion des entreprises et des administrations,** *options : – gestion appliquée aux petites et moyennes organisations :* Amiens, Angers, Bayonne, Bourges, Brest, Caen, Clermont-Ferrand, Le Mans, Lille I, Limoges, Lyon I, Montpellier, Nancy II, Nantes, Nice, Perpignan, Poitiers, Rennes, Rodez, St-Denis, St-Étienne, Sceaux, Tarbes, Toulon, Toulouse III (2 départ.), Tours, Valenciennes, Vannes, Villetaneuse, Grenoble II, Marseille, Mulhouse, Quimper, Reims, Roanne, Valence ; – *finances, comptabilité :* Aix, Amiens, Angers, Bayonne, Besançon, Bourges, Brest, Caen, Clermont-Ferrand, Corte, Dijon, Grenoble II, Le Havre, Le Mans, Lille I, Limoges, Lyon I, Marseille, Montpellier, Metz, Mulhouse, Nancy II, Nantes, Nice, Orléans, Paris, Perpignan, Poitiers, Quimper, Reims, Rennes I, Roanne, Rodez, St-Denis, St-Étienne, Sceaux (2 départ.), Tarbes, Toulon, Toulouse III (2 départ.), Tours, Troyes, Valence, Valenciennes, Vannes, Villetaneuse ; – *personnel :* Aix, Amiens, Angers, Besançon, Bourges, Caen, Le Havre, Le Mans, Lens, Lille I, Limoges, Lyon 1, Metz, Montpellier, Mulhouse, Nantes, Nice, Paris, Perpignan, Poitiers, Quimper, La Roche-sur-Yon, St-Denis, Sceaux (2 départ.), Toulouse III, Tours, Troyes, Valenciennes, Villetaneuse.

12. **Hygiène et sécurité,** *options : – hygiène et sécurité et conditions de travail ; – hygiène et séc. publiques :* Bordeaux I, Colmar, Lorient, Marseille-Luminy, St-Denis.

13. **Informatique :** Aix, Amiens, Bayonne, Belfort, Bordeaux I, Calais, Clermont-Ferrand, Dijon, Grenoble II, Lannion, La Rochelle, Le Havre, Lille I, Limoges, Lyon I, Metz, Montpellier, Nancy II, Nantes, Nice, Orléans, Orsay (2 départ.), Paris, Reims, Strasbourg III, Toulouse II et III, Villetaneuse (2 départ.), Rodez, Valence, Vannes.

14. **Maintenance industrielle :** Châtellerault, Clermont-Fd, Épinal, Lorient, Melun-Sénart (Paris XII), Perpignan, St-Denis, St-Nazaire, Strasbourg I, Valenciennes, Vesoul. *Option : – organisation et gestion de la production :* Évry (Paris XII).

15. **Mesures physiques,** *options : – techniques instrumentales :* Bordeaux I, Caen, Grenoble I, Clermont-Ferrand, Créteil, Le Creusot, Lille I, Limoges, Metz, Orsay, St-Denis, St-Nazaire, Toulouse III, Marseille, Montpellier, Reims, St-Étienne, Strasbourg I ; – *mesures et contrôles physico-chimiques :* Bordeaux I, Caen, Clermont-Ferrand, Créteil, Limoges, Metz, Orsay, Toulouse III, Grenoble I, Lannion, Marseille, St-Étienne, Reims, Rouen, Montpellier, Strasbourg I.

16. **Statistiques et traitement informatique des données :** Grenoble II, Niort, Paris, Pau, Vannes.

17. **Techniques de commercialisation :** Aix, Amiens, Angoulême, Annecy, Avignon, Bordeaux 1, Caen, Chambéry, Colmar, Créteil, Dunkerque, Épinal, Melun-Sénart. Grenoble II, La Rochelle, Laval, Le Havre, Lens, Lille II, Limoges, Lyon I, Metz, Montluçon, Montpellier, Nancy II, Nice, Paris, Périgueux, Quimper, Roanne, St-Denis, St-Étienne, St-Nazaire, Sceaux (2 départ.), Strasbourg III, Toulon, Toulouse III, Tours (2 départ.), Troyes, Valence, Valenciennes.

18. **Transport et logistique :** Aix, Bordeaux, Chalon-sur-Saône, Chartres, Évry I, Le Havre, Lille III, Mulhouse, Quimper.

• Effectifs des IUT. Voir p. 1270.

Enseignement supérieur long dans les universités

En général, études universitaires organisées en 3 cycles d'études successifs, sanctionnés par des diplômes nationaux.

• 1er cycle. Formation générale et d'orientation, ouvert aux titulaires du bac. *Durée* 2 ans. Conduit au diplôme d'études universitaires générales (DEUG) assorti de mention et/ou de sections. Comporte des enseignements plus ou moins disciplinaires, incluant une période d'orientation plus ou moins étendue selon l'organisation définie par l'université, et offre une diversité d'enseignements, tenant compte de l'évolution des connaissances et des débouchés.

Le DEUG : remplace dep. le 27-2-1973 le dipl. univ. d'ét. littéraires (DUEL), le dipl. univ. d'ét. scientifiques (DUES), le dipl. d'ét. juridiques gén. et le dipl. d'ét. économiques gén.

Inscriptions : 3 annuelles (2 en 1re année, 1 en 2e ou 1 en 1re, 2 en 2e) ou 6 semestrielles au maximum. Exceptionnellement, 1 supplémentaire peut être autorisée par le Pt de l'univ.

Matières étudiées : *obligatoires ; optionnelles* (choisies et réparties par le Conseil de l'université) ; *libres* (choisies par les étudiants). Étude des langues vivantes dans toutes les filières. **Contrôle des connaissances et des aptitudes :** examens terminaux ou contrôle continu et régulier, ou par les 2 modes de contrôle combinés.

Mentions. *Droit ; sciences écon. ; sciences humaines* (5 sections : philosophie, psychologie, sociologie, histoire, géographie) ; *lettres et arts* (6 sect. : lettres, lettres et civilisations étrangères, langues étr. appliquées, arts plastiques, musique, histoire des arts) ; *sciences* (2 sect. : sc. des structures et de la matière, sc. de la nature et de la vie) ; *maths appliquées et sciences sociales ; administration économique et sociale ; sciences et techniques des activités physiques et sportives ; théologie* (2 sect. : catholique, protestante) ; *communication et sciences du langage* (2 sections : culture et communication, sciences du langage ; *soins ; sciences, économie et technologie, études corses, basques, bretonnes, celtiques.*

• 2e cycle. Approfondissement, formation générale, scientifique et technique de haut niveau préparant à l'exercice de responsabilités professionnelles. *Durée* 2 à 3 ans après le DEUG. Plusieurs types de formations : *fondamentales, professionnelles et/ou spécialisées* en vue d'acquérir des diplômes : la licence (DEUG + 1 an d'études) et la maîtrise (licence + 1 an d'études) ; *à finalité professionnelle* conçues en un seul bloc indivisible de 2 ans, en vue d'acquérir une maîtrise en sciences et techniques (MST), de sciences de gestion (MSG), de méthodes informatiques appliquées à la gestion (MIAGE) ; *conduisant au titre d'ingénieur,* conçues en un bloc de 3 ans d'études ; *conduisant au magistère,* conçues en un bloc de 3 ans d'études.

• 3e cycle. De haute spécialisation et de formation à la recherche. D'une ou plusieurs années de préparation. Accès soumis à une sélection effectuée parmi les titulaires d'une maîtrise, d'un titre d'ingénieur ou d'un diplôme rendu équivalent par la validation des acquis. *Formations dispensées : professionnelle,* de 1 an assortie d'un stage obligatoire en entreprise en vue d'acquérir un diplôme d'études supérieures spécialisées (DESS) : *formation à et par la recherche* sanctionnée à l'issue de la 1re année par le diplôme d'études approfondies (DEA) et menant, en 3 à 4 ans après ce diplôme, au doctorat.

• Médecine. **Centres hospitaliers universitaires (CHU).** *Créés* 1958 pour rapprocher l'Univ. de l'hôpital. Résultent d'une convention entre les unités médicales et les hôpitaux. Le personnel méd. d'encadrement employé à plein temps a une mission de soins, d'enseign. et de recherche. Tous les étudiants font leurs ét. dans les unités médicales et dans le cadre des CHU où ils reçoivent une formation théorique et pratique. **Durée.** 8 ans et plus. *Accessible* aux tit. du bac toutes séries, mais les séries scient. (D et surtout C) offrent plus de chances. **Nombre.** 25 en province, 11 à Paris.

Cycles. 1er cycle d'études médicales (PCEM) : 2 ans ; 1re année commune à médecine et à odontologie ; sélection (concours fin 1re année) en fonction de la capacité de formation des CHU et des besoins (diminution d'env. 10 % par an à partir de 1980). **2e cycle (DCEM) :** 4 ans ; *1re a. :* formation médicale générale, initiation aux fonctions hospitalières ; *3 autres a. :* pathologie et thérapeutique, formation théorique et clinique. *A partir de la 2e a.*, participation à l'activité hospitalière pendant 6 semestres. Dès le 5e semestre du 2e cycle, les étud. (appelés ét. hospitaliers) sont rémunérés. **3e cycle.** Pour les étudiants qui ont validé le DCEM et le certificat de synthèse clinique et thérapeutique (CSCT). *Médecine générale ou résidanat :* 2 ans, sanctionné à l'issue d'une formation théorique comportant des fonctions hospitalières et un stage chez un praticien, et après soutenance d'une thèse, par le diplôme d'État de docteur en médecine et la qualification en médecine générale. *Médecine spécialisée :* subordonné à la réussite au concours de *l'internat* (4 disciplines : spécialités médicales, chirurgicales, biologie médicale, psychiatrie) ; organisé en diplômes d'études spécialisées (DES) préparé en 4 à 5 ans ; sanctionné par le diplôme d'État de docteur en médecine et 1 DES.

Au cours du 3e cycle d'études médicales, les étudiants peuvent préparer le DEA.

• **Pharmacie. Durée.** 6 ans. **Cycles. 1er cycle :** 2 ans (1re année forme d'une préparation au concours de sélection de fin d'année). **2e cycle :** 2 ans. **3e cycle :** 2 ans ; l'étudiant soutient la thèse en vue du diplôme d'État de docteur en pharmacie. Les titulaires de ce dipl. peuvent s'engager dans le cycle doctoral (DEA + doctorat) ou préparer un Dipl. d'Études Supérieures spécialisées (DESS).

A l'issue de la 5e année, les étudiants se destinant aux spécialisations peuvent, après réussite au concours de *l'internat en pharmacie,* préparer des *Diplômes d'Études Spécialisées (DES)* dans le cadre des filières de sciences biologiques et de sc. pharmaceutiques spécialisées. Le mémoire du DES peut tenir lieu de thèse en vue du Diplôme d'État de docteur en pharmacie.

• **Odontologie. Durée.** 5 ans et plus. La 1re année est commune avec la 1re année de médecine (PCEM 1), au terme de laquelle les étudiants subissent un examen classant. Les étudiants classés s'inscrivent en 2e année d'odontologie. *5e année :* thèse en vue du Diplôme d'État de docteur en chirurgie dentaire. Ensuite, spécialisation possible : CES de chirurgie dentaire (A et B), certificat d'études cliniques spéciales mention orthodontie (CECSMO), DEA puis doctorat de recherche.

Nota. – Afin de permettre aux étudiants en médecine, odontologie, pharmacie de se préparer au DEA puis à la recherche, une maîtrise de sciences biologiques et médicales a été créée, ouverte aux étudiants de 2e année de médecine, odontologie, pharmacie.

Dans les grandes écoles

L'accès aux grandes écoles suppose généralement le passage par 2 ans de formation à l'Université (pour la préparation d'un DEUG ou d'un DUT) ou dans des classes préparatoires (CPGE) au sein de certains lycées ou exceptionnellement dans les grandes écoles elles-mêmes. Pour entrer en CPGE, il faut le bac et présenter un dossier (copie des bulletins scolaires des classes terminales et avis des professeurs). Pour les écoles de commerce et de vétérinaires, la durée de la CPGE est de 1 an au lieu de 2. L'accès en 1re année d'école nécessite le succès aux différents concours. Les études durent 3 ans (4 pour les vétérinaires). *Diplômes délivrés :* d'ingénieur reconnu par la commission du titre d'ingénieur, de haut enseignement commercial dont la valeur dépend de la renommée de l'établissement, notamment lorsqu'il est revêtu du visa officiel.

Les écoles normales sup. préparant aux diplômes nationaux des universités et aux concours de recrutement des professeurs (certifiés et agrégés).

☞ Voir liste p. 1275.

Enseignement à distance

Télé-enseignement universitaire. Offert aux étudiants désireux de préparer un diplôme national mais qui ne peuvent assister aux cours d'une université pour des raisons de force majeure (santé, éloignement, travail, situation de famille).

Cet enseignement s'adresse également à un public plus large, non étudiant (adultes et auditeurs libres). Dispensé par certaines universités dotées d'un centre de télé-enseignement ou par le centre national d'enseignement à distance (CNED) pour la préparation à certains concours de la Fonction publique ou pour des formations très spécifiques.

Formation continue

Dispensé dans établissements universitaires ou écoles. Permet aux personnes engagées dans la vie professionnelle de suivre des cours du soir en bénéficiant d'horaires aménagés et d'accéder aux diplômes universitaires. De son côté, le Conservatoire national des Arts et Métiers (CNAM) et ses centres régionaux accueillent des auditeurs salariés, sans exigence de titre, à ses cours du soir durant lesquels ces derniers bénéficient d'un enseignement gradué qui peut, à terme, donner accès à un titre d'ingénieur.

Enseignement technique supérieur

• **Sections de techniciens supérieurs (STS).** *Organisation :* formation dans certains lycées techniques, lycées agricoles ou établ. de même niveau en vue de carrières précises (ind. graphique, gestion hôtelière, secr. de direction trilingue...). *Durée :* 2 a. après le bac ou le bac de technicien, 3 a. pour BTS de prothésiste, orthésiste et podo-orthésiste, et diplôme de conseiller en écon. sociale et fam. *Sanction :* BTS (Brevet de technicien supérieur) diplôme professionnel. Admission sur examen, sur titre ou concours, avec ou sans le bac, selon les spécialités.

Nombre de STS en France métropolitaine (1989-90). 180 609 dont établ. publics dépendant du min. de l'Éduc. nat. : 96 676 (46,8 % de filles), d'autres ministères (Agriculture principalement) : 8 350 (24,3) ; établ. privés : 75 583 (58,8).

Élèves selon le type de formation. Secteur tertiaire 120 181 (67,4 % de filles) secondaire et primaire 56 793 (15,3 % de filles). Sections de techn. sup. implantées pour la plupart dans lycées techn. et agricoles, préparant au BTS, diplôme de niveau III obtenu en 2 ans, sauf pour BTS de podo-orthopédiste, Santé et diplôme de Conseiller en économie sociale et familiale, qui durent 3 ans.

Origine scolaire des élèves entrant en 1re année (1989-90). *Bac. d'enseign. gén. obtenu en 89 : A* 8,9, *B* 10,4 *C* 1,5 *D* 5,5, *D'* 0,7, *E* 0,6. *Bac. et brevet technicien obtenu en 89 : F* 19,7, *G* 27,7, *BT* 7,2, *H* 0,4. *Bac prof.* 1,8. *Cl. mise à niveau* 1. *Autres diplômes* 10,9. *Non-diplômés* 3,7.

Origine socioprofessionnelle des élèves (1984-85, en %). Agriculteurs 9,3. Artisans 5,9. Commerçants 5,8. Chefs d'entreprise 3,3. Prof. libérales 4,1. Cadres fonction publ. 3,5. Prof. scient. et art. 3,4. Cadres d'entreprise 10,4. Instit. et assimilés 2. Prof. interm. Santé et fonc. publ. 4,2. Prof. interm. Adm. et Comm. des entr. 4,7. Techniciens 5,9. Contremaîtr. et ag. maîtr. 6,2. Employés 11,5. Ouvriers 11,1. Retraités 5,5. Autres et DASS 3,2.

Universités (adresse et spécialisation)

Paris, Versailles et Créteil

L'Académie de Paris a été, à partir du 1-2-1972, réorganisée en 3 ac. : [*Paris, Versailles* (Yv., Hts-de-S., Essonne, Val-d'O.) et *Créteil* (Seine-St-Denis, Val-de-M., Seine-et-M.)] dirigées chacune par un recteur et coordonnées par un comité des recteurs, présidé par le recteur de l'Académie de Paris.

Paris I, (Panthéon-Sorbonne), 12, pl. du Panthéon, 75005 Paris ; sc. écon., hum., jur., pol., langues. **II,** (Droit-économie et sc. sociales), 12, pl. du Panthéon, 75005 Paris ; sc. juridiques, adm., pol., histor. et de l'information. **III,** (Sorbonne-Nouvelle), 17, pl. de la Sorbonne, 75005 Paris ; langues, lettres et civilis. du monde moderne. **IV,** (Paris-Sorbonne), 1, rue Victor-Cousin, 75005 Paris. Civilis., langues, littér. et arts. **V,** (René-Descartes), 12, rue de l'École-de-Médecine, 75006 Paris ; sc. biomédicales, psychol. et sociales, technol., éd. phys. et sportive, droit. **VI,** (Pierre-et-Marie-Curie), 4, place Jussieu, 75230 Paris Cedex 05 ; sc. exactes et nat., médecine. **VII,** 2, place Jussieu, 75005 Paris ; sc. exactes, bio., médicales et hum., lettres. **VIII,** (Paris-Vincennes), 2, rue de la Liberté, 93526 St-Denis Cedex 02 ; sc. hum. en liaison avec les ens. sc. et techn. Seule université où actuellement on peut entrer sans le bac en justifiant de 3 ans d'activité salariée (non-bachelier) ou être mère de famille et avoir élevé un enfant de moins de 3 ans. **IX,** (Paris-Dauphine), place De-Lattre-de-Tassigny, 75016 Paris ; sc. de la gestion, écon., informatique, math. appliquées. **X,** (Paris-Nanterre), 200, av. de la République, 92001 ; sc. jurid., écon., hum., technol., lettres, éduc. phys. et sportive. **XI,** (Paris-Sud), centre scientifique, 15, rue Georges-Clemenceau, 91405 Orsay ; sc. exactes, nat., méd., pharmac., jur., écon., technol. **XII,** (Paris-Val-de-M.), av. du Général-de-Gaulle, 94010 Créteil ; sc. phys., chim., bio., méd., techno. (IUT de Créteil, Évry, Melun-Senart) ; lettres et sc. hum., sc. soc. et de la communication, urbanisme, sc. jurid. et éco. (St-Maur). **XIII,** (Paris-Nord), avenue J.-B.-Clément, 93430 Villetaneuse ; sc. exactes, jur., méd., hum., lettres.

Province et DOM-TOM

Aix-Marseille I. 3, place Victor-Hugo, 13331 Marseille Cedex 03, et 29, av. Robert-Schuman, 13621 Aix-en-P. *Aix :* histoire, lettres, sc. humaines. *Marseille :* math., sc. exactes et nat. **II.** Jardin du Pharo, 58, bd Charles-Livon, 13284 Marseille Cedex 07. Sc. écon., pharmacie, médecine, odontologie, sc. sociales. Géographie. Éd. phys. et sportive. **III.** 3, av. Robert-Schuman, 13628 Aix-en-Provence. Droit, écon., sciences, sciences pol. et écon., gestion.

Amiens (Un. de Picardie). Campus, rue Salomon-Malhangu, 80025 Amiens Cedex. Droit, sc. pol. et écon., exactes et nat., humaines, lettres, médecine et pharmacie.

Angers. 30, rue des Arènes, B.P. 3532, 49035 Angers Cedex. Sc. jurid., écon, humaines, médicales, pharmac., exactes, nat. Lettres.

Antilles-Guyane. Bd Légitimus, B.P. 771, 97173 Pointe-à-Pitre Cedex (Guadeloupe). Lettres, sc. humaines, exactes, nat, juridiques, écon., médicales.

Avignon. 35, rue Joseph-Vernet, 84000 Avignon. Lettres, sc. humaines, exactes et naturelles.

Besançon. 30, av. de l'Observatoire, 25030 Besançon Cedex. Lettres, sc. hum., écon., jur., exactes, nat., méd. et pharm. Éduc. phys. et sp.

Bordeaux I. 351, cours de la Libération, 33405 Talence Cedex. Sc. jur., écon., exactes et nat., gestion, aménagement du territoire. **II.** 146, rue Léo-Saignat, 33076 Bordeaux Cedex. Sc. méd., pharm., soc., hum., langues, informatique, éduc. physique et sport. **III.** Domaine univ., esplanade Michel-de-Montaigne, 33405 Talence Cedex. Lettres, arts, langues, philo., hist., géo., techn. d'expression et de comm., envir., géologie.

Brest (Un. de Bretagne occidentale). Rue des Archives, B.P. 137, 29269 Brest. Sc. méd., exactes, nat., sociales, juridiques, écon., de la mer.

Caen. Esplanade de la Paix, 14032 Caen. Droit, sc. écon., pol., hum., pharm., médicales, langues, hist., sc. de la terre et env. Éduc. phys. et sp.

Chambéry (Univ. de Savoie). 27, rue Marcoz, BP 1104, 73011 Chambéry Cedex. Sc. exactes, lettres, droit A.E.S., langues étrangères.

Clermont-Ferrand I. 49, bd Gergovia, B.P. 32, 63001 Cedex (Univ. Blaise Pascal). Sc. jur., pol. écon., méd., pharm., odontologie. **II.** 34, av. Carnot, B.P. 185, 63006. Sc., lettres, sc. humaines, exactes et nat. Éduc. phys. et sportive.

Corse (Univ. Pascal Paoli). 7, av. Jean-Nicoli, B.P. 52, 20250 Corte. Sc. nat, humaines. Droit.

Dijon. Campus universitaire de Montmuzard, B.P. 138, 21004 Dijon Cedex. Sc. juridiques, pol., écon., humaines, exactes, nat., médicales, pharmaceutiques, lettres, langues. Éduc. physique et sport.

Grenoble I (Un. Joseph-Fourier). Domaine univ. de St-Martin-d'Hères, B.P. 53X, 38041 Grenoble Cedex. Sc. biol., méd., pharm., exactes, nat. Éd. phys. et sp. **II** (Un. des sc. sociales). Domaine univ. St-Martin-d'Hères, B.P. 47X, 38041 Grenoble Cedex. Sc. jurid., pol., écon., hum., hist., hist. des arts, urbanisme, lettres, gestion. U.F.R. faculté libre de droit délocalisée à Valence, 12 rue Louis-Gallet. **III** (Un. Stendhal). Domaine univ. St-Martin-d'Hères, B.P. 25X, 38041 Grenoble Cedex. Lettres, langues, communication. **INP.** 46, av. Félix-Viallet, 38031 Grenoble Cedex.

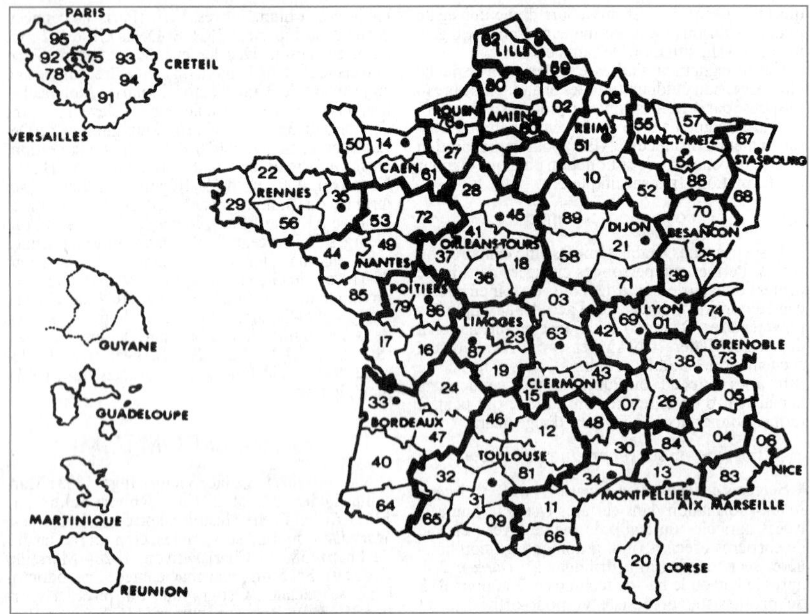

Le Havre. 25, rue Philippe-Lebon, B.P. 1123, 76063 Le Havre. Sc. écon., sc. et techniques.

Lille I (Sciences et techniques de Lille-Flandres-Artois). Cité scientifique, 59655 Villeneuve-d'Ascq Cedex. Sc. écon., sociales, exactes, biologiques, nat., agricoles. Géographie. II (droit et santé). 42, rue Paul-Duez, 59800 Lille. Sc. méd., pharmac., du travail, juridiques. Éduc. phys. et sportive. III Un. Charles-de-Gaulle (sc. humaines, lettres et arts). B.P. 149, 59653 Villeneuve-d'Ascq-Pont-de-Bois Cedex. Hist., langues mod. et anc., sc. hum., exactes, statistiques, archéologie, techn. de réadaptation.

Limoges. 13, rue de Genève 87065 Limoges Cedex 2. Sc. médicales, pharmaceutiques, juridiques, écon., humaines, exactes, nat. Lettres.

Lyon I (Un. Claude-Bernard). 43, bd du 11-Novembre, 69622 Villeurbanne Cedex. Sc. exactes, nat., méd., pharm., biol. Éduc. phys. et sp. II. (Univ. Lumière) 86, rue Pasteur, 69365 Lyon Cedex 07. Sc. de l'Antiquité, jurid., écon., pol., hum., sociol., ethnol., gestion, langues. Lettres. III (Un. Jean-Moulin). 1, rue de l'Université, B.P. 0638, 69339 Lyon Cedex 02. Droit, gestion, langues, lettres, sc. hum.

Le Mans (Univ. du Maine). Route de Laval, B.P. 535, 72017. Sc. exactes, nat., hum., jur., écon. Lettres.

Metz. Ile du Saulcy, B.P. 794, 57012 Metz Cedex 01. Lettres, sc. hum., exactes, nat., jur., langues.

Montpellier I. 5, bd Henri-IV, B.P. 1017, 34006 Montpellier Cedex. Droit, sc. soc., écon., méd., pharm., biol., gestion. Éduc. phys. et sp. II (Un. des sc. et techniques du Languedoc). Place Eugène-Bataillon, 34095. Sc. biol., exactes, géol. III (Un. Paul-Valéry). Route de Mende, B.P. 5043, 34032 Montpellier Cedex 01. Lettres, langues, arts, sc. hum., écon.

Mulhouse (Un. de Hte-Alsace). 2, rue des Frères-Lumière, 68093. Sc. exactes, nat., hum. Lettres.

Nancy I. 24-30, rue Lionnois, B.P. 3069, 54013 Nancy cédex. Sc. méd., pharm., biol., math., exactes. Éduc. phys. et sportive. II. 25, rue Baron-Louis, B.P. 454, 54001 Nancy Cedex. Sc. jurid., écon., pol., hum., langues. Lettres. INP. 2, av. de la Forêt-de-Haye-Brabous, B.P. 3, 54501 Vandœuvre-les-Nancy Cedex.

Nantes. 1, quai de Tourville, B.P. 1026, 44035 Nantes Cedex 01. Sc. méd., pharm., jurid., pol., hum., math., exactes, nat. Lettres.

Nice-Sophia Antipolis. 26, avenue Valrose, 06034 Nice. Sc. méd., jurid., écon., hum., exactes et nat., math., informatique, gestion. Lettres.

Orléans. Château de la Source, B.P. 6749, 45067 Orléans Cedex 2. Sc. jurid., écon., hum., exactes, nat. Lettres.

Pau (Univ. de Pau et des Pays de l'Adour). Villa Lawrence, 68, rue Montpensier, B.P. 576, 64010. Lettres, sc. humaines, exactes, écon., droit.

Perpignan. Avenue de Villeneuve, 66025. Sc. hum., soc., exactes, nat.

Poitiers. 15, rue de Blossac, 86034 Poitiers, Sc. juridiques, sociales, écon., exactes, nat., humaines, hist., géo., méd., pharm., langues, lettres. Éduc. phys. et sp.

Reims. 23, rue Boulard, 51100 Reims. Droit, sc. écon., hum., exactes, nat., méd., pharm. Lettres.

Rennes I. 2, rue du Thabor, B.P. 1034, 35000 Rennes. Sc. jurid., écon., biol., hum., exactes, méd., gestion. II (Un. de Hte-Bretagne). 6, av. Gaston-Berger, 35043 Rennes. Langues, lettres, sc. histor., pol., hum., éducatives.

Réunion. 15, av. René-Cassin, 97489 Saint-Denis-de-la-Réunion Cedex. Sc. juridiques, écon., pol., humaines. Lettres. Sc. exactes et nat., arts.

Rouen. 1, rue Thomas-Becket, 76134 Mont-Saint-Aignan Cedex. Sc. médicales, pharmaceutiques, juridiques, écon., humaines, exactes, nat. Lettres.

Saint-Étienne (Univ. Jean Monnet). 34, rue Francis-Baulier, 42023. Droit, sc. exactes, nat., hum., écon., méd. Lettres, arts plast.

Savoie (Chambéry). Centre univ. de Savoie. Route de l'Église-Jacob, Bellecombette, 73011 Chambéry. Sc. exactes, nat., hum., soc. Lettres. Droit.

Strasbourg I (Un. Louis-Pasteur). 4, rue Blaise-Pascal, 67070 Strasbourg. Sc. méd., pharmac., math., exactes, écon., géogr. II (Un. des sciences hum.). 22, rue Descartes, 67084 Strasbourg. Sc. histor., sociales, hum., lettres, théologie. Éduc. phys. et sport. III (Un. des sc. jurid., polit. et soc.). 1, place d'Athènes, 67084 Strasbourg Cedex. Sc. jurid., pol., soc., écon. Techn. Journalisme. Institut du travail. Techn. de l'inform.

Toulon et du Var. Avenue de l'Université, BP 132 83957 La Garde Cedex. Sc. jurid., écon., techn., exactes.

Toulouse I (sciences sociales). Place Anatole-France, 31042. Sc. écon., jurid., math., langues, informatique. II (Toulouse le Mirail). 5, allées Antonio-Machado, 31058. Sc. soc., pol., écon., histor., géogr., lettres, sc. exactes et nat., langues. III (Un. Paul-Sabatier). 118, route de Narbonne, 31062. Langues, lettres, informatique, gestion, sc. exactes, écon., méd., pharmac.. INP. Place des Hauts-Murats, 31006.

Tours (Un. François-Rabelais). 3, rue des Tanneurs, 37041 Tours Cedex. Sc. méd., pharmac., exactes, nat., jurid., écon., langues, lettres, gestion.

Valenciennes et du Hainaut-Cambrésis. Le Mont-Houy, 59326 Valenciennes Cedex. Sc. exactes, naturelles, hum. et artistiques, droit. Spécialité audiovisuelle.

Université française du Pacifique. B.P. 4635 Papeete. Tahiti. Polyn. française. Sc. jur, sc. exactes et nat.

Radio et télévision éducatives

☞ Bureau d'enseign. des Techniques nouvelles (Direction des enseignements supérieurs). Coordonne les ens. universitaires à distance.

Radio. 5 h hebdomadaires pendant 21 sem. Télévision régionale FR 3. Environ 40 émissions d'une 1/2 h par an, cours enregistrés sur cassettes sonores, cours écrits, devoirs et exercices, regroupements périodiques d'étudiants. Radio-Sorbonne. 30 h de cours par semaine (lundi, mardi, mercredi, jeudi, vendredi) pendant 20 sem., souvent en direct des amphithéâtres des universités litt. de Paris (cours de licence et d'agrégation).

Le Centre audiovisuel de l'ENS de St-Cloud (CAV). Il produit une partie des émissions univ. télévisées et des émissions pour le Conseil de l'ordre des médecins (formation post-univ. des méd.). Émissions d'une 1/2 h tous les 15 j sur A2.

Organismes divers

Centres d'information et d'orientation. 585 en France, ouverts à tous. Permanence dans tous les établ. scolaires. Service commun universitaire d'accueil, d'orientation et d'insertion professionnelle.

Centre international des étudiants et stagiaires (CIES). 28, rue de la Grange-aux-Belles, B.P. 73-10, 75462 Paris Cedex 10. *Créé* 1960. *Dir. :* François Mimin. Association créée par le min. de la Coopération pour assurer en France et à l'étranger la réalisation et la gestion de programmes de formation pour étudiants et stagiaires étrangers boursiers de min., organisat. internat., États, entr. publ. ou priv. (organisation des séjours, logement, couverture sociale, activités culturelles) ; organise colloques, séminaires, missions d'experts à l'étr. *Conditions d'interventions* définies par une convention signée avec ses partenaires français ou étrangers, publics ou privés. 700 millions de F de fonds gérés, 24 000 dossiers par an, 200 salariés, 23 implantations en province.

Centre national de documentation pédagogique (CNDP). 29, rue d'Ulm, 75230 Paris Cedex 05. Établ. public continuateur du Musée pédagogique (créé 1879), sous tutelle du min. de l'Éduc. nat. *Réseau :* services généraux, centraux ; 111 Centres de documentation pédagogique, 28 régionaux (CRDP), 83 départementaux (CDDP), 3 locaux (CLDP) ; 75 librairies et 116 médiathèques. Propose : fonds documentaires et des conseils, assistance techn., documents pédagogiques (tels que Textes et Documents pour la classe) et administratifs [(notamment Bulletin officiel de l'Éduc. nat. (100 000 ex.) hebdo, Recueil des lois et règlements, programmes et instructions)], diapositives, films, logiciels éducatifs, émissions sur : France-Musique (le Grand Bécarre), France International (Parler au quotidien), FR3 (les Badaboks, Paroles d'école, pour les classes élémentaires et maternelles, Initiations aux langues étr., Relais), Canal + (V.O.), satellite Olympus (soutien du français langue étr.), Éducable (chaîne éducative sur câble en autoprogrammation).

Centre national des œuvres universitaires et scolaires (CNOUS). 69, quai d'Orsay, 75007 Paris. *Créé* 1955. Établ. public. *Conseil d'administration :* représentation de l'administration et des étudiants. *Mission :* favoriser l'amélioration des conditions de vie et de travail des étudiants. *Réseau :* 28 CROUS (centres régionaux ; 1 par académie), 11 locaux, 25 antennes. *Logement des étudiants :* 221 résidences universitaires, locations et réservations HLM (120 032 lits) ; foyers agréés (3 278 lits) ; chambres ou appt. loués par des particuliers (30 000). *Restauration universitaire* 210 000 places, 76 000 000 repas en 1990 (78 000 000 en 63, 55 000 000 en 83), prix du repas : 10,50 F. *Service social* (entretiens, aide ponctuelle par le Fonds de solidarité universitaire). *Service des emplois temporaires* pour les étudiants. *Animation socio-culturelle* (opération « culture-action »), de loisirs et de tourisme en liaison avec l'OTU (Office du tourisme univ.). *Accueil des étudiants étrangers* boursiers et gestion de leurs bourses, suivi des études. Budget (millions de F) : CNOUS + 28 CROUS : 3 000.

☞ Pour bénéficier des prestations du CROUS, les étudiants doivent être inscrits dans des établissements d'ens. sup. agréés par la S.S. étudiante.

Les universités ne bénéficient pas de franchise leur permettant d'accueillir des manifestations non autorisées par les pouvoirs publics.

Institut national de recherche pédagogique. 29, rue d'Ulm, 75230 Paris Cedex 05. Établissement public sous tutelle du min. de l'Éduc. nat. *Organisation :* *Conseil d'adm.* (34 m.), directeur, Conseil scientifique (18 m.), secr. gén. *Publications :* Revue française de pédagogie, Histoire de l'éducation, Étapes de la recherche (trimestriel), Repères, Aster, Recherche et formation. Collections : Rencontres pédagogiques, rapports de recherche.

Institut national de recherche et d'application pédagogique (INRAP). Min. de l'agriculture, 2, rue Champs-Prévois, 21 000 Dijon. Recherche pédagogique, expérimentation, fonction des enseignants.

Office national d'information sur les enseignements et les professions (ONISEP). 46-50, rue Albert, 75013 Paris, 75635 Paris Cedex 13. Établ. public sous tutelle du min. de l'Educ. nat. *Réseau :* 28 délégations régionales (1 par académie), 585 centres CIO. *Base de données :* 36 15 ONISEP.

Centre national d'études et de recherches en technologies avancées (CNERTA). Min. de l'agriculture, 26, bd Dr Petitjean, 21 000 Dijon. Diffusion de logiciels, documents audio-vidéo, élaboration d'outils multimédia.

Universités du 3e âge

Origine. *1973 :* 1re univ. créée à Toulouse sur l'initiative du Pr Pierre Vellas. Modèle imité dans de nombreux pays : Belgique, Suisse, Pologne, Espagne, Italie, G.-B., Canada, U.S.A., All. féd., Suède, etc.

But. Prévenir le vieillissement en faisant fonctionner le corps et l'esprit, sortir les personnes âgées de leur isolement par la pratique d'activités culturelles, physiques et artisanales (yoga, gymnastique, histoire régionale, langues étrangères, économie politique, reliure, dessin, voyages). **Conditions :** pas de diplômes exigés. **Frais d'inscription :** 150 F et + par an, réduits de moitié pour démunis.

Liste au 1-4-91. **Aix-Marseille** *I* Centre St-Charles, 3, place Victor-Hugo, 13331 Cedex 3. *III* 3, av. Robert-Schuman, 13621. **Amiens** Logis du Roy, Passage du Logis-du-Roy, 80000. **Angers** 14, rue Pocquet-de-Livonnières 49 100. **Besançon** 30, rue Megevand, 25 030 Cedex. **Béziers** Hôtel Bastard, rue Montmorency, 34 500. **Blois** chemin St-Georges-les-Grouets, 41 000. **Bordeaux** Maison des sciences de l'homme, esplanade des Antilles, Domaine univ., 33405 Talence. **Bourges** 59, rue Cambon, 18 000. **Brest** Univ. de Bretagne occidentale, 20 av. Le Gorgeu, 29200. **Caen** Univ. de Caen, Esplanade de la Paix, 14032. **Cannes** 73, rue Félix Faure, 06 400. **Chambéry** 27, rue Marcoz, 73011 Cedex. **Chartres** 3, rue Mathurin-Régnier, 28 000. **Créteil** 1, av. François-Mauriac, 94 000. **Dijon** Fac. des sciences, 6, bd Gabriel, 21000. **Dreux** 5, pl. Mésirard, 28 100. **Fontenay-aux-Roses** 3 bis, rue Dr Soubise, 92 260. **Grenoble** Univ. des Sc. sociales, 5, rue de la Liberté, 38000. **Lille** *II* hôpital René-Suynghedauw, rue du 8-Mai-1945, 59034 Cedex. **Limoges** 28, rue Charles-Baudelaire, 87 000. **Luchon** Univ. d'été (mai à oct.), Et. thermal, cours Quinconces, 31100. **Lyon** *II* 86, rue Pasteur, 69365 Cedex 02 et Inst. Cath. 2, rue du Plat, 69 002. **Le Mans** route de Laval, B.P. 535, 72017 Cedex. **Metz** Ile du Saulcy, 57 045. **Montpellier** *III* route de Mende, B.P. 5043, 34032. **Mulhouse** 19, rue des Franciscains, 68 100. **Nancy** *I et II* bd des Aiguillettes, B.P. 140, 54037. **Nantes** 1, quai de Tourville, B.P. 1026, 44035 Cedex. **Nevers** 3, bd St-Exupéry, 58 020. **Nice** 28, parc Valrose, 06034. **Orléans** B.P. 6749 45067 Cedex 12. **Paris** *IV* Univ. Inter-âge, Grand Palais, Perron Alexandre III, cours de la Reine, 75008. 56 000 inscrits en 1981-82. *V* (cycle d'été en liaison avec la mairie de Paris), 12, rue de l'École-de-Médecine, 75270 Cedex 06. *VI*, 4, place Jussieu, 75230 Cedex 05. *X*, 200, av. de la République, 92000 Nanterre. *XII*, Univ. Paris Val-de-Marne, av. du Gal-de-Gaulle, 94000 Créteil. *Institut catholique,* 21, rue d'Assas, 75006. **Pau** Univ. de Pau, av. Poplawski, 64000. **Perpignan** Univ. du 3e Age, Formation continue, av. de Villeneuve, 66000. **Reims** 52, rue Libergier, 51100. **Rennes** av. du Général-Leclerc, 35 042. **Rouen** Hôtel de Ville, 76 037. **St-Étienne** 5, rue de la Trêfilerie, 42 100. **Strasbourg** *I* 4, rue Blaise-Pascal, B.P. 1032, 67070 Cedex. **Toulouse** *I* place Anatole-France, 31042 Cedex. **Tours** 3, rue des Tanneurs, 37 041. **Versailles** 1 *bis,* rue Borquis-Desbordes, 78000.

☞ Il existe une *Association internationale des universités du 3e âge.* Siège : Un. des Sc. soc., place Anatole-France, 31042 Toulouse Cedex. *Aînés,* Université catholique de Louvain, 1 place Montesquieu, B-1348 Louvain-la-Neuve, Belgique.

Fondation Marcel Bleustein-Blanchet pour la vocation

Créée *15-3-1960,* par Marcel Bleustein-Blanchet, Pt de « Publicis », reconnue d'utilité publique dep. le 18-9-1973. **Organisation :** membres bienfaiteurs, donateurs, souscripteurs ; jury (35 m. dont 3 académiciens, 3 prix Nobel, 4 professeurs au Collège de France, 4 m. de l'Institut et de nombreuses personnalités incarnant la réussite de la vocation dans le domaine des sciences, arts, lettres, musique) ; jury du prix littéraire de la V. (10 m. critiques littér., écrivains, lauréats de la Fondation de la V.) ; du prix de Poésie (7 m. poètes, écrivains, journalistes) ; comité de sélection. **Secrétariat :** 60, av. Victor-Hugo, 75116 Paris.

Décerne chaque année 27 à 30 bourses de 30 000 F chacune, dont une pour le prix littéraire de la V. (auteur de 18 à 30 a. d'expression française, ayant déjà été publié en France) ; et une pour le prix de Poésie (poètes de 18 à 30 a., manuscrits pris en considération). **Conditions :** âge 18 à 30 a. ; être Français, ressentir une authentique vocation dont on a fait la preuve par des débuts de réalisation. **Lauréats :** (1960-90, 31 promotions) plus de 800 lauréats.

Universités d'été

Origine. *1982 :* 1re université d'été à Marseille-Luminy.

Cours par correspondance

• **Origine.** *1850* l'Anglais Isaac Pitman crée des cours par correspondance en sténo et comptabilité.

• **Législation** (France, loi du 12-7-1971). INSCRIPTIONS : *le démarchage pour provoquer la souscription d'un contrat d'enseignement est strictement interdit au domicile des particuliers ou sur les lieux de travail. Le contrat de souscription à un cours ne peut se former que par correspondance et ne peut être signé qu'après 6 jours francs* (à compter du lendemain du j de sa réception). *Au moment de l'inscription, il ne peut être réglé plus de 30 % du prix de l'enseignement,* fournitures non comprises. Si l'enseignement s'étend sur plus d'un an, les 30 % sont calculés sur le prix de la 1re année en cours.

INTERRUPTION : *si, pour une cause indépendante de sa volonté, l'élève ne peut plus suivre les cours,* lui-même ou son représentant légal (père, mère ou tuteur) peut demander la résiliation du contrat qui, dans ce cas, doit être obtenue sans donner lieu à indemnité. Dans tous les cas, pendant 3 mois à compter de la date d'entrée en vigueur du contrat, le souscripteur (l'élève ou son représentant) peut se libérer de son engagement avec l'école, c'est-à-dire arrêter ses cours (sans donner de justification) moyennant le versement d'une indemnité (max. 30 % du prix total de l'enseignement, fournitures non comprises). Les sommes déjà versées peuvent être retenues à concurrence de cette limite (fournitures non comprises).

A peine de nullité, le contrat doit reproduire les dispositions de l'article 9 de la loi du 12-7-1971, préciser les conditions dans lesquelles l'enseignement sera donné à l'élève : il doit y être annexé le plan d'études avec des indications sur le niveau des connaissances préalables nécessaires, sur celui des études, leur durée moyenne et les emplois auxquels elles préparent.

Aucune école privée par correspondance n'est agréée officiellement par l'État. Un institut peut préparer à un *diplôme,* mais ne peut en délivrer. L'école peut délivrer des *certificats de scolarité* qui n'engagent qu'elle.

• **Nombre d'élèves.** Env. 600 000 personnes, en majorité de 18 à 30 a. (jeunes en format. initiale ou adultes engagés dans la vie professionnelle), dont 240 000 au CNED (85 % d'adultes), 400 000 dans des organismes privés.

• **Centre national d'enseignement à distance (CNED).** **Service central :** Tour Paris-Lyon, 209-211, rue de Bercy, 75585 Paris Cedex. Établissement public national sous la tutelle du min. de l'Éduc. nat., regroupant la plupart des enseignements et des formations à distance, à tous niveaux (enseignements primaire, secondaire, supérieur) pour les publics scolaires (cours d'enseign., de soutien, de rattrapage, d'été) et adultes (cours de complément culturel et de la qualification professionnelle). Antenne de Poitiers-Futuroscope L.P.1., 86 130 Jaunay-Clan. **7 centres Grenoble :** B.P. 3 X, 38040, Cedex 09. BP et BTS industriels, Bac. prof. et techn., français, langue étrang. ; métiers des loisirs, du sport et du tourisme ; CAPES scient. ; agrégation d'éduc. physique. **Lille :** 34, rue Jean-Bart, 59046. Concours de recrutement des différents ministères (à l'exclusion des enseignants), capacité en droit. DEUG droit en projet. **Lyon :** 100, rue Hénon, 69316 Lyon Cedex 04. 1er degré (cours spéciaux pour handicapés). Diplômes sanctionnant une formation professionnelle en secrétariat, comptabilité, assurances (CAP, BEP, BP, BTS). Études comptables sup. (en contact avec le CNAM). Concours d'entrée dans les écoles du secteur de la Santé et min. éducat. (conseiller d'éducat., CPE, infirmières) ; langue corse. **Rennes :** 7, rue du Clos-Courtel, 35050. Préparation au bac. et formations sup. en biotechnologies. Cours d'été et de soutien. Cours de breton, de gallo. **Rouen :** 2, rue du Dr-Fleury, 76130 Mont-St-Aignan. Enseign. du 1er cycle (collège). Cours d'été et de soutien. Portugais pour lusophones. CAP opérateur-projectionniste. **Toulouse :** 3, allée Antonio-Machado, 31051 Cedex. Enseignement élémentaire, pour enfants et adultes, lutte contre l'illettrisme, 1er cycle pour adultes, préparation au bac. F 8 et G, à certains CAPES, au concours d'entrée des écoles normales d'instituteurs ; BTS analyse bio., anglais précoce, catalan. **Vanves :** 60, boulevard du Lycée, 92171. Formation générale pour adultes, enseignement technique, langues tous niveaux, formation des personnels enseignants et enseign. supérieur. Télématique. Météo. Création d'entreprises.

Nombre d'inscriptions : 32 000. *Convention avec les écoles françaises à l'étranger. Droit d'inscription scolaire annuel en 1991, en Fr. métr.) :* 260 à 880 F.

• **Centre national de promotion rurale (CNPR).** Marmilhat, 63 370 Lempdes. Établissement public du min. de l'Agriculture. *Préparation* CAP, BEP, BT, BTS agricoles, agroalimentaires, technico-commerciaux ; certains concours du min. de l'Agric.

• **Télé-enseignement universitaire.** Enseignements dispensés par 21 universités et par le Centre national d'enseignement à distance.

• **Renseignements.** *CIDJ :* 101 quai Branly, 75740 Paris Cedex 15. *Chambre syndicale nat. de l'enseign. privé à distance :* 1, rue Thénard, 75005 Paris.

Budget

Dépense intérieure d'éducation et évolution du P.I.B. en milliards de F

Années	D.I.E. [1]	P.I.B. [2]	% P.I.B. [3]
1980	180,9	2 769	6,5
1981	208,6	3 111	6,7
1982	245,9	3 567	6,9
1983	280,1	3 935	7,1
1984	306	4 283	7,1
1988	355,4	5 659	6,28
1990	400		

Nota. – (1) Dépense intérieure d'éducation. *En % :* État 63,3 ; collectivités territoriales 18,6 ; autres administrations 0,4 ; entreprises 5 ; ménages 11,6. (2) Produit intérieur brut. (3) Part du produit intérieur brut consacrée à l'éducation.

Par nature de charges (en millions de F). *Budget voté en 1990 :* 199 939,2 [dont : personnel 162 088,9 ; fonctionnement 7 255 ; intervention 29 291,3 ; investissements (crédits de paiement) 1 313,5]. Investissements (autorisations de programme) 1 307. *Crédits demandés en 1991 :* 217 019,6 [dont : pers. 177 056 ; fonct. 7 645,2 ; interv. 31 149,3 ; invest. (créd. de paiement) 1 169]. Invest. (aut. de progr.) 1 278.

Financement de la dépense d'éducation (% du total de la dépense)

Financeur final	1974	1980	1988
État	66,3	67,4	66,4
Collectivités locales	15,5	15,1	13,5
Autres administrations	0,3	0,4	0,4
Total adm. publiques	*82,1*	*82,9*	*84,1*
Entreprises	4,9	4,9	5,9
Ménages	13	12,2	10
Total	**100**	**100**	**100**

Éducation nationale

Données générales

Montant en millions de F et rapports, en %, avec le PIB et le budget total (non compris pensions civiles)

	Montant	P.I.B.	Budget
1980	92 452	3,4	17,6
1981	106 273	3,4	17,2
1982	124 909	3,5	15,8
1983	141 447	3,6	16
1984	151 943	3,5	16,2
1985	158 833,9	3,5	16
1986	162 005,9	3,3	15,7
1987	164 857	3,2	15,7
1988	219 000	3,1	15,7
1989	230 170	3,1	15,8
1990	227 408	3,1	15,8
1991	247 793		

☞ **Budget de l'Éducation nationale** (en milliards de F) **en 1990 et,** entre parenthèses, **en 1991** : 227,4 (247,8) dont : scolaire 199,9 (217) ; supérieur 27,5 (30,8) [dont *supérieur et bibliothèques* 28,8 (dont dép. ordinaires 27,1, en capital 1,7) ; *recherche* 1,96 dont dép. ordinaires 0,3, en capital 1,7].

Comparaison avec l'étranger. Voir p. 1253.

Répartition (1989, en %) **par programmes des dépenses ordinaires et crédits de paiement du min. de l'Éducation nat.** *Enseign. des écoles :* 31,53 dont préélémentaire 7,2, élémentaire 15,11, spécial 1er degré public 2,1, privé 4,45, action sociale 0,14, formation des instituteurs 2,53. *Enseign. secondaire :* 62,23 dont collèges 23,43, lycées 21,26, privé 10,4, action sociale 3,99, formation des personnels collèges et lycées 1,48. *Enseign. univ.* [1] : 13,1 dont universités 7,7, enseign. technol. 1,9, recherche et grands établ. 1,3, action sociale 1,9, formation des personnels 0,3.

Programmes de soutien : 6,24 dont administr. 3,67, relations intern. 0,1, orientation 1,42, recherche, documentation 0,65, formation permanente 0,4.

Nota – (1) 1988.

Dépenses particulières

• **Enseignement public. Rémunération des personnels et matériels.** *Pers. d'enseign. et de direction :* État. *Pers. administratifs et de service : 1er degré :* communes ; *2e degré :* État. *Fonctionnement, matériel : 1er degré :* communes ; *2e degré :* établ. nationalisés : État 2/3, communes 1/3 ; établ. d'État : État.

Dépenses d'investissement. *1er degré :* communes avec subventions du départ. financées sur crédits du budget de l'État. *2e d. : acquisitions de terrains :* communes avec subventions de l'État ; *travaux :* communes avec subventions de l'État ; exceptionnellement État (DOM-TOM, opérations de caractère national) ; *équip. en matériel :* État. *Universités :* État.

• **Enseignement privé. Sous contrat :** *personnel enseignant :* État. *Autres personnels et fonctionnement matériel :* – classes sous contrat d'association : 1er degré : communes ; 2e d. : État (forfait d'externat) ; – sous contrat simple : familles. **Privé hors contrat :** à la charge des familles sauf exception.

Crédits d'État pour l'enseign. privé (budget 1988, en millions de F). Rémunération des personnels enseignants 17 518,3. Forfait d'externat et manuels scolaires 2 373,2. Autres subventions 172,2. Transports scolaires 21,5. Allocation de scolarité 60,9. Bourses et secours d'études 285,6. *Total* 21 782.

Dépenses communes

(enseignement public et privé)

Bourses. Enseignement supérieur et 2e degré : à la charge de l'État. *Enseign. sup. (en milliards de F). 1985 :* 1,68 ; *87 :* 2,07 ; *88 :* 2,37 ; *90 :* 3,17. Dans certains cas, les collectivités locales peuvent accorder des bourses scolaires aux élèves du 2e degré.

Transports scolaires (1984). *Dépenses* 2 648 900 000 F dont part (en %) : État 62,2 (1 214 F par élève), collectivités loc. et familles 35. *Élèves bénéficiant de l'aide :* 2 200 000, soit 20 % des élèves des enseign. élémentaire et 2e degré. En 1981-82, la gratuité était réalisée dans 31 départements.

Nota. – Dep. le 1-9-1984, les transports scolaires relèvent de la compétence quasi exclusive des collectivités locales.

Dépenses annuelles scolaires moyennes des familles et, entre parenthèses, **en F par élève, en 1990.** *En 6e et,* entre parenthèses, *en seconde.* 1 024,8 (1 531,1) dont : livres demandés par enseignants 90 (590,4) ; fournitures scolaires 582,6 (581,6) ; vêtements de sport 314,7 (295,1) ; blouses et vêtements professionnels 5,4 (33) : frais de scolarité 32 (30,9).

Dépense moyenne par élève de l'enseignement public (en F) **en 1988.** *Préélémentaire* 10 490 ; *élémentaire* 12 740 ; *2e degré 1er cycle* 17 520, *2e c. général* 21 620, *technique* 25 750 ; *classes sup. des lycées* 29 700 ; *IUT* 31 980 ; *universités formation d'ingénieur* 59 080, *autres form.* 19 140.

Aide aux familles prév. 1991 (en millions de F). 6 925,1 dont internats et demi-pensions 3 254,9 ; bourses 2 948 ; manuels scolaires 300,9 ; transports scolaires (Ile-de-Fr. et TOM) 421,3.

Logements en cités universitaires en 1991. Subventionnés 109 000 ; subvention totale 191 085 825 F ; par lit 184,53 F ; redevance mensuelle acquittée par l'étudiant 571 F.

Restauration universitaire en 1991. Repas servis 75 457 395 ; subvention 457 700 000 F ; par repas 6,07 F ; prix acquitté par l'étudiant 10,50 F.

Bourses d'études

Montant des bourses

• **Enseignement secondaire.** Parts unitaires variant selon ressources et charges des familles (2 à 6 pour les collèges, 3 à 10 pour les lycées). **Taux de la part :** collèges 168,30 F, lycées 243 F. **Taux moyen annuel constaté en F. :** 1er cycle : 723 ; 2e cycle professionnel : 2 422 et prime à la qualification de 2 811 accordée aux élèves préparant un CAP, un BEP, une mention ou une formation complémentaires à l'un de ces diplômes ; 2e cycle long général : 1 727 ; 2e cycle long tech. : 2 391. Prime d'équipement pour 1res années de section industrielle : 900. Prime d'accès à la classe de 2e : 1 200. *Nombre de boursiers constaté pour 1989-90 :* 1 573 384 (27,6 % des élèves).

• **Enseignement supérieur.** Les ressources familiales sont réparties en 9 tranches correspondant à 9 échelons de bourse attribués en fonction du plafond des ressources. **Taux annuel normal et,** entre parenthèses, **après service national en 1990-91** (en F) : *1er échelon :* 4 680 (6 210). *2e :* 6 210 (7 758). *3e :* 7 758 (9 306). *4e :* 9 306 (10 620). *5e :* 10 620 (11 952). *6e :* 11 952 (13 302). *7e :* 13 302 (14 616). *8e :* 14 616 (16 236). *9e :* 16 236 (17 422). *B. de type licence :* 17 422 (18 684) : *B. de service public* 16 236 (17 442). *1re année d'ét. de 3e cycle :* 17 442 (18 684). *Agrégation :* 18 684 (19 908).

Les bourses sont accordées aux Français et à certains étrangers (réfugiés, ressortissants de la CEE dont les parents travaillent ou ont travaillé en France, étrangers résidant en Fr. depuis au moins 2 ans ainsi que leur famille) qui suivent des études sup. ouvrant droit à cette aide.

Conditions d'attribution

Aux élèves (français ou étrangers) du 2e degré et aux étudiants de l'enseign. public ou privé habilité à recevoir des boursiers nationaux, situé en Fr. métr. ou dans un départ. d'outre-mer. *Critères :* ressources et charges des familles, définies chaque année par un barème national. Le plafond des ressources au-dessous duquel une bourse peut être accordée varie en fonction du nombre de points de charge. La famille des enfants originaires d'un pays hors CEE doit résider en France ou dans un départ. d'outre-mer.

• **2e degré. Points de charge :** famille avec 1 enfant à charge : 9 points, pour le 2e à charge : 1, chacun des 3e et 4e : 2, à partir du 5e : 3, candidat boursier déjà scolarisé en 2e cycle ou y accédant à la rentrée suivante : 2, pupille de la Nation ou justifiant d'une protection particulière : 1, père ou mère élevant seul 1 ou plusieurs enfants : 3, père et mère tous deux salariés : 1, conjoint en longue maladie ou en congé de longue durée : 1, enfant au foyer infirme permanent sans droit à l'allocation d'éducation spéciale : 2, ascendant à charge au foyer atteint d'une infirmité ou d'une maladie grave : 1.

Plafond des ressources imposables (1991-92) [1]. *9 :* 46 350. *10 :* 51 500. *11 :* 56 650. *12 :* 61 800. *13 :* 66 950. *14 :* 72 100. *15 :* 77 250. *16 :* 82 400. *17 :* 87 550. *18 :* 92 700. *19 :* 97 850. *20 :* 103 000. *21 :* 108 150. *22 :* 113 300. *23 :* 118 450. *24 :* 123 600. *25 :* 128 750. *26 :* 133 900.

Nota. – (1) 1er échelon.

• **Enseign. supérieur. Points de charge :** famille avec 1 enfant à charge (l'enfant est évidemment l'étudiant candidat boursier) : 9, candidat b. pupille de la nation ou bénéficiaire d'une protection particulière : 1, candidat b. dont le domicile habituel est éloigné de plus de 30 km de la ville universitaire : 2, père ou mère élevant seul(e) un ou plusieurs enfants : 2, père, mère ou conjoint en longue maladie ou en congé de longue durée ou atteint d'une invalidité d'au moins 80 % : 1, pour chaque enfant à charge à partir du 2e : 1, pour chaque enfant étudiant dans l'enseignement sup. à l'exclusion du candidat boursier : 2, enfant atteint d'une incapacité permanente (non pris en charge à 100 % dans un internat) : 2, ascendant à charge au foyer, atteint d'une infirmité grave ou d'une affection de longue durée ou atteint d'une invalidité d'au moins 80 % : 1, candidat b. souffrant d'un handicap physique nécessitant l'aide d'un tiers : 1, étudiants venant des DOM qui doivent poursuivre leurs études en métropole : 1, père ou mère tous 2 salariés : 1, candidat marié dont les ressources du conjoint sont prises en compte : 1, pour chaque enfant à charge du candidat : 1.

Plafond de ressources imposables (1991-92). [1]. *0 :* 73 400. *1 :* 81 600. *2 :* 89 700. *3 :* 97 900. *4 :* 106 000. *5 :* 114 200. *6 :* 122 400. *7 :* 130 500. *8 :* 138 700. *9 :* 146 800. *10 :* 155 000. *11 :* 163 200. *12 :* 171 300. *13 :* 179 500. *14 :* 187 600. *15 :* 195 800. *16 :* 204 000. *17 :* 212 100.

Nota. – (1) 1er échelon.

☞ *Autres possibilités pour les ét. non boursiers français :* prêts d'honneur, remboursables sans intérêt 10 a. après la fin des études. *En cas de graves problèmes financiers,* une aide peut être accordée sur les crédits du Fonds de solidarité étudiante. S'adresser à l'assistante sociale du CROUS.

• **Projet (mars 1991).** Aucune bourse ne sera inférieure à 6 500 F et le taux moyen grimpera de 5 %. Prêts bancaires garantis par l'État 13 000 F par an remboursables sur 6 ans avec différé d'un an après la dernière année d'emprunt. Offerts aux étudiants dont les parents ont des revenus inférieurs à 3 fois le SMIC.

Statistiques (1989-90)

• **2e degré. Nombre de boursiers** (public et, en italique, privé, France métr. + DOM). **1er cycle :** 913 644, *113 420.* **2e cycle gén. et techn. :** 287 483, *41 048.* **2e cycle professionnel :** 188 322, *29 467.* **Total :** 1 389 449, *183 935.*

% par rapport à l'ensemble des élèves (public et en italique privé). 30,63 ; *15,86.*

Origine socioprofessionnelle (public et privé) **(en %).** *Dernière nomenclature de l'INSEE.* Agriculteurs : 5,85. Artisans : 2,29. Commerçants : 1,38. Chefs d'entreprises : 0,05. Professions libérales : 0,12. Cadres fonction publ. : 0,11. Professeurs, professions scient. et artistiques : 0,13. Cadres entreprises : 0,09. Instituteurs et assimilés : 0,30. Professions intermédiaires de la santé : 1,11, admin. et comm. : 0,81. Techniciens : 0,52. Contremaîtres et agents de maîtrise : 0,68. Employés : 17,58. Ouvriers : 41,91. Retraités : 3,05. Autres sans activité : 24,02.

Part. *Répartition en %* (public + privé) : *2 :* 31,72. *3 :* 5,38. *4 :* 5,07. *5 :* 13,44. *6 :* 7,94. *7 :* 4,04. *8 :* 4,99. *9 :* 4,21. *10 :* 6,64. *11 :* 3,12. *12 :* 7,60. *13 :* 5,03. *14 :* 0,30. *15 :* 0,23. *16 :* 0,26. *17 :* 0,01. *18 :* 0,01. *19 :* 0,01.

• **Enseignement supérieur** (1988-89). **Nombre de boursiers par catégorie d'établ.** (public et privé, en %) : Universités 62,8, sections de techn. sup. 18,9, I.U.T. 9,3, écol. préparatoires aux grandes éc. 3,4, éc. d'ingénieurs 4, autres éc. 1,6.

Répartition par type d'aide (Fr. sans T.O.M.). 201 418 b. accordées dont étrangers 8 782. En % : *1er échelon* 5, *2e* 4,2, *3e* 5,5, *4e* 4,7, *5e* 7,7, *6e* 6,4, *7e* 12, *8e* 6, *9e avec ou sans compl.* 40,2, *service public* 0,4, *alloc. études 1re année* 3,3, *agrégation* 0,6, *prêts d'honneur* 1,8, *alloc. recherche* 1,8.

Origine socioprofessionnelle (public et privé, en %). Ouvriers 22,5. Employés 20,6. Professions intermédiaires 13,1. Autres inactifs 12,8. Retraités 12,1. Agriculteurs 8,5. Artisans et commerçants 5,7. Élèves sous tutelle DASS 0,3. Cadres, prof. intel. supér. 4,4.

Effectifs scolaires

Source : Service de la prévision, des statistiques et de l'évaluation (Vanves).

Effectifs totaux

Population scolaire et universitaire

Taux de préscolarisation (public en France métropolitaine, 1990-91 en %). *2 ans :* 30,3, *3 :* 87,2, *4 :* 89,9, *5 :* 87,8.

Total (public et privé) et % par rapport à la population totale (Fr. métr.)

1906	6 500 000	16,55	1975	13 160 000	25,01
1936	6 390 000	15,25	1980	13 386 000	25,00
1946	6 043 000	14,91	1985	13 856 000	25,16
1956	8 072 000	18,58	1986	13 911 000	25,16
1960	9 501 000	20,89	1987	13 474 361	24,27
1964	10 604 000	21,95	1988	12 793 500	22,94
1968	11 656 000	23,55	1989	13 604 255	24,16
1970	12 130 000	24,00	1990	13 735 701	24,37

Enseignement 1er et 2e degrés (1989-90, France métropolitaine)

Établissements et classes

• 1er degré. **Établissements publics et,** entre parenthèses, **privés.** Écoles maternelles 18 280 (396) ; élémentaires 38 976 (5 996), à plusieurs classes 30 857 (5 742), à classe unique 8 032 (239) ; spéciales 87 (15).

Nombre de classes. Maternelles et enfantines 77 512 (10 615) ; élémentaires 155 651 (26 570) ; initiation et adaptation 1 983 (161) ; enseignement spécial 5 607 (404).

• 2e degré. **Établissements publics et** entre parenthèses, **privés.** Lycées 1 234 (1 266) ; collèges 4 858 (1 820) ; lycées professionnels (ou écoles techniques 2e cycle prof.) 1 338 (832).

Nombre de classes. 1er cycle (sauf C.P.P.N.-C.P.A.) 99 018 (26 241) ; C.P.P.N.-C.P.A. 4 645 (699) ; 2e cycle professionnel 23 649 (7 674) ; baccalauréat professionnel 2 429 (1 174) ; 2e cycle général et technologique 40 382 (13 363) ; formations complémentaires 1 074 (164).

Effectifs scolaires rentrée 1990 (prév. 1991) en milliers. Total public 10 758 900 (10 800 900) dont 1er degré 6 026 400 (6 015 500) ; 2e degré 4 732 500 (4 785 400). Total privé 2 160 700 (2 171 500) dont 1er degré 946 800 (943 900) ; 2e degré 1 213 900 (1 227 600). **Total** 12 919 600 (12 972 400).

Effectifs en 1989-90 par académie

Académies	1er degré		2e degré	
	public	privé	public	privé
Aix-Marseille	257 189	26 539	183 066	45 842
Amiens	213 560	19 375	161 237	27 025
Antilles-Guyane	119 237	10 075	93 494	9 088
Besançon	123 269	11 184	94 370	17 275
Bordeaux	257 104	30 891	197 198	46 388
Caen	141 617	29 917	106 720	32 109
Clermont-Ferrand	113 616	22 404	90 273	30 092
Corse	24 314	1 149	18 530	1 571
Créteil	438 971	25 215	296 383	42 550
Dijon	164 434	13 381	131 526	19 381
Grenoble	270 614	42 770	201 024	50 957
Lille	461 022	96 481	348 805	99 085
Limoges	61 410	3 905	55 973	6 785
Lyon	276 229	58 078	193 145	73 494
Montpellier	202 230	26 116	144 225	32 634
Nancy-Metz	262 681	17 765	197 557	35 631
Nantes	240 669	147 961	189 771	130 648
Nice	162 136	14 153	116 839	19 156
Orléans-Tours	243 672	25 639	186 430	33 198
Paris	141 371	36 419	114 959	64 965
Poitiers	151 083	22 778	121 633	25 430
Reims	153 638	14 256	116 435	20 991
Rennes	206 286	131 288	162 430	127 510
Réunion	104 442	8 951	70 393	3 841
Rouen	201 056	18 747	149 532	27 306
Strasbourg	172 622	8 708	123 234	18 756
Toulouse	209 241	34 255	166 786	44 158
Versailles	559 970	42 388	393 443	70 566
Total France (sauf T.O.M.)	**5 933 683**	**940 792**	**4 425 411**	**1 156 432**
dont Fr. métr.	5 710 004	921 766	4 261 524	1 143 503

Élèves étrangers

Élèves étrangers. Répartition. Total 1er et second degré (y compris éduc. spéciale) : *1975-76 :* 817 578 (6,6 %), *80-81 :* 963 193 (7,9), *86-87 :* 1 085 342 (8,9), *87-88 :* 1 076 544 (8,8), *88-89 :* 1 065 460 (8,7), *89-90 :* 1 065 258 (8,8) dont : **1er degré (y compris éduc. spéciale) :** *89-90 :* 657 947 (9,8) [dont Marocains 162 860, Algériens 162 157, Tunisiens 51 119, autres pays d'Afrique francophones 43 924, non franc. 11 093. Portugais 84 832, Espagnols 10 925, Italiens 9 159, Yougoslaves 6 345, Grecs 464, autres pays de la C.E.E. 7 245. Turcs 48 130. Sud-Est asiat. 33 916. Autres 25 778]. **2e degré :** *89-90 :* 407 311 (7,4) [dont Algériens 92 618, Marocains 82 782, Tunisiens 26 686, autres pays d'Afrique francophones 20 330, non franc. 3 394. Portugais 82 633, Espagnols 14 129, Italiens 11 837, Yougoslaves 5 729, Grecs 3 533, autres pays de la C.E.E. 4 252. Turcs 24 225. Sud-Est asiat. 19 061. Autres 18 102].

Répartition des effectifs dans l'enseignement du 1er degré, année 1990-91 (France métropolitaine)

	Public	Privé	Total	% Privé
Préélém.	2 241 008	314 676	2 555 684	12,3
CP	707 139	112 054	819 193	13,7
CE1	678 815	112 312	791 127	14,2
CE2	699 404	121 011	820 415	14,7
CM1	699 435	128 426	827 861	15,5
CM2	670 924	132 726	803 650	16,5
CP - CM2	3 455 717	606 529	4 062 246	14,9
Initiation	4 318	98	4 416	2,2
Adaptation	15 413	1 516	16 929	9,0
Ens. spécial	61 654	3 898	65 552	5,9
Total 1er degré	5 778 110	926 717	6 704 827	13,8

Répartition des effectifs dans l'enseignement du 2e degré, année 1990-91 (public, France métropolitaine)

Niveau d'enseignement	Garçons	Filles	Total
1er cycle			
6e	334 354	317 045	651 399
5e	327 556	319 411	646 967
4e	236 169	266 421	502 590
3e	235 533	271 393	506 926
Total 6e à 3e	1 133 612	1 174 270	2 307 882
4e technol.	44 222	24 191	68 413
3e technol.	39 392	21 178	60 570
CPPN	14 038	9 110	23 148
CPA	17 026	8 198	25 224
Total CPPN + CPA	31 064	17 308	48 372
Total	*1 248 290*	*1 236 947*	*2 485 237*
2e cycle prof.			
CEP (1 an)	75	199	274
CAP 3 ans	51 725	32 997	84 722
CAP 1 an	816	142	958
CAP 2 ans	12 434	8 847	21 281
BEP	192 704	161 814	354 518
MC au CAP et BEP	3 615	459	4 074
Bac professionnel	38 228	30 137	68 365
Total	*299 597*	*234 595*	*534 192*
2e cycle gén. et techn.			
Seconde	190 075	220 955	411 030
Première	195 347	221 709	417 056
Terminale	188 529	226 933	415 462
dont :			
Term. bac général	117 347	155 854	273 201
Term. bac technol.	63 470	68 898	132 368
Term. BT	7 712	2 181	9 893
Total	*573 951*	*669 597*	*1 243 548*
Total 2e degré	2 121 838	2 141 139	4 262 977
Formations complém.	6 601	4 695	11 296
Préparations diverses	137	526	663

% par rapport au nombre total d'élèves. 1er degré [1] : *+ de 15 % :* Paris 24,9 % ; Créteil 21,2 ; Versailles 16,9. Lyon 16,1 ; Corse 15,2 ; *– de 3 % :* Nantes 2,2, Caen 2,2, Poitiers 2,2, Rennes 1,3. **2e degré** [1] : *+ de 7 % :* Créteil 16,7, Paris 14,6, Versailles 13, Lyon 11,9, Strasbourg 10,6, Corse 9,1, Grenoble 8, Nancy 8,8, Besançon 8,5, Dijon 7,8, Orléans-Tours 7,5, Nice 7,3, *– de 2 % :* Nantes 1,8, Caen 1,8, Rennes 0,9.

% par niveau public et entre par. privé : **1er degré :** Préélémentaire 9,7 (1,8) ; C.P.-C.M.2 11,6 (2,2) ; Initiation 84,5 (37) ; Adaptation 23,3 (4,5) ; Perfectionnement 21,8 (3,4). **2e degré** 1er cycle 9,6 (2,2) ; C.P.P.N.-C.P.A. 14,7 (5,7) ; 2e cycle court 10,1 (4,1) ; 2e c. long 4,8 (2) ; Ens. spécial 18,5 (8,2).

Nota. – (1) Ens. spécial inclus en 1989-90.

Enseignement spécial (handicapés) (1989-90, France métropolitaine)

Total. 328 954 él. (dont 277 496 scolarisés) dont dans SES (sections d'éduc. spécialisées) et classes-ateliers 111 254, établ. médico-éducatifs 106 777, classes spéciales en éc. maternelles et primaires (anciennes cl. annexées) 64 464, établ. médicaux 20 708, établ. socio-éduc. 10 599, EREA 12 270, établ. scolaires spécialisés 2 882.

Par types de handicaps. Retard mental léger 106 667, difficultés scolaires graves liées à des problèmes sociaux 89 686, retard mental moyen 40 923, troubles relationnels 22 503, retard mental sévère 12 742, troubles psychiatriques 11 505, déficience motrice 10 748, déf. somatique 9 947, sourds et malentendants 8 937, polyhandicapés 8 530, non handicapés 2 859, amblyopes 2 677, aveugles 1 230.

Enseignement agricole (1989-90, France métr.)

Enseignement public. Donné dans 491 centres dont 226 ét. pub. locaux (lycées agricoles et lycées prof. agr.), 89 centres de formation d'apprentis, 144 CFPAJ, 32 centres de formation professionnelle pour adultes, 25 ét. d'enseignement sup.

Privé reconnu. 489 maisons familiales (enseignement par alternance pour une majorité d'enseignements professionnels courts), 280 établissements à temps plein plus 7 établissements d'enseignement supérieur proposant des formations amenant au BTS.

Ens. public *1989 :* 57 039 [court 23 362, long 24 364, sup. 9 313]. **Privé** *1989 :* 78 120, temps plein 44 365, en alternance (maisons familiales et instituts ruraux) 33 775, sup. env. 2 000.

Statistiques. 90 % des élèves trouvent un emploi dans l'année qui suit la fin des études (agric. et hortri. 50, indust. agro-alim. 13). 75 % des titulaires du CAPA et 31 % des titulaires du BTSA travaillent dans l'agriculture.

Mode d'hébergement

Total en 1989-90. *Public* et, entre parenthèses, *privé : 2e degré* 4 408 437 (1 192 410) dont (en %) externes 41 (43,2) ; demi-pens. 53,5 (47,5) ; internes 5,5 (9,3).

Public. *Externes* 41 (lycées 37,5, collèges 45,2, LEP 32,8) ; *1/2 pensionnaires* 53,5 (lycées 53, collèges 54,3, LEP 51,7) ; *internes* 5,5 (lycées 9,5, collèges 0,5, LEP 15,5).

Privé. *Externes* 43,2 (lycées 50,1, collèges 35,5, LEP 55,6) ; *1/2 pensionnaires* 47,5 (lycées 37,2, collèges 58,3, LEP 32,1) ; *internes* 9,3 (lycées 12,7, collèges 6,2, LEP 12,3).

Tarif des internats (en F, par an, 1987-88). Public 3 000 à 7 500. Privé [1] 9 500 (sous contrat) à 24 000 (hors contrat).

Nota. – (1) en 1983-84.

Nombre d'élèves par classe

• **Taille moyenne des classes. 1er degré (1989-90). Public,** entre parenthèses **privé.** *Écoles maternelles* 27,9 (27,3) [dont cl. maternelles 28 (27,4)]. *Écoles primaires* 22,4 (24,5) [dont cl. maternelles 25,8 (27,5), CP 21,9 (22), CP à CM2 24,1 (24,7), cl. à plus. cours 20,2 (21,3), cl. unique 13,3 (14,2), initiation 10,1 (23), cl. spéciales 11,3 (10,5), adaptation 10 (11,4)].

2e degré. *Total* 26,4 (23,7) dont *1er cycle :* 24,2 (24,3) [dont *6e :* 24,6 (24,3), *5e :* 24,7 (24,6), *4e :* 24,5 (24,5), *3e :* 24,9 (25)], *CPPN :* 13,4 (14,2), *CPA :* 16,7 (15,6) ; *2e cycle court :* 23,6 (21,2) [dont *CEP :* 13,2 (13,6),

Nombre de redoublants, en %, en 1989-90 (public + privé) *CP* 8,1. *CE 1* 5,2. *CE 2* 4,3. *CM 1* 4,2. *CM 2* 4,9. *6e* 11,4 [1]. *5e* 14,4 [1]. *4e* 8,1 [1]. *3e* 12,5 [1]. *2e* 16,6 [1]. *1re* 6,8 [1]. *T* 20,7 [1]. *CAP 1* 5,5 [1]. *CAP 2* 3,7 [1]. *CAP 3* 10,1 [1]. *BEP 1* 7 [1]. *BEP 2* 10,3 [1].

Nota. – (1) 83-84.

CAP 3 ans : 20,9 (18,5), *CAP 2 ans, BEP :* 24,7 (22,5)] ; *2e cycle long :* 31,4 (25,6) [dont *2e :* 33,6 (29,5), *1re :* 30,4 (24,9), *terminale :* 30,2 (23,1)].

• **Seuils de dédoublement des classes.** L'effectif de référence pour la constitution des classes est de 24 élèves.

• **Seuil de fermeture d'écoles rurales à cl. unique.** Depuis le 13-1-1982, les classes de – de 9 él. sont maintenues [avant, en cas de fermeture : les élèves étaient regroupés dans l'école d'un village central dotée de classes de tous les niveaux ou, dans chaque village, une seule classe de niveau homogène était maintenue (l'ensemble des classes dispersées constituant une école intercommunale)].

Enseignement des langues

Langues vivantes

• **Enseignement secondaire. Obligatoires.** 1re langue obligatoire à partir de la 6e ; la 2e en option à partir de la 4e ou de la 2e : la 3e, en option en 2e et 1re, obligatoire en terminale A2. **Principales langues étudiées en nombre d'élèves, dans le 2e degré (public) et,** entre parenthèses **(privé). Année 1989-90 (1re, 2e, 3e langues ens. facultatif compris) :** *Anglais* 3 843 618 (1 069 279) ; *Allemand* 1 101 503 (253 369) ; *Espagnol* 1 035 669 (323 924) ; *Italien* 154 342 (24 482) ; *Russe* 26 400 (2 482) ; *Portugais* 12 948 (321) ; *Hébreu moderne* 949 (3 467) ; *Chinois* 2 384 (381) ; *Arabe littéral* 11 057 (612) ; *autres* 4 193 (764). *Langues par correspondance :* 5 105 (722) ; *Langues régionales* 16 343 (4 318). **Total 2e degré :** 4 249 481 (1 141 165).

% d'élèves étudiant une 1re langue vivante (1989-90). Public et, entre parenthèses, **privé.** *1er cycle :* anglais 84,8 (92,1), all. 13,6 (7,4), espagnol 1 (0,5), autres 0,6. *2e cycle général et techno. :* anglais 83,1 (90,9), all. 15 (7,6), espagnol 1,1 (1,3), autres 0,8 (0,2). *2e cycle prof. :* anglais 91,9, (94,7), all. 5,3 (3), espagnol 2,4 (2,2), autres 0,4 (0,1).

% d'élèves étudiant une 2e langue vivante (1989-90). Public et, entre parenthèses, **privé.** *1er cycle* (à partir de la 4e) : espagnol 50,5 (57,7), all. 26,3 (30), anglais 16,4 (9,3), italien 5,7 (2,3), autres 1,1 (0,7). *2e cycle général et techn. :* espagnol 45,3 (53,7), all. 29,5 (33), anglais 19,2 (9,8), italien 5 (2,6), autres 1 (0,9). *2e cycle prof. :* espagnol 40,2 (57,1), all. 33 (22,6), anglais 18,8 (12,4), italien 4,4 (1,3), autres 2,9 (6,6).

Nouvelles mesures. Enseignement continu de l'allemand de la 6e au bac dans les villes de + 30 000 h. Suppression des seuils d'effectifs pour l'ouverture d'une section de langue vivante dans l'enseign. secondaire. Développement de l'enseign. du japonais.

• **Enseignement supérieur. Effectifs des formations linguistiques (1989-90)** [1] : Anglais 78 625, Espagnol 31 145, Allemand 22 483, Italien 7 643, Arabe 1 736, Portugais 1 659, Russe 1 533, Chinois 1 135, Japonais 460, Hébreu 177, Grec moderne 98, Néerlandais 78, Coréen 57, Vietnamien 44, Polonais 43, Scandinave (Danois, Islandais, Norvégien, Suédois) 42, Persan 37, Hindi 36, Tchèque 10, Finnois 8, Serbo-Croate 8, Turc 7, Hongrois 4, Roumain 2. *Total : 147 070 (dont 1er cycle 96 887, 2e 47 189, 3e 2 294).*

Effectifs étudiant des langues en option (1989-90) [1] : Anglais 276 151, Allemand 36 932, Espagnol 31 945, Italien 11 731, Russe 5 220, Portugais 5 000, Arabe 2 820, Chinois 1 503, Tchèque 1 180, Japonais 1 154, Néerlandais 1 014, Scandinave 839, Grec moderne 729, Roumain 636, Hébreu 590, Slovaque 578, Polonais 459, Serbo-Croate 238, Bulgare 154, Persan 112, Hongrois 91, Turc 89, Coréen 55, Tamoul 39, Hindi 22, Vietnamien 17, Ukrainien 9, Indonésien Malaisien 2. *Total 379 309.*

Nota. – (1) Établissements universitaires sauf Inst. Nat. des Langues et Civilisations Orientales.

• **Effectif d'élèves (1989-90) en enseignement intégré.** Arabe Algérien 16 754, Marocain 12 378, Tunisien 2 316, Espagnol 387, Italien 11 100, Portugais 9 990, Turc 7 932, Yougoslave 69. *Total :* 60 926. **Différé.** Arabe Algérien 3 771, Marocain 13 019, Tunisien 5 326, Espagnol 2 354, Italien 1 472, Portugais 15 451, Turc 8 466, Yougoslave 1 362. *Total :* 51 221.

Langues mortes

• **Conditions.** L'enseignement du latin et du grec débute au niveau de la 4e. En 4e et 3e, les élèves peuvent étudier, selon les options et parmi d'autres matières, le latin seul, le grec seul, ou simultanément latin et grec. Latin ou grec, peuvent être choisis en option obligatoire ou complémentaire facultative ; le programme prévoit 3 h de cours hebdomadaires et 5 h pour les « grands débutants ».

• **Nombre d'élèves.** (1987-88) **1er cycle :** sur 654 132 garçons 24,2 % étudiaient le latin, 1,9 le grec ; sur 740 083 filles 28,6 % étudiaient le latin, 2,2 le grec. **2e cycle :** sur 582 032 garçons 9,7 % étudiaient le latin, 1,3 le grec ; sur 717 968 filles 14,2 % étudiaient le latin, 1,8 le grec.

Comparaison 1970-71/1989-90 (1er cycle) public : étudient le latin 25,7 (17,4 en 70-71), étudient le grec 2,3 (0,9 en 70-71).

Élèves 1989/90	Latin		Grec	
	Public	*Privé*	*Public*	*Privé*
4e	135 654	48 864	12 198	3 747
3e	127 737	44 959	10 928	3 115
2e	56 470	22 028	6 458	2 675
1re	34 354	13 874	4 358	1 749
Term.	26 360	10 671	3 610	1 417
Total	380 575	140 396	37 552	12 703

Langues régionales

Conditions. les langues régionales (basque, breton, catalan, occitan) peuvent être étudiées depuis la loi Deixonne du 11-1-1951 ; le corse peut être étudié depuis 1974 (décret Fontanet).

Académies d'enseignement. *Occitan :* Aix, Bordeaux, Clermont, Limoges, Montpellier, Nice, Toulouse ; *breton :* Nantes, Paris, Rennes, Versailles ; *corse :* Aix, Corse, Nice ; *catalan :* Montpellier ; *basque :* Aix, Bordeaux ; *alsacien :* Strasbourg.

Nombre d'élèves du 2e degré étudiant une langue régionale (1986-87). *Total* 8 139 (public 66,7 %, privé 33,2 %). *Occitan* 10 647 (pu. 73,5, pr. 26,4). *Breton* 3 756 (pu. 16,4, pr. 83,5). *Basque* 1 867 (pu. 42,4, pr. 57,5). *Catalan* 2 576 (pu. 97,2, pr. 2,7). *Corse* 2 982 (pu. 93,6, pr. 6,3).

Formation professionnelle

☞ Voir aussi à l'Index.

Organismes publics

• **Association pour la formation professionnelle des adultes (AFPA).** 13, place de Villiers, 93108 Montreuil Cedex. En 1987 : demandeurs de formation 330 000, accueillis par des psychologues du travail. Stagiaires 110 000, recevant une formation (+ de 300 métiers) dans l'un des 137 centres (57 millions d'heures/stagiaires). Les stages rémunérés sont ouverts aux adultes qu'ils soient sous contrat de travail (en congé individuel de formation ou envoyés par leur entreprise) ou demandeurs d'emploi. Les enquêtes permanentes sur le placement des stagiaires montrent que 6 mois après leur sortie de stage, 56,5 % des stagiaires formés au niveau ouvrier et employé qualifié ont trouvé un emploi, et 75,3 % au niveau technicien et technicien supérieur.

• **Établissements du ministère de l'Éducation nationale. GRETA** (Groupements d'établ. pour la formation continue) : 382 regroupant 5 760 établ. s. *Proposent :* stages d'initiation, perfectionnement ou promotion professionnels (conçus en fonction des problèmes spécifiques des entreprises et des salariés) ; préparations aux diplômes professionnels nationaux (CAP, BP, BTS) dans le cadre de la promotion sociale, souvent préparés en partie sur le temps de travail, suivant les nouvelles modalités du système d'obtention de diplômes par unités capitalisables ; stages pour publics prioritaires, ouverts aux jeunes sans qualification, demandeurs d'emploi, travailleurs migrants, femmes souhaitant la réinsertion dans la vie professionnelle.

Activités coordonnées dans chaque académie par la DAFCO (Délégation académique à la formation continue) et au niveau national par le Service de formation continue, intégré à la Direction des lycées.

Nombre de stagiaires (1988) : 567 000 participants aux sessions de formation dont actions financées par les entreprises (1 %) 219 000, l'État et collect. locales 348 000 (dont stages jeunes 16-25 a. 86 636, demandeurs d'emploi 147 257, migrants 18 373).

Centres de formation continue des universités. 127 000 stagiaires et 16,5 millions d'heures stagiaires dans 78 univ. ou centres univ. ; grandes écoles ou établ. d'enseign. supérieur.

Conservatoire national des arts et métiers et ses centres associés **(CNAM).** Voir p. 1283 b.

Centre nat. d'ens. à distance (CNED). Voir p. 1263 b.

Agence nationale pour le développement de l'éduc. permanente (ADEP). Tour Franklin, Paris la Défense. (Ne fait pas de formation directe.)

Centres académiques de formation continue (CAFOC). Forment des conseillers en formation continue, et des formateurs des organismes de formation publics ou privés, ou des entreprises. *Nombre :* 27.

Enseignement privé

Quelques dates

XIIIe au XVIe s. : la notion d'enseignement « privé » n'existe pas : l'enseignement est ecclésiastique, et l'Égl. n'est pas séparée de l'État monarchique. **XVIe-XVIIe s.** jusqu'à la révocation de l'édit de Nantes (1685), les Protestants ont des établ. scolaires et universitaires (académies) qui échappent au contrôle de l'Église. **1685-1791** l'Égl. catholique (non séparée de la monarchie) a le contrôle de toute l'éducation, dont une grande partie est entre les mains des congrégations enseignantes. **1791** suppression des congrégations : les enseignants sont autorisés à faire la classe à titre personnel (en touchant une pension de l'État). **1793** *oct. décret Lakanal : « l'enseign. est libre... tout citoyen a le droit d'ouvrir une école et d'enseigner... muni d'un certificat de civisme et de bonnes mœurs. »* **1795** *août* la Constitution du Directoire reconnaît la liberté d'enseign. **1808** dans l'Univ. napoléonienne, l'enseign. primaire (communal) n'est pas réglementé. Des collèges secondaires privés existent à côté des lycées d'État. **1824**-*8-4* une ordonnance met en place un support juridique pour les établ. privés, qui place l'enseign. primaire sous la responsabilité des évêques et des congrégations. **1833** la *loi Guizot* établit un régime scolaire assez libéral, surtout pour le primaire. **1850** la *loi Falloux* établit dans l'ens. primaire et secondaire le principe de la liberté et associe l'Église au contrôle de l'éducation : les établ. congréganistes se développent. **1875** *liberté étendue* à l'ens. sup. A partir de *mai 1877,* les républicains combattent l'Église et l'éduc. religieuse. **1882**-*23-3 loi Jules Ferry ; laïcisation* des programmes, gratuité et obligation de l'instruction ; l'instruction morale et civique remplace l'enseign. religieux ; la religion pourra être enseignée le jeudi, mais en dehors de l'école. **1886** « *dans les écoles publiques de tout ordre, enseignement exclusivement confié à un personnel laïque.* » Cependant, en vertu du principe de neutralité, l'enseign. religieux reste un droit des élèves et des familles, à condition qu'il soit organisé en dehors des h de classes et des édifices scolaires. **1904** *interdiction des congrégations enseignantes* (en 1912, on ne comptera plus que 27 écoles congréganistes, contre 13 000 en 1880). **1905** *séparation* de l'Église et de l'État. **1919** *loi Astier :* liberté de l'enseign. technique. **1929** *loi Herriot :* gratuité pour les élèves des lycées ; les établ. religieux connaissent de graves difficultés financières, n'étant pas subventionnés par l'État. **1931**-*10-3* la Chambre des députés vote à l'unanimité des 414 votants l'article 50 de la Loi de Finances du 31-3 accordant la gratuité de l'ens. secondaire public (classe de 5e), « sous réserve du maintien de la liberté de l'ens. qui est l'une des lois fondamentales de la République ». Le Conseil constitutionnel s'est récemment référé à ce vote pour affirmer le principe constitutionnel de la liberté de l'enseignement.

Nota. – Les votants de 1931 avaient approuvé, par plusieurs scrutins, le refus des dégrèvements fiscaux compensateurs pour les familles confiant leurs enfants à l'enseignement privé (438 députés contre les dégrèvements et 121 pour).

1941-*2-11* (loi) du gouv. de Vichy accordant des subventions aux écoles privées. **1945**-*28-3* à l'Assemblée consultative, Georges Cogniot, le rapporteur communiste de la commission de l'Éducation nationale, demande, avant leur suppression définitive, la réduction de ces subventions pour l'année scolaire en cours. Gaston Tessier (syndicaliste CFTC), demandant au contraire leur augmentation, n'obtient que 49 voix contre 128. *-2-11* l'acte du 2-11-41 est abrogé par le gouv. de Gaulle. **1951**-*17-6* élections défavorables à la gauche, le « front laïque » devient minoritaire. *-21-9* loi étendant le bénéfice des bourses aux élèves de l'enseignement privé votée par 361 voix contre 236 ; le texte a été adopté grâce à l'union du centre et de la droite (MRP, RGR, RPF, indépendants, paysans). Les laïques regroupent communistes, socialistes et quelques radicaux ou progressistes. *-28-9* loi *Barangé,* créant une allocation scolaire pour les familles quelle que soit l'école choi-

Répartition des diplômes et des attestations d'unités capitalisables délivrés selon les spécialités (groupes de formation de la nomenclature) (1988-89) (France sans T.O.M.).

Spécialités	C.A.P.					B.P.					B.T.S.				
	Nombre de diplômes	Nombre d'unités terminales		Nombre d'unités intermédiaires		Nombre de diplômes	Nombre d'unités terminales		Nombre d'unités intermédiaires		Nombre de diplômes	Nombre d'unités terminales		Nombre d'unités intermédiaires	
		Domaine professionnel	Domaines généraux	Domaine professionnel	Domaines généraux		Domaine professionnel	Domaines généraux	Domaine professionnel	Domaines généraux		Domaine professionnel	Domaines généraux	Domaine professionnel	Domaines généraux
Agriculture – Élevage – Forestage	–	4	2	4	–	–	–	–	–	–	–	–	–	–	–
Pêche – Navigation maritime et fluviale	–	–	–	–	–	–	–	–	–	–	–	–	–	–	–
Mines et carrières	–	–	–	–	–	–	–	–	–	–	–	–	–	–	–
Génie civil – Travaux publics – Topographie	–	–	–	–	–	–	–	–	–	–	–	–	–	–	–
Construction en bâtiment	38	43	199	208	185	14	60	91	42	72	–	–	–	–	–
Couverture – Plomberie – Chauffage	103	50	570	346	280	8	16	53	22	16	–	–	–	–	–
Peinture en bâtiment et Industrie	25	4	114	124	109	–	1	–	–	–	–	–	–	–	–
Production et 1re transformation métaux	97	39	346	117	92	–	–	20	–	–	–	–	–	–	–
Forge – Chaudronnerie – Construct. métallique	72	21	201	178	221	–	–	–	–	–	–	–	–	–	–
Mécanique	527	292	1513	465	865	53	87	137	99	211	98	410	418	56	178
Électricité – Électrotechn. – Électromécanique	328	119	1281	580	772	145	171	535	93	432	–	–	–	–	–
Électronique	–	–	–	–	–	–	–	5	–	9	12	93	180	192	187
Verre et céramique	8	–	11	5	–	–	–	–	–	–	–	–	–	–	–
Photo – Industries graphiques	–	–	–	3	–	–	–	–	4	5	5	–	–	–	–
Papier – Carton	27	–	8	2	–	–	–	–	–	–	–	–	–	–	–
Chimie – Physique – Biochimie – Biologie	166	50	448	162	218	56	42	187	34	63	–	–	–	–	–
Boulangerie – Pâtisserie	25	12	76	59	76	–	–	–	–	–	–	–	–	–	–
Abattage – Travaux viandes	–	–	–	–	–	–	–	–	–	–	–	–	–	–	–
Autres spécialités de l'alimentation	320	174	723	446	591	–	–	–	–	–	–	–	–	–	–
Textiles	35	9	71	68	29	–	–	–	–	–	–	–	–	–	–
Habillement – Travail des étoffes	14	4	20	13	17	4	4	34	17	29	–	–	–	–	–
Travail des cuirs et peaux	–	–	–	–	–	–	–	–	–	–	–	–	–	–	–
Travail du bois	28	34	241	176	150	21	31	53	50	24	–	–	–	–	–
Conducteurs d'engins	123	50	187	41	67	–	–	–	–	–	–	–	–	–	–
Autres formations primaire et secondaire	4	2	–	10	–	–	–	–	–	–	–	–	–	–	–
Dessin – Bâtiment – Travaux publics	1	9	46	11	12	–	–	–	–	–	–	–	–	–	–
Dessin industriel	8	5	24	5	15	3	6	20	1	19	–	–	–	–	–
Organisations du travail – Gestion	–	–	–	–	–	–	–	–	–	–	–	–	–	–	–
Technique administrative ou juridique	99	59	413	160	194	–	–	75	–	2	–	–	–	–	–
Secrétaire – Dactylographe – Sténographe	57	16	170	31	36	11	87	130	44	48	–	–	–	–	–
Technique financière – Comptabilité	306	222	1242	448	502	153	1093	995	454	303	–	–	–	–	–
Traitement de l'information	6	–	38	17	25	123	796	853	549	316	133	714	561	954	456
Commerce et distribution	60	36	394	189	237	10	11	7	1	2	–	–	–	–	–
Information – Document – Relations publiques	–	–	–	–	–	–	–	–	–	–	–	–	–	–	–
Arts et arts appliqués	–	–	–	–	–	–	–	–	–	–	–	–	–	–	–
Santé, services sociaux	–	–	–	–	–	–	–	–	–	–	–	–	–	–	–
Soins personnels	–	–	9	7	33	–	–	–	–	–	–	–	–	–	–
Services Hôtellerie et collectivités	135	111	451	277	307	–	–	–	–	–	–	–	–	–	–
Arts ménagers	–	–	–	–	–	–	–	–	–	–	–	–	–	–	–
Formations littéraires et linguistiques	–	–	–	–	–	–	–	–	–	–	–	–	–	–	–
Formations générales à finalité professionnelle	66	36	108	11	61	–	–	–	–	–	–	–	–	–	–
Total	2678	1401	8909	4160	5094	601	2405	3199	1411	1551	243	1217	1159	1202	821

sie, votée par 313 voix contre 255. Les 2 lois donnent lieu à des débats de 10 j chacun. **1959**-*31-12* loi *Debré.* Après la démission d'André Boulloche, ministre de l'Éduc. nat., la loi, défendue par le Premier ministre, M. Debré, en personne, est adoptée par 427 voix, 71 contre et 18 abstentions volontaires. L'opposition se réduit aux communistes, socialistes et quelques radicaux (Arthur Conte, Félix Gaillard, Maurice Faure). **1960** les partis de gauche donnent leur accord au serment que le Comité national d'action laïque (CNAL) leur avait demandé de prêter d'abroger la loi Debré. **1971**-*1-7* loi facilitant notamment la transformation des contrats simples en contrats d'association, votée par 376 voix contre 92. *Principaux opposants :* Gaston Defferre, Michel Rocard, François Mitterrand, Roland Leroy. Certains réformateurs se prononcent contre le texte (J.-J. Servan-Schreiber) et d'autres pour (Pierre Sudreau, Michel Durafour). **1977**-*28-6* loi *Guermeur* votée par 292 voix contre 184, après avoir été présentée à 7 h du matin, à la fin d'une nuit de débats, et avoir été déclarée irrecevable dans tous ses articles, sauf 1, par le bureau de la Commission des Finances. *Principaux opposants :* François Mitterrand, Pierre Mauroy, Louis Mermaz, Gaston Defferre, André Chandernagor, Georges Fillioud, Marcel Franceschi, André Labarrère, etc. **1981**-*30-9* Gaston Defferre et Alain Savary demandent aux préfets de ne pas inscrire d'office les crédits municipaux destinés aux écoles primaires privées sous contrat. **1982**-*25-1* début des consultations d'Alain Savary, ministre de l'Éduc. nat. *-24-4* l'UNAPEL réunit 100 000 personnes à Pantin. *-9-5* discours au Bourget de Pierre Mauroy devant 250 000 personnes réunies par le CNAL. *-4-8* A. Savary annonce que la réflexion portera aussi sur l'enseignement public. Mais le CNAL réagit négativement et A. Savary abandonne cette idée. *Novembre et décembre :* l'enseignement catholique manifeste à Paris contre le refus d'autoriser l'ouverture d'un centre de formation des maîtres à Amiens. Manif. aussi à Brest, Nantes, Pontivy, etc., contre des municipalités socialistes hostiles au paiement de crédits.

1er échange de propositions (fin 1982 - début 1983). *Plan Savary (20-12-1982).* Ces propositions prônent « l'insertion du secteur privé au sein du service public d'enseignement », à partir de la transformation des écoles libres en EIP (établissements d'intérêt public). A. Savary propose comme modèle les « groupements d'intérêt public » prévus dans la loi Chevènement sur la recherche et assurant une prédominance de l'État sur l'initiative privée. *Ces propositions annoncent aussi des contraintes : a) La carte scolaire :* « Les types de formation et les enseignements assurés dans les établissements feraient l'objet d'une carte qui serait arrêtée par les autorités académiques, après une procédure de concertation. Pour bénéficier d'une aide publique, les initiatives privées devraient s'insérer dans cette carte. » *b) La transformation en emplois des crédits* qui assurent leur rétribution dans le cadre des contrats, permettrait d'assurer leur intégration sur des emplois et leur affectation aux EIP.

Réponse de l'enseignement catholique du 10-1-1983 : le Comité national propose de négocier « une harmonisation des rapports État-école privée accompagnée de garanties pour l'autonomie des établ., la liberté de choix des familles et des personnels, la liberté de constitution d'un projet éducatif ». *Attente de 1983 :* A. Savary ouvre une phase de « contacts confidentiels » avec notamment les représentants de l'ens. cath., dont le chanoine Paul Guiberteau, secrétaire général de l'Enseign. cath., et Pierre Daniel (Pt de l'UNA-PEL). *-21-4* A. Savary demande, par circulaire aux préfets et aux recteurs, de la rigueur dans l'octroi de l'aide aux écoles privées sous contrat. Il décide d'accorder des moyens « limitatifs », et non plus « évolutifs », à ces écoles. Les nouveaux postes d'enseignants ne dépasseront pas 500 ; l'augmentation du « forfait d'externat » (subventions de l'État au secondaire sous contrat) sera fixée à 6,8 %. Le Père Guiberteau conteste les bases de calcul du ministre. *-26-6* rassemblement de 20 000 maîtres et directeurs de l'ens. cath. à Reuilly (région paris.). *-12-7* A. Savary clôt la phase de contacts confidentiels. *-2-9* P. Mauroy lance un appel à la titularisation de 15 000 maîtres volontaires. *-23-9* mot d'ordre de grève, pour l'intégration de la FEP-CFDT (Fédération de l'ens. privé) suivi par 12 500 enseignants (sur 120 000).

2e échange de propositions (fin 1983 - début 1984). *18-10-1983,* nouveau plan Savary. Le CNAL refuse. L'ens. cath. accepte de discuter en partie. *-29-12* le Conseil constitutionnel annule les dispositions budgétaires de titularisation. **1984**-*13-1, nouveau plan Savary.* Reprend les notions d'EIP et de carte scolaire. Avance l'idée d'une décentralisation du financement. Pour les enseignants, dans le cadre des EIP, titularise-fonctionnarise « sur place » des maîtres volontaires rémunérés sur des échelles de titulaires ou auxiliaires. Un contrat de droit public sera offert aux non-volontaires.

Contre-propositions de l'enseignement catholique. -5-2 il accepte de discuter sur carte scolaire et décentralisation. Il rejette les visées unificatrices du gouv. à propos de la situation des enseignants et des EIP. Il propose une nouvelle structure : le « groupement public d'intérêt éducatif (GPIE), ayant pour objet de collecter les fonds publics affectés au fonctionnement de ces établissements (privés associés par contrat au service public) et de les répartir entre eux ». Il serait administré par les représentants légaux signataires des contrats de chacun des établ. qu'il regroupe ; 2 personnalités qualifiées désignées par le préfet, selon les cas, ou 2 repr. des municipalités, ou 2 conseillers généraux ou 2 c. régionaux. Ces contre-propositions ne sont pas retenues.

☞ La gauche, entre 1879 et 1981, a toujours soutenu que l'État ne peut subventionner un enseignement confessionnel sans contrevenir à la laïcité. Avec le projet Savary (1983-84) qui inscrit le principe de l'aide publique à l'enseignement privé, la gauche abandonne la maxime qui résumait depuis un siècle sa doctrine : « A école publique, fonds publics ; à école privée, fonds privés. »

Manifestations. Du comité d'action laïque (CNAL) : organisée le 25-4-1984 avec l'espoir de rassembler au niveau national 2 millions de personnes. Le score fut inférieur (ex. : env. 16 000 personnes à Marseille, 30 000 à Lille ; à Paris, 600 000 selon le CNAL, 200 000 pour l'*Agence France-Presse,* 81 000 à 99 000 pour *Le Matin,* 75 000 pour la préfecture de police). **Du comité national de l'enseignement catholique : 1984**-*22-1* Bordeaux 70 000 ; *-29-1* Lyon 160 000 ; *-18-2* Rennes 300 000 ; *-25-2* Lille 350 000 ; *-4-3* Versailles 600 000 à 800 000 ; *-24-6* Paris 1 000 000 à 1 400 000 (1 800 000 selon le secr. de l'ens. privé), la plus importante démonstration de masse vue depuis 1968.

Retrait du projet de loi annoncé par le Pt Mitterrand le 12-7-1984. *Déclaration du 29-8 :* les mesures de J.-P. Chevènement : 1o) affirme les principes du service public, garant de l'intérêt général : mêmes règles budgétaires pour les établ. d'ens. public et privé

Répartition, par groupe de métiers préparés, des élèves scolarisés en vue d'une qualification du niveau V, IV et III (1984-85)

Formations	Niveau V				Niveau IV		Niveau III	
	en 2 ans		en 3 ans					
Groupes de métiers	Public	Privé	Public	Privé	Public	Privé	Public	Privé
Agriculture, élevage, forestage	364	–	624	33	60	–	–	2 237
Pêche, navigation maritime et fluviale	–	–	177	–	–	–	–	–
Mines et carrières	226	–	1 041	18	–	–	42	–
Génie civil, T.P., topographie	999	82	317	–	3 812	496	3 385	180
Construction en bâtiment	2 614	239	10 082	147	–	–	604	125
Couverture, plomberie, chauffage	2 068	171	10 598	138	841	–	368	–
Peinture en bâtiment, industrielle	615	191	5 786	155	79	–	–	–
Production et 1re transformation métaux	436	3	342	3	366	–	270	–
Forge, chaudronnerie, constructions métalliques	5 034	431	29 428	2 188	2 302	25	2 638	150
Mécanique générale et de précision	31 055	5 702	95 547	12 975	23 326	2 247	16 303	832
Électricité, électrotechn., électroméc.	35 000	6 952	19 547	4 705	17 977	2 719	12 284	350
Électronique	5 353	2 918	656	587	7 932	1 871	2 929	1 204
Verre et céramique	270	89	694	6	160	–	349	399
Photo, industries graphiques	1 253	634	980	591	479	184	4 144	67
Papier, carton	86	27	265	103	70	–	–	–
Chimie, physique, biochimie	850	91	76	–	7 309	2 074	10 063	1 461
Boulangerie, pâtisserie	108	82	960	263	–	–	–	–
Abattage, travail des viandes	28	105	83	–	–	–	–	–
Autres spécialités alimentation	2 484	746	6 411	1 071	54	–	62	–
Textiles	144	43	2 359	235	155	–	344	64
Habillement, travail étoffes	6 935	1 673	32 451	6 710	1 211	254	157	84
Cuirs et peaux	146	60	761	113	117	–	73	25
Travail du bois	4 347	889	22 291	3 026	1 976	110	215	54
Conducteurs engins terrestres	2 034	612	828	415	–	–	–	–
Autres formations : secteurs secondaire et primaire	1 494	160	216	5	–	12	609	–
Dessinateurs bâtiments, T.P.	3 221	534	–	65	590	260	–	–
Dessinateurs industriels	4 376	1 051	996	310	–	–	–	–
Formations générales, sciences et techn. industrielles (Bac. E.)	–	–	–	–	14 102	1 163	–	–
Total formation secteurs primaire et secondaire	111 540	23 485	243 516	33 862	82 918	11 415	51 109	7 212
Organisation travail, gestion, contrôle prod.	–	–	–	–	393	200	1 055	–
Techniques administratives et juridiques	3 058	660	25	–	–	–	1 315	–
Secrétariat, dactylographie, sténographie	38 046	17 432	5 664	3 609	19 945	5 353	11 837	10 384
Techniques financières ou comptables	43 503	18 414	12 699	5 134	25 516	7 092	19 747	6 847
Traitement électronique information	35 307	14 212	27	–	2 265	1 445	7 609	5 347
Commerce et distribution	18 906	5 962	25 630	12 408	12 298	3 863	11 676	7 664
Information, documentation, relations publ.	–	–	–	–	862	1 765	2 823	5 402
Enseignement, animation	–	–	–	–	–	–	1 002	–
Arts et arts appliqués	479	110	549	1 061	2 692	174	1 077	61
Santé, section paramédicale, services sociaux	18 609	10 450	18	304	13 697	7 077	574	–
Soins personnels	1 681	5 584	2 014	2 276	–	–	80	71
Hôtellerie et collectivités	7 370	1 812	27 682	12 146	3 042	594	1 443	299
Arts ménagers	–	–	–	–	–	–	1 538	1 768
Surveillance, sécurité	–	–	–	–	–	–	–	–
Formations aux fonctions d'encadrement	–	–	–	–	–	–	–	–
Formations littéraires et linguistiques	–	–	–	–	–	–	135	230
Formations générales économiques (1re année com. CAP et BAC B)	–	1 566	21 532	11 854	139 168	50 020	–	–
Préformation	–	124	6 146	942	–	–	–	–
Autres formations	23	–	1 299	–	–	–	485	–
Total formations tertiaires	166 982	76 326	103 285	49 734	219 878	77 583	62 396	38 073
ENSEMBLE	278 522	99 811	346 801	83 596	302 796	88 998	113 505	45 285

(crédits limitatifs pour ceux-ci) ; créations de classes nouvelles conformes aux prévisions des cartes et schémas de formation des départ. et régions ; retour aux règles de la loi du 31-12-1959 pour la nomination des maîtres de l'ens. privé (art. 1 et 4 de la loi Guermeur du 25-11-1974 abrogés) : maîtres nommés en accord avec le chef d'établ. ; possibilité pour l'État de créer des établ. d'enseign. public là où il n'en existe pas (établ. transférés ensuite aux collectivités locales) ; 2°) adapte les rapports entre établ. d'enseign. privé et les pouvoirs publics aux règles nouvelles de la décentralisation : accord des communes pour les nouveaux contrats d'association dont la réalisation interviendra sur décision de l'État, et seulement si les conditions prévues pour la conclusion des contrats ne sont plus remplies (maintien des contrats simples) ; dépenses de fonctionnement matériel des établ. sous contrat d'association : pour les collèges et lycées à la charge des départ. et régions (avec compensation par l'État), pour les écoles à la charge des communes (qui peuvent s'en acquitter en nature, retour à la loi Debré) ; concertation entre les représentants élus et les établ. d'enseign. privé : collectivités dans les organes votant le budget, commissions de concertation (représentants des collectivités territoriales et des établ. privés, et personnes choisies par l'État, compétentes pour les conditions d'instruction, de jonction et d'exécution des contrats et l'utilisation des fonds publics).

Lois votées : art. 119 de la loi de finances pour 1985, et loi du 25-1-1985 modifiant les rapports entre l'État et les collectivités territoriales. Précisions apportées par le Conseil constitutionnel (déclarations de non-conformité à la Constitution), saisi par des sénateurs : décision du 29-12-1984 sur l'art. 119 de la loi de fin. : annule la possibilité prévue pour l'État de créer exceptionnellement des établ. d'enseign. public et de les transférer ensuite aux collectivités territ. ; délibération du 18-1-1985 sur l'art. 18 de la loi complémentaire de décentralisation : supprime l'accord obligatoire des communes pour les nouveaux contrats d'association (pour les classes du 1er degré).

1985-*13-3* et *12-7* 1res *mesures d'application* : 3 circulaires et 3 décrets précisent la procédure des crédits budgétaires limitatifs (le nombre de créations de postes du privé rémunérés par l'État est calculé en proportion de celui de la création de postes, pour l'enseign. public) et les nouveaux rapports entre municipalités et écoles élémentaires sous contrat avec l'État (accords financiers à l'amiable entre municipalités voisines pour les élèves ne résidant pas dans la commune de l'école privée, et pour les élèves des classes maternelles).

☞ **Fédération Internationale des Universités Catholiques.** *Secrétariat permanent :* 78 A, rue de Sèvres, 75341 Paris Cedex. *Pt :* Prof. Michel Falise, Lille, France. *Secr. gén. :* R.P. Lucien Michaud, Canada. *Fondée :* 1949. *Membres :* 175 universités cath. dans 36 pays.

Statistiques

Part de l'enseign. privé. Nombre d'élèves (en %) : voir p. 1265 : *1er degré* 13,8 % ; *2e degré* 21 % ; *universitaire* 7,8 %.

% de l'enseign. cathol. dans l'enseign. privé : 1er degré 97,3, 2e degré 91,2.

Enseign. cathol. diocésain (1990-91). Nombre d'élèves (Fr. métr.) : *1er degré* 902 656 ; *2e degré* 1 086 266.

Nota. – Sous contrat d'association 24 %, sous contrat simple 73 %, hors contrat 3 %.

Nombre d'établissements (1989-90). *Écoles :* 6 105 dont 374 maternelles, 5 724 primaires, 7 d'enseignement spécialisé. *Établissements du second degré ;* 2 909 dont 812 lycées (dont 9 hors contrat), 392 lycées professionnels (12 h. c.), 1 705 collèges (16 h. c.). *Techniciens supérieurs :* 277 ét. (22 051 élèves). *Enseignement agricole :* 44 ét. (4 007 él.). *Classes préparatoires :* 55 ét. (5 660 él.) dont 1 585 prépa. HEC, 305 formation DECF, 3 598 autres prépa. scient., 12 prépa. marine marchande, 160 prépa. lettres.

Coût des établissements pour les parents (à Paris par trimestre). Sous contrat : 2 000 à 10 000 F par an. *Établissements sans contrat :* de 10 000 à 25 000 F. Des réductions sont souvent consenties.

Le système des contrats

Depuis la loi Debré du 31-12-1959, les établissements ont le choix entre :

1° **L'intégration à l'enseignement public :** seules quelques écoles d'entreprise y ont eu recours et fixent elles-mêmes leurs tarifs. 2e **Le statu quo :** les établissements « hors contrat » ne bénéficient d'aucune aide financière de l'État. 3° **Le « contrat simple » :** l'État rémunère les maîtres, mais ne participe pas aux frais de fonctionnement des écoles ; en contrepartie, l'école s'engage à respecter les normes établies par l'État sur la qualification des maîtres, l'effectif des classes et sur l'organisation générale de l'enseignement. 4° **Le « contrat d'association » :** les maîtres sont payés par l'État, qui participe aussi aux dépenses de fonctionnement ; restent à la charge des familles : investissements et dépenses concernant culte, instruction religieuse, internat et 1/2 pension, les établissements doivent se conformer aux règles en vigueur dans l'enseignement public (ex. : les horaires). La loi du 1-6-1971 (modifiant celle du 31-12-1959) « pérennisait » le régime de contrat simple pour le 1er degré, mais avait prévu son remplacement progressif dans le 2e degré par le contrat d'association à partir de 1979-80.

Établissements privés non catholiques

• **Protestants.** Spécialisés dans l'internat (avec cours ouverts aux externes). Filles 4 (+ 1 foyer de lycéennes) ; garçons 2 (+ 1 foyer) ; mixtes 5. Orphelinats, rééducation, enfance inadaptée 42. Infirmières 7.

• **Juifs.** *Établissements :* fondés après la Seconde Guerre mondiale. *Effectifs :* env. 19 000. *Nombres d'écoles :* 109.

Alliance israélite universelle. *Née* 1860. *Établ. :* 37. *Élèves :* 15 644 dont Israël 7 958, Canada 2 697, Iran 1 664, Maroc 1 280, Belgique 600, *France 591* [2 établ. du 2e degré, École normale (créée 1868 à Paris, 257 él. formés en 4 ans)], Syrie 409, Espagne 275.

ORT (Organisation Reconstruction Travail). *Créée* 1880 en Russie ; *1921 en France. Pt du Conseil d'Admin. (France) :* Gilbert Dreyfus, 10 villa d'Eylau, 75116 Paris. Formation professionnelle et technique des jeunes Juifs. *Écoles en France :* Paris, Choisy-le-Roi, Montreuil, Villiers-le-Bel, Lyon, Marseille, Strasbourg, Toulouse. *Élèves* (1989) : 10 000 él. et stagiaires dans + de 70 métiers.

• **Laïcs privés.** Régis par les lois du 30-10-1886 (primaire), du 15-03-1850 (secondaire) et du 25-7-1919 (technique). La majorité sont en nom propre et dépendants du directeur qui les ont créés, les gèrent et les développent. La quasi-totalité sont « hors contrat », ne reçoivent aucune aide directe de l'État, gardent une relative liberté et autonomie pédagogique. *Établissements :* 2 000. *Élèves :* 400 000. *Enseignants :* 16 000.

Enseignement supérieur

Formation relevant du min. de l'Éducation nationale (France sans TOM)

Formation relevant du min. de l'Éducation nationale (France sans TOM)

	Total étudiants	dont étudiantes		Total étudiants	dont étudiantes
1900	29 377	3,5 %	1983	930 268	50,5 %
1929	69 961	22,9 %	1984	949 844	51 %
1939	78 972	30 %	1985	967 778	51,2 %
1949	129 025	33,1 %	1986	970 666	51,6 %
1959	186 101	38,4 %	1987	989 461	52,2 %
1963	326 311	–	1988	1 036 600	52,7 %
1967	509 198	43,5 %	1989	1 080 600	53,1 %
1969	615 326	45,5 %	1990	1 146 900	–
1970	647 625	–	1991	1 215 800 [1]	–
1975	807 911	47,6 %	(prév.)	1 506 100 [2]	–
1980	858 085	49,7 %	1992	1 277 300 [1]	–
1981	883 657	50,5 %		1 587 800 [2]	–
1982	905 198	49,7 %	2000	1 477 500 [1]	–
				1 867 600 [2]	–

Nota. – (1) Total université. (2) Total public, privé, université, IUT, CPGE, STS.

Répartition par discipline en % de 1960 à 1990

	1960-61	1965-66	1980-81	1983-84	1989-90
Droit, sc. écon.[1] et A.E.S.	17	21	22,3	23,9	24,7
Lettres et sc. hum.[2] .	31,1	33,2	30,7	30,2	34,3
Sciences[3]	33,1	30,3	16,2	17,1	20,5
Médec. dent. et pharmacie	14,7	12,2	16,9	16,1	13,2
Pharmacie	4,1	3,3	4,3	3,9	3,1
IUT			6,2	6,2	6,3
Sports STAPS ..... 1er cycle rénové ..			1,1	1,1	1
Total	*100*	*100*	*100*	*100*	*100*

Nota. – (1) Avec IEP de Paris. (2) Avec DEUG enseign. 1er degré. (3) Avec INP, ENSI (ét. d'ingén.) et Mass (math. appliquées aux sciences sociales).

Données particulières

Étudiants inscrits dans les universités au 1-1-1990 (filières traditionnelles et autres formations). Voir tableau ci-dessous.

Étudiants (à plein temps) dans les I.U.T. en 1990-91, et entre parenthèses **diplômes délivrés en 1990. Secteur secondaire :** 34 957 (13 041) dont biologie appliquée 3 481 (1 486) ; chimie 2 518 (925) ; génie chimique 591 (216), civil 3 230 (1 138), électrique 9 499 (3 663), mécanique et productique 8 057 (2 873), thermique et énergie 1 337 (479) ; hygiène et sécurité 714 (291) ; mesures physiques 3 900 (1 503) ; maintenance industrielle 1 111 (318), organisation, gestion de la production 519 (149). **Secteur tertiaire :** 37 387 (14 794) dont gestion des entreprises et des admin. 14 241 (5 678), carrières de l'information 2 212 (1 005), juridiques 1 187 (462), sociales 1 131 (485), informatique 6 659 (2 472), statistiques et techn. quantitatives 678 (255), techn. de commercialisation 10 180 (4 131), transport logistique 1 189 (306). **Total général** 72 344 (27 835).

Effectifs globaux

Age des étudiants français (et étrangers)

Hommes + femmes *(%, en 1989-1990) : 17 ans et –* : 0,86. *18* : 9. *19* : 13,4. *20* : 14. *21* : 11,9. *22* : 9,5. *23* : 7,5. *24* : 5,6. *25* : 4,3. *26* : 3,3. *27* : 2,6. *28* : 2,3. *29* : 2. *30* : 1,7. *31* : 1,4. *32-36* : 4,9. *37-41* : 2,8. *42 et +* : 2,6. *Age indéterminé* : 0,05. **Femmes :** *avant 17 ans* : 0,01. *17* : 1. *18* : 10,3. *19* : 14,6. *20* : 14,8. *21* : 12,2. *22* : 9,7. *23* : 7,5. *24* : 5,4. *25* : 4,1. *26* : 3,1. *27* : 2,5. *28* : 1,9. *29* : 1,6. *30* : 1,4. *31* : 1,1. *32-36* : 3,9. *37-41* : 2,5. *42 et +* : 2,5. *Age indéterminé* : 0,04. **Hommes :** *avant 17 ans* : 0,01. *17* : 0,7. *18* : 7,4. *19* : 12. *20* : 13,2. *21* : 11,6. *22* : 9,3. *23* : 7,3. *24* : 5,8. *25* : 4,6. *26* : 3,8. *27* : 2,9. *28* : 2,7. *29* : 2,5. *30* : 2,2. *31* : 1,8. *32-36* : 6. *37-41* : 2,7. *42 et +* : 2,7. *Age indéterminé* : 0,02.

Origine des étudiants (1989-90)

Données globales *[% d'étudiants (Hommes + Femmes)].* Agriculteurs 3,8, salariés agricoles 0,6, patrons ind. et commerce 8,1, prof. libérales et cadres supérieurs 27,7, c. moyens 16,9, employés 7,8, ouvriers 12,7, personnel de service 1,6, autres catégories 10,2, sans prof. 7,8, non-réponse 5,7 %.

Discipline choisie *selon la catégorie socioprofessionnelle du père (en %).* **Agriculteurs :** Lettres 37. Sciences 20,5. Droit 9,7. Médecine 6,9. Pharmacie 3,6. Dentaire 0,4. Sciences éco. 10,2. IUT 9,4. Pluridisciplinaires 2,2. **Ouvriers agricoles.** Lettres 39,7. Sciences 15,9. Sciences éco. 8,7. Droit 8,4. Médecine 8,4. Pharmacie 2,3. Dentaire 0,7. IUT 6,4. Pluridisciplinaires 5,2. **Patrons de l'industrie et du commerce.** Lettres 31,4. Sciences 17,1. Sciences éco. 11,3. Droit 15,2. Médecine 8,9. Pharmacie 3,1. Dentaire 0,9. IUT 7,9. Pluridisciplinaires 5,2. **Professions libérales.** Lettres 26,1. Sciences 20,6. Sciences éco. 9,5. Droit 15,5. Médecine 13,9. Pharmacie 4,3. Dentaire 1,3. IUT 3,7. Pluridisciplinaires 3,7. **Cadres moyens.** Lettres 32. Sciences 20,9. Sciences éco. 10,3. Droit 12,6. Médecine 8,3. Pharmacie 2,7. Dentaire 0,6. IUT 8,1. Pluridisciplinaires 4,5. **Employés.** Lettres 37. Sciences 17,3. Droit 14,4. Sciences éco. 10,9. Médecine 5,9. Pharmacie 1,8. Dentaire 0,5. IUT 7,4. Pluridisciplinaires 4,7. **Ouvriers.** Lettres 36,5. Sciences 18. Droit 12,3. Sciences éco. 11,1. Médecine 5,5. Pharmacie 1,7. Dentaire 0,3. IUT 10,5. Pluridisciplinaires 4,1. **Personnel de service.** Lettres 41,7. Droit 13,1. Sciences 15,2. Sciences éco. 11,1. Médecine 6,6. Pharmacie 1,6. Dentaire 0,9. IUT 5,6. Pluridisciplinaires 5,9.

Étudiants étrangers en France

Nombre total (1989). 131 654 dont (%) Paris-Créteil-Versailles 41,8 %, Lyon 4,9, Montpellier 4,8, Lille 4,5, Toulouse 4,3, Strasbourg 4,3, Aix-Marseille 4,2, Bordeaux 3,9, Grenoble 3,7.

% des étrangers *sur l'ensemble des étud.* : 11,8 dont *1er cycle + capacité* : 7,7, *2e cycle* : 10,6, *3e cycle* : 28,6.

Répartition par disciplines (1989-90). *Lettres* 45 345. *Sciences* 29 426. *Méd.* 18 737. *Droit* 14 200. *Sc. économiques* 13 051. *Pluridisciplinaire* 3 706. *IUT* 2 946. *Pharm.* 2 930. *Odontologie* 1 245.

Pays d'origine (1989-90). *Afrique* 74 733 dont Maroc 25 834, Algérie 12 948, Tunisie 7 172, Cameroun 4 922, Côte-d'Ivoire 2 612, Madagascar 3 336. *Europe* 24 692 dont Grèce 2 724, All. féd. 4 406, G.-B. 2 362, Espagne 2 870, Portugal 3 072. *Asie* 21 462 dont Iran 3 483, Liban 5 064, Syrie 3 000, Chine 1 951. *Amérique* 10 117 dont U.S.A. 3 719, Brésil 1 503. *Océanie* 136. *Autres* 514.

Boursiers du gouv. français (1989). Longue durée 8 323, courte durée 4 992.

Élections universitaires

Conseil des UER (1983-84). *Répartition des sièges en %* : Ile-de-France 19,79, province 28,86. UNEF Solidarité 18,04, UNEF ID 17,13, CNEF 4,76, CLEF 2,74, UNI 5,44, DILCOR 10,47, INDEP 37,16, PSA 1,01.

CROUS (1989). *Bénéficiaires* 1 406 660. *Élections* 75 913 votants, 73 793 suffrages exprimés ; taux de participation 5,40 %. *Suffrages exprimés en % par liste et,* entre parenthèses, *nombre de sièges* : UNEF-ID 30,26 (57), UNEF-FRUF 18,24 (35), UNI 15,92 (30), CELF 9,34 (16), div. 23,54 (54), PSA 2,7 (3).

Universités libres

Établissements. Peuvent passer des conventions avec les universités publiques. 7 établ. univ. privés l'ont fait pour certaines disciplines. Nombre 1986-87, 14 : *5 instituts catholiques* (Angers, Lille, Lyon, Paris et Toulouse) ; facultés libres de théologie réformée ou protestante (Aix, Montpellier et Paris) ; *facultés libres de droit* (Paris, Toulon) ; *faculté libre internationale pluridisciplinaire* (Paris) ; *2 établ. enseignant lettres et sciences humaines* (fac. libre de philo. comparée, la fac. libre de Paris) ; *Institut sup. libre de rééducation psychomotrice et de relaxation* (Paris).

Diplômes. *Dipl. propres,* reconnus off. par l'État ou la Commission des titres d'ingénieurs ; *dipl. d'État* pour formations paramédicales et soc. (D.E.) ou formations courtes (B.T.S. par ex.) ; *dipl. universitaires* passés : devant une univ. publique en cas de convention ; ou un jury ministériel.

Effectifs. Enseignement universitaire privé : 19 162 dont par discipline : lettres 7 915, théologie et droit canonique 5 272, cours de français pour étrangers 2 054, sciences éco. et AES 1 366, sciences et MASS 1 135, médecine et bio. humaine 717, droit 464, STAPS 239 ; *dont par cycle filles,* entre parenthèses *en %* : 1er : 14 277 (66), 2e : 3 656 (56,5), 3e : 780 (41,4) CAPES CAPET Agrég. 449 (59,9). Étrangers 3 241 (16,9 %) *dont en % par cycle* 1er : 19,4, 2e : 9,2, 3e : 18,2. **Établissements catholiques :** *Total* 17 851 (dont filles 11 356) dont Angers 4 191 (3 206), Lille 3 952 (2 397), Lyon 3 623 (1 742). Étrangers 3 063 dont Paris 1 701, Angers 647, Lyon 402, Toulouse 257, Lille 117.

Principales universités et, entre parenthèses **effectifs globaux. Aix-en-Provence :** *Fac. libre de théologie réformée,* 33, av. Jules-Ferry, 13100 *(65).* 1er, 2e, 3e cy. Programme de formation permanente. **Angers :** *Univ. cath. de l'Ouest,* 3, place André-Leroy, B.P. 808, 49008, Cedex 01 (théologie, lettres, histoire, lang. vivantes, psychologie, sc. de l'éducation, communication et sc. du langage, math., éd. physique et sportive ; éc. sup. d'électronique, de commerce, de chimie) (6 conventions avec des Universités d'État : psychologie, sciences de l'éducation, communication et sciences du langage, lettres, linguistique, théologie) (*7 910,* 1 200 étrangers + 5 150 pers. en format. perm.). **Lille :** *Féd. univ. et polytechnique,* 60, bd Vauban, B.P. 109 59016 Lille Cedex [sc. éco. *(1 123)*, médecine *(562)*, sc. *(642)*, lettres et sc. humaines *(1 373)*, théo. *(295)*, soit *3 995* él. des fac. ; diplômes nationaux préparés (en convention avec Lille I, II et III, Paris II), 35 éc. et instituts de divers secteurs (lettres, sc. rel., méd., éco., gest., ens., sect. communication, sc. et tech., sc. soc., ing.) 12 867 ét. (dont 320 étr. de 59 pays diff.) + 9 500 pers. en format. perm. **Lyon :** *Univ. catholique,* 25, rue du Plat, 69002 Lyon (droit, lettres, sc., philo. et théol., divers instituts spécialisés) *(6 965).* **Paris :** *Institut catholique de Paris,* 21, rue d'Assas, 75270 Cedex 06 (sc. religieuses, lettres, divers instituts et écoles, bibl.-doc., interprétariat, éc. d'ingénieurs) (*16 207*

Effectifs des étudiants inscrits dans les universités[1] au 8-1-1990 (filières traditionnelles, autres formations)

Disciplines	*Premier cycle*				*Deuxième cycle*						*Troisième cycle*										Total général
	Capacité	Formations habilitées	Diplôme d'université	Total avec capacité	Licence maîtrise D.C.E.M.	MST-MSG MIAGE	1re. 2e années Magistère	CAPES CAPET Agrégation	Diplôme d'université	Total 2e cycle	3e année Magistère	DEA	DESS	Doctor. hors santé	Autres hors santé	Form. généralistes santé	Form. spécialistes santé	Divers santé	Total 3e cycle	
Droit et Science politique	15 533	74 121	2 614	92 268	36 848	339	250	2 906	4 865	45 208	125	5 892	4 547	4 778	2 222	–	–	–	17 564	155 040
Sciences économiques		36 498	1 628	38 126	16 062	5 466	704	1 802	1 895	25 929	248	2 482	7 132	3 207	965	–	–	–	14 034	78 089
A.E.S.		30 364	20	30 384	12 352	–	–	–	–	12 352	–	–	–	–	–	–	–	–	–	42 736
Lettres et Sciences humaines		190 837	15 743	206 580	120 643	1 490	380	16 386	4 087	142 986	122	11 102	3 435	17 059	791	–	–	–	32 509	382 075
M.A.S.S.		3 977	–	3 977	671	–	–	–	–	671	–	–	–	–	–	–	–	–	–	4 648
Sciences		90 117	999	91 116	49 448	5 092	830	3 754	4 567	63 691	353	10 269	2 792	24 832	1 039	–	–	–	39 285	194 092
Études d'ingénieur		–	–	–	14 757	–	–	–	–	14 757	–	–	–	–	–	–	–	–	–	14 757
S.T.A.P.S.[2]		4 966	75	5 041	3 739	–	–	2 349	99	6 187	–	244	5	257	98	–	–	–	604	11 832
I.U.T.		68 346	–	68 346	–	–	–	–	2 475	2 475	–	–	–	–	–	–	–	–	–	70 821
TOTAL HORS SANTÉ	15 533	499 226	21 079	535 838	254 520	12 387	2 164	27 197	17 988	314 256	848	29 989	17 911	50 133	5 115	–	–	–	103 996	954 090
Médecine et biologie humaine		30 530	781	31 311	28 349	–	–	–	877	29 226	–	1 041	–	–	–	15 186	11 669	29 124	57 020	117 557
Pharmacie		13 241	21	13 262	5 330	–	–	–	169	5 499	–	364	200	–	–	6 569	2 065	2 912	12 110	30 871
Odontologie		1 020	–	1 020	4 042	–	–	–	142	4 184	–	17	–	–	–	–	2 603	1 433	4 053	9 257
TOTAL SANTÉ		44 791	802	45 593	37 721	–	–	–	1 188	38 909	–	1 422	200	–	–	21 755	16 337	33 469	73 183	157 685
TOTAL GÉNÉRAL	15 533	544 017	21 881	581 431	292 241	12 387	2 164	27 197	19 176	353 165	848	31 411	18 111	50 133	5 115	21 755	16 337	33 469	177 179	1 111 775

Nota. – (1) de l'enseignement public sans T.O.M. (2) Sciences et techniques des activités physiques.

Effectifs des étudiants inscrits au 15-1-1990 (tous cycles confondus)

Universités	*Droit*	*Sciences économiques*	*A.E.S.*	*Lettres*	*M.A.S.S.*	*Sciences*	*Médecine*	*Pharmacie*	*Odontologie*	*S.T.A.P.S.*	*I.U.T.*	**Total général**
AIX I	0	0	0	15 482	93	5 116	0	0	0	0	0	20 815
AIX II	0	1 518	1 100	1 337	120	2 446	6 882	2 048	606	708	1 297	18 064
AIX III	8 040	2 165	1 244	1 455	138	3 737	0	0	0	0	867	18 090
AVIGNON	454	0	0	2 321	0	869	0	0	0	0	0	3 844
Total	*8 494*	*3 683*	*2 344*	*20 595*	*361*	*12 168*	*6 882*	*2 048*	*608*	*708*	*2 164*	*60 613*
AMIENS	1 674	979	0	5 041	0	2 226	1 923	717	0	0	1 374	13 934
ANTILLES GUYANE	2 258	1 094	0	1 851	0	663	146	0	0	25	32	6 069
BESANÇON	1 159	511	1 024	6 147	0	3 184	2 038	509	0	297	1 866	17 095
BORDEAUX I	6 959	2 060	1 677	0	0	8 287	0	0	0	0	1 872	21 444
BORDEAUX II	0	0	0	3 234	181	847	6 397	1 385	601	527	0	13 172
BORDEAUX III	0	0	0	12 574	0	0	0	0	0	0	652	13 226
PAU	2 170	958	562	3 515	180	2 359	0	0	0	0	430	10 174
Total	*9 129*	*3 018*	*2 239*	*19 323*	*361*	*11 493*	*6 397*	*1 385*	*601*	*527*	*2 954*	*58 016*
CAEN	2 132	1 821	1 088	7 880	0	3 388	1 639	690	0	745	1 184	20 904
CLERMONT I	2 749	1 536	0	0	0	0	2 036	804	339	0	1 178	8 642
CLERMONT II	0	0	0	6 400	0	3 695	0	0	0	643	788	12 263
Total	*2 749*	*1 536*	*0*	*6 400*	*0*	*3 695*	*2 036*	*804*	*339*	*643*	*1 966*	*20 905*
CORSE	793	195	0	664	0	400	0	0	0	0	113	2 156
PARIS VIII	1 496	840	1 626	15 200	307	105	0	0	0	0	0	19 574
PARIS XII	3 77	2 150	2 476	2 792	149	1 701	2 769	0	0	245	1 393	16 952
PARIS XIII	2 119	1 481	724	3 568	94	1 703	2 492	0	0	0	2 410	14 838
Total	*6 892*	*4 471*	*4 826*	*21 560*	*550*	*3 509*	*5 261*	*0*	*0*	*245*	*3 803*	*51 364*
DIJON	3 210	1 258	1 092	6 138	0	4 120	1 737	727	0	599	1 643	20 728
GRENOBLE I	0	0	0	588	0	6 095	2 510	886	0	781	1 551	12 592
GRENOBLE II	4 683	3 078	802	3 801	239	62	0	0	0	0	2 307	14 972
GRENOBLE III	0	0	0	5 772	0	0	0	0	0	0	0	5 772
CHAMBÉRY	615	0	305	2 578	0	1 538	0	0	0	0	671	5 823
	0	151	0	0	0	0	0	0	0	0	3 211	3 211
Total	*5 298*	*3 229*	*1 107*	*12 739*	*239*	*8 730*	*2 510*	*886*	*0*	*781*	*4 529*	*42 370*
LILLE I	0	3 103	0	1 691	0	10 995	0	0	0	0	2 917	19 714
LILLE II	6 642	46	961	0	0	0	6 090	2 165	504	701	637	17 746
LILLE III	0	0	1 840	17 804	181	0	0	0	0	0	471	20 296
VALENCIENNES	1 413	219	0	1 819	0	1 898	0	0	0	0	1 170	6 667
Total	*8 055*	*3 368*	*2 801*	*21 314*	*181*	*12 893*	*6 090*	*2 165*	*504*	*701*	*5 195*	*64 423*
LIMOGES	1 589	482	737	2 648	15	2 027	1 470	702	0	0	1 339	11 009
LYON I	0	0	0	0	292	7 933	8 252	2 257	552	852	2 794	22 932
LYON II	1 745	1 909	959	14 432	0	0	0	0	0	0	0	19 045
LYON III	5 907	1 560	2 330	4 902	44	0	0	0	0	0	0	14 743
SAINT-ÉTIENNE	1 407	758	890	3 393	0	1 327	1 361	0	0	0	1 467	10 603
Total	*9 059*	*4 227*	*4 179*	*22 727*	*336*	*9 260*	*9 613*	*2 257*	*552*	*852*	*4 261*	*67 323*
MONTPELLIER I	4 940	2 596	1 161	0	0	81	5 614	2 112	538	636	0	17 678
MONTPELLIER II	0	132	0	0	0	7 316	0	0	0	0	2 023	10 351
MONTPELLIER III	0	36	1 251	12 539	119	0	324	0	0	0	0	14 269
PERPIGNAN	999	389	0	1 767	0	807	0	0	0	0	443	4 406
Total	*5 939*	*3 153*	*2 412*	*14 306*	*119*	*8 204*	*5 938*	*2 112*	*538*	*636*	*2 466*	*46 703*
NANCY I	0	0	0	0	0	5 467	5 206	1 174	506	519	1 603	15 084
NANCY II	2 417	2 151	770	9 043	0	0	0	0	0	0	1 328	15 709
METZ	1 206	301	752	3 568	0	2 361	0	0	0	0	1 219	9 407
	0	0	0	0	0	927	0	0	0	0	0	2 389
Total	*3 623*	*2 452*	*1 522*	*12 611*	*0*	*8 755*	*5 206*	*1 174*	*505*	*519*	*4 150*	*42 589*
NANTES	2 645	1 648	215	8 055	0	4 019	2 739	985	677	0	1 976	23 969
ANGERS	1 276	616	995	3 393	187	1 553	1 700	594	0	0	786	11 100
LE MANS	1 074	626	595	2 572	0	1 278	0	0	0	0	810	6 955
Total	*4 995*	*2 890*	*1 805*	*14 020*	*187*	*6 850*	*4 439*	*1 579*	*677*	*0*	*3 572*	*42 024*
NICE	3 466	1 456	742	6 989	0	3 748	1 893	0	248	495	1 271	20 513
TOULON	1 910	627	0	0	0	680	0	0	0	0	1 049	4 266
Total	*5 376*	*2 083*	*742*	*6 989*	*0*	*4 428*	*1 893*	*0*	*248*	*495*	*2 320*	*24 779*
ORLÉANS	1 563	1 016	1 181	2 452	0	2 778	0	0	0	0	1 415	10 686
TOURS	2 094	909	1 290	7 737	0	1 849	2 714	966	0	0	1 325	18 884
Total	*3 657*	*1 925*	*2 471*	*10 189*	*0*	*4 627*	*2 714*	*966*	*0*	*0*	*2 740*	*29 569*
PARIS I	9 174	10 134	779	13 027	378	287	0	0	0	0	0	33 779
PARIS II	13 224	2 291	642	823	0	0	0	0	0	0	0	17 041
PARIS III	0	0	0	16 458	0	0	0	0	0	0	0	16 458
I.N.L.C.O.	0	0	0	8 323	0	0	0	0	0	0	0	8 323
PARIS IV	0	0	0	22 271	0	0	0	0	0	0	0	22 271
PARIS V	3 745	0	275	7 486	176	190	10 952	3 325	1 417	789	1 533	29 888
PARIS VI	0	0	0	0	0	22 816	10 113	0	53	0	0	33 451
PARIS VII	4	50	344	11 018	518	8 739	6 088	0	1 323	0	0	28 084
PARIS IX	110	5 203	0	26	475	639	0	0	0	0	0	6 453
I.E.P.	3 019	938	0	186	0	0	0	0	0	0	0	4 143
	0	0	0	0	0	41	0	0	0	0	0	41
Total	*29 276*	*18 616*	*2 040*	*79 618*	*1 547*	*32 712*	*27 153*	*3 325*	*2 793*	*789*	*1 533*	*199 932*
POITIERS	2 894	1 369	1 425	5 755	0	4 222	1 499	588	0	455	2 109	20 886
REIMS	3 252	1 218	0	5 856	0	2 677	1 937	839	418	0	2 632	18 890
RENNES I	3 976	1 501	1 309	200	119	7 145	2 841	1 019	435	0	1 949	20 803
RENNES II	0	0	1 342	12 586	81	0	0	0	0	630	647	15 286
BREST	1 802	757	469	4 421	0	3 061	1 391	0	113	0	1 949	13 963
Total	*5 778*	*2 258*	*3 120*	*17 207*	*200*	*10 206*	*4 232*	*1 019*	*548*	*630*	*4 545*	*50 052*
LA RÉUNION	731	648	0	2 336	0	626	0	0	0	0	0	4 341
ROUEN	2 522	1 258	0	7 144	0	2 916	2 275	719	0	0	880	17 714
LE HAVRE	508	5	619	0	0	690	0	0	0	0	1 350	3 172
Total	*3 030*	*1 263*	*619*	*7 144*	*0*	*3 606*	*2 275*	*719*	*0*	*0*	*2 230*	*20 886*
STRASBOURG I	0	1 698	0	1 850	86	5 457	4 249	1 069	460	0	316	15 640
STRASBOURG II	0	0	0	10 889	0	0	0	0	0	493	0	11 382
STRASBOURG III	5 150	665	714	270	0	0	0	0	0	0	884	7 683
MULHOUSE	–	233	0	1 615	0	1 155	0	0	0	0	1 365	4 606
Total	*5 150*	*2 596*	*714*	*14 624*	*86*	*6 612*	*4 249*	*1 069*	*460*	*493*	*2 565*	*39 311*
TOULOUSE I	7 278	3 307	2 637	0	0	114	0	0	0	0	257	13 593
TOULOUSE II	0	0	0	19 638	150	0	0	0	0	0	163	19 951
TOULOUSE III	0	0	0	0	0	11 994	5 778	1 381	466	508	3 215	23 342
	0	0	0	0	0	906	0	0	0	0	0	2 336
Total	*7 278*	*3 307*	*2 637*	*19 638*	*150*	*13 014*	*5 778*	*1 381*	*466*	*508*	*3 635*	*59 222*
PARIS X	7 539	4 439	1 792	16 755	326	0	0	0	0	764	689	32 304
PARIS XI	4 031	0	0	0	0	9 797	2 503	3 210	0	420	3 212	23 371
Total	*11 570*	*4 439*	*1 792*	*16 755*	*326*	*9 797*	*2 503*	*3 210*	*0*	*1 184*	*3 901*	*55 675*
Total général	155 040	78 089	42 736	38 075	4 648	194 092	117 557	30 871	9 257	11 832	70 821	1 111 775

ét. dont 1/5 d'étrangers ; *900 enseignants* dont 139 prêtres et religieux) ; *Fac. libre de philosophie comparée,* 70, av. Denfert-Rochereau, 75014 *(230)* ; *Fac. libre et cogérée d'économie et de droit (FACO),* 115, rue N.-D.-des-Champs, 75006 *(350)* ; *Institut protestant de théologie,* 83, bd Arago, 75014 Paris : secrétariat : 13, rue Louis-Perrier, 34000 Montpellier *(450).* **Toulouse :** *Inst. cathol.,* 31, rue de la Fonderie, 31068 Cedex (sc. religieuses, lettres, sc., écoles professionnelles) (*5 597,* dont 257 ét. étrang.), 600 pour les conférences.

Examens et diplômes

Niveau d'instruction des Français

% des personnes de 10 ans et + sachant lire et écrire dans la population générale. *1901 :* sexe masc. 86,5-fém. 86,6 ; *1931 :* 95,2-94,3 ; *1946 :* 96,9-96,6.

Sorties nettes des enseignements secondaires et supérieurs (1987-88) relevant du ministère de l'Éducation nationale

Niveau [3]		Enseign. second.	Enseign. sup.	Enseign. agric.	Sanitaire et social	Apprent.	Total
VI	ae [1]	99 582		2 171			101 753
	ai [2]	33 062		2 171		727	35 960
V bis	ae	81 985		8 380	89		90 454
	ai	47 087		8 380	89	13 365	68 921
V	ae	210 048		20 960	2 327		233 335
	ai	201 167		20 960	2 327	83 872	308 326
IV sec	ae	58 114		4 881	1 044		64 039
	ai	58 114		4 881	1 044		64 039
IV sup	ae		69 000	1 647	2 604		73 251
	ai		69 000	1 647	2 604		73 251
Total IV	ae	58 114	69 000	6 528	3 648		137 290
	ai	58 114	69 000	6 528	3 648		137 290
III	ae		65 050	4 168	18 871		88 089
	ai		65 050	4 168	18 871		88 089
I et II	ae		102 000	2 052	443		104 495
	ai		102 000	2 052	443		104 495
Total	ae	449 729	236 050	44 259	25 378		755 416
	ai	339 430	236 050	44 259	25 378	97 964	743 081

Sorties des enseignements supérieurs (1987-1988)

	IV sup.	III	I et II	Total
Universitaire				
Non médicales / Médecine, pharm., dent.	40 400	7 700	57 400	116 600
			11 100	
IUT	4 850	17 600	–	22 450
Non universitaire				
Écoles sup.	–	–	33 500	33 500
ENI	–	5 650	–	5 650
STS	23 750	34 100	–	57 850
Total Educ. nat.	*69 000*	*65 050*	*102 000*	*236 850*
Ens. agric.	1 647	4 168	2 052	7 867
Form. sanit.-sociale	2 604	18 871	443	21 918
Total général	**73 251**	**88 089**	**104 495**	**265 835**

Nota. – (1) ae : apprentissage exclu du système éducatif. Les jeunes qui quittent l'école pour entrer en apprentissage sont comptés comme sortants. (2) ai : apprentissage inclus dans le système éducatif. Les jeunes qui entrent en apprentissage ne sont comptés comme sortants que lorsqu'ils quittent l'apprentissage. (3) *Niveaux de formation VI :* sorties du 1er cycle du 2e degré et des EREA (6e, 5e, 4e), des formations pré-professionnelles en 1 an (CEP, CPPN, CPA) et des 4 premières années de SES et GCA. *V bis :* sorties de 3e, des classes du 2e cycle court avant l'année terminale, des 5e et 6e années de SES, et de la formation professionnelle en EREA. *V :* sorties de l'année terminale des 2e cycles courts professionnels et abandons de la scolarité du second cycle long avant la terminale. *IV :* sorties des terminales du 2e cycle long et abandons des scolarisations post bac avant d'atteindre le niveau III. *III :* sorties avec diplôme de niveau Bac + 2 ans (DUT, BTS, DEUG, instituteurs, écoles de santé,...). *I et II :* sorties avec diplôme de 2e ou 3e cycle universitaire, ou dipl. de grande école.

% des époux et épouses sachant signer à leur mariage. *1686-90 :* époux 29-épouse 14, *1786-90 :* 47-27, *1816-20 :* 54,3-34,4, *1869 :* 76-63, *1890 :* 92-86, *1900 :* 95-94, *1910 :* 97,9-96,8, *1930 :* 99,3-99,1.

Niveau général. Malgré la croissance des effectifs, le nombre des sujets très brillants n'a pas augmenté. Le niveau des lauréats du concours général, des majors des plus hautes écoles (Normale, Polytechnique) et des plus brillants concours (internat de médecine, grand corps de l'État) ne s'est pas amélioré de façon très nette. Depuis 1900, le nombre des « premiers sujets » est resté constant, environ 300 par année, celui des « seconds sujets » est passé de 300 à 2 000. En 1900, il y avait un « premier sujet » et un « second sujet » sur 20 bacheliers ; en 1985, un « premier sujet » et 30 « seconds sujets » sur 120 bacheliers.

% de bacheliers dans les différentes catégories socioprofessionnelles (1982). Agriculteurs 4 % des effectifs ; artisans 11, professions libérales 90, cadres de la fonction publique 80, professeurs et professions scientifiques 85, instituteurs et assimilés 83, techniciens 44, contremaîtres et agents de maîtrise 18, employés administratifs d'entreprise 23, employés de commerce 8, personnel des services directs aux particuliers 3, ouvriers qualifiés de type industriel 3, ouvriers non qualifiés de type industriel 2, ouvriers agricoles 3, chômeurs n'ayant jamais travaillé 11.

☞ Selon le Conseil économique et social, chaque année, on peut estimer à + de 25 milliards de F le coût des redoublements des élèves qui, du cours préparatoire, parviennent aux classes terminales des seconds cycles. Chaque année, 200 000 élèves quittent l'école sans diplôme ou qualification reconnue. Le montant des dépenses consacrées à ces formations non valorisées au regard des critères de réussite du système éducatif peut être estimé à 60 milliards de F (en 1984). *Coût de l'échec constaté du système éducatif chaque année :* env. 2 % du P.I.B.

Enseignement technique

Niveau V (ouvriers qualifiés). **CAP** *nationaux :* 317 spécialités différentes ; *départementaux :* 27 métiers ou options. **Brevet d'études professionnelles (BEP) :** 85 spécialités, env. 80 % des candidats au BEP passent en même temps les épreuves du CAP. **Niveau IV** (maîtrise et techniciens). **Brevet professionnel (BP) :** recherché souvent par des titulaires d'un CAP ou BEP, exerçant déjà un métier et pouvant obtenir, après une préparation extra-scolaire de 2 ou 3 ans, une formation spécialisée complémentaire dans le cadre de la promotion sociale. *BP nationaux :* 78 spécialités ; *départementaux :* 9 spécialités. **Brevet de technicien (BT) :** 71 spécialités et options, en fin de classe terminale d'une formation professionnelle du 2e cycle long. **Bac de technicien** (voir tableau p. 1273). **Niveau III** (techniciens sup.). Brevet de techn. sup. (BTS) : après le bac et 2 ans d'études générales et tech. 124 spécialités ou options. **Diplôme universitaire de technologie (DUT)** (voir IUT p. 1259 c).

Examens. Candidats présentés et, entre parenthèses, **admis en 1988** (Fr. sans TOM, public + privé) : *CAP nationaux et départementaux :* 447 117 (275 210 : 61,55 %) ; *BEP :* 199 097 : (138 695 : 69,7 %). *BP nationaux et départementaux :* 19 910 (6 454 : 32,41 %). *BT :* 11 141 (7 432 : 66,7 %). *BTS :* 68 464 (39 893 : 58,3 %).

Diplômés de l'ens. agricole public et privé (1989). CAPA 8 209, BEPA 15 919, BTA 8 144, BAC D' 1 391, BTSA 4 669.

Brevet des collèges

Diplôme national institué par le décret du 6-9-1985 (12 ans après la suppression du BEPC), comporte un examen en plus du contrôle continu des connaissances des élèves. *1988 :* 547 409 admis soit 66,1 %. Un nouveau dipl. a été institué pour la session 87 [3 séries : « collège », « technologique » et « professionnelle » (pour él. des cl. de 3e préparatoire)].

Taux de succès (en %). Garçons et, entre parenthèses, **filles :** *total* 69,5 (71,4), **candidats scolaires** dont série *collège* [établissements publics 71,7 (72,3), privés sous contrat 81,3 (83,9), autres 50 (50,7)], *technologie* [publics 60,1 (64,3), pr. sous contrat 77,1 (71,2)], *professionnelle* [publics 53,2 (55,5), pr. sous c. 64,4 (64,3)]. **Candidats individuels** dont *collège* 28 (21,6), *technologie* 44 (47,6), *professionnelle* 55,8 (57,8).

☞ **Principaux brevets français.** *Brevet d'apprentissage agricole ; d'aptitude à l'animation socio-éducative* (BASE) créé 5-2-1970 ; *élémentaire* (BE) créé 18-1-1887 ; *d'enseignement* (commercial industriel BEI) et supérieur d'études comm. BSEC (supprimé) ; *d'études du premier cycle* (BEPC) créé 1974 remplace BEPS (brev. ét. prim. supérieures) maintenu jusqu'à la mise en place du brevet d'études générales ; *d'études professionnelles* (BEP) ; *d'ét. prof. agricoles* (BEPA) ; *professionnel* (BP) ; *sportif populaire* ouvert garçons moins 13 ans, filles moins 12 ans ; *sportif scolaire* (BSS) ; *supérieur de capacité* créé 1887 modifié 1928, supprimé ; sanctionnant les études faites dans une école normale ou une école primaire supérieure (3 années après le brevet élémentaire) ; *technicien* (BT) ; *techn. agricole ; techn. supérieur.*

• **« Surdoués ».** Il y aurait 1 surdoué pour 10 000 enfants. Se manifestent par un développement prématuré du langage, de la lecture (33 % savent lire avant 5 ans), une curiosité inlassable, une grande capacité d'assimilation. Il y a aussi des surdoués *créatifs* (plus difficiles à dépister). *3 classes expérimentales* pour surdoués à l'école publique Las Planas (Nice) [(quotient intellectuel de 130 à 160) couvrant le programme primaire en 3 ans (5 à 8 ans) au lieu de 5]. *Classe de 6e/5e* lycée privé Michelet (Nice).

• **Bégaiement.** Touche dans les 3/4 des cas les petits garçons. 50 % apparaissent avant 5 ans, 80 % avant 7 ans. *Origine :* physiologique et psychologique, avec peut-être une prédisposition héréditaire (fréquence 6 à 7 fois plus grande dans les familles de bègues). *Causes* (souvent associées) : déficit moteur, dominance latérale, gauchers contrariés (exceptionnellement), retard d'élaboration du langage (chez 50 %), problèmes psychologiques (troubles émotionnels, anxiété, critiques familiales, problèmes conflictuels avec la mère, taquineries de camarades) transformant en un « bégaiement vrai » ce qui, au départ, n'était qu'un « bégaiement primaire » appelé normalement à disparaître. La crainte des moqueries des camarades qui imitent le petit bègue entraîne un repli sur soi et des frustrations. *Traitements proposés :* parmi + de 300 méthodes, on peut retenir 3 catégories : la *psychothérapie* qui ne modifie pas le bégaiement à elle seule mais est indispensable à un bon résultat ; les *techniques psychomotrices :* rééducation respiratoire, relaxation, etc. ; *techniques orthophoniques :* rééducation du langage, conduisant à une « régulation vocale ». Enfin, de façon temporaire, une *thérapeutique médicamenteuse* peut être associée.

• **Dyslexie.** Touche 5 à 10 % des enfants d'âge scolaire (2 fois plus de garçons que de filles) ; 10 à 20 % rencontrent des difficultés temporaires dues à une immaturité du cerveau, à une méthode de lecture mal adaptée (ex. : la méthode globale telle qu'elle fut présentée à ses débuts), à des troubles psychoaffectifs... *Troubles associés* (troubles de la structuration spatiale, retard de langage, troubles affectifs) et retards dans d'autres étapes de la vie scolaire (apprentissage de l'orthographe, du calcul, etc.). Avant 7 ou 8 ans, il semble difficile de faire un diagnostic correct. Le dépistage précoce, suivi d'une rééducation appropriée, permet de transformer le comportement de l'enfant : il perd son sentiment de culpabilité, clarifie sa pensée, découvre parfois le goût de l'effort intellectuel. **Renseignements :** UNFD *Union nationale France dyslexie* (3, rue Franklin, 75016 Paris). *APAED* (Ass. de parents et amis d'enfants dysl.), B.P. 34, 95150 Taverny. *APEDA-France* (Ass. fr. de parents d'enfants en difficulté d'apprentissage du langage écrit), 3 bis, avenue des Solitaires, 78320 Le Mesnil-Saint-Denis. *APTL* (Ass. nat. de parents pour l'adaptation scolaire et professionnelle des enfants et adolescents atteints de troubles du langage), 182, rue Nationale, 36400 La Châtre. *CAED* (Comprendre et aider les enfants dysl.), 4, rue Pierre-Guilbert, 91330 Yerres. *SOS Dyslexia* (Ass. de parents, professionnels, jeunes et adultes concernés par les troubles du langage écrit), 36, rue de la Pompe, 75116 Paris.

Résultats session 1990

Catégorie de candidats	Présents (nombre)	Admis (nombre)	% de succès
Candidats scolaires :			
Série Collège			
Enseignement public ...	488 863	365 289	72,0
Privé sous contrat	132 890	112 518	82,6
CNED	424	259	49,6
Formation continue ...	104	53	52,8
Total	622 281	478 119	74,3
Série technologique			
Enseignement public			
Type MEN	53 216	33 894	61,6
Type agriculture ..	1 503	1 040	58,3
Privé sous contrat			
Type MEN	11 837	8 984	74,2
Type agriculture ..	1 320	1 017	80,0
CNED	80	49	44,4
Formation continue ...	62	40	60,0
Total	68 018	45 024	63,4
Série professionnelle			
Enseignement public			
Type MEN	29 823	15 905	53,3
Type agriculture ..	1 339	777	68,6
Ens. Privé sous contrat			
Type MEN	9 268	5 893	65,3
Type agriculture ..	5 134	3 164	62,3
CNED	22	14	59,5
Formation continue ...	20	17	66,7
Total	45 606	25 770	57,4
Candidats individuels :			
Série collège			
Pub, priv. sous contrat .	9 588	1 824	22,8
Privé hors contrat	3 808	1 413	30,8
Autres	944	287	23,1
Total	14 340	3 524	24,8
Série technologique			
Pub, priv. sous contrat .			
Type MEN	4 023	1 937	46,8
Type agriculture ..	86	26	72,2
Privé hors contrat			
Type MEN	226	87	34,5
Type agriculture ..	3	1	–
Autres	338	138	45,0
Total	4 676	2 189	45,5
Série professionnelle			
Pub, priv. sous contrat			
Type MEN	20 315	12 000	57,8
Type agriculture ..	1 050	580	48,6
Privé hors contrat			
Type MEN	986	571	53,1
Type agriculture ..	264	129	39,2
Autres	1 200	668	56,0
Total	23 815	13 948	56,9
Candidats scolaires	735 905	548 913	72,2
Candidats individuels ..	42 831	19 661	44,4
Total général	778 736	568 574	70,5

Baccalauréat

Histoire

Moyen Age le mot vieux-provençal et dialectal espagnol *bacalar* désigne une figue-fleur et par analogie un jeune paysan (langue d'oïl : bachelier). On appelait « bacheliers » les jeunes clercs admis à l'essai dans les chapitres de chanoines. **XVIe s.,** cet état est réservé aux maîtres ès arts (reçus à la déterminance après 2 ans d'études de logique). Les baccalaureati sont admis à préparer la licence, et le baccalaureatus devient le temps d'étude nécessaire pour être licencié (2 autres années). **1808** *(17-3)* Napoléon rétablit la maîtrise ès arts et lui donne le nom de baccalauréat qui devient un grade universitaire (5 b. : lettres, sciences, médecine, droit, théologie). **1808-21** purement littéraire et oral (explication d'un auteur latin ou grec). **1821** questions de math. et physique (oral). **1830** épreuve écrite (soit composition, soit version) ; questions sur les syllogismes obligatoires à l'oral. **1840** version latine obligatoire et éliminatoire ; auteurs français au programme de l'oral. **1852** écrit : version latine, composition latine ou française ; oral : logique, histoire-géographie, arithmétique, géométrie, physique élémentaire. **1857** composition obligatoirement en latin. **1864** *(27-11)* décret Duruy : composition philosophique à l'écrit ; oral non précisé sur les matières enseignées. **1874** 2 séries d'épreuves : 1°) version et composition latines ; 2°) composition philosophique (en français) et version de langue vivante. **1880** les 2 séries sont nommées *rhétorique* et *philosophie* (1° version latine, composition française, thème de langue vivante ; 2° composition philosophique, composition scientifique). **1896** création du bac classique et du bac moderne (2 langues vivantes au lieu du latin). **1902** section A (latin-grec), B (latin-langues), C (latin-sciences), D (sciences-l. vivantes). **1925** A (latin-grec), A' (latin sans grec), B (français, 2 l. vivantes). **1945** technique créée. **1963** 1 seule série (l'ancienne 2e partie) ; options : philosophie, sciences expérimentales, math., technique, sciences économiques ; examen probatoire. **1965** examen probatoire supprimé. **1969** épreuve de français anticipée en 1re année. **1983** mentions supprimées. **1984** rétablies.

Statistiques

• **Nombre de bacheliers. 1809 :** 32. **1850 :** 4 147 (ès Lettres ou Philosophie 3 279, ès Sciences 868). **1900 :** *2e partie* 5 717 (Philo. 4 537, Math. 1 180). **1914 :** *1re partie* 9 635 ; *2e* 7 733 (Phil. 4 773, Math. 2 960). **1930 :** *1re partie :* 17 012 (A 3 121, A' 8 147, Latin-Sc. 1 422, B 4 322) ; *2e partie :* 15 566 (Phil. 11 413, Math. 4 153). **1939 :** *1[re] partie :* 33 104 (A 10 053, A' 14 737, B 8 314) ; *2[e] partie :* 23 977 (Phil. 16 573, Math. 7 404). **1950 :** *1[re] partie :* 40 333 (A 6 210, B 9 094, C 6 927, M 16 239, T 1 863) ; *2e partie :* 32 362 (Phil. 17 186, Sc. 6 747, Math. 7 474, Math. et Techn. 955). **1960 :** *1re partie :* 88 335 (A 4 983, A' 1 277, B 14 752, C 12 807, M 27 281, M' 21 327, T 5 385, T' 523) ; *2e partie :* 56 278 (Phil. 23 344, Sciences ex. 15 434, Math. 17 061, Math. et Techn. 248, Techn. écon. 191). **1990 :** voir ci-dessous.

• **Coût du bac** (1989). 75 millions de F soit 251 F par candidat.

• **Salaire des enseignants du jury** (1983). Correcteurs de philo. ou de français : 9,50 F/copie ; autres disciplines : 7,50 F/copie ; oral : 155,47 F pour 4 h (en 1983).

• **% de bacheliers par génération. 1850** garçons 1,3 ; **70** 1,9 ; **80** 2 ; **90** 2,2 ; **1900** 1,8 ; **10** garçons 2-filles 0,02 ; **20** 2,8-0,4 ; **30** 3,9-1,2 ; **40** 5,6-2,9 ; **50** 5,9-4,4 ; **55** 8-6,7 ; **60** 12,6-12,4 ; **65** 11,6-11,8 ; **68** 18,5-20,8 ; **70** 18,5-21,5 ; **75** 22,2-29,9 ; **79** 25,33 ; **83** 27,9 ; **87** 32,8 ; **88** 36 ; **vers 2000** (prév.) 57.

• **Candidats. Nombre en 1989 :** 472 563. *Séries : A :* 76 706, *B :* 83 451, *C :* 56 397, *D :* 70 514, *D' :* 2 031, *E :* 9 108.

Origine de l'enseignement (en % sur le nombre de présentés, en 1988). *Public* 74,2 (E 91,6, C 79,4), *privé* 23,6 (D' 27,9, B 26), *candidats individuels* 2,2 ; sur le nombre d'admis : public 75,7, *privé* 73,8, *c. individuels* 32,4.

• **Admis en 1990.** *Ensemble des admis :* 73,1. *Directement au 1er groupe d'épreuves* (au moins 10 de moyenne) : 179 507 (série A 43 942, série B 38 092, série C 48 393, série D 42 169, série D' 941, série E 5 970. *Admis au 2e groupe d'épr.* (note entre 8 et 10 au 1er gr., au moins 10 au 2e gr.) : 67 363. **Taux selon les académies.** *% les plus élevés et les plus faibles,* voir tableau ci-dessous.

• **Certificat de fin d'études secondaires** (non-admis au bac ayant obtenu entre 8 et 10). 28 834.

• **Bonnes notes.** En 1983, à Paris, sur 19 608 candidats à l'épreuve anticipée de français, *7 :* ont obtenu 19 sur 20 à l'écrit (*23* à l'oral), *30 :* 18 sur 20 à l'écrit (*118* à l'oral), *84 :* 17 sur 20 à l'écrit (*249* à l'oral), *210 :* 16 sur 20 à l'écrit (*636* à l'oral), *382 :* 15 sur 20 à l'écrit (*1 116* à l'oral).

% des candidats (en 1987) selon les notes obtenues. 15 sur 20 et + et, entre parenthèses **15 à 10 sur 20. Écrit :** *A1 :* 4 % (34 %), *A2 :* 4 (27), *A3 :* 2 (26), *B :*

Répartition académique des candidats présentés et admis aux différentes séries du baccalauréat général, année 1991 (France – public + privé)

ACADEMIES	NOMBRE DE CANDIDATS PAR SÉRIE — Série A			Série B			Série C			Série D			Série D'			Série E			TOUTES SÉRIES		
	Présent	Admis	% Admis	Présent	Admis	% Admis	Présent	Admis	% Admis	Présent	Admis	% Admis	Présent	Admis	% Admis	Présent	Admis	% Admis	Présent	Admis	% Admis
AIX-MARSEILLE	4376	3142	71.8	4563	2981	65.3	2861	2472	86.4	3701	2717	73.4	49	38	77.6	488	329	67.4	16038	11679	72.8
AMIENS	2547	1757	69.0	3261	2094	64.2	1997	1591	79.7	2575	1666	64.7	0	0		371	239	64.4	10751	7347	68.3
BESANCON	1802	1372	76.1	1769	1282	72.5	1305	1117	85.6	1654	1279	77.3	0	0		290	214	73.8	6820	5264	77.2
BORDEAUX	5496	4266	77.6	3497	2406	68.8	2929	2395	81.8	4034	3040	75.4	125	77	61.6	555	461	83.1	16636	12645	76.0
CAEN	2466	1862	75.5	1965	1358	69.1	1469	1213	82.6	1957	1454	74.3	47	31	66.0	186	146	78.5	8090	6064	75.0
CLERMONT	2221	1761	79.3	2038	1416	69.5	1515	1258	83.0	• 1805	1327	73.5	114	74	64.9	184	156	84.8	7877	5992	76.1
CORSE	498	408	81.9	316	223	70.6	259	208	80.3	317	227	71.6	0	0		23	13	56.5	1413	1079	76.4
CRETEIL→	4889	3319	67.9	5935	3624	61.1	4197	3235	77.1	3824	2659	69.5	4	2	50.0	406	294	72.4	19255	13133	68.2
DIJON	2491	1957	78.6	2296	1674	72.9	1958	1661	84.8	2114	1600	75.7	114	85	74.6	489	386	78.9	9462	7363	77.8
GRENOBLE	4811	3964	82.4	4641	3429	73.9	3908	3463	88.6	3908	2837	72.6	0	0		739	593	80.2	18007	14286	79.3
LILLE	6605	4174	63.2	6221	3736	60.1	5500	4460	81.1	6964	4846	69.6	162	92	56.8	1114	807	72.4	26566	18115	68.2
LIMOGES	1424	1051	73.8	860	608	70.7	738	613	83.1	1076	752	69.9	65	25	38.5	149	118	79.2	4312	3167	73.4
LYON	4165	3352	80.5	5190	3916	75.5	3479	3110	89.4	3863	3132	81.1	79	56	70.9	555	461	83.1	17331	14027	80.9
MONTPELLIER	3629	2691	74.2	3020	1833	60.7	2650	2414	91.1	2468	1907	77.3	100	66	66.0	363	291	80.2	12230	9202	75.2
NANCY-METZ	3849	2955	76.8	3494	2579	73.8	3432	2810	81.9	3261	2405	73.8	66	41	62.1	769	596	77.5	14871	11386	76.6
NANTES	5791	4461	77.0	5390	3813	70.7	3689	3150	85.4	5178	4036	77.9	260	171	65.8	430	347	80.7	20738	15978	77.0
NICE	2919	2109	72.3	2734	1755	64.2	1884	1570	83.3	2018	1334	66.1	57	35	61.4	307	205	66.8	9919	7008	70.7
ORLEANS-TOURS	3824	2895	75.7	3611	2470	68.4	3301	2687	81.4	2980	2189	73.5	109	83	76.1	548	434	79.2	14373	10758	74.8
PARIS	5385	3564	66.2	5736	3582	62.4	4258	3590	84.3	3765	2596	69.0	2	1	50.0	283	204	72.1	19429	13537	69.7
POITIERS	2848	2232	78.4	2401	1663	69.3	1951	1616	82.8	2294	1661	72.4	69	40	58.0	303	241	79.5	9866	7453	75.5
REIMS	2074	1517	73.1	2431	1692	69.6	1772	1384	78.1	2056	1519	73.9	83	48	57.8	336	224	66.7	8752	6384	72.9
RENNES	4997	3832	76.7	5107	3685	72.2	3993	3463	86.7	5237	4032	77.0	278	157	56.5	740	569	76.9	20352	15738	77.3
ROUEN	2665	1704	63.9	2922	1937	66.3	1778	1440	81.0	2209	1634	74.0	63	44	69.8	276	184	66.7	9913	6943	70.0
STRASBOURG	2030	1694	83.4	1885	1472	78.1	2239	1916	85.6	1861	1488	80.0	54	33	61.1	331	269	81.3	8400	6872	81.8
TOULOUSE	4210	3285	78.0	3788	2720	71.8	2857	2582	90.4	3804	2895	76.1	190	112	58.9	480	385	80.2	15329	11979	78.1
VERSAILLES	6256	4682	74.8	9947	7028	70.7	6947	5984	86.1	6243	4772	76.4	29	20	69.0	585	426	72.8	30007	22912	76.4
TOTAL GENERAL	94268	70006	74.3	95018	64976	68.4	72866	61402	84.3	81166	60004	73.9	2119	1331	62.8	11300	8592	76.0	356737	266311	74.7
ANTILLES GUYANE (1)	1376	1057	76.8	703	453	64.4	422	334	79.1	673	497	73.8	19	19	100	61	40	65.6	3254	2400	73.7

Répartition des candidats présentés et admis aux différentes séries du baccalauréat de technicien, année 1991 (France – Public + Privé)

ACADEMIES	NOMBRE DE CANDIDATS PAR SÉRIE																				
	Secteur industriel F1 à F7,F9,F10			Sciences médico-sociales F8			Secteur économique G1,G2,G3			Musique et danse F11,F11'			Arts appliqués F12			Informatique H			TOUTES SÉRIES		
	Présent	Admis	% Admis	Présent	Admis	% Admis	Présent	Admis	% Admis	Présent	Admis	% Admis	Présent	Admis	% Admis	Présent	Admis	% Admis	Présent	Admis	% Admis
AIX-MARSEILLE	1816	1136	62.6	629	405	64.4	4194	2300	54.8	14	13	92.9	31	24	77.4	15	9	60.0	6699	3887	58.0
AMIENS	1770	1105	62.4	676	441	65.2	3809	2413	63.3	0	0		20	17	85.0	0	0		6275	3976	63.4
BESANCON	1117	817	73.1	200	164	82.0	1692	1283	75.8	8	8	100.0	15	15	100.0	13	11	84.6	3045	2298	75.5
BORDEAUX	1850	1301	70.3	507	343	67.7	4862	3156	64.9	18	18	100.0	28	25	89.3	0	0		7265	4843	66.7
CAEN	1085	807	74.4	312	249	79.8	2650	1764	66.6	12	12	100.0	34	29	85.3	19	14	73.7	4112	2875	69.9
CLERMONT	981	666	67.9	418	288	68.9	2012	1367	67.9	0	0		0	0		26	22	84.6	3437	2343	68.2
CORSE	99	46	46.5	99	55	55.6	381	203	53.3	0	0		0	0		0	0		579	304	52.5
CRETEIL	2662	1790	67.2	878	630	71.8	8051	5113	63.5	31	28	90.3	26	21	80.8	27	6	22.2	11675	7588	65.0
DIJON	1417	1037	73.2	414	311	75.1	2954	1962	66.4	8	8	100.0	0	0		0	0		4793	3318	69.2
GRENOBLE	2237	1650	73.8	593	431	72.7	5018	3519	70.1	11	11	100.0	0	0		0	0		7859	5611	71.4
LILLE	4835	3061	63.1	1697	1167	68.8	9787	5949	60.8	39	34	87.2	71	59	83.1	36	28	77.8	16465	10288	62.5
LIMOGES	681	467	68.6	170	136	80.0	1282	719	56.1	0	0		22	20	90.9	0	0		2155	1342	62.3
LYON	2136	1635	76.5	756	621	82.1	4828	2821	58.4	33	30	90.9	65	57	87.7	0	0		7818	5164	66.1
MONTPELLIER	1228	847	69.0	494	349	70.6	3663	1986	54.2	10	9	90.0	26	23	88.5	0	0		5421	3214	59.3
NANCY-METZ	2970	2084	70.2	842	659	78.3	4301	3080	71.6	25	23	92.0	25	22	88.0	25	11	44.0	8188	5879	71.8
NANTES	2123	1609	75.8	833	669	80.3	5885	4160	70.7	16	16	100.0	58	32	55.2	57	38	66.7	8972	6524	72.7
NICE	803	514	64.0	197	148	75.1	2810	1461	51.6	21	21	100.0	23	14	60.9	28	17	60.7	3882	2165	55.8
ORLEANS-TOURS	1935	1340	69.3	549	407	74.1	4136	2831	68.4	8	8	100.0	34	29	85.3	0	0		6662	4615	69.3
PARIS	1532	1123	73.3	424	347	81.8	3528	2300	65.2	32	32	100.0	139	104	74.8	58	3	5.2	5713	3909	68.4
POITIERS	1127	786	69.7	339	243	71.7	2934	1948	66.4	0	0		29	26	89.7	0	0		4429	3003	67.8
REIMS	1162	767	66.0	441	307	69.6	2149	1463	68.1	16	15	93.7	0	0		24	17	70.8	3792	2569	67.7
RENNES	2560	1807	70.6	781	575	73.6	6377	4459	69.9	42	39	92.9	54	36	66.7	177	136	76.8	9991	7052	70.6
ROUEN	1090	718	65.9	467	286	61.2	3422	2072	60.5	13	12	92.3	21	20	95.2	0	0		5013	3108	62.0
STRASBOURG	1481	1082	73.1	465	342	75.2	2213	1518	68.6	9	9	100.0	22	19	86.4	18	10	55.6	4198	2980	71.0
TOULOUSE	1992	1531	76.9	597	423	70.9	3977	2659	66.9	20	19	95.0	33	22	66.7	22	17	77.3	6641	4671	70.3
VERSAILLES	2842	2041	71.8	995	805	80.9	10591	7539	71.2	20	20	100.0	38	30	78.9	72	32	44.4	14658	10467	71.9
TOTAL GENERAL	45531	31757	69.7	14763	10801	73.2	107506	70035	65.1	406	385	94.8	814	644	79.1	617	371	60.1	169637	113993	67.2

2 (32), *E* : 1 (21), *S* : 5 (39). **Oral :** *A1* : 10 (58), *A2* : 10 (58), *A3* : 7 (46), *B* : 9 (59), *E* : 5 (64), *S* : 14 (58). **Mentions en 1987.** Sur 184 689 bacheliers en métropole (Corse non comprise), il y a 37 081 mentions dont assez-bien 30 232 (16,3 % du total), bien 6 104 (3,3), très-bien 745 (0,4).

% des bacheliers ayant une mention selon les séries. *C* : 43,5 (AB 28,8 ; B 12,1 ; TB 2,6). *A1* : 23,6 (AB 17,9 ; B 4,7 ; TB 0,9). *D* : 24,7. *E* : 25,9. *A2* : 20. *A* : 20,8. *D + D'* : 24,4. *B* : 15,6. *A3* : 12,4.

% de bacheliers admis

% admis	1970	1975	1980	1985	1990
A	38,5	24,9	17,9	18,3	17,7
B	6,7	10,3	13,9	15,9	16,7
C	12,8	15	13	13,3	15,8
D, D' ...	21,5	23	21,6	17,6	16,3
E	3,2	2,6	0,3	2,2	2,2
F	6,6	9,3	9,5	13,2	11,4
G	10,4	15,3	17,6	19	20,2
H	0,03	0,2	0,2	0,5	0,09
Total	*100*	*100*	*100*	*100*	*100*

Organisation en 1990

• **Épreuves** en 2 groupes : *1er* : épreuves écrites et orales (matières obligatoires) ; *2e* : épreuves orales au choix du candidat. *Épreuve d'éducation physique et sportive :* obligatoire dans le 1er groupe d'épreuves ; si la note est supérieure à 10, elle compte dans le total des notes des épreuves du 1er groupe. Sinon, elle entre en déduction du total de ces points, sauf s'il y a attestation d'assiduité et d'application aux cours d'EP du chef d'établissement. *Épreuves facultatives :* dessin, musique, éd. ménagère, langues vivantes étrangères et régionales, travail manuel (mécanique ou menuiserie) : seuls les points au-dessus de 10 entrent en ligne de compte.

• **Séries et options.** *Série A (Philo-lettres) :* A1 (latin, grec) ; A2 (latin, langues) ; A3 (latin-math.) ; A4 (langues, math.) ; A5 (langues) ; A6 (éduc. musicale) ; A7 (arts plastiques). *B* (Économique et social). *C* (Math. et sciences physiques). *D* (Math. et Sciences de la nature). *D'* (Sc. agronom. et Technique). *E* (Sc. et Technique). *F* (Industriel), *F8* (Médico-social), *11 et 11'* (Musique et danse). *G1 à 3* (Économie). *H* (Informatique).

Coefficients des disciplines selon les séries. Épreuves du 1er groupe. ÉCRIT : **Français** (en 1re ; 4 h) : *A1* 3, *A2* 3, *A3* 3, *B* 3, *C* 2, *D* 2, *D'* 2, *E* 2. **Philo** (4 h) : *A1* 5, *A2* 5, *A3* 5, *B* 3, *C* 2, *D* 2, *D'* 2, *E* 2. **Math.** (4 h) : *A1* 4 (3 h), *B* (3 h) 3, *C* 5, *D* 4, *E* 5. **Hist./géo.** (3 h 30) : *A1* 3, *A2* 3, *A3* 3, *B* 3, *C* 2, *D* 2, *D'* 2. **Langue** (3 h) : *A1* (vivante ou ancienne) 3, *A2* (V I) 4, *A3* (V ou anc.) 3, *B* (V I) 3. V 2 ou V 3 ou anc. : *A2* 3. **Ens. artistique** (3 h) : *A3* 3. **Sciences éco. et sociales** (3 h) : *B* 4. **Sc. physiques** (3 h) : *C* 5, *D* 4, *D'* 3, *E* 4. **Sc. nat.** (3 h) : *C* 2, *D* 4. **Sc. biologiques** (3 h) : *D'* 4. **Construction mécanique** (4 h) : *E* 4. ORAL : **LV ou ancienne non choisie à l'écrit :** *A1* 3, *A2* 3, *A3* 3, *B* 3, *C* 3, *D* 3, *D'* 3, *E* 3. **Math. :** *A2* 2, *A3* 2. **Ens. artistique :** *A3* 3. **Sc. écon. :** *D'* 3. **Sc. agron. :** *D'* 5. **Technique pratique :** *E* 3.

• **Résultats. 3 cas peuvent se présenter :** *l'élève a eu : 1) moins de 8 de moyenne au 1er gr. :* il est ajourné. Il peut demander un certificat de fin d'études secondaires au directeur de l'académie, ou redoubler ; *2) entre 8 et 10 :* il doit passer les épreuves du 2e groupe ; il est reçu si la moyenne générale des 1er et 2e gr. est au moins égale à 10 ; *3) 10 ou + :* il est définitivement admis.

☞ **Quelques personnalités n'ayant pas eu leur bac.** Pierre Bérégovoy, Gal Bigeard, Marcel Bleustein-Blanchet, Alain Delon, Gérard Depardieu, Sylvain Floirat, Sacha Guitry, Georges Marchais, Alain Perrin (Pt-dir. gén. de Cartier-International), Antoine Pinay, Sheila.

Concours général

Origine. *Fondé* 1744 par l'université de Paris grâce au legs de l'abbé Louis Le Gendre († 1734), *1re distribution des prix* à la Sorbonne 23-8-1747. Remis en vigueur par consul Bonaparte 23 fructidor an XI. Supprimé 1906, rétabli 1921.

Organisé par le min. de l'Éducation nat. et rectorats en liaison avec le min. des Aff. étr., le min. de la Coopération et les insp. d'académies. *Correction :* un jury national pour chaque matière. *Remise des prix :* cérémonie fin juin. *Candidatures :* ouvert aux meilleurs élèves de 1re et de terminale des établissements publics et privés sous contrat, et des lycées français de l'étranger. Candidats inscrits par leur professeur (pas de cand. libres).

Candidats. *1978* : 3 700, *79* : 3 461, *80* : 3 735, *81* : 4 122, *82* : 4 002, *83* : 4 388, *84* : 5 717, *85* : 4 274, *86* : 4 518, *87* : 6 488, *88* : 8 645, *89* : 9 086 [195 ont obtenu un prix ou accessit dont 97 filles. Le plus jeune 15 ans, le plus âgé 23 ans. Académies les plus représentées : Paris (48 nominations), Nancy-Metz (22), Versailles (37), Rennes (11). Établissements français à l'étranger cités 13 fois au palmarès national], *90* : 10 289, *91* : 10 286.

Épreuves (36 entre mars et mai). **1re :** composition française *(séries A,B,S,E,)*, version latine *(A, B, S)*, version grecque *(A, B, S)*, thème latin *(A, B, S)*, histoire *(A, B, S)*, géographie *(A, B, S)*. **Terminale :** construction *(E)*, technologie informatique *(H)*, technologie (11 épreuves : *F1, F2, F3, F4, F5, F6, F7, F7', F8, F9, F10)*, langues : all., angl., arabe, esp., hébreu, ital., port., russe *(A, B, C, D, E)*, philo. *(A, B, C, D, E)*, économie et droit *(G1, G2, G3)*, sc. écon. et sociales *(B)*, math. *(C, D)*, sc. naturelles *(D)*, sc. physiques *(C, D, E)*. **1res et terminale :** éducation musicale, arts plastiques.

Diplômes supérieurs

Diplômes délivrés en 1989

Formations à l'Université dans les disciplines générales. *Niveau bac + 2* (DEUG, DEUST) 77 311 ; droit, sciences éco. AES 23 943 ; lettres ens. du 1er degré 34 344 ; sciences, MASS, STAPS 19 024 (dont sciences 17 292). *Bac + 4* (maîtrise, MST, MSG, MIAGE) 47 496 ; droit, sciences éco., AES 18 626 ; lettres 15 093 ; sciences, MASS, STAPS 13 777 (dont sciences 13 170). *Bac + 5* (DEA, DESS, magistère) 29 878 ; droit sciences éco. 11 320 ; lettres 7 764 ; sciences, MASS, STAPS 10 794 (dont sciences 10 569).

Formations supérieures à finalité professionnelle. *Niveau bac + 2* 69 637 ; BTS 42 125 ; DUT 26 353 ; DEUST 1 159. *Bac + 4* 5 339 ; MST 3 280 ; MSG 1 320 ; MIAGE 739. *Bac + 5* 5 183 ; DESS 11 901 ; diplôme d'ingénieur 14 899.

Étudiants obtenant leur diplôme sur 100 inscrits en 1re année

	niveau DEUG	niveau maîtrise	Doctorat médecine
Lettres	60	40	–
Droit	55	45	–
Sciences éco. ...	50	40	–
Sciences	47	30	–
Médecine	40	–	35

Nota. – **AES :** administr. éco. et sociale. **DEA :** dipl. d'études approfondies. **DESS :** supérieures spécialisées. **DEUG :** universitaires générales.

DEUST : univ. en sciences et techniques. **DEUT** : univ. de tech. **MASS** : maths. appliquées aux sciences soc. **MIAGE** : méthodes informatiques appliquées à la gestion. **MSG** : maîtrise de sciences de gestion. **MST** : de sciences et techniques. **STAPS** : sciences et techn. des activités physiques et sportives.

Licences délivrées en 1989

Lettres 28 862 dont histoire 4 058, lettres modernes 3 610, anglais 3 104, psychologie 2 764, lettres étrangères appliquées 2 448, sc. de l'éducation 1 258, sociologie 1 176, géographie 1 161, espagnol 1 101, histoire de l'art et archéologie 872, philosophie 789, allemand 752, information et communication 703, éduc. musicale 542, arts plastiques 537, sc. du langage 400, lettres classiques 384, italien 310, cinéma 308, français langue étrangère 276, aménagement 274, ethnologie 230, sc. du langage mention FLE 199, sc. soc. appliquées au travail 187, sc. humaines-psycho clinique 157, tourisme 129, chinois 121, arabe 108, théologie 107, russe 92, animation culturelle 77, portugais 77, japonais 52, litt. générale et comparée 42, esthétique 32, binationale franco-italienne 26, linguistique et informatique 25, techn. d'archives et doc. 25, arts appliqués 25, connaissance gestion (aménagement espaces) 22, art et techno. de l'image 18, grec moderne 18, hébreu 18, breton et celtique 15, métiers de la culture (archives et doc.) 15, coréen 10, lettres option librairie 10, scandinave 10, sc. et techn. expression 8, catalan 7, logique 6, polonais 5, vietnamien 4, musique et animation musicale 3, néerlandais 3, diverses 156. **Sciences 14 460** dont mathématiques 1 871, biochimie 1 521, informatique 1 337, EEA 1 261, physique 1 141, biologie cellulaire et physiologie 1 081, chimie 991, mécanique 746, sciences nat. 713, biologie des organismes 672, sc. physiques 490, sc. de la Terre 378, techno. de la construction 360, chimie physique 312, physique et application 222, MASS 218, micro-informatique et microélectronique 206, biologie 183, chimie divers 151, sc. de l'industrie 89, télécommunications 54, génie civil 46, génie électrique 43, lic. diverses 40, techn. audiovisuelles 38, optique physiologique et optométrie 37, physique-chimie moléculaires 37, productique appliquée aux ind. mécaniques 29, sc. physiques (mesures et contrôles) 24, sc. des matériaux 22, sc. chimiques et biologiques 19, neurosc. du comportement 18, océanologie 18, constructions mécaniques 17, électronique et énergie 17, phytoprotection 17, contrôles et analyses chimiques 16, gestionnaire de l'eau en milieu agricole 16, sc. de la vigne et du vin 9. **Droit 10 216** dont droit pur 9 641, administration publique 375, sc. juridique et politique 184, droit canonique 16. **Economie 9 380** dont administration économique et sociale 4 307, sc. économiques 3 204, économie entreprises 1 044, économétrie 289, politique économique 180, économie appliquée 150, gestion des PMI 89, échanges internationaux 62, économie d'entreprise et de gestion 30, économie publique 15, économie agricole et rurale 10, licences diverses 53. **Total des licences 64 529.**

Diplômes	1900	1930	1955	1960	1976	1983	1989
Droit							
Licence ...	1 475	1 931	3 271	1 943	7 610	9 148	10 216
Doct. d'État [2]	494	363	245	126	132	189	467 [3]
Lettres							
Licence ...						19 416	28 862
Maîtrise ...	430	1 048	2 176	3 622	10 881	10 143	11 321 [3]
Doct. d'État	16	57	79	37	159	314	1 823 [3]
Médecine							
Doct. d'État	1 126	1 076	2 337	2 242	8 245	7 957	7 081 [3]
Ch. dent. ..	105	473	504	606	2 754	1 736	1 602 [3]
Sage-fem. ..	379	435	866	230	392	n.c.	
Pharmacie	614	682	847	1 085	2 878	3 065	3 634 [3]
Sciences							
Licence ...						8 850	14 460
Maîtrise [1] ..	254	836	1 594	4 618	6 619	7 402	11 321 [3]
Doct. d'État	37	73	242	293	1 130	1 089	3 452 [3]

Nota. – (1) Maîtrise (4 a. d'études) à partir de *1977* : 7 436 ; *1988* : 4 845. (2) Nouveau régime compris. (3) 1986.

Grandes Écoles

Généralités

L'enseignement supérieur français comprend des grandes écoles publiques ou privées. Les grandes écoles publiques et écoles supérieures publiques sont dirigées par un directeur nommé par le Ministre et

Spécialité dominante (1988-89, public et privé)	Effectifs	Établ. (nbre)	Diplômes 1988
Sans spécialité dominante	18 907	43	4 704
Agroalimentaire	6 301	32	1 484
Aéronautique	1 020	4	407
Mines, travaux publics	2 932	9	847
Défense nationale	1 071	9	266
Électricité, électronique	10 104	24	2 902
Mécanique, métallurgie	6 778	22	2 012
Physique-chimie	4 392	26	1 304
Textile	477	4	115
Diverses spécialités ...	800	11	235
Total	*52 782*	*184*	*14 276*

reçoivent leurs crédits de l'État. Elles ont un corps enseignant propre à chacune d'elles, principalement choisi par le directeur, et disposent d'un conseil d'administration comprenant un nombre important de personnalités extérieures. Elles ne relèvent pas toutes de l'Éduc. nat. Certaines relèvent des universités (composantes de l'Univ.) : écoles nat. sup. d'ingénieurs (ENSI), éc. universitaires d'ingénieurs. D'autres, publiques ou privées, leur sont rattachées par convention : École nat. sup. d'électricité (Supélec)... D'autres sont liées par contrat de recherche pour la préparation des DEA ou DESS et le développement de la formation de leurs ingénieurs et cadres commerciaux.

• **Élèves des établissements privés d'enseignement supérieur de commerce et de gestion. Effectifs (classes préparatoires comprises) :** *1980-81 :* 17 730, *89-90 :* 37 596 [dont sans classes préparatoires 33 051 (dont Paris 13 662, Versailles 4 015, Créteil 723)] [dont Français 19 685 garçons, 15 970 filles (étrangers 1 196 g., 745 f.)] [dont *classes prépa. aux ESCAE* 2 285 dont Fr. 1 113 g., 1 162 f. (étr. 3 g., 7 f.) ; *établ. du groupe I : (ESCAE)* 7 396 dont Fr. 3 529 g., 3 646 f. (étr. 113 g., 108 f.), *autres établ.* 10 427 dont Fr. 5 620 g., 4 002 f. (étr. 455 g., 350 f.) ; *groupe II : établ. reconnus par l'État mais non autorisés à délivrer un diplôme avec visa officiel* 2 730 dont Fr. 1 279 g., 1 045 f. (étr. 319 g., 87 f.) ; *groupe III : établ. non reconnus par l'État et non autorisés à délivrer un diplôme avec visa officiel* 12 498 dont Fr. 6 861 g., 5 186 f. (étr. 269 g., 182 f.)].

Répartition par type d'école. Établissements de haut enseignement commercial reconnus par l'État, 1989-90. 37 596 dont *autorisés à délivrer un diplôme avec visa officiel :* ESCAE 7 396, autres 10 427. *Non autorisés :* 2 730. *Autres établ. d'ens. com. :* 12 298. *Formation comptable :* 2 260.

• **Origine des él. des cl. prépa. (1989).** 57 881 inscrits dont prépa. scientifique 47 815 (82,6 %), littéraire 8 461 (14,6 %), autres 1 605 (2,8) ; 48 934 viennent de l'ens. public, 7 123 du privé. 90,1 % ont un bac. d'ens. général. En 1re année, 35 % de filles ; (en %) : technique 3,8 ; C 56,8 ; A 10,2 ; B 8,9 et D 8,1 ; E 5,6.

• **Diplômes délivrés en 1989 par les écoles d'ingénieurs.** *Par des écoles publiques dépendant du ministère de l'Éducation nationale :* 8 110 ; *dépendant d'autres ministères :* 3 363 dont : Agriculture 929, Défense 1 093, Industrie 481 ; P.T.T. 439, Équipement, Transport et Mer 351, Intérieur 65, Solidarité 5. *Par des écoles privées :* 3 426. **Total** 14 899.

Abréviations. Admis : Ad. Admission : Adm. Admission parallèle : Adm. p. Admission sur titre : Adm. sur t. Agrégation : Agrég. Annuel, année : An. Architecture : Archi. Baccalauréat : Bac. Candidat : Ca. Concours : C. Classe : Cl. Cycle : Cy. Diplôme, diplômé : Dipl. Durée des études en années : An. Droits universitaires [1] : D.u. École : Éc. Économie : Éco. Effectifs : Eff. Élève : Él. Enseignement : Ens. Études, étudiant : Ét. Externe : Ext. Faculté : Fac. Frais de scolarité annuels : Frais. Ingénieur : Ing. Interne : Int. Licence : Lic. Maîtrise : Maîtr. National : Nat. Polytechnique : Polytechn. ou X. Préparation : Prépa. Promotion : Promo. Spécial : Spé. Supérieur : Sup. Titre : T. Titulaire : Tit. Université : Univ.

Nota. – (1) Montant (1986-87) : 450 F.

Sources : Questionnaire aux écoles et Dossiers de l'étudiant.

Nombre d'écoles, entre parenthèses **d'élèves,** en italique **de diplômés en 1989-90.** Établ. publ. relevant du min. de l'Éduc. nat. 89 (31 398) *8 110 ;* autres min. 49 (10 599) *3 363 ;* établ. privés 45 (13 385) *3 426.*

% des femmes dans les principales grandes écoles. ESCP 46, HEC 33,3, ESSEC 33, Mines Nancy 29,6, Mines Paris 21,2, Mines St-Étienne 17,6, Ponts et Chaussées 15,1, Supélec 13,1, Télécom 13, Centrale 12,3, Polytechnique 9,3.

Classes préparatoires

• **Scientifiques. Mathématiques supérieures** *(Maths sup. ou hypotaupe). Cl. de type M* (maths prépondérantes) *et P* (physique et chimie). 1re année commune aux cl. de type M et P. Un certain nombre d'E.N.S.I. sont accessibles au niveau de math. sup. (ECAM, ESME, Sudria, quelques éc. du Nord, Mines de Douai et d'Alès). **Spéciales** *(Maths spé. ou taupe).* 2e année d'études. 4 types : M et M' à dominante math., M' ayant un programme renforcé préparant à Polytechnique et aux éc. normales sup. P et P' à dominante physique-chimie, P' ayant un programme renforcé.

Mathématiques supérieures et spéciales techniques (*dites T'*). Préparent à un concours spécial (1 ou 2 places) dans certaines grandes éc. **Types C :** prépa. aux gdes éc. agronomiques, biologie et géologie prépondérantes. 1re a. : biol., maths sup. (bio-maths sup.), 2e : biol., maths spéciales (bio-maths spé.). **T** : prépa. au concours commun des éc. d'arts et métiers. 1re a. : cl. de maths sup. technologiques. 2e a. : maths spé. technologiques.

Classes techniques. Dep. le décret du 30-7-1959, les titulaires d'un bac E (math. et techn.) peuvent préparer les concours des éc. d'ingénieurs en math sup. et math spé. « techniques » des lycées Franklin-Roosevelt à Reims et La Martinière à Lyon.

Classes de type TA, TB, TC. Concernent les bacheliers F. *TA :* électricité, mécanique, automatique (F1, F2, F3, F4, F9, F10). *TB :* chimie (F5, F6, F7, F8). *TB' :* biologie. *TC :* gestion, comptabilité (haut enseign. commercial) (bac G, H). Prépa. aux éc. nat. d'ingénieurs des travaux agricoles (ENITA), éc. vétérinaires, à HEC, à la section C de l'ENSET.

• **Littéraires.** Préparent surtout à l'entrée dans les éc. normales sup., section lettres : en 1re a. (hypokhâgne) : cl. de lettres sup., en 2e a. : cl. de 1re sup. (khâgne) ; il existe également des prépa. en 2 a. à l'éc. des Chartes et à l'éc. spéciale milit. de St-Cyr (lettres).

• **Préparations diverses.** En en 1 a. aux éc. nat. de la marine marchande, ou à certains concours de recrutement de professeurs spécialisés.

Argot des prépa.

Bikhas : retriplant une 1re sup. *Bizuths :* prépa. HEC n'ayant jamais redoublé. *Carrés :* redoublant prépa. HEC. *Cubes :* triplant prépa. HEC. *PS ou khâgne :* 1re sup. *Khâgneux :* élève de khâgne, appelés aussi kharrés s'ils n'ont pas redoublé la 1re sup. *Khubes :* élève ayant redoublé la cl. de 1re sup. *LS ou hypokhâgne :* cl. de lettres sup. *Hypokhâgneux :* élève d'hypokhâgne. *Hypotaupe :* cl. de math. sup. *Prépa. Agro :* cl. prépa. aux éc. agron. *Prépa. HEC ou* cl. prépa. au haut enseign. commercial *(épice). Prépa. Véto :* cl. prépa. aux éc. nat. vétérinaires. *Taupe :* cl. de maths spé. *Taupins :* élèves de maths spé. appelés aussi 3/2 ; redoublants : 5/2, triplants : 7/2.

Effectifs

• **Total en 1989-90** (établ. publics et privés). 62 907 (dont filles 35,1 %) dont :

• **Classes scientifiques.** *Cl. de type M et P* (41,1 %) dont *1re année* (maths sup.) : 12 684, *2e a. :* (maths spéciales) 13 197. *Cl. de type C Biologie* 4 202 (6,7 %) dont *1re a.* : 1 882, *2e a.* : 2 320. *Autres prépa. scientifiques* 20 793 (33,1 %) dont *1re a. :* maths sup. technologiques T 2 850, technol. et maths sup. (TA, TB, TB') 931, maths sup. techn. 199, écoles nat. vétérinaires (1 an) 1 592, HEC 1 an et technol. HEC 12 512, ENSET (1re a. et prépa. en 1 an) 642 *2e a. :* maths spé. technol. T 2 506, technol. HEC TC 512, technol. et maths spé. (TA, TB, TB') 599, ENSET 316. *Total* 50 876 (80,9 % du total des eff.).

• **Cl. littéraires.** *1re année :* lettres sup. (ENS) 4 587 ; Chartes 95 ; St-Cyr 221. *2e a. :* 1re sup. (ENS) 3 092 ; Groupe S 250 ; Chartes 85 ; St-Cyr 294. *Total* 8 753 (13,9 %) dont *1re a.* 5 282, *2e a.* 3 471.

• **Prépa. diverses.** Marine marchande (1 an) 12.

• **Résultats (1986-87).** *Maths sup.* 87 %. *Admis en maths spé.* 48,4 % (3 % préfèrent changer d'orientation). *Maths spé. après 1 an :* 45 % entrent dans une école d'ingénieur, 51 % font une 2e année, 4 % changent d'orientation ; *après 2 ans :* 93 % entrent dans une école d'ing. *Au total :* 78 % des élèves entrant en prépa. scient. entrent dans une école d'ing.

% des admissibles par rapport aux inscrits (en 1990) et, entre parenthèses, **% d'admis.** *Source :* Le Monde de l'Éducation (mars 1991).

Nota. – (1) Aix-en-Pr. (2) Albi. (3) Angers. (4) Annecy. (5) Armentières. (6) Belfort. (7) Besançon. (8) Bordeaux. (9) Brest. (10) Cachan. (11) Caen. (12) Chambéry. (13) Clermont-Fd. (14) Colmar. (15) Dijon. (16) Douai. (17) Dunkerque. (18) Fontainebleau. (19) Grenoble. (20) La Flèche. (21) La Rochelle. (22) Le Mans. (23) Lille. (24) Limoges. (25) Lyon. (26) Marseille. (27) Massy. (28) Metz. (29) Montbéliard. (30) Montluçon. (31) Montpellier. (32) Nancy. (33) Nantes. (34) Neuilly. (35) Nice. (36) Nogent-sur-Oise. (37) Orléans. (38) Paris. (39) Poitiers. (40) Reims. (41) Rennes. (42) Rouen. (43) Rueil. (44) St-Brieuc. (45) St-Étienne. (46) St-Maur-des-Fossés. (47) St-Ouen-l'Aumône. (48) Sceaux. (49) Strasbourg. (50) Toulon. (51) Toulouse. (52) Tours. (53) Valenciennes. (54) Versailles.

Polytechnique (M'). Jean-Bart [17] 100 (100). Fabert [28] 83 (50). Malherbe [11] 75 (38). Chateaubriand [41] 64 (32). Hoche [54] 62 (35). Sainte-Geneviève [54] 61 (49). Henri-IV [38] 61 (25). Montaigne [8] 59 (41). Condorcet [38] 57 (23). Louis-le-Grand [38] 52 (37). **(P').** Kerichen [9] 50 (25). Louis-le-Grand [38] 47 (30). Hoche [54] 47 (25). Descartes [52] 31 (8). Berthelot [46] 30 (20). Masséna [35] 29 (14). Henri-IV [38] 29 (5). Saint-Louis [38] 27 (12). Sainte-Geneviève [54] 26 (18). Le Parc [25] 25 (19).

Centrale (M M'). Prytanée militaire [20] 56 (6). Corneille [42] 49 (24). Chateaubriand [41] 48 (20). Louis-le-Grand [38] 41 (8). Hoche [54] 39 (12). Pasteur [34] 37 (13). Henri-IV [38] 37 (10). Sainte-Geneviève [54] 36 (8). Masséna [35] 34 (17). La Martinière [25] 29 (10). Pierre-de-Fermat [51] 29 (9). Condorcet [38] 29 (7). Le Parc [25] 29 (6). **(P P').** Louis-le-Grand [38] 50 (7). Henri-IV [38] 45 (15). Le Parc [25] 37 (18). Sainte-Geneviève [54] 36 (15). Hoche [54] 32 (13). Henri-Poincaré [32] 27 (12). Gay-Lussac [24] 26 (4). Thiers [26] 23 (6). Kléber [49] 23 (3). Saint-Louis [38] 22 (7). **(TA).** A.-Gasquet [13] 50 (50). Le Hainault [53] 30 (10). Antonin-Artaud [26] 14 (14). J.-Perrin [47] 12 (12).

Mines-Ponts (M). Sainte-Geneviève [54] 58 (11). Prytanée [20] 57 (14). Henri-IV [38] 51 (15). Louis-le-Grand [38] 47 (9). Hoche [54] 45 (12). Masséna [35] 45 (7). Pasteur [34] 44 (15). Condorcet [38] 43 (11). Pierre-de-Fermat [51] 39 (15). Chaptal [38] 38 (17). **(P').** Louis-le-Grand [38] 71 (13). Sainte-Geneviève [54] 59 (14). Le Parc [25] 57 (18). Pasteur [34] 52 (19). Saint-Louis [38] 51 (13). Hoche [54] 49 (17). Kléber [49] 45 (24). Henri-IV [38] 45 (6). Vauban [9] 44 (22). Montaigne [8] 41 (22). **(TA).** Henri-Loritz [32] 100 (100). Dorian [38] 50 (50). L.-Vieljeux [21] 25 (25). Rouvière [50] 25 (25). J.-B.-Say [38] 8 (8). Raspail [38] 4 (4).

Supélec (M). Prytanée militaire [20] 53 (40). Corneille [42] 49 (47). Chateaubriand [41] 45 (32). Hoche [54] 43 (41). Louis-le-Grand [38] 42 (34). Sainte-Geneviève [54] 40 (34). Henri-IV [38] 40 (29). Masséna [35] 36 (32). Pasteur [34] 36 (28). Pierre-de-Fermat [51] 32 (32). Condorcet [38] 32 (25). **(P').** Louis-le-Grand [38] 64 (54). Henri-IV [38] 58 (52). Sainte-Geneviève [54] 56 (51). Le Parc [25] 49 (43). Hoche [54] 47 (43). Poincaré [32] 38 (33). Paul-Cézanne [1] 37 (26). Saint-Louis [38] 36 (30). Thiers [26] 34 (21). Gay-Lussac [24] 27 (23). Kléber [49] 27 (22). Montaigne [8] 27 (18). **(TA).** Lycée Rueil [43] 100 (1). Viette [29] 100 (1). L.-Vieljeux [21] 67 (2). Le Hainault [53] 50 (3). A.-Gasquet [13] 50 (1). Chaptal [44] 25 (1). Raspail [38] 17 (3). J.-Perrin [47] 14 (2). Édouard-Branly [25] 7 (1).

ENSAM (T). Jean-Baptiste-Say [38] 78 (70). Déodat-de-Severac [51] 75 (72). Touchard [22] 72 (72). Eugène-Livet [33] 71 (64). Chevrollier [3] 71 (61). Gustave-Eiffel [15] 71 (47). Joliot-Curie [41] 70 (60). Chaptal [38] 69 (59). La Martinière [25] 67 (65). Louis-Marchal [6] 67 (61). **(TA).** J.-Viette [29] 42 (21). Hainaut [53] 40 (24). Raspail [38] 39 (22). George-Sand [43] 33 (20). Louis-Rascol [2] 30 (30). LET [14] 29 (29). É.-Branly [25] 29 (21). Monge [12] 29 (14). Louis-Vincent [28] 25 (16). A.-Gasquet [13] 22 (17).

ENSI (M). Masséna [35] 100 (100). Hoche [54] 99 (95). Henri-IV [38] 94 (97). Chaptal [38] 94 (94). Pierre-de-Fermat [51] 89 (98). Le Parc [25] 88 (96). Poincaré [32] 84 (97). Condorcet [38] 83 (94). Clemenceau [33] 83 (91). Carnot [15] 80 (94). Kléber [49] 80 (91). **(P).** Baggio [23] 100 (100). Louis-le-Grand [38] 100 (100). Prytanée militaire [20] 100 (100). Lycée Armentières [5] 100 (100). Henri-IV [38] 100 (100). Masséna [38] 98 (91). Condorcet [38] 94 (98). Hoche [54] 93 (98). Pierre-de-Fermat [51] 92 (95). Fénelon [38] 89 (100). Sainte-Geneviève [54] 89 (100).

Véto. Clemenceau [33] 67 (47). Berthelot [46] 64 (49). Cours G.-Saint-Hilaire [38] 59 (31). Cours Nadaud [38] 54 (32). Champollion [19] 53 (33). Descartes [52] 51 (41). Malherbe [11] 51 (29). Pierre-de-Fermat [51] 50 (41). Faidherbe [23] 49 (22). Saint-Louis [38] 46 (32).

INA, ENSA, ENSIA. Hoche [54] 92 (60). Ste-Geneviève [54] 90 (77). Pothier [37] 73 (12). Henri-IV [38] 71 (47). Chateaubriand [41] 67 (42). Poincaré [32] 66 (43). Cours Nadaud [38] 64 (29). Montaigne [8] 64 (28). Malherbe [11] 61 (48). François-Ier [18] 61 (47).

ENITA. Ste-Geneviève [54] 100 (100). Henri-IV [38] 93 (100). Malherbe [11] 85 (94). Hoche [54] 82 (100). Chateaubriand [41] 75 (100). Montaigne [8] 72 (100). Cours Nadaud [38] 71 (100). Poincaré [32] 71 (93). Clemenceau [33] 70 (96). Fénelon [36] 69 (100). François-Ier [18] 69 (100).

ENS ULM-Sèvres. *% ad. sciences (et entre parenthèses, ad. lettres).* Henri-IV [38] 9 (91). Louis-le-Grand [38] 59 (41). Le Parc [25] 46 (54). Faidherbe [23] 50 (50). Thiers [26] 71 (29). Sainte-Geneviève [54] 100 (0). Saint-Louis [38] 100 (0). Saint-Pierre-de-Fermat [51] 40 (60). Montaigne [8] 75 (25). Hoche [54] 100 (0). Chateaubriand [41] 75 (25). Descartes [52] 100 (0). Masséna [35] 75 (25).

ENS Fontenay-St-Cloud-Lettres. Le Parc [25] 67 (33). Louis-le-Grand [38] 50 (17). Henri-IV [38] 42 (29). Fénelon [38] 38 (22). Lakanal [48] 29 (5). La Bruyère [54] 28 (22). Jaurès [40] 25 (25). Camille-Julian [8] 23 (8). Guist'Hau [33] 18 (18). Balzac [38] 13 (9). **Langues.** Louis-le-Grand [38] 100 (100). Henri-IV [38] 67 (50). Masséna [35] 50 (17). Fénelon [38] 45 (20). Fustel-de-Coulanges [49] 33 (27). Chateaubriand [41] 29 (17). Lakanal [48] 21 (11). La Bruyère [54] 18 (9). Jeanne-d'Arc [42] 18 (9). Poincaré [32] 14 (14). **Sciences humaines.** Henri-IV [38] 41 (19). Fustel-de-Coulanges [49] 40 (20). Fénelon [38] 37 (18). Lakanal [48] 25 (18). Herriot [25] 25 (15). La Bruyère [54] 25 (12). Louis-le-Grand [38] 14 (14). Guist'Hau [33] 14 (7). Masséna [35] 11 (6). Jaurès [40] 10 (10).

ENS Lyon. Mathématiques. Victor-Hugo [11] 100 (100). Jean-Bart [17] 50 (50). Sainte-Geneviève [54] 50 (12). Henri-IV [38] 47 (32). Louis-le-Grand [38] 41 (28). Kléber [49] 40 (25). Descartes [52] 35 (35). Le Parc [25] 34 (20). Condorcet [38] 30 (20). Malherbe [11] 30 (20). **Physique-chimie.** Kerichen [9] 67 (67). Stanislas [38] 67 (67). Hoche [54] 58 (37). Louis-le-Grand [38] 56 (30). Marcellin-Berthelot [46] 50 (25). Saint-Louis [38] 47 (29). Kléber [49] 47 (27). Le Parc [25] 42 (25). Descartes [52] 36 (14). Poincaré [32] 35 (29). **Sciences de la vie et de la Terre.** Faidherbe [23] 42 (27). Sainte-Geneviève [54] 42 (27). Poincaré [32] 40 (10). Corneille [42] 33 (11). Hoche [54] 28 (17). Champollion [19] 28 (14). Pierre-de-Fermat [51] 25 (15). Joffre [31] 24 (19). Henri-IV [38] 23 (17).

ENS Cachan. Biochimie. Hoche [54] 25 (14). Poincaré [32] 24 (12). Corneille [42] 24 (8). Henri-IV [38] 23 (16). Sainte-Geneviève [54] 20 (13). Thiers [26] 18 (9). Chateaubriand [41] 17 (11). Faidherbe [23] 17 (4). Pierre-de-Fermat [51] 14 (14). Lycée de la Tour [28] 12 (8). **Physique-chimie.** Thiers [26] 86 (86). Henri-IV [38] 83 (67). Champollion [19] 75 (50). Fauriel [45] 67 (67). Masséna [35] 60 (40). Saint-Louis [38] 58 (47). Chaptal [38] 50 (50). Janson-de-Sailly [38] 50 (50). Berthollet [4] 50 (50). Faidherbe [23] 50 (50). Descartes [52] 50 (50). Châtelet [16] 50 (50). Guérin [39] 50 (50). Victor-Hugo [11] 50 (33). Pasteur [34] 50 (25). **Mathématiques.** Carnot [15] 100 (100). Martinière-Terreaux [25] 100 (100). Victor-Hugo [7] 71 (57). Chateaubriand [41] 67 (58). Berthelot [46] 67 (67). Kléber [49] 67 (67). Poincaré [32] 62 (50). Hoche [54] 60 (60). Henri-IV [38] 57 (43). Condorcet [38] 50 (30). Louis-le-Grand [38] 50 (41). **Construction et mécanique, B'.** Paul-Constans [30] 67 (33). Chevrollier [3] 50 (50). Jules-Ferry [54] 37 (29). Baggio [23] 36 (20). Jules-Lebleu [5] 35 (25). Marie-Curie [36] 34 (28). Gustave-Eiffel [10] 31 (31). La Martinière [25] 31 (27). Gustave-Eiffel [15] 31 (16). Louis-Armand [39] 31 (15).

HEC. IPESUP [38] 61 (42). Louis-le-Grand [38] 45 (35). St-Louis-de-Gonzague [38] 42 (28). Henri-IV [38] 42 (22). Sainte-Geneviève [54] 35 (24). Intégrale [38] 33 (24). Pierre-de-Fermat [51] 33 (22). Berthelot [46] 29 (10). Intégrale [38] 28 (10). Hoche [54] 26 (12).

ESSEC. IPESUP [38] 64 (64). Louis-le Grand [38] 51 (42). Malherbe [11] 50 (33). Intégrale [38] 48 (45). Henri-IV [38] 47 (39). Sainte-Geneviève [54] 38 (32). PRÉPA-SUP [38] 37 (34). Parc Vilgenis [27] 36 (9). Hoche [54] 35 (27). Pierre-de-Fermat [51] 29 (24).

ESCP. IPESUP [38] 79 (39). Intégrale [38] 59 (25). Louis-le-Grand [38] 51 (22). Beau-Site [35] 50 (50). Henri-IV [38] 48 (17). Sainte-Geneviève [54] 42 (18). Saint-Louis-de-Gonzague [38] 40 (11). PREPASUP [38] 37 (17). Intégrale [38] 36 (18). Hoche [54] 36 (13).

ESC Lyon. IPESUP [38] 69 (45). Intégrale [38] 60 (45). Vial [33] 55 (46). Henri-IV [38] 53 (33). Louis-le-Grand [38] 52 (19). Sainte-Geneviève [54] 48 (23). Chateaubriand [41] 44 (27). Saint-Louis-de-Gonzague [38] 43 (25). Hoche [54] 37 (14). Pasteur [34] 36 (20).

Écoles des grands concours traditionnels

Polytechnique

• **École Polytechnique** (dite « **l'X** »). 91128, Palaiseau Cedex (de la création à 1976 : rue de la Montagne-Ste-Geneviève, Paris 5e). Relève du min. de la Défense. **Fondée** 11-3-1794 (École centrale des travaux publics, puis 1-9-1795 nommée École Polytechnique) par la Convention Nationale, animée par 2 membres du comité de Salut Public, Lazare Carnot et Prieur de la Côte-d'Or, et un grand savant, Gaspard Monge. En 1804, Napoléon lui donna un statut militaire. **Devise de l'école** « Pour la Patrie, la Science, la Gloire ». **But** *(loi Debré de 1970) :* donner à ses élèves une culture scientifique et générale les rendant aptes à occuper, après formation spécialisée, des emplois de haute qualification ou de responsabilité à caractère scientifique, technique ou économique dans les corps civils et militaires de l'État et dans les services publics et de façon plus générale dans l'ensemble des activités de la Nation.

Statut des élèves français. Officiers de réserve servant en situation d'activité, percevant par mois une solde (net) de 2 500 F env. la 1re année, 4 800 F env. la 2e, 6 200 F la 3e. A la sortie, les élèves n'ayant pas demandé un corps civil ou militaire de l'État doivent rembourser les frais de scolarité (265 200 pour la promotion entrée 1988, sortie 1991), sauf s'ils acquièrent une formation complémentaire agréée (ex. : 2 ans dans une éc. d'application : ENSAE, ENSTA, Mines, Ponts, Télécom., etc., ou doctorats). Les jeunes filles sont admises depuis 1972.

Effectifs. 1 073 dont 56 étr. et 82 femmes en 1990. *Places offertes en 1991 :* 280 M', 90 P', Adm. p. ENSAM, T', TA : 10 ; non fixées pour les étrangers (niveau au moins égal à celui du dernier Français admis). *Admis en 1990 :* (M'-P') 381 (dont 30 à titre étranger) sur 2 189 ca. Français. *An.* 3 (1 de form. milit. + 2). *Conditions d'âge :* 17 à 21 ans au 1er janv. ; *être physiquement* apte au service militaire. **Promotions prévues.** *1993 :* 420 ; *95 :* 450.

Débouchés de l'X en 1989. *Corps de l'État* 137. Mines 10, Ponts et Chaussées 24, Télécom. 30, Ing. géographes 2, Gén. rural Eaux et Forêts 7, INSEE 8, Assurances 3, Aviation civile 4, Armement 46. Autres voies (él. fr.) 172 dont 37 dans la recherche. Total 309.

Affectations en 1990. *Nombres de places offertes et,* entre parenthèses, *rang du 1er et du dernier admis, pour les différents corps :* sur 309 élèves classés : Mines 10 (1-10). Ponts 24 (13-53). Télécom. 30 (19-88). IGN 5 dont 3 places non attribuées (216-309). GREF 7 (90-297). INSEE 8 (57-144). Assurances 3 (26-75). Météo 3 places non attribuées. Aviation civile 4 (77-242). Armement : technique 39 (11-273), recherche 7 (12-80). Armées 13 dont 10 places non attribuées (124-302).

☞ Quelques élèves illustres : *Pts de la République :* Sadi Carnot, Albert Lebrun, Valéry Giscard d'Estaing. *Maréchaux et amiraux de France :* J.B. Philibert Vaillant, Adolphe Niel, amiral de France Rigault de Grenouilly, Edmond Le Bœuf, P.J. François Bosquet, M.J. Maunoury, Joseph Joffre, Ferdinand Foch, Émile Fayolle. *Scientifiques, industriels, divers :* Louis Poinsot, Louis Joseph Gay-Lussac, Denis Poisson, François Arago, Augustin Fresnel, Augustin Cauchy, Antoine Becquerel, Michel Chasles, Auguste Comte, Joseph Gratry, Joseph Liouville, Urbain Le Verrier, Gal Louis Faidherbe, Charles Hermite, Camille Jordan, Fulgence Bienvenüe, Henri Poincaré, Édouard Estaunié, Marcel Prévost, Jacques Rouché, Bon Ernest Seillière, Gal Gustave Ferrie, Henri Becquerel, André Citroën, Raoul Dautry, Jacques Rueff, Jean Borotra, Louis Leprince-Ringuet, Louis Armand, Charles de Freycinet, Auguste Rateau, Pierre Termier, Henri Le Chatelier, Maurice Allais (Prix Nobel), Claude Cheysson, André Giraud, Raymond Lévy, Pierre Delaporte, Henri Martre, Claude Perdriel, Jean Gandois, Claude Bébéar, Lionel Stoléru, Jean Peyrelevade, Gérard Renon, Jean-Louis Beffa, René Fourtou, Michel Pébereau, Paul Quilès, Jacques Attali, Bernard Arnault, Bruno Mégret.

Concours commun Centrale-Supélec

☞ *1990 :* 8 215 cand. (progr. M, P', TA), regroupe 5 éc. publiques et 2 privées (Supélec, ESO).

• **Éc. centrale des arts et manufactures (E.C.P., École Centrale Paris,** dite **« Piston, Centrale »).** Grande Voie des Vignes, 92295 Châtenay-Malabry Cedex. *Créée* 1829 par Jean-Baptiste Dumas (1800-84), Lavallée (1797-1873), Péclet (1793-1867) et Olivier (1793-1853). *But :* former des ing. de haute culture gén. et scientifique susceptibles de tenir des postes de responsabilité dans toutes les branches de l'ind. et les grands services publics. *Eff.* 1 096 (f. 12 %). *C. comm. Places offertes et, entre parenthèses, inscrits au concours. 1870 :* 156 (374). *1900 :* 217 (707). *30 :* 240 (1 100). *52 :* 210 (1 748). *60 :* 275 (2 444). *70 :* 288 (4 350). *80 :* 305 (6 856). *83 :* 311 (7 057). *85 :* 304 (7 530). *86 :* 304 (7 562). *87 :* 305 (5 712). *88 :* 321 (5 727). *89 :* 320 (5 738). *90 :* 323 (5 948) ; étrangers (M,P') 26 (336). C. spé. T' 5 pl. *Adm. p.* en 1re a. : DEST 5 pl. Cycle international de formation : 55 places, 7 ad.+ TIME 34 ca., 24 ad. ; 2e a., sur t. maîtrise ès sciences, 52 ca. 19 ad. ; ingénieur diplômé 8 ca. 0 ad. ; 3e a. Possibilité de préparer un DEA et de poursuivre une thèse de doctorat au Centre de recherches de l'École. *Délai d'admission (en %).* Bac + 2 ans et, entre parenthèses, bac + 3. *1912 :* 40 (41). *68 :* 25 (75). *77 :* 50 (50). *86 :* 55 (45). *88 :* 51 (49). *Dipl. 1987 :* 343. *88 :* 310. *89 :* 343. *90 :* 369. **Mastère** (131 cand. 61 ad. en 1990). **DEA** 129 inscrits, 120 dipl. Doctorat 328 inscrits, 34 thèses soutenues. *An.* 3. *Frais* 500 F. **Élèves illustres :** Pierre Azaria, Aristide Bergès, Louis Blériot, Francis Bouygues, Antonin Daum, Henri de Dion, Maurice Donnay, Alexandre Dumez, Gustave Eiffel, Jacques Fougerolle, Robert Galley, Yvon Gattaz, Xavier Karcher, Pierre Latécoère, Georges Leclanché, Émile Levassor, Jacques Maisonrouge, André Michelin, Antoine Muraccioli (dit Antoine), Étienne Oehmichen, René Panhard, Gérard Pélisson, Eugène Émile Henri Pereire, Jean-Pierre et Robert Peugeot, Constantin Rozanoff, Boris Vian, Antoine Yvon-Villarceau.

• **Éc. centrale de Lyon.** 36, avenue Guy-de-Collongue, B.P. 163, 69131 Écully Cedex. *Créée* 1857. *But :* voir Centrale Paris. *Eff.* 760 (f. 13 %). *C. commun 1990 :* 232 ad., C. spé. T' 18 ad. *Adm. p.* 1re a. sur *c.* commun ENSI pour tit. DEUG 7 ad. ; pour tit. DEST 2 ad. ; sur t. pour audit. étr. 5 ad. ; en 2e a. pour tit. maîtr. ès sc. ou DEST 18 ad. Possibilité de préparer un DEA et de poursuivre une thèse de doctorat (220 ét. en thèse, 119 en DEA). *Dipl. 90 :* 250. *An.* 3. *Frais* 800 F. **Élèves illustres :** Adrien Allégret, Luc Court, Amédée Fayolle, Émile France-Lanord, Joseph et Étienne de Montgolfier, Xavier Morand, Tobie Robatel, Bernard Valéry, Paul-Émile Victor.

• **Éc. sup. d'électricité (ESE,** dite **« Supélec »).** Plateau du Moulon, 91192 Gif-sur-Yvette Cedex. *Fondée* 1894. *3 années d'études. Eff. 1990-91 :* 1 032 (f. 10 %). *C. commun 1990 :* 256 places. *Adm. p.* 1re a. sur dossier + entretien pour les tit. d'un DUT génie électrique et mesures physiques 20 ad., et pour les tit. d'un DEUG-A 18 ad. 2e a. sur dossier pour tit. maît. physique, les ing., EEA, MST, MAF 80 ad. *Dipl. 90 :* 339. *Frais* d.u. + 510 F ; boursiers de l'Éd. nat. gratuit. *Enseign. postscolaire :* en réseaux informatiques sur titre 21 ad. *Formation continue :* perfectionnement technique, langues vivantes, formations à la demande, demandeurs d'emploi. Dipl. d'ingénieur d'ESE, dipl. de spécialisation (enseign. postscolaire et demandeurs d'emploi). Mastères (pour ad. 3e a.). **Élèves illustres :** Christian Beullac, Pierre Boulle, Loïc Caradec, Louis Bréguet, Henri Chrétien, Yvon Coudé du Foresto, Henri Fabre, Jean-Luc Lagardère, Louis Leprince-Ringuet, Ambroise Roux, Pierre Schaeffer.

• **Éc. sup. d'optique (ESO,** dite **« Supoptique »).** Institut d'optique, bâtiment 503, Plateau du Moulon, Centre scientifique, B.P. 147, 91403 Orsay Cedex. *Créée* 1920 au sein de l'Institut d'optique par Charles Fabry (1867-1945). *Eff.* 165 (f. 12 %). *Adm.* 1re a. C. commun *1990 :* 42 ad. + 3 ad. sur titres. 2e a. ad. sur titres : 7 maîtr. phys., 2 ing. *Frais : 1 950 F.* **Élèves illustres :** Albert Arnulf, Maurice Françon, André Maréchal, Pierre Angénieux.

• **Institut industriel du Nord (I.D.N.).** Domaine Univers. Scient., B.P. 48, 59651 Villeneuve-d'Ascq Cedex. *Créé* 1872. *But :* former des ingénieurs polyvalents de haut niveau. *Adm. p.* 1re a. : C. commun, M, P' (160 pl.). TA (4 pl.). C. spécial T' (6 pl.). C. étranger (2 pl.) ; sur tit. pour BTS, DUT (12 pl.) ; C. ENSI (10 pl.) ; 2e a. sur titres pour les tit. maîtr. ou dipl. équiv. (15 pl.) ; 3a. tit. dipl. ing. ou équiv. (auditeurs libres) ; Mastères de spécialité pour ing. dipl. ou équiv. *Frais* (1re, 2 e a.) 2 575 F.

• **Inst. d'informatique d'entreprise (I.I.E.).** 18, allée Jean-Rostand, BP 77 91002 Évry Cedex. *Créé* 1968. *Eff.* 300 (f. 95 %, étr. 5 %). C. comm. M et P' 80 pl. pour 3 800 ca. *Adm. p. 1re a.* : C. spécial pour tit. DUT informatique 12 pl. pour 200 ca. C. commun ENSI pour tit. DEUG A 8 pl. pour 1 500 ca. *2e a. :* sur t. pour ing. dipl. ou maître. ès sciences 5 pl., 50 ca. *An.* 3. *Frais* 2 150 F.

Concours commun Mines-Ponts-Télécom

☞ 8 286 cand. en 1991 (programmes M,P' et TA), 8 éc., + Polytechnique pour l'option TA, dont 6 gérées par un min. technique formant des ing. civils pour l'industrie (an. 3), des ing. fonctionnaires, sauf ENSMSE (recrutement sur titre en 2e a.).

• **Éc. nat. des Ponts et Chaussées (ENPC,** dite **« les Ponts »).** 28, rue des Sts-Pères, 75007 Paris. *Fondée* 14-2-1747 par Daniel Trudaine, intendant du Commerce et des Finances. *But :* former des ingénieurs du corps ministériel des Ponts et Chaussées et des ingénieurs civils en matière de génie civil, génie industriel, économie, gestion-réseaux (infrastructures et éco. publique, aménagement, gestion des réseaux, finances), informatique et math. appliquées. *Eff. 1990 :* 458 (1re a. 83, 2e a. 159, 3e a. 216) + 236 él. de Mastères + 172 él. de DEA + 24 él. des DESS + 167 él.-chercheurs. *Adm. p.* 2e a. : sur dossier + entretien pour diplômés de l'X, ENS, éc. d'ing. ou tit. maîtrises ès sc. 250 ca. 70 ad. **Élèves illustres :** Gaspard Riche de Prony, Jean-Baptiste Biot, Augustin Fresnel, Augustin Cauchy, Henri Becquerel, Fulgence Bienvenüe, Bernardin de St-Pierre, Sadi Carnot, Le Troquer, Philippe Lebon, Christian Beullac, Guy Béart.

• **Éc. nat. de la statistique et de l'administration économique (ENSAE).** Voir. p. 1288 b.

• **Éc. nat. sup. de l'aéronautique et de l'espace (ENSAE,** dite **« Sup'Aéro »).** 10, avenue Édouard-Belin, 31055 Toulouse Cedex. *Créée* 1909 par le colonel Jean-Baptiste Roche (1861-1954). École d'application, « Air-Engins » pour les ingénieurs de l'armement issus de Polytechnique. *Eff. :* 699 (f. 11 %). *Adm.* 1re a. *C. 1990 :* M 71, P' 36, TA 1, C. spécial 4 ; 2e a. sur titres et polytechniciens (éc. d'application). *Dipl. 90 :* 15. *An.* 3. *Frais* 500 F. **Élèves illustres :** Badin, Potez, Meyer et Samuel Gourevitch, Marcel Dassault, Jean Bertin Satre, Coanda, Claisse.

• **École nat. sup. des mines de Paris (ENSMP,** dite **« Mines de Paris »).** 60, bd St-Michel, 75272 Paris Cedex 06, annexes à Évry, Fontainebleau, Sophia-Antipolis. *Fondée* 19-3-1783 par Balthazar-Georges Sage (1740-1824), chimiste et minéralogiste. *Eff.* 320 (plus 50 ing. él. des Mines, plus 350 él. chercheurs, plus autres formations 3e cy., plus cy. courts et formation permanente). *C. 1989 :* 45 ad. en M, 27 en P', 3 Ens. Techn. *Adm.* 1/3 sur titres, 2/3 sur C. *An.* 3. *Frais* 1 745 F. **Élèves illustres :** Émile Clapeyron, Victor Regnault, Henri Sainte-Claire Deville, Pierre Martin, Charles de Freycinet, Henri Poincaré, Alfred Capus, Albert Lebrun, François de Wendel, Aimé Lepercq, Louis Armand, Maurice Allais (Prix Nobel d'économie 1988), Conrad Schlumberger, Élie de Beaumont, Alain Poher, Jean-Louis Bianco, Jacques Attali.

• **Éc. nat. sup. des mines de Nancy (EMN,** dite **« Mines Nancy »).** Parc de Saurupt, 54042 Nancy Cedex. *Eff.* 268. C. commun « Mines Ponts ». *C. 1990 :* 43 reçus en M, 39 en P'. *Adm. p.* 1re a. C. spécial pour ens. tech. (3) ; 1re a. sur titre pour tit. d'un DEUG A (2) ; 2e a. sur titre pour tit. d'une maîtrise ès sciences ou d'un DUT + 3 a. d'activités professionnelles (20). *Dipl. 90 :* 92. *An.* 3. *Frais* 1 500 F.

• **Éc. nat. sup. des mines de St-Étienne (ENSMSE,** dite **« Mines St-Étienne »).** 158, cours Fauriel, 42023 St-Étienne Cedex 2. *Créée* 1816 par Beaunier (1779-1835). *Eff. 1990 :* 1re a. 82 (f. 13 %) répartis : 44 reçus en M, 32 en P', 3 en T', 3 sur tit. (DEUG A). *Adm. p.* 2e a. pour tit. maîtr. 3 ad. *Dipl. 90 :* 68. *An.* 3. *Frais* d.u.

• **Éc. nat. sup. de techniques avancées (ENSTA,** dite **« Techniques avancées »).** 32, bd Victor, 75015 Paris. *Créée* 1970. *Eff.* 385 (f. 17 %). *Adm. p. 1990 :* 1re a. 80 ad. sur programme M-P'-TA ; 2e a. : ca. sur titres 28 polytechniciens, 13 ing., 24 tit. maîtr. ès sciences. *An.* 3. *Dipl. 90 :* 138. *Frais* 450 F.

• **Éc. nat. sup. des télécommunications (ENST,** dite **« Télécom. Paris »).** 46, rue Barrault, 75634 Paris Cedex 13. *Créée* 1942 (succède à l'École Supérieure de Télégraphie créée 1878). *Eff.* 750. C. commun *1989 :* 91 ad., (M) ad. 54 (P') 35 ad. *Adm.* sur tit. ou 2e a. : X 36, Maîtres es-sc. 55. Corps télécom. adm. *1989-90 :* X 33, Normale Sup. 5, C. Int. 7. *Dipl. 89 :* 219. *An.* 3, *Frais* 1 600 F. **Élèves illustres :** Léon Thévenin, Édouard Estaunié, Pierre Schaeffer, Louis Leprince-Ringuet.

• **École nationale supérieure des télécommunications de Bretagne (ENST Br.,** dite **« Sup. Télécom Bretagne »).** B.P. 832, 29285 Brest Cedex. *Fondée* 1977. *Eff. :* 420 (f. 12 %). *Adm.* C. commun : 46 ad. (M), 43 ad. (P'), 2 ad. T'. 2e a. : X, ing., maîtres ès sciences : 40 pl., étrangers : 2. *Adm.* fonctionnaires étr. (après cycle spécial d'adaptation) en 2e a. : 10 pl. *Adm.* filière promotionnelle : DUT-BTS, 3 ans d'expérience industrielle : sur dossier au cycle prépa. (1 a.), puis par examen au cycle ing. (entrée en 2e a.). *An.* 3. *Dipl. 90 :* 107. *Frais* 2 000 F.

ENSA (Écoles nationales supérieures agronomiques)

☞ Forment des ingénieurs de conception, concours commun A pour élèves math. spé., biologie. 1 568 ca. en 1987, 508 reçus dont INA 172, ENSAIA 82, ENSAM 82, ENSAR 82, ENSAT 45, ENSIA A 45, ENSBANA 23. Concours B 608 ca., 102 ad. (dont INA 21).

Inst. nat. agronomique Paris-Grignon (INA, dit **« Agro »).** 16, rue Claude-Bernard, 75005 Paris. Installé à Versailles en 1848. Supprimé en 1852. *Nouvel INA* créé 9-8-1876 par Eugène Tisserand. 1-1-1972 fusion de l'INA « Agro » avec l'ENSA de Grignon. *Adm. p.* C. commun ouvert aux cand. issus des cl. prép., C. spécial (B) aux tit. de DEUG A ou B avec mention AB min., C. spécial (C) aux tit. de BTSA et de DUT, C. spécial aux maîtres ès sciences. Habilité à délivrer le dipl. de docteur : formation continue. *Eff.* 1 000 (f. 45 %). *An.* 3. *Frais* 4 000 F.

Éc. nat. sup. agronomique de Montpellier (ENSAM). 9, place Viala, 34060 Montpellier Cedex. *Créée* 1872. *Eff.* 430 (f. 45 %). *An.* 3. *Adm.* en 1re a. : C commun (A) pour prépa. 82 ad., C. spécial, (B) pour DEUG A et B 11 ad., C. spécial (C) pour BTSA et DUT 4 ad. ; en 2e a. : C. spécial pour m. ès sciences (5) ; en 3e cycle pour étudiants étr. (25). *Frais* 1 300 F. *Dipl. 89 :* 102.

Éc. nat. sup. agronomique de Rennes (ENSAR). 65, rue de St-Brieuc, 35042 Rennes Cedex. *Créée* 1830. *Eff.* 350 dont 108 él. ingénieurs. *Adm. :* C. commun (A) pour ca. des prépa. C ou D, C. spécial (B) pour tit. de DEUG A ou B avec mention AB minimum 11 ad., C. spécial (C) pour tit. du BTSA ou DUT 5 ad. *En 2e a. :* sur titre pour tit. d'une maîtrise ès sc. (10 ad.). *Adm. 1990 :* C. commun (A) 85, (B) 11, (C) 3 ; sur titre (maître ès sc.) 147 demandes, 11 adm. *Dipl. 1990 :* 91. *Frais* 1 224 F.

Éc. nat. sup. agronomique de Toulouse (ENSAT). 145, avenue de Muret, 31076 Toulouse Cedex. *Créée* 1948. *Eff.* 260 + formations complément. et 3e cycle (350). *Adm.* p. C. commun (A) ouvert aux cand. issus des cl. prép. 45 ad. ; C. spécial (B) pour tit. d'un DEUG mention AB 30 ad. ; C. spécial (C.) pour tit. BTSA, DUT 3 ad. ; 2e a., sur titre pour les tit. d'une maîtrise (12). *Frais* 1 500 F.

Éc. nat. sup. d'agronomie et des industries alimentaires de Nancy (ENSAIA). 2, av. de la Forêt-de-Haye, 54500 Vandœuvre-lès-Nancy. *Fondée* 1970. 2 filières : ind. alim., agronomie. *Eff.* 420 (f. 48 %). *C.* (A) 83 ad., (B) 34 ad., (C) 4 ad. *Adm.* sur t. 31 (pour 350 dossiers). *Dipl. 90* 150. *An.* 3 *Frais* 2 000 F.

Éc. nat. sup. des industries agricoles et alimentaires (ENSIA). 1, avenue des Olympiades, 91305 Massy. *Créée* 1893. *Eff.* 250 (f. 30 %). *Adm.* 1re a. : C. (A) Cl. Prépa. Sup. et Spé. BIO ; (B) DEUG A, (C) BTS-BTSA-DUT ; 2e a. : C. (D) sur tit., dossier et entretien, maîtr. scient. et ing., ouvert aux étudiants étrangers à la Section Ind. Alim. Régions Chaudes/ Pôle de Montpellier (*eff.* 25). *An.* 3. *Frais* 1 800 F.

Éc. nat. d'ing. des travaux des eaux et forêts (ENITEF, dite « Éc. des Barres »). Domaine des Barres, 45290 Nogent-sur-Vernisson. *Créée* 1884. *Eff.* 80 (f. 26 %). *C.* (A) 15 fonctionnaires + 19 civils, dont 7 adm. sur tit. (maîtrise) et 1 étranger. *Dipl. 89 :* 32. *An.* 3. *Frais* 1 440 F.

Éc. nat. sup. de biologie appliquée à la nutrition et à l'alimentation (ENSBANA). Campus universitaire, 21000 Dijon. *Créée* 1962. *Eff.* 287. *C.* (A) 32 recrutés sur 1 255 ca., *C.* (B) 28 recrutés sur 173 ca. ; en 1re a. sur t. 4 ad. sur 23 ; en 2e a. sur t. 9 ad. sur 135. *An.* 3. *Frais* 3 710 F.

ENITA (Éc. nat. d'ing. des travaux agricoles)

☞ Forment des ing., des techn. *agricoles* (Bordeaux, Clermont-Ferrand, Dijon), *horticoles et paysagistes* (Angers), *des ind. agroalim.* (Nantes). **En 1990,** 3 C. comm. : *C.* (A), ENIT et ENSA pour prépa. bio-math spé. (options gén., agro., bio., biochimie). (B), ENIT pour tit. DEUG B et ad. éc. nat. vétérinaires. (C), ENIT pour tit. BTS agri., DUT ou BTS options appropriées (après 1 an prépa ens. sup. long).

ENITA (Bordeaux). 1, cours du Général-de-Gaulle, 33175 Gradignan Cedex. *Créée* 1962. *Eff.* 150 (f. 30 %). *En 1988 : C.* (P1) 33 ad., (P2) 3 ad., (P3) 6, (S1) 1 ad., (S2) 4 ad. *An.* 3. *Frais* 500 F. Poss. prépa. 1 a. C.E.S. Chef projet informatique appliq. au développement et 2 Mastères (système d'info. en agro-informatique, gestionnaire de domaines viticoles).

ENITA (Clermont-Ferrand-Marmilhat). 63370 Lempdes-Marmilhat. *Créée* 1984. *Eff.* 142 (f. 35 %). *C.* (A) 29 ad., (B) 7 ad., (C) 12 ad. *An.* 3. *Frais* 900 F.

ENITA (Dijon-Quetigny). 21, bd Olivier-de-Serres, B.P. 48, 21802 Quetigny Cedex. *Créée* 1967. *Eff.* 150 (f. 33 %). *Adm. : C.* (A) 28, (B) 10, (C) 9. *An.* 3. *Frais* 600 F.

ENIT PH. 2, rue Le Nôtre, 49045 Angers Cedex 01. *Créée* 1971. *Eff.* 162 (f. 50 %). *Adm. : C.* (A) 47, (B) 11, (C) 7. *Dipl. 90 :* 41. *An.* 3. *Frais* 600 F. Habilitation à délivrer le dipl. d'ing. DPE « Horticulture et techn. du paysage ». Cohabilitation DESS « Technologie du végétal » avec l'univers. d'Angers.

Éc. nat. d'ing. des techniques des industries agricoles et alimentaires (ENITIAA). Domaine de la Géraudière, 44072 Nantes Cedex 03. *Créée* 1973. *Eff.* 141 (f. 43,3 %). *Adm. : C.* (A) 33, (B) 10, (C) 6 + 1 (S.N.). *Dipl. 90 :* 46. *An.* 3. *Frais* 700 F.

Inst. nat. de promotion sup. agricole (INPSA). Rue des Champs-Prévois, 21000 Dijon. *Créé* 1966. *Eff.* 118 (f. 2 %). *Adm. : C.* pour tit. BTS ou DUT agric., BTS ou DUT agro. alimentaire, expérience profess. de 3 ans agric. ou para-agric. ou agroalim. et 5 a. pour non-tit. BTS ou DUT. *An.* 2 à temps plein ou 4,5 a. à temps partiel. *Frais :* gratuit pour les demandeurs d'emploi. Rémunération par l'État ou par l'employeur au titre du congé individuel de formation.

ENSI (Écoles nat. sup. d'ingénieurs)

☞ Nées de l'union des instituts d'université avec des éc. d'ing. en 1969, 29 ENSI + ESCIL + EFPG. *Adm. :* prép. 2 a. Impossibilité de se présenter plus de 3 fois.

Concours régionaux (1990). Chimie Nord : option P 2 403 ca. 141 ad. 1re liste et 657 classés ; TB, 70 ca. 9 ad. *Chimie Sud :* P, 2 103 ca., 217 ad. 1re liste et 765 classés ; TB, 53 ca. 9 ad. *Chimie Centre :* P' 3 120 ca. 179 ad. 1re liste et 501 classés ; TB, 60 ca. 10 ad.

C. national : sur programme maths spé. M, P et TA, organisé par le min. de l'Éduc. nat. pour 19 éc. hors chimie (19) ; C. M 5 243 ca., 715 ad. 1re liste, 2 063 classés C. P 4 588 ca. 503 ad. 1re liste, 2 136 classés, C. TA 496 ca. 69 ad. 1re liste, 151 classés. Recrutement des tit. du DEUG en 1re année par C. nat.

ENSI chimie Nord

Éc. nat. sup. de chimie de Lille (ENSCL). Centre universitaire scientifique, B.P. 108, 59652 Villeneuve-d'Ascq. *Créée* 1894. *Eff.* 237 (f. 45 %). *1990-91 :* 83 pl. 1re a. *C. commun* 55 ad. (3 TB). *Adm. p.* sur C. spé. pour tit. DEUG A 75 ca. 5 ad., ou sur C. spé. pour tit. DEUG B (*C.* commun avec l'IN-APG) 24 ca. 1 ad. Sur t. DUT 54 ca., 31 ad. Sur t. BTS 25 ca. 6 ad. Sur t. DEUG B 20 ca. 8 ad. *En 2e a. :* sur t. maîtr. ès sc. 49 ca., 12 ad. *Dipl. 91 :* 76. *An.* 3. *Frais* d.u. *Mastère* de techno. chim. et Drug Design. *Adm.* sur tit. (Ing. DEA DESS). *An.* 1. *Frais :* d'u.

Éc. nat. sup. de chimie de Mulhouse (ENSCMU). 3, rue Alfred-Werner, 68093 Mulhouse Cedex. *Créée* 1822. *Eff.* 147 (f. 32 %). *C. commun 1990/91 :* 29 ad. C/TB 2 ad. *Adm. p.* 1re a. sur C. DEUG A 14 ad. ; sur t. 1re a. DUT chimie 3 ad. 2e a. maîtr. chimie ou chimie-physique sur t. Formation continue 3 ad. *Dipl. 90 :* 46. *An.* 3. *Frais* 1 100 F.

Éc. nat. sup. de chimie de Rennes (ENSCR). Av. du Gal Leclerc, 35700 Rennes Beaulieu. *Créée* 1919. *Eff.* 150 (f. 39 %). *C. comm. 1990 :* 31 ad. *Adm. p.* 1re a. C. DEUG A 117 ca. 17 ad. ; sur t. pour tit. DUT chimie 100 ca. 10 ad. 2e a. sur t. tit. maîtr. chimie ou phys.-chimie 95 ca. 3 ad. *Dipl. 90 :* 40. Poss. prépa. D.E.A. (3e A). *An.* 3. *Frais* 545 F. (+ S.S. 710 F).

École européenne des hautes études des industries chimiques de Strasbourg (EHICS). 1, rue Blaise-Pascal, BP 296, 67008 Strasbourg Cedex. *Créée* 1919. *Eff.* 170 (f. 46 %). *C. comm. 1990 :* 39 ad. sur 2 403 ca. C. DEUG *1990 :* 8 ad. sur 75 ca. *Adm.* sur t. 1re a. 21 ad. (4 DUT, 2 lic., 14 ét. de la C.E.E., 1 ét. étrang.). Sur t. 2e a. 2 ad. (1 maîtr., 1 ét. étrang.). *Dipl. 90 :* 50. *An.* 3. *Frais* 700 F env. + S.S.

ENSI chimie Sud

Éc. nat. sup. de chimie et de physique de Bordeaux (ENSCPB). 351, cours de la Libération, 33405 Talence Cedex. *Créée* 1891. *Eff.* 160 (f. 42 %). *C. comm. 1990 :* 39 ad. C. DEUG 12 ad. sur 210 ca. 1re a. sur t. pour tit. DUT, BTS, ou lic. 49 ca. 5 ad. 2e a. sur tit. (maîtr.) 65 ca. 10 ad. *Dipl. 90 :* 50. *An.* 3. *Frais* 637 F + S.S.

Éc. nat. sup. de chimie de Clermont-Ferrand (ENSCCF). Ensemble scientifique des Cézeaux, B.P. 187, 63174 Aubière Cedex. *Créée* 1908. *Eff.* 153 (f. 41,2 %). *C. comm. 1990 :* 18 ad. *C.* spé. pour tit. DEUG A 15 ad. *Adm.* 1re a. sur t. pour titulaire d'un DUT chimie, mesures physiques ou génie chimique sur t. + dossier 8 ad. 2e a. sur t. pour tit. maîtrise chimie ou chimie-physique sur t. + dossier 6 ad. *Dipl. 90 :* 51. *An.* 3. *Frais* 865 F + S.S.

Éc. nat. sup. de chimie de Montpellier (ENSCM). 8, rue de l'École-Normale, 34053 Montpellier Cedex 01. *Créée* 1899. *Eff.* 202 (f. 45 %). *C.* commun « Chimie Sud » *1990 :* 50 él. *1990 : Adm.* sur *C.* spécial pour titulaire d'un DEUG A 8 ; sur titre avec DUT ou BTS chimie 7 ad. 2e a. sur t. pour tit. maîtrise chimie 10 ad. *Dipl. 1990 :* 62. *An.* 3. Mastères spécialisés : chimie fine organique et nouveaux matériaux : 6 ; plasturgie : 3. *Programmes européens :* COMETT Ba-ERASMUS-ECTS, ERASMUS-PIC. *Frais* 1 800 F. **Élèves illustres :** A.J. Balard, Chaptal, C. Chancel, H. de Forcrand, C.F. Gerhardt, M. Mousseron.

Éc. nat. sup. de synthèses, de procédés et d'ingénierie chimiques d'Aix-Marseille (ENSSPICAM). Campus scientifique St-Jérôme, 13397 Marseille Cedex 13. *Créée* 11-1-1990 (fusion de ESCM et ESIPSOI). *Eff.* 153 (f. 32 %). *Adm.* 1re a. *C.* ENSI gr. Chimie Sud (29 ad.), *C.* régional DEUG SSM (12 ad.), *C.* sur t. DUT, DEST (5 ad.). 2e a. sur t. maîtrise chimie, chimie-physique et REST (15 ad.). *Dipl. 89 :* 34 ESCM, 25 ESIPSOI. *An.* 3. *Frais* 1 800 F.

Éc. nat. sup. de chimie de Toulouse (ENSCT). 118, route de Narbonne, 31077 Toulouse Cedex. *Créée* 1906. *Eff.* 230 (f. 35 %). *1990 : Adm.* prépa. 1re a. : tit. bac C et E 65 ca. 24 ad. ; 2e a. : tit. 1re a. DEUG A 8 ca. 3 ad. *Adm.* 1 re a.-Ingénieur : C nat. 40 ad. ; C. régional 205 ca. 13 ad. ; sur t. pour tit. DUT 35 ca. 6 ad. 2e a.-Ingénieur : sur t. pour tit. Maîtrise ou DEST 47 ca. 4 ad. *Dipl. 90 :* 66. Poss. prépa. DEA (3e a.). Section spéciale : Chimie des procédés. Programmes européens : PIC ERASMUS, ECT, ECTS, COMETT Volet B. *Frais* 1 400 F + Mutuelle.

Éc. sup. de chimie industrielle de Lyon (ESCIL). 43, bd du 11-Novembre, B.P. 2077, 69616 Villeurbanne Cedex. *Créée* 1883. *Eff.* 216 (f. 25 %). *Adm. en 1re a : C.* comm. 51 ad. ou sur dossier pour tit. DEUG A et B ou DUT 24, PST 5. *En 2e a. :* sur t. 2 ad. 5 filières en 3e a. dont 4 permettant d'obtenir un DEA. Programmes COMETT, ERASMUS. *Dipl. 89 :* 83. *An.* 3. *Frais* 14 000 F.

ENSI chimie Centre

Éc. nat. sup. de chimie de Paris (ENSCP). 11, rue Pierre-et-Marie-Curie, 75231 Paris Cedex 05. *Créée* 1896. *Eff. 1990-91 :* 179 (f. 43 %). *Adm. p.* 1re a. sur C. ENSI de chimie du groupe centre P' 51 ad. sur 3 218, TB 0 ad. sur 67. C spé. T' 0 ad. sur 145 ca. C. commun nat. DEUG A 1 ad. sur 1 691. Sur titres DEUG, BTS 5 ad. sur 20 dos. ; 2e a. sur t. avec maîtr. 5 ad. sur 64 dos. *Dipl. 90 :* 60. *An.* 3. *Frais* 500 F. Poss. prépa. DEA durant 3e année.

Éc. nat. sup. des industries chimiques de Nancy (ENSIC). 1, rue Grandville, B.P. 451, 54001 Nancy Cedex. *Créée* 1887. Éc. d'application de l'Éc. Polytechnique. *Eff. 1990-91 :* 302 (f. 35 % en 1re a.). *1990 : Adm. p.* 1re a. sur C. « Chimie Centre » 74 ad., C. ENSI M 6 ad., sur dossier pour tit. DUT 6 ad. (30 ca.). 2e a. tit. DUT + 3 ans 4 ad., tit. maîtrise ou MST sur dossier 13 ad. sur 35 ca., sur t. Polytechnique 1 dipl. Programmes COMETT, ERASMUS. Poss. prépa. DEA (3e a.). *Dipl. 1990 :* 80. *An.* 3. *Frais* d.u.

Éc. sup. de physique et de chimie industrielles de la Ville de Paris (ESPCI, dite « PC »). 10, rue Vauquelin, 75231 Cedex 05. *Créée* 1882. *Eff.* 240 (f. 28 %). *C.* comm. Centre prog. P et P'. 72 pl. sur 3 120 ca. *1989-90* 5 ad. *Adm. p.* 1re a. sur titre DEUG A mention B, 5 ad. sur 26 ca. 3e a. sur t. maîtrise physique, chimie ou sciences et techniques 32 ca. *Dipl. 89 :* 50. *An.* 4. (D.E.A ; master ; éc. d'appl.) *Frais :* 650 F.

ENSI concours commun M et P

Éc. française de papeterie et des ind. graphiques (EFPG, dite « Papet »). B.P. 65, 38402 St-Martin-d'Hères. *Eff.* 150 (f. 20 %). *C.* comm. aux ENSI programme P 25 ad., M 10 ad., TA 4 ad. C. DEUG A 4 ad. C. sp 2 ad. Tot. 45 pl. offertes s. titres. DUT 3 ad. *Dipl. 88 :* 36. *An.* 3. *Frais* 1 000 F/an.

Éc. nat. sup. d'électrochimie et d'électrométallurgie de Grenoble (ENSEEG). B.P. 75, 38402 St-Martin-d'Hères. *Créée* 1921. *Eff.* 300 (f. 20 %). *C.* comm. ENSI M, P, TA et DEUG A 83 ad. en 90. *1990 : Adm. p.* 1re a. tit. DUT 6 ad. 2e a. maîtrise ès sciences ou DEST *90 :* 13 ad. Spé. pour tit. dipl. ing. *90 :* 2 ad. *Dipl. 90 :* 119. *An.* 3. *Frais* d.u.

Éc. nat. sup. d'électrotechnique, d'électronique, d'informatique et d'hydraulique de Toulouse (ENSEEIHT, dite « N7 »). 2, rue Charles-Camichel, 31071 Cedex. *Créée* 1907. *Eff.* 1 000 (f. 20 %). *C.* comm. M 84, P 80, TA 9. C. DEUG A 17. *Adm.* 1re a. A sur dossier + entretien 534 ca. 28 ad. En 2e a. A maîtrise ou MTS 396 ca. 48 ad. Spécialisations 423 ca. 108 ad. *Dipl. 90 :* Ing. N7 246, SS + DHET 97. *An.* 3. *Frais* d.u.

Éc. nat. sup. d'électricité et de mécanique (ENSEM). 2, av. de la Forêt de Haye, 54500 Vandœuvre. *Créée* 1900. *Eff.* 339 (f. 10 %). *1990 : Adm.* 1re a. *C.* comm. ENSI M, P, T, A, 96 ad. ; C spé. DEUG 7 ad. T' 2 ad. ; TS 2 ad. ; DUT 1 ad. 2e a. dossier pour tit. maîtr. 109 ca. 7 ad. *Dipl. 90 :* 90. *An.* 3. *Frais* d.u. Antenne de Nevers, rue de l'Oratoire, 58000 Nevers. Créée en 85. Devient éc. d'ing. à la rentrée 91.

Éc. nat. sup. d'électronique et de radioélectricité de Bordeaux (ENSERB). 351, cours de la Libération, 33405 Talence Cedex. *Créée* 1920. *Eff.* 369 (f. 12,5 %). *C.* comm. ENSI (M,P,T,A, DEUG) *1990 :* 91 ad. Adm. 1er a. sur dossier pour tit. DUT 187 ca. 16 ad. ; 2e a. sur dossier pour tit. maîtr. ou dipl. ing. 172 ca. 20 ad. 2 filières de formation (électr. et inform.) depuis 86. *Dipl. 90 :* 113 (électron. : 77, inform. : 36). *An.* 3. *Frais* d.u.

Éc. nat. sup. d'électronique et de radioélectricité de Grenoble (ENSERG). 23, rue des Martyrs, B.P. 257, 38016 Grenoble Cedex. *Créée* 1957. *Eff.* 354 (f. 12,6 %). *C.* comm. ENSI (M, P, TA, DEUG). *1990 :* 86 ad. *Adm.* 1re a. tit. DUT, BTS + 1 : 11 ad 2e a. sur t. pour tit. maîtr., DEST et DUT + 3. 17 ad. *An.* spécialisation pour tit. d'un dipl. d'ing. 7 ad. *Dipl. 90 :* 107. *An.* 3. *Frais* 550 F.

Éc. nat. sup. d'hydraulique et de mécanique de Grenoble (ENSHMG). B.P. 95, 38402 St-Martin-d'Hères Cedex. *Créée* 1929. *Eff.* 295 (f. 11,8 %). 2 sections : H et GM. *C.* comm. ENSI *entrées 1989 :* (29 M, 23 P, 6 DEUG, 1 T', 10 ENSAM). *1989 : Adm. p.* 1re a. sur t. pour les tit. DUT (17 entrées) ; 2e a. sur t. pour les tit. maîtr. ou éq. (11 entrées) ; a. spécialisation pour les tit. dipl. ing. (11 entrées).

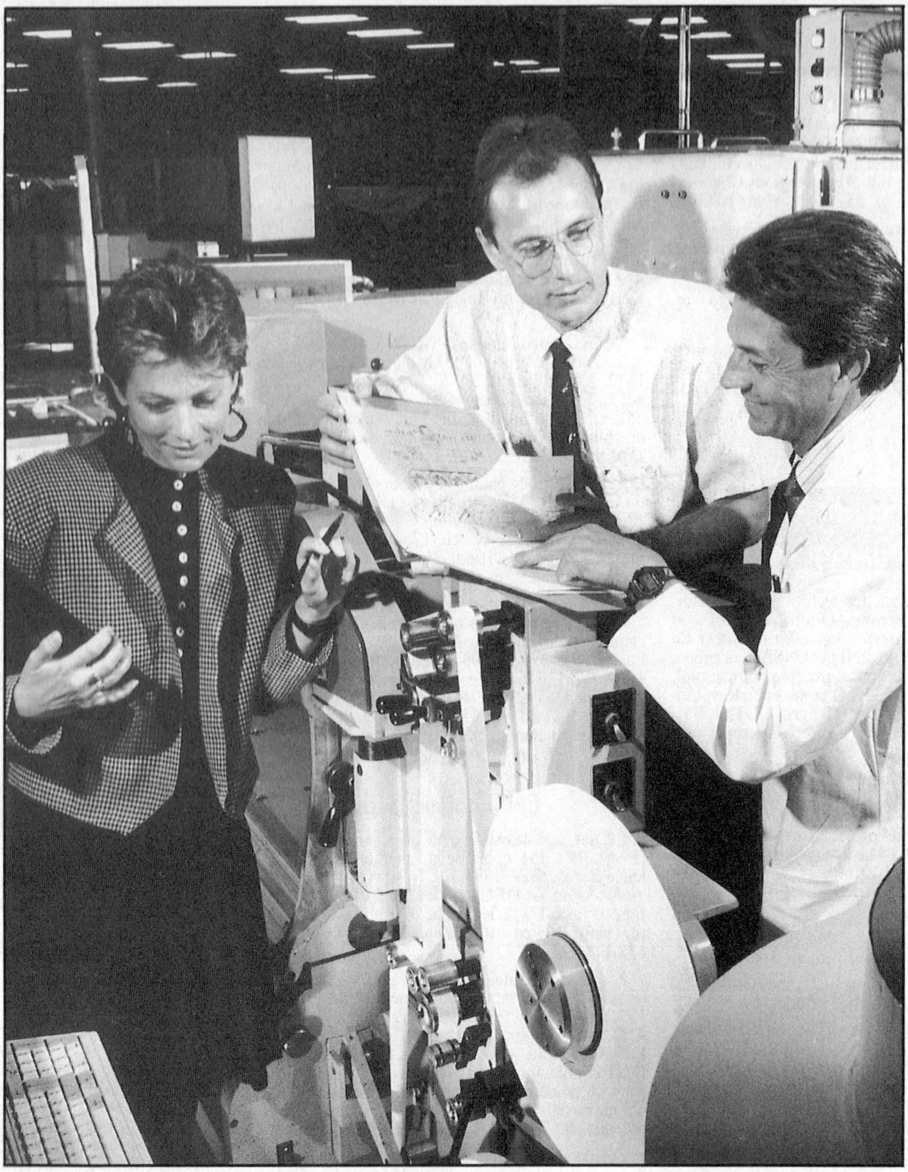

JCB·Cl Photo Jack Burlot

SEITA : LA RÉUSSITE DES SAVOIR-FAIRE

Sur des marchés où la concurrence internationale
des fabricants de tabacs exerce une pression de plus en plus forte,
la Seita développe un ensemble de savoir-faire de haut niveau autour de métiers de pointe :
Productique, Marketing, Promotion, Recherche,
Informatique, Distributique...
Dans chacun de ces métiers, des hommes et des équipes recherchent
la performance et participent à l'évolution de l'entreprise,
de ses produits, de ses stratégies.
Ce n'est pas un hasard si aujourd'hui la Seita innove,
se diversifie et développe sa présence sur les marchés étrangers.
Être leader, au quotidien c'est passionnant!

53 quai d'Orsay 75007 Paris

(Information)

Dipl. 89 : 52 H, 25 GM, 9 As. hydran, 3 As. MFN. *Frais* d.u.

Éc. nat. sup. d'informatique et de mathématiques appliquées de Grenoble (ENSIMAG). B.P. 53X, 38041 Grenoble Cedex. *Créée* 1960. *Eff.* 387 (f. 14 %). *Adm. p.* 2e a. tit. maîtrise MAF, MIAG-SMI. MI 100 ca. 9 ad. *Dipl. 90 :* 107. *An.* 3. *Frais* d.u.

Éc. nat. sup. d'ingénieurs de constructions aéronautiques (ENSICA). 49, av. Léon-Blum, 31056 Toulouse Cedex. *Créée* 1945. *Eff. 90-91 :* 279 (f. 12 %). *C.* comm. ENSI 1re a. 66 ad. *Adm. p.* 2e a. sur t. pour tit. maîtrise ou dipl. ing. 10 ad. 173 ca. Adm. sur t. pour tit. dipl. ing. ou D.E.A. *Dipl. 90 :* 78. *An.* 3. *Frais* d. u. spécialisations pour ingénieurs diplômés ; 3 *mastères :* maint. aéro. et prod., techn. de l'hélico., systèmes informatiques ; études doctorales en automatique, mécanique des fluides et génie mécanique.

Éc. nat. sup. d'ing. électriciens de Grenoble (ENSIEG). B.P. 46, 38402 St-Martin-d'Hères. *Créée* 1901. *Eff.* 452 (f. 12 %). *C.* 115 pl. 8 000 ca. *1990 :* C. spé. DEUG A 5 ad. *Adm.* 1re a. sur t. pour les tit. DUT 173 ca. 14 ad. 2e a. sur t. pour les tit. maîtr. ou éq. 198 ca. 29 ad. *Dipl. 90 :* 133. *An.* 3. *Frais* d.u.

Éc. nat. sup. d'ingénieurs de mécanique énergétique de Valenciennes (ENSIMEV). Mont-Houy, 59326 Valenciennes Cedex. *Créée* oct. 1979. *Eff.* 168 (14 % de f.). *C.* comm. ENSI 60 pl. *1990 :* 1re a. 63 ad. (49 M et P, 10 DEUG A, 4 T.A.). *Adm.* 1re a. DUT 2 ad. sur dossier. *An.* 10. *Dipl. 90 :* 48. *Frais* d.u.

Éc. nat. sup. des industries textiles de Mulhouse (ENSITM). 11, rue Alfred-Werner, 68093 Cedex. *Créée* 1861. *Eff.* 172 (f. 30 %). *C.* comm. ENSI M, P, TA, DEUG 26 ad. *Adm.* 1re a. *C.* spé. à tit. transitoire DEUG A 3 ad., sur t. pour DUT 1 ad., BTS 3 ad., 110 ca. ; 2e a. sur t. pour ing. dipl. et maîtr. ès sc. 98 ca. 13 ad. *Mastère* ingénierie confection-habillement : 7 ét. Année spé. conf.-habil. *Dipl. 90 :* 36. *An.* 3. *Frais* d.u. + 500 F labo.

Éc. nat. sup. de mécanique (ENSM). 1, rue de la Noé, 44072 Nantes Cedex 03. *Créée* 1919. *Eff.* 662 (f. 10 %). *C.* comm. 170 ad., *C* spé. DEUG A, 12 ad. *Adm.* 1re a. DUT 7 ad. 2e a. sur dossier + entretien pour tit. maîtr. 77 ca. 17 ad. *Dipl. 90 :* 181. *An.* 3. *Frais* d.u.

Éc. nat. sup. de mécanique et d'aérotechnique (ENSMA). 20, rue Guillaume-VII, 86034 Poitiers Cedex. *Créée* 1948. *Eff.* 341 (f. 13 %). *C.* comm. *1990:* 110 pl. *Adm.* 1re a. DEUG 5 ad. DUT 90 ca. 3 ad 2e a. maîtrise 4 ad. *Dipl. 90 :* 98. En 3e a. 3 options : aérodynamique, énergétique, thermique. Matériaux structures. Inform. industr. appliquée à op. 1 ou op. 2. *An.* 3. *Frais* d.u.

Éc. nat. sup. de mécanique et des microtechniques (ENSMM, dite « Chrono Besançon »). Route de Gray-la-Bouloie, 25030 Besançon Cedex. *Créée* 1927. *Eff.* 363 (f. env. 13 %). *Adm.* 1re a. *C.* comm. (M 22, P 47, DEUG 3, TA 7, T' 0, ENSAM 25, DUT 11, Maths.Spé. TS (BTS + 1). 2e a. sur t. maîtrise 12, DEST 8. *Dipl. 89 :* 123. *An.* 3. *Frais* d.u.+ 328 F. 3e année : 4 options : automatisation et robotique, électronique et capteurs, mécan. et vibrations, matériaux, et surfaces.

Éc. nat. sup. de physique de Marseille (ENSPM, dite « Sup.-phy. »). Domaine univ. St-Jérôme, 13397 Marseille Cedex 13. *Créée* 1959. *Eff.* 240 (f. 20 %). *Adm. C.* commun : 26 ad. (M), 29 ad. (P'), 2 ad. (TA). *Adm.* 1re a. *C.* national pour tit. DEUG 6 ad. ; sur dossier pour titulaire d'un DUT 1 ad. ; 2e a. sur dossier pour titulaire d'une maîtrise : 100 ca. 9 ad. *Dipl. 1989:* 77. *An.* 3. *Frais* 2 000 F.

Éc. nat. sup. de physique de Strasbourg (ENSPS). 7, rue de l'Université, 67000 Strasbourg. *Créée* 1981. *Eff.* 141 (f. 20 %). *Adm. C.* commun 20 ad. (M), 14 ad. (P), 2 ad. (TA). 1re a. *C.* national pour tit. DEUG A 13 ad. ; sur dossier pour tit. DUT, BTS 33 ca. 4 ad.(0 entrée) ; 2e a. sur dossier pour tit. maîtr. EEA 62 ca. 20 ad.(1 entrée). *Dipl. 90 :* 46. En 3e a. 8 options couplées à des DEA. *An.* 3. *Frais* entre 1 500 et 2 000 F.

Éc. nat. sup. d'ingénieurs de génie chimique (ENSIGC). Chemin de la Loge, 31078 Toulouse Cedex. *Eff.* 183 (f. 34 %). *C.* comm. et *C.* pour tit. DEUG sciences 4 ad. DUT 6 ad. 62 ca. *Adm.* 2e a. maîtr. sciences ou dipl. ing. 5 ad. 35 ca. *Dipl. jusqu'en 89 :* 1176. *An.* 3. *Frais* d.u.

Institut des sciences de la matière et du rayonnement de Caen (ISMRA). Bd Maréchal Juin, 14032 Caen Cedex. *Créé* 1976. *Eff.* 349 (f. 16,8 %). *C.* comm. ENSI 90 ad. *Adm. p.* 1re a. DEUG sciences A 12 ad. ; DUT, BTS ou DEST 15 ad. *Dipl. 90 :* 106. *An.* 3. *Frais* d. u. 4 filières : instrumentation, informatique et intelligence artificielle, optoélectronique, matériaux et chimie fine.

Écoles du concours Arts et Métiers

☞ Recrutement principal commun, sur C. (2 fois max.) à l'issue des cl. préparatoires T et TA.

Éc. nat. sup. d'Arts et Métiers (ENSAM). Centres régionaux (1re et 2e a.) : Châlons-sur-Marne, Angers, Aix-en-Provence, Cluny, Lille, Bordeaux. Année terminale : 151, bd de l'Hôpital, 75640 Paris Cedex 13. *Créée* 1780. *But :* former des ing. hautement qualifiés à caractère multivalent, alliant à l'esprit de conception et de recherche un sens affiné des réalisations techniques et des responsabilités humaines. *Eff.* 2 540 (f. 2-3 %). *C.* comm. 2 090 ad. dont 780 T et 30 TA en 1986. *Adm. p.* sur t. + dossier + examen pour tit. DUT, BTS. 470 ca. 60 ad. 2e a. sur dossier et examen pour tit. MST ou maîtr. 10 ca. 1 ad. ; sur dossier pour étr. *Dipl. 86 :* 854. *An.* 3. *Frais* 978 F + S.S. 640 F (pension facultative 16 500 F). **Élèves illustres :** Alain Barrière, Louis Delage, Émile Delahaye, Jacques Esterel, Henri Verneuil.

Éc. nat. sup. des arts et industries de Strasbourg (ENSAIS). 24, bd de la Victoire, 67084 Strasbourg Cedex. *Créée* 1875. *Eff.* 759 (f. 8 %). *Adm.* prépa. intégrée sur dossier + entretien pour bac avec mention AB 55 pl. *Adm. C.* comm. opt. B 49 ad. T et 2 ad. TA ; Option C 78 ad. T et 4 ad. TA. Pour tit. DUT ou BTS : *C.* spé. Génie Méca. (GM) 12 ad., Électrotechnique et Électronique Indus. (EEI) 12 ad. ; au titre de la formation continue (+ 2 a. d'expérience prof.) 3 ad. ; de la Promo. Soc. du Travail (DEST + 2 a. d'expérience prof.) 3 ad. Dipl. *89 :* 196. *An.* 3. *Frais* d.u. ; possibilité de bourses.

Éc. nat. sup. de céramique industrielle (ENSCI). 47 à 73, avenue Albert-Thomas, 87065 Limoges. *Créée* 1893. *Eff.* 150 (f. 8 %). *C.* comm. T et TA 30 ad. *Adm. p.* sur *C.* pour tit. DUT ou BTS 10 ad. *Adm. p.* 2e a. sur *C.* pour tit. maîtr. ès sc. 14 ad. DEA Pos. 3e a. *Dipl. 90 :* 37. *An.* 3. *Frais* 500 F ; poss. de bourses.

Éc. nat. sup. de l'électronique et de ses applications (ENSEA). Allée des Chênes-Pourpres, 95014 Cergy-Pontoise Cedex. *Créée* 1952. *Eff.* 440 (f. 6 %). 1re a. A : T.TA 40 ad. 2 500 ca. ; MP' 30 ad. 3 000 ca. B : tit. DUT ou BTS 50 ad. 800 ca. C : par formation continue (+ 3 a. d'expérience prof.) et cycle prépa. 1 a. 20 ad. 2e a. C. + pour tit. maîtr. E.E.A. et sciences et techn. 2 ad. 50 ca. *Dipl. 91 :* 145. *An.* 3. *Frais* 450 F. poss. de bourses.

Écoles du concours commun des écoles de la FESIC

☞ La FESIC (Fédér. d'éc. sup. d'ingénieurs et de cadres) groupe 20 éc. privées rattachées à l'ens. cathol. Ne figurent pas ci-dessous les éc. de comm. et de gestion (ESSEC, EDHEC, IESEG, ESSCA), qui organisent des concours propres, et l'IEFSI qui entre dans le cadre des formations complémentaires. *Recrutent* directement après le bac C, D, D', E. 5 ans d'études (prépa. 2 a., cycle ing. 3 a.). Sélection sur dossier et/ou sur *C.* 1re a. prépa. : *C.* commun (1990) : 10 423 ca. 2 559 ad. (dont 1 685 sur dossier) 1 341 entrées. Cy. ing. : C. pour élèves M M' P P' commun à ESEO, ESTIT, HEI, ICPI Lyon, ISEN, ISEP, 1 679 ca., 516 ad. 92 entrées. C. pour tit. DEUG A SSM com. à ESCOM, ESTIT, HEI, ICPI Lyon, ISEN, ISEP, 186 ca. 27 ad. 8 entrées. *Adm.* sur dossier en 2e a. cycle ing. Autres adm. spécifiques à chaque école.

Éc. catholique d'arts et métiers (ECAM). 40, montée St-Barthélemy, 69321 Lyon Cedex 05. *Créée* 1900, *Eff.* 500 (f. 7 %) dont *1er cycle* (prépa. intégrées) 212 él. ; *2e cycle* (él.-ingénieurs) 288 él. *1re a. prépa.* 120 ad. (C. FESIC sur dossier ou sur épreuves) pour 1 785 ca. bacheliers C ou E pour l'ECAM en 1er choix. *1re a. cycle ingénieurs* 96 ad. dont 72 sur résultats contrôle continu des cl. de math. spé. intégrés et 24 sur C. ECAM et math. spé. des lycées M, P, T' et Techno. *Dipl. 90 :* 92. *Frais, Prépa.* 5 500 F ; *cy. Ingénieurs* 7 500 à 15 000 F.

Éc. sup. de chimie organique et minérale (ESCOM). Les Montalants, 13 bd de l'Hautil, 95000 Cergy-Pontoise. *Créée* 1957. *Eff.* 374 (f. 54 %). *En 1990 : Cl. prépa.* 154 ad. (dont 103 sur dossier, 51 sur épr. écrites) 88 entrées. *2e cycle ing.* C. DEUG A, FESIC, 25 ca., 1 entrée ; DUT, BTS chimie 20 ca., 1 ad. 1 entrée ; Maîtrise 30 ca. 4 ad. 4 entrées. *Dipl. 90 :* 54. *Frais, 1er cycle* 10 800 F, *2e :* 16 000 à 17 500 F.

Éc. sup. d'électronique de l'Ouest (ESEO). 4, rue Merlet-de-la-Boulaye, BP 926, 49009 Angers Cedex. *Créée* 1956, *reconnue par l'État* 1978. *Eff.* 625 (f. 13 %). *Cl. prép.* 1re a. p. (sélect. FESIC : bac C, E, D exceptionnellement) 230 ad. (dont 127 sur dossier, 103 sur épr. écrites) 120 entrées. 2e a. sur t. (après étude dossier et entretien) tit. Math spé., Math sup. admis en Math spé. 2 ad. *Cycle Ing. :* sur *C.* FESIC (math. spé.) 10 ad. 8 entrées ; sur t. (sur t. après étude de dossier et entretien évent.) 1re a. pour tit. DEUG A, DUT, BTS, DEUST, Licence EEA 10 ad. ; 2e a. pour tit. de maîtrise EEA et MST 4 ad. Formation continue cy. prépa. 8 mois, cycle term. 19 mois. *Adm.* DUT-BTS ou équiv. + 3 a. d'expérience prof. dans la branche électron. *Dipl.* ing. ESEO. Centre de recherches appliquées. *Dipl. 91 :* 120. *Frais* 9 000 à 18 000 F selon l'année d'études + S.S.

Éc. sup. des techniques industrielles et des textiles (ESTIT). 1, allée Lakanal, B.P. 209, 59654 Villeneuve-d'Ascq Cedex. *Créée* 1895. *Eff.* 300 (f. 15 %). *Prépa. intégrées. C.* sur dossier pour bac C, D, E : 52 ad. *Adm. p.* 1re a. *C.* commun pour tit. DEUG A 6 ad. ; pour Maths Spé. M et P 2 ad. ; dossier + entretien pour tit. DUT 5 ad. ; BTS 0 ad. ; *Dipl. 1990 :* 38. *Frais* cycle prépa. 7 600 F ; cy. éc. 15 000 F.

Éc. des hautes études industrielles (HEI). 13, rue de Toul, 59046 Lille Cedex. *Créée* 1885. *Eff.* 1 200 (f. 18 %). *1990 : prépa.* (sélect. FESIC) 398 ad. (dont 281 sur dossier) 227 entrées. *1er cycle ing. :* C. FESIC (math. spé.) 16 ad. 10 entrées ; C. DEUG A 10 ad., 2 entrées ; DUT 118 ca. 12 ad. 6 entrées ; BTS 126 ca. 12 ad. 8 entrées ; *2e a. cycle ing. :* Maîtrise 46 ca. 13 ad. 11 entrées. *Dipl. 91 :* 168. *Frais* cycle préparatoire 7 500 F/an ; cycle ing. 17 310 F/an.

Institut catholique d'arts et métiers (ICAM). 6, rue Auber, 59046 Lille Cedex. *Créé* 1876. 35, av. du Champ-de-Manœuvre 44470 Carquefou. *Créé* 1988. *Eff.* 701 (f. 13 %) dont 490 Lille, 211 Nantes. *Prépa. :* 192 (107 à Lille, 85 à Nantes) ad. 1 281 ca. 2e cycle, 1re a. *C.* math. spé. 13 ad. 370 ca. *Adm. p.* 1re a. sur dossier pour les tit. BTS et DUT 62 ca, 6 ad. *Dipl. 90 :* 93. *Frais* 7 500 à 16 250 F. *Autres formations :* ing. ICAM par form. continue ; Mastère d'ing. d'aff. internat. *Sept. 91 :* entrée dans les locaux de l'ICAM de Nantes.

Institut de chimie et physique industrielles de Lyon (ICPI). 31, place Bellecour, 69288 Lyon Cedex 2. *Créé* 1919. *Eff.* 392 (f. 23 %). *Adm. 1989 :* cycle prépa. *C.* comm. bac C ou E, 245 ad. sur dossier, 70 au C. 189 entrées. 2e a. prép. sur dossier + C. *Adm. 1re a.* sur *C.* comm. 106 ca., 9 ad., tit. DEUG A 44 ca. 3 ad. ou sur dossier + épr. orales pour tit DUT 113 ca., 14 ad. *2e a.* entretien + dossier pour tit maîtr. es. sc. 38 ca., 3 ad. *Dipl. 89 :* 111. *Frais* cy. prépa. : 6 780 F. cy. ing. 19 500 F.

Inst. sup. agricole de Beauvais (ISAB). Rue Pierre-Waguet, B.P. 313, 60026 Beauvais Cedex. *Créé* 1854. *Eff.* 500 (f. 30 %). *Prépa.* 48 ad. sur dossier, 42 sur C., 1re a. prépa. 90 entrées, 2e a. prépa. sur dossier + entretien pour tit. BTS A, 18 ad. *Adm. p. 1re a. ing.* sur dossier + entretien pour tit. DEUG mention, ou DUT Bio, ou math. spé. 39 ad. *Dipl. 90 :* 95. *Frais* 14 000 F/an. *Diplôme* d'ing. en agric. de l'ISAB reconnu par l'État.

Inst. sup. d'agriculture (ISA). 41, rue du Port, 59046 Lille Cedex. *Créé* 1963. *Eff.* 434 (f. 30 %). *1990 : 1er cycle :* 1re a. Bac D, C, D', 73 ad. 2e a. math. sup. bio., 1re a. DEUG B 8 ad. *2e cycle :* 1re a. DEUG B, DUT, BTSA, admiss. ENSA 16 ad. + 7 ad. form. prof. 2e a. maîtrise bio. 3 ad. + 1 ad. form. prof. *Dipl. 89 :* 84. *An.* 5. *Frais* 14 600 F/an.

Inst. sup. d'électronique du Nord (ISEN). 41 boulevard Vauban, 59046 Lille Cedex. *Eff.* 608 (f. 18 %). *Prépa.* 111 ad. *Adm.* 1re a. *C.* math. spé. 11 ad. C. DEUG A 3 ad. ; DUT-BTS 171 ca. 23 ad. 2e a. tit. maîtr. électron. et ing. 22 ca. 1 ad. *Dipl. 90 :* 123. *Frais* cy. prépa. 7 500 F, cy. ing. 17 680 F.

Inst. sup. d'électronique de Paris (ISEP). 28, rue Notre-Dame-des-Champs, 75006 Paris. *Créé* 1955. *Eff.* 611 (f. 22 %). *1990 : Prépa.* (sélect. FESIC) 1 306 ca. 237 ad. (dont 108 sur dossier, 129 sur épreuves écrites) 96 entrées. *2e cy. ing.* C. FESIC (math-spé) 1 130 ca. 285 ad. 60 entrées ; DEUG A, FESIC, SSM 29 ca. 0 ad. 0 entrée ; Maîtrise 37 ca. 6 ad. 3 entrées (2e a. cy.-ing.). *Dipl. 90 :* 74. *Frais* par an 8 700 F (1er cycle), 18 900 à 20 700 F selon l'a.

Écoles d'ingénieurs à concours particuliers

Écoles polyvalentes

☞ Éc. ayant un mode de recrutement propre. Voir aussi éc. des grands concours traditionnels (ECL, ECP, EP, ENSMP, ENPC, ENSTA, ENSMIM, ENSASE, IPN), éc. du concours Arts et Métiers (ENSAM, ENSAIS), concours FESIC, HEI, ECAM, ICAM, Inst. nat. des sciences appliquées, universités délivrant le diplôme d'ingénieur.

Éc. polytechnique féminine (EPF). 3 *bis,* rue Lakanal, 92330 Sceaux. *Créée* 1925. *Eff.* 856. *C. 1990 :* 162 ad. (136 bac C, 34 D, 1E, 1F). *Adm. p. 2e* a. spéc. 6ad., DEUG 1 ad. 3e a. DEUG A, DUT, lic., admiss. c. grandes éc., BTS : 1 ad., DEUG 7 ad., DUT 5 ad. 4e a. maîtr. 5 ad. *Dipl. 90 :* 150. *An.* 5. *Frais* 21 600 F.

Éc. nat. sup. des techniques industrielles et des mines d'Alès (ENSTIMA). 6, av. de Clavières, 30107 Alès. *Créée* 1843. *Eff.* 465 (f. 15 %). *C.* propre à l'éc. pour math. sup. 100 ad. *Adm.* possible. 2e a. dossier DEUG A, DUT, BTS, 7 pl. 3e a. licence ès sciences 3 pl. 0 ad. *Dipl. 89 :* 116. *An.* 4. *Frais.* Formation continue. Accueil élèves-chercheurs dans les laboratoires. *Mastères* sécurité ind. et env. ; minéraux, poudre, mat. avancés ; chimie et mat. inorganiques ; échanges de données informatisées ; intelligence art. Section de perfectionnement pour tit. bac + 2 et 4 ans activité prof. 55 pl./ an.

Éc. nat. sup. des techniques industrielles et des mines de Douai (ENSTIMD). 941, rue Charles-Bourseul, 59508 Douai Cedex. *Créée* 1878. *Eff.* 550 (f. 10 %). *C.* propre à l'éc. 105 reçus sur 4 466. *Adm. p.* 2e a. DEUG A, DUT, BTS 234 ca. 8 ad. 3e a. lic. maths ou physique 15 ca. 1 adm. *Dipl. 88 :* 98. *An.* 4. *Frais* 1 530 F environ. Formation continue : 55 ad. *Mastères* robotique, technologie des polymères et composites, design management.

Éc. sup. d'ingénieurs de Marseille/Institut méditerranéen de technologie (ESIM/IMT). Technopôle de Château-Gombert 13451 Marseille Cedex 13. *Créée* 1972. *Eff.* 384 (f. 16 %). *C.* ouvert aux étudiants de niveau math. spé. 2 200 ca. 113 ad. *Adm. p.* DEUG A 200 ca. 15 ad. *Dipl. 90 :* 100. *Projet 91 :* flux de sortie 110 dipl. *An.* 3. *Frais* 11 200 F. *Mastères :* génie infor., ingénierie marine et offshore, électron./informatique/instrumentation, constr. génie civil, management du dévelop. technol.

École supérieure des sciences et technologies de l'ingénieur de Nancy/Nice (ESSTIN) (ex-ISIN). Parc Robert-Benz, 54500 Vandœuvre. Antenne à Sophia-Antipolis : rue L.V. Beethoven, 06560 Valbonne. *Créée* 1960. *Eff.* 613 (f. 8 %). 1re a. pour bac C.D.E. 140 ad. 3 639 ca. 2e a. *C.* (A) 15 ad. 474 ca. (B) 16 ad. 353 ca. 3e a. (D) sur dossier 11 ad. 257 ca. 4e a. sur dossier + entretien pour tit. maîtr. MST 23 ad. 104 ca. *Dipl. 90 :* 92. *An.* 5. *Frais* d.u.

ENI Écoles nationales d'ingénieurs

☞ Créées 1961, recrutent : *en 1re a. : C.* comm. nat. pour tit. bac E, F, C 7 623 ca. 440 pl. en 1988. *En 3e a. : C.* sp. sur dossier et entretien ; dipl. exigés : BTS, DUT, DEUG ou niveau équivalent. An. 5. **Spécialités :** *Génie civil et fabrication mécanique* à St-Étienne ; *fabr. méca.* à Belfort, Metz et Tarbes ; *fabr. électronique* à Brest. *Recherche* à Brest, St-Étienne et Tarbes.

Éc. nat. d'ing. de Belfort (ENIBe). BP 525. 8, bd Anatole-France, 90016 Belfort Cedex. *Créée* 1962. *Eff.* 400 (f. 3 %). *Adm.* 1re a. 96 pl. ; 3e a. tit. DUT ou BTS 30 ad. 600 ca. *Dipl. 90 :* 93. *Options 4e et 5e a. :* procédés de prod., systèmes de prod., organisation et gestion prod., recherche en mécanique et productique. *Frais* 1 040 F par an + S.S.

Éc. nat. d'ing. de Brest (ENIBr). Avenue Le Gorgeu, 29287 Brest Cedex. *Créée* 1961. *Eff.* 396. *Adm.* 1re a. *C.* commun ENI pour tit. Bac E, F2 et 3, 72 pl., sur dossiers pour él. Term. C. 24 pl. ; 3e a. spé. sur dossier pour tit. BTS, DUT, DEUG. *Dipl. 90 :* 86. *Frais* 838 F + S.S.

Éc. nat. d'ing. de Metz (ENIM). Ile du Saulcy, 57045 Metz Cedex I. *Créée* 1962. *Eff.* 654 (f. 2 %). *Adm.* 1re a. *C.* comm. ENI 110 ad. bac C sur dossier 15 ad. ; 3e a. dossier + entretien pour tit. BTS ou DUT mécanique ou DEUGA 50 ad. ; 4e a. pour tit. maîtrise 5 ad. *Dipl. 89 :* 80. *Frais* 915 F. + S.S. DESS génie mécanique et productique.

Éc. nat. d'ing. de St-Étienne (ENISE). 58, rue Jean-Parot, 42023 St-Étienne Cedex 2. *Créée* 1961. *Eff.* 478 (f. 3,6 %). 1re a. sur dossier (Bac C). Option GM 6 pl., GC 6 pl. 3e spé. GM 20 pl. GC 20 pl. *Dipl. 90 :* 91. *Frais* 2 405 F.

Éc. nat. d'ing. de Tarbes (ENIT). Chemin d'Azereix, B.P. 1 629, 65016 Tarbes Cedex. *Créée* 1963. *Eff.* 630 (f. 3,5 %). 100 adm. en 1re a. + 12 ad. sur dossier bac C. ; 3e a. 38 ad. ; 4e a. 9 ad. Section spé. d'ing. Génie Matériaux, Production automatisée. Label « Mastère » de la Conf. des grandes Écoles. DEA Méc. en cohabilitation avec Univ. Bordeaux I et ENSAM Bordeaux *Dipl. 90 :* 71 ; *dipl. S. Spéc.* PA 5. *An.* 5. *Frais* 1 815 F.

Instituts nationaux de sciences appliquées (INSA)

☞ Concours d'admission commun aux 4 INSA. C. sur t., dossier et évent. entretien *Adm. p.* 1re a. du 1er cycle pour tit. bac C et E (quelques D et F). 1re a. du 2e cy. pour tit. BTS, DEUG, A et B, Math. Spé. 3/2 et DUT. 2e a. 2e cy. pour titulaire maîtrise ès sciences, maîtrise de sciences et techn., ou formation continue DUT ou BTS + 3 a.

Inst. nat. des sc. appliquées de Lyon (INSA). 20, av. A.-Einstein, 69621 Villeurbanne Cedex. *Créé* 1957. *Eff.* 3 210 (f. 25,9 %). *C.* 1re a. 1er cycle 660 ad. 1re a. 2e cy. 149 ad. 2e a. 2e cy. 68 ad. *Dipl. 90 :* 642. *An.* 5. *Frais* externes 915 F, demi-pens. 3 978 F, internes 12 561 F.

Inst. nat. des sc. appliquées de Rennes (INSA Rennes). 20, av. des Buttes-de-Coësmes, 35043 Rennes Cedex. *Créé* 1961. *Eff.* 863 (f. 20 %). 1re a. 1er cycle 166 ad. 1re a. 2e cy. 76 ad. 2e a. 2e cycle 24 ad. *Dipl. 90 :* 170. *Frais* (91) externes 967 F, demi-pens. 3 114 F, internes 9 018 F.

Inst. nat. des sc. appliquées de Toulouse (INSA Toulouse). Av. de Rangueil, 31077 Toulouse Cedex. *Créé* 1961. *Eff.* 1 350 (f. 32 %). 1re a. 1er cycle 190 ad. ; 1re a. 2e cy. 80 ad. ; 2e a. 2e cycle 12 ad. *Dipl. 89 :* 250 + 12 F.C. *Frais* 650 F.

Inst. nat. des sc. appliquées de Rouen (INSA Rouen). Place Émile-Blondel, 76131 Mont-Saint-Aignan Cedex. *Créé* 1985. *Eff.* 596 (f. 33 %), objectif 800 élèves. 1re a. 1er cycle 144 ad. 2e cy. 1re a. 42 ad., 2e a. 20 ad. *Frais* 800 F.

Universités délivrant le diplôme d'ingénieur

☞ Sur dossiers et titres : DEUG, DUT, BTS, classes préparatoires, parfois aussi sur concours (notamment en 1re année).

Centre univ. des sc. et techniques de Clermont-Ferrand II (CUST). B.P. 206, 63174 Aubière. *Créé* 1969. *Eff.* 597 (f. 25 %). *Adm.* sur doss. pour tit. DEUG, DUT, BTS. *Dipl. 91 :* 177. *An.* 3.

Éc. sup. de l'énergie et des matériaux (ESEM). BP 6749, 45067 Orléans Cedex 2. *Créée* 1983. *Eff.* 267 (f. 10 %). *Adm.* C. pour math., spé. bio., spé. MM' PP' TT' TA, DEUG A, DUT (génie méca. et g. thermique). 1re a. tronc comm., 2e et 3e a. options : géomatériaux et travaux d'aménagement, génie des matériaux, thermique et énergétique industrielles, systèmes de transport, productique. 4 238 ca. 100 ad. *Adm. p.* 2e a. tit. maîtrise, MST sur dossier + entretien 126 ca. 11 ad. *An.* 3. *Dipl. 90 :* 87. *Frais* d.u.

Éc. univ. d'ingénieurs de Lille (EUDIL). 59655 Villeneuve-d'Ascq. *Créée* 1969. *Eff.* 621 (f. 22 %). *Adm.* sur dossier + entretien. tit. DEUG 31 % ; DUT 34 % ; Cl. prépa. 19 % en 1re a. 203 ad. 2 255 ca. *Adm. p.* 2e a. titulaire d'une maîtrise ou équivalent 3 ad. 5 spécialités : GT. GC (géotechnique, génie civil), IMA (informatique, mesure et automatique), SM (sc. des matériaux) ITEC (instrumentation, formation technico-com.), CM (Méca.). Formation continue d'ing. dans 2 spé. (GT. GC, IMA). *Dipl. 88 :* 179. *Frais* d.u.

Formation d'ingénieurs de l'univ. Paris-Sud (FIUPSO), bâtiment 220, 91405 Orsay Cedex. *Créée* 1983. *Eff.* 220 (f. 20 %). 4 spéc. : électronique, informatique, microélectronique, matériaux. *Adm.* tit. + entretien + test anglais (DEUG A cl. prépa.), examen + entretien + test anglais (DUT, BTS). *Adm. p.* 2e a. titre (maîtrise) + entretien. 600 ca. 80 adm. *Dipl. 90 :* 54. *An.* 3. *Frais* d.u.

Formation sup. d'ingénieurs de Paris-Nord (FSIPN). Centre scientifique et polytechnique de Paris XIII, 93430 Villetaneuse. *2 formations :* Matériaux (FSIM) et Télécom. (FSIT). *Eff.* FSIM : 125 (f. 22 %), FSIT : 106 (f. 10 %). *Adm.* sur doss. FSIM : DEUG A, math. spé., DUT mesures phys., génie méca. ou maintenance ind. 383 ca., 147 ad. ; FSIT : DEUG A, math. spé., DUT génie élec., 607 ca., 162 ad. *Adm. p.* 2e a. Maîtrise ou MST FSIM 41 ca., 10 ad. FSIT 31 ca., 0 ad. *An.* 3. *Dipl. 90 :* FSIM 30. FSIT 37. *Frais* d.u.

Formation d'ingénieurs diplômés en sciences et technologie de l'univ. Pierre-et-Marie-Curie. Institut de sc. et technologie, Tour 22, 4, place Jussieu, 75252 Paris Cedex 05. *Eff.* 309 (f. 27 %). *Créé* 1983 (succède à une MST créée 1971). *Adm.* en IST 1 après DEUG A ou B avec mention et exam. de dossier, ou après DEUG spécialisé (IST P1 et P2), ou après DUT avec exam. math ou chimie et exam. du dossier ; en IST 2 après maîtrise avec mention et exam. du dossier. 4 filières : Géophysique-Géotechniques, Mesure-Contrôle-Régulation (formation initiale + format. perman.), Chimie des matériaux, Ind. céréalières. *An.* 3 (IST 1 à IST 3), *Frais* d.u.

Inst. des sciences de l'ingénieur (ISIM). Pl. Eugène-Bataillon, 34060 Montpellier Cedex. *Eff.* 703 (f. 33 %). *1990 : Adm.* 237 ad. 4 015 ca. tit. DEUG 71,7 %, DUT 22,8 %, CPGE 4,2 %, dipl. divers et étr. 1,3 %. *Dipl. 90 :* 214. 5 options : informatique-gestion, microélectronique-automatique, sciences-technologie de l'eau, des ind. alim., des matériaux. *An.* 3. *Frais* d.u.

Inst. des sciences et techniques (IST-Université Joseph Fourier Grenoble I). B.P. 53X, 38041 Grenoble Cedex. 2 Formations d'ing. : en Géotechnique. *Eff.* 20 (f. 18 %). *An.* 3 ; en informatique ind. et instrumentation. *Eff.* 50 (f. 5 %). *Adm.* 1re a. DEUG A ou B, Math. Spé., DUT. 2e a. maîtrise, MST. *Formation permanente. An.* 3.

École sup. d'ingénieurs de Poitiers (ESIP). 40, avenue du Recteur-Pineau, 86022 Poitiers. 4 spé. : Énergétique industr. Traitement des eaux et nuisances, Matériaux de constr., géotechnique-génie civil. Éclairage, acoustique, climatisation. *Eff.* 236. *Adm.* sur doss. + entretien et tests scientif. pour tit. DEUG scientif. 216 ca. 31 ad., DUT 410 ca. 44 ad., Cl. prépa. 313 ca. 17 ad. Divers 79 ca. 2 ad. 2e a. maîtrise + dossier. *An.* 3. *Frais* d.u.

Univ. de technologie de Compiègne (UTC). Centre Benjamin-Franklin, rue Roger-Couttolenc, BP 649, 60200 Compiègne. *Créée* 1973. *Eff.* 2 800 (f. 21 %). Formation d'ing. en Génie Bio., Gén. Chim., Gén. Informatique et Gén. Mécanique. Enseign. sur 5 a., organisé en semestres avec 2 rentrées par a., en févr. et sept. *2 niveaux d'adm. :* après bac C, D, E sur dossier et entretien ; 2 800 retenus sur entr. 250 ad. 1re a. 2e cy. sur dossier + entretien pour tit. DUT, BTS spé., DEUG A ou él. math. spé. 350 ad. *Adm. p.* 2e a. 2e cy. 10 ad. *Dipl. 90 :* 400. *An.* 2 + 3.

Inst. des sciences et techniques des aliments (ISTAB). 1, av. des Facultés, 33405 Talence. *Créé* 1986. *Eff.* 40 promo. Form. d'ing. en sc. des aliments. *Adm.* sur doss. + entretien ; *2 niv. d'adm. :* cl. prépa. ; 1re a. DEUG, BTS, DUT, 2e a. maîtrise, titre d'ing. Études 3 a.

École non habilitée

Ingéniorat en intelligence artificielle, reconnaissance des formes et robotique (IRR-UPS). Univ. Paul-Sabatier, 7, av. du Colonel-Roche, 31077 Toulouse Cedex. *Créé* 1979. *Eff.* 25. *Adm.* sur doss. pour tit. maîtr. EEA, inform., mécan. et ing. dipl. 300 ca. 25 pl. *An.* 1. *Dipl. 89 :* 19. *Frais* d.u.

Écoles aéronautiques

☞ Il y a 4 grandes écoles aéronautiques : ENAC (école de spécialisation qui assure aussi la formation des pilotes de ligne avec un C.) ESTA, ENSICA p. 1279a, ENSAE p. 1288b.

École nationale de l'aviation civile (ENAC). 7, avenue Édouard-Belin, B.P. 4005, 31055 Toulouse Cedex. *Créée* 1948. **Éc. d'ing. généralistes.** *Ing. de l'aviation civile : eff.* 15/a. *Adm.* directe pour polytech. et normaliens. *Dipl. 90 :* 12. *An.* 2 (gratuit). *Ing. de l'ENAC :* 100 élèves par an (25 él. fonction. rémunérés, 75 ing. civils). *Adm.* principale sur *C.* Maths spé. (M, M', P, P') 2 723 ca. 62 ad. *C.* commun ENSI pour tit. DEUG A 1 006 ca. 5 ad., 2e a. sur dossier + entretien pour tit. maîtrise sc. ou dipl. ing. 109 ca.

6 ad. *Dipl. 90 :* 80. *An.* 3 (gratuit). **Éc. de spécialistes.** *Ing. du contrôle de la navigation aérienne* 180 élèves/a. (rémunérés). *Adm.* sur *C.* pour tit. DEUG A, BTS, DUT sc., Maths spé. 310 ca. 47 ad. *An.* 3 (gratuit). *Ing. électronicien des systèmes de la sécurité aérienne* 30 élèves/a. (rémunérés). *Adm.* sur C. pour tit. BTS, DUT, DEUG A, Maths spé. 322 ca. 30 ad. *An.* 3 (gratuit). *Pilote de transport* 180 élèves/a. *Adm.* sur C. pour él. Maths sup. 3 113 ca. 130 ad. ; él. Maths spé. (T, T', TA), BTS, DUT 603 ca. 30 ad. ; tit. dipl. ing. tit. certif. brevet théorique de pilote de ligne 8 ca. 4 ad. *An.* 2 (gratuit). *Technicien de l'aviation civile* 80 élèves/a. (rémunérés). *Adm.* sur *C.* niveau bac 427 ca. 60 ad. *An.* 9 mois (gratuit). *Agent d'exploitation* 20 élèves/a. *Adm.* sur *C.* niveau bac. 113 ca. 20 ad. *An.* 9 mois (gratuit). *Cycle d'études spécialisées en exploitation aéronautique* 15 élèves/a. *Adm.* sur dossier pour tit. dipl. ing., DEA, maîtrise sc. 39 ca. 12 ad. *An.* 1 (payant). *Cycle d'études spécialisées au management aéroportuaire* 15 élèves/a. *Adm.* sur dossier pour tit. dipl. ing., éc. de commerce, DEA, maîtrise sc. ou gestion 54 ca. 15 ad. *An.* 1 (payant).

Éc. supérieure des techniques aérospatiales (ESTA). Complexe scientifique d'Orsay, Bât. 502 bis, 91405 Orsay. *Créée* 1930. *Eff. 1989 :* 36 (f. 8 %). *Adm.* sur titre et doss., dipl. ENSI (Arts et Métiers ou équiv.) *1990 :* 98 ca. 54 ad. *Dipl. 90 :* 37. *An.* 1. *Frais* 9 000 F.

Écoles à dominante agriculture-industries alimentaires

☞ Voir ISA, ISAB, à C. FESIC et ENSA, ENITA.

Écoles de base

ENITRTS. Voir écoles à dominante construction bâtiments-travaux publics.

Éc. nat. sup. féminine d'agronomie (ENSFA). 65, rue de St-Brieuc, 35042 Rennes Cedex. *Créée* 1964. *Eff.* 180. *C.* ouvert aux f. et garç. de terminale inscr. au bac. et BTA, 835 ca. 36 ad. *Adm. p.* 2ᵉ a. tit. DEUG B et admiss. ENSA et ENV 352 ca. 12 ad. *Dipl. 90 :* 50. *An.* 5. *Frais* 612 F/an.

Éc. sup. d'agriculture (ESA). 55, rue Rabelais BP. 748, 49007 Angers Cedex 01. *Créée* 1898. *Eff.* 500. *1989 : Adm.* 1ʳᵉ Bac C, D, D', E. *Adm.* intermédiaires BTS, DEUG, DUT, admiss. ENSA, maîtr. 104 ad. 3. *Dipl. 90 :* 79. *An.* 5. *Frais* 14 500 F.

Éc. sup. d'agriculture de Purpan (ESAP, dite « Purpan »). 75, voie du Toec, 31076 Toulouse Cedex. *Créée* 1919. *Eff.* 432 (f. 25,4 %). Prépa. intégrée 2 a. 798 ca. 89 ad. 2ᵉ a. sur doss. pour tit. DEUG B ou BTS (4-5 pl.) 1ʳᵉ a. cycle ingénieur sur doss. pour tit. licence ou maîtrise (1-2 pl.). *Dipl. 89 :* 81. *An.* 2 + 3. *Frais* 13 500 F/an.

Éc. sup. du bois (ESB). 6, av. de St-Mandé, 75012 Paris. *Créée* 1934. *Eff.* 134 (f. 20 %). *En 1990 :* Oral accessible aux ca. admissibles au *C.* d'entrée aux Éc. d'ing. + C. 610 ca. 131 ad. ; pour tit. BTS, DEUG et DUT 70 ca. 13 ad. *Adm. p.* 2ᵉ a. sur t. pour ing. et maîtr. 2 ad. *Dipl. 90 :* 29. *An.* 3. *Frais* 11 500 F + S.S.

Éc. sup. d'ing. et de techniciens pour l'agriculture (ESITPA). B.P. 607, rue Grande, 27106 Val-de-Reuil Cedex. *Créée* 1919. *Eff.* 440 (f. 30 %). *En 1990 : Adm.* bac. scientif. et bac. + 1 : 550 ca. 88 pl. 2ᵉ a. maths spé. agro. 3ᵉ a. admissibles ENSA, ENV, tit. DEUG B, licence, maîtrise. *Dipl. 88 :* 87. *An.* 4 1/2. *Frais* 13 200 F.

Institut sup. d'agriculture Rhône-Alpes (ISARA). 31, place Bellecour, 69288 Lyon Cedex 2. *Créé* 1968. *Eff.* 405. (f. 40 %). *Adm.* sur dossier ; bac C, D, D', BTAG, 1ʳᵉ a. ét. sup., 860 ca. 81 ad. *Adm. p.* 2ᵉ a. sur titre tit. DEUG B, DUT-Agro, BTS agric. ou admiss. ENSA ou ENV 180 ca. 15 ad. *Adm. p. 3ᵉ a.* sur t. pour tit. licence ou maîtr. biologie ou BTS agric. + 3 a. d'exp. prof. 30 ca. 4 ad. *Dipl. 90 :* 80. *An.* 5. *Frais* 16 000 F/an. Bourses d'État et prêts bancaires.

Écoles de spécialisation

Centre nat. d'ét. agronomique des régions chaudes (CNEARC). av. du Val de Montferrand B.P. 5 098, 34033 Montpellier Cedex. *Créé* 1902. *Eff.* 160 (f. 15 %). Comprend 2 unités d'ens. : ESAT et EITARC. *Dipl. 88 :* 90. Unité de formation continue. *Frais* 1 620 F pour ét. français.

Éc. sup. d'agronomie tropicale (ESAT). Adresse v. CNEARC. *Créée* 1946. *Adm.* tit. DAG, DEGIA, DEA Bio, sortis 2ᵉ a. des ENSA sur dossier 60 ad. *An.* 2. *Dipl.* d'Ing. d'Agro. Tropicale.

Éc. d'ingénieurs des techniques agricoles des régions chaudes (EITARC). Adresse v. CNEARC. *Adm.* sur C. pour tit. BTSA + 3 a. d'expérience prof. en régions tropicales. AUTRES FORMATIONS ASSURÉES : *formation continue ; Certif. d'aptitude à l'Ens. en Collège Agr.* (CAECA), *d'Études Sup.* (CES), *animation et formation pour développement rural en régions chaudes.*

Éc. nat. du génie rural, des eaux et des forêts (ENGREF). Centre principal d'enseignement, 19, av. du Maine, 75732 Paris Cedex 15. C. spécialisé forestier, 14, rue Girardet, 54042 Nancy Cedex. C. spécialisé régions chaudes, tropicales et méditerranéennes (forêts, hydraulique agricole, télédétection appliquée, technologie), Domaine de Lavalette, 648, rue Jean-François Breton, BP 5093, 34000 Montpellier Cedex. C. tropicaux de recherche et de formation Pondichéry (Inde ; végétation, forêts, écologie, pédologies tropicales ; gestion de l'eau ; biomasse), Kourou (Guyane ; forêt). *Créée* 1965 [fusion des écoles des Eaux et Forêts (1825) et du Génie rural (1919)]. *Eff.* 50 env. par promotion (f. 40 %). *Adm.* sur t. X (parmi 150 premiers) et DAG de l'INA-PG. 33 % des postes f. réservés à C. interne Ing. des Tr. Min. Agr. C. spécial f. (si postes promotion int. non pourvus) ouvert à dipl. X, ENS, Centrale ECAM, INA-PG, ENSA, ENSIA. *An.* 27 mois. *Dipl. 88 :* 53. *Frais* (civils) 2 000 F/an. *Traitement* indice 395 pour fonctionnaires.

Éc. nat. sup. d'horticulture (ENSH, dite « Horti »). 4, rue Hardy, RP 914, 78009 Versailles Cedex. *Créée* 1874. *Eff.* 85 (f. 62,3 %). *Adm.* sur t. pour tit. DAG. *Adm.* sur C. pour tit. maîtr. ès-sc. 200 ca. 34 ad. *An.* 2. *Frais* 1 160 F, étr. 2 100 F.

École nationale supérieure de meunerie et des industries céréalières (ENSMIC). 16, rue Nicolas-Fortin, 75013 Paris. *Créée* 1924. *Adm.* sur dossiers. *Formation* de techniciens, tech. sup. en 2 a. (après bac C, D, D', E, F1, F2, F3, F5, F6, F7, F7 bis, H, BTic, BTag, BTn, contrôle et régulation). *Spécialisation :* 1 a. pour tit. BTS, DUT ; 1 a. + déliv. du dipl. d'ing. meunier pour tit. dipl. d'ing. reconnu par l'État. Formation Action commerciale ind. céréal. en 1 an pour tit. BTS. *Formation d'ing. des ind. céréalières. Adm.* sur t. + tests de recrutement pour tit. BTS-ind. céréal. ou DEUG B + prépa. suppl. à l'Université Paris VI. *An.* 3 a. *Frais :* 1 500 F.

Éc. nat. sup. du paysage (ENSP). 6 bis, rue Hardy, 78000 Versailles. *Créée* 1976. *Eff.* 130. *Adm. C.* bac. + 2 a. 30 ad. *An.* 4. Dipl. de paysagiste DPLG. *Frais* 1 220 F, étr. 2 205 F.

Éc. nat. sup. des sc. agronomiques appliquées (ENSSAA). 26, bd du Docteur-Petit-Jean, 21000 Dijon. *Créée* 1965. *Eff.* 60 (f. 50 %). *En 1990 : Adm.* sur t. pour les tit. du DAG. 20 adm. *Adm. p.* sur C. pour ing. agro. 2 ad., ITA 5 ad. et sur ex. probatoire pour ing. civils 3 ad.

Éc. sup. d'application des corps gras (ESACG). Rue Monge, Parc industriel de Pessac, 33600 Pessac. *Créée* 1952. *Eff. 1991 :* 9. *Adm.* sur dossier. + entretien pour ing. et maîtrise ès sciences 50 ca. 10 ad. *Dipl. 89 :* 3. *An.* 1. *Frais* 1 350 F.

Inst. d'ét. sup. d'industrie et d'économie laitières (IESIEL). 16, rue Claude-Bernard, 75231 Paris Cedex 05. *Créé* 1930. *1ʳᵉ a.* (sc. et techn. lait.). *Eff.* 15 (f. 30-50 %). *Adm.* sur dossier et entretien pour dipl. bac. + 4. 50 à 100 ca. 15 ad. *An.* 10 mois. *Frais* 10 000 F (pour fr.). *2ᵉ a.* (ind. et écon. lait.). *Eff.* 15-20. *Adm.* sur dossier et entr. pour dipl. bac. + 5. Accès form. cont. (*adm.* sur exam. + dossier + entr. pour BTS, DUT + exp. prof.). *An.* 13,5 mois. *Frais* 15 000 à 30 000 F selon statut. Convention spéc. pour form. cont. et étrangers. Poss. bourses et prêts.

Écoles de spécialisation non habilitées

Inst. sup. de l'agroalimentaire (ISAA). 19, av. du Maine, 75732 Paris Cedex 15. *Créé* 1981. *Eff.* 120. *Adm.* tit. DAG de l'INAPG et des ENSA, DEGIA de l'ENSIA, Certif. de fin de scolarité des ENV de certaines éc. d'ingénieurs ayant passé des conventions avec l'ISAA, sur dossier 1ʳᵉ a. 150 ca. 131 ad., 2ᵉ a. 7 ad. *Dipl. 89 :* 120. *An.* 1 ou 2 a. *Frais* 1ʳᵉ a. 1 570 F, 2ᵉ a. 500 F.

Inst. sup. des productions animales (ISPA). 65, rue de St-Brieuc, 35042 Rennes Cedex. *Créé* 1982. *Eff.* 131. *Adm.* tit. DAG, du certificat de fin de scolarité des ENV, maîtrises ès sc., ingénieurs diplômés, sur dossier 180 ca. env. 120 ad. *Dipl. 90 :* 112. *An.* 1 ou 2 a. *Frais* 1ʳᵉ a. 3 080 à 3 933 F suivant options, 2ᵉ a. 580 F + frais de stage.

Écoles à dominante-construction bâtiment-travaux publics

Écoles de base

☞ Voir aussi éc. des Mines Paris, Nancy, St-Étienne, Géologie Nancy, Ponts, grands concours traditionnels, INSA Lyon et Toulouse, ENSAIS, ENSPS, ESGM, ENITRTS.

Éc. des ingénieurs de la ville de Paris (EIVP). 57, bd St-Germain, 75005 Paris. *Créée* 1959. *Eff.* 64 (f. 20 à 30 %). *Adm.* C Math. spé., M, P' TA 2 000 ca. (env.) 28 ad. *Dipl. 91 :* 15. *An.* 3 a. *Frais* él.-civils (6 800 F par an), fonctionnaires (rémunérés 6 800 F par mois).

Éc. nat. des ing. des travaux ruraux et des techniques sanitaires (ENITRTS, dite « Travaux ruraux »). 1, quai Koch, B.P. 1 039 F, 67070 Strasbourg Cedex. *Eff.* 135 (f. 36 %). *Adm. C* tit. maths spé. P, bio 1 805 ca. 39 ad. *Adm. p.* sur t. pour dipl. d'ing. ou lic. de maths, phys., sc. phys. ou mécan. 4 ca. 2 ad. *Dipl. 90 ;* 40. *An.* 3. *Frais* 700 F pour non-fonctionnaires. Él. fonct. rémunérés. AUTRES FORMATIONS ASSURÉES : *Certificats d'études sup. en équipements d'hygiène publique ou en aménagements hydroagricoles. An.* 10 mois pour maîtrise de sc. et techn., ou dipl. d'ing. ; *mastères en équip. d'hygiène publ. ou en aménagements hydroagric. An.* 12 mois min. pour tit. dip. d'ing. ou DEA ; 3ᵉ cycle en sc. et techn. de l'Eau (DEA-doctorat). 1 pour maîtrise de sc. ou de sc. et techn. ou dipl. d'ing. et formation continue des ing. des travaux ruraux et ing. ou cadres ayant vocations analogues. Env. 50-60 sessions d'une semaine.

Éc. nat. sup. de géologie appliquée et de prospection minière (ENSG, dite « Géol »). 94, av. de Lattre-de-Tassigny, B.P. 452, 54001 Nancy Cedex. *Créée* 1908. *Eff.* 180 (f. 30 %). *Adm. C. 1990 :* 1 198 ca. 60 ad. *Adm. p.* 1ʳᵉ a. *C.* comm. pour tit. DEUG A 5 ad. 2ᵉ, 3ᵉ a. dossier pour ing. dipl., tit. maîtr. Total 10 ca. 5 ad. *Dipl. 90 :* 52. *An.* 3. *Frais* 1 450 F + Mutuelle.

Éc. nat. des travaux publics de l'État (ENTPE). Rue Maurice-Audin, 69518 Vaux-en-Velin Cedex. *Créée* 1953. *Eff.* 500. *C. commun* avec l'éc. des mines de Douai, l'IGN et les Travaux maritimes. 6 700 ca. 200 pl. *Dipl. 90 :* 91. *An.* 3. *Frais* gratuit. 3ᵉ a : 140 él. fonctionnaires (7 969,91 F/mois), 20 civils (non rémunérés).

Éc. spéciale des travaux publics du bâtiment et de l'industrie (ESTP). 57, bd St-Germain, 75240 Paris Cedex 05. *Créée* 1904. *Eff.* 2 080 (f. 10 %). *Cl. prépa. :* maths-sup. et spé. Programme M, *El. ingénieurs :* C. d'adm. en 1ʳᵉ a. commun aux 4 Éc. sup. des trav. publics, du bât., de mécanique élect. et de topographie. *1990 :* 4 700 ca. 428 ad. *Adm. p.* 1ʳᵉ a. (9 % des eff. max.) pour tit. licence maths, DUT GC, GE, GM, Cond. de trav. de l'ESTP 9 ad. Adm p. 2ᵉ a. pour maîtrise ou dipl. ing. 11 ad. *Dipl. 90 :* 358. *Techniciens conducteurs de travaux : Adm. 1ʳᵉ a. :* bac C, D, E ou F4 avec mention AB, ou exam. en sept. sur programme Terminale C. *Adm. directe 2ᵉ a. :* tit. BTS ou DUT ind., ét. de DEUG A adm. en 2ᵉ a., él. de Maths-spé. *Frais* cl. préparatoire 20 826 F. Éc. ing. et cond. de trav. 24 225 F.

École de spécialisation

Institut sup. du Béton armé (ISBA). Technopôle de Château-Gombert 13 451 Marseille Cedex 13. *Créé* 1952. *Eff.* env. 15. *Adm.* sur t. pour tit. dipl. ing. 40 ca. 25 ad. *Dipl. 89 :* 13. *An.* 1. *Frais* 6 000 F (Franç.), 13 200 F (étrang.).

Écoles à dominante électricité-électronique

Écoles de base

Éc. centrale d'électronique (ECE). 53, rue de Grenelle 75007 Paris, Administration 12, rue de la Lune, 75002 Paris. *Créée* 1919. *Eff.* 330 (f. 7 %). *Adm. type B* BTS Électro. ou Informatique Indus.,

DUT Génie Électrique. *Type A* Cl. prépar., DEUG A. *1990 :* 110 ad. *Dipl.* 85. *An.* 3. *Frais* 26 000 F.

Éc. française d'Électronique et d'Informatique (EFREI). 10, rue Amyot et 12, rue Laromiguière, 75005 Paris. *Créée 1937. Eff.* 660 (f. 13 %). *Adm.* en cy. prépa. (2 a.) sur C. tit. bac C, D, E, 700 ca. 142 ad. *Adm.* directe cy. ing. (3 a.) pour tit. DEUG A, DUT gén. électrique, BTS électr. et inf. ind., Maths spé., 271 ca. 55 ad. *Dipl 89 :* 118 *An.* 5. *Frais* 25 000 F ; possibilité de bourses et de prêts.

Éc. spé. de mécanique et d'électricité SUDRIA (ESME-SUDRIA). 4, rue Blaise-Desgoffe, 75006 Paris. *Créée* 1905. *Eff.* 710 (f. 13 %). Éc. prép. intégrée pour tit. bac C, D, E. *En 1989 : Adm.* math. spé. sur *C.* pour él. math. sup. 813 ca. 156 ad. *Adm.* 1re a. sur *C.* pour él. maths spé. 291 ca. 54 ad. *Adm. p.* 1re a. pour tit. DUT sur t. 10 ad. et *p.* 2e a. sur t. pour tit. maîtrise 12 ad. *Dipl. 90 :* 121. *An.* 5. dont 2 cycle prépa. *Frais* 25 800 F.

Éc. sup. d'informatique-électronique-automatique (ESIEA). 9, rue Vésale, 75005 Paris. *Créée* 1958. *Eff.* 980 (f. 20 %). *Adm.* cycle prépa. 1re a. : bac C, D, E (758 ca. 258 ad.) 2e a. : 1re a. DEUG A, Math. sup. sur dossier + entretien (66 ca. 2 ad.) ; 1re a. ingénieurs : maths spé., DEUG A sur dossier + entretien + C. + Adm. sur t. pour certaines licences ou maîtr. (151 ca. 20 ad.). *Dipl. 90 :* 165. *An.* 5 dont 2 cycle prépa. *Frais* 24 885 F + 3 100 F de droits de préinscription.

Éc. sup. d'ing. en électrotechn. et élect. (ESIEE). Cité Descartes, BP 99, 93162 Noisy-le-Grand. *Créée* 1966. *Eff.* 662 (f. 47 %). *Adm.* 1re a. pour bac C, E (excellent D) et Math. sup. (sur dossier + C.) 1 991 ca. 252 ad. *Adm. p.* 2e a pour tit. DEUG A, DUT Génie Électrique, (dossier + épreuves orales). *Adm. p. 4e a.* pour tit. maîtr. sc., EEA et MST sur dossier + entretien 41 ca. 18 ad. *Dipl. 90 :* 102 (+ *16 ing. par la Formation Continue). An.* 5. *Frais* 10 470 à 16 350 F, suivant les a.

Éc. sup. d'ing. en génie électrique (ESIGELEC). 58, rue Méridienne, B.P. 1012, 76171 Rouen Cedex. *Créée* 1901. *Eff.* 460 (f. 10 %). *En 1990 : Adm.* cy. prépa. pour tit. bac C, D, E, F (3 cl. de sup., 3 spé.), 1re a. C. Math. Spé. 830 ca. 160 ad. *C.* pour tit. DEUG A, DUT, BTS, 86 ca. 29 ad. 2e a. tit. maîtr. EEA, MST, 3 ca. 1 ad. *Dipl. 90 :* 130. *An.* 3. *Frais* 22 000 F.

Inst. nat. des télécom. (INT). 9, rue Charles-Fourier, Les Épinettes, 91011 Évry Cedex. *Créé* 1979. *Eff.* 330. *Adm. C.* pour maths spé. M, M', P, P', T, TA, TS, 3 734 ca. 77 ad. *Adm. p.* 2e a. sur titre + entretien pour maîtrises scient. 191 ca. 19 ad. *An.* 2 ou 3. *Dipl. 89 :* 197. *Frais* 2 000 F. *Formation prof. :* cadres France Télécom et Postes : niveau bac + 4 et 3 a. exp. prof. 536 ca. 112 ad. 2 a. à plein temps à l'INT. Cadres entreprises : niveau DUT, BTS et 30 mois exp. prof. 2 a. prépa par correspondance avec regroupement à l'INT 55 ca. 16 ad. *Mastères* tit. dipl. bac + 5.

Centre d'enseign. et de recherche en informatique, communication et systèmes (CERICS). Sophia Antipolis, B.P. 148, 06561 Valbonne Cedex. *Créé* 1983. Mastères spécialisés en génie informatique et architecture des systèmes numériques. *Eff.* 50 (f. 30 %). *Adm.* tit. dipl. d'ingénieurs, de 2e cycle univ. (sciences) sur test + entretien 400 ca. 40 ad. *An.* 1. *Dipl. 89 :* 30. *Frais* 80 000 F (25 000 F si individuel) couverts par bourses d'études.

Écoles non habilitées par la commission des titres

École internationale des sc. du traitement de l'information (EISTI). Avenue du Parc, 95011 Cergy-Pontoise. *Eff.* 400 (f. 30 %). *Adm.* 1re a. Maths spé. sur t. en 1re a. (400 ca.) ; BTS, DUT, DEUG (100 ca. 20 ad.). 2e a. tit. lic., maîtr. (20 ca. 5 ad.). *Frais* (91-92) 27 000 F.

Éc. sup. d'informatique (ESI). 94-98, rue Carnot, 93100 Montreuil. *Créée* 1965. *Reconnue par l'État* 1972. *Eff.* 1 000 (f. 25 %). Cycle prépa. intégré ; sur dossier pour tit. bac C, D, E ou maths sup. Puis sur *C.* pour cycle ingénierie (prépa. HEC ou maths spé. ou 2e a. DEUG A) + 3 ans d'études. Cycle ingénierie technologique. Informatique 4 ans (admission sur dossier + bac). *Dipl. 85* 125. *An.* 3 (+ 1 prép.). *Frais* 20 000 F.

Inst. médit. d'inform. et de robotique (IMERIR). Route de Thuir. ORLE. BP 2 013, 66 011 Perpignan Cedex. *Créé* 1981. *Eff.* 120. *En 1990 : Adm.* 1re a. sur doss. + tests et entr. pour tit. DEUG, BTS, DUT, él. maths spé. 960 ca. pour 35 pl. *Frais* 25 000 F.

Écoles de spécialisation non habilitées

Institut supérieur d'automatique et d'informatique industrielles (ISAII). Chemin du Temple, Z.I. Nord, 13645 Arles Cedex. *Eff.* 96. *1) Techniciens sup. en automatique et informatique ind. :* 2 ans (rentrée : oct.). *Adm.* sur *C.* en juin pour tit. bac. techniques et scientif. *Frais :* 6 700 F/an (100 ca. 24 ad. en 88). Titre homologué par l'État au niveau III. *2) Techniciens sup. spécialistes en informatique de production :* 5 mois (rentrée oct. et mars – 2 sessions). *Adm.* sur dossier + entretien pour tit. BTS, DUT techn. et sc., salariés, demandeurs d'emploi ou étudiants. *Frais* 13 000 F pour ét. et demandeurs d'emploi, 40 000 F pour salariés. *3) Ingénierie de la Production automatisée :* 12 mois (rentrée : oct.). *Adm.* sur doss. et entretien pour bac + 4 (ingénieurs et universitaires). *Frais* 18 000 F pour ét. et demandeurs d'emploi, 52 000 F pour salariés.

Inst. sup. de microélectronique appliquée (ISMEA). Technopole de Château-Gombert, 13451 Marseille Cedex 13. *Créé* 1982. *Adm.* tit. dipl. ingénieurs ou dipl. univ. bac + 5 sur dossier + entretien 220 ca. 24 ad. *An.* 7. *Frais* 18 000 F. Mastère en Informatique Industrielle de l'ESIM. *Frais* (français) 30 500 F, (étrangers) 36 800 F.

Écoles à dominante mécanique-métallurgie

École de base

☞ Voir aussi ENSAM, ECAM, ICAM, ENSMM, ENSM, ENIM, ENISE, ENIT, INSA, CUST, EUDIL.

Centre d'ét. sup. des techniques industrielles (CESTI). 3, rue Fernand-Hainaut, 93047 St-Ouen Cedex. *Créé* 1956. *Eff.* 240 (f. 12 %). *1990 : Adm.* sur *C.* pour él. de maths spé., tit. d'un DUT, DEUG ou BTS. 2 400 ca. 92 ad. *Dipl. 90 :* 73. *An.* 3. *Frais* 1re a. 1 600 F, 2e 1 500 F, 3e 1 500 F + d.u.

Écoles de spécialisation

Éc. sup. de fonderie (ESF). 44, av. Division-Leclerc, 92310 Sèvres. *Créée* 1923. *Eff.* 35 max. *Adm.* sur t. pour ing. dipl. 1re a. *C.* propre à l'éc. pour tit. BTS ou DUT (à dominante mécan.). 2e a. Possibilité de devenir ing. par mémoire dans ind. Cy. de form. continue post-BTS/DUT en vue dipl. ing. *Frais* 7 500 F (français), 75 000 F (étr.).

Éc. sup. du soudage et de ses applications (ESSA). 32, bd de la Chapelle, 75880 Paris Cedex 18. *Créée* 1930. *Eff.* 30 max. *Adm.* sur t. pour les ing. dipl. ; sur examen pour non-ing. *Dipl. 90 :* ing. 3, tech. 19. *An.* 1. *Frais* 8 000 F (Français, *en 1re formation*) ; 49 850 F (patronné par entreprise) ; 84 100 F (étr.).

Inst. sup. des matériaux et de la construction mécanique (ISMCM). 3, rue Fernand-Hainaut, 93407 St-Ouen Cedex. *Créé* 1948. *Eff.* 65 (f. 5 %). A. prép. (1re a.) *C.* sur t. pour tit. maîtr. ès sc. maths phys. méca. ou ing. (bac. + 4) 120 ca. 50 ad. A. normale (12 mois) C. sur t. ing. (bac. + 5) ou a. prép. 3 options : dynamique des structures, matériaux, production automatisée. *Dipl. 89 :* 23. *An.* 1 ou 2 selon le niveau d'entrée. *Frais* 1 500 F + d.u.

Écoles à dominante physique-chimie

☞ Voir aussi ESO, ENSI, ESCOM, ICPI, départ. de chimie des INSA.

Éc. nat. sup. de physique de Marseille (ENSPM, dite « Physique Marseille »). Voir p. 1279a.

Éc. nat. sup. de physique de Strasbourg (ENSPS). Voir p. 1279a.

Éc. sup. de chimie de Marseille (ESCM). Voir ENSSPICAM p. 1277b.

Institut textile et chimique de Lyon (ITECH-Lyon). Ex-Éc. sup. du cuir et des peintures, encres et adhésifs (ESCEPEA). Ex-Éc. française de tannerie (EFT). 181-203, av. Jean-Jaurès, 69007 Lyon. *Créée* 1899. *Eff.* 200 (f. 37 %). *Adm.* 1re a. sur *C.* cl. prépa. aux grandes éc. ; sur t. pour tit. DEUG, DUT, BTS 2e a. sur t. pour tit. maît. Mastère spécialisé en 1 a. pour ing. d'autres éc. ou équiv. *Dipl. 89 :* 65 (ESCEPEA + ESITL) *An.* 3. *Frais* 20 500 F.

Écoles de spécialisation

Éc. d'application des hauts polymères (EAHP). 4, rue Boussingault, 67000 Strasbourg. *Créée* 1965. *Eff.* 29 (f. 38 %). *Adm.* sur t. pour ing. et maîtres physique-chimie 105 ca. 14 adm. *Dipl. 90 :* 16. *An.* 2. *Frais* env. 900 F.

Éc. nat. sup. du pétrole et des moteurs (ENSPM). 4, av. du Bois-Préau, B.P. 311, 92506 Rueil-Malmaison Cedex. *Créée* 1954. *Eff.* 269 (f. 10,8 %). *Adm.* sur t. pour ing. dipl. et maîtrise sc. *Dipl. 90 :* 131. *An.* 1 an à 16 mois. Gratuit sauf pour étr. hors CEE.

Éc. sup. des industries du caoutchouc (ESICA). 60, rue Auber, 94400 Vitry-sur-S. *Créée* 1943. *Eff.* 50. *Adm.* sur t. pour tit. dipl. ing., maîtres ès sc. ou équiv. 50 ca. 15 ad. *Dipl. 89 :* 7. *An.* 14 mois. *Adm.* sur t. pour tit. DUT, BTS, DEUG. ou équiv. 110 ca. 20 ad. *An.* 11 mois. Pas de *frais,* sauf étr.

Inst. nat. des sc. et techniques nucléaires (INSTN). Centre d'études nucléaires de Saclay, 91191 Gif-sur-Yvette Cedex. *Créé* 1956. Formation d'ing. en Génie atomique. *Eff. 1990-91 :* 94 (f. 10 %). *Adm.* sur t. 1re a., maîtres ès sc. (37 él.). 2e a. : ing. dipl. ou tit. de certains DEA (57 él.). *Dipl. 90 :* 72 (sur 72 él. de 2e a.). Form. ing. génie robotique et productique. *Eff.* 14. *Adm.* sur t. ing. dipl. *An.* 1 ou 2. *Frais* 1er an. 200 F. 2e an. 10 000 F (exon. pour étudiants).

Éc. sup. d'ingénierie, de pétroléochimie et de synthèse organique industrielle (ESIPSOI). Voir ENSSPICAM voir 1 277b.

☞ Les techniciens supérieurs occupant des postes similaires à ceux des ingénieurs et souhaitant en avoir le titre peuvent envoyer leur candidature au ministère des Universités.

Écoles à dominante textile

Écoles de base

☞ Voir aussi ITR.

Éc. nat. sup. des arts et industries textiles (ENSAIT). 2, pl. des Martyrs-de-la-Résistance, 59070 Roubaix Cedex 01. *1989 : Eff.* 181 (f. 12 %). *C.* A pour él. maths spé., TB, T, P, M, TA M',P' 1 522 ca. 45 ad. *Adm. p.* 1re a. *C.* pour tit. DUT, BTS, DEUG A 132 ca. 10 ad. ; 2e a. tit. MST (certaines spécialités) pour dossier + entretien 4 ca. 0 ad. *Dipl. 87* 56. *An.* 3. *Frais* 1 450 F.

Éc. sup. des industries textiles d'Épinal (ESITE). 85, rue d'Alsace, 88025 Épinal Cedex. *Créée* 1905. *Eff.* 152 (f. 33 %). Section ing. *C.* pour les él. niveau DEUG, maths spé., tit. BTS 124 ca. 15 ad. ; sur t. pour tit. DUT, DEUG A 64 ca. 13 ad. Section techn. sup. « techn. du text. » et « techn. de la confection ». *Adm.* sur t. pour bac. ou BT. 13 ad. (TS textile), 21 (TS confection). Section « techn. en fabr. habil. ». *Adm.* niveau bac, bac ou équiv. *Dipl. juin 90 :* 22 ing., 14 BTS text., 25 BTS confection. *An.* 3. *Frais 1re a. (français)* 17 500 F, (étr.) 30 000 F. *2e a.* (f.) 21 900 F, (é.) 37 500 F. *3e a.* Indexés sur l'indice du coût de la vie.

Écoles de spécialisation

Éc. sup. des industries du vêtement (ESIV). 73, bd St-Marcel, 75013 Paris. *Créée* 1945. *Eff.* 55 (f. 60 %). *Adm.* Bac + 2. *An.* 2 dont 7 mois de stage en entreprise préparant à la fonction de cadre de production. *Frais par an :* 14 000 F (étrangers 42 000 F). **Élève illustre :** Courrèges.

Institut textile de France (ITF). 280, av. Aristide-Briand, B.P. 141, 92223 Bagneux Cedex. *Créé* 1948. *Eff.* 6. *Adm.* après examen du dossier pour les étudiants et les salariés en formation continue. *Frais :* 52 500 F 6 mois (cours et stages).

Écoles militaires

Éc. de l'air (EA). Éc. navale (EN dite « la Baille »). Éc. nat. sup. des ingénieurs des études et techniques d'armement (ENSIETA). Éc. spéc. militaire de St-Cyr (ESM). Éc. technique sup. des travaux maritimes (ETSTM). Cours sup. d'armement (COSAR). Cours sup. d'engins missiles (COSEM). Éc. sup. de l'électron. de l'armée de terre (ESEAT). Éc. sup. du génie militaire (ESGM). Éc. du Commissariat de la Marine. Éc. du Commissariat de l'Air. Voir Index.

Écoles de diverses spécialités

Écoles de base

Éc. nat. de météorologie (ENM, dite **Météo).** 42, av. Coriolis, 31057 Toulouse Cedex. *Créée* 1948. *Eff.* env. 300 (f. 20 %). Ing. (2 a. d'ét.) : adm. sur t. de polytechniciens (*1990:* 2), de normaliens sup. (*1990:* 1) et d'él. de l'INA (Inst. nat. Agro.) (*1990:* 1). Ing. des travaux (3 a. d'ét.) : *C.* niv. maths spé. (*1990 :* 12 pl. 532 ca.) ou pour tit. maîtr. sciences ; C. sur épreuve météo (*1990:* 5 pl. 25 ca.). Techn. (2 a. d'ét.), 2 filières : exploitation : C. bac C, D, E (*1990 :* 58 pl. 1 468 ca.), Instrumentation : C. bac F2 (*1990 :* 26 pl. 560 ca.). *Dipl. 90 : IM (ing. 2 a. d'ét.)* 5. *ITM (ing. travaux, 3 a.),* 16. *Frais* gratuit. Él. fonctionnaires rémunérés. Anciens élèves (dans le cadre du s. militaire).

Éc. nat. des sc. géographiques (ENSG). 2, av. Pasteur, 94160 St-Mandé. *Créée* 1941. Cycle des ing. géographes (IG) pour él. fr. sortant de Polytechnique et pour étr. tit. d'une maîtrise sc. *An.* 2. *Eff.* 7. Cycle des ing. des travaux (IT) pour les él. de maths spé. fr. et pour les él. étr. tit. du DEUG A. *C.* d'admission des él. fr. commun avec celui de l'Éc. nat. des trav. publ. de l'État. *An.* 3. Études rémunérées pour ét. destinés à l'IGN (él. fonctionnaires). Droits de scolarité pour ét. non destinés à l'IGN : cycle IT 95 100 F, cycle IG 98 700 F.

Éc. sup. des géomètres et topographes (ESGT). 18, allée Jean-Rostand, BP 77, 91002 Évry Cedex. *Créée* 1945. *Eff.* 108 (f. 25 %). *C.* propre à l'école 170 ca. 35 ad. *Adm.* directe pour tit. DEUG A + dossier + entretien 15 pl. *Dipl. 90 :* 28. *An.* 3. *Frais* 4 100 F.

Éc. et Observatoire de physique du globe. Éc. d'ing., interne à l'université Louis-Pasteur, 5, rue Descartes, 67084 Strasbourg. *Créé* 1919. *Eff.* 54 (f. 26 %). *Adm.* directe pour tit. d'un DEUG A mention AB ou B, ou équivalent. 197 ca. 41 ad. 2e a. tit. maîtr. ou dipl. grande éc. ing. 44 ca. 10 ad. *Dipl. 90 :* 17. *An.* 3. *Frais* d.u.

Institut de topométrie (IT). 18, allée Jean-Rostand, 91000 Évry. *Créé* 1939. *Eff.* 251 (f. 19 %). *Adm.* sur titre pour tit. du certificat de l'examen préliminaire de géomètre-expert foncier. *Dipl.* IT *90 :* 57. *Frais* 4 100 F.

École de spécialisation

Inst. fr. du froid industriel (IFFI). 292, rue St-Martin, 75141 Paris Cedex 03. *Créé* 1942. *Eff.* 100 (f. 2 %), section ing. (dipl. ing. frigor.) et s. techn. sup. (dipl. sup. froid). *Frais* 5 700 (ing.) à 5 250 F (non-ing.).

Éc. nat. sup. de création industrielle (ENSCI, dite « **les Ateliers** »). 46-48, rue St-Sabin, 75011 Paris. *Eff.* 200 (f. 35 %). *Adm.* tit. bac. toutes séries, Bac + 2, *An.* 3. Bac + 4 ou 4 a. d'expérience prof.sur C. (janv. et juin) 600 ca. 45 ad. *An.* 2. *Dipl.* de créateur indus. reconnu par l'État. Form. continue. *Frais* inscription 260 F, études 650 F/a.

Éc. sup. de métrologie (ESM). 941, rue Charles-Bourseul, B.P. 838, 59508 Douai Cedex. *Créée* 1929. *Eff.* 12 (f. 8 %). *Adm. 1986 :* C. pour maths spé. *1986* 250 ca. 6 ad. *An.* 3. *Frais:* gratuit pour fonctionnaires, 400 F pour auditeurs libres étrangers. Scolarité intégrée à ENSTIMD à partir 2e a.

Éc. sup. des techniques aéronautiques et de constr. automobile (ESTACA). 3, rue Pablo-Neruda, 92300 Levallois-Perret. *Créée* 1925. *Eff.* 600 (f. 10 %). *Adm. 1990 :* cycle prépa. 1re a. sur dossier + entr. pour tit. d'un bac C, D, E (995 ca., 121 ad.). *Adm. p. 1990:* 2e cy. 1re a. sur doss. + entr. pour tit. d'un DEUG A, BTS CPI, BTS productique, DUT GT-GM ou él. maths spé. (466 ca. 44 ad. en 1990). *Dipl. 90 :* 127. *An.* 5. *Frais* 20 300 F.

Écoles non habilitées

Inst. de mathématiques appliquées (IMA). B.P. 808, 3, pl. André-Leroy, 49008 Angers Cedex 01. *Créé* 1970. *Eff.* 225. *Adm. 1990 :* 1re a. sur dossier et tests et entretiens pour bac C, D, E. 280 ca. 55 ad. *Adm. p.* sur dossier ; 2e cy. pour tit. DEUG MASS 2 ca. *Dipl. 90 :* 38. *An.* 5. *Frais* 9 000 F.

Inst. polytechn. des sciences appliquées (IPSA). 40, rue Jean-Jaurès, 93176 Bagnolet Cedex. *Créé* 1961. *Eff.* 380 (f. 15 %). *Adm.* 1re a. directe pour tit. bac C, E, autres sur dossier + cours de mise à niveau. 2e a. sur dossier + mise à niveau en matières scientifiques, recrutement niveau spé. BTS, DEUG, DUT. *An.* 5. *Frais* 21 800 F.

Ingénieurs en formation continue

☞ Quelques centaines d'adultes engagés dans la vie professionnelle parviennent chaque année à obtenir un diplôme.

Centre d'ét. sup. industrielles (CESI). 297, rue de Vaugirard, 75015 Paris. 7 implantations : 60, rue de Maurian, 33290 Blanquefort ; 2 bis, rue de la Crédence, 54600 Villers-lès-Nancy ; 7, rue Diderot, 62000 Arras ; rue Kastler, 76130 Mont-St-Aignan ; 6, bd de l'Europe, 91033 Évry ; 19, av. Guy-de-Collongue, BP 160, 69131 Écully ; voie 7, Labège Innopole, 31315 Labège. *Créé* 1958. Filière industrielle et informatique ind. *Adm.* Bac + 2 et 5 ans d'expérience prof. *Dipl. 90 :* 300. *An.* à temps plein. Sessions de remise à niveau.

Conserv. nat. des arts et métiers (CNAM). 292, rue St-Martin, 75141 Paris Cedex 03. *Créé* 1794. *Eff.* 48 000 (Paris), 48 000 (51 centres régionaux). S'adresse à des adultes engagés dans la vie profess. (ens. scientifique, techn., écon., sc. humaines). Ne forme pas que des ingénieurs : cours du soir (promotion sup. du travail) ou stages pendant la journée (formation continue) ou formation en instituts. *Dipl.* 3e cy. 71, homologués niv. III 1 132, homologués niv. I ou II 2 478, ing. 605. *Frais 1989-90 :* 500 F par an (soir), variable pour stages et instituts.

Ingénieur diplômé par l'État (DPE). *Créé* 1937 pour + de 35 ans exerçant dep. + de 5 ans. Entretien et soutenance d'un mémoire devant un jury. 40 spécialités. *Ca.* 300/400. *Dipl.* 100.

Grandes écoles de commerce et de gestion

Cote de notoriété. *Source :* « L'Express » (janv. 90). Enquête auprès de 200 responsables des ressources humaines. 1 HEC Jouy. 2 Essec Cergy. 3 ESCP Paris. 4 ESC Lyon. 5 Sciences Po Paris. 6 EAP Paris. 7 EDHEC Lille. 8 ESC Reims. 9 ESC Rouen. MSG Paris-Dauphine. 11 EME Strasbourg. 12 ICN Nancy. 13 INSEEC Paris. Escae Toulouse. 15 ISG Paris. ESCAE Grenoble. 17 Bordeaux. Dijon. 19 ISC Paris. ESG Paris. ESCAE Amiens. Clermont. 23 ESCC Compiègne. ESCAE Nantes. Montpellier. Lille. Le Havre. 28 INSEEC Bordeaux. ESCAE Tours. 30 ESCAE Marseille. 31 ESLSCA Paris. 32 ESCAE Poitiers. Nice (CERAM). 34 ESCAE Brest. 35 Pau. 36 ECC Chambéry. 37 ISCID Dunkerque.

Bac + prépa + 3 ans

Éc. des hautes études commerciales (HEC). 1, rue de la Libération, 78350 Jouy-en-Josas. *Fondée* 1881 par la Chambre de commerce et d'industrie de Paris. *Installée* à Jouy 9-7-1964, mixte dep. 1973. *But :* former les cadres et dirigeants d'entreprises. *Eff. 1990 :* 1 000 (f. 40 %). Env. 250 cl. préparatoires à Paris et en province. 1re a., 3 765 ca. 293 reçus ; 2e a. C. commun HEC, ESCP et ESCAE 650 ca. 52 ad. (dont 9 f.). *Dipl. 90 :* 320, *promo 95* (prév.) 515. *An.* 3. *Frais* 25 000 F (scolarité), 12 150 F (logement). **Élèves illustres :** archevêque de Cambrai, Hervé de Charette, Max Favalelli, Joseph Fontanet, Bernard Fresson, Bernard Hanon, Pierre Ledoux, Jacques Mayoux, Didier Pineau-Valencienne, Paul Reynaud, Georges Taylor, Bernard Vernier-Palliez.

Éc. européenne des affaires (EAP) Paris-Oxford-Berlin-Madrid. 108, bd Malesherbes 75017 Paris. *Créée* 1973. *Eff.* 500 (ét. européens non français 65 %). *Adm. 1990:* C. HEC, ESSEC, ESCP, 2 218 ca. 65 ad. *Adm. p. 1990 :* sur C. pour tit. DEUG, DUT, BTS ou dipl. europ. équiv. 510 ca. 150 ad. *2 dipl. : français* Grande École visé par l'Éduc. nat. ; *allemand* Kaufmann. *2 filières :* Paris-Oxford-Berlin/Oxford-Madrid-Paris. *Frais* 22 000 F.

Éc. sup. de commerce de Lyon (ESC Lyon). 23, av. Guy-de-Collongue, BP 174, 69132 Écully. *Créée* 1872. *Eff.* 640 (f. 50 %). C. cl. prépa HEC. *1990 :* 5 241 ca. 185 pl. *Adm. sur t. 1990* 1re a. 15 ad., 2e a. 26 ad. *Frais* 33 000 F ; prêts à taux spécial. Bourses. *CESMA-MBA :* 3e cy. Formation généraliste, bilingue, au management. 90 ad. *MS-ESC Lyon :* 3e cy. Mastères : management de la technologie, marketing ind. ingénierie financière, management des act. de services. **Élèves illustres :** Florence Steurer, Alain Treppoz, Alain Galliano.

Éc. sup. de commerce de Paris (ESCP). 79, av. de la République, 75543 Paris Cedex 11. *Fondée* 1-10-1819 par Vital-Roux. *Eff.* 947 (f. 49 %). *C. 1990:* 1re a. 5 451 ca. 261 ad. 1er cy. 1re a. 158 ca. 22 ad. 2e a. 680 ca. 24 ad. *Dipl. 90:* 289. *An.* 3. *Frais* 22 000 par an ; possibilité bourses et fonds de solidarité. **Élèves illustres :** Patricia Barbizet, Michel Barnier, Pierre Belfond, Jacques Ehrsam, Gérard Larousse, Antoine Riboud, Édouard de Royère, Édouard Salustro, Anatole Temkine.

Éc. sup. des sc. économiques et commerciales (ESSEC). Av. Bernard-Hirsch, B.P. 105, 95021 Cergy-Pontoise Cedex. *Fondée* 1907 dans le cadre de l'Institut catholique de Paris par Ferdinand Le Pelletier, affiliée à la CCI de Versailles depuis 1981. *Eff.* 890 (1/3 f.). *Adm. 1990 : C.* cl. prépa. HEC 240 ad. sur 3 674. *Adm.* sur t. en 2e a. pour tit. d'une maîtrise, dipl. d'ing., dipl. IEP, méd., pharm., vét., archi., sur dossier + tests + entretien + épreuve langue 614 ca. 82 ad. *Dipl. 90 :* 258. *An.* 3. *Frais* 30 000 F ; poss. de bourses et d'exemption de frais de scolarité. **Élèves illustres :** René Bernasconi, Christian Brégou, Jean-Rémy Chandon-Moët, Guy Degrenne, Philippe Sollers, Christian Pellerin, Pierre Angoulvent, Pierre Lacoste.

Éc. des cadres du commerce et des affaires économiques (EDC, dite **Éc. des cadres).** 70, galerie des Damiers, La Défense 1, 92400 Courbevoie *Créée* 1952. *Eff.* 1 300 (f. 33 %). *Adm.* en 1re a. prépa et bac + 1, *concours :* tests (personnalité, culture générale, langues étrangères) + oral d'admission. *Adm.* 2e a. sur titre bac + 2, test de personnalité + oral d'admission. *Frais* 25 900 F.

Écoles sup. de commerce et d'administration des entreprises (ESCAE)

☞ 16 écoles dites « sup. de Co » avec C. commun pour él. prépa. HEC et des prépa. intégrées ou annexées aux ESCAE. Dep. 1982, chaque ca. peut opter pour 16 éc. au moment de l'inscription : écrit commun avec coefficients différents selon épreuves ; oral dans les centres où il est admis ; les ca. sont répartis en fonction des résultats, de leur choix et des places mises au C. Voir tableau page suivante.

Adm. p. 1re a. pour tit. d'un dipl. de 1er cy., DUT, DEUG ; 2e a. pour tit. licence ou maîtrise ou dipl. admis en équivalence (IEP, Gde Éc.).

Concours 1990

	Inscrits		Admissibles		Admis
	Total	dont F	Total	dont F	
HEC	3 765	1 712	539	206	293
ESSEC	3 674	1 681	550	200	240
ESCP	5 451	2 662	836	337	261

Admis définitifs. HEC 293 (dont 111 femmes) dont 1re a. 95 (25), 2e a. 189 (72), 3e a. 9 (2). ESSEC 240 dont 1re a. 74, 2e a. 157, 3e a. 9. ESCP 260 (dont 116 f.) dont 1re a. 119 (53), 2e a. 133 (60), 3e a. 8 (3).

Centre d'ens. et de recherches appliquées au management CERAM (dit **Sup. « CERAM-ESC »**), Sophia Antipolis, B.P. 20, 06561 Valbonne Cedex. *Créé* 1978. *Eff.* 350 (f. 51 %). *Adm. p.* 1re a. C. comm. ESC Marseille, Montpellier, Nice + entretien ; 2e a. présélect. sur doss., contrôle des connaissances + entretien 16 ad. *Dipl. 90 :* 110. *Frais* 23 000 F.

ESCAE Amiens-Picardie. 18, pl. St-Michel, 80038 Amiens Cedex. *Créée* 1942. *Eff.* 429 (f. 46 %). *Adm. p.* 1re a. C. 150 ca. 21 ad. ; 2e a C. 18 ca. 6 ad. *Dipl. 89 :* 75. *Frais* 23 000 F.

ESC Bordeaux. 680, cours de la Libération, 33405 Talence Cedex. *Créée* 1873. *Eff.* 592 (f. 50 %). *Adm. p.* 1re a. et 2e a. C. nat. 9 145 ca. Dipl. *90 :* 147. *Frais* 19 400 F à 24 900 F. 3e cy. (ISLI, IMOP, IMR, MAI) EBP. Éc. multinationale des Affaires. *Eff.* 1 082.

ESC Dijon, Groupe ESC Bourgogne et Franche-Comté. 29, rue Sambin, 21000 Dijon. *Créée* 1900. *Eff.* 360 (f. 50 %). *Adm. p. 1990 :* 1re a. sur examen + entretien 114 ca. 14 ad. *Dipl. 90:* 114. *Frais 1991-92:* 23 000. 3 mastères, DEA sc. de gestion.

ESCAE Bretagne. 2, av. de Provence, 29272 Brest Cedex. *Créée* 1962. *Eff.* 440 (f. 50 %). *Adm. p.* 1re a. et 2e a. sur t. + examen 250 ca. 30 ad. *3e cy. :* Inst. agro-alim. internat. *Eff. :* 15. *Adm. :* dipl. 2e cy. ou éq. + 3 a. d'exp. 50 ca., 20 pl. *Frais* 23 000 F. Inst. de logistique (mêmes conditions).

ESC Clermont-Ferrand. 4, bd Trudaine, 63037 Cedex. *Créée* 1919. *Eff.* 400 (f. 45 %). *Adm. p.* 1re et 2e a. sur tests + entretien 350 ca. 20 ad. *Dipl. 90 :* 135. *Frais* 20 000 F ; poss. de prêts.

ESC Grenoble (E.S.C.G.). 7, rue Hoche, 38003 Grenoble Cedex. *Créée* 1984. *Eff.* 463 (f. 53,6 %). *Adm. dir.* 8 439 ca. 110 ad. *Adm. p.* 1re et 2e a. *C.* + dossier + épreuves orales (247 ca. 32 ad.). *Dipl. 90 :* 124. *Frais* 23 000 F. Poss. bourses + prêts ; 2 Mastères spé. : marketing international des techno. avancées ; management techno.

ESCAE Le Havre-Caen. 9, rue Émile-Zola, 76090 Le Havre Cedex. 6, rue Claude-Bloch, 14000 Caen. *Créée* 1871. *Eff.* 360 (f. 50 %). *Adm. p.* 1re a., *écrit :* résumé de texte, épr. de probabilités-stat., test d'anglais ; *oral :* épr. d'anglais + entretien 249 ca. 10 ad. *Adm. p.* 2e a. *écrit :* gestion, *oral :* anglais + entretien 19 ca. 2 ad. *Dipl. 90 :* 120. *Frais* 12 500 F (cl. prépa 1 a., Caen), 15 000 F (2 a. Le Havre), 20 000 F (école). *Mastère :* management du dévelop. territorial.

ESCAE Lille. Av. Gaston-Berger, 59045 Lille Cedex. *Créée* 1892. *Eff.* 562 (f. 50 %). *Adm. p.* 1re a. sur dossier + entretien + tests langues 430 ca. 55 ad. ; 2e a. sur C. comm. 10 places. *Dipl. 90 :* 153. *Frais* 22 600 F ; poss. bourses.

ESC Marseille. Case 911, 13288 Marseille Cedex 9. *Créée* 1872. *Eff.* 630 (f. 44 %). *Adm. prépa. HEC 90 :* 5 327 ca. 156 ad. *Sur t. 90* (dossier + écrit + oral). 1re a. 935 ca. 39 ad. ; 2e a. 92 ca. 24 ad. *Dipl. 90 :* 174. *Frais* 23 000 F. **Élèves illustres :** Jean Lanzi, Oscar Ghez de Castelnuovo.

ESCAE Montpellier. 2 300, av. des Moulins, B.P. 3139, 34034 Cedex 1. *Créée* 1897. *Eff.* 600 (f. 42 %). *Adm. p.* 1re a. C. comm. ESCAE Montpellier, Marseille, Nice (Réseau Sup de Co Méditerranée) dossier + entretien + tests de langues. *Adm.* 2e a. C. : test d'apt. + 2 langues viv. + séminaire. *Dipl. 90 :* 100, 2 Mastères, 1 DESS. *Frais* 22 000 F. **Élève illustre :** Valérie Salles.

Répartition des candidats des concours aux ESCAE 1990

École	P	C	O	A	E
Amiens [1]	103	5 348	1 622	759	101
Bordeaux	160	9 145	2 056	1 137	162
Brest [1]	92	4 703	1 560	935	92
Clermont-Ferrand	104	6 523	1 678	803	104
Dijon	106	6 470	1 956	838	106
Grenoble	110	8 439	1 834	n.c.	107
Le Havre	110	6 392	1 726	934	110
Lille	n.c.	6 377	1 010	132	n.c.
Marseille [1]	146	5 922	1 756	1 122	150
Montpellier [1]	92	6 745	1 377	877	73
Nantes	150	8 433	1 720	1 189	127
Nice [1]	110	1 963	1 888	1 117	94
Pau	120	6 435	1 971	961	120
Poitiers	75	6 522	2 500	1 091	75
Toulouse [1]	146	8 570	1 509	826	145
Tours	102	7 600	1 660	768	102

Légende : **P :** places mises au concours. **C :** nombre de candidatures. **O :** admissibles à l'oral. **A :** admis. **E :** entrés. *Nota.* – (1) 1989.

ESC Nantes. 8, route de la Jonelière, B.P. 72, 44003 Cedex 01. *Créée* 1900. *Eff.* 520 (f. 50 %). *Adm. p.* 1re a. sur dossier + tests + entretien 40 pl. *Dipl. 89 :* 102 *Frais* 18 000 F ; stage de 3 mois obligatoire dans une univ. américaine en 2e a. **Élèves illustres :** Jean Arthuis, Claude-Michel Schoenberg.

ESC Pau. Campus universitaire. 3, rue Saint-John Perse 64000. *Créée* 1970. *Eff.* 494 (f. 45 %). *Adm. p.* 1re a. 400 ca. 24 pl. *Dipl. 90 :* 74. 3e a. poss. USA ou Espagne, Allemagne avec obtention simultanée dipl. ESC + MBA ou Mast. *Frais* 21 000 F.

ESC Poitiers. 11, rue de l'Ancienne-Comédie, B.P. 5, 86001 Cedex. *Créée* 1961. *Eff.* 280 (f. 55 %). *Adm. p.* 1re a. sur C. 90 ca. 11 ad. ; 2e a. sur C. 5 ca. 2 ad. *Dipl. 91 :* 80. Sessions d'études au Canada (6 sem.) pour 2e a. ; 3e cy. : management de l'information (IMSIC et MBA eur.), programme internat. (USA, G.-B., Allemagne, Esp., Portugal, Canada), formation commerciale post-DUT, BTS, DEUG (CESCO), centre prépa. HEC Jacques Cartier. *Frais* 20 400 F. **Élèves illustres :** Patrick Bompoint, Olivier de Boisredon.

ESCAE Toulouse. 20, bd Lascrosses, 31068 Toulouse Cedex. *Créée* 1903. *Eff.* 580 (f. 50 %). *Adm.* C. nat. d'entrée : 3 803 ca. *Adm. p.* 1re a. sur C. *Adm. p.* 2e a. sur C. sur t. *Dipl. 87 :* 112. *Frais* 15 000 F. 4 mastères. **Élèves illustres :** Jean-Jacques Delors, Brigitte Deydier.

ESCAE Tours. 1, rue Léo-Delibes, B.P. 0535, 37005 Cedex. *Créée* 1982. *Eff.* 480 (f. 49 %). *Adm.* C. nat. d'entrée 8 835 ca. *Adm. p.* 1re a. sur C. *Adm. p.* 2e a. sur C. *Dipl. 90 :* 119. 3 mastères : Nouvelles techn. fin. Management des industries de la santé. Logistique. *Frais* 22 000 F.

Autres écoles de commerce et de gestion

Concours « Ecricome »

Banque d'épreuves écrites communes créées par 4 éc. : ESC Reims et Rouen, EDHEC (Lille) et ICN (Nancy).

ESC Reims. 59, rue P.-Taittinger, B.P. 302, 51061 Reims Cedex. *Créée* 1928. *Eff.* 621 (f. 52 %). *1990 :* 6 681 ca. 177 ad. *Adm. p.* 1re a. sur dossier +épreuves spéciales (écrit + oral) 224 ca. 41 ad. ; 2e a. 97 ca. 38 ad. *Dipl. 90 :* 143. *Frais* 26 000 F, poss. bourses.

Sup de Co Rouen. B.P. 188, 76136 Mont-St-Aignan Cedex. *Créée* 1871. *Eff.* 700 (f. 50 %). *1990 :* 6 777 ca. 168 pl. *Adm.* sur t. (Dossier + écrit + oral). 1re a. 19 ad. ; 2e a. 10 ad. *Dipl. 90 :* 170. *Frais* 27 000 F. *Autres formations :* mastères spécialisés : marketing, transfert technologie, logistique, comptabilité-fiscalité intern. IMAC, programme «Executive MBA.» **Élèves illustres :** J.-Charles David, Lionel Chouchan, Louis Giscard d'Estaing, René Silvestre.

Éc. de hautes études commerciales du Nord (EDHEC) 58, rue du Port, 59046 Lille Cedex. *Créée* 1921. *Eff.* 850. *Adm.* C. prépa. HEC et sur t. 1re et 2e a. C. *1990 :* 7 520 ca. 250 ad. *Frais* 27 000 F. *An.* 3. Autres cycles : Éc. Espème ; mastères ; un centre de conseil en management (CECOM). **Élèves illus-**

tres : Bernard Fournier, Jean-Jacques Goldman, Michel Lefebvre, Yves Navarre.

ESC Toulon B.P. 261 83078 Cedex. *Créée* 1986. *Eff.* 80. *Adm. C.* tit. DUT ou BTS industriels, HEC ad. C. nat. *An* 3. *Frais* 22 000 F.

Institut commercial de Nancy (ICN), 4, rue de la Ravinelle, 54000 Nancy. *Créé* 1905. *Eff.* 550 (f. 48 %). *Adm. 1991 :* pour él. prépa. HEC. 6 892 ca. 150 ad. *Adm. p.* 1re a. pour tit. Bac + 2 ; 2e a. pour tit. Bac + 3 165 ca. 18 ad. *Dipl. 88 :* 89. *Frais* 1 500 F (frais de séminaires résidentiels inclus). *An* 3 : 4 stages, 3 séminaires. D.U. niveau Bac + 4.

Préparation obligatoire, concours, 3 ans d'études

Éc. sup. de gestion (ESG). 25, rue Saint-Ambroise, 75011 Paris. *Eff.* 1 050 (f. 45 %). *Adm. 1988 :* 1re a. C. pour él. prépa. HEC. 3 500 ca, 250 ad. *Adm. p.* 1re a. pour tit. bac + 2 (DEUG, BTS, DUT), dossier + 2 entretiens, 200 ca. 58 ad., 2e a. pour tit. licence Sc. éco. ou scient. + UV compta. sur dossier + 2 entretiens 280 ca. 58 ad., 3e a. pour tit. IEP, maîtr. sc. éco., AES, gestion ou Grande Éc. *Dipl. 86 :* 220. *Frais* 21 000 F.

Éc. sup. libre des sc. commerciales appliquées (ESLSCA), 1, rue Bougainville, 75007 Paris. *Créée* 1949. *Eff.* 920 (f. 40 %). Prépa. intégrée 200 él. *Adm. 1990 :* C. HEC 4 015 ca. 290 ad. *Adm. p.* 1re a. pour tit. DEUG, DUT, BTS 120 ca. 27 ad. 2e a. C. pour bac + 3 a. 87 ca. 7 ad. Programme MBA (USA-Canada-Japon). *Dipl.* reconnu par l'État. *Frais* 30 000 F.

Institut Georges-Chétochine (IGC). Communication et marketing. 4, bd de Bellerive, 92500 Rueil-Malmaison. *Créé* 1980. *Eff.* 200 (f. 50 %). *Adm.* 2e a. sur C. pour tit. de DEUG, DUT, BTS ; 4e a. internationale (programmes BA et MBA aux USA). 3e cy. intensif en marketing et communication pour dipl. ens. sup., médecins et pharmaciens. *Frais* 26 500 F (1er et 2e cy.) ; 39 000 F (3e cy.).

Institut des hautes études économiques et commerciales (INSEEC), 35, cours Xavier-Arnozan, 33000 Bordeaux ; 169, quai de Valmy, 75010 Paris. *Créé* 1975. *Eff.* 664 (Bordeaux), 513 (Paris), (f. 45 %). *Adm. 1990 :* 1re a. C. prépa. (HEC, ESCAE, Lettres sup., Premières sup) 3 722 ca. 430 pl. (dont 30 pour tit. BTS, DEUG, DUT). 2e a. pour tit. lic. et maîtrise. *Dipl. 90 :* 371. *Frais* 1re a. 29 850 F.

Inst. sup. du commerce (ISC), 22, bd du Fort-de-Vaux, 75017 Paris. *Créé* 1962. Reconnu par l'État. *Eff.* 800 (f. 40 %). *2e cy. Adm. 1990 :* 1re a. prépa. minimum + C. 3 825 ca. 300 ad. *Adm. p.* 1re a. C. pour tit. DEUG, DUT, BTS. 2e a. pour tit. lic. maîtr. *Dipl. 90 :* 209 (visé par le min. de l'Éd.). *An.* 3. *Frais* 30 000 F/an (moy. sur 3 a.). *3e cy. :* gestion et administration d'entreprise ouvert aux tit. maîtr. et diplômés Grandes Éc. d'ing., de commerce, aux médecins, aux pharmaciens et aux salariés justifiant de 6 a. d'expérience en entreprise. *Formation continue. Consultants :* dép. d'études et de recherches au profit des entreprises.

Institut supérieur de gestion (ISG). 8, rue de Lota et 123, rue de Longchamp, 75116 Paris. *Créé* 1967. *Eff.* 2 375 (f. 45 %). **3 cycles d'études.** *AFIG :* An. de Form. Initiale à la Gestion (*Adm.* C. Bac + 1) ; *2e cycle national* (1re et 2e an. en France et 3e an. spécialisation) ; *européen* (1re an. Fr., 2e an. All. ou Esp., 3e an. spécialisation). *Adm.* 2e cycle conc. classique : prépa. HEC, toutes options ; ext. : DEUG, BTS, DUT, Licence. Pour les 2e cy. : 3 900 ca. 800 ad. *Dipl.* 670 par an. *Frais* 33 390 F/an. *3e cy. nat.* (7 mois éc., 7 mois entreprise). 4 filières : Ingénierie d'aff. internat., management avancé, marketing et communic. pharma., organisation des entr.-consultants. *Adm.* sur t. bac + 4 ; dossier + tests + oral. *1990 :* 97 ad. *Frais* 58 500 F. *MBA program* (16 mois de cours : Paris, New York, Tōkyō, Asie, Eur. centrale). *Adm.* sur t. bac + 4 ; dossier + oral en anglais. *1990 :* 43 ad. (50 % étr.). *Frais* env. 60 000 F.

Bac + 4 ou 5 ans

Centre d'ét. sup. européennes de management (CESEM), 59, rue P.-Taittinger, B.P. 302, 51061 Reims Cedex. *Créé* 1974. *Eff.* 873 (f. 49 %, Français 456, Allemands 144, Britanniques 183, Espagnols 90 + 22 autres nat.). Épreuves écrites et orales ouvertes aux bacheliers et él. prépa. HEC, lycées internat. C. *1990 :* 4 943 ca. 129 ad. (57 ad. progr. franco-brit. ; 40 ad. progr. franco-all. ; 32 ad. progr. franco-esp.). *Dipl. 90 :* 173. *Frais* 24 500 F.

Éc. de commerce européenne (ECE), Groupe **INSEEC,** 91, quai des Chartrons, 33000 Bordeaux. 21, rue Alsace-Lorraine, 69001 Lyon. *Créée* 1988. *Eff.* 420. *Adm.* 1re a. C. pour tit. bac 750 ca. 150 ad. ; 2e a. C. pour tit. DEUG, DUT, BTS. *An.* 4. *Frais* 1re a. 27 450 F.

Éc. sup. de commerce de Chambéry (ESC Chambéry). Route de St-Cassin, Jacob-Bellecombette, 73000 Chambéry. *Créée* 1968. *Eff.* 120 en 1re a. *Adm.* 1re a. prépa. HEC + C. ; dipl. 1er cycle + dossier + C. *Adm.* 2e a. dipl. 2e cy. + dossier + C. *An.* 3. *Frais* 20 000 F.

Éc. sup. du commerce extérieur (ESCE), 63, rue Ampère, 75017 Paris. *Créée* 1968. *Eff.* 520 (f. 42 %). *Adm.* C. pour tit. bac, prépa, 1 a. de fac. 2 052 ca. *Promo 1990-91 :* 185 ad. (dont 26 étr.). *Dipl.* homologué niveau II par l'État, *87* 127. *Frais* 25 000 F.

Éc. sup. de commerce et de gestion (ESCG, anciennement IPEP). 169, rue du Fg-Saint-Antoine, 75011 Paris. *Créé* 1978. *Eff.* 90 (20 à 25 % de f.). *Adm.* 1re a. sur C. + bac. 2e a. C. + 2 a. 4e a. formation alternée. *An* 4. *Frais* 25 000 F.

Éc. sup. de commerce international (ESCI), 1, rue du Port-de-Valvins, 77215 Avon-Fontainebleau. Éc. de la Ch. de Commerce de Melun. *Créée* 1983. *Eff.* 229 (f. 50 %). *Adm.* 1re a. sur doss. + C. pour tit. BTS, DUT, DEUG ou DEUST 450 ca. 81 ad. *An.* 3 (Mission Ventexport - séjour étr.). *Frais* 18 000 F l'an.

Éc. sup. de gestion et finances (ESGF), 25, rue St-Ambroise, 75011 Paris. *Créée* 1975. *Eff.* 850 (f. 45 %). *Adm.* 1re a. pour tit. bac sur dossier + 2 entretiens 430 ca. 155 ad. ; 2e a. UV du DPECF ou prépa. Technologie 75 ca. 25 ad. ; 3e a. tit. BTS ou DUT Gestion, ou UV du DPECF, DECF, Lic. Gestion, ou équival. 138 ca. 41 ad. ; 4e a. UV du DECF, diplômés Éc. de commerce, maîtrise Gestion ou équival. *Frais* 21 000 F/an env.

Éc. sup. de gestion et informatique (ESGI). 25, rue St-Ambroise, 75011 Paris. *Eff.* 320 (f. 40 %). *Adm.* 1re a. pour tit. bac sur dossier + 2 entretiens ; 2e a. 142 ca. 33 ad. tit. de BTS ou DUT Informatique ; 3e a. 158 ca. 35 ad. tit. maîtrise Inform. dip. Grandes Éc. comm. ou scient. *Frais* 21 000 F/an env.

Éc. sup. internationale d'administration des entreprises (ESIAE) (Paris, Lyon, Strasbourg, Rouen, Hyères), 63, bd Exelmans, 75016 Paris. *Créée* 1978. Dipl. homologué niveau II. *Eff.* 450 (f. 40 %). *Adm.* C. pour tit. bac 120 pl. maxi. *Adm. p.* 2e a. C. pour tit. BTS, DEUG, DUT. *Adm. p.* 3e a. pour tit. lic. *Dipl. 89 :* 85. *3e a.* formation en alternance Éc./entreprise toute destination à l'étr. *Frais* 26 500 F.

Éc. sup. des sc. commerciales d'Angers (ESSCA), Campus universitaire de Belle-Beille. B.P. 2007, 49016 Angers Cedex 01. *Créée* 1909. *Eff.* 730 (f. 42 %). *C. 1990 :* 3 940 ca. 189 ad. *Adm. p.* 2e a. C. pour tit. DUT, BTS, DEUG. 200 ca. 24 ad. 3e a. C. pour tit. licence ou maîtr. 21 ca. 9 ad. *Dipl. 90 :* 137. *Frais* 30 000 F.

Éc. sup. de traducteurs-interprètes et de cadres du commerce extérieur (ESTICE), 60, bd Vauban, 59046 Lille Cedex. *Créée* 1961. *Eff.* 170 (f. 80 %). *Adm. 1990 :* directe avec DEUG, BTS. 200 ca. 85 ad. *Dipl. 90 :* 50. *An.* 2. *Frais* 10 500 F.

Éc. européenne de gestion. European Business School (EBS), 27, bd Ney, 75018 Paris. *Créée* 1967. *Eff.* 950 (f. 50 %). *C. 1990 :* 1 850 ca. 250 ad. *Adm. p.* 2e a. sur tit. DEUG. + C. *Dipl. 90 :* 200. *Frais* 32 000 F.

ICS-Bégué, 15, place de la République, 75003 Paris. *Créé* 1957. *Eff.* 1 000 (f. 45 %). Préparation au DPECF, DECF, DESCF. *4 a.* d'ét. pour Bac et Bac + 1, adm. sur doss. *3 a.* pour Prépa., adm. sur C. *Adm.* poss. en 2e, 3e et 4e a. pour étudiants ayant équiv. dans le cadre du DESCF. *Dipl.* 200. *Frais* 27 700 F.

Inst. de recherche et d'action commerciale (IDRAC), 14, rue de la Chapelle, 75018 Paris. *Créé* 1965. *Eff.* 800 (f. 40 %). *Adm. 1er cy. :* tit. bac, BTS AC et BTS CI (cy. école en 4 ans) sur examen et entretien 340 ca. 170 ad. *2e cy. en 2 a. :* tit. BTS AC, CI, DUT T.C., dossier, examen, entretien (210 ca, 70 ad.). *Dipl. 88 :* 51. Cy. sup. Technico-marketing (11 mois) pour dipl. d'ens. sup. non commercial (Dipl. 15). *Frais* 23 600 à 23 800 F.

Institut de recherche et d'action commerciale (IDRAC Montpellier), 989, rue Croix-Verte, 34100. *Créé* 1975. *Eff.* 350. *Adm.* tit. bac + tests 350 ca. 100 ad. *Adm. p.* 2e a. pour tit. 1re a. BTS commerce + ex. 20 ca. 2 ad. ; 3e et 4e a. pour tit. BTS commerce, DUT TC, 1er cy. éc. de com. sur dossier + entretien 50 ca. 10 ad. *Dipl. 88 :* 35. *Frais* 25 000 F.

Inst. d'éco. scientifique et de gestion (IESEG). 3, rue de la Digue, 59800 Lille. *Créé* 1964. *Eff.* 426. *Adm. 1990 :* 1er cy. C. pour tit. bac B C D 1 124 ca. (135 entrés). *Adm. p.* 2e a. pour tit. 1re a. DEUG sc. éco. ; 3e a. pour tit. DEUG sc. éco. *Dipl. 90 :* 54. *Frais* 16 200 F.

Institut européen des affaires (IEA), 66, Champs-Élysées et 49/51, rue de Ponthieu, 75008 Paris. *Créé* 1979. *Eff.* 500 (f. 40 %). *Adm. p.* 1re a. bac. + C. (120 pl. maxi.). 2e a. 2 a. d'enseign. sup. + *C.* (30 pl. maxi.). 2e et 3e cy. 3 à 5 a. d'ét. sup. (10 pl./a.). *Frais* 1re, 2e a. 28 200 F ; 3e, 4e, 5e a. 62 000 F pour les 3 a.

Institut européen d'études commerciales sup. (IECS), 47, av. de la Forêt-Noire, 67000 Strasbourg. *Créé* 1919. *Eff.* 500. École de Management Européen. *Adm. 1989 :* Sur C. prépa. HEC, 100 ét. (f. 59 %). *Adm. p.* pour tit. DEUG, DUT, BTS env. 10 pl. Autres formations : dipl. univ. Techn. de distrib ; DESS comm. int. ; licence «techn. de distribution». *Frais* EME 16 500 F sinon gratuit.

Inst. de formation aux affaires et à la gestion (IFAG), du groupe IFG, 37, quai de Grenelle, 75015 Paris. *Centres associés :* Lyon : 181, av. J.-Jaurès, 69007. Montluçon : 13, bd Carnot, 03100. Toulouse : Innopole, voie 2, 31328 Labège Cedex. *Créé* 1968. Alternance école-entreprise : 19 mois de formation intensive + 12 mois salarié en entreprise (avec 22 jours de séminaires de formation) ou en programme à l'étranger (Chine, Esp., G.-B., Allemagne, USA). *Adm.* bac + 2 dipl. *An.* 3. *Frais* globaux pour les 3 a. 65 000 F (1991).

Inst. de gestion sociale (IGS, 2e cycle de gestion du personnel et des ressources hum.). Centre d'ens. : 120-122, rue Danton, 92300 Levallois. *Créé* 1976. *Eff.* 120 (f. 50 %). *Adm.* Bac + 2 sur tit. BTS, DEUG, DUT, licence, *An.* 2. *Dipl. 87 :* 35. *Frais* 24 500 F/an.

Inst. des hautes ét. de droit rural et d'économie agricole (IHEDREA). 11, rue Ernest-Lacoste, 75012 Paris. Établ. privé, dipl. homologué niveau II. *Créé* 1950. *Eff.* 400 (f. 30 %). *Adm. p.* 2e a. pour tit. DUT, BTS, DEUG, droit, éco. sur dossier + entretien ; 3e a. pour tit. lic., maîtr. droit, sc. éco. sur dossier + entretien. DESS «Audit et Conseil en gestion de l'entreprise agri.» *An.* 4. *Dipl. 85 :* 109. *Frais* 23 000 F.

Inst. de l'économie et du comm. international (ILECI). 12, rue des Saints-Pères, 75007 Paris. *Créé* 1988. *Eff.* 300. *Adm.* tit. bac sur dossier + entretien + test de langue 500 ca. *Adm.* tit. bac + 2 sur dossier + entretien. *An.* 4. *Frais* 26 000 F.

Inst. de management hôtelier international (IMHI, dite ESSEC-Cornell). BP 105, 95 021 Cergy-Pontoise Cedex. *Créé* 1981. Établ. privé. *Eff.* 80 (f. 30 %). *Adm.* pour tit. lic., BTS hôtelier + exp. prof. hôtellerie, restauration, tourisme, sur dossier + test + entretien 180 ca. 40 ad. *An.* 3, 5 a. *Dipl. 90 :* 42. *Frais* 14 000 F par trim.

Inst. nat. des télécommunications, École de gestion (INT-Gestion), 9, rue Charles-Fourier, Les Épinettes, 91011 Évry Cedex. *Créé* 1981. *Eff.* 210 (f. 30 %). *Adm.* C. pour tit. DEUG, DUT, prépa. HEC, prépa. maths spé. 815 ca. 53 ad. ; 2e an. sur titres pour tit. maîtr. (éco, gestion, informatique, sc.) 20 ca. 7 ad. *An.* 7. *Dipl. d'État, 90 :* 70. *Frais* 1 800 F. Poss. de bourses et de prêts. *Formation promotionnelle. Adm.* sur C. int. pour cadres sup. Télécom, niv. bac + 4 + 3 a. d'expérience prof. + 1 ou 2 a. de prépa. par correspondance et regroupements à l'école.

Inst. des petites et moyennes entreprises (Inst. des PME). 24, rue Léon-Frot, 75011 et 3 rue de Logelbach 75017 Paris. Établ. privé. *Dipl.* non reconnu par l'État. *Créé* 1981. *Eff.* 1 400 (f. 40 %). *Adm.* 1re a. C. pour tit. bac, toutes sections, 2 100 ca. 540 ad. *Adm. directe* 2e a. C. pour tit. DUT, BTS, DEUG, 115 ca., 35 ad. *Dipl. 90 :* 380. *An.* 4. *Frais* 25 500 F.

Inst. de préparation à l'administration et à la gestion (IPAG) : Formation sup. au management, 184, bd St-Germain, 75006 Paris. *Créé* 1965. *Eff.* 503 (f. 33 %). *Adm.* 1re a. sur C. pour bacheliers. 2e a. pour él. ayant validé 1 a. ét. sup. *Dipl.* 120. *An.* 4 (en alternance cours-stage d'entreprise). *Frais* 26 500 F. *Dipl.* reconnu par l'État. **Formation au management européen,** 4, bd Carabacel, 06000 Nice. *Créé* 1989. *Eff.* 300 (3 ans). *Adm.* 1re a. sur C. pour bacheliers. *An.* 4 (en alternance cours-stages pays eur.). *Frais* 27 500 F.

Inst. sup. du commerce extérieur (ISCE). 53, bd Lannes, 75116 Paris. Établ. privé. *Eff.* 62 (f. 30 %), *adm.* 1re a. pour tit. dipl. univ., Éc. sup. + 2 langues + dossier + épreuves + entretien. 450 ca. 35 ad. *Dipl. 89 :* 26. *An.* 2. *Frais* 41 000 F.

Inst. sup. de commerce international de Dunkerque (ISCID). 129, av. de la Mer 59140 Dunkerque. *Créé*

1985. C. pour prépa HEC. *Adm. p.* 1re et 2e année pour tit. bac + 2 ou bac + 3 agréés. *An.* 3. *Dipl.* ISCID Universitaire. Adm. directe avec le dipl. en 2e année DESS Franco-Britannique. *Frais* 16 000 F.

Inst. sup. de gestion commerciale (ISGC, dite éc. sup. de commerce de St-Étienne), 21, rue d'Arcole, 42000 St-Étienne. *Créé* 1969. *Eff. 1990:* 220 (f. 50 %). 2 998 ca. 45 ad. *Dipl. 90 :* 38. *Frais* 17 000 F.

Inst. sup. technique d'Outre-mer (ISTOM). CHCI, quai George-V, 76600 Le Havre. Établ. consulaire. *Eff.* 230 (f. 25 %). *Adm.* pour tit. bac sur dossier + C. + entretien 350 ca. 60 ad. *Adm. p.* 2e a. pour tit. DEUG, DUT, BTS sur dossier + C. + entretien 60 ca. 10 ad. *An.* 4. *Dipl. 88:* 54. *Frais* (88-89) 12 000 F.

Institut de management international de Paris - MBA Institute, 38, rue des Blancs-Manteaux, 75004 Paris. Établ. privé, non habilité à recevoir des boursiers nationaux. Dipl. non reconnu par l'État. *Eff.* 330 (f. 30 %). *Adm.* Prépa. tests + entretien pour tit. bac ; 554 ca. 96 ad. 2e a. tests + entr. pour classes prépa. ou dipl. bac + 2 ; 32 ad. *An.* 4 à Paris + 10 à 20 mois aux USA. *Frais* 34 550 F.

Bac + 3 ans

Éc. d'adm. et dir. des affaires (EAD), 15, rue Soufflot, 75005 Paris. *Eff.* 350 (f. 40 %). *Créée* 1961. *Adm.* C. pour tit. bac, 500 ca. 50 pl. *Adm. p.* 2e a. pour tit. DEUG + sélection 250 ca. 50 ad. ; 3e a. pour tit. lic., maîtr. + sélection 400 ca. 90 ad. BTS, DUT sur dossier + entretien. *Dipl. 90* 165. 4e a. optionnelle à l'étranger. *Frais* 24 250 F.

Éc. de commerce et d'administration du collège Sainte-Barbe (ECA), 4, rue Valette, 75005 Paris. *Créée* 1968. *Eff.* 68 (f. 50 % env.). *Adm.* normale 1re a. sur examen écrit pour les titulaires du bac A, B, C, D, ou G 50 ca. 30 ad. *Adm. p.* 2e a. sur dossier et entretien, niveau DEUG, 3e a. niveau licence *1985:* 10 ca. 4 ad. *Dipl. 1990 :* 19 (non reconnu par l'État). *An.* 3. *Frais* 27 000 F (1re, 2e, 3e a.), 23 000 F (4e a.). Poss. de prêt ét.

Éc. de direction d'entreprises de Paris (EDEP), Imm. Montréal 3 et 5, rue du Javelot, 75645 Paris Cedex 13. *Créée* 1957. *Eff.* 250 (f. 34 %). *Adm. 1990:* 1re a. bac + c. 350 ca. 65 ad. ; 2e a. C. pour niveau Bac + 2 ; 3e a. BTS, DUT, DEUG 90 ca. 25 ad. ; 4e a. lic., maîtr. + doss. + entretien. *Dipl. 90 :* 60. *An.* 4. *Frais* 24 500 F.

Éc. des praticiens du commerce international (EPSCI). Av. Bernard-Hirsch, BP 105, 95021 Cergy-Pontoise Cedex. Établ. privé, dipl. non reconnu par l'État. *Eff.* 300 (f. 50 %). *Adm.* C. pour tit. bac. 1 000 ca. 100 ad. *Adm. p.* 2e a. C. pour tit. DEUG, DUT, BTS 10 à 20 pl. *Dipl. 89:* 81. *Frais* 1re et 2e a. 25 000 F, 3e a. 8 200 à 16 800 F (selon pays), frais séjour, voyage en +. *Depuis sept. 90 :* 4 ans d'ét. (2 cy.).

Éc. sup. des dirigeants d'entreprise (ESDE-SUP). 15, av. de la Grande Armée, 75116 Paris. *Créée* 1967. *Eff.* 500 (f. 10 %). *Adm. 1990 :* dossier + concours. 1re a. 1 200 ca. 120 ad. *Dipl. 90:* 120. *Frais* 27 000 F.

Éc. sup. de gestion et commerce internat. (ESGCI), 25, rue St-Ambroise, 75011 Paris. *Eff.* 681. *Adm.* 1re a. bac + dossier + 2 entretiens 520 ca. 210 ad. *Adm. p.* 2e a. avoir accompli avec succès cl. de 1re a. BTS CI ou équivalent (DUT), dossier + 2 entretiens, 83 ca. 28 ad. ; 3e a. tit. DUT, BTS Action Commerciale et CI, dossier + 2 entretiens, 105 ca., 41 ad. ; 4e a. tit. maîtrise ou grandes éc. de commerce. *An.* 3. *Frais* 21 000 F env.

Éc. sup. de gestion et communication (ESGC). 25, rue St-Ambroise, 75011 Paris. *Créée* 1988. *Adm.* 1re a. bachelier + dossier + 2 entretiens, 130 ca. 48 ad. ; 2e a. DEUG Langues, Lettres, AES, Éco, Droit ou avoir accompli avec succès cl. de 1re a. BTS ou DUT Action comm. ou Commun ; 3e a. DUT, BTS Commun. et Publicité ; 4e a. maîtrise ou grandes éc. de commerce. *Frais :* 21 000 F/an env.

Éc. sup. privée d'adm. du comm. et de l'ind. (ESA-CI), 94, rue de Paris, 94220 Charenton. *Créée* 1976. *Eff.* 195 (f. 40 %). *Adm.* 1re a. sur C. pour tit. du bac (*1986 :* 250 ca., 80 ad.). *Adm. p.* en 2e a. sur C. pour tit. d'un DUT, BTS, DEUG (*1986 :* 30 ca., 10 ad.). *Dipl. 85 :* 40. *An.* 4. *Frais* 20 000 à 23 000 F, selon option.

Inst. sup. de l'entreprise et des affaires (ISEA). 92, av. Charles-de-Gaulle, 92200 Neuilly. *Créé* 1986. 7 spécialisations : création et gestion PME, négociation-vente nationale et internat., communications relations publ., langues appliquées aux affaires, management touristique, man. communautaire, commun. marketing. *Adm.* niv. bac + 2 (BTS, DUT, DEUG ou équivalent). *Durée des ét.* 1 a. *Frais* 25 450 F. Possibilité 4e a. MBA, Dallas, G.-B.

Inst. sup. de gestion de personnel (FACLIP), 416, rue St-Honoré, 75008 Paris. *Créé* 1976. *Eff.* 110. *Adm.* sur dossier + entretien + test. *Adm. p.* 2e a. sur entretien + test pour tit. lic., DUT gestion du personnel ou DEUG. *An.* 3. *Frais* 21 000 F. 3e cy. (voir ci-contre).

Institut européen de distribution et de négociation (IEDN). Groupe ESC Toulouse, 20, bd Lascrosses, 31068 Cedex. *Adm.* 1re a. sur C. *Adm. p.* 2e a. pour tit. bac + 2 a., certifié. *An.* 3. *Frais* 19 000 F.

Inst. franco-américain de management (IFAM). 19, rue Cepré, 75015 Paris. *Créé* 1982. *Eff.* 300 (f. 45 %). *Adm. 1989 :* 1re a. sur C. pour tit. du bac 1 105 ca. 521 ad. 110 intégrés. *Adm. p.* en 2e a. sur C. pour tit. de bac + 2 (DEUG, DUT, etc.). *Dipl.* IFAM, MBA. *An.* 4. *Frais* 21 900 F.

Inst. nat. des techniques économiques et comptables (INTEC), CNAM, 292, rue St-Martin, 75003 Paris. *Créé* 1931. *Eff.* 12 000. *Adm.* bac ou équivalent. *An.* 1-2 : CPC (dispense DPECF) puis 2-3 pour dipl. INTEC (dispense 14 épreuves DESCF). *Frais* 1 400 à 3 250 F par unité de valeur.

Inst. sup. privé des sc., techniques et économie commerciales (ISTEC), 102, rue du Point-du-Jour, 92100 Boulogne. *Créé* 1961. *Eff.* 286 (f. 50 %). *Adm.* 1re a. C. + oral pour tit. bac 700 ca. 91 ad. *Adm. directe* 2e a. pour tit. DUT ou BTS + oral. *Dipl. 90 :* 80. *An.* 3. *Frais* 27 500 F.

Schiller International University (SIU), 103, rue de Lille, 75007 Paris. Université américaine privée. *Créée* 1968. *Dipl.* non reconnu par l'État, homologué aux USA par AICS. *Eff.* 240. *Adm.* 2e a. pour tit. bac. *Adm. p.* en 4e a. pour DEUG, DUT, BTS. *Dipl.* BBA (4 a.), MBA (5 a.). *Adm.* sur titre, dossier, entretien et GMAT. *Frais :* 55 000 F/an.

Bac C ou entretien, 2 ans d'études + concours

Académie commerciale intern. (ACI). Éc. de com. internat. de marketing et de vente. 43, rue de Tocqueville, 75017 Paris. *Créée* 1921. *Eff.* 370. *Adm.* 1re a. Bac + C. 2e a. BTS, DEUG, DUT + C. *Dipl. 90 :* 102. *Frais* 19 000 F. Bourses, prêts.

Éc. fr. de gestion commerciale (EFGC). Zone industrielle, 5e rue no 7, 13127 Vitrolles. *Créée* 1964. *Eff.* 120. *Frais* 10 000 à 18 000 F.

Éc. du marketing de la publicité (EMP). 56, rue des Batignolles, 75017 Paris. *Créée* 1967. *Eff.* 150. *An* 2-3. *Adm.* 1re a. tous Bac. *Adm.* a. de spécialisation pour tit. DUT, BTS, lic., maîtrise sc. éco., LEA, Gestion. Poss. présenter BTS Action com., communic. et action publicit. *Frais* 26 000 F.

Inst. du tourisme et des loisirs (ITL). 92, av. Charles-de-Gaulle, 92200 Neuilly-sur-S. *Créé* 1970. Prépa BTS tourisme et loisirs. *Eff.* 250. *Adm.* bac ou équivalent, niveau terminale. *Frais* 24 600 F.

Inst. nat. de formation des cadres sup. de la vente (ICSV/CNAM). 292, rue St-Martin, 75141 Paris Cedex 03. *Créé* 1956. *Eff.* 493. *Frais* 16 000 F, 1/2 tarif pour ca. libres. *Dipl.* d'État de niv. 2. Antennes à Lyon, Nantes, Béziers, Amiens, Annecy.

Inst. privé des attachés de direction (ICAD-Enseignement commercial sup. privé) - Inst. sup. europ. de Management. 91, rue de l'Université, 75007 Paris. *Créé* 1967. *Eff.* 400. *Adm.* 1re a. C. + entretien de groupe, + bac ou équivalent. *Adm. p.* 3e a. pour tit. DUT, DEUG ou BTS ou équivalent. *Frais* 24 000 à 26 000 F.

Inst. sup. de l'entreprise et des affaires (ISEA). 92, av. Charles-de-Gaulle, 92200 Neuilly. *Créé* 1962. Prépa. BTS bureautique et secr. bilingue et trilingue, comptabilité-gestion, commerce intern., action commerciale, communication et action publicitaires, force de vente. Formation privée : relations publiques. *Adm.* bac ou équivalent, niveau terminale. *Frais* 23 550 F à 24 600 F.

Inst. de gestion et informatique (IGI), 119, avenue Paul-Vaillant-Couturier, 94250 Gentilly. BTS comptabilité-gestion, BTS informatique. *Eff.* 350. *Frais* 18 600 F.

Formation continue

Inst. de formation au commerce extérieur (IFCE). Quai de la Citadelle, BP 2512, 59383 Dunkerque Cedex 1. *Recyclage et perfectionnement de haut niveau en commerce internat. ;* stages pour entreprises et demandeurs d'emploi. *Adm.* sélection pour stages longue durée. *Dipl.* homologué niveau II (bac + 4).

Formations complémentaires de 3e cycle

Écoles

Groupe ESC Bourgogne, Franche-Comté, 29, rue Sambin, 21000 Dijon. **Mastère en management de l'industrie pharmaceutique.** *Créé* 1988. *Adm.* tit. bac + 5 a. min. (dipl. scientifique). *Dipl.* [1] *Frais* 42 000 F. **DEA Sciences de gestion.** *Créé* 1988. En collaboration avec l'univ. de Bourgogne.

Groupe ESC Reims. 59, rue P.-Taittinger, BP 302, 51061 Cedex. **Mastère spécialisé en gestion européenne et internationale.** *Créé* 1986. *Eff.* 18 (3 f.). *Adm.* après tests pour tit. bac + 5 (DEA, DESS) ou dipl. Gde Éc. ing. ou comm. *C. 1990 :* 70 ca. 18 ad. *Dipl.* [1] *Frais* 39 000 F.

Groupe ESC Toulouse, 20, bd Lascrosses, 31068 Cedex. **Mastère en audit interne et contrôle de gestion.** *Adm.* sur C. + entretien pour tit. bac + 5 (DEA, DESS), ou dipl. grande éc. d'ingénieur ou de gestion *1988-89 :* 13 ad. *Dipl.* [1] *87 :* 17.

Mastère en management de l'innovation et transfert de technologie. *Adm.* sur dossier + entretien pour tit. bac + 5 (DEA, DESS), ou dipl. Gde éc. d'ingénieur ou gestion, *1988-89 :* 20 ad. *Dipl.* [1]

Mastère en systèmes d'information automatisés de gestion. *Adm.* sur dossier + entretien pour tit. bac + 5 (DEA, DESS), ou dipl. Gde éc. d'ingénieur ou gestion, *1988-89 :* 10 ad. *Dipl.* [1] *87 :* 25.

Mastère en communication d'entreprise. *Adm.* sur dossier + entretien pour tit. bac + 5 (DEA, DESS), ou dipl. Gde éc. d'ingénieur ou gestion, *1987-88 :* 14 ad. *Dipl.* [1]

Mastère Interface Marketing-Technologie Agro-Alimentaire. Admission sur dossier + entretien pour tit. bac + 5 (DEA, DESS), ou dipl. Gde éc. ingénieur ou gestion. *Créé* 1989. *Dipl.* [1]

• **Autres. Institut agroalimentaire international (IAAI).** ESCAE Bretagne, 2, av. de Provence, B.P. 214, 29272 Brest Cedex. *Dipl.* non reconnu par l'État. *Eff.* 12 (dont f. 8). *Adm.* tit. dipl. de 2e cycle et cadres avec 3 a. d'exp. prof. agroalim. 38 ca. 20 places. *Dipl. 89 :* 18. *An.* 1. *Frais* 17 000 F (étudiants), 25 000 F (auditeurs formation prof.).

Centre d'études du commerce extérieur/Centre sup. des transp. internationaux (CECE/CSTI). Domaine de Luminy, Case 921, 13288 Marseille Cedex 9. *Créé* 1958 (CECE), 1975 (CSTM). *Eff.* 54 (f. 30 %). *Adm.* sur dossier + entr. pour tit. dipl. 2e cycle ou pour cadre depuis + de 3 a. (*1984 :* 385 ca., 90 ad.). *Dipl. 88 :* 44. *An.* 15 mois. *Frais* 55 000 F.

Centre de formation aux affaires (CEFA). 59, rue Pierre-Taittinger, B.P. 302, 51061 Reims Cedex. *Créé* 1971. *Eff.* 73 (f. 36 %). *Adm.* après tests pour tit. d'une maîtrise, dipl. d'éc. d'ing., grandes éc. ou cadres d'entreprise. *C. 1990 :* 209 ca. 73 ad. *An.* 1. *Frais* 35 000 F.

Éc. des hautes études en sciences de l'information et de la communication (CELSA). 77, rue de Villiers, 92200 Neuilly. *Créé* 1957. Forme en pub., marketing, rel. pub., gestion des ressources hum., journalisme. *Eff.* 700. *Adm.* Prépa., 2e et 3e cy. sur C. ; 1re a. 1er cy., sur dossier. *Dipl. préparés :* DEUG, Lic., maîtr., magistère, DESS, DEA, Doctorat. *Frais* d. u.

Centre normand de recherches en informatique (CENORI-Ch. de comm. et d'ind. du Havre). 1, rue Émile-Zola, 76600 Le Havre. *Dipl.* non reconnu par l'État. *Eff.* 50 (f. 14 %). *Adm.* tit. lic. sc. éco., maîtr., D.I., dipl. éc. de comm., cadres, sur tests + entretien, 80 ca. 33 ad. *An.* 11 mois. *Frais* 25 000 F.

Centre d'ét. sup. du management (CESMA) [2]. 23, av. Guy-de-Collongue, B.P. 174, 69132 Écully Cedex. *Créé* 1970. *Eff.* 90 (f. 36 %). *Adm.* sur dossier + tests de sélection pour dipl. de l'ens. sup. avec de préférence expérience profess. *1990 :* env. 500 ca. 91 ad. *Dipl. 90 :* 88. *An.* 12 mois. *Frais* 72 000 F ; poss. bourses et prêts. Programme MBA eur : + programme création d'entreprise. Dipl. CESMA homol. niv. I, II par min. de l'Industrie.

Groupe ESG. 25, rue St-Ambroise, 75011 Paris. *3e cy. ou Mastères.* 6 programmes en alternance éc./entreprise : management et marketing eur. ; finances ; manag. du tourisme d'aff. ; marketing et pub. ; gestion internat. du personnel ; gestion des entreprises (cycles financés et rémunérés).

Inst. sup. de gestion du personnel (FACLIP), 416, rue Saint-Honoré, 75008 Paris. Dipl. d'études sup. approfondies en gestion du personnel (DESA), et.

de nov. à avr. *Adm.* sur dossier, test et entretien pour tit. maîtr. *Frais* 22 000 F.

L'Ingénieur manager (IEFSI) [2]. 41, rue du Port, 59046 Lille Cedex. *Créé* 1961. *Eff.* 66 (f. 14 %). *Adm.* sur t. pour dipl. ing. 300 ca. 66 ad. *An.* 1. *Dipl. 90 :* 66. *Diplôme* reconnu par l'État et MBA européen. *Frais* 52 000 F ; rémunération de l'État.

Inst. d'ét. sup. des techniques de l'organisation (IESTO/CNAM). 292, rue St-Martin, 75141 Paris Cedex 03. *Créé* 1955. *Eff.* 200 (f. 20 %). Cycles spéciaux, Mastère spécialisé en stratégies et techniques du métier d'organisateur. *Adm.* sur t. dipl. ing., DEA, Éc. de gestion ou équiv. Cycles normaux organisateur-informaticien. *Adm.* dipl. d'ét. sup. 2e cy. mini. *Dipl.* [2]

Inst. de formation au comm. international (IFCI). 4, bd Trudaine, 63037 Clermont-Ferrand. *Créé* 1979. *Eff.* 26 (f. 50 %). *Adm.* sur dossier + tests pour tit. maîtr., dipl. ing., gestion, ou cadre d'entreprise (150 ca., 30 ad.). *Dipl. 90 :* 21. *An.* 11 mois. *Frais* 35 000 F. *Dipl.* [2]

Inst. de gestion internationale agroalimentaire (IGIA). Av. du Parc-5, Le Campus, 95033 Cergy-Pontoise Cedex. *Créé* 1978. *Eff.* 100. *Adm.* sur dossier + entretien + test connaissance anglais pour dipl. ens. sup. 2e cy. *1990 :* 220 ca. 98 ad. dont cadres d'entreprises. *Durée* 12 mois. *Frais* 45 510 F.

Institut de gestion sociale (IGS 3e cycle de management). Centre d'enseignement : 120-122, rue Danton, 92300 Levallois. *Créé* 1979. *Eff.* 100. *Adm.* C. pour dipl. 2e cy. éc. ing., IEP. *Dipl. 86 :* 40, 330 ca. *An.* 2 a. *Frais* 47 500 F. 3 spécialisations : Ressources humaines et communication, Finances Contrôle de Gestion, Qualité totale et gestion de projet.

International management programme (IMP) + MBA. Groupe ESG Paris. 25, rue St-Ambroise, 75011 Paris. *Eff.* 30 places. *Adm.* sur dossier + entretien, pour tit. maîtr. sc. éco., dipl. Gde éc. de comm. ou ing. *An.* 9 mois (dont 7 aux USA à Clark University).

Institut nat. d'informatique de gestion (INIG). 37, quai de Grenelle, 75738 Paris Cedex 15. *Créé* 1970. *Eff.* 62 (f. 31 %). *Adm.* sur dossier et entretien pour tit. maîtr. dipl. ing., comm. ou cadres depuis + de 3 ans. *1989 :* 130 ca. 85 ad. *An.* 10 mois. *Frais* 34 800 F ; poss. de prêts bancaires étudiants, agrément pour rémunération stagiaires. Certification AFIN-GOFI.

Institut européen d'administration des affaires (INSEAD) [2]. Bd de Constance, 77305 Fontainebleau Cedex. *Créé* 1959. *Eff.* 420 (f. 17 %). *Adm.* sur dossier pour dipl. ens. sup. et de préférence expérience profess. *1990 :* 450 ad. *An.* 10 mois. *Dipl. 90 :* 450. *Frais* 125 000 F ; poss. de bourses et rémunération au titre de la formation prof.

Inst. portuaire d'enseign. et de recherche (IPER). 9, rue Émile-Zola, 76087 Le Havre Cedex. *Créé* 1978. Dipl. en transport intern. et commerce extér. non reconnu par l'État. *Eff.* 30 (f. 10 %). *Adm.* bac + 4 ou cadre expérience profess., sur dossier + entretien + tests 140 ca. 29 ad. *An.* 9 mois. *Dipl. 89 :* 25. *Frais* 15 000 F.

Institut sup. des affaires (ISA) [2]. 1, rue de la Libération, 78351 Jouy-en-Josas Cedex. *Créé* 1969. *Eff.* 120 (f. 18 %). *Adm.* sur dossier, tests et entretien pour dipl. 2e cy., Gde éc., expérience profess. souhaitée, cadres autodidactes. *Dipl. 90* délivré par l'État : 111. *An.* 16 mois. *Frais* 100 000 F ; poss. de bourses, rémunération de l'État au titre de la formation profess.

Grandes écoles de management européennes

Légende : année de création, durée des études en mois, coût en F, nombre de participants par année, % nationaux entre parenthèses, âge moyen à l'entrée.

Institut européen d'administration des affaires (Insead). Fontainebleau (1959), 10 m. 125 000 F, 424 p. (21 %), 28 a. **International Institute for Management Development (IMD).** Lausanne (1957), 11 m., 130 000 F, 65 p. (12 %), 30 a. **London Business School (LBS).** Londres (1965), 21 m., 100 000 F, 180 p. (46 %), 27 a. **Erasmus.** Rotterdam (1967), 24 m., 85 000 F, 120 p. (40 %), 26 a. **Institut supérieur des affaires, HEC-ISA (ISA).** Jouy-en-Josas (1969), 16 m., 100 000 F, 122 p. (70 %), 29 a. **Scuola di direzione azientale (SDA Bocconi)** Milan (1975), 16 m., 110 000 F, 130 p. (62 %), 28 a. **Manchester Business School (MBS).** (1965), 21 m., 65 000 F, 120 p. (60 %), 27 a. **Instituto de estudios superiores de la empresa (Iese).** Barcelone (1958), 21 m., 70 000 F, 205 p. (67 %), 26 a.

Institut sup. du commerce (ISC). 22, bd du Fort-de-Vaux, 75017 Paris. *Créé* 1957. 3e cycle, formation MBA et poss. de bourse d'assistant aux USA. Programmes d'échanges avec l'université de Mayence (All. féd.) et de Madrid (Espagne). Partenariat avec entreprises : ISCFP (ISC Formation permanente) et ISC Consultants (Études et recherches).

Inst. sup. de formation à la gestion du personnel (cycle sup. de spécialité) (ISFOGEP). 15, place Jourdan, 87038 Limoges Cedex. *Créé* 1975. *Eff.* 25 (f. 45 %). *Adm.* bac + 4 (ingénieur, IEP, maîtr. de gestion) sur test et entretien. *Dipl. 89 :* 19. *An* 1. *Frais* 18 000 F.

Institut sup. de gestion (ISG). 8, rue de Lota, 75116 Paris. *Eff.* 210 (f. 42 %). *C.* propre à l'Éc. pour dipl. ing. IEP, maîtr., 812 ca. 180 ad. *An.* 18 mois. *Dipl. 84 :* 90. *Frais* 36 000 à 54 000 F.

Inst. du Management de l'achat industriel (MAI) [2]. Groupe Éc. Sup. de comm. Bordeaux, domaine de Raba, 680, cours de la Libération, 33405 Talence Cedex. *Créé* 1976. *Adm.* sur dossier + entretien jury pour dipl. éc. ing., gestion, maîtrises et cadres avec expérience profess. *1990-91 :* 65 ad. (f. 40 %). *Dipl. 90 :* 60. *An.* 1. *Frais* 58 500 F/an ; poss. prêts, bourses Rectorat, FONGECIF.

Nota. – (1) Dipl. habilité par la Conférence des grandes Écoles. (2) Délivre 1 diplôme homologué et reconnu par l'État.

3es cycles de l'Université

☞ Réforme du 3e cycle, voir p. 1260c.

But : Former l'ingénieur à la recherche appliquée. *Dipl.* délivré par les universités, instituts nationaux, Polytechnique, observatoire de Paris et écoles d'ingénieurs (Mines de Paris, de St-Étienne, Ponts et Chaussées, Télécom., ENSTA, ENSAE, ECP, ECL, ENSAM, ESPCI, ENSG, INA, ENSBANA, ENSAR, ENSIAA, INSA Lyon, INSA Rennes, INSA Toulouse, ISMCM, INSTN, ENM, INP Grenoble, Nancy et Toulouse, et École polytechnique). Les ing. de ces écoles sont dispensés du DEA (dipl. d'études approfondies) et préparent le dipl. de doct.-ing. en 2 ans ; les autres ing. doivent obtenir le DEA (initiation aux techniques de recherche et enseignement théorique) et préparent le dipl. en 3 ans.

3es cycles de gestion, DESS : dipl. nat. délivré par les univ., IEP Paris, Éc. des hautes ét. en sciences sociales *An.* 1, 2 pour les salariés. *Doctorat :* orienté vers la recherche. *Doct. 3e cy. :* 2 ou 3 ans. *Doct. univ. :* n'est pas un dipl. national, réglementé par univ. *Doct. d'État :* DEA ou DESS + travail de recherche de plusieurs années.

Écoles de la fonction publique

École nationale d'administration (ÉNA)

Siège. 13, rue de l'Université, 75007 Paris. **Créée** par l'ordonnance générale no 45-2283 du 9-10-1945, chargée de la formation des fonctionnaires se destinant au *Conseil d'État,* à la *Cour des comptes,* à l'*Inspection générale des Finances,* aux *carrières diplomatiques* ou *préfectorales,* au *corps des administrateurs civils,* ainsi qu'à *certains autres corps* ou *services déterminés par décret.* Conditions d'accès et scolarité réformées par décret du 21-9-1972, loi du 28-9-1982, décret du 19-1-1983, loi du 23-12-1986. **Directeur :** René Lenoir (n. 21-1-27) dep. 25-5-88.

2 cycles. *Externe :* pour ca. – de 27 a., tit. lic., ou dipl. grande éc. ou IEP. *Interne :* pour fonctionnaires – de 36 a. avec 5 a. min de service public effectif [(afin de réduire l'afflux de « surdiplômés » comme normaliens ou agrégés, leur période de formation ne comptant plus dans les 5 a. (il fallait avant 4 a. min. au service de l'État ou 3 a. titularisés)]. *3e voie :* créée en 1983 par Anicet Le Pors, secr. d'État à la Fonction publique ; supprimée par la loi du 23-12-86 pour ca. de 41 a. au +, ayant 8 a. min. de responsabilités électives comme membre non parlementaire d'un conseil régional ou général, maire et, dans les communes de + de 10 000 hab., adjoint au maire ; membre d'un organe national ou local d'administration ou de direction d'une des organisations syndicales de salariés ou de non-salariés considérées comme les plus représentatives sur le plan national ; membre élu du bureau du conseil d'administration d'une association reconnue d'utilité publique ou d'une Sté, union ou fédération soumise aux dispositions du code de la mutualité, membre du conseil d'administration d'un organisme régional ou local chargé de gérer un régime de prestations sociales. De 1983 à 1986 29 personnes avaient été recrutées par la « 3e voie » dont 10 en 1983, 7 en 84, 7 en 85,5 en 86. On a reproché à cette 3e voie 1o) d'abaisser le niveau du concours en créant un concours spécial, une scolarité spéciale, un classement de sortie spécial et des postes spécialement réservés pour eux dans l'administration ; 2o) d'être contraire au principe posé dans la Déclaration des droits de l'homme et du citoyen, art. 6, selon lequel tous les citoyens sont « également admissibles » à tous les emplois publics « selon leur capacité et sans autre distinction que celle de leurs vertus et de leurs talents ».

Troisième voie : candidats sélectionnés sur dossier (env. 40 en sept. 1990), après 2 épreuves (écrite, orale) « justifiant de l'exercice, durant 8 ans au total, d'une ou plusieurs activités professionnelles ou d'un ou plusieurs mandats de membre élu d'une collectivité territoriale » (limite d'âge 40 ans). Suivent un cycle de préparation au « 3e concours » sur un an pour titulaires d'un diplôme ou d'un certif. de l'ens. sup., 2 ans pour les non titulaires. 10 places offertes en 1991. Ils poursuivront la même scolarité que celle suivie par les candidats issus des 2 autres concours ; le classement final sera commun.

Nombre de candidats et, entre parenthèses, **postes offerts.** *Concours externe : 1980 :* 921 (81), *85 :* 1 068 (75), *87 :* 904 (40), *88 :* 895 (40), *89 :* 747 (48). *Concours interne : 1980 :* 446 (59), *85 :* 602 (75), *87 :* 630 (40), *88 :* 637 (40), *89 :* 415 (48). *Troisième voie : 1983 :* 194 (10), *84 :* 218 (12), *85 :* (10), *86 :* 112 (10).

Préparation au concours. *Fac. de droit,* 3, av. R.-Schuman, 13621, Aix-en-Provence. 34 bis, av. R.-Schuman, 06000 Nice. *Fac. des sc. juridiques,* 9, rue Jean-Macé, 35042 Rennes. *Univ. des sc. jur., pol. et soc.,* place d'Athènes, 67084 Strasbourg. *Paris I,* 12, place du Panthéon et 14, rue Cujas, 75005 Paris. *Paris IX,* place du Maréchal-de-Lattre-de-Tassigny, 75016 Paris. *IEP de Bordeaux, Grenoble, Toulouse et Paris* (Sc.-Po. n'admet dans sa prépa à l'ÉNA que des dipl. des IEP). *Cycle spécial de formation :* pour les ca. ne possédant aucun des dipl. exigés pour les C. ext., mais tit. d'un dipl. bac + 2 à qualification prof. (ex. DUT ou BTS) en 2 a. (30 h/sem.) au *CNAM.* Sélection sur dossier (30 places). *Troisième concours.* Projet à l'étude.

Scolarité. *Régime :* externat. *Études :* gratuites. *Durée :* 29 mois (19 pour le 3e C.) dont 11 de stage dans l'administration d'État ou les collectivités territoriales (province, outre-mer, étr.) puis formation adm. pratique.

Carrière. Choisie par l'élève selon son rang de classement. Il signe alors l'engagement de rester 10 ans au service de l'État et est affecté par arrêté du ministre chargé de la Fonction publique à cette carrière dans laquelle il est ensuite nommé par décret. L'él. qui refuse de souscrire l'engagement ne peut être nommé dans aucune des carrières auxquelles prépare l'Éc. et doit rembourser le montant des traitements et indemnités perçus en cours de scolarité ; il n'a pas la qualité d'ancien él. de l'ÉNA.

Origine sociale des élèves. *% de la promotion 1986-88 selon la profession du père :* agriculteurs 2,14, industriels et gros commerçants 3,57, prof. libérales et cadres sup. 27,14, c. moyens 8,57, artisans et petits commerçants 7,14, employés 3,57, ouvriers 8,57, autres catégories (militaires, ecclésiastiques, artistes, divers) 2,85. Fonctionnaires, cat. A 27,14, B 5,71, C 1,42. Prof. du père inconnue 2,14.

Diplômes obtenus par les élèves avant d'entrer à l'ENA. *% promotion 1985-87 :* IEP Paris 47,45, IEP province 3,79, Polytechnique 4,43, Centrale 3,16, autres écoles d'ingénieurs 5,69, HEC 5,69, ESSEC 2,53, École sup. de com. de Paris 1,89, écoles normales sup. 6,96 (dont Ulm 3,16, autres 3,79), agrégations 19,62, licences ou maîtrises 10,12, autres diplômes de l'enseign. supérieur 7,55, bac 1,26. En 1990, sur les 49 él. admis au C. externe de l'ENA, 42 étaient diplômés de l'IEP de Paris.

Nombre total des anciens élèves en septembre 1985 : 3 799. *Répartition selon leurs fonctions, en 1985, non compris la promotion L.V. 85 :* Présidence de la Rép., membres du Gouv., Ass. nat., Sénat, Conseil constit., Conseil écon. et social 50 ; Conseil d'État, Cour des Comptes, Tribunaux adm., chambres rég. des Comptes 473 ; Services du PM et secr. d'État chargé de la Fonction publ. 75 ; Min. de l'Économie 708 ; de l'Éduc. nat. 119 ; du Travail et des Aff. soc. 177 ; de l'Intérieur 335 ; Collectivités territ. 97 (dont Paris 35) ; Aff. étr. 351 ; autres min. ou organismes publics 580 ; entreprises publ. et privées 526 ; retraités 150.

Quelques élèves célèbres. Michel Albert, Jacques Attali, Michel Aurillac, Alain Bacquet [1], Édouard

Balladur, Jean-Louis Bianco, Pierre Billecoq, Jacques Calvet, Yves Cannac [1], Françoise Chandernagor [1], Jean Charbonnel, Yvette Chassagne, Jean-Pierre Chevènement, Claude Cheysson, Jacques Chirac, Jacques Douffiagues, Laurent Fabius, Roger Fauroux, Jean-Pierre Fourcade, José Frèches, Jean-Michel Gaillard, Renaud de La Genière, Valéry Giscard d'Estaing [1], Alain Gomez, Georges Gorse, Yves Guéna, Jean-Yves Haberer, Elizabeth Huppert, Michel Jobert, Lionel Jospin, Pierre Joxe, Alain Juppé, Bertrand Labrusse, Jean-Philippe Lecat, Pierre Lelong, François Léotard, Jean-Maxime Lévêque, Marceau Long [1], Dominique de La Martinière [1], Alain Minc, Jérôme Monod, Simon Nora, François-Xavier Ortoli, Alain Peyrefitte, Jean François-Poncet [1], Michel Poniatowski, Nicole Questiaux, Jacques Rigaud, Michel Rocard, Yves Sabouret, Philippe Séguin, Jean-Pierre Soisson, Jacques Toubon, Antoine Veil, Jean Wahl.

Nota. – (1) Major.

Voie d'administration générale et entre parenthèses **d'adm. écon. (1982-84)** Inspection des Finances 4 (2), Cons. d'État 4 (2), Cour des comptes 3 (5), Aff. étrangères 5 (4), Tribunaux admin. 8 (2), IGAS 2 (1), attachés commerciaux 2 (2), Admin. civils 57 (26). *Total :* 89 (43).

Instituts d'études politiques (IEP)

Établissements publics à caractères scientifique, culturel et professionnel jouissant de la personnalité morale et de l'autonomie pédagogique et scientifique, administrative et financière.

Institut d'études politiques de Paris, dit « Sciences-Po », 27, rue St-Guillaume, 75007. Constitue un grand établissement (décret du 17-7-1984). *Fondé* 1872 par Émile Boutmy (1835-1906) et un groupe d'amis dont Hippolyte Taine (1828-93). *But :* enseignement général des sciences polit., écon. et sociales. *Eff. 1990-91* env. 4 500 dont prépa. (1re a.) 541, 2e a. 1 215, 3e 978. *Adm.* en prépa. après un examen écrit ouvert aux tit. du bac. obtenu lors de l'a. en cours ou de l'an. précédente (10,8 % reçus en 90) ; de plein droit pour les tit. du bac. mention « très bien » de l'a. en cours ou de l'a. précédente (166 inscrits en 90). 2e a. aux tit. licence, maîtrise ou autre dipl. de grande éc. ; aux salariés ayant au min. 5 a. d'expérience profess. (en *1990 :* 27 % des ca. reçus). *Dipl. 1990 :* 1 009, Formations complémentaires : prépa. aux C. adm. ENA, Commissariats de l'air, terre, mer, CAPES de sciences éco. et sociales ; DEA et DESS ; formation continue. *An.* 3. *Frais* (1990-91) 4 000 F + séc. sociale éventuellement. *Corps enseignant* 950 (40 % de l'univ., 30 % de l'adm., 30 % des entreprises et prof. libérales). *Diplômés,* selon la section choisie (en 1990) : service public 34 % ; écon. et fin. 36 % ; pol., écon. et social 21 % ; relations internat. 9 %. **Quelques élèves illustres :** Jean-Louis Beffa, Christian Blankart, Jean Boissonnat, Jacques Calvet, Jacques Chaban-Delmas, Jacques Chirac, Paul Claudel, Michèle Cotta, Maurice Couve de Murville, Michel Debré, Pierre Mendès France, Félix Gaillard, Elizabeth Huppert, Alain Minc, François Mitterrand, Christine Ockrent, François Périgot, René Pleven, Georges Pompidou, Marcel Proust, Nicole Questiaux, Michel Rocard, André Siegfried, Anne Sinclair.

IEP Aix-en-Provence [1]. 25, rue Gaston-de-Saporta, 13625 Aix-en-Pr. Cedex. *Créé* 1956. *Eff.* 952. *Adm.* 1re a. sur examen pour tit. bac ou t. français ou étr. équiv. ; 2e a. sur t. pour tit. 1re a., sur épreuves pour tit. lic., dipl. grandes éc. *Dipl. 90 :* 141. *An.* 3. *Frais* 1 500 F. Centre de prépa. CPAG, commissariats, C. d'entrée ENA. DEA monde arabe ; hist. militaire. Certif. d'ét. pol. pour étrangers. Dipl. IEP en formation continue. *Eff.* 20/a. d'ét. *An.* 3. *Frais* 8 000 F et 15 000 F si financés par entreprise.

IEP Bordeaux [1] dit « Sciences-Po, Bordeaux ». Allée Ausone, B.P. 101, 33405 Talence Cedex. *Eff.* 1 300. *Adm.* 1re a. sur examen pour tit. du bac *90 :* 1 860 ca. 230 ad. ; 2e a. examen pour tit. DEUG, DUT ou 2 a. prépa. 550 ca. 60 ad. *3 options :* Service public ; écono. et fin. ; politique et sociale. *Dipl. 90 :* 183. *An.* 3. *Frais* 1 500 F. Centre de prépa au C. d'entrée ENA, ENSP. DEA de 3e cycle délivré dans le cadre du Centre de recherche sur la vie locale et du Centre d'étude d'Afrique noire et DEA d'hist. europ. **Quelques élèves illustres :** Christian Blanc, Michel Combarnous, Jean-Pierre Fourcade, Noël Mamère, Henri Nallet, Henri Prada, Denis Tillinac.

IEP Grenoble [1]. Domaine univ. B.P. 45, 38402 St-Martin-d'Hères Cedex. *Eff.* 810. *Adm.* 1re a. sélection sur notes de bac + épreuves sur livres + tests de langue. *Adm.* 2e a. pour tit. 1re a. IEP ou après examen pour tit. DEUG ou équiv. *Dipl. 85* 221. *An.* 3. *Frais* 1 200 F.

IEP Lyon [1]. 1, rue Raulin, 69365 Lyon Cedex 07. *Créé* 1948. *Eff.* 1 035 dont 710 en dipl. *Adm.* 1re a. sur test d'entrée pour tit. bac ; 2e a. sur dossier + test pour tit. lic., DUT, dipl. ing. *Dipl. 90 :* 226. *An.* 3 dont 1 prépa. 4 sections : polit. et adm. ; éco. et financ. ; pol. et communication internat. ; prépa. C. adm. (LAP, CPAG) et ens. (CAPES sc. éco., Agrég. sc. soc.). *Frais* 1 000 F.

IEP Strasbourg [1]. 47, av. de la Forêt-Noire, 67082 Cedex. *Créé* 1945. *Eff.* 659 (f. 48 %). *C.* d'entrée en 1re a. *1990 :* 1 648 ca. 188 ad. 2e a. sur t. pour certaines Gde éc., sur examen pour tit. DEA, licence, DUT. *Dipl. 90 :* 144. *An.* 3. *Frais* 1 045 F.

IEP Toulouse [1]. 2 ter, rue des Puits-Creusés, 31000. *Créé* 1948. *Eff.* 528 (f. 53 %). *Examen d'entrée 1990 :* 1 305 ca. 192 ad. 2e a. sur t. licence ou équiv. 38 ad. *Dipl. 90 :* 124. *An.* 3. *Frais* 715 F.

Nota. – (1) Établ. publics d'ens. sup. sauf Strasbourg qui demeure interne à l'Université.

Instituts régionaux d'administration (IRA)

Créés par l'art. 15 de la loi du 3-12-1966. 5 instituts : Lille et Lyon (dep. 1970), Nantes (1971), Metz (1974), Bastia (1979). Forment des fonctionnaires qui se destinent aux carrières d'attachés (adm. centrale, préfectures, éducation nat. ...). L'IRA de Lille forme également des fonctionnaires spécialisés dans le traitement de l'info., recrutés par C. spécial.

Concours d'entrée. *C. externe,* pour tit. d'un dipl. 2e cy. u., IEP ou équiv. ; *interne,* ca. comptant au moins 4 a. de services effectifs dans un emploi civil ou milit. (*1990 :* 866 ca. 267 ad.). *Limite d'âge* 53 a. max. à la date d'entrée en scolarité. Prépa. aux C. dans les IPAG (inst. de prépa. à l'adm. gén.) et au centre de formation prof. du min. de l'Économie, 120 rue de Bercy, 75012 Paris.

Scolarité. Formation d'1 an (adm. publ., techn. jurid. et budgétaires, gestion des ressources humaines...), rémunérée (6 200 F net/mois). Les fonct. sont détachés durant la scolarité et conservent leur indice de traitement. En fin de scolarité, ils choisissent le corps et l'adm. dans lesquels ils sont titularisés. Doivent s'engager à rester au service de l'État pendant au moins 6 a.

Stages de formation continue. Pour fonctionnaires de la région, ou étrangers.

Promotions des IRA (1990). Bastia 84, Lyon 82, Lille 116, Nantes 89, Metz 91.

Finances et Économie

Éc. nat. du cadastre (ENC). 100, chemin du Cdt Joël-Le Goff, 31081 Toulouse Cedex. *Créée* 1944. Forme des inspecteurs élèves des impôts de la division cadastre, tit. d'une lic. ; stage 18 mois ; rémunération mensuelle 7 508 F, *1990-91 :* 15 stag. ; des techniciens géomètres stagiaires, tit. du bac ; stage 18 mois ; rémun. 6 494 F, *1990-91 :* 27 stag. ; des contrôleurs stagiaires « cadastre » ; stage 12 mois ; rémun. 6 494 F, *1990-91 :* 22 stag. ; des contrôleurs stagiaires « informatique » rémun. 6 494 F, *1990-91 :* 18 stag. Pas de dipl. délivré. Les stagiaires sont titularisés dans leur emploi.

Éc. nat. de la concurrence et de la consommation (ENCC). 6, rue de St-Maur, 75011 Paris. *Eff.* 123 (f. 30 %). *Adm.* C. pour tit. lic. 1 050 ca. 500 prés. 28 places. *An.* 1. *Frais* rémun. mens. 6 000 F.

Éc. nat. des douanes (END). 74, bd Bourdon, B.P. 128, 92202 Neuilly-sur-S. *Créée* 1946. Assure form. des inspecteurs élèves des douanes. *Eff.* 127. *Adm.* C. pour tit. lic. ou DEUG, DUT, BTS et passage de la lic. 1 253 ca. 663 prés. 65 ad. *An.* 1. *Frais :* rémun. mens. 7 500 F.

Éc. nationale des impôts (ENI). 1, rue Ledru, 63000 Clermont-Ferrand ; 5, rue de Montmorency, 75003 Paris. *Eff.* 538 (f. 50,4 %). *Adm.* C. commun pour tit. lic., maîtr. ou équivalent. *Eff.* Clermont (334) et Paris (204). *An.* 18 mois. *Frais* rémun. mens. 6 900 F.

Éc. nat. de la statistique et de l'administration économique (ENSAE). 3, av. Pierre-Larousse, 92241 Malakoff Cedex. **Cadres de gestion statistique et attachés de l'INSEE.** *Eff.* 179 (f. 47 %). *Adm.* C. commun aux cadres de gestion stat. et aux attachés de l'INSEE pour tit. maths spé. ou DEUG 1 643 ca. 934 prés. 73 ad. dont 47 CGS et 26 attachés. *An.* 2. *Dipl. 90 :* 63 dont 25 attachés et 38 CGS. *Frais* 470 F. Rémun. mens. des él. fonct. 7 500 F.

Statisticiens économistes et administrateurs. *Eff.* 332 (f. 25 %). *Adm. :* pour les él. stat. éc. : C. option math. 1 000 ca., 32 pl. ; C. option éco. 180 ca., 18 pl. ; adm. sur titres (dipl. de l'Éc. polytechn., Gdes éc., maîtrise math., sciences éco.) 150 ca., 35 ad. Pour les él. adm. : anciens él. de Polytechn. 12 pl. ; C. interne (fonctionnaires) 20 ca., 3 pl. ; C. externe 80 ca., 3 pl. *An. de scolarité* 3. *Dipl. 90 :* 124 dont 15 admin. *Frais* 800 F. Rémunération mens. des él. fonctionnaires (adm.) 8 000 F.

Éc. nat. des services du trésor (ENST). 9, av. P.-Mendès-France, 77186 Noisiel. *Créée* 1946. *Eff.* env. 400 (f. 54 %). *Adm.* C. pour tit. lic. ou équivalent ou DEUG et passage lic. *C. 1990 : externe :* 3 336 ca. 1 349 prés. 294 ad. ; *interne :* 644 ca. *An.* 1 a. + 6 mois de stage. *Titularisés 88 :* 194. *Dipl. 88 :* 32. *Frais* rémun. mens. 8 700F.

☞ Écoles d'administration des affaires maritimes (EAAM), du commissariat de l'air (ECA), de la Marine (ECM), des officiers du corps technique et administratif des aff. maritimes (EOCTAAM), des officiers de la gendarmerie nat. (EOGN) : voir Index.

Éducation nationale

Inst. nat. d'ét. du travail et d'orientation professionnelle (INETOP). 41, rue Gay-Lussac, 75005 Paris. *Créé* 1928. *Eff.* 90. *Adm. 1990 :* C. pour tit. DEUG 1 092 prés. 100 ad. 60 inscrits à l'INETOP. *An.* 2. *Frais* inscription 500 F/an ; les ét. recoivent un salaire.

Justice

Éc. nat. de la magistrature (ENM). 9, rue du Mal-Joffre, 33080 Bordeaux Cedex. Antenne parisienne, 8, rue Chanoinesse 75004 Paris. *Créée* par ordonnance du 22-12-1958. *Eff.* 1re a. 180, 2e a. 203 (f. 55 %), *C. 1989 : externe :* pour tit. d'une licence, 150 postes, inscrits 1 639, présents 1 070, reçus 135 ; *interne :* 40 places, inscrits 250, présents 145, reçus 35. *Frais* les él. ou auditeurs de justice sont fonctionnaires stagiaires rémunérés : 7 071,76 F + indemnité de formation et défrayés de leurs frais de déplacement et de stages.

Police

Éc. nat. sup. de police (ENSP). 8, av. Gambetta, 69450 St-Cyr-au-Mont-d'Or. *Créée* 1941. *Eff.* 86. *Adm.* C. ext. : pour tit. d'une lic. C. interne + tour extérieur. Form. initiale et continue des comm. de police. Cat. A Ens. cat. *1989 :* 752 ca. 517 prés. 37 ad. *An.* 2 avec stage dans service actif de la police, autres administ. et entr. *Salaire mensuel* 8 195 F.

Poste et Télécommunications

Éc. nat. sup. des postes et télécommunications (ENSPTT). 37-39, rue Dareau, 75675 Paris Cedex 14. *Créée* 1888. *Eff.* 73 (f. 33 %). *Adm. Opt. : poste et France Télécom :* C. ext. pour tit. lic. ou dipl. Gdes éc. *1991 :* 10 pl. C. int. pour fonctionnaires PTT, *1991 :* 20 pl. *An.* 2,5. *Frais* scolarité rémunérée. *Adm. p.* pour les ét. étr. (8 pl. en *1990*) présentés par leur gouv., après examen. *An.* 2. Ouv. à cand. se destinant au privé (sans scolarité ENA) *1990 :* 10 pl. *An.* 1.

Santé, travail, Sécurité sociale

Centre nat. d'ét. sup. de séc. soc. (CNESSS). 27, rue des Docteurs-Charcot, 42031 St-Étienne Cedex. *Créé* 1960. *Eff.* 60 (f. 30 %). *Adm.* C. pour tit. lic. ou équivalent 893 ca. 506 prés. 66 ad. *An.* 18 mois. *Frais* fonct. rémun. mens. 7 980 F.

Éc. nat. de la santé publique (ENSP). Av. du Pr.-Léon-Bernard, 35043 Rennes Cedex. *Élèves directeurs d'hôpitaux. Eff.* 200. *Adm.* C. pour tit. dipl. de l'ens. sup. ou équivalent. *Salaire mens.* 7 540 F. *Inspecteurs des affaires sanitaires et sociales. Eff.* 60 : *Adm.* C. pour tit. dipl. niveau DEUG par l'intermédiaire des IRA 20. C. direct 40. *Sal. m.* 6 500 F. *Médecins inspecteurs de la santé. Eff.* 60. *Adm.* sur C. pour tit. dipl. docteur en médecine. *Sal. m.* 8 000 F. *Pharmaciens inspecteurs de la santé* 15. *Adm.* sur C. pour tit. dipl. docteur en pharma. *Sal. m.* 8 000 F. *Ingénieurs du génie sanitaire* 15. *Adm.* sur t. pour tit. dipl. ing., DEA, 3e cy. d'ens. sup. sc. *Assistants du génie sanitaire* 13. *Adm.* C. pour tit. DUT ou BTS sc. ou tech. *Infirmiers généraux* 60. *Adm.* C. pour tit. dipl. d'état d'infirmier + 10 ans de service effect. *Directeurs d'établ. sociaux* 25.

Institut nat. du travail, de l'emploi et de la formation profess. (INTEFP). B.P. 84, 69280 Marcy-l'Étoile.

Eff. 54 (f. 24 %). *Adm.* C. inspecteurs-élèves du travail pour tit. lic. 20 places. *An.* 18 mois. *Dipl. 83* 42. *Frais* fonct. rémun. mens. brute 8 233,17 F.

Concours administratifs

Niveau exigé. Catégorie A : niveau ét. sup., licence le plus souvent, DEUG quelquefois. **B :** niveau bac, bac + 2, DUT, BTS, parfois certificat de fin d'ét. sec. (CFES), ESEU, BT, ou capacité en droit. **C :** niveau BEPC, projet de fusion avec **D :** *Concours internes* réservés aux fonctionnaires sans condition de dipl. par voie d'inscription sur une liste d'aptitude ou au tableau d'avancement, avec certaines conditions d'âge et d'ancienneté ; *externes* ca. tit. de dipl. très sup. au dipl. demandés à cause de la situation actuelle de l'emploi.

Liste des concours. Renseignements : différentes administrations, *Journal officiel,* min. de la Fonction publique, 32, rue de Babylone, 75007 Paris (bureau des concours), l'ONISEP, 75635 Paris Cedex 13 ; Minitel 3615-ONISEP.

Clôture des inscriptions. Souvent 1 mois 1/2 avant la date des concours. Il faut parfois un dossier.

Préparations par correspondance

Centre de formation professionnelle et de perfectionnement du ministère de l'Économie et des Finances (CFPP), 139, rue de Bercy, 75572 Paris Cedex 12. Assure des prépa. à la plupart des C. internes de l'éc. et des fin., et interministériels réservés aux fonctionnaires : entrée ÉNA ; adm. au cy. prépa. aux C. d'entrée à l'ÉNA (ou préconcours) ; attaché d'adm. centrale ; 2 C. d'entrée aux IRA (recrutement des personnels affectés au traitement de l'information). C. interne de l'ENM.

Centre national d'enseign. à distance (CNED), 34, rue Jean-Bart, 59046 Lille Cedex (C. externes et internes de recrutement pour la Fonction publique d'État, territoriale et hospitalière). Voir p. 1 263b.

Cours par correspondance (enseignement privé). Renseign. : *Chambre syndicale nationale de l'enseignement privé à distance* (CHANED), 139, av. Jean-Jaurès, 75019 Paris. *Formations :* ens. primaire, secondaire, sup., BTS, formation profess., prépa. examens et dipl. officiels, culture gén., possibilité formation continue avec convention d'entreprise. 250 000 inscriptions/an dans l'ens. privé.

Instituts ou Centres de prépa à l'administration générale (CPAG). Prépa à certains C. cat. A donnant accès aux éc. de la fonction publique (IRA, éc. des Impôts, du Trésor, des Douanes, Affaires sanitaires et sociales). *Aix-en-Provence* 25, rue Gaston-de-Saporta, 13625. (Prépa. lic. d'Admin. publ., et C. commissariats de l'armée de l'Air, Terre, Marine.) *Besançon,* av. de l'Observatoire. *Brest* 20, av. Le Gorges, 29850. IEP *Bordeaux* B.P. 101, 33405 Talence Cedex. *Caen* Esplanade de la Paix. *Clermont-Ferrand I,* 36, bd Côte-Blatin. *Créteil-Val-de-Marne,* av. du G[al]-de-Gaulle. *Dijon* 4, bld Gabriel. *Grenoble* Domaine univ. St-Martin-d'Hères. *Lille* rue du Barreau, 59653 Villeneuve-d'Ascq. *Limoges* 39, rue Camille-Guérin, 34000. *Lyon* 1, rue Raulin. *Montpellier* 39, rue de l'Université. *Nancy* 4, rue de la Ravinelle. *Nantes* Chemin de la Sensive-du-Tertre, 44036. *Paris II,* 4, rue Danton. *Paris X*-Nanterre. *Poitiers* 10, rue de l'Université. *Rennes* 4, place St-Mélaine. *Strasbourg* IEP, 9, place de l'Université. *Toulouse* 2 ter, rue des Puits-Creusés. *Valenciennes,* le Mont Houry, 59300. Durée : 9 mois (12 à 13 h/sem.). *Adm.* pour tit. lic. ou maîtr.

Instituts d'études judiciaires (IEJ)

☞ Rattachés aux fac. de droit, prépa au C. externe de l'Éc. nat. de la magistrature. *Adm.* pour tit. dipl. 2e cycle, poss. inscription en 3e a. de droit. *Durée* 1 a. (6 à 12 h/sem.).

Aix-Marseille (IEJ), 3, av. Robert-Schumann, Aix-en-Provence. *Angers* (IEJ), bd Beaussier, Belle-Beille. *Besançon* (IEJ), 30, av. de l'Observatoire. *Brest* (IEJ), 1, av. Foch, 29273. *Bordeaux* (IEJ), av. Léon-Duguit, 33604 Pessac. *Caen* (IEJ), esplanade de la Paix. *Paris X* (IEJ), 200, av. de la République, bâtiment F, 92001 Nanterre. *Paris XII* (IEJ), 58, av. Didier, 94210 La Varenne-Saint-Hilaire. *Pau* (IEJ), av. du Doyen-Poplawski. *Perpignan* (CE), av. de Villeneuve. *Poitiers* (IEJ), 34, pl. de Gaulle, 86022. *Reims* (CE), 57 *bis,* rue Pierre-Taittinger. *Rennes* (IEJ), 9, rue Jean-Macé. *Strasbourg* (IEJ), 1, place d'Athènes. *Toulouse* (IEJ), place Anatole-France. Les UFR de droit de certaines fac. préparent aussi au C. d'entrée à l'ENM.

Amiens, Univ. de Picardie, rue Salomon-Malhangu. *Metz,* UFR sc. jur., Ile-de-Saulcy. *Saint-Denis-de-la-Réunion,* Centre univ., 12 rue de la Victoire. *Rouen,* bd Siegfried, BP 35, Mont-Saint-Aignan. *Clermont-Ferrand* (IEJ), 41, bd Gergovia. *Dijon* (IEJ), 4, bd Gabriel. *Grenoble* (IEJ), Bâtiment du droit, Univ. II, Domaine univ. Saint-Martin-d'Hères, BP 53 X. IEJ UFR (sc. jur. et éco.) *Lille* (IEJ), Fac. de droit, rue du Barreau, BP 169. *Limoges* (IEJ), 1, place du Présidial. *Lyon* (IEJ), 15, quai Claude-Bernard, 69007. *Martinique-Guyane,* Campus univ. Schoelcher, 97206 Fort-de-France. *Montpellier* (IEJ), 39, rue de l'Université. *Nancy* (IEJ), 13, place Carnot. *Nantes* (CEJ), chemin de la Sensive-du-Tertre. *Nice* (CEJ), av. Émile-Henriot. *Orléans* (IEJ), Univ. de droit, route de Blois. *Paris I* (CEJ) et *II* (IEJ), 12, pl. du Panthéon, bureau 212. *Paris V* (IEJ), 10, av. Pierre-Larousse, Malakoff.

Nota. – De nombreux min. ont leurs propres centres de formation au sein desquels ils assurent la préparation aux concours de leurs agents.

Écoles normales supérieures

☞ Les ENS regroupent 3 000 élèves environ.

Prépa. : 2 a. *Filières principales :* pour C. scientif., maths sup. et maths spé. (hypotaupe, taupe) M', P', biologie, T,TA pour C. littéraires, lettres sup. et première sup. (hypokhâgne, khâgne). **Adm. directe en 2e a. :** pour C. bio. et info. Ulm pour tit. maîtrise. **3e a. :** pour C. scient. et techno. Cachan pour tit. maîtrise ou dipl. ing. en vue prépa. agrég. ou recherche. Accueil auditeurs libres et ét. étrangers. Ne délivrent pas de dipl. sauf DEA cohabilités. *An.* 4. **Cursus type :** 1re a. lic., 2e a. maîtrise, 3e a. agrég., 4e a. recherche, DEA. *Nombre d'él. admis en 1990 dans les ENS :* 688. El. fonctionnaires-stagiaires, *traitement brut mens.* env. 8 000 F. *Formation* de chercheurs et de prof. (ens. sup., post-bac, second degré). *Agrég. 89 :* lettres 180 normaliens ad., sc. 191 ad., techno. 132 ad., arts 5 ad.

Éc. normale sup. (ENS). 45, rue d'Ulm, 75005 Paris ; 48, bd Jourdan, 75014 Paris et 1, rue Maurice-Arnoux, 92120 Montrouge. Éc. provenant de la fusion de l'ENS (Ulm), *fondée* 30-10-1794 par la Convention, et de l'ENS de jeunes filles (« Sèvres »), fondée 1881. *Eff.* 892 (dont 8 à titre étranger). *Adm. 1990 :* C. propre à l'école ; *Lettres* 98 reçus, *Sciences* 93 reçus. **Élèves illustres :** Alain (Émile Auguste Chartier, dit), Raymond Aron, Henri Bergson, Léon Blum, Henri Bonnet, Émile Borel, Célestin Bouglé, Robert Brasillach, Pierre Brossolette, Jérôme Carcopino, Élie Joseph Cartan, Jean Cavaillès, Aimé Césaire, Jean-Pierre Changeux, Yvonne Choquet-Bruhat, Catherine Clément, Alain Connes, Victor Cousin, Hubert Curien, Gérard Debreu, Laurent Fabius, Roger Fauroux, André François-Poncet, Numa Denis Fustel de Coulanges, Pierre Gaxotte, Maurice Genevoix, Pierre de Gennes, Jean Giraudoux, Jean Guéhenno, Lucien Herr, Édouard Herriot, Jean Jaurès, Alfred Kastler, Annie Kriegel, Paul Langevin, Ernest Lavisse, Jean Leroy, Gabriel Lippmann, Maurice Merleau-Ponty, Jean Mistler, Louis Neel, Paul Nizan, Philippe Nozières, Louis Pasteur, Charles Péguy, Jean Perrin, Alain Peyrefitte, Georges Pompidou, Madeleine Rebérioux, Théodule Armand Ribot, Mme Rivière (1re femme reçue à Ulm et Sèvres), Romain Rolland, Jules Romains (Louis Farigoule, dit), Paul Sabatier, Danielle Sallenave, Jean-Paul Sartre, Laurent Schwartz, Jean-Pierre Serre, Michel Serres, René Thom, André Weil, Simone Weil, etc., dont 9 prix Nobel, 4 médailles Field, 6 prix Wolf.

Éc. normale sup. de Cachan (ex. ENSET : Éc. normale sup. de l'Ens. techn.). 61, av. du Président-Wilson, 94235 Cachan Cedex. *Créée* 1912. *Eff.* 1 100. *Adm. 1990 :* sur C. 5 359 ca. 284 ad. Sc. de base 88 reçus. Sc. pour l'ing. 108. Arts, création, indust. 15. Sc. éco., soc. et de gestion 73. Dipl. agrég. et thèse.

Éc. normale sup. de Fontenay-Saint-Cloud, 31, av. Lombart, 92260 Fontenay-aux-Roses et av. de la Grille-d'Honneur, le Parc, 92211 Saint-Cloud. *Créée* 10-7-1987, fusion des sections Lettres et Sciences humaines de l'ENS de Fontenay (*fondée* 1880) et de l'ENS de Saint-Cloud (*fondée* 1882). *Adm.* sur C. pour tit. bac + 2, 1 800 ca. 112 ad. **Élèves illustres :** Yvan Audouard, André Bazin, Jean-Claude Carrière, Serge Feneuille, Alain Finkielkraut, Paul Fournel, Michel Gaillard, Anne Carreta, Marguerite Gentzbittel, René Gilson, André Glucksmann, Pierre Goubert, Pascal Lainé, Bruno Le Dref, Bernard Lepetit, Maurice Nadeau, Philippe Némo, Daniel Roche, Michel Vovelle.

Éc. normale sup. scientifique de Lyon. Regroupe les sections scientifiques des ENS de Fontenay et Saint-Cloud.

Écoles nationales vétérinaires (ENV)

☞ Concours sans limite d'âge, ouvert aux tit. bac, BTSA, DUT, équivalence. Ca. peuvent se présenter autant de fois qu'ils le désirent. *1990 :* 2 201 ca. 460 ad. Il y a 24 cl. prépa. *An.* 4. *Frais* 1 350 F/trim. *Débouchés* 7 000 vét. en Fr., 80 % prof. lib., 20 % dans labo., industrie, administr. publique.

ENV d'Alfort (ENVA). 7, av. du G[al]-de-Gaulle, 94704 Maisons-Alfort Cedex. *Fondée* 1765 par Claude Bourgelat (1712-79). *Eff.* 512 (f. 54 %). **Élèves illustres :** Camille Guérin, Gaston Ramon.

ENV de Lyon (ENVL). 1, av. Bourgelat, BP 83, 69280 Marcy-l'Étoile. *Créée* 1762 par Claude Bourgelat. *Eff. 89-90 :* 534 (f. 38,97 %). *Frais 89-90 :* 3 228 F. *Centres :* nat. d'information toxicologique vét. (CNITV) ; de tutelle de chiens-guides d'aveugles ; d'information sur les an. de labo. (collabore avec Fondation Mérieux) (CIAL) ; Sté des sc. vét. et de méd. comparée de Lyon.

ENV de Toulouse (ENVT). 23, chemin des Capelles, 31076 Toulouse Cedex. *Créée* 1828. *Eff.* 538 (f. 40 %). Formation postuniversitaire : 5 CES, 2 DEA, 1 DU, ophtalmologie vétérinaire - anatomie pathologique des an. de labo, hématologie et biochimie clinique an., traumato-ostéoarticulaire, hygiène dans les industries d'aliments d'origine an. *Périodique :* Revue de médecine vétérinaire.

ENV de Nantes (ENVN). Case postale 3013, 44087 Nantes Cedex 03. *Fondée* 1979. *Eff.* 529 (f. 46 %).

Écoles artistiques

Écoles d'architecture

☞ 3 diplômes : dipl. de l'Éc. nat. sup. des arts et industries (ENSAIS), dipl. de l'Éc. spé. d'architecture (ESA) et dipl. des Écoles d'architecture [nom dep. 1984 des UPA (Unités pédagogiques d'architecture) créées 1968]. Les ét. d'architecte DPLG durent 5 ans en 2 cy. comprenant respectivement 8 et 12 certificats + travail personnel, seules les écoles d'architecture délivrent le DPLG ; toutes les écoles sont des établissements publics.

- **Écoles d'architecture. Paris [1] :** 11, quai Malaquais, 75006. 1, rue Jacques-Callot, 75006. 5, rue Javelot, 75013. 69, rue du Chevaleret, 75013. 144, rue de Flandre, 75019. **Paris la Défense :** 58, avenue Salvador-Allende, 92023 Nanterre Cedex. **Versailles :** 2, av. de Paris, 78000. **Charenton-le-Pont :** 11, rue du Séminaire-de-Conflans, 94220. **Bretagne :** 42-44, bd de Chézy, 35000 Rennes. **Bordeaux :** domaine de Raba, 33405 Talence Cedex. **Clermont-Ferrand :** 71, bd Côte-Blatin, 63000. **Grenoble :** 10, galerie des Baladins, 38100. **Languedoc-Roussillon :** rue n° 1, Plan des 4-Seigneurs, 34000 Montpellier. **Lille et région Nord :** rue Verte, quartier de l'Hôtel-de-Ville, 59650 Villeneuve-d'Ascq. **Lyon :** 3, rue Maurice Audin, 69120 Vaulx-en-Velin. **Marseille-Luminy :** 70, route Léon-Lachamp, 13288 Marseille Case 912. **Nancy :** Chemin de Remicourt, 54660 Villiers-lès-Nancy. **Nantes :** « La Mulotière », rue Massenet, 44300. **Normandie :** 27, rue Lucien-Fromage, 76160 Darnetal. **St-Étienne :** 1, rue Buisson, 42000. **Strasbourg :** 8, bd Wilson, BP 37, 67068 Str. Cedex. **Toulouse :** 83, rue Aristide-Maillot, 31100.

Nota. – (1) Statut d'établ. public.

- **ENSAIS,** Éc. d'ing. avec formation parallèle archi. (Voir Éc. C. Arts et Métiers).
- **Ensemble universitaire de l'Éc. spéc. d'Architecture (ESA) et de l'Union centrale des Arts décoratifs (UCAD).** *Créé* oct. 1988, rassemblant, 266, bd Raspail, 75014 Paris, 3 écoles.

Éc. spéciale d'architecture (ESA). *Créée* 1865 par E. Trélat. *Eff.* 700 (f. 65 %, étr. 35 %). Éc. privée, association reconnue d'utilité publ. *Adm.* sur examen (sessions juin, juil. et sept.) : en prépa. pour ca. de – de 20 a. n'ayant pas le bac ; en 1re a. pour les autres (*1990 :* 210 ca. 103 ad.). *Cursus* 2 cycles de 2 a., 3 mois de stages et 1 a. pour le dipl. Échanges avec éc. d'archi. de Dublin, Düsseldorf, Milwaukee post. dipl. et DESS. *Dipl.* Architecte DESA, reconnu par

État et CEE. *Frais* (90-91) 30 000 F. *Professeurs illustres :* Mallet-Stevens, Auguste Perret, H. Prost, P. Virilio. **Élèves illustres :** J.-P. Philippon, F. Borel, Y. Lamblin, L. Ruspantini, P. Lankry.

Éc. Camondo (Union centrale des Arts décoratifs). Reconnue par l'État 27-1-89. *Créée* 1944. *Eff.* 300 (f. 65 %) Éc. d'architecture d'intérieur et design de prod. d'environnement. *Adm.* 1re a. sur dossier + C. + entretien pour tit. bac ou niveau terminale (*1990 :* 257 ca., 100 ad. 75 inscrits). *Adm. p.* 2e et 3e a. sur dossier + entretien pour tit. d'un dipl. d'une école d'art ou d'architecture (*1990 :* 10 ad.). *Dipl. 90 :* 43. *An.* 5. *Frais* 30 800 F/an. **Élèves illustres :** Marie-Christine Dorner, Pierre Paulin, Patrick Rubin, Philippe Starck, Jean-Michel Wilmotte.

Éc. sup. de communication visuelle (ESCV). *Eff.* 200.

• **École d'architecture Paris la Défense.** 41, allée Le Corbusier, 92023 Nanterre Cedex. *Créée* 1969. *Eff.* 450 (f. 75 %, étr. 25 %). *Adm.* bac ou équiv. *Dipl. 87 :* 41. *An.* 5. *Professeur illustre :* G.H. Pingusson. **Paris la Seine :** 14, rue Bonaparte, 75006 Paris. *Créée* 1975. *Eff. (88-89)* 757. *An.* 5. **Bordeaux :** Domaine de Raba, 33405 Talence Cedex. *Eff.* 671 (13 % étrang.). *Dipl. 90 :* 49. *An.* 5. **Lille :** Quartier de l'Hôtel-de-Ville, rue Verte, 59650 Villeneuve-d'Ascq. *Eff. (90-91)* 557 dont 45 étrang. *Dipl. 90 :* 52. *An.* 6. **Marseille, Luminy :** 184, av. de Luminy, 13288 Cedex 9. *Eff. 814* 1re cy. 376 (étr. 19), 2e cy. 343, 3e cy. 95. *Dipl. 89 :* 70. *An.* 5. **Nantes :** Rue Massenet, 44300. *Créée* 1969. *Eff.* 581 (f., étr. 55). *Dipl. 90 :* 62. *An.* 5. **École d'architecture de Bretagne :** Rennes, 42-44, bd de Chézy, 35000. *Eff.* 345 (étr. 5,48 %). *Dipl. 89 :* 22. *An.* 5. *Professeur célèbre :* Lefort. **St-Étienne :** 1, rue Buisson, 42000. *Créée* 1971. *Eff. (89-90)* 274. *Dipl. 88-89 :* 20. *An.* 5. *Professeur célèbre :* O. Niemeyer. **Toulouse :** Av. Aristide-Maillol, 31100. *Créée* 1968. *Eff.* 756 (étr. 14 %). *Dipl. 87* 117.

Écoles d'art

Écoles générales

Éc. du Louvre. 34, quai du Louvre, 75001 Paris. *Créée* 1882 par L.-F. Nicod de Ronchaud. *But :* former des spécialistes des œuvres et objets d'art, de leur conservation, et de leur mise en valeur (élèves) ; ouvrir l'accès de l'œuvre d'art au plus large public (auditeurs). *Élèves :* adm. bac. *Ens.* histoire de l'art et archéologie, épigraphie, hist. des techniques des styles, des collections, muséologie. *Dipl.* de 1er cycle, DES, dipl. de recherches. *1988-89 :* 2 583 inscrits ; 1er cycle (3 ans) : 2 167 ; 2e cy. (1 an) 155 ; 3e cy. 261 (préparent thèse en 3 ans). **Autres ens. :** cours du soir ; d'été ; des commissaires-priseurs ; de la Ville de Paris, de province (Amiens, Angers, Bayonne, Bordeaux, Caen, Colmar, la Réunion, Lyon, Marseille, Metz, Nancy, Nice, Orléans, Rouen).

Éc. nat. sup. des Arts décoratifs (ENSAD, dite **« Arts déco »).** 31, rue d'Ulm, 75005 Paris. *Fondée* 10-9-1766 par Jean-Jacques Bachelier (1724-1806). *But :* former des créateurs artistiques aptes à intervenir dans la conception et la réalisation du cadre de vie. *Eff.* 684. *Adm. C. 1989 :* 1er degré 1 012 inscrits. 87 ad. 2e : 375 inscrits 83 ad. *An.* 4 (1er degré : 1 a. ; 2e : 3 a.) pour dipl. d'État. *Dipl. 89 :* 100. *Frais* 400 F. avec mention de spécialisation. **Élèves illustres :** Claude Autant-Lara, Michel Boisrond, Christian-Jaque, J. Philippe Delhomme, J. Christophe Desnoux, Hervé Di Rosa, Fantin-Latour, J.-Paul Goude, Hector Guimard, René Lalique, Aristide Maillol, Louis Majorelle, Albert Marquet, Henri Matisse, Mellerio, Jean Mulatier, Anne et Patrick Poirier, François Pompon, Auguste Renoir, Patrice Ricord, Auguste Rodin, Sofia Rostad, Georges Rouault, Jérôme Savary, Paul Signac, Sisley, Jacques Tardi, Martin Veyron.

Éc. nat. sup. des Beaux-Arts (ENSBA). 17, quai Malaquais, 75006 Paris. *Créée* à partir des Académies royales de peinture et de sculpture (1648) et d'architecture (1671), réorganisée 1969 et 1984. *But :* formation d'artistes créateurs [dessin, peinture, sculpture, gravure, pratiques multi-médias]. *Eff.* 858 (f. 60 %). *Adm. :* non. bac. 1 présent., bac. 3 présent. *1990 :* 780 ca. en pré-ad. 84 ca. à admission, 42 ad. + 9 sur dossier. *Dipl.* 119. *An.* 5. *Frais* 550 F. **Élèves illustres :** Van Loo, Falconet, Houdon, Largillierre, Watteau, Lancret, Boucher, Fragonard, David, Géricault, Delacroix, Devéria, Ingres, Rude, Courbet, Corot, Degas, Camoin, Marquet, Rouault, Delaunay, Matisse, Manguin, Braque, Bonnard, Dufy, César, Topor, Buren, Rouan, Buffet, Kermarrec, Buraglio, Paco Rabanne.

Éc. nat. de province. *Eff.* 853 (413 h. + 440 f.). *Adm. C. 86 :* 74 (inscrits 1 459). *Dipl. d'État de décorateur 86 :* 124. *Frais* 250 F. **Aubusson :** Éc. nat. d'art décoratif, place Villeneuve. **Bourges :** Éc. des beaux-arts et arts appliqués à l'industrie, 7, rue Édouard-Branly. **Cergy-Pontoise :** Éc. nat. d'art, 2, rue des Italiens, parvis de la Préfecture. **Dijon :** Éc. nat. des beaux-arts, 3, rue Michelet. **Limoges :** Éc. d'art décoratif, 8, place Winston-Churchill. **Nancy :** Éc. nat. des beaux-arts et arts appliqués, 1, av. Boffrand. **Nice :** Éc. d'art décoratif, 20, av. Stéphen-Liégeard.

Éc. régionales et municipales d'art. Environ 40. Délivrent un diplôme supérieur et assurent une préparation aux diplômes nationaux.

Écoles d'arts appliqués

☞ Mise en place dep. 1983 d'un diplôme supérieur d'arts appliqués (DS) dans 4 écoles d'arts appliqués. *Durée* 2 a.

Éc. sup. des arts appliqués aux ind. de l'ameublement et de l'architecture intérieure Boulle. 9, rue Pierre-Bourdan, 75571 Paris Cedex 12. *Créée* 1886. Cl. prépa. pour BTS Arts appliqués : *Adm.* sur dossier + tests él. bacheliers. Prépa BTn F. 12 : *Adm.* sur dossier après cl. de 3e. DMA, meuble, bronze, orfèvrerie : *Adm.* fin de 3e sur dossier + tests. [*An.* 5 (3 a. études sec., 2 a. dipl.)] et *adm.* après la Terminale sur dossier + tests [*An.* 3 (1 a. mise à niveau métiers d'art, 2 a. dipl.)]. Archit. intér. et expression visuelle : *Adm.* sur dossier pour tit. bac F 12 ou cl. de mise à niveau ou BT Arts appliqués (BTS : 2 a., archit. int. DSAA, 2 a). Productique « bois » et agencement : *Adm.* sur dossier tit. B-T ou bac technol. *Frais* gratuit.

Éc. nat. sup. des arts appliqués et des métiers d'arts (ENSAAMA). 63, rue Olivier-de-Serres, 75015 Paris. *Créée* 1969. DS arts appliqués, BTS, DMA. *Adm. 1989 :* sur doss. après bac. 7 % ad. *Eff. 1991 :* 703. *Formations :* arts industriels (design, céram. indus., sculpture appliquée, etc.), communication visuelle (graphisme, édition, pub., p.l.v., etc.), environnement (architecture int., décor mural, etc.). *An.* 2. *Frais* gratuit.

Éc. sup. des arts appliqués Duperré. 11, rue Dupetit-Thouars, 75003 Paris. *Créée* 1856. DS arts appliqués, mode-environnement, BTS, DMA du textile (broderie, tapisserie, tissage-maille) et de la céramique artisanale. *Adm.* sur dossier. *Frais* gratuit.

Éc. sup. des arts et ind. graphiques Estienne. 18, bd Auguste-Blanqui, 75013 Paris. *Créée* 1889. Post-collège : Bac F 12, BT Industries graphiques. Cycle des Métiers d'art (Sec., 1re, Terminale). Post-bac : BTS Edition, BTS Expression visuelle et Industries graphiques, DMA Gravure, Reliure, Illustration. Post-BTS/DUT : DS des Arts appliqués : Arts et techniques de la communication. Formation d'infographie (créée 1990). *Eff. 1991 :* 550. *Adm.* sur dossier (8 %). *Frais* gratuit.

Ec. sup. des arts et techniques de la Mode (ESMOD). 18, bd Montmartre, 75019 Paris. *Fondée* 1841. *Adm.* niveau bac. *An.* 3, stages. *Frais* 30 000 F. 12 établissements dont 5 en France et 7 à l'étranger.

Audiovisuel

Inst. de formation et d'ens. pour les métiers de l'image et du son (FEMIS). 13, av. du Pdt-Wilson, 75116 Paris. *Adm.* C. *7 options :* écriture de scénario, réalisation, image-effets spéciaux, montage, décocostume-maquillage, admin.-direc. de product.-promo. Ens. permanent : analyse de film et vidéo. *An.* 3.

Éc. nat. Louis-Lumière. Rue de Vaugirard, BP 22, Marne-la-Vallée, 93161 Noisy-le-Grand Cedex. *Créée* 1926 par Louis Lumière et Léon Gaumont. *But :* formation initiale des collaborateurs de création, techniciens sup. de la photo, de l'image et du son : BTS photo, BTS Cinéma. *2 options :* image et son. *Formation continue :* stages individuels ou interentreprises – Promotion sociale (BTS). *Eff.* 136. *Adm. 1989 :* bac C, D ou F + C., 68 reçus sur 1 522 ca. *An.* 2. *Frais* gratuit. Changement de statut en cours. **Élèves célèbres :** Jean-Louis Bertucelli, Serge Bourguignon, Philippe de Broca, Jacques Demy, Alex Joffé, Paul Paviot, Bob Swaim, Pierre Tchernia, Philippe Agostini, Jean Boffety, Jean Bourgoin, Ghislain Cloquet, Henri Decae, Wladimir Ivanov, Jack Lang, Pierre Lhomme, Louis Miaillé, Jacques Robin, Edmond Séchan, Sacha Vierny, Fred Zinnemann, Jean-Jacques Annaud.

Éc. nat. de la photographie (ENP). 16, rue des Arènes, BP 149, 13631 Arles Cedex. *Créée* 1982 par Alain Desvergnes. *Eff.* 90 (f. 47 %). *Adm.* C. pour tit. bac + prépa. 240 ca. 30 ad. *An.* 3. *Frais :* 1 300 F.

Préparations

Beaux-Arts. *Quelques cours. Ateliers de Sèvres,* 47, rue de Sèvres, 75006 Paris. *Académie Charpentier,* 2, rue Jules-Chaplain, 75006 Paris. *ESAG,* 31, rue du Dragon, 75006. *Atelier A. Leconte,* 37, rue Froidevaux, 75014. *CFA Baudry,* 25, passage d'Enfer, 75014. *Éc. Clouet,* 19, rue St-Antoine, 75004. *Atelier Corlin,* 7, rue E.-Dubois, 75014. *Académie des Grandes Terres,* 5, rue de Charonne, 75011. *Lycée de Sèvres,* 21, rue Lederman, 92310. *Éc. nationales, régionales et municipales d'art.*

Audiovisuel. *UER de Lille III,* quartier du Pont-de-Bois, BP 149, 59653 Villeneuve-d'Ascq. *Univ. d'Aix-en-Pr.,* 29, av. Robert-Schumann, 13621. *Paris I, III, VII Jussieu, VIII St-Denis, X Nanterre. Assoc. arts et techniques du cinéma et de la télév.,* IDA, 30, rue Henri-Barbusse. *ESRA* (Éc. sup. de réalisation audiovisuelle), 137, av. Félix-Faure, 75015 Paris.

Musique

☞ Établissements d'enseignement musical contrôlés par l'État et, entre parenthèses, effectifs (1984-85). **Établissements** (total effectifs 164 347). Conservatoires nationaux de région : 31 (44 096), écoles nat. de musique : 82 (65 251), écoles municipales agréées : 134 (55 000).

Conservatoires nationaux supérieurs

Conservatoire nat. sup. de musique. 14, rue de Madrid, 75008 Paris. *Créé* 3-8-1795 (16 thermidor an III) par Bernard Sarrette (1765-1858). *But :* ens. de musique, art lyrique, danse, composition, formation des musiciens professionnels. Ne reçoit pas de débutants. *Eff.* 1 143 (501 f.). *Adm. 1987 :* sur C. 328 reçus sur 2 699 ca. *An.* 3 à 5 selon les disciplines. *Dipl. :* récompenses qui ne sont pas attribuées systématiquement (1er prix, 2e prix, diplôme avec ou sans mention, 1er accessit, 2e acc., 1re médaille, 2e méd., 3e méd., certificats avec ou sans mention). 284 1ers prix et 100 2e prix des origines à 1983. *Frais* inscr. 110 F, immatr. 300 F.

Conservatoire nat. sup. de musique de Lyon. 3, quai Chauveau, 69009 Lyon. *Créé* 1979 par Pierre Cochereau (1924-84). *But :* ens. sup. pour musiciens et danseurs, formation de musiciens profess., et culture générale. *Eff.* 380. *Adm.* sur C. *Dipl.* DNESM (dipl. ét. sup. music.). DNESC (dipl. ét. sup. choré.). *An.* 3 ou 4. *Frais* 750 F inscript.

Préparation au conservatoire de musique

Cours privés : *Éc. normale de musique,* 114 bis, bd Malesherbes, 75017 Paris ; *Schola Cantorum,* 269, rue St-Jacques, 75005 Paris ; *Éc. César-Franck,* 8, rue Git-le-Cœur, 75006 Paris. *Conservatoires nationaux de région* (25 CNR) : liste au min. de la Culture, Dir. de la Musique, 53, rue St-Dominique, 75007 Paris. *Conservat. municipaux de 1er degré. Éc. nat. de musique* (40 ENM).

Théâtre

Conserv. nat. sup. d'art dramatique de Paris (CNSAD). 2 bis, rue du Conservatoire, 75009 Paris. *Créé* 1784. *Eff.* 73 (f. 50 %). *Adm. C.* sans condition de dipl. mais avec un bon niveau (*1990 :* 830 ca. 24 ad.). *An.* 3. *Frais* scolarité 600 F + inscription (*91*) 300 F + séc. soc. et frais méd.

Éc. nat. sup. des arts et techniques du théâtre (ENSATT). 21, rue Blanche, 75009 Paris. *Eff.* 150 (f. 52 %). *Adm.* sur C. pour comédiens (nécessite une expérience) ; autres secteurs (régie, décoration, éclairage, costume) : titulaire du bac. section enseignement Technique (machiniste, habilleur), CAP ou BEP. 1 214 ca. 72 ad. *Dipl. 87 :* 157. *An.* 3 pour comédiens, machinistes et habilleurs, 2 pour autres sections. *Frais* gratuit.

Éc. sup. d'art dramatique du théâtre nat. de Strasbourg (ESAD du TNS, dite **« École de Strasbourg »).** B.P. 184 R 5, 67005 Strasbourg Cedex. *Créée* 1954. *Eff.* 41 (femmes 50 %). *Adm.* sur C. Auditions pour les comédiens ; sur dossier, avec sujet imposé pour les régisseurs et décorateurs. *1990 :* 20 ad. *Dipl. 90 :* 13. *An.* 3 pour les comédiens et décorateurs, 2 pour les régisseurs. *Frais* gratuit.

Écoles de transport

Éc. nat. de la marine marchande. *Adm. par C.* sélection sur épreuves pour tit. bac ou équiv., *1990 :* 100 pl., 350 ca. *Frais* gratuit. **Le Havre :** 66, route du Cap, 76310 Sainte-Adresse. *Eff.* 184. **Marseille :** 39, av. du Corail, 13285 Marseille. *Eff.* 156. **Nantes :** rue Gabriel-Péri, 44053 Nantes. *Eff.* 233. **St-Malo :** rue de la Victoire, 35402 St-Malo. *Eff.* 95. *Prépa* dite « hydro » en 1re a. env. 30 % des ad. : N.-D. des Flots, Cancale ; Ec. de Kersa, Paimpol ; Cours Bellevue (ens. par correspondance), Nantes.

École de préparation à la direction du transport routier (EDTR). Monchy St-Eloi, 60290 Rantigny. *Créée* 1979. *Adm.* sur C. avec bac C, D, G (18-25 ans, h. et f.). *An.* 2. Internat possible. *Dipl.* de fin d'études. *Eff.* promo. 45.

Écoles de la communication

Journalisme

Centre de formation des journalistes. 33, rue du Louvre, 75002 Paris. *Créé* 1946. *Eff.* 112 (f. 50 %). *Adm.* C. pour tit. DEUG (et moins de 21 a.) ou lic. (moins de 23 a.). 725 ca. 56 ad. *An.* 2. *Frais* 3 350 F. Section « Journaliste reporteur d'images » (6 ad./an). Filière européenne (7 ad., étrangers tit. d'un dipl. journaliste et 2e a. CFJ). **Élèves connus :** Jacques Abouchar, Paul Amar, Julien Besançon, Jean-Claude Bourret, Philippe Gildas, Claude Guillaumin, Jacques Isnard, Patrick Lesane, Bernard Pivot, Patrick Poivre d'Arvor, Michel Tardieu.

Centre univ. d'enseign. du journalisme (CUEJ). 10, rue Schiller, 67083 Strasbourg Cedex. *Créé* 1957. *Eff.* 107 (f. 50 %). *Adm.* tit. DEUG ou équiv. sur C. 384 ca. 48 ad. MST journalisme et techn. de l'information *(An.* 2) 13 ad. Magistère management de l'information (*An.* 3). *Dipl. 90 :* 38. *Frais* env. 2 000 F. Formation journaliste-reporter d'images (1 an) sur C. pour diplômés d'une éc. de journalisme ou Bac + 5 ans minimum exp. journalistique.

Éc. sup. de journalisme de Lille. 50, rue Gauthier-de-Châtillon, 59046 Lille Cedex. *Créée* 1924 (l'une des 1res en Europe). *Eff. 90-91 :* 111 originaires de 14 pays (f. 58 %). *Adm.* C. pour tit. DEUG ou équiv. âgés de – de 23 a. le 31-12 de l'année de leur 1re candidature (2 ca. possibles, consécutives ou non). *1990 :* 612 ca. 45 ad. *An.* 2. Stage de 2 mois entre les 2 a. d'études. *Frais 90-91 :* 9 840 F.

A Paris, et en province (Strasbourg par ex.), il existe beaucoup d'autres écoles (mais non nat.).

Inst. sup. libre des techniques avancées de l'information et des médias (ITAIM). Faculté libre des sciences de la communication, 87 *bis,* rue Carnot, 92300 Levallois-Perret. *Créé* 1984. *But :* prépa. au journalisme. *Eff.* 30 (f. 60 %). *Adm.* sur C. pour tit. bac 35 ca. 11 ad. *Adm.* 2e a. pour tit. d'1 ou 2 a. de DEUG ou équiv. 25 ca. 15 ad. ; 3e a. pour tit. lic., maîtr. ou équiv. 10 ca. 10 ad. *An.* 3, 2 ou 1 a. selon dipl. *Dipl. 90 :* 2. *Frais 90-91 :* 22 500 F.

Institut supérieur de publicité et de communication de l'entreprise (dite « Sup. de Pub. »). *Créé* 1986.

IUT de Bordeaux-Talence. *An.* spé. pour prépa. DUT journalisme. *Adm.* dossier + entretien. 40 élèves.

Formations mixtes

Éc. française des attachés de presse et des professionnels de la communication (EFAP). 61, rue Pierre-Charron, 75008 Paris. *Fondée* 1961 par Denis Huisman. *Filiales* Lyon, Bruxelles, Abidjan, New York, Lisbonne. *Adm.* tit. bac.

Éc. des hautes ét. en sc. de l'information et de la communication (CELSA). Voir p. 1 286c.

Inst. français de presse et de sc. de l'information (IFP). UFR de l'Univ., Paris II, 92, rue d'Assas, 75006 Paris. *Créé* 1957. *Eff.* 585. *Adm.* en information et comm. : DEUG et test ; licence (205 pl.), maîtrise (130 pl.). En année du diplôme : niveau maîtrise (172 pl.). *Ens. 3e cy.* DEA (45 pl.), DESS (33 pl.), maîtrise et formation spécialisée : adm. sélective (dossier et sélection). *An.* 1 à 3. *Dipl. 89 :* 56 (Dipl. en lic. *1989-90 :* 138 ; en maîtr. *1989-90 :* 89).

Inst. des sc. de l'information et de la communication (ISIC). Département de l'université Bordeaux III. Domaine univ., esplanade Michel-Montaigne, 33405 Talence Cedex. *Eff.* env. 450. *Adm.* maîtrise des sc. et techn. (journalisme, prod. audiovisuelle) : DEUG + ex. (certif. prépa.) ; DESS (communic. des organisations) : maîtrise + dossier + entr. ; DEA (inform. et com.) : maîtrise + dossier ; DU 3e cy. (analyse des médias et audiences) : maîtrise + dossier. Frais : d. u.

Relations publiques

Inst. sup. libre d'enseign. des relations publiques (ISERP). Faculté libre des sciences de la communication. 87 bis, rue Carnot, 92300 Levallois-Perret. *Créé* 1980. *Eff.* 280 (f. 75 %). *Adm.* sur C. pour tit. bac 305 ca. 80 ad. *Adm. p.* 2e a. sur C. pour tit. DEUG 80 ca. 75 ad. ; 3e a. pour tit. lic. 40 ca. 38 ad. et a. spé. pour tit. DESS, DEA (sélect. sur dossier) 2. *An.* 4 à 1. *Dipl. 90 :* 25 DSR + 41 certifiés. *Frais 1990-91 :* 22 500 F.

Relations internationales

Inst. d'ét. des relations intern. (ILERI). 12, rue des Saints-Pères, 75007 Paris. *Créé* 1948. *Eff.* 600. *Adm.* tit. bac sur dossier + entretien, + test de langue. *Adm.* pour tit. bac + 2 sur dossier + entretien. *An.* 4. *Dipl. 90 :* 95 DES (dipl. d'ét. sup.), 85 DSR (dipl. sup. de recherche). *Frais* 27 000 F.

Bibliothécaires et documentalistes

Éc. nat. sup. des bibliothécaires (ENSB). 17-21, bd du 11-Novembre-1918, 69623 Villeurbanne Cedex. *Créée* 1962. *Eff.* 140 (fr. et étr.). *Adm.* C. pour tit. lic. min. *An.* 1. *Formation* continue 26 stagiaires. *Dipl.* 2 : sup. de bibliothécaire et dipl. univ. (DESS ou DEA). *Frais* fonct. rémun. mens. 6 400 F, él. non fonction. 600 F droit d'inscr.

Inst. nat. des techniques de la documentation (INTD) (CNAM). 2, rue Conté, 75003 Paris. *Créé* 1950. *Eff.* 68 (femmes 85 %). *Adm.* C. pour tit. maîtr. 350 ca. 66 ad. *An.* 1. *Dipl. Frais* env. 12 000 F. *Adm. :* DEA sc., droit éco., ing. Mastère en management de l'info. stratégique. *Eff. 90 :* 12. *An.* 14 mois. *Frais* env. 20 000 F.

Interprétation et traduction

Éc. sup. d'interprètes et de traducteurs (ESIT). Centre univ. Dauphine, place du Maréchal-de-Lattre-de-Tassigny, 75116 Paris. *Eff.* 400. *Adm. section trad.* tit. DEUG ou équivalent sur examen. *An.* 3. *Dipl. :* DESS de trad., *section interpr.* tit. lic. ou équivalent sur tests d'ad. + 18 mois à l'étranger. *Dipl. :* DESS d'interprète de conférence. *An.* 2. *Magistère* tit. DEUG ou équivalent sur examen et tests d'ad. *Dipl. :* magistère d'interprétation simultanée. *An.* 3. *Frais* 2 500 à 3 000 F.

Éc. sup. de cadres (interprètes-traducteurs) (ESU-CA). 5, allée Antonio-Machado, 31058 Toulouse Cedex. *Créée* 1969. *Eff.* 70 (f. 85 %). *Adm.* C. pour tit. DEUG langues ou lettres modernes (anglais obligatoire) 70 ca. 37 ad. *An.* 2. *Dipl. 90 :* 22/25. *Frais* d. u. Stage en entreprise (1 mois) ; en université étr. (3 mois).

Inst. sup. d'interprétation et de traduction (ISIT). 21, rue d'Assas, 75270 Paris Cedex 06. *Créé* 1957. *Eff.* 523. *Adm.* tit. bac, BTS, DEUG, licence + C. (40 % adm.). *An.* 4, 3 ou 2. Paris XI. *Section interprétation de conférence. Adm.* tit. dipl. gén. de l'ISIT, maîtrise, diplôme équivalent + test (30 % adm.). *An.* 2. *Dipl. 88 :* 95 dont 3 d'interprète. *Frais* 1er cy. 16 000 F/a., 2e cy. 18 500 F/a., interprétation 12 500 F/a.

Entraînements Dale Carnegie. *Fondé* 1912 à New York par Dale Carnegie (1889-1955), en 1964 en France, 2, rue de Marly, 78150 Le Chesnay. 25 centres de formation en France. *Eff. 90 :* 4 000. Développement de la personnalité fondé sur l'expression orale, application de principes de relations humaines, art de la communication, exercice de la parole en public, amélioration de la qualité de contact. Stages de perfectionnement à la vente : entretien commercial et négociation. Séminaire de management : direction des hommes, équipes et projets. *Dipl.* total env. 4 000 000 dans 65 pays, 50 000 en France. *Pt* (France) Didier Weyne (1950). *Frais :* particuliers 5 050 F TTC, entreprises : 5 700 F HT.

École française de suggestopédie. 44, rue Henri-Barbusse, 75005 Paris. *Fondée* 1977 par Fanny Saféris. Enseignement des langues (anglais, allemand, français, sanskrit) et formation de formateurs. Pédagogie fondée sur les travaux de Lozanov sur la suggestion à l'état de veille et ses relations sur l'hypermnésie.

Autres établissements d'enseignement supérieur

Collège de France. 11, place Marcelin-Berthelot, 75231 Paris Cedex 05. Établissement d'ens. sup. et de recherche fondamentale. *Origine* 1530 François Ier crée des « lecteurs royaux », 3 pour l'hébreu, 2 le grec, 1 les mathémat. ; ils devaient dispenser des enseignements non encore admis ailleurs. Collège royal, puis impérial, devint Collège de Fr. 1870. *Bâtiments* construits 1774 par Chalgrin et plusieurs fois agrandis aux XIXe et XXe s. *Organisation :* dépend du min. de l'Éd. nat. Prof. nommés par le Chef de l'État sur proposition du corps professoral du Collège de France. Un des prof. exerce les fonctions d'administrateur. *Maîtres* (52 prof., 2 chaires d'État pour prof. étr., et 1 chaire europ. pour prof. associé). + de 1 000 chercheurs, ingénieurs, techniciens et administratifs. *Matières enseignées :* math., physique, chimie, biologie, philosophie, lettres et sc. humaines, droit, histoire, création artistique. Ses enseignements, qui doivent exposer la « science en voie de se faire », sont dispensés librement, sans préoccupation de dipl., et sont renouvelés chaque année. Toutes les chaires sont mutables et remises en question au départ des savants qui les occupaient. L'Assemblée des prof. doit se prononcer dans chaque cas sur leur maintien ou leur transformation. *Accès à l'enseignement :* libre (5 000 auditeurs en moy. pour 52 matières). *Accès des laboratoires :* sur autorisation du prof.-directeur du laboratoire. *Examens :* ne prépare à aucun examen ni diplôme. **Cours célèbres :** Michelet, Renan, Bergson, Valéry, Barthes, Foucault, Braudel, Dumézil, Lévi-Strauss.

Centre international de formation européenne (CIFE). *Créé* 1954, siège social : Maison de l'Europe, 33-35, rue des Francs-Bourgeois, 75004 Paris. *Direct. gén.* 4, bd Carabacel, 06000 Nice. Organisation internat. privée. *Sessions d'études europ.* (Munich) : cours hebdo. de 3 h en 2 semestres académiques (nov.-févr. et avr.-juil.), dipl. *Séminaires :* env. 20 par an dans divers pays européens. *Inst. univ., Inst. eur. des hautes études internat.* (Nice) : session d'oct. à juin, dipl. *Collège univ. d'études fédéralistes* (Aoste, Italie) : session juillet et août ; certificat. *Session univ. eur.* (Gauting, Bavière, RFA) : 3 sem. en sept., un certificat. *American European Summer Academy* (Schloss Hofen, Autr. : session 3 sem. en juillet ; certificat. *Colloques.*

Éc. pratique des hautes études (EPHE). 11, rue Pierre-et-Marie-Curie, 75005 Paris. *Fondée* 1868 par Victor Duruy (1811-94). min. de l'Éd. nat. Formation à la recherche et recherche. *An.* 2. *Adm.* niveau 2e cy. ou équiv. *Gratuité.* Délivrance de DEA, de doctorats et d'un dipl. propre. *Implantations :* Paris, Dinard, Lyon, Marseille, Montpellier, Perpignan. *3 sections :* sc. de la vie et de la Terre, sc. hist. et philosophie, sc. religieuses.

Éc. des hautes études en sc. sociales (EHESS). 54, bd Raspail, 75006 Paris. *Mission :* recherche et enseignement de la rech. Délivrance de DEA, de thèses et d'un dipl. *Implantations :* Paris, Marseille, Toulouse, Lyon. 70 centres ou formations de recherche.

Éc. nat. des Chartes (ENC), 19, rue de la Sorbonne, 75005 Paris. Fondée 22-2-1821 par Louis XVIII. *But :* formation de spécialistes des disciplines nécessaires à l'intelligence des sources de l'histoire de France, et préparation professionnelle des cadres responsables de la conservation et de la mise en valeur des collections publiques. *Concours* – de 30 ans tit. du bac + 2 ans prépa. (hypochartes et chartes), aux lycées Henri-IV à Paris, Pierre-de-Fermat à Toulouse, lycée Fustel-de-Coulanges à Strasbourg, Faculté libre de Paris (privé). C. *1989 :* 87 ca. 26 ad. *Dipl. 1989 :* d'archiviste paléographe 23. *Eff.* 106 (f. + de 50 %). *An.* 4. Dans la limite des postes mis en concours, les élèves qui souscrivent un engagement de 10 ans dans la fonction publique, à compter de leur entrée à l'école, perçoivent un traitement d'environ 6 000 F. **Élèves célèbres :** Gaston Paris, Gabriel Hanotaux, André Chamson, François Mauriac, Jean Favier.

Institut nat. des langues et civilisations orientales (INALCO, dit « Langues-O »). Grand établissement, 2, rue de Lille, 75007 Paris. *Fondé* par Colbert pour développer les langues orientales pour diplomatie et commerce. *Langues enseignées :* + de 73 (Eur. centrale et orient., Asie, Océanie, Afrique, et des pop. aborigènes d'Amér.). Centre de recherches et service audiovisuel. *Eff.* 9 000. *Adm.* bac ou équiv. *Frais* d. u. *Filières spé. :* centre de prépa. aux échanges internat. (CPEI), dipl. des hautes ét. internat. (DHEI), traitement automatique des langues (TAL), dipl. d'ingénierie multilingue (DIM), dipl. sup. de pédagogie interculturelle (DSPI), français langue étr. (FLE).

Personnel enseignant

Enseignements primaire et secondaire

Classification

Enseignement du 1er degré

Formation des instituteurs à l'École normale (EN). *Depuis le 14/3/1986 (date de la mise en place d'un nouveau concours d'élèves-instituteurs).* Recrutement par *concours externe* niveau DEUG ou *interne* pour les bacheliers ayant exercé la fonction de suppléant pendant 90 jours (ils exercent leur fonction durant leur format. pour éviter la reconstitution d'un auxiliariat). *Formation* en 2 ans, rémunérée. *1re année :* diplôme d'études sup. d'instituteur. Titularisation à la fin de la 2e année.

☞ 3 instituts de formation des maîtres (Grenoble, Lille, Reims) créés le 1-1-1990.

Enseign. privé. *Hors contrat :* modalités de recrutement selon chaque école (en général, pour les tit. du bac). *Sous contrat :* formation dans les centres de formation pédagogique en 3 ans. Admission pour les tit. du bac, parfois avec expérience, souvent présélection sur dossier. Le postulant doit s'engager à servir l'enseign. privé pour 5 a. Le concours d'admission est organisé par le directeur du centre et le rectorat (les épreuves sont les mêmes que celles de l'EN). *Droits de scolarité :* 500 à 8 000 F/an.

Les instituteurs qui se destinent à exercer dans une classe d'enseignement spécial doivent obtenir le certificat d'aptitude à l'éducation des enfants déficients ou inadaptés (CAEI) (8 options). *Épreuves théoriques :* préparation en 1 an dans 3 centres nationaux spécialisés (Suresnes, Beaumont-sur-Oise, Montlignon) et dans certaines écoles normales. *Admission :* instituteurs titulaires ou stagiaires choisis sur proposition de l'inspecteur d'académie. Épreuves pratiques à la fin du stage.

Enseignement du 2e degré

Professeurs d'enseignement général de collège (PEGC). Ils enseignent dans les collèges et sont recrutés à l'issue d'une scolarité de 4 ans dans les centres régionaux de formation de PEGC (CRF-PEGC), et après succès aux épreuves théoriques et pédagogiques du Certificat d'aptitude au professorat d'ens. général de collège (CAPEGC). Dispositif de recrutement mis en place en 1982 à titre transitoire.

Admission en *Centres régionaux de formation :* épreuves écrites et orales ; candidats : instit. titulaires ayant 3 ans d'ens. effectif, candidats possédant le DEUG dans l'une des 2 disciplines de la section du CAPEGC demandée ou pourvus de titres ou diplômes admis en équivalence. *Age limite :* 30 ans au 1er janvier de l'année d'admission en centre (limite reculée pour charges de familles, service national, 1 année par année de service effectif d'enseign.). Engagement pour 10 a. au service de l'État. *Préparation :* 2 a. (candidats détenteurs du DEUG, instit. titulaires ou non) ou 3 a. (instit. titulaires non pourvus du DEUG) dans les centres régionaux de formation de PEGC annexés aux écoles normales primaires.

1re année : formation universitaire devant permettre d'accéder aux compétences scientifiques indispensables dans les spécialités de la section du CAPEGC choisie. **2e** (entrée directe pour titulaires du DEUG ou d'un titre ou diplôme équivalent) : formation en centre conduisant aux épreuves de la 1re partie du CAPEGC ; après réussite, les él.-professeurs sont nommés prof. stagiaires. **3e :** formation pédagogique théorique et pratique avec alternance d'un stage au centre et de stages en responsabilité dans un collège, plus des stages hors collège dans des organismes à caractère éducatif. *Sanction :* 2e partie du CAPEGC. *13 sections :* lettres, hist., géographie ; lettres, langues vivantes ; math., sc. physiques ; sc. nat., sc. physiques ; français, latin ; lettres, éd. physique et sportive ; math., éd. phys. et sportive ; sc. nat., éd. physique et sportive ; lettres, éd. musicale ; math., éd. musicale ; lettres, arts plastiques ; math., arts plastiques ; éducation manuelle et technique (option technol., industrielle ou écon.). La fin du recrutement des PEGC et de l'obligation pour leurs successeurs, enseignants de la 6e à la 3e, de passer le concours du CAPES a été annoncée en avril 1986.

> **Agressions contre les enseignants :** nombre répertorié en 1988 : 1 756. **Meurtres. 1983** André Argouges, 57 ans, proviseur du lycée Jean-Bart de Grenoble, poignardé par Mohamed (17 a.), élève d'une section de CAP comptable, soupçonné de vol et renvoyé de l'internat. **1985** Claude Yanne, 39 a., prof. de mécanique au lycée prof. d'Autmont, n'a pas supporté les brimades dont il était victime et s'est suicidé.

Adjoints d'enseignement titulaires d'une licence d'enseign. ou d'un diplôme équivalent ; service : surveillance et enseign. ou documentation.

Dans la mesure où des postes ne sont pas pourvus, on fait appel à des **maîtres auxiliaires**, possédant un diplôme de l'enseign. supérieur ou le bac., recrutés par délégation rectorale à titre exceptionnel, et à des *contractuels* choisis en raison de leurs titres ou de leur qualification professionnelle. 45 000 m. auxiliaires sur les 51 300 devaient être titularisés de 1983 à 1986. 1res mesures : augmentation du nombre de places offertes au concours externe des éc. normales (+ 50 % entre 1982 et 1983), formation de 2 700 instituteurs stagiaires issus des c. exceptionnels, niveau DEUG, devant être appelés selon les besoins et titularisés après 2 a. *Nombre de m. auxiliaires en 1986 (Fr. sans TOM) :* 19 930, *stagiarisés :* 12 922. *A la rentrée : 1985 :* 3 076 *m. auxiliaires recrutés (Fr. métropolitaine)* dans disciplines scient., litt. et techn.

Professeur certifié du 2e degré. Enseigne dans les collèges et les lycées de la 6e à la terminale et dans les lycées techniques préparant au BTN, BT et BTS *Concours :* CAPES (Certificat d'aptitude au professorat de l'enseig. du 2e degré). *Préparation :* UER et Centre nat. d'enseign. par correspondance à partir d'une licence d'enseign. ou dipl. équivalent. Les admis au CAPES et/ou CAPET sont formés en 1 an dans les centres pédagogiques régionaux.

Professeur agrégé. Enseigne dans les collèges et lycées (ou en enseign. sup. ou classe préparatoire). *Concours :* à partir de la licence d'enseign. d'avant 1968, ou maîtrise ou diplôme d'ét. sup., ou CAPES ou CAPET ou doctorat de 3e cycle. *Préparation :* écoles normales sup. ENSET, UFR, par correspondance (CNEC).

Personnel des collèges d'enseignement technique. Ils enseignent dans les LEP.

Professeur certifié de l'enseignement technologique. Enseigne dans les lycées techniques. *Concours :* CAPET (Certificat d'aptitude au professorat de l'enseign. technique). *Préparation :* à partir d'une licence d'enseign. ou d'un groupement de certificats spécifiques à l'enseign. choisi, ou de titres équivalents (dipl. d'ingénieur ou DEST).

Professeur technique des lycées techniques. Enseign. mixte technique, théorique et pratique selon la spécialité professionnelle. *Concours : CAPT* (Certificat d'aptitude au professorat technique). *Préparation :* dans un centre de formation en 2 ans après un concours à partir d'une licence d'enseign. ou maîtrise, DUT, ou BTS. Limite d'âge : 30 ans. *Centres de formation :* Armentières, Cachan, Rennes, St-Étienne.

Professeur de LEP chargé des enseign. professionnels pratiques. *Concours : CAPCET* (Certificat d'aptitude au professorat des collèges d'enseignement technique). *Préparation :* en 2 ans, dans une école normale nat. d'apprentissage (ENNA), entrée sur concours. *Conditions :* titulaire d'un diplôme de l'ens. supérieur, avoir 1 à 3 ans d'activité (selon diplôme choisi), ou un CAP et 5 a. d'activité et des activités dans la formation continue. Limite d'âge : 40 ans.

Personnel du ministère de l'Education nationale au 1-1-1990

	Effectifs	Age moyen	% de femmes	% temps partiel
Total	*1 044 924*	*40*	*62*	*8*
Dont, par catégorie :				
Catégorie A	433 261	43	51	6
Catégorie B	362 410	40	74	5
Catégorie C	70 149	44	57	10
Catégorie D	75 232	42	77	8
Sous-total titulaires	941 052	41	62	6
Sous-total-non titul.	103 872	28	59	29
Dont, par fonction :				
Enseign. du 1er degré	309 498	40	74	4
Enseign. du 2e degré	363 972	41	55	9
Enseign. du supérieur	46 570	46	27	1
Enseign. des établ. de formation du personnel [1]	36 221	30	61	0,4
Non enseignants	288 663	40	63	15

Nota. – Enseignants formateurs et élèves enseignants (y compris les ens. et les él. des établ. de formation du supérieur).

Enseignants au 1-1-1990

1er degré	Effectifs	Age moyen	% de femmes	% temps partiel
Agrégés et chaires sup.	23 590	42	51	6
Bi-admissibles	2 865	42	49	9
Certifiés	104 366	42	59	10
Chargés d'enseign.	10 011	41	46	4
Adjoints d'enseign.	38 276	40	69	9
Prof. techn. et PTA de lycée	1 773	43	39	4
Prof. d'EPS	12 213	40	46	5
Prof. adjoints d'EPS	116	31	52	3
PEGC	72 916	44	59	7
Prof. de LP	55 922	43	42	5
Instituteurs spécialisés	6 637	40	48	2
Instituteurs	1 647	32	46	4
Autres enseign. titulaires	2 005	44	39	2
Total titulaires	*332 337*	*42*	*55*	*8*
Maîtres auxiliaires	30 580	30	54	21
Autres non titulaires	1 055	39	44	32
Total non titulaires	*31 635*	*30*	*54*	*21*
Total	*363 972*	*41*	*55*	*9*

Second degré	Effectifs	Age moyen	% de femmes	% temps partiel
Direct. d'école ou d'établ. spéc.	31 351	42	63	1
Maîtres directeurs	28 763	46	61	1
Instituteurs spéc.	24 661	42	65	2
Instituteurs	219 968	38	78	6
Élèves instituteurs	3 062	26	83	1
Autres titulaires	838	40	47	6
Total titulaires	*308 643*	*40*	*74*	*4*
Instit. rempl. ou suppl.	710	28	83	2
Autres non titulaires	145	40	69	2
Total non titulaires	*855*	*30*	*81*	*2*
Total	*309 498*	*40*	*74*	*4*

Professeurs absents (plus de 2 semaines). Remplacements assurés par des adjoints d'enseign. stagiaires et titulaires, m. auxiliaires, prof. titulaires, avec un maximum de volontariat.

☞ Effectif des enseignants, voir p. suivante.

Proportion des enseignantes (France métro. Public 1989-90)

	Lycées	Collèges	L.P.	Total
Type Lycée	51,5	64,8	46,5	57,6
Type Collège	56,9	57,9	53,4	57,9
Type L.E.P.	40,1	43,5	42,3	42,3
E.P.S.	51,9	51,3	37,7	49
Non titulaires	43	58,1	51,7	50,6
Total	50,5	61,1	44,1	54,8

Professeurs certifiés (CAPES) dans le 2e degré public 27,9 % (privé 5,1 %, enseignement supérieur 44,3 %, agrégés 6,3 % (privé 0,5 %, enseignement supérieur 40,3 %).

Enseignants de type lycée (France métrop. 1989-90)

Grade / Type d'établ.	Prof. de chaires supér.	Agrégés	Bi-admis.	Certifiés	Chargés d'ens.	Adj. d'ens.	Chefs de trav.	PTL-PTA	Prof. adj. d'EPS	Chargés d'ens. d'EPS	Stag. CAPES Agrég.	Stag. techn. (CAPET et Agrég.)	TOTAL
Lycées	100	84,5	63	47,5	8,6	39,5	98,7	98	18,4	18,6	59,1	84,2	51
Collèges	–	15,4	36,8	51,3	91,3	55,8	0,3	0,9	63,6	64,7	40,2	14,1	46,7
L.P.	–	0,1	0,2	1,2	0,1	4,7	1	1,1	18	16,7	0,7	1,7	2,3
Eff. total	*767*	*22 446*	*2 693*	*112 127*	*813*	*29 135*	*315*	*2 668*	*294*	*8 602*	*8 834*	*645*	*189 339*

Effectifs des enseignants privés

• **Enseignement privé sous contrat. 1er degré** (non compris enseign. spécial) : 46 138. **2e degré :** 80 016.

Il y a 27,9 % de professeurs certifiés (CAPES) dans le 2e degré public (privé 5,1 %, enseignement supérieur 44,3 %) et 6,3 % d'agrégés dans le 2e degré public (privé 0,5 %, enseignement supérieur 40,3 %).

Formations d'enseignants

Effectifs des élèves-instituteurs dans les écoles normales. *Recrutement* (1987) : externe 10 250 (77 % de femmes), interne 543 (78 %). **Moyenne d'âge :** *20 a. et - :* 9,5 ; *21 à 25 a. :* 52,5 ; *26 à 30 a. :* 24,1 ; *30 a. et + :* 13,9.

• **Agrégation. Spécialités.** *Créée* avec 7 spécialités. Actuellement 22 dont : *mixtes* 11 [philosophie, langue (6), sciences naturelles, biologie, lettres modernes, économie-gestion] ; *féminins* 5 (lettres, math., physique, histoire, géo.) ; *masc.* 6 (les mêmes + grammaire). *Rétrospective des admissions.* Voir Quid 1982, page 1347.

CAPES. Certificat d'aptitude pédagogique à l'enseignement secondaire. *Créé* 1902 pour les langues vivantes, en 1945 pour les autres spécialités (6 dont musique et arts plastiques). Mixte.

Agrégation externe

Domaines	Postes				Admis				Présents
	1987	88	89	90	1987	88	89	90	90
Philosophie	60	60	72	87	60	60	72	87	737
Lettres classiques	95	95	95	115	73	76	95	116	474
Grammaire	13	12	12	15	13	12	12	15	66
Lettres modernes	120	142	173	209	120	142	165	196	1 162
Histoire	95	106	127	153	95	106	127	153	1 657
Géographie	42	47	57	69	42	47	57	69	313
Sciences sociales	32	34	41	49	31	34	41	49	259
Allemand	70	78	92	92	70	78	80	75	355
Anglais	156	165	195	235	136	151	177	178	922
Espagnol	45	49	59	72	45	49	59	72	495
Langues rares	24	25	23	28	22	20	22	26	180
Mathématiques	230	295	400	483	230	295	350	398	1 223
Sc. physiques	207	263	359	434	149	189	239	247	949
Sc. naturelles	130	130	148	178	130	128	148	178	1 048
Mécanique	340	343	365	388	172	175	191	183	725
Économie, gestion	127	128	154	229	115	128	154	176	935
Arts	81	89	89	107	56	61	63	103	453
E.P.S.	32	39	39	47	32	38	39	46	276
Total	*1 899*	*2 100*	*2 500*	*3 000*	*1 591*	*1 794*	*2 091*	*2 367*	*2 229*

CAPES / CAPEPS externes

Domaines	Postes				Admis				Prés.
	1987	88	89	90	1987	88	89	90	90
Philosophie	70	60	100	130	70	60	100	130	1 180
Lettres classiques	490	374	310	445	276	249	310	272	528
Lettres modernes	944	1 060	1 060	1 615	489	577	708	1 089	3 345
Hist.-Géogr.	780	950	1 450	1 775	497	736	1 050	1 219	4 295
Allemand	80	60	100	130	80	60	100	130	736
Anglais	700	787	1 254	1 585	586	639	841	1 048	3 161
Espagnol	160	210	488	555	160	210	245	509	1 584
Langues rares, rég.	50	29	37	38	42	29	33	34	416
Mathémat.	935	1 100	1 599	1 917	839	1 029	1 111	1 048	1 928
Sc. physiques				1 779	406	481	634	928	1 580
Sc.naturelles	100	70	120	170	100	70	120	170	1 584
Sc. éco, sociales	85	100	200	270	76	70	111	130	1 217
Arts	410	410	410	452	334	291	292	381	1 003
Document.				100				100	532
E.P.S.	270	355	533	832	270	355	534	832	2 463
Total	*5 802*	*6 405*	*9 004*	*11 544*	*4 225*	*4 796*	*6 189*	*8 020*	*25 552*

	1980			1985			1990		
	Postes	Inscrits	Admis	Postes	Inscrits	Admis	Postes	Inscrits	Admis
Agrégation	1 000	17 582	960	1 500	16 582	1 346	3 000	19 460	2 367
CAPES	1 292	26 997	1 314	5 470	21 641	4 354			
externe							11 800	34 163	8 020
interne							5 000	13 463	3 193
CAPET	408	22 685	408	1 020	2 566	454			
externe							1 500	4 930	1 040
interne							1 300	3 606	1 128
PLP2									
externe							1 500	5 925	1 176
interne							1 100	9 504	1 096

1987, création de CAPES et CAPET internes. *1988,* assouplissement des conditions d'accès : suppression du principe de correspondance entre la discipline de la licence obtenue et la section du CAPES visé (JO du 15-9-87). Par ailleurs, les titulaires d'une maîtr. obtenue après dispense de licence peuvent se présenter au CAPES (concerne titulaires de dipl. de grandes écoles ou de dipl. étranger, admis à l'université sur équivalence d'une licence).

CAPES / CAPEPS internes

Domaines	Postes				Admis				Présents
	1987	88	89	90	1987	88	89	90	90
Philosophie	40	48	67	80	30	38	50	40	193
Lettres classiques	49	53	73	86	49	53	50	40	64
Lettres modernes	570	610	809	957	283	316	433	452	1 096
Hist. Géogr.	385	410	575	681	351	410	472	449	868
Allemand	103	111	155	184	95	82	74	73	350
Anglais	290	312	436	516	197	293	321	346	978
Espagnol	88	94	132	157	69	64	95	97	376
Langues rares	46	35	499	59	23	21	36	41	98
Mathématiques	243	265	450	533	242	265	450	369	605
Sc. physiques	276	298	500	593	275	298	293	224	416
Sc. naturelles	147	158	220	260	137	158	220	215	408
Sc. éco, sociales	22	24	32	38	5	24	31	38	105
Arts	123	132	132	156	48	59	60	78	147
Document.				300				300	2 052
E.P.S.				400				400	2 629
Total	*2 382*	*2 550*	*3 630*	*5 000*	*1 804*	*2 081*	*2 585*	*3 193*	*10 385*

CAPET et autres concours

Domaines	Postes				Admis				Prés.
	1987	88	89	90	1987	88	89	90	90
CAPET externe	1 258	1 300	1 410	1 500	492	578	824	1 040	2 810
CAPET interne	618	700	868	1 300	518	674	800	1 128	2 640
CP/CAPET externe	276	440	544	550	272	366	477	539	3 609
CP/CAPET interne	174	150	223	250	173	143	210	234	570
PLP2 externe	900	900	1 100	1 500	640	747	931	1 176	3 784
PLP2 interne	900	900	1 100	1 100	778	1 640	1 096	1 096	7 923
CPE (1)	250	275	300	500	250	275	300	500	4 055
ECO (2)	60	60	60	100	59	60	60	100	707
CE (3)	200	175	200		200	175	200		
CAFCO (4)				117				113	469

Nota. – (1) Conseillers principaux d'éducation. (2) Élèves conseillers d'orientation. (3) Conseillers d'éducation. (4) Certificat d'aptitude aux fonctions de conseiller d'orientation.

Concours d'accès à l'échelle de rémunération des certifiés en 1990

Concours	Postes offerts	Présents	Admis
CAPES/CAPEPS	711	1 975	640
CAPET	188	604	160
CP/CAPET	37	50	19
PLP1	614	274	192
PLP2	226	1 532	168
Total	*1 786*	*4 435*	*1 179*

Inspection

Inspection d'académie. *Nombre* inspections : 100. Inspecteurs : 563. *Recrutement* par délibération d'une commission consultative à l'Insp. gén. de Éd. nat. sur titres et compétences. *Rôle :* l'inspecteur représente le recteur dans le département (sauf pour l'ens. supérieur) et a autorité sur les inspec. départ. Il inspecte les écoles et établissements secondaires publics et privés, à une mission permanente d'animation et de contrôle, d'information et de conseil. Compose les jurys des examens, organise le bac, gère le personnel du primaire, note celui du secondaire (géré au plan national), et dep. 1983, évalue l'ensemble du système éducatif et non plus seulement l'inspection individuelle des enseignants.

Inspection pédagogique régionale. *Inspections :* 26 (1 par académie). *Chargés d'inspection péd. rég., (auxiliaires des inspecteurs généraux) 1982 :* 542 ; *83 :* 588 ; *84 :* 593. *86 :* 607.

Inspection générale. *De l'Éducation nationale* (enseign. et vie scolaire) 197. *Départementale :* 1 381. Enseign. technique 327. Information et orientation 114. Apprentissage 200.

Enseignement supérieur

Catégories d'enseignants

• **Titulaires. Professeurs :** font progresser la recherche par leurs propres travaux ou en dirigeant des équipes de chercheurs ; président les jurys d'examens, de mémoires et de thèses ; dirigent univ. et UER qu'elles regroupent ; participent au perfectionnement des autres enseignants et aux programmes d'éd. permanente ; participent à l'orientation et à l'information des étudiants. *Nomination :* par le ministre de l'Éduc. nat. sur proposition(s) de la commission de spécialité et d'établissement ratifiée(s) par le Conseil sup. provisoire des univ. (CSPU) dep. le 24-8-1982. Ils doivent être docteurs d'État et avoir effectué au moins 2 a. d'ens. magistral.

Maîtres-assistants : dirigent les séances de travaux dirigés (TD) et de tr. pratiques (TP) sous l'autorité des enseignants de rang magistral, et donnent des ens. d'appoint dans le 1er cycle univ. (droit et sciences économiques, lettres, sciences et pharm.). *Recrutement :* par concours, doivent être titulaires d'un doctorat de 3e cycle, prof. agrégés, admissibles à l'agrégation ou inscrits sur la liste d'aptitude aux fonctions de maître-assistant au 15-8-79. *Nomination :* par le ministre de l'Éduc. nat. à partir d'un choix effectué par la commission de spécialité et d'établ., et ratifié par le CSPU après avis du conseil de l'UFR et du conseil d'établissement.

Assistants : doivent animer les travaux pratiques ou dirigés ; en fait font aussi des cours magistraux, corrigent des examens, organisent les enseignements et dirigent parfois des mémoires de maîtrise (sont suppléés par des chargés de travaux pratiques). Beaucoup doivent faire des travaux de recherche pour être titularisés et sont ainsi surchargés : leur recherche en pâtit. *Recrutés* au minimum au niveau de la licence ou de la maîtrise, en fait au niveau de l'un au moins des diplômes conduisant à un doctorat de 3e cycle ou à un doctorat d'État.

☞ *Heures de présence des prof. d'université :* en 1982, une circulaire d'Alain Savary précisait que les enseignants d'une univ. ou d'une école devaient à cet établ. leur temps plein d'activité prof., soit la durée légale du travail 39 h/sem., avec 32 j ouvrables de congés. Les enseignants ont rappelé les nombreux travaux de correction, préparation de cours magistraux, surveillance d'examens, recherche, etc., qu'ils devaient assurer en plus de leurs cours.

Réforme des carrières universitaires (arrêté du 6-6-1984). Création de 2 corps d'enseignants du supérieur : maîtres de conférence et professeurs des Universités, ayant un statut d'*enseignants-chercheurs.* Cette nouvelle organisation devait aboutir à la mise en extinction progressive (dans les 5 ans) des corps de maîtres-assistants et d'assistants. Les enseignants-chercheurs seront recrutés au niveau national (diplômes) et local (intervention des établissements). *Obligation des services :* enseignement par an : cours 128 h ; travaux pratiques 288 h ; travaux dirigés 192 h. Chaque enseignant-chercheur doit établir tous les 4 ans un rapport d'activité sur sa mission (enseignement et recherche).

• **Personnels temporaires.** Ex. : **Assistants** (méd., odontologie) : recrutés pour un maximum de 6 a. en lettres et de 7 a. en médecine. **Délégués à titre temporaire :** peuvent être nommés pour un intérim, ou en cas d'impossibilité de nomination d'un titulaire. **Enseignants associés :** Français ou étrangers, ens. ou non, spécialistes d'une discipline donnée, ne remplissant pas des conditions normales de recrutement. Recrutés pour une période pouvant atteindre 2 a., prolongeable annuellement par décision ministérielle.

• **Autres enseignants dans les Univ. Ens. du 2e degré.** Peuvent être mis à la disposition de l'ens. sup.

Disciplines médicales et odontologiques

Les enseignants exercent des fonctions d'ens. et de recherche et des fonctions hospitalières au sein d'un CHU regroupant une ou plusieurs UFR médicales et un CHR (Centre hosp. régional), ou une UFR d'odontologie et le service de consultations et de traitements dentaires d'un CHU.

Médecine. Titulaires : *prof. tit. des univ.* (en même temps médecins, chirurgiens, spécialistes ou biologistes des hôpitaux, en qualité de chef de service) ; *maîtres de conf. agrégés des univ.* (en même temps médecins, chirurgiens, spécialistes ou biol. des hôp. en qualité ou non de chef de serv.) ; *chefs de travaux* des univ.-ass. des hôp. (disciplines biol.) **Temporaires :** *chefs de clinique des univ.*-ass. des hôp. (disc. cliniques) ; *ass. des univ.*-ass. des hôp. (disc. biol.).

Odontologie. Titulaires : *prof. de catégorie exceptionnelle* de chirurgie dentaire-odontologistes des services de consultation et de traitement dent. (assimilés aux maîtres de conf.) ; *prof. du 1er grade* (ass. aux maîtres-assistants) ; *prof. du 2e grade* (ass. aux chefs de travaux). **Temporaires :** *assistants* de chir. dent.-odontologistes, ass. des services de consultation et de traitement dent.

☞ **Recrutement :** *Les chefs de travaux des disciplines médicales* parmi les assistants des hôpitaux ayant exercé 3 ans. *Professeurs de 2e grade de chirurgie dentaire :* parmi les assistants de chirurgie dent. ayant exercé au moins 2 ans.

mais restent titulaires dans leur corps d'origine. *Emplois de type univ.* (ex. : agrégés et certifiés nommés à des emplois d'ass.) ; ou *de type 2e degré* (ex. : agrégés et certifiés, et prof. techn., adjoints de lycée techn. enseignant dans les IUT). **Prof. étrangers :** recrutés comme prof. ou maîtres de conf. titulaires, sur proposition des instances compétentes de l'univ. et du Comité consultatif des univ.

Statistiques

Enseignants dans l'enseignement supérieur public (1989-90)

Légende : P. : professeurs et maîtres de conférences (médecine), chargés de cours (droit), chargés d'enseign. (lettres). *M.-C. :* maîtres de conférences et maîtres-assistants ainsi que chefs de travaux (médecine et odontologie) et professeurs des 1er et 2e grades (odontologie). *A. :* assistants. *D. :* divers (fonctions types 2e degré, fonctions spécifiques des grands établ. et des établ. français à l'étranger, lecteurs étrangers en lettres allocataires d'ens. sup.).

• Nombre. **Sciences juridiques, politiques, économiques et de gestion :** 5 712 dont *P.* 1 462, *M.-C.* 1 980, *A.* 1 036, *D.* 1 280. **Lettres et sciences humaines :** 12 813 dont *P.* 2 863, *M.-C.* 5 756, *A.* 601, *D.* 2 593. **Sciences :** 21 421 dont *P.* 5 563, *M.-C.* 10 673, *A.* 1 330, *D.* 3 855. **Santé :** 11 864 dont *P.* 4 265, *M.-C.* 2 995, *A.* 4 499, *D.* 105.

En 1989-90, sur 51 810 enseignants, il y en avait 1 535 hors enseign., dont 865 détachés. Sur les ens. en fonction, il y avait 14,1 % de non-titulaires (dont les 2/3 en pharmacie, médecine et odontologie).

• Répartition par âge (en %). **Droit. Professeurs :** *- de 30 a.* : 0,1 ; *30 à 34 a.* : 2,5 ; *35 à 39 a.* : 7 ; *40 à 44 a.* : 22,3 ; *45 à 49 a.* : 20,2 ; *50 à 54 a.* : 18,5 ; *55 à 59 a.* : 14,9 ; *60 a. et +* : 14,6. **Maîtres de conférences :** *- de 30 a.* : 0,6 ; *30 à 34 a.* : 8,3 ; *35 à 39 a.* : 13,8 ; *40 à 44 a.* : 32,4 ; *45 à 49 a.* : 24,9 ; *50 à 54 a.* : 10,4 ; *55 à 59 a.* : 6,2 ; *60 a. et +* : 3,4. **Assistants :** *- de 30 a.* : 0,5 ; *30 à 34 a.* : 11,6 ; *35 à 39 a.* : 20,5 ; *40 à 44 a.* : 36,1 ; *45 à 49 a.* : 20,6 ; *50 à 54 a.* : 6,5 ; *55 à 59 a.* : 3,1 ; *60 a. et +* : 1,1.

Lettres. Professeurs : *- de 30 a.* : 0 ; *30 à 34 a.* : 0,1 ; *35 à 39 a.* : 0,9 ; *40 à 44 a.* : 9,6 ; *45 à 49 a.* : 16,1 ; *50 à 54 a.* : 22,8 ; *55 à 59 a.* : 24,3 ; *60 a. et +* : 26,1. **Maîtres de conférences :** *- de 30 a.* : 0,2 ; *30 à 34 a.* : 3 ; *35 à 39 a.* : 8,8 ; *40 à 44 a.* : 20,7 ; *45 à 49 a.* : 24,3 ; *50 à 54 a.* : 20,3 ; *55 à 59 a.* : 14,2 ; *60 a. et +* : 8,4. **Assistants :** *- de 30 a.* : 0,1 ; *30 à 34 a.* : 3,5 ; *35 à 39 a.* : 12,9 ; *40 à 44 a.* : 31,3 ; *45 à 49 a.* : 25,5 ; *50 à 54 a.* : 13,7 ; *55 à 59 a.* : 7,8 ; *60 a. et +* : 6.

Sciences. Professeurs : *- de 30 a.* : 0 ; *30 à 34 a.* : 0,7 ; *35 à 39 a.* : 2,7 ; *40 à 44 a.* : 16,8 ; *45 à 49 a.* : 26,4 ; *50 à 54 a.* : 27,9 ; *55 à 59 a.* : 14,6 ; *60 a. et +* : 10,9. **Maîtres de conférences :** *- de 30 a.* : 2,3 ; *30 à 34 a.* : 9,8 ; *35 à 39 a.* : 8,9 ; *40 à 44 a.* : 22,7 ; *45 à 49 a.* : 27,3 ; *50 à 54 a.* : 19,4 ; *55 à 59 a.* : 7,6 ; *60 a. et +* : 2,1. **Assistants :** *- de 30 a.* : 1,6 ; *30 à 34 a.* : 9,9 ; *35 à 39 a.* : 9,1 ; *40 à 44 a.* : 25,1 ; *45 à 49 a.* : 29,5 ; *50 à 54 a.* : 16,9 ; *55 à 59 a.* : 5,9 ; *60 a. et +* : 2.

Santé. Professeurs : *- de 30 a.* : 0 ; *30 à 34 a.* : 0 ; *35 à 39 a.* : 2,8 ; *40 à 44 a.* : 15,7 ; *45 à 49 a.* : 18,1 ; *50 à 54 a.* : 18,9 ; *55 à 59 a.* : 20,3 ; *60 a. et +* : 24,3. **Maîtres de conférences :** *- de 30 a.* : 0,1 ; *30 à 34 a.* : 3,6 ; *35 à 39 a.* : 15,5 ; *40 à 44 a.* : 30,8 ; *45 à 49 a.* : 20,8 ; *50 à 54 a.* : 13,7 ; *55 à 59 a.* : 9 ; *60 a. et +* : 6,5. **Assistants :** *- de 30 a.* : 5,5 ; *30 à 34 a.* : 62,3 ; *35 à 39 a.* : 20,3 ; *40 à 44 a.* : 6,5 ; *45 à 49 a.* : 2,4 ; *50 à 54 a.* : 1,4 ; *55 à 59 a.* : 0,9 ; *60 a. et +* : 0,6.

Total. **Professeurs :** *- de 30 a.* : 0 ; *30 à 34 a.* : 0,6 ; *35 à 39 a.* : 2,8 ; *40 à 44 a.* : 15,6 ; *45 à 49 a.* : 21,1 ; *50 à 54 a.* : 23,1 ; *55 à 59 a.* : 18,3 ; *60 a. et +* : 18,5. **Maîtres de conférences :** *- de 30 a.* : 1,3 ; *30 à 34 a.* : 7 ; *35 à 39 a.* : 10,2 ; *40 à 44 a.* : 24,2 ; *45 à 49 a.* : 25,4 ; *50 à 54 a.* : 18 ; *55 à 59 a.* : 9,4 ; *60 a. et +* : 4,5. **Assistants :** *- de 30 a.* : 3,6 ; *30 à 34 a.* : 40,6 ; *35 à 39 a.* : 17,6 ; *40 à 44 a.* : 16,2 ; *45 à 49 a.* : 11,8 ; *50 à 54 a.* : 6 ; *55 à 59 a.* : 2,8 ; *60 a. et +* : 1,4.

• Nombre d'étudiants. **Par enseignant** dans Univ. et Centres univ. (toutes disciplines). **1928-29 :** 55 dont prof.-maîtres de conf. 72, maîtres-ass.-chargés de tr. 230 ; **49-50 :** 41 dont prof.-m. de c. 161, m.-ass.-chargés de tr. 68 ; **65-66 :** 22 dont pr.-m. de c. 78, m.-ass.-chargés de tr. 105, ass. 45 ; **75-76 :** 20 dont pr.-m. de c. 73, m.-ass.-chargés de tr. 67, ass. 46 ; **81-82 :** droit, sc. écon. 50,3, lettres 33,2, sciences 9,3, santé 16,6. **Par professeur seul. 1928-29 :** 121, **49-50 :** 210, **65-66 :** 190, **75-76 :** 277, **78-79 :** 191, **81-82 :** 83,4, **82-83 :** 83.

Enseignement français à l'étranger

Elèves apprenant le français en 1989 (en milliers) et, entre parenthèses, nombre d'enseignants. Afrique du Sud 15,5 (303), Algérie 6 500 (n.c), Allemagne 16, Angola 56 (106), Arabie Saoudite 2,6 (30), Argentine 250 (n.c), Autriche 79 (800), Belgique 1 840 (n.c), Bengladesh 1 (12), Bénin 600 (18 488), Birmanie 784 (14), Bolivie 150 (1 000), Bostwana 1 (n.c), Brésil 300 (2 570), Brunei 0,2 (2), Bulgarie 260 (3 600), Burundi 640 (9 681), Canada 3 500 (n.c), Centrafrique 335 (5 841), Chine 70 (100), Chypre 26 (132), Colombie 1 000 (6 780), Comores 85 (2 604), Congo 678 (12 760), Corée du Sud 430 (500), Costa Rica 100 (n.c), Côte d'Ivoire 2 061 (53 440), Cuba 6,3 (254), Djibouti 43,5 (1 111), Danemark 103 (n.c), Egypte 1 500 (8 858), Espagne 2 300 (n.c), Etats-Unis 1 200 (n.c), Ethiopie 2,9 (n.c), Fidji 0,4 (6), Finlande 38,4 (n.c), Gabon 224 (6 205), Ghana 272 (2 617), G.-Bretagne 3 000 (31 000), Guatemala 2,8 (36), Guinée 363 (8 434), Guinée Eq. 68 (1 252), Haïti 1 203 (33 285), Honduras 1,7 (63), Hongrie 25 (690), Inde 52 (1 223), Indonésie 41 (707), Irlande 226 (1 755), Islande 1,8 (40), Israël 43 (457), Italie 2 020 (22 700), Jamaïque 7,7 (92), Japon 390 (2 414), Jordanie 16,5 (135), Kénya 15,7 (342), Koweit 22,5 (274), Laos 8,1 (90), Liban 670 (n.c), Libéria 300 (550), Libye 1,3 (55), Luxembourg 45,5 (n.c), Madagascar 2 000 (53 684), Malawi 6,4 (49), Malaisie 2,2 (78), Mali 461 (16 036), Malte 9,6 (76), Maroc 1 800 (16 200), Maurice 208 (6 395), Mexique 64 (800), Mozambique 0,4 (6), Népal 0,7 (7), Nicaragua 2,8 (35), Niger 368 (9 720), Norvège 35 (n.c), N.-Zélande 35 (640), Ouganda 12,6 (104), Pakistan 3 (52), Panama 5,4 (62), Papouasie-N.-Guinée 500 (13), Paraguay 6,7 (102), Philippines 4,1 (n.c), Pologne 118 (n.c), Porto-Rico 4 (n.c), Portugal 491 (n.c), Qatar 2,3 (35), Saint-Domingue 300 (n.c), Salvador 3,5 (86), Sénégal 700 (n.c), Seychelles 21,8 (1 176), Sierra-Leone 120,5 (263), Singapour 4,6 (51), Somalie 1,6 (35), Sri Lanka 2,2 (123), Suède 115 (927), Suisse 951 (n.c), Syrie 300 (1 725), Tanzanie 1,8 (n.c), Tchad 385 (7 050), Thaïlande 38 (730), Togo 606 (14 681), Turquie 385 (4 158), U.R.S.S. 2 700 (22 400), Uruguay 170 (920), Vanuatu 10,4 (371), Venezuela 45 (540), Yemen (Nord) 300 (10), Yougoslavie 340 (n.c), Zambie 30 (340).

Élèves enseignés en français (en %) par rapport au nombre total d'enseignés : *Europe* occid. (Fr. exclue) 20,23, de l'Est 4,9 ; *Maghreb* 69,67 ; *Afrique* francophone 75,96, non franc. 2,62 ; *Proche et Moyen-Orient* 10,74 ; *Amér. du N.* 13,03 ; *Amér. latine et Caraïbes* 3,03 ; *Asie et Océanie* 0,19.

• Établissements scolaires français à l'étranger (aidés par les Min. des Aff. Étr. ou de la Coopér. et du Développement ; janv.-févr. 1989). *Nombre d'établ.*, entre parenthèses *nombre d'enseignants et* en italique *nombre d'élèves :* total 248 (5 222) *113 451* dont Europe 61 (1 834) *35 335*. Asie-Océanie 26 (363) *5 769*. Afr. du N. 98 (1 531) *38 401*. Afr. subsaharienne 21 (236) *4 793*. Amériques 43 (1 258) *29 153*.

Alliance française. 101, bd Raspail, Paris 6e. *Créée :* 1883. *Pt :* Marc Blancpain (n. 1909). *Secr. gén. :* Jean Harzic (n. 1936). *Objectif :* diffusion de la langue et de la civilisation fr. dans 112 pays par 1 050 comités ou associations affiliées (manif. socio-cultur., bibliothèques et cours de langue fr.). Activité enseignante dans plus de 800 centres. **Étudiants (1989) :** 357 340 dont (en %) Amér. latine et Caraïbes 47,4, Europe occ. 13,8, Asie et Océanie 16,8, Afrique non francophone 7,9, Afr. francophone 4,6, Eur. de l'Est 1,8. *Pays ayant le plus d'étudiants :* Brésil 39 940, Argentine 33 706, Pérou 25 603, Mexique 19 181, USA 18 606, Portugal 13 080. *Villes en comptant le plus :* Lima 15 201, Buenos Aires 14 913, Hong Kong 10 306, Rio de Janeiro 9 133, São Paulo 7 322, Mexico 6 784, New York 5 850, Séoul 5 055, Tananarive 4 783, Lisbonne 4 556. École de Paris : reçoit 4 000 ét./par j., débutants à prof. stagiaires de fr. langue étrangère.

Mission laïque française (1984-85). *Établissements :* 90 dans 40 pays dont : établ. affiliés 10, écoles liées par convention 20, éc. d'entreprise 50. *Enseignants :* 1 265 locaux dont 820 recrutés. *Élèves :* 18 537 dont : Français ou binationaux, nat. 11 318 ; étrangers tiers 2 160. *Répartition par cycle* (%) : maternelle 19,69 ; élémentaire 40,91 ; collèges 28,61 ; lycées 9,57.

• Instituts et Centres culturels français. Dépendant de la DGRC et sous le contrôle ou la direction des ambassades et de leurs services culturels. **Nombre :** *1988 :* 111 + 37 annexes et 3 délégations cult. Europe 66, Proche et M.-Orient 13, Afr. du N. 14, Sud du Sahara 5, Asie-Océanie 10, Amérique 3. **Élèves :** *1987 :* 120 000 dont : Europe occidentale : 75 000 ; Afr. du N. : 10 000 ; Proche et M.-Orient : 12 000. **Personnel :** 2 338 (dont Français 328 et volontaires du service nat. actif 60, étrangers 1 950).

• Enseignants. Env. 20 000 enseignants français exerçant hors de France dont titulaires du min. de la Coop. (pays d'Afr. francophone au sud du Sahara) 2 829, du min. des Relations ext. 8 177 ; auxiliaires recrutés localement 8 708. **Comparaison.** G.-B. 6 200 enseign. à l'étranger + 2 000 volontaires.

Écoles françaises à l'étranger

École française de Rome. *Fondée* 20-11-1875 pour accroître l'influence culturelle française après la défaite de 1871. Installée au palais Farnèse avec une annexe Piazza Navona. *But :* développement et diffusion des recherches sur l'histoire de l'Italie (Antiquité, Rome, Moyen Age, It. moderne et contemporaine). *Activités :* publications des travaux, fouilles et recherches archéologiques. *Organisation :* 1 directeur, 3 dir. d'études (Antiquité, Moyen Age, hist. moderne et contemporaine), 16 membres (2 ou 3 ans en poste) dont 8 (Antiquité), 4 (médiéval), 4 (moderne et contemporain), 130 bourses mens. par an pour de jeunes doctorants.

Institut français d'archéologie orientale du Caire. *Fondé* 28-12-1880. *Pensionnaires :* 6 (Egypte ancienne, gréco-romaine, islamique).

École française d'archéologie d'Athènes. *Fondée* 11-9-1846. *Champ des recherches :* essentiellement Grèce ; une fouille à Chypre. *Organisation :* 1 directeur, 8 membres (3 ou 4 ans en poste) quelques m. étrangers. Bourses mens. pour de jeunes doctorants.

Casa de Velázquez (Madrid). *Fondée* mai 1916 par Alphonse XIII pour nouer des relations culturelles privilégiées entre la France et l'Espagne. École française, centre de recherches pour artistes, universitaires, sociologues, géologues, économistes, ethnologues français hispanisants ; bâtiments inaugurés en 1928, reconstruits en 36 et 59. *Membres :* section artistique 13, scientifique 18.

École française d'Extrême-Orient. *Fondée* 1901. *Domaines :* Inde à Japon, Tibet à Indonésie. Archéologie, épigraphie, philologie, anthropologie, ethnologie, etc. *Sièges successifs :* (implantations en Inde, Indonésie, Japon).

☞ **Crédits alloués** (en millions de F) **en 1990 :** 41,65 dont Éc. de Rome 11,79 ; Casa de Velásquez 9,15 ; Inst. fr. d'arch. orient. 8,53 ; Éc. d'Athènes 8,36 ; Éc. fr. d'Extr.-Or. 3,81.

Brevets

Statistiques

Demandes de protection par brevet en France en 1990. 78 586 dont 12 178 d'origine française et 66 178 d'origine étrangère. Parmi ces 66 178, les principaux demandeurs sont : USA : 20 095, Allemagne : 14 223, Japon : 12 471, Grande-Bretagne : 4 876, Italie : 567 et Suisse : 2 563.

Balance des échanges techniques (en millions de F). *Déficit global. 1980 :* 767. *81 :* 462. *82 :* 933. *83 :* 674. *84 :* 920. *85 :* 1 525. *86 :* 1 598. *87 :* 2 308. *88 :* 2 268. *89 :* 2 032. *Déficits les plus importants par branches en 1989 :* Mat. de traitement de l'information 778. Prod. des ind. agric. et alim. : 461. Parachimie : 425. Prod. chim de base 366. *Par pays :* USA : 4 898. Pays-Bas : 1 048. Suisse : 150. *Excédents les plus importants.* Études techniques ingénierie : 960. Parfumerie : 639. Pneumatiques et autres prod. en caoutchouc : 517. Textiles articles d'habillement : 448. *Par pays.* Italie : 820. Japon : 773. Espagne : 556.

Quelques adresses

Appareils ou produits. *Institut national de la propriété industrielle,* 26 bis, rue de Leningrad, 75008 Paris. *En province* centres régionaux. Autres correspondants régionaux pour accomplir les formalités : préfectures pour brevets d'invention ; greffes des tribunaux de commerce ou trib. de grande instance statuant commercialement pour le registre du commerce et des Stés, les marques de fabrique de commerce ou de service et les dessins et modèles. Déposer la description détaillée de l'invention (elle doit répondre à 3 critères : technique nouvelle, application industrielle, activité inventive). *Taxe de dépôt* d'une demande de brevet, de certif. d'utilité ou de certif. d'addition 250 F ; *d'avis* documentaire, de nouveauté ou de rapport de recherche 3 000 F ; *de délivrance et d'impression du fascicule* 560 F. *Maintien d'un brevet :* possible 20 ans (non renouvelables) moyennant des annuités (165 F la 1re an. à 3 260 F la 20e). Un certificat d'utilité est valable 6 ans moyennant des annuités (de 160 F la 1re année à 375 F la 6e.)

Audiovisuel. *Sté civile des auteurs multimedia,* 38, rue du Fg-St-Jacques, 75014 Paris. Perception et répartition des droits d'auteurs des œuvres documentaires et littéraires. *Droit d'entrée :* 100 F. *Cotisation unique :* 100 F pour adhésion SCAM-SGDL.

Créations d'art visuel. *Sté des auteurs des arts visuels* (SPADEM), 15, rue Saint Nicolas 75012 Paris. Perception et répartition des droits d'auteur. *Droit d'entrée :* 100 F.

Créations artistiques applicables à l'industrie (objets, formes, créations publicitaires, dessins, titres de création ou d'activité). *Sté pour la protection des arts visuels, des modèles et des marques* (ARTEMA) sous licence exclusive SPADEM 11, rue La Bruyère, 75009 Paris. *Abonnement annuel* pour non inscrit au R.C. 380 F, inscrit : 1 050 F.

Œuvres musicales avec ou sans paroles (chansons, pièces instrumentales, improvisations de jazz, musiques de films) ; **littéraires** (saynètes, poèmes, monologues, duos). *Sté des auteurs compositeurs et éditeurs de musique* (SACEM), 225, av. Charles-de-Gaulle, 92521 Neuilly. *Adhésion :* 580 F. *Cotisation par répartition :* 36 F pour auteurs et compositeurs ; 54 F pour éditeurs.

Littérature. *Sté des gens de lettres de France,* 38, rue du Fg-St-Jacques, Paris 14e. Défense professionnelle, conseils juridiques, action culturelle. *Adhésion :* 200 F. *Cotis. ann. :* 100 F.

Œuvres dramatiques, dramatico-musicales et chorégraphiques, au théâtre, au cinéma, à la radio, à la télévision. *Sté des auteurs et compositeurs dramatiques.* 11 bis, rue Ballu, 75442 Paris Cedex 09. *But :* perception et répartition des droits d'auteurs, promotion du répertoire français, défense des auteurs. *Adhésion :* 250 F. *Cotisation :* 125 F.

Fédération nat. des associations françaises d'inventeurs, 79, rue du Temple, 75003 Paris.

Syndicat nat. des chercheurs et usagers de la propriété industrielle et intellectuelle (SNCUPI), 183, rue Paradis, 13006 Marseille.

Société des auteurs dans les arts graphiques et plastiques (ADAGP). 11, rue Berryer, 75008 Paris. *Créée* 1953, perçoit et répartit les droits d'auteur. Reçoit les dépôts de créations graphiques, taxe 120 F par œuvre. Représente plus de 10 000 artistes. *Dir. gén.* J.-M. Gutton.

La recherche

Comparaisons internationales

Budget

• **Budget mondial de la recherche.** En %. *Source :* Colin Norman. Militaire 24, recherche 15, espace 8, énergie 8, santé 7, informatique 5, transport 5, pollution 5, agriculture 3, divers 20.

• **Effectifs. Nombre de chercheurs et scientifiques par million d'habitants (1980).** *Source :* Unesco. Pays développés 2 600 ; p. en développ. 100 (Asie, Japon compris 355, Amér. lat. 179, Afrique 77).

Chercheurs par rapport à la population active en 1983 (pour mille) [1]. Japon 7,4 ; USA 6,4 ; All féd. 4,7 ; *France 3,9 ;* G.-B. 3,6 [2] ; Canada 2,7 ; Italie 2,5.

Nota. – (1) En personnes physiques et non en équivalent plein temps. (2) Hors enseignants chercheurs et chercheurs du secteur I.S.B.L.

Les dépenses de recherche développement

	All.	France	G.-B.	USA	Jap.
En milliards de F.	164	113	117	870	289
En % du PIB	2,71	2,25	2,42	2,80	2,59
Financ. industrie (%)	62	41	48	47	74
État (%)	37	53	43	53	26
Part de la défense dans crédits publics	12	31	50	70	3
Exécution de R & D ind. (% du PIB)	1,98	1,33	1,62	1,99	1,86

Source : Principaux indicateurs de la science et de la technologie, OCDE 1988.

Recherche en France

Principaux organismes

☞ **Ministère de la Recherche et de la Technologie.**

AFME (Agence française pour la maîtrise de l'énergie). *Siège :* 27, rue Louis-Vicat, 75015 Paris. *Créée* mai 1982.

ANVAR (Agence nationale de valorisation de la recherche). *Siège :* 43, rue Caumartin, 75436 Paris Cedex 09. 24 délégations régionales. *Budget 1990 :* 1 330 millions de F. En 11 ans, a aidé + de 15 000 entreprises.

BRGM (Bureau de recherches géologiques et minières). *Siège :* Paris : tour Mirabeau 39143, quai A.-Citroën, 75015 Paris. Orléans : la Source, av. de Concyr, Orléans. *Effectifs :* 1 600 dont 850 ingénieurs et géologues (1990), 30 agences régionales, filiales ou missions dans 40 pays.

Bureau des longitudes. *Créé* par la loi du 7 messidor an III (25-6-1795). *Chargé* des perfectionnements de l'astronomie (jusqu'en 1854, il dirigeait l'Observatoire de Paris). *Groupe* des savants éminents dans le domaine de l'astronomie, de la géophysique, de la météorologie, de la navigation, etc. Son service des calculs, réorganisé en 1961, qui comprend une trentaine de chercheurs, constitue un laboratoire de recherches en astrométrie et mécanique céleste. Il publie annuellement : 1°) *Connaissance des temps* (dep. 1795), une des éphémérides astronomiques intern. 2°) Éphémérides astronomiques *(Annuaire du Bureau des longitudes* dep. 1795), données scient. et éphémérides. 3°) *Suppléments à la connaissance des temps :* éphémérides des satellites naturels des planètes. 4°) *Éphémérides nautiques* (dep. 1889), données astron. destinées aux navigateurs. 5°) *Éphémérides aéronautiques* (dep. 1935). 6°) *Cahiers des sciences de l'Univers* (dep. 1991).

CEA (Commissariat à l'énergie atomique). *Siège :* 31-33 rue de la Fédération, 75015 Paris. *Créé* 1945. *Statut :* établissement public de recherche et de développement à vocation scientifique technique et industrielle. Constitue avec la Sté des Participations du CEA (CEA-Industrie) et ses filiales, le Groupe CEA. *Organisation :* 6 directions opérationnelles (applications militaires, cycle du combustible, réacteurs nucléaires, sc. de la matière, sc. du vivant, technologies avancées) et 3 unités à statut particulier (agence nat. pour la gestion des déchets radioactifs, institut nat. des sc. et techniques nucléaires, institut de protection et de sûreté nucléaire). *Budget (1989) :* 20 milliards de F pour l'ensemble des activités civiles et militaires. *Effectifs (1989) :* 20 130 dont 7 170 cadres. *Groupe industriel CEA* créé 1983. *Effectifs (1989) :* 36 830. *Chiffre d'affaires consolidé (1989) :* 33,5 milliards de F. Parmi ses filiales ou participations : COGEMA, Oris-Industrie, Framatome, CISI, SGN, USSI-Ingénierie, Intercontrôle, Épicea, Eurodif, Technicatome, SNE-La Calhène, STMI, etc.

C.I.R.A.D. (Centre de coopération internationale en recherche agronomique pour le développement). *Siège :* 42, rue Scheffer, 75116 Paris. *Pt :* J. Poli. *Secr. gén. :* H. Carsalade. Spécialisé en agronomie des régions tropicales et subtropicales. En coopération avec 65 pays. *Effectifs (1989) :* 1 935. *Budget (1989) :* 978,4 millions de F.

C.N.E.S. (Centre national d'études spatiales). *Siège :* 2, place Maurice-Quentin, 75039 Paris Cedex 01. *Créé* 1961. *Programmes européens en cours :* Ariane, Spacelab, Géos, OTS, Marots, Météosat, Aérosat ; en projet E.C.S. Voir p. 41b.

C.N.E.T. (Centre national d'études des télécommunications). *Siège :* 38-40, rue du Gal-Leclerc, 92131 Issy-les-Moulineaux. *Créé* 1944. Centre de recherche de FRANCE TÉLÉCOM.

C.N.R.S. (Centre national de la recherche scientifique). *Siège :* 15, quai Anatole-France, 75700 Paris. *Pt. :* René Pellat (n. 24-2-1936). *Dir. gén. :* dep. 13-7-1988, François Kourilsky (53 ans), biologiste. *Créé* 18-10-1939, établissement public national à caractère scientifique et technique, doté de la personnalité morale et de l'autonomie financière. Couvre l'ensemble de la recherche fondamentale. *Personnel :* 26 000 (1989) dont 11 044 chercheurs et 15 043 ingénieurs, techniciens et administratifs. 70 % des chercheurs du CNRS travaillent en univ. 1/3 des chercheurs sont des femmes. *Budget :* 10 milliards de F. *Recherche :* plus de 1 330 laboratoires unités de recherche propres ou associés.

CSTB (Urbanisme et logement). Centre scientifique et techn. du bâtiment. *Siège :* 4, av. du Recteur-Poincaré, 75782 Paris Cedex 16. Établ. pub. à caractère ind. et com. *Budget (1989) :* 250 millions de F.

DRET (Défense). Direction des recherches et études techn. de l'armement (avant 1977 : Dir. des rech. et moyens d'essais).

IFREMER (Institut français de recherche pour l'exploitation de la mer). *Siège :* Technopolis 40, 150, rue Jean-Jacques Rousseau, 92138 Issy-les-Moulineaux Cedex. *Créé* juin 1984. *Effectifs :* 1 200 dans 6 centres : Paris, Boulogne/mer, Brest, Nantes, La Seyne, Tahiti. *Budget (1990) :* 984 millions de F.

INRA (Agriculture). Institut national de la recherche agronomique. *Siège :* 147, rue de l'Université, 75338 Paris Cedex 07. *Créé* 18-5-1946.

INRETS. Institut national de recherche sur les transports et leur sécurité. *Siège :* 2, av. du Gal-Malleret-Joinville, 94114 Arcueil. *Créé* sept. 1985. *Effectifs :* 391 dont 162 chercheurs et 253 ingénieurs, techniciens et administratifs.

INRIA (Informatique). Institut national de recherche d'informatique et d'automatique. *Siège :* Domaine de Voluceau-Rocquencourt, 78153 Le Chesnay Cedex. *Créé* 1980. *Centres :* Rocquencourt, Rennes, Sophia-Antipolis, Nancy. *Effectifs* (sur postes budgétaires) : 614 dont 258 scientifiques et 269 techniciens. *Budget (1989) :* 330 millions de F (H.T.) dont 70 de ressources propres.

INSERM (Santé). Institut national de santé et de la recherche médicale. *Siège :* 101, rue de Tolbiac, 75654 Paris Cedex 13. *Créé* 1964. *Personnel :* 4 450 dont 1 900 chercheurs et 2 600 ingénieurs, techniciens et administratifs.

ORSTOM (Coopération). Institut français de recherche scientifique pour le développement en coopération. *Siège :* 213, rue La Fayette, 75010 Paris. *Créé* 1943. *Centres :* 50 ; missions et antennes en France et dans 40 pays. *Recherches* contribuant au développement des régions de la zone intertropicale. *Effectifs :* 1 500. *Budget :* 800 millions de F.

Universités, grands établissements, écoles d'ingénieurs assurent aussi une part importante de la recherche fondamentale.

IHES. Institut des hautes études scientifiques de Bures-sur-Yvette (France). Mathématique et physique. *Fondée* 1958 par Léon Motchane. Association puis 1981 fondation.

Statistiques

Effectifs (1984). 308 150 salariés (1,29 % de la pop. active) dont 124 500 chercheurs et ingénieurs de recherche (universités 44 000, entreprises 45 400, services et organismes publics de rech. 32 700, institutions sans but lucratif 1 500).

Budget civil de la recherche et du développement (BCRD) **en 1991.** Dépenses ordinaires et autorisations de programme en millions de F. Ministère de la recherche et de la technologie 26 117. Autres ministères 22 554 [dont plan 62 ; environnement 69 ; éducation nationale, jeunesse et sports 2 012 ; serv. commun min. équipement, transports, mer, environnement 40 ; équipement et logement 414 ; affaires étr. 812 ; justice 5 ; intérieur 16 ; ind./aménagement du territoire 6 116 ; transports et mer 3 180 ; solidarité, santé/protection sociale 76 ; coopération et développement 10 ; culture et commun. 191 ; DOM-TOM (Taaf) 47 ; agriculture et forêt 92 ; postes télécomm. et espace 9 411 ; CNES 7 343 ; INRIA 358 ; filière électronique 1 710]. *Total : 48 672.*

Syndicats et organisations

Principaux syndicats étudiants

• Action française étudiante. 10 rue Croix des Petits Champs, 75001 Paris. *Fondée* 1904. *But :* Rassembler les étudiants royalistes dans la ligne définie par Charles Maurras sur les thèmes d'une université autonome et corporative. *Presse :* Le Feu-Follet (national, bimestriel), La Canne Plombée (Lyon), La Bombarde (Grenoble), Non-Conforme (Dijon), Le Pré carré (Rouen). Refuse dep. sept. 1990 de participer aux élections universitaires pour ne pas accroître le morcellement de la pop. étudiante.

• CELF (Collectif des étudiants libéraux de France). 11, rue Jean-Goujon, 75008 Paris. *Fondé* 1978. *Adhérents :* env. 5 500. *Pt :* Erwan Le Dore. 1 élu CROUS, 1 élu CNESER en 1989. Proche de l'UDF et du RPR. *Publications :* l'Horizon (mens.), la Lettre aux adhérents, la Lettre aux responsables, AMPHIA. Service Minitel.

• Comités d'action républicaine-Étudiants. 103, rue de Réaumur, 75002 Paris. *Fondés* 3-9-1981. *Adhérents (1984) :* 3 000. *Pt :* Philippe Comte (n. 3-6-54).

• CNEF (Confédération nat. des étudiants de France). *Fondée* mars 1982 [fusion du Comité de liaison des ét. de Fr. (CLEF) et de la Féd. nat. des ét. de Fr. (FNEF fondée 1961)]. 120, rue N.-D.-des-Champs, 75006 Paris. Modérée, attachée au non-alignement politique et à la liberté syndicale. Implantée surtout dans les établ. où dominent ét. médicales et juridiques. Défend les trad. étudiantes (chants étudiants, port de la faluche, etc.). Regroupe ANEMF (Ass. nat. des ét. en méd. de Fr.), ANEPF (Ass. nat. des ét. en pharm. de Fr.), FNAGE (Féd. nat. des ass. des él. des grandes écoles), UNECD (Union nat. des ét. en chir. dent.), UNEDESEP (Union nat. des ét. en droit, sc. éco. et politique). *Élections 1986 :* Corpos 11,5 % des voix. 2 sièges au CNESER. *Pt :* Philippe Girard. *Adhérents :* 5 000 à 10 000. *Publication :* Option.

• FNAGE (Féd. nat. des associations des grandes écoles). B.P. 343. 75266 Paris Cedex 06. *Créée* 1961 reconnue d'utilité publique. Modérée. *Adhérents :* 47 associations. *Pt :* Paul Jaeger (n. 1962).

• Fédération nat. du renouveau universitaire. 7, rue du Parc du Château, 78480 Verneuil. *Fondée* 1990. *Secr. gén. :* Olivier Bertrand. Contre mainmise de l'État sur les universités pour que les universitaires défendent leurs intérêts, loin des syndicats affiliés aux partis. *Presse :* bulletin de liaison. *Élections :* Malakoff 29 %, Dijon 20 %, Le Mans 15 %, Nanterre 5 %.

• MJLE (Mouvement des jeunes pour la liberté de l'enseign.). *Fondé* 1978 pour défendre l'enseign. libre. *Adhérents :* env. 4 000.

• MNEF (Mutuelle nationale des étudiants de France). *Fondée* 1948 (loi du 27-9 instituant un régime de sécurité sociale pour les 50 000 étudiants de l'époque). *Personnel :* 600 salariés. *Prestations versées chaque année :* 520 millions de F (dont au titre de la séc. soc. 400, mutuelle 120). A partir de 1968 concurrence : Stés mutuelles étudiantes régionales (S.M.E.R.). *Déficit (1983) :* 150 millions de F. *Adhérents 1984 :* 354 000, *87 :* 338 000.

• PSA (Pour un syndicalisme autogestionnaire). *Fondé* sept. 1982, soutenu par la CFDT. *Dissous* 13-1-1991.

• UECF (Union des étudiants communistes de France). 19, rue Victor-Hugo, 93177 Bagnolet Cedex. *Créée* 1957. Membre du M.J.C.F. (Mouvement de la Jeunesse Com.). *Adhérents :* 13 000 organisés en cercles dans chaque U.E.R., I.U.T., Grande École, Cité Univ. *Publication :* Clarté (11 000 ex.).

• UGE (Union des grandes éc.). 37, rue Ballu, 75009 Paris. *Pt :* Fabrice Lecomte. Organisation syndicale. *Adhérents :* 4 000. *Publications :* la Marmite (15 000 ex., trim.), Grandes Écoles (1 000 ex.).

• UNEF (Solidarité étudiante) (Union nat. des étudiants de France). 72, rue de Clichy, 75009 Paris. *Née* de la scission de l'UNEF le 10-1-1971. Bureau National : 32 m. *Pt :* Régis Piquemal. *Adhérents :* 40 000. Proche du PC. *Publications :* le Nouveau Campus, l'UNEF-inform, le Bulletin de liaison des élus.

• UNEF Indépendante et Démocratique. 46, rue Albert-Thomas, 75010 Paris *Pt :* Philippe Darriulat. **Histoire :** *1907 : Union nationale des associations générales d'ét. de France* (UNEF) fondée à Lille. *1933 :* Reconnue d'utilité publique. Animée par les socialiste et trotskyste Michel Péricard, Bernard Pons. *1950-54 :* majorité opposition de gauche animée par Michel Rocard, de droite par J.-M. Le Pen et courant communiste par E. Le Roy Ladurie. *1955-56 :* l'Union gén. des ét. musulmans d'Algérie (UGEMA) quitte l'UNEF. *1957 :* 17 autres AG en font autant au Congrès de Paris. *1958 :* unification. *1960 :* le gouv. supprime la subvention de l'UNEF en raison de son attitude devant le problème algérien. *1968 (mai) :* participe au mouvement étudiant avec Jacques Sauvageot. *1971 :* éclatement entre partisans et adversaires de la participation universitaire, en

Institut Pasteur

Créé 4-6-1887 (initiative de Louis Pasteur). **Fondation** reconnue d'utilité publique, inaugurée 14-11-1888 par Sadi-Carnot. **Directeur :** Pr Maxime Schwartz (n. 1940). **Siège :** 25, rue du Dr-Roux, 75015 Paris. **Personnel.** 2 000 (dont 500 chercheurs permanents) ; + de 80 unités de recherche (9 départements) ; 300 élèves et 650 stagiaires, français et étrangers, par an.

Activités. Recherche fondamentale (bactériologie, virologie, immunologie, biologie du développement, neurologie...) ; applications biomédicales (recherche de nouveaux vaccins : SIDA, hépatite B, paludisme, coqueluche ; mise au point de tests de dépistage et de diagnostic) et biotechnologiques (fermentations, lutte biologique contre les insectes, fixation de l'azote...). Formation postuniversitaire à la recherche et au diagnostic ; 23 centres experts pour la surveillance et le diagnostic de maladies infectieuses (dont 14 nationaux et 9 collaborateurs O.M.S.) ; 27 instituts dans le monde ; collaborations internat. ; hôpital spécialisé dans la pathologie infectieuse et immunitaire ; centre de vaccinations internat. ; établiss. de transfusion sanguine.

Principales contributions. Découvertes fondamentales (bactériologie, virologie, immunologie, biologie, moléculaire) ; sérothérapie ; vaccins (rage, diphtérie, tétanos par les anatoxines, tuberculose, fièvre jaune, poliomyélite, hépatite B) ; action anti-infectieuse des sulfamides et des sulfones ; isolement du virus du SIDA (HIV 1 en 1983, HIV 2 en 1986) ; mise au point de tests de dépistage. 8 prix Nobel depuis 1900.

Budget (1987). Recettes 508 millions de F dont en % *4 sources principales :* aide de l'État 47 ; ressources propres (contrats industriels, accords de licence, expertises, analyses) 29 ; concours privés (dons, legs) 14 ; redevances industrielles (2 filiales : « Diagnostic Pasteur » et « Pasteur Vaccin ») 10.

fait entre les militants procommunistes, tendance Renouveau, et les militants proches de l'OCI (Organisation communiste internationaliste), tendance unité syndicale ; mai, les administrateurs judiciaires estiment qu'en droit et en fait il n'y a plus d'UNEF puisque celle-ci n'a pas soumis ses modifications de statut en tant qu'association (ce n'est pas un syndicat à caractère revendicatif ou politique) aux ministères de tutelle (Intérieur et Éd. nationale). *1975 (mai)* : la plupart des mouvements « gauchistes » restent à l'UNEF ; les principaux syndicats modérés se regroupent dans le CLEF (Comité de liaison des ét. de France). *1981* : fusion avec UNEF, Unité Syndicale, autogestionnaires du MAS (Mouvement d'action syndicale), socialistes du COSEF (Collectif pour un syndicat des étudiants de Fr.) et indépendants des Offices Corpo à la suite d'un congrès de réunification (3/5-5-1980).

Organisation. *Union d'associations gén. Commission administrative* : 51 m. *Bureau nat.* : 21 m. Regroupe tous les étudiants sans distinction d'appartenance politique, philosophique ou religieuse. 5 tendances déclarées. A passé un protocole d'accord avec la Mutuelle nat. des étudiants de Fr. Membre fondateur de l'AIE (Association intern. des étudiants), en liaison avec le NZS (Syndicat indépendant des étudiants polonais). *Élections 1991* : majoritaire aux élections au conseil d'administration des universités avec 22,31 %, UNI 13,8 %, UNEF Solidarité étudiante 21,59 %, CELF 4,5 %, corpos et divers 38 %. Associée au 1er congrès du Syndicat lycéen (déc. 1981). *Publications* : Étudiants de France, UNEF « Inform », la Lettre aux amis de l'UNEF, la Lettre aux élus de l'UNEF, les Dossiers de l'UNEF.

• **UNI (Union nat. inter-univ.).** 8, rue de Musset, 75016 Paris. *Créée* 1968. « Regroupe tous ceux (ens., lycéens, étudiants et socio-professionnels) qui entendent défendre une société de liberté et de responsabilité à l'univ. ou à l'école. *Pt* : Jacques Rougeot. *Publications* : l'Action universitaire (70 000 ex.), Vie étudiante (150 000 ex.), Vie Lycéenne (100 000 ex.), Actua Medecine (50 000 ex.), Bulletin Inter-Grandes Écoles (30 000 ex.), Dossiers de l'UNI *Élections 1989* : CROUS 2 sièges, CNESER 2 s., CA de l'ONISEP 1 s.

Résidents universitaires

• **FERUF (Féd. des ét. en résidence univ. de France).** Rés. univ., 55, bd de Strasbourg, 75010 Paris. *Pt* : Agnès Pron. *Fondée* 1975. Associée à l'UNEF indép. et démocratique. 208 sièges aux él. des conseils de résidences univers. (1984). *Adhérents* : 12 000. *Publication* : le Résident (20 000 ex.).

• **FRUF (Féd. des résidences univ. de Fr.).** Rés. univ. Jean-Zay, 92160 Antony. *Pt.* : Guillaume Hoibian (21-1-67). *Fondée* 1964, à la suite d'une grève de loyer. 1re organisation socio-culturelle à l'univ. *Adhérents* : 13 000 + 22 000 adh. de clubs divers. *Publications* : Cité U (60 000 ex.) et l'Ouvre-Boîte (Bulletin de liaison des Associations de France) ; Droit de Cité (journal des élus aux conseils de résidences). Élections aux « conseils de résidences » (1983-84) : la FRUF obtient 382 sièges sur 675.

Syndicats lycéens

Action française lycéenne. 10 rue Croix-des-Petits Champs, 75001 Paris. *Fondée* 1988. *But* : Les lycéens étant un corps social à part entière, regrouper ceux-ci sur une ligne d'autonomie et de responsabilisation n'est possible qu'en monarchie. L'AFL est la structure lycéenne de la Restauration Nationale. *Secr. gén.* : Sylvain Roussillon. *Presse* : Insurrection (mensuel, 9 éditions régionales). *Sections de lycée* : env. 200.

Coordination permanente lycéenne. 76, rue Julien-Lacroix, 75020 Paris. *Créée* mai 1979. *Organisation* : comités de lycée, bureaux de ville, de région. Bureau nat. *Adhérents* : 1 000-1 500. *Publications* : Effervescences lycéennes (2 500 ex.), les Cahiers du syndicalisme autogestionnaire (800 ex.).

Syndicat lycéen. 55, bd de Strasbourg, 75010 Paris. *Fondé* mai 1981 par l'UNEF Indép. et démocr. *Secr. nat.* : T. Toussaint, S. Papp. Congrès annuel. *Adhérents* : 7 500. *Publication* : Bulletin du Syndicat lycéen (plusieurs milliers d'ex.).

UNCAL (Union nat. des comités d'action lycéens). 7, rue Louis-Blanc, 92240 Malakoff. *Créée* après 1968 à partir des Comités d'action lycéens. Proche des comm. puis évolution vers l'apolitisme. *Adhérents* : env. 50 000 regroupés en 150 comités (rég. par., N., S.-E.). *Pt* : Laurent Brisson, *secr. gén.* : Philippe Lattaud. *Publications* : Albert, le Journal de tous les lycéens, l'Élu des lycéens.

UNI (voir syndicats étudiants).

Syndicats enseignants

AFEF (Assoc. française des enseignants de français). 19, rue des Martyrs, 75009 Paris. *Fondée* 1967 sous le sigle AFPF Regroupe 5 000 ens., de la maternelle à l'univ. Membre de la Féd. int. des prof. de français (FIPF). *Publication* : le Français aujourd'hui (trim.) et supplément pédagogique (trim.).

CNGA (Conféd. nat. des groupes autonomes de l'ens. public). 14, rue Taine 75012 Paris. *Pt* : Bernard de Cugnac. *Fondée* 20-6-1968. Hostile à la politisation des principaux synd. d'ens. Pour 1er cycle à vitesse variable, et un 2e cycle avec un ens. progressivement optionnel aboutissant à un bac par matière. Enseignants ou non, de la maternelle aux classes post-bac. *Groupes autonomes. Adhérents* : 15 000 m. des personnels de l'Éducation nat. Élus dans les CAP. *Publication* : Université autonome.

CSEN (Conféd. synd. de l'éd. nat). 48, rue Vitruve, 75020 Paris. *Secr. gén.* : Jean Bories (2-6-33). *Créée* 5-1-1984. Rassemble 6 synd. indépendants : la FNSAESR, le SNALC, le SNE, la FNPAES, le SNAIMS (infirmières en milieu scolaire) et le SNACEM (conservatoires et écoles de musique). *Objectifs* : prééminence de l'effort par rapport au laxisme, de l'acquisition des connaissances par rapport à la fantaisie éducative. *Adhérents* : 35 000. *Publication* : Temps Futur.

FAEN (Féd. autonome de l'Éd. nat.). 13, avenue de Taillebourg, 75011 Paris. *Secr. gén.* : Marc Geniez. *Créée* 1990. Regroupe des synd. autonomes : SNC, SNL, SNEP, SNPTA. Affiliée à FGAF (Féd. gén. autonome des fonctionnaires) dont elle constitue la branche éducation.

Féd. des délégués départementaux de l'Éd. nat. 124, rue Lafayette, 75010 Paris. Association complémentaire de l'ens. public. *Pt* : Jean Vanrullen. *Secr. gén.* : Christiane Mousson. *Fonctions* : contrôle des bât. scolaires (équipement, entretien, sécurité, etc.), des éc. élém. et matern., publ. et privées ; liaison entre éc. et municipalité, entre usagers et administr. ; animation, création des œuvres ou équipements complémentaires de l'éc., responsabilité du concours des écoles fleuries ; réflexion et information sur l'éc. et l'éducation, lancement et publications d'enquêtes annuelles. *Adhérents* : 36 000. *Publication* : le Délégué de l'Éd. nat. (40 000 ex., trim.).

FEDE (Fédération européenne des écoles). *Fondée* 1963 à Barcelone. *Siège* : Zurich. Rassemble les écoles de 16 pays européens. *Pt.* : G. Dutilleul. *Secr. gén.* : M. Lachat.

FEN (Féd. de l'Éducation nationale). Généralités. 48, rue La Bruyère, 75009 Paris. *Secr. gén.* : Yannick Simbron (n. 1938) dep. 1987. *Adhérents* : 48 syndicats dont SNI-PEGC ; SNETAA (Synd. nat. de l'ens. technique-collèges) ; SNES ; SNE-Sup. ; SNA-EN (Synd. nat. des agents de service) ; SNAU (administration univ.), agents de l'Éd. nat., personnel de direction, de gestion et d'admin. des établ. scol., personnel de la recherche et de la cult. *Adhérents* : *1985* : 451 447, *88* : 394 384, 91 : 351 637. Dépendant de 9 min. ou secrét. d'État. Seule centrale synd. fr. unitaire. A refusé la scission entre CGT et FO en 1947-48. *Publication* : l'Enseignement public (mensuel). 6 tendances se retrouvent dans la plupart de ses principaux syndicats. **Tendances :** 1°) *Unité, indépendance et démocratie,* proche des socialistes. Héritière des « autonomes » de 1949, dirige la fédération depuis lors. A obtenu 54,02 % des mandats au congrès de 91. Majoritaire aussi dans les syndicats des instituteurs, des prof. de collèges techn. et d'un grand nombre de synd. moins importants. Contrôle aussi le synd. des agents, partisan de la « négociation » (la grève étant le recours ultime), influencé par le Synd. des instituteurs dans lequel il est majoritaire. 2°) *Unité et action,* proche des communistes. Tendance cégétiste. Majoritaire dans les synd. de l'ens. secondaire, des prof. d'éc. normales, des ens. supérieurs, des prof. d'éd. phys. : 32,55 % en 1991. Certains militants socialistes viennent de l'ancienne Convention des institutions rép. Partisan d'un syndicalisme de contestation 3°) *Autrement,* créé janv. 1991, tendance récente représentée principalement dans le SNETAA (v. plus haut), a obtenu 6,76 % en 1991. Regroupe militants trotskistes ainsi qu'anciens militants UID et UA 4°) *École émancipée,* comprend des syndicalistes révolutionnaires et des trotskistes de l'ex-Ligue communiste : 4,45 % en 1991. La plus ancienne tendance organisée dans la Féd. (la revue qui porte son nom a été créée en 1901). Appelle les enseignants à « lutter avec la classe ouvrière », s'oppose aux méthodes d'action de la majorité, jugées trop modérées, et à un syndicalisme jugé trop « bureaucratique ». 5°) *Pour un syndicalisme indépendant de l'État, du gouvernement, des partis* (P.S.I.E.G.P.) 2,04 % en 1991. 6°) *Syndicalisme unitaire-syndicalisme de lutte de classe.* (S.U.-S.L.C.) 0,17 % en 1991. Ces deux dernières tendances 1982-85 sont nées d'une scission lors du passage de certains adhérents de la FEN à la CGT-FO de l'ancienne tendance « Front unique ouvrier » comprenant des trotskistes lambertistes du PCI (Parti communiste internationaliste), cette tendance étant issue en 1969 de l'École émancipée. S.U.-S.L.C. n'est pas représenté dans les instances féd. nat. mais seulement dans certains syndicats nat. de la FEN.

FERC-CGT (Féd. CGT de l'éd., de la recherche et de la culture). 263, rue de Paris, 93100 Montreuil. *Secr. gén.* : Joël Hedde. *Fondée* 1945. Regroupe les synd. départementaux de l'Éd. nat., des personn. techniques, adm. et de service de l'Éd. nat., de la Culture, de la Recherche, des personnels de l'AFPA et de l'ens. privé, du personnel ouvrier du CROUS, du secteur socio-éducatif MJC, AJ, CEMEA, FJT, Ligue de l'ens., UCPA et diverses assoc. *Adhérents* : 50 000. *Publication* : le Lien.

FNECFP-FO (Féd. nat. de l'ens., de la culture et de la formation professionnelle Force Ouvrière). 155, rue de Vaugirard, 75015 Paris. *Secr. gén.* : François Chaintron. *Créée* 1948. Regroupe les syndicats F.O. des : instit., prof. des lycées et collèges, recherche et ens. sup., personnels insp. académiques, rectorats, CROUS, AFPA, ens. privé, min. de la Culture et de la Protection Judiciaire de la Jeunesse. *Adhérents* : 55 000. *Publication* : Formations.

FNEPL (Féd. nat. de l'enseign. privé laïque). *Pt* : M. Roche, *Secr. gén.* : M. Ferar. *Fondée* 1950. 51, rue de Billancourt, 92100 Boulogne. Organisme représentatif de l'enseign. privé hors contrat.

FNSAESR (Féd. nat. des synd. autonomes de l'ens. supérieur et de la recherche). 7, rue Mirabeau, 75016 Paris. *Pt* : Aymond Tranquard (chimie, Lyon). *Secr. gén.* : Paul Colonge (allemand, Lille). *Fondée* 1948. Regroupe 18 synd. Recrute surtout parmi les prof. Juge sévèrement les lois Faure et Savary et toutes les mesures prises dep. 1981. *Adhérents* : 10 000. *Publication* : bulletin.

FNSPELC (Féd. nat. des syndicats professionnels de l'enseign. libre catholique). 15, pl. Edgar-Quinet, 01000 Bourg-en-Bresse. *Secr. gén.* : Alfred Mortel. *Créé* 1905 (le plus ancien synd. de l'ens. privé). Seule féd. autonome des personnels de l'ens. privé, présente dans 80 dép.

FPFRE (Féd. des prof. français résidant à l'étranger). 7, rue Delaroche, 37100 Tours. *Pt* : Michel Laurencin. *Fondée* 1932. Rassemble les personnels français de l'enseignement et de la culture à l'étranger et dans les DOM-TOM ou y ayant exercé. Représentée dans 80 pays env., siège dans les commissions paritaires d'affectation. Constituée en ass. profession. loi 1901, regroupe des syndiqués et des non-syndiqués. 2 revues annuelles.

MEL (Mouvement des enseignants libéraux). 25, quai Voltaire, 75007 Paris. *Pt* : Daniel Houlle. *Secr. gén.* : Dominique Ambiel (n. 6-6-1954). *Créé* 1978. Dirigé par un collectif national (25 m.). *Adhérents* : 4 021.

SCENRAC (Synd. CFTC de l'Éd. nat., de la Recherche et des Affaires culturelles). 13, rue des Écluses-Saint-Martin, 75010 Paris. *Fondé* 1964. Apolitique. *Pt* : André Vierling. *Secr. gén.* : Nicole Prud'homme. *Membres* : ens. (des éc. aux univ.) des diverses disciplines et non-ens. (personn. admin., technique, ouvrier, de service, médico-social, biblioth., etc.) y compris de la culture (archit., archives, musées, Mobilier nat., manuf. nat., patrimoine, etc.) et de la recherche (CNRS, Curie, INRA, etc.). *Publication* : SCENRAC-Information.

SGEN-CFDT (Fédération CFDT des syndicats généraux de l'Éd. nat. et de la Recherche publique). 47, rue Simon-Bolivar, 75950 Paris Cedex 19. *Secr. gén.* (dep. 1986) : Jean-Michel Boullier. *Fondée* 1937. Regroupe, dans des synd. sur une base géographique et prof., tout le personnel de l'Éducation nat. (ens. et non-ens.) et de la Recherche sc. *Élections aux C.A.P. 1er degré* : 15 % des voix ; *lycées et collèges* : 14 % ; *lycées professionnels* : 14 % ; *ens. agricole public* : 14 % ; *cons. d'orientation* : 39 % ; *C.T.P. des ens. du sup.* : 22 %. Majoritaire dans la recherche publique (CNRS, INSERM). Seul synd. des inspecteurs d'apprentissage. *Adhérents 1978 :* 52 910, *82 :* 47 200, *88 :* 33 000. *Publication :* Profession éducation. Minitel 3615 CFDT SGEN.

SNALC (Syndicat nat. des lycées et collèges). 4, rue de Trévise, 75009 Paris. *Pt :* Jean Bories (n. le 2-6-1933) dep. le 29-3-1980. *Fondé* 21-4-1905 sous le nom de « Fédération nat. des prof. de lycées de garçons et de l'enseignement sec. féminin ». Nom actuel : 15-7-1937. Personnels d'ens. de gestion, d'éd., d'EPS, d'ASU, d'orientation et de surveillance dans les lycées et collèges class., modernes, techn., agr. et les écoles normales. Représenté dans les commissions paritaires académiques et nat. et les principaux organismes consultatifs du min. de l'Éd. nat. Libéral, s'oppose à une conception totalitaire de l'éducation, indépendant de tout parti politique. Membre de la Confédération syndicale de l'Éduc. nat. (CSEN). *Nombre d'élus :* nationaux 12, académiques 296. *Adhérents 1978-79 :* 14 000. *88-89 :* 12 500. *Publications :* la Quinzaine universitaire (20 000 ex., bimensuel), SNALC-Actualité (bimens.). SNALC-Info Technique, EPS, ASU (trim.) et sur minitel : 3614 ARTI.

SNC (Synd. nat. des collèges). 13, av. de Taillebourg, 75011 Paris. *Secr. gén. :* Marc Geniez. *Fondé* 1960. Regroupe toutes les catégories de professeurs, les principaux, principaux adjoints, conseillers d'éducation et personnels de surveillance (MISE) des collèges de l'enseignement public. Représenté dans les commissions paritaires académiques et nat. *Adhérents 1987 :* 30 000. *90 :* 25 000 Affilié à la FAEN *Publication :* Bulletin. Service télématique : 3616 SNC.

SNE (Syndicat national des écoles). 30, rue de Gramont, 75002 Paris. *Secr. gén. :* Robert Bonbonnelle. *Créée* 24-9-1962 par des dissidents du SNI, qui reprochaient à leur syndicat des positions politiques partisanes. A fusionné en 1973 avec le Syndicat gén. de l'ens. public créé 1970, puis le 4-6-1986 avec le SNADE (Synd. nat. autonome des directeurs d'école). Membre de la CSEN A adhéré en juin 1990 à la Confédération française de l'encadrement (CFE-CGC). Refuse tout engagement partisan, idéologique, politique ou religieux. Regroupe des instituteurs, prof. et directeurs d'école. *Adhérents :* 10 000. *Publications :* La Voix de l'École (50 000 ex., mensuel).

SNEP (Synd. nat. des écoles publiques). 8, rue Guérin-Drouet, 95120 Ermont. *Secr. gén. :* Marie-Thérèse Boidin. *Créé* 1990. Représente les ens. du 1er degré de l'Éd. nat. Revendique l'intégration de tous les instituteurs dans le corps de prof. des éc. et la définition de leurs obligations de service pour la base de 24h en présence des élèves. Affilié à la FAEN. *Publication :* bulletin mensuel.

SNES (Synd. nat. des ens. du second degré class., mod., techn). 1, rue de Courty, 75341 Cedex 07. *Secr. gén. :* Monique Vuaillat. *Créé* 3-4-1966 [fusion de l'ancien SNES (Synd. nat. de l'ens. sec. formé en 1944 et issu du SPES : Synd. du personnel de l'ens. sec.) et du SNET (Synd. nat. de l'ens. techn.)]. Commissions paritaires nationales des personnels du second degré : 37 sièges sur 54 à pourvoir (déc. 87). *Élections juin 1989* (%) : unité et action 73,21, union pour l'ind., la dém. et la rénov. du SNES 14,09, école émancipée 11,15, ind. synd. et unité 1,68. *Adhérents 1976-77 :* 91 204, *88-89 :* 69 478. *Publications :* l'Université syndicaliste (110 000 ex., hebd.), le Courrier de S1 (bimens.) *Minitel* 36 15 Ustel.

SNES-Sup. (Synd. nat. de l'ens. supérieur). 78, rue du Faubourg-St-Denis, 75010 Paris. *Secr. gén. :* Gérard Cendres. *Créé* 1935. *Vote d'activité :* tendance Action syndicale 77,52 % des voix (1987 : 75,23) ; courant UID 16,76 ; École émancipée 5,72. *Adhérents :* 5 000.

SNI-PEGC (Synd. national des instituteurs et professeurs d'enseignement général de collège). 209, bd Saint-Germain, 75007 Paris. *Secr. gén. :* Jean-Claude Barbarant (15-9-1940). Représente aux élections prof. 61,80 % des instituteurs et 53,60 % des PEGC. *Fondé* 1921. Regroupe env. 50 % des instituteurs et prof. d'ens. gén. des collèges. *Tendances :* Unité, indépendance et démocratie, 61,74 % des voix aux récentes élections du bureau national ; Unité et action 30,80 % ; École émancipée 5,7 %. Pour un synd. indépendant 1,71. *Adhérents 1978-79 :* 299 108, *90 :* 180 000. *Publication :* l'École libératrice (185 000 ex., hebdo).

SPEN (Synd. des psychologues de l'Éd. nationale). 21, av. de Robinson, 92290 Châtenay-Malabry. *Secr. gén.* Mme Bertrand. *Créé* juin 1975. *Membres :* majorité des psychol. scolaires en exercice. *Publication :* Journal du SPEN (bimestriel).

SNL (Syndicat national des lycées). 13, avenue de Taillebourg, 75011 Paris. *Secr. gén. :* Jean-Paul Aymard. *Créé* 1988. Constitué avec les adhérents du SNC enseignant en lycée. 2e syndicat des personnels de direction. *Élections du 15-12-1988 :* 19 % des voix, 1 siège sur 4 (les 3 autres à la FEN) à la CAPN Indépendance du syndicalisme à l'égard des partis politiques. Revendique un corps unifié et spécifique de lycée (15 h pour tous). *Publication :* bulletin trimestriel.

SNPTA (Synd. nat. des personnels techniques et administratifs de l'Éd. nat.). C.N.E.D., 60, bd du Lycée, 92171 Vanves Cedex. *Secr. gén. :* Guy Gaïtti. *Créé* 1987. Affilié à la FAEN.

UNI (voir syndicats étudiants).

UNSEN-CGT (Union nat. des syndicats de l'Éd. nat). *Née* de la transformation du SNETP-CGT (Synd. nat. des enseignements techn. et profess.) en SDEN (Synd. dép. de l'Éd. nat.), 12, promenée Venise-Gosnat, Ensemble Jeanne-Hachette, 94200 Ivry-sur-S. *Secr. gén. :* Michèle Baracat (18-10-50). *Fondé* 1944. Personnels d'ens., d'éducation, de direction des LEP, SES, EREA. Dep. 1988, syndique l'ensemble des personnels enseignants. *Adhérents :* 13 000. *Publication :* le Travailleur de l'ens. techn.

☞ Assoc. française des psychologues scolaires (AFPS). 9, allée Brahms, 91410 Dourdan. *Pt :* J. Hervé. *Créée* 1962. *Adhérents :* 1 000 sur les 3 000 psych. scolaires en France. *Publication :* Psychologie et éducation (trimestriel), Échanges (trim.).

Mouvements de parents d'élèves

Élection des représentants des parents d'élèves dans les conseils d'établ. (1991). *1er degré* (participation 47,75 %) Assoc. locales et groupements 40,83, FCPE 37,98, PEEP 8,51. *2e degré* (participation 32,14 %) FCPE 58,17, PEEP 27,48, Assoc. loc. et groupements 10,83.

FCPE (Féd. des conseils de parents d'él. des écoles publiques). 108/110, av. Ledru-Rollin, 75011 Paris. *Pt :* J.-P. Mailles (n. 28-5-44) dep. mai 86 ; avant : Jean Cornec (n. 7-5-17) et Jean Andrieu (n. 27-11-33). *Fondée* 1946. *Membres :* env. 600 000 familles, près de 208 000 délégués dans les conseils d'éc. et conseils d'établ. (élém. et sec.) où elle détient la majorité des sièges. A obtenu 1 524 331 voix (50,86 %) en 1984. Regroupe plus de 18 000 conseils locaux. *Buts :* propager et défendre l'idéal laïc, promouvoir un service nat. public d'éducation, gratuit, respectueux de toutes les familles de pensée et soucieux d'apporter à chacun des élèves l'épanouissement de sa personnalité et les meilleures chances d'insertion sociale. *Publications :* Pour l'enfant... Vers l'homme (250 000 abonnés), Revue grand public, la Famille et l'École (30 000 abonnés) ; revue technique pour les militants.

FFN-EAP (Féd. familiale nat. pour l'enseign. agricole privé). 277, rue St-Jacques, 75005 Paris. *Pt :* Charles Delatte. *Secr. gén. :* Patrick Jenoudet. *Fondée* 1956. Membre du CNEAP (Conseil nat. de l'ens. agricole privé). *Adhérents :* 35 000. Regroupe les 277 assoc. des Établ. d'ens. agr. privés cath.

FNAPE (Féd. nat. des assoc. de parents d'élèves de l'ens. public). 27, rue du Faubourg-Poissonnière, 75009 Paris. *Pt d'honneur :* Léon Giraudeau (13-1-1920), Jacques Demaret (25-5-1937). *Pt gén. :* Hugues Devillaire (2-6-1940). *Fondée* 1932. *Adhérents :* parents du cycle préélémentaire au sup., de l'ens. techn., agr. et prof. Réunit 120 associations, 25 000 adh. Travaille pour un enseignement de qualité et pour la promotion de l'ens. technol. et prof. Sans attache politique, religieuse, syndicale, gouvernementale. *Publications :* Parents d'élèves (trim.), info-FNAPE.

PEEP (Féd. des parents d'él. de l'ens. public). 89-91, boulevard Berthier, 75017 Paris. *Pt :* Joëlle Longueval dep. mai 1991 [avant Jacques Hui dep. mai 1986, avant J.-M. Schléret (n. 11-8-41) dep. mai 80 (avant : Antoine Lagarde)]. *Fondée* 1905, par Paul Gallois. *Adhérents :* + de 3 500 associations et 28 unions rég., 430 000 adhérents pour les 1er et 2e degrés, large représentativité dans les établ. de l'ens. agricole, sup., franç. à l'étranger. *Principes :* primauté de la famille en matière d'éducation ; attachement à l'école publique avec laïcité ouverte. *Publications :* la Voix des parents (bimestriel pour adhérents) ; PEEP-Info. (pour responsables).

UNAAPE (Union nat. des assoc. autonomes de parents d'élèves). 42, rue Carvès, 92120 Montrouge. *Pt :* Henri-Jacques Pariot (n. 4-12-26). *Fondée* juin 1968. *Adhérents :* env. 60 000. A obtenu 1,99 % des voix en 1989 dans le secondaire et 1,06 % dans le primaire. *Buts :* qualité de l'ens., indépendance du système éducatif vis-à-vis du pouvoir politique, droit des familles à une présence efficace dans les écoles, défense des valeurs morales (sens de l'effort, discipline), liberté de choix du système scolaire. *Publications :* Présence des parents 4 fois par an ; UNAAPE-Information (mensuel de liaison entre l'org. nat. et les bureaux des assoc. locales).

UNAPEL (Union nat. des assoc. de parents d'él. de l'ens. libre). 277, rue St-Jacques, 75005 Paris. *Pt :* Alain Cerisola. *Fondée* 1930. *Adhérents :* 810 000 familles pour 2 000 000 d'él. scolarisés dans 9 000 établ. privés sous contrat. *Publications :* la Nouvelle Famille éducatrice (821 250 ex., 8 nos par an).

Associations de jeunesse et d'éducation populaire

☞ Il y a en France près de 200 associations de jeunesse et d'éducation populaire agréées et subventionnées par l'État (sur le plan national). *Renseignements :* Direction départementale de la Jeunesse et des Sports du domicile, ou antenne régionale du CIDJ.

CIDJ (Centre d'information et de documentation de la jeunesse). 101, quai Branly, 75740 Paris Cedex 15. Min. de la Jeunesse et des Sports. Accueille 3 000 jeunes par j. en moyenne. 5 000 pages de documentation mises à jour chaque année. Domaines : enseignement, formation professionnelle, métiers, formation permanente, vie quotidienne, loisirs, vacances, voyages à l'étranger, sports. Séances d'info-collectives 2 fois par mois.

Maisons des jeunes et de la culture

Origine. **1944** (4-10)mouvement *République des Jeunes* créé à Lyon, formé par des représentants de mouvements de jeunesse, de syndicats et d'organisations de Résistance. **1946** *Féd. des Maisons des jeunes.* **1948** (15-1) *Féd. nationale des Maisons des jeunes et de la culture.* **1969** se fractionne entre la FFMJC (Féd. française des Maisons des jeunes et de la culture) et l'UNIREG (Union des Féd. régionales des Maisons de jeunes et de la culture). **1969 et 70** réorganisation ; les 26 féd. régionales adhèrent soit à la FFMJC, soit à l'UNIREG (y compris les dép. d'outre-mer).

Financement. Par les usagers et les municipalités (47,4 %), conseils généraux, voire le ministère de la Jeunesse et des Sports.

Activités **(% des MJC les exerçant).** Culturelles (diffusion, théâtre, cinéma, musique, expo.) 80 % ; sportives 75 % ; d'expression 70 % ; au service de partenaires associatifs (prêt de salle, imprimerie) ; scientifiques, techniques et audiovisuelles 63 % ; action sociale et formation 33 % ; tourisme social 29 % ; économiques (développement local, entreprises intermédiaires, vente de services) 20 %.

FFMJC (Féd. française des Maisons des jeunes et de la culture). 15, rue La Condamine, 75017 Paris. *Pt :* Roger Legrand. *Délégué gén. :* Jean-Claude Lambert. *En 1990 :* 17 féd. rég., 1 143 MJC, 35 centres internat. de secours, 100 lieux de rock, 70 000 danseurs, 200 salles de spectacles ; + de 440 000 adhérents. Membre de l'ECYC (Conféd. europ. des clubs de jeunes) comprenant 16 000 MJC. *Publication :* La lettre de la FFMJC (trimestriel).

UNIREG (Union des fédérations régionales des Maisons des jeunes et de la culture). 168 bis, rue Cardinet, 75017 Paris. *Pt :* Marcel Canique. *Délégué général :* Jean-Pierre Sirerols. *En 1987 :* 13 féd. régionales, 480 MJC, 200 000 adhérents. *Publication :* Synchro (6 nos par an). *Financement :* ressources propres : 46,7 %, aides publiques confondues : 53,3 %. *Institut de formation à l'animation* (IFA).

Foyers et clubs de jeunes

Fédération des centres sociaux et socioculturels. 10-12, rue du Volga, 75020 Paris. *Pt :* M. Matray. *Créée* 1927. Reconnue d'utilité publique 1931. *Adhé-*

rents : + de 850 centres. Les habitants du quartier participent à l'animation et à la gestion de l'équipement.

Fédération nationale Léo-Lagrange. 21, rue de Provence, 75009 Paris (Léo Lagrange 1891-1940, sous-secrétaire d'État aux Sports et Loisirs en 1936-37 ; 1938, avocat, député socialiste du Nord, créa l'école de ski, le brevet sportif populaire, organisa le tourisme pop.). *Pt :* Bernard Derosier. *Créée* 1950. *Adhérents* (1990) : 300 000. *But :* développer l'initiative et la responsabilité de chaque citoyen dans la collectivité.

Fédération sportive et culturelle de France. 22, rue Oberkampf, 75011 Paris. *Pt :* Jacques Gautheron. *Créée* 1898 par Dr Paul Michaux, sous le nom de *Féd. gymnastique et sportive des patronages de Fr. Activités :* branches sportive 80 % env. des activités (avec ou sans compétitions) ; socio-éducative et culturelle, loisirs, détente. *Adhérents* (1990) : 200 000 (2 200 assoc., 70 relais départ.). *Publication :* Les Jeunes (bimestr.)

Union nationale des foyers et services pour jeunes travailleurs (association nat. d'éducation populaire). 12, av. Gal-de-Gaulle, 94307 Vincennes Cedex. *Pte :* Mme Goureaux. *Dir. :* J.-L. Dumoulin. *Créée* 1955. *Adhérents :* 468 foyers pour jeunes trav. de 18 à 25 ans (55 000 places), 10 services sans hébergement. *Coût* (1/2 pension) : 1 400/1 800 F par mois. Les foyers fournissent aussi une aide morale, éducative et parfois matérielle.

Ligue française de l'Enseignement (voir p. 1301a).

☞ L'*UFOLEIS* (10 500 ciné-clubs) est la plus grande fédération de ciné-clubs du monde. L'*UFOLEP-USEP* (27 618 sociétés et 1 272 594 lic.) est la plus grande fédération omnisports de France.

Auberges de jeunesse

Quelques dates. 1929 Marc Sangnier, militant de la paix et de la coopération internationale, crée la 1re A. J. en Fr. (Bierville). **1937** essor des A.J. avec Léo Lagrange, v. + haut. **1956** regroupées dans une Féd. unie (FUAJ). **1959** la Ligue française pour les A.J. (LFAJ) s'en retire. **1966** accord entre les 2 associations ; réciprocité d'accueil.

FUAJ (Féd. unie des Aub. de j.). 27, rue Pajol, 75018 Paris. *Pt :* Serge Goupil. *Secr. gén. :* Édith Arnoult. *Créée* 6-4-1956. *Agréée* 3-7-1959. *Activités :* hébergements, stages sportifs, culturels, ou artisanat. + de 200 aub. en France (15 000 lits, 1 300 000 nuitées). Seule féd. à être affiliée à la Féd. internat. des Aub. de j. (International Youth Hostel Federation/I.Y.H.F. : 5 400 aub. dans 57 pays ; 3 500 000 adhérents).

LFAJ (Ligue française pour les Aub. de j.). 38, bd Raspail, 75007 Paris. *Pt :* Pierre Mulet. *Délégué gén. :* René Bargeolle. *Créée* 1930. En 1990 : 100 aub. et maisons amies, 35 000 adhérents. 7 500 lits, 700 000 nuitées.

Chantiers de jeunes

• **Chantiers Histoire et Architecture médiévales** (CHAM), 5-7, rue Guilleminot, 75014 Paris.

• **Club du Vieux Manoir.** 10, rue de la Cossonnerie, 75001 Paris. *Créé* 1952, agréé et reconnu d'utilité publique. Restauration des sites et ruines, recherches et études archéologiques des vestiges avec animation de tous les chantiers pour le grand public (visites guidées, expositions, spectacles...). 20 à 25 réhabilitations par an. *4 centres permanents d'activités :* Paris (ateliers et chantiers de fin de semaine), Ponpoint (Oise) : abbaye du Moncel, et château de Philippe le Bel. Aisne : château-fort de Guise. Indre : domaine du château d'Argy. *Membres* + de 4 000. *Conditions.* Age min. : 14 à 16 ans suivant les cas. 55 F par jour, 65 F de cotisation assurance ; hébergement en camps ou cantonnements ; séjours de 15 j minimum l'été. *Publications :* les Cahiers médiévaux (revue d'études), Art et Tourisme, les Historiques (études sur les châteaux), les Séries de cours « Sauvetage et Archéologie ».

• **Études et chantiers.** 18, rue de Châtillon, 75014 Paris. *Pt :* José F. Jacquemart. *Créés* 1962. 10 associations locales ou rég. *Activités :* 100 chantiers de jeunes en France (+ de 13 ans) et à l'étranger (+ de 18 a.). Activités à caractère social ; stages de formation prof. en alternance organisés toute l'année.

• **Co-travaux. Coordination pour le travail volontaire des jeunes.** 11, rue de Clichy, 75009 Paris. *Créé* 1959, sous le patronage du Haut Comité de la jeunesse. Regroupe 10 associations qui organisent des chantiers, en France et à l'étranger [équipes internationales, adolescents (13-18 ans) ou adultes]. Aménagement de villages et équipements ruraux, sportifs, socioculturels, touristiques, protection de la nature et de l'environnement, fouilles archéol., restauration du Patrimoine, aide aux mal-logés.

Associations membres : Alpes de lumière, prieuré de Salagon, Mane, 04300 Forcalquier. **FUAJ,** 27, rue Pajol, 75018 Paris. **Les Compagnons bâtisseurs,** 5, r. des Immeubles-Industriels, 75011 Paris. **Concordia,** 38, rue du Fbg-St-Denis, 75010 Paris. **Jeunesse et Reconstruction,** 10, rue de Trévise, 75009 Paris. **Neiges et Merveilles,** St-Dalmas-de-Tende, 06430 Tende. **Service civil international,** 2, rue Eugène Fournière, 75018 Paris. **Solidarité Jeunesses,** 38, rue du Faubourg-Saint-Denis, 75010 Paris. **Union REMP Art,** 1, r. des Guillemites, 75004 Paris. **UNAREC,** 33, rue Campagne-Première, 75014 Paris.

Associations d'échanges internationaux

Centre de coopération culturelle et sociale. *Agréé* 4-3-1952. 7, rue N.-D.-des-Victoires, 75002 Paris. *Créé* 1-11-1947. Activités pour enfants et jeunes en Fr. et à l'étranger.

Centre d'échanges culturels internationaux. 168 bis, rue Cardinet, 75017 Paris. Organisme de l'UNIREG.

Club des 4 Vents. 1, rue Gozlin, 75006 Paris. *Créé* 1953. Activités et rencontres en France et à l'étranger.

Fédération française des clubs Unesco. 2, rue Lapeyrère, 75018 Paris. *Créée* 1955.

Féd. française des organisations de séjours culturels et linguistiques (FFOSC). 7, rue Beccaria, 75012 Paris.

Union nationale des organisations de séjours linguistiques (UNOSEL). 293-295, rue de Vaugirard, 75015 Paris. *Créée* 1979.

Activités scientifiques

Association française Astronomie. 17, rue Émile-Deutsch-de-la-Meurthe, Observatoire du Parc Montsouris, 75014 Paris. *Créée* 1946 par Pierre Bourge. *Adhérents :* 4 000. Possède un observatoire à Aniane [(Hérault), ouvert toute l'année]. *Publications :* Afascope, Ciel et Espace. Voyages de découverte scientifique ; séances de planétarium ; cours ; conférences ; stages.

Association nat. sciences techniques jeunesse (ANSTJ). *Secrétariat :* 17, avenue Gambetta, 91130 Ris-Orangis. *Siège :* Palais de la Découverte, 75008 Paris. *Délégations régionales :* Animation scient. Sud-Est Méditerranée (ASSEM) : 9, rue Gazan, 06130 Grasse ; Centre d'initiation scient. et techn. et d'étude du milieu (CISTEM) : 184, rue Anatole France 29200 Brest ; Association des loisirs scient. en Essonne (ALOISE) : 6, rue Emmanuel-Pastré, 91000 Évry ; Contact pour la réalisation d'activités scient. et techn. (CONTRASTE) : 6, rue du Caillou gris, 31000 Toulouse ; ANSTJ. Languedoc Roussillon, 91, rue Aimé Ramond, 11000 Carcassonne.

Activités : séjours de vacances pour les 8/18 ans, aide à ceux qui souhaitent développer un projet à caractère scient. dans le cadre de clubs, aux échanges entre jeunes et milieu de la recherche et de l'industrie, stages de formation pour enseignants et animateurs : astronomie, techniques aérospatiales (fusées), énergie solaire, informatique, électronique, robotique, télédétection, écologie, géologie, météorologie. *En 1990 :* 500 clubs, 50 000 participants, 1 000 animateurs, 30 permanents, 200 ateliers et classes de découverte.

Réseau des émetteurs français. Section de l'IARU (International Amateur Radio Union), Siège soc., B.P. 2129, 37021 Tours Cedex. *Pt :* J.-P. Waymel. Groupe radioamateurs et personnes intéressées par les ondes courtes et la radiocommunication. Rec. d'utilité publ. 1952. *Adhérents :* 10 000. *Mensuel :* Radio REF.

Activités culturelles

A Cœur Joie. « Les Passerelles », 24, av. Joannès-Masset, 69337 Lyon Cedex 09. *Pt :* Marcel Corneloup (dep. mars 1973). *Créé* 1940 par César Geoffray (1901-72), prof. de conservatoire. *Activités :* chant choral (5 ans à chorale de retraités), stages de formation chefs de chœurs, rencontres musicales. *Publication :* Chant Choral Magazine. *Maison d'édition :* Ed. A Cœur Joie, B.P. 9151 69263 Lyon Cedex 09. *Effectifs :* France 20 000.

Animation et Développement. 168 bis, rue Cardinet, 75017 Paris. *Pt :* Lucien Trichaud. *Créée* 1975. *Activités :* recherches en ethnologie sociale pour mise en œuvre des plans d'animation locale, ou de dévelop. culturel, social ou éco. Formation.

Association Internationale du Nouvel Objet Visuel, 32, allée Darius Milhaud, 75019 Paris. *Pt :* Catherine Brelet. *Créée* 1964 par Jacques Anquetil, sous le nom d'Union des maisons des métiers d'art français. Ouverte à tous les créateurs.

Association pour la formation de cadres de loisirs des jeunes (AFOCAL). 15, rue de Richelieu, 75001 Paris.

Ateliers des Trois Soleils. 75, rue Eugène-Pons, 69004 Lyon. *Créés* 1957-58. *Agréés* 1962 (régional), 1974 (national). *Activités :* peinture, sculpture, poterie, vannerie, tissage, cuir, reliure, photo, bois, art floral, batik, bijouterie, éducation corporelle. S'adresse en priorité aux animateurs, aux éducateurs, aux enseignants et aux travailleurs sociaux. *Stages d'art et artisanat* (Riverie, 69440 Mornant, Rhône). *Adhérents :* env. 1 200, 50 000 bénéficiaires au 2e degré.

Centre national français du film pour l'enfance et la jeunesse. 133, rue du Château, 75014 Paris. *Pt :* M. Hacquard. *Créé* 1949. **Centre d'information sur la production mondiale de films pour jeune public.** *Publications :* Feuille d'inf. ; Sélection de films (choisis par des éducateurs et prof. du cinéma).

Cœurs vaillants et Ames vaillantes de France. Asoc. 6, rue Duguay-Trouin, 75006 Paris. *Pt. :* Jean-Baptiste Hayreaud. Mouvement cath. d'éd. pour 5 à 15 ans. *Créée* 1936 par le père Courtois (1897-1970), nommée également Action Catholique des Enfants. *Activités :* réunions axées sur la vie (scolaire, familiale, loisirs, environnement), rassemblements, jeux, fêtes. 14 000 animateurs encadrent 100 000 enf. *Publications* (Fleurus Presse) : Perlin (8 ans), Fripounet (8 à 11), Triolo (11 à 15). *Revue des clubs ACE :* Les Mifasols (5-8), Tric et Truc (8-11), Vitamine (11-15).

Confédération nationale des groupes folkloriques français. *Siège social :* Musée des Arts et Traditions Populaires. *Secr. nat. :* Mme Bidault, 01190 Pont-de-Vaux. *Créée* 1951, reconnue d'utilité publique 1987. *En 1990 :* regroupe 11 féd. rég. folkloriques, 280 groupes folkl. et 30 000 chanteurs et danseurs. *Publication :* Folklore de France (5 nos/an).

Fédération loisirs et culture (FLEC). 24, bd Poissonnière, 75009 Paris. *Pt :* P. Fresil dep. 1986. *Fondée* 7-7-1946. Ciné-clubs pour 16 à 25 ans. *En 1980 :* 1 000 associations et clubs touchaient env. 250 000 pers. (cinéma pour enfants : 80 000 entrées). *Publications :* Filmographe, Loisirs et Culture.

Fédération nat. des Associations familiales rurales (FNAFR). 81, av. Raymond-Poincaré, 75116 Paris. *Pt :* Michel Bordereau. *Dir. :* Gilles mortier. *Créée* 26-6-1943. *Composition :* 170 000 familles (soit + de 1 million de personnes) dans 3 200 associations locales réunies dans 76 Fédérations départementales. *Publications :* Familles rurales (mensuel, 6 000 ex.) ; Flash (mensuel, 75 000 ex.). *Activités :* 1 800 centres de loisirs et camps (70 000 enfants et jeunes accueillis, 5 500 animateurs) ; 800 clubs féminins ; plus de 1 000 clubs de retraités-personnes âgées, 4 500 aides ménagères. Consommation : 350 responsables locaux, informations, solution des litiges, permanences et formation des responsables. Plus de 20 établ. d'information, consultation et conseil conjugal. Transports scolaires, garderies familiales rurales, bourses aux vêtements, bibliobus, etc.

Fédération nationale des compagnies de théâtre et d'animation (FNCTA). *Fondée* 1907. 12, rue de la Chaussée-d'Antin, 75009 Paris. *Pt :* Jean Saby. *En 1990 :* 3 680 Cies théâtrales et 35 800 comédiens. *Publication :* Théâtre et Animation.

Francs et Franches Camarades. Les Francas. *(Féd. nat. laïque des centres de loisirs éducatifs pour l'enfance et l'adolescence).* 10-14, rue Tolain, 75020 Paris. *Pt :* René Ducarouge. 100 associations dép., 25 délégations rég. 30 000 adhérents. 1 000 000 d'enfants et de jeunes dans 5 000 centres d'activités. 20 000 personnes formées par an (bénévoles et prof.). Secteur d'animation gérant 20 groupes de travail permanents. *Editions :* Camaraderie (35 000 ex.), Réussir (pour les éduc.), Jeunes Années (3-8 ans), Gullivore (9-14 ans, 1 500 000 ex.).

Inter-Animation. 1, rue Gozlin, 75006 Paris. Regroupe des associations agréées. **Chant choral :** A cœur joie (v. Index). **Stages d'expression, d'animation, spectacle, artisanat :** *Animation jeunesse,* 13, rue de Buci, 75006 Paris. **Jeunesses musicales de France,** Section française de la Féd. intern. des J.M., 14, rue François-Miron, 75004 Paris. **Jeunesse et Marine,** 10, rue de Constantinople, 75008 Paris.

Loisirs-Jeunes. 36, rue de Ponthieu, 75008 Paris. *Agréé* en 1957. *Pt :* M. Berthet.

Vacances pour tous. 21, rue St-Fargeau, 75989 Paris Cedex 20 (service vacances de la Ligue française de l'enseignement et de l'Éducation permanente).

Scoutisme

Généralités

Quelques dates. 1899-1900 lors du siège de Mafeking (Afr. du S.) 217 j (du 11-10-1899 au 17-5-1900), le colonel Robert Baden-Powell [1857-1941 (il épouse le 30-10-1912 Olave Saint Clair Soames (22-2-1889/1977)] crée un corps de cadets de 12 à 16 ans, pour remplir les tâches de messagers (scouts). **1907** (30-7 au 9-8) B.-P. réunit les 24 premiers « boy-scouts » sur l'île de Brownsea (G.-B.). **1908** le livre *Scouting for Boys (Éclaireurs)* propage idées de B.-P. *18-4* The Scout (l'Eclaireur) (hebdo) lancé. **1911** + de 500 000 scouts et guides dans le monde. En France, le pasteur Gallienne de la Mission populaire de Grenelle et Georges Bertier, directeur de l'école des Roches, se lancent dans ce mouvement. Nicolas Benoît, officier de Marine, fonde les Éclaireurs de France. Williamson applique la méthode scoute aux sections cadettes des UCJG (Union chrétienne des jeunes gens). **1911** *2-11* les Éclaireurs de Fr. se constituent en association. Les groupes nés dans les UCJG avant les Éclaireurs unionistes de Fr. se constituent en un mouvement distinct, les Éclaireurs unionistes. **1912** des unités sont créées dans le cadre des Unions chrétiennes des jeunes filles. **1913** 1er camp intern. à Birmingham : 30 000 participants. **1914-20** fondation de groupes catholiques. **1918** BP publie le livre des Eclaireurs. **1920** les groupes cath. forment les « scouts de Fr. » au 1er *jamboree.* **1921** fondation de la Féd. française des éclaireuses (FFE), formée de sections unionistes, neutres, d'une section israélite (1927). **1923** création des Éclaireurs israélites (EIF) et Guides de Fr. (catholiques). **1939** (juin) 3 305 149 scouts dans 47 pays. **1964** la section neutre de la FFE forme, avec les EDF, les Éclaireuses et Éclaireurs de Fr. (EEDF) ; la section israélite rejoint les EIF. **1970** (janv.) fusion de la Féd. fr. des éclaireuses unionistes (FFEU, section féminine de la FFE) avec Éclaireurs unionistes de Fr. ; création de la Féd. des éclaireuses et éclaireurs unionistes de Fr. (FEEUF).

Principes. *But :* contribuer au développement personnel et social des jeunes. Ouvert à tous, à caractère non politique. *Fondé sur :* les contacts internationaux dans la perspective de la promotion de la paix, de la compréhension et de la coopération ; la participation au développement de la société dans le respect de la dignité de l'homme et dans le respect de l'intégrité de la nature ; la prise en charge par chacun de son propre développement ; une méthode d'auto-éducation progressive, comportant des programmes adaptés aux différentes tranches d'âge et fondée sur une « promesse » et une « loi », l'éducation par l'action, la vie en petits groupes, un système de progression personnelle et des activités se déroulant au contact de la nature.

Divers. *Insigne des chefs scouts :* badge de bois ; 2 bûchettes enfilées aux extrémités d'un lacet de cuir noué en collier. A l'origine, provenaient du collier d'un roi zoulou. *B.A. :* bonne action ; à faire chaque jour. *Emblème mondial :* fleur de lys que l'on trouvait sur cartes et boussoles, symbole de la bonne direction. Corde qui l'entoure symbolise l'unité. *Loup de bronze :* décoration décernée par Comité mondial pour services exceptionnels, crée 1935, attribué à 170 personnes.

Jamborees mondiaux. Nombre participants en milliers. *1920* Londres G.-B. 8 ; *24* Ermelunden, Dan. 5 ; *29* Birkenhead, G.-B. 50 ; *33* Gödöllö, Hongrie 25 ; *37* Vogelenzang, P.-B. 27 ; *47* Moisson, Fr. 25 ; *51* Bad Ischl, Autr. 13 ; *55* Niagara Falls, Can. 11 ; *57* Sutton Coldfield, G.-B. 34 ; *59* Makiling Park, Phili. 12 ; *63* Marathon, Grèce 12 ; *67* Farragut, USA 12 ; *71* Asagiri Heights, Jap. 24 ; *75* Lillehammer, Norv. 17 ; *83* Calgary, Can. 16 ; *85/6* Sydney Aust., n.c.

Scoutisme mondial

• **Masculin. Organisation mondiale du mouvement scout (O.M.M.S.).** *Conférence mondiale :* composée de 131 organisations nationales, se réunit tous les 3 ans. *Comité mondial :* 12 membres de pays différents élus par la conférence pour 6 ans ; renouvellement par moitié. *Pt* (1990-93) : E.F. Reid. *Bureau mondial du scoutisme :* Case postale 241, 1211 Genève, 4, Suisse. *Secr. gén. :* Jacques Moreillon (Suisse). Organise les jamborees (en zoulou : assemblée d'amis) quadriennaux.

Nombre de scouts (sept. 89) : + de 16 000 000 dans 120 organisations nat. et 150 pays et territoires dont (en milliers) : USA 3 886,4, Philippines 2 060,93, Inde 1 224,63, G.-B. 681,26, Bangladesh 312,24, Canada 310,85, Pakistan 298,34, Japon 284,95, Corée du S. 278,77, Thaïlande 241,35, Italie 177, 03, All. féd. 158,80, Australie 157,88, Suède 144,52, *France 138,14,* P.-Bas 110,39, Iran 105,52, Kenya 98,12, Chine 96,08, Malaisie 97,09, Belgique 83,12, Égypte 73,28, Finlande 72,03, Afr. du S. 69,27, Espagne 67,07, Algérie 66,39, Danemark 64,71, Zaïre 62,84, Suisse 59,94, Mexique 58,36, Brésil 57,46, Népal 55,67, Irlande 53,95, N.-Zél. 52,01, Hong Kong 50,98, Chili 50,67, Portugal 48,79, Nigeria 48,48, Tunisie 35,31, Norvège 32,09, Grèce 29,44, Autriche 29,14, Israël 27,73, Sri Lanka 27,16, Colombie 24,33, Turquie 21,75, Arabie S. 17,37, Haïti 17,19, Argentine 16,06, Jordanie 14,75.

• **Féminin. Assoc. mondiale des guides et des éclaireuses (A.M.G.E.),** *Conférence mondiale :* tous les 3 ans, 112 organisations nationales. *Comité mondial :* 12 membres, de pays différents, élus par la conférence pour 9 ans. *Pte* (1987-90) : Dr Odile Bonte. *Bureau mondial :* 132, Olave Centre 12c, Lyndhurst Road London NW3 5PQ. *Directrice :* Miss Ellen Clark.

Nombre de guides : + de 7 750 000 dans 112 pays dont (en milliers) USA 2 918, Philippines 1 597, G.-B. 750, Inde 442, Canada 269, Corée 145, Indonésie 99, Autriche 94, Pakistan 94.

Scoutisme français

Reconnu par le scoutisme mondial

Organisation. *Féd.* de 5 associations (Éclaireuses et Éclaireurs de Fr., Éclaireuses et Éclaireurs israélites de Fr., Éclaireuses et Éclaireurs unionistes de Fr., Guides de Fr., Scouts de Fr.). *Conseil nat.* Pts et commissaires généraux des 5 associations. *Bureau :* 7, rue Émile-Dubois, 75014 Paris. *Pt :* J.-Ch. Zerbib.

Scouts de France. 54, av. Jean-Jaurès, 75940 Paris Cedex 19. *Pt :* Pierre Trémeau. *Commissaire gén. :* Bertrand Chanzy. *Association* créée 1920 par père Sevin, chanoine Cornette et Édouard de Macedo. *Effectifs 1991 :* 11 287 ; 23 370 responsables bénévoles, 1 544 sarabandes, 22 permanents, 4 571 compagnons (17-21 a.), 14 984 pionniers (14-18 a.), 28 466 scouts (11-15 a.), 37 546 louveteaux (8-12 a.), 784 membres associés (amis et sympathisants actifs), implantations locales 1 400 (+ 150 DOM-TOM et étranger). *Publications :* Demain, les Cahiers du scoutisme ; une revue par tranche d'âge. *Formation :* stages BAFA-BAFD agréés, stages techniques.

Guides de France. 65, rue de la Glacière, 75013 Paris. *Pt :* Marie-France Alexandre. *Créée* février 1923. Catholique. *Commissaire générale :* Monique Mitrani. 4 branches : Jeannettes (8-11 a.), Guides (12-14 a.), Caravelles (15-16 a.), Jeunes en marche (17-19 a.). *Effectifs :* 70 000 dont 10 000 responsables (garçons et filles) bénévoles. *Publications :* Demain, les Guides de France, bimestr. pour responsables. Une revue bimestr. par tranche d'âge. « Pour toi », pour jeunes handicapés mentaux. *Formation :* stages BAFA-BAFD agréés, nombreux stages techniques. *Centre international de formation. Village des Feux Nouveaux :* à Mélan (A.-de-Hte-Pr.).

Éclaireuses et Éclaireurs de France. 66, rue de la Chaussée-d'Antin, 75009 Paris. *Pt :* Georges Voirnesson. *Dél. gén. :* Roland Daval. *Fondée* 1911. Association laïque mixte ouverte à tous. Accueille enfants, adolescents, handicapés en loisirs courts. *Organisation :* env. 350 groupes locaux avec en général 4 branches : lutins (6 à 8 a.), louveteaux (8 à 11 a.), éclaireuses/éclaireurs (11 à 15 a.), aîné(e)s (15 a. et +). *Effectifs :* 35 000 env. *Publications :* Loustic (6 à 10 a.), l'Équipée (8 à 14 a.) ; Routes nouvelles [aîné(e)s et adultes].

Fédération des éclaireuses et éclaireurs unionistes de France (FEEUF). 15, rue Klock, 92110 Clichy. *Fondée* 1911, ouverte à tous ; d'inspiration protestante. *Pt :* Éric Hammel. *Effectifs :* env. 10 000 filles et garçons, dont 1 400 animateurs bénévoles. Louvettes-louveteaux (7 à 11 a.), éclaireuses et éclaireurs (12 à 15 a.), aîné(e)s (15 à 17 a.). *Publications :* Kotick (7 à 11 ans), Bivouac (12 à 15 ans), le Lien-Express [cadres et animateurs]. Minitel 3616 SKOUT.

Éclaireuses et Éclaireurs israélites de France. 27, avenue de Ségur, 75007 Paris. *Com. gén. :* Laurent Gradwohl. *Créée* 1923. *Branche Cadette* (bâtisseurs-bâtissettes) 8 à 11 a., *Moyenne* (éclaireurs-éclaireuses) 12 à 15 a., *Perspective* 15 à 17 a. *Cadres,* aîné(e)s. *Effectifs :* 5 000 m env. dans 50 groupes locaux. *Publications :* Yossi (8-11 ans), Azimut 360° (12-15 a.), le Pifitone (15-17 a.), Bulletin EEIF, bulletin de liaison des responsables.

Non reconnu

Y compris assoc. n'ayant pas fait de demande de reconnaissance (OMMS et AMGE).

Guides et Scouts d'Europe. Section fr. de l'Union intern. des guides et scouts d'Europe (UIGSE), route de Montargis, B.P. 17, 77570 Château-Landon. *Pt féd. :* Robert Desjardin (Can.). *Commissaire féd. :* Gildas Dyèvre (Fr.). Mouvement lancé en Autriche en 1952, contrat féd. signé par les associations fondatrices à Paris le 15-3-1963, agréé Jeunesse Sports et Loisirs en 1970, reconnu avec statut consultatif par le Conseil de l'Europe en 1980. *Effectifs* (Europe, 12 pays + Canada) : 50 000 ; France 30 000. Section guide *(filles)* 40 %, scoute *(garçons)* 60 %. *Branche cadette* (louveteaux-louvettes, 8-12 ans) ; *moyenne* (éclaireurs-éclaireuses, 12-17 a.) ; *aînée* (routiers, pilotes ou guides-aînées, 17 a. et plus). *Chefs-cheftaines :* 18 ans et +. *Buts :* former des jeunes par la pratique du scoutisme authentique de Baden-Powell sur les bases chrétiennes fondement de la civilisation européenne.

Scouts unitaires de France. 12, rue Antoine-Roucher, 75016 Paris. Association *créée* 1971, reconnue d'utilité publ., agréée par le Secr. d'Etat de la jeunesse et des sports. *Pt :* Bernard Mantienne (dep. 1977). *Commissaire gén. :* Yves Bertrand. *Branches : garçons :* louveteaux (8 à 12 a.), éclaireurs (12 à 16 a.), routiers (16 à 19 a.) ; *filles :* jeannettes (8 à 12 a.), guides (12 à 16 a.), guides aînées (16 à 19 a.). *Effectifs* (au 1-1-90) : 17 300. *Buts :* pratique du scoutisme authentique de Baden-Powell telle que formulée dans la loi et les principes rédigés par les fondateurs du scoutisme catholique français.

Scouts St-Georges : *Fondé* 1968 env. 4 000. **Éclaireurs Neutres de France (ENF) :** 11, rue Henri Chevreau, 75020 Paris. *Pt :* J.-P. Harrang. *Créée* 1947. *Effectifs 1990 :* 2 000. Mouvement laïque de scoutisme traditionnel. 2 sections (masculine et féminine). Louveteaux louvettes (8-12 ans), éclaireurs éclaireuses (12-16 a.), routiers éclaireuses aînées (16-18 a.). *Formation :* C.E.P. (agréés BAFA), C.N.C. (Camp National de Cadre). *Buts :* santé, caractère, sens du concret, sens des autres, sens de l'Idéal. *Moyens :* la nature, l'équipe, la règle (la Loi), la responsabilité individuelle et collective, l'engagement (par la Promesse). *Publications :* Feu de camp, l'Angon (revue des Cadres), Servir (routiers et aînées). **Éclaireurs Neutres européens :** quelques centaines. **Scouts St-Louis** (région de Lyon) : env. 250. **Scouts et guides N.-D. de France. Scouts Baden-Powell de France. Raiders :** env. 200. **Europ-Jeunesse** (région Nord) : env. 350. **Scouts mormons.**

Associations de jeunesse et d'éducation populaire

Culture et Liberté. 4, passage de Flandre, 75019 Paris. *Née* de la fusion du Mouvement de libération ouvrière et du secteur Éducation populaire du Centre de culture ouvrière. *Créée* 1970, agréée 1973. *Activités :* formation et animation dans une optique de prise en charge des problèmes par les personnes concernées. *Publications :* Infordoc, les Cahiers de formation ouvrière (dossiers, fiches). *En 1988 :* fédère plus de 25 assoc. départementales avec 30 000 participants.

École des parents et des éducateurs (EPE Ile-de-France). 5, impasse du Bon-Secours, 75543 Paris Cedex 11. *Pt :* Marie-Françoise Fuchs. *Créée* 1929 par Mme Vérine, reconnue d'util. publ. en 1952.

Féd. nat. des écoles des parents et des éducateurs (FNEPE). 5, impasse du Bon-Secours, 75543 Paris Cedex 11. *Pt :* Jean de Marcillac. *Directrice :* Alice Holleaux. *Créée* 1970. Assoc. reconnue d'utilité publique. *Services :* atelier d'ét. et de recherche sur le groupe fam. *Publications :* l'École des parents (10 nos par an, 16 000 ex.), le Groupe familial (trim., 4 500 ex.). Coll. de livres grand public : l'École des parents. 24 E.P.E. en France.

Ligue française de l'enseignement et de l'éducation permanente. 3, rue Récamier, 75341 Paris Cedex 07. *Pt :* Claude Julien (17-5-25) (3-7-1990). *Secr. gén. :* Jean-Louis Rollot. *Fondée* par Jean Macé (1815-94) en 1866 pour militer en faveur de la démocratie et de l'école laïque. *Organisation :* 22 sections régionales, 100 féd. départementales d'œuvres laïques et, à travers elles, 36 000 associations et 2 600 000 membres (1990). *Publications :* Enjeux et débats, Pourquoi ? Tourisme et Vacances, UFOLEP-USEP informations, Revue de la Ligue Internationale, Mémentos.

Mouvement de la jeunesse catholique de France (MJCF). *Créé* 1970. Mouvement missionnaire au sein de l'église. Organise pèlerinages, veillées de prières, chapelets, retraites, camps de vacances, week-ends, randonnées, spectacles.

Mouvement rural de jeunesse chrétienne. 53, rue des Renaudes, 75017 Paris. *Pt nat. :* François Bernard. *Créé* 1929 sous le sigle JAC (Jeunesse agricole catholique), devient le MRJC en 1965, né de la fusion de la JAC et de la Jeunesse Agricole Féminine (JACF). *Effectifs :* 15 000 militants, 40 000 sympathisants, 3 branches. JAC : aides familiaux, exploitants agricoles, jeunes en formation agricole (20 %). JTS (jeunes travailleurs salariés) : apprentis, salariés, chômeurs (20 %). GE (groupe école) : scolaires lycéens, étudiants (60 %). *Publications :* Canard Plus, Graffiti.

Peuple et culture. 108-110, rue Saint-Maur, 75011 Paris. *Créée* 1945 *Pt :* Jean-François Chosson. *Activités :* formation d'animateurs socioculturels, action cult., échanges internationaux, séminaires de réflexion, colloques, publications. 10 groupes régionaux et 3 assoc. thématiques.

Services populaires. 246, bd St-Denis, 92400 Courbevoie. Association loi 1901, *créée* en 1945. *Pt :* Jérome Pédro. *Objectif :* Gère les services créés par la Jeunesse ouvrière chrétienne.

Union féminine civique et sociale (voir à l'index).

Écoles parallèles, pédagogie

Association Montessori de France. 47, rue de l'Université, 75007 Paris. Affiliée à l'Ass. Montessori intern. *Pt :* Marie-Louise Pasquier. *Fondée* 1950 par Mme Jean-Jacques Bernard. *Activité :* principal soutien des écoles Montessori de France.

Assoc. nat. pour le développement de l'éduc. nouvelle à l'école (ANEN). 1, rue des Néfliers, 31400 Toulouse. *Fondée* 1970. Regroupe des écoles créées par les enseignants et les parents, novatrices en matière de pédagogie. S'inspire des travaux de R. Cousinet.

Collectif des équipes de pédagogie institutionnelle (CEPI). BP 68, 94002 Créteil. *Créée* 1978. *But :* définir une pédagogie nouvelle appliquée à l'école. S'inspire des travaux de Freinet (1920), de F. Oury et A. Vasquez (1969) et des découvertes sur l'inconscient. *Adhérents :* 800 à 1 000.

École Perceval. Pédagogie Rudolf Steiner, 5, av. d'Éprémesnil, 78400 Chatou. Assoc. loi 1901. *Fondée* 1957, sans but lucratif. *But :* répandre et mettre en œuvre la pédagogie de Rudolf Steiner, fondateur de la Sté anthroposophique (approche originale des matières, des rythmes d'apprentissage, des relations élèves-parents, professeurs). Direction collégiale. 450 él. de la maternelle à la terminale. Fédération des écoles Steiner : 500 éc. dans le monde dont 9 en France.

Écologie, nature, environnement

Espaces pour demain. 20, avenue Mac-Mahon, 75017 Paris. *Pt :* Pierre Brousse. *Créé* 1976 par Louis Bériot, René Richard et l'amiral André Storelli. Reconnu d'utilité publique 1979. *But :* soutien des actions de protection de l'environnement et d'amélioration de la qualité de la vie. *Adhérents :* 3 000 (22 délégués régionaux, 95 départementaux). *Revue* trimestrielle.

Fédération française de la randonnée pédestre. 8, av. Marceau, 75008 Paris. Entrée des bureaux : 9, av. George-V, 75008 Paris. Info : 64, rue de Gergovie 75014 Paris. *Pt :* Jacques Dumont. *Créée* 1947. *Activités :* 40 000 km de sentiers de grande randonnée (marques blanche et rouge, et jaune et rouge) et petite randonnée (marques jaunes) créés et entretenus par des centaines de bénévoles. *Revues spécialisées :* Topoguides (170 guides), Randonnée (revue), Guide annuel. *Adhérents :* 300 000.

Fédération des jeunes pour la nature (FJPN). Base de plein air et de loisirs, 91150 Etampes. *Créée* 1959. *But :* sensibiliser les jeunes pour la sauvegarde des milieux naturel et humain par un réseau de 35 clubs locaux, 5 féd. rég., 4 maisons de la nature, Argelès (Pyr.-Or.), St-Paul-en-Jarez (Loire), Hirtzfelden (Ht-Rhin), Combs-la-Ville (S. et M.). *Publication :* Chouette (bimestriel).

Attentats politiques

☞ Suite de la page 1252.

Rép. dominicaine. **1899**-*26-7* Ulysse Heureaux, Pt *(Caceres).* **1961**-*30-5* Raphael Trujillo, Pt.

Rome. **44 av. J.-C.** César *(Brutus).* **37 apr. J.-C.** Tibère *(Macron).* **41** Caligula *(Chaerea).* **54** Claude *(Agrippine).* **59** Agrippine *(Néron).* **96** Domitien *(Stephanus).* **192** Commode *(Marcia).* **193** Pertinax *(prétoriens).* **235** Alexandre Sévère *(ses soldats).* **465** Sévère *(Ricimer).*

Roumanie. **1880**-*14-12* Bratiano (PM) [1]. **1933**-*29-12* Duca, Pt du Conseil. **1939**-*21-9* Calinesco, Pt du Conseil. **1940**-*26-11* Jorga, ancien Pt du Conseil.

Russie. **1762**-*17-7* Pierre III *(Orlov et ses gardes).* **1804**-*24-3* Paul Ier *(Cte Pahlen).* **1864**-*3-7* Gd-duc Constantin [1]. **1866**-*16-4* Alexandre II *(Karakozow)* [1]. **1867**-*6-6* au Bois de Boulogne *(Berezowski)* [1]. **1878**-*5-2* Gal Dimitri Fedorovitch Trepov, chef de la police *(Vera Sassoulitch)* [1]. *-16-8* Gal Mesentzov, chef de la police (poignardé). **1879**-*21-2* Pce Krapotkine, gouverneur de Kharkov *(meurt 8 j après). -25-4* Gal Drentalen, chef de la police *(Léon Mirsky)* [1]. *-14-4* Alexandre II *(Soloviev).* **1880**-*3-3* Gal Loris Melikov, dictateur *(Madetski). -13-3* Alexandre II *(des nihilistes dynamitent le palais d'hiver à St-Pétersbourg :* 10 gardes finlandais tués, 53 blessés) [1]. **1881**-*1-3* Alexandre II *(Russakov).* **1882**-*30-3* Gal Strelnikov, procureur militaire *(nihilistes).* **1883**-*28-12* Colonel Soudaikine, chef de la police secrète *(Degayev).* **1887**-*13-3* Alexan-dre III *(6 jeunes nihilistes arrêtés)* [1]. **1891**-*23-5* Nicolas II *(Tsouda Sanzo, jap.)* [1]. **1902**-*15-4* Dimitri Sipiaguine, min. de l'Int. *(Malyschew). -16-4* Gal Nikolai Ivanovitch Bobrikov, gouverneur général de Finlande *(Eugène Schaumann).* **1904**-*28-7* Venceslas Plehve, min. *(Sasenov).* **1905**-*17-2* Grand-duc Serge *(Kolianov).* **1906**-*25-8* Pierre Stolypine, PM (bombe) [1]. Ses 2 enfants tués. **1911**-*14-9* *(Bogrov).* **1916**-*2-12* Raspoutine (*Pce Youssoupof,* † 1967). **1917**-*21-12* Ivan Longinovitch Goremykine, 1er min. *(massacré par des Bolcheviks).* **1918**-*5-7* Gd-duc Michel, fr. de Nic. II. *-6-7* Cte Wilhelm von Mirbach, amb. d'Allemagne à Moscou *(Bolcheviks). -16-7* Nicolas II et sa famille massacrés à Ichaterinbourg (Crimée). *-30-7* Gal Hermann von Eichhorn *(Bolcheviks),* en Ukraine. *-30-8* Lénine *(Fanny Roid-Kaplan)* [1]. **1926**-*5-5* Simon Petlioura, dirigeant ukrainien *(agents communistes),* à Paris. **1927**-*7-6* Wolykov, ambassadeur soviétique *(anticommunistes polonais).* **1934** S. Miranovitch Kirov, secr. du PC *(trotskistes).* **1937**-*19-9* Gal Evgeni Miller, dirigeant russe blanc, enlevé à Paris *(par le G.P.U.).* **1938**-*16-2* Léon Sedov Trotski, fils de Léon Trotski *(emprisonné dans un hôpital parisien, par des agents du N.K.V.D.).* **1940**-*21-8* Trotski *(Jacques Mornard),* au Mexique. **1969**-*22-1* Léonid Brejnev *(Anatoly Ilyin)* [1].

Salvador. **1890**-*7-7* Francisco Menendez, Pt *(partisans du général Exeta,* qui lui succéda).

Serbie. **1868**-*10-6* Michel Obrenovitch, roi *(Radanovitch).* **1882**-*23-10* Milan IV *(Payitch)* [1]. **1903**-*11-6* Alexandre Ier et la reine Draga *(colonel Maschin).*

Sri Lanka. **1959**-*25-9* Bandaranaïke, PM.

Suède. **1792**-*20-3* Gustave III *(Anckarström).* **1986**-*28-2* Olof Palme, PM.

Tchad. **1975**-*13-4* François Tombalbaye (1918) *(Gén. Noël Odingar).*

Tchécoslovaquie. **1923**-*5-1* Alois Rasin, min. des Finances *(un communiste).*

Thaïlande. **1946**-*9-7* Ananda Mahidol, roi *(camouflé en suicide).*

Togo. **1962**-*21-1* Sylvanus Olympio [1]. **1963**-*13-1* Sylvanus Olympio, Pt.

Tunisie. **1952**-*5-12* Dr Farhat Hached, secr. gén. de l'Union des Travailleurs tunisiens *(la « Main rouge »).* **1961**-*12-8* Salah ben Youssef, ancien min. de la Justice, à Francfort.

Turquie. **1808**-*28-6* Selim, sultan *(son neveu Mustapha).* **1876**-*4-6* Abdülaziz, sultan. **1905**-*21-7* Abdülamid II [1] (24 †, 57 bl.). **1906**-*23-3* Redvan Rasha (préfet de Constantinople). **1921**-*15-3* Talaat bey, min. de l'Intérieur *(étudiant arménien).*

Uruguay. **1868**-*19-2* Venancio Flores, Pt. **1897**-*25-8* Juan Idiarte Borda, Pt.

U.S.A. **1835**-*30-1* Andrew Jackson, Pt *(Richard Lawrence)* [1]. **1865**-*14-4* Abraham Lincoln, Pt († 15-4) *(John Wilkes Booth).* **1881**-*2-7* James A. Garfield, Pt († 19-9) *(Charles J. Guiteau).* **1901**-*6-9* William Mac Kinley, Pt († 14-9) *(Léon Czolgosz).* **1912**-*14-10* Théodore Roosevelt, ex-Pt *(Johann Schranck)* [1]. **1933**-*15-2* Anton J. Cermak, maire de Chicago († 6-3) (*Giuseppe Zangara,* qui avait visé F. D. Roosevelt, Pt). **1935**-*8-9* Huey P. Loug († 10-9), sén. Louisiane *(A. Weiss).* **1950**-*1-11* Harry Truman, Pt *(Collazo et Torresola)* [1]. **1963**-*22-11* J.F. Kennedy, Pt *(Lee Harvey Oswald ?).* **1967**-*26-8* George Lincoln Rockwell, chef du parti nazi américain (*John Patler,* son « min. de la Propagande »). **1968**-*4-4* Martin Luther King, pasteur noir défendant la non-violence *(James Earl Ray). -4-6* Bob Kennedy (n. 1925), frère du Pt J.F. Kennedy et candidat à la prés. *(Sirhan Sirhan).* **1972**-*15-5* George C. Wallace, gouverneur de l'Alabama *(Arthur Herman Bremer)* [1]. **1975**-*6-4* Gerald Ford, Pt *(Franklin Lim)* [1]. *-18-8 (Thomas Elbert)* [1]. *-5-9 (Lynette Alice Fromme,* elle ne tira pas*)* [1]. *-22-9 (Sarah Jane Moore)* [1]. **1981**-*30-3* Ronald Reagan, Pt *(John W. Hinckley),* 3 blessés [1].

Vatican. **1848**-*15-11* le Cte Rossi, PM des États de l'Église *(Carbonari).* **1970**-*27-11* Paul VI, à Manille *(Benjamin Mendoza)* [1]. **1981**-*13-5* Jean-Paul II, à Rome *(Mehmet Ali Agça)* [1]. **1982** *-2-5* à Fatima (Portugal) [1].

Viêt-nam S. **1963**-*1-11* Ngo Dinh Diem, Pt.

Yémen du N. **1977**-*11-10* Ibrahim al Hamdi, Pt. **1978**-*24-6* Lt-Cel Ahmed al Ghachemi, Pt.

Yougoslavie. **1860**-*1-8* Danilo Ier, Prince de Monténégro *(Kaditch).* **1934**-*9-10* Alexandre Ier, à Marseille.

Zaïre. **1961**-*12-2* Patrice Lumumba, ex-PM.

ABRÉVIATIONS

Nota. + : Croix.
Voir également l'Index.

+A Médaille de l'aéronautique.
A1 First class (de première classe).
AA Automobile Association. Architecte, membre de l'Académie d'Architecture. Augustins de l'Assomption. **A/A** Articles of Association (statuts d'une société).
AAA « triple A » : note la plus élevée pour des obligations et pour des établissements financiers.
aaO Am angegebenen Orte (à l'endroit cité).
aar Against all risks (Contre tous risques).
AAT Administration de l'Assistance Technique (Nations unies).
AATCP Missile Air Air à Très Courte Portée.
AAWC Anti-Air Warfare Coordinator.
Ab. Abîmé.
Abb. Abbildung (illustration).
ABC Arab Banking Corporation. American Broadcasting Corporation.
abc Arme blindée cavalerie.
Abf. Abfahrt (départ).
Abg. Abgeordneter (député).
Abk. Abkürzung (abréviation).
Abm Antiballistic missiles (system).
Abs. Absatz (alinéa).
abstr. abstrait.
abt. about (au sujet de).
Abt. Abteilung (section).
AB3 Airbus A300B.
AB4 Airbus A300.
abz. abzüglich (sous déduction de).
A/c Account [current] (compte [courant]).
AC Anciens Combattants. Ante Christum. AntiChars. Amitié Chrétienne. Anticoagulant, Anticorps.
ACA Antenne Chirurgicale Aéroportée.
ACAVI Assurance à Capital Variable Immobilier.
Acc Acceptance, Accepted (Acceptation, Accepté).
ACCT Agence de Coopération Culturelle et Technique.
ACDA Arms Control and Disarmament Agency.
ACE Avion de Combat Européen.
ACF Automobile Club de France. Avion de Combat Futur.
ACGF *Action Cathol. Génér.* des Femmes. **ACGH** des Hommes.
Ach. Achète.
ACI Alliance Coopérative Intern. Action Cathol. Indépendante.
ACIF Automobile Club de l'Ile-de-France.
ACIP Association Consistoriale Israélite de Paris.
ACJ Alliance universelle des unions Chrétiennes de Jeunes gens.
ACLI Association Chrétienne des Travailleurs (Lavoratori) Italiens.
ACM Avion de Combat Marine.
ACMEC Action Catholique des Membres de l'Enseignement Chrétien.
ACO Action Catholique Ouvrière. Automobile Club de l'Ouest. Avispace Coordination Order.
ACOSS Agence Centrale des Organismes de la Sécurité Sociale.
ACP Afrique, Caraïbes, Pacifique.
ACRS Accelerated Cost Recovery System.
ACT Avion de Combat Tactique.
ACTA Association de Coordination Technique Agricole.
ACTH Adreno-Cortico-Trophie Hormone.
AC3G (missile) AntiChar de 3e Génération.
ACX Avion de Combat eXpérimental.
a/d à dater, à la date de.
AD Anno Domini (année du Seigneur).
A.D. außer Dienst (en retraite).
ad. advertisement (petite annonce).
Ad lib Ad libitum (à volonté).
Ad us ext pour l'usage externe.
Ad us vét pour l'usage vétérinaire.
AD virus Adénovirus.
ADAC Allgemeiner Deutscher Automobil Club. Avion à Décollage et Atterrissage Courts. Association pour le Développement de l'Animation Culturelle.
ADAS Association pour le Développement des Activités Sociales (à la Faculté de Paris).
ADAV Avion à Décollage et Atterrissage Verticaux.
ADC Analog to Digital Converter. Association des Descendants de Corsaires.
ADEP Agence nat. pour le Développement de l'Éducation Permanente.
ADEPA Agence pour le Développement de la Productique Appliquée à l'économie.
ADERLY Association pour le Développement Économique de la Région LYonnaise.
ADL Après la Durée Légale.
ADN Acide DésoxyriboNucléique.
ADP Action à Dividende Prioritaire sans droit de vote.
Adr. Adresser.
ADT Accident Du Travail (ou AT).
adv. advice (conseils).
AE Affaires Étrangères.
AEC Atomic Energy Commission. (Commission de l'Énergie Atomique).
AeCF Aéro-Club de France.
AECR Arme à Effets Collatéraux Réduits.
AEE Agence pour les Économies d'Énergie.
AEF Afrique Équatoriale Française.
AEG Allgemeine Elektrizitätsgesellschaft. (Compagnie Générale d'Électricité.)
AEIOU Austriae Est Imperare Orbi Universo.
AELE Association Européenne de Libre Échange.
AEP Agence Européenne de Productivité.
AES filière Administrative, Écon. et Sociale des universités.
AEW Airborn Early Warning (Système aéroporté d'alerte précoce).
A et M Arts et Métiers.
AF Action Française. Allocations Fam. Société des Artistes Français. Air France.
AFAP Associat. Franç. pour l'Accroissement de la Productivité.
AFAT Auxiliaire Féminin de l'Armée de Terre.
AFEI Association Française pour l'Étiquette d'Information.
AFER Action, Formation, Étude, Recherche.
AFI Atelier de Formation Individualisée.
Aff. étr. Affaires étrangères.
AFL Association Française pour la Lecture.
AFL/CIO American Federation of Labour/Congress of Industrial Organization.
AFME Agence Française pour la Maîtrise de l'Énergie.
AFN Afrique Française du Nord.
AFNOR Association Française de NORmalisation.
AFP Agence France-Presse.
AFPA Association pour la Formation Professionnelle des Adultes.
AFRESCO Assoc. Fr. de REcherches et Statistiques Commerciales.
AFTAM Assoc. de Formation des Travailleurs Africains et Malgaches.
AFTRP Agence Foncière et Technique de la Région Parisienne.
AFU Association Foncière Urbaine.
AG AktienGesellschaft (société par actions). Antigène. Argent.
AGI Année Géophysique Intern.
AGIRC Association Générale des Institutions de Retraite des Cadres.
AGM Annual General Meeting (assemblée générale annuelle). Air Ground Missile (missile air-sol).
AGR Advanced Gas-Cooled Reactor.
AH Anti-Histaminique. Antécédents Héréditaires. Air Algérie.
AI Air India.
AID Association Intern. de Développement. Affecté Individuel de Défense.
AIEA Agence Intern. de l'Énergie Atomique.
AIM Association Intern. de Météorologie.
AIMF Association Intern. des Maires Francophones.
AIP Association des Israélites Pratiquants.
AIPS Ass. Internationale de la Presse Sportive.
AISS Ass. Intern. de la Sécurité Sociale.
AIT Ass. Intern. du Tourisme.
AIU Ass. Intern. des Universités. Alliance Israélite Universelle.
AJ Armée Juive.
aj. ajouté.
AJDC American Joint Distribution Committee.
AJF fédération internationale des Amies de la Jeune Fille.
AL Avant Lettre. Aluminium.
+AL ordre des Arts et Lettres.
ALADI Association Latino-Américaine D'Intégration.
ALALC Association Latino-Américaine de Libre Commerce.
ALAT Aviation Légère de l'Armée de Terre.
ALB Air Land Battle.
ALCM Air-Launched Cruise Missile (missile de croisière air-sol).
ALE Ass. de Libre Échange.
a./Lfg an Lieferung (à la livraison).
alim. alimentation.
ALF Allocation de Logement à caractère Familial.
ALN Armée de Libération Nation.
ALPE Assoc. Laïque des Parents d'Élèves.
ALS Allocation de Logement à caractère Social.
a.m. ante meridiem (avant midi).
AM Arts et Métiers.
AMDG Ad Majorem Dei Gloriam (pour la plus grande gloire de Dieu).
AME Accord Monétaire Europ.
AMEXA Assurance Maladie des EXploitants Agricoles.
AMGOT Allied Military Government for Occupied Territories.
AML Auto Mitrailleuse Légère.
AMM Ass. Médicale Mondiale.
AMRF *Accès Multiple par Répartition* en Fréquence. **AMRT** dans le Temps.
AMT Air Mail Transfer (transfert par avion). Assistance Militaire Technique.
amt. amount (montant).
AMX Atelier d'Issy-les-MoulineauX.
AN Archives Nationales de France.
ANA Arab News Agency. Agencia Noticiosa Argentina.
ANAH Agence Nationale pour l'Amélioration de l'Habitat.
ANC African National Congress.
Anc. Ancien.
ANF Association d'entraide de la Noblesse Française.
ANFANOMA Assoc. Nat. des Français d'Afrique du Nord.
Ang. Anglais.
ANI Agencia de Noticias e Informações.
ANIL Association Nationale pour l'Information sur le Logement.
Anl. Anlage (en annexe).
Anm. Anmerkung (remarque).
ANP Armée Nat. Populaire. Armement Nucléaire Préstratégique. Appareil Normal de Protection.
ANPE Agence Nat. Pour l'Emploi.
ANRED Agence Nat. pour la Récupération et l'Élimination des Déchets.
ANS missile AntiNavire Supersonique.
Ans. Answer (réponse).
ANSA Agenzia Nazionale Stampa Associata (Italie).
ANT Arme Nucléaire Tactique. Agence Nat. pour l'insertion et la promotion des Travailleurs de l'outre-mer (DOM-TOM).
ANTIOPE Acquisition Numérique et Télévisualisation d'Images Organisées en Pages d'Écriture.
ANVAR Agence Nationale pour la VAlorisation de la Recherche.
ANZUS Australia New Zealand United States pact.
a/o account of (pour compte de).
AO Afrique Orientale, Ruanda-Urundi (aujourd'hui Burundi).
AOA American Overseas Airlines.
AOC Appellation d'Origine Contrôlée.
AOF Afrique Occidentale Franç.
a/or and/or (et/ou).

AP A Protester (effets de commerce) (To be protested [bills]).
A/P Additional Premium.
AP Assistance Publique. Associated Press. Autorisation de Programme.
APCA *Assemblée Permanente des Chambres* d'Agriculture. **APCM** des Métiers.
APD Aide Publique au Dévelop.
APE Assemblée Parlementaire Eur. Atelier de Préparation à l'Emploi. Association des Parents d'Élèves.
APEC Association Pour l'Emploi des Cadres.
APECITA Association Pour l'Emploi des Cadres, Ingénieurs et Techniciens de l'Agriculture.
APEL Association des Parents d'élèves de l'Enseignement Libre.
APEP Association Populaire d'Éducation Permanente. Ass. des Professeurs de l'Enseignement Privé.
API Alphabet Phonétique International.
APL Agence de Presse Libération. Adult Performance Level.
APP Atelier Pédagogique Personnalisé.
append. appendice.
appro. approval (acheter à l'essai).
Appt. Appartement.
apr. J.-C. après Jésus-Christ.
APS Algérie Presse Service.
APSAD Assemblée Plénière des Sociétés d'Assurances Dommages.
APSAIRD Assemblée Plénière des Sociétés d'Assurance contre l'Incendie et les Risques Divers.
APUR Atelier Parisien d'URbanisme.
A/R All Risks (Tous risques).
AR Accusé de Réception.
ARAMCO ARabian AMerican oil COmpany.
ARAP Association de Recherche et d'Action Pédagogique.
ARC Action pour la Renaissance de la Corse. Action Régionaliste Corse. Association pour le développement de la Recherche sur le Cancer. Animation, Recherche, Confrontation (musée d'Art moderne).
ARCO Association pour la Reconversion Civile des Officiers.
ARIC Association Régionale d'Information Communale.
A.R.N. Acide RiboNucléique.
ARPPRA Adaptateur pour Relais Pour Poste Radio d'Abonné (RITA).
arr. arrival (arrivée). Arrondissement.
ARRCO Association des Régimes de Retraites COmplémentaires.
ARSA Aspirant de Réserve en Situation d'Activité.
art. article.
Art. 10 Article **10** de la police d'assurance d'Anvers.
ARV Air Recreational Vehicle.
AS Assurances Sociales. **A/S** Account Sales (compte de vente). Armée Secrète. Arsenic.
ASA Artillerie Sol Air.
ASALA Armée Secrète Arménienne pour la Libération de l'Arménie.
a.s.a.p. as soon as possible (dès que possible).
ASATS Anti-SATellite System.
ASBM Air-to-Surface Ballistic Missile.
Asc. Ascenseur.
ASCOFAM ASsociation mondiale de la lutte COntre la FAiM.
ASD Accouchement Sans Douleur. Arc Supérieur Droit.
ASDIC Anti-Submarine Detection and Identification Committee (Comité pour la Détection et l'Identification des Sous-marins).
ASE American Stock Exchange. Agence Spatiale Européenne. Aide Sociale à l'Enfance.
ASEAN Association of South East Asian Nations.
ASF Association Syndicale des Familles (École et Famille, CSF).
Asfo Association de formation.
ASM Air-to-Surface Missile.
ASMP missile Air-Sol Moyenne Portée.
ASR Aide Spéciale Rurale.
ASRL Aide-Spécialiste Recruté Localement.
ASROC Anti-Submarine ROCket.
ASS Afrique au Sud du Sahara.
ASSEDIC ASSociation pour l'Emploi Dans l'Industrie et le Commerce.
ASSU Association du Sport Scolaire et Universitaire.
ASTARTE Avion STAtion Relais de Transmissions Exceptionnelles.
ASW Anti-Submarine Warfare.
A.t. A temps, à terme.
AT Admission Temporaire. Ancien Testament. Royal Air Maroc.
ATBM Anti Tactical Ballistic Missile.
ATD Aide à Toute Détresse Quart Monde.
ATF Avion de Transport Futur.
A & T Annam et Tonkin.
ATILA Automatisation des TIrs et des Liaisons de l'Artillerie.
ATITRA Association Technique Interministérielle des TRAnsports.
ATJ Amis de la Tradition Juive.
Atl. Atlas.
ATLAS Abbreviated Test Language for All Systems.
ATM Automated Teller Machine (guichets automatiques bancaires).
ATO Aquitaine Total Organico devenu **ATOCHEM** (regroupement de **ATO** Chimie, **CHLOE** chimie et **PCUK**).
ATR ATR 42.
ATRAP Adaptateur de Trame RITA aux PTT.
ats at the suit of (à la requête de [droit]).
ATT American Telephone and Telegraph.
AU Alliance Universelle.
Aufl. Auflage (édition, tirage).
AUPELF Association des Universités Partiellement ou Entièrement de Langue Française.
Autogr. Autographe.
AV Acuité Visuelle.
Av. Avenue.
av. average (moyenne).
A/V ad Valorem.
AVA Assurance Vieillesse Agricole.
av. J.-C. avant Jésus-Christ.
avt avant.
AVTS Allocation aux Vieux Travailleurs agricoles Salariés.
A/W Actual Weight (poids actuel).
AWACS Airborne Warning And Control System (système de contrôle et d'alerte aéroporté).
AWB AirWay Bill (lettre de transport aérien).
AZ Alitalia.
a.Z. auf Zeit (à terme).
B Bale (balle). Bag (sac). Baumé (degré).
BA Bachelor of Arts. Beaux-Arts. British Airways. Base Aérienne.
BAD Banque Africaine de Développement.
BADEA Banque Arabe pour le Développement Écon. en Afrique.
BAFA Brevet d'Aptitude aux Fonctions d'Animateur.
BAI Baccalaureus in Arte Ingeniaria (licence d'ingénieur).
BAL Boîte A Lettres.
bal. balance (solde).
BALO Bulletin des Annonces Légales Obligatoires.
Bart Baronet.
BAS Bureau d'Aide Sociale.
bas. basane.
BASE Brevet d'Aptitude à l'animation Socio-Éducative.
bat. bataillon.
B/B Bed and Breakfast.
BBC British Broadcasting Corporation.
BC British Council. Before Christ (av. J.-C.).
BCA British Central Africa. Banque Commerciale Africaine.
BCBG Bon Chic, Bon Genre.
BCC Bons en Comptes Courants.
BCEAO Banque Commerciale des États d'Afrique de l'Ouest.
BCG Bacille Calmette-Guérin.
BCh Baccalaureus Chirurgiae (licencié en chirurgie).
B/CH Bristol Channel (canal St-Georges).
BCL Bachelor of Civil Law (licencié en droit civil).
BCP Basutoland Congress Party.
bcp beaucoup.
BCP Bibliothèque Centrale de Prêt.
BCRA Bureau Central de Renseignements et d'Action (militaire).
BCRD Budget Civil Recherche et Développement.
BCT Banques des Connaissances et des Techniques (CNRS et ANVAR).
Bd Band (volume).
B/D Bar Draft (tirant d'eau sur la barre). Bank Draft (chèque tiré sur banque).
bd, boul. boulevard.
b.d.c. bas de casse.
BDIC Bibliothèque de Documentation Internationale Contemporaine de Nanterre.
BDS Bachelor of Dental Surgery.
BDZ Base Defence Zone.
BE Brevet Élémentaire. Bachelor of Engineering (licence d'ingénieur).
B/E Bill of Exchange (lettre de change).
BEA British European Airways.
BEAC Banque des États de l'Afrique Centrale.
BEC Beechcraft 99.
BEd Bachelor of Education.
BEE Bureau Européen de l'Environnement.
BEES Brevet d'État d'Éducateur Sportif.
BEI Banque Européenne d'Investissements.
BEM Breveté d'État-Major (officier). British Empire Medal.
BEMS *Brevet d'Études Militaires Supérieures.* **BEMSG** de la Gendarmerie.
BENELUX BElgique, NEderland, LUXembourg.
BEP *Brevet d'Études Professionnelles.* **BEPA** Agricoles.
BEPC Brevet d'Ét. du 1er Cycle.
Berks Berkshire.
BET Borkou, Ennedi, Tibesti (au Tchad).
betr. betreffend (concernant).
Betr. in Betreff (au sujet de, objet).
bez. bezahlt (payé). Bezüglich (concernant).
BF Basse Fréquence
b/f brought forward (report).
BFCE Banque Fr. du Commerce Extérieur.
BGE Bureau de Guerre Électronique.
B'ham. Birmingham.
b.h.p. brake horse-power (puissance au frein).
BIC Bataillon d'Infanterie Col. Bénéfices Industriels et Commerciaux.
BIE Bureau International de l'Éducation.
BIEM Bureau International d'Enregistrement Mécanique.
BIH Bureau International de l'Heure.
BIL Bâtiments Industriels Locatifs.
BIM Bons à Intérêts Mensuels (et à taux variables).
BIPATE Bons à Intérêts Bisannuels.
BIRD Banque Intern. pour la Reconstruction et le Développement.
BIS Bank for International Settlements (voir BRI).
BIT Bureau International du Travail. BInary digiT (information binaire ou digitale).
BK Bacille de Koch (tuberculose).
Bk. Bank, book, backwardation (banque, livre, déport).
bl. barrel (tonneau).
BL Bachelor of Law (licencié en droit), of Letters (ès lettres).
B/L Bill of Lading (connaissement).
BLM Bâtiment Lance-Missiles.
BLS Bern-Lötschberg-Simplon (Suisse). Botswana, Lesotho, Swaziland.
BM Bachelor of Medicine. British Museum.
BMD Bataillon de Matériel de Division. Ballistic Missile Defence.
BMEWS Ballistic Missile Early Warning System (système d'alerte avancé pour missiles balistiques).
B Mus Bachelor of Music.
BMP Brevet Militaire Professionnel.
B.N. Bibliothèque Nationale.
BNC Bénéfices Non Commerciaux.
BNCI Banque Nationale pour le Commerce et l'Industrie.
BNIST Bureau National de l'Information Scientifique et Technique.
BNM Bureau National de Métrologie.
BNP Banque Nationale de Paris.
BO Bulletin Officiel.
B/O Buyer's Option (à l'option de l'acheteur).
BOAC British Overseas Airways Corporation.
BOMAP Base Opérationnelle Mobile AéroPortée.
B. of E. Bank of England.
Bon, Bonne baron, baronne.
Bor Borough.
BOSP Bulletin Officiel du Service des Prix.
BOT Board Of Trade (ministère du Commerce).
bot. bottle (bouteille). Bought (acheté).
B/P Bills Payable (effets à payer).
BP British Petroleum. Baden-Powell. Basse Pression. Brevet Prof. Boîte Postale.
BPC Black People's Convention.
BPF Bon Pour Francs.
BPFA Bureau de Programmes Franco-Allemand.
BPH Bâtiment Porte-Hélicoptères.
BPI Bit Per Inch (bit par pouce). Bibliothèque Publique d'Information.
BPS Bit Per Second.
B/R Bills Receivable (effets à recevoir).
BR British Railways (G.-B.).
br. broché.
br. n. broché neuf.
brad. bradel.
BRGM Bureau de Recherches Géologiques et Minières.
BRI Banque des Règlements Internationaux.
Bro Brother.
broc. brochure.
Bros. Brothers (frères).
BRP Bureau de Recherche des Pétroles.
BRS British Road Services.
BRT BruttoRegisterTonnen (tonnes brutes – marine).
BS Brevet Supérieur.
B/S Balance-Sheet (bilan). Bachelor of Science ou of Surgery.
Bsc Bachelor of science.
BSEC Brevet Supérieur d'Enseignement Commercial.
BSI British Standards Institution.
BSN Boussois Souchon Neuvecel. Bureau du Service National (ou bureau de recrutement).
BSO Blue Stellar Object.
B72 Boeing 720.
BSP Brevet Sportif Populaire.
BSS Brevet Sportif Scolaire.
BST British Summer Time (heure d'été britannique). British Standard Time.
Bt Baronet (angl.). Bâtiment. Brut.

BT Basse Tension. Brevet de Technicien. Brigade Territoriale.
BTA *Brevet de Techn. Agricole.* **BTAG** Général. **BTAO** À Option.
BTEM *Brevet Technique* d'État-Major. **BTEMS** d'Études Militaires Supérieures.
BTF Bons du Trésor à taux Fixe (payés d'avance).
B Th U British Thermal Unit.
BTn Baccalauréat de Technicien. Bons du Trésor négociables.
BTS *Brevet de Techn. Supérieur.* **BTSA** Agricole.
BTT Bons du Trésor à intérêts Trimestriels.
Bucks Buckinghamshire.
BUE Banque de l'Union Européenne.
bull. bulletin.
BUP British United Press. Banque de l'Union Parisienne.
BUS Bureau Universitaire de Statistiques.
BVP Bureau de Vérification de la Publicité.
b.w. bitte wenden (tournez la page s'il vous plaît).
BWI British West Indies.
BWR Boiling Water Reactor.
bx box (caisse).
bzw. beziehungsweise (respectivement, ou bien).
+C Croix du Combattant.
C. Celsius, centigrade. Code.
c. Cent. Circa (environ). Coins. Chapter. Centime.
C/ Case[s] (Caisse[s]).
CA Chartered Accountant (expert-comptable). Conseil d'Administration. Couverture Aérienne.
CAAC Cie Chinoise d'Aviation.
CAC Compagnie des Agents de Change. Centre d'Action Culturelle. Comité Administ. de Coordination.
c.-à-d. c'est-à-dire.
CAD Comité d'Aide au Développement.
CADA Commission d'Accès aux Documents Administratifs.
CADEP Caisse d'Amortissement de la DEtte Publique.
CADJJ Comité d'Action et de Défense de la Jeunesse Juive.
CAE *Certificat d'Aptitude à l'Enseignement.* **CAEC** dans les Collèges. **CAECET** dans les CET. **CAEI** des Enfants Inadaptés.
CAEM Conseil d'Aide Économique Mutuel.
CAEP *Certificat d'Aptitude à l'Enseignement* dans les classes Pratiques. **CAEPA** de Plein Air.
Caetera desunt (le reste manque).
CAF Coût, Assurance, Fret. Caisse d'Allocations Familiales. Club Alpin Français.
CAFAS Certificat d'Aptitude à la Formation Artistique Supérieure.
CAFDA Commandement Air des Forces de Défense Aérienne.
CAHT Chiffre d'Affaires Hors Taxes.
CAIEM *Certificat d'Aptitude à l'Inspection* des Écoles Maternelles. **CAIET** de l'Enseignement Technique. **CAIP** du Premier degré (et à la direction des écoles normales).
CAL Centre d'Amélioration du Logement. Comité d'Action Lycéen.
CAMEL Compagnie Algérienne du MÉthane Liquide.
CAMIF Coopérative de consommation des Adhérents de la Mutuelle assurance des Instituteurs de France.
CANDU CANadian Deuterium Uranium reactor.
Cantab Of Cambridge.
CAO Conception Assistée par Ordinateur.
cap. Capitale. Chapter.
CAP *Certificat d'Aptitude* Professionnelle. Pédagogique (1er degré). **CAPA** à la Profession d'Avocat. Professionnelle Agricole. **CAPEC** au Professorat d'Éducation Culturelle. **CAPEGC** Professionnelle à l'Enseignement Général dans les Collèges. **CAPEPP** au Professorat des Enseignements Professionnels et Pratiques (voir PEPP). **CAPEPT** au Professorat des Enseignements Professionnels Théoriques. **CAPES** au Professorat de l'Enseignement du Second degré. **CAPET** au Professorat de l'Ens. Technique. **CAPLA** au Professorat dans les Lycées Agricoles.
cap(s) capital letter(s) (majuscules).
Capt. Captain (capitaine).
car. Caractère. **CAR** Conférence d'Action Régionale. Comité d'Assistance aux Réfugiés. Comité d'Action Républicaine.
CARICOM CARIbbean community and the COmmon Market.
CARME Centre d'Applications et de Recherches en Microscopie Électronique.
CARMELITE Centre Automatique de Relais des MEssages pour les Liaisons avec l'Infrastructure TErre.
cart. Cartonné. **cart. n.r.** Cartonné, non rogné.
cash. Cashier (caissiers).
cat. Catalogue.
C.A.T. Centre d'Aide par le Travail.
CAUE Conseil d'Architecture, d'Urbanisme et d'Environnement.
CAVMU Caisse d'Allocation Vieillesse des professeurs de MUsique, des musiciens, des auteurs et des compositeurs.
CB Cash-Book (livre de caisse). Companion of the Bath.
CBD Cash Before Delivery (règlement avant livraison).
+CBE Commandeur de l'ordre du British Empire.
CBIP Comité de Bienfaisance Israélite de Paris.
CBM Corps Blindé Mécanisé.
CBS Columbia Broadcasting System.
CBW Chemical Biological Warfare (guerre chimique et biologique).
CC Corps Consulaire. Comité de Coordination. Cours Complémentaire.
CCA Centre de Communication Avancé.
CCCC Caisse Centrale de Crédit Coopératif.
CCCG Cravate Club Complet Gris.
CCE Conseil du Commerce Extérieur.
CCETT Centre Commun d'Études de Télédiffusion et de Télécommunication.
CCFD Comité Catholique contre la Faim et pour le Développement.
C CH Cochinchine.
CCI Chambre de Commerce Intern. (GATT/CNUCED). Corps Commun d'Inspection (ONU). Centre de Création Industrielle (Centre G.-Pompidou).
CCIF Centre Cathol. des Intellectuels Français.
CCIFP Chambre de Compensation des Instruments Financiers de Paris.
CCIR Comité Consultatif Intern. des Radiocommunications.
C. civ. Code civil.
C. com. Code de commerce.
CCP Compte Chèques Postaux.
CCQAB Comité Consultatif pour les Questions Administratives et Budgétaires (ONU).
c/d Carried down (reporté).
CD Corps Diplomatique. Certificate of Deposit.
c.d. Cum dividendo.
CDC Club Des Cent.
CDD Contrat à Durée Déterminée.
CDDP Centre Départemental de Documentation Pédagogique.
CDEN Conseil Départemental de l'Éducation Nationale.
CDES Commission Départementale de l'Éducation Spécialisée.
CdF Charbonnages de France.
CDI Centre Des Impôts. Centre de Documentation et d'Information.
CDJC Centre de Documentation Juive Contemporaine.
CDP Centre Démocratie et Progrès.
CDR Comité de Défense de la République.
CDS Centre des Démocrates Sociaux.
CE Communautés Européennes. Conseil de l'Europe. Conseil Économique. Cours Élémentaire. Civil Engineer. Church of England.
CEA Commissariat à l'Énergie Atomique. Commission Économique pour l'Afrique (ONU). Compte d'Épargne en Actions.
CEAO Communauté Économique de l'Afrique de l'Ouest.
CEAT Commandement des Écoles de l'Armée de Terre.
CECA Communauté Européenne du Charbon et de l'Acier.
CECLANT Commandement En Chef de l'AtLANTique.
CECOS Centre d'Étude et de COnservation du Sperme.
CED Communauté Européenne de Défense.
CEDEAO Communauté Économique Des États de l'Afr. de l'Ouest.
CEDEP Centre d'Études et DE Promotion.
CEDIAS Centre d'Étude, de Documentation, d'Information et d'Actions Sociales.
CEDOCAR CEntre de DOCumentation de l'ARmement.
CEE Communauté Économique Européenne (Marché commun) ou Commission Écon. pour l'Eur. Centre d'Études de l'Emploi.
CEEA Communauté Européenne de l'Énergie Atomique.
c. & f. Cost and freight (Coût et fret).
CEF Corps Expéditionnaire Français (Cameroun, Chine).
CEFAGI Centre d'Études et de Formation des Assistants en Gestion Industrielle.
CEG Collège d'Enseign. Général.
CEGETI Centre Électronique de Gestion Et de Traitement de l'Information.
C-EL Courrier Électronique (en angl. E.-Mail).
CEL Compte d'Épargne Logement. Centre d'Essai des Landes.
CELAR Centre Électronique de L'ARmement.
CELIB Comité d'Entente et de Liaison des Intérêts Bretons.
CELSA Centre d'Études Littéraires et Scientifiques Appliquées.
CELT Compte d'Épargne à Long Terme.
CEM Council of European Municipalities. Centre d'Essai de la Méditerranée.
CEMA Chef d'État-Major des Armées.
CEMAGREF CEntre national du Machinisme Agricole, du Génie Rural, des Eaux et Forêts.
CEN Centre d'Essai Nucléaire.
C. Eng. Chartered Engineer.
CENS Centre d'Études Nucléaires de Saclay.
CENTO CENtral Treaty Organization.
Cent. Centigrade.
CEP Caisse d'Épargne de Paris. Certificat d'Études Primaires. Certificat d'Éducation Professionnelle. Circular Error Probable (Écart circulaire probable). Centre d'Expérimentation Pédagogique. Centre d'Expérimentation du Pacifique.
CEPE Certificat d'Études Primaires et Élémentaires.
CEPME Crédit d'Équipement aux Petites et Moyennes Entreprises.
CEPR Centre d'Entraînement Préliminaire et des Réserves.
CER Comité d'Expansion Régional.
CERC Centre d'Études des Revenus et des Coûts.
CERCEE Centre d'Études et de Recherches de Création et d'Expansion d'Entreprises.
CERCHAR Centre d'Études et de Recherches des CHARbonnages de France.
CEREP Centre d'Études et de Réalisations pour l'Éducation Permanente.
CEREQ Centre d'Études et de REcherches sur les Qualifications.
CERES Centre d'Études, de Recherches et d'Éducation Socialistes.
CERN Centre Européen de Recherches Nucléaires.
CERS Centre Européen de Recherche Spatiale (en angl. ESRO).
CES Collège d'Enseignement Secondaire. Conseil Économique et Social. Certificat d'Études Spécialisées.
CESA Centre d'Enseignement Supérieur des Affaires.
CESCOM Centre d'Études des Systèmes de COMmunication.
CESP Centre d'Études des Supports de Publicité.
CESR Comité Économique et Social Régional.
CESTA Centre d'Études des Systèmes et des Technologies Avancées.
CESTI Centre d'Études Supérieures des Techniques Industrielles.
CET Collège d'Enseignement Technique.
CETA Centre d'Études Techniques Agricoles.
CETAT Centre d'Études Tactiques de l'Armée de Terre.
CETIM CEntre Technique des Industries Mécaniques.
CEV Centre d'Essais en Vol.
c/f Carried forward (à reporter).
CF Communauté Française.
C & F (Cost and Freight = coût et fret) CIF moins l'assurance (« CFR »).
cf. Confer (reportez-vous à).
CFA Communauté Française d'Afrique. Communauté Financière Africaine. Centre de Formation d'Apprentis.
CFAO Conception et Fabrication Assistées par Ordinateur.
CFCA ConFédération de la Coopération Agricole.
CFCE Centre Fr. du Commerce Extérieur.
CFCF Comité Français pour la Campagne mondiale contre la Faim.
CFCO Centre de Formation des Conseillers d'Orientation.
CFDT Confédération Française et Démocratique du Travail.
CFEN Certificat de Formation d'Études Normales.
CFES Certificat de Fin d'Études Secondaires.
CFF *Chemins de Fer* Fédéraux (Suisse). **CFL** Luxembourgeois.
CFLN Comité Français de Libération Nationale.
CFM Compagnie Française de Méthane.
CFP Communauté Française du Pacifique. Centre de Formation Permanente. Certification de Formation Professionnelle.
CFPA *Centre de Formation* pour Adultes. Professionnelle Agricole. à la Profession d'Avocat.
CFPC Centre chrétien des Patrons et dirigeants d'entreprise français.
CFPI Commission de la Fonction Publique Intern. (ONU).
CFT Confédération Française du Travail.

CFTC Confédération Française des Travailleurs Chrétiens.
CGA Conf. Générale de l'Agriculture. Contrôle Général des Armées.
CGAF Conf. Gén. de l'Artisanat Fr.
CGC Conf. Gén. des Cadres.
CGE Compagnie Gén. d'Électricité.
cge pd Carriage paid (port payé).
cgo. Contango (report en Bourse).
CGPME Confédération Générale des Petites et Moyennes Entreprises et du patronat réel.
CGQJ Commissariat Général aux Questions Juives.
CGS Centimètre, Gramme, Seconde.
CGSU Confédération Générale des Syndicats Unifiés.
CGT-CGTU Compagnie Générale Transatlantique. Confédération Générale du Travail Unifiée.
CGTFO Confédération Générale du Travail Force Ouvrière.
C.H. Bureau de Douane. Caisse de Compensation. Change Exchange (Bourse). Confédération Helvétique. Companion of Honour.
ch. Chant. Cosinus hyperbolique. Chose.
chag. Chagrin.
chap. Chapitre.
Ch. B Chirurgiae Baccalaureus.
Chbre Chambre.
Ch. comp. Charges comprises.
CHEAM Centre des Hautes Études sur l'Afrique et l'Asie Modernes.
CHEAR Centre des Hautes Études de l'ARmement.
CHEM Centre des Hautes Études Militaires.
Chev. Chevalier (Belgique).
chiff. Chiffré.
ch.-l. Chef-lieu.
Ch. M. Chirurgiae Master.
chq. Chèque.
CHR Centre Hospitalier Régional.
CHS Crycophonie Haute Sécurité.
CHU Centre Hospit. Universitaire.
CI Cercle Interallié. **C/I** Certificate of Insurance (Certificat d'assurance). Channel Islands.
CIA Confédération Intern. de l'Agriculture. Central Intelligence Agency.
CIAI Comité International d'Aide aux Intellectuels.
Cial Commercial.
CIAM Congrès International d'Architecture Moderne.
CIASI Comité Interministériel pour l'Aménagement des Structures Industrielles.
CIC Centre d'Information Civique. Confédération Intern. des Cadres. Crédit Industriel et Commercial. Carrefour Intern. de la Communication.
CICA Comité Interconfédéral de Coordination de l'Artisanat.
CICR Comité International de la Croix-Rouge.
CID Criminal Investigation Department. Comité d'Information et de Défense.
CIDAC Centre Intern. de Documentation et d'Animation Culturelle.
Cidex Courrier d'Industrie à Distribution EXceptionnelle.
CIDISE Comité Interministériel pour le Développement de l'InveStissement et de l'Emploi.
CIDJ Centre d'Information et de Documentation Jeunesse.
CIDUNATI Comité d'Information et de Défense de l'Union Nat. des Artisans et Travaill. Indépendants.
CIE Centre Intern. de l'Enfance.
Cie Compagnie.
CIEE Council of International Educational Exchange.
CIF Cost, Insurance and Freight (Coût, assurance et fret).
CIF FREE OUT CIF sans frais de déchargement à l'arrivée.
c.i.f. & c. *Coût, assurance, fret* et commission. **c.i.f.c. & i.** et intérêt.
CII Compagnie Intern. pour l'Informatique.
CIJ Centre d'Information Jeunesse. Cour Internationale de Justice.
CIM Computer Integrated Manufacturing.
CIMADE Comité Inter-Mouvements Auprès Des Évacués.
CIME Comité Intergouvernemental pour les Mouvements migratoires d'Europe.
CIN Centre d'Instruction Navale.
C.-in-C. Commander-in-Chief.
CIO Congress of Industrial Organizations. Comité Internat. Olympique. Centre d'Information et d'Orientation. Central Intelligence Organization.
CIPEC Conseil Intergouvernemental des Pays Exportateurs de Cuivre.
CIQV Comité Interministériel pour la Qualité de la Vie.
CISC *Confédération Internationale des Syndicats* Chrétiens. **CISL** Libres.
CIT Comité International des Transports par chemin de fer. Compagnie Italienne de Tourisme.
CITI Confédération Internationale des Travailleurs Intellectuels.
CJD Centre des Jeunes Dirigeants d'entreprise.
CJM Congrès Juif Mondial. Congrégation de Jésus et de Marie.
CJP Centre des Jeunes Patrons.
ck. Cask (tonneau, baril).
c.l. Car load (charge complète).
CL Crédit Lyonnais.
CLD Chômeur Longue Durée.
CLEMI Centre de Liaison de l'Enseignement et des Moyens d'Information.
CLERU Comité de Liaison Étudiant pour la Rénovation Universitaire.
CLSG CLoSinG cloture (closing call : cours de clôture).
CLU Collège Littéraire Universitaire.
CM Cours Moyen. Congrégation de la Mission (Lazaristes).
CMA Cash Management Account. Conseil Mondial de l'Alimentation.
Cme Centime.
CMF Missionnaires clarétains (Congrégation Missionnaire des Fils du cœur de Marie).
CMI Comité Maritime Intern.
CMO Collaterized Mortgage Obligations.
CMP Chemin de fer Métropolitain de Paris. Coût Moyen Pondéré.
CN Commande Numérique.
C/N Crédit Note. Chèque de voyage.
CNAC Centre Nat. d'Art Contemporain.
CNAH Centre Nat. pour l'Amélioration de l'Habitat.
CNAL Comité Nat. d'Action Laïque.
CNAM Conservatoire Nat. des Arts et Métiers. Caisse Nat. d'Assurance Maladie. Confédération Nationale de l'Artisanat et des Métiers.
CNAP Centre Nat. d'Animation et de Promotion.
C. Nap. Code Napoléon.
CNASEA Centre Nat. pour l'Aménagement des Structures des Exploitations Agricoles.
CNAVTS Caisse Nat. d'Assurance Vieillesse des Travailleurs Salariés.
CNB Caisse Nationale des Banques.
CNC Centre Nat. du Cinéma. Comité Nat. de la Consommation. Computerized Numerical Control.
CNCA Caisse Nat. du Crédit Agricole.
CNCE Centre Nat. du Commerce Extérieur.
CNCL Commission Nat. de la Communication et des Libertés.
CNDP Centre National de Documentation Pédagogique.
CNE Caisse Nationale d'Épargne. Caisse Nationale de l'Énergie.
CNEC *Centre National d'Enseignement* par Correspondance. **CNED** à Distance.
CNEEMA Centre National d'Études et d'Expérimentation du Machinisme Agricole.
CNEL Comité National de l'Enseignement Libre.
CNEP Comptoir Nat. d'Escompte de Paris.
CNEPS Centre Nat. d'Éducation Physique et des Sports.
CNERP Conseil Nat. des Économies Régionales et de la Productivité.
CNES Centre Nat. d'Ét. Spatiales.
CNESR Conseil National de l'Enseignement Supérieur et de la Recherche.
CNET Centre Nat. d'Études des Télécommunications.
CNEXO Centre Nat. d'EXploitation des Océans.
CNF Comité National Français.
CNFG Comité Nat. Français de Géographie.
CNHJ Chambre Nationale des Huissiers de Justice.
CNI Carte Nationale d'Identité.
CNIL Commission Nat. de l'Informatique et des Libertés.
CNI, CNIP Centre Nat. des Indépendants et Paysans.
CNIPE *Centre nat.* d'Information pour la Productivité des Entreprises. **CNIT** des Industries et des Techniques (Paris). **CNJA** des Jeunes Agriculteurs. **CNJC** des Jeunes Cadres. **CNL** des Lettres.
CNME Caisse Nat. des Marchés de l'État.
CNOUS Centre Nat. des Oeuvres Universitaires et Scolaires.
CNPF Conseil Nat. du Patronat Français.
CNPH *Centre National* des Prêts Hypothécaires. **CNPN** pour la Protection de la Nature. **CNPS** de Pédagogie Spéciale.
CNR Conseil Nat. de la Résistance. Compagnie Nat. du Rhône.
CNRA Conseil Nat. de la Révolution Algérienne.
CNRS Centre Nat. de la Recherche Scientifique.
CNSL Comité National de la Solidarité Laïque.
CNTE Centre Nat. de Télé-Enseignement.
CNU Conseil National des Universités.
CNUCED *Conférence des Nations Unies* sur le Commerce Et le Développement. **CNUSTED** pour la Science et la Technique.
CO Conseiller d'Orientation.
c/o Care of (aux bons soins de). Carried over (reporté en Bourse).
C/O Certificate of Origin.
Co. Company (société, compagnie).
COA Centre Opérationnel des Armées.
COB Commission des Opérations de Bourse.
COBOL COmmon Business Oriented Language.
COCOM Coordination Committee.
COD Cash On Delivery (Contre remboursement). Centre Opérationnel de Défense.
CODEFI COmités interdépartementaux D'Examen des problèmes de Fonctionnement des Entreprises.
CODER COmmission de Développement Économique Régional.
CODEVI COmpte pour le DÉVeloppement Industriel.
COE Conseil Oecuménique des Églises.
COFACE COmpagnie FrAnçaise pour le Commerce Extérieur.
COFEMEN COnFÉr. des Ministres de l'Éduc. Nat. francophones.
COGEFI Conseil en Organisation de Gestion Économique et FInancière d'entreprises.
col. Colonnes.
Coll. Collection.
Com. Commission.
COMAC COMmission d'ACtion militaire.
COMECON COuncil for Mutual ECONomic assistance.
COMES COMmissariat à l'Énergie Solaire.
COMEX COMmodity EXchange of New York.
COMIDAC COMité D'ACtion militaire (Alger).
COMINFORM COMmunist INFORMation bureau.
COMLOG COMmission LOGistique.
COM SUP COMmandement SUPérieur.
COMTACAIR *COMmandement TACtique des forces* AIR. **COMTACTER** TERre.
Consol. Consolidated (consolidé).
contref. Contrefaçon.
COOC Contact with Oil or Other Cargo.
COPAR COmité PARisien des œuvres scolaires et universitaires.
COS Coefficient d'Occupation des Sols.
COSNUB COmité Spécial des Nations Unies sur les Balkans.
COSP Centre d'Orientation Scolaire et Professionnelle.
COT Commandement des Opérations à Terre.
COTAC COnduite de Tir Automatique des Chars.
COTAM COmmandement du Transport Aérien Militaire.
C/P Charter Party (Charte-Partie).
CP Crédits de Paiement. Cours Préparatoire. Congrégation de la Passion. (Passionistes).
CPA Centre de Perfectionnement dans l'Administr. des affaires. Classe Préparat. à l'Apprentissage.
CPC Comité du Programme et de la Coordination (ONU).
CPAG Centre de Préparation à l'Administration Générale.
CPAM Caisse Primaire d'Assurance Maladie.
CPAO Conception de Programme Assistée par Ordinateur.
cpdt Cependant.
CPE Conseil de Parents d'Élèves (ou Comité de PE). Conseiller Principal d'Éducation.
CPFH Collier de Perles Foulard Hermès.
CPGE Classe Préparatoire aux Grandes Écoles.
CPJ Centre de Perfectionnement des Journalistes.
CPJI Cour Permanente de Justice Internationale.
CPPN Classe Pré-Professionnelle de Niveau.
CPR Centre Pédagogique Régional.
Cpt Comptant.
CQ Cercles de Qualité.
CQAO Contrôle Qualité Assisté par Ordinateur.
CQFD Ce qu'il fallait démontrer.
CR At Company's Risks (aux risques et périls de la compagnie). Cadre de Réserve.
CRA Contrat de Réinsertion en Alternance.
c.r. Compte rendu. Credit, creditor (crédit, créditeur).
CRAMIF Caisse Régionale de l'Assurance Maladie d'Ile-de-France.
CRAP Commando de Recherche et d'Action en Profondeur.
CRDP Centre Régional de Documentation Pédagogique.

CRED Conseil des Recherches et Études de Défense.

CREDIF Centre de Recherche et d'Étude pour la Diffusion du Français.

CREDIJ Centre RÉgional pour le Développement local et l'Insertion des Jeunes.

CREDOC Centre de Recherches, d'Études et de DOcumentation sur la Consommation.

CREPS Centre Régional d'Éducation Physique et Sportive.

CRESAS Centre de Recherches et d'Études Sur l'Adaptation Scolaire.

CRIC Chanoines Réguliers de l'Immaculée Conception.

CRF Croix-Rouge Française.

CRID Centre de Recherche et d'Information pour le Développement.

CRITT Centres Régionaux d'Innovation et de Transfert Technologique.

CRL Chanoines Réguliers de Latran.

CROSS Centre Régional Opérationnel de Surveillance et de Sauvetage.

CROUS Centre Régional des Oeuvres Universitaires et Scolaires.

CRS Compagnies Rép. de Sécurité.

Crt Courant.

CRV Caravelle.

c/s Cases (caisses).

CS Civil Service (fonction publique).

CSA Chanoines réguliers de St-Augustin.

CSAIO Chef de Service Académique d'Information et d'Orientation.

CSB Pères Basiliens.

CSCA Conseil Supérieur de la Coopération Agricole.

CSCE Conférence sur la Sécurité et la Coopération en Europe.

CSEN Conseil Supérieur de l'Éducation Nationale.

CSF Compagnie générale de télégraphie Sans Fil.

CSFP Conseil Supérieur de la Fonction Publique.

CSL Confédération des Syndicats Libres.

CSM *Conseil Supérieur* de la Magistrature. **CSN** du Notariat.

CSNVA Chambre Syndicale Nationale des Vendeurs d'Automobiles.

CSR République tchécoslovaque.

CSSP Congrégation du Saint-Esprit.

CSSR Congrégation du très-Saint-Redempteur (Rédemptoristes).

CST Central Standard Time.

CSTB Centre Scientifique et Technique du Bâtiment.

CSU Centre Sportif Universitaire.

CSV Clercs de Saint-Viateur.

C/T Conference Terms.

Ct ct Compte courant.

Cte, Ctesse Comte, comtesse.

Ctge Cartage (camionnage).

c.t.l. Constructive total loss (perte censée totale).

Cts Crates (Caisses, cageots).

CU Code de l'Urbanisme.

CUEEP *Centre Universitaire* Économie d'Éducation Permanente. **CUFCO** de Formation COntinue.

CUIO Cellule Universitaire d'Information et d'Orientation.

CUMA Coopérative d'Utilisation du Matériel Agricole.

cum d/ Cum dividend (Coupon attaché).

curr., currt. Current (du mois en cours, actuel).

CV Curriculum Vitæ. Croix du Combattant Volontaire.

CVO Commander of the Victorian Order.

+CVR Combattant Volontaire de la Résistance.

CWO Cash With Order (Paiement à la commande).

Cwt Hundredweight (Quintal [de 112 lbs]).

d. Day (Jour). Penny [pence] (Denier). **D.** Dom. Demandé.

d/a Days after acceptance (jours après l'acceptation). **DA** Deposit account (compte de dépôt).

D/A Documents against Acceptance (doc. contre acceptation).

DAB Distributeur Automatique de Billets.

DAC Digital to Analog Converter.

DAF Rendu frontière.

DAFCO Délégation Académique à la Formation COntinue.

DAM Division Aéromobile Mercure.

DAO Dessin (ou Documentation) Assisté(e) par Ordinateur.

DAP Deutsche Arbeiter Partei.

DAS Direction de l'Action Sociale.

DASS Direction de l'Action Sanitaire et Sociale.

DAT Direction des Armements Terrestres. Digital Audio Tape.

DATAR Délégation à l'Aménagement du Territoire et à l'Action Régionale.

d.b. Demi-basane. **DB** Deutsches Bundesbahn. Division Blindée. Direction des Bibliothèques.

DBE Dame Commander of the Order of the British Empire.

Dbk Drawback (remboursement en douane).

DBRD Dépense Brute de Recherche et Développement.

DC Direct Current. District of Columbia.

DCA Défense Contre Avion.

DCAé Direction des Constructions Aéronautiques.

DCB Dame Commander of the Bath.

DCEM Deuxième Cycle d'Études Médicales.

d.ch. Demi-chagrin.

DCL Doctor of Civil Law.

DCMG Dame Commander of St Michael and St George.

DCN Direction des Constructions Navales.

DCSSA Direction Centrale du Service de Santé des Armées.

DCVO Dame Commander of the royal Victorian Order.

d.d. Days' date (date du jour).

d/d Delivered (livré).

DD Doctor of Divinity (docteur en théologie).

DDA Direction Départementale de l'Agriculture. **DDAF** et de la Forêt.

DDASS *Direction Départementale* de l'Action Sanitaire et Sociale. **DDCCRF** de la Concurrence, de la Consommation et de la Répression des Fraudes. **DDE** de l'Équipement.

DDEN Délégué Départemental de l'Éducation Nationale.

DDI Diplôme de Docteur Ingénieur.

D10 DC-10.

DDP Rendu droits acquittés.

DDR Deutsche Demokratische Republik.

DDT Dichloro-Diphényl-Trichloréthane.

DDTE Direction Départementale du Travail et de l'Emploi.

DE Diplôme d'État.

DEA Diplôme d'Ét. Approfondies.

deb Debenture (obligation).

dec. Decrease (baisse, diminution).

DECS Diplôme d'Études Comptables Supérieures.

def. Deferred (différé). Définition.

DEFA *Diplôme* d'Études Fondamentales en Architecture – d'État aux Fonctions d'Animateur.

DEFM Demandes d'Emploi en Fin de Mois.

del, delin. delineavit (a dessiné).

DELDH Demandeur d'Emploi de Longue Durée Handicapé.

dely Delivery (livraison).

DEN Direction des ENgins.

dep. Département.

DEPS Dernier Entré, Premier Sorti.

dept Department (service).

DES *Diplôme* d'Études Sup. **DESA** De l'École Spéciale d'Architecture. **DESE** D'Études Supérieures Économiques.

desgl. desgleichen (de même).

DESPO Diplômé de l'École libre des Sciences POlitiques.

DESS *Diplôme d'Études Supérieures,* Spécialisées, de Sciences.

D^{esse} Duchesse.

DEST *Diplôme d'Études* Supérieures Techniques. **DEUG** Universitaires Générales. **DEUST** Universitaires de Sciences et de Techniques.

DEW Line Distant Early Warning Line [ligne de radars de détection pour l'alerte avancée (dans le temps) et lointaine (dans l'espace) (US)].

d.f. Dead freight (Faux fret).

DFC Distinguished Flying Cross.

DFCEN Dir. de la Flotte de Commerce et de l'Équipement Naval.

DFEO Diplôme de Fin d'Étud. Obligatoires.

DFM Distinguished Flying Medal.

DFP Délégation à la Formation Professionnelle.

Dft Draft (Traite).

DG Deo Gratias (Par la grâce de Dieu).

DGA *Délégation Gén.* pour l'Armement. **DGAC** de l'Aviation Civile.

DGAC Direction Gén. de l'Aviation Civile.

DGER Direction Générale des Enquêtes et Recherches.

DGI Direct. Gén. des Impôts.

dgl. dergleichen (pareil, semblable).

DGRCST Direction Gén. des Relations Culturelles, Scientif. et Techniques.

DGRST Délégation Gén. à la Recherche Scientifique et Technique.

DGSE Direction Gén. de la Sécurité Extérieure.

DGT Direction Gén. des Télécom (devenue France-Télécom).

DGV Déjeuner à Grande Vitesse.

dh. das heisst (c'est-à-dire). Dirham marocain.

DHT Twin-Otter.

DHYCA Direction des HYdro-CArbures.

di. Dienstag (mardi). **Di** Dienstags (le mardi). **DI** Division d'Infanterie.

DIA Direction de l'Infrastructure de l'Air. Defence Intelligence Agency.

DICA DIrection des CArburants (ministère de l'Industrie).

DII Direction Interdépartementale de l'Industrie.

DIM Maison de Décoration Intérieure Moderne.

DIMA Division d'Infanterie de MArine.

DIN Deutsche IndustrieNorm(en).

DIRCEN DIRection des Centres d'Expérimentations Nucléaires.

DIRD Dépense Intérieure de Recherche et Développement.

dis., disc., disct. Discount (escompte).

div. Dividend (dividende).

d.J. Dieses Jahres (de cette année).

DJ Djibouti.

DKR Danske KRøne.

DLB Division Légère Blindée.

D.Lit.or Litt. Doctor of Letters or Litterature.

DLH Deutsche Lufthansa.

d.m. Demi-maroquin.

DM Deutsche Mark. **d.M.** Dieses Monats (de ce mois).

DMA Délégation Ministérielle de l'Armement.

DMN Direction de la Météorologie Nationale.

DMT Division Milit. Territoriale.

D/N Debit Note (Note de débit).

DN Dispatch Note (bulletin d'expédition).

DNAT *Diplôme National* d'Arts et Techniques. **DNBA** des Beaux-Arts.

DNRD Dépense Nationale de Recherche et Développement.

DNSEP Diplôme Nat. Supérieur d'Expression Plastique.

DO Dépenses Ordinaires.

do. (ou Do) Donnerstags (le jeudi).

D/O Delivery Order (Ordre de livraison).

d^{o} Dito (ce qui a été dit).

doc. document.

DoD Department of Defence.

dol(s) Dollar(s).

DOM Département d'Outre-Mer.

dor.s.tr. Doré sur tranches.

DOT Défense Opérationnelle du Territoire. Deep Ocean Techn.

doz. Dozen (Douzaine).

DP Défense Passive. Displaced Persons. Division Parachutiste.

D/P Delivery against Payment (remise contre paiement).

DPCE *Diplôme de Premier Cycle* Économique. **DPCT** Technique.

DPE Diplômé Par l'État.

D. Phil. Doctor of Philosophy.

DPLG Diplômé Par Le Gouvernement.

DPN Direction de la Protection de la Nature.

DPO Direction Par Objectifs.

DPP Direction de la Prévention des Pollutions.

DQP Dès Que Possible.

DQ Dernier Quartier.

DQV Délégation à la Qualité de la Vie.

d.r. Demi-reliure. **Dr.** Dollar. **Dr** Débit ; **Dr(s)** Debtor(s) (débiteurs). **dr.** Droit. **D^{r}** Docteur. **DR** Deutsch Reichsbank. Déporté de la Résistance. Direction Régionale.

DRAC Droit des Religieux Anciens Combattants. Direction Régionale des Affaires Culturelles.

DRASS Direction Régionale d'Action Sanitaire et Sociale.

dr. can. Droit canon.

dr. cout. Droit coutumier.

DRE *Direction* Rég. de l'Équipement. **DREE** des Relations Économiques Extérieures. **DRET** des Recherches, Études et Techniques de l'armement. **DRFP** Régionale à la Formation Professionnelle.

DRIR Délégation Régionale de l'Industrie et de la Recherche.

DRSH Directeur des Relations Sociales et Humaines.

DRSJ Direction Régionale Sports et Jeunesse.

Drzava SHS Yougoslavie.

ds Dans. **d/s** Days' sight (Jours de vue).

DSC Distinguished Service Cross.

D.sc. Doctor of Science.

DSM Distinguished Service Medal.

DSO Distinguished Service Order.

DSS Direction de la Sécurité Sociale.

DST Direction de la Surveillance du Territoire.

dt. Deutsch (allemand). Doit.

DT Diphtérie, Tétanos. Diplôme Technique.

DTAB Diphtérie Typhoïde paratyphoïde A et B (vaccination).

DTAT Direction Technique des Armements Terrestres.

DTCA Direction Technique des Constructions Aéronautiques.

DT Coq Diphtérie Tétanos Coqueluche (vaccination).

DTCP Diphtérie, Tétanos, Coqueluche, Polio.

DTOM Départements et Territoires d'Outre-Mer.

DTP Diphtérie, Tétanos, Polio.

Dtzd Dutzend (douzaine).

DTS Droits de Tirages Spéciaux.
DTSA Defence Technology Security Administration.
d.U. der Unterzeichnete (le soussigné).
DUEL *Diplôme Universitaire d'Études* Littéraires. **DUES** Scientifiques. **DUET** Techniques.
DUP Déclaration d'Utilité Pub.
DUT Diplôme Universitaire de Technologie.
d.v. Demi-veau. Doivent.
DV Deo Volente (à la volonté de Dieu).
d.w. Deadweight (Port en lourd).
D/W Dock-Warrant (certificat d'entrepôt).
d/y Delivery (livraison).
dz Doppelzentner (quintal).
DZ Dropping Zone.
+E Médaille des Évadés.
E East (est).
ea. Each (chaque, chacun).
EA École de l'Air.
EAA École d'Application de l'Artillerie. École d'Administration de l'Armement.
EAO Enseignement Assisté par Ordinateur.
EARL Exploitation Agricole à Responsabilité Limitée.
EASSAA *École d'Application* du Service de Santé de l'Armée de l'Air. **EAT** du Train. **EATrs** des Transmissions.
ebd. Ebenda (au même endroit).
EBR Engin Blindé de Reconnaissance.
EBV Epstein-Barr Virus.
ECA Economical Cooperation Administration (Plan Marshall).
ECAFE Economic Commission for Asia and Far-East.
Eccl. Ecclésiaste (livre de la Bible), Ecclésiastique.
ECG ÉlectroCardioGramme.
ECL École Centrale de Lyon.
ECOSOC Conseil ÉCOnomique et SOCial.
ECP École Centrale de Paris. Écart Circulaire Probable.
Ecr. Écrire.
ECU European Currency Unit.
éd. Édition.
EDF Électricité De France.
EDHEC École Des Hautes Études Commerciales.
édit. Éditeur.
EDP Electronic Data Processing (analyse électronique des données).
EE Errors Excepted (sauf erreurs).
EEC European Economic Community (V. CEE).
EEF Egyptian Expeditionary Force.
EEG ÉlectroEncéphaloGramme.
EELF Église Évangélique Luthérienne de France.
EEMI École d'Électricité Mécanique Industrielle.
EF Eau-Forte.
eff. Efficace (puissance).
EFMA European Financial Marketing Association (Association Européenne de marketing financier).
EFO Établissements Français d'Océanie.
E & O.E. Errors and Omissions Excepted.
EFT Electronic Funds Transfer.
EFTA European Free Trade Association.
e.G. Eingetragene Genossenschaft (coopérative enregistrée). **e.g.** exempli gratia (par exemple).
EGF Électricité-Gaz de France.
égl. Églogue.
e.h. Ehrenhalber (honoris causa).
EHESS École des Hautes Études en Sciences Sociales.
EIF Éclaireurs Israélites de France.
einschl. einschliesslich (y compris).
ELAS Armée populaire hellénique de libération.
ELM Escorteur Lance-Missiles.
elz. Elzevirien.
EMA *État-Major* des Armées. **EMAT** de l'Armée de Terre.
EMB EMBraer.
EMIA État-Major InterArmées. École Militaire InterArmes.
EMM État-Major de la Marine.
EMMIR Élément Médical Militaire d'Intervention Rapide.
EMN École nat. sup. des Mines de Nancy.
EMP École des Mines de Paris. Electro Magnetic Pulse (impulsion électromagnétique).
EMT Équivalent MégaTonnique. Éducation Manuelle et Technique.
EN Économie nationale. École Navale.
ENA *École Nat.* d'Administration. **ENAC** de l'Aviation Civile.
ENBAMM ENtreprises non Bancaires Admises au Marché Monétaire.
Enc. Enclosure (Pièces jointes).
ENC *École Nat.* des Chartes. **ENEF** des Eaux et des Forêts. **ENGREF** du Génie Rural, des Eaux et des Forêts.
ENI Ente Nazionale Idrocarburi. École Nationale d'Ingénieurs. École Normale d'Instituteurs ou d'Institutrices.
ENIAC Electronic Numeral Integrator and Computer.
ENISE École Nationale d'Ingénieurs de Saint-Étienne.
ENIT ENte Italiano del Turismo.
ENITA École Nat. d'Ingénieurs de Travaux Agricoles.
ENLOV *Éc. Nat.* des Langues Orientales Vivantes. **ENM** de la Magistrature.
ENNA École Normale Nationale d'Apprentissage.
ENP *École Nat.* de Perfectionnement. **ENPC** des Ponts et Chaussées.
ens. Ensemble. **ENS** École Normale Supérieure.
ENSA *École Nat.* Sup. Agronomique. Sup. d'Aéronautique. De Ski et d'Alpinisme. **ENSAD** Sup. des Arts Déco. **ENSAe** Sup. de l'Aéronautique et de l'espace.
ENSAE École Nationale de Statistique et d'Administration Économique.
ENSAM *École Nationale Supérieure* des Arts et Métiers. **ENSATT** des Arts et Techniques du Théâtre. **ENSBA** des Beaux-Arts. **ENSCP** de Chimie de Paris. **ENSEMN** Élect. et Méc. de Nancy. **ENSET** de l'Enseignement Technique. **ENSGM** du Génie Maritime. **ENSH** d'Horticulture. **ENSI** d'Ingénieurs. **ENSIA** des Industries Agricoles et Alimentaires. **ENSICA** d'Ingénieurs et de Constructions Aéronautiques. **ENSIETA** des Ingénieurs des Études et Techniques d'Armement. **ENSM** de Mécanique. **ENSMStE** des Mines de St-Étienne. **ENSP** de la Santé Publique. **ENSPM** du Pétrole et des Moteurs. **ENST** des Télécommunications. **ENSTA** des Techniques Avancées.
ENTSOA École Nationale Technique des Sous-Officiers d'Active.
Env. Envoyer. Environ.
E.o. Ex officio. **EO** Édition Originale.
EOA Élément Organique d'Armée. Élève-Officier d'Active.
EOCA Élément Organique de Corps d'Armée.
eod. Eodem (du même) **eod. loc.** loco (au même endroit). **eod. op.** opere (au même ouvrage).
EOR Élève-Officier de Réserve.
ép. Épître. Époque. Épreuve.
EP École Polytechnique.
EPC Éc. de Physique et de Chimie. Engin Principal de Combat.
EPF École Polytechnique Féminine.
EPHE École Pratique de Hautes Études.
EPIC Établissement Public à caractère Industriel et Commercial.
EPM École Préparatoire de la Marine.
EPR Établissement Public Régional.
EPROM Erasable Programmable Read Only Memory (Mémoire semi-morte dont le contenu ne peut être modifié qu'exceptionnellement).
EPS École Primaire Supérieure. Éducation Physique et Sportive.
EPZ École Polytechnique de Zurich.
ER En Retraite.
ERAP Entreprise de Recherches et d'Activités Pétrolières.
ERP Établissement Recevant du Public.
es. Escudo portugais.
ESAM Équipes Spéciales d'Aide aux Mineurs. École Sup. d'Application du Matériel.
ESAT *École Sup.* de l'Armement Terrestre. **ESC** de Commerce. **ESCAE** de Commerce et d'Administration des Entreprises. **ESCL** de Commerce de Lyon. **ESCP** de Commerce de Paris.
ESD Électronique Serge Dassault.
ESE *École Sup.* d'Électricité. **ESEAT** d'Électronique de l'Armée de Terre.
ESEU Examen Spécial d'Entrée à l'Université.
ESG *École Sup. de Guerre.* **ESGA** Aérienne. **ESGI** Interarmées.
ESGM Éc. Sup. du Génie Militaire.
ESGN *École Sup.* de Guerre Navale. **ESIM** d'Ingénieurs de Marseille.
ESMStC Éc. Spéciale Militaire de St-Cyr.
ESOA *École des Élèves Sous-Officiers d'Active.* **ESOAT** des Transmissions.
ESPCI Éc. Sup. de Physique et de Chimie Industrielle.
ESPRIT European Strategic Programm for Research and development in Information Technologies.
Esq. Esquire.
ESSAT École d'application du Service de Santé de l'Armée de Terre.
ESSEC École Sup. des Sciences Économiques et Commerciales.
ESSO Standard Oil company.
est. Established (fondé).
ESTP École Spéciale des Travaux Publics.
ESU English Speaking Union.
Et al et alibi (et ailleurs) ; et alia, et alii (et d'autres).
ETA Euzkadi Ta Askatasuna (Le Pays basque et sa liberté).
ETAA École Technique de l'Armée de l'Air.
etc. et cætera.
ETN École Technique Normale.
ETP École spéciale des Travaux Publics.
Et seq et sequens (et la suite).
EU États-Unis.
EUA États-Unis d'Amérique.
EUF Éclaireurs Unionistes de France.
EURL Entreprise Unipersonnelle à Responsabilité Limitée.
e.V. Eingetragener Verein (association déclarée). **EV** En Ville.
év. Évêque.
EVDA Engagé Volontaire par Devancement d'Appel.
EVR Electro Video Recorder.
EVSOM Engagé Volontaire pour Service Outre-Mer.
EWG Europäische Wirtschaftsgemeinschaft (voir **CEE**).
ex. Example (exemple). Sans, hors de, venant de.
Exc. Excellency.
ex-cp. Ex-coupon (coupon détaché).
ex. de tr. Exemplaire de travail.
ex-div. Ex-dividende.
ex int. Exclusive of interest (intérêts non compris).
exor Executor (exécuteur testamentaire).
exrx Executrix (exécutrice testamentaire).
exs Expenses (dépenses, frais).
ex ss Ex steamer (au débarquement).
ex stre Ex store (disponible).
extr. Extrait.
ex whf Ex wharf (franco à quai).
ex whse Ex warehouse (disponible).
f., ff. Feuillet, feuillets.
F Fahrenheit. **F.** Force (physique). Frère. **F** Franc (**FB** Franc belge, **FF** Franc français, **FS** Franc suisse).
+F Médaille famille française.
Fa. Firma (firme commerciale).
FAA Free of All Average (Franc d'avaries).
FAAR Force d'Action et d'Assistance Rapide.
FAB Franco À Bord.
FAC Fonds d'Aide et de Coopération.
FADEL Fonds d'Action pour le Développement Économique de la Loire.
FAF Fonds d'Assurance Formation.
FAFL Forces Aériennes Françaises Libres.
FAHMIR Force d'Assistance Humanitaire Militaire d'Intervention Rapide.
FAMOUS French-American Mid-Ocean Survey.
FANE Fonds d'Action Nationale Européen.
FAO Food and Agriculture Organization. Fabrication Assistée par Ordinateur. Forces Auxiliaires Occasionnelles.
FAP Franc d'Avaries Particulières.
f.a.q. Fair average quality (bonne qualité courante).
FAR Force d'Action Rapide. Federal Air Regulation.
FARG Fonds d'Aide au logement et de Garantie.
FAS Free Alongside Ship (franco le long du bord). Facilité d'Ajustement Structurel. Fonds d'Action Sociale.
FASASA Fonds d'Action Sociale pour l'Aménagement des Structures Agricoles.
fasc. Fascicule.
FATAC Force Aérienne TACtique.
FAU Fonds d'Aménagement Urbain.
faub., fg Faubourg.
FB. Franc Belge.
FBA Fellow of the British Academy.
FBCF Formation Brute de Capital Fixe.
FBI Federal Bureau of Investigation.
FBS Forward Based Systems (bases américaines avancées en Europe).
FC Fils de la Charité.
f.c.é.m. Force contre-électromotrice.
FCFA Franc CFA.
F50 Fokker F50.
Fco Franco.
FCP Fonds Commun de Placement.
FCPE Fédération des Conseils de Parents d'Élèves des écoles publ.
f.c.s.r. & c.c. Free of capture, seizure, riots, and civil commotions (Franc de capture, saisie, émeutes et troubles civils).
FD (ou Fid. Def.) Fidei Defensor (Défenseur de la foi).
FDC Frères de la Doctrine Chrétienne.
FDES Fonds de Développement Économique et Social.
FE Fiscalité des Entreprises.
FECOM Fonds Européen de COopération Militaire.
FED Fonds Européen de Développement. FEDeral reserve board.

FEDER Fonds Européen de DÉveloppement Régional.
FELIN Fonds d'État Libre d'Intérêt Nominal.
f.é.m. Force électromotrice.
FEN *Fédération* de l'Éducation Nationale. Des Étudiants Nationalistes.
FEOGA Fonds Eur. d'Orientation et de Garantie Agricole.
FER Féd. des Étudiants Révolutionnaires.
FETTA Formation Élémentaire TouTes Armes (« les classes »).
ff. Folgende Seiten (pages suivantes). **FF** Frères.
FFA Forces Françaises en Allemagne. **f.f.a.** Free from alongside ([livré] sous palan).
FFAJ Fédération Française des Auberges de la Jeunesse.
FFC *Forces Françaises Combattantes.* **FFCI** de l'Intérieur.
FFI *Forces Françaises* de l'Intérieur. **FFL** Libres.
FFN Fonds Forestier National.
ff^on Faisant fonction.
FFSPN Fédération Française des Sociétés de Protection de la Nature.
f.g.a. Free of general average (franc d'avarie grosse ou commune).
FGDS Fédération de la Gauche Démocratique et Socialiste.
FHAR Front Homosexuel d'Action Révolutionnaire.
FHCP Foulard Hermès Collier de Perles.
FI Fiscalité Immobilière.
f.i. For instance (Par exemple).
FIAC Foire Intern. d'Art Contemporain.
FIACRE Fonds d'Incitation À la CRÉation.
FIAT Fabbrica Italiana Automobili Torino. Fonds d'Intervention pour l'Aménagement du Territoire.
FIDA Fonds Intern. de Développement Agricole.
FIDAR Fonds Interministériel de Développement et d'Aménagement Rural.
FIDES *Fonds d'Investissement* pour le Développement Économique et Social. **FIDOM** des Départements d'Outre-Mer.
FIEJ *Fédération Internationale* des Éditeurs de Journaux et de publications. **FIFA** de Football Assoc.
FIFO First In First Out (premier entré, premier sorti).
fig. Figure (chiffre).
FIH *Fédération Internationale* des Hôpitaux. **FIJC** de la Jeunesse Cath. **FIJM** des Jeunesses Musicales.
fil. Filets.
FIM Fonds Industriel de Modernisation.
FINUL Force Intérimaire des Nations Unies au Liban.
f.i.o. Free in and out (De bord en bord).
FIPRESCI Féd. Intern. de la PRESse CInématographique.
FIQV *Fonds d'Intervention* pour la Qualité de la Vie. **FIRS** et de Régularisation du marché du Sucre.
FISCAL Année fiscale (USA).
FISE Fonds Intern. de Secours à l'Enfance.
FISL Féd. Intern. des Syndicats Libres.
f.i.t. Free of income-tax (net d'impôt, exempt d'impôt sur le revenu).
fl. Florin.
FIVETE Fécondation In Vitro Et Transfert d'Embryon.
FLB Front de Libération de la Bretagne. Franco Long du Bord.
FLIR Forwards Looking InfraRed (Instrument de pilotage de nuit).
FLN *Front de Libération Nat.* **FLNC** de la Corse.
FLQ Front de Libération Québécois.
FM Franchise Militaire. Franc-Maçon. Fusil-Mitrailleur. Frequency Modulation. Voir aussi **MF.**
fm fathom.
FME Fonds de Modernisation et d'Équipement. **Fme** Femme.
FMF Fédération des Médecins de France.
FMG Franc MalGache.
FMI Fonds Monétaire Internat. Force Multinationale d'Interposition. Fils de Marie Immaculée.
FMO Force Multinationale et Observateurs.
FMS Frères Maristes.
FMVJ Fédération Mondiale des Villes Jumelées.
FN Front National.
FNAC Fonds Nat. d'Art Contemporain. Fédération Nationale d'Achat des Cadres.
FNAFU Fonds National d'Aménagement Foncier et d'Urbanisme.
FNAGE Fédération Nat. d'Ass. des élèves des Grandes Écoles.
FNAH Fonds Nat. d'Amélioration de l'Habitat.
FNAPEEP Fédér. Nat. des Associations de Parents d'Élèves de l'Enseignement Public.
FNCC Fédér. Nat. des Coopératives de Consommation.
FNDA *Fonds national* de Développement Agricole. **FNE** de l'Emploi.
FNEF *Fédération Nationale* des Étudiants de France. **FNHPA** Hôteliers Plein Air.
FNI Forces Nucléaires à portée Intermédiaire.
FNJ *Front National* de la Jeunesse. **FNL** de Libération.
FNMF *Fédération Nationale* de la Mutualité Française. **FNMT** des Mutuelles de Travailleurs.
FNR Front National des Rapatriés.
FNS Forces Nucléaires Stratégiques. Fonds Nat. de Solidarité.
FNSA *Féd. Nat. des Syndicats* Agric. **FNSEA** d'Exploitants Agricoles.
FNUC Force de maintien de la paix des Nations Unies à Chypre.
FNUOD Force des Nations Unis d'Observation de Désengagement (Golan).
f^o, ff^o Folio, folios.
f.o. For orders (Pour ordres).
FO Force Ouvrière. Foreign Office. Firm Offer (offre ferme).
FOA Free On board.
f.o.b. Free on board (franco à bord).
f.o.c. Free of charge (franco de port et d'emballage).
FOEVEN *Fédération des Oeuvres* Éducatives et de Vacances de l'Éducation Nationale. **FOL** Laïques.
folg Following (suivant).
FOMODA FOnds de MOdernisation et de Développement de l'Artisanat.
f.o.q. *Free* on quai (franco à quai). **f.o.r.** on rail (sur wagon).
FORMA Fonds d'Orientation et de Régularisation des Marchés Agricoles.
FORTRAN FORmulation TRANsposée.
f.o.s. Free on steamer (franco à bord du navire).
FOST Force Océanique STratégique.
f.o.t. Free on truck (franco sur wagon).
f.o.w. Free on wagon (franco sur wagon). First open water (dès l'ouverture de la navigation).
FP Fiscalité Personnelle.
f.p. Fully paid (intégralement versé).
FPA Formation Professionnelle des Adultes.
f.p.a. Free of particular average (franc d'avaries particulières).
FPF Fédération Protestante de France.
FPLP Front Populaire pour la Libération de la Palestine.
Fr. Freitag (vendredi). Frau (madame).
FRAC *Fonds Régional* d'Aide au Conseil. d'Art Contemporain.
FRC Franco transporteur.
FRIL Fonds Régional d'aide aux Initiatives Locales.
ffrs. Französische Francs.
Fr.-M. Franc-Maçon.
FRN Floating Rate Notes (obligations Internat. à taux variables).
FROG Free-flight Rocket Over Ground (fusée à vol libre).
front. Frontispice.
FRS Fellow of the Royal Society.
frt Freight (Fret).
FS Ferrovie dello Stato (Italie). Faire Suivre (Poste). Franc Suisse.
FSAI Fonds Spécial d'Adaptation Industrielle.
FSC ou FEC Frères des Écoles Chrétiennes.
FSE Fonds Social Européen.
FSF *Frères* de la Sainte-Famille. **FSG** du St-Gabriel.
FSGT Fonds Spécial des Grands Travaux.
FSI Fédération Syndicale Intern.
FSJF Fédération des Sociétés Juives de France.
fsl. Franc suisse.
FSM Féd. Syndicale Mondiale.
FSR *Fonds* de Soutien des Rentes. **FSU** Social Urbain.
ft Foot. Feet (Pied[s]).
FTDA France Terre D'Asile.
FTP Francs-Tireurs et Partisans.
FUACE *Fédération* Universelle des Associations Chrétiennes d'Étudiants. **FUAJ** Unie des Auberges de Jeunesse. **FUCAPE** des Unions de Commerçants, d'Artisans et de Petites Entreprises.
FUNU Force d'Urgence des Nations Unies.
F28 F27 Fokker 28, 27.
fwd Forward (à terme, livrable).
fx-tit. Faux-titre.
FY Fiscal Year.
g Accélération de la pesanteur (physique). **G** Guinea. **G** (sur les timbres du cap de Bonne-Espérance, Griqualand occidental).
GA General Average (Avarie commune).
GAB Guichet Automatique Bancaire.
GAEC Groupement Agricole d'Exploitation en Commun.
GAGMI Groupement d'Achat des Grands Magasins Indépendants.
GAJ Groupe Action Jeunesse.
gal., gall. Gallon.
GAL Groupe Antiterroriste de Libération.
GAM Groupes d'Action Municipale.
GAMIN Gestion Automatisée de la Médecine INfantile.
GANIL Grand Accélérateur à Ions Lourds.
GAPP Groupe d'Aide PsychoPédagogique.
GARP Groupement des Assedic de la Région Parisienne.
GARS Groupe d'Activités et de Recherches Sous-marines.
GATT General Agreement on Tariffs and Trade.
GB Great Britain.
GBE Grand-Croix de l'ordre de l'Empire Britannique.
G.b.o. Goods in bad order (marchandises en mauvais état).
GC George Cross.
GCB Grand-Croix de l'ordre du Bain.
GCMG Knight or Dame Grand Cross of St Michæl and St George.
GCR Gas-Cooled Reactor (réacteur à refroidissement gazeux).
gd Grand.
G&D Guadeloupe et territoires Dépendants.
GDF Gaz De France.
GE General Electric company.
GEA Groupe d'Études des problèmes des grandes entreprises Agricoles. **GEA** Tanganyika.
geb. Geboren (né).
gefl. Gefälligst (s'il vous plaît).
GEGS Grandes Entreprises de distribution spécialisées en Grandes Surfaces.
GERDAT Groupement d'Études et de Recherches pour le Développement de l'Agronomie Tropicale.
GERTRUDE Gestion Électronique de la Régulation du Trafic RoUtier Défiant les Embouteillages.
Ges. Gesellschaft (société).
gest. gestorben (décédé).
GESTAPO GEheime STAatsPOlizei (Police d'État).
gez. gezeichnet (signé).
GFA Groupement Foncier Agri.
GFCA Groupement des Fusilliers Commandos de l'Air.
ggf. Gegebenenfalls (le cas échéant).
G.gr. Great gross [144 dz] (12 grosses).
GHQ General HeadQuarters.
GI Government Issue.
GIAT Groupement Industriel des Armements Terrestres.
GIC Grand Invalide Civil.
GICEL Groupement des Industries de la Construction ÉLectrique.
GIE *Groupement d'Intérêt Écon.* **GIEE** Européen.
GIEP Groupe Indépendant Européen de Programme.
GIG Grand Invalide de Guerre.
GIGN Groupe d'Intervention de la Gendarmerie Nationale.
GIP *Groupement d'Intérêt* Public. **GIS** Scientifique.
GLAM Groupe de Liaison Aérienne Ministérielle.
GLCM Ground Launched Cruise Missile.
GLF Grande Loge de France.
Glos Gloucestershire.
GM Génie Maritime. Génie Milit. Gouverneur Militaire.
GmbH Gesellschaft mit beschränkter Haftung (S.A.R.L.).
GMC General Motor's Corporation.
GMDSS Global Maritime Distress and Safety System.
GMF Garantie Mutuelle des Fonctionnaires.
GMMP Grands Magasins et Magasins Populaires.
GMQ Good Merchantable Quality (bonne qualité marchande).
GMR Groupes Mobiles de Réserve.
GMT Greenwich Mean Time (temps moyen de Greenwich).
+GN Médaille de la Gendarmerie Nationale.
GNMA Government National Mortgage Association.
GNP Gross National Product (produit national brut).
gns. Guinées.
GO Garantie d'Origine. Grandes Ondes.
g.o.b. Good ordinary brand (bonne marque ordinaire).
GOF Grand Orient de France.
GONUIP *Groupe d'Observateurs des Nations Unies* en Inde et au Pakistan. **GONUL** au Liban.
GOP « Great Old Party » (désigne aux U.S.A. le parti républicain).
GOULAG Glavnoïe OUpravlenie LAGuereï (Direction des camps de travail forcé).
GPAO Gestion de la Production Assistée par Ordinateur.
GPE Guadeloupe.
GPO General Post Office (Bureau central des PTT).
GPRA Gouvernement Provisoire de la République Algérienne.
GPRF Gouvernement Provisoire de la République Française.
GPU (ou Guépéou) Gossoudarstvennoïe Polititcheskoïe Oupravle-

nie (Administration Politique d'État).
GQG Grand Quartier Général.
G.R. Grande Randonnée (sentier).
Gr Groschen.
GRAPO Groupe de Résistance Antifasciste et Patriotique du premier Octobre.
grav. Gravure.
gr. cap. Grande capitale.
GRECE Groupement de Recherche et d'Études sur la Civilisation Européenne.
Greta Groupements d'établissements pour la formation continue.
GRI Nouvelle-Angleterre, Samoa.
g.r.t. Gross registered tonnage (tonnage brut).
gr. wt Gross weight (poids brut).
G7 Groupe d'union des Sept.
GT Grand Tourisme.
GU Grande Unité.
GUD Groupe Union Défense.
GVPA Groupement de vulgarisation du Progrès Agricole.
gvt. Gouvernement.
H Honorariat.
hab. habitant.
HAC Hélicoptère AntiChars.
HADA Haute Autorité de Défense Aérienne.
HAP Hélicoptère d'Appui-Protection.
Hbf. Hauptbahnhof (gare centrale).
HBV Hepatitis B Virus.
h.c. hors commerce.
HC House of Commons.
HCE Haut Comité à l'Environnement.
HCR Haut Commissariat des Nations unies pour les Réfugiés.
Hdlg. Handlung (maison de commerce).
HE His Excellence ; His Eminence.
HEC *Hautes Études* Commerciales. **HEI** Industrielles.
HF Haute Fréquence (Électricité). Home Fleet (Flotte de guerre angl.).
HGB Handelsgesetzbuch (Code de commerce).
hg (b). herausgegeben (édité).
hhd Hogshead (fût de 240 l).
HL House of Lords.
HLM Habitation à Loyer Modéré.
HMC His (Her) Majesty's Customs (douanes brit.).
Hme Homme.
HMS Her Majesty's Ship. – His (Her) Majesty's Service.
HMSO Her Majesty Stationery Office.
HO Head Office (siège social).
Holl. Hollande.
Hon. Honourable. Honorary.
HOT High-subsonic Optical Tube lounched missile (guidage).
HP Horse Power (Cheval-vapeur). Haute pression. Hire Purchase (vente à tempérament).
HPH Handley Page H.
Hpt. Hauptmann (capitaine).
HPV Human Papilloma Virus.
HQ HeadQuarters (quartier général).
Hr. Herr (monsieur). **HR** House of Representatives (am.).
HRH His (Her) Royal Highness.
Hrn. Herren (messieurs).
HSP Haute Société Protestante.
HS7 Hawker S 748.
h.t. Hors texte.
HT Haute Tension.
HTLV Human T-Leukemia Virus.
hygr. Hygrométrie.
HWR Heavy Water Reactor (réacteur à l'eau lourde).
IA Inspecteur d'Académie. Intelligence Artificielle. Ingénieur de l'Armement.
i.A. Im Auftrag (d'ordre de, par délégation).
IAA Ind. Agricoles et Alimentaires.
IAB Institut Agricole de Beauvais.
IAC Indian Airlines.
IAE *Institut* d'Administration des Entreprises. **IAN** Agronomique de Nancy.
IAO Ingénierie Assistée par Ordinateur, conception de circuits Intégrés Assistée par Ordinateur.
IARD Incendie Accidents Resp. Divers.
IATA International Air Transport Association.
IAURIF Institut d'Aménagement et d'Urbanisme de la Région Ile-de-France.
IB Invoice Book (facturier).
IBA International Banking Act. Independent Broadcasting Authority.
IBF International Banking Facilities.
Ibid. Ibidem (au même endroit).
IBJ Industrial Bank of Japan.
IBM International Business Machines corporation.
IBRD International Bank for Reconstruction and Development.
ICAM Institut Catholique d'Arts et Métiers.
ICAO International Civil Aviation Organization (voir **OACI**).
ICBM InterContinental Ballistic Missile.
ICC International Chamber of Commerce.
ICEM Institut Coopératif de l'École Moderne (pédagogie Freinet).
ICI Imperial Chemical Industries.
ICITO Commission Intérimaire de l'Organisation Internationale du Commerce.
id. Idem (le même).
IDEM *Inspecteur Départemental* des Écoles Maternelles.
IDEN de l'Éducation Nationale.
IDHEC *Institut* des Hautes Études Cinématographiques (France). **IDI** de Développement Industriel. **IDN** Industriel du Nord de la France.
IDI Institut de Développement Industriel.
IDS Initiative de Défense Stratégique.
IDPE Ingénieur Diplômé par l'État.
i.e. Id est (That is – C'est-à-dire).
IEF India (Irak) English Force.
IEJ Institut d'Études Juridiques.
IEM Impulsion ÉlectroMagnétique.
IEP Institut d'Études Politiques.
IES Initiation Économique et Sociale.
IET Inspecteur de l'Enseignement Technique.
IFC International Finance *Corporation.*
IFOP Institut Français d'Opinion Publique.
IFP Institut Français du Pétrole.
IFR Instrument Flight Rules (règles de vol aux instruments).
IFREMER Institut Français de Recherche pour l'Exploitation de la MER.
IFRI Institution Française des Relations Internationales.
IGA Ingénieur Général de l'Armement.
IGAME Inspecteur Général de l'Administration en Mission Extraordinaire.
IGAS Inspection Générale des Affaires Sociales.
IGEN Inspecteur Général de l'Éducation Nationale.
IGF Impôt sur les Grandes Fortunes.
IGN Institut Géographique Nat.
IGR Impôt Général sur le Revenu.
IHEDN Institut des Hautes Études de Défense Nationale.
i.h.l. In hoc loco (en ce lieu).
Ihs Contraction de Jhesus, Jésus ; souvent compris comme IHS, Iesus Hominum Salvator (Jésus sauveur des hommes).
i.J. Im Jahre (dans l'année).
I/L Import Licence.
ill. Illustré.
ILM Immeuble à Loyer Moyen.
ILO International Labour Organization.
IL6 Ilyushin 62.
ILW Ilyushin 86.
IMA Institut du Monde Arabe.
IMF *International* Monetary Fund. **IMM** Money Market.
Imm. Immeuble.
IMO International Maritime Organization.
in. Inch, Inches.
INA *Institut nat.* Agronomique. **INALCO** des Langues et Civilisations Orientales. **INAO** des Appellations d'Origine. **INAPG** Agronomique Paris-Grignon.
Inbegr. Inbegriffen (y compris).
inc. Incorporated (constituée pour une société) ; increase (augmentation).
INC Institut Nat. de la Consommation.
ince. ins., insce Insurance (assurance).
in-12 in-douze.
INED Institut Nat. des Études Démographiques.
in-f° in-folio.
Inh. Inhaber (propriétaire).
in-8° in-octavo.
INIAG Institut Nat. des Industries et des Arts Graphiques.
INLA Irish National Liberation Army.
INP *Institut national* Polytechnique. **INPE** Pour la formation de l'Entreprise. **INPG** Polytechnique de Grenoble. **INPI** de la Propriété Industrielle.
in-4° in-quarto.
INR *Institut National* belge de Radiodiffusion. **INRA** de la Recherche Agronomique. **INRDP** de Recherche et de Documentation Pédagogiques.
INRI Iesus Nazarenus Rex Iudaeorum (Jésus de Nazareth, roi des Juifs).
INRIA *Institut Nat. de Recherche* en Informatique et en Automatique. **INRP** *Pédagogique.* **INRS** et de Sécurité.
INS Institut Nat. des Sports. **INSA** des Sciences Appliquées.
INSEAA INStitut Européen d'Administration des Affaires.
INSEE *Institut National* de la Statistique et des Études Économiques. **INSEP** du Sport et de l'Éducation Physique. **INSERM** de la Santé Et de la Recherche Médicale.
inst. Instant (du mois en cours).
INSTN Institut National des Sciences et Techniques Nucléaires.
int. Interest (intérêt). Intérieur.
introd. introduction.
inv. Invoice (facture). invenit (inventé par).
IOCU International Organization of Consumers Unions.
IOE Institut d'Obsation Économique.
IOU I owe you (Reconnaissance de dette).
IPA Institut de Préparation aux Affaires.
IPAS Groupe des Indépendants et Paysans d'Action Sociale.
IPC Iraq Petroleum Company. International Petroleum Company.
IPES Institut de Préparation aux Enseignements du Second degré.
IPR Inspecteur Pédagogique Régional.
i.R. im Ruhestand(e) (en retraite).
+IR Interné de la Résistance.
IR Inland Revenue (fisc).
IRA Irish Republican Army. Institut Régional d'Administration.
IRBM Intermediate Range Ballistic Missile.
IRCA *Institut* de Recherche de la Chimie Appliquée. **IRCAM** de Recherche et de Coordination Acoustique Musique. **IRCANTEC** de Retraite Complémentaire des Agents Non Titulaires de l'État et des Collectivités locales. **IRCHA** de Recherche CHimique Appliquée. **IREM** de Recherche sur l'Enseignement des Math. **IREPS** Régional d'Éducation Physique et Sportive. **IRES** de Recherches et d'Études Syndicales. **IRIA** de Recherche d'Informatique et d'Automatique.
IRO International Refugee Organization.
IRPP Impôt sur le Revenu des Personnes Physiques.
IRSID Institut de Recherches de la SIDérurgie.
IRT International Road Transport. Institut de Recherche des Transports.
IS Intelligence Service.
ISA Institut Supérieur des Affaires. Imprimé Sans Adresse.
ISBL Institution Sans But Lucratif.
ISBN International Standard Book Number.
ISF Impôt de Solidarité sur la Fortune.
ISM Indemnité Spéciale de Montagne.
ISO International Standardization Organization.
ISP Indemnité Spéciale de Piedmont.
iss. Issue (émission).
ISSN International Standard Serial Number.
ISTPM Institut Scientifique et Technique des Pêches Maritimes.
IT Air Inter.
ITA Ingénieurs, Techniciens, Administratifs.
ital. Italique.
ITBB Féd. Internationale des Travailleurs du Bois et du Bâtiment.
ITC Investment Tax Credit.
ITO *International* Trade Organization. **ITT** Telephone and Telegraph. **ITU** Telecommunication Union.
IUHEI *Institut Univ.* des Hautes Études Internationales. **IUT** de Technologie.
i.V. In Vertretung (par délégation).
IVD Indemnité Viagère de Départ.
IVG Interruption Volontaire de Grossesse.
J Journal (livre de comptabilité).
J/A Joint Account (compte conjoint).
JAC Jeunesse Agricole Catholique.
JAL Japan AirLines.
jans. Janséniste.
JAR Joint Air Regulation.
Jb. Jahrbuch (annuaire).
J.-C. Jésus-Christ.
JCD Jeune Cadre Dynamique.
JCR *Jeunesse* Communiste Révolutionnaire. **JEC** Étudiante Chrétienne.
JET Joint European Torus.
JF Jeune Fille.
Jg. Jahrgang (année).
JGI Jolly Good Idea.
JH Jeune Homme.
Jh (dt). Jahrhundert (siècle).
JHS Jesus Hominum Salvator (comme IHS).
JIC Jeunesse Indépendante Catholique.
JL JAL (Japan Air Lines).
JMF Jeunesses Musicales de France.
JO Journal Officiel. Jeux Olympiques.
JOC Jeunesse Ouvrière Chrétienne.
+J.Sp Médaille de la jeunesse et des Sports.
Jun Jr Junior.
JV Joint Venture.
K Kiwanis club de Paris.
KB King's Bench (Le Banc du Roi) (Cour supérieure de Justice). Knight Bachelor.
+KBE *Knight Commander of the Order* of the British Empire. **KCB** of the Bath.

KCVO Knight Commander of the Royal Victorian Order.
Kfz Kraftfahrzeug (véhicule automobile).
KG Knight of the Order of the Garter. Kommanditgesellschaft (société en commandite).
KGB Komitet Gosudarstvennoi Bezopasnosti (de contre-espionnage soviét.).
KGCA Carinthie.
KGL Post From Denmark. Indes occident. dan.
k.J. Kommenden Jahres (de l'année prochaine).
KK Kaiserlich, Königlich. Poststempel Autriche, Italie autrichienne.
KL KLM.
KLM Koninklijke Luchtvaart Maatshappij.
KO Knock Out (Hors de combat).
krn Couronne norvégienne.
krd Couronne danoise.
krs Couronne suédoise.
K.St.J. Knight of Order of St John of Jerusalem.
Kt Knight (Chevalier). **KT** Knight of the Order of the Thistle. Knight Templar.
Kto Konto (compte).
Kuk Königlich und Kaiserlich (royal et impérial).
Ky. Kentucky.
£ Pound (Livre sterling).
LA Lettre Autographe.
La. Louisiana.
LAA Lutte Anti-Aérienne.
Lab. Labour.
LAI Linee Aeree Italiane.
Lancs. Lancashire.
LAS Lettre Autographe Signée.
LASER Light Amplification by Stimulated Emission of Radiation.
lat. Latitude.
LAV-HTLV 3 Lymphoadenopathy Associated Virus/Human T-Lymphotropic Virus.
lb. Pound (livre).
LB Liquidation de Biens.
LBO Leverage Buy Out.
lbs. avdp. Livres avoirdupois.
L/C Letter of Credit (Lettre de crédit). **LC** Lions Club.
LCD Liquid Cristal Display.
l.c.l. Less car load (Charge incomplète).
LCPC Laboratoire Central des Ponts et Chaussées.
LCR Ligue Communiste Révolutionnaire.
ldg. Loading (chargement).
LDH Ligue des Droits de l'Homme.
L10 Tristar.
LEA Langues Étrangères Appliquées.
led. Ledger (grand Livre). Ledig (célibataire).
LEE Livret d'Épargne Entreprise.
Leics. Leicestershire.
LEM Livret d'Épargne Manuelle.
LEP Livret d'Épargne Populaire. Lycée d'Enseign. Professionnel. Large Electron-Positon collider (Laboratoire européeen des particules).
LETI Laboratoire d'Électronique et de Technologie de l'Informatique.
lfd. Laufend (courant).
lfd.M. Laufenden Monats (du mois courant).
LFEEP Ligue Française de l'Enseignement et de l'Éducation Permanente.
LFI Loi de Finances Initiale.
LH Lufthansa.
LIBOR London InterBank Offered Rate.
LICRA Ligue Internationale Contre le Racisme et l'Antisémitisme.
LIDIE Liste Indépendante de Défense des Intérêts des Étudiants.
LIFFE London International Financial Futures Exchanges.
LIFO Last In First Out (dernier entré, premier sorti).
lim. Limite.
Lincs. Lincolnshire.
LIP Life Insurance Policy (police d'assur.-vie).
LIT Lire ITalienne.
litt. littera.
liv. Livre.
L.J. Laufenden Jahres (de l'année courante). **LJ** Lord Justice. Liquidation Judiciaire.
Lkw Lastkraftwagen (camion).
LL.AA. Leurs Altesses.
LL.AA.EE. Leurs Altesses Électorales. **EEm.** Éminentissimes. **II.** Impériales. **RR.** Royales. **SS.** Sérénissimes.
LL.B Bachelor of Laws.
LL.D Doctor of Laws.
LL.EE. *Leurs* Excellences. **LL.EEm.** Éminences. **LL.GGr.** Grâces. **LL.HH.PP.** Hautes Puissances.
LL.M Master of Laws.
LL.MM.II. Leurs Majestés Impériales. **RR.** Royales.
LM Légion du Mérite des USA.
LMBO Leverage Management Buy Out.
LMc L'île de la Trinité, timbre local.
LO Lutte Ouvrière.
loc. cit. *Loco citato* (endroit cité).
loc. laud *Loco laudato* (passage loué).
LOF Loi d'Orientation Foncière.
log. Logarithme. Log. Logarithme Népérien.
long. Longitude.
LOT Compagnie polonaise d'aviation (LOTnicze).
LOTI Loi d'Orientation des Transports Intérieurs.
LP Lycée Professionnel.
LPA Lycée Prof. Agricole.
L'pool Liverpool.
LQ *Lege, quaeso* (lisez, je vous prie).
LR Lettre Recommandée.
LRBM *Long Range* Ballistic Missile. **LRINF** Intermediate Nuclear Force.
LRM Lance-Roquettes Multiple.
LS Locus Sigilli (Leurs Sceaux, Emplacement du cachet). Lettre signée.
L.s.d. Librae solidi denarii (Livres, shillings, pence). Lyserg Saüre Diäthylamid.
LSE London School of Economics.
LSI Large Scale Integration.
LST Landing Ship Tank.
lt. Laut (selon).
Ltd Limited (Respons. limitée).
Ltn. Lieutenant (sous-lieutenant).
LTPD Lot Tolerance Percent Defective (proportion maximale de déchets tolérés).
LV Langue Vivante.
LVF Légion des Volontaires Français.
LVMH Louis Vuitton-Moët-Hennessy.
LY El Al.
M. Monsieur.
m. Maroquin.
+MA Mérite Agricole.
MA Master of Arts (lic. ès lettres). Modulation d'Amplitude. Malev.
M/A Memorandum of Association (acte constitutif).
m.a.b. Mise à bord.
MACA Mouvement d'Action des Commerçants et Artisans.
MAD Mutual Assured Destruction (destruction mutuelle assurée).
MAAIF (puis MAIF) Mutuelle d'Assurance Automobile des Instituteurs de France.
+Mal Mérite de l'Ordre de Malte.
MAPKA *En russe :* timbre-poste.
MARV MAnœuvrable Re-entry Vehicle.
MAS Manuscrit Autographe Signé. Maisons À Succursales. Manufacture nat. d'Armes de St-Etienne.
MASER Microwave Amplification by Stimulated Emission of Radiations.
MASH Mobil Army Surgical Hospital.
MASS MAthématiques et Sciences Sociales.
MAT Manufacture nat. d'Armes de Tulle.
MATIF Marché À Terme d'Instruments Financiers.
Matth. Matthieu.
max. Maximum.
MB Bachelor of Medicine.
MBA Master of Business Adm.
MBB Messerchmitt-Bölhow-Blohm.
MBC Maxim's Business Club.
MBE Member of the Order of the British Empire.
MBFR Mutual and Balanced Force Reductions.
MC Military Cross. Master of Ceremonies. Member of Congress. Member of Council. **M/C., M/chtr.** Manchester. **m.c.** monnaie de compte (devise de référence pour la signature d'un contrat).
MCC Ministère de la Culture et de la Communication. Mouvement des Cadres Chrétiens.
+MCI Mérite Commercial et Industriel.
MCM Montants Compensatoires Monétaires.
+M.Ct. Mérite combattant.
MD Docteur en Médecine. Mentally Deficient (débile).
m/d Months after date (à... mois d'échéance).
MDA Méthylène-Dioxy-Amphétamine.
MDN Médaille de la Déf. Nat.
MDP Missionnaires De la Plaine.
MDR Militaire Du Rang.
mdse Merchandise (marchandise).
m.E. Meines Erachtens (à mon avis).
Me Maître.
MECV Ministère de l'Environnement et du Cadre de Vie.
Mehrw.St. Mehrwertsteuer (taxe sur la valeur ajoutée).
MEP Missions Étrangères de Paris.
Mes Maîtres.
Messrs. Messieurs.
MEZ MittelEuropäische Zeit (heure de l'Europe centrale).
MF Modulation de Fréquence. Multi-Fréquence.
M.F. Moyenne Fréquence.
mfg Manufacturing (fabrication).
+M.Fr. Medal of freedom.
mfr Manufacturer (fabricant).
MGEN Mutuelle Générale de l'Éducation Nationale.
Mgl Mitglied (membre).
MGM Metro-Goldwyn-Mayer.
MHD MagnétoHydroDynamique.
mgr Manager. **Mgr** Monseigneur.
+M.I. Mérite civil du ministère de l'Intérieur.
MI Military Intelligence. Ordre des Clercs Réguliers pour les Malades. **MI5** Security services. **MI6** Secret Intelligence Service. **M19** (Branche évasion).
MIAGE Maîtrise d'Informatique Appliquée à la Gestion des Entreprises.
MIC Missionnaires de l'Immaculée Conception.
MIDAS MIssile Defense Alarm System.
MIDEM Marché International du Disque et de l'Édition Musicale.
MIIC Mouvement Intern. des Intellectuels Cath. « Pax Romana ».
MIL Microsystems International Limited.
MIN Marché d'Intérêt National.
Min. Wt Minimum Weight (Poids min.).
Mio Million.
MIPS Million d'Instructions Par Seconde.
MIR Military Intelligence Research (IS).
MIRV Multiple Independently targetable Re-entry Vehicle.
Mis, M^ise^ Marquis, marquise.
MIT Massachusetts Institute of Technology.
MITI Ministry of International Trade and Industry (Japon).
mi(ttw). Mittwochs (le mercredi).
MJC Maison des Jeunes et de la Culture.
MJR *Mouvement* Jeune Révolution. **MJS** de la Jeunesse Sioniste.
MKSA Mètre, Kilogramme, Seconde Accélération (Giorgi).
MLF Mouvement de Libération des Femmes.
Mlle Mademoiselle.
MLRS Multiple Launch Rocket System.
+MM Mérite maritime.
MM Messieurs.
m/m Même mois.
Mme Millième du titre. Madame.
Mmes Mesdames.
MMDA Money Market Deposit Account.
MMF Money Market Funds.
+M.Mi. Mérite militaire.
m/n ou m$s Moneda nacional (monnaie du pays considéré).
MNA Mouvement Nationaliste Algérien.
MNAM Musée Nat. d'Art Moderne.
MNCR Mouvement Nat. Contre le Racisme.
MNEF Mutuelle Nationale des Étudiants de France.
MNR *Mouvement* Nat. de Résistance. Nationaliste Révolut.
+MO Médaille d'Outre-Mer.
MO Money-Order (mandat postal). **mo(s)** Month(s). Machine-Outil.
MOB Mouv. d'Organis. de la Bretagne.
MOCI Moniteur Officiel du Commerce et de l'Industrie.
MOCN Machine-Outil à Commande Numérique.
mod. Moderne.
MODEF MOuvement de Défense des Exploitations Familiales.
MODEM MOdulateur-DÉModulateur.
MOI Main-d'Oeuvre Immigrée.
mo (nt). Montags (le lundi).
MONUIP *Mission d'Observation des Nations Unies* Indo-Pakistanaise. **MONUY** au Yémen.
MOS Métal Oxyde Semi-conducteur.
MP Membre du Parlement. Military Police. A remettre en Main Propre. Moyenne Pression.
MPC Mathématiques, Physique, Chimie.
MPG Miles Per Gallon.
MPH Miles Per Hour.
MPS Système microprocesseur.
MPU Microprocesseur.
MPW Mouv. Populaire Wallon.
mq. mque Manque.
M/R Mates Receipt (Reçu de bord).
Mr., Mrs. Mister, Mistress.
MRAP Mouv. contre le Racisme, l'Antisémitisme et pour la Paix.
MRBM Middle Range Ballistic Middle.
Mrd Milliard.
MRG Mouvement des Radicaux de Gauche.
MRJC Mouvement Rural de la Jeunesse Chrétienne.
MRP Mouv. Répub. Populaire.
ms Manuscript (Manuscrit). **ms., mss** Manuscrits. **MS** Master of Science. **MS** ou **M/S** Motor Ship [Vessel] (Navire à moteur). **m/s** Months after Sight (à... mois de vue). Ms se prononce « Miz », employé dans le doute pour Mademoiselle (Miss) ou Madame (Mrs.)?] **+MS** Mérite Social.
MRV Multiple Re-entry Vehicles.
MSA Mutual Security Agency.
MSBS Missile Sol-Sol Balistique Stratégique.

MSC Manchester Ship Canal.
Msc Master of Science.
MSF Missionnaires de la Sainte-Famille.
MSG Maîtrise des Sciences de Gestion.
MSP Mouvement pour le Socialisme par la Participation.
MST Maladies Sexuellement Transmissibles. Maîtrise de Sciences et Techniques. Missionnaires de Ste-Thérèse-de-l'enfant-Jésus.
MSTCF Maîtrise des Sciences et Techniques Compt. et Financières.
MSI Movimente Sociale Italiano.
+MT Mérite Touristique.
MT Mail Transfer (Transfert par courrier ordinaire).
mt Measurement (Cubage).
mtl. Monatlich (mensuel).
MTLD Mouvement pour le Triomphe des Libertés Démocratiques.
MTS Mètre, Tonne, Seconde.
MTV Moteur und Turbinen Verband.
MULT Ministère de l'Urbanisme, du Logement et des Transports.
MUR Mouvements Unis de Résistance.
MV ou M/V Motor ship [Vessel] (navire à moteur).
My.C. Military Cross.
m.Z. Mangels Zahlung (faute de paiement). **Mz.** Mehrzahl (pluriel).
N... Nom inconnu. **N.** Nord.
n., n/ Near (près de).
NA Numérotation Abrégée.
n.a. Not applicable (Pas applicable). Not available (non disponible).
Nachf. Nachfolger (successeur).
nachm. Nachmittags (l'après-midi).
NADGE Nato Avi Defense Group *Environment.*
NAF Nouvelle Action française.
NAR Nouvelle Action Royaliste.
NASA National Aeronautics and Space Administration.
NATO North Atlantic Treaty Organization (voir **OTAN**).
NB *Nota Bene* (Notez bien).
nbr. Nombreux.
NC Non Communiqué. Non Coupé.
NCB National Coal Board. Nucléaire Classique Biologique.
NCE Nouvelle-Calédonie.
NCO Non Commissioned Officer (sous-officier).
n.c.v. No commercial value (Sans valeur commerciale).
n.d. Not dated (non daté).
N-D Notre-Dame.
ND2 Nord 262.
NDLR Note De La Rédaction.
N.-E. Nord-Est.
NEP Nouvelle politique économ.
NF Forces terrestres du Nyassaland (au Tanganyika). Newfoundland (Terre-Neuve).
NGK Nederduitse Gereformeerde Kerk (Église réformée hollandaise).
NIFO Next In First Out.
NIRC National Industrial Relations Court.
NKGB Narodnyi Komissariat Gossoudarstvennoï Bezopasnosti.
NKVD Narodnyi Kommissariat Vnoutrennykh Diel (Commissariat du peuple aux affaires intérieures).
N.L. Nouvelle lune.
NMPP Nouv. Messageries de la Presse Parisienne.
N.N. Nacht und Nebel. (Nuit et Brouillard).
N.-N.-E. Nord-Nord-Est.
N-N-O. Nord-Nord-Ouest.
NN.SS. Nos Seigneurs (les évêques).
NN.TT.CC.FF. Nos Très Chers Frères.
N.-O. Nord-Ouest. **No.** Number (numéro).
NOAA National Oceanic and Atmospheric Agency.
NOEI Nouvel Ordre Économique International.
Nom. Cap. Nominal Capital (capital nominal).
NOMIC Nouvel Ordre Mondial de l'Information et de la Communication.
nomin. Nominatif.
NORAD NORth American air Defense command.
Northants. Northamptonshire.
Nos Numéros.
Notts. Nottinghamshire.
NOW Negociated Order of Withdrawal.
NP Notary Public (notaire).
NPI Nouveaux Pays Industriels.
NPSA Nouveau Programme Substantiel d'Action.
NQA Niveau de Qualité Acceptable.
nr Near (près de).
NRA Nat. Recovery Administration.
NRF Nouvelle Revue Française.
n.r.t. Net registered tonnage (T. net).
NS Nachschrift (post-scriptum). Nova Scotia. Nouveau Style. Nederlandse Spoorwegen (P.-Bas). Notre Seigneur.
NSB Nossi-Bé.
N.-S.J.-C. Notre-Seigneur Jésus-Christ.
NSP Notre Saint Père (le pape).
NSW New South Wales (Nouvelle-Galles du Sud).
N.T. Nouveau Testament.
Nt Net.
NTCF Notre Très Cher Frère.
NTSC National Television System Committee.
NU Nations Unies.
NUR Nat. Union of Railwaymen.
NY New York.
NYSE New York Stock Exchange *(Bourse de New York).*
NZ New-Zealand.
O. Order (commande). Ouest.
OA Olympic Airways.
O/a On account of (pour le compte de).
OAA Organis. des Nations Unies pour l'Alim. et l'Agriculture.
OACI Org. de l'Aviation Civile Internationale.
OAP Old-Age Pension (retraite).
OAS Organization of American States. Organisation Armée Secrète.
OASI Oeuvre d'Assistance Sociale Israélite.
OAT Obligations Assimilables du Trésor.
OBE Officier de l'Ordre du British Empire.
obl. Oblong.
o/c Overcharge (surcharge, trop-perçu).
OC Ordre de la Couronne.
OCAM Organisation Commune Africaine et Malgache.
OCAR Chartreux.
OCCAJ Organisation Centrale des Camps et Activités de Jeunesse.
OCD Carmes.
OCDE Organisation de Coopération et de Développement Écon.
OCIC Office Catholique International Cinématographique.
OCIST Cisterciens de l'Immaculée Conception.
OCJ Organisation Juive de Combat.
OCM Organisation Civile et Militaire.
OCRVOOA Office Central pour la Répression des Vols d'Oeuvres et d'Objets d'Arts.
OCSO Trappistes.
od. Oder (ou). **o/d** On demand (sur demande). **O/d** Overdraft (découvert).
OEA *Organisation* des États Américains. **OEC** Européenne du Charbon. **OECE** Europ. de Coopération Économique. **OEEC** for European Economic Cooperation. **OERT** Europ. de Recherche sur le Traitement du cancer.
OFM Ordre des Frères Mineurs (franciscains).
OFPRA Office français de Protection des Réfugiés et Apatrides.
OFRATEME Office FRAnçais des TEchniques Modernes d'Éducation.
OGA Office Général de l'Air.
OGAF Opération Groupée d'Aménagement Foncier.
OGEC Organisme de Gestion de l'ÉCole.
OH Frères de St-Jean-de-Dieu.
OHG Offene HandelsGesellschaft (société en nom collectif).
OHMS On Her Majesty's Service (G.-B.).
OIE Organisation Intern. des Employeurs.
OING Organisations Internationales Non Gouvernementales.
OIPN Office International pour la Protection de la Nature.
OIR *Organ. Intern.* des Réfugiés. de Radiodiffusion. **OIT** du Travail.
OIV Office International du Vin.
OJC Organisation Juive de Combat.
OJD Office de la Justification de la Diffusion (Journaux).
o.K. Ohne Kosten (sans frais).
OK Oll Kurrect (all correct).
OL Ordre de Léopold.
OL II Ordre de Léopold II.
OLAS *Organisation* Latino-Américaine de Solidarité. **OLP** de Libération de la Palestine.
OM Order of Merit.
OMB Office of Management and Budget.
OMC Outboard Marine Corporation.
OMI *Organisation* Météorologique Internationale. **OMM** Météorologique Mondiale. **OMPI** Mondiale de la Propriété Intellectuelle. **OMS** Mondiale de la Santé. **OMT** Mondiale du Tourisme.
ON Ordre Nouveau.
ONC *Office National* de la Chasse. **ONDA** de Diffusion Artistique. **ONERA** d'Études et de Recherches Aérospatiales. **ONF** des forêts.
ONG Organisation Non Gouvernementale.
ONIA *Office National* Industriel de l'Azote. **ONIC** Interprofessionnel des Céréales. **ONISEP** d'Information sur les Enseign. et les Professions. **ONM** Météorologique.
O.-N.-O. Ouest-Nord-Ouest.
ONU *Organisation des Nations Unies.* **ONUC** au Congo. **ONUDI** pour le Développement Industriel.
ONUESC Organisation des N-U pour l'Éducation, la Science et la Culture.
o/o Order of (à l'ordre de).
Op. Opus (ouvrage). **OP** Ordre des Prêcheurs (dominicains). Open policy (police ouverte). **o/p** Out of print (tirage épuisé). Orden de pago (ordre de paiement). Ordre des frères Prêcheurs (dominicains).
OPA Offre Publique d'Achat.
OPAEP Organisation des Pays Arabes Exportateurs de Pétrole.
OPAH Opération Programmée d'Amélioration de l'Habitat.
op. cit. *Opere citato* (ouvrage cité).
OPCVM Organisme de Placement Collectif en Valeurs Mobilières.
OPE Offre Publique d'Échange.
OPEP Organisation des Pays Exportateurs de Pétrole.
op.laud. *Opere laudato* (ouvrage loué).
OPRAE Chanoines réguliers de Prémontré.
OPV Offre Publique de Vente.
O/R Owner's Risks (Aux risques du propriétaire).
ORA Organisation de Résistance de l'Armée.
ord. Ordinary (ordinaire). Ordinary share (action ordinaire).
ORE Office Rég. pour l'Europe.
OREAM *Organisation* d'Étude d'Aménagement des aires Métropolitaines. **ORGECO** GÉnérale des COnsommateurs.
orig. Original.
ORSEC *ORganisation des SECours.* **ORSECRAD** Radiations. **ORSECTOX** matières TOXiques.
ORSEM Officier de Réserve du Service d'État-Major.
ORSTOM Office de la Recherche Scientifique et Techn. d'Outre-Mer.
ORT Organisation pour la Reconstruction et le Travail.
ORTF Office de la Radiodiffusion et Télévision Française.
OS Ouvrier Spécialisé. Organisation Secrète. Austrian Airlines.
OSA Ordre de St-Augustin.
OSB Ordre de St-Benoît (bénédictins).
OSCE Office Statistique des Communautés Européennes.
OSE Oeuvre de Secours aux Enfants (Juifs).
OSF Organisation Sioniste de France.
OSFS Oblats de St François de Sales.
OSM Organisation Sioniste Mondiale. Servites.
O.-S.-O. Ouest-Sud-Ouest.
OSS Office of Strategic Services.
OST Organisation Scientifique du Travail.
OStJ Ordre de St-Jean-Gd Bailliage de Brandebourg.
OStS Ordre Chevaleresque du St-Sépulcre.
OTAN *Organisation du Traité* de l'Atlantique Nord. **OTASE** de l'Asie du Sud-Est.
OTC Over-The-Counter (marché boursier hors cote aux États-Unis).
OTHQ Ouvrier Très Hautement Qualifié.
OTM Organisateurs de Transport Multimodal.
OTS Orbital Test Satellite.
OT-SI Office de Tourisme-Syndicat d'Initiative.
OTU Organisme pour le Tourisme Universitaire.
OUA Organ. de l'Unité Africaine.
OuLiPo Ouvroir de Littérature Potentielle.
o.u.O. Ohne unser Obligo (sans garantie, ni responsabilité de notre part).
OURS Office Universitaire de Recherche Socialiste.
OVM Oblats de la Vierge Marie.
OVNI Objet Volant Non Identifié.
Oz Ounce (Once).
p. Page. pages. Pence. **P** Père.
PA Particular Average (Avaries particulières). Pan American.
p.A. Per Adresse (aux bons soins de). **p.a.** *Per annum* (Par an).
P/A Power of Attorney (Procuration). Pères blancs missionnaires d'Afrique.
PAA Pan American Airways.
PAC Pan African Congress. Politique Agricole Commune.
PAE Projet d'Action Éducative.
PAF Police de l'Air et des Frontières. Programme d'Action Foncière. Paysage Audiovisuel Français. Platelet Activiting Factor. Plan Académique de Formation.
PAH Prime à l'Amélioration de l'Habitat.
PAH1 Panzer Abwehr Hubschrauber 1 (hélicoptère antichar allemand de 1re génération).
PAKISTAN Initiales de Pendjab, Afghania, Kashmir, Iran, Sind, Turkmenistan et dernières lettres de Belouchistan.
PAL Phase Alternative Line. Philippine AirLines.
PALULOS Prime à l'Amélioration des Logements à Usage Locatif et à Occupation Sociale.

PAM Programme Alimentaire Mondial. Plan d'Action pour la Méditerranée.
PAN Piper Navajo. Porte-Avions Nucléaire. Pacte de l'Atlantique Nord.
PANI Phénomène Aérospatial Non Identifié.
PAO Production (ou Publication) Assistée par Ordinateur.
pap. Papier.
PAP Programme d'Action Prioritaire. Prêt pour l'Accession à la Propriété.
PAR Plan d'Aménagement Rural.
paragr. paragraphe.
parch. Parchemin.
part. Partie.
PAS Pièce Autographe Signée.
pass. passim (en divers endroits).
P. at. Poids atomique.
PAWA Pan American World Airways.
PAYE Pay As You Earn (retenue à la source sur salaire).
PAZ Plan d'Aménagement de Zones.
PB Pères Blancs.
PC Accusé de réception. Parti Communiste. Poste de Commandement. Prêt Conventionné. Petty Cash (petite caisse). Permis de Construire. Pour Condoléances. **P/C** Price Current (prix courant). **P et C** Ponts et Chaussées.
PCB Physique, Chimie, Biologie. Petty Cash Book (livre de petite caisse).
PCC Pour Copie Conforme.
PCCP *(caractères cyrilliques).* Voir **RSFSR.**
P^ce^, P^cesse^ Prince, princesse.
PCEM Premier Cycle d'Étude Médicale.
PCF Parti Communiste Français.
pcl Parcel (colis).
PCP Plan Comptable Professionnel.
PCV Paiement Contre Vérification à percevoir.
pd Paid (Payé).
PDEM Pays Développés à Économie de Marché.
PDG Président-Directeur Général.
pdo Pasado (du mois écoulé).
PDR Prime de Développement Régional.
PE Poste Égyptienne. **pe** Peso argentin.
PED Pôle Européen de Dévelop.
PEEP Fédération des Parents d'Élèves de l'Enseignement Public.
PEG Peloton d'Élèves Gradés.
PEGC *Professeur d'Enseignement Général* de Collège. **PEGC-CET** des Collèges d'Enseignement Technique.
PEL Plan d'Épargne-Logement.
Pembs. Pembrokeshire.
PEN Fédération internationale des clubs [Poets, Essayists, Novellists]. Pen-Club.
PEP Personal Equity Plan (plan d'actionnariat individuel). Pupilles de l'Enseignement Public.
PEPP *Professeur des Enseignements Professionnels* Pratiques (ex. PTA). **PEPT** Théoriques (ex. PETT).
PER Price Earning Rate (rapport cours-bénéfice net). Plan d'Exportation aux Risques. Plan d'Épargne en vue de la Retraite.
perc. Percaline.
Per pro *Per procurationem* (Par procur.).
PERT Program Evaluation and Review Technique (ou Research Task).
PETT Professeur d'Enseignement Technique Théorique.
PEVD Pays En Voie de Développement.
P. et CH. Ponts et Chaussées.
P et P Profits et Pertes.
p. ex. Par exemple.
Pf Pfennig. Pour féliciter.
PFC Pour Faire Connaissance.
Pfd Pfund (Livre).
PFN Parti des Forces Nouvelles.
PFNA Pour Fêter le Nouvel An.
PGCD Plus Grand Commun Diviseur.
PGM Precision Guided Munitions.
pH potentiel Hydrogène.
PhD Doctor of Philosophy.
p.i. Par intérim.
PIA Pakistan Intern. Airlines.
PIB Produit Intérieur Brut.
PIC Prêts Immobiliers Conventionnés.
PIL Programme d'Insertion Locale.
PIN Parc d'Intérêt National.
pinx. *Pinxit* (peint par).
piq. de v. Piqûres de vers.
PIRE Puissance Isotrope Rayonnée Équivalente.
PJ Police Judiciaire.
pkg. Package (colis).
Pkt Paket (paquet). Punkt (point).
Pkw Personenkraftwagen (voiture de tourisme).
Pl. Place. **pl.** Planche. **P.L.** Pleine Lune. **P & L** Profit and Loss (profits et pertes). **Pl ou m** Plus ou moins.
PLA Prêt Locatif Aidé.
PLAR *Prime de Localisation des Activités* de Recherche. **PLAT** Tertiaires.
PLD Plafond Légal de Densité.
Ple Pistole.
PLM Paris-Lyon-Méditerranée.
PLOUF Projet de Loi d'Orientation Urbaine et Foncière.
PLP Parti Libéral Politique.
PLR Programme à Loyer Réduit.
pl. rel. pleine reliure.
Pluto Pipe-line under the ocean.
p.m. *Post meridiem* [(h) après-midi].
pm. Premium (prime d'assurance).
PM Préparation Militaire.
PMA Pays les Moins Avancés. Procréation Médicalement Assistée.
PME Petites et Moyennes Entreprises.
PMFAT Personnel Militaire Féminin de l'Armée de Terre.
PMG PostMaster General.
PMI Petites et Moyennes Industries.
P. mol. Poids moléculaire.
PMP *Préparation Militaire* Parachutiste. **PMS** Supérieure.
PMU Paris Mutuel Urbain.
PN Personnel Navigant.
P/N Promissory Note (Billet à ordre).
Pn Prochain.
PNB Parti National Breton. Produit National Brut.
PNL Programmation Neuro-Linguistique.
PNN Personnel Non Navigant.
PNUD *Programme des Nations Unies* pour le Développement. **PNUE** pour l'Environnement.
PNVS Pilot Night Vision System.
PO Post Office. Paris-Orléans. Postal Order (mandat postal). Prêtres de l'Oratoire.
P & O Peninsular and Oriental Steamship Company.
POB Post Office Box (Boîte postale).
POD Pay On Delivery (Payable à la livraison).
POE Port Of Embarkation (P. d'emb.)
POLMAR POLlution MARine.
POO Post Office Order (mandat-poste).
POS Plan d'Occupation des Sols.
PP Préventive de la Pellagre (Vitamine). Professeur Principal. Parcel post. **pp, p.p., ppa., p.pa.** Pages. *Per procurationem* (par procuration).
P et p profits et pertes.
PPA Parti du Peuple Algérien.
PPBS Planning Programmy Budgetary System.
P.p.c. Pour prendre congé.
PPCM Plus Petit Commun Multiple.
ppd. Prepaid (Payé d'avance).
PPEOR Peloton Préparatoire d'Élèves-Officiers de Réserve.
PPF Parti Populaire Français.
P PGS Perak.
PPLO Pleuro-Pneumonia Like Organisms.
PPM Partie Par Million.
P. Pon Par Procuration.
Ppté. Propriété.
PQ Premier Quartier.
PR Poste Restante. Parti Républicain. **Pr., P^r^** Professeur. Pour Remercier. Parti Radical.
préf. Préférence.
Prét. Prétentions.
PRI Pays à Revenu Intermédiaire.
prol. prologue.
PROM Programmable Read Only Memory.
Prox. Proximité. **prox.** Proximo [(du mois) prochain].
PRP Profit Related Pay.
PS Post-Scriptum. Parti Socialiste. **ps.** Psaume, psaumes. **p.s.** Pointe sèche.
PSA Processeur de Sécurité Associé. Parti Socialiste Autonome.
PSC Parti Social-Chrétien.
PSD Parti Social-Démocrate.
PSEG Peloton Spécial d'Élèves Gradés.
PSF Parti Social Français.
PSNC Pacific Steamships National Company.
PSS Sulpiciens.
PST Promotion Sup. du Travail.
PSU Parti Socialiste Unifié.
PSV Pilotage Sans Visibilité.
P et T Postes et Télécomm.
PT Professeur Technique.
PTA Professeur Technique Adjoint. Prepaid Ticket Advice.
pta. Peseta.
PTCA Poids Total en Charge Autorisé.
PTCT *Professeur Technique* Chef de Travaux. **PTEP** d'Enseignement Professionnel.
PTMA Poids Total Max. Autorisé.
pt(s) Pint(s).
PTO Please Turn Over (Tournez la page s.v.p.).
PTT Postes Télégraphes Téléphones.
PUF Presses Univ. de France.
PUK Péchiney-Ugine-Kuhlman.
PV Procès-Verbal.
PVC Polychlorure de Vinyle.
PVD Paquet avec Valeur Déclarée. Pays en Voie de Développement.
PWR Pressurised Water Reactor (réacteur à eau pressurisée).
Q. Question.
QCM Questionnaire à Choix Multiples.
q.e.d. *Quod erat* demonstrandum (ce qu'il fallait démontrer). **q.e.f.** faciendum (ce qu'il fallait faire). **q.e.i.** inveniendum (ce qu'il fallait trouver).
QF Qantas Airways.
QG Quartier Général.
QI Quotient d'Intelligence.
q.l. Quantum libet (autant qu'il plaît).
qlty Quality (qualité).
QMG QuarterMaster General (Intendant général d'armée).
qq Quelques.
QR Quotient Respiratoire.
QS Quantité Suffisante.
QSO Quasi Stellar Objects.
QSP Quantité Suffisante Pour.
QSS Quasi Stellar Radiosources.
Q.v. Quantum vult (autant qu'on veut).
R. Rand.
r. Recto. **R.** Rue. Réponse. Timbre du Jind qui formait avec les États de Patiala et de Nabha les « Phulkian States ». Demandes réduites.
RA Royal Academy. Royal Artillery.
rac. Raciné. **RAC** Royal Automobile Club.
RACE Research and development in Advanced Communication technologies for Europe.
RADAR RAdio Direction And Range.
RAF Royal Air Force.
R and A Royal and Ancient.
RAM Random Access Memory.
RAMSÈS Réseau Amont Maillé Stratégique Et de Survie.
RANFRAN RAssemblement National des Français Rapatriés d'Afr. du N. et d'outre-mer.
RAP Régie Autonome des Pétroles. Règlement d'Administr. Publique.
RAS Rien À Signaler.
RASIT RAdio de Surveillance des InTervalles.
RASURA RAdar de SUrveillance RApprochée.
RATAC Radar d'Acquisition et de Tir de l'Artillerie de Campagne.
RATP Régie Auton. des Transports Parisiens.
RAU République Arabe Unie.
RBE Résultat Brut d'Exploitation.
RC Red-Cross. Roman Catholic. Racing Club.
RCA Radio Corporation of America. République CentrAfricaine.
RCB Rationalisation des Choix Budgétaires.
R/D Refer to Drawer [voir le tireur (banque)] **rd** Round (environ, approximativement). **r.d.** Running days [jours courants (successifs)].
RDA Républ. Démocratique Allemande. Rassemblement Démocratique Afric.
R.-de-ch. Rez-de-chaussée.
RDV République Démocratique du Viêt-nam.
Re Respecting (Concernant).
Recd. Received (Reçu).
RECOURS Rassemblement Et COordination Unitaire des Rapatriés et Spoliés d'Outre-mer.
RetD Recherche et Développement.
red. Redeemable (amortissable).
réf. Référence.
Regd. Registered (Enregistré).
rel. Relié.
REM Rœntgen Equivalent Man.
RENFE REd Nacional de Ferrocariles Españoles (Espagne).
REP Rassembl. des Étudiants pour la Participation.
RER Réseau Express Régional.
RES Rachat d'une Entreprise par ses Salariés.
retd Returned (en retour).
+RF Médaille de la Reconnaissance Française.
RF République Française.
RFA République Féd. d'Allemagne.
RFI Radio France Internationale.
RFO Radio France Outre-mer.
RG Renseignements Généraux. Varig.
RGR Rassemblement des Gauches Républicaines.
RH République Haïtienne.
RI Rotary Club International. Régiment d'Infanterie.
R.I.B. Relevé d'Identité Bancaire.
RINT Réseau Internat. de Néologie et de Terminologie.
RITA Réseau Intégré de Transmissions Automatiques.
RITTER Réseau d'Infrastructure des Transmissions de l'armée de TERre.
RM Réarmement Moral. Région Militaire.
RMI Revenu Minimum d'Insertion.
RMN Résonance Magnétique Nucléaire.
RN Royal Navy. Revenu National.
RNAC Royal Nepal Airlines Corporation.

RNIS Réseau Numérique à Intégration des Services.
RNO Réseau National d'Observation de la qualité du milieu marin.
RNP Rassemblement National Populaire.
RNUR Régie Nationale des Usines Renault.
r ° Recto.
RO Roumélie Orientale. Voir Tarom.
ROI Return On Investment.
ROM Read Only Memory (« mémoire morte » d'un ordinateur).
ROME Répertoire Opérationnel des Métiers et de l'Emploi.
Rp Réponse payée. **RP** Représentation Proportionnelle. Révérend Père.
RPC Request Pleasure Company.
RPF *Rassemblement* du Peuple Français. **RPR** Pour la République.
RRPP Révérends Pères.
RS Républicains Sociaux.
RSA République Sud-Africaine.
RSC Réseau de Soins Coordonnés.
RSCG Roux Séguéla Cayzac et Goudard.
Rse Remise.
RSFSR République Soviétique Fédérative Socialiste de Russie.
RSHA ReichsSicherheitsHauptAmt (Office central de la sécurité du Reich).
RSV Religieux de Saint-Vincent-de-Paul.
RSVP Répondez S'il Vous Plaît.
Rte Route.
RTF Radiodiffusion-Télévision Française.
RTL Radio-Télévision Luxemb.
RTS Radio Télévision Scolaire.
RV Rendez-Vous.
RVB Rouge, Vert, Bleu.
Ry Railway (Chemin de fer).
RY Rotary Club.
$ Dollar (U.S.).
$b bermudien.
$c canadien.
$m Peso mexicain.
+S Mérite saharien.
S. Sud. Seite (page). **s.** Siehe (voyez). Siècle.
S, Sch, Schill schilling.
sa. Samstags, sonnabends (le samedi). **SA** Société Anonyme. South Africa. Son Altesse. Sturmabteillung (section d'assaut).
SAA South African Airways.
SABENA Société Anonyme Belge de Navigation Aérienne. Such a bloody experience never again.
SAC Service d'Action Civique. Strategic Air Command. Pallotins.
SACD Société des Auteurs et Compositeurs Dramatiques.
SACEM Société des Auteurs, Compositeurs et Éditeurs de Musique.
SACEUR *Supreme Allied Commander* EURope. **SACLANT** AtLANTic.
SADCC South-African Development Coordination Conference.
SAE Son Altesse Éminentissime.
SAFER *Société* d'Aménagement Foncier et d'Établissement Rural. **SAGEM** d'Applications Générales d'Électricité et de Mécanique.
SAI Son Altesse Impériale. **SAI et R** Son Alt. Imp. et Royale.
SALT Strategic Arms Limitation Talks.
SAM Surface-to-Air Missile (missile sol-air).
SAMAR Recherche et sauvetage des vies humaines en mer.
SAMRO SAtellite Militaire de Reconnaissance Optique.
SAP South African Police.
SAR Son Altesse Royale. South African Republic. Secteur d'Amélioration Rurale. Search And Rescue.
SARL Société A Responsabilité Limitée.
SAS Scandinavian Airlines System. Son Altesse Sérénissime. Small Astronomical Satellite.
SASOL South African Coal, Oil and Gas Corporation.
SAT Société Anonyme de Télécommunications.
SATCC Commission des Transports et des Communications.
SATCP Missiles Sol-Air Très Courte Portée.
SATER Sauvetage Aéro-TERrestre.
SAU Surface Agricole Utile.
SB Sales-Book (livre des ventes).
s.b.f. Sauf bonne fin.
sc. Scène. **SC** The World Security Council. Frères du Sacré-Cœur.
Sc D Scientiae Doctor.
SCI Service Civil International. Société Civile Immobilière.
SCOA *Société* Commerciale de l'Ouest Africain. **SCPI** Civile de Placement Immobilier.
SCPRI Service Central de Protection contre les Rayonnements Ionisants.
sculp., sc. *Sculpsit* (gravé par).
s.d. Sans date.
SD *Sine die.* SicherheitsDienst (Service de la sécurité des S.S.).
SDAU Schémas Directeurs d'Aménagement et d'Urbanisme.
SDB Salésiens de Don-Bosco.
S.d.b. Salle de bains.
SDECE Service de Doc. Extérieure et de Contre-Espionnage.
SDF Scouts De France.
SDN Société Des Nations.
SDR Société de Développement Régional.
SDRM Société de Droits de Reproduction Mécanique.
SE Son Excellence. Son Éminence. Stock Exchange. Sud-Est.
SEATL Servide d'Étude et d'Aménagement Touristique du Littoral.
SEATO South-East Asia Treaty Organization (voir **OTASE**).
SEB Société d'Emboutissage de Bourgogne.
sec. Sécante. **Sec.** Section, secretary (section, secrétaire). **SEC** Section d'Enquête et de Contrôle.
SECAM Séquentiel à Mémoire.
sect. Section.
SEEF Service d'Études Écon. et Financières.
S. & F.A. Shipping and Forwarding Agent (Transitaire).
SEITA Société nat. d'Exploitation Industr. des Tabacs et Allumettes.
SELA Système Économique Latino-Américain.
SEm Son Éminence (un cardinal).
SEM Société d'Économie Mixte.
SEMA Société d'Économie de Mathématiques Appliquées.
Sen., Senr. Senior.
SEO Sauf Erreur ou Omission.
SEP Section d'Éducation Professionnelle.
SEPOR SErvice des Programmes des Organismes de Recherche.
Seq... the following (... et la suite).
SEREPT Soc. de Recherche et d'Exploit. du Pétrole en Tunisie.
SES Section d'Études Spécialisées.
SESI Service des statistiques, des Études et des Systèmes d'Information du ministère des Affaires sociales.
SESSI Service d'Étude des Stratégies et des Statistiques Industrielles du ministère de l'Industrie.
s.e.u.o. Salvo error u omisión (sauf erreur ou omission).
SExc Son Excellence (un évêque).
SF Sans Frais. Stade-Français.
SFI Société Financière Internat.
SFIO Section Française de l'Internationale Ouvrière.
SFP Société Française de Production et de création audiovisuelles.
SF3 Saab Fairch 340.
SG Société Générale.
SGBD Systèmes de Gestion de Base de Données.
sgd Signed (signé).
SGDG Sans Garantie Du Gouvern.
SGDN Secrétariat Général de la Défense Nationale.
SGEN Synd. Général Éduc. Nat.
SGL Société des Gens de Lettres.
SGPEN Syndicat Général des Personnels de l'Éducation Nationale (FEN).
SGr Sa Grâce (un duc).
sh., shr. Share (action).
sh(s). Shilling(s).
sh Sinus hyperbolique. **SH** Société Hippique. Sa Hautesse (sultan). Schleswig-Holstein.
s.h. ex. Sundays and Holidays excepted.
SHAPE Supreme Headquarter (of the) Allied Powers in Europe.
shipt Shipment (expédition).
SHOM Service Hydrographique et Océanographique de la Marine.
SHS Yougoslavie (Royaume des Serbes, des Croates et des Slovènes).
SH3 Short SD 330.
s.i. Sauf imprévus. **SI** Syndicat d'Initiative.
SIBEV Société Interprofessionnelle du Bétail Et des Viandes.
SICA Sté d'Int. Collectif Agricole.
SICAF *Sté d'Invest. à CApital* Fermé-fixe. **SICAV** Variable.
SICI Sté Immobilière pour le Commerce et l'Industrie.
SICOB Salon des Industries du Commerce et de l'Organisation du Bureau.
SICOMI *Sté* Immobilière pour le COMmerce et l'Industrie. **SICOVAM** Interprofessionnelle pour la COmpensation des VAleurs Mobilières.
SIDA Syndrome ImmunoDéficitaire Acquis.
SIDEC Service Inter-Diocésain de l'Enseignement Catholique.
SIDO Société Interprofessionnelle Des Oléagineux.
SIGMA Système Informatique de Gestion du MAtériel.
SIGYCOP profil médical. S : membres sup., I : membres inf., G : état général, Y : yeux, vision (couleurs exclues), C : vision des couleurs, O : oreilles et audition, P : psychisme.
SII *Sté* Immobilière d'Investissement. **SIMCA** Industrielle de Mécanique et de CArrosserie.
sin Sinus.
SINCHARS SINgle CHAnnel Radio System (Système Unique de communication radio).
SIPRI Stockholm International Peace Research Institute.
SIRENE Système Informatisé du RÉpertoire National des Entreprises et des établissements.
SIRPA Service d'Information et de Relations Publiques des Armées.
SIRTC Société Intern. des Recherches contre la Tuberculose et le Cancer.
SIVOM Syndicat Intercommunal à VOcation Multiple.
SIVP Stage d'Initiation à la Vie Professionnelle.
SJ Société de Jésus (Jésuites).
SJM Serviteurs de Jésus et Marie.
SK V. SAS.
s.l. Sans lieu.
SLAM Syndicat de la Librairie Ancienne et Moderne.
SLBM Submarine Launched Ballistic Missile.
s.l.n.d. Sans lieu ni date.
SM Sa Majesté. Société de Marie. Marianistes.
SMAG Salaire Minimum Agricole Garanti.
SMB Sa Majesté Britannique.
SMC Sa Majesté Catholique.
SME Système Monétaire Europ.
SMI Sa Majesté Impériale.
SMIC *Salaire Minimum Interprofessionnel* de Croissance. **SMIG** Garanti.
SMM Sté de Maristes. Montfortains.
SMR Sa Majesté Royale.
SMS Pères Maristes.
SMSR Service Médical de Surveillance Radiologique.
SMTC Sa Majesté Très Chrétienne.
SMTF Sa Majesté Très Fidèle.
SMUR Service Médical d'Urgence Régional.
+SMV Médaille des Services Militaires Volontaires.
sn Sans nom. **S/N** Shipping note. Sabena.
SNA Sous-marin Nucléaire d'Attaque.
SNADE Syndicat National Autonome des Directeurs et directrices d'Écoles.
SNALC *Syndicat NAt.* des Lycées et Collèges. **SNC** des Collèges.
SNCASE *Société Nat. de Construction Aéronautique* du Sud-Est. **SNCASO** du Sud-Ouest.
SNCB *Société Nationale des Chemins de Fer* Belges. **SNCF** Français.
SNDLEP Syndicat Nat. des Directeurs de Lycées d'Enseignement Professionnel.
SNECMA Société Nat. d'Études et de Construction de Moteurs d'Avions.
SNES *Syndicat National* des Enseignements du Second degré. **SNESup.** de l'Enseignement Supérieur. **SNET** de l'Ens. Technique. **SNETAP** de l'Ens. Technique Agricole Public. **SNETP** des Ens. Techniques et Professionnels.
SNGR Sin Nuestra Garantia ni Responsabilidad.
SNI Syndicat Nat. des Instituteurs.
SNIAS Société Nat. des Industries Aéronautiques et Spatiales.
SNLE Sous-marin Nucléaire Lanceur d'Engins.
SNPA Société Nationale des Pétroles d'Aquitaine.
SNPCA Syndicat Nat. du Personnel de Commerce de l'Automobile.
SNPE Société Nationale des Poudres et Explosifs.
SNPQR Syndicat National de la Presse Quotidienne Régionale.
SNSM Société Nat. de Sauvetage en Mer.
s.o. Seller's option (option du vendeur). Siehe oben (voir plus haut).
SO Silésie Orientale. **so.** Sonntags (le dimanche). Sud-Ouest.
SOE Special Operation Executive.
SOFAR SOund Fixing And Ranging.
SOFICA *SOc.* de Financement des Industries Cinématogr. et Audiov. **SOFIRAD** FInancière de RADiodiffusion. **SOFRES** FRanç. d'Enquêtes par Sondage. **SOMIVAC** pour la MIse en VAleur de la Corse. **SONACOTRA** NAt. pour la COnstruction des TRAvailleurs.
SOPEMI Système d'Observations PErmanentes des MIgrations.
SOPEXA Sté Pour l'EXpansion des ventes de produits Agricoles alim.
SOS Signal de détresse choisi pour sa simplicité (en morse : 3 points, 3 traits, 3 points). Certains leur donneront ensuite le sens : Save Our Souls (en anglais : Sauvez nos âmes).
SP Secteur Postal.
+SP Santé Publique.
SPA Société Protectrice des Animaux. Standard de Pouvoir d'Achat.
SPADEM Soc. de la Propriété Artistique des Dessins Et Modèles.
SPCN Sciences Physiques, Chimiques, Naturelles.
SPES Syndicat des Personnels de l'Enseignement Secondaire.

SPM St-Pierre-et-Miquelon.
SPQR Senatus PopulusQue Romanus (le sénat et le peuple romains).
Sq. Stéréo quadriphonie. *sq Sequens* (suivant). Square (carré).
sqq. Sequentes (suivants).
SR Service de Renseignements. Swissair.
SS Sécurité Sociale. Steamship. Sa Sainteté. Schutzstaffel (All., Section spéciale). Secteur Sauvegardé.
S/S Steamship (bateau à vapeur).
SSBS Système d'armes Sol-Sol Balistique Stratégique.
SSC Concorde.
SSCC Pères des Sacrés-Cœurs-de-Picpus.
SSCI Sté de Services et de Conseil en Informatique.
S.-S.-E. Sud-Sud-Est.
S'sea Swansea.
SSII Sté de Services et d'Ingénierie Informatique.
S.-S.-O. Sud-Sud-Ouest.
SSP Sté St-Paul.
SSS Pères du St-Sacrement.
st. Stone. Station. **St** Street (rue). Stück (pièce).
STABEX Système de STABilisation des recettes d'EXportation des produits agricoles.
Staffs. Staffordshire.
STAPS Sciences et Techniques des Activités Physiques et Sportives.
START STrategic Arms Reduction Talks.
St.-C. St-Cloud-Country-Club.
std Standard. **Std.** Stunde(n) [heure(s)].
Sté Société.
ster., stg Sterling.
STGM Sa Très Gracieuse Majesté.
STH Surface Toujours en Herbe.
stk Stock.
STO Service du Travail Obligatoire.
STOL Short Take Off and Landing.
S. to S. Station to Station.
STRIDA Système de TRansmission des Informations de Défense Aérienne.
STS Section de Technicien Supérieur. Sciences des Techniques Spécialisées.
+StS Mérite de l'Ordre Chevaleresque du St-Sépulcre.
STU Service Technique de l'Urbanisme.
SU Aeroflot.
s.u. Siehe unten (voir plus bas).
suppl. supplément.
suiv. suivants.
SV Saudia.
SVP S'il Vous Plaît.
SWA South-West Africa.
SWAPO South West African People's Organization.
Swift Society for Worldwide Interbank Financial Telecommunication.
SWN Swearingen Metro.
SYRACUSE SYstème de RAdio Communication Utilisant un SatellitE.
t. Tome. Toile. Tonne.
TA Telegraphic Address (ad. télégraphique).
TAAF Terres Australes et Antarctiques Françaises.
TADS Target Acquisition and Designation System (viseur de tir).
TAI Transports Aériens Intercontinentaux. Temps Atomique Intern.
TAM Terre-Air-Mer. Obligation à taux variable à référence monétaire annuelle.
TAP Troupes AéroPortées. Air Portugal.
TAR Tactical Air Reconnaissance.
TAT Tactical Air Transport. Touraine Air Transport.
TB Trial Balance (balance de vérification).
TB ex. Très Bon exemplaire.
T-Bills (T-Bonds: Treasury Bill [bon du Trésor (US) à court terme] ; Treasury Bond (obligation du Trésor à plus de 10 ans).
T-Bonds Treasury Bond.
TC Télégramme Collationné. Témoignage Chrétien. Transit Corridor.
TCA Taxe sur le Chiffre d'Affaires.
TCF Touring-Club de France. Très Cher Frère.
TCS Touring-Club de Suisse.
TD Travaux Dirigés.
TDF Télédiffusion De France.
TEE Trans-Europ-Express.
Tél. Téléphone.
TEP Tonne Équivalent Pétrole.
TF1 Télévision Française 1re Chaîne.
tg. Tangente.
tgl. Täglich (tous les jours).
TGV Train à Grande Vitesse.
th Tangente hyperbolique. théorème.
THAI Thai International Airways.
Thro'B.-L. Through the Bill of Loading (par le connaissement).
TIF Transports Internationaux par chemin de Fer.
TIP Titre Interbancaire de Paiement.
TIR Transports Intern. Routiers.
Tir. Tirage.
TK Turk Hava Yoliari.
TL Total Loss (perte totale).
TLE Taxe Locale d'Équipement.
TLI Taxe Locale Incluse.
t.l.o. Total loss only (Perte totale seulement).
tlw Teilweise (partiellement).
TM Trade Mark.
TMC Télé Monte Carlo. Théâtre, Maison de la Culture. **TME** Taux Moyen des Emprunts d'État. Travaux Manuels Éducatifs.
TMM Taux Moyen du Marché monétaire au jour le jour.
TMO Telegraphic Money Order (mandat télégraphique). Taux du Marché Obligataire.
TNC Théâtre National de Chaillot.
TNP Théâtre National Populaire.
TNT TriNitroToluène.
t.o. Toit ouvrant.
TO Turnover (chiffre d'affaires).
TOA Troupes d'Occupation en Allemagne.
+TOE Croix de guerre des Théâtres d'Opérations Extérieures.
TOM Territoire d'Outre-Mer.
TOR Tertiaires réguliers de St-François-d'Assise.
TP Travaux Pratiques. Tr. Publics.
TPE Terminal de Paiement Électronique.
TPFA Tribunal Permanent des Forces Armées.
TPND Theft Pilferage and Non Delivery.
TPS Taxe de Prestation de Service.
TPV Terminal Point de Vente.
tr. Trustee (curateur, dépositaire). Travellers Club. Tranche.
TRA Obligation à taux annuel.
trad. traducteur, traduction, traduit par.
TRB Taux Révisable des Bons du trésor.
TRD Trident.
TRM Obligation à taux flottant.
TRO Obligation à taux révisable.
3D Trois dimensions.
TSA Technologie de Systèmes Automatisés.
Tsd. Tausend (mille).
TSE Travaux Scientifiques Expérimentaux (6e).
TSF Télégraphie Sans Fil.
TSS Très Saint-Sacrement.
TSVP Tournez S'il Vous Plaît.
TT Telegraphic Transfer. Transit Temporaire (ou TTX).
TTC Toutes Taxes Comprises.
TT.CC.FF. Très Chers Frères.
Tt cft Tout confort.
TU Temps Universel. Tunis Air.
TUC Trade Union Congress. Temps Universel Coordonné. Travail d'Utilité Collective.
TUP Titre Universel de Paiement.
TU3 Tupolev 134. **TU5** 154.
TVA Taxe sur la Valeur Ajoutée. Tennessee Valley Authority.
TVHD Télévision à Haute Définition.
TWA Trans World Airlines.
TWI Training Within Industry.
u. und (et).
u.a unter anderen (entre autres).
UAM Union des Artistes Modernes.
UAMCE Union Africaine et Malgache de Coopération Économique.
UAP Union des Assurances de Paris.
UAR United Arab Republic.
UASPTT Union des Associations Sportives des PTT.
UAT Union Aéromaritime de Transport.
u.A.w.g. Um Antwort wird gebeten (répondre s'il vous plaît).
UCE Unité de Compte Europ.
UCJF *Union Chrétienne* des Jeunes Filles. **UCJG** des Jeunes Gens.
UCRG *Union* des Clubs pour le Renouveau de la Gauche. **UDAO** Douanière de l'Afrique de l'Ouest. **UDCA** de Défense des Commerçants et Artisans. **UDEAC** Douanière et Économique de l'Afrique Centrale. **UDF** pour la Démocratie Française-Front Démocratique Uni. United Democratic Front.
UDI *Union* Démocratique Internat. **UDR** des Démocrates pour la Ve République. **UDSR** Démocratique et Socialiste de la Résistance. **UDT** Démocratique du Travail. **UEBL** Économique Belgo-Luxembourgeoise. **UEC** des Étudiants Communistes. **UEO** de l'Eur. Occidentale. **UEP** Eur. des Paiements.
UER Union Eur. de Radiodiffusion. *Unité d'Enseignement et de Recherche*. **UEREPS** d'Éducation Physique et Sportive.
UF Unité de Feu.
UFAC Fabricants d'Aliments Composés.
UFAJ *Union* Française des Auberges de Jeunesse. **UFC** Fédérale des Consommateurs. **UFCV** Française des Colonies de Vacances. **UFD** des Forces Démocratiques. **UFF** des Femmes Françaises. Union et Fraternité Franç. **UFJT** des Foyers des Jeunes Travailleurs. **UFM** Fédéraliste Mondiale. **UFO** Unidentified Flying Object. **UFOLEA** Fr. des Oeuvres Laïques d'Éducation Artistique. **UFOLEIS** Fr. des Oeuvres Laïques d'Éducation par l'Image et par le Son. **UFOLEP** Fr. des Oeuvres Laïques d'Éducation Physique. **UFOVAL** Fr. des Oeuvres de VAcances Laïques.
UFR Unité de Formation et de Recherche.
UG Ouganda.
UGB Unité Gros Bétail.
UGCS *Union* des Groupes et Clubs Socialistes. **UGE** des Grandes Écoles. **UGI** Géographique Internationale. **UGIF** Générale des Israélites de France. **UGP** des Gaullistes de Progrès. **UGTAN** Générale des Travailleurs d'Afrique Noire.
UHF Ultra High Frequency.
UHT Ultra Haute Température.
UIA *Union Internationale* contre l'Alcoolisme. Antiraciste. Des Architectes. Des syndicats des industries Alim. **UIAA** des Associations d'Alpinisme. **UIC** des Chemins de fer. **UICC** Contre le Cancer. **UICT** Contre la Tuberculose. **UIE** des Étudiants.
UIMM *Union* Industrielle Métallurgique et Minière. **UINF** Intern. de la Navigation Fluviale. **UIP** InterParlementaire. **UIPE** *Internationale* de Protection de l'Enfance. **UIS** de Secours.
UISC Unité d'Instruction et de Sécurité Civile.
UIT Union Intern. des Télécommunications.
UJP *Union* des Jeunes pour le Progrès. **UJRF** de la Jeunesse Rép. de France.
UK United Kingdom.
ULM Ultra-Léger Motorisé.
Ult. Ultimo (dernier du mois écoulé).
UMAC *Union Monétaire* d'Afrique Centrale. **UMOA** Ouest-Africaine.
UMS Unité Militaire Spécialisée.
UN United Nations.
UNAAPE Union Nationale des Assoc. Autonomes de Parents d'Élèves.
UNAF *Union Nationale* des Assoc. Familiales. **UNAPEL** des Associations de Parents d'Élèves de l'enseignement Libre. **UNATI** des Artisans et Travailleurs Indépendants. **UNC** des Combattants. **UNCAL** des Comités d'Action Lycéens. **UNCAP** des Commerçants Artisans et Prof. libérales.
UNCDF *United Nations* Capital Development Fund. **UNDP** Development Program.
UNDRO Office of the United Nations Disaster Relief co-Ordinator.
UNEDIC *Union Nationale* pour l'Emploi Dans l'Industrie et le Commerce. **UNEF** des Étudiants de France.
UNESCO *United Nations* Educational Scientific and Cultural Organization. **UNFPA** Fund for Population Activities.
UNI *Union Nat. Interuniversitaire.*
UNICEF United Nations International Children's Emergency Fund.
UNIDO United Nations Industrial Development Organization.
UNITA Union Nationale pour l'Indépendance Totale de l'Angola.
UNITAR United Nations Institute for Training And Research.
Univ. Université.
UNO United Nations Organization.
UNOF *Union Nationale* des Org. Familiales. **UNOR** des Officiers de Réserve.
UNR Union pour la Nouvelle Rép.
UNREP Union Nat. Rurale d'Éducation et de Production.
UNRRA United Nations Relief and Rehabilitation Administration.
UNRWA United Nations Refugees Working Aid.
UNSS Union Nat. de Sport Scolaire.
UNTCD United Nations Technical Cooperation for Development.
UNU Université des Nations Unies.
UP United Press.
UPA Unité Prioritaire d'Aménagement. Unité Pédagogique d'Architecture.
UPS Université de Paris Sud.
UPU *Union* Postale Universelle. **URAC** Rép. d'Afrique Centrale. **URC** du Rassemblement et du Centre. **URSS** des Républiques Socialistes Soviétiques. **URSSAF** pour le Recouvrement des cotisations de la Séc. Soc. et des Alloc. Familiales.
us. Usuel.
USA United States of America.
USD Dollar (USA).
USJ Union des Sociétés Juives.
USMC US Marine Corps.
USNEF Union Syndicale Nat. des Enseignants de France.
USSR Rép. Soviétique Socialiste d'Ukraine.
usw. Und so weiter (et ainsi de suite, etc.).
UTA Union de Transports Aériens. Unité de Traction Animale. Unité de Travail Annuel.

UTH Unité de Travail Homme.
UTO United Towns Organization.
u.U. Unter Umständen (le cas échéant).
UV Unité de Valeur.
U/W Underwriter (assureur).
u.zw. Und zwar (à savoir).
v. Vers. Veau. **V.** Versus [Contre (droit)]. Voir, voyez.
VA Viasa.
VAB Véhicule de l'Avant-Blindé.
VAF Vicariat aux Armées Françaises.
VAG Volkswagenwerk AG.
VAL Véhicule Automatique Léger.
Val. Valuta, Wert (valeur).
Var. Var. Variante.
VARIG Viação Aerea Rio Grandense (Cie d'aviation de l'État de Rio Grande do Sul).
VAT Volontaire pour l'Aide Techn.
VBL Véhicule Blindé Léger.
VC Victoria Cross.
V.C.C. Vin de Consommation Courante.
Vd Vend.
VDQS Vin Délimité de Qualité Supérieure.
verh. Verheiratet (marié).
verw. Verwitwet (veuf).
V.F. Version Française.
v.g. Verbi gratia (exemple).
vgl. Vergleiche (comparez).
v.H. Vor Hundert (pour cent).
VHF Very High Frequency.
VIDCOM Marché intern. de la VIDéoCOMmunication.
vign. Vignette.
VIP Very Important Person.
viz. Namely (à savoir).
v.J. vorigen Jahres (de l'année précédente).
VLP Video Long Player.
VLRA Véhicule Léger de Reconnaissance et d'Appui.
VLSI Very Large Scale Integration.
v.M. vorigen Monats (du mois précédent).
VMF Vieilles Maisons Françaises. Volontaire Militaire Féminine.
V.O. Version Originale.
v^{o}, v^{is} Verbo, verbis.
v^{o} Verso.
Vol Volume.
VP Vice-Président.
VQPRD Vin de Qualité Produit dans des Régions Déterminées.
VRP Voyageurs de commerce, Représentants et Placiers.
vs. versus.
VSL Volontaire Service Long.
VSNA Volontaire pour le Service Nat. Actif au titre de la coop.
VSOP Very Superior Old Pale (très vieil alcool supérieur).
Vte, V^{tesse} Vicomte, vicomtesse.
Vto Vencimiento (échéance).
VTOL Vertical Take Off and Landing.
V1 Vergeltungswaffe n° 1.
v.v. *Vice versa.*
VVAP Volem Viure Al Païs.
Vve Veuve.
vx Vieux.
vx fr. Vieux français.
WA With Particular Average (ou WPA).
WASP White Anglo-Saxon Protestant.
WC Water-Closet. West-Center.
Wd Warranted (garanti).
WEU Western European Union.
WFP World Food Program.
WFTU World Federation of Trade Unions.
wgt Weight (poids).
Wh Whatmann.
whf Wharf (quai).
WHO World Health Organization (voir **OMS**).
whse Warehouse (entrepôt).
WISO Women International Sionist Organization.
WJC World Jewish Congress.
wk Week (semaine).
W/M Weight or measurement (poids ou cube).
WMO World Meteorological Organiz. (voir **OMM**).
WMP With Much Pleasure.
WOR Without Our Responsability (Sans responsabilité de notre part).
WPA With Particular Average (Avec avaries particulières).
WPC World Power Conference.
w.p.m. Words per minute (mots à la minute).
WR Wire Reply (câble réponse).
WT Nigeria Airways.
Wt Weight (poids).
WTO World Tourist Organization.
W/W Warehouse-Warrant.
w.w.d. Weather working days, weather permitting (jours ouvrables, temps le permettant).
X. inconnu, anonyme.
X.c. Ex-coupon (dividende).
X.d. Ex-dividende.
x.i. Ex-interest (ex-intérêt).
Xmas Christmas (Noël).
x-ml, x-mll Ex mill (départ usine).
XP Express Paid.
x-ship, x-shp Ex ship (au débarquement).
x-stre Ex store (disponible).
x-whse Ex warehouse (disponible).
x-wks Ex works (départ usine).
y. Yen.
Y/A York Antwerp Rules [Règles de York et Anvers (Ass. mar.)].
YCF Yacht-Club de France.
Yd Yard.
YMCA Young Men Christian Association.
YMCF Yacht Motor Club de Fr.
Yorks. Yorkshire.
yr Year, Your (année, vôtre).
YWCA World's Alliance of Young Women Christian Association.
Z Zéro.
ZAC Zone d'Aménagement Concerté.
ZAD Zone d'Aménagement Différé.
ZAR Transvaal.
z.B. Zum Beispiel (par exemple).
ZD Zone de Défense.
z.d.A. Zu den Akten (à classer).
ZEAT Zone d'Études et d'Aménagement du Territoire.
ZEDE Zone d'Étude Démographique et d'Emploi.
ZEP Zone d'Environnement Protégé. Zone d'Éducation Prioritaire.
ZIF Zone d'Intervention Foncière.
ZIL Zone d'Intervention Limitée.
ZIP Zone Industrielle Portuaire.
ZIRST Zone pour l'Innovation et la Recherche Scientifique et Technique.
ZIV Zone Industrielle Verticale.
ZNE Zone Naturelle d'Équilibre.
ZNO Zone Non Occupée/Zone libre.
ZO Zone Occupée.
ZPIU Zone de Peuplement Industriel ou Urbain.
z.T. Zum Teil (en partie).
Ztg. Zeitung (journal).
Ztr. Zentner (50 kg).
ZUP Zone à Urbaniser en Priorité.
zuz zuzüglich (en supplément).
z.Z. zur Zeit (actuellement).
1′6″ 1 foot 6 inches (1 pied six pouces).
1 cu. ft. 1 cubic foot (1 pied cubique).

Chiffres romains

I	II	III	IV	V	VI	VII	VIII	IX
1	2	3	4	5	6	7	8	9
X	XI	XII	XX	XXX	XL	L	LX	
10	11	12	20	30	40	50	60	
LXX	LXXX	XC	C	D	M			
70	80	90	100	500	1000			

Parfois utilisés : $\bar{V}$: 5 000. $\bar{X}$: 10 000. $\bar{L}$: 50 000. $\bar{C}$: 100 000. $\bar{D}$: 500 000. $\bar{M}$: 1 000 000.

Principe. On opère par addition quand une lettre est supérieure ou égale à la suivante. Par soustraction quand une lettre est inférieure à la suivante.

Ex. : VIII = 5 + 3 ou 8. XX = 10 + 10 ou 20. LXVII = 50 + 10 + 5 + 2 = 67. IV = 5 – 1 ou 4. XL = 50 – 10 ou 40. Ce système n'est pas employé pour les milliers (M).

Pour transcrire un nombre de chiffres arabes en chiffres romains, on décompose le nombre.

Ex. : 1988 = 1000 + 900 + 80 + 8 = M + CM + LXXX + VIII soit MCMLXXXVIII.

Chiffre romain le plus long : MMMMDCCCCLXXXVIII (4 988).

Code International sol/air

Nota. – Peut être utilisé à l'intention des avions. Les panneaux doivent être de 3 à 4 m de long. On peut utiliser les moyens disponibles (cailloux, branchages, etc.).

1	besoin carte et boussole	□	11	non, négatif	N
2	besoin essence et huile	L	12	non compris	JL
3	tout va bien	LL	13	besoin lampe et radio	– –
4	véhicule endommagé	⊐	14	besoin arme et munitions	≫
5	besoin médecin	—	15	nous avançons dans cette direction	←
6	besoin médicaments	=	16	indiquer la direction a suivre	K
7	incapable d'avancer	X	17	vêtements nécessaires	≡
8	besoin eau et vivres	F	18	atterrissage dans cette direction	◁–
9	mécanicien nécessaire	W	19	ne pas atterrir ici	✱
10	oui, affirmatif	Y	20	essaierons de continuer	<|

Sémaphore

a	b	c	d	e	f	g	h	i	j	k	l	m
n	o	p	q	r	s	t	u	v	w	x	y	z

Nota. – **1** = a. **2** = b. **3** = c. **4** = d. **5** = e. **6** = f. **7** = g. **8** = h. **9** = i. **0** = j.

Alphabet gothique

IMPRIMERIE	ÉCRITURE	APPELLATION	IMPRIMERIE	ÉCRITURE	APPELLATION
𝔄 𝔞	A a	a â	𝔑 𝔫	N n	n enn
𝔅 𝔟	B b	b bé	𝔒 𝔬	O o	o ô
ℭ 𝔠	C c	c tsé	𝔓 𝔭	P p	p pé
𝔇 𝔡	D d	d dé	𝔔 𝔮	Q q	q kou
𝔈 𝔢	E e	e é	ℜ 𝔯	R r	r err
𝔉 𝔣	F f	f eff	𝔖 𝔰	S s	s ess
𝔊 𝔤	G g	g ghé	𝔗 𝔱	T t	t té
ℌ 𝔥	H h	h hâ	𝔘 𝔲	U u	u ou
ℑ 𝔦	I i	i i	𝔙 𝔳	V v	v faou
ℑ 𝔧	J j	j iott	𝔚 𝔴	W w	w vé
𝔎 𝔨	K k	k kâ	𝔛 𝔵	X x	x iks
𝔏 𝔩	L l	l ell	𝔜 𝔶	Y y	y ipsilonn
𝔐 𝔪	M m	m emm	ℨ 𝔷	Z z	z tsett

Alphabets

☞ Tout l'alphabet peut-il contenir dans une phrase ? Les réparateurs en mécanographie utilisent celle-ci : « Servez ce whisky aux petits juges blonds qui fument. »

Alphabet morse international

Inventé par Samuel Morse, peintre et physicien américain (1791-1872). Un trait égale 3 points. L'espace entre les différents signes d'une lettre égale 1 point ; entre 2 lettres : 3 points ; entre 2 mots : 7 points.
Point . – . – . –
Alinéa . – . – . .
Virgule – – . . – –
Point-virgule – . – . – .
Deux points ou signe de division (:) – – – , . .
Guillemet . – . . – .
Point interrogatif . . – – . .
Point exclamatif – – . . – –
Apostrophe . – – – – .
Trait d'union, tiret ou signe de soustraction – . . . . –
Souligné . . – – . –
Parenthèse de gauche [(] – . – – .
Parenthèse de droite [)] – . – – . –
Double trait (=) – . . . –
Croix ou signe d'addition (+) . – . –
Signe de multiplication – . . –
Barre de fraction ou (/) – . . – .
Début d'émission – . – . –
De – . .
Erreur . . . .
Répétez après . . – – . .
Compris . . . – . –
Transmettez – . – –
Attendez . – . . . –
Reçu . – .
Fin de transmission . . . – . –

A . – B – . . . C – . – . D – . . E . ÉÈÊ . . – . . F . . – . G – – . H . . . . I . . J . – – – K – . – L . – . . M – – N – . O – – – P . – – . Q – – . – R . – . S . . . T – U . . – V . . . – W . – – X – . . – Y – . – – Z – – . .

1 . – – – – 2 . . – – – 3 . . . – – 4 . . . . – 5 . . . . . 6 – . . . . 7 – – . . . 8 – – – . . 9 – – – – . 0 – – – – –

Dans les répétitions d'office, lorsqu'il ne peut y avoir de malentendu du fait de la coexistence de chiffres et de lettres ou de groupes de lettres, les chiffres peuvent être transmis au moyen des signaux suivants :
1 . – 2 . . – 3 . . . – 4 . . . . – 5 . . . . . 6 – . . . . 7 – . . . 8 – . . 9 – . 0 –

Les administrations ou exploitations privées reconnues, utilisant des convertisseurs de code, peuvent transmettre les guillemets en répétant 2 fois le signe apostrophe avant et après les mots.

Demande de répétition d'une transmission non comprise . . – – . .

Un nombre dans lequel entre une fraction est transmis en liant la fraction au nombre entier par un tiret. Exemples : pour 1 3/4 transmettre 1 – 3/4 et non 13/4 ; pour 3/48 transmettre – 3/48 et non 3/48 ; pour 363 1/245 642 transmettre 363 – 1/245 642 et non 3 631/245 642.

Les lettres et signaux suivants peuvent être employés dans les relations entre les pays qui les acceptent :
ä ou æ . – . – â ou à . – – . – ch – – – – ñ – – . – – ö ou ∅ – – – . ü . . – –

Le signe des minutes (′) et le signe des secondes (″) sont transmis en utilisant le signe de l'apostrophe : 1 fois pour les minutes et 2 fois pour les secondes.

Pour le signe % ou ‰ on transmet le chiffre 0, la barre de fraction et les chiffres 0 ou 00 (c.-à-d. : 0/0, 0/00).

Un nombre entier, un nombre fractionnaire ou une fraction suivis du signe % ou ‰ sont transmis en liant le nombre entier, le nombre fractionnaire ou la fraction au signe % ou au signe ‰ par un tiret. Ex. : pour 2 % transmettre 2 – 0/0 et non 20/0 ; pour 4 1/2 ‰ transmettre 4 – 1/2 – 0/00 et non 41/20/00.

Signalisation phonétique internationale

A alpha. **B** bravo. **C** Charlie. **D** delta. **E** écho. **F** fox-trot. **G** golf. **H** hôtel. **I** India. **J** Juliet. **K** kilo. **L** Lima. **M** Mike (pron. maïke). **N** november. **O** Ohio (pron. oayo), Oscar. **P** papa. **Q** Québec. **R** Roméo. **S** Sierra. **T** tango. **U** uniform (pron. iouniform). **V** Victor. **W** whisky. **X** x-ray. **Y** yankee (pron. yanki). **Z** Zulu (pron. zoulou).

Transmission des nombres : chiffre par chiffre (sauf multiples exacts de 100 et 1 000 et nombres 17, 18 et 19). Décomposition : **1** un tout seul. **2** un et un. **3** deux et un. **4** deux fois deux. **5** trois et deux. **6** deux fois trois. **7** quatre et trois. **8** deux fois quatre. **9** cinq et quatre. **0** zéro.

Alimentation

☞ *En cas de jeûne total, moyenne de survie :* 20 à 25 j (cas extrême observé : 50 j). *Cas célèbres :* Mac Sweeney, lord, maire de Cork (Irl.), † en prison après 74 j de grève de la faim.

Voir Gastronomie à l'Index, Environnement p. 1343.

Généralités

Principes énergétiques et plastiques

L'alimentation équilibrée doit apporter quotidiennement les principes nutritifs nécessaires à la vie. Ces principes peuvent se diviser en 2 grandes catégories : les *substances purement énergétiques* fournissant à l'organisme les calories dont il a besoin, les *substances plastiques* contribuant en outre à sa construction.

• **Glucides** (purement énergétiques). Les *sucres simples* ou oses consommés sous forme de sucre de table (blanc raffiné ou roux non raffiné qui contient plus de vitamines et de matières minérales), d'aliments sucrés, de fruits, de miel (glucose et fructose) ou de lait (lactose) sont directement assimilables par le tube digestif sans transformation préalable. Les *sucres composés* ou osides et les *amidons* (présents dans les céréales, les pommes de terre et les légumes secs) doivent être attaqués par les sucs digestifs, et transformés pour être assimilés. Les glucides « combustibles », les mieux adaptés au travail musculaire, fournissent 4 calories au gramme.

Bien que le sucre pris pur (ingéré) ne soit pas indispensable à son organisme, on constate chez l'homme une attirance pour le goût sucré reposant sur un *élément physiologique :* le sucre ne demande qu'un travail digestif infime et son assimilation est très rapide.

• **Lipides** (essentiellement énergétiques). Constituants essentiels des corps gras. D'une densité inférieure à celle de l'eau, insolubles dans celle-ci, ils libèrent beaucoup de chaleur, particulièrement utilisée dans la lutte contre le froid. Fournissent 9 calories au gramme. Certaines graisses animales (ex. : le beurre) contiennent des vitamines (A et D) et la plupart des huiles végétales renferment des acides gras (dont certains appelés gras essentiels sont indispensables à l'organisme) servant à la constitution de certains éléments. Les lipides comprennent 2 catégories : les lipides complexes (graisses neutres, phospholipides, stérols) et les lipides simples ou acides gras qui ont un rôle majeur comme fournisseurs d'énergie. D'après leur composition chimique, ces acides gras se distinguent en acides gras saturés et insaturés qui ont des rôles physiologiques différents.

Taux de cholestérol pour 100 g. Voir page 115.

• **Protides** (énergétiques et plastiques). Éléments principaux de la matière vivante, ils participent à l'élaboration des tissus musculaires, nerveux, osseux, cartilagineux. Sang, urine, sécrétions digestives, anticorps, hormones ont une base protidique. Nécessaires à l'édification et à l'entretien du corps humain, ils contiennent, en proportions variables, des *acides aminés* dont 8 sont indispensables à l'homme et ne peuvent être synthétisés par lui (le *tryptophane,* la *leucine,* l'*isoleucine,* la *lysine,* la *méthionine,* la *phénylalanine,* la *thréonine* et la *valine*). Les protides animaux sont généralement plus riches en acides aminés indispensables que les protides végétaux. Les protides fournissent 4 calories au gramme. Mais leur utilisation est coûteuse (la digestion des protéines consomme 20 % de l'énergie qu'elles apportent) et aboutit à la formation de déchets azotés (urée).

Les protéines ont une valeur métabolique différente selon les acides aminés qu'elles contiennent. Viennent en tête les protéines animales : viande, poisson, œuf (le blanc est considéré comme la protéine de référence diététique). L'organisme humain ne peut se passer d'elles ; les protéines végétales ne peuvent apporter en quantités suffisantes tous les acides aminés fondamentaux.

Principes non énergétiques

Permettent l'utilisation des principes nutritifs énergétiques.

• **Cellulose.** Membrane de la cellule végétale. Généralement non attaquée par les enzymes digestives, mais nécessaire à l'organisme, car elle augmente le volume fécal et facilite ainsi le transit intestinal. Son action mécanique sur les muqueuses digestives déclenche le réflexe des mouvements péristaltiques et des sécrétions (intérêt du son par ex. dans le pain complet). La teneur en cellulose des aliments intervient dans la rapidité d'absorption des principes énergétiques et plastiques (glucides en particulier) en la diminuant.

Nota. – Les celluloses tendres sont attaquées dans le gros côlon par certains bacilles de la flore intestinale, qui les transforment en sucres, vitamines B (certaines), vitamine K, etc.

• **Eau.** Constitue 50 à 70 % du poids, suivant l'adiposité (jusqu'à 80 % chez l'enfant). Indispensable à la vie, car elle apporte aux cellules les éléments nutritifs et assure l'élimination des déchets. *L'organisme perd chaque jour environ 2,5 l d'eau* par transpiration, respiration, excrétion urinaire et fécale. *Perte compensée par un apport journalier* de 0,5 à 0,8 l fourni par les aliments solides assez riches en eau (viande 75 % ; légumes verts et fruits 80 à 90 % ; pain 55 %...) ; 0,3 à 0,4 l produit durant la digestion lors de la combustion des aliments ; 1 l environ apporté par les boissons.

• **Oligo-éléments.** Métaux ou métalloïdes retenus en quantités infinitésimales mais indispensables à la vie, qu'ils se trouvent incorporés dans une molécule d'enzyme, ou qu'ils participent à l'établissement de liaisons rendant certaines protéines actives : rôle proche des vitamines. *Principaux :* zinc, chrome, lithium, manganèse, etc.

• **Sels minéraux. Calcium** (lait, fromage, végétaux frais). Constituant principal du squelette et des dents.

Phosphore (viande, poisson, œuf, etc.). Besoins en rapport avec les apports caloriques. Le rapport $\frac{ca}{phosp}$ optimal est de 0,8 chez l'adulte et 1,5 chez l'enfant. Entre dans la composition des os. Utilisé pour la formation des cellules nerveuses du cerveau.

Phosphore-calcium (en mg pour 100 g). Fromage (pâte ferme) 500, 750. Amande, noix, noisette 400, 175. Légumes secs : haricot 400, 70. Céréales 300, 50. Viande 260, 10. Poisson 225, 60. Œuf 200, 50. Fromage (pâte molle) 180, 130. Pain complet 130, 40. Lait 100, 130. Fruits séchés 100, 120.

Fer. Élément essentiel de la composition des hématies (globules rouges). Plus de 10 mg pour 100 g : persil. De 10 à 5 mg : foie de veau, haricot sec, huître, jaune d'œuf, lentille sèche, mélasse, pois sec.

Sodium, potassium, magnésium, chlore, soufre, etc. ; **oligo-éléments : iode, cuivre, manganèse, fluor,** etc. Notre alimentation actuelle est souvent pauvre en calcium, magnésium et fer.

• **Vitamines.** Substances indispensables à l'organisme en quantité infinitésimale. Fragiles, elles résistent peu à la chaleur, à la lumière, à la dessiccation et à l'oxydation.

1) Vitamines hydrosolubles (solubles dans l'eau). Groupe B (viande, poisson, coquillages, beurre, œufs, lait, fromage, levure de bière, graines germées) : agit sur l'équilibre général et l'équilibre nerveux ; essentiel dans l'utilisation des principes nutritifs. **B1** (aneurine ou thiamine) agit sur systèmes nerveux et musculaire, facilite l'assimilation des glucides, prévient la polynévrite ; si abus : insomnies, maux de tête ; **B2** (riboflavine) croissance, action métabolique (phosphorylation) ; **PP** (acide nicotamide) assimilation cellulaire, action antipellagreuse ; **B4** (acide pantothénique) ; **B6** (pyridoxine) métabolisme protéique ; si abus : convulsions, douleurs ; **B12** (cyanocobalamine) antianémique ; **B9** ou acide folique antianémique ; si abus : insomnies, irritabilité.

Vitamine C ou acide ascorbique (végétaux frais, agrumes, foie, salade, persil). Antiscorbutique, la vitamine C augmente la résistance aux infections et à la fatigue, agit dans l'ossification. Rôle important dans le métabolisme des glucides et des acides aminés et le fonctionnement des glandes endocrines. **Proportion de vit. C** (en microgrammes pour 100 g). *Fromages :* gruyère, emmenthal 12-15. *Fruits :* fraises 60, oranges 50, pamplemousses 40, melons 33, ananas 17, avocats 14, abricots, bananes 10, pêches, pastèques 7, pommes, raisins, poires 4, raisins secs 1. *Légumes :* persil 172, fanes de navet 139, poivrons 128, brocolis 110, choux de Brux. 100, choux-fleurs 80, épinards 51, choux 50, haricots de Lima, betteraves jaunes 30. *Poissons et crustacés :* clams ou praires 10, saumon Atl. 9, morue, crabe à l'étuvée 2. *Viande :* foie de veau 36.

2) Vitamines liposolubles **(solubles dans les graisses). A ou rétinol** (jaune d'œuf, carotte, salade, épinard, foie, lait, beurre, huile de poisson, etc.). Favorise la croissance des organes, protège l'équilibre de la vision, combat les affections cutanées, etc. **Proportion de vit. A** (U.I. pour 100 g). *Fromages :* américain en tranches 1 200, cantal 1 100, mozzarella écrémée 600, blanc (maigre, 1 % mg) 37. *Fruits :* melons 3 400, abricots 2 700, pêches 1 330, pastèques 590, avocats 290, oranges 200, bananes 190, raisins 100, pommes 90, pamplemousses 80, ananas 70, fraises 60, poires 20. *Huiles et graisses :* beurre salé 3 000. *Légumes :* carottes 11 000, patates douces 8 800, persil 8 500, épinards 8 100, fanes de navet 7 600, betteraves jaunes 6 100, brocolis 2 500, tomates 900, petits pois 640, haricots verts 600, choux de Bruxelles 550. *Noix et graines :* noix de cajou 100, graines de tournesol 50. *Œufs :* jaune seulement 3 400, entier 1 180. *Poissons et crustacés :* crabe à l'étuvée 2 200, espadon 1 600, maquereau Atlant. 450, huîtres 300, hareng Atlant. 110, clams ou praires 100. *Produits laitiers :* lait écrémé 200, yaourt 70, babeurre 33, lait entier 13. *Viande :* foie de veau 22 500.

D ou calciférol (lait, beurre, huile végétale, jaune d'œuf, foie de poisson, etc.), dite antirachitique. Joue un rôle efficace dans l'absorption intestinale du calcium, etc. En cas d'abus : nausées, perte de l'appétit, amaigrissement. **Proportion de vit. D** (U.I. pour 100 g). *Fromages :* américain en tranches, cantal, blanc (maigre 1 % mg), mozzarella écrémée 12-15. *Huiles et graisses :* beurre salé 35. *Œufs :* jaune seulement 100. *Poissons et crustacés :* sardine Pacifique (crue) 1 150-1 170, maquereau Atl. 1 100, hareng Atl. 315, saumon Atl. (en boîte) 220-440, saumon Atl. 154-550, crevettes crues 150, flétan 44. *Produits laitiers :* lait entier 3-4.

E ou tocophérol (beurre, germe de céréales, soja, blé, œuf, etc.). Vitamine de la gestation, a par ailleurs une action synergique sur la vitamine A qu'elle protège de l'oxydation. **Proportion de vit. E** (U.I. pour 100 g). *Céréales :* seigle 1,8, flocons d'avoine 0,36. *Céréales en grains :* germes de blé 90, son de blé 2,2, riz brun complet 2, orge 0,9. *Fruits :* bananes 0,45, fraises 0,3, melons 0,18. *Huiles et graisses :* huile de carthame 50, de maïs 28, d'olive 20, de soja 16, beurre salé 2,4. *Légumes :* asperges, épinards 3,7, brocolis 3, persil 2,7, maïs 2,5, choux de Bruxelles 1,5, carottes, laitues 0,8, céleri, tomates 0,45. *Noix et graines :* amandes 22, cacahuètes grillées avec peau 10. *Œufs :* jaune seulement 3,9. Entier 1,8. *Pain :* complet 0,5. *Poissons et crustacés :* hareng Atl. 1,6, flétan 0,9, morue 0,33. *Produits laitiers :* lait entier 0,09. *Viande et volaille :* foie de veau 2, jambon en boîte 1, steak haché 0,9, porc maigre 0,7, blanc de poulet 0,6.

K ou phytoménadione. (épinards, huile de soja, foie, fruits, p. de terre, etc.). Coagulation du sang. **Proportion de vit. K** (en microgrammes pour 100 g). *Céréales :* flocons d'avoine 20. *Fruits :* pêches 8, raisins secs 6, bananes 2, oranges 1. *Huiles et graisses :* beurre salé 30, huile de maïs 10. *Légumes :* fanes de navet 650, brocolis 200, laitues 129, choux 125, épinards 89, asperges 60, haricots verts 14, tomates 5, pommes de terre 3. *Œufs :* entier 11. *Produits laitiers :* lait entier 3. *Viande et volaille :* foie de veau 90, jambon (en boîte) 15, porc maigre 11, steak haché 7.

Calories contenues

(*Légende :* calories en italique pour 100 g, sauf autre indication entre parenthèses)

Alimentation rapide. Croque-monsieur, hot dog *450 à 500.* Hamburger *600.* Pizza (15 cm) *400 à 600.* Sandwich *430 à 540.* (50 g de pain, 20 g de beurre + 50 g jambon *430 ;* + 50 g gruyère *482 ;* + 50 g thon mayonnaise *507 ;* + 50 g saucisson *532 ;* + 50 g rillettes *582 ;* 100 g de pain, 25 g de beurre + 1 œuf *515,* + viande froide *540*).

Amuse-gueule. Amandes, pistaches, noisettes, noix de cajou (10) *150.* Cacahuètes, chips (10) *100.* Olives (10) *75.* Canapé cocktail (1) *50 à 80.* Saucisses apéritif (4) *50.*

Barres au chocolat (cal. pour une barre). Bounty *268.* Mars *273.* Nuts *260.*

Biscuits, gâteaux. Biscuits (40 g) *200.* Bretzel (1 grand) *75.* Cake (40 g) *159.* Crêpe au sucre (1) *100.* Gâteau au chocolat (1 part) *400,* à la crème (1) *300 à 450.* Gaufrette (1) *32.* Pain d'épice (1 tranche) *180.* Tarte (1 part) abricots ou fraises *300,* pommes ou poires *350.*

Boissons. Apéritifs (verre). Porto flip *375.* Malaga, porto *175.* Anisette (v. à liqueur), Daïquiri, Whisky (1) Bourbon, Rye *125.* Scotch *110.* Gin (1 ration) *100.* **Cocktails** (un cocktail). Alexandra *225.* Manhattan *160.* Gin Collins, Gin Ricky *150.* Gin Fizz *125.* Martini *125.* **Digestifs** (v. à liqueur). Bénédictine, beurre de cacao, Chartreuse, Cherry, crème de menthe, Rhum *125.* Cognac *75.* **Jus de fruit** (petit verre). Pruneaux *142.* Abricot *75.* Ananas *66.* Orange *65.* Pomme *60.* Pamplemousse *49.* carotte *45.* **Divers.** Cacao au lait (1 tasse) *200.* Champagne (coupe) *90 à 120.* Coca-Cola (1 bout.) *80.* Cidre, bière *50.* Café noir, thé (sans sucre ni lait) *0.* Tisanes (sans sucre) *0.*

Bonbons, confiserie. Boule de gomme *362.* Cacao poudre *450.* Caramel (1) *45.* Chocolat *500,* au lait *600.* Confitures *250 à 350,* (1 c à café, 8 g) *23.* Dattes farcies (2) *160.* Gelée fruits *310.* Marmelade (1 cuil. à entremets) *50.* Miel *330* (1 c à café, 8 g) *25.* Sucre d'orge *365.*

Céréales et dérivés. Baguette (1/8e, 60 g) *150.* Biscuits (4, 40 g) *200.* Biscuits sablés (5, 30 g) *138.* Crêpe (25 g) *48.* Croissant (45 g) *125 à 150.* Flocons d'avoine (bol, 50 g) *175.* Muesli (tasse, 30 g) *99.* Pain blanc (1 tranche, 25 g) *65,* 1 tranche beurrée (29 g) *95,* avec une cuillère à café de confiture (37 g) *118.* Pain au chocolat (70 g) *278.* Pain complet (1 tranche, 25 g) *60.* Pain aux raisins (80 g) *272.* Pâtes (assiette, 200 g) *280.* Petit pain (30 g) *88.*

Charcuterie. Boudin (120 g) *588.* Galantine *239.* Lard *450.* Mortadelle *480.* Pâté de foie gras *430.* Rillettes (50 g) *300.* Saucisse *427.* Saucisson d'Arles *550.*

Corps gras. Beurre (cuillère à café, 6 g) *47.* Huile (c. à soupe, 15 g) *135.*

Fruits frais. Amandes séchées (10, 8 g) *48.* Avocat (1/2, 110 g) *187.* Banane (120 g) *108.* Brugnons *60.* Cerises *75.* Citrons *35.* Dattes *300.* Figues *80.* Fraises *44.* Groseilles *60.* Mandarines *44.* Melon (230 g) *35.* Mûres *50.* Myrtilles *55.* Noisettes (10 décortiquées, 10 g) *62.* Noix (5, avec coque, 25 g) *150.* Noix de coco *620.* Orange (100 g) *44.* Pamplemousse (1/2, 240 g) *100.* Pastèque (1 tranche) *70.* Pêche *65.* Poire *60.* Pomme (125 g) *65.* Prune verte *100,* rouge *50.* Raisins (150 g) *105.* Raisins secs (1 c. à soupe d'env. 50, 10 g) *29.* **Conserve.** Ananas *150.* Pêche *222.* Poire *150.*

Glaces. Chantilly *400 à 600.* Chocolat (1 part) *400.* Ice cream soda *350.* Ice cream sunday *400.* Pêche melba *375.*

Lait et fromage. Brie *330.* Camembert (30 g) *90.* Chantilly (100 g) *320.* Chèvre *475.* Chocolat (1 tasse, 170 g) *374.* Fromage fondu (25 g) *73.* Gorgonzola *360.* Gruyère (1 tranche, 60 g) *234.* Hollande *375.* Lait entier (grand verre, 250 g) *163,* demi-écrémé *125.* Pont-l'Evêque *300.* Roquefort *360.* Yaourt aux fruits sucré (120 g) *144,* nature (125 g) *60.*

Légumes, salades. Ail *60.* Asperges *25.* Betteraves *45.* Carottes (assiette, 120 g) *54.* Chicorée *20.* Choux blanc *48,* de Bruxelles *56,* fleur *34.* Concombre (1/2, 200 g) *26.* Endives *25.* Épinards *40,* à la crème *100.* Haricots blancs (bol, 180 g) *170,* verts (assiette, 120 g) *48.* Lentilles (bol, 200 g) *200.* Oignons frais *49,* secs *300.* Olives (4 petites) *50.* Oseille *32.* Petits pois (bol, 200 g) *110.* Poireaux (2, 120 g) *42.* Pommes de t. bouillies (125 g) *100,* au four *190,* sautées *290.* Salade avec huile (30 g) *25.* Tomates (120 g) *26.*

Œufs (50 g) *75.*

Poissons, crustacés. Anchois (6) *50.* Brochet *80.* Caviar *275.* Colin *80.* Crevettes *100.* Daurade *80.* Haddock (1 petite part) *125.* Hareng fumé *225,* grillé *120.* Huîtres (12) *100 à 120.* Homard en court-bouillon *89,* grillé *89.* Limande *80.* Merlan *80.* Morue fraîche *80,* salée *150.* Moules *96.* Raie *85.* Rouget *80.* Sardines fraîches *120,* à l'huile (1) *40.* Saumon frais *175,* en conserve *200,* fumé (2 petites tranches) *100.* Sole *75.* Thon à l'huile (80 g) *224.* Truite *90.* Turbot *140.*

Sauces (1 cuil. à entr.). Blanche *80.* Chili *25.* Hollandaise *100.* Ketchup *25.* Mayonnaise *100 à 110.* Moutarde *10.* Rôti *100.* Vinaigrette *100.* Worcestershire sauce *5.*

Soupes et potages. Bouillabaisse (1 part) *600.* Fromage *350.* Gras au vermicelle *125.* Légumes *96.* Lentilles *375.* Oignons (claire) *100.* Pois *172.* Poissons *90.* Tomates (claire) *80.* **Bouillon.** Bœuf *36.* Kub (1) *3.* Légumes *30.* Poule *80.* **Crème.** Asperges *221.* Céleri *207.* Champignons *210.* Tomates *227.*

Sucre n° 4 : *24,* (cuiller à café, 5 g) *20.*

Viandes, volailles, gibier, abats. Bifteck (100 g) *260.* Canard *150.* Cervelle *120.* Chevreuil *110.* Dindon *290.* Escalope (80 g) *128.* Escargots *75.* Faisan *110.* Foie de veau *135.* Grenouilles *86.* Grives *120.* Jambon (30 g) *75.* Lapin sauvage *148.* Lièvre *150.* Mouton (2 côtelettes grillées, 80 g) *160.* Oie *290 à 360.* Perdrix *120.* Pigeon *130.* Porc (côte, 80 g) *264.* Poulet (cuisse, 85 g) *93.* Sanglier *115.* Tête de veau *210.*

Valeur des nutriments pour 100 g

Glucides. Sucre 99, tapioca 87, farine de riz 79, raisins secs 77, dattes 74, figues sèches 74, miel 74, farine de blé 74, pâtes aliment. 73, pruneaux 73, oignons secs 67, avoine 67, abricots secs 63, haricots secs 62, lentilles 60, pain blanc 54, pain complet 48, lait en poudre 38, ananas conserve 37, bananes 22, p. de t. bouillies 21, raisin 17, topinambour 17, yaourt 7, lait frais 5, foie de veau 4, huîtres 3,4.

Lipides. Huile 100, beurre 84, bacon fumé 65, lard fumé 65, noix sèches 58, rillettes 56, amandes 54, charcuterie 33, jaune d'œuf 33, gruyère 30, lait en poudre 25, chocolat 25, macarons 24, sardines à l'huile 20, soja 15, saumon 13, œufs 10, biscuits 10.

Protéines de haute valeur biologique. Parmesan 39, viande séchée 35, côtelette de mouton 32, fromage de chèvre 32, fromage blanc 32, boudin 28, crevettes 28, saucisson 25, œufs de cabillaud 24, thon 24, charcuterie 23, poisson 20, volaille 20, veau 19, foie 19, viande de bœuf 17, jambon 17, rognon 17, porc 15, jaune d'œuf 16. **Autres sources.** Levure diététique 46, farine de soja 45, lait sec écrémé 37, livarot 31, germe de blé 27, lentilles sèches 25, noix et amandes 21. **Divers.** Haricots blancs 20, flocons d'avoine 14, pain complet 9, pain blanc 7, macarons 7, pâtes alimentaires 5, pommes de terre frites 5, lait frais 3,3.

Sels minéraux. Calcium : lait sec écrémé [1], fruits oléagineux, légumineuses, céréales, lait et fromages, œufs de poissons, figues sèches [1]. **Magnésium :** germe de blé [1], blé entier, gruyère, amandes [1], chocolat, soja, algues séchées. **Sodium :** viandes, poissons, coquillages, lait, gruyère, blé entier, fruits oléagineux [1]. **Soufre :** viandes, poissons, soja [1], germe de blé, avoine, riz, lentilles, noix, noisettes, lait écrémé en poudre. **Phosphore :** germe de blé, avoine, blé entier, lentilles, haricots secs, pois, amandes, noix [1], noisettes, viande séchée [1]. **Fer :** jaune d'œuf, gruyère [1], cœur de bœuf, abats, blé entier, persil, lentilles, fruits secs, fruits oléagineux, huîtres, chocolat. **Chlore :** œufs d'esturgeon, lait sec écrémé, harengs marinés, sardines, pain, céréales, dattes séchées, banane séchée, carottes en conserve, petits pois en conserve, emmenthal, jambon cru fumé, lait, mélasse. **Potassium :** viandes, poissons, œufs, lait, haricots, lentilles [1], pois secs, pommes de terre [1], châtaignes, dattes, fruits secs, épinards, amandes, noisettes, germe de blé [1], lait écrémé en poudre.

Nota. – (1) Très riches en sels minéraux.

☞ 40 % des Américains prennent une pilule vitaminée tous les jours, 20 % de temps en temps. En France, en 1988, 50 millions de boîtes de vitamine C ont été vendues.

Ration alimentaire

Énergie

• **Besoins énergétiques.** S'expriment en calories (ou en kilojoules), libérables dans le corps sous forme de chaleur et de travail [le terme *calorie* (quantité de chaleur nécessaire pour élever de 1 °C un kg d'eau) désigne en fait ici une kilocalorie (1 000 cal.). On utilise maintenant le joule. 1 cal = 4,185 kJ (kilojoules). 1 kcal = 4 185 kJ ou 4,185 MJ (mégajoules). 1 g de glucide ou 1 g de protide fournit 4 cal (17 kJ). 1 g de lipide, 9 cal (18 kJ).]

Besoins journaliers en calories. Enfants. *1 à 3 ans :* 1 360. *4 à 6 :* 1 360 à 1 830. *7 à 9 :* 1 830 à 2 190. **Adolescents (et adolescentes).** *10 à 12 :* 2 600 (2 350). *13 à 15 :* 2 600 à 2 900 (2 350 à 2 490). *16 à 19 :* 2 900 à 3 070 (2 310).

Hommes. *Vie sédentaire ou légère activité :* 2 400 à 2 700. *Travailleur de force 4e et 3e catégories :* 3 200 à 3 800 ; *2e et 1re cat. :* 4 000 à 5 500. **Femmes.** *Vie sédentaire ou légère activité :* 2 000 à 2 400. *Enceintes 5e au 9e mois :* 2 800 à 3 200. *Allaitant :* 3 000 à 3 500. **Vieillards.** 1 800 à 2 000.

• **Dépenses d'énergie.** *De fond : le métabolisme de base,* (dépense d'énergie d'un sujet au repos absolu, à jeun, à une température de 16 à 18 °C) s'exprime en kcal. par heure et par m^2 de surface corporelle (36 calories pour un adulte env.) ; dépense de fond globale : homme 1 580 kcal. par 24 h, femme 1 400 kcal. *Activité,* qui correspond : 1° aux dépenses non apparentes (travail digestif, maintien de la température corporelle) ; 2° aux dépenses variant selon le degré d'activité du sujet (activités musculaire, professionnelle, sportive, etc.).

> **Anorexie.** Perte de l'appétit. Voir p. 119 a.
>
> **Boulimie.** Désir morbide de nourriture.
>
> **Dipsomanie.** Soif pathologique.
>
> **Record de consommation.** *1743 :* 175 kg absorbés en 6 j par un malade de 12 ans, « cas Mortimer ». *1974 :* Fannie Meyer (Afr. du S.) but 90 l d'eau par j.
>
> **Grèves de la faim.** La plus longue : 35 ans [sœur Thérèse Neumann (1898-1962) a vécu en n'absorbant qu'une hostie chaque matin à la messe] ; 94 j [du 11-8 au 12-11-1920 (9 prisonniers à Cork, Irlande ; un 10e gréviste était mort le 76e j)] ; grève la plus longue avec alimentation forcée : 375 j du 23-1-1970 au 2-2-71 (Ronald Barker, emprisonné à Leeds, G.-B., puis reconnu innocent).

Dépenses caloriques moyennes. Par minute. Squash, ski de fond 15 ; course à pied, cyclisme 13 ; natation 12 ; aviron 11 ; canoë-kayak, football, gymnastique, équitation, ski alpin, tennis 10 ; alpinisme 9 ; voile 8 ; randonnée 6 ; golf, tennis de table 5 ; cricket 4 ; tir à l'arc 3 ; échecs 2 ; marche 1,5 ; station assise (bureau) 0,7. **Par 24 h.** Coureur 14 321.

Pour brûler. *1 cuillère de mayonnaise (100 calories),* il faut 1 h de marche ; *10 sucres (200 cal),* 2 h de marche ou 1 h de tennis ; *2 tartines beurrées avec confiture (300 cal),* 3 h de marche ou 1 h de course ; *1 whisky (ou 1 apéritif) plus 5 biscuits, 40 noisettes et 10 chips de cocktail (500 cal),* 5 h de marche ou 2 h de danse.

Équilibre

Les rations doivent maintenir un équilibre entre les principes nutritifs : glucides, protides, lipides ; protides animaux-protides végétaux (les deux sont nécessaires pour l'apport en acides aminés indispensables), lipides animaux-lipides végétaux (nécessaires à l'équilibre en acides gras saturés et insaturés), acidité-alcalinité.

Calcium. 1er élément du corps humain (os) ; *adulte* 0,7 kg, *nouveau-né* 0,014. Associé au **phosphore.** Source principale : lait, fromages. **Fer.** Cacao, fruits secs, amandes, légumes secs, cresson, persil, épinards, abats, huîtres, jaune d'œuf. **Magnésium** (capital humain 0 à 9 g). Fruits secs, amandes, légumes secs farineux, fruits de mer, chocolat.

Vitamine. B1-glucides (permettant l'utilisation des glucides). **B2** (augmentant le métabolisme basal). **A** (le diminuant). **C :** normes françaises 90 mg env. ; anglaises 20 mg/jour. *Principales sources :* agrumes, chou cru, fenouil cru (+ que les agrumes).

Aliments acidifiants (viandes, œufs, céréales) *forts* (céréales, fromage, poisson, viande de boucherie, volaille) ; *faibles* (beurre, chocolat, œufs, pain sec, saindoux, sucre) ; **et alcalinisants** (lait, légumes, fruits) *forts* (abricot, carotte, épinard, lait, orange, raisins secs, salade) ; *faibles* (asperge, banane, chou, haricot, poire, pomme, p. de terre).

Proportions à respecter entre les aliments (selon le Docteur A. Creff : formule 421). *4* portions de glucides, soit 50 à 60 % de la ration calorique [*1* de céréales ou féculents, *1* légumes cuits, *1* salade, *1* aliments sucrés (miel, fruits)] ; *2* de protéines, 12 % [*1* sans calcium (viande, poisson), *1* avec c. (lait, fromage)] ; *1* de lipides, 30 % [*1/2* matières grasses animales, *1/2* végétales (huile d'assaisonnement)].

Minéraux

Apports quotidiens recommandés (en mg, h. et f. adultes). Calcium (laitages) 800. Phosphore (viandes, poissons) 800. Magnésium (cacao, céréales complètes) 350. Sodium et chlore (sel de cuisine), potassium (légumes, fruits) : pas d'AQR car ils existent en grande quantité dans les aliments. *Oligo-éléments.* Fer (viande, poissons, abats) 10/20. Iode (eaux, sel marin, poissons) 0,14. Fluor 1 mg/l.

Ration quotidienne (exemples)

Enfant de 10 à 13 ans. Déjeuner du matin : 1 verre de jus de fruit frais (jus d'agrumes de préférence) ; attention : consommées le matin, les oranges peuvent occasionner des allergies, de l'acétonémie, catarrhe ; 1 bol de lait + céréales ou pain grillé ou biscottes beurrées + miel ou confiture. Éventuellement, fromage ou œuf coque (selon la composition des autres repas de la journée et l'activité de l'enfant) ; nécessité absolue le matin d'un aliment protidique (fromage, œuf). **Déjeuner :** crudités 80 g + 2 cuillerées à café d'huile ; 100 g de viande ou de poisson ou 2 œufs ; 250 g de pommes de terre ou 65 g de pâtes ou riz ; ou bien légumes frais à volonté, assaisonnés de beurre frais (1 à 2 cuillères à café) ; fromage 30 g ou yaourt ou fromage blanc 100 g, sucré avec 1 cuillère à soupe de sucre (si les crudités n'ont pas été consommées en entrée, prévoir 1 fruit ou 1 jus de fruit). **Goûter :** 1 à 2 verres de lait chaud ou froid aromatisé ou non + pain grillé avec miel, confiture ou chocolat selon l'appétit ; 1 fruit éventuellement. **Dîner :** légumes frais, ou pâtes, riz, pommes de terre (selon le légume du déjeuner) ; 1 œuf ou tranche de jambon ; salade verte (selon le menu du déjeuner) ; entremets de céréales au lait ou fromage et fruit.

Adolescent. En outre : 30 g de fromage ou de jambon ou 1 œuf coque au petit déjeuner. Viande froide, poisson (70 à 100 g) ou 2 œufs au dîner. Légère augmentation des autres quantités.

> • **Alimentation des Français. Graisses** (% de l'apport énergétique total). *1800-1900 :* 18. *1900-13 :* 22. *1920-34 :* 28. *1950-80 :* 35. *1986 :* 40-44. **Légumes secs** (kg par an). *1925 :* 7,3. *1936 :* 4,3. *1975 :* 2,1. *1978 :* 1,7. **Pain** (kg par an et entre parenthèses par jour). *1880 :* 219 (0,6). *1910 :* 182 (0,5). *1936 :* 128 (0,35). *1967 :* 82 (0,225). *1979 :* 63 (0,172). *1980 :* 61,5 (0,169). **Pommes de terre** (kg par an). *1925 :* 178. *1936 :* 143. *1960 :* 116. *1978 :* 84. **Sucre** (kg par an). *1900 :* 1,7. *1936 :* 22. *1959 :* 27-29. *1980 :* 36,4. **Viande** (kg par an). *1900 :* 30. *1936 :* 47. *1959 :* 68,8. *1969 :* 84. *1980 :* 110.
>
> **Consommation par personne et par an** (en kg et en l, 1985). *Céréales :* pain 45,7 ; pommes de terre 40,1 ; pâtes alimentaires 5,5 ; riz 3, 8 ; farine de froment 3,4. *Légumes :* frais 59,7 ; secs 1,1. *Fruits :* frais métropolitains 36,8 ; agrumes et bananes 20,4 ; confiture 3 ; secs 1,1. *Viande :* bœuf 13,2 ; porc (frais, salé, fumé) 7,6 ; mouton et agneau 4 ; cheval 0,6 ; charcuterie 8,2. *Volaille :* 13,2. *Lapins :* 3,3. *Œufs :* (unités) 165. *Poissons et crustacés :* 6,4. *Lait :* 66,6. *Fromages :* 15,3. *Corps gras :* huiles 8,9 ; beurre 6,3 ; margarine et graisse 1,9. *Sucre :* 10,8. *Produits à base de cacao :* 2,8. *Café (en grains) :* 3,5. *Alcools :* vins ordinaires 31 ; bière 11,9 ; apéritifs et liqueurs 3 ; cidre 2,2.
>
> • **Consommation de graisse par personne, par an, dans le monde** (en kg). *France 29.* All. féd., 26, G.-B. 22, Japon 15.
>
> **Consommation quotidienne moyenne de calories.** Belgique 3 850. All. Féd. 3 800. Émirats arabes unis 3 713. Irlande 3 692. Grèce 3 688. USA 3 642. Bulgarie 3 634. Libye 3 611. Yougoslavie 3 542. Hongrie 3 541.

Adulte. Une boisson chaude ou froide remplace le goûter. Mêmes quantités totales de viande, poisson ou œufs que l'adolescent, mais moins au dîner. Souvent ration protidique insuffisante le matin.

Personne âgée. Aliments faciles à mâcher et à digérer, prod. laitiers (se méfier des laits courants riches en toxiques, aflatoxines, chimie de synthèse ; l'excès de lait prédispose aux inflammations catarrhales et peut-être aux tumeurs). Moins de viandes, poissons et œufs : 80 à 100 g à midi, 1 œuf, ou plat avec œuf le soir. 1 tasse de lait + biscuits l'après-midi.

Régimes

Produits diététiques et de régime. Production et diffusion réglementées par l'arrêté du 20-7-77 pris en application du décret du 24-07-75. Composés et présentés comme pouvant convenir à certaines catégories de sujets (ex. : aux régimes hyposodés, hypoglucidiques, etc.). Il existe aussi des produits diététiques à teneur garantie [ex. : en certaines vitamines ou en certains acides aminés essentiels ou, au contraire, exempts de certains nutriments (gluten)]. La création de nouveaux produits est soumise à l'avis d'une commission interministérielle permanente. L'étiquetage comporte les renseignements concernant leur composition et leur emploi.

Régime amaigrissant. *Diminution* des aliments énergétiques (féculents, sucres, matières grasses, boissons alcoolisées). *Maintien (essentiel) du taux* des autres aliments (viande, poisson, œufs, légumes verts

> ### Végétariens et végétaliens
>
> **Végétariens.** Rejettent viandes dites toxiques et putrescibles pour des raisons : *diététiques :* la viande laisse des déchets acides dangereux pour l'intestin et les reins de l'homme qui est un frugivore-granivore et non un carnivore ; *philosophiques ou éthiques :* respect de la vie animale et non-violence (Gandhi, Tolstoï, Lanza del Vasto). Refus de « sacrifier » l'animal contre sa volonté et de le maltraiter ; *économiques :* consacrées à la culture des céréales, légumineuses, légumes, etc., les terres d'élevage pourraient nourrir proportionnellement plus d'êtres humains. *Régime* associé avec méthodes hygiénistes et naturelles [ex. : *hébertisme,* de Georges Hébert (Fr. 1875-1957), exercices dans la nature, bains de soleil]. *Références* (en Occident) : ouvrages du Dr Paul Carton (Fr. 1875-1947) (ex. : la Cuisine simple). *Repas type :* crudités variées, légumes, céréales, fromages frais non fermentés ; fruits entre ou au début des repas. *Instinctothérapie :* aliments originels, purement crus, pris selon l'appétit. *Formule 60/20/20 Vie et Action :* régime comportant, en poids : 60 % de légumes et fruits crus et cuits, 20 % de protides (notamment fruits oléagineux, œufs et fromages), 20 % de glucides (sucres et amidons) [les lipides sont contenus dans les aliments eux-mêmes].
>
> **Végétaliens.** Rejettent viandes, poissons et sous-produits animaux (lait, laitages, œufs, miel) pour leur toxicité.
>
> **Céréaliens** ou **macrobiotes** (du grec *makros :* grand, *bios :* vie ; régime de longue vie). Consomment beaucoup de céréales, des légumineuses, peu de légumes, presque pas de fruits (excepté fruits secs) [École Oshawa, théorie du yin et du yang, équilibre entre énergies positive et négative, entre substances basiques et acides.]
>
> **Crudivoristes.** Se nourrissent d'aliments crus assimilables : fruits, légumes verts, fromages, œufs.
>
> **Frugivores.** Vivent uniquement de fruits de toutes espèces (rares dans climats tempérés).
>
> ☞ Il y a env. en G.-B. 1 500 000 végétariens. En outre, 1 500 000 personnes ont un régime incluant le poisson et 7 000 000 refusent la viande rouge (mais acceptent la volaille). Aux Pays-Bas : 1 500 000 v. (10 % de la population). Quelques milliers en France, Italie, Espagne, Portugal.
>
> ☞ Adresses utiles. *Vivre en harmonie,* 5, rue Émile-Level, 75017 Paris. *Académie des sciences de l'homme,* école de naturopathie orthodoxe (hygiène vitale), fondée 1935 (Marchesseau), 26, rue d'Enghien, 75010 Paris. *Association Vie et Action,* 06140 Vence (enseignement des méthodes naturelles de vie et d'alimentation). *Vitalité et Hygiène de Vie,* rue du Bischberg, 67490 Dettwiller (promotion du végétarisme).

et fruits). Répartition de la nourriture en 4 ou 5 repas (le fractionnement de la ration favorise l'amaigrissement).

Attention : les *biscottes,* étant un pain sans eau, ne font pas maigrir pour autant, 100 g de biscottes (soit 7) contiennent : 362 cal, 3 % de lipides ; 100 g de *pain :* 250 cal, 1 % de lipides. *Il faut boire* environ 1 à 1,5 l d'eau par jour pour évacuer les déchets. *Supprimer le sel peut être dangereux* (baisse de tension artérielle, apparition d'asthénie). Les *médicaments miracles* n'existent pas, la plupart sont inefficaces et souvent nocifs (diurétiques). Le *petit déjeuner* doit être conservé et comporter des protides. La margarine a la même valeur énergétique que le beurre.

Sucres non énergétiques. Substances chimiques (édulcorants de synthèse), pouvoir sucrant 100 à 1 000 fois celui du saccharose. *Saccharine* (acide orthosulfamide benzoïque), vendue sous 3 formes en pharmacie : à l'état pur (Sucredulcor) ; associée avec du cyclamate (Sucaryl) ; ass. à un dérivé de la vanilline (ODA). *Cyclamates :* en poudre, comprimés, liquides. *Aspartam :* en poudre, comprimés (Canderel, Pouss-suc, D-Sucril).

Régime sans sel. 1) MODÉRÉ (500 mg à 1 g de sodium) : *suppression* du sel d'assaisonnement ; *exclusion* des aliments avec ajout de sel (viandes et poissons fumés et salés, charcuterie, moutarde, olives, cornichons, conserves, pain, beurre salé, etc.).

2) SÉVÈRE (– de 500 mg de sodium) : *suppression* supplémentaire des aliments contenant naturellement du sel : lait, œufs, fromage, abats, crustacés, oléagineux, certains légumes et fruits, etc.

Régimes liés à des maladies

Cancer. *Accroissement des risques :* alcool (œsophage, larynx, foie), tabac (poumons), alcool + tabac (œsophage), environnement (foie, pancréas, vessie), alimentation (pancréas, côlon, estomac, sein, prostate), environnement + alimentation : ex. : nitrosamines (foie), contraceptifs oraux (selon le Pr Henri Joyeux d'après des statistiques sur 15 ans).

Cœur (maladies de). *Dépendent de plusieurs effets :* embonpoint, obésité (alimentation trop riche, sédentarité) ; taux de cholestérol dans le sang trop élevé (excès de graisses et de poids, tabagisme, alcool) ; hypertension (excès de sel, de poids, diabète, tabagisme, alcool) ; diabète (excès de sucreries, hérédité).

Diabète. En général, 150 à 180 g environ de glucides (hydrates de carbone) par jour ; des tables de teneur des divers aliments en glucides permettent de calculer cette ration.

☞ *Aliments contenant peu ou pas d'hydrates de carbone :* viande, œufs, poissons, asperges, aubergines, céleri, champignons, chicorée, chou, chou-fleur, chou de Bruxelles, concombres, cornichons, cresson, endives, épinards, haricots verts, laitue, oseille, pissenlits, poireaux, radis, rhubarbe, scarole, tomates. *Aliments en contenant* (ils doivent être pesés) : pain, lait, farineux et féculents, pommes de terre, riz, pâtes, légumes secs, haricots en grains, petits pois, fruits, pâtisseries, sucreries. *Aliments pauvres en glucides :* aliments animaux (sauf le lait), légumes-feuilles (salades, épinards) ; *sont plus riches* les légumes-racines (carottes) et tubercules (p. de terre) ; *sont très riches,* les fruits et les graines.

Dysmétaboliques (maladies). D'origine génétique. Exclusion d'un nutriment (gluten, galactose, fructose, phénylalanine) ; recours à des aliments synthétiques souvent nécessaire.

Foie et d'estomac (mal de). Diminution ou suppression des corps gras cuits, pâtisseries grasses, charcuterie, œufs parfois, légumes secs, sauces, crudités parfois, mollusques, crustacés, alcool, café, etc.

Aliments

L'OMS recommande de : *Choisir des aliments ayant subi un traitement assurant leur innocuité* (pasteurisation, rayons ionisants...). *Bien les cuire.* De nombreux aliments crus (volaille, viande, lait non pasteurisé) sont très souvent contaminés par des gènes pathogènes. Toutes les parties de l'aliment doivent être portées à au moins 70 °C. Viande, volaille et poisson doivent être complètement décongelés avant cuisson. *Les consommer immédiatement après leur cuisson.* Dans les aliments cuits qui refroidissent à la température ambiante, les microbes commencent à proliférer. *Les conserver cuits avec soin.* A haute température (au moins 60 °C) ou à basse température (au moins 10 °C). Dans un réfrigérateur trop rempli, les aliments cuits ne peuvent refroidir au centre assez rapidement et les microbes peuvent atteindre très vite des niveaux dangereux. *Bien les réchauffer, cuits à au moins 70 °C* en tous leurs points. *Éviter tout contact entre des al. crus et cuits.* (ex : ne pas utiliser pour découper un poulet rôti la planche et le couteau ayant servi à le préparer sans les avoir lavés). *Les conserver dans des récipients hermétiquement fermés.*

Conservation

Procédés

• **Procédés anciens.** Boucanage (viande séchée à la fumée), salage, utilisation de l'alcool ou du vinaigre.

• **Appertisation.** Inventée par le Français Nicolas Appert (1749-1841) en 1805. Destruction par la chaleur des formes végétatives et sporulées des micro-organismes. *2 opérations :* conditionnement du produit dans un récipient étanche à l'eau, aux gaz et aux micro-organismes, et action de la chaleur qui détruit ou inhibe enzymes, micro-organismes et toxines. Conservation plusieurs années.

% moyen de vitamine conservée, par rapport à la quantité initiale contenue dans le produit frais.

Produits appertisés	Vit. C	Carotène	Vit. B1	Vit. B2	Vit. PP
Haricots	87	90	–	–	–
Asperges	93	–	68	88	96
Haricots verts	55	87	71	96	93
Petits pois	72	97	54	82	65
Carottes	–	97	–	–	–

• **Congélation et surgélation.** Mise au point par le Français Charles Tellier. Immobilise l'eau de constitution sous forme de cristaux de glace, ce qui réduit l'activité de l'eau (a_w). La *surgélation* ou *congélation ultra-rapide* consiste à franchir très rapidement la zone de cristallisation max. (– 1 à – 5 °C) et à amener la température à – 18 °C au centre thermique du produit.

Congélation lente pour grosses pièces ou congélation domestique (gros cristaux, peu nombreux, en forme d'aiguilles ou dendrites, en dehors et à la périphérie des cellules ; exsudat important à la décongélation) ; *surgélation* pour petites pièces avec matériel adapté (petits cristaux, nombreux, en sphérules, répartis au sein des cellules ; exsudat faible).

Conservation : très longue. La teneur en vitamine varie selon la température de stockage, ex. après un an à – 20 °C, les haricots n'ont perdu que 10 % de leur teneur en vitamines. La présence de matières grasses limite la durée de conservation.

Décongélation et recongélation : doit s'effectuer à basse température, env. + 4 ou + 5°C (à la température ambiante ou par trempage dans l'eau, on risque sur les parties superficielles une prolifération microbienne qui peut engendrer des troubles digestifs). Doivent être décongelés avant emploi ou cuisson : viandes en muscles, gros abats, volailles, gibiers, gros poissons entiers, filets de poisson agglomérés en blocs, blocs de pâte à pâtisserie, et tous prod. à consommer sans cuisson (crevettes, fruits...). Tout prod. décongelé doit être consommé dans les meilleurs délais. *Ne pas recongeler un produit décongelé,* la recongélation ne détruit pas les micro-organismes qui se sont développés quand le produit était décongelé. Un produit décongelé, puis cuit, peut être recongelé (veiller à l'hygiène et à la rapidité).

Plafonds de température à respecter. *Au niveau de la fabrication, de l'entreposage et du transport : glaces et crèmes glacées* – 20 °C ; *tous « surgelés » :* – 18 °C ; *« congelés » :* produits de pêche et plats cuisinés – 18 °C ; beurres, graisses alim. – 14 °C ; ovo-produits, abats, issues, lapin, volailles, gibiers, viandes et autres denrées « congelées » animales ou d'or. anim., non désignées ci-dessus – 12 °C.

Durée (approximative) de conservation (en mois) des denrées congelées à – 18 °C (calculées à partir du jour de la fabrication du produit, mentionné sur les conditionnements, et non à partir de la date d'achat) **Fruits** 30. **Jus de fruits** 30. **Légumes** 24. **Poissons maigres** 24. **Poissons gras** 9 à 18. **Crustacés entiers** 18 ; **décortiqués** 9. **Viandes** bœuf, veau, mouton 18, porc 12 ; steaks hachés 9. **Produits préparés** 12 à 24. **Produits de boulangerie et pâtisserie** 12 à 24.

• **Déshydratation.** Séchage des aliments par la chaleur ou courant d'air chaud. Permet d'éliminer la plus grande partie de l'eau de constitution. S'applique à des produits petits ou découpés. La forme initiale change (racornissement). Séchage par dispersion ou nébulisation utilisé pour certains liquides (pulvérisation en brouillard dans un courant).

• **Lyophilisation.** Dessiccation à très basses températures (– 50 à – 60 °C) par sublimation. S'applique à des produits petits. La forme initiale est conservée. Le produit ne subit pas les dommages de la chaleur. Il est emballé pour être protégé de vapeur d'eau et chocs mécaniques. La teneur en eau des légumes frais tombe de 90-95 % à 1 %.

• **Pasteurisation.** Destruction par la chaleur des formes végétatives des micro-organismes. Sauf pour aliments acides (ex. confitures), conservation limitée.

• **Réfrigération.** En général + 3 °C. Permet une conservation limitée (2 fois la durée normale), qui peut être prolongée si l'on y combine l'emploi de l'atmosphère contrôlée. Les germes pathogènes ne prolifèrent pas, mais les bactéries psychrophiles, levures et moisissures le font.

Délais de conservation fixés par la réglementation ou les codes d'usages. *Charcuterie :* produits crus 7 j + 5 °C, étuvés 14 j + 5 °C ; jambon cuit 14 j + 5 °C, pasteurisé 21 j + 5 °C ; autres produits cuits 21 j + 5 °C, crus, séchés, fumés ou non en tranches ou en morceaux 28 j + 5 °C ; semi-conserves 6 mois + 10 °C, 12 m. + 5 °C. *Produits laitiers :* lait cru conditionné 3 j après conditionnement + 4 °C ; pasteurisé 7 j après cond. + 6 °C ; stérilisé U.H.T. 90 j après traitement, température ambiante ; stérilisé 150 j après tr., temp. amb. ; crème crue 7 j après fabrication + 6 °C, pasteurisée 30 j après fabr. + 6 °C, stérilisée U.H.T. 4 mois, temp. amb., stérilisée 8 m. temp. amb. ; yaourt 24 j après fabr. + 6 °C. *Plats cuisinés :* à l'avance réfrigérés 6 j + 3 °C. *Viandes :* hachées réfrigérées 48 h après conditionn. + 3 °C. *Autres produits « frais » :* 21 j au plus + 3 °C.

☞ Après 24 h d'entreposage à température ordinaire les asperges conservent 60 % de leur teneur en vitamine C, chou brocoli 50, épinards 70, haricots secs écossés 60, non écossés 80, verts 80.

Étiquetage

• **Divers. Produits alimentaires préemballés.** *Principales mentions obligatoires* (décret du 19-2-1991) : dénomination de vente, liste des ingrédients, quantité nette, date jusqu'à laquelle la denrée conserve ses propriétés spécifiques et indication des conditions particulières de conservation, nom ou raison sociale et adresse du fabricant ou du conditionneur, ou d'un vendeur établi à l'intérieur de la CEE, lieu d'origine ou de provenance si son omission est de nature à créer une confusion sur l'origine réelle de la denrée,

Contenance des récipients

Assiettes. Creuses 1/4 l.

Bouteilles. *Bourgogne, bordeaux et anjou :* 75 cl, 6 à 7 verres ; magnum 1,5 l, 2 bout. ; jéroboam 3 l, 4 bout. *Alsace :* 72 cl, 6 à 7 verres. *Champagne :* bouteille : 75 ou 80 cl, 6 à 7 coupes ; magnum : 1,6 l, 2 bout. ; jéroboam : 3,2 l, 4 bout. ; réhoboam : 4,8 l, 6 bout. ; mathusalem 6,4 l, 8 bout. ; salmanesar : 9,6 l, 12 bout. ; balthazar : 12,8 l, 16 bout. ; nabuchodonosor : 16 l, 20 bout.

Cuillers. *A café :* 5 g eau, 4 g sucre en poudre (9 g débordante) ; *à dessert :* 10 g eau, 8 g sucre en poudre (18 g débordante) ; *à soupe :* 15 g eau, 15 g sucre en poudre (30 g débordante).

Verres. *A eau :* 24 cl ; *à bordeaux :* 12 à 14 cl ; *à bourgogne :* 12 à 14 cl ; *à madère :* 8 à 10 cl ; *à liqueur :* 2 à 2,5 cl ; *coupe* à champagne et *flûte :* 14 à 18 cl ; bol : 1/2 l ; *à bière :* bock 12,5 cl, demi 25 cl, distingué ou baron 50 cl, parfait 1 l, sérieux 2 l, formidable 3 l.

Comment mesurer sans peser
(poids en g)

Sucre semoule : cuiller à soupe 15 g, tasse à thé 175 g. Sucre morceaux : *n° 4* 5 g, *n° 3* 7 g. *Beurre :* 1/2 cuiller à café ou noisette 4, cuiller à café ou noix 7, cuiller à soupe 22. *Farine :* cuiller à café 5, à soupe 15, tasse à thé 125. *Tapioca :* cuiller à soupe 12. *Sel :* cuiller à café 5, à soupe 15. *Café soluble :* cuiller à café 2, à soupe 8, tasse à thé 220. *Semoule :* cuiller à soupe 16. *Riz :* cuiller à soupe 19. *Huile :* cuiller à café 5, à soupe 17,5, tasse 210. *Eau :* cuiller à café 5, à soupe 20. *Lait :* cuiller à soupe 21, tasse à thé 235.

Moyenne, par jour, en poids brut, en grammes	3-6 ans	6-10 ans	10-14 ans	15-20 ans	Homme activité moyenne [3]	Trav. de force	Vieillard
Viande	50	75	90	125	80	100	55
Poisson	20	25	40	50	15	25	15
Œufs	10	10	15	25	20	20	10
Lait	600	600	500	500	350	400	400
Fromage	20	25	40	30	40	50	30
Beurre	20	20	25	20	15	20	10
Graisse	–	–	–	10	15	20	10
Huile	10	15	15	15	15	20	10
Pain	100-150	200-250	250-300	500	400	500	250
Farineux	25	30	35	35	35	50	35
Pommes de terre	175	220	265	350	300	350	285
Légumes frais	200	250	275	350	300	350	285
Légumes secs	40	40	50	30	25	30	25
Fruits frais	10	100	150	170	150	200	150
Fruits	–	–	–	10	5	5	5
Sucre	40	40	45	40	40	40	25
Confitures	–	–	–	20	20	20	20
Chocolat	–	–	–	10	10	10	5
Vin (litre)	–	–	–	1/4 [1]	1/4 [1]	1/2 [2]	1/4

Nota. – (1) à 1/2 l. (2) à 1 l. (3) Pour les femmes diminuer les quantités de 10 à 15 %. *Source : Les Rations alimentaires équilibrées* par Lucie Randoin, Pierre Le Gallic, Jean Causeret et Georges Duchêne (J. Lanore, éd.).

Besoins journaliers (limites moyennes)	En grammes			En milligrammes			
	Protides	Lip.	Gluc.	Calcium [7]	Phosphore	Fer	Vit. C
2 à 4 ans	30/35	32	200/250	700/750	650/700	8/10	40/60
4 à 6 ans	35/40	33	200/250	600/800	600/800	8/10	40/60
6 à 10 ans	45/55	37	300/340	850/950	850/950	8/10	40/60
10 à 12 ans (filles 9 à 11)	60/65	50	350/400 [1]	1 000/1 200	1 100/1 300	20/30	60/100
12 à 15 ans (filles 11 à 13)	5/9 [2]	65	440/550 [3]	1 200/1 400	1 300/1 500	20/30	60/100
15 à 20 ans (filles 13 à 18)	75/100 [4]	75	550/600 [5]	1 400/1 600	1 500/1 700	20/30	60/100
Hommes							
Vie sédentaire [4]	75/85	60	400/500	800/900	1 200/1 400	18/20	70/80
Travail de force							
4e et 3e cat.	85/110	75	550/700	1 000/1 200	1 500/1 800	23/26	90/110
2e et 1re cat.	100/110	95	850/1 000	1 400/1 600	2 000/2 400	30/45	130/150
Femmes							
Vie sédentaire [4]	65/75	50	350/400	800/900	1 000/1 200	15/20	60/70
Enceintes (5e-9e mois) [6]	90/110	80	500/550	1 500/2 000	1 500/2 000	20/25	100/150
Allaitant [6]	100/110	80	500/550	1 500/2 000	1 500/2 000	20/25	100/150
Vieillards [6]	65	45	300/400	900/1 000	900/1 000	14/16	50/60

Nota. – Pour les filles (1) 330/350. (2) 80/85. (3) 400/500. (4) 85-90. (5) 500/550. (6) Vie sédentaire ou légère activité. (7) Contenu surtout dans le fromage et le lait.

mode d'emploi si nécessaire. **Renseignements.** *Conserves :* Centre technique de la conservation des produits agricoles, 44, rue d'Alésia, 75682 Paris Cedex 14. *Produits surgelés et congelés :* Fédération interprofessionnelle de la congélation ultra-rapide (FICUR), 51-53, rue Fondary, 75739 Paris Cedex 15. *Glaces, crèmes glacées, sorbets :* SFIG, même adresse.

Laits concentré et sec. La dénomination, dans le cas de lécithine la mention « à dissolution instantanée », le % de matière grasse en poids par rapport au produit fini (sauf laits écrémés) et le % d'extrait sec dégraissé provenant du lait pour les laits de conserve partiellement ou totalement déshydratés, la méthode de dilution ou de reconstitution, la mention UHT pour les laits concentrés non sucrés, la quantité nette (en unité de masse), la date jusqu'à laquelle le produit conserve ses propriétés.

Nota. – Dep. 1981, le marquage sous forme de 3 lettres pour conserves et semi-conserves n'est plus autorisé (sauf pour laits de conserve).

Produits surgelés. L'étiquetage doit indiquer le lot de fabrication [*ex.* : lot 5/135 (mois et quantième jour) = 20-5-85] et la date limite d'utilisation ou autres modalités.

• **Date limite d'utilisation optimale (DLUO).** Signale en clair la date jusqu'à laquelle le produit conserve ses qualités optimales, nutritionnelles et organoleptiques. Obligatoire pour les denrées autres qu'altérables, conserves, semi-conserves, produits surgelés, congelés, glaces, crèmes glacées et sorbets, produits préemballés. Ex. pour une conserve : « A consommer de préférence avant fin 1990 ».

Nota. – Le produit peut être commercialisé après la D.L.U.O. figurant sur l'emballage. La durée de conservation n'est pas fixée par l'administration, mais placée sous responsabilité du fabricant.

• **Date limite de consommation (DLC) ou date de péremption.** Doit figurer sur les denrées microbiologiquement très périssables (lait, viande) (viandes hachées surgelées). Exprimée par l'une des mentions « à consommer jusqu'au... ou à consommer jusqu'à la date figurant..., suivie de l'indication de l'endroit où elle figure dans l'étiquetage.

Format de boîtes	Contenance	Poids égoutté
Légumes		
1/4	212 ml	100 à 150 g
1/2	425 ml	250 à 300 g
1/1	850 ml	500 à 600 g
2/1	1 700 ml	1 000 à 1 200 g
Thon		
1/6	142 ml	104 g
1/5	170 ml	124 g
1/4	212 ml	154 g
1/3	283 ml	207 g
1/2	425 ml	310 g

• **Code barres.** *Introduit* 1977 (1ers magasins : 1982). *Établi* avec le Groupement d'études, de normalisation et de codification (Gencod, 13, bd Lefebvre, 75015 Paris). Composé de barres traduisant des chiffres. *1er chiffre :* pays de codification de l'article (3 pour la France) ; *5 suivants :* code du fabricant attribué par le Gencod ; *6 suivants :* code spécifique de l'article ; *13e :* clé de contrôle.

Poids

Poids moyen. A la pièce, en grammes. **Crustacés (entiers).** Écrevisse 34. Homard 885. **Fromages.** Camembert 250. Livarot 500. Pont-l'évêque 320. Suisse 25-30. Yaourt (petit pot) 120-150. **Fruits.** Abricot 55. Banane 90. Citron 100. Datte 10. Figue sèche 42. Figue fraîche 45. Mandarine 70. Noix 5. Orange 170. Pamplemousse 300. Pêche 70. Poire 120. Pomme 120. Pruneau 15. **Légumes.** Artichaut 250. Aubergine 125. Chicorée frisée 200. Chou 1 000. Chou-fleur 1 200. Laitue 200. Laitue romaine 250. Melon 700. Radis (la botte) 350. Tomate 100. **Poissons (entiers).** Brochet 1 250. Carpe 775. Colin 2 000. Daurade 600. Églefin 350. Hareng 170. Hareng saur 130. Limande 150. Maquereau 250. Merlan 230. Plie 160. Sardine 45. Truite 675. Turbot 2 350. **Viandes.** Lapin (vidé) 1 500 ; oie (entière) 5 500 ; poulet (entier) 1 800. *Cervelle :* bœuf 500, veau 300, mouton 100, porc 110. *Cœur :* bœuf 2 750, veau 500, mouton 230, porc 225. *Foie :* bœuf 8 500, veau 2 500, porc 750. *Langue :* bœuf 4 000, veau 1 000. *Pied* de porc 200. *Ris* de veau 750. *Rognon :* bœuf 1 000, veau 250, porc 170. **Divers.** Biscuit sec 10. Biscotte 18. Croissant 50. Morceau de sucre 6. Œuf de poule 55.

Nombre moyen au kilo. Fruits. Abricot 18. Banane 11. Citron 10. Datte 100. Figue sèche 24. Figue fraîche 22. Mandarine 14. Noix 200. Orange 6. Pamplemousse 3 ou 4. Pêche 14. Poire 8. Pomme 8. Pruneau 67. **Légumes.** Artichaut 4. Aubergine 8. Chicorée frisée 5. Chou 1. Laitue 5. Laitue romaine 4. Tomate 10. **Œufs.** Œuf de poule 18.

Modification. Poids brut d'aliments cuits résultant de la cuisson de 100 g d'aliments crus. **Farineux.** Coquillettes 385. Macaronis 400. Nouilles 385. Riz 295. Spaghettis 385. **Fruits.** Poire 92. Pomme en compote 118. **Légumes. Frais.** Artichaut 87. Asperges 87. Bettes 90. Betterave rouge à l'eau 91 ; au four 57. Carottes à l'eau 100 ; à l'étouffée 64. Céleri (côtes) 94. Céleri-rave cuit à l'eau 91 ; sauté 54. Champignon couche frit 83. Chou vert, cuit à l'eau 92 ; à l'étouffée 64. Choux de Bruxelles 86. Chou-fleur 92. Épinards, cuit à l'eau ou au jus 83. Haricots verts, cuit à l'eau 104 ; à l'étouffée 90. Navet, cuit à l'eau 95 ; à l'étouffée 92. Oseille 99. Poireau 81. P. de terre, en robe des champs 98 ; à l'anglaise 95 ; au four 80 ; en purée 119 ; en ragoût 154 ; frites 44 [1]. Potiron 55. Scarole 71. Tomate frite 69. **Secs.** Fèves 310. Haricots 270. Lentilles 345. Pois cassés 400. **Poissons.** Au court-bouillon 95 ; frits 81. *Crevettes :* 97. **Viandes.** *Bœuf :* bifteck grillé 88 ; au gril 83 ; au plat 88 ; rôti (1/2 h) 77 ; bouilli 83. *Veau :* à la poêle 93 ; rôti (3/4 d'h) 74. *Mouton :* rôti 73 ; sauté 69. *Porc :* côtelette 83 ; rôti 64. *Cheval :* bifteck à la poêle 93. *Foie :* 91. *Boudin :* 94. *Saucisse fraîche :* 92.

Nota. – (1) En cuisant, les pommes frites absorbent 8 à 10 % de matières grasses.

Partie comestible

En pourcentage du poids.

Crustacés. Crabe 44. Crevette 47. Écrevisse 22. Homard 38. **Fromages.** Brie 91. Camembert 83. Coulommiers 91. Pont-l'évêque 96. Roquefort 95. St-paulin 95. **Fruits.** Abricot 91. Banane 65. Cerise 86. Citron 64 (donne 35 % de jus). Datte 87. Figue 90. Fraise 92. Framboise 91. Groseille 85. Mandarine 71. Orange 73. Pamplemousse 65. Pêche 86. Poire 88. Pomme 84. Prune 93. Pruneau 85. Raisin 93. **Légumes.** Artichaut 36. Asperge 61. Aubergine 85. Bette 67. Betterave rouge 82. Carotte 82. Céleri-rave 73. Chicorée frisée 71. Chou 68. Chou de Bruxelles 82. Chou-fleur 63. Chou rouge 80. Concombre 77. Courgette 74. Endive 81. Épinard 82. Fève 60. Haricot blanc 49. Haricot vert 92. Laitue 66. Mâche 81. Melon 60. Navet 73. Oignon 90. Oseille 77. Poireau 65. Pois 63. Radis 61. Romaine 84. Salsifis 61. Scarole 64. Tomate 94. **Mollusques.** Huître 17. Moule 34. **Œuf.** Œuf de poule 89. **Poissons frais (entiers).** Aiglefin 56. Colin 64. Dorade 57. Hareng 59. Limande 69. Maquereau 47. Merlan 66. Morue 48. Raie 57. Sardine 77. Saumon 67. Sole 52. Truite 52. Turbot 54. **Viandes.** *Bœuf :* aloyau 83, faux-filet 77, foie 93, langue 81, pot-au-feu 79, rognon 80. *Mouton :* côte 83, épaule 90, foie 100, gigot 80, ragoût 78, rognon 100. *Porc :* carré 80, côte 84, jambon avec os 86, lard 92, rognon 100, rôti 87. *Veau :* côtelette 80, foie 100, jarret 77, langue 100, ragoût 83, rognon 100, rôti 91. *Canard :* 89 [3]. *Dinde :* 80 [3]. *Lapin :* 85 [1]. *Lièvre :* 65 [2] et 88 [1]. *Oie :* 79 [4] et 90 [3]. *Pigeon :* 90 [2]. *Poulet :* 70 [4], 79 [1].

Nota. – (1) Sans peau, ni tête, ni extrémités et vidé. (2) Entier. (3) Plumé, vidé, paré. (4) Non vidé, non plumé.

Intoxication alimentaire

☞ En 1989, 112 146 personnes ont souffert d'intoxication alimentaire collective, 611 foyers différents ont été répertoriés.

• **Contamination microbienne** (Staphylocoques entérotoxiques, Salmonella, Clostridium botulinum, etc.) des aliments, peut entraîner des troubles graves parfois mortels. Due à un manque d'hygiène dans les récipients et la manipulation. Les cas de botulisme viennent le plus souvent de conserves ménagères insuffisamment stérilisées. Certaines moisissures des graines, des fruits, et fruits-amandes sécrètent des mycotoxines toxiques à long terme (Aspergillus Flavus produit l'alfatoxine cancérogène pour le foie). **Salmonellose :** maladie provoquée par les salmonelles (2 200 variétés). Contamination dans les intestins des animaux d'élevage, par voie ovarienne chez les volailles, propagation par les excréments, eaux superficielles, contacts. Provoque diarrhées, maux de tête, fièvre. Prophylaxie : hygiène, cuisson supérieure à 56 °C pour la viande, œufs cuits durs, réfrigération des aliments cuits. Les œufs bruns sont moins souvent infectés. En 1988, 400 millions d'œufs ont été détruits et 4 millions de poules incinérées en G.-B. à cause de leur contamination par la *Salmonella enteritidis* (26 décès), 2 000 000 de cas en G.-B. **Listériose :** maladie provoquée par les *Listeria* monocytogenes se trouvant dans les fromages à pâte molle (brie, camembert), charcuterie, viande hachée, poisson fumé. Peut être mortelle chez les individus affaiblis, dangereuse pour les femmes enceintes.

• **Contamination chimique.** Peut se produire à différents stades : résidus de pesticides, d'additifs introduits dans les aliments destinés aux animaux d'élevage, d'hormones ou de produits thérapeutiques administrés à ces animaux, substances venant des emballages ou de filtres (amiante dans le cas du vin et des produits servant au nettoyage de ces matériaux). Généralement, les taux de produits toxiques sont minimes, mais certaines substances s'accumulent dans les tissus : ex. D.D.T. et pesticides liposolubles : des vaches ingérant des fourrages contaminés par peu de D.D.T. et ne présentant aucun signe d'intoxication ont un lait suffisamment contaminé pour provoquer des troubles nerveux chez des veaux encore à la mamelle. **Mercure :** du *poisson* en contenant a causé au Japon des troubles neurologiques (engourdissement, fourmillements, spasmodicité, perte de vision, désorientation auditive) et même la mort (43 pêcheurs † à Minamata, en 1956). *Semences de blé et d'orge* traitées à l'oxyde de mercure (env. 6 000 † en 1971 au Pakistan, 300 † en 1972 en Irak. *En France* le taux de mercure max. recommandé est de 0,5 mg/kg dans le poisson, tolérance 0,7 dans certains cas (0,2 mg de méthylmercure par semaine est considéré comme toxique, ce qui représenterait, au taux de 0,5, l'ingestion hebdomadaire de 400 g de poisson, à condition que *tout* le mercure soit du méthylmercure). **Plomb :** dose hebdomadaire tolérable : 3 mg pour un adulte (dose moy. actuelle 1,3 à 2,4 mg). **Pesticides :** dans les années 60, intoxications alimentaires dues à la contamination accidentelle de farine par des *pesticides* tels que l'endrine et le parathion.

Les *pesticides* autorisés figurent sur une liste d'homologation du ministère de l'Agriculture (le D.D.T. est proscrit). Lavage, épluchage ou grattage et cuisson éliminent une grande partie des pesticides.

Poisons dans les aliments cyanotiques naturels : ex. : les glucosides cyanogénétiques dans les haricots de Birmanie ou les pois de Java.

Vins trafiqués : rajout immodéré de ferrocyanure (dans des vins autrichiens en 1985 : plusieurs morts), glycérol, acide sulfurique, phosphorique ; addition de méthanol provenant de la distillation de fibres ligneuses ou fabriqué à partir de dérivés de la houille pour augmenter le degré alcoolique (cas de vins italiens en 1985-86 : plusieurs morts en Italie).

Huile frelatée : colza dep. mai 1981, 600 à 800 décès et 25 000 malades en Espagne.

Additifs alimentaires

Catégories d'additifs

Utilisés pour améliorer apparence, saveur, consistance ou conservation des aliments. Ils sont *d'origine naturelle* ou *artificielle.* Un produit chimique ne peut être utilisé que s'il a fait l'objet d'une autorisation par arrêté interministériel, après avis du Conseil sup. de l'hygiène publique et de l'Académie nat. de médecine, en liaison avec le Comité scientifique de l'alimentation humaine au plan européen (décret du 18-9-89). En Europe, quelques 250 additifs sont autorisés (de « E 100 » à « E 483 », et de « 501 » à « 927 »). En France, en 1990, env.200 additifs ou traitements après récolte étaient autorisés, à l'exclusion des traitements physiques. Leur appartenance leur nom ou symbole C.E.E. doivent être indiqués en clair sur les aliments préemballés : colorant ; conservateur ; antioxygène ; émulsifiant ; épaississant ; gélifiant ; stabilisant ; exhausteur de goût ; acidifiant ; correcteur d'acidité ; antiagglomérant ; amidon modifié ; poudre à lever ; agent d'enrobage ; sel de fonte.

Colorant. Peut être extrait d'un organisme naturel (ex. : rouge des graines de rocou), être produit en synthétisant un corps identique au colorant naturel (riboflavine : jaune, présente dans le lait), ou être un produit artificiel de synthèse (tartrazine : jaune de synthèse).

Émulsifiant. Utilisé pour mélanger de l'eau (ou un produit ayant une affinité pour l'eau) avec un corps gras (ou un produit ayant une affinité avec les corps gras), en formant un film extrêmement mince entre les gouttelettes des 2 produits. *Émulsifiant naturel* (ex. : la lécithine, qui fait « prendre » la mayonnaise, se trouve dans l'œuf ou dans le soja) ; *de synthèse :* monostéarate de glycérine, pour fabriquer la margarine.

Exhausteur de saveur. Le plus connu est le monoglutamate de sodium, acide aminé isolé en 1912. Il existe dans les tissus végétaux et animaux (champignons, blé, lait en sont particulièrement riches). Le glutamate, préparé aujourd'hui en utilisant le gluten de blé ou la mélasse de betterave, est employé dans les potages déshydratés et en boîte, plats surgelés ou préparés, sauces, etc.

Traitements physiques. Les *rayons ultraviolets* sont utilisés pour assainir les eaux de distribution publique ; *les ultra-sons* favorisent la solution des résines de houblon pour la fabrication de la bière. Actuellement, seuls oignons, épices, ails, échalotes, légumes déshydratés, flocons et germes de céréales et viandes de volailles séparées mécaniquement peuvent être *traités par rayonnements ionisants (irradiés).*

Code des principaux additifs

(Numérotation CEE)

Colorants. Codes E 100 à E 180 (29 autorisés). **Jaune :** 100 curcumine, 101 lactoflavine ou riboflavine, 102 tartrazine, 104 jaune de quinoléine. **Orange :** 110 jaune orangé S. **Rouge :** 120 cochenille ou acide carminique, 122 azorubine, 123 amarante [1], 124 rouge cochenille A, 127 érythrosine. **Bleu :** 131 bleu patenté V, 132 indigotine ou carmin d'indigo. **Vert :** 140 chlorophylles, 141 complexes cuivriques des chlorophylles et des chlorophyllines, 142 vert acide brillant BS. **Brun :** 150 caramel. **Noir :** 151 noir brillant BN, 153 charbon végétal médicinal. **Nuances diverses :** 160 caroténoïdes, bixine ou carotène, 161 xanthophylles, 162 rouge de betterave ou bétanine, 163 anthocyanes, 170 carbonate de calcium, 171 bioxyde de titane, 172 oxydes et hydroxydes de fer, 173 aluminium, 174 argent, 175 or, 180 pigment rubis [2].

Nota. – (1) Interdit sauf pour le caviar et les préparations à base de chair de poisson. (2) interdit sauf pour la croûte des fromages.

Conservateurs. Codes E 200 à E 290 (26 autorisés). 200 acide sorbique, 201 sorbate de sodium, 202 sorbate de potassium, 203 sorbate de calcium, 210 acide benzoïque, 211 benzoate de sodium, 212 benzoate de potassium, 213 benzoate de calcium, 220 anhydride sulfureux, 221 sulfite de sodium, 222 sulfite acide de sodium, 223 disulfite de sodium, 224 disulfite de potassium, 226 sulfite de calcium, 227 sulfite acide de calcium, 249 nitrite de potassium, 250 nitrite de sodium, 251 nitrate de sodium, 252 nitrate de potassium, 260 acide acétique, 261 acétate de potassium, 262 diacétate de sodium, 263 acétate de calcium, 270 acide lactique, 280 acide propionique, 281 propionate de sodium, 282 propionate de calcium, 283 propionate de potassium, 290 anhydride carbonique.

Antioxygènes. Codes E 300 à E 321 (13 autorisés). Empêchent les corps gras de rancir (le rancissement se produit lorsque l'oxygène attaque les acides gras). Antioxydants *naturels :* acide ascorbique ou vitamine C (dans les fruits), vitamine C et E (dans les fruits), vitamine E (dans les huiles) ; *de synthèse :* BHA ou butylhydroxyanisol (dose max. autorisée dans les purées en flocons : 25 mg/kg). *Codes :* 300 acide ascorbique, 301 ascorbate de sodium, 302 ascorbate de calcium, 304 palmitate d'ascorbyle, 306 extraits d'origine naturelle riches en tocophérols, 307 alphatocophérol de synthèse, 308 gammatocophérol de synth., 309 deltatocophérol de synth., 310 gallate de propyle, 311 gallate d'octyle, 312 gallate de dodécyle, 320 BHA (butylhydroxyanisole), 321 BHT (butylhydroxytoluène). *Substances ayant entre autres une action antioxygène :* 220 anhydride sulfureux, 221 sulfite de sodium, 222 sulfite acide de sodium, 223 disulfite de sodium, 224 disulfite de potassium, 226 sulfite de calcium, 322 lécithines. *Substances pouvant renforcer l'action antioxygène d'une autre :* 270 acide lactique, 325 lactate de sodium, 326 lactate de potassium, 327 lactate de calcium, 330 acide citrique, 331 citrate de sodium, 332 citrate de potassium, 333 citrate de calcium, 334 acide tartrique, 335 tartrate de sodium, 336 tartrate de potassium, 337 tartrate double de sodium et de potassium, 338 acide orthophosphorique, 339 orthophosphate de sodium, 340 orthoph. de potassium, 341 orthoph. de calcium, 472c ester citrique des mono- et diglycérides d'acides gras aliment.

Agents de texture (émulsifiants, stabilisants, épaississants et gélifiants). Codes E 322 à E 483 (32 autorisés), 322 lécithines, 339 orthophosphate de sodium, 340 orthophosphate de potassium, 341 orthophosphate de calcium, 400 acide alginique, 401 alginate de sodium, 402 alginate de potassium, 403 alginate d'ammonium, 404 alginate de calcium, 405 alginate de propylène-glycol, 406 agar-agar, 407 carraghen, carraghénines, carraghénanes, 410 farine de graines de caroube, 412 farine de graines de guar, gomme de guar, 413 gomme adragante, 414 gomme arabique, 415 gomme xanthane, 420 sorbitol, 421 mannitol, 422 glycérol, 440 pectines, 450 polyphosphates de sodium et de potassium, 460 cellulose microcristalline, 461 méthylcellulose, 464 hydroxypropylméthylcellulose, 466 carboxyméthylcellulose, 471 mono- et diglycérides d'acides gras alimentaires, 472 esters (a-acétique, b-lactique, c-citrique, d-tartrique, etc.), 473 sucroesters, 474 sucroglycérides, 475 esters polyglycériques des acides gras alimentaires non polymérisés, 477 esters du propylène glycol, d'acides gras, 481 stéaroyl-2-lactylate de sodium, 483 tartrate de stéaroyl.

Divers. Codes 500 à 920 (sans E).

Divers

Ne pas lire en mangeant, ni regarder la télévision. La sécrétion des sucs digestifs est stimulée par la vue, l'odeur, le contact des aliments. Ces stimuli provoquent la sécrétion de la salive et du suc gastrique. Beaucoup de digestions difficiles et de troubles dyspepsiques sont dus au manque d'attention apportée aux aliments.

Alcool. *Il ne réchauffe pas,* mais provoque une dilatation des vaisseaux périphériques (ce qui donne une sensation illusoire de réchauffement), favorisant la perte de chaleur et perturbant les mécanismes naturels de la défense contre le froid. *Il ne facilite pas l'effort musculaire.* Il contribue à augmenter la ration calorique et, pris en excès, favorise la prise de poids. Voir Alcoolisme à l'Index.

Aliments fumés. Ils peuvent être cancérigènes s'ils ont été préparés (malgré réglementation) avec du bois goudronné (la fumée contient du benzopyrène).

Apéritifs sans alcool. Sel (stimule glandes salivaires), fruits et jus légèrement acides (le suc gastrique agit mieux en milieu acide), bouillon de légumes et surtout viande.

Bains de soleil. Si vous en prenez, évitez la consommation excessive de fromage. L'activité de divers corps gras soumis à l'influence des rayons ultraviolets a été mise en évidence. Le cholestérol de l'organisme se transforme en vitamine D3 sans laquelle le calcium absorbé ne peut être retenu et fixé. Si un sujet à peau claire, transparente aux ultraviolets, prend un bain de soleil prolongé, l'excès de vitamine D qui se forme alors peut en quelques heures provoquer une hypercalcémie, c'est-à-dire un taux de calcium excessif dans le sang.

Beurre. Utile pour les enfants et les adolescents (vitamines A pour la croissance et D antirachitique). Supporte mal les hautes températures et devient nocif. Plusieurs catégories : beurre fermier, de laiteries (laitier ou pasteurisé), Charente-Poitou-des Charentes-Deux-Sèvres (sorte d'appellation contrôlée), de Noël (pasteurisé congelé), demi-sel, allégé (60 % de matières grasses au lieu de 82 %), sans cholestérol.

Bière. Env. 440 cal. par l. ; riche en glucides, sels minéraux, vitamines B. Diurétique.

Boissons aux fruits. *Jus :* obtenu à partir de fr. frais, en possède couleur, arôme et goût, peut être pur ou dérivé de jus de fruits concentrés ou reconstitués (est indiqué). *Nectar :* jus ou purées de fruits mélangés à de l'eau et du sucre. *Boisson aux fruits :* eau plate ou gazeuse, 12 % de jus de fruits, sucre, extraits ou arômes naturels de fruits, acidulants. *Jus déshydraté :* permet de fabriquer par dilution une boisson instantanée.

Boissons gazeuses (sodas et dérivés). Contiennent en général sucre, acide citrique, ac. benzoïque, ac. tartrique, colorants et autres additifs. Faible valeur nutritive, mais apportent des calories supplémentaires. *Coca-Cola :* eau gazéifiée, sucre, caramel, acide phosphorique, extraits végétaux, caféine (existe également dans une version sans caféine) ; 1 boîte de 33 cl contient env. 35 mg de caféine (tasse de thé 30 à 50, café 60 à 120) et l'équivalent de 5 morceaux de sucre. *Tonics et bitter* contiennent des essences d'oranges amères et du quinquina. *Limonade et sodas* ont une forte teneur en sucre et gaz carbonique (ex. Seven Up : 81 g de sucre, 66 mg de sodium/l, Gini : 112 g de sucre et 30 mg de quinine/l, Schweppes : 78 g de sucre et 80 mg de quinine/l).

Café et thé. Excitants, peuvent être consommés par l'adulte jusqu'à 4 tasses par jour. Le thé est riche en tanin (propriété constipante) et en fluor, et contient aussi de la caféine.

Chocolat. Très riche en sels minéraux (phosphore, potassium, magnésium en particulier), glucides (saccharose 40 %), lipides (29 %), protéines (6 %) et en vitamines (B2, PP). Action tonique grâce à la théobromine, parfois indigeste à cause de sa richesse en lipides. Son intolérance relève de l'allergie.

Crudités. Peu caloriques, riches en vitamines A et C, sels minéraux (calcium et potassium) et fibres alim. qui facilitent le transit intestinal.

Principaux morceaux

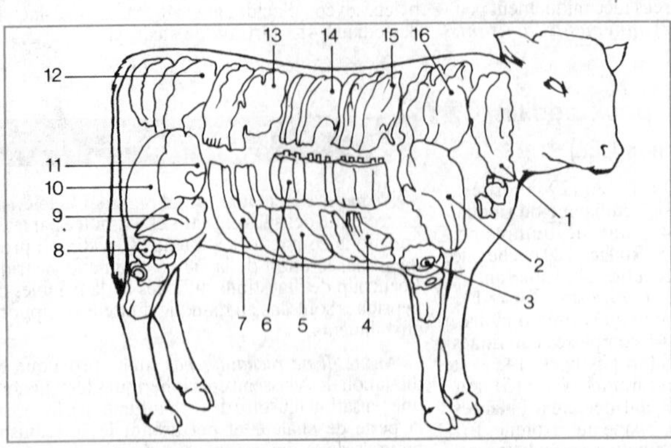

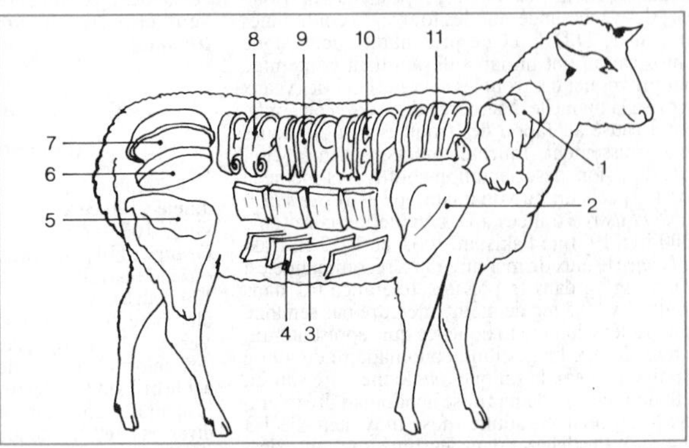

Bœuf. 1 Veine maigre. 2 Veine grasse. 3 Macreuse. 4 Griffe. 5 Jumeau. 6 Charolaise. 7 Gîte-gîte avant. 8 Poitrine. 9 Tendron. 10 Plat de côtes. 11 Hampe. 12 Onglet. 13 Bavette à bifteck. 14 Bavette à pot-au-feu. 15 Flanchet. 16 Aiguillette baronne. 17 Gîte-gîte arrière. 18 Tranche grasse. 19 Gîte à la noix. 20 Rond de tranche. 21 Tende de tranche. 22 Rond de gîte. 23 Queue. 24 Rumsteck. 25 Filet. 26 Faux-filet (ou contre-filet). 27 Entrecôtes. 28 Côtes. 29 Paleron. 30 Basses-côtes. **Porc.** 1 Échine. 2 Palette. 3 Épaule. 4 Jarret avant. 5 Plat de côtes. 6 Poitrine. 7 Jarret arrière. 8 Jambon. 9 Pointe de filet. 10 Milieu de filet. 11 Filet mignon. 12 Carré de côtes. 13 Grillade. 14 Travers. 15 Lard gras.

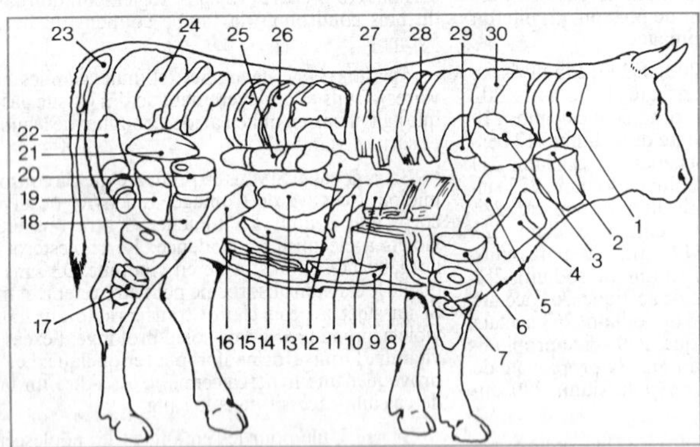

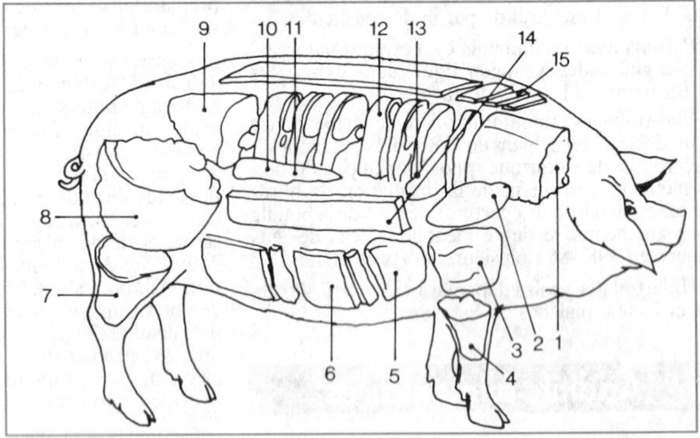

Veau. 1 Collier ou collet. 2 Épaule. 3 Jarret-avant. 4 Poitrine. 5 Tendron. 6 Haut-de-côtes. 7 Flanchet. 8 Jarret arrière. 9 Noix pâtissière. 10 Sous-noix. 11 Noix. 12 Quasi-culotte. 13 Longe et filet. 14 Côtes premières. 15 Côtes couvertes. 16 Côtes découvertes. **Mouton.** 1 Collier ou collet. 2 Épaule. 3 Poitrine. 4 Haut-de-côtelettes. 5 Gigot raccourci. 6 Côte de gigot. 7 Selle. 8 Côtelettes filet. 9 Côtelettes premières. 10 Côtelettes secondes. 11 Côtelettes découvertes.

• **Caractéristiques des viandes.** *Cuisson :* poêle P, rôti R, ragoût Ra, grillade G. *Coût :* cher C1, raisonnable C2, économique C3. *Qualité :* peu tendre T1, assez tendre T2, bien tendre T3.

Bœuf. Aiguillette baronne G, R, T3, C1. Basse-côte G, T3, C2. Bavette à bifteck G, T3, C1 ; à pot-au-feu Ra, T1, C2. Charolaise Ra, T1, C2. Côte G, R, T2, C1. Entrecôte G, R, T3, C1. Faux-filet G, R, T3, C1. Filet G, R, T3, C1. Flanchet Ra, T1, C3. Gîte-gîte arrière Ra, T1, C3. Gîte-gîte avant Ra, T1, C3 ; à la noix Ra, G, T1, C2. Griffe Ra, T1, C2. Hampe G, T2, C2. Jumeau G, T1-2, C1-2. Macreuse Ra, G, R, T2, C2. Onglet G, T3, C2. Paleron R, Ra, T2, C2. Plat de côtes Ra, T1, C3. Poitrine Ra, T1, C3. Queue Ra, T1, C3. Rond de gîte G, T2, C2. ; de tranche G, T2, C2. Rumsteck G, R, T3, C1. Tende de tranche G, T2, C2. Tendron Ra, T1, C2. Tranche grasse Ra, G, T1, C2. Veine grasse Ra, T1, C3 ; maigre Ra, T1, C3.

Veau. Collier Ra, T1, C3. Côtes découvertes R, Ra, T2, C2 ; premières P, T2-3, C1 ; secondes P, T3 C1. Épaule Ra, R, P, T2, C2. Flanchet Ra, T1, C3. Haut de côtes Ra, T1, C2. Jarrets avant et arrière Ra, T2, C2. Longe et filet R, P, T3, C1 ; R, P, T3, C1 ; pâtissière R, P, T3, C1. Poitrine Ra, T2, C2. Quasi-culotte R, T2, C2. Sous-noix R, P, T2, C2. Tendron Ra, T1, C3.

Mouton. Collier Ra, T1, C2. Côtelettes découvertes G, T2, C2 ; filet G, P, T3, C1 ; premières G, P, T3, C1 ; secondes G, P, T3, C2. Épaule R, T2, C2 (R quand les côtelettes filet, 1ere ou 2e ne sont pas séparées). Gigot G, R, T3, C1. Haut de côtelettes Ra, T1, C3. Poitrine Ra, G, T1, C3. Selle G, R, T3, C1.

Porc. Carré de côtes G, R, T3, C1. Échine Ra, G, R, T3, C2. Épaule Ra, G, R, T2, C2. Filet G, R, T3, C1. Grillade G, T3, C1. Jambon R, T2, C1. Jarrets (jambonneaux) Ra, R, T2, C2. Lard gras Ra, T1, C3. Palette R, Ra, T2, C1. Plat de côtes Ra, T1, C3. Poitrine Ra, T1, C3. Travers G, R, T2, C3.

• **Quantité par personne.** Cervelle de bœuf 1 pour 4, veau 1 p. 2, mouton 1. Langue de bœuf 200 g, sans cornet 150 g, veau 150 g, mouton 1. Tête de veau 150 g. Cœur de veau 200 g, mouton 3 p. 2. Ris de veau (poids brut) 200 g. Ris d'agneau (poids net) 150 g. Rognon de bœuf 150 g, veau 150 g, mouton 2 rognons, porc 1 rognon. Foie de bœuf 110 g, veau 110 g, agneau 110 g. Tripes à la mode de Caen 250 g.

• **Transformation du bœuf.** Animal vif, départ ferme 680 kg, avant abattage 650 kg (perte pendant transport, attente 4,4 %). Carcasse chaude 371 kg. Froide 364 kg [après pertes au ressuage (perte de liquide) 2 %]. Avant découpe 360 kg (pertes pendant la maturation 1,1 %). Viande nette (désossée et parée) 245 kg.

Les morceaux à cuisson rapide (biftecks et rôtis) représentent 54 % de la carcasse soit 132 kg ; *à cuisson lente* (pot-au-feu et bourguignon) 46 % soit 113 kg. Les bêtes sont estimées selon leur rendement à l'abattage calculé sur le poids de la carcasse froide (jeunes bovins : 54 à 58 %, bœufs : 52 à 57, génisses : 50 à 56, vaches : 49 à 52).

Dans une carcasse : rendement (en %) viande : 56 à 75, os : 13 à 18, gras : 5 à 22, déchets : 4 à 7, morceaux à cuisson rapide : 52 à 56, cuisson lente : 44 à 48.

• **5e quartier.** *Issues :* cuir (30 à 45 kg) ; suifs d'abattage (5 à 18 kg) ; gras de rognons (5 à 12 kg) ; glandes, vessie... ; sang (12 à 15 litres) ; corne, onglons, poils... *Abats blancs :* panse (1 520 kg) ; intestins (boyaux) (8-10 kg) ; museau (2 kg) ; 4 pieds (11-12 kg) ; mamelle (chez les femelles). *Abats rouges :* foie (6-8 kg) ; cœur (2-3 kg) ; poumon (4 kg) ; cervelle ; rate (0,7 kg) ; langue (4 kg avec cornet) ; joues (4-5 kg désossées) ; rognons (0,7 kg) ; poumons (4 kg).

Eau du robinet. 2 à 5 millions de Français consomment de l'eau dont la teneur en nitrates dépasse le taux max. admissible de 50 mg/l (au-dessus de ce taux, les nitrates perturbent l'oxygénation du sang et peuvent provoquer chez les bébés la méthémoglobinémie).

Régions les plus touchées : Nord, Ouest, Bassin parisien.

Eaux minérales. Peu minéralisées peuvent être consommées régulièrement (Charrier, Évian, Contrex, Vittel grande source, Volvic, etc.), riches en sels mi-néraux (Contrexéville, Vittel-Hépar, Saint-Yorre, etc.) sur avis médical. Ne pas stocker de bouteilles en plastique.

Féculents. Riches en glucides, protéines végétales, calcium.

Fibres. Selon leur origine botanique, peuvent absorber l'eau, accroître le volume des selles (effet favorable sur la constipation), accélérer le transit intestinal, contribuer à abaisser le taux de cholestérol, diminuer la quantité de glucose et d'acides gras dans le sang, absorber les ions positifs, aident à éliminer certaines substances cancérogènes, procurent un milieu favorable au développement de certaines bactéries du côlon.

Fibres alimentaires totales. Teneur en g pour 100 g d'aliment. Blé : son 47,5 ; germe 16,6 ; farine complète 13,5 ; farine bise 8,7 ; pain complet 8,5 ; pain bis 5,1 ; farine blanche 3,5 ; pain blanc 2,7. **Riz :** complet 9,1 ; blanc 3. **Avoine :** flocons : 7,2. **Légumineuses :** haricots blancs 25,5 ; pois chiches 15 ; lentilles 11,7 ; petits pois 6,3. **Légumes :** carottes 3,7 ; pommes de terre 3,5 ; chou vert 3,4 ; laitue 1,5 ; tomates 1,4. **Fruits :** amandes 14,3 ; noix 5,2 ; bananes 3,4 ; poires 2,4 ; fraises 2,1 ; pommes 1,4.

Ration quotid. recommandée de fibres brutes : 6 à 8 g soit 30 à 40 g de fibres alim., soit 30 g de son [3 cuillers à soupe pleines ou 10 tranches de pain au son (3 g par tr.) ou 200 g de pain complet (12 à 15 tr.)].

Fromages. *Catégories :* voir index. *Les moins gras :* brie, coulommiers, camembert. *Les plus gras :* gruyère, comté, emmenthal, cantal, st-paulin.

Fruits. Forte teneur en cellulose qui permet d'assurer un meilleur transit des alim. dans le corps, en vitamines (principalement vit. C), en sels minéraux (particulièrement potassium indispensable au bon fonctionnement des muscles, donc du cœur). Éplucher les fruits pour éliminer au max. les résidus des pesticides et autres substances chimiques, et pour éviter les irritations de l'intestin pouvant être chez certaines personnes provoquées par la cellulose de la peau. Pas plus de 2 ou 3 fruits par j. Bananes et agrumes en excès peuvent provoquer des fermentations. Ananas, citrons, papayes facilitent la digestion des aliments protidiques (viande, poisson).

Graisses. Pour en consommer moins : éviter le beurre sur la table, le jus des rôtis, le gras des côtelettes. Utiliser des huiles insaturées ou couper l'huile de la salade avec de l'huile de paraffine, du lait ou du fromage blanc à 0 % de matières grasses (ces huiles perdent leurs propriétés à la cuisson), limiter les fritures (1 à 2 par semaine ; 1 portion de frites apporte environ 15 à 20 g de graisses).

% de graisse. Beurre : cru, extra-fin ou fin 82 ; concentré 99,8 ; de cuisine 96 ; allégé 65 à 41 ; demi-beurre 41 ; *margarine :* 82 ; allégée 65 à 41 ; demi-margarine ou minarine 41. *Viande :* 10 à 40 % selon morceaux et animaux ; *poisson :* 1 à 12 % ; *volailles :* 4 %.

Huiles. Pour fritures et assaisonnement, contiennent une proportion plus ou moins grande d'acides gras polyinsaturés (tournesol, colza, soja, olive). *H. olive :* très riche en vitamine E, n'a subi aucun traitement chimique. *Tournesol, pépins de raisins, maïs, germes de blé, sésame* (surtout en Orient), *soja :* ne supportent pas les hautes températures. *Arachide :* convient aux fritures, assez riche en vitamine E. *Colza :* résiste mal à la chaleur et à la lumière, les variétés actuelles n'ont plus qu'une faible teneur en acide érucique (toxique).

Renouveler fréquemment les bains de friture et les filtrer après usage pour éviter la formation d'acroléine (substance cancérigène). 100 g d'huile contiennent toujours 100 g de lipides.

Lait. *Enfant :* source de protéines et de calcium nécessaires à la croissance. *Adulte :* 1/2 litre par j couvre ses besoins en calcium ; bien digéré en Europe ; en Afrique et en Asie, les adultes ne le digèrent pas car ils n'ont plus de lactase (enzyme). Après ouverture, un emballage de lait doit être consommé dans les 3 j suivant la date limite de vente, stérilisé ou U.H.T. pasteurisé, il doit être consommé dans les 24 h.

Légumes. *Frais et cuits :* ont les mêmes propriétés que les crudités, la cuisson n'entraîne qu'une diminution de la teneur en vitamine (surtout vit. C). *Secs :* énergétiques, riches en protides, sels minéraux et vitamines du groupe B ; leur richesse en cellulose est souvent moins bien tolérée que celle des fruits et légumes. Une cuisson prolongée facilite l'utilisation digestive. Faire tremper les légumes secs longtemps avant cuisson.

Margarine. En principe mélange d'huiles, graisses végétales (coprah, soja, etc., riches en acides gras polyinsaturés), animales (suif et saindoux), et huiles d'animaux marins (baleine). Les margarines végétales au tournesol sont recommandées si l'on a du cholestérol.

Moutarde (*étym. :* moût ardent). Peut contenir des colorants, et acide tartrique, ac. citrique, bisulfites alcalins, anhydride sulfureux. En quantité modérée, peut stimuler les sécrétions gastriques. En excès, elle peut irriter les muqueuses digestives.

Œufs. Protéines de référence. Contiennent les acides aminés indispensables en proportion idéale. Les intolérances sont rares. Mal supportés lors de calculs dans la vésicule biliaire. Cuits dans des graisses trop chauffées, peuvent être difficiles à digérer. Allergie spécifique.

Catégories : A destinés à la vente (extra-frais soit moins de 7 j, frais 7 j à 3 semaines), *B et C* à usage industriel. Poids 30 à 80 g, moyen. 60 g. Sans la coquille, se compose d'eau 73 %, protéines 13, lipides 12, minéraux 1, sucre 1.

Pain. Propriétés communes aux dérivés des céréales. 350 g par j fournissent à un adulte 1/3 de ses besoins protidiques.

Pain complet : plus riche en éléments minéraux, mais il contient de l'ac. phytique ; il y en a peu dans le pain blanc. Or cet acide forme avec le calcium, le magnésium et le fer, des complexes chimiques stables, insolubles et qui ne sont pratiquement pas attaqués par les sucs digestifs.

Pâtes et semoules. Fabriquées avec des farines de blé dur ; après cuisson, pauvres en vitamines B.

Pour 100 g de pâtes : glucides 63 à 70 g, protides 12 à 16 g, lipides 1 à 2 g, eau 12 à 14 g, minéraux 0,6 à 1,1 g, soit 360 calories env.

Persil-cerfeuil. Riches en vitamine C, calcium, potassium.

Poissons. Riches en protéines et vitamines. La graisse de poisson apporte des vitamines A et D. *Maigres :* anchois, bar, brème, brochet, cabillaud, carpe, carrelet, colin (merlu), dorade grise et rose, églefin, gardon, grondin, lieus jaune et noir, limande-sole, mulet, perche, plie, raie, rascasse, roussette, chien de mer, sandre, sole, tourbe, truite, turbot. *Demi-gras :* alose, baudroie (lotte), carpe d'élevage, congre, flétan, orphie, rouget. *Gras :* anguille, hareng, maquereau, saumon, thon. — Oeufs, laitances et graisses concentrent les polluants.

Pommes de terre. Riches en amidon et potassium, apportent protéines, fibres et vitamines C, pauvres en calcium. Friture : riche en graisse.

Riz. Le riz étuvé (dit incollable) est plus riche en vitamines B1 et B2 que le riz poli.

Sel. Quantité moyenne de sodium absorbable : env. 10 g par j (3 dans les aliments et 6 ajoutés à la ration). L'abus peut provoquer de l'hypertension.

Son. Enveloppe externe des céréales : 44 % de fibres (cellulose). Facilite le transit intestinal.

Sucre. La consommation de glucides ne devrait pas dépasser 50 à 55 % de la ration alimentaire (58 % pour les enfants) car les sucres se transforment en graisses. *Glucides à absorption lente :* amidons (pain, riz, farine, p. de terre, etc.) ; *rapide :* saccharose (ou sucre), glucose-fructose (dans les fruits, légumes), lactose (dans le lait).

Sucre roux non raffiné contient 2 à 3 % d'impuretés. *Blanc* aggloméré, cristallisé, semoule, glacé, morceaux, candi, d'Adam. *Édulcorants* ne doivent être utilisés qu'en cas d'obésité et de diabète et momentanément.

Dangers du sucre raffiné en quantité excessive. Il se déverse rapidement dans le sang (18 à 20 minutes, sous forme de glucose), stimulant une forte et rapide production d'insuline par le pancréas. Le niveau de sucre dans le sang baisse au-dessous de la normale : état d'*hypoglycémie* (fatigue, dépression) qui appelle une recherche de sucre ou de café, libérant le glycogène du foie et donnant un coup de fouet (action indirecte de l'adrénaline et déversement de sucre dans le sang). Le sucre ne fournit pas de protéines, sels minéraux ou vitamines, dont certaines comme la vitamine B1 sont essentielles pour assimiler le glucose. Le *saccharose* favorise la carie dentaire.

Édulcorants 1) *É. nutritifs :* saccharides extraits de la betterave, de la canne et de l'amidon de maïs et polyols obtenus par hydrogénation des saccharides. 2) *É. « intenses » :* pouvoir sucrant (PS) très élevé (produits de synthèse : saccharine, aspartame, acésulfam K...) Le pouvoir calorique (PC) d'un éd. est lié à son PS. *Édulcorants* intenses autorisés par la loi du 5-1-1988, entre parenthèses pouvoir sucrant par rapport au sucre : aspartame (200) [à poids égal, apporte 40 fois — de calories que le sucre blanc.] ; saccharine (300 à 400 ; découverte 1879) ; acésulfame de potassium (120 à 140) ; thaumatine (2 000 fois supérieur au saccharose, d'origine végétale). 3) *É. de charge :* font masse comme le sucre, mais moins sucrants et énergétiques (2 à 3 Kcal/g) : sorbitol, maltitol, xylitol, mannitol, isomalt. Fermentent peu dans la bouche ; peu utilisables par les bactéries qui attaquent l'émail des dents. *Échelle des pouvoirs sucrants :* saccharose (sucre blanc), indice 1, miel 1,3, fructose 1,2, glucose 0,7, lactose 0,3. Le PS varie en fonction de la température et de l'acidité. Plus le PS est élevé, plus l'arrière-goût est fort : réglisse pour la thaumatine, amer-métallique pour la saccharine. Le pouvoir calorique (PC) d'un édulcorant est lié à son PS.

Végétaline. Huile de palmiste 10 %, de coprah 90 %. Supporte bien les hautes températures (fritures par ex.).

Viande. Riche en protéines, sels minéraux, phosphore, zinc, fer, vitamine B, pauvre en calcium. *Maigre :* cheval, poulet, foie, lapin, pigeon, cerf, chevreuil, lièvre, faisan, perdrix, canard. *Mi-grasse :* bœuf, veau, mouton, agneau, canard, dinde, porc. *Grasse :* charcuterie, oie, etc. La plus maigre est la moins calorique et la plus digeste. Rouge et blanche ont une valeur comparable. Trop peu cuite, risques de parasites (ex. : ténia dans v. de bœuf ou de porc). La v. braisée ou bouillie, plus riche en collagène, est moins digestible.

Abats (cœur, foie, rognons) : apportent plus de vitamines et autant de protides. Le foie contient beaucoup de vitamines et de fer, mais il faut en limiter la consommation : il métabolise les substances chimiques incorporées à la nourriture ou utilisées pour le traitement du bétail (antibiotiques). De même pour les rognons. *Viande hachée :* peut se polluer gravement en 3 h. La mention viande attendrie doit figurer sur les morceaux traités. L'attendrisseur (peigne à double mâchoire) peut inoculer des microbes à l'intérieur de la viande ; interdit dans 21 départements.

Ne pas consommer trop de charcuteries (saucisse, saucisson, pâté). Les protides en excès sont éliminés sous forme d'urée, la viande contient des graisses saturées mauvaises pour l'appareil cardio-vasculaire. Une ration trop copieuse risque de faire oublier d'autres aliments nécessaires (légumes verts, fromages, fruits).

Attention : une viande trop grillée sur un gril surchauffé peut contenir des dérivés polycycliques d'hydrocarbures cancérigènes.

Yaourts. Même valeur nutritive que le lait, mais plus faciles à digérer car le lactose s'est transformé en acide lactique.

Qualités prêtées à certains aliments. *Diurétiques :* tisanes classiques riches en potassium, aliments riches en eau (oignon, poireau...), agrumes, raisin ; *constipants :* coing, aliments riches en tanin ; *laxatifs :* prunes, poires, pruneaux et fruits analogues, rhubarbe, épinards, aliments riches en cellulose ; *aphrodisiaques :* les laitances de poisson, la truffe, l'amande et le gingembre (prétend-on) ; *circulation sanguine :* ail ; *antiseptique :* thym, serpolet ; *stimulant digestion :* épices dont safran, piment, cumin.

Nota. – En principe le foie supporte mal œufs, chocolat, graisses cuites (alim. « revenus » ou « sautés »), viande fraîche. La *crise de foie* désigne l'ensemble des troubles digestifs avec nausées et douleurs sous-costales à droite. Elle correspond à une poussée de cholécystite, à une crise de colite ou à une douleur solaire.

Fruits et légumes de saison

Janv. et févr. : mandarines, clémentines, noix, pommes, oranges ; choux, endives, navets, poireaux, salades. **Mars :** oranges ; carottes nouv., endives, radis. **Avril et mai :** fraises ; artichauts, asperges, navets nouv., carottes nouv., épinards, petits pois, pommes de terre nouv., radis. **Juin :** abricots, cerises, fraises ; artichauts, asperges, carottes nouv., épinards, haricots verts, petits pois, pommes de t. nouv., salades. **Juill. :** abricots, cerises, fraises, amandes vertes, framboises, pêches, prunes, melons ; artichauts, carottes nouv., concombres, épinards, haricots verts, petits pois, pomme de t. nouv., salades, tomates. **Août :** framboises, groseilles, pêches, poires, prunes, raisins de table, melons ; artichauts, aubergines, concombres, courgettes, épinards, haricots à écosser, haricots verts, melons, poivrons, salades, salsifis, tomates. **Sept. :** châtaignes, figues, poires, pommes, prunes, raisins de table ; légumes comme en août. **Oct. :** châtaignes, figues, noix, poires, pommes, raisins de table ; artichauts, haricots à écosser, haricots verts, p. de terre, salsifis, tomates. **Nov. :** châtaignes, dattes, noix, poires, pommes ; choux, endives, épinards, haricots à écosser, navets nouv., poivrons. **Déc. :** dattes, mandarines, clémentines, noix, poires, pommes ; légumes comme en nov.

Associations

Associations

Définition. « Convention par laquelle 2 ou plusieurs personnes mettent en commun d'une façon permanente leurs connaissances ou leur activité dans un but autre que de partager des bénéfices. » *3 catégories :* ass. non déclarée, déclarée et d'utilité publique.

Création. La loi du 1-7-1901 permet de créer librement toute association non déclarée, sans formalité. Il suffit de se réunir et de décider de l'objet (même sans avoir des statuts et sans désigner des dirigeants). Toute assoc. doit se composer, pour une assoc. déclarée ou non, au min. de 2 personnes ; il n'y a pas de nombre max.

Déclaration. On peut déclarer à tout moment une association, même fonctionnant depuis plusieurs années. Une assoc. non déclarée n'est pas illégale, mais elle est dépourvue de capacité juridique et ne peut signer un bail, ouvrir un compte en banque, posséder des biens, cependant elle peut encaisser des cotisations et avoir des biens mobiliers indivis entre ses membres.

Formalités. Déposer la déclaration à la préfecture ou à la sous-préfecture du département du siège de l'association (à Paris : préfecture de police). Rédigée sur papier libre, elle doit mentionner titre et buts de l'association, adresse du siège, liste des personnes chargées de l'administration avec leur nom, nationalité, profession et domicile, comprendre 2 exemplaires des statuts et la liste des personnes chargées de l'administration ; un cahier spécial à pages numérotées (souvent remplacé par des feuillets numérotés) pour la transcription des modifications de statuts ou d'administration doit être paraphé par la personne chargée de l'administration (en principe le Pt). Conservé par l'association, il doit pouvoir être présenté à tout moment aux autorités administratives et judiciaires.

L'Administration doit, dans les 5 j, délivrer un récépissé à toute personne qui a déposé régulièrement un dossier de déclaration. L'assoc. sera rendue publique à partir de la publication au J.O.

Dep. l'abrogation par la loi du 9-10-1981 du titre IV de la loi du 1-7-1901, les formalités de déclaration d'une association constituée en France par des étrangers sont identiques à celles d'une association créée par des ressortissants français.

En Bas-Rhin, Haut-Rhin et Moselle, les associations ne sont pas régies par la loi de 1901, mais par les dispositions du droit civil local maintenu en vigueur par la loi du 1-6-1924. Les associations qui désirent obtenir la personnalité morale et la capacité juridique deviennent des ass. « inscrites » au tribunal d'instance de leur siège. Les dispositions concernant la reconnaissance d'utilité publique ne s'appliquent pas aux ass. inscrites. Mais elles peuvent se voir accorder par décret en Conseil d'État la reconnaissance d'une « mission d'utilité publique » (art. 80-1 loi de finances pour 1985).

Dissolution. Volontaire selon les modalités prévues dans les statuts ou en assemblée générale, ou sur décision judiciaire. L'Administration ne peut s'opposer à la création d'une association, ni à la publication d'un extrait de ses statuts au J.O. Mais le min. de l'Intérieur peut demander au procureur de la République d'entamer dans les 3 j une procédure d'annulation et de dissolution devant le tribunal de grande instance, car « toute association fondée sur une cause ou en vue d'un objet illicite, contraire aux lois, aux bonnes mœurs, ou qui aurait pour but de porter atteinte à l'intégrité du territoire ou à la forme républicaine du gouvernement, est nulle et de nul effet ». Le ministère public doit apporter la preuve que les buts et l'activité de l'association sont dangereux pour l'ordre public. La loi du 10-1-1936 permet la dissolution administrative par décret pris en Conseil des ministres de toute association, déclarée ou non, ayant enfreint l'art. 3 de la loi de 1901.

Libéralités et dons manuels. Une association déclarée ne peut en principe recevoir legs ou dons par acte notarié. Mais elle a capacité à accepter des libéralités si son but exclusif est l'assistance, la bienfaisance, la recherche scientifique ou médicale (article 6 nouveau de la loi du 1-7-1901).

Toutes les associations déclarées peuvent librement recevoir des dons manuels. Mais les donateurs, personnes physiques ou morales, ne pourront bénéficier de déductions fiscales que dans les conditions et les limites définies aux articles 200 et 238 *bis* du Code général des impôts.

Pouvoirs. L'assoc. déclarée est une personne morale à capacité juridique réduite. Elle peut posséder des meubles (matériel de bureau ou d'imprimerie, etc.), un local destiné à l'administration et à la réunion de ses membres, et des biens immobiliers lorsqu'ils sont strictement nécessaires à l'accomplissement des buts qu'elle se propose.

Elle peut emprunter de l'argent en dehors des cotisations, mais ne peut recevoir ni donations ni legs, sauf des « libéralités modiques » (dons manuels).

Elle ne peut avoir de buts commerciaux, mais peut accessoirement accomplir des actes de commerce de toute sorte, certains étant assujettis à la T.V.A. Elle ne doit pas répartir les bénéfices éventuels entre ses membres mais les réinvestir dans l'association.

Ne pas respecter une gestion désintéressée peut entraîner un assujettissement à l'impôt sur les sociétés. Certaines activités par leur nature peuvent être soumises à cet impôt.

Utilité publique. Pour être reconnue d'utilité publique, l'association doit avoir déjà fonctionné 3 ans sous forme d'association déclarée. Toutefois, cette période probatoire de fonctionnement n'est pas exigée si les ressources prévisibles sont de nature à assurer son équilibre financier pendant 3 ans (article 10 nouveau de la loi du 1-7-1901). Lorsque le ministre de l'Intérieur décide de ne pas donner suite à une demande de reconnaissance d'ut. publ., son pouvoir est discrétionnaire, mais il est d'usage qu'il justifie son refus. Si le ministre de l'Intérieur décide de soumettre un projet de décret de reconn. d'ut. publ. de l'assoc. au Conseil d'État, il lui adresse le dossier. Le Conseil d'Ét. donne un avis consultatif. Le projet de décret est ensuite éventuellement présenté à la signature du min. de l'Intérieur, puis à celle du 1er min.

La reconnaissance d'utilité publique d'une association lui permet de recevoir des libéralités (dons et legs) souvent exonérées de droits de mutation, mais lui impose parallèlement une tutelle adm. sur les principaux actes que l'établ. est appelé à faire (emprunts, dons et legs, aliénations de biens, constitutions d'hypothèques, modification des statuts).

Statistiques. *Nombre d'associations* env. 650 000 à 700 000 en *1990. Assoc. nouvelles par an 1975 :* 23 318 ; *1981 :* 33 006 ; *1984 :* 46 112 ; *1985 :* 47 908 ; *1990 :* 60 190. *Dissolutions déclarées :* 5 292. *Salariés* 776 373 pour 67 000 associations en *1984* (dont 55 000 ass. de – de 10 salariés et 33 de + de 1 000 salariés).

Manifestations

Réglementées par le décret-loi du 23-10-1935.

Déclarations. *Cortèges, défilés, rassemblements de personnes* et *toutes manifestations sur la voie publique* doivent être déclarés préalablement. Seule exception, les manif. conformes aux usages locaux, et processions religieuses ou manifestations folkloriques.

La déclaration doit être faite à la mairie ou à la préfecture (pour Paris) 3 j au moins et 15 j au plus avant la manif. Elle doit indiquer nom et domicile des principaux organisateurs et être signée par 3 d'entre eux, titulaires de l'ensemble de leurs droits civiques, spécifier le but de la manif., sa date, son heure, les groupements qui y participeront et l'itinéraire envisagé. Un récépissé de déclaration est délivré. Si la déclaration est faite à la mairie, elle est transmise au préfet dans les 24 h avec, le cas échéant, l'arrêté d'interdiction qui l'annule ou la confirme.

Interdiction. Le préfet ou le maire peut interdire la manifestation s'il l'estime de nature à troubler l'ordre public. On peut saisir le tribunal administratif d'un recours pour excès de pouvoir (qui ne sera vérifié que plusieurs mois ou même plusieurs années après). Sont interdites : manif. faites sans déclaration ou après interdiction. Considérées juridiquement comme un attroupement, elles peuvent être dispersées par la force.

Les représentants de l'ordre peuvent faire usage de la force pour disperser un attroupement pacifique *après 2 sommations,* faites par haut-parleur, sonnerie de trompettes, roulement de tambour, feu rouge ou fusée de même couleur ; *sans sommation* « si des violences ou voies de fait sont exercées contre eux ou s'ils ne peuvent défendre autrement le terrain qu'ils occupent ou les postes dont la garde leur a été confiée ».

Attroupement. Réunion concertée ou non de plusieurs personnes sur la voie publique susceptible de créer des désordres. Interdit si un ou plusieurs des participants sont armés ou s'il doit troubler la tranquillité publique. L'attr. est considéré comme armé si l'un des participants porte une arme apparente ou si plusieurs portent des armes cachées ou des objets quelconques destinés à servir d'armes.

La personne qui fait partie d'un attr. est punissable si elle ne l'a pas abandonné après une 1re sommation du préfet, maire, commissaire de police ou off. de police judiciaire, si elle porte une arme apparente ou cachée. Tous ceux qui, par des discours publics ou des écrits (journaux, tracts, affiches), auront appelé à participer à un attroupement peuvent encourir 1 mois à 1 an de prison si la provocation a été suivie d'effets, 2 à 6 mois et (ou) 2 000 à 8 000 F d'amende si elle n'a pas été suivie d'effets (peines + graves si l'attr. est armé).

L'attroupement injurieux ou nocturne troublant la tranquillité publique entraîne une contravention de 300 à 600 F.

Réunions

Définition. Rencontre épisodique, limitée en durée, concertée, dans un but fixé à l'avance. *2 catégories* selon l'accès. Réunion privée si la personne est conviée, publique si la réunion est ouverte à tous.

Réunions publiques. Réglementées par la loi du 30-6-1881. Libres sans demander l'autorisation, ni faire de déclaration préalable. Ne peuvent se prolonger après 23 h, sauf dans les localités où cafés, théâtres ou cinémas sont autorisés à fermer plus tard.

Doivent avoir un bureau (au min. 3 personnes, élues par les membres de la réunion et, en général, désignées avant le début de la réunion par les organisateurs). Le bureau doit maintenir l'ordre matériel et moral. Il doit empêcher « tout discours contraire à l'ordre public et aux bonnes mœurs ou contenant une provocation à un acte qualifié de crime ou délit ». En cas d'infraction, la responsabilité de ses membres peut être mise en jeu.

Un « fonctionnaire délégué » (généralement un commissaire de police) peut y assister. Il doit se faire connaître des organisateurs, choisit sa place et en cas de désordre peut prononcer la dissolution.

La circulaire du ministre de l'Intérieur du 27-11-1935 précise que peuvent être interdites les « réunions » qui, par la période choisie, le lieu où elles doivent se tenir, la façon dont elles ont été organisées, le mode selon lequel elles doivent se dérouler, sont de nature à laisser prévoir des incidents.

Les réunions publiques sont interdites sur la voie publ. car elles sont alors considérées comme des *attroupements* et peuvent être réprimées par la force ; ceux qui y participent sont passibles des peines prévues pour les manifestations non déclarées ou interdites.

Réunions privées. Libres, sans autorisation ni déclaration, ni contrôle, ni réglementation. Elles doivent avoir lieu dans un local fermé, sans accès trop facile. Ce local peut être public (ex. : arrière-salle d'un café ou salle de spectacle), mais l'accès doit en être réservé à des personnes nominativement désignées, en général prévenues par une invitation individuelle. On doit pouvoir contrôler l'identité des personnes présentes.

Une réunion réservée aux seuls membres d'une association est considérée comme privée : l'invitation personnelle peut être remplacée par la carte d'adhérent. Une réunion privée et gratuite comportant une partie « variétés » n'est pas soumise aux taxes sur les spectacles ni au paiement des droits d'auteurs des réunions publiques si elle se déroule dans un cadre familial.

Les autorités administratives ne peuvent interdire légalement une réunion que si elles n'ont aucun moyen d'assurer le maintien de l'ordre public et si la menace de troubles est exceptionnellement grave et dangereuse.

L'interdiction générale de toute réunion dans le cadre d'une ville ou d'un département est contraire à l'esprit et à la lettre de la loi de 1881. Chaque réunion doit être examinée individuellement.

Une réunion privée peut être considérée comme une tentative de reconstitution d'une ligue dissoute si un certain nombre de participants appartenaient précédemment à une organisation dissoute.

Assurances

Données générales

☞ **Quelques adresses.** *CDIA (Centre de Documentation et d'Information de l'Ass.)* : 2, rue de la Chaussée-d'Antin, 75009 Paris. *SOS Malus* (cabinet de courtage) : 45, av. Montaigne 75008 Paris. **Organismes publics.** *BCT (Bureau Central de Tarification automobile). CNA (Conseil National des Ass.)* : Tour Mattéi, 207, rue de Bercy, 75512 Paris Cedex 12. *Direction du Trésor, Service des Assurances* : 139, rue de Bercy, 75572 Paris Cedex 12. *FGA (Fonds de Garantie Automobile, Fonds de Garantie Attentats)* : 64, rue de France, 94307 Vincennes Cedex. *CCR (Caisse Centrale de Réassurance)* : 71, rue de Courcelles, 75008 Paris.

Origine

2700 av. J.-C. (env.) caisse d'entraide pour dépenses funéraires des tailleurs de pierre en Égypte. **1000** Jérusalem, ouvriers kasidéens construisant le temple sous les ordres du roi Salomon s'associent pour compenser les accidents sur le chantier ; Inde, les lois de Menou édictent les règles du prêt à la grosse aventure. **560** Athènes, Solon impose aux hétaires des mesures de solidarité. **220 apr. J.-C.** Rome, 1re table de mortalité d'Ulpien, prêteur de l'empereur Sévère. Les « collèges d'artisans » sont de véritables associations de secours mutuels. **1347** Gênes, 1re police maritime connue pour le *Santa Clara.* **1465** Paris, obligation de mettre un seau d'eau devant sa porte. **XVe s.** 1re police en Fr. (Marseille). **Fin XVe, début XVIe** Italie et Flandres, apparition de l'assurance-vie. **1556** Fr., 1re édit mentionnant les ass. **1568** Espagne et Pays-Bas, édit de Philippe II interdisant toutes formes d'ass. **1570** Anvers, ordonnance de Philippe II réglementant ass. et prohibant ass.-vie. **1583** Londres, souscription du 1er contrat ass.-vie par l'établissement de Richard Chandler. **1601** G.-B., *Acts of Assurance* de la reine Elisabeth. **1666 (2-9)** Londres, durant 7 j et 8 nuits un incendie détruit 13 200 bâtiments (dont 87 églises) ; un aubergiste, Edward Lloyd, crée un « office d'ass. générales » qui deviendra la Lloyd's. **1667** création du « Fire Office ». **1681** ordonnance de Colbert réglementant l'ass. maritime en France mais interdisant l'ass.-vie. **1684** Londres, création « Friendly Society Fire Office » (1re Sté d'ass. incendie). **1686** France, 1re Cie générale pour les ass. maritimes. **1689** Fr., autorisation de la tontine royale. **1692** Lloyd's s'installe à Paris rue des Lombards. **1710-1720** G.-B., développement des Stés d'assurances. **1717** France, création du « Bureau des incendies ». **1750** de l'association mutuelle contre les incendies. **1753** de la Chambre d'Ass. Générales contre l'incendie de Paris (disparaîtra à la Révolution). **1762** G.-B., « L'Équitable », 1re Sté mutuelle d'ass.-vie scientifiquement organisée. **1770** arrêt du Conseil d'État de Louis XV transforme les tontines royales en rentes viagères à taux fixes. **1786 (6-11)** Clavière et Batz créent la Cie royale d'ass. contre les incendies. **1787** Louis XVI autorise projet d'ass. réciproques contre dommages causés par la grêle. **1818** le Conseil d'État autorise ass. sur la vie. **1829** fondation de l'Union Vie qui lance avec les banques une offre de contrat de rente viagère sur la tête de 30 souverains et princes d'Europe. Garantit à ses souscripteurs une rente viagère de 5 F sur la tête de chacun d'entre eux. Plus de 1 500 contrats signés. Malgré l'espoir des banques, l'État refuse la cotation en Bourse et l'opération est annulée. **1838** naissance de « La Seine » Sté d'assurance contre accidents causés par les chevaux et les voitures. Fondation de « L'Urbaine-Incendie ». **1844** de « L'Urbaine-Vie ». **1864** 1re Sté d'ass. accident (« La Préservatrice », Fr.). **1900** création de la Mutualité agricole. **1905-38** France, l'État étend son contrôle sur ass. par des lois (*17-3-1905* ass.-vie, *13-7-1930* contrat d'ass., *14-6-1938* unification du contrôle de l'État sur l'ensemble des entreprises d'ass. et de capitalisation). **1946 (25-4)** nationalisation des 32 Stés d'ass. les plus importantes ; création de l'École Nationale d'Ass. **1949** 1ers contrats d'ass.-vie revalorisables ; création de la Prévention Routière par les assureurs. **1951** création du Fonds de Garantie Automobile. **1953 (8-7)** signature entre plusieurs sociétés d'une convention de règlement forfaitaire anticipé (RFA). **1958 (27-2)** loi rendant l'ass. automobile obligatoire. **1960** 1ers carnets de constatation amiable et contradictoire d'accident. **1968 (1-5)** convention IDA. **1976 (16-7)** Code des ass.

Primes d'assurance directe collectées par chaque pays sur son marché national (en milliards de F et en % du PIB en 1988). USA 2 613,8 (8,9). Japon 1 724,2 (9,8). All. féd. 480,6 (6,7). G.-B. 417,9 (8,3). *France 316 (5,6).* URSS 180,6 (2,8). Canada 160,8 (5,3). Italie 121,1 (2,4). Australie 112 (6,9). Corée du S. 99,8 (9). Suisse 91,6 (8,5). Pays-Bas 91,2 (6,7). Espagne 89,1 (4,2). Suède 57,3 (5,3).

Prime moyenne par habitant (en $ en 1987). All. féd. 1 330 ; Irlande 1 146 ; G.-B. 1 122 ; P.-Bas 1 042 ; Danemark 953 ; *France 899* ; Luxembourg 705 ; Belgique 674 ; Italie 343 ; Espagne 280 ; Portugal 102 ; Grèce 63.

Premiers assureurs mondiaux. Total du bilan (fin 1986, en milliards de F). Prudential [1] 675, Metropolitan Life [1] 527, Nippon Life (Mutual) [2] 508, AETNA [1] 431, Equitable Life [1] 352, Dai-Ichi Mutual [2] 326, CIGNA [1] 323, Travelers [1] 299, Meiji Mutual [2] 285, Sunitomo Life [2] 281, Prudential [3] 245, New York Life [1] 226, Nationale [4] 205, Teachers Insurance [1] 180, John Hancock [1] 179, Allianz-Leben [5] 176, Asahi Mutual [2] 171, Tokyo Marine [2] 155, State Farm [1] 153, American General [1] 148. *Source :* Wall Street Journal.

Chiffre d'affaires (en milliards de F en 1986). Münchener Rück [5] 30,5 (13,3 de DM en 1989), Swiss de Re [6] 23,6, General Re [1] 14,5, Employers Re [1] 7,8, M & G Re [3] 7,6, Skandia [1] 6,7, American Re [1] 6,1, Lincoln National [1] 5,7, Kölnische Rück [5] 5,4, Tokyo M & F [2] 4,9, Prudential Re [1] 4,2, Hannover Rück [5] 4, Gerling Konzern [5] 3,8, Yasuda F & M [2] 3,5, Fronkona Rück [5] 3,5, Toa Re [2] 3,3, SCOR [7] 3,3.

Premiers groupes européens (chiffre d'affaires consolidé 1988, et entre parenthèses, montant des primes en milliards de F). Allianz [5] 114 (99). Zürich [6] 76 (54). UAP [7] 55,6 (55,6). Royal Insurance [3] 52 (45). Generali [8] 51 (50). Victoire-Colonia [7] 50 (50). Nationale Nederland [4] 46 (60). Prudential [3] 43. Winterthur [6] 42 (41). Axa-Midi [7] 42 (42).

Nota. – (1) USA (2) Japon. (3) G.-B. (4) P.-Bas. (5) All. féd. (6) Suisse. (7) France. (8) Italie.

Organisation des assurances en France

☞ Les plus petites (quelques employés) couvrent en général un risque déterminé (grêle, bris de glace, etc.), les grandes (généralement plus de 10 000 employés) couvrent souvent tous les risques. Certaines font partie de groupes. Il est interdit à une Sté d'ass. sur la vie de vendre également de l'ass. dommages et réciproquement.

Secteurs public et semi-public

Sociétés d'assurances nationalisées. L'État a nationalisé, le 25-4-1946, 34 Stés d'ass. et de capitalisation, constituées en 9 groupes, puis, le 17-1-68, en 4 : U.A.P. (Union des ass. de Paris), A.G.F. (Ass. gén. de France), G.A.N. (Groupe des ass. nat.), Groupe des mutuelles gén. franç. (ou « Mutuelles du Mans assurances », rendu en juin 87 au secteur privé, par transfert de propriété de l'État aux sociétaires). Elles ont conservé une gestion commerciale et concurrentielle, sont soumises aux mêmes règles comptables, fiscales et de contrôle que les Stés du secteur privé et ne jouissent d'aucun privilège. Depuis le 26-2-1990, n'importe quel investisseur français ou étranger peut détenir des actions des sociétés nationalisées dans la limite de 25 % du capital.

Se rattache au secteur public, la Caisse nationale de Prévoyance (CNP, filiale de la Caisse des dépôts et consignations) ; devenue un « épic » (établissement public à caractère industriel et commercial) (11 % du marché de l'ass.-vie) ne proposant que des produits d'ass.-vie.

Assurance des biens appartenant à l'État. En principe l'État est son propre assureur ; il est même dispensé de l'obligation d'ass. auto. Néanmoins des organismes publics souscrivent des contrats d'ass. auto et des établ. publics à caractère industriel ou commercial (EDF, CEA) souscrivent des contrats de responsabilité civile.

Coface (Cie française d'assurances pour le commerce extérieur). Sté nationale. Capital détenu par d'autres entreprises nat. (notamment Caisse des dépôts). A le monopole pour les entreprises françaises de l'ass. des risques politiques, monétaires et catastrophiques des opérations à l'étranger. En concurrence avec les autres Cies pour les risques commerciaux ordinaires. Garanties applicables aux acheteurs privés et publics.

Sinistres de l'ass. crédit moyen terme, résultat technique (en milliards de F). *1984 :* + 0,4. *1985 :* + 1,6. *1986 :* – 4,6. *1987 :* – 5,7.

Secteur privé

Sociétés commerciales. Comme les nationales, les soc. privées (S.A. ou soc. d'ass. mutuelles) sont régies par le Code des assurances. **Les plus importantes :** *Groupe AXA* contrôlé par les Mutuelles Unies Assurances, regroupe des Mutuelles (M. parisienne de garantie, M. St-Christophe, réservée aux ecclésiastiques, Nouvelle M., M. de l'Ouest, M. Phocéenne) et des Stés anonymes [groupe Drouot, groupe Présence (La Providence + Secours)]. En 1988, regroupement des filiales d'ass. des 2 groupes AXA et Cie du Midi (35 milliards de primes émises et bénéfice net de 2 milliards de F en 1987). *Groupe Victoire (Abeille-Paix)* contrôlé par la Cie financière de Suez à 30,07 % ; *Concorde,* filiale de Generali ; *PFA.*

Sociétés d'assurances mutuelles (surtout branches incendie, auto et grêle ; 39,7 % en 1987 du chiffre d'affaires assurances de dommages français, plus de 25 millions d'assurés). L'assuré est adhérent de la mutuelle et assureur des autres adhérents. On lui remet les statuts de la Sté avec la police d'ass. qu'il a souscrite. La mutuelle est une Sté civile ; elle ne peut distribuer de bénéfices qu'à ses adhérents et n'a pas de capital social représenté par des actions. Elle peut, pour payer intégralement tous les sinistres, procéder sur les adhérents à des rappels de cotisation selon des limites indiquées par les statuts, s'il s'agit d'une Sté à cotisations variables rentrant dans la catégorie des Stés d'ass. mutuelles, Stés mutuelles d'ass., caisses d'ass. mutuelle agricole et Stés à forme tontinière. *Principales mutuelles :* Mutuelle ass. des commerçants et industriels de France (MACIF) ; Garantie mutuelle des fonctionnaires (GMF) ; Mutuelle assurance artisanale de France (MAAF) ; Mutuelle ass. des instituteurs de France (MAIF) ; Mutuelle ass. des travailleurs mutualistes (MATMUT) ; Mutuelle agricole (union des mutuelles) ; des sociétés d'ass. étrangères opèrent en France sous la forme de mutuelles : Norwich Union (G.-B.), et la Sté suisse d'ass. sur la vie. Au total, 7 100 mutuelles (1987) regroupées en Unions départementales, régionales et nationales. *Féd. Nat. de la Mutualité Française* (FNMF) : 25 millions d'adhérents. *Féd. des Mutuelles de France* (FMF) : 2 à 3 millions d'adh. *Féd. Nat. Interprofessionnelle des Mutuelles :* créée 1989-90, 135 000 adh. *Pasteur Mutualité :* créée 1989-90, 60 000 adh.

Statistiques (France)

• **Effectifs** (en 1989). 216 750, dont salariés des Stés d'ass. 121 200 (dont services administratifs 95 400, services extérieurs 25 800), Caisse nationale de prévoyance 1 800, agents généraux 72 600 (dont titulaires 20 500, sous-agents 13 100, salariés 39 000), courtiers 17 000 (dont titulaires 2 000, salariés 15 000), experts 4 150.

• **Nombre de sociétés d'assurance directe et de capitalisation** (au 31-12-1989). 578 dont Stés nationales 7, anonymes 213, mutuelles et à forme mutuelle 207, étrangères 143, diverses 8.

• **Chiffre d'affaires des Stés françaises et étrangères agréées sur le marché français** (en milliards de F, 1989). 391,7 dont vie-capitalisation 200,6, I.A.R.D. 191,1.

Parts du marché par types de Stés (en % du CA, 1989). Anonymes 45,4 ; nationales 23,3 ; mutuelles ou à forme mutuelle 20,1 ; C.N.P. 4,4 ; mutuelle agricole 3,7 ; étrangères 3,1.

• **Courtiers** (1988). + de 2 400 en France, dont 456 groupes. Les 100 premiers cabinets (dont 69 à Paris) représentent + de 80 % du chiffre d'affaires et 79,5 % des effectifs. 47 ont un chiffre d'affaires de + de 20 millions de F.

Premiers groupes de courtage. (CA 1989 consolidé en millions de F ; entre parenthèses, effectifs). Faugère et Jutheau 646,8 (1 368). Gras Savoye 545 (1 215). GLN 365 (627). Ass. Verspieren 250,4 (485). SGCA 247,3 (415). CECAR 216 (347). Sedwick James 190,4 (381). SIACI 168 (189). Sécurité Nouvelle 154 (153). Cabinet Bessé 142,2 (96). Diot 134 (239).

• **Primes brutes** (en milliards de F, 1989). **Assurance dommages.** *Affaires directes en France métropolitaine :* 170,6 dont auto 66,6 ; dommages aux biens 43,4 ; dommages corporels 31,8 ; responsabilité civile générale 7,7 ; divers (crédits assistance) 7,4 ; transports 6,3 ; catastrophes naturelles 3,8 ; construction 3,7. *Outre-mer :* 1,7. *Étranger (aff. directes) :* 4. *Acceptations en réassurance France et étranger toutes branches confondues :* 14,1. **Assurance Vie et Capitalisation.** *Affaires directes en France métropolitaine :* 195 dont capitalisation 55,4 ; assurance-vie individuelle 37,9 ; assur.-vie collective 93,9 ; divers 7,8. *Outre-Mer :* 0,5. *Étranger* (aff. directes) : 0,8. *Acceptation en réassurance France et étranger toutes branches confondues :* 4,3.

• **Premiers groupes d'assurances directes sur le marché français** (1989) (hors filiales à l'étranger et réassurance). **Chiffre d'affaires consolidé en milliards de F (estim. FFSA).** UAP 44,9. AXA 30,8. AGF 27,9. CNP 23,4. Groupama 23,2. GAN 22,7. Predica 21,6. Victoire 18,2. Mutuelles du Mans 13,8. Athéna 9,7. Generali 9,5. MACIF 9,3. GMF 9. RM VIA 7,7. Ass. du Crédit Mutuel 7,1.

Capitaux gérés (milliards de F). *1989 :* 1 066,2.

• **Placements** (répartition en % au 31-12-1989). Obligations 54,8 ; actions 20,9 ; placements immobiliers 12,5 ; divers 7,1 ; prêts 1,9 ; bons et dépôts 2,8.

Au 31-12-1988, les assurances détenaient en actions 171,4 milliards de F (soit 7 % de la capitalisation boursière des actions cotées en France [en obligations 495,7 (+ de 18,9 % de la cap.)].

• **Charge des sinistres.** 1 accident de la circulation toutes les 12 secondes environ, 1 incendie toutes les 20 s, 1 cambriolage toutes les 70 s. 9,1 millions de F versés chaque heure par les sociétés vie et capitalisation. La charge des prestations a représenté en 1989 98,9 % des encaissements. En assurance dommages, les prestations correspondent à 74 % du chiffre d'affaires contre 118,6 en vie et capitalisation.

• **Charges d'exploitation** (en % des primes, 1989). Vie-capitalisation et dommages entre parenthèses. Ensemble 12 (31) dont frais de personnel 4,9 (9), impôts et taxes autres qu'impôt sur les bénéfices 0,6 (1,5), fournitures et services extérieurs 2,4 (5,9), frais divers de gestion 0,8 (2,4), commission 3 (11,9).

Exemples de gros sinistres

En France (dommages en millions de F). **1976**-*18-3* un automobiliste fait dérailler un train à Bar-le-Duc, dommages matériels 15. **1978**-*17-2* explosion due au gaz, rue Raynouard à Paris, dom. matériels 50. *Incendies.* **1982**-*11-9* port autonome du Havre, hangars 155. **1984**-*31-1* usine 380. **1985**-*19-12* fabrique de prod. laitiers 150. **1987**-*29-1* usine de sucre de Bray-sur-Seine 110. -*25-10* grand magasin du Val-d'Oise 290. **1988**-*3-10* inondations de Nimes 1900. **1989**-*22-9* abattoir (Morbihan) 200.

En Europe. *Divers.* **1977**-*27-3* collision entre 2 Boeing à Tenerife 600. -*20-10* incendie dépôt Ford, Allemagne 830. **1978**-*11-7* explosion camion citerne près d'un camping, Los Alfaques (Esp.), indemnités versées aux familles 170. **1980**-*27-3* effondrement plate-forme pétrolière Alexander Kielland (Norvège), dommages matériels 280. -*27-10* explosion entrepôt G.-B. 320. **1987**-*26-5* inondations Pologne 3 060. -*18-7* orages Tessin (Suisse) 850. -*16/17-10* tempête G.-B. 8 886. **1988**-*25-8* incendie de Lisbonne 1 500. *Déc.* Incendie de la plate-forme Piper-Alpha en mer du Nord 800 millions de $. **1989**-*24-10* cyclone Hugo 24 000. **1990**-*1* tempête en G.-B. 9 600.

• **Escroqueries** [enquêtes de l'Agence pour la lutte contre la fraude à l'assurance (ALFA)]. *En 1988 (en %) :* prétendus vols de voiture 49, accidents de la route 19, incendies d'origine douteuse dans des commerces ou établissements industriels 9. (Sur 1 000 incendies survenus en 10 ans en mai, 189 étaient volontaires ; en déc. 204 sur 1 000. 18 % des affaires traitées ont abouti « à des présomptions graves, précises et concordantes » ; dans 24 % des cas « les indices étaient suffisamment probants pour que l'assureur ne soit pas tenu d'indemniser. La bonne foi de l'assuré a été admise dans 31 % des recherches ». 94 % des enquêtes ont abouti en – de 3 mois).

Poids économique des assurances

• **Comparaison du chiffre d'affaires des assurances avec ceux des autres secteurs** (en milliards de F, H.T., 1988). Bâtiment 385. Assurance 340,2. Industrie chimique 317. Automobile 285. Mécanique 272,4. Construction électrique et électronique 257. Travaux publics 125. Textile 113.

• **Épargne nouvelle dégagée par les Stés d'assurance en milliards de F et,** entre parenthèses, **formation brute, de capital fixe.** *1980 :* 32,7 (645,8). *1985 :* 78,6 (905,3). *1986 :* 113,3 (977,5). *1987 :* 114 (1 046,2). *1988 :* 159,7 (1 164,4). *1989 :* 190 (1 271,5).

• **Apport d'épargne des assurances à l'économie française** (en %). En 1989, l'épargne nouvelle a représenté 14,5 % de l'investissement national. *Portefeuille d'actions françaises cotées par secteurs économiques (en %) :* sociétés financières 49,6 ; industrie et commerce 22,8 ; services 14,8 ; autres 13. *Obligations :* émises par le secteur public 52,3 ; l'État 31,8 ; le secteur privé 15,8.

Pertes dues à des sinistres informatiques (en milliards de F, 1989). 8,6 dont : fraude, sabotage immatériel, indiscrétion, détournement d'informations, détournements de logiciels 4,2 ; accidents, vol, sabotage de matériel, panne et dysfonctionnement de matériels et logiciels de base 2,5 ; erreur de saisie, transmission et utilisation d'informations 11,8 ; grève, départ de personnel informatique, divers 0,1.

Risques et sinistres insolites. Eurotunnel garanti en dommages pour 5 milliards de F (tous risques chantiers). Assurance contre le rhume du « nez » d'un spécialiste des parfums. Le grizzly du film « L'Ours » a été assuré en cas de décès ou de maladie pour 1,8 million de F (budget global d'assurance du film 90 millions de F). Décès de Romy Schneider 9 millions de F.

Contrats

Données générales

• **Souscription.** S'adresser à la société d'ass., ou à l'agent général ou courtier d'ass. de son choix. **Omission de déclaration ou déclaration inexacte, conséquences :** *en cas de bonne foi* avant tout sinistre, possibilité de résiliation pour l'assureur, réduction proportionnelle de l'indemnité après sinistre ; *mauvaise foi* nullité du contrat, l'assureur conservant les primes échues à titre de dommages et intérêts. Depuis 1-5-1990, l'assureur doit remettre à son client : une fiche d'information sur les prix et garanties ; un exemplaire de projet de contrat ou une notice d'information.

Si l'on désire une garantie immédiate, demander une *note de couverture.* Elle sera remplacée ensuite par une *police d'assurance,* acte définitif précisant les engagements de l'assuré et de l'assureur.

Un assuré qui souscrit plusieurs garanties d'ass. auprès de différents assureurs pour couvrir le même risque (par ex. responsabilité civile comprise dans une multirisque habitation, une ass. scolaire et une ass. responsabilité civile pour la pratique du sport) doit en faire la déclaration à tous les assureurs.

En cas d'accident causé par son enfant, il pourra s'adresser à l'assureur de son choix qui réglera l'indemnité due.

• **Durée.** Fixée par la police d'ass., mais l'assuré comme l'assureur a le droit de résilier le contrat chaque année. Dérogation possible pour l'assurance grêle, les contrats individuels d'assurance maladie et les risques autres que ceux des particuliers.

• **Résiliation. Conditions.** Les contrats sont résiliables annuellement, un délai de préavis de 2 mois doit être respecté. Toutefois, les contrats individuels d'ass. maladie et les risques autres que ceux des particuliers peuvent prévoir d'autres conditions fixées par la police d'assurance ; *vie* tout moment en cessant d'acquitter les primes.

Modalités. Parfois indiquées dans la police. Résiliation, à la date anniversaire du contrat ou à l'échéance annuelle.

L'assuré peut résilier par déclaration avec récépissé, faite au siège de la Société, par acte extrajudiciaire, par lettre recommandée avec ou sans A.R., ou par tout autre moyen indiqué dans la police. Le délai de préavis court à partir de la date figurant sur le cachet de la poste. **Résiliation avant terme.** *Causes :* changement de situation (domicile, mariage, profession, régime matrimonial, retraite ou cessation d'activité) sauf pour les contrats souscrits en Ht-Rhin, Bas-Rhin et Moselle quand ils sont régis par la loi locale du 30-5-1908. Disparition du bien assuré, vente du bien assuré ou décès de l'assuré, pour sinistre par l'assureur, pour augmentation de prime.

☞ **Pour tout renseignement.** *Centre de documentation et d'information de l'assurance* (2, rue de la Chaussée-d'Antin, 75009 Paris).

Résiliation après sinistre. La police peut prévoir que la Sté pourra résilier le contrat après sinistre. La garantie cesse un mois après l'envoi d'une lettre recommandée. Si un mois après, la Sté a encaissé une prime (ou une portion) postérieure à la date du sinistre sans faire de réserves, elle ne peut plus se prévaloir de la faculté de résiliation. **Ass. auto** (garantie obligatoire de responsabilité civile) : le contrat d'ass. auto. ne peut être résilié par l'assureur qu'après un sinistre causé par un conducteur en état d'imprégnation alcoolique, ou coupable d'une infraction entraînant une suspension judiciaire ou administrative du permis d'au moins 1 mois, ou son annulation. La Sté d'ass. conserve le droit de résilier le contrat à l'échéance annuelle sous réserve d'un préavis de 2 mois.

Délai de réflexion. Celui qui a signé une proposition ou une police d'assurance-vie peut y renoncer par lettre recommandée (avec demande d'avis de réception) pendant 30 j à compter du 1er versement. L'assureur doit indiquer les 6 premières valeurs de rachat ainsi que le sort de la garantie décès en cas de dénonciation du contrat. Il doit également remettre, en plus d'une note d'information sur le contrat, un modèle de lettre de renonciation. A défaut, le délai sera prolongé de 30 j à partir de la remise effective des documents. Un nouveau délai de 30 j court à compter de la réception de la police lorsque celle-ci apporte des réserves ou des modifications essentielles à l'offre originelle ou à compter de l'acceptation écrite de ces réserves. La renonciation entraîne la restitution par l'assureur des sommes versées dans les 30 j ; au-delà, les sommes produisent intérêt au taux légal majoré de 50 % durant 2 mois, pris au double du taux légal à l'expiration de ce délai. Ces dispositions ne s'appliquent pas aux contrats dont la durée est inférieure à 2 mois.

• **Sinistre.** Événement (par exemple : incendie, accident, vol, etc.) ouvrant droit au paiement d'une indemnité.

Accidents matériels de la circulation : la formule de constat amiable comporte la déclaration de sinistre. Envoyer l'exemplaire à l'assureur dans les 5 jours ouvrés et garder une photocopie.

Déclaration. (Nom, prénom, adresse, no de contrat, nom et adresse du courtier, date et lieu du sinistre, victimes, dommages, témoins) doit être faite par écrit, en principe par lettre recommandée adressée à la société ou à son représentant. Délai normal 5 jours ouvrés (min. légal), à partir du jour où on a connaissance du sinistre. Sauf dans le cas fortuit ou de force majeure.

DÉLAIS SPÉCIAUX : *Ass. sur la vie :* laissés aux soins des parties (lire le contrat). *Contre la grêle* (sauf cas fortuit ou de force majeure, ou convention contraire des parties) : 4 j. *Contre la mortalité du bétail* (mêmes réserves) : 24 h. *Contre le vol :* 2 j ouvrés et l'assuré doit porter plainte.

La non-déclaration ou la *déclaration tardive* peut entraîner la déchéance de tous droits à indemnité à condition que celle-ci soit mentionnée en caractères apparents dans les conditions générales de la police et que l'assureur prouve que le retard dans la déclaration lui a causé un préjudice.

Exclusions de risques. *Légales* [exclusions de la faute intentionnelle ou dolosive de l'assuré (interdiction d'assurer), des risques de guerre étrangère, g. civile, émeutes et mouvements populaires (sauf inopinés), du suicide volontaire et conscient pendant les 2 premières années du contrat en assurance-vie], *conventionnelles* (lire le contrat).

Attentats et actes de terrorisme. Toute assurance de bien couvre automatiquement les dommages matériels causés par un acte de terrorisme ou un attentat. Cette garantie est donc acquise à tous les automobilistes ayant une garantie dommages ou incendie et aux titulaires d'une multirisque habitation.

Fonds de garantie créé par la loi du 9-9-86. Les victimes de dommages corporels dus à un acte de terrorisme peuvent recevoir une provision dans le mois suivant leur demande, une offre d'indemnité dans les 3 mois à partir du jour où elles auront justifié de leur préjudice. Le fonds est alimenté par un prélèvement sur les contrats d'assurance de biens (dans lesquels la garantie des dommages matériels résultant d'actes de terrorisme et d'attentats commis en France est obligatoire). 4 F pour 1991.

Primes. L'assuré a 10 j pour payer. Au-delà, l'assureur peut poursuivre le recouvrement en justice, sauf pour les assurances sur la vie. L'assureur peut suspendre la garantie 30 j après avoir envoyé une lettre de mise en demeure avec A.R., si la prime n'a pas été payée entre-temps. La lettre peut en même temps notifier la résiliation si la prime n'a pas été payée, le contrat est résilié 40 j après l'envoi de la lettre. Si elle ne la notifie pas, l'assureur peut résilier 10 j après l'expiration du délai de 30 j par une 2e lettre recommandée. Si la garantie est suspendue (et si le contrat n'est pas encore résilié), l'assuré peut remettre la garantie en vigueur en payant la ou les primes arriérées. La garantie reprend le lendemain à midi du j où l'arriéré aura été payé.

Majorations. Ne peuvent être refusées quand elles sont dues à une décision légale ou réglementaire (exemple : hausse des taux de taxes ou, en auto, application de la charge bonus-malus) ou si le contrat prévoit une clause de revalorisation ou d'indexation de la prime, ou encore si le contrat interdit la résiliation pour les hausses inférieures à 10 % par ex. Lorsqu'elle est possible, la résiliation pour hausse de prime doit en général être faite par lettre recommandée dans le mois de la réception de l'avis d'échéance.

Accidents corporels (assurances)

• **Assurances individuelles accidents.** Indemnité forfaitaire fixée par contrat, ex. *en cas d'invalidité permanente :* versement du capital en proportion du taux d'invalidité ; *incapacité temporaire :* indemnités journalières et éventuellement remboursements des frais médicaux (non pris en charge par un organisme social). *Décès :* capital au bénéficiaire désigné.

Risques exclus. *1°) Maladie :* « accidents cardiaques » ; hernies et maladies de toute nature, varices, sciatiques, attaques de poliomyélite, d'épilepsie ou d'apoplexie, rhumatismes et ruptures d'anévrisme, paralysie, délire alcoolique, aliénation mentale, maladies du cerveau et de la moelle épinière ; conséquences d'opérations chirurgicales n'ayant pas pour cause un accident garanti par le contrat ou entreprises sur l'assuré par lui-même ou un tiers non qualifié ; lésions causées par les rayons X et leurs composés, et d'une façon générale les risques atomiques tels que définis par la clause en usage. *2°) Suicide, mutilations volontaires. 3°) Meurtre de l'assuré par le bénéficiaire. 4°) Accidents survenus dans certaines circonstances dangereuses :* période militaire de + de 30 j (en service commandé, l'Armée est responsable) ; duels ou rixes (sauf cas de légitime défense) ; rallyes ou épreuves de vitesse ou d'endurance ; sports dangereux (skeleton, bobsleigh, alpinisme en haute montagne) ou pratiqués professionnellement ; sports aériens (vol à voile, parachutisme, deltaplane et tout pilotage d'avion), pratique de l'aviation en dehors des lignes commerciales régulières ; parfois accidents de ski. *5°) Accidents intentionnellement causés ou provoqués par les bénéficiaires* de la police ou par la victime elle-même. *6°) Conséquences de l'ivresse,* stupéfiants, tentative de suicide même due à un dérangement mental. *7°) Cataclysmes* (tremblements de terre ou inondations).

On peut couvrir certains risques exclus.

• **Assurances individuelles limitées. Assurance « individuelle accidents »** liées à certaines activités de loisirs, sports, chasse, sports d'hiver, voile, aviation, etc., la conduite automobile ou de 2-roues à moteur. Si les passagers sont indemnisés par l'assurance resp. civile en cas d'accident, le conducteur responsable ne l'est pas et l'individuelle accident joue.

Risques compris. L'usage de taxis, bus, automobiles (pour 2-roues à moteur, sauf cyclomoteurs, surprime), avion ou hélicoptère d'une Sté (comme passager), mort ou infirmité par accident de circulation, attentats non commis dans le cadre d'une action concertée contre assuré, accidents survenus en cas de légitime défense et au cours de sauvetage de personnes, mort par asphyxie, noyade ou hydrocution, piqûres médicales (vérifier le contrat), brûlures, électrocution, foudre, morsures de serpents, empoisonnement ou brûlures causées par des substances vénéneuses, corrosives, des aliments avariés absorbés par erreur ou dus à l'action criminelle d'un tiers, congestions, insolations et autres effets de la température, consécutifs à un accident garanti, les conséquences directes et immédiates d'un accident compris dans la garantie, cas de rage ou de charbon consécutifs à des morsures d'animaux ou à des piqûres d'insectes, accidents, pendant les périodes du service militaire de 30 j max. en temps de paix.

Tarif des primes. Se calcule en % des sommes assurées. Dépend du secteur d'activité et de la nature du travail effectué (aucun travail manuel, tr. manuel occasionnel, tr. manuel habituel).

Multirisques loisirs. Pour les sportifs et vacanciers.

Préjudice en cas d'accident

• **Cas de survie. Incapacité permanente.** Préjudice établi en fonction de la diminution des ressources de la victime et des séquelles qui subsistent, soit grâce à l'examen de ces ressources et des documents relatifs au préjudice subi, soit par calcul « au point » *(unité d'incapacité correspondant à 1/100 du taux d'incapacité), ou encore par calcul mathématique :* un homme de 36 ans gagnant 100 000 F par an, ayant une incapacité de 40 %, le prix du franc de rente du barème droit commun (taux 6,5 %) étant à 36 ans de 12,951, on évalue le préjudice à :

$$\frac{100\,000 \times 12{,}951 \times 40}{100} = 518\,040 \text{ F.}$$

Prix du F de rente. 20 ans : 14,250. *30 :* 13,567. *50 :* 10,812. *70 :* 6,184. *80 :* 3,798. Nouveau barème annexé au décret du 8-8-1986.

La rente peut être révisée s'il y a aggravation de l'état de la victime, mais non s'il y a amélioration.

Revalorisation de divers avantages d'accident du travail. Effectuée 2 fois/an.

Préjudice de la douleur (pretium doloris). Pour la souffrance endurée au moment de l'accident ou durant les traitements ou opérations postérieures jusqu'à la consolidation des blessures.

Indemnités (moyenne 1990) : légères 2 000 à 7 000, modérées 7 000 à 12 000, moyennes à assez importantes 12 000 à 40 000, importantes à très importantes 40 000 à 75 000 et au-delà.

Renseignements sur le montant des indemnisations récentes : Minitel 36 15 code AGIRA.

Préjudice d'agrément. Calculé en fonction de l'atteinte portée aux satisfactions et plaisirs de la vie. *Très léger à léger :* 4 200 à 6 900 F, *modéré :* 11 800 à 14 000, *moyen à assez important :* 25 000 à 27 000, *important à très important :* 54 000 à 100 000.

Préjudice esthétique. Souvent fonction du sexe, de l'âge, de l'état de célibat, de la profession. *Très léger à léger :* 2 400 à 3 500, *modéré :* 7 400 à 10 000, *moyen à assez important :* 16 000 à 25 600, *important à très important :* 41 000 à 75 000.

• **Cas d'accident mortel.** *Peuvent solliciter des dommages et intérêts :* conjoint survivant, enfants légitimes, adoptés, naturels, petits-enfants à raison de leur intimité avec leurs grands-parents, lorsqu'ils vivent avec eux ou bénéficient de leur part d'une aide pécuniaire, grands-parents légitimes ou naturels, collatéraux, frères, sœurs, amis intimes (s'ils ont subi un préjudice), fiancé (parfois), concubin ou concubine (parfois), nièces, neveux, à défaut de parents plus proches.

Ex. : pour le *décès d'un père de famille* (30 ans, agent P.T.T., salaire 136 000 F/an ; *veuve :* préjudice patrimonial 790 000, préjudice moral 100 000 ; *enfants (2) :* préj. patrimonial 450 000, moral 80 000 × 2 ; *ascendants et collatéraux (6) :* préj. patrimonial 40 000, moral 20 000 × 6.

☞ En 1985, les assurances ont versé en moyenne par victime tuée 208 600 F (pour un homme actif, 356 850 F) ; pour un blessé grave, 80 630 F.

• **Accidents en France.** Nombre moyen par an. *Domestiques :* blessés 500 000 à domicile dont 193 000 pendant leurs loisirs (dont 73 000 enfants et 48 000 adultes bricoleurs (sur 7 000 000 d'adeptes), morts 5 000. *De la circulation :* blessés 300 000, morts 11 000. *De sport :* blessés 200 000, morts 300. *Du travail :* blessés 900 000, morts 1 100.

Automobile (assurance)

☞ **Composition du parc de véhicules à moteur** (au 1-1-1990 en milliers). *4 roues :* 27 758 dont voitures particulières 23 010, véhicules utilitaires 4 680, autocars 68. *2 roues :* 3 293 dont cyclomoteurs 2 415, plus de 50 cm³ 878. *Total véhicules à moteur :* 32 454 dont 2 413 tracteurs agricoles et divers.

Généralités

• **Garantie obligatoire. Responsabilité.** Tout utilisateur d'un véhicule terrestre à moteur (propriétaire, locataire ou conducteur) doit souscrire un contrat d'assurance de responsabilité civile à l'égard des tiers.

Cette assurance de responsabilité civile est obligatoire pour tous les *véhicules en circulation,* se déplaçant sur une voie publique, une voie privée ou même sur des terrains non ouverts à la circulation ou qui sont en stationnement sur ces mêmes voies.

Le souscripteur du contrat, le propriétaire de la voiture, les représentants légaux de la personne morale propriétaire de véhicules sont désormais considérés comme des tiers et indemnisés par cette garantie lorsqu'ils ne conduisent pas.

Le contrat d'assurance garantit également la responsabilité civile de toute personne ayant la garde ou la conduite, même non autorisée, du véhicule, à l'exception des professionnels de la vente, de la réparation et du contrôle de l'automobile ainsi que la responsablité des passagers du véhicule.

• **Autres garanties** (dommage tous accidents, dommage-collision, défense-recours, incendie, vol et bris de glace) sont facultatives. Les garanties catastrophes naturelles et attentats sont acquises si une garantie couvrant les dommages au véhicule a été souscrite.

• **Attestation d'assurance.** Le document justificatif *(carte verte, certificat d'assurance)* est valable 1 mois après la date d'échéance. La carte verte est exigée dans les pays où l'ass. auto est obligatoire. Elle ne garantit que l'ass. obligatoire « responsabilité civile » à l'égard des tiers. Pour les pays qui seraient rayés sur la carte verte, il faut souscrire une « ass. frontière ». Vérifier si les garanties non obligatoires (vol, incendie, dommages au véhicule) s'appliquent dans les pays visités. *L'attestation et le certificat provisoires* délivrés par l'assureur à l'acquéreur d'un nouveau véhicule établissent une présomption d'assurance pour la période qu'ils déterminent et qui ne peut excéder 1 mois.

Certificat d'assurance. Depuis le 1-7-1986, les souscripteurs de contrats relatifs aux véhicules de – de 3,5 t et aux 2 roues, immatriculés ou non, doivent apposer un certificat d'assurance faisant présumer le respect de l'obligation d'assurance. Le défaut d'apposition du certificat et le défaut de présentation de l'attestation constituent une contravention de 2e classe (peine d'amende de 250 à 600 F). Cette infraction ne se confond pas avec celle du défaut d'assurance (absence de souscription d'un contrat) réprimée par une contravention de 5e cl.

• **Tarification.** Variable en fonction du véhicule, de la franchise choisie par l'assuré (s'il accepte de garder à sa charge, en cas de dommage, une partie des frais, sa prime sera moins élevée), de la zone géographique, de l'utilisation du véhicule, de la personnalité du conducteur (âge, sexe, situation de famille, ancienneté du permis, passé automobile de l'assuré).

Le Code des assurances oblige les Stés d'assurances à délivrer à toute personne qui saisit le B.C.T. (Bureau central de tarification) un devis indiquant le coût des garanties. Le B.C.T. est composé d'assureurs et d'assurés dont la mission est de fixer le tarif de la prime que sera tenu d'appliquer l'assureur qui aura préalablement refusé d'assurer une personne soumise à obligation.

Conducteurs « novices ». Assurés ayant un permis de – de 3 ans. Assurés ayant un permis de 3 ans et +, mais qui ne peuvent justifier, sur les 3 années antérieures à la souscription du contrat, une assurance effective. *Surprime* facultative (au max. 140 % de la prime de référence). Doit être réduite de moitié au moins par année sans sinistre responsable et disparaît après 2 ans sans sinistre.

Risques « aggravés » (article 335-9-2 du code). Assurés responsables d'un accident et reconnus en état d'imprégnation alcoolique au moment de l'accident : surprime 150 %. Ass. responsables d'un accident ou d'une infraction aux règles de la circulation qui a conduit à la suspension ou à l'annulation du permis de conduire : susp. de 2 à 6 mois : 50 %, de + de 6 mois : 100 %, annul. ou plusieurs susp. de + de 2 mois au cours de la même période de référence : 200 %. Ass. coupables de délit de fuite après accident : 100 %. Ass. n'ayant pas déclaré, à la souscription d'un contrat, une ou plusieurs des circonstances aggravantes indiquées ci-dessus ou n'ayant pas déclaré les sinistres dont ils ont été responsables au cours des 3 années précédant la souscription d'un contrat : 100 %. Ass. responsables de 3 sinistres ou + au cours de la période annuelle de référence : 50 %.

Ces différentes surprimes peuvent se cumuler, mais le montant total de la surprime ne peut dépasser 400 % de la prime de référence. L'application de ces surprimes est limitée dans le temps, chacune étant supprimée après 2 ans au plus.

Réduction de tarif. 3 cas prévus : formation et perfectionnement à la conduite, contrôle technique des véhicules (doivent correspondre au minimum aux normes AFNOR), conducteurs d'élite. % de réduction laissés à l'appréciation de chaque assureur.

La notion de « conducteur d'élite », définie librement par les entreprises, recouvre généralement ces critères : période ininterrompue de 7 ans max. sans accidents ; période plus courte (5 ans par ex.) sans accidents mais chez le même assureur ; bonus max. atteint, afin que l'assuré continue à être motivé.

Bonus-Malus. Clause-type obligatoire pour tout « véhicule terrestre à moteur », sauf pour les véhicules de moins de 81 cm³, ou certains véhicules ou matériels (agricoles, forestiers, de travaux publics ou de lutte contre l'incendie). *Bonus :* 5 %, soit un coefficient de 0,95 à l'issue de chaque année sans sinistre. Il n'y a pas d'acquisition de bonus lorsqu'un sinistre de parking, un vol ou un bris de glace est enregistré sur le contrat. *Malus :* 25 %, soit un coefficient de 1,25 appliqué lors de chaque sinistre. Plafond maximal : 250 % (coefficient 3,50). Après 2 années consécutives sans sinistre, le coefficient ne peut être supérieur à 1.

La majoration est réduite de moitié lorsque la responsabilité de l'accident est partagée. Ne donnent pas lieu à majoration les sinistres lorsque : « 1° L'auteur de l'accident conduit le véhicule à l'insu du propriétaire ou de l'un des conducteurs désignés, sauf s'il vit habituellement au foyer de l'un de ceux-ci ; 2° La cause de l'accident est un événement imputable à un cas de force majeure, à la victime ou à un tiers, même quand l'assureur indemnise les victimes au titre de la « loi Badinter ». *Coefficients spéciaux de bonus-malus* pour certains assurés lorsque le véhicule est assuré pour un usage « tournées » ou « tous déplacements » : taux de réduction de 7 % (coefficient bonus de 0,93), t. de majoration 20 % (coeff. malus 1,20) (en effet la prime de référence est plus chère).

• **Voiture louée.** Bien respecter les conditions du contrat : âge, ancienneté du permis... Le conducteur doit être mentionné sur le contrat et agréé par le loueur. L'ass. couvre les risques obligatoires (dommages causés à des tiers) sans limitation de somme, le vol et l'incendie du véhicule loué. Les dommages accidentels causés au véhicule sont souvent assurés, mais avec une franchise. Sinon, on peut souscrire cette ass. pour éviter, en cas d'accident, que la Sté de location se retourne contre vous pour se faire rembourser les dommages. *Ass. complémentaire* possible pour garantir le paiement d'indemnités forfaitaires aux personnes transportées.

• **Voiture laissée à des amis ou à des enfants.** Si le contrat comprend une garantie « conduite exclusive », demander une modification de cette clause. Communiquer à l'assureur par lettre recommandée l'identité des personnes susceptibles de conduire habituellement votre véhicule ou une garantie « prêt de véhicule » ou « prêt de volant ». Vérifier conditions d'application de ces garanties et conséquences contractuelles prévues en cas de sinistre consécutif à un prêt. En cas d'utilisation régulière du véhicule par d'autres personnes que le conducteur habituel, il est prudent de le déclarer à l'assureur.

Remorquage. Éviter le remorquage bénévole (interdit sur autoroute) : les dommages causés aux tiers par le véhicule remorqué ou par le remorqueur peuvent être exclus des polices d'assurance respectives.

Formalités en cas de sinistre

1°) En cas de collision avec un autre véhicule. Constat amiable. Porter en bas le nombre de cases utilisées pour éviter que d'autres cases soient cochées ensuite. Ne pas signer avant que l'autre partie n'ait complété sa colonne et que le croquis de l'accident ne soit réalisé. En signant, vous exprimez votre accord sur la relation des faits qui serviront à déterminer les responsabilités. Si les circonstances de l'accident ne correspondent pas aux cas types énumérés, utiliser la rubrique « observations ». Relever noms et adresses de témoins (de préférence autres que ceux des passagers du véhicule). Si l'on n'est pas d'accord sur le déroulement des faits et que chacun refuse de signer le constat, l'adresser néanmoins à son assureur. Une fois que les 2 exemplaires du constat amiable sont séparés, ne pas raturer ou surcharger le sien sous peine d'être taxé de fraude. Dans tous les cas, adresser le constat à l'assureur par lettre recommandée dans les 5 j ouvrés après avoir complété le verso.

Sans constat amiable. Ex. : *si l'auteur de l'accident n'est pas identifié,* on ne peut obtenir, en l'absence de dommages corporels, d'indemnisation à moins d'avoir souscrit une assurance « tous accidents ». Faire une déclaration d'accident dans les plus brefs délais. En cas de dommages matériels et corporels, un recours est possible auprès du Fonds de garantie automobile (64, rue de France, 94300 Vincennes) pendant 3 ans à compter de l'accident. *Si le véhicule est identifié,* informer son assureur afin qu'il obtienne le nom du propriétaire du véhicule. *Si le véhicule a été volé,* accomplir la même démarche, car l'assureur du véhicule volé est tenu d'indemniser les victimes d'accidents causés par le voleur.

2°) En cas de vol, incendie... Vol. Porter plainte au commissariat de police ou à la gendarmerie, et demander un récépissé. Joindre ce récépissé à la déclaration de sinistre, l'adresser à l'assureur, par courrier recommandé dans les 2 j ouvrés suivant la connaissance du vol. *Si le véhicule volé est retrouvé* avant que l'on soit indemnisé, faire constater et consigner par écrit les dégâts par l'autorité qui le restituera. Avec l'accord de l'assureur, il vaut mieux aussi faire essayer le véhicule par un garagiste ou expert. **Incendie, explosion.** Informer l'assureur dans les 5 j ouvrés. **Bris de glace.** Idem. **Vandalisme, attentat, émeute,** déclaration dans les 5 j ouvrés. **Catastrophe naturelle** (inondation, glissement de terrain) : déclarer les dommages au plus tard dans les 10 jours de la parution au J.O. de l'arrêté interministériel.

Indemnisation

• **Cas où l'on peut être indemnisé selon les garanties souscrites. Assurance « dommages tous accidents » dite « tous risques ».** On peut être indemnisé, si l'on part en tonneau, à la suite d'un dérapage, en cas de collision avec un animal, un autre véhicule... **Assurance « dommages collisions ».** On peut être indemnisé, seulement en cas de collision avec un autre véhicule, ou un animal, dont le propriétaire est identifié ou un piéton identifié. La garantie ne jouera pas si le conducteur a pris la fuite, s'il n'a pas laissé sa carte de visite, en cas de collision avec un animal sauvage égaré... **Garantie incendie :** explosion, chute de la foudre sont aussi couverts mais il ne faut pas que le sinistre résulte d'un transport de matières explosives dans le véhicule. **Bris de glace accidentels :** pare-brise, glaces arrière et latérales sont remplacés à l'identique. **Vol :** en général, le véhicule (ou les dommages qu'il a subis s'il est retrouvé) est remboursé s'il y a vol avec effraction. L'effraction du véhicule n'est pas nécessaire si le garage privé où il était a été fracturé ou s'il a été pris au moyen de violences corporelles. Souvent, les biens qui se trouvaient dans le véhicule (effets personnels, autoradio) ne sont pas couverts si le véhicule n'a pas été déplacé (c'est-à-dire s'ils ont été volés pour eux-mêmes), une garantie spéciale peut être souscrite.

En général, on ne peut toucher l'indemnité que 30 j au moins après le vol ; si les 30 j sont passés et que la voiture est retrouvée avant que l'indemnité soit versée, on doit, selon les clauses des contrats, reprendre la voiture.

• **Bases d'indemnisation. Valeur vénale :** déterminée par un expert (quelques contrats font encore référence à la « valeur Argus »). Correspond au prix que l'on aurait tiré de la vente du véhicule avant le sinistre. Le montant des réparations nécessaires à sa remise en état ne peut être pris en charge que dans la limite de la valeur du véhicule avant le sinistre. *Pour les préjudices inférieurs à une certaine somme* (1 000 F par exemple), l'expertise n'est pas exigée. *Si le véhicule est volé ou complètement détruit ou si le prix des réparations dépasse sa valeur,* l'expert déterminera l'indemnisation en incluant (les contrats le prévoient généralement) « les équipements optionnels prévus au catalogue du constructeur » après déduction de la valeur de sauvetage, s'il y a lieu (prix de vente de l'épave à la casse) ; les montants de la vignette et de la carte grise peuvent être pris en charge dans certaines conditions.

Accident causé par un tiers. Si l'on n'a pas de garantie dommage, on sera indemnisé dans le cadre de l'ass. « resp. civile obligatoire » : soit par son assureur dans le cadre de la convention I.D.A. (d'indemnisation directe des assurés) si le montant des dommages matériels ne dépasse pas 25 000 F H.T. ; soit par l'assureur du resp. si le montant est plus élevé. La victime a droit à une indemnité d'immobilisation de son véhicule (calculée en j par l'expert).

Fonds de garantie automobile. *Créé* en 1951, il joue *1° en cas de dommages corporels,* si le responsable n'a pas été identifié ou s'il n'est pas assuré. Dep. le 1-1-1986, rembourse les dommages aux biens lorsque l'auteur du dommage est inconnu et s'il y a eu un blessé. *2° en cas de dommages uniquement matériels,* si le responsable de l'accident a été identifié et si sa responsabilité est établie. Une franchise est appliquée (2 000 F). L'indemnisation ne peut dépasser 3 millions de F. Certains biens ne sont pas indemnisés (espèces, valeurs, bijoux). Les effets personnels le sont jusqu'à 6 000 F par personne. **Ressources du F.G.A.** 1,9 % des primes de resp. civ. auto, majoration de 50 % des amendes pour infraction à l'obligation d'assurance, versement par les Stés d'assurance de 10 % des charges du Fonds, recours contre les responsables non assurés : capital versé à la victime 10 %. **Activités du FGA (1988) :** versées 405,5 millions de F, à payer 576,5. *Nombre de dossiers :* ouverts 25 698, en cours (au 31-12) 82 478. *Conducteurs non assurés :* 37,6 % en corporel, 44,2 en matériel.

Valeur de remplacement. « Prix de revient total d'un véhicule d'occasion de même type et dans un état semblable » d'après la Cour de cassation (2ᵉ ch. civ. 12-2-1975).

Valeurs conventionnelles. Clauses permettant l'indemnisation au prix catalogue pour les véhicules récents, ou pour un prix plancher pour les v. anciens. Selon les Stés, une voiture achetée depuis – de 6 mois est indemnisée sur la base du prix au catalogue de la marque au jour de l'achat de la voiture ou au jour du sinistre... Après ces 6 mois, l'assureur applique un abattement de 1 à 2 % par mois pendant 1, 2 ou 3 ans. Cette garantie n'est pas forcément automatique. Certaines Stés refusent de délivrer une garantie dommage si le véhicule est trop ancien (+ de 5 ans par exemple). Si le v. est très ancien (+ de 15 ans ou sorti avant 1945), une garantie spéciale sur la base d'une expertise préalable à la souscription du contrat d'assurance est possible.

Statistiques

Taxes. Garantie responsabilité civile obligatoire. Pour 100 F, l'assuré paie 34,90 F de taxes (dont : Séc. soc. 15 F, fonds de garantie automobile 1,90 F, taxe fiscale 18 F). Garanties facultatives : taxe fiscale de 18 %.

Répartition du C.A. (en %, en 1988). Nationalisées 16,5, anonymes 26,8, à forme mutuelle avec intermédiaires 13,3, sans interm. 32,3, étrangères 3,4, mutuelles locales et prof. 1,2, agricoles 6,3.

Escroqueries à l'assurance. *Coût :* 9 milliards de F/an (dont 80 % par des incendies volontaires). *Assurance auto :* 41 % des vols, 19 % des accidents, 7 % des bris de glace sont simulés. Toute fraude reconnue entraîne immédiatement le remboursement des sommes perçues par l'assuré, la résiliation du contrat et parfois des peines de plusieurs mois de prison ferme.

Deux-roues

Motards. Coût moyen des accidents corporels 75 000 F par sinistre (53 000 pour les automobilistes). Chaque année, sur 1 000 conducteurs de deux-roues, 21 (sur des 51 à 80 cm³), 11 (sur des 81 à 400 cm³), 29 (sur des + de 400 cm³) causent un accident corporel.

Assurance. Responsabilité civile obligatoire pour les cyclomoteurs (jusqu'à 50 cm³), les motocyclettes légères (jusqu'à 125 cm³) et motocyclettes (+ de 125 cm³) qui couvre les dommages causés aux tiers, y compris les passagers.

Les assurances facultatives : contre le vol (pas toujours garanti par les assureurs), l'incendie, les catastrophes naturelles ; l'option « dommages-collisions » couvre l'assuré responsable du dommage en cas de tiers identifié ; la « corporelle conducteur » garantit le remboursement de frais médicaux et le versement d'un capital d'invalidité ou de décès.

Catastrophes naturelles

Inondations, ruissellements d'eau, de boue ou de lave, glissements ou effondrements de terrain, avalanches, tremblements de terre, raz de marée, etc. Les victimes « d'éléments naturels ayant une intensité anormale » sont indemnisées par leurs Cies d'assurances (loi du 13-7-1982),au titre de leur police, et s'ils sont assurés « dommages » à condition qu'un arrêté interministériel paraisse au J.O. En contrepartie, majoration obligatoire de 9 % du montant de la « multirisque habitation », et de 0,5 % de la prime dommages (collision ou tous accidents) ou 6 % de la prime vol et incendie. Franchises de 1 500 F.

Assurance cultures (1989). **Grêle.** *Contrats* 296 900, *capitaux garantis* 56,8 milliards de F, *primes* 1 307 millions de F, *sinistres* 1 149 millions de F. **Tempête** (en millions de F). *Primes* 59, *sinistres* 22.

Chômage (assurance)

Ouverte à toute personne de moins de 55 ou de 60 ans, exerçant une activité salariée non saisonnière, n'étant plus en période d'essai, n'ayant pas fait l'objet d'un préavis de licenciement et susceptible de bénéficier des allocations ASSEDIC. On peut y souscrire lors d'une demande de prêt pour un bien immobilier ou d'équipement. Toute garantie chômage comporte une franchise de 60 à 90 j. Certaines imposent un délai de carence de 3 à 9 mois à compter du début du crédit. Voir aussi Index.

Dégâts des eaux (assurance)

• **Risques couverts habituellement.** Fuites et ruptures accidentelles des conduites non enterrées, appareils à effet d'eau, y compris ceux servant au chauffage, dommages causés aux biens de l'assuré lui-même ou aux biens des tiers (ass. de dommages et ass. de responsabilité). Il est exigé de vidanger conduits et réservoirs d'eau ou de prévoir des produits antigel spéciaux, pendant l'hiver, dans les locaux non chauffés. **Selon les contrats.** Infiltrations au travers de terrasses, toitures ou ciels vitrés ; éventuellement frais de recherche des fuites d'eau (la réparation de l'origine de la fuite n'est pas remboursée) ; dommages causés par le gel aux conduites intérieures.

• **Exclus.** Dommages aux espèces, billets de banque, collections ; guerres ; humidité, condensation, infiltrations, refoulements ou débordements d'eaux de pluie, cours d'eau, mares, canaux, égouts ou puisards, défaut d'entretien délibéré. Certaines polices anciennes excluent les dégâts de conduites souples (tuyau de vidange de machine à laver, par ex.).

Nota. – Les garanties « dégâts des eaux » peuvent être accordées par une police spéciale, mais sont le plus souvent souscrites dans le cadre d'une police « multirisque habitation ».

Cause des dégâts des eaux (en %, sur 1 000 dossiers étudiés en 1982 par le CDIA). Fuite de canalisation : 26,5 ; débordement de lavabo, baignoire, douche : 23 ; infiltrations de toiture, mur, terrasse : 20 ; engorgement, fuites de canalisation encastrée : 11 ; débordement de machine à laver : 7 ; fuite de robinetterie : 3 ; éclatement de canalisation, engorgement de chenaux, gouttières, fuites sur installations : 2 ; bacs à fleurs, jardins sur terrasses, aquariums : 0,5 ; indéterminés : 3.

• **Impayés.** Les entreprises peuvent souscrire une police d'assurance-crédit. Services rendus : la prévention (renseignements sur la situation financière du client), recouvrement, indemnisation (de 75 à 80 % en cas d'impayé). *Seuil d'intervention :* à partir de 500 000 F. *Coût :* entre 0,1 % et 1 % du CA. *Principales Stés d'assurance-crédit :* Sté Française d'assurance-crédit (70 % du marché), Namur, Sacren, Gipac, Winterthur.

Incendie (assurance)

• **Risques couverts. Habituellement.** *1° Dommages matériels aux biens immobiliers : immeubles et leurs dépendances* (sauf clôtures ne faisant pas partie intégrante des bâtiments), *immeuble par destination* (ascenseurs, tapis d'escalier, chauffage central, etc.). *Aux embellissements* (bibliothèques murales, placards, peintures, papiers peints). *2° Dommages aux biens mobiliers* (de l'assuré, de sa famille, son personnel de maison, des personnes habitant ordinairement avec lui). Aux objets pris en location, si ces objets ne sont pas ou sont insuffisamment assurés ; bijoux, pierreries, perles fines, statues et tableaux de valeur, collections, objets rares et précieux (garantie limitée par exemple à 20 ou 30 % du capital assuré sur mobilier). *3° Privation de jouissance ou perte de loyers. 4° Responsabilités. Locative.* (Voir p. 1330c à « Immeubles ».) *Le locataire est vis-à-vis de son propriétaire resp. pour la perte du loyer de ses colocataires. Recours des voisins et des tiers :* joue, s'il y a faute prouvée. En revanche, présomption de responsabilité en cas d'explosion (ou de dégâts des eaux).

Recours des locataires contre le propriétaire : dommages au mobilier du locataire, occasionnés par un incendie dû à un vice de construction ou défaut d'entretien dont le propriétaire serait responsable.

Autres risques pouvant être assurés par la police incendie. Chute de la foudre, explosions, tempêtes, grêle, poids de la neige sur le toit, ouragans. Choc ou chute d'appareils de navigation aérienne et spatiale ou de parties d'appareils ou d'objets tombant de ceux-ci. *Dommages d'ordre électrique et dommages ménagers :* le plus souvent en option ; frais de déplacement du mobilier de l'assuré et garantie limitée au remboursement des honoraires de l'expert choisi par l'assuré.

• **Risques toujours exclus.** Dommages intentionnellement causés ou provoqués par l'assuré ou avec sa complicité. **Exclus sauf convention contraire.** Tout dommage : guerre étrangère ; g. civile. Destruction d'espèces monnayées, titres, billets de banque. Vol des objets assurés pendant un incendie (la preuve du vol étant à la charge de l'assureur) ; risque atomique (possibilité d'assurance sauf pour engins militaires). Dommages autres que ceux d'incendie provenant : d'un vice propre ou d'un défaut de fabrication des objets assurés, de leur fermentation ou de leur oxydation lente (seuls les dommages dus à la combustion vive ou à l'explosion sont garantis).

• **Sinistres par an** (1988). 250 000 sinistres habitation.

• **Cause des incendies industriels** (en %, étude réalisée sur 100 000 sinistres de 1981 à 1988). Cause indéterminée 68,6 ; électricité 18,1 ; incidents de fabrication ou magasin 6,7 ; imprudence ou malveillance 5,6 ; chauffage-séchage 1.

Estimation après sinistre

Bâtiments. Valeur de reconstruction au j du sinistre, après déduction de la vétusté (évaluée à dire d'experts) ; ou valeur à neuf, la différence du vieux au neuf est versée au fur et à mesure de la reconstruction (en général max. 25 % de la valeur neuve). Valeur de reconstitution (valeur de reconstruction réelle ou à l'identique) pour des bâtiments industriels et agricoles seulement.

Mobilier. Valeur de remplacement au j du sinistre, déduction faite de sa vétusté. Possibilité de garantie en « valeur à neuf ».

Matières premières, emballages, approvisionnements et marchandises. Au prix d'achat au dernier cours précédant le sinistre, y compris frais de transport, TVA déduite sauf si l'assuré n'y est pas assujetti et ne peut la récupérer. La TVA sera maintenant récupérable en vol.

Produits finis ou en cours de fabrication. Au prix de revient, TVA déduite.

Maladie (assurance)

☞ Voir Sécurité sociale p. 1420.

• **Généralités.** Elle prévoit : 1°) *un délai de carence* (partant de la date d'effet du contrat, et selon les Stés d'assurances et le type de maladie de 3, 6 ou 9 mois) pendant lequel certaines maladies à évolution lente (cancer, tuberculose, etc.) ne sont pas prises en charge ; 2°) *un plafond par maladie ou par personne dans le temps* pour les indemnités journalières.

• **Risques souvent exclus** (liste non limitative). Suicide, alcoolisme, insurrections, émeutes, guerre, cataclysmes, compétitions, paris, sports prof., sports dangereux, frais de séjours des cures thermales (les soins sont couverts), traitements esthétiques de rajeunissement, traitement par personne non diplômée (rebouteux, guérisseur). **Pouvant être garantis.** Frais de soins (après déduction de la prise en charge par les organismes sociaux), indemnités journalières (y compris en cas d'hospitalisation), rente en cas d'invalidité par suite de maladies ou d'accidents, capital en cas de décès.

• **Assurance complémentaire.** 80 % des Français y ont recours (*1960 :* 30 %). Assure, en plus du ticket modérateur, des remboursements pouvant aller jusqu'à 400 % du tarif de convention. *Assurance hospitalisation :* versement d'une indemnité journalière en cas d'hospitalisation (garantie généralement suspendue après 70 ans). *Assurance dépendance :* rente mensuelle versée aux invalides définitifs et ayant besoin de l'assistance d'une tierce personne pour les actes élémentaires de la vie quotidienne.

Sida. Comme le cancer, le Sida ne peut être considéré comme un motif d'exclusion du champ de l'assurance. Depuis une décision ministérielle du 28-2-1991, il est interdit aux Cies d'assurances de demander le dépistage du Sida au-dessous d'un capital de 1 million de F (ou d'une rente annuelle de 100 000 F). Les personnes reconnues séropositives sont assurables moyennant une surprime (« risques aggravés »).

Multirisque habitation (assurance)

• **Couvre.** Tout ou partie des risques : incendie, dégâts des eaux, vol, responsabilité civile familiale, bris de glaces, catastrophes naturelles, attentats, protection juridique.

• **Obligation.** Les locataires doivent souscrire des contrats d'assurance contre les risques incendie et dégâts des eaux ; le vol, le bris de glace et la responsabilité civile du chef de famille peuvent être souscrits en options supplémentaires.

• **Prime.** Fonction du nombre de pièces occupées ou de la surface développée des locaux, généralement *indexée* sur le coût de la constr. (comme la garantie).

• **Exclusion de garantie.** *Vol :* la plupart des Cies imposent des mesures de protection individuelles. *Clause d'inhabitation :* au-delà d'une certaine durée d'abandon des locaux (60 à 365 j selon les Cies), la garantie est suspendue.

Protection juridique

• **Contrat de protection juridique.** Permet de s'assurer pour être défendus en cas de conflits de la vie quotidienne. Il s'agit souvent de contrats « tous risques sauf ». Tout est assuré sauf ce qui est précisément exclu dans le contrat, en général le divorce et les affaires relatives à l'état des personnes (recherche de paternité) et aux successions, les conflits résultant de l'expression d'opinions politiques ou syndicales et les conflits collectifs, les litiges avec les impôts, quelquefois les accidents de la circulation. Tout ce qui n'est pas exclu est couvert.

Responsabilité civile (assurance de)

Généralités

• **Nature de la responsabilité. Définition.** « Tout fait quelconque de l'homme, qui cause à autrui un dommage, oblige celui par la faute duquel il est arrivé à le réparer » (Art. 1382 du Code civil). « Chacun est responsable du dommage qu'il a causé non seulement par son fait mais encore par sa négligence ou son imprudence » (Art. 1383).

Le *préjudice doit être actuel et certain,* mais des dommages et intérêts peuvent être alloués pour un dommage futur s'il est dès à présent certain. *L'évaluation se fait au jour du jugement* ou de la transaction. En ce qui concerne les dommages corporels, la victime peut toujours former une demande d'augmentation, lorsque son état s'est aggravé (si l'indemnité est allouée judiciairement en cas de transaction, il faut prouver un fait non décelable au moment de l'expertise, sauf si la quittance comporte des « réserves en cas d'aggravation »). Son amélioration ne justifie pas de réduction. *Il faut prouver l'existence d'une faute,* et la relation de cause à effet entre la faute et le dommage. Mais cette faute est souvent présumée (responsabilité du fait des choses ou des animaux, voir plus loin).

Les dommages causés sous l'empire d'un trouble mental entraînent la responsabilité de leur auteur (art. 489-2 du Code civil), qui doit donc indemniser celui qui les a subis.

Responsabilité contractuelle. La responsabilité est contractuelle lorsque le préjudice résulte de l'inexécution d'un contrat [ex. le contrat peut comporter : 1°) une obligation de résultat (le débiteur ne peut s'en dégager qu'en prouvant un cas de force majeure ou le fait d'un tiers ou de la victime) ; le transporteur doit conduire le voyageur à bon port, sain et sauf ; 2°) seulement une *obligation de moyen :* sans garantie du résultat (ex. le médecin s'engage non à guérir le malade mais à lui donner des soins en fonction des données actuelles de la science). Quand il n'y a qu'*obligation de moyen,* c'est à la victime de prouver une faute dans l'exécution du contrat (négligence, ignorance, etc.)].

Clauses de limitations de responsabilité. Ne sont admises en matière contractuelle que dans des cas particuliers (ex. transport de marchandises) ; la faute lourde appréciée par les tribunaux fait échec à cette limitation.

Responsabilité délictuelle ou quasi délictuelle. On ne peut s'exonérer par avance de sa responsabilité. Les tribunaux civils sont seuls compétents pour juger de la non-exécution d'une convention. Si celle-ci résulte d'une faute pénale, les juridictions répressives (tribunal de police, correctionnel) sont aussi compétentes (par ex. en cas de blessure ou d'homicide par imprudence).

Toute faute, même légère, commise hors du cadre d'un contrat engage la responsabilité de son auteur. Aucune mise en demeure n'est nécessaire. Les clauses de non-responsabilité sont nulles. La victime a le choix entre tribunaux civils et tribunaux répressifs (si la faute est punie par la loi pénale). La preuve de la faute est en principe à la charge de la victime.

• Responsabilité du fait d'autrui. On est responsable du dommage causé par des personnes dont on doit répondre (art. 1384 du Code civil). Responsabilité seulement civile [exceptionnellement, le responsable doit payer l'amende à laquelle est condamné l'auteur d'un délit fiscal ou en matière de douane ou éventuellement de conduite automobile (art. L. 21 du Code de la route)].

Dommage causé par un enfant : lorsque *l'enfant* a *père* et *mère,* la responsabilité pèse sur les deux, même si l'enfant s'en est allé, sans motif légitime (ex. : pour se livrer au vagabondage). Père et mère échappent à la présomption s'ils démontrent n'avoir commis aucune faute de surveillance ou d'éducation. En cas d'un acte répréhensible ou dangereux, il ne suffit pas de prouver qu'on l'a « interdit », il faut établir qu'on a pris des précautions suffisantes pour l'empêcher. La responsabilité personnelle de l'enfant peut aussi être retenue.

Dommages causés. Par les domestiques (attachés au service d'une personne ou chargés de l'entretien de sa maison) ou *préposés* (ceux auxquels le maître ou le commettant a le droit de donner des ordres ou des instructions, sur la manière de remplir les fonctions auxquelles ils sont employés ou salariés) : la responsabilité ne joue que lorsque employé ou préposé *ont agi dans l'exercice de leurs fonctions,* dans certains cas par abus de fonctions (nombreux litiges en assurance automobile). **Par un apprenti :** si l'apprenti est lui-même victime d'un accident, la responsabilité de l'artisan qui l'emploie relève le plus souvent de la loi sur les accidents du travail. **Par les élèves :** la responsabilité des enseignants n'est pas présumée ; la victime doit apporter la preuve d'une faute de leur part (défaut de surveillance par ex.). **Par des animaux :** le propriétaire d'un animal, ou celui qui s'en sert, que l'animal soit sous sa garde ou qu'il soit égaré ou échappé, est responsable. Si l'animal est affecté à un usage professionnel (garde d'une propriété agricole, d'un entrepôt), les risques sont couverts par le contrat « responsabilité civile professionnelle ou agricole ». **Par des choses inanimées que l'on a sous sa garde** (outil, automobile) : la victime n'a pas à prouver la faute du « gardien » de la chose. C'est à celui-ci de se disculper en prouvant la force majeure, la faute d'un tiers ou de la victime, ou encore le « rôle passif » de la chose incriminée. La « loi Badinter » (1985) vise à améliorer l'indemnisation des piétons, cyclistes et passagers. La victime ne peut plus se voir opposer sa faute (sauf inexcusable). Elle est intégralement indemnisée de ses dommages corporels. (Seuls les conducteurs n'en bénéficient pas.) Les assureurs doivent respecter une procédure amiable d'indemnisation et proposer au besoin des provisions (délais impératifs sous peine de sanctions financières).

Assurance responsabilité civile familiale

• Généralités. Le plus souvent comprise dans une multirisque habitation. Elle couvre la responsabilité éventuelle pour les dommages causés à autrui par les occupants de la maison au cours de leur vie privée : le souscripteur, son conjoint, enfants, employés de maison, animaux.

☞ Vérifier que la responsabilité de toutes les personnes vivant habituellement sous le toit de l'assuré est bien couverte, ainsi que celles des enfants majeurs non encore indépendants. *Certains sports,* particulièrement dangereux (bobsleigh, sports aériens) ou pratiqués à titre professionnel, peuvent être exclus. Si *l'on possède des chiens* dressés pour l'attaque, ou de race dangereuse, vérifier s'ils ne font pas l'objet d'une exclusion, et demander alors une extension.

ATTENTION : cette assurance rembourse les tiers (mais pas l'assuré, ni son conjoint, ses ascendants, descendants, associés salariés et préposés dans l'exercice de leurs fonctions). Les recours exercés par la Séc. soc. pour dommages corporels aux conjoints, ascendants et descendants de l'assuré, s'ils sont affiliés personnellement à la Séc. soc. (par ex. : femme salariée), sont cependant couverts. Certaines sociétés proposent une extension aux membres de la famille victimes d'accidents corporels.

• Montant de la garantie. **Dommages corporels :** garantie illimitée, sauf pour les sinistres visés à l'annexe « dommages exceptionnels » limités à 20 millions par sinistre (sinistres susceptibles de faire un très grand nombre de victimes : intoxications alimentaires, écrasements ou étouffements dus à la panique, etc.). **Matériels :** d'accidents, d'incendie : garantie limitée (souvent avec franchise).

• Protection juridique. Sté d'ass. exerce les recours que l'assuré peut avoir contre les *tiers responsables* de dommages corporels ou matériels, mettant en jeu les garanties principales du contrat ; cette garantie s'étend aussi aux personnes dont la resp. à l'égard des accidents causés aux tiers est couverte par le contrat d'assurance de la resp. civile.

Défense devant les tribunaux répressifs. En cas de poursuite pour homicide par imprudence, blessures, infractions aux lois, arrêtés et règlements sur la circulation ou la divagation des animaux par suite de la propriété, garde ou utilisation des véhicules ou animaux pour lesquels l'assurance est accordée. Des contrats spécifiques couvrent plus largement l'assuré pour sa vie privée et éventuellement sa vie professionnelle. Ils couvrent aussi les litiges avec employeurs, bailleurs, locataires, voisins, organismes sociaux.

Étendue géographique de la garantie. En général, France et pays limitrophes. Vérifier ce qu'il en est avant de partir pour l'étranger (vérifier également, pour l'automobile, si les pays traversés sont inscrits sur la carte verte).

Artisans et commerçants. L'assurance de responsabilité civile familiale et professionnelle des artisans et commerçants est généralement inscrite dans un contrat multirisque (incendie, explosion, responsabilité civile, dégâts des eaux, protection juridique).

• Points particuliers. **A l'école. Si l'enfant cause un accident,** l'*assurance responsabilité-chef de famille* des parents les garantit s'ils sont déclarés responsables du fait de leur enfant. Au cas où la responsabilité personnelle de l'enfant est retenue, les dommages seront pris en charge par le même contrat, l'enfant ayant lui-même pratiquement toujours la qualité d'assuré dans les contrats actuels, ou par le contrat d'assur. scolaire. **Si l'enfant est victime d'un accident,** l'*ass. scolaire* ou une *ass. « individuelle accidents »,* souscrite par les parents, complète les prestations sociales et, en cas d'invalidité, verse un capital. L'assurance scolaire couvre aussi la responsabilité de l'enfant ou des parents. *Si l'ass. scolaire n'est pas obligatoire, le refus des parents n'autorise pas l'école à refuser l'enfant,* sauf pour sorties, voyages et séjours notamment à l'étranger, qui n'entrent pas dans la scolarité proprement dite. *Si le trajet scolaire s'effectue en deux-roues à moteur,* l'assurance spécifique pour les deux-roues est obligatoire. L'ass. de la responsabilité civile du conducteur à l'égard du passager est automatique. L'ass. scolaire ne couvre l'enfant que pendant le trajet aller-retour le plus direct entre le domicile et l'école ; s'il fait un détour, il n'est pas couvert en cas d'accident. Une assurance extra-scolaire, plus étendue, couvre les dommages causés et subis par l'enfant à tout moment, même pendant les vacances.

Handicapés. *Mineurs :* les parents doivent s'assurer que leur multirisque habitation ne comporte pas de restriction. Sinon, extension à demander par lettre recommandée avec A.R. *Majeurs.* Une extension peut être nécessaire. *Conduite automobile* (handicapé titulaire d'un permis F permettant de conduire des véhicules des catégories A 1 à A 4 et B). L'assurance souscrite joue même si le handicapé n'utilise pas la prothèse mentionnée sur le permis de conduire.

Immeubles. Pour le locataire La loi l'oblige à assurer ses responsabilités envers le propriétaire. Exceptions meublés, logements-foyers, logements de fonction, locations saisonnières et résidences secondaires. S'il s'agit d'une accession à la propriété, l'acheteur est légalement tenu de s'assurer. Il doit justifier de cette assurance lors de la remise des clés, puis chaque année, à la demande du propriétaire. Depuis la loi du 23-12-1986, ce dernier peut introduire dans ses nouveaux contrats, ou lors du renouvellement des anciens, une clause de résiliation pour défaut d'assurance. **Propriétaire occupant :** couvrir sa resp. du fait des immeubles et dépendances constituant sa résidence y compris arbres et clôtures.

Propriétaire d'immeuble. Penser à assurer accidents causés aux tiers (locataires) *du fait des immeubles, des concierges, de leurs aides ou remplaçants* (accidents causés par les *ascenseurs,* etc.) ; *vols* commis au préjudice des locataires à la suite de fautes ou de négligences des concierges.

« Hors locaux occupés ». Choisir un contrat « responsabilité civile familiale » couvrant la responsabilité du fait de *l'incendie* provoqué par les personnes visées hors des locaux assurés (camping, pique-nique, feux d'herbes dans le jardin, etc.). Sont alors exclus les dommages matériels consécutifs à incendie ou explosion prenant naissance dans les lieux habités temporairement ou non par l'assuré, ou dont il est prop. (la couverture ressort des polices d'assurances contre l'incendie). Même extension de garantie pour les *dégâts des eaux* (ex. : en séjour chez des amis).

Vacances-Villégiature. En général, les contrats multirisques habitation garantissent les responsabilités de l'occupant au lieu de villégiature vis-à-vis du propriétaire (loc. saisonnière), des voisins, des tiers (ex. : incendie en camping). Vérifier que les garanties jouent en cas d'incendie et de dégâts des eaux. Les objets emportés par l'occupant peuvent également être couverts (vérifier son contrat). En général, contrat séparé pour la résidence secondaire (voir plus loin : vacances).

Véhicules. A moteur : non couverts par l'assurance de responsabilité civile du particulier ou familiale (même les 2-roues). **Sans moteur :** sont couverts : bicyclettes, diables, poussettes, voitures d'enfants, brouettes, jouets sportifs, utilisés dans un but non professionnel, parfois embarcations à rames ou à voile, sans moteur, de moins de 3 ou 5 m hors tout ; dommages causés aux tiers par un mineur au volant d'une voiture étrangère à la famille (par ex. : la voiture du père d'un camarade à l'insu des parents et du propriétaire du véhicule).

Sport (assurance pour le)

• Généralités. Sur 15 millions de Français pratiquant un sport, env. 200 000 sont victimes d'un accident (dont 300 succombent à leurs blessures). *Coût moyen d'un accident de sport :* 10 000 F. *Coût total du risque sportif* (évaluation) (dommages corporels, dégâts matériels, frais de recherche et de transport, pertes indirectes, etc.) : 3 milliards de F.

☞ Vérifier. *1°) Si le sport est pratiqué en dehors de toute association :* on peut se protéger par une assurance personnelle. La garantie « responsabilité civile familiale » du contrat « multirisque habitation » intervient pour dommages causés aux tiers ; si le contrat exclut le sport pratiqué (ex. : sport de combat), on peut demander une extension à l'assureur. Pour les blessures : on peut souscrire une assurance « individuelle accidents » (assureur personnel). *2°) Dans le cadre d'un club ou d'une ass. :* on bénéficie de l'assurance du club (compétition et entraînement). Loi du 16-7-1984 : tout groupement sportif doit souscrire un contrat couvrant sa responsabilité civile, celles de ses préposés et adhérents. Les groupements sportifs doivent proposer des formules de garantie : réparation des dommages corporels subis par les pratiquants. Si les montants de garantie lui paraissent insuffisants, l'adhérent peut se garantir individuellement auprès de son assureur.

• **Bateau. Sans moteur** (plaisance ou pêche) : sur rivières, lacs et canaux, à l'exclusion des activités plus spécialement sportives (canoë, kayak) : couvert par l'assurance resp. civ. ou par contrat spécial.

A moteur (nautisme) : contrat spécial, demander à son assureur, à la Féd. fr. de voile, 55, av. Kléber, 75784 Paris Cedex 16 ou à la Féd. fr. de motonautisme, 8, place de la Concorde, 75008 Paris. Un bateau s'assure comme une voiture (accidents, aux tiers, vol, incendie, défense-recours, dommages au bateau, assurance pilote et passagers).

• **Bicyclette.** Responsable d'un accident, couverte en général par l'assurance responsabilité civile familiale (ne couvre pas un tiers auquel la bicyclette serait prêtée). Victime d'un accident, on peut faire intervenir « le contrat individuelle accidents » (versement d'un capital en cas de décès ou d'incapacité et remboursement des frais de soins en complément de la Séc. soc.). Certaines Stés proposent un contrat spécial bicyclette.

• **Chasse.** Assurance obligatoire, couvre les accidents corporels causés aux tiers par le chasseur et ses chiens pour tout acte de chasse ou de destruction d'animaux nuisibles (garantis par arrêté du 9-6-1983). Sont exclus ses préposés (employés) pendant leur service (couverts par la législation sur les accidents du travail) ; les dommages matériels, et les accidents provoqués par les armes en dehors de toute action de chasse (au cours du trajet, pendant le nettoyage de l'arme, en voiture, etc.) ou par les chiens de chasse. *Pour être couvert, demander à être assuré pour :* responsabilité civile à raison d'accidents matériels qu'on peut causer (par ex. : tuer le chien d'un autre chasseur) ; protection juridique (la Sté d'ass. s'en charge).

Il existe un *Fonds de garantie pour l'indemnisation des accidents corporels de chasse* (64, rue Defrance, 94300 Vincennes), lorsque l'auteur est demeuré inconnu, ou connu mais non assuré.

• **Équitation.** Couverte par l'ass. resp. civile (dommages causés aux tiers) ou ass. spéciale, notamment si l'on est propriétaire de son cheval.

• **Pêche.** Couverte par l'ass. resp. civ. si l'on utilise un bateau sans moteur (dommages causés aux tiers).

Pêche ou plongée sous-marine. Licence obligatoire (délivrée par association reconnue). Assurance de responsabilité civile obligatoire pour la pratique de la pêche sous-marine de loisirs.

• **Ski.** Couvert par l'ass. responsabilité civile personnelle (sauf exclusion), par l'ass. « individuelle-accident » (garantit le versement d'un capital invalidité ou décès), par un contrat spécial « sports d'hiver », la carte neige, ou par l'ass. de la Féd. fr. de ski pour les affiliés (ticket neige). Les exploitants des téléphériques ou télécabines sont en principe responsables (en tant que transporteurs), sauf imprudence de la victime. **Ski nautique.** Couvert en principe par l'assurance du bateau remorqueur, sinon contrat spécial (se renseigner auprès du club, association). Avec une licence de la féd., on peut bénéficier d'une ass.

Vie (assurance sur la)

☞ **Dépenses d'assurance-vie dans le monde (en 1988), montant des primes (en $) par habitants.** Japon 1 746,2. Suisse 1 330,9. USA 717,8. G.-B. 715,7. Suède 609,5. All. Féd. 597,6. P.-Bas 493,9. Canada 492,3. *France 456,8.* Danemark 386. Belgique 183,2. Espagne 183,2. Italie 84. Grèce 23,6. *CA de l'assurance-vie en France en 1989 :* 202,2 milliards de F. (Assurance-dommages : 190,1).

Généralités

• **Assurance de groupe.** Permet, par un même contrat, de garantir à titre obligatoire ou facultatif un ensemble de personnes présentant des caractères communs (personnel d'une entreprise, emprunteurs d'un établissement de crédit, membres d'une association), pour des risques dépendant de la durée de la vie humaine (décès, retraite), l'invalidité, l'incapacité de travail, et pour des risques complémentaires (maladie, chômage). Pour les entreprises, les charges versées sont déductibles du bénéfice imposable, la souscription étant assimilée à une augmentation de salaire différée.

• **Assuré.** Personne dont le décès ou la survie entraîne le paiement du capital ou de la rente, l'ass. repose sur sa tête. On ne peut souscrire à son insu une ass. sur la tête d'une personne en cas de décès. Le contrat est nul si l'assuré n'a pas donné son consentement par écrit avec indication du capital ou de la rente ; si l'on a assuré en cas de décès : un enfant de – de 12 ans, un mineur de + de 12 ans sans son consentement et celui de la personne investie de la puissance paternelle (parent ou tuteur) ou un majeur en tutelle. Cependant, le représentant légal d'un majeur en tutelle peut accepter une ass. de groupe pour l'exécution d'un contrat de travail ou d'un accord d'entreprise. Certaines Stés acceptent d'assurer les malades atteints d'une maladie grave avec surprime proportionnée à la gravité de la maladie. L'assuré doit remplir un questionnaire médical et l'assureur peut lui demander de se soumettre à un examen médical.

• **Avance sur police.** Faculté qui permet au contractant, en cas de difficulté financière ou pour un motif quelconque, de prélever une partie de la provision mathématique de son contrat, c'est-à-dire de l'épargne constituée qui représente les engagements de la Sté d'ass. vis-à-vis de l'assuré. L'avance est accordée dans la limite de la valeur de rachat du contrat, et moyennant le paiement d'un intérêt. L'avance ne suspend pas le paiement des primes. Elle peut être remboursée à tout moment, ou être déduite du capital versé au terme du contrat.

• **Bénéfices (participation aux).** Rémunération de l'épargne constituée au contrat, due par la Sté d'ass. en fonction de ses résultats. La loi prévoit au minimum la répartition de 85 % des bénéfices financiers (produits tirés des placements) et de 90 % des bénéfices techniques (bénéf. de gestion et de mortalité).

• **Bénéficiaire.** Personne à laquelle sera versé le capital ou la rente, choisie par le souscripteur, en général désignée au moment de la signature du contrat. Le bén. peut être le conjoint (personne qui a cette qualité au moment de l'exigibilité), les enfants nés ou à naître (sans qu'il soit obligatoire d'inscrire leur nom). On peut changer de bén. en avertissant l'assureur, mais si le souscripteur et l'assuré ne sont pas la même personne, il faut le consentement de l'assuré. La désignation est définitive et ne peut être changée si le bénéficiaire a accepté expressément (par lettre, en signant la police, en payant la prime...) sauf dans quelques cas (accord du bénéficiaire, donations entre époux toujours révocables, tentative de meurtre de l'assuré par le bénéficiaire, ingratitude et survenance d'enfant, divorce prononcé aux torts exclusifs de l'époux bénéficiaire). En cas de divorce, le contrat doit être compté dans le partage.

• **Capitaux versés en exécution de contrats d'assurance-vie.** En cas de décès de l'assuré, le capital versé à un bénéficiaire désigné est exonéré des droits de mutation. S'il n'y a pas de bénéficiaire désigné ou si le bénéficiaire meurt avant l'assuré, le capital est soumis à droits de succession. Dep. 1980, les contrats, souscrits par des personnes d'au moins 66 ans, sont soumis à droits de succession pour la partie du capital supérieure à 100 000 F, si le montant total des primes pour les 4 premières années représente les 3/4 du capital assuré. En cas de vie de l'assuré, le capital versé à l'assuré ou au bénéficiaire est exonéré de l'impôt sur le revenu.

EXCEPTION : selon l'article 125-O-A du Code général des impôts, l'excédent entre le capital et les primes versées est taxé si le contrat a été souscrit depuis le 1-1-1983 et a duré moins de 6 ans. L'intéressé a le choix entre la réintégration dans sa déclaration de revenus et un prélèvement libératoire dont le taux varie selon la durée du contrat. Pour les contrats souscrits à partir du 1-1-1990, pas d'imposition si le contrat dure 8 ans.

Cas de non-paiement du capital. Délai de carence prévu dans le contrat. **Fausse déclaration** *intentionnelle.* **Meurtre de l'assuré par le bénéficiaire,** le bénéficiaire doit avoir été condamné pour que le contrat cesse (loi du 7-1-1981). Dès lors, seule la provision mathématique, c.-à-d. l'épargne accumulée au titre du contrat est versée aux héritiers du contractant. *Si la tentative de meurtre échoue,* le contractant peut révoquer l'attribution du bénéficiaire, même si celui-ci avait déjà accepté la stipulation faite à son profit. **Suicide de l'assuré :** il est interdit de couvrir le suicide conscient et volontaire de l'assuré, pendant les 2 premières années. Toutefois, si cela se produit, l'assureur verse aux ayants droit la provision mathématique du contrat. Si le suicide est inconscient (instinct vital anéanti par maladie, douleur physique ou morale : dépression, cancer, perte d'un être cher, de son bonheur, etc.), il peut être couvert, mais ce n'est pas une obligation.

• **Fiscalité.** Contrats donnant droit à des réductions d'impôts : contrats constitutifs d'épargne (tous les contrats d'assurance-vie et de rente viagère différée) de durée effective au moins égale à 6 ans, sauf temporaires-décès et rentes viagères immédiates.

Montant de la réduction d'impôt. Égal à 25 % de la part de prime représentative de l'opération d'épargne, dans la limite de 4 000 F par foyer fiscal + 1 000 F par enfant à charge. Pour les contrats d'assurance-décès souscrits en faveur d'un handicapé, égal à 25 % de la part de prime dans la limite de 7 000 F + 1 500 F par enfant à charge. Cette réduction se cumule avec la précédente. Donnent droit à la même réduction les contrats qui garantissent le versement d'un capital ou d'une rente viagère à un assuré atteint d'une invalidité l'empêchant de subvenir à ses besoins

Impôt de solidarité sur la fortune. Doivent figurer dans l'inventaire du patrimoine : les primes versées au titre des contrats d'assurance-décès souscrits après 66 ans, dont les capitaux excèdent 100 000 F et dont le montant total des primes prévues pour les 4 premières années représente au moins les 3/4 du capital assuré ; la valeur de rachat des contrats d'assurance-vie ; le capital constitutif des rentes viagères (sauf s'il s'agit de rentes viagères constituées en vue de la retraite ou perçues en réparation de dommages corporels).

• **Prime.** *Calculée* grâce aux tables de mortalité de l'INSEE en fonction des probabilités de vie ou de mort de l'assuré à chaque âge. *Payée* par le souscripteur ou toute personne y ayant intérêt. Se compose de : 1°) épargne que la Sté fait fructifier, récupérable en partie lors d'un rachat ; 2°) assurance-décès et garanties complémentaires en cas d'accident (doublement du capital, par ex.) utilisées pour la garantie des risques ; 3°) frais d'acquisition et de gestion du contrat ; 4°) taxe de 5,15 % versée à l'État (à partir du 1-7-1990, exonération de cette taxe). Si la prime n'est pas payée dans les 10 j de son échéance, l'assureur informe par lettre recommandée qu'à l'expiration d'un délai de 40 j à dater de l'envoi de la lettre, le défaut de paiement entraînera : la résiliation du contrat s'il s'agit d'une ass. temporaire, ou de tout autre contrat, ne comportant pas de valeur de rachat, ou l'avance par l'assureur de la prime ou de la fraction de prime non payée dans la limite de la valeur de rachat du contrat, selon des modalités déterminées par un règlement général mentionné dans la police, ou la réduction (diminution du capital ou de la rente) du contrat, si le contractant renonce expressément à l'avance ci-dessus, avant l'expiration des 40 j. La loi du 31-12-1989 supprime le système d'avance de prime par l'assurance à compter du 1-7-1990. *Valeur de réduction.* Les contrats vie entière ou en cas de vie ouvrent droit à une garantie réduite (valeur de réduction), quand 2 primes annuelles au moins ont été payées, ou pour les contrats souscrits ou transformés à partir du 1-1-86, lorsque 15 % des primes ont été versées. Les garanties sont réduites à peu près dans la proportion du nombre de primes payées au nombre de primes stipulées au contrat (sauf pour contrat à primes viagères). Le capital réduit est payable dans les mêmes conditions que le capital initial, soit en cas de sinistre soit au terme de l'assurance. Le contrat réduit doit continuer à participer aux bénéfices pour au moins 75 % du montant attribué aux contrats de sa catégorie en cours de paiement de primes, à condition qu'il ait été souscrit ou transformé après le 15-10-1985.

• **Rachat.** Possibilité offerte au souscripteur (uniquement) de résilier son contrat (vie entière, mixte, capital différé) après le versement de 2 primes annuelles pour les contrats souscrits dep. le 1-1-1982 (avant, 3 primes), ou parfois plus tôt (contrats à prime unique). Pour les contrats souscrits ou transformés à compter du 1-1-86, rachat possible si 15 % des primes ou cotisations prévues ont été versées, même si 2 primes annuelles n'ont pas été payées (loi du 11-6-85). Le rachat entraîne le paiement du montant de la créance que l'assuré possède au titre contrat, il n'est pas égal au total des primes versées. Sa valeur correspond à la provision mathématique (l'épargne capitalisée) diminuée des frais de commercialisation non encore amortis et d'une indemnité de rachat maximale (5 % de la provision mathématique pendant 10 ans), nulle après 10 ans à compter de la date d'effet du contrat (décret du 30-12-85). Pour les contrats souscrits ou transformés dep. le 1-1-86, le rachat se substitue à la réduction si sa valeur est inférieure à la moitié du montant brut mensuel du S.M.I.C., calculé sur la base de la durée légale hebdomadaire du travail. On retient celui du 1-7 précédant la date à laquelle la réduction est demandée. Pour les contrats souscrits ou transformés depuis le 1-1-82, l'assureur doit obligatoirement, à chaque échéance annuelle, communiquer le montant des valeurs de rachat et de réduction. Pour les contrats en cours au 1-1-82, l'assureur y est tenu seulement si l'assuré le demande, une fois par an au maximum. Il en va de même des contrats pour lesquels aucune prime ne reste due (contrat à prime unique, par exemple).

Parties contractantes. Contractant ou souscripteur ou preneur d'assurance, signe le contrat et paie les primes, souvent la même personne que l'assuré.

• Revalorisation. **Progression contractuelle ou forfaitaire :** tous les ans, capital garanti et primes sont réévalués dans la même proportion. **Indexation :** la progression des primes est fonction d'un indice du point de retraite des cadres A.G.I.R.C., plafond de la Séc. soc. L'augmentation de la prime est alors supérieure à l'augmentation du capital. Si l'assuré refuse la revalorisation, il se verra attribuer généralement la participation aux bénéfices, et son contrat continuera sur les bases antérieures.

Contrats basés sur des SICAV : primes et capital garantis varient en fonction du cours de l'action, en hausse comme en baisse (la loi prévoit un « plancher » en cas de décès).

Contrats « Pierre » : capital et primes sont basés sur la valeur d'une action de Sté immobilière ou d'un groupe d'immeubles. La valeur des immeubles est par exemple fixée tous les ans (v. police) par des experts du Crédit foncier. Entre-temps, la variation est basée sur celle d'un indice composite (coût de la construction, loyers, etc.). Le capital versé en cas de décès ne peut être inférieur à ce qu'il aurait été sur la base de la valeur de l'unité de compte lors de la souscription (loi du 7-1-1981).

Types de contrat

Assurance sur la vie

• En cas de décès. **Assurance temporaire :** la Sté paye le capital assuré si le décès survient avant l'échéance du contrat ; *en cas de vie* après l'échéance du contrat, les engagements de la Sté sont éteints, les primes ayant servi à régler les prestations dues aux bénéficiaires des assurés dont le décès s'est produit pendant la durée du contrat. Primes ne donnant pas droit à la réduction d'impôt sauf en faveur d'un enfant handicapé. Si l'assurance est souscrite sur 2 têtes, le capital est payable au décès de l'assuré qui meurt le 1er.

Assurance vie entière : quelle que soit l'époque du décès, la Sté doit verser le capital assuré. Elle peut être prise *à prime unique* (versée en une fois), *viagère* (versée toute la vie) ou *temporaire* (versée un certain temps seulement). Lorsque plus de 2 primes ont été versées (ou pour les contrats souscrits à compter du 1-1-1986, dès lors que 15 % des primes ont été réglées), ces contrats ont une valeur de réduction et de rachat.

Contrats de capitalisation

• Titre de capitalisation. Bon au porteur (transmissible sans frais ni formalité) ou bien nominatif. Le contrat de capitalisation est souscrit pour une durée fixe (de 6 à 30 ans) et prévoit un capital nominal payable au terme, moyennant le versement par le souscripteur d'une cotisation unique ou de cotisations périodiques (annuelles, trim. ou mensuelles). Selon son objectif (épargne ou placement), le souscripteur choisit un contrat de capitalisation à cotisations périodiques ou unique. S'il préfère les titres à prime unique, il peut programmer son épargne en achetant un ou plusieurs titres chaque année, ou selon toute autre périodicité à sa convenance. A l'échéance du contrat, le capital nominal est versé, augmenté des participations aux bénéfices. Tout titre de capitalisation dont 8 % des cotisations prévues ont été payées comporte une valeur de rachat.

Fiscalité. Les cotisations des contrats de capitalisation ne sont pas soumises à la taxe d'assurance, mais n'ouvrent pas droit à la réduction d'impôt. Les capitaux versés sont exonérés de l'impôt sur le revenu si le contrat a duré au moins 6 ans (comme en assurance-vie) ; 8 ans pour les contrats souscrits à partir du 1-1-1990. Ces capitaux sont soumis aux droits de succession. La valeur de rachat est à inclure dans l'assiette de l'impôt de solidarité sur la fortune. Dep. le 1-1-1982, les bons de capitalisation sont soumis d'office, lorsque leur détenteur reste anonyme, à un prélèvement dû autant de fois que le 1er janvier d'une année se trouve compris dans la période allant de l'émission du bon, quelle qu'en soit la date, à son remboursement. Ce prélèvement, fixé à 1,5 % de la valeur de remboursement pour 1982 et 1983, a été porté à 2 % à compter du 1-1-1984. Il est dû, même si le détenteur du bon n'est pas soumis à l'impôt sur les grandes fortunes.

Tirage au sort. Certains titres prévoient un système de tirage au sort. Si le n° du titre du souscripteur sort, il reçoit immédiatement la somme qu'il aurait dû avoir en fin de contrat, même s'il n'a payé qu'une seule prime. Les tirages, généralement mensuels, sont publics et se déroulent en présence d'un huissier. La Sté avise le propriétaire du titre sorti au tirage. Le taux de sortie au tirage joue, assez peu, sur le montant des primes.

Assurance complémentaire. Moyennant le paiement d'une surprime, on peut être garanti en cas de décès par accident (doublement ou triplement du capital-décès), d'invalidité (exonération du paiement des primes, service d'une rente, paiement anticipé du capital s'il y a invalidité absolue), de chômage (facilités pour le paiement des primes).

• En cas de vie. **Capital ou rente différés :** si l'assuré est vivant, la Sté offre en fin de contrat le choix entre les options suivantes : versement du capital, service d'une rente viagère immédiate, ou d'une rente comportant des annuités certaines, rester assuré pour la vie entière.

En général, le contrat comporte une *contre-assurance :* en cas de décès de l'assuré avant l'échéance du contrat, les primes payées sont versées au bénéficiaire désigné, augmentées, le cas échéant, de la participation aux bénéfices (en fait, contrat d'épargne).

• Assurance mixte. La Sté s'engage à payer un capital au terme du contrat si l'assuré est vivant, ou ce même capital avant le terme si l'assuré décède (prime + élevée) ; ou **combinée :** lorsque les capitaux prévus en cas de vie et en cas de décès ne sont pas identiques (ex. : formule 100/25 dans laquelle le capital en cas de vie est égal à 25 % du capital en cas de décès).

Souscrite pour une durée fixe, en gén. échéance à 60 ou 65 ans. La Sté s'engage à verser le capital assuré au décès de l'assuré (s'il survient au cours du contrat) ou à l'échéance. On peut choisir entre : le capital ; une rente viagère ou un nombre fixe d'annuités, certaines réversibles en cas de décès, sur la ou les personnes désignées ; un capital (en restant assuré en cas de décès pour un autre capital) ; une rente (ou des annuités fixes), en restant assuré en cas de décès pour un capital.

Participation aux bénéfices. Tous les contrats de capitalisation souscrits dep. le 1-1-1981 participent aux bénéfices de la Sté (loi du 7-1-1981). Les modalités d'application de la participation aux bénéfices sont semblables à celles applicables en assurance-vie.

☞ **Plan d'épargne en vue de la retraite (P.E.R.).** Pour les souscripteurs, il n'est plus possible d'effectuer de versements dep. 1-1-1990 ; 3 solutions : le conserver tel quel, le résilier par anticipation, le transformer en P.E.P. Voir Index.

Vol (assurance contre le)

• Risques couverts en général. *Vols commis avec effraction* (porte enfoncée, serrure forcée), *escalade* ou *usage de fausses clefs,* ou *introduction clandestine,* ou *accompagnés de meurtre, de tentative de meurtre* ou *de violences.* Les assurés doivent être informés précisément sur le contenu de la garantie. Des assureurs garantissent le vol avec usage de clefs perdues ou dérobées préalablement. Les assureurs ne couvrent que les vols commis dans des circonstances dûment établies. Sauf dérogation, la garantie sur objets précieux (bijoux, pierreries, perles fines, objets en métaux précieux et pierres dures, et objets dont la valeur unitaire est sup. à un indice de réf.) est fixée à un % limité (souvent 10 à 30 %) du capital assuré sur le mobilier ou à un multiple de l'indice ou de la prime. Pour l'assurance des objets de valeur, les Cies demandent une protection supplémentaire [blindage, alarme (5 % des foyers français équipés), télésurveillance...]. L'assureur peut procéder à une expertise préalable des lieux pour en vérifier la protection. En général, les sociétés garantissent le vol commis par les personnes habitant chez le souscripteur (sauf les membres de la famille, c'est-à-dire les époux, enfants ou autres descendants, pères et mères ou autres ascendants et alliés au même degré) sous certaines conditions, ou par son personnel salarié, à la condition que les auteurs fassent l'objet d'un dépôt de plainte non suivi de retrait, sans l'assentiment de la Sté d'assurances.

• Garanties complémentaires. Détériorations immobilières du fait des voleurs. Les espèces (billets de banque, lingots, titres et valeurs) ne sont garanties que dans les conditions ci-après : en coffre-fort ou meuble fermé à clef (cette garantie est en général limitée à 3 ou 5 % de la valeur choisie pour le mobilier ; l'effraction doit avoir eu lieu avec des fausses clefs, ou avec fracture du meuble lui-même ou exceptionnellement avec les clefs du propriétaire s'il y a eu violence faite sur sa personne) ; objets contenus dans les dépendances et chambres d'employés de maison, à l'exclusion des espèces, titres, bijoux, fourrures. Dans les contrats multirisques, ces garanties peuvent être exprimés en multiples de la prime ou de l'indice.

☞ Si le contrat est ancien, vérifier le montant du capital assuré.

Nota. – Certains contrats exigent que l'assuré dépose ses biens de valeur dans un coffre-fort, quand il n'en use pas.

Objets d'art. Un expert d'assuré peut effectuer une évaluation préalable du mobilier et des objets à assurer, ce qui permet en cas de sinistre d'apporter plus facilement la preuve de leur existence, de leur authenticité et de leur valeur. Certains cabinets d'experts pour assurés peuvent établir pour chaque objet de valeur une fiche descriptive complète, et un marquage secret sur les objets lorsque la matière de ceux-ci le permet. Pour un abonnement annuel, elle assure la remise à jour des estimations et, en cas de vol, la circulation immédiate des fiches établies. Sinon, photographier les objets dans leur environnement en les décrivant au verso. En cas de vol, l'indemnisation sera facilitée. On peut confier des objets d'art en garde à certaines banques ou chez une filiale bancaire spécialisée dans la conservation des objets d'art (salles de cimaises climatisées, salons de présentation, véhicules sécurisés). Ex. : à Sogégarde (4, av. R.-Poincaré, 75016 Paris), les tarifs varient selon la durée des dépôts et le volume des objets d'art ou la superficie des tableaux.

Autoradio. Doit faire l'objet d'une clause spéciale. Surprimé dans la plupart des contrats.

Déclaration. Garanties spécifiques vol et tous risques objets précieux : obligation est faite aux Cies de déclarer au fisc les polices (objets d'art) couvrant des valeurs supérieures à 100 000 F.

• Inhabitation. Sauf stipulation spéciale, la garantie est suspendue de plein droit le 91e j (ou parfois le 61e) de la date à laquelle les locaux d'habitation ont cessé d'être habités pendant la nuit, en une ou plusieurs périodes, au cours d'une même année d'assurance (durée très différente selon les contrats).

• Nécessité d'une fermeture. La garantie « vol » est subordonnée au fait que les moyens de protection aient été utilisés (serrure de sûreté fermée à double tour, etc.). Cependant, pour une absence de courte durée (le temps d'une course par exemple), l'utilisation de protections telles que les volets des fenêtres est rarement demandée (le vérifier dans le contrat d'assurance). Dans certains cas (pavillons isolés, assurance d'objets précieux, de collections, appartements situés au rez-de-chaussée), la société fait visiter les lieux et exige un certain nombre de moyens de protection (par exemple : serrures de haute sûreté certifiées A2P, pose d'étriers, barreaudage des soupiraux, volets sur les portes vitrées, etc.). Dans tous les cas, les ouvertures accessibles (soupiraux, portes vitrées) doivent être protégées. L'assureur peut même demander la pose d'une *installation d'alarme.* Si la sirène donne sur la voie publique, l'autorisation de la préfecture est nécessaire.

• En cas de vol. Ne rien modifier à l'état des lieux avant le constat par l'autorité de police ; déposer plainte dans les 24 h (parfois dans les 12 h) auprès de l'autorité de police ; aviser, dans les 2 j ouvrés, l'assureur par lettre recom. avec A.R. ; établir un état de perte chiffré, et l'envoyer à l'assureur.

☞ Vols les plus nombreux (1989). Cambriolages de résidences principales 187 427 ; résidences secondaires 20 217 ; locaux industriels, commerciaux, financiers 91 702 ; autres lieux 71 260. Vols avec entrée par ruse 12 520. Vols d'automobiles 243 593 ; à la roulotte 642 119 ; de deux-roues 134 027 ; à l'étalage 62 318 ; à la tire 108 633 ; avec violence (sans arme) contre des femmes sur la voie publique 22 679.

Voyage (assurances en)

• Agences de voyages. Leur responsabilité est parfois celle d'un transporteur. Pour les réservations de place dans les hôtels, l'organisation de la visite des musées et des monuments, la location de places à des entreprises de transports qu'elles n'utilisent pas de façon exclusive, etc., les agences agissent comme mandataires et ne sont responsables que de leurs fautes prouvées. Les agences déclinent souvent toute resp. en cas de perte, de vol ou d'avarie de bagages. Cette clause n'est valable qu'en ce qui concerne les bagages, bijoux ou vêtements que les voyageurs conservent avec eux pendant le voyage. Les agences sont obligées d'informer leur clientèle. En particulier, elles doivent indiquer nom et adresse de leur assureur et rappeler l'existence de contrats d'assurance facultatifs couvrant les conséquences de certains cas d'annulation.

• Assistance. **Contrat d'assistance.** Contrat de service entre le souscripteur (l'abonné) et la Sté d'assistance qui s'engage à prendre, à organiser et à exécuter immédiatement, en cas d'urgence, les mesures appropriées pour résoudre un problème majeur, empêchant la continuation normale et prévue d'un voyage ou d'un déplacement, et, le cas échéant, prend à charge les frais de l'intervention. Certaines Stés d'assistance procurent également des prestations à domicile (abonnements annuels « famille », « couple », « individuel »).

Assistance. Aux personnes en voyage : en France ou à l'étranger la franchise kilométrique tend à disparaître. Rapatriement du blessé ou du malade par avion sanitaire, avion de ligne, train ou ambulance selon l'état du malade et après avis du médecin régulateur de la Sté d'assistance. Transport du corps en cas de décès (frais de cercueil limités de 2 000 à 8 000 F selon compagnies). Rapatriement des autres personnes inscrites au contrat. Visite sur place d'un proche parent en cas d'hospitalisation à l'étranger. Prise en charge des enfants mineurs du malade ou du blessé. Remboursement des frais médicaux à l'étranger en complément des remboursements accordés par la Sécurité sociale et/ou des mutuelles. Mise à disposition d'un billet en cas de décès d'un proche resté en France. Avance de la caution pénale et des frais d'avocat à l'étranger. Frais médicaux, franchise de 100 F (pas systématique). Assistance et frais accidents de ski, et assistance « Navigation de plaisance » (sauf frais services techniques qui sont refacturés) couverts par certaines Stés d'assistance. *Exclusions :* rapatriements : maladies mentales ayant déjà fait l'objet d'un traitement, lésions bénignes, convalescences, rechutes de maladies antérieurement constituées, complications après le 6ᵉ mois de grossesse (cette clause d'exclusion est valable à l'étranger). **Aux véhicules :** envoi de pièces détachées. Mise à disposition d'un véhicule ou d'un billet de train pour continuer le voyage et/ou retourner à la maison et aller chercher un véhicule réparé entre-temps (base : train 1ʳᵉ classe), ou d'un chauffeur. Remorquage en cas de panne (en général jusqu'à 700 F). Frais de taxi jusqu'à 300 F et/ou frais d'hôtel 300 F par nuit par personne abonnée, si la réparation dure moins de 48 h. Rapatriement des voitures non réparables en 5 jours. **A domicile** (dans certains types de contrats) : *assistance parents* (enfants, scolarité, éducation, vacances, loisirs...) ; *assistance conseils* (problèmes administratifs, juridiques ou sociaux privés) ; *assistance urgence* (médecin, ambulance ; aide familiale en cas d'hospitalisation d'un abonné ; hébergement à la suite d'incendie, d'inondation, de cambriolage ; dépannage serrurier).

Garanties d'assurance incluses dans l'assistance : pour les contrats d'assistance émis en France, le remboursement des frais médicaux (en général avec limite de 10 000 à 25 000 F, et souvent après prestation préalable de la sécurité sociale obligatoire). Remorquage (en général limité de 400 à 900 F). Taxi (limité à 300 F). Jusqu'à 3 nuits d'hôtel (limité à 300 F par abonné), varie d'une Sté d'assistance à l'autre.

• Bagages. Possibilité de les assurer. Ne sont pas couverts les dommages dus à des défauts d'emballage ou occasionnés par les services douaniers.

• Camping. Vérifier si son ass. resp. civile familiale n'exclut pas le camping. Si oui, on peut le modifier (avec surprime) ou souscrire une assurance spéciale. Pour le camping en forêt, assurance obligatoire. La carte de la Féd. franç. de Camping-caravaning comporte une assurance de resp. civile.

• Caravane. Il faut déclarer à l'assureur auto que l'on va tracter une remorque. Dep. janv. 1986 l'absence de déclaration entraîne : assurance partielle sauf si dispense dans le contrat (jusqu'à 750 kg) ; non-assurance (si + de 750 kg). Vérifier sur l'attestation délivrée que la police d'ass. garantit la remorque (beaucoup garantissent systématiquement celles de 500 à 750 kg), sinon demander une extension à l'assureur (surprime : env. 15 % de la prime) pour les dommages couverts par l'assurance obligatoire, résultant des « accidents, incendies ou explosions causés par le véhicule et sa remorque, les accessoires et les produits servant à son utilisation, les objets et les substances qu'il transporte », et ceux qui proviennent « de la chute des accessoires, objets, substances ou produits ». L'attestation d'assurance doit mentionner la remorque.

On peut assurer la remorque elle-même contre l'incendie, les dommages en cas d'accidents, le vol. Les contrats « caravaning » couvrent aussi la responsabilité pour la caravane en stationnement (par ex. en cas d'incendie ou d'explosion).

• **Hôtel, pension de famille, gîte rural.** *En cas de vol :* l'hôtelier est responsable du vol des objets apportés par ses clients [dans la limite, sauf faute de sa part, de 100 fois le prix, par jour, de la chambre ou 50 fois pour les objets laissés dans les voitures stationnées sur les lieux dont l'hôtelier a la disposition, qu'ils soient commis dans l'hôtel même ou dans ses dépendances (ex. : garage)]. En revanche sa resp. est illimitée pour les objets déposés entre ses mains (il est préférable de le faire pour les bijoux et autres objets précieux) ou qu'il refuse de recevoir sans motif légitime. Les inscriptions telles que « la maison n'est pas responsable des vols ou échanges de vêtements » ou encore « ... des vols survenus dans le garage », sont sans valeur juridique et ne sont pas opposables au client. L'hôtelier disposant d'un garage, mais qui demande à son client de garer sa voiture à un endroit déterminé hors de l'hôtel (ex. : quand son garage est plein), peut être responsable des vols commis dans ladite voiture.

Si le client commet une imprudence entraînant le vol (ex. : chambre non fermée à clef), la responsabilité de l'hôtelier est diminuée, voire annulée. En général l'hôtelier assure ses responsabilités.

• Location (villa ou appartement). Le locataire est responsable à l'égard du propriétaire des dommages pouvant survenir à son immeuble et à son mobilier, sauf si le loc. prouve un cas de force majeure, un vice de construction, un défaut d'entretien à la charge du propriétaire, ou que le feu a pris dans une maison voisine (sauf si le contrat d'ass. du propriétaire prévoit que la Sté d'ass. renonce à user de son droit de recours contre les locataires). On a intérêt à s'assurer spécialement : 1) par une « extension » de l'ass. couvrant sa résidence principale (clause villégiature) ; 2) ou par une assurance spéciale pour les vacances. On peut assurer, par la même extension de sa police générale, le « mobilier » que l'on emporte (meubles meublants, vêtements, linge, skis, électrophones, articles de plage, etc.).

Nota. – La plupart des contrats multirisques actuels comprennent des clauses villégiature (vérifier le montant de la garantie).

• Résidence prêtée. **Vacances chez des parents ou des amis.** On est responsable des dégâts causés par sa faute ou sa négligence à l'immeuble ou aux meubles qui le garnissent. L'ass. de la personne qui héberge pourra se retourner contre l'hébergé, sauf si le contrat prévoit la renonciation à recours contre les « occupants temporaires ». Vérifier que son contrat d'ass. « multirisque habitation » comporte une clause « villégiature » couvrant ces responsabilités.

• Transporteurs. Sont responsables des dommages causés à un voyageur, aux bagages enregistrés (pertes, avaries, retards dans l'acheminement) pour des montants limités. Ils ne sont pas responsables pour les bagages à main. On peut assurer la totalité de ses bagages, enregistrés ou non, quel que soit leur mode de locomotion (même dans sa voiture), pour la durée d'un déplacement. Une clause exige généralement verrouillage de la voiture et fermeture des glaces lorsque les bagages sont dans une automobile en stationnement [(la garantie joue, à la condition que la voiture soit stationnée dans un lieu gardé ou dans un garage fermé à clef (entre 22 h et 7 h)].

• Voiture. Voir assurance auto.

Défense du consommateur

Organisations

Administration compétente

Direction générale de la concurrence, de la consommation et de la répression des fraudes (DGCCRF). « Carré Diderot », 3-5 bd Diderot, 75572 Paris Cedex 12, dépend du ministère chargé de l'Économie et des Finances. Dotée de services départementaux et de laboratoires. Élabore le droit de la consom. Fait appliquer la réglementation concernant concurrence et consommation [facturations non conformes, ventes à crédit, ventes avec primes (liquidations, soldes), affichage des prix (étiquetage, prix des produits ou services), annonces de nature à induire en erreur] ; produits alimentaires et industriels (qualité, hygiène et sécurité). Soutient associations nat. et locales de consommateurs et assure une information (T.V...). *Publications :* Bulletin d'Information et de Diffusion.

Institut national de la consommation

Siège. 80, rue Lecourbe, 75732 Paris Cedex 15. **Créé** en 1967. **Statut.** Etablissement public industriel et commercial dep. le 8-5-1990 (avant, établissement public autonome sous la tutelle du ministère de l'Économie et des Finances). **Composition.** Conseil d'administration de 18 membres (10 représentants des consommateurs et usagers, 5 personnalités compétentes et 3 représentants élus par le personnel de l'INC). Directeur nommé, sur proposition du président du conseil d'administration, par décret pris sur rapport du ministre chargé de la Consommation. Activités. Le décret du 8-5-1990 a confirmé la reconnaissance officielle de l'Autorité des essais comparatifs (ADEC) qui est chargée, sous le contrôle du conseil d'administration, de l'interprétation, de la présentation et de la diffusion des résultats des essais menés par l'INC (env. 60 par an). **Budget** (1990) 130 millions de F dont les 2/3 proviennent de la vente des publications et 1/3 d'une subvention de l'État. **Médias.** *« 50 millions de consommateurs »* (mensuel, hors-séries, nᵒˢ pratiques), *« INC Hebdo »,* émissions télévisées (14 mn par semaine sur A2 et FR3), **Minitel Consommateurs** (36 15 INC).

Centre de recherches, d'études et de documentation sur la consommation (CREDOC). 45, rue de la Gare, 75013 Paris. *Fondé* 1953. *Presse :* « Consommation ».

Organismes associant les consommateurs

Conseil de la concurrence. *Créé* 1-12-1986. Organisme consultatif pouvant décider des sanctions applicables pour la répression des pratiques anticoncurrentielles. Peut être saisi notamment par les organisations de consommateurs agréées.

Conseil national de la consommation (CNC). *Créé* le 12-7-1983. Organe consultatif.

Comités départementaux de la consommation. *Créés* 1-12-1986. Auprès de chaque préfecture.

Comités économiques sociaux et régionaux. *Créés* 5-7-1972. Elles donnent leur avis au conseil régional.

Commission de la sécurité des consommateurs. Tour de Lyon, 12ᵉ étage, 185, rue de Bercy, 75572 Paris Cedex 12. Peut être saisie par toute personne et par simple lettre.

Commissions d'urbanisme commercial. *C. nationale :* rôle consultatif. *C. départementales :* ont un pouvoir de décision sur les projets de création de grandes surfaces. 2 représentants des organisations de consommateurs y siègent aux côtés de commerçants et d'élus locaux.

Organisations diverses

☞ Les organisations agréées pour exercer l'action civile ou dispensées d'agrément sont indiquées ci-dessous par un *.

Pour obtenir son agrément, l'association doit justifier d'une année d'existence à compter de sa déclaration, et d'activité effective et publique en vue de la défense des intérêts des consommateurs.

Organisations nationales

Associations populaires familiales syndicales (APFS). 1, rue de Maubeuge, 75009 Paris. *Fondées :* 1945. *Adhérents :* 22 000 familles regroupées en fédérations départementales. *Trimestriel :* « Empreinte ».

Association Études et Consommation-CFDT (ASSECO-CFDT). 4, bd de la Villette, 75019 Paris. *Fondée* 1981 par la CFDT.

Association FO Consommateurs (AFOC) *. 75-77, rue du Père-Corentin, 75014 Paris. *Fondée :* 19-2-1974. *Adhérents :* 1 100 000. F.O. membres de droit. Ass. locales 170. *Presse :* « Les Cahiers de l'AFOC » 10 000 ex. ; « Guide du consommateur » (1 500 pages), remis à jour chaque année.

Association d'éducation et d'information du consommateur de la FEN (ADEIC-FEN) *. 43, bd du Montparnasse, 75006 Paris. *Fondée* 1983. 8 organisations mutualistes, coopératives et associatives. *Publication :* « Le Point sur le i » (7 000 ex.).

Association pour l'information et la défense des consommateurs salariés (INDECOSA-CGT) *. 263, rue de Paris, 93514 Montreuil Cedex. *Fondée* 1979 par la CGT *Adhérents :* 1 500 000 (surtout de la CGT, membres de droit). 230 ass. locales ou départ. *Bimestriel :* « Information IN ».

Association fédérale des nouveaux consommateurs (ANC). 58, rue Jean-Jacques Rousseau, 75001 Paris. *Fondée* 1975. *Adhérents :* 27 000. *Action :* traitement des litiges.

Confédération générale du logement (CGL). Tour La Parisiane, 6, rue E.-Reynaud, 93306 Aubervilliers Cedex. *Fondée* 1954 à l'appel de l'abbé Pierre, pour organiser la défense des locataires, copropriétaires et accédants à la propriété. *Adhérents :* 73 000. 600 ass. locales ou d'immeuble. *Mensuel :* « Action-Logement ».

Confédération nationale du logement (CNL) *. 8, rue Mériel, B.P. 119, 93104 Montreuil Cedex. *Fondée* 1916. *Adhérents :* 195 000. *Presse :* « Logement et Famille » (200 000 ex.).

Fédération nat. des associations d'usagers du transport (FNAUT). 32, rue Raymond-Losserand 75014 Paris. *Fondée* 1978. *Adhérents* 140 assoc. regroupant 300 000 membres.

Confédération syndicale des familles (CSF) *. 53, rue Riquet, 75019 Paris. *Fondée* 1946. *But :* défense des intérêts des familles dans leurs fonctions de consommation, d'éducation et d'usage. *Adhérents :* 30 000 familles regroupées en 300 sections syndicales locales. *Presse bimestrielle :* « Nous » (20 000 ex.) ; « Action syndicale des familles » (2 500 ex.).

Confédération syndicale du cadre de vie (CSCV) *. Ancienne Confédération nationale des associations populaires familiales (CNAPF) *. 15, place d'Aligre, 75012 Paris. *Fondée* 1952. *Adhérents :* 20 000 regroupés dans 700 syndicats de quartiers et 65 fédérations départementales. Fedeco CSCV : féd. de défense des copropriétaires, créée 1990. Membre du BEUC. *Journal :* « Cadre de vie » (4 n[os] par an), Guides et dossiers spécifiques.

Conseil nat. des Associations familiales laïques (CNAFAL). 108, av. Ledru-Rollin, 75011 Paris. *Fondé* 1967.

Fédération Léo-Lagrange. 21, rue de Provence, 75009 Paris.

Fédération des familles de France (FFF) *. 28, pl. St-Georges, Paris 75009. *Fondée* 1921. *Adhérents :* 138 000 regroupés en 650 associations fam. et comités locaux de consommateurs (COLOC). *Publications :* « Familles de France » (mensuel, 25 000 ex.) ; « Action familiale » (mensuel, 1 500 ex.).

Fédération nationale des associations familiales rurales (FNAFR). 81, av. Raymond-Poincaré, 75116 Paris. *But :* information, prévention, formation, règlement des litiges. *Fondée* 1943. *Adhérents :* 176 000 familles regroupées dans 3 300 associations locales. *Presse :* « Familles rurales » (mensuel, 6 000 ex.), « Flash » (journal d'adhérents).

Confédération nationale des Associations familiales catholiques (CNAFC). 28, place St-Georges 75009 Paris. *Fondée* 1947. *Adhérents* 40 000 familles regroupées en 340 assoc. et 42 féd.

Organisation générale des consommateurs (ORGECO). 3, rue de Provence, 75009 Paris. *Fondée* 1959. *Adhérents :* 450 000 (provenance CFTC, CGC et individuels) regroupés en unions départ., rég. et locales. Membre du BEUC (Membre de l'IOCU). *Presse :* « Cartes sur table » (trimestriel).

Union fédérale des consommateurs - Que Choisir ? (UFC-QC). 11, rue Guénot, 75011 Paris. *Fondée* 1951, indépendante de tout mouvement politique ou syndical. *Pte :* Marie-José Nicoli. Le 19-3-1988, le secrétaire d'Etat à la Consommation a redonné à l'UFC son siège au sein de l'INC qu'elle avait quitté en 1972 (Marie-José Nicoli a été nommée administrateur). L'UFC a toujours contesté la concurrence exercée par *50 Millions de consommateurs* qui perçoit une subvention de l'État. Lors de la création de l'ADEC en 1987, elle a mis en doute l'indépendance des tests réalisés par l'INC. *Adhérents :* 60 000 regroupés en 220 unions locales. Membre du BEUC. *Presse :* « Que choisir ? » mensuel ; « Que choisir ? Santé » ; Guides pratiques trimestriels.

Union féminine civique et sociale (UFCS). 6, rue Béranger, 75003 Paris. *Créée* 1925 ; organisation de consommateurs dep. 1961. Membre de la COFACE et du IOCU. *Presse :* « Dialoguer » (bimestriel), « Dossiers de travail » par thème. 80 permanences d'information.

Union nationale des associations familiales et des unions départementales (UNAF). 28, place St-Georges, 75009 Paris. Voir p. 1373b.

Groupements régionaux

La plupart collaborent aux émissions télévisées régionales « Consommateurs-Information ».

Centres techniques régionaux de la consommation (CTRC). *Ajaccio,* 2, rue San-Lazzaro. *Amiens,* 34, rue Lamartine. *Besançon,* 37, rue du Battant. *Blois,* 17, rue Roland-Garros, BP 1026. *Bordeaux,* 11, cours Chapeau-Rouge. *Caen,* 12, rue Neuve-Saint-Jean. *Châlons-sur-Marne,* 4, allée Charles-Baudelaire, BP 184 Saint-Memmie. *Clermont-Ferrand,* 3, rue du Maréchal-Joffre. *Dijon,* 14, rue du Palais. *Fort-de-France,* FRAC-CTRC, angle des rues Louverture et Gouverneur, Ponton Terre-Sainville, BP 641. *Le Havre,* 113, rue Hélène. *Lille,* 47, rue Barthélemy-Delespaul. *Limoges,* 25, rue Encombre-Vineuse. *Lyon,* 20, rue de Condé. *Marseille,* 23, rue du Coq. *Montpellier,* 1, rue de la Carbonnerie. *Nancy,* 5, rue St-Léon. *Nantes,* 43, rue du Pré-Gauchet. *Paris,* 13, rue de Tocqueville, 75017. *Poitiers,* 23, av. Robert-Schumann. *Rennes,* 19 bis, rue Duhamel. *Strasbourg,* Chambre de la consommation d'Alsace, 7, rue de la Brigade, *St-Denis-de-la-Réunion* 39, SHLMR le Butor.

☞ **Aides de l'État** (en millions de F y compris CTRC). *1987 :* 32,2. *1988 :* 32,7. *1989 :* 41. *1990 :* 52,8. **Aide à l'INC.** *1988 :* 37. *1989 :* 37. *1990 :* 45.

Organisations internationales

Bureau européen des unions de consommateurs. (B.E.U.C.) *. av. de Tervueren, 36, 1040 Bruxelles, Belgique. *Fondé* 1962. Regroupe 23 associations (17 membres et 6 membres correspondants). *Organisations franç. représentées :* UFC, ORGECO. Dispose de 4 sièges au Conseil consultatif des consommateurs (CCC) auprès de la CÉE **Comité des consom. de l'alliance coopérative internat (ACI).** *Secrétariat :* Mme F. Marras, ACI, 15, route des Morillons, CH-1218 Grand-Saconnex, Genève, Suisse. *Fondé* 1971. Regroupe 25 pays y compris Comité régional de Sud-Est-Asie. **Communauté eur. des coop. de consom. (EURO COOP).** Rue Archimède, 17 A, Bte 2-B-1040 Bruxelles. Belgique. *Créée* 1957. Membres 19 688 000. Représentée au Conseil consultatif des consom. **Conféd. des organisations familiales de la Communauté europ. (COFACE).** 17, rue de Londres, 1050 Bruxelles, Belgique. *Fondée* 1979. *Membres :* 65 organisations dont 22 françaises. Dispose de 4 sièges au Conseil consultatif des consom. auprès de la CÉE.

Organisation internat. des unions de consom. (IOCU). 9, Emmastraat, 2 595 EG, La Haye, P.-Bas. *Fondée* 1960 par 5 unions (USA, G.-B., Australie, Belg., P.-Bas). 181 org. dans 64 pays.

Recours du consommateur

Généralités

A) Règlement amiable avec 1° *vendeur,* chef de rayon ou directeur du magasin. 2° *syndicat professionnel* du fabricant ou du commerçant.

B) Recours auprès de l'Institut national de la consommation ou auprès d'organisations de consommateurs agréées qui ont le droit de se porter partie civile pour la défense de l'intérêt général des consommateurs (loi du 27-12-1973). Demander la liste des organisations du département à la préfecture.

C) Recours aux pouvoirs publics. Par l'intermédiaire des différents services compétents, pour faire dresser le procès-verbal constatant l'infraction. L'administration transmet ensuite les procès-verbaux au parquet qui apprécie la suite à donner.

Le consommateur peut aussi porter plainte directement au *Parquet du procureur de la République* qui dispose de l'opportunité des poursuites. Aussi, a-t-on intérêt, avant, à demander conseil aux organismes compétents (voir ci-dessus).

Quelques cas

Légende : Rec. : Recours ; *Rens. :* Renseignements ; (1) Direction départementale de la concurrence et de la consommation et de la répression des fraudes (DDCCRF), 8, rue Froissart, 75003 Paris ; (2) Service des instruments de mesure du ministère de l'Industrie.

• **Achat (protection légale). En matière civile. 1. Les vices de consentement.** L'annulation du contrat peut être obtenue en invoquant l'erreur sur la substance, c'est-à-dire le défaut d'authenticité (qualité essentielle de l'objet). Cependant la jurisprudence a souvent introduit une condition supplémentaire à l'annulation : la qualité « convenue » de l'objet (clause tacite ou explicite de garantie). Le *dol,* qui entraîne une erreur chez l'acheteur, peut être constitué par le silence, la réticence du vendeur qui s'adressant à un acheteur inexpérimenté a le devoir d'informer. **2. Le vice caché.** L'acquéreur peut rendre l'objet et se faire restituer le prix sauf pour les ventes en douane (la décision appartient aux douanes), les ventes de domaines et les ventes aux enchères publiques.

En matière pénale. L'acheteur peut invoquer le délit de *tromperie* ou d'*escroquerie* (doit être prouvé par la partie civile ou le ministère public). L'acheteur qui s'estime lésé a le choix entre divers recours, mais actuellement le meilleur résultat s'obtient sur la base de la tromperie.

• **Achat à crédit.** Tout crédit consenti par un professionnel (vendeur, banque), pour + de 3 mois, d'un montant inférieur ou égal à 140 000 F et destiné au paiement d'un bien mobilier (voiture, TV) pour la consommation personnelle, est soumis à la loi du 10-1-1978. Cette loi réglemente la publicité et la teneur du contrat (dit « offre préalable ») de crédit, impose un délai de réflexion de 7 j, lie juridiquement contrats de crédit et de vente, limite les pénalités encourues en cas de non-paiement des mensualités. Pour ce *délai de rétractation* ne sont pas pris en compte samedi, dimanche, jours fériés et chômés lorsqu'ils constituent le jour d'expiration des 7 j.

Litige : s'adresser au procureur de la Rép. du tribunal de grande instance du domicile ; pour engager un procès civil (demande de dédommagement), au tr. d'instance du siège social de l'établissement financier, du lieu du magasin ou du domicile. *Délai de prescription :* 2 ans à compter de l'événement qui a donné naissance au litige.

• **Acompte.** 1er paiement à valoir sur un objet. Le vendeur est engagé, comme l'acheteur, à honorer le contrat qu'il a signé. Il ne peut pas se dédire. En cas de refus ou d'impossibilité d'honorer ce contrat, il peut être condamné à verser des dommages et intérêts (en sus du remboursement de l'acompte).

• **Affichage.** Voir Étiquetage.

• **Aliments de régime et diététique.** *Rec. :* DDCCRF [1]. Service départ. de la Santé publ.

• **Arrhes.** *L'acheteur* peut se dédire en abandonnant les arrhes, le *vendeur* le peut aussi mais en remboursant le *double* des arrhes. A défaut d'accord amiable, seule une décision de justice peut régler un litige en interprétant les dispositions du contrat. Dans certains cas, le montant des arrhes ou des acomptes est réglementé par la loi, p. ex. : location saisonnière en meublé par un loueur professionnel (les arrhes ne peuvent excéder 25 % du loyer global) ; vente mobilière d'objets courants : voitures, etc. (toute somme versée plus de 3 mois à l'avance est productrice d'intérêts).

• **Astreintes.** Moyens de pression : le juge condamne le professionnel à vous verser par jour, semaine ou mois de retard, une somme d'argent fixe. *A. provisoire :* le juge se réserve la possibilité de la réduire ou de la supprimer ultérieurement en fonction de l'attitude adoptée par le débiteur. *A. définitive :* le juge a expressément, dans sa décision, renoncé à la réviser.

• Automobiles (réparations). *Rec. :* Chambre syndicale nat. du commerce et de la réparation de l'automobile, 6, rue Léonard-de-Vinci, 75116 Paris, DDCCRF [1].

• Bruits. **Dans les locaux ind.** *Rec. :* Inspection du travail, organismes de Sécurité sociale. – **De voisinage, des automobiles.** Tout bruit causé sans nécessité ou dû à un manque de précautions, quelle que soit l'heure, est passible d'une contravention. *Rec. :* préfectures, mairies, services de police et de gendarmerie.

• Coiffeur. Affichage des prix obligatoire. En cas d'accident (brûlure, allergie) la responsabilité du coiffeur est engagée.

• Colis épargne. Le consommateur verse une certaine somme pendant un délai donné au bout duquel lui est remis un colis de marchandises. Pratique licite seulement si le consommateur a connaissance du contenu du colis au moment de son engagement et si au dernier paiement apparaît une déduction correspondant aux intérêts des sommes versées.

• Commande. **Bon de commande** (ou contrat de vente prérédigé) : obligatoire pour voitures, chats et chiens, sinon facultatif. Il comprend : au recto identification des parties, désignation des marchandises, prix, mode de paiement, date de livraison (indiquer une date impérative sous peine d'annulation), mode et lieu de livraison, date et signature ; au verso conditions de vente. Avant de signer, on peut toujours demander au vendeur des conditions différentes de celles figurant au contrat. Si celui-ci accepte, il faut mentionner et parafer ces conditions spéciales. **Retard à la livraison :** une clause indique souvent qu'on ne peut demander la résolution du contrat que 15 j après la mise en demeure par lettre recommandée avec AR. **Transfert de propriété :** en général, dans le magasin, les marchandises voyagent aux risques et périls du destinataire. L'insertion d'une clause abusive est punie d'une amende de 2 500 à 5 000 F. Pour que le contrat soit valable, il faut un consentement averti. Le vendeur ne doit donc pas tromper le client, ni cacher des informations, il doit le conseiller.

• Commerçant. *En cas d'infraction : Rec.* à Paris : DDCCRF [1]. *Litiges d'ordre privé :* demander conseil aux organisations de consommateurs ou à l'INC. *Pièces à conserver :* contrat, ticket de caisse, facture, reçu pour arrhes, devis, documents publicitaires, certificats de garantie, attestations de livraison et mise en route, courrier reçu, constats d'huissier. *Garantie pour vices cachés :* l'action doit être intentée par l'acquéreur dans « un bref délai, suivant la nature et l'usage au lieu où la vente s'est effectuée ». Cette garantie est soumise à une prescription trentenaire (sauf pour les animaux domestiques qui bénéficient d'une garantie illimitée). La garantie ne peut se trouver limitée par une clause dans le contrat de vente sauf si l'acheteur est considéré comme professionnel ou s'il a connaissance du vice caché.

• Commissaires-priseurs et experts. Dans les ventes publiques, les mentions portées sur le catalogue de vente font foi sauf si, au moment de la vente, le commissaire-priseur ou l'expert infirme la mention portée sur le catalogue, cette déclaration devant être portée sur le procès-verbal. Actuellement le recours en garantie de l'acheteur peut s'exercer dans un délai de 30 ans. Les œuvres d'art vendues par les maisons de vente anglaises ne sont pas garanties.

• Commission des clauses abusives (CCA). *Créée* 1978. Rattachée au ministère chargé de l'Économie et des Finances. Chargée de rechercher dans contrats et bons de commande les clauses abusives définies à partir de la notion d'« abus de puissance économique ».

• Contrat. Accord de volonté entre 2 ou plusieurs personnes qui engendre des obligations réciproques ou à la charge d'une seule d'entre elles. Le contrat doit être signé dans toutes ses parties (pas de renvoi à des feuilles détachées). Pour certains contrats, le consentement ne suffit pas : la loi les soumet à certaines conditions (c. de mariage, donation, hypothèque) et ils doivent être rédigés par un notaire. *Délai de réflexion* (loi de 1979 différente du délai de rétractation de la loi de 1978) : imposé parfois par la loi, il suit ou précède la signature du contrat. Ex. : démarchage ou crédit ordinaire, enseignement à distance, 7 jours ; démarchage pour plan d'épargne en valeur mobilière, 30 j, et crédit immobilier, 10 j. Des tribunaux estiment que des promesses faites sur des documents publicitaires (catalogues, affiches...) peuvent aussi être considérées comme des engagements contractuels. *Les clauses illicites* (par ex. : droit pour le vendeur de ne pas donner suite à une commande) *ou illisibles* (par ex. : imprimées en caractères illisibles au verso du document ou mentionnées perpendiculairement aux autres dispositions du bon de commande) ne sont pas opposables à l'acheteur. *Contrat d'achat ou bon de commande.* Vérifier qu'il comporte au minimum les modalités de livraison (délai, transport, montage, réclamation), le montant du prix à payer et les garanties éventuellement accordées. *Exécution.* Dès le contrat formé, chaque contractant est tenu d'exécuter ses obligations (art. 1134 du Code civil). Si l'un se dérobe, l'autre peut demander la *résolution* (suppression rétroactive des obligations du contrat), la *résiliation* [valant suppression pour l'avenir d'un contrat successif (ex. location)] ou l'*exécution forcée* du contrat. Si celle-ci est impossible à obtenir, le tribunal devra déterminer le dommage subi par le créancier et en assurer la réparation sous forme de dommages et intérêts. *S'il s'agit d'une somme d'argent,* il ordonnera la saisie et la vente des biens du débiteur ; *d'un objet déterminé,* il pourra mettre le créancier en possession de l'objet ; *d'obligation de faire et de ne pas faire,* il pourra condamner le débiteur à une astreinte (somme d'argent déterminée) pour l'obliger à réagir.

Le *créancier a droit à des dommages et intérêts* en cas d'inexécution totale, partielle ou d'exécution tardive du contrat. Pour constater le retard envoyer une mise en demeure (art. 1230 du Code civil) sous forme de sommation ou de commandement, ou par simple lettre recommandée avec accusé de réception. Préciser le préjudice chiffrable et qu'il y a faute du débiteur [difficile parfois à établir s'il s'agit d'une obligation de moyens (ex. : le médecin qui n'arrive pas à sauver son malade)].

Cas de vices. *En cas de vices du consentement :* on peut demander l'annulation du contrat. *Dol :* ex. vente d'une voiture d'occasion millésimée 1989 alors qu'elle est de 1987. *Erreur :* ex. portant sur une qualité du produit qui a été déterminante dans la décision d'acheter. *Violence :* ex. personne contrainte à donner de l'argent sous la menace.

Contrat d'entretien. Si la société n'a pas rempli ses engagements, le report automatique du contrat sur l'année à venir doit être exigé. *Contrat AFNOR :* la base des prestations à faire impérativement.

• Copropriété (règlement de). *Rec. :* trib. de grande instance.

• Délai franc. Délai dans lequel ne sont comptés ni le *dies a quo* (jour de départ) ni le *dies ad quem* (celui de l'échéance). Délai non franc : le *dies ad quem.*

• Dépannage à domicile. *Rec. :* boîte postale 5 000 du département (cf. DDCCRF [1]), association des consommateurs, syndicats professionnels.

• Dette impayée. Les cabinets de recouvrement ne peuvent exercer d'actions judiciaires. Les intérêts ne peuvent courir qu'*après* et *à compter* de la mise en demeure du créancier ou de son mandataire. Ils sont normalement basés sur le taux légal. Si la dette est contractuelle, se reporter au contrat. *Frais :* normalement à la charge du créancier, s'ils sont imputés par contrat au débiteur, celui-ci peut se prévaloir des recommandations de la commission des clauses abusives. En cas de frais exagérés, il peut invoquer l'art. 1652 du Code civil qui permet au juge de les diminuer.

• Devis. En général gratuit, sauf si l'on fait appel à un spécialiste (ex. architecte) ou procéder à un travail particulier (ex. démontage d'un appareil). *Doit comporter :* coût de la main-d'œuvre, montant des taxes (si la TVA ne figure pas, le devis ne signifie rien), date de livraison ou de fin des travaux, mode et délai de règlement. En l'absence de devis écrit, aucun recours possible. L'entrepreneur doit demander l'accord du client avant de faire des travaux entraînant une modification du devis initial. *Coût :* les tarifs des devis payants doivent être affichés. Bâtiment et électroménager : devis détaillé obligatoire pour réparations à partir de 1 000 F TTC (arrêté 2-3-1990).

• Diffamation. « Toute allégation ou imputation d'un fait qui porte atteinte à l'honneur ou à la considération de la personne ou du corps auquel le fait est imputé ». Pour que le délit soit établi, il faut que : la diffamation soit revêtue de publicité (discours ou cris dans un lieu public, écrits, imprimés vendus ou distribués dans un lieu public) ; qu'il y ait un fait déterminé dont l'exactitude ou l'inexactitude peut être vérifiée (ex. imputation d'un vol) ; que ce fait soit contraire à la probité, à la loyauté, à la bonne conduite ; que la personne visée, qui n'a pas besoin d'être désignée nommément, soit aisée à reconnaître ; qu'il y ait intention coupable de la part de l'auteur (celle-ci est présumée). La preuve de la diffamation peut faire disparaître le délit. *Celui qui est diffamé* peut dans les 3 mois s'adresser : 1° *au tribunal correctionnel* (*pénalités :* 5 j à 6 mois d'emprisonnement, amende de 150 à 80 000 F ou l'une de ces deux peines seulement) ; 2° *au tribunal d'instance* (s'il réclame des dommages et intérêts de 5 000 F au maximum) *ou de grande instance* (s'il demande plus).

• Dommages et intérêts. Destinés à réparer le préjudice subi. Il s'agit souvent d'une somme d'argent : *d. et i. compensatoires.* En cas de retard de paiement d'une somme due, le créancier a seulement droit à des intérêts au taux légal : *d. et i. moratoires.* Il peut obtenir des d. et i. suppl. s'il démontre la mauvaise foi du débiteur et un préjudice distinct du retard (ex. une agence de voyages ayant tardé à rembourser un acompte, vous avez dû renoncer à partir en vacances).

• Emballage. Le commerçant n'a pas le droit de le faire payer à moins qu'un écriteau avertisse le consommateur avant l'achat. Il doit indiquer le prix au kg sur un certain nombre de produits alimentaires préemballés : viande, charcuterie, poissons, fruits, légumes, fromages. 2 arrêtés du 22-9-1975 fixent les poids nets des emballages dans lesquels certains produits peuvent être offerts à la vente. **Surgelés.** *Fruits :* 250 g, 500 g, 1 kg, 1,5 kg, 2 kg, 2,5 kg et multiples de 1 kg. *Légumes :* 150 g, 300 g, 450 g, 600 g, 750 g, 1 kg, 1,5 kg, 2 kg, 2,5 kg et multiples de 1 kg. *Poissons : entiers :* truites vendues par 2 unités, 340 g, 750 g, 1 kg, 1,5 kg, 2 kg, 2,5 kg et multiples de 1 kg ; *en filets :* 100 g, 200 g, 300 g, 400 g, 500 g, 750 g, 1 kg, 1,5 kg, 2 kg, 2,5 kg et multiples de 1 kg. *Filets : de harengs saurs au naturel :* 200 g, 500 g, 1 kg et multiples de 1kg ; *de morue :* 400 g, 1 kg et multiples de 1 kg.

• Envoi forcé. Sont interdites les *ventes forcées* qui consistent à adresser d'office certains objets (disques, montres, livres, stylos, etc.) et à exiger ensuite le retour (même sans frais) ou le paiement. Ne rien payer et conserver l'objet. Sanctionnées par l'article R. 40-12 du Code pénal. Cependant, l'objet reçu ne peut être utilisé car il n'appartient pas à son destinataire. Porter plainte auprès du procureur de la République. *Rens.* DDCCRF [1].

• Essayage. *Ex. : achat d'une chemise.* Si on n'a pas pu l'essayer et qu'elle ne va pas, le contrat est nul. On peut être remboursé sauf si l'étiquette était correcte (mention de la taille, coupe, longueur des manches).

• Établissements dangereux, insalubres, incommodes. (dits étab. classés) *Rens. :* Service de prévention des nuisances industrielles, 68, rue de Bellechasse, 75007 Paris. Ministère de l'Environnement. Préfecture (Service admin. et inspection des établ. classés). *Rec. :* services préfectoraux des établissements classés, trib. administratif, Conseil d'État, tribunal de grande instance (demandes de dommages et intérêts).

• Étiquetage. Il faut distinguer : l'étiquetage apposé par le fabricant et celui apposé par le distributeur du produit. Il peut consister en une marque individuelle ou collective ou en un étiquetage informatif. Il peut résulter : 1° de dispositions législatives ou réglementaires le rendant obligatoire ; 2° d'une décision du professionnel souhaitant informer le consommateur.

Étiquetage obligatoire. Produits alimentaires : nature précise de la marchandise selon la dénomination de vente à laquelle elle est astreinte, nom ou raison sociale et adresse du fabricant, nom du pays d'origine de la marchandise, poids net ou volume net, date de péremption, énumération par ordre d'importance décroissante des composants du produit et, lorsque la dénomination du produit se réfère à un composant, proportion de ce composant contenue dans le produit, énumération des additifs, colorants, conservateurs antioxygène, édulcorants, émulsifiants, agent de texture, de sapidité, d'aromatisation. **Produits diététiques et de régime :** mêmes mentions + l'indication des composants du produit par ordre d'importance quantitative décroissante, la valeur calorique et les teneurs en protides, lipides et glucides. **Produits cosmétiques et d'origine corporelle :** dénomination du produit, nom et adresse du fabricant, volume ou poids net, date limite d'utilisation pour les produits dont la durée de stabilité est inférieure à 3 ans, numéro de lot, énonciation des substances dont la présence est revendiquée dans la publicité, précautions particulières d'emploi. **Dates.** L'étiquetage doit obligatoirement indiquer la date de fabrication (en clair ou en code), la date limite de consommation (DLC) pour les produits alimentaires périssables préemballés, la date limite d'utilisation optimale (DLUO) pour les conserves, surgelés, crèmes glacées, produits de beauté, médicaments. **Prix.** Depuis février 1983, affichage des prix au litre ou au kg obligatoire pour les produits préemballés.

Infractions constatées. Nombre de contrôles et entre parenthèses procès verbaux (1988). Marquage et affichage des prix 97 400 (2 327). Publicité trompeuse 5 585 (280), mensongère 13 800 (721). Ventes à crédit 2 556 (204). Dons et ventes avec prime aux consommateurs 728 (99).

Étiquetage contrôlé par un organisme indépendant du fabricant, de l'importateur ou du vendeur. *Produits agricoles* [labels agricoles : loi nº 60-808 du 5-8-1960 modifiée par la loi nº 78-23 du 10-1-1978, décret nº 83 507 du 10-6-1983, loi d'orientation agricole 80 502 du 4-7-1980 (art. 14) sur les marques collectives régionales] ; les *produits industriels, produits agricoles non alimentaires transformés ou biens d'équipement* (ex. : Woolmark, Fleur Bleue, Coton-Flor, Belle Literie) ; certificats de qualification, articles 22 et suivants de la loi nº 78-23 du 10-1-1978.

Faux certificats de qualité ou faux labels. *1) Marques privées :* elles ne se présentent pas en principe comme des labels de garantie, sauf exception. *2) Faux diplômes :* laissent entendre qu'un jury compétent et impartial a attribué un prix pour la qualité, le prestige, la supériorité, etc. Ex. : Prestige de la France, Coupe du bon goût français, Sélection Europe. Il s'agit en fait d'opérations purement publicitaires. *3) Marques collectives :* privées réunies parfois en fonction d'un règlement qualitatif (garanti par les producteurs) : ex. popeline d'Alsace.

Labels, marques de qualité, certificats de qualité, etc. faisant référence : *1) A un règlement technique privé.* Exemples. *Woolmark :* éleveurs de moutons d'Australie, de N.-Zélande et d'Afrique du S. Contrôlé par le Secrétariat international de la laine. *Fleur bleue :* créée par la Confédération générale des fabricants de toile de France pour les articles en lin, en métis, en lin mélangé et en toiles lourdes (bâches).

2) Aux normes françaises. Marque NF : créée 1938, devenue certificat de qualification en 1981 (loi du 10-1-1978 et décret d'application du 9-7-1980). Estampille rouge et bleue, apposée sur le produit. Accordée sous la responsabilité de l'Association française de normalisation (AFNOR, association privée, reconnue d'utilité publique, ayant le monopole de la normalisation en France). Env. 1 100 normes sont établies par an, homologuées après enquête probatoire. *Litige :* s'adresser à l'AFNOR Tour Europe-Cedex 7 – 92049 Paris la Défense, qui interviendra auprès du fabricant pour l'inciter à honorer ses engagements.

3) A un règlement d'ordre public (loi, décret ou arrêté) : *appellation d'origine contrôlée :* vins, fromages ; *appellation d'origine simple :* fruits, légumes, volaille, produits divers ; *labels nationaux* (homologation ou arrêté) : volailles (ex. volaille de Loué), fromages (ex. Emmental Est Cantal, Grand Cru), divers ; *labels régionaux :* homologation régionale par produit après homologation nationale du label. *Marque régionale : Savoie :* Emmental, fruits, *Normandie :* cidre.

4) A un contrat pour l'amélioration de la qualité : contrats de droit privé conclus et légués après négociation entre les organisations nationales des consommateurs et des entreprises de toute nature (producteurs, distributeurs, prestataires de services). Conclus pour une durée déterminée ; *but :* valoriser l'effort des entreprises pour une qualité plus grande des produits. Les améliorations peuvent concerner les produits et services ou leur environnement (fabrication, distribution, garantie, service après vente, relations avec l'usager, prix...). Les produits concernés sont signalés au public par une marque collective comprenant le logo « Approuvé », rouge sur fond rouge et bleu du contrat.

• **Facture.** Obligatoire entre professionnels. Pour tout achat de produits ou pour tout service, pour une activité professionnelle. Délivrée dès la réalisation de la vente (un exemplaire est conservé par le vendeur). Doit mentionner : nom et adresse des parties, date de la vente, quantité, dénomination précise, prix unitaire hors TVA, rabais, remises ou ristournes. Les originaux et copies de factures sont conservés pendant 3 ans. *Transactions avec des particuliers :* l'usage s'en est établi (mais n'est pas obligatoire lors des ventes au détail). Les prestataires de services doivent délivrer une note donnant le décompte détaillé de ceux-ci. Hôtels et restaurants : note obligatoire quel que soit le montant.

Autres prestataires (garagistes, teinturiers, coiffeurs, etc.) : note obligatoire à partir de 100 F T.T.C. Au-dessous, la note peut être délivrée sur demande. Elle comporte date, nom et adresse du commerçant, nom du client, décompte détaillé des prestations.

Frais de facturation : interdits sur facture obligatoire (réparations automobiles ou à domicile par exemple). Sinon tolérés quand ils ne dépassent pas les frais réels de l'établissement du décompte et si la clientèle a été avertie par une publicité appropriée.

Nota. – Un ticket de caisse, portant la mention « payé le... » et le mode de paiement est une preuve irréfutable de paiement.

• **Fouille des clients.** Le commerçant ou son personnel n'ont pas le droit de contrôler le contenu des sacs des clients, sauf avec leur accord. Ceux-ci peuvent exiger que cette fouille soit exécutée par un officier de police.

• **Frais. Pour paiement tardif.** Le créancier peut obtenir des dommages et intérêts moratoires fixés au taux légal et courant à compter du jour de la sommation de payer.

De remboursement. Si un commerçant charge un office de recouvrement de récupérer une dette, c'est un mandat, or l'art. 1999 du Code civil prévoit que si l'exécution du mandat entraîne des frais pour le mandataire (ici l'office de recouvrement), le mandant (le commerçant) doit les rembourser et non le débiteur qui n'est pas partie à ce contrat.

• **Garantie légale.** Art. 1 641 à 1 649 du Code civil (et jurisprudence), dite aussi *g. des vices cachés* de la chose vendue. Illimitée dans le temps. Pour la mettre en œuvre, *3 conditions doivent être réunies : le défaut doit être grave* (rendant le produit impropre à l'usage prévu, ou réduisant tellement cet usage que l'acheteur aurait renoncé à son acquisition ou n'en aurait payé qu'un moindre prix s'il l'avait connu) ; *caché* (il était raisonnablement impossible de s'en rendre compte lors de l'achat) ; *antérieur à la vente* (le consommateur doit prouver qu'il existait déjà lorsqu'il a acheté l'appareil, et qu'il n'est pas le résultat d'une mauvaise utilisation, ou d'une usure normale). Un vendeur doit donc livrer une « chose » (même soldée) propre à l'usage auquel on la destine, c.-à-d. en parfait état de marche. Si elle tombe en panne, sans faute de l'acheteur, il doit la rembourser ou prendre à sa charge les frais de réparation (pièces, main-d'œuvre, transport) et verser des dommages et intérêts pour le préjudice entraîné par la privation de l'objet, mais c'est à l'acheteur de prouver l'existence du vice caché.

• **Garantie contractuelle.** Résultat d'un contrat entre vendeur et acheteur lors de la transaction.

Il faut vérifier les points suivants du certificat : *durée* (est-elle la même pour toutes les pièces ?) ; *pièces* de l'appareil couvertes par la garantie ; *pièces défectueuses et pièces cassées* (sont-elles garanties ?) ; *frais de main-d'œuvre* et de *déplacement de la main-d'œuvre* (sont-ils à votre charge ?) ; *frais de transport* de l'appareil (s'il doit être retourné à l'usine ?).

Certains glissent des formules ambiguës : « telle garantie ne s'applique pas aux remplacements et réparations devenus nécessaires par suite de l'usure normale... », « seul le 1er usager bénéficie des avantages généraux de la garantie... », etc. « La date de mise en service pour l'application de la garantie ne peut être postérieure de 6 mois à la date de facturation du matériel ». « Les frais de main-d'œuvre sont à la charge exclusive de l'utilisateur. » « La livraison des pièces de rechange sera effectuée par le constructeur dans les meilleurs délais possibles, sans que d'éventuels retards puissent être invoqués pour une demande de dédommagement ou simplement une prolongation de la période de garantie ». « Les indications de consommation qui peuvent être fournies par le constructeur le sont toujours à titre indicatif »... « Les éléments plastiques (tuyaux, courroies...) sont exclus du bénéfice de la garantie »... « Les frais et conséquences de l'immobilisation de l'appareil pendant sa réparation ne sont pas couverts par cette garantie »... Mais la garantie légale s'applique toujours et cette circonstance doit obligatoirement apparaître sur le bon de garantie. Une fois passée la période de garantie, le fabricant n'est plus tenu d'assurer, dans le cadre de celle-ci, la fourniture des pièces.

Les indications de consommation fournies à titre indicatif ne concernent pas la garantie. L'usage de la norme NF X 50 002 est facultatif et ne peut faire l'objet de contrôle. Par contre, le fait pour un professionnel d'annoncer qu'il respecte cette norme l'oblige à le faire (et s'il ne le fait pas, s'adresser à l'AFNOR ou à l'administration pour publicité mensongère).

Décret du 22-12-1987. Prévoit une présentation normalisée du contenu des contrats de garantie et de service après vente. Certaines indications, notamment relatives à la livraison, à la mise en service et aux réparations devront obligatoirement figurer dans le contrat remis au consommateur.

Recours. Si des lettres au vendeur chargé d'assurer la garantie reviennent avec la mention « inconnu à l'adresse indiquée », *la Sté a pu changer d'adresse* (se renseigner auprès du registre du commerce au greffe du tribunal de commerce), ou *elle a pu être mise en liquidation de biens* (prendre contact avec le tribunal de commerce pour avoir les références du syndic chargé de la liquidation). **Hôtels, garages publics, terrains de camping.** *Rens. :* auprès des préfectures. **Hygiène alimentaire et publique.** *Rens. :* Dir. départ. de l'action sanitaire et sociale, inspecteur de la Santé, services de police et de gendarmerie, ou toutes administrations, secrétaires généraux de préfecture, sous-préfets, maires. **Hygiène et beauté.** *Produits à caractère pharmaceutique, cosmétiques et hygiène corporelle. Rec. :* DDCCRF [1]. Service départ. de la Santé publ.

• **Injonction. De faire et saisine directe du tribunal d'instance pour les petits litiges** (décret du 4-3-1988). Procédures possibles si le montant du litige est inférieur à 13 000 F (saisine directe) ou à 30 000 F (injonction de faire). Ces procédures sont gratuites.

De payer. *Conditions exigées :* 1°) la somme qui est due doit avoir « une cause contractuelle » ou « résulter d'une obligation de caractère statutaire » ; 2°) le montant de la somme due doit être déterminable à partir du contrat (ex. dépôt de garantie non rendu). *Comment procéder :* adresser une requête en injonction de payer au greffe du tribunal d'instance compétent (celui du domicile du débiteur) ; après réception de l'ordonnance (8 j à 6 semaines après), la remettre à un huissier qui la notifiera à l'adversaire ; à l'expiration d'un délai d'un mois à compter de cette notification, en justifier auprès du greffier qui portera sur l'ordonnance la formule exécutoire ; si, dans le mois qui suit la notification, le greffe n'a enregistré aucune opposition du débiteur, il retourne l'ordonnance avec la signature du président au bas de la formule exécutoire ; l'adresser à nouveau à l'huissier pour qu'il contraigne le débiteur à payer ce qu'il doit en lui demandant de recouvrer les sommes dues, en précisant qu'il doit le faire par « voie d'exécution forcée ». Celui-ci peut demander une provision (env. 500 F) mais les frais de recouvrement incomberont entièrement finalement au débiteur. **Incident.** Si le président rejette la requête, procéder selon les procédures habituelles (voir index procès). Si l'adversaire fait opposition dans le mois, ou jusqu'à la 1re mesure d'exécution (saisie), on reçoit une convocation invitant à venir s'expliquer avec l'adversaire devant le tribunal. Si l'on préfère, dans ce cas, renoncer, écrire au président du tribunal que l'on se désiste de sa demande et que, dans le cas où l'adversaire formerait une demande à son encontre (demande reconventionnelle), on sollicite le renvoi de l'affaire à une autre date.

• **Lettres anonymes.** Il y a délit, si la lettre renferme une menace : *D'attentat :* peines prévues : emprisonnement de 2 à 5 ans, amende : 500 à 4 500 F (si la menace a été accompagnée de l'ordre de déposer une somme d'argent ou de toute autre condition) ; 1 à 3 ans (au plus), amende : 500 à 4 500 F (sans ordre, ni condition) ; 6 mois à 2 ans, amende : 500 à 4 500 F (menace avec ordre et sous condition verbale). En outre, dans les 3 cas, une peine d'interdiction de séjour peut être prononcée. *De voies de fait ou de violence faite avec ordre ou sous condition :* emprisonnement 6 j à 3 mois, amende : 500 à 1 000 F, ou l'une de ces deux peines seulement. *D'incendie ou de destruction :* mêmes peines que celles prévues par art. 305, 306 et 307 du Code pénal selon la même distinction. *Des injures ou une allégation diffamatoire :* on peut se porter partie civile au cours du procès pénal, lorsque l'auteur de la lettre est poursuivi par le Parquet. A défaut de cette poursuite, on peut s'adresser à la juridiction civile.

• **Livraison.** *Date non respectée :* envoyer au vendeur (en recommandé avec accusé de réception) une mise en demeure de procéder à la livraison dans un délai strict, ou d'annuler la commande en restituant la somme versée (on peut demander des dommages-intérêts si la défaillance du vendeur a causé un préjudice). *L. partielle :* même procédure. *L. non conforme :* la refuser et adresser une lettre au vendeur avec mise en demeure de remplacer l'objet (se prévaloir de l'art. 1614). *Litige :* s'adresser à la DDCCRF [1] ; à l'Association nat. pour la vente et le service à domicile, 29, av. de l'Opéra, 75001 Paris, s'il s'agit d'une société adhérente (cela est en principe précisé dans le contrat) ; porter plainte au procureur de la Rép. du tribunal de grande instance de son arrondissement (plainte n'entraînant aucun frais).

• **Locations-logements.** *Rens. : Province :* Dir. départ. de l'Équipement et du Logement ; *Paris :* Préfecture de Police, Service du Logement, 50, rue de Turbigo, 75003 Paris. *Rec. :* s'adresser à ces services.

• **Location-vente (leasing).** Location avec promesse de vente ou bail avec option d'achat. Réglementé par la loi de janvier 1978 (bien de consommation réservé à un non-professionnel). *Avantage :* mensualités réparties sur une longue durée. *Inconvénients :* coût plus élevé que le crédit. Frais généralement supportés par le propriétaire mis à votre charge : vignette, carte grise (au nom du bailleur : en cas d'achat final, il faudra la payer une 2e fois) ; assurance décès-invalidité (facultative), tous risques (obligatoire, souscrite au bénéfice du propriétaire) ; frais d'entretien (dérogation à l'art. 1719 du Code civil) et toutes les réparations que l'utilisation pourrait nécessiter (dérogation à l'art. 1720). Les Stés de location-vente insérant dans leurs contrats une clause les exonérant de toute garantie pour vices ou défauts de la chose louée, en cas de problème, le locataire doit faire jouer la garantie du fabricant en se retournant vers lui. En cas de sinistre total (vol, incendie, destruction totale), la Sté de location-vente propriétaire exige le remplacement du véhicule et peut demander une indemnité s'il y a faute du locataire. En cas de défaillance et faute de règlement amiable, le plafond de l'indemnité est fixé par décret, le juge pouvant en modifier le montant.

• **Marchandise détériorée.** Le vendeur est responsable s'il s'est servi de son véhicule. Vente franco contre remboursement : idem. Si le vendeur s'est adressé à un transporteur, se retourner contre celui-ci.

• **Marque et qualité. Appellations d'origine.** *Rec. :* DDCCRF [1]. **Infraction à la marque** NF (norme franç.). *Rens. :* AFNOR, Tour Europe, Cedex 7, 92049 Paris La Défense. *Rec. :* à l'amiable avec le vendeur NF ou avec le fabricant licencié NF (en cas d'échec avertir l'AFNOR). **Labels agricoles.** *Rec. :* DDCCRF [1].

• **Mode d'emploi.** Doit être rédigé en français, sinon l'importateur ou le vendeur peuvent être punis d'une amende de 300 à 600 F.

• **Paiement. En espèces.** Dep. 1986, on n'est plus obligé de payer par chèque une somme supérieure à 10 000 F. On peut payer avec des pièces dans certaines limites (250 F en pièces de 5 F, 50 F en 1 F, 10 F en 50 centimes). Le commerçant peut refuser des billets usagés ou qui lui semblent faux.

Par chèque. Un commerçant peut refuser tout paiement par chèque (ce dernier n'a pas cours forcé), sauf si le commerçant fait partie d'un centre de gestion agréé (affichage obligatoire). Il peut relever le numéro de la carte d'identité du client qui règle par chèque (la loi du 3-1-1973 précise que celui qui paie par chèque doit justifier de son identité au moyen d'un document officiel portant sa photographie), mais ne peut imposer une photographie. On ne peut faire opposition à un chèque qu'en cas de perte ou de vol de redressement ou de liquidation judiciaire du porteur.

• **Parasites radioélectriques.** Provoqués par un appareil électrique en fonctionnement. *Rec. :* Radio-France, Centre Protection Réception, 3 bis, rue Jeanne-d'Arc, 92130 Issy-les-Moulineaux.

• **Pellicule photographique.** Le photographe doit restituer les articles après traitement.

• **Pièces de rechange.** La durée de conservation varie selon les fabricants, de 2 à 10 ans. Si la durée est inférieure à la durée moyenne de vie du produit lui-même, qu'en conséquence un appareil ne peut être réparé, faute de pièces de rechange, l'acheteur doit demander le remboursement partiel ou total, ou l'échange de l'appareil contre un article équivalent.

• **Poids et étiquetage (tromperie sur).** *Rec. :* DDCCRF [1] et Service des instruments de mesure du min. de l'Industrie.

• **Pourboire.** Jamais obligatoire. Ne pas confondre avec le service (coiffeur, restaurant) qui doit être compris dans le prix affiché.

• **Prix.** *Rec. :* DDCCRF [1] et Service des instruments de mesure du min. de l'Industrie, et accessoirement : Service de police et de gendarmerie.

Obligation du commerçant : pour tous les produits exposés à la vue du public, il doit informer le consommateur sur les prix par marquage, étiquetage, affichage ou tout autre procédé approprié. Pour les produits en vitrine, les prix doivent être visibles et lisibles de l'extérieur du magasin. Pour les produits non exposés à la vue du public, une étiquette doit être apposée dès que le produit est disponible à la vente et entreposé dans un local attenant. Le prix doit apparaître « toutes taxes comprises » et « en monnaie française ». *Exceptions. Produits alimentaires périssables* (viande, fruits et légumes frais, produits laitiers frais, produits de la mer) : l'écriteau ne demeure obligatoire que s'ils sont placés à la vue du public. *Marchandises gardées hors la vue de la clientèle, mais dont un spécimen est exposé en magasin, nanti de son écriteau* avec en regard le prix des différents modèles de la même marque proposés à la vente (articles électroménagers encombrants). *Produits non périssables, mais vendus en vrac* (graines, articles de quincaillerie tels que clous et vis, charbons) : un écriteau portera mention du prix, placé sur un échantillon exposé à la vue du public ; ou alors des catalogues avec des tarifs énumérant les produits en vente avec, en regard, le prix de chacun d'eux, seront mis à la disposition de la clientèle.

• **Produits dangereux.** Le fabricant ou le vendeur doit attirer l'attention sur les risques. Les pouvoirs publics peuvent imposer aux fabricants de revoir leurs produits ou les retirer de la vente.

• **Promesse de vente avec dédit.** Les parties se réservent la possibilité de se dédire (l'acquéreur verse une certaine somme et, s'il ne donne pas suite à sa promesse, cette somme est perdue ; en revanche, si le vendeur n'est plus d'accord, il doit rembourser à l'acquéreur le double de la somme reçue).

Promesse de vente ferme. La promesse vaut vente, lorsqu'il y a consentement réciproque des 2 parties sur la chose et sur le prix. La somme versée par l'acquéreur a ici le caractère d'acompte. *1er cas : l'acquéreur ne donne pas suite.* Si l'acompte représente une somme considérable par rapport au prix, il pourra engager un procès pour obliger le vendeur à la restitution d'une partie, l'autre étant conservée à titre de dommages et intérêts. Le vendeur pourrait aussi poursuivre la vente en justice, il aurait sans doute gain de cause, mais il lui resterait à obtenir le paiement du complément de prix. Étant donné les difficultés, il préférera sans doute en rester là. *2e cas : le vendeur refuse la vente.* L'acquéreur peut se contenter du remboursement de son acompte ; demander en plus des dommages et intérêts (il sera sans doute obligé d'aller en justice) ou, enfin, demander au tribunal de prononcer la vente.

• **Publicité mensongère.** *Rec. :* DDCCRF [1]. L'article 44 de la loi du 27-12-1973 (sinon, plainte directe au procureur de la République), interdit toute publicité comportant des indications ou présentations fausses, ou de nature à induire en erreur.

• **Qualité des produits (tromperie sur la).** *Rec. :* amiable avec vendeur ou fabricant ; Chambre syndicale profess. ; si échec DDCCRF [1].

• **Réparation.** Les pièces qui ont été changées restent la propriété du client ; elles doivent lui être remises sur sa demande. Se faire préciser par écrit les délais de réparation. Exiger un reçu daté identifiant l'appareil et mentionnant le délai de réparation.

• **Santé, protection individuelle.** *Rens. :* Dir. départ. de l'Action sanitaire et sociale. Protection générale : *Rec. :* Dir. départ. de la Santé publique.

• **Sécurité.** D'après la loi du 21-7-1983, les produits et services doivent, dans des conditions normales ou prévisibles d'utilisation, présenter la sécurité à laquelle on peut légitimement s'attendre ; le décret du 11-4-1984 a défini le rôle de la Commission de la Sécurité des consommateurs, instituée par la loi. *Statistiques :* env. 22 000 décès (dont 700 d'enfants de - de 15 ans) sont dus chaque année à des accidents domestiques. *Causes :* négligence des parents (61 %), imprudence (51), précipitation (44), insuffisance de sécurité sur certains appareils (19), de certains jeux (8).

• **Télé-achat.** Vente d'objets présentés à la télévision. Achat par téléphone, minitel ou par écrit. Régi par la loi du 6-1-1988 et une décision de la CNCL du 4-2-1988. Emissions de 15 à 90 min par semaine, le matin entre 8 h 30 et 11 h 30, ou la nuit après les programmes, interdites le dimanche. Pas de publicité, ni de bande annonce. Nom du fabricant ou de la marque interdit à l'écran. Droit de retourner l'objet pendant 7 j (à la charge de l'acheteur).

• **Textes de loi, ordonnances, règlements, décrets** paraissent au J.O. *Rens. :* 26, rue Desaix, 75015 Paris.

• **Textiles.** L'étiquetage doit mentionner la nature des fibres. *Si une fibre est utilisée dans la proportion de 100 %,* l'étiquette doit mentionner : « pure laine », « pur coton », « pure soie », « pur lin » ; *utilisée à 85 % au moins :* soit dénomination de la fibre suivie de son % en poids, soit composition centésimale du produit, soit 85 % minimum « laine », « coton », « soie », « lin » sans mention des autres fibres. *Au-dessous de 85 %* les diverses fibres doivent être mentionnées avec leur %.

• **Travaux.** Par artisan ou entrepreneur (ex. couverture, plomberie, maçonnerie, menuiserie, etc.). Devis obligatoire au-dessus de 1 000 F, avec indication d'une date limite pour la réalisation des travaux au prix fixé (arrêté du 2-3-1990). Indemnisation obligatoire pour incidents au cours de réparation. **Dommages.** *Gros travaux :* la loi impose au propriétaire une assurance « dommages-ouvrage » (mais ne sanctionne pas son absence). *Dommages « légers »* (petites fissures, craquèlements de peinture) : apparaissant dans l'année suivant les gros travaux, on peut recourir à la « garantie de parfait achèvement » de l'entrepreneur ou mettre en cause la « responsabilité contractuelle » de l'artisan.

Travail à forfait. Ne verser qu'un acompte limité à la commande. L'entrepreneur doit exécuter parfaitement le travail dans les meilleures conditions et conformément aux règles de l'art. Il doit nettoyer son chantier en fin de travail et réparer les dommages qu'il aurait pu commettre. Il ne peut réclamer plus que le prix figurant dans la commande. En cas de travaux imprévus s'avérant nécessaires, il doit, avant de les exécuter, les faire constater et avoir un accord écrit (pour les travaux de bâtiment) sur le supplément de prix correspondant. Pour les autres travaux (aménagement intérieur), un accord verbal de celui qui les a commandés suffit.

A la série de prix. En fin de chantier, un métreur passe, aux frais de l'entrepreneur, relever le travail exécuté et en calcule le coût d'après les prix unitaires de la série de prix du Nord. Il faut connaître la limitation du travail et faire confirmer par l'entrepreneur, par écrit, le rabais qu'il fait sur la série de prix et l'ordre de grandeur du coût du travail proposé. Les clauses générales de la série de prix prévoient : 1° que l'entrepreneur doit s'assurer des défectuosités et les faire constater, sinon il ne peut prétendre à aucune rémunération pour les travaux supplémentaires qu'il serait amené à faire. 2° qu'en cas de modification dans le volume des travaux portant au moins sur 20 % de la masse totale du travail, un nouvel accord doit intervenir entre entrepreneur et client. On peut demander à assister au métré (pour les travaux difficiles à vérifier ultérieurement : fosse, égout, etc., l'entrepreneur doit avertir à l'avance pour que le relevé puisse être contradictoire). Pendant 3 mois seulement on pourra contester le métré.

• **Usure.** *Rec. : Pour un taux usuraire pratiqué par :* 1° *banques ou organismes financiers :* Banque de France, Dir. gén. du Crédit, 9, rue Croix-des-Petits-Champs, 75001 Paris. 2° *un notaire :* Chambre dép. des Notaires ou min. de la Justice, Dir. des Affaires civiles et du Sceau, bureau des Officiers ministériels, 13, place Vendôme, 75001 Paris. Voir Index.

Taux d'usure flagrant. Plainte au procureur de la République, services de police ou de gendarmerie.

• **Ventes.** *Rens. :* D.D.C.C.R.F. [1] : services de police et fraudes suivant les cas. V. Index Usure.

Ventes à crédit. *Remise d'une offre* préalable de crédit précisant le montant du crédit, la durée et le coût total, valable 15 j. Possibilité de se rétracter dans les 7 j suivant la signature de l'offre préalable. Si un achat à crédit a été conclu en l'absence de l'un des époux, celui-ci n'est pas engagé et a intérêt à le faire savoir au vendeur par lettre recommandée avec avis de réception si l'époux signataire n'a aucune source de revenus (cas des femmes au foyer) et si le paiement a été fait par chèque. En revanche, versements et arrhes en espèces sont irrécupérables.

Démarchage à domicile. *Interdictions pour :* contrats d'enseignement par correspondance, consultations juridiques, médicaments, or, opérations à terme dans les bourses étrangères. *Certaines activités* (démarchage financier, démarchage en vue d'opérations sur les marchés à terme ou aux assurances sur la vie) font l'objet de réglementations spécifiques. *Contrat.* Il doit préciser noms et adresses du fournisseur et du démarcheur, date et lieu de conclusion du contrat, désignation précise de l'objet ou du service vendu, conditions d'exécution et modalités de livraison, prix global et conditions de paiement, taux d'intérêt en cas de crédit et conditions de résiliation ; il doit être remis à l'acheteur au moment de l'achat ; le client peut résilier la vente pendant une semaine, à compter du lendemain de la date d'achat, par lettre recommandée avec A.R. ; il est interdit au démarcheur de réclamer un acompte ou un cautionnement lors de ses visites à domicile.

Attention. Une signature engage toujours ; *se renseigner :* demander le prix comptant, la valeur de chaque article du lot. L'entreprise ne peut refuser la vente séparée de chaque article ; *ne jamais verser d'argent* au démarcheur et ne pas signer de chèque lors de la commande ; *ne jamais suivre le démarcheur* qui prétend avoir laissé ses papiers dans sa camionnette, tout contrat signé hors du domicile est définitif.

Les ventes sollicitées (effectuées au domicile d'un particulier), après que celui-ci a retourné à la Sté vendeuse un coupon-réponse indiquant son intention d'être documenté sur les biens ou prestations de services proposés, sont aussi couvertes par la loi du 22-12-1972 sur le démarchage à domicile. Demander les cartes officielles de ceux qui prétendent venir de la part du préfet, maire, inspecteur d'Académie, Assistance sociale, caisse d'Allocations familiales, INSEE, etc. *Les associations charitables* ne pratiquent plus de quête à domicile hors de leurs journées nationales, les articles que certaines d'entre elles vendent portent obligatoirement un label officiel. **Litiges.** Le *Syndicat national de la vente et du service à domicile* (42, rue Laugier, 75017 Paris) peut intervenir pour le règlement de litiges occasionnés par des vendeurs indélicats, même si la Sté venderesse ne fait pas partie de ses adhérents.

Vente à la boule de neige (ou « à la chaîne »). Consiste à offrir des marchandises au public en faisant miroiter l'espoir de les obtenir soit gratuitement, soit pour une somme modique, par le placement de bons à des tiers qui doivent à leur tour recruter de nouveaux acheteurs. Le nombre des participants croissant sans cesse, il est difficile que l'affaire ne dégénère pas en escroquerie.

Vente au détail, à l'unité de produits groupés sous un même emballage. Doit être possible quelle que soit la mention figurant sur l'emballage. Cependant la vente uniquement par lots est admise lorsqu'elle correspond aux besoins d'un consommateur isolé (ex. : petits-suisses). *Rec.* : DDCCRF [1].

Vente avec primes. *Interdite* sauf pour menus objets ou services de faible valeur et échantillons, pour un produit de 500 F au moins, elle ne doit pas excéder 7 % du prix du produit vendu, pour un produit de 500 F ou plus, montant max. 30 F + 1 % du prix net (plafonné à 350 F) ; le prix s'entend T.T.C., départ production pour des objets produits en France et franco dédouanés à la frontière pour les objets importés. Les objets doivent être marqués d'une manière apparente et indélébile du nom de la marque. *Ne sont pas considérés comme primes :* conditionnement habituel du produit, biens indispensables à l'utilisation du produit, prestations de services après vente, facilités de stationn. et prestations de services attribuées gratuitement (ex. : gonflage des pneus, lavage des vitres), timbre-escompte remboursé en espèces, « 13 à la douzaine » ou ses équivalents.

Colportage et démarchage financier. *Colportage :* offre ou achat à domicile ou sur le lieu de travail des valeurs mobilières avec livraison ou paiement immédiat : interdit. *Démarchage :* conseil d'achat, d'échange ou de vente de valeurs mobilières, recueil des engagements : permis aux banques, établissements financiers, remisiers, caisses d'épargne et agents de change. Le démarcheur doit posséder une carte spéciale et remettre une note d'information succincte. L'engagement pris doit être constaté par un bulletin signé du souscripteur (il peut, dans les 15 j., dénoncer son engagement). Les frais à verser au cours de la 1re année doivent être limités à 33 % du montant des capitaux versés.

Vente forcée. Voir *envoi forcé.*

Vente en série. *Si série fermée* (ex. collection de livres) avec livraison et paiement échelonnés, il s'agit juridiquement d'une vente à exécution successive. *Si série ouverte :* on peut interrompre les envois à tout moment par lettre recommandée avec AR.

Vente en soldes, en liquidation ou au « déballage ». Les *soldes exceptionnels* portant sur des articles dépareillés, défraîchis, de fin de série, et les liquidations sont soumis à autorisation du maire (à Paris, le préfet de police). Le commerçant doit être propriétaire de la marchandise et en justifier la provenance en produisant ses livres et factures pendant la liquidation. Il lui est interdit de se réapprovisionner. Les *soldes saisonniers* ne sont pas soumis à autorisation.

La publicité annonçant des ventes en « soldes » doit indiquer si elles concernent tout le stock ou préciser les articles ou les catégories d'articles soldés qui doivent être présents dans le magasin depuis au moins 3 mois. Toute publicité de prix doit faire apparaître le total à payer par l'acheteur. A cette somme peuvent être ajoutés les frais de services, demandés par l'acheteur (retouches, expressément). Aucune publicité de prix ne peut être effectuée sur des articles indisponibles à la vente ou des services qui ne peuvent être fournis durant la période à laquelle se rapporte cette publicité. Les articles soldés doivent comporter le prix actuel et le prix ancien.

La formule « ni repris ni échangé » ne peut priver le client d'obtenir un remboursement si l'article présente un défaut indécelable au moment de l'achat.

Vente par correspondance. Peut se faire à partir de bons de commande découpés dans la presse, de dépliants ou brochures reçus par la poste, ou sur catalogue, par téléphone ou Minitel. Selon la loi du 6-1-1988, on dispose d'un délai de retour de 7 j à compter de la livraison du produit en cas de vente à distance (retourner les objets en recommandés pour avoir une preuve). *Litige :* voir réglementation pour d'autres formes de vente, et jurisprudence.

En l'absence : de toute commande ou de tout contrat créant une obligation d'achat, on n'est pas tenu de payer un *« envoi forcé »,* ni de le renvoyer, même si le port de retour était payé à l'avance ; *de toute obligation d'achat, par contrat,* sur une période fixée ou pour une quantité déterminée de marchandise, on n'est pas tenu, à la suite d'une 1re commande, de payer ou de réexpédier les envois ultérieurs. Il appartient au vendeur d'établir l'existence d'une commande claire et précise du destinataire de la marchandise. Si les délais de livraison sont dépassés, on peut annuler ou demander le remboursement.

Si l'on désire recevoir moins de publicités à son nom : si l'entreprise adhère au syndicat, écrire à *Stop Publicité* – Union de la publicité directe, 60, rue La Boétie, 75008 Paris ou au *Syndicat de la vente par corresp.,* 60, rue de la Boétie, 75008 Paris, qui interviendront. Si les envois continuent, contacter chaque entreprise individuellement. Si l'entreprise n'adhère pas à un syndicat, peu de recours, sauf si les envois sont contraires à l'ordre public ou aux bonnes mœurs, saisir alors le Procureur de la Rép.

• **Vêtements.** Obligatoires : étiquetages de composition et d'origine. Indications d'entretien (pas toujours fiables) : facultatives.

Économie ménagère

Équipement des ménages

Catégorie socio-professionnelle du chef de ménage et possession de biens durables

(taux de possession en %, octobre 1990)

CATÉGORIES SOCIO-PROFESSIONNELLES	AUDIOVISUEL – *Téléviseur*		Auto.	CONSERVATION – *Réfrigérateur*		CONSERVATION	LAVAGE		Magnétoscope [2]	MÉNAGE
	N. et bl.	*Couleurs*		*Simple*	*Combiné* [1]	*Congélateur*	*Lave-vaisselle*	*Lave-linge (ensemble)*		*Nombre de ménages (en milliers)*
Exploitants agricoles	21,3	79,8	96,2	78,6	22	79,8	44,6	93,7	5,9	500
Salariés agricoles [1]	15	77,5	75	72,5	22,5	57,5	10	82,5	15,2	130
Patrons de l'ind. et du comm.	13,3	90,9	94,5	69,1	38,8	57,1	56,2	94,2	26,7	1 140
Cadres sup. et prof. libérales	12,7	90,3	93,9	63,2	50,3	42,7	64,6	92,4	35,5	1 820
Cadres moyens	12,2	89,4	92,1	61,7	44,5	42,2	43,7	91,3	25,4	2 350
Employés	12,7	85,7	77,6	63,3	38,9	32,6	25,3	87,9	17,7	1 720
Ouvriers qualifiés	14,7	89,7	85,9	63,9	37,6	48,9	24,1	92,6	21,9	5 370
Personnel de service [1]	14	82	59	51	42	23	7	80	17,4	310
Autres actifs [1]	14	87,3	90	52,6	52,6	37,3	34,6	88	25,6	470
Inactifs	14,1	87	59	72	30,8	32,2	18,7	85	6,3	6 480
ENSEMBLE	13,8	87,6	75,5	66,4	37	41,6	29,3	87,9	17,4	21 600

Nota. – (1) Catégorie de faible effectif, données imprécises. (2) janvier 1988. *Source :* Enquêtes de conjoncture auprès des ménages d'octobre 1988, INSEE.

Parc (en millions). *Juin 1985 :* Automobile : possession 19,3. Réfrigérateur 21,5. Lave-linge 17,9 dont non portatif 16,8. Lave-vaisselle 4,7. Congélateur 7,1. Télévision 23,6 (dont couleurs 15,7). *1985 :* Radio 59,5 (dont portables non combinés 27, radio recorders 28,5, autoradios 13,3, postes de table 1,5, radio-réveils 10). Chaînes électroacoustiques 7,1 [avec H.F. (tuner) 7,5]. Électrophones 9,9. Magnétophones 15,1. Caméras vidéo 2,6. Magnétoscopes 2,9.

Chauffage

Coût moyen d'installation du chauffage pour un pavillon de 110 m² (en F, 1987). *Source :* Nouvel Économiste. Fuel 35 à 40 000, rayonnement basse température par le sol avec chaudière à condensation 30 à 40 000, gaz réseau 25 à 30 000, gaz GPL + 1 à 1 500 par an pour la location de la cuve, convecteurs électriques 8 à 10 000, air chaud 8 à 10 000.

Dépenses de chauffage et d'eau chaude pour un pavillon de 110 m² construit à partir de 1982, en région parisienne (en F, 1987, hors eau chaude). Électricité 5 400, gaz 2 700, fuel 2 600.

Prix [1] de la production d'un kWh utile de chauffage direct en centimes (déc. 1986). *Source :* AFME. Bois 10-30, charbon 18-40, fuel domestique 20-32, gaz 20-40, GPL 26-43, chaudière électrique (tarif EJP) 43-57, convecteur électrique 67-98.

Nota. – (1) Avec taxes d'abonnement, primes fixes et rendement moyen de l'installation. Investissement et entretien du matériel exclus.

• **Accumulateurs.** *Poids* 100 à 450 kg ; restituent le jour, au fur et à mesure des besoins, la chaleur stockée la nuit au tarif heures creuses. *2 types : 1° accumulateurs 8 heures :* exigent une puissance électrique importante. *2° Dynamiques 24 h et statiques compensés :* peuvent fournir un complément de chauffage en direct (la consommation d'électricité est alors facturée au tarif jour). Puissance électrique nécessaire 2 à 3 fois moins importante que celle des accumulateurs 8 h. D'autres appareils (radiateurs soufflants, radiants ou bains d'huile) sont conçus pour le chauffage d'appoint. Rarement équipés de dispositifs de régulation qui assurent température constante et économie d'énergie.

• **Campagne de chauffe.** Durée contractuelle de la saison de chauffe établie lors de la négociation d'un contrat d'exploitation (couramment 183 à 232 j). Varie avec température intérieure des locaux et conditions climatiques locales. Les journées chauffées hors de cette période sont facturées en supplément par l'exploitant.

• **Convecteurs.** Émetteurs de chaleur. Chauffent l'air du local où ils sont installés. Peu de rayonnement. Fonctionnent à température généralement élevée à partir d'un fluide (eau chaude, vapeur, fluide thermique) ou de résistances électriques. Régulation souvent difficile. Les conve. électriques à sortie d'air frontale favorisent brassage de l'air ambiant et confort. Économiques à l'installation, leur coût d'utilisation est assez élevé dans un bâti mal isolé.

• **Économies. Grâce à l'entretien et à la régulation.** Remplacement d'un brûleur usagé (+ de 12 a.) 20 à 30 %, calorifugeage de la chaudière 6 %, des canalisations et vannes 3 %, pose de thermostats d'ambiance 10 %, ou d'un thermostat horloge 15 % (moyennes établies par l'Agence française pour la maîtrise de l'énergie). *Au-delà de 17° à 18°,* le degré supplémentaire augmente de 7 % la consommation. Chauffer à 22/23 °C coûte 2 fois plus que chauffer à 15/16 °C.

Isolation thermique. *Murs :* plus onéreuse par l'extérieur que l'intérieur ; *toit :* généralement peu coûteuse, très rentable ; *tuyauteries en locaux non chauffés :* indispensable. **Coefficient de déperdition thermique :** vitrage simple *5 %,* v. isolant de 6 mm

Coût comparé du chauffage

Pour un logement de 110 m² de surface habitable avec 3 ou 4 occupants, construit après 1982, zone H2 (2 200 degrés/jour). Besoins en chauffage : *électrique* 10 190 kWh (G = 0,95), *autre* 10 920 kWh (G = 1). Besoins en eau chaude : 2 230 kWh (40 m³) dont cuisine 1 030 kWh, électroménager, éclairage 1 900 kWh. *Source :* Agence française pour la maîtrise de l'énergie.

Prix en juillet 1988	Dépense annuelle en F		Coût unitaire du kWh utile (en F)		Abonnement EDF-GDF
	Tous usages	Dont chauffage	Électricité	Autre	
Électricité	9 840	6 170	0,612		12 DT
Gaz naturel	6 220	3 430	0,868	0,325	6 ST-BI
Fuel	6 160	2 960	0,837	0,319	6 ST
Charbon	8 380	3 960	0,826	0,377	9 DT
Bois	6 390	1 960	0,826	0,195	9 DT
Propane	8 930	5 490	0,868	0,516	6 ST
Gaz naturel chaudière à condensation	5 740	3 040	0,868	0,291	6 ST-BI
Perche I [1]	6 930	3 240	0,465	0,319	12 EJP
Cherche I [2]	10 030	6 530	0,707	0,329	12 EJP

Nota. – (1) Pompe à chaleur en relève de chaudière fioul. (2) Chaudière électr. en relève de chaud. fioul.

☞ Prix (investissement et frais d'entretien exclus) de l'énergie nécessaire pour produire 1 kWh utile de chauffage direct par chaudière ou convecteur (au 1er trim. 1986). Prix (TTC) min. (barème le plus intéressant avec un bon rendement) ; max. (barème défavorable, rendement médiocre) en F. Bois local (transport – de 50 km) 0,10 (0,30), charbon 0,18 (0,40), fuel domestique 0,27 (0,41), gaz 0,28 (0,48), électricité directe (utilisée avec des résistances électriques) 0,69 (0,99).

• **Définitions. K,** coefficient de déperdition d'une paroi (ou valeur de transmission thermique de cette paroi pour 1 °C d'écart entre l'extérieur et l'intérieur, divisée par sa surface) : se calcule en watt/m² pour 1 °C. **R,** résistance thermique de la paroi pour 1 °C d'écart et par m² : R = 1. λ, conductivité thermique d'un matériau, flux de chaleur par m² traversant une paroi d'1 m d'épaisseur d'un matériau homogène pour 1 °C d'écart entre extérieur et intérieur : se calcule en watt/m ² pour 1 °C. **G,** coefficient volumique de déperdition : flux de chaleur perdue par un local pour 1 °C de différence entre l'extérieur et l'intérieur divisé par le volume du local : se calcule en watt/m³ pour 1 °C. **B,** coefficient déterminant les besoins de chauffage, déduction faite des apports solaires et autres rapports « gratuits » (institué en 1982).

• **Attention.** *Loi du 29-10-1974 rend : nuls* les contrats de chauffage encourageant la consommation d'énergie ; *obligatoires,* dans les immeubles collectifs à chauffage commun, des installations permettant de déterminer les quantités de chaleur et d'eau chaude effectivement consommées dans chaque logement ; *prévoit* de nouvelles normes d'isolation et de régulation pour les locaux nouveaux du secteur tertiaire, et dans les locaux existants. *Décret du 3-12-1974 :* interdit les températures de chauffage supérieures à 20 °C. *Décret du 22-10-1979 :* limite la température légale à 19 °C. *Contrôles :* Service des Instruments de mesure, 2, rue Jules-César, 75012 Paris.

Piscines. Arrêté du 25-7-1977 fixant les températures max. : hall des bassins 27 °C, annexes (vestiaires, douches) 23 ; eau : bassins sportifs 25, bassin d'apprentissage 27, pédiluve 20, douches 34.

3,3 ; 8 mm *3,1 ;* 10 mm, *3 ;* 12 mm *2,9.* Avec une température extérieure de – 5 °C et intérieure de 19 °C, un vitrage simple est à + 4 °C, un v. isolant à + 12 °C. L'effet de paroi froide, très atténué, permet, à confort égal, d'abaisser la temp. du local de 1 °C (économie de chauffage de 7 %).

Par d'autres moyens. Fermer les radiateurs non indispensables, réduire le chauffage dans les pièces ensoleillées. La nuit, fermer les volets, tirer les rideaux en évitant de cacher les radiateurs. Ne pas trop aérer : portes et fenêtres ouvertes permettent de renouveler 30 à 50 m³ d'air en moins de 5 min. Chauffe-eau à 60 °C au lieu de 70 (éc. 5 %).

• **Équivalences énergétiques en tep** (tonne équivalent pétrole) **et en kep** (kilogramme équivalent pétrole). *Électricité* 1 tep = 4 500 kWh électriques (1 kWh élec. = 0,2222 kep). *Gaz naturel* (réseau) 1 tep = 13 000 kWh *P.C.S.* (1 kWh gaz nat. = 0,0769 kep). *Fuel oil domestique* (FOD) 1 tep = 1 200 litres (1 litre FOD = 0,8333 kep). *Charbon* 1 tep = 1 500 kg (1 kg charbon = 0,666 kep). *Gaz de pétrole liquéfié (GPL) butane/propane* 1 tep = 910 kg (1 kg GPL = 1,0989 kep). *Bois sec* 1 tep = 2 500 kg (1 kg bois sec = 0,4 kep).

• **Bois.** Bon marché dans les régions boisées, nécessite un local de stockage (seul le bois sec de 2 ans brûle correctement), occasionne un travail quotidien. L'adjonction d'une *pompe à chaleur* permet de réduire le coût du kWh chauffage. Les résultats les plus favorables sont obtenus par chauffage à basse temp. avec une pompe à chaleur air/eau ou eau/eau. *Prix* (feuillus) : sur pied (m³) taillis env. 25 F, houppier 11 F ; bord de route (stère) 140 à 250 F.

• **Paille (chaudières à).** Apparues en 1978-79, les c. brûlent des balles de 10 à 20 kg, de grosses balles broyées ou des granules de paille agglomérés en usine par granulation à froid. *Prix de la t de paille :* 200/300 F ; granulés 400/600 F.

Équivalence : 1 kg de paille, à 15 % d'humidité et laissant 5 % de cendres, équivaut à 3500 kcal. 1 l de fuel, à 8500 kcal.

• **Récupération de la chaleur.** On peut transmettre les calories de l'air vicié à l'air neuf avec un *échangeur de chaleur* (la chaleur passe naturellement de l'air chaud vicié à l'air froid neuf) ou une *pompe à chaleur* (machine qui effectue ce transfert).

Échangeur de chaleur. Il met en contact les gaines d'air vicié chaud et d'air froid neuf par des surfaces en métal très conductrices ; le transfert de la chaleur se fait naturellement de l'air vicié à l'air neuf sans aucune consommation d'énergie. *Exemple :* la température de l'air vicié va baisser de 22 °C à presque 7 °C et celle de l'air neuf va monter de 0 °C à 15 °C. 65 % de la chaleur de l'air vicié auront ainsi été récupérés avant que l'air vicié ne soit rejeté dans l'atmosphère par la ventilation. *Coût :* surcoût moyen par rapport à une ventilation mécanique contrôlée classique : 6 000 F pour un pavillon. *Économie :* environ 800 F par an.

Pompe à chaleur. *Principe :* un fluide frigorigène en passant dans un évaporateur passe de l'état liquide à l'état gazeux, prélevant ainsi de la chaleur dans le milieu ambiant. En traversant un condenseur, ce fluide passe de l'état gazeux à l'état liquide. Il cède alors de la chaleur dans le milieu ambiant. Une pompe peut abaisser la température d'un milieu froid de 10 °C à 5 °C, et faire monter la température du milieu chaud (le local à chauffer) de 15 °C à 20 °C. *Exemple :* la pompe air extérieur-eau utilise l'air extérieur comme source froide et l'eau comme source chaude. Elle pompe des calories dans l'air extérieur, même s'il est froid, pour les donner au circuit de chauffage (radiateurs à eau). Pour le chauffage, la source froide peut être *l'air* (extérieur, extrait du local par ventilation mécanique ou un mélange des 2) ou *l'eau* (rivière, lac, de nappe phréatique, eaux usées). La source chaude peut être *l'eau* (chauffage par radiateurs ou panneaux chauffants) ou *l'air* (chauffage par air neuf, air intérieur réchauffé ou mélange des 2). Un chauffage d'appoint est légèrement nécessaire.

• **Chaudière électrique.** Solution plus coûteuse à l'utilisation, même en utilisant le tarif EJP (effacement jours de pointe).

• **Chaudière électro-fuel** (avec régulation en fonction de la température extérieure et des tarifs). Surcoût : 3 000 F par rapport à une chaudière mono-énergie (coût d'utilisation plus élevé que celui d'une chaudière à gaz naturel ou à fuel).

• **Chauffage urbain.** La chaleur produite en usine, sous forme d'eau ou de vapeur d'eau, est distribuée par des canalisations, généralement installées en caniveaux sous la voie publique. Un branchement amène l'eau chaude ou la vapeur de la canalisation principale à la sous-station de l'utilisateur, directement ou à travers un échangeur. Un tuyau « retour » ramène l'eau refroidie ou la vapeur condensée aux chaufferies. *Principales applications :* chauffage, eau chaude, sanitaires, usages, industrie, production de froid par absorption. Fonctionne à partir de plusieurs sources d'ouvrages à Paris, à 90 % avec les ordures ménagères et le charbon, en complément le fuel/gaz. On compte en France 350 réseaux de chaleur. Très répandu à l'étranger, dans les pays nordiques (Hambourg, Moscou, Leningrad, Helsinki), au Japon, en Amérique du Nord.

• **Déductions d'impôts.** *Propriétaires bailleurs :* les dépenses pour travaux d'amélioration, de réparation, d'entretien, et les intérêts des emprunts contractés pour ces travaux sont déductibles des revenus fonciers. *Propriétaires occupants :* 25 % des dépenses pour grosses réparations de l'habitation principale construite depuis plus de 15 ans, le remplacement d'une chaudière, la réfection d'une installation de chauffage central, sont déductibles de l'impôt sur le revenu. Cette réduction pour grosses réparations n'est pas cumulable avec la déduction des intérêts des emprunts correspondants admise pendant 5 ans.

EDF, GDF, Elf-Aquitaine proposent des aides financières. L'A.F.M.E. subventionne à 50 %, dans certains cas, le diagnostic thermique des logements.

Fuel domestique. *Prix d'1 hl* pour une livraison de 2 000 à 4 999 l : 249,50 F. *Prix de 100 kWh PCI* pour une livraison de 2 000 à 4 0001 : 25,17 F.

Chauffage urbain. Tarif T100 (et tarif T110). *Pour livraison sous forme de vapeur (PCI 697 kWh/t de vapeur).* Prime fixe annuelle par kW facturé : 157,93 F (110,96) ; prix de la t de vapeur : hiver 128,64 F (140,29) ; été 68,40 F (111,07). *Prix de 100 kWh PCI pour une consommation type donnée.* Consommation an. 740 214 kWh [puissance souscrite 500 kW, 68 % hiver, (540 kW, 81,5 % hiver] : 25,72 F (26,82).

Propane. *Prix d'1 kg :* en bouteille de 13 kg (PCI 12, 88 kWh/kg) 7,01 F ; en vrac (PCI 12,88 kWh/kg), livraison 2 t (tarif Bb) 4,84 F, 2 à 6 t (tarif BO) 4,66 F. *Prix d'une citerne de 1 000 kg :* louée (location + entretien annuel) 1 656 F, possédée (entretien annuel) 403 F. *Prix de 100 kWh PCI consommation an.* (pour 3 usages : 34 890 kWh, citerne louée) 40,90 F.

Charbon. *Prix d'1 t pour une livraison de noisettes 20/30 (PCI 9,03 kWh/kg)* 1 à 2 t : 2 448 F, + de 2 t : 2 433 F ; *grains 6/10 (PCI 8,93 kWh/kg)* 1 à 2 t : 1 713 F, + de 2 t : 1 698 F ; *boulets 9 % cendres (PCI 8,73 kWh/kg)* 1 à 2 t : 1 880 F, + de 2 t : 1 865 F. *Prix de 100 kWh PCI* (livraison de + de 2 t) noisettes 20/30 : 26,94 F, grains 6/10 : 19,01 F, boulets 9 % cendres : 21,36 F.

Eau

☞ Voir aussi Eau à l'Index.

Eau chaude

Nombre de litres obtenus en ajoutant de l'eau froide (10 °C) à de l'eau chaude (75 °C). *Pour 5 l d'eau à 75 °C on peut obtenir* 11 l d'eau à 40 °C ou 7 l à 60 °C, *pour 7 :* 15 ou 9, *10 :* 21 ou 13, *15 :* 32 ou 20, *20 :* 40 ou 26, *30 :* 63 ou 39, *40 :* 84 ou 52, *50 :* 105 ou 65, *70 :* 147 ou 91.

Besoin d'eau chaude. Par jour et par personne. Cuisine et vaisselle 10 l (60 °C). Toilette 15 (40°). Douche 20 à 40 (40°). Petit bain 70 (40°). Grand bain 130 à 170 (40°). Petits lavages 10 (40°). **Par an.** *60 °C* (en m³ et, entre parenthèses, consommation annuelle en kWh/h PCS). *Évier de cuisine 1 à 2 personnes :* 10 m³ (900 kWh), *3 à 4 p. :* 13 (1 100), *5 à 6 p. :* 16 (1 400). *Lavabo toilette 1 à 2 p. :* 11 (1 000), *3 à 4 p. :* 19 (1 700), *5 à 6p. :* 26 (2 300). *Évier, lavabo, grande baignoire et douche 1 à 2 p. :* 29 (2 500), *3 à 4 p. :* 48 (4 200), *5 à 6 p. :* 63 (5 500).

Coût de production de 1 000 l d'eau chaude à 60 °C (au 6-4-1987). *Prix de l'énergie :* 0,22 F TTC/kWh. *Ballon d'eau chaude sur chaudière de chauffage cen-*

tral : rendement 0,50 (hiver), 0,25 (été) ; coût de l'eau chaude 23 F TTC/m^3 (hiver), 51 F TTC/m^3 (été). *Production instantanée « chauffe-eau » :* rendement 0,6 ; coût de l'eau chaude 19 F TTC/m^3 ; par une chaudière à condensation sans veilleuse : rendement 0,70 ; coût de l'eau chaude 16 F TTC/m^3.

☞ **Un robinet mal fermé** peut laisser échapper plus d'un m^3 en 24 h (0,7 l/min., 40 à 50 m^3/mois). D'après les Stés d'ass., chaque année, 150 000 lavabos, baignoires ou mach. à laver débordent en France.

Pour éviter l'entartrage des chauffe-eau, les régler à moins de 65 °C. *L'arrêté du 23-6-1978* fixe à 60 °C max. la temp. de l'eau fournie par les immeubles.

Électricité

Généralités

Consommation. Se mesure en *watts-heure* (Wh) ou en *kilowatts-heure* (1 kWh = 1 000 Wh : quantité de chaleur nécessaire pour élever de 1 °C la temp. de 860 l d'eau. Il vaut 0,86 thermie). Avec 1 kWh, on peut : préparer un repas pour 2 personnes ; frire 2 kg de pommes de terre ; chauffer 30 l d'eau pour la toilette ; chauffer une pièce moyenne pendant 2 h. Une lampe de 100 W fonctionnant de 17 à 22 h, soit pendant 5 h, aura consommé 100 W + 5 = 500 Wh ou 0,5 kWh. Si le prix du courant est de 0,62 F le kWh, ces 5 h d'éclairage auront coûté 0,29 F.

Consommation moyenne annuelle pour 1 famille de 4 à 5 personnes (en kWh). Eau chaude 2 500, cuisinière 2 000, éclairage 1 200, lave-vaisselle 1 100, machine à laver le linge 900, réfrigérateur/conservateur 800, télévision en couleur 115.

Fréquence d'un courant alternatif. Nombre de périodes par seconde exprimé en *hertz* (Hz). En France, et en général en Europe, le *courant industriel* est de 50 Hz.

Intensité du courant *ampères* (A) (Voir Index).

Puissance de l'installation électrique. En *watts* (W) ou kilowatts (1 kW = 1 000 watts) : le watt est l'énergie dépensée en 1 seconde par un courant électrique d'intensité constante égale à 1 ampère sous une tension de 1 volt. Si la tension est de 220 volts et si le disjoncteur est réglé à 15 ampères, la puissance de l'installation sera de 220 v + 15 ampères = 3 300 W ou 3,3 kW. On pourra disposer d'une puissance totale de 3,3 kW sans faire « sauter » fusible ou disjoncteur.

Tension. Exprimée en volts (V). *En 1988,* plus de 99 % des usagers français étaient alimentés en 220 ou 220/380 V, 1 % en 110 V.

En général, ÉDF alimente les particuliers en courant monophasé 220 volts (avec 2 fils). Pour des puissances importantes (au-delà de 12 à 18 kW), il faut des branchements 4 fils 220/380 V (comportant 3 fils de phase et 1 neutre ; la tension entre les 2 fils pris 2 à 2 est de 380 V., entre 1 fil de phase et le neutre : 220 V.). Les gros appareils domestiques (cuisinière, lave-linge, chauffe-eau) sont normalement alimentés en monophasé à partir de prises à 3 pôles (1 phase, 1 neutre et 1 terre). Ils peuvent aussi être alimentés en triphasé à partir de prises à 5 pôles (3 phases, 1 neutre, 1 terre). Dans ce cas, presque toujours, les circuits de l'appareil sont placés en service sous la tension 220 V (raccordement entre conducteur de phase et fil neutre). Parfois (mais rarement), les circuits de l'appareil sont raccordés entre phases, la tension à l'intérieur de l'appareil atteint alors 380 V. Si quelqu'un touche un conducteur de phase mal isolé, il sera exposé à la tension 220 V car le courant passera entre le conducteur et la terre à travers son corps. Pour qu'elle soit soumise à la tension de 380 V, il faudrait toucher à la fois 2 conducteurs de phase non isolés, ce qui est rare. *Accidents* (nombre en France par an) : env. 150 tués et 5 000 blessés par électrocution.

L'élévation de la tension permet de disposer d'une puissance électrique plus élevée avec un fil de même section. Les conducteurs des circuits électriques intérieurs des habitations et des appareils sont prévus pour une tension d'utilisation de 500 V, mais ils doivent tenir jusqu'à 1 500 V.

Calibre [1]	Fil [2]	Fus. [3]	Puiss. [4]
10/16	2,5	20/25	1 750
20	4	20/25	2 200
32	6	32/38	3 500/7 000

Nota. – (1) Calibre de prise de courant en ampères. (2) Fils d'alimentation en mm^2. (3) Fusibles de protection du disjoncteur divisionnaire en ampères. (4) Puissance max. des appareils alimentés par la prise en 110 V et 220 V.

Principales inventions

Ascenseur. 1743 le 1er, construit à Versailles : permettait à Louis XV de monter jusqu'à l'appartement de sa maîtresse (Mme de Châteauroux), fonctionnait avec un contrepoids. **1829** 1er a. public mécanique (Londres, Coliseum). ***1857-23-3*** a. mécanique construit par Elisha Graves Otis (magasin de 5 étages, New York). **1867** 1er a. hydraulique [2 élévateurs de 21 m. installés par Léon Édoux (1827-1910) lors de l'Exposition universelle à Paris ; 2e monté peu après au palais de St-Cloud]. **1887** 1er a. électrique par Siemens et Halske (exposition industrielle de Mannheim). **1890** 1er a. à air comprimé. **1895** a. électrique, généralisé v. 1905. **1977** a. à paroi lisse ne seront plus installés. **1990** 360 000 a. en Fr. (empruntés par 2 millions de personnes) ; 5 à 10 accidents mortels par an. 80 000 a. à paroi lisse doivent être équipés de porte, avant le 31-12-92. **Grandes marques :** Otis, Schindler (Suisse, a racheté Roux-Combalusier) ; Kone (Finl.) ; Thyssen (All., filiale de Soretex).

Aspirateur domestique. 1er fabriqué 1906 à Paris. Type Birum.

Assainissement. 1843 tinette filtrante (perfectionnement des tonneaux en bois). **1860** fosse septique Mourras. **1864** 600 tinettes filtrantes à Paris. **1871** 6 000. **1880** 140 000. **1899** (30-12) 27 142, 54 668 fosses fixes, 12 996 tonneaux mobiles.

Bain. Moyen Age, étuves. **1650** baignoire en métal (cuivre). **1770** en tôle. **V. 1819** on commence à distribuer des bains à domicile. **1840** b. en zinc, eau chauffée au bois ou au charbon. **1852** 1er chauffage bains à gaz d'origine anglaise. **1871** généralisation. **1880** b. en fonte. **1900** b. en porcelaine ou céramique.

Électricité. 1876 lampe, bougie Jablockoff. **1878-79** l. à incandescence (Thomas Edison et Joseph Swan). **V. 1900** l. à arc à flamme. **1904** l. à arc à charbons minéralisés. **1905** au tantale. **1910** au tungstène aggloméré. **1910** 1er tube au néon (Grand Palais, Paris). **1912** l. au tungstène étiré. **1918** l. à atmosphère gazeuse. **1965** ampoule sans filament, ni électrode, « Litec », par l'Américain Donald Hollister (U.S.A.) : contient de la vapeur de mercure et sa paroi interne est recouverte de phosphore ; lorsque le courant passe, la vapeur de mercure excitée par un champ magnétique, créé par un minuscule électroaimant, produit des photons ultraviolets qui frappent alors la couche de phosphore, qui émet la lumière visible.

Éclairage. 1880 lampe à essence minérale de Charles Pigeon (1838-1915).

Gaz. 1811 bec à verre d'Argond (galerie Montesquieu). **1817** 1re utilisation dans les salles à manger. **1829** éclairage gén., bec papillon. **1837** 1re cuisinière à gaz. **1851** 1er chauffage, bains à gaz. **1880** chauf., bains instantanés. **1886** bec Auer à manchon (1er brevet 1885), généralisé 1893.

Ordures. 1912 1res chutes d'ordures dans 3 immeubles. **1925** incinération des ordures.

Toilettes. 1775 chasse d'eau d'Alexandre Cunnings (G.-B.). **1778** mécanisme à valve et siphon de Joseph Brahama (G.-B.) **1842** toilettes avec bonde et chaînette alimentés au seau et au broc. **1878** apparition de l'eau chaude et de l'eau froide. **1880** cuvettes basculant dans un réservoir. **1890** 1er vidage perfectionné dit « américain ». **1910** toilettes vidange perfectionnée genre « Verdun ».

Ustensiles ménagers. 1850 lave-linge. **1907** lave-vaisselle pour restaurants. **1912** individuels. **1917** fer à repasser électr. **1932** moulin à légumes (mouliner). **1948** cocotte-minute (la marmite sous pression était connue dep. Papin, XVIIe s.) (SEB 1953). **1952** lave-linge moderne. **1954** machine à repasser. **1956** Poêle Tefal.

Précautions

• **Circuits distincts :** protégés par des fusibles calibrés, pour foyers lumineux fixes, prises de courant (calibre 10/16 ampères), cuisinières électr., machines à laver, chauffe-eau électr. **Fils de section suffisante :** foyers lumineux fixes et appliques murales 1,5 mm^2 ; prises de courant confort 2,5 ; machine à laver le linge 2,5 ou 4 ; cuisinière électr. 6 ; chauffe-eau électr. 2,5. **Prises :** mach. à laver de 10-16 ou 20 ampères ; cuisinière électr. de 32 amp. Prises de la cuisine, salle d'eau et autres locaux humides ou à sol conducteur (carrelage, ciment, etc.) doivent comporter un contact de terre relié à *une prise de terre.* Dans la salle d'eau, un conducteur doit relier entre elles toutes les parties métalliques (canalisations d'eau, de gaz, parties métalliques du matériel sanitaire...). Il doit aussi être raccordé aux conducteurs de protection.

• **Couper le courant** au disjoncteur avant toute *intervention sur l'installation* (même pour changer une lampe). **Fusible :** ne jamais remplacer un *fusible* fondu d'un calibre déterminé par un fusible de calibre supérieur. Utiliser des fusibles de calibre normalisé. **Salles d'eau :** vérifier que les appareils, interrupteurs, prises de courant (même avec contact de mise à la terre) sont hors de portée des personnes se trouvant dans la baignoire ou la douche.

Abonnements E.D.F.

Usages domestiques et agricoles

• **Abonnement. 3 kW :** correspond à l'éclairage, aux appareils ménagers courants tels fer à repasser, réfrigérateur, téléviseur, aspirateur, batteur, radiateurs de puissance totale inférieure à 2 000 W. **6 kW :** éclairage, tous appareils électroménagers courants, chauffe-eau électrique, radiateurs de puissance totale inférieure à 3 000 W, plus machine à laver, cuisinière, lave-vaisselle s'ils ne fonctionnent pas en même temps. **9 kW :** mêmes appareils que précédemment, mais il est alors possible de faire fonctionner en même temps 2 appareils importants (lave-linge, lave-vaisselle ou cuisinière électrique). **12, 15, 18 kW ou plus :** logements équipés à l'électricité (12 kW si moins de 100 m^2, 15 à 18 kW ou plus au-delà).

• **Tarifs basse tension** (au 1-3-1991). **Prix d'abonnement en F, par an, hors taxes, selon la puissance souscrite en kW (TVA non comprise).** *3 kW :* 141,72. *6 kW :* option base 370,44 (heures creuses 690,96). *9 kW :* 716,76 (1 155,72). *12 kW :* 1 058,40 (1 632,72), *12 ou 15 ou 18 kW* (option EJP) : 690,96.

Prix du kWh. *Puissance 3 kW* (option b) 65,72. *6 kW et + :* base ou h. pleines 56,02 ; h. creuses : 31,80 c. ; E.J.P. : pointe mobile (400 h) : 301,81 c. ; normales : 35,54 c. *Jusqu'à 12 kW,* on peut choisir sans frais la puissance dont on a besoin (3-6-9 ou 12 kW) et l'option base, h creuses ou EJP.

Usages professionnels

• **Tarifs basse tension** (au 1-3-1991). **Prix d'abonnement en F par an, hors taxe, selon la puissance souscrite en kWh.** *3 kW :* 141,72. *6 kW :* option base 800,16 (h creuses : 1 228,08). *9 kW :* 1 271,04 (1 881,84). *12 kW :* 1 741,92 (2 535,60). *15 kW :* 2 212,80 (3 189,36). *18 kW :* 2 683,68 (3 843,12). *24 kW :* 4 560 (6 070,08). *30 kW :* 6 436,22 (8 297,04). *36 kW :* 8 312,64 (10 524). *18 kW :* EJP 1 228,08 ; *36 kW :* 3 843,12.

Prix du kWh. *Puissance 3 kW :* base 65,72c. *6kW et + :* base ou h. pleines 56,02 c. ; h. creuses 31,80 c. ; EJP pointe mobile (400 h) 301,81 c. ; h. normales 35,54 c.

Taxes. *TVA :* 5,5 % sur abonnements pour usages domestiques, 18,6 % sur abonnements et consommation. *Taxes locales :* 0 à 8 % selon communes, et 0 à 4 % selon départements, sur 80 % abonnement et consommation jusqu'à 36 kW, 30 % au-delà.

Éclairage

Définitions

• **Éclairement.** Quantité de lumière (flux lumineux) reçue sur 1 m^2 de cette surface. Se mesure en lux

Consuel (Comité national pour la sécurité des usagers de l'électricité). *Créé* 1964.

Promotelec. 52, bd Malesherbes, 75008 Paris. *Créé* 1962, pour promouvoir qualité et sécurité dans des installations électr. intérieures. Groupe organisations professionnelles (Constructeurs, installateurs et EDF). Décerne un label.

Qualifelec. 5, rue Hamelin, 75116 Paris. Association regroupant : Ordre des architectes, ÉDF, Union technique de l'électricité, Consuel et les organisations professionnelles d'installateurs électriciens. Délivre un certificat de qualification aux entreprises qui en font la demande.

Union technique de l'électricité. Immeuble Lavoisier, 4, place des Vosges, la Défense 5 Courbevoie (Cedex 64, 92052 Paris la Défense). Établit et diffuse des normes ; attribue et contrôle les marques de conformité aux normes NF-Electricité, NF-USE, NF-Luminaires, etc.

(lx). Un flux lumineux de 1 lm (lumen) atteignant une surface de 1 m^2 y produit un éclairement de 1 lx.

$$\text{Éclairement en lux} : \frac{\text{flux lumineux reçu en lumen}}{\text{surface éclairée en mètres carrés}}.$$

$$\text{Ou plus simplement : } E\ (lx) = \frac{\Phi\ (lm)}{S\ (m^2)}.$$

Éclairements moyens habituels (en lux). **Extérieur.** *En plein soleil :* 50 000 à 100 000. Rue large par temps clair : 25 000 à 30 000. Nuageux : 10 000 à 15 000. Avec éclairage public : de 20 à 100. En éclairage lunaire : de 0,1 à 1. **Intérieur.** *Sur une table devant une fenêtre* avec vue dégagée et par temps clair, mais sans soleil dans la pièce à 0,50 m : sans voilage 2 500 à 5 000 (avec v. 700 à 1 500) ; à 1,50 m : sans voilage 700 à 900 (avec v. 300 à 400). *Sur un plan à 2 m au-dessous d'une lampe de 75 W,* à la verticale de la lampe : 150 ; à 1 m de la verticale : 100 ; à 2 m : 45 ; à 4 m : 12.

Niveaux conseillés par l'Association française de l'éclairage (en lux). *Circulations* 100 à 150, *salle à manger :* sur la table 200, *séjour :* coin d'écriture 300, lecture 300, couture ou tricot 500, *cuisine :* éclairage général 200, plan de travail 300, *rangement :* 100, *salle de bains :* éclairage général 100, au niveau du miroir 300, *chambre à coucher :* éclairage général 150, tête de lit pour lecture 300, table de travail de l'écolier 300, *vitrine, tableau, sculpture :* 150.

• **Efficacité lumineuse.** Rapport du flux lumineux produit à la puissance de la source en watts. S'exprime en lumens par watt (lm/W).

• **Intensité lumineuse (symbole).** Exprime la quantité de lumière émise dans une direction bien précise. Se mesure en candelas (cd).

• **Luminances (symbole).** Quantité de lumière réfléchie par un objet éclairé. La luminance d'une surface dans une direction donnée est le rapport de l'intensité de la lumière dans cette direction, expérimentée en candelas, à la valeur de la surface apparente, en m^2, vue suivant la même direction. Mesurée en candelas par m^2 (cd/m^2) ou par cm^2 (cd/cm^2). Ces calculs présentent peu d'intérêt en éclairage, la luminance dépendant du niveau d'éclairement, de la couleur, de la nature lisse ou rugueuse de la surface, de la position de l'observateur et de la source d'éclairage. La luminance d'une surface parfaitement diffusante est donnée en fonction de son éclairement (E en lux). **Luminances courantes en cd/cm^2.** Soleil au zénith 160 000. Ciel 0,8. Lampe à incandescence : claire (filament visible) 200, dépolie ou opalisée 10. Tube fluorescent : standard ∅ 38 : 0,8, haute efficacité ∅ 26 : 1,5. Valeur acceptable pour le confort visuel 0,2. Papier blanc éclairé à 300 lx 0,008.

• **Réflexion.** **Valeurs moyennes** (en %). *Matériaux :* plâtre 85, papier blanc 84, marbre blanc 83, peinture blanche 75, carreaux faïence 70, ciment 55, sycomore 52, pierre de taille 50, chêne naturel 33, brique rouge 20, noyer 16, acajou 12, ardoise 10. *Couleurs :* blanc neige 76, ivoire 70, crème clair 70, foncé 70, jaune citron 70, paille 65, d'or 62, chamois clair 60, bleu clair 48, gris clair 45, beige 43, rose saumon 42, orange 40, vert d'eau 38, havane 32, bleu turquoise 27, rouge clair 21, vert prairie 19, grenat 12, bleu (outremer) 10, violet 7.

• **Température de la couleur.** Une basse température de couleur correspond à une lumière riche en rouge. Cette dominante disparaît quand la température de la couleur s'élève et laisse la place d'abord à une lumière blanche, puis à une lumière à tendance bleue. S'exprime en kelvins (K), en fonction de la temp. Celsius (Tc), par la formule : Tk =Tc + 273.

Températures de couleur des sources usuelles : lampes à incandescence 2 700 K, certains tubes fluorescents 6 000 K.

Modes d'éclairage

• **Par incandescence.** Un filament en matière réfractaire est porté à haute température en y faisant circuler un courant électrique. A L'ORIGINE, utilisation du *carbone* dans le vide ; durée 1 000 h, *température du filament :* 1 800 °C ; *efficacité lumineuse :* 3 lumens par W (lm/W). AUJOURD'HUI, *tungstène* dans un mélange d'argon et d'azote, à une pression d'env. 0,5 atmosphère à froid, le filament est enroulé en double hélice pour réduire la perte de chaleur dans le gaz ; durée 1 000 h ; *temp. du filament :* 2 400 à 2 600 °C, *efficacité lumineuse :* 11 à 19 lm/W pour des lampes de 40 à 1 000 W. En remplaçant l'argon par du krypton, le filament peut fonctionner à plus haute température, d'où une lumière plus blanche.

• **Lampe à halogène.** En ajoutant à l'argon un *halogène* (iode, brome) ou un composé organique halogéné, on améliore les performances (efficacité lumineuse 25 lm/W, durée de vie 1 000 à 2 000 h) et on évite le noircissement de l'ampoule. De nombreux modèles fonctionnent en basses et très basses tensions. Plus faible consommation (à puiss. égale), 250 W (sauf cas spéciaux en basse tension de 35 ou 50 w).

Avantages : branchement direct sur le secteur, teinte chaude de la lumière. Production importante de chaleur. *Emploi :* éclairage d'appoint.

• **Par fluorescence.** Un tube en verre renfermant de la vapeur de mercure et de l'argon à très faibles pressions est traversé par une décharge électrique, fournie par un starter, il y a alors émission de rayonnements ultra-violets qui excitent une couche de substances fluorescentes déposée sur la paroi interne du tube. A L'ORIGINE (1936), l'efficacité lumineuse, pour une lampe de 40 W, était d'environ 35 lm/W, AUJOURD'HUI pour une lampe de 36 W, 77 lm/W. Progrès obtenu en réduisant le diamètre du tube, en ajoutant du krypton à l'argon et en utilisant de nouvelles substances fluorescentes (à 3 bandes d'émission). *Durée :* env. 7 000 h. Lumière plus froide. Faible production de chaleur. Bon éclairage d'ambiance. *Fluorescentes compactes. Durée :* 6 000 h, efficacité lumineuse, environ 50 lm/W.

• **Par décharge.** Lampes à vapeur de sodium à basse pression de très faible puissance, émettant une lumière jaune à forte efficacité lumineuse.

Consommation moyenne par jour

Dans un appartement de 4 pièces, 4 personnes. Durée moyenne d'utilisation, puissance en W et, entre parenthèses, consommation en kWh.

Hiver. Total 6 150. **Matin** *Salle de bains* – toilettes (1 h) éclairage général 200 ; du miroir (40 W × 4) 160 (0,360) ; *3 chambres* (1/2 h par pièce) écl. général 150 ; tête de lit 75 (0,345) ; *Cuisine :* repas (1 h) écl. général fluorescent 200 ; plans de travail 120 (0,320) ; rangement-nettoyage (1 h) (0,320) ; *Circulation* (1 h) (0,200). **Soir.** *Chambre d'enfants* (devoirs et jeux) (3 h) 150 ; écl. général 100 ; du bureau 250 (1,500) ; *Cuisine :* préparation et rangement (3 h) (0,960) ; *Salle à manger – repas* (1 h) 200 ; ambiance fluo. 225 ; table (75 W × 3) 425 (0,425) ; *Travaux divers :* couture, tricot, lecture, écriture (2 h) 200 ; d'ambiance fluo. 200 ; localisés (100 W × 2) 400 (0,800) ; *Télévision* (2 h) lampe d'ambiance 60 (0,120) ; *Salle de bains* (1/2 h) écl. général 200 (0,100) ; *3 chambres :* tête de lit (75 W par personne) (1/2 h avec gradateur) (0,1) ; *Circulation* (3 h) (0,6).

Été. Total 1 210. **Matin.** *Salle de bains :* éclairage du miroir (1/2 h) 120 (0,060) ; *3 chambres :* tête de lit (20 min par pièce) 75 (0,075). **Soir.** *Cuisine :* rangement (1 h) 330 (0,330) ; *Salle à manger* – repas (1 h) : complément sur la table 225 (0,225) ; *Télévision* ambiance (2 h) (0,120) ; *Salle de bains* (1/2 h) éclairage général (0,100) ; *3 chambres :* tête de lit (avec gradateur) (0,100) ; *Circulation* (1 h) (0,200).

☞ **Économies possibles.** Choisir des lampes satinées ou opalisées plutôt que claires ; des tubes fluorescents (cuisine, s. de bains) (un tube de 40 W éclaire autant qu'une l. de 150 W). Adapter un gradateur aux l. puissantes.

Électroménager

Consommation de quelques appareils

Puissance nécessaire en watts, consom. en kWh et c. moyen (T.V.A.) à Melun en F au 16-4-86.

Aspirateur balai. *Puissance* 800 W ; *traîneau* 700 à 1 300 W. *Cons. annuelle* 50 kWh/an soit 28 F pour 1 à 2 h d'utilisation par semaine.

Chauffe-eau. *Puissance* 1 800 à 6 000 W, *cons. par an* 2 800 kWh en h creuses (4 personnes) F.

TYPES. *A chauffe normale :* contient dans un réservoir calorifugé 50 à 150 l d'eau chaude (appareil mural) et 100 à 300 l (ap. sur socle), mise en température 6 h avec moins de possibilités de fonctionnement au tarif « h. creuses » (puissance de chauffe 12 W/l). *A accumulation (chauffe accélérée) :* mise en température 30 min à 1 h ; capacité 5 à 100 l ; *puissance* 3 000 W max. ; un appareil pour alimenter un évier produit 15 l en 40 min env. *Instantané :* eau chauffée au fur et à mesure de son écoulement, ce qui nécessite une forte puissance.

Cireuse. *Puissance* 300 W. *Consom. annuelle* 20 kWh/an (11 F), à raison d'1 h env. par sem. **Cuisinière électrique.** *Puissance* 6 000 à 11 700 W. *Cons. par j* 1 kWh par pers. ; par an 1 000 kWh pour 4 pers. (560 F). **Fer à repasser.** *Puissance* 300 à 1 500 W. *Cons. horaire* 0,5 kWh (28 c).

Four à micro-ondes. Un dispositif électronique (magnétron) engendre des ondes électromagnétiques (micro-ondes) qui, réfléchies par les parois métalliques, sont absorbées par les molécules d'eau des aliments. Ces micro-ondes provoquent le changement d'orientation ultrarapide des molécules, entraînant une élévation de température. L'échauffement est immédiat sur toute la périphérie de l'aliment jusqu'à env. 2 cm de profondeur, puis la chaleur se transmet par conduction vers l'intérieur, si l'aliment est plus épais. Puissance absorbée : 1 200 à 1 700 W. Il cuit une pomme en 1 min 1/2, des pommes de terre à l'eau et des légumes en quelques min, une dorade de 800 g en 12 min, un rôti de 1 kg en 15 min. Utiliser des plats « transparents » aux micro-ondes (ex. verre, vitrocéramique, matières plastiques, etc.). Les plats doivent être couverts pour éviter la déshydratation. Le dorage s'effectue sous gril ou sur plaque, avant ou après l'exposition aux micro-ondes. On peut aussi utiliser un plat brunisseur qui absorbe une partie des micro-ondes, chauffe et dore les aliments à son contact. Enceinte de cuisson en acier inox., portes en verre tramé de métal (les micro-ondes ne traversent pas le métal). Il se nettoie à l'eau savonneuse. *Consommation : ex :* cuisson d'un poulet en morceaux 0,4 kWh, 16 c.

☞ Prévoir une ventilation suffisante si vous encastrez votre four (5 cm sur le dessus et sur les côtés), placer le four à 4 m au moins d'un poste de radio ou de télévision pour éviter les interférences, ne pas faire fonctionner le four à vide. Ne pas dépasser, le poids de 336 g en position automatique et ne pas ouvrir la porte du four pendant un cycle de cuisson en position automatique. Ne pas préchauffer le four avant cuisson. Ne pas utiliser de métal, ni de vaisselle avec des pièces rapportées, collées, de bouteilles fermées, de conserves fermées, de plats ou de boîtes sous vide.

Hotte aspirante. *Puissance* 240 à 300 W. *Coût hor.* 0,1 kWh (5,6 c). **Lampe d'éclairage** (pièces d'habitation). *Coût horaire :* 1 *lampe à incandescence* (100 W), env. 5,6 c. ; 1 *tube fluorescent* (40 W, 1,20 m de longueur), 2,3 c ; *nouvelles lampes fluorescentes* (18 W), 1 c. **Lave-vaisselle.** *Puissance* 2 350 à 3 400 W. Consomme 50 l d'eau pour laver 12 couverts ; *annuelle* 500 kWh (160 à 280 F). **Machine à coudre** (80 W). *Coût hor.* 0,08 kWh (5 c). **à laver et à essorer**

Utilisation économique

Chauffage. Voir p. 1338. **Chauffe-eau.** Réglé à 65 °C (10 % d'économie par rapport à 80 °C), isolation de l'appareil s'il est dans un local non chauffé (économie 10 %). **Cuisinière électrique.** Utiliser des récipients à fond bien plat, de même diamètre que la plaque chauffante. Couper la plaque quelques minutes avant la fin de la cuisson. *Utilisation :* tables de cuisson avec plaques thermostatiques ou doseur d'énergie. **Lave-linge et lave-vaisselle.** N'utiliser la machine qu'à plein, remplacer les programmes à haute température par le programme à 60 °C (35 % d'économie par rapport à un programme à 90 °C), utiliser les programmes écon. Éviter les cycles « très sale », « intensif » ou « spécial casserole » ; un trempage de quelques min économise env. 1 kWh à chaque fois. **Lave-vaisselle.** Ne pas remplir à ras le bac de poudre (25 ou 30 g suffiraient). *Comparaisons* (test de *Que choisir ?,* mars 1989) : *durée du cycle normal :* 1 h à 1 h 31. *Consommation d'eau :* 20 à 35 l, *d'électricité :* 1,6 à 2,3 kWh, *bruit :* 42 à 56 dB. **Températures de lavage.** Coton blanc 90 °C, couleur 60 °C, synthétique 40 °C, tissus délicats 30 °C. Chaque lavage à la température max. coûte env. 2,80 F en eau, électricité, et produits de lavage. **Réfrigérateur, congélateur :** Installation loin d'une source de chaleur. N'y mettre que des plats froids. Ouvrir le moins possible. Dégivrer régulièrement.

Durée moyenne de vie

En années ou en h de fonctionnement. Aspirateurs 10 ans. Autoradios 6 a. Chaînes haute fidélité, amplificateurs 12 a., tuners 12 a., amplituners 9,1 a., combinés 12 a. Congélateurs 10,8 a. Couteaux électriques 100-200 h. Électrophones 8 a. Fers à repasser 8 a., à vapeur 9 a. Lave-vaisselle 10 a. Machines à laver 10,4 a. Magnétophones à bobines 7,3 a., à cassettes 7 a. Mixers 150-200 h. Moulins à café 100-250 h. Platines de tourne-disques 12 a. Radio-enregistreurs 7,4 a. Réfrigérateurs 13 a. Rôtissoires 2 000 h. Sèche-cheveux 400-1 400 h. T.V. noir et blanc 10,4 a., couleur 10 a.

le linge (4 à 5 kg). *Puissance* 3 000 W. Chauffage 2 000 à 3 400 W [min. 550, max. (6 kg) 4 000 W]. *Coût annuel* 300 kWh (96 à 170 F). **Perceuse** (400 W). *Coût hor.* 0,4 kWh (23 c).

Radiateurs. *Puissance* 500 à 2 500 W. *Coût hor. de fonctionnement et par kW :* en h pleine : 0,56 F, en h creuse : 0,32 F. **Rasoir électrique.** *Puissance* 6 W. *Coût hor.* 0,4 c.

Réfrigérateur-congélateur. *Puissance* 150-300 W. *Cons.* par jour et par an en kWh (réfrigérateur 330 j, congélateur 365 j) : *réfrigérateur - de 150 l :* 0,8 à 1(265 à 330), *de 150 à 250 l :* 1 à 1,2 (330 à 400), *+ de 250 l :* 1,3 à 1,5 (430 à 500) ; *conservateur* 1,8 à 2 (600 à 660) ; *congélateur* 2 (660), *- de 100 l :* 1 à 1,2 (365 à 440), *de 100 à 200 l :* 1,2 à 2 (440 à 660), *200 à 300 l :* 2 à 2,5 (660 à 825), *+ de 300 l :* 2,5 à 3,5 (825 à 1 150). *Étoiles.* Fabrication de glace : pas d'étoile. Entreposage des produits congelés pendant 2 ou 3 j (- 6 °C) : 1 ét. 3 semaines max. (- 12 °C) : 2 ét. Conservation des produits congelés de 3 mois à 1 an : 3 ét. Congélation d'au moins 6,5 kg de denrées fraîches par 24 h pour un volume de 100 l ; pour les appareils NF : 4 ét. *Volume nécessaire* pour 1 pers. : 120 l, pour 5 ou 6 personnes : 350 l.

Sèche-linge. *Consommation* 3,3 kWh pour 4,5 kg.

Table de cuisson à induction. En vitrocéramique. Générateur électrique placé sous la table qui crée un champ magnétique faisant monter la température du récipient en métal ferreux posé sur la plaque (uniquement fer brut émaillé ou fonte). Montée en température instantanée. Ni flamme, ni surface brûlante, seule la casserole chauffe, la plaque ne fait que tiédir. Économie d'énergie d'env. 20 %.

Téléviseur. Noir et blanc. *Puissance* 50 à 75 W. *Couleur* 100 à 150 W. *Coût annuel* 50 à 100 kWh pour 1 000 à 1 500 h de marche (30 à 60 F). **Couleur** 100 à 200 kWh (56 à 112 F).

Tondeuse à gazon. *Coût hor.* 0,6 à 1 kWh (0,32/0,56 c). **Tourne-disque** (100 W). *Coût hor.* 30 Wh (1,7c). **Train électrique miniature** (5 ou 6 wagons, locom.). *Coût hor.* 3 Wh (0,2 c). **Tuner, radio, ampli.** *Coût hor.* 15 à 20 Wh (1 c).

Nota. – La mise en service d'un appareil électroménager doit être exécutée par le vendeur gratuitement, sauf les travaux de raccordement.

Gaz

Généralités

• **Pouvoir calorifique au m³.** Gaz naturel 9,8 à 11,4, air propané 7,5 à 13,7. Pour brûler correctement, le gaz doit se trouver mélangé au moment de la combustion avec une quantité d'air déterminée.

• **Brûleurs.** Brûleurs atmosphériques des appareils domestiques : le gaz à la pression du réseau est admis à l'orifice d'un *« injecteur »,* et on utilise sa détente dans le mélangeur pour entraîner la quantité d'air suffisante.

Flamme bien aérée, cône bleu-vert aux contours bien délimités surmonté d'un panache violacé plus flou. Stable, silencieuse, s'éteint sans bruit. *Insuffisamment aérée* fuligineuse, cône bleu inexistant ou aux contours flous, noircit le fond des casseroles. *Trop aérée* sifflante et instable, claque à l'extinction du brûleur. *Si la flamme rentre* à l'intérieur du mélangeur et vient se fixer au nez de l'injecteur, la combustion et le fonctionnement du brûleur deviennent défectueux. Cet incident se produit surtout avec les gaz de houille et assimilés à forte teneur en hydrogène libre. *Si la flamme se décolle* (se détache) d'un ou de plusieurs orifices et, si le phénomène persiste, elle s'éteint, le gaz s'écoulant sans brûler. Cela arrive plutôt avec les gaz « riches », dont la vitesse de propagation de flamme est faible.

Puissance nominale du brûleur (en kilowatts) : égale au pouvoir calorifique du gaz en kWh/m³ par le débit maximal du brûleur en m³/h).

• **Chaudière à condensation.** Jusqu'à 30 % d'économie par rapport à une chaudière classique. **Haut rendement.** 10 à 20 % d'économie.

• **Chaudière à circuit étanche.** Dite chaudière « à ventouse ». L'air nécessaire à la combustion est prélevé à l'extérieur et les produits de combustion y sont rejetés par une « ventouse ». Peut être placée dans un placard.

• **Chauffe-eau. Instantané :** le brûleur s'allume automatiquement à l'ouverture du robinet d'eau. **Accumulation :** l'eau est maintenue à la température désirée. *Temps maximal* pour élever de 50° la température de 100 l d'eau : accumulateur à chauffage normal = 4 h 30, rapide = 1 h 30.

Seuls les petits chauffe-eau de 8, 7 kW peuvent ne pas être raccordés à un conduit de fumée ou une ventouse. Ils sont munis d'un contrôleur d'atmosphère et de sécurité contre l'encrassement.

• **Tuyaux flexibles** ou **tubes souples.** Normalisés NF-Gaz, 2 m maximum. Durée max. 4 ans (année limite d'emploi indiquée sur le tuyau ou le tube). **Métalliques** durée illimitée.

Consommation d'appareils

• **Chauffe-eau au gaz.** Alimenté en eau froide à 15 °C ; *chauffe-eau de 8,7 kW :* env. 5 l d'eau à 40° (2,8 l d'eau à 60°) ; *17,4 kW :* 10 l à 40° (5 l à 60°) ; *22,4 kW :* 13 l à 40° (7 l à 65°). *A puissance variable : 27,9 kW :* 9 à 16 l de 40° à 60°.

Consommation moyenne en kWh. Cuisine (5 l à 65°) 0,3. Petits lavages (10 l à 40°) 0,3. Toilette (15 l à 40°) 0,32. Vaisselle (15 l à 60°) 0,6. Douche (20 l à 40°) 0,6. Petit bain (70 l à 40°) 2,3. Grand bain (150 l à 40°) 4,7. Une famille moyenne consomme 3 500 à 6 000 kWh par an d'eau chaude.

• **Cuisinière.** *Brûleurs* semi-rapides 2,3 kW, rapides de 2,3 à 3,5 kW, ultrarapides plus de 3,5 kW. *A gaz butane :* un grand brûleur utilise 100 l de gaz (250 g) par h, soit 1 kg de gaz en 4 h. Une bonbonne de 13 kg fera donc 52 h d'usage.

Consommation de gaz en kilowatts-heure et durée de cuisson. *Lait* (1 l) [1] 0,3 kWh, 5 mn. *Blanquette de veau* [2] (1 kg + 1,5 l), 1,5 kWh, 90 mn. *Pot-au-feu* [3] (1 kg + 1,5 l), 2,5 kWh, 180 mn. *Frites* [2] (1 kg) 1,4 kWh, 25 mn. *Tournedos* [4,5] (1 kg), 1 kWh, 12 mn [6]. *Poulet* [5,6] (1,250 kg), 3,2 kWh, 70 mn [6].

Une famille moyenne (4 personnes) consomme 1 000 à 1 700 kWh par an pour cuisiner.

Nota. – (1) Brûleur rapide. (2) Brûleur intensif et lent. (3) Brûleur intensif. (4) Grilloir. (5) Four (th. 7). (6) Y compris temps de préchauffage.

Tarifs

Principaux tarifs de vente du gaz naturel

Prix du kWh varie selon localités et nature du gaz distribué ; se renseigner auprès du centre de distribution.

• **Clientèle domestique individuelle.** *Tarif de base* (jusqu'à 1 000 kWh) cuisine, forfait cuisine proposé sous certaines conditions ; *B0* (de 1 000 à 7 000 kWh) cuisine et eau chaude ; *B1* (de 7 000 à 30 000 kWh) chauffage et eau chaude et/ou cuisine ; *B21* (au-delà de 30 000 kWh) chauffage et/ou eau chaude dans les chaufferies moyennes.

• **Clientèle domestique collective, tertiaire ou industrielle.** *Base :* jusqu'à 1 000 kWh. *BO :* de 1 000 à 7 000 kWh. *B1 :* de 7 000 à 30 000 kWh. *B21 :* de 30 000 à 150 000 kWh ou 350 000 kWh selon les usages et la répartition des consommations en hiver et en été. *B2S :* chauffage et/ou eau chaude dans les chaufferies importantes, au-delà de 150 000 kWh ou 350 kWh selon les usages et la répartition des consommations en hiver et en été. *Appoint-secours :* fourniture d'appoint ou de secours à d'autres énergies.

Prix (au 1-8-89) TVA non comprise 18,6 % ; 5,5 % sur abonnements et primes fixes des tarifs domestiques. *Abonnement en F/an,* entre crochets, prix du kWh en centimes. *Base :* 117,60 F [28,98 c]. *BO :* 199,44 [21,86]. *B1 :* 777 [13,67 à 15,47]. *B21 :* 1 053 [12,74 à 14,54]. *B25 :* 3 603 [*hiver* 12,69 à 14,49 ; *été* 9,69 à 11,49]. *Appoint-secours :* ab. 3 626 F + prime fixe de débit par kWh/jour de 1,9512 à 2,3352 c [10,05 à 11,46 c].

• **Clientèle grande industrie.** Mêmes éléments. Prix au 1-6-89 : 5,97 c/kWh HT. Tarifs à souscription saisonnalisés pour une comsommation supérieure à 5 millions de kWh/an. Ex. en région parisienne, au 1-6-89, pour 30 millions de kWh/an d'un débit de 120 000 kWh/j et une consommation de 55 % en hiver et 45 % en été : prix moyen (abonnement compris) 7,71 c ; coût du kWh supplémentaire d'été 5,97 c.

Facture EDF-GDF

☞ **Relevé.** Tous les 6 mois (ou tous les 4). En cas d'absence, une carte auto-relevé est laissée sur place. Il suffit de la compléter et de la retourner, gratuitement (carte T), à l'adresse imprimée sur celle-ci. Chaque relevé est suivi d'une facture : 2 ou 3 factures par an établies après relevé (facture intermédiaire estimative tous les 2 mois, si la consommation est importante, comporte désormais un « index estimé ». Par comparaison avec le chiffre marqué au compteur on peut s'assurer que l'estimation est correcte).

Déménagement. Prendre rendez-vous avec l'EDF-GDF quelques j avant *1° de partir :* pour le relevé de compteur et pour établir la *facture de résiliation ; 2° d'emménager :* l'EDF-GDF pourra établir *l'abonnement* avant, et poser un compteur si nécessaire.

Redressement. EDF-GDF dispose de 5 ans pour rectifier une facture en cas d'erreur de comptage ou de facturation.

Vêtements

Mesures de confection

Norme G 03-001. Tour de poitrine : au-dessous des aisselles ; **de ceinture (Homme), de taille (Femme) :** horizontalement dans le creux de la taille ; **stature :** du sommet du crâne à terre, sujet pieds nus ; **bassin :** horizontalement au niveau le plus large du bassin ; **entrejambe :** de la fourche à terre (sujet pieds nus) ou à la semelle de la chaussure ; **hauteur latérale de tour de taille :** du creux de la taille à terre (pieds nus) ou à la semelle de la chaussure.

Confection hommes. Tailles homologuées par la Féd. française des industries du vêtement masculin.

Marquage des tailles sur les étiquettes des vêtements fait par la mention des 3 mesures suivantes : 1/2 tour de poitrine en cm : exemple 44 ; 1/2 tour de ceinture en cm : ex. 36 ; stature P (extra-court) 159 à 165 cm, C (court) 165 à 171 cm, M (moyen) 171 à 177, L (long) 177 à 183, X (extra-long) 183 à 189. La combinaison de ces 3 mesures donne la conformation visualisée ainsi : athlétique : étiquette rouge ; élancé : gris clair ; normal : blanche ; fort : bleu foncé ; trapu : bleu clair ; corpulent : verte ; ventru : jaune.

Confection dames

T. poitrine T. bassin [1]	80 84	84 88	88 92	92 96	96 100	100 104	104 108	110 112	116 118
France	34	36	38	40	42	44	46	48	50
G.-B., U.S.A.	8	10	12	14	16	18	20	22	24
Allemagne	34	36	38	40	42	44	46	48	50
Italie	38	40	42	44	46	48	50	52	54

Nota. – (1) À tours de poitrine équivalents correspondent généralement des tours de bassins plus forts : 87,5 ; 91 ; 94,4 ; 98 ; 101,5 ; 105 ;108,5 ; 115 ; 119,5. Ainsi, un 40 français correspond à un 38 allemand.

Soutiens-gorge et combinés

Désignation française (tour de poitrine) et européenne (tour mesuré sous la poitrine).

Taille		*Profondeur des bonnets*			
Europ.	Fr.	A	B	C	D
65	80	77-79	79-81	81-83	83-85
70	85	82-84	84-86	86-88	88-90
75	90	87-89	89-91	92-93	93-95
115	130	127-129	129-131	131-133	133-135

Nota. – Les lettres A, B, C, D, correspondent à la nouvelle normalisation européenne : A, petite poitrine ; B, poitrine moyenne ; C, poitrine forte ; D, poitrine très forte.

Chaussettes		*Chaussures* [1]		*Chemises*	
Fr.	An.	Fr.	An.	Fr.	An., Am.
37-38	9	37	4	36	14
39-40	9 ½	38	5	37	14 ½
40-41	10	39	6	38	15
41-42	10 ½	40	6 ½	39	15 ½
42-43	11	41	7 ½	40	15 ¾
43-44	11 ½	42	8	41	16
		43	9	42	16 ½
		44	10	43	17
		45	10 ½	44	17,5
				45	18
				46	18

Conf. (hommes)		*Conf. (enfants)*	
Fr.	An., am.	Age	Stature (cm)
46	36	5 ans	108
48	38	6 ans	114
50	39	7/8 ans	126
52	41	9/10 ans	138
54	42	11/12 ans	150
56	44	13/14 ans	162 (G) 156 (F)
58	45	15/16 ans	174 (G) 162 (F)

Nota. – (1) Mesure en points. *Points français* (ou points de Paris) 2/3 de cm soit 6,666 mm ; une pointure de 40 vaut donc 40 × 6,666 = 26,66 cm ; anglais 1/3 de pouce (inch) soit 8,466 mm.

Nettoyage

• **Linge à laver.** Poids (en g). Bleu de travail 1 600, blouse dame 300, chemise homme 250 à 300, chemisier dame 250, drap enfant 800, grand lit 1 500, torchon 100, mouchoir 20, nappe toile (160 × 160) 600, pyjama enfant 400, homme 500.

• **Teinturier.** Il a une obligation de résultat ; lavage ou nettoyage doit être satisfaisant, compte tenu de l'état du vêtement et des réserves portées éventuellement sur le ticket de dépôt.

Dépôt (délai maximal). Sauf pour des vêtements de grand prix (fourrures, vêtements d'apparat...), le teinturier ne peut demander de supplément avant 3 mois de garde ; la loi du 31-12-1968 dispose que les objets confiés à un professionnel pour être travaillés, réparés ou nettoyés et qui ne sont pas retirés ne peuvent pas être vendus dans l'année qui suit leur dépôt. Si le teinturier n'est pas en mesure de remettre un vêtement confié depuis moins d'un an, on peut exiger le remboursement ou, en tout cas, le dédommagement comme pour n'importe quel article égaré. Après un an, en cas de vente aux enchères, il faut demander aux Dépôts et Consignations le produit de la vente diminué des frais.

Détérioration. *Blanchisserie :* les professionnels prévoient un remboursement égal à 12 fois le prix du blanchissage (15 fois pour les draps). *Teinturerie :* la plupart des teinturiers affichent un barème sur lequel ils pratiquent un abattement selon la vétusté (le remboursement sera de 80 % pour un article de 3 mois, 60 % pour – de 30 mois et 30 % au-delà). Pour les articles d'une valeur visiblement très inférieure à celle du barème, le montant du remboursement ne pourra excéder la valeur de l'article.

Valeurs limites servant de bases pour le calcul du barème de remboursement (en F, 1990). Pure laine ou soie, entre parenthèses, mixte et synthétique, et en italique, en coton. **Hommes :** complet 3 pièces 1 502 (1 352) *982,* veston et pantalon (complet 2 pièces) 1 352 (1 126), ensemble blouson-pantalon 982, veston 982 (754) *303,* pantalon 378 (342) *303,* blouson *452,* anorak 452 (452), 3/4 autocoat, caban vareuse 1 010 (858), loden (1 126), pardessus, gabardine 1 352 (1 126), trench-coat triplure, imperméable (1 126), cravate 139 (99), pull 185 (139), shetland 232, veste d'intérieur (452), de chasse *714,* pantalon de chasse *714,* survêtement (303), chemise (185). **Femmes :** jupe, jupe-culotte, kilt 452 (303) *232,* robe 858 (557) *303,* pantalon 378 (342) *303,* manteau 1 428 (1 126), imperméable (1 126), tunique 303 (232), 2 pièces, ensemble dames 852 (452), pull 313 (185), 3/4 plastique fourré (741), robe de chambre des Pyrénées (562), ouatée (337), corsage sans manches 185, carré, écharpe 232 *(110),* chemisier (372). **Enfants de 6 à 12 ans :** veston, blouson 562 (378) *303,* veston plastique (378), pantalon 232 (185) *185,* pull 157 (129), jupe 337 (209) *185,* robe 452, manteau 754 (562), anorak (337). **Divers :** couverture 1 place 562 (337), 2 places 858 (528).

Si l'on estime ce dédommagement insuffisant, on peut essayer par entente amiable d'obtenir plus (analyse préliminaire par le syndicat local, une commission mixte, un organisme ou un expert agréé) ; et, en cas d'insuccès, assigner le teinturier en justice après avoir chiffré les dommages, preuves à l'appui. Le juge décidera.

Manque. Afficher « en cas de détérioration d'un ensemble (costume, tailleur), seule la partie endommagée (veste, pantalon ou jupe) est remboursée » est abusif : un costume est acheté en tant que tel et ce n'est pas l'addition d'une veste et d'un pantalon (arrêt Cour de cassation le 17-3-1981).

Vol. La preuve du vol et la justification du montant de celui-ci sont à la charge du client (témoignages et simples présomptions peuvent suffire).

Responsabilités encourues (R) ou irresponsabilités (I) du teinturier nettoyeur dans le nettoyage à sec ou le lavage d'articles textiles. Vêtements (avec étiquette d'entretien et, entre parenthèses, sans ou étiquette erronée). Vol, incendie, dégâts des eaux, perte, accidents de machine, substitution, manutention, traitement, livraison R (R). Traitement non approprié R(I). Vices cachés (usures, mites, projections acides, stylo à l'intérieur des doublures, etc.), coutures bord à bord I (I). Pli permanent, plastiques, non tissés, contrecollage, flocages, colorants pigmentaires, enductions, pertes d'apprêt R (I). Fibrillations, taches tenaces I (I). Décolorations sur coloris fragiles, coulures R (I). Retraits, allongements, feutrage R (I). Articles non décatis I (I). Fautes prof. (coup de fer), fusion ou glaçage des fibres, détachage non approprié R (R). **Boutons, garnitures.** *Aucune garantie.* Bris, décoloration, fusion, déformation, perte par fils cassés, décollage I (I). Boutons déteignant à la vapeur I (I).

☞ On peut obtenir l'adresse d'un *expert* auprès de la cour d'appel, des tribunaux d'instance et de grande instance et auprès des tribunaux de commerce. *Syndicats professionnels.* Conseil national de l'entretien des textiles : 82, rue Curial, 75019 Paris. Fédération nationale des pressings et laveries : 53, rue du Château-d'Eau, 75010 Paris.

Environnement

☞ Pertes annuelles en forêts et terres cultivables dans le monde (en milliers de km ²). Déforestation tropicale 210, perte de terres cultivables par épuisement des sols 200, désertification 60, salinisation 15. Sans mesures conservatoires, vers 2020 une superficie égale à l'Europe sera perdue ; à l'Afrique en 2060.

Régions les plus polluées d'Europe. Bohême (Nord), Tchécoslovaquie, Pologne [la plupart des plages polonaises de la Baltique interdites à la baignade (pollution bactériologique), forêt détruite à 75 % par les pluies acides]. En Roumanie : Copsa Mica (suie).

Généralités

Quelques définitions

• **Abiotique** (qui n'a pas trait à la vie). Facteurs climatiques et édaphiques ou, en milieu aquatique, caractères physico-chimiques des eaux. **Aphotique.** Biotope où la lumière solaire ne pénètre pas (fonds marins), les plantes vertes ne peuvent s'y développer. **Autotrophe.** Organisme vivant capable de réaliser la synthèse de ses composés organiques à partir des éléments minéraux prélevés dans le milieu et d'une source d'énergie extérieure, solaire (plantes vertes photosynthétiques), ou réactions chimiques exothermiques (bactéries chimio-synthétiques) ou les deux (bactéries chimio-photosynthétiques).

• **Biocénose.** Ensemble équilibré d'animaux et de plantes occupant de façon cyclique ou permanente un biotope donné. **Biomasse.** Masse de matériel vivant par unité de surface, c'est-à-dire le poids de tous les organismes vivants d'une communauté biologique à un moment donné. S'exprime en unité de poids sec à 65-70° par unité de surface (en général g par m² ou kg ou t par hectare). On distingue la **phytomasse** végétale (phytocénose), **zoomasse** (zoocénose), microbienne (microbiocénose). **Biosphère.** Partie de l'écorce terrestre où la vie est possible (une partie de la lithosphère, de l'atmosphère et de l'hydrosphère). **Biotope.** Milieu physique délimité où vit une biocénose déterminée (ce peut être une flaque d'eau).

• **Chorologie.** Étude de la répartition géographique des espèces prises isolément.

• **Cycle. Biogéochimique :** *absorption* des éléments du biotope par les organismes, *rétention* dans les divers organes des organismes, *restitution* au sol de ces éléments par chute et décomposition des litières et des cadavres, sécrétions diverses et lavage par les eaux de pluie. **Biologique** : succession des diverses phases de développement d'un organisme vivant de sa naissance à sa mort. **Phénologique** : variations saisonnières des phases de développement d'un organisme au cours d'une période végétative.

• **Écologie.** Terme inventé en 1885 par le zoologiste allemand Reiter, signifiant « Sciences de l'habitat ». Étude des relations réciproques entre les organismes et leur environnement. **Écosystème.** Ensemble d'une biocénose et d'un biotope. **Écotope.** Ensemble des facteurs climatiques **(climatope)** et édaphiques **(édaphotope)** caractérisant l'aire (biotope) occupée par une biocénose. **Écotype.** Subdivision de l'espèce (sous-espèces, variétés, sous-variétés, races) présentant des caractères particuliers héréditaires, résultant d'une sélection naturelle exercée par les facteurs du milieu. **Édaphique.** Qui concerne le sol. **Édaphologie.** Science traitant le sol en tant que milieu pour les êtres vivants (la *pédologie* concernant la description, la genèse et la classification des sols).

Défense de l'environnement

Dans le monde

Conférences. Plusieurs ont eu lieu et plusieurs conventions ont été signées dep. 1946. Voir Quid 1990 p. 1565.

• **Organismes. Commission mondiale sur l'environnement et le développement.** *Créée* 1983 par l'Assemblée générale des Nations unies. Formée de 21 commissaires (pays occidentaux 6, Est 3, en voie de développement 12, dont la Chine). Dirigée par Gro Harlem Brundtland (PM de Norvège) et Mansour Khalid (Soudan). Un rapport « Notre avenir à tous » (« Our Common future »), publié en avril 1987, fait part des menaces : réchauffement et modification des écosystèmes (désertification, inondations), pollution, diminution des ressources alimentaires. **Union internationale de la conservation de la nature et de ses ressources (UICN).** *Créée* 1948, à Fontainebleau. *Siège :* Gland (Suisse). *Buts :* création de réserves, parcs naturels. **Agence européenne de l'environnement.** *Créée* 22-3-1990 à Bruxelles. *But :* recueillir des informations détaillées sur la situation de l'environnement dans les pays de la Communauté, pendant 2 ans, puis contrôle du respect de la législation eur.

Année européenne de l'environnement (21-3-1987 au 21-3-1988).

Jour de la Terre. *Créé* 22-4-1970 aux USA par Dennis Hayes et Gaylord Nelson. *22-4-1990* créé en France : 8 000 participants (50 millions aux USA)

Greenpeace. Association internationale, *fondée* 1971 à Vancouver (Canada). S'oppose aux essais nucléaires en mer, aux rejets en mer, à la chasse aux baleines. *En août 1990,* sur le site de l'usine Rhône-Poulenc au Péage-de-Roussillon, un commando Greenpeace a fermé les portes de sécurité de l'usine pour empêcher tout rejet polluant dans le Rhône.

Communes françaises menacées par les risques naturels : *inondations* 7 500, *mouvements de terrains* 3 000, *séismes* 1 400, *avalanches* 400.

En France

• **Organisations. Centre international de recherche sur l'environnement et le développement (CIRED).** *Créé* 1973 à Paris dans le cadre de l'École des hautes études en sciences sociales. Recherches dans les pays en développement. **Centre de formation internationale à la gestion des ressources en eau (Ce-FIGRE).** *Créé* 1975 à Antibes, financé par le PNUE et le Gouvernement français. **Centre de documentation, de recherche et d'expérimentation sur les pollutions accidentelles des eaux (Ce.DRE, Brest).** *Créé* 1978.

Fondation de l'eau. *Créée* 1976 à l'Université de Limoges. Centres à Limoges et à La Souterraine. **Commission d'études pratiques de lutte antipollution de la Marine nationale (CEPPOL). Écothèque.** *Créée* 1973 à Montpellier. **Vive France Nature Environnement.** *Créée* 1968. *Membres :* 850 000. Nom pris en 1986 par la Fédération française des Stés de protection de la nature. **Commission Écologie et actions publiques.** *Créée* 14-3-90.

France. **Agence pour l'Environnement et la Maîtrise de l'Énergie (AME).** *Créée* 19-12-1990. Objectif prioritaire : traitement des déchets. *Budget :* 100 millions de F. **Association Nationale des Élus de l'Environnement (ANEE).** *Créée* 1988. *Membres :* 1 500 maires et conseillers généraux. **Association Nationale des Élus Écologistes (ANEE).** *Fondée* 1984. Proche des Verts.

Déchets

En France

• **Statistiques. Total** (1990). 568 millions de t.

• **Déchets ménagers.** 17,8 millions de t (papiers, cartons, épluchures, verres, métaux, plastiques, textiles), soit 1 kg par jour par habitant (25 à 30 t dans une vie). *Déchets encombrants :* 1,5 million de t. *Épaves automobiles :* 0,3 million de t. D'après l'INSEE 1988, 99, 5 % de la population bénéficient d'un service collecte des ordures ménagères. **Verre** *(collecte sélective) :* en 1989, 750 000 t recyclées (soit 34 % du verre) grâce aux 32 000 conteneurs répartis dans 17 000 communes (objectif 1992 : 50 % du verre recyclé). *Taux de verre recyclé par hab. et par an* (1989) 12 kg. *% de la population desservie par des installations de traitement : 1970 :* 30 ; *80 :* 70 ; *82 :* 82 ; *85 :* 91 ; *89 :* 94. *Nombre d'installations : 1982 :* 715 ; *87 :* 850 ; *89 :* 869. **Mercure. Piles au mercure :** 40 à 45 t (8 t de mercure) dont 20 récupérées en 1989. 1 pile contient près d'1 g de mercure, de quoi polluer 1 m³ de terre et 400 l d'eau. **Piles alcalines :** 6 000 t soit 60 t de mercure dans l'environnement. **Amalgames dentaires :** 70 t de mercure dont 50 jetées. **Huiles moteurs usagées :** 2 000 points de dépôt ouverts au public. En 1989, 135 000 t ont été récupérées sur 450 000 commercialisées (160 000 t rejetées dans la nature ou brûlées, soit une marée noire correspondant à 4 fois la cargaison de l'Exxon Valdez). **Déchetteries.** *Centres permanents d'apport volontaire des déchets :* 250 (fin 1990).

Vieux papiers. 150 000 à 200 000 t par an soit 10 % de la récupération totale. Chaque Français use 130 kg de papier par an. L'ind. papetière française occupe le 2ᵉ rang des ind. de recyclage. 72 % des cartons et papiers pour ondulé (soit 30 % de l'ind. papetière) sont fabriqués à partir de cartons et papiers recyclés. Même origine pour le papier journal. **Taux d'utilisation** (en %) : papier journal 30, p. impression écriture 9,4, carton ondulé 82,2, p. emballage 34,4, c. plat 80,2, p. sanitaire et domestique 21,9 [soit 42 % de la matière fibreuse utilisée en France].

Production (par Français, en kg/an). Emballages 180 (40 % du contenu des poubelles) ; détergent 25 ; déchets alimentaires 620 (dont 9 de pain sur une consommation de 63 kg).

Valorisation des ordures ménagères (1989). 35 % dont incinération avec récupération d'énergie 27,5 %, compostage avec prod. d'engrais organiques 7,5 %. Le reste a été éliminé dans des décharges (50 %) ou inciné sans récupér. d'énergie (13 %).

☞ **Composition des ordures ménagères** (moyenne 1990, en %). Papiers-cartons 30, matières putrescibles 25, verre 12, plastiques 10, métaux 6, textiles 2, éléments fins et divers 15. Coût moyen de la collecte : 350 F/t.

• **Déchets d'origine agricole.** 400 millions de t.

• **Déchets industriels** (en millions de t). 50. « Banaux » 32. « Spéciaux » (avec éléments nocifs) 18 (360 kg par an et par hab.) dont déchets toxiques ou dangereux 2, dont produits par chimie et parachimie 0,5.

Déchets polluant l'eau. Matières organiques et, entre parenthèses, toxiques. *Total :* 2 434 t (44 826 kéq) dont (en %) ind. agricole et alim. 46 (0)), chimie, parachimie 18 (53), papiers, cartons, bois 13 (1), textile, cuirs 9 (6), extraction (ind. des métaux, ind. mécaniques) 10 (38), énergie (centrales thermiques, raffineries) 1 (1), mat. de construction céramique, verre 0 (1).

Coût d'élimination ou de stockage. 15 milliards de F (dont 0,7 pour toxiques dangereux).

Coûts de transport. Quelques centaines de F pour les cendres d'incinération d'ordures ménagères à plusieurs milliers de F la tonne pour les résidus très toxiques ou non dégradables (arsenic, cyanure, organo-chlorés et polychlorobiphényls dont la dioxine).

Importations françaises de déchets générateurs de nuisance (en t). Arabie Saoudite 5. Malte 5. Maroc 21. Canada 107. Luxembourg 577,8. Irlande 591. Espagne 2 676,7. Autriche 4 973. Italie 17 098. Suisse 31 902. P.-Bas 35 742,7. Belgique 46 157. All. Féd. 94 673. *Total :* 234 532.

• **Décharges** (1990). *Classe I* (déchets industriels, spéciaux) 11 [depuis la fermeture de la décharge de Montchanin (S.-et-L.) où furent déposés 400 000 t déchets industriels de 1979 à 1989 (beaucoup venant de Suisse et d'All. féd.) dont les fûts de dioxine de Seveso]. *Classe II* (ordures ménagères et déchets industriels banals, autorisés sur sites semi-perméables) env. 1 132 (dont 484 recevant plus de 10 t/j). *Classe III* (matériaux inertes : moellons, gravats, pas d'autorisation préalable, pas de contrôle). Les résidus toxiques qui ne peuvent être acceptés en D. Cl. I sont enfouis dans les mines de sel de Herfa Neurode (All. féd.) ou incinérés en mer du Nord (13 000 t en 1987).

Décharges brutes. Env. 6 000 sur lesquelles les communes font des apports réguliers de façon illégale. *Ex. :* Marseille : Entressens. **Décharges sauvages.** Env. 25 000. 20 millions de t de déchets sont stockés dans des endroits insuffisamment contrôlés (40 % incinérés, 10 transformés en compost) ; 500 000 t dans des décharges illégales.

Sites souterrains en projet (décharges de déchets ultimes). *Varangéville* (M.-et-M.) : ancienne mine de sel. *Mulhouse :* le site de Manosque a été abandonné (600 000 t devaient y être stockées dans 36 réservoirs creusés de 1969 à 73 pour abriter des réserves d'hydrocarbures).

• **Législation.** La loi du 15-7-1975 sur l'élimination des déchets, permet, en cas d'infraction, de faire éliminer les déchets aux frais du responsable. Une loi de déc. 1986 impose l'application des directives de la CEE des 6-12-1984, 22-7-1985 et 12-6-1986 sur l'importation, l'exportation et le transit des déchets dangereux.

• **Organismes. Agence nationale pour la récupération et l'élimination des déchets (ANRED). Association nationale pour la collecte de médicaments (ANPCM).** 4, av. Ruysdael, 75017 Paris. **Laboratoire de la Préfecture de police de Paris :** *pour les produits ménagers toxiques.* 39 bis, rue de Dantzig, 75015 Paris.

Dans le monde

• **Production de déchets ménagers par an et par personne** (en kg 1988). Japon 1 000, USA 600 (Californie 1 000), All. féd. 460, *France 330* (centres villes 400), Italie 300, Espagne 250.

Déchets dangereux. Dans les années 1980, 325 à 375 millions de t/an, dont 90 % venant des pays riches dont *USA :* 275.

• **Exportations. Principaux exportateurs :** *USA* vers Sierra-Leone, Haïti, Bahamas, Mexique, Honduras, Rép. Dominicaine, Costa-Rica, Corée du S. *Italie* vers Venezuela, Proche-Orient, Afrique. *All. féd.* 4 à 5 millions de t de déchets toxiques/an. *P.-Bas. France.* **Importateurs.** Les pays surendettés du tiers monde se laissent tenter (la Guinée-Bissau a renoncé à recevoir 3 500 000 t/an de déchets dangereux qui lui auraient rapporté 120 millions de $/an, montant supérieur à son PNB brut).

Déchets spéciaux (exportations 1987). 26 133 t dont *Belgique* 19 554 (13 154 incinérés, 6 400 valorisés), *All. féd.* 2 211 (1 716 confinés dans les mines de sel de la Mer du N., 495 valorisés). *Angleterre* 2 006 (valor.) *P.-Bas* 782 (valor.) *Maroc* 610 (incin.) *USA* 514, *Italie* 393, *Suisse* 63.

Coût de la pollution

États-Unis. Dépenses globales (fédérales et industrielles), environnement (en milliards de $). *1979 :* 49,2 ; *80 :* 55,7 ; *81 :* 56,5 ; *82 :* 56 ; *86 :* 48,7.

Poids en livres/jour et par habitant. (*Source :* Time). *Pays industrialisés :* New-York 4, Tokyo 3, Paris 2,4, Hambourg 1,9, Rome 1,5, *P. à revenu moyen :* Singapour 1,9, Hong-Kong 1,9, Tunis 1,2, Medellin 1,2, Manille 1,1, le Caire 1,1. *P. à faible revenu :* Lahore 1,3, Djakarta 1,3, Calcutta 1,1 (1 livre = 0,453 kg).

Apports moyens hebdomadaires contaminants dans le régime alimentaire total des Français, entre parenthèses doses maximales fixées par l'O.M.S. Hg mercure 0,07 (0,3). Cd Cadmium 0,2 (0,4-0,5). Pb Plomb 1,2 (3). NO_3 nitrates 2 000 (2 500). NO_2 nitrites 40 (85).

Espaces verts (en m² par hab., intra-muros). Besançon 55,4, Rennes 24,4, Le Havre 23,8, Bordeaux 22,8, Orléans 20,6, Caen 19,6, Limoges 19, Dijon 18,8, Metz 18,5, Mulhouse 18,5 (mais : Le Mans 6,5, Lyon 5,7, Perpignan 5,6, Tourcoing 5,6, Roubaix 5,4, Villeurbanne 4,1, Aix-en-Provence 3,4, Boulogne-Billancourt 2,7, Toulon 2,7, Brest 0,9). **Pistes cyclables** (en km). Strasbourg 43, Rennes 26,6, Marseille 26, Montpellier 26, Grenoble 20 (mais : Argenteuil 0, Limoges 0, Nancy 0, Boulogne-Billancourt 0, Tourcoing 0,6, Perpignan 0,9, Roubaix 1,2, Lyon 1,71, Bordeaux, Villeurbanne et Clermont-Ferrand 2). **Espaces piétonniers** (en m²). Paris 157 000, Rouen 81 642, Nice 70 000, Dijon 62 650, Nancy 61 854 (mais : Brest 0, Le Havre 1 200, Amiens 1 500, Villeurbanne 5 000, Argenteuil 5 630, Roubaix 7 000).

Dépenses en % du PIB (1988). USA 1,45, All. féd. 1,52, Japon 1,28 (dépenses courantes du secteur privé exclues), G.-B. 1,25, *France 1,03.*

CEE. Dépollution (milliards de F). *1987 :* 280, *1992 (est.) :* 812 à 1 137.

France

Dépense nationale environnement (1988). 72 milliards de F dont État et collectivités locales 53 %, entreprises 27 %, ménages 20 %.

Budget du ministère de l'Environnement, crédits de paiement (en millions de F). *1978 :* 238 ; *80 :* 373 ; *85 :* 817,6 ; *86 :* 867,5 ; *87 :* 870 ; *88 :* 1 187 ; *89 :* 678.

Budget environnement (en millions de F). *1990* (voté) : 856,9 et loi de finances initiale *1991 :* 1 229,4 dont protection de la nature 284, moyens de l'administration (personnels, frais d'adm. générale, formation, modernisation des services) 280, prévention des pollutions 411,8, qualité de la vie 141,4 recherche, études générales et informatique 96, information et actions de coopération 16,1.

Évolution du budget (en millions de F). Dépenses ordinaires, et entre parenthèses crédits de paiement. *1987 :* 230 (387). *88 :* 238 (460). *90 :* 337 (519). *91 :* 705 (524) ; total 1 229 avec crédits risques majeurs et transfert crédit personnel et fonctionnement (soit 0,1 % du budget de l'État).

Coût de la pollution (1987). Chaque Français verse en moyenne 1 350 F par an, soit directement, soit par l'intermédiaire de l'Etat, des collectivités locales et des entreprises, pour lutter contre la pollution et les nuisances.

Coût du traitement des déchets (en F/tonnes, 1990). Décharges contrôlées 40 à 100 ; brutes 0 à 30. Incinération et compostage 200 à 300, broyage 70 à 200.

Recyclage. Les déchets recyclés représentent env. 30 % des approvisionnements français en matières non énergétiques, 4 800 entreprises, 19 000 salariés. *CA :* 24 milliards de F (dont 5 à l'exportation). 1 t d'ordures ménagères compte de 25 à 30 % de déchets recyclables, sans compter le compost. ÉCONOMIES RÉALISÉES POUR 1 T (éc. d'énergie en kg de pétrole et, entre parenthèses, éc. de mat. 1ʳᵉˢ en t.) : *Verre :* 80 (1,2 silice). *Papiers cartons :* 200-400 (17,2 bois). *Plastiques* (PVC) : 400 (1,4 pétrole). *Ferrailles :* 220-270 (5-10 minéral). *Aluminium :* 4 762 (3 bauxite). *Huiles :* 850 (1,5 pétrole).

Quantités récupérées (en milliers de t/an). Ferrailles 10 000, papiers cartons 3 000, métaux non

☞ A Romainville, près de Paris, centre de traitement des ordures ménagères le plus performant d'Europe : 400 000 t traitées par an (300 camions/jour). 19 000 t récupérées dont papier 10 000, verre 3 000, ferraille 5 000, et produits divers 1 000.

☞ Rungis produit par jour ouvrable 350 t de déchets + 50 t de cageots vides, d'emballages et d'invendus (43 832 t sur 111 414 au total en 1989).

ferreux 700, verre 700, plastiques 100. *Bouteilles en PVC :* 10 % des ordures ménagères. 2 800 t seulement collectées en 1990 sur 200 000 t produites.

Métiers de l'environnement. *1981 :* 420 000 personnes, *90 :* 360 000 dont lutte contre les pollutions 60 % (dont eau 46,4 %, déchets 35 %).

Accidents technologiques majeurs

Quelques cas

1966-*4-1* **Feyzin** (France) : raffinerie : 6 h 40, du propane se répand sur l'autoroute et une départementale où à 7 h 15 une voiture enflamme le nuage. Les pompiers arrivent entre 7 h 30 et 8 h 30. A 8 h 45 une sphère explose (17 †, 84 blessés) ; à 9 h 45 une autre sphère explose (dégâts jusqu'à 16 km).

1973-*1-2* **St-Amand-les-Eaux** (France) : un semi-remorque de 20 t contenant du propane double un cycliste, veut freiner, se couche sur le trottoir. Le gaz liquéfié s'écoule, un brouillard envahit la rue (propane à l'état gazeux et gouttelettes de liquide) ; la citerne éclate et s'éparpille dans un rayon de 450 m. 9 †, 45 blessés, 9 véhicules et 13 maisons détruits.

1974-*1-6* **Flixborough** (G.-B.) : usine : 50 t de cyclohexane s'enflamment. 28 †, 89 blessés ; bâtiments détruits dans les 600 m.

1976-*10-7* **Seveso** près de Milan (Italie). Usine ICMESA (filiale de Givaudan, firme suisse filiale de Hoffman-Laroche) [dioxine], vapeurs toxiques s'échappant (trop forte pression dans un réacteur chimique produisant du chlorophénol). 1 800 ha. dont 230 condamnés à la désertification, 83 000 animaux abattus, « brûlures » et lésions cutanées dans la population de Seveso (36 000 h. vivaient dans la zone potentiellement contaminée, 736 furent évacués). Il y a eu davantage de cancers du foie et 511 naissances d'enfants malformés (correspondant à la moyenne nationale italienne), mais il n'est pas prouvé que la dioxine en soit la cause. La firme a versé 338 millions de FF pour dédommager les victimes et a financé les travaux de décontamination. **80**-*5-2* le responsable de la production d'ICMESA assassiné par des terroristes de « Prima Linea ». **82**-*10-9* de la terre imprégnée de dioxine quitte l'Italie dans des fûts. 41 seront retrouvés en mai 1983 en France, près de St-Quentin. **83**-*sept.* 5 personnes de la direction condamnées de 2 ans et demi à 5 ans de prison. **85**-*11-3* procès en appel [-26-6 transporteur condamné à 18 mois de prison (dont 17 avec sursis) et 100 000 F d'amende (son employé, à 6 mois de prison avec sursis et 10 000 F d'amende)]. La dioxine ne disparaîtra définitivement que vers 2040. **89** *déc.* Les 42 fûts de Seveso auraient été enfouis dans la décharge de Montchanin (fermée le 18-6-1988 par le ministère de l'Intérieur) la nuit du 4-11-1982 (les fûts découverts près de St-Quentin seraient factices). **1990** *févr.* découverte d'un 1er fût et *27-2* d'un 2e qui seront analysés.

1982 **Bluff Council** (USA) : stockage de grains ; 5 † ; explosion de poussières. *Coût :* 10 millions de $.

1985-*Juil.* **Tesero** (Italie) : boues de décantation d'une mine ; env. 200 † ; rupture d'une digue.

1986 **Tchernobyl** (URSS voir Index). *Nov.* **Bâle** (Suisse) : incendie entrepôts des usines Sandoz : pollution du Rhin par 30 t de pesticides mercuriels.

1987-*Juil.* **Herborn** (All. féd.). Explosion camion citerne (36 000 l. d'essence) 4 †, 27 blessés. *-9-8.* **Lanzhou** (Chine) : déraillement d'un train de 49 wagons de carburant, 21 prennent feu, nombre de † inconnu. *-Oct.* **Texas City** (USA) : rupture d'un stockage d'acide fluorhydrique, 4 000 personnes évacuées, 105 hospitalisées, nuage d'HF de 800 m. **Nantes** (L.-Atl.) : incendie entrepôt d'engrais (850 t de NPK), nuage toxique, 25 000 personnes évacuées. *Déc.* **Alexandrie** (Égypte) : incendie d'un dépôt de bombes fumigènes, 6 †.

1988-*août* **St-Basile-le-Grand** (30 km de Montréal) : incendie criminel entrepôt contenant 3 800 fûts de biphényls polychlores, 14 km² évacués pendant 18 j (1 800 résidences, 5 000 personnes).

1990-*sept.* **Oust-Kamenogorski** (Kazakhstan) : incendie dans un atelier travaillant le béryllium, nuage toxique jusqu'à la frontière chinoise à 300 km.

☞ **Accidents ayant eu des conséquences pour la sécurité des populations et la qualité de l'environnement en 1987, en France.** 424 dont : usines 326, transport dangereux 32, origines diverses (pipe-line, commerces, nucléaire) 38, origine inconnue 28.

Nature des accidents : incendies 217, explosions 43, pollution de l'eau 162, nuage toxique ou pollution atmosphérique 34, morts d'homme (18 † au total). Il y a eu 174 blessés ou intoxiqués, 17 accidents ont provoqué des évacuations d'habitations, d'écoles... dans le voisinage.

Accidents industriels ayant entraîné plus de 50 morts

Date	Pays et *Lieu*	Produit	Morts et blessés
1654	Pays-Bas *Delft* [1]	Poudre	> 100 † [13]
1794	France *Paris* [1]	Poudre	> 1 000 †
1886	Italie *Brescia* [2]	Explosifs	> 1 000 †
1907	États-Unis *Pittsburg* [1]		59 † [14]
1907	Russie *Petrograd* [1]		≃ 100 †
1917	U.S.A. *Chester (Pennsylv.)* [1]	Explosifs	133 †
1917	Canada *Halifax* [3]	Lyddite	2 000 †
1921	Allemagne *Oppau* [2]	Nitrate Ammon.	561 †
1933	Allemagne *Neuenkirchen* [1]		65 †
1939	Roumanie *Zămesti* [1]	Chlore	60 †
1942	Belgique *Tessenderlo* [2]	Nitrate Ammon.	200 †
1943	Allemagne *Ludwigshafen* [1]	Butadiène	57 †
1944	U.S.A. *Port Chicago* [3, 8] *(Cal.)*	TNT	> 100 †
1944	Inde *Bombay* [3]	Dynamite	1 377 †
1944	États-Unis *Cleveland* [2]	GNL [11]	136 †
1947	États-Unis *Texas City* [3]	Nitrate Ammon.	532 † [15]
1948	Allemagne *Ludwigshafen* [4, 1]	Diméthyléther	245 †
1948	Allemagne (Est)	Charbon	50 †
1956	Japon *Minamata* [1]	Mercure	250 † [16]
1956	Colombie *Cali* [5]	Dynamite	1 200 †
1957	Bahrein *Bahrein* [2]	Coton, laine	57 †
1960	Cuba *La Havane* [3]	Dynamite	100 †
1970	Japon *Osaka* [6]	Gaz	92 †
1972	Chine *Bohai* [7]	Pétrole	72 †
1977	Corée du Sud *Iri* [4]	Explosifs	56 †
1978	Mexique *Huimanguille* [9]	Gaz	58 †
1978	Mexique *Xilatopec* [5]	Butane	100 †
1978	Espagne *Los Alfaques* [5]	Propylène	216 †
1979	Turquie *Istanbul* [3]	Pétrole brut	55 †
1979	Irlande *Bantry Bay* [3]	Pétrole brut	50 †
1979	URSS *Novosibirsk* [1]	Produits chim.	≃ 300 †
1980	Turquie *Danaciobasi* [1]	Butane	107 †
1980	Espagne *Ortuella* [2]	Propane	53 †
1980	Thaïlande *Bangkok* [2]	Explosifs	54 †
1980	Norvège *Kielland* [7, 17]	Pétrole	123 †
1980	Canada *Ocean Ranger* [7]	Pétrole	84 †
1980	États-Unis *Alaska* [7]	Pétrole	51 †
1980	Inde *Mandir Asod* [1]	Explosifs	50 †
1982	Colombie *Tacoa* [2]	Essence	> 153 †
1983	Égypte *Nil* [10]	GPL [12]	317 †
1984	Brésil *Cubatao* [9]	Essence	90 †
1984	Mexique *Mexico* [2]	GPL [12]	490 †
1984	Pakistan *Ghari Dhoda* [9, 1]	Gaz naturel	60 †
1984	Roumanie	Produits chim.	≃ 100 †
1984	Inde *Bhopal*	Produits chim.	3 500 †
1984	Brésil *Cubatao*	pétrole brut	90 † [9]
1985	Inde *Tamil Nadu* [5]	Essence	60 †

Nota. – (1) Usine. (2) Stockage. (3) Transport-mer. (4) Transport-fer. (5) Transport-route. (6) Chantier. (7) Off-shore. (8) Transport-fer. (9) Pipe. (10) Transport. (11) Gaz naturel liquéfié. (12) Gaz de pétrole liquéfié. (13) 500 habit. détruites. (14) Nombreux disparus. (15) 200 disparus. (16) 100 000 empoisonnés. (17) Naufrage plate-forme.

Prévention en France des risques technologiques et naturels majeurs

Délégation aux risques majeurs. *Créée* 10-4-1984 auprès du Premier ministre, mise en mars 1986 à la disposition du min. chargé de l'Environnement. Zones industrielles considérées comme particulièrement *sensibles* (nombreux établissements soumis à la directive « Seveso » du 24-6-1982) : zone sud de Toulouse (Hte-G.), zone de Lillebonne-N.-D.-de-Gravenchon (S.-Mar.), « couloir de la chimie » au sud de Lyon (Rhône).

Risques naturels majeurs suivis par la loi 22-7-1987 : avalanches (et fortes chutes de neige), climat (et risques liés aux extrêmes météo, y compris raz de marée et cyclones), incendies de forêt, inondations, mouvements de terrain, séismes, volcanisme.

Contrôle des installations classées. Confié aux Directions régionales de l'industrie et de la recherche (DRIR). *En 1989 :* 535 inspecteurs ont contrôlé 550 000 installations. A Paris, Hauts-de-S., Seine-St-D., Val-de-M., inspection assurée par le Service technique d'inspection des installations classées (STIIC), sous l'autorité du Préfet de police de Paris et des préfets des 3 dép.

Bruit

Définitions

☞ Voir appareil auditif p. 129, acoustique p. 237.

Niveau sonore. *Puissance acoustique W :* énergie libérée par unité de temps par une source sonore, exprimée en watts (W). *Intensité acoustique P :* puissance W dissipée par unité de surface, exprimée en watts par m² (W/m²). *Pression acoustique :* différence entre la pression instantanée de l'air en présence d'ondes acoustiques et la pression atmosphérique ; p = pression instantanée – pression atmosphérique, exprimée en pascals (Pa). L'oreille est sensible à des pressions allant du seuil minimal de perception (2.10^{-5}Pa) au seuil de douleur (20 Pa).

Indices. Statistiques : niveaux atteints ou dépassés pendant un % déterminé du temps. Ils permettent notamment d'approcher *le bruit de crête* (niveau L1 dépassé 1 % du temps) et *le bruit de fond* (niveau L 95 dépassé 95 % du temps). **Énergétiques :** le leq (ou niveau sonore équivalent) correspond à la moyenne de l'énergie sonore pendant un temps donné.

Bruit routier. *Leq :* 8 h-20 h. Niveaux sonores moyens émis par des véhicules circulant à 50-60 km/h dans une rue de centre urbain, de 12 à 15 m de largeur [nombre de véhicules/h, entre parenthèses niveau sonore leq (1 h) en dB(A), et débits journaliers approximatifs] *100 v/h* (63 dB) 1 500/j ; *500* (70) 7 500 ; *1 000* (73) 15 000 ; *2 000* (76) 30 000. Diviser le trafic par 2 n'apporte qu'une réduction de 3 dB(A).

Facteurs de nocivité. L'intensité, la fréquence (sons aigus + dangereux que les graves), les sons purs (+ dangereux que les complexes), les sons brusques, discontinus ou impulsionnels, en particulier répétitifs à intervalle régulier. *Bruit le plus violent de l'histoire :* l'explosion du volcan Krakatoa (Indonésie) 26/28-8-1883, perçue jusqu'à 5 000 km.

Concerts. Madonna (parc de Sceaux) 90 dB (A) à env. 475 m devant la scène, 68 dB (A) à 1 150 m.

Propagation du bruit

Aspects physiques

• **Distance.** *Cas d'une source ponctuelle :* l'atténuation géométrique du niveau de pression est de 6 dB par doublement de la distance. On passera ainsi de 86 dB à 80 dB entre 10 m et 20 m, puis à 74 dB à 40 m. *Cas d'une source linéaire* (ex. : file de véhicules sur une route) : la variation est de 3 dB chaque fois qu'on double la distance d'observation. Par ailleurs, une partie de l'énergie sonore se dissipe dans l'air et l'amplitude des vibrations et la hauteur du son augmentent ou décroissent au fur et à mesure du rapprochement ou de l'éloignement à la source (effet Doppler sensible à partir d'une certaine vitesse).

• **Facteurs divers. Vent :** il peut provoquer des écarts allant jusqu'à 6 dB (A) entre des points situés à une même distance d'une source. Mais, sur de longues périodes, la dose de bruit perçu varie peu d'un point à un autre, en dehors de vent très largement dominant. **Température :** les sons se propagent d'autant plus facilement que la température de l'air est élevée. Une modification de la décroissance des températures en fonction de la hauteur au-dessus du sol se traduit par un changement sensible de la propagation des bruits et peut provoquer des écarts de niveaux sonores allant jusqu'à 5 dB (A) pour une même source en un même point. L'impression qu'une chaleur « étouffante » l'est aussi pour les sons ou que l'air paraît plus « sonore », par une nuit claire et glaciale, sont des illusions d'acoustique dues à un effet de réfraction. **Sol réverbérant** (parkings, surface en béton, plan d'eau...) : le bruit décroît moins rapidement en fonction de la distance qu'à proximité d'un sol absorbant (pelouses et plantations, jardins, terre labourée, etc.). Les écarts peuvent aller jusqu'à 5 ou 6 dB (A) pour un récepteur situé à 50 m. **Végétation :** il faut 10 m de *végétation dense,* avec des feuilles, pour réduire le bruit de 1 dB (A).

• **Catégories de bruits et remèdes.** *Bruit aérien :* parois de masse élevée ou composite ; *d'impact :* dalle flottante ou revêtement de sol souple ; *d'équipement :* désolidarisation et silencieux ; *de l'extérieur :* châssis étanches, vitres épaisses, doubles fenêtres.

Murs : un vide entre 2 murs indépendants empêche la transmission des vibrations. On peut doubler les parois de l'un des locaux par des plaques de plâtre de 10 à 25 mm d'épaisseur, avec un écart de 50 mm, rempli aux 2/3 de fibres minérales. Un matériau absorbant (liège, tentures) sur les murs ne protège pas des bruits venant des appartements mitoyens. Le mobilier (tapis, sièges, armoires, lit, etc.) permet d'atténuer les bruits émis à l'intérieur de la pièce.

Toiture (peu étanche) : la doubler de vermiculite ou de fibres minérales (150 mm).

Indice d'affaiblissement. Réduction en dB (A). *Béton* (18 cm) 50 à 55 dB (A). *Briques* pleines (11 cm avec enduit) 44. *Verre* multiple (4-6-10 mm d'épaisseur, lame d'air faisant 6 mm sur menuiserie étanche) 35 ; 10 à 15 pour les basses fréquences (bruit de la circulation). *Plâtre (carreaux)* pleins (7 cm) 34, creux 32. *Porte* palière 25 à 35 ; intérieure 15 à 20. *Fenêtres* doubles 40 à 45 [le bruit routier, ayant des composants sonores de forte intensité aux basses fréquences, n'est guère arrêté par le double vitrage].

Effets sur l'organisme

Oreille. Voir Index.

Système nerveux. L'individu soumis dans la journée à une intense activité auditive ne recevra pas sans danger des perturbations sonores pendant son sommeil [un fond sonore de 35 dB (A) peut empêcher de dormir. Des crêtes de 60 dB réveillent la moitié des personnes]. Il ne pourra plus réparer correctement sa fatigue nerveuse diurne et risquera de tomber alors dans un processus insomniaque ou dépressif.

Troubles du sommeil. 1re partie : le sommeil présente une prépondérance des stades de sommeil lent ou profond et assure la réparation physique. *2e partie :* période de rêves, plus grande réparation nerveuse grâce à une activité électrique intense ; le sommeil est relativement léger, les bruits peuvent entraver la réparation du système nerveux.

Système cardio-vasculaire. Le diamètre des vaisseaux et artères diminue au niveau des membres ; la pression artérielle augmente. **Respiratoire.** Essoufflement et impression d'étouffement. **Appareil digestif.** Les glandes chargées de fabriquer ou de réguler des éléments chimiques fondamentaux pour notre équilibre général sont touchées (surrénales, hypophyse...). **Niveau sexuel.** Chutes de fécondité chez des rats et souris de laboratoire soumis à des bruits de 80 à 90 dB (A).

Sur le plan psycho-intellectuel, baisse de vigilance, difficulté de mémorisation ; chez l'enfant, répercussions sur l'apprentissage de la lecture et même le développement du langage.

Infra-sons. Agissent sur l'ensemble du corps. Provoquent une tension douloureuse au niveau de la tête, la nuque, les globes oculaires, une sensation de constriction thoracique, parfois de mal de mer. **Ultra-sons.** Ils provoqueraient une perturbation des milieux liquidiens de l'œil, des céphalées et nausées, et des atteintes auditives avec acouphènes.

Réglementation en France

• **Habitation. Objectif à respecter** pour les voies nouvelles du réseau national 65 dB (A) (en moyenne énergétique) en façade des immeubles existants [60 dB (A) étant recherché dans les zones résidentielles calmes]. Les équipements collectifs : ascenseurs, chaufferies, vide-ordures, etc., ne doivent pas engendrer + de 30 dB (A) dans les pièces principales des logements (arrêté du 14-6-1969 sur l'isolation acoustique des habitations).

Dans les propriétés, les locaux d'habitation, leurs parties communes et leurs dépendances, toutes précautions doivent être prises pour ne troubler ni les occupants ni le voisinage par des bruits tels que ceux venant d'animaux, d'instruments de musique, d'appareils de diffusion sonore, ménagers ou sanitaires, de moteurs, du port de chaussures ou d'activités ou de jeux non adaptés à ces lieux. Selon le décret 88-523 du 5-5-1988, des sanctions pénales sont encourues en cas de bruits perturbateurs. Différence de niveau sonore entre bruit perturbateur et bruit ambiant, en conditions normales d'activité. *Valeurs de base :* + 5 dB (A) le jour : 7 h/22 h ; 3 dB (A) la nuit : 22 h/7 h ; assorties d'un correctif en fonction du temps cumulé de survenance du bruit particulier. Les bruits d'un niveau inférieur à 30 dB (A) [25 dB (A) pour Paris, arrêté du 3-4 1989] ne sont pas retenus pénalement.

Bruits, tapage diurne ou nocturne. Tout bruit excessif est répréhensible, quelle que soit l'heure [sauf dérogation dans le temps, l'espace et l'intensité sonore (circulaire 7-6-1989)]. Les auteurs ou complices de l'infraction encourent : une amende de 600 à 1 300 F et un emprisonnement de 4 j max. ou seulement l'une de ces 2 peines (en cas de récidive 2 500 F et 8 j de prison). Les articles R. 34-8, R. 35 et R. 37 du Code pénal servent de base à la répression des bruits nocturnes. Les tribunaux évaluent les dommages et intérêts au bruit en se fondant sur la notion d'« inconvénients normaux de voisinage » subjective et susceptible de recours en appel ou en cassation.

Contrôle. Si l'isolation acoustique d'un logement neuf n'est pas suffisante (voir arrêté du 14-6-1969 modifié par l'arrêté du 22-12-1975 ; arrêté du 6-10-1978, modifié par l'arrêté du 23-2-1983) et si la demande du permis de construire a été déposée après le 1-7-1970, demander un contrôle à un laboratoire agréé par le ministère de l'Équipement : l'I.N.C. prendra à sa charge 50 % des frais de contrôle, le coût total étant de 4 000 F. Dep. le 1-1-79, le 1er occupant d'un logement neuf peut se retourner contre le vendeur dans les 6 mois après sa prise de possession des lieux, s'il y a non-conformité acoustique.

Commerce, sports, loisirs, débits de boisson. Le bruit est illicite « même s'il est nécessairement produit par l'exercice de la profession et même durant les h d'ouverture réglementaires » (cour de Cassation 13-7-1949). Les autres activités ludiques, pratiquées à l'extérieur (dans des lieux publics) et comportant un programme sonore ou bruyant, doivent faire l'objet de dérogations limitatives dans le temps, l'espace et l'intensité sonore (à préciser). Ces dispositions d'ordre pénal ne font pas obstacle à un éventuel recours civil de quiconque s'estimerait gêné par ces activités « même organisées pour la satisfaction du plus grand nombre » (cour de Cassation 8-7-1949).

Feux d'artifice. Réglementés par l'arrêté ministériel du 27-12-1990.

Installations classées pour la protection de l'environnement (Loi du 19-7-1976). Sanctions en cas d'infraction (art. 18) : emprisonnement de 2 mois à 1 an et de 2 000 à 500 000 F d'amende ou de l'une de ces 2 peines. *Récidive :* emprisonnement de 2 mois à 2 ans et de 20 000 à 1 million de F d'amende ou l'une de ces 2 peines.

• **Transports. Avion.** On exprime le niveau de bruit perçu par le PNdB (perceived noise decibel). En tenant compte de la durée de perception, variable selon la position de l'auditeur par rapport à la trajectoire, on a l'EPNdB (effective perceived noise decibel). Actuellement, les moteurs des avions de la 3e génération (dont *Airbus*) sont à fort « taux de dilution ». Leur spectre comporte des fréquences plus élevées qui s'amortissent plus facilement dans l'atmosphère que les sons basse fréquence des moteurs « simple flux » perçus à grande distance. **Bruit au décollage** *(à 6 500 m du point de départ sur la piste) en EPNdB et, entre parenthèses à l'approche de* **l'atterrissage** *(à 2 000 m du point où se pose l'avion) : Caravelle 3* (simple flux) 104 (111). *B 707-320 B* (double flux, faible dilution) 113 (118). *B 727-200* 100 (109). *Airbus A 300 B2* (double flux, forte dilution) 88 (101). *B 747-200* (double flux, forte dilution) 108 (107). **Passage en vol horizontal [bruit en dB(A)] :** *monomoteur 600 kg :* 62 à 68, *1 000 :* 68 à 76, *1 500 :* 77 à 82, *3 000 :* env. 82 ; *bimoteur 3 000 :* 82 à 90.

Trains. Niveau de pression acoustique au passage [vitesse en km/h, son en dB (A) mesurés à 7,50 m et, entre parenthèses, 50 m] : *rapides 200 km/h :* 104 (93) ; *express 160 :* 102 (91) ; *messageries 120 :* 100 (88) ; *marchandises 100 :* 97 (86) ; *TGV 260 :* 103 (92).

Véhicules. Niveaux limites en dB (A) : directive communautaire 84.424 dep. oct. 1988. **A1** (voit. particulières) 77 ; **A2** (autres véhicules poids max. en charg. inf. à 3,5 t) 78 ; **A3** (transports en commun : - de 35 t) 79 ; **A4** (v. utilitaires + de 3,5 t) 81 à 83 ; **A5** (tr. en commun, moteur 200 CV ou +) 83 ; **A6** (v. utilitaires + de 12 t, moteur 200 CV ou +) 84 ; **C1** (2 roues) cyclomoteurs 72. **C2** (2 roues) cyclomoteurs 73, tricycles et quadricycles à moteurs 80. – **Motos** *(en dB (A) en 1988 et, entre parenthèses, en 1992) : jusqu'à 80 cm³ :* 77 (75), *de 80 à 175 :* 79 (77), *+ de 175 :* 82 (80). Aucun véhicule neuf ne devrait dépasser 80 dB (A) en 1992. – Au-delà de 80 km/h, le bruit de roulement peut représenter 70 % du bruit global rayonné par une voiture.

• **Plaintes.** Tous les officiers de police judiciaire (OPJ) sont habilités à recevoir les plaintes en matière de bruit. Les associations (agréées ou non) peuvent coopérer utilement au règlement amiable des litiges.

Populations exposées au bruit

France. Population (en %, 1986) habitant des zones exposées à des niveaux de bruit extérieurs diurnes (Leq 8 h-20 h) > 55 dB (A), entre parenthèses > 65 dB (A), en italique > 70 dB (A). *France entière :* 57 (11) *3. Villes de + 5 000 hab. :* 64 (14) *4. Villes de + 20 000 hab. :* 64 (16) *4.*

Dans les pays de l'OCDE, env. 12 % de la pop. habitent dans des zones soumises à + de 65 dB (A), 50 % à + de 55 dB (A). Les pays scandinaves sont les moins touchés ; Japon, Grèce, Espagne sont très exposés.

• **Coût du bruit** (1983-84). 100 milliards de F env. dont coût médical env. 25 [sans tenir compte des effets secondaires comme les retards scolaires, les « accidents » (blessés et morts) dus à la violence engendrée par le bruit]. *Lui seraient imputables :* 11 % des accidents du travail, 15 % des journées de travail perdues, 20 % des internements psychiatriques, la consommation régulière de tranquillisants pour 20 % des Français.

• **Crédits budgétaires consacrés à la lutte contre le bruit (1990) :** env. 300 millions de F, dont Direction des Routes 200.

Services officiels. *Min. de l'Intérieur,* Direction gén. des collectivités locales, 4, rue d'Aguesseau, 75008 Paris. *Min. de l'Environnement,* Délégation à la qualité de la vie – Mission Bruit, 14, bd du Gal-Leclerc, 92524 Neuilly minitel 3615 Bruit. *Centre d'information et de documentation sur le bruit* (CIDB), 4, rue Beffroy, 92200 Neuilly. *Min. de l'Équipement,* Centre d'études des transports urbains (CETUR), 8, av. A.-Briand, 92220 Bagneux. *Min. de la Santé,* 8, av de Ségur, 75007 Paris. *Min. du Travail et de l'emploi,* 127, rue de Grenelle, 75700 Paris. *Conseil National du Bruit,* créé par décret du 7-6-1982 et placé auprès du ministre de l'Environnement.

PARIS : *bruits de voisinage, d'origine industrielle ou de chantiers :* Préfecture de police, Direction de la prévention et de la protection civile, Sous-direction de la prévention, 6e Bureau, 12, quai de Gesvres, 75004. *Circulation et tapages nocturnes :* commissariat d'arrondissement. PROVINCE ou BANLIEUES : *bruits industriels d'installations classées :* Préfecture. *Non classées (en tant que) bruits de voisinage et/ou sur la voie publique :* Police ou Gendarmerie ou Maire (des communes à Police étatisée ou non, loi 90 – 1067 du 28-11-1990 modifiant le Code des Communes).

Services spécialisés. *Institut national de recherche sur les transports et leur sécurité* (INRETS), 109, av. Salvador-Allende, 69500 Bron.

Associations. *Ligue française contre le bruit,* 6, rue de Stockholm, 75008 Paris, 4 600 adh. *Ligue méridionale contre le bruit,* 8, rue Pierre-Curie, 13100 Aix-en-Provence. *Association de défense des victimes de troubles de voisinage,* (ADVTV) 8, allée de la Forêt, 78170 La Celle-St-Cloud, 3 725 adh. *Comité national d'action contre le bruit* (CNAB)-*SOS Environnement,* 31, rue d'Enghien, 75010 Paris, 1 500 adh. **Organisations techniques.** *Centre scientifique et technique du bâtiment,* 4, av. du Recteur-Poincaré, 75782 Paris Cedex 16. *Synd. de l'ingénierie acoustique* (SIAC), 8, rue de Navarre, 75008 Paris. *Comité fr. pour l'isolation,* 4, rue Cimarosa, 75016 Paris. *Association française des ingénieurs en acoustique architecturale et industrielle (AFIA),* Maison de l'Ingénierie : 3, rue Léon-Bonnat, 75016 Paris. *Syndicat nat. de l'isolation (SNI),* 10, rue du Débarcadère, 75017 Paris.

Recueil des textes relatifs au bruit. *Journal officiel :* 26, rue Desaix, 75732 Paris Cedex : brochure 1383. *Le Maire face au Bruit,* Centre d'information et de docum. sur le bruit (4, rue Beffroy, 92200 Neuilly). *Arrêté du Préfet de police de Paris,* 3-4-1989 (bulletin municipal BMO du 11-4-1989). *circulaire* du 7-6-89 (J.O. du 9-7-89).

Pollution de l'air

Ozone

Nature. Gaz odorant (du grec *ozein :* exhaler une odeur). Isolé par le Suisse Christian Friederich Schönbein en 1840, identifié en 1858 par le Français Houzeau comme constituant naturel de l'atmosphère. Les molécules d'ozone sont formées de 3 atomes d'oxygène tandis qu'une molécule d'oxygène ordinaire (celui que nous respirons) est fait de 2 atomes. Se forme principalement au-dessus de 30 km : des molécules d'oxygène O_2 sont photodissociées par le rayonnement ultraviolet (1 pour 1 million env.) libérant dans l'air des atomes d'oxygène isolés qui vont se combiner avec les molécules d'oxygène pour former le composé O_3. *Épaisseur de la couche d'ozone* ramenée à la pression terrestre et à une température de 23 °C : 3 mm.

Ozone de la troposphère (0 à 12 km d'alt.). Jusqu'au début des années 80, on pensait que l'ozone troposphérique (10 % de l'ozone au total) venait d'échanges avec la strastosphère. Depuis on a découvert que les composés d'oxyde de carbone, d'azote et d'autres hydrocarbures participent à sa formation. Contrairement à celui de la stratosphère, il ne cesse d'augmenter sous l'effet de la pollution et de l'activité humaine.

Teneur maximale admise : 120 ppb (parties par milliards) ; *moyenne (1990) :* 40 à 60 ; *au parc Montsouris (Paris) :* 1900 : 15 ppb ; 1989 50 ppb.

Ozone de la stratosphère (12 à 40 km d'alt.). Prolifération des chlorofluorocarbures. Les USA ont accusé le *Concorde,* puis en 1978 ont interdit l'usage des bombes aérosols aux CFC. Ceux-ci servent d'agents gonflants (mousse plastique isolante), solvants (électronique), fluides réfrigérants ne dégageant de CFC que lorsqu'ils sont détruits (réfrigérateurs, congélateurs, climatiseurs), bombes aérosols (laque, parfum, déodorant, mousse à raser etc.) ; *France :* 42 % des CFC sont utilisés dans les aérosols, 25 dans les mousses, 12 comme gaz de refroidissement ; les plus usités sont connus sous le nom de « fréons ». Ils ont une durée de vie d'env. 1 siècle (de 15 a. à 400 a. selon les cas). Ils s'élèvent dans l'air, atteignent les hautes couches de l'atmosphère. Cassés par les rayons ultraviolets, ils libèrent leur chlore. Chaque atome de chlore attaque une molécule d'ozone et lui enlève un atome d'oxygène pour former une molécule de monoxyde de chlore. Celui-ci se dégrade, donne naissance à une molécule d'oxygène normale, détruite par une nouvelle molécule d'ozone ; un seul atome de chlore peut détruire plus de 100 000 molécules d'ozone par an, de préférence au-dessus des pôles en raison de la température (couches de la stratosphère à – de 90 °C).

☞ Selon Haroun Tazieff, rien ne prouve la culpabilité des CFC (l'ozone serait soutiré durant l'hiver par les cataractes d'air glacé descendant de la stratosphère et le trou disparaîtrait tous les ans avec l'ensoleillement, les rayons UV du soleil reconstituant O_3 à partir de l'oxygène O_2).

Autres sources de pollution à l'ozone. Émissions de composés chlorés par les volcans (210 millions de t/an). Mais la troposphère peut filtrer et éliminer le chlore émis naturellement alors qu'elle ne peut retenir le CFC. Feux de brousse d'Afrique.

État actuel. Pôle Sud. 1979 *oct. :* on observe dans la stratosphère antarctique une diminution de la couche d'ozone. **1987** (oct.) : la couche a diminué de 50 %. **1988** (oct.) : elle diminue de 15 %. **1989** (oct.) de 50 %. **Pôle Nord.** 20 % (la couche paraît mitée). **2020,** si la tendance actuelle persiste, la quantité d'ozone de la haute atmosphère pourrait avoir diminué (et pas seulement aux pôles) de 40 %.

Conséquences de la diminution de l'ozone dans la stratosphère. Augmentation des rayons ultraviolets (UV) pénétrant l'atmosphère. *UVA* (320-400 nm nanomètres) qui arrivent jusqu'au sol et sont responsables du bronzage de la peau. *UVB* (280-320 nm) plus énergétiques, donc susceptibles d'effets photochimiques plus nets, mais partiellement arrêtés par la couche d'ozone. *UVC* (22-282 nm) encore plus énergétiques et presque totalement absorbés avant d'atteindre le sol. Si plus d'UVB et d'UVC parvenaient au sol, le nombre des affections cutanées augmenterait (dont les mélanomes). Une baisse d'ozone de 10 % entraînerait une augmentation de 30 % des cancers de la peau. **Autres conséquences.** Affections de l'appareil oculaire, augmentation des cas de cécité ; affaiblissement de notre système immunitaire (herpès). *Règne animal :* subirait aussi les conséquences. *Flore :* le phytoplancton et les algues de surface seraient détruits, les plantes se reproduiraient moins bien et verraient leur croissance affectée. *Matières plastiques ou peinture :* vieilliraient plus vite. *Industries ou machines thermiques :* produiraient de nombreux gaz polluants. *Air :* réchauffement de quelques degrés ; si l'ozone est plus détruit aux pôles qu'à l'équateur, la variation méridienne de la température sera modifiée entraînant un changement du régime des vents en altitude.

Consommation de CFC dans le monde (1989, en milliers de t). *USA* 345,6 dont froid 173, mousses 82,6, solvants 80, aérosols 10. *CEE* 222,2 dont froid, mousses 92,7, solvants 52,8, aérosols 47,9. *Japon* 155,6 dont solvants 80, mousses 39,6, froid 24, aérosols 12. *Monde* 950.

Mesures prises. 1985 Convention pour la protection de la couche d'ozone signée à Vienne (ratifiée 27-11-1987) par 22 pays dont la France et entrée en vigueur 1-1-1989. **1987**-*16-9* protocole signé à Montréal par 40 pays dont la France. Les signataires s'obligent à réduire leur production et consommation de 5 CFC (CFC 11, 12, 113, 114 et 115) et 3 halons. *But :* revenir en 1989 au niveau de 1986, puis par étapes en 94 et en 99 à 80 % et à 50 % de ce niveau. Pour ne pas compromettre l'économie de pays en voie de développement, une augmentation de la production de 10 % jusqu'en 1990 est admise, mais devra être suivie d'une diminution de 90 % pour 1994 et de 65 % pour 1999. **1989** tous les signataires se sont interdit d'importer les substances réglementées par le protocole des États non signataires. **1990**-*29-6* 70 pays réunis à Londres ont décidé l'interdiction des CFC d'ici le 1-1-2000 (– 50 % au 1-1-95, – 85 % au 1-1-97).

Remplacement des CFC. *Hydrofluocarbures :* HFC ne contenant pas de chlore (HFC 134 a) ou HCFC dont l'hydrogène brise la molécule de chlore qu'il contient avant d'atteindre l'azote (HCFC 22, 20 fois moins nocif que le CFC 11, HCFC 142 B). *Hydrocarbures :* butane, propane. *Protoxyde d'azote.* CO^2. *Inconvénients.* Les hydrofluocarbures participent également à l'effet de serre. On ne peut utiliser butane et propane explosifs dans des aérosols contenant parfums ou médicaments. HCFC 22 accusant une forte pression ne peut convenir aux réfrigérateurs actuels. *Coût supplémentaire :* de 30 à 500 %. Plus de 50 % des aérosols ne contiennent plus de CFC en France

Dep. le 1-1-1991 en France, la nature du gaz propulseur doit obligatoirement être mentionnée sur l'emballage des aérosols. Un logo du ministère de l'Environnement (main posée sur un globe terrestre) peut figurer sur les aérosols ne contenant pas de CFC.

Reconstitution de la couche d'ozone. Malgré la diminution des CFC, la teneur de l'atmosphère en chlore continuera d'augmenter après l'an 2000, atteignant vers 2050 5 ppb (3 en 1990) pour retourner à 2 ppb (minimum nécessaire puisque le retour à la teneur naturelle de 0,6 ppb est impossible avant plusieurs siècles) vers 2073.

Principaux polluants

☞ La consommation énergétique mondiale représente env. 10 milliards de t d'équivalent charbon/an. 81 % viennent des combustibles fossiles (pétrole 40 %, charbon 24, gaz 17) dont la combustion émet chaque année 20 milliards de t de CO_2 dans l'atmosphère.

• **Atmosphériques radioactifs.** *Krypton* 85 émis par les centrales nucléaires (période : 10 ans) ; *radon* par la décomposition du thorium 230 (p. : 80 000 ans).

• **Gazeux. Monoxyde de carbone (CO).** Le plus répandu. Se produit dans toute combustion incomplète quel que soit le combustible. Incolore, inodore, il diffuse très facilement. Responsable d'intoxications souvent mortelles dans les habitations. *Principales sources :* appareils à combustion (voir pollutions intérieures), véhicules.

Locaux d'habitation : principal polluant, monoxyde de carbone (CO) (à Paris, de janv. à déc. 1990 : 31 † et 293 hospitalisés). *Causes :* appareils de chauffage, de production d'eau chaude et de cuisson défectueux (défaut d'entretien ou mauvaise installation). L'utilisation prolongée d'un chauffe-eau à gaz non raccordé à un conduit d'évacuation et la mise au ralenti d'un appareil de chauffage à charbon ou au bois par temps doux entraînent souvent des accidents. S'inquiéter en cas de maux de tête, fatigue générale, nausées, étourdissements, syncopes. Entretenir et faire réviser les appareils périodiquement, dégager les orifices de ventilation, ramoner chaque année. Les orifices de ventilation des pièces doivent être dégagés. L'utilisation dans des locaux d'habitation d'appareils de chauffage de fortune (brasero, panneau radiant...) est dangereux.

Fumée de tabac. 3 000 composants identifiés, 5 milliards de particules par cigarette.

Anhydride sulfureux ou dioxyde de soufre (SO_2). Émis principalement lors de la combustion (surtout dans les centrales thermiques, les chaudières industrielles et les chauffages domestiques) du fuel et du charbon, du gas-oil par les diesels, du raffinage des pétroles. *Norme européenne :* 250 microgrammes par m³, à ne pas dépasser plus de 7 j par an. **Hydrogène sulfuré (H_2S) :** toxique et malodorant dû à l'industrie 3 %, et au dégagement naturel des fermentations anaérobies.

Mercaptans (odeur très désagréable).

Gaz carbonique (CO_2). Constituant naturel de l'atmosphère, pas de pollution chimique, mais contribue pour 49 % à l'effet de serre. Vient à 90 % de la combustion de carburants fossiles. *Carbone rejeté dans l'atmosphère dans le monde (en milliards de t). 1850 :* 0,09. *1989 :* 5,5 dont (en %) USA 21, URSS 14, CEE 14, Chine 7, Japon 6 (+ 0,4 à 2,5 de t dues à la déforestation). *Taux dans l'atmosphère : 1860 :* 280 parties par million, *1880 :* 290, *1900 :* 320, *84 :* 340, *86 :* 370, *2020 (prév.) :* 680. *Production de CO_2 par hab.* (1990, en t) CEE 2,3. All. féd. 3,1, France 1,9.

Réglementation. La CEE a décidé (29-10-1990) qu'en l'an 2000 les émissions de CO_2 devraient être stabilisées à leur niveau de 1990 (2,3 t d'équivalent carbone par habitant et par an). La France a décidé de stabiliser ses émissions à un niveau inférieur.

Hydrocarbures et aldéhydes. Dégagés lors d'une combustion incomplète (moteurs, appareils de chauffage). Des émissions de formaldéhyde (formol) peuvent se produire dans les locaux d'habitation suite à la décomposition de colles ou de mousses d'isolation utilisées dans la construction. Les carbures éthyléniques interviennent dans le smog photochimique ; les hydrocarbures aromatiques (benzopyrène, fluoranthrènes) ont des effets cancérigènes. *Émissions d'hydrocarbures (1983) :* 2 310 000 t (causes en %) solvants 42, transports 38, l'industrie 20.

Responsabilité des différents agents (en %)

Secteurs	SO_2 [1]	NO_2 [2]	Poussières (3)	CO_2 [4]
Résidence et tertiaire	12,6 %	3,9 %	5,1 %	–
Chauffage urbain	6,2 %	0,9 %	1,5 %	29,4 %
Industrie et agriculture	28,1 %	6,2 %	8,3 %	2,3 %
Centrales thermiques	19,0 %	5,6 %	9,0 %	15,4 %
Transformation d'énergie	8,7 %	0,8 %	2,3 %	9,4 %
Procédés industriels	15,4 %	6,6 %	47,2 %	3,6 %
Transports	10,0 %	76,0 %	26,0 %	39,9 %
Total en 1988 (en kt/an)	1 227	1 615	280	279 223

Nota. – (1) Dioxyde de soufre. (2) Oxyde d'azote. (3) Poussières. (4) Gaz carbonique.

Dioxyde d'azote (NO_2). Réagit avec les hydrocarbures éthyléniques aux ultraviolets, provoquant les smogs photochimiques. Les combustions à haute température (moteurs de voitures, chaudières) produisent du monoxyde d'azote (NO) qui donnera, avec l'oxygène de l'air, du NO_2, qui pourra, avec la vapeur d'eau, donner de l'acide nitrique HNO_3. *Production mondiale par an :* 160 à 180 millions de t. *Norme européenne :* 200 µg par m³ en valeur de pointe.

Protoxyde d'azote. Dû aux engrais + 2,2 millions de t/an dans le monde.

Smogs photochimiques. Produits par des réactions complexes entre divers polluants (hydrocarbures non méthaniques, oxydes d'azote) en présence d'une forte lumière solaire (ex. à Los Angeles). **Principaux composants :** *ozone ; peroxy-acétyl-nitrates* (PAN : combinaison d'un ion organique avec le dioxyde d'azote) ; *polluants chlorés* (chlore et acide chlorhydrique), surtout émis par les usines de synthèse, l'incinération des déchets et la combustion de certains charbons. *Fluors et polluants fluorés* (rejetés par les usines d'aluminium, d'engrais phosphatés, les tuileries et briqueteries, ateliers de peinture et de verres textiles, la combustion du charbon).

Nota. – A l'état gazeux ou sous forme de fines particules, divers métaux et métalloïdes sont toxiques pour l'homme (cancérigènes et mutagènes, lésions rénales et hépatiques, troubles du système nerveux central), par ex. : arsenic, béryllium, cadmium, plomb, mercure.

Méthane : 75 à 170 millions de t/an [fermentation digestive dont 74 % aux bovins ; une vache laitière produit en moyenne 90 kg de méthane par an (pays en voie de développement 35 kg)]. Seraient imputables aux rizières 25 à 170 Mt, brûlage de matières végétales 20 à 80, fuites naturelles de gaz et des mines 40 à 100, termites + de 10.

Plomb. Dû à l'essence (90 à 95 % de la pollution atmosphérique en plomb et 30 % de la plombémie sanguine ; peinture). Peut provoquer des pollutions et des empoisonnements chez les enfants. 600 enfants parisiens par an sont atteints de saturnisme (2 † en 1986), empoisonnés par le plomb contenu dans les peintures de leurs habitations (peintures à la céruse et au plomb interdites en 1913). En 1987, à Mexico 70 % des nourissons et 22 % des enfants étaient atteints de saturnisme. *Taux moyen dans le sang (par litre) :* Mexico 350 µg, Baltimore (USA) 75 µg. *Taux autorisé* (directive europ. du 29-3-1977) 350 µg. Ouvriers des secteurs exposés (fabrication ou récupération de batteries, d'accumulateurs, postes de chalumage) 600 µg. *Taux maximal fixé : pour les automobiles,* août 1989 : 0,25 g/l ; 1991 : 0,15 g/l ; ensuite, essence sans plomb ; *pour l'environnement urbain :* 2 µg.m^{-3} en moyenne annuelle (directive europ. du 3-12-1982). *Moyenne annuelle de plomb des stations les plus chargées* (1987, µg/m³). Lyon 2, Barcelone 1,7, Paris 1, Dublin 0,9, Athènes 0,7, Bruxelles 0,6, Hambourg 0,3, Amsterdam 0,2.

• Liquides. **Aérosols** (fines particules liquides ou solides en suspension). *Origines diverses :* combustions, mines et carrières, cimenteries, industries métallurgiques, du bâtiment, du plomb, amiante, fer, aluminium, zinc, vanadium, mercure, béryllium, fluorures, poussières siliceuses, suies, arsenic, etc.

Amiante

Utilisation. Produits à base d'amiante ciment, garnitures de friction (freins, embrayages), bardeaux synthétiques des toitures, isolants thermiques, matériaux ignifuges pour navires et grands immeubles. Certains talcs contiennent naturellement des fibres d'amiante (ce n'est pas le cas des variétés utilisées en France). *Filtres alimentaires* à base d'amiante interdits en France.

Conséquences. L'inhalation d'amiante augmente le risque de cancer (mésothéliome, cancer du poumon) et de fibrose du poumon (asbestose...). Ces maladies très graves surviennent 20 à 40 ans après l'exposition. *Risques :* professionnels (ouvriers de l'amiante) ; séjour dans des locaux où l'amiante a été mal appliqué ; voisinage industriel (à long terme).

Réglementation. L'exposition des travailleurs à l'amiante est réglementée : normes imposées pour les rejets dans l'air des usines (0,1 mg/m³), réduisant ainsi d'un facteur 100, les émissions.

Bombes aérosols. Elles peuvent contenir, comme pulseurs de l'air, de l'azote, du dioxyde de carbone, des hydrocarbures (butane, propane) ou des chlorofluoro-carbones. CFC voir p. 1347.

Pluies acides (terme employé pour la 1re fois en 1872 par Robert Angus Smith à propos des pluies tombant sur Manchester. En 1961 le Suédois Svante Odin démontra l'importance du phénomène. En 1984, on a reconnu aussi des pluies acides dans des régions non industrielles, Afrique et Amérique du Sud). *1) pollution acide :* émissions de dioxyde de soufre et d'oxydes d'azote. Ces polluants sont oxydés au cours de leur transport dans l'atmosphère sur des distances pouvant atteindre plusieurs milliers de km et retombent sous forme d'acides sulfurique (H_2SO_4) et nitrique (HNO_3). Une pluie est dite acide en dessous d'un pH de 5,6. Les zones les plus touchées (pH moyen 4,2) sont en Europe de l'Est [pH record de 1,7 (en 1989) dans la forêt de Karkonoski en Pologne]. La quantité d'eau par m³ de nuage intervient aussi (de 0,1 g/m³ brouillards, à plusieurs g/m³ nuages d'orage). La plus forte acidité (pH entre 2 et 3) se trouve dans les brouillards [pH record de 1,7 dans un brouillard en formation à Corona del Mar (Californie du Sud)]. L'acidité des pluies tropicales, due à des acides organiques formés dans l'atmosphère (acides formique et acétique) peut atteindre un pH de 4,3 (Nord Congo). L'acidité minérale (essentiellement acide nitrique) vient de l'émission d'oxydes d'azote par les sols des forêts et des feux de brousse (70 % des 10 millions de km² des savanes africaines brûlés chaque année). *2) Pollution photo-oxydante :* due à l'action des rayons ultraviolets du Soleil sur les oxydes d'azote (formation du smog). Les photo-oxydants détruisent la fine couche de cire protectrice recouvrant feuilles et aiguilles des arbres permettant aux acides d'attaquer les vaisseaux et d'atteindre les cellules productrices de chlorophylle. Les arbres sont sans doute aussi agressés par l'eau s'écoulant dans le sol, à partir des dépôts acides secs.

Concentration des précipitations acides par régions (pH) entre parenthèses SO_4 en mg/l et en ital. NO_3 en mg/l. Grands lacs (USA,1982) : 4,30 (2,83) *1,58.* Kanto District (Japon, 1979) : 4,30 (4,40) *2,70.* Offagne (Belgique, 1983) : 4,98 (3,12) *1,17.* Vert-le-Petit (France, 1982) : 4,50 (5,25) *3,43.* Schavinsland (All. féd., 1981) : 4,50 (3,11). Rorvik (Suède, 1983) : 4,30 (4,11) *2,73.* Inverpolly (G.-B., 1983) : 5,52 (1,87) *0,50.*

Forêts atteintes (en %). Tchécos. 71, G.-B. 64, All. dém. 60, All. féd. 59, P.-Bas 55, Autriche 38, Bulgarie 34, Suisse 34 des conifères, *France 28,* Espagne 28, Lux. 26, Norvège 26, Finlande 25, Hongrie 25, Belgique 16, Pologne 15, Suède 15, Youg. 5, Italie 5.

Effets

Sur le climat. Ensoleillement réduit (parfois de 50 % en hiver), précipitations plus nombreuses. Les concentrations importantes s'observent souvent dans les mêmes conditions que celles qui provoquent les brouillards hivernaux liés à l'inversion de température (couche d'air froid au sol surmontée d'une couche d'air chaud) qui empêche l'évacuation des polluants par convection naturelle. Seules des réductions très importantes des émissions, dès qu'apparaissent et persistent ces conditions, peuvent y remédier.

Sur les plantes. Notamment : gaz sulfureux, fluor (ex. les forêts résineuses des vallées de montagnes sont très sensibles), dioxyde d'azote, PAN, ozone, éthylène et ses oxydes. Un hectare d'arbres fixe 50 tonnes de poussière par an : un hectare de pelouse capte 1 000 m³ de carbone provenant de la photosynthèse de 2 400 m³ de gaz carbonique.

Sur les animaux. Fluor, plomb.

Sur l'homme. Aggravation des troubles cardiovasculaires, respiratoires, maladies pulmonaires (bronchite chronique, emphysème, asthme, cancer du poumon), effets de mutations (notamment à cause du benzopyrène et des dérivés organiques de l'azote). [*Principaux accidents :* Londres (5/9-12-1952) où le smog provoqua 4 000 décès, vallée de la Meuse (1930), Donora (Pennsylvanie, oct. 1948)].

Sur les monuments. Pierres attaquées, façades encrassées, oxydation des parties métalliques.

Sur les sols. Acidification des terres et des lacs pouvant aller jusqu'à la stérilisation.

Effet de serre. Dus aux gaz rejetés dans l'atmosphère qui emprisonnent la chaleur du Soleil et l'empêchent de se rediffuser dans l'espace. **Gaz à effet de serre** (en %) : gaz carbonique 55, méthane (CH) 15, oxyde nitreux 6, CFC 24. *Durée de vie dans l'atmosphère :* gaz carbonique 200 ans, méthane 10, oxyde nitreux 150, CFC 11 : 65, CFC 12 : 130. *Teneur dans l'atmosphère* (en ppvm ; parties par million en volume) : *en 1991 :* gaz carbonique 353, méthane 1,72, oxyde nitreux 0,3. **Conséquences :** *réchauffement ;* dep. 1880 la température mondiale a augmenté de 0,7 °C en moyenne (*1890 :* 14,5 °C, *1990 :* 15,2 °C). Celle des océans s'est élevée de 0,18 °C par an depuis 1982 et le niveau des eaux de 2 mm. Elle pourrait monter de 1,5 à 4,5 °C d'ici à 2 050 (pointes de 10 °C aux Pôles). Si l'élévation des températures et du gaz carbonique est bénéfique pour l'agriculture, elle entraînerait sécheresses, inondations et érosion des terres arables (Chine, Inde, Brésil, Afrique et Australie). Il faudrait déplacer 300 km +au Nord les grandes plaines céréalières d'Amérique du Nord et d'Europe et les forêts de 500 km. Le coût des produits agricoles augmenterait de 10 %. La fonte des glaciers remonterait le niveau des océans de 20 à 100 cm (New-York, Bangkok, Rio de Janeiro, Séoul, Calcutta, le Bangladesh et les P.-Bas seraient recouverts par les eaux). **Principaux moyens de lutte :** reboisement, remplacement du CO_2 par fioul et gaz naturel, économies d'énergie (le seul remplacement des ampoules à incandescence par des lampes fluorescentes ferait gagner 200 millions de t de carbone pour l'ensemble de la planète), nucléaire (a permis en France d'éviter le rejet de 40 millions de t de carbone par an).

Villes polluées. *Capitale la plus polluée du monde :* **Mexico** (11 millions d'habitants) : 11 000 t de poussières toxiques sont rejetées chaque j au-dessus de la ville par raffineries, cimenteries etc. sans compter les gaz d'échappement de 3 millions d'automobiles, 10 000 autobus, 80 000 taxis, 250 000 camions. **Calcutta :** 60 % des 9,2 millions d'habitants souffrent de pneumonies et autres pathologies respiratoires dues à la dégradation de l'atmosphère. **Budapest :** le niveau de plomb dans l'air y est 30 fois supérieur à la norme admise par l'OMS. **Cracovie :** en raison de la proximité de l'aciérie de Nowa-Huta, le taux de benzopyrène dans l'air est tel que le fait de respirer équivaut à fumer env. 2 paquets de cigarettes par j.

En France

• Adresses utiles : *Ministère de l'Environnement,* Direction de la prévention des pollutions, 14, bd du Général-Leclerc, 92521 Neuilly-sur-Seine. *Agence nationale pour la récupération et l'élimination des déchets,* B.P. 406, 49004 Angers Cedex, *Agence pour la qualité de l'air :* installée en 1982 sous la tutelle du min. de l'Environnement, tour GAN, Cedex 13, 92082 Paris La Défense 2.

Généralités

• Établissements. Loi du 19-7-1976 sur les installations classées pour la protection de l'environnement (refonte de la loi de 1917 sur les établissements classés dangereux, insalubres ou incommodes). Soumet à des procédures d'autorisation (avec enquête publique) ou de déclaration, usines, grands élevages, installations publiques ou privées qui pourraient entraîner des dangers ou des inconvénients importants. Elle les oblige à mener au préalable une *étude d'impact.* Les préfets peuvent arrêter certaines usines en cas de pollution grave. La teneur maximale des émissions autorisées est fixée cas par cas. Des zones de protection spéciale ont été créées (Région parisienne, Nord, Lyon, Marseille). Une est en cours de mise au point à Strasbourg. Une station de mesure et d'étude de la pollution de l'air a été construite en 1987 dans les Vosges (Donon).

Nombre : 50 000 installations soumises à autorisation et 400 000 à déclaration ; chaque année 1 600 autorisations et 10 000 déclarations.

• Plan Orsec Tox. Organisation des secours en cas de pollution toxique. *Créé* 1973. Pour les industries dangereuses : instruction Orsec Risques technologiques de 1985 ; déclenché pour la 1re fois le 29-10-1987 à Nantes (incendies d'entrepôts Loriet et Chantenay) 25 000 personnes évacuées.

• Pollution industrielle. *4 branches principales :* combustions ind., sidérurgie, chimie et raffineries sont à l'origine de la pollution ind. de l'air. Des règlements (notamment sur les installations classées), l'application du principe « pollueur-payeur » et la concertation ont permis de réduire globalement les nuisances industrielles (à 90 % pour certaines branches). Le remplacement progressif des installations anciennes par des installations non polluantes est long (la durée de vie des installations ind. est de 30 à 40 ans, celle des matériels de 15 à 20 a.). Accidents importants voir p. 1345 a.

• Radioactivité. Voir Index.

Statistiques

• Réseaux de surveillance. Pour l'ensemble des polluants, il y avait en 1987 + de 2 000 capteurs regroupés en 120 réseaux de surveillance (en 1989, 304 analyseurs en Ile-de-Fr. dont 155 mesurent l'acidité forte et 78 les fumées). Certains comprennent des stations automatiques, dotées de capteurs capables de mesurer un grand nombre de polluants. Certains comme à Paris, Lille, Nantes, Marseille, Lyon, Grenoble, Rouen, Le Havre et Fos traitent en temps réel les données recueillies. Ils permettent de déclencher des alertes. La mesure du dioxyde de soufre et des poussières est réalisée dans des agglomérations de + de 500 000 h. (80 % des villes de 200 000 à 500 000 h. et dans 60 % des villes de 100 000 à 200 000 h.). **Financement des réseaux.** Taxe parafiscale sur la pollution atmosphérique. *Crédits d'intervention* (1991) : 9,7 millions de F.

Pour surveiller le dépérissement des forêts par les pluies acides : 5 stations de mesure de la pollution photo-oxydante, 18 stations de surveillance de la composition chimique de la pollution.

• Pyralène. **Usages :** sur 1 000 000 transformateurs en service, 100 000 (11 000 propriété d'E.D.F. et 89 000 appartenant à des entreprises ou des particuliers) sont isolés et réfrigérés par du *pyralène* (technique utilisée jusqu'en 1983), pour remplacer l'huile jugée trop inflammable, mais dégageant des toxiques dont de la dioxine lorsqu'il est chauffé à 300 degrés ; à froid, en cas de fuite, peut contaminer la nappe phréatique. La mise sur le marché d'appareils contenant du pyralène est interdite depuis le 2-2-1987. Un substitut biodégradable comme l'Ugilec T7 d'Atochem peut être utilisé. Haroun Tazieff a contesté la nécessité de telles mesures.

Incidents : *à Binghamton* (État de New York) févr. 1981, dans un immeuble de 19 étages, un transformateur explose, la moitié des 800 litres de liquide isolant ont été pyrolisés, l'immeuble a été condamné. *A Reims* (21, rue Magdeleine) 14-1-1985, un transformateur E.D.F., en explosant, dégage de la dioxine :

l'immeuble est évacué. *A Villeurbanne* (Rhône) 2-7-1986, incendie d'un transformateur.

• **Véhicules.** Émissions réglementées et vérifiées au cours d'une épreuve d'homologation, contrôlées sur les voies publiques. Les moteurs à essence doivent être réglés pour ne pas émettre, au ralenti, plus de 4,5 % de monoxyde de carbone ; les moteurs Diesel ne doivent pas émettre de fumées noires excessives.

Carburants. *Teneur en soufre* du fuel domestique et du gazole abaissée à 0,3 % le 1-9-1980.

Pot d'échappement à conversion catalytique. Le pot à 3 voies réoxyde l'oxyde de carbone (en fait du CO_2), les hydrocarbures non brûlés (en fait de l'eau et du CO_2), réduit les oxydes d'azote et en fait de l'oxygène et de l'azote.

Le 21-3-1985 la CEE a décidé son adoption progressive, selon les cylindrées. *+ de 2 litres :* 1988-89. *Entre 1,4 et 2 l :* 1991 (nouveaux modèles)-93 (tous les modèles). A compter du 1-7-1992 pour les nouveaux modèles, puis du 1-1-1993 pour tous de – de 1,4 l, ne devront plus émettre qu'au max. 19 g par test de monoxyde de carbone (CO), et 5 g d'hydrocarbures imbrûlés et d'oxyde d'azote (NO_2).

Le plomb ajouté dans le carburant augmente l'indice d'octane, améliore l'efficacité de combustion ; lubrifie les soupapes mais est polluant. Aux USA les voitures fabriquées dep. 1984 doivent rouler à l'essence sans plomb.

Normes futures. En 1993, les voitures ne devront pas émettre + de 19 g de CO, ni + de 5 g de $HC+NO_2$ par test. Elles seront obligatoirement équipées de catalyseurs et fonctionneront à l'essence sans plomb. *Tests :* la distance sera portée de 4,052 km à 11,007 km, le temps de 820 sec. à 1 220 sec, la vitesse moyenne de 18,8 km/h à 32,5 km/h, les valeurs d'émission correspondantes seront ramenées de 4,75 à 2,72 g/km pour les $HC+NO_2$. *Diesels :* les émissions de particules seront ramenées de 0,27 à 0,19 g/km. **Inconvénients du pot catalytique.** Plus grande consommation d'essence (+ 10 %). L'indice d'octane du super sans plomb étant de 95 au lieu de 98, le rendement moteur est inférieur (l'évacuation des gaz est freinée) ; l'émission de protoxyde d'azote N_2O est supérieure. Coût : + env. 10 % (le pot doit être changé tous les 60 000 km). L'efficacité est valable avec un moteur chaud, or 50 % des trajets sont effectués en ville (avec un moteur froid).

Un moteur à *mélange* air/carburant *pauvre* (moins de 0,8), qui diminue les émissions de CO et NO_2 et la consommation en essence a été mis au point. La réduction des émissions de particules des Diesel est possible par filtration des fumées sur support poreux en céramique puis décolmatage du filtre par brûlage (env. 600 °C). Les autobus de Nancy sont équipés du système « DUAL » qui combine les carburants gazole et GPL pour limiter les fumées.

• **Moyennes annuelles de pollution atmosphérique, en microgrammes de polluant par m³ d'air, en 1987 et** entre parenthèses **en 1974.** Principalement dioxyde de soufre (SO_2) : Paris (ville) 59 (110) [*en 1986 :* 53, *1988 :* 39], Marseille 34 *(en 1986)* (86), Le Havre 41 (66), Rouen 37 (84), Lille 30 (77), Dunkerque 28 (42).

• **Émissions d'oxyde. D'azote** (milliers de t). *Sources mobiles : 1970 :* 537, *80 :* 1 042, *86 :* 1 181. *Centrales d'énergie : 1970 :* 209, *80 :* 297, *86 :* 120 (centrales thermiques). *Utilisation de combustibles : 1970 :* 547, *80 :* 482, *86 :* 373. **De soufre** (milliers de t). *Sources mobiles : 1970 :* 68, *80 :* 131, *86 :* 114. *Centrales d'énergie : 1970 :* 770, *80 :* 1 241, *86 :* 354 (centrales thermiques). *Utilisation de combustibles : 1970 :* 1 622, *80 :* 1 661, *86 :* 891. *Procédés industriels : 1970 :* 505, *80 :* 427, *83 :* 286. *Total : 1970 :* 400, *80 :* 570, *86 :* 1 580.

Du 20-12-1988 à février 1989, un anticyclone persistant au-dessus de l'Europe a provoqué des pollutions exceptionnelles (il maintenait entre 500 et 1 000 m d'altitude une masse d'air chaud qui plaquait au sol un air relativement froid de plus en plus pollué).

☞ Coût de la pollution, voir p. 1344.

Pollution des sols

Quelques chiffres

• **Conversion des terres agricoles en terrains bâtis** (% de terres agricoles : 1960-70, entre parenthèses 1970-80). All. féd. 2,5 (2,4), Canada 0,3 (0,1), Danemark 3 (1,5), *France 1,8 (1,1),* G.-B. 1,8 (0,6), Italie (2,5), Japon 7,3 (5,7), Pays-Bas 4,3 (3,6), Suède 1 (1), USA 0,8 (2,8).

• **Érosion des sols et désertification.** *Érosion* (perte de la couche superficielle du sol) dépend de la nature et de la structure du sol, de la couverture végétale, de la pente et des conditions atmosphériques ; elle peut être aggravée par certaines pratiques agricoles. *Désertification* (déclin et destruction de la productivité biologique des terres arides et semi-arides) peut résulter de contraintes d'origine humaine telles que cultures intensives, surpâturage, etc. La désertification commence avec un taux moyen de matières organiques inférieur à 1,5 %. En France, le taux moyen des sols cultivés est tombé de 5 à 1,8 % du fait des cultures intensives (*en 1950 :* 20 quintaux de blé à l'ha, *1990 :* 64 quintaux).

Conséquences d'ordre économique et environnemental (diminution de la capacité de production des terres agricoles, dépôts de sédiments et pollution des cours d'eau et des estuaires...).

1970-80 (en % de la superficie totale des terres) érosion et, entre parenthèses désertification : Australie 10,7 (17,91), Canada 5,5 (0,38), Espagne (44,68), *France 8,2,* G.-B. 0,1, Grèce 37,5, N.-Zélande 33,3, Portugal (51,94), Turquie 74,1, U.S.A. 59,7 (9,98), Youg. 54.

Les empreintes des engins agricoles sur les sols, en facilitant le ruissellement, seraient l'une des premières causes agraires de l'érosion. Sur 1 ha, la couche arable, profonde de 20 à 40 cm, représente 3 000 à 5 000 t de terre. Les pertes en terre peuvent atteindre + de 100 t/ha par an. En France, les pertes annuelles en terre dans certaines régions (env. 20 % des terres cultivées) seraient de 5 à 10 t/ha par an.

Surfaces les plus concernées par la pollution d'éléments-traces en France. Env. 1 million d'ha (10 000 km²) à terme de 50 ans, soit 2 % du territoire ou 3 % de la surface agricole utilisable, dont liés aux rejets industriels 40 %, à l'épandage de lisiers 25, la circulation 20, l'épandage des boues et compost 15.

Surface recevant en France du compost urbain. 100 000 ha [1] (3 t/an de matière sèche par ha). *Boues d'épuration :* 60 000 ha [2] (3 t/an par ha). *Lisiers de porcs* 260 000 ha [3] (5 t/an par ha). *Le long des axes routiers importants :* 200 000 ha. *A proximité d'un centre industriel :* dans un rayon de 8 km, sur env. 200 km² : 400 000 ha.

Nota. – (1) On utilise par an 400 000 t de compost (7 % des ordures sont compostées). Soit 300 000 t de matière sèche (TMS) à raison de 3 TMS/ha/an. (2) 180 000 t de matière sèche (25 % des boues sont utilisées en agriculture) à raison de 3 TMS/ha/an. (3) 13 millions de m³ soit 1,3 million de TMS utilisé à raison de 5 TMS/ha/an.

• **Consommation de pesticides en France.** *En 1988 :* 99 167 t dont (en %) herbicides 40, fongicides 34,5, insecticides 16.

Modes de contamination

Éléments-traces

• **Éléments-traces** (métaux et métalloïdes) [naturels, liés directement à la composition de la roche-mère originelle ou résultant des activités humaines (épandage de produits à usage agricole, dépôts de déchets, retombées atmosphériques de gaz et poussières)] et **micropolluants organiques** qui peuvent migrer vers les eaux souterraines ou être absorbés par les plantes, contaminer la chaîne alimentaire et produire sur l'homme et les animaux des effets toxiques, cancérigènes, tératogènes ou mutagènes.

Les cultures peuvent être également contaminées en éléments-traces par voie aérienne.

Éléments-traces les plus préoccupants sur le plan de l'accumulation : cadmium, mercure et plomb. Puis nickel, cuivre, zinc, chrome et sélénium toxiques pour les végétaux.

• **Zones critiques.** *Z. proches des gisements miniers ; z. ayant reçu de longue date des engrais* riches en éléments-traces (scories de déphosphoration, phosphates naturels) ; *z. de vignobles fortement traitées* au sulfate de cuivre ; *sols maraîchers et jardins familiaux* des z. urbaines et périurbaines au réseau routier important (aggl. parisienne, lyonnaise) ; *prairies le long des grands axes* routiers ; *grandes régions industrielles* (Nord, Lorraine, étang de Berre, certaines vallées alpines...) ; *terrains d'épandage incontrôlé* de déchets depuis plusieurs décennies (eaux usées, boues de dragage, déchets industriels...) ; *sols où l'on pratique depuis longtemps l'épandage des résidus organiques* (boues d'épuration, composts urbains, effluents agro-industriels).

Pesticides

☞ Dans le monde 35 000 marques commercialisées, 500 000 intoxications par an, 15 000 morts dans le tiers monde.

• **Pesticides** (produits phytosanitaires, pr. phytopharmaceutiques). Regroupent principalement *fongicides* (contre champignons), *insecticides* (contre insectes), *herbicides* (contre mauvaises herbes). *Inconvénients :* persistance des molécules, manque de sélectivité, capacité à s'accumuler le long des chaînes alimentaires entraînant la disparition d'espèces utiles, un déséquilibre des écosystèmes et l'apparition de souches de ravageurs résistants à ces produits ; contamination des aliments et des nappes phréatiques, effets tératogènes et carcinogènes de certains pesticides, tels que les organochlorés.

• **Fongicides (organiques de synthèse).** Dithiocarbamates (ferbame, manèbe, mancozèbe), dérivés du benzène (peu toxiques et assez spécifiques), dérivés des quinones (peu toxiques et assez polyvalents), crotonates, phtalimides (polyvalents et peu toxiques), dérivés de la quinoléine, quinolaxines ; **bactéricides :** à base d'antibiotiques.

Particuliers : préparats biodynamiques, essences de plantes, dilutions homéopathiques, algues vertes, poudres de roches siliceuses. Agissent directement sur le parasite ou renforcent la plante. Sans précaution d'emploi, certains produits de traitements peuvent laisser des résidus dans les aliments et sont toxiques pour l'homme.

• **Herbicides (désherbants)** (env. 2 000 spécialités herbicides sont utilisées en France). Certains sont sélectifs. Ils agissent soit en détruisant directement le feuillage ; soit en pénétrant les tissus de la plante par les feuilles et interférence avec le fonctionnement métabolique ; soit en pénétrant par la racine, les qualités du sol influant sur l'action du produit. *Matières actives :* m. minérales (chlorate de soude, sulfamate d'ammonium, sulfate de fer, huiles de pétrole), ou organiques de synthèse (dérivés du phénol et du crésol), aryloxyacides, carbamates, urées substituées, diazines, triazines, amides, ammoniums quaternaires, benzonitriles, toluidines, etc.).

• **Insecticides.** *Usage :* utilisés pour traiter sol, semences, parties aériennes des plantes, denrées alimentaires stockées, locaux, bétail ; contre les insectes vecteurs des maladies humaines (moustiques). *Origine :* 2ᵉ moitié du XIXᵉ s., on commence à utiliser les ins. chimiques d'origine minérale (acétoarsénite de cuivre contre le doryphore, acide cyanhydrique contre la chochenille, etc.), bouillie bordelaise (sur la vigne contre le mildiou, les arbres fruitiers, etc.).

Insecticides organiques de synthèse. Organo-halogénés (ou chlorés) : groupe du DDT et composés voisins (y compris les carbinols) ; chlordane et composés voisins (interdits depuis 1972) ; HCH (hexachlorocyclohexane) et composés voisins ; dérivés de l'essence de térébenthine. Ils ne sont pas véhiculés par la sève à l'intérieur des végétaux, mais peuvent s'accumuler dans les organismes animaux. **Organo-phosphorés :** agissant sur le système nerveux des parasites. Les uns demeurent à la surface du végétal (externes), les autres pénètrent dans les tissus végétaux et sont transportés par la sève (endothérapiques). Le 1ᵉʳ commercialisé a été le *parathion* en 1944. Ne provoquent pas de bioaccumulation dans l'écosystème. Grande toxicité. **Sulfones et sulfonates :** destructeurs d'acariens (petites araignées). **Carbamates :** dérivés de l'acide carbamique : fongicides et herbicides. **Acaricides divers :** dérivés benzéniques, quinoxalines, formamidines.

Insecticides microbiologiques. Champignons, bactéries, virus, rickettsies, protozoaires (ex. Bacillus thuringiensis : bactérie découverte en 1911, dont les spores provoquent des toxémies en germant dans le tube digestif des insectes ; *avantage :* innocuité pour l'homme, les vertébrés supérieurs, les abeilles et les auxiliaires naturels).

Insecticides végétaux. Roténone : extraite des racines de diverses légumineuses exotiques ; agit par contact ; on lui associe généralement la poudre de pyrèthre qui ouvre les organes respiratoires des insectes. **Nicotine :** efficacité augmentée lorsqu'elle est ajoutée à une émulsion d'huile végétale (huile blanche) ; toxique ; intérêt : se dégrade rapidement. **Alcaloïdes :** plus guère utilisés (ex. ryanodine). **Pyréthrines :** efficaces contre les insectes et les animaux à sang froid et non dangereuses pour l'homme, mais elles s'altèrent vite. Les pyréthrinoïdes de synthèse (perméthrine, cyfluthrine, fenvalérate, deltaméthrine) voisins des précédents demandent des précautions, compte tenu de leur rémanence particulière qui leur donne le temps de perturber l'ensemble des insectes et d'atteindre les poissons.

Usines à risques

• **Alsace. Bas-Rhin :** *Fegersheim* (Eli Lilly-France). *Herrlisheim* (ELF Antargaz). *Lauterbourg* (Rohm and Haas). *Reichstett* (Rhénane de raffinage ; URG, Butagaz ; ELF Antargaz, SIGAP). *Rohrwiller* (Terminal d'Oberhoffen sur Moder). *Strasbourg* (Port-aux-pétroles, Stracel). *La Wantzenau* (Polysar). **Haut-Rhin :** *Cernay* (Du Pont de Nemours). *Chalampe* (Butachimie ; Rhône-Poulenc). *Ottmarsheim* (PEC Rhin). *Staffelfelden* (MDPA, Marie-Louise). *Steinbach* (Rollin). *Thann* (PPC). *Wittelsheim* (MDPA, Amélie).

• **Aquitaine. Dordogne :** *Bergerac* (SNPE). *Condat-le-Lardin* (Papeteries de Condat). **Gironde :** *Ambarès* (COFAZ). *Ambès* (COBOGAL, ESSO Fr.). *Bassens* (Michelin ; Docks des pétroles). *Pauillac* (r. Shell). *St-Jean-d'Illac* (Traitement des bois d'Aquitaine). *St-Loubès* (Totalgaz). *St-Médard-en-Jalles* (SNPE). *St-Médard-d'Eyraud* (Beaumartin). **Landes :** *Rion des Landes* (landaise de produits chimiques). *St-Paul-les-Dax* (Pyrolandes). *Tartas* (Cellulose du Pin). **Lot-et-Garonne :** *Nérac* (SOBEGAL). **Pyrénées-Atl. :** *Lacq* (SNEA, P ; SOBEGAL). *Mont* (Atochem). *Mourenx* (M et T chimie). *Pardies* (COFAZ).

• **Auvergne. Allier :** *Cusset* (Matra-Manurhin-Défense). **Hte-Loire :** *St-Germain-Laprade* (Merck Sharp Dohme). **Puy-de-D. :** *Gerzat* (Butagaz, BP).

• **Bourgogne. Côte-d'Or :** *Lamarche-sur-Saône* (La Kinsite ; Nobel PRB). *Pontailler-sur-Saône* (Titanite). *Vielverge* (Nitrochimie). *Vonges* (SNPE). **Nièvre :** *Clamecy* (Rhône Poulenc). *Gimouille* (Totalgaz). *Nevers* (Rhône-Poulenc). **Saône-et-Loire :** *Chalon-sur-S.* (Air Liquide ; Butagaz). *Mâcon* (Stogaz). **Yonne :** Cheu (Primagaz). *Hery* (Davey et Bickford). *St-Florentin* (Gaillard). *Sens* (Continental Parker).

• **Bretagne. Côtes-d'Amor :** *Landebia* (Beaumartin). *St-Hervé* (Totalgaz). **Finistère :** *Brest* (Primagaz). *Quemeneven* (Butagaz). *Pont-de-Bis* (SNPE). **Ille-et-V. :** *Dol-de-Bret.* (URG). *Vern-sur-Seiche* (Elf). **Morbihan :** *Queven* (SIGOGAZ).

• **Centre. Cher :** *Aubigny-sur-Nère* (Butagaz). *Bourges* (SNIAS ; Luchaire). **Eure-et-L. :** *Coltainville* (CGP Primagaz). **Indre :** *Concremiers* (Butagaz). **Indre-et-Loire :** *Monts* (CEA). *St-Pierre-des-Corps* (Primagaz). **Loiret :** *Courtenay* (Henkel Nopco). *La Ferté-St-Aubin* (Brandt armement). *St-Cyr-en-Val* (Primagaz).

• **Champagne-Ardenne. Marne :** *Reims* (SIGM). *Rilly-la-Montagne* (BP).

• **Corse. C.-du-Sud :** *Ajaccio* (GDF ; Butagaz). **Nord :** *Bastia Centre* (GDF). *Sud* (GDF). *Lucciana* (Butagaz).

• **Franche-Comté. Doubs :** *Deluz* (SPLG). **Jura :** *Tavaux* (Solvay).

• **Ile-de-France. Essonne :** *Ris-Orangis* (ELF Antargaz). *Vert-le-Petit* (IRCHA ; SNPE). **Hauts-de-Seine :** *Issy-les-Moulineaux* (SFM). *Nanterre* (Butagaz). **Seine-et-M. :** *Bagneux-sur-Loing* (Corning-France). *La Genevray* (Nitrochimie). *Grandpuits* (SEIF, ELF). *Meaux* (Sidobre SINNOVA). *Mitry-Mory* (Gazechim). *Moissy Cramoyel* (SOGIF). *Montereau* (Butagaz). *Vaires-sur-Marne* (Antargaz). **Val-de-Marne :** *Bonneuil-sur-M.* (Butagaz). *Limeil-Brevannes* (Laboratoire d'électron. et de phys. appliquées). *Vitry-sur-S.* (Rhône-Poulenc). **Val-d'Oise :** *Persan* (SFOS). *St-Ouen l'Aumône* (Hexcel France). *Survilliers* (Nouvelles Cartoucheries).

• **Languedoc-Roussillon. Aude :** *Conques-sur-Orveil* (Salsigne). *Cuxac-Carbardes* (Titanite). *Narbonne* (Comurhex ; Ets Vernier). *Port-la-Nouvelle* (Sté Delpech ; Complexe pétrolier ; Marty Parazols). **Gard :** *Jonquières* (Nobel PRB Explosifs). *Salindres* (Rhône-Poulenc). *St-Gilles* (DEULEP). **Hérault :** *Béziers* (Rhône-Poulenc). *Frontignan* (Mobil Oil ; RSR). **Lozère :** *Aumont Aubrac* (Gaillac). *Langogne* (Beaumartin). **Pyrénées-Or. :** *Port-Vendres* (Nobel PRB).

• **Limousin. Corrèze :** *Brive* (Butagaz). **Hte-Vienne :** *Les Bardys* (Primagaz). *Saillat* (Aussedat).

• **Lorraine. Meurthe-et-Moselle :** *Blénod* (Sicogaz Est). *Briey* (Samifer). *Dombasle-sur-M.* (Solvay). **Meuse :** *Baleycourt* (ICI). **Moselle :** *Ars-sur-Lorraine* (Imprelorraine). *Carling* (Orkem ; Protelor). *Hauconcourt* (Totalgaz). *St-Avold Carling* (Norsolor). *Sarralbe* (Solvay). **Vosges :** *Arches* (Lionnet). *Golbey* (Totalgaz).

• **Midi-Pyrénées. Ariège :** *Mazères* (Ruggieri). **Aveyron :** *Calmont* (SOBEGAL). **Hte-Garonne :** *Boussens* (Antargaz). *Fenouillet* (Totalgaz). *Muret* (Lacroix). *St-Gaudens* (Cellulose). *Toulouse* (Grande-Paroisse ; SNPE ; Tolochimie). **Htes-Pyrénées :** *Lannemezan* (Atochem). *Soulom Pierrefitte-Nest* (COFAZ). **Tarn :** *Albi* (Xylochimie). *Castres* (SEPRIC).

• **Nord-Pas-de-Calais. Nord :** *Aniche* (SICOVER). *Arleux* (Totalgaz). *Beuvry-la-Forêt* (SOA). *Blaringhem* (verres de sécurité). *Boussois* (Boussois). *Courchelettes* (BP). *Dunkerque* (BP ; USINOR). *Fraismarais* (Grande-Paroisse ; Air liquide). *Grande-Synthe* (Air Liquide). *Gravelines* (Appontement pétrolier des Flandres). *Loos* (Prod. chim.). *La Madeleine* (Rhône-Poulenc-RP). *Mardyck* (CFR ; COPENOR ; Stocknord). *Masnières* (verreries). *Thiant* (Antargaz). *Waziers* (Grande-Paroisse ; Air liquide). **Pas-de-Calais :** *Arques* (Verreries). *Billy-Berclau* (Nitrochimie). *Choques* (ICI). *Coquelles* (Courtaulds). *Dainville* (Primagaz). *Drocourt* (ORKEM). *Feuchy* (CECA). *Harnes* (NOROXO). *Lestrem* (Roquette). *Liévin* (COFAZ). *Mazingarbe* (Grande-Paroisse ; artésienne de vinyle). *Noyelles-Godault* (Pennaroya).

• **Basse-Normandie. Calvados :** *Ablon* (Nobel PRB). *Honfleur* (Miroline). *Vire* (Butagaz). **Orne :** *Bellou-sur-Huisne* (Buhler Fontaine). *Couterne* (PCAS). *Merlerault* (Totalgaz).

• **Haute-Normandie. Eure :** *Alizay* (SICA ALICEL). *Bernay* (SOPRA). *Bourth* (SOVILO). *Gaillon* (CFPI). *Pitres* (Nouv. cartoucheries). *St-Pierre-la-Garenne* (Sandoz). *Vernon* (SEP). **Seine-Mar. :** *Aumale* (Butagaz). *Bolbec* (ORIL). *Gonfreville-l'Orcher* (Atochem ; Pétrosynthèse ; CFR ; Norgal ; Sicogaz ; Sogestrol). *Grand-Quevilly* (ORKEM ; Grande-Paroisse). *Le Havre* (SNA ; CIM ; GDF ; SHMPP). *Lillebonne* (Bayer ; Hoechst ; Sodes). *N.-D.-de-Gravenchon* (Atochem ; EXXON ; Esso SAF ; Mobil Oil ; Primagaz ; SOCABU). *Oissel* (Azolacq ; ICI Francolor ; Quinoleine). *Oudalle* (Lubrizol ; Hydrocarbures de St-Denis). *Petit-Couronne* (Shell ; Butagaz). *Rogerville* (COFAZ). *Rouen* (Lubrizol). *St-Aubin-les-Elbeuf* (Witco Chemical ; Rhône-Poulenc). *Sandouville* (Good Year ; Le Nickel ; SEDIBEX). *Sotteville-les-Rouen* (Moretti).

• **Pays de la Loire. Loire-Atlantique :** *Donges* (ELF). *Montoir-de-Bretagne* (Grande-Paroisse ; Gardiloire ; GDF). *Paimbœuf* (Octel Kuhlmann). **Maine-et-Loire :** *Montreuil Bellay* (SIPCAM-PHYTEUROP). **Sarthe :** *Arnage* (Butagaz). *Precigne* (ALSETEX). **Vendée :** *L'Herbergement* (Butagaz).

• **Picardie. Aisne :** *Marie* (Bayer). **Oise :** *Catenoy* (Organo-synthèse). *Villiers-St-Sépulcre* (Borg Warner).

• **Poitou-Charentes. Charente :** *Angoulême* (SNPE ; Berastegui et Rollet). *Gimeux* (Antargaz). **Charente-Maritime :** *Le Douhet* (Butagaz). *La Rochelle* (manutention et transit). **Deux-Sèvres :** *Niort* (SIGAP Ouest). **Vienne :** *St-Benoît* (EURO-PRODUCTION).

• **Provence-Alpes-Côte-d'Azur. Alpes-de-Haute-Provence :** *St-Aubain* (Atochem). *Sisteron* (Sanofi Chimie). **Bouches-du-Rhône :** *L'Aubette-Berre* (Shell). *Berre* (Shell). *Fos-sur-Mer* (Atochem ; ICI ; Sté du chlorure de vinyle ; ESSO ; Solmer ; SPLSE ; Dépôts pétroliers ; terminal de la Crau ; Air liquide ; terminal méthanier GDF ; Rhône Gaz). *Lavera* (Atochem ; BP ; Naphtachimie ; Oxochimie ; Gazechim). *Marignane* (Stogaz). *Marseille* (Atochem ; Pennaroya). *La Mède* (CFR). *Miranas* (Antargaz). *La Pointe-Berre* (Shell). *Port-de-Bouc* (Atochem ; Octel Kuhlman ; Chevron). *Rousset* (Rhône-Poulenc Agrochimie). *St-Martin-de-Crau* (Nitrochimie). *Tarascon* (Cellulose du Rhône). **Var :** *La Motte* (Stogaz). *Puget-Argens* (URG). *Toulon* (Pyromeca). **Vaucluse :** *Bollène* (Butagaz). *Monteux* (Sté ATP ; Ruggieri). *Sorgues* (SNPE).

• **Rhône-Alpes. Ain :** *Balan* (Atochem). *St-Vulbas* (Totalgaz). *Seyssel* (Sté La Kinsite). **Ardèche :** *St-Péray* (Ets Gaillard). *La Voulte* (Parmacie centrale). **Drôme :** *Bourg-lès-Valence* (Cheddite France). *Pierrelatte* (COGEMA ; COMURHEX ; Cie fr. des produits fluorés). **Isère :** *Brignoud* (Atochem). *Champagnier* (Distugil). *Domène* (SOBEGAL). *Grenoble* (Eurotungstène poudres ; Ugicarb Morgon). *Jarrie* (Atochem) ; *Péage-de-Roussillon* (Sira). *Pont-de-Claix* (Rhône Poulenc). *Roches-de-Condrieu* (Rhône-Poulenc). *Roussillon* (Rhône-Poulenc) ; *St-Clair-du-Rhône* (ICI-Francolor). *Serpaize* (ELF). *Veurey Voroise* (Metafram). **Loire :** *Andrézieux-Bouthéon* (Rollin-Dupré). *Boisset-les-Montroud* (SFIB). *St-Étienne* (ICG). **Rhône :** *Feyzin* (ELF ; Rhône gaz). *Genay* (Agrishell). *Lyon* (URG). *Pierre-Bénite* (Atochem). *Rilleux-le-Pape* (Pyragric). *St-Fons* (Atochem ; CIBA Geigy). *St-Fons-Belle-Etoile* (Rhône-Poulenc). *St-Genis-Laval* (ADG). *St-Priest* (Sotragal). *Villefranche-sur-Saône* (Rhône-Poulenc). **Savoie :** *Frontenex* (Totalgaz). *Hermillon* (CEGEDUR). *Plombière-St-Marcel* (Métaux spéciaux). *Premont* (Orelle) (Atochem). *St-Jean-de-Maurienne* (Péchiney). *Ugine* (Ugine aciers). **Hte-Savoie :** *Araches* (GDF).

Les plus gros pollueurs en France

En déc. 1988. *Annecy* (SIC) : étain [2]. *Bordeaux* (SAFT) : nickel [2]. *Boulogne* (SFPO) : cyanure [2]. *Carling* (plate-forme) : ammoniac [2]. *Chalon-sur-Saône* (St-Gobain) : phénol [1]. *Cordemais* (EDF) : oxydes d'azote [1]. *Dunkerque* (Usinor) : poussières [1]. *Gardanne* (CDF) : SO^2 [1]. *Le Grand-Quevilly* (CDF-AZF) : fluor [2]. *Le Havre* (Cofaz) : phosphate [2]. *Ivry* (Tiru) : acide chlorydrique, mercure [1]. *Jarrie* (Atochem) : mercure [2]. *Mulhouse* (mines de potasse) : chlorures, matières en suspension. *Noisy-le-Sec* (Comptoir Lyon-Allemand) : cuivre [2]. *Noguères* (Pechiney) : fluor [1]. *Noyelles-Godault* (Pennaroya) : cadmium, plomb, zinc [1,2]. *Saint-Auban* (Atochem) : monochlore de vinyle [1]. *St-Fons* (Rhône-Poulenc) : arsenic phénol [2]. *St-Wandrille-Rançon* (les Engrais de St-Wandrille) : chlorures [1]. *Tahnn et Mulhouse :* chrome, fer, sulfates, manganèse, acide sulfurique, titane, aluminium [2]. *Tartas* (Cellulose de pin) : matières oxydables [2]. *Toulouse* (Grande Paroisse) : azote [2]. *Vénissieux* (RVI) : hydrocarbures [2].

Nota. – (1) Le + gros émetteur dans l'atmosphère. (2) Le + gros émetteur dans l'eau.

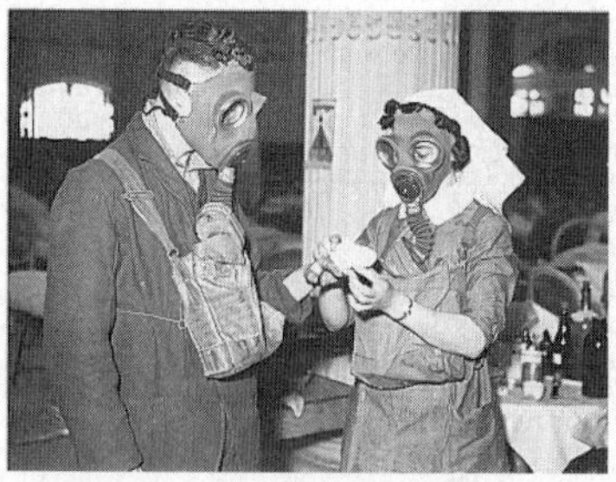

Pollution chimique des aliments

1) Métaux lourds. Arsenic : transformé par certaines bactéries et levures en produits gazeux toxiques, s'accumule dans faune et flore marines. Les algues concentrent l'arsenic de 1 000 à 10 000 fois. *Taux max. admis dans eaux de boisson :* 0,05 mg/l. **Cadmium :** peut être accumulé dans certains produits de la mer à des concentrations plusieurs milliers de fois supérieures à celles présentes dans l'eau (mollusques bivalves : 300 000 fois). Il pénètre également dans la chaîne alimentaire à partir du sol. Il peut provoquer de graves maladies rénales, osseuses. L'homme n'élimine pas le cadmium. **Chrome :** l'acide chromique est toxique pour le tube gastro-intestinal. *Taux max. admis* (normes européennes) : 0,1 mg par kg d'aliments, 0,05 mg par litre de boisson. **Étain :** la corrosion de boîtes de conserve en fer-blanc défectueuses peut entraîner des intoxications. **Mercure :** vient surtout de la consommation des poissons et crustacés ; s'accumule dans le corps ; peut provoquer des atteintes irréversibles du système nerveux central. Nombreux empoisonnements mortels en 1972 en Irak : semences de blé et d'avoine traitées avec un fongicide mercuriel (pratique criminelle ou inconsciente). *Taux max. admis dans eau potable et aliments :* 0,5 ppm (parties par million). **Plomb :** peut provoquer anémie et lésions du système nerveux. La plupart des aliments en renferment de petites quantités d'origine naturelle ou venant des boîtes de conserve soudées (poisson), de capsules en plomb de bouteilles ou de fruits et légumes cultivés dans des terrains recevant des eaux d'épandage, ou au voisinage d'usines de traitement de plomb. Les canalisations en plomb peuvent contaminer l'eau. *Dose journalière tolérable par l'organisme :* 1 μg par kg de poids corporel.

2) **Pesticides.** L'emploi des insecticides organochlorés persistants (tels DDT, aldrine et dieldrine) est désormais interdit en agriculture en France et dans la plupart des États européens ; les teneurs dans les aliments diminuent donc et ne sont décelables aujourd'hui que dans les aliments riches en graisse (rémanence : traces de DDT trouvées en 1984 en G.-B. dans des choux de Bruxelles, 20 ans après épandage). Ils sont maintenant remplacés par des composés organophosphorés et des carbamates plus toxiques mais laissant moins de résidus dans les denrées alim. 0,5 % des cancers recensés aux USA sont dus aux pesticides. *Taux max. admis dans l'eau potable* (directive europ. de juil. 1980) : 0,5 uq/l.

3) **Mycotoxines.** Céréales et arachides (au cours de leur récolte et de leur emmagasinage) peuvent être infectées par des moisissures. Celles-ci peuvent sécréter des produits chimiques très toxiques, comme l'aflatoxine produite par une moisissure surtout présente dans les cacahuètes, amandes, noisettes.

Autres contaminants chimiques. Nitrosamines : cancérigènes. **Polychlorobiphényles :** en raison de leur rémanence, ne peuvent plus être employés que dans des conditions prévenant leur dissémination.

Hormones. Utilisées en élevage pour accélérer croissance et résistance aux maladies. *Prohibées* par la loi du 27-11-1976 qui interdit l'administration de substances à action œstrogène aux animaux dont la chair ou les produits sont destinés à la consommation humaine. *Exception :* celles administrées à des femelles adultes pour assurer la maîtrise de leur cycle. Les œstrogènes naturels sont tolérés jusqu'à 0,01 mg/kg sur les animaux en âge de reproduire, et jusqu'à 0,0002 mg/kg sur jeunes animaux. 80 % au moins des veaux sont traités aux hormones. Un mot d'ordre de boycottage a été lancé par l'Union fédérale des consommateurs, le 11-9-1980.

Produits bio. Pesticides et engrais de synthèse proscrits. Utilisation d'engrais organiques naturels, humus et fumiers. Du nitrate peut cependant provenir de mauvaises pratiques culturales (fumier trop riche en azote ou incomplètement composté, rotation trop rapide des cultures) ou contamination par eau polluée.

Mer, Rivage, Eau, Pollution des eaux

☞ Voir aussi Eau à l'Index.

Eau potable

Définition. Elle doit être limpide, pure, dépourvue d'odeurs, de substances toxiques et de microbes et virus pathogènes.

Normes européennes (15-7-1980). Concentration maximale admissible (en mg/l) : résidus secs 1 500, fer 0,2, manganèse 0,05, sulfates 250, détergents anioniques 0,2, nitrates 50, ammonium 0,5, fluor 1,5, phénols 0,0005, arsenic 0,05, cyanures 0,05, cadmium 0,005, chrome 0,05, plomb 0,05, sélénium 0,01, mercure 0,001, magnésium 50, potassium 12, aluminium 0,2, nitrite 0,1, nickel 0,05, antimoine 0,01, azote 1, pesticides 0,0005. 80 % des maladies du monde sont liées à la mauvaise qualité de l'eau potable.

Effets de la pollution des eaux

Sur la vie animale et végétale dans l'eau. Le développement de la vie animale et végétale dans l'eau est lié : *1°) à la pénétration de la lumière* qui, grâce à la photosynthèse, permet aux organismes végétaux de fabriquer de la matière vivante à partir de l'énergie solaire, du gaz carbonique et des sels minéraux. *2°) à la richesse de l'eau en éléments nutritifs.* Ce n'est qu'au voisinage des côtes que les conditions optimales sont remplies. Mais c'est là aussi que les pollutions affectent le plus le milieu marin. Les *rejets organiques* peuvent asphyxier les zones de frayères et les nurseries, zones essentielles pour la vie aquatique, conduisent à la formation de vases réductrices toxiques pour plantes et animaux marins. *Matières en suspension :* réduisent la pénétration de la lumière (et donc la photosynthèse) ; colmatent les appareils respiratoires des poissons. Certains composés, non toxiques pour les 1ers échelons de la « chaîne alimentaire », peuvent se concentrer dans les êtres vivants des échelons suivants et atteindre ainsi, par bioaccumulation, un niveau de toxicité élevé, préjudiciable à la vie des êtres marins ou à la santé des consommateurs.

Les organismes marins peuvent concentrer des produits toxiques par *filtration :* pollution bactérienne accumulée dans les mollusques élevés dans des zones insalubres ; par *accumulation alimentaire :* les poissons peuvent accumuler les métaux lourds (baie de Minamata au Japon : voir ci-dessous) et les composés organochlorés. Les rejets urbains non traités recèlent de nombreux micro-organismes, généralement inoffensifs pour les animaux marins, mais ces virus et bactéries sont dangereux pour l'homme.

Sur l'homme. Par absorption accidentelle d'eau polluée ou contact. **Bactéries :** infections gastro-intestinales épidémiques et endémiques (fièvre typhoïde, choléra). **Virus :** infections virales, hépatite épidémique, inflammation des yeux et de la peau chez les nageurs. **Protozoaires et métazoaires :** amibiase et autres infections parasitaires. **Métaux :** intoxication par plomb, mercure, cadmium (chaînes alimentaires), arsenic (maladie dite blackfoot). **Nitrates :** changements dans la molécule de sang (perturbation de son oxygénation), troubles digestifs, gastro-entérites, risques de cancer, méthémoglobinémie (altération du sang des bébés par manque d'oxygène). Une eau chargée en nitrates (50 à 100 mg/l) est déconseillée aux femmes enceintes et pour biberons. **Fluorures :** marbrures de l'émail dentaire en cas d'excès. **Pétroles, phénols, solides dissous :** diminution de la potabilité de l'eau.

☞ **Maladie due au mercure.** Dans la *baie de Minamata* (Japon) où usine Chiso déversait ses déchets, *de 1956 à 1967 :* 20 000 Jap. ont été contaminés (dont 4 500 gravement) ; 857 sont morts, les survivants les plus atteints souffrent de troubles nerveux. Depuis, on vérifie en France que les poissons ne contiennent pas plus de 0,5 mg de mercure par kg. On trouve parfois des doses plus fortes (0,6 ou 0,7) sur des thons ou des lieus. On trouve aussi du mercure dans volaille (dinde, dindonneau, pintade, canard), champignons de Paris en boîte, cacahuètes, groseilles, framboises, pain complet, pâtes.

Formes de pollution

Pollution tellurique venue du continent. *Rejets ou dépôts du fait des activités économiques et des agglomérations.* Quantité de pollution rejetée par les communes littorales (France) : 3,6 millions d'équivalents habitants (éq/hab.) l'hiver, 7,3 l'été (pollution urbaine : 3). Ces rejets, riches en sels nutritifs, peuvent conduire à des proliférations de macro-algues [marées vertes des côtes bretonnes, de Venise (*juillet 1989 :* de Venise à Ancône, 300 km de long sur quelques dizaines de m de large, algues *Ulva rigida. Coût :* 258 millions de F pour ramasser les algues et 6,1 à 28 milliards de F sur 5 ans pour nettoyer la mer)] et à des efflorescences phytoplanctoniques pouvant provoquer la mort de la faune marine par manque d'oxygène. Certaines espèces phytoplanctoniques peuvent produire des toxines dangereuses pour la faune et les consommateurs de coquillages. Les défenses immunitaires sont abaissées chez les animaux, qui deviennent vulnérables aux maladies.

Pollution pélagique. *Transports maritimes :* pétroliers (cargos, minéraliers, bateaux de pêche et de plaisance, etc.) à l'origine de pollutions chroniques (liées à la marche normale du navire) ou accidentelles ; ou délibérées (rejets d'eaux de cale, de lavage de citernes, de ballast à partir de navires, pétroliers ou non) ; peintures toxiques des coques de bateaux. *Incinérations :* déchets chimiques (100 000 t par an en mer du Nord), ordures ménagères.

Exploitation du sous-sol marin : accidents ou incidents au cours de forage en mer ; défauts de fonctionnement ou exploitation incorrecte des plates-formes ou navires de forage, éruptions incontrôlées dues à de mauvaises manœuvres, évaluation erronée des caractéristiques des couches traversées en forage, accidents survenant à des oléoducs sous-marins.

Rejets liés aux émissions naturelles (env. 600 000 t par an) *et retombées d'hydrocarbures à partir de l'atmosphère :* émanations des avions et voitures, des unités de traitement industriel et de la combustion des fuels env. 600 000 t.

Nota. – Sur 6 millions de t d'hydrocarbures déversés chaque année dans les mers, il y a 2,7 millions de t de rejets telluriques et 2,1 millions de t de rejets des navires (dont 300 000 t env. à la suite d'accidents de navigation).

Méduses. *Prolifération :* augmentation des matières organiques dans la mer qui, en se dégradant, fabriquent des sels minéraux, dont se nourrissent les planctons, qui nourrissent à leur tour les méduses ; variations thermiques de l'eau (climat sec et chaud) ; pollution de l'eau (lorsque l'environnement devient hostile, le polype générateur de méduses, situé au fond de l'eau, libère de petites méduses qui gagnent des eaux plus accueillantes) ; attribuée à tort à la disparition des tortues de mer (consommatrices de méduses, elles avaleraient souvent par erreur des sacs en plastique flottant à la surface de l'eau et en mourraient par occlusion intestinale).

Principaux polluants

Pollution chimique. *Origines :* déchets industriels minéraux et organiques. Certains de ces déchets peuvent détruire flore et faune à des doses inférieures à 1 mg/l (chromates, cyanures, pesticides). Il peut s'agir d'hydrocarbures, de détergents, d'engrais agricoles, de pesticides, de phosphates venant des lessives [*effet:* eutrophisation (prolifération du phytoplancton)] puis disparition des autres formes de vie aquatique. A partir de juillet 1991, le taux dans les lessives sera limité à 20 %. Certains bio-accumulables peuvent, à travers la chaîne alimentaire depuis le plancton, atteindre l'homme (mercure, pesticides par exemple).

Pollution organique. Rejets des égouts, abattoirs, porcheries, laiteries, fromageries, sucreries, papeteries, tanneries, etc. *Résultats :* la décomposition des matières organiques dans l'eau consomme l'oxygène dissous dans l'eau au détriment des besoins de la faune et de la flore aquatiques ; aucun poisson ne peut plus vivre dans ces eaux polluées, seuls se développent des invertébrés (perles, éphémères, chironomes, simulies), des animaux et végétaux du plancton (flagellés, ciliés, diatomées), de nombreuses bactéries, des champignons microscopiques (ascomycètes, phycomycètes). Pollution par des organismes vivants : virus, bactéries, levures, algues.

Pollution thermique. Élévation de la température de l'eau par les rejets des centrales thermiques et nucléaires. Une directive européenne impose de ne dépasser en rivière, en aucune période, 21,5 °C pour les salmonidés, 28 °C pour les cyprinidés, 10 °C pour les espèces ayant besoin d'eaux froides pour leur reproduction en période de frai.

Dans l'eau réchauffée, le taux d'oxygène dissous diminue, provoquant ainsi l'asphyxie des êtres vivants. Le nombre d'espèces du phytoplancton et des algues s'amenuise, la flore devient plus uniforme, la faune s'en trouve affectée.

Pollution par le lisier (quantité moyenne produite par animal, par an en m³ et, entre parenthèses, quantité d'azote émis en kg). (*Source :* mission eau-nitrates) : vache 12 à 8 (48 à 72), truie 2,1 à 3 (10,5 à 16), truie + porcelets 4 à 7 (20 à 35), porc 0,7 à 1 (3,5), poule 0,05 à 0,07 (0,34), lapin 0,5 (4,5), ovin 1,3 (10,3).

Eaux polluées (exemples)

☞ *En 1988 :* 389 accidents ont été recensés en France dont 161 entraînant une pollution importante de l'eau.

Boues rouges

Désignent couramment les rejets en mer de résidus de fabrication d'oxyde de titane (à l'origine fabrication d'aluminium effectivement rouges). Ces rejets peuvent être effectués par immersion (à partir de navires : Montedison en mer Tyrrhénienne, en 1972, à 40 km au N. du cap Corse) ou par tuyaux à partir de la côte (majorité des usines européennes en bord de mer, dont 2 usines françaises à Calais et au Havre en service depuis plusieurs années). Au Havre, le remplacement de l'ilménite par des slags africains qui ne contiennent pas de fer a permis de réduire d'environ 70 % les rejets.

Pollution annuelle déversée (milliers de t). **Mer du Nord :** produits azotés 1 250, pétrole 100, phosphates 40 000, métaux lourds 40 (*1984 :* déchets industriels 5 500, boues 5 000, produits de dragage 97 000). **Méditerranée :** hydrocarbures 1 000, huiles minérales 100, mercure 100, détergents 60.

Accidents pétroliers

Accidents pétroliers principaux

Quantités déversées en t (source : IFP).

• Forages. **Santa Barbara** (Calif. 28-1-69) 4 000. **Main Pass** (Louisiane 10-2-70) 9 060. **Golfe Persique** (2-12-71) 14 000. **Ekofisk** (22-4-75) 12 000. **Ixtoc 1** (golfe du Mexique 3-6-79) colmaté 23-3-80 après 9 mois, 70 000 barils/j. 1 000 000 t env., une partie a brûlé sur place, le reste a dérivé pour atteindre 2 mois après les côtes du Texas et de la Floride.

• Installations côtières. **Seewaren** (New Jersey 31-10-69) 28 600. **Douglasville** (Pennsylvanie 22-6-72) 30 000. **Nowrouz** (G. Persique, mars 83) 30/40 000, dérivant vers Bahreïn et Qatar après le bombardement des installations par les Irakiens.

• Oléoducs. **Louisiane** (15-10-67) 23 000. **Arabie S.** (20-4-76) 14 000.

• Navires. **1967**-*18-3* **Torrey Canyon** (Liberia) appartenant à la Barracuda Tanker Corporation, filiale libérienne de la Sté amér. Union Oil Cy of California ; chargé de 119 000 t de brut (appartenant à la BP), s'échoue sur les récifs des Seven Stones, entre Cornouailles et îles Sorlingues. Il était assuré 84 millions de F et 100 pour dommages aux tiers. Dégâts : des milliards de F. Indemnités versées : 3 millions de £ + 335 000 aux particuliers ayant subi des dommages. 100 000 t d'algues et 35 000 t de poissons, crustacés et coquillages détruits par les détergents. **1970**-*20-3* **Othello** 60 000 (Baltique). **1971**-*27-2* **Wafra** (Lib.) 63 000 (Afr. du S.). **1972**-*21-8* collision de 2 pétroliers libériens **Texinita** et l'**Oswego Guardian :** 100 000 (large de l'Afr. du S.) -*19-12* **Sea Star** (Coréen) 115 000 (golfe d'Oman). **1974**-*9-8* **Metula** (Ang.) 53 000 (détroit de Magellan). -*11-11* **Yuyo Maru** (Jap.) 50 000 (Jap.). **1975**-*29-1* **Jakob Maersk** (Dan.) 84 000 (Portugal). *Mai* **Epic Colocotronis** (Grèce) 57 000 (St-Dominique). -*7-6* **Showa-Maru** (Jap.) 237 000 (détroit de Malacca). **1976**-*15-12* **Argo Merchant** 28 000 (USA). -*24-1* **Olympic Bravery** 250 000 (nord d'Ouessant ; il a fallu 3 mois pour nettoyer la côte). -*12-5* **Urquiola** (Esp.) 101 000 (Esp.). **1977** -*25-2* **Hawaiian Patriot** (Lib.) 99 000 (Pacifique). **1978**-*16-3* **Amoco Cadiz.** Voir encadré ci-contre. -*10-7* **Cabo Tamoro** (Chili) 60 000 (Chili). -*31-12* **Andros Patria** (Grèce) 40 000 (Esp.). **1979**-*1-7* **Atlantic Express** (collision avec Aegean Captain) 300 000 (Caraïbes). -*28-4* **Gino** (Lib.) 41 000 (large d'Ouessant). **1980 Princess Anne-Marie** 56 000 (Caraïbes). -*24-2* **Irenes Serenade** (Grèce) 102 000 (Grèce). -*7-3* **Tanio** (malgache) (France), chargé de 27 000 t de fuel lourd, se casse en deux au large de Portsall (nord de l'île de Bath) ; l'avant coule ; 8 marins † ; l'arrière (10 000 t) est remorqué au Havre ; 8 000 t se répandent dans la mer (côtes polluées ; Finistère 120 km, C.-d'Armor 20 km), 8 000 t restent dans les soutes à env. 90 m de profondeur. De mars à juin 80, 53 642 t de résidus solides récupérés et 2 510 t de produits liquides. 5 165 m³ de produits, piégés dans la partie avant coulée de l'épave, récupérés par la COMEX (4-10-80 au 18-8-81). Coût nettoyage et pompage : 500 millions de F. **1981** -*29-3* **Cavo Cambanos** (Grèce), chargé de 20 100 t, explose après incendie au large de la Corse : 18 000 t déversées ; 501 millions de F. **1983** -*6-5* **Castillo de Bellver** (Esp.), incendie au large du Cap, l'arrière coule avec 100 000 t de brut. **1984** -*7-1* **Assimi** (n.c.) 51 431 (Oman). **1985** -*21-3* collision **Patmos** (Grèce) et **Castillo Monte Aragon** (Esp.) dans le détroit de Messine (Sicile). **1988**-*31-1.* **Amazzone** (Italie) 3 000 t au large d'Ouessant. **1989** -*28-1* **Bahiao Paraiso** s'échoue près de l'Antarctique. 60 000 t déversées. -*24-3* **Exxon Valdez** (USA) s'échoue en Alaska (baie du P^ce^ William), 40 000 t polluent + de 1 744 km de côte (980 loutres et 33 126 oiseaux dont 138 aigles morts). *23-3-1990* Joseph Hazelwood, le capitaine, est acquitté des accusations de pilotage imprudent et d'ivresse, et reconnu coupable du seul délit de pollution par négligence. Après accord avec le gouvernement amér. et Exxon, il aurait dû payer 100 millions de $ d'amende et 1,1 million de $ (5,5 millions de F) de dommages et intérêts étalés sur 5 ans. Il avait déjà payé près de 2,5 milliards de $ pour le nettoyage des côtes, mais Exxon a rejeté cet accord. -*23-6* **Prodiges** s'échoue, 5 000 t déversées. (USA, Newport World). -*24-6* **Presidente Revera** s'échoue : 5 500 t déversées USA (embouchure du Delaware). **Rachel B** collision, 1 000 t déversées (USA, baie de Galveston). -*19-12* **Kharg-5** (Iran) explose au large de Safi (Maroc), 70 000 t déversées. -*29-12* **Aragon** (Esp.) 25 000 t déversées au nord de Madère. *Mars* **Bahia Paraiso** 950 000 l de gazole (Antarctique). **1991**-*10/11-4* **Haven** (Chypre) explose et prend feu au large de Gênes. 40 000 t sur 140 000 déversées ; nappe dérivante de 20 km de long sur 300 à 500 m de large.

• Autres accidents. **1984** -*25-8* éperonné par le car-ferry all. Olau Britannia, le cargo **Mont-Louis** (Cie gén. marit.) s'échoue à 18 km au large d'Ostende. Contient 32 fûts d'hexafluorure d'uranium (15 t chacun, 4 m sur 1,40 m de diam.). Le 32e fût est remonté à la surface le 3-10.

Pollution volontaire. 1991-*24-1* pour empêcher une opération amphibie amér. dans le Golfe, les Irakiens déclenchent une marée noire en ouvrant les vannes du terminal d'al-Amhadi : une nappe de 15 km de large sur 50 km de long se forme. (Voir index : guerre du Golfe).

Amoco Cadiz

Le 16-3-1978, 220 000 t de brut s'échappent de l'*Amoco Cadiz* devant Portsall (Nord-Finistère) ; à 9 h 45 le gouvernail ne répondant plus, le capitaine Pasquale Bardari, en raison des indemnités à verser, avait tergiversé avant de demander de l'aide (2 tentatives de remorquage échouèrent ensuite). Fin août, les côtes de Brest à la baie de St-Brieuc (sur 360 km) et 200 000 ha de surface marine avaient été pollués. 35 espèces d'oiseaux avaient été touchées (30 000 oiseaux), 25 à 30 % des huîtres dans les *abers* (petits estuaires) étaient mortes et une génération de laminaires (grandes algues) perdue. 20 mois après, 90 à 95 % des espèces étaient revenues. Certaines avaient prospéré (crevettes roses par ex., qui se nourrissent de zooplanctons dont le développement aurait été favorisé par les hydrocarbures). D'autres (tourteaux) avaient diminué. Les poissons plats, vivant en contact direct avec le sable du fond, avaient les nageoires rongées par le pétrole. La mer ne portait plus de trace de pollution mais les abers étaient encore pollués et dans le sable, à 50 ou 80 cm, on pouvait trouver des couches pétrolières (appelées à disparaître sous l'effet des bactéries).

Coût (en millions de F, 1978) *pour la France et,* entre parenthèses, *pour le monde.* Nettoyage (achat de dispersants ou location de camions, temps des marins et des soldats qui ont fait l'essentiel du travail) 430-475 (445-490), perte de ressources marines (essentiellement d'huîtres) 140 (140), perte de satisfaction 31-290 (53-342), pertes de l'industrie touristique 29 (0), autres 5 (179-216), effets régionaux induits 0 (0), totaux 635-935 (817-11 188). (10-7). *Indemnités octroyées le 11-1-1988* (en millions de F) : 468 dont : État 201,9, communes sinistrées 46,1, hôteliers et commerçants 2,2, ostréiculteurs 0,84, comité des pêches 0,16, associations 0,3, particuliers 0,8.

Indemnités demandées en mars 1985 au procès : 768,8 millions de $ dont Syndicat mixte de défense et de protection des 90 communes bretonnes 287,8 (soit 980 millions de F dont C.-d'Armor 13,7, Finistère 15,9, 43 communes des C.-d'Armor 339,5, 47 communes du Finistère 454,8, marins-pêcheurs 57,2, ostréiculteurs 75,5, associations de protection de la nature 6,3, professionnels du tourisme 16,3, plus les intérêts), État français 263, Stés privées 218.

Condamnation Sté Amoco par la justice américaine le 24-7-1990 (sommes à verser en millions de F) : 690 aux sinistrés, dont 569,7 à l'État et 121 MF aux collectivités et professions sinistrées. *Dommages réclamés* (en millions de F) : communes 587, départements 31, ostréiculteurs 31,5, marins-pêcheurs 14,5, hôteliers et commerçants 14,5, SENPB (protection de la nature et des oiseaux) 5,85, particuliers env. 10. *Frais engagés par les sinistrés* (en millions de F) : 120, dont 100 d'honoraires d'experts et d'avocats. Depuis 10 ans, la pollution de *l'Amoco Cadiz* a coûté 15 F par an et par habitant des communes touchées. La Cie a cependant fait appel du jugement.

Statistiques

• Statistiques. **Causes des 387 principaux accidents de navires** (en %) : échouement 36,7, collision 26,6, explosion 11,4, voie d'eau 7,5, structure 5,7, incendie 3,6, terminal 2, reste 6,5.

Principaux pays responsables (en %). Liberia 25,4, Grèce 12,2, U.S.A. 11,1, G.-B. 7, Norvège 6,2, Panamá 5,7, Japon 4,9, Italie 3,2, *France 2,7,* Suède 1,6, Chypre 1,6.

Rapport du nombre d'accidents à la flotte pétrolière total du pays (nombre d'accid./TPL × 10^6). Chypre 20, USA 2,8, Grèce 2,3, Panamá 1,9, Italie 1,2, Liberia, G.-B. et Suède 0,8, Norvège 0,7, Japon et *France 0,6.* Sur 156 navires accidentés en 1979, il y avait 27 pétroliers, dont 5 de + de 200 000 t.

Coût moyen des indemnisations. 8 cents américains par t de pétrole déversée.

Moyens de lutte

Chimiques. 1° *Dispersants : 1re génération* (utilisés lors de l'accident du Torrey Canyon) toxicité assez élevée. *2e* utilise 15 à 20 % de tensioactifs non ioniques et des solvants pétroliers à faible teneur en aromatique. Peu toxiques aux doses normales d'emploi (15 à 30 % du poids du pétrole à traiter). *3e génération,* composés de 50 % ou plus de tensioactifs non ioniques, en solution dans un solvant partiellement soluble dans l'eau de mer. Peu toxiques aux doses normales d'emploi (2 à 7 % de la masse à traiter), ils peuvent être utilisés après dilution dans l'eau de mer. Efficaces sur des nappes jeunes et non émulsionnées. 2° *Repousseurs* créent, si la surface de l'eau est calme, un barrage chimique à l'expansion du pétrole et le rassemblent. On peut ensuite le pomper. 3° *Précipitants* (sur fonds marins) : kaolin, craie, sulfate de baryte, sables, etc., éventuellement traités pour les rendre oléophiles. Ne peuvent être utilisés que sur des fonds sans intérêt biologique, loin des côtes et des zones de frayères. 4° *Absorbants* flottants permettent d'agglomérer le pétrole en surface et d'en récupérer de petites quantités par des moyens mécaniques : sciure de bois de pin, paille, tourbe, poudrette de caoutchouc (Oléosorb), mousse de polyuréthane, serpillières montées sur des chaînes sans fin (système américain Oil mop). 5° *Gélifiants* mêlés au pétrole le transforment en gelée, chers ; efficaces si des pompes assurent leur brassage intense avec le pétrole. 6° *Désémulsifiants,* tensioactifs, en modifiant la tension interfaciale entre eau et pétrole, provoquent la rupture des émulsions inverses et favorisent la récupération du pétrole en permettant la séparation des phases : eau et huile.

Bactéries. *L'inipol EAP22,* nutriment contenant acide oléique, azote et phosphore, stimule l'appétit des bactéries oléophiles, les amenant à proliférer (celles-ci passent de 20 à 100 000 organismes par millilitre en quelques heures, puis survivent plusieurs semaines en consommant le pétrole répandu).

Mécaniques. Écrémage (récupérateurs à déversoirs, à bande transporteuse et bande absorbante), ou pompage (récupérateurs statiques montés sur des navires récupérateurs). Vagues et courants rendent leur utilisation difficile au-delà de creux de 2 m et de courants de quelques nœuds. La France est équipée de barrages (35 km), de modules de récupération et d'écrémage de type Vortex ou Cyclonet, d'engins de récupération de type Egmopol, de barrages de type Sirène (barrage dynamique associé à un module de pompage). Elle dispose, pour le stockage provisoire des hydrocarbures récupérés, de citernes souples de plusieurs types (de 5 à 200 m³).

☞ Les pétroliers naviguant dans les eaux américaines doivent avoir désormais une double coque. *Surcoûts :* à la construction 15 % à 20 % ; à l'entretien + 25 % ; en réparations + 10 %.

Qualité des eaux en France

Statistiques

Eaux intérieures

• Pollution nette rejetée (en t/jour). Matières oxydables (MO) 4 800. Matières en suspension (MES) 3 945 et toxiques (T) (en kiloéquitox/jour) 49 400.

• Part des secteurs (en %). *Industrie chimique :* MES 32,2 (MO 21,7) T 47,7. *Agroalimentaire :* 20,9 (38,9) *0. Métallurgie :* 15,6 (10) *41,6. Bois, papier, cartons :* 10 (13,3) *1,7. Textile :* 5,8 (8,9) *4,2. Commerce et services :* 5,5 (3,1) *0. Extractives :* 4 (0,9) *1,6. Cuirs et peaux :* 1,2 (1,3) *1,3. Prod. d'énergie :* 1,1 (1,3) *1. Ind. minérales :* 1,8 (0,3) *0,8. Autres :* 2,7 (0,3) *0.*

☞ La France traite 50 % de ses eaux usées (All. féd. 87 %, Suède 100 %).

États des eaux

Stations de mesure (1989). 900 dont 1/3 permanentes. **Eaux superficielles** (répartition par classe de qualité en % des points de mesure). **Matières oxydables :** 125 points dont cl. *1A :* 7, *1B :* 35, *2 :* 32, *3 :* 19, *H.C. :* 3.

Nota. – Classe 1A : eaux non polluées. *1B :* satisfait tous usages. *2 :* qualité suffisante pour irrigation, usages ind., production d'eau potable après un traitement poussé, abreuvage des animaux en général toléré. Le poisson y vit normalement mais sa reproduction peut être aléatoire. Les loisirs y sont possibles si les contacts sont exceptionnels avec l'eau. *3 :* qualité médiocre ; sert au refroidissement et à la navigation. Vie piscicole aléatoire. *Hors classe :* eaux dépassant la valeur max. tolérée en cl. 3 pour 1 ou plusieurs paramètres. Impropres à la plupart des usages, peuvent constituer une menace pour la santé publique et l'environnement.

Eaux douces de baignade. Qualité bonne ou moyenne et, entre parenthèses, pollution momentanée ou mauvaise qualité (en %, 1981). Rivière 40,9 (59,1). Étang 81,7 (18,3). Lac 84,1 (15,9). Autres lieux (barrage, carrière, canal) 82,3 (17,7). 2 661 points de prélèvement.

• **Cours d'eau. Garonne.** Pollutions chimiques (papeteries de St-Gaudens, industries de Toulouse) ; organique (abattoirs de Toulouse). Épuration naturelle sur 40 km après Toulouse puis repollution à Agen et Bordeaux.

Loire. Quelques pollutions localisées ; menace générale d'eutrophisation. *7-8 juin 1988 :* incendie de l'usine de produits chimiques Protex, à Auzouer-en-Touraine (I.-et-L.) après une explosion accidentelle : l'intervention des pompiers entraîne un écoulement de nombreux toxiques (sodium, cuivre, chrome et phénol) dans la Brenne, qui se jette dans la Loire en amont de Tours. 53 km de cours d'eau sont stérilisés tuant de 15 à 20 t de poissons ; + 200 000 personnes sont privées d'eau. *Coût :* 119 millions de F dont pour l'entreprise (fermée 85 j 62) et pour les pouvoirs publics 49 (la restauration du milieu naturel 10). La construction d'un bassin de sécurité aurait coûté 3,5 millions de F. *Déc. 1988 :* nappe de fuel de 5 km à St-Jean-de-Braye.

Rhin. Pollution saline : 7 millions de t de sel par an, 170 kg/s d'ion chlore en France, 130 en Allemagne. Le 17-11-1981, les ministres de l'Environnement des États du Rhin ont retenu une solution mixte, injection d'env. 700 000 t/an en Alsace sous réserve d'avis d'experts (coût 130 millions de F dont 90 financés par les partenaires) et création d'une saline (150 MF, financée par la France, 300 000 à 500 000 t produites par an) en Alsace. **Chimique** (en milliers de t par an) : nitrates 4 000, sulfates 2 200, acide carbonique 1 200, huiles 75, zinc 11, nickel 10,5, hydrocarbures 7,2, chrome 2, fer 1,8, cuivre 1,4, arsenic 1. **Thermique :** courant d'eau chaude de 28 °à 38 °C. **Mesures prises.** *1976* convention de Bonn (France, All. féd., Luxembourg, P.-Bas, Suisse) fixe normes de rejet. *1982* commission du Rhin élabore un plan d'alerte. *1987* établ. 3 plans d'assainissement prévoyant le retour de saumons pour l'an 2000. *1-11-1986* l'incendie de l'usine Sandoz de Schweizerhalle près de Bâle (Suisse) compromit les progrès réalisés, la Sté a versé 46 millions de F à la France pour reconstituer l'écosystème. Sandoz a créé et financé une station d'analyse et d'alerte à la pollution.

Rhône. 50 établissements « à risques » (Rhône-Poulenc, Ciba-Ceigy, Cellulose du Rhône), 16 barrages hydroélectriques et 16 centrales nucléaires. On trouve à son entrée en France : mercure, lindane (pesticide chloré) en concentrations 10 fois supérieures aux normes admises, du manganèse, du fer et du cadmium ; de Breguet-Cordan à Lyon : PCB, fer, manganèse, cuivre, lindane ; en aval de Bugey et de Creys-Malville : du césium 137. De St-Valliez à Donzère : pollution surtout organique. De Donzère à Arles : Marcoule et Tricastin rejettent dans le Rhône des eaux radioactives ; excès en métaux lourds. En aval d'Avignon : cadmium au taux maximal. Apports quotidiens du Rhône à la Méditerranée : cuivre 2 t, arsenic 2 t, PCB 0,6 kg. *16-6-1986,* incendie usine Rhône-Poulenc à Péage-de-R. : 300 t de produits pour désherbants (pyrocathéchine, oxadiazone et diphénol-propane) déversées : 100 t de poissons morts sur 200 km.

Seine. Pollution thermique (centrales nucléaires et thermiques). **Industrielle** importante en basse Seine. L'usine d'épuration d'Achères permet de supprimer 55 % de la poll. La station d'épuration de Valenton (1985) a permis d'épurer à 80 % le sud-est de l'agglomération.

Autres rivières polluées. Liepvrette, Lys, Moselle, Saône, Bourbre, Huveaune, Gier, Lot en partie (en juillet 1986, par le cadmium de l'usine Vieille-Montagne à Viviez), Oise, Yerres, Gard, Corrèze, Vézère (le 28-10-88 par du lindane). On a pu rétablir une qualité satisfaisante pour Vire, Doubs, certains cours d'eau du Nord, etc.

• **Lacs.** Surtout menacés par *l'eutrophisation* (due à des fertilisants : azote, phosphore, silice) qui entraîne une diminution de la transparence, le développement d'algues, la raréfaction des poissons, une production anormale de phytoplancton. *Lac d'Annecy :* préservé par un collecteur de ceinture installé dans les années 50 (+ de 400 km de tuyaux collectant 35 000 m³ d'eaux usées par j, pour les épurer avant de les rejeter dans le lac). Coût : 360 millions de F. *Du Bourget :* rejets détournés vers le Rhône en 1980 (coût : 140 millions de F). *Léman :* vers 1960 apparition d'algues brunes (oscillatoria rubescens, détectée 1967) ; programme de déphosphoration des rejets en cours. Ses effets se feront sentir à long terme en raison du stock de phosphore du lac (8 000 t, 60 microgrammes par litre), l'objectif étant de diviser par 4 ce stock.

[*Suède :* 4 000 lacs devenus stériles (pluies acides, rejets de gaz sulfureux venus d'autres pays dont l'URSS). *Chine :* 25 % des grands lacs en train de périr par manque d'oxygène.]

• **Eaux souterraines.** La teneur en nitrates augmente (activités agricoles). La norme de potabilité de l'eau (50 mg/l) est fréquemment dépassée, au nord de la Loire, en Alsace, Poitou-Charentes, Bretagne. Sur les 30 000 à 40 000 captages communaux intéressant l'alimentation humaine, seulement 10 % sont protégés en application du Code de la santé publique et de la loi sur l'eau du 16-12-1964. 100 000 t d'huiles usagées déversées dans le sol par an, lors des vidanges d'automobiles, polluent aussi les nappes phréatiques. *1990 :* 2 millions de personnes consomment une eau dépassant 50 mg de nitrates/l et 2 millions sont menacées dans un avenir proche. *2030 :* la moitié de la nappe phréatique d'Alsace (la plus importante d'Europe) pourrait ne plus être potable en raison des nitrates liés aux cultures de maïs.

• **Taux de dépollution** (1990). 36 %.

Eaux maritimes

• **État général.** Concentrations moyennes en micropolluants métalliques et/ou organiques en général inférieures aux niveaux dangereux sauf estuaires et zones industrielles (ex. cadmium, PCB en baie de Seine, zinc, cuivre, cadmium en Gironde, plomb à Fos-Berre et en rade de Toulon...). Pesticides chlorés (lindane) : niveaux faibles variables. Dans la zone de Fos-Berre, pollution réduite de 98 % entre 1972 et 1982. Déversements ramenés de 180 t/j à 18 t/j ; rejets d'hydrocarbures 6 400 kg/j à 400 kg/j. En basse Seine diminution de 60 % depuis 1978.

☞ 10 000 oiseaux de mer sont morts en mer du Nord en 1989 à cause d'une intoxication au nonuphenal (substance abrasive utilisée pour les détergents). De nombreux cargos nettoient illégalement leurs citernes avec cette substance.

• **Immersion de déchets nucléaires en mer** (1967-82). *Poids brut :* 94 604 t. *Radioactivité approximative (curies) :* Alpha 13 805, Beta-gamma 470 051, Tritium 511 706. L'immersion a été arrêtée en 1983.

Teneur en micropolluants dans la matière vivante (moyenne 1979-88) (en mg/kg) (H : huître, M : moule). Mercure : H 0,21 ; M 0,127. Plomb : H 1,49 ; M : 2,31. Cadmium : H 2,61 ; M 1,09. PCB (en µg/kg) : H 344 ; M 540.

Risques d'accidents pétroliers. Manche et pas de Calais : la route maritime longeant Ouessant les Casquets est parcourue par 52 000 bâtiments de tout tonnage par an dont env. 10 % de pétroliers transportant des hydrocarbures (bruts ou prod. raffinés) et 500 croisent chaque jour dans les eaux du pas de Calais ; env. 1 million de t transitent journellement en face des côtes de Bretagne et Manche dont env. 200 000 t à destination des ports français ; des conditions météorologiques et océanologiques souvent mauvaises y règnent (brume, vent, courant).

• **Plages.** *Classification :* A : bonne qualité. B : moyenne. C : eau pouvant être momentanément polluée. D : mauvaise qualité.

Plages classées. Aude 23 plages A, 1 B. **Bouches-du-Rhône** 26 A, 36 B, 6 C (Fos-sur-Mer, étang de Berre). **Calvados** 1 A, 11 B, 22 C (Honfleur, Villerville, Trouville, Villiers-sur-Mer). **Charente-Maritime** 23 A, 25 B, 24 C (St-Martin-de-Ré, la Conche à St-Palais), 2 D (la Concurrence à La Rochelle, le Platin à Aytre). **Corse-du-Sud** 30 A, 1 B, 2 C (St-François à Ajaccio, Isolella sud à Pietrosella). **Côtes d'Armor** 31 A, 38 B, 9 C, 2 D (les Nouelles et les Bleuets à Plérin). **Finistère** 9 A, 31 B, 30 C (Port-Manech à Nevez, Letty à Bénodet). **Gard** 1 A, 3 B. **Gironde** 15 A, 4 B. **Hte-Corse** 29 A, 2 B. **Hérault** 21 A, 17 B, 10 C (5 plages à Palavas-les-Flots). **Ille-et-Vilaine** 8 A, 12 B. **Landes** 40 B, 1 C (plage entre 2 digues à Tarnos). **Loire-Atl.** 22 A, 26 B, 23 C (Bonne-Anse à St-Nazaire et toutes les plages de la Plaine-sur-Mer). **Manche** 64 A, 15 B, 21 C (Joinville à Reville, Bretteville-en-Saire), 1 D (Le Rivage à Morsalines). **Morbihan** 49 A, 9 B, 9 C (Kerbilouet à Arradon, La Trinité-sur-Mer, le Conquel à Quiberon). **Nord** 2 A, 9 B, 2 C (Petit-Fort-Philippe à Gravelines et Grand-Fort-Philippe). **Pas-de-Calais** 17 B, 9 C, 2 D (plage nord à Wimereux et centre plage à Boulogne). **Pyrénées-Atl.** 6 A, 12 B, 1 C (Ouhabia à Bidart). **Pyrénées-Or.** 29 A, 7 B, 7 C (Ste-Marie-la-Mer), 5 D (Sardinal au Canet-en-Roussillon, 3 plages). **Seine-Maritime** 5 A, 14 B, 4 C (Criel-Plage, Ste-Marguerite). **Somme** 5 B, 6 C (Bois-de-Cise à Ault, le Grand-Large au Crotoy), 1 D (St-Valéry-sur-Somme). **Var** 43 A, 118 B, 3 C (Fossan à Menton, Chambard à Vallauris, hôtel St-Christophe à Théoule-sur-Mer). **Vendée** 36 A, 5 B, 4 C (St-Vincent-sur-Jard, la Bosse à L'Épine, crique du Fort St-Nicolas aux Sables-d'Olonne). Il y a env. 36 000 prélèvements d'échantillon d'eau par an et les maires doivent afficher les résultats.

Sable. Occasionne dermatoses, parasitoses. De 5 000 germes bactériens par g à 35 000 l'été. **Décontamination.** *Procédé meractive :* eau de mer pompée et filtrée puis électrolysée avant d'être pulvérisée sur le sable avant le lever du soleil. Les espèces hypobromées, hypochlorées et iodées formées durant l'électrolyse détruisent les bactéries par oxydation. Au lever du jour, les rayons ultraviolets du soleil décomposent les produits germicides formés lors de l'électrolyse en sels marins naturels. 1re plage traitée : Argelès-sur-Mer (juillet 1989).

Moyens de lutte en France

Moyens de prévention *IFREMER* (Institut français de recherche pour l'exploitation de la mer) : 155, rue Jean-Jacques Rousseau, 92138 Issy-les-Moulineaux, gère des réseaux de contrôle et suivi du milieu. *RNO* (réseau national d'observation de la qualité du milieu marin : créé 1974, contamination chimique. *REMI* (Microbiologie) : salubrité bactérienne des zones de production conchylicole. *REPHY* (Phytoplancton toxique) : apparitions microalgales toxiques.

Sécurité du trafic maritime. *4 CROSS* (Centres régionaux opérationnels de surveillance et de sauvetage) : *Manche* à Jobourg, *Atlantique* à Etel, et Corsen-Ouessant. *Méditerranée* à Toulon + des sous-CROSS permanents *(Gris-Nez, Iroise* et *Soulac)* et le sémaphore de *Pertusato* (Corse). La Marine nationale surveille la zone 24 h sur 24 et intervient sur tout navire contrevenant, 3 remorqueurs de 23 000 CV assistent les navires en difficulté. Un réseau de centres de surveillance radar et d'information est en voie d'installation. Dans le P.-de-C. un radar à grande portée surveille en permanence la navigation de + de300 navires chaque j. Un extracteur automatique élimine les faux échos radar et assure la poursuite des échos de navires. Des stations identiques ont été installées ou sont en cours d'installation à Ouessant et à la pointe de Jobourg. La Conv. intern. de 1974 pour la sauvegarde de la vie humaine en mer (dite *Convention SOLAS*) en vigueur depuis 1981 est le texte de base au niveau intern. *En mars 1981,* le trafic de la Manche a été réglementé : 1 « rail » montant (à 50 km de la pointe d'Ouessant) transportant hydrocarbures ou produits toxiques, 1 descendant (à 30 km), 1 montant (à 10 km) pour cargaisons sans danger. *Programme d'organisation et d'opérations pour la lutte contre les pollutions marines accidentelles :* annexes des plans ORSEC ; instituées 1970 pour les départements côtiers et révisées après l'échouement de l'Amoco Cadiz (1978).

Mesures de lutte. *Plan Polmar.* Déclenché lorsque les moyens disponibles locaux sont insuffisants. *Mer* (déclenché par le préfet maritime de la région touchée) ou *Terre* [par le préfet du (ou des) département(s) touché(s)]. Le plan ouvre le droit à l'accès au Fonds d'intervention contre les pollutions marines accidentelles géré par le ministère de l'Environnement. *Principaux responsables de la lutte :* Mer : Marine nationale ; Terre : Direction de la Sécurité civile (min. de l'Intérieur) : 5 unités spécialisées dans la lutte contre poll. les hydrocarbures. *Comité d'orientation pour la réduction de la pollution des eaux par les nitrates et les phosphates (CORPEN).* Créé 1984.

Recherche. *Centre de documentation, recherche et expérimentation sur les pollutions accidentelles des eaux (CEDRE).*

Stations d'épuration. **Nombre.** 8 329 en 1986. Sur 1 007 communes littorales (au 1-1-82), 80 % des com. relevant d'un assainissement collectif avaient une station d'épuration. 224 relevaient d'un assainissement individuel. Elles permettaient de traiter la pollution d'env. 8 850 000 hab. **Bassins de décantation :** les impuretés deviennent des boues inertes qui servent à l'agriculture. **Bioréacteurs à cultures libres** (boues activées) : dans un bassin alimenté en eau à épurer, on met une culture de bactéries aérobies qui se rassemblent en flocons (boue). L'eau et les flocons vont ensuite dans un décanteur secondaire. Une partie des boues est réinjectée ensuite dans le bassin. **Bioréacteurs à cellules immobilisées :** les bactéries utilisées sont fixées sur un support fixe ou en mouvement à travers lequel l'eau polluée circule. La surface sur laquelle les bactéries peuvent se fixer est considérable et permet de traiter des quantités de polluants plus importantes qu'avec l'autre type de réacteur.

Indemnisation des victimes de la pollution par les hydrocarbures : prévue (loi de 1977, conventions internationales de 1969 et 1971). **Rejets illicites** d'hydrocarbures : indemnisations définies par la conv. intern. de 1973 et reprises par la loi du 5-7-1983 (1 million de F et 2 ans d'emprisonnement au max.). Pour un accident (imprudence, négligence ou inobservation des lois et règlements) : moitié de ces peines. Le paiement des amendes prononcées à l'encontre du capitaine peut être mis à la charge de l'armateur.

Famille

Évolution de la famille en France

Évolution. *Au XVIIIe s.,* la majorité des Français perdaient leurs père et mère entre 25 et 35 ans (aujourd'hui entre 30 et 60). Sur 100 enfants, 5 avaient à leur naissance leurs 4 grands-parents vivants (auj. 41) : 91 % des personnes de 30 ans avaient leur 4 grands-parents décédés, et 28 % leurs 2 parents décédés (auj. 53 % et 4 %).

En 1988, la coexistence de 3 générations est la norme ; celle de 4 générations n'est plus exceptionnelle. A 60 ans, 1 salarié sur 5 a des enfants, des petits-enfants et 1 ou 2 parents vivants.

« Ménages » et « Familles » (1990 en milliers). *Population totale* 56 016, *« ménages »* (ensemble des personnes partageant le même logement) 21 618 (moy. 2,59 personnes).

En 1982 : « familles » (au moins 2 personnes : couple avec ou sans enfant, parent isolé – avec au moins un enfant, moyenne 3,15 personnes) 14 119, *« ménages » d'une personne* 4 817, *personnes « isolées »* au sein des « ménages » 3 714.

Couples. *Nombre selon le nombre d'enfants de - de 25 ans vivant avec eux* (1982 en milliers, variation % par rapport à 1962). Sans enfants 5 420 (+ 28,3 %), avec 1 enf. 3 048 (+ 26,7). 2 e. 2 880 (+ 50,2). 3 e. 1 233 (+ 15,2). 4 e. et + 651 (- 35,3).

Totaux couples 13 232 (+ 24,6) ; enf. 15 578 (+ 7,8).

Nombre moyen *d'enfants par couple* (en 1982, variation % par rapport à 62) 1,18 (- 13,5).

Frères et sœurs par enfant 1,58 (- 24,3).

Enfants

• Dans le monde. **Naissances.** 133 millions d'enfants naissent chaque année dans le monde (dont 20 ont une insuffisance pondérale). 300 millions de couples dans le monde ne désirent plus d'enfants et n'utilisent aucun moyen de planification fam., faute d'accès à des méthodes appropriées.

Décès. Chaque année : 13 000 000 d'enfants meurent dans le monde (soit 35 600 par jour) dont 12 000 000 de - de 5 ans. *En 1987 :* 800 000 sont morts du paludisme, 1 000 000 du tétanos, 1 900 000 de la rougeole, 2 400 000 de misère et de famine, 2 900 000 d'infections respiratoires aiguës, 3 500 000 de maladies diarrhéiques. 1 enfant sur 11 meurt avant son 1er anniversaire, 1 sur 8 avant 5 ans ; les taux de mortalité infantile sont env. 10 fois plus élevés dans le tiers monde.

Exploitation. 2 000 000 enfants sont sexuellement exploités dans le monde (8 000 de moins de 18 ans se prostituent à Paris).

• En France. **Nombre moyen d'enfants nés vivants par femme.** *1866-70 :* 3,5, *1901-05 :* 2,79, *1916-20 :* 1,65, *1921-25 :* 2,42, *1931-35 :* 2,16, *1941-45 :* 2,11, *1946-50 :* 2,98, *1956-60 :* 2,7, *1961-65 :* 2,84, *1971-75 :* 2,24. *1976-80 :* 1,86, *1981-85 :* 1,85, *1988 :* 1,82 [All. féd. 1,40, Belgique 1,54, Danemark 1,56, Espagne 1,53, Grèce 1,52, Irlande 2,17, Italie 1,33, Luxembourg 1,41, P.-Bas 1,54, Portugal 1,57. (Seuil de remplacement des générations 2,10 enf. par femme)], *1989 :* 1,81.

Nombre de naissances d'enfants naturels. *1975 :* 63 429 (8,5 % du total). *1983 :* 118 851 (15,9 %). *1986 :* 170 682 (21,9 %). *1988 :* 200 000 (26,3 %). *1989 :* 215 863 (28,2 %).

Descendance finale des générations. *1670-89 :* 6,5 ; *1690-1719 :* 6,2 ; *1720-39 :* 6 ; *1740-69 :* 5,8 ; *1770-89 :* 5,5 ; *1790-1819 :* 4,6 ; *1815-55 :* 3,4 ; *1870 :* 2,7 ; *1900 :* 2 ; *1930 :* 2,6 ; *1940 :* 2,5 ; *1946 :* 2,1. *1982 :* enquête sur les femmes nées entre 1919 et 1939 : 2,65 dont : agriculteur 2,8, ouvrier 2,69, employé 2,45, artisan-commerçant 2,44, profession intermédiaire 2,37, cadre 2,58.

Adolescentes (de - de 16 ans) enceintes : 3 000 par an. **Naissances** *(1984)* de mères âgées de *12 ans :* 7 ; *13 a. :* 74 ; *14 a. :* 395 ; *15 a. :* 9 351 ; *18 a. :* 19 620 ; *19 a. :* 33 955.

Familles selon le nombre d'enfants (France) (1982). 14 118 940 dont familles ayant : *aucun enfant :* 5 419 700, *1 :* 3 548 260, *2 :* 3 117 900, *3 :* 1 324 900, *4 :* 425 780, *5 :* 158 900, *6 ou + :* 123 500. La Caisse nat. d'alloc. fam. versait au 31-12-1982 (est.) des prestations fam. (régime général) à 63 414 familles de *6 enfants* et +, dont 37 386 de *6 e.,* 15 611 de *7,* 6 474 de *8,* 2 472 de *9,* 905 de *10,* 355 de *11* et 211 de *12 e. et +.*

Enfants de moins de 20 ans, nombre total : (1990), 15 581 290.

Enfants

Hérédité et chromosomes

• Hérédité. Transmission par les parents à leurs descendants de caractères ou de qualités exprimés ou non. Ces caractères sont inscrits dans les gènes supportés par les chromosomes, sous forme de messages codés qui régleront la synthèse protidique que la cellule doit effectuer pendant la vie.

• Lois définies par Johann Mendel (1822-84). **Ségrégation :** « Les caractères unis dans l'organisme se disjoignent dans les éléments reproducteurs » ; **pureté des caractères :** « Les caractères héréditaires se comportent comme des unités stables qui persévèrent dans leur intégrité à travers les générations successives » ; **dominance :** « Si 2 caractères opposés se trouvent en présence dans l'organisme, l'un des deux éclipse totalement l'autre, et son influence est seule à s'exprimer. »

Les singes anthropomorphes ont 48 chromosomes (soit 24 paires) l'homme actuel 46. Souvent 2 *chromosomes acrocentriques* s'accolent pour donner un seul élément métacentrique jouant un rôle essentiel dans l'évolution.

Étant donné les conditions de vie probables de ces « ancêtres » (groupes de quelques dizaines d'individus sexuellement dominés par un mâle), il a pu suffire de 2 générations (environ 50 ans) à partir de l'apparition d'un mutant à 47 chromosomes (caryotype instable) pour passer du caryotype préhominien à celui de l'homme actuel.

Chromosomes. Chacune de nos cellules comprend, au sein du noyau, 46 chromosomes constitués par les *gènes,* qui déterminent les caractères héréditaires. Sur 50 000 à 100 000 gènes contenus dans les chromosomes en 1973, 64 étaient identifiés ; en 1989, 4 500 dont 1 500 localisés avec plus ou moins de précision.

Chaque chromosome se caractérise par sa taille, et par le *centromère* qui joue un rôle essentiel lors de la division cellulaire, au moment où les chromosomes se dédoublent. Selon la position de celui-ci (terminale, près d'une extrémité, au milieu), on peut répartir les chromosomes en acrocentriques, télocentriques ou métacentriques.

Les chromosomes sont groupés par paires identiques : paires de chromosomes somatiques *(autosomes)* déterminant les caractères, 1 paire de chromosomes sexuels ou *gonosomes* (2 chromosomes X chez la femme, 1 X et 1 Y chez l'homme) qui commandent la détermination sexuelle et les caractères somatiques qui lui sont liés. Le chromosome Y est plus grand chez les Sémites (Arabes et Juifs) et chez les Japonais que dans le reste du monde ; ce grand Y est dit *« chromosome d'Abraham ».*

La garniture chromosomique (ou *caryotype*) provient pour moitié de nos 2 parents ; en effet, à la suite de ses divisions, l'ovule ne contient que 23 chromosomes (dont 1 X) lorsqu'il est fertilisé par le spermatozoïde, qui en contient 23 également [s'il contient aussi 1 X, l'enfant sera une fille (XX), et si le gonosome est 1 Y, un garçon (XY)]. *Mais il arrive qu'une erreur se produise au moment des divisions cellulaires* paternelle ou maternelle ; par exemple : 2 chromosomes passent ensemble dans une cellule fille au lieu de se séparer. *S'il s'agit de la paire de chromosomes sexuels XY et d'un chromosome X, le caryotype comprendra des gonosomes XXY* et l'enfant présentera un *syndrome de Klinefelter* caractérisé par diverses malformations congénitales : retard mental, non-apparition de la puberté et, s'agissant d'un garçon (puisqu'il possède le chromosome Y), une asthénie particulière et une stérilité.

S'il s'agit d'un Y, l'enfant a un caryotype XYY et ne présente aucune anomalie à première vue, mais on a discerné dans ce cas une agressivité accrue. La présence d'un X ou d'un Y surnuméraire multiplierait par 70 (aux U.S.A.) ou par 40 (en Fr.) les risques d'un acte délictueux. La descendance des hommes portant un XYY paraît normale, chez tous ceux étudiés à ce jour.

S'il s'agit du chromosome 21 (trisomie 21), anomalie fréquente (1 sur 600/700 naissances dans toutes les races) et imprévisible ; *l'enfant mongolien* (face large, des yeux bridés à leur angle interne, d'où une certaine ressemblance avec les races jaunes ; débiles mentaux, présentant des malformations congénitales du cœur). 4 % des mongoliens sont le fruit d'une tare héréditaire parentale ; 96 % résultent d'un accident (vieillissement de l'ovule), fréquent chez les mères de plus de 40 ans (entre *20 et 30 ans :* 1 %, *35 et 37 :* 0,5 %, *38 et 40 :* 1 %, *40 et 45 :* 4 %).

D'après Suobel, 8 % des conceptions dans le monde s'accompagnent d'aberrations chromosomiques ; 60 % des fausses couches survenues les 3 premiers mois de la grossesse présentent des anomalies chromosomiques. Des essais de « correction » génétique (synthèse ou suppression d'un gène indésirable) ont été tentés.

Certaines affections résultant d'anomalies chromosomiques sont très localisées. Ainsi la *luxation congénitale de la hanche,* qui atteint particulièrement les femmes (5 f. pour 1 h.) du pays Bigouden en Bretagne (à Pont-l'Abbé, 3 % des femmes boitent).

Le caryotype fœtal permettant de déceler d'éventuelles anomalies peut être obtenu par l'*amniocentèse,* ponction de liquide amniotique à travers la paroi abdominale d'une femme enceinte vers la 17e se-

Quelques records

• **Le plus d'enfants.** Mme Vassiliev, Russe (1907-82) 69 enfants en 27 fois (16 fois des jumeaux, 7 des triplés, 4 des quadruplés) ; 67 au moins auraient survécu. Mme Granatta Nocera (Italie) 62 enfants, Leontina Albina (Chili) 55 enfants dont 5 fois des triplés (garçons) et 16 filles.

• **La plus âgée** *à avoir eu un enfant.* A 57 ans 129 j Mme Ruth Alice Kistler (Américaine, 1899-1982) eut une fille (1956).

• **La plus jeune.** En général, 12 ans. Lina Moulina (n. 1933, Pérou) réglée à 3 ans 1/2, mit au monde à *5 ans 1/2* d'un père inconnu 1 fils de 5 livres 1/2 après césarienne.

• **La plus grande famille.** Le sultan Abou el Hassan (XIV) aurait eu 1 862 enf.

• **La grossesse la plus longue.** L'Anglaise Jacqueline Haddock a mis au monde le 23-3-1910 une fille de 1,360 kg après une grossesse de 398 j (durée normale 273 j).

• **Naissances à faible intervalle.** En 1965, une paysanne du Transkei (Afr. du Sud) âgée de 36 ans eut *2 enfants à 5 mois d'intervalle* ; le 2e aurait été conçu 4 mois avant la naissance du 1er (1 cas possible sur 6 millions de naissances environ). En 1967, cas analogue au Texas à *1 mois d'intervalle* ; en 1968/1969, en Suède à *10 semaines* ; en 1977, en Espagne *à 1 mois.*

• **Naissances multiples.** *Proportion* (pour 10 000 accouchements) : *1861-69* : 101 ; *1881-90* : 99 ; *1911-13* : 114 ; *1925-29* : 108 ; *1935-39* : 107 ; *1946-50* : 109 ; *1956-60* : 109 ; *1966-70* : 98.

Nota. – Depuis quelques années, le recours aux traitements contre la stérilité a accru fortement le nombre de naissances multiples.

Décuplés. Espagne 1924 ; Chine 1936 ; Brésil 1946, 2 garçons 8 filles.

Nonuplés. Australie, Mme G. Brodrick, 1971, 5 g. 4 f. prématurés (7 mois) de 450 à 900 g (2 mort-nés ; les autres sont morts après). U.S.A., 1972, aucun ne survécut. Bangladesh 1977.

Octuplés. Mexique, Mme Ruibi 1921 ; Chine, Mme Tam Sing 1934 ; Chine, 1947 ; Argentine, Mme Gonzales 1955 ; Mexique, Maria Teresa Lopez de Sepulveda 1967, 4 g., 4 f., aucun ne survécut ; Italie, Mme Chianèse 1979, 5 f., 3 g., 5 sont morts les 1ers jours.

Septuplés. Naissances officiellement observées depuis 1900 : Suède (Mme Britt Louise Ericsson 1964) ; Belgique (Mme B. Verhaeghe-Denayer 1966) ; U.S.A. (Mme Sandra Cwikielnik 1966) ; Suède (1966) ; Éthiopie (Mme Verema Jusuf 1969) ; U.S.A. (1972, 1985).

Sextuplés. Nigeria (1907) ; Afrique Or. (1920) ; Portugal (1931) ; Guyane brit. (1933) ; Inde (1937) ; U.S.A. (1950) ; Bangladesh (1967) ; G.-B. (1968, 69 ; 83) ; Afr. du S. (Mme Susan Rosenkowitz 1974) ; Italie (Rosanna Giannini 1980) ; Belgique (Ria van Howe-Gadyn, 1983).

Quintuplés. Sur 60 cas rapportés, dans 5 seulement tous les bébés ont dépassé l'enfance. *Afr. du Sud* (Tukuluse). *Argentine* (Diligenti 1943, 3 g., 2 f.). *Australie* (Braham 1967, 3 f., 2 g.). *Canada* (les sœurs Dionne, 28 mai 1934 : elles pesaient ensemble 6 kg ; 3 sont encore vivantes, 1 est morte en 1954, 1 en 1970). *France* (Christophe 1957, tous sont morts ; Sambor 1964, 3 survivent ; Riondet 1971, tous sont morts ; Guidon 1979, tous survécurent). *G.-B.* (Hanson 1969). *N.-Zélande* (Lawson 1965, 4 g. 1 f.). *U.S.A.* (Fischer 1965, 4 g., 1 f. ; Kienast 1970 ; Baer 1973, 3 f., 2 g.). *Venezuela* (De Priesto 1965, 5 g.).

• **Records de poids à la naissance** (enfants normaux). *Maximal :* 11 kg (Turquie 3-6-1961). *Minimal :* 283 g (Marion Chapman, Angleterre 5-6-1938/31-5-1983). Au XVIIIe s., en France, Nicolas Ferry (Champenay, Vosges, 11-11-1741/8-6-1764) mesurait 20 cm et pesait 625 g à la naissance ; à sa mort, il mesurait 84 cm. Son squelette est au musée de l'Homme à Paris.

Les *Pygmées* ont des enfants de 2,750 kg.

Pendant la grossesse

• **Alimentation. Protéines :** pour fournir à l'enfant les 10 g quotidiens nécessaires à sa croissance, il faut absorber 20 g de protéines supplémentaires pour une femme de 60 kg (total 60 g par j) : viandes, poissons, légumes secs. **Calcium :** besoins triplés. 1 200 g/j. Fromages, fruits secs, eaux minérales riches en calcium, chocolat noir. (Attention au poids !) **Fer :** foie (peu cuit), œufs, chocolat, quelques légumes verts. **Sel :** 8 g/j.

Éviter : mets toxiques (viandes faisandées), alcools et excitants (thé, café). Éviter de « manger pour deux » et de prendre + d'1 kg par mois.

• **Médicaments.** Tout ce que la mère absorbe ou presque (gaz, alcool, barbituriques, antibiotiques et tranquillisants) peut passer de son organisme à celui de son enfant.

Sont notamment dangereux pour le fœtus. *Les médicaments tératogènes* (quinine à dose massive), certains *anticoagulants oraux, antibiotiques* tels que streptomycine, tétracycline, en emploi prolongé, certains *produits hormonaux* et *anticonvulsivants.* L'innocuité de certains *vaccins* à virus vivants n'est pas prouvée : antiamarile, antigrippal, antirubéoleux, antivariolique.

Toute influence nuisible risque d'affecter les organes lorsqu'ils traversent la phase critique de leur formation. *Cerveau :* 2e à la 11e semaine ; *yeux* 3e à 8e ; *cœur* 2e à 8e ; *doigts et orteils* 4e à 9e ; *dents* 6e à 11e ; *oreilles* 6e à 12e ; *lèvres* 4e à 6e ; *palais* 10e à 11e ; *abdomen* 10e à 12e.

• **Précautions. Avion :** éviter après 8e mois. **Baignades :** éviter l'eau trop froide et les durées excessives. **Caféine :** contenance (mg) : tasse de café 107, coca 47, thé 34. Une femme enceinte, buvant + de 3 tasses de café par jour, court 2 ou 3 fois plus de risques de mettre au monde un bébé de faible poids. **Ceinture de sécurité :** doit encadrer le ventre et non le serrer. **Courses :** éviter les poids trop lourds. **Drogue.** Son usage (sous quelque forme qu'elle soit) est très dangereuse pour le fœtus. **Ménage :** avec mesure. **Montagne :** déconseillée au-dessus de 1 500 m. **Rapports sexuels :** en cas de menace d'accouchement prématuré, avis médical nécessaire. **Soleil :** éviter trop longues expositions. **Sorties :** éviter sorties prolongées. **Sport :** *conseillés :* marche et la nage sur le dos ; *déconseillés :* efforts longs et violents. **Tabac :** à éviter (le nouveau-né aura un poids plus faible). **Toxoplasmose :** les femmes ne l'ayant jamais eue doivent éviter contact avec les chats, viande mal cuite, fruits et légumes non lavés. **Train :** *conseillé :* couchette pour longs voyages. **Vaccination préalable des femmes contre la rubéole :** permettrait d'éviter les malformations qu'elle provoque (10 % des enfants sourds). **Visites prénatales :** en France, 4 sont obligatoires, mais on a calculé que 7 visites pourraient éviter en 15 ans 18 000 morts et 36 000 anormaux. 10 visites éviteraient 60 000 morts et 110 000 anormaux. **Voiture :** éviter, surtout, dans la 2e moitié de la grossesse, les trajets trop longs. (Train et voiture déconseillés à la femme enceinte.)

☞ 2 à 3 échographies sont nécessaires et suffisantes pour surveiller une grossesse normale.

Le Distilbène (D.E.S.), œstrogène de synthèse prescrit à partir de 1946 pour protéger des fausses couches, s'est révélé inefficace dès 1953 (étude américaine). Depuis 1971, d'autres études ont démontré qu'il avait des conséquences fâcheuses pour les filles dont la mère aurait pris du distilbène (troubles de la fonction ovulatoire, cycles irréguliers, anomalies de l'ovulation, malformations utérines et fausses couches dans plus de 50% des cas), et pour environ 20% des garçons, des troubles génitaux (atrophie du pénis, atrophie ou non-descente des testicules) ; (des millions d'enfants dont 160 000 en France risquent d'en subir les conséquences).

maine de grossesse ; par *biopsie du trophoblaste* (prélèvement d'un fragment des tissus de l'œuf) réalisé avant la 10e semaine (le risque de fausse couche est un peu + élevé) ; *par ponction du cordon ombilical* permettant un prélèvement de sang fœtal (à partir de la 18e semaine ; diagnostic rapide).

De la conception à la naissance

Choix du sexe

On peut tenter de choisir le sexe de l'enfant en tenant compte des facteurs suivants.

Spermatozoïdes de l'homme. 2 sortes. *1°) Spermatozoïdes porteurs du chromosome Y* qui donnent des garçons.

2°) Porteurs du chr. X qui donnent des filles. Des altérations du sperme, des rapports sexuels trop fréquents favorisent la prédominance des sp. X ; 6 % des hommes n'ont qu'une seule sorte de sp. et ne peuvent engendrer qu'un seul sexe.

Au moment de la conception. *1°) date :* si le rapport sexuel a lieu au moment de l'ovulation ou 1 à 2 j après, les Y (garçon), plus rapides, sont favorisés. S'il a lieu 2 à 5 j avant, une fille est probable.

2°) Technique : une pénétration peu profonde favorise les X (fille) car moins fragiles ils supportent mieux un long trajet.

3°) Nombre : les éjaculations nombreuses les j qui précèdent la fécondation favorisent la naissance de filles.

4°) Orgasme féminin : un rapport sexuel accompagné d'orgasme féminin favorise les Y (garçon) ; en l'absence d'orgasme fém. les chances restent égales entre X et Y. L'hyperacidité des sécrétions vaginales défavorise les Y.

L'homme produit environ 200 millions de spermatozoïdes par jour, l'ovaire de la femme un seul *ovule* par mois. Une fille nouveau-née possède environ 200 000 à 400 000 ovules dont le nombre diminue ensuite : 10 000 à la puberté dont 400 arrivent à maturité.

Étapes du développement

☞ On parle d'*embryon* pendant les 2 premiers mois de grossesse puis de *fœtus.*

1re semaine (1er-7e jour). *Fécondation.* 1re division cellulaire (après 30 h). Déjà les *faux jumeaux* sont distincts. L'amas cellulaire progresse dans la trompe de Fallope, longue de 10 cm et, en route, devient un *blastocyste* creux. Pénètre dans l'utérus (entre 3e et 5e j). S'y implante (6e au 7e j). Au 6e j, un dosage plasmatique radio-immunologique permet de confirmer biologiquement la grossesse. **2e sem. (8-14e j).** Accroissement du flux sanguin sur le lieu de la nidation, peut (rarement) produire un saignement, qui peut être confondu avec les règles. L'embryon a une forme aplatie. Membrane vitelline et *amnios* sont formés les premiers. Les *vrais jumeaux* apparaissent. **3e sem. (15-21e j).** Nausées et sensibilité des seins peuvent apparaître. Embryon de 2 à 3 mm en forme de poire. Cavité amniotique formée. Au 18e j, *yeux* et *oreilles* s'ébauchent. **4e sem. (22-28e j).** Le médecin peut confirmer cliniquement à la femme qu'elle est enceinte (il lui donne une date pour la naissance à 238 j de là). Embryon 5 mm (5 000 fois plus gros que l'ovule). Cœur (2 mm) se met à battre au 25e j. **5e sem. (29-35e j).** Embryon 8 mm. Cœur joue son rôle de pompe. Oreilles externes commencent à prendre forme. Membres supérieurs se différencient en mains, bras, épaules (31e j). Dessin des doigts apparaît (33e j). Pied : protubérance plate et bourgeonnante. Nez, mâchoire supérieure et estomac commencent à se former. **6e sem. (36-42e j).** Embryon 12 mm. Bout du nez visible (37e j). Paupières commencent à se former, 5 doigts distincts. Estomac, intestins, organes génitaux, reins, vessie, foie, poumons, cerveau, nerfs, système circulatoire se développent. **7e sem. (43-49e j).** 17 mm. Oreille externe et son mécanisme auditif presque complets. Mâchoire supérieure et mâchoire inférieure apparaissent nettement. La bouche a des lèvres, un bout de langue et les 1ers bourgeons dentaires. Pouce différencié. **8e sem. (50-56e j).** Cou visible. **9e sem. (57-63e j).** Fœtus animé de mouvements spontanés. Sexe décelable extérieurement. Empreintes du pied et de la paume gravées pour la vie. Ongles commencent à pousser. *Faux jumeaux* commencent à se différencier. Paupières se ferment sur les yeux pour la 1re fois, ceux-ci sont divergents. **10e sem. (64-70e j).** Placenta, qui ne pèse pas 30 g, est 3 fois plus lourd que le fœtus. Utérus pèse 200 g et contient 30 g de liquide amniotique (peut-être 2 ou 3 fois plus). [Les seins de la femme ont grossi.] **11e à 14e sem. (71-98e j).** Cordes vocales formées. La miction a commencé et l'urine est éliminée avec le renouvellement régulier du liquide amniotique. **12e sem.** : fœtus 7 cm (5,5 sans les jambes), poids 20 g, la période de croissance commence. Sexe physiquement déterminé et les organes se distinguent. **15e à 18e sem. (99-126e j).** Fœtus 22,5 cm (15 sans les jambes) ; poids 310 g. La tête représente le tiers de la longueur totale du corps. Cheveux, cils et sourcils commencent à pousser. Mamelons apparaissent. Ongles deviennent durs. On entend le battement du cœur. La mère sent les mouvements du fœtus (1ers mouvements 6 sem. auparavant). (La mère a pris 4 kg à la 18e sem. soit 13 fois le poids du fœtus. Elle prend 500 g par semaine et grossira à ce rythme pendant les 2 mois suivants, après quoi le gain de poids diminuera légèrement. Ses seins ont grossi d'environ 220 g et on peut en exprimer le *colostrum*). 19e à 24e sem. **(127-154e j).** Paupières s'ouvrent. 23e à 26e sem. **(155-182e j).** Fœtus 30 cm (sans les jambes 22,5) ; poids 1 210 g. Cheveux poussent (bien que beaucoup de bébés naissent chauves). *Vie prématurée possible* à partir de 6 mois. Opération possible (1re réalisée en 1985 à San Francisco par le Dr Michel Harrison) sur un fœtus atteint d'une anomalie des voies urinaires. 27e à 30e sem. **(183-210e j).** Fœtus s'installe généralement la tête en bas (à la 28e sem., la mère a gagné en moyenne 9 kg, soit presque 6 fois le poids de l'enfant ; ses seins ont pris env. 400 g). 31e à 34e sem. **(211-238e j).** Fœtus 43,5 cm (30 cm sans les jambes) ; 2,3 kg. 35e à 38e sem. **(239-266e j).** La mère a gagné en moy. 13 à 14 kg, parfois aucun, parfois 30 kg ; la surface de son corps s'est accrue de 1 350 cm². En moyenne elle donne naissance à un bébé de 3,2 kg, expulse un placenta de 650 g et 800 g de liquide amniotique. Son utérus a pris env. 1 kg. Ses seins ont grossi de 400 g. Elle a 1 240 g de sang et 1 200 g d'eau en +. Prise de poids maternelle idéale : 1 kg par mois.

Règles

Age des premières règles. 11-14 ans (autrefois 14-15 ans). **Périodicité normale** de 19 à 37 j, intervalle moyen : 28 (mois lunaire).

Après l'accouchement, le retour des règles peut se produire dès la fin de la 4e semaine après l'accouchement. Dans 45 % des cas, il se produit après la 6e semaine, dans 35 % après la 12e. Si la femme allaite, il peut se produire après 4 ou 5 semaines. Dans la moitié des cas, il se produit à environ 12 semaines. La 1re ovulation, que la femme allaite ou non, peut se produire à partir du 25e j.

Ménopause (arrêt des menstruations). Elle correspond à la diminution progressive des sécrétions hormonales de l'ovaire, d'abord progestérones, puis œstrogènes. Survient entre 45 et 55 ans (autrefois v. 45 ans). Souvent précédée d'une phase au cours de laquelle la sécrétion ovarienne de progestérone diminue, amenant une irrégularité des cycles menstruels avec alternance d'*aménorrhées* (interruption des règles) et d'hémorragies. Des bouffées de chaleur apparaissent, souvent accompagnées de transpirations nocturnes, d'insomnies et de troubles psychologiques. Si des hémorragies non menstruelles apparaissent, un bilan gynécologique est impératif. Progressivement, la sécrétion ovarienne se tarit, les règles disparaissent. La ménopause, liée étroitement à l'allongement de la durée de la vie féminine, est considérée comme devant être médicalement traitée en l'absence de contre-indication.

Diagnostic de la grossesse

En laboratoire ou à domicile.

• Principe. Repose sur la détection dans l'urine ou le plasma de la femme enceinte d'une hormone particulière, l'h. gonadotrophine chorionique (HCG) produite par le tissu placentaire. Elle apparaît très rapidement dans le sang et les urines après la fécondation, sa concentration croît les 3 premiers mois de la grossesse, puis décroît et disparaît complètement après l'accouchement. Le dosage radio-immunologique de la fraction β de l'HCG pratiqué en laboratoire peut être positif dès le 6e j de la fécondation.

• Tests biologiques. 1ers tests de mise en évidence de l'hormone HCG faisaient appel à un animal auquel de l'urine de femme présumée enceinte était injectée. La présence d'HCG provoquant des modifications biologiques permettait de conclure à l'existence de la grossesse (test de Galli-Mainini sur le crapaud, d'Ascheimzondeck sur la souris, de Friedman sur la lapine, etc.). Abandonnés.

• Tests immunologiques. Plus précoces, plus précis et moins onéreux. Reposent sur la visualisation de la réaction se produisant entre un *antigène* et un *anticorps monoclonal*. En présence d'HCG venant de l'urine de la femme enceinte, l'anticorps réagit avec l'antigène (HCG). Plusieurs méthodes : test d'agglutination, test d'inhibition de l'hémaglutination, test immunoenzymatique colorimétrique, test d'immunoconcentration.

• Tests (vendus en pharmacie dep. 1973 et en grandes surfaces dep. 1987). Non remboursés par la Sécurité sociale. Se présentent en général sous la forme d'un test immunologique en tube. D'après un texte paru le 15-2-1988 dans *50 Millions de consommateurs,* 4 sur 10 étaient parfaitement fiables.

G. Test. 1er test de grossesse personnel mis à la disposition des femmes en 1973, se présente maintenant sous forme de bandelette réactive (sans manipulation de réactifs, ni de gouttes à compter). Le résultat apparaît en 2 à 5 minutes par simple contact de la bandelette avec l'urine. Utilisable dès le 1er j de retard des règles, le résultat se lit par l'apparition d'une ligne rose (résultat négatif) ou de 2 lignes roses (résultat positif) stables plusieurs j. **Autres tests.** *Primotest Color. Eva Test. Test-réponse B 125. Predictor color. Blue-Test. Révélatest G,* etc.

Causes d'erreurs des tests de grossesse. Perturbation de l'élimination urinaire de l'hormone HCG. *Résultats faussement positifs :* rares, cas de môles (dégénérescence de l'œuf). Certains médicaments : neuroleptiques (type Valium ou Dogmatil), tranquillisants, vitamine C en quantité excessive (modification de l'acidité des urines) ; *faussement négatifs :* cas d'élimination anormalement basse d'HCG, tests effectués trop précocement (erreurs dans la date prévue pour les règles) ; certains cas de grossesse extra-utérine. L'effet « prozone » : dans le cas de tests faits trop longtemps après la date présumée des règles, l'excès d'hormone dans les urines va bloquer la réaction attendue. La sécrétion de l'hormone HCG varie selon chaque femme et n'augmente pas avec la même constance ; il est préférable d'attendre 2 ou 3 j de plus que ce qu'indique le test. Un résultat négatif doit toujours être confirmé par une méthode plus sensible quand l'exactitude du diagnostic est d'importance. Un résultat positif qui serait en désaccord avec les autres informations mérite également une confirmation par une autre méthode.

Précautions à prendre. Pour les tests à la lecture à anneaux, éviter les vibrations (ne pas poser le test sur un réfrigérateur), les traces de détergent (bien rincer le récipient où l'on recueille les urines).

Stérilité

Généralités

• Définition. On parle de stérilité lorsque après 2 ans de rapports sexuels réguliers et complets, un couple ne peut obtenir de grossesse. Avant tout traitement, un bilan gynécologique est nécessaire (en préambule, courbe de température et spermogramme).

• Statistiques. Sur 100 couples en âge de procréer et le désirant, 80 y arrivent sans délais, 15 mettront de 6 mois à 2 ans, 4 ou 5 seront stériles (dans 50 % des cas, la femme est responsable, 25 % l'homme, 25 % les deux, ou bien la cause est inconnue).

• Insémination artificielle. Permet souvent de remédier à certains cas de stérilité ; l'Église catholique la déconseille (elle l'interdit s'il est fait appel à du sperme d'un autre que le père).

Méthodes de recours

• **Fécondation « in vitro » et transfert embryonnaire (FIVETTE ou FIV)) (Bébés-éprouvettes)** (mis au point par 2 Anglais R. Edwards et P. Steptoe). Méthode destinée aux femmes qui n'ont plus de trompes de Fallope ou dont celles-ci sont obturées et ne peuvent être débouchées par la chirurgie (40 % des stérilités féminines). Un ovule est prélevé, fécondé en laboratoire avec le sperme du mari et réimplanté dans l'utérus maternel au stade de 8 cellules, après 3 j « in vitro ». *1er bébé-éprouvette :* Louisa Brown (G.-B.) 25-7-1978 (1er en France : Amandine, 24-2-82) ; *1ers « jumeaux-éprouvettes » :* Australie, 1982 (France : 1-10-83). *1ers triplés* en France (4-1-84). *1ers quadruplés* 2-5-85, Londres (France, 1987). *1ers quintuplés* Londres 26-3-86 (828 à 956 g, nés 2 mois et demi avant terme). *1ers sextuplés* Londres (mère Susan Caleman, 32 ans) 3 garçons, 3 filles 12-11-86.

Nombre en France (en 1988). 3 500 grossesses, 3 800 enfants ; 77 % des ovocytes ont été recueillis par échographie, 71 % des ponctions ont conduit à un transfert. *Taux de réussite :* statistiques incertaines. *Mortalité* 3,4 % (morts in utero et morts néonatales). *Taux de malformation* 1,6 %. *Naissances gémellaires* 20 % (contre 1 % en moyenne), *triples* 4 % (contre 1 pour 10 000). Taux élevés dus au nombre d'embryons implantés (de 3 à 6 ou + pour augmenter les chances de grossesse). **Coût** Env. 69 000 F (7 900 F par tentative).

• Autres méthodes in vitro. **Spermatozoïdes.** *Vagincol :* IA¹ [insémination artif., avec sperme du conjoint (IAC) ou de donneur (IAD), 1978-79]. *Utérus :* IUI¹ (insémination intra-utérine, 1985-87). *Trompe :* ITI² (intratubal insemination, 1987) ; VITI (vaginal intratubal insemination, 1989) ; SHIFT¹ (synchronized hysteroscopic insemination of the fallopian tube, 1987). *Follicule :* DIFI³ (direct intra follicular insemination). *Cavité abdominale :* DIPI (direct intraperitoneal insemination, Angl. 1986) ; IVTPF³ (in vivo transperitoneal fertilization, 1989) ; TPI² (transperitoneal insemination). **Ovocytes.** *Utérus :* OPT (ovum pick-up and transfer chamber, 1989). *Trompe :* FREDI² (fallopian replacement of eggs with delayed insemination, 1989). **Spermatozoïdes + ovocytes.** *Utérus :* TOAST¹ (trancervical ovocyte and sperm transfer, 1982-89). *Trompe :* GIFT² (gametes intrafallopian transfer, 1984-88) ; TV-GIFT (transvaginal GIFT, 1989) ; US-GIFT¹ (ultrasonically guided GIFT, 1989). *Cavité abdominale :* POST² (peritoneal ovocyte and sperm transfer, 1987) ; GIPT³ (gametes intrafallopian transfer, 1989). **Zygote.** *Utérus :* ET¹ (embryo transfer). *Trompe :* ZIFT (zygote intrafallopian transfer, 1986) ; PROST² (pronuclear stage tubal transfer, 1987) ; US ZIFT¹ (ultrasound guided ZIFT, 1989). **Embryon.** *Utérus :* ET¹. *Trompe :* ET² ; TV TEST (transvaginal tubal embryo stage transfer, 1989) ; USTET¹ (ultrasonically guided TET, 1989).

Nota. – (1) Voie vaginale. (2) transabdominale. (3) transvaginale.

Embryons congelés. Banques de sperme. *Renseignements :* Minitel 3615 code CECOS. *Liste :* C.E.C.O.S. (Centre d'étude et de conservation du sperme humain) : 3 à Paris (Bicêtre, Necker, Hôtel-Dieu), Marseille, Lille, Nancy, Lyon, Bordeaux, Besançon, Toulouse, Tours, Strasbourg, Rennes, La Tronche, Caen, Reims, Montpellier, Amiens, Clermont-Ferrand, Rouen. *Rôle :* Conservant le sperme dans l'azote liquide à – 196 °C (les ovocytes se congèlent mal), elles permettent de préserver le sperme d'un homme avant de voir sa fertilité compromise (du fait d'une maladie, d'un traitement ou d'une vasectomie) ou de le stocker pour en fournir à des femmes dont le conjoint serait stérile (insémination artificielle avec sperme de donneur anonyme : IAD), on recourt alors à des bénévoles, de – de 55 ans, mariés, pères d'au moins un enfant normal. Il y a eu 700 donneurs volontaires en 1990. Ce nombre

1979 Angleterre. 1re insémination artificielle. **1984** *mars,* une fille (Zoé) naît après congélation de l'embryon (pendant 4 mois). Plusieurs fécondations avaient été réalisées entre des ovules prélevés chez sa mère et des spermatozoïdes de son père. 3 embryons avaient ensuite été implantés dans l'utérus maternel, sans succès. Un nouvel essai fut tenté 2 mois plus tard, après décongélation des 3 embryons. L'un d'eux se développa normalement jusqu'à 36 semaines.

1984-*3-2,* une femme stérile donne naissance à un garçon venant de l'ovule d'une autre femme. Des médecins avaient inséminé cet ovule avec le sperme du mari de la femme stérile. Après 5 j. dans l'utérus de l'autre femme, l'œuf fécondé avait été prélevé (sans intervention chirurgicale) et implanté dans l'utérus de la femme stérile.

1984 -*1-8,* Corinne Parpalaix obtient du tribunal de Créteil le droit de se faire inséminer par du sperme congelé de son mari décédé mais elle n'a pas pu être fécondée. **1991**-*26-3,* TGI de Toulouse rejette une demande similaire de Mme Gaillon dont le mari (18-9-1989) avait été contaminé par le sida. Le tribunal s'est appuyé sur la convention écrite passée entre M. Gaillon et le Cecos, stipulant que « le sperme conservé ne peut être réutilisé que le dépositaire présent et consentant ».

1984 -*22-5* et **1985** -*20-9,* naissance à 16 mois d'intervalle de sœurs jumelles à Melbourne (Australie), grâce à la fécondation *in vitro.* L'un des embryons avait été immédiatement implanté dans l'utérus maternel, l'autre, conservé congelé, fut implanté après la naissance du 1er.

De 1984 à 1986, une vingtaine d'enfants sont nés d'embryons congelés dans le monde en 2 ans.

1988 *déc.* , une fille est née à Grenoble d'une mère n'ayant plus d'ovaires. On avait constitué in vitro un embryon en mai 1987. En décembre 1987, on avait procédé à une dernière ovariectomie (ablation de l'ovaire).

1989 *nov.,* après fécondation artificielle, des triplés sont nés en 2 temps : Damien 11 j avant ses frères.

étant insuffisant, le délai d'attente pour l'IAD est d'environ 1 an. Succès : 10 % par cycle, 75 % après 12 cycles.

Coût: chaque dose de sperme : 330 F, frais d'insémination (env. 200 F), coût de la conservation : 440 F la 1re année, 250 F par la suite. *Nombre de grossesses obtenues par I.A.D. de 1973 à 1986 :* 15 000. *1987 :* 1 850. *Nombre de demandes d'IAD : 1990 :* 3 000. De 1973 à 1990, 9 000 h. ont demandé à faire conserver leur sperme pour préserver leurs chances d'être père.

Nota. – Si l'on a réussi à congeler spermatozoïdes et embryons, on n'a pu jusqu'à maintenant conserver des ovocytes sans voir ceux-ci se dégrader.

• Mère porteuse (suppléante). **USA :** apparue en 1979, la mère « suppléante » fécondée par le sperme du mari s'engageait par contrat à mener la grossesse à terme et à remettre l'enfant au couple, à sa naissance, contre 10 000 à 18 000 $. Un tribunal a obligé une mère porteuse, Mary Beth Whitehead (29 ans), à abandonner ses droits sur le bébé qu'elle avait porté pour 1 couple, William (41 ans) et Elizabeth (41 ans) Stern (Baby Melissa). **G.-B. :** Kim Cotton, 28 ans, le 4-11-84 a donné naissance à une fille pour un couple stérile. **France :** une femme de Montpellier a accepté de mettre au monde (26-4-83) un enfant pour sa sœur jumelle stérile. Fin 1984, une quinzaine de femmes acceptaient de devenir une mère porteuse (1er cas Patricia Lavisse, 31 ans, de Marseille, qui, contre une indemnité de 50 000 F et un pendentif orné d'un diamant, a donné naissance à une fille). Au 1-10-87, 66 enfants étaient nés en France de mères porteuses.

Depuis mars 88, les associations de mères porteuses ont été dissoutes pour non-respect de la disponibilité du corps humain, violation du droit de filiation, non-respect de l'autorité parentale et précarité de la situation légale de l'enfant. Le 31 mai 1991, la Cour de cassation a déclaré illicite la pratique des mères porteuses alors qu'un arrêt du 13-6-90 de la cour d'appel de Paris était prononcé en faveur de l'adoption des enfants conçus par des mères porteuses.

• Grand-mère porteuse. Pat Anthony (Sud-Afr. blanche de 48 ans) a, fin 1986, reçu 4 ovules de sa fille Karen (25 ans) fécondés par son gendre Alano-Ferreira-Jorge. Elle a eu le 1-10-87 des triplés (2 garçons, 1 fille) qui sont frères ou sœurs de leur mère, et oncles ou tantes du 1er enfant qu'avait eu leur mère, frères ou sœurs (par leur grand-mère) du frère de leur mère (qui sera aussi leur oncle).

☞ Selon le *Comité consultatif national d'éthique pour les sciences de la vie et de la santé* (créé 23-2-1983), le prêt d'utérus relèverait de l'art. 353-1 du Code pénal punissant l'incitation à l'abandon d'enfants. (Sera puni de 10 j à 1 mois d'emprisonnement et de 500 F à 10 000 F d'amende « quiconque aura dans un esprit de lucre provoqué les parents, ou l'un d'eux, à abandonner l'enfant né ou à naître.) En fait, cet art. ajouté en 1958 au C. pénal (datant de 1898) concernait « l'exposition et le délaissement d'enfants » ; « les agissements des œuvres ou des personnes ayant été amenées à provoquer des abandons d'enfants pour satisfaire les demandes d'adoption qui leur étaient faites ». En G.-B., le *Comité Warnock* (Comité d'enquête sur la fécondation et l'embryologie humaines, présidé par Lady Warnock) a rendu un avis similaire.

• Recherches. *Hybridation cellulaire :* technique de fusion de cellules employée pour étudier le comportement de cellules complexes d'organismes supérieurs ou de cellules pathologiques par rapport à des cellules normales. On sait obtenir et faire se multiplier des hybrides de cellules de souris et d'homme, de moustique et d'homme, de cellules normales et cancéreuses. *Clonage :* méthode visant à énucléer des cellules somatiques ou sexuelles et à remplacer leur noyau par celui d'autres cellules au contenu génétique différent. Utilisée chez les mammifères.

• **Réglementation de la procréation artificielle et du diagnostic prénatal :** *décret du 8-5-1988.* Les centres de diagnostic et de procréation médicalement assistée devront obtenir un agrément soumis à l'avis de 2 commissions préalables. 74 centres autorisés (38 publics, 36 privés) en France.

☞ Maladies vénériennes. **Information.** *Ligue nationale fr. contre le péril vénérien* [*Institut Alfred-Fournier,* 25, rue du Faubourg-St-Jacques, Paris 14e. *Association pour la diffusion de l'information sur les maladies sexuellement transmissibles (ADIMST),* 59, rue St-André-des-Arts, Paris 6e].

Consultations et soins (Paris). *Institut Alfred-Fournier,* 4, rue Darreau, 14e. *Inst. Arthur-Vernes* ex-Institut prophylactique, 40, rue d'Assas, 6e. *Hôpital Tarnier,* 89, rue d'Assas, 6e. *Croix-Rouge,* 43, rue de Valois, 1er. *Cité Universitaire,* 42, bd Jourdan, 14e. *Ligue de préservation sociale,* 29, rue Falguière, 15e. *Hôpital St-Joseph,* 191, rue Raymond-Losserand, 14e. *Enfance et Famille,* 6, rue Clavel, 19e.

En France, les déclarations anonymes sont obligatoires pour la syphilis, la blennorragie à gonocoque, le chancre mou et l'hépatite virale.

Accouchements

☞ Définition. On appelle *primipares* les femmes à leur 1er accouchement ; *parturition* l'accouchement ; *parturiente* la femme qui accouche.

Environ 130 millions de bébés naissent chaque année dans le monde.

• Accouchement sans crainte **(avant, dit sans douleur).** *Psychoprophylaxie :* préparation psychologique et physique. Par *analgésie loco-régionale* [paracervicale, péridurale (40 % des naissances en 1987)]. Insensibilise les nerfs qui transmettent la douleur utérine. *Sous anesthésie générale :* 1re fois 1847 par Sir James Simpson ; la reine Victoria, le 7-4-1853, adopta le chloroforme. *Sous électro-analgésie* (anesthésie locale au moyen d'électrodes), stade expérimental.

• Avortements spontanés *(fausses couches).* 30 % des œufs fécondés humains seraient éliminés avant l'implantation dans l'utérus. 20 % des embryons font l'objet d'un avortement spontané précoce. Semblent plus fréquents pour les fœtus masculins (rejet immunologique par la mère ?).

• Césarienne. Autrefois réservée aux accouchements compliqués (bassin de la mère trop étroit, placenta mal placé ou décollé, etc.), pratiquée aujourd'hui quand le traumatisme fœtal découlant d'un accouchement naturel mettrait en danger la vie du nouveau-né (grands prématurés, nouveau-nés hypotrophiques, etc.).

Nés par césarienne. France *1960 :* 3 %. *1981 :* 10,9 (USA. 14). *1988 :* 16 (USA. 25). **Mortalité maternelle.** 1,38 ‰. **Complications postopératoires :** infections : 20,6 %, thromboembolie 0,52 %.

• Époque. Généralement 266 j après la fécondation. *Pour trouver la date de naissance :* ajouter 280 j à la date du début des dernières règles ; mesure échographique précoce (13 semaines de grossesse), courbe de température contemporaine de la fécondation.

Nota. – En France, naissances les plus nombreuses en févr.-mars et sept.-oct., les mardi et vendredi, début du travail entre 1 et 2 h du matin.

• Frais d'accouchement. Voir Index. *Si la mère est célibataire* et non assurée sociale, elle peut être prise en charge au titre de ses parents ou de ses grands-parents ou de sa sœur si elle vit sous le même toit et se consacre exclusivement aux travaux du ménage et à l'éducation d'au moins 2 enfants de – de 14 ans à la charge de l'assuré.

• Incompatibilité Rhésus (Différence de facteur Rhésus entre le père et la mère). Nécessite un contrôle systématique du groupe Rhésus de la mère avant la naissance, et en cas de Rhésus négatif, de contrôler chaque mois de grossesse l'absence d'anticorps (pouvant agresser le fœtus) dans le sang de la mère.

Remèdes. *Exsanguino-transfusion,* pratiquée dès la naissance. *Déclenchement artificiel de l'accouchement* avant terme pour soustraire l'enfant aux anticorps de sa mère et procéder le plus tôt possible à la transfusion. *Transfusion à l'enfant* au sein même de l'utérus. Chez 80 % des couples Rhésus incompatibles, l'interaction génétique produit un mécanisme protecteur qui inhibe la formation d'anticorps nocifs pour l'enfant.

Nota. – Une injection d'anticorps anti-D dans les 72 h suivant chaque accouchement et avortement prémunit les mères contre les accidents pour la grossesse suivante, mais aussi en cas de traumatisme abdominal, amniocentèse, version par manœuvre externe d'une présentation du siège. Tout événement pouvant occasionner le passage de sang fœtal chez la mère Rhésus – et y induire la fabrication d'anticorps anti-Rh. + (anti-D).

• Jumeaux. **Vrais jumeaux** (ou j. identiques *monozygotes, uniovulaires*) issus d'un seul ovule et de même sexe ; ils peuvent être mono- ou dichorioniques ; 30 % sont créés avant la nidation (qui se produit 6 j après la fécondation). Leurs empreintes digitales sont très semblables. **Faux jumeaux** (j. non identiques, *dizygotes, biovulaires*) issus de 2 ovocytes fécondés par 2 spermatozoïdes différents.

Facteurs de prédisposition. Poids maternel, existence dans la famille maternelle de jumeaux dizygotes, régularité des cycles menstruels, absence d'utilisation de la pilule, groupe sanguin A ou O, rang de la conception (+ il est élevé, + les chances de j. sont grandes). Les naissances gémellaires sont plus fréquentes après 35 ans. 2 jumeaux peuvent être de pères différents. La conception peut même s'être produite à plusieurs jours d'intervalle pendant le même cycle menstruel. Le jumeau le plus gros serait le plus intelligent. Celui qui naît le second court plus de risques à la naissance. En Europe, les jumeaux sont du même sexe dans 63 % des cas.

Nombre en France. *1970 :* 9,4 pour mille, *1986 :* 10,5. À l'hôpital de Clamart, spécialisé dans la fécondation « in vitro », on recense 190 accouchements multiples sur 865 (dont 155 jumeaux et 35 triplés ou quadruplés).

Jumeaux célèbres. Ils sont rares ; on peut citer : les saints Côme et Damien (IIIe siècle) ; les filles jumelles du roi Henri II ; les frères Lionnet, chanteurs du XIXe s. ; Auguste et Jean Piccard, stratonautes ; les « idiots-savants » George et Charles, calculateurs prodiges, à New York.

• Lieux d'accouchements. *1952 :* 452 naissances pour 1 000 dans le logement maternel, 532 à l'hôpital, 12 dans un lieu inhabituel ou inconnu ; *1980 :* 986 à l'hôpital, 4 au domicile de la mère.

Accouchement dans l'eau. Selon ses partisans, il serait plus relaxant et diminuerait les phénomènes douloureux ; l'eau améliorerait l'élasticité du périnée ; le milieu aquatique, proche du milieu utérin, réduirait le « stress » de l'enfant à la naissance. La plupart des spécialistes y sont opposés (difficulté de surveillance du travail, risques accrus d'accidents, avantages psychologiques pour l'enfant non démontrés).

Mort-nés lors d'accouchements *1952 :* à domicile 18 pour 1 000 (à l'hôpital 25), *1980 :* à l'hôpital 11.

Au Moyen Age, l'accoucheuse opérait sous les jupes, il était interdit aux hommes d'assister à un accouchement (en 1521 encore, un médecin de Hambourg fut envoyé au bûcher pour s'être déguisé en sage-femme). Louis XIV fit faire des progrès à l'obstétrique en assistant à l'accouchement de ses maîtresses. On avait des seringues courbes pour répandre de l'eau bénite sur le fœtus mal en point et toujours prisonnier.

• Mortalité maternelle. **Taux** *XVIIIe s. :* 20 décès maternels pour 1 000 naissances vivantes. *1945 :* 0,80 à 2 ; *1985 :* 0,06 (Europe) à 10 (Afrique, Asie). *Taux* en cas de césarienne : 1,38. **Nombre.** Chaque année + de 500 000 femmes du tiers monde meurent de causes liées à la grossesse et à l'accouchement laissant plus d'un million d'orphelins.

• Mortalité périnatale (décès à – de 7 j). *France* 10,5 pour mille (7,4 à 13,2 selon régions). All. féd. 7,9, Suède 7,4.

• Naissance après la mort de la mère. Plusieurs cas connus. Le 30-3-1983 est né par césarienne un garçon de 1,3 kg. Sa mère (27 a.) avait été artificiellement maintenue en vie pendant 9 semaines pour permettre la naissance (à 22 semaines).

• Prématurés. **Définition.** Enfant né avant 37 sem. (⩽ 258 j). [Des bébés de 224 j (32 sem.) peuvent peser 2,5 kg et arriver 56 j avant les prévisions du médecin sans incident]. En France, la loi fixe à 180 j après la fécondation la limite inférieure de viabilité. **Records.** *USA : 1983* une fille (552,8 g, 26,7 cm) est née le 23-2-83 après 22 semaines ; *1972* à Indianapolis, un enfant est né pesant 170 g, il est mort 12 h après. *Australie :* 1989 une fille est née pesant 380 g. **Nombre en France** (en %). *1972 :* 8,2. *1982 :* 4. *1987 :* 5,6. *1990 :* 4,8. Nouveau-nés de – de 2,5 kg 5,7 (dans le monde 16 %).

Facteurs de risque élevé. Âge (– de 21 ans, + de 36) ; taille petite (– de 1,51 m) ou grande (1,70 m) ; poids faible (– de 46 kg) ou élevé (+ de 73 kg) ; parité (naissance de rang élevé) ; conditions de vie (travail fatigant, travail debout, logement exigu) ; causes médicales (placenta bas, malformation fœtale grave, grossesses multiples, infections...) ; sociales (surmenage, voyages, etc.). **Taux de mortalité.** 32 % *(de 26 à 28 semaines :* peu survivent ; *de 28 à 30 s. :* près de 60 % survivent ; *à 32 s. :* 75 % ; *à partir de 36 s. :* 95 %). 18 % pour les enfants pesant entre 1 000 et 1 500 g. 50 % pour ceux de 500 à 1 000 g. Seul 1 enfant de – de 750 g sur 5 survit plus de quelques jours. **Séquelles :** Pour les enfants de 500 à 1 000 g, des handicaps intellectuels (débilité), moteurs (hémiplégies, par exemple) ou sensoriels (surdité ou cécité) s'observent dans 8 à 30 % des cas.

☞ **A 1 an,** 84 % des prématurés ont un poids normal, 78 % une taille normale (à 2 a., 89 et 90).

Prématurés célèbres. Napoléon Bonaparte, Isaac Newton, Charles Darwin, Victor Hugo et Voltaire.

• **Présentation.** *Tête la première,* présentation du sommet et le visage tourné vers le bas 95 %. Très rarement, visage tourné vers l'accoucheur 0,4 à 0,8 %. *Par le siège* (fesses d'abord, parfois les pieds) : 3,5 %, peut entraîner des complications mécaniques lors de l'accouchement.

• **Anomalies.** 2 à 3 % des nouveau-nés. Dues à la grossesse ou à des maladies héréditaires.

• **Terme dépassé.** La mortalité fœtale et néonatale est plus importante lors de naissances à terme dépassé (après 42 sem. d'aménorrhée, ≥ 294 j).

☞ Betsy Sneith, 23 ans, sur laquelle avait été greffé en fév. 1980 le cœur d'un homme mort dans un accident d'automobile, a mis au monde par césarienne une fille de 3,2 kg (1er exemple connu de ce type de naissance).

Allaitement

☞ 70 % des femmes allaitent leur enfant à leur sortie de maternité et 53 % donnent le sein en moyenne durant 9 semaines. 30 % des bébés sont nourris jusqu'à 6 à 8 semaines au lait de femme.

Lactation. Peut se poursuivre des années. *Avantages :* fournit un aliment complet, équilibré, spécifique, stérile, facilement et rapidement digérable et contenant des anticorps maternels. Le lait change de composition selon les circonstances. Il protège contre l'eczéma. Il peut être remplacé par du lait maternisé adapté à l'âge de l'enfant. *Arrêt :* par sevrage (espacement des tétées), ou artificiellement (par injection d'œstrogène ou par prise de comprimés de bromocriptine). Certaines femmes sécrètent 5 l de lait par jour. **Prise.** L'enfant prend (au rythme normal) env. 200 g de lait par kg de poids en 24 h. Dès 5-6 mois, l'alimentation peut être diversifiée. Après 9 mois environ, il a besoin d'autres nourritures en plus du lait maternel.

Lait maternel le plus gras. Otarie 53,3 g de matières grasses pour 100 g de lait [phoque gris 53,2, baleine bleue 42,3, ourse polaire 33,1, lapine 18,3, souris 13,1, chienne 12,9, éléphante (Inde) 11,6, hérisson 10,1, échidné 9,6, brebis 7,4, truie 6,8, chatte 4,8, chamelle 4,5, chèvre 4,5, *femme 3,8,* vache 3,7, kangourou rouge 3,4, jument 1,9].

Fourniture de lait. Par 19 *lactariums* français (en 1987, ils ont collecté 109 374 litres de lait), ou l'*Institut de puériculture* de Paris qui approvisionne les centres de néonatalité, et propose une indemnité de 28 F par litre aux mères donneuses. En fait sur 500, 50 % sont bénévoles. Certaines donnent jusqu'à 10 l de lait par semaine.

Avortement

Généralités

• **Définition.** Interruption de grossesse avant la viabilité légale : 6 mois avant le terme. L'avortement peut être spontané ou volontaire (cas envisagé ici).

• **Méthodes. Aspiration (méthode Karman)** jusqu'à 10 semaines de grossesse ; canule reliée à une pompe aspirante et introduite dans l'utérus, sous anesthésie locale ou générale, durée quelques min. Ne peut être pratiquée que dans un délai de 10 semaines, sinon la calcification de la tête et du rachis embryonnaires empêcheraient leur passage dans la canule. Des complications existent : perforation utérine, rétention... Elles sont inversement proportionnelles à l'expérience de l'opérateur.

Médicament contragestif (s'opposant à la gestation). **Comprimé de RU 486 (mifepristone)** antihormone : s'oppose aux effets de la progestérone, hormone indispensable à l'accrochage (nidification) de l'œuf dans l'utérus puis à sa gestation. Mis au point en 1982 par Roussel-Uclaf suivant les travaux de l'équipe du Pr Étienne-Émile Baulieu.

Quoique le RU 486 ait été autorisé en France le 23-9-1988, Roussel-Uclaf (dont les produits étaient menacés de boycottage aux USA) décida de le retirer de la vente, mais le Min. de la Santé (Claude Évin) le mit en demeure de reprendre la distribution. Mis sur le marché le 28-12-1988 sous le nom de Mifegyne 200 mg. S'utilise dans le cadre de la loi sur l'IVG et en milieu hospitalier. La commercialisation est faite pour les cas de grossesse normale de moins de 49 j d'aménorrhée. Efficace à 96 %, mais exige un suivi médical. L'arrêté du 28-12-1988 fixe les règles d'utilisation, de détention et de distribution. Fin 1990, 60 000 femmes en France y avaient déjà eu recours (actuellement utilisé dans 30 % des IVG). Dans 1 % des cas, la grossesse n'est pas interrompue. Dans 2 %, il y a expulsion incomplète. *Effets secondaires :* sans utilisation de prostaglandine pour faciliter l'expulsion de l'œuf, l'efficacité du RU 486 n'est que de 80 %. Or la prise unique, par piqûre, de prostaglandine peut entraîner, chez certaines, des problèmes cardio-vasculaires et respiratoires (3 cas sur 60 000 avortements médicamenteux en 3 ans). Par ailleurs, les prostaglandines aux doses données jusqu'ici provoquent saignements et douleurs abdominales. Depuis un an, on y a remédié en partie en réduisant des 3/4 la quantité de prostaglandine injectée. A court terme, l'administration de prostaglandine se fera à dose réduite et par voie orale, ce qui devrait supprimer le risque cardio-respiratoire.

Curetage. Après dilatation, curetage de l'œuf sous anesthésie générale. Peut laisser des séquelles dues aux lésions ainsi infligées à la matrice.

Induction des règles ou mini-aspiration. Sans anesthésie ou sous anesthésie locale, permet d'aspirer le contenu de l'utérus au cours de la 1re semaine qui suit la date présumée des règles. Pratiqué par certains CIVG (Centre de contraception et d'IVG). Illégal. Dangereux et peu sûr.

Injection de sérum salé hypertonique dans le sac amniotique (après la 15e semaine de grossesse), expulsion du fœtus 24 à 72 h après dans 90 % des cas. Dangereux. Ne se pratique plus.

Prostaglandines (2e trim. de la grossesse) : 80 % de succès par injection dans l'utérus. Se pratique maintenant par gel déposé dans le canal cervical. Utilisé pour les avortements tardifs « thérapeutiques » après la 15e semaine de grossesse.

Petite césarienne. Dangereux. Peut être associée à une stérilisation chirurgicale.

☞ **Moyens dangereux autrefois utilisés** (avortements clandestins). Percer l'œuf ou introduire dans l'utérus une sonde en caoutchouc ; l'avortement se produit après 3 à 5 j avec des phénomènes infectieux parfois graves. Injecter dans l'utérus savon, eau de Javel, etc., plus vite actif mais très dangereux. Procédés divers : breuvages, queue de lierre, permanganate : peu rationnels et dangereux.

• **Risques.** Dus surtout à la fragilité des organes génitaux et aux dangers d'infection. Après la 7e semaine. Les risques d'hémorragies secondaires augmentent. Des avortements répétés majorent les risques.

Décès dus à l'avortement (provoqué ou spontané). **Dans le monde.** 150 000 par an sur env. 40 millions d'av. **France.** *1970-72 :* env. 46 par an. *1975* (avort. légalisé) : 15. *1976 :* 6. *1977 :* 9. *1988 :* presque nul. *Taux :* – de 1 pour 100 000.

Quelques dates

Antiquité. *Hébreux :* sanctionné. *Grecs :* autorisé avant l'« animation » du fœtus (40 j pour le f. mâle, 80 pour le f. femelle). *A Rome :* assimilé à l'empoisonnement.

☞ Les Juifs l'autorisent si la santé de la mère est menacée et s'il y a risque de malformation du fœtus (avant le 40e j) ou de grossesse adultère ou incestueuse. L'Islam l'autorise en cas de nécessité et sous condition, jusqu'au 4e mois de grossesse (même après en cas de maladie).

Position de l'Église catholique. A toujours condamné l'avortement même si au Moyen Age, saint Thomas d'Aquin et les canonistes décidaient que l'animation existait seulement 40 j après la conception. Ainsi, le concile d'Ancyre (an 314) inflige 10 ans de pénitence au fidèle qui s'en est rendu coupable. L'Église estime qu'un être humain existe dès la fécondation de l'ovule par le spermatozoïde. Le concile Vatican II a proclamé que « l'avortement et l'infanticide sont des crimes abominables », langage repris par Paul VI et Jean-Paul II.

En 1987 l'Église a renouvelé son opposition même pour un enfant reconnu malformé. Un avortement encourt le risque théorique d'excommunication.

XIIIe s. *Angleterre :* puni de mort ; *Suisse :* l'avorteuse enterrée vivante ; *Brabant :* avortée et avorteuse sont brûlées vives. **1920** *URSS :* autorisé, largement pratiqué sauf pendant la période stalinienne (1936-45). **1944** *Suède.* **1949** *Japon.* **1955-60** dans la plupart des *pays de l'Est* restreint par courtes périodes pour restaurer la natalité (*Roumanie :* 1966, *Tchécoslovaquie :* 1973, *Hongrie :* 1974). **1967** *Angleterre.* **1973** *22-1 USA :* la Cour Suprême déclare inconstitutionnelle toute restriction à l'avortement, à quelque terme que ce soit. *3-7-1989 :* un arrêt décide qu'un État ne peut pas interdire l'avortement mais qu'il pourra refuser toute aide publique (sauf si la vie de la mère est en danger). **Situation actuelle (1990).** Légalisé dans *tous les pays d'Europe,* sauf l'Irlande (référendum de 1983).

France. 1971 *5-4* parution dans le Nouvel Observateur du « Manifeste des 343 » signé par 343 Françaises célèbres qui reconnaissent s'être fait avorter. **1975** loi « Veil » autorisant l'interruption volontaire de grossesse. **1990** *21-12* le Conseil d'État rejette des recours de 5 associations contre la pilule abortive RU 486. (La loi n'est pas contraire à la convention européenne de sauvegarde des droits de l'homme et des libertés fondamentales).

Avortements en France

• **Histoire. Jusqu'au règne de Louis XV,** mère et complices étaient punis de mort. **XVIIIe s.** peine commuée en 20 ans de fers, la mère n'étant plus punie. **XIXe s.** crime jugé en assises (nombreux acquittements). **1923** délit soumis aux tribunaux correctionnels (loi du 27-3). **1975**-*17-1* loi libéralise l'av. **1982**-*31-12* remboursé partiellement. **1987-91** des « commandos » s'introduisent dans les hôpitaux, protestant contre l'avortement et parfois détruisant du matériel à usage abortif.

Peines encourues avant 1974. *Personne procurant les moyens de faire un avort. :* 1 à 5 ans de prison, 1 800 à 36 000 F d'amende (5 à 10 a., 18 000 à 72 000 F pour pratique habituelle) ; *femme ayant avorté :* 6 mois à 2 a. de prison et 360 à 7 200 F d'amende ; *personnel médical ayant recouru à l'avort. :* mêmes peines plus suspension pendant 5 a. au moins.

• **Réglementation actuelle.** *L'interruption volontaire de grossesse (IVG) est possible à toute époque* si 2 médecins attestent que la poursuite de la grossesse met en péril la santé de la femme ou que l'enfant à naître aura très probablement une affection grave reconnue comme incurable lors du diagnostic (avortement thérapeutique), sinon elle ne peut être pratiquée qu'avant la fin de la 10e semaine de grossesse. *Si la femme est mineure célibataire,* il faut le consentement d'une personne exerçant l'autorité parentale ou du représentant légal. *Les femmes étrangères* doivent justifier de leur résidence en Fr. dep. 3 mois.

3 étapes : consultation auprès d'un médecin le plus tôt possible (10 j de retard) ; consult. auprès d'un centre de planification, ou d'un service social ou d'un établissement d'information agréé, pour recevoir conseils et une attestation d'entretien (obligatoire) ; après réflexion (min. 11 j), retourner chez le médecin et lui remettre confirmation écrite de la décision prise.

L'interruption ne peut être pratiquée que par un médecin et ne peut avoir lieu que dans un établissement d'hospitalisatoin public ou un établ. privé recevant les femmes enceintes. Aucun établissement ne peut dépasser pour une année déterminée 25% d'interruptions par rapport aux actes opératoires.

Un médecin peut toujours refuser de faire les IVG (clause de conscience). *Un établissement privé le peut aussi, sauf si,* assurant le service public hospitalier, les besoins locaux ne sont pas couverts par ailleurs.

• **Prix** (en F, 1989). **Secteur public.** *IVG ≤ 12 h sans anesthésie :* 878,12 ; *avec anesthésie générale :* 1 178,12 ; *12 à 24 h sans anesthésie :* 1 058,28 ; *avec anesthésie générale :* 1 358,28. *Forfait pour 24 h de plus :* 180,14. *Au-delà de 48 h,* l'hospitalisation est remboursée sur la base des tarifs propres à l'établissement. **Clinique.** *IVG :* 360 ; *anesthésie générale :* 300 ; *investigations biologiques préalables :* 88 ; *accueil et hébergement (y compris frais de opération) ; ≤ 12 h :* 430,12 ; *12 à 24 h :* 610,28 ; *pour 24 h de plus :* 180,14.

• **Aide médicale. Gratuite :** peut être obtenue auprès de la DDASS, après enquête sur les ressources de l'intéressée. **Remboursement :** aux caisses de Sécurité sociale (loi du 31-12-1982).

Associations

• **Pour l'avortement. Choisir,** 102, rue St-Dominique, 75007 Paris. **MFPF** *(Mouvement français pour le Planning familial),* 4, square Saint-Irénée, 75011 Paris. *Créé* 1956. 90 associations départementales, 2 000 militants, 20 000 adhérents.

• **Contre. Association des médecins pour le respect de la vie,** B.P. 234-07, 75327 Paris Cedex 07. **Laissez-les vivre – S.O.S. futures mères,** B.P. 111-10, 75463 Paris Cedex 10. *Créée* 1971. *Membres* 30 000. **Cartel des groupements et personnes pour le respect de la vie,** 139, bd Magenta, 75010 Paris. *Créé* 1977, assure liaisons entre 150 associations. **Mère de Miséricorde.** *Créée* 1982. 81170 Cordes. **Union syndicale des médecins respectant la vie humaine (USMRV).** *Créée* 1975. *Membres* 600. **Union synd. des professions de santé respectant la vie humaine.** *Créée* 1977, *membres* 500. **Union pour une politique nouvelle (UPN).** *Créée* 1976, *membres* 1 200. **UFRAM (Union féminine pour le respect de la vie et l'aide à la maturité). Assoc. pour l'objection de conscience à toute participation à l'avortement (AOCPA).** *Créée* 1982, *membres* 2 000. **Assoc. des chrétiens protestants et évangéliques pour le respect de la vie (ACPERVIE),** 4, rue de la Paix, 94300 Vincennes, *créée* 1980, *membres* 800.

• **Statistiques. Avortements clandestins** (avant 1976). 250 000 à 350 000 par an (rapport de l'I.N.E.D., 1976). *En 1975 :* 14 000 Françaises étaient allées se faire avorter en G.-B. et 9 000 aux P.-Bas. **Légaux déclarés.** *1976 :* 134 173. *80 :* 171 218. *83 :* 184 144. *84 :* 179 973 (dont mère de *13 ans :* 35, *14 a. :* 265, *15 a. :* 945, *16 a. :* 2 195, *17 a. :* 3 741, *18 a. :* 5 766, *19 a. :* 8 013). *88 :* 162 908 (3 047 hors délais sont allées en G.-B.). **Décès dus aux avortements clandestins.** Env. 200 000 par an (1 femme toutes les 3 min), dont + de 50 % en Asie du Sud et du Sud-Est. En Roumanie, 86 % des décès de femmes enceintes sont dus à l'avortement. Pour 1 femme décédée, 30 à 40 auront de sérieux problèmes de santé.

Déclaration de naissance

• **Formalités.** A la mairie de la commune de l'accouchement dans les 3 j suivants (j de naissance non compris) (si le dernier j est férié, le délai est prolongé jusqu'au 1er j ouvrable qui suit). Peuvent être faites par le père légitime ou naturel, le médecin, la sage-femme, la personne chez qui l'accouchement a eu lieu ou toute personne y ayant assisté. Présenter le livret de famille et le certificat du docteur ou de la sage-femme. Depuis 1919, l'enfant n'a plus à être présenté en personne.

Lorsqu'une naissance n'aura pas été déclarée dans le délai légal, l'officier de l'état civil ne pourra l'inscrire sur les registres qu'en vertu d'un jugement rendu par le tribunal de grande instance de la circonscription où est né l'enfant et mention sommaire sera faite en marge à la date de la naissance. Si le lieu de naissance est inconnu, le tribunal compétent sera celui du domicile du requérant.

Une mère célibataire peut déclarer son enfant sous son nom de jeune fille. *Si une mère (célibataire ou mariée)* ne désire pas que le lien de filiation soit établi, la déclaration sera faite par une personne ayant assisté à l'accouchement. La mère a 3 mois pour revenir sur sa décision. Si elle y revient plus tard, elle risque que l'enfant ait été adopté entre-temps.

• **Prénoms.** Ni la loi du 11 germinal an XI (1-4-1803) ni le code civil n'imposent l'obligation de donner un ou des prénoms. La loi du 11 germinal an XI permet de donner comme prénoms ceux qui figurent dans les divers calendriers (des saints, révolutionnaire, musulman, etc.), ou ceux de personnages connus dans l'histoire ancienne, à condition qu'ils aient existé et se soient manifestés avant le Moyen Age (sont ainsi autorisés : Achille, Nestor, Vercingétorix, mais les dieux de la mythologie sont exclus). Le gouv. consulaire fit dresser un répertoire des noms autorisés. On trouve parmi ceux-ci **pour les garçons :** Abide, Abédécales, Abscode, Acepsimas, Aproncule, Aphone, Anstriclinien, Bananuphe, Calépode, Coconain, Canisius, Cordule, Dorymédon, Delcolle, Eupsyque, Eusémiote, Frichoux, Gobdélas, Guthagon, Gabin, Gorgon, Huldegrin, Havenne, Injurieux, Ithamace, Keintegern, Lupède, Lézin, Ludon, Latin, Mappalique, Melchiad, Métromane, Moucherat, Nizilon, Némèse, Odilard, Onésiphore, Oenillin, Ouarlax, Palphètre, Pamphalon, Pèlerin, Pétronin, Philogon, Patape, Pipe, Proscidile, Quoamal, Rasyphe, Smaragde, Sabas, Syarèse, Théoïde, Théopiste, Théopompe, Triphon, Télesphore, Tripodes, Tychique, Urciscène, Ubède, Usthazades, Viedemial, Ynsigo, Zotoucque. **Pour les filles :** Agetine, Animaïde, Avaugourg, Arcade, Bertoarde, Bibienne, Cuthburge, Conchinne, Crispine, Egobille, Dorphate, Dorothée, Dodoline, Édifrède, Ensvide, Épicaride, Ésothéide, Guimfroye, Godine, Golinduche, Hérondine, Hune, Kymescide, Irmine, Lupite, Macarie, Mamelthe, Mazote, Mirlouriraine, Nossète, Obdule, Oringue, Piste, Panduine, Pompine, Porcaire, Rusticule, Sosipatre, Sigouleine, Supporine, Tatienne, Venefride, Yphenge, Zingue, Zite, Zuarde.

Une circulaire du 12-4-1966 demande aux off. de l'état civil de faire preuve de libéralisme dans l'admission des prénoms. Ils ne doivent refuser que les prénoms qui ne figurent pas sur un calendrier et qui ne sont pas consacrés par l'usage. Si un off. de l'état civil refuse le prénom proposé, s'adresser au procureur de la Rép., et, si celui-ci refuse également, saisir le tribunal de grande instance. Si le prénom est définitivement refusé, on peut en choisir un autre qui sera accolé par jugement aux autres.

☞ Ont été admis les prénoms de *Bergamote* (1975), *Cerise* (1981), mais *Vanille* a été refusé par le tribunal de Pontoise en 1984.

• **Modification** (loi du 12-11-1955). Le tribunal de grande instance peut (sur la requête d'un individu ou de son représentant légal) autoriser des modifications pour les personnes affublées de prénoms ridicules ou qui sont l'objet de risées par l'effet de la juxtaposition de ce prénom au nom patronymique (ex. : Jean Bon).

☞ La loi du 6 fructidor an VI interdit de porter des noms et prénoms autres que ceux exprimés dans l'acte de naissance.

• **Prénoms donnés le plus souvent en France. (% d'enfants qu'ils représentent suivant le groupe d'années de naissance). Masculins. 1900-1904.** Louis 4,8, Pierre 4,6, Jean 4,3, Marcel 4,2, Henri 4,2, Joseph 4,1, André 3,6, Georges 3,4, René 3,3, Paul 2,7. **1910-14.** Jean 5,2, André 5,1, Pierre 4,7, Marcel 4,6, Louis 4,5, René 4, Henri 3,8, Joseph 3,3, Georges 3,2, Roger 3. **1920-24.** Jean 6,7, André 6,1, Pierre 5,1, René 4,8, Marcel 4,5, Roger 4,2, Robert 3,7, Louis 3,5, Henri 3,4, Georges 3,1. **1930-34.** Jean 7,9, André 5,5, Pierre 5,1, Michel 4,6, René 4,1, Roger 3,8, Jacques 3,6, Claude 3,5, Robert 3,4, Marcel 3,1. **1940-45.** Michel 7,1, Jean-Claude 5, Jean 4,4, Bernard 4, Daniel 3,9, Claude 3,8, Gérard 3,8, Jacques 3,8, Jean-Pierre 3,7, André 3,7. **1950-54.** Michel 5,7, Alain 5,3, Bernard, Patrick, Christian et Gérard 4, Daniel 3,6, Jean-Pierre 2,8, Philippe 2,7, Jacques 2,5. **1960-64.** Philippe 6, Pascal 4,6, Éric 4,4, Thierry 4,2, Patrick 3,9, Alain 3,2, Michel 3, Didier 2,9, Bruno 2,6, Dominique 2,4. **1970-74.** Stéphane 5,1, Christophe 4,8, David 4,4, Laurent 4, Frédéric 3,4, Olivier 3,2, Sébastien 2,7, Éric 2,6, Philippe 2,4, Jérôme 2,3. **1980-84.** Nicolas 4,4, Julien 3,8, Sébastien 3,1, Mickaël 2,9, Mathieu 2,4, Guillaume 2,3, Cédric 2,3, David 2,1, Jérôme 1,9, Vincent 1,7.

Féminins. 1900-04. Marie 11,7, Jeanne 5,5, Marguerite 3,8, Marie-Louise et Germaine 3,7, Louise 2,6, Madeleine 2,4, Yvonne et Suzanne 2,3, Marthe 1,8. **1910-14.** Marie 8,5, Jeanne 5,6, Marie-Louise 3,5, Marguerite, Yvonne et Madeleine 3, Germaine 2,7, Simone et Suzanne 2,6, Marcelle 2,2. **1920-24.** Marie 5,1, Jeanne 4,7, Simone 3,9, Madeleine 3, Yvonne 2,9, Suzanne 2,8, Denise 2,6, Paulette 2,5, Marie-Louise 2,4, Marcelle 2,3. **1930-34.** Jeannine 4,6, Jacqueline 3,8, Monique 3, Simone 2,8, Yvette 2,7, Denise et Marie 2,5, Jeanne 2,4, Paulette et Marie-Thérèse 2,3. **1940-45.** Monique 4,6, Nicole et Danielle 3,9, Michèle 3,5, Jacqueline 3,2, Françoise 3, Jeannine 2,9, Christiane 2,8, Marie 2,1, Marie-Thérèse 1,9. **1950-54.** Martine 5,2, Françoise 3,7, Chantal 3,4, Monique 3, Michèle 2,9, Nicole 2,7, Annie 2,4, Dominique et Danielle 2,3, Christiane 1,9. **1960-64.** Sylvie 5,9, Catherine 4,9, Christine 3,9, Isabelle 3,8, Véronique 3,6, Patricia 2,8, Corinne, Nathalie et Martine 2,6, Brigitte 2,5. **1970-74.** Sandrine 5,9, Nathalie 4,9, Isabelle 3,6, Valérie 3,5, Karine et Stéphanie 3,3, Sophie 2,5, Sylvie 2,4, Chris et Laurence 2,1. **1980-84.** Aurélie 3,4, Émilie 3, Céline 2,9, Virginie 2,3, Élodie 2,2, Audrey 2,1, Stéphanie 2,1, Julie 2, Laetitia 2, Sabrina 1,8.

☞ **1990.** *Chez les employés et ouvriers,* prénoms américanisés : Kévin (1 sur 30), Antony, Michael, Jonathan, David. *Chez les cadres :* Thomas, Pierre, Nicolas, Antoine, Alexandre ; Filles : Élodie (1 sur 32), Laura, Julie, Aurélie, Marion, Marine.

• **Saints du calendrier. Nombre de saints patrons.** Le calendrier des Postes donne le nom du « saint du jour » soit env. 365. Mais en réalité 6 216 saints et bienheureux figurent au calendrier de l'Église, selon les tables dressées par les Bénédictins de Paris en 1959, soit une vingtaine par jour.

Il y a en outre de nombreux martyrs inconnus, groupés selon le lieu et la date de leur mort, et dont on ne connaît que le chiffre [de 2 à 10 203 (Rome)]. Le chiffre de 11 000 vierges martyres (à Cologne) est sans doute dû à une erreur. A Trèves, le groupe de martyrs est donné comme « presque innombrable » et à Saragosse (Espagne, persécution de Domitien, en 95 ap. J.-C.) comme « innombrable ». Des Espagnols portent le prénom de *Innumerables.*

Fréquence des noms de saints. *Noms courants :* Jean 302, Pierre 177, Paul 72, François 71, Jacques 59, Antoine 58, André 51, Alexandre 48, Étienne 45, Joseph 44, Dominique 41, Louis 37, Léon 30, Martin 28, Laurent 24, Philippe 23, Marcel 19. *Noms peu utilisés actuellement :* Anastase 20, Marcien 18, Sévère 17, Macaire 16, Janvier 14, Candide 13, Anatole, Acace 6.

Saintes. Marie 127, Jeanne 26, Anne 24, Marguerite 21, Madeleine 20, Lucie 19, Élisabeth 16.

• **Rapport des noms et des personnages.** Les 6 216 noms cités renvoient à env. 5 000 personnages. De nombreux saints sont en effet nommés à la fois par leur prénom, leur nom de religion et leur patronyme. Les noms de religion peuvent être utilisés comme prénoms (par ex. Jean de Dieu) et les patronymes de saints comme prénoms chrétiens [ex. Chantal (s. Jeanne de Ch.), Garicoïts (Michel G.), Gonzague (Louis de G.) ; Jogue (au Canada : René J.), Régis (François R.), Vianney (Jean-Marie V.), Xavier et Xavière (François X.)]. Cet usage permettrait de donner comme noms de baptême les patronymes suivants : *pittoresques :* Cornebout, Cufitelle, Piécourt, Sautemouche ; *prosaïques :* Dufour, Dumoulin, Duval ; *exotiques* (martyrs d'Ext.-O.) : Chien, Fou, Du, Mao.

• **Féminisation de prénoms masculins.** Outre Xavier (patronyme) féminisé en Xavière, de nombreux prénoms n'existant qu'au masculin ont été mis au féminin : Armel, Ghislain, Joël, Michel, Nicolas (Armelle, Ghislaine, Joëlle, Michelle ou Michèle, Nicole, etc.). Certains prénoms sont à la fois masculins et féminins : Camille, Claude, Dominique.

• **Noms hérités de l'Antiquité chrétienne** (martyrs, ermites, évêques fondateurs de diocèses). **Devenus rébarbatifs pour des questions de sonorité.** Bien que leur sens n'ait pas évolué de façon anormale : Amphilogue, Carpophore, Cordodème, Érotéide et Érotide, Euprépius, Eupsygue, Nymphodore, Pélée et Pélade.

• **Devenus pittoresques pour des raisons de signification.** *1) Noms d'animaux :* Carpe, Castor, Colombe, Corneille, Faucon, Félin, Héron, Léopard, Loup, Luciole, Ours, Tigre. [Patronymes de martyrs modernes : avec jeu de mots : Chien (Extrême-Orient) ; sans jeu de mots : Bufalo (espagnol). Martyr perse du VIe siècle (jeu de mots) : Dada.] *2) Noms d'objets ou de réalités courantes :* Censure, Mître, Néon, Palais, Panacée, Pipe, Porphyre, Prime, Principe, Projet, Tripode, Vanne. *3) Noms géographiques ou astronomiques :* Désert, Métropole, Nil, Océan, Olympe, Orion, Seine. *4) Noms de mois :* Octobre, Mars, Janvier. *5) Personnages de la mythologie ou de l'Antiquité païenne* (prénoms à la mode à l'époque et portés par des baptisés) : Achille, Aphrodite, Cléopâtre, Diane, Jason, Marius, Néron, Oreste, Platon, Plutarque, Pompée, Priam, Romulus, Socrate, Thémistocle, Tibère, Virgile, Xénophon. *6) Noms de végétaux :* Céréale, Fleur, Narcisse, Olive, Rose (Marguerite n'est pas un nom de fleur, mais signifie : *perle*). *7) Noms d'abstractions :* Abondance, Amour, Espérance, Foi, Grâce, Humilité, Mémoire, Méthode, Prudence, Victoire. *8) Noms communs de personnages :* Dominateur, Héros, Libérateur, Marin, Martyr, Matrone, Moniteur, Néophyte, Nymphe, Pasteur, Pèlerin, Philologue, Possesseur, Romain, Satyre, Scholastique, Sénateur, Sicaire, Vigile. *9) Épithètes :* Beaucoup ont gardé un sens flatteur : Candide, Bonne, Carissime, Claire, Dévote, Digne, Doux, Fort, Franche, Généreux, Gentil, Honoré, Humble, Juste, Libéral, Lucide, Martial, Modeste, Opportune, Pacifique, Parfait, Patient, Pie, Placide, Probe, Prosper, Prudent, Révérend, Serein, Stable, Tranquille, Viril, Vital. Mais certaines ont changé de sens et ne sont plus des compliments : Illuminé, Passif, Primitif, Rustique, Sévère, Servile, Spécieux, Sibylline. Il existe aussi un *Saint Mieux* (mais il s'agit d'une forme locale du nom de Maoc).

• **Prénoms les plus courts.** Y (forme dialectale du nom de St Aile) ; U (nom de famille de martyr extrême-oriental).

• **Nom de famille** (patronyme). Héréditaire et transmis le plus souvent par le père, apparaît en France

Prénoms et dates des fêtes

Aaron 1-7
Abel 5-8
Abella 5-8
Abraham 20-12
Achille 12-5
Ada 4-12
Adélaïde 16-12
Adèle 24-12
Adeline 20-10
Adelphe 11-9
Adnette 4-12
Adolphe 30-6
Adrien 8-9
Adrienne 8-9
Agathe 5-2
Agnès 21-1
Ahmed 21-8
Aimable 18-10
Aimé 13-9
Aimée 20-2
Alain 9-9
Alban 22-6
Albane 22-6
Albe 22-6
Albéric 15-11
Albert 15-11
Alberta 15-11
Alberte 15-11
Albin 1-3
Alda 26-4
Alèthe 4-4
Alette 4-4
Alexandra 22-4
Alexandre 22-4
Alexia 9-1
Alexis 17-2
Alfred 15-8
Alice 16-12
Alida 26-4
Aline 20-10
Alix 9-1
Aloïs 21-6
Alphonse 1-8
Amaël 24-5
Amand 6-2
Amandine 9-7
Amaury 15-1
Ambroise 7-12
Amé 13-9
Amédée 30-3
Amélie 19-9
Amos 31-3
Amour 9-8
Anaïs 26-7
Anastasie 10-3
Anatole 3-7
Andoche 24-9
André 30-11
Andrée 30-11
Ange 5-5
Angèle 27-1
Angélique 27-1
Anita 26-7
Annabelle 26-7
Anne 26-7
Annie 26-7
Annonciade 25-3
Anouchka 26-7
Anouck 26-7
Anselme 21-4
Anthelme 26-6
Anthony *cf.* Antoine
Antoine (ab.) 17-1
Antoine (Pad.) 13-6
Antoinette 28-2
Antonin 2-5
Apollinaire 12-9
Apolline 9-2
Apollos 25-1
Arcadius 1-8
Arcady 1-8
Ariane 18-9
Arielle 1-10
Aristide 31-8
Arlette 17-7
Armand 8-6
Armande 8-6
Armel 16-8
Armelle 16-8
Arnaud 10-2
Arnold 14-8
Arnould 18-7
Arsène 19-7
Arthur 15-11
Astrid 27-11
Athanase 2-5
Aubert 10-9
Aubierge 7-7
Aubin 1-3
Aude 18-11
Audrey 23-6
Augusta 24-11
Auguste 29-2
Augustin 28-8
Augustine 28-8
Aure 4-10
Aurèle 15-10
Aurélie 15-10
Aurélien 16-6
Aurore 13-12
Avit 5-2
Aymar 29-5
Aymeric 4-11

Babette 17-11
Babine 31-3
Baptiste 24-6
Barbara 4-12
Barbe 4-12
Barberine 4-12
Barnabé 11-6
Barnard 23-1
Barthélemy 24-8
Bartolomé 24-8
Basile 2-1
Bastien 20-1
Bathylle 30-1
Baudouin 17-10
Béatrice 13-2
Bénédicte 16-3
Benjamin 31-3
Benjamine 31-3
Benoît 11-7
Benoît-Joseph 16-4
Bérenger 26-5
Bérengère 26-5
Bérénice 4-2
Bernadette 18-2
Bernard de C. 20-8
Bernard de M. 15-6
Bernardin 20-5
Berthe 4-7
Bertille 6-11
Bertrand 16-10
Bertrand 6-9
Bettina 17-11
Betty 17-11
Bienvenue 30-10
Billy 10-1
Blaise 3-2
Blanche 3-10
Blandine 2-6
Bluette 5-10
Bonaventure 15-7
Boniface 5-6
Boris 2-5
Briac 18-12
Brice 13-11
Brieuc 1-5
Brigitte 25-7
Bruno 6-10

Calliste 14-10
Camille 14-7
Candide 3-10
Carine 7-11
Carl 4-11
Carlos 4-11
Carmen 16-7
Carole 17-7
Caroline 17-7
Casimir 4-3
Catherine (L.) 25-11
Catherine 29-4
Cécile 22-11
Cédric 7-1
Céleste 14-10
Célestin 19-5
Célia 22-11
Céline 21-10
César 26-8
Césarine 12-1
Chantal 12-12
Charles 4-11
Charley *cf.* Charles
Charlotte 17-7
Charly *cf.* Charles
Christel 24-7
Christian 12-11
Christiane (Nino) 15-12
Christine 24-7
Christophe 21-8
Clair 8-11
Claire 11-8
Clarisse 12-8
Claude (Bx) 15-2
Claude 6-6
Claudette 6-6
Claudie 6-6
Claudine 6-6
Claudius 6-6
Clélia 13-7
Clémence 21-3
Clément 23-11
Clémentine 23-11
Clet 26-4
Clotilde 4-6
Clovis 25-8
Colette 6-3
Colin 6-12
Colombe 31-12
Côme 26-9
Conrad 26-11
Constance 8-4
Constant 23-9
Constantin 21-5
Cora 18-5
Coralie 18-5
Corentin 12-12
Corinne 18-5
Cyprien 16-9
Cyriaque 8-8
Cyrille 18-3

Dahlia 5-10
Daisy 16-11
Damien 26-9
Daniel 11-12
Danièle 11-12
Danitza 11-12
Dany 11-12
Daria 25-10
David 29-12
Davy 20-9
Déborah 21-9
Delphin 24-12
Delphine 26-11
Denis 9-10
Denise 15-5
Désiré 8-5
Diane 9-6
Didier 23-5
Diégo 13-11
Dietrich 1-7
Dieudonné 10-8
Dimitri 26-10
Dirk 1-7
Dolorès 15-9
Dominique 8-8
Domitille 7-5
Domnin 21-7
Donald 15-7
Donatien 24-5
Dora 9-11
Doria 25-10
Dorothée 6-2

Edgar 8-7
Édith 16-9
Edma 20-11
Edmée 20-11
Edmond 20-11
Édouard 5-1
Édouardine 5-1
Edwige 16-10
Éléazar 1-8
Éléonore 25-6
Elfi 8-12
Elfried 8-12
Éliane 4-7
Élie 20-7
Éliette 20-7
Éline 18-8
Élisabeth 4-7
Élise 17-11
Élisée 14-6
Ella 1-2
Ellenita 1-2
Élodie 22-10
Éloi 1-12
Elphège 12-3
Elsa 17-11
Elsy 17-11
Elvire 16-7
Émeline 27-10
Émeric 4-11
Émile 22-5
Émilie 19-9
Émilien 12-11
Émilienne 5-1
Emma 19-4
Emmanuel 25-12
Emmanuelle 11-10
Enguerrand 25-10
Enrique 13-7
Éphrem 9-6
Éric 18-5
Erich 18-5
Erika 18-5
Ernest 7-11
Ernestine 7-11
Erwan 19-5
Erwin 19-5
Espérance 1-8
Estelle 11-5
Esther 1-7
Étienne 26-12
Étoile 11-5
Eudes 19-8
Eugène 13-7
Eugénie 7-2
Eulalie 12-2
Eurielle 1-10
Eusèbe 2-8
Éva 6-9
Évelyne 6-9
Évrard 14-8

Fabien 20-1
Fabienne 20-1
Fabiola 27-12
Fabrice 22-8
Fanchon *cf.* Françoise
Fanny 26-12
Faustin 15-2
Félicie 7-3
Félicien 9-6
Félicité 7-3
Félix 12-2
Ferdinand 30-5
Fernand 27-6
Fernande 27-6
Ferréol 16-6
Fiacre 30-8
Fidèle 24-4
Firmin 11-10
Flavie 7-5
Flavien 18-2
Fleur 5-10
Flora 24-11
Florence 1-12
Florent 3-1 et 4-7
Florentin 24-10
Florian 4-5
Fortunat 23-4
Fourier 9-12
France 4-10
Francelin 4-10
Franceline 4-10
Francette 4-10
Francine 4-10
Francis 4-10
Francisque 4-10
Franck 4-10
François (d'A.) 4-10
François (de S.) 24-1
François (X.) 3-12
Françoise 9-3
Françoise (Xavier) 22-12
Frankie *cf.* François
Freddy 18-7
Frédéric 18-7
Frédérique 18-7
Frida 18-7
Fulbert 10-4

Gabin 19-2
Gabriel 19-9
Gaby 29-9
Gaël 17-12
Gaëlle 17-12
Gaétan 7-8
Gaétane 7-8
Gaspard 28-12
Gaston 6-2
Gatien 18-12
Gaud 29-7
Gautier 9-4
Gélase 21-11
Geneviève 3-1
Genn 18-10
Geoffroy 8-11
Georges 23-4
Georgette 23-4
Georgine 23-4
Gérald 5-12
Géraldine 5-12
Gérard 3-10
Géraud 13-10
Germain (d'A.) 31-7
Germain (de P.) 28-5
Germaine 15-6
Géronima 30-9
Gertrude 16-11
Gervais 19-6
Gervaise 19-6
Géry 11-8
Ghislain 10-10
Ghislaine 10-10
Gilbert 4-2
Gilberte 11-8
Gildas 29-1
Gilles 1-9
Ginette 3-1
Gina 21-6
Gino 21-6
Giraud 20-4
Gisèle 7-5
Godefroy 8-11
Gontran 28-3
Gonzague 21-6
Goulven 1-7
Grâce 21-8
Gracieuse 21-8
Grégoire 3-9
Grégory 3-9
Gudule 8-1
Guennolé 3-3
Guewen 18-10
Guillaume 10-1
Guillemette 10-1
Gustave 7-10
Guy 12-6
Gwénaël 3-11
Gwénaëlle 3-11
Gwendoline 14-10
Gwénola 18-10
Gwladys 29-3

Habib 27-3
Hans 24-6
Harold 1-11
Harry 13-7
Hélène 18-8
Héliéna 18-8
Hélyette 20-7
Henri 13-7
Henriette 13-7
Herbert 20-3
Hermance 28-8
Hermann 25-9
Hermès 28-8
Hermine 9-7
Hervé 17-6
Hilaire 13-1
Hilda 17-11
Hippolyte 13-8
Honorat 16-1
Honoré 16-5
Honorine 27-2
Hortense 5-10
Hubert 3-11
Hugues 1-4
Huguette 1-4
Hyacinthe 17-8

Iadine 3-2
Ida 13-4
Ignace 31-7
Igor 5-6
Imré 4-11
Inès 10-9
Ingrid 2-9
Irène 5-4
Irénée 28-6
Iris 4-9
Irma 9-7
Irma (de S.) 4-9
Isaac 20-12
Isabelle 22-2
Isaïe 9-5
Isidore 4-4
Ivan 24-6

Jacinthe 30-1
Jackie 8-2
Jacob 20-12
Jacqueline 8-2
Jacques (Maj.) 25-7
Jacques (Min.) 3-5
Jacquette 8-2
Jacquine 25-7
Jacquotte 8-2
James 25-7
Jaouen 2-3
Jasmine 5-10
Jean (de l'A.) 27-12
Jean (de B.) 24-6
Jeanne 8 et 30-5
Jeanne (de C.) 12-12
Jeannine 8-5
Jenny 8-5
Jérémie 1-5
Jérôme 30-10
Jessica 4-11
Jessy 4-11
Jim 25-7
Joachim 26-7
Joël 13-7
Joëlle 13-7
Joévin 2-3
Johanne 30-5
John 24-7
Johnny 24-7
Jordanne 13-2
Joris 26-7
José 19-3
Joseph 19-3
Joséphine 19-3
Josette 19-3
Josiane 19-3
Josselin 13-12
Josseline 13-12
Josué 1-9
Juanita 8-5
Jude 28-10
Judicaël 17-12
Judith 5-5
Jules 12-4
Julie 8-4
Julien 2-8
Julienne 16-2
Juliette 18-5
Juste 14-10
Justin 1-6
Justine 12-3
Juvénal 3-5

Karelle 7-11
Karen 7-11
Karine 7-11
Katel 24-3
Katia 24-3
Katy 24-3
Ketty 24-3
Kévin 3-6
Kurt 26-11

Laetitia 18-8
Lambert 17-9
Landry 10-6
Lara 26-3
Larissa 26-3
Laure 10-8
Laurence 10-8
Laurent 10-8
Laurentine 10-8
Laurette 10-8
Laurie 10-8
Lazare 29-7
Léa 22-3
Léger 2-10
Lélia 22-3
Léna 18-8
Lénaïc 18-8
Léon 10-11
Léonard 6-11
Léone 10-11
Léonce 18-6
Léonilde 10-11
Léontine 10-11
Léopold 15-11
Leslie 17-11
Lia 22-3
Lidwine 14-4
Lila 22-3
Lilian 4-7
Liliane 4-7
Lily 17-11
Linda 28-8
Line 20-10
Lionel 10-11
Lisbeth 17-11
Lisette 17-11
Lizzie 17-11
Loïc 25-8
Loïs 21-6
Lola 15-9
Lolita 15-9
Loraine 30-5
Lore 25-6
Louis (roi) 25-8
Louis de G. 21-6
Louis-Marie 28-4
Louise 15-3
Loup 29-7
Luc 18-10
Lucas 18-10
Lucette 13-12
Lucie 13-12
Lucien 8-1
Lucienne 8-1
Lucille 16-2
Lucrèce 15-3
Ludmilla 16-9
Ludovic 25-8
Ludwig 25-8
Lydie 3-8
Lydiane 3-8

Macrine 6-7
Maddy 22-7
Madeleine 22-7
Maël 24-5
Maëlle 24-5
Magali 22-7
Maggy 22-7
Magloire 24-10
Maïté 7-6
Malo 15-11
Manoël 25-12
Manuel 26-12
Marc 25-4
Marceau 16-1
Marcel 16-1
Marcelle 31-1
Marcellin 6-4
Marcelline 17-7
Marcien 25-8
Marguerite-M. 16-10
Marguerite ou Marina 20-7
Mariam 15-8
Marianne 9-7
Mariannick *cf.* Marie et Anne
Marie 1-1, 15-8
Marie-Madeleine 22-7
Marielle 15-8
Marien 30-4
Mariette 6-7
Marilyne 15-8
Marin 4-9
Marina 20-7
Marinette 20-7
Marion 15-8
Marius 19-1
Marjolaine 15-8
Marjorie 20-7
Mars 8-6
Marthe 29-7
Martial 30-6
Martin 11-11
Martine 30-1
Martinien 2-7
Marylise 15-8
Maryse 15-8
Maryvonne 15-8
Materne 14-9
Mathias 14-5
Mathilde 14-3
Mathurin 1-11
Matthieu 21-9
Maud 14-3
Maurice 22-9
Mauricette 22-9
Maxime 14-4
Maximilien 12-3
Maximilien Kolb 14-8
Maximin 29-5
Mayeul 11-5
Médard 8-6
Melaine 6-1
Mélanie 26-1
Mériadec 7-6
Michel 29-9
Michèle 29-9
Micheline 19-6
Mikaël 29-9
Mildred 13-7
Milène 19-8
Miloud 22-5
Mireille 15-8
Modeste 24-2
Moïse 4-9
Monique 27-8
Morvan 22-9
Moshé 4-9
Muguet 1-5
Muguette 1-5
Muriel 15-8
Myriam 15-8
Myrtille 5-10

Nadette 18-2
Nadège 1-8
Nadia 18-9
Nadine 18-2
Nahum 1-12
Nancy 26-7
Narcisse 29-10
Natacha 26-8
Nathalie 27-7
Nathanaëlle 24-8
Nello 25-12
Nelly 18-8
Nestor 26-2
Nicolas 6-12
Nicole 6-3
Nicoletta 6-3
Ninon 6-12
Nkita 31-1
Nina 14-1
Nino 15-12
Noé 10-11
Noël 25-12
Noëlle 25-12
Nolwenn 6-7
Nora 25-6
Norbert 6-6

Octave 20-11
Octavie 20-11
Octavien 6-8
Odette 20-4
Odile 14-12
Odilon 4-1
Olga 11-7
Olive 5-3
Olivette 5-3
Olivia 5-3
Olivier 12-7
Ombeline 21-8
Orianne 4-10
Oscar 3-2
Oswald 5-8
Otmar 16-11

Pablo 29-6
Paco 24-1
Pacôme 9-5
Paméla 16-2
Pamphile 16-2
Paola 26-1
Pâquerette 5-10
Paquita 12-12
Paquito 24-1
Parfait 18-4
Pascal 17-5
Pascale 17-5
Patrice 17-3
Patricia 17-3
Patrick 17-3
Paul 29-6
Paula 26-1
Paule 26-1
Paulette 26-1
Paulin 11-1
Peggy 8-1
Pélagie 8-10
Perlette 16-10
Pernelle 31-5
Péroline 31-5
Perpétue 7-3
Perrette 31-5
Perrine 31-5
Pervenche 5-10
Peter 29-6
Philibert 20-8
Philiberte 20-8
Philippe 3-5
Pierre 29-6
Pierrick 29-6
Placie 5-10
Pol 12-3
Polycarpe 23-2
Primaël 15-5
Prisca 18-1
Priscille 16-1
Privat 21-8
Prosper 25-6
Prudence 6-5

Quentin 31-10
Quitterie 22-5

Rachel 15-1
Rachilde 23-11
Radegonde 13-8
Rainier 17-6
Raïssa 5-9
Ralph 21-6
Raoul 7-7
Raphaël 29-9
Raymond 7-1
Raymonde 7-1
Reginald 17-9
Régine 7-9
Régis 16-6
Regnault 16-9
Reine 7-9
Réjane 7-9
Rémi 15-1
Renald 17-9
Renauld 17-9
René 19-10
Richard 3-4
Rita 22-5
Robert 30-4
Roberte 30-4
Roch 16-8
Rodolphe 21-6
Rodrigue 13-3
Rogatien 24-5
Roger 30-12
Roland 15-9
Rolande 13-5
Romain 28-2
Romaric 10-12
Roméo 25-2
Romuald 19-6
Ronald 17-9
Ronan 1-6
Roparz 30-4
Rosalie 4-9
Rose 23-8
Roseline 17-1
Rosemonde 30-4
Rosette 23-8
Rosine 11-3
Rosita 23-8
Rosy 23-8
Rozenn 23-8
Rudy 21-6
Ruffin 14-6

Sabine 29-8
Sabrina 30-8
Sacha 30-8
Salomé 22-10
Salomon 25-6
Salvatore 18-3
Samson 28-7
Samuel 20-8
Samy 20-8
Sandie 2-4
Sandra 2-4
Sandrine 2-4
Sara 9-10
Saturnin 20-11
Sébastien 20-1
Ségolène 24-7
Salma 21-4
Séraphin 12-10
Serge 7-10
Sergine 7-10
Servan 1-7
Servane 1-7
Séverin 27-11
Séverine 27-11
Sheila 22-11
Sibille 9-10
Sidoine 14-11
Sidonie 14-11
Siegfried 22-8
Silvère 20-6
Siméon 18-2
Simon 28-10
Simone 28-10
Soizic 24-1
Solange 10-5
Soledad 11-10
Solenne 17-10
Soline 17-10
Sonia 18-9
Sophie 25-5
Stanislas 11-4
Stella 11-5
Stéphane 26-12
Stéphanie 26-12
Stève 26-12
Suzanne 11-8
Suzel 11-8
Suzette 11-8
Suzon 11-8
Suzy 11-8
Svetlana 20-3
Sylvain 4-5
Sylvaine 4-5
Sylvestre 31-12
Sylvette 5-11
Sylvianne 5-11
Sylvie 5-11
Symphorien 22-8

Tamara 1-5
Tanguy 19-11
Tania 12-1
Tatiana 12-1
Tatienne 12-1
Teddy 5-1
Térésa 15-10
Tessa 17-12
Thaddée 28-10
Thècle 24-9
Théodore 9-11
Théophane 2-2
Théophile 20-12
Thérèse 15-10
Thérèse 1-10
Thibaut 8-7
Thiébaud 8-7
Thierry 1-7
Thomas 3-7
Tino 14-2, 21-5
Tiphaine 6-1
Toussaint (e) 1-11
Tudal 1-12
Tudi 9-5

Ulrich 10-7
Urbain 19-12
Urielle 1-10
Ursula 21-10
Ursule 21-10

Valentin 14-2
Valentine 25-7
Valère 14-6
Valérie 28-4
Valéry 1-4
Vanessa 4-2
Vanina 4-2
Vassili 2-1
Venceslas 28-9
Véra 18-9
Vérane 11-11
Véronique 4-2
Vianney 4-8
Victoire 15-11
Victor 21-7
Victorien 23-3
Vincent 22-1
Vincent de P. 27-9
Vinciane 11-9
Violaine 5-10
Violette 5-10
Virginie 7-1
Viridiana 1-2
Vital 4-11
Viviane 2-12
Vivien 10-3

Walter 9-4
Wenceslas 28-9
Wilfried 12-10
William 10-1
Willy 10-1
Winnoc 6-11
Wladimir 15-7
Wolfgang 31-10
Wulfran 20-3

Xavier 3-12
Xavière 22-12

Yann 24-6
Yannick 24-6
Yoann 24-6
Yolande 11-6
Youri 23-4
Yvan 24-6
Yves 19-5
Yvette 13-1
Yvon 19-5
Yvonne 19-5

Zacharie 5-11
Zéphirin 20-12
Zita 27-4
Zoé 2-5

vers le XIe-XIIe s. Fixé par l'édit de Villers-Cotterêts (1539). Généralement fondé sur origine (Pagnol = l'Espagnol), nom de lieu (ville, hameau), aspect physique (Petit, Legros), métier (Boulanger, Tailleur), sobriquet (Leborgne), parenté (Cousin, Neveu), et pour les familles d'ancienne noblesse, le fief (Talleyrand, La Rochefoucauld). Les noms israélites ne sont devenus définitifs qu'en 1808 (décret obligeant les Juifs à adopter un nom de famille fixe).

Nom d'usage (loi du 23-12-1985). Toute personne majeure peut ajouter à son nom, à titre d'usage, le nom de celui de ses parents qui ne lui a pas transmis le sien. Ce « nom d'usage » n'est pas transmissible aux descendants et ne peut figurer sur les registres de l'état-civil. Pour les enfants mineurs, ce droit est mis en œuvre par le titulaire de l'exercice de l'autorité parentale.

Enfants trouvés. L'officier de l'état civil attribue des prénoms à l'enfant, le dernier servant de nom patronymique. Si l'enfant n'est pas un nouveau-né, le tribunal de grande instance est alors compétent.

Statistiques. Env. 250 000 noms de famille différents existent en France, dont *très fréquents* (portés par + de 45 000 homonymes) 1 000 (0,4 %), *fréquents* (de 1 200 à 4 500 h.) 6 000 (2,4 %), *rares* (300 à 1 200 h.) 33 000 (13,2 %), *très rares* (– de 300) 210 000 (84 %). Dans 1 ou 2 siècles, 150 000 noms de famille devraient avoir disparu au profit des noms les plus fréquents. 100 noms représentent actuellement 11,22 % des noms portés. 12,2 % des noms français commencent par B, 10 % par L, très peu par X. **Noms les plus fréquents :** Martin (168 000), Bernard (98 000), Moreau, Durand (78 000), Petit, Thomas, Dubois (77 000). Michel, Laurent, Simon, etc. Dupont n'apparaît qu'au 19e rang. Ces noms devraient être 5 à 10 fois plus nombreux dans 1 à 2 siècles.

Développement de l'enfant

• **Quelques étapes. 1 mois :** suit des yeux un objet qui se déplace, regarde un visage, commence à sourire. **2 mois :** sourit, tient sa tête. **3 mois :** gazouille spontanément et en réponse, regarde ses mains, tient le hochet, le regarde. **4 mois :** rit aux éclats, saisit les jouets et les porte à sa bouche. **5 mois :** cherche un jouet perdu, sourit au miroir. **6 à 8 mois :** passe un objet d'une main à l'autre, tient assis seul quelques instants sur un plan dur, reconnaît le visage de sa mère. **8 à 10 mois :** marche à 4 pattes, saisit un petit objet entre pouce et index, répète des syllabes (ma, pa, ta), répond à son nom, fait « au revoir, bravo ».

Mort de nourrissons au berceau. 0,6 à 3 cas pour 1 000 naissances vivantes (environ 1 500 décès par an en France). *Risque le plus élevé :* entre 2 et 4 mois, cesse après un an. 90 à 95 % meurent lorsqu'on les croit endormis, généralement entre minuit et 8 h du matin, 40 % au cours des 3 mois d'hiver. Facteur de risque le plus spectaculaire : l'apnée, ou interruption inexpliquée de la respiration, surtout lorsqu'elle dure plus de 15 secondes et demande une réanimation par le bouche-à-bouche. Certains accidents surviendraient chez les enfants qui, à la suite d'un dérèglement métabolique héréditaire, ne sont pas capables de transformer correctement les acides gras en énergie. Seule une autopsie (rarement pratiquée) permet de connaître dans 75 % des cas l'origine du syndrome.

Fréquence de quelques maladies à la naissance. *Mucoviscidose :* 1/2 000 Européens : troubles respiratoires et intestinaux ; ne permet guère de dépasser 20 ans. *Hypothyroïdie congénitale :* 1/3 000 Europ. : nanisme, déficience intellectuelle grave ; traitement toute la vie. *Maladie de Tay-Sachs :* 1/3 000 Juifs originaires d'Eur. centrale : cécité, paralysie ; mort en 4 ans. *Drépanocytose :* 1/100 en Afrique, 1/400 aux Antilles, 1/2 500 Noirs américains, 1/6 000 Europ : maladie du sang : anémie, gangrène, infarctus... ; possibilité de vivre jusqu'à l'âge adulte. *Phénylcétonurie :* 1/15 000 : déficience intellectuelle ; régime spécial jusqu'à l'adolescence. *Maladie de Lesch-Nyhan :* 1/15 000 : troubles neurologiques (agressivité, automutilation...), destruction des reins ; traitement pour les troubles rénaux mais pas pour les neurologiques. *Déficience en adénosine déaminase (ADA) :* 50 cas connus mondialement : déficit total du système immunitaire (d'où infection etc.) ; transfusions ou greffes de moelle osseuse ou de tissus fœtaux, vie en « bulle » stérile. *Déficience en purine nucléoside phosphorylase (PNP) :* 9 cas connus mondialement.

11 mois : son cri peut atteindre une intensité sonore de 100 à 177 dB (un marteau pneumatique atteint 120 dB ; un klaxon, 100 dB à 5 m). **12 à 18 mois :** marche seul, dit quelques mots, boit seul à la timbale, empile 2 ou 3 cubes. **18 à 22 mois :** gribouillage spontané, phrases de 2 à 3 mots, montre ses yeux, son nez. **24 mois :** monte et descend un escalier, mange seul, se nomme par son prénom, construit une tour de 6 cubes. **2 ans et demi :** saute à pieds joints, court, défait un paquet, reproduit un trait vertical ou horizontal. **3 ans :** marche sur la pointe des pieds, langage élaboré, propre la nuit, lance une balle, reproduit un cercle. **3 ans et demi :** se déshabille et commence à s'habiller seul. **4 ans :** saute à cloche-pied, lace ses souliers, reproduit un carré sur un papier, donne son adresse. **5 ans :** grimpe aux arbres, peut rester immobile 1 minute, utilise « hier », « demain », compte 4 objets. **6 ans :** fait un puzzle de plus de 10 morceaux, indique le jour de la semaine.

Puberté. Elle commence aujourd'hui à 11 ans (+ ou – 2 a.) chez les filles ; à 13 ans (+ ou – 2 a.) chez les garçons. Des pubertés précoces anormales (avant 8 a.) peuvent apparaître, principalement chez les filles. Elles peuvent être traitées, principalement pour contrôler la poussée de croissance qui les accompagne. Env. 300 enfants actuellement traités en France (remboursé par la Séc. soc.). Le développement pubertaire réapparaît à l'arrêt du traitement.

☞ **Pour connaître le « niveau de développement » d'un enfant** par rapport au développement moyen des enfants du même âge, on utilise soit des épreuves explorant des acquisitions sur le plan clinique jusque vers 4-5 a., soit des épreuves psychométriques (1re établie par Binet et Simon) dans lesquelles interviennent des facteurs d'ordre psychologique (langage, socialisation) ou moteur (coordination motrice, contrôle postural). Chez l'enfant plus âgé on cherche à connaître un rendement ou « efficience intellectuelle » en estimant son *quotient intellectuel* calculé soit en faisant le rapport entre « l'âge mental » (âge de réussite des épreuves) et l'âge réel dans les tests de type Binet-Simon, soit en situant l'enfant dans la population de son âge par rapport à ses pairs dans les tests tels que les « Weschler ». Ce niveau de rendement est lié au potentiel propre à chaque enfant, à son histoire et aux facteurs affectifs qui peuvent interférer fortement.

Contraception

Méthodes

• **Abstinence périodique.** Basée sur l'hyp. que la femme n'est fécondable que 4 à 6 j par cycle durant la période ovulatoire connue grâce aux observations : *1) de la température* (voir ci-dessous). *2) de la glaire cervicale ou méthode Billings :* mise au point dans les années 50 par deux médecins australiens, John et Evelyn Billings ; sécrétion vaginale transparente, abondante et élastique apparaissant 4 à 6 jours avant l'ovulation. Une femme n'est fécondable que durant la période de glaire. Après l'ovulation, la glaire s'épaissit, se transforme en une sorte de bouchon ; le col utérin reste fermé jusqu'au 1er j des règles suivantes. 25 % d'échecs. Raisons les plus importantes : difficulté d'une abstinence totale pendant la période de fécondité, écoulement de glaire qui commence trop tard ou qui apparaît trop tôt, erreurs d'interprétation dues à des infections ou à une difficulté de perception de la sensation d'humidité, tous facteurs pouvant perturber le cycle féminin (fatigue, maladie, préménopause, allaitement...). *3) du col utérin :* assez dur au moment des règles, il devient plus mou durant la 2e partie du cycle ; il est ouvert au début du cycle et fermé à la fin. Ces 3 méthodes d'auto-observation peuvent être combinées ou dissociées mais se complètent.

• **Ogino [1]-Knaus [2].** Pas de rapports entre le 11e et le 18e jour avant les règles (n'est utilisable que par les femmes normalement réglées tous les 28 à 30 j). *Échecs :* 14 à 38 %. Exige des cycles réguliers.

Nota. – (1) Médecin japonais (1882-1975), il découvrit en 1924 la période d'ovulation des femmes entre le 12e et le 16e j. (2) Médecin allemand.

• **Température.** Méthode (découverte 1937). De plus en plus utilisée associée à l'observation des glaires ; fondée sur l'observation de la température rectale qui doit être notée chaque jour : prise le matin au lever, augmente de quelques dixièmes à partir de la date de l'ovulation (14e j env. avant les règles à venir). Abstinence totale du 1er j des règles jusqu'au 3e j du « plateau thermique ». *Échecs :* 14 % à cause d'une mauvaise interprétation. Parfois difficile à appliquer.

Une courbe, qui partirait de 37 °C, descendrait à 36,8 °C dans les 1ers j du cycle, tomberait à 36,6 °C au moment de l'ovulation, remonterait à 37,2 °C et resterait à ce niveau jusqu'à la veille ou l'avant-veille des règles suivantes, puis reviendrait alors à 37 °C. Si elle ne redescend pas à ce moment, ce peut être le signe que l'ovule a été fécondé (ce sera confirmé, ou non, par l'absence des règles suivantes). *Le j le plus propice pour ceux qui veulent un enfant* est celui où se produit l'élévation de la température en plateau haut. 50 % des grossesses se produiraient ce jour-là, les autres résultant de rapports dans les 5 j précédents ou les 2 j suivants.

• **Rapport interrompu.** *Échecs :* 40 %. Peu fiable.

• **Injection vaginale.** Avec eau additionnée d'un produit spermicide. *Échecs :* 40 %. Dangereux.

• **Pilules.** Médicament hormonal qui bloque l'ovulation. Comprimés pris tous les jours pendant 21 j ou 22 j à partir du 5e j du cycle ou mieux, dès le 1er j. Puis arrêt de 7 j ; 2 oublis consécutifs compromettent le traitement pour la pilule traditionnelle. *Contre-indications :* diabète, maladies hépatiques, troubles circulatoires graves, hyperlipidémie. *Échecs :* 0,3 %. Nécessitent une stricte surveillance médicale (bilan régulier au moins tous les 6 mois). **Catégories :** *P. traditionnelle,* inventée 1956 par les docteurs américains Gregory Pincus et John Rock († en 1984 à 96 ans), et qui associe 2 sortes d'hormones, œstrogènes et progestérone. *P. séquentielle :* au début du cycle, la femme prend une pilule qui comprend uniquement des œstrogènes, puis, dans les 10 derniers j, une pilule associant œstrogènes et progestérone ; elle n'est pas sûre à 100 % et provoque des saignements en cours de cycle. *Minipilule :* dosage identique d'œstrogènes et de progestérone en quantité inférieure (30 microgrammes d'œstrogènes au lieu de 50) : effets secondaires semblant moins importants (prise de poids, ennuis digestifs et veineux, congestion des seins). A prendre avec moins de 8 h de décalage par rapport au j précédent ; en cas d'oubli est moins efficace. *P. biphasique :* mieux dosée ; en début de cycle, faible quantité d'œstrogènes et de progestérone, augmentant en cours de cycle ; présente moins d'effets secondaires. *P. triphasique :* p. œstro-progestative tenant compte des phases naturelles du cycle : réduction de progestérone, dose d'œstrogènes basse ; les accidents vasculaires et métaboliques devraient être réduits. *Micropilule :* progestatifs à faible dose ; prise en continu ; prescrite si œstrogènes interdits. N'empêche pas l'ovulation, mais ferme le col par coagulation de la glaire ; elle présente moins de contre-indications et empêche la nidification par atrophie de l'endomètre.

Pilule du « lendemain ». Aujourd'hui remplacée par la pilule traditionnelle (2 comprimés dans les 48 h après le rapport et 2 c. 12 h après) qui est mieux supportée (saignements ou non, faire un test de grossesse 3 semaines après le rapport). Une pilule antiprogestérone (associant le RU 486 et des prostaglandines) est en cours d'utilisation. Voir ci-dessous.

Pilule pour hommes. Consultation dans certains hôpitaux. 1 pilule par j, 1 piqûre de testostérone tous les 15 j, 1 spermogramme par mois.

• **Piqûre retard.** Acétate de médroxy-progestérone administré par voie intramusculaire à fortes doses (150 mg), une injection tous les 3 mois. Inconvénient majeur : hémorragies gênantes et troubles des règles. Non prescrite en France.

• **Préservatifs. Masculins** (ou condoms). Vente libre. *Échecs :* + 5 %, dépendant surtout de l'utilisateur (risque de déchirure) ; pour une plus grande efficacité, adjoindre une gelée spermicide. *Vente* (1989) : 68 millions d'unités.

Féminins. Diaphragme, cape, destinés à obstruer le col de l'utérus (+ gelée). Délivrés sur ordonnance. *Échecs :* 8 à 17 % (appareils trop petits ou trop grands, mauvaise mise en place, etc.).

• **Spermicides chimiques.** Gelées, crèmes, ovules acides placés au niveau du col de l'utérus et qui détruisent les spermatozoïdes. *Échecs :* 0 à 3 %. Protègent efficacement des maladies sexuellement transmissibles. **Tampon contraceptif :** contenant un spermicide puissant non irritant (chlorure de benzalkonium), placé au fond du vagin, assure une protection dès la pose et pendant 24 h. Peut être mis plusieurs h avant les rapports et être retiré 1 h après.

• **Stérilet.** Spirale, anneau en plastique, recouvert de cuivre ou d'argent, placé de façon permanente dans l'utérus : efficace plus de 5 ans. Empêche la fixation de l'œuf fécondé sur la paroi utérine. N'est pas recommandé chez la jeune fille en raison des risques infectieux avant la 1re grossesse. *Échecs :* 0 à 5 %. Est expulsé spontanément dans 1 à 10 % des cas. *Stérilet du lendemain :* l'œuf mettant 8 j pour s'implanter dans l'utérus, on dispose de ce temps pour mettre un stérilet. *À la progestérone :* diffuse à taux constant et très faible de la progestérone. Pour les femmes qui présentent une carence en progestérone (préménopause, par exemple). En fait, pas très efficace sur les conséquences de la carence en progestérone.

• **Stérilisation.** **Féminine :** par ligature des trompes par cœlioscopie (courte incision au niveau de l'ombilic). **Masculine :** par ligature des canaux déférents : peut être réversible grâce à l'anastomose des canaux déférents sous microchirurgie (stade expérimental). 50 % d'échec de la fertilité par phénomènes immunologiques.

☞ **Stérilisation légale.** *1897 :* Indiana (USA) : pour déficients mentaux ; env. 30 États en feraient autant. *1941-75 :* Suède, autorisée pour des raisons d'hygiène sociale ou raciale.

• **Vaccin contraceptif.** *Principe :* immunisation des femmes contre un fragment de la molécule de l'hormone HCG (Human Chorionic Gonadotrophin) indispensable à l'implantation de l'œuf dans l'utérus. La fabrication d'anticorps neutralise cette hormone et interrompt le processus de reproduction avant l'implantation. En cours d'expérimentation.

Implants sous-cutanés. Dit *Norplant*, il s'agit d'un contraceptif longue durée (5 ans) sous forme de bâtonnets de silicone implantés sous la peau. Ils peuvent être retirés à tous moments. La commercialisation vient d'être autorisée aux USA. Utilisé déjà par 500 000 femmes dans le monde et efficace à 90 %. En France, aucun laboratoire n'a demandé l'autorisation de mise sur le marché. Dispositifs intra-cervicaux diffusant des hormones.

Pilule au RU 486. Peut être prise 2 j avant les règles pour les faire arriver de toute façon à la date prévue, ou pendant 4 j si l'on est enceinte pour entraîner un avortement. Pas d'effets secondaires. Prescrite sous contrôle, elle est utilisée uniquement dans les centres hospitaliers et certains centres de planification.

Perspectives (stade expérimental)

Antizygotiques, antihistaminiques, antiœstrogènes. S'attaquent au blastocyte, empêchent son implantation ou inhibent la décidualisation.

Pilule mensuelle de Greenblatt. Œstrogène retard associé à un progestatif ; se prend tous les 25e j du cycle. **Pilule « suédoise ».** A base de diphényléthylène (antiprogestérone ; abortif).

Condom féminin. Le premier modèle de préservatif féminin à introduire dans le vagin a été testé par 10 000 femmes. Sa commercialisation aux USA était prévue en 1991.

Méthodes immunologiques. Font appel à des anticorps antispermatozoïdes, anti B-HCG, LHRH. Vaccination anti-zone pellucide, c.-à-d. immunisation contre l'une des enveloppes de l'ovocyte.

Contraception en France

Réglementation. Loi Neuwirth du 28-12-1967 libéralisant la contraception, complétée par la loi du 4-12-1974. En pharmacie, vente libre des produits, médicaments et objets contraceptifs sur prescription médicale valable 1 an. Le pharmacien peut délivrer en une seule fois pour 3 mois de contraceptifs oraux. *Remboursement* par la Sécurité sociale des contraceptifs, des analyses et examens préalables. Aide médicale prise en charge par le département.

Centres de planification familiale et centres d'orthogénie : peuvent délivrer gratuitement des contraceptifs aux mineures et aux femmes ne bénéficiant pas de la Sécurité sociale [les services départementaux de la Protection maternelle et infantile (P.M.I.) prennent en charge les dépenses de fonctionnement des centres]. Les établissements de consultation familiale et conjugale, agréés par les D.D.A.S.S., informent gratuitement sur toutes les méthodes de contraception.

Méthodes contraceptives utilisées. Sur 12 370 000 femmes de 18 à 49 ans (en %), *64,4 % pratiquent la contraception* dont (en %) : pilule 31,8, stérilet 17,3, préservatifs 4, retrait 7, abstinence périodique 2,4, autre (ou inc.) 1,9 ; *35,6 % ne la pratiquent pas* dont (en %) : stérilisation 7,1, stériles 4,2, enceintes 4,7, sans partenaire 13,3, autres situations et : veulent des enfants 4,5, ne veulent plus d'enfant 1,8.

Position des religions

Catholiques. Le pape Jean-Paul II a condamné la contraception « artificielle » disant : « Quand, par la contraception, des époux soustraient à l'exercice de leur sexualité conjugale sa potentialité procréative, ils s'attribuent un pouvoir qui appartient seulement à Dieu : le pouvoir de décider en dernière instance la venue au monde d'une personne humaine. Ils s'attribuent la qualité d'être, non plus les instruments de la volonté de Dieu, mais les dépositaires ultimes de la source de la vie humaine. » Il a ainsi rejeté le point de vue de la Conférence épiscopale de France de 1968 admettant dans certaines circonstances la contraception (ne constituant pas un « péché grave »).

Juifs. Interdite aux hommes ; concédée aux femmes comme forme de régulation après 2 naissances, et recommandée aux mineures.

Musulmans. Permise aux femmes comme mode de régulation.

Information. *Conseil supérieur de l'information sexuelle (C.S.I.S.).* 8, av. de Ségur, 75007 Paris. *Mouvement français pour le planning familial.* 4, square Saint-Irénée, 75011 Paris. *Fédération nationale « Couple et famille ».* 28, place Saint-Georges, 75009 Paris.

Établissements et œuvres pour enfants

• **Animations de loisirs en milieu hospitalier.** Animation Loisirs à l'hôpital. Association. Réadaptation par le travail et les loisirs. 5, rue Barye, 75017 Paris.

• **Baby-sitting.** Voir Index.

• **Centres aérés.** Enfants pris en charge le matin et rendus le soir aux parents. A partir de 3 ans. *Renseignements :* mairie, école, assistante sociale.

• **Centre d'études, de documentation, d'information et d'action sociale (CEDIAS),** 5, rue Las-Cases, 75007 Paris. Répertorie 30/35 000 organismes.

• **Centres de loisirs sans hébergement (CLSH).** Enfants pris en charge le matin et rendus le soir. A partir de 3 ans. *Renseignements :* mairie, école, assistante sociale, Union fr. des centres de vacances et de loisirs (UFCV), 19, rue Dareau, 75014 Paris.

• **Centres de placements familiaux surveillés.** *Œuvres Louis Colombant,* 184, quai de Jemmapes, 75010 Paris (4 à 12 ans, en été, dans familles rurales du Cantal). *Nouvelle Étoile des enfants de France,* 3, rue de Pontoise, 75005 Paris, placements familiaux surveillés conventionnés par l'Aide sociale à l'enfance dans Yvelines, Essonne, E.-et-L., S.-et-M.

• **Centres de vacances** (de 6 à 17 ans). Organisés par associations, comités d'entreprises, municipalités, services sociaux. *Renseignements :* mairie, comité d'entreprise, école, paroisse, organisations : *Fédération des œuvres laïques, Vacances pour tous,* 17, rue Molière, 75001 Paris ; *Ufoval-Vacances,* 13, passage des Tourelles, 75020 Paris (+ de 2 000 implantations France et étranger pour 4 à 18 ans) ; *Union fr. des centres de vacances (UFA),* 19, rue Dareau, 75014 Paris (5 000 centres France et étranger), *Association interprofessionnelle de vacances santé et loisirs de la région par.,* 59, rue Ampère, 75017 Paris (4 à 17 ans), *Les Fauvettes,* min. de l'Édu. nat., 10, rue Léon-Jouhaux, 75010 Paris (vacances, loisirs, séjours linguistiques à l'étranger).

• **Comité français pour l'UNICEF** 35, rue Félicien-David, 75781 Paris Cedex 16. (Voir ONU) *Fondé* 03-09-1964.

• **Comité français de secours aux enfants.** 4, rue Vigée-Lebrun, 75015 Paris. *Fondé* 1919.

• **Crèches collectives.** Gardent la journée les – de 3 ans dont les deux parents travaillent. **Minicrèches.** Mêmes conditions 12 à 15 enfants. **Familiales (dites « à domicile »).** Au domicile d'assistantes maternelles gardiennes agréées.

• **Enfance missionnaire.** 15, villa Molitor, 75016 Paris. *Créée* 1843 par Mgr Forbin-Janson (« Sainte-Enfance »). 5-5-1970 *association* sous le nom « Œuvre de la Sainte-Enfance » ou « Enfance missionnaire ». Organisation de soutien au développement et à l'évangélisation des enfants dans le tiers monde. *Publication :* « Terres lointaines » (10 fois par an à 75 000 ex.), pour sensibiliser les 10-14 ans à la solidarité universelle.

• **Grand-mères occasionnelles.** 48, rue des Bergers, 75015 Paris. Garde bénévole à domicile d'enfants malades de moins de 5 ans habitant Paris.

• **Haltes-garderies.** Accueil la journée (pour durée relativement restreinte) des – de 6 ans.

• **Homes d'enfants.** Enfants normaux et en bonne santé, à partir de 3 ans, à la mer, montagne, campagne, région parisienne, vacances ou année scolaire. *Homes d'enfants de France* BP 3, 50110 Tourlaville ; BP 32, 74110 Morzine.

• **Hôtels maternels.** Reçoivent des jeunes mères en difficulté sociale accompagnées de leurs enfants à condition que le plus jeune ait + de 2 mois ou – de 3 ans. Une participation aux frais de séjour peut être demandée par le département qui prend en charge le placement de la mère et de l'enfant. *Renseignements :* Service de l'aide sociale à l'enfance.

• **Interservices Parents.** Service téléphonique de l'École des parents et éducateurs (éducation, scolarité, loisirs, droit de la famille) à Strasbourg, Colmar, Bordeaux, Grenoble, Metz, Lyon.

• **Jardins d'enfants.** Reçoivent la journée les 3 à 6 ans (dès 2 ans si l'enfant peut s'adapter).

• **Maisons d'enfants et d'adolescents de France.** Annuaire national + de 2 500 adresses. *Sté de Presse nat. et rég.*, 52, rue de la Tour-d'Auvergne, 75009 Paris.

• **Maisons maternelles.** Une par département (sinon le dép. passe un accord avec un de ses voisins). Accueillent sans formalités : 1° femmes enceintes d'au moins 7 mois (ou moins pour celles qui demandent le secret et sont sans ressources, ou qui ont un certificat d'indigence) ; 2° mères et enfants, après l'accouchement, pendant au maximum 2 mois (sauf prolongation justifiée).

Si la mère demande le secret de la naissance, elle peut être accueillie à la maison maternelle, ou à défaut dans le service de maternité d'un hôpital public, où elle sera admise sans formalité, son identité étant maintenue secrète. Frais de séjour pris en charge au titre de l'aide sociale à l'enfance. *Renseignements :* Service de l'aide sociale à l'enfance.

Nota. – Des centres maternels doivent progressivement se substituer aux maisons et aux hôtels maternels afin d'éviter la multiplicité des placements des jeunes mères et de leurs enfants et de permettre une continuité de l'action éducative.

• **Nouvelle étoile des enfants de France (La).** 3, rue de Pontoise, 75005 Paris. *Créée* 1891. Reconnue d'utilité publique le 21-7-1896. Dispensaire. Hygiène mentale enf., P.M.I., 3 crèches collectives, 3 placements familiaux agréés A.S.E., 1 centre d'accueil, d'hébergement et de réinsertion sociale de mères en détresse avec enf. *But :* venir en aide aux exclus sociaux quelles qu'en soient les raisons.

• **Placement familial.** Enfants confiés à titre permanent chez une assistante maternelle.

• **Pouponnières sociales.** Gardent jour et nuit des – de 3 ans accomplis qui ne peuvent ni rester dans leur famille, ni bénéficier d'un placement familial surveillé. **P. sanitaires :** gardent jour et nuit des – de 3 ans accomplis dont l'état de santé exige des soins que leur famille ne peut leur donner.

Statistiques

Nombre d'enfants de 0 à 3 ans : 2 300 000 (dont 900 000 ont une mère qui travaille).

Mode de garde. *1 à 2 ans :* chez leur mère (70 % à 1 an, 65 % à 2 ans), au-dehors (30 % à 1 a. et à 2 a.) ; scolarisés à 2 a. (5 %). *2 à 5 a. :* vont à l'école à 3 a. 41 %, à 4 a. 87 %, à 5 a. + de 97 %.

Organismes de garde (au 1-1-1988), **établissements,** et entre parenthèses, **nombre de places.** *Crèches collectives* 1 575 (89 000), *minicrèches* 223 (4 400), crèches parentales 156 (2 200), *familiales* 834 (52 800). *Haltes-garderies* 2 081 [2] (42 600), *garderies et jardins d'enfants* 317 (12 000). *Pouponnières* [1] 150 (5 429). *Assistantes maternelles* agréées 162 400 (dont 30 300 dans les crèches familiales). *Multi-accueil (crèche + halte)* 193 (4 700) [2].

Nota. – (1) 1983. (2) 1986.

• **SOS Urgences Maman.** Secrétariat national, 56, rue de Passy, 75016 Paris. Mardi, 14 h à 17 h, vendredi 9 h 15 à 12 h 15. Assoc. de mères se tenant bénévolement à la disposition d'autres mères pour la garde temporaire et immédiate de leur enfant pendant les périodes scolaires.

• **Villages d'enfants SOS de France.** 6, cité Monthiers, 75009 Paris. *Association* créée 1956, reconnue d'utilité publique. Prise en charge d'enfants de famille nombreuse, orphelins ou en difficultés familiales, élevés par des « mères de remplacement ».

Filiation

Dispositions générales

(Art. 311 et suiv. Code civil)

Période légale de la conception. « La conception est présumée avoir eu lieu entre le 300ᵉ et le 180ᵉ j inclusivement avant la naissance. La preuve contraire est recevable pour combattre ces présomptions. »

Actions relatives à la filiation. Chacun peut réclamer en justice devant le tribunal de grande instance, statuant en matière civile, la filiation à laquelle il prétend avoir droit, chacun peut contester celle qu'il a. Cependant, aucune action n'est reçue quant à la filiation d'un enfant qui n'est pas né viable. Les actions relatives à la filiation ne peuvent faire l'objet de renonciation (art. 311-9 civ.).

Les jugements rendus ont autorité à l'égard de tous, mais les tiers peuvent former tierce opposition (art. 582 et suivants du Code de procédure civile).

La filiation de l'enfant est régie par la loi personnelle de la mère au jour de la naissance et, si celle-ci n'est pas connue, par la loi personnelle de l'enfant (ex. : pour une mère française, la loi française s'applique). Si l'enfant légitime et ses père et mère, l'enfant naturel et l'un de ses père et mère ont en France leur résidence habituelle, commune ou séparée, la possession d'état produit toutes les conséquences qui en découlent selon la loi française, lors même que les autres éléments de la filiation auraient pu dépendre d'une loi étrangère (art. 311-14 et suiv.).

☞ Les principaux faits établissant la *possession d'état* qui doit être continue sont : *1º* « que l'individu a toujours porté le nom de ceux dont il est issu » ; *2º* « que ceux-ci l'ont traité comme leur enfant et qu'il les a traités comme ses père et mère » ; « qu'ils ont, en cette qualité, pourvu à son éducation, à son entretien et à son établissement » ; *3º* « qu'il est reconnu pour tel, dans la société et par la famille » ; « que l'autorité publique le considère comme tel » (renommée) (art. 311-2).

Pour prouver être en possession d'état : s'adresser au juge des tutelles (tribunal d'instance), en lui demandant un acte de notoriété faisant foi jusqu'à preuve contraire (art. 311-3 Code civil).

Filiation légitime

Présomption de paternité (art. 312 et suivants du Code civil)

Preuve de la filiation. *Par les actes de l'état civil,* et si c'est impossible (destruction des registres, par exemple) *par la « possession d'état »* d'enf. légitime. *Par tous les moyens* en cas de supposition ou de substitution d'enf., même involontaire, soit avant, soit après la rédaction de l'acte de naissance ; *par témoins,* s'il y a commencement de preuve par écrit ou indices graves en cas d'absence de titre ou de « possession d'état » ou si l'enf. a été inscrit sous de faux noms ou sans indication du nom de la mère.

Enfant conçu pendant le mariage. « Il a pour père le mari. Néanmoins, celui-ci pourra désavouer l'enfant en justice s'il démontre qu'il ne peut pas être le père. » Il peut le faire par tous les moyens (témoignages, lettres, etc.).

La présomption de paternité ne s'applique pas : a) *En cas de résidence séparée des époux résultant de l'ordonnance de non-conciliation* pour l'enfant né plus de 300 j après cette ordonnance et moins de 180 j dep. le rejet définitif de la demande ou dep. la réconciliation, dans le cas de jugement ou de demande de divorce ou de séparation de corps ; s'applique cependant si l'enf. a la possession d'état d'enf. légitime. b) *Lorsque l'enfant est inscrit sans indication du nom du mari* (ex. : une femme mariée, séparée de fait de son mari, mettant au monde, sous son nom de jeune fille, un enfant) (art. 313, 313-1).

Enfant conçu avant le mariage et né avant le 180ᵉ j du mariage. Il est légitime et réputé l'avoir été dès sa conception. Le mari pourra le désavouer devant le tribunal de grande instance du lieu de son domicile, s'il peut prouver qu'il ne peut être le père (la date de l'accouchement peut être une preuve suffisante, à moins qu'il n'ait connu la grossesse avant le mariage ou qu'il ne se soit, après la naissance, comporté comme le père) (art. 314).

Enfants nés plus de 300 j après la dissolution du mariage. Ils sont enfants naturels de la mère (art. 315). Présomption de paternité pas applicable.

Action en désaveu de paternité (art. 316 et suiv.)

Par le mari. S'il conteste être le père d'un enfant, il doit introduire son action devant le tribunal de grande instance dans les 6 mois de la naissance s'il se trouve sur les lieux (ou 6 mois de son retour) ou les 6 mois suivant la découverte de la fraude (si la naissance lui a été cachée). S'il meurt avant d'avoir introduit une action dans les délais prévus, ses héritiers peuvent le faire s'ils sont encore dans ces délais. Leur action cessera d'être recevable lorsque 6 mois se seront écoulés à partir de l'époque où l'enfant se sera mis en possession des biens prétendus paternels ou à partir de l'époque où les héritiers auront été troublés par l'enfant dans leur propre possession.

Par la mère. Elle peut, même en l'absence d'un désaveu du père, contester dans les 6 mois qui suivent le mariage et avant que l'enfant n'ait atteint 7 ans la paternité du mari, mais seulement aux fins de légitimation, quand elle se sera, après dissolution du mariage, remariée avec le véritable père de l'enfant. La demande doit être introduite par la mère et le nouveau conjoint. Le tribunal statue sur les deux actions par le même jugement (art. 318).

Légitimation d'un enfant naturel (art. 329 et suiv.)

Légitimation par mariage. Tous les enfants nés hors mariage sont légitimés de plein droit par le mariage subséquent de leurs père et mère.

Si leur filiation n'était pas déjà établie, ils font l'objet d'une reconnaissance au moment de la célébration du mariage (l'officier de l'état civil qui procède à la célébration constate la reconnaissance et la légitimation dans un acte séparé). La légitimation peut avoir lieu après la mort de l'enfant, s'il a laissé des descendants, elle profite alors à ceux-ci.

L'enfant légitimé a ainsi les droits et pouvoirs de l'enfant légitime à la date du mariage.

Légitimation judiciaire. « Si le mariage est impossible, l'enfant peut être légitimé par autorité de justice, pourvu qu'il ait, à l'endroit du parent qui la requiert, la possession d'état d'enfant naturel. »

Cette légitimation peut avoir lieu à l'égard d'un seul des parents ou des deux.

Le parent qui désire légitimer son enfant naturel doit prouver que cet enfant est bien son enfant naturel et que sa filiation est établie à son égard (par reconnaissance ou par jugement) ; présenter une requête devant le tribunal de grande instance aux fins de légitimation.

Si, au moment de la conception, le parent demandeur était marié, il devra obtenir le consentement de son conjoint.

Le tribunal pourra, avant jugement, entendre, le cas échéant, les observations de l'enfant naturel (il apprécie souverainement le bien-fondé de la requête en légitimation), celles de l'autre parent (s'il est connu et étranger à la requête) et celles du conjoint du demandeur.

Si deux parents naturels qui ne se marient pas désirent légitimer un enfant, ils forment conjointement la requête.

L'enfant prend le nom du père et le tribunal statue sur la garde comme en matière de divorce.

Filiation naturelle

Définition. L'enfant naturel est l'enfant né d'un couple qui n'est pas engagé dans les liens du mariage. Il n'y a plus de distinction (comme avant la loi du 3-1-1972) entre enfants naturels dits simples et enfants naturels incestueux et adultérins (dont l'un des parents, ou les 2, est déjà marié). La mère exerce sur lui l'autorité parentale, qu'elle l'ait reconnu seule ou qu'il l'ait été également par le père (art. 374) sous réserve de modification par le tribunal.

Fréquence des naissances hors mariage. Entre parenthèses, conceptions prénuptiales. *1950 :* 7 (17,1), *55 :* 6,4, *60 :* 6,1 (17,7), *65 :* 5,9 (22,1), *70 :* 6,8 (25,4), *75 :* 8,5 (21,1), *80 :* 11,4 (17,7), *88 :* 26,3 (15,1).

Congé de naissance. Il est dû au père par l'employeur aux mêmes conditions que pour un enfant légitime, si le père l'a reconnu et vit de façon permanente et notoire avec la mère de l'enfant (art. 35 du Code de la famille et de l'aide sociale).

Droits de l'enfant naturel

• **Cas général.** « L'enfant *naturel* a en général les mêmes droits et les mêmes devoirs que l'enfant *légitime* dans ses rapports avec ses père et mère » (art. 334 du Code civil). Sa parenté est reconnue à l'égard de la famille de ses parents : grands-parents, oncles et tantes, cousins et cousines.

• **Cas particuliers.** *Si la filiation est partielle (établie seulement à l'égard d'un de ses parents).* L'administration de ses biens est confiée au parent investi de l'autorité parentale sous le contrôle du juge des tutelles. L'autorité parentale est exercée par la mère si elle a reconnu l'enfant.

Si, au temps de la conception, le père ou la mère était engagé dans les liens du mariage avec une autre personne, l'enfant naturel se trouve en concurrence avec une famille légitime, et ses droits « ne peuvent préjudicier que dans la mesure réglée par la loi aux engagements que, par le fait du mariage, ses parents avaient contractés » (art. 334, al. 3). Toutefois, si l'un des parents était célibataire au moment de sa conception, l'enfant a, lorsque sa filiation est établie, la qualité d'enfant naturel et des droits égaux à ceux d'un enfant légitime. S'il est appelé à la succession en concours avec les enfants légitimes, il ne recevra que la moitié de la part à laquelle il aurait eu droit si tous les enfants du défunt, y compris lui-même, eussent été des enfants légitimes (art. 759).

D'après la jurisprudence récente de la Cour de cassation, il semblerait que l'enfant, d'origine adultérine, verrait ses droits réduits dans la succession de ses grands-parents (application du même art.).

Le parent naturel peut écarter son ou ses enfants naturels du partage de la succession en leur faisant, de son vivant, une attribution suffisante de biens, et en stipulant qu'elle a lieu en règlement anticipé de leurs droits successoraux. Si, à l'ouverture de la succession, on constate que les biens attribués excèdent les droits de l'attributaire, ou leur sont inférieurs, il y aura réduction ou complément, selon les cas, sans que les autres héritiers ou l'enfant puissent réclamer pour les revenus perçus en trop ou en moins avant le décès. S'il y a complément, celui-ci est fourni en argent ou en nature au gré des autres héritiers (art. 759 et suiv.).

Nota. – Si l'auteur (père ou mère) était marié avec un tiers lors de la conception, il ne peut faire par donation entre vifs ou donner par testament à l'enfant naturel plus de droits que ceux qui sont prévus. Mais, si l'auteur n'était pas marié, son enfant naturel est, comme ses enfants légitimes, héritier réservataire (on ne peut lui retirer sa part héréditaire dans la succession de ses père et mère et autres ascendants), son ascendant peut lui donner ou léguer des biens dans la limite de la quotité disponible, en respectant les réserves des autres héritiers réservataires.

Nom de l'enfant naturel

• **Principe.** L'enfant naturel acquiert le nom du parent à l'égard de qui sa filiation est établie en premier, ou le nom de son père si la filiation est établie simultanément à l'égard de ses 2 parents. Il ne peut porter de nom double (arrêt C. de Cass. 25-11-82).

• **Exception.** L'enfant naturel pourra, même si sa filiation est établie en second à l'égard de son père, prendre le nom de son père par substitution à celui de sa mère (s'il a plus de 15 ans, il devra y consentir personnellement) si, pendant sa minorité, les 2 parents font une déclaration conjointe en ce sens devant le juge des tutelles (art. 334-1 et suiv.).

En outre, on peut donner à l'enfant naturel d'une femme mariée le nom de son mari lorsque l'enfant n'a pas de filiation paternelle établie et si le mari de la mère y consent. L'enfant pourra reprendre son nom antérieur sur demande au tribunal de grande instance dans les 2 ans suivant sa majorité.

1º) **Par la reconnaissance volontaire.** Faite en même temps que la déclaration de naissance par la mère et par le père ou l'un d'entre eux (la reconnaissance faite par le père lors de la déclaration de naissance ne produit d'effet qu'à l'égard du père sans l'aveu et l'indication de la mère) ; ou plus tard par un acte authentique de reconnaissance. (Si l'acte de naissance comporte le nom de la mère et que l'enfant a « la possession d'état » d'enfant naturel, il vaut reconnaissance.) (art. 335 et suiv.).

Une reconnaissance peut être contestée par toute personne y ayant intérêt, même son auteur. 10 ans après cette reconnaissance, seul l'autre parent, l'enfant lui-même ou ceux qui se prétendent les parents véritables peuvent contester (art. 339).

2°) **Par une décision judiciaire établissant la filiation (tribunal de grande instance).** 2 actions judiciaires peuvent être entreprises pour l'établir (art. 340 et suiv.) :

a) action en recherche de paternité. (Art. 430-2 et suiv.) Appartient à l'enfant, mais la mère de l'enfant, même mineure, a seule qualité pendant la minorité de l'enfant pour l'exercer (elle doit le faire dans les 2 ans suivant la naissance) ; en cas de concubinage notoire ou de participation à l'entretien de l'enfant, à l'expiration des 2 années suivant la cessation du concubinage ou des actes de participation.

Si la mère est décédée, si elle n'a pas reconnu l'enfant ou ne peut exercer cette action (incapable majeure), le tuteur de l'enfant, autorisé par le conseil de famille, l'exercera (art. 464). L'enfant majeur peut l'exercer dans les 2 ans suivant sa majorité. Est dirigée contre le père prétendu ; s'il est décédé, contre ses héritiers ; si ceux-ci ont renoncé à la succession, contre l'État. *Possible* dans des cas limités : enlèvement ou viol lors de la conception ; séduction avec manœuvres dolosives, abus d'autorité, promesse de mariage ou de fiançailles ; existence de lettres ou autres écrits du père prétendu, dont il résulte un aveu non équivoque de paternité ; concubinage notoire du père prétendu et de la mère pendant la période légale de la conception ; participation par le père prétendu à l'entretien, à l'éducation et à l'établissement de l'enfant en qualité de père.

La *demande* est irrecevable dans 3 cas : 1°) *Inconduite notoire de la mère ou preuve qu'elle a eu des rapports avec un autre individu,* sauf si l'examen des sangs (ou toute autre méthode médicale) certifie que cet individu ne peut être le père. 2°) *Éloignement ou impossibilité physique accidentelle du père prétendu,* rendant sa paternité impossible. 3°) *Preuve apportée par le père prétendu* au moyen d'analyse de sang ou de toute autre méthode médicale certaine qu'il ne peut être le père de l'enfant.

Le jugement établit la filiation naturelle et statue, s'il y a lieu, sur l'attribution du nom de l'enfant et de l'autorité parentale. Il peut condamner le père à rembourser à la mère tout ou partie de ses frais de maternité et d'entretien pendant les 3 mois qui ont précédé et les 3 mois qui ont suivi la naissance et accorder à la mère des dommages et intérêts pour le préjudice subi du fait de la cessation de la vie commune, de la naissance de l'enfant, de la rupture de la promesse de mariage, du viol, etc. En cas de rejet de la demande, le tribunal peut allouer des subsides à l'enfant, s'il est établi que la mère et le défendeur ont eu des relations pendant la période légale de conception.

En cas d'action en recherche de paternité faite de mauvaise foi et si la demande est rejetée, le responsable pourra être puni d'un emprisonnement de 1 à 5 ans et d'une amende de 3 600 à 60 000 F et être privé d'une partie de ses droits civiques, civils et de famille 5 à 10 ans (art. 400, al. 2 du Code pénal).

b) action en recherche de maternité (art. 341 Code civil). L'enfant déclaré de mère inconnue ou sans indication du nom de la mère et qui n'a pas de filiation établie à l'égard de sa mère peut introduire, à l'encontre de la mère prétendue, une action en recherche de maternité. Il devra prouver qu'il est l'enfant dont la prétendue mère est accouchée, par la possession d'état d'enfant naturel de cette femme ou à défaut par témoins, s'il existe : des présomptions ou des indices graves, un commencement de preuve par écrit résultant des titres de famille, registres et papiers domestiques ainsi que de tous autres écrits publics ou privés émanant d'une partie engagée dans la contestation ou qui y aurait intérêt si elle était vivante. La filiation de l'enfant est établie par le jugement à l'égard de la mère avec toutes les conséquences : nom, autorité parentale.

☞ Les recherches en paternité utilisent l'analyse immunologique (la probabilité de paternité étant supérieure à 0,999 dans 90 % des cas, et de 0,9999 dans 65 % des cas). Le test des empreintes génétiques (analyse d'une partie de l'ADN des chromosomes) est plus fiable.

Action pour obtenir des subsides (art. 342 et suiv.)

L'action est exercée devant le tribunal de grande instance, pendant la minorité de l'enfant par la mère (ou le tuteur si elle est decédée) ou dans les 2 ans suivant la majorité de l'enfant, si l'action n'a pas été intentée pendant sa minorité. L'homme attaqué peut faire écarter la demande par le tribunal de grande instance s'il prouve qu'il ne peut être le père de l'enfant ou que la mère se livrait à la débauche.

Peuvent exercer cette action. 1°) *l'enfant naturel dont la filiation paternelle n'est pas légalement établie,* même si le père ou la mère était au moment de la conception marié avec une autre personne, ou s'il existait entre eux des empêchements à mariage réglés par les articles 161 à 164 du Code civil (enfants nés d'un inceste, de parenté trop proche pour que le mariage soit autorisé). 2°) *l'enfant naturel d'une femme mariée* dont le titre d'enfant légitime n'est pas confirmé par la « possession d'état » : un enfant né d'une femme mariée, mais non élevé par le mari de sa mère.

Versement des subsides. Sous forme de pension en tenant compte des besoins de l'enfant, des ressources du débiteur et de sa situation familiale. La pension peut être due au-delà de la majorité de l'enfant s'il est encore dans le besoin (sauf s'il l'est par sa faute). Si le défendeur prouve que la mère a eu des relations avec plusieurs hommes pendant la période de conception légale, ceux-ci pourront être appelés dans l'instance et « le juge, en l'absence d'autres éléments de décision, peut mettre à leur charge une indemnité destinée à assurer l'entretien et l'éducation de l'enfant, si des fautes sont établies à leur encontre ou si des engagements ont été pris antérieurement par eux ».

Les subsides sont versés soit par celui contre lequel l'action est engagée et qui y est condamné, soit par l'Aide sociale à l'enfance ou un mandataire de justice tenu au secret professionnel (si le juge a condamné plusieurs défendeurs à une indemnité), soit par les héritiers du débiteur s'il est décédé. Cette pension prélevée sur l'héritage est supportée par tous les héritiers et, en cas d'insuffisance, par tous les légataires particuliers, proportionnellement à leur legs. « Toutefois, si le défunt a expressément déclaré que tel legs sera acquitté de préférence aux autres, le legs ne sera réduit que dans la mesure où la valeur des autres ne permettrait pas le paiement de cette pension » (art. 207-I, al. 2, C. civ.).

Le non-paiement des subsides fixés est puni des peines d'abandon de famille : 3 mois à 1 an de prison, amende de 300 à 8 000 F (art. 357-2 C. pénal). Une demande de subsides de mauvaise foi rejetée par le tribunal sera punie de 1 à 5 a. de prison, amende de 3 600 à 60 000 F (art. 400, C. pénal).

☞ Cette action « crée entre le débiteur et le bénéficiaire, ainsi que, le cas échéant, entre chacun d'eux et les parents, ou le conjoint de l'autre, les mêmes empêchements à mariage qu'entre parents proches (ascendants et descendants, frères et sœurs...). Elle n'empêche pas une action ultérieure en paternité.

Filiation adoptive

(art. 343 et suiv. du Code civil)

• **Adoption plénière. Conditions pour adopter** (art. 343 à 359). *Époux :* être mariés depuis + de 5 ans ou avoir chacun + de 30 ans (jurisprudence de 1982), ne pas être séparés de corps, avoir 15 ans de + que l'adopté (10 si l'adopté est l'enfant du conjoint, même décédé). Toutefois le tribunal peut, s'il y a de justes motifs, prononcer l'adoption lorsque la différence d'âge est inférieure à celles prévues. *Personne seule* (célibataire, divorcée, veuve ou mariée) : avoir + de 30 ans, avoir 15 ans de + que l'adopté. Si la personne est mariée et non séparée de corps, le consentement de son conjoint est nécessaire, à moins qu'il ne soit dans l'incapacité de manifester sa volonté. Le fait d'avoir déjà des enfants n'est pas un obstacle à l'adoption. En cas de décès de l'adoptant, une nouvelle adoption peut être prononcée si la demande est présentée par le nouveau conjoint du survivant. L'adoption n'est permise qu'en faveur des – de 15 ans, accueillis au foyer du ou des adoptants depuis au moins 6 mois. Toutefois, si l'enfant a + de 15 ans mais a été accueilli avant par des personnes ne remplissant pas les conditions légales pour adopter, s'il fait l'objet d'une adoption simple avant 15 ans, l'adoption plénière pourra être demandée si les conditions sont remplies pendant la minorité de l'enfant. Les + de 13 ans remplissant ces conditions doivent consentir personnellement à leur adoption.

L'adoption est prononcée par le tribunal de gde instance, saisi par une requête de l'adoptant (les détails sur la procédure à suivre peuvent être donnés par le procureur de la République ou par un notaire) ; il vérifie si les conditions légales sont remplies et veille à ce que l'adoption soit conforme aux intérêts de l'enfant. Si l'adoptant a des descendants, le tribunal vérifie en outre si l'adoption n'est pas de nature à compromettre la vie familiale. La tierce opposition à l'encontre du jugement d'adoption n'est recevable qu'en cas de dol ou de fraude imputable aux adoptants.

Effets. *Pour les rapports entre adoptant et adopté :* à compter du jour du dépôt de la requête en adoption. *Pour les tiers, étrangers à la procédure d'adoption :* à partir des mesures de publicité du jugement (la transcription du jugement, dans les 15 j s'il est devenu définitif, sur les registres de l'état civil du lieu de naissance de l'enfant, lui tient désormais lieu d'acte de naissance ; celui-ci ne contiendra aucune indication relative à sa filiation réelle).

L'adoption rompt définitivement le lien unissant l'adopté à sa famille par le sang pour lui conférer une filiation nouvelle. Tout se passe comme si l'adopté était l'enfant de l'adoptant sous réserve des empêchements au mariage fondés sur la parenté ou l'alliance. L'adopté porte le nom de l'adoptant et prend sa nationalité (sur la demande du ou des adoptants, le tribunal peut modifier les prénoms de l'enfant) ; il sera héritier réservataire, en cas de succession, au même titre que l'enfant légitime.

L'adoption de l'enfant du conjoint laisse subsister sa filiation d'origine à l'égard de ce conjoint et de sa famille. Elle produit pour le surplus les effets d'une adoption par 2 époux. L'obligation alimentaire existe réciproquement entre l'adoptant et l'adopté. L'adoption est irrévocable (art. 359).

• **Adoption simple** (art. 360 à 370-2). **Conditions.** *Pour l'adoptant,* les mêmes que pour l'adoption plénière. Permise quel que soit l'âge de l'adopté. Mais s'il a + de 15 ans, il doit consentir personnellement à son adoption. Révocable (art. 370 du Code civil) pour motifs graves, à la demande de l'adoptant (si l'adopté a + de 15 ans) ou de l'adopté (si l'adopté est mineur : des père et mère par le sang ou, à défaut, un membre de la famille d'origine jusqu'au 3ᵉ degré inclus). Le jugement de révocation doit être motivé. Il est mentionné en marge de l'acte de naissance ou de la transcription du jugement d'adoption. La révocation fait cesser tous les effets de l'adoption.

Effets. Moins étendus. **L'adopté :** en principe, il ajoute à son nom celui de l'adoptant, mais le tribunal peut décider qu'il ne portera que le nom de l'adoptant ; il continue à faire partie de sa famille d'origine et y conserve tous ses droits, notamment ses droits de succession. Dans la famille de l'adoptant, il a les mêmes droits de succession qu'un enfant légitime réservataire dans la succession des ascendants ; il n'acquiert pas automatiquement la nationalité de l'adoptant. **L'adoptant :** a tous les droits (autorité parentale dep. 1970), y compris celui de consentir au mariage de l'adopté. Si l'adopté est l'enfant du conjoint de l'adoptant, la puissance paternelle est accordée aux 2 époux.

• **Autres formules. Adoption :** d'enfants du tiers monde (Coréens, Indiens, Colombiens, etc.). Frais : env. 20 000 à 60 000 F. Nécessite un agrément du service de l'Aide sociale à l'enfance (voir plus loin où s'adresser) comme pour les pupilles de l'État nés en France. **Parrainage :** d'enfants vivant en France, non adoptables, reçus pour le week-end, les vac. scolaires : soutiens éducatif, affectif, matériel à des enfants placés dans des collect., institutions (pour des raisons graves) ou vivant dans des familles éprouvées ou démunies ; d'enfants de pays en voie de dév. : soutien matériel (particip. financière trim.) permettant meilleure nourriture, soins et surtout scolarisation ainsi que, malgré la distance, soutiens moral et affectif ; les parrains reçoivent régulièrement photos et nouvelles de l'enfant.

• **Congé d'adoption.** La mère de famille a droit aux mêmes congés que pour une naissance (10 semaines pour le 1er et le 2e enfant, 18 à partir du 3e). Il est accordé au père de famille salarié les mêmes conditions que pour un congé de naissance (3 j à prendre dans les 15 j précédant ou suivant l'arrivée de l'enfant). Père et mère ont droit au congé parental [2 ans, 3 ans pour les fonctionnaires].

• **Enfants susceptibles d'être adoptés.** 1°) *Nés en France.* a) recueillis par une œuvre d'adoption autorisée et ayant fait l'objet d'un consentement à l'adop-

Droits selon l'âge

Mineurs

Enfants à naître. Dans des cas limités (par ex. un grand-père peut prévoir des donations particulières pour les enfants nés ou à naître de ses enfants). **Enfant conçu.** Peut être héritier ou légataire, à condition de naître « viable ». **Dès la naissance :** on peut lui attribuer des actions, un livret de Caisse d'épargne, une carte d'identité.

2 ans. Peut entrer à la maternelle.

7 ans. Age minimal pour le football.

12 ans. On peut établir sur sa tête une assurance-décès (son consentement est nécessaire). Age minimal pour la boxe.

13 ans, + de 13 ans. Doit consentir personnellement à son adoption plénière. Peut voir certains films interdits aux - de 13 ans.

14 ans. Peut conduire un cyclomoteur (45 km/h max., moins de 50 cm³, avec pédale).

15 ans (avant). Ne peut recevoir des corrections corporelles légères (art. 312 du C. pénal) : coups de pied au derrière, gifle, coups de règle.

15 ans. On doit obtenir son consentement en cas d'adoption (simple). Peut (sous condition d'être autorisé) répudier ou réclamer la nationalité ou la naturalisation. Une fille peut se marier avec l'autorisation de ses parents. Passeport obligatoire en cas de voyage dans les pays où il est nécessaire. En cas de relation sexuelle, il n'y a plus d'attentat à la pudeur. Age minimal pour des courses de vélo.

16 ans. Il peut : réclamer la qualité de Français (après autorisation des parents), disposer de la moitié de ses biens par testament ; adhérer à un syndicat professionnel (sauf opposition des père, mère ou tuteur) sans pouvoir toutefois participer à l'administration de ce groupement ; retirer des fonds figurant sur un livret de Caisse d'épargne (sauf opposition de la part du représentant légal). Ouvrir un compte d'épargne-logement auprès d'une Caisse d'épargne ; avoir un compte en banque et un carnet de chèques avec autorisation parentale, faire des actes conservatoires, interrompre une prescription, faire apposer des scellés, obliger le juge des tutelles à convoquer le conseil de famille. Conduire une moto de 50 à 125 cm³. **Peut être émancipé** par le juge des tutelles (de plein droit s'il se marie) : en conséquence : il pourra accomplir seul la plupart des actes de la vie civile et, en particulier, administrer lui-même ses biens (art. 481 du Code civil) ; échapper à l'autorité parentale (exercée par ses parents ou par un tuteur légal), ne plus habiter sous le toit de ses parents ; décider de son domicile, des études qu'il désire entreprendre, s'engager dans la vie professionnelle sans autorisation. Mais il ne pourra ni se marier, ni se faire adopter sans l'autorisation de ses parents ou de son tuteur ; ni être commerçant (mais il pourra accomplir des actes de commerce « isolés »), ni voter. Il ne peut régulièrement travailler avant d'être régulièrement libéré de l'obligation scolaire. **Une fille mariée** avant 18 ans restera émancipée même après le divorce ou décès du conjoint (art. 477, 78, 79).

A partir du moment où il est en âge de gagner sa vie (après l'obligation scolaire), il peut : consentir un contrat de travail comme ouvrier ou employé (sauf opposition de ses père, mère ou tuteur) ; agir par lui-même dans les litiges qui peuvent survenir à cette occasion (ex. : Conseil des prud'hommes).

Quel que soit son âge. Il ne peut contracter sans l'autorisation de ses parents ou de son tuteur, sauf pour des achats courants (apparaissant normaux par rapport au train de vie habituel de la famille) et s'il a « l'âge du discernement », c'est-à-dire s'il comprend la portée de ses actes.

☞ **Contrat passé avec un mineur sans que les parents soient au courant.** Pour le faire annuler, envoyer une lettre recommandée avec accusé de réception à la personne qui a signé le contrat, en demandant son annulation pour une raison donnée. Si cela ne suffit pas, saisir le tribunal d'instance si la somme engagée ne dépasse pas 20 000 F, de grande instance au-delà. Le contrat peut être **1° reconnu comme nul.** *Nullité absolue :* s'il y a eu non-respect de la loi ou d'une règle d'intérêt général (ex. contrat de travail signé par un mineur encore en âge scolaire). *Relative :* si les règles assurant la protection des contractants et des intérêts privés ont été violées. Ex. : un acte « nul en la forme » passé par un mineur, sans autorisation même verbale. Ce contrat peut pourtant être « confirmé » (considéré comme valable) si le mineur atteint sa majorité, si les contractants renoncent à la clause de nullité et si les formalités requises pour le valider sont accomplies. **2° annulé** pour sanctionner un acte désavantageux pour un jeune (ex. : disproportion, même minime, entre le prix payé et la chose vendue). Les parents doivent prouver devant les tribunaux que leur enfant a été lésé.

Majeurs

18 ans (dep. la loi du 7-7-1974 ; avant 21 ans). Il devient majeur, citoyen à part entière. Il est pleinement responsable de tous les actes qu'il accomplit. *Responsabilité civile :* les parents ne sont plus engagés pour les dommages qu'il a causés (n'ont pas à verser des dommages et intérêts à une victime éventuelle) et n'ont plus à supporter les conséquences pécuniaires des infractions qu'il a commises. *Responsabilité :* il peut contracter personnellement une assurance responsabilité civile (les assurances « chef de famille » continuent à jouer pour les 18-21 ans si la police a été signée avant la promulgation de la loi). S'il est à l'université, sa mutuelle étudiant peut couvrir sa responsabilité civile. *L'obligation d'entretien des parents à son égard* cesse, mais peut être prolongée en particulier pour permettre la continuation des études (jurisprudence). *Études :* il peut faire les études de son choix ou abandonner ; obtenir que ses notes lui soient directement communiquées. Dans les internats, il bénéficie d'une réglementation différente.

Vie civile : il peut se marier, obtenir sur simple demande toutes pièces d'état civil de son nom, se faire embaucher par qui il veut, créer une entreprise ou un commerce, signer des contrats, disposer de ses revenus et de ses biens à sa guise, entrer en possession d'un héritage, ouvrir un compte de chèques bancaire ou postal, quitter le territoire national, choisir son domicile.

Vie civique : il a le droit d'être électeur (il lui faut s'inscrire sur les listes électorales de la mairie de son domicile entre le 1er septembre et le 31 décembre).

21 ans. Peut devenir conseiller municipal ou conseiller général, conseiller régional, maire (s'il satisfait aux obligations militaires).

23 ans. Peut devenir député, président de la République.

24 ans. Ne peut plus se présenter à Normale supérieure.

25 ans. Peut accéder à certaines professions (ex. pharmacien titulaire d'une officine), ne peut plus reporter au-delà son service militaire s'il est étudiant de pharmacie ou dentaire.

27 ans. Ne peut reporter au-delà son service s'il est étudiant en médecine ou médecine vétérinaire. Age souvent limite pour le maintien sous le régime de la Séc. soc. étudiante.

30 ans. Age limite pour la candidature à un emploi de l'État ou d'une collectivité locale. Peut adopter un enfant sans être marié et à condition d'avoir 15 ans de différence avec l'enfant.

35 ans. Peut devenir sénateur.

Majorité

• **Droit romain.** Distinction entre *impuberté* (jusqu'à 12 ans pour les filles et 14 pour les garçons) : *minorité* (de 12/14 ans à 25) et *majorité* (après 25). *En droit privé*, on restait sous la puissance paternelle même après cet âge. *En droit public*, on était soldat à partir de 17 a., éligible et électeur aux magistratures à 27 a.

• **En France. Droit féodal.** 21 a. (mais la puissance paternelle est maintenue) ; les garçons peuvent être écuyers à 17 a., chevaliers à 21. *Age du mariage :* celui du droit romain (filles 12 a. ; garçons 14). Il y a des exceptions (dans l'Est, l'âge de la majorité est celui du mariage : 12/14 a.). **Droit coutumier.** Variable. En général, au XVIIIe s., 25 a. pour aliéner des biens et se marier sans le consentement paternel. Les nobles sont souvent distingués des roturiers (en Bretagne, nobles, majeurs à 17 a. ; roturiers à 20).

Après la Révolution. Majorités (civile et électorale) à 21 a., mais à 18 a., possibilité d'émancipation, fin de la jouissance légale, majorité pénale, engagement militaire, pratiques judiciaires particulières (droit de visite, responsabilité civile des parents). **Loi du 5 juill. 1974.** Majorités civile et électorale à 18 a. (exemples de G.-B. 1969, All. féd. 1972).

Convention internationale des droits de l'enfant

Adoptée le 20-11-1989 par la 44e Assemblée générale des Nations unies.

Principales dispositions. Sont considérés comme enfants les - de 18 a. (sauf si la loi nationale accorde la majorité plus tôt). Obligation pour l'État d'assurer l'exercice des droits reconnus par la convention, de respecter les droits et responsabilités des parents, d'assurer la survie et le développement de l'enfant, de lutter contre les rapts et non-retours illicites d'enfants. Droit de l'enfant à un nom dès la naissance et à une nationalité ; de vivre avec ses 2 parents ; d'exprimer son opinion dans une procédure le concernant. Droit à la liberté de pensée, de conscience et de religion ; au respect de sa vie privée ; à la sécurité sociale, à l'éducation, aux loisirs ; à une protection contre mauvais traitements, travail excessif ou dangereux, trafic ou consommation de drogue, exploitation sexuelle, traite, torture, privation de liberté. Interdiction de faire participer des - de 15 ans aux hostilités. Droits aux garanties judiciaires en cas de délit.

Conséquence pour la France. Ce traité international ayant une plus grande autorité que les lois nationales, la législation française devra être modifiée, en particulier sur le droit à l'expression des mineurs.

tion. b) admis dans la catégorie des pupilles de l'État sous la tutelle du préfet (DDASS) et pour lesquels les père et mère ou le conseil de famille ont valablement consenti à l'adoption. Ces enfants ont été remis aux services de l'Aide sociale à l'enfance par leurs parents, ou après une déchéance d'autorité parentale, ou une déclaration judiciaire d'abandon (art. 350 du Code civil). 2°) *D'origine étrangère* confiés en vue d'adoption par décision juridique du pays concerné.

Nota. – La vente d'enfant est punie par l'article 353-1 du Code pénal (10 j à 6 mois de prison, 500 à 20 000 F d'amende).

• **Statistiques.** Personnes attendant un enfant à adopter : 20 000 couples (1988) ou personnes isolées.

Nombre d'adoptions simples (1987) : 2 329. **Plénières** (1989) : env. 4 500. *Adoption d'enfants étrangers* (1988) : env. 3 000 dont Brésil 683, Chili 151, Colombie 332, Corée 167, Éthiopie 78, Haïti 61, Inde 108, Madagascar 123, Pologne 209, Roumanie 311, Sri Lanka 198. **Coût d'un enfant.** Inde 15 000 F (les enfants sont envoyés seuls). Brésil, Colombie : de 50 000 à 60 000 F (démarches administratives, entretien de l'enfant sur place et voyage sur place obligatoire). *Enfants adoptables au niveau de la DDASS* (1990) : sur les 115 000 enfants confiés à l'Aide sociale à l'enfance (ASE), 6 000 sont pupilles, donc adoptables, 1 500 sont confiés en vue d'adoption. 4 500 souffrent d'un handicap sérieux ou ont + de 12 ans. 80 % vivent en famille d'accueil et leur adoption par une autre famille est difficile. 20 % vivent en établissement. En 1987, 1 434 enfants ont été admis comme pupilles, 700 avaient de quelques j à 1 an et ont été rapidement adoptés, 390 ont été déclarés abandonnés par la justice (art. 350) souvent à un âge avancé. 130 avaient + de 12 ans.

☞ **Où s'adresser. Adoption :** *Service de l'Aide sociale à l'enfance du Conseil général (ASE)* (au chef-lieu de chaque dép.), qui délivre les agréments pour les adoptions des pupilles de l'État et d'enfants nés à l'étranger (non placés par une œuvre d'adoption française), peut donner la liste des œuvres d'adoption autorisées. Œuvres d'adoption autorisées. **Information des candidats :** *Enfance et Familles d'Adoption* (Fédération nationale des associations de foyers adoptifs), 3, rue Gérando, 75009 Paris. **Parrainage :** *Comité fr. de secours aux enfants,* 25, av. de Wagram, 75017 Paris ; *Un enfant, une famille,* 110, rue de Fleury, 92140 Clamart ; *Centre français de protection de l'enfance,* 97, bd Berthier,

75017 Paris ; *Les Petits Filleuls,* 16, rue de la Bûcherie, 75005 Paris.

Tutelle

(art. 389 à 475)

• **Conseil de famille. Désignation.** 4 à 6 membres choisis par le juge des tutelles parmi parents, alliés, amis ou voisins des père et mère. Convoqué par lui (soit à son initiative, soit sur demande de 2 membres du conseil, ou du tuteur, ou du subrogé t., ou du mineur lui-même s'il a 16 ans révolus). Le juge peut, parfois, le consulter par correspondance. Le tuteur ne fait pas partie du conseil (pas plus que le juge des tutelles), mais participe à ses délibérations le subrogé tuteur en fait partie.

Rôle. Il règle les conditions générales de l'entretien et de l'éducation de l'enfant, eu égard à la volonté qu'ont pu exprimer les père et mère.

• **Juge des tutelles.** Juge du tribunal d'instance dans le ressort duquel le mineur a son domicile. Il exerce une surveillance générale sur les administrations légales et les tutelles de son ressort. Il peut convoquer les administrateurs légaux, tuteurs et autres organes tutélaires pour leur réclamer des éclaircissements, faire des observations et prononcer contre eux des injonctions, dont l'inexécution peut être sanctionnée par une amende. Il nomme un administrateur *ad hoc,* lorsqu'il y a opposition d'intérêts entre le mineur et l'administration légale (art. 393 à 396 et 499).

• **Subrogé tuteur.** Choisi parmi les membres du conseil de famille. Fonction : surveiller la gestion tutélaire.

• **Tuteur** (art. 397 à 406). **Désignation.** Soit par le dernier mourant des père et mère, si celui-ci a conservé au jour de sa mort l'exercice de l'administration légale ou de la tutelle (sous forme d'un testament ou d'une déclaration spéciale devant notaire), soit par le conseil de famille. Lorsqu'il n'a pas été choisi de tuteur ou que celui-ci n'a pas accepté cette charge, la tutelle de l'enfant légitime est déférée par le conseil de famille à celui des ascendants du degré le plus proche ou à un parent, allié ou ami de la famille. Le t. est désigné pour la durée de la tutelle ; il peut être remplacé en cas de circonstances graves. Dans certains cas, le conseil de famille peut diviser la tutelle entre un t. à la personne et un t. aux biens. Il peut aussi désigner un t. adjoint pour la gestion de certains biens. En principe, parents ou alliés du mineur ne peuvent refuser la tutelle que pour de justes motifs. *Personnes considérées comme incapables d'exercer la tutelle :* mineur (sauf pour ses propres enfants), interdit, aliéné, personne pourvue d'un conseil judiciaire, parents déchus de la puissance paternelle, condamnés à une peine afflictive ou infamante, condamnés privés à titre accessoire du droit d'être t., personnes d'inconduite notoire ou d'improbité, négligence ou inaptitude aux affaires constatées. Celui qui n'est ni parent ni allié du mineur ne peut être forcé d'accepter la tutelle.

Pouvoirs. Il prend soin de l'enfant et le représente dans les actes civils, sauf ceux dans lesquels la loi ou l'usage autorise les mineurs à agir par eux-mêmes. Il administre les biens du mineur, en bon père de famille, mais ne peut ni les acheter ni les prendre à bail ou à ferme (à moins que le conseil n'ait expressément autorisé le subrogé tuteur à lui en passer bail). Il accomplit seul tous les actes d'administration : vente des meubles d'usage courant, acceptation des donations et des legs non grevés de charge, action en justice relative aux droits patrimoniaux. Il ne peut accepter de succession sans bénéfice d'inventaire ou disposer au nom du mineur qu'avec l'autorisation du conseil, lequel peut décider de passer outre à la règle selon laquelle la vente d'un immeuble ou d'un fonds de commerce du mineur se fait publiquement. Dans la limite d'une certaine somme, l'autorisation du juge des t. peut être substituée à celle du conseil.

Responsabilité. Il est responsable de sa gestion. Chaque année, il remet au subrogé t. un compte de gestion dont le juge des t. peut décider qu'il sera communiqué au mineur. Dans les 3 mois qui suivent la fin de la tutelle, le tuteur remet un compte définitif au mineur devenu majeur ou émancipé, ou à ses héritiers. Après un délai d'un mois, il appartient à l'ex-pupille d'approuver le compte de tutelle. Toute action du mineur contre le tuteur relativement aux faits de la tutelle se prescrit par 5 ans à compter de la majorité (lors même qu'il y aurait eu émancipation).

Enfance maltraitée

Quiconque a connaissance de mauvais traitements à un enfant (violences physiques, négligences graves, abus sexuels, violences éducatives et psychologiques) *est tenu* de le signaler ; les médecins peuvent être déliés du secret professionnel, au titre de l'assistance à personne en danger.

Peines prévues (art. 312 C. pénal L. du 2-2-1981). *Pour quiconque aura volontairement porté des coups à un enfant de – de 15 ans ou aura commis à son encontre des violences ou voies de fait, à l'exclusion de violences légères :* 3 mois à 3 ans de prison, amende de 500 à 20 000 F s'il n'est pas résulté une maladie ou une incapacité de travail de + de 8 j, 2 ans à 5 ans de prison, amende de 5 000 à 100 000 F en cas de maladie ou incapacité de + de 8 j. Réclusion criminelle de 10 à 20 ans en cas de mutilation, amputation, privation de l'usage d'un membre, cécité, perte d'un œil, autres infirmités permanentes ou homicide involontaire. *Si les coupables sont les père et mère légitimes, naturels ou adoptifs, ou toute autre personne ayant autorité sur l'enfant ou chargée de sa garde,* maximum de l'emprisonnement porté au double pour maladie ou incapacité de + de 8 j, réclusion criminelle à perpétuité pour les mutilations, etc. Les peines peuvent être assorties de la privation des droits civiques, civils et de famille pour 5 à 10 ans. *Pour celui qui, ayant connaissance de sévices ou privations infligés à un mineur de – de 15 ans, n'en aura pas averti les autorités administratives ou judiciaires,* 2 mois à 4 ans de prison et (ou) une amende de 2 000 à 20 000 F (art. 62 C. pénal L. du 2-2-1981).

Principales causes des mauvais traitements. Le déséquilibre psycho-affectif des parents, leur jeune âge, l'isolement, les antécédents de sévices moraux et physiques dans l'enfance, *quelle que soit l'origine sociale.* Les facteurs socio-économiques : chômage, promiscuité, maladie, alcoolisme.

Statistiques. En permanence 48 000 à 50 000 enfants (dont la plupart ont – de 6 ans) sont victimes de mauvais traitements et 3 000 à 3 500 de sévices graves, 3 000 à 5 000 sont hospitalisés chaque année (env. 700 décéderaient par an).

Abus sexuels. Leur fréquence est en partie méconnue, car ils ne sont souvent révélés qu'à l'âge adulte. Ils portent toujours atteinte au développement psycho-affectif de l'enfant. Des programmes d'information et de prévention, des réseaux d'appels téléphoniques sont mis en place.

Inceste. *Non mentionné dans la loi,* il tombe sous le coup des art. 331 et 332 du Code pénal relatifs à l'attentat à la pudeur à l'égard d'un mineur, avec aggravation de la peine s'il y a violence et lorsqu'il s'agit d'un attentat commis par un ascendant ou quelqu'un ayant autorité sur le mineur. La majorité des cas reste dissimulée. Env. 300 cas par an sont traités par les instances judiciaires.

☞ **Adresses.** *Juge des Enfants compétent,* ou *commissariat de Police* ou *Brigade* ou *Gendarmerie. Brigade de protection des mineurs,* 12, quai de Gesvres, Paris 75004. *Féd. nat. des comités Alexis-Danan pour la protection de l'enfance* (140 comités, revue « Tribune de l'Enfance »), 5, rue Gassendi, 75014 Paris. *Ligue nationale pour la protection de l'enfance martyre,* 10, rue Michel-Chasles, Paris 75012. *Association fr. d'information et de recherche sur l'enfance maltraitée (AFIREM),* Hôpital des Enfants-Malades, 149, rue de Sèvres, 75730 Paris Cedex 15. *S.O.S. Famille en péril,* 9, cour des Petites-Écuries, 75010 Paris. Garantie de l'anonymat. *Alésia 14,* 20 bis, rue d'Alésia, 75014 Paris. Garantie de l'anonymat. Les associations peuvent se porter partie civile dans les procès instruits contre les parents maltraitants et les assassins d'enfants.

Mariage

Mariage civil

Conditions requises

• **Conditions générales. Age.** *Homme :* 18 ans révolus. *Femmes :* 15 ans révolus (sauf dispenses pour motifs graves par le procureur de la Rép. du lieu où le mariage doit être célébré). *Avant 18 ans révolus,* le consentement des père et mère ou celui des aïeuls ou aïeules du conseil de famille, ou, si les père et mère sont décédés, l'autorisation du conseil de famille présidé par le juge des tutelles est nécessaire. Pour les mineurs pupilles de l'Assistance publique : autorisation du conseil de famille de l'A.P.

• **Anniversaires des noces.** Plusieurs versions. Les traditions diffèrent selon régions ou pays (ex. G.-B./U.S.A.). **Noms traditionnels.** *1 an* Coton (papier). *2* Papier (coton, porcelaine). *3* Cuir (papier, cristal, verre). *4* Cire (soie). *5* Bois (fruit, fleur). *6* Cuivre (fer, bois). *7* Laine (sucre). *8* Bronze (coquelicot, dentelle). *9* Faïence (cuir). *10* Etain (fer). *11* Corail (acier). *12* Soie (perle, gemmes de couleur). *13* Muguet (fourrure). *14* Ivoire. *15* Porcelaine (cristal). *16* Saphir. *17* Rose. *18* Turquoise. *19* Cretonne. *20* Cristal (porcelaine). *21* Opale. *22* Bronze. *23* Béryl. *24* Satin. *25* Argent. *26* Jade. *27* Acajou. *28* Nickel. *29* Velours. *30* Perle (diamant). *31* Basane. *32* Cuivre. *33* Porphyre. *34* Ambre. *35* Corail (jade, rubis). *36* Mousseline. *37* Papier. *38* Mercure. *39* Crêpe. *40* Émeraude ou rubis. *41* Fer. *42* Nacre. *43* Flanelle. *44* Topaze. *45* Vermeil. *46* Lavande. *47* Cachemire. *48* Améthyste. *49* Cèdre. *50* Or. *55* Emeraude. *60* Diamant. *65* Saphir. *70* Platine. *75* Albâtre. *80* Chêne.

• **Prêtres et religieuses** célèbrent les anniversaires de leur entrée dans les ordres. Autrefois, au bout de 25 ans, les religieuses portaient un anneau d'argent, de 50 ans, un a. d'or, et de 75 ans, un a. portant un diamant.

• **Mariage en mai.** Depuis les lois romaines qui interdisaient les m. en mai et les jours fériés, on a attribué au mois de mai une influence néfaste sur les mariages célébrés à cette époque.

• **Mariage en blanc.** Depuis 1830.

• **En Allemagne (Est et Ouest).** Affluence de mariages le 8-8-88 (le 8 étant symbole de bonheur).

Parentés. Il est interdit de se marier (art. 161, 162, 163) entre parents et alliés en ligne directe quand la personne qui créait l'alliance est décédée : en général frère et sœur, oncle et nièce, tante et neveu (dispense très rare), adopté et adoptant, enfants adoptifs (dispense possible), adopté et enfant qui pourrait survenir à l'adoptant (dispense possible dans certains cas près du procureur de la République, art. 164).

Mariage avec un(e) étranger(e). Le mariage s'exerce de plein droit et n'a aucun effet sur la nationalité. Un étranger qui épouse une Française peut devenir français 6 mois après le mariage par simple déclaration sans condition de délai, ni de résidence sur justification du dépôt de l'acte de mariage auprès de l'autorité administrative compétente (de même pour une étrangère épousant un Fr.). Cf. art. 37-1 du Code de la nat.

Mariage posthume. Le Pt de la République peut, pour des motifs graves, autoriser la célébration du mariage si l'un des futurs époux est décédé après

Statistiques

Nombre annuel en France. *Mariages civils. 1975 :* 387 000. *1980 :* 334 300. *1982 :* 312 000. *1984 :* 284 000. *1987 :* 265 177 (soit 530 354 personnes dont 16,6 % pour la 2e fois). *1988 :* 271 124 [dont 22 214 mixtes (Fr. ép. étranger (e)]. *1990 :* 288 000. **Mariages catholiques** (% par rapport aux mariages civils) *1954 :* 79. *1963 :* 79. *1972 :* 75. *1980 :* 65,1 (217 479 mar.), 77 % des mariages civils n'impliquant pas de divorce. *1981 :* 65. *1985 :* 58,9 (159 097 mar.).

Age moyen au 1er mariage. *Hommes :* 27 ans, *femmes :* 24,9. En cas de remariage après divorce : h. 40,1, f. 36,8.

Age moyen du 1er rapport sexuel. *1972 :* garçons 19,2 ans, filles 20,5. *1982 : entre 15 et 16 ans* garçons 24,7 %, filles 16 % ; *17-18 ans* garçons 14,9 %, filles 12,9 %.

☞ Sur 800 000 personnes en âge de se marier, 600 000 se marient, 200 000 divorcent avant 5 ans (soit 33 %, en Suède 40 %). 16,6 % des divorcés se remarient dont 50 % avec un célibataire.

Les sociologues pensent que la 1re fois qu'elles se marient, les femmes épousent un homme en fonction de leur père. En cas de remariage, leur 2e mari ressemble au 1er.

l'accomplissement de formalités officielles marquant sans équivoque son consentement (art. 171 C. civil). En 1984, le Pt a considéré que l'achat d'alliances de mariage et certains préparatifs en vue de la noce valaient consentement. *En 1976* il y eut 56 demandes, 10 furent autorisées, 32 rejetées.

Nom des époux. Voir p. 1384c.

Nouveaux mariages. Une femme ne peut se remarier que 300 j révolus après la dissolution du mariage précédent (délai de viduité). Le délai prend fin en cas d'accouchement après le décès du mari ou si un certificat médical atteste qu'elle n'est pas en état de grossesse (art. 228).

Pour la femme divorcée, ce délai compte à partir de l'ordonnance de non-conciliation l'autorisant à avoir une résidence séparée. Le Pt du trib. de gde instance peut, par ordonnance, la dispenser de ce délai.

Formalités

Célébration. S'adresser à la mairie du domicile de l'un ou de l'autre époux, ou de la résidence continue d'un mois à la date de la publication.

Publication du mariage. A la mairie du lieu du mariage et à celle du lieu où chacune des parties a son domicile ou sa résidence. Le procureur de la République peut, pour des causes graves (art. 169) (ex. : maladies, départ forcé ou subit, imminence de l'accouchement de la future, désir pour 2 concubins de régulariser une union sans « scandale »), dispenser de la publication et de tout délai ou de l'affichage de la publication seulement. Le délai légal de publication expire le matin du 11ᵉ j de l'apposition de l'affiche à la porte de la mairie.

Pièces à fournir

• **Pour les publications.** 2 certificats d'*examen médical prénuptial* concernant les 2 futurs (datant de – de 2 mois au dépôt du dossier). *Extrait de naissance* de – de 3 mois à la date du mariage. *Attestation de domicile et pièce d'identité.*

Certificat prénuptial. Délivré par un médecin (librement choisi), après avoir pris connaissance d'un examen sérologique effectué par un laboratoire agréé. Au vu des résultats « il communique ses constatations à l'intéressé et lui en signale la portée ». **Frais d'examen.** Remboursés par la Sécurité sociale ou par l'aide médicale pour ceux qui en bénéficient. *Validité :* 2 mois. *Dispense possible* par le procureur de la Rép. pour les 2 époux ou pour l'un d'eux ; pas exigé en cas de péril imminent pour l'un d'eux.

Nature de l'examen. *1°) test sérologique* de rubéole, de toxoplasmose, recherche du groupe sanguin. *2°) dépistage de la syphilis :* interrogatoire, examen clinique et sérologique (réaction de Bordet-Wassermann et test de Nelson). Attention : un examen sérologique négatif ne peut donner une sécurité totale ; des tests de laboratoire positifs ne sont pas toujours synonymes de maladie syphilitique. En cas de syphilis récente, le malade devrait reculer son mariage, se soigner et n'avoir des enfants que lorsqu'il sera guéri (s'il est bien soigné, ceux-ci seront normaux). *3°) de la blennoragie :* difficile si elle est ancienne chez l'homme, et dans tous les cas pour la femme, chez qui elle peut entraîner la stérilité. *4°) de la tuberculose :* examen clinique, radiologique complété, si nécessaire, par examen des crachats. En cas de tuberculose récente, repousser le mariage (des tuberculeux non stabilisés font des rechutes). L'examen doit comporter un interrogatoire très complet sur les antécédents héréditaires et collatéraux, pour dépister les tares et certaines prédispositions morbides. Le médecin déconseillera le mariage lorsque les tares seront graves et en cas de consanguinité (mariage entre cousins germains ou issus de germains).

• **Pour le mariage. Extrait d'acte de naissance** délivré spécialement dep. – de 3 mois à la date du mariage (depuis – de 6 mois s'il a été établi dans un territoire d'outre-mer ou un consulat). **Certificat du notaire** s'il a été fait un contrat de mariage.

Pour les mineurs. Le *consentement* du père ou de la mère peut être donné verbalement au moment de la célébration du mariage, ou préalablement devant notaire ou devant l'officier d'état civil du domicile ou de la résidence de l'ascendant. (En cas de dissentiment entre le père et la mère, ce partage emporte consentement ; en cas de mort de l'un d'eux, le consentement du survivant est suffisant).

Pour le mari. Pour gendarmes, pompiers, ou militaires épousant une étrangère, consentement de l'autorité lorsqu'il est nécessaire.

Agences matrimoniales

Nombre : 1 000 à 3 000, la profession n'est régie par aucun statut. 3 types : agences boîtes aux lettres (tarif de 1 500 à 5 000 F env.), ag. de présentation (4 000 à 30 000 F), instituts de présélection psychologique (6 000 à 9 500 F).

Mariages réalisés : env. 4 % des mariages (60 % annoncent certaines agences).

Témoins. *Indication des prénoms, noms, professions et domiciles des témoins* (1 ou 2 par époux) ; père et mère du futur époux majeur peuvent servir de témoins.

S'il y a des enfants nés avant le mariage à légitimer, en prévenir à l'avance la mairie et présenter l'acte de naissance des enfants, délivré en vue de la légitimation, en même temps que les autres pièces.

• **Demande de dispense. Dispense d'âge** (hommes : – de 18 ans ; femmes : – de 15 ans), justifier d'un « motif grave » (le plus courant : celui de grossesse de la future épouse). Les 2 futurs époux doivent établir et signer une requête (simple lettre) au procureur de la Rép. et y joindre leurs actes de naissance, certificat médical en cas de grossesse ; si l'un est étranger, la dispense d'âge accordée par le gouvernement de son pays ou la justification que dans ce pays il pourrait légalement à l'âge atteint contracter un mariage valable. Requête et pièces établies sur papier timbré. Droit de 50 F (exemption possible aussi p. les droits de timbre en cas d'indigence : joindre alors un certificat d'indigence à demander à la mairie). Le dossier est transmis pour instruction au procureur de la Rép. du domicile de la future épouse.

Autres dispenses (ex. : mariage entre alliés) : demande adressée au Pt de la Rép. doit être signée par les 2 futurs époux, en exposant les motifs pour lesquels elle est faite (ex. intérêts matériels sérieux tels que l'avantage d'éviter des procès ou liquidation, existence d'enfants à légitimer). La demande est transmise au procureur de la Rép. du domicile de l'épouse ainsi que les actes de naissance des époux et les pièces établissant parenté ou alliance.

☞ Le maire ne doit pas célébrer le mariage si les indications contenues dans l'acte, la consultation des pièces produites ou le déroulement de la cérémonie révèlent le caractère illicite, mensonger ou frauduleux du mariage. La violation de ces principes engagerait sa responsabilité pénale. En cas de doute, il peut en référer au procureur de la République qui peut s'opposer au mariage ou saisir le tribunal pour faire annuler un mariage irrégulier déjà célébré. Le mariage célébré par complaisance ne peut permettre d'obtenir la nationalité française si son caractère frauduleux est découvert. L'absence de communauté de vie (art. 37-1 du code de la nationalité) rend irrecevable la déclaration acquisitive de la nationalité française.

• **Règles légales du Code civil s'appliquant à tous les époux.** *Art. 212* « Les époux se doivent mutuellement fidélité, secours et assistance. » *Art. 213* « Les époux assurent ensemble la direction morale et matérielle de la famille. Ils pourvoient à l'éducation des enfants et préparent leur avenir. » *Art. 215* « Les époux s'obligent mutuellement à une communauté de vie. La résidence de la famille est au lieu qu'ils choisissent d'un commun accord. Les époux ne peuvent l'un sans l'autre disposer des droits par lesquels est assuré le logement de la famille, ni des meubles meublants dont il est garni. Celui des deux qui n'a pas donné son consentement à l'acte peut en demander l'annulation : l'action en nullité lui est ouverte dans l'année à partir du jour où il a eu connaissance de l'acte, sans pouvoir jamais être intentée plus d'un an après que le régime matrimonial s'est dissous. » *Art. 221* « Chacun des époux peut se faire ouvrir, sans le consentement de l'autre, tout compte de dépôt ou tout compte de titres en son nom personnel. L'époux déposant est réputé, à l'égard du dépositaire, avoir la libre disposition des fonds et des titres en dépôt ». *Art. 223* « La femme a le droit d'exercer une profession sans le consentement de son mari, et elle peut toujours, pour les besoins de cette profession, aliéner ou obliger seule ses biens personnels en pleine propriété. » *Art. 224* « Chacun des époux perçoit ses gains et salaires et peut en disposer librement après s'être acquitté des charges du mariage. »

☞ Un mari a été condamné « parce qu'il n'avait que des rapports incomplets avec sa femme, ne procurant à celle-ci ni plaisir, ni espérance de maternité ». Un homme a vu le divorce prononcé à ses torts à 70 ans pour avoir fait preuve d'un empressement amoureux sans relâche auprès de son épouse.

Mariage catholique

L'Église catholique considère le mariage comme un acte religieux. Pour elle, comme pour les Églises orientales, c'est un sacrement. Les théologiens ont au Moyen Age longtemps discuté pour déterminer à quel moment se forme le lien matrimonial : est-ce lors de l'échange des consentements, ou par le premier rapport conjugal ? On conclut finalement qu'il y a mariage dès l'échange des consentements, mais qu'il n'est pleinement indissoluble, sans dispense possible, qu'après consommation.

Plus tard, légistes et juristes voulurent distinguer le *contrat,* qui fait entrer dans l'institution matrimoniale, du *sacrement :* on soumettait alors le contrat au pouvoir civil, lequel avait ainsi autorité pour le rompre, d'où l'instauration du divorce, à l'époque de la Révolution. Louis XVI institua (1787) une forme civile du mariage pour les non-catholiques : auparavant, seul existait le mariage en présence du curé de la paroisse, institué par le Concile de Trente (1563) pour faire cesser les mariages clandestins.

Depuis la loi du 18 germinal an X (articles organiques du Concordat), le mariage civil institué par la loi du 20-9-1792 doit précéder la célébration du mariage religieux. Tout ministre d'un culte qui procédera aux cérémonies religieuses d'un mariage sans qu'il lui ait été justifié d'un acte de mariage préalablement reçu par les officiers de l'état civil sera, pour la première fois, puni d'une amende de 3 000 à 6 000 F. En cas de 1ʳᵉ récidive, emprisonnement de 2 à 5 ans ; pour la 2ᵉ, détention criminelle de 10 à 20 ans (art. 199 et 200 du C. pénal).

☞ Le mariage de nuit (souvent minuit) était courant dans la haute société du XVIIIᵉ s. et au début du XIXᵉ s. Thiers s'est ainsi marié à minuit en 1833.

Pour qu'il y ait mariage, il faut :

I – Que soit manifesté devant 2 témoins un vrai consentement. Don mutuel, libre, instaurant une communauté de toute la vie en vue du bien des époux et de la mise au monde et de l'éducation des enfants ; pas de rejet de la fidélité, de l'unité, ni de l'indissolubilité ; pas de troubles psychiques rendant incapable d'apprécier ce qu'est ce don mutuel ou d'en assumer les obligations.

II – Qu'il n'y ait pas d'empêchements. Le droit canonique en vigueur (depuis le 27-11-1983) connaît *12 empêchements dirimants* qui rendent nul le mariage, à moins d'une dispense (lorsqu'elle est possible et opportune) : *1°) Age :* homme 16 ans, femme 14 ; *2°) Impuissance :* impossibilité physique de l'union charnelle (la stérilité n'est pas un empêchement) ; *3°) Mariage antérieur* (hors le cas de veuvage, et le *privilège paulin :* conversion au christianisme et séparation d'avec l'époux qui demeure non chrétien, en raison de la position prise à ce propos par l'apôtre Paul dans la 1ʳᵉ épître aux Corinthiens) ; dispense dans 2 cas particuliers (voir ci-dessous) ; *4°) Disparité de culte :* mariage d'un catholique avec une personne non baptisée ; *5°) Ordre sacré :* diaconat, prêtrise ; *6°) Vœu public perpétuel de chasteté :* dans un institut religieux ; *7°) Rapt :* tant qu'il persiste ; *8°) Crime :* meurtre avec intention de mariage de son conjoint ou du conjoint de la personne que l'on veut épouser, meurtre d'un conjoint d'un accord commun ; *9°) Consanguinité :* en ligne directe (pas de dispense), entre frère et sœur (pas de dispense), cousins germains, oncle et nièce, tante et neveu, grand-oncle et petite-nièce, grand-tante et petit-neveu ; *10°) Affinité :* avec la famille en ligne directe du conjoint décédé ; *11°) Honnêteté publique :* après un mariage invalide (purement civil, ou déclaré nul) ou une vie commune notoire sans mariage, empêchement vis-à-vis des père/mère, fils/filles du conjoint ; *12°) Parenté adoptive :* en ligne directe, et entre frère et sœur.

Dans le cas d'un mariage mixte. Entre chrétiens dont un seul est catholique, il n'y a pas d'empêchement proprement dit, mais l'Église demande que le catholique ait l'accord de l'évêque du lieu, auquel elle met certaines conditions.

III – Que ce mariage soit célébré, en plus des deux témoins toujours indispensables, devant un représentant qualifié de l'Eglise (évêque du lieu, curé du lieu, prêtre ou diacre délégué par l'un d'eux ; en certains pays, laïc délégué par l'évêque). 2 exceptions : 1) *Impossibilité de joindre un représentant qualifié* pendant au moins un mois ; 2) *Péril de mort.* Dans les 2 cas, la présence d'un prêtre ou d'un diacre non qualifié est souhaitable, mais non indispensable. Pour un *mariage mixte,* une dispense peut parfois être donnée, mais il doit toujours y avoir une célébration publique (ex. le mariage civil) ; si le non-catholique est un chrétien de rite oriental, la dispense n'est pas indispensable mais il faut une célébration religieuse dans laquelle intervienne le prêtre.

Nullité des mariages

Attitude de l'Église. Le mariage sacramentel consommé est indissoluble, mais il peut parfois se révéler nul.

Formalités pour une déclaration de nullité. Chaque cas relève d'une procédure judiciaire confiée à un tribunal religieux, l'*Officialité.* On demande à ce trib. de constater, grâce aux preuves qu'il pourra recueillir (témoignages, doc.), que, malgré les apparences, malgré parfois la durée de la vie commune, il n'y a pas eu un véritable engagement de mariage (sans qu'il y ait forcément mauvaise foi).

S'il s'agit de constater que le représentant de l'Église n'était pas qualifié (ce qui est rare), *ou qu'il existait un empêchement* dont on n'a pas tenu compte, la procédure dure moins d'un an.

Si la question se pose de la valeur du consentement, il faut 2 décisions conformes, donc au moins 2 jugements successifs, ce qui prend souvent 2 à 3 ans. Une fois les 2 époux entendus et les preuves recueillies, un jugement est rendu par 3 juges (dont 2 prêtres, le 3e pouvant être un laïc, homme ou femme, tous les trois nommés par l'évêque, ou les évêques de la région) qui forment leur conviction à partir d'un dossier écrit préparé par l'instructeur, assez souvent l'un des trois.

Où s'adresser ? *A l'Officialité de l'évêché,* qui, dans certains diocèses de France, s'en occupe sur place, l'appel ayant lieu dans un évêché voisin. Mais, de plus en plus, les Officialités sont régionales, avec 2 instances (Bordeaux et Bayonne, Paris et Versailles, Toulouse et Rodez... dans la même ville pour Lyon).

Une 3e instance (après 2 sentences contradictoires) a lieu ordinairement à la Rote, à Rome ; on peut y faire appel dès la 2e instance. Chaque année, elle juge environ 250 causes (105 mariages déclarés nuls en 1985). *Frais :* les Officialités tendent à s'organiser pour que l'avocat ecclésiastique (prêtre ou laïc homme ou femme, connaissant le droit canonique et la jurisprudence, et agréé) soit rémunéré par les diocèses, et que l'on propose un forfait global (frais de procédure, y compris ceux de l'avocat, frais de constitution du dossier écrit, parfois frais d'expertise, de déplacements). Ainsi à Paris (1991) : 4 000 à 5 000 F, Versailles : 2 000 F. Chacun prend en charge ce que ses ressources lui permettent de payer.

Dispense des mariages

L'Église peut accorder une dispense dans certains cas de mariage non consommé entre 2 chrétiens, ou de mariage même consommé entre 2 époux dont un au moins n'est pas baptisé. Dispense que se réserve le pape, après enquête faite le plus souvent par l'Officialité sur la vérité du fait et les motifs de la demande.

☞ Environ 70 000 causes dans le monde sont introduites chaque année, dont environ 50 % sont reconnues fondées. Environ 25 000 bénéficient de l'assistance gratuite, 17 000 de l'assistance semi-gratuite. En 1985, en France, 343 décisions de nullité ont été prises sur 483 causes introduites, en 1re instance ; 261 sur 293 en 2e instance.

Mariage juif

Mariage religieux. Quidouchin (consécration). Dans certaines communautés, les fiancés doivent en principe avoir jeûné, ils se tiennent côte à côte, sous un dais *(Houppah)* qui symbolise la protection divine et l'entrée de la nouvelle épouse dans le foyer. Bénédiction remerciant Dieu qui a révélé la législation du mariage. Remise de l'alliance par le fiancé à la fiancée, geste accompagné d'une déclaration en hébreu, disant que la mariée lui est « consacrée selon la Loi de Moïse et d'Israël », lecture de l'acte de mariage *(Ketoubah)* stipulant les obligations de l'époux envers l'épouse : affection, entretien et protection. Chant des « Sept Bénédictions ». A la fin, le marié brise un verre, rappel de la fragilité du bonheur humain et de la destruction du Temple de Jérusalem. La célébration du mariage religieux avec une personne étrangère au judaïsme est impossible. La conversion au judaïsme, en vue du mariage, n'est en principe pas admise.

Le but du mariage est la procréation ; la contraception est condamnée, sauf si la future mère est en danger. Toutes les déviations sexuelles sont sévèrement prohibées.

Polygamie. La Bible et l'usage antique ne l'interdisaient pas. Une décision *(Taqanah)* du XIe s. l'a prohibée dans la plupart des pays, en l'assortissant d'excommunication *(Herem).*

Divorce. Permis. Le tribunal rabbinique *(Beyt-Din)* rédige un acte de divorce *(Guet),* calligraphié, d'un bout à l'autre de ses 12 lignes réglementaires. Pour se remarier, la femme doit attendre au minimum 90 j. Les descendants des prêtres *(Kohanim)* du Temple de Jérusalem ne peuvent épouser une divorcée ; leur origine leur est connue par une tradition qui passe de père en fils. La répudiation d'une épouse aliénée est pratiquement impossible.

Mariage musulman

Mariage. Contrat basé sur le libre consentement des 2 parties, sans différence entre l'homme et la femme. Il a comme fondement l'amour et la compassion que Dieu a infusés dans le cœur de l'homme et de la femme afin qu'ils forment un couple (verset du Coran no 20 Sourate 30). Avant le mariage, on se met d'accord sur la dot que le prétendant doit accorder à sa future épouse (la dot restant la propriété exclusive de l'épouse). Un musulman peut épouser une juive ou une chrétienne mais pas une idolâtre, une polythéiste ou une athée. Une musulmane ne peut pas épouser un non-musulman.

Polygamie. Doit rester une exception. L'islam l'autorise. La femme peut faire figurer dans le contrat que son mari restera monogame.

Divorce. La loi islamique permet l'annulation du mariage : 1°) *par décision unilatérale* (l'homme a le droit de divorcer ; la femme peut obtenir ce droit de par son contrat de mariage ; le tribunal peut séparer les époux sur plainte de la femme lorsque l'homme est incapable de remplir ses devoirs conjugaux ou qu'il souffre de maladie particulièrement grave ou qu'il disparaît 4 ans et +) ; autres motifs : action infamante, ivrognerie, apostasie, sévices graves, refus de subvenir aux besoins du foyer (logement, nourriture, habillement) ; 2°) *par décision bilatérale* lorsque les 2 époux se mettent d'accord. Le Coran insiste pour que les 2 époux soumettent leurs querelles à un arbitrage avant de se décider au divorce.

Mariage protestant

La tradition protestante considère qu'un mariage est conclu par l'engagement libre des époux l'un envers l'autre. Par la cérémonie religieuse, les époux s'engagent l'un à l'égard de l'autre devant Dieu et devant la communauté réunie. Ils demandent la bénédiction divine sur leur mariage. L'Église leur rappelle les enseignements sur le mariage et prie pour eux. Cette bénédiction se réfère aux récits bibliques de la Création où la créature humaine, « image de Dieu », est essentiellement – et « singulièrement » – le *couple* (Genèse I et II ; V/1-2), récits confirmés par Jésus-Christ dans l'Évangile (Matthieu 19/1-6 ; Marc 10/1-9) avec l'avertissement public : « Que l'homme ne sépare pas ce que Dieu a uni. »

Il s'agit de témoigner dans la fidélité conjugale de la fidélité de Dieu à *son alliance* avec l'homme (Épître aux Éphésiens, chap. V). Le mariage n'est pas un sacrement. C'est un acte de responsabilité.

Régimes matrimoniaux

Généralités

☞ **Choix.** Se renseigner auprès d'un notaire.

Régime matrimonial et succession. De nombreuses solutions peuvent être mises en œuvre, ex. : l'adoption de la communauté universelle avec clause d'attribution au conjoint de toute la communauté mais en usufruit seulement (les enfants recueillant la nue-propriété des biens) ; l'adjonction au régime de la communauté réduite aux acquêts d'une clause d'attribution intégrale de la communauté (les enfants ayant droit aux biens personnels de l'époux décédé) ; l'adjonction à un régime de communauté d'une clause de partage inégal de la communauté (2/3 ou 3/4 de la communauté revenant au conjoint survivant et le reste aux enfants) ; l'adjonction d'une *« clause de préciput »* permettant au conjoint de prélever gratuitement sur la communauté un bien déterminé (le logement familial par exemple).

Marié sous le régime de la communauté universelle, le survivant a droit à la moitié du patrimoine total du couple et même à la totalité de ce patrimoine si une clause du contrat de mariage stipulait l'attribution de l'intégralité de la communauté au survivant ; ce dernier recueillant tout le patrimoine sans payer de droits de succession modifiant ainsi les règles de la dévolution successorale.

L'attribution de toute la communauté au conjoint survivant est peu favorable aux enfants : 1°) Ils doivent attendre le décès du 2e conjoint pour hériter. 2°) Ils supportent un prélèvement fiscal supérieur à ce qu'il aurait été s'ils avaient recueilli successivement les 2 successions de leurs père et mère, car ils ne bénéficieront qu'une seule fois de l'abattement à la base et qu'une seule fois de la progressivité du barème de l'impôt sur les successions, alors que normalement ils en auraient profité à chacun des décès de leurs parents.

Changement. On peut, au cours du mariage, changer *de régime matrimonial* si les 2 époux sont d'accord, si ce régime a reçu 2 ans d'application et si le changement « est réclamé dans l'intérêt de la famille ». Il faut un acte notarié, qui doit être homologué par le tribunal de grande instance (art. 1397).

Le tribunal vérifie seulement que le changement envisagé n'est pas déraisonnable et qu'il n'a pas été fait pour frauder les droits des tiers et des créanciers (ce qui est rarement le cas). En cas d'enfants d'un 1re lit, le tribunal vérifie si la situation pécuniaire personnelle du conjoint justifie le changement de régime matrimonial, l'Administration considère les avantages matrimoniaux comme de véritables donations taxables aux droits de succession. La loi du 23-12-1985 conserve l'égalité des époux dans les régimes matrimoniaux.

Régimes types

Régimes communautaires

Communauté légale (Communauté des biens réduite aux acquêts, art. 1400 et suiv.).

Régime légal depuis le 1-2-1966 pour ceux qui sont mariés sans faire de contrat de mariage. La com. lég. comprenait autrefois, en plus des acquêts, les biens mobiliers (y compris ceux que chacun avait au moment de son mariage ou avait reçus depuis par donation ou par succession).

Contenu de la communauté. *Chacun des époux conserve la propriété de ses biens propres* (ceux qu'il possède au jour du mariage ou a recueillis pendant le mariage, par succession, legs ou donations) ; *seuls les « revenus » de ces biens peuvent profiter à la communauté.* Chacun administre ses biens propres et en dispose librement. La justice peut intervenir en cas d'absence, d'incapacité, de mauvaise gestion ou de détournement des revenus.

La communauté ne comprend que les acquêts : biens acquis pendant le mariage par les époux, ensemble ou séparément, avec le produit de leur activité et les économies faites sur les revenus de leurs biens propres ; sauf preuve contraire, tous les biens, meubles et immeubles, sont réputés acquêts de communauté (c'est-à-dire propriété commune du mari et de la femme). Les *biens réservés* de la femme, quoique soumis à des règles de gestion spéciales, font partie des acquêts. Les *dettes* sont à la charge de celui qui les a contractées sauf les dettes alimentaires dues par les époux et celles qu'ils ont contractées pour l'entretien du ménage et l'éducation des enfants.

Chaque fois que la communauté a tiré profit d'un bien propre, elle doit une indemnité à l'époux propriétaire. Celui-ci a un droit de « reprise » sur la communauté. *Si l'un des époux a tiré profit de la communauté* (ex. pour améliorer son patrimoine personnel), il doit indemniser la communauté ; il doit une « récompense » à la communauté.

Administration des biens de la communauté. *Par le mari,* mais il doit obtenir le consentement de sa femme pour : aliéner, hypothéquer ou grever de droits réels les biens de communauté (immeubles, fonds de commerce et exploitations, droits sociaux non négociables et certains meubles corporels dont l'aliénation est soumise à publicité...) ; faire un bail à ferme, ou un bail commercial ; donner des biens de la communauté, même pour l'établis. des enfants communs.

Dissolution de la communauté. Chaque époux conserve ou reprend ses biens personnels. Le compte des reprises et récompenses est établi avant le partage de la communauté, car chacun des époux, ou sa succession, peut avoir une dette, une créance.

Communauté de biens meubles et acquêts. L'adoption de ce régime nécessite la rédaction d'un contrat de mariage. **Contenu :** tous les biens sont communs, à l'exception des immeubles possédés par les futurs époux avant le mariage ou recueillis à titre gratuit pendant le mariage (sauf exceptions) si par ex. le donateur ou le testateur a stipulé le contraire. Tous les autres biens acquis à titre onéreux pendant le mariage tomberont dans la communauté (sauf exception). Il existe donc 3 patrimoines : 1°) de la communauté, 2°) des biens propres du mari, 3°) des biens propres de la femme.

Communauté universelle. L'adoption d'un tel régime nécessite la rédaction d'un contrat de mariage. **Contenu :** tous les biens, meubles ou immeubles, quelles que soient leurs origines, sont communs. Il n'existe donc qu'un seul patrimoine : celui de la communauté (art. 1526 C. civil).

Les dettes contractées par chacun des époux devenant communes, les créanciers peuvent se faire payer sur l'ensemble du patrimoine du couple. Ce régime est parfois déconseillé aux couples dont l'un des époux continue d'exercer une activité commerciale indépendante.

Régimes de séparation de biens
(art. 1636 et suiv.)

Caractérisés par l'absence de communauté de propriété et de gestion, par l'indépendance des patrimoines (celui du mari et celui de la femme).

Séparation des biens. L'adoption d'un tel régime nécessite la rédaction d'un contrat de mariage.

Fonctionnement. Chacun des époux administre ses biens personnels, en jouit et en dispose librement. Mais chacun doit supporter les charges du mariage selon les conventions du contrat ou dans la proportion des revenus et gains respectifs des époux. Le contrat stipule généralement qu'aucun compte n'est établi entre les époux, les dépenses en question étant supposées réglées au jour le jour.

Si l'on achète conjointement un bien, celui-ci sera indivis. *Les meubles* appartiennent à l'époux qui les a payés. A défaut de facture à son nom, il peut faire la preuve par tous autres moyens ; le contrat de mariage contient souvent des clauses de « présomption de propriété » : tous les biens sur lesquels aucun des époux ne prouve sa propriété sont réputés appartenir « pour moitié » à chacun des époux. On peut prévoir une clause permettant au survivant des époux de prélever, avant partage, sur la succession du conjoint certains biens (appartement, fonds de commerce, droits sociaux, etc.), moyennant indemnité compensatrice.

Les créanciers du mari ne peuvent saisir les biens de la femme et vice versa. *En cas de règlement judiciaire ou de liquidation des biens,* les biens acquis au nom d'un conjoint peuvent être compris dans l'actif revenant aux créanciers, s'ils prouvent que le prix des acquisitions a été fourni par le conjoint en difficulté.

Contribution aux charges du mariage. Si les conventions matrimoniales ne la règlent pas, les époux y contribuent à proportion de leurs facultés respectives (art. 214 du Code civil). Si l'un des époux ne respecte pas ses obligations, l'autre peut recourir à la demande de contribution aux charges du mariage. S'adresser au greffe du tribunal d'instance du domicile conjugal. Procédure gratuite.

☞ Pour une femme sans situation indépendante et sans fortune, ce régime présente des inconvénients qui peuvent être corrigés, à la volonté du mari, par donation, testament, ou assurance-vie.

Régimes mixtes

Il s'agit surtout du régime de participation aux acquêts (art. 1569 et suiv.).

• **Participation aux acquêts. Fonctionnement.** Comme pour celui de la séparation de biens : chacun des époux possède l'administration, la jouissance et la libre disposition de ses biens personnels, sans distinction d'origine ou de provenance.

A la dissolution du mariage. Chacun des époux a le droit de participer, pour moitié en valeur, aux acquêts nets constatés dans le patrimoine de l'autre, et établis par la double estimation du patrimoine originaire et du patrimoine final. Les biens recueillis par chacun par donations ou successions ou les fruits de tous les biens ne constituent pas les acquêts.

> **Au Danemark** une loi du 2-5-1989 offre la possibilité à 2 personnes du même sexe de faire enregistrer par les autorités leur « partenariat », contrat permettant au survivant, en cas de décès, d'hériter de son compagnon ou de sa compagne et d'éviter d'être expulsé du logement dont il n'était pas officiellement locataire. Cette union peut être consacrée solennellement devant le maire ou le pasteur (pas de séparation entre l'Eglise et l'État ; le mariage religieux, quand il a lieu, a force de loi). Tchécoslovaquie, Norvège, Suède et P.-Bas seraient également prêts à légaliser la vie conjugale des homosexuels.

Concubinage

Généralités

Définition. État d'un homme et d'une femme non mariés ensemble, qui vivent maritalement ; ignoré du Code civil, il commence à être reconnu par la jurisprudence et certaines dispositions légales.

Par 2 arrêts du 11-7-1989 la Cour de cassation a refusé le statut de concubins à des couples d'homosexuels, le c. impliquant hétérogénéité du couple.

Certificats de concubinage ou attestations d'union libre (délivrés par certaines mairies que rien n'oblige à le faire). Ils n'ont aucune valeur juridique. En général, les 2 concubins doivent se présenter à la mairie en compagnie de 2 témoins majeurs n'ayant aucun lien de parenté entre eux ni avec les concubins et munis de leur carte d'identité. La formalité gratuite peut être renouvelée aussi souvent que nécessaire. Selon les mairies, on exige que l'adresse des concubins figure sur leur carte d'identité (la même pour les deux) ou l'on se contente d'un justificatif de domicile qui peut être une facture EDF ou PTT.

Nombre de couples vivant en France en concubinage. *1975 :* 445 000. *1982 :* 809 000 (dont env. 320 000 de jeunes célibataires). *1985 :* 975 206. *1988 :* 1 000 000 (28 % des concubins ont déjà un enfant ensemble, 38 % souhaitent en avoir un et 10 % ne veulent pas en avoir ; 33 % des couples affirment que l'inconvénient du mariage est de rendre plus difficile une rupture éventuelle ; 53 % accepteraient « un engagement de très longue durée »). *1989 :* 70 % des couples mariés avaient cohabité avant.

Renseignements pratiques

• **Accidents.** Si l'un des concubins meurt dans un *accident,* le survivant peut demander l'indemnisation de son préjudice dans la mesure où cette liaison présentait des garanties de stabilité et de durée et si ni l'un ni l'autre n'était marié. La cour d'appel de Riom a, le 9-11-1978, partagé l'indemnité entre une veuve et une concubine, consacrant ainsi une sorte de polygamie légale.

Accidents du travail et maladies professionnelles suivis de la mort de l'assuré. Les c. sont exclus du droit à rente viagère réservée à l'époux survivant.

• **Assurances automobiles.** Les c. ne sont pas reconnus, ils n'ont pas de parenté, ils sont donc des tiers l'un à l'égard de l'autre. Si l'un des 2 meurt lors d'un accident, le survivant peut demander des dommages-intérêts. Conditions : que le concubinage soit stable et ni adultérin ni incestueux.

Ass. décès. Le capital décès est attribué au c. qui était à la charge totale et permanente du défunt.

Ass. maladie. La personne qui vit maritalement avec un assuré social et se trouve à sa charge effective, totale et permanente, bénéficie du remboursement des frais de maladie. Les c. doivent déclarer sur l'honneur leur situation chaque année sur un imprimé fourni par la caisse primaire d'assurance maladie, en mentionnant sur chaque feuille de soins la situation de « concubin à charge » ou encore certificat de concubinage obtenu à la mairie du domicile commun sur attestation de 2 témoins. En cas de cessation de concubinage ou de décès d'un assuré, son c. conserve le droit au remboursement des frais de maladie pendant 1 an (jusqu'à ce que le dernier enfant ait 3 ans, en cas de décès).

Ass. maternité. Bénéficie à la personne qui vit maritalement avec un assuré et se trouve à sa charge ; mêmes conditions que l'assurance maladie.

Ass. personnelle. Le c. resté seul après le départ ou le décès de l'autre, qui ne bénéficie plus de la couverture sociale et ne dépend pas d'un régime obligatoire, peut souscrire une assurance personnelle qui couvre frais de maladie et maternité. Les cotisations sont calculées d'après les revenus imposables de l'année précédente. Elles peuvent être prises en charge par les Caisses d'all. fam. ou par l'Aide sociale, selon les ressources du demandeur. La demande d'assurance est adressée à la Caisse primaire d'assurance maladie du domicile ou à la mairie du domicile si la prise en charge par l'Aide sociale est demandée.

Ass. vieillesse. Les c. n'ont aucun droit de réservation sur les pensions du c. décédé (sauf dans certains régimes de retraite complémentaire). Une femme divorcée ou veuve perd en principe sa pension de réversion si elle vit ensuite en concubinage. Cependant, depuis le 1er-12-1982, elle peut demander à bénéficier de la pension constituée par son mari, s'il n'existe pas d'autre ayant droit à la pension et si elle ne peut bénéficier d'aucun droit de réversion du chef de son concubin.

• **Compte en banque.** On peut avoir : *1°) 2 comptes séparés.* Une procuration mutuelle (toujours révocable individuellement par les intéressés) est possible. *2°) un compte joint* (permet des transferts de l'un à l'autre – non bloqué au décès ; en cas de compte débiteur ou d'émission de chèque sans provision : les 2 intéressés sont responsables).

• **Contrats entre concubins.** Toute forme de Sté commerciale est licite si la cause du contrat n'est pas la poursuite de relations immorales ou une donation déguisée. La jurisprudence admet la création entre concubins d'une « Sté de fait » donnant lieu à un partage des biens acquis par l'un d'eux avec fruits de l'activité commune.

Droits des réservataires : ils disposent d'une part intangible de la succession, variable selon le nombre d'enfants (moitié, tiers ou quart selon respectivement 1 enfant, 2, 3 ou plus). *Réparation du préjudice à la suite d'un décès accidentel :* l'exigence antérieure d'un « intérêt légitime juridiquement protégé » ayant disparu (le 1er arrêt de la Cour de cassation est du 27-2-1970) ; dès lors que le concubinage est stable et non délictueux (cette restriction, paraissant viser l'adultère, a été abandonnée).

• **Dons et legs** sont valides s'ils ont été faits par affection désintéressée pour l'avenir de l'autre. Mais s'ils ont eu pour origine la création, la poursuite ou la reprise d'une situation immorale, ils sont nuls. Les c. n'étant pas parents n'héritent pas l'un de l'autre (sauf testament, mais on ne peut léguer que la moitié de ses biens si l'on a 1 enfant, 1/3 si l'on en a 2, 1/4 pour 3 enf. ou +, que ces enf. soient naturels ou légitimes). Si un enfant naturel conçu pendant le mariage du c. avec une autre que sa mère (ou que son père) vient en concours avec des enfants légitimes, sa part égale la moitié de celle qu'il aurait eue s'il avait été légitime.

• **Enfants** (voir Filiation naturelle, p. 1363).

• **Impôt. Sur le revenu.** L'Administration ignore le concubinage : il y a donc 2 « foyers fiscaux » à la même adresse. Chacun déclare ses revenus et dispose de 1 part (les époux, eux, font masse de leurs revenus et disposent de 2 parts). L'enfant peut en principe être rattaché à l'un ou l'autre de ses parents, pourvu qu'il l'ait reconnu (soit 3 parts en tout, alors que le couple marié avec 1 enfant n'a que 2 parts et demi). Chacun des c. a droit aux différentes déductions : frais de garde de l'enfant, intérêts des prêts contractés pour acquérir ou améliorer le logement, économies d'énergie, investissement en CODEVI, primes d'assurance-vie.

Décès. Les c. n'étant pas parents, n'héritent pas l'un de l'autre, à moins d'un testament. Le c. peut léguer tous ses biens (legs universels) ou quote-part (legs à titre universel) ou un bien particulier (legs particulier). S'il n'existe pas d'héritier réservataire (enfant ou parent, ayant droit à une part précise de la succession), le légataire universel devra être « envoyé en possession » par le Pt du tribunal du lieu du décès. Le testament sera contrôlé judiciairement sauf s'il s'agit d'un testament authentique notarié. S'il existe des héritiers réservataires, ceux-ci, dans tous les cas, devront consentir à l'exécution du legs.

Droits de succession. Le c. étant considéré comme un étranger, les droits de succession s'élèvent au taux maximal. Pour réduire le coût, il peut léguer un usufruit viager ou un droit d'usage et d'habitation (la base d'imposition restant élevée si le survivant est jeune). *Tontine :* même dans le cas le plus favorable, il faut payer les droits de vente (environ 6 %) dans les 6 mois qui suivent le décès. *Dons manuels :* (remises d'argent sous forme de chèques, d'espèces ou de meubles) ; on doit acquitter les droits à 60 % en les déclarant au moment du décès. L'Administration a le droit de contrôler les mouvements sur le compte bancaire du défunt.

Taxe d'habitation. Seule la personne titulaire du bail ou propriétaire occupant est taxée, (alors que le couple marié est assujetti). Les exonérations pour personnes à charge sont appliquées normalement.

• Logement. **Acquisition.** Peut être faite : *1°) Indivisément,* par parts égales ou inégales, et assortie d'un testament. *2°) Pour le compte du survivant (« tontine »).* Elle n'est pas considérée comme une donation, et n'entame pas la partie de ses biens dont on peut disposer en présence d'enfants (« quotité disponible »). Dep. la loi du 18-1-1980. a) Pour l'habitation principale commune et jusqu'à la valeur de 500 000 F, la tontine est taxée comme une vente ordinaire, lors de l'acquisition. Au premier décès, le survivant paie les droits de vente sur la moitié qu'il recueille (6 à 7 %). b) Dans les autres cas, au droit de vente d'origine s'ajoutent les droits de succession au tarif entre étrangers sur la part transmise (60 %). La tontine n'a donc plus alors d'intérêt. Inconvénients des tontines : si les concubins viennent à se séparer, l'un d'eux ne pourra efficacement « réclamer sa part » si l'autre s'y oppose.

Location (loi Méhaignerie du 23-12-86). Le bail continue au profit du « concubin notoire » (art. 13). Le concubinage n'est donc pas une cause de résiliation du bail (hormis le cas de prostitution). Pour les locations régies par la loi du 1er-9-1948 (surface corrigée), le c. dont la cohabitation date de plus de 6 mois a droit au maintien dans les lieux, s'il peut être considéré comme personne à charge du défunt.

• Mobilier. La mise en commun ou l'achat en commun de mobilier peut entraîner des difficultés en cas de séparation, ou vis-à-vis des créanciers de l'un des c. Il faut conserver la facture d'achat des meubles importants et établir, par acte sous seing privé ou notarié, une « déclaration de propriété de meubles ». Les fournitures acquises pour les besoins du ménage et des enfants engagent 2 époux solidairement. Pour les c., lorsque l'union libre a l'apparence d'un véritable ménage, les fournisseurs qui ont vendu à crédit à la femme pourront, s'ils sont de bonne foi, demander le remboursement à son concubin.

• Prestations familiales. *Allocation de salaire unique et all. familiales :* les c. ont les mêmes droits que les couples mariés. Les revenus des 2 c. sont pris en compte pour le calcul des ressources pour l'all. logement et le complément familial. *All. de soutien familial, de parent isolé ou de veuvage :* le concubinage, comme le mariage, suspend le versement de ces allocations.

• Séparation. La dissolution du couple, n'étant pas prévue par la loi, entraîne des difficultés au niveau du logement, du partage des biens, du partage des dettes, des enfants. Celui qui n'a apporté que son travail, et qui a été moins rémunéré ou moins prévoyant que l'autre, soutient parfois qu'il s'est créé une « société de fait » (les tribunaux l'ont parfois admis, quand il y avait eu une véritable volonté de mise en commun et d'association pour exercer une activité professionnelle). Parfois aussi, ils invoquent « l'enrichissement sans cause ». **En cas de rupture,** pas d'obligation, ni de réparation. Les concubines délaissées n'obtiennent pas de dommages-intérêts, sauf circonstances particulières (ex. : promesse de mariage rompue). Si le concubin a promis de payer une pension à la concubine délaissée, il pourra être forcé de remplir son engagement.

• Transports. **SNCF** accorde bénéfice de la carte « couple » ou « famille ». **Air Inter** consent sur certains vols des tarifs réduits sur présentation d'une carte « couple ».

• Vie courante. L'un des concubins ne dispose d'aucun recours contre celui qui refuserait de verser sa part contributive. En revanche, en vertu de l'apparence, les 2 concubins pourront être engagés l'un et l'autre pour les dettes courantes : commande de véhicule, de livres...

Divorce, séparation de corps

• Origine. Institué en France en 1792, aboli en 1816, rétabli en 1884 (loi Naquet), il a été libéralisé en 1975 (loi du 11-7-1975).

• Statistiques (France). **Indice synthétique de divorcialité** (pour 100 mariages). *1972 :* 13,1 ; *1980 :* 22,2 ; *1984 :* 29,1. **Nombre de divorces prononcés.** *1972 :* 44 738 ; *1975 :* 55 612 ; *1980 :* 81 143 ; *1987 :* 109 471 ; *1988 :* 154 015, rupture de vie commune 2 152, faute 75 070, requête conjointe 50 387, demande acceptée 23 593. **Remariage des divorcés. Taux en %** (hommes et entre parenthèses femmes) : *1977 :* 63,7 (57,3) ; *1984 :* 46,4 (42,1). 1 600 000 enf. ont seulement 1 père ou 1 mère pour les élever, dont 465 420 de couples non mariés.

Formes

1°) Par consentement mutuel (après 6 mois de mariage, minimum). *Sur requête conjointe.* Les époux, sans avoir à faire connaître leurs motifs, demandent ensemble le div. Ils soumettent au juge des affaires matrimoniales (JAM) pour homologation les conventions temporaires (rapports des époux pendant l'instance) et définitives (conséquences du div. : pensions, garde des enfants...) qu'ils ont définies entre eux (art. 230-232).

Demandé par un des époux et accepté par l'autre. L'un des époux, sans les qualifier, ni les imputer à l'un ou l'autre, fait état d'un ensemble de faits rendant intolérable le maintien de la vie commune. Si l'autre époux reconnaît ces faits, le div. est prononcé sans autre motif que le constat des faits par le JAM, aux torts partagés. *Si l'autre époux ne reconnaît pas les faits, le div. ne peut être prononcé* (art. 233-236).

2°) Pour rupture prolongée de la vie commune. A la demande de l'un des époux s'ils vivent séparés de fait depuis 6 ans au moins ; ou si les facultés mentales d'un conjoint se trouvent dep. 6 ans si gravement altérées qu'aucune communauté de vie ne subsiste plus et ne pourra pas raisonnablement se reconstituer.

Dans les 2 cas : la demande doit exposer les moyens par lesquels l'époux demandeur assumera son devoir de secours et les obligations à l'égard des enfants. Elle doit justifier de la réalité de la situation. Le tribunal peut rejeter d'office la demande, si le div. risque d'avoir des conséquences graves sur l'autre conjoint, ou s'il est établi qu'il aurait pour le conjoint ou pour les enfants des « conséquences matérielles ou morales d'une exceptionnelle dureté » (art. 237 à 241).

3°) Pour faute. Demandé par un époux pour des faits imputables à l'autre lorsque ces faits constituent une violation grave et anormale des devoirs et obligations du mariage et rendent intolérable le maintien de la vie commune. Les faits, qu'apprécie souverainement le juge de divorce, sont essentiellement :

L'adultère. On peut en faire la preuve par : *une correspondance* (entre le conjoint et une tierce personne démontrant clairement les rapports adultères) tombée d'une façon légitime entre les mains de l'époux demandeur. L'adultère n'étant plus un délit pénal, il n'est plus possible d'en faire la preuve par un rapport de police établi à la suite d'une plainte adressée au procureur de la République. Ce n'est plus une cause péremptoire.

Condamnation du conjoint à une peine afflictive et infamante. Réclusion ou détention criminelle à perpétuité ou à temps. Cette condamnation doit être définitive et passée en force de chose jugée, c'est-à-dire ne plus être susceptible de pourvoi en cassation. Mais ce n'est plus une *cause péremptoire* de divorce. Le trib. n'est plus obligé de prononcer le divorce demandé pour cette cause et peut donc en rejeter la demande ou prononcer le divorce aux torts partagés.

Injures graves. *Manquements renouvelés aux devoirs nés du mariage,* scènes de ménage, insultes, paroles inconvenantes et outrageantes, lettres injurieuses, manquement au devoir de fidélité, de cohabitation (refus du mari de recevoir sa femme au domicile conjugal, absences fréquentes et injustifiées de l'un des époux, abandon du domicile conjugal et refus de le réintégrer lorsqu'il procède du refus de se soumettre aux obligations du mariage). Si cet abandon est justifié (ex. : femme quittant le domicile pour se soigner parce qu'elle a été l'objet de sévices, ou en raison de l'infidélité ou de l'inconduite de son mari), il ne peut être une cause.

Faute dans les relations sexuelles : abstention volontaire de consommation du mariage, refus par l'un des deux époux d'avoir des enfants.

Ivrognerie, dissipation des biens de la femme par le mari, *condamnation à une peine correctionnelle, refus de contribuer aux charges du ménage, habitudes de jeu* de l'un des conjoints ayant des répercussions sur la vie du foyer.

Le demandeur doit apporter des preuves des griefs, par des documents (lettres, attestations, certificats médicaux ; l'aveu est aussi admis comme preuve).

Excès, sévices et injures ne sont pris en considération comme causes de divorce que s'ils constituent une violation grave ou renouvelée des devoirs et obligations résultant du mariage, et s'ils rendent intolérable le maintien du lien conjugal. La réconciliation des époux intervenue depuis les faits allégués empêche de les invoquer comme cause de div. Les partis peuvent demander ensemble l'omission de cause de div. dans le jugement (art. 242 à 246).

Procédure (art. 247 à 260)

Selon les causes. Compétence du tribunal de grande instance (TGI) du lieu où se trouve la résidence de la famille (domicile de l'époux vivant avec les enfants mineurs), à défaut domicile du défendeur auquel est substitué le juge des affaires matrimoniales (JAM) dans le cas de requête conjointe, demande acceptée par l'autre (1re phase) et pour les modifications après le prononcé du jugement de div. (garde, pensions). Avocat obligatoire dans tous les cas.

1°) *Requête conjointe.* Présentée au JAM par les avocats (ou par un seul avocat choisi par les époux) à laquelle sont joints les projets de conventions. Le JAM entend séparément chacun des époux, puis les réunit, il appelle ensuite les avocats ; si les époux persistent en leur intention, il les informe qu'ils ont un délai de réflexion de 3 mois à l'issue duquel ils auront 6 mois pour renouveler leur demande. Les parties comparaissent à nouveau et, à moins qu'il ne demande des modifications, le JAM rend un jugement homologuant la convention définitive et prononçant le div. L'intervention d'un notaire peut être nécessaire pour liquider la communauté. Pas d'appel possible.

2°) *Demande acceptée. Demande accompagnée d'un mémoire* sur les faits allégués, communiquée par lettre recommandée sous 15 j par le greffe à l'autre époux qui a 1 mois pour accepter ou refuser. Un défaut de *réponse* équivaut à un refus. Si l'autre époux reconnaît les faits devant le juge, celui-ci prononce le divorce sans avoir à statuer sur la répartition des torts (le divorce ainsi prononcé produit les effets d'un divorce aux torts partagés). Si l'autre époux ne reconnaît pas les faits, le divorce n'est pas prononcé.

3°) *Pour faute et pour rupture de la vie commune.*

Phases (art. 251 à 259-3)

• 1re phase : devant le président du tribunal. 1°) **Présentation de la requête.** Par l'intermédiaire de l'avocat du demandeur.

2°) **Tentative de conciliation.** L'autre époux, qui a reçu une convocation du greffe avec copie de l'ordonnance, se présente devant le JAM au jour indiqué. Les époux, qui sont seuls (les avocats ne peuvent les assister), et d'abord entendus séparément, expliquent leurs positions. Le JAM leur fait des suggestions « propres à opérer un rapprochement » et peut leur imposer un délai de réflexion (renouvelable) mais d'au max. 6 mois pendant lesquels des mesures provisoires seront aussi prises. Si les époux ne se réconcilient pas, ou en cas de défaut de l'époux cité, le JAM constate la non-conciliation et autorise le demandeur à assigner son conjoint devant le tribunal.

3°) **Mesures provisoires.** Prises par le JAM après avoir entendu les avocats des parties. Il peut notamment : autoriser les époux à avoir une résidence séparée ; attendre ou partager entre les époux la jouissance du logement et du mobilier ; ordonner la remise des vêtements et objets personnels ; fixer la pension alimentaire et la provision pour frais d'instance concernant l'un des époux.

Le montant de la pension alimentaire dépend des ressources ; pour les enfants : chacun des parents doit contribuer à l'entretien des enfants dans la mesure de ses moyens « à proportion de ses facultés ». L'époux qui ne verserait pas la pension alimentaire à laquelle le juge l'a condamné pourra être poursuivi correctionnellement pour délit d'abandon de famille ou être l'objet d'une saisie-arrêt sur ses salaires.

Mesures relatives au patrimoine de la femme mariée sous un régime de communauté. Le juge peut accorder à l'un des époux des provisions sur sa part de communauté, si la situation le rend nécessaire. Ex. : apposition des scellés, inventaire du mobilier et des valeurs, inscriptions de l'hypothèque légale de la femme mariée.

Il doit se prononcer sur la garde des enfants, ainsi que sur le droit de visite et d'hébergement. Il fixe la contribution due pour l'époux qui n'a pas la garde.

Nota. – Les époux peuvent faire appel à des mesures provisoires dans la quinzaine de la signification de l'ordonnance.

• **2e phase : devant le tribunal.** *Le demandeur* qui en a obtenu l'autorisation assigne son conjoint devant le tribunal dans les 3 mois de l'ordonnance de non-conciliation et des mesures prises (sous peine de déchéance). L'autre époux dispose d'un nouveau délai de 3 mois pour assigner.

L'époux assigné peut, soit : *1°) ne rien faire* (il risque d'être condamné par un jugement réputé contradictoire) ; *2°) s'opposer* à la demande introduite en contestant les faits allégués (il doit dès le reçu de l'assignation prendre contact avec un avocat) ; *3°) se porter demandeur reconventionnel* en divorce ou en séparation de corps, s'il estime avoir lui aussi des griefs et demander divorce ou séparation de corps (sans tenir compte de ce qu'a demandé son conjoint).

En cas de div. pour rupture de la vie commune, la demande reconventionnelle entraîne un jugement de div. aux torts du demandeur principal. Mais s'il sollicite le div. sur une demande de son conjoint en séparation de corps, il devra procéder par voie de « seconde demande principale ». L'affaire désormais suit son cours. Elle est inscrite au rôle. Le tribunal fixe une date pour entendre les avocats, il peut rendre un jugement s'il a des preuves suffisantes des faits reprochés, ou ordonner une enquête.

Au jour fixé, les conjoints comparaîtront devant le juge chargé de l'enquête avec leurs témoins (leurs descendants ne peuvent être témoins) et toute personne ayant assisté aux faits allégués ou pouvant témoigner sur les griefs articulés, tels les parents et les domestiques. Ensuite, l'affaire reviendra pour être plaidée devant le tribunal qui rendra son jugement. Les débats ne sont pas publics.

• **3e phase : quand le jugement est prononcé.** Le dispositif du jugement (ou de l'arrêt en cas d'appel) est transcrit. Il est mentionné en marge de l'acte de mariage et des actes de naissance de chacun des époux. Chacun des époux peut faire appel devant la cour d'appel dans le mois de la signification du jugement. Il devra constituer avoué à la cour d'appel. Toutefois, lorsque le jugement de divorce n'a pas été rendu contradictoirement mais est simplement réputé contradictoire, il existe un délai maximal d'un an pour demander au Premier Pt de la cour d'appel d'être relevé de la forclusion du délai d'appel périmé. Dans le cas d'un possible relevé de forclusion, celui des époux qui a intérêt à bénéficier d'un jugement de divorce définitif, devra attendre un an au maximum après la signification pour transcrire le dispositif du jugement de divorce. Après l'arrêt de la cour d'appel, il peut, dans les 2 mois de sa signification, former un pourvoi en cassation ou de séparation de corps. Le pourvoi a un effet suspensif.

L'acquiescement au jugement ou à l'arrêt de divorce, c'est-à-dire la renonciation à faire jouer les possibilités de recours, est possible, art. 49 du décret 75-1124 du 5-12-1975, sauf s'il a été rendu contre un majeur protégé ou contre le conjoint pour altération des facultés mentales. Pour les mêmes cas, pas de possibilités de désistement d'appel.

☞ La clause d'exceptionnelle dureté permet à une femme catholique de refuser le divorce pour rupture de la vie commune (tribunal de Colmar, fin 1990).

L'Église catholique et le divorce

Le divorce ne rompt pas le mariage religieux. Un divorcé ne peut donc se remarier religieusement, sauf s'il ne s'était pas marié religieusement à condition qu'il remplisse ses obligations éventuelles vis-à-vis de son ex-conjoint et des enfants qu'ils auraient eus. De même, le catholique divorcé dont le mariage religieux aurait été reconnu nul ou dissous.

Le droit pénal actuel de l'Église ne prévoit pas de mesures générales à l'égard des divorcés remariés civilement. Les communautés chrétiennes ont à leur permettre de trouver leur place en elles.

Les protestants et le divorce

Les protestants enseignent l'indissolubilité du mariage sur la base des références bibliques, mais se refusent le pouvoir de limiter juridiquement le pardon et la grâce de Dieu en condamnant ceux qui, reconnaissant loyalement leur échec, désirent la possibilité d'un commencement nouveau par un recours exceptionnel à la seule grâce de Dieu qui délivre... Une « Commission du remariage » est chargée de cet accompagnement avec le pasteur local, lors d'une demande d'un remariage au temple. Elle peut être amenée à différer la cérémonie religieuse.

Effets du divorce (art. 260 et suiv.)

Le *divorce* dissout les liens nés du mariage et rend chacun des époux libre à l'égard de l'autre, la *séparation de corps* dispense seulement les époux du devoir de cohabitation, tous les autres devoirs nés du mariage subsistant (l'obligation d'aliments et de fidélité étant atténuée par la suppression du délit d'adultère).

Le jugement de divorce prend effet dans les rapports entre époux en ce qui concerne leurs biens dès la date de l'assignation. Opposable aux tiers en ce qui concerne les biens au jour où les formalités prescrites de mention en marge ont été accomplies.

A l'égard des époux

1°) Biens. Le divorce met fin au régime matrimonial, et les biens sont répartis entre les époux à l'amiable (notamment dans le div. sur demande conjointe) ou par voie judiciaire, selon les règles propres à chaque régime. Les droits successoraux de l'un vis-à-vis de l'autre disparaissent.

2°) Dommages-intérêts. Ils peuvent aussi être accordés quand le divorce est prononcé aux torts exclusifs de l'un des époux (ex. : en réparation de coups et blessures ; pour dissipation des biens de la communauté ; pour l'attitude du conjoint qui a retardé d'une manière malicieuse la solution de l'instance).

L'époux coupable perd les avantages accordés par son conjoint par contrat de mariage ou pendant le mariage (ex. : donations et legs, usufruit, partage inégal de la communauté).

3°) Droit au bail qui sert effectivement à l'habitation des époux, sans caractère professionnel ou commercial, ou droit au maintien dans les lieux. Le tribunal, à la fin de l'instance en divorce, l'attribue à l'un des époux, sous réserve des droits à récompense ou à indemnité au profit de l'autre époux, en considérant les intérêts sociaux et familiaux en cause.

Nota. – Dans le cas du div. sur demande conjointe, les points des 5e, 6e, 7e, 8e et 10e paragraphes (voir ci-dessous) sont réglés par la convention définitive. Pensions ou dommages-intérêts sont remplacés par une prestation compensatoire exécutée sous différentes formes (versement d'un capital, abandon en usufruit, rente annuelle indexée...). Dans le cas du div. sur demande acceptée, il s'agit d'un div. aux torts partagés. Chacun des époux peut alors révoquer tout ou partie des avantages consentis à l'autre. Div. pour rupt. de la vie com., celui qui a pris l'initiative du div. perd de plein droit les donations et avantages que lui avait consentis un époux.

4°) Fiscalité. Dès que les époux ont obtenu du juge l'autorisation de résider séparément (divorce par faute), ou au j de l'ordonnance du JAM homologuant la convention provisoire des époux (divorce sur demande conjointe), l'imposition commune des revenus disparaît (sauf pour les revenus antérieurs à la rupture). Un autre quotient familial est établi pour chaque époux en instance de divorce ou divorcé, en fonction du nombre d'enfants à sa charge (*1 enfant,* 2 parts. *2* 2,5. *3* 3,5. *4* 4,5. *5* 5,5. *6* 6. 1/2 part supplémentaire par enf. au-delà de 6).

5°) Nom. La femme réutilise son nom de jeune fille et le mari perd la possibilité (usage) d'ajouter le nom de sa femme au sien. La femme peut conserver le nom de son mari si le div. est prononcé à la demande de celui-ci pour rupt. de la vie commune, en altération des facultés mentales du mari. Si la femme est propriétaire d'une maison de commerce connue sous le nom du mari, le tribunal peut l'autoriser à employer les termes « ex » précédant le nom ou « ancienne maison X ». Le mari peut accepter que sa femme fasse usage de son nom, ou le tribunal, si la femme justifie un intérêt pour elle-même ou pour les enfants.

6°) Pension alimentaire (art. 281 et suivants C. civil). Ne subsiste que dans le divorce pour rupture de vie commune. Dans les autres cas de divorce, cette pension prend la forme d'une prestation compensatoire. Elle est concédée en fonction des besoins et possibilités de l'un et l'autre conjoint. Elle est révisable en cas de besoins nouveaux ou de possibilités nouvelles des créanciers et débiteurs de la pension, même si l'aggravation des besoins du créancier est sans rapport avec le divorce ; si le créancier se remarie, il perd droit à la pension ; si le débiteur se remarie, il peut obtenir une réduction en raison de ses charges supplémentaires.

On ne peut renoncer au droit de demander cette pension ni transiger à son sujet ; le débiteur ne peut la racheter. Après le décès du débiteur, ses héritiers sont tenus de payer la pension.

Le versement de la pension est garanti par l'hypothèque légale de la femme si cette hypothèque est inscrite ; la saisie-arrêt ; la plainte en abandon de famille : le débiteur qui est resté 2 mois sans la payer peut être poursuivi pénalement devant le tribunal correctionnel en « abandon de famille », le créancier peut se constituer partie civile et demander des dommages-intérêts. Elle est normalement accordée par le jugement ou l'arrêt ayant prononcé le divorce.

Depuis le 1-4-1973, le bénéficiaire de la pension alimentaire est dispensé de recourir à une nouvelle procédure judiciaire. Il peut se faire payer directement cette pension par l'employeur de son débiteur ou par le dépositaire de fonds appartenant à ce dernier (banque, chèques postaux, par ex.). Il lui suffit de faire notifier le jugement qui lui octroie la pension par l'intermédiaire d'un huissier de justice du lieu de sa résidence.

7°) Pension sous forme de capital ou de rente. **« Prestation compensatoire » qui peut être accordée en réparation** du préjudice moral ou matériel (en principe n'est pas révisable). Son défaut de paiement n'entraîne pas le délit d'abandon de famille.

8°) Pensions de réversion. Y ont droit tous les ex-conjoints divorcés non remariés (seuls, les régimes des artisans et commerçants ont été oubliés involontairement). Les régimes complémentaires ne partagent la pension de réversion que si le divorce est postérieur au 1-7-1980, sinon ils accordent aux conjoints divorcés une part de pension en conservant à la veuve le bénéfice de la pension totale. Tout ex-conjoint divorcé, même si le divorce a été prononcé à ses torts exclusifs, est assimilé à un conjoint survivant. Il doit donc remplir les mêmes conditions générales d'attribution : 2 ans minimum de mariage avec l'assuré décédé ; avoir 55 ans au moins et des ressources personnelles inférieures au montant annuel du SMIC ; ne pas s'être remarié. La divorcée remariée redevenue veuve récupère ses droits à pension dans les mêmes conditions que la veuve remariée redevenue veuve.

Une femme coupable perd le droit à certaines pensions de retraite du Code des pensions civiles et militaires de retraite. La même règle joue en cas de remariage de la veuve suivi de divorce ; le divorce doit être prononcé à son profit exclusif pour que joue le droit de réversion. Si le remariage a lieu avant le décès de l'ex-époux, tous les droits de la femme sont supprimés (même si le div. est aux torts réciproques).

Si le mari s'est remarié après divorce et a laissé une veuve ayant droit à une pension, la femme divorcée à son profit partage avec la veuve la pension de réversion au prorata des années de mariage.

9°) Remariage. Le mari divorcé peut se remarier immédiatement, la femme doit observer un *« délai de viduité »* pour éviter toute incertitude sur la filiation des enfants à naître (300 j depuis l'ordonnance fixant une résidence séparée). Ce délai prend fin en cas d'accouchement survenu entre-temps. Si le mari meurt avant que le jugement ou l'arrêt prononçant le divorce soit devenu définitif, la veuve peut se remarier sans attendre, s'il s'est écoulé 300 j depuis la décision autorisant la résidence séparée. *Si les époux se remarient ensemble,* ils peuvent adopter un régime matrimonial différent de celui qu'ils avaient auparavant. Ils doivent procéder à une nouvelle célébration de mariage. Aucun délai si div. prononcé pour rupture de la vie commune.

10°) Salaire différé. *Le coupable perd ses droits* (ex. : cas de l'épouse d'un fils d'exploitant agricole ayant participé à l'exploitation).

11°) Sécurité sociale. Les droits demeurent pour l'ayant droit pendant 1 an après le divorce, puis le div. supprime tous les droits (ex. : les prestations maladie cessent d'être servies à l'ancien conjoint non salarié). L'ancien époux survivant perd le bénéfice de l'assurance décès et de toutes les assurances vieillesse (ass. aux vieux travailleurs salariés) sauf les allocations aux mères ayant élevé des enfants. Il garde le droit à pension de réversion dans les mêmes conditions d'attribution que les veuves. (Voir également à Sécurité sociale.)

Les allocations familiales sont versées à celui qui assume la charge effective des enfants. L'époux demandant le divorce doit payer l'assurance volontaire si l'épouse n'est pas elle-même assurée dans le cas de divorce pour rupture de vie commune.

A l'égard des enfants nés du mariage

Les devoirs des enfants à l'égard des parents ne sont pas modifiés, de même les droits et devoirs des parents à l'égard des enfants, mais *les attributs de l'autorité parentale sont dissociés.*

Adoption de l'enfant. Père et mère doivent y consentir l'un et l'autre.

Biens des enfants. Le droit de jouissance légale cesse pour les causes qui mettent fin à l'autorité parentale ou encore pour celles qui mettent fin à l'administration légale. En principe, le *droit d'administrer* les biens revient à celui qui a l'autorité parentale ; mais, exceptionnellement et suivant l'intérêt de l'enfant, le tribunal peut en décider autrement si l'autre époux est plus apte à gérer ces biens.

Émancipation. Le droit appartient à celui qui a l'autorité parent. La mère devra demander au juge des tutelles de prononcer l'émancipation.

Engagement d'un enfant mineur. Le consentement du parent qui a l'autorité parent. est seul nécessaire.

Entretien. Le parent qui n'héberge pas habituellement l'enfant doit participer aussi à l'entretien des enfants communs, dans la mesure de ses possibilités et des besoins de l'enfant, sous la forme d'une pension alimentaire mensuelle en fonction de ses besoins et ressources.

Cette pension est susceptible d'être révisée, compte tenu des besoins et des ressources de l'enfant (travail de l'enfant) et de celui des parents qui la verse. Elle cesse à la majorité de l'enfant, et à son mariage, ou après si l'enfant poursuit des études. Si la pension n'est pas versée : allocation de soutien familial et recouvrement subrogatoire par les caisses d'allocations familiales.

Garde de l'enfant. Selon l'intérêt de l'enfant, l'exercice de l'autorité parent. peut être confiée à l'un ou l'autre des époux, ou aux 2 conjointement après que le juge a recueilli l'avis des parents. Si les parents sont d'accord sur l'attribution de la garde à l'un d'eux, le tribunal normalement y fait droit si l'intérêt des enfants ne s'y oppose pas. S'il n'y a pas d'accord, les enfants sont très souvent confiés à la mère, mais le tribunal peut en décider autrement. Dep. juillet 1987, loi Malhuret sur l'autorité parentale conjointe après divorce.

Celui qui n'a pas l'exercice de l'autorité parent. conserve un droit de surveillance sous la forme du *droit de visite* réglementé par le tribunal (les grands-parents peuvent aussi le réclamer, art. 371-4 du Code civil), du *droit de correspondance* avec l'enfant sans limitations, du *droit de veiller à l'instruction* de l'enfant et à son éducation (les chefs d'établiss. scolaires sont tenus de notifier les notes au père qui n'a pas la garde). Dans 85 % des cas, la mère obtient la garde.

Si l'ancien conjoint ne permet pas à l'autre d'exercer le droit de surveillance et de visite, il peut y avoir des dommages-intérêts et des astreintes sur le plan civil, ainsi que des peines correctionnelles pour *délit de non-représentation d'enfant* sur le plan pénal (art. 357 C. pén.). Le délit de non-représentation d'enfant est constitué par 1) la non-observation d'une décision de justice devenue exécutoire et valable statuant sur la garde du mineur ; 2) un fait matériel consistant à s'abstenir, à refuser, à enlever, à faire enlever ou à détourner, même sans fraude ni violence, le mineur en cause.

En cas de disparition du mineur, les parents ou la personne ayant l'exercice de l'autorité parent. doivent se présenter au commissariat de police ou à la brigade de gendarmerie de leur domicile afin de communiquer l'identité et le signalement du mineur disparu. A Paris, la brigade de protection des mineurs est saisie ultérieurement, à la suite des déclarations faites dans les services de police.

L'exercice de l'autorité parent., l'hébergement et la pension alimentaire sont toujours susceptibles de révision, sur demande de l'un des 2 parents (si l'enfant en exprime le désir, le parent sera gardien et pourra demander une révision du droit de garde), s'il estime l'enfant en danger moral ou si le conjoint ne parvient plus à exercer son autorité sur l'enfant. *En cas de décès de son ancien conjoint, celui qui n'a pas la garde des enfants* recouvre l'exercice de l'autorité parentale et reprend la garde des enfants, même si ceux-ci avaient été confiés à un tiers.

Mariage d'un mineur. Les parents conservent l'un et l'autre le droit de donner ou de refuser leur consentement, mais il suffit que l'un d'entre eux le donne.

Quelques adresses

Association d'accueil et d'orientation des foyers dissociés (AOFD) 9, rue Guénégaud, 75006 Paris. **Assoc. couples et dialogues (accueil et orientation pour foyers dissociés).** 89, rue du Fg St-Antoine, 75011 Paris. **Centre nat. d'information sur les droits de la femme.** 7, rue du Jura, 75013 Paris. **Défense des intérêts des divorcés et de leurs enfants mineurs.** (DIDEM) 4 bis, rue Cuvier, 44100 Nantes. **Divorcés de France.** B.P. 380, 75625 Paris 13e. **École des parents et des éducateurs, Ile-de-France.** 5, impasse Bon-Secours, 75011 Paris.

Fédér. syndicale des familles monoparentales, 53, rue Riquet, 75019 Paris. *Créée* 1967. **Mouvement de la condition masculine, soutien de l'enfance et des pères divorcés.** 221, Fg-St-Honoré, 75008 Paris. **Mouv. de la condition parentale (MCP)** 8, rue Hoche, 93500 Pantin. **Mouv. de la condition paternelle.** 144, av. Daumesnil, 75012 Paris. **Mouv. pour l'égalité parentale** (MEP) 50, rue de Sèvres, 92100 Boulogne et 14, rue de Berne, 75008 Paris.

Séparation de corps (art. 296 et suiv.)

Conditions. Réalisée dans les mêmes cas et aux mêmes conditions que le divorce.

Effets. Les époux ne sont plus obligés de vivre ensemble, mais le mariage subsiste, les époux se doivent fidélité et le droit au nom subsiste. Toutefois le jugement de séparation de corps ou un jugement postérieur peut l'interdire. L'obligation de secours subsiste même au profit de l'époux coupable. La *séparation de biens* a lieu.

En cas de décès, l'époux survivant conserve les droits que la loi accorde à celui-ci, à moins que la séparation de corps ait été prononcée à ses torts exclusifs. Sur demande conjointe les époux peuvent renoncer à leurs droits successoraux des art. 765 et suivants. Pour les prestations de Sécurité sociale, les allocations familiales, les avantages matrimoniaux, les pensions civiles et militaires de retraite, le salaire différé, le droit au bail ou droit de maintien dans les lieux, les effets à l'égard des enfants : mêmes règles que pour le divorce. La femme séparée conserve l'usage du nom de son mari. Un jugement peut toutefois le lui interdire.

Fin de la séparation de corps. Par : *1°)* La *réconciliation* des époux (elle doit être constatée par notaire et est soumise à publicité ; le régime matrimonial des époux demeure celui de la séparation des biens, sauf à convenir d'un nouveau régime). *2°)* La *conversion en divorce* (il faut un jugement ; après 3 ans de séparation de corps, le tribunal, sur la demande de l'un ou l'autre des époux, prononce de plein droit le divorce sans pouvoir d'appréciation, la procédure est rapide et simple ; peut être faite par demande conjointe). *3°)* La *mort* de l'un des époux.

Pension alimentaire

☞ Loi du 2-1-1973 – décret du 1-3-1973. L. du 11-7-1975, d. du 31-12-1975. L. du 23-12-80.

Définition

Par *aliments* on entend les *besoins vitaux d'une personne :* nourriture, habillement, logement, chauffage, etc. Le *montant* dépend des besoins du réclamant et de la fortune de celui qui doit. La pension est insaisissable, toujours révisable, selon besoins ou charges, coût de la vie, etc. Si le créancier ne réclame pas son dû, on présume qu'il n'en a pas besoin, ou bien il devra prouver qu'il n'a pu le réclamer. Prescription de 5 ans. *La pension est intransmissible* à cause de mort. Les héritiers du débiteur de la pension peuvent être tenus de continuer à la verser, en raison de leur propre parenté avec le créancier de la pension. Les arrérages échus au décès du débiteur de la pension et non payés constituent une dette ordinaire de la succession. La succession de l'époux décédé doit des aliments à l'époux survivant qui est dans le besoin.

Les pensions alimentaires sont déductibles des revenus imposables.

Obligations

• **Entre ascendants et descendants.** Obligation alimentaire, qu'il s'agisse d'enfants légitimes ou d'enfants naturels (art. 205 et 334 du Code civil). L'obligation d'aliments est réciproque.

Personnes âgées sans ressources. Peuvent former une demande de pension alimentaire devant le tribunal d'instance de leur domicile contre tous les enfants. Le juge fixe le montant de la pension en tenant compte des besoins du demandeur et des charges et ressources des enfants et répartit le paiement. Procédure peu coûteuse (consulter un avocat).

Pupilles de l'État, *élevés par l'Aide sociale à l'enfance :* jusqu'à la fin de la scolarité, à moins que les frais n'aient été remboursés à l'administration ; à moins de décision judiciaire contraire, ils sont dispensés vis-à-vis de leurs père et mère.

Enfant naturel. Il n'a droit à des aliments de ses parents qu'à la condition d'avoir été reconnu (volontairement ou à la suite d'une action en recherche de paternité ou de maternité). En l'absence de reconnaissance, une action en paiement de pension alimentaire est recevable, contre le père prétendu qui a pris l'engagement formel par écrit de participer à l'entretien et à l'éducation de l'enfant en qualité de père. En outre, tout enfant naturel dont la filiation paternelle n'est pas légalement établie peut réclamer des subsides à celui qui a eu des relations avec sa mère pendant la période légale de la conception.

Adopté. *Adoption plénière :* plus d'obligation envers les père et mère concepteurs. *Adoption simple :* l'adopté ne doit des aliments qu'à l'adoptant, mais père et mère sont tenus de lui fournir des aliments s'il ne peut en obtenir de l'adoptant.

• **Alliés.** *Gendres et belles-filles* sont tenus à l'égard de leurs beaux-parents. L'obligation cesse lorsque celui des époux d'où provenait le lien de parenté et les enfants issus de cette union sont décédés (art. 206). *Frères et sœurs :* pas d'obligation entre eux.

• **Époux séparés ou divorcés.** Voir p. 1371b.

Procédures

• **Tribunaux compétents.** *Entre ascendants et descendants légitimes et entre alliés du 1er degré, entre l'adopté et l'adoptant en cas d'adoption plénière :* tr. d'instance ; après divorce ou séparation de corps, le juge aux affaires matrimoniales. Le créancier peut intenter une action contre le débiteur de son choix. Si quelqu'un est secouru par le Bureau d'aide sociale, le préfet peut intenter lui-même une action en paiement contre les débiteurs. Le Fonds national de solidarité a un recours pour les vieillards qui bénéficient de la retraite des vieux.

Le débiteur condamné peut aussi faire appel, puis se pourvoir en cassation : certaines instances durent ainsi plusieurs années, pendant lesquelles le paiement de la pension reste suspendu. Si le débiteur ne peut payer, le tribunal peut ordonner qu'il entretienne dans sa demeure le créancier. Lorsque père ou mère propose de recevoir l'enfant dans sa demeure, celui-ci ne peut refuser.

• **Sanctions en cas de non-paiement.** *Civiles :* jugement de condamnation qui permet de recourir aux saisies et aux hypothèques ; *pénales :* délit pénal d'abandon de famille lorsque le débiteur est resté plus de 2 mois sans payer. *Peines* d'amende ou d'emprisonnement, de 3 mois à 1 an, et amende de 300 à 8 000 F. *Recouvrement de droit commun par saisie* sur les meubles du débiteur, *saisie-arrêt* (sur les comptes bancaires ou postaux, voir un huissier), sur traitements et salaires (s'adresser au greffe du tribunal d'instance). *Paiement direct* (loi du 2-1-1973) : par un tiers débiteur de celui qui doit payer la pension directement au bénéficiaire, sans autre intervention que celle d'un huissier. *Recouvrement direct par le Trésor public* (loi du 11-7-1975, décret du 31-12-1975) : lorsque les autres moyens de droit sont restés inefficaces. Procédure gratuite.

• **Recours** (non-paiement). *En cas de séparation de fait,* si la femme connaît l'adresse de son mari, elle peut s'adresser au greffe du tribunal d'instance de son domicile. Si le mari a disparu, sa femme peut déposer une plainte pour abandon de famille si l'abandon a plus de 2 mois, ou si elle est enceinte, ou si elle a des enfants (simple lettre adressée au procureur de la République du tribunal de grande instance de son domicile).

En cas de jugement de séparation ou de divorce, la femme peut : obtenir une saisie-arrêt sur le salaire de son ex-mari, ou ses revenus ; prendre une hypothèque sur les biens de son mari ; faire annuler des actes passés par son mari afin de se rendre insolvable ; le poursuivre pour abandon de famille (demande au tribunal de grande instance) ; faire appel à l'administration des finances.

• **Statistiques.** Env. 600 000 conjoints (femmes surtout) touchent une pension alimentaire. 600 000 enf. en bénéficient. Env. 38 % des pensions ne sont jamais versées. Artifices utilisés pour tourner la loi : par exemple, le mari divorcé est employé par sa concubine pour un salaire équivalant au SMIC, ou représentant sans fixe (véhicule et appartement étant au nom de la famille).

Parents

Abandon et disparition

• **Abandon de famille.** Fait pour l'un des parents d'abandonner sans motif grave la résidence familiale pendant plus de 2 mois, et de se soustraire à tout ou partie de ses obligations d'ordre moral ou matériel résultant de l'autorité parentale ; de rester plus de 2 mois sans payer la pension ou les subsides auxquels il a été condamné par décision de justice. Ces faits constituent un délit sanctionné (amende et emprisonnement) (art. 357-1 Code pénal).

La femme peut obtenir une *saisie-arrêt* sur les salaires entre les mains de l'employeur de son mari en s'adressant au tribunal d'instance du domicile conjugal. Le Président fixera la « contribution » en tenant compte des ressources et charges respectives des époux, salaires et revenus personnels de l'un et l'autre, frais d'entretien et d'éducation des enfants, montant du loyer, existence possible de dettes, etc.

Elle peut obtenir un paiement direct à partir du moment où il y a un jugement de contribution aux charges du ménage.

Si le mari quitte son emploi, signaler au greffe du tribunal d'instance où la décision a été rendue le nom et l'adresse du nouvel employeur du mari.

Si l'abandon de la famille répond aux conditions détaillées par les articles 357-1, 357-2 et 357-3 du Code pénal, il s'agit d'un délit pénal et la recherche du délinquant appartient au pouvoir judiciaire.

Demande de divorce ou d'aliments. Si le mari est parti et que l'on ne connaisse ni son adresse, ni son lieu de travail, et si plus de 2 mois s'écoulent sans aucun paiement du mari lui-même, *s'adresser* à un huissier puis, en cas d'échec, au procureur de la République en application de l'art. 659 du Code de procédure civile.

Non-représentation d'enfant ou abandon de famille (essentiellement recouvrement de pensions alimentaires), *s'adresser* au procureur de la Rép. qui désigne un juge d'instruction. Dans aucun de ces 2 cas, l'Administration ne peut intervenir.

• **Disparitions volontaires et simples pertes de vue.** *Recherches administratives « dans l'intérêt des familles ».* Ne peuvent se faire qu'entre personnes majeures ayant un lien de parenté légal [ce qui exclut parrainage, concubinage non établi sans enfant commun reconnu, enfants naturels non reconnus (sauf dans les délais légaux de demande de reconnaissance) et certains cas d'adoption]. Il n'est pas fait de recherches de personnes manifestement décédées, ni de recherches d'hérédité. L'adresse de la personne retrouvée ne peut être communiquée sans son consentement formellement exprimé. Après un certain délai, il peut être délivré, sous certaines conditions, un certificat de vaines recherches par le ministre de l'Intérieur. *S'adresser* à la préfecture du domicile du demandeur en province. Dans 60 % des cas env., les recherches sont positives. Les préfectures traitent les demandes émanant de requérants domiciliés en France. Le min. de l'Intérieur prend en compte les demandes émanant des personnes vivant à l'étranger parvenant par l'intermédiaire de la Croix Rouge française, du min. des Aff. étrang. et d'Interpol.

Disparitions involontaires ou présumées telles au vu des circonstances (voir cas précédent). Lorsque la personne qui les signale est parente, ces recherches peuvent *sans délai* être transformées de recherches dans l'intérêt des familles en recherches de police judiciaire, et inversement, suivant les circonstances qui se révèlent.

Disparitions de mineurs. *Seuls ou avec des personnes n'en ayant pas la garde légale :* elles relèvent de la Brigade des mineurs de la police judiciaire ; *avec une personne ayant sur eux tutelle ou droit de garde :* on se trouve généralement dans le cas judiciaire de non-représentation d'enfant. Dans les 2 cas, *saisir* le procureur de la Rép. qui actionnera la police judiciaire. En outre (si l'on a qualité à cet effet), faire opposition auprès du commissariat, de la gendarmerie ou du service des passeports (selon l'urgence) à la sortie du mineur du territoire français.

Union nationale des associations familiales (UNAF). 28, pl. St-Georges, 75009 Paris. *Fondée* 1945. *Adhérents :* 890 000 familles, regroupées en 7 250 ass. locales dont beaucoup sont fédérées par 56 mouvements fam. (ass. privées) tels que la FNAFR, la CSF, la FFF. *Presse :* « Réalités Familiales » (trimestriel, 15 000 ex.), « Le Délégué au Centre communal d'Action sociale » (trim., 20 000 ex.), « La lettre de l'UNAF » (mens., 7 000 ex.).

Disparitions de personnes (statistiques ne concernant que les recherches dans l'intérêt des familles). 80 % des enquêtes de la préfecture de police aboutissent dans les 2 mois. *Au 31-12-1989,* 14 766 personnes étaient recherchées (6 869 femmes dont 681 étrangères). Dans l'année, 9 437 demandes de recherches avaient été formulées (4 214 femmes dont 421 étrangères). 36,68 % des femmes recherchées avaient été retrouvées, 37,06 % des hommes. 57,68 % des retrouvées auraient consenti à communiquer leur adresse au demandeur.

Disparitions de majeurs et mineurs signalées directement aux services de police et de gendarmerie. *Majeurs :* 2 500 en 1987. *Mineurs signalés :* 28 249 cas enregistrés en 1986 dont 1 403 dans ressort de Paris. Env. 68 % des fugueurs rentrent dans les 24/48 h. 91 % sont retrouvés dans les 15 j. C'est de mars à juin que les fugues sont les plus nombreuses.

Autorité parentale

• **Appartenance.** Depuis la loi du 4-6-1970 « père et mère l'exercent en commun ». Loi juillet 1987 : conjointement.

L'enfant peut contester l'autorité parentale « si sa santé, sa sécurité ou sa moralité sont en danger ».

Enfant légitime. A l'égard des tiers, chacun est supposé agir avec l'accord de l'autre, quand il agit seul pour un *« acte usuel »* concernant l'enfant (art. 372-2 C. civil). Ex. : inscription d'un enfant à l'école, au lycée, au collège, au catéchisme, à une colonie de vacances, à un voyage en groupe ; poursuite d'études ou mise au travail de l'enfant ; autorisation donnée à un chirurgien de procéder à une opération en cas d'urgence.

Si les père et mère sont divorcés ou séparés de corps, l'autorité parentale est exercée par celui d'entre eux à qui le tribunal a confié la garde de l'enfant, sauf le droit de visite et de surveillance de l'autre. Lorsque la garde est confiée à un tiers, les autres attributs de l'autorité parentale continuent d'être exercés par les père et mère. Mais le tribunal, en désignant un tiers comme gardien provisoire, peut décider qu'il devra requérir l'ouverture d'une tutelle.

Enfant naturel. *1°) Reconnu par un seul de ses parents.* Celui-ci a droit à l'autorité parentale. *2°) Reconnu par ses 2 parents :* la mère seule exerce l'autorité parentale en son entier. Le tribunal pourra à la demande de l'un ou de l'autre des parents, ou du ministère public, décider que l'autorité parentale sera exercée par le père seul ou par le père et la mère conjointement, auxquels l'article 372 et l'article 372-2 seront alors applicables, comme si l'enfant était légitime.

• **Contrôle.** Un contrôle peut être effectué par le juge des enfants (à charge d'appel) « si la santé, la sécurité ou la moralité d'un mineur non émancipé sont en danger ; ou si les conditions de son éducation sont gravement compromises ». Le juge doit maintenir l'enfant au sein de sa famille chaque fois que cela est possible. Il peut alors demander l'assistance d'une personne qualifiée ou d'un service d'observation, d'éducation ou de rééducation en milieu ouvert.

Il peut aussi le maintenir, sous réserve d'obligations particulières (ex. : fréquenter régulièrement un établissement sanitaire ou d'éducation ordinaire ou spécialisé, ou exercer une activité professionnelle). Il peut le confier : à celui des père et mère qui n'en a pas la garde ; à un autre membre de la famille ou à un tiers ; à un service ou à un établissement sanitaire ou d'éducation, ordinaire ou spécialisé ; au service départemental de l'Aide sociale à l'enfance.

Si les parents sont divorcés, séparés ou absents, déchus, décédés, etc., celui des parents qui exerce l'autorité parentale administre les biens de l'enfant sous le contrôle judiciaire du juge des tutelles.

• **Déchéance et retrait partiel** (art. 378 et suivants C. civil). CAS POSSIBLES : *Condamnation pénale pour certains crimes et délits* commis sur leur enfant ou par leur enfant. *Déchéance en dehors de tout crime ou délit :* père et mère qui mettent en danger la sécurité, la santé ou la moralité de l'enfant par de mauvais traitements, l'exemple d'ivrognerie habituelle, d'inconduite notoire, de délinquance ou par un défaut de soins ou un manque de direction. *Abstention volontaire pendant plus de 2 ans de l'exercice de leurs droits* par les père et mère lorsque l'enfant est placé sous le contrôle de l'assistance éducative.

Le jugement peut prononcer (art. 379-1). *La déchéance des droits* découlant de l'autorité parentale à l'égard de tous les enfants mineurs déjà nés au moment du jugement, l'enfant est dispensé de l'obligation alimentaire à l'égard des père et mère déchus, sauf disposition contraire dans le jugement, ou le *retrait partiel des droits,* limité éventuellement à tel ou tel enfant.

Père et mère déchus peuvent, par requête adressée au trib. de grande instance, demander la restitution partielle ou totale des droits qui leur ont été retirés si des circonstances nouvelles justifient cette demande. Celle-ci ne peut être présentée qu'un an au plus tôt après le jugement de la déchéance ou le retrait est devenu irrévocable.

• **Délégation.** L'autorité parentale des parents ne peut pas être l'objet de transaction, renonciation ou cession. Si des parents, notamment en cas de séparation de fait, concluent entre eux des accords concernant la garde des enfants, ces pactes sont nuls parce qu'ils sont contraires à l'ordre public ; cependant un tribunal amené à décider par la suite de la garde des enfants peut prendre ces pactes en considération. Le droit de consentir à l'adoption du mineur n'est jamais délégué.

• **Perte de l'exercice de cette autorité.** Pour celui des père et mère qui : est hors d'état de manifester sa volonté (incapacité, absence, éloignement ou toute autre cause) ; a « volontairement délégué (tout ou en partie) ses droits à un particulier digne de confiance, à un établissement agréé à cette fin ou au service départemental de l'Aide sociale à l'enfance » ; a été l'objet d'un jugement de déchéance ou de retrait des droits ou de certains droits de l'autorité parentale ; a été condamné pour abandon de famille, tant qu'il n'a pas recommencé à assumer ses obligations pendant 6 mois au moins.

Biens de l'enfant

Le père, avec le concours de la mère, est l'administrateur légal (art. 382 et suivants du Code civil). *Il gère et administre tous les biens du mineur ; seuls y échappent* les biens donnés ou légués à l'enfant sous la condition qu'ils seraient administrés par un tiers. *Il représente le mineur dans tous les actes juridiques et judiciaires,* sauf : les actes pour lesquels la représentation est impossible en raison de leur caractère personnel (ex. : reconnaissance d'un enfant naturel, mariage et contrat de mariage, action en recherche de paternité) ; les actes qui sont autorisés au mineur (ouverture d'un livret de caisse d'épargne à 16 ans ; disposition par testament de la moitié de ses biens à 16 ans révolus) ; consentement du mineur à sa propre adoption (15 ans) ; adhésion à un syndicat professionnel (16 ans).

En cas de désaccord des parents. Le juge des tutelles tranchera s'il ne parvient pas à une conciliation.

Les parents disposent librement du revenu des biens de l'enfant. Ils en profitent sans pouvoir les vendre, ni en altérer la substance, ni en diminuer la valeur. Ainsi l'administrateur légal percevra les loyers, dividendes des valeurs mobilières, intérêts du capital appartenant à l'enfant, sans avoir à lui rendre compte de l'emploi de ces fonds à sa majorité.

Sont exclus du droit de jouissance légale : les biens acquis par l'enfant par son travail ; donnés ou légués sous la condition expresse que les père et mère n'en jouiront pas.

Le droit de jouissance légale cesse : dès que l'enfant a 16 ans (plus tôt s'il se marie) ; par les causes qui mettent fin à l'autorité parentale (notamment celles qui mettent fin à l'administration légale) ; perte totale de la chose donnant droit à la jouissance.

Choix de la résidence

« Les époux s'obligent mutuellement à une communauté de vie. La résidence de la famille est au lieu qu'ils choisissent d'un commun accord (loi du 11-7-1971).

Devoirs des parents

« Les époux assurent ensemble la direction morale et matérielle de la famille, ils pourvoient à l'éducation des enfants et préparent leur avenir. » (Art. 213).

Devoir de surveillance. *1° Les relations :* les parents peuvent interdire à leurs enfants de voir (recevoir ou être reçus) des personnes qui ne leur conviennent pas, sauf s'il s'agit de leurs grands-parents (à moins de motifs graves : à défaut d'accord entre les parties, les modalités de ces relations sont réglées par le tribunal).

2° Correspondance : les parents peuvent contrôler, décacheter et retenir les lettres de leurs enfants.

Nota. – Le tribunal peut accorder un droit de correspondance ou de visite à d'autres personnes, parents ou non, dans des cas exceptionnels.

Devoirs d'éducation. Les parents ont le choix de l'instruction, du mode d'éducation (notamment religieuse), de la religion.

Devoir d'entretien. Les parents doivent subvenir aux besoins de leurs enfants : nourriture, entretien, éducation, selon leur fortune.

Droits des parents

Droit d'être honorés et respectés à tout âge par leurs enfants. « L'enfant, à tout âge, doit honneur et respect à ses père et mère. » (Art. 371).

L'enfant doit fournir, à ses ascendants âgés et dans le besoin, des moyens de subsistance (nourriture, vêtements, logement, soins médicaux).

Droit de garde. L'enfant reste sous leur autorité jusqu'à sa majorité ou son émancipation (art. 371-1).

Les père et mère ne peuvent, sauf motif grave, faire obstacle aux relations de l'enfant avec ses grands-parents. A titre exceptionnel, droit de correspondance ou de visite accordé par le tribunal à d'autres personnes (art. 371-4).

Responsabilité des parents

Les parents sont solidairement responsables des conséquences civiles des faits dommageables causés par leurs enfants mineurs vivant sous leur toit, en tant qu'ils exercent le droit de garde. Cette responsabilité repose sur une présomption de faute commise par les parents dans leur devoir de surveillance et d'éducation ; ils peuvent se libérer de cette présomption en démontrant qu'ils n'ont commis aucune faute de surveillance et d'éducation (art. 1384, al. 3). Voir Assurance à l'index.

Fête des mères

Au VIe s. avant J.-C., une fête des mères était célébrée à Rome. En 1806 Napoléon évoque l'idée d'une fête. En 1922, elle apparaît aux États-Unis. En 1928, un décret du Pt Gaston Doumergue, inspiré par l'Alsacien Camille Schneider, la prévoit. En 1929, elle est officialisée et sous le régime de Vichy entre dans les mœurs. En 1950, une loi l'institue définitivement.

La *fête des pères* a été créée en 1952.

Personnes âgées

Quelques chiffres

Espérance de vie à 60 ans. Hommes et, entre parenthèses, femmes. *1900 :* 13,3 (14,6), *50 :* 15,3 (18,1), *75 :* 16,5 (21,3), *80 :* 17,1 (22,2), *85 :* 17,7 (23,2), *90 :* 18,2 (24), *2000 :* 19,2 (25,9).

Nombre (en milliers). Hommes et, entre parenthèses, femmes. **De 65 ans et + :** 3 190 (4 939). **75 et + :** 1 185 (2 151). **85 et + :** 710 (968). **90 et + :** *1953 :* 45. *88 :* 210. **+ de 95 :** *53 :* 4, *88 :* 35. **+ de 100 :** *53 :* 0,2, *80 :* 3, *v. 2000* (prév.) : + de 6. **105 et + :** *v. 2000* (prév.) : 0,2.

Protection vieillesse. 2 500 000 vivent seules. 1 750 000 bénéficient d'une allocation du Fonds national de solidarité. **Soins à domicile.** 25 000 personnes âgées. **Lits** en maisons de retraite 329 031, en foyer-logement, places en section de cure médicale 58 404. *Lits de long séjour de l'Assistance publique* 59 283. *Coût journalier :* Sécurité sociale 157,20 F, hébergement 340,80 F à la charge de la personne. Si l'aide sociale est accordée, les biens de la personne hospitalisée sont hypothéqués et les enfants et petits-enfants soumis à l'obligation alimentaire.

Suicides. Pour 100 000, 30 chez les femmes de + de 60 ans, 150 chez les hommes.

Données pratiques

Aide ménagère. Accordée sur demande après enquête sociale, assure : entretien du logement, courses, repas et soins sommaires d'hygiène. Limitée à 30 h par mois.

Financée par l'Aide sociale, la Caisse nationale d'assurance-vieillesse, les régimes spéciaux, les caisses de retraite complémentaire et parfois par les intéressés eux-mêmes, compte tenu de leurs ressources. *S'adresser* au Bureau d'aide sociale de la commune ou auprès de la DDASS (Direction départementale de l'action sanitaire et sociale) ou du CICAS (Centre d'information et de coordination de l'action sociale) ou de la Caisse de retraite dont dépend la personne.

Cinéma. Cartes « Vermeil » et « Age d'Or » 50 % de réduction env. pour les + de 60 ans, avant 18 h, sauf samedi et dimanche (dans certains cinémas).

Logement. Aide : voir Sécurité sociale à l'Index. **Aide à la réfection :** s'adresser à la Fédération nat. des centres PACT (Protection, amélioration, conservation de l'habitat), 4, place de Vénétie, 75013 Paris. **Maintien dans les lieux :** les + de 65 ans ne peuvent être expulsés (art. 29-2 du 23-12-1986). **Taxe foncière :** sont exonérés les + de 75 ans non passibles de l'impôt sur le revenu au titre de l'année précédente et s'ils habitent seuls l'immeuble en cause. **Taxe d'habitation :** sont exonérés les + de 60 ans non passibles de l'impôt sur le revenu au titre de l'année précédente, occupant leur habitation seuls, avec leur conjoint, avec des personnes à leur charge ou titulaires de l'allocation supplémentaire du Fonds nat. de solidarité.

Maison de retraite. Pour les bénéficiaires de l'Aide sociale, ils reçoivent une allocation min. **Foyers-logements :** pour 1 ou 2 personnes. Conditions de ressource : les mêmes que pour les HLM. **Foyers-soleil :** composés d'un foyer et de logements loués dans les immeubles alentours. S'adresser au CEDIAS (Centre d'études, de documentation, d'information et d'action sociale) 4, rue Las-Cases, 75007 Paris et à l'UNIOPSS (Union nat. interfédérale des œuvres privées sanitaires et sociales) 103, Fg Saint-Honoré, 75008 Paris.

Maladie. Les bénéficiaires de l'Aide sociale peuvent demander *l'aide médicale,* si elles justifient ne pas pouvoir payer. Les handicapés âgés seront placés en service hospitalier, service des *chroniques.*

Musées. Entrée gratuite, parfois sur demande.

Téléphone. Priorité pour les + de 72 ans. La fondation Delta 7 (201, rue Lecourbe, 75015 Paris) permet aux personnes âgées d'avoir le téléphone sans trop de frais et d'être en liaison directe avec un central Delta-Revie qui peut à tout moment se charger de leur envoyer un médecin, une ambulance ou même un réparateur, un artisan, une aide-ménagère.

Télévision. Voir index (redevance).

Voyages. Air Inter : Réduction possible. **Train :** 1 voyage par an avec 30 % de réd. et la *« carte vermeil »* (50 %).

☞ *Fondation nationale de gérontologie. Créée* 1967. 49, rue Mirabeau, 75016 Paris.

Partage

En faveur des enfants

Donation-partage. Devant notaire, sous peine de nullité. Permet aux parents de partager irrévocablement, de leur vivant, leurs biens entre les enfants, d'éviter le recours à un partage judiciaire quand il y a 1 ou plusieurs enfants mineurs ; d'assurer à l'enfant qui devrait prendre la relève de son père la conservation d'une exploitation, du vivant de celui-ci. Depuis la loi du 5-1-1988, un propriétaire d'entreprise individuelle peut associer un membre de sa famille (autre qu'un enfant) ou un étranger à la donation-partage qu'il consent à ses enfants à la condition que le lot de l'étranger soit composé de l'entreprise à l'exclusion de tout autre bien.

Montant des droits. Seule la valeur de la nue-propriété transmise est taxée ; varie selon l'âge du donateur : si – *de 20 ans :* 30 % de la valeur du bien, *20 à 29 :* 40, *30 à 39 :* 50, *40 à 49 :* 60, *50 à 59 :* 70, *60 à 69 :* 80, *à partir de 70 :* 90.

Au décès du donateur, l'usufruit se transmet automatiquement au nu-propriétaire, sans paiement d'aucun droit de mutation.

Réductions possibles. Selon l'âge du donateur lors de la signature de l'acte. *– de 65 ans :* 25 %, *65 à 75 :* 15 %. Les droits de donation sont, en général, payés par les donateurs. L'administration admet que cette prise en charge ne constitue pas un supplément de donation à taxer. Sans donation-partage, la somme représentant le montant des droits aurait dû être prélevée sur les fonds existant au décès et elle aurait été elle-même taxée, puisqu'elle aurait fait partie de l'actif successoral.

On peut. *1° faire un partage partiel :* les parents gardent la propriété d'une partie de leur patrimoine qui se transmettra normalement à leur décès.

2° conserver l'usufruit des biens partagés, ce qui garantit l'avenir des parents.

3° prévoir dans l'acte le versement d'une rente viagère avec, éventuellement, une clause de réversibilité sur le survivant.

Vente à l'un de leurs enfants d'un bien immeuble appartenant aux parents. Ceux-ci doivent faire intervenir à l'acte de vente les autres enfants, si la vente est faite soit à charge de rente viagère, soit à fonds perdu ou avec réserve d'usufruit.

En faveur de l'époux survivant

• **Donation entre époux.** *Frais de rédaction de l'acte de donation chez le notaire :* env. 375 F + TVA, timbre selon le nombre de pages. Après le décès, le notaire chargé de l'exécution de la donation réclamera des émoluments calculés sur l'actif net recueilli. Le barême est égal aux 2/3 de celui du partage, soit de 0 à 20 000 F, 5 % ; de 20 001 à 40 000 F, 3,30 % ; de 40 001 à 110 000 F, 1,65 % ; au-dessus de 110 000 F, 0,825 % à ne compter que pour 2/3 + TVA.

Révocation. *Don. par contrat de mariage* révocable pour ingratitude (demande formulée dans l'année de la découverte du fait allégué). Les *donations entre époux et les testaments pendant le mariage,* révocation possible, chacune séparément (sans que le donateur ait à donner de motif) par testament ou acte notarié (art. 1096), pas révocable par la survenance d'enfants.

En cas de divorce. *Si le div. est prononcé aux torts exclusifs de l'un des époux,* celui-ci perd de plein droit les don. qui lui avaient été consenties (art. 267). L'autre époux conserve l'entier bénéfice des don. faites, même si elles avaient été stipulées réciproques.

Si le div. est prononcé sur demande conjointe, les 2 époux peuvent révoquer les don. (art. 267-1 et 268). S'ils ne décident rien, les don. sont maintenues. Si le divorce est prononcé en raison de la rupture de la vie commune, celui qui a pris l'initiative du divorce perd de plein droit les donations que son conjoint lui avait consenties. L'autre époux les conserve.

• **Communauté universelle.** Après 2 ans de mariage, les époux peuvent modifier par acte notarié leur convention de mariage (loi du 13-7-1965). Cette modification doit être homologuée par le tribunal de grande instance. Ils peuvent, pour protéger le conjoint survivant, opter pour la communauté universelle assortie d'une clause d'*attribution de la communauté en totalité à l'époux survivant.* En cas de divorce ou de séparation de biens, la clause d'attribution ne bénéficie à aucun des époux. En cas de décès, l'époux survivant n'est pas soumis aux droits de mutation.

Bien de famille insaisissable

Objet. Permet d'éviter que certains descendants dilapident l'héritage.

Garanties. Le bien de famille et ses fruits insaisissables ne peuvent être vendus par les créanciers ou hypothéqués. Ils peuvent être saisis pour paiement

Que peut-on laisser à son conjoint ? Celui-ci n'est pas un héritier réservataire. *Avec une donation entre époux ou un testament (1°) ou à défaut de disponibilités particulières (2°).* **Si on laisse : un ou plusieurs enfants. 1°)** au choix : soit la totalité de la succession en usufruit, soit 1/4 en toute propriété et 3/4 en usufruit, soit 1/2, 1/3 ou 1/4 en toute propriété selon le nombre d'enfants : 1, 2, 3 ou +, **2°)** 1/4 seulement de la succession en usufruit. **Un père ou une mère. 1°)** 3/4 en toute propriété et 1/4 en nue-propriété, **2°)** 1/2 en toute propriété. **Un père et une mère. 1°)** 1/2 en toute propriété et 1/2 en nue-propriété, **2°)** 1/2 en usufruit. **Des frères ou des sœurs. 1°)** La totalité de la succession en toute propriété, **2°)** 1/2 en usufruit. **D'autres parents** (oncle, tante, cousins...). **1°)** La totalité de la succession en toute propriété, **2°)** idem.

des dettes résultant de condamnations, paiement des impôts, des dettes alimentaires. Le propriétaire peut aliéner tout ou partie du bien de famille ou renoncer à l'insaisissabilité du bien avec l'accord des 2 époux ou l'autorisation du conseil de famille s'il a des enfants mineurs.

Constitution. *Peut être constitué par* les époux, le survivant des époux, des ascendants qui recueillent leurs petits-enfants, le père ou la mère d'un enfant naturel reconnu ou adopté. *Ne peut être constitué* qu'avec une maison ou une portion « divise » de maison, des terres attenantes ou voisines, occupées et exploitées par la famille, une maison avec boutique ou atelier + matériel ou outillage qu'ils contiennent. *La valeur* du bien ne doit pas dépasser 50 000 F. *S'effectue* par déclaration reçue par un notaire, testament ou donation homologuée par le juge d'instance.

Succession

Statistiques (France)

Montant global (héritages et donations). *1982 :* 162 milliards de F [impôts 8,9 (*1983 :* 10)].

Donations. Nombre : *1977 :* 144 862 (impôt 567 millions de F). *1980 :* 162 496 (750). *81 :* 206 791 (2 585). *82 :* 189 640 (1 407). *83 :* 184 905 (1 583). *84 :* 168 000 dont 62 000 don.-partage et 13 000 don. par contrat de mariage ; donateurs 286 000. **Montant moyen** *1984 :* Donations-partage 374 000 F, autres don. 155 000 F.

Successions. Nombre : *1977 :* 242 735. *83 :* 285 673. *84 :* 267 000. **Montant moyen.** *1984 :* 398 000 F.

Héritiers (1990). 763 000 (dont enfants 63 %, conjoint 18, autres 19). *Age moyen.* Héritières : 50 a ; héritiers : 46.

Héritage (1984). Moyen 122 000 F nets des droits (13 000 F), 50 % sont de – de 50 000 F, 5 % de + de 425 000 F, 80 % des héritiers n'ont pas de droits.

Testament

• **Types.** On distingue les testaments :

a) authentique : établi par 2 notaires ou 1 seul assisté de 2 témoins. Conservé dans les « minutes » de l'étude, il ne risque pas d'être égaré, détruit ou divulgué. Inattaquable, sauf pour vice de forme (art. 971 et suivants). Peu usité.

b) mystique (peu courant) : présenté par le testateur clos, cacheté et scellé au notaire devant 2 témoins. Il peut être écrit par un autre que le testateur. Utile lorsque le testateur ne sait pas écrire et qu'il ne veut pas parler devant des témoins pour exprimer ses volontés. Pratiquement peu usité (art. 976).

c) olographe : entièrement écrit, daté, signé à la main par le testateur. Il n'est assujetti à aucune autre forme (art. 970 du Code civ.). Il faut éviter ratures, surcharges ou interlignes ou, s'il en existe, les approuver (signature) et préciser qu'ils sont de la même date que le corps même du texte. On ne peut utiliser la dactylographie, le testament alors n'est pas valable. Un *aveugle* peut écrire en braille. La main du testateur peut s'il en est besoin être aidée ou guidée (il faut que l'écriture soit reconnaissable et que l'assistance ait été simplement matérielle).

• **Si l'on désire modifier un testament,** le mieux est de le détruire et d'en établir un second, mais on peut également rédiger un *codicille* (texte complétant ou modifiant le t. initial à la suite du t., ou par écrit séparé, mais en prenant soin de dater et signer ce texte complémentaire). Le codicille doit être aussi écrit de la main du testateur.

• **Pour révoquer un testament,** il suffit d'en rédiger un autre indiquant clairement sa décision (révocation expresse) ou qui comporte des dispositions incompatibles avec celles figurant dans un testament antérieur (révocation tacite). C'est le dernier document en date qui est valable.

• **Garde.** On peut conserver un testament olographe chez soi, mais si l'on craint qu'il disparaisse après sa mort, on peut le remettre au notaire ou à toute autre personne, ou le déposer en banque dans un coffre.

Fichier des testaments. Avec l'accord de l'intéressé, le notaire signale l'existence du testament (ou de la donation entre époux) au Fichier central des dispositions de dernières volontés. Après le décès, il sera possible de savoir chez quel notaire a été déposé un testament (ou effectuée une donation entre époux). Testament authentique de moins en moins utilisé.

Héritiers

Ordre des héritiers. La dévolution successorale a lieu dans l'ordre hiérarchique de 5 catég. d'héritiers : *descendants* (enfants, petits-enfants, arrière-petits-enfants du défunt) puis les *ascendants privilégiés* (père et mère du défunt) ; et les *collatéraux privilégiés* (frères et sœurs, neveux, petits-neveux du défunt) ; ensuite les *ascendants ordinaires* (aïeuls, bisaïeuls, c.-à-d. grands-parents et arrière-grands-parents du défunt) ; et les *collatéraux ordinaires* (oncles, tantes, cousins... du défunt).

Degrés de parenté. *Héritiers en ligne directe :* fils 1er degré, pour la succession de son père ; petit-fils 2e, arrière-petit-fils 3e, etc. *En ligne collatérale :* frère 2e degré ; neveu 3e (succession de son oncle) ; cousin germain 4e ; cousin issu de germain 6e ; cousin plus éloigné 8e ; etc., oncle 3e ; grand-oncle 4e ; arrière-grand-oncle 5e.

Au-delà du 6e degré, les parents collatéraux ne sont pas héritiers, et la succession revient à l'État, sauf si le défunt a rédigé un testament. Exception : lorsque le défunt est mort en état d'incapacité de tester (ex. : démence), les héritiers sont appelés jusqu'au 12e degré (art. 755).

Nota. – Ligne : ensemble de personnes qui descendent d'un auteur commun. Chaque *degré* correspond à une génération.

Réserve héréditaire. Part minimale de l'héritage reçue obligatoirement par les enfants ou ascendants directs (héritiers réservataires). *1 enfant :* 1/2, *2 :* 2/3, *3 :* 3/4, *ascendants dans les 2 lignes :* 1/2, *asc. dans 1 seule ligne :* 1/4.

Quotité disponible. Actif de l'héritage diminué de cette réserve qui peut être réservé au conjoint survivant ou à toute autre personne.

Droits du conjoint survivant

Succession sans testament

Le conjoint survivant n'est pas héritier réservataire comme les enfants ou les père et mère et ses droits légaux sont limités notamment en présence d'ascendants et de frères et sœurs du défunt. Si un époux veut avantager son conjoint au-delà de ce que prévoit la loi, il doit le faire dans une donation ou un testament. Si un époux ne veut pas laisser à son conjoint une part plus importante que celle prévue par la loi, il parviendra à ce résultat soit en ne prenant aucune disposition particulière, soit, s'il en prend, en prévoyant expressément que les droits successoraux légaux de son conjoint sont réservés.

Règles communes aux régimes de la communauté et à la séparation de biens. *1°) Le défunt n'avait aucun parent* ou seulement des oncles ou tantes, cousins ou cousines : le survivant non divorcé a la pleine propriété de tous les biens de la succession (art. 765). *2°) Il existe un ou plusieurs enfants, soit légitimes, issus ou non du mariage, soit naturels :* le conjoint a droit à un usufruit légal portant sur le quart ou la moitié de la succession (art. 767). *3°) Il existe des collatéraux privilégiés (frères, sœurs, neveux et nièces), ou des ascendants dans les 2 lignes :* le conjoint a droit à un usufruit portant sur la moitié de la succession. *4°) Il n'existe d'ascendants que dans une ligne :* le conjoint a droit à la moitié de la succession en toute propriété.

☞ Si l'époux prédécédé laisse des enfants adultérins, les droits en toute propriété du conjoint survivant sont diminués de moitié, ses droits en usufruit ne sont pas modifiés.

Jusqu'au partage définitif, les héritiers peuvent exiger, moyennant sûretés suffisantes (hypothèque, caution, etc.) et garantie du maintien de l'équivalence initiale, que l'usufruit de l'époux survivant soit converti en une rente viagère équivalente. Si tous les héritiers ne sont pas d'accord pour cette conversion, elle peut être décidée par le tribunal.

Si le conjoint survivant se remarie, l'usufruit ne cesse pas pour cela.

Régime de communauté de biens. Une fois le partage effectué, le survivant demandera à exercer ses droits éventuels sur la succession (autre moitié de la communauté, plus les biens propres du prédécédé s'il y en a). Le survivant a droit, les 9 mois suivant le décès de son époux, à la nourriture, au logement et au remboursement des frais de deuil ; cela constitue un passif de communauté.

Succession avec testament

1°) S'il n'y a pas d'enfant, de descendant ou ascendant. Chaque époux peut, par testament ou donation, laisser à l'autre toute sa succession.

2°) S'il existe des ascendants. Ont chacun droit à une réserve du quart qui souvent porte sur la pleine propriété de la part de biens que cette réserve englobe. Il en est ainsi lorsque le « de cujus » fait un legs à un tiers quelconque. Si le legs (ou donation) est consenti en faveur de l'époux survivant, le testateur (ou donateur) peut disposer, s'il n'existe d'ascendants que dans une seule ligne, de 3/4 en toute propriété, 1/4 en nue-propriété. S'il en existe dans les 2 lignes, de 1/2 en toute propriété, 1/2 en nue-propriété.

3°) S'il existe des enfants communs des époux, et pas d'enfants nés d'un 1er lit. Un conjoint peut donner ou léguer à l'autre *a) Soit des biens en toute propriété* d'une valeur égale à ceux dont il peut disposer au profit d'une personne qui lui est étrangère, soit 50 % s'il y a un enfant, 1/3 s'il y en a 2, 1/4 s'il y en a 3 ou plus. *b) Soit le 1/4 de ses biens en propriété et les 3/4 en usufruit. c) Soit la totalité de ses biens en usufruit.* S'il s'est contenté d'indiquer que le bénéficiaire recevra la plus forte quotité disponible, celui-ci aura le choix entre ce qui est indiqué en *a, b* et *c.*

4°) S'il existe des enfants nés d'un précédent mariage du conjoint décédé. La part des biens qu'on peut donner ou léguer au conjoint est la même que dans le 3e cas. Mais pour les libéralités, les enfants du 1er lit peuvent substituer un usufruit à l'exécution en propriété.

Déclaration de succession

Formalités

Toute personne recueillant un héritage est tenue de souscrire une déclaration de succession dans les 6 mois, indiquant tous les biens meubles ou immeubles dépendant de la succession. Dès le décès, les personnes se présumant héritières devront prendre contact avec le notaire du défunt ou à défaut leur notaire personnel. La déclaration peut aussi être faite aux Impôts (la succession s'ouvre au décès).

Estimation

Immeubles et fonds de commerce. Sur leur valeur vénale réelle au jour du décès. Le *droit de présenta-*

Partage des droits entre l'usufruit et la nue propriété

Âge de l'usufruitier	Valeur de l'usufruit	Valeur de la nue-propriété
– de 20 a. révolus	7/10 [1]	3/10 [1]
20 à 29 ans	6/10	4/10
30 à 39 ans	5/10	5/10
40 à 49 ans	4/10	6/10
50 à 59 ans	3/10	7/10
60 à 69 ans	2/10	8/10
+ de ans	1/10	9/10

Nota. – (1) De la pleine propriété.

tion, reconnu aux personnes titulaires d'une charge ou office, constitue une valeur patrimoniale, transmissible aux héritiers, et de ce fait, soumise aux droits de mutation par décès. Il en est de même pour le droit de présenter un successeur dans le bénéfice d'une autorisation administrative.

Valeurs mobilières. Admises à une cote officielle (rentes, actions, obligations) : estimées au cours moyen de la bourse du jour du décès.

Meubles meublants et objets mobiliers. À défaut d'acte de vente ou d'inventaire estimatif, la valeur ne peut être inférieure à 5 % de l'ensemble de l'actif successoral, à moins que preuve contraire en soit apportée, notamment par inventaire. La valeur des bijoux, pierreries, objets d'art ou de collection, ne peut être inférieure à 60 % de l'évaluation contenue dans les polices d'assurances contre le vol ou l'incendie conclues par le défunt moins de 10 ans avant l'ouverture de la succession.

Déductions. *Dettes* lorsque leur existence au jour de l'ouverture de la succession est justifiée. Les dettes commerciales sont provisoirement admises, sauf contrôle. *Frais justifiés de dernière maladie* sans limitation de somme. *Frais funéraires* justifiés jusqu'à 3 000 F (en fait l'Administration admet une déduction sans justification de 1 000 F).

Honoraires du notaire

Partage communauté, succession *(avec ou sans liquidation), sur l'actif brut, déduction faite des legs particuliers.* De 0 à 20 000 F 5 % ; de 20 001 à 40 000 F 3,30 % ; de 40 001 à 110 000 F 1,65 % ; au-dessus de 110 000 F 0,825 % + TVA.

Attestation notariée destinée à constater la transmission par décès d'immeubles ou de droits immobiliers. De 0 à 20 000 F 2,20 % ; de 20 001 à 40 000 F 1,65 % ; de 40 001 à 110 000 F 1,10 % ; + de 110 000 F 0,55 % ; à multiplier par le coeff. 0,80 + TVA.

Testament. *T. authentique.* Frais de rédaction env. 300 F + TVA + timbre selon nombre de pages. Au décès, sur la valeur calculée à la date du décès, de l'actif net recueilli par chaque bénéficiaire. Si celui-ci a droit à une réserve, il n'est rien dû sur ce qu'il recueille à ce titre. En ligne directe : de 0 à 20 000 F 5 % ; de 20 001 à 40 000 F 3,30 % ; de 40 001 à 110 000 F 1,65 % ; au-dessus de 110 000 F 0,825 %. Entre époux : 2/3 du tarif en ligne directe. En ligne collatérale et entre étrangers, tarif en ligne directe multiplié par le coefficient 1,33 + TVA. *Testament olographe.* Rédaction. Honoraire libre. Au décès. Moitié des émoluments proportionnels perçus en matière de testament authentique, plus 245 F + TVA.

Droits de succession

Généralités

• **Évolution.** **1901,** taxation progressive en fonction de l'importance de la succession et du degré de parenté. **1917 à 1932,** une taxe globale s'ajoute aux droits personnels sur les parts d'héritages. *Dep. 1930,* exonérations, abattements, réductions se sont succédé. **1956,** taxe de 1 à 5 % sur l'ensemble de la succession (instituée par le min. des Fin. Ramadier). **1959, 63, 65, 66,** taxe Ramadier supprimée, tarifs allégés, abattements élargis ou multipliés, majorations applicables aux héritiers âgés ou sans enfants abolies. Grâce aux *exonérations,* plus du tiers des successions des grandes fortunes échappent légalement à l'impôt. **1969,** le taux supérieur des droits en ligne directe et entre époux passe de 15 à 20 %.

• **Paiement.** Dans les 6 mois du décès au Bureau de l'enregistrement des successions du domicile du défunt, et en même temps que la déclaration de succession ; en numéraire, par chèque à l'ordre du Trésor public ou en remettant certains titres, ex. : emprunt Giscard remboursé par anticipation à compter du 1-6-1988 ou sous forme de dations de tableaux, de livres, de manuscrits, d'argenterie, de tapisseries ou de meubles anciens [système instauré par la loi Malraux du 3-12-1968 : une « commission d'agrément », composée des représentants des services du 1er Mjn., des Finances, des Affaires culturelles et de l'Education nationale, consultera des experts avant de se prononcer). *Dations importantes.* Ex. : héritage Picasso († 1973) estimé à 1,2 milliard de F (l'État a reçu + de 200 toiles, 158 sculptures, etc.) ; Chagall estimé à 710 millions de F (l'État touchera 170 millions sous forme de dation : 46 peintures, 150 gouaches, 229 dessins, 27 maquettes et 11 livres illustrés) ; baronne Edmond de Rothschild († 1983) réglée en partie par la dation de *l'Astronome* de Vermeer (seul Vermeer au monde n'appartenant pas à un musée].

Paiement différé. Pour les biens en nue-propriété. Permet d'attendre la réunion de l'usufruit à la nue-propriété pour payer les droits. On peut choisir de payer des droits calculés sur la valeur de la nue-propriété avec des intérêts payables chaque année, ou des droits sur la valeur en pleine propiété des biens calculée le jour du décès (pas d'intérêts). *Intérêts :* voir ci-dessous paiement fractionné. *Demande de p. différé :* voir ci-dessous p. fractionné.

Paiement fractionné des droits de succession. Possibilité de payer les droits dans des délais variables moyennant paiement d'intérêts et si des garanties sont fournies. Peut être demandé par tout légataire ou héritier lors d'une succession. *Cas général :* les droits peuvent être acquittés en plusieurs versements égaux, le 1er lors du dépôt de déclaration de succession, le dernier 5 ans après le délai légal de souscription de la déclaration. *Nombre de versements :* si la proportion entre les droits dus et le montant taxable des parts recueillies est de 5 % : 2 versements ; de 5 à 10 % : 4 vers. ; de 10 à 15 % : 6 vers. ; de 15 à 20 % : 8 vers. ; 20 % et + : 10 vers. *Cas particulier :* pour les héritiers en ligne directe et le conjoint, possibilité d'un délai de 10 ans et du doublement du nombre de versements (max. 20). Si l'actif de la succession comprend au moins 50 % de biens non liquides (brevets d'invention, fonds de commerce, immeubles, etc.). *Intérêts dus.* Leur taux est fixé pour chaque semestre civil (ex. 2e semest. 1985 : 11,1 %). *Demande de p. fractionné :* peut être faite au pied de la déclaration de succession ou par lettre jointe, et doit être accompagnée des justifications nécessaires et d'une offre de garantie (hypothèque sur un immeuble successionnel, etc.). Réponse du receveur des impôts dans les 3 mois.

Usufruit (art. 578 et suiv. du Code civ.)

• **Définition.** Démembrement temporaire de la propriété qui donne le droit de jouir des choses dont un autre a la propriété, comme le propriétaire lui-même, mais à la charge d'en conserver la substance. L'*usufruitier* peut user du bien et en percevoir les fruits (revenus), le *nu-propriétaire* (propriétaire du bien grevé de l'usufruit) dispose des autres prérogatives découlant du droit de propriété (essentiellement du droit d'aliéner la chose). Le droit d'usufruit a un caractère personnel et temporaire (le plus souvent viager). Il ne se transmet pas aux héritiers et prend fin à la mort de l'usufruitier. Il peut s'exercer sur : meubles incorporels (valeurs en Bourse), corporels (meubles meublants), immeubles déterminés ou succession entière.

• **Obligations à la charge de l'usufruitier. 1° Au début de l'usufruit.** *Inventaire. Caution de jouir en bon père de famille :* une personne solvable qui garantira sur ses biens personnels le nu-propriétaire contre les abus de jouissance de l'usufruitier, et contre le défaut de restitution des meubles. L'usufruitier peut être dispensé par le nu-propriétaire de fournir une caution, cas fréquent dans les donations et testaments établissant un usufruit.

Si l'usufruitier ne peut fournir caution : celle-ci peut être remplacée par une hypothèque. Si l'usufruitier est dans l'impossibilité de fournir une garantie, les immeubles sont donnés à bail ou mis sous séquestre ; les sommes comprises dans l'usufruit sont placées ; les meubles sont vendus et le montant de la vente est placé (les intérêts des sommes ainsi placées et le montant des loyers reviennent à l'usufruitier).

2° Pendant la durée de l'usufruit. L'usufruitier a un droit d'usage et de jouissance. Il peut utiliser le bien objet de l'usufruit pour son usage personnel, percevoir les fruits et revenus, les loyers, les récoltes, accomplir tous actes d'administration (mais il ne peut disposer de la chose, l'aliéner, l'hypothéquer) couper les arbres suivant l'usage des lieux, acquitter les charges (impôts), faire les réparations d'entretien. Il doit se comporter en « bon père de famille ». Les baux qui portent sur des fonds ruraux, des immeubles à usage commercial, industriel ou artisanal, de 9 ans, exigent le concours du nu-propriétaire et de l'usufruitier. Les baux d'habitation et à usage professionnel conclus par l'usufruitier ne peuvent être opposables au nu-propriétaire pour plus de 9 ans quand l'usufruit prend fin. *Il doit rendre les meubles dans l'état où ils se trouvent à l'expiration de son droit* et non dans celui où ils se trouvaient au début de l'usufruit. Il ne doit indemnité que si les dégradations résultent de son dol ou de sa faute (dispense pour le père ou la mère qui ont l'usufruit légal des biens de leurs enfants, le vendeur ou le donateur sous réserve d'usufruit).

3° Lors de la cessation de l'usufruit. Restitution de la chose. Reddition de compte par l'usufruitier ou ses héritiers.

• **Obligations à la charge du nu-propriétaire.** Il ne peut, par son fait ni de quelque manière que ce soit, nuire aux droits de l'usufruitier (art. 599, al. 1) (si l'usufruitier est évincé par un tiers, il doit agir contre ce tiers).

Il doit les *grosses réparations* et les *charges extraordinaires :* branchement à l'égout, par ex. ; (les charges ordinaires et les réparations d'entretien incombent à l'usufruitier). Le tribunal de grande instance est compétent en cas de litige entre usufruitier et nu-propriétaire.

Taux normaux des droits

1°) Ligne directe de parents à enfants. *Taux jusqu'à 50 000 F :* 5 % ; *de 50 001 à 75 000 F :* 10 % ; *de 75 001 à 100 000 F :* 15 % ; *de 100 001 à 3 400 000 F :* 20 % ; *de 3 400 001 à 5 600 000 :* 30 % ; *de 5 600 001 à 11 200 000 F :* 35 % ; *au-delà :* 40 %.

Abattement : 275 000 F pour la part de chacun des ascendants et des enfants vivants ou représentés. Si l'un des héritiers a au moins 3 enfants vivants, il peut déduire des droits 4 000 F par enfant en plus du 2e.

2°) Entre époux. *Taux jusqu'à 50 000 F :* 5 % ; *de 50 001 à 100 000 F :* 10 % ; *de 100 001 à 200 000 F :* 15 % ; *de 200 001 à 3 400 000 :* 20 % ; *de 3 400 001 à 5 600 000 :* 30 % ; *de 5 600 001 à 11 200 000 :* 35 % ; *au-delà :* 40 %. *Abattement :* 275 000 F ; même réduction que ci-dessus pour 3 enfants et +.

3°) Entre frères et sœurs. *Taux. Jusqu'à 150 000 F :* 35 %. *Au-delà :* 45 %. *Abattement :* 100 000 F sur la part de chaque frère et sœur, célibataire, veuf, divorcé ou séparé de corps s'il a plus de 50 ans ou ne peut subvenir par son travail aux nécessités de l'existence (il faut qu'il ait habité pendant 5 ans au moins avec le défunt à la date du décès). Autres cas : 10 000 F.

4°) Entre parents jusqu'au 4e degré *(c.-à-d. oncles et tantes et neveux ou nièces, grands-oncles ou grands-tantes et petits-neveux, petites-nièces, cousins germains). Taux :* 55 %. *Abattement :* 10 000 F.

5°) Entre parents au-delà du 4e degré et entre personnes non parentes. 60 %. *Abattement :* 10 000 F.

6°) Adoptés. En principe, il n'est pas tenu compte du lien de parenté résultant de l'adoption simple, mais seulement du lien de parenté naturelle pouvant exister entre adoptant et adopté. Cependant l'adopté peut bénéficier du régime des transmissions en ligne directe si, dans sa minorité et pendant 5 ans (6 ans avant la loi du 30-12-1975) au moins, il a reçu secours et soins. Ou si secours et soins, *commencés pendant la minorité,* ont continué après sa majorité et duré au moins 10 ans au total.

Peuvent encore bénéficier de ce régime d'autres adoptés, en particulier les enfants issus d'un 1er mar. du conjoint de l'adoptant. Les enfants ayant bénéficié d'une légitimation adoptive ou d'une adoption plénière sont assimilés aux enfants légitimes (décret du 23-3-1985, J.O. 24).

Montant des droits en % selon le rang des héritiers. All. féd. 20 à 70, Belgique 30 à 80, Espagne 58 à 84, *France 5 à 60,* G.-B. 30 à 60, Italie 3 à 31, P.-Bas 5 à 68, Portugal 4 à 76, Suisse 1 à 10 (selon les cantons ; Schwyz est exonéré).

Le montant hérité (héritage en ligne directe de parent à enfant, en millions de F). **All. féd.** 1 MF *2,5,* 5 *8,* 15 *11.* **France** 1 *13,* 5 *21,* 15 *31.* **G.-B.** 1 *9,* 5 *35,* 15 *52.* **Italie** 1 *5,5,* 5 *19,* 15 *27.* **Suisse** 1 *2,* 5 *4,* 15 *5.* **U.S.A.** 1 *0,* 5 *10,* 15 *15.*

Le montant hérité pour un couple ayant 2 enfants : 6 millions et entre parenthèses 30 millions. All. féd. 5,3 (20). Belgique 7,8 (20). Espagne 19,3 (26). *France 15 (24).* G.-B. 15 (27). Italie 10 (26). P.-Bas 16,7 (26). Suisse 4,6 (6,22). U.S.A. 0 (30).

Réductions de droits

Familles nombreuses. Héritier ou donataire ayant 3 enfants ou plus, vivants ou représentés au moment de l'ouverture de la succession ou au jour de la donation : réduction de 100 % (avec un max. de 2 000 F par enfant en sus du 2e, 4 000 F pour donations et successions en ligne directe et entre époux).

Mutilés de guerre invalides à 50 % au moins. Réduction de 50 % (max. 2 000 F).

Handicapés physiques ou mentaux. *Abattement :* 300 000 F quel que soit le lien de parenté avec le donateur ou le défunt et même s'il n'y a pas de lien de parenté. Ne se cumule pas avec les abattements de 275 000 et 100 000 F applicables en ligne directe ou entre époux et entre frères et sœurs.

Exonérations des droits

Assurances-vies contractées par le défunt au profit de bénéficiaires déterminés, ainsi que celles qui sont contractées par un tiers sur la tête du défunt au profit des ayants droit de ce dernier (elles sont cependant soumises aux droits de succession si elles ont été souscrites par l'assuré après 66 ans et si le montant des primes pour 4 ans représente au moins les 3/4 du capital assuré). Voir Index.

Bois et forêts et parts de groupements forestiers à concurrence des 3/4 de leur valeur, s'il s'agit d'une exploitation régulière et si les héritiers s'engagent à la continuer 30 ans, et parts de GFA (Groupements Fonciers Agricoles).

Les biens ruraux donnés à bail à long terme à concurrence des 3/4 de leur valeur lors de leur 1re transmission à titre gratuit, à la condition, pour les parts de GFA que : les statuts interdisent le faire-valoir direct ; les biens du groupement soient donnés à bail à long terme ; les parts soient détenues dep. 2 ans au moins par le donateur ou le défunt. Lorsque les biens ruraux et les parts de GFA transmis par le donateur ou le défunt à un même donateur, héritier ou légataire sont d'une valeur supérieure à 500 000 F, l'exonération partielle est ramenée de 15 % à 50 % au-delà de cette limite (loi du 29-12-1983).

Réversions de rentes viagères entre époux ou parents en ligne directe.

☞ Dep. janv. 1991, la succession d'une personne **victime d'un acte de terrorisme** est exonérée si le décès résulte directement de l'acte de terrorisme (ou de ses conséquences) et intervient dans les 3 ans, quel que soit le montant de la succession et quelle que soit la qualité de l'héritier.

Nota. – L'emprunt Pinay (3,5 % 1952 et 1958) à capital garanti qui était exonéré a été supprimé le 20-9-1973. *L'emprunt Giscard d'Estaing* qui le remplace (4,5 % : échange possible) n'est plus exonéré. *Option successorale.* Les héritiers peuvent accepter, ou accepter sous bénéfice d'inventaire, ou renoncer à une succession. Ils bénéficient d'un délai de 3 mois pour l'inventaire et de 40 j pour se prononcer.

Décès

Définitions

Définition classique. Une personne est morte lorsque son cœur ne bat plus et qu'elle cesse de respirer. Cette règle permet de prolonger la vie de personnes inconscientes pendant longtemps, grâce à des appareillages modernes. *Concept de mort cérébrale* révélée par un ensemble de signes : caractère entièrement artificiel de la respiration entretenue par le seul usage de respirateurs ; abolition totale de tout réflexe ; hypotonie complète, mydriase ; disparition de tout signal électroencéphalographique (tracé nul sans réactivité possible) spontané ou provoqué par toutes stimulations artificielles pendant une durée jugée suffisante, chez un patient n'ayant pas été induit en hypothermie et n'ayant reçu aucune drogue sédative ; circonstances particulières dans lesquelles les accidents se sont produits. L'absence d'un seul de ces signes ne permet pas de conclure à la mort.

Définition américaine. En 1981, une commission a recommandé aux États fédéraux d'adopter cette définition : un individu est décédé lorsqu'il a subi, soit une cessation irréversible des fonctions circulatoires et respiratoires, soit une cessation irréversible de toutes les fonctions du cerveau, y compris le tronc cérébral. Avec cette définition, 10 à 20 % des Américains dont on entretient la respiration ou la circulation sanguine de manière artificielle pourraient être considérés comme « morts ».

☞ Les *critères légaux* de la mort diffèrent selon les pays. Ainsi, en France on se base sur l'électroencéphalogramme plat ; en Grande-Bretagne, sur l'absence de réactivité bulbaire au gaz carbonique.

Pour l'Église catholique, la vie est un don de Dieu dont l'homme ne peut disposer. Mais personne n'est tenu d'employer tous les moyens possibles pour prolonger une existence insupportable. Le pape Pie XII a déclaré légitime l'arrêt de la respiration assistée d'un malade en coma dépassé, et l'emploi d'anti-algiques même s'ils risquent d'accélérer la mort. Le médecin doit trouver dans sa conscience et dans la science la limite qui sépare le faire-mourir du laisser-mourir.

Formalités

Déclaration. A la mairie de la commune où a lieu le décès, le plus tôt possible. La mairie avise le médecin légiste préposé à ce quartier. Celui-ci se présente 6 h après le décès afin d'en faire le constat. Il remet la lettre de constat à la famille ou aux Pompes funèbres, qui doit la rapporter, avec le livret de famille du décédé, à la mairie ; à ce moment seulement, le permis d'inhumer est délivré. L'officier d'État Civil avisé par les Pompes funèbres devant s'occuper du convoi, délivrera sur papier libre et sans frais, au vu de la déclaration et du permis d'inhumer, une *autorisation de fermeture du cercueil* (en cas d'inhumation sans autorisation préalable : 10 j à 1 mois de prison et/ou 400 F à 1 000 F d'amende) (art. R40 Code pénal).

En cas de mort violente ou suspecte, le procureur de la République peut faire procéder à une autopsie et ordonner une expertise médicale.

Une autorisation de fermeture du cercueil est nécessaire pour les enfants mort-nés et les fœtus s'ils ont 6 mois de gestation.

La famille peut ne pas rendre publiques les causes d'un décès.

Usages du deuil au début du XXe s.	*Crêpe*	*Soie noire*	*Demi-deuil*
Grands deuils			
Veuf, veuve	1 an	6 m	6 m
Père, mère	9 m	6 m	3 m
Beau-père, b.-mère ...	9 m	6 m	3 m
Enf., gendre, b.-fille ..	6 m	3 m	3 m
Grands-parents	6 m	3 m	3 m
Frère, sœur	6 m	2 m	2 m
B.-frère, b.-sœur	6 m	2 m	2 m
Petits deuils			
Oncle, tante		3 m	3 m
Cousin, cousine		6 sem.	6 sem.

Prélèvements sur comptes bloqués. Lorsqu'une succession est ouverte, les comptes bancaires, postaux ou d'épargne du décédé sont bloqués et ne peuvent donc normalement être utilisés pour régler les frais d'obsèques. Sur la demande expresse des ayants droit du défunt, le directeur de l'établissement financier concerné (banque, centre de chèques postaux, caisse d'épargne) peut effectuer à l'entreprise chargée des obsèques un virement direct d'un max. de 15 000 F.

Chèques postaux. Le compte est bloqué dès la connaissance officielle du décès. Un des héritiers peut se « porter fort » jusqu'à 8 000 F. Au-delà, un certificat de propriété est nécessaire. Le compte joint évite le blocage, pour les chèques postaux et en matière bancaire. Le blocage peut être évité avec un compte joint. Certains comptes, comme le compte épargne action (CEA), sont débloqués par le décès.

Enterrement

☞ Sur 550 000 morts par an, env. 70 % meurent à l'hôpital, env. 25 000 sont incinérés. *En 1990 :* 100 000 décédés ont reçu des soins (thanatopraxie).

Généralités

• **Date.** Le maire autorise l'inhumation ou la crémation 24 h au plus tôt après le décès (autorisation délivrée par l'officier d'état civil sur production d'un certificat médical).

• **Enterrements religieux. Catholique.** Baptisés, catéchumènes, petits enfants dont les parents envisageaient le baptême peuvent être enterrés religieusement. Seule une attitude d'opposition violente au christianisme entraînerait un refus : apostats notoires, personnes ayant demandé l'incinération pour des motifs antireligieux, personnes dont l'enterrement religieux ferait scandale. *Frais :* parfois ils correspondent aux dépenses de la paroisse pour la circonstance (personnel laïc), ailleurs l'offrande faite contribue surtout à la vie matérielle du prêtre.

Le médecin doit-il la vérité au malade ?

Le médecin apprécie l'attitude la moins traumatisante pour son malade compte tenu de ce qu'il connaît de ses croyances, de sa famille... Sauf, l'exception définie par l'article 42 du Code de déontologie médicale : « Pour des raisons légitimes que le médecin apprécie en conscience, un malade peut être laissé dans l'ignorance d'un diagnostic ou d'un pronostic grave. Un pronostic fatal ne doit être révélé qu'avec la plus grande circonspection, mais la famille doit généralement en être prévenue, à moins que le malade n'ait préalablement interdit cette révélation, ou désigné les tiers auxquels elle doit être faite. »

Protestant. Les protestants n'ont pas de rituel précis. Certains préfèrent adopter la levée du corps dans l'intimité, suivie d'une inhumation. Après celle-ci, culte d'adoration et de reconnaissance généralement célébré au temple. D'autres choisissent la formule du culte, le cercueil étant dans l'église. Dans l'un et l'autre cas, il existe une liturgie appropriée.

Israélite. Pas de cérémonie religieuse à la synagogue. Prières et psaumes au cimetière. Toilette et vêtements rituels. Prières après les obsèques au domicile du défunt.

Musulman. Prières au domicile de la famille et au cimetière au moment de l'inhumation.

• **Liberté des funérailles.** Principe établi par la loi du 15-11-1887 et divers règlements. Ceux qui donneraient aux funérailles un caractère contraire à la volonté du défunt, ou à la décision de justice, encourraient une amende de 1 200 à 3 000 F (décret du 18-7-1980) ; de 2 ans à 5 ans de prison en cas de récidive, et la réclusion criminelle de 10 à 20 ans en cas de 2e récidive (art. 199 et 200 Code pénal).

• **Prestations. Catégories** (loi du 28-12-1904). 1°) *service extérieur,* qui peut regrouper : cercueil, corbillard, personnel nécessaire, tentures et façades extérieures, transport du corps dans la limite de la commune ; monopole des communes. 2°) *service intérieur,* qui concerne la cérémonie religieuse, confié aux associations cultuelles qui fixent librement leurs tarifs. 3°) *service libre,* qui comprend toutes fournitures et travaux laissés hors des services ext. et int. : croix et emblèmes religieux, plaques, garniture intérieure du cercueil, soins de conservation, faire-part, fleurs, couronnes, etc.

A Paris, services et fournitures monopolisés sont fournis par le Service municipal des pompes funèbres, auquel sont tenues de s'adresser les entreprises privées. Celles-ci ne peuvent prélever aucun bénéfice ni commission sur ces prestations qui font l'objet d'une facture distincte et sont exonérées de la TVA. Env. 60 villes (dont Paris et Marseille) exploitent en *régie* le service *extérieur* (d'où exonération pour les administrés de la TVA). La plupart des autres (750 villes de + de 10 000 hab. et env. 4 000 communes moyennes) en confient l'exécution à un concessionnaire.

Dans beaucoup de communes rurales, les familles pourvoient elles-mêmes au transport ou à l'enterrement de leurs morts. Le cercueil est souvent fabriqué par le menuisier du village.

Lorsque la commune de mise en bière n'est pas à la fois celle du domicile du défunt et celle de l'inhumation ou de la crémation, les familles peuvent (loi no 86-29 du 9-1-1986) s'adresser, au choix, à la régie ou au concessionnaire de l'une de ces 3 communes. S'il n'existe ni régie municipale ni concessionnaire, toute entreprise de pompes funèbres qui s'y trouve physiquement implantée peut intervenir dans la ou les communes où le service est organisé, au même titre qu'un concessionnaire.

En Moselle, Bas-Rhin, Ht-Rhin, les fabriques des églises et des consistoires ont gardé le monopole, mais peuvent le concéder, le régime du Concordat étant toujours en vigueur (décret du 22 prairial an XII), la loi du 9-1-1986 n'y est pas applicable.

• **Conservation des corps.** Peut être assurée par le froid (case réfrigérante, neige carbonique) ou par des soins « somatiques » : ex., procédé IFT (Institut français de thanatopraxie) avec injection dans le corps d'un liquide aseptique. Pour les soins somatiques, il faut l'autorisation du maire (ou du préfet de police à Paris) ; ils sont interdits en cas de décès par suite de certaines maladies contagieuses.

• **Frais d'obsèques. Financement.** *Sécurité sociale :* verse aux ayants droit un capital-décès équivalent à 3 mois du salaire soumis aux cotisations (dans la limite du plafond). *Prévoyance-obsèques* et *Épargne* *funéraire :* certains organismes couvrent spécialement les frais d'obsèques, par contrat fixant le détail des fournitures (Groupement auxiliaire de prévoyance funéraire) ou contre une cotisation annuelle (Garantie obsèques). *Stés mutualistes :* complètent les remboursements de la Séc. soc. ; prévoient un capital obsèques (les Pompes funèbres se font régler par la mutuelle tout ou partie de la facture approuvée par la famille). *Assurances obsèques :* certaines Cies d'assurances (GAN, GMF) offrent des garanties spéciales pour la couverture des frais d'obsèques. *Assurance vie :* voir p. 1331. *Assurances obsèques. Banques :* certaines proposent, contre env. 30 F par an, un capital (20 000 F à 175 000 F) en cas de décès du titulaire du compte, en rapport avec la valeur en compte au jour du décès.

Prix d'un enterrement à Paris (au 1-1-1990). *Service social à tarif réduit* cercueil volige (pas d'aménagement intérieur) 1 486 F. *Classe C* cerc. en bois dur teinté 6 570 F. *B* cerc. en bois dur verni 9 270 F.

Répartition des frais d'obsèques à la charge d'une famille (en F). *Prestataires :* articles funéraires et fleurs 4 900 ; entreprises (ou régies) de pompes funèbres 4 800 [dont fournitures (cercueil) 3 000, services funéraires 1 800] ; transport et restauration 1 000 ; marbrier 700 ; presse et faire-part 200. *Collectivités :* État (TVA) 2 000 ; communes 1 300 ; clergé 200.

Nota. – En 1987, les Français ont dépensé 9 milliards de F en services funéraires (non compris l'achat d'une concession) pour 550 000 décès.

Frais et taxes divers. (Coût à Paris). *Taxe municipale* de pompes funèbres : 150 F. *Frais de ramassage* : (en cas de décès sur la voie publique.) : 870 F entre 8 h 45 et 18 h 33, 1 390 F au-delà. *L'inhumation* peut se calculer au m³ creusé (70 F). *Exhumation* : 253 F + la « vacation de police ».

☞ **Un convoi comprend** : cercueil, porteurs, corbillard, fournitures non monopolisées (garnitures intérieures, plaques, etc.), frais d'organisation des obsèques et d'assistance d'un employé à la mise en bière et au convoi, sauf pour le service social à tarif réduit.

• **Obsèques de personnalités.** Le gouvernement décide s'il s'agit d'*obsèques nationales* (réservées à des personnalités ayant eu un rôle exceptionnel dans la vie du pays) ou d'*obsèques solennelles ;* il n'est tenu par aucune règle. Les cérémonies tiennent compte de la qualité du défunt : chef de l'État, chef du gouvernement, militaire, et du fait qu'il était ou non en fonction. Généralement les membres du gouvernement, le corps diplomatique, les corps constitués y participent ; les honneurs militaires sont rendus avec plus ou moins de faste. Les frais des obsèques nationales sont pris en charge par l'État, parfois ceux des solennelles. Ont eu des obsèques nationales : les maréchaux Leclerc, de Lattre de Tassigny, Juin. Le général de Gaulle et le Pt Pompidou ont eu des obsèques privées, mais un hommage solennel a été rendu par le gouvernement à N.-Dame de Paris.

• **Statistiques.** 22 000 entreprises privées (concessionnaires des municipalités et certaines agglomérations comme Paris, Marseille et Lyon) se partagent chaque année environ 540 000 enterrements (chiffre d'aff. : 8 milliards de F, coût moyen d'un enterrement : 15 000 F).

Le groupe *OGF-PGF,* filiale de la Lyonnaise des Eaux (4 800 personnes) et ses filiales, concessionnaire du service public des Pompes funèbres, détient 44 % du marché, assure 1 enterrement sur 2, 1 000 obsèques par jour, 2 500 contrats de concessions sur 5 000. *CA :* 2,5 milliards de F, *résultat net consolidé :* 77 millions de F.

Dépenses funéraires (en millions de F, 1989). Monuments funéraires 3 600, plaques 625, fleurs artificielles 325, bronzes 225, vases et jardinières 125, céramiques 45.

• **A combien revient un mort ?** En 1984, les assurances payaient par tué une indemnité moyenne de 208 000 F. *Par tranches d'âges : 0 à 9 ans* 102 000. *10 à 14 ans* 107 000. *15 à 19 ans* 124 000. *20 à 24 ans* 175 000. *25 à 44 ans* 369 000. *45 à 64 ans* 275 000. *+ de 65 ans* 115 000.

• **Enterrés vivants.** A la fin du XIXe s., un chercheur les avait évalués à 2 700 par an en Angleterre et au pays de Galles. Lors du transfert aux USA des cimetières de soldats américains au Viêt-nam (et aussi des soldats morts en France en 1944), on avait constaté dans 4 % des cas des altérations et des déplacements éloquents (poignets rongés, squelettes retournés...).

☞ Une entreprise de pompes funèbres de Floride, Celestis, a proposé en 1985 à ses futurs clients d'envoyer (pour 3 900 $) leurs cendres en orbite dans un satellite placé à 3 000 km de la Terre. Celui-ci, pesant 150 kg, aurait emporté les restes de 10 000 personnes dont les cendres (une dizaine de g) seraient placées dans des gélules de 1 cm sur 5, portant le nom du défunt et une indication de sa religion. Avec de bonnes jumelles, les parents auraient pu suivre le satellite dans l'espace pendant 63 millions d'années.

Transports de corps

Sans cercueil. *Autorisés à destination : de la résidence du défunt ou d'un membre de sa famille,* en cas de décès survenu hors du domicile du défunt, sauf problème médico-légal ; *d'une chambre funéraire* (établ. destiné à recevoir les défunts avant mise en bière, 1re réalisation en France : Menton, 1962) quel que soit le lieu de décès, sur demande de la famille ou de la personne chez qui le décès a eu lieu ; *d'un établ. d'hospitalisation, d'enseignement ou de recherche* si le défunt a fait don de son corps à la science. *Délais spéciaux :* 24 h à compter du décès, 48 h si le décès est survenu dans un établ. hospitalier disposant d'équipements permettant la conservation du corps. Nécessitent l'autorisation du maire de la commune de décès (préfet de police à Paris) et la pose d'un bracelet d'identification par un fonctionnaire de police auquel il faut régler une vacation. Interdits en cas de décès consécutif à certaines maladies contagieuses. *Délai de droit commun :* 18 h à compter du décès, 36 h si le défunt a reçu des soins de conservation.

En cercueil. *Sur le territoire français :* autorisation donnée par le maire de la commune du décès (ou du lieu de fermeture du cerc.) ou le préfet de police à Paris. Présence nécessaire d'un commissaire de police ou du garde-champêtre au départ et à l'arrivée, auquel il faut régler une vacation. Le cerc. devra être étanche et en bois de 18 ou 22 mm d'épaisseur après finition selon la distance à parcourir. *A destination de l'étranger :* cerc. hermétique et autorisation donnée par le commissaire de la Rép. du département (préfet de police pour Paris). S'adresser également au consulat du pays destinataire sauf si l'État destinataire est partie à l'accord de Berlin de 1937. *Par avion :* cerc. hermétique dans tous les cas. Les cercueils hermétiques sont munis d'un dispositif épurateur de gaz agréé par les ministères de la Santé et de l'Aviation civile. **Rapatriement de corps ou transit.** Pour l'entrée en France (ou le transit), autorisation délivrée par le représentant consulaire fr. du pays du décès sauf si ce dernier est partie à la convention de Berlin.

Tarifs des transports à distance. *Par fourgon toutes destinations (en dehors de Paris) :* chaque km de l'aller (retour compris) : 10 F TTC, en moyenne ; prise en charge en sus.

Cimetière

• **Lieu.** Doit être à 35 m au moins en dehors des villes et bourgs, de préférence au nord ; la municipalité demande l'avis d'un géologue. La superficie est fonction du nombre présumé des morts à y enterrer chaque année, et la durée de rotation (min. 5 ans) proposée par le géologue en fonction de la composition géologique et de l'humidité du sol. Si le géologue indique que la durée de renouvellement des fosses doit être fixée à 7, 8 ou 10 ans, la surface du cimetière affectée aux inhumations en terrain commun devra être 7, 8 ou 10 fois supérieure à l'espace nécessaire aux inhumations à assurer dans une année.

Fosses en terrain communal. Fosses individuelles à au moins 30 cm les unes des autres et 1,50 m de prof. Emplacements fournis gratuitement pour la durée de rotation du cimetière. Elles peuvent être ensuite reprises pour une nouvelle inhumation.

Concessions. Si la superficie du cimetière le permet, la commune peut en affecter une partie à des *concessions* pour des sépultures de famille (droit d'usage acquis par des particuliers). Surface minimale 2 m². *Catégories :* temporaires (6 à 15 ans), trentenaires, cinquantenaires, perpétuelles.

La commune doit fournir gratuitement, autour des tombes ou des concessions, une bande de terrain de 0,30 à 0,50 m à la tête et au pied, et de 0,30 à 0,40 m sur les côtés, qui fait partie du domaine public (interconcessions). Quand la concession est reprise par la commune, les restes sont réinhumés dans l'ossuaire perpétuel du cimetière ou incinérés sur décision du maire. Les corps doivent être enterrés à au moins

• **Cimetières militaires. Régime.** Défini par les traités de Francfort (*10-5-1871* ; 40 000 Allemands en Fr.) et de Versailles (*28-6-1919*; 470 000 All. en Fr.) et par plusieurs lois françaises, notamment : *4-5-1873* (création de carrés militaires dans les cimetières communaux) ; *31-6-1930* (sépulture perpétuelle des morts pour la France).

Nombre. Guerre 14-18 : *Nécropoles nationales :* 253 ; *carrés militaires nationaux :* 1 913 (total 790 000 tombes). *Ossuaires* (corps non identifiés) : 550. *Cim. fr. à l'étranger :* Belgique 32 000 tombes ; Dardanelles 15 000 ; Grèce 40 000 ; Yougoslavie 4 000 ; Albanie 2 000 ; Italie 1 000. **Guerre 39-45 :** 125 000 corps restitués aux familles sur 255 000. *Nécropoles nat.* (24) : 40 000 tombes ; *cim. de 14-18 agrandis* (35) : 9 000 ; *carrés milit. municipaux :* 70 000. **Mémoriaux nat. :** *France combattante :* Mt-Valérien (Suresnes, Hts-de-S.) : 16 combattants d'une des phases de la guerre : mai-juin 40, Fr. libre, déportation, etc. *Déportation :* camp de Struthof (Natzwiller, Bas-Rhin) : 1 100 déportés. *Réseau du Souvenir :* île de la Cité, Paris ; crypte : 1 déporté inconnu. *Nécropoles nat. :* Boulouris (Var) : 460 militaires † 15/27-8-1944 en Provence. *Sigolsheim* (Ht-Rhin) : morts de la campagne d'Alsace (1944-45).

• **Le Souvenir français** (association créée 1887, 1 300 comités, 300 000 m. 9, rue de Clichy, 75009 Paris) entretient tombes et monuments consacrés aux « morts pour la France ».

1,5 m de prof., certaines tolérances existant pour les inhumations en caveau dans les régions où existent des caveaux bâtis en surface.

• **Tarifs à Paris** (au 1-1-1990). *Concessions temporaires* à Pantin et Thiais *6 ans* 196 F, *10 ans* 727 F. *Trentenaires* à Pantin 4 600 F et Thiais 3 675 F, Bagneux, Ivry, St-Ouen, la Chapelle (uniquement renouvellement) 4 160 F. *Cinquantenaires* à Thiais 5 180 F, Ivry, St-Ouen, la Chapelle, Pantin 6 905 F, Nord, la Villette, Batignolles, Bagneux et Montmartre 8 585 F. *Perpétuelles* à Thiais 9 661,29 F, St-Ouen, la Chapelle, Pantin, Ivry 14 471,78 F, Bagneux 16 628,20 F, Est, Nord, Bercy, Batignolles, Charonne, Belleville, la Villette, St-Vincent 17 303,57 F, Père-Lachaise, Montparnasse, Sud, Auteuil, Grenelle, Vaugirard 18 867,57 F, Passy et bordure d'avenue, Est, Sud, Nord, Batignolles 30 704,22 F.

Nota. – Nord : Montmartre, Est : Père-Lachaise, Sud : Montparnasse. Tarifs ci-dessus pour 2 m².

☞ Chaque tombe occupant en moyenne 2 m², 550 000 décès par an représentent 165 ha.

Crémation

☞ Admise par l'Église catholique (dep. 1963) et les protestants, refusée par les juifs et non pratiquée par les musulmans.

Autorisation. Accordée par le maire du lieu de fermeture du cercueil (en cas de décès à l'étranger, par le maire du lieu où est situé le crématorium) et au vu de l'expression écrite des dernières volontés du défunt ou de la demande de la personne qui a qualité pour pourvoir aux funérailles ; du certificat du médecin d'état civil chargé de s'assurer que le décès ne pose pas de problème médico-légal.

Dans le cas contraire, l'autorisation du Parquet est obligatoire.

Durée. Env. 1 h dans un four chauffé de 700 °C à 1 200 °C. Les cendres, pulvérisées puis recueillies dans une urne peuvent être : remises à la famille pour être conservées à domicile ; placées dans une case de columbarium ; inhumées dans une sépulture traditionnelle ou jardin d'urnes ; dispersées au jardin du souvenir ou en pleine nature à l'exclusion des voies publiques.

Cercueil et transport. Un cercueil d'incinération d'une épaisseur de 18 mm en bois léger ou matériau agréé par le ministre de la Santé est autorisé lorsque la durée de transport n'excède pas 2 ou 4 h du lieu de mise en bière au lieu de la crémation (sinon épaisseur min. 22 mm). Selon qu'il y a eu ou non des soins somatiques.

Certificat médical. Outre les conditions prévues au chapitre « Autorisations », le certificat médical doit mentionner que le corps de la personne décédée ne porte pas de prothèse contenant des radio-éléments artificiels. (Tout médecin établissant constat de décès est tenu de faire enlever ce type de prothèse avant mise en bière.)

Nombre. *1974 :* 2 415, *78 :* 4 292, *80 :* 5 640, *85 :* 14 500, *87 :* 20 150 en Fr. soit 3,8 % des décès en France, *1988 :* 24 000 (Japon 94, G.-B. 68, Suisse 53, P.-Bas 40, All. féd. 28, Belg. 12).

Tarifs des crémations. 850 à 2 550 F env. **A Paris, au Père-Lachaise** (1991). *Services obligatoires :* corps venant de Paris : 1 697,16 F, hors de Paris : 2 249,84 F, indigents : gratuit. *Redevance pour la location :* salle de cérémonie 317,84 F, petit salon 105,55 F. *Emploi de l'orgue :* 237,20 F. *Cachet de l'organiste :* 370,03 F.

Tarifs des concessions de cases au columbarium (1-1-1991). *Concession temporaire de 6 ans :* 196 F, *trentenaire :* 2 075 F, *cinquantenaire :* 3 455 F, *perpétuelle :* 8 251,31 F.

Villes possédant un crématorium. Amiens, Angoulême, Annecy, Beauvais, Besançon, Bordeaux, Bourg-en-Bresse, Caen, Canet-en-Roussillon, Carhaix-Plouguer, Chalon-sur-Saône (Crissey), Clermont-Ferrand, Grenoble, Hautmont, Joigny, La Balme-de-Silingy, La Rochelle, Le Havre, Le Mans, Les Joncherolles (Villetaneuse), Lens, Lille (Watreloos), Limoges, Lyon, Manosque, Marseille, Montargis, Montpellier, Montfort-sur-Meu, Montreuil-Juigné (Angers), Mulhouse, Nancy, Nantes, Nice, Niort, Orange, Paris (Père-Lachaise), Pau, Rouen, St-Denis de la Réunion, St-Étienne, Strasbourg, Thionville, Toulouse, Tours, Vidauban (Var), Valenton. La Guadeloupe. Hors territoire : Monaco. Ces crématoires acceptent toute crémation quel que soit le lieu du décès.

Crématorium en construction. Amilly-Montargis, Châlons-sur-M., Nanterre, Montfort-sur-Meu, Rennes, Villefranche-sur-S.

Renseignements. *Fédération française de crémation :* 50, rue Rodier, 75009 Paris. *Mutuelle des assoc. crématistes* (MUTAC), 4, rue du Professeur-Émile-Forgues, 34000 Montpellier. *Féd. nat. des Pompes funèbres (FNPF),* 17, rue Froment, 75011 Paris. *Féd. française des Pompes funèbres (FFPF),* 60, rue Ramey, 75018 Paris.

Féd. nat. des services funéraires publics, Complexe funéraire, route de Montpellier, 34000 Montpellier.

Exhumation

Demander l'autorisation au maire de la commune où doit avoir lieu l'exhumation (au préfet de police pour Paris). Accordée sur demande écrite du parent le plus proche, ordonnée par décision administrative (translation d'un cimetière, par ex.), ou prescrite par l'autorité judiciaire. Un membre de la famille doit être présent ou dûment représenté.

Violations de sépulture

Quiconque se sera rendu coupable de violation de tombeau ou de sépulture, sera puni d'un emprisonnement de 3 mois à un an et de 500 à 8 000 F d'amende, sans préjudice des peines contre les crimes ou les délits qui seraient joints à celui-ci.

Cérémonial du souvenir

Tombe du Soldat inconnu. Origine. *26-11-1916.* F. Simon (Pt du Souvenir français de Rennes) propose de choisir le corps d'un soldat français tué et non identifié ; *12-7-18* Maurice Maunoury (député d'E.-et-L.) propose d'élever un tombeau au soldat anonyme ; *7-12-18* M. Crescitz (Pt de la Sté française de Berne) propose à Clemenceau le transfert au Panthéon de corps de soldats inconnus. *12-11-19* la Chambre des dép. décide que le corps d'un soldat inconnu sera transporté au Panthéon. *1919-20* campagne de presse *(le Journal, le Matin)* pour l'inhumation d'un soldat inconnu sous l'Arc de triomphe. *2-11-20* projet de loi, déposé par le gouv. de Georges Leygues, prévoyant le Panthéon. *8-11-20* loi votée (à l'unanimité par les 2 Chambres) prévoyant de rendre les honneurs du Panthéon aux restes du soldat inconnu et de les inhumer sous l'Arc de triomphe le *11-11.* André Maginot (min. des Pensions) ordonne aux 9 commandants de région de faire exhumer « dans un point de chaque région pris au hasard et qui devra rester secret, le corps d'un soldat identifié comme Français, mais dont l'identité personnelle n'aura pu être établie ». Le corps sera placé dans un cercueil de chêne et dirigé en auto sur Verdun. 8 cercueils arrivent à Verdun le 9-11 [d'Artois, Somme, Ile-de-France (sans doute Ourcq ou Marne), Chemin-des-Dames, Champagne, Verdun, Lorraine, Flandres] ; dans une région on n'a pu identifier la nationalité du corps exhumé. *10-11* le corps est choisi. Le soldat Auguste Thin (fils d'un père disparu, originaire de Caen, engagé volontaire de la classe 19, un des rares survivants du 132e rég. d'infanterie) dépose un bouquet cueilli à Verdun sur le 6e cercueil (œillets rouges et blancs). Il a additionné les chiffres du no de son régiment : 1, 2, 3. Le cercueil choisi est conduit à la gare de Verdun sur un affût de canon et les 7 autres sont inhumés dans le cimetière du Fg Paué. *11-11* après une cérémonie au Panthéon, le cercueil est déposé à l'Arc de triomphe de l'Étoile, à Paris, où, après la cérémonie, il est placé au 1er étage, en attendant d'être transporté dans sa tombe (28-1-21)-*21-1-21* Gabriel Boissy (1879-1949) propose de faire brûler une flamme en permanence et Jacques Péricard de faire ranimer celle-ci chaque jour par des a. combattants. Sur les plans de l'architecte Henri Favier, le ferronnier Edgar Brandt exécuta ce dispositif. La flamme surgit d'un canon braqué vers le ciel, encastré au centre d'une sorte de rosace représentant un bouclier renversé dont la surface ciselée est constituée par des épées formant étoile. *11-11-1923* André Maginot allume la flamme.

Tous les jours à 18 h 30, une ou plusieurs Stés d'Anciens Combattants vient y raviver la *Flamme du souvenir* (alimentée au gaz en veilleuse jour et nuit). Au cours de la cérémonie on actionne le robinet d'ouverture avec une épée : une flamme jaillit et la fanfare donne la *Sonnerie aux morts* en usage dans les pays anglo-saxons *(Last Call).*

Soldat inconnu d'Indochine. L'un des 57 958 militaires français (11 747 corps rapatriés) tués en Indochine, enseveli le 7/8-6-1980 au cimetière national de N.-D.-de-Lorette (P.-de-C.).

Minute de silence. Date du 11 novembre 1919 (1er anniversaire de l'armistice) ; dans les pays anglo-saxons ce silence dure 2 minutes.

Devises de quelques pays

Afghānistān : Dieu, Roi, Patrie (avant 1980).
Afrique du Sud : Ex Unitate Vires (L'union fait la force).
Albanie : Prolétaires de tous les pays, unissez vous.
Algérie : La révolution par le peuple et pour le peuple.
Allemagne féd. : Einigkeit und Recht und Freiheit (Unité, Droit et Liberté).
Andorre : Virtus Unita Fortior (L'union fait la force). Touche-moi si tu oses (sur blason).
Antilles néerlandaises : A Libertate Unanimus (D'accord sur la liberté).
Arabie saoudite : Il n'y a de dieu qu'Allah, Mohammed est son prophète.
Autriche : Ancienne devise des Habsbourg : A.E.I.O.U. [Austriae est imperare orbi universo (latin), et Alles Erdreich ist Oesterreich untertan (allemand) : La souveraineté universelle revient à l'Autriche]. Plus de devise actuellement.
Bahamas : Expulsis piratis restituta commercia (Les pirates chassés, le commerce restauré). Onward, Upward, Forward Together (Maintenir, croître et progresser ensemble). It's better in the Bahamas (C'est meilleur aux Bahamas).
Barbades : Pride and Industry (Fierté et Travail).
Belgique : L'union fait la force.
Belize : Sub Umbra Florea (Je prospère à l'ombre).
Bénin : Fraternité, Justice, Travail.
Bermudes : Quo fata ferunt (Ou que le destin m'entraîne).
Birmanie : Le bonheur se trouve dans une vie harmonieusement disciplinée.
Bolivie : Dieu, Honneur, Patrie.
Botswana : Let there be rain (Que tombent les pluies).
Brésil : Ordem e Progresso (Ordre et Progrès).
Burkina-Faso : La Patrie ou la mort ? Nous vaincrons (avant, Hte-Volta : Unité, Travail, Justice).
Burundi : Unité, Travail, Progrès.

☞ Suite p. 1450.

Formalités

Papiers à garder

• **Automobile.** *Jusqu'à la réception de la suivante :* attestation d'assurance, carnet d'entretien. *1 an :* vignette. *2 ans :* facture d'achat véhicule, quittances d'ass. *En cas de vente :* courrier avec l'assureur. *4 ans :* souches amendes munies timbres, avis de paiement amende. *10 ans :* contrat crédit-bail ou leasing, avis d'échéance, de paiement automatique, carnet d'entretien, factures d'entr., quittances de location de garage. *30 ans :* double du certificat de vente et références du paiement en cas d'achat à un particulier, contrat d'ass., dossier de règlement d'un accident ; si l'on a affaire à un artisan : factures d'entretien, quittances de location de garage.

• **Employeur.** Le Code de commerce impose la conservation pendant 10 ans de : *livre-journal, livre des inventaires* (ainsi que les l. et documents annexes si le livre-journal ne comporte pas une récapitulation journalière) et *correspondance commerciale.* Les réclamations et poursuites de la S. S. ne peuvent porter que sur les 5 années précédentes. *Registres de salaires et de personnel, bulletins de paie, livres de paie, justifications du versement des cotisations à la S. S.* doivent être conservés pendant ce délai. *Délai de la prescription fiscale :* 4 ans.

Nota. – Les infractions relatives à la tenue des registres prescrits par le Code du travail se prescrivent par 3 ans pour celles relevant du tribunal correctionnel et par 1 an devant le tribunal de simple police.

• **Enfants.** *2 ans :* certificats de scolarité, récépissés d'assurances, double de la déclaration d'accident. *4 à 7 ans :* livrets de bulletins scolaires, dossiers de bourse, carnets de vaccination et carnets de santé. *10 ans :* carte d'identité, passeport.

• **Famille.** *1 an :* facture transporteurs. *5 ans :* justificatifs paiements pensions alimentaires, honoraires notaires et avocats. *Toute la vie :* livret de famille, contrat de mariage, documents concernant successions recueillies, jugement de divorce ou de séparation de corps, acte de liquidation de la communauté, acte règlement de succession du conjoint, titres de propriété, contrat de concession du caveau de famille.

• **Finances.** *Jusqu'à la fin du mois suivant leur émission :* mandats (encaissement). *Après leur émission 2 mois :* chèques postaux (encaissement) ; *1 an :* mandats internationaux (réclamation), chèque postal (réclamation) ; *1 an et 1 j. :* chèques bancaires (encaissement) ; *2 ans :* mandats (réclamation) ; chèque postal transformé en mandat (réclamation) ; *4 ans :* bordereaux des avoirs fiscaux. *5 ans :* avis de mise en paiement des dividendes, intérêts coupons. *10 ans :* si l'on n'a pas de trace avant : bordereaux de versement de liquide, de chèques ou d'ordres de virement, à compter de l'amortissement ou de la dissolution, obligations, actions. *30 ans :* reconnaissance de dette. *Variable :* talons de chéquiers, relevés de comptes bancaires ou postaux (au min. 6 ans, 10 ans en cas de contestation de virement ou d'encaissement devant un tribunal), avis de prélèvement automatique. *Jusqu'au remboursement total :* dossiers de prêts.

• **Impôts.** *1 à 2 ans :* avertissements, justificatifs, avis de prélèvement automatique et correspondance en matière d'impôts locaux. *3 ans :* pièces ci-dessus en cas de réclamation de paiement, double déclaration de revenus, avertissements, justificatifs, tiers provisionnels, avis du prélèvement automatique et correspondance en matière d'impôts sur le revenu. *4 ans :* renseignements donnés au fisc. *6 ans :* pièces ci-dessus en cas d'agissements frauduleux. *9 ans :* double des déclarations, justificatifs et correspondance si report de déficits fonciers. *10 ans :* double de la déclaration du droit au bail, actes, annexes et justificatifs, soumis à enregistrement.

• **Maison.** *Le temps de la garantie :* factures des appareils ménagers. *1 an :* notes d'hôtels et de restaurants, certificats de ramonage, récépissés d'envoi d'objets recommandés, acte ou lettre de résiliation d'un contrat. *2 ans :* quittances d'assurance, contrat d'assurance résilié, factures de téléphone, factures de fuel, tickets de caisse gros achat. *3 ans :* quittances de redevance TV. *5 ans :* factures EDF-GDF, quittances de loyer, décomptes de charges, bail résilié ; pour le bailleur : fiche de renseignement, bail, état des lieux, surface corrigée et quittances de loyer. *10 ans :* factures d'eau, de travaux faits par des commerçants ; copropriété : correspondance avec le syndic, décomptes de charges. *+ 10 ans :* permis de construire, contrats, factures et procès-verbaux de chantier. *30 ans : copropriété* règlement, procès-verbaux des assemblées générales ; dossier de remboursement d'un sinistre, contrat de responsabilité civile, factures de travaux faits par des non-commerçants.

Toute la vie ou jusqu'à la revente : titre de propriété, immeuble. *Durée variable* (durée d'un bail) : état des lieux.

• **Personnels.** *2 ans* (après l'échéance du contrat ou le règlement de la succession) : contrat, quittances, correspondance, questionnaire médical de l'assurance vie (si ni omission ni fausse déclaration). *3 ans :* carte d'électeur. *4 ans :* dossier « assurances » si les primes sont déductibles des revenus. *5 ans :* relevés de séc. soc., cotisations à l'URSSAF. *10 ans :* carte d'identité, passeport. *Toute la vie :* livret militaire, carte de service national, état signalétique des services, titres et distinctions honorifiques, diplômes scolaires et universitaires, jugement de divorce ou de séparation de corps, acte de reconnaissance d'enfant naturel, carnet de santé.

• **Santé.** *2 ans :* doubles des honoraires ou réf. de paiement des honoraires des médecins, chirurgiens, dentistes. *2 ans suivant la date d'émission :* décomptes de remboursement, bulletins de versement des alloc. familiales. *2 ans suivant la 1re déclaration de grossesse :* décomptes des prestations de maternité. *2 ans et 1 trimestre* suivant l'exécution de l'ordonnance : doubles des feuilles de soins. *5 ans :* doubles des fiches de paye et des relevés de cotisations si vous employez du personnel de maison. *Toute la vie :* carte d'immatriculation à la S.S., certificats de vaccinations, radio., résultats d'analyses ou d'examens spéciaux, doubles des ordonnances, adresses des médecins, chirurgiens, carte de groupe sanguin.

• **Travail.** *Jusqu'au paiement effectif :* avis de paiement de pension. *2 mois :* reçu pour solde de tout compte (*5 ans* s'il est entaché d'un vice de forme). *1 an :* échéances trimestrielles de pension. *5 ans au moins :* contrat de travail expiré. *Toute la retraite :* notifications d'attribution de pension, de révision, accusé de réception du dossier de liquidation (retraite complémentaire), bordereau de reconstitution de carrière (retraite complémentaire), notification de chaque caisse de retraite complémentaire. *Toute la vie active :* contrat de travail expiré, certificat de travail. *Toute la vie :* fiches de paye (ou récapitulatif annuel), relevés de points de caisses de retraite complémentaire, copies des arrêts de travail, certificats de grossesse, bordereaux des indemnités ASSEDIC (ou récapitulatif annuel).

Les archives en France

Origine. L'organisation des ar. publiques : remonte à Philippe Auguste (1194) pour les ar. du gouvernement et, sous sa forme actuelle, à la Révolut. **Activité.** Rassemblent, conservent et communiquent les documents qui résultent de l'activité politique, administrative et économique, quelle que soit leur présentation (manuscrits, dact. ou impr., photographiques, sonores, informatiques...). Ces doc. servent à la gestion des affaires, à la sauvegarde des droits des citoyens, à la recherche historique et à l'action culturelle.

Époques couvertes. Du VIe s. à nos jours (les 9/10 sont des fin XIXe et XXe) : *Actes les plus anciens des Arch. nat. : voir ci-dessous.*

Statut. Régies par la loi du 3-1 et les décrets du 3-12-1979 sur les arch., modifiés par la loi du 22-7-1983 (décentralisation) et décret du 28-7-1988 (concernant le contrôle de l'État sur arch. régionales, dep. et communales) ; les A. nat. sont gérées par la Direction des A. de France (min. de la Culture et de la Communication), qui contrôle les A. des collectivités territoriales (régions, départements, communes). Seules les A. des min. des Aff. étrangères et de la Défense ont conservé leur indépendance. **Personnel :** env. 3 300 personnes dont : A. nat. 400, dép. 1 285, comm. env. 1 000. *Personnel de direction* (conservateurs) : recruté parmi les conservateurs du patrimoine [diplômés de l'École des chartes (fondée en 1821 ; placée sous le patronage de l'Académie des inscr. et belles-lettres), diplôme obtenu après 4 ans d'études et soutenance d'une thèse].

Organisation et contenu. A. nationales. *Créées* par la Révolution en 1789. Conservent les doc. provenant du gouvernement et des organes centraux de l'État [ACTES LES PLUS ANCIENS : *Mérovingiens* (481-751) : 47 originaux, venant en majorité de l'abbaye de St-Denis ; le plus ancien, papyrus de 625, concernant la donation à l'abbaye d'un terrain situé à Paris. *Carolingiens* (751-987) : règnes de Pépin le Bref (5), de Charlemagne (31), de Louis le Pieux (28), de Charles le Chauve (69). *Capétiens* (987-1328) : Hugues Capet (1), Robert le Pieux (21), puis le nombre augmente : plus de 1 000 pour Philippe Auguste, plusieurs milliers pour saint Louis, etc.] Comprennent 5 services : *1o* service central à Paris (hôtels de Soubise et de Rohan dans le Marais : 150 km de rayonnages occupés par les doc., consultables au centre d'accueil des Archives nationales (CARAN), inauguré 1988) ; *2o* centre des arch. contemporaines à Fontainebleau (qui abritera, lors de son achèvement, 800 km de rayonnages souterrains ; en 1988, 164 km occupés) ; *3o* Centre des a. d'outre-mer à Aix-en-Pr. (42 km en 1987) ; *4o* Centre des arch. du monde du travail à Roubaix (achèvement prévu 91) ; *5o* Dépôt central de microfilms, dans le Gard (voir ci-après). **A. régionales.** *Créées* par loi de décentralisation du 22-7-1983. Archives du conseil régional. En cours d'organisation. **A. départementales.** *Créées* en 1796. Documents du département depuis l'Ancien Régime. 100 centres (1 par chef-lieu). 2 000 km de rayonnages occupés (1989). **A. communales.** En moyenne 13 km d'archives dans env. 300 villes importantes (1989). *Rayonnage total* des arch. conservées en France env. 6 000 km (dont A. nat. et dép., 3 000 km, soit env. 60 millions de liasses et cartons, soit 360 000 tonnes).

Catégories particulières de documents. *Notaires.* Tenus dep. un édit de 1575, repris par la loi du 25 ventôse an XI, de conserver leurs arch. à perpétuité, versent aux Arch. nat. ou départementales celles de plus de 100 ans. Dep. 1928, les 122 études de Paris ont remis aux Arch. nat. plus de 80 000 000 d'actes remontant au XVe s. (26 km de rayonnages).

Particuliers et entreprises, organismes ou assoc. privés peuvent déposer leurs arch. en en gardant la propriété, les donner, les léguer ou en proposer la dation ou le microfilmage. En 1989, aux Arch. nat., 552 fonds d'arch. privées, 300 d'arch. économiques, d'assoc., de syndicats et de presse. Les plus précieuses sont *microfilmées* par les A. nat. et dép. En 1989, les collections des A. nat. et dép. 7 200 km de microfilms dont 861 km d'exemplaires de base pour les A. nat. à Paris. Le Dépôt central de microfilms à Espeyran (Gard) conserve, à titre de sécurité, des négatifs originaux venant surtout des A. nat., mais aussi des A. dép. et de quelques A. comm. (2 415 km de films en 1989).

Consultation. Possible par tous dans les salles de lecture des Arch. *En général,* doc. sont consultables au bout de *30 ans ;* certains ne le sont qu'après 60 à 150 ans, pour protéger vie privée, sécurité publique ou secrets couverts par la loi ; d'autres le sont dès leur création. *L'État général des fonds des Arch. nat.* (5 vol., 78-88) donne un tableau d'ensemble des 4 millions de registres et liasses de doc. antérieurs à 1940 qui y sont conservés. Un *État des inventaires des arch. dép., comm. et hospitalières,* est paru en 1984 ; une collection de *Guides* par dép. est en cours (54 vol. parus). En 1989, les salles de lecture des Arch. nat. et dép. ont reçu 191 320 chercheurs différents qui ont consulté 3 millions d'articles (registres, liasses de doc., bobines de micro., etc.). Les 102 services éducatifs des Arch. nat., dép. ou munic. ont connu une très forte activité due à la célébration du Bicentenaire.

Actes

Formes

• **Acte authentique.** Acte reçu par un officier public (ex. : notaire) ayant le droit d'instrumenter dans les lieux où l'acte a été rédigé et avec les solennités requises, dont les affirmations font foi jusqu'à inscription de faux, et dont les copies exécutoires (grosses ou copies littérales) sont susceptibles d'exécution forcée. Certains actes sont obligatoirement authentiques (ex. : ventes d'immeubles).

• **Acte de notoriété.** *Utile* quand impossibilité d'obtenir une copie ou un extrait d'acte d'état civil (registres perdus ou détruits, acte non dressé par erreur, absence de l'endroit où il a été dressé). *Formalités :* se présenter devant juge d'instance du lieu de naissance ou du domicile avec pièces justificatives (carte d'identité, passeport, papiers de famille, etc.), avec 3 témoins majeurs, parents ou non (pas indispensables pour les Français d'Algérie). *Gratuit.* Les *actes simplifiés* (pour les copies et extraits d'acte figurant sur des registres perdus ou détruits) sont dispensés d'homologations. *Pour un extrait (ou une copie)* d'acte de not., s'adresser au greffe du tribunal d'instance qui l'a dressé. L'acte de notoriété est indispensable en matière de succession pour établir la dévolution ; dans ce cas, c'est généralement le notaire qui l'établit.

• **Propriété (Certificat de ou acte de notoriété).** Acte par lequel un notaire certifie le droit de propriété d'une personne. Utilisé en matière de succession pour permettre aux héritiers d'entrer en possession de certains biens ayant appartenu au défunt. *S'adresser* au tribunal d'instance (pour succession simple sans donation, testament, enfant mineur, contrat de mariage, sauf contrat de communauté universelle), frais 10 à70 F, ou chez le notaire (certificat de notoriété qui sert à prouver ses droits d'héritier).

• **Actes pouvant être passés sous seing privé (s.s.p.).** Tout acte établi sans faire appel à un officier public. La signature de chacune des parties ou de leurs représentants est indispensable pour que l'acte soit valide. Les conventions pouvant porter atteinte à l'ordre public ou aux bonnes mœurs sont proscrites.

Cession de bail. Il faut l'accord du propriétaire. Le plus souvent, se reporter au contrat de location.

Compromis. Convention par laquelle 2 personnes décident de soumettre le litige qui les oppose à des arbitres qu'elles désignent. Ce terme est aujourd'hui employé de façon impropre pour désigner la convention provisoire par laquelle acheteur et vendeur constatent leur accord sur les conditions d'une vente, soit d'un immeuble en attendant de régulariser l'opération devant notaire, soit d'un fonds de commerce avant de commencer les opérations de publicité prescrites par la loi, soit la cession d'un bail avant d'avoir obtenu, si nécessaire, l'accord du propriétaire.

Engagements unilatéraux. L'article 1326 du Code civil a été modifié par la loi n° 80.525 du 12-7-1980 : l'acte juridique par lequel une seule partie s'engage envers une autre à lui payer une somme ou à lui livrer un bien fongible doit être constaté dans un titre qui comporte la signature de celui qui souscrit cet engagement ainsi que la mention, écrite de sa main, de la somme ou de la qualité en toutes lettres et en chiffres. En cas de différence, l'acte sous seing privé vaut pour la somme écrite en toutes lettres.

Reconnaissance de dette. Le débiteur s'engage à rembourser.

Vente de fonds de commerce. Demander un modèle, différentes mentions devant être obligatoirement prévues dans l'intérêt de l'acquéreur qui peut en demander la nullité si elles ne figurent pas (ex. : origine de propriété, état de privilèges et nantissements grevant le fonds, chiffre d'affaires et bénéfices commerciaux des 3 dernières années et toutes indications utiles concernant le bail). Si le prix est payé à crédit, un privilège est réservé au profit du vendeur et il doit être inscrit au greffe du trib. de commerce dans les 15 j. Le propriétaire de l'immeuble doit généralement intervenir à l'acte. Le séquestre du prix de vente qui recevra les oppositions de créanciers doit être mentionné. Ce séquestre doit adhérer à une Sté de caution mutuelle pour permettre la garantie du vendeur quant au solde du prix à recevoir après les oppositions.

Les actes sous seing privé concernant ventes de fonds de commerce, cessions de droits sociaux (parts de société, si celle-ci détient dans son patrimoine un fonds ou un immeuble), cessions de parts de société immobilières, peuvent être établis par des professionnels de ces activités (titulaires d'une carte et adhérant à une société de caution mutuelle), sauf les parties elles-mêmes.

Documents administratifs

Droits. Toute personne (française ou non, physique ou morale) peut obtenir un doc. administratif, de caractère général (rapports, procès-verbaux, dossiers, directives, statistiques, comptes des communes, etc.) ou nominatifs (ne pouvant être communiqués qu'à la personne intéressée sur justification de son identité) sans avoir à expliquer les motifs de sa demande, dans les conditions prévues par la loi du 17-7-1978, modifiée par celle du 11-7-1979. *Exceptions :* l'accès de certains doc. d'ordre écon. commercial ou tech. est restreint pour les étrangers. Certains doc. secrets ne sont pas communicables (défense nat., compte rendu du Conseil des ministres).

Formalités. Demander, dans une lettre, les doc. aux services admin. qui les détiennent. (Les bulletins officiels, périodiques édités par les admin. pour le public, publient les circulaires d'intérêt général, et signalent sous forme de listes les autres doc. communicables.) Consultation gratuite sur place du doc. ou photocopie du doc. (1 F la page). On ne peut utiliser à des fins commerciales les doc. communiqués.

En cas de refus. L'Administration doit écrire et motiver sa décision. On peut faire appel dans les 2 mois qui suivent à la Commission d'accès aux documents admin. (CADA), 31, rue de Constantine 75007 Paris ou, pour les fichiers nominatifs, à la Commission nationale de l'informatique et des libertés (CNIL), 21, rue St-Guillaume, 75007 Paris (écrire au Pt) en joignant les correspondances échangées avec l'Administration. Réponse dans le mois par la commission. Si l'Administration refuse (le défaut de réponse pendant plus de 2 mois vaut décision de refus) de suivre l'avis favorable de la CADA ou de la CNIL ; recours contentieux devant le tribunal admin. (dans les 6 mois) ou recours amiable auprès du médiateur.

Recours. *Gracieux ou hiérarchique.* 1) *Écrire* à l'autorité signataire de la décision (gracieux) ou à l'échelon supérieur (hiérarchique), délai 2 mois. 2) *Saisie,* sous 2 mois, du *trib. administratif* pour « excès de pouvoir » (pour faire annuler ou modifier 1 décision), ou « au plein contentieux » (demande dom. et intérêts). Appel possible de la décision devant une des 5 cours admin. spécialisées créées 89 (requêtes mal adressées sont retransmises à cour compétente). Recours possible ensuite en Conseil d'État qui est, dans ce cas, juge de cassation si vice de forme.

Dernier recours possible : saisir le médiateur par son député. *Recommandation :* au-delà du recours hiérarchique, les chances de succès sans avocat sont faibles.

• **Exemples de documents administratifs pouvant être communiqués.** Copie d'examen, dossier scolaire, délibérations de Conseil municipal, extraits d'actes de l'état civil (pour une copie intégrale il faut un lien de parenté ou un intérêt justifié), listes électorales, plan d'occupation des sols (POS), titres de propriété d'autrui et tout état hypothécaire (à la conservation des hypothèques).

Statistiques. (1987). 1 300 requêtes dont avis favorables 47 %, défavorables 14 %, demandes irrecevables 9 %, incompétence 8 %. Dans 90 % des cas, l'Adm. suit les avis de la CADA, mais si elle n'obtempère pas dans le délai de 2 mois le plaignant peut alors saisir le tribunal administratif qui statuera dans les 6 mois.

☞ Voir Index pour location, constitution de Stés non anonymes et p. 1375 a pour testament olographe.

Rédaction des actes

Formulaires. Dans certaines librairies. **Papier timbré.** Tarif : feuille (21 × 29,7) 30 F ; (29,7 × 42), normale 60 F, p. registre (42 × 59,4) 120 F.

Nombre d'exemplaires. Autant d'originaux qu'il y a de parties ayant un intérêt distinct. Si toutes les parties conviennent d'établir leur convention en un seul ex. et de le remettre à un dépositaire unique, mention doit en être faite dans l'acte. Cas fréquent pour les ventes de fonds de commerce.

Modifications. Si, lors de la lecture de l'acte, un complément est nécessaire, il sera « piqué » un renvoi dans le texte, et l'adjonction figurant en marge sera approuvée par le paraphe des parties. Les mots inutiles seront rayés un à un ; les lignes entières le seront d'un seul trait ; l'ensemble des mots et des lignes sera récapitulé en fin d'acte et leur nombre sera « approuvé » au moyen de paraphes.

Date et lieu de signature, et nombre des originaux doivent être mentionnés.

Les parties ne sont pas obligées de faire précéder leur signature de la mention « lu et approuvé ». Si l'une des parties s'engage à payer une somme d'argent ou à livrer un bien fongible, elle doit écrire de sa main la somme ou la quantité en toutes lettres et en chiffres [art. 1326 du Code civil (loi du 12-7-1980)]. Si l'acte d'acquisition d'un bien immobilier indique que le prix sera payé sans l'aide de 1 ou plusieurs prêts, il doit porter de la main de l'acquéreur une mention par laquelle celui-ci reconnaît avoir été informé que s'il recourt néanmoins à un prêt, il ne peut se prévaloir de la loi. Si la mention manque ou n'est pas de la main de l'acquéreur, et si un prêt est néanmoins demandé, le contrat est conclu sous la condition suspensive prévue à l'art. 17 (obtention du ou des prêts) [loi du 13-7-1979 relative à la protection des emprunteurs dans le domaine immobilier (art. 18)]. D'autres formules sont souvent nécessaires dans divers cas particuliers, notamment pour les ventes de fonds de commerce.

Formalités à remplir

Enregistrement. Formalités. Tous les exemplaires originaux doivent être enregistrés : les clauses principales sont transcrites sur un registre tenu par l'Administration et une mention est apposée sur chaque exemplaire de l'acte. A cette occasion, l'Enregistrement perçoit des droits variables selon la nature des actes. S'ils ne sont pas présentés dans le mois de leur date, les droits sont doubles.

Actes de vente. *Actes obligatoirement enregistrés :* ventes d'immeubles et de fonds de commerce, actes constitutifs de société, augmentations de capital, cessions de parts. Un acte de société adaptant les statuts à la nouvelle législation n'est pas forcément timbré, ni enregistré ; les baux, à durée limitée, d'immeubles non ruraux ne sont plus enregistrés, mais cela peut être utile en cas de vente de l'immeuble pour que ce bail soit opposable à l'acquéreur (l'enregistrement confère une « date certaine » à l'acte ; si l'une des parties perd son original, elle peut en demander une expédition ou copie au bureau de l'Enregistrement où l'acte a été formalisé).

Publication. Souvent les actes doivent faire l'objet d'une publication dans un journal d'annonces légales : c'est le cas par exemple pour les ventes de fonds de commerce.

Dépôt au greffe du tribunal de commerce. Pour les actes de sociétés.

Modifications au registre de commerce.

• **Copie conforme.** S'adresser au commissariat (ou à la gendarmerie) pour les diplômes, à la mairie pour les titres de retraites, papiers militaires et attestations de diplômes. Au maire, au commissaire de police, à l'officier d'état civil pour les extraits d'actes d'état civil, à l'off. ministériel (notaire ou greffier) qui détient la minute ou le brevet d'un acte pour tout doc. particulier, au ministère des Relations extérieures pour les doc. destinés à l'étranger. Gratuit. Pour un document portant un timbre fiscal, prix du timbre fiscal.

Photocopies. Elles n'ont aucune valeur juridique pour les doc. admin. 2 exceptions : pour les loueurs de véhicules (pouvant confier à leurs clients la photocopie de la carte grise pour éviter la vente illégale des véhicules loués), les conducteurs de camions de 3,5 t soumis à des visites techniques périodiques.

• **Légalisation d'un document.** En France, au Bureau des légalisations. A l'étranger, au consulat le plus proche. Gratuit. Obtention immédiate.

Légalisation (ou authentification) d'une signature. Dans une mairie, exécuter devant l'officier d'état civil une signature pour comparaison. *Pour la signature d'un tiers :* présenter la pièce à légaliser et la carte d'identité nationale du signataire. Gratuit. Formalité envisageable pour des pièces produites à l'étranger.

• **Traduction d'une pièce d'état civil.** S'adresser à la mairie pour une formule plurilingue gratuite. Sinon, s'adresser à un traducteur agréé (liste dans les mairies). Frais : 70 F environ.

Légalisation : 31, rue Dumont-d'Urville, 75016 Paris. Frais : variables suivant nationalité.

Procuration. Nécessaire pour certains actes. *Ex.* : « Je, soussigné (nom, prénom, adresse), déclare donner procuration à X... (nom, prénom, adresse) pour (signer tel acte, me représenter dans telle circonstance, etc.). Fait à... Le... Signature ». Certaines doivent être signées devant un officier de police et légalisées.

Armes

Catégories

Décret-loi du 18 avril 1939. Décret n° 73-364 du 12-3-1973.

Matériels de guerre

1re catégorie. *Pistolets automatiques* tirant munition 7,65 long ou calibre supérieur ou dont la longueur du canon est ⩾ 11 cm. PA de tous calibres pouvant tirer par rafales ou dont le magasin peut contenir plus de 10 cartouches. *Toutes autres armes de poing* tirant des munitions utilisables dans des armes classées matériels de guerre : canons, carcasses et barillets à l'usage de ces armes. *Fusils, mousquetons et carabines* conçus pour l'usage militaire. *Pistolets-mitrailleurs, fusils-mitrailleurs et mitrailleuses* de tous calibres. *Canons, obusiers, et mortiers* de tous calibres. *Munitions* pour ces armes. *Grenades, bombes, torpilles et mines, roquettes, missiles, lance-flammes* et tous engins de projection servant à la guerre chimique ou incendiaire. *Engins nucléaires explosifs,* leurs composants spécifiques et les outillages spécialisés de fabrication et d'essai. *Armes laser* et leurs composants spécifiques.

2e catégorie. *Engins porteurs d'armes à feu* ou destinés à les utiliser au combat.

3e catégorie. *Matériels de protection contre les gaz de combat et produits destinés à la guerre chimique ou incendiaire.*

Autres armes

4e catégorie. *Armes à feu dites de défense et leurs munitions et éléments de ces armes et munitions. Armes de poing,* à percussion centrale, non comprises dans la 1re cat. ; à percussion annulaire, semi-automatique ou à répétition ; à percussion annulaire, à un coup ou d'une longueur inférieure à 28 cm. *Armes convertibles* en armes de poing des types ci-dessus. *Pistolets d'abattage* utilisant les munitions des armes de 4e cat. *Canon, culasse mobile, boîte de culasse, carcasse et barillet, munitions et douilles* chargées ou non chargées à l'usage des armes ci-dessus, à l'exception des munitions de 5,5 à percussion annulaire et de leurs douilles chargées ou non chargées. *Armes d'épaule,* semi-automatiques ou à répétition, canon < 45 cm ou longueur totale < 80 cm ; d'un ou plusieurs canons lisses d'une longueur < 60 cm et tirant + de 3 coups ; à canon rayé, semi-automatique ou à répétition, pouvant tirer plus de 10 coups + chargeurs de + de 10 coups.

5e catégorie. **Armes de chasse.** *Fusils, carabines* ou *canardières ayant un ou plusieurs canons lisses. Fusils et car. à canon rayé,* à percussion centrale [1].

6e catégorie. **Armes blanches.** *Baïonnettes, sabres-baïonnettes, poignards, couteaux-poignards,* mais aussi *matraques, casse-tête, cannes à épée, cannes plombées et ferrées,* sauf celles qui ne sont ferrées qu'à un bout. *Tous autres objets susceptibles de constituer une arme dangereuse* pour la sécurité publique. *Lance-pierres* de compétition, *projecteurs hypodermiques, armes et alarme à grenaille.*

7e catégorie. **Armes de tir, de foire, de salon.** *Armes à feu de tous calibres* à percussion annulaire, autres que celles classées en 4e catégorie et leurs munitions [2]. *Armes d'alarme,* de signalisation et de starter ne permettant pas le tir de cartouches à balle.

8e catégorie. **Armes historiques et de collection.** *Armes dont le modèle et, sauf exception, l'année de fabrication sont antérieurs à des dates fixées par arrêté ministériel,* sous réserve qu'elles ne puissent tirer des munitions des 1re et 4e cat., et leurs munitions [3]. *Armes rendues inaptes au tir* de toutes les munitions, par l'application de procédés techniques [4]. *Reproduction d'armes* [5] historiques et de collection dont le modèle est antérieur à la date fixée par arrêté min. [3] et dont les caractéristiques techniques sont définies par arrêté interministériel [6].

Nota. – (1) Sous réserves énoncées à l'art. 1er (avant-dernier alinéa) du décret du 18-4-1939. (2) Les détenteurs d'armes de poing à percussion annulaire à un coup acquises régulièrement comme armes de 7e catégorie et classées en 4e cat. sont autorisés à les conserver sans formalité (Décret n° 81-197 du 24-2-1981, *J.O.* du 4-3-1981). (3) Millésime de référence pour les armes historiques et de collection : le modèle de l'arme et son année de fabrication doivent être antérieurs au 1-1-1870 (arrêté min. du 13-12-1978). (4) Procédés définis par arrêté interministériel du 13-12-1978. (5) Fusils, mousquetons, carabines, pistolets et revolvers conçus pour utilisation de la poudre noire et des balles en plomb et se chargeant par la bouche ou par l'avant du barillet ou tirant des cartouches avec étui en papier ou en carton et se chargeant par la culasse, à l'exclusion de toutes armes permettant l'utilisation d'une cartouche avec étui métallique. (6) Arrêté intermin. du 9-10-1979.

Acquisition, détention

Des armes de 1re cat. (§§ 1, 2 et 3) et de 4e cat. L'achat par des particuliers de 21 ans et + (sauf pour tireurs sélectionnés) d'armes et de munitions de 1re (§§ 1, 2 et 3) et de 4e cat. ne peut être effectué que sur présentation d'une autorisation d'acquisition et de détention délivrée par le commissaire de la Rép. du lieu de leur domicile. Demandes à déposer au commissariat de police ou, à défaut, à la gendarmerie avec : pièces justificatives du domicile ; pièces justificatives de l'identité (fiche individuelle d'état civil, carte nationale d'identité, passeport...) ; formule spéciale (préciser s'il s'agit d'arme de défense ou de sport) ; s'il y a lieu : pièce justificative du local professionnel ou de la résidence secondaire ; certificat médical attestant la bonne acuité visuelle. En plus pour les étrangers : carte de résident ordinaire ou privilégié ; carte de séjour de ressortissant de la CEE. Décision est notifiée par autorité de police qui a reçu la demande. L'autorisation, accordée pour au max. 5 ans (3 pour tireurs sportifs et exploitants de tir forains), doit être renouvelée selon les mêmes conditions. Pour acheter une arme à feu, le permis ne doit pas dater de + de 3 mois. Il est gratuit.

Autres armes : (5e, 6e, 7e et 8e cat.). Achat et détention sont libres mais interdits aux mineurs sauf autorisation parentale pour les + de 16 ans. L'identité et la résidence des acquéreurs d'armes des cat. 5 (à canon rayé) et 7 sont relevées sur le registre de l'armurier.

Port d'armes

Principe : interdiction. *Exceptions :* fonctionnaires et agents chargés d'un service de police ou soumis à des risques d'agression, militaires, personnels des entreprises de transport de fonds ou d'entreprises se trouvant dans l'obligation d'assurer la sécurité de leurs biens dûment agréés par le commissaire de la République. *Autorisations délivrées* selon le cas par le commissaire de la République ou le ministre de l'Intérieur. Le port d'arme doit être distingué du simple transport, lequel n'est autorisé que dans la mesure où un « motif légitime » peut être invoqué.

Sanctions

Acquisition ou détention sans autorisation d'une arme de 1re ou 4e cat. ou de munitions pour ces armes : emprisonnement de 1 à 3 ans et amende de 360 à 8 000 F. *Port* des mêmes armes sans motif légitime : emprisonnement de 2 à 5 ans et amende de 3 000 à 20 000 F. *Port illégal d'une arme de 6e cat.* (armes blanches) : emprisonnement de 1 à 3 ans et amende de 2 000 à 20 000 F.

Cartes

• Carte nationale d'identité. Elle n'est pas obligatoire, mais facilite de nombreuses démarches administratives ou commerciales.

1°) **Délivrance.** Se présenter personnellement au commissariat de police ou à la mairie, selon les communes ; à Paris, à la mairie de l'arrondissement. En cas d'urgence exceptionnelle (fournir justificatifs), à la préfecture ou à la sous-préfecture.

Français résidant à l'étranger : se présenter au consulat de France auprès duquel a été effectuée l'immatriculation. (*Délai :* 8 à 20 jours selon les lieux de délivrance).

2°) **Pièces à fournir pour une 1re demande.** Le formulaire de demande à remplir soi-même (sauf empêchement lié à l'âge ou à l'infirmité) ; 1 timbre fiscal de 115 F ; 2 photos d'identité de 3,5 × 4,5 cm, identiques et récentes, la tête nue et *de face,* hauteur de 2 cm minimum, sur fond clair et neutre. ; 1 extrait d'acte de naissance portant indication des dates et lieux de naissance des parents datant de – 3 mois (à demander à la mairie de son lieu de naissance ou, pour les Français nés à l'étranger, au Service central d'état civil, BP 1056, 44035 Nantes Cedex) ; 2 pièces différentes, justificatives du domicile (certificat d'imposition ou de non-impo. sur le revenu délivré par les services fiscaux, quittances d'assurance pour le logement, factures récentes d'électricité, de gaz ou de téléphone, titre de propriété ou contrat de location en cours de validité pour le logement, etc.). *Éventuellement :* le livret de famille, si l'inscription de la mention « époux(se) » ou « veuf(ve) » est demandée ; une demande écrite et les justificatifs du nom d'usage, si l'inscription de celui-ci est souhaitée (par ex. : en cas de divorce, la femme autorisée à porter le nom de son ex-époux fournit le dispositif du jugement de divorce ou l'autorisation écrite de son ex-époux) ; un document prouvant si nécessaire la nationalité française (certificat de nationalité française, décret de naturalisation, déclaration de nationalité dûment enregistrée, etc.) ; si la carte nationale d'identité est demandée par ou pour un mineur non émancipé, la partie du formulaire de demande intitulée « autorisation du représentant légal » doit être remplie.

3°) **Validité.** 10 ans. Mais la carte nat. d'identité délivrée dep. plus de 10 ans garde sa valeur juridique sur le territoire français et continue à justifier de l'identité du titulaire tant que la photographie reste ressemblante ; 2 cas de limitation : a) si la carte périmée est présentée en vue de l'établissement d'une « fiche d'état civil et de nationalité française », la mention « et de nationalité française » sera rayée si la carte a plus de 10 ans. b) si la carte est utilisée au lieu du passeport pour entrer dans l'un des 22 États qui l'acceptent, elle doit avoir été délivrée depuis moins de 10 ans.

4°) **Remplacement de la carte en cours de validité.** En cas de demande d'inscription d'un changement d'état civil (mariage, veuvage, adoption, légitimation, etc.) ou du nom d'usage alors que la carte est en cours de validité, une nouvelle carte est délivrée, sans perception du droit de timbre, mais elle est établie pour la durée de validité restant à courir sur la carte remplacée. Fournir alors les pièces justificatives et 2 photos. De même pour les cartes délivrées à des enfants lorsque la photographie cesse d'être ressemblante. Fournir alors 2 photos. Si les 2 emplacements prévus au verso de la carte pour recevoir l'indication (facultative) du nouveau domicile sont remplis, une nouvelle carte peut être demandée : elle sera également établie sans perception du droit de timbre, pour la durée de validité restant à courir. Fournir alors les deux pièces justificatives du nouveau domicile et 2 photos.

5°) **Remplacement en cas de perte ou de vol.** Toujours faire une déclaration de perte ou de vol au commissariat de police, à la gendarmerie ou à la mairie (en cas de perte). Un récépissé de déclaration de perte ou de vol sera remis. Pour obtenir une nouvelle carte, fournir ce récépissé et l'ensemble des pièces exigées pour une *1re demande.*

6°) **Renouvellement.** Lorsque la carte a plus de 10 ans, une nouvelle carte peut être demandée. S'il n'y a aucun changement d'état civil ou de nom d'usage à inscrire, présenter la carte périmée et fournir les 2 photos, le timbre fiscal de 115 F et les 2 justificatifs (différents) de domicile (1 si le demandeur n'a pas changé d'adresse). En cas de changement d'état civil ou de nom d'usage, si l'inscription en est demandée, fournir en outre les pièces justificatives nécessaires. *Délai :* 8 à 20 j. (à Paris, immédiat).

7°) **Nouvelle carte nationale d'identité.** Dep. avril 1988, les Hts-de-Seine, département expérimental, délivrent une carte plastifiée et sécurisée, de 105 × 74 mm, au fur et à mesure des renouvellements.

• Carte de cécité (carte « étoile verte »). **Délivrance :** *s'adresser à la mairie.* **Conditions :** vision centrale bilatérale nulle ou inférieure à 1/20 de la normale après correction par des verres à chaque œil.

Avantages : droit au port de *la canne blanche ; RATP-SNCF. Banlieue zones carte orange* (réduction de 50 % pour le titulaire, gratuité pour son guide). *SNCF. Grandes lignes* (gratuité pour le guide en toutes cl.). *Air Inter :* se renseigner sur les conditions horaires. *Redevance TV :* exonération sous certaines conditions, notamment aveugles ne payant pas d'impôt sur le revenu. *Impôts :* 1/2 part supplémentaire. *Vignette automobile :* gratuite pour le véhicule dont l'aveugle est propriétaire, ou son conjoint dont l'enfant aveugle vit sous le même toit. *Ressources :* possibilité d'alloc. diverses suivant ressources.

Carte « canne blanche » (avec 1 c. blanche au dos) : vision égale au plus à 1/10 de la normale à chaque œil. *Donne droit au port de la canne. Impôts :* 1/2 part supplémentaire, suivant ressources, possibilité d'allocation. *SNCF :* 50 % de réduction pour le guide en période bleue.

• Carte de combattant. **Délivrance :** par le service départemental des anciens combattants et victimes de guerre. La plupart des mairies peuvent délivrer le formulaire et constituer le dossier.

Attribuée aux anciens combattants des guerres de 1914-1918, 1939-45, Indochine-Corée à condition de remplir une des conditions suiv. : avoir appartenu pendant 90 j à une unité combattante (le temps pendant lequel une unité est déclarée combattante est déterminé par le min. de la Défense ; il diffère du temps de mobilisation ou de séjour dans la zone des armées) ; avoir été évacué pour blessure ou maladie contractée en service, d'une formation combattante ; avoir reçu une blessure de guerre ; avoir été détenu prisonnier de guerre pendant 6 mois au moins en territoire occupé par l'ennemi, ou avoir été immatriculé dans un camp en territoire ennemi et y avoir été détenu pendant 90 j au moins, sous certaines réserves ; avoir obtenu la médaille des évadés, etc.

Tout AC en Afr. du N. entre le 1-1-52 et le 2-7-1962 a droit à la carte, s'il a : appartenu 90 j à une unité combattante ; été fait prisonnier ; appartenu à une unité qui aura connu, pendant son temps de présence, 9 actions de feu ou de combat. (Les AC ayant participé à 6 actions de combat peuvent faire une demande qui sera étudiée.)

Avantages : droit au port de la croix de combattant ; congés, avancement, emplois réservés dans certains établissements publics ou privés ; allocations, subventions, prêts pour cas critiques ; statut des Grands Mutilés de Guerre pour invalides pensionnés ; droit à la retraite du comb. (voir ci-dessous) ; avantages en matière de retraite professionnelle (voir ci-dessous), possibilité d'obtenir la participation de l'État dans la constitution d'une retraite mutualiste (voir ci-dessous). En région parisienne et certaines villes de province, pour les anciens comb. de 14-18, carte de transport gratuite.

Retraite du combattant : attribuée à partir de 65 ans, sur demande auprès du service départemental qui a délivré la carte. Possibilité d'obtention dès 60 ans si l'AC : a) est bénéficiaire de l'allocation du Fonds nat. de solidarité ; b) est à la fois titulaire d'une pension mil. d'invalidité ou de victime civile de g. de 50 % au moins et bénéficiaire d'une allocation d'aide sociale ; c) réside dans les DOM-TOM ou en Algérie. *Montant :* calculé par référence à la valeur du point d'indice des traitements des fonctionnaires (soit 33 × 68,40 = 2 557,20 au 7-8-1991).

Retraite mutualiste. Les AC cotisant à une mutuelle ont droit, au moment de sa liquidation, à la majoration de leur retraite mutualiste par l'État de 12,5 à 25 %, dans la limite de 5 600 F au 1-1-1988. Y ont également droit : certaines catégories de victimes civiles de g. (veuves de g., orphelins de g., ascendants) et les titulaires du titre de reconnaissance de la nation (délivré aux mil. ayant participé 3 mois aux opérations d'Afr. du N. entre 1952 et 1962).

Retraite professionnelle. a) *S'ils exercent une profession indépendante, libérale, artisanale, commerciale ou s'ils sont exploitants agricoles :* les AC et prisonniers de g. peuvent prendre une retraite anticipée au taux plein de 50 % entre 60 et 65 ans (au lieu de 65 a.), à un âge qui est fonction de la durée des services de g. ou de captivité, soit : 64 a. pour 6 à 17 mois de service, 63 (18 à 29 m.), 62 (30 à 41 m.), 61 (42 à 53 m.), 60 (54 m. et +) ainsi que pour les évadés après 6 mois de captivité, les Alsaciens-Lorrains incorporés de force dans la Wehrmacht qui ont déserté après au moins 6 mois d'incorporation, les prisonniers rapatriés pour blessure ou maladie, les AC réformés pour blessure ou maladie avant la fin des hostilités (loi du 21-11 -1973).

b) *Dispositions maintenues :* pour les AC et pris. de g. salariés et sal. agricoles qui n'ont pas cotisé assez longtemps pour bénéficier d'une retraite au taux de 50 % dès 60 a. (ordonnance du 26-3-1982) ;

c) *dans tous ces régimes de retraite,* la durée des services militaires et de la captivité est assimilée gratuitement à une période de cotisation à l'assurance vieillesse.

Autres cartes délivrées par le secrétariat d'État aux Anciens Combattants. C. de déporté de la Résistance, d'interné de la Résistance, de déporté politique, d'interné politique, de « patriote résistant à l'occupation des dép. du Rhin et de la Moselle incarcéré dans les camps spéciaux ».

• Carte d'invalidité. **Grand infirme civil.** Taux d'invalidité de 80 %, examen médical. *S'adresser* à la préfecture de Paris (Bureau d'aide sociale de la mairie du domicile). En province, à la préfecture de chaque département. *Avantages :* places réservées et réductions dans chemins de fer et transports en commun. Réduction possible d'impôt sur le revenu. Exonération de vignette auto (sous certaines conditions), de redevance radio et télévision, PTT. Allocations diverses. Gratuit. Délai : de 6 mois à 1 an.

Macaron GIC : peut être demandé à la préfecture par titulaires d'une carte d'invalidité, se déplaçant en fauteuil roulant, paralysés ou amputés des membres inférieurs, aveugles civils, atteints de certaines maladies mentales. Donne droit à une tolérance en matière de stationnement et à la gratuité des parcmètres dans certaines villes (dont Paris).

Mutilés de guerre. *S'adresser* aux services départementaux des anciens comb. et victimes de g., à la commission d'orientation des handicapés ou à la mairie de résidence. *Bénéficiaires :* tous les mutilés de g., réformés et pensionnés aux taux d'invalidité de 25 % ou +. *Avantages :* réductions et places réservées dans les t. en commun et à la SNCF suivant le taux d'inv. (de 50 à 75 % avec éventuellement réduction ou gratuité pour le guide) ; sur certains transports routiers, maritimes et aériens : se renseigner auprès des compagnies. La mention « station debout pénible » donne priorité dans tous les transports en commun, places réservées, priorité aux bureaux et guichets des administrations publiques et aux magasins de commerce. Réduction possible d'impôt sur le revenu. Exonération éventuelle de vignette auto, de redevance télévision et magnétoscope. Réduction aux PTT, sur l'entrée dans des stades et les cartes de pêche.

• Carte « jeune ». *Créée* juin 1985. *Bénéficiaires :* – de 26 a. quelle que soit leur nationalité. *Avantages :* tarifs réduits pour sports, musées, cinémas, restaurants, presse, voyages, facilités devises, service assistance et conseil juridique, etc. (liste des avantages sur guide remis avec la carte). Avantages valables pour la plupart dans de nombreux pays d'Europe. *S'adresser* aux centres d'information jeunesse, poste, MNEF, Caisse d'épargne, Minitel 3615 Jeunes. *Coût :* 70 F. *Délai :* immédiat. *Durée :* 1 a.

• Carte de priorité. **Carte « Station debout pénible ».** Priorité dans les transports en commun. Peut être attribuée à des personnes atteintes d'une incapacité inférieure à 80 %, aux mères et f. enceintes.

Infirmes civils. *S'adresser* au bureau d'aide sociale. *Bénéficiaires :* amputés d'un membre inférieur (amputation totale ou partielle) ; hémiplégiques et paraplégiques, résidant à Paris ou dans une commune desservie par la RATP ou justifiant d'occupations professionnelles les appelant quotidiennement à Paris. Autres catégories de grands malades pouvant justifier que la station debout leur est pénible de par la nature et l'état de l'affection considérées comme bénéficiaires. *Avantages :* priorité dans les véhicules de la RATP (sans réduction de tarif). Fournir certificat médical exposant nature et état actuel de l'affection rendant pénible la station debout ; pièce d'identité ; attestation de résidence, 2 photos. Nationalité française n'est pas exigée.

Invalides du travail. *S'adresser* à la préfecture de police (Val-de-Marne : Cité administrative, route de Choisy à Créteil ; Seine-St-Denis : préfecture de Bobigny). Fournir notification de la décision de l'organisme attribuant une rente au titre d'accident du travail (caisse régionale de S. S.), certificat médical récent mentionnant la nature de l'invalidité et indiquant que cette invalidité rend la station debout pénible ou nécessite l'aide constante d'une tierce personne, pièce d'identité, 2 photos. *Bénéficiaires :* domiciliés à Paris ou dans les départements périphériques. *Avantages :* priorité dans tous les véhicules en commun du territoire.

Mères de famille. Mères ayant 3 enfants vivants de – de 16 ans (ou 3 e. v. de – de 14 ans ; ou 2 e. v. de – de 4 ans). Femmes enceintes ; mères jusqu'à 6 mois après la naissance ; mères allaitant jusqu'à 1 an ; mères décorées de la méd. de la Famille française. *Avantages :* valables pour les transports publics (à Paris, autobus et métro), les bureaux et guichets des services publics et dans certaines files d'attente (ex. : taxis). *S'adresser* à la mairie du domicile. *Fournir :* livret de famille, carte d'identité ou fiche familiale, photos, carnet de maternité, ou à défaut certificat médical indiquant la date de l'accouchement, certificat d'allaitement, diplôme de la médaille de la Famille. Gratuit. Délivrance immédiate. Valable un an. Tous les ans un nouveau timbre.

Mutilés de guerre et anciens combattants. L'organisation des transports urbains dépend des collectivités locales qui seules peuvent accorder priorités et réductions de tarifs. **Carte de priorité** *+ réduction 50 % ou gratuité* pour les grands mutilés (art. 18 code des pensions mil.) et accompagnateur. Délivrée par préf. de police, valable sur réseaux RATP, accès prioritaire places réservées. *Bénéficiaires :* invalides de guerre taux entre 10 et 20 % si résidant en région parisienne ou taux supérieur à 25 %. **Autres cartes** *accordant la gratuité.* Émeraude : Paris ; améthyste : départements limitrophes ; rubis : grande couronne. *Bénéficiaires :* anc. comb. de 1914-18, titulaires fonds national de solidarité, handicapés, se renseigner à la RATP.

Réseau national SNCF. Priorités et réductions de 50 à 75 % selon taux d'invalidité pour titulaires de cartes d'invalidité ONAC et, dans certains cas, accompagnateurs.

• Carte sociale des économiquement faibles. N'est plus délivrée, voir Quid 1983, p. 1606.

• Carte vermeil « cinéma ». Donne droit à prix préférentiels à Paris et en province dans les salles (Gaumont, UGC, Pathé) indiquant qu'elles pratiquent une réduction. Valable en principe uniquement en semaine. *Conditions :* avoir + de 60 ans. *Formalités :* s'adresser au Bureau d'aide sociale de la mairie du domicile. Gratuite.

• Carte de donneur d'organes. S'adresser à la Fédération française des donneurs d'organes et de tissus humains, cité Joliot-Curie, route d'Enghien, 95100 Argenteuil. Pour l'obtenir, pas de limite d'âge (mais l'âge limite des prélèvements pour greffe est en général de 55 ans). Depuis le 31-3-78, la loi autorise tout hôpital à faire des prélèvements d'organes sur un mort, s'il n'a pas manifesté d'opposition, en le faisant savoir, ou noter sur un registre spécial à son arrivée à l'hôpital.

• Carte d'électeur. Automatiquement envoyée à toutes les personnes inscrites sur les listes électorales. N'est pas obligatoire pour voter si l'électeur est inscrit sur les listes et qu'il n'y a aucun doute sur son identité. En cas de perte ou vol, on peut demander à la mairie de la commune où on est inscrit une attestation d'inscription sur les listes. Voir p. 714.

Certificats

Bonne vie et mœurs. Remplacé par l'extrait de casier judiciaire.

Concubinage (nécessaire pour bénéficier de certains avantages ou allocations : prise en charge par l'assurance-maladie du concubin, réductions sur la SNCF identiques à celles des couples mariés avec la carte couple-famille...). Demander ce certificat à la mairie du lieu de domicile en se présentant avec 2 témoins majeurs français non apparentés aux concubins ou entre eux (présenter 1 justificatif de domicile ou attestation sur l'honneur et 1 pièce d'identité). Gratuit.

Coutume. Demandé par l'étranger au consulat de son pays. (Reproduction des dispositions d'une loi étr. relative au mariage.) Concerne les mariages de 2 étr. ou d'un Français avec une étr.

Domicile. Attestation sur l'honneur qu'on souscrit soi-même.

Hérédité. Exigé des héritiers qui veulent retirer les fonds sur les comptes du défunt (Caisse d'épargne, compte bancaire, etc.), si ce montant est inférieur à 10 000 F. S'adresser à la mairie de son domicile ou du domicile du défunt, présenter le livret de famille du défunt avec mention de son décès ou copie de l'acte de décès (héritiers directs), ou la copie de l'acte de naissance de son père ou de sa mère et celle du défunt avec l'acte de décès (neveux). *Coût :* gratuit. *Délai :* 8 jours.

Nationalité. Délivré par le président du trib. d'instance du domicile sur présentation du livret de famille ou de l'acte de naissance de l'intéressé. Gratuit. *Délai : 8 j au minimum.*

Non-imposition. Délivré automatiquement aux personnes concernées lorsqu'elles ont fait leur déclaration (1990 : – de 38 000 F de revenus après déduction des frais person. ; 41 400 F pour les + de 65 a.).

Position militaire. S'adresser au bureau de recrutement du domicile au moment du recensement, fournir fiche d'état civil, n° matricule, enveloppe timbrée. *État signalétique et des services,* s'adresser : *classes de 1890 à 1907* Service historique de l'armée de terre, Vincennes ; *1908-30* Bureau central d'archives administ. milit., caserne Bernadotte, Pau ; *1931-37* Bureau spécial de recrutement, caserne Marceau, Chartres ; *1938 et suiv.* Bureau de recrut. d'origine.

Propriété. S'adresser au tribunal d'instance (frais 90 à 100 F) ou chez le notaire (frais 0,3 % du montant du paiement à obtenir.

Scolarité. Délivré par le directeur de l'école.

Vaccination. Délivré par le praticien ou le dispensaire.

Vie. S'adresser au bureau des certificats d'une mairie quelconque. Faire établir une fiche d'état civil avec la mention « non décédé ».

Vie-procuration. S'adresser à la mairie du domicile ou devant notaire. Gratuit. *Validité :* 1 an.

État civil

• **Actes de l'état civil (copies et extraits)** (naissance, mariage, décès). *Délivrés* par la mairie du lieu où l'acte a été enregistré ou le greffe du trib. de grande instance ; pour les DOM-TOM (actes de moins de 100 ans), au min. des DOM-TOM, Service de l'état civil, 27, rue Oudinot, 75007 Paris ; pour les anciennes colonies (actes de moins de 100 ans) et l'étranger, au min. des Affaires étrangères, Service de l'état civil, B.P. 1056, 44035 Nantes Cedex ; pour les actes de plus de 100 ans des DOM-TOM et des anciennes colonies, aux Archives nationales, Centre des Archives d'outre-mer, 29, chemin du Moulin-de-Testas, 13090 Aix-en-Provence. Pour l'envoi à domicile : joindre envel. timbrée ou 2,20 F. *Copies* reproduisent intégralement l'acte original, mentions marginales comprises. Nul, sauf le procureur de la République, les ascendants et descendants de la personne concernée, son conjoint, son tuteur ou son représentant légal si mineure ou en état d'incapacité, ne pourra obtenir une *copie intégrale d'un acte de l'état civil* autre que le sien, si ce n'est avec l'autorisation du procureur. *Copie d'un acte de reconnaissance* peut être demandée par les héritiers de l'enfant ou par une administration publique. *Copie d'un acte de décès, extraits (réduits) des actes de naissance et de mariage :* peuvent être demandés à la mairie par toute personne.

• **Casier judiciaire (extrait du).** *Délivrance :* pour les nés en France métropolitaine, à l'étranger ou si le lieu de naissance est inconnu : au casier judiciaire national, 44079 Nantes Cedex 01 ; pour ceux nés dans les DOM-TOM : au greffe du tribunal de grande instance dont dépend le lieu de naissance. *3 types. Bulletin N° 1 :* relevé intégral des condamnations et des décisions. Ne peut être délivré qu'aux autorités judiciaires. On peut en obtenir une communication orale en s'adressant au procureur de la Rép. du trib. de grande instance du lieu de résidence, mais aucune copie ne peut être remise. *N° 2 :* relevé partiel comportant la plupart des condamnations prononcées pour crime ou délit. Certaines n'y sont pas inscrites (ex. : c. prononcées contre des mineurs, c. pour contraventions de police, c. avec sursis avec ou sans mise à l'épreuve lorsqu'elles sont non avenues). Réhabilitation entraîne l'effacement des condamnations du bulletin. Ne peut être demandé que par certaines autorités administratives pour des motifs limitativement énumérés (ex. : accès à un emploi public, à certaines professions, obtention d'une distinction honorifique). On peut demander au moment de la condamnation ou par un jugement postérieur, la dispense d'inscription des c. au bulletin N° 2, mais elles restent inscrites au bulletin N° 1. *N° 3 :* Seul l'intéressé peut le demander par lettre signée. Gratuit. *Délai :* de 1 à 3 semaines. L'extrait porte le relevé des condamnations à des peines privatives de liberté sans sursis, de + de 2 ans, prononcées par un tribunal français pour crime ou délit, si elles n'ont pas été effacées par la réhabilitation ou l'amnistie. Mentionne également : les condamnations à des interdictions, déchéances ou incapacités prononcées à titre de mesure principale, pendant la durée de celle-ci ; des peines d'emprisonnement ferme inférieures à 2 ans si le tribunal l'ordonne.

• **Casiers spécialisés.** Tenus au service du casier judiciaire national : *casier des contraventions* de circulation établi au nom de toute personne ayant fait l'objet d'une condamnation à l'emprisonnement ou concernant le permis de conduire pour l'une des contraventions prévues et réprimées par les arts R. 232 et R. 233 (alinéa 1) du code de la route ou relatif aux conditions de travail dans les transports routiers. Bulletin de ce casier délivré exclusivement aux autorités judiciaires ou au préfet. *Casier des contraventions d'alcoolisme,* établi au nom de toute personne ayant fait l'objet d'une condamnation pour contravention prévue aux arts R. 3 à R. 12 du code des débits de boissons et des mesures contre l'alcoolisme. Bulletin exclusivement délivré aux autorités judiciaires.

☞ **Répertoire civil.** Fichier déposé au greffe du trib. de grande instance, où se trouvent classées les décisions judiciaires concernant mises en tutelle des majeurs, demandes de séparation de biens, transferts de pouvoirs entre époux. Chaque fois qu'une inscription a été faite au répertoire civil, il en est fait mention sur l'acte de naissance (et l'extrait d'acte de naissance).

• **Rôle.** Faire connaître, à quiconque le désire, si un tiers jouit d'une pleine responsabilité (si elle est ou non en tutelle ou curatelle), et éventuellement quel est son régime matrimonial.

• **Formalités.** Demander un extrait d'acte de naissance de la personne concernée. Si l'acte mentionne une inscription au répertoire civil, s'adresser au greffe du tribunal de grande instance pour avoir connaissance de cette inscription par une copie ou un extrait. On peut s'adresser aussi directement au greffe du trib. de grande instance en indiquant les noms, prénoms, date et lieu de naissance de la personne.

Nombre. Chaque année, 5 millions de bulletins du casier judiciaire délivrés (1 million réclamés par des particuliers).

• **Consultation directe des registres** de l'état civil datant de – de 100 ans : interdite sauf aux agents de l'État habilités et aux personnes munies d'une autorisation écrite du procureur de la République.

• **Fiches d'état civil** (individuelle ou familiale). Délivrées par la mairie (bureau de l'état civil). Fournir uniquement livret de famille ou extrait de naiss. (même ancien) ou carte d'identité en cours de validité (– de 10 ans) pour une fiche sans filiation. Gratuit. Obtention immédiate. Démarche peut être faite par tiers.

• **Livret de famille.** 1° **Des époux :** délivré automatiquement et gratuitement par l'officier de l'état civil qui célèbre le mariage (par l'agent diplomatique ou consulaire, à l'étranger). La mère célibataire le reçoit à la naissance de l'enfant.

En cas de perte, vol ou destruction : donner les renseignements figurant sur le livret à la mairie la plus proche du domicile. Pas de justification de domicile ni de déclaration de perte ou vol à fournir. Un 2e livret peut être délivré en cas de divorce, séparation de corps, mésentente... Duplicata gratuit.

2° **Livret de famille peut être remis,** sur leur demande, par l'officier d'état civil du lieu de naissance de l'enfant : séparément aux 2 parents naturels, ou en commun s'ils en font la demande ensemble et s'ils reconnaissent tous les deux l'enfant ; aux *mères* et *pères* célibataires, si la filiation naturelle de l'enfant est établie ; aux *parents non mariés ayant adopté* un enf. sans filiation paternelle ni maternelle, ou dont les liens avec la fam. d'origine ont été rompus lors de son adoption ; aux *femmes mariées* ayant eu un enf. pendant une période de séparation légale.

• **Nom (changement).** Celui qui désire modifier son patronyme doit justifier de motifs valables, ex. : nom ridicule (Cochon, Patate...) ou déshonoré (Landru, Hitler...), reprise d'un nom porté par ses ancêtres avant 1789, relèvement d'un nom illustre (ou prétendu tel). Adjonction ou substitution du nom du conjoint n'est pas accordée. Celle du nom de la mère peut être autorisée si le véritable intérêt de l'enfant le commande.

Formalités. Demande est formulée par toute personne majeure et, pour un mineur, par le représentant légal de celui-ci (parents ou tuteur).

1°) On doit publier son intention avec le nom choisi, au *Journal officiel,* dans un journal désigné pour les annonces légales dans l'arrond. où l'intéressé, majeur ou mineur, est né, et dans un journal de même nature de l'arrond. où il a son domicile.

2°) Adresser au garde des Sceaux, ministre de la Justice, 13, place Vendôme, 75001 Paris, une requête en double exemplaire sur papier libre précisant les motifs allégués à l'appui de l'abandon du nom d'origine et au soutien du nom demandé ; joindre tous documents en établissant le bien-fondé ; un exemplaire des journaux ayant reçu les publications exigées ; copie intégrale de l'acte de naissance de chaque intéressé majeur ou mineur ; un certificat de nationalité française de chacun des intéressés (pièce délivrée par le juge d'instance dans le ressort duquel est située la résidence). Procureur de la République instruit le dossier et l'adresse à la Chancellerie qui le soumet, pour avis, à l'examen du Conseil d'État. Décision définitive fait l'objet d'un décret pris par le Premier ministre et publié au J.O.

Décret prend effet un an après cette publication pour permettre au tiers qui serait lésé de présenter un recours contentieux devant le Conseil d'État qui peut annuler le décret. Lorsque la décision publiée est devenue définitive, le bénéficiaire doit solliciter du procureur la mention du nouveau nom sur les actes de l'état civil, après avoir demandé au secrétariat de la section du contentieux du Conseil d'État un certificat de non-opposition.

Frais. Droit de sceau : 1 000 F par demandeur majeur + frais de publication env. 900 F (exonération totale ou partielle possible) ; frais d'insertion dans les divers journaux d'annonces légales ; honoraires d'avocat (si recours).

Nom des époux. Ils gardent le nom figurant sur leur acte de naissance, mais chacun peut utiliser, dans la vie courante, s'il le désire, le nom de son conjoint, en l'ajoutant à son propre nom ou même, pour la femme (ce qui est courant), en le substituant au sien.

Nom d'usage. Depuis le 1-7-1986, toute personne majeure peut ajouter à son nom le nom de celui de ses parents qui ne lui a pas été transmis. Ceux qui le désirent peuvent faire modifier leurs pièces d'identité en ce sens. Mais il ne s'agit que d'un nom d'usage non transmissible aux descendants ; en aucun cas il n'en est fait mention dans les registres de l'état civil. A l'égard des enfants mineurs, ce droit est mis en œuvre par le titulaire de l'exercice de l'autorité parentale (loi du 23-12-1985, J.O. du 26).

En cas de divorce, la femme peut conserver l'usage du nom de son ex-mari si celui-ci l'y autorise, si le mari a demandé le divorce pour rupture de la vie commune ou si elle y est autorisée par le juge en raison d'un intérêt pour elle-même ou les enfants.

• **Prénom (changement).** Permis par l'art. 57 du Code civil. Demande par requête auprès du trib. de grande instance, donnant lieu à un jugement rendu par ce trib. après avis du proc. de la République. Assistance d'un avocat obligatoire.

• **Français vivant à l'étranger.** Consulats de France et sections consulaires des ambassades de France sont compétents pour : dresser ou transcrire les actes d'état civil (naissance, mariage, décès), établir des procurations de vote, délivrer des fiches d'état civil, recevoir des actes notariés (contrats de mariage, procurations, etc.), délivrer, proroger ou renouveler les passeports, recenser les jeunes gens (Service national), légaliser les signatures et certifier les documents ; *pour les seuls Français immatriculés auprès des services consulaires :* délivrer ou renouveler les cartes nationales d'identité.

Domicile

• **Attestation.** Dep. 1953 une déclaration sur l'honneur suffit (mais il est préférable d'apporter une quittance ÉDF-GDF, ou téléph.).

• **Définition. Domicile légal.** Lieu, en principe unique, où la loi présume qu'une personne se trouve pour l'exercice de ses droits et de ses devoirs (distinct de la *résidence,* lieu où elle se trouve en fait). Comprend la résidence principale et les résidences secondaires, la cour et le jardin les entourant s'ils sont clos, le véhicule servant de domicile (caravane ou voiture aménagée), la tente de camping, la chambre d'hôtel ou le meublé. Que l'on soit Français ou étranger, propriétaire, locataire ou occupant à titre gratuit, le domicile est protégé.

• **Changement de domicile (formalités à accomplir). Assurances.** Transférer son ass. sur son nouveau logement en demandant la modification du contrat si les 2 logements ont des caractéristiques différentes. Prévenir sa compagnie d'ass. avant de quitter son ancien domicile. **Carte d'électeur.** Se faire inscrire sur la liste électorale du nouveau domicile après un délai de 6 mois.

Présenter sa carte et le livret de famille et une justification du nouveau domicile (quittance de loyer, de gaz, d'électricité, ou déclaration sur l'honneur qui sera remplie à la main), ou la carte d'identité ou un passeport mentionnant le nouveau domicile. **Carte grise.** *Pour un changement dans Paris ou dans un département :* se présenter à la préfecture de police avec une justification du nouveau domicile et une pièce d'identité ; le changement est gratuit. *Pour un changement de département :* une nouvelle carte sera refaite à la préfecture du nouveau dép. ; outre les papiers ci-dessus, présenter un certificat de non-gage délivré par la préfecture où était immatriculé le véhicule, droit de timbre de 20 F. Changement doit être fait dans le mois à compter du déménagement (sinon, amende possible de 30 F ou +). **Carte d'identité.** Gratuite si la nouvelle adresse peut être portée dans l'une des cases prévues au dos de la carte. **Contribution mobilière.** Aviser l'inspecteur des contributions de l'ancien et du nouveau domicile. C'est toujours l'occupant de l'appartement au 1er janvier qui paie la contribution mobilière. **Électricité et gaz.** Faire couper le gaz et l'électricité dans l'ancien domicile, résilier l'abonnement souscrit pour celui-ci. Avertir au plus tôt 3 mois, au plus tard 3 j avant le déménagement. **Impôts directs.** Quoique le percepteur de l'ancien domicile doive être avisé du changement d'adresse, (avant le 1er janvier), il recevra les acomptes provisionnels. Prévenir le nouvel inspecteur avant le 1-1. Solde et la déclaration de l'année suivante seront envoyés au percepteur du nouveau domicile. *Impôt local :* rien à payer en cours d'année pour le nouveau logement. **Inscriptions scolaires.** *Maternelle :* présenter à la mairie entre le 15 mai et le 30 juin le livret de famille, une justification de domicile (quittance de loyer, gaz), un certificat du médecin de famille et le carnet de santé ou les certificats de vaccinations (ou certificat du médecin traitant si les vaccinations sont contre-indiquées) antidiphtérique et antitétanique, antipoliomyélitique, BCG si l'enfant est dans l'année de ses six ans, antityphoïde et paratyphoïde en cas d'épidémie. Les enfants qui vont à l'école primaire doivent être inscrits le plus tôt possible, sur présentation des livrets scolaires, à la mairie ou à l'école indiquée par la mairie. S'ils sont au lycée : demander une attestation d'inscription au secrétariat de l'ancien établissement. **Livret militaire.** Pour les hommes de 18 à 55 ans, faire viser son livret individuel dans un délai de 1 mois, à la brigade de gendarmerie. **Sécurité sociale. Allocations familiales.** Prévenir du changement d'adresse. **Téléphone.** Faire résilier, transférer ou céder la ligne téléphonique (dans ce cas, prévenir le Centre au moins 2 mois à l'avance pour que la comptabilité du téléphone ne continue pas à être portée au nom de l'ancien occupant. **Télévision.** Avertir le Centre de redevances du changement d'adresse. **Vins.** Pour transférer une cave (vins et alcools) demander l'autorisation à la Recette des impôts du domicile.

• **Inviolabilité.** De 21 h à 6 h du matin et les jours de fête légale, sauf autorisation judiciaire.

Exceptions. *Flagrant délit :* les officiers de police judiciaire peuvent perquisitionner, même de nuit, en se rendant sur les lieux du crime. *Information pénale sans flagrant délit :* il faut un mandat du juge d'instruction ou une commission rogatoire pour faire une perquisition ou une saisie. On peut exiger la présentation du mandat. La perquisition doit avoir lieu en présence de l'occupant ou de son représentant. Seul un juge d'instruction ou un magistrat peut perquisitionner de nuit.

Les huissiers, autorisés par justice, peuvent pénétrer ; ils sont en général accompagnés par un serrurier et un commissaire de police. Agents des douanes : peuvent entrer sans le consentement du titulaire, même de nuit, pour rechercher des marchandises détenues frauduleusement, mais ils doivent être accompagnés d'un officier municipal ou de police judiciaire. Inspecteurs du travail : peuvent surveiller des travailleurs à domicile avec l'autorisation des personnes habitant les locaux.

En cas de crime ou délit contre la sûreté de l'État, les préfets peuvent pénétrer chez un particulier comme un juge d'instruction.

Violation par des particuliers. Il y a délit si l'on use de manœuvres (ex. ruse, utilisation de fausses clefs), menaces (visant biens ou personnes), voies de fait (ex. pénétration par escalade) ou contrainte (ex. non-respect d'une défense d'entrer) (art. 184 Code pénal). En cas de violation, on peut porter plainte au commissariat ou au parquet.

Protection. *Préventive :* blindage, œil, caméra, raccordement au commissariat, société de gardiennage, absence de l'annuaire téléphonique (liste rouge).

Sont interdits : pièges à feu, tessons de bouteilles, transistors piégés, milices de citoyens...

Légitime défense : l'attaque doit viser les personnes et les biens, constituer un danger sérieux et imminent (des injures ou des voies de fait ne suffisent pas) et entraîner une riposte proportionnée.

Sanctions pour violation. *Pénales :* de 6 j à 1 an de prison et de 500 à 8 000 F d'amende, peines doublées si le délit a été commis en groupe. *Civiles :* réparation des préjudices moral, physique et matériel.

Règlement judiciaire Liquidation des biens

Définition

Procédures pour régler la situation du débiteur qui, ne pouvant faire face à son passif exigible grâce à son actif disponible, se trouve en *état de cessation de ses paiements* (non-règlement d'une dette à son échéance). Elles peuvent s'appliquer à un commerçant, une sté civile ou com., une association.

Liquidation de biens. Intervient lorsque la situation de l'entreprise du débiteur ne permet pas d'envisager la continuation de son activité. Elle entraîne la vente de tous les éléments d'actif pour assurer le paiement des créanciers ; l'entreprise disparaît.

Règlement judiciaire. S'applique lorsque la situation du débiteur permet d'envisager le rétablissement de son entreprise si son passif peut être réglé d'une manière acceptable par ses créanciers. Ceux-ci votent un accord (appelé *concordat*) avec le débiteur par lequel ils lui consentent des délais de paiement ou une remise partielle de ses dettes. Le tribunal homologue le concordat (concordat judiciaire).

Créanciers privilégiés

Propriétaire. Il a un privilège sur les meubles garnissant les lieux loués par le débiteur, pour les 2 dernières années de location échues durant le jugement déclaratif, pour l'année courante, ainsi que pour les sommes en exécution du bail ou à titre de dommages et intérêts. Le *conjoint* doit établir la preuve de ses droits, justifier être propriétaire d'immeubles acquis avant le mariage ou avoir recueilli ceux-là par voie successorale.

Salarié. Il bénéficie d'un superprivilège qui oblige le syndic à lui payer dans les 10 j qui suivent le jugement déclaratif (de règlement judiciaire ou de liquidation des biens) les rémunérations dues pour les 60 derniers j de travail jusqu'à concurrence d'un plafond mensuel qui ne doit pas être inférieur au double de celui retenu pour le calcul des cotisations de la Sécurité sociale. Tout employeur est tenu de contracter une assurance contre le risque de non-paiement dû au salarié à la date du jugement déclaratif. Cette assurance garantit également le paiement des arrérages de préretraite ou de complément de retraite, échus ou à échoir, qui seraient dus à un salarié ou à un ancien salarié à la suite d'un accord d'entreprise, d'une convention collective ou d'un accord professionnel ou interprofessionnel. Association pour la gestion du régime d'assurance des créances des salariés (AGS) : assoc. patronale ayant passé une convention avec l'UNEDIC qui assure, par l'intermédiaire des ASSEDIC, l'encaissement des cotisations et le paiement des créances salariales.

Vendeur de meubles non payé. Il peut demander la résolution de la vente (c.-à-d. l'annulation du contrat pour inexécution par l'acheteur de son obligation de payer) tant qu'il ne s'est pas dessaisi de l'objet de la vente.

Vendeur impayé. Il peut revendiquer tant qu'elles existent en nature, en tout ou en partie, les marchandises dont la *vente* a été *résolue antérieurement* au jugement ; soit aussi par le jeu d'une clause résolutoire prévue au contrat de vente. La revendication est également admise, bien que la résolution de vente soit postérieure au jugement prononçant le règlement ou la liquidation, si l'action en revendication ou en résolution est antérieure au jugement déclaratif. Vendeur peut conserver les marchandises qui ne sont pas encore expédiées au débiteur ; revendiquer les marchandises expédiées au débiteur tant que la remise matérielle n'en a point été effectuée dans ses magasins ou dans ceux du commissionnaire chargé de les revendre pour son compte.

Divers. Sécurité sociale, créanciers nantis, créanciers hypothécaires.

Formalités

Tous les créanciers, privilégiés ou non, doivent « produire » leurs créances entre les mains du syndic dans la quinzaine à compter du jugement. Si certains ne l'ont pas fait, le syndic les avise d'avoir à le faire par simple lettre (pour les créanciers *chirographaires*) ou lettre recommandée (pour les créanciers privilégiés), par insertion dans un journal d'annonces légales et au Bulletin officiel des annonces civiles et commerciales (BOACC), rappelant le numéro du journal dans lequel a été faite la précédente insertion. A compter de la date de l'insertion dans le BOACC, les créanciers ont 15 j pour déposer leur « dossier de production » constitué par une « déclaration » du montant des sommes réclamées, assortie de toutes les pièces justifiant celles-ci (ce délai comporte la forclusion et la sanction peut être grave). À défaut, les créanciers négligents ne sont pas admis dans les répartitions et dividendes, à moins que le tribunal ne les relève de leur forclusion s'ils établissent que leur défaillance n'est pas de leur fait. En ce cas ils ne peuvent concourir que pour la distribution des répartitions ou des dividendes à venir.

Le juge commissaire arrête l'état des créances. Tout créancier peut réclamer dans les 15 j qui suivent l'insertion au BOACC.

Le tribunal (qui connaît du règlement judiciaire ou de la liquidation de biens) peut prononcer la *faillite personnelle* du débiteur ou des dirigeants sociaux si ceux-ci se sont rendus coupables d'agissements malhonnêtes ou très imprudents. Cette faillite entraîne des déchéances ou interdictions (par ex. interdiction de gérer, administrer, contrôler une entreprise).

Formalités et statut concernant les étrangers

Définition et acquisition de la nationalité française

Dans les recensements sont classés comme étrangers les habitants s'étant déclarés tels à la question 6 du bulletin individuel.

S'agissant d'une personne née en France de parent(s) étranger(s), elle peut s'être déclarée étrangère alors que, vis-à-vis du Code de la nationalité fr., elle est fr. ou, inversement. Ainsi, selon la loi fr. : – *est Français par filiation* tout enfant, légitime ou naturel, dont l'un des parents au moins est Fr. (*Jus sanguinis*) : tous les enfants de couples dits « mixtes » sont Fr. avec possibilité, dans les 6 mois précédant leurs 18 ans, de répudier la nationalité fr. s'ils sont nés à l'étranger ;

– *est Français par la naissance en France* tout enfant, légitime ou naturel, né en Fr. lorsqu'un de ses parents au moins y est lui-même né (« Double *jus soli* ») avec la faculté de répudier cette qualité dans les 6 mois précédant sa majorité. Dans les textes sur la nationalité, la Fr. comprend la Fr. métropolitaine, les DOM-TOM et, pour toute personne née avant 1962, l'Algérie. Il en résulte qu'un enfant né en Fr. dep. le 1-1-1963 de parent(s) algérien(s) né(s) en Algérie avant 1962 est Fr. Or un très grand nombre de ces enfants sont déclarés algériens au recensement : au rec. de 1975, env. 200 000 enfants mineurs nés en France métropolitaine ont ainsi été déclarés algériens (soit 20 % des enfants étr. de – de 18 ans) ; rec. de 1982 : 220 000 env. (soit 20 %).

Autres cas : – tout enfant étranger né en Fr. et qui y réside peut acquérir la nationalité fr. durant sa minorité par déclaration [devant le juge d'instance (a-52 du CNF)], souscrite par ses parents ou avec leur autorisation (9 711 cas en 1989) :

– tout enfant étranger né en Fr. devient Fr. sans formalité le jour de ses 18 ans, à condition de résider en Fr. à cette date et dep. l'âge de 13 ans, et de ne pas avoir fait l'objet de l'une des condamnations précisées à l'art. 79 du Code de la nationalité (*1989 :* + de 16 000 cas). Durant sa 17e année, il peut souscrire une déclaration devant le juge d'instance s'il ne veut pas devenir Fr. ;

– les enfants étrangers mineurs peuvent devenir Fr. à l'occasion de l'acquisition de la nationalité fr. par un de leurs parents (10 178 en 1989) ;

– tout étranger contractant mariage avec un conjoint de nationalité fr. peut acquérir cette nationalité par déclaration après 6 mois de vie commune effective (9 000 en 1975, 15 489 en 1989) ;

– sont Fr. à la naissance, les enfants nés en Fr. de parents inconnus ou apatrides, ou de 2 parents étrangers si la loi étrangère n'attribue aux enfants aucune nationalité.

Naturalisations (en 1989). *Par décret* 33 040. *Par déclaration* (mineurs nés en Fr. de parents étrangers, ressortissants étrangers au terme d'un mariage avec un Fr.) 26 468, *acquisition* (sans formalités, à 18 ans, jeunes nés en Fr. de parents étrangers) 20 000, *attribution automatique* à la naissance (enfants nés en Fr. de parents étrangers, eux-mêmes nés sur un territoire anciennement fr.) 20 000. *Total* (estim.) : 100 000.

Notaire

Généralités. Officier public, qui exerce dans le cadre d'une profession libérale, pour recevoir tous les actes et contrats auxquels les parties doivent ou veulent donner le caractère d'authenticité attaché aux actes de l'autorité publique, et pour en assurer la date, en conserver le dépôt, en délivrer des copies exécutoires et expéditions ; intervient également dans le domaine du droit de la famille et dans celui du droit des entreprises. *Nommé* à vie, par arrêté du garde des Sceaux, ministre de la Justice. Pour *s'établir,* le notaire doit : être Français ; jouir de ses droits de citoyen et ne pas avoir encouru certaines condamnations ; être titulaire de la maîtrise en droit ou d'un diplôme reconnu équivalent (sauf pour les clercs exerçant depuis 12 ans, dont 6 en qualité de principal ou de sous-principal, s'ils ont passé l'examen de 1er clerc et subi un examen de contrôle) ; avoir fait un stage de 2,3 ou 5 ans dont 2 au moins chez un notaire ; avoir réussi l'examen d'aptitude aux fonctions de notaire ou être titulaire du diplôme supérieur du notariat. Il lui faut alors acquérir un office ou des parts d'une société civile professionnelle dont les prix de cession varient en fonction des produits réalisés au cours des 5 ans précédant la mutation. Il ne peut changer de résidence sans l'autorisation du garde des Sceaux, ni créer une charge là où il l'entend. Pour financer son acquisition, il peut obtenir un prêt limité à 80 % du prix d'acquisition, garanti par l'Association notariale de caution, au taux de 7,25 % par an + un dépôt de garantie, sur 15 ans au maximum.

Depuis le décret du 29-4-1986, les notaires peuvent exercer leurs fonctions sur l'ensemble du territoire national, à l'exclusion des territoires d'outre-mer de Mayotte et St-Pierre-et-Miquelon. Ils ne peuvent toutefois établir, hors du ressort de la cour d'appel dans lequel leur étude est établie, ou du ressort des trib. de grande instance limitrophes, certains actes énumérés par ce décret. Un notaire ne peut recevoir ou faire recevoir par une personne à son service ses clients à titre habituel dans un autre local que l'étude ou un bureau annexe.

Choix du notaire. *En cas d'achat,* l'acquéreur peut choisir son notaire ; si la vente a lieu chez le n. d'une Sté de construction ou du vendeur, il peut se faire assister par son n. *En cas de location,* le propriétaire choisit le n., le locataire peut se faire assister par son n. On peut toujours changer de n. Plusieurs n. peuvent intervenir dans une même affaire. Les émoluments seront partagés (et non mutipliés) entre les 2.

Principaux actes notariés. Baux à ferme, ventes, contrats de mariage ; actes de reconnaissance, reconnaissance des enfants naturels, ventes d'immeubles, adoption, donation ; testaments authentiques, partages, liquidations de successions ; prêts hypothécaires ; sociétés.

Rémunération. *Émoluments :* a) proportionnels (rémunérant la plupart des actes) ; b) fixes (rémun. certains actes et la plupart des formalités) ; tarifs publics obligatoires pour le notaire ; si la prestation ne figure pas au tarif, le n. doit établir un devis préalable. *Honoraires :* pour services rendus qui ne sont pas prévus par le tarif des notaires (consultations, expertises, estimations), fixés d'un commun accord entre notaire et client. V. Index. Un décret du 11-3-1986 a « détarifé » certains actes (associations, sociétés, baux commerciaux, ventes de fonds de commerce, etc.) qui sont désormais rémunérés par des honoraires fixés d'un commun accord avec les parties. Dep. 1973, les sommes détenues provisoirement pour le compte des clients sont obligatoirement déposées à la Caisse des dépôts et consignations (villes de + de 30 000 hab.) ou dans les caisses régionales du Crédit agricole. Ces dépôts sont rémunérés à 1 %.

Responsabilité. Peut être engagée pour une erreur commise dans la rédaction d'un acte ou l'accomplissement des formalités, pour manquement au devoir de conseil. Chaque n. doit assurer sa responsabilité auprès d'une Cie d'assurances : il existe en outre une caisse de garantie collective alimentée par les cotisations des n. au sein d'une même chambre départementale. La caisse de garantie des n. rembourse les sommes reçues à l'occasion des actes de leur ministère ou des opérations dont ils sont chargés en raison de leurs fonctions.

Rôle du notaire. *Obligatoire :* rédaction des actes authentiques [monopole des testaments authentiques et des donations entre époux, des transactions immobilières (il est correspondant du fichier immobilier : mutation, donation, succession)]. Pour certains actes juridiques, la concurrence des conseillers juridiques ou fiscaux et des avocats peut jouer. *Utile :* pour prêts, baux, promesses de vente, déclaration de succession, cessions de parts de soc. civ. de construction. *Conseil des parties :* pour rédaction d'un acte, aux problèmes de financement.

Le notaire doit garder minute des actes qu'il reçoit, sauf pour procurations, actes de notoriété, etc. Il ne doit en délivrer des copies sous forme de copies exécutoires et expéditions qu'aux parties. Il est tenu par le secret professionnel.

Sanctions. *Peines disciplinaires* pouvant être prononcées par la Chambre de discipline : rappel à l'ordre, censure simple, censure devant la Chambre assemblée. Le tribunal de grande instance statuant disciplinairement peut prononcer ces mêmes sanctions et, également : la défense de récidiver, l'interdiction temporaire, la destitution. Tout officier public ou ministériel qui fait l'objet d'une poursuite pénale ou disciplinaire peut se voir suspendre provisoirement de l'exercice de ses fonctions.

Statistiques. *Effectifs.* Au 1-1-90 : 7 456 notaires dont 426 femmes, 4 941 offices dont 1 955 en sociétés civiles professionnelles regroupant 4 481 notaires associés.

Nota. – La législation française a, à l'origine, facilité l'acquisition automatique de la nat. fr. pour des raisons militaires (1851, 1889) et démographiques (1927, 1945). Quelques textes : lois du 7-2-1851, du 26-6-1889, du 15-7-1889 (sur le serv. mil.), du 10-8-1927 ; Code de la nationalité du 19-10-1945 modifié notamment par la loi n° 73-42 du 9-1-1973.

Acquisition volontaire de la nationalité française. 1°) *Par déclaration* auprès du trib. d'instance (dont l'enregistrement peut être refusé si les conditions légales ne sont pas remplies) : « déclaration acquisitive » (mariage mixte-enfants d'étrangers nés en Fr., avant la majorité), à laquelle le gouv. peut s'opposer ; « réintégration » pour les Fr. d'origine ayant acquis une autre nationalité. Ressortissants des ex-TOM d'Afrique et de Madagascar qui y sont nés avant l'indépendance peuvent solliciter leur réintégration par déclaration après autorisation du min. de la Solidarité, de la Santé et de la Protection sociale.

2°) *Par faveur :* elle fait l'objet d'un décret du ressort du ministère de la Solidarité, de la Santé et de la Protection sociale (naturalisation, réintégration). Elle est soumise à des conditions de « stage » (conditions de résidence en Fr. durant les années précédentes, sauf pour réintégration), de conduite, d'assimilation (langue...), de santé, d'intérêt de la candidature. Il y a possibilité de refus pour irrecevabilité (motifs communiqués) ou ajournement ou rejet (motifs non communiqués).

Nota. – De 1975 à 1985, de 40 000 à 50 000 acquisitions volontaires par an, en 1989 59 508 (par déclaration et décret).

☞ *Francisation du nom et du prénom, pour ceux qui désirent se faire naturaliser :* le faire avec le dépôt de la demande.

Le droit français ignore la *double nationalité.* Ainsi : l'intéressé de nationalité fr., au regard du droit fr., résidant ou se trouvant dans un pays dont il possède la nationalité ne peut invoquer la protection diplomatique fr. (Convention de La Haye 1930) ; le service national, en pratique la seule obligation liée à la nationalité, implique un choix de la part de l'individu ayant plusieurs nationalités. La loi de 1971 dispense du service actif les Fr. résidant habituellement dans certains États étrangers.

Liberté d'aller et venir

États membres de la CEE. Leurs ressortissants doivent être considérés comme agents économiques au sens du Traité de Rome, c.-à-d. exercer ou avoir exercé une activité professionnelle pour bénéficier de la libre circulation et du libre établissement sur le territoire d'un autre État membre de la Communauté. Les dispositions communautaires s'appliquent également aux membres de leur famille. *Libre circulation. A l'entrée en France,* doivent présenter une carte d'identité ou un passeport valide. *Peuvent séjourner* 3 mois sans carte de séjour. S'ils s'installent en France pour plus de 3 mois, ils doivent demander, dans les 3 mois suivant leur entrée en France, une carte de séjour valide 5 ans et renouvelée automatiquement pour 10 ans. Si au chômage dep. plus d'un an, le renouvellement peut être limité à un an, puis refusé si les personnes demeurent au chômage à l'expiration. Sauf urgence, pas d'expulsion sans audition préalable par une commission spéciale. Les ressortissants des États membres de la CEE peuvent faire l'objet d'une mesure d'expulsion si leur présence sur le territoire français constitue une menace pour l'ordre public. Sauf urgence, les intéressés sont entendus par une commission spéciale et, si expulsés, ils ont un délai de 15 j min. pour quitter le territoire.

Autres États. Entrée et séjour en Fr. des étr. (et ressortissants communautaires n'exerçant pas d'activité économique) réglementés par ordonnance du 2-11-1945, modifiée par les lois du 17-7-1984 et 9-9-1986. *Entrée :* carte d'identité ou passeport avec visa (depuis sept. 1986, le visa de court séjour a été rétabli pour tous les pays à l'exception des États membres de la CEE, Suisse, Liechtenstein, Andorre, Monaco, Saint-Siège et Saint-Marin). *Séjour :* sous réserve de justifier des autorisations nécessaires, 2 types de cartes de séjour (de séjour temporaire et de résident. Voir Travail à l'index).

Réfugiés et apatrides

Droit d'asile. Repose sur les textes suivants : *préambule de la Constitution de 1946,* alinéa 4, au titre des « principes particulièrement nécessaires à notre temps... tout homme persécuté en raison de son action en faveur de la liberté a droit d'asile sur les territoires de la République » ; *préambule de la Constitution de 1958 :* « le peuple français proclame solennellement son attachement aux droits de l'homme... tels qu'ils sont définis par la Déclaration de 1789, confirmée et complétée par le Préambule de 1946 ». *Conventions internationales* auxquelles la France est partie, notamment celle de Genève en 1951 sur les réfugiés ; ratifiée le 17-3-1954.

Demande d'asile. Peut être présentée : 1° à partir du pays d'origine ou d'un pays tiers auprès des autorités consulaires françaises qui, après accord du ministre de l'Intérieur, délivrent un visa de long séjour donnant droit à s'établir en France (des procédures d'admission particulières existent pour les ressortissants du Sud-Est asiatique) ; 2° à la frontière, si l'étranger ne vient pas d'un pays tiers à garanties suffisantes (sécurité, risque de renvoi vers le pays où il invoque des risques de persécution). Laissez-passer établi par la police de l'air et des frontières ; en cas de doute, elle saisit le min. de l'Intérieur ; 3° sur le territoire, si l'étranger n'est pas en provenance d'un pays tiers susceptible de lui accorder le bénéfice du statut prévu par la convention de Genève.

Les étrangers qui ont sollicité l'asile et présenté une demande de statut à l'OFPRA [1] sont mis en possession d'un récépissé provisoire de séjour de 3 mois, renouvelable jusqu'à ce qu'il soit statué de manière définitive sur leur demande, c.-à-d. le cas échéant, jusqu'à la décision de la Commission des recours. Le droit au travail est accordé aux demandeurs d'asile pendant toute l'instruction de la demande.

Si la demande est acceptée (4 mois de délai pour la réponse), l'OFPRA délivre un certificat attestant son statut de réfugié ou d'apatride (validité de 3 ans, renouvelable pour 5 ans). Sauf motif d'ordre public, la carte de résident, qui vaut titre de séjour et de travail, est délivrée de plein droit à l'étranger ayant obtenu le statut de réfugié, ainsi qu'à l'apatride (sous réserve de justifier de 3 ans de résidence en France). En cas de refus, pourvoi possible auprès de la Commission des recours ; si le rejet est définitif, l'étr. doit quitter la Fr. (délai d'un mois) sous peine de poursuites judiciaires pour séjour irrégulier ou d'une mesure administrative de reconduite à la frontière.

Nota. – (1) Office français de protection des réfugiés et apatrides, créé le 25-7-1952 ; établissement public chargé de la protection juridique et adm. des réfugiés et apatrides, il assure, en liaison avec les min. concernés, l'exécution des conventions, accords et arrangements internationaux.

☞ La Constitution de 1793 déclarait que « le peuple français donne l'asile aux étrangers bannis de leur patrie pour la cause de la liberté » et « le refuse aux tyrans » (art. 120).

Voir aussi Haut-Commissariat pour les réfugiés, p. 818.

Algérie. Conditions de séjour résultant de dispositions conventionnelles issues de l'accord franco-algérien du 27-12-1968, modifié par l'avenant du 22-12-1985. Certificat de résidence d'1 ou 10 ans remis aux Algériens. Octroi du CRA d'1 an et délivrance du CRA de 10 ans, après 3 ans de séjour régulier, sont subordonnés aux mêmes conditions que celles exigées des étrangers relevant du régime général. Les catégories des bénéficiaires de plein droit du CRA de 10 ans sont différentes. En sont exclus : les parents d'enfant français, réfugiés, apatrides et anciens combattants ; la réserve de 1 an de mariage pour les conjoints algériens de Français ne s'applique pas.

Entrée ou séjour irrégulier. Délit passible de 1 mois à 1 an de prison et de 2 000 à 20 000 F d'amende ainsi que d'une peine d'interdiction du territoire d'une durée max. de 3 ans qui entraîne de plein droit la reconduite à la frontière du condamné. Le condamné peut être reconduit à la frontière sauf si : les personnes qui subviennent à ses besoins ne font pas l'objet d'une mesure d'éloignement ; est entré en Fr. avant l'âge de 10 ans ou dep. + de 10 ans, et n'a pas fait l'objet de condamnations pénales ; est marié depuis + d'un an à un(e) Français(e) ; est parent d'enfant français et bénéficie d'une rente d'accident du travail versée par un organisme français.

Expulsion. Mesure prise par arrêté du min. de l'Intérieur qui peut à tout moment être abrogée. Prononcée contre un étranger dont la présence en Fr. constitue une menace pour l'ordre public. L'étranger doit être entendu par une commission composée de magistrats de l'ordre judiciaire et administratif, qui émet un avis. L'avis conforme de cette commission n'est requis que s'il s'agit de l'expulsion d'un mineur de 16 ans. Ne peuvent être expulsés selon cette procédure les catégories d'étr. qui ne sont pas susceptibles de faire l'objet d'un arrêté de reconduite à la frontière. Mesure pouvant également être prononcée, en cas d'urgence absolue, lorsque la présence de l'étr. constitue pour l'ordre public une menace présentant un caractère d'une particulière gravité : pas de passage devant la commission d'expulsion ; seuls les enfants mineurs de 18 ans ne peuvent être expulsés selon cette procédure.

Maintien administratif. On peut retenir dans des locaux non pénitentiaires et pendant le temps nécessaire un étranger non admis, expulsé ou reconduit à la frontière, dans l'hypothèse où il ne peut quitter immédiatement le territoire. Durée de cette rétention administrative : 7 j max. (les 24 1res heures sont décidées par l'autorité préfectorale qui peut demander au Pt du tribunal de grande instance de prolonger le maintien pour 6 j).

Extraditions

La France refuse l'extradition des personnes bénéficiant de l'asile politique dès lors qu'elle est réclamée pour les faits à raison desquels cet asile a été accordé. **Critères.** Demandes sont appréciées selon 4 critères pouvant fonder un refus : la nature du système politique et judiciaire de l'État demandeur ; le caractère pol. de l'infraction poursuivie ; le mobile pol. de la demande ; le risque d'aggravation en cas d'extradition de la situation de l'intéressé en raison notamment de son action ou de ses opinions pol., de sa race, de sa religion. Nature pol. de l'infraction n'est pas retenue, et l'extradition est en principe accordée, sous réserve de l'avis de la chambre d'accusation, quand auront été commis, dans un état respectueux des libertés et droits fondamentaux, des actes criminels (prises d'otages, meurtres, violences ayant entraîné des blessures graves ou la mort, etc.) de nature telle que la fin pol. alléguée ne saurait justifier la mise en œuvre de moyens inacceptables.

Mariage

Dep. l'abrogation de l'art. 13 de l'ordonnance du 2-11-1945 par art. 9 de la loi du 29-10-1981, le mariage des étrangers est possible sans autorisation des pouvoirs publics. Ils sont soumis aux dispositions générales du code civil concernant le mariage.

Réglementation (séjour et travail)

Séjour. L'étranger de + de 16 ans qui désire séjourner + de 3 mois en France, à compter de son entrée, doit avoir une carte de séjour. La loi du 17-7-1984 a institué 2 cartes de séjour valant titre unique de séjour et de travail.

Carte de séjour temporaire : d'une durée variable ne pouvant excéder 1 an, ni la durée de validité des documents ou visas obtenus par l'étranger pour entrer en France. Délivrée aux visiteurs (étr. n'exerçant aucune activité prof. essentielle, ou étr. en séjour temporaire exerçant une activité non soumise à autorisation), aux étudiants, aux étr. exerçant à titre temporaire une activité soumise à autorisation. Doivent être respectées certaines conditions générales (entrée régulière, visa de long séjour – sauf si dispense en vertu de conventions internationales – certificat médical, ordre public) et particulières [visiteur : justification de ressources ; étudiant : justification de ressources calculée en fonction de l'allocation mensuelle de base versée par le gouvernement fr. à ses boursiers et couverture sociale et inscription dans un établ. d'enseignement ou de formation prof. (les ressortissants de la CEE étudiants sont soumis aux mêmes règles et reçoivent une carte de séjour temporaire d'un an, renouvelable) ; travailleur salarié : justif. d'une autorisation de travail accordée par les services de l'emploi ; travailleur non salarié : justif. de l'autorisation accordée par l'administr. compétente (commerce et artisanat, agriculture)].

Carte de résident : d'une durée de 10 ans, renouvelable, peut être délivrée, sauf motif d'ordre public : 1° à la suite d'un séjour préalable d'au moins 3 ans en Fr., régulier et non interrompu, si l'étr. justifie de moyens d'existence suffisants personnels ou bien liés à l'exercice de sa profession ; 2° de plein droit à certaines catégories d'étr. justifiant d'attaches familiales (conjoint de Fr. dep. + d'1 an, ascendant ou descendant de Fr., membres de sa famille rejoignant un étr. titulaire d'une carte de résident), d'une certaine ancienneté de séjour (entrée avant l'âge de 10 ans, 10 ans de séjour régulier) ou situation particulière (réfugié, apatride, ancien combattant).

Travail

• **Conditions à remplir. 1°) Par le travailleur étranger.** Il doit avoir *avant son entrée en France* une autorisation de travail visée par la direction des services de l'emploi. Dans la pratique, les autorisations de travail ne sont accordées qu'exceptionnellement, en particulier, aux étr. auxquels la situation de l'emploi ne peut être opposée (apatrides, Vietnamiens, Cambodgiens et Laotiens, Polonais et Libanais et membres de famille autorisés à séjourner en Fr. au titre du regroupement familial), aux étr. pouvant se prévaloir de conventions particulières (Gabonais, Togolais), ainsi qu'aux étr. de haute qualification. Les ressortissants des États membres de la C.E.E. (sauf Espagnols et Portugais pendant la période transitoire précédant la libre circulation des travailleurs), les Monégasques, Andorrans et Centrafricains ne sont pas soumis à l'autorisation de travail. L'étr. qui réside en France à un autre titre que celui de travailleur doit obtenir l'autorisation de travail des services de l'emploi, avec l'opposabilité de la situation de l'emploi.

2°) Par l'employeur. Il doit s'assurer que l'étr. embauché est titulaire d'une autorisation de travail en cours de validité lui permettant d'exercer, à temps partiel ou à temps plein, une activité salariée. En outre, l'employeur doit inscrire le travailleur étr., au moment de son embauchage, sur un registre spécial mentionnant la nature et le lieu de l'emploi confié à l'étr. ainsi que les caractéristiques de son titre de travail. Ce registre est présenté à toute réquisition des fonctionnaires chargés du contrôle.

Frontaliers et saisonniers

• **Frontaliers étrangers travaillant en France :** l'employeur doit déposer une demande à l'ANPE qui vérifie s'il n'y a pas de candidat possible : le travailleur doit posséder une carte de circulation frontalière ou une carte valable 5 ans pour les ressortissants de la CEE.

• **Réglementation du travail saisonnier.** *Conditions :* impossibilité de trouver la main-d'œuvre nécessaire, nécessité d'un contrat de 21 j min. et 8 mois max., âge : 16 ans min. *Introduction :* l'employeur dépose à l'ANPE un dossier comprenant un contrat type et un engagement à verser, à l'ONI, le montant de la redevance forfaitaire. L'agence transmet le dossier à la Direction dép. du travail qui vise le contrat et à l'ONI qui recrute. L'introduction est *anonyme* si l'employeur s'en remet à l'ONI (valable dans les pays où existe une mission de l'ONI : Espagne, Maroc, Portugal, Tunisie, Yougoslavie), ou *nominative.*

Régimes spéciaux : concernent vendangeurs espagnols, betteraviers belges, Pyrénéens.

• **Le recrutement** de travailleurs étrangers effectué en infraction du monopole de l'ONI (délit de *marchandage*) est puni, dès la 1re fois, d'une amende de 2 000 à 20 000 F et/ou d'un emprisonnement de 2 mois à 1 an, d'une amende de 40 000 F et d'un emprisonnement de 2 ans en cas de récidive.

L'employeur sera également tenu d'acquitter une contribution spéciale au bénéfice de l'ONI (montant égal à 2 000 fois le taux horaire du minimum garanti, soit, au 1-3-1989, 29 360 F).

Les ressortissants de la CEE (sauf Espagnols et Portugais qui, pendant une période transitoire de 7 ans, expirant le 31-12-93, ne bénéficient pas de la libre circulation des travailleurs) peuvent entrer librement en Fr. pour chercher un emploi, mais, dès qu'ils l'ont trouvé, ils doivent demander une « carte de séjour de ressortissant de la CEE ».

Les Algériens peuvent exercer une activité professionnelle salariée sous le couvert d'un certificat de résidence valable 1 an s'il porte la mention « salarié », ou de leur certificat de résidence de 10 ans qui porte la mention « toute profession en départements français dans le cadre de la législation en vigueur ».

• **Changement de domicile.** Tout étranger séjournant en France et astreint à la possession d'un titre de séjour est tenu, lorsqu'il transfère le lieu de sa résidence effective et permanente, d'en faire la déclaration dans les 8 j de son arrivée au commissariat de police ou, à défaut, à la mairie en indiquant son ancienne résidence et sa profession. Déclaration devant être faite par tous les étr., y compris les ressortissants de la CEE et les Algériens.

• **Nombre min. d'h de travail** chez un ou plusieurs employeurs, imposé par l'Administration. 30 h par semaine pour 1 personne seule et 18 h si le conjoint ou un proche parent travaille en France en situation régulière. Une durée inférieure peut être admise si la rémunération hebdomadaire atteint l'équivalent de 40 h de SMIC.

• **Syndicats.** Les étrangers peuvent être désignés délégués syndicaux et accéder aux fonctions d'administration ou de direction d'un syndicat. Ils peuvent également être électeurs et éligibles comme délégués du personnel et membres du comité d'entreprise.

Résorption de la main-d'œuvre étrangère

• **Arrêt de l'immigration.** Depuis la loi d'août 1974. Ne s'applique pas aux cadres sup., à l'immigration humanitaire et aux fam. d'immigrés déjà installés.

• **Aide au retour.** Peut prendre différentes formes. *Rapatriement volontaire :* procédure exceptionnelle s'adressant aux travailleurs étrangers en difficulté et permettant la prise en charge par l'ONI du voyage de retour dans le pays d'origine. *Actions de coopération et de développement :* menées par certaines associations ou organisations non gouvernementales, en liaison avec les administrations concernées. Ont pour but d'étudier, de sélectionner et de financer des projets de réinsertion s'intégrant dans les plans de développement des pays d'origine et d'en assurer le suivi. *Aides à la réinsertion :* nouveau dispositif mis en place par décret 87.844 du 16-10-1987 abrogeant celui créé par décret du 27-4-1984. 1°) aide publique et aide conventionnelle à la réinsertion des immigrés, instaurées en application de l'art. L 351.15 du Code du travail à l'intention des salariés étrangers licenciés par des entreprises ayant conclu des conventions de réinsertion avec l'Office des Migrations Internationales (ancien ONI). 2°) aide publique et conventionnelle aux chômeurs étrangers indemnisés par le régime d'assurance chômage depuis plus de 3 mois au moment de leur demande. 3°) possibilité de réinsertion dans pays d'origine aux étrangers chômeurs de longue durée à la date de publication du décret. L'aide publique prévue comprend : prise en charge par l'État des frais de voyage (indemnités forfaitaires), allocation forfaitaire de déménagement, et aide au projet professionnel financée par l'État, ou par le FAS. Peuvent s'ajouter une aide conventionnelle du régime d'assurance chômage et des mesures spécifiques prévues par le dernier employeur de l'étranger concerné.

Droit de vote

En France. Les étrangers n'ont pas le droit de vote. Dans le passé, la Constitution de 1793 accordait le droit de vote aux immigrés domiciliés en France depuis plus d'1 an (de même en 1830 et 1871).

En 1984, selon un sondage, 74 % des Français étaient hostiles à la reconnaissance du droit de vote aux immigrés (58 % en 81), alors que le gouvernement y était favorable.

Nota. – A Mons-en-Barœul (Nord, 27 000 h.), le 21-2-1985, le conseil municipal a permis à 700 immigrés de plus de 18 ans, détenteurs d'un titre de séjour, n'ayant pas fait l'objet de condamnation pour délit ou crime, résidant à Mons avant le 1-1-1985, susceptibles d'y payer les impôts locaux (ce qui laisse à l'écart les étudiants) et ne possédant pas la nationalité française, de désigner 3 conseillers municipaux associés. 1 Algérien, 1 Marocain et 1 Laotien ont été élus le 19-5-1985 par 489 votants, soit 70 % des électeurs potentiels (80 % de Marocains, 5 % de Turcs et 86,4 % des inscrits). Ces conseillers n'ont pas le droit de vote ; assistés de 16 délégués (dont 2 femmes), élus le 19-5-85 (8 nationalités).

A l'étranger. En Suède, les étrangers résidant dans le pays depuis plus de 3 ans peuvent, depuis 1975, voter aux élections communales. En Norvège, dep. 1983, les résidents étr. peuvent voter et être éligibles aux él. locales. En All. féd., les immigrés élisent dans les municipalités des représentants dans des conseils ou des commissions qui ont un rôle consultatif. Aux Pays-Bas, dep. mai 1985, droit de vote aux él. mun. pour les étr. vivant aux P.-Bas dep. 5 ans (1res élections en mars 1986).

Libertés

Liberté d'aller et venir

Définition

La liberté d'aller et venir s'étend à tous les endroits du pays appartenant aux collectivités publiques (État, départ., communes), destinés à l'usage public, et aménagés à cet effet (rues, plages, fleuves...).

Limites

Impossibilités de pénétrer dans la propriété d'autrui. Pénétrer constitue un délit (art. 184 et 276 du Code pénal) (Voir Violation de domicile), une contravention de 1re classe (ex. passage sur un terrain préparé ou ensemencé) ou de 2e cl. (ex. passage sur une vigne ou un champ de blé).

Exceptions. *En cas d'enclave ; pour une réparation* (sur un bâtiment) ; *droit de puisage ; droit de pêche* (chez les riverains des cours d'eaux domaniaux, s'il existait avant 1965 une servitude de halage et de marche-pied le long du cours d'eau) ; *passage des piétons le long de la mer* (3 m de large sauf si le passage est à moins de 15 m d'une maison ou s'il faut traverser un terrain clos de murs et attenant à une maison) ; *passage pour skieurs et alpinistes* (pendant la période skiable, zone délimitée par le préfet ; le propriétaire doit enlever les obstacles et laisser le passage).

Libre choix du domicile

Exceptions. *Enfants mineurs non émancipés :* domiciliés obligatoirement chez leurs parents ; *mari et femme :* dep. le 11-7-75, peuvent avoir des domiciles distincts sans qu'il soit porté atteinte aux règles de la vie commune, mais doivent cohabiter ; *fonctionnaires nommés à vie* (magistrats) *et officiers ministériels* (avoués, notaires, huissiers) : doivent avoir leur domicile légal au lieu où ils exercent leurs fonctions ; *personnes ayant été en détention provisoire et remises en liberté :* doivent résider dans la ville où se fait l'information ou dans celle où se trouve la juridiction saisie de l'affaire ; *personnes en libération conditionnelle ; condamnées avec sursis ; étrangers faisant l'objet d'un arrêté d'expulsion et ne pouvant quitter le territoire.*

Doivent signaler leur changement de domicile. Les possesseurs d'une voiture (délai d'un mois, à la préfecture, sinon amende de 600 à 1 200 F) ; les étrangers résidant en France (dans les 8 j suivant l'arrivée, au commissariat ou à la mairie) ; les condamnés avec sursis et mise à l'épreuve (agent de probation) ; les hommes soumis au service nat. et les réservistes (à la gendarmerie ou au consulat).

Mesures privatives de liberté

• **Procédure pénale. Avant le jugement.** *Crime, délit flagrant :* possibilité d'audition des témoins, de vérification d'identité, de garde à vue. *Enquête préliminaire :* garde à vue. *Au cours de l'instruction :* contrôle judiciaire, art. 138 et suiv. du Code de proc. pénale (se présenter périodiquement à la mairie ou à la gend., ne pas se déplacer hors d'un certain périmètre, remettre ses pièces d'identité, ne pas fréquenter certains lieux ou pers.) ou détention prov. (except., si elle est nécessaire pour mener l'instruction à bien, si la peine encourue est au min. de 2 ans ; durée 4 mois ; renouvelable de 4 mois en 4 mois).

Après le jugement. *Peines privatives :* emprisonnement ou réclusion criminelle. *Restrictives :* surtout de déplacement. *Interdiction de séjour :* de 2 à 10 ans, ne peut être prononcée contre des personnes de 65 ans ou +. *Sursis avec mise à l'épreuve :* de 2 à 5 ans ; on doit prévenir l'agent de probation des changements de résidence et de tout déplacement de plus de 8 j, obtenir l'autorisation du juge de l'application des peines avant d'aller à l'étranger, et on peut se voir interdire certains lieux. *Dans le cadre de la libération conditionnelle.*

Droit de recours devant la Commission européenne des droits de l'homme

Dep. le 2-10-1981, toute personne française ou étrangère qui s'estime victime d'une violation par l'Etat français des droits garantis par la Convention européenne des droits de l'homme (promulguée en 1974 en France) peut saisir la Commission (Conseil de l'Europe, 67006 Strasbourg) qui peut condamner l'État à payer des indemnités. Pour exercer ce recours, il faut être allé en cassation.

• **Mesures de protection sanitaire.** *Placement des alcooliques dangereux :* décidé par le tribunal de grande instance, 6 mois renouvelables. *Internement des malades mentaux :* Voir Aliéné à l'index.

Limitations dues aux moyens de transports

• **Avions.** *Circulation* libre au-dessus de la Fr. (sauf dans certaines zones mil. ou pour raisons de sécurité publ.). L'avion doit être *immatriculé* sur un registre tenu par le min. chargé de l'Aviation civile. On doit avoir les *certificats d'immatriculation, de navigabilité* (avion conforme à un type certifié), *de limit. des nuisances, le brevet d'aptitude au pilotage.*

• **Bateaux.** *Permis obligatoire.* Les bateaux de plaisance [sauf périssoires, canoës, kayaks et navires de – de 2 tonneaux (sauf s'ils sortent des eaux territoriales pour aller à l'étranger)] doivent avoir un *port d'attache,* être *francisés* par l'administration des Douanes, *immatriculés* auprès des Affaires maritimes qui délivrent la carte de circulation.

• **Camping-caravaning.** *Stationnement de caravanes et camping-cars* libre en dehors des terrains aménagés, sous réserve des réglementations préfector. et d'une autorisation du maire (pour plus de 3 mois). *Camping* libre avec l'accord de la personne qui jouit du terrain, interdit sur emprise des routes et voies publiques, rivage de la mer, dans un rayon de 200 m des points d'eau captés pour la consommation, des sites classés, inscrits ou protégés, et à moins de 500 m d'un monument historique classé ou inscrit.

• **Circulation routière.** *Véhicules :* Voir Code de la route et règlements (ministre, préfets, maires). On doit détenir certains *papiers* (Voir Automobile à l'index). L'État *contrôle* si le véhicule est conforme aux règlements (freins, éclairage, signalisation, signaux d'avertissement, plaques, inscriptions) ; s'il ne l'est pas, le véhicule peut être immobilisé, mis en fourrière ou retiré de la circulation.

Circulation : respecter le Code, interdictions [ex. les poids lourds de + de 6 t ou transportant des matières dangereuses ne peuvent circuler les samedis et veilles de j fériés (à partir de 22 h pour les + de 6 t et de 12 h pour les matières dangereuses) jusqu'au dimanche et jours fériés à 22 h (24 h pour les mat. dang.) ; accès aux autoroutes interdit aux piétons, cyclistes, cyclomoteurs, ensembles routiers comportant plusieurs remorques ; accès avec péage pour certains ponts et autoroutes], les règles du stationnement [distinction entre stationnement abusif (ininterrompu au même endroit plus de 7 j), gênant et dangereux].

Certains emplacements peuvent être payants pour faciliter la circulation, et non seulement pour procurer des ressources à la commune. Auparavant, des mesures dissuasives ou répressives (interdiction de stationner, zone bleue) se sont révélées inefficaces. Les emplacements doivent respecter droits d'accès et desserte des riverains. Les taxes sont les mêmes pour tous.

Permis de conduire : le préfet, après avis de commissions spéciales, peut le refuser pour incapacité physique ; suspension (Voir Index) ; retrait par les tribunaux judiciaires pour 3 ans max. si le conducteur est condamné pour conduite en état d'ivresse, délit de fuite, homicide ou blessures involontaires (on peut ensuite solliciter un autre permis) ; par le préfet après un examen médical. Recours possibles : gracieux, devant le préfet ou le min. de l'Intérieur ; pour excès de pouvoir, devant le tribunal administratif ; en indemnité pour suspension illégale.

Profession ambulante

• **Commerçant ambulant ayant un domicile fixe.** Activité ambulante si elle est exercée en totalité hors de la commune (sauf pour les tournées des boulangers ruraux, par ex.). La préfecture délivre une carte de com. non sédentaire.

• **Personne n'ayant ni domicile ni résidence fixe dep. 6 mois.** Ne peut exercer une profession ambulante que si elle est française ou de la CEE. A partir de 16 ans, possède un livret de circ. délivré par la préfecture.

Liberté d'expression

• **Associations, réunions, manifestations, attroupements.** Voir Index.

• **Audiovisuel.** La radiodiffusion-télévision française est un **monopole d'État** (loi du 3-7-1972).

Dérogations. *Programmes* s'adressant à un public déterminé (certaines catégories professionnelles), diffusés en circuit fermé dans des enceintes privées ; expériences de recherche scientifique ; programmes diffusés dans l'intérêt de la défense nationale ou de la sécurité publique. *Radios locales privées ou radios libres :* Voir Index.

• **Presse. Liberté.** Régie par la loi du 29-7-1881. Voir Index. **Limites.** *Droit de rectification :* reconnu aux dépositaires de l'autorité publique (ex. préfet) dont les actes ont été inexactement rapportés ; l'article rectificatif ne peut dépasser le double de l'article incriminé. *Droit de réponse :* toute personne désignée ou mise en cause dans une publication périodique peut répondre dans l'année qui suit (max. 50 à 200 lignes selon la longueur de la mise en cause) ; un quotidien doit publier la réponse dans les 3 j., un périodique dans un numéro qui suit le surlendemain de la réception. La publication intégrale doit être faite à la même place et dans les mêmes caractères. Le directeur de la publication peut refuser d'insérer une réponse trop longue ou nuisant à l'ordre public, contraire à l'intérêt de tiers, portant atteinte à l'honneur ou à la considération du journaliste ou du journal. *Délits commis par voie de presse :* ex. délits ou crimes contre l'ordre public (apologie du crime, provocation à la haine, provocation des militaires à la désobéissance), ou le pouvoir (offense au chef de l'État, fausses nouvelles), outrage aux bonnes mœurs. *Diffamation :* Voir Index ; Presse étrangère, Publications destinées à la jeunesse.

Intégrité corporelle

Corps humain

• **Don multitransplantaire.** En vue de l'utilisation des organes transplantables. *S'adresser* à France ADOT (voir ci-dessous) qui est en relation avec l'association France-Transplant, hôpital St-Louis, 1, av. Claude-Vellefaux, 75475 Paris Cedex 10.

• **Dons d'organes. France ADOT** (Féd. fr. pour le don d'organes et de tissus humains). BP 35, 75462 Paris Cedex 10. 36-15 ADOTS. *Fondée* 5-8-1969. *Adhérents :* 200 000 (carte de donneur délivrée gratuitement).

Don corporel total ou don du corps à la science. Aux facultés de médecine : pour Paris et la Région parisienne, se renseigner auprès du *Service du don des corps de l'Université René-Descartes,* 45, rue des Sts-Pères, 75270 Paris Cedex 06, ou à l'*amphithéâtre d'anatomie,* École de chirurgie, 17, rue du Fer-à-Moulin, 75005 Paris. En province, auprès des *laboratoires d'anatomie, des fac. ou écoles de médec.*

Don corporel unitransplantaire. Possible par testament. **Yeux :** legs à une œuvre reconnue d'utilité publique (Banque française des yeux, 6, quai des Célestins, 75004 Paris, qui est qualifiée pour établir la carte officielle de « donneur d'yeux »). Prélèvement dans les 8 h suivant le décès. Si le prélèvement a lieu dans un intérêt scientifique ou thérapeutique, théoriquement, la famille ne peut s'y opposer sauf disposition testamentaire ou déclaration expresse (loi du 7-7-1949, dite loi Lafay). En fait, le corps médical respecte la volonté familiale. **Peau :** s'adresser de préférence aux Hôpitaux St-Louis, 38, rue Bichat, 75010 Paris, ou Cochin, 27, rue du Fbg-St-Jacques, 75005 Paris, ou au Centre médico-chirurgical Foch, 40, rue Worth, 92150 Suresnes. **Os :** hôpital de la Salpêtrière, 83, boulevard de l'Hôpital, 75013 Paris. **Moelle :** hôpital St-Louis. **Reins :** secrétariat de France-Transplants, hôpital Saint-Louis, 1, av. Claude-Vellefaux, 75475 Paris Cedex 10. **Cœur :** hôpital de La Pitié, 87, bd de l'Hôpital, 75013 Paris.

• **Don du sang.** Donneur bénévole de 18 à 65 ans sans contre-indications (Voir Médecine).

• **Insémination artificielle** (Voir Index).

• **Interruption volontaire de grossesse** (Voir Index).

• **Prélèvement ou greffe d'organe. Donneur vivant.** *Si le donneur est majeur,* un prélèvement peut être effectué à condition qu'il y ait consenti, et qu'il jouisse de son intégrité mentale. Le consentement doit être éclairé, le donneur devant être informé des conséquences éventuelles de ce prélèvement sur lui-même et des résultats pour le receveur. S'il s'agit d'organes régénérables (éléments sanguins, lymphotytes, plaquettes ou cellules de mœlle osseuse) le consentement doit être écrit et contresigné par un témoin. S'il s'agit d'organes non régénérables (reins par ex.), il doit être exprimé devant le Pt du tribunal de grande instance. *Si le donneur est mineur,* le prélèvement n'est autorisé que si le receveur est son frère ou sa sœur, et avec l'autorisation de son représentant légal, et après autorisation donnée par un comité composé de 3 experts au moins et comprenant 2 médecins, dont l'un doit justifier de 20 années d'excercice de la profession médicale. Si l'avis du mineur peut être recueilli, son refus d'accepter le prélèvement sera toujours respecté. **Sur cadavre.** Le prélèvement ne peut être envisagé qu'après la constatation préalable de la mort et la certitude de celle-ci. La constatation devra être faite par 2 médecins de l'établissement, différents de ceux appartenant à l'équipe qui effectuera le prélèvement ou de celle qui procédera à la greffe. La mort sera constatée sur des critères cliniques, et sur la disparition de tout signal électro-encéphalographique spontané ou provoqué par des stimulations, répétées à 2 reprises. Celui qui veut s'opposer à un prélèvement sur son cadavre peut le faire par tous moyens. Si le défunt est un mineur ou un incapable, tout prélèvement sur son cadavre en vue d'une greffe ne peut se faire sans l'autorisation écrite de son représentant légal.

• **Relations avec le médecin. Un contrat** existe avec le malade. Le médecin est lié à son malade par une *« obligation de moyens »* non de *« résultats » ;* sa responsabilité peut être engagée en cas de faute *prouvée* par le malade ou sa famille. Le médecin s'engage à soigner et à guérir si possible, le malade à payer les honoraires et à collaborer avec le médecin et à suivre le traitement. Le médecin doit informer le malade (maladie, traitement, soins, risques). Le consentement du malade est nécessaire.

• **Hospitalisation.** Elle nécessite en principe le consentement du malade. Le malade ou sa famille peuvent demander le transfert à domicile si l'état est très grave et le décès imminent. Si le malade veut sortir de l'hôpital contre l'avis des médecins, il doit signer une attestation par laquelle il reconnaît avoir été informé des dangers de sa sortie.

• **Dossier médical.** Propriété de l'établissement. Conservé sous la responsabilité du chef de service. Dep. la loi du 31-12-1970, doit être communiqué au médecin traitant. Dep. le décret du 7-3-1974, avant la 2e semaine d'hospitalisation, on doit informer le médecin désigné par le malade ou sa famille s'il en fait la demande écrite.

• **Protection de la santé publique.** Vaccinations obligatoires, déclaration des maladies contagieuses et vénériennes, vérification du taux d'alcoolisme, traitement des alcooliques dangereux et des toxicomanes : Voir Médecine.

• **Euthanasie.** *Passive :* un malade peut vouloir mettre fin à ses jours et demander clairement et formellement au médecin de cesser les soins qui pourraient les prolonger. *Active :* assimilée à un homicide ; peines allant jusqu'à la réclusion à perpétuité pour le responsable.

Respect de la vie privée

☞ **Domicile.** Voir p. 1 374c.

Secret de la correspondance

Correspondance confidentielle et sous pli fermé. Le secret est protégé pénalement. *L'ouverture par erreur* n'est pas poursuivie. *Sanctions :* 3 mois à 5 ans de prison, 500 à 8 000 F d'amende (art. 181 C. pén.). *Exceptions :* les agents des postes peuvent convoquer le destinataire pour ouvrir la lettre devant eux (si celle-ci semble contenir de l'argent) ou ouvrir eux-mêmes les plis en franchise. L'administr. pénitentiaire peut, pour raisons d'ordre public, ouvrir le courrier des détenus (sauf celui échangé avec avocats). Peuvent faire de même juge d'instruction, préfet, dans l'intérêt de la manifestation de la vérité.

Civilement, le secret est protégé après réception par le destinataire, mais il ne peut être invoqué lorsque les faits contenus sont tombés dans le domaine public. Le destinataire a la propriété matérielle de la lettre reçue, mais l'auteur (ainsi que ses héritiers 50 ans après sa mort) en gardent la propriété morale.

Secret professionnel (art. 368 et suiv. du Code pénal)

Y sont tenus. *Professions de santé :* médecin, chirurgien, pharmacien, sage-femme, dentiste, masseur, orthophoniste, pédicure, nourrice-gardienne d'enfants, leurs collaborateurs et auxiliaires ; *travailleurs sociaux :* assistante sociale, auxiliaire de service social ; *personnes participant à l'administration de la justice ; fonctionnaires ;* certains *hommes d'affaires :* expert comptable, commissaire aux comptes, banquier ; *confidents nécessaires :* ministre du culte, psychologue, avocat, avoué, huissier, notaire, agent de change, courtier en valeurs mobilières ; *agents de l'admin. fiscale ; journalistes.*

Exceptions. Le secret est obligatoirement levé dans l'*intérêt de la justice,* l'obligation de déposer comme témoin primant le secret professionnel, ou dans l'*intérêt de l'État.* Les banques, les notaires, huissiers, greffiers, dépositaires des registres d'état civil et des rôles des contributions ou des autorités judiciaires doivent communiquer des renseignements aux services fiscaux. Le *secret médical* est levé pour dénoncer certaines affections dangereuses pour la santé publique (variole, m. vénériennes professionnelles, alcoolisme) ; il ne concerne pas le médecin expert.

Nota. – Dans certains cas (avortement délictueux, sévices ou privations à mineurs de – de 15 ans), avec l'accord de la victime, chaque profession peut lever le secret.

Commission nationale de l'informatique et des libertés (CNIL). *Siège.* 21, rue Saint-Guillaume, 75007 Paris. *Créée* par la loi du 6-1-1978. *But :* veiller au respect de la loi en informant les personnes de leurs droits et obligations, et en contrôlant l'application de l'informatique au traitement des informations nominatives afin qu'elle ne porte pas atteinte aux droits de l'homme et à la vie privée. *Composition :* 17 m. dont 3 nommés par le gouv., 2 par les Pts de l'Ass. nation. et du Sénat, 6 par les 3 Assemblées, 6 par les 3 Hautes Juridictions. Pt Jacques Fauvet (n. 9-6-14).

Obligations des détenteurs de fichiers . Déclarer les traitements à la CNIL en en donnant les caractéristiques. Le secteur public doit en outre obtenir un avis favorable, et ne peut passer outre qu'avec l'accord du Conseil d'État.

Protection des personnes fichées. Information du caractère obligatoire ou facultatif de la réponse, de la destination des informations, du droit d'accès (droit de connaître les fichiers, de contrôler s'il existe des informations les concernant, les vérifier et les faire rectifier). Certaines données sensibles (dont les opinions politiques, philosophiques ou religieuses) ne peuvent être enregistrées sans l'accord des personnes, mais des dérogations sont prévues par décret pour la Police et la Défense. La Commission peut saisir la justice et des pénalités sont prévues pour infraction à la loi du 6-1-1978.

☞ **Traitement automatisé des empreintes digitales par la police nationale.** Le système, doté d'une mémoire évolutive (la CNIL a imposé que les données ne soient pas conservées au-delà de 25 ans suivant la dernière infraction) pourra engranger les informations correspondant à 4 millions de personnes (32 millions de doigts), ce qui correspondra, en France, à la population « criminogène ».

Photographies

Droit à la personnalité. On peut se défendre contre l'*altération de sa personnalité* par des montages photographiques ou la manipulation de son image (ex. une légende) ou son *exploitation mercantile ou politique* (publicité, propagande).

Respect de la vie privée. On peut s'opposer à la publication de son image s'il s'agit d'un événement de sa vie privée, mais pas si l'on est le sujet ou le participant d'un événement. Si l'on figure accessoirement sur la photo d'un monument historique, d'un paysage ou d'un lieu public, on peut demander que l'on masque son visage si l'on est reconnaissable. On peut avoir consenti à la prise d'une photo, mais pas à son utilisation (art. 9 du Code civil, art. 368 et suiv. du Code pénal).

Sanctions. *Droit de réponse. Suppression ou non-parution de l'image* ordonnée par le juge des référés (peut entraîner la saisie ou l'interdiction de vente d'un journal). *Réparation* par le tribunal. *Sanction pénale.*

Écoutes et enregistrements

Écoutes. Code pénal : prévoit 2 mois à 1 an de prison ou 2 000 à 60 000 F d'amende, parfois saisie du matériel d'espionnage acoustique. Il faut qu'il y ait captation par un procédé technique (écouteur du téléphone), que cela porte sur des paroles tenues dans un lieu privé (cantine, bureau, pont de bateau), en dehors du consentement des intéressés, dans le but de porter atteinte à la vie privée (art. 368).

Appels téléphoniques anonymes. Après le dépôt d'une plainte, le juge d'instruction peut autoriser des écoutes téléphon. pour identifier l'appelant.

Logement

Logement dans le monde

Caractéristiques du parc de logements

	Construits en 1988 (en milliers)	Construits pour 1 000 hab.	Nombre pour 1 000 hab.	Parc locatif (en %)
All. féd.	215	3,5	423	60 %
Belgique	28	2,8	400	59 %
Dan. ...	21	4,1	427	68 %
Espagne	205	5,3	393	31 %
France .	310	5,6	437	49 %
Grèce ..	70	7,0	348	27 %
Irlande .	20	5,6	271	21 %
Italie ...	290	5,1	368	40 %
Lux. ...	1,2	3,2	386	39 %
P.-Bas ..	95	6,5	354	56 %
Port.	40	3,9	286	40 %
G.-B. ...	200	3,5	388	40 %
CEE ...	*1 495,2*	*4,6*	*307*	*46 %*

Logement en France

Statistiques globales

Parc de logements

Parc [en millions (dont résidences secondaires)]. *1881:* 10,73, *1901:* 11,65, *46:* 13,94 (0,22), *54:* 14,4 (0,45), *62:* 16,39 (0,97), *68:* 18,26 (1,23), *75:* 21,07 (1,69), *82:* 23,7 (2,27), *90:* 26,24 (2,82).

• **Résidences principales** (1988). **Nombre total :** 20 700 000 [logements vacants : 2 045 000 (dont agglo. parisienne 229 000)]. *Paris (1988):* 1 117 405 dont anciens inconfortables 388 731, anciens 396 819, récents 113 106, très récents 218 749. **Situation (en %) :** agglomérations de + de 100 000 hab. : 46,4 ; communes rurales : 24,9 ; rurales en ZPIU : 59,3. **Statut d'occupation** (en milliers, en 1988). 20 700 dont : propriétaires non accédants 5 814, accédants 5 419 ; locataires d'un local loué vide HLM 3 141, autres 4 485 ; logés gratuitement 1 495 ; autres statuts 346. En 1990, 54,4 % possèdent leur logement (1982 : 50,6). 1 117 405 dont : logement gratuit 141 632 ; propriétaire occupant 313 400 ; locataire d'un bailleur personne physique 387 914, morale 274 459.

Date de la construction (en %, en 1982). *Avant 1948 :* 44 (à Paris 44,9), *1948 à 1967 :* 23,6 (26,7), *1968 à 1974 :* 16,7 (17,3), *après 1974 :* 15,7 (11,1).

Peuplement normal (selon l'INSEE). *1 personne :* 1 pièce ; *2 pers. :* 2-3 p. ; *1 ménage avec 1 enfant :* 3 p. ; *2 enf. :* 3, 4 ou 5 p. ; *3 enf. :* 4-5 p. ; *4 enf. :* 4, 5 ou 6 p. ; *5 enf. :* 6-7 p. **Réel** (en milliers, 1988). 20 700 dont : surpeuplement critique 309, modéré 2 075, peuplement normal 4 970, sous-peuplement modéré 5 817, prononcé 4 169, accentué 3 360.

Surface moyenne par logement et, entre parenthèses, **par pièce** (en m²). Tous log. 85,4 (21,7), log. neufs 96,4 (22,5). **Nombre moyen de pièces.** Tous log. 3,9, neufs 4,3. **De personnes par logement.** Tous log. 2,6, neufs 3,4, emménagés récents 2,6. **Par pièce.** *1962 :* 1,01, *82 :* 0,74, *90 :* 0,68. **Surface moyenne disponible par personne** (en m²). Tous log. 32,4, neufs 28,2, emménagés récents 29,2.

Confort. Nombre de logement *individuels* et, entre parenthèses, collectifs (en milliers). *Total avant 1949*: 5 320 (2 847) dont : sans confort 1 196 (597), confort 1 393 (748), confort avec chauffage central individuel 2 689 (1 055), avec chauffage central collectif 42 (447). *Après 1948 :* 6 298 (6 235) dont : sans confort 95 (76), confort 693 (358), confort avec CCI 5 376 (1 682), avec CCC 134 (4 119). *Sur l'ensemble* (en %, 1990) : ont tout le confort 75,6, baignoire ou douche 93,4 (1962 : 28,9), chauffage central gaz 35, fuel 28, électricité 25.

Mode de chauffage

Année d'achèvement	Électr.	Gaz de ville	Fuel	Autre
Avant 1975 ...	17	30	33	20
1975 à 1984 ..	46	27	16	11
1985 et après .	69	19	3	9

Consommation annuelle de chauffage (en 1989 en kg-tep). Electricité 3 760, gaz de réseau 8 400, fuel 9 000, charbon 1 800, autres 1 000.

• **Résidences secondaires. Nombre total.** *1968 :* 1 300 000, *76:* 1 700 000, *82:* 2 267 000, *90:* 2 822 000 (dont 402 000 occasionnelles). **Lieu.** Campagne 2/3, mer et montagne 1/3, 1 200 000 dans des communes rurales, 55 369 à Paris. **Propriétaires.** Prof. libérales et cadres sup. 35 %, c. moyens 27, employés 10, ouvriers 5,4.

Construction

• **Destructions dues à la guerre. 1914-18 :** habitations détruites : 368 000 ; devenues inhabitables : 559 000 ; total : 927 000. **1939-45 :** détruites : 432 000 ; inhab. : 890 000 ; total : 1 322 000. *Reconstruction* achevée 1964 (60 milliards de NF de l'époque avaient été versés aux sinistrés).

• **Besoins en logements** (en milliers). *1990:* 350 (dont résidences principales 240). *90-92 :* 337 dont rés. pr. 275 [dont demande des nouveaux ménages 228 (besoins démographiques purs 176, décohabitations 52), renouvellement du parc 47] ; logements vacants 16 (dont fluidité du parc 21, apport du parc existant – 5) ; rés. sec. 46 (dont accroissement du parc 26, renouvellement du parc 20). *93-95 :* 301. *95-99 :* 300.

• **Logements construits** (par an, en milliers). *De 1900 à 1911 :* 200. *19 à 39 :* 100. *45 à 64 :* 180. *80 :* 410. *81 :* 388. *82 :* 364. *83 :* 333. *84 :* 295. *85 :* 295,5. *86 :* 295,5. *87 :* 305. *88 :* 322. *89 :* 336. **Mis en chantier.** *1984 :* 295. *85 :* 295,5. *86 :* 295,5. *87 :* 310,1. *88 :* 327,1. *89 :* 339,3 dont *ordinaires* 335,7 (dont individuels 174,3, collectifs 161,4) dont *secteur aidé* 97 (PLA 50, PAP 47), *libre* 242. *90 :* 309,5 dont *ordinaires* 306 (dont indiv. 161,4, coll. 144,6). *91 :* 309.

• **Logements autorisés** (milliers). *1981 :* 489 ; *82 :* 424 ; *83 :* 372 ; *84 :* 351 ; *85 :* 350 ; *86 :* 356 ; *87 :* 388 ; *88 :* 421 (aidé 47, accession aidée 62, autres 305), indiv. 213, collectifs 202 ; *89 :* 394 [dont indiv. 192, collectifs 199 (aidé 37, accession aidée 45,7, autres 308)] ; *90 :* 387,7 dont ordinaires 384,2 (dont indiv. 186,3, coll. 197,9). **Logements individuels :** *1979 :* 281, *80 :* 265, *81 :* 251, *82 :* 220, *83 :* 218, *84 :* 195, *85 :* 198, *86 :* 179, *87 :* 188, *88 :* 183, *89 :* 174, *90 :* 161.

Logements financés par des prêts locatifs aidés (PLA, en milliers) : *1981 :* 51, *82 :* 55, *83 est. :* 52, *84 :* 47, *85 :* 55, *87 :* 70 (dont CDC 62, CCF 8), *88 :* 60, *89 :* 59. **Prêts à l'accession à la propr. (PAP)** *1981 :* 118. *85 :* 105. *86 :* 110, *87 :* 80, *88 :* 70,71, *89 :* 51,2. **Prêts conventionnés :** *1981 :* 82, *85 :* 185, *86 :* 178, *87 :* 206, *88 :* 162, *89 :* 157.

Région parisienne. Logements mis en chantier (en milliers) : *1970-74 par an :* 111, *73 :* 120, *81 :* 49, *82 :* 43, *83 :* 42, *84 :* 40 (dont non aidés 14, aidés 11,8), *85 :* 45, *86 :* 48, *87 :* 54, *88 :* 53, *89 :* 55, *90 :* 51.

Définitions

• **Agents immobiliers. Nombre :** 12 500 selon l'INSEE dont env. 9 000 appartiennent à une organisation prof. **La FNAIM** (Féd. Nat. des Agents Immob.) regroupe 6 500 adh. dont 3 800 adm. de biens, 1 100 marchands de biens, 550 experts. *C.A.* (1989) : 2,3 milliards de F.

Précautions à prendre *avant de traiter avec un agent immobilier.* Vérifier s'il est déclaré à la préfecture (demandez-lui sa carte professionnelle), affilié à un syndicat professionnel, inscrit à une caisse de caution mutuelle ; s'il a reçu un mandat régulier du propriétaire actuel du logement. Se méfier des faux « particuliers », des « clubs de locataires » ou marchands de listes et autres « associations ». Ne jamais verser d'argent (surtout commission), avant la signature d'un contrat de location.

• **Professionnels de l'immobilier.** *Association nat. pour l'information sur le logement (ANIL)* (45 agences dép. : ADIL) 2 bd St-Martin, 75010. *Commission des Opérations de Bourse (COB).* Tour Mirabeau, 39/43, quai André-Citroën, 75015. *Conf. Générale du Logement (CGL),* 67, rue de Dunkerque, 75009 Paris. *Conf. Nat. des Administrateurs de Biens, Syndics de Copropriété de France (CNAB,* créée 1945, remplace l'Amicale Parisienne des Administrateurs de Biens, créée 1918, 1 400 adhérents, gère 3,5 millions de lots [dont en copropriété (syndic) 1,8, en locatif (administrateurs de biens) 1,7]. 53, rue du Rocher, 75008. *Conseil Supérieur du Notariat,* 31, rue du Général-Foy, 75008. *Féd. Fr. des Professionnels Immobiliers et Commerciaux (FFPIC),* 50, rue Duhesme, 75018. *Féd. internationale des professions immobilières (FIABCI),* 23, av. Bosquet, 75007. *Fédération Nat. des Agents Immobiliers (FNAIM :* créée 1948, 6 500 adhérents, 3 500 00 lots gérés, 1 500 000 locations par an, 2,3 milliards de F de CA (admin. de biens, gestion de copropriétés) transactions : 300 000/an pour 100 milliards de F.), 129, rue du Fg-St-Honoré, 75008. *Fédération Nationale des Promoteurs-Constructeurs (FNPC),* 400 adhérents (au 1-1-90), 106, rue de l'Université, 75007. *Syndicat Nat. des Professionnels Immobiliers (SNPI* 3 900 adhérents*),* 91, rue de Prony, 75017. *Syndicat des Stés Immob Françaises (SSIF),* 37, rue de Rome, 75008. *Union Nat. Indépendante des Transactionnaires Immob., Administrateurs de Biens, Mandataires en vente de fonds de commerce (UNIT),* 4, rue Gerando, 75009. *Union Nat. Interprofes. du Logement (UNIL),* 110, rue Lemercier, 75017. *Union Nat. des Constructeurs de Maisons Individuelles (UNCMI),* 3, avenue du Pt-Wilson, 75116 Paris.

• **Urbanisme.** *Préfecture de Paris,* 17, bd Morland, 75004. Direction de la Construction et du Logement, Dir. de l'Urbanisme. *SOS Paris,* 27, rue St-André-des-Arts, 75006. *En Province :* Dir. départementales de l'équipement.

Rémunération. Depuis le 1-1-1987 (ordonnance du 1-12-86), honoraires libres : chaque agence établit son propre barème et doit l'afficher dans ses locaux à la vue de la clientèle.

• **Amodiation.** Concession d'une terre moyennant des prestations périodiques payées au concédant, originairement en nature, puis aussi en argent. Aujourd'hui recouvre fermage, métayage, emphytéose, cheptel simple, etc... qui impliquent que l'entreprise est conduite par un autre que le propriétaire lui-même.

• **Architecte.** Depuis l'ordonnance 86-1243 du 1-12-1986, rémunération en fonction du contenu et de l'étendue de la mission, de la complexité de l'opération et de l'importance de l'ouvrage.

Responsabilité. Assurance construction : vendeur, constructeur, architecte et entrepreneur doivent être couverts par une assurance responsabilité. Le maître d'ouvrage doit prendre une assurance dommages. **Recours à l'architecte :** obligatoire pour l'établissement de plans, sauf pour ceux voulant édifier ou modifier pour eux-mêmes une construction de – de 170 m² de surface de plancher hors œuvre nette, une construction à usage agricole dont la surface de plancher hors œuvre brute n'excède pas 800 m², des serres de production dont le pied droit a une hauteur inférieure à 4 m et dont la surface de plancher hors œuvre brute n'excède pas 2 000 m².

• **Bureau des hypothèques.** Depuis 1955, toute mutation des biens immobiliers doit être publiée au bureau des hyp. du lieu de ces biens. Cette formalité assure la publicité des mutations vis-à-vis des tiers. Seul un acte notarié permet cette formalité.

• **Cadastre.** Cadastre parcellaire créé par Napoléon Ier (loi du 15-9-1807). Révision : loi du 16-4-1930. Conservation du Cadastre et Publicité foncière : entrée en vigueur le 1-1-1956. Les travaux de rénovation sont achevés en France et dans les DOM-TOM Remaniement entrepris dans les zones sensibles (agglomérations nouvelles) par des procédés photogrammétriques.

• **Certificat d'urbanisme.** Délivré dans un délai de 2 mois par le maire ou le commissaire de la Rép. (dir. départemental de l'Équipement, par délégation) à la demande du propriétaire du terrain ou d'une autre personne. Il indique les dispositions d'urbanisme applicables au terrain, les limitations adm. au droit de propriété (servitudes d'utilité publique et installations d'intérêt général), la desserte du terrain par les équipements publics existants ou prévus (notamment réseaux d'eau et d'élec.). Il informe le demandeur sur la constructibilité du terrain ou sur les possibilités d'y réaliser une opération déterminée. *Validité :* pour 1 an (pouvant être portée à 18 mois maximum pour une demande portant sur la réalisation d'une opération déterminée), délai pendant lequel ses dispositions ne peuvent être remises en cause. Les divisions d'une propriété foncière en vue de l'implantation de bâtiments qui ne constituent pas des lotissements (c'est-à-dire les divisions en 2 parties, sans prendre en compte les parties supportant déjà des bâtiments) doivent être précédées de la délivrance d'un cert. d'urbanisme portant sur chacun des terrains devant provenir de la division.

• **Conseils départementaux de l'habitat.** Créés par la loi du 7-1-1983 sur la décentralisation (voir p. 694) et le décret du 30-6-1984. Remplacent commissions départementales (sauf les CDRL et celles de l'ANAH). Consultatifs (sauf pour l'aide publique au logement) ; avis sur situation du logement, programmation annuelle des aides de l'État, financements, logement des immigrés, etc. *Composition :* 1/3 d'élus, 1/3 de professionnels, 1/3 d'usagers et gestionnaires.

• **Constrution. Garanties.** Point de départ : la réception de l'immeuble [acte par lequel le maître de l'ouvrage (l'acquéreur) déclare accepter l'ouvrage avec ou sans réserves]. *Garantie de parfait achèvement :* couvre 1 an les malfaçons ayant fait l'objet de réserves à la réception ou survenues postérieurement, quelle que soit la nature de leur gravité. Les prescriptions administratives pour isolation phonique en relèvent. *Garantie de bon fonctionnement :* couvre 2 ans les éléments d'équipement démontables (sans détériorer leur support) : que l'on a dissociés de l'immeuble (chaudière, ascenseur, installation électrique...). *Garantie décennale :* couvre 10 ans les malfaçons qui compromettent la solidité de l'immeuble ou le rendent impropre à sa destination, même si un vice du sol en est la cause. Le système de l'assurance construction permet d'obtenir la réparation du dommage lors d'une action en justice.

• **Contrat de construction, maison individuelle.** *Prix à payer* (% max. de paiement du prix). *1) S'il existe une garantie financière de bonne exécution,* donnée par un établissement de crédit ou une S[té] d'assurance : signature du contrat 5, délivrance du permis de construire 15, achèvement des fondations 25, des murs 40, mise hors d'eau 60, achèvement des cloisons et mise hors d'air 75, des travaux d'équipement, plomberie, menuiserie, chauffage 95. Solde payable à réception des travaux, peut être consigné en cas de réserves. *2) A défaut de garantie financière :* signature 3, achèvement des fondations 20, mise hors d'eau 45, achèvement des travaux d'équipement, plomberie, menuiserie, chauffage 75. Solde payable à réception, peut être consigné à concurrence de 15 % en cas de réserves. Dans les 2 cas, les sommes versées avant l'ouverture du chantier font l'objet d'une garantie de remboursement si autorisations administratives ou prêts ne sont pas obtenus.

• **Copropriété.** *Règlement* (loi du 10-7-1965 modifiée par la loi du 31-12-1985) : vaut comme un contrat à l'égard de chaque copropriétaire. L'accord de chacun est nécessaire et, par conséquent, l'unanimité requise pour modifier le règlement concernant la destination des parties privatives ou les modalités de leur jouissance. *Vote dans les assemblées générales :* les décisions sont prises à des majorités différentes selon la nature des décisions à prendre. Il faut : *1) la majorité des voix (en millièmes) des présents et représentés* pour l'exécution de travaux d'entretien courant ou la simple administration de l'immeuble [ex. : installation d'un téléphone dans la loge ; éclairage d'une cave ; réfection d'un vide-ordures ; ravalement non obligatoire de l'immeuble (assimilable à un entretien) ; réfection d'une toiture ; remplacement à l'identique d'une chaudière] ; *2) la majorité des voix (en millièmes) de tous les copropriétaires,* pour désignation ou révocation du syndic et des membres du conseil syndical, modalités d'exécution de travaux obligatoires (ravalements) ; travaux d'économie d'énergie amortissables en – de 10 ans ; de mise en conformité aux normes d'habitabilité ; d'accessibilité de l'immeuble, d'installation d'antennes collectives de radiodiffusion ; entrepris avec l'autorisation de l'assemblée générale et à leurs frais sur les parties communes par un ou plusieurs copropriétaires ; à défaut, une 2e assemblée gén. peut statuer à la majorité (en millièmes) des présents et représentés ; *3) la double majorité* [majorité des copropriétaires (personnes) représentant au moins les 2/3 des voix (en millièmes)] pour décider de vendre une partie commune à condition que la conservation de celle-ci ne soit pas contraire à la destination de l'immeuble, pour modifier le règlement de la jouissance, l'usage et l'administration des parties communes, pour les travaux d'amélioration (ex. : pose d'un interphone, d'un digicode ; installation d'un ascenseur, de boîtes aux lettres, d'un vide-ordures ; transformation d'une porte d'entrée ; création d'un parking sur les parties communes ; remplacement d'un chauffage collectif vétuste par des chauffages individuels ; création d'une salle de réunion) ; *4) l'unanimité* pour modifications du règlement portant sur des points non indiqués au 3°, pour la vente de parties communes nécessaires au respect de la destination de l'immeuble, pour modifier la répartition des charges ; pour les autres parties communes, la majorité des 2/3 suffit.

En cas de désaccord sur une décision prise par l'assemblée, les copropriétaires qui se sont opposés à cette décision (ceux qui ont voté contre) et les copropriétaires défaillants (absents et non représentés à l'assemblée) peuvent exercer l'action en contestation de la décision, permettant éventuellement d'obtenir son annulation. Le recours doit être porté devant le tribunal de grande instance du lieu de situation de l'immeuble.

Si un copropriétaire a donné mandat à une personne (copropriétaire ou tiers) pour être représenté (c'est-à-dire pour qu'il vote à sa place), il ne pourra contester la décision que si son mandataire a voté contre cette décision. Il est donc opportun d'indiquer avec précision sur le mandat dans quel sens le vote doit être effectué, résolution par résolution.

Mandat : on ne doit pas donner « pouvoir au syndic », ni à son épouse et à leurs préposés, ni au copropriétaire qui assure les fonctions de syndic non professionnel. Nul ne peut détenir + de 3 mandats en ass. gén., sauf si les millièmes détenus au titre du ou des mandats reçus et ceux détenus personnellement par le copropriétaire, bénéficiaire du ou des mandats, n'excèdent pas 5 % de tous les millièmes généraux. On peut donner mandat au président du conseil syndical.

Charges. *Entraînées par les services collectifs et les éléments d'équipement commun* (ascenseur, chauffage notamment) : répartition en fonction de l'utilité (notion objective appréciée par rapport au lot et non par rapport à l'usage fait réellement par chaque copropriétaire des services collectifs et des éléments d'équipements communs). *Ch. relatives à la conservation, à l'entretien et à l'administration des parties communes :* répartition proportionnellement aux millièmes (ex. : réfection de la toiture, du gros œuvre...).

Conseil syndical. Désigné par l'Assemblée générale des copr. Contrôle la gestion et assiste le syndic. Mandat : max. 3 ans renouvelables.

Syndics. *Nommés* par l'Assemblée générale des copr. (pour 3 ans au maximum par l'Ass. à la majorité absolue des voix) ou le Pt du trib. ou le règlement de copr. *Activités principales :* exécute les décisions du syndicat des copr. prises en ass. générale (éventuellement sous le contrôle d'un conseil syndical) ; mandataire du syndicat et seul responsable de sa gestion, de la garde de l'immeuble et du fonctionnement des équipements collectifs, il représente le syndicat dans tous les actes civils et en justice, a des pouvoirs d'initiative et, en cas d'urgence, peut faire exécuter tous travaux nécessaires à la sauvegarde de l'immeuble ; doit rendre des comptes 1 fois par an. Profession *réglementée* par la loi du 2-1-1970 et le décret du 20-7-1972 modifié, sauf si le syndic est non professionnel (copropriétaire dans l'immeuble). *Honoraires :* libérés depuis l'engagement de lutte contre l'inflation n° 86-221, relatif aux honoraires de syndics de propriété, agréé le 14-11-1986, et contractuellement définis. *Pour les lots,* variables dep. le 1-1-1981.

• **COS (coefficient d'occupation du sol).** Rapport exprimant [sous réserve des autres règles du POS (hauteur, emprise, prospects, etc.) et des servitudes grevant l'utilisation du sol] le nombre de m² de planchers hors œuvre nette susceptibles d'être construits par m² de sol. Ex. : avec un COS de 3, on peut construire un nombre de m² de planchers hors œuvre égal à 3 fois la surface du terrain d'assiette. La valeur du COS varie selon les zones figurant dans le plan d'occupation des sols (POS). Pour favoriser un regroupement des constructions dans une zone à protéger en raison de la qualité de ses paysages, le COS peut être dépassé dans certains secteurs de cette zone, par transfert des possibilités de construction d'autres terrains devenant inconstructibles.

• **DPU (Droit de préemption urbain). A remplacé les ZIF.**

• **Espaces naturels sensibles des départements.** La loi 85-729 du 18-7-1985 a affirmé la compétence du département pour élaborer et mettre en œuvre une politique de protection, de gestion et d'ouverture au public de ces espaces, boisés ou non. Le département peut instituer une « taxe » perçue sur tout le département et affectée à l'acquisition des terrains, leur aménagement et leur entretien en vue de leur ouverture au public. Le Conseil général peut créer des « zones de préemption » pour le département. Dans ces zones, peuvent être édictées les mesures nécessaires à la protection des sites et paysages (qui cessent d'être applicables dès qu'un POS est publié ou approuvé). Le Conservatoire de l'espace littoral et des rivages lacustres, et les communes, peuvent se substituer au département ou recevoir délégation pour mener cette politique.

• **Hypothèque.** Affectation d'un immeuble à la garantie d'une dette (garantie sans dessaisissement). Droit réel accessoire donnant au créancier non payé à l'échéance le droit de saisir l'immeuble, en quelques mains qu'il se trouve (droit de suite), et de se faire payer par priorité sur le prix (droit de préférence). *Constitution :* pour que la garantie soit valable, elle doit être inscrite par l'intermédiaire du notaire au bureau des hypothèques. Transferts immobiliers par décès ; ils doivent figurer dans un acte destiné à constater, au bénéfice des héritiers, la transmission par décès de la propriété ; cet acte est publié aux « hypothèques » et seul un notaire peut l'établir.

FRAIS DE PRISE D'HYPOTHÈQUE. **Emoluments du notaire** (en %) par tranche pour la *somme empruntée* et, entre parenthèses, pour les *prêts conventionnés et prêts épargne-logement : 0 à 20 000 F :* 3,33 (2,50). *20 001 à 40 000 :* + 2,20 (+ 1,65). *40 001 à 110 000 :* + 1,10 (+ 1,10). *110 001 et au-delà :* + 0,55 *(110 001 à 800 000 :* + 0,55 ; *800 000 et au-delà :* + 0,30). *T.V.A. :* 18,60 (18,60). *Prêt PAP et HLM :* les émoluments représentent les 2/3 des tarifs ci-dessus. **Frais divers :** coût de la copie exécutoire, du bordereau et salaire du Conservateur des hyp. : 0,05 % des sommes garanties. **Taxe de publicité foncière :** 0,60 % de la somme garantie. Prêts PAP, HLM, PC et épargne-logement sont exonérés. FRAIS DE MAIN-LEVÉE D'HYPOTHÈQUE. **Emoluments du notaire** (mêmes tranches que ci-dessus) : 1,10 % ; 0,825 ; 0,55 ; 0,275 (pour toutes les catégories de prêts). **Frais divers :** timbres fiscaux, expédition au bureau des hyp., salaire du Conservateur : 0,10 % sur les sommes faisant l'objet de la radiation. **Droit d'enregistrement :** forfaitaire : 430 F.

• **Immeuble.** Toute construction ou ensemble de constructions à usage d'habitation ou non.

• **Multipropriété.** Droit de séjour d'1 ou plusieurs semaines prises à des périodes fixes, dans une résidence meublée, équipée et prête à l'usage. Le prix varie en fonction de la période d'utilisation. *Nombre de multipropriétaires :* env. 80 000 (en 1985).

• **Notaire.** Officier ministériel. Rédacteur des conventions des parties, il authentifie leur accord, leur donne force de loi entre elles et date certaine. Tiers témoin de l'équilibre des contrats, il effectue les formalités administratives nécessaires à la régularité et perçoit pour le compte de l'État les droits de mutation. Le vendeur peut faire appel au notaire de son choix ; l'acheteur peut faire intervenir un 2e notaire qui assistera le 1er. Ils partageront leurs honoraires sans supplément pour l'acheteur. Voir Index.

Frais de notaire au sens large. Taxes. *Bien immobilier neuf* (vente dans les 5 ans de l'achèvement et si 1re mutation) TVA : immeubles 18,60 %, terrains à bâtir 13 % (généralement comprise dans le prix annoncé). *Bien vendu « en état de futur achèvement » :* + 0,60 % de publicité foncière. *Autres cas :* droits d'enregistrement et de publicité foncière. *1°* Publicité foncière 4,20 % (2,60 % + 1,60 taxe départementale) ; frais de recouvrement perçus au profit de l'État applicables aux montants des taxes départ. et de publicité foncière 2,50 %. *2°* Taxe communale 1,20 %, régionale (selon l'emplacement de l'immeuble), Paris et Ile-de-France 1,40 %, autres régions et D.O.M. 1,60 %. Total du prix d'acquisition pour Paris 6,90 %. **Frais supplémentaires.** Salaire du Conservateur des hypothèques 0,10 %. Si pour obtenir un crédit, le bien est hypothéqué, frais supplémentaires. Voir **hypothèques. Emoluments ou honoraires du notaire** (fixés par décret). *De 0 à 20 000 F (prix d'achat) :* 5 %. *20 001 à 40 000 :* +3,3. *40 001 à 110 000 :* + 1,65. *110 001 et + :* + 0,825. *TVA :* 18,60 % ; frais annexes : frais de copie, etc... **Notaire intermédiaire de transactions.** *Honoraires de négociation* s'ajoutent aux frais notariés. *De 0 à 175 000 F : 5 %. au delà :* 2,5 %. *TVA :* 18,60 %. *Bien immobilier neuf : de 0 à 175 000 F :* 5,88 %, *au-delà :* + 2,94. *Honoraires relatifs aux actes de sociétés et aux ventes de fonds de commerce libres.* n.c.

• **PAZ (plan d'aménagement de zone)** (Décret n° 77-757 du 7-7-1977). Lorsque, pour la réalisation d'une ZAC, les dispositions du POS ne sont pas maintenues en vigueur, un PAZ compatible avec le schéma directeur ou le schéma de secteur est établi.

• **Pièces (décompte).** Il inclut pièces à usage d'habitation, cuisines de + de 12 m² et pièces indépendantes occupées par un membre du ménage ; il exclut couloirs, salles de bains alcôves, WC, buanderie, etc.

• **Permis de construire** (Décrets n° 83-1261 du 30-12-1983 et n° 84-225 du 29-3-1984). **Définition.** Acte administratif individuel qui autorise l'exercice du droit de construire attaché à la propriété du sol. Il est décidé, dans les communes dotées d'un POS approuvé, par le maire agissant au nom de la commune ; dans les autres communes, par le maire ou le préfet, agissant au nom de l'État, ou par le ministre. Nécessaire pour tous les travaux de construction durables (à usage d'habitation ou non, même ne comportant pas de fondations) ou modifiant une construction existante (lorsque ces travaux en changent la destination, en modifient l'aspect extérieur ou le volume ou créent des niveaux supplémentaires). Doit être obtenu avant le début des travaux. Le décret 86-514 du 14-3-1986 donne la liste des travaux exemptés de permis. La loi du 6-1-1986 substitue dans certains cas une procédure de déclaration préalable au permis de construire. **Demande.** L'adresser au maire de la commune (en 4 ex.). Dans les 15 j suivants, le maire ou le directeur départemental de l'Équipement doit adresser une lettre recommandée au demandeur l'informant que son dossier est complet ou l'invitant à le compléter, et lui indiquant la date avant laquelle la décision devra lui être notifiée. Si aucune décision n'a été prise avant la date fixée, la lettre du maire vaut permis de construire pour le projet déposé. Ce permis est valable 2 ans, les travaux ne devant pas être arrêtés plus d'1 an. Il peut être prorogé 1 an (demande par lettre recommandée, 2 mois avant l'expiration du délai de validité).

Sursis à statuer. Remise d'une décision administrative à une date ultérieure. 2 ans maximum dans les cas suivants : *1°) Lorsqu'un POS a été prescrit ou que la révision d'un POS approuvé a été ordonnée :* si les constructions projetées sont de nature à compromettre ou à rendre plus onéreuse l'exécution du futur plan. *2°) Lorsque l'enquête préalable à une déclaration d'utilité publique d'une opération a été ouverte. Lorsque la mise à l'étude d'un projet de travaux publics a été prise en considération ou lorsque la réalisation d'une opération d'aménagement a été prise en considération, si les constructions projetées sont susceptibles de compromettre ou de rendre plus onéreuse l'exécution de ces travaux publics ou de cette opération* (C. urb., art. L. 111-10, modifié par la loi 85-729 du 18-7-1985). *3°) Lorsqu'une ZAC a été créée :* sur les demandes de permis de construire intéressant le périmètre de la ZAC. *4°) Lorsqu'un secteur sauvegardé a été délimité :* jusqu'à l'intervention de l'acte rendant public le plan de sauvegarde et de mise en valeur, sur la demande d'autorisation de modifier l'état des immeubles.

A l'expiration du délai de validité du sursis à statuer, une décision doit, sur simple confirmation par l'intéressé de sa demande, être prise par l'autorité compétente dans les 2 mois. L'autorisation ne peut être refusée pour des motifs tirés du projet de POS si celui-ci n'a pas encore été rendu public. Si des motifs différents rendent possible l'intervention d'un autre sursis à statuer, la durée totale des sursis ne peut excéder 3 ans. A défaut de la notification d'une décision dans les 2 mois, l'autorisation est considérée comme accordée. Cependant, un motif préexistant à la décision de sursis à statuer rend possible un refus d'autorisation. Par ailleurs, si une décision de refus est intervenue dans le cadre d'un projet de travaux publics ou d'une opération, le propriétaire du terrain concerné peut mettre en demeure le bénéficiaire des travaux publics ou de la déclaration d'utilité publique de procéder à l'acquisition de son terrain dans les 2 ans, délai pouvant être prorogé d'1 an.

Formalités postérieures à la délivrance du permis. *Affichage du permis :* sur le terrain pendant toute la durée du chantier, sous peine d'amende. *Ouverture du chantier :* dès le début des travaux, le bénéficiaire du permis adresse au maire une déclaration d'ouverture du chantier. *Achèvement des travaux :* lorsque les travaux sont terminés, le bénéficiaire du permis adresse au maire une déclaration d'achèvement. L'autorité compétente délivre alors, après vérification, un certificat attestant la conformité des travaux avec le permis de construire délivré.

Refus de permis. Le demandeur peut former un recours devant le préfet ou le tribunal administratif. Pour un lotissement, un permis de construire ne peut être refusé pendant 5 ans à compter de l'achèvement du lotissement, dès lors que la construction projetée respecte les dispositions d'urbanisme applicables au jour de l'autorisation du lotissement.

• **PLD (plafond légal de densité de construction).** Limite au-delà de laquelle le bénéficiaire de l'autorisation de construire doit verser une somme égale à la valeur du terrain dont l'acquisition serait nécessaire pour que la densité de la construction n'excède pas le plafond. Depuis la loi 86-1290 du 23-12-1986, les communes sont libres d'instaurer, supprimer ou modifier le PLD. Toutefois, la limite de densité ne peut être supérieure à 1, et pour la Ville de Paris à 1,5. Les communes peuvent décider que le versement pour dépassement du PLD n'est pas applicable aux immeubles ou parties d'immeubles affectés à l'habitation, et, dans le cadre d'une ZAC, à toute construction quelle que soit son affectation.

Nombre de collectivités ayant instauré un PLD (au 15-7-1988). 2 242 (soit 6 % des communes regroupant 25 % de la population, dont 190 ont fixé un niveau supérieur à 1) ; 82 communes en ont exempté les habitations.

• **POS (plan d'occupation des sols).** Loi n° 83-8 du 7-1-1983 et décret n° 83-813 du 9-9-1983. Fixe à moyen terme (dans le cadre des orientations du schéma directeur ou de secteur, s'il en existe) les règles générales et les servitudes d'utilisation des sols applicables aux parcelles de terrain. Élaboré à l'initiative et sous la responsabilité de la commune. Le représentant de l'État et, à leur demande, la région, le département, les chambres de commerce, des métiers et d'agriculture sont associés à cette élaboration. Il comprend des documents graphiques et un règlement. Il divise le territoire communal en : *1°) zones urbaines (U)* où les capacités des équipements publics existants ou en cours de réalisation permettent d'admettre immédiatement des constructions. *2°) zones naturelles (N)* divisées en : *z. d'urbanisation future (NA) :* non équipées en l'état actuel, qui pourront être urbanisées par des opérations d'aménagement d'ensemble, *z. NB :* où les constructions peuvent être autorisées en fonction des seuls équipements existants, sans renforcement de leurs capacités, *z. de richesses naturelles (NC) :* à protéger en raison notamment de la valeur agricole des terres ou de la richesse du sol ou du sous-sol ; n'y sont autorisées que les installations liées aux activités correspondantes, *z. ND :* à protéger en raison de la qualité des sites, des milieux naturels et des paysages, ou de l'existence de risques (ex. éboulements, avalanches). *3°) zones d'activités spécialisées* (éventuellement) : z. industr., artisanales, commerciales, etc.

Publication : le POS, arrêté par délibération du conseil municipal, après avis des administrations et organismes associés à son élaboration, est rendu public par arrêté du maire puis, après enquête publique (1 mois au moins), est approuvé par délibération du conseil municipal. Il est « opposable aux tiers » dès qu'il a été rendu public (les demandes d'autorisation d'occuper ou d'utiliser le sol doivent être conformes avec les dispositions du plan). *En l'absence de POS* « opposable aux tiers », les règles générales d'aménagement et d'urbanisme dites « règlement national d'urbanisme » (RNU) s'appliquent. Dans ce cas, depuis le 1-10-1984, seules sont autorisées les constructions à édifier dans les parties déjà urbanisées de la commune (sauf si le conseil municipal et l'administration sont convenus de « modalités d'application du RNU » spécifiques à la commune : ces modalités sont alors applicables pendant 4 ans au maximum).

Situation des POS (au 1-7-1989). *Communes métropolitaines :* sur 36 648 communes, 17 800 ont élaboré un POS (POS approuvés 11 700, publiés 1 300, prescrits 4 800). *Populations concernées :* 51,4 millions d'hab. (POS approuvés 45,7, publiés 1, prescrits 4,7). *Superficies couvertes* (milliers de km²) : 366,7 (POS approuvés 214,5, publiés 21,3, prescrits 130,9). Part des z. naturelles protégées pour les 186 084 km² des POS approuvés et publiés au 1-1-1987 (85,5 %), z. NC (53,2 %), z. ND (32,3 %).

• **Promoteurs-constructeurs.** Personnes physiques ou morales dont la profession ou l'objet est de prendre, de façon habituelle et dans le cadre d'une organisation permanente, l'initiative de réalisations immobilières et d'assumer la responsabilité de la coordination des opérations intervenant pour l'étude, l'exécution et la mise à disposition des usagers de programmes de construction.

• **Schéma directeur.** (Régl. loi n° 83-8 du 7-1-1983 et décret n° 83-812 du 9-9-1983.) Fixe à moyen et long terme les orientations de l'aménagement des agglomérations ou des ensembles de communes présentant une communauté d'intérêts économiques et sociaux. Peut être complété par un schéma de secteur qui en détaille et précise le contenu. Élaboré à l'initiative des communes par un groupement de communes. Le représentant de l'État et, sur leur demande, la région, le département, les chambres de commerce, des métiers et d'agriculture y sont associés. *Le schéma directeur* (ou *le schéma de secteur*), arrêté après avis des conseils municipaux, des administrations et organismes associés à son élaboration, est mis à la disposition du public pendant 1 mois pour recueillir ses observations, puis est approuvé par le groupement des communes. Les POS et les grands travaux d'équipements doivent être compatibles avec les dispositions du schéma directeur.

Nombre de schémas directeurs délimités et, entre parenthèses, approuvés (au 1-7-1989). 425 (195). *Communes :* 11 000 (6 000). *Surface :* 150 000 km² (75 000 km²). *Population concernée :* 42 millions (23 millions).

• **SHA (surface habitable).** Surf. construite (pièces d'habitation, de service et de circulation), déduction faite de l'espace occupé par murs, cloisons, emmarchements et trémies d'escaliers, gaines, embrasures de portes et fenêtres n'excédant pas 0,30 m de profondeur.

• **SHON (surface hors œuvre nette).** Somme des surfaces des planchers hors œuvre brute de chaque niveau, après déduction des surfaces : des combles et sous-sols non aménageables ; des toitures-terrasses, balcons et loggias ; affectées au stationnement des véhicules ; au stockage agricole ; non closes du rez-de-chaussée ; résultant de la fermeture des loggias et balcons.

• **Viager.** *Montant de la rente :* fixé librement entre les parties. *Annulation :* possible lorsque le taux de la rente est inférieur au taux d'intérêt légal ; lorsque le contrat a été créé sur la tête d'une personne déjà morte au j de sa conclusion ou atteinte d'une maladie dont elle est décédée dans les 20 j de la conclusion du contrat, ou si le crédirentier était, lors du contrat, d'un âge avancé et atteint d'une maladie grave devant amener la mort à brève échéance. Si le crédirentier se réserve un droit d'usufruit ou un droit d'usage et d'habitation, il doit payer réparations locatives, entretien, charges de jouissance, le débirentier payant le gros entretien, sauf stipulation contraire (les travaux de ravalement sont considérés comme réparation d'entretien, les impôts locaux comme charge de jouissance).

Montant de la rente
pour un bien de 100 000 F

Âge	Femme	Homme	Couple (HF)
50	5 428	6 214	5 057
55	5 962	6 982	5 485
60	6 706	8 040	6 072
65	7 514	9 163	6 694
70	8 729	10 746	7 596
75	10 581	12 989	8 917
80	13 368	16 171	10 836

Valeur du droit d'usage et d'habitation
(Taux supposé de rendement du bien :
3,50 % l'an)

Âge	Femme	Homme	Couple (HF)
50	64 481	56 324	69 216
55	58 702	50 126	63 812
60	52 194	43 531	57 643
65	46 578	38 195	52 283
70	40 098	32 571	46 074
75	33 080	26 947	39 248
80	26 181	21 644	32 301

• **ZAC (zone d'aménagement concerté).** (Art. R 311-1 et R 311-20 du Code de l'urbanisme.) Zone à l'intérieur de laquelle État, collectivité locale ou certains établissements publics décident d'intervenir pour réaliser ou faire réaliser l'aménagement et l'équipement de terrains en vue d'y implanter des constructions à usage d'habitation, de commerce, d'industrie, de services et des installations et équipements collectifs. L'aménagement peut être conduit par la collectivité, ou être concédé à un établissement public ou à une sté d'économie mixte, ou être confié, par convention, à une personne privée ou publique.

La ZAC fait l'objet d'un *dossier de création* (délimitation du périmètre, choix du mode de réalisation), et d'un *dossier de réalisation* [comportant un plan d'aménagement de zone (PAZ)]. Si, à l'intérieur de la ZAC, les dispositions du POS publié ou approuvé sont maintenues, le POS tient lieu de PAZ. La ZAC et son PAZ doivent être compatibles avec le schéma directeur ou le schéma de secteur.

• **ZAD (zone d'aménagement différé).** (Art. R 212-1 et suivants du Code de l'urbanisme.) Périmètre à l'intérieur duquel l'État, une collectivité locale, certains établissements publics, certains offices publics bénéficient, pendant 14 ans à partir de l'institution de la zone, d'un droit de préemption à l'occasion d'aliénations à titre onéreux de tout immeuble, bâti ou non bâti. Créées en vue notamment de la création ou de la rénovation de secteurs urbains, de la création de zones d'activités ou de la constitution de réserves foncières. Préalablement à la vente d'un terrain, le propriétaire doit déclarer son intention d'aliéner son bien au bénéficiaire du droit de préemption. Si ce dernier n'a pas notifié sa décision au propriétaire dans les 2 mois, son silence vaut renonciation à l'exercice du droit de préemption. *Situation cumulée au 1-1-1986 :* 6 605 ZAD couvrant 644 890 ha.

• **ZEP (zone d'environnement protégé).** Instituée par le décret n° 77-754 du 7-7-1977 pour la protection de l'espace rural, des activités agricoles ou des paysages sur le territoire d'une ou plusieurs communes. Supprimées par la loi n° 83-8 du 7-1-1983. Auraient cessé de produire leurs effets le 1-10-1986 si elles n'avaient pas été remplacées, à cette date, par des plans d'occupation des sols (POS). Au 1-10-1984, 347 communes étaient dotées de ZEP.

• **ZIF (zone d'intervention foncière).** Voir Quid 1991 p. 1409 b. Remplacé par DPU.

• **ZPIU (zone de peuplement industriel et urbain).**

• **ZPPAU (zone de protection du patrimoine architectural et urbain).** Créée par la loi du 7-1-1983. 33 ZPPAU créées fin 1989.

• **ZUP (zone à urbaniser en priorité).** Formule créée en 1958, remplacée par la ZAC.

Propriété

• **Droit de propriété.** Droit personnel : la chose appartient en propre à une personne, exclusif (opposable à tous), perpétuel (dure autant que la chose et ne s'éteint pas par le non-usage). Ce droit peut être attaché à un bien qui est une abstraction : droit d'auteur, de créance, action en dommages-intérêts, action en revendication, etc.

Éléments. *1° l'usus* (jouissance) : droit qu'a le propriétaire de profiter personnellement de l'utilité d'une chose. *2° le fructus* (fruit) : droit pour le propr. de percevoir des revenus sur son bien. *3° l'abusus* (abus) : le propr. doit disposer comme il l'entend de la chose, la consommer si elle est consommable, la détruire, la vendre ou la donner. Il peut faire de la chose tout ce qui n'est pas contraire aux lois et aux règlements. **Limitations.** Le propr. ne doit pas porter atteinte à la propriété d'autrui. D'où servitudes publiques ou privées de vues, régime des eaux (écoulement, irrigation, drainage), de bornage et de clôture.

• **Définition des biens. Biens corporels** (visibles et palpables) *: immeubles :* fixes, on ne peut les déplacer (terre, maison, etc.) ; *immeubles par destination :* bétail dans une ferme, fruits tant qu'ils ne sont pas cueillis, glace scellée dans un mur. *Meubles :* ne sont pas fixes (automobile, tapis, bijoux, argent en espèces, gaz, courant électrique, etc.). **Biens incorporels :** représentent des droits (droits d'auteur, de créance, pension, rente, etc.).

• **On devient propriétaire. Par convention :** vente, échange, donation. Dès qu'il y a accord des parties sur la chose et sur le prix, il y a transfert de propriété ; mais ce transfert peut être retardé ou soumis à la réalisation de conditions si le contrat le spécifie. Pour donner une validité à ces consenteurs, à l'égard des tiers, il faut remplir certaines formalités. Ainsi la vente ou l'échange d'un bien immobilier nécessite un acte notarié, une inscription hypothécaire ; la vente d'une automobile, le changement de la carte grise, etc.

En vertu de la loi. Par succession : c'est l'accession (l'accessoire de l'autre bien dit « principal »). Le propriétaire d'un terrain devient propr. des constructions élevées sur son terrain par une autre personne, le locataire, par ex., dès que cessent les droits de la personne qui a construit (fin de bail par ex.). Certains meubles n'ont pas de propriétaire : produits de la chasse, de la pêche, chose abandonnée (bijoux perdus du propr. par ex.), trésor (un trésor appartient à celui qui le trouve dans son propre fonds ; s'il est trouvé dans le fonds d'autrui, il appartient, pour moitié, à celui qui l'a découvert et, pour l'autre moitié, au propriétaire du fonds). **Par possession prolongée :** permet de se substituer au précédent propriétaire de la chose. **Prescription acquisitive :** il faut que la possession de la chose soit continue, paisible, publique (connue), non équivoque et assurée à titre de propriétaire ; que le possesseur ait entretenu et administré la chose comme l'aurait fait le propriétaire lui-même ; que la possession n'ait pas commencé par une possession pour le compte d'autrui ; qu'elle n'ait pas été interrompue pendant plus d'un an (jouissance de la chose par l'ancien propriétaire ou par un tiers) ; que le possesseur n'ait pas reçu, avant la prescription, une citation en justice, un commandement ou une saisie émanant de l'ancien propriétaire et relative au droit de propriété ; que le possesseur n'ait pas reconnu les droits de l'ancien propriétaire (lettres, paiement d'intérêts) ; que l'ancien propriétaire ne soit pas un mineur non émancipé ou un majeur en tutelle, ni l'un des époux ; cependant la prescription court contre la femme mariée, à l'égard des biens dont le mari a l'administration. *Durée* 30 ans ; 10 ans pour celui qui achète de bonne foi un immeuble, alors qu'en fait il appartient à quelqu'un d'autre que le vendeur ; 20 ans si le propriétaire véritable habite une localité située dans le ressort d'une autre cour d'appel que celle du lieu de situation de l'immeuble. **Pour les meubles,** « la possession vaut titre » : il suffit de les posséder pour être considéré comme leur propriétaire. En cas de vol ou de perte : revendication pendant 3 ans. Celui qui a acheté, dans une foire, un marché, une vente publique ou un magasin, un objet perdu ou volé ne peut être obligé de le rendre à son vrai propriétaire que si celui-ci le lui paye au prix coûtant.

• **Démembrement de la propriété.** Voir Servitude plus loin et Usufruit à l'Index. **Le droit d'usage et d'habitation,** forme atténuée de l'usufruit, connaît un regain de faveur, il est utilisé pour les résidences-retraites. Les investisseurs gardent la nue-propriété et cèdent le droit d'habitation à des retraités qui peuvent ainsi acquérir à moitié prix, ou même beaucoup moins, l'usage, leur vie durant, de leur appartement.

• **Expropriation. Peuvent exproprier :** État, départements, communes, établissements publics (EDF, chambre de commerce, etc.), concessionnaires d'un service public, certains particuliers (propr. de sources thermales, Cie nat. du Rhône, Sté chargée de la construction et de l'installation d'usines de fabrication de carburants synthétiques pour l'édification des usines, etc.), Stés d'État.

Biens expropriables : immeubles, terrains ou bâtiments. Les meubles ne peuvent qu'être réquisitionnés (brevets d'invention intéressant la Défense nationale, objets et approvisionnements indispensables au fonctionnement d'une usine de guerre). **Formalités :** *pour exproprier* il faut : *une enquête d'utilité publique* permettant à tout intéressé de faire des objections, et à l'Administration de connaître les biens qu'elle veut exproprier, *une déclaration d'utilité publique ;* le juge des expropriations, juge spécialisé du tribunal de grande instance, vérifie la régularité des opérations qui précèdent et rend *une ordonnance d'expropriation* (à moins d'accord amiable avec l'Administration expropriante). Ordonnance transfère la propriété, même si une procédure doit suivre pour la fixation des indemnités ; elle peut faire l'objet d'un pourvoi en cassation. **Indemnisation :** nul exproprié ne peut être dépossédé sans avoir reçu une juste et préalable indemnité. Le jugement de l'expropriation fixe les indemnités et peut faire l'objet d'un appel devant une chambre spéciale de la cour d'appel dans les 15 j qui suivent la notification de l'expropriation. Celle-ci est évaluée selon *le préjudice direct : matériel (le préjudice moral est exclu).* Elle est fixée selon la valeur du bien au jour de la décision de 1re instance. *Indemnités accessoires :* frais de déménagement, transport, aménagement, coût des installations à réaliser, dépréciation du reste de la propriété si seulement une partie est expropriée, etc. *Indemnité de remploi* pour rembourser les frais que coûte le remploi de l'indemnité (souvent 20 à 30 % de l'indemnité principale). La valeur, donnée par le juge aux biens expropriés, ne peut excéder l'estimation faite lors de leur plus récente mutation (vente, donation, succession), lorsque celle-ci est antérieure de – de 5 ans à la date de l'ordonnance d'expropriation.

• **Limites. Bornage.** Fixe la limite séparative de 2 terrains contigus. Chaque propriétaire peut procéder au bornage à l'amiable avec son voisin par un géomètre-expert, ou l'y obliger par décision du tribunal d'instance. Le bornage se fait alors à frais communs. Peuvent également demander le bornage : l'usufruitier, le nu-propriétaire, l'usager (qui possède un droit d'usage et d'habitation), le copropriétaire indivis et le titulaire d'un bail emphytéotique. On ne peut pas demander le bornage du côté du domaine public : il existe une procédure particulière de délimitation, *« l'alignement ».* Un bornage unilatéral n'est pas opposable au voisin qui n'y a pas pris part. Si un bornage a été fait contradictoirement, il n'est plus possible de le remettre en cause, tant que les bornes subsistent ou qu'elles n'ont pas été déplacées. Il faut s'adresser, en cas de bornage, à un géomètre-expert qui se rend sur les lieux en leur présence, examine les titres de propriété et dresse un procès-verbal. S'il y a contestation sur la propriété du terrain (une parcelle est revendiquée par le voisin), le litige doit être porté devant le tribunal de grande instance du lieu. Si un voisin déplace une borne, le propriétaire, lésé, peut exercer contre son voisin une action possessoire, dite « complainte », devant le tribunal d'instance, ou déposer une plainte auprès du procureur de la Rép. pour « déplacement » ou « suppression de bornes » (délit passible de peines correctionnelles). EMPIÉTEMENT. *Sans construction :* ex. : clôture établie par un propriétaire ; la victime, lésée, dispose de l'action en « complainte », action possessoire (c.-à-d. destinée à protéger sa possession) devant le tribunal d'instance (dans l'année des faits). *Avec construction :* recourir au tribunal de grande instance. La victime peut se référer au Code civil (art. 545 « nul ne peut être contraint de céder sa propriété ») et demander la démolition de la partie de la construction qui dépasse la limite séparative, ou des dommages-intérêts (10 cm sur la propriété voisine suffisent pour demander la démolition). *Si la construction est élevée entièrement sur le terrain d'autrui (art. 555 du Code civil) :* le propriétaire du terrain devient, par « accession », propriétaire de la construction élevée chez lui sans son accord, mais à charge pour lui d'indemniser le propriétaire de cette construction. En cas de mauvaise foi de ce dernier, il peut exiger la suppression de la construction à la diligence et aux frais du responsable.

Clôtures. LIBRE : *tout propriétaire peut clore son héritage,* mais si son voisin est enclavé, et donc bénéficie d'une servitude de passage, il ne peut rien faire qui tende à en diminuer l'usage ou à la rendre plus incommode. FORCÉE : dans les villes et faubourgs, chacun peut obliger son voisin à participer à la construction d'une clôture destinée à séparer « maisons, cours et jardins », et à participer aux éventuelles réparations. Cette règle ne s'applique pas à la campagne, sauf dans un village ou un hameau ; elle ne joue que pour les terrains dépendant d'habitations. Le mur sera édifié à cheval sur la limite séparative et aura la nature de mur mitoyen. Les frais seront partagés par moitié, sauf si les 2 terrains sont à des niveaux différents. Le voisin peut se soustraire à l'obligation de participer aux frais en abandonnant à l'autre propriétaire la bande de terrain correspondant à la moitié du mur. On ne peut forcer son voisin à participer au coût du mur de clôture que si celui-ci n'est pas encore construit, et non après coup. Si l'on édifie un mur à cheval sur la ligne séparative sans accord du voisin, celui-ci peut en demander la démolition ou réclamer d'en acquérir la moitié. Si le voisin refuse de participer, le tribunal d'instance tranchera le différend. *Hauteur* fixée suivant usages du lieu et règlements particuliers et, à défaut, à une haut. min. de 3,30 m dans les villes de 50 000 hab. et +, et de 2,60 m dans les autres villes. Demander les règlements (mairie, direction départementale de l'Équipement). *En cas de « vaine pâture » :* si celle-ci profite à tous les habitants de la commune (titre ou usage ancien), le propriétaire peut, néanmoins, se clore et son terrain cesse d'être soumis à la vaine pâture ; si celle-ci résulte d'un titre (contrat, jugement), le propriétaire doit respecter ce titre, mais peut s'en affranchir contre indemnité.

• **Mitoyenneté. Mur mitoyen.** Est mitoyen un mur construit à frais commun, par 2 voisins. On peut acquérir la mitoyenneté (c'est un droit absolu et imprescriptible) si on le désire, mais on ne peut y contraindre son voisin. On peut, si on le désire, acquérir la mitoyenneté par prescription à condition que le propriétaire ait agi comme si le mur était mitoyen, d'une façon paisible, continue, sans équivoque, pendant 30 ans. On peut bâtir contre un mur mitoyen, placer poutres et solives dans toute son épaisseur (à 54 cm près), et l'exhausser.

Preuve de la mitoyenneté. Peut résulter d'un titre, acte, contrat constatant la construction à frais communs d'un mur sur la ligne séparative. Souvent les titres de propriété ne donnent pas de renseignements. Aussi la loi précise-t-elle que dans les villes et les campagnes, tout mur servant de séparation entre bâtiments jusqu'à l'héberge, ou entre cours et jardins et même entre enclos dans les champs, est présumé mitoyen s'il n'y a pas titre ni marque contraires.

Obligations diverses (exemples). **Débroussaillement :** *surfaces soumises* (art. L 322-3 Code forestier) : terrains situés dans une zone urbaine délimitée par le POS ; inscrits dans le périmètre d'une ZAC, d'un lotissement approuvé, d'une association foncière urbaine (AFU). Abords de constructions, de chantiers, travaux et installations de toute nature : distance autour de l'installation 50 m (le maire peut la porter à 100 m). *Personnes soumises :* propriétaire et ses ayants droit ou occupant. Si le voisin n'a pas l'obligation de débroussailler parce qu'il n'y a aucune installation sur son terrain, le propriétaire ou l'occupant de la maison doit supporter seul la charge des travaux. *Sanction :* amende de 2 500 à 6 000 F. *Coût des travaux :* 1 à 8 F le m² ; périodicité des travaux d'entretien ultérieurs (3 ans) 1 à 4 F. **Cession gratuite :** le propriétaire d'un terrain qui construit ou lotit peut être obligé d'en céder gratuitement une partie (art. R 332-15 du Code de l'urbanisme). Une circulaire du ministère de l'Équipement du 4-7-1973 (BO du ministère, n° 535-0) fixe les limites. Lorsqu'un permis de construire est nécessaire, la cession gratuite de terrain ne peut être imposée que si la demande porte sur la construction du bâtiment, sauf s'il s'agit d'un bâtiment agricole autre qu'à usage d'habitation. Le maire peut imposer la cession gratuite pour l'aménagement réel d'une voie publique (un chemin rural n'a pas le caractère d'une voie publique) et non pour une opération hypothétique. Une cession gratuite imposée illégalement peut faire l'objet d'une annulation contentieuse de la clause correspondante sans affecter pour autant la validité du permis. Si le terrain est clôturé, la démolition de la clôture et sa reconstruction en retrait sont à la charge de la collectivité bénéficiaire de la cession. Si le propriétaire vend son bien, il en avertit l'acquéreur et est tenu de la garantie en cas d'éviction partielle.

• **Servitudes.** Charge imposée à un terrain bâti ou non, ou à un immeuble, au profit d'un autre immeuble appartenant à un autre propriétaire pour permettre à ce dernier un certain usage du terrain frappé de la servitude. Les servitudes peuvent être faites dans l'intérêt d'un particulier ou d'une administration (dans l'intérêt public). Certaines sont imposées par la loi (ex. servitude de passage au profit d'un terrain enclavé). D'autres sont conventionnelles : décidées par 2 propr. voisins ; par ex. 2 voisins s'interdisent réciproquement d'utiliser leur terrain pour la construction, ou au contraire s'y obligent.

Servitudes de passage. *De plein droit* (par l'effet de la loi), si le fonds est enclavé. *Résultant d'un titre* (contrat, écrit, acte notarié, etc. qui donne ou confirme ce droit) ou *de la destination du père de famille* [lors d'un partage entre ses descendants, un propriétaire a prévu ce droit de passage pour ceux de ses enfants qui n'ont pas accès directement sur la voie publique ; souvent ce droit est inscrit dans une donation, un testament ; mais il est également admis que l'on peut prouver ce droit de passage s'il est révélé par un signe apparent (qui ne peut avoir été réalisé que pour assurer ce droit de passage qui se transmet à tous les propriétaires successifs)].

Passage des eaux et canalisations. Servitude légale pour les eaux pluviales ou de source. Les eaux domestiques (ménagères ou pluviales s'écoulant du toit) doivent être évacuées sur la voie publique ou sur le terrain du propriétaire.

Servitude du tour d'échelle. Pour des travaux indispensables à l'entretien d'un bâtiment ou d'un mur construit sur la limite d'une propriété, on peut passer chez le voisin et établir en bordure des échafaudages (c'est la servitude dite du *tour d'échelle*). Si l'on ne peut s'entendre à l'amiable avec le voisin, en cas d'urgence, le juge des référés peut autoriser une occupation provisoire pour les travaux indispensables.

Servitude de vue. Sauf prescription trentenaire, le Code interdit d'avoir des « vues droites » sur la propriété voisine à moins de 1,90 m de la limite (interdiction d'ouvrir une fenêtre, de construire une terrasse, un escalier extérieur, etc.), et des « vues obliques » à moins de 60 cm. *Jours de souffrance :* autorisés dans un mur en limite de propriété, à condition qu'il ne soit pas mitoyen.

Servitude de voisinage. Les branches d'arbres ne doivent pas déborder sur une voie de circulation. *Plantations :* règlements variables suivant chaque POS, ou usages locaux. En général, au min. à 2 m de la limite, si la hauteur des arbres et arbustes dépasse 2 m (sinon à 0,50 m). Le voisin peut exiger l'arrachage s'ils sont à – de 0,50 m, ou leur coupe à hauteur s'ils sont entre 0,50 m et 2 m et dépassent en hauteur 2 m.

On peut couper soi-même racines, ronces et brindilles avançant sur son terrain. A Paris, on plante jusqu'à l'extrême limite, le voisin ne peut demander l'élagage. En cas de prescription trentenaire, de titres (écrits) ou de destination du père de famille, on n'est pas astreint. S'il y a un mur, il suffit que les arbres ne dépassent pas la crête du mur. Le tribunal d'instance est compétent.

Troubles anormaux du voisinage. Il n'y a pas de définition légale. *Bruit :* tout bruit excessif est répréhensible (un bruit nocturne sera considéré plus facilement comme anormal par les tribunaux, mais il est faux de croire que chacun ait le droit de faire du bruit jusqu'à 22 h, ou qu'il existe une tolérance le samedi soir). Voir index.

Domaine de l'État

• **Domaine privé.** Soumis aux règles du Code civil (les litiges relèvent des tribunaux judiciaires).

• **Domaine public. Composition.** *Domaine naturel :* domaine maritime (cf. *infra*), cours d'eau navigables et flottables figurant sur une nomenclature, cours d'eau d'alimentation, eaux intérieures dans les départements d'outre-mer. *Domaine artificiel :* ports maritimes et fluviaux ne relevant pas de la compétence des collectivités locales, voirie routière, installations ferroviaires, aérodromes, édifices publics (musées, tribunaux, établissements scolaires, préfectures). L'État possède 10 088 884 ha dont 9 267 257 ha de forêts domaniales (7 497 376 ha pour la forêt guyanaise). *Comprend* tous les biens et droits immobiliers appartenant à l'État et non susceptibles de propriété privée en raison de leur nature ou de leur destination. Résulte soit de textes particuliers, soit de la simple affectation matérielle des biens à l'usage du public ou à un service public. **Régime spécial.** Il est inaliénable (sauf décision préalable formelle de déclassement), imprescriptible. Les litiges relèvent des juridictions administratives. Il bénéficie de servitudes et fait l'objet d'une protection pénale. Les particuliers peuvent en user librement et en principe gratuitement dans la limite des droits appartenant à tous. L'État peut autoriser, à titre temporaire et moyennant le paiement d'une redevance, certaines occupations privatives compatibles avec la destination du domaine. Ces autorisations sont unilatérales ou contractuelles (permis de stationnement, permission de voirie ou concessions). Elles sont précaires, révocables sans indemnité et ne confèrent aucun droit réel à leur titulaire.

• **Domaine maritime public. Étendue.** *Rivages* (le plus grand flot de l'année en définit la limite), *lais et relais de la mer, ports, havres, rades. Sol et sous-sol des eaux territoriales* (sur 12 milles). Les eaux territoriales elles-mêmes ne sont pas propriété de l'État. *Lais et relais de la mer* constitués après 1963 et ceux constitués avant 1963 et dépendant du domaine privé peuvent être incorporés au domaine public maritime par arrêté préfectoral. La délimitation côté terre des lais et relais est faite, après enquête, par décret du Conseil d'État rendu sur le rapport du ministre chargé du domaine public maritime ; s'il n'y a pas d'opposition manifestée pendant l'enquête, la délimitation est approuvée par arrêté préfectoral. Lorsqu'ils ne sont pas utiles à la satisfaction des besoins d'intérêt public, lais et relais peuvent être déclassés. *Étangs salés :* baies communiquant avec la mer avec une issue plus ou moins étroite et qui en sont une prolongation et une partie intégrante formée des mêmes eaux et peuplée des mêmes poissons. *Terrains privés ayant fait l'objet d'une réserve :* si la procédure de création de réserve est appliquée, les terrains acquis par l'État sont incorporés au domaine public maritime. *Ports, havres et rades :* le préfet procède à la délimitation des ports maritimes du côté de la mer ou du côté des côtes. *Terrains artificiellement soustraits à l'action du flot :* sauf dispositions contraires d'actes de concession. La zone des 50 pas géométriques dans les DOM.

Mode d'occupation. L'Etat donne des autorisations ; ex. : *exploitation* des gisements marins et sous-marins, cultures marines ; *concessions* de plages naturelles, travaux tels que escaliers, digues, etc. ; *travaux immobiliers* (outillages publics dans les ports), services ou travaux publics (port de plaisance, plage artificielle), exploitation de la force motrice des marées, endigage).

• **Domaine maritime privé de l'État.** Lais et relais de l'État antérieurs à 1963, lorsqu'ils ne sont pas incorporés au domaine public maritime. Lais et relais incorporés au domaine public maritime, puis ultérieurement déclassés, îles, îlots, forts, châteaux forts et batteries du littoral ayant fait l'objet d'un usage militaire et déclassés, étangs salés isolés de toutes communications avec la mer et sous réserve des droits des particuliers.

• **Propriétés privées.** Délimitées côté mer par des opérations de délimitation du domaine public maritime, notamment lorsqu'il y a création de lais et relais. Peuvent être frappées de réserve sur une bande de 20 m pour les terrains clos ou construits.

Sont frappées d'une *servitude de passage de piétons* sur 3 m de large à partir des limites du domaine public maritime et sur les chemins perpendiculaires au rivage, à l'exception des terrains situés à moins de 15 m de bâtiments à usage d'habitation et clos de murs édifiés avant le 1-1-1976. Cette distance peut être réduite dans la mesure où la servitude est le seul moyen d'assurer le libre accès des piétons au rivage de la mer. La servitude peut être suspendue après enquête (ex. : si elle fait obstacle au fonctionnement d'un service public, d'un établissement de pêche bénéficiaire d'une concession, d'une entreprise de construction ou de réparation navale à l'intérieur d'un port maritime proche d'installations utilisées pour les besoins de la défense nat., si elle peut compromettre la conservation d'un site à protéger pour des raisons d'ordre écologique ou archéologique, ou la stabilité des sols). Les riverains du domaine public maritime n'ont ni droit d'accès, ni droit de vue, le domaine public maritime ne pouvant être l'objet de servitudes.

Ventes d'immeubles aux enchères

☞ On utilise des mèches, d'où le nom de *vente à la bougie.* Après l'extinction des 2 mèches, sans nouvelle enchère, l'adjudication est prononcée.

• **Ventes judiciaires. Circonstances.** Le plus souvent pratiquées sur saisie immobilière ou liquidation des biens d'un débiteur insolvable, réalisées devant le tribunal de grande instance. Un avocat poursuivant demande au tribunal d'ordonner la vente. Si des irrégularités ont été commises au cours de la procédure, le jugement d'adjudication peut être frappé d'un pourvoi devant la Cour de cassation (il n'y a pas d'appel).

Mise à prix. Fixée par le créancier en fonction de la somme qu'il veut récupérer. **Pour enchérir,** on doit prendre un avocat inscrit au barreau du tribunal du lieu de la vente. Il prendra notamment connaissance du cahier des charges. *Avant la vente,* on doit remettre un chèque certifié couvrant les frais préalables à la vente (environ 15 % de la mise à prix), et une partie de la mise à prix (env. 10 %). Si l'on n'est pas déclaré adjudicataire, l'avocat peut cependant demander des honoraires correspondant à son déplacement pour assister à la vente, aux conseils donnés quant au cahier des charges.

Surenchère. On peut, dans les 10 j (fériés en plus) suivant la vente, faire présenter au greffe (par l'avocat) une déclaration de surenchère par laquelle on offre d'acheter au prix d'adjudication augmenté de 10 %. Une nouvelle séance d'adjudication aura lieu, à partir du prix proposé : si aucun autre amateur ne se présente, on devient propriétaire ; sinon, le plus offrant l'emporte. On ne peut surenchérir qu'une fois.

Règlement. Si étant adjudicataire, on ne peut payer le prix dans les délais fixés par le cahier des charges, la vente sera reprise sur folle enchère et recommencera à la mise à prix initiale. On devra régler les frais de la 1re vente faite inutilement et, si la 2e adjudication est inférieure à la 1re, la différence entre les deux. **Frais annexes.** *Préalables :* frais de poursuite, de publicité (indiqués au cahier des charges). *Postérieurs :* dû aux avocats (3/4 vont à l'avocat du vendeur, 1/4 à l'avocat de l'acheteur). *A Paris : 0 à 17 500 F :* 10 % ; *17 501 à 36 500 F :* 6,60 % ; *36 501 à 102 000 F :* 3,30 % ; *102 000 F et + :* 1,65 %. Autres émoluments à taux fixe : exemple, signification du jugement : 50,80 F, ou variable (rédaction des bordereaux). Droits de timbre et frais de publicité... Frais des quittances notariés. *Entrée en jouissance :* dès le délai de surenchère expiré (c'est-à-dire le 11e j après la vente ou immédiatement si celle-ci est consécutive à une surenchère).

• **Ventes par adjudication devant notaires. Lieu :** 28 centres de vente agissent dans le cadre du « marché immobilier des notaires », qui publie un bulletin annonçant les séances d'adjudication. La vente se déroule en général à la chambre des notaires, parfois à la mairie ou à la chambre de commerce. Des notaires de service, présents dans la salle, portent les enchères sans aucun frais. **Mise à prix :** fixée par le notaire et le vendeur (souvent prix d'estimation diminué de 20 %). Pour participer à la vente, consigner, auprès du notaire vendeur, un chèque certifié du montant indiqué au programme des ventes (env. 10 % de la mise à prix). **Surenchère :** possible comme pour les ventes judiciaires. **Règlement :** dans les 45 j. **Frais annexes :** partie des frais de publicité, frais du cahier des charges et partie des honoraires du notaire vendeur.

• **Ventes des domaines. Lieu :** *Paris :* salle des ventes des Domaines, 15, rue Scribe, 75009 ; *province :* direction des services fiscaux. **Annonces :** dans le Bulletin Officiel des annonces des Domaines. **Mise à prix :** souvent très basse ; sert à fixer le montant du cautionnement à verser pour être admis à enchérir. On peut enchérir directement. **Règlement :** dans le mois jusqu'à 100 000 F ; en 2 fractions égales, 1 dans le mois, l'autre dans 2 mois : de 100 000 à 500 000 F ; au-delà consulter le cahier des charges. **Frais annexes :** droits de timbres du procès-verbal d'adjudication, coût de 2 copies.

☞ **Droits dus dans les trois types de vente.** *Enregistrement :* 15,40 % ou, dans certains cas, taux réduit à 4,20 %. Taxe additionnelle communale 1,20 %. Taxe régionale Ile-de-France 1,10 %, autres régions 1,60 %. Prélèvement opéré par l'État 2,50 % sur le montant des droits et taxes.

Achat de terrains à bâtir

☞ **Précautions.** Examen du POS, schéma directeur, COS (coefficient d'occupation des sols) fixé par le POS, PLD (plafond légal de densité). Certificat d'urbanisme. Servitudes. Contraintes imposées par le terrain (demander l'avis d'un puisatier, ou expert agricole et foncier). Achat dans un lotissement (consulter le cahier des charges).

• **Frais à prévoir pour l'achat d'un terrain à bâtir.** *Équipement du terrain :* frais d'arpentage et de bornage (demander un devis préalable), expertise du sol, frais de voirie (par ex., établissement d'une servitude de passage), frais d'adduction d'eau et frais de branchement au réseau, électricité, gaz, téléphone ; *commission de l'intermédiaire* (agent immobilier, géomètre, notaire) ; *promesse de vente ou compromis* (possibilité de droit d'enregistrement, d'honoraires de rédaction d'acte) ; *frais d'achat :* honoraires du notaire, droits de mutation (TVA ou droits d'enregistrement, timbres, débours, etc.), taxe locale d'équipement.

Si les travaux de construction ne sont pas terminés au bout de 4 a. (délai éventuellement prorogeable), et sauf cas de force majeure, l'acquéreur doit acquitter les droits d'enregistrement et une amende de 6 % même s'il n'est pas propriétaire du terrain.

• **Prix des terrains destinés à la construction, à l'aménagement et l'équipement** (en F, au m^2, en oct. 84). Villes de *+ de 200 000 hab. :* env. 450 F ; *de 20 à 200 000 hab. :* 150 F ; *- de 20 000 hab. :* 80 à 100 F.

Paris. Prix moyen des terrains à bâtir à Paris (en F, au m^2, en oct. 90). *1983 :* 5 526, *86 :* 6 886, *89 :* 22 586.

Région parisienne. Prix moyen d'un terrain à bâtir de 1 000 m^2 (en milliers de F). *Yvelines :* Louveciennes 1 300, Vaux 435, Mantes 330 ; *Essonne :* Marcoussis 460, La Varenne-Jarcy 420 ; *Val-de-Marne :* Sucy-en-Brie 580 ; *Seine-et-Marne :* Claye-Souilly 375, Ponthierry 334.

Province. Prix moyens au m^2 (en F, au début 1983). Terrains urbains et, entre parenthèses, lotissements. *Source :* FNAIM

Agen 300/800 (100/160). Aix-en-Provence 500/800 (350/500). Alès 600/850 (250/350). Angers 500/2 000 (180/400). Angoulême (70/150). Annecy 100/300 (100/250). Auxerre 170/300 +. Avignon (300/400). Bastia 300/400 (120/140). Bayonne 300/500 (150/300). Bergerac-Périgueux 120/200 (100/150). Bordeaux 300/900 (140/230). Bourg-en-Bresse 100/400 (100/250). Brest 230/450 (220/400). Brive 200/400 (150/400). Chartres 300/1 000 (180/300). Clermont-Ferrand 250/500 (200/400). Le Mans (120/130). Limoges 300/1 000 (300/500). Lyon 700/1 400. Marseille 800/1 200 (200/1 000). Melun 500/1 200 (170/450). Metz (275/450). Montluçon 100/500 (120/150). Nancy (300/650). Nantes 600/3 300 (250/700). Nevers 300/1 000 (100/150). Nîmes 180/400 (250/400). Pau 500/1 000 (200/350). Poitiers 500/2 000 (150/250). Reims 300/500 (300/350). Rennes 300/1 000 (100/500). Roanne (100/120). Rodez (250 +). Rouen 180/1 500 (150/300). St-Cyprien 1 000/1 500 (350/600). Saintes (200/400). Strasbourg 600/1 000 (200/800). Tours (220/350). Vichy 300/800 (120/150). Troyes 250/400 (100/200). Vierzon 100/150 (100/150).

Achat de logements

Paris et Ile-de-France

• **Parc immobilier.** *Immeubles :* 120 000. *Surface totale :* 100 millions de m^2 dont habitation 67 [soit 1 280 000 appartements (dont 1 ou 2 pièces : 18 %, + de 4 : 18 %) dont 30 % n'ont pas le confort sanitaire normal]. *Construits avant 1949 :* 75 %, *dep. 1975 :* 7 %. *Propriétaires :* copropriétés 57 735 immeubles, un seul propriétaire 38 042 (dont particuliers 50 % ; institutionnels de la banque et des assurances, organismes de retraite, stés foncières cotées en Bourse : 15 %).

Transactions (1990). 47 milliards de F (dont anciens 42, neuf 5).

☞ **Ventes immobilières à Paris** (en 1989). Total 44 270 dont : appartements d'occasion 36 932, boutiques 2 296, appartements neufs 1 639, parkings 981, immeubles de rapport 973, bureaux 528, terrains 241, ateliers 193, locaux professionnels 177, pavillons 106, hôtels particuliers 67, volumes 36, divers dont biens exceptionnels 101.

• **Prix moyen du m^2 à Paris** (en milliers de F). **Appartements neufs : 1964** 2,56. **65** 2,68. **66** 2,74. **67** 2,7. **68** 2,68. **69** 2,76. **70** 2,98. **71** 3,18. **72** 3,38. **73** 3,76. **74** 4,58. **75** 5,66. **76** 6,46. **77** 7,2. **78** 7,9. **79** 8,6. **90** 25,3. **91** 24,6.

Prix du m^2 construit neuf dans le 16e (en milliers de F et, entre parenthèses en %, en 1990) : total 40. TVA 6 (15), marge nette du promoteur 4 (10), frais de gestion du promoteur 2 (5), frais de commercialisation 2 (5), frais financiers 4 (10), coût de la construction 10 dont construction 7,5, honoraires architectes et bureaux d'études 2,5 (25).

• **Prix moyen des pavillons** (en F, maisons individuelles anciennes libres de 4 à 6 pièces principales sur terrain de 100 à 1 000 m^2). Essonne 757 000. Hauts-de-Seine 1 117 000. Seine-Saint-Denis 656 000. Val-de-Marne 847 000. Val-d'Oise 670 000.

• **Marché immobilier des notaires à Paris** (2e semestre 1989). **Logements anciens libres, vendus** (surface moyenne de l'appartement vendu à Paris) : *1989 :* 51, 65, *1990 :* 49,95 (superficie moyenne du parc 54 m^2 pour 2,6 pièces).

Prix par taille d'appartements en 1983 et, entre parenthèses, **2e semestre 1990** (en milliers de F). *Prix moyen global de l'appartement : chambres et studios :* 190 (469), *2 pièces :* 276 (754), *3 p. :* 481 (1 345), *4 p. :* 771 (2 349), *5 p. :* 1 090 (3 859), *6 p. :* 1 512 (5 417), *7 p. :* 2 035 (8 184).

% des transactions par taille d'appartements, en 1990. *Chambres et studios :* 26,8, *2 pièces :* 35,6, *3 p. :* 18,1, *4 p. :* 7,5, *5 p. :* 3,3, *6 p. et + :* 1,7.

Nombre des mutations. *1980 :* 34 000, *85 :* 34 500, *87 :* 42 575, *88 :* 40 220, *89 :* 40 300, *90 :* 39 964.

% de mutations par tranche de prix au m^2 en 1989 et, entre parenthèses, **1990.** *- de 10 000 F :* 16,2 (8), *10 à 15 000 F :* 28,3 (19,3), *15 à 20 000 F :* 26,9 (28,1), *20 à 25 000 F :* 14,7 (20), *25 à 30 000 F :* 7,6 (11,6), *30 à 35 000 F :* 3,5, (6,7), + de 35 000 F : 2,8, (6,4).

Prix moyen au m^2 des appartements anciens vendus libres, en milliers de F constants et, entre parenthèses, **de F courants.** *1980 :* 5 238 (6 249), *81 :* 5 119 (6 916), *82 :* 4 660 (7 022), *83 :* 4 608 (7 605), *84 :* 4 662 (8 253), *85 :* 4 995 (9 350), *86 :* 5 565 (10 669), *87 :* 6 270 (12 409), *88 :* 7 665 (15 581), *89 :* 8 949 (18 847), *90 :* 10 201 (22 198).

• **Prix d'un appartement ancien et,** entre parenthèses, **récent selon les quartiers** (en milliers de F le m^2, avril 1991). (*Source :* le Revenu français). *1er :* St-Germain l'Aux. 20 (36), Halles 14 (28), Palais-Royal 21 (40), Place Vendôme 22 (45). *2e :* Gaillon 22 (38), Vivienne 13 (31), Mail 12 (25), Bonne-Nouvelle 10 (24). *3e :* Arts-et-Métiers 17,5 (29), Enfants-Rouges 14,5 (30,5), Archives 15 (37), St-Avoye 13 (28). *4e :* St-Merri 14 (30), St-Gervais 16 (42), N.-Dame 21 (54), Arsenal 17 (45,5). *5e :* St-Victor 17 (32), Jardin des Plantes 17,5 (34), Val-de-Grâce 16 (34,5), Sorbonne 17,5 (38,5). *6e :* Monnaie 16,5 (37,5), Odéon 20 (52), N.-D.-des-Champs 17 (49,5), St-Germ.-d.-Prés 17 (48). *7e :* St-Thom.-d'Aquin 24 (57), Invalides 24,5 (46), École militaire 21 (51), Gros-Caillou 17 (53,5). *8e :* Champs-Elysées 26 (68,5), Fbg-du-Roule 19,5 (45), Madeleine 18 (57), Europe 15 (46,5). *9e :* St-Georges 14 (31), Chaussée-d'Antin 16 (32,5), Fbg-Montmartre 11 (28), Rochechouart 9,5 (26). *10e :* St-Vincent-de-Paul 8 (18,5), Porte St-Denis 8,5 (21,5), Porte St-Martin 9 (22), Hôpital St-Louis 9 (24,5). *11e :* Folie-Méricourt 8,5 (22,5), Saint-Ambroise 11 (28), Roquette 12 (28,5), St-Marguerite 11 (24,5). *12e :* Bel-Air 11 (27,5), Picpus 12,5 (31), Bercy 12,5 (25), Quinze-Vingts 13 (30,5). *13e :* Salpêtrière 13,5 (28), Gare 9 (27,5), Maison-Blanche 10,5 (28), Croulebarbe 14 (36). *14e :* Montparnasse 15 (43,5), Parc Montsouris 15 (34), Petit Montrouge 13,5 (30,5), Plaisance 10,5 (29). *15e :* St-Lambert 14,5 (38), Necker 15 (43), Grenelle 13 (42,5), Javel 13 (33,5). *16e :* Auteuil 15,5 (38,5), Muette 20,5 (47), Porte Dauphine 17 (58), Chaillot 23 (58,5). *17e :* Ternes 17,5 (46), Plaine Monceau 18 (51), Batignolles 13,5 (27), Epinettes 10,5 (21,5). *18e :* Grandes Carrières 9,5 (31,5), Clignancourt 9 (28,5), Goutte-d'or 6,5 (17), La Chapelle 7 (15,5). *19e :* Villette 8,5 (16,5), Pont de Flandre 8 (18,5), Amérique 10,5 (22,5), Combat 11 (22,5). *20e :* Belleville 7 (17), St-Fargeau 9,5 (20), Père-Lachaise 11,5 (21,5), Charonne 10,5 (19,5).

Prix au m^2 en F par arrondissement (appartements anciens)

Ardts	1981-1	1982-1	1983-1	1985-1	1986-1	1987-2	1988-2	1989-2	1990-2
1er	7 017	7 879	8 330	9 265	12 219	13 844	18 280	22 745	28 090
2e	5 440	7 147	6 161	7 814	8 002	13 147	16 590	16 105	17 599
3e	6 299	5 809	6 536	8 476	10 741	13 173	16 600	19 290	23 666
4e	7 508	8 316	9 100	11 862	13 191	16 395	19 614	24 549	29 643
5e	8 428	8 575	8 780	10 717	13 185	16 379	20 640	25 922	27 808
6e	9 598	9 550	10 180	12 896	14 466	19 114	24 650	29 762	34 684
7e	9 992	9 454	9 878	12 133	15 549	23 094	25 190	33 235	37 564
8e	9 621	9 001	8 515	13 474	15 322	22 188	25 690	29 617	32 306
9e	5 530	6 113	6 248	7 645	9 067	11 607	16 100	17 332	19 341
10e	4 768	4 983	5 036	6 682	7 160	8 524	10 900	14 634	15 667
11e	5 155	5 666	6 326	7 482	7 860	10 245	11 760	15 333	18 023
12e	5 918	6 369	7 308	8 946	9 020	10 856	13 090	16 940	19 090
13e	5 846	7 043	7 539	7 980	8 960	12 047	13 750	16 801	19 604
14e	6 470	7 469	8 527	10 214	11 100	14 492	16 510	18 870	23 072
15e	7 857	8 437	9 206	11 261	11 788	15 476	18 020	21 902	25 105
16e	10 152	10 037	10 251	13 034	16 366	20 716	26 000	30 039	35 836
17e	6 642	6 913	7 688	9 000	10 233	14 495	18 510	21 294	23 524
18e	4 647	4 910	5 559	6 534	7 303	8 217	11 170	14 008	15 592
19e	4 841	5 030	5 711	7 151	7 333	9 796	10 820	14 340	16 346
20e	5 100	5 393	6 142	7 006	7 371	8 505	11 330	13 090	15 962

Banlieue

• **Prix au m^2, en 1985,** entre parenthèses, **1989** et, en italique, **1990.** (*Source :* Chambre des notaires) **92 :** Boulogne-Billancourt 9 770 (16 445) *19 563,* Clichy 5 261 (9 206) *11 620,* Neuilly 14 493 (26 529) *29 967,* St-Cloud 10 086 (16 574) *18 452,* Levallois 6 490 (14 129) *16 547.* **93 :** Aubervilliers 4 048 (7 138) *8 178,* Montreuil 5 333 (8 383) *8 521,* Pantin 4 858 (7 714) *9 641,* St-Denis 4 166 (6 071) *7 392.* **94 :** Champigny-sur-M. 5 075 (6 951) *8 380,* Créteil 6 178 (7 941) *10 650,* Nogent-sur-M. 8 351 (12 917) *13 470,* Vincennes 8 111 (12 928) *16 541.*

• **Prix au m^2 d'un appartement neuf et,** entre parenthèses, **ancien** (en milliers de F, avril 1991). (Source : le Revenu français). Asnières 16/21 (9,5/17,5), Boulogne 25/35 (17/31), Charenton 20/32 (12/21), Courbevoie 22/25 (13/20), Enghien 20/24 (12/20,5), Issy-les-Moulineaux 18/26 (11,5/19,5), Kremlin-Bicêtre 15/20 (7,5/15,5), Levallois-Perret 25/35 (15/28,5), Maisons-Laffitte 25/28 (11/18,5), Montrouge 20/22 (10,5/18), Neuilly 45/80 (24/38,5), Nogent-sur-M. 17/25 (11/17,5), Rueil-Malmaison 20/30 (12,5/21,5), St-Cloud 24/30 (16,5/29), St-Germain-en-Laye 25/30 (13/28), Suresnes 25/32 (12/19), Versailles 24/30 (15/28), Vincennes 22/39 (16/27,5).

Province

• **Prix de vente au m^2 pour un logement libre** (en milliers de F, 1991). Résidentiel-centre ville : ancien, (ancien rénové), *neuf.* [Autres quartiers : ancien, (ancien rénové), *neuf*]. Aix-en-Provence 5/8 (8/10) *12,5/18* [5/6 (6/7) *7,5/9,5*]. Alençon 3/4,5 (5/6,5) *7/9* [2,5/3 (3/4) –]. Angers 2,5/4 (4/6) *7/13* [2/2,5 (2,5/3,5) *5,5/8*]. Annecy 5/8 (8/9) *12/22* [3/5 (5/7) *10/17*]. Auxerre 2/3 (3/5,5) *7/10* [2/3 (2,5/4,5) 5/8]. Avignon 4/6 (6,5/8) *10/13,5.* Bayonne 3,5/6 (6,5/7,5) *8/20.* Besançon 4,5/5 (5/7,5) 7/10 [2,5 (3,5/4,5) –]. Bordeaux 2,5/6 (6,5/9) *8/13* [2/4 (4/7) *7,5/10*]. Brest *3,5/5 (4,5/6) 8/11* [2/3 (3/4) *5,5/9,5*]. Caen 3/4 (4/6,5) *9,5/12,5* [3,5 (5) *8,5/10,5*]. Dijon 4/7 (6/8) *7/12* [3/4,5 (3,5/5,5) *6,5/8*]. Grenoble 3,5/5,5 (6/9) *8,5/14* [2,5/4,5 (4,5/6) *8,5/14*]. La Rochelle 5,5/8 (8/12) *8/13* [2,5/5 (5/7,5) *7/9*]. Le Mans 2,5/4 (4,5/8,5) *8/11,5*]. Lille 2,5/7 (7/10) *8,5/14* [2,5/4 (4,5/5) *7/11*]. Limoges

1,5/2,5 (3/5,5) *9/12* [1/2 (2/3) *6,5/8,5*]. Lyon 4,5/6,5 (7/9) *11/20* [3,5/4 (4,5/6,5) *8,13*]. Marseille 2,5/4 (4,5/8,5) *8/15* [2/3 (3/4) *6,5/8*]. Metz 3/4 (4,5/6) *8/11* [2,5/3 (3/4,5) *6/8,5*]. Montpellier 4/6 (6/8) *8,5/16* [2,5/4 (4,5/6,5) *7/11,5*]. Nancy 3/4 (4/6,5) *8,5/11,5* [1,5/2,5 (3/4) *6/8,5*]. Nantes 4/6 (6/8) *9/14* [2,5/3,5 (4/5) *7/10,5*]. Nevers 2,5/4 (5/7) *7/10* [2/3 (3,5/5) *7/9*]. Nice 5,5/8,5 (9/12) *16/50* [4,5/5,5 (6/7,5) *10/18*]. Nîmes 4/5 (6/9) *7,5/20* [2,5/3,5 (4,5/8,5) *7/11*]. Nogent-le-Rotrou 2/4 (5/6) *7/9*. Orléans 4/5 (6,7) *8,5/14* [3,5/4 (5/6) *7/10*]. Pau 3/4 (3,5/6) *8/14* [2/3 (3,5/4,5) *7/9*]. Périgueux 2/3 (3,5/5) *6,5/8,5*. Perpignan 2,5/4,5 (5/6,5) *10/14* [2/3 (3,5/4) *5,5/10*]. Poitiers 2/3 (4/8) *9/13* [– (2/3,5) *6/9*]. Reims 4/6 (6,5/8,5) *9/14* [3/4 (4/5) *8,5/9*]. Rennes 3,5 (4,5/9) *8,5/15* [2,5/4 (4,5/7) *5,5/11*]. Rodez 2/3,5 (4,5/6) *7/10* [2/3 (3,5/4,5) –]. Rouen 3,5/5,5 (6/7,5) *10/12* [2,5/4 (4,5/5,5) *8/10*]. Saint-Étienne 3,5/4,5 (5/6,5) *7,5/10* [2,5/3) (3/4) *6,5/7,5*]. Strasbourg 3,5/5,5 (6/8,5) *10/19* [3/4 (4,5/7) *7/11*]. Tarbes 2,5/3,5 (4/6,5) *7,5/8,5* [1,5/2 (3/5,5) *6,5/7*]. Toulon 3,5/4,5 (5/10) *8/10* [2,5/4 (4,5/6,5) *6/10*]. Toulouse 4/6 (6/8,5) *9/16* [3/4 (4,5/5,5) *8,5/12,5*]. Tours 3,5/4 (4,5/6) *8,5/16* [2,5/3,5 (4/5) *7/9*]. Troyes 1,5/2 (2,5/3,5) *7,2/9* [1/1,5 (2/3) *5,5/8*]. Tulle 2,5/4 (4,5/5,5) *6,5/7,5* [2/2,5 (3/3,5) *6*].

• Montagne. **Prix du m² neuf et,** entre parenthèses, **à la revente** (en milliers de F, 1991). **Alpes.** Alpe-d'Huez 15/25 (10/15), Chamonix 20/30 (8/16), Courchevel 30/45 (15/30), La Plagne 17/25 (10/15), les Arcs 15/20 (10/14), les Deux-Alpes 12/20 (10/12), les Menuires 13/17 (10/14), Megève 22/35 (14/22), Méribel 20/45 (13/25), Tignes 16/25 (10/15), Val-d'Isère 19/36 (13/25), Val-Thorens 14/22 (8/15). **Pyrénées** [1]. Cauterets 6/12, Font-Romeu 5,5/12, Luz-Ardiden 6/12. **Massif central** [1]. Le Mont-Dore 5,8/11, Superlioran 6/11,5. **Vosges.** Gérardmer 6/11,5. **Jura 1.** Les Rousses 5/14, Métabief 5,8/12.

Nota. – (1) 1990.

• Mer. **Prix du m²** (en milliers de F, en 1990-91).

Aquitaine-Charentes. Arcachon 8/30, Biarritz 7/25, Biscarosse 3,8/7,5, Hendaye 10/12, Hossegor-Cap Breton 7,6/11,7, Hourtin (lac d'Hourtin) 8/9,5, Lacanau 8/9, La Rochelle 9/13, Mimizan-Plage 3,7/7,9, Montalivet-les-Bains 8/10, Petit-Piqueye (Cap-Ferret) 9,5/10, Royan 7,9/10, Royan-La Palmyre 7,3/11,5, St-Jean-de-Luz 9,5/25.

Bretagne. Binic 8,5/9, Carnac 9/25, Concarneau 5,7/6,6, Damgan 7,6/12, Dinard 5/15, Lancieux 8,5/10, La Trinité 8/16, Le Pouldu 6,5/8,8, Perros-Guirec 7/13, Plerin 8,5/10, Port-du-Crouesty 8,5/11, Port-St-Jacques 10/12, Quiberon 8/20, St-Brieuc 8,5/14, St-Cast 6/12, St-Malo 7/15, St-Quay-Portrieux 7/11, St-Servan 8,5/10.

Corse. Ajaccio 7/12,2, Bastia 6/10, Calvi 6/13, Propriano 7,5/10, Porto-Vecchio 10/14,8.

Languedoc-Roussillon. Argelès-sur-Mer 7/11, Canet-Plage 6/17, Cap d'Agde 5/15, Carnon Plage 7/11, Collioure 12,2/14,9, Fleury-d'Aude 5,9/8,1, La Grande-Motte 6/14, Le Grau-du-Roi 7/12, Marseillan 8,6/9, Mèze 7/7,7, Palavas-les-Flots 7/11, Port-Barcarès 7/9,5, Port-Camargue 7/11, Port-Leucate 5,5/9, Port-Gruissan 7/10, St-Cyprien 4/10, St-Pierre-la-Mer 7/10, Stes-Maries-de-la-Mer 6,5/10, Sète 5,5/13, Valras-Plage 6,5/10, Vic-la-Gardiole 6,4/9.

Loire-Atlantique – Vendée. Brétignolles 7,7/7,8, Guérande 9/10, La Baule 9/32, La Tranche-sur-Mer 8/9, Le Croisic 7/15, Les Sables-d'Olonne 8/21, Le Pouliguen 5,3/7,6, Piriac 10/12, Pornic 10/11, Pornichet 8/16, Port-de-Bourgenay 4,4/11,2, St-Brévin 6,6/6,7, St-Gilles-Croix-de-Vie 7/14, St-Hilaire-de-Riez 6/7,5, St-Jean-de-Monts 6,6/11, Ste-Marguerite 10, Sion-l'Océan 6,5/8,3.

Normandie-mer du Nord. Bayeux 7/8, Bernières 7/8, Blonville 10/11, Cabourg 7/25, Deauville 8/35, Dieppe 7/14, Dinard 5/15, Fécamp 7/10, Houlgate 8/12, Le Touquet 6/25, Le Tréport 3/8, Mers-les-Bains 10/12, Trouville 8/21, Villers 8,5/11,6.

Provence-Côte-d'Azur. Agay 10/20, Antibes/Juan-les-Pins 10/35, Boulouris 9/20, Cagnes-sur-Mer 7/20, Cannes 10/35, Cap-d'Ail 16,5/20, Cogolin 8/20, Fréjus 10/25, Golfe-Juan 7/25, Les Issambres 5/18, Mandelieu 8/25, Menton 10/28, Nice 8/30, Port Grimaud 10/28, Roquebrune-Cap Martin 8,5/25, Saint-Aygulf 7/18, Saint-Raphaël 7/30, St-Tropez 17/25, Sainte-Maxime 10/30, Théoule 9/20, Villefranche-Cap-Ferrat 15/30.

« Résidences-services »

• Prix des deux pièces (en milliers de F). **Région parisienne.** *Charenton Les Sérianes (42 m²)* : 1 100 F. *Paris 12e Les Hespérides (45/66 m²)* : 1 617/3 243.

Maison Phénix. Exemples (prêt à décorer, **prix au 1-4-88**). Modèle Harmonie 89 m² + garage 18 m² (3 × 6), 2 pentes, chauffage électrique. *Région parisienne :* 339 500 F. *Alsace :* 314 900 F. *Méditerranée :* 346 600 F. Alskanor (sur terre-plein). *Crépi,* 88 m², 3 chambres-séjour, toiture 2 pentes, chauff. électr. : 294 620 F. *Murs briques,* 75 m², 3 chambres-séjours, toiture 2 pentes, chauff. électr. : 303 540 F. **Maison Kaufman et Broad.** *Louveciennes* 300 m² + terrain 200 m² : 650 000.

Vincennes Les Jardins d'Arcadie (42/59 m²) : 1 309. *Les Thébaides (43/57 m²) :* 1 310/1 713. **Province.** *Antibes-Juan-les-Pins Les Thébaides (42/53 m²) :* 965/1 445. *Bordeaux Les Sérianes (48/54 m²) :* 520. *Lyon Les Hespérides (42/54 m²) :* 792/1 287. *Nantes Les Renaissances (40/62 m²) :* 567/1 075. *Pau Les Hespérides (42/63 m²) :* 712/1 248. *Quimper Les Jardins d'Arcadie (43/48 m²) :* 376/515. *Toulouse Les Renaissances (46/51 m²) :* 787/948.

Parking

• Prix en F. *Paris 4e :* 85 000 à 700 000 (île St-Louis). *Province :* 20 000 à 150 000. *Parking public. Concession de 75 ans :* 120 000 à 150 000 mais certains n'ayant que 10 ans à courir se revendent 40 000 F à la Bourse.

Secteur aidé

Aides à la personne (en milliards de F, 1989). 48 dont MEL (ALS + APL) 19,2 ; FNPF 23,8 ; BAPSA 0,8 ; contribution des employeurs au FNAL 4,2. **Montant des prestations** (1990). 49,5 dont APL 30, ALF 10,6, ALS 8,9.

Frais annexes

En cas d'achat. 1° **Droits d'enregistrement** (taxe de publicité foncière) perçus par le notaire et reversés par lui à l'Administration fiscale. Pour l'achat d'immeubles (appartements...) destinés à l'habitation. *Droit départemental d'enregistrement* (ou taxe départementale de publicité foncière), 4,20 % ; sur le montant des droits ainsi déterminé, l'État prélève en plus 2,50 %. *Taxe communale* de 1,20 %. *Taxe régionale* de 1,60 % sauf en Ile-de-France 0,65 %, région Rhône-Alpes 1,50 %. Pour un immeuble achevé depuis – de 5 ans, mutation en principe soumise à la TVA (18,60 %), à la charge du vendeur, qui peut déduire de la TVA due celle payée « en amont » sur les travaux précédemment effectués. *Taxe de publicité foncière :* 0,60 % sur la valeur de l'immeuble. 2° **Commission de l'agent immobilier :** de 0 à 50 000 F : 8 %, *50 001 à 100 000 :* 7 %, *100 000 à 150 000 :* 6 %, *150 001 à 350 000 :* 5 %, *350 000 à 700 000 :* 4 %, *au-delà* libre. 3° **Émoluments du notaire :** série S 2 (baux, quittances) : tranches de *0 à 17 500 :* 2,20 %, *17 501 à 36 500 :* 1,65 %, *36 501 à 102 000 :* 1,10 %, *+ de 102 000 :* 0,55 % ; série S 3 (prêts immobiliers) : *0 à 17 500 :* 2,50 %, *17 501 à 36 500 :* 1,65 %, *36 501 à 102 000 :* 1,10 %, *102 001 à 724 000 :* 0,55 %, *+ de 724 000 F :* 0,30 %. *Vente négociée par notaire :* droit à un émolument spécial de négociation (*de 0 à 12 000 F :* 5 %, *au-dessus :* 2,5 %) + frais que le notaire engage pour le compte du client (timbres fiscaux...). 4° **Salaire du conservateur des hypothèques :** pour la vente 0,50 sur la tr. de *0 à 6 000 F,* 0,30 sur la tr. *6 à 10 000,* 0,20 sur la tr. *10 à 14 000,* 0,12 sur la tr. *14 à 18 000,* 0,06 *au-dessus de 18 000.* 5° **Honoraires de copies et particuliers** pour les diverses formalités antérieures et postérieures à la vente : très variables. 6° **Droits de timbre** (selon dimension de la feuille) 28 F (21 × 29,7), 56 F (29,7 × 42).

Expertise. *Par un notaire :* maison, appartements ou terrain. Hors taxe : *1 à 75 000 F :* 0,7 %. *75 à 150 000 F :* 0,5. *150 000 à 300 000 F :* 0,3. *300 000 à 700 000 F :* 0,2. *Au-delà :* 0,1. Sinon honoraires libres, se renseigner.

Aide personnalisée au logement (APL). **Bénéficiaire.** Tout locataire d'un logement pour lequel le propriétaire a passé une convention avec l'État en contrepartie de l'octroi de prêts ou d'aides financières (log. « conventionnés ») ; toute personne qui achète, construit ou améliore son logement avec un prêt aidé PAP ou avec certaines catégories de prêts conventionnés ; tout accédant à la propriété titulaire d'un contrat de location-accession, le vendeur étant lui-même titulaire d'un prêt aidé par l'État. **Versement.** Au bailleur ou au prêteur. **Montant.** Mensuel, calculé en appliquant un coefficient de prise en charge, variable selon ressources et composition de la famille, tenant compte de la différence entre loyer réel (ou mensualité de remboursement plafonné, majorée de charges forfaitaires) et loyer minimal qui doit rester à la charge du bénéficiaire. **Différentes catégories.** *APL 1 :* s'applique aux logements conventionnés avant le 1-1-1988 ou aux log. acquis ou construits à partir du 1-1-1988 ; *APL 2-A :* aux log. anciens, sans travaux, conventionnés à partir du 1-1-1988 ; *APL 2-B :* aux log. anciens avec travaux, conventionnés à partir du 1-1-1988. **Barème.** Révisé chaque année au 1-7. *Seuils de ressources* au-delà desquels il n'y a plus droit à l'APL (période du 1-7-1990 au 30-6-1991), zone I, entre parenthèses z. II, en italique z. III : isolé 2 106 (1 928) *1 829 ;* ménage sans personne à charge 2 466 (2 246) *2 126 ;* isolé ou ménage avec 1 personne à charge 2 896 (2 642) *2 488.* **Nombre de bénéficiaires.** *1980 :* 256 500, *85 :* 1 470 000, *89 (30-3) :* 2 108 000 dont location 1 112 000, accession 996 000. **Renseignements et démarches.** S'adr. à la Caisse d'allocations familiales, ou de Mutualité sociale agricole de sa résidence.

Aide financière à l'habitat autonome des jeunes agriculteurs. S'adr. au min. de l'Agriculture.

Allocation de logement (v. Index). *Secteur social.* Allocation de logement aux + de 65 ans et, dans certains cas d'inaptitude au travail, aux + de 60 ans ; aux infirmes ; aux travailleurs manuels admis à la retraite anticipée de 60 à 65 ans ; aux jeunes travailleurs salariés de – de 25 ans ; aux époux (de – de 40 ans au moment de leur mariage) mariés dep. – de 5 ans ; aux familles ayant 1 enfant à charge ou 1 ascendant de + de 65 ans (ou 60 s'il est bénéficiaire d'une retraite anticipée) ou 1 parent proche infirme (au moins à 80 % ou inapte au travail) ; aux personnes touchant déjà une allocation familiale, aux bénéficiaires du revenu minimal d'insertion. S'adresser à la Caisse d'all. fam. de sa résidence.

Prêts aidés pour l'accession à la propriété (PAP). *Nombre : 1979 :* 180 000, *84 :* 152 000, *87 :* 80 000, *88 :* 70 711, *89 :* 55 000, *90 :* 50 000. Plafond de revenus à ne pas dépasser. Pour résidence principale : terrain et construction d'une maison individuelle, achat d'un logement neuf (appartement ou maison indiv. groupés dans un programme en construction), achat d'un logement ancien (+ de 20 ans) pour l'améliorer, agrandissement d'un log. existant + de 20 ans (par extension ou surélévation) ou aménagement à usage de logement de locaux non destinés à l'habitation. *Travaux :* doivent mettre le logement de + de 20 ans en conformité avec les normes min. d'habitabilité et atteindre 35 % du coût total de l'opération (prix d'acquisition + coût des travaux + dépenses annexes d'acquisition) ; conduire à une création de surface habitable d'au moins 14 m² (agrandissement, aménagement) ; il y a une surface habitable minimale à respecter selon la situation de famille. Autorisation préalable de la DDE. *Apport personnel :* au min. 10 % (ne peut être constitué par un prêt). *Durée* 15, 18 ou 20 ans. S'adresser au Crédit foncier, Stés de crédit immobilier HLM. Ouvre droit à l'APL. *26-1-91 :* augmentation du plafond de ressources ; montant du prêt 90 % dans la limite de montants-plafonds revalorisés. **PAP à taux fixes :** *remboursements constants,* taux d'intérêt : 8,69 % pour prêts de 15 ans, 8,87 % prêts 18 ans, 8,97 % prêts 20 ans. **PAP à taux ajustables :** taux d'intérêt de départ (avant le jeu des clauses de révision) : 8,45 : pour prêts de 15 ans ; 8,61 : 18 ans ; 8,7 : 20 ans.

Prêts conventionnés (PC) (dep. le 22-11-1977). *Conditions :* résidence principale, achat d'un logement neuf, construction d'une maison, achat d'un logement ancien de + de 20 ans à rénover, le coût des travaux ne peut-être inférieur à 25 % du *prix total* de l'opération, travaux d'amélioration ou d'économie d'énergie. Agrandissement d'un logement existant, aménagement de locaux en logement, pas de plafond de revenus. *Demande :* accordés par les banques et établissements financiers qui s'engagent à ne pas dépasser un taux d'intérêt max., déterminé par le Crédit Foncier de France, à partir d'un taux de référence auquel s'ajoute une marge de 1,50 point pour les prêts d'une durée inférieure ou égale à 15 ans et 1,75 point pour les prêts d'une durée supérieure à 15 ans. *Cumulable* avec prêt du 1 %, épargne-logement, prêt complémentaire aux fonctionnaires, prêts à caractère social dont le taux d'intérêt n'excède pas 5 %, ouvre droit à l'APL. Prix plafonds majorés de 8 à 10 % en 1990. *Montant du prêt conventionné :* jusqu'à 90 % du coût total. *Durée max. :* 20 ans (pour acheter ou construire). Respect d'un prix de revient ou d'un prix de vente max. 5 à 15 ans pour les travaux d'amélioration. *Taux (mai 91) en %.* Accession à la propriété : prêts de 5 à 20 ans : 10,7 à 11,45, révisables pour prêts de 10, 15, 20 ans : 10,8 à 11,1 (conditions de départ). Régime locatif : taux fixes sur 15 ans 10,9, révisables 10,8.

Prêts des Caisses d'allocations familiales et Caisses de mutualité sociale agricole. *Prêts aux jeunes ménages :* équipement mobilier ou ménager, location ou achat d'un logement. L'âge cumulé des époux ne doit pas dépasser 52 ans, dépend aussi des ressources. S'adr. à ces organismes. *Prêts à la construction :* personnes à faibles ressources bénéficiant d'un PAP, prêt conventionné ou d'une Sté de crédit HLM, ayant sollicité un prêt au titre du 0,65 % construction. *Prêts à l'amélioration de l'habitat :* réparation, assainissement, amélioration, mise en état (except. équipement ménager, achèvement de construction, d'entretien). *Prêts complémentaires* à un prêt principal (sans intérêt) pour l'acquisition, la construction ou l'amélioration d'une maison d'habitation par le propriétaire.

Prêt locatif aidé (PLA). S'adr. à la DDE. Peut être souscrit *sur 25 ans :* taux fixe 7 % *sur 30 ans :* taux ajustable 6,8 % *pendant 5 ans* et 7,4 % *pendant 25 ans,* soit taux actuariel théorique de 7,18 %.

Prêt locatif intermédiaire (PLI). Accessible à tous les investisseurs ; formule à taux révisable sur 15 ou 25 ans. *Taux de départ* 9,80 % ; 10,30 % si l'emprunt est sup. à 70 % du coût de l'opération.

Prêt au titre de la participation des employeurs à l'effort de construction (0,65 % construction). *But :* favoriser la mobilité professionnelle. Entreprises de + de 10 personnes. Pour construction ou achat d'un logement neuf ou achat d'un logement ancien (de + de 20 ans) à rénover, résidence principale, ou lorsque l'occupation du précédent logement est incompatible avec un nouveau lieu de travail. Le montant maximal du prêt est calculé en fonction des ressources du salarié (ressources inférieures aux plafonds PAP/ supérieures aux plafonds PAP). Il peut atteindre 10 à 15 % du coût de l'opération avec un max. de 60 000 à 100 000 F selon les revenus, la situation de famille et la région.

Autres prêts. **Prêts du Crédit agricole** (s'adresser au Crédit agricole). **Caisses de retraite** (s'adresser à ces organismes). Complémentaires aux fonctionnaires (s'adr. au Crédit foncier). **Hypothécaires** (s'adr. aux établissements financiers). **Épargne-logement** (voir Index). **Caisses d'épargne** [prêts personnels. *Montant max.* 300 000 F en zones I et II 250 000 F en zone III (rurale). **Crédit Foncier** (prêts immobiliers du secteur concurrentiel, ouverture de crédit hypothécaire pour résidences principales et secondaires, prêts conventionnés, PAP). Financement des collectivités locales, prêts pour investissement locatif (s'adr. au Crédit foncier de France). **Crédit mutuel** (prêts conventionnés, prêts complémentaires aux PAP, aux prêts du Crédit foncier ou aux prêts d'une Sté de Crédit immobilier ; prêts classiques au logement pouvant atteindre 2 ans). **Caisses départementales d'aide au logement** (*les ressources* ne doivent pas dépasser le plafond I, financement principal par PAP).

SCI, HLM (PAP, prêts destinés à l'amélioration ou à l'agrandissement des logements. S'adr. aux Offices d'HLM).

• Primes. **Prime** (dep. 1988 subvention) **à l'amélioration des logements à usage locatif et à occupation sociale (PALULOS).** *Bénéficiaires :* réservée d'abord aux organismes de HLM et aux SEM, peut désormais être attribuée à des organismes ou associations à vocation sociale. Plafond de revenus à ne pas dépasser. Logement âgé de + de 20 ans : montant 20 % du coût des travaux dans la limite de 14 000 F par logement si travaux de mise en conformité aux normes min. d'habitabilité.

Prime à l'amélioration de l'habitat (PAH). Créée par décret du 20-11-1979 pour remplacer la prime à l'amélioration de l'habitat rural et la prime à l'amélioration de l'habitat. *But :* travaux d'équipement du log. *Bénéficiaires :* personnes physiques qui effectuent des travaux dans un logement dont elles sont propr. ou usufruitières et qu'elles occupent à titre de résidence principale, ou dont leurs ascendants ou descendants (ou ceux de leur conjoint) sont propr. ou usufruitiers et occupants à titre de résidence principale ; exploitant agricole, associé d'exploitation titulaire d'un contrat enregistré, ou ouvrier agr. *Occupation :* doit avoir lieu dans l'année suivant le versement du solde de la prime et pendant 10 ans (3 ans si le bénéficiaire revient d'un DOM ou d'un TOM, 5 ans s'il s'agit d'un départ à la retraite).

Travaux : amélioration de la qualité, la salubrité, l'équipement du logement et de l'immeuble ; économies d'énergie ; adaptation du logement aux handicapés physiques ou aux travailleurs appelés à travailler la nuit. *Montant :* 20 % du coût des travaux, dans la limite de 14 000 F par logement (plus dans certains cas). On ne peut commencer les travaux avant la décision d'octroi de prime.

Subvention pour la lutte contre l'insalubrité. Prime cumulable avec les autres et un prêt conventionné. *Bénéficiaire :* propriétaire occupant depuis plus de 2 ans, ressources inférieures aux plafonds des PAP. *Travaux :* stabilité et étanchéité à l'air des murs ; stabilité des planchers, escaliers, charpentes ; étanchéité des toitures ; lutte contre l'humidité ; w.-c., égouts, eau, gaz, électricité ; ventilation et conduits de fumée ; isolation thermique ; démolition de bâtiments annexes facteurs d'insalubrité. Il faut habiter le logement plus de 15 ans, sinon remboursement de la prime. S'adresser à la DDE.

• Autres subventions. **Surcoûts architecturaux** (travaux sur immeuble classé ou inscrit, situé en secteur sauvegardé ou en site ; demande : à la DDE). **Aide des collectivités territoriales :** (demande : Secrét. du Conseil général de chaque départ.). **Aides d'organismes sociaux** (retraités du régime de la S.S., Caisses d'All. fam., subventions aux familles relevant de cas sociaux, demande à la Caisse d'All. fam. ou à la mutuelle soc. agricole). **Chauffe-eau solaire** (*prêt forfaitaire :* à la DDE). **Économies d'énergie** [demander à AFME, 91168 Longjumeau Cedex].

ANAH (Agence nationale pour l'amélioration de l'habitat) 17, rue de la Paix, 75002 Paris ou Délégation départementale de l'ANAH ou à la Direction départ. de l'Équipement. Établissement public créé 1971, sous tutelle du ministère de l'Équipement, et du min. de l'Économie et des Finances. *Ressources :* subvention de l'État en 1990, 1 860 millions de F autorisés, dont 100 pour logements construits entre 1948 et 1975 (travaux d'économie d'énergie), et 1 760 pour ceux construits av. 1948. *Bénéficiaires :* propriétaires-bailleurs ayant acquitté la taxe additionnelle au droit de bail pendant 2 ans (dérogations possibles) et s'engageant à louer pendant 10 ans minimum comme résidence principale (5 ans si logement occupé par le propriétaire ou sa famille proche), locataires ayant l'accord de leur propriétaire. L'immeuble doit avoir été achevé avant le 1-9-1948 [travaux d'amélioration du confort (création de w.-c. intérieurs, salle d'eau, chauffage...), remise en état de l'immeuble (toitures, façades, consolidation des murs...) lorsque les logements sont totalement ou partiellement dépourvus de confort] et le 31-12-1975 : [travaux pour économie d'énergie : isolation thermique (toitures, combles, façades, fenêtres...), amélioration du, chauffage (régulation, thermostats, substitution d'énergie...)].

• Apport personnel. Certains prêts peuvent en tenir lieu. *Comptes et plans d'épargne-logement. 1 % patronal :* taux 0 à 3 %, durée 1 à 20 ans. Montant : 60 000 à 100 000 F (renseignements : entreprise, UNIL, 72, rue St-Charles, 75015 Paris). Si changement de résidence principale pour raisons professionnelles, montant max. du prêt est majoré de 100 000 F en Ile-de-France, 80 000 F ailleurs. *Prêt complémentaire aux fonctionnaires du Crédit Foncier de France :* taux 4 % les 3 premières années, 7 % ensuite.

Protection des emprunteurs. Loi du 13-7-1979 ; (l'acte d'achat doit être signé au max. 4 mois après l'acception de l'offre de prêt ; le contrat d'achat n'est définitif que si les prêts sont obtenus) les emprunts en cours de remboursement peuvent être transférés (le prêteur peut aussi ne pas accepter une telle convention) ; le *remboursement anticipé est autorisé.* L'établissement prêteur peut exiger une indemnité représentant 6 mois d'intérêts au taux moyen du prêt dans la limite de 3 % du capital restant dû.

Logements loués

Réglementation

• Animaux. Un propriétaire ne peut interdire à son locataire d'avoir un animal familier si cet animal ne cause aucun dégât à l'immeuble, ni aucun trouble de jouissance aux occupants de celui-ci.

• Associations de locataires (délégués des). Créées par la loi Quilliot : consultés sur leur demande, au moins 1 fois par trimestre, sur la gestion du bâtiment.

• Bail. Définit les rapports entre le bailleur (propriétaire ou usufruitier, ou leur mandataire) et le preneur. L'enregistrement (non obligatoire) lui donne une date certaine.

Droit commun. Régit les locations qui ne sont pas visées par un régime particulier, tel que : loyer taxé (loi de 1948) réglementé HLM, conventionné, plafonné. Jusqu'à la loi Quillot (22-6-1982), droit commun régi par les articles du Code civil concernant le louage des choses ; laissait la possibilité aux parties de déroger à la plupart des articles. Depuis, un régime d'ordre public auquel il n'est pas permis d'échapper par dérogation contractuelle a été instauré.

Champ d'application de la loi du 6-7-1989. *Locaux neufs et anciens :* à usage d'habitation principale ; usage mixte professionnel et hab. principale ; garages, places de stationnement, jardins et autres locaux, loués accessoirement au local principal par le même bailleur. *Logements exclus :* meublés, logements foyers, logements attribués ou loués à titre d'une fonction ou de l'occupation d'un emploi, locations à caractère saisonnier, immeubles ruraux, locaux commerciaux et professionnels. Pour eux, la loi du 6-7-1989 a instauré une réglementation minimale : contrat écrit obligatoire, durée min. 6 ans, possibilité de donner congé avec préavis de 6 mois, à tout moment pour le locataire, en fin de bail seulement pour le bailleur.

• Contrat. Doit être établi par écrit : par acte authentique [avec le concours d'un officier ministériel, notaire par ex. (la rémunération de l'intermédiaire est partagée à moitié par le bailleur et le locataire)] ou sous seing privé. Doit préciser : date ; description des locaux ; destination (habitation, usage prof. et d'hab.) ; désignation des locaux et équipements d'usage privatif et éventuellement d'usage commun ; montant du loyer, modalités de paiement, règles de révision éventuelle (art. 17 d) ; montant du dépôt de garantie si prévu ; si conclu pour une durée inférieure à 3 ans : raisons prof. ou familiales et événement précis qui justifient la reprise ; si clause expresse pour travaux d'amélioration que le bailleur fera exécuter, le bail ou un avenant précise le cas échéant la majoration du loyer consécutive.

ANNEXES AU CONTRAT : état des lieux : établi contradictoirement par les parties lors de la remise ou de la restitution des clés. A défaut, établi par huissier : frais partagés par moitié entre propriétaire et locataire. En l'absence d'état des lieux, la partie qui a fait obstacle à son établissement ne peut se prévaloir de la présomption de bon état édictée à l'article 1 731 du Code civil. *Extraits du règlement de copropriété. Références de loyer le cas échéant.*

CLAUSES INTERDITES (réputées non écrites) : obligeant le locataire en vue de la vente ou de la location à laisser visiter les j. fériés ou + de 2 h les j. ouvrables ; à souscrire une assurance auprès d'une compagnie choisie par le bailleur ; imposant l'ordre de prélèvement automatique sur le compte courant du loc. ou la signature par avance de traites ou billets à ordre ; autorisant le bailleur à prélever ou à faire prélever les loyers directement sur son salaire dans la limite cessible ; prévoyant la responsabilité collective des loc. en cas de dégradation d'un élément commun de la chose louée ; engageant par avance le loc. à des remboursements sur la base d'une estimation faite unilatéralement par le bailleur au titre de réparations locatives ; prévoyant la résiliation de plein droit du contrat en cas d'inexécution des obligations du loc. pour un motif autre que le non-paiement du loyer, des charges, du dépôt de garantie, la non-souscription d'une assurance des risques locatifs ; autorisant le bailleur à supprimer, sans contrepartie équivalente, des prestations stipulées au contrat ; autorisant le bailleur à percevoir des amendes en cas d'infraction aux clauses d'un contrat de location ou d'un règlement intérieur à l'immeuble ; interdisant au loc. l'exercice d'une activité politique, syndicale, associative ou confessionnelle.

• Dépôt de garantie. Aucun ne peut être demandé si le loyer est payable d'avance pour une période supérieure à 2 mois. *Montant max. :* 2 mois de loyer principal ; ne porte pas intérêt au bénéfice du loc. ; ne doit pas être révisé durant l'exécution du contrat, ni au moment du renouvellement. *Restitution :* dans les 2 mois à compter de la remise des clés par le loc., déduction faite le cas échéant des sommes restant dues au bailleur et des sommes dont celui-ci pourrait être tenu, au lieu et place du loc. A défaut, le solde dû au loc., produit intérêt au taux légal.

• Sous-location. Interdite, sauf accord écrit du bailleur y compris sur le prix. En cas de cessation du contrat principal, aucun droit à l'encontre du bailleur ni titre d'occupation. *Montant :* ne doit pas excéder le loyer principal.

• Cession du bail. Interdite sauf accord écrit du bailleur.

• **Échange de logement.** Possible entre 2 loc. occupant 2 logements appartenant au même propriétaire et situés dans le même ensemble immobilier quand l'un a au moins 3 enfants et que l'échange permet d'accroître la surface du logement occupé par la famille la plus nombreuse. Chaque loc. se substitue alors de plein droit à celui auquel il succède pour la durée restant à courir.

• **Transfert du bail.** *Abandon de domicile :* départ brusque et imprévisible non concerté à l'avance, le contrat continue au profit du conjoint sans préjudice de l'art. 1 751 du Code civil ; au profit des descendants qui vivaient avec lui depuis au moins 1 an à la date de l'abandon. *Décès du locataire :* id. Si plusieurs bénéficiaires se manifestent, le juge tranchera ; à défaut de personne remplissant les conditions prévues, le contrat est résilié de plein droit.

• **Obligations des parties.** *Bailleur.* Délivrer le logement en bon état d'usage et de réparation, ainsi que les équipements mentionnés au contrat de location en bon état de fonctionnement. S'il n'est pas en bon état d'usage, les parties peuvent convenir par une clause expresse des travaux que le loc. exécutera ou fera exécuter et des modalités de leur imputation sur le loyer ; cette clause prévoit la durée de leur imputation, et en cas de départ anticipé du loc., les modalités de son dédommagement sur justification des dépenses effectuées. Les parties fixent immédiatement le montant et la durée de la déduction : la déduction est alors forfaitaire et ne peut être remise en cause quel que soit le montant réel des travaux. Nature des travaux : ne peut concerner que des logements répondant aux normes minimales de confort et d'habitabilité fixées par décret (6-3-1987). Assurer au loc. la jouissance paisible du logement. Le garantir des vices ou défauts de nature à y faire obstacle hormis ceux qui, consignés dans l'état des lieux, auraient fait l'objet de la clause expresse des travaux. Entretenir les locaux en bon état de servir à l'usage prévu par le contrat et y faire toutes les réparations, autres que locatives, nécessaires au maintien en état et à l'entretien normal des locaux loués. Ne pas s'opposer aux aménagements réalisés par le loc., dès lors que ceux-ci ne constituent pas une transformation de la chose louée. *Locataire.* Payer le loyer et les charges récupérables aux termes convenus (paiement mensuel est de droit s'il le demande). User paisiblement des locaux loués suivant la destination qui leur a été donnée pendant la durée du contrat dans les locaux dont il a la jouissance exclusive, à moins qu'il ne prouve qu'elles ont eu lieu par cas de force majeure, par la faute du bailleur ou par le fait d'un tiers qu'il n'a pas introduit dans le logement. Prendre à sa charge l'entretien courant du logement, des équipements mentionnés au contrat et les menues réparations locatives définies par décret, sauf si elles sont occasionnées par vétusté, malfaçon, vice de construction, cas fortuit ou force majeure. Laisser exécuter dans les lieux loués les travaux d'amélioration des parties communes ou privatives et les travaux nécessaires au maintien en état et à l'entretien normal des locaux loués ; le préjudice éventuel résultant des travaux peut être compensé (art. 1 724, al. 2 et 3 du Code civil). Ne pas transformer les locaux et équipements loués sans l'accord écrit du propriétaire ; à défaut, ce dernier peut exiger du loc., à son départ des lieux, leur remise en état ou conserver à son bénéfice les transformations effectuées sans que le loc. puisse réclamer une indemnisation des frais engagés. S'assurer contre les risques dont il doit répondre en sa qualité de loc. et d'en justifier lors de la remise des clés puis chaque année à la demande du bailleur.

• **Loyer. Fixation initiale.** *Librement* entre les parties pour un logement neuf ou vacant ayant fait l'objet de travaux de mise ou de remise aux normes définies par décret ; ou faisant l'objet d'une 1re location et conformes aux normes ; ou vacant et aux normes ayant fait l'objet depuis moins de 6 mois d'améliorations des parties privatives ou communes, d'un montant au moins égal à une année de loyer antérieur. Par référence si le loyer ne peut être fixé librement selon les conditions ci-dessus, il doit être fixé par référence aux loyers du voisinage pour des logements comparables. Le bailleur doit fournir : 6 références minimum dans les communes d'une agglomération de + de 1 million d'hab., 3 dans les autres zones, 2/3 au moins de ces références doivent correspondre à des locations pour lesquelles il n'y a pas eu de changement de loc. depuis au moins 3 ans. *Références.* Auprès des professionnels, associations de loc. ou de propriétaires, observatoires de loyers créés à cet effet. En cas de non respect des conditions de mise en œuvre des références, le loc. a 2 mois pour contester le loyer initial proposé (sans qu'il soit porté atteinte à la validité du contrat en cours devant la commission de conciliation et à défaut d'accord devant le juge ; la fixation en fonction des références est applicable 5 ans à compter de la publication de la loi, soit jusqu'au 8-7-1994. **Révision annuelle.** Pendant le contrat, s'il y a une clause expresse de révision, l'augmentation ne peut excéder la variation de l'indice de la construction publié par l'INSÉÉ. *Fixation au moment du renouvellement.* Loyer révisé en fonction de l'indice INSÉÉ. S'il est manifestement sous-évalué, peut être réévalué par référence aux loyers habituels du voisinage ; dans ce cas, le bailleur peut, au moins 6 mois avant le terme, proposer au loc. de renouveler le contrat avec un nouveau loyer fixé par référence aux loyers du voisinage pour des logements comparables (cette proposition ne peut être assortie d'un congé). *Majoration.* Les parties peuvent convenir d'une majoration spéciale en cas de travaux d'amélioration réalisés par le bailleur (une clause expresse doit figurer dans le contrat). **Paiement du loyer et quittance.** Le bailleur est tenu de remettre gratuitement au loc. qui en fait la demande une quittance distinguant loyer, droit de bail, charges ; si le loc. effectue un paiement partiel, le bailleur est tenu de délivrer un reçu.

• **Charges.** *Récupérables :* services rendus liés à l'usage des éléments de la chose louée ; dépenses d'entretien courant et menues réparations sur les éléments d'usage commun ; droit de bail et impositions qui correspondent à des services dont le loc. profite directement. Liste fixée par décret en Conseil d'État. *Paiement :* sur justification ; peuvent donner lieu à des provisions. *Régularisation :* au moins annuelle ; durant un mois à compter de l'envoi de ce décompte, les justificatifs sont à disposition des loc.

• **Durée du contrat.** *Bailleur personne physique* ou *Sté civile* (constituée exclusivement entre parents et alliés jusqu'au 4e degré) 3 ans minimum. Peut sous certaines conditions proposer un contrat de – de 3 ans, mais de + de 1 an, s'il doit reprendre le logement pour des raisons professionnelles ou familiales. 2 mois au moins avant le terme du contrat, le bailleur doit : soit confirmer la réalisation de l'événement (événement produit : locataire déchu de plein droit de tout titre d'occupation au terme prévu dans le contrat) ; soit proposer le report du terme du contrat, si la réalisation de l'événement est différé (peut le faire une seule fois) ; s'il ne s'est pas produit ou n'est pas confirmé, le contrat est réputé être de 3 ans. *Personne morale* (sauf s'il s'agit d'une Sté civile entre parents et alliés jusqu'au 4e degré) 6 ans minimum. *Collectivité locale :* durée et conditions de renouvellement non réglementées.

• **Congé donné par le bailleur. En cours de bail** le bailleur ne peut donner congé sauf si le loc. ne respecte pas ses obligations.

A l'expiration du bail il peut donner congé : s'il est motivé *1o) par la reprise du logement* (pour lui-même, son concubin notoire depuis au moins 1 an à la date du congé, son conjoint, ses ascendants, descendants ou ceux de son conjoint ou concubin notoire) ; ce congé n'est assorti d'aucune condition de délai ni de durée d'occupation par le bénéficiaire ; il faut un préavis de 6 mois au minimum en indiquant le motif, les nom et adresse du bénéficiaire de la reprise.

2o) Par la vente du logement. Préavis de 6 mois minimum assorti d'un droit de préemption en faveur du loc. Si la vente s'effectue en cours de bail, c'est-à-dire sans qu'un congé puisse être délivré, aucun droit de préemption ne peut être invoqué, sauf celui applicable dans le cadre de la loi du 31-12-1975. Si le congé vaut offre de vente au profit du loc., il doit, à peine de nullité, indiquer le prix et conditions de vente projetée. Cette offre est valable les 2 premiers mois du préavis. Si le loc. n'a pas accepté l'offre dans ce délai, il est déchu de plein droit de tout titre d'occupation sur le logement, à l'expiration du délai de préavis. Si le loc. accepte l'offre, il dispose de 2 mois pour réaliser la vente à compter de la date d'envoi de la réponse au bailleur ; si dans sa réponse il notifie son intention de recourir à un prêt, son acceptation est subordonnée à l'obtention du prêt. Le délai de réalisation de la vente est porté à 4 mois. Le contrat de location est prorogé jusqu'à l'expiration du délai de réalisation de la vente. Si à expiration la vente n'a pas été réalisée, l'acceptation de l'offre est nulle de plein droit et le loc. est automatiquement déchu de tout titre d'occupation du local. Ne peuvent bénéficier du droit de préemption les loc. des immeubles frappés d'une interdiction d'habiter, d'un arrêté de péril ou déclarés insalubres, lorsque la vente est faite entre parents jusqu'au 3e degré inclus, si l'acquéreur occupe le logement pendant au moins 2 ans à compter de l'expiration du préavis.

3o) Pour motif légitime et sérieux. Préavis min. de 6 mois si le loc. n'exécute pas des obligations lui incombant (ex. : un loc. payant systématiquement son loyer et ses charges avec retard alors qu'une clause de bail fixe précisément l'échéance des paiements).

☞ *Locataire de plus de 70 ans et disposant de ressources inférieures à une fois et demie le montant annuel du SMIC.* Si le bailleur a moins de 60 ans ou si ses ressources annuelles sont supérieures à une fois et demie le montant annuel du SMIC, il doit fournir au loc. un logement correspondant à ses besoins et possibilités et situé dans : le même arrondissement ou arr. limitrophes ou communes limitrophes de l'arr. où se trouve le local, objet de la reprise, si celui-ci est situé dans une commune divisée en arr. ; le même canton ou les cantons limitrophes de ce canton inclus dans la même commune ou dans les communes limitrophes de ce canton, si la commune est divisée en cantons ; sinon sur le territoire de la commune ou d'une commune limitrophe, sans pouvoir être éloigné à plus de 5 km. L'âge du loc. et du bailleur sont appréciés à la date d'échéance du contrat ; le montant de leurs ressources à la date de notification du congé.

• **Congé donné par le locataire.** Le loc. peut donner congé à tout moment, avec un préavis de 3 mois (en cas de mutation ou de perte d'emploi ou si le loc. a + de 60 ans et que l'état de santé justifie un changement de domicile : 1 mois).

Forme des congés. Lettre recommandée avec demande d'avis de réception ou signifiés par acte d'huissier ; délai de préavis courant à compter du j. de réception de la lettre ou de la signification de l'acte.

• **Renouvellement du contrat.** *Tacite :* à défaut de congé dans les formes légales, pour sa durée initiale. Le loyer est le même que celui de l'ancien contrat éventuellement révisé selon l'indice INSÉÉ.

Renouvellement pour – de 3 ans : possible si un événement justifie que le bailleur ait à reprendre le logement. Proposition à faire au moins 6 mois avant le terme du contrat par lettre recommandée avec A.R. ou par signification d'huissier. Le nouveau loyer ne peut être supérieur à l'ancien éventuellement révisé selon l'indice INSÉÉ.

Renouvellement avec nouveau loyer en cas de loyer manifestement sous évalué : le bailleur peut proposer le nouveau loyer fixé par référence aux loyers du voisinage pour des logements comparables. Doit faire connaître au loc. sa proposition par lettre recommandée avc A.R. ou par acte d'huissier au moins 6 mois avant le terme. Si le loc. est d'accord il a intérêt à manifester son accord au bailleur par écrit (le bail se renouvelle pour 3 ou 6 ans selon la nature du bailleur) ; s'il manifeste son désaccord par écrit ou ne répond pas 4 mois avant le terme, le bailleur, s'il désire appliquer sa proposition de nouveau loyer, doit saisir la commission départ. de conciliation. A défaut de saisine, le contrat est reconduit de plein droit aux conditions antérieures du loyer éventuellement révisé. Si les parties ne peuvent se mettre d'accord devant la commission, le bailleur devra saisir le juge d'instance, avant le terme du contrat de location, qui tranchera à partir des éléments fournis par les parties (attestations d'agents immobiliers, relevés de petites annonces, attestations de propriétaires ou de locataires). Le juge peut demander une expertise [frais avancés par le demandeur ; à l'issue du procès, feront partie des dépens (en général à la charge du perdant)]. La hausse fixée judiciairement s'appliquera rétroactivement, par tiers ou par sixième selon la durée du contrat, à la date d'effet du bail renouvelé. Dès le début de l'instance judiciaire, le juge pourra fixer un loyer provisionnel. Si le bailleur n'a pas saisi le juge avant le terme du contrat, celui-ci est réputé se renouveler de plein droit avec l'ancien loyer révisé en fonction de l'indice INSÉÉ. *Étalement du nouveau loyer* par tiers ou par sixième selon la durée du contrat. En cas de renouvellement inférieur à 6 ans, si la hausse est sup. à 10 %, elle s'applique par sixième annuel au contrat renouvelé, puis lors du renouvellement ultérieur. Si le bailleur est une personne morale, la hausse quel que soit son % doit être étalée sur 6 ans.

☞ Si le bailleur a fait une proposition de renouvellement avec une réévaluation de loyer, il ne peut pas donner congé au loc. pour la même échéance du bail.

• **Résiliation de contrat. Par le juge :** si l'une des parties ne respecte pas ses obligations, l'autre partie peut toujours exercer une action en justice auprès du tribunal d'instance pour forcer l'autre partie à exécuter son obligation lorsque c'est possible ou pour demander la résiliation du contrat avec dommages et intérêts. **Clause résolutoire de plein droit :** le contrat peut le prévoir dans 4 cas : non-paiement du loyer aux termes convenus ; non-versement des charges aux termes convenus ; du dépôt de garantie ; défaut d'assurance du locataire. La clause ne peut produire d'effet que 2 mois après que le loc. a reçu un commandement de payer demeuré infructueux. Le commandement doit pour être valable reproduire les dispositions de l'art. 24. Le loc. a 2 mois à compter du commandement pour : régler sa dette ou saisir le juge des référés (qui ne peut accorder de délai de paiement excédant 2 ans). **Clause résolutoire pour défaut d'assurance.** Ne prend effet qu'après un commandement demeuré infructueux 1 mois. Ce commandement doit pour être valable reproduire l'alinéa de l'art. 7. Si après 1 mois, le loc. n'a pas souscrit d'assurance, il est déchu de ses droits. Aucun délai supplémentaire ne peut lui être accordé par le juge au titre de l'art. 1 244 du Code civil.

Le loc. ne peut dans certains cas bénéficier du droit de préemption prévu par la loi du 31-12-1975. Si le local est à usage mixte d'habitation et professionnel : le loc. ou occupant de bonne foi occupe effectivement les lieux ; l'immeuble est divisé ou subdivisé par lots ; le logement est vendu pour la 1re fois suite à la division ou subdivision de l'immeuble. Le droit de préemption ne s'applique pas aux : ventes ultérieures à la 1re vente du local ; actes intervenant entre parents et alliés jusqu'au 4e degré inclus ; portant sur un bâtiment entier ou un ensemble de locaux à usage d'habitation ou à usage mixte professionnel et d'habitation ; portant sur un local situé dans un immeuble frappé d'une interdiction d'habiter ou d'un arrêté de péril ou déclaré insalubre ou comportant pour 1/4 au moins de sa superficie totale des logements loués ou occupés classés dans la catégorie IV visée par la loi du 1-9-1948. Le loc. a 1 mois à compter de la réception de l'offre de vente pour y répondre. L'absence de réponse dans ce délai équivaut à un refus. S'il accepte l'offre, il a à compter de la date d'envoi de sa réponse au bailleur, 2 mois pour la réalisation de l'acte de vente et 4 mois s'il a l'intention de recourir à un prêt. *Vente conclue avec un tiers :* droit de substitution ; le loc. évincé peut se substituer au tiers acquéreur dans 2 cas : la vente est conclue avec un tiers sans que le loc. ait été informé ; le loc. n'a pas accepté l'offre du bailleur dans le délai de 1 mois, la vente a été conclue avec un tiers dans des conditions plus avantageuses (pour permettre l'exercice du droit de substitution, le notaire qui reçoit l'acte, doit notifier la vente au loc. évincé par lettre recommandée avec demande d'avis de réception ; cette notification doit reproduire sous peine de nullité les 5 premiers alinéas de l'art. 10 de la loi du 31-12-1975). Si le logement a plusieurs loc. ou occupants de bonne foi, chacun bénéficie à titre individuel du droit de préemption. Il en est de même lorsqu'il s'agit d'époux, quel que soit le régime matrimonial et lorsque le bail a été conclu avant le mariage au profit d'un seul des 2 conjoints. Lorsque la vente de l'appartement et de ses locaux accessoires a lieu par adjudication volontaire ou forcée, une convocation doit être adressée au loc. ou à l'occupant de bonne foi, à la diligence du vendeur ou du poursuivant, ou de leur mandataire par lettre recommandée avec demande d'avis de réception, 1 mois avant l'adjudication. Tout jugement ou procès verbal d'adjudication doit être notifié au loc. ou occupant de bonne foi, à la diligence du greffier du tribunal ou du notaire devant lequel l'adjudication a été prononcée, entre le 10e et le 15e j suivant l'adjudication. A défaut de convocation et dans le délai de 1 mois à compter de la réception de la notification prévue au paragraphe II, le loc. ou occupant de bonne foi peut déclarer se substituer à l'adjudicataire, aux prix et conditions de l'adjudication.

• **Honoraires de rédaction.** *Taux :* 2 % sur la part de loyer annuel, net de charges, comprise entre 0 et 7 000 F TTC ; 1,5 % de 7 001 F à 15 000 F ; 1 % de 15 0001 F à 30 000 F ; 0,5 % au-delà *Ex. : rédaction des baux :* d'au moins 6 ans (art. 3 bis, 3 ter, 3 quater, 3 quinquies de la loi du 1-9-1948 modifiée), les honoraires déterminés par application de l'art. 1er peuvent être majorés dans la limite de 10 %.

• **Bail commercial.** *Durée de location :* min. 9 ans, au bout desquels le locataire a droit au renouvellement ou à une indemnité d'éviction. Le bail précise obligatoirement la destination des locaux (le type d'activité qui peut y être exercé). *Loyer :* la fixation du loyer initial est libre. On peut introduire une clause prévoyant l'indexation annuelle du loyer, sinon les loyers sont réévalués tous les 3 ans. *Droit au bail :* un locataire qui ne peut trouver un preneur pour son fonds de commerce peut vendre son droit au bail, c'est-à-dire le droit au renouvellement du bail pour les activités prévues. *Fonds de commerce :* il comprend des éléments matériels (mobilier, matériel, stock) et incorporels (clientèle, enseigne et droit au bail). La plupart des commerçants qui s'installent ne souhaitent pas acheter les murs et acquièrent soit un fonds de commerce, soit le seul droit au bail. *Pas de porte :* somme que doit payer le locataire lors de son entrée dans les lieux, en sus du loyer, du fait de la primauté de l'emplacement.

Honoraires de baux commerciaux. En général, libres, sous réserve de l'encadrement des prix.

• **Chambre de service.** **Normes classiques d'habitabilité : surface minimale de 10 m², hauteur sous plafond** de 2,5 m, ouverture donnant à l'air libre, lavabo avec eau courante, dispositif permettant le chauffage, usage d'un w.-c. collectif à l'étage ou à demi-palier et desservant au plus 5 chambres ; sinon la location tombe sous le coup de la loi de 1948.

• **Charges récupérables** (décret du 26-8-1987 pour contrats soumis à la loi Méhaignerie du 23-12-1986). *Ascenseurs et monte-charges :* électricité, visites périodiques d'entretien, dépannage sans réparation ni pièces, produits et petits matériels (chiffons, graisse, huile) et lampes de cabine, petites réparations de cabine et palier, balai du moteur et fusibles. *Eau et chauffage :* eau froide et chaude et taxes correspondantes, produits d'entretien de l'eau, électricité et combustible, exploitation et entretien courant (graissage, petits matériels, vérification, frais de contrôle, mise en repos...), menues réparations sur parties communes et éléments communs (réfection des joints, presse-étoupes, clapets, recharge de pompes à chaleur...). *Installations individuelles :* chauffage et eau chaude : combustible, exploitation, entretien courant et menues réparations (contrôles...), remplacement des joints, clapets. *Parties communes :* électricité, fournitures consommables (produits d'entretien, balais...), entretien de la minuterie, des tapis, des appareils de propreté ; frais de personnel (salaire et charges hors avantages en nature) en totalité pour un employé d'immeuble, aux ¾ pour un concierge ou gardien ; opérations d'entretien et menues réparations dans les jardins, allées, bassins, massifs, bacs à sable... *Hygiène :* dépenses de consommables, sacs de déchets, produits de désinfection et désinsectisation, entretien courant et exploitation des fosses de vidange, vide-ordures. *Équipements divers :* énergie de ventilation mécanique, ramonage, entretien, entretien codes et interphones et nacelles de nettoyage, façades vitrées, abonnement des téléphones communs. *Impôts :* droit de bail, taxe et redevance des ordures, taxe de balayage.

Charges locatives moyennes (en F au m², en 1988). 98,04 dont : chauffage 50,37, eau 12,27, gardien 11,4, ascenseur 8,7, taxes municipales 5,3, espaces verts 4,3, parties communes 3,2, divers 2,5.

• **Charges annuelles pour un appartement moyen** (1990). *Bordeaux* 9 267 dont chauffage 3 841, gardiennage 2 232, eau froide 682, honoraires 495, autres 2 017. *Grenoble* 11 581 dont ch. 4 833, ga. 2 520, eau fr. 550, ho. 693, autres 2 985. *Lyon* 10 197 dont ch. 4 103, ga. 2 324, eau fr. 1 015, ho. 401, autres 2 354. *Montpellier* 7 450 dont ch. 1 772, ga. 3 112, eau fr. 655, ho. 337, autres 1 574. *Paris* 12 653 dont ch. 3 937, ga. 4 708, eau fr. 900, ho. 579, autres 2 529. *Tours* 8 553 dont ch. 3 138, ga. 2 532, eau fr. 628, ho. 442, autres 1 813.

• **Commission départementale de conciliation.** Composée de représentants d'organisations de bailleurs et de locataires en nombre égal.

• **Commission nationale de concertation.** Comprend notamment des représentants des organisations représentatives au plan national de bailleurs, locataires et gestionnaires. Composition, mode de désignation des membres, organisation et règles de fonctionnement fixés par décret en Conseil d'État.

• **Commissions (frais) d'agence, de notaire.** Partagés par moitié entre locataire et propriétaire. Voir Agents immobiliers p. 1390.

• **Droit de bail.** Perçu sur les baux à durée limitée et les locations verbales. *Taux :* 2,50 % sur le prix annuel de la location. L'Administration peut retenir la valeur locative réelle si elle est supérieure. *Locations qui n'y sont pas soumises :* celles au loyer annuel inférieur à 1 500 F ; soumises à la TVA (meublé, fonds de commerce ou locaux industriels équipés ou les locations dont le bailleur a opté pour la TVA). Le propriétaire doit souscrire, avant la fin de l'année, une déclaration des loyers courus du 1-10 au 30-9 et acquitter les droits correspondant à ces loyers (droit de bail et, éventuellement, taxe additionnelle).

• **Étudiants.** Location et sous-location en meublé à des étudiants et à des jeunes travailleurs portant sur une partie des locaux de la résidence principale du loueur, et effectuées à un prix raisonnable, sont *exonérées de patente, d'impôt sur le revenu, de TVA.* (revenu annuel max. 5 000 F).

• **Expulsion.** **Cas possibles.** Dans une location libre, le bailleur peut demander au juge du tribunal d'instance d'ordonner l'expulsion d'un locataire qui ne respecte pas le contrat (ex. loyers impayés), ne quitte pas les lieux après avoir reçu légalement son congé, ou quand le bail arrive à expiration. Dans une location régie par la loi du 1-9-1948, le juge peut (en référé) octroyer au locataire un sursis renouvelable supérieur à 3 ans (si le relogement ne peut se réaliser dans des conditions normales, loi du 4-1-1980).

Procédure. *Le propriétaire transmet à son avocat une demande d'expulsion.* L'avocat saisit le tribunal d'instance et le locataire est convoqué en audience de conciliation par le greffe d'instance. *Lors de l'audience,* le locataire prend un engagement devant le juge et le représentant du propriétaire. S'il ne respecte pas cet engagement, l'avocat obtient le permis de citer, et le locataire comparaît une nouvelle fois devant le tribunal. S'il ne se présente pas ou s'il n'a pas la possibilité de régler à l'audience, le juge prend jugement. *Le jugement est signifié* au locataire par exploit d'huissier. Il peut faire appel (1 mois) mais, en cas de non-paiement de loyer, ce n'est guère possible à moins de pouvoir prouver un vice de forme dans le jugement (ex. : le locataire n'a pas reçu de convocation à comparaître devant le tribunal). *L'huissier délivre alors à l'occupant un commandement de vider les lieux* (appelé encore *commandement de déguerpir).* Si le locataire reste, l'huissier dresse un procès-verbal de carence et un procès-verbal de tentative d'expulsion, et demande l'assistance de la force publique au commissaire de police.

Le commissaire convoque l'intéressé et tente d'obtenir le paiement. Il demande à la Préfecture l'autorisation d'expulser et d'intervenir avec la force publique. Il demande au maire si l'expulsion est justifiée et si elle ne risque pas de troubler l'ordre public et demande en même temps à la Direction départementale de l'action sanitaire et sociale (DDASS) de faire une enquête sociale sur la famille concernée (enquête confiée à la Protection maternelle et infantile). *Une assistante sociale effectue l'enquête* et demande des renseignements au propriétaire (par ex., possibilité d'arrêter la procédure en cas de paiement d'une forte somme, ou d'une mise en tutelle des prestations familiales, etc.). Dans tous les cas, le Préfet décide d'accorder ou non l'expulsion après avoir réuni les renseignements fournis par la mairie et le rapport de l'assistance sociale. *Durée de la procédure :* 3 à 18 mois. Un bailleur, qui ne peut obtenir du préfet une expulsion, peut attaquer l'État pour obtenir réparation du préjudice subi.

Dates. On ne peut exécuter une mesure d'expulsion du 1er nov. au 15 mars, sauf si le relogement est assuré dans des conditions normales, s'il y a un arrêté de péril, s'il s'agit de logements pour étudiants ayant cessé de satisfaire aux conditions (loi du 3-5-1990, art. 21).

Adresses

Accueil et reclassement féminin. Œuvre des gares. *Siège :* 21, av. du Gal-Michel-Bizot, 75012 Paris. Hébergement des femmes majeures, en difficulté, accompagnées de leurs enfants. Foyer pour jeunes filles mineures. Accueil en gares : Est, Nord, Lyon, Montparnasse.

Association pour l'information sur le logement en agglomération parisienne (AILAP). 95, rue du Cherche-Midi, 75006 Paris.

Bureau d'accueil des jeunes (BADJ). 11, avenue Victoria, 75004 Paris.

Centre régional des œuvres universitaires et scolaires (CROUS), 39, av. Georges-Bernanos, 75005 Paris ; 70, av. du Gal-de-Gaulle, 94010 Créteil Cedex ; B.P. 109, 78103 St-Germain-en-Laye. Env. 100 000 places en résidences universitaires. Les 3 C.R.O.U.S. de la Région parisienne gèrent env. 10 000 chambres (600 à 800 F ch. seule, 1 000 à 1 200 F pour un F1-F2 en 1990). *Demandes avant le 1er mars.*

Union nationale des foyers et services pour jeunes travailleurs (UFJT). 12, av. du Gal-de-Gaulle, 94307 Vincennes Cedex. Accueille de 16 à 25 ans. 55 000 places presque toutes en chambres individuelles. *Demi-pension* Paris 1 600/ 2 100 F.

Mutuelle de logement pour les jeunes. Créée par l'UFJT. Avance les sommes nécessaires à une 1re installation (caution, loyer d'avance, etc.) à Paris (21, rue des Malmaisons, 75013), Nantes (Foyer CAP, 16, rue du Cap.-Corumel), Clermont-Ferrand (Foyer St-Jean, 17, rue Gaultier-de-Biauzat).

Observatoire des loyers de l'agglomération parisienne (OLAP). 21, rue Miollis, 75015 Paris.

Statistiques. Demandes de réquisition de la force publique : *1980 :* 22 000, *87 :* 38 000 ; décisions d'octroi par l'Administration du concours de la force publique : *80 :* 8 700, *87 :* 18 000 ; interventions effectives de la police : *80 :* 2 000, *87 :* 5 200.

• **Habitabilité** (normes minimales). **État :** gros œuvre étanche et en bon état d'entretien, parties communes en bon état d'entretien, canalisations d'eau en bon état, conformes au règlement sanitaire en vigueur et suffisantes pour une distribution permanente avec un débit correct. **Pièces :** au minimum 1 pièce principale, 1 pièce de service (salle d'eau, w.-c.) et un coin cuisine. *Surface habitable minimale :* 16 m² pour une surface moyenne des pièces habitables d'au moins 9 m² (minimum par pièce 7 m²). *Hauteur sous plafond min. :* 2,20 m. *Aération.* Pièces principales : une ouverture donnant à l'air libre ; autres pièces, une ventilation suffisante. *Cuisines et coins cuisine :* évier avec siphon alimenté en eau potable chaude et froide ; il doit être possible d'installer un appareil de cuisson. Installations de gaz et d'électricité : suffisantes et conformes aux règlements. Les normes minimales d'habitabilité sont définies en outre par le décret du 6-3-1987.

Équipement sanitaire : *logements de + de 2 pièces principales,* 1 w.-c. séparé de la cuisine et de la pièce principale par un sas, 1 salle d'eau avec lavabo, baignoire ou douche, alimentés en eau chaude ou froide ; *d'1 ou 2 p. principales,* 1 pièce avec w.-c. ne communiquant pas directement avec la cuisine et 1 lavabo avec eau chaude et froide, ou 1 salle d'eau ou 1 coin douche, le w.-c. à usage privatif étant à l'étage ou à un demi-palier de distance.

Chauffage : dispositif de réglage automatique de température. S'il n'existe pas de chauffage central, pour un logement de *3 p. principales :* 1 appareil fixe, poêle ou radiateur à gaz ou électrique ; *de 3 ou 4 p. :* 2 appareils ; *de 5 p. ou + :* au moins 3 appareils.

• **Information et consultation des locataires.** Chaque association qui, dans un immeuble ou groupe d'immeubles, représente au moins 10 % des loc. ou est affiliée à une organisation siégeant à la commission nat. de concertation, désigne au bailleur, et le cas échéant, au syndic de copropr., par lettre recommandée avec demande d'avis de réception, le nom de 3 au plus de ses représentants choisis parmi les loc. de l'immeuble ou du groupe d'immeubles. Ils ont accès aux différents documents concernant la détermination et l'évolution des charges locatives. Dans les immeubles en copropriété, les représentants peuvent assister à l'assemblée générale de copropriété et formuler des observations sur les questions inscrites à l'ordre du jour.

• **Loi du 1-9-1948.** Possibilité restreinte de transformer les baux soumis à la loi de 1948 accordée aux logements classés IIB ou IIC, en contrats de location de 8 ans avec un nouveau loyer fixé en fonction de ceux pratiqués dans le voisinage. Les locataires aux ressources inférieures au plafond légal peuvent s'opposer à cette transformation.

• **Loi Quilliot** *(22-6-1982).* Loi abrogée par la **loi Méhaignerie.** S'appliquait aux locaux à usage d'habitation et d'usage mixte (habitation et professionnels). Étaient exclus les locaux loués par des professionnels, logements de fonction, log.-foyers, locations-accession, chambres meublées, locaux à caractère saisonnier (art. 2), résidences secondaires (arrêt de la Cour de cassation du 29-11-1983).

• **Loi Méhaignerie** *(23-12-1986).* S'appliquait aux locations à usage d'habitation principale ou à usage mixte (professionnel et d'habitation principale). Ne concernait ni les résidences secondaires, ni les locations saisonnières, ni les locations meublées.

• **Loi Mermaz-Malandain** *(6-7-1989).* Voir Bail.

• **Litiges.** Ils demeurent soumis aux principes antérieurs (saisine de la Commission départementale de conciliation et, à défaut d'accord, du juge). La loi du 13-1-1989 et le décret du 15-2-1989 prévoient l'étalement sur 6 ans des hausses de loyer supérieures à 10 %, la nullité de toute hausse non accompagnée de références (3 en province, 6 à Paris) dont 1/3 seulement pourra concerner des locations récentes (locataire entré dans les lieux dep. – de 3 ans).

• **Locations saisonnières.** *Réservation :* par l'intermédiaire d'un agent, montant réclamé au moment de la réservation : au maximum 25 % du prix de la location y compris le dépôt de garantie ; ne peut être exigée plus de 6 mois avant le début de la location, solde versé à la remise des clés (commission de l'agent, libre) ; location sans intermédiaire, somme versée à titre de réservation peut être fixée librement. *Annulation de la location :* s'il s'agit d'acompte, l'engagement des parties est ferme et définitif (si le locataire ne donne pas suite, le propriétaire peut lui demander la totalité du prix ; s'il s'agit d'arrhes, les 2 parties pourront annuler la réservation, le locataire en abandonnant les arrhes, le propriétaire en restituant le double de la somme versée). *Caution :* libre ; en gén. 20 % du loyer au max. ; versée à l'entrée dans les lieux. *Prix :* libre. **Régime fiscal.** *Taxe professionnelle :* payée par le bailleur, exigible si le logement est loué périodiquement chaque année ; exonération de la taxe prévue lorsque le logement fait partie de la résidence du bailleur (y compris les chambres de service) et pour certains gîtes ruraux. *Taxe de séjour :* 1 à 7 F par personne ; montant fixé par le Conseil municipal, demandé au locataire en plus du loyer. TVA non exigible si les loyers annuels ne dépassent pas 21 000 F, sinon 5,5 %.

• **Maintien dans les lieux** (droit). Existe dans les logements soumis à la loi de 1948 et à loyer réglementé (H.L.M.) sauf pour les sous-locations partielles [le *sous-loc.* a droit au maintien dans les lieux à l'encontre du loc. principal, sauf droit de reprise de ce dernier ; mais pas à l'encontre du propriétaire de l'immeuble lorsque le loc. principal quitte les lieux, renonce ou est déchu du droit au maintien en possession]. Ont droit au maintien dans les lieux les loc. ou occupants de « bonne foi » : *l'étudiant* (dans les mêmes conditions qu'un autre loc.), *le fonctionnaire* détaché hors de France. En cas d'abandon ou de décès de l'occupant de bonne foi : le conjoint, et, lorsqu'ils vivaient effectivement avec lui depuis plus d'un an, les ascendants, les handicapés et les enfants mineurs jusqu'à leur majorité. *L'occupant d'un logement accessoire* (de fonction) n'a pas droit au maintien dans les lieux. LE DROIT AU MAINTIEN DANS LES LIEUX NE PEUT ÊTRE OPPOSÉ : 1° *au propriétaire qui a obtenu l'autorisation de démolir* un immeuble pour en construire un autre ayant plusieurs logements, et dont la surface habitable sera supérieure, *ou l'autorisation d'effectuer des travaux ayant pour objet d'augmenter la surface habitable,* le nombre de logements, le confort de l'immeuble. Le propriétaire doit donner un préavis de 6 mois et commencer les travaux de reconstruction dans les 3 mois du départ du dernier occupant. Souvent, l'Administration subordonne l'autorisation de démolir au relogement des occupants évincés. Les occupants évincés ont un *droit de réintégration* dans les locaux reconstruits ou aménagés quand ils ne sont pas relogés dans un local ayant au moins les mêmes conditions d'hygiène. 2° *au propriétaire qui exerce son droit de reprise pour occuper lui-même son logement ou le faire occuper par un membre de sa famille.* L'exercice du droit de reprise par le propriétaire peut entraîner pour lui l'obligation de reloger le locataire.

• **Meublés. Durée.** Librement déterminée par les parties ; si elle est indéterminée, on peut donner congé au locataire à tout moment en respectant le préavis en usage. **Location par un non-professionnel :** secteur libre : loyer libre. Locaux soumis à la loi du 1-9-1948 : loyer fixé selon la surface corrigée (forfaitairement), majoré du prix de location des meubles qui ne peut dépasser le montant du loyer principal (art. 43). **Par les professionnels** (hôtels meublés, pension de famille...) : loyer libre depuis le 1-1-1987. Sont considérées comme loueurs professionnels les personnes inscrites en tant que telles au registre du commerce et qui réalisent + de 150 000 F de recettes annuelles ou retirent de cette activité + de 50 % de leur revenu global. Elles sont redevables de la TVA (taux de 5,5 % sur le prix de location du logement, les autres services annexes éventuels, petit déjeuner, blanchissage doivent être facturés en sus au taux de TVA qui leur est propre). Leurs bénéfices sont imposables au régime du forfait (recettes inférieures à 150 000 F) ou au régime du bénéfice réel, normal ou simplifié.

Taxe professionnelle : tous les loueurs en meublé y sont soumis, sauf les loueurs accidentels (et sans caractère périodique) d'une partie de leur habitation principale ou les loueurs même à titre habituel d'une partie de cette même habitation qui sont exonérés de toute autre imposition ; les loueurs saisonniers d'une partie de leur habitation, à titre de gîte rural pour les vacances, d'une partie de leur résidence principale ou secondaire, à la semaine et pour un nombre de semaines n'excédant pas 12.

• **Personnes âgées.** *Location régie par la loi du 1-9-1948 :* maintien dans les lieux possible pour : les + de 70 ans, ne disposant pas de revenus suffisants (max. : 1 fois 1/2 le montant annuel du SMIC), si leur relogement n'est pas assuré et si le bénéficiaire de la reprise a – de 65 ans ; et les + de 65 ans (60 en cas d'inaptitude au travail), et occupant un logement II A, s'ils n'ont pas un revenu annuel imposable au max. de 39 000 F (Ile-de-Fr.), 24 000 F (autres régions) (décret 26-8-1975).

• **Propriétaire. Obligations :** le propriétaire est garant : 1° *des vices ou défauts* de la chose louée qui en empêchent l'usage, quand même il ne les aurait pas connus lors du bail (cheminées qui fument ou qui ne permettent pas d'y faire du feu, humidité due à l'insuffisance de l'épaisseur des murs, infiltrations d'eau tenant à la mauvaise construction de l'immeuble ou à la nature du sol) ; 2° *des troubles apportés à la jouissance* de la chose louée, troubles venant de son fait, du fait du concierge ou des locataires (en cas de défaut d'entretien, le preneur a droit à une réduction du loyer si l'étendue de sa jouissance est diminuée) ; 3° *des vols* commis dans les locaux loués s'ils sont la conséquence d'une négligence grave du concierge. Ex. : concierge travaillant à l'extérieur laissant la loge à l'abandon toute la journée, sans que le propriétaire informé de cette situation ait rien fait pour y remédier. **Grosses réparations.** Elles lui incombent normalement (sauf conventions contraires) : si elles excèdent le cadre de l'entretien courant, travaux de ravalement, réparations extérieures : murs, toitures, escaliers en mauvais état, balcons, barres des fenêtres, ascenseurs. Ni le cas fortuit, ni la force majeure, ni la vétusté, la malfaçon ou le vice de construction ne peuvent l'exonérer de cette obligation. **En cas de perte** totale ou partielle de l'immeuble, il n'est pas obligé de reconstruire. **Il n'est pas** tenu de délivrer un certificat de domicile à un locataire, mais doit lui délivrer une quittance de loyer si celui-ci en fait la demande. **Il ne peut :** 1° s'opposer à l'installation par le loc. du gaz et de l'électricité ; 2° interdire au loc. d'avoir un animal familier dans son logement. Le propriétaire qui loue un local avec une ligne téléphonique lui appartenant doit prévoir une clause spéciale.

Réparations locatives (décret du 26-8-1987). *Extérieur :* entretien courant des jardins, dégorgement des conduits, démoussage. *Ouvertures :* graissages, menues réparations, remplacement des boulons, clavettes et targettes, réfection des mastics, remplacement des vitres, graissage des stores, remplacement des cordes, graissage et petites pièces des serrures et grilles. *Intérieur :* plafonds, murs et cloisons : nettoyage, menus raccords de peinture et tapisserie, remplacement de quelques éléments (faïences...), rebouchage des trous ; sols : encaustiquage des parquets, remplacement de quelques lames, raccords de moquette ; placards : remplacement des tablettes et tasseaux et réparation des fermetures. *Plomberie :* eau : dégorgement, remplacement joints et colliers ; gaz : entretien robinets, siphons, ouvertures, remplacement des tuyaux souples, vidange des fosses ; chauffage : remplacement bilames, pistons, membranes, boîtes à eau, clapets, joints..., rinçage et nettoyage des corps de chauffe et tuyaux, joints, clapets, presse-étoupe... ; éviers : nettoyage dépôts calcaires, remplacement des tuyaux flexibles. *Électricité :* remplacement des interrupteurs, prises, coupe-circuits et fusibles, des ampoules, tubes, remplacement baguettes et gaines. *Autres équipements mentionnés dans le bail :* entretien courant et menues réparations (réfrigérateur, machine à laver, pompe à chaleur, cheminées...), dépose des bourrelets, graissage, remplacement des joints, ramonage.

• **Ravalement à Paris.** Obligé par le Code de la construction et de l'habitation, et par le règlement sanitaire départ. Concerne façades, cours, courettes et les parties communes. La Mairie de Paris n'exige pas systématiquement la remise en état de propreté d'un immeuble non ravalé depuis 10 ans ; le ravalement ne doit intervenir que si l'état de l'immeuble le nécessite. Le Service de l'hygiène et du ravalement de la mairie de Paris (50 rue de Turbigo, 75003) repère les immeubles sales ou dégradés et informe leurs propriétaires. Si à la suite de cet avertissement les travaux ne sont pas effectués dans les délais impartis : amende de 1 000 à 20 000 F. Si le propr. ne fait pas faire les travaux après qu'un arrêté lui a été dûment notifié, la Ville peut se substituer à lui et les faire exécuter d'office à ses frais. *Aspects fiscaux.* Un propriétaire occupant sa résidence principale bénéficie d'une réduction d'impôts égale à 25 % du montant des travaux dans la limite de 15 000 F par ménage, + 2 000 F par personne à charge. Un propriétaire bailleur peut déduire la totalité correspondant aux appartements qu'il loue de ses revenus fonciers, mais ne peut récupérer cette dépense sur ses loc.

• **Reprise (par le propriétaire).** Voir Bail.

• **Résiliation de bail par le propriétaire.** Voir Bail.

• **Sous-location.** Interdite sauf accord exprès et écrit du bailleur. **Logement soumis à la loi de 1948 :** interdite, en principe, par la loi du 1-9-1948, sauf clause contraire expresse du bail ou accord (écrit) du bailleur. Cependant, le locataire qui n'a pas reçu congé peut toujours sous-louer une pièce malgré toute clause contraire du bail et en cas d'insuffisance d'occupation si le logement comporte plus de 1 pièce (la chambre de service peut compter pour une pièce mais non les annexes). Le *loc.* doit notifier au propr. la sous-loc. dans le mois par lettre recommandée avec accusé de réception en indiquant le prix demandé et le nom du sous-loc., sous peine de déchéance du droit au maintien dans les lieux. Le propr. peut majorer de 50 % la valeur locative du local sous-loué tant que dure la sous-location. Dans la région parisienne, le loc. principal vivant seul, âgé de + de 65 ans, peut sous-louer 2 pièces à 1 ou 2 personnes différentes, à condition que son log. n'ait pas plus de 5 pièces. Le *sous-loc.* a droit au maintien dans les lieux (mêmes conditions que le loc. principal) si la sous-location est régulière (autorisée par bail ou accord exprès du bailleur), si le sous-loc. est de bonne foi et occupe effectivement les lieux 8 mois par an.

Logements locatifs à Paris selon le type de propriétaire (au 1-1-1989). Effectifs. 433 400 (dont particuliers copropriétaires 228 100, monopropriétaires 79 500, personnes morales 125 800. *Total 1 ou 2 pièces :* 288 700. *5 pièces ou + :* 29 000. *Bâtis avant 1948 :* 280 900. *Tout confort :* 292 200. *Locataires arrivés depuis – de 3 ans :* 199 600.

Paris. 434 120 (hors HLM, logements sociaux, soumis à la loi de 1948, gratuits, occupés par leur propriétaires) dont emménagés (1988) : 87 976 dont (en %) : *1 pièce* 26,8, *2 p.* 21, *3 p. et +* 13,6. **Proche banlieue.** 343 887 dont emménagés (1988) : 66 769 dont (en %) *1 p.* 24,8, *2 p.* 20,1, *3 p. et +* 16,2.

• Taxe. **Additionnelle au droit de bail.** 3,50 % sur les immeubles achevés avant 1948, 0,50 % pour ceux achevés entre 48 et 75 ; ne peut être à la charge du locataire. **Foncière.** Ne peut être récupérée sur le loc.

• Ventes. Voir Bail.

H.L.M. (habitations à loyer modéré)

• Organismes fédérés. *L'Union nat. des Féd. d'organismes d'HLM* regroupe 5 féd. : Féd. nat. des offices d'HLM (OPHLM et OPAC) ; des Stés anonymes et fondations d'HLM ; des Stés coop. d'HLM ; des Stés de crédit immobilier de France ; Assoc. région. d'HLM.

Offices publics d'aménagement et de construction (OPAC). Établ. publics à caractère industriel et commercial. *Créés* par décret du 22-10-1973 pris en Conseil d'État, par transformation d'offices publics d'HLM existants. Assurent construction et gestion d'HLM, peuvent réaliser les mêmes opérations que les offices publics (restauration immobilière, prestations de services, opérations prévues avec le concours de primes à la construction).

Offices publics d'habitations à loyer modéré (OPHLM). Établissements publics à caractère administratif institués par la loi du 23-12-1912. *Créés* à l'initiative d'une collectivité locale (département, commune ou syndicat de communes), par décret pris en Conseil d'État, et gérés par un conseil d'admin. (15 m. dont les fonctions sont gratuites).

Stés anonymes d'HLM *Instituées* par la loi du 12-4-1906. Soumises à la législation sur les Stés par actions et aux dispositions prévues par la législation HLM. *Créées* à l'initiative privée par des institutions sociales (Caisse d'alloc. familiales, Caisse d'épargne, ou autres organismes du même type) ou par des groupements prof. intéressés au logement de leur personnel. Réalisent des programmes locatifs pour des personnes de revenus modestes (conditions de location et calcul des loyers identiques à ceux des Offices publics), ou des opérations d'accession à la propriété, en collaboration avec des Stés de crédit immobilier. Bénéficient de prêts de l'État dans les mêmes conditions que les Offices publics. Les attributions sont faites dans l'ordre de la liste de classement établie par le règlement intérieur de la Sté.

Stés coopératives de production d'HLM. *Régies* par décret du 15-3-1974, la législation des Stés commerciales, le statut de la coopération et la législation HLM. Compétence étendue par la loi du 20-7-1983. Réalisent des programmes de constr. pour des Stés coop. de constr. (groupant des coopérateurs accédant à la propriété), avec lesquelles elles passent une convention de prestation de services ; elles en assurent la gestion, le financement, le rôle de syndic parfois. Les logements construits sont en général transférés aux coopérateurs par attribution-partage des immeubles.

Stés de crédit immobilier. *Instituées* par la loi du 10-4-1908. Stés anonymes par actions, constituées à l'initiative privée, soumises à la législation des Stés par actions, aux dispositions de la législation HLM et de la loi bancaire (mandat des administrateurs gratuit). *Objet :* favoriser, par des prêts, l'accession de familles de revenus modestes à la propriété de logements. Réaliser des opérations groupées, des lotissements et des maisons individuelles.

☞ **Activités nouvelles.** Les organismes d'HLM peuvent intervenir également sous certaines conditions dans les secteurs de l'aménagement, de la réhabilitation de l'habitat et du tourisme social.

Statistiques (1990)

Organismes. Env. 1 000 d'HLM, 294 OPHLM (dont 46 OPAC), 360 Stés anonymes, 141 Stés de crédit immobilier, 169 Stés coop. d'HLM gérées par env. 15 000 administrateurs bénévoles (dont : 112 députés et 87 sénateurs, 33 Pts de Conseils généraux, 826 conseillers généraux, 807 maires, 100 conseillers régionaux ou membres des comités économiques et sociaux régionaux), 65 000 agents salariés assurant la maîtrise d'ouvrage des programmes, la gestion des organismes et des patrimoines HLM.

Construction (1990). % des HLM. Dans la construction globale : 25. **Logements financés par les HLM** (en 1990) : total 80 000 dont *locatif aidé* 52 000, *accession* 8 000. **% de log. collectifs et individuels réalisés par les organismes d'HLM** (1990). *Locatifs :* collectifs 69, individuels 31. *Accession :* collectifs 43, ind. 57. **Constructions** *(dep. 1945) :* 4 550 000 logements collectifs et individuels réalisés à plus de 90 %, dont : 3 250 000 logements locatifs, 1 300 000 logements en accession à la propriété. En 1990 : *locatifs* 52 000 ; *accession aidée* 8 000 (+ 29 000 prêts aux familles désireuses d'acheter ou d'améliorer leur logement). Poids économique (en milliards de F, 1990). Investissement construction neuve HLM 30 (terrain compris). Les organismes d'HLM ont géré 39 milliards de F de loyers, 15 de charges locatives.

Résultats d'exploitation des HLM (en millions de F). **Résultats annuels.** *1981 :* + 750. *82 :* + 570. *83 :* + 210. *84 :* – 150. *85 :* – 510. **Résultats cumulés.** *1985 :* + 870. *86 :* – 20. *87 :* – 1 280. *90 (prév.) :* – 7 090. *95 :* – 19 080. *99 :* – 29 690.

Usagers. Env. 13 millions logés par HLM (dont : locataires 9, accédants à la propriété 4). 58 % des loc. sont ouvriers, employés, personnels de service, retraités (autres parcs locatifs 62 %), 12 % étrangers (ensemble de la population 6,2 %).

Loyers. Inférieur en moy. de 40 % à un loyer du secteur libre (tout confort). Impayés (en % des loyers + charges) *1984 :* Offices 3,11, S.A. 1,68 ; *85 :* O. 3,89, S.A. 2,14 ; *86 :* O. 4,47, S.A. 2,48 ; *88 :* 5 (O. + S.A.).

Conditions d'attribution des logements

Location. S'adresser à la mairie du domicile ou directement à un organisme d'HLM. Plafond des ressources annuelles imposables (ex. : ménage de 2 personnes en Ile-de-France, 76 548 F par an (94 919 si 2 revenus).

Accession à la propriété. S'adresser plus particulièrement aux Stés de crédit immobilier, Stés anonymes d'HLM, Stés coop. d'HLM [adresses communiquées par les directions départ. de l'Équipement, la mairie du domicile et les centres d'information sur l'habitat agréés par l'ANIL.

Loyers

Régime des loyers

☞ Voir Bail p. 1397b.

Locaux soumis à la loi du 1-9-1948. Loyers forfaitaires : aux termes du décret du 28-6-1991, à compter du 1-7-1991 : augmentation de 2,7 % pour locaux de catégorie III A, III B ; augmentation de 4 % pour la cat. II A et les cat. II B et II C non encore libérées. Les locaux de cat. IV ne peuvent subir aucune majoration annuelle de loyer. Dep. le décret du 26-8-1975, libération des II A sauf pour les handicapés et + de 65 ans.

Valeur locative mensuelle (en F à compter du 1-7-1991 : prix de base de chacun des 10 premiers m² de surface corrigée et, entre parenthèses, chacun des m² suivants) : *catégories II A :* 32,70 (19,47), *II B :* 22,57 (12,20) ; *II C :* 17,27 (9,32), *III A :* 10,55 (5,66), *III B :* 6,34 (3,30), *IV :* 1,70 (0,80).

Prix de location

Loyer mensuel (hors charges) par m² (au 1-1-1989, en F). **Moyenne française :** *1981 :* 20,9, *82-84 :* 22,5, *85-86 :* 26,3, *87-88 :* 30, *89 :* 25,3 (Paris 57, banlieue parisienne 46,1, villes de + de 100 000 h. 24,3, villes de – de 100 000 h. et zones rurales 17,5). *1990 :* Paris 67, proche banlieue 54,7, (locataires installés en 1990 81,7 et 62,4).

Loyers moyens selon la taille des logements, au m² (en F, au 1-1-1989). **Paris.** 1 pièce (25 m²) 76 ; 2 p. (42 m²) 64 ; 3 et 4 p. (73) 60 ; 5 p. et + (149) 58 ; ensemble (52) 63. **Proche banlieue.** 1 p. (29) 64 ; 2 p. (44) 52 ; 3 et 4 p. (70) 47 ; 5 p. et + (127) 56.

Loyer au m² des locataires emménagés à Paris et, entre parenthèses, en proche banlieue (en % en 1988). *Moins de 50 F :* 4,9 (24,2), *50 à 59 F :* 9,4 (25,2), *60 à 69 F :* 23,6 (25,8), *70 à 79 F :* 21,9 (10,6), *80 à 89 F :* 20,5 (7,3), *90 à 99 F :* 7,1 (2,8), *+ de 100 F :* 12,7 (4).

Prix moyen au m² et, entre parenthèses, prix au m² pour une surface de 50 à 99 m² (en F). **Paris.** *1er :* 78 (82), *2e :* 72 (74), *3e :* 76 (68), *4e :* 77 (73), *5e :* 80 (72), *6e :* 82 (76), *7e :* 82 (84), *8e :* 80 (75), *9e :* 59 (58), *10e :* 66 (57), *11e :* 65 (58), *12e :* 61 (55), *13e :* 66 (57), *14e :* 76 (63), *15e :* 71 (64), *16e :* 82 (74), *17e :* 73 (67), *18e :* 64 (58), *19e :* 60 (53), *20e :* 58 (51). **Ile-de-France.** *78 (Yvelines) :* 61 (48), *91 (Essonne) :* 36 (34), *92 (Hts-de-Seine) :* 62 (55), *93 (Seine-St-Denis) :* 46 (41), *94 (Val-de-Marne) :* 52 (48), *95 (Val-d'Oise) :* 39 (36). **Province.** Bordeaux 1,1 à 3 (1,3 à 6,6), Clermont-Ferrand 1 à 2 (1,1 à 3,5), Grenoble 1,7 à 2,9 (2,6 à 3,1), Lille 0,7 à 3,3 (1,3 à 6), Lyon 1,2 à 3,4 (1,5 à 4,6), Marseille 0,3 à 3,6 (1,4 à 6,8), Montpellier 1,4 à 2,8 (2 à 4,6), Nantes 0,9 à 2,9 (1,4 à 4,45), Nice 1,7 à 5,5 (2,7 à 8), Rennes 1,4 à 2 (2,2 à 3), Toulouse 1 à 3,7 (1,6 à 4,4).

Loyers HLM (exemples). Surface réelle en italique : surface corrigée (en m²) et loyer févr. 83, entre parenthèses, loyer + charges (en F). Appartement [1] **2 pièces 1954** 42 m² *76 m²* 465,29 F (941,28 F). **2 pièces [1] 1982** 63, *93,1* 201,29 (1 387,71). **Maison [1] 4 pièces 1954** 70, *113* 705,50 (885,51). **Appt [1] 4 p. 1972** 83, *126* 1 280,45 (2 219,50).

Nota. – (1) Situé(e) à Sceaux.

• Province. **Prix de location** (en milliers de F, 2e semestre 1988) **pour un logement de 3/4 pièces, ancien et,** entre parenthèses, **neuf.** *Quartier résidentiel-centre ville :* Aix [1] 4/6 (4,6). Angers 1,2/1,8 (2,2/2,6). Angoulême 2,2/2,6. Annecy 1,7/3. Aurillac 1,3/1,9 (1,6/2,1). Auxerre 1,1/2 (1,8/2,5). Bastia [1] 1,5/2,8 (2,5/3,2). Bergerac 1,3/2,5 (1,3/2,5). Bordeaux 3/4. Bourg-en-Bresse (2). Bourges [1] 2/3 (2,5/3,5). Brest 1,5/1,8. Brive [1] 0,7/1,5 (2/2,3). Castres 0,9/2 (2/2,2). Dijon 0,9/3,3 (2,5/3,5). Grenoble 2/4,5. Lille (2,6/3,5). Limoges 0,5/2 (2/4). Lorient 1,2/1,6 (1,6/2,2). Lyon 1,2/2,8 (3,5/5,8). Marmande 1/1,5 (1,6/2). Marseille 1,3/3. Melun 0,75/2,15 (2,2/2,8). Metz 1,5/2,1 (2/2,5). Mont-de-Marsan 2/2,1 (2/2,4). Montpellier (3/4). Nancy 2,5/3 (2,8/3,4). Nantes [1] 2/3 (3/4). Nevers 0,45/1,5 (1,3/1,9). Nîmes 2/4 (2,7/4). Nogent-le-Rotrou 1,2/1,8 (1,8/2,5). Orléans 1,5/2,5 (1,8/2,8). Pau 1/1,8 (2,2/2,6). Périgueux 1/2 (1,8/2,5). Poitiers 1,2/2 (2,5/3,2). Rennes 1,7/2 (1,2/3). Rodez (2/3). Rouen (2,5/3). Strasbourg 1,6/2,5 (2,2/3). Toulon 0,7/2 (2,5/3). Toulouse 3,5/4,5 (3,5/4,5). Tours (1,5/2,2). Troyes 0,3/1,2 (1,6/1,7). Tulle 0,5/1,3 (1/1,3). *Autres quartiers :* Angers 1/1,5 (2/2,2). Angoulême 1,8/2,2. Annecy 1,5/3 (3/4,5). Aurillac 0,9/1,25 (1,5/1,9). Auxerre 1,1/2 (1,8). Bordeaux 2,5/3,5. Bourg-en-Bresse (2). Brest 1,3/1,4. Dijon 0,8/2,5 (2,3/3,1). Grenoble 1,7/4. Limoges 0,5/1,5 (1,5/3). Lorient 1,1/1,6 (1,5/2,2). Lyon 1/2,5 (1,8/3,8). Marmande 0,9/1 (1,4/1,7). Marseille 1,6/2. Melun 0,45/2,15 (2,2/2,8). Metz 0,8/2 (1,7/2). Mont-de-Marsan 2,2/2,35 (2,2/2,4). Montpellier (2,8). Nancy 1,5/2,5 (2,2/2,8). Nevers 0,35/1,2 (1/1,4). Nîmes 1,8/3,5 (2,5/3). Orléans 1,5/2,5 (1,8/2,8). Pau 1/1,8 (2/2,8). Poitiers 1/1,7 (1,4/2). Rennes 1,2/1,4 (1,75/2,4). Rodez (1,5/3,5). Strasbourg 1,4/2 (1,9/2,3). Toulon 0,7/2 (2,5/3). Tours (1,5/1,8). Troyes 0,3/1,1. Tulle 0,4/1 (0,8/1).

Nota. – (1) 1er trimestre 1987.

Mer. Prix moyen pour 15 j en été, 1987, studio et entre parenthèses villa, en milliers de F. Antibes 4,5 (14), Bandol 4,6 (14), Bormes-les-Mimosas 4 (10), Cagnes-sur-Mer 3 (9), Cannes 0,5 (16), Cassis 1,8 (6), Grasse 3 (10), Hyères 3 (12), Juan-les-Pins 4,2 (12), La Seyne-sur-Mer 2,2 (10), Le Lavandou 3 (8), Les Lecques 2 (7), Menton 2,4 (8), Mougins 3,5 (10), Nice 2,5 (10), Port-Grimaud 2,5 (9), St-Jean-Cap-Ferrat 4 (12), St-Laurent-du-Var 4,2 (11), St-Mandrier 3 (10), Ste-Maxime 3 (12), St-Raphaël-Fréjus 3,2 (11), St-Tropez 4,5 (15), Sanary-sur-Mer 3 (10), Toulon 1,8 (9), Vence 2,5 (9), Villefranche-sur-Mer 3,5 (10).

Montagne. Studio et 4 pièces (en milliers de F). *Prix moyens par semaine, hivers 1986/1987. Source :* FNAIM. Alpe-d'Huez (l') 1 900 F (2 700 F). Avoriaz 1 700 F (2 650 F). Barèges 1 200 F (2 800 F). Bresse (la) 930 F (1 750 F). Chamonix 1 100 F (2 200 F). Lans-en-Vercors 1 300 F (2 200 F). Menuires (les) 1 400 F (2 550 F). Mont-d'Olmes (Les) 950 F (2 100 F). Orcières 1 400 F (2 300 F). Pra-Loup 1 050 F (2 200 F). Puy-Saint-Vincent 1 500 F (2 400 F). Rousses (Les) 1 050 F (2 100 F). Super-Lioran 1 400 F (2 000 F). Val-Thorens 2 100 F (2 900 F).

Indices du coût de la construction

• **Indice du coût de la construction publié par l'I.N.S.E.E.** (base 100 au 4e trim. 1953). **1975** *1er tr.* 345, *2e* 353, *3e* 357, *4e* 364. **76** *1er* 375, *2e* 391, *3e* 403, *4e* 415. **77** *1er* 416, *2e* 430, *3e* 438, *4e* 449. **78** *1er* 452, *2e* 461, *3e* 472, *4e* 499. **79** *1er* 502, *2e* 510, *3e* 525, *4e* 548. **80** *1er* 569, *2e* 587, *3e* 604, *4e* 610. **81** *1er* 630, *2e* 636, *3e* 652, *4e* 673. **82** *1er* 697, *2e* 717, *3e* 732, *4e* 727. **83** *1er* 746, *2e* 760, *3e* 776, *4e* 782. **84** *1er* 794, *2e* 810, *3e* 820, *4e* 821. **85** *1er* 826, *2e* 834, *3e* 841, *4e* 847. **86** *1er* 855, *2e* 859, *3e* 861, *4e* 881. **87** *1er* 884, *2e* 889, *3e* 895, *4e* 890. **88** *1er* 908, *2e* 912, *3e* 919, *4e* 919. **89** *1er* 929, *2e* 924, *3e* 929, *4e* 927. **90** *1er* 939, *2e* 951, *3e* 956, *4e* 952, **91** *1er* 972.

• **Indices de la Fédération nationale du bâtiment** (base 1 au 1-1-1941, Paris et petite couronne). **75** *1er* 112,9, *2e* 115, *3e* 119,2, *4e* 121,6. **76** *1er* 125,4, *2e* 132,5, *3e* 136,9, *4e* 139,2. **77** *1er* 141,9, *2e* 144,4, *3e* 148,1, *4e* 151,9. **78** *1er* 156, *2e* 161,1, *3e* 167,7, *4e* 171,1. **79** *1er 179,9, 2e* 186,2, *3e* 191,9, *4e* 197,7. **80** *1er* 205,3, *2e* 212,7, *3e 220,9, 4e* 229. **81** *1er* 285,3, *2e* 245,3, *3e* 252,8, *4e* 263,1. **82** *1er* 278,4, *2e* 288,1, *3e* 289,9, *4e* 297,1. **83** *1er* 305,6, *2e* 313,4, *3e* 318,8, *4e* 326. **84** *1er* 334,5, *2e* 339,2, *3e* 342,8, *4e* 348. **85** *1er* 356,1, *2e* 361,7, *3e* 365,4, *4e* 369,3. **86** *1er* 373,5, *2e* 376,9, *3e* 379,4, *4e* 383,3. **87** *1er* 389, *2e* 391,6, *3e* 395,1, *4e* 397,9. **88** *1er* 402,3, *2e* 405,2, *3e* 409, *4e* 413,2. **89** *1er* 420,6, *2e* 424,8, *3e* 427,9, *4e* 427,2. **90** *1er* 432,4, *2e* 431,4, *3e* 436,4, *4e* 444. **91** *1er* 452,3.

• **Indice BT 01**, a remplacé, depuis juillet 1977, sous certaines conditions, l'indice pondéré départemental (base 100 en janv. 1974). Au 1-1. **78** 166. **79** 187,4. **80** 220,1. **81** 251,8. **82** (1-2) 294,1. **83** 324,6. **84** 355,4. **85** 383,6. **86** 400,1. **87** (1-1) 405,8. **88** (1-1) 419,5. **89** (1-1) 440,6. **90** (1-1) 452,5. **91** (1-1) 463,5, (27-3) 462,3.

• **Indice S.C.A. publié par l'Académie d'architecture. Immeuble Paris** (base 1 en 1914). **75** *1er* 1 325,17, *2e* 1 347,13, *3e* 1 391,07, *4e* 1 419,71. **76** *1er* 1 453,95, *2e* 1 535,39, *3e* 1 602,75, *4e* 1 633,08. **77** *1er* 1 663,97, *2e* 1 698,78, *3e* 1 742,94, *4e* 1 782,47. **78** *1er* 1 831,33, *2e* 1 887,91, *3e* 1 971,49, *4e* 2 005,67. **79** *1er* 2 082,87, *2e* 2 161,45, *3e* 2 224,19, *4e* 2 300,19. **80** *1er* 2 390,02, *2e* 2 482,63, *3e* 2 570,04, *4e* 2 658,01. **81** *1er* 2 745,97, *2e* 2 836,13, *3e* 2 935,93, *4e* 3 024,67. **82** *1er* 3 137,10, *2e* 3 271,37, *3e* 3 302,27, *4e* 3 346,18. **83** *1er* 3 428,84, *2e* 3 498,68, *3e* 3 587,02, *4e* 3 630. **84** *1er* 3 754,10, *2e* 3 812,47, *3e* 3 836,95, *4e* 3 857,97. **85** *1er* 3 999, *2e* 4 077, *3e* 4 085, *4e* 4 114. **86** *1er* 4 160, *2e* 4 200, *3e* 4 233, *4e* 4 266. **87** *1er* 4 321, *2e* 4 358, *3e* 4 399, *4e* 4 427. **88** *1er* 4 462, *2e* 4 505, *3e* 4 546, *4e* 4 584. **89** *1er* 4 651, *2e* 4 712, *3e* 4 751, *4e* 4 751. **90** *1er* 4 779, *2e* 4 881, *3e* 4 842, *4e* 4 902. **91** *1er* 4 963.

Bureaux

Vente

☞ **Prix de vente record à Paris.** Un hôtel des Maréchaux (rue de Presbourg) vendu 160 000 F le m² par la famille Lanvin au Jap. Mitsukoshi en 1990. **Affaires récentes importantes** (en millions de F). *Péchiney* (rue Balzac) 34 644 m² : 2 762 (progrès à la vente à 120 000 F le m² en janv. 1991. *Shell* (rue de Berry) 54 100 m² : 2 750 vendu à Kaufmann and Broad-Indosuez ; revendu (1989) 3 730 (rénové) à divers groupes (dont Kowa 70 %). *Dalle Montparnasse* 72 600 m² : 2 500 vendu à Kowa (nov. 1987). *NMPP* (rue Réaumur) 30 000 m² : est. 1 500/2 000. *Trois Quartiers* (Madeleine) 30 000 m² : 1 990 vendu à Meiji Life Postel. *Philips* (avenue Montaigne) 13 000 m² : 1 430 vendu à Arc Union (1989). *Antenne 2* (avenue Montaigne) 20 000 m² : 1 100 vendu à GAN-UAP-Caisse des dépôts. *Chase Manhattan Bank* (rue Cambon) 13 000 m² : 625 à Copra. *France-Soir* (rue Réaumur) 14 000 m² : 600. *Institut géographique national* (rue de Grenelle) 6 330 m² : 338 à Ciaba.

• **Paris. Prix de location** (en milliers de F, H.T./m² et par an) **ancien et**, entre parenthèses, **neuf, récent et rénové. Évolution depuis 1974. Paris Ouest.** *Au 31-12-1974 :* 0,5/0,7 (0,6/0,9) ; *-80 :* 0,7/1 (0,9/1,7) ; *-85 :* 1/2 (1,3/2,8) ; *86 :* 1,1/2,3 (1,5/3) ; *-87 :* 1,2/2,5 (1,5/3,5) ; *-88 :* 1,5/2,6 (1,7/3,7) ; *89 :* (2,2/4,8) ; *90 :* (2,4/5). **Centre.** *1974 :* 0,4/0,7 (0,6/0,8) ; *80 :* 0,6/1 (8/1,4) ; *85 :* 0,8/1,8 (1/2,5) ; *86 :* 0,8/1,8 (1,1/2,8) ; *87 :* 1/2,1 (1,1/2,8) ; *88 :* 1,2/2,5 (1,4/3,2). **Est.** *1974 :* 0,3/0,4 (0,4/0,6) ; *80 :* 0,4/0,6 (0,5/0,9) ; *85 :* 0,5/1,9 (0,7/1,7) ; *86 :* 0,6/1,2 (0,8/1,9) ; *87 :* 0,6/1,4 (0,8/1,9) ; *88 :* 0,7/1,4 (0,9/2,2) ; *89 :* (1,1/2,9) ; *90 :* (1,5/3). **Proche Banlieue Ouest.** *1974 :* 0,5/1,6 ; *80 :* 0,5/0,9 ; *85 :* 0,9/1,9 (0,6/1,1) ; *86 :* 1/2,1 (0,7/1,2) ; *87 :* 1/2,2 (0,6/1,3) ; *88 :* 1/2,7 ; *89 :* (0,9/3,2) ; *90 :* (1/3,5). **La Défense.** *1974 :* 0,4/0,5 ; *80 :* 0,6/0,8 ; *85 :* 1,1/1,9 ; *86 :* 1,3/2 ; *87 :* 1,4/2 ; *88 :* 1,3/2,3 ; *89 :* (1,8/3) ; *90 :* (1,8/3,5). **Banlieue éloignée, villes nouvelles, Ouest.** *1974 :* 0,3/0,4 ; *80 :* 0,3/0,5 ; *85 :* 0,6/1,1, *86 :* 0,7/1,2 ; *87 :* 0,6/1,3 ; *88 :* 0,6/1,3 ; *89 :* (0,6/1,5) ; *90 :* (0,6/1,5). **Prix en 1990 à Paris.** *1er arr. :* 2,2/3,6 (2,8/4,4), *2e* 2,1/3 (2,9/4), *3e et 4e* 1,8/2,4 (2,2/3), *5e et 6e* 2/2,7 (2,8/4), *7e* 2,5/3,5 (3/4), *8e est et Europe* 2/2,5 (2,6/3,5), *Madeleine, 9e Opéra, rue de la Paix, Place Vendôme* 2,5/3,5 (3,6/4,8), *9e sauf Opéra* 2,1/2,8 (2,4/3,5), *10e* 1,5/2,3 (1,9/2,6), *11e* 1,2/1,7 (1,5/2,2), *12e gare de Lyon* 1,9/2,5 (2,4/3), *autres sect.* 1,2/1,8 (1,7/2,3), *13e* 1,2/1,5 (1,6/2,8), *14e* 1,5/2,1 (2/2,6), *Montparnasse* 2,4/3 (2,9/3,6), *15e* 1,7/2,8 (2,6/3,4), *16e sud* 2/2,7 (2,5/3,2), *17e sud + 8e ouest + 16e nord* 2,6/3,6 (3,5/5), *17e centre* 2/2,7 (2,4/3,1), *17e est + 18e* 1/2,7 (1,6/3,1), *19e* + 20e 1/1,4 (1,5/2,1). **Région parisienne (neufs).** Argenteuil 0,7/1. Asnières-Gennevilliers 0,8/1,3. Boulogne 1,6/2,1. Cergy ville nouvelle 0,7/0,95. Clichy 1,1/1,6. Courbevoie (hors Défense) 1,2/1,8. Évry ville nouvelle 0,7/1. Issy 1,3/1,7. La Défense A 1,8/3,5. B 1,4/2. Levallois 1,8/2,5. Marne-la-Vallée ville nouvelle 0,7/1,1. Massy-Palaiseau, Antony 0,8/1. Nanterre (hors Défense) 1/1,4. Neuilly 2,6/3,5. Puteaux (hors Défense) 1,3/1,7. Rueil-Malmaison 1,1/1,4. St-Quentin-en-Yvelines ville nouvelle 0,8/1,2. Sèvres, St-Cloud 1,1/1,7. Suresnes 1,2/1,5. Vanves, Montrouge, Malakoff 1,2/1,5. Versailles, Vélizy, St-Germain 0,8/1,5.

☞ **Loyer record :** 600 m² de bureaux et magasins, place de la Madeleine, loués en 1985 : 4,8 millions de F par an.

• **Province.** *Prix de location en milliers de F (hors taxes) du m²/an en centre ville, et,* entre parenthèses, *périphérie,* au 2e trimestre 1989 ; *source : Arthur Lloyd.* Aix 0,7/0,9 (0,5/0,7). Bordeaux 0,6/0,8 (0,5/0,7). Dijon 0,5/0,7 (0,4/0,6). Grenoble 0,6/0,8 (0,4/0,6). Le Havre 0,5/0,6 (0,4/0,5). Lille 0,6/0,7 (0,5/0,6). Lyon 0,7/0,9 (0,5/0,6). Le Mans 0,5/0,6 (0,4/0,5). Marseille 0,7/0,9 (0,5/0,6). Metz 0,6/0,7 (0,4/0,6). Montpellier 0,6/0,7 (0,4/0,5). Nancy 0,5/0,7 (0,4/0,5). Nantes 0,6/0,7 (0,4/0,6). Nice 0,8/1 (0,7/0,9). Orléans 0,6/0,8 (0,5/0,6). Rennes 0,5/0,7 (0,5/0,6). Rouen 0,5/0,6 (0,5/0,6). Strasbourg 0,6/0,7 (0,5/0,6). Toulouse 0,6/0,8 (0,5/0,7). Tours 0,6/0,7 (0,5/0,6).

☞ **Statistiques** (millions de m² au 1-1-90). Parc de bureaux disponibles en Ile-de-France : 32 (dont Paris 37 %, petite couronne 40, grande banlieue 23). Livraisons de bureaux. *1989 :* 1,7, *90 (prév.) :* 1,8. **Stock de bureaux disponibles** (dont Paris intramuros) (au 1-1-89) *à court terme utilisable (– d'1 an) :* 1,987 (0,36), *à moyen terme (+ d'1 an) :* 2,120 (0,3). **Potentiel.** *Immeubles à construire* ni vendus ni lancés, et *libérations secondaires* quand l'immeuble probable de remplacement n'est pas déjà comptabilisé. *Au 1-1-1989 :* 1,504/(270) m².

Redevance sur bureaux en Ile-de-France (zone I). *1987 :* 900 F/m², *88 :* 1 300, *89 :* 1 600.

Magasins

• **Prix de location du m²** (en F). **Paris.** 1 200 à 1 500. *Exemples :* Quai de la Tournelle (5e), surface pondérée 37,5 m² : 3 848. Rue de La Boétie (8e) 33 m² : 6 525. Rue Balard (15e) 195 m² : 1 384. Rue de Passy (16e) 180 m² : 7 388. Av. Montaigne : 14 200 **Région parisienne.** 450 à 800.

Estimation des fonds de commerce

Barème généralement admis par l'administration fiscale. C.A. = Chiffre d'affaires annuel.

Accessoires auto. : 15 à 35 % du C.A. **Administrateur de biens :** Paris et région par. 1,5 à 2 fois les hon. de la dernière année. Consultations, baux, etc. 0,5 % des hon. annuels (moy. sur 3 ans). **Agent d'assurances :** 3 fois le C.A. (– polices vie). **Agent immobilier et mandataire en vente de fonds de commerce :** 2 fois le bénéfice réel net moy. des 3 dernières an.. **Alimentation générale :** 3 à 4 fois le bén. annuel, ou 40 à 85 fois la recette journ. **Ameublement :** 20 à 28 % du C.A. si inférieur ou égal à 2,5 millions de F ; 10 à 15 % si supérieur à 3 millions. **Antiquaire :** 100 à 150 % du C.A. sans que la valeur du fonds puisse être inférieure à celle du pas-de-porte. Bénéfice brut de 40 à 50 % du C.A., net de 25 à 35 %. **Architecte avec gérance d'immeubles :** 3 fois le bén. réel an., ou 2 fois le C.A. **Armurier :** 40 à 60 % du C.A. Bén. brut de 20 à 30 % du C.A., net 12 à 15 % des commerces sans personnel salarié, (5 à 10 % avec). **Articles de pêche :** 80 % du C.A. **Articles de bureau :** 30 à 60 % du C.A. **Articles de sport :** raquettes, skis, ballons, patins, etc. 50 % de la branche d'activité. Habillement et bonneterie 50 % du C.A., camping 30 à 40 % du C.A. réel de la branche, location de skis 2 fois le montant des locations encaissées dans l'année. Bén. brut 10 à 50 % suivant les articles, net 12 à 18 % du C.A. (commerces ordinaires), 5 à 12 % (entr. moyennes), 5 à 15 % (importantes).

Bains : 2 à 3 fois le C.A. **Bazars** (grands magasins, Prisunics) : 50 % du C.A. **Bijouterie fantaisie** (fabricant) : 1 fois 1/2 à 2 fois 1/2 le bén. réel, plus le matériel. **Bijouterie, horlogerie :** 35 à 70 % du C.A. jusqu'à 2,5 millions de F ; 25 à 30 % au-delà. **Blanchisserie :** 40 à 50 % du C.A. avec matériel en bon état. **Bois et charbon :** 30 à 50 % du C.A. ou 60 à 80 F la t de charbon ou de fuel vendue par an, + le matériel. **Bonneterie-confection-lingerie :** 50 à 70 % du C.A. **Boucherie :** 10 à 15 fois la recette hebdo. ou 25 à 40 % du C.A. selon agencement. **B. chevaline :** 15 à 20 fois la r. hebd. ou 30 à 40 % du C.A. **Boulangerie :** 90 à 100 % du C.A. avec moins de 40 quintaux par mois. Les pains vendus à des collectivités ne doivent pas être comptés plus de 10 %. **Boulangerie-pâtisserie :** ajouter le C.A. de la pâtisserie. **Brasserie-restaurant limonade :** 1 fois 1/2 le C.A. ; restaurant : 60 à 120 % du C.A. **Brevets d'invention :** 6 à 10 fois la redevance annuelle suivant l'âge du crédirentier.

Café : 250 à 400 fois la recette journalière centres-villes, (500). **Café-tabac :** 400 à 600 fois la recette journalière + tabletterie 100 % du C.A. + 3 ans de remise nette. **Charcuterie :** 45 à 65 % du C.A. selon l'importance du matériel. **Chaussures :** 30 à 55 % du C.A. **Cinéma :** 50 à 70 fois la recette moyenne hebdo. taxable (salles d'exclusivité à Paris 80). **Coiffure :** hommes 75 à 115 % du C.A., femmes 65 à 120 % du C.A. **Confiserie :** C.A. **Couleurs et vernis :** 70 % du C.A. **Crémerie :** 3 à 4 fois la moy. des 3 dernières an. de bén. net. 60 à 80 fois la recette jour. en négligeant la recette du lait.

Dancing : 200 à 300 fois la place autorisée par la préfecture. **Dépôt de vins :** 150 fois la recette jour. **Électricité générale** 20 à 30 % du C.A. **Épicerie en gros :** 3 fois le bén. réel an. + le matériel. **Entreprise de peinture :** 20 % du C.A. plus matériel. **Fleuriste :** *ordinaire* 70 à 90 % du C.A. réel non compris celui réalisé par Interflora. **Garage :** *Station-Service* Paris et grandes villes : 50 à 70 % du C.A. an. ; autres : 40 à 50 % du C.A. *Atelier de réparation :* 50 à 60 % du C.A. *Pièces détaillées :* 40 à 50 % (concessionnaires), 24 à 35 % (agents). *Garage-hôtel :* 3 000 à 9 000 F la place suivant situation (à Paris) ; 1 500 à 4 000 F (en province).

Hôtel-maison meublée : 3 à 5 fois le C.A. matériel compris, ou valeur du matériel s'il est récent – 3 à 5 fois le bén. net an., ou valeur unitaire de la chambre multipliée par leur nombre (10 000 à 40 000 F suivant catégorie). **Imprimerie :** valeur du pas-de-porte. **Laboratoire :** 50 à 60 % du C.A. ou 5 à 6 fois les B.I.C. à 10 % du C.A. moyen. **Laverie automatique :** 50 % du C.A. mensuel moyen de l'année. **Librairie-papeterie :** *sans vente de journaux* Paris 80 à 100 % du C.A., *avec* 60 % du C.A. sans logement, 80 % avec log., 100 % avec log. et agencements neufs. Province 50 à 60 % du C.A. sans log., 70 à 90 % avec, 90 % avec log. et agencement neufs. **Libre-service :** 30 à 35 % du C.A. **Lingerie-mercerie :** 50 à 70 % du C.A. ou 3 fois le bén. réel annuel.

Maisons meublées : 3 à 4 fois le C.A. moyen à 50 % du coefficient d'occup. si l'exploitation est réputée marginale. **Maroquinerie :** 50 à 80 % du C.A. **Marques de fabrique :** 5 à 6 fois la redevance. **Nouveautés-confections :** 50 à 60 % du C.A. **Optique :** ville importante 1 an de C.A., petite 80 à 90 % du C.A. **Orfèvrerie :** 70 à 80 % du C.A.

Papeterie : 70 à 80 % du C.A., ou 3 à 4 fois le bén. an. **Parfumerie :** 70 à 80 % du C.A. moyen des 3 dernières an. **Pâtisserie :** 1 an de C.A. (moy. des 3 dernières an.) ou 65 à 100 % du C.A. **Pension de famille :** 4 fois le C.A. moyen. **Pharmacie :** Paris : 100 à 145 % du C.A., ville 90 à 120 %, campagne 80 à 100 %. **Plomberie-couverture :** 10 % du C.A., ou 4 à 5 fois le bén. réel an. **Poissonnerie :** 30 à 45 % du C.A. + 30 % pour les tournées. **Primeurs :** 3 fois le bén. réel an.

Quincaillerie : 40 % du C.A. ou 2 fois le bén. net moyen sur 3 a. **Restaurant :** artisan 70 à 80 % du C.A., luxe 70 à 100 %, moyen 80 à 100 %. **Rôtisserie :** 100 fois la recette jour.. **Tabac :** Paris 3 à 5 ans de remise nette tabac + 100 % du C.A. tabletterie. **Taxis :** Paris 90 000 à 100 000 l'emplacement ; province 40 000 à 45 000 F. **Teinturerie :** C.A.

Prix de l'immobilier à l'étranger

Immobilier résidentiel

• **Vente. Prix au m², appartements neufs et,** entre parenthèses, **anciens** (en 1990 en $). All. féd. (Hambourg) 2 102 (2 102), Autriche (Vienne) 1 824 (1 223), Australie (Sydney)[2] 1 920 (1 413), Belgique (Bruxelles) 2 173 (1 381), Brésil (São Paulo)[2] 1175 (850), Colombie (Bogotá) 462 (322), Danemark (Copenhague) 1 222 (1 131), Espagne (Madrid) 3 511 (2 396), Finlande (Helsinki) 4 159 (3 307), *France (Paris) 10 907 (7 847),* G.-B. (Londres)[2] 1 547 (1 423), Grèce (Athènes) 1 579 (1 060), Irlande (Dublin) 2 094 (2 038), Israël (Tel-Aviv) 3 667 (1 908), Italie (Rome) 5 384 (4 203), Japon (Tōkyō) 14 482 (8 322), Lux. (Luxembourg) 3 477 (2 250), P.-Bas (Amsterdam) 1 921 (1 473), Norvège (Oslo) 1 453 (1 318), Pakistan (Karāchi)[1] 230 (210), Portugal (Lisbonne) 2 100 (1 479), Suède (Stockholm) 3 864 (2 379), Suisse (Genève) 4 797 (4 338), (Zurich) 6 695 (5 319), Taiwan (T'ai-pei)[1] 2 592 (1 469), U.S.A. (Miami) 2 720 (1 189), (New York)[1] 6 250 (5 500).

• **Location. Prix du m² annuel, appt neuf et,** entre parenthèses, **ancien** (en 1990 en $). All. féd. (Hambourg) 127 (82), Autriche (Vienne) 118 (63), Australie (Sydney) (178), Belgique (Bruxelles) 155 (125), Brésil (São Paulo)[2] 320 (219), Colombie (Bogotá) 60 (42), Danemark (Copenhague) 140 (66), Espagne (Madrid) 218 (191), Finlande (Helsinki) 194 (178), *France (Paris) 275 (245),* G.-B. (Londres)[2] 131 (126), Grèce (Athènes) 78 (65), Irlande (Dublin) 166 (120), Israël (Tel-Aviv) 112, Italie (Milan) 290 (141), Japon (Tōkyō) 475 (429), Luxembourg (Luxembourg) 146 (132), Norvège (Oslo) 123 (116), Pakistan (Karāchi)[1] 20 (16), Portugal (Lisbonne) 156 (86), Suède (Stockholm) 124 (74), Suisse (Zurich) 206 (149), Taïwan (T'ai-pei)[1] 95 (64), U.S.A. (Miami) 137 (112), (New York)[1] 350 (300).

Bureaux

• **Vente. Prix au m²** (en 1990 en $). Monaco 25 047, Japon (Tōkyō) 22 865, *France (Paris) 21 657,* G.-B. (Londres) 15 741, Italie (Milan) 8 388, Suisse (Zurich) 7 884, Australie (Sydney) 7 308, Espagne (Madrid) 7 302, Suisse (Zoug) 6 945, Finlande (Helsinki) 6 060, Lux. (Luxembourg) 5 522, Suède (Stockholm) 5 354, G.-B. (Édimbourg) 4 907, Suisse (Berne) 4 505, (Lausanne) 4 186, Danemark (Copenhague) 3 898, Espagne (Barcelone) 3 824, All. féd. (Hambourg) 3 784, Suisse (Bâle) 3 567, Corée du S. (Séoul) 3 500, Norvège (Oslo) 3 412, Irlande (Dublin) 3 396, Italie (Turin) 3 332, (Bolzano) 2 818, Autriche (Vienne) 2 708, Grèce (Athènes) 2 400, P.-Bas (Amsterdam) 2 238, Israël (Tel-Aviv) 2 167, Autriche (Graz) 2 076.

• **Location. Prix au m²** (en 1990 en $). Japon (Tōkyō) 1 646, G.-B. (Londres) 1 089, Suisse (Zurich) 813, *France (Paris) 800,* Lux. (Luxembourg) 767, Australie (Sydney) 666, Espagne (Madrid) 577, Suède (Stockholm) 548, Espagne (Barcelone) 527, U.S.A. (New York) 500, Italie (Milan) 479, Suisse (Genève) 442, G.-B. (Édimbourg) 441, Suisse (Zoug) 423, Espagne (Elche) 345, Italie (Rome) 339, Portugal (Lisbonne) 328, All. féd. (Francfort) 303, Finlande (Helsinki) 291, Suisse (Berne) 285, U.S.A. (Miami) 263, Israël (Tel-Aviv) 260, Suisse (Lausanne) 239, (Bâle) 231, P.-Bas (Amsterdam) 224, Irlande (Dublin) 222, Grèce (Athènes) 221, Danemark (Copenhague) 187, All. féd. (Hambourg) 187.

• **Loyer net** (m²/an H.T. et hors charges) **et,** entre parenthèses, **coût total d'occupation** (m²/an en F). *Source :* Richard Ellis. Tōkyō 10 354 (11 469). Londres City 6 889 (9 472). Londres West End 7 373 (8 966). Hong Kong 5 172 (5 588). Paris 3 650 (4 200). New York Midtown 2 844 (4 076). New York Downtown 1 906 (3 059). Madrid 2 527 (3 146). Sydney 2 463 (2 955). Pékin 2 480 (2 799). Chicago 1 598 (2 608). Los Angeles West Side 1 857 (2 546). São Paulo 2 079 (2 532). San Francisco 1 383 (2 243). Francfort 1 902 (2 240). Melbourne 1 826 (2 236). Glasgow 1 346 (2 228). Manchester 1 238 (2 153). Barcelone 1 580 (1 999). Singapour 1 487 (1 983). Perth 1 502 (1 979). Bruxelles 1 154 (1 475). Amsterdam 928 (1 096). Bangkok 592 (843).

Commerce

• **Vente. Prix au m², centre ville et,** entre parenthèses, **centres commerciaux** (en 1990 en $). Autriche (Graz)[2] 2 065 (870), Australie (Sydney)[2] 7 761 (3 017), Belgique (Bruxelles)[1] 8 311 (7 032), Brésil (São Paulo)[2] 2 000, Corée (Séoul) 725 (500), Danemark (Copenhague) 3 282 (3 693), Espagne (Madrid) 12 037 (6 520), Finlande (Helsinki) 5 386 (4 309), *France (Paris)[1] 4 721 (6 689), (Nice)[2] 4 912 (3 779),* Grèce (Athènes) 7 040 (3 520), Irlande (Dublin) 11 250, Israël (Tel-Aviv) 4 000 (5 000), Italie (Milan) 11 470 (11 470), (Rome) 13 402 (13 403), Japon (Tōkyō)[2] 244 499 (244 499), Luxembourg (Luxembourg) 6 136 (4 295), Monaco 10 490 (10 490). Norvège (Oslo) 2 600 (2 600), Pakistan (Karāchi)[1] 340 (220), Portugal (Lisbonne)[1] 1 626 (2 927), Suède (Stockholm) 5 739 (5 769), Suisse (Lausanne) 6 007 (4 505), Taiwan (T'ai-pei)[1] 13 826.

• **Location. Prix au m², centre ville et,** entre parenthèses, **c. commerciaux** (en 1990 en $). All. féd. (Hambourg) 984 (350), (Francfort) 1 059 (261), Autriche (Graz) 680 (201), Australie (Sydney)[2] 2 220 (588), Belgique (Bruxelles)[1] 639 (511), Brésil (São Paulo)[2] 400, Corée (Séoul)[2] 5 275 (4 475), Danemark (Copenhague) 338 (148), Espagne (Madrid) 953 (251), Finlande (Helsinki) 566 (404), *France (Paris)[2] 1 591, (Nice)[2] 510 (397),* G.-B. (Londres) 4 191 (2 500), Grèce (Athènes) 269 (173), Irlande (Dublin) 908, Israël (Tel-Aviv) 465 (600), Italie (Milan)[1] 882 (882), (Rome) 781 (781), Japon (Tōkyō) (1 361), Luxembourg (Luxembourg) 614 (430), Norvège (Oslo) 284 (284), P.-Bas (Amsterdam) 322 (322), Pakistan (Karāchi)[1] 216 (180), Portugal (Lisbonne)[1] 312 (332), Suède (Stockholm) 600 (685), Suisse (Genève) 1 051 (751), (Zurich) 1 445 (807), Taiwan (T'ai-pei) 1 413, U.S.A. (New York)[1] 1 700.

Nota. – (1) 1988. (2) 1989.

Prix au m² des emplacements commerciaux les plus chers (en F). Tōkyō (Ginza) 40 493, New York (Trump Tower) 29 900, Cologne (Hohe Strasse) 13 931, Londres (Oxford Street) 13 543, Paris (rue du Faubourg St-Honoré) 12 546, Sydney (Pitt Street) 11 035, Rome (Via Sistina, Via Condotti) 8 430, Madrid (Serrano) 7 621, Bruxelles (rue Neuve) 6 190, Luxembourg (Grande-Rue) 6 190, Dublin (Henry Street, Grafton Street) 5 979, Stockholm (Sturegallerian, Biblioteksgatan) 4 452, Amsterdam (Kalverstraat) 4 110, Lisbonne (Amoreiras) 2 804.

Rentabilité par secteur (en 1990, en %). *Résidentiel et entre parenthèses commercial/bureaux.* Amsterdam 8 (12/8). Antibes 6 (8/8). Bruxelles 5 (11/8). Buenos Aires 12. Hambourg 5 (5-7/4,5-5). Londres 10[1] (11/10). Luxembourg 5 (9,5/8). Milan 3-6 (8-9/8-9). Madrid 6 (7/7-7,5). Paris 2 (6/5). Rome 4,6 (5,7-6/4,5-4,9). Tel-Aviv 4-5 (8-10/10). Tōkyō 2-3 (-/2-3).

Nota. – (1) 1989.

Patrimoine français

Classement

• **Quelques dates. 1836** Prosper Mérimée, 1er inspecteur des monuments historiques, commence à sillonner la France pour repérer les édifices dont la conservation dépend d'une aide financière de l'État, et qui mériteraient d'être classés. **1840** 1re liste établie (comprenant entre autres : abbaye de Silvacane, palais Jacques-Cœur de Bourges, remparts d'Aigues-Mortes, pont du Gard, église de Montmajour). **1913**-*31-12* loi régissant la protection des monuments classés, c.-à-d. des « immeubles dont la conservation présente, du point de vue de l'histoire ou de l'art, un intérêt public ». Plus tard, la loi s'étend aux objets mobiliers (meubles proprement dits et immeubles par destination). La loi protège également les « abords » des monuments : dans un rayon de 500 m, aucun bâtiment visible en même temps que le monument (« covisibilité ») ne peut être modifié sans l'accord de l'architecte des bâtiments de France. Un *Inventaire supplémentaire* est prévu sur lequel seront « inscrits » les immeubles qui, « sans demander de classement immédiat, présentent un intérêt suffisant pour rendre désirable la préservation ». **1925** 1res inscriptions à l'Inventaire supplémentaire. **1930** les sites naturels peuvent être classés ou inscrits. **1957** 1er édifice du XXe s. classé : théâtre des Champs-Élysées. **1962** loi proposée à l'initiative d'André Malraux créant des *« secteurs sauvegardés »* (au *1-10-1986,* 71 avaient été « prescrits » et 22 « approuvés »). **1964** la France signe la *Charte de Venise* qui définit au niveau international une politique de conservation et de restauration des monuments hist. et de sites. **1972** une convention de l'Unesco confie au Conseil international pour les monuments et les sites (Icomos) la mission de créer un inventaire du patrimoine mondial. Voir index. **1983** définition des « zones de protection du patrimoine architectural et urbain » (ZPPAU). 40 établies et 400 en projet. **1985**-*1-1* mise en place des commissions régionales pour le Patrimoine historique, archéologique et ethnologique (CORÉPHAE).

☞ Longtemps les procédures de protection des monuments historiques ne furent pas entamées ; l'Administration savait que le propriétaire refuserait son accord, et elle reculait devant le classement d'office à cause du risque d'indemnisation que ce classement pouvait comporter (actuellement les propr. réclament souvent eux-mêmes le classement et il n'y a pratiquement plus de classement d'office). Aujourd'hui, les demandes de protection des mon. hist., qu'elles émanent des propriétaires ou d'autres intéressés (associations...), sont très nombreuses, beaucoup s'expliquent pour des raisons fiscales.

• **Procédures de protection des immeubles. Monuments.** Dep. le 1-1-1985, toutes les demandes de protection au titre des Monuments historiques portant sur des immeubles non encore protégés doivent être adressées au préfet de la région où est situé l'immeuble, conformément aux dispositions du décret no 84-1006 du 15-11-1984. Les propositions de classement et d'inscription à l'Inventaire supplémentaire des Monuments historiques sont examinées par la Commission régionale du patrimoine historique, archéologique et ethnologique (CORÉPHAE) instituée par décret no 84-1007 du 15-11-1984 auprès de chaque préfet de région.

Après avis de la CORÉPHAE, le préfet de région peut alors prescrire par arrêté l'inscription de l'immeuble à l'Inventaire suppl. ou proposer au min. de

Inventaire général des monuments et des richesses artistiques de la France

Origine. L'idée naquit en 1790. De 1861 à 1910, le Comité des arts et monuments fit paraître les 21 premiers vol. de l'Inventaire général des richesses d'art de la France (dont 14 pour Paris et sa région). La *Commission nationale d'inventaire,* créée le 4-3-1964, a été renouvelée en 1985. **Structures.** Sous direction de la dir. du Patrimoine. Coordonne l'activité de 22 services régionaux des dir. régionales des aff. culturelles. Une commission nationale définit les orientations scientifiques du service. **Missions.** Recenser, étudier et faire connaître toute œuvre qui, par son intérêt artistique, historique ou archéologique, constitue un élément du patrimoine national.

Réalisations *(au 31-12-1990).* 1 894 790 photographies ; 19 clichés photogrammétriques ; 37 000 relevés ou cartes ; bases de données sur l'architecture (65 288 documents représentant 307 cantons ; base de donnée sur les objets mobiliers 16 112 documents (64 cantons) ; 6 021 microfiches reproduisant l'intégralité des dossiers ; opérations spécifiques sur le vitrail (13 départements) et le patrimoine industriel. **Centre de documentation** à Paris (Hôtel de Vigny, 10, rue du Parc-Royal, 75003), Besançon, Clermont-Fd, Dijon, Limoges, Montpellier, Nancy, Nantes, Orléans, Poitiers, Rennes, Rouen, Strasbourg, Toulouse. **Personnel** (1990) : 257 dans 210 régions. **Budget** (1990) en milliers de F : 11 526 dont : fonctionnement 6 756 F, équipement 4 770 F.

Publications (31-12-1989) : *5 vocabulaires* (tapisserie, architecture, sculpture, objets domestiques, mobilier) ; *17 inventaires topographiques* (cantons de Saverne, Guebwiller, Thann, Peyrehorade, Vic-sur-Cère, Sombernon, Carhaix-Plouguer, Belle-Ile-en-Mer, Faouët et Gourin, Lyons-la-Forêt, Aigues-Mortes, Gondrecourt-le-Château, La Ferté-Bernard, l'île de Ré, pays d'Aigues, Vivier, Vich-Bilh) ; *14 « Répertoires des Inventaires » ; 12 « Indicateurs du patrimoine » ; 80 « Images du patrimoine » ; 23 « Cahiers de l'Inventaire » ; 1 « Documents et méthodes » ; 140 titres hors collection.*

Nota. – Des inventaires ont été entrepris dans 17 pays d'Europe. [En All. dès 1860 (90 % du territoire répertorié), en Suisse 1927.]

Archéologie

Organisation. Tout sondage ou toute fouille archéologique doit être auparavant autorisé (loi du 27-9-1941). On ne peut utiliser du matériel permettant la détection d'objets métalliques, pour des recherches pouvant intéresser la préhistoire, l'art, l'histoire ou l'archéologie, sans autorisation administrative (loi du 18-12-1989). L'État contrôle ces opérations, participe à leur financement et assure lui-même nombre de fouilles de sauvetage sur les sites menacés de destruction. Il dispose, dans chaque Direction rég. des affaires culturelles d'une circonscription des antiquités. En 1989, 1 180 opérations non programmées (507 sondages, 673 sauvetages urgents), 459 programmées (166 sauvetages, 293 fouilles). La Sous-Direction de l'archéologie réalise, depuis 1978, un inventaire des sites archéologiques (au 31-12-1989, inventaire informatisé : 80 051 sites).

Crédits prévus *(en millions de F, 1991) :* fonctionnement des services 3,6 ; équipement 14,5 ; crédits d'intervention ou de subvention 54,6.

la Culture une mesure de classement. Toutefois, lorsque les différentes parties d'un immeuble font à la fois l'objet, les unes d'une procédure de classement, les autres d'inscription sur l'Inventaire suppl., les arrêtés correspondants sont pris par le min. chargé de la Culture. Le préfet qui a inscrit un immeuble à l'Inventaire suppl. peut proposer son classement au min. de la Culture, qui statue sur cette proposition après avoir recueilli l'avis de la Commission sup. des Mon. hist., lequel est communiqué à la COREPHAE par le préfet de région. Lorsque le min. de la Culture prend l'initiative d'un classement, il demande au préfet de région de recueillir l'avis de la COREPHAE et il consulte ensuite la Commission sup. des Mon. hist. Le classement d'un immeuble est prononcé par un arrêté du min. de la Culture. En cas de désaccord du propriétaire, la mesure de classement d'office est prononcée par décret en Conseil d'État. Le classement fait l'objet d'une publication à la *Conservation des hypothèques.* Tout travail de restauration, réparation ou modification sur un monument classé doit avoir l'accord préalable du ministre chargé de la Culture ou de son représentant (directeur rég. des affaires culturelles) et peut recevoir une subvention d'env. 40 à 50 %. Le ministre doit être informé de toutes mutations de propriété.

Inscription à l'Inventaire supplémentaire. *Travaux* généralement soumis au régime du permis de construire. Le projet doit être transmis au directeur régional des affaires culturelles 4 mois avant le début des travaux. *Subventions accordées par l'État :* au max. 40 % du coût des travaux.

Protection des objets mobiliers. Sont inscrits par arrêté du préfet du dép. après avis de la commission dép. des objets mobiliers. Sont classés par arrêté du ministre chargé de la Culture après avis de la Commission supérieure des Monuments historiques. Les objets appartenant à des propriétaires privés ne peuvent être classés. A défaut d'accord, le classement est prononcé par décret en Conseil d'État. Les travaux sont soumis à l'accord de l'inspecteur des monuments historiques.

Avantages fiscaux. Les propriétaires privés peuvent déduire de leur revenu imposable l'intégralité des sommes consacrées aux travaux de restauration et d'entretien d'un monument historique classé ou inscrit et ouvert au public ; ils peuvent déduire les autres charges (frais de gérance, gardiennage, accueil...) selon les modalités d'ouverture au public.

Droits de mutation (loi du 5-1-1988, décret du 21-4-1988). Sont exonérés des droits de mutation à titre gratuit, les biens immeubles par nature ou par destination classés ou inscrits et les biens meubles qui en constituent le complément historique ou artistique, si les héritiers (donataires, légataires) ont conclu une convention avec les ministres chargés de la Culture et des Finances, prévoyant le maintien sur place des éléments du décor et leurs modalités d'accès au public ainsi que les conditions d'entretien des biens exonérés. L'agrément ministériel pour pouvoir bénéficier d'avantages fiscaux est accordé par le directeur départemental des Impôts. Il n'entraîne aucune obligation de conservation particulière mais seulement celle d'ouvrir le monument à la visite.

Expropriation. Peut être employée par le ministre de la Culture et de la Communication, les communes ou départements, pour sauver un monument historique classé mal entretenu par son propriétaire privé.

• **Abords.** Lorsqu'un immeuble (bâti ou non bâti) est situé dans le champ de visibilité d'un mon. hist. classé ou inscrit, il ne peut faire l'objet (tant de la part du propr. privé que des collectivités et établissements publics) d'aucune construction nouvelle, démolition, déboisement, transformation ou modification de nature à en affecter l'aspect, sans une autorisation préalable. Toutefois l'exploitation rationnelle et raisonnable d'une plantation est possible.

Les *commissions départementales des Sites et Paysages* comprennent des représentants des collectivités locales, des personnalités compétentes dans la science de la nature. Les associations de sauvegarde peuvent présenter à des commissions des propositions d'inscription ou de classement d'un site. Le classement est prononcé généralement par un arrêté du ministre de l'Environnement. Si l'un des propr. intéressés fait opposition, le classement ne peut être prononcé que par un décret pris en Conseil d'État. Le propr. peut être indemnisé s'il prouve un préjudice « direct, matériel et certain ».

• **Zones de protection.** Autour des sites classés ou inscrits. L'administration peut interdire construction, démolition ou exécution de certains travaux affectant l'utilisation des sols, mais elle ne peut interdire les travaux visant à l'amélioration des exploitations agricoles ou forestières et aux coupes d'arbres, à moins qu'il ne s'agisse de coupes rases.

Les architectes en chef des Monuments historiques (50 en 1988) sont nommés par le ministre de la Culture. Ils lui apportent leur concours pour protéger et mettre en valeur le patrimoine (avis, études, surveillance des monuments...). Ils sont obligatoirement maîtres d'œuvre des travaux de restauration sur les immeubles classés si les travaux sont aidés financièrement par l'État. Les *inspecteurs généraux* (architectes ou non) assurent des fonctions d'encadrement, d'études et de conseil dans le cadre de la loi du 31-12-1913 sur les monuments historiques. *Les architectes des bâtiments de France* (échelon départemental) donnent un avis sur tous projets de travaux dans les abords de monuments historiques, les sites, les secteurs sauvegardés et les zones de protection du patrimoine architectural et urbain. Ils sont obligatoirement maîtres d'œuvre des travaux de simple entretien ou réparation sur les immeubles classés lorsque les travaux sont aidés financièrement par l'État.

Statistiques

• **Budget** (millions de F). *Travaux d'entretien des mon. classés et inscrits : 1980 :* 49,3 ; *90 :* 142. *Restauration des monuments classés et inscrits : 1980 :* 372,7 ; *90 :* 1 055.

• **Besoins en travaux sur les monuments classés.** Coût total estimé en 1986 : 6 milliards de F concernant 3 000 monuments (besoins totaux de restauration : 1986 : 5 000 monuments), dont urgents 1,7 milliard.

• **Dépenses les plus élevées** (1984, en millions de F) : Marseille 17,9, Toulouse 15,7, Avignon 9, Strasbourg 8,1, Metz 7,5, Autun 6,9, Lyon 6,8, Bordeaux 4,8, Limoges 3,9, Dijon 3,6. *Villes dépensant le plus par habitant (en F) :* Autun 331,1, Château-Thierry 139,9, Lunéville 120,8, Vendôme 114,5, Thouars 105,7, Avignon 100,5. Sinon, la grande majorité dépense moins de 20 F par hab. et par an.

• **Dépenses des départements** (en millions de F). *1975 :* 68,8 (dont fonctionnement 16,7, équipement 52,1), *81 :* 190,3 (f. 41,8, é. 148,5), *84 :* 313 (f. 87,9, é. 225,1).

• **Départements ayant dépensé le + en 1984** (en millions de F). Seine-M. 21,2, Hts-de-S. 18,8, Vaucluse 15,4, P.-O. 13,3, Isère 12,9, Vendée 8, Dordogne 7,1, Finistère 6,9, Indre-et-Loire 6,8, Aisne 6,1. *En F par habitant :* P.-O. 39,9, Vaucluse 36, Dordogne 18,9, S.-M. 17,8, Aube 17,5, Yonne 17,2, Vendée 16,4, Isère 13,8, Drôme 13,6, Hts-de-S. 13,5.

• **Dépenses pour les monuments historiques des villes** (enquête sur un échantillon de 109 villes de 10 000 à 150 000 hab., sauf Paris), en millions de F. *1978 :* 73,8 (fonctionnement 21,5, équipement 52,3), *81 :* 192,2 (f. 33,7, é. 95,5), *84 :* 177 (f. 46,6, é. 92,1).

• **Monuments protégés.** *Au 31-11-1990 :* 26 062 inscrits, 13 598 classés dont 87 cathédrales, 4 399 édifices cultuels (sans les chapelles), 632 chapelles, 1 314 antiquités préhistoriques, 523 antiquités historiques, 1 435 châteaux et manoirs, 495 architectures militaires, 575 établissements monastiques, 540 édifices publics urbains, 1 208 édifices civils privés, 1 377 divers. **Selon l'époque d'origine (en nov. 1986).** Préhistoire 1 279, av. J.-C. 38, Ier-Xe siècle 616, XIe s. 53, XIe s. 548, XIIe s. 2 352, XIIIe s. 1 002, XIVe s. 631, XVe s. 1 276, XVIe s. 1 512, XVIIe s. 982, XVIIIe s. 739, XIXe s. 152, XXe s. 63, dont champs de bataille, hauts lieux militaires 14, constructions militaires [forts, abris, camps, postes de commandement : Villa Savoye [1] (Poissy), Maison Picassiette (Chartres), l'Église du Raincy (Seine-St-Denis), Chapelle de Ronchamp [1] (Hte-Saône), Maison des jeunes et de la culture et Stade de Firminy (Loire) [1]] 10. **Selon l'appartenance** (en %, 1990) : communes 60, État et ét. publics 4 (en 1986 : 700 monuments, il s'agit d'édifices souvent importants : 89 cathédrales, le Mont-St-Michel, l'arc de triomphe de l'Étoile, le château de Chambord), propriétaires privés 35, divers 1.

Nota. – (1) Construits par Le Corbusier.

Régions ayant le plus grand nombre de monuments classés (au 30-11-1990). Bretagne 1 017, Ile-de-France 973, Centre 772, Provence-Côte-d'Azur 753, Midi-Pyrénées 733, Bourgogne 711, Rhône-Alpes 705, Poitou-Charentes 702.

• **Objets protégés** (au 31-12-1990). 84 310 inscrits, 122 437 classés, 771 orgues (instruments) classées, 72 orgues (instruments) inscrites, 531 buffets d'orgue classés, 95 buffets d'orgue inscrits ; 16 cloches inscrites et 1 carillon de 46 cloches. En 1987, 42 locomotives et 53 wagons ont été classés.

• **Monuments n'appartenant pas à l'État** (1990). Chenonceau 950, Amboise 405, Thoiry 355, Villandry 318, Vaux-Le-Vicomte 282, Le Clos Lucé 243, Ussé 125, Breteuil 112, Fontenay 108, Valençai 104, Josselin 78, Fontfroide 73, Beynac 72, Hautefort 64, La Ferté St-Aubin 60, La Roche Courbon 58, Cormantin 51, Courson 45, Anet 43, Gourdon 41.

☞ L'État ne possède que 6 % des monuments classés. Il en fait visiter 100, dont 4 seulement dépassent 500 000 entrées.

Organismes divers

Association de la Sauvegarde de l'art français. 22, rue de Douai, 75009 Paris. *Créée* 9-12-1921 par le duc de Trévise († 9-9-1946) et la Mise de Maillé († 19-11-1972). *Membres :* 1 000. *Pt :* Édouard de

Cossé-Brissac (n. 3-9-1929) dep. 1990. *Activités :* aide à la restauration d'églises rurales non classées monument historique antérieures à 1800. Dep. 1974, plus de 750 églises aidées.

Association nationale des associations régionales Études et Chantiers. 28, rue Duhamel, 35 000 Rennes.

Fédération nationale des associations de sauvegarde des sites et ensembles monumentaux (FNASSEM). 20, av. Mac-Mahon, 75017 Paris. Reconnue d'utilité publique. *Fondée* 1967 par Henry de Ségogne. *Pt :* Pierre Brousse (avant, Mme J. Cahen-Salvador).

Caisse nationale des Monuments historiques et des sites (CNMHS). Hôtel de Sully, 62, rue St-Antoine, 75004 Paris. *Créée* par la loi du 10-7-1914. *Pt du Conseil d'administration :* Christian Gerondeau (n. 23-3-1938) (directeur : Michel Cocardelle). Établissement public chargé de gérer les mon. hist. de l'État. Alimenté essentiellement par droits d'entrée, ventes d'ouvrages, locations, dons et legs.

Location d'un monument historique
(prix à la journée, en F, 1991)

Orangerie de Versailles 220 000 F (du 1-6 au 15-10). **Château de Maisons-Laffitte.** De 16 000 à 29 000 F. **Conciergerie-Palais St-Louis.** 50 000 F. **Sainte-Chapelle à Paris.** 5 200 F (concerts classiques uniquement). **Hôtel de Sully, Orangerie.** 9 500 F. **Parc de St-Cloud.** De 10 000 à 20 000 F. **Domaine de Fontainebleau, Cour d'Henri IV** 8 000 F, **Parc** 4 200 F. **Château de Vincennes, Chapelle Royale** 3 500 F. **Chambord** de 10 000 à 16 000 F. **Ch. de châteauneuf en Auxois** 2 700 à 5 000 F.

Centres culturels de rencontre et de séjour. Association *créée* 1972 pour développer une politique d'animation permanente dans les mon. hist. Regroupe 9 mon. : abbayes des Prémontrés à Pont-à-Mousson (M.-et-M.), de Royaumont (Val-d'O.), de Fontevrault (M.-et-L.) ; Salines d'Arc-et-Senans (Doubs) ; Chartreuse de Villeneuve-lès-Avignon (Gard) ; ancien couvent royal de St-Maximin (Var) ; écomusée du chât. de la Verrerie au Creusot (Loire) ; corderie royale de Rochefort-sur-Mer (Ch.-M.).

Club du Vieux Manoir. 10, rue de la Cossonnerie, 75001 Paris. Voir p. 1299a.

La Demeure historique. 57, quai de la Tournelle, 75005 Paris. Association professionnelle des propriétaires de mon. hist. privés classés et inscrits. *Créée* 1924 par le Dr Carvallo († 1936), propriétaire de Villandry (I.-et-L.) ; reconnue d'utilité publique 25-1-1965. *Adhér. :* 1 800 + 900 amis (propriétaires d'un mon. hist. classé, inscrit ou susceptible de l'être). *Pt :* H.-F. de Breteuil (n. 5-12-1943). *But :* rechercher, étudier et faire connaître immeubles, châteaux, maisons avec parcs et jardins, offrant un caractère historique ou artistique ; faciliter tout ce qui peut en assurer la conservation et la mise en valeur.

Chantiers-Histoire et Architecture médiévale. 3-7, rue Guilleminot, 75014 Paris. *Pt :* Christian Piflet. *Créés* 1980. *Adhérents :* 2 000. *Activités :* chantiers de restauration et archéologie. 2 centres permanents. Classes de patrimoine.

Ligue urbaine et rurale. 8, rue Meissonier, 75017 Paris. *Fondée* 1939 par Jean Giraudoux ; reconnue d'utilité publique 1970. *Pt :* Guy de Commines. *Adhérents :* plusieurs milliers. *Intervient* auprès des pouvoirs publics pour parer aux menaces qui pèsent sur paysages et édifices. Concours annuel entre communes rurales de moins de 2 000 hab. *Publication :* trimestrielle : « Les Cahiers de la Ligue urbaine et rurale. »

Maisons paysannes de France. 3 bis, rue Léo-Delibes, 75116 Paris. Association reconnue d'utilité publique. *Pt :* M. Maréchal. *Revue :* Maisons paysannes de Fr. *Activités :* conseils de restauration, documentation, conférences, visites de maisons restaurées, stages, expositions, concours, labels.

Sté française d'archéologie. Musée des Monuments français, Palais de Chaillot, 75116 Paris. *Fondée* 1834. *Pt :* A. Erlande-Brandenburg. *Membres :* 2 550. *But :* faire connaître par analyse scientif. les mon. anciens. *Publ. trim. :* « Bulletin monumental » ; *annuel :* « Congrès archéologique de Fr. ».

Sté pour la protection des paysages et de l'esthétique de la France. 39, av. de la Motte-Picquet, 75007 Paris. Appelée d'abord Sté pour la protection des paysages de France [*fondée* 1901 par le poète Jean Lahor (Dr Cazalis) et André Theurier (académicien)], reconnue d'utilité pub. en 1936. *Pt :* Jacques de Sacy. *Membres :* 7 000. *Revue trim. :* « Sites et Monuments ».

Union REMPART (Union des associations de chantiers de sauvegarde et d'animation pour la Réhabilitation et l'Entretien des Monuments et du Patrimoine artistique), 1, rue des Guillemites, 75004 Paris. *Créée* 11-7-1966. Reconnue d'utilité publique 13-7-1982. *Pt :* Henri de Lépinay. *Membres :* 150 assoc. organisant 180 chantiers réunissant 5 000 bénévoles réalisant 200 000 j de travail, des animations culturelles, des stages. *Publ. :* Collection « Patrimoine vivant » ; « Cahiers techniques ».

Vieilles Maisons françaises (Les). 93, rue de l'Université, 75007 Paris. Association de propriétaires et d'amateurs d'art, de monuments et demeures anciennes. *Créée* 1958, reconnue d'utilité publique en 1963. *Adhérents :* 18 000. *Édifices :* 8 000 (dont 1 000 ouverts au public). *Pt :* Georges de Grandmaison. *Secr. gén. :* Mme Jacques de Ladoucette. *Activités :* conseils, prix de restauration, relations avec pouvoirs publics, locations, réceptions, fichier de demeures se louant pour tournages films. *Publ.* (5 par an) : 30 000 ex.

Concours

Concours annuel des chantiers de bénévoles. Organisé par la CNMHS. *Créé* 1967. Près de 700 chantiers récompensés jusqu'en 1988 (4 568 000 F de prix), 40 participants par an. *Prix nationaux : 1er* 40 000 F, *2e* 20 000 F, *3e* 10 000 F. *Prix régionaux :* jusqu'à 30 000 F.

Chefs-d'œuvre en péril. *Créé* 1963 par Pierre de Lagarde (n. 25-3-32) pour récompenser et aider ceux qui ont permis de sauver un monument. A permis de sauver plus de 900 monuments. 700 000 F (1990). **Palmarès du concours 1990.** *1er prix :* Granges cisterciennes (Oise). *2e :* manoir de Coudray-Macouart (M.-et-L.). *3e :* abbaye de Sylvanès (Aveyron).

Concours « Le prix du Maire ». Organisé par la Ligue urbaine et rurale depuis 1983, ouvert aux communes de – de 2 000 hab. ayant fait un effort remarquable d'amélioration et d'utilisation du patrimoine ancien. En 1991, 11 prix totalisant 280 000 F.

Concours SPPEF. C. annuel pour les municipalités de – de 10 000 hab. soucieuses de mettre en valeur leur patrimoine architectural ou leur site.

Œuvres

Œuvres générales

☞ En 1989, on estimait qu'il y avait dans le monde 14 millions de personnes déplacées ou réfugiées, 200 m. d'enfants de – de 15 ans au travail, 450 m. de sous-alimentées, 500 m. de chômeurs, 850 m. d'analphabètes, 1 milliard de pers. sans eau potable et 1 milliard dans des bidonvilles ou sans abri.

Fiscalité. Les versements faits par des particuliers à des œuvres ou organismes d'intérêt général ayant un caractère philanthropique, éducatif, scientifique, social ou culturel peuvent être déduits, dans la limite de 1 %, du revenu imposable, ou de 5 % s'il s'agit des fondations ou associations reconnues d'utilité publique (r.u.p.) ou satisfaisant à des conditions d'intérêt général.

Fondations ou associations r.u.p. sont seules autorisées à recevoir des donations (sommes importantes, titres de Sté, immeubles...) et des legs exemptés de tout droit de mutation ; subventionnées à une autorisation administrative accordée suivant leur importance par arrêté préfectoral ou décret en Conseil d'État ; demande à faire au préfet. Une association non r.u.p. mais ayant pour but exclusif l'assistance et la bienfaisance peut recevoir des donations et des legs sous réserve d'autorisation admin.

Appels de fonds. 18 associations et fondations ont signé (janvier 1990) une « charte de déontologie » permettant aux donateurs de vérifier la gestion et l'affection des fonds collectés. Un comité veillera à l'application des règles par les *signataires :* Association pour le développement de l'Institut Pasteur, Action internat. contre la faim, Ass. des paralysés de France, Ass. Valentin-Haüy, C.C.F.D., Croix-Rouge française, Féd. nat. des ass. de réadaptation sociale, Fond. de France, Fond. pour la recherche médicale, Ligue contre le cancer, Médecins du monde, Méd. sans frontière, Petits Frères des Pauvres, Secours cathol., Secours populaire fr., Union nat. des associations de parents d'enfants inadaptés, Comité français pour le fonds des Nations unies pour l'enfance (UNICEF), Union nat. interfédérale des organismes privés sanitaires et sociaux.

☞ R.u.p. : reconnue d'utilité publique.

• **Armée du Salut.** 76, rue de Rome, 75008 Paris. *Fondée* 1865 par William Booth. Soutien moral, spirituel et matériel à toutes personnes en difficulté, sans discrimination de classe sociale, religion ou race. *Secteur évangélisation :* 44 centres, *social :* 33 centres. *Capacité d'accueil* en France 4 000 (*nombre de bénéficiaires* env. 55 000). Chaque année, 1 600 000 repas servis, 2 000 000 de nuits d'hébergement, 200 000 soupes de nuit chaque hiver.

• **CEDIAS (Centre d'études, de documentation, d'information et d'action sociales).** *Musée social,* 5, rue Las Cases, 75007 Paris. *Fondé* 1894. Renseignements sur les établissements de placement pour malades, handicapés, personnes âgées.

• **Mouvement international de la Croix-Rouge et du Croissant-Rouge (Croix-Rouge internationale).** *Siège :* Genève. *Emblèmes :* croix rouge sur fond blanc, croissant rouge sur fond blanc. *Principes fondamentaux :* Humanité, Impartialité, Neutralité, Indépendance, Volontariat, Unité et Universalité. Institution humanitaire indépendante, de caractère privé, neutre sur le plan politique, idéologique et religieux. Comprend : *Comité international de la Croix-Rouge* (CICR), *fondé* 1863 par cinq Suisses dont Henry Dunant (1828-1910) pour aider les militaires blessés [le 7-9-1759, au cours de la guerre de 7 ans, le marquis de Rougé, lieutenant général des Armées du Roi, avait déjà signé avec le baron de Buddenbrock, major prussien, la « Convention de Brandeburg ». Les adversaires s'engageaient à respecter hôpitaux et lazarets et à ne pas considérer les médecins et leurs auxiliaires comme prisonniers de g.]. Il est formé uniquement de citoyens suisses recrutés par cooptation (25 au max.). Il intervient en temps de conflits armés ou de troubles intérieurs, en faveur des victimes civiles et militaires. Fonde son action sur les Conventions de Genève (1949), leurs Protocoles additionnels (1977), les tr. de droit international ou sur sa propre initiative.

Ligue des Stés de la Croix-Rouge et du Croissant-Rouge. *Fondée* 1919. Fédération. En temps de paix, contribue au développement des Stés nationales, coordonne leurs opérations de secours en faveur des victimes de catastrophes naturelles, et aide les réfugiés en dehors des zones de conflit. **Stés nationales de la Croix-Rouge et du Croissant-Rouge.** Nombre : reconnues par le CICR 147, regroupant env. 250 000 000 de m. Indépendantes de leurs gouvernements, elles sont cependant leurs auxiliaires dans le domaine social et humanitaire et en temps de conflits armés.

• **Croix-Rouge française.** 1, place Henry-Dunant, 75384 Paris Cedex 08. *Fondée* 1864 (r.u.p.). *Pt :* Georgina Dufoix (n. 16-2-1943) dep. 26-4-1989 (avant, Louis Dauge). *Organisation :* Conseil d'administration : 46 membres dont 25 élus par l'Assemblée générale de la Croix-Rouge française et 21 représentants de ministères, de corps constitués et de grandes organisations nationales. 1 Pt et 2 vice-Pts, élus par le conseil d'administration et agréés par le Gouvernement. 101 conseils départ. dirigés par un Pt, assisté d'un conseil, et 1 200 comités locaux, en métropole et dans les DOM. **Personnel.** 100 000 bénévoles et 13 900 salariés (hospitaliers, enseignants, administratifs). Fonctions électives bénévoles. **Ressources.** Transitant par l'association 2,8 milliards de F (1988) dont les 3/5 viennent du remboursement par la Séc. soc. des hospitalisations et 2/5 de fonds dont l'association peut disposer pour ses secours et des cotisations des adhérents (500 000) (dons, legs, quête nationale, etc.). **Déficit** (au 25-5-1990). 400 (dont en 1988 : 228,6 pour un C.A. de 2 800).

Activités. Enseignements professionnels. 106 écoles ou centres de formation prof. dans le secteur sanitaire et social, 8 900 étud. par an. **Formation.** Premiers secours pour 150 000 personnes avec 3 500 médecins, 1 000 instructeurs, 5 000 moniteurs. Formation des bénévoles et du grand public (droit humanitaire, santé, sécurité domestique). **Formation continue.** 90 centres dép. forment 10 000 stagiaires. **Action médico-sociale.** 378 établ. sanitaires et sociaux (10 700 places). 304 activités médico-sociales (dont 41 services de soins à domicile pour personnes âgées, 54 d'aides ménagères et d'auxiliaires de vie, et 20 centres médico-sociaux). Soins infirmiers dans 123 établ. pénitentiaires. 13 sections autom. sanitaires. Collecte de sang pour 7 hôpitaux parisiens. **Action sociale.** Centres d'accueil et d'écoute pour personnes en difficulté. Aide alimentaire. Maintien à domicile des personnes âgées et des handicapés. Vestiaires. Action en faveur des réfugiés et migrants, de l'enfance défavorisée. Service d'écoute téléphonique. Participation à la mise en œuvre du RMI. **Urgence.** *Individuelle* : cas se présentant. *Collective* : participe au Plan ORSEC. 31 000 secouristes actifs et 20 000 des personnels sanitaires et auxiliaires en réserve. *Internationale* : seule ou avec d'autres organisations humanitaires, participe aux actions engagées : par la Ligue des Stés de la C.-R. (cas de catastrophes naturelles ; par le CICR, conflits armés). Aide au développement des Stés de C.-R. dans les pays en voie de développement. **Service des recherches.** Renseigne familles séparées lors de conflits internationaux, guerres civiles ou troubles et tensions intérieures, recherche disparus, réunit familles. **Équipes secouristes.** 40 000 équipiers, 58 024 postes de secours, 6 085 605 heures de bénévolat pour 158 829 secourues. **Jeunesse.** Cadre scolaire et au sein des groupes C.-R. Jeunesse : protection de la santé et du milieu environnant, entraide et solidarité, compréhension et amitié internationale. **Publications.** Présence Croix-Rouge (trim., 35 000 ex.), Revue de l'Infirmière (mens., 80 000 ex.), Revue de l'Aide-Soignante (mens., 10 000 ex.). **Minitel.** 3617 Croix-Rouge. **Centre de documentation :** 12, rue Chardin, 75016 Paris.

• Équipes St-Vincent (Fédération française des). 67, rue de Sèvres, 75006 Paris. Issues des Confréries de Charité, fondées 1617 à Châtillon-les-Dombes par St Vincent-de-Paul (1581-1660), devenues Dames de la Charité, puis, 1968, membre de l'Association internat. des Charités. R.u.p. 1935. France 400 équipes, 7 500 bénévoles, 7 000 auxiliaires. Aide à toute personne en difficulté quelles que soient ses opinions. Bulletin (3 200 ex.), 3 fois par an.

• Fondation Claude-Pompidou. 42, rue du Louvre, 75001 Paris. *Fondée* 16-9-1970. R.u.p. Intervention de 1 500 bénévoles dans les clubs du 3e âge, les familles d'enfants handicapés et en milieu hospitalier ; gère 11 établissements de soins, d'hébergement et de rééducation pour personnes âgées, enfants et adultes handicapés.

• Fondation de France. 40, av. Hoche, 75008 Paris. *Créée* 1969. R.u.p. En France, seule fondation collectrice et distributrice de fonds privés en faveur de toutes les activités d'intérêt général : action sociale, culturelle, scientifique et médicale, mise en valeur et protection de l'environnement, aide aux pays du tiers monde et de l'Europe de l'Est. Offre, à toute personne ou entreprise désireuse de poursuivre une activité dans ces domaines, la possibilité de créer sa propre fondation. En 1991, accueille et gère 309 fondations dont 272 pour le compte de particuliers et 37 pour entreprises. Favorise le développement des associations en leur apportant services et conseils. *Publication* : « Fondation de France », trim.

• Œuvres hospitalières françaises de l'ordre de Malte (OHFOM). 92, rue du Ranelagh, 75016 Paris. *Pt* : Arnold de Waresquid. *Créées* 1927. R.u.p. 1928. *Interventions* : lutte contre la lèpre, assistance aux handicapés et aux enfants en difficulté, recherche médicale, secours d'urgence, assistance médicale, enseignement sanitaire (ambulanciers, secouristes), aide aux réfugiés et aux sinistrés, ramassage, tri et envoi de médicaments dans les pays en voie de développement. *Donateurs* : 400 000. *Délégués et correspondants en Fr.* : 1 150. *Établissements hospitaliers aidés ou directement gérés par les OHFOM* : 90. *Pays d'intervention en sus de la France* : 45. *Subventions accordées* (1990) : 32 millions de F. *Expédition de médicaments et matériel médical* (1990) : dans 71 pays, 1 200 t d'une valeur de 305 millions de F. *Centres de tri et collecte de médicaments en Fr.* : 110. *Publication* : Hospitaliers (trim.). *Ressources* : dons, legs, quêtes.

• Secours catholique ou Caritas France. 106, rue du Bac, 75341 Paris Cedex 07. R.u.p. (loi de 1901). *Pt* : André Aumonier. *Personnel salarié* : + de 65 000 bénévoles. *Budget* : 600 millions de F. *Mission* : aide à toute personne en difficulté quelles que soient ses opinions politiques ou religieuses, sensibiliser toutes les communautés (chrétiennes et humaines) à l'existence de la pauvreté sous toutes ses formes. Action internationale en lien avec les 121 Caritas (Secours catholique) : aides d'urgence et de réhabilitation, développement. *Journal mensuel* : « Messages » : 1 100 000 ex.

• Secours populaire français (SPF). 9-11, rue Froissart, 75003 Paris. *Créé* 1946. R.u.p., agréé d'éducation populaire, indépendant de l'État, du gouvernement, de tout organisme philosophique, politique, religieux, financier. Grande cause nationale 1991. *But* : solidarité aux plus défavorisés en France et dans le monde sans assistanat, sur la base du partenariat. *Membres* : 710 000, collecteurs officiels (bénévoles) 53 396, permanences d'accueil et solidarité 1 157, implantations dans les départements 10 125, médecins 1 957. Repas pour les victimes de la pauvreté, précarité 30 millions. Journées de vacances pour enfants, familles, jeunes en difficulté 700 000. Projets d'aide au développement 145 dans 47 pays du monde avec le concours des médecins du SPF. *Publication* : « Convergence », mensuel, 678 000 ex. (OJD). Minitel 3615 SPF.

Autres œuvres

• Accueil des villes françaises (pour nouveaux arrivants). 2, rue des Princes, 92100 Boulogne.

• Adoption. **Famille adoptive française (La).** 90, rue de Paris, 92100 Boulogne. **Œuvre de l'adoption.** 10, rue Philibert-Delorme, 75017 Paris.

• Alcooliques anonymes. 21, rue Trousseau, 75011 Paris. *Créée* 1960. *Membres* : env. 6 000.

• Alphabétisation. **Comité de liaison pour l'alphabétisation et la promotion (CLAP).** 71-73, rue Broca, 75013 Paris.

• Aveugles et malvoyants. **Ass. des donneurs de voix.** R.u.p. (décret du 28-10-1977). *Bureau nat.* : 95, Grande-rue St-Michel, 31400 Toulouse. Enregistrement de livres sur cassettes. France + de 240 000 ouvrages prêtés en 1990. Bibliothèque sonore, 12, rue Bargue, 75015 Paris. **Ass. Nat. des Parents d'Enfants Aveugles ou Gravement Déficients Visuels (ANPEA).** 74, rue de Sèvres, 75007 Paris. *Fondée* 1964. *Publication* : « Comme les autres », trim. en braille et en noir. **Ass. Valentin-Haüy pour le bien des aveugles (AVH).** 5, rue Duroc, 75007 Paris, + de 85 groupes en province. *Fondée* 1889. R.u.p. 1891. Prêts gratuits de livres (100 000 par an), de partitions en braille et de livres parlés sur cassettes (500 000 par an, 3 500 titres au catalogue). Centres de formation professionnelle et d'aide par le travail. Atelier protégé. Action sociale et culturelle + nombreuses revues. Cinéma (système « Audiovision »). Maison de vacances pour aveugles et leurs familles. Musée. Clubs de loisirs et activités sportives. Vente de matériels adaptés. **Auxiliaires des aveugles.** 19, rue du Général-Bertrand, 75007 Paris. R.u.p. *Fondée* 1963. Aides aux étudiants, secrétariat pour les examens, lectures, guidages, visites, enregistrements de cassettes à la demande, activités culturelles et sportives. **Croisade des aveugles.** 15, rue Mayet, 75006 Paris. R.u.p. 12 000 membres répartis en 95 groupes locaux en Fr. 12 établissements. **Fédér. des aveugles de France** (« Les Cannes blanches »). 58, av. Bosquet, 75007 Paris. R.u.p. (décret 27-8-1921). Centres d'aides par le travail, ateliers protégés, foyers résidences pour adultes et aveugles, centres de guidance parentale, sports et loisirs. **Croix-Rouge française.** Voir plus haut. **Fondation pour la réadaptation des déficients visuels.** 3, rue Lyautey, 75016 Paris. Loi 1901. **Groupement des intellectuels aveugles ou amblyopes** (GIAA). 5, av. Daniel-Lesueur, 75007 Paris. R.u.p. 1948-84 délégations départementales. (Bibliothèque de 15 000 ouvrages et de 50 périodiques en braille ou sonore, imprimerie braille informatique, etc.)

• Bénévoles. **Centre national du volontariat (CNV).** 132, rue des Poissonniers, 75018 Paris. *Fondé* 1974. Orientation des bénévoles vers les associations grâce à un réseau de centres de volontariat locaux (1989, 600 000 associations de bénévoles). *Publication trim.* : « Volontariat au présent ». Minitel 3615 Associc, puis Choisir no 3.

• Cancer. **Ass. pour la recherche sur le cancer (ARC).** 16, av. Vaillant-Couturier, 94800 Villejuif. *Fondée* 1962. R.u.p. 1966. *Pt* : Jacques Crozemarie. 3 200 000 adhérents. 2 milliards de F consacrés à la recherche dep. 1980. *Publication* : « Fondamental », trim. (1 500 000 ex.). **Ligue nationale contre le cancer.** 1, av. Stéphen-Pichon, 75013 Paris. *Créée* 1918. R.u.p. 1920. *Pt.* : Pierre Guillaumat, ancien min. En 1989, a réparti 172 millions de F dont recherche 118, prévention et dépistage 32, aide aux malades 22. *Publ.* : « Vivre », trim. (grand public) et « M. G. Cancer », trim. (corps médical). **Vivre comme avant,** 8, rue Taine, 75012 Paris. *Fondée* 1975. Aide morale aux femmes ayant subi opérations.

• Cardiologie. **Fédération française de cardiologie.** 50, rue du Rocher, 75008 Paris. R.u.p. *Pt.* : Pr André Vacheron. *Membres* : + de 2 000 (dont 200 cardiologues). Présente dans 27 assoc. région., + de 100 clubs « Cœur et santé ».

• Défavorisés. **Action internationale contre la faim (AICF).** 34, av. Reille, 75014 Paris. **ATD. Quart Monde.** 107, av. Gal-Leclerc, 95480 Pierrelaye. Aide à toute détresse. *Créée* 1957 par le père Joseph Wresinski. *En France* : 21 centres permanents, 3 cités de promotion familiale accueillant temporairement 85 familles (env. 500 personnes) à Noisy-le-Grand, Herblay, Reims ; 5 centres d'insertion et de formation professionnelle ; 16 universités populaires ou Clubs du Savoir fréquentés par 3 000 jeunes et adultes ; 78 bibliothèques de rue ; 200 comités locaux dans 95 villes avec 2 000 militants actifs. *Publications* : « Les Cahiers du Quart Monde » (annuel), « Feuille de Route » (mens., 70 000 ex.), « Jeunesse Quart Monde » (12 000 ab.), « La Lettre de Tapori » (enfance, 4 000 ab.). **Centre d'Action Sociale Protestant (CASP).** 20, rue Santerre, 75012 Paris. **Comité catholique contre la faim et pour le développement (CCFD).** 4, rue Jean-Lantier, 75001 Paris. *Créé* 1961, lorsque la FAO a lancé la campagne mondiale contre la faim. R.u.p. Association composée de 27 mouvements et services de l'Église catholique de Fr. 2 500 équipes locales rassemblant 15 000 membres. Finance chaque année environ 600 projets dans près de 90 pays. Certains (dont Michel Algrin dans « La Subversion humanitaire » et dans « Politique Internationale de 89 ») lui ont reproché une orientation politique gauchiste et l'aide apportée à des organes marxistes entretenant la guerilla (SWAPO, Fretilin, Polisario). *Publication* : « Faim Développement Magazine », 300 000 abonnés, dossiers, films vidéos, audiovisuels, jeux, etc. **Emmaüs.** 32, rue des Bourdonnais, 75001 Paris. Centre *créé* 1949. *Révélés* en 1953-54 par l'abbé Pierre (nom de résistance de Henri Grouès, n. 5-8-1912, député MRP de Meurthe-et-Mos. 1945-51, fondateur des chiffonniers d'Emmaüs, devenus célèbre en 1954). Plus de 250 groupements en France, + de 800 dans le monde. Accueil, action éducative, soutien. *Publication* : « Faims et soifs des hommes ». **Fédération française des banques alimentaires.** 15, avenue Jeanne-d'Arc, 94110 Arcueil. Groupe 55 banques couvrant 80 départements. Distribution colis ou repas aux 2 500 associations caritatives et humanitaires de France. En 1989, près de 2 000 bénévoles ont récolté en une journée dans écoles, mairies et grandes surfaces 1 100 t de denrées (ayant permis la distribution de 36 278 000 repas) fournies par industriels 67 %, pouvoirs publics 24 %, aide individuelle 9 %. **Fondation abbé Pierre pour le logement des défavorisés.** B.P. 100, 94 220 Charenton – CCP 41749 K Paris. **Grand-Cœur.** 74 bis, av. Ledru-Rollin, 94170 Le Perreux. **Petits Frères des Pauvres.** 64, av. Parmentier, 75011 Paris. **Restaurants du Cœur.** 75515 Paris cedex 15. *Créés* 1985 par Coluche. En 1989, 1 359 centres animés par 10 000 bénévoles ont distribué 26 millions de repas à 37 500 bénéficiaires. *Ressources* : 117 millions de F, dont divers 26, ministère des Affaires sociales 14, dons en nature de la CEE 48, des particuliers 35. **Sté philanthropique.** *Fondée* 1780. 15, rue de Bellechasse, 75007 Paris. **Sté de St-Vincent-de-Paul-Louise de Marillac.** *Fondée* 1833 par Frédéric Ozanam (1813-53) et ses compagnons, a fusionné 1969 avec le mouvement féminin Louise de Marillac fondé 1909. *Siège nat.* : 5, rue du Pré-aux-Clercs, 75007 Paris. Env. 850 000 membres en 40 000 « Conférences » dans 116 pays (France 11 000 m., 1300 « Conf. »). *Mission* : service des pauvres. Aide au développement. Amitié entre confrères. Contact direct et personnel. *Publication* : les « Cahiers Ozanam ».

• Dépressifs. **Solitude et prévention du suicide. SOS Amitié.** 12, rue du Havre, 75009 Paris. Fédère en France 49 associations régionales dont **SOS Help,** B.P. 23916, 75765 Paris Cedex 16. Aide morale en anglais. + de 2 000 bénévoles se relayent au téléphone 24 h/24, pour écouter les personnes en crise. 585 000 appels en 1990. **Phénix,** SOS Suicide, assoc. *créée* 1978. 6 bis, rue des Récollets, 75010 Paris, 28 r. de Gergovie, 75014. **La Porte ouverte,** 21, rue Duperré, 75009 Paris, 4, rue des Prêtres-Saint-Séverin, 75005 Paris. **Urgence psychiatrique,** 110 rue du

Cherche-Midi, 75006 Paris. *Créée* 1984 par des médecins. Une trentaine de psychologues et psychiatres se relaient au téléphone 24 h/24. **SOS Dépression.** Même adresse.

• Dons d'organes. **Féd. des associations pour le don d'organes et de tissus humains.** 13, av. de la Ceinture, 95800 Enghien. **France ADOT.** B.P. 35, 75462 Paris Cedex 10. *Fondée* 5-8-1969. *Adhérents :* 100 000.

• Droits de l'Homme. **Ligue internationale des droits de l'homme.** *Créée* 1941. *Membres :* 41 associations dans 26 pays. *Siège :* New York.

• Éducation (ASET). **Aide à la scolarisation des enfants tsiganes et autres jeunes en difficulté.** 65 r. du Château, 92100 Boulogne-Billancourt. Antennes scolaires mobiles 14. Enseignants 17. Plus de 1000 scolarisés. **L'école à l'hôpital Marie-Louise Imbert,** 89 rue d'Assas, 75006 Paris. *Créée* 1929 par Marie-Louise Imbert. 500 enseignants bénévoles, 4 000 écoliers/an.

• Étranger. **Action d'urgence internationale (AUI).** 10, rue Félix-Ziem, 75018 Paris. Agréée par le ministère de la Jeunesse et des Sports qui alimente 25 % de son budget annuel. *Spécialités :* séismes, éruptions volcaniques, inondations, assainissement, etc. *Organisation :* 450 adhérents et 1 200 donateurs. *Publication :* « Cataclysme ». **Aide médicale internationale.** 119, rue des Amandiers, 75020 Paris. *Fondée* 1979. *Membres :* 1 300. *Budget :* 4,5 millions de F. 100 départs bénévoles par an, pour missions médicales en Afghanistan, Laos, Kurdistan, Colombie, Haïti, Birmanie, Surinam, Tigré, Érythrée, Pākistān, Liban, Sud-Soudan, Liberia, Cambodge, Somalie. **Frères des hommes** (mouvement de coopération et solidarité internationale ; intervient en Asie, Afrique et Amérique latine ; présent dans 31 pays ; sans appartenance politique ni confessionnelle). 45 bis, rue de la Glacière, 75013 Paris. *Fondé* 16-9-1965 par Armand Marquiset (1900-81). *Membres :* 1 500. *Publications :* « FDH – Témoignages et Dossiers » (trim. : 70 000 ex.), « Une seule Terre » (mens. : 1 000 ex.). *Budget international :* 35 millions de F. **Médecins sans frontières.** 8, rue Saint-Sabin, 75011 Paris. *Créée* 1971. R.u.p. 1985. *Adhérents :* 5 220. *Budget :* 225 millions de F (60 % venant de dons privés, 35 % de la CEE ou du HCR, 5 % de legs + divers). 1 000 volontaires sur le terrain par an. En 1990 : 50 pays, 120 missions, 2 000 volontaires dans 66 pays. Budget 500 millions de F. *Publication :* « MSF » (6 n^{os}/an), 600 000 ex. **Médecins du Monde.** 67, av. de la République, 75011 Paris. *Créée* 1980 par Bernard Kouchner. R.u.p. déc. 1988. *Adhérents :* 3 500. *Budget 1990 :* 150 millions de F (60 % de dons et 40 % institutionnels). *Missions :* 40 dans le tiers monde + Mission France. *Centres :* 24 médico-sociaux. *Membres :* 3 500 actifs dont 600 médecins et infirmières sur le terrain. *Publication :* « Les Nouvelles de MDM. » (trim., 420 000 ex.). **Terre des hommes (France).** Soutien dans le tiers monde. 4, rue Franklin, 93200 St-Denis. *Fondée* 1963 en Suisse, présente dans 11 pays (All. féd., Danemark, Norvège, Fr., Pays-Bas, Belgique, Luxembourg, Suisse (Berne et Genève), Canada, Liban. 1 000 *membres.* 10 000 *donateurs* « projets » dans 25 pays. *Publication :* « Défi » (12 000 ex., trim.). **Les médecins aux pieds nus.** 4 rue Chapu, 75016 Paris. *Créée* janvier 1990. *But :* envoyer dans le tiers monde des médecins et naturopathes, capables de traiter les populations en utilisant les pharmacopées locales (plantes, animaux) et des techniques traditionnelles (acupuncture) ou énergétiques.

• Évacués. **Comité intermouvement auprès des évacués (CIMADE).** Service œcuménique d'entraide, 176, rue de Grenelle, 75007 Paris. *Créé* 1939. *1re* Pte : Jane Pannier née Schloesing.

• Famille. **Féd. des Familles de France.** 28, place Saint-Georges, 75009 Paris. *Créée* 22-9-1921. *Adhérents* (1990) : 164 000, regroupés dans plus de 650 associations locales et 80 fédérations départementales. *Publications :* « Familles de France » (trim., 25 000 ex.) sur abonnement, « Action Familiale » (1 500 ex.).

• Handicapés. **Ass. de l'amicale des bien-portants et des handicapés.** 16, rue Champ-Lagarde, 78000 Versailles. *Créée* 1981 par D. Goglia. *Adhérents :* 350. **Ass. nat. des amis des handicapés physiques.** 2, av. Garibaldi, 21000 Dijon. **Ass. nat. des IMC** (infirmes moteurs cérébraux). 41, rue Duris, 75020 Paris. *Créée* 1954. R.u.p. 28 associations locales affiliées, 60 centres gérés + de 2 500 IMC pris en charge. *Publication :* « IMC-Défi » (trim.). **Ass. des paralysés de Fr. (APF).** 17, bd Auguste-Blanqui, 75013 Paris. *Créée* 1933. 70 000 adhérents, 95 délégations départementales, 15 rég., 150 établissements et services ambulants recevant 8 000 hand. moteurs. 165 assistants sociaux pour 30 000 handicapés et familles. **Auxilia.** 102, rue d'Aguesseau, 92100 Boulogne. *Fondée* 1926. R.u.p. Reclassement et réinsertion des h.

Fondation

Définition. Établissement à caractère privé, créé par une ou plusieurs personnes privées dans un but déterminé, financé par des fonds privés. Demander au min. de l'Intérieur une autorisation expresse, qui sera accordée sous forme de décret pris après avis du Conseil d'État. La création nécessite : une déclaration de volonté du fondateur [donation par acte authentique (acte passé devant notaire), l'acte est exonéré de droits de mutation] et une reconnaissance d'utilité publique (accordée si le but est désintéressé et présente un caractère d'intérêt général, et si la dotation en capital est suffisante pour permettre le fonctionnement régulier de l'œuvre, min. 5 000 000 F). **Fonctionnement** libre. L'État n'exerce de tutelle que sur statuts, règlement intérieur et opérations concernant le patrimoine de la fondation. Pas de membres, donc pas d'assemblée générale des sociétaires, mais un conseil d'administration (composition fixée par les statuts, qui se réunit au moins 2 fois par an). *Peut recevoir* legs, dons, subventions publiques ou privées, *bénéficier* de droits d'entrée (visites, expositions, concerts) et des produits de ventes de publications, reproductions, prix de journée...

Fiscalité. *Pas d'impôt sur les sociétés* sauf s'il y a une activité lucrative. *Impôt sur le revenu :* sur le placement de la dotation (loyers, fermages, intérêts, dividendes). *Pas de TVA* (en principe) sur les ventes. *Pas de taxe professionnelle. Pas de droits de mutation* sur dons et legs, taxe réduite pour les achats d'immeubles sociaux.

☞ Fondations philanthropiques. *Les plus importantes.* Aux États-Unis. *Nombre :* 22 000. *Capitaux (en milliards de $) :* Ford 3,4, John D. and Catherine T. MacArthur 1,5, Robert Wood Johnson 1,2, W.K. Kellog 1,2, Pew Memorial Trust 1,2, Andrew W. Mellon 1,1, Rockefeller 1.

physiques et des détenus par l'enseignement par correspondance (cours gratuits). *Professeurs :* 2 000. *Élèves* 3 000 (moitié handicapés, moitié détenus). **Foi et Lumière.** 3, rue du Laos, 75015 Paris. *Fondée* 1971. *Membres :* 21 000. **Fondation John Bost** (24130 La Force), *fondée* 1848, œuvre privée protestante, sanitaire et sociale, r.u.p., accueille 1 000 h., malades mentaux et personnes âgées. **Fraternité catholique malades et handicapés.** 66, rue du Garde-Chasse, B.P. 9, 93260 Les Lilas. **Groupement pour l'insertion des handicapés physiques (GIHP).** 8, rue des Myosotis, 54500 Vandœuvre. **Office chrétien des personnes handicapées (OCH).** 90, av. de Suffren, 75738 Paris Cedex 15. *Fondé* 1963. *Adhérents :* 32 000. *Publication :* « Ombres et Lumière ». **Union nat. des associations de parents d'enfants inadaptés (UNAPEI).** 15, rue Coysevox, 75018 Paris. *Fondée* 1960. R.u.p. Grande cause nat. 1990. *Adhérents :* 62 000. Fédère plus de 750 associations en France. *Publ. :* Vivre Ensemble, Juris Handicap, Tutelle Infos, Cahiers de l'Éducation, Cahiers du temps libre et des loisirs, Bulletin de Documentation, Cahiers de l'Europe. **Ass. franco-amér. des volontaires au service des handicapés mentaux (FAVA).** 24, rue d'Alsace-Lorraine, 75019 Paris. **Comité d'études, de soins et d'action permanente en faveur des déficients mentaux (CESAP).** 81, rue St-Lazare, 75009 Paris. *Créé* mai 1965. **Union nationale des amis et familles de malades mentaux (UNAFAM).** 8, rue de Montyon, 75009 Paris. *Fondée* 1963. *Adhérents :* 7 000. **Réinsertion. Ass. de placement et d'aide pour jeunes handicapés (APAJH).** 26, rue du Chemin-Vert, 75011 Paris). **Comité national français de liaison pour la réadaptation des handicapés (CNFLRH).** 38, bd Raspail, 75007 Paris. *Fondé* 1962. *Associations adhérentes :* 53. *Membres associés :* 45 (particuliers, sociétés). **Ligue pour l'adaptation du diminué physique au travail (LADAPT).** 185 bis, rue Ordener, 75882 Paris Cedex 18. *Fondée* 1929. **Handicap International,** 18 r. Gerland, Lyon. *Fondée* 1980. *But :* appareiller et réhabiliter les handicapés moteurs victimes des combats au Cambodge, et former sur place des infirmiers kinésithérapeutes.

• Hôpitaux. **École à l'hôpital Marie-Louise Imbert.** Voir p. 1407 a. **Visite des malades dans les établissements hospitaliers (VMEH).** 8 bis, av. René-Coty, 75014 Paris. *Fondée* 1933. *Membres :* 7 800. Présence, amitié, aide à l'hôpital.

• Isolés. **Œuvre Falret** (hébergement). 52, rue du Théâtre, 75015 Paris. **Frères du Ciel et de la Terre.** 7 et 12, rue Léopold-Bellan, 75002 Paris. *Fondée* 1968. Œuvre pour une solitude constructive.

• Jeunes. **Les Orphelins Apprentis d'Auteuil.** 40, rue La Fontaine, 75016 Paris. Fondation chrétienne (1866), r.u.p. 1929. Campagne d'intérêt général 1991. Accueille 4 000 jeunes de 6 à 20 ans en difficulté familiale et sociale, et leur donne une formation professionnelle (40 métiers enseignés 28 maisons dans 24 départements). *Publ. :* Revue « A l'écoute », « Badge ». **Les Enfants des Arts.** 14, rue de la Montagne, 92400 Courbevoie. **SOS Enfants sans frontières.** 56 r. de Tocqueville, 75017 Paris. *Créée* 1974 par Jacqueline Bonheur. Apolitique et non confessionnelle. *But :* agir partout dans le monde où des enfants sont en danger. **Les Enfants du Malheur.** 43 r. Bénard, 74014 Paris. *Créée* 1989. Pour santé et éducation des enfants, soldats, détenus, esclaves, déracinés. **Orphelinat mutualiste de la Police nationale.** 19 r. du Renard, 75004 Paris. *Créée* 1921. 670 délégués sur le territoire national. Aide plus de 3 000 orphelins, veuves et ascendants de policiers décédés.

• Justice. **Bureau de la protection des victimes et de la prévention.** Min. de la Justice, 13, pl. Vendôme, 75042 Paris Cedex 01.

• Lèpre. **Fondation Raoul-Follereau.** 31, rue de Dantzig, 75015 Paris. *Créée* 1984 pour soutenir l'action de l'Association fr. créée en 1968 par Raoul Follereau (1903-77). 78 comités et délégations. R.u.p. Soigne 200 000 malades dans 170 centres de traitement, dans 24 pays. 30 000 volontaires participent à la Journée mondiale des Lépreux instituée 1954 par Follereau.

• Malades. **Maison médicale Jeanne-Garnier.** As. des Dames du Calvaire. 55, rue de Lourmel, 75015.

• Myopathie. *Téléthon :* lancé 1987. *Sommes récoltées* (en millions de F) : *1987 :* 195, *88 :* 186, *89 :* 256, *90:* 307. Assoc. fr. contre les myopathies (AFM), centrée sur la myopathie de Duchenne (Téléthon 1), s'est étendue aux maladies neuro-musculaires (Tél. 2), puis aux maladies génétiques (Tél. 3).

• Personnes âgées. **Accueil et service-SOS 3e âge.** 163, rue de Charenton, 75012 Paris. *Fondée* 1974 pour le maintien à domicile des personnes âgées ou handicapées. A créé en 1990 l'assoc. « Équinoxe », service de télé-assistance national. **Les petits frères des Pauvres.** 64, av. Parmentier, 75011 Paris. *Créés* 1946 par Armand Marquiset (29-9-1900/14-7-81). Soutien moral et matériel à des personnes âgées handicapées et isolées. **Bersabée** en dépend et s'occupe du logement. **Télé-entraide région parisienne personnes âgées (TERPPA).** 8-10, rue Flatters, 75005 Paris. *Fondée* 1969. Écoute, maintien à domicile, placement en maison de retraite, conseil juridique et aides diverses aux personnes âgées.

• Planning familial. **Mouvement français pour le pl. fam.** 4, square Saint-Irénée, 75011 Paris.

• Prison. **L'îlot.** 130, av. de la République, 75011 Paris. *Fondé* 1969. Accueil sortants de prison et handicapés sociaux. *Centres de réadaptation pour hommes, à Paris :* 54, rue du Ruisseau, 75018 ; 132, av. de la République, 75011. *Foyer de nuit pour sans-abri :* 29, rue des Augustins, 80000 Amiens ; *de jour (repas pour nouveaux pauvres) :* 27, rue des Augustins, 80000 Amiens. *Résidence pour couples et familles en difficulté :* 71, rue Louis-Thuillier, 80000 Amiens ; *pour couples sortant de prison :* « La Résidence », 6, rue E.-Dequen, 94300 Vincennes. **La visite des détenus dans les prisons (OVDP).** 5, rue du Pré-aux-Clercs, 75007 Paris. *Fondée* 1932. R.u.p. 1951. *Membres :* 900. **Auxilia** (voir ci-contre).

• Prostitution. **Mouvement du Nid.** 7, rue du Landy, BP 102, 92116 Clichy Cedex. *Fondé* 1937. *Publ. :* « Prostit. et Société » (trim.), 12 à 15 000 ex.

• Racisme. **Alliance générale contre le racisme et pour le respect de l'identité française (AGRIF).** 12 rue Calmels, 75018 Paris. *But :* combattre le racisme plus spécialement anti-français et anti-chrétien. **Ligue intern. contre le racisme et l'antisémitisme (LICRA).** voir p. 552b. **Mouvement contre le racisme, l'antisémitisme et pour la paix (MRAP).** 89, rue Oberkampf, 75011 Paris. *Fondé* 21-5-1949. *Adhérents :* env. 15 000. *Publ. :* « Différences » mens., 10 000 ex.

• Recherche médicale. **Fondation pour la recherche médicale.** 54, rue de Varenne, 75007 Paris. *Fondée* 1962 par le Docteur Escoffier Lambiotte. Reconnue d'utilité publique. *Délégué gén. :* Jacques Pons.

• Religion. **Œuvre des campagnes.** 2, rue de La Planche, 75007 Paris. *Fondée* 1857. Dirigée par des laïcs chrétiens pour venir en aide aux curés de campagne les plus démunis. **Œuvre d'Orient.** 20, rue du Regard, 75006 Paris. *Fondée* 4-4-1856. Soutient Église et culture française au Proche-Orient et Terre sainte. *D^{r} g^{l} :* Mgr André Boissonnet. *Recettes* (1987) : 43,9 millions de F. **Œuvre de secours aux églises de**

Fr. et d'aide aux prêtres. 66, rue de Grenelle, 75007 Paris.

Œuvres pontificales missionnaires (OPM). *4 branches : Œuvre de la propagation de la foi,* fondée 1822 à Lyon, par Pauline Jaricot ; *Œuvre de St Pierre Apôtre,* fondée 1889 à Caen par Stéphanie et Jeanne Bigard ; *Œuvre de la Ste-Enfance ou Enfance missionnaire,* fondée 1843 par Mgr de Forbin Janson (évêque de Nancy) ; *Union pontificale missionnaire,* fondée 1916 en Italie par le Père Manna. Elles existent dans 104 pays du monde. *Adresses en France :* Centre de Paris : 5, rue Monsieur, 75007 Paris. Centre de Lyon : 12, rue Sala, 69287 Lyon Cedex 02. *Subsides* (1989, en millions de F) : Propagation de la foi : 644, Œuvre de St Pierre Apôtre : 205, Enfance missionnaire : 71. *Presse OPM:* « Solidaires », 100 000 ex. ; « Terres Lointaines », 90 000 ex. ; « Mission de l'Église », 8 000 ex. *Autres revues missionnaires :* « Peuples du Monde », 50 000 ex. ; « Pentecôte sur le monde », 25 000 ex. ; « Pôles et Tropiques », 30 000 ex. ; « Missi », 30 000 ex.

☞ Le nombre des missionnaires originaires du tiers monde ne cesse de s'accroître (Indiens, Malgaches, Japonais, Brésiliens entre autres). Des instituts de missions étrangères se sont ouverts au Mexique, en Colombie, Inde et Corée.

• Sclérose en plaques. **Association pour la recherche sur la sclérose en plaques (ARSEP).** 13, rue Baudoin, 75013 Paris. *Fondée* 1969. R.u.p. 1978. *Pt :* Maurice Doublet. *Pt du comité scientifique :* Pr François Lhermitte.

• Sida. **Association pour la recherche clinique contre l'Aids-Sida et pour sa thérapeutique (ARCAT-SIDA).** 17, rue de Tournon, 75006 Paris. *Fondée* 1985 par les Docteurs Marcel Arrouy (Pt d'honneur) et Daniel Vittecoq. *Pt :* Pierre Bergé. *Publication :* « Sida 89 » (mens.).

• Sourds. **Ass. nat. des parents d'enfants déficients auditifs (ANPEDA).** 10, quai de la Charente, 75019 Paris. *Fondée* 1965 par Josette Chalude (1918). 115 assoc. affiliées. *Publ. :* « Communiquer » (trim.). **Union nat. pour l'insertion sociale du déficient auditif (UNISDA).** 37, rue St-Sébastien, 75011 Paris. *Fondée* 1974. *Publ. :* « IDDA-INFOS ».

• Tabagisme. **Comité nat. contre le t.** 126, rue d'Aubervilliers, 75019 Paris. **Ligue contre la fumée du t. en public - les droits des non-fumeurs.** 14, rue du Petit-Ballon, 68000 Colmar. R.u.p. + de 3 000 membres.

• Tuberculose. **Comité nat. contre la tuberculose et les mal. respiratoires.** 66, bd St-Michel, 75006 Paris.

• Vacances. **Ass. interprofessionnelle de vacances santé et loisirs de la région parisienne (AIV).** 145, av. Charles-de-Gaulle, 92200 Neuilly-sur-S.

• Volontariat. **Centre national du volontariat de Paris.** Voir page 1406b.

Postes, Télécommunications

Postes

Quelques dates

Antiquité. Chine. Services postaux créés vers 4 000 av. J.-C. **Perse.** Cyrus avait, selon Hérodote, inventé la poste. **Empire romain.** L'empereur Auguste crée une poste d'État : des messagers porteurs de documents officiels ont le droit d'utiliser les relais militaires sur les routes romaines. **Moyen Age.** Des messagers *intra muros* portent les messages et convocations de communes. **XIIIe s.** l'université de Paris utilise des *messagers volants* pour permettre aux écoliers provinciaux et étrangers de correspondre avec leur famille (1re mention, 1296). **1455** l'empereur Frédéric III charge Roger Della Torre, transitaire de Bergame, d'organiser un réseau postal. Anobli Bon de Tour et Tassis, puis Pce, ses descendants vendront 3 millions de thalers leur monopole à la Prusse en 1867. **1463** les maisons du Pont Notre-Dame à Paris reçoivent des numéros. **1470-1480** Louis XI crée la poste aux chevaux, la charge de conseiller grand maître des courriers de France et un service des relais. La Poste est alors un instrument du pouvoir royal à l'usage exclusif du prince. Des services parallèles multiples fonctionneront cependant encore pendant de nombreuses années. **1506** Louis XII met le service des relais à la disposition de voyageurs. **1576 (nov.)** Henri III met les *Messageries Royales* au service des particuliers. **Sous Henri IV** organisation de la *Poste aux chevaux* pour le transport des personnes. **1627** *1er tarif postal* en France entre Paris et quelques grandes villes. **1630** création de la Surintendance générale des Postes dont les agents sont les « maîtres des Postes », les « maîtres des courriers », les coursiers et les commis. **1653** création de la *Petite Poste* par Renouard de Villayer. Les lettres de Paris pour Paris, déposées dans une boîte et munies d'un billet de port payé que l'on se procurait au siège de l'organisation, étaient distribuées (3 fois par j) par des facteurs. Expérience éphémère, reprise en 1759 et étendue à plusieurs villes du royaume. **1672** avec Louvois, le service des Postes fait l'objet d'un bail applicable à tout le territoire : la Ferme Générale des Postes. Ainsi apparaissent 2 niveaux d'autorité, un niveau politique, celui du Surintendant qui avait pour mission de fixer les tarifs, de signer les traités internationaux et de veiller à l'application des règlements, et un niveau administratif, celui du Fermier, qui devait organiser et exploiter à son profit le service des Postes.

1708 1re édition du Livre de Poste renseignant les voyageurs sur les routes en service ; fixe le nombre de postes entre 2 établissements et fournit les bases du paiement dû par les voyageurs. **1760** Pianon de Chamousset installe chez des commerçants des boîtes servant au dépôt du courrier et dont seul le facteur possède la clé. **1792** proclamation de la République qui commande la rédaction de la 1re instruction générale sur le service des Postes. Ce document, réédité à de nombreuses reprises, a un caractère administratif et réglementaire, mais peut aussi servir de référence juridique. Un décret crée la Régie nationale des Postes et place Postes et Messageries sous l'autorité d'un Directoire, élu par la Convention nationale. **1801** *un arrêté* attribue définitivement à l'État le *monopole du transport des lettres.* **1804** Frochot crée à Paris un *numérotage régulier.* **1817** création du service des *mandats postaux.* **1819** Almanach du commerce de *Sébastien Bottin* (1764-1853) reprenait l'Almanach du commerce de 1797 par Latynna (fusionné 1853 avec l'Annuaire gén. du commerce de Firmin et Didot). **1823** à Paris, les facteurs à pied sont remplacés par des facteurs à cheval : les lettres des départements et de l'étranger sont distribuées avant midi. **1828** les correspondances sont frappées d'un *timbre à date* au départ et à l'arrivée. **1829** création du service des *lettres recommandées* et organisation du service de la *distribution à domicile* à partir du 1-4-1830 (le facteur était payé 4 centimes le km à pied) et du *relevage des correspondances* dans toutes les communes de Fr. **1837**-*2-5* une loi pose les bases du *monopole des télécom.* interdisant à quiconque la transmission des signaux. **1848-49** la IIe République adopte le timbre-poste [loi du 30-8-1848 autorisant l'Administration fr. des Postes à vendre au prix de 0,20 F, 0,40 F et 1 F les timbres ou cachets devant servir à l'affranchissement. Avant, l'admin. apposait un timbre humide imprimant la somme à percevoir, ou franco si le port était payé d'avance (affranchir d'avance une lettre paraissant une impolitesse pour le destinataire)], et le tarif unique pour la lettre simple de bureau à bureau. Liaison par câble avec la Corse. *Timbres-poste :* vente obligatoire dans les bureaux de tabac. **1849** impression des timbres confiée à la Commission des monnaies et médailles. Sur 158 268 000 lettres expédiées en 1849, il n'y en eut que 23 740 200 affranchies au moyen de timbres-poste. **1854** loi créant une surtaxe sur les lettres non affranchies. **1859**-*1-6* création de chiffres-taxe mobiles, le % des lettres non affranchies (+ de 40 % en 1854) tombe à 10 % env. en 1860. **1861** Londres, essai de transport de dépêches par tube atmosphérique (exploité 1873). **1866** essai à Paris (1 050 m à ciel ouvert entre la Bourse et le Gd Hôtel) pour dépêches. **1869**-*1-10 1re carte postale :* Autriche.

1870 des *dépêches microfilmées (pigeongrammes)* sont transportées par des *pigeons* pendant la guerre [1 tube de plume de 5 cm (- de 1 g), fixé à l'une des plumes de la queue, pouvait contenir 12 pellicules soit 30 000 dépêches]. 57 pigeons sur 300 rapportèrent 150 000 dépêches officielles et 1 000 000 privées. *« Boules de Moulins » :* des lettres (500 à 1 000 par boule) à destination de Paris assiégé sont enfermées à Moulins (Allier) dans des sphères métalliques munies d'ailettes et immergées dans la Seine. 55, immergées à Bray-sur-Seine, Thomery et Sannois, disparurent entre le 4 et le 13-1-1871 (soit entre 37 500 et 65 000 lettres). Elles dérivèrent et se perdirent. Depuis, une bonne moitié a été repêchée lors de dragages. On en a retrouvé en 1882, 1910, 20, 52, 51, 68 (St Wandrille), 82 (Choisy-le-Roi). Si l'Administration n'a pu trouver les descendants éventuels, elle confie les lettres recueillies au musée de la Poste. A Metz, les armées françaises assiégées utilisent de petits aérostats non montés qui transportent des plis légers (les *« papillons de Metz »*). *« Ballons montés » :* du 23-9-1870 jusqu'au 28-1-1871, 3 millions de lettres transportées par 67 aérostats. **1873** en France, les 1res cartes postales, dont le principe a été adopté en 1872, sont mises en circulation. **1874** création de l'*Union générale des Postes* deviendra en 1878 *Union postale universelle.* **1879** Paris, poste pneumatique jusqu'au 30-3-1984 (17 h).

1881 caisse nat. d'Épargne créée. Carte postale illustrée. Service des colis postaux en France. **1889** l'État prend le *monopole du téléphone,* exploité dès 1880 par des sociétés privées. Une loi consacre l'appellation de ministère des « Postes, Télégraphes et Téléphone ». **1895** la bicyclette est autorisée pour la distribution télégraphique (avec indemnités pour achat et entretien). **1899** grève des facteurs, naissance du syndicalisme dans les services postaux. **1909** 1res automobiles pour transport dépêches à Paris.

1911 1er transport de courrier par avion par le Français *Henri Pequet* (n. 1888) aux Indes. **1913** le lieutenant Ronin convoie à bord d'un Morane-Saulnier le courrier à destination de l'Amérique du Sud entre Villacoublay et Pauillac. **1914** création de cartes postales en franchise pour militaires et marins. **1918** création du service des *chèques postaux.* **1919** exploitation de la ligne Toulouse-Rabat par P. G. Latécoère. **1923** création du budget annexe des PTT. **1927** *1er courrier postal aérien* entre USA et France sur l'avion América. Création de la Cie gén. aéropostale. 1ers circuits de poste automobile rurale (transport courrier et passagers). **1935** création du réseau postal aérien intérieur. **1939**-10-5 *1er vol postal de nuit :* 2 Caudron-Goéland d'Air Bleu (l'un fait Paris-Bordeaux-Pau, l'autre Pau-Bordeaux-Paris). **1941** suppression de la distribution du courrier le dimanche. Affiliation des CCP aux chambres de compensation

Andorre est le seul pays qui dispose de 2 administrations postales distinctes (française et espagnole). Les timbres-poste ont leur valeur faciale en pesetas et en francs. Depuis 1972 (timbres émis par l'Espagne) et 1978 (timbres émis par la France), la définition de la figurine est en catalan. Seule l'indication La Poste subsiste du côté français. Il y a parité entre les deux adm. (accords de 1930). L'Esp. a ouvert le 1er bureau à Andorra-la-Vella le 1-1-1928, la France le 16-6-1931. A chaque recette principale sont rattachées 7 agences postales.

Andorre et le Groenland sont les 2 seuls pays où le courrier local est gratuit.

Vanuatu des Nouvelles-Hébrides (alors condominium franco-britannique) est le seul pays à avoir utilisé un double système de timbres émis par 2 administrations, avec des motifs identiques mais dans des langues différentes.

Musées des PTT. *Paris :* 34, bd de Vaugirard (15e) et 5, rue du Gal-Sarrail (16e). *Caen* (Calvados). *Nantes* (L.-Atl.). *Amboise* (I.-et-L.). *St-Macaire* (Gironde). *Marcq-en-Barœul* (Nord). *Riquewihr* (Ht-Rhin). *Toulouse* (Hte-Gar.). *Amélie-les-Bains* (P.-Or.). *St-Flour* (Cantal).

Calendriers des postes. *1810* le plus ancien c. connu. *1849-50* l'administration des postes légalise la coutume adoptée par les facteurs de distribuer des cal. à leur profit. *1855-17-8,* François-Charles Oberthur imprime à Rennes le 1er cal. des postes, sous sa forme actuelle, en noir et blanc jusqu'à la fin du XIXe s. **Principaux éditeurs.** Oberthur, Oller, Jean Lavigne, Eyrelle.

des banques. Bordeaux, distribution par Juva 4 Renault. **1942** création de 2 Directions générales distinctes, « Postes » et « Télécommunications », sous la tutelle d'un ministère unique. **1945** bilan de la guerre : 860 établissements postaux (soit 25 %) dont 57 % des centres de tri détruits ou endommagés ; 360 wagons (48 %) perdus ; 220 voitures de Paris (76 %) perdues ; 600 000 sacs postaux (40 %) détruits, perdus ou volés. **1951** Bordeaux, électrotrieuse Schaudel pour trier les paquets-poste (1 200 paquets/heure). **1956** Bordeaux, 1re machine électromécanique à trier les lettres. **1957** création du corps des préposés. **1959** le ministère prend le titre de « Postes et Télécommunications », mais le sigle « PTT » est maintenu. **1960** introduction de la mécanisation du tri (machines électromécaniques). **1962** adoption du jaune (avant bleu) pour boîtes aux lettres et véhicules postaux. **1964** début du codage des adresses postales. **1965** les cachets à date retrouvent le n° minéralogique du départ, supprimé en 1875 (2 chiffres). **1966** 1er bureau cedex Paris Brune. **1969** courrier à 2 vitesses : normal et urgent. **1972** lancement du code postal à 5 chiffres. Suppression de la FM (franchise militaire). **1973** automatisation du tri (lecture optique des adresses, tri automatique). **1984** TGV postal Paris-Lyon. **1986** tarifs plis urgents et plis non urgents (PNU). **1987** les bureaux de poste de Paris changent de nom. Le n° du bureau est remplacé par le nom du quartier ou de la rue. **1989** attribution d'un code postal à chaque commune. **1991**-*1-1* Poste et France Telecom passent du statut d'administration à celui d'exploitant autonome de droit public. *Février :* création de la Sté d'exploitation Aéropostale (transport de courrier la nuit, passagers le jour). 2 types d'avions utilisés : Boeing 737 et Fokker F 27.

Timbres

Premiers timbres

• **Origine.** **1819**-*3-6* les postes sardes émettent un papier postal timbré (les « Cavallini » à 3 sols, 5 sols ou 10 sols). **1840** 1 penny noir et 2 pence bleu mis en vente 1-5 et affranchis 6-5 (112 000 lettres postées ce jour-là). 1 penny noir affranchi le 2-5 a été vendu le 23-3-1991 à Lugano (Suisse) par Harmers 3 400 000 F suisses (13 430 000 FF). Le *timbre-poste* (1 penny noir) est adopté en Angleterre sur l'initiative de sir Rowland Hill (1795-1879), plus tard directeur des Postes. Son projet remontait à 1837, mais déjà James Chalmers, libraire imprimeur, en avait eu l'idée et avait tiré quelques spécimens de timbres (1834-38). **1842-45** *1ers timbres représentant un nom de pays :* émis par le City Dispatch Post de New York ; ils portaient la mention États-Unis mais n'étaient valables qu'à New York. **1843** Brésil (dits œil-de-bœuf) ; Suisse (canton de Zurich, c. de Genève et c. de Vaud). **1845** USA (à New York pour corresp. locale). **1847** Trinité, USA, Maurice. **1849** France (1-1) ; Belgique (7-7) ; Bavière (1-11). **1850** Autriche, Hanovre, Prusse, Saxe, Schleswig-Holstein, Espagne, Suisse, etc. *1ers timbres trapézoïdaux :* émis par la Malaisie pour le centenaire de Malacca. **1968**-*oct. timbres polygonaux irréguliers :* émis par Malte.

• **En France.** **1ers timbres de type Cérès** (déesse de l'agriculture et des moissons, gravée par Barre), **1 F vermillon** (1-1-1849) tiré à 1 020 000 ex., retiré de la vente le 1-12 pour éviter des confusions avec le 40 c orange que l'on allait mettre en service. Estimé neuf 350 000 F, oblitéré 140 000 F. **20 c noir** (1-1-1849) tiré à 41 600 000 ex., supprimé 1-7-1850. Estimé neuf 2 500 à 20 000 F, oblitéré 350 à 4 500 F selon les nuances des couleurs. **20 c bleu,** non émis (il fut tiré du 7-4-1849 au 20-5-1850 à 22 995 000 ex. pour remplacer le 20 c noir sur lequel les oblitérations se voyaient mal, mais la loi du 15-5-1850, modifiant le tarif, le rendit inutile ; on envisagea alors de vendre à 25 c les timbres-poste bleus imprimés à 20 c et inutilisés, mais le min. des Finances s'y refusa). Le stock des 20 c, y compris les surchargés, fut incinéré, sauf quelques feuilles ; le non-surchargé est estimé à 18 000 F et le surchargé à 90 000 F. **25 c** (-1-7-1850) tiré à 45 218 000 ex.

1er timbre tiré à plus de 100 millions d'ex. 1 c vert olive émis 1-11-1860 et supprimé 15-10-1862 (170 000 000 d'ex.). **A plus de 1 milliard d'ex.** 20 c bleu émis le 1-7-1854 et supprimé en oct. 1862.

1re contrefaçon. Connue 4-5-1849. **1er timbre dentelé :** 1862. **1ers cachets :** janv. 1849 ; certains bureaux, dans l'attente de la grille oblitérante officielle, utilisèrent des cachets provisoires de confection locale (croix de Troyes estimée 170 000 F sur 1 lettre, de La Rochelle, rectangle de Béziers, barre de Cherbourg, crochets d'Autun, etc.). **1er timbre en braille :** *30-1-1989* « pour le bien des aveugles », hommage à Valentin Haüy, 2,20 F. **1er carnet de timbres autocollants.** Février 1990, « Marianne » de Briat, 2,30 F.

Collections

• **Timbres.** **1res collections :** 1841-42. **1ers catalogues :** 1861 (Timbres-poste d'Oscar Berger-Levrault et Catalogue des timbres-poste créés dans divers États du Globe, d'Alfred Potiquet). **1er album :** 1862 à Paris. **1ers catalogues avec prix :** Zschiesche et Koder de Leipzig (juil. 1863) ; Arthur Maury (fin 1863). *En France :* 1ers catalogues Yvert et Tellier. *1942,* 1er catalogue Cérès. **1er marchand de timbres :** Jean-Baptiste Moens (1833-1908). **1re vente aux enchères :** 29-12-1865 à l'Hôtel Drouot.

• **Collectionneurs.** USA 20 000 000, URSS 12 000 000, All. féd. 10 000 000, France (+ de 18 ans, en 1988) occasionnels 2 400 000 (permanents 540 000) dont 17 % dépensent + de 1 000 F/an. **Collections célèbres privées.** Thomas Keay Tapling ; Frederik Breitfuss ; Pce Rainier de Monaco ; Cte Philippe Arnold de La Rénotière von Ferrary († 20-5-1917, fils du duc de Galliera)(vendue 1921-25 23 286 805 F de l'époque) ; Reine d'Angleterre ; Saul Newbury (Chicago) ; P. de Liechtenstein ; Steinway (New York) ; Caspary (New York, vendue entre 1955 et 1958, 2 895 148 $) ; Burrus (vendue 1962-64, 1 272 699 £) ; Lilly (vendue 1968, 3 000 000 $) ; Dubus (vendue 5 et 6-10-1989). **Publiques.** *Londres,* collection Tapling au British Museum ; *Washington,* Smithsonian Institute ; *Berlin ; La Haye ; Stockholm,* Musée suédois ; *Paris,* musée de la Poste.

• **Coût de la collection complète des timbres émis en France pour 1 année** (somme des cotes des timbres neufs). **1982 :** 780 F. **83 :** 430. **84 :** 440. **85 :** 1 125. **86 :** 470. **87 :** 600. **88 :** 525 (59 timbres). **89 :** 460 (55). **90 :** 292.

• **Commission des programmes philatéliques.** Composée de 20 membres env. nommés par arrêté ministériel, comprend des fonctionnaires de la Poste, des artistes, des représentants de la philatélie et du min. de la Culture, du Comité d'Histoire des PTE, de la presse, du négoce et des usagers. Elle se réunit 2 fois par an et prépare 2 ans à l'avance les programmes philatéliques.

• **Flammes.** Partie allongée qui accompagne le cachet à date des oblitérations mécaniques. Originellement en forme de drapeau, d'où son nom. A l'origine, le bloc dateur était situé à droite. Pour que la date soit plus lisible, il a plus tard été monté à gauche, puis est revenu à droite, la date étant répétée sous la flamme. Comporte des lignes ondulées (flamme muette), un texte ou une illustration. Environ 1 500 mises en service chaque année en France. *Machines à oblitérer :* Daguin, Flier, Krag, RBV, Secap, Pituey-Bowes, Chambon, Klein, Klussendorf, machines allemandes en Alsace-Lorraine. Actuellement, les plus utilisées : Secap et Toshiba (toujours muettes). *Collections* par régions ou par thèmes. *Cote :* 300/500 F en moyenne pour 1 000 flammes sur enveloppes. Jeux Olympiques de Paris 1924 : de 300 à 10 000 F la flamme (Colombes 6 000).

• **Mise en vente anticipée « Premier Jour ».** 1er timbre 20 c Rouget de l'Isle, à Lons-le-Saulnier et à Paris, le 27-6-1936. Courante dep. 1950, avec oblitération spéciale « Premier Jour » à partir de 1951 ; modèle standard d'oblitération adapté en 1966.

Cours des timbres

• **Évolution.** A poids égal, aucune matière au monde n'a atteint la valeur des timbres.

Quelques cotes	1955	1970	1990
Fr. 40 c Empire non dentelé obl. .	0,15	15	100
30 c Mouchon retouché	7,50	275	1 600
80 c Semeuse lignée	0,20	32,50	275
10 c Minéraline	8,50	250	1 600
Colombe de la Paix (oblit.)	0,75	55	110
2 F Rivière bretonne	2,25	65	300
3,50 F St-Trophime	1,80	60	250
12 F Maréchal Leclerc	0,18	5,50	20
Série des jeux Olympiques	2,60	50	560
Série Napoléon	3	65	425
Série Paul Valéry	2,75	110	1 100
1 F (+ 3 F) Philatec 1964	–	32,50	250
Laos. 50 Pi Sisavang Poste aér.	0,75	250	1 200
Sarre. 15 + 5 Diligence	0,30	110	400
Viêt-nam. Série Bao Long	25	300	300

Source : Yvert et Tellier

Timbres d'avant 1900. *Rares* + de 4 à 6 % l'an en F constants ; *moyens* (10 à 2 000 F) + 5 à 8 % ; *communs* + 4 % ou moins. **Après 1900.** *Oblitérés* (indice 100 en 1910), *1914 :* 91,1, *18 :* 64,7, *22 :* 173, *26 :* 137,7, *32 :* 439, *44 :* 1 477, *48 :* 623,3, *78 :* 3 025,8.

• **Timbres les plus rares. Étrangers. Timbres connus à 1 seul exemplaire : Guyane britannique :** *One cent magenta d'avril 1856,* acheté en 1922, 35 000 £ (env. 100 000 F-or) et en 1943, 45 000 $; il appartenait à J. et H. Slotow (New York), fut vendu, le 24-3-1970, 1 550 000 F à J. Weinberg, et, le 5-4-1980, 850 000 $ (3 845 000 F) à un acheteur anonyme. **Togo allemand :** *1 mark carmin* surchargé en 1915 lors de l'arrivée des troupes franco-anglaises. **Côte du Niger :** *20 shillings* surcharge noire « Oil Rivers ». **USA :** *5 c noir sur bleuté d'Alexandria (Virginie)* appelé *Blue Boy* vendu 1 000 000 de $ par la Maison Feldman de Genève en 1982. **Timbres connus à 2 exemplaires : N.-Zélande :** *3 pence lilas de 1862.* **Hawaii :** *2 cents bleu de 1851 :* 1 500 000 F. **USA :** *Z Grill :* vendu 2 874 300 F en nov. 1986. **Autres timbres cours exceptionnel : Bavière :** *9 k vert* erreur de couleur, vendu en 1985 dans la vente de Boker 800 000 F. **Suisse :** *Double de Genève (1843)* 300 000 F. *10 shillings ancre marque d'eau gris verdâtre 10 c. noir* neuf 70 000 (1859). **G.-B. :** (1867-82) 160 000 F. **Ile Maurice** *(1847) : « Post Office »* 3 000 000 F ; *One penny* 750 000 F le 22-6-88 (vendu 160 000 F en 1920).

Français. *1849 :* 1 F vermillon terne, 250 000 F ; 1 F vermillon vif, 450 000 F, bloc de 4, 2 250 000 F ; 1 F carmin, neuf, bloc de 4, 325 000 F ; 10 c bistre jaune, tête-bêche 375 000 F ; 10 c bistre verdâtre 525 000 F ; 15 c vert oblitéré 8 500 F. *1850 :* 15 c vert neuf 100 000 F, bloc de 4, 525 000 F ; 15 c vert tête-bêche sur lettre 1 000 000 F. *1869 :* 5 F empire 37 500 F. *1880 :* 1 c noir sur bleu de Prusse 80 000 F neuf. *1932 :* 20 F chaudron clair, Pont-du-Gard dentelé 11, 7 500 F. *Poste aérienne. 1928 :* 10 F sur 1,50 F bleu 57 500 F. *Taxe. 1859 :* 10 c noir lithographié 90 000 F neuf.

☞ Lettre de Paris du 18-11-1870 par ballon monté affranchie à 80 c, adressée en Chine via l'achemineur Degenaer de Hong Kong, vendue à Itaphil le 28-11-1990 : 390 000 F.

• **Timbre ayant la plus haute valeur faciale** (valeur d'affranchissement indiquée) : timbre allemand de 1923 (50 milliards de marks). **La plus faible :** timbre 1/10 de centime Indochine française 1922-39.

• **Vente de timbres-poste.** *Dans les bureaux de poste :* vente directe ou réservation gratuite des timbres d'usage courant et du programme philatélique. *Dans les points philatélie* (200 en métropole et DOM) : vente directe et réservation gratuite. Outre les t. précédents, t. France de l'UNESCO, du Conseil de l'Europe, d'Andorre (Poste française), Monaco et St-Pierre-et-Miquelon, et produits philatéliques de la Poste. *Service philatélique de la Poste* 18, rue François Bonvin, 75758 Paris Cedex 15. Abonnement et vente par correspondance. *Agence des Timbres-Poste d'Outre-Mer* 85, avenue de La Bourdonnais, 75007 Paris. *Marché aux timbres du carré Marigny* (dep. 1874), à Paris (jeudi après-midi, samedi et dimanche toute la journée). *Bourses aux timbres à l'occasion de manifestations philatéliques nationales* (journées du timbre, Paris et province, etc.). *Marchés spécialisés. Hôtel des ventes.*

☞ **Renseignement.** *Fédération des Stés philatéliques françaises :* 7, rue Saint-Lazare, 75009 Paris ; *Confédération nationale des négociants et experts en philatélie :* 4, rue Drouot, 75009 Paris.

Fabrication

Dimensions. De 1 cm² [Colombie, timbre de 10 cents et 1 peso de Bolivar 1863 (9,5 × 8 mm)] à 30 cm² (USA, timbre pour journaux).

Erreurs historiques. Voir Quid 1981, p. 1695.

Graveurs français les plus célèbres. Pierre Gandon (n. 20-1-1899) de 1941 à 1989 (Pétain, Marianne 1945-54, La liberté guidant le peuple, 1982-89, etc.). Jacques Jubert (n. 18-4-1940).

Matériau utilisé. Papier. *Cire :* n° 1 B des Indes anglaises dans lequel sont frappées les armoiries du district de Scinde. *Papier aluminisé :* Hongrie (1955). *Or :* Gabon (1968). *Soie :* Pologne (1958). *Acier :* Bhoutan (1969).

Réimpression. Certains timbres qui n'étaient plus en cours ont parfois été tirés de nouveau à l'occasion d'une exposition, ou pour un collectionneur bien en cour. Les timbres du type Sage furent réimprimés en 1877-79 (émission des Régents), puis en 1887 (réimpression Granet).

Tête-bêche. Erreur typographique : à l'intérieur d'une feuille de timbres, une figurine est en sens inversé par rapport aux autres.

Statistiques

• **Dans le monde. Espèces de timbres.** *1840-49* : 47. *1850-59* : 778. *1860-69* : 1 851. *1870-79* : 2 616. *1880-89* : 4 000. *1890-99* : 6 875. *1900-09* : 10 618. *1976* : 750 000. 7 000 nouveaux timbres sont émis chaque année dans le monde (France : 40 en moy., Canada env. 12). Beaucoup d'administrations postales destinent une grande partie de leurs productions à des firmes privées, qui ont le monopole des ventes (ex. : vignettes postales de certains émirats).

• **France. Consommation** (en millions) : *1844* : 51,8. *1859* : 226. *1869* : 515. *1889* : 1 300. *1909* : 3 000. *1973* : 6 158,5. *1982* : 7 000. *En 1990* : le philatéliste a dépensé en moyenne 260 F (1989 : 250 F) en France (dans les bureaux de poste).

Ventes (1989). *La plus forte* : 42 232 940 timbres « Bicentenaire de la Révolution » (J.-M. Folon). *La plus faible* : 1 964 055 « Noailles ».

Imprimerie des timbres-poste. *Créée* 1880, installée à l'origine rue d'Hauteville, puis 103, bd Brune, à Paris, a été transférée à Périgueux en 1970. En 1990, elle a travaillé pour 14 pays étrangers. **Émissions** (1990). *France* : 64. *Étranger* : 144. **Production commercialisable** (en millions, 1990). *Timbres-poste* : 4 952 dont en feuilles 3 781, carnets 1 128, roulettes 40. Étranger : 42. *Valeurs fiduciaires et vignettes automobiles* : 317 ; *vignettes postales d'affranchissement* : 188.

Consommation de matières premières (en t, 1990). Papier non gommé 1 400, p. gommé 500, encres 123.

Productivité comparée : France (USA). *Habitants desservis* par un préposé : 765 (1 282). *Objets par tournée* (par an) : 161 922 (606 860). *Volume d'objets par habitants* 212 (473). *Productivité* de la distribution : 1 (3,75).

Timbres-monnaie

Origine. Émis par des firmes privées, pour pallier (en général, en temps de crise) un manque de métaux (argent, cuivre) ayant entraîné la disparition des pièces de monnaie. *1re émission* (?) *1862* aux USA : capsule de cuivre où était enfermé un timbre, obturée par une feuille de mica. *1915* Russie : timbre-poste imprimé sur papier très épais. *1920-23* France : pour les protéger, on les mit en pochette en papier, puis dans des carnets (commerçants et banques en profitèrent pour faire leur publicité). *1920-29-3* brevet d'invention pour un timbre serti dans un jeton circulaire de métal estampé ou imprimé, recouvert par un disque en mica transparent ou en cellophane.

Les plus communs. Crédit Lyonnais. **Les plus rares.** Ceux du Messager, des Galeries Lafayette, du dentifrice de Botot de Levallois-Perret.

Courrier

Enveloppe de correspondance. Apparue au XVIIe s. Avant, la lettre était seulement pliée, entourée d'un fil de soie fixée par un cachet. *1676* un édit impose une taxe particulière à la lettre sous enveloppe, qui, à cette époque, est coupée sur mesure, à la main. *XIXe (début)* l'enveloppe se généralise et sa fabrication devient industrielle.

Carte-lettre. Inventée par Auguste Maquet, sous le Second Empire.

Renseignements pratiques

• **Aérogramme.** Correspondance avion constituée par une feuille de papier convenablement fixée et collée sur tous ses côtés (4,50 F).

• **Allô Postexpress.** *Créé* 1984. Service de transport accéléré à l'intérieur des agglomérations, distribution en quelques h des lettres et paquets (poids max. de 5 kg). En Ile-de-Fr., couvre Paris, Hauts-de-S., S.-St-Denis, Val-de-M. En province, fonctionne dans certaines villes importantes. Max. 5 kg. *Tarif* : Ile-de-Fr. 35 F ; province variable.

• **Avis de réception.** *Tarifs* : 7 F en plus de la taxe d'affranchissement d'un envoi recommandé.

• **Boîte postale.** Les personnes physiques ou morales possédant un domicile ou un établissement dans la circonscription d'un bureau distributeur peuvent retirer leur correspondance à ce bureau. *Fonctionnement* : une clé est remise à l'abonné. Le courrier doit comporter le nom ou la raison sociale de l'abonné, le numéro de la boîte postale et le code postal suivi du nom du bureau distributeur. Les correspondances adressées sous le seul numéro de la boîte, sans indication, sont renvoyées à l'expéditeur avec la mention « inadmis ». *Abonnement* : 190 F par an.

• **Cartes postales.** *Tarifs* : *rég. intérieur* c.p. simples 2,20 F, urgentes 2,50 F. *Rég. international* : même tarif que pour les lettres sauf les cartes postales illustrées avec 5 mots de vœux au max. : 2,20 F + surtaxe aérienne éventuelle.

• **Cedex.** Courrier d'entreprise à distribution exceptionnelle. Dans les villes importantes, définit une entité regroupant les sections spécialisées de distribution (boîtes postales, services publics, vaguemestres, clients importants) auxquelles correspondent des numéros de codes spécifiques collectifs ou individualisés pour en assurer une meilleure distribution.

• **Changement de tarif.** En cas de difficultés d'approvisionnement, la Poste émet 1 ou 2 timbres courants sans valeur d'affranchissement mais identifiés par une lettre : *A, B, C*, etc., pour les émissions ultérieures. La valeur du timbre rouge correspond à l'affranchissement d'une lettre du 1er échelon de poids du régime intérieur (métropole, DOM, TOM), celle du timbre vert à l'affranchissement d'un pli non urgent. Ils n'ont pas de date de validité. *Correspondance entre lettres et valeurs faciales pour les timbres déjà émis* : *1-8-1986* A (vert) 1,90 F. *16-8-1988* B (vert) 2 F. *11-1-1990* C (rouge) 2,30 F, (vert) 2,10 F.

• **Chronopost.** *Créé* 1986. Service accéléré en France (max. 25 kg) et pour l'étranger, commercialisé par la Sté française de messagerie internationale (SFMI), filiale de droit privé, créée par les PTT [capital détenu PTT 66 %, TAT (Transport aérien transrégional) 34 %]. France : 24 h, étranger : 24 à 72 h. *Acheminement* en moins de 24 h. Chronopost International dessert 150 pays en 24 à 72 h. Accepte documents et marchandises jusqu'à 20 kg (poids pouvant varier en fonction des réglementations étrangères). *C.A. (1990)* : 1,370 milliard de F dont 1/3 à l'exportation. *Tarif (France) : jusqu'à 2 kg* 122 F, *de 2 à 5 kg* 148 F. 40 000 plis et colis distribués par j, soit 12 millions par an.

• **Chronophone.** Ramasse sur simple appel téléphonique. *Spécial 9H* : permet une remise matinale des envois. *Formule J + 1* : distribution dans la journée entre Paris et 12 métropoles régionales.

• **Cidex.** Courrier individuel à distribution exceptionnelle. Mis en place en zone rurale, suburbaine et estivale ; les boîtes aux lettres fournies gratuitement aux usagers sont regroupées en batteries et installées en des endroits faciles d'accès (bordure de chemin, place du village...). Réception matinale et régulière du courrier (vers 10 h 30). Pas obligatoire. Env. 900 000 boîtes au 31-12-90.

Monopole. *La Poste* a *le monopole du transport des lettres* (quel que soit leur poids), *des papiers d'affaires* n'excédant pas 1 kg, et des *télécommunications* (télégraphe, téléphone, émission de radio, T.V.). *Il n'y a pas de monopole pour le transport des colis,* de la *messagerie,* des *journaux* et des *imprimés* expédiés non clos.

Une société peut organiser le transport et la distribution de son propre courrier, sous réserve que le service soit assuré à l'aide de son propre personnel salarié, et que celui-ci soit uniquement utilisé à cet effet pendant la durée de cette tâche. Par contre, si elle fait appel à une entreprise de services pour le transport d'envois soumis au monopole, cette dernière ne peut agir qu'illégalement et est passible d'amendes d'un montant de 2 500 F à 5 000 F par pli en infraction. En outre, les plis peuvent être saisis, et remis aux destinataires contre paiement d'une taxe égale à 4 fois la taxe d'affranchissement exigible.

Responsabilité. Celle de la Poste n'est pas engagée en cas de retard ou de perte de courrier ordinaire. Un postier est passible de sanction ou de condamnation (tribunal correctionnel) en cas de révélation consciente du secret professionnel même involontaire ou sans l'intention de nuire. Ce délit est distinct de la *violation des correspondances,* sanctionnée par des textes différents.

Transporteurs privés. 90 % du marché international (40 milliards de $). Les plus importants Federal Express (221 avions), DHL (100), TNT.

EMS-IPC (International Post Corporation). *Fondée* 12-11-1987 à Bruxelles par 11 postes européennes. *But* : faire face à la concurrence privée. *Moyens* : 13 avions. *Trafic (1988)* : 25 t de courrier dont avec G.-B. 8, USA 5 à 8, France 6, All. féd. 2,5. Prév. 1992 : 80 t.

• **Code postal.** A 5 chiffres (mis en application depuis le 23-3-1972) : les 2 premiers représentent le n° minéralogique du départ., les 3 autres le bureau distributeur (en tout 10 342 en 1991 soit de 30 à 250 par départ.). Triple zéro réservé aux chefs-lieux de départ., double zéro aux autres bureaux importants. Pour les lettres aux particuliers de Paris, Lyon et Marseille, les 2 derniers chiffres sont le numéro de l'arrond. ; 900 : centres de chèques postaux. Depuis 1-3-1989, la Poste a simplifié l'adresse postale. Sur la dernière ligne d'adresse, les 5 chiffres du code postal sont suivis du nom de la commune de destination, siège ou non d'un bureau de distribution ; pour les lieux-dits, la rédaction est maintenue sur 2 lignes.

• **Colis postal.** Régime international. Poids max. 10 ou 20 kg selon les relations. **Catégories.** *Service rapide* : *Eurocolis* pour 15 pays européens (délai 3 à 5 j, *Mondiocolis* pour autres pays (4 à 10 j). *Service économique* : *Viacolis* pour tous pays (7 à 15 j). Transport par avion avec embarquement différé ou par voie de surface. Selon les relations, les c. postaux peuvent être expédiés avec déclaration de valeur, contre remboursement, francs de taxe et de droits, avec avis de non-livraison.

• **Courrier électronique.** Mis en service en 1982 par France câbles et radio, filiale des PTT, il permet de recevoir sur écran ou sur imprimante les messages que les correspondants ont déposé dans la « boîte aux lettres électronique ». Voir Câbles p. 1412.

Nota. – Télécopie *Postéclair,* voir p. 1411a.

• **Dimensions des envois. Cartes postales et plis non urgents.** *À découvert* : *min.* 14 × 9 cm, *max.* 15 × 10,7 cm. *Sous enveloppe ou pochette* : *min.* 14 × 9, *max.* long. + larg. + hauteur = 100 cm (l. max. 60 cm). **Paquets.** *Régime intérieur* : *min.* une face au moins égale à 14 × 9 cm, *max.* long. + larg. + haut. = 100 cm (l. max. 60 cm). *Intern.* : *min.* une face au moins égale à 14 × 9 cm, *max.* long. + larg. + haut. = 90 cm (l. max. 60 cm). **Rouleaux.** *Min.* long. + 2 diamètres 17 cm (long. min. 10 cm), *max.* 104 cm (long. max. 90 cm).

• **Écoplis.** Correspondances de toute nature pour lesquelles l'expéditeur accepte un acheminement moins rapide que celui des lettres, présentées sous enveloppe, sous bande et à découvert.

• **Franchise (correspondances dispensées d'affranchissement).** *Organismes* : Chèques postaux (titulaires d'un compte). Le 28-1-87, franchise supprimée pour le courrier de la Sécurité sociale. *Personnalités* : Pt de la Rép. Chancelier (grand) de la Légion d'honneur, de l'ordre de la Libération. Commandant de la place de Paris. Commissaire du gouvernement près le conseil des Prises. Conseil d'État (Vice-Pt, et le Pt du contentieux, Secrétaire général). Conseil constitutionnel (Pt, Secrétaire général). Conseil des Prises (Pt). Cour de cassation (Premier Pt, Procureur gén.). Cour des comptes (Premier Pt, Proc. gén.). Haute Cour de Justice (Premier Pt, Proc. gén.). Cour supérieure d'arbitrage (Pt). Directeurs généraux : des Impôts, de la Caisse des dépôts, des douanes et droits indirects, des manufactures de l'État, de l'Office national des forêts. Dir. de l'Administration des monnaies et médailles. Gouverneur militaire de Paris. Ministres. Pt de l'Assemblée nationale, du Sénat. Pt de la Commission chargée d'établir les listes des candidatures aux bureaux de tabac, de la Commission spéciale de cassation adjointe au Conseil d'État. Procureur de la Rép. près les tribunaux de Grande Instance et Cours d'assise. Procureurs généraux près les Cours d'appel. Secrétaires d'État. *Correspondances déposées à Paris* : Préfet de la région d'Ile-de-Fr., Préfet du département de Paris, directeur de l'Assistance publique, procureur de la Rép. *Déposées dans leur ressort même* : Commandant de corps d'armée ou de région (r. du comm.), procureurs généraux (r. de la cour d'appel). *Autre dispense* : courriers en braille, certains colis (cassettes) destinés aux aveugles.

Statistiques. *Plis de service et correspondance circulant en franchise* (1990) : 1,5 milliard.

• **Journaux. Tarifs spéciaux :** 10 % du trafic postal en nombre d'objets et 25 % du poids transporté. *Charges (et déficit qu'ils représentent) en millions de F. 1973* : 1 009 (899). *85* : 4 479 (2 561). *87* : 4 705 (3 262). *88* : 4 760 (3 333). *90* : 5 500 (3 700).

Nota. – Depuis 1986, pas de contribution du budget général. *Journaux* expédiés par les particuliers : *tarif* des plis non urgents (poids max. : 5 kg).

• **Lettres.** Tous envois à découvert ou sous enveloppe contenant essentiellement de la correspondance ou des papiers pouvant en tenir lieu.

Régime intérieur. Tarif lettres [1] et, entre parenthèses **plis non urgents** [2] (19-8-1991). *Jusqu'à 20 g* 2,50 F (2,20 F). *50 g* 4 (3,20). *100* 6,20 (3,90). *250* 11 (7,50). *500* 15 (11,50). *1 000* 20. *2 000* 27. *3 000* 32.

Nota. – (1) Étiquette ou mention « lettre » obligatoire au-dessus de 20 g pour les lettres ordinaires, rouleaux non admis. (2) Poids maxi 0,5 kg, correspondances de toutes natures, ne peuvent être recommandées, rouleaux non admis.

Régime international. Lettres et paquets (affranchis au tarif des lettres ordinaires) sont transportés par la voie la plus rapide, généralement aérienne. *Tarifs :* voir « Poste aérienne » ci-dessous.

• **Machines à affranchir.** Usage autorisé en France dep. 1923. Au 31-12-90, 228 072 machines en service pour 23,7 milliards de F d'affranchissements en 1990. Distribuées par 4 Stés agréées de la Poste.

• **Paquets-poste.** Marchandises et échantillons de march. jusqu'à 7 kg en France. Peuvent contenir de la correspondance, des factures, bordereaux d'envoi, etc. **Régime intérieur.** Paquet-p. tarif général en extradépartemental et Colissimo avec garantie des délais à j + 1 en intradépartemental et j + 2 en extradépartemental. En cas de dépassement de délais, un bon forfaitaire est remis pour l'expédition d'un nouvel envoi Colissimo. Colissimo ne concerne pas Andorre, les secteurs postaux, les relations métropole/DOM, entre DOM, et les envois expédiés du pays de Gex. **Étranger.** Petit paquet jusqu'à 500 g, 1 ou 2 kg selon les relations. Au-dessus sous paquets clos affranchis au tarif des lettres jusqu'à 2 kg. *Le colis postal* permet d'envoyer des marchandises jusqu'à 5 kg (« voie de surface »), 10 à 20 kg (aérienne).

Envois interdits. Objets qui, par leur nature, leur emballage, peuvent présenter du danger pour les agents, salir ou détériorer les corresp. ; matières explosives, inflamm., radioact. et dangereuses ; animaux morts, non naturalisés (ex. : gibier) ; animaux vivants à l'exclusion des sangsues, des abeilles, des vers à soie adressés au Muséum d'hist. nat. ; objets obscènes ou immoraux et marchandises prohibées, objets exhalant une odeur fétide, etc.

Emballages préformés (payants). 4 formats disponibles dans les bureaux de poste : 200 × 133 × 70 ; 250 × 170 × 95 ; 300 × 200 × 120 ; 360 × 220 × 145.

Tarifs (régime intérieur). **Paquet-poste tarif général extradépartemental.** *Jusqu'à 100 g :* 5 F. *250 g :* 9,80 F. *500 g :* 14. *1 kg :* 27. *2 kg :* 36. *3kg :* 50. *5kg :* 90. **Colissimo : tarif extradépartemental et,** entre parenthèses, **intradépartemental.** *Jusqu'à 100 g :* 12 F (9 F). *250 g :* 17 (13). *500 g :* 23 (16). *1 kg :* 30 (21). *2 kg :* 38 (28). *3 kg :* 45 (33). *5 kg :* 53 (50). *7kg :* 62 (50). *10 kg :* 70 (60).

• **Poste aérienne. Régime intérieur.** *Aérogramme :* tarif unique 4,50 F. *Lettres :* sans surtaxe jusqu'à 20 g pour les LC (lettres, cartes postales urgentes, valeurs déclarées) ; au-dessus surtaxe calculée sur le poids total, Guadeloupe, Guyane fr., Martinique, Réunion, St-Pierre-et-Miquelon, Mayotte et, entre parenthèses, N.-Calédonie, Polynésie fr., Terres Australes et Antarctiques fr., Wallis-et-Futuna : *affranchissement total calculé jusqu'à 20 g (taxe postale + surtaxe aérienne) : jusqu'à 20 g* 2,50 F (2,50 F).

Surtaxe (en plus de la taxe postale) quand le poids dépasse 20 g, calculée sur le poids total : LC par 10 g 0,30 (0,70). AO (autres objets) 0,30 (0,70).

Régime international. *Aérogramme :* tarif unique 4,50 F. *Europe :* sans surtaxe ; lettres jusqu'à 2 kg, cartes postales et valeurs déclarées : sans surtaxe. *Autres pays :* se renseigner ; exemples : Autriche, Algérie, Maroc, Tunisie, surtaxe de 0,10 F par 10 g. USA, Canada, LC et AO, surtaxe de 0,30 F par 10 g. *Autres pays d'Amérique et Asie :* LC et AO, 0,50 F par 10 g, Océanie 0,70 F par 10 g.

• **Postéclair.** *Créé* 1982. Service postal de télécopie. Relie 900 bureaux de poste, les DOM-TOM et 51 pays étrangers. En France, les documents sont remis au destinataire, au bureau de poste, à domicile ou par réception sur télécopieur privé. 1re page 20 F, 1re page seule 15 F, suivantes 10 F. En 1990, 1 100 000 pages émises (dont + de 20 % vers l'étranger).

• **Poste restante.** Offre la faculté de se faire adresser le courrier dans un bureau de poste de son choix où il sera retiré au guichet moyennant une taxe (journaux 1,40 F, autres 2,50 F), sur présentation d'une pièce d'identité. Les mineurs doivent présenter une autorisation parentale. Courrier gardé 15 j par le bureau de poste.

• **Pneumatiques.** Supprimés dep. 30-3-1984.

• **Porteur spécial** (envois, sauf paquets tarif général et Colissimo, distribués par). Distribués immédiatement. Poids max. 3 kg. Les envois à destination de la commune siège du bureau de dépôt sont acceptés (23 F en plus de la taxe d'affranchissement).

Publiposte. Pub. directe. *Produits de contact non adressés :* Postcontact, Postcontact ciblé, Postcontact Plus ; *adressés :* Postimpact, Postimpact échantillons/cadeaux. *Produits de réponse clients :* correspondance-réponse. **Résultats** *(1990). Messages adressés :* 3 milliards, *non adressés : 3,2. Réponses :* 68 millions. *CA :* 28 milliards.

• **Recommandés.** Envois pour lettres, paquets et Colissimo, remboursement en cas de perte ou de spoliation totale, selon le taux choisi.

Tarifs (en plus de la taxe d'affranchissement). *Régime intérieur :* voir tableau ci-après.

Indemnité maximale en cas de perte	Code	Droits (1)	
		Lettres	Paquets
100 F	R 1	14,50 F	8,50 F
1 000 F	R 2	16,50 F	10,50 F
2 000 F	R 3	22 F	15 F

Nota. – (1) Valeurs déclarées : 20,00 F ; cartes postales urgentes : 14,50 F ; journaux : 8,50 F ; valeurs à recouvrer et cartes-remboursement : 10,50 F.

Régime international : indemnité max. en cas de perte 300 F.

Valeurs déclarées. Régime intérieur. Tarif R3 des lettres rec. + assurance. *Valeur assurée 3 000 F :* 14 F, *au-dessus :* 1,50 F par 1 000 F ou fraction. *Lettres et boîtes valeur :* max. 5 kg, 25 000 F. *Paquets valeur :* max. 5 kg, 8 000 F. **Régime international.** Taxe lettres rec. + assurance 2,50 F par 500 F ou fraction. **Tarif particulier.** *Paquets et boîtes valeur : jusqu'à 2 kg ;* taxe des lettres rec., *2-3 kg :* 72 F. *Boîtes valeur : 2-4 kg :* 92 F, *2-5 kg :* 112 F + assurance (jusqu'à 4 000 F : 14 F, au-dessus : 1,50 F par 1 000 F ou fraction).

• **Réexpédition.** Par le service postal (tarif : 90 F pour 1 an au max.) ou possibilité d'utiliser les enveloppes de réexpédition délivrées gratuitement à la poste.

• **Régime intérieur et assimilé.** *Régime intérieur :* France métropolitaine, Guadeloupe, Guyane fr., Martinique, Réunion, St-Pierre-et-Miquelon, Mayotte, Andorre, Monaco, postes militaire et navale. *Assimilé :* N.-Cal., Polynésie fr., Terres Australes et Antarctiques fr., Wallis-et-Futuna.

• **Repostage.** Procédé permettant d'acheminer un « mailing » important à des tarifs réduits. Le courrier, prétrié par l'expéditeur, est acheminé dans un pays tiers dont les services postaux se chargeront de le réexpédier vers le pays de destination. Ce dernier ne percevra que les « frais terminaux » (tri et distribution à l'arrivée). Pour remédier à ce détournement de trafic, l'Union Postale Universelle a adopté un nouveau système de tarification des frais terminaux (augmentation de la part du pays de destination et diminution de celle du pays « reposteur », qui n'a plus d'intérêt à consentir une ristourne à l'expéd.).

• **Rouleaux.** Assimilés aux paquets-poste : leur longueur + 2 fois leur diamètre ne peut être supérieure à 104 cm ou inférieure à 17 cm. Les envois non normalisés ne sont pas refusés, mais ils pourraient être frappés, à terme, de la taxe du 2e échelon de poids de la catégorie.

• **Téléimpression.** Système créé 1988. Permet acheminement électronique, édition, mise sous pli, distribution du courrier déposé par l'expéditeur sous forme numérisée (bande magnétique, disquette, télex...).

• **Transporteurs privés.** *Indemnité maximale (en 1984) : par train :* 100 F/kg (France) ; 91 F (étranger) ; *route :* 90 F/kg (France) ; 45,50 F (étranger) ; *mer :* 11 F (max. 37 F) ; *avion :* 91,68 F. L'expéditeur et, éventuellement, le destinataire peuvent faire assurer leur envoi pour sa valeur réelle.

Fédération nat. des associations des usagers de la poste (FNASSUP). 18, rue Vignon, 75009 Paris. *Créée* 1979. *Périodique :* Affranchir (6 000 exemplaires).

Quelques comparaisons

Bureaux (1989). **Nombre total.** All. féd. 17 568, Belgique 1 833, Danemark 1 255, Espagne 18 582, *France 16 967* (90), G.-B. 20 871, Grèce 1 296 [1], Irlande 2 107 [1], Italie 14 439, Luxembourg 106, P.-Bas 2 624 [1], Portugal 7 274 [1]. **Nombre par habitants.** Grèce 1 pour 7 716 [1] habitants, P.-Bas 5 602 [1], Espagne 2 067, Belgique 5 416, Danemark 4 092, Italie 3 988, All. féd. 3 988, Luxembourg 3 571, *France 3 336* (90), G.-B. 2 726, Portugal 1 413 [1].

Chiffre d'affaires (en milliards de F, 1989). All. féd. 67,1, Italie 39,4, *France 69,1* (90), G.-B. 44,6, Danemark 8,1 [1], P.-Bas 14,4, Belg. 8,3, Esp. 6, Irlande 1,7 [1], Lux. 1,2 (P et T), Portugal 1,3, Grèce 1,2.

Trafic total (en milliards et, entre parenthèses, lettres, 1989). All. féd. 15,6 (7,2), Belg. 2,8 (1,2), Danemark 1,7 (1,1), Esp. 5,2 (4,1), *France 20* (90), *(5,6)*, G.-B. 15,5 (15,3), Grèce 0,4 (0,3), Irlande 0,46 (n.c.) [1], Italie 8,6 (4,9), Lux. 0,13 (0,1), P.-Bas 5,5 (2,7) [1], Portugal 0,6 (0,4).

Consommation postale (en objets/habitants, 1989). All. Féd. 253, Belg. 281, Danemark 334, Esp. 135, *France 342*, G.-B. 272, Grèce 44, Irlande 133 [1], Italie 150, Lux. 352, P.-Bas 374 [1], Portugal 59.

Messages publicitaires. Expédiés en France (en milliards). *1986 :* 2, *89 :* 3. **Reçus par habitant** (1989). USA 219, Suisse 102, Belgique 76, RFA 60, *France 50*, G.-B. 38, Portugal 11.

Nombre de postiers (1989). All. Féd. 272 571, Belg. 45 891, Danemark 34 400, Espagne 70 389, *France 295 887*, Grèce 11 690, G.-B. 235 200, Irlande 10 918 [1], Italie 230 615, Lux. 1 702, P.-Bas 58 894, Portugal 16 114.

Nota. – (1) 1988.

Quelques statistiques

• **Aviation postale.** 1er essai officiel le 15-10-1913 (10 kg de lettres convoyées entre Villacoublay et Pauillac). Le réseau postal aérien intérieur de nuit, *créé* en mai 1939 par Didier Daurat (1891-1969), interrompu pendant la guerre, fut rétabli en oct. 1945. En février 1991, la Poste, Air France, Air Inter et la TAT ont créé la Sté d'exploitation aéropostale qui assure le transport de courrier ou de frêt la nuit, et de passagers le j pour le compte des compagnies actionnaires. 22 lignes pouvant transporter 330 t de courrier chaque nuit. *Avions :* Boeing 737 (capacité 18 t, 900 km/h) et Fokker F 27 (capacité 5,5 t, 470 km/h). 16 Boeing et 15 Fokker prévus pour fin 92.

Bilan 1990. *Finances* (en milliards de F) : chiffre d'affaires 69. Endettement 34,3. Bénéfice 1,3. Investissements 4,5. Autofinancement 3,1. **Trafic total** (en milliards d'objets) 20,2.

• **Bureaux de poste** (au 31-12-90). 16 967 établ. postaux dont 9 910 recettes de plein exercice, 2 842 recettes rurales (anciennement recettes-distribution), 3 130 agences postales et correspondants postaux, 1 085 guichets annexes.

Nombre d'habitants par bureau (au 31-12-90). France métropolitaine 3 377 dont Paris 12 482, Nord-Pas-de-Calais 5 926, Prov.-Alpes-C.-d'Azur 4 689, Rh.-Alpes 3 340, Languedoc-Roussillon 2 180, Auvergne 1 800.

Usagers qui ont le moins de chemin à faire pour aller à la poste (1988) : ceux de Paris (1 bureau pour 0,6 km²). *Qui en ont le plus :* ceux des Alpes-de-Haute-Prov. (1 pour 73 km²), Htes-Alpes (1 pour 64 km²), Gers (1 pour 74 km²), Landes (1 pour 57 km²).

• **Bureaux de tabac.** Nombre 43 000. Remise sur les timbres : *1810 :* 1 %, *1871 :* 1,5 %, *1983* (mars) : 2 % [pour la 1re fois ont fait grève (du 4 au 15-3-1983) pour une remise plus forte]. *1985 :* 3 %.

• **Capacité de tri.** Un bureau central d'arrondissement comme celui de Paris-8e (783 machines à affranchir) trie au départ en moyenne, par j, 530 000 objets (lettres, paquets, imprimés) dont 80 000 relevés dans les boîtes aux lettres. A l'arrivée traite et distribue 580 000 objets par j.

• **Distribution.** Habitants desservis par un préposé : 773. Objets par tournée (par an) : 188 400. Nbre d'objets par hab. : 243.

Régions qui ont déposé le plus de lettres (par hab., en 1988). Paris 378, Ile-de-Fr. (avec Paris) 168,

☞ Depuis le 1-1-1991, la Poste et France-Télécom, jusqu'alors administrations d'État, deviennent 2 entreprises autonomes de droit public. Soumises à partir de 1994 à une fiscalité proche du droit commun, elles peuvent conclure des contrats avec des clients, investir à l'étranger, fixer leurs tarifs, etc. Elles restent cependant contrôlées par le ministère de tutelle et le Parlement. Le personnel, toujours fonctionnaire, n'est plus soumis aux catégories de grilles de la fonction publique. Un groupement d'intérêt public (GIP) gère les services communs (automobiles) et les œuvres sociales.

La Poste

Budget (1990, en milliards de F). *C.A. :* 69,1. *Dette :* 34,36. *Investissements :* 4,55. *Masse salariale :* 51,1. *Charges :* 73,9 dont d'exploitation 66,9, financières 4,1, exceptionnelles 0,4, dotation aux amortissements et provisions 2,5, solde de l'exercice (bénéfice) 0,05 (ou 0,005 si l'État réduit sa contribution Presse). *Produits :* 73,9 dont exploitation courrier 52,6, financiers 20,3 (dont livrets A et B 9,6, autres épargnes 0,8, CCP 6,4, taxes 1,7, services rendus 1,8). Produits divers et exceptionnels 1.

Investissements (1991, en milliards de F). 3,3. *Programmes de maintien :* 1,1 ; *de productivité :* 1,1 dont services courrier 0,4, financiers 0,2, réseau 0,3, services administratifs 0,2, réseau multiservices de transmission de données de La Poste (projet MUSE) 0,06 ; *stratégiques :* 1,1 dont présence postale 0,5, extension de la gamme de produits 0,3, recherche et développement 0,2, communication, formation 0,7, plan informatique du courrier 0,4.

Effectifs (au 31-3-91). Agents titulaires 277 422 (femmes 106 714, hommes 170 708) ; contractuels 243. Temps partiel 15 315 (femmes 13 962, hommes 1 353).

France Télécom

Finances en 1988 et, entre parenthèses, en 1989 (en milliards de F). Capitaux propres 67,2 (68,1), emprunts 80,5 (79,9), chiffre d'affaires 88,2 (95,1), charges de personnel 27,3 (28,2), frais financiers 10,9 (11), résultat net 1,7 (4,5). **Opérations en capital :** investissements 29,1 (30,6), remboursement d'emprunts 11,9 (11,7), MB autofinancement 26,7 (30,9), besoins en financement externe 15,4 (10,9). **C.A.** (1990) : 103 milliards de F. **Résultats : 5,4. Investissements** (1990) : 60,8 millions de F.

Syndicats

Élections. **La Poste :** inscrits 318 074, votants 274 145, exprimés 251 516, participation 86,19 %. *En %.* CGT 36,94, CFDT 26,66, FO 26,38, CFTC 7,12, CGC 2,91. **France-Télécom :** inscrits 172 504, votants 146 094, exprimés 136 926, participation 84,7 %. *En %.* CGT 35,8, CFDT 33, FO 20, CFTC 6,9, CGC 4,3.

Alsace 102, Rh.-Alpes 100, Centre et Provence 92, Pays de Loire 88 ; **le plus grand nombre de paquets :** Nord-P.-de Calais 20,6 (VPC La Redoute, Les 3 Suisses). Ile-de-Fr. 8. Centre 7,8 (VPC Quelle). Haute-Normandie 7,8.

En 1988, les Français ont envoyé à l'étranger 267 millions de plis et en ont reçu 349 millions.

Délais. En 1990, 77 % des lettres et cartes affranchies à 2,30 F étaient distribuées le lendemain, 95 % au plus tard le surlendemain, 56 % du courrier expédié de la région parisienne (hors Paris), 63 % de celui posté dans le Midi. En moyenne, 58,6 % du courrier posté le vendredi est distribué le lendemain, 77 % de celui déposé le jeudi.

• Trafic postal (principaux éléments) (1990, en millions d'objets déposés). *Correspondances :* lettres et cartes urgentes 5 900, recommandés 145, écoplis 3 635, objets avec valeur déclarée 2,8, journaux et périodiques 1 985. *Messageries :* paquets 329,6. *Catalogues :* 91. Postimpact 3 083, postcontact 3 291, postréponse 72. *Plis de service et correspondance en franchise :* 1 565. *Total :* 20 218.

Services financiers

☞ Chèques postaux, Caisse Nationale d'Épargne, voir Finances.

• Mandats. *Mandat-carte :* pour transferts de fonds. Comporte un coupon de correspondance qui parvient au bureau de destination ou au centre de chèques bénéficiaire. *Mandat-lettre :* émis par le service postal contre une somme en espèces et remis à l'expéditeur qui se charge de le transmettre au bénéficiaire en l'insérant dans une enveloppe. Présentation au guichet d'un bureau de poste ou par imputation sur un CCP. *Mandat-optique :* servi par l'organisme financier qui le remet au débiteur. *Encaissement à domicile :* tarifs (se renseigner au bureau de poste).

Tarifs. Régime intérieur. *Mandats-lettres et,* entre parenthèses, *mandats-cartes (en F). Jusqu'à 1 000 F :* 12,3 (16,5). *1 000 à 2 000 F :* 14,9 (19,1). *2 000 à 3 000 F :* 17,5 (21,7). *3 000 à 4 000 F :* 20,1 (24,3). *Au-dessus :* ajouter 2,6 F par 2 000 F ou fraction. *Mandats de versement à un CCP :* v. à son propre compte : gratuit (sauf TOM) ; autres versements : jusqu'à 1 000 F : 7,9, au-dessus : 10,6. *Mandats optiques :* TUP 6,30 F, TIP 7,60 F quel que soit le montant. **Régime international.** *Mandats-cartes ordinaires et télégraphiques payables en espèces.* Droits généraux et, entre parenthèses, exceptionnels selon pays. *Jusqu'à 500 F :* 14,2 (21,4). *500 à 1 000 :* 21,1 (28,3). *1 000 à 2 000 :* 34,8 (42). *2 000 à 5 000 :* 45,8 (53). *Au-delà de 5 000 :* 53,6 (60,8). *Mandats-cartes et télégraphiques de versement. Jusqu'à 1 000 F :* 9,2 F. *Au-dessus :* 13,8.

• Objets contre remboursement (France métropolitaine, DOM, Monaco). [Autres relations : se renseigner au guichet]. Taxes d'affranchissement des envois de même catégorie recommandée ou avec valeur déclarée + droit fixe. **Droit.** *Mandat de versement à un CCP :* 24 F. *Payable en espèces :* 32 F.

Télécommunications

Techniques

Principaux câbles téléphoniques utilisés par France-Télécom

• **Câbles à âmes conductrices métalliques.** *1°) De réseaux urbains :* posés en conduite dans les villes, relient les centraux entre eux ou aux abonnés ; *2°) suburbains :* relient, aux centraux, les têtes de lignes venant d'autres villes ; *3°) à grandes distances :* relient les villes entre elles, utilisent, entre autres, les câbles coaxiaux pour grande et très grande distance.

Coaxial. Comprend un conducteur central en cuivre, un isolant en polyéthylène et un conducteur extérieur concentrique, en cuivre ou en aluminium. Il forme un guide d'ondes qui transmet un signal électrique. *1950 :* câbles coaxiaux sous-marins. *1956 :* TAT1 1er câble téléphonique transatlantique (capacité 48 communications entre G.-B. et USA). *1958 :* Marseille-Alger. *1959 :* TAT2. France-USA (même capacité). Depuis 5 autres câbles posés. *1986 :* mise en service du Sea Me We, coaxial sous-marin entre Marseille et Singapour (15 000 km).

• Câbles à fibres optiques. Utilisés, entre autres, pour la transmission à large bande passante, à longue distance et à débit élevé, et pour les réseaux de télécommunications à intégration de services.

Fibre optique. Fil de verre (ou de plastique) très fin dans lequel on fait passer des signaux lumineux émis par un laser et reçus par une cellule photo-électrique. *Une fibre comprend :* un cœur (dans lequel se propagent les ondes optiques), une gaine optique (qui confine les ondes optiques dans le cœur) et un revêtement de protection. Les fibres sont placées dans des joncs ou tubes qui sont réunis en câble de 6 à 70 fibres et +. *Avantages :* avec un poids, un encombrement et un diamètre (5 à 80 microns) réduits, elle transporte (avec une faible atténuation) plus d'informations qu'un coaxial ; non métallique, elle est insensible aux perturbations électromagnétiques ou électrostatiques et ne peut être ni piratée ni parasitée ; associée à une structure en étoile, elle permet l'interactivité (questions-réponses), la connection à des médiathèques, l'utilisation des services de la télématique. *Inconvénient :* coût élevé.

Situation en France. Principaux fabricants français. FOI (Fibres optiques industries) et CLTO (Cie lyonnaise de transmissions optiques), du groupe CGE (capacité de production : 70 000 km par an) ; sous licence Corning Glass Works.

Production de fibres optiques (sauf câbles sous-marins). Marché intérieur français : *1988 :* 53 000 km. **Budget** (en milliards de F, 1988). *CA :* 88,1. *Résultat net :* 1,8 (1er exercice avec assujettissement à la TVA en année pleine). *Capacité d'autofinancement* (bilan

Fibres optiques

1968 projet ITT (G.-B.) : transmission de signaux lumineux sur fibre de verre. **1970** Corning Glass Works (USA) fabrique la 1re fibre optique. **1972** câble prototype sous-marin (Cagnes-sur-Mer/Juan-les-Pins). **1978-79** production ind. **1980** câble (Loch Fyne, Écosse) ; *août :* France, 1re liaison, 7 km, entre 2 centraux téléphoniques (« les Tuileries » et « Philippe-Auguste »). **1984** ligne expérimentale sous-marine, 8 km (Portsmouth-île de Wight). **1985** France, 1er réseau expérimental urbain (Biarritz ; câbles de 70 fibres) ; Japon, ligne de 38 km (Hokkaido-Honshu). **1986-87** 2e réseau français (Montpellier). **1987** liaison optique Le Mans-La Flèche ; 1er câble optique sous-marin pour exploitation commerciale Marseille/Ajaccio (le plus long du monde : 390 km, prolongé 1990, vers Sicile, Grèce, Turquie et Israël). **1988** TAT8 câble transatlantique de Tuckerton (New-Jersey, USA) à Penmarc'h (France) et Widemouth (G.-B.) ; 6 400 km, capacité 7 560 circuits numériques (dont branche française 3 760) à 64 kilobits par seconde. Coût : 361 millions de F ; appartient à un consortium (dont ATT 34,1 %, British Telecom 15,5, France Télécom 9,8). **1989** TPC 3 USA-Japon 13 235 km, coût 4,5 milliards de F. **1988-90** Paris-Nantes. **1990** câbles (silice) reliés à des équipements collectifs captant des signaux de satellites. **1990-91** mise en service du Sea Me We II (version optique du coaxial posé en 1986). **1991** TAT 4 Canada-USA/G.-B.-France-Espagne. **1992** Marseille-Barcelone pour les J O.

Quelques dates. 1837 l'Américain Page constate le 1er phénomène acoustique d'origine électrique. 1854 découverte des principes du téléphone par le Français Charles Bourseul. 1876-*14-2* Graham Bell (1847-1922, Américain d'origine anglaise) et Elisha Gray déposent chacun, à 2 h d'intervalle, une demande de brevet de téléphone. 1884 1res cabines dans bureaux de poste de Paris et certaines villes de province. 1889 nationalisation téléphone en France. 1938 France, automatique pour 45,6 % d'abonnés (Allemagne 84,9, G.-B. 54). 1939 Paris entièrement raccordé à l'automatique (banlieue partiellement). Automatisation de toute la région paris. achevée 1975. 1940-41 Direction des Télécommunications créée : télégraphe-télex (Telegraph Exchange), téléphone et liaisons radio rassemblées. 1946 service télex public créé. 1er câble téléphonique sous-marin (Toulon/Ajaccio) de fabrication française (1 voie téléphonique). 1947 Télex : 32 abonnés privés et – de 60 postes en service. 1948 1er câble coaxial souterrain mis en service (posé en 1939 sur Paris-Toulouse). 1951 1re liaison par faisceau hertzien (future liaison Paris-Lille). 1956 1er *câble sous-marin* téléphonique de G.-B./USA. 1968 commutation électronique spatiale avec opération « Platon » (prototype lannionais d'autocommutateur temporel à organisation numérique). Réseau CADUCÉE, 1er spécialisé pour la téléinformatique (ouvert au public 1972). 1972 Lannion, 1er central électronique français (1er commutateur électronique temporel du monde). 1973 radio-téléphone sur auto, péniche ou navire en mer accessible à tous. 1979 dernier central téléphonique de type Strowger (1913-31) démonté. TRANSPAC, 1er réseau au monde de transmission de données par paquets. 1980 expérience d'annuaire électronique à St-Malo et Rennes. 1981 expérience TELETEL (téléphone-TV) à Vélizy ; débouchera sur le MINITEL. 1982 câble optique sous-marin expérimenté (Juan-les-Pins et Cagnes-sur-Mer). 1984 pose d'un câble de 80 km sur fonds de + de 1 200 m entre Antibes et Port Grimaud. 1re vidéotransmission par fibre optique. Mise à disposition du public des terminaux MINITEL 10. **1984** Ariane lance satellite « Télécom I », **1988** *télécom IC.* 1985-*25-10* (23 h) : 23 000 000 d'abonnés au téléphone changent de numéro, désormais 8 chiffres (dont les 6 ou 7 de l'ancien n°). 1986 liaison Marseille-Ajaccio (390 km), par câble optique sous-marin sur fonds de 2 500 m. 1988-*1-1* la Direction générale des Télécom. prend le nom de *France-Télécom.* Câble optique sous-marin transatlantique TAT9 mis en service, reliant Tuckerton (USA), Widemouth (G.-B.), Penmarch (France). RNIS (Réseau Universel Numérique à Intégration de Services) ouvre en région parisienne sous le nom de NUMERIS.

annuel) : 26,77. *Valeur ajoutée :* 78,2. *Investissement :* 29,2 (2,2 % à la FBCF nationale).

• **Réseaux câblés de vidéocommunications.** Voir index : câble.

• **Comparaisons du câble et du satellite.** Un satellite est garanti pour 10 ans, un câble pour 25 ans (la silice vieillit). Mais les câbles sous-marins (assez souples pour être relevés sans dommage 3 ou 4 fois dans leur vie) sont vulnérables en zone côtière (risque d'accrochage avec chalut), il faut donc les enterrer.

Services grand public

• **Abonnement** (1-7-90). *Nouvel abonnement* taxe d'accès au réseau : 250 F. *Réattribution d'abonnement* si la ligne est en service ou résiliée depuis – de 2 mois : 150 F. *Redevance mensuelle :* abonnement résidentiel : 39 F (Paris), 33 F (circonscription comptant + de 50 000 abonnements principaux), 28 F (autres circ.) ; abonnement d'affaires (+ de 2 lignes) 150 F. *Fourniture de 1 poste de téléphone ;* dep. le 1-12-86, l'abonné peut l'acheter ou le louer à France Télécom (location et entretien : 19 F par mois pour un poste simple à cadran ou à clavier). *Prises :* 2e gratuite. 3e ou 4e prise installées lors du même déplacement : 83,2 F. En 1990, 1 million de postes ont été vendus et 3 120 000 loués.

• **Communications. Tarif** (1989). A partir d'un poste d'abonné en métropole. *Dans la circonscription :* 0,615 F HT (0,73 F TTC) toutes les 6 mn en tarif normal et toutes les 9, 12, 18 mn en réduit. *De voisinage :* 1re zone périphérique de Paris, et Marseille 0,615 F HT (0,73 F TTC) toutes les 2 mn en normal ; pour autres communications, selon la distance (par période indivisible) : 0,615 F HT (0,73 F TTC) toutes les 72, 45 ou 24 s. *A moyenne et grande distance* (normal) : *à – de 100 km :* 0,615 F HT (0,73 F TTC) toutes les 24 s, soit 1,54 F HT (1,83 F TTC) pour 1 mn ; *à + de 100 km :* 0,615 F HT (0,73 F TTC) toutes les 17 s, soit 2,17 F HT (2,58 F TTC) pour 1 mn. **U.S.A.** (selon heure) *lundi au samedi 0 à 2h* 6,05 F/min (7,17 TTC). *2 à 12h* 4,82 (5,71), *12 à 14h* 6,05 (7,17), *14-20h* 7,89 (4,36), *20-24h* 6,05 (7,17). **Thaïlande. Indonésie.** 18,45 (21,88). **C.E.E.** *Lundi au vendredi 0-8h* 2,57 (3,04), *8-2h30* 3,79 (4,50), *21h30-24h* 2,57 (3,04). *Samedi* 2,57 (3,04) sauf 8 à 14h 3,79 (4,50). *Dim. et fériés* 2,57 (3,04).

Délai et coût de transfert d'un document. *Lettre* (1 à 2 j) 2,30 F. *Télex* (5 min. et 30 sec.) 0,42, *EDI* (Échange de Documents Informatisés) (13 sec.) ligne tél. 0,09, spécialisée 0,07. **Avec l'étranger** (ex.). *Prix hors taxe la minute* (à certaines heures), *téléphone et télécopie (page).* All. (21h30-8h) 2,57 (1,29). Brésil (21h30-8h) 10,86 (5,43), Côte-d'Ivoire (21h30-24h) 9,22 (4,61). Japon (21h30-8h) 10,86 (5,43). U.S.A. (20h-12h) 6,05 (3,03).

• **Facture.** *Taux de contestation* (1990) : 1,47 ‰.

Facturation. *Détaillée* possible pour communications tarifiées à la durée : sur les lignes rattachées à un central électronique. *1990 :* 21 millions d'usagers ont accès à la facturation détaillée (2,17 millions se sont abonnés ; *83 :* 20 400). *D'après l'arrêté du 9-2-1983 :* fournit identité, adresse et no de tél. du destinataire de la facture, date et heure de l'appel, 4 premiers chiffres du no composé, durée de la communication et taxation. *Réclamations :* les services compétents de l'F.T. peuvent porter à la connaissance du destinataire de la facture, ou de son mandataire détenteur d'un mandat spécial, toutes les informations énumérées à l'art. 2 qui sont conservées jusqu'à la fin du délai de prescription. Toutefois, s'ils demandent une copie, les 4 derniers chiffres des nos composés sont occultés. *Coût :* 8 F TTC (par mois pour un minimum de 6 mois jusqu'à 100 communications détaillées, et 10 F par tranche supplémentaire de 100 comm.).

Factures non payées. *Contestation et paiement :* pas de coupure, conciliation avec le service consommateur, paiement de la moyenne des 3 dernières factures. *Contestation et non-paiement pour la 1re fois :* pas de coupure mais service restreint, conciliation. *Bon payeur dep. 1 an ayant un retard :* si on dépasse les 15 j prévus pour le paiement et le rappel au bout de 23 j, sursis supplémentaire et service restreint pendant 3 semaines. *Difficulté :* appeler le 36 58 pour obtenir un délai.

Délais de paiement. Théoriquement, 5 j à compter de la date portée sur la facture. La date limite de paiement est celle de l'encaissement du chèque (et non de son expédition).

• **Numéro d'appel (changement de).** 75 F.

• **Relevé de compte partiel.** 75 F.

• **Réseau commercial** (1990). 600 points d'accueil et 184 agences commerciales (appel gratuit en composant le 14), 82 points d'accueil mobiles (dont 9 temporaires).

• **Tarif des communications (France métrop.). Lundi au vendredi.** *6 h – 8 h :* C, *8-12.30 :* A, *12.30-13.30 :* B, *13.30-18 :* A, *18-21.30 :* B, *21.30-22.30 :* C, *22.30-6 :* D. **Samedi.** *6 h – 8 h :* C, *8-12.30 :* A, *12.30-13.30 :* B, *13.30-22.30 :* C, *22.30-6 :* D. **Dimanches et fêtes.** *6 h – 22 h30 :* C, *22.30-6 :* D.

Légende. A : plein tarif. *B :* 30 % de réduction. *C :* 50 %. *D :* 65 %.

• **Téléphone sans fil.** Permet de s'éloigner dans un rayon de 200 m à partir de la prise d'arrivée (env. 1 400 F en 1991).

Statistiques

• **Appels reçus en 1990.** *Service des renseignements* (le 12), *annuaire électronique* (le 11) : 20 millions d'heures de consultation par an.

• **Cabines téléphoniques** *1977 :* 39 000. *80 :* 102 000. *90 :* 170 000 dont 71 000 publiphones à carte ; point-phone : 58 000 en avril 91. *Taux moyen de dérangement (publiphones) :* 0,9 %. *Destructions : 1989 :* 110 000, coût 70 millions de F. 30 000 cabines ont dû être remplacées, 35 % des cabines sont saccagées tous les 2 mois dans les grandes villes. *En 1989-90 :* installation de 30 000 appareils à carte.

Uniphone (à carte ; sauf appel gratuit des numéros d'urgence) : dans zones peu peuplées.

• **Circuits interurbains** (fin 90). 668 000. **Internationaux.** 38 400.

• **Demandes en instance** (au 31-12, en milliers). *1977 :* 1 582. *80 :* 936. *81 :* 799. *82 :* 516. *83 :* 276. *84 :* 184. *85 :* 144. *87 :* 105. *89 :* 113. *90 :* 48,3.

• **Lignes principales** (au 31-12, en millions). *1950 :* 1,4. *60 :* 2,2. *75 :* 7,1. *80 :* 15,9. *85 :* 23,03 (dont équipement électronique 56,3 %). *89 :* 26,94 (82 %). *90 :* + de 28.

Densité pour 1 000 hab. *1950 :* 3,4. *60 :* 4,8. *70 :* 8,4. *75 :* 13,4. *80 :* 29,6. *85 :* 42. *89 :* 46,5.

• **Raccordement (délai).** *1974 :* 16 mois. *75 :* 11. *76 :* 10. *77 :* 9. *78 :* 7. *79 :* 5. *80 :* 4. *81 :* 3. *82 :* 2. *Fin 83 :* 1. *84 :* 20,5 jours. *85 :* 15,5 j. *86 :* 12,5 j. *90 :* 9,5 j.

• **Service qualité.** *Réseau général 1989 :* 67 points, (1990) : 70. *Services professionnels* (fin 1987) : 30,7 (fin 1990) : 62,9. Le taux de signalisation des dérangements est inférieur à 1 tous les 7 ans en moyenne par ligne.

Vitesse de relève des dérangements. 86,3 % moins de 2 j ; 99,6 % moins de 8 j.

• **Taux d'équipement** (au 1-1-90, en %). Ménages 94,5. Patrons de l'industrie et du commerce 104. Prof. libérales et cadres supérieurs 106,8. Cadres moyens 101. Employés 93,7. Agriculteurs 93,7. Ouvriers et personnels de service 89,6. Inactifs 92,2.

• **Plus gros consommateurs de téléphone** (en millions de F, en 1986) **sans les liaisons informatiques.** Direct. gén. des postes 753 ; EDF 458 ; Crédit agricole 237 ; Crédit lyonnais 200 ; BNP 190 ; Sté générale 180 ; SNCF 135 ; IBM 130 ; St-Gobain 115 ; Bull 100 ; Elf-Aquitaine 100 ; Peugeot SA 100 ; Casino 57 ; Digital équipement 56 ; Air France 45.

• **Trafic téléphonique** (en milliards d'unités télécom., au 31-12). *1970 :* 15,6. *80 :* 56,5. *88 :* 98,5. *89 :* 105,8. *90 :* env. 114.

☞ Le 1er janvier, le réseau téléphonique est saturé entre minuit et 2 h du matin : sur 3 à 4 millions d'appels 1,3 est possible (un dimanche ordinaire, il y a 325 000 communications à l'heure).

Services du téléphone

• **Annuaire du téléphone. Statistiques. 90.** *Volumes imprimés* 44,4 dont 11,2 en format réduit (prix de revient gd format 13,7 F, réduit 9,55 F en 1990). *Éditions :* 104 (dont 78 en 2 formats). *Papier consommé :* 48 500 t. *Refus d'y figurer possible :* moyennant redevance mensuelle de 15 F, on sera sur la *liste rouge* (France Télécom ne devra pas communiquer le numéro). Concerne 11 % des abonnés (19 % à Paris).

Histoire. *1819* Sébastien Bottin (1764-1853) dresse une liste des commerçants de Paris. *1857* sa veuve fusionne l'affaire avec Firmin-Didot qui éditait dep. 1838 l'Annuaire Général du Commerce (actuellement Annuaire-Almanach du Commerce et de l'Industrie Didot-Bottin). *1889* la Sté Générale des Téléphones publie une 1re liste : 6 425 abonnés (Paris/banlieue). La Direction des Postes et Télégraphes confie ensuite au privé la publication de cette « liste » qui devra être remise gratuitement à chaque abonné le 15 oct. tous les ans (un bulletin mensuel, gratuit, la tient à jour). *1925* édition confiée à l'Imprimerie nationale. *1926* 1er annuaire par département (*1936*, celui du Gers ou de la Corrèze ne compte que 8 pages). *1979*-26-6 suppression des titres nobiliaires, universitaires, religieux, etc. *1983*-24-6 l'inscription d'un abonné peut comporter à titre gratuit une mention complémentaire qui peut désigner notamment une profession, une catégorie socioprofessionnelle, une fonction élective, un titre ou un grade. L'abonné peut faire inscrire le prénom du conjoint.

• **Audiphone.** Permet à toute personne disposant d'un poste téléphonique d'écouter un message préalablement enregistré par une autre personne. Ouvert en oct. 1983. *Nombre d'appels enregistrés : 1984 :* 32 938 320. *85 :* 73 763 566. *86 :* 90 000 000. *87 :* 112 000 000. *88 :* 124 000 000. *89 :* 104 500 000.

• **Carte TÉLÉCOM. 1°)** *Carte Pastel. Origine :* Reims juin 1983, 1er ticket de conversation de 5 mn pour 25 à 50 c. *1984* mise en service. Permet de se faire imputer sur sa facture des communications émises à partir de n'importe quel poste ou cabine. *Options :* carte Pastel I « internationale », II « nationale », III « Sélection » (permet d'appeler une liste de 10 numéros max. en France et à l'étranger). *Abonnement annuel (TTC) : I :* 80 F, *II et III :* 65 F (1989 : 810 000 abonnements). **2°)** *Télécarte :* dep. 1985 *format* 8,5 × 5,5 cm, utilisable dans tous publiphones à cartes. *2 options :* 50 unités (40 F), 120 (96 F). *Nombre de cartes vendues (fin 1990) :* 161 000 000.

☞ Télécom utilise la carte comme espace publicitaire (350 annonceurs et + de 500 visuels différents). Les collectionneurs recherchent aujourd'hui les cartes à tirage restreint (1 000 ex. au maximum), distribuées par un annonceur à ses clients. *Cote :* 700 à 4 000 F en moyenne. Carte bleu foncé longue durée 100 unités, 1 800. Carte gratuite 3 unités, 4 500. *Les plus chères :* la « Longuet-Schlumberger », 40 000 (tirée à 80 ex. à l'occasion d'une visite du ministre dans une usine Schlumberger). Carte Frantel 24 500 F. Télécartes de vœux (tirées par France Télécom déc. 1986), à 150 ex. chacune (la Soler bleu nuit ou marron, 15 000 F ; avec les « Deux Femmes voilées » de Soler, 30 000 ; « Ecce Homo Dial » de Toffe, 19 000 ; Akhras, 15 000 ; Le Cloarec, 12 000). *Autres cartes :* chocolat Poulain 720 F, William Saurin 380 F (10-7-1990). Une carte neuve vaut plus cher qu'une usagée. *Premières cartes* (holographiques ou magnétiques), 500 à 2 000 F.

• **Handicapés. Auditifs :** bobine magnétique pour capsule téléphonique standard S 63 pour ceux ayant une prothèse auditive avec la position « téléphone » (20 F) ; combiné téléphonique à écoute amplifiée réglable de 15 décibels (location-entretien : 20 F/mois), flash lumineux, accompagnant la sonnerie du téléphone (location-entretien : 15 F/mois). **Visuels :** disques à gros chiffres, à repères ou en braille (20 F). **Moteurs :** poste téléphonique comportant 2 numéros préenregistrés pour appel d'urgence. Peut convenir aux personnes ayant des difficultés à numéroter (location entretien : 35 F/mois). **Ouïe et parole :** le minitel 1 dialogue (voir Vidéotex-Minitel).

• **Horloge parlante.** 200 000 appels par jour. *Tarif :* une unité. Entrée en service en *1988* d'une nouvelle horloge, plus précise, opérationnelle jusqu'en 2085.

• **Hôtel, café, bar, restaurant (téléphone à partir d'un).** Fixé par arrêté no 83-73 du 8-12-1983 : 1 F pour toutes les impulsions. 130 % de l'unité Télécom.

• **Kiosque téléphonique.** Permet avec un téléphone d'avoir accès à 450 services télématiques interactifs ou d'informations téléphonées pour météo, bourse, jeux, services bancaires ou résultats sportifs. Services développés et exploités par des fournisseurs de services ou des centres serveurs, indépendants. France Télécom assure le recouvrement des coûts de communications dus par les utilisateurs (transport de l'information, gestion de facture et d'utilisation du service), et reverse aux fournisseurs les sommes correspondant à l'utilisation de leurs services. *En 1990 :* 300 millions d'appels.

• **PCV (à percevoir).** Dep. le 1-9-1985, en vigueur seulement pour l'international.

• **Radiocom 2000** (réseau public de radiotéléphone à couverture nationale). Le territoire est divisé en cellules afin de réutiliser les fréquences. Chaque utilisateur dispose d'une fréquence exclusive pendant sa communication. V. 1990, la France sera couverte à 85 % (98 % de la pop.) avec 500 relais. *Services :* téléphone de voiture (accès au réseau commuté public) et réseau d'entreprise (communications radio à l'intérieur d'un groupe fermé d'utilisateurs professionnels avec accès pour certains mobiles dits mixtes au réseau téléphonique). *Fréquences utilisées* dans la bande 400 MHz (nationale) et 200 MHz (régionale à Paris, Lyon et Marseille). *Abonnements* [province (accès à tous les relais du territoire sauf ceux de l'Ile-de-Fr.) et national]. *1986 :* 10 000 abonnés. *1989 :* 170 000. *1991 (fin) :* 250 000. *Coût* (TTC) : installation 17 000 F, frais d'accès au réseau 250 F (par mobile). *Accès au réseau :* 250 F, *prix mensuel :* national 600 F, Ile-de-Fr. ou Vallée du Rhône 200 F, province, autoroute du Sud 300 F, France N.-E. 400 F.

• **Radiotéléphone.** *1956 :* 1er téléphone de voiture. *1989* (avril) : création d'un réseau privé de téléphonie de la « Générale » sur la région parisienne, Lille, Lyon. **Automobiles équipées de radiotéléphones.** *Au 31-12-1985 :* 12 000 (Ile-de-Fr. 7 500, province 4 500). *1990 :* 230 000. **Coût annuel du téléphone de voiture en F et,** entre parenthèses, **taux de pénétration pour 1 000 hab. (1990).** G.-B. 1 201 (17,69), Islande 13 235 (33,58), Chypre 15 082 (2,83), Suède 15 652 (46,74), Danemark 15 835 (25,63), Irlande 16 832 (4,15), Norvège 17 151 (45,53), Suisse 17 476 (13,74), Italie 20 172 (1,73), P.-Bas 21 079 (4,2), Autriche 21 113 (7,28), Belgique 21 375 (3,6), Finlande 22 088 (36,03), Portugal 24 259 (0,36), Espagne 26 653 (0,94), Lux. 27 919 (1,26), All. féd. 33 647 (3,19), *France 37 193 (3,76).*

• **Renseignements téléphoniques.** *A partir d'un poste d'abonné :* 5 unités soit : 0,73 × 5 = 3,65 F (TTC) ; *des cabines publiques :* gratuit.

• **Répondeurs téléphoniques.** Commercialisés par les Télécommunications et sa filiale, EGT *Simple* (diffusant une annonce) : 1 565 F (TTC). *Enregistreur* (des messages de correspondants) 1 875 F (T.T.C.) ; *à interrogation à distance* (possibilité de consulter par téléphone les messages reçus) : 1 920 F (TTC). *Cassettes :* annonce 39 F, messages 39 F codem supplémentaires (RID 6 200) : 175 F.

Nombre de codes d'accès : + de 10 000, dont 4 000 sur le 36 15.

• **Téléphone sans fil.** **Parc** (1990) : *Radiocom 2 000 :* 230 000. *SFR (Sté franç. du radiotéléphone) :* 53 000 (dont quelques milliers en GSM). *Téléphone dans TGV :* 81. *Alphapage :* 100 000. *Opérator :* 34 000. *Eurosignal :* 130 000. **Appareil portatif.** 300 g à 2 kg, coût 6 000 à 20 000 F (1995).

• **Services du confort téléphonique.** *Transfert d'appel :* 1,2 million de bénéficiaires au 31-12-1990. La commande du transfert d'appel coûte 1 U.T. ; la communication, renvoyée du poste de l'abonné vers un autre numéro, est à la charge de celui-ci. *Signal d'appel* pour faire patienter un correspondant quand on est en ligne : 396 000 fin 90. *Conversation à 3 sur la même ligne :* 162 000 fin 90. *Mémo-appel :* 3,65 F par appel. *Facturation détaillée* des consommations téléphoniques 2 450 000 fin 90. **Tarifs.** *Abonnement mensuel :* 10 F pour 1 service, 15 F pour 2, 20 F pour 3.

Vidéotex

☞ **Évolution.** *1980 (juillet)* 55 hab. de St-Malo équipés. *1981 (juillet)* Vélizy Télétel 2 500. *1982 (oct.)* 1er accès professionnel (36-13) gretel (Dernières Nouvelles d'Alsace) messageries en direct. *1984* kiosque réservé à la presse. *1985* (*mai*) annuaire électronique national. *Sept.* le 36-15 couvre toute la France. *1987* ouverture 36-16 et 36-17.

• **Annuaire électronique.** Service Télétel d'information accessible 24/24 h en composant le 11 et mis à jour en permanence. Recherche sur critères alphabétique, professionnel ou d'adresse dans les localités importantes. *Tarif :* gratuit les 3 premières min. et 1 unité Télécom toutes les 2 min. (21,90 F l'heure) ; t. réduits aux mêmes heures que le téléphone. *Pour les entreprises :* quota gratuit suivant nombre de leurs lignes, au-delà location payante.

• **Minitel.** Marque déposée. Nom de la gamme de terminaux commercialisés par France Télécom, permettant d'accéder à l'annuaire électronique et aux services Télétel. Pour les brancher, il suffit d'une prise électrique 220 V et d'une prise téléph.

Modèles proposés. *Minitel 1 :* terminal de base, en remplacement de l'annuaire papier ; *Minitel 1 Bistandard :* sans supplément d'abonnement en remplacement des pages blanches de l'annuaire papier. Permet l'accès aux applications téléinformatiques A SC II 80 colonnes. *Minitel 2 :* destiné à remplacer le Minitel 1 qui n'est plus fabriqué, possède en plus un répertoire de 10 services et un numérateur intégré permettant l'appel simplifié des services Télétel, et un mot de passe pour verrouiller le Minitel (supplément de 20 F par mois au 1-1-1991). *Minitel I Dialogue :* permet la conversation par écrit de Minitel à Minitel sur le réseau téléphonique (supplément de 10 F par mois au 1-1-1991). *Minitel 10 :* intègre les fonctions d'un poste téléphonique moderne et un répertoire de 20 nos (supplément 65 F par mois au 1-1-91). *Minitel M 5* (Matra) : à écran plat, portatif, destiné aux hommes d'affaires, autonome. *Minitel 10 B, Minitel Bistandard avec étendues* (connexion automatique à un service répertoire étendu). Supplément 85 F TTC par mois ; *Minitel 12* (Telic-Alcatel) : alliance d'un Minitel bistandard intelligent et d'un poste téléphonique multifonctions ; répertoire de 51 nos, accès automatique à l'intérieur des services Télétel, répondeur-enregistreur de messages écrits, verrouillages sélectifs par mot de passe (supplément 85 F par mois au 1-1-91).

Minitels en service (au 31-12). *1982 :* 10 000 (n.c.) ; *83 :* 120 000 ; *84 :* 500 000 ; *85 :* 1 305 000 ; *86 :* 2 237 000 ; *87 :* 3 373 000 ; *88 :* 4 228 000 ; *89 :* 4 700 000 ; *fin 90 :* 5 600 000.

Nombre d'heures dont entre parenthèses **annuaire téléphonique** (en millions). *1986 :* 37,5 (7,2) ; *87 :* 62,4 (8,9) ; *88 :* 73,7 (13) ; *89 :* 86,5 ; *90 :* 98 (20).

Durée moyenne par Minitel et par mois (en min.). *1986 :* 105,9 ; *87 :* 111,3 ; *88 :* 97 ; *89-90 :* 73, 77 pour 13,46 connexions.

Nombre d'appels. ***1990 :*** *862 173 000.*

Codes d'appel (1990). Env. 15 000 dont *36-15 :* 6 100, *36-16 :* 1 700 et *36-14 :* 4 800.

Sommes reversées par France-Télécom aux fournisseurs de services accessibles sur les kiosques (36-15, 36-16, 36-17) en millions de F. *1984 :* 17,4. *85 :* 278. *86 :* 822. *87 :* 1 264. *88 :* 1 350. *90 :* 1 900.

• **Minicom.** Mode de messagerie en liaison étroite avec l'identité téléphonique des utilisateurs.

• **Pointel.** Permet d'appeler avec un téléphone sans fil dans un rayon de 200 m autour d'une borne installée dans la rue ou un lieu public.

• **Télétel.** Permet le dialogue à distance avec un ordinateur. Comporte des terminaux Minitel, un réseau d'accès sur toute la France et des services d'information. L'usager accède aux services Télétel par le réseau téléphonique habituel ou par le serv. Télétel qui, grâce au réseau Transpac joint au réseau téléphonique, offre des tarifs indépendants de la distance. *Accès : Télétel 1* (36-13), accession à env. 800 services professionnels spécialisés, tarif 0,13 F par mn avec les mêmes réductions que le téléphone ; env. 300 000 h de consultations ; *Télétel 2* (36-14), env. 3 000 services grand public et professionnels, tarif 0,37 F par mn, mêmes tarifs réduits que le téléphone (certains services sont gratuits) ; 5 800 000 appels par mois (1 400 000 h de consultation) ; *Télétel 3* (36-15), + code de service au numéro direct à 8 chiffres commençant par 36 25 aussi appelé Kiosque télétel, réservé aux entreprises pouvant justifier d'un numéro de commission paritaire presse, aux entreprises de communication soumises à autorisation et aux services publics, env. 3 000 services, 12 300 000 appels par mois (3 000 000 h de consultation). 3 tarifs utilisateurs grand public : 0,84 F, 0,98 F ou 1,25 F par mn ; professionnel : 2,19 F par mn (131,40 F par h). *Télétel 4* (36-17). *Télétel 36 05* numéros verts. *Télétel 6* (36-28) : 5,47 F par mn. *Télétel 7* (36-29) : 9,06 F par mn. *Nombre de codes de service :* 14 380 env.

Bilan 1989. Plus de 1 milliard d'appels dont (en %) : annuaire électronique 96, VPC 42, transport (informations, réservations) 42, services bancaires 32, presse (y compris Jeux et messageries) 23, jeux (non presse) 20, renseignements administratifs et locaux 19, radio, TV 19, tourisme, voyages 16, finances, bourse 12, enseignement, formation, emploi 12, sports 11, messagerie (non presse) 9, commerce, distribution 7, logement, urbanisme 4.

☞ Le « Minitel rose » a rapporté 2 milliards de F en 1987 dont 750 millions à l'État, 1 264 aux messageries soit 72 % des recettes au *36 15* (22,5 millions d'heures de connexion).

Services professionnels

Communication de groupe

• **Audioconférence.** Permet des échanges d'informations sonores de haute qualité (bande passante 7kHz) à partir de terminaux spécifiques raccordés au réseau Numéris (2 à 4 groupes). *2 types de services :* service point à point obtenu par numérotation directe sur le terminal (tarif Numéris), un service multipoint permet la mise en relation de 3 à 4 terminaux.

• **Réunion par téléphone.** *Tarifs :* réservation lundi 25,30 H.T./30 mn/personne ; autres jours 12,65 ou abonnement mensuel 168,63 H.T. donnant droit à un demi-tarif ; communications indépendantes de la distance avec l'application de la modulation horaire du téléphone. *Nombre de réunions. 1987 :* 16 600, *88 :* 24 000, *89 :* 29 500, *90 :* 37 161.

Visioconférence. Permet à 2 à 5 groupes de dialoguer, de se voir, de se montrer des documents, à partir de salles spécialement aménagées. 127 studios en France. Service ouvert avec les pays de la C.E.E., Amérique du Nord et Asie du Sud-Est.

Communication de l'écrit

• **Cartes Fax.** *Coût :* 3 500 à 20 000 F. Transforme un micro-ordinateur en télécopieur. *Nombre (fin 90) :* 10 000.

• **Télécopieur (fax).** ***Origine :*** **1907 bélinographe d'Édouard Belin. Raccordé à une ligne téléphonique, ordinaire, transmet un document 21 x 29,7 cm (A 4) (temps de 1,5 s à 10 s). La réception sur le télécopieur du destinataire s'effectue automatiquement.** *Coût :* taxe forfaitaire d'accès au réseau (400 F) + coût des communications téléphoniques. *Télécopieur :* 6 000 à 20 000 F. *Nombre 86* 20 000, *89* 175 000, *90 (fin)* 600 000.

• **Télécourrier.** *Abonnement :* 20 F par mois. *Tarifs :* 6 F pour un message à acheminement normal à destination de la France (métropole et DOM), 40 à 120 F accéléré (métropole, DOM et étranger). Tout détenteur du Minitel peut s'attribuer une boîte aux lettres électronique. Elle permet grâce à une clé et un mot de passe personnalisé de consulter les messages écrits déposés. *Fonctionnement :* une lettre tapée sur le clavier du minitel avant 19 h (36 14 code TLCOR), sera imprimée, mise sous enveloppe et distribuée le lendemain matin. Pour Paris, une lettre expédiée avant 11 h sera distribuée l'après-midi. Un correspondant abonné au télécourrier peut laisser un message dans sa boîte aux lettres électronique. Une copie lui sera remise automatiquement le lendemain matin par le facteur. **Terminaux.** *Nombre : 1986 :* 100 000. *88 :* 320 000. *89 :* 580 000. *91 (février) :* 1 000 000. *Prix moyen* (en F). *1986 :* 38 500. *88 :* 36 000. *90 :* 17 000.

• **Téléimpression.** Mise en service en 1988. Permet le tri, l'acheminement électronique, la confection, la mise sous pli et la distribution par la poste du courrier déposé sous forme numérique (remis par bande ou par disquette magnétique, ou par accès télétex). Accès possible par télétransmission.

• **Télétex.** Courrier électronique d'entreprise, ouvert févr. 1985. Machines de traitement de textes, à écrire électroniques et micro-ordinateurs peuvent être reliés entre eux en permanence quels que soient leur marque et leur pays. Une page 21 × 29,7 (A4) est transmise en 10 sec. *Coût de transmission :* 0,80 à 1,60 F la page suivant la distance. *Abonnements* (au 31-12) : *86 :* 1 454 ; *87 :* 3 000 ; *88 :* 4 606 ; *89 :* 5 500. *90 :* 7 000 (25 000 utilisateurs).

• **Télex.** **Origine.** De l'anglais *telegraph exchange,* « échange de communications télégraphiques ». *1860 1er téléscripteur imprimant directement les caractères à la réception* réalisé à Paris par l'Américain Hughes qui n'avait pu trouver d'appui dans son pays. *1875 multiplex à impulsions codées (MIC)* d'Émile Baudot opérant selon le principe de la numérotation binaire des signaux, tous formés de 5 impulsions successives d'égale durée (moments). Conçu surtout pour partager la même ligne entre plusieurs opérateurs, ce système était encore exploité avant 1939. *1914-18 téléimprimeur arythmique* aux U.S.A., associe moteur électrique, clavier, codeur, émetteur, enregistreur et traducteur imprimant.

Statistiques. Abonnés (au 31-12, en millions). *1950 :* 0,2. *60 :* 4,5. *65 :* 9. *70 :* 25,2. *75 :* 53,7. *80 :* 83,2. *85 :* 124,5 (1 700 000 dans le monde). *88 :* 150. *89 :* 148,5. *90 :* 140 en France. **Trafic télex** (en millions de mn) : *1980 :* 328,2 ; *85 :* 519,9 ; *86 :* 541,6 ; *87 :* 572 ; *89 :* 570.

Tarifs. Frais initiaux (dep. 1990) : accès au réseau 252,95 F (ou 150 F si on reprend une installation en service ou interrompue depuis 1 mois max.) ; installation 230,19 F. *Redevances mensuelles :* abonnement 146,71 F ; location-entretien : selon le type d'appareil. **Communications à partir d'un poste d'abonnement** (Fr. métr.). *Entre abonnés d'une même circonscription tarifaire télex :* 0,658 F toutes les 28 sec. (tarif normal) ou les 56 sec. (réduit : de 12 h 30 à 14 h et de 18 h à 8 h, dimanches et j. fériés toute la j.), *de circ. différentes :* 0,658 F toutes les 18 sec. (t. normal) ou les 36 sec. (t. réduit).

• **Radiomessagerie.** Transmission d'un message à une personne en déplacement munie d'un récepteur de poche spécial (le « pager »).

Systèmes Opérator. (Créés 23-11-87), de TDF, utilisent le réseau à modulation de fréquence de Radio-France. *Abonnés* (fin 90) : 34 000. *Équipement :*

Comparaisons

Régime. USA : le téléphone est assuré par des Cies privées ayant des concessions géographiques. La Federal Communications Commission (FCC, niveau national) et les Public Utilities Commissions (au niveau des États) défendent les intérêts des usagers, contrôlent tarifs, qualité du service, bénéfices des compagnies. **Espagne :** le téléphone est assuré par une société d'économie mixte. **Belgique** et **Suède :** la régie des téléphones (et des autres services de télécommunications) est un organisme public indépendant des Postes.

Tarifs. Abonnement annuel dans la capitale (en francs français, en avril 1986). All. féd. 1 033, Belgique 856, Danemark 773, Espagne 552, *France 564,* G.-B. 814, Grèce 1 100, Italie 360, Norvège 1 107, P.-Bas 780, Port. 660, Suède 400, Suisse 920.

Communication locale, prix minimal en centimes (en avril 1986). All. féd. 73, Belgique 93, Danemark 17, Espagne 13, *France* (1987) *73,* G.-B. 62, Grèce 10, Italie 65, Norvège 91, P.-Bas 42 (sans limite de durée), Port. 36, Suède 23, Suisse 38.

Frais de raccordement (entre parenthèses prix en F, en avril 1986). Belgique 5 593 F belges (875). Danemark 1 335 couronnes (1 152). G.-B. 98 livres (1 052). Italie résidence 218 000 lires (1 013), affaires. P.-Bas 227,5 florins (643). All. féd. 65 DM (207). Suède 570 couronnes (565). Suisse : devis de l'installateur privé. *France* (abonnement nouveau) *250 F* (dispense pour les 65 ans et +, allocataires du F.N.S.).

Téléphone dans le monde en 1988. Nombre de lignes principales (en millions) et, entre parenthèses, **densité pour 100 habitants.** USA 125 (50,58). Canada 13 (53,03). *France* 26 (46,98). P.-Bas 6 (43,67). Japon 52 (42,05). All. féd. 28 (45,90). R.-Uni 22 (39). Italie 21 (36,9). Espagne 11 (30). Bulgarie 1,3 (15,12). Yougoslavie 3 (14,98). Tchécoslovaquie 2 (14,22). Argentine 3 (9,58). Pologne 2 (7,81). Roumanie 1,4 (6,71). Algérie 0,74 (2,99).

Constructeurs. Chiffre d'affaires Télécom (en milliards de $, 1988). AT&T [1] 11,4, Alcatel [2] 8,9, Siemens [3] 7,5, Nec [4] 6,5, Northern [5] 5,4, Ericsson [6] 3,7.

Nota. – (1) USA. (2) France. (3) All. féd. (4) Japon. (5) Canada. (6) Suède.

Exploitants de réseaux de télécommunications (chiffre d'affaires, exploitation, en milliards de $, 1989). NTT (Nippon Telegraph and Telecom) [1] 42,2. ATT (American Telegraph and Telecom) [2] 24,6. Deutsche Bundespost [3] 20,4. British Telecom [4] 18,7. France Télécom [5] 16,6. Bell South [2] 14. Nymex [2] 13,2. GTE [2] 12,5. Bell Atlantic [2] 11,5. SIP [6] 10,8.

Nota. – (1) Japon. (2) USA. (3) All. féd. (4) G.-B. (5) France. (6) Italie.

env. 3 890 F (H.T.). *Abonnement mensuel :* 495 F (H.T.), pour un an 225 F (H.T.). *Appel :* 5 U.T.

Alphapage (créé 18-11-87). *Abonnés* (fin 90) : 100 000. *Accès au réseau :* 170 F (T.T.C.). **3 services : Alphapage texte** (réception de messages alphanumériques, composés à partir d'un Minitel). *Ab. mensuel :* 94 F ; *message :* 5,11 F (jusqu'à 40 caractères), 8,03 F (jusqu'à 80). *Location mens. du récepteur :* 235 F. **Alphapage 15** (réception de 15 chiffres max.). *Ab. mens. :* 94 F. *Message :* 3,65 F. *Loc. mens. du réc. :* 195 F. **Alphapage Bip** (contact d'un abonné par 4 correspondants max. par un « bip » à partir d'un poste téléphonique). *Ab. mens. :* 84 F. *Appel :* 0,73 F. *Loc. mens. du réc. :* 130 F. *Prix de vente des récepteurs :* 2 134,80 F à 3 498,70 F. *Garantie* (3 ans) : 225,96 F.

• **Eurosignal.** Permet d'avertir une personne munie d'un petit récepteur radio. Au 1-1-1990 : par mois pour un n° d'appel national 88,50 F (international 177 F + location entretien 217,98 à 271,98 F) et coût des communications. *Prix de vente :* 5 870,70 F (TTC).

Nombre (au 31-12) : *1981 :* 28 350. *85 :* 65 690. *87 :* 76 500. *90 :* 117 000. *Numéros utilisés* (au 31-12) : *1981 :* 43 990. *85 :* 108 000. *89 :* 106 000.

• **Liaisons spécialisées.** Relation permanente entre 2 ou plusieurs points à l'usage d'un utilisateur (au 31-12-88 : 467 791, *90 :* 543 000 dont 380 000 locales, 163 000 internationales).

• **Numéro azur.** L'abonné appelant paie sa communication, quelle que soit sa situation géographique, le prix d'un appel local. L'abonné appelé prend à sa charge le prix de la communication diminuée d'une U.T.

• **Numéro vert.** *Créé* juillet 1983. Communications payables par l'abonné demandé et établies par voie entièrement automatique. Commercialisation possible avec certains pays étrangers dont All. féd., Danemark, P.-Bas, Suède, USA *1987 :* 1ers numéros verts télématiques (36 05). *Abonnés* (au *31-12*) : *1984 :* 3 000. *87 :* 9 000. *89 :* 13 000. *90 :* 14 300.

• **Réseaux spécialisés** (au 30-6-1990). **Tous usages :** 331 376 dont 123 792 de transmissions données. *Télex :* 142 500 abonnés raccordés. **Transpac :** véhicule chaque mois env. 2 700 milliards de caractères dont 45 % issus du trafic Télétel. *Parc total d'accès directs* (fin 90) : 81 700. **Transfix :** 23 700 liaisons fin 90. **Colisée :** 37 réseaux d'entreprises et 9 069 circuits téléphoniques. **Numéris ou RNIS** [réseau numérique à intégration de service ; *1987,* mis en service expérimental à St-Brieuc (C.-d'Arm.). *1988* Paris. *1990* toute la France est couverte par France Télécom. *Abonnés 1988 :* 300, *1989 :* 1 300, *mai 1991 :* 75 000 canaux B vendus. Services-supports commutés à 64 kbits : *« transparent »* (circuit commuté B Transparent : CCBT), adapté à la transmission de données, garantit l'intégrité de la séquence numérique ; *« audio »* (circuit commuté B non transparent : CCBNT) permet la transmission de signaux 300-3 400 Hz comme les voies téléphoniques ou les signaux de modems. *Télécopie* 64 kbits groupe 4 permet de transmettre une page A4 en quelques secondes avec la qualité du courrier. *Vidéotex photographique* affiche rapidement des images fixes, de qualité vidéo, avec des commentaires sonores ; transmission à partir d'une prise unique, de textes, voix, données, images. *Frais d'accès au réseau :* 675 F (H.T.). *Abonnement de base :* 300 F (H.T.). *Nombre d'accès de base* (31-12-90) : 5 000, *accès primaires commandés :* 500.

• **Écoutes téléphoniques.** Courantes dans la plupart des pays. En France, ne sont légales que si elles sont ordonnées par commission rogatoire d'un juge d'instruction. Faciles à réaliser (les fils du téléphone à surveiller sont connectés avec un réseau de câbles qui relient les centraux téléphoniques aux centres d'enregistrement ; et les magnétophones entrent en fonction dès que l'on soulève l'écouteur). Forme la plus difficile à détecter : pose de micros (par ex. : sous le plancher) branchés à un dispositif d'écoute par des fils.

Télégraphe

• **Quelques dates. 1794** *(28 thermidor, an II ; 15-8).* 1re dépêche télégraphique par le *télégraphe aérien de Claude Chappe* (1763 ; atteint d'un cancer à l'oreille se suicide à Paris en se jetant dans le puits de l'hôtel de Villeroy le 23-1-1805), composé de 3 pièces mobiles, en bois (transmission de la nouvelle de la prise du Quesnoy par les troupes françaises aux Parisiens). Réservé aux communications officielles. Fonctionne le jour et par temps clair. **1837**-*12-7* 1re expérience de télégraphie électrique par 2 Britanniques. **1838** *janv. Samuel Morse* (1791-1872), utilisant les travaux de Volta et d'Ampère, expédie de Morristown (New Jersey) le 1er message télégraphié (Télégraphe électrique Morse). **1844** *transport de courrier par chemin de fer :* 1ers essais sur la ligne Paris-Rouen. **1845** création de 2 bureaux ambulants entre Paris et Rouen. Le télégraphe *Morse* équipe la ligne *Paris-Rouen,* **1846** *Paris-Lille ;* mais en 1851, il est mis à la disposition du public. **1850** des *câbles télégraphiques sous-marins* relient Angleterre et France. **1861** câble France/Algérie. **1862** câble Angleterre/Inde. **1865** Hughes (Américain) invente un nouveau code de transmission pour télégraphe. **1866** 1er câble transatlantique nord posé par le *Great Eastern* (G.-B.). **1876** mise au point en France du télégraphe Émile Baudot (1845-1903) (en service jusqu'en 1950). **1879** *(5-2)* création du ministère des Postes et Télégraphes. **1887** l'Allemand *Henri Hertz* (1857-94) révèle les *ondes radioélectriques* qui offrent à la voix humaine un autre support, mais ne se transmettent qu'en ligne droite et en visibilité directe. **1895** en Russie, *Alexandre Popov* (1859-1906) crée l'antenne et envoie le 1er message radio. **1896** l'Italien *Guglielmo Marconi* (1874-1937), utilisant les travaux du Français *Édouard Branly* (1844-1940) sur le révélateur d'ondes, met au point la télégraphie sans fil, ou T.S.F. Voir index.

1954-61, 18 *centres automatiques* de télégraphie installés : automatisation entière du réseau. **1974** la *Commutation électronique de messages* apparaît en France au Bureau télégraphique international (en mars 1979 à Paris Bourse pour France-Nord et en septembre 1980 à Marseille Le Canet pour France-Sud).

• **Télégrammes transmis** (en milliers). *1979 :* 13 230. *80 :* 11 151. *81 :* 10 400. *82 :* 8 572. *83 :* 10 601. *84 : 10 633. 85 :* 10 887. *89 :* 10 674.

• **Tarifs.** Télégrammes déposés par télex ou télétel : minimum de perception 25 mots (adresse gratuite) 28 F, par fraction supplémentaire de 10 mots 7,50 F ; t. dont le dépôt requiert l'intervention d'un agent 30 F et 12 F. *Spéciaux :* télégrammes déposés à l'avance : dans les 10 j ouvrables précédant la date de remise et au plus tard la veille de ce j (dimanche et j fériés non compris dans le calcul de ce délai). Indiquer sur le télégramme la date de remise. Par mot (min. 25) : 1,04 F ; par fraction de 10 mots supplémentaires : 5,50 F. *Télégrammes illustrés :* surtaxe par télégramme : 10 F (dont 0,73 F au profit de la Croix-Rouge française).

Association française des utilisateurs du téléphone et des télécommunications : AFUTT, B.P. n° 1, 92430 Marnes-la-Coquette.

Santé

Hôpitaux

Statistiques

• **Hôpitaux publics** (1988). **Établissements.** 1 072 dont centres hospitaliers régionaux 29, centres hospitaliers 213, hôpitaux 288, hôp. locaux et ruraux 332, centres spécialisés en psychiatrie 98, autres 5.

Nombre de lits (1989). 483 660 (dont section hôpital 366 781, s. hospice et maison de retraite 113 020, annexes 3 859). **Journées d'hospitalisation ou d'hébergement** (1989). 143 570 504 (dont hop. 104 132 934, hosp. 38 322 978, an. 1 144 592). **Entrées** (1989). 6 834 093 (dont médecine 3 758 216, chirurgie 2 313 589, obstétrique 762 288).

Personnel (1990). 740 000 dont médecins 100 000, internes étudiants 40 000, attachés 31 000, praticiens 20 000, hospitalo-universitaires 8 500, agents paramédicaux 640 000, administratifs 62 500, techniques et informatiques 131 000, sociaux et éducatifs 440, cadres de direction 3 800.

Durée moyenne de séjour (en jours, 1988). Médecine 8,4 ; chirurgie 7 ; gynéco-obstétrique 5,7 ; lutte contre maladies mentales 63,5. Moyen séjour 39,5. Ensemble de la section hôpital 14,3.

Prix de la journée (en F, 1990) (prix de l'Assistance publique – Hôpitaux de Paris). *Malades aigus hospitalisés pour plusieurs jours :* médecine générale 1 970, spécialisée 2 833 ; chirurgie générale et maternité 3 200 ; spécialités coûteuses 6 358, très coûteuses 7 362. *Longs séjours :* forfait soins 181,6, hébergement 383,4. *Cure médicale :* forfait soins 109,4, hébergement 186. *Valides :* forfait 165, hébergement 186.

Coût moyen d'une journée d'hospitalisation (1988). Secteur public 808 F ; privé 436 F.

Hospitalisation partielle (1989). Venues d'hôpital de jour 3 559 170 dont psychiatrie 1 691 507. Séances de dialyse 937 770, de chimiothérapie 176 091.

• **Privés** (1-1-1989, France métrop.). **Établissements.** 2 721 dont à but lucratif 1 515, non lucratif 1 206. **Lits installés.** 228 817 dont secteur commercial 110 523, non lucratif 118 294. Parmi ces 2 721 établissements, 333 dispensent des soins dans les disciplines de santé mentale (34 130 lits installés). **Admissions.** 5 133 250, *journées d'hospit. :* 62 181 185.

Personnel. Plein temps 193 680, temps partiel 34 872, dont médical (médecins et biologistes) plein temps 13 172, temps partiel 31 973. **Recettes** (1988). Env. 30 % de l'ensemble des frais d'hospitalisation, 15 % de la consom. méd. finale.

Statut

Régime hospitalier. 1°) **Établissements d'hospitalisation publics.** On distingue : centres hospitaliers régionaux universitaires (CHR) qui ont une vocation d'enseignement en même temps que de dispense de soins (CHU), centres hospitaliers généraux, centres hospitaliers de secteur, hôpitaux locaux ou ruraux, centres médicaux de long séjour (CMLS). Les hôpitaux sont divisés en *services,* dirigés par un *patron* désigné jusqu'à sa retraite, par le min. de la Santé (pour les hôpitaux non universitaires), ou par les min. de la Santé et de l'Éducation nationale (pour les CHU). On envisage de créer des départements regroupant plusieurs services appelés unités. Un *patron* dirige le département élu avec un *collège* (75 % de médecins plein temps à statut d'hospitaliers, 12,5 % de praticiens à temps partiel non titulaires, 12,5 % du personnel non médecin, pour 4 ans, renouvelables). A la tête des unités se trouvent des chefs de service devenus *coordonnateurs* et désignés par un *conseil de département* (composé de 4 représentants des médecins titulaires, 1 délégué des praticiens non titulaires, 2 membres du personnel non médecin) élu au suffrage direct.

2°) **Établissements d'hospitalisation privés.** A but lucratif ; à but non lucratif (dont certains « participent au service public hospitalier » : accueil de tous les malades, assurance d'un service de garde..., prix de journée préfectoral).

Prix de la journée. *Secteur commercial :* fixé par convention entre Sécurité sociale et établissements. Les malades sont remboursés à l'hôpital public ; les suppléments restent à leur charge (chambre particulière, téléphone, coiffeur, etc.). *Secteur à but non lucratif :* prix fixés par les préfets (mode de fixation identique aux hôpitaux publics).

Nota. – Activité libérale à l'hôpital public rétablie début 88 pour les médecins plein temps dans les hôpitaux publics. *Consultation spécialisée,* tarif conventionnel : 125 F.

Dépenses nationales de santé

• **Budget du min. de la Santé, de la Solidarité, de la Protection sociale** (1989). 35,7 milliards de F. **Crédits de solidarité et de protection sociale.** 31,4 milliards de F.

Dépenses globales de santé (1989). 500,95 milliards de F (8 920 F par hab.). **Financement** (1988, en %). Assurance maladie 74, malades 17, État et collectivités 5, mutuelles 4, autres 1. **Nature de la dépense** (en milliards de F) et, entre parenthèses, **% par rapport au total.** Hôpitaux et cliniques 208 (44) (253 en 1990 soit 4 489 F par hab.), médecins et dentistes 118 (25), médicaments 73 (15), indemnités journalières 30 (6), transports 26 (5,5), prévention 12 (2,5), lunettes et prothèses 9 (2).

• **Dépenses de santé par habitant** (en F). *1980 :* 3 845, *81 :* 4 526, *82 :* 5 300, *83 :* 5 847, *84 :* 6 462, *85 :* 7 130, *86 :* 7 260. *87 :* 7 927, *88 :* 8 270 (All. 7 848, Italie 6 561, G.-B. 5 542, Esp. 3 873), *89 :* 8 920 [dont soins à l'hôpital ou en clinique 4 223 F par personne, en ville 2 578 (dont 1 199 chez le médecin, 598 dentiste, 373 auxiliaire médical, 317 analyses de laboratoire) et biens médicaux 1 802 (dont 1 598 de pharmacie)].

• **Part de la santé dans les dépenses.** *1985 :* 13 % (après alimentation 21, logement 18, transports 14). *2000 :* 19.

☞ La Séc. soc. finance 89,2 % des dépenses hospitalières, rembourse en moyenne 59,9 % des médicaments, analyses et prothèses et 59,5 % des dépenses de médecine de ville.

Dépenses courantes de santé (paiements et versements intervenus en un an au titre de la santé, dépenses en capital exclues). Concept plus vaste que celui de consommation (1986, en milliards de F). 452 *dont dépenses pour les malades* 422 (soins et biens médicaux 388, aide aux malades regroupant indemnités journalières versées par l'assurance maladie 30, subventions aux produits de soins 3), *dépenses de prévention* 14,5, *dép. en faveur du système de soins* (enseignement et recherche médicale) 9,6, *dépenses de gestion générale* 6.

Prestations sociales reçues par les ménages (versées par tous les régimes, les mutuelles et l'aide sociale ; en milliards de F, 1988). *Santé :* maladie, invalidité, infirmité, accident du travail 339,9. *Maternité-Famille :* maternité 13,7, famille 111. *Emploi :* 94,2. *Vieillesse-survie :* 637,9.

Source : Les Comptes de la Nation.

☞ Fin 1987, env. 520 000 adultes étaient hébergés dans des hôpitaux, maisons de retraite ou hospices pour une période indéterminée dont 310 000 vivant en maison de retraite ou hospice, 73 000 en hôpital psychiatrique, 60 000 dans les services de longs séjours des hôpitaux, 48 000 handicapés dans des centres.

Comparaisons avec l'étranger

Consommation de médicaments. Total (en millions de $) **en 1988** et, entre parenthèses, **par habitant.** All. féd. 10 560 (173), *France 7 560 (136),* Italie 7 030 (122), G.-B. 3 700 (65).

Dépenses de santé par habitant en $ et entre parenthèses par rapport au PIB par habitant (en %, 1987). U.S.A. 2 051 (11,2), Canada 1 483 (8,61). Islande 1 241 (8). Suède 1 233 (8,95). Suisse 1 225 (7,73). Norvège 1 149 (7,46). All. Féd. 1 093 (8,2). *France 1 090 (8,51).* Luxembourg 1 050 (7,14). Pays-Bas 1 041 (8,5).

Établissements sociaux

• **Enfance.** **Ét. d'éducation spéciale pour l'enfance handicapée** (au 31-10-1985). 1 877 (120 887 pl.). **Ét. de l'Aide sociale à l'enfance** (1-1-1988). *Foyers de l'enfance* 163 (9 064 pl.). *Maisons d'enfants à caractère social* et *centres de placement familial* 1 116 (46 998 pl.). *Centres maternels* 69 (2 789).

• **Adultes handicapés** (travail protégé, réinsertion professionnelle, hébergement) (au 1-1-1988). 2 681 ét. (130 809 pl.). Voir p. 143.

• **Familles et jeunes travailleurs** (familles en difficulté : hébergement, réadaptation et réinsertion sociale) (au 1-1-1988). 873 ét. (32 560 pl.).

• **Accueil des personnes âgées.** 600 000 vieillards sont hébergés dans les hospices. Coût 4 720 F à 30 000 F par mois, dépenses à la charge de la collectivité (prix maximal pour des personnes âgées recevant le minimum vieillesse).

Établissements sociaux et médicosociaux (1988). Nombre de places et entre parenthèses coût en F. Logements-foyers 126 166 (7 380), hospices et maisons de retraite 98 394 (4 980), sections de cure 52 597, maisons de retraite privées 117 167 (4 720).

Établissements spécialisés

• **Maladies mentales.** **Catégories d'établissements** (1988). Publics : *98 centres hospitaliers spécialisés en psychiatrie (CHS) :* 27 hôpitaux privés psychiatriques (HPP) faisant fonction d'hôpitaux publics, liés au département par un contrat ; 167 *services de psychiatrie (SP)* [annexés à des hôpitaux généraux], gérés par la commission administrative de l'hôpital dont ils font partie. **Privés :** *maisons de santé* pour malades mentaux [qui, sauf exception, ne peuvent recevoir des malades placés au titre de la loi du 30-6-1838 (malades en placement d'office ou volontaires)], services de psychiatrie des cliniques générales.

Nota. – La France est divisée depuis 1960 en secteurs psychiatriques (sur une base d'env. 70 000 h.), regroupant les moyens hospitaliers et extra-hospit., placés sous la responsabilité d'un psychiatre (700 env. sur 1 800 exerçant en France).

Établissements psychiatriques publics. *Lits installés* (1988) : 107 241 dont CHS 70 812, HPP 16 430, service de psych. dépendant d'hôp. généraux 19 999 ; services pour enfants 4 104.

Malades (au 1-1-1988) *en hospitalisation complète :* 93 499 (dont CHS 62 521, HPP 15 307, SP 15 671).

Mouvement hospitalier psychiatrique (1988). *Hospitalisation complète :* entrées : 381 374 (dont CHS

209 606, HPP 42 395, SP 129 370) dont enfants : CHS 8 022, HPP 2 775, SP 6 558. *Réadmissions* (1985) : 57,8 % des entrées normales (dont 77,7 % enfants). *Journées d'hospitalisation* (1988) : 25 742 987, dont CHS 16 927 502, HPP 4 469 670, SP 4 345 725, dont enfants : 816 614 (dont CHS 586 107, HPP 77 415, SP 153 092). *Durée moyenne de séjour :* en CHS 80,8 j., en HPP 105,4 j., en SP 33,6 j. dont enfants ; CHS 73,1 j., HPP 27,9, j., SP 23,3 j. *Hosp. à temps partiel* (1988, de jour et de nuit) : CHS *venues* 1 975 451 dont jour 1 765 457 ; HPP *venues* 498 780 dont j. 469 416 ; SP *venues* 932 217 dont j. 853 165.

• **Régimes d'internement.** 2 procédures régies par les lois de 1838 et de 1968. Tous les 6 mois, une visite des hôp. psychiatriques est prévue par le procureur de la Rép., ou le Pt du tribunal de grande instance, le juge d'instance et le maire de la commune, pour recueillir les doléances des malades.

Placement libre (1985). 68,6 % des malades et 70,6 % des journées d'hospit. Les règles de l'admission sont celles d'un hôp. général. Formule inaugurée en 1922 par Édouard Toulouse (hôp. Henri-Rousselle, enceinte de l'hôpital Ste-Anne).

Placement volontaire (1985). 27,8 % des malades mais 26,1 % journées d'hospitalisation. La demande d'admission, adressée au directeur de l'hôpital, doit être signée par un proche du malade (famille, ami, ou assistante sociale) et accompagnée d'un « certificat d'internement » rédigé par un médecin (non attaché à l'établ. où sera interné le malade), non parent du patient. Dans les 24 h suivant l'internement, les médecins doivent signer un certificat justifiant cette mesure. Ils doivent renouveler cette procédure après 15 j. Le malade peut quitter l'hôpital sur demande de la famille ou décision d'un médecin du service qui doit en aviser le préfet.

Placement d'office (1985). 3,6 % des malades et 3,3 % des journées d'hospitalisation. Placement autoritaire d'un malade que son état rend « dangereux pour lui-même ou pour autrui » ; le préfet doit avoir signé un arrêté d'internement (en cas d'urgence, cet arrêté peut être remplacé par un réquisitoire du maire ou du commissaire de police). L'arrêté doit être accompagné d'un état de renseignements sur les biens du malade et d'un certificat médical théoriquement facultatif, motivant la demande d'internement. Le médecin ne doit être ni membre de la famille ni attaché à l'établissement. Des certificats médicaux doivent aussi être rédigés 24 h, puis 15 j après l'internement par des médecins de l'hôpital.

Le placement d'office est levé par arrêté préfectoral et décision d'un médecin de l'établissement.

• **Centres anticancéreux** (1986). *Nombre.* 21. *Lits en service :* 4 112 (y compris les hôpitaux de jour). Admissions 128 186, journées d'hospitalisation (y c. l'activité en hôpital de jour) 1 123 761.

Nouveaux malades. *1968 :* 55 160. *70 :* 71 912. *75 :* 110 400. *77 :* 108 917. *78 :* 116 923. *80 :* 131 341. *81 :* 139 163. *82 :* 145 114 admissions.

Service de santé des armées

Histoire. 1708-*17-1* édit de Louis XIV préparé par Le Tellier et Louvois créant un service de santé militaire. **Révolution et Empire** des hôpitaux militaires sont créés dans des établissements religieux devenus biens nationaux (ex. Val-de-Grâce). **XIXe s.** le service devient autonome. L'école de Strasbourg est remplacée par celles de Lyon et de Bordeaux. **Jusqu'en 1948** chaque service de santé des armées de terre, marine ou air est géré par une direction. Puis unification des services réalisée en un Service de santé des armées.

Assistance publique Hôpitaux de Paris

Histoire. Origine : *Hôtel-Dieu* (fondé par St Landri, évêque de Paris en 651), *Grand bureau des pauvres* (créé 1544 par François Ier, ancêtre des bureaux de bienfaisance de l'assistance publique et des bureaux d'aide sociale municipaux), *Hôpital général* (créé 1656, comprend plusieurs établissements dont Bicêtre, la Salpêtrière, la Maison de Scipion, etc., doit assurer « le renfermement des pauvres mendiants »). **Loi de vendémiaire an V** unifie hôpitaux et hospices. **Arrêtés consulaires an IX** confie au Conseil général des hospices la gestion des hôpitaux de Paris, les secours à domicile et le service des enfants abandonnés. **1849-12-1** loi transférant les attributions du Conseil à un directeur, début de l'Assistance publique. **Dep. 1961** l'Assistance publique ne s'occupe plus que du service public hospitalier, ses activités sociales ayant été confiées à la DASS et **dep. 1969** au Bureau d'aide sociale.

☞ **Urgences.** 6 millions par an. 30 % des hospitalisations à Paris, 50 % dans les hôpitaux généraux. 50 à 70 % des patients ne sont pas hospitalisés et 30 % des admis restent moins de 24 h.

Hospitalisation. *Hôpitaux ou groupes d'hôpitaux :* 44 soit 39 établ. en Ile-de-France, et 5 en province : Berck (P.-de-C.), Hendaye (Pyr.-Atl.), San Salvadour (Var) (hôp. pour convalescents et déficients mentaux polyhandicapés), et 2 à Liancourt (Oise). *Écoles d'enseign. paramédical :* 35 dont 25 d'infirmières. *Lits* (1990) 33 000 dont court séjour (malades aigus) : 18 500, moyen séjour, long séjour 12 600. *Coeff. d'occupation* (1985) : court séjour (malades aigus) 89,5 %, moyen séjour 91,83, long séjour 98,45.

Personnel hospitalier (1990). Médical 18 000 dont hospitalo-universitaire 3 000 ; (au 31-12-1985) non médical 65 000 (dont hospitalier 81,1 %, administratif 11,2 %, ouvrier, technique 7,7 %).

Budget consolidé d'exploitation des établissements hospitaliers et budgets annexes (en millions de F, 1990). *Fonctionnement :* 20 700. *Investissement :* 181 000. *Déficit de l'hospit. :* 66,6 (1984).

Institut Pasteur

Créé 4-6-1887 (initiative de Louis Pasteur). **Fondation** reconnue d'utilité publique, inaugurée 14-11-1888 par Sadi Carnot. **Directeur.** Pr Maxime Schwartz (n. 1940). **Siège.** 25, rue du Dr-Roux, 75015 Paris. **Personnel.** 2 550 (dont 1 000 chercheurs permanents). 100 unités de recherche (10 départements) ; 250 élèves et 800 stagiaires, français et étrangers, par an.

Activités. Recherche fondamentale (bactériologie, virologie, immunologie, biologie du développement, neurologie...) ; applications biomédicales (recherche de nouveaux vaccins : Sida, hépatite B, paludisme, coqueluche ; mise au point de tests de dépistage et de diagnostic) et biotechnologiques (fermentations, lutte biologique contre les insectes, fixation de l'azote...). Formation post-universitaire à la recherche et au diagnostic ; 30 centres experts pour surveillance et diagnostic de maladies infectieuses (dont 19 nationaux et 11 collaborateurs OMS) ; 27 instituts dans le monde ; collaborations internat. ; hôpital spécialisé dans la pathologie infectieuse et immunitaire ; centre de vaccinations internat. ; établissement de transfusion sanguine.

Principales contributions. Découvertes fondamentales (bactériologie, virologie, immunologie, biologie moléculaire) ; sérothérapie ; vaccins (rage, diphtérie, tétanos par les anatoxines, tuberculose, fièvre jaune, poliomyélite, hépatite B) ; action anti-infectieuse des sulfamides et des sulfones ; isolement du virus du Sida (VIH 1 en 1983, VIH 2 en 1986) ; mise au point de tests de dépistage. 8 prix Nobel depuis 1900.

Budget (1991). 680 millions de F [dont en % : subvention de l'État 44 ; ressources propres (contrats industriels, accords de licence, expertises, analyses) 26 ; concours privés (dons, legs) 17 ; redevances industrielles (2 partenaires privilégiés : « Diagnostics Pasteur » et « Pasteur Mérieux Sérums et Vaccins ») 13].

Hospitalisation à domicile

Créée 1958. **Principe.** Sur prescription de l'hôpital un malade peut écourter ou éviter son hospitalisation, une équipe soignante venant à domicile.

Statistiques (1988). 33 centres (11 services publics dépendant des hôpitaux, 21 associations, 1 sté à but lucratif) ; 3 000 lits sur 27 départements (50 % en région parisienne).

Forfait journalier. 407 F.

Services de soins à domicile (nombre et, entre parenthèses, capacité d'accueil). *1981 :* 92 (3 000), *82 :* 262 (11 701), *83 :* 552 (21 741), *84 :* 652 (22 224), *85 :* 771 (28 009), *86 :* 780 (28 228), *87 :* 832, *88 :* 939, *89 :* 949 (35 530), *90 :* 1 190 (38 950).

Personnel médical

Statistiques

Chirurgiens-dentistes et docteurs en chirurgie dentaire

• Nombre. *1900 :* 1 788. *1959 (1-1) :* 14 631 (dont 3 804 femmes). *1968 (1-1) :* 20 618 (5 490 f.) *1987 (2-2) :* 38 980 (11 045 f.). *1990 (5-1) :* 41 670 (12 483 f.). *1991 (11-1) :* 42 058 inscrits ou en transfert d'inscription (12 760 f.). *Thérapeutes :* 38 566 dont exercices individuels 22 698, associations 11 467, assistanats 4 007, autres fonctions 394 chir.-dent. dont 15 orthodontistes. *Non-thérapeutes :* 2 632 chir.-dent. dont 27 orthodontistes. 339 chir.-dent. ont effectué leur service nat. au Serv. de santé des armées en 1989. Au 16-4-91, 7 chir.-dent. d'active sous statut ORSA (officier de réserve en situation d'activité).

Densité. *Nombre pour 100 000 h.* (au 1-1). *1959 :* 32,5. *1970 :* 39,3. *1982 (31-12) :* 60,8. *Nombre d'h. pour 1 chirurgien-dent.* (au 11-1-91, tenant compte de l'estim. de la pop. 1991 de l'INSEE) : 1 pour 1 397. *Densité des thérapeutes* (au 11-1-91) : 1 pour 1 523 (métropole + départements et territoires d'outre-mer).

• Ordre national des chirurgiens-dentistes. *Créé* par l'ordonnance du 24-9-1945. *Mission de service public :* assurer le maintien des principes de moralité, de probité et de dévouement de la profession. Nul ne peut exercer s'il n'est inscrit à l'Ordre.

• Secteur libéral. *Au 11-1-91,* 36 093 chirurgiens-dentistes dont 1 143 orthodontistes (spécialité préparée en 4 ans, sanctionnée par un certificat d'études cliniques spéciales mention orthodontie : CECSMO). **Secteur salarié.** *Au 11-1-91,* 2 292 chirurgiens-dentistes dont 40 orthodontistes.

Nota. – La pédodontie (soin des dents de l'enfant), la parodontologie (traitement des tissus entourant les dents) et la radiographie ne sont pas des spécialités reconnues légalement même dans le cas où chacune d'elles est pratiquée exclusivement.

• Litiges. Sur 18 000 praticiens adhérents à la cie l'Assurance dentaire, 8 000 déclarations de sinistres de 1967 à 1987.

Médecins

Médecins inscrits à l'Ordre. *1955 :* 39 100, *60 :* 44 829, *65 :* 54 048, *70 :* 65 219, *80 :* 116 104, *90 :* 185 612, *91 :* 169 051 (dont généralistes 52 % ; femmes 52,9 %). En juil. 1989, m. à temps partiel compris : en activité 167 470 dont : exercice libéral 96 953 ; hospitalier 48 675 ; salarié 31 841 ; ex. non précisé 18 703. Il y a en outre (1989) 3 322 médecins dans les DOM-TOM et à l'étranger ; (1991) 2 822 médecins milit. d'active (dont 1 220 dans les unités des 3 armées et gendarmerie, 431 hors des armées et 421 dans les hôpitaux) ; (1990) 1 303 médecins appelés (dont 716 dans unités, 396 dans hôpitaux et établissements santé, 191 hors des armées).

Conventionnement. *Au 31-12-90 :* 107 814 médecins libéraux [dont (en %) : conventionnés sans dépassement 68,9, avec droit au dépassement 30,7 (dont D.P. : 4,3, secteur 2 : 26,4), non conventionnés 0,4] dont 58 159 omnipraticiens (dont gynéco-obstétrique 5 637, psychiatrie 4 761, radiologie 4 529, ophtalmologie 4 513, chirurgie 3 681, cardiologie 3 465, anesthésie 3 089, pédiatrie 3 080, dermato-vénérol. 2 895, ORL 2 394, rhumatologie 1 916, appareil digestif 1 850, stomatologie 1 534, neuropsychiatrie 1 165, pneumologie 1 043, RRF 740, médecine interne 709, chir. orthopédique 683, neurologie 492, anapath. 461, endocrinologie 440, urologie 286, néphrologie 187, neurochirurgie 105).

Médecins actifs (juil. 1989). 167 470 dont généralistes 69 428, spécialistes 77 991, non précisé 20 051. Chômeurs (1990). 200 000 dans la CEE dont Italie 80 000, Esp. 30 000, All. féd. 20 000, France 20 000.

Femmes-médecins en activité. *1980 :* 25 649, *86 :* 43 120, *89 :* 50 593. En 1988, 42,8 % étaient salariées, 27,8 % exerçaient à l'hôpital, 20,8 % sous forme libérale ; exercice non précisé pour 39,2 % (total supérieur à 100 % en raison des exercices mixtes). En 1991, 52,9 % de femmes inscrites au conseil de l'ordre, mais 30,7 % des médecins en activité (22,4 % de manière intermittente, 5,2 % sans activité).

Entretiens de Bichat. *Créé* 1947 à l'hôpital Bichat. Annuel, à la faculté de médecine Pitié-Salpêtrière. En *1989,* 15 000 participants ; 47 tables rondes et débats ; 424 entretiens de médecine, chirurgie, thérapeutique, spécialités, rééducation, podologie, médecine du sport, colloque infirmier, 50 films médicaux, vidéothèque, vidéodisques, exposition scientifique.

Dossier médical. Établi par le service hospitalier qui prend en charge le patient et par tout médecin consulté en ville, il comporte l'état civil du malade, les réflexions du médecin, les examens et l'observation du malade, les analyses en laboratoire, les contrôles, l'interprétation de ces examens, les traitements. Selon la charte établie en *1975* par Simone Veil, le patient peut accéder à son dossier à condition de passer par l'intermédiaire d'un médecin de son choix (article 6 de la loi du *17-7-78*) : « le secret médical n'est pas opposable au malade dans l'intérêt duquel il a été institué », mais aux tierces personnes.

En cas de refus de communication : s'adresser au directeur de l'hôpital (ou à l'administrateur de garde), ou saisir la **CADA** (Commission d'accès aux dossiers administratifs, 31, rue de Constantine, 75007 Paris), ou, en dernier ressort saisir le tribunal administratif.

Carte de santé. Carte à microprocesseur, appartenant au patient. Régulièrement mise à jour, comporte données médicales essentielles d'un malade et permet, en urgence, d'accélérer le traitement en évitant les examens inutiles. Pour la consulter, il faut disposer d'une carte d'habilitation (avec code confidentiel). *Fin 87 :* carte proposée à 400 000 adhérents de mutuelles.

Les Français et la santé. 79 % s'adressent en priorité à un médecin généraliste ; 80 % se rendent à son cabinet, en ville ; 88 % lui font confiance et 43 % suivent ses prescriptions de façon très stricte (52 % assez stricte). Pour une intervention chirurgicale 58 % choisissent l'hôpital public.

Médecins du travail (31-12-82). 6 059 dont à temps plein 3 005, partiel 3 054. Travailleurs surveillés 11 762 970. Médecins scolaires (1990). 950 + 260 vacataires. 1 médecin pour 10 000 enfants (la loi prévoit 1 pour 500). Médecins universitaires 400. Médecins salariés (en %). *1985 :* 23,3, *90 :* 18,7.

Densité médicale (taux pour 100 000 hab.). *1959-60 :* 98,6 ; *69 :* 121,5 ; *75 :* 147 ; *80 :* 217 (Paris 356) ; *85 :* 282 ; *90 :* 297 ; *91 :* 296 (Picardie : 208, Ile-de-France 400) ; *2000* (prév.) : 330.

☞ Ordre des médecins. *1940* créé sous le régime de Vichy (l'idée remontait à 1928 et émanait de députés socialistes). *1945* recréé par de Gaulle (après avoir été dissous). *1981* candidat à la présidence de la Rép., Mitterrand prévoit sa suppression. *Mission :* élaborer et faire appliquer un code de déontologie (soumis au Conseil d'État et promulgué par le gouvernement), publié 1947, puis remanié 1955 et 1979. Tout malade qui s'estime lésé par un médecin peut déposer plainte au conseil départemental, qui la transmettra au conseil régional qui la jugera.

Répartition par âge (en %). En 1989, *moins de 35 ans :* 25,7. *De 35 à 44 a. :* 44,6. *De 45 à 54 a. :* 16,1. *De 55 à 64 a. :* 11,4. *65 a. et + :* 12,2. En 1991, *moins de 40 ans :* 47,7. *65 a et + :* 2,5.

Qualifications accordées dans chaque discipline (en France métropolitaine, au 1-1-91) c. : compétent ; sp. : spécialiste. Allergologie c. 1 700. Anatomie et cytologie pathologique humaine : 1 001, c. 334. Anesthésie, réanimation : sp. 7 508, c. 334. Angéiologie 1 349. Biologie médicale 960. Cancérologie 1 117. Cardiologie : sp. 4 102, c. 548. Chirurgie 5 422, plastique 355. maxillo-faciale 564 ; orthopédique : 836 ; pédiatrique 157. Dermatologie, vénérologie : sp. 3 194, c. 82. Diabétologie, nutrition 354. Électroradiologie 1 318. Endocrinologie 386. malad. métab. : sp. 604, c. 188. Gynécologie-obstétrique : sp. 1 296, c. ex. gynéc. méd. 2 117, c. ex. obst. 178, gynéc. méd. 253, obst. 61, bi c. ex. gynéco. méd. et obst. 2 764, gynéco. méd. et obst. 365. Maladies de l'appareil digestif : sp. 2 154, c. 418. du sang 105. Médecine exotique 361, générale 8 581. Interne 2 098. Légale 488. Nucléaire 200. Thermale 472. Du sport 6 880. Du travail 5 832. Néphrologie : sp. 460, c. 209. Neurologie : sp. 783, c. 38. Neurochirurgie : sp. 205, c. 20. Neuropsychiatrie : sp. 1 678, c. 44. Ophtalmologie sp. 5 116. Oto-rhino-laryngologie 2 787. Orthopédie 738. Orth. dent. max. fac. 134. Pédiatrie : sp. 4 980, c. 345. Phoniatrie 219. Pneumologie : sp. 1 732, c. 328. Psychiatrie : sp. 7 401, c. 131. Psy. opt. enf. adol. : sp. 743, c. 15. Radiologie : options diag. 4 467, thér. 394, diag. et thér. 34. Réanimation 284. Rhumatologie : sp. 2 151, c. 317. Rééducation et réadaptation fonctionnelle : sp. 1 324, c. 349. Stomatologie sp. 1 776. Urologie c. ex. 34, c. 708. *Total des médecins spécialistes et compétents 97 369.*

Départements ayant le plus de médecins inscrits (au 1-1-1991). Paris 20 573. B.-du-Rh. 8 635. Nord 7 250. H.-de-Seine 6 205. Rhône 6 015. Gironde 4 996. Alpes-Mar. 4 841. V.-de-Marne 4 816. Hte-Gar. 4 476. Hérault 3 754. Bas-Rhin 3 583. Le moins. Lozère 177. Creuse 325. Belfort 375. Cantal 377. Meuse 403. Ariège 404. Hte-Loire 407. Corse-du-S. 410. Haute-Garonne 413. Lot 423. Htes-Alpes 437. Le plus de femmes médecins (au 1-1-91). Paris 8 003. B.-du-Rh. 2 528. H.-de-S. 2 383. Rhône 2 136. Nord 1 918. V.-de-M. 1 703. Hte-Gar. 1 551. Yvelines 1 488. Gironde 1 398. Le moins. Lozère 47. Creuse 80. Cantal 84. Belfort 86. Hte-Loire 88.

Actes médicaux. De 1980 à 1989, nombre de médecins libéraux + 38,9 %. des consultations + 56,9 %, des visites à domicile + 12,2 %. Actes techniques (K,KC) + 108 %, actes de radiologie (Z) + 73 %.

Nota. – Les caisses d'assurance-maladie estiment qu'elles n'ont pas à offrir une garantie de revenus à une profession qui a mal contrôlé la croissance de ses effectifs ; que la multiplication inutile et coûteuse des actes n'a fait que refléter le désir des praticiens de maintenir leur niveau de vie.

Associations. *ADUA,* (Ass. des usagers de l'administration et services publics) 15, rue de l'Échiquier, 75010 Paris. *ANAMEVA* (Ass. nat. des médecins-conseils de victimes de dommages corporels) 23, bd Delessert, 75016 Paris. *AVIAM* (Ass. d'aide et de défense des victimes d'actes médicaux) 4 266, route de Neufchâtel 76230 Bois-Guillaume. *Top Santé* (ass. de consommateurs de soins médicaux) 4, place de Rouge-Fosse Vemars 95470 Fosses. *FIDIAD* (Fondation intern. de prophylaxie par l'information et l'autodéfense), 7, allée Guy-de-Maupassant 77420 Champs-sur-M., Cedex 77. *FENGUS* (Féd. nat. des groupes d'usagers de la santé) et *Groupe Santé* 18, rue Victor-Massé, 75009 Paris.

Nota. – Env. 500 procès sont intentés chaque année en France contre les médecins. En 1985, 180 procès étaient en cours contre des chirurgiens ayant oublié des objets dans le corps de leurs patients (compresses, champs opératoires, aiguilles, pinces). Le record a été une « semelle de Pauchet-Duval », instrument de 39 cm de long et 900 g, servant à refouler les viscères, oublié dans l'abdomen d'une opérée. *En 1989* le Groupe des mutuelles médicales qui assure près de 70 % des médecins libéraux a ouvert 2 233 dossiers de responsabilité civile professionnelle.

Pharmaciens

• Historique. *1777* la profession des apothicaires est différente de celle des épiciers, naissance de l'enseignement privé de la pharmacie. *An XI :* la *loi du 21 germinal* consacre le 1er véritable statut de l'officine (en vigueur jusqu'en 1941). *1803* 3 écoles publiques créées (Paris, Montpellier, Strasbourg).

• Étudiants en pharmacie. *1960-61 :* 8 722 ; *70-71 :* 22 161 ; *80-81 :* 37 081 ; *87-88 :* 23 650 (dont 6 944 : 1re inscription en 1re année) (2 200 étudiants autorisés à passer de 1re en 2e année, contre 2 250 en 86-87).

• Diplômes délivrés. *1960 :* 1 085. *70 :* 2 312. *80 :* 3 980. *83 :* 3 065. *86 :* 3 634. *87 :* 3 017. *88 :* 2 683.

• **Régime actuel.** Arrêté du 17-7-1987 relatif au régime des études en vue du diplôme d'État de docteur en pharmacie. Enseign. dispensé dans 24 UFR. Après une 5e année hospitalo-univ. : 6e année option officine ou industrie pour les filiaires courtes de « ph. générale » (stage obligatoire de 6 mois en officine ou en industrie et soutenance d'une thèse). Les reçus à l'internat en fin de 4e année effectuent la 5e année AHU ; peuvent s'orienter vers le 3e cycle, et préparer un DES (durée : 4 ans) : ph. hospitalière et des collectivités ; ph. industrielle biomédicale ; ph. spécialisée ; biologie médicale. Les étudiants finissent leur scolarité en soutenant une thèse (diplôme d'État de docteur en ph.). Le mémoire des DES tient lieu de thèse. Pour exercer la ph., il faut s'inscrire à l'un des 7 tableaux de l'Ordre nat. des pharm.

Nombre total (1989-31-12). 51 367 (52 113 avec l'outre-mer), dont : titulaires d'officines 24 878 (âge moyen env. 40 ans) dont femmes 53 %, étrangers 158 dans 21 985 ph. dont 3 477 en société ; d'hôpitaux et cliniques 3 058 (3 293 postes : les établissements de – de 500 lits ont en général des « gérants » à temps partiel qui peuvent cumuler 2 ou 3 postes si le nombre total des lits est inférieur à 500) ; fabricants (propriétaires ou mandataires sociaux) 581 ; grossistes-répartiteurs et dépositaires (propriétaires ou mandataires sociaux) 124 ; assistants 17 071 (dont en ph. d'officine privée et mutualiste 14 772, établ. de fabrication 1 541, établ. de répartition et dépositaires 328, + divers) ; gérants mutualistes 141 ; biologistes 7 355

Psychanalystes

Orthodoxes. Sté psychanalytique de Paris (SPP). Fondée 1927 (297 membres dont 59 enseignants) avec l'*Institut de psych. de Paris* (I.P.P. ; 350 él.). **Association psychanalytique de France** (APF). Fondée 1965, membre de l'Association Psychanalytique internationnale ; 58 membres, 24 enseignants, 174 analystes en formation.

« Lacaniens ». École freudienne [dissidente : 465 m. dont 34 enseignants et 311 dits praticiens (env. 35 % de médecins)] dissoute 1980. **École de la Cause freudienne** *Créée* 1981, dernière institution présidée par Jacques Lacan avant sa mort. **Quatrième groupe** (Organisation psychanalytique de langue française). Fondée 1969, 25 psychanalystes, 150 participants aux activités de recherche et de formation. **Centre de Formation et de recherches psychanalytiques** (CFRP). *Créé* 1982. **Association freudienne.** *Créée* 1982. **Convention psychanalytique.** *Créée* 1983. **Coût freudien.** *Crée* 1983. **École lacanienne de psychanalyse.** *Créée* 1985.

Transcourants. Collège de Psychanalystes. *Fondé* 1980.

☞ **Micropsychanalyse.** Technique instaurée par Fanti à partir de la psychanalyse freudienne ; séances quotidiennes (de plusieurs heures), étude de documents personnels de l'analysé (en particulier ses photos) ; lorsque cela est possible vie en commun entre analyste et analysés.

(certains cumuls d'activités sont légalement autorisés). *En 1991:* 260 ph. chimistes milit. d'active (dont 59 en unités, 62 en hôpitaux, 40 hors des armées) ; 396 (1990) appelés dans le cadre du service nat. (dont 99 en unités, 277 en hôpitaux et établissements santé, 20 hors des armées) ; une centaine de ph. inspecteurs de la santé, relevant du min. chargé de la Santé (D Ph M). **Nombre inscrits à l'Ordre** (au 1-5-1989). 51 131.

Nota. – Il y a en outre 752 pharmaciens dans les DOM-TOM.

Titulaires d'officines. *1866 :* 5 661, *1947 :* 13 153, *82 (31-12) :* 21 737, *89 (31-12) :* 24 878.

Densité. Nombre pour 100 000 hab. (1-1-83) : 80,3.

• **Pharmacies d'officine.** *Nombre* (au 1-1-1990) : 21 985 privées ouvertes au public dont (89) communes rurales 7 544, villes moyennes 10 447, grandes villes 3 994. *Densité moy.* pour une officine, en 1989. Danemark 16 700, P.-Bas 10 500, G.-B. 5 000, Luxembourg 4 625, Portugal 4 090, Italie 3 650, Allemagne 3 430, Irlande 3 250, U.S.A. 3 000. *France 2 550,* Espagne 2 250, Belgique 1 900, Grèce 1 400.

Création. Pour créer une pharmacie, un pharmacien doit obtenir une licence, accordée par la préfecture selon un quorum fixé par le Code de la santé publ. (art. L. 571) : 1 pharmacie pour 3 000 h. dans les villes de 30 000 h. et + ; pour 2 500 h. dans v. de 5 000 h. à 30 000 h. ; 1 par tranche de 2 000 h. dans communes de – de 5 000 h. (Alsace-Lorr. : 1 p. 5 000 h.). Dérogation possible si l'intérêt de la santé publique l'exige. (*1989 :* 44 créations par voie normale ; 126 par dérogation). Le ph. d'officine doit employer un ou plusieurs ph. assistants selon son chiffre d'affaires [1 ph. assist. au-delà de 3 250 000 F (hors T.V.A.) et ensuite 1 pharmacien par tranche de 3 250 000 F (hors T.V.A.) ; arrêté du 16-12-88].

Chiffre d'affaires moyen (est. 1989) : 3 800 000 à 4 200 000 F. En 1986, les ventes portant sur des articles de « parapharmacie » (produits diététiques, orthopédie, acoustique, cosmétologie, etc.) représentaient 12 à 15 % du C.A. global. *Bénéfice brut moyen :* env. 30 %.

☞ **Collecte des déchets de médicaments.** *Association nationale pharmaceutique pour la collecte des médicaments (ANPCM),* 4, rue Ruysdal, 75017 Paris. *Œuvres hospitalières françaises de l'Ordre de Malte,* 38 bis, rue Alexis-Carrel, 75015 Paris. *Laboratoire central de la Préfecture de Paris,* 39 bis, rue de Dantzig, 75015 Paris.

Sages-femmes

Inscrites (au 1-7-89) : 10 156 (hop. public 52,5 %, privé 29,3, exerçant libéralement 11,3 (35 982 au 31-12-90 dont lib. 1 150), P.M.I. 4,4, écoles 1,1, planning fam. 1,4. *Entrées dans écoles : 1984 :* 714. *89 :* 633. *Diplômes obtenus (1988-89) :* 5 806.

Professions paramédicales

Nombre de pratiquants. 300 000.

Aides-orthopédistes. 600. **Aides-soignantes** (1-12-83) 150 000. **Anesthésistes et réanimateurs** (31-12-87) 6 302. **Assistants et assistantes du service social** (1-1-86) : 32 900 diplômés (1985 : 1 843). **Audioprothésistes** (1-1-86) : 1 083. **Diététiciennes** (1-1-70) : 600. **Ergothérapeutes** 8 écoles, 685 élèves, 195 dipl. (1986). **Infirmiers** (1-1-89) : 301 915 (dont lib. 37 083 au 1-1-91) dipl. d'État et autorisés 240 711, psychiatriques 61 204 ; Dipl. (1986) : 13 488 d'État, 2 359 psych. **Masseurs-kinésithérapeutes** (1-1-89). *Effectifs* : 38 524 (dont, au 1-1-86, sal. 12 943, lib. 29 165 au 1-1-91). 35 écoles, 5 450 élèves, 1 702 dipl. **Orthophonistes** (1-1-89) : 10 148 ; libéraux 6 973 au 1-1-91 ; 649 dipl. (1980). **Orthoptistes** (1-1-89) : 1 387 (dont libéraux 1 035 au 1-1-91). **Pédicures** (1982). 10 écoles, 876 élèves, 342 dipl. *Effectifs* (1-1-89) : 5 677 (dont libéraux 4 167 au 1-1-91). **Préparateurs en pharmacie** (1-1-84) : 22 995 en activité. **Psychomotriciens.** 8 écoles, 984 élèves, 245 dipl. (1986). **Puéricultrices.** 34 écoles, 809 élèves, 743 dipl. (1986), 6 800 en activité en 1978.

Sapeurs-pompiers

Sécurité civile

• **Historique.** *1951 :* création du Service national de la protection civile. *1975 :* restructuration du service qui devient la Direction de la sécurité civile. *1987-22-7* loi d'organisation de la sécurité civile.

• **Mission.** Assurer la sécurité des personnes et des biens contre les risques d'accidents, de sinistres ou de catastrophes de toute nature : en temps de crise ou conflit : assurer la sauvegarde de la population civile contre les risques qui pourraient la menacer.

• **Organisation. Direction de la sécurité civile (DSC) rattachée au ministère de l'Intérieur.** *Centre interrégional de coordination opérationnelle de la sécurité civile (CIRCOSC)* implanté à Valabre (B.-du-R.), assure gestion et coordination contre incendies de forêts dans 14 départements du S.-E. *Centre opérationnel de la Dir. de la sécurité civile (CODISC) :* assure coordinations au niveau national, voire international. **Au niveau départemental.** Service interministériel des affaires civiles et économiques de défense et de la protection civile sous l'autorité du préfet, Dir. dép. des services d'incendies et de secours (DDSIS), établissements publics dép. gérés par le Pt du Conseil général mais relevant de l'autorité du préfet pour la mise en œuvre opérationnelle des moyens de secours.

• **Moyens d'intervention. Groupement hélicoptères :** 34 hélicoptères répartis sur 19 bases pour secours médicalisés d'urgence et sauvetages divers (25 Alouettes, 6 Dauphins, 2 Écureuils) ; 25 bombardiers d'eau regroupés à Marignane pour lutte contre feux de forêts et pollutions par hydrocarbures (11 Canadairs, 12 Trackers, 3 DC6 et King Air C90).

Déminage : centres 19, agents 139.

Alerte aux populations : 6 bureaux généraux d'alerte,42 bureaux de diffusion d'alerte, sirènes 4 500, équipes de contrôle de la radioactivité 600, détecteurs fixes d'alarme de la radioactivité 2 500.

Unités d'instruction et d'intervention de la sécurité civile, sous un commandement unique (UIISC) : 1 à Nogent-le-Rotrou (E.-et-L.), : 5 à Corte (Hte-Corse), : 7 à Brignoles (Var).

Unités militaires spécialisées : armée de terre 12, de l'air 1, marine 1.

Sapeurs-pompiers : Voir ci-dessous.

Sapeurs-pompiers

Données générales

• **Effectifs (au 1-1-1989).** 228 679 dont sapeurs-pompiers volontaires 208 635, professionnels 20 044, militaires 9 771 [BSPP 7 178 (au 1-1-91), MP Marseille 1 361], dont 547 pharmaciens, 3 vétérinaires.

Nota. – 17 sapeurs-pompiers sont morts, victimes du devoir, en 1988.

• **Centres de secours.** 11 086 dont corps de première intervention 7 960, centres de secours 2 497, centres de secours principaux 529, centres de secours relevant des sapeurs-pompiers militaires 100.

• **Brigade de sapeurs-pompiers de Paris** (Paris, H.-de-S., Seine-St-D., Val-de-M.). **Origine :** *1716* création du poste de directeur des Pompes de la ville de Paris. *1722* création d'une compagnie de gardes pompes. *1811* formation du bataillon de s.-p. de la Ville de Paris. *1867* le bataillon devient régiment de s.-pompiers de P. *1965* la brigade de s.-p. de P. est intégrée dans l'arme du Génie de l'armée de terre. *1967* le régiment devient brigade de s.-p. de P.

Effectifs (1-1-91) : 7 178 (dont 250 officiers, 44 médecins, 1 214 sous-off., 5 670 militaires du rang).

Nombre record de sorties (23-1-87) : 5 798 (dont 80 % pour faire tomber des blocs de glace des toits ou balcons).

• **Bataillon de marins-pompiers de Marseille. Origine :** *1719 août,* ordonnance royale confie au préposé de l'Arsenal de Marseille la garde de 4 pompes à la « hollandaise ». *1939-29-7,* décret-loi créant le bataillon de marins-pompiers de M., à la suite de l'incendie des « Nouvelles Galeries » d'oct. 1938. **Effectifs** (30-4-91) : 1 561 dont officiers 75 (dont médecins 23), off. mariniers 809, militaires du rang 677. **Interventions** (1990) : 75 493 dont relevage de blessés 33 016, feux urbains 2 586, feux de forêts et broussailles 516, autres interventions 31 233.

• **Pompiers communaux et départementaux. Historique :** *1815 :* organisation dans chaque commune d'un service de secours contre incendies et pour sauver personnes et effets. *1831 :* création au sein de la Garde nationale des compagnies de s.-p. qui peuvent recevoir des armes pour concourir au maintien de l'ordre. *1852 :* un décret maintient l'incorporation dans la Garde nationale. Les s.-p. sont chargés des incendies, du service d'ordre et de la sécurité. *1871 :* suppression des gardes nationaux. Organisation spécifique des corps des s.-p. *1903 :* nouvelle organisation,. *1925 :* les corps de s.-pompiers relèvent en temps de paix du min. de l'Intérieur (sauf à Paris où demeure un corps militaire). Les dépenses du service d'incendie sont à la charge des communes. *1953 :* organisation départementale des secours avec centres de secours principaux et corps de 1re intervention. *1982 :* loi de décentralisation. Les conseils généraux prennent une place importante dans la gestion des DDSIS. **Effectifs** (1-1-89) : 222 678 hommes placés sous l'autorité des collectivités territoriales.

Signification des sirènes

Appel des sapeurs-pompiers. Code fixé par arrêté préfectoral. **Code national d'alerte.** *Signal modulé par fractions de 7 s d'une durée de 1 mn :* mise à l'abri immédiate, *signal continu de 30 s :* fin d'alerte. **Essais.** 1ers mercredis de chaque mois (1er de chaque mois pair pour Paris, Hts-de-S., S.-St-Denis, Val-de-M.), à 12 h, signal modulé d'une minute par fractions de 7 s, à 12 h 10, signal continu de 30 s. **Signal d'alerte du danger aérien.** 5 modulations (1 minute). *Fin d'alerte :* signal continu de 30 s.

Statistiques

France

Sinistres déclarés aux compagnies d'assurances (en milliers, 1988). Incendies 1 000, Accidents corporels 1 151, Automobiles 10 858. *Indemnités versées pour les dommages* (1988) : 112,6 milliards de F.

Interventions des sapeurs-pompiers (1986). Total : 2 269 147 sorties. **Incendies :** 239 603 dont (en %) habitat 31,29, feux de forêts 19,8, véhicules 9,7, établissements recevant du public 2,2, docks et entrepôts 1,5, divers 31,1. **Accidents de la circulation :** 317 606 dont routière 284 728, divers 32 878. **Secours à victimes :** 524 226 dont intoxications 42 328, suffocations 15 513, accidents en milieu aquatique 5 623, de montagne 2 317, autres 458 445. **Prévention des**

accidents : 573 281 dont animaux en péril 231 711, transport de personnes impotentes 139 175, personnes en péril 75 834, biens menacés 47 513, autres 78 948. **Sorties diverses :** 528 410 dont sorties sans intervention 187 800, fausses alertes 55 176, ouvertures de portes 35 137, recherches 33 456, autres 216 841. **Autres accidents :** 86 111 dont inondations 52 342, pollutions par hydrocarbure 6 300, par produits dangereux 1 216, effondrements 1 809, explosions 746, contaminations 162, autres 23 536.

Personnes secourues. Total : 881 341 dont *décédées :* 9 904 (dans incendies 392, accidents circulation 9 324, autres 188), dont *blessées :* 343 953 incendies 4 222, acc. circu. routière 334 136, autres 5 595 dont *indemnes :* 24 069. *Autres personnes décédées :* accidents ne nécessitant que des secours à victimes 21 371, suffocations 3 016, acc. en milieu aquatique 1 687, intoxications 747, acc. de montagne 150, autres 15 771.

Morts par incendie (par million d'habitants, moy. 1980-82). USA 28,9. Canada 28,7. Japon 15,5. Autriche 8,7. Pays-Bas 5,9. *France 5,5.*

Paris

Évolution des interventions en 1980 et, entre parenthèses, **en 1990.** Incendies 15 758 (18 412), circulation 13 478 (32 361), secours à victimes 35 287 (143 485), assistance à personnes 13 299 (29 787), faits d'animaux 11 395 (11 310), eau, gaz, électricité, air comprimé 33 906 (39 647), protection des biens 11 414 (28 978), pollution 331 (178), reconnaissances et recherches 13 163 (26 028), fausses alertes 8 501 (13 718). *Total.* 156 532 (343 904). *Moyenne journ.* 429 (942).

Incendies (1990). Nombre. Immeubles 7 938 (43,12 %), transports 3 253 (19,13), établissements publics 1 269 (6,9), agriculture 737 (4), industries 393 (2,13), entrepôts 120 (0,65), divers 4 432 (24,07). **Causes** (en %). Flammes nues 20,49, énergie électrique 10,36, chauffage (non électrique) 7,29, véhicules 4,98, gaines et conduits 0,21, indéterminés 56,42, divers 0,25.

Décédés. 83 (dont 2 s.-p.). Blessés ou brûlés en intervention 383 s.-p.

☞ Les incendies se produisent surtout entre 12 h et 23 h max. entre 17 h et 21 h.

Accidents de circulation. Paris 12 705, Val-de-Marne 6 383, Seine-St-Denis 6 144, Hts-de-Seine 4 554, autres 2 575. *Blessés légers :* 9 988, *graves :* 17 769, *décédés :* 197.

Secours à victimes. 192 994 dont *victimes secourues* 169 065 [dont dans des opérations diverses 139 426, dans des accidents de circ. 28 243 (dont 472 désincarcérées), dans les inc. 1 396] ; *assistance à personnes en danger* 23 929.

Sécurité sociale

Généralités

• **Part de la protection sociale dans le P.I.B. en 1990 et,** entre parenthèses, **en 1980** (en %). All. féd. 26,4 (28,6), Belgique 29,6 (28,1), Danemark 29,7 (27), Espagne 18 (15,6), *France 28,4 (25,9),* G.-B. 22,8 (21,7), Grèce 20,2 (13,3), Irlande 22,3 (20,6), Italie 26,4 (22,8), Luxembourg 24,4 (26,4), P.-B. 32,1 (30,4), Portugal 13,4 (14,6).

• **Origine. 1898** couverture des accidents du travail. **1910** retraites ouvrières et paysannes. **1930**-*30-4* assurances sociales. **1932** allocations familiales pour les salariés. **1938** pour les agriculteurs exploitants. Création du régime gén. de Sécurité soc. par ordonnances : **1945**-*4-10 :* ordonnance créant la S.S., fixation d'un cadre ; *19-10 :* régime des assurances soc. ; **1946**-*30-1 :* accidents du travail ; *22-8 :* prestations familiales. **1947** création par les cadres salariés de l'AGIRC, Association générale des institutions de retraite complémentaire. **1967** l'ordonnance modifiant le régime général de la S.S. instaure une gestion paritaire (50 %/50 %) et décide la désignation des administrateurs par leurs organisations ouvrières et patronales. **1974** système de compensations financières entre les divers régimes obligatoires de protection sociale. **1975** loi étendant la S.S. : prestations en nature de l'assurance maladie et maternité (à compter du 1-7) aux jeunes en quête d'un 1er emploi ; assurance vieillesse à tous ; prestations familiales à toute la population résidant en France.

• **Organismes. Régimes.** *Salariés* (3 *caisses :* maladie-maternité, invalidité-décès, accidents du travail ; vieillesse ; prestations familiales). *Agricoles. Spéciaux de salariés. Non-salariés. Organismes de retraites complémentaires.* [Caisse nationale, caisses régionales et primaires sont administrées par un conseil d'adm. composé de représent. des employeurs (50 %) et des salariés (50 %), nommés pour 4 ans par décret ou arrêté du ministre de la Santé et de la S.S. Des représentants des médecins, chirurgiens-dentistes, pharmaciens, de la Fédération nat. de la mutualité française et des unions d'associations familiales siègent aux conseils d'admin. des caisses régionales et des caisses de la Santé et de la S.S. avec voix consultative].

Agence centrale des organismes de Sécurité sociale (ACOSS). Assure la gestion de la trésorerie des risques relevant des 3 caisses.

Union de recouvrement des cotisations de Sécurité sociale et d'allocations familiales (URSSAF).

Organismes de contrôle. *Direction de l'ass. maladie et des caisses de S.S. Dir. gén. de la famille, de la vieillesse et de l'action sociale. Inspection générale. Dir. régionales de S.S.*

Carte Paris-Santé. *Créée* 1-1-1989 par la Ville de Paris. *But :* faire bénéficier du ticket modérateur tous les Parisiens dépourvus de couverture sociale. *Bénéficiaires :* 50 000 à 80 000. *Attribuée :* par le bureau d'Aide sociale aux mêmes conditions que pour l'aide médicale gratuite (être Parisien, ou étranger en situation régulière résidant à Paris depuis 3 ans au moins, dossier soumis à une commission d'appréciation des ressources). *Plafond :* 4 500 F par mois (personne seule).

• **Personnes couvertes par la Séc. soc.** (en % de la population totale). *1958 :* 58. *1964 :* 66,2. *1967 :* 98. *1976 :* 98,5. *Dep. 1978 :* 100.

☞ *En 1987 :* 400 000 personnes ne bénéficiaient d'aucune couverture sociale (chômeurs de plus de 3 ans, inactifs, agriculteurs...).

Budget social

• **Définition.** Appelé maintenant « État retraçant l'effort social de la Nation ». Document annexe au projet de loi de finances, il couvre les diverses prestations dont bénéficient les ménages de la part de l'État, des organismes de S.S., d'assistance et de promotion sociale : maladie, invalidité, vieillesse, décès, maternité, situation de famille, logement, accidents de travail, maladies professionnelles, événements politiques et calamités naturelles (les congés payés ne sont pas pris en compte).

• **Budget social global** (en milliards de F, 1991). **Ressources.** 1 639,6. *Cotisations :* 1 336,8 (cotis. sociales effectives 1 200,9, fictives 135,9), *impôts et taxes affectés :* 73,9, *transferts :* 119,8 (compensation généralisée 36,5, autres 49, cotis. prises en charge 6,6, prestations prises en charge 23,1, transferts divers 4,6), *contributions publiques :* 75,4, *recours contre tiers :* 4,9, *revenus des capitaux :* 22, *autres recettes :* 6,8. **Dépenses** 1 633,6. *Prestations* 2 899,4 (sociales 1 444,7, légales 1 409,4, extra-légales 35,3, de services sociaux 10), *frais de gestion :* 62,5 (rémunération des salariés 41,8, consommation de biens et de services 15,8, autres frais de gestion 4,8), *transferts :* 104,5 (compensation généralisée 36,4, autres 61,6, cotis. prises en charge 1, prestations prises en charge 3,4, transferts divers 2,2), *frais financiers :* 1,1, *autres dépenses :* 5,2. *Solde DOM* 5,5. *Solde des opérations courantes* 6,1.

Cotisants actifs (1989). *Salariés :* CNAV 13 398 701, fonctionnaires 4 064 109, salariés agricoles 626 920, mines 99 968, SNCF 209 400, RATP 39 496, marins 61 176, CRPCEN 39 586, EDF/GDF 161 246, Banque de France 16 627. *Non-salariés :* 5 064 792 dont exploitants agricoles 2 172 318, non-salariés non agricoles 1 317 312, commerçants et industriels 659 213, artisans 548 795, prof. libérales 367 154, assurés volontaires 4 000.

• **Prestations. Maladie-Maternité. Nombre de personnes protégées** (1989). *Salariés :* régime général 13 398 701, salariés agricoles 1 816 940. *Non-salariés :* exploitants agricoles 3 327 056, non-salariés non agricoles 3 438 550.

Principaux postes de dépenses maladie du régime général (en milliards de F, prév. 1991). Honoraires médicaux 48,3, soins dentaires 10,8, hospitalisation (secteurs public et privé) 184,3, autres soins de santé 13, pharmacie 49,7, indemnités journalières 18,4, auxiliaires médicaux 15,8, analyses 10. *Total maladie* 336,9.

Accidents du travail. Nombre (1988). 13 751 863 dont travail 690 182, trajet 181 188. **Dépenses** (en milliards de F, 1989). 28,1 dont : rentes 18,6, indemnités journalières 5, soins de santé 4,6, autres prestations 2,7, budget global 1,9.

Vieillesse. Bénéficiaires FNS. (au 1-1-1990) : 1 297 761. **Dépenses totales** (en millions, 1989) : 205 537 dont : droits directs 182 790, droits dérivés 14 597, allocations supplémentaires du FNS 7 242, majorations L 814-2 (ex-L 676) 908. *Subventions de l'État :* remboursements de prestations comme le FNS (Fonds national de solidarité) et l'AAH (Allocation adultes handicapés), ou prise en charge de cotisations, d'autre part des subventions d'équilibre à certains régimes. Les transferts opèrent une redistribution au sein des régimes.

La protection de la vieillesse absorbe plus de 37 % de l'effort social de la nation (soit 506 milliards sur 1 633) et 12 % du PIB. **Causes :** baisse des naissances, augmentation des + de 60 ans (*1959 :* 7 millions, *1986 :* 9, *2000 :* 12, *2040 :* 17), rapport défavorable entre actifs et inactifs [2,71 actifs pour 1 retraité en 1984 (4,6 en 1960)], abaissement de l'âge de la retraite à 60 ans (*coût : 1983 :* 1,3 milliard de F, *84 :* 5,5, *85 :* 8,9, *86 :* 11,5, *87 :* 13,5), poussée du chômage (100 000 chômeurs représentent un manque à gagner de 1 milliard de F en cotisations pour l'ass. vieillesse).

Retraites des différents régimes. Nombre total (en 1989). *Régimes salariés :* régime général 6 300 000, SNCF 367 500, mines 273 178, marins 96 603, CAMR 30 745, EGF 130 550, RATP 41 824, Banque de France 13 407, Collectivités locales 382 004, fonctionnaires civils et militaires 1 556 533, clercs de notaires 24 903, salariés agricoles 1 655 794, ouvriers de l'État 107 019. *Non-salariés :* artisans 563 382, commerçants 831 600, professions libérales 117 124, exploitants agricoles 1 948 827, CAMAVIC 68 586.

• **Dépenses nettes** (en milliards de F). *1985 :* 1 128, *1986 :* 1 222, *1987 :* 1 273, *1988 :* 1 340, *1989 :* 1 633,6. **Prestations maladie** (en milliards de F). *1985 :* 314, *1986 :* 326, *1987 :* 338, *1988 :* 347 ; *1989 :* 390, *1990 :* 406,1. **Vieillesse.** *1985 :* 549, *1986 :* 594, *1987 :* 623, *1988 :* 623, *1989 :* 654, *1990 :* 682,3. **Familiales.** *1985 :* 108, *1986 :* 123, *1987 :* 162, *1988 :* 168, *1989 :* 175, *1990 :* 193,2. **Recettes.** *Par régimes :* de base *1987 :* 1 135, *1988 :* 1 123, *1989 :* 1 191, complémentaires *1987 :* 144, *1988 :* 137, *1989 :* 146. **Cotisations.** *1985 :* 930, *1986 :* 975, *1987 :* 1 031, *1988 :* 1 123, *1989 :* 1 191. **Impôts et taxes.** *1985 :* 33,2, *1986 :* 32, *1987 :* 39, *1988 :* 41, *1989 :* 45.

Régime général. Dépenses (en milliards de F estim. 1991). Maladie 443,1, accidents du travail 44,6, vieillesse 282,3, allocations familiales 193,2. **Recettes.** Maladie 434,9, accidents du travail 46,7, vieillesse 265,7, allocations familiales 199,4. **Total.** *Dépenses : 963,2, recettes 946,6.*

Dépenses et, entre parenthèses, **recettes** (en milliards de F). *1981 :* 413,9 (407,3). *82 :* 494,6 (486,9). *83 :* 550,9 (562). *84 :* 614,8 (631,5). *85 :* 657 (670,5). *86 :* 716,4 (695,5). *87 :* 679 (736). *88 :* 778. *89 :* 847,1 (847,9). *1990 :* 912,7 (903,8). *1991 (prév.)* 963,2 (946,5), maladie 443,1 (434,9), vieillesse 265,5 (282,3), allocations familiales 199,4 (193,2), accidents du travail 44,5 (46,7). (Recettes globales 946,5 dont cotisations 792,7, subventions de l'État 25,7, transferts reçus 24, impôts et taxes 41,6, recettes diverses 4,8). **Solde.** *1981 :* – 6,6. *82 :* – 7,7. *83 :* + 11,1. *84 :* + 16,6. *85 :* + 13,4. *86 :* – 19,9. *87 :* – 4,1. *88 :* – 10,3. *89 :* + 2,4. *90 :* – 8,9. *91 (prév.) :* – 16,7 (– 13 avec plan d'économies). *92 (prév.) :* + 3,6 dont assurance maladie – 8,3, accidents du travail + 2,2, vieillesse – 16,8, famille : + 6,2.

Paiement des dépenses de santé (en % en 1988). Sécurité sociale 70,7. Ménages 19,9. Mutuelles 6,2. Assurances privées 2,7. Aide médicale 0,5.

• **Déficit de la Sécurité sociale.** Raisons avancées par le Dr *Jean Defontaine* (Le Figaro 25-6-1991). *Alcoolisme :* 33 % du budget de la Séc. soc., 47 % des lits des hôpitaux psychiatriques occupés, 45 % des lits de médecine générale, 90 % des enfants martyrs, 20 % des accidents du travail, 30 % des accidents de la route, 66 % des viols individuels, 76 % des viols de groupe. *Vieillesse :* 45 % des dépenses médicales dans 15 % de la population. *Sida :* lits occupés et thérapeutique lourde. *Anxiété et dépression :* 50 % des médicaments vendus en France, la perte de la religion chrétienne laisse les gens sans consolateur ni perspective d'une vie meilleure dans l'au-delà (paradis) : le déprimé recherche le médicament qui lui procure une satisfaction facile car buccale et donc psychanalytiquement très primitive. *Hygiène de vie :* alimentation, refus de sport entraînant des accidents cardio-vasculaires.

Dette de l'État envers la Séc. soc. *Déplafonnement de la cotisation d'alloc. fam. et réduction du taux* (9 % à 7 %) (décidés par le gouv. en faveur de l'emploi) : coût pour la Séc. soc., 1989-90 : partiellement compensé, 1991 : compensation supprimée (coût : 4,1 milliards de F). *Déplafonnement des cotis. d'accidents du travail :* non compensé (coût 1991 : 2 milliards). *RMI :* l'État rembourse à trimestre échu et l'avance doit être faite par les Caisses d'alloc. fam. et la Mutualité sociale agricole qui en supportent les frais de gestion. Les écarts entre les dépenses réalisées et les dotations inscrites dans les lois de finances 1989 et 1990 sont de 2 milliards. *Arriéré :* de 1 milliard des cotisations dues au régime général au titre de l'allocation aux adultes handicapés pour les années antérieures à 1985 (irrécouvrable selon les experts). *Remboursements :* pour l'allocation aux adultes handicapés (16 milliards), l'allocation du FNS (9 milliards), les cotisations d'assurance-maladie des fonctionnaires civils et militaires, l'État rembourse l'ACOSS avec 50 j de retard par trimestre. L'État verse un acompte chaque trimestre et non chaque mois comme tout employeur ; l'assiette qu'il retient pour le calcul des alloc. fam. est limitée. Des administrations sous-estiment le nombre de leurs agents. Le ministère de la Défense n'a pas payé les cotisations maladie de ses 150 000 agents civils (perte de 8 milliards).

• **Mesures.** *Augmentation de 0,8 % de la cotisation d'assurance maladie* (1-7-1991). Rapportera en *1991 :* 8 milliards de F. *1992 :* 23. *Économies* (mesures diverses). *1991 :* 2 milliards, *1992 :* 7 [forfait hospitalier porté de 30 à 50 F (– 1,5 milliard sur 1 an), révision de la nomenclature en radiologie (– 0,7 milliard), réduction de la marge des grossistes pharmaceutiques (– 0,3 à – 0,6 milliard), baisse des prix de certains médicaments (– 1 milliard)].

• **Plans de redressement.** 17 depuis 1967. *1967 (août) :* création de 3 Caisses nat. autonomes (maladie, vieillesse, famille). *1970 (juillet) :* branche famille excédentaire, 1 % des cotisations d'all. fam. versées aux 2 autres branches, marge bénéficiaire des pharmaciens réduite. *1975 (déc.) :* plan Durafour réduit la TVA sur produits pharm. (20 à 7 %), déplafonne la part salariale de la cotis. maladie. *1976 (septembre) :* plan Barre. Exclut certains médicaments du remboursement (m. de confort), introduit une contribution de l'État (nouvelle vignette auto). *1977 (avril)-1978 (déc.) :* plans Veil. Hausse des taux de cotis. des salariés agric. et actifs de + de 65 ans, cotis. d'ass. maladie pour retraités, hausse du ticket modérateur (de 30 à 60 %) sur m. de confort. Réduction du nombre de lits et contrôle des équipements lourds, « numerus clausus » pour étud. en médecine, création de la Commission des comptes de la Séc. soc. *1979 (janvier) :* mesures d'économie. *(Juillet) :* Jacques Barrot : gel des budgets des hôpitaux publics, non-revalorisation des prix de journée de cliniques, blocage des honoraires médicaux. *(Déc.) :* création except. de pharmaciens. *1981 (novembre) :* Nicole Questiaux instaure cotis. 1 % pour les chômeurs (au-dessus du SMIC) et double la taxe sur l'ass. auto versée à l'ass. maladie. *1982 (juin-sept.) :* plans Bérégovoy. Non revalorisation des indemnités journalières de + de 3 mois, blocage des honoraires médicaux, taxe de 5 % sur publicité pharmaceutique, gel du prix des médicaments. Création du forfait hospitalier à la charge du malade, rabaissement de 70 % à 40 % du remboursement de 1 258 médicaments. Création du budget global généralisé des hôpitaux publics. *1983 (mars-sept.) :* Jacques Delors crée le prélèvement exceptionnel de 1 % sur les revenus imposables et sur ceux du capital. *1985 (mai-juin) :* Georgina Dufoix prévoit une hausse du ticket modérateur pour certains soins et le reclassement de 379 médicaments de confort. *1986-87 :* Philippe Séguin adopte 3 plans. Prélèvements exceptionnels sur les revenus de 1985 et 1986, limitation du nombre de personnes remboursées à 100 %, majoration du forfait hospitalier, affranchissement obligatoire du courrier adressé à la Séc. soc., hausse de 2 % du tabac. *1988 (juin) :* Claude Évin revient sur de nombreuses dispositions des plans Séguin. *1990 (déc.) :* le Parlement adopte le projet de contribution sociale généralisée (CSG) qui entre en vigueur le 1-2-1991.

Ensemble des différents régimes de Sécurité sociale

Soldes (en millions de F)	1986	1987	1988	1989
Régimes de base	– 23 940	– 6 302		
Salariés	– 25 208	– 6 365	– 21 258	– 22 763
Régime général	– 20 036	– 4 139		
Salariés agricoles	– 367	– 361	– 501	+ 9 879
Régimes spéciaux	– 4 805	– 1 865	– 1 522	
dont : CNRACL	– 4 820	– 2 694	– 1 379	
Non-salariés	1 383	127	– 1 157	
Non agricoles	586	469	– 435	
dont : CANAM	769	1 160	453	– 650
BAPSA	797	– 342	– 722	
FSAV	– 114	– 64	– 3	
Régimes complément.	9 968	13 379	13 267	
Salariés	6 177	9 421	9 676	
Non-salariés	3 791	3 958	3 591	
Total tous régimes	– 13 972	7 077	– 9 151	– 11 000

Régimes

Régime général de la Sécurité sociale

Généralités

• **Personnes concernées.** Applicable à l'ensemble des salariés du secteur privé de l'industrie et du commerce, de l'artisanat, des professions libérales et des gens de maison.

Sont affiliées obligatoirement aux assurances sociales du régime général, quel que soit leur âge et même si elles sont titulaires d'une pension, toutes les personnes, quelle que soit leur nationalité, de l'un ou l'autre sexe, salariés ou travaillant en quelque lieu que ce soit, pour un ou plusieurs employeurs, et quels que soient le montant et la nature de leur rémunération, la forme, la nature ou la validité de leur contrat.

• **Immatriculation des salariés.** *Numéro matricule.* Exemple : 1 08 04 06 088 046. Il s'agit d'un homme (1) (pour une femme : 2), né en 1908 (08), en avril (04), dans les A.-M. (06), commune de Nice (088). C'était la 46e personne inscrite sur les registres de l'état civil en avril 1908 (046).

• **Immatriculation des employeurs.** Numéro attribué par la Caisse régionale en liaison avec l'INSEE (ou no SIRET) (14 chiffres répartis en 2 composantes (dep. le 1-1-75). *1re composante :* no SIREN à 9 chiffres attribué à chaque entreprise ; *2e :* 5 chiffres attribués même dans le cas où l'entreprise ne comporte qu'un seul établissement ; *no d'activité principale* (code APE) de 4 chiffres, selon la nomenclature des activités écon. de 1974.

Conditions d'ouverture des droits

• **Assurance maladie. Prestations en nature :** avoir occupé un emploi salarié ou assimilé au moins 200 h au cours du trimestre civil (ou des 3 mois de date à date) précédant la date des soins, ou 120 h au cours du mois civil (ou de date à date la précédant). Sinon au moins 1 200 h au cours d'une année civile (A), ce qui ouvre droit aux prestations de 1/4 de l'année B au 31-3 de l'année C.

Prestations en espèces les 6 premiers mois : avoir occupé un emploi salarié ou assimilé pendant au moins 200 h au cours des 3 mois précédant l'interruption de travail *ou* justifier des mêmes conditions d'h. de travail au cours du trimestre civil la précédant ; **au-delà de 6 mois :** avoir été immatriculé depuis 12 mois au moins au 1er j du mois au cours duquel est intervenue l'interruption de travail, et justifier avoir travaillé au moins 800 h au cours des 12 mois précédant l'interruption dont 200 au cours des 3 premiers mois *ou* justifier de ces mêmes conditions d'h de travail au cours des 4 trimestres civils la précédant, ou au cours du 1er de ces trimestres.

• **Assurance maternité.** Avoir occupé un emploi salarié ou assimilé au moins 200 h au cours des 3 mois précédant le début du 9e mois avant la date présumée de l'accouchement, ou 120 h au cours du mois précédant *ou* justifier des mêmes conditions d'h de travail au cours du trimestre civil, ou du mois civil, précédant cette même date. Justifier en outre de 10 mois d'immatriculation à la date présumée de l'accouchement.

• **Assurance invalidité.** Avoir été immatriculé depuis 12 mois au 1er j du mois au cours duquel est survenue l'interruption de travail suivie d'invalidité ou la constatation médicale de l'état d'invalidité résultant de l'usure prématurée de l'organisme, et justifier avoir travaillé pendant au moins 800 h au cours des 12 mois précédant l'interruption de travail ou la constatation de l'état d'invalidité résultant de l'usure prématurée de l'organisme, dont 200 h au cours des 3 premiers *ou* justifier des mêmes conditions d'h de travail au cours des 4 trimestres civils ou au cours du 1er de ceux-ci, précédant l'interruption ou la constatation de l'état d'invalidité.

• **Assurance décès.** Avoir occupé un emploi salarié ou assimilé pendant au moins 200 h au cours des 3 mois précédant la date du décès, et au moins 120 h au cours du mois la précédant *ou* justifier des mêmes conditions d'h de travail au cours du trimestre civil, ou du mois civil, précédant le décès.

☞ **Bénéficiaires des prestations.** Conjoint, enfants, ascendants, descendants, collatéraux et alliés jusqu'au 3e degré du salarié. **N'ont pas droit aux prestations en espèces,** mais peuvent avoir droit aux prestations en nature. *Le conjoint légitime* sauf s'il est lui-même assuré social, ou s'il exerce une activité professionnelle pour le compte de l'assuré ou d'un tiers, ou s'il est inscrit au registre des métiers ou du commerce, ou s'il exerce une profession libérale, ou s'il bénéficie d'un régime spécial d'assurance (fonctionnaires, cheminots, EDF-GDF, mineurs, etc.) ; *les enfants non salariés* et à charge jusqu'à 16 ans, 18 ans s'ils sont en apprentissage, 20 ans s'ils poursuivent leurs études ou sont infirmes ou incurables ; *les enfants de moins de 17 ans* à la recherche d'une première activité professionnelle, et inscrits comme demandeurs d'emploi à l'Agence nationale pour l'emploi ; *les ascendants, descendants, collatéraux et alliés* jusqu'au 3e degré s'ils vivent sous le même toit que l'assuré et se consacrent exclusivement aux travaux du ménage et à l'éducation d'au moins 2 enfants de moins de 14 ans à la charge de l'assuré.

L'ancien assuré titulaire d'une pension vieillesse a droit aux prestations en nature de l'ass. maladie.

L'assuré titulaire d'une pension d'invalidité bénéficie pendant son invalidité des mêmes prestations.

Régimes spéciaux

• **Professions concernées.** Salariés des professions agricoles et forestières ; marins et inscrits maritimes [1] ; mineurs et assimilés [1] ; SNCF (les agents des chemins de fer secondaires, d'intérêt général ou local ont appartenu à un régime particulier avec intervention partielle du régime général ; le personnel embauché après le 1-10-54 relève du régime général) ; Cie Générale des Eaux ; Banque de France ; clercs et employés de notaires [2] ; RATP ; Caisse nationale de Séc. soc. dans les mines ; chambre de commerce de Paris ; des chemins de fer d'intérêt général secondaire et local et des tramways [3] ; militaires de carrière.

Nota. – (1) Sont affiliés au régime général des All. fam. tout en ayant des caisses particulières. (2) Sont

En milliards de F	1988 (solde)	1989 (solde)	1990			1991		1992 Solde prév.
			Dépenses	Solde prév. 1	Solde prév. 2	Solde prév. 1	Solde prév. 2	
Accidents du travail	+ 3,6	+ 3,5	44,5	+ 3,7	+ 2,5	+ 2,3	+ 0,8	+ 0,7
Famille	+ 4,6	+ 3,7	193,2	+ 5,2	+ 4,4	+ 6,3	+ 6	+ 11
Maladie	+ 2	– 2,2	443,1	– 10,3	– 9,3	– 7,8	– 11,4	– 17
Vieillesse	– 16,7	– 4,9	282,3	– 6,5	– 6,6	– 15,1	– 18,4	– 21,1
Total	*+ 6,5*	*+ 0,9*	*963,5*	*– 7,9*	*– 9*	*– 14,3*	*– 23*	*– 26,4*
Dépenses totales	784	850	965,5	911,8		963,5	966,5	1 021,2

affiliés au régime général pour accidents du travail et prestations fam. (3) Figurent dans les régimes spéciaux, ou particuliers selon le régime choisi par la collectivité considérée, sont affiliés au régime général pour les prestations fam.

• **Assurance vieillesse.** Les régimes spéciaux intéressent : administrations, services, offices, établissements publics de l'État ; départements et communes ; établ. publics départ., communaux n'ayant pas le caractère industriel et commercial ; activités entraînant l'affiliation au régime d'ass. des marins ; entreprises minières et assim. ; SNCF ; chemins de fer secondaires, locaux, tramways ; expl. de prod. de transport et de distrib. d'énergie électr. et de gaz ; Cie gén. des Eaux ; Banque de France ; Opéra, Opéra-Comique et Comédie-Française.

• **Comptes des différents régimes spéciaux** (1989, en milliards de F). **Ressources** (dont cotisations) et, en italique, **emplois** (dont prestations). **Salariés.** *Salariés agricoles* 41,2 (22,6) *41,4 (36,8),* – 0,2. *Fonctionnaires civils et milit.* 127,3 (126,1) *127,3 (114,9),* 0. *CNMSS* 6,1 (5,3) *6,6 (6,2),* – 0,5. *FSPOEIE* 6,8 (1,8) *6,7 (6,6),* 0,01. *CNRACL* 35,2 (33,7) *32,7 (22,4),* 2,5. *CANSSM* 23,7 (2,9) *23,3 (22,5),* 0,4. *EGF* 14,6 (14,4) *14,6 (13,5),* 0. *SNCF* 33,9 (13,8) *33,9 (33,3),* – 0,03. *RATP* 4,4 (4,3) *4,4 (4),* 0. *ENIM* 7,4 (2) *7,1 (6,9),* 0,3. *CAMR* 1,3 (0,3) *1,2 (1,2),* 0,05. *CRPCEN* 2,8 (2,7) *2,4 (2,2),* 0,4. *CAMAC* 0,7 (0,04) *0,7 (0,7),* 0. *CAMAVIC* 1,3 (0,3) *1,3 (1,2),* 0,4. *Banque de Fr.* 1,9 (1,7) *1,9 (1,6),* 0,004. *AGIRC* 49,5 (39,6) *46,3 (44,2),* 3,1. *ARRCO* 94,2 (75,4) *92,3 (87,2),* 1,9. *IRCANTEC* 4,7 (4) *4,4 (3,8),* 0,3. *CPPOS* 3,5 (3,4) *3,3 (3,2),* 0,3. **Non salariés.** *BAPSA* 72 (14) *71,3 (66,7),* 0,7. *CANAM* 21,2 (19,1) *20,9 (18),* 0,4. *ORGANIC* 18 (8,2) *15,9 (15),* 2,1. *CANCAVA* 13,9 (9) *12,2 (11,5),* 1,7. *CNAPVL* 14,4 (11,1), *10,4 (8,5),* 4. *CNBF* 0,5 (0,3) *0,4 (0,3),* 0,1. *FSAV* 4,8 (3,1) *5,2 (3,1),* – 0,1.

Régimes particuliers

• **Régimes comportant une intervention partielle du régime général.** Fonct. de l'État, magistrats et ouvriers de l'État ; agents EDF et GDF ; théâtres nationaux (Opéra, Opéra-Comique, Comédie-Française) ; Crédit foncier ; fonct. départ. et communaux ; ch. de fer secondaires et d'intérêt local et des tramways ; étudiants ; grands invalides de guerre, veuves et orphelins de guerre.

• **Assurance maladie et maternité des travailleurs non salariés des professions non agricoles.** Personnes assujetties à titre obligatoire : a) **Travailleurs non salariés :** *artisans* inscrits au répertoire des métiers ou exerçant une activité rattachée par décret aux professions artisanales ; *industriels ou commerçants* inscrits au registre du commerce, ou assujettis à une patente commerciale, ou exerçant une activité rattachée par décret aux professions industrielles ou commerciales ; *professions libérales :* médecin, dentiste, sage-femme, pharmacien, architecte, expert-comptable, vétérinaire, notaire, avocat, huissier, syndic ou liquidateur judiciaire, courtier-juré d'assurance, greffier, expert devant les tribunaux, homme de lettres, artiste, ingénieur-conseil, auxiliaire médical, agent général d'assurance, etc. b) **Personnes ayant exercé une activité** *non salariée, non agricole et bénéficiant à ce titre d'une allocation, d'une pension* de vieillesse ou d'invalidité servie par une caisse ou organisme d'allocation vieillesse. c) **Conjoints survivants** des personnes citées en **a,** s'ils bénéficient d'une allocation ou d'une pension de réversion.

☞ **Effectifs des différents régimes** (1989). **Nombre de cotisants** et, entre parenthèses, **de bénéficiaires.** *Légende :* m. : maladie, v. : vieillesse, d.p. : droits propres, d. : dérivés. **Salariés et assimilés.** *Sal. agricoles :* 626 920 (m. 1 816 940, v. 1 655 794). *Fonctionnaires civils et milit. :* 2 215 780 (v. 1 556 533 dont d.p. 1 076 408, d. 419 950). *Caisse Nat. Milit. de Séc. Soc. (CNMSS) :* 336 446 (m. 1 143 280). *Fonds Spécial des Pensions des Ouvriers des Établ. Industriels de l'État (FSPOEIE) :* 95 519 (v. 107 019 dont d.p. 65 998, d. 41 021). *Caisse Nat. de Retraite des Agents des Collect. Locales (CNRACL) :* 1 416 218 (382 004 dont d.p. 291 784, d. 90 220). *Caisse Autonome Nat. de Séc. Soc. dans les Mines (CANSSM) :* actifs et chômeurs (m.) 50 299, actifs, chômeurs, préretraités (v.) 49 269 (m. 494 870, v., droits directs 273 178). *EDF-GDF :* 161 246 (v. 130 550 dont d.p. 83 861, d. 43 656). *SNCF :* 209 400 (m. 1 100 100, v. 367 500). *RATP* 39 496 (41 824). *Établissement Nat. des Invalides de la Marine (ENIM) :* 61 176 (m. 341 570, v. 96 603). *Caisse Autonome Mutuelle de Retraite des Chemins de Fer d'Intérêt Local (CAMR) :* 78 (v. 30 745 dont d.p. 18 371, d. 12 374). *Caisse de Retraite et de Prévoyance des Clercs et Employés de Notaires (CRPCEN) :* 39 586 (m. 95 316, v. 24 903). *Caisse Mutuelle d'Ass. Maladie des Cultes (CAMAC) :* 29 673 (69 209). *Caisse Mutuelle d'Ass. Vieill. des Cultes (CAMAVIC) :* 32 954 (68 586). *Banque de France :* 16 627 (m. 49 452, v. 13 407 dont d.p. 10 479, d. 2 928). *Assoc. Générale des Institutions de Retraite des Cadres (AGIRC) :* 2 508 000 (v. 1 041 000 dont d.p. 713 000, d. 328 000). *Assoc. des Régimes de Retraite Complémentaire (ARRCO) :* 15 865 000 (v. 6 893 000 dont d.p. 5 000 000, d. 1 893 000). *Institution de Retraite Complémentaire des Agents Non Titulaires de l'État et des Collect. Publiques (IRCANTEC) :* 1 750 000 (v. 982 dont d.p. 825 000, d. 157 000). *Caisse de Prévoyance du Personnel des Organismes Sociaux et Similaires (CPPOSS) :* 187 380 (retraités, orphelins et invalides 72 537 dont d.p. 61 433, d. 9 855).

Régime des non-salariés. *Exploitants agricoles (BAPSA) :* 867 689 (m.), 1 304 629 (v.) (5 275 883 dont m. 3 327 056, v. 1 948 827). *Caisse Nat. d'Ass. Maladie des Travailleurs Non Salariés Non Agricoles (CANAM) :* 1 317 312 (m. 3 438 550). *Caisse de Compensation de l'Organisation Autonome Nat. de l'Industrie et du Commerce (ORGANIC) :* 659 213 (v. 831 600). *Caisse Autonome Nat. de Compensation de l'Ass. Vieillesse Artisanale (CANCAVA) :* 548 795 (v. 563 382 dont d.p. 383 167, d. 180 215). *Caisse Nat. Autonome d'Ass. Vieillesse des Prof. Libérales (CNAVPL) :* 349 093 (v. 117 124 dont d.p. 81 714, d. 22 601, conjoints coexistants 12 809). *Caisse Nat. des Barreaux Français (CNBF) :* 18 061 (v. 5 384 dont d.p. 2 796, d. 2 588). *Fonds Spécial d'Alloc. Vieillesse :* (92 466).

Assurances personnelle et volontaire

(depuis le 1-1-1981)

Assurance personnelle. Pour les risques et charges maladie et maternité. *Bénéficiaires :* toute personne résidant en France et n'ayant pas droit aux prestations en nature d'un régime obligatoire d'assurance maladie-maternité. *Cotisations :* assises sur les revenus, nets de frais, passibles de l'impôt sur le revenu perçu l'année précédente, établie pour période de 1 an du 1-7 au 30-6. *Taux normal* (au 1-7-1991) : 15,25 % jusqu'à 131 040 F/an (sommes des plafonds mensuels 1990) + 11,90 % entre 131 040 et 655 200 F/an (5 fois la somme précédente). *Minimum de cot. :* calculée sur la moitié de la somme des plafonds mensuels (1990 : 65 520 F) soit 9 992 F/an. *Cot. forfaitaires annuelles* (au 30-6-91) : él. de l'enseign. secondaire ou d'établ. agréés, âgés de – de 26 a. 710 F, – de 27 a. 984 F ; étud. étrangers titulaires d'une bourse de leur gouv. 3 963 F (année scolaire 88-89) ; personnes hospitalisées dep. + de 3 a. 9 992 F. Les cot. peuvent être prises en charge par le régime des prestations familiales ou par l'aide sociale.

Assurance volontaire. Pour les risques vieillesse et invalidité (pour maladie-maternité, ce régime ne concerne plus que les anciens assurés à ce régime avant 3-8-1968). Doit être remplacé par l'assurance personnelle.

Cotisations

Régime général

Cotisations normales. *Plafond annuel.* Les salaires sont retenus dans les limites suivantes (sauf pour la part « déplafonnée » d'assurance maladie). *1962 :* 9 600, *1970 :* 18 000, *1975 :* 33 000, *1979 :* 60 120, *1982 :* 82 020. *Du 1-7 au 31-12-1991 : trimestre* 34 860, *mois* 11 620, *quinzaine* 5 810, *quatorzaine* 5 363, *décade* 3 873, *semaine* 2 682, *jour* 536, *1/2 journée* 268, *heure* 69.

Taux des cotisations

Risques ou charges	Taux global	Part employeur	Part salarié	Assiette
	%	%	%	
Assurance veuvage	0,10	–	0,10	
Maladie (a)	18,50	12,60	6,80 (b)	*Totalité du salaire*
FNAL (c)	0,20	0,20	–	
Alloc. familiales (d)	5,4	5,4		
Vieillesse	15,80	8,20	6,55	*Sommes inférieures ou égales au plafond*
Accidents du travail	(d)	(d)	–	
FNAL (c)	0,10	0,10	–	
Versem. transports Paris, Rég. paris. (e)	2,20	2,20	–	

Nota. – a) *Assurance maladie-maternité-invalidité-décès : taux fixé le 1-7-1987. Cotisation due sur les retraites ou assimilées* : 1,4 % sur retraites de base ; 2,4 % sur retraites complémentaires. *Cotisation due sur préretraites* (anciennes garanties de ressources, contrats de solidarité, FNE : depuis le 1-4-83, loi du 19-1-83, JO du 20) 5,5 %. *Cotisation sur allocations de chômage* supérieures au SMIC : 1,4 %. b) Dans le Haut-Rhin, Bas-Rhin et Moselle, s'ajoute une part « salarié » de 1,50 % sur tout le salaire. c) Fonds national d'aide au logement : 0,20 % déplafonné dû par les employeurs de plus de 9 salariés ; s'ajoute au 0,10 % plafonné dû par tous les employeurs. d) Variable selon entreprises et branches d'activité. e) Reste province.

Cotisations salariales particulières

Services domestiques. Calculées sur le nombre d'h. effectuées par le montant du SMIC au 1er j du trimestre considéré. En cas d'accord entre salariés et employeurs, peuvent être calculées sur la rémunération effectivement perçue. Accidents du travail 4 % (Alsace-Lorr. 2,2 %).

Autres cotisations particulières. Médecins à temps partiel, artistes du spectacle, colonies de vacances. **Stagiaires étrangers, aides familiales.** *Cotisation « employeur »* seulement calculée sur une base forfaitaire se référant au SMIC. Au 1er j. de chaque trim. civil, soit par *semaine* 166,99, *mois* 547,43, *trimestre* 1 651,79 au 1-2-1991. **Régimes particuliers.** Fonctionnaires, colonies de vacances, taux spéciaux, se renseigner. **VRP cartes multiples** (assurances sociales). *Cotisations patronales* (trimestrielles) : dans la limite du plafond trim. (34 860 F au 1-7-91) ; taux : 13,65 + 0,09 % de frais de gestion = 13,74 %, sur tout le salaire 12,6 %. *Cotisations salariales* (trimestrielles) : calculées selon les taux des cotisations salariales du régime général. **Régime « étudiants ».** Cotisation forfaitaire assurance maladie : *1991-92* 800 F.

Régime agricole

Taux global « assurances sociales ». 31,7 % + 2,7 % de frais de gestion à la charge de l'employeur (1,7 % déplafonné, 1 % sous plafond). *Total :* 34,4 %, identique à celui du régime général pour les mêmes cotisations (taux global : 18,50 % maladie + 15,80 % vieillesse + 0,1 % veuvage). Bas-Rhin, Haut-Rhin, Moselle : cotisation suppl. de 1,50 % sur tout le salaire (0,25 % employeur, 1,25 % employé).

Risques ou charges. Taux global, entre parenthèses : **part employeur/part employé en %** et en italique : **assiette.** *En 1991 :* veuvage 0,10 (0/0,10) *tout le salaire ;* maladie, maternité, invalidité, décès 17,70 (10,90/6,80) *tout le salaire ;* vieillesse 14,80 (7,20/7,60) *salaire plafonné.*

Évaluation forfaitaire des avantages en nature (au 1-1-90). *Si la rémunération ne dépasse pas le plafond de la S.S. Nourriture (par jour)* à 1 repas (min. garanti × 1 = 15,74 F), 2 repas (min. gar. × 2 = 31,48). *Logement par jour. Autres avantages* valeur réelle.

Cotisations des non-salariés

Assurance maladie-maternité

Non-salariés non agricoles. Assiettes du 1-4-1991 au 31-3-92. *Actifs :* ensemble des revenus professionnels nets de l'année précédente (assiette de l'impôt sur le revenu). *Retraités :* allocations ou pensions de retraite de base servies au titre d'une activité non salariée non agricole pour l'année en cours (les cotisations étant précomptées directement). Les revenus provenant d'une activité salariée donnent lieu à paiement d'une cotisation au régime des salariés.

Taux et plafonds (1991). *Sur revenus professionnels de 1990 :* pour l'appel de cotisation du 16-10-91 : 3,10 % dans la limite du plafond de la Sécurité sociale (139 440 F) plus 8,85 % dans la limite de 5 fois le plafond (697 200 F). *Sur pensions et allocations :* 3,4 % dans la limite de 5 fois le plafond de la Sécurité sociale au 1-1 ou au 1-7 suivant la période de versement de la pension.

Cotisation minimale. 1-4-1990 au 31-3-91 calculée sur la base d'un revenu égal à 40 % du plafond de la Séc. soc. en vigueur au 1-7-1990.

Exonération. *a)* Pensionné exonéré de l'impôt sur le revenu en raison de ses ressources au titre de l'avant-dernière année civile : pour 1992, revenus de 1990 n'ayant pas excédé 39 300 F ou 42 800 F pour les + de 65 ans. *b)* Pour 1992, montant de l'impôt au titre des revenus de 1990 inférieur à 420 F. *c)* Personne percevant au cours de l'année précédente l'un de ces avantages vieillesse : allocation suppl. du FNS aux mères de famille ; de vieillesse agricole soumise à conditions de ressources ; aux vieux travailleurs (salariés ou non-salariés) ou secours viager ;

all. suppl. allouée aux personnes dont les ressources sont inférieures à un certain plafond (article L 814.2 du code de la Séc. Soc.) ; viagère aux rapatriés âgés. *d)* Personne percevant l'un des avantages ci-dessus tout en exerçant une activité indépendante. *e)* Pensionné d'invalidité.

Allocations familiales

Employeurs et travailleurs indépendants. Par an. **Assiette :** revenu professionnel retenu au titre de l'avant-dernière année pour le calcul de l'impôt sur le revenu et dans la limite du plafond de Sécurité sociale applicable au 1er janv. de l'année, au titre de laquelle cette cotisation est due (revenu de 1987 retenu dans la limite de 129 600 en 1990). *Taux :* 9 % jusqu'au plafond.

Exonération. 1°) Personnes dont le revenu professionnel est inférieur au salaire de base annuel retenu pour le calcul des prestations familiales : 1 920,44 × 12 = 23 045,28 F au 1-7-91. 2°) **Travailleurs indépendants qui ont assumé la charge d'au moins 4 enfants jusqu'à 14 ans et ont au moins 65 ans** (60 pour la femme veuve ou célibataire, séparée, divorcée, si elle ne vit pas maritalement). **Montant :** Voir p. 1424.

Assurance vieillesse des non-salariés

• **Artisans, industriels et commerçants. Assiette :** revenus professionnels non salariés, non agricoles, retenus pour l'assiette de l'impôt sur le revenu mais dans la limite du plafond des cotisations de S.S. (139 440 F au 1-7-1991). Pour les titulaires d'une pension, rente ou allocation qui exercent une activité non salariée, l'abattement de 10 000 F prévu sur l'assiette des cotisations est supprimé pour les pensions liquidées après le 30-6-84 ; de même que l'exonération des revenus d'activité inférieurs à 11 000 F. **Taux :** 15,80 % dep. le 1-1-89. **Cotisation minimale :** calculée sur 200 fois le SMIC en vigueur. Au 1er-7-1991 : 32,66 × 200.

Droits acquis. 1°) Depuis 1973 : *pension de vieillesse :* calculée comme dans le régime général, sur la base du revenu annuel moyen correspondant à l'ensemble des cotisations versées depuis 1973 (à partir de 1983 : les 10 meilleures années depuis 1973) ; même revalorisation annuelle que dans le régime général. Droit éventuel, comme dans le régime général, à : pension pour inaptitude, pension de réversion, majoration pour enfants, allocation supplémentaire du FNS, AVTNS **2°) Avant 1973 :** *retraites calculées en points :* nombre de points acquis par cotisation (variable selon la classe de cotisation choisie) ou attribués gratuitement (reconstitution de carrière, période avant 1949). Pension de réversion pour conjoint survivant. *Valeurs du point de retraite au 1-7-1991 :* régime « artisans » 41,40 F, « industriels et commerçants » 57,18 F. Ces points sont revalorisés au 1-1 et au 1-7.

Allocation minimale. Devenue « alloc. aux vieux travailleurs non salariés » (AVTNS), égale à l'AVTS.

• **Professions libérales. Allocations vieillesse. Cotisation annuelle (en F, 1991) :** agents généraux d'assurance 14 320. Architectes, ingénieurs, techniciens, experts et conseils 13 000. Auxiliaires médicaux 10 872. Chirurgiens-dentistes 12 700. Experts-comptables, comptables agréés, commissaires aux comptes 13 355. Géomètres, experts agricoles et fonciers 13 840. Médecins 12 264. Musiciens, professeurs de musique, artistes, auteurs 10 000. Notaires 15 200. Officiers ministériels, offiers publics et des compagnies judiciaires 14 000. Pharmaciens 12 600. Sages-femmes 12 160. Vétérinaires 13 000. Réduction selon revenu net imposable de 1989 : de 3/4 si revenu ⩽ 44 000 ; de 1/2 si revenu ⩽ 73 500 ; de 1/4 si revenu ⩽ 103 000 F. **Allocation minimale :** mêmes taux et plafonds que l'A.V.T.S.

• **Allocation vieillesse aux mères de famille.** Mêmes taux et plafond que l'AVTS.

Nota. – Les professions libérales sont aussi assujetties, obligatoirement, à des régimes complémentaires de retraite et de prévoyance.

Chômeurs

Cotisation. Perçue dep. le 1-6-1982 sur les revenus de remplacement, indemnités et allocations servis aux salariés sans emploi relevant du régime général de la S.S., du régime des ass. soc. agricoles et des régimes spéciaux (sauf pour revenus modestes). **Taux** (cotisations d'assurance maladie, maternité, invalidité, décès) : (1,4 % du 1-7-89 au 30-6-90) sur l'ensemble des revenus de remplacement suivants : allocation de base ; spéciale allouée à la suite d'un licenciement pour motif économique ; forfaitaires versées à certains jeunes, femmes ou catégories particulières de chômeurs ; de fin de droits ; spéciale du FNE versée aux bénéficiaires d'une convention du FNE : indemnités de formation versées par les ASSEDIC ; servies par employeurs et entreprises publiques ; spécifique et conventionnelles complémentaires de chômage partiel ; ind. de chômage intempérie : de garantie des dockers ; alloc. de garantie de ressources versées en cas de licenciement ou de démission ; conventionnelle versée aux bénéficiaires d'une convention du FNE. Revenus de remplacement versés au titre d'un contrat de solidarité, en cas de cessation anticipée d'activité définitive ou progressive, c'est-à-dire l'alloc. conventionnelle de solidarité (ACS), conventionnelle complémentaire (ACC) et spéciale du FNE.

Exonération. Personnes privées d'emploi, si le montant journalier des avantages versés n'excède pas 1/7 du SMIC horaire multiplié par 39 h ; personnes partiellement privées d'emploi si le montant mensuel cumulé de leur rémunération d'activité et de leur revenu de remplacement n'excède pas 1/12 du SMIC horaire = 2 028 h (52 sem. × 39 h).

Prestations d'assurances sociales

Assurance maladie

• **Prestations en nature.** Honoraires médicaux : dep. le 1-7-1970. 4 secteurs. *1er) conventionnel avec application des tarifs conventionnels ; 2e) avec possibilité d'utilisation du droit à dépassement permanent (DP)* pour ceux qui en bénéficiaient déjà antérieurement ; *3e) avec possibilité d'application d'honoraires libres (HL) ; 4e) non conventionnel* avec tarif d'autorité, frais médicaux et pharmac. sont pris en charge à 100 % par le système d'avance de frais.

• **Prestations en espèces** (au 1-1-1991). Indemnités journalières (I.J.) en cas d'arrêt de travail : 50 % du salaire de base. Max. 180 F à partir du 31e jour d'arrêt, si l'assuré a 3 enfants à charge : max. 240 F.

• **Taux de remboursement sur tarif Séc. soc.** (en %). Médecins 75, Auxiliaires médicaux 65, Dentistes (soins et prothèses) 75. Pharmacie : médicaments irremplaçables 100, méd. pour troubles sans gravité 40, autres méd. 70, laboratoire, analyses 70. Hospitalisation (établ. publics, privés, conventionnés) 80. Actes chirurgicaux 75. Le ticket modérateur d'ordre public est abrogé.

Médecins (1991, métropole) C (consultation omnipraticien) 90 F. *Cs* (c. spécialiste) 130 F. *CNPSY* (c. neuro-psychiatre) 200 F. *V* (visite omnipraticien) 105. *Vs* (v. spécialisée) 130. *UN* (majoration v. nuit) 150 F. *UD* (maj. dimanche [1]) 110 F. *Z* (actes par électroradiologistes gastro-entérologues) 10,35 F, (par rhumato-pneumologues) 9,50 F. Autres spécialistes omnipraticiens 8,10 F. *Forfait accouchement* simple 1 000 F. Gémellaire 1 160 F. *K* actes chirurgicaux 12,40 F. *KC* 13,50. Surveil. cure thermale 420.

Nota. – (1) Dès le samedi midi pour la visite.

Chirurgiens-dentistes (1991, métropole). *C* (consultation) 90 F. *V* (visite) 105 F. *D* (acte chirurgiens-dentistes) 12 F. *S.C.P.* (soins conservateurs et prothèses) 14,10 F.

Sages-femmes (au 30-6-1991). *C* (cons.) 55. *V* (vis.) 76. *SF* (acte spécialisé) 14,90 F. *SFI* (soins infirmiers) 14,30 F. *Accouchement* simple 830 F, gémellaire 985 F. Indemnité déplacement 21 F.

Auxiliaires médicaux (au 30-6-1991). (IFD : indemnités forfaitaires déplacement). *AMI* (infirmiers et infirmières) 14,30 F. IFD : 7,80 F. *AMM* (masseurs kinésithérapeutes) 11,55 F. IFD : 11 F. *AMO* (orthophonistes) 13,30 F. IFD : 9,50 F. *AMP* (pédicures) 4,15 F. I.d. zone A 3,30 F, zone B et C 3,10 F. *AMY* (orthoptistes) 13,45 F. IFD : 9,50 F.

Les indemnités journalières pour interruption de travail sont revalorisées au-delà du 3e mois et en cas d'une augmentation générale des salaires. Les ind. journ. maladie sont imposables sauf si elles sont servies au titre d'une affection de longue durée, d'une maternité ou d'un accident de travail.

Soins dentaires. Remboursés d'après la nomenclature (l'accord de la Caisse est nécessaire pour toutes les prothèses et tous les actes d'orthopédie faciale). **Prothèse :** 1) *Appareils fonctionnels :* si le bénéficiaire a moins de 5 couples de prémolaires ou molaires en antagonisme physiologique (les dents de sagesse comptant pour 1/2 couple) ou une édentation du groupe incisivo-canin totale ou partielle. 2) *Thérapeutiques :* peuvent être autorisés, après avis du contrôle médical, lorsqu'un état pathologique du sujet peut être influencé par l'état de la denture, si les conditions fonctionnelles ne sont pas remplies. 3) *Nécessaires à l'exercice d'une profession.*

Nota. – Pour l'orthopédie dentofaciale, la responsabilité de l'assurance maladie est limitée au traitement commencé avant le 12e anniversaire.

• **Travailleurs indépendants.** Assujettis au régime d'ass. maladie-maternité fixé par le Livre VI, titre 1 du Code de la Sécurité sociale.

• **Taux de remboursement des prestations** (en %). *Honoraires médicaux et paramédicaux :* 50 (en consultations externes de l'hôpital public ou assimilé 70), pour le traitement d'une affection reconnue de longue durée (ALD) : 80 (hôp. 85). Traitements de radiothérapie : 100. *Frais pharmaceutiques :* 50 pour le traitement d'une ALD : 100. *Appareils d'orthopédie et prothèse, frais d'analyses et d'examens de laboratoires :* 50 (hôp. 70), pour une ALD 80 (hôp. 85) grand appareillage : 100. *Hospitalisation :* 80 les 30 premiers j, 100 à compter du 31e j. ou en cas d'acte supérieur ou égal à 50, ou pour une ALD, ou pour hospitalisation des nouveau-nés dans les 30 j suivant la naissance. *Soins et prothèses dentaires :* 50 (hôp. 70), pour une ALD : 80 (hôp. 85). *Frais d'optique :* 50 (hôp. 70), pour une ALD 80 (hôp. 85). *Frais de transport :* même taux que pour traitement ou soins. *Cures thermales hors hospitalisation :* forfait de surveillance médicale : 50 (pour une ALD : 80) (éventuellement : actes médicaux complémentaires 50, pour une ALD : 80) ; *en hospitalisation :* 80 (pour une ALD : 100). *Vaccinations obligatoires des enfants :* 50 (hôp. 70). *Soins et éducation spéciale des enfants handicapés :* 100 (nécessité d'une décision de la commission départementale d'éducation spéciale). *Diagnostic et traitement de la stérilité :* 100 (avec accord de la Caisse). *Maternité :* honoraires d'accouchement, examens pré- et postnataux 100 ; autres frais au domicile de la femme ou au cabinet du praticien 50 (hôp. 70) (100 % pendant les 4 derniers mois de la grossesse, et pour toutes les dépenses de soins au titre de l'assurance maladie), hospitalisation 100 : examens de surveillance sanitaire des enfants 100. *Alloc. forfaitaire de repos maternel et indemn. de remplacement :* aux femmes artisans, commerçantes, professions libérales, collaborateurs de travailleurs indépendants.

• **Ticket modérateur.** Part des frais restant à la charge de l'assuré ou de sa mutuelle lors du remboursement (20 à 60 %). Il ne joue pas sur les hospitalisations de + de 30 j ou nécessitées par une intervention chirurgicale affectée d'un coefficient au moins égal à 50 ni pour les maladies inscrites sur une liste (30), les arrêts de + de 3 mois, les invalides, les accidentés du travail, les pensionnés de guerre, les affections comportant un traitement prolongé et une thérapeutique coûteuse, sous réserve d'une franchise mensuelle de 80 F. Tiers payant chez les pharmaciens conventionnés ; il est possible de ne payer que le ticket modérateur (30 à 60 % sur tous les médicaments). Présenter carte d'immatriculation, bulletin de salaire (ou attestation d'activité ou titre de pension), justificatif de la Caisse en cas de prise en charge à 100 %.

Nota. – Le 19-6-1985, pour 379 médicaments, le ticket modérateur est passé de 30 à 60 %. Économie estimée à 1,1 milliard de F en 1986.

• **Taux de remboursement.** 40 % certains produits pharmaceutiques (vignettes bleues). 65 % soins AMM, soins dispensés par masseurs ; AMO par orthophonistes ; AMP par pédicures ; AMY par orthoptistes ; AMI avec analyses, soins infirmiers. 70 % (vignettes blanches) pharmacie ; analyses ; FSO (frais de salle opératoire) ; transports ambulances. 75 % soins dispensaires, praticiens, dentaires C, V, (consultations, visites, actes radiologiques, etc.). 80 % soins hospitaliers ; titulaire d'une pension vieillesse FNS ; examens de labo. prescrits par l'hôpital, effectués à l'extérieur. 100 % médicaments avec croix sur la vignette.

• **Forfait journalier hospitalier.** Exonérations : se renseigner.

Autres prestations

• **Assurance maternité. Indemnités journalières :** pendant le congé légal de 16 semaines (6 avant, 10 après), égales à 84 % du gain journalier de base limité au plafond. Au 1-7-1991, indemnité journalière max. 317,52. Indemnité journalière min. majorée à compter du 31e j. de repos prénatal indemnisé si l'assurée a déjà au moins 3 enfants à charge, soit 41,77 F au 1-7-1991. *Période supplémentaire* indemnisable si la grossesse le nécessite (ne peut être reportée sur la période postnatale). **Prime d'allaitement :** taux fixé par les caisses d'A.M. **Remboursement :** des examens médicaux obligatoires et des frais d'accouchement.

• **Pension d'invalidité.** Montant au 1-1-1991. **Invalides pouvant travailler :** *maximum :* 40 824 F (30 % du plafond cotisations). **Ne pouvant pas :** *max. :* 68 040 F (50 % du plafond cotisations). *Min. :* 15 245 F. *Majoration pour tierce personne :* min. annuel 59 736,01 F. **Régime obligatoire d'assurance invalidité-décès :** pension par le régime des professions artisanales en cas de reconnaissance, sur le plan médical, d'une invalidité totale et définitive ou d'une incapacité au métier. *Cotisations :* 1,45 %.

Cumul possible avec pension militaire, rente AT, pension d'un régime spécial, d'invalidité du rég. des salariés ou des exploitants agricoles dans la limite du salaire perçu par un travailleur valide de la même catég. professionnelle (majoration pour tierce personne n'entrant pas en ligne de compte). **En cas d'hospitalisation,** pension réduite comme en matière d'assurance maladie. **Stage de rééducation professionnelle** ou de réadaptation fonctionnelle possible avec participation de la Séc. soc. aux frais du stage ou de traitement. Possibilité de maintien d'une partie de la pension pendant le stage et 3 ans après.

☞ Avantages vieillesse. Voir Retraite p. 1425.

• **Capital décès.** *Min. :* 1 360,80 F au 1-1-1991 (1 % du plafond annuel des salaires soumis aux cotisations de S.S.). *Max. :* 34 020 F au 1-1-1991 (3 fois le plafond mensuel des cotisations de la S.S). *Montant :* 90 fois le gain journalier de base de l'assuré. On a 2 ans à compter du décès pour en solliciter le règlement.

• **Régime obligatoire d'assurance invalidité-décès.** Attribution, sous certaines conditions, d'un capital décès (cotisant, orphelin, retraité) par le régime des professions artisanales. Cotisation : 1,45 %. Min. calculé sur 1/5 du plafond annuel de la S.S., arrondi aux 1 000 F sup. : 2e sem. 90, cotisation min. 179,60 F.

• **Prestations facultatives.** *Prise en charge* éventuelle du ticket modérateur, participation aux frais de transport non pris en charge par l'ass. maladie, attribution de prestations en nature à des ayants droit non visés par le Code. *Attribution* après examen de chaque cas par le conseil d'administration de la Caisse. Aucun recours en cas de refus.

• **Secours.** Quand les conditions d'ouverture aux prestations légales ou supplémentaires ne sont pas remplies, un secours individuel est accordé après enquête.

• **Cures thermales.** *Participation :* au titre des prestations supplémentaires aux frais de séjour, de transport de l'assuré ou de ses ayants droit. *Conditions :* 1990 (chiffre majoré de 50 % pour le conjoint et pour chacun des enfants, ascendants et des autres ayants droit à charge, et pour le concubin). *Plafond de ressources pour bénéficier des prestations :* assuré seul : 91 200 F, indemnités journalières mensuelles 11 340 F. *Remboursements :* honoraires médicaux (forfait ; remboursement à 75 %) : médecin conventionné 420 F (arrêté du 27-3-90) ; m. non conventionné 45 F. Frais de séjour (forfait ; remboursement à 70 %) : 908 F (en 91).

Prestations familiales

Généralités

• **Conditions générales. Résidence.** Français et étrangers résidant en France peuvent bénéficier des prestations familiales. Les étrangers doivent disposer d'un titre de séjour régulier, mais aucune durée de résidence en France ne leur est demandée.

Enfant à charge. Les prestations sont versées aux personnes assumant la charge effective et permanente de l'enfant (charge financière, affective et éducative). Elles sont dues tant que dure l'obligation scolaire. Leur service est prolongé : jusqu'à 17 ans pour les enfants non salariés, 20 ans pour ceux placés en apprentissage ; en stage de formation prof. ; poursuivant des études ; ceux qui par suite d'infirmité ou maladie chronique ne peuvent avoir une activité prof. et ceux qui ouvrent droit à l'alloc. d'éducation spéciale. L'ensemble de ces catégories bénéficient des prestations familiales si la rémunération qu'ils peuvent percevoir est inférieure à 55 % du SMIC.

• **Prestations familiales** (tous régimes, en 1990). **Montants** (en milliards de F) **et,** entre parenthèses, **familles bénéficiaires** (en milliers). Alloc. fam. 61 (4 499), complément fam. 8 (876), alloc. d'éduc. spéciale 1,2 (89), aux adultes handicapés 14 (505), différentielles 0,1 (16), prestations versées à l'étranger 0,4 (107), alloc. parent isolé 3,6 (129), logement 12 (1 153), aide personnalisée au logement 25 (1), alloc. de logement social 8,5, alloc. de rentrée scolaire 1,6 (2 477), de soutien fam. 3,3 (459), pour jeune enfant 19 (1 888), alloc. parentale d'éducation 5,9 (187), supplément de revenu fam. 0,42 (19), alloc. garde d'enfant à domicile 225 (11), prestations D.O.M. 3,6 (217).

Allocations

• **Accidents du travail (et maladies professionnelles).** Voir p. 1438a. **Droits.** La victime a droit : 1°) **A des prestations en nature** (frais médicaux et pharmaceutiques remboursés à 100 %). 2°) **A des indemnités : a) journalières.** *Les 28 premiers j :* 50 % du salaire réel (max. 680,40 F par j au 1-1-91). *A partir du 29e j :* 2/3 (max. 907,20 F par j au 1-1-91). **b) Décès.** Remboursement des frais funéraires à concurrence de 1/24 du plafond annuel de cotisations (5 670 F au 1-1-91). **c) Incapacité permanente** (au 1-1-91). Pour une incapacité au moins égale à 10 %, 164 839,24 F, rente calculée sur la totalité du salaire annuel ; entre 164 839,24 et 659 356,96 F : sur 1/3 du salaire réel. **d) Assistance d'une tierce personne.** Allocation égale à 40 % du montant de la rente (min. annuel 59 736,01 F au 1-1-91). **e) Accident mortel.** Rentes calculées en appliquant, au salaire annuel réduit, ces % (voir plus haut). *Conjoint:* 30 % (50 % en cas d'incapacité de travail ou à partir de 55 ans). *Enfants à charge :* 1 : 15 % ; 2 : 30 % ; par enfant en plus : 10 % (20 % par enfant orphelin de père et de mère). *Revalorisation bisannuelle des rentes au 1-1 et au 1-7. Ascendants.* 10 % (à défaut de conjoint et d'enfants). *Total des rentes allouées aux survivants :* maximum 85 %. **f) Rééducation professionnelle.** *Prime de fin de rééducation* (dep. le 1-1-91) : 4082,40 à 10 886,40 F. *Prêt d'honneur :* 244 944 F accordé pour 20 a. à 2 % remboursable par annuités égales. *Prix de journée et frais de rééducation :* variables suivant les centres et la rééducation poursuivie, pris en charge par la Caisse primaire d'assurance maladie.

• **Allocation compensatrice.** Pour handicapés de + de 16 ans, à l'incapacité min. d'au moins 80 %, ayant besoin d'un tiers pour les actes essentiels de la vie même. **Plafond de ressources.** Le même que pour l'allocation aux adultes handicapés. **Montant annuel.** De 23 894,40 à 47 788,80 F (au 1-1-1991).

• **Allocation d'éducation spéciale. Bénéficiaires.** Handicapés jusqu'à 20 ans. 1° à l'incapacité permanente au min. de 80 %, non admis dans un établ. d'éducation spéciale ou pris en charge au titre de l'éd. sp. ; 2° à l'incapacité permanente au min. de 50 %, admis dans un établ. ou pris en charge par un service d'éducation ou de soins à domicile (sauf placement en internat pris intégralement en charge par l'ass. maladie, par l'État ou par l'aide sociale). **Montant mensuel.** 615 F (+ 1 383 F pour un enfant obligé d'avoir recours à l'aide constante d'un tiers ; ou + 461 F s'il y a nécessité d'une aide quotidienne mais discontinue d'un tiers).

• **Allocations familiales.** Versées à compter du 2e enfant à charge. Elles ne sont soumises à aucune condition de ressources.

Montant mensuel (en F, au 1-7-91). *2 enfants :* 615, *3 :* 1 400, *4 :* 2 189, *5 :* 2 977, *6 :* 3 764, *par enfant en + :* 787, *majoration pour enfant âgé de + de 10 ans :* 173, *de + de 15 ans :* 307.

Salaire mensuel d'appoint limite de l'enfant travailleur, étudiant ou apprenti pour ouvrir droit aux all. fam. 2 993 F depuis le 1-7-1991.

Complément familial. *All. de salaire unique,* de la mère au foyer et leurs majorations respectives, et *all. pour frais de garde.* **Bénéficiaires.** Ménage ou personne qui assume la charge d'au moins 3 enfants, tous âgés de 3 ans ou +, lorsque ses ressources n'excèdent pas un certain plafond. **Montant du complément familial par mois** pour 3 enfants ou plus de + de 3 ans : 41,65 % de la base des A.F. 800 F au 1-7-1991. *Plafond annuel jusqu'au 30-6-1992 :* avec un enfant 94 283 F, 2 enfants 113 140 F, 3 enfants 135 768 F, au-delà du 3e enfant + 22 628 F par enfant ; plafond majoré de 30 316 F si ménage à 2 revenus ou allocataire isolé.

• **Allocation aux adultes handicapés. Bénéficiaires.** + de 20 ans, à l'incapacité permanente d'au moins 80 % ne pouvant, compte tenu du handicap, se procurer un emploi et dont les ressources ne dépassent pas un certain plafond [*célibataire :* 36 070 F, *marié non séparé (ou vie maritale) :* 72 140 F, *en plus par enfant à charge :* 18 035 F].

Montant mensuel (au 1-1-91). *Taux normal :* 2 980,83 F.

• **Allocation pour jeune enfant.** Déclaration de grossesse dans les 15 premières semaines : *versement à compter du 1er j du mois suivant le 3e mois de grossesse* (12 semaines de date à date) ; au 3e mois après la naissance, sans condition de ressources ; jusqu'aux 3 ans avec un plafond (94 283 F de revenu net impos. avec 1 enfant à charge, 113 140 F avec 2 enf., 135 768 F avec 3 enf., + 22 628 F par enf. en + ; si ménage à 2 revenus, majoration pour double activité : 30 316 F). Subordonnée à la passation des examens prénataux et postnataux. *Montant mensuel par famille bénéficiaire, à compter du 1-7-91* (46 % de la base de calcul des AF) : 882 F.

• **Allocation de garde d'enfant à domicile.** Créée par la loi du 29-12-1986. *Conditions :* employer à domicile au moins une personne assurant la garde d'au moins un enfant de – de 3 ans ; acquitter les cotisations sociales correspondantes ; exercice d'une activité professionnelle minimale par la personne seule ou les 2 membres du couple. *Montant maximal :* 6 000 F/trimestre et par famille, dans la limite du montant des cotisations patronales et salariales acquittées.

• **Allocation de logement.** Servie aux pers. bénéficiant d'une prestation familiale ou ayant à charge, soit un enfant qui n'ouvre pas droit aux alloc. familiales, soit un ascendant de plus de 65 ans (ou de 60 ans en cas d'inaptitude au travail), soit un ascendant, descendant, collatéral infirme et ayant de faibles ressources ; aux jeunes ménages sans enfant pendant 5 ans à compter du mariage si chacun des époux a – de 40 ans à la date du mariage ; si l'on est locataire ou sous-loc. ou accédant à la propriété de son logement ; si ce log. répond à certaines conditions de peuplement et de salubrité, et si la personne consacre à son loyer ou à ses mensualités d'accession à la propr. un certain % des ressources totales du foyer.

Allocation de logement aux personnes âgées, aux infirmes, aux jeunes travailleurs salariés, aux chômeurs et aux bénéficiaires du revenu min. d'insertion. Locataires, sous-locataires, accédants à la propriété, local d'au moins 9 m² + 7 m² par personne en plus. **Conditions.** *Moins de 25 ans :* exercer une activité salariée et être affilié à la S.S. *Personnes âgées et personnes atteintes d'une infirmité :* avoir au moins 65 ans ; ou avoir au moins 60 ans et être inapte au travail ou ancien déporté ou interné de la Résistance ou avoir la carte de déporté ou interné politique ; être reconnu inapte au travail et à une rééducation professionnelle par la Commission technique d'orientation et de reclassement professionnel. *Chômeurs :* être bénéficiaire soit de l'allocation de solidarité spécifique, soit de l'alloc. de fin de droit ou, sans la recevoir se situer dans la période maximale d'indemnisation et satisfaire aux conditions d'activité antérieure et de ressources prévues pour l'alloc. de solidarité spécifique (les conditions de salubrité ne sont pas opposables aux personnes âgées et infirmes). Depuis le 1-1-91 l'alloc. de logement est étendue à toute personne résidant en Ile-de-France ou dans un département d'outre-mer et ayant une charge de logement. L'extension à l'ensemble du territoire est prévue dans les années à venir. **Loyer minimal :** *pour ménage sans personne à charge :* tranche de ressources annuelles 0 % ⩽ 9 227 ; 3 % 9 227 à 13 277 ; 26 % 13 277 à 17 054 ; 29 % 17 054 à 26 553 ; 36 % > 26 553. **En F par mois :** *plafonds de loyer personne seule : location tous locaux* zone *1* 1 338, zone *2* 1 137, zone *3* 1 053 ; accession (opérations conclues à compter du 1-7-89) zone *1* 1 472, zone *2* 1 251, zone *3* 1 158 (majoration forfaitaire pour charges 260) ; *logements foyers (loyers forfaitaires) : jeunes travailleurs, chômeurs et bénéficiaires RMI :* 769 ; *personnes âgées et infirmes (isolées ou ménages)* 934.

Allocations maternité (1990). *Allocation de repos maternel :* pour naissance 5 180 F ; pour adoption 2 590 F. *Indemnité de remplacement :* pour naissance simple 5 180 F ; état pathologique causé par la grossesse 7 770 F ; naissance multiple 10 360 F ; état pathologique causé par la grossesse et une naissance multiple 12 950 F.

• **Allocation d'orphelin.** Remplacée par l'alloc. de soutien familial dep. le 1-6-1985.

• **Allocation parentale d'éducation.** Peut être versée à toute personne assumant la charge d'au moins 3 enfants dont 1 âgé de – de 3 ans, à condition qu'elle n'exerce aucune activité professionnelle jusqu'à ce que le plus jeune enfant ait atteint l'âge de 3 ans et sous réserve qu'elle ait travaillé au moins 2 ans au cours des 10 années précédant l'arrivée du dernier enfant (ou du 3e) au foyer. Peut être versée à mi-taux en cas de reprise d'une activité à mi-temps entre le 2e et le 3e anniversaire de l'enfant. **Montant mensuel** (en F au 1-7-91) 2 738 F en cas d'arrêt total, 1 369 F en cas de reprise partielle.

• **Allocation de parent isolé. Bénéficiaire.** Toute personne isolée résidant en France, exerçant ou non une activité professionnelle et assumant seule la charge d'au moins un enfant. **Montant** (en F dep. le 1-7-91). *Femme enceinte sans enfant à charge :* 2 881, *parent isolé avec* 1 enfant à charge : 3 841, *par enfant en plus :* 960 F.

• Allocation de rentrée scolaire. **Bénéficiaires.** Familles bén. d'une prestation familiale dont les ressources nettes imposables en 1989 n'ont pas dépassé 63 708 F pour 1 enfant, + 19 112 F par enfant en plus. **Montant** (en 1990) versé à la rentrée scolaire, pour chaque enfant inscrit (6 à 16 ans) dans un établissement public ou privé : 375 F.

• Allocation de soutien familial. Pour les personnes isolées, qui ne reçoivent pas la pension alimentaire mise à charge par décision de justice. Versée à titre d'avance, la Caisse étant subrogée dans les droits du parent créancier et habilitée à entreprendre les actions nécessaires en vue du recouvrement de la pension alimentaire. Les CAF peuvent aussi aider tout parent titulaire d'une créance alimentaire, même s'il n'est pas isolé et ne remplit pas les conditions d'attribution de l'allocation de soutien familial. **Montant mensuel** (en F). Parent seul : 572, foyer recueillant : 429.

• Allocation veuvage. Veufs ou veuves brutalement sans ressources. *Conditions :* ayant - de 55 ans, vivant seuls, ayant encore 1 enfant à charge ou ayant élevé 1 enfant pendant au moins 9 ans avant son 16e anniversaire (les enf. adoptés sont assimilés). L'assuré décédé devait avoir la qualité d'assuré au regard du risque veuvage ; le veuf ou la veuve doivent en principe résider en France. **Plafond de ressources** (au 1-1-91) : 10 249 F pour le trimestre précédant la demande (y compris le montant de l'all. veuvage mais non comprises les prestations familiales). **Durée de service :** 3 ans. Une période compl. de 2 ans est prévue dep. le 9-10-87 sous certaines conditions pour les conjoints survivants d'au moins 50 ans à la date du décès de l'assuré-veuvage. **Montant** (au 1-1-91). 2 733 F par mois la 1re année, 1 796 la 2e, 1 367 la 3e année (ainsi que pendant les 2 a. complémentaires).

• Prime de déménagement. **Conditions.** Emménagement dans un local offrant de meilleures conditions ou mieux adapté si l'on a droit à l'allocation de logement. A compter du 1-6-87 : réservée aux seules familles ayant au moins 3 enfants à charge nés ou à naître, à condition que le déménagement se situe entre le 4e mois de grossesse et le mois précédant le 2e anniversaire de cet enfant. **Montant maximal** (en F au 1-7-91). *Familles : 3 enfants, nés ou à naître :* 4 609 ; *par enfant en + :* 384.

Aide sociale légale

☞ Administrée par la DDASS (Direction dép. de l'action sanitaire et sociale), alimentée par les collectivités publiques, destinée aux non-bénéficiaires de la Séc. soc. Doit disparaître progressivement avec la généralisation de la Séc. soc. à toute la population.

• Aide à l'enfance. Montant fixé dans chaque département par le conseil général.

• Aide à la famille. Proportionnelle aux ressources et aux charges du demandeur. Ne peut excéder le montant des alloc. familiales versées dans la commune.

• Aide judiciaire. Voir Index.

• Aide médicale (au 1-1-1989). *Allocation mensuelle* de 1 233,33 F (411,11 F en cas d'hospitalisation) soit 14 800 F par an (4 933,33 F en cas d'hospitalisation), après 3 mois d'admission à l'aide médicale. *Prise en charge* des frais médicaux et pharmaceutiques.

• Aide ménagère à domicile. *Accordée,* dans les communes ayant des services spécialisés, aux 65 ans et + (60 si inaptitude) qui ont besoin, pour demeurer à leur domicile, d'une aide matérielle et ne disposent pas de ressources supérieures à celles prévues pour l'octroi de l'allocation simple d'aide sociale (voir Index). La Commission d'admission fixe, après enquête, la nature des services et leur durée (au max. 60 h par mois), ainsi que la participation horaire des assurés selon leurs ressources (5,50 F à 45 F).

• Aide aux personnes âgées (au 1-1-1991). *Allocation simple d'aide à domicile :* 15 245 F par an. *Plafond des ressources :* 36 670 F par an. *Allocations de logement et de loyer* (voir ci-dessous). *Allocations représentatives des services ménagers :* 60 % du coût des services ménagers ou 30 h d'aide ménagère par mois. *Placement en établissement :* somme mensuelle minimale laissée à la personne placée : 357,70 F par mois ; pension attribuée à la famille d'accueil : montant annuel fixé par le conseil gén. entre l'allocation d'aide à domicile et 80 % du max. de l'alloc. compensatrice aux adultes handicapés, entre 15 245 et 48 788,82 F au 1-1-91. *Allocation « Ville de Paris » :* attribuée aux + de 65 ans (+ de 60 ans si inaptes au travail) résidant depuis + de 3 ans à Paris. *Plafond de ressources :* se renseigner à sa mairie.

• Aide sociale à l'enfance (ex-Assistance publique). Tutelle des pupilles de l'État, protection des enfants pris en charge jusqu'à 18 ou 21 a. (468 975 enf. bénéficiaires au 1-1-80), PMI (protection maternelle et infantile).

• Aide sociale générale. Pour les personnes aux ressources insuffisantes. *Bénéficiaires :* malades : + de 1 000 000 ; personnes âgées (aide médicale à domicile ou en établissement) : 270 000 ; handicapés : 200 000 ; personnes ou familles en difficulté : 100 000. *Demande :* mairie.

• Allocation de loyer. *Bénéficiaires :* personnes ni âgées ni infirmes aux ressources inférieures à 1 440 F par an (plafond non réévalué dep. 1961).

• Allocation militaire. *Bénéficiaires :* la famille ou l'appelé ayant un certain plafond de ressources calculé selon le nombre de personnes à charge. *Montant mensuel* (au 1-1-91, en F). Allocation principale de 100 à 300, majoration par ascendant de 50 à 150 ; pour enfants à charge : chacun des *2 premiers* 610, 3e enfant 781, chaque enfant *en plus* 781.

Retraite

Age de la retraite

• Dans le monde. Pour les hommes et, entre parenthèses, pour les femmes : C : cumul possible retraite et travail ; B : bonification si pension retardée ; V : vérification des gains pour moduler la pension.

Albanie 60 (55), All. dém. 65 (60), All. féd. C 65 (65), Australie 65 (60), Autriche V 65 (60), Belgique 65 (60), Bulgarie 60 (55), Canada V 65 (65), Danemark CV 67 (67), Espagne 65 (65), États-Unis V 65 (65), Finlande 63 (63), *France CB 60 (60),* Grèce 65 (65), Hongrie 60 (55), Irlande C 66 (68), Israël 65 (60), Italie CB 60 (55), Japon 65 (55), Luxembourg C 65 (65), Norvège 67 (67), Pays-Bas C 65 (65), Portugal 65 (62), Roy.-Uni BV 65 (60), Suède CBV 67 (67), Suisse C 65 (62), Tchécoslovaquie 60 (55), URSS 60 (55), Yougoslavie 60 (55).

• En France. **Statistiques.** *En 1982 :* 7 402 180 retraités dont 3 614 000 hommes et 3 788 000 femmes. Mais il s'agissait plutôt de personnes « retirées » d'une ancienne profession, qu'elles pouvaient, surtout les femmes, n'avoir exercé que peu de temps. Et l'INSEE classait en « actifs » les retraités ayant une activité professionnelle, même d'appoint. 1988 (1-3) : 6 300 000 retraités. **Actifs à 75 ans.** *1962 :* env. 14 % ; *1968 :* 8 % ; *1975 :* 4 %. ; *1983 :* 300 000 personnes concernées par la retraite à 60 ans ; *1985 :* en activité à 60 ans et + 4 %, 65 a. et + 1 %, 75 a. et + 0,2 %.

Fonctionnaires civils, ouvriers d'État, agents des collectivités locales. 1° Peuvent demander et obtenir *leur admission à la retraite à partir de 60 ans (sédentaires) ou 55 a. (actifs).* La jouissance de la pension est immédiate à 60 a. (et 15 a. de services effectifs), 55 avec 15 a. au moins dans un emploi de la cat. B (cas de nombreux enseignants ayant exercé 15 a. ou + comme instituteurs). **2° Limite d'âge obligatoire.** Fixée plus tard. *Catégorie A (sédentaires) : 1er, 2e et 3e échelons :* 70 ans ; *4e :* 67 ans ; *5e :* 65 ans. *B (actifs) : 1er éch. :* 67 ; *2e :* 65 ; *3e :* 62 ; *4e :* 60 ; [mai 1984 : projet de loi tendant à ramener à 65 a. l'âge de la retraite pour tous les fonctionnaires]. **Recul de limite d'âge pour chargés de famille :** 1 an par *enfant à charge* (max. cat. A 73 ans et B 70). 1 an pour le fonctionnaire qui à 50 ans est père de 3 enf. vivants (ou morts pour la France), s'il continue à exercer son emploi sans cumuler cet avantage avec celui ci-dessus, ni reculer la limite au-delà de 71 ans pour la cat. A et 68 pour la B. **Ascendants d'enfants morts pour la France :** 1 an par enfant décédé ainsi.

Prestataires bénéficiaires d'un avantage de vieillesse (1986). 63,55 % avant 65 ans ; 36,45 après.

Militaires de carrière. *Officiers :* après 25 ou 30 ans de carrière ; *non-officiers :* après 15 ans de service. **Mines.** 55 ans (50 après 20 ans de travail au fond). **SNCF.** 55 ans (50 après 25 ans de service dont 15 de conduite). **EDF-GDF.** 60 ans (55 après 25 ans de service). **RATP.** 60 ou 55 ans (50).

Abaissement de l'âge de la retraite. Depuis le 1-4-1983 (ordonnance du 26-3-1982) peuvent obtenir au régime général le taux maximal (50 %) tous les salariés ayant cotisé au régime général, âgés de 60 a. qui totalisent, tous régimes de retraite confondus, 37 a. et demi, soit 150 trimestres de périodes d'assurance et de périodes reconnues équivalentes. L'assuré qui quitte un emploi ou en chômage reçoit, des régimes complémentaires, une pension liquidée également sans abattement. A compter du 1-4-86, un salarié licencié à partir de 60 ans, inscrit comme demandeur d'emploi et non titulaire d'une retraite, perçoit de l'ASSEDIC une allocation de base (fixe plus 40 % du salaire avec minimum de 57 % du salaire), jusqu'à 150 trimestres d'assurance ou 65 ans.

Contrats de solidarité (avant 60 a.). Ordonnances des 16 et 30-1-1982 pour favoriser les départs en préretraite à condition que de nouvelles embauches soient effectuées. Possibilité supprimée dep. le 31-12-1983. Assuraient en moyenne 70 % du salaire de référence. *Bénéficiaires : potentiels* (1983) 700 000 ; *effectifs* (-4-1988) 418 900.

Convention de coopération du Fonds nat. de l'emploi (FNE). Les salariés licenciés pour motif économique à partir de 56 a. et 2 mois (exceptionnellement 55 a.) peuvent bénéficier d'un revenu de remplacement d'un montant égal à 65 % du salaire jusqu'au plafond de la Sécurité sociale et 50 % au-delà.

Organisation en France

Prévisions 1990-2005

En 2005 les dépenses d'assurance vieillesse du régime général atteindront 319 milliards de F (60 % de + qu'en 1989).

Financement complémentaire. 135 milliards si les prélèvements sur le revenu imposable (0,4 %) et sur les revenus financiers (1 %) sont supprimés pour 1990, 129,5 milliards s'ils sont maintenus. Si les effectifs salariés ne progressent pas de 3,3 % par an, il faudra augmenter le taux de cotisations de 10,8 %.

Solutions proposées. Une indexation de la revalorisation des pensions sur les salaires nets rapporterait 27 milliards de F, une réforme du montant global des pensions, du mode de calcul et de la revalorisation 54,7 ; il faudrait aussi augmenter les cotisations de 6,5 %.

Participation de l'État. 82 milliards entre 1983 et 1990 dont 13 pour l'UNEDIC couvrant 1/3 du montant des garanties de ressources et des validations des droits correspondants.

Déficit en milliards de F. *1990 :* 1 ; *1991 :* 1,8. Solde en *1993 :* + 4,3 milliards.

Charges indues. 8 milliards de F de 1984 à 1990. Au moins 300 000 personnes cotisent sans bénéficier des retraites, 150 000 salariés en bénéficient sans cotiser.

Part des dépenses représentées par la retraite complémentaire de 60 à 65 ans en %. *1990 :* 60, *1992 :* 70, *1993 :* 80.

Généralités

• Principes. Les régimes de retraite se sont développés à partir de 2 idées. 1°) **L'idée d'assurance** qui conduit à rendre les pensions de retraite fonction des cotisations versées par les bénéficiaires au cours de leur vie active. 2°) **L'idée de solidarité,** entre actifs et retraités, réalisée par le système de la *répartition :* les pensions versées aux retraités actuels sont financées par les cotisations des actifs actuels.

• Situation des régimes (au 1-1-1989). *Régime général des salariés* 13 398 701 cotisants (7 013 856 retraités). (Au 1-1-1989.) *Régimes particuliers et spéciaux : fonctionnaires et régimes spéciaux* 4 294 225 (3 902 699). *Salariés agricoles* 626 920 (1 655 794). *Exploitants agricoles* 1 304 629 (1 948 827). *Commerçants, artisans, prof. libérales* 3 638 728 (2 121 728).

• Fonctionnement. Tous les salariés, sauf régimes spéciaux, bénéficient d'un régime de retraite de base (régime général de S.S.) et d'un régime de retraite complémentaire.

Régime général

• Calcul de la pension de retraite. Les *salariés du régime général* peuvent prendre leur retraite à 60 ans en bénéficiant du « taux plein » de 50 % appliqué au salaire annuel moyen (moy. des 10 meilleurs salaires annuels revalorisés dep. le 1-1-1948), à condition de faire état de 150 trimestres d'assurance au régime général et autres régimes obligatoires, et de périodes reconnues équivalentes, ou d'avoir atteint 65 ans, ou d'être reconnus inaptes au travail à la date de leur demande ; titulaires de la carte de déporté ou interné politique ou de la Résistance ; de la carte de combattant ou ancien prisonnier de guerre, à un âge déterminé en fonction de la durée de leur service militaire ou de leur captivité ; demandant en qualité d'ouvrière mère de 3 enfants, si elles justifient de 30 a. d'assurance. Si l'assuré ne remplit aucune de ces conditions, le taux est minoré.

La pension maximale est bloquée au taux de 50 % du salaire-plafond du régime général : les + de 60 ans qui ont cotisé plus de 37,5 ans ne percevront pas de pensions à un taux supérieur même s'ils continuent de travailler après 60 ans.

Les femmes assurées ayant élevé des enfants pendant 9 ans avant l'âge de 16 ans bénéficient de 2 ans d'assurance gratuite par enfant. En outre, la pension est majorée de 10 % lorsque l'assuré (homme ou femme) a eu ou élevé 3 enfants. Certaines situations (chômage, maladie, périodes militaires) peuvent être assimilées à des périodes d'activité professionnelle.

Chômeurs. Indemnisés ou non, ils peuvent bénéficier de la retraite à 60 ans, comme les salariés ; les périodes de chômage sont assimilées, sous certaines conditions, à des périodes d'activité.

Montant de la pension (au 1-7-1991). *Minimum* 34 276,76 F/an pour 150 trimestres d'assurance au régime général (2 856,39 F/mois). *Max. :* 65 320 F/an.

• Rachat de cotisations. Depuis mai 1988, de nouveaux délais ont été ouverts pour déposer une demande de rachat de cotisation (jusqu'au 31-12-2002). La loi n° 85-1 274 du 4-12-1985 permet aux rapatriés d'Algérie ou de territoires anciennement placés sous la souveraineté, la tutelle ou la protection de la France d'effectuer des rachats de cotisations en bénéficiant d'une aide de l'État sous certaines conditions de ressources.

Avantages complémentaires. *Bonification pour enfants :* 10 % de la pension. Condition : avoir eu ou élevé 3 enfants pendant au moins 9 ans avant le 16e anniversaire. *Majoration pour conjoint à charge* (+ de 65 ans, 60 si inapte, non titulaire d'un droit propre en assurance vieillesse ou invalidité) : 4 000 F par an si les ressources personnelles du conjoint ne dépassent pas, au 1-1-1991, 32 670 F par an. *Majoration pour tierce personne :* pour tit. d'une pension anticipée au titre de l'inaptitude au travail, ou accordée aux anciens déportés ou internés ou anciens combattants et prisonniers de g. ayant un état de santé nécessitant l'assistance d'une tierce personne pour les actes ordinaires de la vie (prouvé avant 65 a.). *Montant :* 60 213,89 F/an au 1-7-91.

• Cumul d'une pension au titre de l'inaptitude et d'un emploi. Réglementé jusqu'à 65 a. Possible si les revenus professionnels ne dépassent pas par trimestre 50 % du SMIC. Calculé sur la base de 520 h.

• Contribution solidarité. **Cessation d'activité professionnelle.** La loi n° 87-39 du 27-1-1987 (art. 34) a abrogé le principe du paiement d'une contribution de solidarité en cas de cumul emploi-retraite. Toutefois, le paiement de la pension reste subordonné à la cessation d'activité professionnelle, c'est-à-dire à la rupture de tout lien professionnel avec le dernier employeur pour les salariés ou la cessation de l'activité pour les non-salariés.

• Pension de réversion. Due au conjoint survivant non remarié ou au conjoint divorcé non remarié, âgé de 55 ans. *Montant :* 52 % de la pension du défunt ou disparu.

Minimum annuel (1-7-1991) : 15 365 F (si l'assuré totalisait 60 trim. d'assurance au régime général). *Plafond de ressources :* montant annuel du SMIC calculé pour 2 080 h à la date de la demande ou du décès, soit 67 932,80 F/an au 1-7-91. *Cumul avec droits propres* (jusqu'à 73 % du max. de la pension vieillesse) : 50 067,36 F au 1-7-91.

• Minimum vieillesse. *1°) Montant* (au 1-7-91) : 3 004,58 F par mois, soit 36 054,96 F/an. Il se compose 1°) d'un avantage de base au moins égal au montant de l'AVTS soit 1 280,42 F par mois (15 365/an) et constitué par une pension calculée ou une pension portée au minimum ou une allocation. 2°) de l'allocation supplémentaire du Fonds national de solidarité financée par l'État, soit 1 724,16 F par mois (20 690/an) pour une personne seule, qui majore la pension de base complétant le revenu des personnes âgées disposant de faibles ressources. Être âgé de 65 ans ou 60 ans en cas d'inaptitude au travail, résider en France métrop. ou dans un territoire ou département d'outre-mer, être Français ou ressortissant d'un pays ayant passé une convention de réciprocité avec la Fr., avoir des ressources annuelles inférieures à un montant (plafond) fixé par décret, soit au 1-7-1991, 36 055 F pour une personne seule et 64 690 F pour un couple. *2°) minimum contributif :* dep. le 1-4-1983. Conditions d'obtention : avoir au – 60 ans, avoir une pension calculée au taux de 50 %, taux 2 878,42 F au 1-7-91 si 150 trimestres, sinon le minimum contributif est proratisé en 150e. Pas de conditions de ressources. Comparaison systématique lors du calcul de la retraite. **Mode d'évaluation des ressources :** toutes les ressources doivent être déclarées, y compris avantages d'invalidité ou de vieillesse, retraites complémentaires, revenus professionnels ou autres sauf valeur des locaux d'habitation effectivement occupés ; valeur des bâtiments de l'exploitation agricole ; prestations familiales ; indemnités de soins aux tuberculeux ; majoration pour aide constante d'une tierce personne ; alloc. de compensation aveugles et grands infirmes ; retraite combattant et pension attachées aux distinctions honorifiques. *Les biens immobiliers et mobiliers actuels, ou que l'intéressé a donnés à ses descendants depuis 5 ans,* sont censés procurer 3 % de leur valeur vénale à la date de la demande. Pour les biens donnés entre 5 et 10 ans, ils sont évalués à 1,5 % de leur valeur. Les biens donnés au cours des 10 années précédant la demande à un autre descendant sont censés procurer une rente viagère calculée sur la base de la valeur de ces biens à la date de la demande. Les ressources prises en considération sont celles des 3 mois précédant la date d'entrée en jouissance dans certaines conditions.

• Allocation aux vieux travailleurs salariés (AVTS). Instituée en 1941 pour les anciens salariés qui n'avaient pu se constituer une retraite suffisante. Pratiquement plus attribuée aujourd'hui puisqu'il suffit maintenant d'un trimestre d'assurance pour donner droit à une pension. *Montant principal* (par an au 1-1-91) : 15 365 F (1 280,42 F/mois), plafond de ressources annuelles (alloc. comprise) : personne seule 36 955, ménage 64 690 F.

• Secours viager. Attribué aux veufs ou veuves dont le conjoint décédé bénéficia de l'AVTS ou de l'AVTNS (alloc. aux vieux trav. non salariés). Mêmes taux et plafonds que l'AVTS.

• Allocation aux mères de famille. Pour les femmes ayant élevé au moins 5 enfants et n'ayant pas d'autre alloc. vieillesse. Mêmes taux que l'AVTS.

• Alloc. spéciale vieillesse. Attribuée aux personnes non bénéficiaires d'une alloc. de vieillesse. Mêmes conditions et montants que celles de l'AVTS.

Régime complémentaire

• Définition. L'ARRCO (Association des régimes de retraites complém.) a été créée en application de l'accord national interprofessionnel de retraite du 8-12-1961 conclu entre CNPF et syndicats. La loi de généralisation du 29-12-1972 a étendu les dispositions de cet accord à tous les salariés et anciens salariés relevant du régime général de S.S. ou du régime agricole, qui sont depuis affiliés obligatoirement à un régime membre de l'ARRCO.

• Bénéficiaires. Tous les salariés et anciens salariés (notamment les cadres pour la partie de salaire inférieure au plafond de la S.S.) de l'industrie, du commerce des secteurs privés, des mines et du secteur agricole. **Taux contractuel de cotisations** (pour les opérations obligatoires au sens de l'accord du 8-12-1961). 4 % mais la cotisation appelée représente en fait 4,92 % du salaire en 1991 (5 % en 92) dans la limite du plafond de la S.S. pour les cadres, et de 3 fois ce même plafond pour les non-cadres. Les institutions réalisent également des opérations supplémentaires correspondant à des fractions de taux excédant 5 %.

• Age de départ à la retraite. Généralement 65 ans dans les régimes relevant de l'ARRCO ; 60 ans pour certaines catégories (inaptes au travail, anciens combattants, etc.). Par ailleurs, l'accord du 4-2-1983 permet à certaines de faire valoir leur droit entre 60 et 65 ans, sous réserve de justifier d'une durée d'assurance de 37,5 ans et d'être, au moment de la retraite, salarié en activité, chômeur indemnisé (y. c. les bénéficiaires de la garantie de ressources), chômeur non indemnisé mais inscrit à l'ANPE comme demandeur d'emploi dep. au moins 6 mois. Dans les autres cas, la retraite peut être servie par anticipation dès 60 ans (ou 55 ans dans certains cas) ; les allocations sont alors affectées d'un coeff. d'anticipation.

• Montant de la retraite. Prise en compte des périodes de travail accomplies depuis l'âge de 16 ans. Aux droits acquis par cotisation (les périodes de maladie ou de chômage indemnisées sont assimilées), s'ajoutent les droits correspondant aux périodes d'activité effectuées : avant l'adhésion de l'entreprise ou dans une entreprise disparue. Dans la plupart des régimes, la retraite est exprimée en points. Son montant est égal au produit du nombre de points acquis par la valeur du point. Le nombre de points acquis au cours d'une année est obtenu en divisant les cotisations de l'année par le salaire de référence de la même année. Quelques régimes expriment l'allocation en % de salaire.

• Droits de réversion. Conditions d'âge : veuve 50 ans, veuf 65 ans (si le règlement de l'institution le prévoit), sans condition d'âge si au moment du décès ils sont invalides ou ont 2 enfants à charge. La retraite de réversion est supprimée en cas de remariage du bénéficiaire.

Montant de la retraite de réversion. Veuf ou veuve 60 % des droits (sans tenir compte d'éventuels coefficients d'anticipation). Orphelins de père et de mère 50 %. Jusqu'à 21 ans (25 ans pour l'enfant à charge ou quel que soit son âge pour l'orphelin invalide).

• Droits des divorcés. Possibilité pour les non-remariés si le divorce et le décès ont eu lieu après le 1-7-1980. Un partage de la pension de réversion est effectué entre les conjoints et ex-conjoints divorcés non remariés.

• Principaux régimes ARRCO utilisant le système par points. Valeur au 1-1-91 et, entre parenthèses, salaire de référence 1989, en F. *Interprofessionnelles.* AGRR 2,2320 F (18,14). ANEP 17 (137,15). CGIS 23,52 (27,3) [1]. CIRCO 2,266 (18,28). CIRPS 2,156 (17,91). CRI 2,572 (19,30). FNIRR 2,319 (18,76). IPRIS 2,62 (20,35). IREPS 27 (30,31) [1]. IRPSIMMEC 2,436 (19,81). RESURCA 2,352 (18,91). RIPS 1,936 (16,26). UNIRS 2,238 (18,41). *Professionnelles ou particulières.* CARCEPT (transports) 34,92 (38,68)[3]. CARPILIG (imp. labeur) 1,87 (15,04). CNRO (bâtiment, T.P.) 2,1948 (18,56). CRE (expatriés) 2,1252 (19,48 en 91). IRCEM (empl. de maison) 2,0656 (15,91). IRREP (VRP) 2,18 (17,79). ISICA (aliment.) 3,3050 (24,86).

Nota. – (1) Prix d'achat d'un point CGIS : 182 F. (2) d'un point IREPS 212,17 F. (3) d'un point CARCEPT 265,93 F.

% du dernier salaire (brut et, entre parenthèses, net) touché pour 37,5 ans de cotisations aux régimes général et complémentaire, et, en italique, pour 37,5 ans de cotisations dans divers régimes. **Non-cadre.** Rt [1] 70 à 72 (80 à 82), *60 à 65 (68 à 74) ;* Pa [2] 70 (79,1), *70 (79,1) ;* Pn [3] 65 (71), *65 (71).* **Cadre.** Rt 57 à 60 (64 à 67), *50 à 55 (56 à 62) ;* Pa 70 (79,1), *70 (79,1) ;* Pn 58 à 59 (63 à 64), *58 à 59 (63 à 64).*

Nota. – (1) Rt : retraite totale à 60 ans. (2) Préretraite ancienne formule. (3) Préretraite nouvelle formule.

• Action sociale. Les Institutions ARRCO disposent de fonds sociaux qui leur permettent d'attribuer des aides à leurs retraités les plus défavorisés et de financer des investissements à caractère social, amélioration du logement et aide ménagère, équipements destinés aux personnes âgées dépendantes : maison de rééducation, section de cure, MAPA. Une carte d'action sociale délivrée à chaque retraité permet à celui-ci de connaître la caisse de retraite complémentaire (caisse ayant validé la plus longue partie de sa carrière) à laquelle il doit s'adresser pour toute intervention sociale.

☞ Renseignements : CICAS. Centres d'information et de coordination de l'action sociale.

• Retraite moyenne des anciens salariés du régime général (en F mensuels, 1988). *Hommes* 8 481 (dont retr. compl. 4 092). *Femmes* 5 108 (1 571). **Salaire mensuel net en fin de carrière et,** entre parenthèses, **taux de remplacement en %** (1988). *Hommes* 11 360 (74,7). *Femmes* 7 920 (64,5).

Retraite des cadres

• Régime de retraite des cadres. Toutes les entreprises dont le personnel est assujetti au régime général de la S.S. (exceptions : banques, entreprises ayant un rég. complémentaire institué par une loi ou un règlement public, ou établi par une convention collective nécessitant agrément ministériel) et les syndicats, associations ou groupements divers intéressant une branche d'activité représentée au CNPF sont obligés de s'affilier à une Caisse de retraite de cadres et de verser au moins les cotisations du rég. obligatoire.

• **Cotisations.** **Base** (1-1-91). Calculée sur la rémunération brute dans la limite de certains plafonds par an : *Tranche A* de 0 à 37 760 F/an. *Tranche B* (limite supérieure des cotisations : 4 fois le plafond) de 137 760 à 551 040 F (1er trim.). *Tranche C* de 551 040 à 1 102 090 F.

Taux : retraite par répartition. Régime obligatoire minimal (en 1991 les cotisations sont appelées à 117 % c.-à-d. majorées de 17 % mais sans effet sur le nombre de points acquis). Taux fixé dans l'entreprise au min. à 8 % de la tranche B (2 % à la charge du salarié, 6 % de l'employeur). A compter du 1-1-1981, taux de 12 % obligatoire pour les entreprises nouvelles. Le taux de 8 % ou 12 % peut être majoré jusqu'à 16 % des tranches B et C. En tranche B, le supplément est réparti par moitié entre l'employeur et le salarié. En tranche C, la répartition relève d'une négociation à l'intérieur de l'entreprise.

Cotisations au « premier franc » : affiliation des participants au régime des cadres à une institution membre de l'ARRCO, sur la base d'une cotisation de 4,92 %, sur tranche A (répartition employeur/salarié selon les institutions ; le plus souvent 60/40 % comme à l'UNIRS).

Taux de cotisation « décès ». Obligatoire. 1,5 % de la tranche A. L'employeur en situation irrégulière est tenu de verser aux ayants droit du cadre décédé une somme égale à 3 fois le plafond annuel de la S.S. en vigueur lors du décès.

• **Allocation annuelle de retraite.** Produit du nombre de points acquis en cotisant (ou attribués gratuitement) par la valeur du point en vigueur lors du versement. Le nombre de points acquis au cours d'une année est obtenu en divisant les cotisations de l'année par le salaire de référence de la même année.

• **Valeur du point** (au 1-1-1991). 2 179 F. Dernier salaire de référence connu (exercice 1990) 18,21 F. Se renseigner auprès de la Caisse dont on dépend : points gratuits éventuels, cas d'inaptitude, validité de services accomplis avant le 1-4-47, majoration pour enfants, coefficient d'anticipation.

• **Réversion.** **La retraite du cadre décédé** est reversée à 50 ans pour les *veuves* (avant si elles ont au moins 2 enfants de moins de 21 ans à charge ou si elles sont invalides au moment du décès de leur époux) ; et à 65 ans aux *veufs de cadres féminins* (avant, dans les mêmes conditions que les veuves). Le conjoint survivant a droit à 60 % de la retraite perçue par le cadre décédé (ou 60 % du montant de celle à laquelle il pouvait prétendre).

Les orphelins de père et de mère bénéficient d'une réversion de 30 % des points acquis par le cadre décédé, jusqu'à 21 ans ou au-delà s'ils sont invalides.

Les ex-conjoints divorcés non remariés peuvent bénéficier d'allocations de réversion uniquement si le décès du participant est intervenu postérieurement au 30-6-1980. Elles sont calculées sur la base de 60 % des points acquis par le cadre pendant la durée du mariage.

• **Age moyen des prises de retraite.** Art. 4 et 4 bis. Cadre ayant effectivement cotisé : *1950* : 68 ans 5 mois. *60* : 66 ans 2 mois. *88* : 62 ans 10 mois.

• **Régimes facultatifs de prévoyance.** **Assurances facultatives.** *Complément du capital décès souscrit par l'entreprise :* assurance complémentaire des frais de maladie, hospitalisation, etc. ; *assurance du risque invalidité ; rente éducation* (en cas de décès du bénéficiaire pour ses enfants à charge).

• **Plan d'épargne retraite (PER).** Pour tout contribuable, à partir du 1-1-1989. Versements max. 6 000 F/an (pers. seule), 12 000 F/an (couple) (+ 3 000 F/an pour pers. avec au moins 3 enfants à charge). Les sommes doivent être investies en valeurs mobilières (actions, obligations, SICAV) ou en contrats d'assurance vie. Intérêts et plus-value exonérés d'impôt. En fin de plan, le titulaire choisit entre le versement du capital ou d'une rente.

Association générale des institutions de retraite des cadres (AGIRC). 4, rue Leroux, 75116 Paris. 55 caisses professionnelles et interprofessionnelles.

Au 31-12-1990 : cotisants 2 614 499 (CIPC-R 277 074), allocataires 1 103 249 (128 306).

Bilan (en millions de F) : ressources 55 282 (CIPC 6 452), dépenses 52 862 (6 129), résultat technique 2 420 (323), produits financiers 2 498 (318), excédent 4 918 (641), réserves 41 926 (4 727).

Régimes spéciaux

• **Origine.** Contrairement aux objectifs des ordonnances de 1945 et de la loi de mai 1946, qui prévoyaient l'institution d'une assurance vieillesse unique pour tous les Français, l'État a accepté le maintien ou la création de régimes spéciaux sous la pression des catégories intéressées : mineurs, cheminots, fonctionnaires qui bénéficiaient d'une assurance vieillesse privilégiée depuis 1890, marins de commerce qui en avaient une depuis 1668.

Leurs institutions furent maintenues « à titre provisoire ». En 1971, l'État a versé 4 383 millions de F pour équilibrer les régimes spéciaux de retraite alors que le régime général ne recevait aucune aide de l'État et participait au financement de ces régimes spéciaux.

Régime des non-salariés

Professions libérales, industriels, commerçants et artisans ont créé en 1948 des Caisses de retraite autonomes.

• **Régime légal d'assurance vieillesse des artisans.** *Régime obligatoire pour les artisans et leurs aides familiaux :* autonome, fonctionnant en répartition, géré par la CANCAVA. Depuis 1973 (loi du 3-7-1972) le taux de cotisation et les modes de calcul de ce régime sont alignés sur ceux du régime vieillesse des salariés pour les périodes postérieures à 1972 (pour les périodes antérieures, fonctionnement par points). *Régime de base :* cotisations calculées sur le revenu professionnel de l'assuré de l'avant-dernière année, dans la limite du plafond de la S.S. en vigueur au moment du versement. Taux 16,16 % au 1-1-1991, 13,35 au 1-4. Plafond (au 1-1-1991) 138 080 F. Cotisations mini. 258 F pour le 1er trimestre, 91,261 F pour le 2e ; maxi. 5 497,5 pour le 1er trimestre, 91, 5 562 pour le 2e. Dispense provisoire si interruption d'activité pendant au moins 90 j consécutifs.

Régime complémentaire obligatoire pour les ressortissants du régime des professions artisanales : retraite complémentaire au taux plein dès 60 ans à partir du 1-7-1984. Taux des cotisations : 4,50 % (maxi. 9 185 F/semestre, mini. 144). Plafond 408 240 F. Détermination de la retraite complémentaire : valeur du point de retraite (au 1-1-1990) 1,568 F.

Régime obligatoire d'assurance invalidité-décès. Garantit des pensions définitives ou temporaires aux artisans invalides, le versement de capitaux aux ayants droit de l'artisan en activité ou retraité ainsi qu'aux orphelins. Cotisation (au 1-1-1991) : 1,65 % du revenu professionnel : mini. 231 F/semestre, maxi. 1 123 F/sem.

Régime facultatif de retraite. Assurance individuelle des artisans en retraite (créée 1987) : retraite complémentaire facultative gérée en capitalisation.

Le régime des artisans peut attribuer une indemnité de départ et finance différentes formes d'aide au maintien à domicile des artisans âgés et à leur hébergement en maison de retraite.

• **Régime légal d'assurance vieillesse des commerçants.** Géré par l'ORGANIC. Créé en 1948. Regroupe 1,5 million de travailleurs indépendants du commerce et de l'industrie. Gère à titre obligatoire 3 couvertures et 1 ass. complémentaire facultative. *Régime de base.* Cotisations basées sur revenu prof. (taux 15,8 %) permettent d'acquérir une retraite à 60 ans calculée comme celle des salariés. Pour les cotisations versées avant 1973, retraite calculée en points. *Régime des conjoints.* Cotisation (taux 0,5 % jusqu'à 44 160 F de revenu et 1,82 % entre 44 160 et 132 480 F) permet d'obtenir à 65 ans une majoration pour réversion pour conjoint coexistant égale à 50 % de la retraite de l'assuré et une pension de réversion de 75 %. Le versement intégral de ce complément peut être limité si le conjoint dispose lui-même d'une pension personnelle. *Régime invalidité-décès.* Cotisation annuelle de 620 F. *Régime complémentaire.* Permet aux commerçants qui souhaitent améliorer leur retraite de verser des cotisations déductibles de leurs revenus. L'ORGANIC est un régime de solidarité et peut attribuer aux commerçants à faibles revenus une indemnité de départ à partir de 60 ans. Il finance différentes formes d'aide au maintien à domicile des commerçants âgés et à leur hébergement en maison de retraite.

• **Fonction publique.** *Bénéficiaires :* fonctionnaires civils soumis au statut de la fonction publique, magistrats de l'ordre judiciaire, militaires (tous grades).

Cotisation : 6 % du traitement. *Droit à pension :* acquis après 15 ans de services (sans condition de durée en cas d'invalidité) ; à – de 15 ans, le fonct. est rétabli dans la situation qui aurait été sienne en cas d'affiliation au régime général de S.S. *Entrée en jouissance :* règle générale 60 ans (50-55 a. dans certains cas). *Taux :* nombre déterminé d'annuités liquidables, chacune donnant droit à une allocation égale à 2 % des émoluments de base. *Minimum :* traitement brut à l'indice 100 pour 25 a. de service. *Maximum :* 37,5 annuités (40 si bonification) ; *majoration :* si le titulaire a élevé 3 enfants ou +.

Mesures spéciales en faveur des personnes âgées : réduction sur transports en commun [SNCF, avion, région parisienne (anciens combattants ou veuves de guerre 14-18)] ; installation du téléphone en priorité ; réduction dans certains musées et salles de cinéma. *Démunies de ressources :* aide en argent (minimum vieillesse), gratuité sur certains transports en commun, allocation logement ; en cas d'expulsion : le droit à être relogé dans des conditions similaires, prime de déménagement ; installation gratuite du téléphone ; exonération : de la redevance TV, des impôts locaux (taxe foncière et d'habitation), de la cotisation Sécurité sociale des employés de maison.

• **Industries électriques et gazières.** *Bénéficiaires :* agents ayant 25 a. de services, à partir de 55 a. dans les services actifs et insalubres, à partir de 60 a. dans les services sédentaires. *Calcul de la pension :* 2 % du traitement par annuité.

• **Mines.** *Bénéficiaires :* mineurs de 55 a. ; l'âge d'ouverture du droit à pension, sans pouvoir être inf. à 50 ans, est abaissé d'un an par tranche de 4 ans de service au fond pour les trav. ayant au – 30 ans d'affiliation. *Pension normale :* pour l'affilié justifiant de 120 trim. de travail à la mine. *Montant :* fixé par texte réglementaire.

• **Marins du commerce, de pêche et de plaisance.** *Types de pensions d'ancienneté :* dès 50 ans, si l'affilié justifie d'au moins 25 ans de services. Annuités limitées à 25, quel que soit le nombre réel. Pension suspendue en cas de reprise d'activité avant 55 ans. En cas de liquidation différée à 55 ans, rémunération de toutes les annuités dans la limite de 37,5 ; proportionnelle : à partir de 55 ans, si l'affilié justifie d'au moins 15 ans de services ; spéciale : de « carrière courte » à partir d'un trim. révolu de cotisations. Liquidable à partir de l'entrée en jouissance d'une pension acquise au titre d'un autre régime sans que l'entrée en jouissance de la pension spéciale puisse être antérieure à 55 ans. A défaut, à 60 ans. *Calcul des pensions :* sur la base d'un salaire forfaitaire. Valeur de l'annuité : 2 %.

• **Salariés agricoles.** **Vieillesse.** *Bénéficiaires :* salariés des professions agricoles et forestières. *Prestations :* comme régime général, sauf pour détermination des périodes d'assurances valables : 1 trimestre est décompté pour tout versement de cotisations correspondant à 50 jours.

• **SNCF.** *Bénéficiaires :* agents ayant 25 a. de service valable et 55 ans d'âge (50 ans pour certaines catégories de cheminots). Pension calculée par année de services, à raison de 1/50 de la rémunération de base.

Préretraite

• **Préretraite.** *Peuvent en bénéficier :* les salariés licenciés pour motif économique : il faut que leur entreprise ait passé une convention du FNE (Fonds national de l'emploi) avec l'État, avoir au moins 56 ans et 2 mois (exceptionnel : 55 ans), avoir appartenu pendant 10 ans au moins à un ou plusieurs régimes de S.S., justifier d'au moins 6 mois d'appartenance à l'entreprise à la date du licenciement, ne pas être chômeur saisonnier, ne pas être en mesure de bénéficier d'une pension de vieillesse pour inaptitude au travail et ne pas demander la liquidation de sa retraite. *Montant :* 65 % du dernier salaire dans la limite du plafond S.S., 50 % au-dessus (cette somme ne peut être cumulée avec une autre rente vieillesse). Revalorisée 2 fois par an en janv. et en juillet. *Maximum :* on ne tient pas compte de la partie du salaire dépassant 4 fois le salaire mensuel plafond de la S.S.

Certaines catégories de personnes ayant démissionné avant l'entrée en vigueur des nouveaux taux continuent à bénéficier du taux à 70 %. *Durée :* jusqu'à l'âge où l'on peut obtenir une retraite à taux plein, donc où l'on totalise 37,5 ans de cotisations et, au plus tard, jusqu'à 65 ans.

Décès de l'allocataire : son conjoint reçoit une somme égale à 8 mois d'allocation + 3 mois pour chaque enfant à charge.

• **Préretraite progressive.** Peuvent en bénéficier les salariés qui acceptent que leur emploi à plein temps soit transformé en emploi à mi-temps : avoir + de 55 ans, avoir cotisé au moins 10 ans à la Séc. soc., avoir été employé au moins 6 mois dans l'entreprise, être âgé de – de 65 ans (60 ans si 150 trimestres de cotisation à l'assurance vieillesse), ne pas faire liquider sa retraite, que l'entreprise ait signé un contrat de solidarité de préretraite progressive avec l'État. *Montant :* 30 % du salaire de référence calculé sur les 12 derniers mois de travail.

Adresses utiles

Gérontoscope (guide pratique d'adresses pour les problèmes du 3e âge) 68, rue de Miromesnil, 75008 Paris. **Fondation nat. de gérontologie** 49, rue de Mirabeau, 75116 Paris. **Centre de liaison, d'étude, d'information et de recherche sur les problèmes des personnes âgées (Cleirpa)** 15, rue Châteaubriand, 75008 Paris. **Institut national de recherche sur la prévention du vieillissement cérébral (INRPVC)** hôpital de Bicêtre, 78, rue du Général-Leclerc, 94270 Le Kremlin-Bicêtre. **Observatoire de l'âge** 91, rue Jouffroy, 75017 Paris.

Syndicats

☞ Selon la CISL, de janv. 1990 à mars 1991, 264 syndicalistes ont été assassinés (dont Colombie 138, Afr. du S. 25), et 2 422 arrêtés dans le monde pour avoir tenté de promouvoir les intérêts des travailleurs.

Données générales

• **Définition.** Association de personnes exerçant la même profession, ou des métiers similaires ou connexes, ou des métiers différents dans une même branche d'activité, et qui a exclusivement pour objet l'étude et la défense des droits et des intérêts matériels et moraux, collectifs ou individuels de l'ensemble de ses membres. Le syndicat peut être d'entreprise ou local.

• **Droit syndical. Adhésion.** Le préambule de la Constitution de 1946, repris par celle du 4-10-1958, proclame : « Tout homme peut défendre ses droits et intérêts par l'action syndicale, adhérer au syndicat de son choix. » Nul n'est tenu d'adhérer à un synd. L'appartenance à une organisation syndicale ne fut obligatoire que durant la période d'application de la Charte du travail, de 1941 à 1944, les syndicats étant alors sous la tutelle de l'État. Un syndiqué peut se retirer du syndicat à tout instant nonobstant toute clause contraire, sans préjudice du droit, pour le syndicat, de réclamer la cotisation afférente aux 6 mois suivant le retrait. Celui qui se retire conserve le droit d'être membre des Stés de secours mutuel et de retraite pour la vieillesse à l'actif desquelles il a contribué par des cotisations ou versements de fonds.

Employeur. *Il ne peut prendre en considération l'appartenance à un syndicat* ou l'exercice d'une activité synd. pour arrêter ses décisions (ex. : pour embauchage, conduite et répartition du travail, formation professionnelle, avancement, rémunération et octroi d'avantages sociaux, mesures de discipline et de congédiement). Le chef d'entreprise ou ses représentants ne doivent exercer aucune pression pour ou contre une organisation synd.

Exercice du droit syndical. Reconnu dans toutes les entreprises. Dans celles d'au moins 50 salariés, les sections syndicales bénéficient d'avantages matériels. Un crédit global est alloué à la section : 10 h/an (entr. d'au – 500 salariés), 15 h/an (au – 1 000).

Toute personne se réclamant de la section peut : collecter librement les cotisations synd. dans l'entreprise pendant le temps et sur les lieux de travail, afficher librement les communications synd. sur lesquelles l'employeur ne dispose d'aucun droit de contrôle ni de censure préalable, diffuser tracts et publications dans l'entreprise aux heures d'entrée et de sortie du travail, inviter dans le local synd. des personnalités extérieures sans autorisation préalable de l'employeur s'il s'agit de personnalités synd.

Toute entrave *apportée intentionnellement* à l'exercice du droit synd., à la constitution des sections synd., à la libre désignation des délégués synd. est punie d'une amende de 2 000 à 20 000 F, et d'un emprisonnement de 2 mois à 1 an.

Des conventions collectives, des accords d'entreprise ou des accords particuliers peuvent comporter des clauses plus favorables que la loi.

☞ Affichage des communications syndicales. Libre sur des panneaux propres à chaque section (modalités à fixer par accord avec l'employeur) et distincts de ceux affectés aux délégués du personnel et au comité d'entreprise. Un exemplaire doit être communiqué simultanément à l'employeur. **Publications et tracts syndic.** Libre distribution dans l'entreprise aux heures d'entrée et de sortie du travail.

☞ **Réunion des adhérents de chaque section.** 1 fois par mois dans l'enceinte de l'entreprise en dehors des heures et locaux de travail (modalités à fixer par accord avec l'employeur). Dans les entreprises de + de 200 salariés, un local commun doit être mis à la disposition des sections ; dans celles de + de 1 000 sal., chacune a droit à son local. Les modalités d'aménagement et d'utilisation du local sont à fixer avec l'employeur.

• **Politique.** La loi du 28-10-1982 autorise le débat politique au sein des entreprises : le contenu des publications et tracts synd. diffusés dans l'entreprise est librement déterminé par l'organisation synd. représentative, sous la seule réserve des dispositions relatives à la presse ; des personnalités extérieures à l'entr., synd. ou non, peuvent être invitées dans l'entr. par les sections synd. ou le comité d'entr. (l'accord du chef d'entr. n'est requis que pour les personnes non synd. pour les réunions hors du local synd. ou du comité d'entreprise) ; comité d'entr. peut organiser dans son local des réunions d'informations internes au personnel sur des problèmes d'actualité, c.-à-d., le cas échéant, sans lien avec les problèmes spécifiques de l'entr. ; il s'occupe d'œuvres sociales et aussi d'activités culturelles.

• **Cotisations syndicales.** Déduction fiscale possible (20 % du montant de ces cotisations versées aux syndicats représentatifs, dans la limite de 1 % du revenu brut).

Image des syndicats dans l'opinion. (*Sondage* Sofres-Liaisons sociales, octobre 1989). 51 % des Français et 48 % des salariés ne font pas confiance à l'action des synd. (*1988 :* 49 et 48 %). 29 % des Fr. et 34 % des salariés estiment que leur influence n'est pas assez importante (*1988 :* 22 % et 28 %). Chez les salariés, CGT et FO recueillent 25 % d'opinions favorables, CFDT 20.

Popularité des dirigeants syndicaux (en %). *Bonne* et, entre parenthèses, *mauvaise.* Henri Krasucki 21 (50), Marc Blondel 19 (17), Raymond Lacombe 19 (16), Jean Kaspar 18 (16), Paul Marchelli 16 (15), René Bernasconi 15 (13), François Périgot 14 (19), Jean Bernard 12 (14), Yannick Sembron 11 (17).

Représentativité syndicale

• **Salariés.** Tout syndicat affilié à une centrale syndicale représentative sur le plan national (CGT, CGT-FO, CFDT, CFTC et CGC) est, de plein droit, considéré comme représentatif dans l'entreprise, quel que soit le nombre de ses adhérents ou le nombre de ses sympathisants dans l'entreprise. Ces centrales peuvent constituer une section synd. commune à toutes les catégories de personnel, quelle que soit la taille de l'entr., désigner un (ou plusieurs) représentant synd. au comité d'entreprise, même si elles n'y ont aucun élu, désigner les candidats du 1er tour, désigner les membres du comité de groupe. Pour accéder à ce droit, les autres synd. doivent faire la preuve de leur représentativité dans l'entreprise en répondant à 5 critères (repris par la loi du 13-11-1982) : effectifs (nombre d'adhérents), indépendance (vis-à-vis de l'employeur), cotisations (importance et régularité de leurs versements), expérience et ancienneté, attitude patriotique pendant l'Occupation. La jurisprudence a dégagé 2 autres critères : activité et influence réelle du syndicat.

• **Employeurs.** CNPF (Conseil national du Patronat français), CGPME (Conféd. générales des petites et moyennes entreprises) et organisations représentant les artisans (CNAM et CAPEB, SNPM).

• **Pouvoirs.** Seuls les synd. reconnus comme représentatifs peuvent signer les conventions de caractère national et interprofessionnel. Ils sont consultés lors de l'élaboration du Plan, représentés au Conseil économique et social, à la commission supérieure des conventions collectives, aux prud'hommes. Ils ont seuls le droit de présenter des candidats au 1er tour des élections professionnelles.

• **Ressources.** *Cotisations* des membres (taux fixé par les statuts ou l'assemblée générale). L'employeur n'a pas le droit de prélever les cotisations synd. sur les salaires de son personnel et de les payer à la place de celui-ci. *Soutiens* divers (dont de l'État).

Délégué syndical

• **Statut.** Représentant désigné d'un syndicat auprès du chef d'entreprise. Il peut discuter et signer les accords avec celui-ci. Ses fonctions ne peuvent se substituer à celles des délégués du personnel ou membres de comités d'entreprise. Doit avoir 18 ans accomplis, n'avoir encouru aucune condamnation privative du droit de vote politique, travailler dans l'entreprise depuis 1 an au moins (4 mois en cas de création d'entreprise ou ouverture d'établissement). Dans les entreprises de – de 50 salariés, un délégué du personnel peut faire fonction de dél. synd. Dans celles de – de 300 sal., le dél. synd. est de droit représentant synd. au comité d'entreprise ; il peut être également membre de ce comité, à condition de renoncer à sa fonction de représentant synd. **Protection particulière.** Le dél. synd. ne peut être licencié qu'après avis conforme de l'inspecteur du travail. Sa mise à pied immédiate peut être prononcée provisoirement en cas de faute grave, mais sous peine de nullité elle doit être motivée et notifiée à l'inspecteur dans les 48 h de prise d'effet. Si l'inspecteur refuse le licenciement, la mise à pied et ses effets sont annulés. La même procédure est applicable au licenciement d'un dél. ayant exercé pendant 1 an, 1 an après sa cessation de fonction. En cas d'annulation de l'autorisation administrative, de licenciement, le dél. peut réintégrer l'entreprise s'il le désire. **Conditions pour être éligible.** Avoir 21 ans au moins et 1 an d'ancienneté, et n'avoir encouru aucune condamnation entraînant la privation du droit de vote. Peut être étranger.

• **Statistiques. Nombre de délégués** *par section syndicale :* 1 de 50 à 1 000 salariés, 2 de 1 001 à 3 000, 3 de 3 001 à 6 000, 4 au-delà. **Temps de fonction rémunérée** *par délégué :* min. 10 h par mois pour les entreprises de 50 à 150 sal., 15 h pour 151 à 500 sal. Au moins 20 h pour + de 500 sal. (art. L 412-20). Sur 35 169 établissements de 50 salariés et +, 17 631 ont au moins 1 délégué synd. [soit 50,7 % (pour les établ. de 50 à 99 s. : 35,9 %, ceux de 1 000 et + : 92,3 %)]. Ces établ. appartiennent à 25 633 entreprises dont 12 394 (48,4 %) auraient au – 1 délégué. *Nombre de délégués syndicaux en 1989 :* 41 460 dont CGT 11 930, CFDT 10 200, CGT-FO 7 674, CFE-CGC 5 625, CFTC 3 124, autres 2 907. *Régions où ils sont le moins représentés :* CGT en tête dans 17 régions en incluant Corse et DOM-TOM dont Limousin 37,8 %, Corse 35,5, Hte-Normandie 35,2, Champagne-Ardenne 34,8, Rhône-Alpes 33,3.

CFDT en tête dans 5 des 6 régions : Bretagne 40,3, Pays de la Loire 34, Basse-Normandie 30,2, Alsace 28,1, Lorraine 27,8. FO : Corse 24,2, Provence-Alpes-Côte d'Azur 23,8, Centre 21,2, Picardie 21,1, Aquitaine et Limousin 21. CFE-CGC : Ile-de-France 16,2, Picardie 15,8. CFTC : Alsace 16,7, Nord-Pas-de-Calais 13,3, Lorraine 11,3. Autres : DOM-TOM 32,5 dont Corse 14,5, Ile-de-France 9,3.

☞ Représentants syndicaux aux CE et aux CCE sont pris parmi les délégués synd. et cumulent les 2 fonctions. Le nombre de dél. synd. que chaque synd. peut désigner en fonction de l'effectif doit faire l'objet d'un décret. Le synd. peut désigner un dél. synd. supplémentaire au collège, s'il a au moins 1 élu dans ce collège.

Salariés protégés. Nombre total : 2 millions de mandats (17 % de la pop. active des salariés de l'ind. et du commerce) dont 1 672 950 sal. dont le licenciement ne peut intervenir qu'avec l'autorisation de l'inspecteur du travail, + anciens représentants synd. (6 mois), anciens candidats aux fonctions de représentation élective du personnel (dél. du personnel 6 mois et membre de comité d'entreprise 3 mois), anciens délégués synd. (12 mois après cessation des fonctions), les administrateurs et anciens admin. salariés des organismes de S.sociale et candidats à ces fonctions (3 mois), conseillers prud'hommes (et anciens conseillers) (6 mois).

Statistiques

• **Dans le monde. Taux de syndicalisation** (en 1988, en %) : Danemark [1], Suède [1] 85 à 90, Finlande 85, Islande [1] 75 à 80, Belgique 75, Luxembourg 66, Norvège [1] 60 à 65, Autriche 60, N.-Zélande [2] 40 à 50, Irlande 49, Australie [2] 46, G.-B. [3] 43,6, All. féd. 43, Canada, Suisse [1] 30 à 40, Italie [4] 39,2, Grèce, Portugal 35, P.-Bas 29, Japon [2] 27, Turquie 25, Espagne 20 à 25, *France 14*, USA [2] 17, Inde [2] 9.

Nota. – (1) Varie souvent selon la définition utilisée. (2) 1982-85. (3) 1986. (4) 1987.

• **En France.** *Taux en 1989 et, entre parenthèses, en 1981. Salariés et non-salariés :* actifs et retraités 11 (20), actifs 14 (28), secteur public 26 (24), privé 8 (18). *Hommes* 15 (29). *Femmes* 7 (11). *25-34 ans* 11 (21), *35-39 a.* 19 (27). *Actifs :* agriculteurs 40 (48), commerçants, artisans, industriels 31 (38), cadres et professions intellectuelles 23 (36), professions intermédiaires 23 (36), employés 7 (22), ouvriers 12 (25). *Proches du* PC 24 (34), PS 12 (23), UDF 12 (16), RPR 9 (19).

Effectifs des syndicats. Effectifs déclarés (en milliers) et, entre parenthèses, estimés. *Source :* Notes et conjonctures sociales. CFDT 558 (400/500). CFTC 250[1] (100/120). CFE-CGC 264 (80/100). CGT 1 021 (500/600). FEN 375[1] (300/350). FO 910 (350/450). Autres (50/100). Total (1 780/2 230).

Nota. – (1) Adhérents 1990.

Audience aux élections en %. Voir Index. Comités d'entreprise, délégués du personnel, prud'hommes.

Principaux syndicats français

Syndicats ouvriers

• **CAT (Confédération autonome du travail).** 19, bd de Sébastopol, 75001 Paris. *Issue* d'une scission de la CGT en 1947, confédération en 1953. 17 fédérations. Adhérente de l'Union européenne des communes (1 000 000 cotisants). **Élections :** 270 000 voix aux él. professionnelles, *élus :* comités d'établissement et délégations 7 600, fonction publique et agents territoriaux 3 300. **Secr. gén. :** Jean Fraleux (22-6-1933). **Cotisants :** *1970 :* 34 000, *76 :* 76 800, *91 :* 48 200. **Budget total** (fédéral et confédéral) : 2 250 000 F. **Publications :** l'Écho. des fonctionnaires (1953) 8 000 ex., l'Écho de la fonction publique (1962) 30 000, l'Élu autonome (1973) 5 000, Liaison confédérale (1975) 1 500 ex.

• **CFDT (Confédération française démocratique du travail).** 4, bd de la Villette, 75995 Paris Cedex 19. *Issue* de la CFTC en 1964. **Secr. gén. :** Edmond Maire (24-1-31) dep. 1971, *1989* Jean Kaspar (10-5-1941). Affiliée à la CES et à la CISL **Adhérents** (chiffres donnés autrefois) *(au 31-12) : 1965 :* 681 100, *71 :* 917 955, *76 :* 1 077 731, *80 :* 963 220, *81 :* 949 350, *82 :* 958 990, *83 :* 885 671 (+ 81 500 retraités), *84 :* 740 940. *Cotisants réguliers (au 31-12). 77 :* 828 516, *81 :* 730 270, *82 :* 737 700, *83 :* 681 300, *88 :* 900 000, *91 (juin) :* 558 000 (ensemble des timbres divisé par 8). **Militants :** 150 000 (19 000 dél. et représentants syndicaux, 60 000 dél. du personnel, 34 000 dél. au comité d'entreprise, 10 000 dél. de CHS, env. 15 000 élus dans la fonction publique, les représentants dans les institutions, les permanents et militants sans mandat dans les commissions de CE). **Budget** (1989) : *ressources en %. Fonctionnement :* part confédérale de la cotisation 70, reversements des membres (17 sièges alloués) du Conseil économique et social (CES) 14, dotations (émoluments des conseillers techniques et des membres de conseils d'admin. des organismes paritaires ou nationalisés) et recettes diverses (intérêts des placements, dons, vente de documents : agenda CFDT, etc.) 15,7. **Ressources extérieures :** *ministère du Travail :* formation des travailleurs appelés à exercer des responsabilités synd. ; des conseillers prud'hommes (4 035 000 F) ; *INFFO (ex. CNIPE) :* formation et information économique des travailleurs (2 360 000 F) ; *convention au titre de la formation professionnelle permanente* (4 325 000 F). En 1989, la cotisation représentait au minimum 0,75 % du salaire mensuel. **Publications :** Syndicalisme CFDT (hebdo) 20 000 ab., CFDT Magazine (mens.), 330 000 ab., CFDT Aujourd'hui (4 parutions/an) 4 000 ab., Action juridique (bimens.) 4 000 ab.

• **CFTC (Confédération française des travailleurs chrétiens).** 13, rue des Écluses-St-Martin, 75483 Paris Cedex 10. **Histoire :** *fondée* 1er et 2-11-1919. Les 1ers synd. d'inspiration chrétienne remontent à 1887 (SECI : Synd. des employés du commerce et de l'industrie à Paris). Adhère à la CMT. En 1964, un congrès extraordinaire a décidé l'abandon de la référence statutaire à la morale sociale chrétienne et crée la CFDT. Néanmoins, la CFTC continue et un arrêt du Conseil d'État (avril 1970) a confirmé son caractère représentatif au niveau national. **Spécificité.** Synd. non confessionnel, s'inspire des principes de la morale sociale chrétienne : dignité et responsabilité de l'être humain, subsidiarité dans le fonctionnement des corps intermédiaires, recherche du bien commun, souci de la vérité. Rejette marxisme et lutte systématique de classes ainsi que le libéralisme conduisant aux excès du capitalisme ; entend développer la force contractuelle, considère la grève comme ultime recours, préconise la médiation en cas de conflit du travail, refuse toute confusion entre responsabilités politiques et synd., défend politique familiale et participation. **Formation :** Institut synd. de formation, accueille environ 11 000 personnes.

Présidents : *1919-40* Jules Zirnheld (1876-1940) ; *45* Georges Torcq ; *48* Gaston Tessier (1887-1967) ; *53* Maurice Bouladoux (1907-77) ; *61* Georges Levard (24-3-1912) ; *64* Joseph Sauty (1906-70) ; *70* Jacques Tessier (23-5-1911) ; *81* Jean Bornard (4-6-1928). Guy Drilleaud (2-5-1933). **Secr. gén.** *1919* Gaston Tessier ; *44* Gaston Tessier ; *48* Maurice Bouladoux ; *53* Georges Levard ; *61* Eugène Descamps (17-3-1922) ; *64* Jacques Tessier ; *70* Jean Bornard ; *81* Guy Drilleaud. Alain Deleu (22-6-1946). **Presse :** Syndicalisme CFTC Magazine (200 000 ex.). La Lettre confédérale. Le Point Hebdo et les Informations confédérales (économiques et sociales). **Élections. Organisations affiliées :** 2 093 synd., 78 synd. nationaux, 2 620 sections synd., 101 unions départementales, 25 régionales, 283 locales, 30 fédérations, 1 union nationale des ingénieurs cadres et assimilés, 1 des retraités et pensionnés (public. France Retraités Syndicalisme, 60 000 ex.). *Présence :* plus de 250 permanences d'accueil en France et dans les DOM. Télétel : 36-15 AGIR – CFTC. **Adhérents :** 250 000 (pour certains 100 000).

• **CGT (Confédération générale du travail).** 263, rue de Paris, 93100 Montreuil. **Histoire :** *1895* 23/24-9 Congrès de Limoges. 75 délégués (dont 3 femmes corsetières en grève), représentant 28 fédérations, 18 Bourses du travail, 126 syndicats non fédérés, créent une organisation unitaire et collective. Peuvent se confédérer directement syndicats de base, unions et fédérations. Les socialistes non guesdistes, Jean Allemane, Édouard Vaillant, Auguste Keufer jouent un rôle important. *1896* affiliation directe supprimée pour syndicats de base. *1902* Montpellier, 2e congrès se dote d'une base départementale avec les Bourses, et industrielle avec les fédérations sous l'impulsion de Louis Niel. *1906* 8 au 14-10 après avoir échoué dans la grève générale, se donne comme loi la charte d'Amiens. *1914* 31-7 se rallie à la défense nationale. *1920* exclut les membres des comités syndicalistes révolutionnaires (CSR) qui ont refusé de s'incliner devant la majorité et qui fondent la CGT-U. *1936* 2 au 5-3 réunification au congrès de Toulouse. *1939* 25-9 la Commission administrative exclut les communistes. *1943* 17-4 réunification, accords du Perreux. *Affiliée* FSM. La CES (Conf. europ. des syndicats) a refusé l'affiliation de la CGT en 1980.

Présidents: *1902:* Victor Griffuelhes (1874-1922); *1909 :* Léon Jouhaux [(1879-1954), *12-7* secr. gén. de la CGT, *1919-1945* Vice-Pt de Féd. synd. intern., *1936* seul secr. gén. CGT, *1941* arrêté, *1943 mars* livré aux nazis et déporté, *1948* Vice-Pt de la FSM, *1947-54* Pt du Conseil écon., *1947-19-12* démissionne de la CGT et participe à la création de la CGT-FO, *1948-14-4* Pt de la CGT-FO, *1951* Prix Nobel]; *1967:* Benoît Frachon [(1893-1975), *1926* membre du Comité du PCF, *1936-45* du bureau politique du PCF, *1936* un des deux secr. de la CGT la représente aux accords Matignon, *1941-44* joue un rôle important dans la Résistance, *1944* cosecr. gén. de la CGT avec Léon Jouhaux, *1947 déc.* seul secr. gén., *1967* Pt de la CGT]. **Secr. gén.** *1967* Georges Séguy (16-3-27) ; *1982 juin* Henri Krasucki [(n. 2-9-24 à Wolomin, Pologne). Pour fuir les persécutions antisémites, se réfugie avec ses parents (militants communistes) à Paris ; ouvrier, puis résistant, *1943* déporté à Auschwitz puis Buchenwald, *1945* ajusteur chez Renault, *1949* secr. de l'UDCGT, *1956* au Comité central du PCF, *1961* au Bureau confédéral de la CGT, *1964* au Bureau politique du PCF. A dirigé « La Vie ouvrière » 22 ans].

Commission exécutive (élect. mai 1989). 129 m. (dont 108 communistes), 21 non communistes (dont 5 socialistes). **Effectifs** *(actifs + retraités) de la CGT: Chiffres officiels : 1946 :* 3 952 400, *48 :* 4 428 622, *51 :* 3 615 440, *59 :* 1 624 322, *62 :* 1 993 120, *68 :* 2 031 504, *70 :* 2 333 056, *75 :* 2 377 551, *77 :* 2 322 055 (dont 305 214 retraités), *80 :* 1 918 583 (284 208), *83 :* 1 622 095 (259 133), *90 :* 1 080 843. *Chiffres estimés 84 :* 1 384 478, *86 :* 1 106 543, *87 :* 1 030 843 (233 181), *89 :* env. au 43ᵉ congrès (mai 89) 497 021 cotisants réguliers actifs + 71 999 retraités, adhérents annoncés 800 000.

Si presque tous les membres du parti communiste choisissent la CGT, celle-ci est composée en majorité d'adhérents non communistes (les communistes y sont environ 200 000 à 250 000). La CGT a le monopole syndical chez les dockers (sauf à Marseille) et les ouvriers de la presse à Paris.

Presse (1988) : « La Vie ouvrière » 120 000 ex. (*1981 :* 400 000), « Peuple » 30 000 ex. (dont 10 469 ab.), « Antoinette » 50 000 ex. **Budget** (1988) : *Recettes :* 40 millions de F. *Dettes à long terme :* env. 240 millions de F. Ce qui a pu contraindre la direction à rechercher des expédients (ex. : utilisation de fonds destinés à la formation).

• **CGT-FO (Force ouvrière).** 198, av. du Maine, 75014 Paris. *Fondée* 19-12-1947, après scission d'avec la CGT en raison des grèves insurrectionnelles décidées en dehors des instances régulières de la CGT par un comité national de grève composé uniquement de communistes. FO fut aidée par Irving Brown (1911-89), dirigeant de l'American Federation of Labor (AFL). **Pt :** le 1ᵉʳ et le seul Léon Jouhaux (1879-1954). **Secr. gén. :** *1947 :* Robert Bothereau (1901-85). *1963 :* André Bergeron (1-1-22). [le 2-2-89, obtient pour son quartier 63,5 % des voix ; avant, il avait eu 84,5 % (1966) à 98,72 % (1984)]. *1989 (4-2) :* Marc Blondel (1938). **Budget** (en millions de F, en 1984) : budget 83,2, cotisations 61,8, subventions 20,3, divers 1,1. **Effectifs :** 900 000 (actifs et retraités) dans 33 fédérations et 104 unions départementales. *Cotisants :* env. 320 000 (2 531 388 timbres mensuels/8 payés annuellement). *Affiliée* CISL et CMS.

• **CSL (Confédération des syndicats libres).** 13, rue Péclet, 75015 Paris. *1977* prend la suite de la CFT [Conféd. française du travail, *fondée* 13-12-1959 après la division, en 1949, en plusieurs tendances de la CGSI (Conféd. générale de synd. indépendants)]. Veut aboutir à terme à la « cogestion à la française » en défendant la concertation et la participation et en refusant la lutte des classes marxistes. **Secr. gén. :** Auguste Blanc (8-6-1934). **Adhérents :** 180 000. **Publications :** « Tract » (mensuel), créé 1-1-1978, 25 000 ex.

• **UFT (Union française du travail).** 39, rue Vivienne, 75002 Paris. *Fondée* 1975 par réaction contre la politisation des syndicats. **Secr. gén :** Jacques Simakis (dirigeant des synd. indépendants depuis 1949, secr. confédéral 1952), fondateur et secr. gén. de la CFT de 1959 à 1975. **Objectifs :** structure d'accueil des syndicats indépendants et autonomes, veut obtenir la participation par des accords d'entreprise. **Adhérents :** *1975 :* 70 000. *78 :* 100 000. *81 :* 150 000. *85 :* 160 000. *87 :* 200 000. *88 :* 250 000 (140 000 cotisants). **Structure :** 19 unions régionales, 17 fédérations professionnelles. **Budget** (1989, millions de F) : 22 (dont cotisations 21,8, subventions 0,2). **Presse :** « Liberté syndicale » (50 000 ex.), « Flash infos » (commerce), « L'Indépendant » (alimentation), « L'Aéropresse » (transports et aviation), « Le Courrier des employés d'immeubles » (gardiens et concierges, 20 000 ex.).

• **CNSF (Confédération nationale des salariés de France-Fédérations nationales des chauffeurs routiers).** 6, 7, 8, rue d'Isly, 75008 Paris. *Créée* 1949 par Francis de Saulieu (1907-87). **Secr. gén :** Jean-Claude Péchin (18-6-32). Comprend des Féd. nat. des Chauffeurs routiers et des Féd. de salariés (une par branche de métier). 9 délégations rég. et 400 unions locales. **Cotisants réguliers :** + de 100 000. Antimarxiste, opposée à la lutte des classes.

Syndicat de cadres

• **CFE-CGC, (Conféd. fr. de l'encadrement de la Conféd. gén. des cadres CGC).** 30, rue de Gramont, 75002 Paris. *Fondée* 15-10-1944. Nouveau sigle dep. 21-5-1981. Le 8-12-1979 l'Union des cadres et techniciens (UCT) a fusionné avec la CGC. **Pt :** *1956* André Malterre ; *1979* Jean Menu (1921-87) ; *1984* Paul Marchelli (n. 1933). **Secr. gén. :** Jean De Santis (n. 1930). **Effectifs 1990 :** 264 000. *Cotisants à jour (1989) :* 92 000 groupés dans des syndicats ou fédérations à structure géographique ou professionnelle. Les VRP sont regroupés dans la Féd. nat. des représentants de l'industrie et du commerce (FNRIC). **Budget** (millions de F, 1986). 51,5.

Syndicats professionnels

• **CAPEB (Conf. de l'artisanat et des petites entreprises du bâtiment).** 46, av. d'Ivry, B.P. 353, 75625 Paris Cedex 13. *Créée* 1946, par Marcel Lecœur devenue 1949 FNAB (Fédé. nat. des Artisans du bâtiment) ; et CAPEB en 1963. 105 syndicats départementaux. **Adhérents :** 95 000. **Pt :** Paul Letertre. **Secr. gén. :** Patrick Ferrere. *Publication :* Le Bâtiment artisanal (mensuel, 90 000 ex.).

• **CTI (Confédération des travailleurs intellectuels de France).** 17, r. St-Dominique, 75007 Paris. *Fondée* mars 1920. **Pt :** Maurice Letulle (16-10-1923). **Secr. gén. :** Pierre-Julien Dubost. *Regroupe* 200 organisations. **Adhérents :** 500 000.

• **FEN (Féd. de l'Éducation nationale).** 48, rue La Bruyère, 75009 Paris. *Fondée* 1928, adhère à la CGT jusqu'en 1948, puis autonome. **Secr. gén. :** Guy Le Néouannic (27-5-1942). Regroupe 48 syndicats. **Adhérents :** 375 000 (estim. 250/300 000. **Budget :** env. 40 millions de F.

• **FGAF (Fédération générale autonome des fonctionnaires).** 30, av. de la Résistance, 93100 Montreuil. *Fondée* 1949 après scission avec CGT en 1948. **Secr. gén. :** Jean-Pierre Gualezzi (29-7-1946). **Adhérents :** 130 000 dans 24 organisations dont la Féd. autonome de l'Éducation nationale et la Féd. aut. de la Défense nationale affiliées 1990. **Budget :** 1 200 000 F. **Publications :** Les Échos de la Fonction publique (1949, 30 000 ex.), bim. FGAF Infos (mens.).

• **FNAR (Féd. nationale des artisans et petites entreprises en milieu rural).** 31, cité d'Antin, 75009 Paris. *Fondée* 1887. Regroupe 75 organisations départem. **Pt :** Jean-Pierre Bidaud. **Adhérents :** 4 000. **Publication :** L'Officiel de l'Artisan rural (trim.).

• **FNCAA (Féd. nat. du commerce et de l'artisanat de l'automobile).** Immeuble Axe-Nord, 9-11, av. Michelet, 93583 St-Ouen. *Créée* 1921. **Adhérents :** 18 000 entreprises. **Pt :** Jean Leloup. **Publication :** L'Officiel de l'automobile (bim. 20 000 ex.).

• **FNCRM (Féd. nat. du commerce et de la réparation des cycles et des motocycles).** Immeuble Axe-Nord, 9-11, av. Michelet, 93583 St-Ouen Cedex. **Adhérents :** 4 500 entreprises. **Pt :** Georges Pithioud.

• **SNAPC (Syndicat national autonome des policiers en civil).** 55, rue de Lyon, 75012 Paris. **Secr. gén. :** Alain Brillet. **Adhérents :** 10 000.

• **SNIGIC (Synd. ind. des gardiens d'immeubles et concierges).** 39, rue Vivienne, 75002 Paris. *Fondé :* 1960. **Pte d'honneur :** Jeanne Berkowski-Sotret. **Adhérents :** 39 000.

Syndicats patronaux

• **CGAD (Confédération générale de l'alimentation en détail).** 15, rue de Rome, 75008 Paris. *Créée :* 1938 **Pt :** Jacques Chesnaud (15-8-1923). **Secr. gén :** Dominique Perrot. Regroupe 17 confédérations, 85 sections départementales, 550 syndicats départementaux, 250 000 entreprises commerciales et 110 000 artisanales. **Publications :** « Toute l'alimentation » (mensuel) ; « Commerçant pratique : guide social », « Artisan pratique : guide social » (annuels).

• **CGPME (Confédération générale des petites et moyennes entreprises).** 10, terrasse Bellini, 92806 Puteaux Cedex. *Créée* oct. 1944 par Léon Gingembre. **Pt :** *1944* Léon Gingembre. *1978* René Bernasconi. *1990* Lucien Rebuffel (10-7-1927). **Secr. gén. :** Dominique Barbey (7-11-1933). **Adhérents :** *1991* 135 fédérations rassemblant 80 % des professions de l'industrie, du commerce et des services, et 217 structures départementales ou régionales interprofessionnelles. Ces 352 structures servent de relais à plusieurs milliers de syndicats primaires, soit professionnels au niveau des départements ou interprofessionnels de branche au niveau des villes, représentant env. 1 500 000 entreprises. **Publications :** La Volonté du commerce, de l'industrie et des prestataires de services (mensuel créé 1946), PMI France, Flash PME (mensuel).

• **CNAMS (Confédération nationale de l'artisanat, des métiers et des services).** 31, cité d'Antin, 75009 Paris. *Créée* 1945. **Pt :** Pierre Seassari (17-6-1933). **Secr. gén. :** René Dupendant (13-11-1927). **Adhérents :** 100 000 entreprises ; 1 051 syndicats et 30 féd. de métiers. **Publication :** « La Lettre de la CNAMS » (1945, 5 000 ex.).

• **CNCM (Comité national de liaison et d'action des classes moyennes).** 48, av. Kléber, 75116 Paris. *Créé* 1946 par Roger Millot. **Adhérents :** organisations professionnelles des artisans, de l'agriculture, des cadres, des petites et moyennes entr. et des prof. lib. **Pt :** Roger Baratte.

• **CNPF (Conseil national du patronat français).** 31, av. Pierre-Iᵉʳ-de-Serbie, 75116 Paris. *Créé* 12-6-1946. **Représente** *les entreprises de toutes tailles, de tous secteurs* (industrie, commerce, services) *et statuts* (tout le secteur concurrentiel privé et public) auprès des pouvoirs publics, des syndicats et de l'opinion. Confédération de 85 *organisations profess.* (regroupant les entreprises d'une même profession, regroupées elles-mêmes en 681 chambres syndicales prof.) et *d'unions interprof. territoriales* (rassemblant les entreprises de professions différentes d'un même secteur géographique). Il existe 51 unions patronales locales, 88 départementales et 26 régionales. Au total le CNPF regroupe + de 1 million d'entreprises (près de 1 300 000 salariés). **Budget :** 100 millions de F. **Secr. gén. :** Denis Zervudacki (1950).

Histoire. Origine : 1835 *Comité des industriels de l'Est.* **1840** *Union des constructeurs de machines, Comité des intérêts métallurgiques* et *Comité des Houillères.* **1846** ces organisations fusionnent et constituent l'*Association pour la défense du travail national* qui se présente comme un mouvement d'idées chargé de défendre les thèses protectionnistes. **1864** *Comité des Forges* qui exercera une influence considérable sur tous les milieux industriels jusqu'en 1936. **1901** plusieurs chambres syndicales professionnelles (telles que sidérurgie, fonderie, constructions électrique, navale et mécanique) confient leurs problèmes sociaux à l'UIMMCM (Union des industries métallurgiques, minières et de la construction mécanique). **1919** *Confédération générale de la production française (CGPF) ;* créée à l'initiative du ministre du Commerce, Clémentel, désireux de voir en face de la CGT une organisation patronale unifiée ; rassemble une douzaine de groupes industriels et 1 500 organisations primaires ; 1ᵉʳ Pt : M. Darcy puis en 1926 René Duchemin. **1936** 27 grands groupes, 4 000 organisations primaires ; lors des grèves (des milliers d'usines étant occupées), les patrons, jugeant leur droit de propriété bafoué, commencent par refuser de négocier. Le mouvement se poursuit, certains d'entre eux cèdent. Lambert-Ribot, secr. gén. du Comité des Forges, rencontre Léon Blum et propose des augmentations de salaires en échange de l'évacuation des usines. Duchemin finit par autoriser ses représentants à rencontrer 8 syndicalistes en présence de 4 ministres. De ces discussions naissent les *accords de Matignon.* Le patronat fait des concessions sur libertés syndicales, conventions collectives, salaires, horaires et congés payés. La féd. du textile et les petits patrons désavouent les signataires. *Octobre* Duchemin démissionne ; Claude Gignoux, prof. et journaliste, exdéputé et ministre lui succède. La Conf. se transforme en *Confédération générale du patronat français* et se dote d'un service social. **1940-***9-11* un décret dissout toutes les confédérations. Le gouvernement réorganise les professions dans le cadre d'une économie corporatiste. **1944** *été* abolition de la Charte du travail. **1946-***26-4* le gouvernement restitue aux syndicats patronaux leurs archives, leur confie la charge de répartir les matières premières, et les incite à rebâtir leur mouvement. *12-6*, création et 1re assemblée générale du CNPF de l'après-guerre. *Pt. Georges Villiers.* **1948** la CGPME se retire du CNPF mais reste associée aux accords et conventions signés par le CNPF avec les organisations syndicales de salariés. **1965**-*19-1* l'assemblée générale adopte une déclaration en 14 points qui défend les notions de profit et d'autorité dans l'entreprise tout en s'élevant contre le dirigisme étatique. **1966** *Pt. Paul Huvelin* (n. 1902) **1968**-*25-5* négociations de Grenelle : le CNPF accepte de relever le salaire minimum et d'étendre les droits syndicaux mais la Féd. du caoutchouc, entraînée par Michelin, fait sécession. **1968-73** accords nationaux concernant mensualisation, indemnités journalières du congé de maternité, formation professionnelle et garantie de ressources. **1972** *déc. François Ceyrac* (n. 1912) élu Pt. **1979** *janv.* le CNPF demande que soit reconsidéré l'ensemble du financement de la protection sociale (la SS doit retrouver son rôle d'assurance, et ne pas être confondue avec un instrument de politique des revenus), réclame une répartition plus équitable des charges entre État et entreprises. **1976** *été*, le CNPF objectif maintien du pouvoir d'achat, mais effort de revalorisation des bas salaires. **1978** François Ceyrac, réélu Pt par une procédure exceptionnelle, affirme son opposition au programme commun de la gauche ; le gouvernement libère les prix industriels entre juin et août. **1980**-*1-1* libération des marges du commerce. *Juin* enlèvement crapuleux du vice-président du CNPF, Michel Maury-Laribière (1920-90) libéré 11 j plus tard. **1981** *mai* le patronat qui n'avait pas prévu l'arrivée de la gauche au pouvoir proteste contre les nationalisations confisquant le capital, « inutiles, coûteuses et dangereuses », l'impôt sur les grandes fortunes s'il porte sur l'outil de travail, la loi d'amnistie qui prévoit que des entreprises pourront être obligées de réintégrer des représentants du personnel et des dél. syndicaux qui ont pris part à des affrontements directs et personnels avec des agents de maîtrise, des cadres ou des patrons. *-15-12 Yvon Gattaz* (1925) élu Pt. **1982**-*16-1* ordonnances imposent 39 h hebdomadaires et 5e semaine de congés. Le CNPF réclame que le financement des allocations familiales ne relève plus des seules entreprises. Il demande une réforme de la taxe professionnelle. *Avril* il obtient du gouvernement qu'il n'impose aucune charge supplémentaire aux entreprises, ni de nouvelles réductions de la durée du travail jusqu'en juillet 1983. *Juin* le gouv. Mauroy bloque 4 mois prix et salaires. Le CNPF proteste (lutte contre l'inflation repose sur le contrôle du budget de l'État et du budget social de la nation) ; il demande la répercussion du coût des matières 1res et de l'énergie importées, des autorisations de fixation de prix pour les produits nouveaux ou saisonniers, l'abandon de la règle du blocage toute taxe comprise (la TVA étant passée de 17,6 % à 18,6 % au 1-7-82, les prix bloqués imposent aux entreprises une baisse de leurs prix de vente HT). *-15-9* il obtient l'atténuation et le report des mesures de l'impôt sur les grandes fortunes. *Novembre* il refuse toute augmentation des cotisations des entreprises et dénonce la convention de l'UNEDIC de déc. 1958, modifiée en mars 1979. *-14-12* il organise les « États généraux des entreprises » et mobilise + de 20 000 chefs d'entreprise, notamment des PME de province. Il estime que l'augmentation des charges des entreprises (cumulant celle des charges sociales, des salaires et du SMIC, des frais financiers et des impôts) en juin 1982 à 90 milliards de F sur 12 mois, est la cause de « l'effondrement » de notre compétitivité. **1985** *29-11* Jean-Louis Giral (n. 25-8-1934) vice-Pt démissionne. **1986** *17-3* Yvon Chotard (n. 25-5-1921), 1er vice-Pt, démissionne [Fondateur et Pt de 1951 à 56 de la Jeune Chambre économique française, Pt du CFPC (Centre chrétien des patrons et dirigeants d'entreprises) de 1965 à 73, Pt du synd. nat. de l'Édition de 1975 à 79]. *15-4* Guy Brana, vice-Pt, échappe à un attentat. *Décembre* François Périgot, Pt d'Unilever France, Pt de l'Institut de l'Entreprise, élu Pt avec 70 % des voix devant Yvon Chotard. Création de 2 commissions nouvelles : compétitivité internationale, progrès du management. *13-12 :* à Paris, 1er sommet des patronats européens. Approbation d'une Charte des entreprises europ. pour l'Europe. **1989** principales revendications du CNPF : baisse de l'impôt sur les Stés, étalement de la taxe professionnelle, extension du crédit d'impôt-recherche aux PME, amélioration du régime des droits de succession pour la transmission des entreprises, suppression du décalage des remboursements de la TVA. **1990** création de « CNPF International » pour aider les entreprises à exporter.

Principales fédérations du CNPF (classées selon les cotisations versées). *UIMM (Union des industries métallurgiques et minières)* 15 000 entreprises. *Féd. nationale du bâtiment* 55 000 ent., *des travaux publics* 5 600 ent., *Union des ind. chimiques* 1 500 ent., *textiles* 2 450 ent., *Union des chambres syndicales des ind. du pétrole* 38 ent., *FIMTM (Féd. des ind. mécaniques et transformatrices des métaux)* 9 000 ent., *FIEE (Féd. des ind. électriques et électroniques)* 800 ent., *Association française des banques* 400 ent., *Ass. des ind. agroalimentaires* 4 000 ent. *Conseil national du commerce* (700 000 ent., essentiellement des PME).

Organes dirigeants. *Assemblée générale* (565 membres dont 530 représentants des membres actifs et 30 représentants des membres associés, 5 personnalités désignées par le Pt) ; se réunit tous les ans. *Assemblée permanente* (225 m.) se réunit 1 fois par mois. *Conseil exécutif* (35 m.) comprend 21 sièges pour féd. professionnelles, dont la moitié env. pour féd. de faible importance, 9 pour unions patronales, dont 4 représentant en même temps une fédération professionnelle, 5 sièges pour chefs d'entreprise désignés par le Pt du CNPF. *Président :* élu pour 5 ans, renouvelable une fois pour 3 ans (âge limite : 70 ans). *14 vice-Pts* dont un vice-Pt trésorier, mandat de 3 ans (âge limite : 70 ans). *Comité statutaire :* ses 7 m., élus par l'Assemblée générale, veillent à l'application des statuts. *Assises nationales :* au moins 1 fois tous les 3 ans.

Dirigeants. *Président :* François Périgot (n. 12-5-1926). *Vice-Pts :* Jean-Claude Achille (n. 6-6-1926), Union des ind. chimiques, Louis-Charles Bary, Union des ind. textiles, Pierre Bellon (n. 1931), Sodexho, Guy Brana (n. 1924), Jacques Brunier, Féd. nat. du bâtiment, Jacques Dermagne (n. 1938), Conseil nat. du commerce, Pierre Guillen, UIMM, Jean d'Huart (25-07-1924), UIMM, Alain Banzet (n. 28-04-1927), FIMTM, Maurice Pangaud (n. 29-8-28), Union patronale de la Région Rhône-Alpes, Francis Lepatre (n. 19-7-25), Ass. nat. des industries agro-alim., Philippe Levaux (n. 30-3-35), Féd. nat. des T.P., Ernest-Antoine Seillière (n. 20-12-37), Jean-Louis Gival (25-08-1934).

Corporations Compagnonnage et syndicats

Moyen Age. 1res associations ouvrières connues : *confréries religieuses* qui rassemblaient maîtres et compagnons du même métier et semblent avoir existé depuis Charlemagne. *XIIe s. corporations patronales réglées* (1 centaine en 1268, au moment où leurs statuts sont enregistrés dans les Établissements des Métiers de Paris). Les corporations surtout commerçantes (à Paris les Six-Corps : drapiers, épiciers, pelletiers, merciers, orfèvres et bonnetiers) créent un fossé entre maîtres et compagnons dont la condition sociale se dégrade. **De Philippe le Bel à Louis XI** le pouvoir royal transforme la corporation réglée en *corporation jurée* ou *jurande,* qui facilite leur contrôle et permet la perception de taxes pour le Trésor. Le *Compagnonnage* est la réaction des ouvriers à l'autorité du pouvoir et des corporations dominées par les commerçants. Il réunit tailleurs de pierre, charpentiers, menuisiers, serruriers et professions du bâtiment. **1469** le *Tour de France* apparaît, devient obligatoire et de plus en plus difficile. **1539** grève de 4 mois des typographes lyonnais. **1571** un édit condamne toutes manières de confréries ; inappliqué. **Fin XVIIe s.,** les grandes ordonnances de Colbert étendent le système des jurandes aux métiers les plus importants. L'accès de la maîtrise est soumis à des conditions strictes : origine, âge, religion, stage préparatoire de 10 ans. Cependant, le Compagnonnage continue à prospérer. **Fin XVIIIe s.,** il interdit l'embauche aux non-affiliés, ce qui pousse Turgot à proposer la suppression des corporations. **1791** (2-3) la loi d'Allarde abolit jurandes, maîtrises et corporations. **1791** (14-6) la *loi Le Chapelier* interdit aux ouvriers la grève, le droit d'association et de coalition ; décisions confirmées par les art. 291-92 et 414-15 du Code Napoléon. **Sous Napoléon,** les *mutualités* (lutte contre le chômage, accidents du travail) de plus de 10 membres. **Sous la Restauration,** essor nouveau. **1830 à 1840,** bagarres sanglantes entre Compagnons du Devoir et Compagnons du Devoir de Liberté. **1831** création de la résistance, nouvelle forme de lutte (dont le Devoir mutuel) après la révolte des canuts (nov.) à Lyon. **1848** (21-3) réconciliation de courte durée. Des formes d'association nouvelles sont proposées (faibles résultats) : les *associations coopératives de production* (450) ont en 1914 moins de 20 000 membres ; les *coopératives de consommation,* plus prospères, groupent plus d'employés que d'ouvriers ; les *Stés de secours mutuel* regroupant des membres de toutes les professions, n'intéressent plus les ouvriers. **1849** la loi du 27-11 limite la liberté de réunion et d'association accordée par le gouvernement provisoire. **1860** gouvernement accorde 10 millions de F aux Stés de secours mutuel mais nomme leurs présidents. **1862** création de fait des chambres syndicales et syndicats inspirées des *Trade Unions.* **1864** *Solidarité des ouvriers* du bronze de Paris. **1865** *Résistance des ferblantiers* parisiens. **1866** *Chambre syndicale des cordonniers* de Paris. **1867** Ch. synd. du bâtiment et du meuble, puis celles des ébénistes, typographes, orfèvres de Paris. **1868** Ch. synd. des peintres, puis des tailleurs de pierre de la Seine, mégissiers, tailleurs, mécaniciens de Paris. **1870** à Paris plus de 60 chambres synd. ouvrières. **1884,** loi du 21-3 autorisant le *syndicat professionnel.* La plupart des syndicats adhèrent au socialisme, on les appelle *« rouges ».* Quelques patrons tentent de leur opposer des syndicats d'ouvriers dociles ; celui de Montceau (1899) a une bannière à gland jaune d'où le surnom de *« jaunes »* donné par leurs adversaires aux syndicats sympathiques aux patrons. Une « fédération nationale des jaunes », fondée en 1902, ne dura pas. Les syndicats socialistes n'eurent alors plus d'autres concurrents que les sociétés catholiques d'ouvriers.

• **SNPMI (Syndicat national du patronat moderne et indépendant).** 68, avenue de la Grande-Armée, 75017 Paris. **Pt.** Gérard Delval (élu 24-6-85). Séparé de la CGPME en 1979, regroupait les petites industries. S'est élargi au commerce et à l'artisanat. **Adhérents :** 30 000.

• **UNICAM (Union confédérale artisanale de la mécanique).** Axe-Nord, 9-11, av. Michelet, 93400 St-Ouen. *Créée* 6-2-1978. 4 organisations dont 3 nat. : FNCAA (Féd. nat. du commerce et de l'artisanat de l'automobile) ; FNCRM (Féd. nat. du commerce et de la réparation du cycle et du motocycle) ; GNCR (Groupement nat. des carrossiers réparateurs), et 1 organisation régionale, CAMRN (Chambre artisanale de la mécan. gén. de la région Nord). **Pt :** René Stépho (21-2-1924). **Adhérents :** 25 000. **Publications :** L'Officiel de l'Automobile, L'Officiel du Cycle et Motocycle.

• **UPA (Union professionnelle artisanale).** 73, rue de Provence, 75009 Paris. *Créée* 1975. Composition : CAPEB (Artisanat du bâtiment), CNAM (Art. de production et de services), CGAD (Artisanat alimentaire). **Pt :** Albert Léon, Pt de la CNAM. **Adhérents :** env. 250 000.

Mouvements patronaux associés

• **CFPC (Patrons et dirigeants chrétiens)** (anciennement Centre français du patronat chrétien). 24, rue Hamelin, 75116 Paris. *Créé* 1926. **Pt :** Jacques Vial (1931). **Délégué gén. :** Jacques de Combret (1931). **Membres :** 1 500 adhérents actifs, 154 sections locales ; audience : + de 5 000 personnes. **Presse :** Professions et Entreprises.

• **CJD (Centre des jeunes dirigeants d'entreprise)** (ex-Centre des jeunes patrons, fondé en 1938). 13, rue Duroc, 75007 Paris. **Pt nat. :** Alain Brunaud. **Secr. gén. :** Jean-Jacques David (7-7-1960). 118 sections locales. **Adhérents :** 3 500. **Presse :** Dirigeant (5 000 abonnés).

• **UNICER.** *Créée* 1975 par Léon Gingembre pour la défense de la libre entreprise. 2, av. Marceau, 75008 Paris. **Pt :** Pierre Dubois. **Adhérents :** env. 10 000.

Établissements publics

• **Chambres de commerce et d'industrie.** *Origine :* XVIIe s., *Statut* (légal 9-4-1898) : 21 chambres régionales et 1 Assemblée permanente des Ch. de comm. et d'ind. (APCCI, 45, av. d'Iéna, 75116 Paris). 153 Chambres, 8 dans les DOM et TOM, à 64 m. titulaires (sièges répartis par cat. prof.), des m. associés. Établissements publics soumis à la tutelle de l'État, tirant 20 % de leurs ressources des centimes additionnels à la taxe professionnelle. Représentent les intérêts du commerce et de l'industrie auprès des pouvoirs publics. *Activités* consulaires (électeurs consulaires 1 500 000, élus cons. 4 172, salariés des CCI 22 000). Administrent des entrepôts, bourses de commerce, ports, aéroports, zones d'activités, expositions, etc. ou des établissements d'enseignement (ex. : HEC, 18 écoles supérieures de commerce de province, 50 instituts de promotion commerciale). Gèrent 159 établissements d'enseignement et 200 centres de formation continue, formant chaque année 250 000 jeunes et adultes. 299 zones d'activités. Gestion de 46 ports de commerce, 51 de pêche, 21 de voyageurs, 38 fluviaux, 49 de plaisance ; 115 CCI sont concessionnaires d'aéroports, et 38 de gares routières.

54 gèrent des entrepôts et magasins généraux. 73 collectent directement ou indirectement le 0,9 % logement pour un total de 559 millions de F (1985). 910 ATC (Assistants techniques au commerce), 85 ATH (Ass. tech. à l'hôtellerie) et 500 ATI (Ass. tech. à l'industrie) étaient en fonction dans les CCI en 1986. 500 pers. travaillaient au développement des échanges extérieurs du commerce français.

• **Chambres des métiers.** Établissements publics, créés par la loi du 26-7-1925. Instituées par décret, elles sont 104 [en général 40 m. élus, dont 24 chefs d'entreprise (répartis en 6 catégories professionnelles et élus par leurs pairs), 6 compagnons (élus par leurs pairs), 10 chefs d'entreprises (élus par les organisations syndicales représentatives)].

• **Chambres d'agriculture.** Voir à l'Index.

Centrales internationales syndicales

• **CES (Confédération européenne des syndicats).** *Créée* 1973. Regroupe 40 organisations de 21 pays appartenant au Conseil de l'Europe. **Adhérents :** 40 millions (dont CFDT, FO et CFTC ; l'adhésion de la CGT a été refusée). **Pt. :** Norman Willis.

• **C.E.S.P. (Conseil européen des syndicats de police).** 39 bis, rue de Marseille, 69007 Lyon. *Créée* 1988. Regroupe 18 organisations synd. autonomes des policiers européens dans 13 pays (Allemagne, Belgique, Chypre, Eire, Espagne, France, Grèce, Hongrie, Italie, Pologne, Portugal, Suisse, Tchéc.) représentant 150 000 policiers. Reconnu comme ONG au Conseil de l'Europe. **Adhérents :** + de 60 000. **Secr. gén. :** Roger Bouiller.

• **Confédération européenne des cadres.** 30, rue de Gramont, 75002 Paris. **Adhérents :** organisations nat. dans 10 pays de la CEE et 8 féd. professionnelles eur. **Pt :** Henry Bordes-Pages (Fr.). **Secr. gén. :** Fleming Friis Larsen (Danemark).

• **CIC (Confédération internationale des cadres).** 30, rue de Gramont, 75002 Paris. **Pt :** Henry Bordes-Pages (Fr.). *Créée* 1951. **Pts.** *1951* Giuseppe Togni (It.) ; *69* André Malterre (Fr. 1909-75) ; *75* Costantino Bagna (It.) ; *76* Philippe Dassargues (Belgique) ; *82* Friedrich Ische (All. féd.) ; Fausto d'Elia (It.). **Secr. gén. :** Fleming Friis Larsen (Dan.). **Adhérents :** organisations nat. de 7 pays de la CEE et 5 fédér. professionnelles internationales.

• **CISL (Confédération internationale des syndicats libres) ICFTU (International Confederation of Free Trade Unions).** R. Montagne-aux-Herbes-Potagères, 37-41, 1 000 Bruxelles. **Pt :** P.P. Narayanan (Malaisie). **Secr. gén. :** John Vanderveken (Belgique). *Création :* déc. 1949, après scission de la FSM. **Adhérents** (en millions) : *1951 :* env. 52, *62 :* 56, *82 :* 85, *90 :* 100 dans 144 organisations syndicales de 98 pays. Minitel 36 15 CSL.

• **SPI (Secrétariats professionnels internationaux).** Groupent des syndicats nationaux selon les professions (16).

• **CMT (Confédération mondiale du travail) (WCL).** 33, rue de Trèves, 1040 Bruxelles, Belgique. **Pt :** Willy Peirens (Belgique). **Secr. gén. :** Carl Luis Custer (Argentine). *Création :* 1920 (Conf. intern. des synd. chrétiens : CISC) devenue CMT en 1968. **Adhérents :** 17 500 000 dans 82 pays. 90 organisations nat. et 8 fédérations intern. profession.

• **FSM (Fédération syndicale mondiale) (World Federation of Trade Unions) (WFTU).** Prague. *Créée* 1945. **Secr. gén. :** Alexander Zharkov (URSS). **Adhérents :** 196 millions (1990) dans 92 organisations synd. de 70 pays. Conseil gén. tous les 2 ans, Conseil présidentiel (2 sessions par an), secrétariat. Compte 11 Unions internat. des syndicats de branches.

Syndicats patronaux

• **UIAPME (Union internat. de l'artisanat et des petites et moyennes entreprises).** UVACIM, case postale 1471 CH 1001 Lausanne, Suisse. *Créée* 1947. **Pt :** Paul Schnitker (All.). **Secr. gén. :** Jacques Desgraz (Suisse). **Adhérents :** 10 millions d'entr. (26 pays).

Travail

Population active

Dans le monde

Esclavage

• **Définition** (convention de 1926, adoptée par la SDN) : « L'esclavage est l'état ou condition d'un individu sur lequel s'exercent les attributs du droit de propriété ou certains d'entre eux. » A l'esclavage se rattachent la servitude pour dette, le *péonage*.

• **Quelques dates. 1415** les musulmans expulsés d'Espagne se réfugient en Afrique. Les Portugais en font des prisonniers et les vendent à Lisbonne comme esclaves. Les parents des captifs offrent en rançon des esclaves noirs. **1498** selon la bulle du pape Alexandre VI « ... la Terre appartient au Christ et le Vicaire du Christ a le droit de disposer de tout ce qui n'est pas occupé par les chrétiens. Les infidèles ne sauraient être possesseurs d'aucune partie de la Terre ». **1517** Charles Quint autorise le recrutement d'esclaves en Afrique en se prévalant de la thèse du dominicain Las Casas « afin que leur service aux mines et dans les champs permette de rendre moins dur celui des Indiens ». Madrid confie leur transport aux marchands flamands. **1774** le Rhode Island (USA) abolit la traite. **1787** la traite atteint annuellement 100 000 Noirs (en transportent : Angleterre 38 000, France 31 000, Portugal 25 000, Hollande 4 000, Danemark 2 000). De 1511 à 1789, 4 à 5 millions ont été déplacés.

1792 New Hampshire et Danemark abolissent la traite. **1794**-*4-2* (16 pluviôse an II). A l'initiative de l'abbé Grégoire, la France abolit l'esclavage. **1802**-*10-5* Napoléon, Premier Consul, rétablit la traite et l'esclavage. **1803** le Canada abolit la traite. **1815** au Congrès de Vienne, Angl., Autriche, France, Portugal, Russie, Esp. et Suède abolissent la traite, assimilée à la piraterie. Navires de guerre français et anglais ont le droit de visite. Le navire, confisqué, peut être brûlé. **1838** les colons anglais abolissent l'esclavage. **1848**-*27-4* en France (IIe République), Victor Schœlcher (1804-93), sous-secrétaire aux Colonies, signe l'abolition de l'esclavage. Une indemnité de 1 200 F (puis 500 F) par esclave (alors 249 000) est offerte aux propriétaires. **1862** les colons hollandais abolissent l'esclavage. **1874** Cuba, colonie esp., compte encore 396 000 escl. **1887** le Brésil (qui absorbait 100 000 escl. par an) abolit l'esclavage.

• **Statistiques. Nombre.** Dans le monde : + de 15 millions d'esclaves au sens large, et des centaines de milliers au sens restreint. Malgré sa suppression officielle, l'esclavage est encore pratiqué dans + de 40 pays (négligence, inefficacité, corruption de l'adm., ou pauvreté). Ex. : Arabie, Brésil (servitude pour dettes), Afrique (Algérie, Libye, Maroc, Mauritanie, Sénégal, Mali, Niger, etc.), Inde (nombre de travailleurs asservis, identifiés et libérés au 30-6-1983, selon le BIT : 157 580).

• **Prix.** Un esclave, homme adulte et en bonne santé, est, en Afrique, estimé 10 chameaux (de 25 000 à 50 000 F CFA). Une femme en général le double (les enfants appartiennent au propriétaire de la mère et jamais à celui du père, même lorsqu'ils sont issus d'un mariage et que le père est libre).

Travail forcé ou obligatoire

Définition de l'OIT (convention de 1930). « Travail ou service exigé d'un individu sous la menace d'une peine quelconque et pour lequel l'individu ne s'est pas offert de plein gré. » La Convention concernant l'abolition du travail forcé (adoptée par l'OIT en 1957) oblige les États qui la ratifient à ne jamais recourir au travail forcé ou obligatoire en tant que : a) mesure de coercition ou d'éducation politique ou en tant que sanction à l'égard de personnes qui ont ou expriment certaines opinions politiques ou qui manifestent leur opposition idéologique à l'ordre politique, social ou économique établi ; b) méthode de mobilisation et d'utilisation de la main-d'œuvre à des fins de développement économique ; c) mesure de discipline du travail ; d) punition pour avoir participé à des grèves ou e) mesure de discrimination raciale, sociale, nationale ou religieuse.

Enfants. Selon le BIT, env. 300 millions d'enfants dans le monde travailleraient : *Afr. du Sud :* 650 000 Noirs de – de 15 a. dans les fermes. *Ar. Saoudite :* esclavage, vente d'adolescentes, exploitation des jeunes domestiques asiatiques. *Bangladesh :* esclavage, des centaines d'enfants de 7 ans à peine vendus par leurs parents ou enlevés et prostitués. *Bolivie :* 60 % des 5-16 a. *Brésil :* 45 millions, + de 500 000 prostitués. *Chine :* travaux agricoles. *Colombie :* 3 millions. *Égypte :* 25 % des enfants d'âge scolaire. *États-Unis :* 1 million d'enfants d'origine mexicaine, 600 000 prostitués. *Inde :* 175 millions de – de 14 a. *Italie :* + de 500 000. *Mexique :* 10 millions. *Portugal :* 200 000. *Royaume-Uni :* 2 millions (surtout immigrés). *Pakistan :* esclavage, 2 millions. *Philippines :* 3,5 millions, 20 000 prostitués. *Soudan :* esclavage. *Sri Lanka :* trafic d'enfants et prostitution. *Thaïlande :* 3 millions, + de 500 000 prostitués.

Age minimal requis par la législation du travail. *12 a. :* Nigeria. *13 a. :* Royaume-Uni, Thaïlande. *14 a. :* Brésil. *15 a. :* Philippines, Inde. *16 a. :* France.

Statistiques

Répartition de la population active par secteur pour les pays développés dans le monde (1986). Les totaux en % *ne donnent pas 100 %,* car ils ne comprennent pas les activités mal désignées ni, dans de nombreux cas, les *chômeurs* et quelquefois les forces armées, et ne sont *pas strictement comparables.*

☞ Pour le BIT, la population active comprend des personnes ayant travaillé dans un emploi (rémunéré ou à leur propre compte) ne fut-ce qu'1 h pendant la semaine de référence ; les personnes ayant un emploi (rémunéré ou à leur propre compte) n'ayant pas travaillé la semaine de référence pour des raisons temporaires ; les aides familiaux ayant travaillé 15 h ou plus, ou moins de 15 h pour un motif passager ; les stagiaires rémunérés.

Pays	Total milliers	Femmes % [1]	Prim. %	Sec. %	Tert. %
All. féd.	29 779	54,8 [1]	3,7	39,8	56,5
Australie	8 303	60,8	5,5	26,5	68,0
Autriche	3 450	54,3	8,0	37,0	55,1
Belgique	4 144	51,6	2,8	28,5	68,7
Canada	13 582	67,4	4,3	25,7	70,1
Danemark	2 879	77,3	5,7	27,4	66,9
Espagne	15 160	39,9	13,0	32,9	54,0
États-Unis	125 557	68,1	2,9	26,7	70,5
Finlande	2 583	73,3	8,9	30,9	60,2
France	24 320	56,2	6,4	30,1	63,5
Grèce	3 967	43,5 [1]	25,3	27,5	47,1
Irlande	1 292	37,6 [1]	15,1	28,4	56,5
Italie	24 258	44,3	9,3	32,4	58,2
Japon	62 700	59,3	7,6	34,3	58,2
Luxembourg	184	47,6 [1]	3,4	31,2	65,4
Norvège	2 155	71,2	6,6	25,3	68,1
Nlle-Zélande [1]	1 573	60,7	10,3	25,4	64,3
Pays-Bas	6 713	51,0	4,7	26,5	68,8
Portugal	4 677	59,7	19,0	35,3	45,7
Royaume-Uni	28 508	65,4	2,1	29,4	68,4
Suède	4 527	80,5	3,6	29,4	67,0
Suisse	3 535	58,5	5,6	35,1	59,3

Nota. – (1) 1988.

Évolution par zone

En millions	1750	1900	1985	2025
Asie du Sud	106	183	592	1 187
Asie orientale	118	207	707	924
Afrique	48	56	214	650
Amérique latine	7	27	140	308
Europe	56	134	226	230
U.R.S.S.	20	61	143	175
Amérique du Nord	1	33	130	158
Océanie	1	3	11	17
Monde	*357*	*704*	*2 163*	*3 649*

Source. – BIT.

Population totale par sexe, âge et catégorie socioprofessionnelle (au recensement du 4-3-1982)

Catégorie socio-professionnelle	HOMMES & FEMMES		HOMMES				FEMMES			
	Total	%	Total	dont 15-34 ans	dont 35-54 ans	dont 55 ou +	Total	dont 15-34 ans	dont 35-54 ans	dont 55 ou +
TOTAL	54.273.200	100	26.492.800	8.682.740	6.473.440	5.575.040	27.780.400	8.478.980	6.325.380	7.504.640
Dont actifs (10 à 69 et 81)	23.525.120	43,4	13.940.400	6.067.200	6.133.600	1.739.600	9.584.720	4.683.120	3.792.800	1.108.800
1. Agriculteurs exploitants	**1.475.380**	**2,7**	**927.340**	**215.440**	**411.080**	**300.820**	**548.040**	**83.100**	**295.320**	**169.620**
2. Artisans, commerçants, chefs d'entrep.	**1.834.620**	**3,4**	**1.218.340**	**288.440**	**668.940**	**260.960**	**616.280**	**133.980**	**332.460**	**149.840**
21. Artisans	903.600	1,7	684.380	175.260	383.680	125.440	219.220	55.980	121.980	41.260
22. Commerçants et assimilés	797.100	1,5	422.480	99.360	219.080	104.040	374.620	75.020	197.260	102.340
23. Chefs d'entreprise de 10 salariés ou +	133.920	0,2	111.480	13.820	66.180	31.480	22.440	2.980	13.220	6.240
3. Cadres, profes. intellectuelles supér.	**1.894.720**	**3,5**	**1.424.940**	**399.440**	**805.880**	**219.620**	**469.780**	**181.080**	**235.260**	**53.440**
31. Professions libérales	238.900	0,4	173.320	45.940	88.120	39.260	65.580	23.520	31.640	10.420
32. Cadres fonct. publ., prof. intel. et art.	714.340	1,3	448.360	151.520	232.920	63.920	265.980	113.580	126.140	26.260
36. Cadres d'entreprise	941.480	1,7	803.260	201.980	484.840	116.440	138.220	43.980	77.480	16.760
4. Professions intermédiaires	**3.971.100**	**7,3**	**2.369.480**	**943.560**	**1.175.300**	**250.620**	**1.601.620**	**782.800**	**683.220**	**135.600**
41. Enseignement, santé, fonction publ.	1.726.860	3,2	620.480	273.580	283.560	63.340	1.106.380	566.340	453.260	86.780
46. Administration, commerce des entr.	995.400	1,8	596.560	242.100	280.820	73.640	398.840	169.760	188.800	40.280
47. Techniciens	678.260	1,2	616.440	303.480	269.900	43.060	61.820	38.040	20.560	3.220
48. Contremaîtres, agents de maîtrise	570.580	1,1	536.000	124.400	341.020	70.580	34.580	8.660	20.600	5.320
5. Employés	**6.247.240**	**11,5**	**1.724.860**	**949.680**	**604.920**	**170.260**	**4.522.380**	**2.484.640**	**1.616.600**	**421.140**
51. Employés fonction publique	2.082.880	3,8	776.780	400.080	303.540	73.160	1.306.100	623.660	546.500	135.940
54. Employés administratifs d'entreprise	2.532.040	4,7	639.260	366.360	207.560	65.340	1.892.780	1.182.380	586.320	124.080
55. Employés de commerce	742.180	1,4	157.320	97.100	47.480	12.740	584.860	352.280	185.860	46.720
56. Personnels des services aux particul.	890.140	1,6	151.500	86.140	46.340	19.020	738.640	326.320	297.920	114.400
6. Ouvriers (y compris ouvriers agricoles)	**7.748.860**	**14,3**	**6.147.700**	**3.146.160**	**2.465.060**	**536.480**	**1.601.160**	**815.640**	**612.520**	**173.000**
61. Ouvriers qualifiés	4.094.780	7,5	3.738.320	1.907.540	1.529.960	300.820	356.460	165.420	147.140	43.900
66. Ouvriers non qualifiés	3.359.580	6,2	2.160.700	1.129.260	838.180	193.260	1.198.880	629.460	447.400	122.020
69. Ouvriers agricoles	294.500	0,5	248.680	109.360	96.920	42.400	45.820	20.760	17.980	7.080
7. Retraités	**7.436.020**	**13,7**	**3.619.600**	**...**	**28.120**	**3.591.480**	**3.816.420**	**...**	**16.680**	**3.799.740**
71. Anciens agriculteurs exploitants	1.346.040	2,5	582.640	...	940	581.700	763.400	...	1.720	761.680
72. Anc. artisans, commer., chefs d'entr.	754.940	1,4	331.580	...	1.340	330.240	423.360	...	2.140	421.220
73. Anciens cadres et professions interm.	1.065.440	2,0	630.640	...	4.120	626.520	434.800	...	3.240	431.560
76. Anciens employés ouvriers	4.269.600	7,9	2.074.740	...	21.720	2.053.020	2.194.860	...	9.580	2.185.280
8. Autres personnes sans activité profes.	**23.665.260**	**43,6**	**9.060.540**	**2.740.020**	**314.140**	**244.800**	**14.604.720**	**3.997.740**	**2.533.320**	**2.602.260**
81. Chômeurs n'ayant jamais travaillé	353.200	0,7	127.740	124.480	2.420	840	225.460	201.880	17.420	6.160
82. Inactifs divers (C)	23.312.060	43,0	8.932.800	2.615.540	311.720	243.960	14.379.260	3.795.860	2.515.900	2.596.100

En France

Quelques dates

1791-*17-3.* Décret d'Allarde qui supprime les *corporations* et proclame la liberté du travail. *-14* et *17-6.* La loi Le Chapelier interdit les *coalitions d'ouvriers,* ce que reprend le Code pénal de 1810. **1803**-*12-4.* Extension à tous les ouvriers de l'obligation du *livret ouvrier.* Cette mesure plusieurs fois rapportée ne sera définitivement abolie qu'en 1890. **1806**-*18-3.* 1er *conseil de prud'hommes.* D'abord formés uniquement de patrons, ils seront paritaires avec la loi du 27-3-1907. **1813**-*3-1.* Décret interdisant de faire descendre dans les mines des enfants de moins de 10 ans. **1841**-*24-3.* Loi fixant la durée du travail journ. des enfants dans les ateliers à 12 h de 12 à 16 ans ; à 8 h de 8 à 12 ans. **1848**-*4-3.* Décret interdisant le marchandage et fixant la journée du travail à 10 h à Paris, à 11 h en province. *-20-8* loi allongeant la durée du travail à 12 h. **1852**-*26-3.* Loi autorisant les *Stés de secours mutuel* sous certaines conditions. **1864**-*25-5.* Loi accordant la *liberté de coalition.* **1874**-*19-5.* Loi réduisant la *durée du travail des femmes et des enfants.* Création de l'*Inspection du travail.* **1884**-*21-5.* Loi Waldeck-Rousseau accordant la *liberté de création des syndicats.* **1886**-*1-4.* Loi sur les Stés de secours mutuel. **1891.** Convention d'Arras, *conventions collectives* dans les mines du Nord et du Pas-de-C. **1892**-*2-11.* Loi fixant la durée du travail des femmes et des enfants à 11 h (femmes et enfants – 18 a.), 12 h (hommes). **1893**-*12-6.* Loi posant les normes d'hygiène et de sécurité du travail. **1895**-*12-1.* Loi limitant la *saisie des salaires.* **1898**-*9-4.* Loi sur les *accidents du travail.* **1899.** Création du Conseil sup. du travail. Reconnaissance par l'État des délégués syndicaux.

1900-*30-3.* Loi sur la limitation de la durée du travail à 10 h par jour, par étape de 2 à 4 ans. **1904**-*1-5.* Loi supprimant les bureaux de placement payants. **1906**-*13-7.* Loi sur le *repos hebdomadaire.* *-25-10.* Clemenceau crée le *ministère du Travail* (1er titulaire René Viviani). **1909**-*28-12.* Loi garantissant leur emploi aux *femmes en couches.* **1910**-*5-4.* Loi sur les *retraites ouvrières.* *-28-12.* Loi rassemblant pour la 1re fois la législation éparse sous forme de *Code du travail.* **1913**-*17-6.* Loi instituant le repos des femmes en couches. *-10-7.* Décret sur l'hygiène et la sécurité. **1914**-*21-3.* Décret interdisant certains travaux aux femmes et aux enfants. **1917**-*5-2*/*17-5.* Circulaires d'Albert Thomas instituant les *délégués ouvriers* dans les usines d'armement. **1919**-*25-3.* Loi accroissant l'autorité des conventions collectives, modifiée ultérieurement par les lois des 24-6-1936, 23-12-1946, 11-2-1950 et 13-7-1971. *-23-4.* Loi fixant la durée du travail à 8 h par jour. *-25-10.* Loi étendant aux maladies professionnelles le régime protecteur des accidents du travail de 1898.

1920-*12-3.* Loi reconnaissant aux syndicats le droit de se porter partie civile. **1924** *août.* Le gouvernement reconnaît aux syndicats le droit de représenter les fonctionnaires : complété 1932. **1928**-*5-4.* Loi instituant *Assur. sociales.* **1932**-*11-3.* Loi créant *Alloc. familiales.* **1936**-*8-6.* *Accords de Matignon :* hausse des salaires, congés payés, 40 h, délégués du personnel et conv. collectives que préciseront 4 lois.

1941-*4-10.* Publication de la *Charte du travail.* Instauration de syndicat unique, obligatoire et officiel. **1945**-*13-12.* *Nationalisation* des Houillères. *Ensuite :* Air France, Banque de France, 4 banques de dépôts, Gaz et Électricité, Assurances. **1945**-*22-2.* Ordonnance instituant les *comités d'entreprise,* élargie par les lois du 16-5-1946 et du 18-6-1966. *-19-10.* Ord. réorganisant les institutions de Séc. soc. **1946.** Le préambule de la Constitution garantit le *droit de grève.* Protection sociale calquée sur le modèle britannique. *-16-4.* Loi instituant *délégués du personnel.* *-11-10.* Loi créant la *médecine du Travail.* *-19-10.* Le statut général des *fonctionnaires* reconnaît leur liberté syndicale. *-30-10.* Loi sur les *accidents du travail.* **1947**-*14-3.* Institution du régime prioritaire de *retraites complémentaires* des cadres. Création de l'AGIRC.

1950-*7-7.* Droit de grève accordé aux agents publics. Création de *l'échelle mobile du SMIG.* Essor des conventions collectives. **1953**-*9-8.* Contribution patronale de 1 % à la construction de logements. **1955**-*sept.* Accord Renault liant pour la 1re fois les salaires au progrès de la production et portant à 3 semaines les congés payés. **1956**-*27-3.* Loi rendant

Population totale, active, par sexe et par âge (au recensement du 4-3-1982)

Age au 1-1-1983	HOMMES		FEMMES	
	Total	% (A)	Total	% (A)
	26 492 800	52,6	27 780 400	34,5
0-14	5 761 580	–	5 471 400	–
15-19	2 231 320	21,8	2 130 660	16,7
20-24	2 124 840	69,7	2 106 700	66,9
25-29	2 104 780	93	2 089 920	70,6
30-34	2 221 800	96,4	2 151 700	67,0
35-39	1 857 320	96,8	1 766 380	65,1
40-44	1 472 560	96,2	1 413 440	62
45-49	1 554 120	94,9	1 523 400	58,3
50-54	1 589 440	90,9	1 622 160	54,1
55-59	1 475 260	76,9	1 580 680	45
60-64	1 174 700	39,1	1 334 040	22,3
65-69	806 740	9,4	1 003 100	5
70-74	900 540	4,6	1 244 560	2,2
75-79	654 380	2,8	1 045 380	1,2
80-84	380 460	1,9	739 480	0,9
85-89	137 440	1,8	387 820	0,7
90 ans ou plus	45 520	1,4	169 580	0,6

Nota. – (A) : % d'actifs pour 100 personnes de même sexe et groupes d'âge (taux d'activité).

	Population active en %			
	1962	1975	1982	1988
Agr. exploitants	15,9	7,8	6,4	5,2
Artisans, commerçants, chefs d'entreprise	10,9	8,1	7,7	7,4
Cadres et prof. intel. sup.	4,7	7,1	7,9	9,7
Prof. intermédiaires	11	16	18	19
Employés	18,4	23,4	26	27,7
Ouvriers qualifiés (y.c.chauffeurs) } Ouvr. non qualifiés } Ouvr. agr.	39,1	37,3	32,8	30
Chômeurs n'ayant jamais trav.	0	0,3	1,1	1,1
Ensemble	100	100	100	100

Exposition nationale du travail

Concours. *Créé* en 1923. *Officialisé* par arrêté du ministre de l'Éducation nationale, le 25-5-1935, qui l'organise périodiquement avec la participation d'autres ministères, des Conseils régionaux et généraux, des collectivités locales, des organisations professionnelles et des chefs d'entreprises. Intéresse env. 220 métiers. Titre : « Un des Meilleurs Ouvriers de France ».

Condition pour participer : avoir 23 ans minimum. Les étrangers peuvent concourir s'ils justifient de 5 ans au moins d'activité professionnelle en France.

Dep. 1924, il y a eu 18 expositions. 6 900 titres décernés.

obligatoires les *congés payés* de 3 semaines. Création du *Fonds national de solidarité* destiné à renforcer l'aide vieillesse. **1957**-*15-5.* Régime de retraites des non-cadres (Unirs). **1958**-*31-12.* Convention CNPF / syndicats créant un *régime d'assurance-chômage* (Unedic et Assedic). *-19-2* Loi instituant un préavis légal de 1 mois en cas de licenciement. **1959**-*7-1.* Ordonnances sur : l'action en faveur des *travailleurs sans emploi ;* la *participation* (facultative) des salariés au bénéfice des entreprises. Formule obligatoire prévue par l'ordon. du 17-8-1967.

1961-*8-12.* Accord sur généralisation des *retraites des non-cadres.* Association des régimes de retraites complémentaires (ARRCO). Signataires : CFDT, CFTC, CGT-FO, CGC. *-29-12.* 4 semaines de congés payés chez Renault. **1963**-*18-12.* Loi créant le *Fonds national de l'emploi.* **1966**-*28-11.* Création paritaire de l'APEC. *-30-12* Garantie de l'emploi en cas de maternité. **1967**-*13-7.* Création de l'*Agence nationale pour l'emploi. -17-8.* Ordonnance sur la *participation* obligatoire aux fruits de l'expansion. **1968**-*21-2.* Accord avec NPI : versement aux travailleurs en chômage partiel d'une allocation complémentaire aux indemnités d'État. Signataires : CGC, CGT, CGT-FO. *-27-5. Constat de Grenelle :* hausse des salaires, engagements tenus par la loi du 28-12 concernant la section syndicale d'entreprise, accords professionnels sur la réduction du temps de travail (Voir Quid 1972, p. 795). *-27-12.* Loi relative à l'exercice du *droit syndical* dans l'entreprise. Liberté de constitution de sections syndicales dans l'entr. **1969**-*10-2.* Accord national interprofessionnel sur la *sécurité de l'emploi.* Accord avec commissions paritaires de l'emploi au niveau professionnel et interprofessionnel, précisant les modalités de saisine du comité d'entreprise avant tout licenciement collectif pour raisons économiques. Signataires : CFDT, CFTC, CGC, CGT, CGT-FO. *-16-5.* Loi généralisant les *congés payés* de 4 sem. *– Déc. 1er contrat de progrès* signé à EDF-GDF. *Mensualisation des salaires.*

1970-*2-1.* Loi instituant le *SMIC. -20-4.* Déclaration commune du patronat et des syndicats sur la *mensualisation. -2-7.* Accord pour une meilleure indemnisation du *congé-maternité. -9-7.* Accord sur la *formation* et le *perfectionnement professionnels.* **1971**-*16-7.* 3 lois sur l'*apprentissage,* l'*enseignement technologique* et la *formation professionnelle. -30-11/3-12.* Lois réformant l'allocation de *salaire unique,* majorant les *pensions vieillesse* et la *préretraite* des travailleurs frappés d'inaptitude. **1972**-*27-3.* Accord national interprofessionnel portant *garantie de ressources* pour les chômeurs de + de 60 ans. **1973**-*19-3.* Accord sur l'affiliation des jeunes aux régimes de retraites complémentaires, dès leur entrée dans l'entreprise. *-13-7.* Réforme du *droit de licenciement* obligeant l'employeur à fournir une explication. *-27-12.* Création de l'Agence nationale pour l'amélioration des conditions de l'emploi (Anact). **1974**-*30-2.* Création du *fonds de garantie des salaires* assurant à tous les travailleurs victimes d'une faillite le paiement de leur dû. **1975**-*3-1* et *5-5.* Loi et décret sur le contrôle des *licenciements économiques. -30-6.* Loi d'orientation pour les handicapés. *-1-7. Retraite à taux plein à 60 ans* pour les travailleurs manuels et les mères de famille ayant élevé 3 enfants ou plus. Conditions : avoir accompli 5 années de travail « manuel » et 42 années de cotisations au régime général de la Sécurité sociale pour les hommes ou 30 années pour les mères de 3 enfants. *-4-7.* Loi sur la *généralisation de la Sécurité sociale. -11-7.* Lois définissant les droits des *travailleurs étrangers. -27-12.* Lois garantissant le versement des salaires en cas de règlement judiciaire et liquidation (complément) ; sur la réduction de la durée légale du travail. **1977**. 1er *Pacte pour l'emploi. -12-7.* Lois sur la *retraite des femmes à 60 ans,* le congé parental d'éducation, le bilan social de l'entreprise. *-10-12.* Accord national interprofessionnel sur la *mensualisation.* **1978**-*19-1.*

Population active ayant un emploi, par sexe, statut, nationalité et activité économique (au 4-3-1982)

Activité économique	HOMMES & FEMMES		HOMMES		FEMMES	
	Total	dont sal. étrangers	Total	dont salariés	Total	dont salariées
TOTAL (actifs ayant un emploi)	21.465.960	1.257.860	13.006.280	10.633.900	8.459.680	7.188.560
● U01. T01. Agricult., sylvicult., pêche	**1.759.220**	**50.020**	**1.162.120**	**243.500**	**597.100**	**51.460**
● U02. Industries agricoles et alimentaires	**626.420**	**29.240**	**406.200**	**353.960**	**220.220**	**183.120**
T02. Industries de la viande et du lait	189.040	10.000	130.240	125.840	58.800	57.900
T03. Autres industries agricoles et alimentaires	437.380	19.240	275.960	228.120	161.420	125.220
● U03. Prod. et distribution d'énergie	**301.440**	**16.220**	**253.680**	**253.180**	**47.760**	**47.680**
T04. Prod. de combustibles minéraux solides, cokefaction	58.920	9.640	56.880	56.820	2.040	2.020
T05. Prod. de pétrole et de gaz naturel	41.300	1.560	33.260	33.040	8.040	8.000
T06. Prod. et distrib. d'électricité, distribution gaz et eau	201.220	5.020	163.540	163.320	37.680	37.660
● U04. Industries des biens intermédiaires	**1.452.440**	**143.520**	**1.165.280**	**1.126.840**	**287.160**	**280.120**
T07. Prod. minerais, métaux ferreux, 1ere tranform. acier	163.520	20.060	150.040	149.760	13.480	13.440
T08. Prod. minerais, métaux, demi-produits non ferreux	77.580	7.200	66.400	66.100	11.180	11.180
T09. Prod. matériaux de construction et minéraux divers	184.780	20.480	154.500	146.320	30.280	28.400
T10. Industrie du verre	67.560	3.700	54.720	53.340	12.840	12.600
T11. Chimie de base, prod. fils et fibres artif. et synth.	150.520	8.200	123.380	122.540	27.140	27.020
T13. Fonderie et travail des métaux	474.760	51.680	383.800	360.580	90.960	87.100
T21. Industrie du papier et du carton	114.100	7.860	78.300	76.960	35.800	35.460
T23. Industrie caoutchouc, tranf. des matières plastiques	219.620	24.340	154.140	151.240	65.480	64.920
● U05. Industries des biens d'équipement	**1.797.420**	**146.120**	**1.385.520**	**1.350.860**	**411.900**	**405.700**
T14. Construction mécanique	532.100	37.160	438.680	413.620	93.420	88.860
T15A Construction matériels électrique et électronique professionnels	484.200	28.760	317.120	311.320	167.080	166.080
T15B Fabric. d'équipement ménager	80.940	5.420	44.800	44.180	36.140	36.040
T16. Constr. véhic. autom., autres maté. transport terrestre	472.920	68.260	387.040	384.980	85.880	85.460
T17. Construc. navale et aéronautique, armement	227.260	6.520	197.880	196.760	29.380	29.260
● U06. Indus. des biens de consommation	**1.403.580**	**107.540**	**727.280**	**647.240**	**676.300**	**645.300**
T12. Parachimie et indust. pharmaceut.	177.400	8.520	98.920	97.160	78.480	78.200
T18. Ind. du textile et de l'habillement	513.080	51.620	167.020	151.820	346.060	331.760
T19. Indust. du cuir et de la chaussure	102.960	6.360	41.700	37.840	61.260	59.920
T20. Industries bois et ameublement, industries diverses	381.540	29.920	271.160	227.260	110.380	100.320
T22. Imprimerie, presse, édition	228.600	11.120	148.480	133.160	80.120	75.100
● U07. T24. Bâtiment génie civil et agric.	**1.763.380**	**280.280**	**1.639.580**	**1.313.680**	**123.800**	**88.120**
● U08. Commerce	**2.542.660**	**96.080**	**1.340.680**	**1.008.580**	**1.201.980**	**926.800**
T25. Commerce de gros alimentaire	294.180	15.100	208.080	180.020	86.100	77.440
T26. Commerce de gros non alimentaire	663.580	33.680	446.460	402.100	217.120	206.020
T27. Commerce de détail alimentaire	652.360	20.080	307.700	203.760	344.660	256.020
T28. Commerce de détail non aliment.	932.540	27.220	378.440	222.700	554.100	387.320
● U09. Transports et télécommunications	**1.358.160**	**46.200**	**1.032.920**	**975.080**	**325.240**	**314.100**
T31. Transports	890.440	44.300	747.560	690.000	142.880	131.780
T32. Télécommunications et postes	467.720	1.900	285.360	285.080	182.360	182.320
● U10. Services marchands	**4.032.100**	**209.320**	**1.863.980**	**1.345.480**	**2.168.120**	**1.853.040**
T29. Réparation et commerce de l'auto.	411.240	24.360	334.300	269.900	76.940	55.480
T30. Hôtels, cafés, restaurants	620.280	48.480	299.000	197.520	321.280	203.140
T33. Services marchands rendus aux entreprises	1.062.340	65.160	585.360	441.280	476.980	435.380
T34. Services marchands rendus aux particuliers	1.938.240	71.320	645.320	436.780	1.292.920	1.159.040
● U11. T35. Location et crédit-bail immobilier	**68.800**	**4.020**	**35.300**	**33.160**	**33.500**	**31.920**
● U12. T36. Assurances	**147.920**	**2.580**	**65.960**	**61.820**	**81.960**	**80.700**
● U13. T37. Organismes financiers	**429.540**	**6.220**	**218.600**	**217.520**	**210.940**	**210.780**
● U14. T38. Services non marchands	**3.782.880**	**120.500**	**1.709.180**	**1.703.000**	**2.073.700**	**2.069.720**

Loi sur la généralisation minimale de la mensualisation. *-17-7.* Loi interdisant toute mesure discriminatoire pour faits de grève. **1979**-*3-1.* Loi délimitant les *contrats à durée déterminée. -18-4.* Accord avec CNPF relatif au versement d'une allocation supplémentaire d'attente aux salariés licenciés pour motif économique.

1980-*22-12.* Loi sur *l'aide à la création d'entreprise.* **1981**-*7-1.* Loi garantissant l'emploi après un accident du travail. **1982**-*16-1.* Ordonnance sur les *contrats de solidarité ;* fixant à *39 h la durée légale* de la semaine de travail et instituant la *5e semaine de congés payés. -5-2.* Sur les contrats de travail à durée déterminée ; sur le travail temporaire. *-26-3.* Sur le travail à temps partiel ; fixant l'âge de la retraite à 60 ans ; sur l'insertion des jeunes de 16 à 18 ans. *-28-5.* Décret sur le droit syndical dans la Fonction publique. *-4-8.* Loi sur les garanties disciplinaires, le règlement intérieur et le droit d'expression directe et collective. *-28-10.* Loi sur la réforme et le développement du droit syndical, délégués du personnel, comités. *-13-11.* Loi réglementant les conflits collectifs et la négociation collective annuelle. *-23-12.* Loi sur la création de comités d'hygiène, de sécurité et des conditions de travail (CHSCT). Abaissement de l'âge de la retraite à 60 ans au taux plein pour les assurés comptant 150 trim. d'assurance. Droits accrus pour les fonctionnaires. **1983**-*13-7.* Lois sur les droits et les obligations des fonctionnaires ; sur l'égalité professionnelle des hommes et des femmes. *-26-7.* Loi de démocratisation du secteur public et nationalisé. Développement des institutions représentatives du personnel et clarification de leur rôle. **1984**-*11-1.* Loi sur le statut de la Fonction publique d'État. *-24-2.* Loi sur la formation prof. et les congés de formation. Nouvelle répartition des rôles État-partenaires sociaux au sein de l'UNEDIC à partir du 1-4-1984. *-5-12.* Négociations sur la flexibilité du temps de travail et de l'emploi (échec). **1985**-*20-2.* Mesures en faveur du travail à temps partiel ; *avril.* Assouplissement des contrats à durée déterminée (CDD) par un décret prévoyant extension de leur durée et simplification de leur mise en œuvre.

1986-*30-12.* Loi abrogeant l'autorisation administrative de licenciement. **1987**-*19-6.* Loi sur l'aménagement du temps de travail. *-10-7.* Lois favorisant l'emploi des travailleurs handicapés et aménageant le départ à la retraite. *-17-7.* Décret et arrêté d'application de l'ordonnance du 21-10-1986 sur la participation. *-23-7.* Loi de réforme de l'apprentissage. **1989**-*31-12.* Loi prévoyant la prolongation jusqu'au 31.12.90 de l'exonération des cotisations patronales de Séc. soc. pour l'embauche d'un 1er salarié par un travailleur indépendant. **1990**-*14-5.* Adoption en Conseil des ministres d'un projet de loi visant à modifier l'ordonnance de 1986 relative à la participation et à l'intéressement des salariés aux résultats de l'entreprise (régime obligatoire étendu aux entreprises de 50 à 100 salariés, à partir de l'exercice 91). Selon une enquête IPSOS (mai 90), 81 % des employeurs et 80 % des salariés y seraient favorables.

Statistiques

• **Actifs. Accroissement annuel moyen** (en %). *1968-75 :* 0,10 ; *1975-80 :* 0,6 ; *1980-85 :* 0,8 ; *1987 :* 0,6 ; *1988 :* 1,5. **Nombre** (total en millions et, entre parenthèses en %.) : *1968 :* 20,7 (41,7). *1970 :* 20,5 (44,9). *1980 :* 21,5 (51,9). *1985 :* 22,4 (49,7). **Par rapport à la population totale.** *1991 (mars) :* 24,37 dont femmes 18,65 (54,7).

Population active occupée (mars 1991). 22 165 000 personnes dont 9 407 000 femmes. A temps partiel 11,9 % (femmes : 23,5 %, hommes : 3,3). Salariés 18 817 000 dont 1,1 % d'intérimaires et 2,9 % sous contrat à durée déterminée.

Emplois par secteurs (au 31-12-1988). **Effectifs occupés** (en milliers) : 21 506 dont *salariés* 18 246 : agriculture 263,2, industrie 4 612 (dont agricole alimentaire 527,1, énergie 268,4, biens intermédiaires 1 217,2, équipement 1 486,2, de consommation 1 112,8), bâtiment, génie civil et agricole 1 228, tertiaire marchand 7 908 (dont commerces 2 084,5, transports, télécom. 1 313,9, services marchands 3 840,6 dont rendus aux entreprises 1 173, services financiers 669), tertiaire non marchand 4 236. *Non-salariés* 3 260. *Source :* INSEE.

• **Salariés étrangers.** *Source :* ministère du Travail. *1973 :*11,9 % de l'ensemble des salariés en France. *85 :* 8,4. *88 :* 7,3 [dont en % : ressortissants de la CEE 46 (*1985 :* 47,2), Portugais 28,9, Algériens 19,3]. 51,5 % travaillent dans le BTP et les services (*1982 :* 46, *85 :* 47,4). *Qualification* (en 1988 et entre parenthèses en 73). Salariés qualifiés 50,6 (33,2), OS 33,3 (46), manœuvres et apprentis 16,1 (20,5). *Chômage.* Il frappe surtout les Maghrébins (46 % des actifs étrangers mais 67,5 % des chômeurs), masculins (72,3 % des demandeurs d'emploi étrangers, 52 % de l'ensemble des demandeurs). 34 % des chômeurs étr. sont inscrits à l'ANPE depuis plus de 12 mois (35 % pour l'ensemble des chômeurs). Les femmes sont plus nombreuses à vouloir se réinsérer en France (82 contre 74). 5 % seulement sont attirées par une réinsertion dans leur pays d'origine, y compris par l'intermédiaire des aides au retour.

• **Non-actifs. Nombre pour 100 actifs :** *1968 :* 139,9 ; *70 :* 144,9 ; *75 :* 149,4 ; *80 :* 151,9 ; *85 :* 151,9.

• **Nombre d'établissements par taille d'établissement** (au 1-1-1989). *0 à 9 :* 2 930 502 ; *10 à 49 :* 157 215 ; *50 à 199 :* 28 251 ; *200 à 499 :* 5 456 (1 493 381) ; *500 et + :* 3 087. *Total :* 3 124 511.

• **Entreprises sans salariés** (au 1-1-1987). 650 000 hors agriculture dont : commerce 215 000, de détail non alimentaire 130 951 (dont habillement, textile et cuir 51 330), alimentaire spécialisé 48 431, général (épiceries 20 434, commerce en gros 14 800) ; services 220 000 (dont hôtels, cafés, restaurants 83 864, étude conseil assistance 50 543, divers services marchands 5 967 dont coiffure 16 321).

• **Travailleurs frontaliers français.** *Français par pays d'accueil, entre parenthèses femmes, en % :* Suisse 54 500 (34 %). All. féd. 30 260 (29). Monaco 9 400 (36). Luxembourg 6 140 (23). Belgique 4 840 (31). *Total :* 105 140 (32).

Écarts sur les gains (France = 100, et entre parenthèses femmes, avril 1982). Suisse 185 (155). All. féd. 139 (127). Belg. 129 (117). Luxembourg 124 (99).

• **Travail dans la CEE.** Régi pour la majorité des salariés par le principe de la libre circulation et de l'égalité de traitement avec les nationaux. Les ressortissants de la CEE ne sont donc pas tenus d'obtenir une autorisation de travail. Toutefois, s'ils séjournent + de 3 mois en France et désirent travailler, ils doivent être titulaires d'une carte de séjour de ressortissant d'un État membre de la CEE. Au 1-1-1993, la fonction publique (à l'exception des « emplois de souveraineté ») et les professions libérales devront également s'ouvrir aux ressortissants de tous les États membres de la CEE.

Chômage

Chômage dans le monde

☞ Les statistiques donnent le nombre de chômeurs recensés. Elles ne tiennent pas compte dans certains pays des chômeurs partiels (travaillant moins de la durée légale) qui peuvent atteindre un nombre élevé dans les pays sous-développés. Même dans les pays connaissant un manque de main-d'œuvre, il existe toujours un chômage résiduel : travailleurs instables ou inadaptables (env. 0,25 à 0,3 %) ou non encore reclassés. Le nombre des chômeurs peut varier considérablement d'un mois à l'autre (parfois de 1 à 4).

Chômage en %	1981	1984	1985	1986	1987	1988	1989	1990	1991	1992[3]
All. féd.	4,3	8,5	8,6	7,8	8,9	7,8	7,8	5	5	5,1
Australie	5,7	8,1	8,1	7,3	7,8	7,6	6,1	6,8	7,7	7,7
Autriche	2,5	3,8	3,6	5,3	5,6	3,8	3,5	3,3	3,3	3,3
Belgique	10,9	14	13,2	13	11,9	10,5	10,8	8,7	8,8	8,9
Canada	7,5	11,2	10,4	9,5	8,9	7,8	7,8	8,1	9,4	9,4
Danemark	9,2	10	8,9	8,5	8	8,5	9,8	9,6	10,2	9,9
Espagne	14	20,1	21,5	21,8	20,9 [1]	19,5	18,8	16,2	16	15,8
Finlande	5,2	6,1	6,2	6,8	5,1	4,8	4,8	3,4	4,7	5,2
France		*9,7*	*10,1*	*10,3*	*11* [1]	*10,8*	*10,5*	*8,9*	*9*	*9,1*
G.-B.	11,3	13,2	13,2	12	10,6 [1]	8,3	7,8	5,8	6,2	6,6
Grèce	2,6	8,0	8,3	8,8	9,3 [2]	7,5	7,8	8,3	8,9	9,4
Irlande	11,3	15,5	16,8	17,3	19	16,5	16,8	14	13,9	13,7
Islande	0,5	1,3	1,1	1	0,5	0,5	1,7	2,3	1,5	1,2
Italie	8,3	10,2	10,5	11	11,5 [2]	11,3	11,3	11,1	11,3	11,5
Japon	2,2	2,7	2,6	2,8	2,9	2,5	2,5	2,1	2,3	2,3
Luxembourg	1	1,7	1,6	1,5	1,7	1,5	1,5	1,3	1,4	1,5
Norvège	3,6	3,7	4,1	4,8	2,1	3	3,8	5,3	5,1	4,9
Nlle-Zélande	7,5	14	13	14	6,5 [2]	5,8	7,2	7,6	7,6	7,4
Pays-Bas	10	17,2	15,9	–	11,5	8,3	7,4	6,4	6,2	6,2
Portugal	2	3	2,5	2	2,3 [1]	5,3	5,3	5,1	5,4	5,2
Suède	2,5	3,1	2,8	2,8	1,9	1,6	1,4	1,6	2,8	3,1
Suisse	0,2	1,1	1	0,5	0,8	0,7	0,6	0,6	0,7	0,7
Turquie [2]	20	12,4	13,1	13,5	–	9,8	10,4	10,2	10,9	10,9
USA	7,5	7,4	7,1	7	6,1	5,5	5,5	5,5	6,4	6,7
CEE	8	11,7	11,9	11,5	–	10,3	10,3	8,4	8,5	8,7

Nota. – (1) Fin juin 1987. (2) Estimation. (3) Prévisions.

Entre 1929 et 1931, au *max. de la crise,* il y eut aux USA 12 800 000 chômeurs (soit 25 % de la pop. active), en All. féd. 5 580 000 (30 %), G.-B. 2 180 000 (18 %), Italie 1 020 000 (n.c.), Can. 650 000 (21 %), Japon 490 000 (7 %), *France 480 000 (n.c.),* Belg. 230 000 (23 %), P.-B. 170 000 (36 %), Suisse 90 000 (13 %).

Taux de chômage des – de 15 ans. En 1989, entre parenthèses, taux global en 1989 (en %). All. féd. 4,8 (5,3), Belgique 18,9 (9,7), Danemark 10,2 (7,1), Espagne 33 (16,6), *France 23,1 (10,4),* G.-B. 8 (6,1), Grèce 24,4 (n.c.), Irlande 22,7 (16,5), Italie 32,8 (10,8), Luxembourg 5,2 (2,2), Pays-Bas 16 (10), Portugal 11,2 (5,5).

Chômage en France

Généralités

• **Définitions.** 1°) **Chômage au sens du BIT.** En application de la définition internationale adoptée en 1982, sont chômeuses les personnes : a) satisfaisant aux critères suivants : recherche d'un emploi, démarches effectives, disponibilité, absence d'occupation professionnelle au cours de la semaine de référence ; b) disponibles ayant trouvé un emploi qui commence ultérieurement. 2°) **Chômeurs « PSRE ».** Population sans emploi, à la recherche d'un emploi, composée de personnes satisfaisant aux 1ers critères de la définition du BIT. 3°) **Chômeurs secourus.** Travailleurs qui, ayant perdu un emploi, n'en ont pas encore retrouvé d'autre, et (sous certaines conditions de qualification et de temps de recherche) jeunes travailleurs à la recherche d'un 1er emploi. 4°) **Demandes d'emploi non satisfaites.** Relevées tous les mois dans les agences locales de l'emploi ; s'y inscrivent tous ceux qui y ont intérêt pour trouver un emploi ou pour préserver certains droits (allocations de chômage, Sécurité sociale).

	Demandeurs en fin de mois (moy. annuelle)	Dépense pour l'emploi (en milliards de F)	Dépense pour l'emploi/PIB (en %)
1973	394 000	10,2	0,90
1980	1 451 000	64,8	2,31
1981	1 773 000	89,4	2,83
1982	2 008 000	117,2	3,23
1983	2 068 000	140,7	3,51
1984	2 340 000	153,1	3,51
1985	2 458 000	170,1	3,62
1986	2 517 000	183,3	3,62
1987	2 622 000	192,3	3,61
1988	2 563 000	200,4	3,52
1989 [1]	2 532 000	201,4	3,29
1990	2 504 700		
1991	2 552 600		

Nota. – (1) Chiffres provisoires fin juin 1991. Corrigé des variations saisonnières 2 720 600. Total avec demandes temps partiel et durée déterminée 2 995 400. *Source :* ministère du Travail.

• **Catégories de chômeurs.** *Conjoncturels :* 1°) Licenciés économiques. 2°) + de 50 ou 60 ans. 3°) Handicapés physiques qui vont à l'ANPE. 4°) Saisonniers. 5°) Femmes (32 à 40 ans) qui reviennent sur le marché du travail quand leur dernier enfant va à l'école. 6°) Personnes en transit. 7°) Asociaux. 8°) Jeunes.

• **Évolution. 1946-48** pénurie de main-d'œuvre. Demandes d'emploi 35 000 à 70 000. Offres d'emploi 30 000 à 65 000. Chômeurs secourus 12 000. **1949-55** demandes 100 000 à – de 250 000 (1954). Offres de 30 000 (min. 6 500 en 1953). Chômeurs secourus 50 000 à 60 000. **1956-64** équilibre sauf 1958-59 (crise de l'industrie textile). Demandes – de 10 000 (sauf 1959-60). Offres + de 40 000 (sauf début 1959 : 8 000). Chômeurs secourus 20 000 à 25 000 (sauf 1959-60 : 43 000 et 41 000). **1965-68** demandes 100 000 à 250 000 (fin 1967). Offres 35 000 à 24 000 (fin 1967). Chômeurs secourus 36 000 (65) à 63 000 (67). Chômage des cadres (fusions ou concentrations), puis d'ouvriers et de jeunes. **1969-73** légère régression du chômage liée à la croissance économique. **1974-87** accroissement. **1988** stabilisation. **1989** légère baisse (2,3 %) mais allongement de la durée moyenne (364 j, soit + 13 j, 381 j en juillet 90).

Évolution réelle. 1981 (31-3) : chômeurs proprement dit 1 619 000 + 254 000 contrats et stages équivalant à 88 300 chômeurs à temps plein, compte tenu de leurs durées différentes. *Total* 1 700 000. **1989** (31-12) : chômeurs officiels 2 585 000 + 1 360 000 titulaires de stages équivalant à 1 300 000 chômeurs à temps complet. *Total* 3 710 000.

Contrats et stages. *1981 :* 254 000, *84 :* 694 000, *88 :* 1 404 000, *89 :* 1 714 000.

• **Demandes selon la catégorie. Demandes de catégorie 1** (personne sans emploi immédiatement disponible, à la recherche d'un emploi à durée indéterminée, à temps plein) **et offres d'emploi.** Données brutes et données corrigées des variables saisonnières (CVS).

• **Demandes d'emploi** (mai 1991 en milliers). 2 571,1. **Selon l'âge et le sexe.** *- de 25 ans :* hommes 277,7, femmes 359. *25 à 49 a. :* h. 757,4 ; f. 883,1. *50 a. et + :* h. 196,7 ; f. 162,8. **Selon la région** (entre parenthèses variation en % sur un an). Ile-de-France 482,5 (+ 11). Champagne-Ardenne 60,8 (+ 7,8). Picardie 81 (+ 2,5). Hte-Normandie 96,5 (+ 9,1). Centre 95,8 (+ 7,3). Basse-Normandie 60,1 (+ 5,7). Bourgogne 63,2 (+ 8,6). Nord-Pas-de-Calais 206,3 (+ 0,1). Lorraine 84,5 (+ 1). Alsace 40,9 (+ 3,3). Franche-Comté 37,6 (+ 13,1). Pays de la Loire 141,9 (+ 4,2). Bretagne 121,7 (+ 2,2). Poitou-Charentes 76,1 (+ 7,3). Aquitaine 135,2 (+ 7). Midi-Pyrénées 103 (+ 8,2). Limousin 26,9 (+5,5). Rhône-Alpes 211,2 (+ 15). Auvergne 59,2 (+ 5,6). Languedoc-Roussillon 127,4 (+ 13,8). Provence-Alpes-Côte d'Azur 228,7 (+ 10,3). Corse 11,8 (+ 19,8). **Selon la qualification** (en milliers). 2 551,3 dont employés qualifiés 911, ouvriers qualifiés 449,4, employés non qual. 445,9, ouvriers spécialisés 369, manœuvres 145,2, cadres 108,7, agents de maîtrise et techniciens 102,1, demandes non ventilées 19,9.

Coût de la politique de l'emploi (en milliards de F)

	1973	1980	1984	1985	1986 [2]	1987 [1]	1988	1989 [1]
Indemnisation du chômage	1,89	26,15	48,83	56,37	63,29	71,27	76,77	79,51
Incitation au retrait d'activité	1,58	11,18	54,19	58,03	54,43	49,33	45,13	41,26
Maintien de l'emploi	0,14	2,51	5,29	3,93	3,64	2,83	2,84	2,69
Promotion et création de l'emploi	0,5	2,67	5,37	8,02	12,34	14,69	12,44	11,29
Incitation à l'activité	0,08	1,39	2,95	3,42	3,56	3,75	3,75	4,15
Formation prof.	5,72	19,81	34	37,03	43,34	47,62	56,56	59,34
Fonctionnement du marché du travail	0,26	1,06	2,31	2,59	2,66	2,72	2,9	3,08
TOTAL	10,17	64,77	152,88	169,39	183,28	192,25	200,41	201,35

Nota. – (1) Chiffres provisoires. (2) Chiffres rectifiés.

	Taux de chômage par niveau de diplôme (en %)						
	0	1	2	3	4	5	Ensemble
Hommes							
mars 1971	2,1	1,2	1,6	1,2	1,4	1,3	1,5
mars 1980	5,9	3,4	4,6	3,3	3,4	3	4,1
mars 1988	14,9	7,3	7,2	7,3	4,8	3,3	8,1
Femmes							
mars 1971	3,4	2,8	2,6	2,9	2,4	1,5	2,9
mars 1980	12	7,9	9,6	10	7,4	4,4	9,1
mars 1988	21,5	12,4	12,5	13,8	8,9	4,7	12,8

Nota. – Niveau de diplôme : 0 aucun diplôme ou non déclaré. 1 certificat d'études primaires. 2 BEPC seul. 3 CAP ou BEP ou équivalent avec ou sans BEPC. 4 Diplôme de niveau baccalauréat (y compris brevet professionnel). 5 Diplôme de niveau supérieur au baccalauréat. *Source* : INSEE : enquête emploi.

• **Chômeurs de longue durée.** *Déc. 1990* : 786 000 (soit 30 % des demandeurs d'emploi inscrits dep. + de 1 an à l'ANPE). *Sept. 1974* : 60 000 (12 %). 57,1 % sont des jeunes, 26 % des chômeurs de 3 ans d'ancienneté. **Passifs.** Personnes inscrites à l'ANPE mais déclarant ne pas effectuer de démarches concrètes pour trouver du travail. *1983* : 56 000. *89* : 69 000.

Chômeurs passifs occupant un emploi au bout d'1 an : 17 %, *au bout de 2 ans* : 36 % et 22 %.

• **Marché du travail** (juin 1991, en milliers). *Demandes d'emploi* [1] 2 720,6 (mai 91). *Offres* [1] 40,1. *Ancienneté moyenne* : 381 j. *Taux du chômage* (demandeurs / population active) : 9,5. *Total allocataire* : 2 052,2 [1]. **Taux de chômage au sens du BIT** (fin mai 1991, en %). Ensemble 9,5 dont hommes et entre parenthèses femmes : – 25 ans 14,4 (22,2), de 25 à 49 a. 6,4 (11,6), 50 a. et + 5,6 (8,1), ensemble 7,3 (12,5).

Nota. – (1) Corrigé des variations saisonnières.

Création d'emplois. 1989 : 233 000 emplois salariés (+1,7 %). **1990 (1er trim.)** : 84 000. Les emplois précaires ont diminué (– 54 000). En 89, ils étaient évalués à 1 million (6 % des effectifs) ; 3,8 en 85.

☞ En 1989, 800 000 demandeurs d'emploi étaient inscrits à l'ANPE depuis plus de 1 an, 200 000 depuis plus de 3 ans.

• **Étrangers demandeurs d'emploi (au 4e trimestre 1986).** 308 571 (dont femmes 95 278, – de 25 ans 64 224, ancienneté moyenne 333 j dont : de CEE 74 857 dont Portugais 40 583, Italiens 13 704, Espagnols 13 926, Allemands 2 132, Belges 2 255, Britanniques 1 330, Hollandais 475, Grecs 122, Irlandais 143, Danois 98, Luxembourgeois 89) ; hors CEE 288 223 dont Algériens 76 023, Marocains 49 620, Tunisiens 23 629, Vietnamiens, Laotiens, Cambodgiens 17 253 (autres Asiat. 8 437), Turcs 14 298, Pays Afr. Noire 6 194 (autres pays africains 21 293), Yougoslaves 6 105, autres Européens 5 265, Amér. du S. 3 127, Océaniens 1 561, Amér. du N. 909.

• **Bénéficiaires d'aides** (en milliers, mai 1991). Régime d'assurance 1 319,5 dont allocation de base 1 006, de base exceptionnelle 20,1, fin de droits 251,6, formation reclassement 41,6. Régime AGCC, alloc. spécif. de conversion 19,4. Régime de solidarité 436 dont alloc. d'insertion 117,4, alloc. de solidarité spécif. 318,3. Régime préretraite État 178,2 dont alloc. spéciale FNE 164,4. Garantie de ressources 75,5 dont gar. licenciement 28,8, démission 46,8. Total données brutes 2 028,6 (corrigé des var. saisonnières 2 052,2). *Total bénéficiaires* du fichier nation. des alloc. y compris dépôts de dossiers qui seront indemnisés plus tard rétroactivement 2 294,4 dont chômeurs 1 947,1, préretraités 257,3, en formation 90.

Structure du chômage

	1969	1979	1989
Ancienneté moy. en mois	9,1	11,1	16,3
% des chômeurs de + d'1 an	23,1	31,6	42
% par âge :			
15-24 ans	3,3	14,5	20,5
25-49 ans	1	4,1	8,5
50 ans et plus	1,8	3,9	6,9
% des jeunes :			
Hommes :			
sans diplôme	3,9 (a)	14,3	24,8
CAP-BEP		6,9	12
niveau bac.	3,3 (a)	9,1	10
Femmes :			
aucun diplôme	7,4 (a)	29,1	35,2
CAP-BEP		17,6	22,2
niveau bac.	4,3 (a)	12,3	16,9
% par groupe :			
cadres sup.	0,7	2,1	2,3
prof. intermédiaires	0,7	2,7	3,6
employés	1,8	6,3	10,7
ouvriers	1,9	6,4	12,2
% par sexe :			
hommes	1,4	4,1	7,3
femmes	2	7,9	12,6
Taux de chômage	1,6	5,6	9,6

Nota. – (1) Au 31-3-1971 : les chiffres ne sont pas disponibles pour les années antérieures. *Source* : INSEE, Enquêtes Emploi.

• **Bénéficiaires des dispositifs d'insertion** (entre parenthèses nombre de chômeurs évités). *1985* : 1 259 501 (754 129). *86* : 1 520 859 (892 529). *87* : 1 850 697 (972 811). *88* : 1 771 878 (1 113 534).

Dépense par chômeur. *1989* : 79 500 F. (*73* : 25 900).

• **Demandeurs d'emploi non indemnisés** (30-6-1988). 1 007 600. *1°) Non-demandeurs d'allocations* : chômeurs inscrits à l'ANPE, mais qui n'ont pas renvoyé de demande d'all. à l'ASSEDIC 216 700. *2°) Demandeurs rejetés* : ne remplissant pas les conditions d'ouverture de droits à l'ass. chômage, ni à l'all. d'insertion 374 400. *Motifs de rejet (en %)* : affiliation insuffisante 33, absence de diplôme permettant l'admission au régime d'insertion 13, démission non légitime 8. *3°) Demandeurs classés sans suite* 23 100. *4°) Acceptés en indemnisation mais en situation de carence* : 88 200. *5°) Chômeurs ayant épuisé leurs droits à l'indemnisation* 231 800 (66 % des femmes en raison de leurs durées moyennes d'indemnisation plus courtes que les hommes et de leur plus grande difficulté de réinsertion sur le marché du travail). *6°) Chômeurs en interruption momentanée d'indemnisation* : 37 900. *7°) Situations indéterminées* : 35 500.

Jeunes demandeurs d'emploi (septembre 90). 694 000 inscrits à l'ANPE (27,2 % des demandeurs d'emploi) soit par rapport à la pop. active jeune : H 15,4 % (*1985* : 21,6), F 24 % (30,5). Chaque année, env. 700 000 jeunes sortent du système scolaire. 9 mois plus tard, 400 000 occupent un emploi (y compris TUC et SIVP). *En 1989* : 27 % des jeunes actifs n'avaient pas trouvé d'emploi 9 mois après leur sortie d'école (*1984* : 45 %). *En 1986* : 30 % avaient un emploi stable 3 mois après leur sortie. (*1979* : 70 %). *Jeunes sans qualification : en 1989* : 36 % des garçons (*mars 85* : 54 %) et 51 % des filles (78 %) étaient toujours au chômage 9 mois après leur sortie du système scolaire. *Jeunes du niveau bac : en 1989* : 60 % des garçons, 61 % des filles avaient un emploi stable. En raison de l'allongement des études, le taux d'activité est passé, de 1984 à 89, de 49 % à 47 % pour les garçons et de 40 % à 33,6 % pour les filles. *Écart annuel entre sortants du système scolaire et embauches* : *1979* : 23 000. *84* : 300 000. *89* : 200 000.

• **Pacte pour l'emploi des jeunes.** Voir Quid 1990 p. 1654c.

• **Plan Avenir jeunes.** A succédé en juillet 1981 au Pacte pour l'emploi. Principales modifications : exonération des charges patronales (50 % pendant 1 an) subordonnée à l'octroi d'un contrat de 1 an ou 24 mois (au lieu de 6 mois), exon. étendue aux femmes seules et aux chômeurs de + de 45 ans ; contrats emploi-formation : leur durée moyenne passe de 380 h à 440 h. Les stages de formation sont remplacés par des stages de préparation à la vie prof. (60 000 dont 20 000 pris en charge par le secteur associatif).

Actions en 1983-84. *Actions en faveur des 16 à 18 a. en difficulté* : accueil par les permanences d'accueil, d'information et d'orientation (PAIO), ou dans les missions locales dans les régions aux cas aigus (élargies aux 16-25 ans). *Stages Rigout* d'orientation, d'insertion ou de qualification avec nouveau titre possible à l'issue des stages : certificat d'études générales (142 000 jeunes sur 195 000 sortis en 1982 sans qualification suffisante ont été accueillis). *Élargissement des stages aux 18-25 ans* (rentrée 1982) : st. de prép. à la vie professionnelle proposés par les agences locales pour l'emploi, stages jeunes volontaires de 6 à 12 mois, rémunérés à 40 % du SMIC, stages de mise à niveau rémunérés, du Fonds nat. de l'Emploi, de l'AFPA, contrats emploi-formation.

Contrats emploi solidarité (CES). Ils remplacent les TUC (travaux d'utilité collective), les PIL et les activités d'intérêt général prévues dans le cadre du RMI. *Employeurs concernés* : collectivités territoriales et leurs groupements, associations, établ. publics, personnes morales chargées de la gestion d'un service public, mutuelles et comités d'entreprise. *Bénéficiaires* : 16-25 ans titulaires au plus d'un diplôme de niveau V (BEP, CAP) ; demandeurs d'emploi de 50 ans ou + ; demandeurs d'emploi inscrits pendant 12 mois au cours des 18 mois qui ont précédé la date d'embauche ; personnes percevant l'allocation de fin de droits ou l'allocation de solidarité spécifique ; titulaires du RMI ou leur conjoint ou concubin ; à titre exceptionnel, personnes ne remplissant pas les conditions, mais qui rencontrent des difficultés particulières d'accès à l'emploi. *Durée du contrat* : non inférieure à 3 mois, 12 mois max. (24 pour certains bénéficiaires). Durée hebdo. : en principe 20 h. *Aide de l'État* : prise en charge de tout ou partie (85 %) de la rémunération ; des frais de formation complémentaire sur une base forfaitaire (22 F par heure de formation, sur la base d'une durée moyenne de 200 h, plafond 400 h). Exonération des cotisations patronales.

Plan pour l'emploi du 19-9-1990. *Allégement pour les entreprises* par : 1°) réduction de taux et déplafonnement des cotisations d'accident du travail (baisse de 0,56 %) ; 2°) déplafonnement du versement de transport (réduction des taux d'env. 20 % en région parisienne, 10 % en province) ; 3°) reconduction pour 1 an de l'exonération des cotisations patronales de SS pour l'embauche d'un 1er salarié. *Soutien de l'effort d'investissement des entreprises par* : 1°) réduction du taux d'imposition sur bénéfices réinvestis (baisse de 37 à 34 %) ; 2°) mesures pour améliorer les fonds propres des PME (prêts au taux plafond de 9,25 %) ; 3°) baisse du plafonnement de la taxe prof. de 4 à 3,5 % de la valeur ajoutée en 1991. *Utilisation des équipements et temps de travail* : droit à la compensation pour le travail de nuit en salaire ou repos compensateur, institution d'un droit au temps partiel choisi (modalités à définir par conventions collectives). *Développement de la formation professionnelle par* : 1°) crédit d'impôt-formation pour la période 1991-93 (bénéfice du taux majoré à 35 % pour PME et salariés âgés ou peu qualifiés) ; 2°) aide de l'État pour le remplacement des salariés en formation dans les entreprises de – de 50 salariés (3 000 F par mois sous réserve d'un recrutement externe) ; 3°) élargissement du crédit-formation aux adultes (30 000 salariés et 45 000 chômeurs + 125 000 jeunes) ; 4°) création d'un guichet unique départemental des services publics de l'emploi et de la formation. *Aide à l'insertion par* : 1°) soutien aux entreprises d'insertion et aux associations intermédiaires ; 2°) aide aux chômeurs créateurs d'entreprise. *Réduction des difficultés de recrutement en* : 1°) augmentant les performances de l'ANPE et de l'AFPA ; 2°) créant des « stages d'accès à l'emploi » (50 000) remplaçant les stages de mise à niveau et les actions de formation du FME ; 3°) encourageant la mobilité géographique des chômeurs par une aide de l'État et des Assedic.

• **Réinsertion des chômeurs de longue durée.** *Décret du 3-4-1985 :* les demandeurs, inscrits à l'ANPE depuis plus de 12 mois, bénéficient d'un nouveau type de contrat à durée déterminée. *Avril 1987* nouvelles formules d'aide à l'embauche et de formation, suppression du délai de carence entre assurance et solidarité, extension des conventions de conversion. *Coût du projet* (évaluation) : 4,327 milliards par an.

Chômage total (ASSEDIC)

Régime d'assurance chômage

Financé par entreprises et salariés, destiné aux chômeurs ayant travaillé suffisamment : allocation de base, allocation de fin de droits (et prolongations individuelles possibles).

• **Champ d'application.** Métropole et DOM (adapté pour salariés du secteur privé). **Secteur public :** allocations du régime d'assurance servies par l'organisme employeur, ou par l'intermédiaire des Assedic (convention de gestion). Les organismes publics peuvent aussi adhérer au régime d'assurance (sauf État et établ. publics administratifs de l'État qui garantissent les mêmes allocations à leurs agents non titulaires en cas de perte involontaire d'emploi).

• **Contributions.** *Assiette et plafond :* rémunérations brutes définies pour la taxe sur les salaires, limitées à 45 360 F/mois durant le 1er semestre 1991. Sont exclues les rémun. des salariés de 65 ans et +.

• **Taux de cotisation, en % du salaire brut** dans la limite de 4 fois le plafond de la Sécurité sociale. **Contribution globale et,** entre parenthèses, **part salariale. 1959** 1 (0,20), **62** 0,25 (0,05), **68** 0,35 (0,07), **69** 0,40 (0,08), **73** 0,70 (0,14), **74** 0,80 (0,16), **75 (1er sem.)** 1,80 (0,36), **2e sem.** 2,40 (0,48), **77** 2,20 (0,44), **78 (1-1)** 2,40 (0,48), **(1-5)** 3 (0,6), **79 (1-4)** [1] 3,60 (0,84), **82 (7-11)** 4,80 (1,32), **83 (4-7)** 5,80 (1,72), **84 (1-4)** 6 (1,92) + 0,5 [2], **85 (1-7)** 6,20 (2,12) + 0,5, **(1-11)** 6,58 (2,31) + 0,5, **88 (1-1)** 6,90 (2,47) + 0,5, **91 (1-1)** 4,78 (1,61) − 0,12. En outre, une contribution de 1,80 (0,72) sous plafond SS et de 2 (0,80) entre 1 et 4 fois ce plaf. est due pour alimenter la structure financière, 3,17 % pour l'assurance chômage, + 1,08 % sous plaf. SS ou 1,20 % entre 1 et 4 fois ce plaf. pour structure fin. (+ 0,35 % pour le régime d'assurance des créances des salariés, cotisations appelées provisoirement, à compter du 1-1-90, à 0,15 %) ; *salarié* 1,61 % sous plaf. SS ou 2,11 % entre 1 et 4 fois ce plaf. pour l'ass. chômage et 0,72 % sous plaf. SS ou 0,80 % entre 1 et 4 fois ce plaf. pour structure fin.

Nota. – (1) A partir de 1982 est créée la contribution de solidarité des fonctionnaires (1 % sur le salaire des fonctionnaires). (2) Sur la tranche des rémunérations comprises entre le plafond des cotisations de Sécurité soc. et 4 fois ce plafond.

Part *« employeur »* 4,43 % (+ 0,35 % pour le régime d'assurance des créances des salariés – cotisations appelées provisoirement, à compter du 1-1-89, à 0,24 %) ; *« salarié »* 2,47 % (dep le 1-1-88), 0,50 % sur la tranche des rémunérations comprises entre le plafond de la Séc. soc. et 4 fois ce plafond (soit, durant le 1er sem. *1991 :* entre 11 620 F et 46 480 F par mois).

• **Allocation de base (AB).** Après licenciement (ordinaire ou économique), fin de contrat à durée déterminée ou démission pour motif reconnu légitime par l'Assedic. Il faut être inscrit comme demandeur d'emploi, physiquement apte et avoir – de 60 ans (ou + jusqu'à réunir 150 trimestres d'assurance vieillesse, mais 65 ans au plus).

Durée d'affiliation préalable et âge (en italique), durée d'attribution de droit à l'AB, et entre parenthèses, prolongation possible (p.p.). *91 j dans les 12 derniers mois :* 91 j. *182 j dans les 12 derniers mois, – de 50 ans :* 243 j (p.p. 61 j) ; *50 ans et + :* 274 j (p.p. 182 j). *365 j dans les 24 derniers mois ou 182 j dans les 12 derniers mois si 10 ans d'affiliation dans les 15 dernières années, – de 50 ans :* 426 j (p.p. 152 j) : *50 ans et + :* 548 j (p.p. 456 j). *730 j dans les 36 derniers mois, de 50 à – de 55 ans :* 639 j (p.p. 365 j) ; *55 ans et + :* 821 j (p.p. 548 j).

Nota. – Exception pour allocataires de 57 ans 6 mois : maintien de l'AB jusqu'à 60 ans (ou jusqu'à 150 trimestres d'assurance vieillesse et 65 ans au plus), si 1 an de chômage et 10 ans d'activité salariée, dont 1 continu ou 2 discontinus dans les 5 dernières années de travail. *Délai de carence :* l'AB n'est versée qu'à l'expiration du nombre de j calendaires correspondant à une indemnité compensatrice de congés payés ; pour 30 j ouvrables, délai de carence : (30 × 7) : 6 = 35 j calendaires.

Montant de l'AB pendant la durée « de droit » (au 1-10-1990). *Montant minoré,* suivant une affiliation préalable entre 91 j et – de 182 j : allocation journalière = une partie proportionnelle égale à 30,3 % du salaire journalier de référence + 38,74 F. Minimum 93,58 F ; maximum 56,25 % du s.r. *Montant normal,* après affiliation préalable d'au moins 182 j, partie proportionnelle égale à 40,4 % du s.r. + 51,65 F, ou 57,4 % du s.r. si ce calcul est plus avantageux. Minimum 124,95 F ; maximum 75 % du s.r. *Montant pendant les prolongations :* – 15 % tous les 6 mois pour les – de 50 ans, dès la date de la 1re prolongation, – 10 % tous les 9 mois pour les 50-55 ans.

Salaire de référence. Rémunérations soumises aux cotisations au titre des 12 mois civils précédant le dernier j de travail payé, y compris la fraction afférente des primes ou avantages annuels, dans la limite de 45 360 F/mois au 1er sem. 1991.

Les alloc. servies après 3 ou 6 mois d'affiliation seulement sont calculées sur les rémunérations des 3 ou 6 derniers mois civils. *Salaire journalier de référence (s.r.),* égal au quotient du s. de réf. ci-dessus par le nombre de j d'appartenance (ouvrables ou non) au titre desquels ces salaires ont été perçus.

• **Allocation de fin de droits (AFD).** Accordée au travailleur privé d'emploi qui n'est plus indemnisé au titre du droit à l'AB (pour au moins 6 mois) ni au titre d'une prolongation de celle-ci.

Durée d'attribution de l'AFD (en j ouvrables ou non) : dépend de la durée d'affiliation préalable et de l'âge à la date de rupture du contrat de travail ayant ouvert le droit à l'AB. Une *durée maximale d'indemnisation,* au titre d'une rupture de contrat, est prévue « toutes prestations confondues ».

Durée d'affiliation préalable et âge (en italique), durée d'attribution de droit à l'AFD, entre parenthèses prolongation possible (p.p.) et durée maximale (toutes alloc.). *182 j dans les 12 derniers mois, – de 50 ans :* 182 j (p.p. 31 j), max. 456 j ; *50 ans et + :* 274 j (p.p. 91 j), max. 639 j. *365 j dans les 24 derniers mois ou 182 j dans les 12 derniers mois si 10 ans d'affiliation dans les 15 dernières années, – de 50 ans :* 365 j (p.p. 121 j), max. 912 j ; *50 ans et + :* 456 j (p.p. 274 j), max. 1 369 j. *730 j dans les 36 derniers mois, de 50 à – de 55 ans :* 456 j (p.p. 274 j), max 1 369 j ; *55 ans et + :* 548 j (p.p. 274 j), max. 1 825 j.

Nota. – Exception pour allocataires de 57 ans 6 mois : maintien de l'AFD jusqu'à 60 ans (ou jusqu'à 150 trimestres d'ass. vieillesse et 65 ans au plus tard), si 1 an de chômage et 10 ans d'activité salariée, dont 1 an continu ou 2 ans discontinus dans les 5 dernières années de travail.

Montant pendant la durée « de droit » comme pendant les « prolongations » éventuelles : **normal** par j 79,63 F (au 1.10.90) ; majoré pour **certains chômeurs âgés** 110,37 F (+ de 52 ans, après 1 an de chômage, si 20 ans d'emplois salariés dont 1 an continu ou 2 ans discontinus au cours des 5 dernières années de travail). Max. : 75 % du salaire de référence (v. plus haut) et montant de la dernière AB versée.

Revalorisation. 1 fois par an (au 1-7- à compter de 1991), des allocations ou partie d'all. d'un montant fixe ; du salaire de référence des allocataires dont le salaire est constitué par des rémunérations anciennes d'au moins 6 mois.

Précompte assurance maladie (au 1-3-89). 1,4 % du revenu de remplacement. Ne peut réduire l'allocation à une somme inférieure à 178 F par jour (au 1-12-90). Participation au financement de la validation des points de retraite complémentaire (à compter du 1-1-90) : 0,6 % du salaire journalier de référence, seuil d'exonération : allocation minimale.

• **Allocation de formation-reclassement** pour les bénéficiaires de l'allocation de base qui suivent une formation conforme à l'orientation donnée par l'ANPE et qui correspond à l'une des catégories figurant sur la liste annexée à la convention conclue entre l'État et l'Unedic (58 200 bénéficiaires fin mars 1991). La formation suivie doit durer au moins 40 h dont durée hebdo au moins 20 h. Elle peut durer jusqu'à 365 j sauf condition d'affiliation spécifique.

Durée d'attribution comme pour l'allocation de base et de fin de droits, y compris les prolongations éventuelles.

Montant. Périodes d'indemnisation : s'imputent sur la durée de l'allocation de base, montant équivalent à celui de l'all. de base majoré de 10 %, soit 127,45 F au 1-1-91.

Mesures spécifiques pour les travailleurs en cas de stage de plus d'un an estimé nécessaire par l'ANPE pour le reclassement.

• **Exclus de l'assurance chômage.** Au cours des 4 premiers mois de 91, 28,3 % des demandes d'indemnisation ont été rejetées. La plupart pour une durée d'affiliation insuffisante ou pour l'exercice d'une activité en dehors du champ d'application du régime d'assurance chômage.

Régime de solidarité

• **Allocation d'insertion.** Pour certains demandeurs d'emploi qui n'ont pu acquérir un droit d'indemnisation supérieur à 3 mois au titre de l'ass. chômage. PRINCIPAUX BÉNÉFICIAIRES : 1°) *Jeunes de 16 à 25 ans justifiant : soit* d'un diplôme ou d'un certificat de fin de stage qualifiant : allocation versée après un délai de carence (d.c.) de 6 mois ; *soit,* pour les 18 à 25 ans, de l'achèvement d'un cycle complet de l'enseignement secondaire ou supérieur : après un d.c. de 6 mois ; *soit* de l'achèvement des obligations du service national depuis – de 6 mois : après un d.c. de 1 mois ; *soit* de la qualité de soutien de famille : après un d.c. de 1 mois ; *soit* de 3 mois de travail salarié dans les 12 mois précédents : après un d.c. de 3 mois. 2°) *Femmes seules* (veuves, divorcées, séparées judiciairement, célibataires ayant au moins un enfant de – de 5 ans) : dans cette situation depuis – de 5 ans et sous condition de ressources mensuelles (7 866 F max., allocation comprise). 3°) *Détenus libérés,* sauf après certaines condamnations (proxénétisme, stupéfiants...), dans les 12 mois suivant une détention d'au moins 2 mois, sous condition de ressources mensuelles (max. : 3 933 F célibataire ; 7 866 F couple). 4°) *Victimes d'accident du travail ou maladie professionnelle* en attente de réinsertion ou de reclassement, sous condition de ressources mensuelles (max. : 3 933 F célibataire ; 7 866 F couple). 5°) *Rapatriés, apatrides, réfugiés :* dans les 12 mois du rapatriement, de la demande d'asile ou de la délivrance de la carte de réfugié. 6°) *Certains salariés expatriés,* non couverts par le régime d'assurance.

Montant journalier (1-1-1991) : 43,70 F ; femmes seules 87,40 F ; jeunes de 16 à 25 ans 41,40 F.

Durée d'attribution : 1 an max. ; par période de 6 mois.

• **Allocation de solidarité.** Pour certains chômeurs de longue durée qui ont épuisé leurs droits aux allocations d'assurance.

Conditions : justifier de 5 ans d'activité salariée (réduction de 1 an par enfant à charge ou élevé, dans la limite de 3 ans sous certaines conditions) dans les 10 ans précédant la rupture du contrat de travail ; ne pas disposer de ressources mensuelles (prestations familiales non comprises) supérieures à : 4 861,50 F pour un célibataire ; 9 723 F pour un couple ; l'allocation peut être versée sous forme différentielle ; être à la recherche d'un emploi (sauf dispense : accordée sur demande aux + de 55 ans). Peuvent aussi en bénéficier, sans réserve de la condition de ressources, certains marins-pêcheurs rémunérés à la part, dockers occasionnels, artistes auteurs ou interprètes. Montant journalier (1-1-91) : 69,45 F ; 99,74 F pour les + de 55 ans, + de 20 ans d'activité salariée et allocataires de 57 ans et demi ou +, justifiant de 10 ans d'activité salariée.

Durée d'attribution. Allocation versée par périodes de 6 mois renouvelables (pour une durée indéterminée, tant que les autres conditions sont remplies, en cas de dispense de recherche d'emploi). A l'exception des catégories particulières, n'est allouée qu'aux chômeurs ayant épuisé leurs droits aux allocations d'assurance chômage. Peut être allouée aux bénéficiaires des allocations d'assurance de 50 ans au moins qui optent pour percevoir cette allocation. Age limite : 60 ans et 150 trim. d'assurance vieillesse (max. : 65 ans ou 150 trimestres réunis).

• **Revenu minimum garanti (RMI).** Voir Index.

Chômage partiel

• **Aide publique.** Allocation « spécifique » par heure de travail perdue au-dessous de la durée légale : 65 % du « minimum garanti » en vigueur au 1-7- de chaque année, soit pour la période du 1-3-91 au 31-12-91 80,7 % du minimum garanti : 12 082 F. 600 heures indemnisables en 1991 (arrêté du 8-3-1991) pour l'ensemble des branches professionnelles, sauf pour l'ind. textile et de l'habillement (700 heures). Ni majoration pour personne à charge, ni plafond de ressources.

Intempéries (indemnités). Pour les travailleurs du bâtiment et des travaux publics. Versées pour chaque h perdue à partir de la 2e au cours de la même semaine, dans la limite de 9 h par j. *Montant :* les 3/4 du salaire.

• **Indemnisation complémentaire.** Indemnité horaire égale à 50 % de la rémunération horaire brute, allocation publique comprise, avec plancher de 27 F au 1-7-1990 (accord nat. interprofessionnel du 21-2-1968).

Aides aux demandeurs d'emploi

Bons de transport et indemnités de recherche d'emploi par l'ANPE dans 4 cas : convocation par l'ANPE ; bénéfice d'une prestation de l'ANPE ; participation (sur proposition de l'ANPE) à une séance d'information préalable à une entrée en stage ; entretien d'embauche avec un employeur pour un emploi d'une durée égale ou sup. à 1 mois. La situation de chaque usager est examinée avant tout déplacement. Indemnité : forfaitaire pour les déplacements supérieurs à 15 km, plafonnée à 1 000 km : 10 F pour chaque tranche de 10 km parcourus.

Tâches d'intérêt général agréées. Tâches qui, sur proposition d'une collectivité publique ou d'un organisme privé à but non lucratif, ont été agréées par le Préfet du département. Peuvent être exécutées par des travailleurs involontairement privés d'emploi, bénéficiaires du revenu de remplacement servi par le régime d'assurance chômage ou le régime de solidarité pendant 6 mois au + ; compatibles avec la perception du revenu de remplacement. Horaires maximum par mois 50 h si rémunérées, sinon 80 h.

Renseignements pratiques

Absentéisme

Statistiques françaises (1987)

Absences. Accidents du travail 23 jours ouvrables en moyenne (les plus longues) ; arrêts maladie pas + de 10 j ouvr. ; raisons personnelles 2,4 % des salariés, 1 j en moyenne, 14 % plus d'une semaine. *Absentéisme moyen par employé :* automobile 2 j, banque 17 j.

Volume moyen d'absence selon la cause en jours ouvrables par salarié et par mois. Hommes et entre parenthèses femmes. Toutes causes 0,87 (1,38), maladie 0,53 (0,74), maternité 0 (0,03), causes personnelles 0,08 (0,11), causes collectives non déclarées 0,017 (0,017).

Durées moyennes d'absences en jours ouvrables. Maternité 100, accidents du travail 23, maladie 15, raisons personnelles 3,3, causes collectives 5, total 10.

Accidents du travail

Généralités

• **Accidents du travail** survenus quelle qu'en soit la cause *par le fait ou à l'occasion du travail* à tout salarié ou travailleur, à quelque titre ou en quelque lieu que ce soit. Les travailleurs non salariés (artisans, commerçants, professions libérales...) ne sont pas garantis contre le risque acc. du tr., mais peuvent souscrire une « assurance volontaire ».

• **Accidents de trajet** pendant l'aller et retour, de porte à porte, entre le lieu de travail et la résidence (ou tout autre lieu où le travailleur se rend habituellement pour des motifs d'ordre familial), le restaurant (la cantine, ou le lieu où le travailleur prend habituellement ses repas), et dans la mesure où le parcours n'a pas été interrompu ou détourné pour un motif personnel et étranger aux nécessités essentielles de la vie courante.

• **Indemnisation.** Réparation *forfaitaire.* En outre, en cas de faute intentionnelle de l'employeur ou de l'un de ses préposés, la responsabilité civile jouera ; la faute inexcusable de l'employeur ou de l'un de ses « substitués dans la direction » entraîne une réparation plus étendue. Si l'accident est dû à un tiers, la victime a un droit de recours contre celui-ci pour la partie du préjudice non réparée par la SS (*pretium doloris,* préjudice moral, préjudice esthétique, etc.). Si la victime a commis une faute *« inexcusable »,* les réparations seront réduites ; faute *« intentionnelle » :* aucune réparation.

• **Responsabilité pénale de l'employeur.** Peut être engagée s'il y a infraction aux dispositions relatives à l'hygiène et à la sécurité, même en l'absence d'un accident (Code du travail).

• **Sanctions.** Toute infraction aux prescriptions des art. L. 234-1 à L. 234-5 et des règlements pris pour leur exécution et de l'art. R. 232-30 sera passible d'un emprisonnement de 10 j à 1 mois et d'une amende de 1 200 à 3 000 F ou de l'une de ces 2 peines seulement. En cas de récidive dans le délai de 1 an, la peine d'empris. pourra être portée à 2 mois et celle d'amende à 6 000 F. Le chef d'établissement sera puni d'une amende de 1 200 à 3 000 F lorsque, à l'expiration du délai prévu à l'article R. 231-12, il n'aura pas été satisfait à la mise en demeure. L'amende est appliquée autant de fois qu'il y a de salariés directement exposés à la situation dangereuse visée par la mise en demeure. En cas de récidive, il pourra être prononcé une peine d'emprisonnement (max. 10 j) et une amende de 6 000 F ou l'une de ces 2 peines seulement.

• **Protection de l'emploi.** La loi du 7-1-1981 prévoit notamment la suspension du contrat du salarié accidenté du travail ou victime d'une maladie professionnelle pendant l'arrêt de travail, avec interdiction de licenciement (sauf cas exceptionnels), et reclassement de l'intéressé à son retour, avec droit au même emploi ou à un emploi approprié en cas de diminution de ses capacités. L'ancienneté continue à courir pendant la durée de la suspension.

• **Prévention.** Les caisses régionales d'assurance maladie peuvent inviter les employeurs exerçant une même activité à pratiquer certaines mesures de prévention. En cas d'inobservation, l'employeur peut être contraint à payer une cotisation supplémentaire [1re infraction, 25 % de la cotisation accidents du travail de l'établissement, 50 % en cas de récidive dans un délai de 3 ans ou de non-réalisation des mesures prescrites dans un délai de 6 mois, 200 % en cas de non-réalisation des mesures prescrites dans l'année après l'imposition de la cotisation supplémentaire (8 mois pour les chantiers temporaires)].

Statistiques

• **Accidents du travail** (1988). Salariés 14 474 547 (89). **Pour salariés :** *avec arrêt* 737 693 (89). *Avec incapacité permanente* 68 500. *Mortels* 1 216 (89). **1988.** *Jours perdus pour inc. temporaire* 23 616 773. *Somme des taux d'inc. permanente* 644 316. *Fréquence* 27,3 ; *gravité des inc. temporaires* 0,93. *Indice de gravité des inc. permanentes* 25,5. **Par branche :** (entre parenthèses, décès). *BTP* 168 158 (330). *Interprof.* 165 220 (211). *Métallurgie* 132 789 (150). *Alimentation* 80 480. *Transports et manutention* 52 233 (223). *Commerce non aliment.* 45 726 (87). *Bois* 29 344 (19). *Pierres et terres à feu* 16 022 (39). *Caoutchouc, papier et carton* 11 427 (17). *Chimie* 8 887 (35). *Textiles* 8 125 (3). *Livre* 8 042 (10). *Vêtements* 5 667 (2). *Eau, gaz et électr.* (n.c. agents statutaires en entreprises électr. et gazières) 2 932 (8). *Cuirs et peaux* 2 691 (2).

☞ **Accidents graves.** Intérim 11,5 ‰. Ensemble des salariés 5,9 ‰.

Évolution du nombre d'accidents mortels. *1977 :* 1 838, *80 :* 1 129, *86 :* 1 018, *88 :* 1 168, *89 :* 1 216.

• **Accidents du trajet.** *Avec arrêt 1979 :* 154 652 (dont 1 024 *mortels*), *85 :* 101 481 (688), *86 :* 89 252 (635), *87 (prov.) :* 86 072 (612), *88 :* 181 188 (661). *Avec incapacité permanente* 15 145. *Journées perdues pour incapacité permanente* 4 137 648. *Somme des taux d'incapacité permanente* 201 818. **Évolution du nombre d'accidents mortels :** *1977 :* 1 206, *80 :* 989, *85 :* 704, *86 :* 648, *87 :* 627, *88 :* 653.

Taux de fréquence pour l'ensemble des activités : *accidents avec arrêt* et, entre parenthèses *nombre par million d'heures travaillées : 1965 :* 47 (56,3), *75 :* 40 (46,7), *80 :* 34,9 (35,8), *88 :* 27,3 (25,5). *J perdus/ nombre d'h travaillées X 1 000 : 1965 :* 1,09, *75 :* 1,11, *80 :* 0,98, *85 :* 0,88, *88 :* 0,93. *Les + fréquents :* bâtiment et travaux publics (143 pour 1 000) ; *les - fréquents :* vêtement (29 pour 1 000). *Fréquence :* ouvriers 51,8 %, autres personnels 14,1. La fréquence est supérieure à la moyenne avant 30 ans, mais la gravité augmente régulièrement au-delà.

Par branche d'activité. BTP 68,2 (2,83). Bois 45,7 (1,36). Pierres et terres à feu 44,4 (1,58). Transports et manutention 43,5 (1,93). Alimentation 34,5 (0,99). Caoutchouc, papier et carton 31,8 (0,97). Métallurgie 30,9 (0,87). Eau, gaz, électricité 29,5 (0,98). Textiles 23,9 (0,72). Chimie 17,1 (0,57).Cuirs et peaux 16,3 (0,48). Livre 16,3 (0,51). Interprofessionnel 15,8 (0,52). Commerces non alim. 15 (0,51). Vêtement 13 (0,37).

• **Maladies professionnelles constatées.** *1985 :* 4 611, *86 :* 4 085, *87 :* 3 509, *88 :* 3 972 (dont affections provoquées par : bruit 959, ciments 342, amiante 324, bois 98 ; affections péri-articulaires 832, allergies 250, silicoses 303, hépatites virales 83). *Nombre d'IP :* 2 602. **Journées perdues pour maladies prof.** *1979 :* 329 372, *80 :* 298 170, *84 :* 368 079, *85 :* 306 238, *87 :* 274 658, *88 :* 292 618.

Décès survenus. Avant consolidation (avant fixation d'un taux d'incapacité permanente et liquidation d'une rente). *1980 :* 44, *81 :* 55, *82 :* 43, *83 :* 47, *84 :* 48, *85 :* 49, *86 :* 58, *87 :* 50, *88 :* 64 (maladies provoquées par l'inhalation de poussières d'amiante 17, les bois 19, le benzène et prod. en renfermant 7, les rayons X 6, silicose 4). **Après attribution de rentes.** *1985 :* 138, *86 :* 127, *87 :* 133, *88 :* 125 (dont 63 silicoses, 45 asbestoses).

Sur 10 maladies déclarées, 4 seulement sont reconnues et indemnisées : elles doivent être inscrites au tableau des maladies professionnelles qui suit, avec retard, l'apparition des pathologies déclenchées par le milieu du travail moderne. (Ex. : l'amiante, aux méfaits dénoncés en 1935, n'a été pris en compte en France que dep. 1975). Sont exclues les atteintes psychopathologiques et sont difficilement reconnues, les maladies chroniques (ex. : lombalgies).

Rente d'incapacité permanente. Calculée sur la base du salaire perçu par la victime dans les 12 mois précédant l'accident ou la constatation de la maladie prof. En cas d'incapacité au moins égale à 10 %, la rente due à la victime ne peut être calculée sur un salaire inférieur de 82 419,62 F (au 1-1-1991).

Coût moyen. *Accident ordinaire* (sur les 3 dernières années pour l'ensemble des 15 grandes branches d'activité) : 9 076 F. *Accident ayant entraîné une incapacité permanente inférieure à 10 % : 1987 :* 6 696 F, *88 :* 8 639 F ; *égale ou supérieure à 10 % : 1988 :* 157 133 F, *89 :* 220 592 F. **Durée moyenne d'arrêt.** *1987 :* 33,2 jours. *88 :* 34,2 jours.

Accidents du travail dans le monde. 110 millions par an, soit 350 000 par j. Environ 180 000 mortels par an (les a. mortels ont doublé ou triplé dans les pays en voie de développement). Dans les pays industrialisés, 1 travailleur sur 10 est victime d'un a. du t. déclaré.

Agence nationale pour l'emploi (ANPE)

Siège. 4, rue Galilée, 93160 Noisy-le-Grand. *Créée* 13-7-1967, modifiée par décret du 23-7-1980 et par ordonnance du 20-12-1986, placée sous l'autorité du ministre du Travail. **Implantation au 1-1-1990 :** 524 agences, 170 antennes, 52 ETR, 28 points opérationnels permanents.

Mission. 1°) Assistance aux personnes à la recherche d'un emploi, d'une formation ou d'un conseil professionnel ; aux employeurs pour l'embauche et le reclassement de leurs salariés. 2°) Participation à la mise en œuvre d'action favorisant la mobilité géographique et professionnelle et l'adaptation aux emplois ; à la mise en œuvre des aides publiques destinées à faciliter l'embauche et le reclassement des salariés ainsi que des dispositifs spécialisés.

Budget en millions de F. *1968 :* 18, *71 :* 125, *75 :* 346, *80 :* 932, *85 :* 2 376, *89 :* 5 700. **Effectifs.** *1989 :* 11 496 agents dont 1 802 conseillers professionnels, 4 547 prospecteurs-placiers et chargés d'information, 3 328 agents administratifs.

Résultats 1989. *Demandes d'emploi enregistrées* 4 255 727. *Offres d'emploi enregistrées* 1 197 278 (+ 9,7 %). *Placements* 630 996. *Formation* 491 686. L'ANPE ne traite aujourd'hui que 12 % des offres d'emploi sur l'ensemble de la France (organismes similaires en Suède 45, All. féd. 35, G.-B. 30).

Nota. – Dep. fin 1985, les unités gèrent informatiquement la demande d'emploi, en liaison avec les ASSEDIC. Le pointage physique des demandeurs d'emploi est remplacé par une actualisation mensuelle par correspondance.

Apprentissage

Contrat d'apprentissage. *L'employeur* (maître d'apprentissage) doit bénéficier d'un agrément délivré par le préfet ou par une commission ad hoc. Il s'engage à assurer la formation de l'apprenti, à l'inscrire dans un CFA, à le présenter aux examens et à lui verser un salaire variant de 15 à 75 % du SMIC en fonction du semestre d'apprentissage et de l'âge de l'apprenti. *L'État* prend en charge les cotisations sociales patronales salariales afférentes au salaire de l'apprenti. L'employeur reçoit en outre une indemnité forfaitaire du FNIC (Fonds national interconsulaire de compensation) lorsqu'il s'agit d'une entreprise de 10 salariés au plus.

Taxe d'apprentissage. Due par les entreprises industrielles et commerciales. *Taux :* 0,50 % de la masse salariale augmenté de la « cotisation complémentaire » de 0,10 %. Les assujettis peuvent affecter le montant dû soit au paiement d'une partie du salaire des apprentis, à des versements à des CFA ou à des établissements d'enseignement technique, à des organismes collecteurs, sous réserve que 20 % de ce montant soient consacrés au développement de l'apprentissage et 9 % versés au FNIC.

☞ Voir p. 1257.

Artisan

Définition. Chef d'entreprise du secteur des métiers justifiant du niveau de qualification fixé par le décret du 2-2-1988 (CAP ou diplôme équivalent ou 6 années d'exercice du métier). L'utilisation sans droit du mot artisan ou de ses dérivés vis-à-vis de la clientèle expose à une peine d'amende. Ceux qui ne remplissent pas ces conditions de qualification au moment de leur immatriculation au répertoire des métiers en tant que chefs d'entr. ont vocation à devenir artisan par obtention du diplôme requis ou au bout de 6 années d'exercice du métier. Le secteur des métiers est défini par la dimension de l'entr. (pas + de 10 salariés et la nature de l'activité (prod., réparation ou prestation de services dans les métiers figurant sur une liste fixée par arrêté). Au sens fiscal le chef d'entr. du secteur des métiers doit être indépendant de ses clients, travailler seul ou avec peu d'ouvriers, tirer son bénéfice principal d'un travail manuel et non de l'emploi de machines ou de la revente de marchandises. Il est alors de statut civil. Tous les chefs d'entr. du secteur des métiers doivent être immatriculés au répertoire des métiers tenu par les chambres de métiers (en général 1 par départ.) ; établ. publics qui ont en charge la défense et la représentation des intérêts du secteur. Les entr. constituées sous forme de sté doivent également être inscrites au registre du commerce.

Statistiques (1990). *Artisans inscrits au répertoire des Métiers :* 850 000 (dont bâtiment 38 %, services 28 %, alimentation 23,5 %, production 20,5 %). *Salariés :* 1 230 000 (50 % des artisans n'en n'ont aucun). *Emploi :* 2 500 000 (y compris chefs d'entreprise et aides familliaux) soit 10 % de la pop. active. *Chiffre d'affaires (1989) :* 660 milliards de F. *Part de l'artisanat dans la valeur ajoutée des branches marchandes :* 5,7 %.

Immatriculation et, entre parenthèses, **radiations.** *1980 :* 68 702 (56 370), *85 :* 86 301 (75 280), *89 :* 102 326 (85 300).

Formes juridiques. Entreprises individuelles, ou SARL (en particulier SARL de famille) et EURL (entreprises unipersonnelles à responsabilité limitée) (loi du 11-7-1985) ; coopératives artisanales (loi du 23-7-1983).

Qualification et formation. La liberté d'installation demeure la règle, sauf pour certains métiers réglementés qui nécessitent la possession d'un diplôme (coiffeur, ambulancier) ou d'une autorisation (taxi). Un stage d'initiation à la gestion préalable à l'immatriculation au répertoire des métiers est obligatoire depuis la loi du 23-12-1982. Le titre de *maître artisan,* témoignant d'un niveau supérieur de qualification, est attribué par une Commission régionale des qualifications aux titulaires du brevet de maîtrise (ou équivalent) immatriculés au répertoire des métiers de p. 2 ans mini. Les titulaires de la qualité d'artisan et du titre de maître artisan peuvent utiliser des marques distinctives déposées à l'INPI.

Formation continue : des Fonds d'Assurance Formation (FAF) sont alimentés par une taxe additionnelle à la taxe des chambres de métiers. *Formation des salariés :* taxe de 0,1 % sur les salaires.

Régime fiscal. *Impôt sur les sociétés :* les coopératives n'y sont pas soumises. Les EURL relèvent de l'impôt sur le revenu. *BIC et TVA :* possibilité d'opter, selon le chiffre d'affaires, entre les régimes du forfait, du réel simplifié ou du réel normal. Dans les deux derniers cas, l'adhésion à un centre de gestion agréé fait bénéficier l'entreprise d'un abattement fiscal sur le bénéfice (20 % pour la fraction ne dépassant pas 413 200 F) ; l'adhésion permet également une déduction plus importante du salaire versé au conjoint commun en biens.

Taxe professionnelle. Réduction de la base d'imposition si 3 salariés au plus (1/4 pour 3 ; 1/2 pour 2 ; 3/4 pour 1) ; exonération si l'artisan n'emploie pas d'ouvriers, mais seulement des apprentis. Avantages réservés aux entreprises dont + de la moitié du CA vient de la rémunération du travail, à l'exclusion de la vente de marchandises ou de l'emploi de machines. *Versements sur salaires au titre de la formation professionnelle, de l'habitat et des transports :* exonération des entreprises de moins de 10 salariés.

Protection sociale. Affiliation obligatoire au régime des prestations familiales et à des régimes particuliers d'assurance vieillesse-invalidité-décès et d'assurance maladie-maternité.

Conjoints du chef d'entreprise (statuts de la loi du 10-7-1982). Choix entre *1°) Conjoint collaborateur :* mentionné au répertoire des métiers, électeur et éligible à la chambre de métiers, possibilité d'acquérir des droits propres en matière d'assurance vieillesse, notamment par partage de l'assiette des cotisations. *2°) Conjoint salarié :* déduction fiscale du salaire total si régime de séparation de biens, ou plafonnée au montant du SMIC pour les adhérents à un centre de gestion agréé. *3°) Conjoint associé :* si non salarié, mêmes droits que le chef d'entreprise.

Loi du 31-12-1989 établit un droit de créance en salaire différé au profit du conjoint qui a collaboré gratuitement à l'activité de l'entreprise pendant au moins 10 ans.

Assedic

(Associations pour l'emploi dans l'industrie et le commerce.) Régime d'assurance chômage. Cotisation obligatoire.

Organisation. *Instituées* par une convention du 31-12-1958 entre CNPF et confédérations syndicales ouvrières, convention renouvelée le 24-2-1984. Fédérées dans l'*Unedic* (Union nationale interprofessionnelle pour l'emploi dans l'industrie et le commerce, regroupant 48 Assedic + 5 dans les DOM), 77, rue de Miromesnil, 75008 Paris. *Administrées* par un conseil d'admin. composé en nombre égal de représentants des organisations. *Effectif* (au 31-12-89) : 11 193 agents (Unedic et Assedic). *Entreprises affiliées* (au 31-12-89) : 1 466 000. *Salariés garantis* (au 31-12-89) : 14 370 700 + 461 200 employés de maison.

Tous les employeurs sont assujettis au régime d'assurance chômage (les employeurs de gens de maison dep. le 1-1-1980), sauf l'État. Les collectivités locales peuvent faire bénéficier leur personnel non statutaire ou non-fonctionnaire d'avantages analogues ou adhérer au régime.

Plafond des rémunérations supportant la cotisation Assedic : 45 300 F par mois au 1-1-1991. Les rémunérations des salariés de 65 ans ou des personnes non liées par un contrat de travail, P-DG et administrateurs de Sté anonyme, gérants de SARL, gérants non salariés de succursales, etc., sont exclues.

Cotisation. 4,78 % (employeur 3,17 %, salarié 1,61 %). Assurance chômage, voir p. 1437.

Nota. – Les expatriés sont couverts par le régime. Pour certains, l'affiliation par leur employeur est obligatoire ; pour les autres, si leur employeur n'a pas demandé l'adhésion facultative ou s'ils n'ont pas adhéré eux-mêmes à titre individuel, ils peuvent prétendre à l'allocation d'insertion versée par l'État dans le cadre du régime de solidarité (43,70 F/j au 1-1-1986).

Budget assurance chômage (1990). 69,4 milliards de F. *Ressources :* cotisations employeurs et salariés. *Dépenses :* prestations 95 %, frais de gestion 5 %.

Suffrages exprimés, en italique : **sièges obtenus en %, en 1986-87,** entre parenthèses : **rappel 1984-85.** **1er collège :** CGT 34,8 (36,3) *27,2 (29,4) ;* CFDT 22,4 (22,6), *18,2 (18,7) ;* CFTC 4,2 (4,2), *3,3 (3,2) ;* FO 13,7 (14,2), *10,8 (11) ;* CFE-CGC 0,6 (0,5), *0,5 (0,4) ;* autres syndicats 4,9 (4,6), *3,6 (3,5) ;* non syndiqués 19,4 (17,5), *36,4 (33,8).* **2e collège :** CGT 13,8 (13,7), *6,9 (6,8) ;* CFDT 20,9 (19,6), *13,5 (12,8) ;* CFTC 4,8 (5,1), *3,8 (4,1) ;* FO 12,7 (13,1), *9,4 (9,7) ;* CFE-CGC 17,4 (18,5), *14,5 (15,8) ;* autres synd. 6,3 (6,7), *5,1 (7,1) ;* n. synd. 24,1 (22,9), *46,9 (45,7).* **3e collège :** CGT 4,3 (4,2), *1,9 (1,6) ;* CFDT 11,6 (11,1), *7,4 (6,4) ;* CFTC 4,9 (5,5), *4,4 (5) ;* FO 8,5 (8,1), *6,2 (6,6) ;* CFE-CGC 41,1 (43,8), *37,5 (39,9) ;* autres synd. 9,9 (9,8), *6,4 (6,7) ;* n. synd. 19,9 (17,6), *36,4 (33,7).* **Collège unique :** CGT 14,2 (17,5), *12,9 (15,7) ;* CFDT 19,1 (18,5), *17,5 (17,6) ;* CFTC 3,3 (2,9), *2,7 (2,5) ;* FO 8,7 (9,4), *8,4 (8,7) ;* CFE-CGC 0,8 (1), *0,6 (0,6) ;* autres synd. 4,4 (4), *4,3 (4,1) ;* n. synd. 49,5 (46,7), *53,6 (50,9).* **Ensemble :** CGT 27 (28,1), *19,2 (20,9) ;* CFDT 21,3 (21,1), *16,5 (16,6) ;* CFTC 4,3 (4,4), *3,4 (3,4) ;* FO 12,8 (13,3), *9,9 (10,2) ;* CFE-CGC 6,7 (6,7), *5,7 (5,9) ;* autres synd. 5,5 (4,5), *4,2 (4,1) ;* n. synd. 22,5 (20,6), *41,2 (39).*

Comité d'entreprise

Composition. Obligatoire dans toutes les entreprises occupant au moins 50 salariés, encouragée en deçà de ce seuil. Comprend le chef d'entreprise ou son représentant et une délégation du personnel. Nombre égal de titulaires et de suppléants. Dans les entreprises de *50 à 74 salariés :* 3 ; *75 à 99 :* 4 ; *100 à 399 :* 5 ; *401 à 749 :* 6 ; *750 à 999 :* 7 ; *1 000 à 1 999 :* 8 ; *2 000 à 2 999 :* 9 ; *3 000 à 3 999 :* 10 ; *4 000 à 4 999 :* 11 ; *5 000 à 7 499 :* 12 ; *7 500 à 9 999 :* 13 ; *+ de 10 000 :* 15.

Élections. *Conditions pour être électeur :* âge min. 16 ans, ancienneté 3 mois. *Candidats :* élus pour 2 ans, 18 ans min., ancienneté un an. Les élections, organisées par le chef d'entreprise, ont lieu par collège : *1er* employés et ouvriers, *2e* agents de maîtrise, techniciens, ingénieurs et cadres. S'il y a au moins 25 cadres salariés, les cadres forment un *3e col.* Parfois, le *1er col.* éclate en 2 : ouvriers et employés. Au 1er tour, les listes de candidats doivent être présentées par les org. syndicales les plus représentatives dans l'entreprise (par l'arrêté du 31-3-1966, CGT, CFDT, CGT-FO, CFTC, CGC), soit CFT, CGSI, UCT, soit non affiliées à une conf. nationale. Si le nombre des votants est inférieur à la moitié des électeurs inscrits, il y a un 2e tour et les électeurs peuvent alors voter pour d'autres listes non présentées par les différentes org. synd. ou autres.

Participation au scrutin en 1989

	Ensemble	1er collège	2e collège	3e collège	Collèges uniques
Électeurs inscrits	2 596 831	1 651 595	569 419	170 973	204 844
Abst. et nuls ...	898 139	557 984	199 583	68 068	72 504
Suffr. exprimés	1 698 692	1 093 611	369 836	102 905	132 340
% particip. 1989 .	*65,4*	*66,2*	*64,9*	*60,2*	*64,6*
En 1987	*66,7*	*67,2*	*67,6*	*61,4*	*64,2*

Rôle. Représente les intérêts des salariés. Étudie les suggestions du personnel pour accroître la production et améliorer le rendement. Est obligatoirement consulté sur les questions intéressant l'organisation et la marche de l'entreprise. En cas d'introduction de nouvelles techniques, doit disposer des orientations et d'une étude d'impact du projet sur l'emploi, la rémunération du personnel, les conditions d'organisation du travail, de qualification et de formation. Assure ou contrôle la gestion des activités sociales ou culturelles. L'employeur doit présenter au comité d'entreprise ou à la commission spéciale, au moins 1 fois par an, un rapport sur la situation et l'évolution des emplois à durée déterminée, sur la durée et l'aménagement du temps de travail. Doit être consulté en cas de prise de participation dans ou par une autre entreprise. Peut donner son avis sur les augmentations de prix et être consulté par les autorités chargées de la fixation et du contrôle des prix.

Entreprises de 1 000 salariés et +. Création d'une commission économique au sein du CE, comprenant 5 membres du CE dont au moins 1 cadre. Crédit de 40 h/an au maximum. Réunion 2 fois par an au minimum. **D'au moins 300 salariés.** Le CE peut faire appel à des experts extérieurs payés par l'entreprise, et pour ses propres travaux à un expert qu'il rémunère. Dans toute entreprise, possibilité de se faire assister d'un expert-comptable.

Subvention de fonctionnement. Égale à 0,2 % de la masse salariale brute de l'entreprise.

Comités d'entreprises les mieux dotés. Subvention patronale (en millions de F). *1 500 à 2 000 :* EDF. RATP. *300 à 500 :* SNCF, BNP, ELF. *200 à 300 :* Aérospatiale, Crédit agricole (estimation), Usinor-Sacilor (e), CEA. *150 à 200 :* Renault, Sté Générale, Air France, CGE (e). *100-150 :* Crédit lyonnais, Philips. *Moins de 100 :* CDF, Thomson (e), Générale des Eaux, Saint-Gobain, Michelin, Casino (e), Bouygues (e).

Formation économique et financière. Instituée pour les membres du CE. Stages de 5 j ouvrables au maximum. Financée par le CE.

Peines prévues en cas d'entrave à la constitution d'un comité, à la libre désignation de ses membres ou à son fonctionnement régulier : amende de 2 000 à 20 000 F et emprisonnement de 2 m. à 1 an ou l'une de ces 2 peines ; en cas de récidive peines de 2 ans et 40 000 F.

Licenciement d'un représentant du personnel. Doit être soumis obligatoirement au comité d'entreprise.

Élections aux comités d'entreprises

Répartition des suffrages exprimés en %

	1978	1980	1982	1984	1986	1988	1989	1990
CGT	38,6	36,5	32,3	29,3	27,1	26,7	25,1	24,9
CFDT	20,4	21,3	22,8	21,0	21,2	20,7	21	19,9
CFTC	2,7	2,9	2,9	3,8	3,8	3,7	4,6	3,6
CGT-FO	10	11	11,7	13,9	14,4	13,7	11,2	12,8
CFE-CGC	6,6	6	7	7,1	7,5	6,8	5,5	6,5
Autres syndicats	5,1	5	4,4	4,8	5	4,8	6,3	5,6
Non-syndiqués	16,3	16,8	18,4	19,7	21,1	23,5	26,4	26,6

En cas de désaccord, il ne peut intervenir que sur la décision de l'inspecteur du travail. Toutefois, en cas de faute grave, l'employeur peut prononcer la mise à pied immédiate en attendant la décision définitive. S'il n'y a pas de comité d'entreprise, la question est soumise à l'inspecteur du travail.

Comité de groupe. Créé au niveau de la direction des groupes d'entreprises pour permettre aux CE des filiales d'être informés de la stratégie du groupe. Doit être informé de la situation économique du groupe, de l'évolution de l'emploi, des relations financières internes, des comptes et bilans consolidés du groupe. Répartition des sièges entre les élus des collèges électoraux, proportionnellement à leur nombre d'élus. Désignation pour 2 ans par les syndicats.

Comités d'hygiène, de sécurité et des conditions de travail (CHSCT) (loi du 28-12-1982). Obligatoires dans les établissements industriels, agricoles et commerciaux de + de 50 salariés. En cas de danger immédiat, l'employeur doit procéder sur-le-champ à une enquête avec les membres du CHSCT et prendre les mesures nécessaires. A défaut d'accord, saisie immédiate de l'inspecteur du travail. Tant que persiste le danger, l'employeur ne peut demander au salarié de reprendre son travail. Aucune sanction ou retenue de salaire ne peut être prise contre le salarié qui refuse de travailler dans une situation présentant un danger grave et imminent.

Conditions de travail des Français

Agence nationale pour l'amélioration des conditions de travail (ANACT). 7, bd Romain-Rolland, 92120 Montrouge. *Créée* 1973. Établissement public sous tutelle du ministère de l'Emploi.

• **Chèque-vacances.** Créé par l'ordonnance du 26-3-1982. Exonéré de la taxe sur les salaires pour l'employeur et de l'impôt sur le revenu pour le salarié. **Condition :** ne pas être redevable d'une cotisation d'impôt supérieure à 1 000 F avant imputation de l'avoir fiscal, du crédit d'impôt et des prélèvements et retenues non libératoires. **Financement :** *salarié :* versements mensuels obligatoirement répartis sur au moins 8 mois, compris entre 2 et 10 % du SMIC, calculé sur une base mensuelle. **Employeur :** 20 % au minimum, 80 % au + de la valeur libératoire du chèque-vacances. **Comité d'entreprise :** contribution facultative et non limitative. Les chèques-vacances ne sont pas un droit pour le salarié mais sont laissés à l'initiative de l'employeur. Ils ne peuvent être utilisés qu'en France.

• **Durée du travail.** Voir p. 1443.

• **Horaires. Répartition pour un salarié.** Sur 7 jours de 24 h soit 168 h. Nombre d'heures à Paris et, entre parenthèses, en province. *Vie professionnelle :* 57,9 (56,4) dont temps de travail 45,8 (48,8), trajet domicile-travail 8,7 (6,1), temps divers sur le lieu de travail 3,4 (1,5). *Vie privée :* 100,1 (111,6), dont sommeil 54 (52,6), loisirs, enfants 16,5 (16,7), repas à domicile 12,3 (12), soins personnels 5,5, (6), information, formation 5,3 (5,5), activités domestiques 5 (4,4), divers 11,5 (14,4). *Total :* 168 (168).

• **Hygiène. Aération :** locaux fermés : il faut au moins 7 m³ d'air par personne (10 m³ dans laboratoires, cuisines, chais et magasins, boutiques et bureaux ouverts au public). **Cabinet et urinoir :** 1 cab. et 1 urinoir par fraction de 25 h. 1 cab. par fraction de 25 femmes. Lorsqu'il y a plus de 50 femmes, des cabinets à sièges pour femmes enceintes sont obligatoires. **Chauffage :** doit être assuré de telle façon qu'il maintienne une température convenable (pas de minimum précis) et ne donne lieu à aucune émanation délétère. **Douches :** le temps de la douche doit être rémunéré au tarif normal des h de travail, sans qu'il puisse être décompté dans la durée du travail effectif ; il doit être au moins de 1/4 d'h (déshabillage et habillage compris) et au plus de 1 h. **Eau potable :** optimum entre 9° et 12° : elle ne devrait pas dépasser 15°. Des boissons non alcoolisées sont obligatoires dans certains cas.

• **Lieu de travail.** *Un changement comportant un transfert de résidence* ne peut être imposé au salarié. L'intéressé qui refuse ne peut être considéré comme démissionnaire.

• **Nuisances.** 1 salarié sur 30 (1 ouvrier sur 14) travaille en permanence dans une ambiance bruyante lui interdisant d'entendre une personne à 2 ou 3 m. Plus de 1 salarié sur 4 subit par intermittence des bruits très forts ou très aigus cumulés avec un niveau de bruit moyen élevé. 1 salarié sur 5 subit des températures très élevées, 1 sur 6 des temp. très basses, 1 sur 3 travaille constamment à la lumière artificielle.

• **Restauration.** Les employeurs ne sont pas tenus de contribuer aux frais de repas de leurs salariés, mais sont obligés de leur fournir un réfectoire si au moins 25 salariés le demandent ; s'ils emploient + de 50 personnes, ils doivent verser au moins 2 % de la masse salariale au comité d'entreprise qui peut choisir de consacrer tout ou partie de cet argent au financement de titres-restaurant.

Titre-restaurant. *Créé 1954* (début des années 60 en France). *Obligations :* utilisable seulement par des salariés, les j ouvrables (un ticket par j pour régler un repas chaud). *Financement :* valeur max. du titre (1990) 32 F. *Part de l'entreprise :* 50 à 60 % de sa valeur (exonération des charges fiscales et sociales par une ordonnance de 1967, dans la limite d'un plafond de 15 F par jour et par salarié) et 1,5 à 5 % pour les frais d'émission. *Part du salarié :* 40 à 50 %. *Part du restaurateur* (63 000 restaurants acceptant ce mode de paiement qui représente 10 % du chiffre d'affaires de la restauration commerciale, par an) : 0,4 à 0,8 %. *1985 :* 220 millions de titres émis ; CA 4 359 millions de F. *1987 :* titres utilisés par 1,1 million de salariés de 18 000 entreprises.

• **Sécurité du travail.** Les employeurs qui ont contrevenu aux règles relatives à la sécurité des travailleurs sont passibles de peines d'amendes et d'emprisonnement.

En vertu du Code pénal, *art. 319 :* accident mortel, homicide involontaire, prison 3 mois à 2 ans, amende de 1 000 à 20 000 F ; *art. 320 :* ac. non mortel avec une incapacité de + de 3 mois, prison 15 j à 1 an et/ou amende de 5 000 à 15 000 F ; ac. non mortel avec incapacité de – de 3 mois, contravention de 5ᵉ classe art. R. 404, prison 10 j à 1 mois et/ou amende de 400 à 1 000 F. **Du Code du travail,** art. *L. 263-2 :* amende de 500 à 3 000 F autant de fois qu'il y a de salariés ; *art. L. 263-4 :* prison, 2 mois à 1 an et/ou amende 2 000 à 50 000 F. En 1986, l'Inspection du travail a relevé 4 393 infractions.

• **Travail sur écrans de visualisation.** La directive européenne adoptée en 1989 impose un examen préalable des yeux et de la vue pour les travailleurs devant être affectés à ce type de travail, des pauses ou un changement d'activité quotidiens pour ceux qui travaillent une grande partie de la journée sur écran.

• **Travail de nuit. Législation.** Interdit dans l'industrie aux femmes entre 22 h et 5 h et aux – de 18 ans entre 22 h et 6 h. La loi du 19-6-1987 introduit des dérogations à l'interdiction du travail de nuit des femmes. **Statistiques.** En 1984, 600 000 personnes travaillaient la nuit (300 000 en 1978). **% des effectifs travaillant la nuit par branche :** minerais, métaux ferreux et sidérurgie 48,46, verre 43,15, transports 40,55, chimie 30, énergie 29,34, agro-alimentaire (sauf viande et lait) 26,87, caoutchouc, plastiques 26,65, non ferreux 23,74, papier, carton 24,72, imprimerie, presse, édition 24,14.

• **Travail dominical.** 3 290 000 personnes (1 sur 5) travaillent au moins 1 dimanche par an. 550 000 (1 sur 30) travaillent + de 40 dimanches par an : commerce, hôtellerie, spectacles, presse, transports, et pour env. la moitié travaillant dans des activités ind., énergétiques, admin. ou agricoles.

L'ouverture des magasins le dimanche a fait l'objet, depuis quelques années, de décisions de justice contradictoires. La Cour européenne de justice a estimé que seuls les gouvernements pouvaient autoriser l'ouverture dominicale, en fonction des « particularités socioculturelles nationales ou régionales ».

Législation. Le repos obligatoire du dimanche a été institué par une *loi du 18-11-1814.* Une loi républicaine de 1880 l'abolit comme un legs clérical de la monarchie. La *loi de 1906* interdit le travail des salariés le dimanche mais n'oblige pas les entreprises à fermer. La *loi de déc. 1923,* toujours en vigueur, rend obligatoire la fermeture dominicale des établissements commerciaux, « sauf à prendre en compte des contraintes bien spécifiques de la vie sociale ».

• **Travail en équipe et à la chaîne. Origine. 1911** un ancien ouvrier devenu ingénieur, *Frederick W. Taylor* (1856-1915, créateur du taylorisme) publie *Scientific Management :* l'entreprise organise le travail de ses employés, minute leurs gestes, décompose les tâches, et détermine les rémunérations en fonction des résultats. Plus les tâches sont simples et de courte durée et plus les chances sont grandes de les voir effectuées correctement. *Carl G. Barth, Henry L. Gantl, C.B. Thomson, Lilian Gilbreth,* etc., les systématisent. Le système permet d'accroître la productivité et favorise l'emploi peu qualifié. Cependant il apparaît vite que : 1) l'accroissement de production ne peut être obtenu que par le surmenage ; 2) l'ouvrier réduit au rang de manœuvre voit sa situation intellectuelle et sociale amoindrie ; 3) la monotonie du travail et l'absence d'effort intellectuel découragent les meilleurs. **1927-32** recherches d'*Elton Mayo* et de ses disciples de Harvard, sur les employés de la *Western Electric* à Hawthorne. L'intérêt de développer les relations humaines dans les entreprises apparaît. **1929** un ouvrier syndicaliste et essayiste, *Hyacinthe Dubreuil,* publie *Standards* où les thèmes actuels d'*enrichissement des tâches,* de *décentralisation* ou d'*autogestion* sont exposés.

1967 expériences se rattachant à 2 courants : *1) américain* [leader : Frederick Herzberg, professeur à la Western University de Cleveland (à l'origine de différentes tentatives aux USA et en G.-B.)], cherche à *« enrichir les tâches »* pour que le travailleur motivé puisse réaliser une œuvre utile et personnalisée ; *2) britannique,* issu des travaux de l'Institut Tavistock, qui a fait école en Scandinavie et s'intéresse à l'interférence des facteurs techniques et sociaux (étude sociotechnique du travail).

Statistiques en France. Travaillent à la chaîne env. 600 000 salariés dont 1 ouvrier spécialisé homme sur 13, 1 OS femme sur 4, 1 manœuvre sur 12, 1 ouvrière qualifiée sur 7, 1 ouvrier qualifié sur 50.

Des entreprises japonaises (Mitsubishi Electric, Kajima Construction Company) expérimentent une aromatisation de leurs bureaux via le système d'air conditionné. Certains arômes auraient en effet une influence sur l'état physique et mental de l'homme. Le muguet et la menthe, par exemple, augmenteraient la vigilance. On pourrait ainsi diminuer le stress dû au travail et améliorer le taux de productivité et d'efficacité des employés.

Conflits du travail

Nota. – Le conflit peut être *individuel* (réglé devant les prud'hommes) ou *collectif* (réglé en général par des voies extra-juridictionnelles). Pour qu'un conflit soit collectif, il doit concerner un groupement de salariés ayant la personnalité juridique (ex. syndicat) et l'employeur, et tendre à faire reconnaître des droits pour l'ensemble des travailleurs.

Grève dans le secteur privé

Définition de la grève. Cessation concertée du travail pour appuyer des revendications que l'employeur ne veut pas satisfaire. Pour qu'il y ait grève, il faut : une *cessation totale du travail* (le ralentissement du travail ou *grève perlée* ne sont pas des grèves ; le caractère licite ou illicite de la grève du zèle est controversé ; les débrayages sont une grève), une *décision préalable concertée des salariés* (ils se placent volontairement hors de leur contrat de travail : l'arrêt de travail d'un seul salarié est une grève s'il se rattache à un mouvement national), une *revendication profes-*

sionnelle connue de l'employeur (salaire, conditions de travail, droits collectifs, emploi ; la grève de solidarité avec un salarié est licite ; la grève politique est une faute lourde ; la grève mixte peut être licite si le motif professionnel domine).

Droit de grève. Inscrit dans la Constitution, il est limité par certains principes (ex. continuité du service public, santé et sécurité des personnes et des biens) et des clauses conventionnelles. Ainsi, une grève licite peut devenir abusive et être condamnée par les tribunaux (grève exagérément désorganisatrice, tournante, bouchons). Les piquets de grève sont illicites s'ils aboutissent à l'interdiction d'accès à l'entreprise. L'occupation des lieux de travail, parfois tolérée, est souvent considérée comme illicite ; le juge des référés peut ordonner l'expulsion des grévistes en se fondant sur l'atteinte à la liberté du travail, au droit de propriété et au libre exercice de l'industrie. Certains actes commis au cours de la grève constituent des délits : entraves à la liberté du travail, infractions de droit commun commises au cours des grèves (séquestration, violation de domicile, détériorations, vols, diffamation).

Salaire. On retient le salaire correspondant à l'interruption de travail, de même pour les primes, calcul des congés payés, etc. Les non-grévistes ont droit à leurs salaires.

Nota. – On appelle *lock-out* la fermeture temporaire de l'entreprise par l'employeur à l'occasion d'un conflit collectif (but : ne pas payer les salaires des non-grévistes, par ex. en cas de grèves tournantes ou bouchons).

Grève dans le secteur public

Histoire. Jusqu'en 1940, la grève des agents du service public est considérée comme faute grave. **1946** et **1958** les préambules des Constitutions reconnaissent à tous le droit de grève. **1963 (loi du 31-7, modifiée par la loi du 19-10-1982).** Institue un statut unique pour tous les participants à la gestion d'un service public, instaure un préavis de grève, interdit les grèves tournantes. Cependant, certains agents n'ont pas le droit de grève, d'autres doivent un service minimum ou peuvent être réquisitionnés. **1983 (loi du 13-7).** Droit de grève des fonctionnaires dans le cadre des lois le réglementant. **1987 (28-7).** Le Conseil constitutionnel limite aux fonctionnaires de l'État l'application de l'amendement (à la loi du 19-10-82) Lamassoure réinstituant le « trentième indivisible » : retenue d'une journée de salaire en cas de grève de courte durée (1 heure ou quelques mn).

Négociation collective

Obligation de négocier (loi du 13-11-1982). 1) Au niveau de la branche au moins 1 fois par an (salaires) et tous les 5 ans (réexamen des qualifications). 2) Au niveau de l'entreprise 1 fois par an (salaires, temps et aménagement du temps de travail).

Droit de veto pour toute organisation syndicale ayant obtenu au moins 50 % des voix aux dernières élections du CE. Obligation pour l'employeur de remettre le texte de la convention collective aux membres du CE et aux délégués syndicaux et du personnel. En cas de carence, le ministre du Travail peut autoritairement étendre les conventions collectives d'une branche proche à la branche d'activité où il n'y a pas eu d'accord.

Nouvelles clauses obligatoires : égalité de salaire entre salariés français et étrangers, et entre hommes et femmes ; conditions d'emploi et rémunération des salariés à domicile ; condition d'emploi des travailleurs temporaires.

Conflits collectifs du travail. Une procédure de médiation peut être engagée par le ministre du Travail à la demande écrite et motivée de l'une des parties, pour tout conflit survenant à l'occasion de l'établissement, du renouvellement ou de la révision d'une convention collective.

Quelques dates

1870-*19/21-1* grève des métallurgistes au Creusot (avec l'ouvrier Assi). *-21-3/5-4* g. des mineurs au Creusot. **1882** *août* g. à Blanzy et Montceau-les-Mines. **1883** à Carmaux. **1886** g. à Decazeville ; un ingénieur, Watrin, est lynché. **1906**-*8/10-4* après avoir échoué dans la g. générale, la CGT se donne comme loi la charte d'Amiens. **1910** *oct.* échec de la g. des cheminots. **1920** *févr.* id. **1936** *juin* g. et occupations d'usines. *Dans l'année :* 16 907 conflits, 2 423 000 grévistes. **1947**-*19-12* en raison des g., la tendance Force ouvrière quitte la CGT et constitue la CGT-FO les *12* et *13-4-1948.* **1953** *août* g. du secteur public (métro, 21 j), arrêtée par l'ordre de reprise de la CFTC et de la CGT-FO. **1963** g. des mineurs commencée le 1-3 pour 48 h, dure 35 j, l'ordre de réquisition annoncé par le gouvernement avant le début des arrêts de travail et signé le 2-3 par le Gal de Gaulle ayant durci cette grève et entraîné des arrêts de travail d'autres catégories de salariés : mineurs de fer, cheminots, personnel de Lacq, etc. **1966** g. de Sochaux. **1967** g. de St-Nazaire. **1968** *mai-juin* g. générale avec occupation. **1971**-*18-1/2-3* g. de Batignolles à Nantes, 44 j ; *-24-4/24-5* g. de Renault au Mans, 26 j. **1972**-*16-3/18-5* g. du Joint français à St-Brieuc. **1973**-*17-4* affaire Lip (Besançon) : 1 280 salariés s'opposent à la liquidation de l'entreprise ; réglée le 24-1-74 par la signature des accords de Dole (survie de l'entreprise, réemploi de la majorité des salariés). **1974** g. des banques, de la Bourse. *Oct.-nov.* g. des PTT, 46 j *(18-10/2-12),* 36 % de grévistes (Paris 50, Province 30). **1975** *févr.-avr.* g. des usines Renault (9 sem. pour une augmentation d'env. 40 F par mois). **1976** *oct.-nov.-déc.* g. de la Caisse d'épargne de Paris. **1975-77** g. du « Parisien Libéré ». **1980**-*24-10* 100 000 mineurs venus du Nord-Pas-de-Calais, d'Alsace-Lorraine et du Massif central : marche sur Paris (CGT). **1981** Renault, grève des OS de Billancourt, 3 sem. *-27/30-3* Air France, g. des navigants (contestent pilotage à 2 sur Boeing 737). *-15-10* Banques, à propos des salaires et des 35 h. *-29-10/24-11* Caisse d'épargne de Paris. *Oct.-nov.* Ceraver (filiale de CGE à Tarbes), g. de 8 sem. pour protester contre 766 licenciements. **1982**. *-9 au 24-2* g. à la fromagerie Besnier d'Isigny ; un « commando » patronal s'empare des fromages. *-22-3* 100 000 agriculteurs défilent à Paris de la Nation à la porte de Pantin. *Mai-juin* g. de 5 sem. usines Citroën d'Aulnay, Asnières, Montreuil, Levallois, St-Ouen. *-30-9* professions libérales : 50 000 défilent à Paris de la place Fontenoy au Palais-Royal. **1984**-*24-1* 3 000 ouvriers des chantiers navals à Paris. *-22-2* routiers : blocus, opérations « Escargot » à Paris sur bd des Maréchaux et périphériques. *-2-3* mineurs : 15 000 manif. (selon organisateurs) à Paris. *-13-4 :* 40 000 Lorrains défilent de la Nation au Champ-de-Mars. **1986** *déc.*-**1987** *janv.* g. SNCF, RATP et EDF, coût 20 milliards de F. *Juin-juillet* g. des contrôleurs aériens. **1988** *févr.-mars* g. d'Air Inter, coût 3 millions de F par j. *Automne* g. des PTT, des Transports. Coût direct ou indirect en Ile-de-Fr. : 500 millions de F par j. La g. des agents de conduite de la RATP (oct.) a coûté à l'EDF 350 millions de F. La réduction du prix de la carte orange pour les usagers du RER a coûté à la RATP 200 millions de F. **1989** *juin-oct.* g. des agents des finances et des douanes (la plus importante depuis Mai 68). **1990** infirmières.

Statistiques

Journées individuelles non travaillées (Jg) **et effectifs en grève** (Eg) en milliers. **Nombre de conflits** (Conf.). En France.

	Jg	Eg	Conf.		Jg	Eg	Conf.[1]
46	374	180	523	*69*	2 223	1 444	2 207
47	23 371	2 998	3 598	*70*	1 742	1 080	2 942
48	11 918	6 568	1 374	*71*	4 388	n.c.	4 318
49	7 292	4 330	1 413	*72*	3 755	2 721	3 464
50	11 710	1 527	2 585	*73*	3 015	2 246	3 731
51	3 294	1 754	2 514	*74*	3 380	1 563	3 381
52	1 733	1 155	1 749	*75*	3 869	1 827	3 888
53	9 722	1 784	1 761	*76*	5 011	2 023	4 348
54	1 140	1 269	1 479	*77*	3 665,9	1 919,19	3 302
55	3 079	792	2 672	*78*	2 200,4	704,8	3 206
56	1 422	666	2 440	*79*	3 656,6	967,2	3 104
57	4 121	2 161	2 623	*80*	1 674,3	500,8	2 107
58	1 138	858	954	*81*	1 495,6	329	2 504
59	1 938	581	1 512	*82*	2 327,2	467,9	3 240
60	1 070	839	1 494	*83*	1 483,6	617,2	2 929
61	2 601	1 270	1 963	*84*	1 357	555	2 612
62	1 901	834	1 884	*85*	884,9	549,1	1 957
63	5 991	1 148	2 382	*86*	1 041,6	455,7	1 469
64	2 497	1 047	2 281	*87*	969,1	359,7	1 457
65	980	688	1 674	*88*	1 242,1	403,2	1 898
66	2 523	1 029	1 711	*89*	904,2	298,5	1 781
67	4 204	2 824	1 675	*90*	693,7	277,8	1 558
68	150 000	n.c.	n.c.				

Nota. – (1) Conflits résolus. (2) A partir de 1983, les effectifs sont calculés sur la base des conflits observés, ce qui exclut toute totalisation (en raison des risques de doubles comptes).

☞ *En 1990 : conflits généralisés :* 165 700 j perdues ; *localisés :* 528 000 j perdues [chaque gréviste ayant arrêté le travail pendant 2,4 j en moyenne (*89* 3,3 j)]. *Fonction publique :* 574 000 j perdues.

Pour 1968 : évaluation incluant les journées perdues lors des arrêts de travail indirectement liés aux grèves (absence de moyens de transport, rupture des stocks, etc.). Les grèves ont coûté 3 % de la production non agricole, 2,4 % de la prod. totale d'un an. Sans compter mai et juin, il y eut 705 000 j de grève.

Conflits généralisés

Cessation collective d'activité résultant d'un mot d'ordre extérieur à l'entreprise ou à l'établissement et pouvant les affecter (dans un ou plusieurs secteurs d'activités) au niveau national, régional ou local : journées d'action nationales, grèves plurisectorielles, grèves de branche de secteur d'activité dans une localité donnée.

	1985	1986	1987	1988	1989	1990
Eff. totaux	2 346 918	679 726	374 016	180 444	106 228	108 000
Eff. touchés	275 555	194 158	135 310	76 831	54 950	55 800
J. indiv. non trav.	158 175	473 830	457 518	147 600	104 190	165 700

Conflits localisés. Moyenne mensuelle. *Nombre de conflits résolus. 1987 :* 116, *88 :* 154, *89 :* 145, *90 :* 127. *Effectifs touchés* (en milliers). *85 :* 86,8, *86 :* 76, *87 :* 84, *88 :* 115,6, *89 :* 94,5, *90 : 103,4. Ayant cessé le travail. 84 :* 20,3, *85 :* 22,8, *86 :* 21,8, *87 :* 18,7, *88 :* 27,2, *90 :* 18,5. *Journées non travaillées* (en milliers). *85 :* 109, *86 :* 47,3, *87 :* 42,7, *88 :* 91,2, *89 :* 66,7, *90 :* 44. **Motifs des conflits localisés (en %, en 1983).** Défense de l'emploi 33 (*en 1980 :* 15 ; *81 :* 21), salaires 48 (58 ; 58), conflits de droit 16 (21 ; 16), conditions de travail 3 (6 ; 5).

Congés (régime légal)

• **Congés annuels. Durée légale.** Ordonnance du 16-1-1982. 30 j ouvrables payés pour 12 mois de travail. Le congé est de 2 j 1/2 ouvrables par mois de travail accompli entre le 1er juin de l'année précédente et le 31 mai de l'année en cours. Sont considérés comme j ouvrables les j qui ne sont pas consacrés au repos hebdomadaire légal ou reconnus fériés par la loi et habituellement chômés par l'entreprise. *Les moins de 22 ans* au 30 avril de l'année en cours ont toujours droit à 30 j ouvrables, quelle que soit leur ancienneté (indemnisés à raison du travail effectif).

Jours ouvrables supplémentaires. Sauf clauses plus favorables des conventions collectives : pour *les femmes* de moins de 21 ans au 30 avril de l'année précédente : 2 par enfant à charge de moins de 15 ans vivant au foyer (1 si le congé principal n'excède pas 6 jours).

• **Période légale pour prendre son congé.** Du 1er mai au 31 oct. (minimum de 12 j ouvrables, soit 2 sem. au minimum et 4 au maximum en 1 seule fois). Obligation de prendre la 5e sem. à part. *A défaut de convention collective,* la période de congé est fixée par l'employeur en se référant aux usages et en consultant, s'il y a lieu, les délégués du personnel et du comité d'entreprise. Elle doit être connue du personnel au moins 2 mois avant son ouverture. **Bonification.** De 1 à 6 j peuvent être ajoutés pour ancienneté, tâches pénibles, présence au travail, etc. **Conjoints travaillant dans une même entreprise :** ont droit à un congé simultané. **Fractionnement :** *l'employeur* ne peut obliger l'employé (sauf autorisation ministérielle) à fractionner son congé légal. L'employé peut le fractionner, au-delà de 12 j ouvrables mais dans la limite de 24 j (c.-à-d. 5e sem. non comprise). **Maladie :** un salarié qui tombe malade pendant ses vacances doit reprendre son travail le j de la rentrée, s'il est guéri, et peut réclamer, si le 31 oct. est atteint, une indemnité de congé. **Congés par anticipation :** légalement interdits.

Ordre des départs : fixé en tenant compte de la situation de famille et de la durée de services, doit être communiqué à chacun 1 mois au moins avant la date de son départ et affiché au lieu de travail. **Rentrées de congés tardives :** peuvent justifier un licenciement. **Journées de grève :** ne sont pas à comprendre dans le temps de travail déterminant la durée du congé. En pratique elles le sont souvent.

Jours fériés légaux et congés annuels payés. Jours fériés et, entre parenthèses, **congés réglementaires/conventions collectives. En jours.** All. féd. 10 à 14 (18/*5 à 6 semaines*). Belgique 10 (24). Danemark pas de législation (30). Espagne 14 (30). *France 11 (30).* G.-B. pas de lég. (pas de lég./*20 à 27*). Grèce 13 (24). Irlande 8 (*3 à 4 sem.*). Italie 4 + 11 autres (non déterminé/ *5 à 6 sem.*). Luxembourg 10 (25/*26 à 28*). P.-Bas 6 + 1 tous les 5 ans (4 sem./*5 à 6 sem.*). Portugal 12 (21 à 30).

Sommes perçues. Soit 1/10 du salaire total perçu l'année de référence, y compris les primes ayant caractère de salaire (sauf les primes annuelles qui feraient double emploi) ; soit une somme égale à ce qui aurait été perçu en cas de travail, pendant le congé, selon l'horaire effectif, h. supplémentaires comprises. Le calcul le plus avantageux doit être retenu.

Contrat résilié avant congé : si le salarié résilie son contrat avant d'avoir pu bénéficier de son congé, il doit recevoir une indemnité correspondant au congé auquel il a droit d'après le temps passé dans l'entreprise. L'indemnité peut ne pas être due si la résiliation du contrat de travail est provoquée par une faute lourde du salarié.

• Autres congés. **Congé lié à des activités civiques et sociales.** Les salariés administrateurs d'une mutuelle peuvent bénéficier d'un congé de formation non rémunérée d'au max. 9 j ouvrables par an. Les salariés désignés pour représenter des associations fam. auprès de certains organismes doivent disposer du temps nécessaire (dans la limite de 40 h par an) pour se rendre aux réunions auxquelles ils doivent participer. Les salariés résidant dans une zone touchée par une catastrophe naturelle peuvent bénéficier d'un congé max. de 20 j non rémunérés pour participer aux activités d'organismes aidant les victimes.

Congé d'adoption. Lorsque les 2 conjoints assurés sociaux travaillent, l'indemnité journalière de repos versée par la Séc. soc. en cas d'adoption est accordée à la mère ou au père adoptif ; l'autre conjoint doit alors avoir renoncé à son droit de congé.

L'assuré, à qui un enfant est confié en vue de son adoption, peut suspendre son contrat de travail plusieurs semaines ; des indemnités journalières de repos lui seront versées par la Séc. soc., à condition de cesser tout travail salarié pendant la durée d'indemnisation : 10 semaines à compter de l'arrivée de l'enfant au foyer, en cas d'adoption simple ; 12 en cas d'adoptions multiples ; 18 et 20 si du fait de la ou des adoptions, l'assuré, ou le ménage, assume la charge de 3 enfants au moins.

Congé de conversion. Permet au salarié menacé de licenciement économique de bénéficier d'une période d'aide au reclassement et d'actions de formation sans rupture avec l'entreprise. En application dans les entreprises de + de 50 salariés. *Durée :* 4 mois. L'employeur verse un min. garanti au salarié (alloc. de conversion).

Congé pour cure thermale. *Durée :* 18 à 21 j. Sauf dispositions conventionnelles, l'employeur n'est pas tenu d'accorder un congé, même non payé.

Congé éducation. Tous les travailleurs et apprentis ont droit, sur leur demande, à 12 j ouvrables par an, en 1 ou 2 fois, non rémunérés, pour un stage dans un centre syndical ou un institut agréé par le ministère du Travail.

Congé d'enseignement et de recherche. Accordé aux salariés qui veulent dispenser un enseignement technologique ou professionnel, ou exercer une activité de recherche (à condition de justifier de 2 ans d'ancienneté), ne peut excéder un an.

Congé de formation économique, sociale et syndicale. *Créé* le 1-1-1986, se substitue au congé d'éducation ouvrière *(créé 23-7-1957).* Possibilité pour un salarié de suivre un stage consacré à l'éducation ouvrière et à la formation syndicale, organisé par un organisme habilité à dispenser des formations dans ces domaines (suivi d'enseignement et possibilité d'activités de recherche). *Durée :* 12 à 18 j (animateurs). *Rémunération :* assurée dans les entreprises de + de 10 salariés, jusqu'à hauteur de 0,08 ‰ du montant des salaires annuels versés dans l'entreprise.

Congé individuel de formation. Voir p. 1446.

Congé parental d'éducation. Pendant les 2 ans suivant l'expiration du congé de maternité ou d'adoption, le salarié (femme ou homme) justifiant une ancienneté minimale d'une année à la date de naissance de son enfant ou de l'arrivée au foyer d'un enfant de - de 3 ans, confié en vue de son adoption, a le droit, sous réserve des dispositions propres aux entreprises employant - de 100 salariés, soit de bénéficier d'un congé parental d'éducation durant lequel le contrat de travail est suspendu, soit de réduire sa durée de travail à la moitié de celle applicable à l'établissement. *Durée du congé parental et de la période d'activité à mi-temps :* 1 an au + ; ils peuvent être prolongés une fois et prennent fin, au plus tard, au terme de la période de 2 ans définie ci-dessus, quelle que soit la date de leur début.

Rémunération : non rémunéré, mais indemnités prévues. *En cas de décès de l'enfant ou de diminution importante des ressources du ménage :* le bénéficiaire du congé peut reprendre son activité initiale ou exercer son activité à mi-temps ; le salarié exerçant à mi-temps pour élever son enfant peut reprendre son activité initiale.

A l'issue du congé, le salarié retrouve son emploi précédent ou un emploi similaire, avec une rémunération au moins équivalente. Le congé entre dans l'ancienneté du salarié pour la moitié de sa durée.

Congés pour événements familiaux. La loi (et non les usages, accords ou conventions collectives) les prévoit : *mariage du salarié* 4 j ; *naissance ou adoption* 3 j ; *décès du conjoint ou d'un enfant* 2 j, *du père ou de la mère* 1 j ; *mariage d'un enfant* 1 j. Des conventions peuvent augmenter la durée prévue.

Congé pour la création d'entreprise. *Durée :* 1 an [2 a. si le salarié informe son employeur, par lettre recommandée avec A.R. (au moins 3 mois avant le terme de la 1re année de congé), de son intention de la prolonger]. *Conditions :* ancienneté d'au moins 36 mois dans l'entreprise [1].

Congé sabbatique. *Durée :* min. 6 mois, max. 11 mois. *Bénéficiaires :* avoir une ancienneté dans l'entreprise d'au moins 36 mois et 6 années d'activité ; ne doivent pas avoir bénéficié, au cours des 6 années précédentes dans l'entreprise, d'un congé sabbatique, d'un congé pour la création d'entreprise ou d'un congé de formation d'au moins 6 mois.

Nota. – (1) Le salarié retrouvera son précédent emploi ou un emploi similaire avec une rémunération au moins équivalente. Il y a des dispositions particulières selon la taille de l'entreprise. Le salarié ne peut invoquer aucun droit à être réemployé avant l'expiration de son congé.

☞ Étalement. En 89, 4 entreprises sur 10 (dont 90 % des constructeurs automobiles et 70 % des établissements d'habillement) ont arrêté leurs activités en juillet ou en août. Dans les années 70, plus de 55 % fermaient à cette époque.

Contrats

De progrès. Formule d'accord entre syndicats et employeurs. Ainsi le 10-12-69, tous les syndicats (sauf la CGT) ont signé la « convention sociale » de l'EGF prenant effet au 1-1-70 qui prévoit pour 2 ans : une progression des salaires liée à la croissance du produit national et à la prospérité de l'entreprise, l'engagement des syndicats de ne pas entrer en conflit sur les salaires en conservant cependant la possibilité de dénoncer la convention.

De solidarité. Accords conclus entre État et entreprises dans le cadre de la lutte pour l'emploi. *Objectif :* permettre aux entreprises d'embaucher de nouveaux salariés grâce à une réduction de la durée du travail dans l'entreprise ou à des départs volontaires en pré-retraite. En contrepartie, les entreprises reçoivent une aide financière de l'État (*en 1983 :* 1 000 F par heure de réduction effective du travail par rapport au 1-9-82). **Statistiques :** *Nombre total (1983) :* 4 756 contrats conclus, dans des entreprises occupant un total de 464 958 salariés. *Nombre de contrats pour la réduction de la durée de travail : 1983 :* 277, *84 :* 174, *85 :* 142. *Nombre de salariés bénéficiaires d'une RDT : 1982 :* 92 920, *83 :* 84 976, *84 :* 28 173, *85 :* 14 800. *Nombre de contrats sur la préretraite progressive : 1983 :* 254, *84 :* 236, *85 :* 751 ; *nombre de bénéficiaires potentiels de la préretraite progressive : 1983 :* 570, *84 :* 1 052, *85 :* 5 859.

Contrats de retour à l'emploi (CRE). *Créés* à titre expérimental par la loi du 13-1-1989 pour favoriser la réinsertion en entreprise des sans-emploi rencontrant des difficultés particulières d'accès à l'emploi (ex. : bénéficiaires de l'allocation de solidarité spécifique et de l'allocation revenu minimum d'insertion, inscrits comme demandeurs d'emploi pendant 12 mois au moins durant les 18 m. précédant l'embauche). Toute entreprise signant avant le 1-1-1990 un contrat de travail d'au moins 6 mois avec l'une de ces personnes est exonérée des cotisations patronales de S.S. pendant 6 mois et reçoit une aide forfaitaire de 10 000 F maximum pour un contrat de travail à temps plein (50 % à la prise d'effet de la convention, le solde à la fin du 6e mois). **Bénéficiaires potentiels :** Demandeurs d'emploi inscrits à l'ANPE pendant au moins 12 mois dans les 18 mois précédents ; bénéficiaires de l'allocation de solidarité ; du RMI (ainsi que conjoint ou concubin) ; handicapés physiques concernés par la priorité d'emploi définie par le Code du travail (personnes reconnues handicapées par la COTOREP, titulaires d'une rente d'accident du travail ou de maladie prof. pour une incapacité permanente au moins égale à 10 %, titulaires d'une pension d'invalidité dont le handicap a réduit d'au moins les 2/3 leur capacité de travail, mutilés de guerre...) ; femmes seules assumant, ou ayant assumé, des charges de famille.

Convention collective

Définition. Accord relatif aux conditions de travail et aux garanties sociales, conclu entre un ou plusieurs patrons ou organisations patronales et une ou plusieurs organis. syndicales représentatives.

Convention. **Étendue :** par arrêt ministériel publié au *J.O.* L'employeur doit afficher un avis signalant l'existence de la convention, remettre un exemplaire de la convention au comité d'entreprise et en tenir un à la disposition des salariés (mêmes obligations pour la conv. non étendue) ; s'applique dans les entreprises de la région et de la prof. intéressées, y compris aux salariés des employeurs non syndiqués.

Non étendue. Communiquée gratuitement à tout intéressé (greffe du tribunal des prud'hommes ou du tribunal d'instance, direction départementale du Travail, ministère du Travail, organisations syndicales). On peut en obtenir, à ses frais, une copie conforme. A force de loi pour tout employeur de la profession intéressée s'il a signé la convention ou s'il est membre d'une organisation patronale signataire ou adhérente (même s'il a démissionné de cette organisation).

Statistiques (en 1990), 28 accords ou conventions collectives et 877 avenants conclus. 6 500 accords d'entreprises signés, concernant env. 2,7 millions de salariés, dont concernant salaires 58 %, durée et aménagement du travail 38 %, formation professionnelle 2 %. 185 accords ont concerné l'emploi (dont une quinzaine les handicapés).

Création d'entreprises par les demandeurs d'emploi

(Loi du 22-12-1980.) Nature des aides. 1°) Versement en 1 fois de l'indemnité (allocations spéciale, de base, forfaitaire, garantie de ressources, allocations de fin de droits). Montant maximal pour un salarié licencié pour motif économique 87 000 F (1981). 2°) Couverture sociale gratuite pendant 6 mois. 3°) Intervention des ASSEDIC pour des prêts et dons. Bénéficiaires. Les salariés involontairement privés d'emploi qui perçoivent une des allocations versées par les ASSEDIC : en cours d'indemnisation, en cours de préavis de licenciement ou remplissant les conditions de reprise du versement des allocations précitées (fin d'une période d'emploi ou de stage). Les intéressés doivent créer ou reprendre une entreprise industrielle, commerciale, artisanale ou agricole, à titre individuel, ou dans le cadre d'une Sté ou d'une Sté coopérative ouvrière de production, ou exercer une activité indépendante non salariée (notamment une profession libérale). Ils doivent exercer le contrôle effectif de l'entreprise créée. (Détenir au minimum 50 % du capital, ou être dirigeant en détenant 1/3 du capital.)

Montant des aides. 16 125 F (1991), selon l'expérience professionnelle antérieure. Prime moyenne (1989) : 30 000 F par chômeur. Majorations pouvant aller jusqu'à 21 000 F quand l'entreprise crée un emploi de salarié dans les 6 mois suivant le début de son activité.

Nombre de chômeurs créateurs d'entreprises. *1979 :* 9 200, *80 :* 13 800, *81 :* 29 400, *86 :* 71 757, (61 951 Stés), *89 :* 51 664 (46 319 Stés). Baisse due à l'obligation faite dep. 87 de présenter un dossier économique à l'examen de l'administration.

Cumul emploi/retraite

Principe. Limité par l'ordonnance du 30-3-1982. Autorisé jusqu'à 60 ans dans les cas où il est prévu. Du 1-4-83 au 31-12-90 ; l'assuré qui demandera à 60 ans la liquidation d'une pension de salarié devra cesser son activité prof. salariée, voire non salariée dans la même entreprise. Ceux qui reprendront ou conserveront une activité salariée et dont les pensions dépasseront un certain seuil devront payer une contribution de solidarité au régime d'assurance chômage. Statistiques. – *de 60 ans :* env. 250 000 cumulards (dont la moitié de militaires). *60 à 65 a. :* 200 000 (surtout retraités des régimes spéciaux). *+ de 65 a. :* env. 300 000 (non-salariés travaillant à temps partiel et percevant de petits revenus).

Déclarations obligatoires annuelles de l'employeur

• 1°) 1re quinzaine d'avril. **Priorité d'emploi.** Toute entr. de + de 10 salariés (+ de 15 pour une exploitation agricole) âgés de + de 18 ans doit employer, dans une proportion de 10 % de ses effectifs, des ressortissants du code des pensions militaires d'invalidité (pensionnés de g., assimilés, veuves, orphelins de g.) et des trav. handicapés officiellement reconnus comme tels. Sinon, redevance calculée par j de travail effectif et bénéficiaire manquant sur la base de 3 fois le SMIC.

• 2°) Avant le 1er février. **Taxe sur les salaires.** *Assujettis :* employeurs (publics ou privés) payant traitements, salaires ou indemnités (exceptions : certaines professions du régime agric., particulier employant personnel domestique), sur modèle 2 460 ou 2 461 (rémunération supér. à 30 000 F) ou 2 464 (régime agricole) ou 2 466 (personne ayant pensions ou rentes viagères). *Taux normal :* 4,25 % des traitements ou salaires, 3 % des pensions. Majoration de 4,25 % pour la fraction annuelle comprise entre 30 000 F et 60 000 F ; 9,35 % pour la fraction sup. à 60 000 F. *Supprimée* depuis le 1-12-1968 pour les employeurs assujettis à la TVA.

Cotisations de Sécurité sociale (déclaration nominative annuelle des salaires ; régularisation annuelle des cotisations).

• 3°) Avant le 5 avril. **Taxe d'apprentissage. Participation au financement de la formation.** *Assujettis :* employeurs ayant + de 10 salariés, modèle 2 483.

• 4°) Avant le 15 avril. **Participation obligatoire à la construction** (1 %). *Assujettis ;* employeurs occupant au min. 10 salariés. *Exclus:* Etat, collect. publ., établ. publ. admin. et employeurs agricoles.

Délégués du personnel

Statut. Obligatoirement élus pour 1 an (18 ans min., un an d'ancienneté) dans *tous* établissements industriels, commerciaux ou agricoles, offices publics et ministériels, professions libérales, sociétés civiles, syndicats professionnels, sociétés mutualistes, organismes de Sécurité sociale (sauf ceux ayant caractère d'établissement public administratif), associations, quels que soient leur forme et leur objet, où sont occupées au moins 11 personnes pendant 12 mois consécutifs ou non au cours des 3 années précédentes. 2 collèges : *1er* ouvriers et employés, *2e* ingénieurs, chefs de service, techniciens, agents de maîtrise. *Conditions pour être électeur :* 16 ans min. ; ancienneté : 3 mois. Dans les entreprises de + de 50 salariés où il n'y a pas de comité d'entreprise, ils exercent les fonctions économiques de celui-ci, en l'absence de comité d'hygiène, de sécurité et des conditions de travail ; ils ont les mêmes droits et les mêmes moyens que les membres de celui-ci. Ils bénéficient d'un crédit d'heures supplémentaires.

Nombre (autant de suppléants par tranche) : entreprises *de 11 à 25 salariés :* 1. *26 à 74 :* 2. *75 à 99 :* 3. *100 à 124 :* 4. *125 à 174 :* 5. *175 à 249 :* 6. *250 à 499 :* 7. *500 à 749 :* 8. *749 à 999 :* 9. *A partir de 1 000 salariés :* 1 titulaire et 1 suppléant en + par tranche supplémentaire de 250 salariés. En cas d'absence de comité d'entr. ou de CHSCT (comité d'hygiène, de sécurité et des conditions de travail), le nombre des délégués du personnel est modifié : *50 à 99 :* 4 titul., 4 sup. *100 à 124 :* 5 titul., 5 sup. En 1985, 47,6 % des établissements, regroupant 73,9 % des salariés, avaient des délégués.

% par liste des délégués du personnel élus suivant la taille des établissements (1988)

Nombre de salariés	Appartenance syndicale en %							
	CGT	CFDT	CFTC	CGT-FO	CFE-CGC	Autr. synd.	Non synd.	Non déclar.
11 à 25 ..	9,4	8,0	2,4	6,7	3,0	3,4	66,4	0,5
26 à 49 ..	12,4	11,3	2,5	7,4	2,8	3,6	58,8	1,3
50 à 74 ..	15,8	13,4	2,2	10,8	4,0	4,1	49,2	0,5
75 à 99 ..	22,2	15,2	1,9	8,3	4,8	5,9	40,7	0,9
100 à 124.	26,5	17,3	3,4	9,6	4,0	2,9	35,7	0,5
125 à 174.	30,8	19	3,6	12,4	5,3	3,9	22,2	2,7
175 à 249.	34,4	22,0	2,2	15,8	4,8	4,3	16,1	0,5
250 à 499.	31,7	22,2	3,5	16,8	9,9	6,7	8,1	1,1
500 à 749.	35,7	25,6	3,1	13,7	10,5	4,6	6,4	0,4
750 à 999.	36,5	26,4	3,3	13,9	10,5	4,6	4,5	0,3
1.000 et +.	37,2	25,0	4,1	14,0	11,0	7,3	1,1	0,2
Ensemble .	**22,7**	**16,4**	**2,8**	**10,9**	**5,4**	**4,5**	**36,4**	**1,0**

Meilleurs résultats obtenus par branche (en %). *CGT :* électricité, gaz, eau 44,9 ; imprimerie, presse, édition 44 ; papier-carton 41,6 ; automobile 41,1 ; minerais, métaux ferreux 40,6. *CFDT :* électricité, gaz, eau 32,7 ; banques 32,6 ; minerais, métaux ferreux 30,6 ; assurances 27,1 ; services non-marchands 24,6. *CGT-FO :* commerce détail non alim. 24,7 ; location, crédit-bail imm. 23,5 ; construction navale et aéron. 16 ; services marchands aux particuliers 15,6 ; minerais, métaux non-ferreux 15,4. *Non-syndiqués :* commerce de gros non alim. 66,8 ; alim. 62,7 ; garages 61,9 ; bois, meubles, divers 58,5 ; commerces détail non alim. 58,1.

Délégués « de site » (loi du 26-10-1982). Prévus dans les établissements occupant – de 11 salariés mais dont l'activité s'exerce sur un site où sont employés durablement au moins 50 salariés : par ex., dans les grands magasins, pour représenter les vendeurs salariés des entreprises dont ils représentent la marque.

Durée du travail

Statistiques

• Durée de la semaine de travail. **En Europe** (en h) : *1850 :* 84. *1870 :* 78. *1890 :* 69. *1910 :* 60. *1930 :* 56. *1950 :* 48. *1974 :* 43. *1979 :* 41. *1980 :* 40,8. *1981 :* 40,5. *1982* (1-2) : 39,5. *1987* (avril) (France) : 38,95.

Le salarié moderne subit, si l'on tient compte des trajets, une fatigue proche de l'ouvrier de 1830 habitant à la porte de son usine, où il travaillait 73 h.

• Durée du travail dans le monde (en 1986, en j, durée réelle et, entre par., durée légale). Japon 274 (278), U.S.A. 231 (239), Suisse 228 (241), Danemark 212 (224), Autriche 206 (225), G.-B. 206 (220), *France 205 (220),* Italie 204 (222), Finlande 203 (227), Belgique 202 (215), P.-Bas 201 (217), Norvège 201 (230).

Durée annuelle du travail dans l'industrie en heures (en 1986-87). Japon 2 166, U.S.A. 1 912, Espagne 1 808, G.-B. 1 778, Italie 1 776, *France 1 765,* All. féd. 1 760.

• Durée hebdomadaire du travail en France (en 1990, janv.). Ensemble des salariés : 38,98. Ouvriers (toutes activités) : 39,1.

• Durée de repos des Français (en 1986, en jours). 160 j (5 mois + 3 j) dont week-ends 104, vacances 25, j fériés 10, absentéisme 16 (en moy.), ponts 5 (en moy.). **Semaine de 4 jours :** mise en place dep. le 17-6-1991 à Peugeot-Poissy. 6 000 ouvriers sur 9 000 y travaillent sous le régime des 4/10 (9 h 38 mn par jour sur 4 j, au lieu de 7 h 42 mn sur 5 j, la durée hebdo, restant de 38 h 30).

Législation en France

• Évolution. **1841**-*22-3* journée de travail des enfants de – de 11 ans dans l'industrie 8 h ; 12 à 16 ans 12 h. Adultes par j 14 à 16 h. **1848** *mars* 10 h à Paris, 11 en province. **1849**-*9-9 :* 12 h (dispenses possibles). **1892** *mars* loi de 10 h par j. **1906** institution du repos hebdomadaire. **1919**-*23-4 :* 8 h. **1936**-*21-6* semaine de 40 h au lieu de 48 h (durée max. 54 h). **1966**-*18-6* durée max. de la sem. 54 h (au lieu de 60 dep. 1946). **1971**-*24-12* durée max. 50 ou 46 h (dérogation dans certains secteurs : 57 h). **1974**-*27-12* alignement de la durée du travail et de la rémunération des h supplémentaires en agriculture sur les règles prévues par le Code du travail pour industrie et services. **1981**-*17/18-7* accord national interprofessionnel signé par CNPF et syndicats (sauf CGT et PME) sur 39 h et 5e semaine de congés payés.

• Durée légale. *Hebdomadaire :* 39 h sur 5, 5,5 ou 6 j. Repos hebdomadaire obligatoire de 24 h consécutives min. le dimanche. *Quotidienne :* elle ne peut excéder 10 h, sauf dérogations déterminées par décret, voir ci-dessous (jeunes gens et apprentis 8 h). *Durée max. hebd. :* calculée sur une période de 12 semaines : 46 h (au lieu de 48). Au cours d'une même semaine : 48 h (au lieu de 50).

• Heures supplémentaires (ne concerne pas les cadres). Rétribuées au-delà de la 39e h avec une majoration de : 25 % (39e à 47e h) ou 50 % (au-delà de la 47e h). Les employeurs disposent d'un contingent d'h supplémentaires (130 h par an et par salarié) qui peuvent être effectuées sur simple information de l'inspecteur du travail (dans la limite de ce contingent). Un contingent supérieur ou inférieur peut être fixé par une convention ou un accord collectif étendu. Les h supplémentaires effectuées *au-delà* du contingent annuel de 130 h, à la condition de ne pas dépasser la limite max. hebd. fixée, peuvent être autorisées par l'inspection du travail, après avis du comité d'entreprise (ou à défaut des délégués du travail). La loi Séguin du *19-6-1987,* prévoit le remplacement du paiement de ces heures par un repos compensateur de 125 à 150 % selon les cas.

Repos compensateur. Dans les entreprises de + de 10 salariés (ne concerne pas les cadres), les h supplémentaires, effectuées au-delà de la 42e h par semaine et comprises *dans* le contingent annuel de 130 h, donnent lieu à un repos compensateur égal à 20 % du temps accompli au-delà de la 42e h et 50 % au-delà du contingent. Dans toutes les entreprises, les h suppl., *au-delà* du contingent annuel de 130 h, ouvrent droit à un repos compensateur « en temps » égal à 50 % des h suppl. ainsi effectuées.

Modulation de la durée. Dans une limite de 39 h en moyenne sur l'année. Mise en place par accord de branche étendu ou par accord d'entreprise ou d'établissement, sans lien obligatoire entre modulation et réduction de la durée du travail, dans la limite de 48 h (prévu par accord de branche étendu).

Récupération. Permet de considérer comme h déplacées les h de travail effectuées au-delà de la durée légale pour causes accidentelles, force majeure, ponts.

• Cycle. Permet de répartir les horaires de façon fixe et répétitive, les semaines dépassant 39 h sont compensées par des semaines plus courtes. Le cycle ne peut excéder 8 à 12 semaines et doit se reproduire de façon identique tout au long de l'année.

• Aménagement du temps de travail. *Travail en continu :* en équipes successives. Durée max. sur 1 an : 35 h par semaine travaillée (31-12-1983 au plus tard). *Jours fériés* (11) : chômés et payés, ils ne peuvent donner lieu à récupération. *Horaires individualisés :* dans les entreprises sans représentation du personnel, autorisés par l'inspection du travail après accord du personnel. Dans une limite déterminée par décret, les reports d'h de travail, d'une semaine à une autre, ne sont pas considérés comme h supplémentaires s'ils résultent d'un libre choix du salarié concerné. Les reports peuvent être de 3 h et cumulés jusqu'à 10 h. Mais des accords collectifs peuvent prévoir des possibilités de reports plus larges (circulaire du 23-2-1982). Le 12-7-1990, un décret institue un crédit d'impôt pour les entreprises de – de 10 salariés, qui auront entre le 1-1-1990 et le 31-12-1992 à aménager le temps de travail en accroissant ou maintenant la durée d'utilisation de leur équipement tout en réduisant la durée hebdo. du travail en-dessous de 39 h. *Temps partiel.* Voir p. 1449.

Dérogations. Limitées à 10 h par j de travail effectif. Autorisées pour des travaux devant être exécutés dans un délai déterminé, des travaux saisonniers ou impliquant une activité accrue certains j. Le dépassement de la durée max. de 10 h, limité à 2 h, peut faire l'objet d'un accord collectif.

Employés de maison

☞ Statistiques (1990). *Employeurs* 590 514. *Salariés* 461 207. Le métier est le plus souvent exercé par des femmes, à temps partiel et de plus en plus pour des tâches spécialisées : gardes d'enfants ou de vieillards, repassage, etc.

Renseignements. *Fédération nationale des groupements d'employeurs de personnel employé de maison* (11 bis, rue d'Alésia, 75014 Paris).

Depuis le 1-4-1987, pour la garde des enfants de – de 3 ans, on peut bénéficier d'une alloc. Dep. le 1-1-1988, l'aide aux personnes invalides ou de + de 70 ans peut donner droit à l'exonération de la part patronale des cotisations de Séc. soc. De plus, on peut bénéficier d'une réduction d'impôt.

Conditions générales

• Convention collective nationale applicable dans la métropole dep. le 27-6-1982 et complétée par des annexes départementales. Mise en place de postes d'emploi à caractère familial (veiller au confort moral et physique d'adultes ou d'enfants ; clauses particulières en matière de durée du travail, repos hebdomadaire, garde de nuit, rémunération).

• Congés payés. Ordonnance du 16-1-1982 : 2 j 1/2 ouvrables par mois de travail, quel que soit l'horaire hebdomadaire, l'indemnité ne pouvant être inférieure à ce qu'aurait perçu le salarié s'il avait travaillé pendant ses congés.

• Démission de l'employé. **Préavis :** *jusqu'à 6 mois d'ancienneté :* 1 semaine, *2 ans :* 2 semaines , *au-delà de 2 ans :* 1 mois. Certaines annexes modifient ces durées. **Indemnité** de congés payés : 1/10 de la rémunération totale perçue au cours de la période de référence (*pour les employés nourris et logés* : le salaire brut comprend la valeur des prestations en nature). L'employeur ne peut retenir d'indemnité compensatrice au cas où l'employé n'effectuerait pas son préavis, mais il peut faire une demande devant les prud'hommes.

• **Contrat.** A la fin de la période d'essai (1 mois max.), l'employeur doit remettre à l'employé un contrat ou une lettre d'engagement, rédigé sur papier libre.

• **Durée du travail.** 40 h par semaine. Les heures supplémentaires sont compensées par du repos ou payées avec majoration.

• **Immatriculation** (Séc. soc.). **Employeur n'ayant jamais eu d'employé de maison :** faire une demande à l'URSSAF du département (région par. : 3, rue Franklin, 93518 Montreuil Cedex) par lettre, en indiquant nom, prénoms, qualité, adresse et date d'embauche. L'URSSAF donnera un numéro d'immatriculation et enverra une formule pour acquitter les cotisations et, à la fin de chaque trimestre civil, une formule de versement. Pour les étrangers, vérifier la validité du titre de séjour et de travail.

Si l'employé n'est pas immatriculé : le faire immatriculer. *Pour Paris et la région par.* à la CPAM (départementale) du domicile du salarié. Demander l'imprimé 1202.

L'employé ne peut bénéficier du remboursement des soins médicaux et des indemnités journalières s'il n'a pas pu effectuer au min. 120 h dans le mois précédent ou 200 h dans le trimestre précédant la demande de remboursement, mais il est couvert en cas d'accident du travail et bénéficie des avantages vieillesse. La MUTEM (Mutuelle des empl. de maison),22, rue d'Aumale, 75009 Paris, peut verser des remboursements de frais médicaux et indemnités journalières complémentaires à la Séc. soc. à ses adhérents.

Si l'employé refuse d'être immatriculé parce qu'il bénéficie déjà des prestations par son conjoint assuré social, lui rappeler qu'il ne bénéficie pas par lui d'une retraite personnelle S.S. ni complémentaire (IRCEM), d'indemnités journalières en cas de maladie ou d'accident, ni de pension personnelle d'invalidité et d'accident du travail. Mais l'absence de déclaration n'entraînerait risques et sanctions que pour l'employeur.

Si l'employé a déjà travaillé et a un numéro de S.S. : faire connaître sa nouvelle résidence au centre de paiement de son nouveau domicile, et relever son numéro de S.S. et la caisse dont il dépend.

Si l'on engage du personnel temporairement *à son lieu de résidence secondaire :* se faire immatriculer à l'URSSAF dont dépend la résidence secondaire.

Sanctions *pour non-déclaration : pénales :* amende de 600 à 1 300 F par infraction constatée, infligée par le tribunal de police ; récidive, de 5 000 à 10 000 F ; *civiles :* remboursement par l'employeur à la S.S. des prestations servies par la caisse à l'assuré social. Amendes-majorations, peines de prison : remboursement des prestations.

• **Licenciement.** L'employeur doit convoquer le salarié à un entretien préalable puis envoyer une lettre recommandée avec accusé de réception énonçant le motif du licenciement. En période d'essai : une lettre constatant que l'essai n'a pas été concluant, pas de délai-congé ; si l'employé a – de 6 mois de présence : délai-congé conventionnel ou d'usage (région par. : 1 semaine) ; de 6 mois à 2 ans : préavis de 1 mois ; + de 2 ans : 2 mois [certaines annexes départementales prévoient un préavis même pour la période d'essai (48 h)].

Les h pour recherche d'emploi sont données aux employés à temps complet et leur nombre varie avec l'ancienneté du salarié : 2 h/j pendant 6 j ouvrables si l'employé a moins de 2 ans de présence, 2 h/j pendant 10 j ouvrables si l'employé a plus de 2 ans de présence. Certaines annexes départementales modifient la durée de ce temps.

Indemnité de licenciement : obligatoire après 2 ans de présence. Calculée sur la base de 1/10 par année, plus 1/15 après 10 ans. Certaines annexes départementales ont des conditions plus avantageuses, par ex. la région parisienne a maintenu l'avantage acquis des employés à temps complet : 1 mois de salaire brut après 4 ans d'ancienneté, plus 1 semaine par année d'ancienneté jusqu'à 8 ans. Lorsque l'application de la loi de mensualisation est plus avantageuse pour le salarié, c'est elle que l'on doit appliquer (très grande ancienneté, par exemple). Considérée comme dommages et intérêts, cette indemnité ne donne lieu à aucune retenue de S.S.

Indemnité compensatrice de congés payés. Période de référence du 1er juin au 31 mai de l'année suivante ; on calcule combien de temps l'employé a travaillé entre le 1er juin précédant le renvoi (ou la démission) et la date de départ ; sauf faute lourde, l'employé a droit à la partie de congé payé acquise pendant cette période.

L'employeur peut être condamné à des dommages et intérêts pour rupture abusive du contrat si l'employé apporte la preuve de l'abus de l'employeur ou de la légèreté blâmable dans son licenciement. Seuls les prud'hommes sont habilités à statuer sur les litiges concernant le licenciement abusif.

• **Maladie.** *L'employé* doit envoyer à l'employeur (dans les 2 j ouvrables) un certificat d'arrêt de travail signé du médecin et prescrivant la durée probable de cet arrêt. *L'employeur* qui ne peut se passer d'une aide (vieillard, femme qui travaille ayant de jeunes enfants) demandera à l'employé de reprendre son travail. A la fin de l'arrêt de travail, l'employé doit reprendre son travail. S'il est hors d'état de le faire, il doit adresser avant sa date de reprise un nouveau certificat. **Pour être remboursé de ses dépenses de maladie,** l'employé doit avoir effectué au min. 200 h de travail dans les 3 mois précédant la date des soins, ou 120 h de travail au cours du mois précédant la date des soins. **Pour être pris en charge par la S.S. en cas d'arrêt de travail :** *pendant 6 mois :* il doit avoir effectué 200 h de travail dans les 3 mois précédant l'arrêt de maladie ; *au-delà de 6 mois,* justifier : d'une immatriculation à la S.S. de 12 mois au 1er j du mois précédant l'arrêt et d'au moins 800 h dans les 12 mois précédant l'arrêt, dont 200 h les 3 premiers mois. *Pour l'employé faisant + de 1 200 h dans l'année,* fournir l'attestation d'annualisation des droits, obligatoire.

Indemnité journalière : employé mensuel : 50 % du SMIC mensuel si les cotisations sont acquittées sur le forfait. Si les cotisations sont réglées sur le salaire réel, l'ind. est calculée comme pour les autres salariés. Pendant un arrêt de maternité, le contrat est suspendu, l'employé perçoit de la S.S. 84 % du gain journalier établi comme pour la maladie.

• **Remplacement.** L'employeur qui ne peut se passer d'une aide peut prendre une remplaçante sous contrat à durée déterminée.

• **Salaire.** Fixé d'un commun accord entre les parties avec pour min. le salaire conventionnel (revalorisé le 1-4-1991) ; calculé sur 174 h.

• **Suspension du contrat.** La Convention collective nationale prévoit que le contrat est suspendu : par *rappel sous les drapeaux* ou accomplissement d'*une période militaire ; maladie* pendant 1 semaine dès le début de la période d'essai, 2 s. à la fin de cette période, 2 mois après 2 mois de présence ; *maternité ; accident de travail.* Si l'employé qui a dû être mis en demeure d'exécuter son préavis ne le peut du fait de maladie, il ne sera pas dû d'indemnité compensatrice de préavis. **Logement de fonction.** Accessoire du contrat de travail. Tant que le contrat n'est pas rompu, le logement ne peut être repris ; l'employeur peut y loger un remplaçant avec l'accord du salarié. Dans ce cas, l'employeur aura la garde des affaires personnelles de l'employé.

• **Période d'essai.** Varie selon les annexes, mais ne peut dépasser 1 mois.

• **Placement.** ANPE et bureaux de placement privés (contrôlés par le ministère du Travail, et la préfecture de police à Paris, ou la préfecture en province). *Tarifs* (homologués par la chambre syndicale des bureaux de placement autorisés de Paris et des dép., 163, rue Saint-Honoré, Paris 1er) à la charge de l'employeur : après 30 j de présence de l'employé, 1/6 du salaire du 1er mois, + TVA 23 %. Si l'employé reste moins de 30 j, droit au prorata des j de présence de 2,50 F par j (+ TVA 23 %).

• **Prestations en nature.** Déduites du salaire brut. *1-4-1991 :* repas 16,50 F, logement par mois 330 F (par accord paritaire).

• **Repos hebdomadaire et jour férié.** Seul le 1er mai doit être chômé et payé. Les conventions collectives fixent les autres repos. Dans la rég. par., l'employé a droit à un repos hebdomadaire de 24 h consécutives, en principe le dimanche (du samedi soir au lundi matin). Certaines annexes donnent 1 j supplémentaire, modifient ou suppriment les conditions d'ouverture au droit. Sinon le mode de repos hebd. doit être établi d'un commun accord et notifié dans le contrat individuel.

• **Retraite.** Assurée par l'IRCEM (Institution de retraite complémentaire des employés de maison).

• **Taxe sur les salaires.** Due par l'employeur ayant plusieurs employés, sauf si le nombre d'ascendants de + de 65 ans, d'infirmes, d'enfants de – de 16 ans vivant au foyer est au moins de 4 et le nombre d'employés de 1 ou 2.

Aides-ménagères

Bénéficiaires. *65 ans ou + de 60 ans* (si inaptes au travail), participation fixée par le Pt du conseil général, en fonction des ressources plafonnées à 33 630 F par an/personne. *Personnes de + de 70 ans* vivant seules ou avec leur conjoint ou chez leurs enfants dans certaines conditions. Certaines handicapées, ou ayant à leur charge un enfant handicapé, bénéficient dep. le 1-1-1988 d'une exonération de la part patronale des cotisations de Séc. sociale à condition d'être elles-mêmes l'employeur.

Associations. *Fédération nationale des associations d'aide à domicile aux retraités (FNADAR) ;* 103, bd Magenta, Paris 10e. *Féd. nat. des associations d'aides familiales populaires (FNAAFP) :* 53, rue Riquet, Paris 19e. *Union nat. des associations d'aide à domicile en milieu rural (UNAADMR) :* 184, rue du Fbg-St-Denis, Paris 10e. *Union nat. des associations de soins et de services à domicile :* 15, passage St-Sébastien, Paris 11e.

Aides au pair

• **Définition. Stagiaires-aides familiaux.** Agés de 18 à 30 ans, ils doivent avoir un titre de séjour et une autorisation de travail, et justifier de la réalité de leurs études. Effectuent des travaux ménagers en contrepartie du logement et de la nourriture.

• **Formalités.** *Pour régulariser leur situation,* ils doivent présenter au service des Etrangers de la préfecture de police à Paris (si leur domicile est à Paris) le document sous couvert duquel ils sont entrés en France ; acquitter une taxe de visa de régularisation de 50 F (en sont dispensés ressortissants de la CEE, Marocains et Suisses). L'engagement pour accueil délivré par le directeur départemental du Travail (6 mois à 1 an, non prorogeable au-delà de 18 mois) tient lieu d'autorisation de travail. Pour ceux qui viennent pour un court séjour, visa du dir. dép. du Travail sur la demande d'autorisation de travail (lettre).

A l'expiration du visa, sur présentation de l'*engagement pour accueil* et de la justification de leurs études, on remet aux ressortissants de la CEE une *autorisation provisoire de séjour* (aux autres une *carte de séjour temporaire* gratuite, valable 1 an). En cas de scolarité mensuelle ou trimestrielle, carte de séjour temporaire gratuite valable 6 mois et renouvelable.

Le *séjour* au titre de « stagiaire-aide familial » ne peut excéder 18 mois. Au-delà, ils peuvent solliciter leur transformation en *étudiant* ou en *travailleur salarié permanent* (ressortissants de la CEE). Quand le stagiaire a reçu son titre de séjour, il doit déclarer ses changements de domicile au commissariat de police du nouveau domicile.

L'employeur doit, s'il loge le stagiaire (ou aide), le déclarer au commissariat de police de son domicile (ainsi d'ailleurs que pour tout autre étranger qu'il hébergerait à un titre quelconque).

• **Assurances sociales.** Obligatoires. La famille d'accueil verse une cotisation égale au tiers de celle fixée pour les personnes employées dans les services domestiques (au 1-1-88, 530,07 F par mois). *Pour les stagiaires,* l'Accueil familial des jeunes étrangers prend à sa charge une assurance maladie-accident complémentaire.

• **Normes habituelles. Argent de poche :** *au pair :* aucune somme donnée ; *stagiaire :* de 1 000 à 1 500 F au minimum par mois, sans transports dans Paris. En banlieue, transports payés en sus, de la résidence à Paris.

Congés : journée complète hebdomadaire (dont 1 dimanche obligatoire par mois). En cas d'empêchement fortuit, accord pour 2 demi-journées dans la semaine. **Contrat** signé entre la famille et le stagiaire, après un essai de 8 j. Permet d'obtenir le permis de séjour. **Logement** *au pair* ou *stagiaire :* dans l'appartement, ou dans une chambre confortable indépendante. **Travail** *au pair :* doit en général de 2 à 3 h par jour, selon repas offerts et logement [en appartement ou à l'extérieur (en général, chambre dans l'appartement : 2 h par j ; à l'étage du personnel, ch. chauffée 1 h 1/2 ; petit déjeuner 1/2 h)]. *Stagiaires :* 5 h de travail légal par j moyennant repas, logement et argent de poche. Dans les 2 cas, aucun gros travail ménager. Le temps légal peut comprendre 2 à 3 soirs par semaine pour une garde d'enfants, mais pas plus tard que minuit si la chambre est indépendante.

• **Quelques adresses (Paris).** *Ababa,* 8, avenue du Maine, 15e. *Accueil familial des jeunes étrangers,* 23, rue du Cherche-Midi, 6e. *Allô maman poule,* 17, rue d'Armenonville, 92200 Neuilly-sur-Seine. *Amicale culturelle internationale,* 27, rue Godot-de-Mauroy, 9e. *Bureau des élèves de l'Institut d'études politiques,* 27, rue St-Guillaume, 7e. *Centre Richelieu* « Service d'Entraide », 8, place de la Sorbonne, 5e. *CROUS,* 39, av. de l'Observatoire, 5e. *Dépann' Familles,* 7, rue Gomboust, 1er. *Fédération nationale des Associations du bureau des élèves des grandes écoles,* 18, rue Dauphine, 6e. *La Grande Sœur,* 18, rue d'Armenonville, 92200 Neuilly. *Les Grands-mères occasionnelles,* 48, rue des Bergers, 15e. *Institut catholique,* 21, rue d'Assas, 6e. *Interséjours,* 179, rue de Courcelles, 17e. *Kid-Service,* 17, rue Molière, 1er. *Nurses Service,* 33, rue Fortuny, 17e. *Nursing,* 3, rue Cino-Del-Duca, 17e. *Opération Biberon S.O.S. Étudiant médecin,* 26, rue du Fbg-St-Jacques, 5e.

Baby-sitting

Définition. Étudiant(e)s venant contre rémunération surveiller à domicile les enfants quand les parents s'absentent.

Réglementation. Doivent être légalement immatriculés à la Séc. soc., comme les employés de maison : les cotisations doivent être calculées dans les mêmes conditions s'ils sont au service de particuliers qui les rémunèrent directement. S'ils sont rémunérés par un groupement ou une association, les cotisations sont calculées dans les conditions générales. Le *risque d'accident* peut paraître inexistant mais il faut noter les risques d'accidents de trajet. La responsabilité de l'étudiant peut être lourde ; plusieurs associations s'occupant du placement des étudiants chez des particuliers souscrivent des assurances de « responsabilité civile » pour les étudiants. Sinon l'étudiant sera bien avisé de souscrire lui-même pour son compte une assurance de responsabilité civile précisant la garantie des risques découlant de son activité.

☞ Si l'étudiant passe par un organisme, la durée minimale de la garde est généralement de 2 à 3 h. S'il y a plus d'1 enfant à garder, une majoration peut être à prévoir.

Travailleuses familiales

Rôle. Accomplit temporairement à domicile les activités ménagères et familiales au foyer des mères de famille ne pouvant assumer leur rôle (ex. : mère hospitalisée ou alitée pour maladie ou maternité), intervient auprès des personnes isolées, âgées, infirmes ou invalides.

Recrutement. Sur le plan local par les associations agréées. Il faut avoir 19 ans, le niveau BEPC et obtenir le certificat de travailleuse familiale. *Formation :* 8 mois (par cours théoriques et stages pratiques). La stagiaire reçoit une bourse lui assurant le statut de salariée sur la base du SMIC et souscrit en contrepartie un engagement de travail avec obligation d'accomplir au moins 6 000 h dans les 5 ans suivant le début de la préparation au certificat.

Rémunération. Réglée par une convention collective comme les *conditions de travail* (semaine de 39 h). Les familles contribuent selon leurs ressources, d'après un barème établi avec les caisses d'A.F. ou d'ass. maladie dont elles relèvent.

Associations agréées. *Association d'aide aux mères de famille,* 12, r. Chomel, Paris 7e. *Union nat. des ass. d'aides à dom. en milieu rural (UNAADMR),* 184, rue du Fbg-St-Denis, Paris 10e. *Féd. nat. des ass. de l'aide fam. populaire (FNAAFP),* 53, rue Riquet, Paris 19e. *Féd. nat. des ass. d'aide fam. à dom. (FNAFAD),* 48, bd Sébastopol, Paris 3e. *Féd. nat. des aides et services des familles (FNASEF),* 5, rue Morère, Paris 14e. *Union nat. des ass. générales pour l'aide fam. (UNAGAF),* 28, pl. St-Georges, Paris 9e.

Étudiants

Étudiants et impôts

Si l'enfant majeur a – de 25 ans, son père peut toujours le considérer comme à sa charge à la condition de faire figurer sur sa déclaration personnelle la rémunération en espèces reçue par son enfant, augmentée de la valeur de la nourriture. Il fait abstraction des avantages constitués par logement et habillement.

Étudiants se livrant accidentellement à un travail rémunéré. Ils sont imposables. Si l'étudiant est compté à charge par son père, celui-ci doit faire figurer les rémunérations en question sur sa déclaration. Pour les étudiants au pair dans des colonies de vacances ou au sein d'une famille (sans rémunération en espèces ni allocation représentative de frais), la valeur des avantages en nature ne compte pas.

Étudiants et élèves des écoles techniques effectuant des stages dans des entreprises industrielles ou commerciales. Pas imposables si les stages font partie intégrante du programme de l'école ou des études, s'ils présentent un caractère obligatoire, et si leur durée n'excède pas 3 mois.

Bourses d'études. *Pour poursuivre leurs études personnelles :* en général, peuvent être regardées comme de simples secours n'ayant pas le caractère de revenu imposable. *Pour des travaux de recherches :* rémunérations imposables.

Élèves des grandes écoles (Saint-Cyr, Polytechnique, etc.). Solde, traitement et avantages en nature sont imposables.

Étudiants et allocations familiales

Travail rémunéré. L'activité rémunérée de l'étudiant fait perdre à ses parents le bénéfice des A.F. sauf, s'il a 20 ans au max. et poursuit ses études, dans certains cas ; ex. : leçons et répétitions particulières et autres travaux d'enseignement ; emplois à temps partiel ; activités ayant un caractère de formation ; emplois offerts par l'intermédiaire des organismes universitaires (ONISEP) et des associations d'étudiants, présentant certaines garanties (en période de vacances, la tolérance est plus large : notamment pour travaux agricoles, colonies de vacances, activités ayant un caractère culturel ou touristique, ex. : guide ou accompagnateur).

La rémunération procurée ne doit pas dépasser les 55 % du SMIC par mois (somme calculée en faisant une moyenne sur 6 mois).

Pour les – de 16 ans (âge de fin de la scolarité) et pour les – de 18 a., l'activité salariée n'est admise que pendant le trimestre d'été et la rémunération ne doit pas dépasser 3 fois le salaire mensuel de référence servant de base au calcul des prestations familiales.

Bourses d'études. Cumul généralement accepté pour un emploi à temps partiel lié à l'enseignement (maîtres auxiliaires, d'internat, etc.) à concurrence d'une fois et demie le taux maximal des bourses.

Étudiants et Sécurité sociale

• **Étudiant non salarié. Assurance obligatoire. Conditions :** être âgé de – de 26 ans au 1er oct. de l'année universitaire (prolongation possible : service militaire, interruption des études par suite de maladie, préparation de certains diplômes, etc.) ; être élève d'un établissement d'enseignement sup., d'une école technique sup., d'une grande école ou d'une classe préparatoire à ces écoles : être Français ou ressortissant d'un pays étranger ayant passé une convention de Séc. soc. avec la France, ou réfugié bénéficiaire de la convention de Genève du 28-7-51. L'ét. doit être immatriculé auprès de la caisse primaire dont dépend son établissement, par l'intermédiaire de celui-ci, dans les 8 j de son inscription.

Immatriculation : faite durant le 1er trimestre de scolarité, elle rétroagit au 1er oct. (pour les élèves des classes sup. des lycées et collèges, au j de l'ouverture de l'établ., donc éventuellement avant le 1er oct.). Elle ouvre droit aux prestations pour l'année universitaire jusqu'au 30 sept. (pour ceux qui subissent leurs examens aux sessions d'oct. et nov. : jusqu'à la publication des résultats). **Cotisation forfaitaire.** 800 F pour l'année scolaire 1991-92 (les étudiants recevant une aide pécuniaire de l'État sont exonérés).

Prestations. Assurées par des mutuelles d'étudiants moyennant une cotisation supplémentaire pour les risques d'accidents survenant du fait et à l'occasion de la scolarité, et la responsabilité civile. Pas de délai minimal d'immatriculation pour avoir droit au remboursement des soins, sauf pour l'assurance maternité (10 mois d'im. à la date de l'accouchement).

• **Étudiant assuré volontaire.** Ex. : étudiant de + de 26 ans au 1er oct. de la nouvelle année scolaire et n'ayant pas de prolongation de la limite d'âge. Élève des classes terminales des lycées et collèges ayant + de 20 ans et ne bénéficiant plus de la S.S. des parents.

• **Étudiant ayant un salaire.** Il doit être déclaré à la S.S. par l'employeur. A droit aux prestations du régime s'il satisfait aux conditions d'ouverture des droits (120 h de travail ou assimilées dans le mois précédant la date des soins ou de l'arrêt de travail, ou 200 h dans le trimestre, 1 j d'inscription à la S.S. étudiante, 6 h de travail salarié). Ceux qui n'étaient pas inscrits avant à la S.S. étudiante bénéficient des dispositions en faveur des assurés nouvellement immatriculés et âgés de – de 25 ans [pour les prestations en nature, remboursement des soins : 60 h de travail salarié ou assimilé à la date des soins ; prestations en espèces, indemnités journalières : le minimum de 200 h d'emploi se calcule en tenant compte du temps de travail effectué par l'assuré dont l'étudiant était ayant droit (parents, conjoint assuré social)].

Étudiant qui était déjà à la S.S. étudiante. Bénéficie sans délai des prestations en nature de l'assurance maladie, étant couvert soit par le régime étudiant, soit par le régime salarié ; pour les prestations en espèces, le délai minimal de 200 h s'applique, mais chaque journée d'inscription à la S.S. étudiante est considérée comme équivalant à 6 h de travail salarié pour l'ouverture des droits aux prestations (interprétation variable suivant les caisses : se renseigner). Si l'activité salariée de l'étudiant apparaît définitive, la section locale déclenche éventuellement le transfert du dossier au bénéfice du centre de Séc. soc. du domicile de l'étudiant salarié.

En cas d'accident du travail, l'étudiant salarié bénéficie des prestations en espèces comme les autres salariés (si l'accident a eu lieu à l'occasion d'un emploi temporaire pendant les vacances d'été et si l'incapacité totale de travailler se poursuit après la rentrée scolaire, il continue à en bénéficier).

• **Stagiaire. En entreprise, dans le cadre d'une initiation au milieu professionnel :** *s'il est rémunéré :* cotisations des assurés du régime général ; *s'il n'est pas rémunéré :* cotisations patronales établies sur la base de 25 % du SMIC (au 1er-1), si gratifications ⩽ à 30 % du SMIC. **En formation professionnelle continue :** cotisations ouvrières et patronales dues par l'État pour les stagiaires *rémunérés ou non rémunérés* par l'État, fixées au 1er-1 par assiette horaire forfaitaire (5,15 F au 1-4-90) des taux de droit commun du régime général de la Séc. soc.

• **Étudiant au pair.** Il faut le déclarer à la S.S., afin de le faire bénéficier des prestations accidents (le régime « étudiant » ne comporte que des prestations maladie). S'il n'est pas déclaré correctement, la S.S. pourra aller jusqu'à réclamer à l'employeur les prestations maladie versées pour un accident du travail. D'autre part, l'étudiant au pair étant un « préposé », le chef de famille employeur sera présumé responsable de tout dommage causé par l'étudiant aux tiers.

• **Étudiant donnant des répétitions.** L'inscription à la Sécurité sociale est aussi nécessaire.

☞ **Quelques adresses pour des petits travaux temporaires.** *CROUS* (Centres régionaux des œuvres universitaires et scolaires), ont quelques offres. *CIDJ* (Centre d'information et de documentation jeunesse), 101, quai Branly, 75740 Paris Cedex. *Travaux saisonniers agricoles : Centre de documentation et d'information rurale,* 92, rue du Dessous-des-Berges, 75013 Paris. *Emplois Marketing : Syndicat national pour la vente et le service à domicile,* 42, rue Laugier, 75017 Paris. *Entreprises de travail temporaires :* 2 syndicats professionnels : *PROMA TT,* 6, bd des Capucines, 75009 Paris. *UNETT,* 9, rue du Mont-Thabor, 75001 Paris.

Fardeaux (limites)

Charges [1] (en kg)	*J. gens* 14/16	16/18	*J. filles et femmes* 14/16	16/18	18 et +
Porté	15	20	8	10	25
brouette	40	40	0	0	40
3 ou 4-roues	60	60	35	35	60
2-roues	130	130	0	0	30
Tricycle à pédales	50	75	0	0	0

Nota. – (1) Véhicule compris.

• **Charge portée manuellement par un homme adulte.** Norme de l'OIT (créée 1967) : 55 kg.

• **Charge maximale portable dans le monde en kg.** *Par un homme adulte :* Grèce (secteur de la viande) 100. Inde (dockers) 100 (non syndiqués : 115 à 135). Bangladesh, Pākistān 90. Chine 80. Mexique 56. France + *de 18 ans :* 105 kg max. (charges exceptionnelles), 55 kg (charges habituelles), plus si le travailleur a été reconnu apte par le médecin du travail. Colombie (construction) 50. Finlande (emballage) 40. Corée (riziculture) 40. *Par une femme :* Thaïlande 30. Japon 30 (travail intermittent), 20 (tr. continu). Philippines 25. Pākistān 23. Tchéc., U.R.S.S. 15. All. féd. 15 (charges occasionnelles), 10 (tr. continu).

Femmes

Statistiques

• **Monde. Femmes dans la population active, en % (1987).** Finlande 48,3. Suède 47,1. Danemark 45,2. U.S.A. 44,1. Norvège 43,3. G.-B. 42,1. *France 41,6.* Portugal 40,1. Japon 39,7. Autriche 39,5. All. féd. 39. Belgique 38,3. Suisse 37. P.-Bas 34,6. Grèce 33,9. Luxembourg 33,8. Italie 33,3. Irlande 31,3. Espagne 29,5.

• **France. Évolution des femmes dans la population active, en %.** *1962* : 34. *1975* : 37,1. *1985* : 41,6. *1988* : *41,5*. *1989* : 45,8. *2010 (prév.)* : 45,5.

• Femmes enceintes. **Congé de maternité** (assimilé à une période de travail effective). DURÉE : pour le *1er ou 2e enfant* : 6 semaines avant la date prévue pour l'accouchement et 10 après. *Pour le 3e et +* : 8 sem. avant, 18 après (on peut majorer de 2 sem. le congé prénatal sous réserve de réduire de 2 sem. la durée du congé postnatal). Le congé de maternité est augmenté en cas de naissances multiples ; de 2 sem. à partir de la déclaration de grossesse et avant le début du congé sur certificat médical ; de 4 sem. après la fin du congé sur certificat médical. **Congé sans solde pour allaiter** : 1 h par j pendant un an à compter de la naissance. Le salaire peut être maintenu par la convention collective. **Pour élever son enfant** : congé parental d'éducation pour la salariée ayant au moin un an d'ancienneté. De droit dans les entrepr. de 100 salariés ou plus. Possibilité de travailler à temps partiel (16 à 32 h/sem.) dans les mêmes conditions (loi du 4-1-1984).

Démission. Dès qu'elle est en état de grossesse apparente, une femme peut donner sa démission sans préavis. A la suite de son congé de maternité, elle peut rompre son contrat de trav. sans préavis, à condition d'avertir son employeur au moins 15 j avant la fin du congé de maternité par lettre recommandée avec accusé de réception, et disposer ensuite d'une *priorité de réembauchage* pendant un certain temps.

Embauche. Une femme n'est pas tenue d'avertir son futur employeur qu'elle est enceinte, et elle est fondée à ne pas répondre aux questions de celui-ci concernant son éventuel état de grossesse.

Indemnité journalière. 84 % du salaire brut plafonné pendant congé de maternité et évent. pendant les 2 sem. suppl. accordées sur certificat médical ; les 4 semaines suppl. accordées sur certificat médical : 50 %.

Licenciement. Une femme ne peut être licenciée pendant une grossesse et les 4 semaines qui suivent le congé de maternité, sauf faute grave non liée à la grossesse ou impossibilité de maintenir le contrat. Quel que soit le motif, elle ne peut être licenciée pendant le congé de maternité.

Mutation. Sur présentation d'un certificat médical, la salariée peut obtenir un changement d'affectation temporaire et conserver son salaire si elle a au moins 1 an d'ancienneté. L'employeur peut proposer un changement d'affectation avec l'accord du médecin du travail. Dans ce cas, le salaire doit être maintenu.

• Rémunération. En principe égale à celle des hommes pour un travail égal ou de valeur égale (loi Roudy du 13-7-1983). Voir salaires à l'index.

• Repos. **De nuit** : au minimum : 11 h consécutives. **Hebdomadaire** : min. 24 h et en principe le dimanche sauf exceptions. **Fêtes légales** : trav. interdit le 1er mai (sauf pour certains établissements ou services en raison de la nature de leur activité). Le repos lors des autres j fériés n'est obligatoire que pour les jeunes travailleurs et apprentis de – de 18 ans (sauf exceptions).

• Travail. **Durée hebdomadaire pour 39 h max.** *+ de 18 ans* : 48 h au cours d'une même semaine ou 46 h en moyenne au cours d'une période quelconque de 12 semaines consécutives ; *- de 18 ans* : 39 h ; **journalière max.** *+ de 18 ans* : 10 h ; *- de 18 ans* : 8 h avec un max. de 4 h 30 consécutives. *Dérogations à la durée max.* (journalière et hebdomadaire) possibles sous certaines conditions.

Travail de nuit. *1979, 1982* : atténuation du principe de son interdiction pour permettre le travail de nuit des femmes occupant un poste de direction ou de caractère technique, impliquant une responsabilité, et pour les travaux non manuels dans les services d'hygiène et de bien-être. *1982* : déplacement de la plage horaire d'interdiction. *2-7-1987 (loi Séguin)* : suspension de l'interdiction du travail de nuit dans des cas exceptionnels.

Nota. – Magasins de vente et locaux de travail doivent être munis de sièges.

☞ Les femmes en difficulté peuvent bénéficier du contrat de retour à l'emploi ou du contrat emploi solidarité.

Fêtes légales

• En France. **Liste des jours fériés légaux.** *Dimanches* (Loi 18 germinal an X, art. 57) ; *Ascension, Assomption, Toussaint, Noël* (Arrêté 29 germinal an X) ; *1er Janvier* (avis Conseil d'État, 23-3-1810) ; *14 Juillet* (L. 6-7-1880) ; *lundi de Pâques* et *lundi de Pentecôte* (L. 8-3-1886) ; *11 Novembre* (anniversaire de l'armistice de 1918) (L. 24-10-1922) ; *1er Mai* (fête du travail) (L. 30-4-1947, modif. par L. 29-4-1948) ; *8 Mai* (jour anniversaire de la victoire de 1945 (L. 2-10-1981). La reddition des armées allemandes à Eisenhower ayant eu lieu le 7-5, et sa ratification dans la nuit du 8 au 9, le 8-5 ne correspond à aucun événement précis. La loi du 7-5-1946 fixa la commémoration de la victoire au 8 si c'était un dimanche ; sinon au 1er dimanche qui suivait. En 1951, le ministre de l'Intérieur, Henri Queuille, décida de la fêter le 8-5 (un mardi). La loi du 20-3-1953 précisa que la République française célébrait annuellement l'*armistice* et que le 8-5 était j férié. Celui-ci fut supprimé par De Gaulle en 1961. Jusqu'en 1968, la commémoration eut lieu le 2e dimanche du mois (sauf en 1965 pour le XXe anniversaire). En 1975, Giscard d'Estaing supprima toute commémoration. Elle fut rétablie, ainsi que le j férié, par le gouvernement Mauroy.

Pour les mineurs. La Sainte-Barbe (4 déc.) est chômée et fériée. En **Alsace-Lorraine**, le vendredi saint est reconnu comme un j férié dans les localités où existe temple protestant ou église mixte.

Le Premier Mai

Origine : USA. *1884-nov.* à Chicago, IVe Congrès des *Trade Unions* qui décide qu'à partir du 1-5-1886, la journée normale de travail serait fixée à 8 h et que toutes les organisations ouvrières se prépareraient à cet effet. En Pennsylvanie et dans l'État de New-York, le 1er mai était alors le *Moving-day* (j du début de l'année pour transactions économiques et engagements de travail). *1886-1-5* aux USA : manifestation des syndicats fédérés pour obtenir la journée de 8 h (env. 5 000 grèves et 340 000 grévistes). *1886-89* aux USA, grèves les 1ers mai.

Internationalisation. *1889-14/20-7* Congrès international socialiste de Paris : adopte le 1-5 comme j de revendication des travailleurs. Sur proposition de Raymond Lavigne (n. 17-2-1851), le congrès décide d'organiser une manif. internationale à date fixe pour que le même j les ouvriers demandent la journée de 8 h. Le 1-5 est choisi, l'*American Federation of Labor* l'ayant déjà adopté. *1890-1-5* en France : dans les tracts appelant à la manif., l'idée d'une fête du travail est souvent associée à la revendication pour les 8 h (sans doute pour entraîner plus de monde). Importantes manif. à Paris, dans 138 villes de province et dans le monde (All., Autriche-Hongrie, Roumanie, Belgique, Hollande, Italie, Pologne, Espagne, G.-B., Suède, Norvège, Danemark, USA). Plusieurs congrès nationaux conseillent que cette manifestation soit renouvelée : Scandinavie et Espagne (août 1890), France et All. (oct. 1890), Italie (nov. 1890), Hongrie (déc. 1890), Portugal et Suisse (janv. 1891). *1891-1-5* manif. à l'étranger ; en France à Fourmies (Nord) l'armée tire 10 †. *16/22-8* congrès socialiste international de Bruxelles donne au 1-5 son caractère annuel et international. Il sera célébré chaque année à partir de 1892. *1906-1-5* en France, manif. violente pour obtenir la j de 8 h. A Paris, 800 arrestations et nombreux blessés. *1919-25-4* loi rendant obligatoire la j de 8 h. *1-5* pour fêter ces 8 h., manif. importante à Paris, nombreux blessés. *1937 1-5* Front populaire, grande manif.

☞ **1990-1-5** célébré à Paris par la CGT 10 000 personnes défilent de la place de la République à la gare St-Lazare ; la CFDT avait affirmé que le 1-5 était un « symbole usé ».

Le muguet du 1er mai. *1890-1-5* : les manifestants portent un petit triangle rouge, symbole de la division de la journée de travail en « trois huit » (travail, sommeil, loisirs). Plus tard, ils fleuriront leurs boutonnières d'églantines, symbole de la foi en la Révolution et fleur traditionnelle du nord de la France (d'ou le surnom donné aux socialistes v. 1900 : les « églantinards »). *1907* : le muguet, fleur traditionnelle de l'île-de-France (Chaville, Meudon) apparaît. *1-5-1936* : on vend des bouquets de muguet cravatés de rouge.

Fête du travail. *1793-24-10* dans son rapport sur le Calendrier lu à la Convention, Fabre d'Églantine institue une Fête du travail le 19-9. Saint-Just dans les *Institutions républicaines* établit des fêtes publiques le 1er de chaque mois ; la Fête du travail aura lieu le 1er pluviose (20 ou 31 janv). *1848* la Constitution institue une Fête du travail dans les colonies pour effacer les dégradations dues à l'esclavage ; fixée au 4-3 (abolition de l'esclavage en France et dans les colonies). *1941-12-4* loi consacrant le 1er mai comme *fête du Travail et de la Concorde sociale* (chômé, sans perte de salaire, mais 50 % de celui-ci sera versé au Secours National). *1947-29-4*, le 1er mai, loi instituant un j chômé et payé (donc légalement il n'existe pas de Fête du travail en France, mais un j férié).

• Repos obligatoire. *En dehors des conventions, le 1er Mai est le seul j férié pour lequel le repos est légalement obligatoire.* Les autres j fériés, le repos n'est obligatoire *que pour les jeunes* travailleurs et apprentis (– de 18 ans) employés dans l'industrie (la loi ne s'oppose pas à ce que les jeunes travailleurs de sexe masculin travaillent dans les usines à feu continu).

• Paiement. *1er Mai* : payé à tout le monde, mais s'il tombe un dimanche, il n'y a pas d'indemnisation. *Autres j fériés : personnel payé au mois* (arrêté du 31-5-1946) : salaire habituel, sauf réduction éventuelle correspondant aux h supplémentaires qui auraient été normalement effectuées le j chômé. *Salariés mensualisés* (loi du 19-1-1978) : paiement de l'intégralité du salaire (y compris les h supplémentaires éventuelles qui auraient été accomplies le j chômé) si le salarié a 3 mois d'ancienneté dans l'entreprise et 200 h de travail accomplies au cours des 2 mois précédant le j férié ; s'il s'est présenté le dernier j de travail précédant le j férié et le 1er j de travail qui lui fait suite, sauf autorisation d'absence préalablement accordée. Sont exclus de la loi du 19-1-1978 : salariés : agricoles, des entreprises publiques bénéficiant d'un statut législatif ou réglementaire ; travailleurs : à domicile, temporaires, saisonniers, intermittents. *Personnel payé à l'heure ;* pas de rémunération pour les h chômées ; les h de travail accomplies le j férié sont payées au tarif normal.

• **Récupération des jours fériés.** Interdite depuis l'ordonnance du 16-1-1982. **« Ponts ».** Il n'y a aucune obligation. Il faut un accord entre employeur et personnel. L'employeur doit demander l'avis du comité d'entreprise, afficher le nouvel horaire et les notifier à l'inspecteur du travail. La récupération (qui s'impose aux salariés) ne peut avoir lieu, en principe, avant le j du « pont ». Seules les h perdues au-dessous de 39 h sont récupérables ; elles sont rémunérées au taux normal sans majoration.

Formation professionnelle continue

• Définition (Livre IX du Code du travail. Loi du 16-7-1971 modifiée par la loi du 24-2-1984). Fait partie de l'éducation permanente. Permet l'adaptation des travailleurs au changement des techniques et des conditions de travail, favorise leur promotion sociale par l'accès aux différents niveaux de la culture et de la qualification prof. et leur contribution au dév. culturel, économique et social. Assurée par État, collectivités locales, établ. publics, d'enseign. public et privé, associations, organisations profess., syndicales et familiales, entreprises.

• Types d'actions. Préformation et prépar. à la vie professionnelle ; adaptation ; promotion ; prévention ; conversion ; acquisition ; entretien ou perfectionnement des connaissances.

• **Publics bénéficiaires.** Salariés d'entreprises, agents du secteur public (réglementation spéciale), demandeurs d'emploi. Mesures spéciales en faveur de l'insertion professionnelle des 16 à 25 ans et des demandeurs d'emploi (formations en alternance).

• **Crédit-formation individualisé (CFI).** *Créé 1989* pour les demandeurs d'emploi de 16 à 25 ans, puis étendu aux salariés (1990) et aux demandeurs d'emploi adultes (1991). *1990-4-7* loi instituant un droit

Le congé de formation : *1°) congé individuel de formation (CIF) :* droit pour tout *titulaire de contrat de travail.* Il faut justifier d'une durée minimale d'activité salariée, obtenir une autorisation d'absence de son employeur (sauf pour les salariés sous contrat à durée déterminée, la formation se déroulant en principe à l'issue du contrat). *Financement :* les organismes paritaires agréés (OPACIF) collectent la participation des employeurs. Ils peuvent prendre en charge la rémunération du salarié pendant sa formation (en totalité jusqu'à concurrence de 2 SMIC, et en partie pour les rémunérations supérieures), et tout ou partie des frais de formation, selon les règles de gestion de ces organismes ;

2°) *congé de formation professionnelle (CFP) :* permet aux *agents de la fonction publique* qui justifient de 3 années de service, de suivre une formation agréée par le ministre de la fonction publique. *Financement :* L'agent reçoit une indemnité forfaitaire correspondant à 85 % de son traitement, prise en charge par l'administration concernée.

☞ Ce droit à la formation garantit un retour dans l'emploi à l'issue de la formation.

à la qualification professionnelle. Le CFI s'adresse en priorité aux sans qual. prof. de niveau V (CAP, BEP) qui souhaitent en acquérir une. Le CFI-salariés, institué en 1990, repose sur la mise en œuvre du congé individuel de formation. *1991* étendu aux demandeurs d'emploi adultes.

Parcours de formation individualisé en 3 étapes : *1°)* bilan des acquis préalables pour élaborer un projet personnalisé de formation. *2°)* suivi personnalisé. *3°)* validation des acquis au terme. *Renseignements : jeunes :* à la structure d'accueil la plus proche de leur domicile (mission locale, permanence d'accueil, d'information et d'orientation) ; *adultes :* ANPE ; *salariés :* doivent obtenir une autorisation d'absence auprès de leur employeur, puis s'adresser à l'organisme paritaire agréé au titre du congé individuel de formation dont ils dépendent (voir ci-dessous).

• **Participation des employeurs au financement.** *Assujettis :* tout employeur occupant au min. 10 salariés, à l'exception de l'État, des collectivités locales et de leurs établissements publics à caractère administratif. *Montant minimal fixé par la loi :* 1,2 % des salaires bruts payés au cours de l'année (en 1989, les entreprises ont consacré 2,97 % de la masse salariale). *Modalités de versement :* financement d'actions de formation au profit de son personnel et/ou versement à des organismes de mutualisation des fonds (FAF, OPACIF, OMA). *Modes exonératoires de cette obligation :* financement d'actions de formation à l'intérieur de l'entreprise ; à l'extérieur par voie de conventions de formation. *Versement libératoire :* à des FAF (Fonds d'assurance formation) organisés au sein des professions ; à des organismes agréés au titre du congé individuel de formation OPACIF (0,15 %) ; à des organismes dont les programmes d'études et de recherche sont agréés par les pouvoirs publics (max. 10 % du montant de la participation obligatoire) ; à des organismes collecteurs de mutualisation agréés pour le financement des formations alternées (0,10 % additionnel à la taxe d'apprentissage et 0,30 % complémentaire à la participation au financement de la formation professionnelle continue) ; à des jeunes sans emploi ou à des demandeurs d'emploi.

☞ Voir enseignement p. 1266.

• **Rémunération des stagiaires.** *Stagiaires salariés :* dans le cadre du plan de formation de l'entreprise : maintien du salaire habituel ; dans le cadre du congé individuel de formation : montant décidé par organisme paritaire (100 % ou calcul en fonction du salaire perçu, voir p. 1445c).

Stagiaires demandeurs d'emploi : les bénéficiaires de l'alloc. d'ass. chômage perçoivent (à certaines conditions) l'alloc. de formation reclassement (AFR). Les autres perçoivent de l'État ou de la région (à certaines conditions) une rémunération forfaitaire.

• **Nombre d'actifs ayant participé à des formations professionnelles continues** (1989). 4,6 millions (env. 25 %, hors fonction publique). *Coût en milliards de F :* État 18,8, régions 3,4, entreprises 34,6 (93 930 ont participé au financement de la formation pour 3 145 060 salariés en formation et 246,9 millions d'h de stage).

☞ Renseignements. Centre Inffo. (ouvert uniquement aux entreprises, établissements publics, associations diverses, etc.). Tour Europe Cedex 07, 92049 Paris-La Défense + Service Minitel 36 15 code « INFFO » (tout public), 36-16 code FORPRO (professionnels).

Handicapés

• **Législation.** Depuis le 1-1-1991, les entreprises publiques et privées de + de 20 salariés doivent employer au moins 6 % d'handicapés ou verser pour chaque emploi non pourvu une contribution au fonds de développement pour l'insertion professionnelle des hand., en appliquant un accord de branche d'entreprise ou d'établissement sur un programme en faveur des trav. hand., ou en concluant des contrats de sous-traitance avec les établissements protégés agréés. *Rémunération :* légalement 20 % max. audessous du salaire normal avec garantie de ressources et complément de rémunération ne pouvant excéder 20 % du SMIC ni porter les ressources garanties à un niveau supérieur à 130 % du SMIC.

• **Statistiques.** Sur 1 200 000 handicapés de 15 à 60 ans, 560 000 exercent une profession, dont 65 000 en milieu protégé. 30 % de ceux considérés comme aptes au travail ne trouvent pas d'emploi. *% moyen de trav. hand.* (1989) : entreprises privées 3,9, fonction publique d'État 3,7, hospitalière 4,3, territoriale 4,1.

Quota applicable aux travailleurs handicapés dans la CEE (%). Italie 15, France et All. féd. 6, Irlande (secteur bénévole et public), P.-Bas 3,7, G.-B. 3, Espagne, Grèce (fonction publique) 2.

☞ *L'Association Nationale de Gestion du Fonds pour l'Insertion Professionnelle des Handicapés (AGEFIPH)* a, en 1990, formé et préparé à l'activité professionnelle 23 000 travailleurs handicapés (coût : 228 milions de F). Elle a collecté auprès des entreprises de + 20 salariés 1 200 millions de F (*1988 :* 320, *89 :* 640) et disposait au printemps 1991 de 2 milliards de F inemployés.

Inspection du travail

• **Rôle.** *Créée* 1874 pour contrôler l'application des règles relatives aux conditions de travail dans les entreprises. *Attributions actuelles :* ensemble du droit du travail (relations individuelles et collectives du travail, législation sur l'emploi et la formation professionnelle, conditions de travail). *Corps de l'inspection du travail* réorganisé en 1975, désormais corps interministériel (travail, transports, agriculture). *Services extérieurs du travail et de l'emploi* relèvent du ministère chargé du Travail, 23 directions régionales, 101 départementales et 440 sections d'insp. du tr. Personnel : membres du corps de l'insp. du tr. (dir. et inspecteurs), contrôleurs du tr., agents d'exécution, spécialistes divers (médecins insp., ingénieurs de prévention, économistes, statisticiens).

• **Statistiques** (1-1-1987). *Agents* des services du Travail et de l'Emploi 8 682 dont : de niveau A 1 082 (801 directeurs et inspecteurs, 26 attachés de statistiques, 37 médecins-insp., 23 ingénieurs de sécurité, 30 économistes, 166 chargés de mission ou d'études) ; 2 322 de niveau B (1 726 contrôleurs, 596 chefs de section ou de centre) ; 5 415 de niveau C et D. *Visites de l'inspection* (1985) : 200 772 visites complètes d'établ. et 167 313 contre-visites (4 359 501 salariés), 881 063 infractions constatées dont 849 061 ont fait l'objet d'une observation ou d'une mise en demeure et 31 028 d'un procès-verbal. L'inspection est intervenue dans 1 901 conflits collectifs localisés, a présidé 589 commissions paritaires ou mixtes.

Jeunes

☞ On considère comme « enfants » les adolescents jusqu'à 18 ans.

• **Age minimum pour travailler.** Celui où cesse l'obligation scolaire (en principe 16 ans ; exceptions : apprentissage, professions ambulantes, enfants employés occasionnellement pour les spectacles ou travaillant sous l'autorité du père, de la mère ou du tuteur). **Mannequins :** env. 2 000 enfants de 6 mois à 16 ans sont employés par des agences, en dehors de toute norme (projet de loi pour réglementer le travail). Voir p. 1 450 travail pendant les vacances.

• **Capacité dans l'entreprise.** *Adhésion à un syndicat* possible à 16 ans (sauf opposition du père, de la mère ou du tuteur). *Électeurs* (comité d'entreprise, délégués du personnel) : 16 ans (et 6 mois d'ancienneté). *Éligibles :* 18 ans. Le mineur peut saisir l'inspection du travail mais seul son représentant légal peut agir devant les prud'hommes.

• **Congés.** Les – de 22 ans ont droit, sur leur demande, à 24 j quelle que soit la durée de leur travail effectif pendant la période de référence précédente.

• **Durée du travail.** **1841**-*22-3* loi interdisant de faire travailler des enfants de – de 8 ans ; durée 8 h de 8 à 11 ans ; 12 h de 12 à 16 ; travail de nuit et du dimanche interdits. **1874**-*19-3* âge min. : 12 ans ; durée max. : 12 h ; exception : de 10 à 12 ans les enfants peuvent travailler 6 h. **Actuellement :** 39 h, dérogation exceptionnelle 45 h max. par semaine.

• **Étudiants.** Voir p. 1445. **Fardeaux.** Voir p. 1445.

• **Fêtes légales.** Trav. interdit, même pour rangement d'atelier, dans usines, manufactures, chantiers, etc. (exception, avec j de repos compensateur, dans usines à feu continu).

• **Repos de nuit.** 12 h au minimum, travail de nuit interdit, sauf dérogation entre 22 h et 6 h.

• **Salaire.** S'il n'y a pas de contrat d'apprentissage écrit, le jeune ne peut percevoir moins que le min. gar. Salaire minimum égal au SMIC (abattement de 20 % avant 17 ans, de 10 % entre 17 et 18 ans). Ceux qui travaillent au rendement ou aux pièces ne doivent pas subir ces abattements.

• **Stages de formation.** Jeunes de 16 à 18 ans, sortant de l'école sans formation professionnelle. *St. de form. alternée de « qualification » :* formation générale et théorique par un organisme de form., + form. pratique en milieu de travail, durée de 6 mois à 2 ans (dont 30 % en entreprise), indemnité forfaitaire de 646 F pendant 6 mois et 870 F au-delà (+ indemnités de transport et d'hébergement). *St. de formation alternée d'insertion :* jeunes rencontrant des difficultés d'insertion professionnelle et sociale (échec scolaire, difficultés personnelles) ; durée max. 10 mois (dont 50 % en entreprise), indemnité forfaitaire (idem, voir ci-dessus). *St. d'orientation collective approfondie :* 4 à 6 semaines (dont 50 % au plus en entreprise), indemn. forfaitaire 535 F par mois.

• **Travaux dangereux ou immoraux.** Interdits aux mineurs.

Libertés dans l'entreprise
(Loi du 4-8-1982)

• **Règlement intérieur.** Obligatoire dans toute entreprise à partir de 20 salariés. Il doit être soumis pour avis au comité d'entreprise (ou aux délégués du personnel) et au CHSCT puis à l'inspecteur du travail. Il ne peut contenir des dispositions contraires aux libertés individuelles (alcootest, ouverture du courrier personnel, etc.). En droit disciplinaire, constitue une sanction toute mesure autre qu'une observation verbale. Elle doit être motivée par écrit et signifiée oralement par l'employeur au salarié qui peut se faire assister d'une personne de son choix.

• **Droit d'expression des salariés.** Introduit par la loi Auroux. *Entreprise de – de 200 salariés :* l'employeur doit consulter le comité d'entreprise, ou les organisations syndicales, ou les délégués du personnel sur ses modalités d'exercice. Au bout de 2 ans, il doit, avec leur avis, rédiger l'analyse des résultats obtenus et la communiquer au ministère du Travail. *+ de 200 salariés :* l'employeur doit négocier ses modalités d'exercice avec les organisations synd. représentatives. *Début 1989,* + de 10 000 établissement (2,7 millions de salariés) étaient couverts par un accord sur le droit d'expression. Soit des *établissements de 50 à 199 salariés :* 42 %, *200 à 499 salariés :* 64 %, *500 salariés et + :* + de 75 %.

Licenciement

En France

• **Formalités.** **Le patron qui veut licencier un salarié doit :** 1°) le convoquer pour conciliation par lettre recommandée [1] comportant ses motifs (nécessité pour l'entreprise ou faute du salarié) [sauf cas de lic. économiques de 10 salariés et + sur 30 j] ; 2°) lui envoyer une lettre rec. [1] 24 h au moins après la conciliation notifiant la décision [en cas de lic. écon. : au plus tôt 7 j à compter de la date fixée pour l'entretien préalable ou 15 j s'agissant d'un membre du personnel d'encadrement] ; 3°) respecter le délai de préavis et les garanties imposées éventuellement par la convention coll. ; 4°) demander l'autorisation du service de main-d'œuvre ; 5°) aviser le comité d'entreprise (cas de licenciements collectifs) ; 6°) demander les autorisations préalables (élu, ancien élu, candidat) ; 7°) remettre un certificat de travail contenant exclusivement la date d'entrée, de sortie et la nature de l'emploi ou, le cas échéant, des emplois successivement occupés, ainsi que les périodes pendant lesquelles ces emplois ont été tenus. Si le salarié réclame des dommages et intérêts pour retard dans la remise de cette pièce, il doit justifier qu'il l'a réclamée et qu'il s'est heurté au refus ou à l'inertie de son employeur. L'employeur peut ajouter des mentions élogieuses mais ne peut indiquer aucun renseignement susceptible de nuire au salarié ; 8°) payer salaires dus et indemnités de rupture : congés payés, préavis (en cas de brusque rupture), éventuellement indemnité légale de licenciement (ou conventionnelle) ; 9°) s'il fait signer un *reçu pour solde de tout compte,* le remettre avec la mention du délai de 2 mois pour dénonciation (le reçu peut être dénoncé dans les 2 mois de la signature par lettre rec. dûment motivée) ; après ce délai, la forclusion ne peut être opposée à l'employé que si la mention « pour solde de tout compte » est écrite de sa main et suivie de sa signature, et si le reçu mentionne le délai de forclusion de 2 mois et sa rédaction en double exemplaire dont 1 remis à l'employé ; 10°) dans les 10 j de son départ, le salarié peut demander (par lettre rec. avec accusé de réception) les causes « réelles et sérieuses » de son licenciement ; l'employeur doit répondre dans le même délai et dans les mêmes formes.

Nota. – (1) Ou lettre remise en main propre contre décharge du salarié. Si l'employé refuse sa lettre ou ne va pas la chercher à la poste, le délai-congé part de la date de la 1re présentation de la lettre à son domicile.

☞ Un salarié licencié dans une entreprise sans représentants du personnel est autorisé à se faire assister, lors de l'entretien individuel aves son employeur, par un conseiller extérieur choisi sur une liste établie par le préfet.

• **Droits du salarié. Indemnité légale.** Due à partir de 2 ans d'ancienneté : ne peut être inférieure à une somme calculée sur la base : soit de 20 h de salaires (personnel horaire), soit de 1/10 du mois (personnel mensuel) par année de service dans l'entreprise (calculé sur le salaire moyen des 3 derniers mois). Le droit à cette indemnité part de la date de notification du congédiement mais son exigibilité est reportée à la fin du préavis. **L'indemnité prévue par convention collective** est due si elle est supérieure à l'ind. légale (sinon c'est l'ind. légale). **Préavis.** *A partir de 6 mois d'ancienneté :* 1 mois au min. *Après 2 ans :* 2 mois ou 1 accompagné d'une indemnité légale de licenciement, au choix de l'employeur. *Cadre :* souvent 3 mois (d'après les conventions). *Au dessous de 6 mois :* cela dépend des usages ou des conventions (en gén. 1 mois pour les mensuels, 1 semaine pour les autres). **Pendant le préavis,** le salarié peut s'absenter tous les j pour trouver un nouvel emploi tant qu'il n'en a pas trouvé (en gén. 2 h par j, rémunérés suivant usages ou conventions). Le droit de s'absenter est également valable en cas de démission du salarié (il cesse dès que celui-ci a trouvé un emploi). **Licenc. sans préavis :** a droit à une indemnité de brusque rupture égale au salaire qui aurait été gagné pendant la durée du préavis y compris les h. supplémentaires. Une **faute grave** (négligence entraînant des conséquences graves : vols, coups, blessures et rixes au cours du travail, refus d'obéissance non justifié, absence non autorisée sans justification, retards répétés), fait perdre le droit au préavis et à l'indemnité, mais le coupable ne doit aucune indemnité de préavis à son employeur. Une **faute lourde,** fait perdre en outre le droit à l'indemnité de congés payés.

En revanche, le préavis reste dû s'il y a faute prof. involontaire d'un bon ouvrier, attitude incorrecte occasionnelle ou à la suite de reproches injustifiés, témoignage en justice contre l'employeur, refus d'exécuter un travail autre que le sien, pointage du carton d'un autre salarié, envoi tardif d'un certificat médical à l'employeur déjà prévenu de la maladie du salarié.

• **Licenciement abusif.** En cas de litige, le juge apprécie la régularité de la procédure et la valeur des motifs invoqués par l'employeur. *Si seules les formalités de licenciement n'ont pas été respectées :* l'employeur se voit imposer le respect de cette procédure, et une indemnité (au max. 1 mois de salaire) est versée au salarié. *Si le motif du licenciement n'est « ni réel ni sérieux »,* le tribunal peut prononcer la réintégration du salarié, ou à défaut, fixer une indemnité (min. : égale aux 6 derniers mois de salaire si le salarié a + de 2 ans d'ancienneté dans une entreprise de + de 10 salariés), ou ordonner le remboursement aux Assedic des allocations de chômage.

• **Licenciement pendant le congé parental.** Licite s'il est prononcé pour un motif indépendant du congé parental (motif économique).

• **Licenciement économique sur 30 j. De 2 à 9 salariés :** information et consultation du comité d'entr. ou des délégués du personnel sur le projet. Convocation du salarié à un entretien préalable. Notification du lic. au salarié. Information de l'autorité administrative. **De 10 salariés et + :** information et consultation du comité d'entr. (ou, à défaut, des délégués du personnel). Notification du projet de licenciement à l'autorité administrative. Notification du lic. aux salariés : 30 j si lic. inférieur à 100 salariés, 45 j si lic. de 100 à 249 sal., 60 j si 250 sal. et +, délai pouvant être allongé par convention ou accord collectif de travail.

Sanctions. *Civiles :* en cas de lic. éco. irrégulier et/ou abusif, l'employeur peut être condamné à verser au salarié : une indemnité inférieure ou égale à un mois de salaire en cas de non-respect de la procédure individuelle ; une indemnité calculée en fonction du préjudice subi en cas de non-respect des procédures applicables aux lic. collectifs pour motifs éco. ; une indemnité sup. ou égale à 6 mois de salaire en l'absence de motif économique réel et sérieux. *Pénales :* si lic. de 10 salariés et + sur 30 j, amende possible de 1 000 à 15 000 F : prononcée autant de fois qu'il y a de salariés inclus dans le licenciement.

En cas de règlement judiciaire ou liquidation des biens. Information préalable de l'autorité administrative (pour les entr. de 1 à 10 salariés) ; des représentants du personnel (pour celles de + de 10 sal.).

Des dommages et intérêts peuvent être réclamés par le sal. (en plus des indemnités légales) si l'employeur n'a pas demandé l'autorisation à l'Administration ou attendu que son délai de réponse soit écoulé : montant fixé par le juge.

Accord du 21-11-1974 : concerne les entreprises adhérant à un syndicat patronal représenté au CNPF. Signé par CNPF, CGC, CFTC et FO, complète l'accord du 10-2-1969. La direction doit communiquer au comité d'entreprise un *plan social* pour réduire au minimum les mesures de lic., puis donner une réponse motivée aux suggestions de celui-ci ; le comité d'entr. est informé aussitôt en cas de dépôt de bilan. Indemnisation augmentée pour les salariés mutés avec déclassement à l'intérieur de l'entreprise : salaire antérieur maintenu 3 mois, indemnité compensatrice dégressive dans le temps si le salaire est réduit d'au moins 5 % (10 % avant).

Licenciement économique des + de 55 ans. Loi du *10-7-1987 :* les employeurs doivent verser au régime d'assurance chômage une contribution suppl. égale à 3 mois de salaire brut, pour chacun des salariés licenciés. *Exonération :* s'ils ont passé une convention spéciale du FNE (Fonds national de l'emploi) avec l'État, et l'ont proposée aux salariés.

Conventions de conversion. *Mise en œuvre : obligatoire* pour les lic. éco. ; *facultative* pour les lic. éco. de 10 salariés et + sur 30 j, dans les entreprises d'au - 50 sal. où il existe un comité d'entreprise. Financement par employeurs, ASSEDIC et État.

Couverture sociale. Les salariés qui la perçoivent bénéficient : des **prestations,** en nature et en espèces, du régime obligatoire d'**assurance maladie, maternité, invalidité et décès,** de la **validité de la durée** du bénéfice de cette allocation au titre de l'**assurance vieillesse,** de la protection contre les **accidents du travail** « survenus par le fait ou à l'occasion des actions favorisant leur conversion », du **superprivilège** des salaires concernant la contribution de l'employeur à l'**allocation de conversion.**

• **Nombre.** *1981 :* 365 138, *82 :* 316 173, *83 :* 366 173 (dont en % femmes 29,7 ; *- de 25 ans :* 27,3, *de 25 à 49 :* 59,1, *50 et + :* 23,6). *84 :* 429 127. *85 :* 438 387.

Licenciement des représentants du personnel. Personnes concernées et, entre parenthèses, **nombre d'autorisations accordées :** *1983 :* 9 748 (6 390). *84 :* 15 409 (10 264). *85 :* 15 873 (11 114). *86 :* 15 519 (11 648). *87 :* 14 609 (11 821) dont décision prise par inspecteur du travail 13 510 (11 294) dont 10 009 pour motif économique. Par min. du Travail 1 099 (527) dont 336 pour motif économique. **Répartition des licenciements autorisés selon les syndicats** (1987) : CGT 3 082, CFDT 1 422, FO 930, CGC 590, CFTC 230, divers 5 567.

Prud'hommes

• **Historique. 1806**-*18-3 :* créés sous forme d'instance de conciliation. **1848**-*27-5 loi :* vote de tous les ouvriers et parité entre employeurs et salariés. **Second Empire :** conditions restrictives d'âge et d'ancienneté pour l'électorat ; désignation par le pouvoir du président et du vice-président (supprimée en 1880). **1907** *loi :* présidence assurée alternativement par un patron et un salarié ; droit de vote et éligibilité étendus aux femmes ; assistance judiciaire possible. **1979** *loi :* généralise les conseils ; compétences étendues à l'ensemble des différends individuels nés du contrat de travail ; crée une section encadrement ; modifie le mode de scrutin ; transfère à l'État les dépenses de fonctionnement. **1982**-*6-5 loi :* achève la généralisation territoriale et professionnelle des conseils ; mandats réduits de 6 à 5 ans ; crée un Conseil supérieur de la prud'homie.

• **Compétence.** Exclusive pour les différends soulevés à l'occasion d'un contrat de travail. Etendue à la métropole et aux DOM, et à toutes les professions. Compétent à charge d'appel quel que soit le chiffre de la demande si l'un des chefs dépasse 16 600 F (décret 22-12-1989, taux fixé annuellement) (art. D 517-1 du Code du travail). Les affaires sont traitées par la section correspondant à l'activité *principale* de l'employeur, sauf pour le personnel d'encadrement et les VRP qui dépendent de la section de l'encadrement. En cas de litige sur l'attribution d'affaire à une section, le Pt du conseil désigne par ordonnance la section compétente. Les décisions prises en application du présent art. sont des mesures d'administration judiciaire non susceptibles de recours (art. L 515-4 du Code du travail). *La loi du 30-12-1986* crée une section ou une Chambre compétente en matière de licenciement économique, et étend la compétence aux conventions de conversion. (art. L 516-5 du Code du travail). Chaque Conseil de prud'hommes a une section agriculture. Les tribunaux de grande instance sont incompétents en matière de litige né d'un contrat de travail.

• **Élections.** Pour 5 ans, à la représentation proportionnelle (14 millions d'électeurs), par collège (employeurs, salariés) et par section (industrie, commerce, agric., activités div., encadrement) avec en général un minimum de 8 conseillers (rééligibles) dans chaque section, soit 20 salariés + 20 employeurs par conseil. L'employeur doit maintenir le salaire du conseiller salarié absent pour l'exercice de ses fonctions. Il est remboursé par l'État. Prochaines élections en 1992.

Résultats. En 1987 et, entre parenthèses, en 1982 [encadrement 1987, entre parenthèses 1982]. **Inscrits** 12 255 927 (13 547 411) [1 737 703 (1 543 936)]. **Votants** *(%) :* 45,94 (58,6) [41,44 (58,83)] ; **exprimés** *(%) :* 44,18 (56,41) [40,49 (57,71)] ; **abst.** *(%) :* 54,05 (41,39) [58,55 (41,16)]. **CGT** *(%) :* 36,34 (36,81) [14,6 (12,99)], *sièges :* 2 738 (2 748) [139 (109)] ; **CFDT** *(en %) :* 23,05 (23,5) [21,31 (17,51)], *s. :* 1 872 (1 937) [295 (229)] ; **FO** *(%) :* 20,49 (17,78) [16,31 (11,65)], *s. :* 1 675 (1 381) [241 (106)] ; **CFTC** *(%) :* 8,3 (8,46) [10,8 (9,13)], *s. :* 331 (374) [88 (62)] ; **CGC** *(%) :* 7,43 (9,64) [29,47 (41,45)], *s. :* 522 (800) [492 (711)] ; **CSL** [1] *(%) :* 2,29 (1,71) [1,81 (1,65)], *s. :* 51 (40) [1 (2)] ; **UFT** *(%) :* 1,04 (1,10) [0,54 (0,44)], *s. :* 34 (28) [1 (0)] ; **CAT** [2] *(%) :* 0,07 (0,11) [0,03 (0,16)], *s. :* 4 (1) [1 (0)] ; **FGSOA** [3] *(%) :* 0,21 (0,22) [0,10 (0,22)], *s. :* 29 (33) [0 (0)] ; **divers** *(%) :* 0,73 (0,62) [4,99 (4,74)], *s. :* 30 (23) [24 (20)].

Nota. – (1) Confédération des syndicats libres ; (2) Confédération autonome du travail ; (3) Fédération générale des salariés des organisat. agricoles.

• **Formation des conseillers.** Organisée par des organismes spécialisés créés par les syndicats. Prise en charge des frais par l'État sous certaines conditions et contrôles. L'absence pour stage de formation d'un conseiller salarié est cumulable avec des absences pour formation syndicale.

• **Instance.** En 2 phases : 1°) Tentative de conciliation obligatoire. 2°) Les parties doivent comparaître en personne et peuvent se faire assister par : salarié, employeur de la même branche, avocat, délégué syndical, conjoint. Elles peuvent se faire représenter par les mêmes pers. si elles justifient de motifs légitimes (ex. : maladie). Si les 2 parties comparaissent, le bureau entend leurs explications et essaie de les concilier directement, ou en désignant un expert (nomination rare sauf pour la section encadrement) ou 1 ou 2 conseillers rapporteurs qui mettent l'affaire en état d'être jugée ; si la demande n'est pas sérieusement contestable le bureau de conciliation peut ordonner des mesures conservatoires ou provisionnelles : par ex. versement d'une provision sur salaire, sur indemnité de préavis, etc. En cas de non-conciliation, l'affaire est renvoyée à la prochaine audience de jugement. *Appel :* si le montant demandé dépasse 16 600 F pour l'un des chefs ou est indéterminé, les parties peuvent faire appel, dans le mois qui suit la notification ou la signification du jugement. Sinon, elles ne peuvent que se pourvoir en cassation dans les 2 mois qui suivent. En cas de jugement ne portant que sur la compétence, seule la procédure du contredit est permise dans les 15 j du prononcé du jugement, quel que soit le montant des chefs de la demande.

Décret du 29-6-1987. Dispositions particulières relatives aux litiges en matière de lic. éco. (art. R 516-45) : l'employeur doit fournir des informations dans les 8 j suivant la convocation à la conciliation. L'art. R 516-46 dispose : la séance de conciliation prévue doit avoir lieu dans le mois de la saisine du conseil.

Procédures particulières. Ex. : *loi du 25-01-1985 relative au redressement et à la liquidation des entreprises :* dès qu'un administrateur au redressement judiciaire ou un mandataire liquidateur est nommé, l'affaire doit être programmée directement devant le bureau de jugement et le FNGS sera mis en cause. *Référé prud'homal du Code du travail :* la formation de référé statue dans les cas d'urgence et peut ordonner toutes les mesures qui ne se heurtent à aucune contestation sérieuse. *Désignation d'1 ou 2 conseillers rapporteurs :* si l'affaire n'est pas suffisamment claire pour permettre au Conseil (bureau de conciliation ou de jugement) de prendre sa décision, il peut désigner 1 ou 2 conseillers rapporteurs qui mèneront une enquête et établiront un rapport. *Départage :* si aucune majorité ne peut ressortir au sein d'une formation, celle-ci se déclare en partage de voix et renvoie l'affaire à une autre audience de la même composition et présidée par un juge départiteur (juge d'instance dans le ressort du siège du Conseil).

• Statistiques. **Nombre** (1990) : 282 conseils de prud'hommes en métropole et DOM-TOM 14 782 conseillers. **Affaires terminées.** *1979 :* 100 282 ; *80 :* 81 811 ; *81 :* 93 000 ; *82 :* 111 562 ; *83 :* 132 522 ; *84 :* 144 598 ; *85 :* 152 024 ; *86 :* 149 915 ; *87 :* 150 580.

Travail à domicile

• Plainte. *Ex. de motifs :* travail très différent de celui annoncé, ou absence de paiement. *S'adresser* à l'inspecteur du travail qui engagera les poursuites devant les tribunaux (procédure gratuite).

• Rémunération. *Minimum* le SMIC. Si les délais fixés pour la remise du travail imposent plus de 8 h par j ouvrable, majoration de 25 % min. pour les 2 premières h faites, 50 % min. pour les h suivantes ; majoration pour les travaux du *dimanche* ou des *j fériés*. *Congés payés :* allocation de 8 % (ou selon la convention collective) de la rémunération brute, sous déduction des frais d'atelier, versée avec la rémunération.

• Sécurité sociale. Inscription obligatoire ; mêmes prestations que les autres salariés ; allocations d'aide publique s'il a accompli 1 000 h de travail salarié au cours des 12 mois précédant l'inscription comme demandeur d'emploi ; allocations Assedic.

• Statistiques. *1900 :* + de 1 million de femmes. *1960 :* 116 000 dont 101 000 femmes. *1980 :* 34 061 dont 29 746 femmes. *1986 :* 42 000 dont 33 600 femmes. *Groupes professionnels :* ouvriers 27 970 f., 3 894 h. Employés : 1 776 f., 421 h. *Principaux secteurs :* textile et habillement, jouet, cuir et chaussure, ameublement, pêche, transformation des matières plastiques, coutellerie, horlogerie.

Travail au noir

Généralités

• Différentes formes. **Travaux exécutés par des salariés.** *1°) En dehors des horaires normaux,* sans inscription au registre des métiers ou du commerce. *2°) Cumul d'emplois au-delà de la durée maximale du travail :* les h supplémentaires ne sont pas autorisées au-delà de 54 h pour une période de 12 semaines consécutives (mais en aucun cas + de 60 h par semaine). *3°) Pendant les congés payés. 4°) Pendant les suspensions de travail pour maladie ;* sauf avis du médecin traitant pour la maladie et du médecin-conseil de la caisse primaire pour l'accident du travail. *5°) Pendant les périodes de chômage* (même de courte durée) sans déclaration à l'Anpe (le chômeur perdra les droits à l'indemnisation). *6°) Accompli à l'insu de l'employeur.*

Nota. – Il est interdit d'exercer une activité privée rémunérée à tout *fonctionnaire* ou *assimilé* (agents des offices, établ. ou entreprises publics à caractère commercial ; liste *J.O.* des 20-8 et 13-9-1964).

☞ Pour être en règle, il faut en particulier : *1°) S'immatriculer au répertoire des métiers ou au registre du commerce* lorsque cette inscription est requise. *2°) S'acquitter des charges fiscales :* TVA, impôt sur les bénéfices, taxe complémentaire de 6 % (si on emploie soi-même des salariés), patente, taxes diverses (apprentissage, etc.). *3°) S'acquitter des charges sociales et personnelles :* alloc. fam., Séc. soc.

• Statistiques. **France :** + de 800 000 personnes produisent 73 milliards de F et perçoivent chaque année de la main à la main env. 10 milliards de F sans payer d'impôts, de TVA, de cotisations sociales. **A l'étranger :** *% de la population active travaillant au noir :* All. féd. 8 à 12, Belg. 19 à 20, Italie 10 à 35, Norv. 40, Suède 13 à 14, USA 10, Youg. 10 à 25.

• **Dérogations. 1°) Tr. d'ordre scientifique, littéraire ou artistique** et concours apportés aux œuvres d'intérêt général, notamment d'enseignement, d'éducation ou de bienfaisance. **2°) Tr. effectués pour son propre compte ou à titre gratuit** sous forme d'une entraide bénévole (ex. : travaux agricoles saisonniers). **3°) Tr. d'extrême urgence** pour prévenir des accidents imminents ou organiser des mesures de sauvetage.

Sanctions des infractions

• A la réglementation du travail. a) **Non-inscription au répertoire des métiers ou au registre du commerce :** amende de 1 200 à 3 000 F. Si les travailleurs se qualifient eux-mêmes d'artisans, il y a une circonstance aggravante. b) **Congés payés :** l'action ne peut être intentée que par le maire ou le préfet dans le cas où le travail a causé un préjudice aux chômeurs de la localité. L'employeur peut toujours faire la preuve de sa bonne foi, mais celle-ci n'est pas présumée. Les dommages et intérêts ne pourront être inférieurs au montant de l'indemnité due au travailleur pour son congé payé. c) **Cumul d'occupations :** amendes de 3 à 54 F et, en cas de récidive, de 21 à 54 F, pour chaque journée. L'employeur peut justifier de sa bonne foi s'il produit une déclaration du salarié préalable à son embauchage attestant qu'il n'effectue pas un travail supplémentaire. d) **Travail à l'insu de l'employeur** peut être considéré comme une faute grave justifiant le licenciement sans préavis et permettant une demande en dommages et intérêts de l'employeur.

• A la réglementation de la Sécurité sociale. **Pour l'employeur. Défaut d'immatriculation :** les *salariés* non immatriculés travaillant pour plusieurs patrons ou de façon occasionnelle sont responsables de leur immatriculation. L'*employeur* est passible d'une amende de 18 à 54 F et du paiement des majorations de retard. L'amende (appliquée autant de fois qu'il y a de personnes employées ainsi) ne peut dépasser 4 500 F. *En cas de récidive* (quand la 1re condamnation est devenue définitive dans les 12 mois antérieurs à la nouvelle infraction) : amende de 60 F à 450 F avec plafond de 30 000 F. **Bulletin de paie inexact :** cela constitue une fraude.

Sanctions civiles : *recours de la Séc. soc. contre l'employeur. Celui-ci* doit rembourser les prestations servies par la SS jusqu'à l'acquittement des cotisations arriérées pour le personnel concerné (suivant la situation du débiteur, la créance peut être réduite). *Autres sanctions :* majorations de retard de 10 % à partir de la date d'exigibilité des cotisations, + 3 % par trimestre ou fraction de trimestre écoulé après l'expiration d'un délai de 3 mois ; la SS dispose d'un privilège sur les biens meubles et immeubles du débiteur. *Le salarié,* s'il n'est pas immatriculé par faute de son employeur, peut se retourner contre l'employeur si la SS ne le prend pas en charge (ex : maladie de longue durée, maternité ou invalidité). *Des tiers blessés par un salarié* peuvent se retourner contre l'employeur. **Sanctions pénales** (pouvant être évitées si l'on respecte avertissement ou mise en demeure de la SS) : **a) Pour le salarié.** Court le risque de se voir réduire (cotisations insuffisantes) ou supprimer totalement (absence de cotisations) toute prestation. En cas de fraude, amende de 360 à 7 200 F. Le tribunal doit établir l'existence de l'intention frauduleuse. **b) Pour le travailleur indépendant** (non immatriculé à l'assurance maladie-maternité). Majorations de retard, pas de remboursement de prestations, sanctions pénales (non affilié aux régimes obligatoires de vieillesse) : en général paiement rétroactif avec major. de retard et parfois sanctions pénales (amendes).

• A la réglementation fiscale. *Amendes.* Les donneurs d'ouvrage sont solidairement responsables du paiement de la taxe complémentaire (taux 15 %).

Travail à temps partiel

• Définition. Tout horaire inférieur aux 4/5 de la durée légale hebdomadaire du travail (39 h) soit – de 136 h par mois. L'employeur peut proposer des horaires à temps partiel (accord du comité d'entreprise ou des délégués du personnel). Dans les entreprises de – de 11 salariés, les horaires devront être autorisés par l'inspection du Travail après accord du personnel.

• Droits du travailleur. Les mêmes en matière de salaires, de congés et d'avantages sociaux que le salarié à temps plein. *Salaire* calculé sur la base du nombre d'h travaillées, ne peut être inférieur au SMIC. *Congé :* le droit au congé annuel est ouvert après un mois de travail effectif, quel que soit l'horaire hebdomadaire. Durée calculée, comme pour les salariés à plein temps, sur la rémunération effectivement perçue. En cas de création ou d'aménagement de postes à temps partiel dans l'entreprise, priorité est donnée aux volontaires déjà en place. Droit pour eux de revenir du partiel au complet (loi du 28-1-1981). *Travail intermittent* (sur l'année, cycles de périodes travaillées et chômées) (loi 11-8-1986). Contrat de travail écrit mentionnant durée hebdo., conditions de sa répartition, limites des compléments. Un salarié ne peut imposer à son employeur de passer d'un travail à temps plein à un tr. à temps partiel, sauf dans le cadre du congé parental d'éducation.

• Statistiques. **Travailleurs à temps partiel et,** entre parenthèses, **temporaires par rapport à l'ensemble des salariés** (en %, en 1988). All. féd. 12,7 (11,2), Belgique 11 (5,4), Danemark 25,5 (11,1), Espagne 4,7 (22,3), *France 12 (7,8),* G.-B. 22,8 (5,9), Grèce 4 (17,6), Irlande 8,2 (9,1), Italie 5 (5,8), Luxembourg 6,7 (3,7), Pays-Bas 29,4 (8,7), Portugal 4,5 (18,5).

Travail temporaire

• Législation. La loi du 16-7-1990 donne droit au recours : *remplacement :* absence ou suspension du contrat de travail d'un salarié ; attente de l'entrée en service effective d'un salarié en contrat à durée indéterminée appelé à remplacer un salarié dont le contrat a pris fin ; rempl. d'un salarié en cas de départ définitif précédant la suppression de son poste de travail. *Surcroît momentané d'activité :* accroissement temporaire ; tache occasionnelle précisément définie et non durable ; survenance d'une commande except. à l'exportation pour mise en œuvre de moyens exorbitants ; travaux urgents nécessités par des mesures de sécurité. *Travaux temporaires par nature :* emplois à caractère saisonnier et emploi dits d'« usage constant ». **Formalités.** Contrat de travail et contrat de prestation doivent mentionner le motif et non le cas pour lequel on fait appel au salarié temporaire. Ce motif doit être assorti de justifications précises telles que, par exemple, le nom et la qualification du salarié remplacé. Lorsque le contrat est conclu pour remplacer un salarié temporairement absent ou dont le contrat de travail est suspendu, pour des emplois à caractère saisonnier ou, enfin, pour lesquels il est d'usage constant de ne pas recourir au contrat à durée indéterminée, le contrat peut ne pas comporter de terme précis ; il est alors conclu pour une durée minimale et a pour terme la fin de l'absence du salarié ou la réalisation de l'objet pour lequel il est conclu.

Contrat. *Entre une entreprise de travail temporaire (ETT) et une entr. utilisatrice :* il doit être rédigé par écrit, pour chaque salarié employé, et, au plus tard, dans les 2 j ouvrables suivant la mise à disposition. *Entre l'ETT et le salarié :* mêmes obligations ; il doit mentionner la qualification du salarié, les modalités de sa rémunération, les conditions d'une éventuelle période d'essai, l'absence d'interdiction de l'embauche du salarié par l'utilisateur à la fin de la mission, une clause de rapatriement dans le cas de mission hors du territoire métropolitain.

Mise à disposition anticipée. Possible si l'on doit remplacer un salarié temporairement absent, afin de procéder à une mise au courant préalable.

Durée de la mission. *Durée maximale :* 6 à 24 mois selon les cas de recours. Un seul renouvellement possible (pour une durée qui ne peut être supérieure à celle de la période initiale). Le terme peut être reporté jusqu'au surlendemain du j où le salarié de l'entreprise utilisatrice reprend son emploi. Le code du Travail interdit le recours à des contrats temporaires successifs sur un même poste sans respecter le délai du « tiers temps » (égal au tiers de la durée du contrat, renouvellement compris).

Calcul de l'effectif dans l'entreprise utilisatrice. Les travailleurs temporaires sont pris en compte au prorata de leur temps de présence dans l'entreprise au cours des 12 mois précédents. S'ils remplacent un salarié absent dans l'entreprise ou dont le contrat de travail est suspendu, ils sont exclus du décompte des effectifs.

Droits de l'intérimaire. Il bénéficie *d'une rémunération minimale* qui ne peut être inférieure à celle du salarié d'embauche de la personne remplacée dans l'entreprise utilisatrice, *d'une indemnité de fin de mission* (IFM) de 10 %, d'une *indemnité compensatrice de congés payés* (10 % des sommes perçues), des *prestations de la Séc. soc.* dans les conditions de droit commun, de l'*allocation publique de chômage* s'il peut justifier de 507 h de travail dans les 12 mois précédant son inscription à l'ANPE comme demandeur d'emploi, d'*une indemnisation complémentaire de maladie* (à condition de justifier d'un minimum d'h de travail dans la profession). Les intérimaires bénéficient des accords collectifs en matière de formation prof., indemnisation complémentaire de la maladie et des accidents du travail, droit syndical... **Obligations :** mener sa mission au terme prévu, se conformer au règlement intérieur et aux horaires de travail de l'entreprise, signaler à l'E.T.T. tout accident de travail ou toute indisponibilité due à la maladie.

• **Statistiques** Voir p. 1487.

Travail pendant les vacances

• **Conditions préalables.** Toute personne peut, dans certaines limites, avoir une occupation rémunérée, sauf le salarié (qui n'a pas le droit d'exercer une activité rémunérée pendant son congé payé).

Age. Avoir 16 ans et être libéré de l'obligation scolaire. Dérogation : dans certains spectacles ; 14 ans révolus dans le commerce et l'industrie (stages de formation pratique), 12 ans révolus dans l'agriculture (travaux légers, surveillance d'un parent ou du tuteur), les professions ambulantes (si l'employeur est l'un des parents), pas de limite d'âge dans les établissements familiaux, les orphelinats et institutions de bienfaisance (pas + de 3 h par jour), activités littéraires. *Restrictions pour les – de 18 ans (et les femmes)* dans certains établissements ou pour certains travaux présentant un danger physique ou moral ou excédant leurs forces (y compris l'emploi aux étalages extérieurs des boutiques et magasins).

Formalités. Obligations pour l'employeur : notamment de demander une autorisation à l'inspecteur du travail (dans l'industrie et le commerce, entre 14 et 16 ans), de faire une déclaration à l'inspecteur des lois sociales en agriculture (– de 16 ans).

L'autorisation du père ou du représentant légal est nécessaire pour les – de 18 ans (de 16 ans, s'ils sont émancipés).

• **Conditions de travail. Durée :** 39 h par semaine ou 8 h par j au max. dans l'industrie et le commerce. **Agriculture :** travaux légers pendant les vacances scolaires. – *de 14 ans :* travaux ne dépassant pas 4 h par j : désherbage à la main, cueillette de fleurs, ramassage de légumes, coupe de raisin ; ou travaux ne dépassant pas 8 h par j : moisson et fenaison (à l'exclusion du fauchage à la main, de la conduite de tracteurs et de machines), pesages, mise en bouteilles et étiquetage du vin, ramassage de bois mort et de champignons, gardiennage de petits troupeaux, petit entretien, rangement, p. manu. Le transport de charges lourdes et le trav. au rendement sont interdits. *+ de 14 ans :* travaux légers (ni charges lourdes, ni travail au rendement) ; p. ex. : élevage de vignes, bouchage manuel des bouteilles, gardiennage des troupeaux, nettoyage des basses-cours, conditionnement du miel et de la cire, nettoyage, tri et emballage des huîtres, entretien des sulkys des pistes d'entraînement, nett. du matériel d'exploitation. **Industrie et commerce :** travaux légers, n'entraînant aucune fatigue anormale (interdiction des travaux répétitifs ou effectués dans une ambiance ou à un rythme pénible ; uniquement pendant les vacances scolaires ayant au – 14 j, sous réserve que l'intéressé jouisse d'un repos continu au moins égal à la moitié des vacances). **Rémunération minimale :** SMIC et abattement de 20 % ou +. **Repos de nuit :** 12 h au moins.

Devises de quelques pays

☞ Suite de la p. 1379

Caïmans : Établies par Dieu sur les flots.
Cameroun : Paix, Travail, Patrie.
Canada : A mari usque ad mare (D'un océan à l'autre). Québec : Je me souviens (emblème : le lys).
Cap-Vert : Unidade, Trabalho, Progresso (Unité, Travail, Progrès).
Centrafricaine (Rép.) : Unité, Dignité, Travail, et Zo Kwe Zo (Un homme est un homme, en sango).
Chili : Por la razón o la fuerza (Par la raison ou la force).
Chine nationaliste (Formose) : Fermeté dans la dignité et dynamisme dans l'indépendance.
Colombie : Libertad y Orden (Liberté et Ordre).
Congo (Rép. pop. du) : Unité, Travail, Progrès.
Côte-d'Ivoire : Union, Discipline, Travail.
Cuba : Patria o Muerte, Venceremos (La Patrie ou la mort, nous vaincrons).
Danemark : Pas de devise. Chaque souverain a la sienne. Celle de la reine Margrethe II est : L'aide de Dieu, l'amour du peuple, la grandeur du Danemark.
Dominicaine (République) : Dios, Patria, Libertad (Dieu, Patrie, Liberté).
Égypte : (avant la révolution) La justice prime la force ; (à la révolution) Unité, Discipline, Travail ; (plus tard) Science et Foi ; (depuis février 1972) Silence et Patience, Liberté, Socialisme, Unité.
Équateur : Dieu, Patrie et Liberté.
Espagne : *dep. 19-12-1981 :* Plus ultra (latin) (encore au-delà) [des colonnes d'Hercule (celles-ci figurent sur les armoiries nationales)].
États-Unis : Devise du grand sceau : E pluribus unum (latin) ; Out of many, one (anglais) : Tous ensemble ne font qu'un. Devise nationale : In God we trust : En Dieu notre confiance.
Éthiopie : *Av. 1974 :* l'Éth. tend les mains vers le Seigneur (pour le pays). Lion vainqueur de la tribu de Juda (pour la dynastie). *Dep. 1974 :* Etiopia Tikdem (Éth. d'abord).
Falklands : To remain a British colony (Demeurer une colonie britannique).
Fidji : Crains Dieu et honore la reine.
France : Liberté, Égalité, Fraternité. (État français 1940-44 : Travail, Famille, Patrie.)
Gabon : dev. de la République : Union, Travail, Justice. Dev. du Président : Dialogue, Tolérance, Paix.
Gambie : Progrès, Paix, Prospérité.
Ghana : Freedom and Justice (Liberté et Justice).
Grande-Bretagne : Dieu et mon droit (en français).
Grèce : Ma force, c'est l'amour de mon peuple. La liberté ou la mort.
Grenade : Clarior e tenebris (La clarté suit les ténèbres).
Guatemala : Liberté — 15 septembre 1821.
Guyane française : Fert Aurum Industria (Le travail crée la richesse).
Haïti : Liberté, Égalité, Fraternité. L'union fait la force.
Honduras : Libre, Souveraine, Indépendante.
Hongrie : Tout le pouvoir est au peuple.
Inde : La vérité l'emportera.
Indonésie : Bhinneka tunggal ika (Unité dans la diversité).
Irak : Une seule nation arabe, avec une mission éternelle. Unité, Liberté, Socialisme.
Iran : Dieu, Roi, Patrie (avant 1980).
Islande : La nation est construite sur la loi.
Israël : Devise officieuse : Résurrection.
Jamaïque : Out of many, one country (Issu de plusieurs ethnies, un seul pays).
Jordanie (Royaume hachémite) : Construisons notre pays, et servons notre nation. Allah, al Watan, al Malik (Dieu, la Patrie, le Roi).
Kenya : Harambee (En avant tous ensemble).
Koweït : Pas de devise. Emblème : faucon dont les ailes déployées encerclent un boutre koweïtien.
Laos : Devise officieuse : Patrie, Religion, Roi et Constitution.
Lesotho : Khotso Pula, Nata.
Liban : Pas de devise, un emblème : le cèdre. Dev. du Chef de l'État : Ma Patrie a toujours raison.
Liberia : The love of liberty brought us here (L'amour de la liberté nous amena ici).
Libye : Liberté, Socialisme, Unité.
Liechtenstein : Dieu, Prince, Patrie.
Luxembourg : Je sers (devise du Grand-Duc). Mir wellen bleiven wat mir sin (Nous voulons rester ce que nous sommes), devise nat. depuis 1867.
Macao : Cité du nom de Dieu, il n'y en a pas de plus loyale.
Madagascar : Liberté, Patrie, Progrès.
Malaisie : Unity is strength (L'unité fait la force).
Malawi : Unity and Freedom (Unité et Liberté).
Mali : Un peuple, un but, une foi.
Malte : Virtute et Constantia (Par le courage et la constance).
Maroc : Dieu, la Patrie, le Roi.
Maurice : Étoile et clé de l'océan Indien.
Mauritanie : Honneur, Fraternité, Justice.
Mexique : Dev. du Chef de l'État : Arriba y adelante (Plus haut et plus loin).
Monaco : Deo juvante (Avec l'aide de Dieu) (devise des princes).
Népal : La vérité prévaudra toujours. Il est doux et honorable de mourir pour la patrie.
Nicaragua : Dios, Patria y Honor (Dieu, Patrie et Honneur).
Niger : Fraternité, Travail, Progrès.
Nigeria : Unity and Faith (Unité et Loyauté).
Norvège : Devise du roi : Allt før Norge (Tout pour la Norvège).
Nouvelle-Zélande : Onward (Toujours droit).
Ouganda : For God and my Country (Pour Dieu et mon pays).
Pākistān : Ittehad, Yaquin-i-Mukham, Tanzim (Unité, Foi, Discipline).
Panamá : Pro Mundi Beneficio (Pour le plus grand bien du monde entier).
Paraguay : Paz y Progreso (Paix et Progrès).
Pays-Bas : Je maintiendrai.
Pérou : Firme y feliz por la Unión (Stable et heureux grâce à l'union de tous).
Portugal : O Bem da Nação (Le bien de la nation).
Québec : Je me souviens.
Réunion : Florebo quocumque ferrar (Je fleurirai partout où je serai porté).
Rhodésie : Sit nomine digna (Qu'elle soit digne de son nom).
Ruanda : Liberté, Coopération, Progrès.
Saint-Marin : Libertas (Liberté).
Salvador (El) : Dios, Union y Libertad (Dieu, Union et Liberté).
Sénégal : Un peuple, un but, une foi.
Sierra Leone : Unity, Freedom, Justice (Unité, Liberté, Justice).
Singapour : Majulah Singapura (En avant, Singapour).
Soudan : Dieu, Peuple, Patrie.
Suède : Devise pour chaque roi. Actuellement : För Sverige, i tiden (Pour la Suède en notre temps).
Suisse : Un pour tous, tous pour un.
Surinam : Justitia, Pietas, Fides (Justice, Piété, Foi).
Swaziland : Siyinqaba (Nous sommes une forteresse).
Syrie : Unité, Liberté, Socialisme.
Tanzanie : Uhuru na Kazi (Indép. et Travail).
Tchad : Unité, Travail, Progrès.
Thaïlande : Patrie, Religion, Roi.
Togo : Travail, Liberté, Patrie.
Trinité-et-Tobago : Together we aspire, together we achieve (Même idéal, même ouvrage).
Tunisie : Liberté, Ordre, Justice.
Turquie : Paix dans le pays, paix hors des frontières (slogan).
U.R.S.S. : Prolétaires de tous les pays, unissez-vous.
Uruguay : Con libertad, no ofenso ni temo (En liberté, je n'offense ni ne crains).
Venezuela : Liberté, Égalité, Fraternité.
Viêt-nam : Dôc lâp, tu do, hanh phuc (Indépendance, Liberté, Bonheur).
Yémen du N. : Allah, al Watan, al Shaab (Dieu, la patrie, le peuple).
Yémen (Rép. démoc. pop. du) : Officieuse : Ame, Sang, pour le Yémen.
Zaïre : Paix, Justice, Travail.
Zambie : One Zambia, One Nation (Une seule Zambie, une seule nation).

L'économie

SOCIÉTÉS

Source : Le Nouvel Économiste (novembre 1990).

Légende : (1) USA. (2) P.-Bas. (3) G.-B. (4) Japon. (5) Italie. (6) Mexique. (7) All. féd. (8) France. (9) Brésil. (10) Venezuela. (11) Suisse. (12) Inde. (13) Taiwan. (14) Espagne. (15) Irlande. (16) Belgique. (17) Danemark. (18) Luxembourg. (19) Corée du S.

Premiers groupes mondiaux en 1989

Légende : effectifs en milliers entre parenthèses et chiffre d'affaires consolidé (* non consolidé) en milliards de F 1989.
(a) informatique. (b) aviation. (c) chimie. (d) électronique. (e) divers. (f) sidérurgie. (g) alimentation. (h) automobile. (i) pétrole.

GENERAL MOTORS [1, h] (775)	810
FORD MOTOR [1, h] (366,6)	613,5
EXXON [1, i] (104)	553
ROYAL DUTCH SHELL [2, i] (135)	544,9
TOYOTA MOTOR [4, h] (70)	425,7
IBM [1, a] (383,2)	400,2
GENERAL ELECTRIC [1, d] (292)	348,2
HITACHI [4, d] (290,8)	327,7
MOBIL [1, i] (67,9)	325,8
IRI [5, e] (416,2)	313
BRITISH PETROLEUM [3, i] (119,9)	309,7
MATSUSHITA ELECTRIC INDUST. [4, d] (200)	278
NISSAN MOTOR [4, h] (129,6)	261,4 *
DAIMLER-BENZ [7, h] (368,2)	259,2
PHILIP MORRIS [1, g] (157)	248,9
FIAT [5, h] (286,3)	241,9
EI DU PONT DE NEMOURS [1, c] (145,8)	226,7
SAMSUNG GROUP [19, d] (177)	224,6
CHRYSLER [1, h] (122)	222,8
VOLKSWAGEN [7, h] (250,6) . .	221,7
SIEMENS [7, d] (365)	207,4
TEXACO [1, i] (37,1)	206,9
UNILEVER [2, e] (300)	199,4
TOSHIBA [4, d] (69,6)	196,9
TOKYO ELECTRIC POWER [4, e] (39,4)	189,2 *
CHEVRON [1, i] (54,8)	187,9
NESTLÉ [11, g] (196,9)	187,4
BAT INDUSTRIES [3, e] (311,9)	182,3
HONDA MOTOR [4, h] (31,3)	178,4
RENAULT [8, h] (174,6)	174,5
ENI [5, e] (82,8)	173,1
PHILIPS [2, d] (304,8)	172,1
BASF [7, c] (137)	161,6
NEC [4, a] (114,6)	159,5
VEBA [7, e] (94,5)	159,2
HOECHST [7, c] (169,3)	155,7
AMOCO [1, i] (53,7)	154,5
PROCTER & GAMBLE [1, e] (89)	153,7
PEUGEOT SA [8, h] (159,1)	153
RWE [7, e] (97,6)	150
ELF AQUITAINE [8, i] (72,2)	149,8
EDF [8, e] (121,8)	147,1 *

Premiers bénéfices (en milliards de F). ROYAL DUTCH SHELL [2] 41,3. GENERAL MOTORS [1] 27. GENERAL ELECTRIC [1] 25,1. FORD MOTOR [1] 25. IBM [1] 23,4. EXXON [1] 22,4. BRITISH PETROLEUM [3] 22,3. DAIMLER-BENZ [7] 21,8. TOYOTA MOTOR [4] 20,4. PHILIP MORRIS [1] 18,8. VALE DO RIO DOCE [9] 18,8. DOW CHEMICAL [1] 15,9. DU PONT DE NEMOURS [1] 15,8. TEXACO [1] 15,4. FIAT [5] 15,4. BAT INDUSTRIES [3] 13,5. PETROLEOS DE VENEZUELA [10] 12,7. ATLANTIC RICHFIELD [1] 12,5. MOBIL [1] 11,5. HANSON [3] 11,5.

Premières entreprises européennes en 1989

Légende : chiffre d'affaires consolidé (* non consolidé) en milliards de F 1989.

Agro-alimentaire

UNILEVER [2]	199,4
BAT INDUSTRIES [3]	182,3
GRAND METROPOLITAN [3]	97,1
FERUZZI FINANZIARIA [5]	76,8
HANSON [3]	73,1
SUCRES ET DENRÉES [8]	53,9
ALLIED-LYONS [3]	49,4
BSN [8]	48,7
DALGETY [3]	48,4
GALLAHER [3]	43,7
ERIDANIA [5]	41,4
HILLSDOWN [3]	38,5
BÉGHIN-SAY [8]	36,9
BASS [3]	36,1

Bois-Papier

FELDMUEHLE NOBEL [7]	32,3
FELDMUEHLE [7]	18
WIGGINS TEAPE APPLETON [3]	16,6
BUHRMANN-TETTERODE [2]	15,3
JEFFERSON SMURFIT GROUP [15]	15,1
BOWATER [3]	14,9
PWA PAPIERWERKE [7]	12,8
PINAULT [8]	10,2
ARJOMARI-PRIOUX [8]	10,1
LA CELLULOSE DU PIN [8]	9,2
CARTIERE BURGO [5]	8,8
KNP [2]	8
VRG-GROEP [2]	8
HAINDL PAPIER [7]	7,4
MELITTA [7]	7
AUSSEDAT REY [8]	5,4
KAYSERSBERG [8]	5
LA ROCHETTE [8]	4,7

Chimie

BASF [7]	161,6
HOECHST [7]	155,7
BAYER [7]	146,9
ICI [3]	137,6
RHÔNE-POULENC [8]	73,1
ENIMONT [5]	71,4
SAINT-GOBAIN [8]	66,1
AKZO [2]	56,4
MICHELIN [8]	55,3
SMITHKLINE BEECHAM [3]	51,2
PIRELLI [5]	48,1
SOLVAY [16]	41,6
HENKEL [7]	39,5

Commerce

MÉTRO [7]	135
TENGELMANN [7]	126,3
SPAR INTERN [2]	103,2
LECLERC [8]	87
INTERMARCHÉ [8]	85
CARREFOUR [8]	73,9
J. SAINSBURY [3]	72,4
REWE HANDELS LEIBBRAND [7]	62,3
MARKS & SPENCER [3]	58,6
TESCO [3]	56,4
CASINO [8]	53,9
PROMODÈS [8]	51,9
AHOLD [2]	51,4
OTTO-VERSAND [7]	48,9
STINNES [7]	48,5

Communication-Loisirs

SAATCHI & SAATCHI [3]	45,6
BERTELSMANN [7]	42,4
EUROCOM [8]	33,5
HACHETTE [8]	29
HAVAS [8]	18,9
THOMSON CORPOR [3]	17,5
GRANADA GROUP [3]	17,1
REED INTERNATIONAL [3]	16,5
HDM [8]	16
PEARSON [3]	15,3
PUBLICIS [8]	14,7
RAI [5]	14,4
MAXWELL COMMUNIC. [3]	13
REUTERS HOLDINGS [3]	12,4

Construction

BOUYGUES [8]	47
TARMAC [3]	36,8
SGE [8]	34,6
TRAFALGAR HOUSE [3]	33,7
LAFARGE COPPÉE [8]	30,4
RMC GROUP [3]	26,9
PHILIPP HOLZMANN [7]	26,7
DUMEZ [8]	26,2
SAE [8]	25,9
SCREG [8]	24,6
SPIE-BATIGNOLLES [8]	23,9
GEORGE WIMPEY [3]	21,6
AMEC [3]	20,8
IMÉTAL [8]	20,8
BEAZER EUROPE & OVER [3]	20,6
GTM ENTREPOSE [8]	18,9

Équipement électrique - Électronique

SIEMENS [7]	207,4
PHILIPS [2]	172,1
CGE [8]	143,9
ALCATEL NV [2]	89,8
THOMSON [8]	76,7
BTR [3]	73,4
GENERAL ELECTRIC CO. [3]	67,4
SCHNEIDER [8]	45,1
GEC ALSTHOM [8]	44,9
IBM U.K. [3]	43,8
IBM DEUTSCHLAND [7]	42
OLIVETTI [5]	42
AEG [7]	41,5
IBM FRANCE [8]	41,3
BICC [3]	39,6
THORN EMI [3]	38,8
THOMSON CONS. ÉLECT [8]	36,3
THOMSON-CSF [8]	33,7
MACHINES BULL [8]	32,7

Matériel de transport

DAIMLER-BENZ [7]	259,2
FIAT [5]	241,9
VOLKSWAGEN [7]	221,7
MERCEDES-BENZ [7]	191,3
RENAULT [8]	174,5
PEUGEOT SA [8]	153
ROBERT BOSCH [7]	103,8
BRITISH AEROSPACE [3]	94,9
AUTO PEUGEOT [8]	94,6
BMW [7]	90
ADAM OPEL [7]	70,6 *
FORD MOTOR LTD [3]	70,3
FORD-WERKE [7]	67,2 *
AUTOMOBILES CITROËN [8]	65,9

Mécanique

MANNESMANN [7]	75,8
MAN [7]	64,3
FRIED. KRUPP [7]	60
GKN [3]	28,1
THYSSEN INDUSTRIE [7]	21,9
LINDE [7]	18,5
DEUTSCHE BABCOCK [7]	18,2
MANNESMANN DEMAG [7]	14,4
KLOECKNER-DEUTZ [7]	13,8
FAG KUGELFISCHER [7]	13,2
LIEBHERR HOLDING [7]	12,9

Métaux

IRI [5]	313
THYSSEN [7]	116,2
USINOR SACILOR [8]	97
PECHINEY [8]	88,5
METALLGESELLSCHAFT [7]	68,3
RTZ CORPORATION [3]	64,3
PREUSSAG [7]	55,5
HOESCH [7]	54
BRITISH STEEL [3]	53,4
DEGUSSA [7]	48,7
PECHINEY INTERN. [8]	48
THYSSEN STAHL [7]	36,8
SOLLAC [8]	36,6
SALZGITTER [7]	36,5
ARBED [18]	36

Produits d'extraction

ROYAL DUTCH SHELL [2]	544,9
BRITISH PETROLEUM [3]	309,6
BP OIL [3]	215,2
ENI [5]	173,1
VEBA [7]	159,2
RWE [7]	150
ELF AQUITAINE [8]	149,8
EDF [8]	147,1 *
ELECTRICITY COUNCIL [3]	129,3
TOTAL CFP [8]	107,9
ENEL [5]	105,2 *
INI [14]	97,5
BRITISH GAS [3]	83,4
RUHRKOHLE [7]	79,3

Services

DEUTSCHE BUNDESPOST [7]	191,4 *
BRITISH TELECOM [3]	128,6
GÉNÉRALE DES EAUX [8]	98,5
FRANCE TÉLÉCOM [8]	95,1 *
STET [5]	82,5
SIP [5]	69,2 *
LA POSTE [8]	68,2 *
BRITISH POST OFFICE [3]	46,6 *
PTT NL [2]	39,9
TELEFONICA DE ESPAÑA [14]	38,3 *
BET [3]	28,2
CABLE AND WIRELESS [3]	24,2
LYONNAISE DES EAUX [8]	21,6

Textile-Habillement

COATS VIYELLA [3]	19,9
CHARGEURS [8]	19,4

- Adidas [7] 15,6
- Snia Bpd [5] 11,4
- Dmc [8] 10,1
- Benetton Group [5] 7,6
- Marzotto [5] 6,8
- Louis Vuitton [8] 6,8
- Chaussures André [8] 6,5
- Vev [8] 6,4
- Gruppo Gft [3] 6,2

Transport-Tourisme

- Deutsche Bundesbahn [7] 80,8
- Sncf [8] 67,3
- British Airways [3] 50,5
- P&O Steam Navigation [3] 47,8
- Deutsche Lufthansa [7] 44,3
- Air France [8] 39,6
- Ladbroke Group [3] 38,2
- Snam [5] 36,1 *
- British Railways [3] 30,3
- Schenker [7] 27,3
- Trusthouse Forte [3] 25,8
- Alitalia [5] 22,4
- Klm [2] 19,4
- Iberia [14] 19,2 *
- Royal Nedlloyd [2] 18,1
- Sceta [8] 18
- Bolloré Technol. [8] 16,1

Premières entreprises françaises en 1989

Légende : entre parenthèses : effectifs en milliers et chiffre d'affaires consolidé (* : chiffre d'affaires non consolidé) en 1989.

Agro-alimentaire

- Sucres et Denrées (5,6) 53,9
- Bsn (49,7) 48,7
- Béghin-Say (European Sugars I) (15,4) 37
- Nestlé France (Nestlé Ch) (17,6) 22,6
- Lvmh (13,7) 19,6
- Sodiaal (9,8) 17
- Source Perrier (16,8) 16,7
- Pernod Ricard (10,8) 14,3
- Unilever France (Unilever Nl) (7,1) 13,4 *
- Socopa (4,1) 13
- Besnier (6,3) 11,6
- Uncaa (1) 11
- Union Laitière Normande (5,6) 11
- Seita (6,2) 10,3 *
- Saint-Louis (7,8) 9,1
- Bongrain (8,8) 8,5
- Sopad-Nestlé (Nestlé France) (5,9) 8,2 *
- Guyomarc'h (6,2) 7,9
- Champagne Céréales (0,7) 7,6
- Coopagri bretagne (2,8) 7,1
- Pomona (4,4) 7
- Unicopa (3,7) 6,6
- Gervais Danone France (Bsn) (3,3) 6,2 *
- Fromageries Bel (La Carbonique) (6,3) 6,2
- Cana (2,9) 5,7
- Laiteries E. Bridel (2,5) 5,6
- Générale Sucrière (St-Louis) (2,1) 5,5
- Brasseries Kronenbourg (Bsn) (2,8) 5,3 *
- Sanders Aliments (Emc) (1) 5,3
- Jas Hennessy et Cie (Lvmh) (1,7) 5,1
- Jacobs Suchard France (Jacobs Suchard Ch)(1,8) 5
- Casino Production (Casino) (2,3) 4,9
- Ortiz-Miko (Safral) (6,5) 4,6
- Cedilac-Candia (Sodiaal) 4,6 *
- Vital-Sogéviandes (Fin. Sucden) (2) 4,3
- Guyomarc'h Nutrition Animale (Guyomarc'h) (1,9) 4,1
- Grands Moulins de Paris (3,2) 4
- Champagne Moët et Chandon (Lvmh) (41) (2,4) 3,9
- Doux (3,3) 3,7
- Sucrimex (0,5) 3,6 *
- Cooperl (1,2) 3,6
- Euralim (Saint-Louis) (5,6) 3,5
- Eaux Minérales Fr. (Perrier) (4,9) 3,5 *
- André Glon (1) 3,5
- Rémy et Associés (1,8) 3,4
- Groupe Even (1,5) 3,4
- G.H. Mumm et Cie (Seagram. Cnd) (1,3) 3,4

Premiers bénéfices. Lvmh 2,9. Bsn 2,7. Pernod Ricard 1,5. Béghin-Say 1,1. Nestlé France 1. St-Louis 0,6. Exor 0,5. Seita 0,4. Besnier 0,4. Bongrain 0,3.

Premiers exportateurs. Sucres et Denrées 49,1. Béghin-Say 26,9. Bsn 20,9. Lvmh 16. Source Perrier 8,7. Pernod Ricard 6. Bongrain 4,7. Champagne Céréales 4,2. Sucrimex 3,3. Nestlé France 3,3.

Bois-Papier

- Pinault (11,5) 10,2
- Arjomari-Prioux (6,5) 10,1
- Cellulose du Pin (St-Gobain) (9,7) 9,2
- Aussedat Rey (Int. Paper (4,4) 5,4
- Kaysersberg (Ja-Mont)(3,7) 5
- La Rochette (3,8) 4,7
- Socar (Cellulose Pin) (2,7) 2,6 *
- Feldmuehle Béghin (Feldmuehle) (1,6) 2,5 *
- La Chapelle Darblay 2,3
- Gascogne Sa (2,2) 2,1
- Lapeyre (Poliet) 2,1
- Cdra (La Rochette) (0,8) 2,1 *
- Isoroy (Pinault) (2,3) 1,9
- Jacques Parisot (3) 1,9
- Otor (4,5) 1,8
- Sibille (1,2) 1,8
- Rol Rougier Océan Landex (St-Gobain) (2,4) 1,7 *
- Papeteries de Montevrain (Wiggins Teape) (0,3) 1,7
- Papeteries de Condat (Cellulose Pin) (1,2) 1,5 *
- Cascades (Cascades Inc.) (1,4) 1,5
- Dalle et Lecomte (1,2) 1,4
- Papet. de Clairefontaine (Ch. Nusse) (1) 1,3
- Matussière et Forest (Cfi de Ledar) (1,1) 1,3 *
- Cia (Pinault) (2,5) 1,3
- Iridium (Aussedat-Rey) 1,2 *
- Guerimand Voiron (Arjomari) (0,7) 1,2
- Papet. de Fr. (Aussedat-Rey) (0,3) 1,1 *
- Seribo (1,4) 1,1
- Pakart (Nord-Est) 1,1
- Kymmene France (Kymmene) (0,2) 1 *
- Gaspard Fournitures de Bureau (0,8) 1

Premiers bénéfices. Pinault 0,6. Arjomari-Prioux 0,6. Cellulose du Pin 0,5. La Rochette 0,3. La Chapelle Darblay 0,2. Lapeyre 0,2. Aussedat Rey 0,1. Kaysersberg 0,1. Feldmuehle Béghin 0,1. Jacques Parisot 0,07.

Premiers exportateurs. Arjomari-Prioux 4,9. Cellulose du Pin 2,9. Aussedat Rey 1,7. La Rochette 1,4. Pinault 1,4. Sibille 1. Kaysersberg 0,9. Cascades 0,7. Feldmuehle Béghin 0,6. Dalle et Lecomte 0,6.

Chimie

- Rhône-Poulenc (86) 73,1
- Saint-Gobain (87,9) 66,1
- Michelin (124,4) 55,3
- Atochem (Elf Aquit.) (17) 29,9
- L'Air Liquide (27) 28,3
- L'Oréal (Gesparal) (28,4) 27,2
- Orkem (13,2) 22,9
- Pneu Michelin (Mich.) (47,2) 22,6
- Rhône-Poulenc Santé (Rhône-Poulenc) 17,8
- Sanofi (Elf Aquit.) (22,4) 17,2
- Emc (13,1) 16,6
- Sanofi Santé & Bio Activité (Sanofi) 16
- Norsolor (Orkem) 12,5 *
- Roussel Uclaf (Frse Hoechst) (15,6) 12,4
- Bayer en Fr. (Bayer Rfa) (4,6) 11,6
- Sommer Allibert (12) 9,5
- Shell Chimie (Shell en Fr.) (2,1) 8,7 *
- Ici Fr (Ici G-B) (3,6) 7,9
- Solvay et Cie (Solvay B.) (9,3) 7,7
- Kodak-Pathé (Eastman Kodak USA) (5,8) 7 *
- Sté Frse Exxon Chemical (Exxon. USA) (1,4) 6,7 *
- Ciba Geigy en Fr (Ciba-Geigy Ch) (4,2) 6,2 *
- Procter & Gamble Fr. (Procter Gamble USA) (1,4) 6,6
- Basf France (Basf RFA) (0,7) 6 *
- Bp Chemicals (BP France) (0,8) 6 *
- Hutchinson (Total Cfp) (10,6) 5,5
- Du Pont de Nemours Fr (Du Pont USA) (1,5) 5,5 *
- Henkel Fr (Henkel Rfa) (3,1) 5,5
- Bic (7,3) 5,4
- Bayer Fr. (Bayer en France) (0,7) 5,3 *
- Chimique de la Grde Paroisse (Orkem) (3) 5,2 *
- Rhône-Poulenc Agrochimie (Rh.-Poulenc) (2) 5,1 *
- Laboratoires Yves Rocher (Sanofi) (6,8) 5
- Verrerie Cristallerie d'Arques (8,6) 4,9
- Scpa (Emc) (0,4) 4,5 *
- 3m France (3m USA) (3,7) 4,4
- Laboratoires Msd-Chibret (Merck USA) (1,5) 4,1 *
- Norsk Hydro Azote (Norsk Hydro. N) (2,5) 4
- Institut Mérieux International. (Rhône-Poulenc) (5,9) 3,8
- Colgate-Palmolive (Colgate-Palmolive USA) (2) 3,8 *
- Française Hoechst (Hoechst RFA) (2,3) 3,7 *
- Snpe (7) 3,7
- Dow France (Dow Chemical USA) (0,6) 3,7 *
- Pneu Kléber (Michelin) (7,8) 3,6
- Lever (Unilever. Nl) (1,6) 3,5 *
- Parfums Christian Dior Paris (Lvmh) (3,6) 3,1
- St-Gobain Emballage (Vertec) (3,2) 3,1 *
- Groupe Yves St Laurent (2,8) 3,1
- Allibert (Sommer Allibert) (3,3) 3 *
- Agfa-Gevaert France (Bayer RFA) (1,9) 3
- Chanel (Pamerco. Ch) (0,7) 3 *

Premiers bénéfices. Cie Saint-Gobain 4,3. Rhône-Poulenc 4,1. Michelin 2,5. Atochem 2,4. Orkem 2,3. L'Air Liquide 2,1. L'Oréal 1,8. Bp Chemicals 1,1. Shell Chimie 1. Sanofi 0,9.

Premiers exportateurs. Rhône-Poulenc 54,7. Saint-Gobain 45,7. Michelin 43,9. L'Oréal 23. L'Air Liquide 20,1. Atochem 17,4. Orkem 10,5. Sanofi 9,9. Roussel Uclaf 8,2. Emc 7,4.

Commerce

- Leclerc 87,7
- Intermarché (50) 85
- Carrefour (46,6) 73,7
- Casino (38,2) 53,9
- Promodès (33,2) 51,9
- Cfao (31,3) 31,2
- Euromarché (Viniprix) (17,2) 31,1
- Groupe Printemps (30) 28,4
- Système U Centrale Nat (19) 28
- Viniprix (17,2) 24,2
- Docks de Fr (21,1) 24,2
- Ocp (6,1) 23,2
- Valor-Acier (Sollac) (0,2) 17 *
- Daval (Usinor-Sacilor) (0,2) 16,8 *
- Minemet (Métal) (0,3) 16,2
- Galeries Lafayette (18,1) 15,8
- Comptoirs Modernes (12,7) 15,3
- Continent Hypermarchés (Promodès) (10) 14,4 *
- Sonepar Distribution (9,5) 14,4 *
- Nouvelles Galeries Réunies (18,9) 14,1
- La Redoute (Printemps) (13,2) 13
- Jean Soufflet (1,3) 12,9
- Scoa (10,2) 11,2
- Cargill (Cargill USA) (0,5) 11,1 *
- 3 Suisses Intern (7,5) 11
- Sucden Kerry Intern. (Fin. Sucden) (0,2) 9,9 *
- Codec (1,9) 9,9
- Uncac (0,6) 9,8
- Ile-de-Fr Pharmaceutique (2,5) 8,8
- Interagra (Sepromec) (0,8) 8,7
- Genty Cathiard 8,5
- La Ruche Méridionale (Casino) (7) 8,3
- Cie Continentale Fr. (Cont. Grain USA) (0,06) 8,1
- Darty (6,4) 7,7
- La Redoute Catalogue (La Redoute) (6,6) 7,6 *
- Alsacienne de Supermarchés (7,3) 7,4
- Au Bon Marché (5,9) 7,3
- Prodim (Promodes) 6,9 *
- Cerp Rouen (2,3) 6,6 *
- But 6,6 *
- Genty (Genty Cathiard) (4,7) 6,6 *
- Métro En France (2,8) 6,5
- Conforama (Au Bon Marché) (4,7) 6,4
- Castorama – Dubois Invest. (8) 6,3
- Erpi ex-Maison G. Thomas (2,2) 6,1
- 3 Suisses France (3 Suisses Int.) (3,5) 5,6 *
- Fnac (Gmf) 5,6
- La Ruche Picarde (Docks de Fr.) (4,5) 5,6 *
- Sogara (3,5) 5,6 *
- Cofradel (Docks de Fr.) (4,5) 5,3
- Palais de la Nouveauté (Monoprix) (4,1) 5,3
- Sciii (Interagra) (0,08) 4,9 *
- France-Printemps (Printemps) (5,3) 4,9 *
- Leroy-Merlin (Mulliez) 4,8 *

Prisunic (Printemps) (5,4) 4,8 *
Jean Lion (0,05) 4,6 *
Guyenne et Gascogne (3,1) 4,5
Cuuf & Cie (André) 4,4 *
Sva Brambi Fruit (Prisunic) (0,6) 4,3 *
Pinault Distribution (Pinault) (2,8) 4,1
Safic Alcan & Cie (Ifint. L) (0,4) 4,1
Comod Éco. De Normandie (Compt. Modernes) 4,1 *
Coopérative Régionale (3,9) 3,9 *
Bhv (4,5) 3,9
Union Commerciale (Compt. Modernes) (3,7) 3,7 *
Sogramo (Carrefour) (1,8) 3,6 *

Premiers bénéfices. Carrefour 1,2. Promodès 0,7. Casino 0,5. Groupe Printemps 0,5. Au Bon Marché 0,5. Darty 0,5. Cfao 0,3. Comptoirs Modernes 0,3. Docks de France 0,2. Nouvelles Galeries Réunies 0,2.

Premiers exportateurs. Carrefour 21,9. Daval 16,8. Promodès 16,1. Cfao 11,5. Sucden Kerry International 9,9. Sonepar Distribution 8,2. Uncac 7,9. Jean Soufflet 7,6. Cargill 7,1. Interagra 7.

Communication-Loisirs

Eurocom (10,2) 33,5
Hachette (Marlis) (30,6) 29
Havas (11,4) 18,9
Hdm (Eurocom) (3,4) 16
Publicis (5,2) 14,7
Rouseca (2,5) 9,3
Avenir Havas Media (Havas) (6) 6,2
Groupe de la Cité (7,9) 5,7
Canal + (1,5) 5,4
TF1 (1,5) 5,3
Cep Communication (5,9) 4,9
Information et Publicité (Havas) (1,1) 4,6
Générale Occidentale (8,5) 4,1
Office d'Annonces (2,3) 3,5 *
TDF (France Télécom) (4,2) 3,3 *
FR3 (3,2) 3,3 *
Salomon (2,8) 3,3
Antenne 2 (1,3) 2,9 *
Snc Edi 7 (Fep) 2,5 *
France Loisirs (1,2) 2,3
Fcab (0,7) 2,3
Nmpp (4,6) 2,3 *
Initiative Media Paris (France Ccpm) (0,05) 2,1 *
Radio France (3,1) 2 *
Pari Mutuel Urbain (2,5) 1,9 *
Europe 1 Commun. (1,5) 1,8
Prisma Presse (Gruner + Jahr. Rfa) (0,5) 1,8
Imprimeries Jean Didier (1,8) 1,8
Éditions P. Amaury (1,7) 1,7
Quillet (Fep) (2,9) 1,6
France Loto (1,1) 1,6 *
Public. Filipacchi (1) 1,6
Comareg (Ahm) (2,1) 1,6
Libr. Fernand Nathan (Groupe la Cité) 1,5
Skis Rossignol (2,8) 1,5
Bayard-Presse (1,7) 1,4
Financière Danel (Fep) (1,6) 1,4
Interdeco Régie (Hachette) (10) 1,3
Ouest-France (Sipa) (2) 1,3 *
Public. Vie Catholique (1,1) 1,3 *
Le Monde (1,2) 1,2
Groupe Sud-Ouest (2,3) 1,2
Régie Presse (Publicis) (0,3) 1,2
Synergie (Eurocom) (0,2) 1,2 *
Emi France (Thorn Emi) (0,5) 1,1
Livre de Paris (Hachette) (3,2) 1,1 *
Librairie Larousse (Groupe La Cité) 1
Cogedipresse (Filipacchi) 1 *
Dauphin Ota (1,1) 1
Gaumont (Cinepar) (1) 1
Groupe Expansion (0,8) 1
Robert Laffont (Finédit) (0,5) 1
L'Express (G. Occidentale) 1 *
Éditions Atlas (De Agostini. i) (0,3) 0,9 *
Expand (2) 0,9
Sélection du Reader's Digest (R. Di. Usa) (0,4) 0,9 *
SFP (2,2) 0,9 *
La Voix du Nord (1,4) 0,9 *
Fep (Hachette) (0,01) 0,9 *
Affichage Giraudy (Financière 1) (1) 0,9
La Hutte (0,1) 0,9
Agence France-Presse (2) 0,9 *
Régie 7 (Hachette) 0,8 *
La Montagne (1,3) 0,8
Trigano (1) 0,8
Ip Presse (Information Pub) 0,7
Héliogravure Jean Didier (Jean Didier) (0,5) 0,7 *
Majorette (1,3) 0,7
Sofirad (0,8) 0,7
L'Équipe (Éditions Amaury) (0,4) 0,7 *
Bordas (Groupe de la Cité) 0,7
L'Est Républicain (1,2) 0,7 *
Marie-Claire Album 0,7
Sad 0,7 *
Nice-Matin (0,8) 0,7 *
Dépêche du Midi (1,4) 0,7
Dernières Nouv. d'Alsace (Quillet) (1,1) 0,7 *
Imprimerie Cino Del Duca (Maxwell. G-B) (0,6) 0,7
Metrobus (0,1) 0,6
Mattel France (Mattel USA) (0,1) 0,6 *
Tonka France (Tonka Internat, USA) (0,3) 0,6 *
Ecom (Eurocom) (0,1) 0,6 *
UGC 0,6 *
Les Échos (Pearson. G-B) 0,5
L'Alsace (Crédit Mutuel) (0,9) 0,5
Le Républicain Lorrain (0,9) 0,5
Spir Communication 0,5
Office Spécial de Publicité (Havas) (0,05) 0,5 *
Midi Libre (0,7) 0,5 *
Édimonde Loisirs (Hachette) 0,5 *
Radio Monte-Carlo (Sofirad) 0,5 *
Le Provençal (Quillet) 0,5 *
Ferry Peter (Fin. Danel) (0,4) 0,5 *
Institut Nat. Audiovisuel (0,9) 0,5 *
Régie 1 0,5 *
République Centre-Ouest (0,9) 0,5 *
Berger-Levrault 0,5
J. Walter Thompson (Wpp. GB) (0,1) 0,5 *
Espace 3 Publicité (FR3) 0,4 *
Snpc Libération (Saip) (0,3) 0,4 *
Dpc Strittmatter (Kodak-Pathé) (0,8) 0,4 *
Pathé Cinéma (0,5) 0,4
France-Rail Publicité (Sncf) (0,1) 0,4 *
Impr. Hélio-Corbeil (Hachette) 0,4 *
Hebdo Le Point (Gaumont) (0,2) 0,4
François-Charles Oberthur 0,4
Usine Nouvelle (Cep) 0,4 *
Métropole Télévision M6 (0,4) 0,4 *
Excelsior Publications (0,2) 0,4 *
Look (Lk Holding. Usa) (0,3) 0,4 *
Omnium Publicité Prodil (Hdm) (0,2) 0,4 *
Impr. J. Didier (Jean Didier) (0,4) 0,3 *
Éditions Techniques (0,5) 0,3 *
Superjouet (0,02) 0,3 *
Presses de la Cité (Groupe de la Cité) 0,3 *
Télégramme de Brest (0,6) 0,3 *
JL (0,4) 0,3
Smoby (0,5) 0,3 *
Guillard Musiques (0,1) 0,3
Public. Condé Nast (The Condé Nast. USA) (0,3) 0,3
Impr. Vieillemard (Sogesdic) (0,5) 0,3
Partenaires (P&A) (0,6) 0,3
Éd. du Seuil (0,2) 0,3
Nrj (0,2) 0,3

Premiers bénéfices. Havas 1. Canal Plus 0,8. Générale Occidentale 0,5. Hachette 0,3. Cep Communication 0,3. Groupe de La Cité 0,3. France Loisirs 0,2. Eurocom 0,2. TF1 0,2. Office d'annonces 0,1.

Premiers exportateurs. Eurocom 18,1. Hachette 14,9. Publicis 7,6. Rouseca 3,7. Salomon 3. Havas 3. Skis Rossignol 1,2. Groupe de La Cité 0,9. Cep Communication 0,7. Fcab 0,6.

Construction

Bouygues (69,6) 47
Sge (Cie Gale Eaux) (62,6) 34,6
Lafarge Coppée (31) 30,4
Dumez (35,9) 26,2
Sae (26,1) 25,9
Screg (Bouygues) (49,5) 24,6
Spie-Batignolles (Schneider) (39) 23,9
Imétal (5,9) 20,8
Gtm Entrepose (30,7) 18,8
Sogea (Sge) (25,6) 14,7
Poliet (12,7) 14,1
Cégélec (Cge) (26,8) 13,6
Ciments Français (13,4) 12,5
Colas (Bouygues) (21,9) 11,1
Fougerolle (17) 11,1
Ciments Lafarge (Lafarge Coppée) (4,7) 7,3
Bouygues Immobilier (Bouygues) (1,5) 6,8
L'entreprise Industrielle (11,6) 6,7
Entreprise Jean Lefèbvre (Gtm Entrepose) (9,8) 6,1
Cbc (Cie Gale Eaux) (4,2) 5,9
Gtie (Cie Gale Eaux) (9,3) 5,1
Cochery Bourdin Chausse (Sge) (7,2) 4,8
Scic (C3d) 4,7
Gtm-Btp (Gtm Entrepose) (6,3) 4,7
Asf Autoroutes Sud de France (3,1) 4,5 *
Les Chantiers Modernes (6,4) 4,3
Spie Construction (Spie-Bat.) (5,8) 4,3
Vicat (3,4) 4,3
Genest Entreprises (7,2) 4,2
Saep (Sae) (3,6) 4,2
Dumez France (Dumez) (5,5) 4,2
Lambert Frères et Cie (4,6) 3,8
Gerland (5,2) 3,6
Cedest (Cgip) (2,2) 3,6
France Construction (Bouygues Immob.) (0,4) 3,5
Etex ex-Financière Éternit (5,5) 3,4
Kaufman and Broad (Kaufman & Broad. USA) (0,3) 3,4
Les Nouveaux Constructeurs (0,7) 3,3
Lafarge Bétons Granulats (Lafarge Coppée) (2,8) 3,1
Campenon Bernard (Sge) (8,9) 3
Sacer (Bouygues) (4,8) 3
Rmc France (Rmc. GB) (2,1) 2,9
Autoroutes Paris-Rhin-Rhone (1,7) 2,9
Smac Acieroid (Screg) (4,4) 2,7
Viafrance (Sge) (3,8) 2,7
Groupe Pelège (4,8) 2,7
Sade (Sahide) (4,1) 2,4 *
Garon (Steetley. G-B) (3,4) 2,4
Lafarge Nouveaux Matériaux (Lafarge Coppée) (2,1) 2,4
Immobilière 3 F (1,4) 2,4
Sinvim (0,3) 2,3
Beugnet (3,2) 2,2
Gtm Entrepose Électricité (Gtm Entrepose) (4) 2,2
Cofiroute (Cofiparco) (1,5) 2,2 *
Razel Frères (3,9) 2,2
Bouygues Offshore (Bouygues) (5,8) 2,2
Cie Immobilière Phénix (Cie Gale Eaux) (1,9) 2,2
Société Technique Immobilière (Bouygues) (0,4) 2,2
Sanef (1,7) 2,2 *
Solétanche (1,6) 2,1
Brossette (1,5) 2,1 *
Unimix (Cimen. Français) (1,5) 2,1
Nord France (3,7) 2,1
Cogedim (Paribas) (0,4) 2

Premiers bénéfices. Lafarge Coppée 2,2. Ciment Français 1. Poliet 0,7. Bouygues 0,6. Dumez 0,6. Imétal 0,5. Sge 0,4. Cofiroute 0,4. Vicat 0,4. Cfi 0,3.

Premiers exportateurs. Dumez 19. Lafarge Coppée 18,2. Imétal 17,4. Sge 12,5. Sae 10,6. Bouygues 10,4. Spie-Batignolles 7,9. Cegelec 5,4. Ciments Français 4,9. Gtm-Entrepose 4,2.

Énergie-Extraction

Elf Aquitaine (Erap) (72,2) 149,8
Édf (121,8) 147,1 *
Total Cfp (35,9) 107,9
Gaz de Fr (27,6) 39,2 *
Shell Fr. (Royal D. Shell. Nl) (6,5) 38,5
Cea-Industrie (Cea) (36,3) 33,5
Crd Total France (Total Cfp) (7,6) 30,1
Cogema (Cea-Industrie) (17) 23,6
BP Fr. (BP G-B) (7) 22,9
Pétroles Shell (Shell Fr.) (3,6) 21,5 *
Esso Saf (Exxon Usa) (3,3) 18,5
Fina France (Petrofina B.) 12 *
Charbonnages de Fr (25,8) 11,4
Elf Aquitaine Prod. (Elf Aq.) (8,5) 10,6 *

Mobil Oil Fr. (Mobil USA) (1,6)	8,9 *
Eurodif (Cogema) (0,03)	8,4 *
Les Fils de Jules Bianco (0,5)	7,3
Carfuel (0,02)	6,9 *
Houillères Bassin de Lorraine (Cdf) (14,6)	5,1 *
Pétrole Distribution du Midi (Tramier) (0,2)	4,2 *
Distriservice (0,01)	4,1 *
Produits Pétroliers Stela (Total Cfp) (0,9)	3,5 *
Primagaz (3)	3,2
Urbaine des Pétroles (Elf Fr.) (0,05)	3,2 *
Cie Ciale Pétrolière Ouest (0,03)	3,1 *
Cie Générale de Géophysique (3,5)	2,9
Labruyère Distribution (Labruy. Éberlé) (0,6)	2,9
Agip Française (Agip Pétroli. Nl) (0,5)	2,7
Thévenin et Ducrot (0,4)	2,3
Slea (Elf Aq.) (0,9)	2,1 *
Électricité de Strasbourg (Edf) (1,1)	2,1 *
Elf Antargaz (Elf Aq.) (0,8)	2,1 *
Essences et Carburants Fr. (0,05)	1,9 *
Houillères Nord-P-de-C (Cdf) (5,3)	1,9 *
Dyneff (0,04)	1,9 *
Totalgaz (Crd Total) (0,7)	1,7 *
Glorex Pétroles de l'O. (0,07)	1,4
Picoty (0,2)	1,4 *
Blanzy Ouest (Elf Aq.) (1,9)	1,3
Fbfc	1,2 *
Combustibles de l'O. (Cpo) (0,09)	1,1 *
Air Total Fr. (Total Cfp) (0,1)	1 *

Premiers bénéfices. Elf Aquitaine 7,2. Shell en Fr. 2,8. Total Cfp 2,2. Cea Industrie 2,2. Bp France 1,2. Esso Saf 0,8. Francarep 0,2. Coparex 0,1. Promogaz 0,1. Électricité de Strasbourg 0,07.

Premiers exportateurs. Elf Aquitaine 86. Total Cfp 76,6. Cea-Industrie 10,3. Edf 8,8. Bp France 6. Shell Fr 5,2. Esso Saf 3,9. Cie Générale de Géophysique 2,6. Primagaz 1,2. Mobil Oil Française 1,2.

Équipement électrique-Électronique

Cge (210,3)	143,9
Thomson (100)	76,7
Schneider (80,7)	45,1
Gec Alsthom (79,1)	44,9
Ibm France (Ibm USA) (21,4)	41,3
Thomson Consumer Electronics (Thomson) (53,3)	36,3
Thomson-Csf (Thomson) (38)	33,7
Machines Bull (43,6)	32,7
Philips en Fr (Philips. Nl) (24,7)	24,1
Câbles de Lyon (Alcatel-Cge) (18,9)	23,8
Matra (21,2)	22,1
Framatome (14,5)	20
Merlin Gerin (Schneider) (25)	14,6
Alcatel Cit (Alcatel-Cge) (15)	10,7 *
Alcatel Business Systems (Alcatel-Cge) (15,8)	10,7
Cdme (Cfao) (7)	10,4
Sagem (Coficem) (16,5)	10,4
Télémécanique (Schneider) (14,6)	9,4
Legrand (17,4)	8,7
Radiotechnique (7,4)	8,5
Radiotechnique Portenseigne (Radiotechnique) (6,4)	8,2 *
Hewlett Packard France (Hewlett-Packard USA) (3,8)	7,6 *
Siemens en France (Siemens RFA) (6)	7,4 *
Digital Equipment France (Digital Equip. USA) (4,6)	7,1
Rank Xerox (Rank Xerox Ltd. G-B) (5,5)	6,8
Groupe Seb (10)	6,7
Sat (Sagem) (8,9)	5,6
Sony France (Sony Jap.) (2,1)	5,6
Spie-Trindel (Spie-Bat) (10,9)	5,5 *
Electrolux (Electrolux. S.) (6,4)	5,4
Thomson Électroménager (Thomson)	5,2 *
Moulinex (11,3)	5,1
Leroy-Somer (8)	5
Matra Communication (Matra) (7,3)	4,9
Philips Composants (Philips Fr.) (4,5)	4,7 *
Dassault Électronique (Fisd) (4,1)	4,1 *
Cables Pirelli (Pirelli. I) (3,8)	3,9 *
Schlumberger Industries (Schlumberger. And) (5,5)	3,9 *
Philips Éclairage (Clme) (3,9)	3,7
Framatome Connectors Inter. (Framatome) (7)	3,7
Unisys France (Unisys USA) (2,2)	3,7 *
Metrologie Inter (2,7)	3,5

Premiers bénéfices. Cge 4,9. Cie Ibm France 2,6. Gec-Alsthom 1,6. Schneider 0,9. Framatome 0,7. Legrand 0,6. Matra 0,6. Philips en Fr 0,6. Thomson 0,5. Transpac 0,4.

Premiers exportateurs. Cge 87. Thomson 55,2. Gec Alsthom 23,8. Machines Bull 20,5. Schneider 19,8. Ibm France 18,1. Matra 9,3. Philips en Fr 6,6. Legrand 5. Framatome 4,6.

Matériel de transport

Renault (174,6)	174,5
Peugeot Sa (159,1)	153
Auto Peugeot (Peugeot Sa) (82,3)	94,6
Auto Citroën (Peugeot Sa) (58,8)	65,9
Renault Véhicules Ind. (Renault) (32,5)	34,3
Aérospatiale (36,9)	33,9
Groupe Fiat en Fr. (Fiat I) (13,7)	30,9
Snecma (25,9)	21,5
Valeo (34,2)	19,5
Avions Marcel Dassault Breguet (15,7)	19,5
Ford France (Ford Motor USA) (4,4)	15,7 *
Vag France (Volkswagen. RFA) (0,8)	13,8 *
Mercedes-Benz Fr. (Daimler-Benz RFA) (2,2)	10,7 *
General Motors Fr. (General Motors USA) (4,7)	9,6
Épéda-Bertrand Faure (16,4)	9,3
Sté Com. Citroën (Peugeot) (4,4)	8,5 *
Française de Mécanique (5,4)	7,7 *
Fiat Auto France (Fiat France) (0,7)	7,6
Labinal (16,3)	6,8
Ecia (Peugeot Sa) (9)	6,3
Sextant Avionique (Atev) (9,9)	6
Bertrand Faure Auto (Épéda B. Faure) (10,1)	5,9
Iveco Unic (Iveco Fiat) (2,9)	5,9 *
Bendix Europe (Allied-Signal USA) (8,1)	5,8
Maubeuge Constr. Auto. (Renault) (2,6)	4,9 *
Bmw France (Bmw RFA) (0,3)	4,8 *
Volvo France (Volvo S.) (0,6)	4,3 *
Sep (Snecma) (4,1)	4,3 *
Usines Chausson (5,9)	3,9 *
Robert Bosch Fr. (Bosch Rfa) (2,7)	3,9 *
Arianespace (0,3)	3,8 *
Autodistribution (3)	3,6
France Véhicules Ind. (Rvi) (1,9)	3,3
Matra Automobile (Matra) (2,7)	3,3 *
Lucas Fr (Lucas Industrie G-B) (4,7)	3,2
Rover Fr. (Rover Group G-B) (0,2)	3 *
Jaeger (Fiat en Fr.) (6,6)	3

Premiers bénéfices. Peugeot 10,3. Renault 9,3. Valeo 1. Ford France 0,7. Dassault 0,5. Bendix Europe 0,3. Snecma 0,3. Labinal 0,3. Matra Automobile 0,3. Mercedes-Benz Fr. 0,2.

Premiers exportateurs. Renault 88,6. Peugeot Sa 82,9. Aérospatiale 20,2. Avions Marcel Dassault Breguet 13. Snecma 12,3. Valeo 9,9. Groupe Fiat en Fr. 9,8. Ford Fr 4,7. Épéda-Bertrand Faure 4,1. Arianespace 3,8.

Mécanique

Smae (Citroën) (5,7)	9,6 *
Case Poclain (Tenneco Case USA) (5,5)	6,6 *
Lille Bonnières et Colombes (4,4)	6,3
Nord-Est (8,4)	5,8
Fives-Lille (9,4)	5,1
Essilor Inter (12,1)	4,7
Legris Idustries (5,2)	4,3
Dynaction (5,2)	4,2
De Dietrich (4,5)	3,2
John Deere (Deere USA) (1,4)	3
Skf France (Skf S.) (2,7)	2,9
Potain (Legris) (3,1)	2,9
Caterpillar Fr. (Caterpillar USA) (2,2)	2,6 *
Renault Agriculture (Renault) (0,9)	2,6 *
Fichet-Bauche (Cnm) (6,6)	2,5
Liebherr Fr (Liebherr Ch) (1,3)	2,4 *
Massey-Ferguson (Varity Cnd) (1,5)	2,3 *
Fcb (Fives-Lille) (2,5)	2,3
Cofreth (Ufiner) (2,4)	2 *
Snr Roulements (Renault) (3,4)	2 *
Stein Industrie (Gec Alsthom) (1,4)	2 *
Arbel (2,9)	1,9
Facom (2,6)	1,9
Luchaire (Épéda B. Faure) (3,2)	1,8

Premiers bénéfices. Lille Bonnières et Colombes 0,3. Essilor Inter 0,3. Nord-Est 0,3. Legris Industries 0,3. Case Poclain 0,2. Stein Industrie 0,2. Fives-Lille 0,1. Sicli 0,1. Facom 0,1. Renault Agriculture 0,1.

Premiers exportateurs. Essilor Inter 3,3. Case Poclain 3. Fives-Lille 2,6. Caterpillar Fr 2,4. Legris Industries 2,3. Nord-Est 1,6. Dynaction 1,6. Skf France 1,5. John Deere 1,4. Massey-Ferguson 1,4.

Métaux

Usinor-Sacilor (96,9)	97
Pechiney (70)	88,5
Pechiney Inter (Pechiney) (41,2)	48
Sollac (Usinor-Sacilor) (22,7)	36,6
Cmb Packaging (33,7)	21,3 *
Aluminium Pechiney (Pechiney) (3,8)	13,4
Unimétal (Usinor-Sacilor) (9,5)	11,3
Ugine Acg (Usinor-Sacilor) (6,7)	9,8
Pum Station Service Acier (Cockerill Samb. B.) (4,1)	9
Pont-à-Mousson (Saint-Gobain) (13,8)	8,9
Pechiney Rhenalu (Pechiney) (4,3)	8,6 *
Metaleurop (5,9)	8,3
Descours et Cabaud (6,6)	8,1
Vallourec (10,8)	8,1
Comptoir Lyon-Allemand-Louyot (Alsp) (2,6)	5,6
Groupe Strafor (11,3)	5,4
Cie Franç. des Ferrailles (Cfer) (1,4)	5,3
Nozal (Usinor Sacilor) (2,8)	4,8
Lorfonte (Usinor Sacilor) (2,1)	4,7 *
Cebal (Pechiney) (7,6)	4,6
Câbleries de Lens (Câbles de Lyon) (0,9)	4,3 *
Ascométal (Usinor-Sacilor) (3,6)	4,2 *
Tréfimétaux (Europa Metalli I) (2,5)	4
Eramet-Sln (Erap) (2,3)	3,9
Alcatel Cuivre (Câbles de Lyon) (0,8)	3,9
Gts Industries (Usinor-Sacilor) (1,5)	3,7 *
Pechiney Électrométallurgie (Pechiney) (2,4)	3,1 *
Engelhardt (Engelhardt. Usa) (0,3)	3 *
Imphy (Usinor-Sacilor) (2,7)	2,8
Fer Blanc (Sollac) (0,07)	2,8 *
Hardy-Tortuaux (Arbed. L) (1,4)	2,7
Coulée Continue de Cuivre (0,1)	2,4 *
Creusot-Loire Industrie (Usinor-Sacilor) (2,9)	2,2 *
Steelcase Strafor (5,7)	2,2
Ugine-Savoie (Usinor-Sacilor) (1,5)	2,1 *
Haironville (Ind. Souvigny) (1,4)	2
Slpm (Sollac) (0,7)	1,9 *
Cmb Acier (Cmb Packaging) (1,2)	1,8 *
Alusuisse-Lonza France (Alusuisse-Lonza Ch) (1)	1,8 *
Tréfilunion (Usinor-Sacilor) (1,7)	1,8 *
Trouvay et Cauvin (1,4)	1,7
Afficuivre (Cff)	1,7 *
Valexy (Usinor Sacilor)	1,6 *
Tefal (Seb) (1,5)	1,6 *
Métallurgique de Normandie (Usinor-Sacilor) (1,8)	1,6 *
Almet (Pechiney Rehn) (0,6)	1,4 *
Aluminium Alcan de France (Alcan. Cnd) (1,6)	1,4
Gpri (Usinor Sacilor) (1,4)	1,3
Cisatol (Sollac) (0,3)	1,3 *
Aciéries Aubert & Duval	1,3 *
Cmb Alimentaire Bmi (Cmb Packaging) (1,1)	1,3 *
Fabrique de Fer de Maubeuge (Boel. B.) (0,5)	1,3 *
Montupet (2,1)	1,2

Thyssen Aciers Spéciaux (Thyssen. RFA) (0,5) 1,2 *
Gfi-Industries (2,3) 1,2
Manoir Industries (Groupe Strafor) (1,9) 1,2 *
Secosar (Saarstahl. RFA) (0,08) 1,1 *
Phocéenne de Métallurgie (0,8) 1,1
Aciéries de Montereau (Unimétal) (0,5) 1,1 *
Gillette Fr. (Gillette USA) (0,5) 1 *
Ferembal (Viatech. USA) (0,9) 1 *
Allevard Industries (1,2) 1 *
Crométal (1,4) 1
Van Leer Fr. (Van Leer Nl) (1,2) 1

Premiers bénéfices. Usinor-Sacilor 6,8. Pechiney 3,3. Eramet-Sln 1,3. Cmb Packaging 1,1. Pont-à-Mousson 0,8. Vallourec 0,6. Métaleurop 0,5. Pum Station Service Acier 0,2. Groupe Strafor 0,2. Steelcase Strafor 0,1.

Premiers exportateurs. Pechiney 73,3. Usinor-Sacilor 53,9. Cmb Packaging 15,1. Pont-à-Mousson 6,1. Metaleurop 6. Vallourec 4,2. Groupe Strafor 3. Eramet-Sln 2,9. Cie Francaise des Ferrailles 2,6. Alcatel Cuivre 2,3.

Services

Générale des Eaux (153,9) 98,5
France Télécom (156,5) 95,1 *
La Poste (300) 68,2 *
Lyonnaise des Eaux (42,8) 21,6
Cogecom (9,9) 10,5
Ecco (71,7) 9,9
Ecs (Sté Générale) (1,5) 9
Ecco Travail Temporaire (Ecco) (51,9) 7,5
Bis Sa (49,3) 7,2
Cap Gemini Sogeti (13,5) 7,1
Cie Générale de Chauffe (Cie Gale Eaux) (10,5) 7
Manpower France (Blue-Arrow. G-B) (38) 6
Technip (4,2) 5,9
Bis France (Bis) (34,7) 5,2 *
Montenay (Cie G. Eaux) (11,2) 4,2
Ufiner (Lyonnaise Eaux) (4,2) 3,8
Saur (Mabinvest) (5,9) 3,6
Promodata (Locafrance) (0,3) 3,5 *
Europcar Intern (Ciwlt) (4,2) 3,2
Office Nat des Forêts (14,5) 3 *
Sema Group (6,5) 3
Onet (24,3) 3
Cgea (Cie Gale Eaux) (10,2) 2,7
Novalliance 2,7
Sita (Lyonnaise eaux) (7,8) 2,6
Ogf (L. Eaux) (6,9) 2,6
Sligos (Crédit Lyonnais) (4) 2,5
Sgn (Cogema) (1,5) 2,4 *
Its (Cits. Ch) 2,4
Concept (3,7) 2,3
Pompes Funèbres Générales (Ogf) (5,9) 2,1
Rmo tt (14,6) 2,1
Degremont (L. Eaux) (2,1) 2
Cie des Eaux et de l'Ozone (Cie Gale Eaux) (3,1) 2
Avis Loc. de Voit. (Avis Europe. Gb) (1,6) 1,9
Gsi (2,7) 1,8
Cise (St-Gobain) (2,5) 1,7

Premiers bénéfices. France Télécom 4,6. Générale des Eaux 1,8. La Poste 1,6. Pechelbronn 1,3. Cerus 1. Lyonnaise des Eaux 0,7. Cogecom 0,6. Cap Gemini Sogeti 0,5. Ecco 0,3. Bis 0,26.

Premiers exportateurs. Générale des Eaux 22. Lyonnaise des Eaux 6,3. Technip 4,9. Cap Gemini Sogeti 3,8. Ecs 3,4. Europcar Intern. 2,7. Sema Group 1,8. Cogecom 1,2. Comex 1,1. Ecco 1.

Textile-Habillement

Chargeurs (21,2) 19,4
Dmc (15,4) 10,1
Louis Vuitton (Lvmh) (4,8) 6,8
Chaussures André (11,9) 6,5
Vev (13,6) 6,4
Louis Vuitton Malletier (L. Vuitton) (2,7) 4,5
Rhône-Poulenc Fibres (Rhône-Poulenc) (3,3) 3,2 *
Éram (6,7) 2,9
Damart (4) 2,7
Bidermann (2,6) 2,7
Adidas-Sarragan France (Adidas. Rfa) (2) 2,6 *
Hermès Paris 2,3 *
Bata (Leader. Ch) (6) 2,2
Sommer (Sommer Allibert) (1,8) 2,1 *
Dim (Sara Lee. USA) 2
Devanlay (4,9) 2
Groupe Porcher Textile (2,5) 1,9
A. Dewavrin Fils & Cie 1,6 *
Vandeputte (1,7) 1,6
Groupe Bacou (1,1) 1,4
Lainière de Roubaix (Vev) (2,1) 1,3 *
Saic-Velcorex (Dmc) 1,1 *
Bidermann Prod. (Bidermann) (1,1) 1 *
Vestra Union (2,6) 1
Intexal (Vev) 1 *
Jallatte (André) (2) 1
Tissus Roudière (Chargeurs) (1,6) 0,9 *
« Z » Groupe Zannier (0,5) 0,8
Sotexo Textiles d'Ostrevant (Epeda) (0,5) 0,8 *
Decroix (Safid) (1,8) 0,8
Weil Besançon (1) 0,8 *
Delsey (Epeda) 0,7 *
Lancel-Sogedi (0,5) 0,7

Premiers bénéfices. Louis Vuitton 1,3. Chargeurs 0,7. Dmc 0,3. Devanley 0,2. Damart 0,1. Chaussures André 0,1. Cernay 0,1. Lancel-Sogedi 0,1. Éram 0,08. Sommer 0,07.

Premiers exportateurs. Dmc 7,1. Louis Vuitton 5,9. Vev 3,2. Porcher Textile 1,6. Rhône-Poulenc Fibres 1,6. Bidermann 1,5. A. Dewavrin Fils & Cie 1,2. Adidas-Sarragan France 1,1. Chaussures André 1. Damart 0,8.

Transport-Tourisme

Sncf (232,8) 67,3
Air France (44,3) 39,6
Sceta (Sncf) (25,1) 18
Bollore Technologies (16,3) 16,1
Ratp (39,1) 14,3
Accor (65,9) 14,3
Groupe Cgmf (13,6) 12,4
Air Inter (Air France) (9,7) 8,6
Cie Gén. Calberson (Sceta) (13,4) 8,1
Sodexho (35,8) 8,1
Club Méditerranée (22) 7,6
Uta (Chargeurs) (6,8) 6,8
Cgm (Cgmf) (4,6) 6,8
Scac (Bolloré Techn.) (9,1) 6,1
Gefco (Peugeot Sa) (4,2) 6
Delmas Vieljeux (Sfdv) (5,7) 5,5
Eurest (Ciwlt. B) (18,1) 5,4
Sélectour Voyages (1,7) 5
Mory (9,2) 4,7
Aéroports de Paris (6,3) 4,6
Édouard Dubois & Fils (2,7) 4,5
Danzas (4,8) 4,4
Gti (Navigat. Mixte) (17,2) 4,4
Wagons-Lits Tourisme-Seavt (Ciwlt. B) (1,2) 4,1
Saga (10) 3,9
Cat (Renault) (1,4) 3,7
Havas Tourisme (Havas) (1,1) 3,3
Mory Tnte (Mory) (5,9) 3
Bourgey Montreuil (Sceta) (3) 2,9
Pullman Intern. Hotels (Ciwlt. B.) (12) 2,8
Sanara (Cfit) (1,6) 2,8
Stef (Cgmf) (5,8) 2,8

Premiers bénéfices. Air France 0,8. Accor 0,7. Delmas Vieljeux 0,5. Club Méditerranée 0,4. Gefco 0,3. Aéroports de Paris 0,3. Sncf 0,3. Taittinger 0,3. Bolloré Technologies 0,3. Cie Nat. de Navigation 0,2.

Premiers exportateurs. Air France 20,2. Sncf 16,6. Bolloré Technologies 7,3. Groupe Cgmf 6,9. Uta 6,5. Club Méditerranée 6. Accor 5,8. Sodexho 5,3. Delmas Vieljeux 4,4. Wagons-Lits Tourisme-Seavt 3,3.

Principales entreprises privées

Industrielles et commerciales, sans compter les banques ou les compagnies d'assurances.

Capitalisation boursière (en milliards de F) **et répartition des principaux actionnaires** (en %). *(Source : Science & Vie Économie,* juillet-août 1990). **Peugeot** 41,9 : famille 22,72 (34,36 % des droits de vote), Sicav 7,42, Michelin 5,82 (9,06 % des droits de vote), CDC 2,18, public et institutionnels 0,97. **CGE** 65 : Sicav 7,11, Sté Générale 6,40, autocontrôle 6,40, personnel 4,50, CDC 3,06, Sté Gale de Belgique 2,94, UAP 2,60, Société de Banque suisse 1,90, Gale des Eaux 2,10. GAN 0,84, Dumez 0,70, BNP 0,42. **Total CFP** 32 : État 34, Sicav 13,59, Abu Dhabi invest. 7, GAN 4,07, UAP 2,8, CDC 2,06, Paribas 1,93. **Générale des Eaux** 51,1 : Groupe des amis du Pt Dejouany 20, St-Gobain 11, Sicav 8,12, UAP 6,85, autocontrôle 5,4. Schlumberger 4, CGE 3,4, Crédit agricole 3,1, Spafi 2,9, CDC 2,9, FCP 1,7, GAN 0,71. **Carrefour** 23,7 : Sté de Noyange (contrôlée à 100 % par MM. Badin et Defforey) 18,46, famille Fournier 8 à 15, Sicav 9,48, Groupe March 4,73, FCP 3, CDC 2,54. **Cie de Saint-Gobain** 33,7 : institutionnels 44, Gale des Eaux 8,13, plan épargne groupe 1,10, Suez 5,18, BNP 4,01, autocontrôle 4,33, divers 2, CDC 1,59. **Michelin** 13,6 : famille 30 à 40 (des droits de vote), Sicav 9,46, CDC 2,45. **Casino** 7,7 : familles Guichard et Pinoncely 28 (descendants de Geoffroy Guichard), Royal Ahold 4,04, FCP 2,78, Sicav 2,32, UAP 2,20, CDC 1,65. **Cie Financière sucres et denrées** [1] : Serge Varsano 85, personnes physiques 15. **Promodès** 6,3 : famille Halley 48 (58 % des droits de vote), reste du conseil d'administration 18 (22 % des droits), institutionnels 10. **BSN** 48,3 : institutionnels 40, Groupe Lazard 5,56, Ifil 5,10, famille Fossati 4, Gaz et Eaux 2,70, St-Louis 2,70, familles Corbière et Frachon 1, personnel 0,80 A. Riboud - de 0,40. **Bouygues** 10,4 : Cofipex 16,10, Clinvest 10,90, Francis Bouygues 6,30, Sicav 5,57, SGB 4,80, FCP 4,30, Nippon Insurance Life 2,50, CDC 2,14, Fininvest 1,80, UAP 1,70. **Cie IBM France** [1] : IBM World Trade Corporation 99,99. **Béghin-Say** 10,5 : European Sugar France 51,82 (69,80 % des droits de vote), Cie financière de Paribas 4,85, Sicav 3,79, Alspi 2,38, CDC 1,85. **Shell en France** [1] : Shell Petroleum NV 99,20, NIHM 0,73. **Schneider** 15,9 : SPEP 58,38. Sicav 8,06, CDC 2,40. **Perrier** 13,6 : Exor 34,90, famille Leven 18, autocontrôle 14, Sicav 12,05. **CFAO** 7,3 : François Pinault 33,13, Parfinance 3, Clinvest 3,80, UAP 3,50. **Groupe Fiat en France** [1] : International Holding Fiat 99,57. **BP France** 6,7 : British Petroleum 86, GAN 4,05, Sicav 0,06. **L'Oréal** 31,6 : Gesparal 55,40, institutionnels français 20, étrangers 10. **Groupe Printemps** 4,7 : Familles Maus et Nordman 42,20 (55 % des droits de vote), Sicav 10,35, BNP 3,86, Crédit lyonnais 3,80, Sté Générale 3,30, CDC 3,04. **Hachette** 8,2 : Marlis 51,60, Montana management 8,40, Sicav 6,59, CDC 1,22. **Système U Centrale Nationale** [1] : 6 stés régionales regroupant 1 137 points de vente. **Esso SAF** 8,2 : Exxon Corp 81,55, GAN 2,99, Sicav 2,25. **Air Liquide** 33,8 : Cies d'assurances 6,80, Sicav 7,80, organismes de retraite et prévoyance 5, CDC 4,70, banques 5,10, CDC 3,85, FCP 1,80, personnel 1. **Dumez** 7,2 : famille Chaufour 20, Sogepor 15, Sicav 10,24, personnel 6, CGE 5, Dywidag 5, CDC 2,29. **SAE** 4 : groupe Pelège 20, Sicav 12,88, descendants des fondateurs 10, CDC 3,76. **Lafarge Coppée** 25,1 : institutionnels 66, autocontrôle 5,35, familles Lafarge et Coppée 2, personnel 1. **OCP** [2] : pharmaciens et laboratoires 40, GAN 6,23, Reyford 5,05, FCP 4,65, Sicav 1,13. **Docks de France** 4,5 : familles Toulouse, Dian, Deroy 17,50, Etablissements Marcel Froger 16,46, UAP 10,30, Sicav 8,84, autocontrôle 5, BUE 4,50, CDC 1,04. **Philips en France** [1] : Philips NV 99,99. **Viniprix** 32,4 : Printemps 34,94, Eurafrance 27,69, France 10,40, familles Berthault et Lathulière 11,5, CDC 1,73, Generali 1,42, Sicav 1,42, Sicav 0,44. **Nestlé en France** [1] : Nestlé SA 99,99. **Imétal** : 3,5 : Parfinance 39,48, Sicav 6,43, Erap 5,45, Euris 4,01, Francarep 3,68, AGF IARD 3,63, AGF 5000 2,37, St-Honoré Matignon 2,10. **Navigation mixte** 25,6 : Paribas 30, Allianz 9,30, Clinvest 8,10, AGF 7,10, CERE 7,10, Généval 5,40, Bouygues 3. **Chargeurs** 7,2 : Eljer SA 18,70, Sicav 12,54, Fornier SA 7,14, AGF 3,50, Jérôme Seydoux 2,75, autocontrôle 2,62, CDC 1,97, Gaz et Eaux 1,95. **GTM Entrepose** 2,4 : Valinco 40,01, Fided 9,87, Clinvest 5,28, Sicav 2,32. **Matra** 9,7 : MMB 18,50, salariés 6, fondateurs 5, Daimler-Benz 5, GEC 5, Sicav 2,40, autocontrôle 2, groupe Wallenberg 2, BNP 2, Crédit Lyonnais 2, ANEP 2. **Valeo** 7,9 : Cerus 34,20, Sicav 9,77 Paribas 6, Robert Bosch 5,82, CGIP 5,20, Crédit agricole 4,40, groupe CDC 3,60, UAP 3,10. **Lyonnaise des Eaux** 19,2 : Cie de Suez 18, UAP 10,50, Crédit Lyonnais 6,60, Sicav 5,56, CDC 4,71, Sociedad General de Aguas de Barcelona 2,90. **CMB** 15,5 : Metal Box 26,25 (21,90 % des droits de vote), CGIP 26,25 (38,40 %), Sicav 6,91, personnel 4, CDC 2,03. **Havas** 26,5 : groupe des 9 actionnaires représentés au conseil (AGF, Géneval, Crédit agricole, Paribas, Vernes, UAP, BNP) 33,80, personnes morales autres 11,50, Sicav 11,08, Lyonnaise des Eaux 7, Canal + 6,70, CDC 6,20, salariés 2,50. **Avions Marcel Dassault-Breguet** 5,2 : Sté financière et ind. Serge Das-

(Information)

sault 49,67, État 26, Sogepa 19,80, Sicav 0,02. **LVMH** 60,7 : Jacques Rober 46 (38 % des droits de vote), famille Vuitton 17 (24 %), Moët et Hennessy 11 (17 %), Sicav 2,75. **Bolloré Technologies** 2,6 : Albatros 34, famille Bolloré 20, Sicav 4,18, autocontrôle 3, E. de Rothschild 2, Olivier Roussel 1,50, CDC 2,50. **Ford France** [1] : Ford Motor Company 99,99. **Eurocom** 3,1 : Havas 43, Sicav 18,98, Parthena investissement 10,22, CDC 1,80. **Rallye** [1] : famille Cam 80, parents et alliés de la famille Cam 11, banques 9. **Comptoirs Modernes** 4,8 : Carrefour 22,10, familles Badin, Defforey, Deligny, Godard, Gouloumes, Plassart 15, Sicav 12,09, BNP 3,88, salariés 3, CDC 1,45. **Galeries Lafayette** 2,3 : familles Meyer et Moulin Heilbronn 61,80, Industrial Equity Pacific 12,29, Sicav 0,16. **Pernod-Ricard** 14 : conseil d'administration (familles Ricard, Hémard, Foussier et Cambournac, Sté Générale, SIFA) 40 (50 % des droits de vote), institutionnels 30. **ACCOR** 20,1 : Sté Générale de Belgique 10, Sicav 7,70, Gale des Eaux 6,99, Mutuelles agricoles 4,86, Sté Générale 4,94, administrateurs et censeurs 4,21, UAP 3,3, Groupe CDC 3,06, BNP 2,48, Clinvest 0,60. **Sonepar distribution** [1] : Sonepar (familles Coisne et Lambert) 79,5, OFP-Omnium financière de Paris 13,75, dirigeants 6,75. **Poliet** 8,3 : Paribas 36,74, Sicav 13,40, Groupe Rivaud 10,67, CDC 3,17. **Interagra** [1] : Sepromec 66, personnes physiques 20,25, coopératives du S.-O. 13,75. **Mobil Oil française** [1] : Mobil Corp. 99,97. **Publicis** 33,3 : Somarel 40,02, Marcel Bleustein-Blanchet 34,09, Sicav 1,83. **Socopa** [1] : Maine viande Socopa 43,50, Unigrains 33,40, Socaviac 7,10, Agripar 5,80, Finextra 5,50, Est Appro 4,50, divers 0,20. **VAG France** [1] : Volkswagen 99,98. **Jean Soufflet** [1] : Michel Soufflet 99,50, famille Soufflet 0,50. **Unilever France** [1] : Unilever NV 99,99. **Nouvelles Galeries Réunies** 3,9 : groupe Devanlay et familles associées 32 (39 % des droits de vote), groupe Monoprix 21 (27 %), groupe Proventus 10,10, Industrial Equity Pacific 5, BNP 4,21, Sté Générale 3,20, CDC 2,01, Sicav 1,07. **UNCAA** [1] : 526 coopératives. **SODIAAL ex SODIMA** [1] : 6 coopératives. **Roussel Uclaf** 9,9 : Sté Française Hoechst 54,50, État 36,25, Erap 4,22, Sicav 0,95, CDC 0,46. **Besnier** [1] : Michel Besnier et sa famille 100. **Ciments Français** 12,5 : Poliet 27,80, Sicav 15,54, Cie du Midi 14,30, CNCA 9, CDC 5,40, UAP 0,90, GAN 0,80. **SCOA** 1,4 : Paribas 29,44, Jogo BV 6,40, Asian Trade Holding 4,43, International Trade Holding 4,43, Groupe Bolloré 3,32, Sicav 2,27. **Union laitière de Normandie** [1] : 8 coopératives. **Bayer en France** [1] : Bayer Foreign Investment Ltd 99,99. **SAGEM** 2,1 : Coficem 53,33, Sicav 12,48, Unifrance 6,07, Paribas 5,71, GAN 1,55. **Mercedes-Benz France** [1] : Sofidel (Daimler-Benz) 99,91. **Sommer Alibert** 4,4 : Sit 35, famille Sommer 7,80, Sicav 17,35, CDC 4,43, Sté Générale 4 à 5, BNP 2,90, Opfi-Paribas 2,70. **PUM Station Service** [1] : Cockerill Sambre 50,80, Sté Industrielle Souvigny 49,20. **Fougerolle** [3] : 3,6. Sté financière Fougerolle 56,60, CGE 34. **Arjomari** 6,2 : Saint-Louis 37,50, Sicav 18,35, familles représentées au conseil 10, CDC 3,87, groupe Worms 2,50. **Colas** 4,4 : Sté d'Investissement de travaux publics 65,15 (78,70 % des droits de vote), Sicav 6,47, CDC 2,63, GAN 1,92. **American Express France** [1] : American Express International Inc. 99,99. **DMC** 3,4 : Sicav 23,39, banques 22,20, Établissements Thiriez et Cartier-Bresson 7,80, groupe CDC 7,40, AGF 7,40, familles Leclercq et Thiriez 3,30. **Épéda Bertrand Faure** 2,4 : groupe Flabesa et Inverflex 18,67, Axa-Midi 11,45, Coimpa 9,26, groupe Nobel 7,35, Sicav 6,88, Sté générale 6,03, famille Richier 4,98, Unifrance 4,98, AGF 4,50, Mutuelles du Mans 4, Michelin 3,13, PSA 3,13, GAN 3,01, Penhouët 2,42, Strafor 2,15, Crédit Lyonnais 1,50. **Radiotechnique** 1,3 : Cie française Philips 35,03, SA Philips industrielle et commerciale 18,36, CDC 3,76, Sicav 0,81. **General Motors France** [1] : General Motors Corp 50,39, Opel AG 49,59. **ECCO** 4,8 : Philippe Foriel Destezet 50,70, Sicav 11,28, GAN 1,98, CDC 1,58. **Rouseca** [1] : Bernard Roux 36, Jacques Séguela 36, Alain Cayzac 18, Jean-Michel Goudard 10. **Ile-de-France Pharmaceutique** [2] : 3 000 actionnaires dont 6 laboratoires 57, institutionnels 21, Sicav 12,33, BNP 9,04, AGF 9, salariés 2, GAN 1,28. **Saint-Louis** 9,1 : groupe Worms 36,70, autocontrôle 6,50, Crédit agricole 6, BNP 5,10, famille Lesieur 4,50, AGF 3,60. **UNCAC** [1] : 380 coopératives et 3 coopérateurs (Sofipar, Unigrains, Sofiproteo). **Vallourec** 2,3 : Usinor 25, Tubacex 24,90, Cofinan 10, Dumez 7, Sicav 3,91. **ICI France** [1] : Imperial Chemical Industries 99,77. **Darty et Fils** [3] : 16,1 : Financière Darty 95,31, Sicav 1,87. **Pinault** 7,1 : famille Pinault 51,31 (60,27 % des droits de vote), Forest Product International 19,79 (17,34 %), Clinvest 9,15, Sicav 5,23, AGF 2,13. **Cargill** [1] : Cargill Inc 80, Cargill International 20. **Descours et Cabaud** [1] : descendants des 2 familles 100. **Métaleurop** 3,9 : Preussag AG 47,50, Imétal SA 14,90, Sicav 1,66. **Bongrain** 6,3 : Soparind 52,43, Sicav 18,94, UAP 1,30. **Française de mécanique** [1] : Automobile Peugeot 50, RNUR Renault 50. **Codec** [1] : 764 commerçants associés 86,13. **ECS** 0,5 : Sté Générale 86,13. **Sodexho** 3,3 : financière Sodexho 56,73, Sicav 6,39, CDC 5,90, Ecco 5,11. **Cogedim** [2] : Paribas 52, La Paternelle 14,08, AGF 7,51, UAP 6,73, Cie Bancaire 5, Mutuelles du Mans 4,05, assurances 2,83, Caisse centrale de réassurance 1,97, groupe Prévoir Vie 1,56, personnes morales 1,84, p. physiques 1,19. **Financière Agache** [3] 4,7 : Arnault associés 40, Belle Jardinière 12, Financière Truffaut 10,54, OFP 6, Eurafrance 5, CDC 1,98, Sicav 1,53. **Française Hoechst** [1] : Hoechst 99,80. **Guyomarc'h** [2] : Cie financière de Paribas 97. **Kodak-Pathé** [1] : Eastman Kodak Company 99,99. **Carfuel** [1] : Casino 49,98, Carrefour 49,98. **Comptoir européen de céréales** [1] : Richco majoritaire. **Copagri Bretagne** [1] : 39 474 sociétaires. **Sté Française Exxon Chemical :** Exxon Corporation 98,60. **Labinal** 4,3 : Sopartech 47, Fiat 11,03, autocontrôle 5, groupe CDC 4,88, Sicav du Crédit agricole 2,87, Axa 2,91, CIP 1,91, GAN 1,42. **Alsacienne de supermarchés** 1,5 : Alsacienne de supermarchés 45,15 (55,73 % des droits de vote), Sicav 9,57, autocontrôle 4,82, GAN 3,41, directoire 2,81, stock options 2,15. **Hewlett Packard France** [1] : Hewlett Packard Co. 99,9. **CERP Rouen** [1] : 5 325 pharmaciens. **Bis SA** 3,1 : SCGVM 30, famille Négro 20, Bis SA 9, Sicav 6,17. **Digital Equipment France** [1] : Digital Equipment Corp 99. **Genty** 2,2 : Rallye 68, UAP 10, Sicav 3,08. **Club Méditerranée** 6,4 : groupe CDC 8,91, Sicav 8,75, Crédit lyonnais 6,45, UAP 5,02, Nippon Life 4,99, Mercury Asset Management 4,50, Seibu Saison group 3, E. de Rothschild 2,78, Ifint 2,92, Rolaco 2,23, personnel 1,40, GAN 0,74, Paribas 0,72. **Pomona** [1] : famille Dewavrin 59,46, établissement Émile Segard 18,28, Sopagri 8, FCP 6,91. **Cap Gemini Sogeti** 12,8 : Sogeti SA 60, CGIP 11, managers 8, Sicav 3,74, CDC 1,05. **Cie Continentale France** [1] : Continental Grains 99,99. **Legrand** 12,4 : familles Decoster, Verspieren, Garraud 50, Sicav 11,87, CDC 3,11, UAP 1,60, FCP 0,14. **BASF France** [1] : BASF AG 99,99. **Chaussures André** 4,1 : groupe Jean-Louis Descours 24,74, Cie Rhodanienne de participations 13,90, UNIJET 8,59, FCP 1,16, Sicav 0,79. **Bon Marché** 8,1 : Financière Agache 51, Sicav 6,95, CDC 2,60. **Bendix France** [1] : Allied Signal Corp 99,99. **Groupe VEV** [1] : AFID 34,27, Sicav 12,50, Nobel 6,32, Christian Derveloy 5,36. **Rank Xerox** [1] : Rank Xerox Ltd 99,99. **Case Poclain** [1] : Techno 93, Crédit lyonnais 0,10. **Cana** [1] : 21 468 coopérateurs et 4 055 non-coopérateurs. **FNAC** 1,5 : GMF 85,87, Sicav 4,67. **Fromageries Bel** 3,6 : La Carbonique 56,22 %, Sicav 10,55, CDC 4,37, public et institutionnels solde. **SEB** 2,9 : groupe fondateur (famille Lescure) 44 % (70 % des droits de vote), Sicav 6,57, investisseurs institutionnels 15 (10,20 % des droits de vote), CDC 5,84, personnel 2, public solde. **Du Pont de Nemours France :** El Dupont de Nemours and Co 99,99 %. **Castorama-Dubois Investissement** 2,6 : Carrefour 32,30 %, famille Dubois (env. 15 membres) 15, Sicav 9,15, personnel 7, public et institutionnels solde. **Pelège** [1] : Michel Pelège 83,05 %, Crédit Lyonnais 10,62, cadres dirigeants 6, divers 0,33. **Robert Bosch France :** Robert Bosch GmBh 99,99 %. **TF1** 6,9 : Bouygues 25 %, groupe Maxwell 12,60, groupe Worms et Cie 7,2, GMF 6,10, personnel 4,2, Sicav 2,29, Éditions Mondiales 2, Société Générale 2, groupe Bernard Tapie 1,7, Crédit Lyonnais 1,7, Indosuez 1,5, Le Point 0,3, autres 0,2, public et institutionnels solde. **Assedat-Rey** 2,1 : International Paper 92 %, autocontrôle 5, divers 3. **Laiteries E. Bridel** [1] : Comerep (holding familiale) 86,5, IDIA 6,7, famille Bridel 3,8, cadres 3. **Champagnes Céréales** [1] : 13 000 sociétaires regroupés en 13 coopératives. **BIC** 5,1 : famille Bich 46, famille Buffard 13, autocontrôle 6,6, Sicav 6,04, CDC 1,91, public et institutionnels solde. **Siemens :** Siemens Beteiligungen 99,99 %. **Electrolux :** Electrolux AB 99,99 %. **Financière Strafor** 2,6 : Mobipar 23,8 (21,1 % des droits de vote), Comireg et Comilog 16,1, Sicav 16,21, Cr. mutuel 7 (7,60 % des droits de vote), groupe Cr. agricole 6,7 (6 % des droits de vote), CDC 5, Société des cadres 2,3 % (2,3 des droits de vote), Airborne et Steelcase Strafor 2 %.

Nota. – (1) Non coté. (2) Hors cote. (3) Comptant.

Principaux secteurs économiques

Ameublement

Entreprises (1989). 910 de + de 20 salariés. **Principaux fabricants.** *Gr. Parisot* (Manuf. vosgienne de meubles, SNJP-Jacques Parisot, Sièges de France, Lansalot) 3 037 salariés. *Steelcase Strafor* (Strafor, Airborne) 2 715. *CIA* (Bonnet Sofiseb, Lafa, Ordo, Ranger, Collomb, Eguizier, I.C.M.) 2 232. *Epeda-Bertrand Faure* (Epeda, Matelas Merinos) 1 838. *Dumeste* (Dumeste-La-finition du siège, I.T.A., Steiner, Savoyarde du meuble-Mont Blanc) 1 738. *Atal* (Atal, Linguanotto, Cousin Malbran) 1 400. *Ergam Roneo* 1 370. *Treca* 1 150. *Groupe Christie Tyler* (Simmons, Européenne de siège) 800. *Roset* (Roset, Cinna) 742.

Effectifs (1989). 76 829 (dans entreprises de + de 20 salariés). **Production.** *Chiffre d'aff.* (1989) 36 956 millions de F dont (en %) meubles de bureau et fonctionnel 24, meublant 22, de cuisine, salle de bains, jardin 20,5, literie 15, sièges 12,5, divers meubles 6.

Importations [1] (1989). 16 384 millions de F, dont *de :* Italie 6 636, All. féd. 2 548, UEBL 2 235, Espagne 952.

Exportations [1] (1989). 7 139 millions de F dont *vers* : All. féd. 1 061, UEBL 936, G.-B. 919, Suisse 822.

Nota. – (1) Tous matériaux confondus.

Consommation (1989). Ménages 68,6 milliards de F TTC (+ 2,6% par rapport à 1988), entreprises 17,4.

☞ Voir également au chapitre Beaux-arts, le texte consacré au mobilier, p. 400 et suivantes.

Bijouterie, joaillerie, orfèvrerie

Statistiques globales

Entreprises de la Bijouterie, Joaillerie, Orfèvrerie, du Cadeau, des Diamants et Perles et activités s'y rattachant : détaillants 8 900 (1986), fabricants 1 500 dont (%) Paris 75,4, Ile-de-Fr. 5,7, province 13,9.

Effectifs : détaillants 20 000 env., fabricants 25 750 (dont hommes 12 850, femmes 12 900). Paris 14 940 ; province 10 000.

Chiffre d'affaires (H.T. à la production, 1986). 8,3 milliards de F (dont export. 4,1).

Bijouterie, joaillerie

• **Bijouterie en or. Titre utilisé.** *France* 750 millièmes. *A l'étranger :* 750 ou moins (ex. : 585 en Autriche, Belgique, Canada, Danemark, Espagne, Hongrie, Irlande, Luxembourg, Malte, Norvège, P.-Bas, Pologne, Suisse, Tchécosl., Turquie, USA ; 375 en G-B ; 333 en All. féd. et Italie).

L'or à 750 millièmes est à 18 carats (or à 585 m : 14 c). Sous l'Ancien Régime, le métal d'un alliage était divisé en 24 parties et l'on exprimait en carats le nombre de parties d'or fin qu'il contenait : 18 carats égalent 18 parties d'or fin sur 24 parties, soit 750 millièmes sur 1 000. Ce « carat » désigne donc un rapport (celui utilisé pour les pierres précieuses désigne un poids de 0,20 g).

Couleurs les plus courantes selon l'alliage. *Or rose :* or (75 %), cuivre (16 %), argent (9 %). *Jaune :* or (75 %), cuivre (12,5 %), argent (12,5 %). *Gris :* or (75 %), nickel (14 %), cuprozinc (11 %).

Bijouterie en plaqué or. Alliage à base de cuivre recouvert d'or par laminage (plaqué or laminé) ou par électrolyse (plaqué or galvanique). *Épaisseur moyenne minimale d'or : bijouterie : 3* µm, horlogerie 5 µm.

Bijouterie en argent. Titre utilisé. *France* 800 ou 925 millièmes. *Étranger* 925 (USA, Japon) ; 800 à 925 (Belgique, P.-Bas). CEE (projet) : 925 et 800.

Bijouterie fantaisie. Utilise des matières non précieuses aux revêtements divers.

• **Joaillerie. Utilise** *pierres précieuses* (diamant, rubis, saphir et émeraude), *fines* (améthyste, turquoise, topaze...), *perles fines* et *de culture,* et métal précieux comme support.

Principaux joailliers français. Boucheron [fondé 1858) ; chiffre d'aff. : 288 millions de F (HT, 1989) dont Europe 28,8 %, Moyen-Orient 23,2, Japon-Extr.-Orient 20,8, *France 14,2*)], Chaumet (aurait succédé à Nitot installé 1870, repris par Javestcorp groupe américano-saoudien), Fred, Mauboussin, Mellerio, Van Cleef & Arpels, Cartier, etc.

Le *Service officiel de la Garantie créé* le 19 brumaire, an VI, sous l'autorité du ministère du Budget, contrôle le titre des métaux précieux employés en bijouterie, joaillerie, orfèvrerie et horlogerie. Les articles importés et ceux fabriqués en France doivent avoir les *poinçons : du fabricant* apposé par celui-ci (ou poinçon d'importateur pour les articles étrangers) ; *de garantie* apposé par le Service officiel après vérification du titre des objets en métal précieux (minimum, en millièmes : platine 950, argent 800, or 750). Voir également p. 410.

• **Localisation (France). Bijouterie or :** Paris, Lyon, Valence, Bordeaux, Angoulême, Saint-Amand (Cher), Strasbourg, Marseille, Nice, Lille, Besançon, Clermont-Ferrand et Brioude. **Argent, plaqué or :** Région paris., Maine-et-Loire (Saumur), Ardèche, Haute-Savoie (bracelets-montres). **Fantaisie :** Région paris., Haute-Savoie, Région lyonnaise. **Tailleurs de diamants** (diamantaires) ou de pierres de couleur (lapidaires) : Jura et Paris.

Orfèvrerie

• **Définition.** Fabrication des objets destinés au service et à l'*ornementation de la table* : couverts, plats, services divers, etc. ; à la *décoration intérieure :* candélabres, coupes, cendriers, etc. ; ou à l'*exercice du culte :* ciboires, calices, etc. Seules les fabrications de couverts sont très industrialisées.

Utilise des métaux variés : *argent massif* (titre en France : 925 millièmes), *métal argenté* (alliage de cuivre, zinc, nickel appelé maillechort, qui est recouvert d'argent fin par électrolyse, satisfaisant à la norme NF D 29004 et portant un poinçon carré), *étain* (poteries, timbales, plats), *acier inoxydable* (couverts et platerie). L'*orfèvrerie de fantaisie* recouvre des productions diverses (nécessaires de toilette, poudriers, étuis de rouge à lèvres, briquets, etc.).

• **Production française** (1988, en t). Ouvrages en or 31,61, argent 49,03, platine 0,07.

Caoutchouc

Quelques dates

• **Caoutchouc naturel. XVIIIe s.,** 1res études à caractère scientifique des Français La Condamine et Fresneau. Les Français Macquer et Hérissant dissolvent avec de l'éther ou de l'essence de térébenthine le c. coagulé. **Début XIXe s.,** l'Anglais Hancock découvre les effets de la mastication du caoutchouc qui augmente sa plasticité et facilite sa mise en forme ultérieure. **V. 1839,** Hancock et l'Américain Goodyear découvrent la *vulcanisation* du c. (moyen de le faire passer, sous l'action combinée du soufre et de la chaleur, d'un état plastique à un état élastique irréversible). **1876,** des graines recueillies au Brésil donnent naissance aux 1ers hévéas implantés à Ceylan et qui sont à l'origine des plantations. Le Brésil s'opposant à leur exportation pour conserver le monopole du c., des essais avaient été tentés avec d'autres plantes, notamment avec le koksaghyz (sorte de pissenlit) mais les rendements à l'ha furent environ 10 fois inférieurs à ceux des hévéas. **V. 1980-83** recherches sur le gayule, arbuste d'origine mexicaine dont l'exploitation serait mécanisable (le rendement est encore le tiers de celui de l'hévéa).

• **Caoutchoucs synthétiques. 1915,** l'Allemagne met au point un c. synthétique ; elle en produit env. 2 500 t avant le 11-11-1918. **1939,** Allemagne et USA intensifient leurs recherches (l'All. étant soumise au blocus et les U.S.A. se voyant privés par le Japon du c. naturel d'Extrême-Orient). **1958,** la France commence à produire des c. synthétiques. Production actuellement assurée par : *CdF Chimie* (ville : Carling, département : 57). *Cie du Polyisoprène synthétique* (Oudalle ; St-Romain-de-Colbosc, 76). *Distugil* (Champagnier ; le Pont-de-Claix, 38). *Firestone France* (Port-Jérôme ; Lillebonne, 76). *Goodyear* (Sandouville, 76). *Michelin* (Bassens, 33). *Polysar France* (La Wantzenau, 67). *Rhône-Poulenc Polymères* (Ribecourt-Dreslincourt, 60). *Shell Chimie* (Berre-l'Étang, 13). *Socabu* (N.-D.-de-Gravenchon, 76).

Classification

• **Caoutchoucs à usages généraux. 1°) Caoutchouc naturel.** De l'indien : *cao* (bois) et *ochu* (pleurer). Quand on pratique une incision (saignée) dans l'écorce de l'*hévéa,* un liquide laiteux *(latex)* s'écoule goutte-à-goutte, composé de 2/3 d'eau et 1/3 de caoutchouc. En acidifiant légèrement, le latex coagule, libérant sous forme solide le caoutchouc qu'il renferme en suspension. *Rendement des hévéas* (kg/ha/an) : de semis tout-venant 600, sélectionnés 2 000 à 2 500, quelques espèces expérimentales 3 000. *Traitement :* le latex est filtré puis coagulé. Après laminage, les feuilles de caoutchouc sont séchées et fumées au feu de bois pour leur assurer une bonne conservation. Les feuilles fumées sont pressées en balles constituant la matière première utilisée dans l'industrie du caoutchouc.

2°) Caoutchoucs synthétiques. *Polyisoprène :* même composition chimique et caractéristiques voisines de celles du c. naturel. *Polybutadiène :* souvent mélangé au c. naturel ou à un c. synthétique d'usage général afin d'améliorer la résistance à l'usure. *Polybutadiène-styrène :* le plus utilisé, notamment dans les pneumatiques.

• **Caoutchoucs spéciaux.** Synthétiques obtenus par polymérisation ou copolymérisation de monomères variés conférant des propriétés particulières. **Polychloroprène :** bonne résistance à la chaleur, aux acides, bases et oxydants, bonne tenue à l'huile ; souvent utilisé dans l'industrie chimique, pour les pièces exposées aux intempéries, par suite de sa bonne tenue à l'ozone et au soleil. **Polybutadiène-nitrile acrylique :** excellente résistance à l'essence et aux huiles, surtout pour les teneurs élevées en nitrile acrylique. **Polyisobutylène-isoprène ou caoutchouc butyl :** grande résistance au vieillissement ; inertie chimique ; très bonne imperméabilité aux gaz, d'où son emploi dans les chambres à air de pneumatiques. **Copolymère et terpolymère d'éthylène-propylène :** acceptent des taux élevés de charges et de plastifiants ; excellente tenue au vieillissement. **Polyéthylène chlorosulfoné :** très bonne tenue au vieillissement ; utilisé dans l'enduction des tissus.

• **Caoutchoucs très spéciaux.** Réservés à des emplois particuliers (prix élevé ou difficulté de mise en œuvre). **Fluorés, acryliques et siliconés :** très bonne tenue à la chaleur ; vieillissement excellent ; utilisés dans certains joints. **Polysulfures :** très bonne résistance aux huiles et aux solvants, notamment le benzène. **Polyuréthanes :** très bonnes propriétés physiques.

• **Matières premières utilisées dans la transformation du caoutchouc.** *Caoutchoucs bruts,* naturels ou synthétiques ; *noirs de carbone,* carbon black, obtenus par combustion ou décomposition thermique de gaz naturels ou d'hydrocarbures ; la finesse des particules (quelques microns) a une influence déterminante sur leur action (donnent aux mélanges des propriétés mécaniques exceptionnelles qui ont permis notamment d'améliorer la résistance à l'usure des pneumatiques) [*principaux producteurs* : Ashland Chemical (France) (Port-Jérôme). Cabot France (Berre-l'Étang). Cofrablack (Ambès)] ; *produits chimiques autres que caoutchouc* (agents vulcanisants, accélérateurs de vulcanisation, antioxygènes, plastifiants, stabilisants, agents mouillants, gonflants pour la préparation des c. cellulaires, pigments, charges renforçantes, solvants, etc.) ; *textiles et métaux ferreux* pour armatures.

Statistiques

Dans le monde

• **Consommation de caoutchouc brut** (y compris ind. des câbles électriques, papier, peintures, crêpes semelles) (en millions de t). *1955 :* 3,4 ; *60 :* 4,5 ; *70 :* 8,6 ; *75 :* 10,4 ; *80 :* 12,6 ; *83 :* 12,2 (dont, en % : U.S.A. 20,8, Japon 11,1, All. féd. 4,7, *France 3,5,* Italie 2,9, G.-B. 2,8, Canada 2,3, autres 51,9).

• **Production** (en milliers de t). **Caoutchouc naturel.** *1920 :* 370 ; *38 :* 890 ; *55 :* 1 950 ; *60 :* 2 035 ; *70 :* 3 100 ; *75 :* 3 315 ; *80 :* 3 845 ; *83 :* 4 025 ; *89 :* 4 923 (dont en % : Malaisie 33,7, Indonésie 22,3, Thaïlande 19, Afrique 5,8, Inde 5,2, Ceylan 2,5, Brésil 0,7, autres 10,8). **Synthétique.** *1938 :* 20 ; *55 :* 1 540 ; *60 :* 2 450 ; *70 :* 5 890 ; *75 :* 6 850 ; *80 :* 8 690 ; *90 :* USA 2 114,52. Japon 1 426,08. All. féd. 524,4. *France 521,88.* G.-B. 297,84. Canada 200,11. Italie 133,93. P.-Bas 114,27.

Pneumatiques. Chiffre d'affaires mondial (en milliards de $, en 1988). 36 dont Goodyear (USA) 7,4, Michelin-Kléber (Fr.) 7,3, Bridgestone-Firestone (Japon) 6,6, Continental-General Tire (All. féd.) 4,5, Pirelli-Armstrong (Italie) 2,9, Dunlop-Sumitomo (Jap.) (1990) 3,3, Goodrich-Uniroyal (USA) 1,2, Toyo (Jap.) 0,8, Cooper (USA) 0,5.

Marché mondial du pneu (en %). Michelin-Kléber-Uniroyal 23, Bridgestone-Firestone 20,5, Goodyear 18, Continental 8, Pirelli 7, Sumitomo-Dunlop 6, Yokohama 4, Toyo 2,5, autres 11.

• **Grandes firmes. Michelin.** *1889* créée par Édouard et André Michelin. *1891* 1er pneu démontable (bicyclette). *1923* pneu basse pression. *30* pneu sans chambre. *37* métalic (avec fil d'acier). *49* pneu X à carcasse radiale. *89* rachète Uniroyal Goodrich : 1,5 milliard de $. *1er prod.* de pneus du monde (env. 18 % de la prod.). *Usines :* 61 dont 24 en France (Clermont-Ferrand 5), Eur. occid. 21, U.S.A. 6, Canada 3, Brésil 2, Afrique 2, Asie 3 (Corée, Japon, Thaïlande). *Réseau commercial* dans 142 pays (85 % des ventes hors de France). *Effectif* (1989) env. 119 000, dont 37 000 en France. M. a produit en 1989, chaque jour, plus de 460 000 pneus de 3 300 types différents, 170 000 chambres à air, 50 000 roues, + de 700 t de fils d'acier, soit 3 millions de km ; 60 000 cartes et guides. *Chiffre d'aff.* (milliers de francs) : *1989 :* 55,2, *90 :* 62,7. *Résultats : 1989 :* + 2,65, *90 :* - 5,27. *Endettement net :* 28,5 milliards de F.

Dunlop. *1888* John Boyd Dunlop dépose le brevet du 1er pneumatique. *1893* installation en France et en Allemagne. *1909* installation au Japon. *1920* aux USA. *1984* Sumitomo Rubber Industries prend le contrôle de Dunlop France, du secteur pneum. de Dunlop Angleterre et Dunlop Allemagne et des Stés de vente en Eur. ; *1986* création de Dunlop USA *Usines :* monde 12 (Europe 6, Japon 4, USA 2). *Effectif :* 20 000. *Chiffre d'aff.* (1990, en milliards de $) : 4,25 dont pneumatiques 3,3.

Firestone-Bridgestone. *1900* créé par Harvey Firestone. *1922* pneu « ballon » basse pression. *1930* pneu agraire. *1955* tubeless. *1988* racheté 2,6 milliards de $ par Bridgestone (Japon). *Usines :* monde 40 (dont France 1). *Effectif :* 95 000. *Chiffre d'aff.* (1989) : 76,7 milliards de F.

Goodyear. *Chiffre d'aff.* (en milliards de $, 1990) : 11,3 ; *pertes* 0,038. *Effectif :* 100 000.

Pirelli. *Fondé* 1872 à Milan. A racheté Armstrong. *Usines* 143 dans 16 pays. *Effectif :* 72 000. *Chiffre d'aff. (1988) :* 4,5 milliards de F, dont *(en %) :* câbles (1er dans le monde) 39, pneumatiques (5e dans le monde, 2e en Europe) 44, divers (dont matelas) 17.

Continental. *Fondé* 1871 à Hanovre. A racheté Général Tire en 1988. *Usines :* 47 dans 16 pays. *Effectif :* 51 000. *Chiffre d'aff. (1989) :* 28,5 milliards de F, dont (en %) pneu. 80, caout. ind. 20. 4e r. dans le monde, 2e en Eur.

En France

• **Structures. Branche « pneumatiques »** 9 entreprises de fabrication, 21 établissements : *Continental :* Sarreguemines ; *Dunlop :* Amiens, Montluçon ; *Firestone France :* Béthune ; *Goodyear :* Amiens ; *Hutchinson :* Montargis, Persan ; *Kléber pneumatiques :* Toul, Troyes ; *Michelin :* Clermont-Ferrand, Blanzy, Blavozy, La Chapelle-St-Mesmin, Cholet, Joué-les-Tours, La Roche-sur-Yon, Poitiers, Roanne, St-Doulchard ; *Uniroyal :* Clairoix ; *Wolber :* Soissons ; entreprises de rechapage. **« Caoutchouc industriel »** 250 entreprises (80 % dans moitié nord de la Fr.).

• **Chiffre d'affaires** (en milliards de F). *1980 :* 20,6 (pneu 12,7, caout. industriels 7,9), *83 :* 25,5 (p. 16,3, i. 9,2), *87 :* 31,6 (p. 22,2, i. 9,4).

Commerce (en milliards de F). *1980 :* imp. 4 (exp. 7,8), *83 :* imp. 5,6 dont pneus 2,9, caout. ind. 2,8 (exp. 11 dont pneus 8,1, c. ind. 2,9), *87 :* 3 (2,4).

• **Consommation** (en milliers de t). *1980 :* **caoutchouc brut naturel et synthétique** 476,9 **(noirs de carbone** 225,9), *82 :* 395,2 (192,1), *83 :* 408,1 dont c. naturel 161,1, synthétique 247 (203,7), *87 :* env. 500. **Pneus.** 35 à 36 millions soit 445 000 t (voitures de tourisme 170, poids lourds 140, camionnettes 40, engins agricoles 35, de génie civil, avions 20, chambres à air 20, pneus défectueux 15, procédés de recyclage 5. **Récupération** (milliers de t). 124 dont rechapage 72, poudre pour chaussée 16, construction 9, divers 12.

Effectifs. *1980 :* 98 400 ; *83 :* 82 000 ; *87 :* 73 922.

• **Production. Pneumatique** (en millions de pièces, 1988) : *enveloppes* 65,6 dont voit. de tourisme et assimilées 54, cycles et motocycles (vélos, cyclomoteurs, vélomoteurs, motos, scooters et karts) 12,8, transports routiers (camionnettes, camions et autobus) 4,5, non routiers (agraires, génie civil, avions et manutention) 2,1 ; *chambres à air* 25,5.

Caoutchouc ind. (en milliers de t, 1983) : 301,7 dont mélanges vendus en l'état 27,2, rubans adhésifs 22,4, tubes et tuyaux 21,5, semelles, talons, plaques 19,5, courroies et bandes transporteuses 13,8, tapis et revêtements de sols 11,8, hygiène et chirurgie 7,7, tissus enduits 7,3, enduits et mastics 6,7, petits bandages 5,7, garnissage de cylindres 1,3, articles de sport 0,6, garnissage anticorrosif 0,5, ébonite 0,3, autres 155,4.

Rechapage (en milliers d'enveloppes, 1983) : 2 548 dont voitures de tourisme et assimilées 1 303, camionnettes légères 204, poids lourds 979, autres 62.

Chimie

Généralités

Quelques dates

1766 *production de l'acide sulfurique* (procédé des chambres de plomb). **1791** *fabrication de la soude* (procédé *Leblanc*). **1868** *fabrication de la soude caustique* par le procédé à l'ammoniaque *Solvay.* Puis production industrielle de l'*acide sulfurique* et de la *soude* par *Kuhlmann.* **1900** *synthèse de l'acide sulfurique* par le procédé de contact (on fait passer du gaz sulfureux à l'état d'anhydride sulfurique en l'oxydant au moyen de l'oxygène de synthèse en présence d'une masse platinée ou imprégnée de vanadium). **1914** *synthèse de l'ammoniac* par les Allemands Haber et Bosch à partir de l'azote atmosphérique et de l'hydrogène venant du gaz à l'eau, du gaz de cokerie ou de l'électrolyse de l'eau. Procédé perfectionné par divers savants, dont le Français Georges Claude (1870-1960) en 1918. **1925** *synthèse des hydrocarbures* (rendant possible notamment la fabrication des huiles de graissage et des corps gras alimentaires du type margarine, de l'alcool méthylique et du caoutchouc GRS). **Dep. 1925** polymères synthétisés : nombreuses applications (matières plastiques, fibres textiles, caoutchouc synth., etc.). Ex. : *1928* polyéthylène, *1931* polychlorure de vinyle (PVC), *1937* polyamide 6-6 (nylon), *1938* polystyrène, *1939* polytétrafluoroéthylène (téflon), *1940* fibre polyester, *1943* streptomycone, *1954* résine polypropylène, *1959* tranquillisants, *1973* synthèse des pyréthrinoïdes.

Éléments naturels de base

Chimie minérale. *Soufre* et son dérivé l'acide sulfurique. *Eau de mer* et *sel de carrière* dont on extrait le chlorure de sodium avec toute la gamme des dérivés sodiques. *Air* dont on extrait les gaz dont il est composé. *Charbon, pétrole* et gaz naturel. *Calcaire* et phosphates.

Chimie organique (ch. du carbone, du pétrole, du gaz naturel). *Acétylène, éthylène, propylène, phénol, butylène, isobutylène, butadiène, méthanol de synthèse.* A partir de ces produits seront fabriqués : matières plastiques, textiles artificiels, caoutchouc, produits pharmaceutiques, solvants, peintures, détergents, insecticides, etc. Voir plus loin.

La chimie dans le monde

Statistiques globales

Source. Féd. chimiques nat. et CEFIC.

Chiffres d'affaires [1]. USA 258,6, Japon 163,3, All. féd. 100,6, *France 64,2,* Italie 51,6, G.-B. 50,6, Belgique/Lux. 28,1, P.-Bas 26,3, Suisse 15,4, Suède 8,4.

Importations [1]. Europe de l'Ouest 171 (dont All. féd. 32,8, *France 23,5,* Italie 21,6, G.-B. 19,3, Belgique/Lux. 17,4, P.-Bas 14,2, Espagne 10,4, Suisse 7,6, Suède 5,2). USA 22,5. Japon 16. Canada 7,5.

Exportations [1]. Europe de l'Ouest 199,7 (dont All. féd. 52,3, P.-Bas 24, *France 26,7,* G.-B. 23,7, Belgique/Lux. 20,6, Suisse 13,7, Italie 12,9, Espagne 6,2). USA 39. Japon 15,9. Canada 5,2.

Nota – (1) En milliards de $ en 1990.

Effectifs salariés (en milliers). Europe de l'Ouest 2 045 (dont All. féd. 592, G.-B. 317, *France 263,* Espagne 240, Italie 217, Belgique/Lux. 96, P.-Bas 93, Suisse 73, Autriche 56, Suède 41, Danemark 27). USA 1 085. Japon 397. Canada 100.

Principaux groupes. Chiffre d'affaires. (en milliards de $, 1990). BASF [1] 31,2. Hoechst[1] 30. Bayer [1] 27,9. ICI [2] 24,9. Du Pont USA (hors pétrole) 22,3. Dow Chemical [3] 19,8. Rhône-Poulenc [5] 15,5. Ciba Geigy [4] 15,5. Shell Chemicals [2,6] 12,7. Atochem [5] 10,4. Akzo 10,2. Exxon 9,6. Monsanto 9.

Nota. – (1) All. féd. (2) G.-B. (3) USA (4) Suisse. (5) France. (6) P.-Bas. (7) Italie.

La chimie en France

Source : Union des industries chimiques.

• **Données globales. Chiffre d'affaires** (en milliards de F, hors taxes). *1978 :* 113,6, *80 :* 159,4, *85 :* 285,8, *86 :* 273,3, *87 :* 285,1, *88 :* 318,4, *89 (est.) :* 348,4 dont chimie de base 158,4, organique 120,3, parachimie 108,7, pharmacie humaine et vétérinaire 81,3, ch. minérale 38,1. **Investissements** (en milliards de F). *1985 :* 11,7, *86 :* 13,7, *87 :* 15,4, *88 :* 17, *89 :* 20,6.

Main-d'œuvre. *1981 :* 285 060 ; *85 :* 262 340 ; *89 (est.) :* 268 200.

• **Production. Chimie minérale** (en milliers de t, 1989). *Produits chimiques de base :* Acide sulfurique (en SO_4H_2) 4 135,2. Soude caustique (en NaOH) 1 531,8. Chlore gazeux 1 448,6. Chlore liquéfié 756,7. Acide chlorhydrique (en HCL à 21° B) 689,1. *Industrie de l'azote :* Ammoniac (en N) 1 477 (est.). *Engrais phosphatés et composés :* E. phos. pour livraisons et fabrication d'e. composés 475,2. Acide phosphorique pour e. 514,8. E. composés 6 269. *Gaz comprimés (en millions de m³) :* Oxygène 1 857,1. Acétylène dissous 9. Hydrogène 470,8. Azote 1 687,8. Argon 46,6. *Produits chimiques minéraux divers :* Oxyde de zinc 44,4.

Chimie organique (en milliers de t, 1989). *Produits organiques de base :* Formol 100,4. Éthylène 2 523. Propylène 1 608. Butadiène 329. *Matières colorantes* 48,5. *Mat. plastiques* 4 259 dont résines phénoplastes 64, aminoplastes 139, alkydes 46. Polyesters non saturés 77. Polystyrène standard et choc 391. Polyéthylène basse densité 903, haute 244. Polypropylène 702. Polychlorure de vinyle 1 055. *Caoutchoucs synthétiques* 591. *Benzols et dérivés* (y c. prod. pétrolière) : Benzène 670,5. Toluène 33,5. Xylènes mélangés 169.

Colle traditionnelle. A partir de substances naturelles végétales, animales ou minérales ; obtenue sous forme liquide, après avoir fait bouillir, par ex., des arêtes de poisson (sécotine), des os d'animaux, de l'amidon de maïs ou des fécules de pommes de terre (dextrines). **Colles modernes ou produits adhésifs.** Produits de synthèse souvent dérivés de produits pétroliers. 2 formes : colles prenant par simple échauffement (néoprène), colles n'adhérant que par l'intermédiaire de réactions chimiques. Ex. : colles polymérisées qui se durcissent au contact de l'humidité en provoquant une modification structurale des molécules, ou les époxy prenant grâce à un durcisseur (utilisées pour le collage en aéronautique). On peut, avec les colles acryliques, provoquer l'adhésion des matériaux sous l'eau. Les colles cyanoacrylates remplacent les points de suture en chirurgie (application plus rapide, cicatrices plus discrètes).

• **Parachimie** (en milliers de t, 1989). *Explosifs* 44,2 dont : encartouchés 26,1, en vrac 18,1. *Colles* 396 dont : colles fusibles 31,3, ciments-colles 112,9, colles mastics 3,8. *Savons* 73,4. *Détergents* 1 371,2. *Peintures, vernis et encres d'imprimerie :* peintures et vernis en émulsion 122,6, glycérophtaliques 186,8. Peintures et vernis aux autres résines artificielles et synthétiques 290,2. Mastics, enduits, peintures et vernis bitumeux 41,1. Encres d'imprimerie (y c. diluants et adjuvants pour encres) 68,1.

• **Commerce** (en milliards de F, 1989). *Exp. :* matières plastiques 23,7, produits organiques 37,4, huiles essentielles et parfumerie/cosmétiques 19,7, pharmacie 15,4, autre parachimie 16,3, autres produits 24,4, engrais 1,3, produits minéraux 8,5. *Imp. :* mat. plast. 21,6, prod. org. 35,3, huiles ess. et parf./cosm. 4,5, pharm. 6,9, autre parach. 19,5, autres prod. 23,2, engrais 6,3, prod. min. 7,4.

Par grandes zones (en milliers de F, 1989). *Exp. :* CEE 87, autres OCDE : Europe 13, Afrique 10,7, USA 8,3, Asie 6,7, Pays de l'Est 5,7, Japon 3,5, Amérique latine 3,5, Moyen-Orient 2,6, autres pays 5,9. Total 147,1. *Imp. :* CEE 88,5, autres OCDE : USA 11,6, Europe 11, Japon 3,6, Pays de l'Est 2,5, Afrique 1,6, Asie 1,6, Amérique latine 1,3, Moyen-Orient 0,6, autres pays 2,3. Total 124,8.

Engrais

Source : Synd. nat. de l'ind. des engrais.

Catégories principales

• **Engrais azotés. Minéraux.** Surtout fabriqués à partir de la synthèse de l'ammoniac, obtenu par la combinaison de l'azote, extrait de l'air, et de l'hydrogène provenant du gaz naturel. On distingue : les engrais *ammoniacaux* (sulfate d'ammoniaque et urée), *nitriques* et surtout *ammoniacaux-nitriques* (ammonitrates et solutions azotées). **Organiques** [d'origine animale : *guano* du Pérou (excréments d'oiseaux et débris de poissons), déchets industriels (corne, laine, poissons, etc.) ou d'origine végétale]. Utilisés surtout sur cultures maraîchères, vignes, arbres fruitiers. Ils entrent aussi dans la fabrication d'engrais organo-minéraux.

Production d'azote (en milliers de t, 1989-90). Chine 14 540, URSS 14 229, USA 12 219, Inde 6 747, Canada 3 190, Roumanie 2 035, P.-Bas 1 850, *France 1 521,* G.-B. 952, Japon 946, All. féd. 788. *Monde 80 142.*

• **Engrais phosphatés.** Ils proviennent 1°) *des scories de déphosphoration :* sous-produits de la fabrication de l'acier ; 2°) *des phosphates naturels :* soit employés directement après avoir été finement broyés, soit solubilisés par un acide (chlorhydrique, sulfurique, phosphorique) pour produire notamment les superphosphates.

Production. Anhydride phosphorique (P_2O_5) (1989-90, milliers de t). USA 9 554, URSS 8 942, Chine 3 808, Inde 1 834, Brésil 1 109, Pologne 946, *France 940,* Roumanie 648, Canada 450, Japon 345. *Monde 37 800.* **Phosphate naturel** (1989, milliers de t). USA 49 174, URSS 39 000, Maroc 17 988, Chine 17 000, Tunisie 6 921, Jordanie 6 645, Brésil 3 655, Togo 3 356, Afr. du S. 2 963. *Monde 163 232.*

• **Engrais potassiques.** Obtenus à partir de minerais naturels (sylvinite, kaïnite, carnalithe, etc.) constitués de sels de potassium, de sodium et parfois magnésium. *Principaux :* chlorure de potassium (séparé par procédés physiques), sulfate de potassium.

Production (1989-90, en milliers de t K_2O). URSS 10 232, Canada 6 784, All. dém. 3 200, All. féd. 2 291, USA 1 332, Israël 1 301, *France 1 199. Monde 26 066.*

• **Engrais composés.** Ils apportent 2 ou 3 éléments majeurs (azote, anhydride phosphorique, potasse). On distingue : *les engrais obtenus par mélange mécanique* de matières premières simples solides et se présentant sous forme pulvérulente ou granulée : il s'agit surtout d'e. binaires PK ; *produits directement par action chimique (e. complexes)* entre des mat. premières et des produits intermédiaires (phosphates naturels, ammoniac, acide nitrique, sulfurique, phosphorique, chlorure de potassium, etc.) : e. complexes ternaires NPK, binaires NP ou NK ; *fluides :* liquides ou en suspension.

Les engrais en France

• **Production** (1989-90, en milliers de t). Azotés 1 521 (N) ; ammoniac 1 494 (en azote N) ; phosphatés

1 025 et acide phosphorique 526 ; potassiques 1 199, ternaires NPK 3 682.

• **Consommation** (1989-90, en milliers de t d'éléments fertilisants) 6 000 dont azote (N) 2 660 anhydride phosphorique (P_2O_5) 1 495, potasse (K_2O) 1 949. **Utilisation d'engrais** (en kg par ha cultivé, 1989-90) : 218 dont azote 95, anhydride phosphorique 53, potasse 70. *Comparaison* (1990) : P.-Bas 300, Belg. 245, All. féd. 240, Danemark 228, *France 218,* G.-B. 136, Italie 104, Irlande 121.

• **Principales sociétés.** Sté Chimique de la Grande Paroisse, Hydro Azote, Sté commerciale des potasses et de l'azote (filiale d'EMC-Entreprise minière et chimique), Cedest Engrais, Groupe Roullier.

Matières plastiques

Sources : Féd. française des industries transformatrices de plastique, Synd. prof. des producteurs de matières plastiques.

Généralités

• **Définition.** Matière modelable ou moulable. De nos jours, désigne de hauts polymères de synthèse susceptibles ou non de se ramollir par élévation de la température.

• **Quelques dates. Jusqu'au milieu du XIXe s.,** tirées de substances naturelles travaillées à la température normale (glaise, cire, mastic) ou après chauffage (corne, écaille, gomme-laque, ambre, etc.). **1870** l'Américain J.W. Hyatt réalise chimiquement le *celluloïd,* à base de nitrate de cellulose et de camphre. **1884** le Cte Hilaire de Chardonnet (Fr.) dépose le 1er brevet de fil en mat. artificielle (nitrocellulose). **1900** en faisant agir le formol sur la caséine du lait convenablement hydratée, on obtient la *galatithe.* **1907** le Belge Baekeland obtient, à partir du formol et du phénol chauffés en autoclave, une résine synthétique, la *bakélite.* **1925 et après** les découvertes se multiplient.

• **Classification. 1°) Matières thermoplastiques.** Soumises à l'action de la chaleur, subissent un ramollissement et redeviennent pâteuses ; refroidies, elles retrouvent l'état solide initial. Elles sont théoriquement réutilisables indéfiniment. Résistantes à l'action de nombreux agents chimiques.

Polychlorure de vinyle : inerte chimiquement. Utilisation : emballages, canalisations d'eau et téléph., industrie chimique, câbleries électriques. *Polyéthylènes :* flexibles, translucides, résistant aux agents chimiques. Ut. : articles ménagers, jouets, emballages, films agricoles. *Polypropylène :* bonne résistance à la température et aux chocs. Ut. : cordages, auto, art. ménagers. *Polystyrène et copolymères de styrène :* mise en œuvre facile, aspect esthétique. Ut. : emballages, jouets, art. mén., films photo, isolants dans le bâtiment (sous forme alvéolaire). *Polyamides :* diélectriques, propriétés mécaniques excellentes. Ut. : textiles, pièces industrielles. *Résines acryliques* (plexiglas, altuglas) : transparentes, coloris variés. Ut. : cockpits d'avion, enseignes, mobilier.

2°) **Matières thermodurcissables.** Soumises à l'action de la chaleur, deviennent dures et ne se ramollissent plus par la suite. Se solidifient sous l'action combinée de catalyseurs, de durcisseurs et de la chaleur. Insensibles généralement aux agents chimiques et notamment aux solvants.

Polyesters : fabriqués à partir de glycols, styrène, d'anhydrides phtalique et maléique ; combinés à la fibre de verre ; résistance mécanique élevée. Utilisation : coques de bateaux, carrosseries automobiles, cuves, éléments de bâtiment, cannes à pêche. *Polyépoxydes :* fabriqués à partir de bis-phénol A, de chlorhydrine et d'amines ; mêmes utilisations que polyesters, plus résistants. *Résines glycérophtaliques :* utilisation : peintures, vernis. *Aminoplastes :* urée ou mélamine et formol, dureté de surface, diélectriques, aspect esthétique : utilis. : ind. électrique, art. ménagers, plaques stratifiées. *Phénoplastes :* diélectriques, résistent à l'abrasion et aux chocs et au feu. Utilisation : ind. électrique, abrasifs.

Techniques de transformation : par moulage, compression, injection, extrusion, calandrage, rotation, etc., à partir de poudres ou de granulés. Dans le moulage par injection, la matière est chauffée et ramollie avant d'être introduite sous pression dans le moule. Après solidification, la pièce moulée est éjectée hors du moule. Films, feuilles et profilés sont obtenus par extrusion de la matière ramollie à travers une filière. Bouteilles et corps creux sont soufflés dans un moule à l'état pâteux. Les grands corps creux peuvent être fabriqués par rotomoulage (moule chauffé tournant à faible vitesse). Production de certaines pièces par formage à partir de feuilles préalablement ramollies et pressées dans un moule. Des pièces simples peuvent être usinées à partir de demi-produits (feuilles, planches, rondins).

Procédés spéciaux avec les résines polyesters et polyépoxydes liquides. Ainsi, les résines polyesters mélangées à de la fibre de verre peuvent être moulées à froid, par contact (coques de bateaux).

Statistiques

Dans le monde

Production (en milliers de t, 1989). USA 26 556, Japon 11 955, All. féd. 9 055, *France 4 259,* P.-Bas 3 265, Italie 3 010, Belgique 2 808, Canada 2 187, G.-B. 2 032, Espagne 1 934, Autriche 919, Australie 790, Hongrie 637,70, Afrique du Sud 536, Norvège 445, Finlande 400, Inde 350, Portugal 319,80, Israël 221,43, Roumanie 220, Suisse 167,89.

Consommation (en milliers de t, 1989). USA 26 957, Japon 10 987, All. féd. 8 088, Italie 4 000, *France 3 611,* G.-B. 3 445, Espagne 2 053, Canada 1 941, Belgique 1 426, P.-Bas 1 120, Australie 1 025, Autriche 776, Inde 776, Suisse 626,57, Afrique du Sud 555, Hongrie 481,70, Danemark 469,80, Finlande 420, Portugal 374,40, Roumanie 326, Norvège 310, Inde 226,80, Nlle-Zél 129. **Par habitant** (en kg, 1989). Belgique 144, All. féd. 130,90, USA 108, Autriche 102, Finlande 94, Suisse 93,20, Danemark 91, Japon 89,10, P.-Bas 75. Canada 73,5, Norvège 73, Italie 70, *France 64,* Australie 61, G.-B. 60,5, Espagne 54,4, Israël 49,3, Hongrie 45,4, Nlle-Zél. 39,1, Portugal 36,3, Afrique du Sud 16,8, Inde 0,79.

Chimistes mondiaux (chiffres d'affaires 1988, milliards de $). Bayer [1] 22,7. Hoechst [1] 21,9. BASF [1] 21,5. ICI [2] 21,1. Du Pont de Nemours [3] 19,6. Dow Chemical [3] 16,7. Unilever [5] 12,3. Royal Dutch Shell [5] 11,8. Ciba-Geigy [4] 11,1. Procter & Gamble [3] 11. Rhône-Poulenc [6,7] 10,8. Exxon [3] 9,9. Union Carbide [3] 8,3. Elf Aquitaine [6,8] 8,2.

Nota. – (1) All. féd. (2) G.-B. (3) U.S.A. (4) Suisse. (5) G.-B./P.-Bas. (6) France. (7) Avec ses récentes acquisitions (Chemicals et GAF), passe à la 8e place avec 11,9 milliards de $. (8) Toute la division chimique (Atochem, Sanofi, Pennwalt, M & T, Texas Gulf Chemicals).

En France

Effectif. 180 000 personnes travaillent à la production et à la transformation des matières plastiques.

Production (en milliers de t, 1990). 4 297,8 (dont thermoplastiques 80 %, thermodurcissables 8 %, divers 12) dont phénoplastes 63, aminoplastes 150, alkydes 43, polyesters insaturés 82, polyéthylène BDR 667, p. BDL 186, p. HD 246, polypropylène 776, polystyrène 395, expansible 147, PVC 1 027, vinyliques 47, polymeth/acryliques 110, divers 358,8.

Commerce extérieur (en milliers de t, 1989). Import. 2 413,7. Export. 2 885,1. **Consommation** (en milliers de t, 1990, est.). 3 975 dont phénoplastes 60, aminoplastes 198, alkydes 90, polyesters insaturés 84, polyéthylène BDR 595, p. BDL 170, p. HD 480, polystyrène 258, p. expansible 105, PVC 910, vinyliques 60, polymeth/acryliques 120, divers 495.

Principales applications (en %, 1988). Emballages 33, bâtiment 20, électricité-électronique 12, transport 8, autres applications 27.

Déchets (1989) *recyclés* 100 000 t (1 t de PVC recyclée fait économiser 0,4 t de pétrole). *Incinération avec récupération d'énergie* env. 700 000 t (1 t = 650 kg de fuel) d'où 450 000 t de pétrole économisées.

Dégradation. *Biodégradation.* Seuls les matériaux cellulosiques et certains polymères spéciaux, en général sensibles à l'eau, peuvent être détruits facilement par les micro-organismes.

Photodégradation. Destruction par les agents naturels possible pour certains polymères, surtout intéressante dans le domaine agricole (films de paillage en polyéthylène par ex.).

Matières plastiques et énergie. Grâce à leurs caractéristiques (légèreté, facilité d'entretien, souplesse de conception des pièces, etc.), les mat. plastiques présentent souvent pour une même unité d'usage (ou service rendu) un bilan énergétique total plus favorable que celui d'autres matériaux. D'où leur développement dans l'automobile (réduction de la consommation grâce à l'allégement des véhicules), l'isolation thermique des bâtiments, les cultures sous abri, etc.

Matériaux composites. Nés dans les années 1970. Composés d'un squelette, le renfort (fibres de verre, carbone, aramide) et d'un corps, la matrice : aussi solides que les alliages métalliques mais plus légers. Consommation *1979* : 550 t, *83* : 2 500, *90* (est.) 350 000 t. **Utilisation.** Voitures 2 fois plus légères, avions, raquettes de tennis, forages pétroliers, etc.

Savons et détergents

En France

Production (en t, 1990). *Savons* 119 201. *Détergents* en poudre 635 248, liquides 606 156.

Consommation par an et par hab. (en g, 1990). **Savons** 1 833, de toilette 603, de ménage 360. Autres savons 870 (dont produits spéciaux pour les mains des mécaniciens 398, liquides 211, industriels 173, paillettes et copeaux ménagers 74, mous 14). **Détergents** 23 559, poudre 11 476 (textiles 10 039, vaisselle 1 011, nettoyage 425) ; liquides 11 906 (nettoyage 3 650, rinçage textiles 3 210, vaisselle 2 586, textiles 2 458). Autres usages industriels 117.

Part de marché des poudres à laver (en %, 1986). Procter et Gamble (USA) 30, Lever (P.-Bas) 27, Henkel (All. féd.) 20, Colgate-Palmolive (USA) 17, Caubet-Tensia (Belg.), Menuel-Problanc (France) 6.

Principaux groupes

Colgate Palmolive. Filiale de Colgate Palmolive Co (New York). *Chiffre d'aff.* France (1989) 3,7 milliards

Savon

Quelques dates. Antiquité. Diverses lessives utilisées faites de cendres et de graisses, saponaire, argile à foulon et divers détergents minéraux. Mot latin désignant la préparation moussante utilisée par Germains et Celtes : mixture à base de graisse de chèvres et de cendres de bouleau. **Moyen Age.** Véritable savon, produit d'un alcali (d'origine arabe, alkali désigne la plante maritime que nous appelons soude, d'où l'on tirait jusqu'à la fin du XVIIIe s. le produit du même nom) sur un corps gras apparaît, vraisemblablement introduit en Europe par les Croisades. **XIIe s.** apparition de savonneries et de corporations. 1res fabriques renommées en Espagne et Italie : savon de Naples, Alicante, Gênes, Bologne, Venise. **Milieu XVe s.** savonneries à Marseille (46 fin XVIIe).

Techniques. Produit obtenu en formant à partir d'un corps gras et d'un alcali une combinaison soluble remarquable par son action détersive et émulsive en présence de l'eau. *Évolution :* utilisation des corps gras végétaux pour remplacer les corps gras animaux, emploi de la chaux pour transformer les carbonates alcalins en potasse et en soude ; *1791 :* procédés permettant la fabrication de la soude artificielle. Un savon peut être mou si on utilise de la potasse ou dur si on emploie de la soude.

Procédés utilisés. En France du XVIIe s. à l'époque moderne on fabrique le s. blanc (dit de Marseille) « *à la petite chaudière* » : pâte cuite et brassée sans épuration, produit souvent médiocre ; « *à la grande chaudière* » : *1°) empâtage* (mélange du corps gras et d'une lessive de soude, solution aqueuse d'un alcali, porté et maintenu un certain temps en ébullition) ; *2°) relargage* (on ajoute à la pâte obtenue une lessive de cuite liquide qui sépare la glycérine dont l'excès gênerait le séchage du savon) ; *3°) cuite* (pâte de savon obtenue après relargage et additionnée d'une lessive salée, puis portée à ébullition plusieurs h ; lessive utilisée soutirée par un robinet à la base de la chaudière) ; *4°) façonnage* (la pâte du s. prête à l'emploi est séchée à l'air dans de gros moules ou « mises » en attendant d'être assez dure pour être façonnée et marquée ; du XVIIe s. au milieu XIXe s. on coupait les blocs de s. au fil et on les marquait à la main).

Le savon issu de ces opérations peut être blanc si la soude est pure ou coloré si elle ne l'est pas. A partir du savon en copeaux, on prépare les s. de toilette et savonnettes en ajoutant au savon broyé des parfums et des corps adoucissants ; le façonnage se fait à la presse. Actuellement le s. est préparé avec des suifs ou des huiles végétales (coprah, palmistes, arachides). Blanchissement sous vide à 100° dans une chaîne continue automatisée en acier inoxydable. Séchage (également en chaîne) fait passer le savon de 63 à 70 ou 80 % d'acides gras. Coupe, moulage, conditionnement sont aussi automatisés.

de F. *Effectif* 2 000. *Filiales rattachées à la France :* Cotelle S.A, Maroc, Côte-d'Ivoire, Sénégal. *Détergents linge :* Axion 2, Gama, Génie, Paic Douceur (liquide et poudre), Paic Main. *Adoucissants textiles :* Soupline, S. feuille, Ultra doux, Éco. recharge Soupline. *Dét. vaisselle :* Palmolive, Paic citron, *Dét. lave-vaisselle :* Galaxy. *Produits d'entretien :* Ajax frais, A. citron vert, A. crème citron vert, A. vitres, A. poudre, Persavon, Javel Lacroix, Javel Plus, Lacroix W.C. net. *Savons :* Cadum (créé 1912), Palmolive, Donge, Cléopatra. *Dentifrice :* Colgate, Ultra-Brite, Tonigencyl, Colgate rinçage, brosses à dents Colgate. *Mousse à raser et shampooing :* Palmolive. *Déodorant :* OE. *Emballages ménagers :* Scel'O'Frais. Détergents d'entretien pour professionnels.

Henkel France. Filiale de Henkel KGaA (Düsseldorf). *C.A. France* (1990) : 5,5 milliards de F. *Effectif :* 3 128. *Détergents et produits d'entretien :* Super-Croix, X-Tra, Le Chat Machine, Mir Couleurs, Mir Express, Mir Laine, Mini Mir, Minidou, Bref, Maxinet, Bref Javel net, Somat, Décap'Four, PPZ Moquette, Miror, Argentil, Savons Le Chat. *Cosmétiques et hygiène corporelle :* Fa, Diadermine, City, Tera-Xyl, Le Chat Toilette, Le Chat Mousse. *Colles et adhésifs :* Pattex, Perfax, Pritt, gamme Rubson. *Colles et adhésifs ind. Hygiène et nettoyage en agriculture, industrie et collectivités.*

Lever. Une des filiales d'Unilever (Londres/Rotterdam), avec Astra-Calvé, E.G.F. (Elida Gibbs-Fabergé) etc. *C.A. France* (1989) : 3,5 milliards de F. *Effectif :* 1 618. *Lessives :* Coral poudre, Coral liquide, Omo poudre, Omo micro, Omo liquide, Persil poudre, Persil micro, Persil liquide, Skip poudre, Skip liquide, Skip micro, Lux paillettes, Wisk. *Détergents vaisselle, main :* Lux, Soleil, Dove ; *machine :* gammes Sun et Soleil. *Produits de récurage :* Vim. *Nettoyants ménagers :* Cif standard, Cif multi-usages, Vigor, Domestos. *Savons :* Lux beauté, Soleil toilette. *Parfumerie :* Lux gel douche, Lux bain moussant. *Adoucissant textile :* Cajoline standard, Cajoline concentré, Cajoline à diluer. **Lever industriel.** Détergents pour ind. et collectiv.

Procter & Gamble France. Filiale française de The Procter & Gamble Co (Cincinnati, Ohio). *C. A.* (1990) 7,2 milliards de F. *Effectif* 2 000. *Lessives :* Ariel, Ariel Liquide, Vizir, Dash 3, Bonux main, Bonux main Plus, Bonux machine, B. machine liquide. *Nettoyants ménagers :* Spic, Mr Propre, Mr Propre Super Crème, Viakal. *Savons toil. :* Camay, Monsavon, M. bol à raser, Zest. *Adoucissants textiles :* Lénor Ultra, Lénor Ultra Concentré, Lénorette. *Couches-culottes :* Pampers, Phases. **A travers filiales.** Pétrole Hahn, Pantène, Hégor, Vicks, Eau de Botot, etc.

Peintures et encres d'imprimerie

Dans le monde

Production de peintures et vernis (en milliers de t, 1987). All. féd. 1 305, Italie 708, G.-B. 702, *France* 675, Espagne 327, P.-Bas 253, Suède 203, Belgique 154,5, Danemark 150, Autriche 126, Suisse 123, Portugal 104, Finlande 96, Norvège 80.

Principales Stés. (chiffre d'affaires peinture mondial 1988, en milliards de F). *Source :* Cabinet Precepta. ICI [1] 14,8, BASF [2] 11,8, PPG [3] 11,6, Hoechst [2] 11, Akzo [4] 8,4, Nobel [5] 6, Courtaulds [1] 5,5, Du Pont [3] 4, William Holdings [1] 37, Orkem [6] 1.

Nota. – (1) G.-B. (2) All. féd. (3) USA. (4) P.-Bas. (5) Suède. (6) France.

Consommation de peintures et vernis (en kg/habitant, 1986). Danemark 25,9. USA 21,1 [4]. Suède 22,6. Suisse 20,4. Norvège 19,5. All. féd. 19,4. Finlande 17,9. Autriche 16,1. Belgique 15 [7]. P.-Bas 15,3. Italie 11. *France 10,8.* Portugal 9,2 [7]. G.-B. 7,2. Espagne 7,6 [7].

Nota. – (1) 1974. (2) 1975. (3) 1976. (4) 1977. (5) 1979. (6) 1980. (7) 1983. (8) 1984.

En France

Livraisons (peintures, vernis et couleurs fines, en milliers de t, 1990). Peintures et vernis aux résines artificielles et synthétiques 302, glycérophtaliques 170, en émulsion 125, revêtements épais 82, peint. et vernis à l'huile et div. 31, mastics enduits peint. et vernis bitumineux 40, autres mastics et enduits 146, couleurs fines 3, adjuvants et préparations diverses. *Total 935* (dont peintures film mince et revêtement épais 709).

Commerce extérieur (en millions de F). **Imp.** *1986 :* 2 089, *1987 :* 2 276, *1988 :* 2 531, *1989 :* 2 809, *1990 :* 2 901. **Exp.** *1986 :* 2 169, *1987 :* 2 149, *1988 :* 2 182, *1989 :* 2 463, *1990 :* 2 571.

Industrie pharmaceutique

Dans le monde

Nombre de présentations (1989). **Étranger.** All. féd. 22 700, Italie 10 300, Espagne 9 500, G.-B. 6 000. **France.** *1930 :* 25 000, *59 :* 20 000. *1989 (est.) :* 8 500 pour 4 200 produits et 3 000 principes actifs de base.

Production (en milliards de $, 1989). USA 44,5, Japon 31,2, All. féd. 11, *France 9,1,* Italie 8,4, G.-B. 4,5, Canada 3,5, Espagne 3,3, Brésil 2,5.

Chiffre d'affaires médicaments (en milliards de $, 1990). Merck [1] 5,4. Bristol Myers Squibb [1] 4,8. Glaxo [2] 4,7. Smith-Kline Beecham [2] 4,3. Hoechst [3] 4,2. American Home Products [1] 4,1. Ciba-Geigy [4] 3,7. Bayer [3] 3,6. Sandoz [4] 3,4. Rhône-Poulenc [5] 3,3.

Nota. – (1) USA. (2) G.-B. (3) All. féd. (4) Suisse. (5) France.

Principaux pays exportateurs (en milliards de F, 1986). All. féd. 13,6. G.-B. 10,4. *France 10,8 (16 en 89).* Suisse 10,8. USA 8,4. UEBL 5. Pays-Bas 3,6. Italie 3,5. Danemark 3,5. Japon 0,9.

Consommation mondiale de produits pharmaceutiques (1989). 164,5 milliards de F dont en % USA 27, Japon 19, All. féd. 6,7, Italie 5,1, G.-B. 2,8. Can. 2,1. Esp. 2. Autres 30,2.

Médicaments les plus vendus dans le monde. Chiffre d'affaires (milliards de $, 1988). *Source :* Flemings Research. Zantac [1] 2, Tagamet [1] 1,1, Tenormin [2] 1, Capoten [3] 1, Vasotec [3] 1, Adalat [4] 1, Voltarène [5] 0,7, Félolène [5] 0,6, Ceclor [6] 0,6, Naprosyne [5] 0,6.

Nota. – (1) Anti-ulcère. (2) Bétabloquant. (3) Antihypertenseur. (4) Inhibiteur de calcium. (5) Anti-inflammatoire. (6) Antibiotique.

☞ Aspirine (acide salicylique). *Production :* 34 000 t (dont France 1 500 t). *Ventes mondiales :* 11 milliards de F.

En France

Source : Syndicat nat. de l'ind. pharmaceutique.

Généralités

• Chiffre d'affaires. 73 milliards de F H.T. en 1990 en médicaments à usage humain. *Résultat net* comptable par rapport au C.A. H.T. *1989 (est.) :* 3,9 %.

• Spécialités médicales. Elles ne peuvent faire l'objet de publicité directe auprès du public, seule l'information des praticiens est permise dans des conditions définies par décret. Certaines ne peuvent être vendues que sur prescription médicale (ordonnance) ; l'ordonnance des stupéfiants doit être établie sur un carnet à souche spécial. **Grand public.** Peuvent faire l'objet, après visa du min. de la Santé, d'une publicité directe auprès du public ; non remboursées par la Sécurité sociale. Représentent 8 % du chiffre d'affaires de l'ind. pharmaceutique.

• Laboratoires. *Nombre : 1950 :* 1 960 ; *70 :* 880 ; *80 :* 392 ; *89 :* 358 ; *90 :* 362. *Effectifs* (89) : 77 000 dont ouvriers et employés 40,4 %, visiteurs médicaux et VRP 21,3 %, cadres 19,2 %, techniciens et agents de maîtrise 19.

Part des marchés contrôlés par des intérêts non français (en %). Inhibiteurs d'ovulations 99,7, corticoïdes 99,2, antibiotiques 82, antidépresseurs 79, broncho-dilatateurs 77, tranquillisants 75, vasodilatateurs 72, anti-inflammatoires 67.

• Recherche. Représentait en 1989 16,2 % des effectifs et 12,3 % du chiffre d'aff.. Sur la période 1975-89, la France se situait au 3e rang derrière USA et Japon pour la découverte de nouveaux principes actifs ayant abouti à des médicaments. Sur 10 000 molécules synthétisées, 1 seule devient un médicament ; les principes actifs qui entrent dans la composition des produits pharmaceutiques sont presque toujours issus de recherches effectuées depuis 10 ans. *Coût d'un médicament nouveau :* en moyenne 600 à 800 millions de F.

• Consommation pharmaceutique des ménages (1990). **Montant :** 95 925 millions de F soit 1 699 F par an et par personne (2,4 % de la consommation des ménages). *Facteurs principaux : âge* (enfants en bas âge et personnes âgées), *facteur socioculturel* (consommation plus importante en ville qu'à la campagne, chez les cadres que chez les fonctionnaires, employés, ouvriers et salariés agricoles). **Selon le mode d'action** (1990, % du marché total). Thérapeutiques cardio-vasculaires 26,8, digestives 9,8, antibiotiques, anti-infectieux et antiparasitaires 10,9, antalgiques (y compris anti-inflammatoires non stéroïdiens) 9,2, antianémiques, fortifiants et modificateurs de terrain 3,8, appareil respiratoire (voie générale) 8,4, hypnotiques et psychotropes 6,9.

• Distribution. En 1990, env. 18 sociétés de répartition, 228 points de vente, 21 595 officines (70 pharmacies mutualistes et 73 pharmacies minières).

Les grossistes-répartiteurs doivent avoir en stock 2/3 des produits et en valeur un mois de stock, être en mesure de les livrer au plus tard dans les 24 h.

Chiffre d'affaires moyen des pharmacies (en millions de F, HT, 1990). – *de 1,8 :* 7 % . *1,8 à 3 :* 18. *3 à 3,7 :* 20. *3,7 à 4,7 :* 20. *4,6 à 5,2 :* 10. *5,2 à 5,9 :* 10. *5,9 à 8 :* 10. *+ de 8 :* 5. % **du C.A. hors taxes par catégorie de produits.** Spécialités normales 80,4, publiques 4,7, pansements 3,2, parfumerie 3,2, laits 2,3, prod. diététiques (sauf laits) 2,1, accessoires 1,8, droguerie, conditionnés 1,3, préparations 0,5, analyses, locations 0,3, récipients 0,2. *Source :* Le Pharmacien de France.

Principaux groupes

Rhône-Poulenc. 1er groupe chimique fr., 7e mondial. *Chiffre d'aff. consolidé* 1990 : 78 milliards de F (dont 52 % de ventes à l'étranger). *Effectif* (90) : 91 500 (dont 40 000 en Fr.). *Activités (C.A. en %) :* santé 30,2, intermédiaires organiques et minéraux 20,6, fibres et polymères 17,5, spécialités chimiques 17,4, agro 12,8, autres 1,5. Secteur Santé : Rhône-Poulenc Rorer, Pasteur Mérieux, Sérum et vaccin/Connaught, Rhône-Mérieux, Rhône-Poulenc, Animal Nutrition. *Activités* (en %) : pharmacie humaine 72,8, vaccins et protéines humaines 11, nutrition animale 8,2, vétérinaire 4,6, divers 3,4. 69 % du C.A. est réalisé à l'étranger.

Hoechst **AG.** *Filiales françaises :* Sté Française Hoechst. *Chiffre d'aff.* 1990 : 7,3 milliards de F. *Effectif :* 2 263. *Filiales : Roussel Uclaf.* (à 54,50 %) ; pour la santé humaine : lab. Roussel, Cassenne, Diamant, Houdé ISH, Sopharga, Lutsia ; vég. et animale : Procida, Distrivet ; Collectorgane ; Lunettes Solar et Foster Grant. *Fil. Labo. : Hoechst* (à 100 %) : Sapb Hoechst Behring.

SANOFI. Filiale à 62 % d'Elf Aquitaine, 2e groupe pharm. français. *Chiffre d'aff. 1990 :* 18,5 milliards de F, dont 60 % hors de France (présence mondiale de 33 milliards de F au travers de Stés affiliées et de licenciés). *Effectif :* 24 650 dont 10 850 à l'étranger.

Santé humaine (54 % du C.A.) : laboratoires Clin-Midy, Millot-Solac, Labaz, Choay, Diagnostics Pasteur. *Bio-activités* (17 % du C.A.) : arômes et additifs alim., auxiliaires laitiers, arômes de parfumerie, gélatines à usage alim., pharmaceutique et photographique (Ier prod. mondial). *Parfums et produits de beauté* (10 % du C.A.) : Van Cleef & Arpels, Oscar de la Renta, Roger & Gallet, Fendi, Krizia, Molyneux, Stendhal, participations dans Yves Rocher et Nina Ricci. *Semences :* Rustica, Dahlgren, King Group. *Santé et nutrution animale :* Sanofi Santé animale (2e rang en France). *5e quartier :* collecte et transformation de sous-produits de la viande et du poisson : Sté Française Maritime, Soprorga (Ier prod. européen).

Synthélabo. *Chiffre d'aff.* (consolidé en milliards de F, 1990) : 3,3 (dont pharmacie 85 %, biomédical 15 %). *Effectif* (1990) : 4 650 (dont recherche 1 090). *Recherche :* 19,5 % du C.A. *Principales sociétés en France :* Pharmacie (Synthélabo recherche, Synthélabo pharmacie, Laboratoires Synthélabo France), Biomédical (Ela médical-stimulateurs cardiaques, Porgès-sondes).

Autres laboratoires. *Groupe Servier* (français) comprenant lab. Servier, Biopharma et Eutherapie ; *M.S.D.-Chibret* (USA) filiale de Merck Sharp et Dohme ; *Ciba-Geigy* (Suisse) ; *groupe Smith-Kline Beecham* (USA) comprenant lab. SKF, Allergan, Dulcis ; *groupe Lipha* (français) avec filiales Lipha, Anphar-Rolland, Aron, Medicia, Oberval, Pharminter et Ceprophar ; *groupe Hoffman-Laroche* et *Sandoz.*

Dentifrice (1987). *Répartition des ventes Grandes surfaces* 78 % [dont (%) Lever (Elida-Gibbs) (Signal, Pepsodent, Très Prés, Gibbs) 36, Colgate (Colgate, Tonigencyl, Ultrabrite) 30, Henkel (Teraxyl Fluoryl) 11, Beecham (Aquafresh 3) 9, Divers (Émail Diamant, Vademecum, Teelak...) 14]. *Pharmacie* 22 % [dont (%) Goupil (Fluocaril, Fluondontyl, Parogencyl) 33, Pharmascience (Sanogyl) 10, Blendapharm (Blendamyl) 8, Parke-Davis (Émoform) 6, Pierre Fabre (Elavdium) 5, Rhône-Poulenc (Spécia) 4, Divers (Arthrodont, Sensodyne, Homeodent...) 34].

Biotechnologie

Définition. *Met en jeu* les phénomènes propres aux organismes vivants : réactions enzymatiques, fermentation, oxydation, photosynthèse, synthèse des protéines et de diverses autres substances indispensables à la vie (vitamines, enzymes, etc.). *Substrats* micro-organismes (bactéries, moisissures, levures), certains de leurs constituants intracellulaires (enzymes), cellules végétales et anim. en culture *in vitro.*

Technique. *Par fermentation discontinue ;* dans un bioréacteur rempli de milieu nutritif et micro-organismes ; après un certain temps, la réaction est interrompue ; le fermentateur est nettoyé, stérilisé, enfin rechargé. *Continue :* les matériaux de base de la réaction sont introduits sans interruption dans le fermentateur, et la récupération des produits est permanente ; les étapes de la transformation s'effectuant simultanément et à la même vitesse.

Génie génétique. On insère de l'ADN étranger sur le génome d'une espèce donnée pour obtenir, dans cette espèce, un caractère héréditaire codé par l'ADN greffé.

SNPE (Sté nat. des poudres et explosifs). *1336* le roi Philippe VI de Valois octroie une charte aux fabricants de poudre, placés sous l'autorité du Grand Maître des Arbalétriers. *1540* François Ier interdit l'exportation du salpêtre. *1547* Henri II impose les collectivités pour la fourniture du salpêtre. *1582* corps de commissaires et contrôleurs des Poudres créé. *1665* Ferme des poudres et salpêtres créée. *1775* remplacée par la Régie royale des poudres. *1791* Agence des poudres et salpêtres créée. *1797* loi du 13 fructidor An V : monopole d'État sur la fabrication des poudres. *1816* organisation du Service des poudres. *1875* autorisation donnée au secteur privé de fabriquer dynamite et poudres à base de nitroglycérine. *1970, 3-7* réforme du régime des poudres et substances explosives. *1971, 8-3* SNPE créée : autopropulsion, poudres et explosifs, prod. chimiques, nouvelles technologies et composants. Monopole d'État pour la fabrication des poudres. *Chiffre d'aff.* (millions de F, 1987) 3 227 dont marchandises 131,5, biens 2 403, services 693. *Exportations :* 28 % du C.A.

Ciment

Source : Synd. nat. des fabricants de ciment et de chaux.

Généralités

Quelques dates

1817 le Français Louis Vicat explique que l'aptitude de certaines chaux maigres à durcir sous l'eau vient de la présence d'argile dans les calcaires traités (« hydraulicité »). **1824** l'Écossais J. Aspdin pousse la température de cuisson du mélange calcaire-argile jusqu'au début de fusion et obtient une sorte de roche, dénommée clinker qui, par broyage, donne le ciment. **1856** début de l'industrie du ciment en France.

Techniques de fabrication

• **Matériaux.** *Ciment :* vient du latin *cementum* (agglomérat de moellons et de pierres utilisé avec des mortiers de chaux et de pouzzolane dans la maçonnerie). Dans l'Antiquité on utilisait comme « liants » des pâtes d'argile ou de la chaux, employées pures ou en mélange avec du sable ou de la pouzzolane (de la ville italienne Pouzzoles. Roche volcanique se présentant sous la forme de scories et de cendres, elle donne avec la chaux un composé stable à l'eau). La chaux pouvait être facilement obtenue par la cuisson de calcaire à une température relativement peu élevée, suivie de « l'extinction » de la *chaux vive* résultant de cette opération. La « *chaux grasse* » fut ainsi pratiquement le seul liant utilisé, avec le plâtre, jusqu'au début du XIXe s. *Ciments naturels :* réalisés à partir de roches où argiles et calcaires sont déjà naturellement mélangés. *C. artificiels,* (presque toute la production) : obtenus par la cuisson à haute température d'un mélange de calcaire (v. 80 %) et d'argile (20 %).

• **Procédés.** Dépend du matériel existant, du degré d'humidité de la matière et de la consommation d'énergie. **Voie sèche.** Les constituants argileux et calcaires sont concassés, broyés, séchés et dosés avant d'être homogénéisés par des moyens pneumatiques. Ils sont de plus en plus homogénéisés avant broyage, pour assurer une certaine régularité de composition du mélange cru.

Voie semi-sèche. La poudre obtenue est humidifiée et agglomérée sous forme de granules dans lesquels on incorpore le charbon pulvérisé quand la cuisson s'effectue au four vertical. Dans d'autres cas, les granules sont introduits dans une installation de cuisson comprenant une grille mobile de décarbonation et un four rotatif court.

Voie humide. Les matières premières sont broyées avec de l'eau (environ 40 %) ou délayées dans des bassins ; les corrections de composition sont effectuées dans des cuves où l'homogénéisation est réalisée par air comprimé ou agitation mécanique.

Voie semi-humide. La pâte crue, obtenue comme en voie humide, est essorée avec des filtres-presses jusqu'à 20 % d'eau, puis extrudée en bâtonnets de 2 cm de diamètre qui sont ensuite introduits dans une installation de cuisson à grille comme pour la voie semi-sèche.

• **Cuisson.** Effectuée en général dans des fours rotatifs avec charbon, fuel ou gaz, anciennement dans des fours verticaux avec du charbon. Le mélange de calcaire et d'argile subit, vers 1 450 °C, un commencement de fusion et de vitrification et se présente à la sortie du four en granules, le *clinker,* qui, très finement broyé avec addition d'un peu de gypse, donne le ciment. L'évolution récente de la cuisson du cru a été marquée par l'introduction de la précalcination dans un calcinateur en amont du four, à la base du préchauffeur où ont lieu jusqu'à 90 % des calcinations. Laitier de haut fourneau, cendres volantes de centrales thermiques, pouzzolanes peuvent être ajoutés lors du broyage pour donner différentes qualités.

Production

Source : Synd. nat. des fabr. de ciment et de chaux.

• **Principaux pays producteurs** (en millions de t, en 1990) Chine [1] 204. URSS 138. Japon 84. USA 70,8. Inde [1] 44,4. Italie [1] 39,6. Corée du S. 33,6. All. féd. 30. Espagne [1] 27,6. *France 26,4.* Brésil [1] 26,4.

Nota. – (1) 1989.

Principales sociétés (1988 en milliards de $). Lafarge 3,8. Holderbank 2,7. Onoda 2,6. Blue Circle 2. Nihon 1,9. Ciments français 1,7. (90 : 15,45 milliards de F).

• **En France. 1990. Production :** 27 millions de t. **Nombre de cimenteries :** 43 et 6 centres de broyage. **Effectifs employés :** 7 500. **Chiffre d'affaires :** 13 milliards de F H.T. **Consommation :** 25 millions de t. **Exportations :** 2 millions de t. **Prix moyen du ciment :** 582 F/t (TTC, qualité courante, région parisienne).

Principales sociétés (1990, en millions de t). Ciments Lafarge et Lafarge Fondu Internat. 9,8. Ciments Français 8,3. Vicat 4,3. Origny 2. Cedest 1,7.

Construction mécanique et électrique

Sources : Féd. des industries électriques et électroniques, Synd. des constr. fr. de machines-outils, Féd. des ind. mécan. et transformatrices des métaux.

Construction électrique et électronique

Dans le monde

Principales sociétés. Chiffre d'affaires (en milliards de F, 1989). IBM [1] 355,6. General Electric [1] 298,5. Hitachi [2] 297,5. Matsushita [2] 255,8. Siemens [3] 201,4. Toshiba, [2] 176,7. Philips [4] 169 (90 : 167,3). Samsung [5] 163,2. NEC [2] 143,3. CGE [6] 128. Mitsubishi Electric [2] 126,3. ABB [7] 106,3. Daewo [5] 102,8. Sony [2] 102,3. Thomson [6] (90) 75 (dont électron. grand public 33,2, de défense 37). Westinghouse Electric [1] 74,5. BCE [8] 73,9. Electrolux [9] 71,9. Sharp [2] 58,5. Sanyo Electric [2] 58,4. GEC Alsthom [10] 45. Schneider [6] 40,5.

Nota. – (1) USA. (2) Japon. (3) All. féd. (4) Pays-Bas, (5) Corée du S. (6) France. (7) Suède/Suisse. (8) Canada. (9) Suède. (10) G.-B./France.

Résultats (1990). Thomson (maison mère) *89 :* + 0,497. *90 :* – 2,474. Thomson CSF *88 :* + 2,96. *89 :* + 2,63. *90 :* 2,2. Thomson Consumer Electronics *90 :* – 2,7. Bull *90 :* – 6,8. Philips *90 :* – 12,7.

Voir également p. 1451 et suivantes.

Machines-outils à métaux (1990, en milliards de F). **Production.** Japon 58,7, All. féd. 47,8, URSS 24,5, Italie 21,2, Suisse 16,8, USA 16,8, G.-B. 9,2, *France 7,* All. dém. 6, Taiwan 5,6. **Exportations.** All. féd. 28, Japon 21,7, Suisse 14,9, Italie 10,7, USA 5,44, G.-B. 4,51, All. dém. 4,21, Taiwan 3,52, *France 2,88,* URSS 2,06. **Importations.** USA 12,7, All. féd. 11,47, URSS 9,25, *France 9,2,* Italie 6, G.-B. 4,95, Suisse 4,67, Japon 3,48, Taiwan 1,96, All. dém. 1,57.

Machines de bureaux (parc et entre parenthèses placement, en 1982). Machines à écrire mécaniques 756 000 (21 500) ; élect. 1 180 000 (68 500) ; électroniques 147 000 (90 000), traitement de texte 28 900 (9 800), copieurs PPC 237 811 (78 577), autres que PPC 227 317 (23 562), télex 112 118 (8 181), télécopie 10 175 (2 169), ordinateurs universels 8 229 (2 325), de bureau 51 353 (10 116), mini-ordinateurs 35 920 (8 657). Total ordinateurs 95 502 (21 098). Terminaux 320 585 (78 158). *Total tous outils* 3 003 290 (401 545).

En France

Chiffre d'affaires (hors taxes, en milliards de F). *1970 :* 26,9 ; *75 :* 55,6 ; *80 :* 123,7 ; *85 :* 229,4 ; *86 :* 238,2 ; *89 :* 283,4 dont biens d'équipement 227,4 (dont électriques 37,4, informatiques 77,9, télécom. 23,8, mat. prof. électronique 44,6) ; biens de consommation 29,2 (dont app. radio-récepteurs et téléviseurs 6,9, frigo., machines à laver + autres app. ménagers 15,9, lampes électr. 2,1) ; biens intermédiaires 26,8 (dont composants 11,3, tubes et semi-conducteurs 10,5).

Commerce (milliards de F, FOB). **Exp.** *80 :* 46,4 ; *85 :* 102,5 ; *89 :* 137,6 [vers (en %) All. féd. 18,3, Italie 12,1, G.-B. 9,6, USA 6,3, Pays-Bas 5,7 Espagne 5,3] ; **Imp.** *1980 :* 38,9 ; *85 :* 93 ; *89 :* 149,5 [de (en %) U.S.A. 19,3, All. féd. 18,2, Japon 14, Italie 9,9, G.-B. 8,1, UEBL 3,1].

% des export. dans le chiffre d'affaires (1989). 48,51.

Nombre d'entreprises (1985). 1 576.

Effectif (en milliers). *1977 :* 515,5 ; *80 :* 488,7 ; *85 :* 447,2 ; *89 :* 386,5 dont (en %) cadres et employés 56,6 (dont ingénieurs 19,4), ouvriers 43,4 (en 1982 49 et 51).

Industries mécaniques et transformatrices des métaux

Généralités. Réunissent les professions produisant biens d'équipement, pièces, organes ou éléments mécaniques destinés à la consommation intermédiaire des autres industries et à la consommation finale des ménages, à l'exclusion de la construction électrique, auto, navale et aéronautique. Les productions vont de la centrale nucléaire au roulement à billes, de la machine-outil commandée par ordinateur au microscope, du robot au moteur diesel.

Dans le monde

Production (en milliards d'écus, 1990). USA 388,4. CEE 304,6 (dont All. féd. 133,7, G.-B. 53,3, *France 46,8,* Italie 32,1, autres pays CEE 38,7). Japon 179,7.

En France

Production (en milliards de F, 1990). Total 323,3 dont : équipement mécanique 155,5, travail des métaux 134,4, mat. de précision 33,4.

Commerce extérieur (en milliards de F, 1990). *Exp. :* 141,4 dont CEE 74, autres pays d'Europe 16,8, Afrique 15,8, Extrême-Orient 13,4, Amérique du Nord 11,4, Amérique du Sud 5,5, Moyen-Orient 4,5. *Imp. :* 156,4.

Entreprises (1990). 7 000 dont : 64,4 % ont de 20 à 49 salariés, 19,1 % de 50 à 99, 9,2 % de 100 à 199, 4,5 % de 200 à 499, 2,8 % de 500 et +.

Salariés. *1980 :* 610 900. *83 :* 553 000. *85 :* 563 520. *86 :* 540 300. *87 :* 522 500. *88 :* 514 200. *89 :* 522 000. *90 :* 545 700 [(dont, en %, Rhône-Alpes 17,7, Région parisienne 17,4, Nord-P.-de-C. 6,6, autres régions 58,3).

Machines-outils

Quelques dates. XVIIIe s., 1res mach.-outils. Fr. **1751** machine à raboter de Focq, **1760** perceuse et tour à charioter, **1795** tour à fileter. **XVIIIe s.** (milieu), 1res machines (tours, fraiseuses, aléseuses) adaptées pour travail des métaux. **1840** 1re organisation professionnelle : Union des constructeurs. **1847** 1er catalogue de machines-outils françaises. **1850** 5 000 machines à vapeur en service. **1914** 1ers producteurs : U.S.A. et Allemagne. Fr. au 7e rang.

Production (en milliards de F, 1989) 6,9. *Exp. :* 2,6. *Imp. :* 7. **Effectif :** 10 000.

Outils connectés 8 227 194 dont postes téléphon. 7 802 316, télex, télécopie 115 433, terminaux 234 159, ordinateurs (hors micro) 75 286. **Outils globalement non connectés** (hors micro-ordinateurs) 10 990 310 dont machines comptables 41 897, reprogr. et microgr. 642 274, écriture (y compris traitement de textes) 2 078 945.

Principales marques. Marché de l'écriture (hors traitement de texte, 1er trimestre 1982). 2 057 675 dont, en % : I.B.M. 22,9, Hermès-Japy 20,7, Olivetti 17,6, Olympia 16,6, Triumph-Adler 9,7, Facit 3,6, Remington 3,3, autres 5,6. **Traitement de texte** (1er trimestre 1982). 21 271 dont en % : I.B.M. 47,1, Olivetti 16,8, Rank-Xerox 12,8, Olympia 3,6, Triumph-Adler 2, Wang 1,3, Hermès-Japy 0,4, autres 9,7.

Principales marques sur le marché de l'écriture. Machines à écrire. *Mécaniques* 803 386 dont Hermès-Japy 264 846, Olivetti 181 701, Olympia 167 604, Triumph-Adler 66 544, Remington 32 801, Facit 21 024, autres marques 68 865. *Électriques* 1 221 933 dont I.B.M. 469 501, Olympia 164 754, Olivetti 162 978, Hermès-Japy 159 587, Triumph-Adler 131 809, Facit 52 362, Remington 35 235, autres 45 708. *Électroniques* 32 356 dont Olivetti 17 186, Triumph-Adler 1 893, Facit 1 398, Hermès-Japy 1 254, I.B.M. 786, Remington 218. *Total* 2 057 675 dont I.B.M. 470 288, Hermès-Japy 425 687, Olivetti 361 865, Olympia 341 978, Triumph-Adler 200 246, Facit 74 784, Remington 68 254, autres marques 114 573. **Machines de traitement de textes** 21 271 dont I.B.M. 10 019, Olivetti 3 584, Rank Xerox 2 729, SMH-Alcatel 780, Olympia 773, CII-HB 531, Triumph-Adler 426, Wang 282, Hermès-Japy 81, autres 2 066.

Électroménager

Dans le monde

• **Principales sociétés.** *Chiffre d'affaires* (en milliards de F, 1988). Whirpool-Philips [1,2] (Baucknecht, Ignos, Laden) 39,5. Électrolux [3] (Faure, Arthur-Martin, Zanussi, White, Frigidaire, Thorn) 36. General Électric [1] (Hot Point) 34. Matsushita [4] 30. Siemens-Bosch [5] (Balay, Safel) 15,5. Maytag [1] 13, Merloni [6] (Ariston, Indesit, Scholtès) 5,5. Thomson [7] (Brandt, Vedette, Sauter, Thermor) 4,6.

Nota : – (1) USA. (2) P.-Bas. (3) Suède. (4) Japon. (5) All. féd. (6) Italie. (7) France.

• **Production** (en milliers d'unités, 1984).

Appareils encastrables. Fours. Singapour 1 000, Italie 730, *France 264* [7], Japon 325, Espagne 295,5, USA 269, G.-B. 65. **Hottes.** Japon 8 047, Italie 1 875, All. féd. 627, *France 270* [7]. Turquie 60, Brésil 29, Danemark 21,5. **Plaques de cuisson.** Japon 5 769, Italie 950, USA 911, *France 624* [7], Espagne 394,5, G.-B. 51.

Appareils frigorifiques domestiques (entre parenthèses % de congélateurs). USA 6 800 (16), URSS 5 700 (0), Italie 5 600 (28), Japon 5 100 (2), All. féd. 2 700 (30), Corée 1 800 (0), Brésil 1 600 (0), G.-B. 1 400 (19), All. dém. 1 300 (30), Youg. 1 200 (47), Espagne 1 000 (20), Suède 600 (27), Danemark 900 (88).

Aspirateurs. USA 7 900, Japon 6 156, All. féd. 3 910, URSS 3 813, G.-B. 2 141, *France 1 708* [7], All. dém. 1 248, Italie 1 075, Pologne 927, Tchéc. 528, Youg. 410, Canada 289, Brésil 285, Danemark 159.

Chauffe-eau électriques [2]. USA 3 200. Italie 2 870. All. féd. 1 723. *France 829* [7]. Espagne [5] 675. All. dém. 635. Algérie 199.

Climatiseurs. Japon 4 435, USA 3 500, T'ai-wan 408, Malaisie 177, Italie 168, Corée du Sud 78, Afr. du Sud 53.

Cuisinières. A gaz. USA 1 736, Italie 1 435, Corée 1 074, Pologne 687, *France 185* [7], Argentine 337, Tchéc. 268, Turquie 224, All. féd. 174, Japon 147, Hongrie 105, Youg. 100. **Électriques et mixtes.** Japon 8 000, USA 3 224, All. féd. 978, G.-B. 802, Italie 675, Youg. 580, T'ai-wan 473, Espagne 415, *France 250* [7], All. dém. 207, Australie 160, Venezuela 150.

Fers à repasser (1988). USA [6] 8 000. All. féd. 4 516. Japon [1] 3 634. *France 3 544* [7]. Italie 3 625. G.-B. [5] 1 372. Canada [1] 694.

Lave-linge. Chine 5 783, Japon 5 277, USA 4 745, URSS 4 534, Italie 3 525, All. féd. 1 692, G.-B. 1 410, *France 1 276* [7], Esp. 806, Pologne 730, Mexique 600, All. dém. 525, Youg. 480, Brésil 450, Canada 320, *Monde 35 845.*

Lave-vaisselle. USA 3 488, All. féd. 1 128, Italie 485, Canada 300, *France 226* [7], Suède 170, Bulgarie 130, Espagne 76, *Monde 6 067.*

Machines à coudre [3]. Japon 3 853. Italie 820. All. féd. 447. Esp. 227. *France 200* (m. à tricoter 35).

Mixeurs. USA 4 587. Italie 1 655. All. féd. 914. (France robots ménagers 3 323).

Rasoirs électriques (1981). All. féd.[2] 3 785. Japon[4] 2 777. *France*[3] *2 358.* G.-B.[2] 1 290. Canada[1] 551. Italie[4] 290.

Nota. – (1) 1967. (2) 1968. (3) 1973. (4) 1977. (5) 1981. (6) 1982. (7) 1987. (8) 1983.

En France

Généralités. Marché français (en milliards de F, 1989). 22,6 (1988 : 21,9). *Exp. :* 9,5. *Imp. :* 14,3.

Production (en milliers, 1987). Fers à repasser 3 544, friteuses 2 252, cafetières 1 842, aspirateurs 1 708, grille-pain 1 428, couteaux élect. 1 325, lave-linge 1 276, fours à micro-ondes 1 100, moulins à café 1 023, chauffe-eau élect. 829, tables de cuisson toutes énergies 624, tables de cuisson élect. et mixtes 439, réfrigérateurs 428, ouvre-boîtes électr. 370, hottes aspirantes 270, fours élect. 264, lave-vaisselle 226, tables de cuisson gaz 186, cuisinières gaz 185, congélateurs 153, cireuses 82.

Commerce (en milliers, 1987). *Imp. :* Appareils de chauffage indép. 1 309. (*1965* 291, *1969* 1 016, *1970* 723). Appareils de cuisson 808. Lave-linge 782. Chauffe-eau élect. 419. Lave-vaisselle 415. *Exp. :* Fers à repasser 2 533. Friteuses 1 750. Sèche-cheveux 688. Appareils de chauffage ind. 484. Lave-linge 259. Appareils de cuisson 191. Réfrigérateurs 104. Chauffe-eau élect. 82. Lave-vaisselle 31. Grils et rôtissoires 24.

Vente d'appareils en France en 1989 et, entre parenthèses, **en 1980** (en milliers). Réfrigérateurs 2 000 (1 706). Lave-linge 1 900 (1 568). Fours micro-ondes 1 650 (0). Cuisinières 910 (1 272). Tables de cuisson 846 (485). Hottes aspirantes 790 (579). Lave-vaisselle 770 (486). Fours 725 (362). Congélateurs 715 (640). Sèche-linge 620 (0).

Taux d'équipement des ménages (en %, 1989). Réfrigérateurs 96. Fers à repasser 96. Aspirateurs 90. Lave-linge 87. Cuisinières 87. Sèche-cheveux 80. cafetières électriques 75. Robots de cuisine 72 [1]. Grille-pain 62. Couteaux électriques 57. Moulins à café 57. Rasoirs pour homme 48. Congélateurs 40. Friteuses électriques 31. Rôtissoires et mini-fours 29 [1]. Lave-vaisselle 28. Sèche-linge 12.

Nota. – (1) 1988.

Principales sociétés. Sur 150 fabricants, 20 réalisent 80 % du chiffre d'aff. total. **Gros appareils ménagers.** 3 groupes réalisent 90 % du marché :

1°) Thomson. 30 % du marché français des gros appareils ménagers avec sa filiale Thomson Electroménager (lave-linge, sèche-linge, réfrigérateurs, congélateurs, lave-vaisselle, cuisinières, fours, tables de cuisson, micro-ondes). *Chiffre d'aff.* (1990) : 5,2 milliards de F. *Ventes* (1990) : 2 700 000 appareils. *Marques :* Thomson, Brandt, Vedette, Sauter, Thermor. *4e groupe mondial d'électronique grand public avec sa filiale Thomson Consumer Electronics. C.A.* (1990) : 33,2 milliards de F. *Marques en Europe :* Thomson, Brandt, Saba, Nordmende, Telefunken, Ferguson. *Aux U.S.A. :* RCA, General Electric. *Ventes 1990* (en milliers d'appareils) : tubes TV 8 300, téléviseurs 6 700, magnétoscopes 2 800, caméras vidéo 560.

Thomson et ses filiales : Thomson Consumer Electronics, Thomson Électroménager, Thomson-CSF (électronique professionnelle). *C.A.* (1990) : 75,2 milliards de F. *Effectifs :* 105 000.

2°) Groupe Philips-France (marques *Philips, Schneider, Laden, Ignis, Radiola*) : 18 % du marché du réfrigérateur, 20 % de la machine à laver.

3°) Groupe Electrolux-France. Produits blancs. (Arthur Martin, Faure, Electrolux, Zanussi). Ventes (1990) : 402 000 appareils de cuisson, 376 000 appareils de lavage (lave-linge, séchoirs, lave-vaisselle), 420 000 appareils en froid (réfrigérateurs, congélateurs). *Aspirateurs* (Electrolux, Tornado, Progress). Ventes (1990) : 501 000 appareils. *Chiffre d'aff.* (1990) : 3,10 milliards de F. *Effectif* (1990) : 3 500.

Nota. – (1) 1980.

Petit électroménager. *1°) Groupe SEB.* Marques : Calor, Rowenta, Seb, Téfal 1er mondial pour articles antiadhésifs, autocuiseurs, friteuses électr. 2e mondial et 1er européen pour fers vapeur, grille-pain, cafetières. *C.A.* (1990) 7,5 milliards de F (dont 63 % hors de France, 15 % en Allemagne. 20 filiales commerciales à l'étranger. *Effectif* (31-12-90) : 10 300.

2°) Moulinex. Fondé Jean Mantelet (1900-91 ; Pt jusqu'en 1990). *1932* a lancé le 1er moulin à légumes à Bagnolet (Sté Moulin-légumes). *1937* usine à Alençon. *1954* nom : Moulinex. *1989 :* rachat de Swan et Gremi. *1991 :* de Krups. *Chiffre d'aff.* (1990) : *Moulinex* 5,96 milliards de F dont 80 % hors de France + *Krups* 1,8. *Salariés :* 15 000. *Usines :* 25 dont France 13, G.-B. 2, Espagne 2, Irlande 2, Mexique 2, Allemagne 1, Italie 1, Égypte 1, Hong Kong 1.

Horlogerie

☞ Histoire. Voir page 251.

Dans le monde

Potentiel global de l'industrie de la montre (1990). Nombre de pièces en millions. *Production mondiale* 753 [dont quartz analogique 405, quartz digital 242, mécanique 106]. Suisse 81, Japon 325, Hong Kong 180, France 23.

10 millions de fausses montres suisses sont fabriquées dans le monde chaque année. *Préjudice :* 1 milliard de F suisses.

France

• **Branches de l'industrie horlogère. Petit volume** (montres et composants). Principalement dans le Doubs. La plupart des entreprises achètent les pièces détachées : mouvements et habillage. Vendent le produit fini sous leur marque (Airin, Ambre, Clyda, Péquignet, Jaz, Laurent Dodane, Michel Herbelin, Yéma, Pierre Lannier, Cofram, Vuillemin-Régnier, Saint-Honoré, Taboo-Taboo, Christian Bernard) ou celle de couturiers ou de grossistes distributeurs.

Les fabricants de mouvements (France-Ébauches, Parrenin) fabriquent des mouvements électroniques (montres à quartz analogiques/à aiguilles).

• **Gros volume. Horlogerie domestique :** réveil, pendulettes, pendules et horloges de distribution de l'heure, mouvements d'horlogerie terminés. **H. Technique :** enregistreurs de présence, compteurs de temps, appareils et mouvements de types interrupteurs horaires, horloges de commutation, compte-tours et tachymètres, etc., plus répartie (Région parisienne, Alsace, Hte Normandie, Pays de la Loire, Franche-Comté), entreprises intégrées : Bodet (Trémentines), L'Épée (Ste-Suzanne), Odo (Morbier), La Vedette (Saverne), Lambert (St-Nicolas-d'Aliermont), Hour Lavigne (Paris), Schlumberger (Besançon), etc.

• **Chiffre d'affaires (H.T.)** (en millions de F, 1990). *Petit volume :* 2 522, dont fabricants de montres 1 435 (dont export 503), de composants 1 087 (dont export 679). *Gros volume :* 496 (dont export 150), dont horl. domestique 232, technique 214, p. dét. et divers 50, *Bracelets :* 370 (dont export 160). *Total :* 3 388.

• **Effectif** (31-12-90) : 8 339.

• **Montres et mouvements. Production globale** (en millions de pièces) : *1963 :* 6. *70 :* 14,6. *75 :* 16,7. *80 :* 21,6 (dont à quartz [1] 1,9). *85 :* 20,1 (11,7). *90 :* 23,1 (22,3). **Commerce extérieur** (1990) **en millions de F :** *imp.* [2] : 2 243 dont montres 1 972, mouv. terminés 271 ; *exp.* [2] : 1 203 dont montres 1 159, mouv. terminés 44 ; **en millions de pièces :** *imp.* [2] : *1965 :* 0,4. *70 :* 0,8. *75 :* 2,7. *80 :* 13,3. *85 :* 25,4 (dont électr. ou électron. 23). *88 :* 51,3 (49,6). *90 :* 40,4 (38,2) ; *exp.* [2] : *1965 :* 1,9. *70 :* 5. *75 :* 10,1. *82 :* 6,2. (dont électr. ou électron. 4,4). *88 :* 7,5 (6,3). *90 :* 6,1 (5,6). **Mise à la consommation en France** (en millions de pièces). *1980 :* 13,3. *85 :* 25,7. *90 :* 33,7 (dont mécaniques 2, électr. ou électron. 31,7).

Nota. – (1) A partir de 1980, montres essentiellement analogiques. (2) N.c. colis postaux.

☞ **Affaire LIP.** Pour l'historique, voir Quid 1977. La marque a été rachetée en 1984 par Kiplé à la SCOP (Sté coopérative ouvrière de production), mais Kiplé a été mis en liquidation judiciaire le 21-5-1990.

Piles et accumulateurs

☞ Voir le principe à l'Index.

• **Accumulateurs. Types.** *Accumulateurs non alcalins :* plomb, bioxyde de plomb (électrolyte à base d'acide sulfurique), inventés en 1859 par Planté. *Alcalins :* nickel – cadmium, nickel – fer, argent – zinc, (à l'étude nickel – zinc) (électrolyte à base de potasse), fabrication inspirée des inventions d'Edison et de Jungner, apparut en 1910.

Débouchés. Démarrage de moteurs, traction électrique ; transport ferroviaire et aérien (démarrage et sécurité) ; équipement milit. ; télécom. ; informatique-bureautique ; équip. de sécurité (éclairage-secours de process) ; équip. autonomes électro-portables (électroménager, jardinage, bricolage, jouets...)

Chiffre d'affaires H.T. (1990) : Acc. non alcalins + alcalins 4 405 MF.

Fabricants. Non alcalins : CEAC (Cie européenne d'acc. électriques) marques : Fulmen, Dinin, Tudor ; 50 % du marché ; CFEC (Cie française d'électrochimie) marques : Ducellier, Steco. Acc. Huitric, Delco Remy/General Motors France, Hoppecke, Oldham, Chloride – Baroclem, filiale de Varta. **Alcalins :** Saft, filiale de la CGE (95 % du marché), Aglo.

• **Piles électriques. 1799** inventées par le comte Alessandro Volta (1745-1827). V. **1860** diffusées après les travaux de Georges Leclanché (1839-82) sur la pile saline au bioxyde de manganèse (technique encore la plus répandue). **1956** mise au point d'une version alcaline de la pile zinc/bioxyde de manganèse (capacité environ 2 fois supérieure à la pile saline). En association avec l'anode de zinc, des versions utilisant oxyde d'argent, oxyde mercurique ou oxygène de l'atmosphère sont également largement utilisées. **1960-70,** apparition de nombreux couples utilisant la plupart du temps le lithium. Ces piles dont les tensions sont soit égales, soit environ le double de celles des piles classiques, peuvent se conserver + de 8 ans et bien résister aux températures extrêmes. En les associant avec le magnésium, les piles utilisant un halogénure d'argent ou de cuivre trouvent un emploi dans le sauvetage en mer. Entrent en fonctionnement par immersion dans l'eau.

Chiffre d'affaires (1990). Piles 1 107 millions de F. *Fabricants français :* Cipel (Mazda) ; Saft (industrielles) ; Piles Wonder ; Piles Varta (groupe allemand). *Marques étrangères :* Duracell (U.S.A.) ; Ucar (U.S.A.) ; National (Japon) ; Philips ; Kodak.

• **Environnement (répercussions).** *Piles :* teneur en mercure très variable. *Salines :* traces-mercure, éliminées dans la pile Green power/Wonder. *Alcalines :* 0,30 % en poids (réduction en cours jusqu'à 0,025 %) ; oxyde de mercure : teneur élevée, d'argent : env. 1 %. *Acc. nickel-cadmium :* forte teneur en cadmium.

Robotique

• **Origine.** Un *robot industriel* est un manipulateur reprogrammable et multifonctionnel, capable de manipuler des outils, pièces, matériaux et dispositifs spécialisés au cours de mouvements variables et programmés pour une variété de tâches, à la différence des machines qui ne peuvent en exécuter qu'un seul type. *1re génération :* robots programmables et asservis à trajectoire continue ou point à point, dont le cycle de travail se répète sans modification (Ex. robot vertical, horizontal, portique, scara...). *2e :* manipulateurs automatiques programmables capables d'analyser les modifications de leur environnement et de réagir en conséquence. Il peut en résulter une modification partielle du cycle opératoire (ex. manipulation avec reconnaissance de forme, assemblage avec contrôle d'effort, soudage avec suivi de joint...). *3e :* robots utilisant des ressources comme celles de l'intelligence artificielle pour assimiler des instructions globales proches du langage naturel, capables d'une interprétation exhaustive de leur environnement et de prendre des décisions d'action en conséquence (ex. robots d'intervention en milieux hostiles, robots autonomes multiservices...).

Robots installés (en unités, 1989). Japon 219 700. URSS 62 339 (définition différente). U.S.A. 37 000. All. féd. 22 395. Italie 9 447. *France 7 063.* G.-B. 5 908.

Couture et mode

Source : Chambre syndicale de la couture parisienne.

Quelques dates

• **Maisons « Couture-Création ».** 22 en 1988 (dont date de fondation en italique). *1890* Lanvin Jeanne (1867-1946). *1919* Jean Patou (1887-1936). *1924* Chanel (Gabrielle dite Coco, 1883-1971). *1932* Nina Ricci (1882-1970). *1937* Carven. *1942* Grès (Madame, n. 1910). *1945* Pierre Balmain (1914-82). *1947* Christian Dior (1905-57). *1949* Ted Lapidus (n. 1919). *1950* Pierre Cardin (n. 1922). *1951* Givenchy (Hubert de, n. 1927). *1952* Guy Laroche (1921-89). *1953* Louis Ferraud (n. 1920). Lecoanet (Didier, n. 1955), Henant (Sagar, n. 1957). *1962* Philippe Venet (n. 1931). Yves Saint-Laurent (n. 1936). *1965* Emanuel Ungaro (n. 1933). *1968* Torrente. *1971* Jean-Louis Scherrer (n. 19-2-1935). *1977* Hanae Mori (Jap., n. 1926). *1978* Per Spook (Norv., n. 1939). *1987* Christian Lacroix (n. 1952).

• **Évolution de la mode. Début XIXe s.** influence de Leroy, ancien coiffeur (1763-1814) surnommé le Michel-Ange de la mode. **1796** John Charles Spencer († 1834) raccourcit son vêtement de soirée en coupant les basques brûlées près d'une cheminée. La mode prendra. **1823** brevet de Charles Mackintosh († 1843) pour un tissu imperméabilisé. **1834** Gibus met au point un système d'articulation permettant d'obtenir un haut-de-forme. **1850** invention du jean par Levi-Strauss. La crinoline en tissu (de cuir de cheval mélangé à du coton et du lin) est remplacée par une crinoline en jupons cerclés. **1852** lord Raglan (1788-1855) lance un manteau pelisse qu'il porte en Crimée. **1854** James Brudnell lord Cardigan part pour la guerre de Crimée avec une veste en laine sans col ni revers (sera à la mode en 1868). **1856** Burberry lance la gabardine (guerre de 1914-18, appelée trench-coat). **1857** Guiseppe Borsalino crée un chapeau de feutre (à Alexandrie, Italie). **1858** Charles Frédéric Worth (1825-95), Anglais fixé à Paris, fonde la maison (Worth 7, rue de la Paix, Paris 2e). Présentation des modèles créés sur des mannequins vivants (1er à le faire). La crinoline atteint son envergure maximale. **1859** le Mac Farlane (manteau sans manche à grand collet) est lancé. **1862** la crinoline s'aplatit sur le devant et se développe en long par derrière. **1866** la jupe-jupon à large ruche dans le bas, sans arceau, remplace la crinoline. **1875** des peintres portent la lavallière (cravate à large nœud formant 2 coques) portée autrefois par la duchesse de La Vallière (1644-1710). **1880** la taille s'allonge progressivement. Les corsages moulent le buste. **1885** la jupe à plis verticaux concurrence la jupe drapée. **1888** 4 sœurs (dont Marie Gerbert, † 1927) fondent la maison Callot sœurs, spécialisée dans lingerie et parures de dentelles. **1889** 1er soutien-gorge imaginé par Cadolle. **1890** Jeanne Lanvin (22, fbg St-Honoré, Paris 8e), crée des chapeaux ; puis organise une maison de couture. **1891** *Jeanne Paquin* (1869-1936, née Becker) avec son mari Isidore Paquin, homme d'affaires, monte sa maison 3, rue de la Paix. Les manches se gonflent. **1895** maison Callot [les sœurs Callot (Marie, Marthe, Régina et Joséphine)] reprise par Marie Gerber, devient une véritable maison de couture. **1897** petites manches bouffantes pour la soirée et jaquettes longues *genre Directoire.* **1898** *Jacques Doucet* (1853-1929) hérite de son père ; la maison date de 1875 et se distingue par dentelles, fins plissés et broderies délicates. Jupe cloche. **1900** Paris devient le centre de la mode. Costume tailleur. **1904** *Paul Poiret* (1879-1944) fonde sa maison 5, rue Auber. **1906,** la transfère 37, rue Pasquier. **1908,** 107, fg St-Honoré. Mariano Fortuny (1871-1949) crée la robe « Delphos ». **1909** Poiret crée la « ligne assouplie » avec taille sous la poitrine. **Vers 1910** ligne cintrée disparaît, retour à taille haute, robes entravées. **1911** Nicole Groult (1887-1967), sœur de Poiret, ouvre sa maison de couture. **1913** Paquin, 1re couturière à recevoir la Légion d'honneur, à faire des défilés de mode « shows ». **1914-18** vêtements courts et vagues. Coupe en biais de *Madeleine Vionnet* (1876-1975). Apparition du manteau. **1919** Gabrielle *Chanel* (1883-1971), dite « Coco », ouvre sa maison, rue Cambon, et crée le tailleur. 1er costume de sport. *Edward Molyneux* (Irlandais, 1891-1974) s'installe 14, rue Royale. **1920** la robe est un tuyau. **1925** taille sur les hanches avec jupe très courte, perles et paillettes ; décolleté très bas dans le dos. Chapeaux cloches sur cheveux coupés très courts. **1928** *Elsa Schiaparelli* (1890-1973) commence le « Sportswear ». **1929** jupes rallongent avec pans sur côtés ou traînes. **Années 1930** bermuda (la police des Bermudes porte le short anglais. Les touristes américains les imitent). **1932** *Nina Ricci* (1882-1970) s'installe 20, rue des Capucines. **1933** René Lacoste dépose sa marque (polo : chemisette de tennis à double maille ; label crocodile). **1934** Alix Czereskou (n. 1910), prend le nom d'artiste de son mari, *Grès* en 1942, fonde la maison Alix, fg St-Honoré. **1935** Schiaparelli 21, place Vendôme, crée une des 1res « boutiques ». **1937** *Cristobal Balenciaga* (1895-1972) s'installe 10, av. George-V. *Jacques Fath* (1912-54) présente sa 1re collection au public. 1er carré Hermès (casques et plumets). **1938** création du bas nylon aux États-Unis. **1941** *Jacques Griffe* (n. 1917) fonde sa maison, rue Gaillon. **1942** *Grès* s'installe rue de la Paix. **1943** tee-shirt porté par les soldats américains. **1944** Jacques Fath s'installe av. Pierre-Ier de Serbie. *Madame Carven* (n. 31-8-1909, 1,55 m) lance sa maison de couture. **1945** *Albert Lempereur* (n. 1902) se consacre au « prêt-à-porter ». *Pierre Balmain* (1914-82) ouvre sa maison rue François-Ier. **1946**-*18-7* Bikini : Réard dépose la marque du modèle 2 pièces (18 j après l'explosion expérimentale atomique sur cet atoll). **1947** *Pierre Cardin* (n. 1922) fonde sa maison. *Christian Dior* (1905-57) ouvre sa maison de couture 30, av. Montaigne. *Février,* collection « New-look », épaules arrondies, buste mis en valeur par des guêpières, taille fine, hanches accentuées, jupes rallongées et larges, soutenues par des jupons de tulle. **1949** *Ted Lapidus* ouvre sa maison. **1950-60** le jean s'impose [de Genoese (Génois en anglais)] tissu de coton, appelé aussi Dencan (fabriqué à Nîmes au XIXe pour des toiles de bâche, et utilisé par Levi-Strauss pour les pantalons des cow-boys et chercheurs d'or). **1950** Jacques Griffe succède à Molyneux 5, rue Royale. Robe sac de Balenciaga. **1951** collection Pierre Cardin. **1954** Elsa Schiaparelli se retire. Worth vendue à Paquin. Coco Chanel, 71 ans, voit le succès du tailleur tweed avec blouse. « Robe bulles » de Pierre Cardin. **1955** robe-tunique de Balenciaga. Mme Carven crée Carven Junior. Bas sans couture. **1957** Christian Dior meurt. Yves Saint-Laurent (n. 1936) lui succède. *Guy Laroche* (n. 1936) s'installe av. Montaigne. **1958** 1er tailleur Saint-Laurent, ligne trapèze. Cardin révolutionne la mode masculine. Invention du collant. **1959** Mary Quant (n. 1934) ouvre une boutique King's Road à Londres. **1960**-*26-2* 1re collection masculine Cardin présentée au Crillon par des étudiants. *Louis Féraud* (n. 1920) 88, fg Saint-Honoré. Révolution avec tissus synthétiques. Jupe courte, coupe *Mary Quant.* **1961** Saint-Laurent s'installe rue La Boétie. Collection Jean-Louis Scherrer. Laura Ashley (1925-85) crée sa 1re robe (1re boutique à Londres 1967). **1962**-*29-1* 1re collection de Saint-Laurent. *Jacqueline* (n. 1930) et *Elie* (n. 1925) *Jacobson* ouvrent « Dorothée Bis » rue de Seine. *Philippe Venet* (n. 1931) fonde sa maison. **1963** *Jean Cacharel* (n. 30-3-1932) fonde sa Sté. **1964** Dim universalise le collant grâce à la couleur. **1965** 1re collection *André Courrèges* (n. 1923), minijupe et pantalon. *Paco Rabanne* (Francisco Rabaneda Cuervo ; Esp., n. 1934) crée des robes rondelles de plastique. *Kenzo* 1er créateur japonais à Paris (n. 1939) s'installe en Fr. *Léon Duhamel* lance l'« En-cas » (de pluie) qui devient le K-Way. **1967** *Serge Lepage* (n. 1936) installe sa maison. Chemisiers en liberty de Cacharel. **1968** Dim popularise le collant. *Sonia Rykiel* (n. 1930) ouvre une boutique rue de Grenelle. 1re collection de *Chantal Thomass* (n. 1947). **1969** retour à l'artisanat : vêtements anticonformistes. *Mme Torrente-Mett* ouvre une boutique av. Matignon. **1973** 1re collection *Issey Miyaké* (Jap., n. 1938) à Paris. **1974** 1re boutique d'*Anne-Marie Beretta* (n. 1936). **1975** accent mis sur la silhouette, retour vers le classique. **1976** 1re collection de *Jean-Paul Gaultier* (n. 1952). **1979** Cardin organise le 1er défilé de mode à Pékin. **1984** Marc Audibet utilise le Lycra (fibre élastique) pour des robes. **1985** Cardin lance la veste « espace ». Jack Lang à l'Assemblée nationale dans un costume de Thierry Mugler (n. 1948) avec « col Mao ». **1986** vêtement ample, veste à large carrure, jupe raccourcie, superposition de différents styles de vêtements. La mode masculine se féminise (col châle, pinces...). **1988**-*8-8* † de *Robert Ricci* (n. 29-7-1905) à 83 ans (fils de Nina). **1989**-*10-5 Marc Bohan* directeur artistique de Christian Dior est remplacé par Gianfranco Ferré. **1990** Alain Chevalier (PDG) annonce que Balmain abandonne la haute couture.

☞ Blue-jean. *En 1853,* Oscar Levi-Strauss, Bavarois, taille un pantalon dans la toile de tente qu'il vendait aux chercheurs d'or de Californie. En 1870, Davis invente les rivets. Le tissu de coton, le « Denim », venait de Nîmes. Teint jusqu'à 13 fois dans de l'indigo (blue = bleu), il habillait les marins de Gênes.

Statistiques

• **Chiffre d'affaires mondial** (1986, sous les griffes des couturiers avec filiales et licenciés à l'étranger, parfums exclus). 20 milliards de F dont (81) : prêt-à-porter femme 2,196 (40 % à l'exportation), accessoires 1,778 (60 %), prêt-à-porter homme 1,320 (25 %), couture et boutique 1,884 (50 %).

• **Prêt-à-porter.** *Principaux exportateurs :* Italie, All. féd., *France,* USA, G.-B., Japon.

Prêt-à-porter féminin en France. Entreprises : 2 200 au sein de la Fédération du p.-à-p. fém. **Effectifs :** 51 962. **Chiffre d'affaires** (en milliards de F H.T.) : *1980 :* 11,7. *84 :* 17,5. *87 :* 20,6. **Export. :** *1980 :* 3,7. *84 :* 6,3. *87 :* 7,4. **Import. :** *1980 :* 2,1. *84 :* 3,9. *89 :* 23.

Chiffre d'affaires (en millions de F). *Saint-Laurent (1989) :* 3 058 (dont parfums 2 544, résultats 224,5). *Nina Ricci :* 1 250 (1989) [dont parfums 75 % (Air du Temps 65 %), couture 25 %]. *Kenzo (1991) :* 750 (dont parfums 180). *Carven :* 200 *(1988). Balmain (1990) :* 140 (dont 2/3 couture) [acheté (sept. 1989) 550 millions de F à Erich Fayer par Alain Chevalier, revendu (mai 1990) 50 MF à Fayer]. *Scherrer :* 150. *Courrège :* 80.

Créateurs de mode faisant du prêt-à-porter. Angelo Tarlazzi, Anne-Marie Beretta, Azzedine Alaia, Balenciaga, Cerruti, Chantal Thomass, Chloé, Claude Montana, Dorothée Bis, Emmanuelle Khanh, Hermès, Jacqueline de Ribes, Jean-Charles de Castelbajac, Jean-Paul Gaultier, Karl Lagerfeld, Kenzo, Popi Moreni, Sonia Rykiel, Tan Giudicelli, Thierry Mugler. La plupart des maisons de création ont créé des sociétés distinctes pour cette activité comme pour leurs parfums. La *boutique* offre des prix plus compétitifs. On y vend bas, foulards, robes, parfums, gants, lingerie, le tout portant la « griffe » de la Maison.

• **Clientes haute couture.** *V. 1970 :* 20 000 dans le monde. *83 :* 2 500 à 3 000. *87 :* 3 000.

• **Main-d'œuvre** (1983). 23 maisons de couture. Paris : 2 100 prêt-à-porter des couturiers : 1 800 métiers liés (boutons, passementeries, etc.) ; 7 000 couturières ; 12 000 artisanes, 5 000 au Registre du commerce. *Activités liées* (accessoires : lunettes, bijouterie, maroquinerie, etc.) : 15 000. *Heures de travail :* pour une robe 35 à 80, tailleur 40 à 60, robe longue brodée 150 à 200, manteau de fourrure env. 200.

• **Mannequins.** *Tailles (1981) :* 1,73 à 1,79 m.

• **Dé d'or.** *Créé* 1976. *1990* Paco Rabanne devant Christian Lacroix. *1991* Claude Montana pour Lanvin, devant Erik Mortensen pour Balmain.

• **Robes de collection.** *Cours en vente publique* (déc. 1990, en F) : robe du soir de Charles James (1948) 190 000, robe de bal de Chanel (1957-58) 60 000.

Cuir

Technique

• **Généralités. Caractères de la peau brute.** Peau séparée du corps de l'animal, dite « peau en poil », face *externe* ou côté « poil » (côté fleur sur le cuir fini) ou épiderme, *interne* ou « côté chair » ou derme. Derme et épiderme sont séparés par la membrane « hyaline » ou vitrée qui constitue la « fleur » sur le cuir tanné. Le derme : feutrage de fibres (les cellules conjonctives se détruisant rapidement après la mort de l'animal) ; les fibres blanches faites de collagène, substance se transformant en colle sous l'action de l'eau bouillante, et gonflant sous l'action des acides minéraux et organiques dilués ou des alcalis caustiques ; les fibres jaunes ou élastiques, composées d'écastine, résistant à l'action de l'eau bouillante et se dissolvant sous l'action des enzymes du suc pancréatique. Elles donnent au cuir fermeté et nervosité.

Conservation des peaux. En les séchant ou en les salant.

Travail de rivière. S'effectuait autrefois au bord et dans les cours d'eau. *Reverdissage* ou *trempe* en bassin (actuellement, au tonneau) : nettoyage des peaux brutes, réhydratation avec adjonction éventuelle de produits dégraissants et mouillants.

Pelanage : épilation des peaux avec des produits solubilisant la racine du poil et provoquant un gonflement qui permettra une plus grande fixation ultérieure des produits tannants. Agents utilisés : surtout chaux et sulfure de sodium. On peut pelaner en pelains, au tonneau, et par enchaucenage. Après le pelanage, les peaux sont nettoyées sur la *face externe (fleur)* par *ébourrage* (mécanique ou réalisé par un simple rinçage au tonneau) et par un ou plusieurs façonnages (à la main ou mécaniques) ; *interne (chair)* par écharnage (autrefois à la main, aujourd'hui à la machine ; élimine chairs et graisses adhérentes). Les peaux, dites *en tripe,* sont *déchaulées* avec des agents chimiques acides qui agissent comme neutralisants. Le déchaulage peut être accompagné d'opérations de *prétannage,* de *picklage,* de *confitage,* qui se rattachent directement aux opérations de tannage. Les peaux peuvent ensuite être *refendues en tripe* (1er égalisage de l'épaisseur avant le tannage). Toutes ces opérations peuvent être automatisées et rapides grâce aux foulons spéciaux.

• **Tannage.** *Végétal :* utilisé pour les cuirs à semelles, bourrellerie, sellerie, maroquinerie, etc. Réalisé en bassin (basserie), en foulons, en fosses. Il dure de 1 à 2 j, à plusieurs mois. Le t. en fosse se fait avec des matières tannantes végétales : écorce de chêne (le tan). Les t. en brasserie et au foulon, avec des extraits tannants végétaux concentrés (châtaignier, quebracho, mimosa, etc.). On utilise maintenant des procédés dits *en bain de court* et *à sec.*

Aux sels minéraux : chrome (surtout pour cuirs et dessus de chaussures : vachette box et boxcalf ; maroquinerie, vêtements, ganterie et articles de protection), formol, fer, silice, zirconium, tanins synthétiques. Le tannage se fait au foulon ; il est au chrome pur (bichromates, sulfates de chrome, etc.) ou combiné (chrome synthétique ou chrome végétal). Le plus souvent précédé d'un prétannage ou d'un picklage. La fixation est rapide. Le matériel est de plus en plus automatisé.

Combinés (dits double et triple tannage) : pour certaines peaux, en particulier celles destinées à l'équipement, l'ameublement et l'usage industriel. Se fait avec des extraits tannants végétaux, des composés minéraux et des huiles animales, végétales ou minérales. En mégisserie, on utilise le *chamoisage* (traitement à l'huile de poisson sur des peaux non tannées au préalable) ou le tannage à l'alun traditionnel pour doublures, vêtements, ganterie et tous produits mégis.

• **Mégisserie.** Travail des petites peaux (ovins, caprins, reptiles, poissons). Les étapes de transformation des peaux sont les mêmes mais les produits employés diffèrent : passage des peaux dans un confit composé autrefois de crottes de chien, aujourd'hui d'un ferment. Tannage à l'alun (mélange d'alun, de farine et de jaunes d'œufs salés) au chrome, sumac, gombie, huile de poisson. Mordonsage au moyen de sels ammoniacaux effectué avant la teinture.

Finissage. *Opération en humide :* certaines sont ou relèvent d'un tannage complémentaire (*neutralisation :* cuirs au chrome, *retannage, teinture, nourriture) :* elles se font au foulon. D'autres sont mécaniques (*sciage, dérayage, contre-écharnage,* et en général toutes opérations dites de *mise au vent* et de *corroyage*). *A l'eau* pour resserrer les fibres du cuir et en rendre la fleur plus lisse et lui donner ainsi fermeté et imperméabilité ou *en gros* par incorporation de matières grasses. Elles se font sur des cuirs *mis en humeur* par essorage. Les chutes de sciage sont dénommées *croûtes :* finies ensuite comme les fleurs, en lisse, imprimé, velours ou bien verni.

Séchage : à l'air ou dans des tunnels ventilés et chauffés. Pour les peaux à dessus, on utilise (seuls ou réunis) surtout le cadrage, le séchage sur glaces et sous vide. En général, on procède à une première sèche, puis à une certaine réhumidification et enfin à un séchage de fond.

Opération à sec. Cuirs à semelles : terminaison du corroyage effectué au stade humide avec mise au vent et retenage, et, après triage, du battage et du cylindrage. *Autres cuirs :* teinture et laquage à la brosse, à la machine à rideau et par pulvérisation ; travaux sur machines dits blanchissage, lissage, satinage, impression, liégeage, palissonnage, glaçage, lustrage, brossage, etc., sur matériels appropriés. Les cuirs sont finis à la fois sur fleur et sur chair. La fleur est présentée mate, demi-mate ou brillante, lisse ou imprimée, voire glacée (chevreau glacé). Finitions spéciales modernes : finissages crispé, fripé, froissé, etc. Fabrications : Velours, Nappa et Nubuck. Vernis : à base de vernis naturels, laque polyuréthane ou plaquage vinyle. Les cuirs se présentent ou en pleine fleur lisse ou imprimée (grainée), ou en fleur dite *corrigée,* après l'opération appelée *ponçage* effectuée à la machine à poncer.

• **Maroquinerie.** A l'origine, au XVe s. on importe le maroquin ou cuir du Maroc, cuir fin, souple et mou, teint mais non verni, fabriqué avec des peaux de boucs ou de chèvres.

Chaussures

Généralités

Origine. Antiquité : sandales avec semelles de cuir ou de bois tenues par des lanières croisées ou nouées (bas-reliefs et papyrus de l'ancienne Égypte) ; bottines de cuir (Mèdes, Perses) ; cothurnes (Syriens) ; brodequins lacés (Lydiens, Phrygiens) ; bottes au mollet (Chinois). Grecs et Romains réalisèrent toutes sortes de chaussures. **Xe s.** (France) : la chaus. se généralise avec la profession de *cordouannier* (travaillant le cuir de Cordoue). **XIIIe s.** matières employées : velours, soie, satin, taffetas... **Sous Henri IV :** construction enveloppante et dotée d'une semelle rigide pouvant recevoir un talon indépendant. **1809** invention de la machine à clouer. **1829** mach. à coudre à point de chaînette par Thimonnier. **1850** 1re usine mécanique. **1858** mach. à monter les semelles directement à la tige (Lyman Blacke). **1893** l'industriel Alexis Godillot (1816-93) donne son nom à une forme de chaussure utilisée par l'armée. **1952** vulcanisation et soudé liant semelle et chaussure.

Matériaux. Cuirs et peaux (bovins, caprins, ovins, équidés, peaux diverses telles que phoques, reptiles...) à dessus, dessous et pour doublures. Cuirs bruts de bovins et veaux traités par les tanneurs ; peaux d'ovins et de caprins traités dans les mégisseries et venant d'Australie, N.-Zél., Argentine, Afr. du S. en peaux épilées (sous forme de *cuirots* ou doublures) ou lainées (à délainer à Mazamet). **Textiles.** Tissus pour dessus et doublures, feutres pour pantoufles, cordes de jute ou sisal pour espadrilles. **Caoutchouc et plastique.** Du naphta et du benzène on obtient PVC, polyuréthane, caoutchouc synthétique livrés sous forme de plaques à découper et de granulés, fibres acryliques. **Fournitures variées.** Fils, talons, contreforts, bouts en cuir, carton, clous, colles, prod. de finissage. **Accessoires.** Lacets, œillets, crochets, boucles, ornements.

Techniques. *Cousu* (tige et semelle), *soudé* (semelle fixée par collage sur la tige), *vulcanisé* (semelage obtenu à partir d'un granulé de caoutchouc, moulé et fixé à la tige par la vulcanisation), *injecté* (semelage ou chaussure entière obtenus par introduction sous pression dans un moule d'un produit fluide ou préalablement plastifié par chauffage).

Le cuir en France

Commerce extérieur (cuir et articles manufacturés en millions de F, 1990). **Importations** et, entre parenthèses, **exportations.** 24 290 (14 703) dont *cuirs et peaux bruts* 1 191 d'Australie 385, N.-Zélande 143, USA 117,

(2 313 vers Italie 1 680, Esp. 168, Turquie 94, *tannerie* 2 662 d'Italie 1 211, All. féd. 241, P.-Bas 202,(998 vers Ital. 179, Maroc 104, G.-B. 84) ; *mégisserie* 1 029 d'Italie 298, Inde 134, All. féd. 57 (1 408 vers Corée du Sud 361, Italie 198, All. féd. 167) ; *chaussures* 11 182 d'Ital. 4 729, Portug. 1 251, Esp. 844 (4 379 vers All. féd. 857, Belg.-Lux. 521, Italie 330) ; *maroquinerie* 3 919 d'Italie 897, Chine 814, T'ai-wan 322 (4 348 *vers* Japon 1 042, Hong Kong 651, USA 489) ; *ganterie* 296 de Chine 85, Inde 37, Italie 34 (66 *vers* All. féd. 10,8, Esp. 8,4, USA 7) ; *vêt. de cuir* 1 555 de Turquie 700, Pakistan 171, Corée du S. 123 (390 vers Japon 117, USA 39, Belg.-Lux. 36) ; *sièges en cuir* 2 919 d'Italie 2 332, All. féd. 260, Belg.-Lux. 251 (269 vers Italie 84, Suisse 44, Belg.-Lux. 33).

La France exporte à l'état brut 89 % des cuirs lourds de bovins, 83 % de veaux, et importe les 2/3 des cuirs légers (animaux abattus à un âge intermédiaire, 18 mois à 2 ans) pour l'ind. de transform. (chaussures, maroquinerie). L'Italie achète à la Fr. env. 70 % des cuirs bruts et réexporte vers elle env. 40 % des cuirs tannés et 45 % des chaussures.

Production (1989). 146 777 t de pièces de cuir et peaux brutes, 167 millions de paires d'art. chaussants ; 14 169 t de cuirs finis ; 26 960 t de peaux finies ; 32,1 millions de paires de gants (ville et protection) ; 50 millions d'articles de maroquinerie, dont portefeuilles 20 %, sacs à mains 10 %.

Statistiques 1990	Chif. d'aff. H.T. [1]	Nomb. d'entr.	Effect.
Négoce du cuir [1]	3 458	61	996
Tannerie	1 627	41	1 908
Mégisserie	2 433	140	3 339
Chaussures et art. chaussants [1]	15 964	320	37 734
Ganterie de ville et de protection [1]	657	65	1 629
Maroquinerie [1]	5 558	337	14 213
Total [1]	*29 700*	*966*	*60 177*

Nota. – (1) En millions de F en 1989.

Abattages contrôlés (en milliers de têtes, 1990). Porcins 20 327, ovins 8 146, bovins 4 229, veaux 2 345, équidés 48.

Maroquinerie (production annuelle en 1989). Sacs en cuir 3 280, en autres matières 1 584, serviettes, cartables en cuir 484, divers 1 012, ceintures en cuir 5 533, autres matières 3 650 ; valises en cuir 70, autres matières 6 013. *Importations.* (90) Sacs en cuir 2 571, autres matières 15 168.

Mégisserie (production 1990, en milliers de peaux). *Ovins* 18 949 dont peaux pour vêtement 12 985, doublure 2 020. *Caprins* 3 451 dont peaux dessus chaussure 1 821. *Porcins (89)* 1 268. *Reptiles et autres peaux* (89) 1 100. **Imp. de cuirs finis** (en t, 1990). Ovins 994, caprins 347, porcins 1 318, reptiles 38, autres peaux 1 168. **Exportations** (1990). Ovins 4 637, caprins 283, porcins 1 751, reptiles 41, autres peaux 199.

Cuirs et peaux bruts (en t, 1990). Bovins 108 000, veaux 20 721, équidés 1 012, ovins 21 900, caprins 160. **Imp.** (1990) bovins 17 502, veaux 4 991, équidés 39, ovins 97 943, caprins 872. **Exp.** (1990) bovins 137 531, veaux 23 819, équidés 1 045, ovins 14 431, caprins 307.

Tannerie (production 1990). Bovins 11 206 t dont cuir à semelle 891 t, vendus au poids 0,04, vendus à la surface (89) 6 446. Veaux 1 682. Équidés 21. **Imp. de cuirs tannés** (1990). Bovins 4 255, veaux 1 062. **Exp.** (1990). Bovins 3 531, veaux 978.

La chaussure en France

Chiffre d'affaires (H.T. en milliards de F). *1981 :* 11,9. *85 :* 18. *86 :* 17,9. *87 :* 16,8. *88 :* 15,4. *89 :* 16 (export. 4,4) dont (en %) : Pays de Loire 31,3, Rhônes-Alpes 12,4, Alsace 12, Aquitaine 12, Lorraine 6,9. *90 :* 16,9.

Entreprises. *1985 :* 405. *88 :* 339. *89 :* 320 dont 176 ont - de 50 ouvriers et 8 + de 500. *90 :* 328. **Effectif** (1990). 37 587 dont ouvriers 30 762 (77 994 salariés en 1971). **Principales sociétés** (chiffre d'aff. 1989 en milliards de F). André 6,5. ERAM 2,9. Adidas France 2,6. Bata 2,2. Bally France 0,67 (1988). Charles Jourdan 0,46. Mephisto 0,42.

Production (millions de paires). **Chaussures.** *1965 :* 153. *70 :* 151. *75 :* 171. *80 :* 155. *85 :* 154. *88 :* 119. *89 :* 118. *90 :* 124. **Pantoufles.** *1960 :* 71. *65 :* 44. *70 :* 46. *75 :* 58. *80 :* 51. *85 :* 45. *88 :* 48. *89 :* 50. *90 :* 53.

Commerce (en millions de paires, 1990). **Imp. :** 174,3 dont C.E.E. 85,6 (dont Italie 58,3 ; Portugal 13,4 ; Espagne 8,9 ; All. 2,3), hors C.E.E. 87,9 (dont Chine 30,7 ; Thaïlande 9 ; Corée du S. 8,7 ; Taïwan 5,3 ; Brésil 4,6, Maroc 4,1). **Exp. :** 41,4 dont C.E.E. 24,1 (dont All. féd. 7,8, Belg.-Benelux 4,9, G.-B. 3,3 ; Italie 2,7 ; P.-Bas 2,3) ; hors C.E.E. 6,7 (dont U.S.A. 1, Japon 1, Arabie S. 0,4).

Balance commerciale (en millions de F). *1975 :* + 300. *80 :* - 1 195. *85 :* - 2 691. *90 :* - 6 604.

Localisation. *Cholet :* gamme étendue. *Alsace :* chaussures lourdes ; se diversifie. *Région parisienne :* ch. de luxe. *Fougères :* ch. de femmes et de confort. *Romans :* articles de qualité pour hommes et femmes. *Midi pyrénéen :* ch. d'enfants, espadrilles. *Poitou, Charentes, Limousin, Niort, Périgueux :* pantoufles, ch. de femmes et articles d'été. *Isère :* ch. de montagne et d'après-ski.

Marques (principales). Adidas, Aigle, André-Weston, Babybotte-Le Loup Blanc, Bally, Bata, Eram, Gep-Gepy, Jourdan-Christian Dior, Kickers, Labelle-Ted Lapidus, Méphisto, Mod'8, Myrys, Noël, Paraboot, Palladium, Solaria, Stephane Kelian, Clergerie, Jeva, Semelflex.

☞ J. M. Weston est un nom inventé par Eugène Blanchard (bottier à Limoges, en 1924).

Paires consommées par habitant. *1960 :* 3,7. *70 :* 3,7. *75 :* 4,6. *80 :* 5,1. *85 :* 5,3. *88 :* 5,8. *90 :* 5,4.

Prix d'une chaussure classique. *Prix de revient du fabricant :* matières premières 40 %, main-d'œuvre directe et charges sociales 30 %, frais généraux 18 %, frais de commercialisation 9 %, marge nette 3 %, coefficient prix de vente au détail 2,10.

Ganterie de peau

Origine. Les premières corporations de gantiers (datant de 1342) s'installèrent surtout dans des régions où se pratiquait l'élevage intensif de chevreaux et de moutons, et où les rivières possédaient une eau pure propre au tannage : Dauphiné, sud de la Champagne, Massif central (autour de Millau et de St-Junien). **Production.** *En 1990 :* 7,3 millions de paires de gants.

Peaux utilisées. Veau, chevreuil, renne, antilope, phoque, singe, chien, pécari, chèvre, chevreau, mouton, agneau, dinde (que l'on utilisait au Moyen Age sous le nom de « cuir de poule »), outarde, pingouin, autruche... Coupé à la main et aux ciseaux, le gant de ville nécessite la participation de 15 pers. différentes de la coupe à la finition définitive (le gant de protection coupé au bloc ne nécessite pas une main-d'œuvre aussi qualifiée).

Dentelle

Généralités

Origine. Dentelle à l'aiguille : aboutissement de la broderie dont le support, d'abord allégé, disparaît totalement. **Dentelle aux fuseaux :** filet de pêcheurs, passementerie.

Histoire. Dentelle aux fuseaux : la plus ancienne (au Musée des tissus de Lyon, dentelles découvertes à Memphis en 2000 av. J.-C.). Technique transmise par les Arabes. **À l'aiguille :** forme de broderie existant en Orient au Moyen Age, introduite en Occident par les Croisés. **1540** vogue sur les costumes (fraise, manchette, col...) et en ameublement (lit, carrosses...). **1620-64** nombreux édits pour en limiter le port. **1665** Colbert crée des manufactures à Arras, Le Quesnoy, Reims, Sedan, Château-Thierry, Loudun, Aurillac, Alençon. **XVIIIe s.** vogue. **Révolution** arrêt de la fabrication. **XIXe s.** Napoléon la relance **1903-5-7** loi organisant l'apprentissage. **1934** suppression de l'enseignement. La tradition continue. **1989** création du C.A.P. « Arts de la dentelle » - fuseau et aiguille - (préparation en 3 ans).

Matériel. *Métier* ou *carreau* (coussin, pupitre, boule). *Fuseaux* buis, if, prunier, poirier, merisier, os, formes diverses. *Aiguille. Parchemin. Épingles.*

Catégories

Dentelle à l'aiguille. Principales : points de Venise, d'Argentan, d'Alençon, de France, de Bruxelles, de Sedan, d'Angleterre et dentelle Reticella. **Point d'Alençon :** le dessin fait à l'encre sur papier est reporté sur un parchemin par *piquage* à la main (les trous suivent le tracé du dessin). Ce parchemin (teinté en vert pour le repos des yeux), placé sur un support de toile, permettra de faire la *trace* à l'aide de 2 aiguilles travaillant simultanément. Le *réseau* est une sorte de tulle fait à l'aiguille (une minuscule aiguille à coudre), avec un fil de lin très ténu. Fleurs, feuillages, volutes et bordures sont réalisés en *rempli* (mailles tortillées beaucoup plus serrées). Pour les *modes,* l'ouvrière dessine avec son aiguille. Elle tend des fils, les festonne, les garnit de picots, eux-mêmes festonnés. La *brode,* ou petit feston qui sertit le motif, repasse sur tous les contours du dessin (simple à l'intérieur du motif, picotée pour les bords extérieurs). Dernières opérations : levage, régalage, assemblage et luchage (pour libérer la dentelle du parchemin, la mettre au net et la débarrasser des fils brisés par le rasoir), assembler de manière invisible et solide les parties ; ou incruster les motifs sur napperon ou mouchoir, ou faire le montage sous cadre.

Aux fuseaux. Sur un métier on pose une carte lyonnaise dont les perforations ont suivi le tracé d'un dessin, puis on fixe les fils avec des épingles et on entrecroise les fils des différents fuseaux. Les points sont retenus par des épingles que la dentellière change de place chaque fois que le travail avance. *Principales :* Chantilly noir, Valenciennes, Gênes, Flandres, Malines, Bruxelles, Auvergne, Bayeux, Le Puy-en-Velay.

Diverses. Au crochet. Se fait avec un crochet et du fil de coton. *Principales :* d'Irlande, d'Art. **A la navette** (ou frivolité). Se fait avec du fil à crochet en utilisant ses doigts et 1 ou 2 navettes. **Au métier** (ou Ténériffe). On tend des fils sur les dents d'un métier en métal, puis on les relie par des points de reprise et des nœuds. **Brodée.** Broderies exécutées sur fond ou filet. **Macramé.** Succession de nœuds faits à la main.

Fabrication

Mécanique. Les métiers ont d'abord reproduit le réseau ou tulle sur lequel on appliquait des motifs, puis (2e moitié du XIXe s.), et dans leur fonctionnement, en le multipliant, le mouvement des fils que la dentellière aux fuseaux fait sur son carreau. **Types de métiers.** *M. Leavers et Bobin Jacquard* (m. à chariots et bobines) ; *à fuseaux mécaniques,* Rachel, m. à maille. **Principaux centres de fabrication.** *France :* Calais, Caudry (Nord), Le Puy-en-Velay. *G.-B. :* Nottingham. *Italie :* Milan et sa région. *Espagne :* Barcelone. *U.S.A. :* Providence (Rhode Island).

A la main. Régions de production. *Nord de la France :* Arras (dep. Charles Quint), Bailleul (dep. XVIIe s.), Lille (dep. avant 1582), Valenciennes (dep. avant le XVIe s.). *Normandie :* Bayeux, Le Havre, Honfleur, Bolbec, Eu, Fécamp, Dieppe, Saint-Malo dep. Colbert, Alençon (vers 1650), Argentan (dep. le XIVe s.). *Massif central :* Haute-Loire (en particulier Le Puy-en-Velay), Ardèche, Puy-de-D., Loire. **Étranger.** *Allemagne* (Saxe, Bavière, Hesse, Bohême, Berlin, Erzgebirge, Harz). *Belgique* (Bruxelles, Bruges, Malines, Gand, Anvers, Ypres, Binche, Audenarde, Alost, Termonde). *Russie. Mexique. Canada. Chili. Brésil. Angleterre. Danemark. Espagne. Pays-Bas. Hongrie. Italie. Suède. Tchécosl. Turquie. Finlande. Suisse. Espagne.*

Ateliers actuels. A l'aiguille. Point d'Alençon. Rue Jullien ou rue Camille Vidant, 61000 Alençon : *Atelier national* (fabrication et restauration), préparation CAP, d. à l'aiguille. **Au fuseau.** 2, rue Duguesclin, 43000 Le Puy-en-Velay : *Atelier Conservatoire nat.* (fabrication, restauration et vente), préparation CAP ; *Centre d'enseign. de la d. au Fuseau* (rénovateur de l'art dentellier en France) : *Pte fondatrice :* M. Fouriscot : 2, rue Duguesclin, 43000 Le Puy-en-Velay et 7, rue Louis-le-Grand, 75002 Paris. *Centre normand de la d. au fuseau-main :* hôtel du Doyen, rue Rambert-Leforestier, 14400 Bayeux. Fédération des d. et broderies Groupmain : 24, rue de Clichy, 75009 Paris. *Pt :* Mick Fouriscot. *Organisation internationale de la d. au fuseau et à l'aiguille (OIDFA)* regroupant les dentellières de 17 pays : 7, rue Louis-le-Grand, 75002 Paris.

Disques

Grandes dates

1807 *Thomas Young* (Angl. ; 1773-1829) présente un cylindre animé d'un mouvement rotatif et enduit de noir de fumée qui inscrit les vibrations d'un corps sonore. **1857** *Édouard Léon Scott de Martinville* (1811-79, Fr.) invente le *phonautographe* qui enregistre sur du noir de fumée des vibrations acoustiques, mais ne peut les reproduire. **1876** *Graham Bell* (1847-1922, Amér.) et *Manuel* construisent le 1er microphone. **1877**-*16-4* : le poète *Charles Cros* (1842-88, Fr.) envoie à l'Académie des sciences de Paris la description du paléophone à cylindre et à disque. *Thomas Edison* (1847-1931, Amér.) invente en Amérique simultanément un système qui permet d'enregistrer et de reproduire les sons. *10-10* : l'abbé *Lenoir* propose à Cros le terme de phonogramme. *10-12* : *Werner von Siemens* (1816-92, All.) obtient le brevet du haut-parleur électronique. **1878**-*19-2* : le brevet du phonogramme est accordé à *Charles Cros*. *1-5* : Cros dépose le brevet d'un cylindre à sillon hélicoïdal, du disque à sillon spiralé, de la gravure verticale ou latérale des sillons et d'un nouveau système électrique d'enregistrement et de reproduction. **1881** *Edison* poursuit la mise en œuvre de ses idées et réalise un appareil commercial enregistrant et lisant des cylindres de cire. **1886**-*4-5* : *Graham* (1847-1922) et *Chichester Bell* (Am.) obtiennent le brevet du graphophone à cylindre de cire, gravure par outil tranchant, conduits acoustiques de lecture et pavillon. **1887** *Émile Berliner* (1851-1929, All.) invente et réalise aux U.S.A. le 1er *disque* [flan de zinc de 30 cm de diamètre enduit de cire (78 tours/minute)] ; il fonde la Deutsche Grammophon Gesellschaft. **1893** 1ers disques dupliqués par pressage (17,70 cm, 70 tours/mn) mis en vente par la Deutsche Grammophon Gesellschaft. *Émile Lioret* (1848-1938, Fr.) invente le moulage de cylindres incassable, et crée la 1re usine d'appareils en Fr. **1894** les frères *Pathé* [Français ; Émile (1860-1937) et Charles (1863-1957)] créent la 1re grande Sté fr. de phonographes. **1897** U.S.A. *Eldridge Johnson* (1867-1945) perfectionne le gramophone par un moteur à ressort, une aiguille lectrice, un diaphragme et un pavillon acoustique. **1898** *Valdemar Poulsen* (1876-1942, Dan.) invente l'enregistrement sur fil magnétique (il faudra attendre 40 ans sa vulgarisation). **1895-1900** création de l'*industrie phonographique* en Amérique et Europe. **1899** Gramophone acquiert un tableau de Francis Barraud représentant un chien, Nipper, qui pleure en écoutant la voix de son maître devant le cornet d'un gramophone.

1900 appareil à enregistrement magnétique : *le télégraphone*. **1902-06** le disque l'emporte sur le cylindre. **1911** fondation des Archives de la Parole qui deviendront la *Phonothèque nationale* en 1938. **1919** débuts de la Radiodiffusion. **1926** la firme Victor adopte la *gravure électrique* : disque de 30 cm de diamètre, 34 spires au cm et vitesse de 78 tours/mn ; 4 mn (au lieu de 2) d'audition par face. **1927** vidéodisque. Voir Index. **1928** invention en All. de la *bande magnétique*, par Kurt Stille. **1928-36** disques de *longue durée* de plus de 30 cm de diamètre à sillon large (33 t/mn. Usage professionnel). **1929** Sir Lewis (G.-B.) crée la firme Decca qui commercialise le 1er gramophone portable. **1931** 1re tentative de microsillon chez Victor, échec. *Blumlein* (G.-B.) réalise l'enregistrement stéréo. **1935** AEG (constructeur all.) 1er *magnétophone*. **1944** *haute-fidélité* (lancée en Angl. : Full Frequency Range Recording). **1945** remplacement de la cire par une laque (brevet français) enduisant un flan en aluminium. **1946**-*21-6* apparition, en Amérique, du *microsillon* (Columbia) à la suite des recherches de *René Snepvangers* et de *Peter Goldenmark* (33t/min) (1er : *Concerto pour violon* de Mendelssohn, la *4e Symphonie* de Tchaïkovski et *South Pacific*). **1947** dans les studios, 1ers magnétophones. **1949** nouveau disque 17 cm de diamètre à 45 t/min (RCA). **1955** le microsillon apparaît. **1957** enregistrement stéréophonique commercialisé. Le disque 78 t/min est abandonné.

1963 1er *magnétophone* à cassettes (El 3 300 Philips). **1968** généralisation de la stéréophonie aux disques 33 1/3 t/min pour être utilisable sur les appareils monophoniques (disques *stéréocompatibles ou gravure universelle*). **1970** apparition de la *tétraphonie* (4 canaux) aux USA **1976** *Thomas G. Stockham* junior améliore le repiquage des anciens enregistrements par ordinateur ; la mise en mémoire de son commence à remplacer l'enregistrement classique sur bande magnétique (USA, Japon). **1983** Compact disque (audionumérique) commercialisé en Fr., voir ci-dessous. **1987** Cassette audionumérique (DAT) commercialisée au Japon.

Cassette audionumérique (DAT, Digital, Audio Tape). Combine la flexibilité (enregistrement, copie) des cassettes analogiques classiques et la qualité sonore des disques compacts (CD). Durée d'enregistrement : 2 h ; taille inférieure aux cassettes analogiques. Risque majeur pour les producteurs de disques compacts : une capacité de copie illimitée (projet de puce « anticopie »). *Coût du matériel* : magnétophone : env. 8 000 F, cassette vierge : 48 à 80 F.

Types de disques

• **78 tours/min** (abandonné). *Diamètre* 25 et 30 cm. *Lecture* avec des pointes d'acier (anciens lecteurs), ou en saphir ou en diamant de 75 microns (lecteurs modernes). *Durée d'une face de 30 cm* : 4 mn 30 s.

• **Microsillons.** *Diamètre* 17 cm (45 tours/min), 25 ou 30 cm (33 h tours/min). *Durée d'une face de 30 cm* : 25 à 30 min ; *de 17 cm* : 6 à 10 min. *Pointe de lecture* : 13 à 18 microns.

Largeur du sillon. *78 tours* : 100 à 150 microns. *33 tours* : 50 à 110 microns. **Nombre de spires par centimètre.** *78 t.* : 36.

☞ Quelques conseils. Nettoyer le disque (le stockage dans une pochette en carton laisse des dépôts entraînant des parasites). Stocker verticalement et assez serré. Éloigner des sources de chaleur. Éviter les brusques changements de température. Ne pas toucher la surface gravée avec les doigts (l'acidité des sécrétions de la peau attaque la matière et provoque des grésillements). La tête de lecture ne doit pas appuyer trop fort (usure plus rapide du sillon) ni trop faiblement (distorsion à cause de la perte de contact momentanée entre la pointe de lecture et les flancs du sillon). Vérifier la durée de vie en heures de la tête de lecture (en général un diamant dure 1 000 h). Une pointe usée ou cassée endommage le sillon. Éviter les chiffons imbibés de liquide et les pulvérisations de produits antistatiques.

• **Compact disque (disque audionumérique). Origine 1969.** A la suite du 1er vol humain sur la Lune, la NASA remplace le système d'enregistrement des sons classiques par le système numérique. **1979** entente (Philips, Sony, Hitachi, JVC) pour un standard unique. **1982** *oct.* lancement au Japon. **1983** *mars* en Europe.

Description. Diamètre 12 cm. L'information musicale est, à l'intérieur du disque, protégée par une couche de plastique transparent. Vitesse linéaire de lecture 1,3 m/s. Capacité sur une face : jusqu'à 1 h 16 min. d'enregistrement. **Avantages.** Qualité sonore, bande passante exceptionnelle, élimination des perturbations dues à la rotation du disque (pleurage et scintillement), dynamique (rapport entre le son le plus fort et le plus faible) élevée. Rapport signal sur bruit de + de 90 dB [meilleurs disques non compacts (analogiques) au max. 45 dB]. Absence de distorsion (inférieure à 0,005 % à 0 dB). Usure nulle. Sensibilité quasi nulle à la poussière ou aux traces de doigts. **Principes.** Dans un disque ordinaire, les vibrations (variations de pression) sont inscrites de manière analogique, les ondulations du sillon suivant exactement les variations de la pression sonore. Les ondes gravées ainsi sur le disque sont transformées en ondes électriques par le phonolecteur, puis en ondes sonores par le haut-parleur. Dans le disque compact, on ne transmet plus le contour entier de l'onde, mais on échantillonne (code) l'onde sonore à une cadence de 44 100 fois par s sous forme d'impulsion binaire (en anglais PCM : *pulse coded modulation*) dont la valeur caractérise l'amplitude de l'onde à cet instant ; ces impulsions sont décodées de façon optique par le faisceau lumineux d'un laser. Un générateur électrique fabrique à la même fréquence une tension élec. proportionnelle à cette suite de nombres. A la réception, on reconvertit le nombre en tension électrique pour retrouver une onde aussi pure qu'elle l'était au départ. C'est en fait une mémoire avec une capacité de plus de 2 milliards de bits (voir p. 1473). Ils peuvent contenir l'équivalent de 600 millions de caractères (600 000 feuillets 21 × 29,7).

Types. CD-A (Compact Disc audio). **CD-E** (effaçable ; ex. MOD : Magneto Optical Disc, de Thomson). **CD-R** (à enregistrement unique). **CD-ROM** (Read only memory, à lecture seulement, 1985), **CD-V** [Compact Disc video (1987) ; 3 formats : *CD-V-clip* 12 cm de diamètre pour 6 min. d'images + 20 min. de son) ; *CD-V 20* (20 cm de diam., 2 fois 20 min. d'image et de son) ; *CD-V 30* (30 cm de diam., 2 fois 1 h d'image et de son) ; prix : CD-V-clip : 60 F env., CD-V 30 : 240 F. Un câble équipé de 2 prises Péritel relie le lecteur au téléviseur (système compatible avec les télés Secam équipées d'une prise Péritel ; les télés PAL pourront être raccordées par leur prise antenne au lecteur), et un cordon audio équipé de prises RCA relie le lecteur à un amplificateur haute fidélité. Le télév. devra donc être intégré à la chaîne. *Prix lecteurs* : 7 000 à 8 000 F]. CD-I (Compact Disc interactif, 1988).

• **Vidéodisques.** Voir Index.

• **Disques codes.** *Principe* : compression de la dynamique à l'enregistrement, amplification à la lecture, pour éliminer la quasi-totalité du bruit de fond résiduel dû à la gravure et à la lecture analogique. 2 SYSTÈMES : *DBX* : disques utilisables seulement avec le décodeur adéquat. *CX (CBS)* : disques lus sur toutes les platines mais performants seulement avec un décodeur CX. *Avantages* : très bonne dynamique et bruit de fond faible. *Coût* du décodeur : env. 700 F. Pourrait être incorporé sur toutes platines comme le Dolby ou d'autres réducteurs de bruit.

Fabrication d'un disque

Étapes

• **Enregistrement.** En studio. Sur plusieurs pistes (16 à 32) qui sont ensuite « mixées » sur un pupitre de mélange qui permet des corrections de timbre et des adjonctions de réverbération artificielle (en assurant un bon équilibrage entre les instruments) et donnent 2 pistes sonores : voix gauche et droite d'un disque stéréophonique (ou additionnées pour un disque monophonique). On peut enregistrer les instruments en plusieurs séances : ex. batterie et cuivres, puis autres instrumentistes qui joueront en écoutant au casque l'enregistrement précédent, enfin le soliste. Presque toujours en tétraphonie.

• **Gravure ou transcription.** Sur disque d'aluminium recouvert de triacétate de cellulose (dit acétate) posé sur une platine lourde percée de nombreux orifices. Le burin (rubis taillé) trace dans l'acétate un sillon de 20 à 50 microns pour un disque stéréophonique. Les vibrations sonores déplacent le burin (amplitude 1 micron). La bande magnétique est lue successivement par 2 têtes, séparées par une distance correspondant à env. un demi-tour de disque (la 1re lecture renseignant sur l'intensité sonore de ce qu'on devra graver). Une bobine convertit en force magnétique les variations de courant venant de la lecture. L'acétate gravé est recouvert par galvanoplastie d'une fine couche d'argent conductrice. On obtient ensuite par électrolyse un négatif, le *père* où une ligne en relief remplace le sillon. Une nouvelle électrolyse fait passer du *père* à la *mère* qui est en creux et peut être lue pour un contrôle. Une autre donnera la *matrice* qui servira au pressage. Un acétate donne un seul *père*, un *père* donne jusqu'à 10 *mères* qui produiront chacune de 10 à 50 *matrices*. Une matrice presse 500 disques de haute-fidélité et 8 000 à 10 000 de variétés.

Gravure stéréo. La tête de lecture d'un pick-up peut se déplacer verticalement et horizontalement. La *gravure stéréo* utilise ces 2 possibilités pour graver 2 informations différentes. Pour que le disque puisse être lu par une *tête monophonique* (sensible aux seuls déplacements horizontaux), on grave horizontalement la somme des signaux gauche et droite, et verticalement leur différence. Pour la *quadriphonie* – ou *tétraphonie* – on utilisait 4 sources sonores : avant gauche, avant droite, arrière gauche, arrière droite, simultanément gravées.

Système à modulation. On grave en stéréo normale la somme des 2 signaux de gauche et celle des 2 signaux de droite. Les différences correspondantes sont « modulées » avant d'être gravées : leurs sons audibles sont transformés en ultrasons. A la lecture, des filtres sépareront ces ultrasons qui seront transformés en sons audibles et recombinés. La gravure des ultrasons est difficile.

• **Pressage.** Soit : *1°) Par compression* (env. 200 atmosphères) entre 2 matrices d'une boule de chlorure et d'acétate de vinyle colorée en noir (la gravure sera plus visible) et chauffée pour qu'elle soit plus fluide. *2°) Par injection* dans un moule dont les matrices forment les 2 flans. On évite ainsi les pertes de matière par les bords et l'on gagne du temps (15 s au lieu de 25), mais la reproduction est moins bonne.

• **Défauts.** L'enregistrement magnétique introduit un bruit de souffle et un certain type de distorsion, la fabrication du disque d'autres bruits, claquements, grésillements, souffle, la lecture des distorsions.

Chaîne électronique

Chaîne « **Hi-Fi** » (de l'anglais *High Fidelity*). COMPOSITION : *1°) 1 platine tourne-disque* (avec tête de lecture) : comprend une pointe (qui suit les déformations gravées dans le sillon du disque) caractérisée par le rapport signal sur bruit (bonne suspension, notamment systèmes à contre-platine), isolation du moteur (à entraînement direct, par courroie) ; éviter les cellules légères sur bras lourds (25 à 30 g) ; peut être complétée par un lecteur de disque audionumérique. Actuellement, cette platine est complétée ou remplacée par un lecteur de « compact disques ». *2°) 1 platine cassette* (avec dispositif de lecture) ou 1 platine double-cassette, comportant un dispositif de lecture et un dispositif d'enregistrement-lecture sur bande magnétique. L'information est stockée. *3°) 1 tuner radiophonique :* une antenne reçoit les ondes émises par les émetteurs radiophoniques, caractérisée par sa sensibilité (capacité à capter des émissions), le rapport signal sur bruit (élimination du bruit de fond), sa sélectivité (rapport de capture, réjections de « canal adjacent », de « fréquence image », de « modulations d'amplitude » contre les parasites), le taux de distorsion, la bande passante (intensité égale des aigus et graves). *4°) 1 microphone. 5°) 1 amplificateur. 6°) des enceintes,* en général 2, contenant souvent 3 haut-parleurs. La bande passante d'une bonne chaîne Hi-Fi doit contenir le domaine 20-16 000 Hz.

Généralisation : de nombreuses chaînes électroniques comprennent : un capteur dans le bloc fonctionnel d'entrée, un dispositif électronique comprenant l'amplificateur, un organe de sortie (haut-parleur, voyant lumineux).

Édition phonographique

Dans le monde

• **Ventes. Phonogrammes.** (en millions de $, 1989 : valeur au prix de détail TTC). USA 6 464,1. Japon 3 088,9. G.-B. 1 989,9. All. féd. 1 646,3. *France 1 289,1.* URSS 696,6. Canada 588,7. Australie 447,8. Italie 436,2. P.-Bas 426,7. Espagne 419,2. Brésil 371,2. Corée du S. 309,5. Suède 236,7. Mexique 235,1. Chine 215,8. Suisse 208,4. Inde 188 [1]. Belgique 165. Taiwan 152,8. Autriche [2] 141,3. Finlande 130,1. Danemark [2] 115,3. Thaïlande 111,4. Norvège 102,5. Afr. du S. [1] 95,3. Turquie [1] 92,3. Hong Kong 73,8. *Total monde* (est.) 21 600.

45 t, entre parenthèses **33 t** et en italique **cassettes** (en millions d'unités). G.-B. 56,4 (37,9) *83.* USA 36,6 (34,6) *446,2.* France 35,6 (16,2) *40,1.* All. féd. 25,8 (48,3) *58,1.* URSS 10,4 (89,1) *11,1.* Belgique 6,5 (2,4) *2,6.* Japon 6,3 (1,7) *59,2.* Australie 5,9 (5,1) *16.* Suède 5,1 (10,5) *5.* P.-Bas 4,2 (4,3) *3,2.* Colombie 3,6 (5,2) *2,6.* Italie 3,4 (16,2) *23,9.* Canada 3,1 (3,6) *36,2.* Autriche [2] 2,5 (3,5) *2,4.* Suisse 2,4 (3) *6,7.* Tchéc. 2,2 (10,1) *2,7.* Espagne 1,9 (20,6) *27,2.* Danemark [2] 0,8 (4,8) *1,8.* Philippines 0,8 (0,5) 4,2.

Cassettes 2 titres. 76 % des ventes totales de formats courts aux USA. (90).

Disques compacts (en millions d'unités, 1989). USA 207,2. Japon 114,7. All. féd. 56,9. G.-B. 41,7. *France 40,3.* P.-Bas 23,5. Canada 11,9. Suisse 11. Italie 10,3. Australie 9,1. Belgique 6,5. Suède 4,8. Espagne 4,9. Hong Kong 3,8. Autriche [2] 3,2. Danemark [2] 3. Brésil 2,2. Taiwan 2,1. Norvège 2. Mexique 1,7. N.-Zélande 1,6. Singapour 1,1. Corée du S. 1. Portugal [2] 0,6. Tchécoslovaquie 0,6. Afr. du S. [1] 0,5. Arabie S. 0,5. Grèce [2] 0,4. Irlande 0,3. Hongrie 0,2. *Monde (est.)* 600.

Nota. – (1) 1988. (2) membres IFPI seulement.

Disques compacts vendus par rapport à la vente de disques (en %, 1989). *France 49,1.* Belg. 47,3. All. féd. 46,1. Danemark 35,6. Italie 34,4. G.-B. 32,5. P.-B. 23,7. Irlande 21,4. Port. 20,7. Esp. 17,9. Grèce 7,4.

Nota. – (1) 1988. (2) membres IFPI seulement.

• **Taux de la TVA** (en %) [Audio-disques et bandes, Vidéo vente et location (V et VL). Allemagne 14. Australie 20. Autriche 20. Belgique 25 (VL 19). Danemark 22. Espagne 12 (VL 4). Finlande 16 (V 16). *France 18,6.* G.-B. 15. Grèce 16. Irlande 25. Italie 9. Luxembourg 12. N.-Zélande (Audio 20, Vidéo 30). Norvège 20. P.-Bas 18,5. Portugal 16. Suède 23,46. Suisse 9,3. U.S.A. 2,10.

• **Enregistrements pirates en millions de $ au prix de détail des produits pirates et,** entre parenthèses, **en millions d'unités vendues** (1989). *Total* 1 107,5 (477,3) dont : Amér. du N. 423,4 (46,5), Asie du Sud-Est 322,1 (287,1). Europe 155,4 (24) dont CEE 147,8 (21,6). Amér. latine 96,2 (71,7). Moyen-Orient 58,3 (23,2). Afrique 45,1 (23,4). Asie, Australie 7,1 (1,5).

• **Cassettes pirates** (en % du marché, 1987). *90 :* Pologne, Chypre. *85 :* Salvador. *80 :* Nigeria. *75 :* Ghana. *69 :* Équateur. *68 :* Kenya. *62 :* Pérou. *60 :* Honduras, Panama. *58 :* Bolivie. *52 :* Inde. *50 :* Mexique. *46 :* Arabie Saoudite. *45 :* Côte-d'Ivoire. *43 :* Égypte. *40 :* Tchécoslovaquie, Corée, Thaïlande. *27 :* Argentine. *25 :* Grèce, Indonésie. *23 :* Uruguay. *22 :* Portugal. *20 :* Italie. *18 :* Taïwan. *17 :* Philippines, Chine. *16 :* Colombie, Malaisie, Venezuela. *15 :* Guatemala, Turquie. *13 :* Chili. *11 :* Hongrie. *10 :* Costa Rica, France. *7 :* P.-Bas. *6 :* USA. *5 :* Brésil, Espagne. *4 :* Australie, Suisse. *3 :* Singapour. *2 :* Finlande, Irlande, Suède. *1 :* All., Autriche, Belgique, Canada, G.-B., Norvège.

En France

• **Sociétés.** 58 groupées au sein du Syndicat national de l'édition phonographique (SNEP). Le quart couvre en production et en vente 90 % du marché. **Effectifs.** 3 600 (non compris vente et imprimerie).

Polygram (Philips et Siemens, 50 % chacun). *Chiffre d'aff.* : 2 milliards de F (sur Polydor Phonogram et Barclay). *Marques propres :* Philips, Fontana, Vertigo, Mercury, Barclay (dep. 1988) ; *licenciées ou distribuées :* Charisma, E.C.M. Records, Rocket Records, Who's Who, Adele, etc.

Sony Music (dep. 1-1-91, avant CBC). *Chiffre d'aff. :* 1,3 md de F. *Marques :* CBC, Epic, Squat.

EMI (Pathé-Marconi) France. *Créée* 1886 par les frères Pathé. *Chiffre d'aff. :* 683 MF. Depuis 1936, filiale à 87 % du groupe anglais Thorn EMI *Effectifs* 560. *Studios* Boulogne. *Usine de pressage* à Chatou. *Filiales :* Pathé-Marconi S.A., Éditions musicales Francis Day E.M.I. Représente en France env. *80 marques* (Columbia, EMI, Pathé, La Voix de son maître, Ducretet-Thomson).

• **Fabrication** (en millions, 1986). Disques 100,8 (33 t 37,6, 45 t 63,1). Cassettes 25,1.

Chiffres d'affaires (en milliards de F). *1970 :* 0,49, *75 :* 1,17, *80 :* 2,3, *85 :* 2,83, *88 :* 3,8 (dont *45 t :* 0,55, *33 t :* 0,6 *compacts :* 1,6, *cassettes :* 1,1). *1990 :* WEA 0,66 ; BmG France 6 ; Virgin 0,45. **Quantité vendue** (en millions d'ex.) **1988 :** *45 t.* 40 ; *cassettes* 31 ; *compacts* 25,8 ; *33 t.* 19,3 (*1978 :* 75). **1990 :** *compacts* 56,2 ; *cassettes* 42. **Export.** *1970 :* 0,07, *80 :* 0,19, *85 :* 0,26. **Import.** *1970 :* 0,02, *80 :* 0,05, *85 :* 0,03.

Marché du disque français (en %). Polygram (filiale de Philips ; P.-B.) 30, CBS (USA) 14, Euri (USA) 14, Virgin (G.-B.) 5, BMG (All. féd.) 5, Warner (U.S.A.) 8. Divers : Harmonia Mundi, New Rose, Auvidis, Médiaset, Musidisc 20.

En 1989, 132 disques (33 t) ou équivalant en compacts ont dépassé 100 000 ex. *(1988 :* 96).

• **Département de la phonothèque nationale et de l'audiovisuel.** (Bibliothèque nationale) 2, rue de Louvois, 75002 Paris. Né de la fusion en 1976 de la Phonothèque nationale, créée 1938, et du Service audiovisuel de la Bibliothèque nationale. *Collections :* « Archives de la Parole » et documents inédits dep. 1891, versements de documents collectés par des chercheurs ; outre les dons et les achats, reçoit le dépôt légal des phonogrammes dep. 1940, des vidéogrammes dep. 1975 et des œuvres cinématographiques dep. 1977. *Fonds encyclopédique :* 1 100 000 phonogrammes des origines à nos jours, 16 000 vidéogrammes et 12 000 œuvres cinématographiques.

Entrées par dépôt légal. 17 213 dont *disques noirs 30 cm* 3 188, *25 cm* 8, *17 cm* 1 490 ; *compacts 12 cm* 7 841, *8 cm* 199 ; *cassettes* 4 487.

Catalogues (1990). Base nationale de données des phonogrammes et des vidéogrammes LEDA depuis 1982, + d'1 million d'accès, 100 000 références. Commercialisation sous forme de CD-ROM.

• **Prix d'un 33 tours** (en %). Droits (interprètes, auteurs, compositeurs) 17,23. Enregistrement 10,15. Fabrication 20. Distribution 30. Publicité, relations publiques 5. Frais généraux 10,15. **Prix de revient moyen.** *33 tours :* 200 à 600 000 F. *45 tours :* 100 à 150 000 F.

• **Disques d'or. Seuils de vente 45-tours et,** entre parenthèses : **33-tours (30 cm), disques compacts et musicassettes** (au 1er trimestre 1989, en milliers). *Disque d'argent* (crée 1985) 200, *d'or* (créé 1973) 400 (100), *double or* (200), *de platine* 800 (300), *double platine* (600), *triple platine* (900), *de diamant* (1 000). On ne compte pas les rééditions en série économique ni les ventes à l'exportation ; le nombre de cassettes vendues peut être cumulé aux ventes de 33 t. correspondantes ; en cas d'un double album, on compte le nombre d'albums et non pas de disques. Si la vente correspondante en cassettes se fait sous la forme de 2 cassettes séparées, le nombre de ces cassettes est divisé par 2.

• **Hit Parade.** D'oct. 1968 à déc. 1977, le *Hit Parade national* du Disque des sociétés membres du SNEPA ne concernait que les disques de variétés. 30 disques étaient classés selon les ventes déclarées par les éditeurs et vérifiées par un expert-comptable. Sur 225 disques classés en 1976, 1 disque avait totalisé plus de 800 000 ex. vendus, 4 entre 700 000 et 800 000, 7 entre 600 000 et 700 000, 5 entre 500 000 et 600 000, 10 entre 400 000 et 500 000.

• **Top 50.** Créé 1984 par Europe 1 et approuvé par le S.N.E.P. Classement hebdomadaire des 50 meilleures ventes de 45 t (comptées dans les points de vente par un inst. de sondage, sous l'autorité de la Commission de contrôle du S.N.E.P.).

Nota. – Le 24-10-1979, à Londres, Paul Mc Cartney a reçu un disque en rhodium offert par Norris Mc Whitter, directeur du *Guinness Book of Records,* pour récompenser le plus grand succès de tous les temps (43 chansons écrites de 1962 à 1978, vendues à plus d'un million d'ex. chacune), le plus grand nombre de disques d'or (42 avec les Beatles, 17 avec les Wings, 1 avec Billy Preston), et les meilleures ventes de disques (env. 100 millions d'albums et 100 millions de singles).

Appareils électroacoustiques

Dans le monde

Électronique grand public. Chiffre d'affaires (en milliards de F). Matsushita-JVC (Japon) 70, Philips (P.-B.) 55, Sony (Japon) 42, Thomson-GE (F.) 40, Hitachi (Japon) 35.

Hi-Fi (vendues, nombre en milliers, en 1986). Appareils compacts (1 seul app.) ou, entre parenthèses, chaînes. G.-B. 1 220 (550). All. féd. 700 (770). *France 400 (390).* P.-Bas 210 (315). Italie 100 (210). Espagne 175 (195). *CEE 2 954 (2 556).*

Appareils à lecture laser (vente en milliers, 1986). USA 1 800. Japon 1 500. *France 320. CEE 2 700.*

En France

• **Production en France** (en millions de F, 1986). Électrophones 8,5. Magnétophones 40,6. Chaînes + éléments de chaînes 341.

• **Principales marques étrangères.** *Magnétophones :* Philips, Grundig. Telefunken, Sony, Akai. *Électrophones :* Philips, Grundig, Telefunken, ITT (Schaub-Lorenz, Océanic, Sonolor), Dual. *Chaînes :* Philips, Grundig, Telefunken, Kenwood, Sony, Pioneer, Technics. *Vidéo cassettes :* Philips, Sony, Nivico (J.V.C.), Sanyo, Hitachi, IVC

• **Commerce** (en millions de F, 1986). *Exp.* Électro. 3,7. Magnéto. 71,7. Chaînes + éléments de chaînes 291,7. *Imp.* Électro. 33,4. Magnéto. 564,2. Chaînes + éléments de chaînes 1 161,3.

• **Consommation apparente** (en millions de F, 1986). Électro. 48,2. Magnéto. 684,5. Chaînes + éléments de chaînes 1 522,1.

• **Marché des chaînes électroacoustiques** (en milliers d'unités). **Platines, disques mécaniques :** *1978 :* 420, *81 :* 890, *87 :* 340, *88 :* 280. **Lecteurs de disques** *compacts (laser) : 83 :* 25, *85 :* 105, *88 :* 1 050. **Platines cassettes :** *78 :* 245, *81 :* 905, *85 :* 450, *88 :* 250. **Tuners :** *78 :* 123, *81 :* 700, *88 :* 240. **Électrophones :** *80 :* 503, *85 :* 256. **Magnétophones à cassettes (non combinés) :** *80 :* 2 225, *87 :* 1 377. **Radiomagnétophones :** *80 :* 1 150, *88 :* 2 220 (dont mono 320). **Baladeurs (Walkman) :** *81 :* 350, *88 :* 2 700. **Radio-réveils :** *87 :* 1 700.

• **Magnétoscopes.** *Marché apparent : 1976 :* 9, *80 :* 144, *85 :* 672 (SECAM 96 %), *86 est. :* 850.

• **Achats de la distribution** (en milliers, 1988). **Vidéo :** Télé couleur 3 210, magnétoscopes 1 630, camescopes 240. **HI-FI et compacts :** éléments séparés (Amplis) 310, compacts 720. *Total chaînes :* 1 030. **Audio :** radiorécepteurs (non combinés) 1 150.

• **Parc français** (en milliers, 1989). Électrophones 9 177. Magnétophones 14 777. Chaînes + éléments de chaînes 6 816. Radiocassettes (1985) 9 635. Appareils à lecture laser 1 030. Baladeurs 2 000. Magnétoscopes 6 335.

• MIDEM (Marché international du disque et de l'édition musicale). Créé 1966 à Cannes. *1989 :* 1 860 Stés représentées (59 pays).

• Caméras vidéo. **Marché apparent :** *1979 :* 19, *80 :* 32, *85 :* 57 (caméras + camescopes). **Parc** (en service) : *80 :* 45, *85 :* 265. **Taux d'équipement :** *80 :* 0,2 %, *85 :* 1,3.

Eau

☞ Voir aussi Environnement à l'Index.

Source : Synd. professionnel des distributeurs d'eau et exploitants de réseaux d'assainissement et divers. Ville de Paris, SAGEP.

Stock hydrique mondial

• Total 1 342 409 250 km³ dont : **Eaux salées :** *océans* 1 304 000 000 ; *mers intérieures et lacs salés* 105 000. **E. douces utilisables** *de surface :* fleuves et rivières 1 250 (à un instant donné, mais la valeur des débits annuels moyens de tous les cours d'eau du monde doit dépasser 35 000 km³), lacs 124 000 ; *souterraines* jusqu'à 800 m de profondeur 4 000 000, de 800 à 4 000 m de profondeur 4 600 000 ; *humidité du sol* 66 000. **Non directement utilisables :** *glaciers et calottes polaires* 29 500 000 ; *humidité atmosphérique* 13 000. **Précipitations annuelles moyennes** (en mm). Océans 870 (évaporation 970 mm). Continents 670 (évaporation 420 mm, écoulement 250 mm).

• Volume disponible actuellement par hab. (en m³). *France 4 600,* USA 2 200, URSS 1 800.

Besoins en eau

L'homme est composé d'eau pour 66 % (melon d'eau 97 %, méduse 95 %, pomme de terre 91 %, carotte 89 %, ver de terre 80 %, truite 80 %, homard 79 %, poule 74 %, lapin 74 %, bœuf 53 %, graines de tournesol séchées 5 %.)

• Besoins physiologiques. L'eau est *indispensable à tous les êtres vivants.* On peut jeûner 1 mois sans danger considérable, mais on ne peut être privé totalement d'eau plus de 48 h sans risque. L'eau nous permet d'éliminer nos déchets par l'urine, de lutter contre la chaleur par sudation et ventilation pulmonaire, transporter des vitamines hydrosolubles qui seront, grâce à l'eau, mieux absorbées par la muqueuse intestinale. Une perte d'eau de 12 % peut provoquer la mort. En cas de manque total d'eau, de graves troubles apparaissent dès le 3ᵉ j et la mort suivra au plus tard entre le 5ᵉ et le 6ᵉ j (*records d'endurance :* en 1957 le long du Rio Grande une femme a résisté 6 j, immobile, sans boire ; son mari, parti à la recherche de secours, était mort en route).

Un enfant de moins de 2 ans a besoin de 3 fois plus d'eau qu'un adulte (140 ml par kg de poids et par j). Ensuite, les besoins d'eau s'ajustent à peu près aux besoins caloriques (1 g d'eau par cal.) soit : *2 ans* 1 000 à 1 200 cal. (1 à 1,2 l d'eau), *10 a.* 1 500 à 2 000 cal. (1,5 à 2 l), *15 à 20 a.* 3 000 à 3 500 cal. (3 à 3,5 l).

Un adulte normal (70 kg, activité moy.), en climat tempéré *élimine* 2,5 à 2,7 l d'eau par j (sous forme d'urine 1,5, par la peau 0,6 à 0,7, les poumons 0,4, l'élimination fécale 0,1). *Il les récupère* par la boisson (1 à 1,5 l) et l'eau des aliments (0,8 à 1 l). *Un mineur de fond* peut perdre jusqu'à 15 l de sueur par j.

• Besoins ménagers et industriels. [litres d'eau (par hab., et par j)]. Pays peu développés 40 l, Europe 150 à 300 l, USA 400 l. Plus de 1 200 millions d'hommes sont dépourvus du min. élémentaire de 20 l d'eau potable par jour. Pays en voie de dév., 3 sur 5 ne disposent pas d'eau potable, 1 sur 4 est desservi par un système d'assainissement.

Pour obtenir 1 kg de grain de blé il faut 1 500 l d'eau ; 1 kg de riz, 4 500 l ; le coton exige 10 000 fois son poids d'eau. 1 kg d'acier 300 à 600 l.

Besoins des ménages par jour (en litres). 150 l dont : boisson et cuisine 3, toilette 10, bain et douche 45, lavage du linge 20, vaisselle 10, WC 45, nettoyage ménager 8, jardinage 6, lavage auto 3.

Demande en eau en m³ par habitant et par an. Population rurale 12 à 50 ; maison individuelle 110 ; immeubles collectifs dont HLM 60, grand luxe 200, bureaux 25 ; Paris 150 ; Lyon 140 ; New-York 500.

☞ *Prix du m³ d'eau en Europe en écu en 1991 (écu = 7F).* All. féd. 0,920, Belgique 0,8, P.-Bas 0,726, France 0,669, Luxembourg 0,526, Finlande 0,520, G.-B. 0,464, Suède 0,380 ; Danemark 0,340, Espagne 0,260, Norvège 0,260, Italie 0,207.

L'eau en France

• Ressources de l'eau. *Pluie :* 750 à 800 mm par an, soit 440 milliards de m³ (440 km³). Évaporation 264, reste 176 km³ : [écoulement des fleuves, des rivières et des nappes souterraines vers la mer, venant du Rhin et du Rhône (en amont de nos frontières) 25 km³]. 4 000 m³ par personne et par an (Angl. 2 200 m³, All. 2 600, P.-Bas 6 500, Suède 22 000). Le débit de la Seine varie de 680 m³/s à 185 m³/s en année normale et peut descendre à 80 m³ en année sèche. L'Hérault de 95 m³/s à 8,7 m³/s, à 3,5 m³ en année sèche. *Nappes alluviales :* Alsace 2 milliards de m³ (la plus importante d'Europe), Bassins aquitain et parisien, massifs karstiques (Grands Causses, Jura, Languedoc, Provence).

Prélèvement (en milliards de m³/an, 1989). *Total :* 41,4, *88* 37,2 (dont 6,6 de nappe souterraine et 30,6 d'eau de surface), prélevés par distributeurs d'eau potable 5,9, centrales électr. 21,3, agriculteurs 4,5, ind. non desservies par un distributeur d'eau 4,9, divers 4,8.

Principales utilisations (en milliards de m³/an, 1987). Ménages 3 d'eau potable et en rejettent 1,6 dans les réseaux d'assainissement, agriculteurs 4,5, centrales électr. 19,5, entreprises non raccordées 5,2, raccordées aux réseaux des distributeurs d'eau potable 0,8. **Pertes et fuites (– de 25 %)** 1,3 sur les réseaux des distributeurs d'eau potable.

Distribution publique d'eau potable en France (en litres par j et par hab., 1987). Eau prélevée 283, eau consommée 214, dont usages domestiques 149.

Consommation (moyenne en l à chaque utilisation). Chasse d'eau 11. Arrosage jardin 17 par m². Douche 60. Lave-vaisselle 80. Lave-linge 120. Lavage voiture 190. Baignoire 250.

• Régime des eaux. **Eaux appartenant à la collectivité.** *Domaniales :* cours d'eau navigables ou flottables (fleuves et rivières) ou qui ne le sont plus, mais sont restés classés dans le domaine public fluvial ; bras de ces cours d'eau, même s'ils ne sont ni navigables ni flottables. *Est navigable* fleuve ou rivière sur lequel peuvent circuler péniches, bateaux autres que petites embarcations (canoë, pneumatique). *Est flottable* fleuve ou rivière pouvant supporter flottage de radeaux ou de trains (pièces de bois assemblées).

Écoulement naturel des eaux. Eaux qui coulent naturellement. Eaux des canaux de navigation (ex. : canal du Rhône et du Rhin), des étangs ou réservoirs d'alimentation des ports publics.

Eaux courantes. *Rivières :* sur des propriétés privées, le lit appartient pour moitié aux propriétaires riverains, mais l'eau ne leur appartient pas, ils n'ont qu'un droit d'usage. *Eaux soumises à un régime mixte :* le lit appartient pour moitié aux riverains, le droit d'usage appartient à l'État et non aux riverains ; eaux de pluie, de source, infiltrations, résurgences, eau de la fonte des neiges. *Sont exclues :* les eaux usées (ménagères et industrielles).

Chaque propriétaire doit recevoir les eaux venant des fonds voisins. Il ne peut s'y opposer en élevant une digue ou un mur. Le propriétaire du fonds supérieur peut modifier cet écoulement si cela n'entraîne pas de préjudice supplémentaire pour son voisin. *Litiges :* jugés par le tribunal de grande instance.

Eaux pluviales. « Chacun peut user et disposer des eaux pluviales qui tombent sur son fonds » sans causer de dommage au fonds inférieur. **Eaux tombant sur les toits.** On doit les rejeter sur son terrain ou sur la voie publique.

Eaux de source. Celui qui possède une source peut en user à volonté dans les limites et pour les besoins de son héritage. *Exceptions : 1°) Si la source donne naissance à un véritable cours d'eau :* il ne peut détourner les eaux de leur cours naturel au préjudice des usagers inférieurs. *2°) Si le propr. inférieur a prescrit l'usage de l'eau* (ex. : réalisé un ouvrage sur le terrain où jaillit la source), depuis au moins 30 ans. *3°) Si l'usage de l'eau de la source est nécessaire aux habitants de la localité :* ville, village, hameau. Une commune peut exproprier le terrain ou la partie du terrain où jaillit la source. *Litiges :* jugés par le tribunal d'instance, sauf s'il y a expropriation (le juge de l'expropriation est compétent). *Le préfet établit par arrêté* (après avis de l'hydrogéologue agréé) : un périmètre de protection *immédiate* autour de la source (où les terrains sont expropriés) ; *rapprochée* (où peuvent être interdits forages, exploitations de carrières, épandages d'engrais chimiques, etc.) ; *éloignée* (où sont seulement réglementées les activités pouvant polluer le sous-sol). Ces servitudes donnent lieu à indemnité fixée par le juge de l'expropriation (surtout pour le 1ᵉʳ et le 2ᵉ périmètres).

Servitudes d'eau en milieu rural. Aqueduc : passage souterrain pour amener l'eau potable nécessaire à ses besoins, ou l'eau nécessaire à l'irrigation de ses terres ou à son exploitation (agricole, industrielle, commerciale ou simplement domestique). Les canalisations ne peuvent passer sous les maisons ni dans les jardins ou les cours attenants aux habitations. Si les voisins ou les autres propr. concernés refusent, s'adresser au trib. de grande instance qui fixe les conditions du passage. **Écoulement :** l'eau devenue « eau usée » après usage dans la maison ou dans l'exploitation (agricole, industrielle, etc.) peut être acheminée vers le collecteur ou le fossé public par une canalisation passant à travers les terrains inférieurs. **Appui :** on peut obtenir du propr. de la rive opposée d'une rivière ou d'un ruisseau le droit d'appuyer sur la rive opposée un ouvrage nécessaire à la prise d'eau (par ex. : un barrage), moyennant indemnité s'il y a lieu. Les bâtiments, cours et jardins attenant aux habitations ne supportent pas ce droit d'appui. Ce droit ne peut être demandé et obtenu que pour l'irrigation des terres et non pour un autre usage (industriel, commercial, domestique). **Drainage :** on peut envoyer les eaux en excès vers un cours d'eau ou toute autre voie d'écoulement (fossé, etc.) en passant dans les terrains intermédiaires (souterrains ou à ciel ouvert). Une servitude ne peut être invoquée au profit des habitations en ville.

Étangs et canaux. Alimentés par une « eau courante », ils obéissent aux règles concernant les eaux courantes (v. ci-dessus). Le propriétaire qui possède les 2 rives peut : installer un barrage qui empêche le passage des bateaux ; déplacer le lit de la rivière (à condition de rendre la rivière à son lit naturel, là où s'arrête sa propriété). Extraire les produits naturels (sables, pierres, etc.), mais à condition de ne pas causer de dommage au fonds inférieur (par ex. : en entraînant un déplacement du lit de la rivière chez son voisin). Après utilisation (industrielle par ex.), il doit restituer une eau non polluée. Les tiers peuvent normalement naviguer sur la rivière même s'ils ne sont pas propriétaires riverains, à condition de ne pas accoster sur la rive (ils pénétreraient alors sur la propriété d'autrui). Cette possibilité est annulée si les riverains ont mis des grillages et des barrages.

Distribution de l'eau

• Types. *Régie :* l'eau est gérée directement par la collectivité [communes ou syndicat de communes (45 % des com. françaises)]. Tarifs fixés par délibération du conseil municipal. *Concession :* la commune confie la gestion de l'eau à une personne privée qui réalise et entretient le réseau et en assure l'exploitation. *Affermage :* la commune assure le financement du réseau mais en confie exploitation et entretien à une personne privée ; la collectivité perçoit alors une surtaxe communale qui assure l'amortissement des installations.

• Répartition du marché (en % de population desservie). Générale des Eaux 40, communes 25, Lyonnaise des Eaux-Dumez 23, autres Stés privées 12.

Chiffres d'affaires (en milliards de F). *Cie générale des eaux* (1990) 116,8 dont : distribution d'eau 17,9, travaux hydrauliques 10,3, énergie thermique 11,1, entreprises électriques et production d'énergie électr. 9,4, propreté 6,2, BTP et construction 38,3, aménagement urbain et promotion immobilière 10,3, communication 1,3, santé 3,3, divers services 7,5, divers entreprises 1,2. *Lyonnaise des eaux* (1989) : 21,6 dont : eau 11 (dont distribution 8,6, traitement 2,4), énergie, chaleur 3,8, propreté urbaine 2,9, pompes funèbres 2,6, activités nouvelles 1,4 (25 % de M6).

• Prix. **Structure moyenne** (en %). Facturé en prix de base de distribution 55 % ; *redevances* d'assainissement 31 ; location entretien compteur 5 ; pollution perçue par les agences financières de bassin 6 ; de prélèvement AFB 1 ; du fond national d'aide pour le développement des adductions d'eau 1 ; *TVA 6.* Si la gestion est affermée, prix de base et redevance assainissement font apparaître une surtaxe communale, syndicale ou départementale. **Montant** (prix du m³ d'eau potable TTC) *moyen* 9 F [extrême : de 0,39 F Sté Tulle (A.-de-H.-P.), à 13,17 F Quiberon (Morbihan)]. *Paris* (1-4-1990) : 6,729 dont prix de l'eau potable 3,560 (TVA 0,196), redevance d'assainissement (transport) 1,210 (TVA 0,067), redevance d'assainissement (collecte) 0,683, lutte contre la pollution 0,770, fonds de développement des adductions d'eau rurales 0,095, redevance prélèvement 0,140 (TVA 0,008).

• Agence financière de bassin. Établissements publics créés par la loi sur l'eau de déc. 1964 partageant la France en 6 bassins hydrologiques : Artois-Picardie, Seine-Normandie, Rhin-Meuse, Loire-Bretagne, Adour-Garonne et Rhône-Méditerranée-

Corse. Ils ne se substituent pas aux maîtres d'œuvre (État, collectivités locales, sociétés privées), mais accordent subventions et prêts pour les ouvrages améliorant quantité et qualité de l'eau. Perçoivent des redevances calculées en fonction de la pollution émise (50 à 80 F par kg de matière polluante) et des quantités d'eau utilisées.

• **Financement. Moyens.** *Épuration et adductions d'eau :* comités de bassin et agences financières de bassin, invest. à la charge des collectivités, subventions et prêts par la Caisse des dépôts et consignations et les départements (ministères de l'Agriculture, de l'Intérieur, conseils généraux).

• **Assainissement.** Subventions (État et départements), groupements constitués par des banques [gr. interprofessionnel financier antipollution ; Sté pour le financement de la protection de la nature et de la lutte contre la pollution (SOFINAT)].

Investissements 1992-96 et, entre parenthèses, **1987-91** (en milliards de F). 81 (44) dont : pollution domestique (épuration des eaux) 43 (23), alimentation en eau potable 15 (9,6), pollution industrielle 11 (6,4), pratiques agricoles 3,6 (0), milieu naturel 2,4 (1), amélioration de la ressource 6 (4).

Eau potable

• **Qualités.** Réglementées par la norme européenne (*décret du 7-3-1991).* 62 paramètres doivent être contrôlés : 4 organoleptiques (couleur, turbidité, odeur, saveur) ; 15 physico-chimiques ; 24 substances indésirables en trop forte quantité (ex. nitrates...) ; 13 substances toxiques (métaux lourds, pesticides) ; 6 paramètres microbiologiques. Pour chaque paramètre, la réglementation fixe aux distributeurs d'eau une teneur à ne pas dépasser (concentration maximale admissible).

Les eaux potables conformes aux normes du ministère de la Santé ne sont pas identiques. Elles contiennent ainsi de nombreux sels dissous et leur composition chimique peut varier suivant leur « gîte » naturel.

• **Dureté.** Une eau dure contient une quantité importante de sels de calcium et de magnésium (qui entartrent). Les eaux qui ont traversé certains terrains calcaires du N. de la Fr. sont dures ; celles issues des terrains granitiques de Bretagne ou du Massif central sont douces. Les premières moussent difficilement et déposent du tartre si on les chauffe. Les secondes moussent facilement et ne déposent pas de tartre à chaud (mais peuvent poser des problèmes de corrosion). Une eau dure n'est pas nocive pour la santé. Une eau trop douce est agressive à l'égard des canalisations métalliques. **Titre hydrotimétrique.** Détermine la dureté de l'eau. En France correspond à la quantité de sel de calcium ou de magnésium exprimée en carbonate de calcium ($CaCO_3$), 1Th = 10 mg/l $CaCo_3$.

Quantités de sels de calcium ou de magnésium dont la dissolution dans 1 l d'eau correspond à 1 degré hydrotimétrique français (en mg/l) : *$CaCl_2$* 11,1, *$CaCO_3$* 10, *chaux vive : Ca O* 5,6, *Mg* 0,4, *chlorure de magnésium : Mg Cl*, 9,5, *Mg SO_4* 12. Carbonate de magnésium 0,0088. Sulfate de magnésium 0,0125. *Équivalences :* degré hydrotimétrique français = 0,56° allemand = 0,°7 anglais.

Adoucisseur d'eau. L'eau dure traverse une résine spéciale. Les grains de résine échangent et le calcium et le magnésium, et l'eau, par le sodium. Lorsque chacun des g. est saturé, l'eau n'est plus adoucie. Il faut alors faire passer sur les grains de résine une eau très chargée en sodium (sel marin raffiné) qui les régénère. Une eau titrant moins de 30 degrés se passe d'adoucisseur.

Si l'adoucissement de l'eau est souhaitable pour certains appareils ménagers, une eau complètement adoucie n'est pas conseillée pour la boisson ou l'alimentation.

• **Traitement.** *Coagulation-floculation* (introduction dans l'eau de sels d'aluminium ou de fer qui provoquent la formation de flocons entraînant les particules colloïdales en suspension). Séparation de ces flocons par décantation ou flottation, suivie d'une filtration sur lit de sable. Enfin, désinfection par chlore ou hypochlorite de sodium, qui assure la présence d'un oxydant résiduel dans le réseau. Des traitements d'affinage s'ajoutent si nécessaire : ozonation, passage de l'eau sur du charbon actif ayant subi un traitement thermique préalable d'activation. *Verdunisation.* Purification par incorporation de faibles doses de chlore au cours d'un brassage énergique (utilisée vers la mi-septembre 1914, à Verdun).

Épuration des eaux usées

Méthodes. *Prétraitement* de dégrossissage, dégrillage, pour éliminer les matières les plus volumineuses ; *traitement primaire* de décantation éliminant 50 % des matières en suspension et 30 % des mat. organiques ; *tr. secondaire* biologique dégradant ces mat. organiques par des bactéries travaillant en milieu aérobie (boues activées, lits bactériens, disques biologiques, lagunage) ; *tr. tertiaire,* après passage dans un décanteur secondaire, parfois nécessaire pour éliminer certains produits particuliers ou pour que le rejet soit conforme aux normes du milieu récepteur [tr. physico-chimiques ou biologiques (filtration, nitrification-dénitrification, chloration, ozonation, absorption sur charbon actif)]. *Lagunage :* épuration de leur passage dans différents bassins grâce à l'action naturelle des bactéries (dégradation et transformation des matières organiques). Peu coûteux (énergie solaire, pas d'emploi de produits chimiques), efficace mais nécessite de grandes surfaces (1 ha minimum pour 1 100 à 1 700 habitants).

Stations d'épuration. Nombre. *1970 :* 1 400, *80 :* 7 240, *84 :* 8 030, *90 :* 11 500. **Capacité totale de traitement** (1990). 62 millions d'équivalent-habitants. La station d'Achères (2e du monde après Chicago) au N.-O. de Paris peut traiter 2 110 000 m^3/j d'effluents (50 % des besoins de l'agglomération parisienne). Les stations de Nice (690 000 équ-hab), de Valenton (1 600 000 équ.-hab.), de Marseille (1 630 000 éq.-hab.) et de Grenoble (500 000 éq.-hab.), etc.

Dessalement de l'eau

Principaux types de procédés. *Distillation :* procédé le plus ancien. Échauffement jusqu'à ébullition de l'eau et condensation de la vapeur (eau presque pure). *Osmose inverse :* l'eau salée est pressurisée le long des membranes qui laissent passer l'eau mais arrêtent les sels. Dans les cas de faible salinité, on utilise aussi l'électrodialyse et les échangeurs d'ions.

Production d'eau dessalée. Env. 1 milliard de m^3 dans le monde par an (moins de 1 million de fois le volume des précipitations que reçoivent les terres) dont 66 % au Moyen-Orient.

Capacité des unités de dessalement. De quelques centaines à 800 000 m^3/j.

Thermalisme et eaux minérales

Généralités

• **Origine.** Les eaux minérales sont de l'eau de pluie infiltrée qui en traversant les roches se charge en calcium, magnésium, sodium, potassium, etc. et parfois en gaz liés au volcanisme comme l'hélium, l'argon, le gaz carbonique et qui rejaillit 30 à 50 000 ans plus tard. En arrivant à la surface, la pression et la température baissent, une oxygénation partielle et une dilution (par les eaux des nappes superficielles) se produisent. Des forages profonds permettent de l'éviter. *Ex. :* Badoit captée à 154 m (granit). Certaines eaux sont peu minérales (Volvic : 100 mg par litre), d'autres le sont plus (Vichy Grande Grille : 5 000 mg par l).

Gaz contenu. Vichy : 3 l de gaz carbonique pour 1 l d'eau à la pression atmosph.

• **Classement des eaux.** Les eaux thermales peuvent se définir par leur origine géologique, leurs propriétés physiques et leur efficacité curative. Elles peuvent, selon leur nature, être utilisées soit sur le lieu de la source pour des cures thermales qui comportent des soins externes ou internes, soit, après embouteillage, comme eaux destinées à la consommation.

1°) **Eaux hyperthermales** (au sens propre du mot, c'est-à-dire chaudes), oligo- et polymétalliques, radioactives et radifères. *Ex. :* Chaudes-Aigues (Cantal) 81° ; Plombières (Vosges) 72° ; Bourbonne-les-Bains (Hte-M.) 66° ; Bains-les-Bains (Vosges) 51° ; Aix-les-Bains (Savoie) 47°. 2°) **Eaux froides oligométalliques.** *Ex. :* Divonne-les-Bains (Ain), Évian (Hte-S.), Thonon (Hte-Savoie), etc. 3°) **Eaux sulfatées calciques ou magnésiennes.** *Ex. :* Vittel (Vosges), Contrexéville (Vosges), Dax (Landes), etc. 4°) **Eaux sulfatées sodiques.** *Ex. :* Miers-Alvignac (Lot). 5°) **Eaux sulfureuses.** *Ex. :* Luchon (Hte-G.). 6°) **Eaux carboniques.** *Ex. :* Vichy (Allier), Vals-les-Bains (Ardèche), Châtelguyon (P.-de-D.). 7°) **Eaux chlorurées sodiques.** *Ex. :* Salies-de-Béarn (P.-A.). 8°) **Eaux arsenicales, ferrugineuses, cuivreuses.** *Ex. :* La Bourboule (P.-de-D.), Saint-Christau (P.-A.). En fait, ces différents éléments physico-chimiques se combinent, d'où une gamme variée d'indications thérapeutiques.

• **Quelques définitions.** *Crénothérapie :* du grec « krênê », source, utilisation thérapeutique des propriétés et des éléments divers des eaux minérales. *Fangothérapie :* de « fangus », boue. Traitement par les boues. *Griffon :* lieu exact où l'eau d'une source vient affleurer le sol. *Minéralisation :* contenu en substances dissoutes d'une eau. Varie de quelques décigrammes à plusieurs centaines de grammes par litre. Certaines contiennent de l'arsenic. D'autres sont trop riches en sodium (à déconseiller aux hypertendus, cardiaques et à ceux qui souffrent d'affections rénales) ou en fluor (efficace contre la carie dentaire) à des doses variant entre 0,6 et 1,5 mg par j, mais néfaste a + de 2 mg (risque de fluorose : taches ou noircissement de l'émail) et au-dessus de 6 mg (menace tissus osseux) ; une quinzaine d'eaux minérales

• **Eaux minérales.** *Classification en France.* Déclarées minérales quand l'Académie nat. de médecine leur a reconnu des propriétés thérapeutiques. 15 laboratoires régionaux dépendant du min. de la Santé effectuent des prélèvements et la DDASS contrôle l'hygiène de l'usine. La plupart sont déclarées d'intérêt public. Aucune source d'eau minérale ne peut être exploitée sans une autorisation préalable du min. de la Santé.

En France, « eau minérale » n'est pas synonyme d'« eau minéralisée » (ayant une forte concentration en sels minéraux : calcium, magnésium). Les Allemands ne considèrent une eau comme « minérale » que si elle contient + de 1 000 mg par litre de sels minéraux dissous. La moins minéralisée de nos eaux minérales, la Bonne Fontaine Charrier, dans l'Allier, n'en contient que 36 mg par litre. D'autres dépassent de 3 à 4 fois les normes (1 500 mg par litre). Record : source Marie-Christine Nord (au Breuil-sur-Couze, Puy-de-Dôme avec 6 375 mg par litre et les eaux de Vichy, St-Yorre.

Minéralisation d'Évian en mg/litre. Calcium 78, magnésium 24, potassium 1, sodium 5, bicarbonates 357, sulfates 10, chlorures 4,5, nitrates 3,8, silice 13,5.

3 principaux groupes. *Perrier :* possède marques Contrex, Volvic, St-Yorre, Vichy, Plancoët et quelques sources régionales. *BSN :* Évian, Badoit. *Nestlé :* Vittel (Hépar et Grande Source).

• **Eaux de source.** Naturellement pures et embouteillées sur place, sans aucun traitement. Eau d'origine souterraine, microbiologiquement saine et protégée contre les risques de pollution.

Env. 100 en France, exploitées par 47 Stés produisant de 5 à 100 millions de bouteilles (Roxane, CGES). La plupart des producteurs sont indépendants, sauf Pierval, (Pont-St-Pierre, Eure) appartenant à Vittel ou source St-Lambert (Yvelines, à Perrier). S'exportent rarement. Frais de transport : + de 7 à 15 c par bouteille. Rentabilisent leur production avec sodas, jus de fruits (20 à 30 % du tonnage, 50 % du C.A.).

Certaines sources sont proches de zones urbanisées ou d'agriculture intensive et quelques-unes ont dû fermer pour cause de pollution (nitrates, hydrocarbures), ex. : Langoat (Côtes-d'Armor), Montégut (près de Toulouse ; fin 1986), Katell Roc (Morbihan). L'absence de germes dans l'eau embouteillée témoigne d'une action illégale de désinfection. Il est normal de trouver en petit nombre certains types de germes banals dans les nappes souterraines (Pseudomonas, Flavobactérium, Acinétobacter...) ; ces germes ne présentent pas de danger pour la santé. Ils ont tendance à se multiplier.

• **Eaux de source gazéifiées.** (Vittelloise, Volviliante, Roxanaise, les Genêts...). On mélange, avec un carbonateur, un gaz carbonique artificiel avec de l'eau.

• **Eaux rendues potables par traitement.** Filtration, déferisation ou traitement par U.V. Avant le décret du 10-6-1989, dites eaux de table. Env. 30 communes du Morbihan ont obtenu une dérogation pour distribuer une eau dont la contenance en nitrates dépassait le seuil autorisé, sinon toute la région était privée d'eau. A Châteauroux (Indre), fin févr. 1990, 60 000 personnes ont été invitées à ne plus consommer l'eau du robinet (les égouts s'étaient écoulés dans la nappe souterraine).

dépassent 1,5 mg par litre (ex. : Vichy-St-Yorre, env. 9 mg par l). *Parafangothérapie :* traitement utilisant une boue sèche dans la paraffine fondue. *Pélothérapie :* traitement par les boues. *Radioactivité dans certaines eaux* (en Bq) : Vichy-Célestins (Allier) 3,44, Vichy-Hôpital (Allier) 4,07, Vichy-Grande Grille (Allier) 4,44. Les eaux minérales peuvent arracher des éléments radioactifs aux roches traversées : essentiellement du potassium 40, principal responsable de la radioactivité bêta, du radium 226 et de l'uranium naturel, émetteurs alpha et gamma. La réglementation française n'en donne plus la concentration maximale admissible dans l'eau de boisson (en 1988, elle était de 0,37 Bq par litre). *Température :* de 7° à Divonne, à 81° à Chaudes-Aigues (record européen de chaleur). *Thermalite :* propriété d'une eau naturelle qui émerge entre 35° et 50° (en deçà, elle est dite hypothermale, au-delà, elle est dite hyperthermale).

☞ L'eau précieuse est une lotion antiseptique et calmante, créée fin XIXe s. par Dépensier, pharmacien à Rouen.

Thermalisme en France

Quelques chiffres

• **Sources minérales.** 1 200 sources d'eau minérale reconnues et autorisées, stations classées 100 (rép. dans 40 départements), établissements thermaux 104 dont une trentaine fonctionnent toute l'année, médecins thermaux 600.

Statut. *Propriétés de l'État : gestion directe,* Aix-les-Bains ; *exploitation concédée,* Bourbonne, Plombières, Vichy, Bourbon-l'Archambault. *Du département : exploitation concédée,* Le Mont-Dore, St-Amand... *De la commune : régie directe,* Balaruc, Digne, Lamalou, Luchon, Royat ; *exploitation concédée,* Aix-en-Provence, Capvern, Enghien-les-Bains, St-Gervais. *D'hospices : exploitation concédée,* Bourbon-Lancy, Vals... *Privées :* Allevard, Bagnoles-de-l'Orne, Châtelguyon, La Roche-Posay, Évian.

• **Curistes** (1990). 640 182 (pour 100 stations répertoriées). Dax 54 970. Aix-les-B. 45 527. Amélie-les-B. 30 575. Luchon 29 418. Balaruc 30 144. Gréoux 26 013. Royat 21 811. Barbotan 22 852. La Bourboule 21 814. Châtelguyon 16 663. Vichy 13 303. Bagnoles-de-l'Orne 16 808. Bourbonne 14 380. Le Mont-Dore 14 212. Cauterets 12 194. Brides-les-B. 12 261. Aix-Marlioz 7 024. Ax-les-Thermes 10 166. Allevard 9 183. Digne 11 500.

• **Chiffres d'affaires des stations** (1988). 12,75 milliards de F.

Principales stations thermales

Légende. Altitudes en mètres, affections soignées : (1) Artères, cœur, veines. (2) Dermatoses. (3) Diabète, goutte, obésité. (4) Estomac. (5) Foie. (6) Gynécologie. (7) Intestins. (8) Lymphatisme, anémie. (9) Os et articulations. (10) Reins et voies urinaires. (11) Rhumatismes. (12) Système nerveux. (13) Voies respiratoires. (14) Phlébologie. (15) Affect. psychosomatiques. P Station permanente. Nombre de curistes en 1990.

Ain *Divonne-les-B.* 519 mètres (12-15) P 3 975 curistes. **Allier** *Bourbon-l'Archambault* 260 (6-11) P 5 311. *Néris-les-Bains* 5 826 (6-11-12-15) 7 174. *Vichy* 260 (3-4-5-7) P 13 303. **Alpes-de-Hte-Pr.** *Digne* 698 (11-13) 11 740. *Gréoux-les-Bains* 360 (9-11-13) P 26 013. **Alpes-Maritimes** *Berthemont* 1 000 (2-11-13) 1 101. **Ardèche** *Neyrac* 450 (2-11) 936. *St-Laurent-les-B.* 840 (11) 696. *Vals-les-bains* 2 754 (3-4-5) 3 091. **Ariège** *Aulus* (10) 184. *Ax-les-Thermes* 720 (11-13) P 10 166. *Ussat* (6-12-15) 2 792. **Aude** *Alet* 206 (5-7) 283. *Rennes-les-Bains* 320 (11) 1 513. **Aveyron** *Cransac* 300 (11) 2 819. **B.-Rhin** *Morsbronn et Nierderbronn-les-B.* 192 (6-11-12) 6 188 et 4 268. *Pechelbronn* 150 (6-11) 639. **Bouches-du-Rhône** *Aix-en-Pr.* 177 (1-6-11) P 3 844. *Les Camoins* (11-13) 4 198. **Cantal** *Chaudes-Aigues* 750 (9-11) 2 331 **Char.-Mar.** *Jonzac* (11) 2 457. *Rochefort* (2-11-14) P 7 146. **Corse** *Guagno-les-Bains, Pietrapola* 336, *Zigliera.* **Côte-d'Or** *Maizières* 350 (2-11-15) 161. **Creuse** *Evaux-les-Bains* 469 (6-11-14) 2 210. **Drôme** *Montbrun* (13) 492. *Propiac* (5-6-8) 108 (en 1989). **Gard** *Les Fumades* (2-6-13) 2 479. **Gers** *Aurensan* 250 (10-11) 180. *Barbotan* 130 (11-14) P 22 862. *Castera-Verduzan* (4-5) 492.

Haute-Garonne *Barbazan* 450 (3-4-10) 401. *Luchon* 630 (11-13) 29 418. *Salies-du-Salat* 300 (6-8-9) 1 885. **Haute-Marne** *Bourbonne-les-B.* 270 (9-11) 14 380. **Hautes-Pyrénées** *Argelès-Gazost* 462 (6-1-14) 1 275. *Bagnères-de-Bigorre* 550 (11-12-13-15) 5 827. *Barèges* 1 240 (9-11) 2 200. *Beaucens* 480 (11) 751. *Capvern* 475 (5-10) 5 960. *Cauterets* 932 (2-11-13) P 12 194. *St-Lary* (11-13) 1 661. *St-Sauveur* 711 (1-6-14) 980. **Haute-Saône** *Luxeuil-les-Bains* 294 (1-6-14) 2 589. **Haute-Savoie** *Évian* 500 (3-10) 4 017. *St-Gervais-les-Bains* 808 (2-13) 3 723. *Thonon-les-Bains* 425 (10) P 763. **Hérault** *Avène* (2) 339. *Balaruc* (6-11) 30 144. *Lamalou* 200 (11-12) P 4 526. **Isère** *Allevard-les-Bains* 475 (13) 9 183. *Uriage* 416 (2-11) 6 230. **Jura** *Lons-le-Saunier* 255 (6-8) 2 294. *Salins-les-B.* 349 (6-8) P 880.

Landes *Dax* 12 (11) P 54 970. *Eugénie-les-Bains* 86 (3-7-10-11) 3 524. *Préchacq* (11) 1 921. *Saubusse* 10 (11) 1 341. *Tercis-les-Bains* 42 (2-11-13) P 2 229. *Saint-Paul-les-Dax* (11-14) P 8 829. **Loire** *Montrond-les-Bains* 370 (3-4) 954. *Sail-les-Bains* 310 (2) 195. **Lot** *Miers-Alvignac* 360 (5). **Lozère** *Bagnols-les-Bains* 913 (1-11) 1 633. **Moselle** *Amneville* (11-13) P 11 685. **Nièvre** *Pougues-les-Eaux* 192 (3-5). *Saint-Honoré-les-Bains* 320 (8-13) 5 123. **Nord** *Saint-Amand* 37 (11-13) 2 024. **Orne** *Bagnoles-de-l'Orne* 225 (1-6-9-14) 16 888. **Puy-de-Dôme** *La Bourboule* 850 (2-8-13) 21 814. *Châteauneuf* 380 (11) 645. *Châtelguyon* 400 (5-7) 16 663. *Le Mont-Dore* 1 050 (13) 14 212. *Royat* 450 (1) 21 811. *Saint-Nectaire* 700 (8-10) 1 011. **Pyrénées-Atlantiques** *Cambo-les-Bains* 65 (11-13) 5 467. *Eaux-Bonnes* 750 (8-13) 1 205. *Eaux-Chaudes* 656 (8-11-13) 1 730. *Saint-Christau* 320 (2) 666. *Salies-de-Béarn* 54 (6-8-9) P 2 888. **Pyrénées-Orientales** *Amélie-les-Bains* 240 (11-13) P 31 575. *Boulou (Le)* 89 (4-5) 1 803. *Molitg-les-Bains* 450 (2-3-11-13) 1 373. *La Preste* 1 130 (10-7) 3 619. *Vernet-les-Bains* 650 (11-13) 4 114. **Rhône** *Charbonnières* (6-11) P 900. **Saône-et-Loire** *Bourbon-Lancy* 240 (1-6-11) 3 130. **Savoie** *Aix-les-Bains* 258 (9-11-13-14) P 45 527. *Aix-Marlioz* (13) S 7 024. *Brides-les-Bains* 570 (3-5) 12 261. *Challes-les-Eaux* 327 (6-13) 4 857. *La Léchère-les-Bains* 436 (1-6-14) 7 442. *Salins-Moutiers* 493 (6-8). **Seine-Maritime** *Forges-les-Eaux* 165 (8). **Val-d'Oise** *Enghien-les-Bains* (11-13) P 3 524. **Vienne** *La Roche-Posay* 75 (2) P 9 028. **Vosges** *Bains-les-Bains* 325 (1) 2 385. *Contrexéville* 350 (3-5-10) 1 764. *Plombières* 450 (6-7-11) 6 255. *Vittel* 340 (3-5-10) P 4 524.

Eaux minérales naturelles embouteillées

Consommation annuelle par hab. (en litres, 1985). *France 60* [1], All. féd. 57, Belgique 51, Italie 49, Autriche 45, Suisse 44, Yougoslavie 26, Espagne 23, Portugal 20.

Nota. – (1) 1986 (*82 :* 55, *84 :* 56).

Perrier

Autrefois, la source Perrier jaillissait naturellement à travers une couche d'argile de 5 m dans la mare des Bouillens à Vergèze (Gard) en dégageant du gaz carbonique. Aujourd'hui, elle est pompée à 22 m de profondeur dans une zone où 3 eaux se rencontrent : 1°) eau peu profonde venant de la traversée par les pluies des alluvions de la plaine de la Vistrenque, 2°) eau venant du sous-sol calcaire des garrigues de Nîmes, 3°) eau plus profonde, chaude et riche en gaz carbonique, d'origine volcanique (3,5 l par l d'eau) ; à la pression atmosphérique de 0,8 l par l d'eau. Jusqu'en 1956, le gaz était recueilli sous des cloches de captage placées au-dessus de la mare et réintroduit dans l'eau. Aujourd'hui, le gaz vient de forages entre 60 et 400 m et est réintroduit à raison de 3,51 par litre d'eau. Il y a + de 50 millions de bulles par litre.

Le *14-2-1990,* Perrier a décidé de retirer du marché 160 millions de bouteilles commercialisées dans 750 000 points de vente dans le monde [certaines pour avoir contenu de 8 à 17 microgrammes de benzène (norme U.S. : 5) ; proportions non nocives pour la santé]. Coût total : 1 milliard de F. *C.A. aux U.S.A.* (1988) : 550 millions de $ (dont 120 venant de bouteilles importées de Fr.)].

Chiffre d'affaires (milliards de F). 1989 : 16,72, *90 :* 13,63 (dont eau minérale et de table 8,66, produits laitiers 3,32, divers 1,65). En 1990, Perrier a cédé Acova (chauffage), boissons rafraîchissantes sans alcool [Oasis, Attol, Gini, Bali, et Sté Abel Bresson (sirop)], et un certain nombre d'actifs fonciers.

Hépar

Le 20-2 a retiré du marché toutes ses bouteilles (1 à 2 millions).

Production (en millions de litres, 1989). *France 5 011* (dont export 1 182). All. féd. 4 670. Italie 4 500. Espagne 1 766,4. Belg. 642. Youg. 501,3. Autriche 468. Suisse 378. Portugal 265. *Total CEE :* 16 854,4. *Total g. :* 18 201,7.

Vente en France. 3 417 (dont 85 % plates, 15 % gazeuses). *En 1990 :* Évian 950, Vittel 650, Badoit 260 (*1960 :* 42, *81 :* 79), Perrier 390, Hépar 80, Contrexéville 700, Volvic 550, Vichy-St-Yorre 200, Vichy État 50.

Source : Chambre syndicale des eaux minérales et Synd. nat. des établ. thermaux de France.

☞ *Eaux de source consommées en France :* 960 millions de litres.

Emballages

En milliers de tonnes, en 1981.

Emballage en bois. *Production* (1980) : caisses et autres emballages non fabriqués à l'aide de panneaux 264. Emballages légers 403. Palettes, caisses-palettes et plates-formes de manutention 529,7. Ouvrages de tonnellerie 14,4. Emb. en panneaux de contreplaqué de fibres ou de particules 41,6.

Papiers d'emballage. *Production* 548 800. *Consommation* 566,3, dont *kraft* pour sacs de grande contenance 185,7. Emb. écru, interkraft et sortes dérivées 132,9. Blanchi et sortes dérivées 82. Papiers calandres 24. P. ingraissables et sortes dérivées 19,5. P. minces d'emb. 10,4. P. techniques et spéciaux 72,4. P. pour emballage ordinaire 39,4.

Emballages en papier. *Production* 327 dont : papier bitumé 3 ; paraffiné 14 ; crêpé 3,3 ; autrement enduit 49,9. Caissettes plissées 0,5. Sacs grande contenance 197,3. Sacs petite et moyenne contenance 53,5. Pochettes 4,3. Sachets divers 1,4.

Emballages en carton. *Production* 826 dont carton ondulé 269. Recouvert 16. Pliant/pâtissier 270. Tubes 116.

Consommation en films. Pellicule cellulosique 16. Film de PP biorienté 8,9. Film de polyester 1,5. De PEbd 333. De PEhd 20. De polyamide 3. Sacs grande contenance 41. Cabas 17. Films rétractables et étirables 80,3. Non rétractables et complexes, machines automatiques 31. Sacs poubelles 38. Petite et moyenne sacherie 126.

Métal transformé pour la fabrication d'emballages. Total 559,2 dont **Conserves** 324,7 dont c. appertisées 292, boissons 8,9, produits laitiers 23,8. **Emballages industriels** 196 dont autres produits alimentaires 54,9, prod. chimiques ind. 120, aérosols 18,7, récipients semi-rigides 2,4. **Bouchages** 45,6 dont bouchon couronne 24,6, capsules déchirables 1,2, autres bouchages 19,6.

Emballages en verre creux mécanique. Production 2 975 dont bouteilles et bonbonnes 2 153, flacons et pots industriels 389,6, gobeleterie 391,9, bocaux 40,3.

Aérosols en France. *Production* (en millions d'unités en 1981) : 276,7 dont produits pour le corps 152,9 ; la maison 71,9 ; pharmaceutiques 30,5 ; alimentaires 3 ; techniques et ind. 10,7 ; divers 7,9.

Production de conserves en boîte métal. 2 394 dont conserves agricoles 1 572, fruits, confiture 188, poissons 90, viandes 104, animaux familiers 440.

Consommation annuelle d'emballages (1988, en kg/habitant). Danemark 159, Belgique-Luxembourg 149, France 135, All. féd. 123, P.-Bas 115, Italie 111, Irlande 106, G.-B. 99, Espagne 88, Portugal 63, Grèce 44.

☞ **Recyclage.** *Consommation annuelle en milliers de t (% de recyclage) :* verre 2 200 (30), fer blanc 560 (25), aluminium 70 (5), PVC 300 (1), autres plastiques 480 (0), composites (Tétrapak) 100 (0).

Fourrure

Source : Féd. nat. de la fourrure.

Généralités

Caractéristiques d'une fourrure. Il existe 2 sortes de poils : la *bourre,* duvet court qui soutient le *jarre,* poil proprement dit qui recouvre la bourre. Leur longueur varie avec l'animal et selon les emplacements. Parfois, on éjarre la fourrure (on arrache mécaniquement le poil superficiel, ex. : castor, loutre rasée). Ensuite on rase parfois la bourre ou on la taille pour que le duvet ait partout la même longueur. La longueur du duvet constitue les 2/3 de celle du jarre.

La *mue* (changement de poil) s'étend du printemps à l'automne. Le duvet devient plus épais et sert à protéger le long poil.

Travail du fourreur. A partir de *peaux apprêtées* et *lustrées* : assortiment des peaux de mêmes couleurs, travail des peaux pour modifier leurs formes (ex. l'allonge pour vison et autres fourrures), assemblage des peaux, clouage et coupe. Après avoir humecté les peaux, on les cloue avec des agrafes sur une planche et on y dessine les contours du patron. Le travail diffère selon les fourrures. Le vison peut se travailler de 2 manières : *l'allonge* : procédé long et coûteux ; on pratique env. 60 incisions diagonales dans chacune des peaux, puis on recoud la peau afin de lui donner la forme requise. *Le travail à plat* : consiste simplement à coudre une peau avec une autre peau.

Soins. La chaleur faisant sécher l'huile de la peau et rendant cuir et poils fragiles et cassants, il faut conserver l'été les fourrures en chambre froide à un degré hygrométrique approprié. Ne jamais vaporiser de parfum : l'alcool rend les poils cassants et peut dénaturer la couleur. Se méfier des housses étanches en plastique : le manque d'air provoque souvent une fermentation car la fourrure doit respirer ; une fourrure mouillée doit être accrochée dans un endroit où l'air peut circuler.

Principales fourrures

☞ 90 % des fourrures utilisées viennent d'élevages.

Astrakan (mouton de Perse). Agneau de la race Boukhara. Vient surtout d'URSS et d'Afghanistan (Boukhara Karakul) : 6 500 000 peaux ; boucles très plates ayant l'aspect moiré du breitschwanz. Noir, gris et du S.-O. africain (astrakan swakara) : 4 700 000 peaux ; peau très brillante et moirée, style breitschwanz ; gris, marron et blanc.

Belette (mustélidé) (Am. du N., Europe, Asie). Pelage brun. **Belette-vison** (Japon, Chine). **Blaireau.** Gris, jaunâtre, tête et gorge blanches, bande noire de chaque côté de la face, ventre noir. **Breitschwanz.** Vient d'un agneau prématuré (mise bas avant terme non provoquée). URSS ou S.-O. africain. Peau très brillante et très moirée, très peu de peaux peuvent être commercialisées.

Castor. Brun roussâtre, duvet serré, couvert de longs jarres (Canada). Poil court, fourrure solide, cuir épais. Se fait surtout rasé et éjarré. Longévité : + de 10 ans. **Chat sauvage.** Proche du lynx. **Chèvre.** Longs poils gris. **Chevreau et chevrette de Chine.** Moiré, blanc, gris ou noir. **Chinchilla.** Originaire de Pérou, Bolivie, Chili. Longévité : 8 à 15 ans. Poils fins, soyeux, gris ardoise au gris clair. **Coyotte (ou loup des prairies).** Fourr. longue, gris pâle avec poils noirs le long du dos.

Écureuil (*petit-gris* ou *vair*) (URSS, Chine). Roux acajou ou du gris au noir, ventre blanc jaunâtre. **Glouton.** Marron foncé à bandes claires. Peau luisante et serrée, très épaisse. **Guépard** (Asie). Protégé. **Hélicte.** Petite belette d'Asie. **Hermine (belette)** (URSS, Canada). Marron clair en été, blanc en hiver. Bout de la queue noir. **Jaguar** (Amérique). Fauve orangé, parsemé de taches annulaires noires. Protégé. **Kolinski.** Entre la martre et le putois ; couleur naturelle jaune canari ; cuir plus fragile que celui du vison ; Asie et Sibérie fournissent les meilleures qualités.

Lama guanaco (Am. du S.). Toison longue et soyeuse, brun rouge sur la partie supérieure du corps, blanche sur poitrine, ventre, pattes. Provenance Chili. **Lapin** (France). L. de garenne ou domestique. Poil assez long et serré. En général souple et chaud, peu solide. Naturel ou rasé. Lustré de façon castor ou loutre. Gris, blanc, beige, ou lustré noir. Longévité : 4 à 7 ans. **Lapin chinchilla.** Rappelle le chinchilla sauvage. Tacheté de jaune et de noir, souple, solide et chaud. **Lièvre.** Plus ou moins laineux. **Loup** (Sibérie, Canada, USA, Asie). Cuir fin et résistant ; pelage plus ou moins épais suivant régions ; en général gris fauve plus ou moins mélangé de noir avec une raie noire longitudinale sur le dos et les jambes de devant. Les plus beaux sont les loups « polaires » (loup blanc de Sibérie, loup gris clair de la baie d'Hudson). **Loutre.** Fourr. brillante, chaude, duvet très soyeux. **Loutre de mer** (URSS, Uruguay, Alaska). Poil très fin, fourni, cuir souple. Du brun clair au brun foncé. Longévité : 15 à 20 ans. **Loutre du Kamchatka** (Kouriles, Kamchatka, îles Aléoutiennes). Animal protégé. Peau plus grande, lâche et souple, poils courts, mous, duveteux avec quelques jarres intercalés ; à l'âge adulte, brun foncé à chatoiement argenté. **Lynx. L. du Canada.** Dos plat, rouge brique, ventre tacheté. **L. de Sibérie.** Flancs blancs et fournis, plus apprécié (qualité du poil et couleur plus blanche).

Marmotte (Europe, Amér. du N.). Poil long, un peu rude, pelage épais et solide, aspect naturel, du gris roussâtre au noir. Long. 7 à 10 ans. **Martre commune.** (Pays de l'Est). Fourr. solide, dense, couleur variable. **Martre zibeline** (Amér. du N.). Brun foncé, taches jaunâtres sur le cou. **Martre de roche. Mouton.** Agneau. **Murmel** (URSS et Chine). Marmotte dont la fourrure ressemble à celle de la martre. Espèce la plus appréciée M. de Tarabagan (ville centralisant les peaux). **Nutria (ragondi castor)** (Chili). Longs jarres roux très rudes, duvet foncé sur le dos, brun clair sous le ventre.

Ocelot (Amérique centrale et du Sud, Mexique). Chat sauvage, pelage varié, rayé, gris moucheté de points fauves cerclés de noir. Protégé. **Ondatra (voir rat musqué)** (Canada, N. des USA et dep. 1905 France, URSS, Sibérie). Pelage ressemblant à au castor ; épais, doux, brillant, brun en dessus, gris en dessous. **Opossum.** *D'Amérique* : poil long avec pointe noire. Couleur variable, cuir léger et résistant. *D'Australie* : pelage fourni, serré, de nuance grise plus ou moins foncée. Poils ras et laineux d'un gris beige. Fourr. solide, légère, souple, naturelle ou lustrée. Rasée, elle ressemble au ragondin. **Orignal (élan).** Brun, poils courts. **Otarie ou ours de mer** (*furseal*). Gris, brun. Appelées aussi phoques à oreilles, 2 groupes : lions de mer et ours de mer. Improprement appelées phoques à fourrure (furseal.) La peau de bonne qualité est généralement éjarrée pour son usage en pelleterie ; la peau tannée et apprêtée est vendue sous l'appellation immméritée de « loutre de mer » ; n'a cependant rien de commun avec la loutre du Kamchatka. 2 espèces principales : le « seal » d'Alaska et l'ours de l'hémisphère austral. **Ours.** Blanc, brun ou noir, poils longs.

Pékan (ou fouine). Brun foncé. **Phoque.** Poils ras, fourr. veloutée, très dense (300 000 fibres au pouce carré). *Ph. annelé* : gris-brun avec des marques noires en forme d'anneaux sur le dos ; dans tout l'Arctique. *Ph. du Groenland* : dessin en forme de selle sur le dos ; blanc jusqu'à 3 semaines, gris clair adulte ; se reproduit dans la baie du St-Laurent et au large du Labrador. *Ph. côtier* : gris sombre sur le dos, ventre gris pâle avec de nombreuses taches noires ou brun foncé. *Veau marin ou chien de mer* (océan Arctique et N. de l'Atlantique et du Pacifique). Le plus connu, gris fauve, plus clair ventralement, taché ou marbré de brun. *Ph. du Groenland ou ranger* (banquise des mers arctiques). Tacheté de noir et blanc. *Ph. moine ou « blue backs ».* Plus grand, subtropical et même tropical. **Putois.** Cousin du vison ; jaune, jarres noirs sur une longueur plus ou moins grande, ventre brun.

Ragondin (nutria ou myocastor) (Pérou, Chili, Bolivie, Argentine, Paraguay, Uruguay, USA, France). Jarres brillants, longs et passablement durs ; gris jaunâtre au roux vif. S'emploie dans sa couleur naturelle ou lustrée. **Rat musqué (ou ondatra).** Pelage ras, très souple, fin et serré ; tons roux, dos brunâtre à reflets mordorés ; ventre jaune clair. Solide. *Ondatra du S.* (Louisiane, N.-Mexique, Arizona, Texas). *Du N.* (autres États des USA et Canada). Éjarré et lustré noir, donne la « loutre d'Hudson » du commerce. Longévité : 8 à 12 ans. **Raton laveur.** Dénommé *racoon* par les Américains. Les meilleurs viennent de la baie d'Hudson et de la vallée de l'Ohio ; ceux du Michigan sont plus clairs, ceux du Missouri plus petits. Pelage gris, queue annelée de brun et de blanc, museau et dessus des yeux blanchâtres. **Renard.** Pelage variable selon habitat et climat. Am. du N., Pologne, URSS ; produisent des renards argentés, bleus, gris. Dep. 1979, en Scandinavie, les peaux de renards sont vendues sous le label SAGA. Les plus gros élevages sont finlandais. **R. bleu** : il n'en existe pratiquement plus à l'état sauvage. **R. croisé.** Bande noire le long du dos (Canada et Scandinavie). Extrême Nord : *le r. polaire* a la robe entièrement blanche pendant l'hiver. **R. rouge** (nord de l'Alaska, du Labrador, du Kamchatka). **R. argenté** (Canada, Pol., URSS). Longévité 8 à 12 a.

Sconse (moufette). Soyeux, brun et blanc, large queue très fournie. **Tigre.** Fauve orangé, ventre blanc, rayures noires. Protégé. **Viscache (lièvre des pampas).** Sombre avec bandes blanches et noires sur le museau. **Vison** (d'élevage) (Scandinavie, URSS, USA, Canada, P.-Bas, France). 32 mutations différentes, du noir au blanc en passant par les gris-bleu, marron et beige rosé. *U.S.A.* : marques déposées EMBA et Blackglama, 4 200 000 peaux. *Pays scandinaves* : 17 millions de peaux dont beaucoup reçoivent le label SAGA et SAGA Selected. *URSS* 12 millions de peaux dont 50 % exportées. La plus réputée : Norka. **Zèbre.** Poils ras, fourrure très souple, raies claires et sombres alternées. **Zibeline** (Sibérie, Europe, Asie, U.S.A., Canada). Poil soyeux et brillant, parfois parsemé de poils argentés. Meilleures provenances : Transbaïkalie (peaux « bargouzines »). **Zorinos** (Amér. du Sud). Plus roux et plus petit que le sconse (voir ci-dessus).

Pelleterie

Elle se subdivise en *pelleterie sauvage* (animaux chassés ou piégés) et *p. d'élevage* (vison, astrakan, chinchilla, ragondin, marmotte, renard, castor, etc.).

Principaux marchés. Scandinavie (Copenhague, Oslo, Helsinki). New York, Montréal, Londres, Leningrad, Francfort, P.-Bas (avant 1914 : Leipzig et Londres).

Principales associations (vison). *Canada* : CMBA (Canadian Mink Breeders Association) : visons Canada majestic mink et Canada mink. *USA* : EMBA (Mink Breeders Association) : visons de mutation et Blackglama (vison noir) ; vison extra noir des éleveurs de la Great Lakes Mink Association. *Union Soviétique* : Sojuzpushnina. 80 % des fourrures russes se vendent aux enchères de Leningrad, 3 ventes par an (janvier, juillet, octobre). *Europe* : SAGA. *France* : Association fr. des éleveurs de visons (label Opéra). *Afr. du S.* : astrakans Swakara.

Ventes aux enchères. *1re vente* : 1 672 à Londres, faite par la Cie des « Gentilshommes Aventuriers d'Angleterre commerçants dans la Baie d'Hudson ». *Actuellement* : Londres, Montréal, New York, URSS, Chine, Scandinavie.

Charte de la fourrure. Signée par la France le 4-11-1976 après accord entre la Féd. nat. de la fourrure et l'AJEPNE (Assoc. de journalistes et écrivains pour la protection de la nature et de l'environnement). En 1977, une Commission consultative (scientifiques, protecteurs de la nature, fourreurs) a été créée pour en assurer l'application.

Convention de Washington. Réglemente les échanges internationaux des espèces de faune et de flore sauvages, menacées ou en voie de disparition (ex. : tigre, léopard des neiges, loutre géante, loutre de la Plata, léopard nébuleux). 59 pays l'ont ratifiée. Entrée en vigueur en France le 17-9-1978.

La fourrure en France

Lapins domestiques. La France est le 1er producteur (60 millions par an, dont 80 % exportés). *Peaux apprêtées* imitent les p. de castors, loutres, visons, pelleteries tachetées ou fantaisie. *Peaux* dites *de coupe,* de qualité inférieure, sont rasées : les poils sont utilisés par la chapellerie ou la filature ; les déchets de peaux (fines lamelles) – pattes, têtes, oreilles – sont vendus aux fabricants de colle et d'engrais.

Visons. (1991) : 500 000 peaux, 55 élevages dont 2 en Bretagne, 1 en Charente (climat et proximité de la mer leur sont propices).

Fourreurs (en France). *Art et création* : 14 maisons. *Confectionneurs en gros* : vendent leur fabrication aux fourreurs détaillants, aux grands magasins et aux magasins de nouveautés qui ont un département de « fourrure diffusion ». *Fourreurs fabricants-détaillants* : vendent leurs propres productions ou des vêtements de fourreurs confectionneurs.

Nombre d'entreprises (1986). 1 800 (8 000 salariés). *1°) Négoce* : 30 pelletiers (180 salariés). *Négociants collecteurs* (demi-grossistes) et *nég. classeurs* (grossistes) en peaux brutes de lapins ; exportateurs ; 400 salariés, 80 % de leur prod. exportée. *2°) Industriels* : 10 apprêteurs-lustreurs (4 usines représ. 90 % de la prod.) assurent tannerie et teinture des pelleteries brutes. *3°) Utilisateurs de pelleteries* : 146 confectionneurs en gros (surtout à Paris), 1 754 fabricants détaillants dont 50 % d'artisans.

Imprimerie en France

Source : Féd. franç. de l'imprimerie et des ind. graphiques.

Imprimeries de presse. Réalisent les quotidiens. En 1979 (prov.). *Entreprises* : 476 de + de 10 salariés, employant 52 757 salariés. *Chiffre d'aff.* : 20 419 millions de F (H.T.).

Imprimeries de labeur et entreprises spécialisées [de photogravure, reliure-brochure, du secteur ind. (entreprises de 10 salariés et +)]. **Entreprises.** *Secteur artisanal :* env. 8 000 [*salariés :* env. 37 000. *Chiffre d'aff.* (millions de F) : 14] ; *industriel* (1989) : 2 206 [représentant (en %) 92 du tonnage total imprimé, 79 du C.A. total, 71 de l'effectif total, 20 de la population totale entreprise, et ayant consommé au total 2 325 000 t dont (en %) en offset 78, hélio 17, typographie 4,5, divers procédés 0,5] dont labeur 1 813 ; photogravure 258 ; reliure-brochure 135. *Salariés :* 84 836 dont labeur 70 749 ; reliure-brochure 7 564 ; photogravure 6 523. *Chiffre d'aff. (millions de F H.T.) :* 47 484 dont labeur 41 641 ; reliure-brochure 2 290 ; photogravure 3 553. *Chiffre d'aff. Répartition (en %) :* imprimés publicitaires 19,7 ; imprimés de continu 14,8 ; adm. et commerciaux 12 ; publications périodiques 14,8 ; de conditionnement 10,2.

Papier et carton mis en œuvre (1986). *1 792 580 t* dont en %, offset 78 ; héliogravure 16 ; typographie 6.

La *rame,* 500 feuilles (ou 20 mains de 25 f.), est l'unité de vente du papier en gros. Le poids des 500 f. constitue le poids de la rame, déterminé par le grammage et le format.

Informatique
(Traitement scientifique de l'information)

Grandes dates

1580 (?) Napier (Écosse) : *logarithmes.* **1632** (?) Oughtred (Angl.) : *règle à calcul.* **1642** Pascal (France) : *1re machine à calculer* permettant l'addition (et la soustraction par complément). **1666** Moreland (Angl.) : multiplication par additions successives. **1762** France : contrôle de métiers à tisser par *carton perforé.* **1770** Hahn (Allem.) : *1re machine à calculer exécutant directement les 4 opérations* (fondée sur le cylindre denté inventé par Leibniz en 1671). **1833** Babbage (Angl.) : définit les grands principes des calculatrices électroniques. **1854** Boole (Angl.) : *calcul binaire.* **1880-90** Hollerith Powers (USA) : *1re machine à cartes perforées utilisée* (recensement américain de 1890). **A partir de 1880 :** Hopkins, Burroughs, Sundstrand, etc. (USA); Scheutz, Wiberg (Suède) ; Odhnen (Allem.) ; Bollée (France) ; Kelvin (Angl.) ; Jahnz (Suisse) ; mise au point de plusieurs machines à calculer avec ou sans clavier, imprimantes ou non, et de machines « comptables ». **1906** De Forrest et J. Bryce (USA) : industrialisation des *tubes à vide.* **1919** Eccles-Jordan (USA) : bascule électr. **1924** Tabulating Machine Corporation fondée par Hollerith devient IBM. **1944** Pr Aiken et IBM (USA) : calculateur automatique Mark 1 (Université Harvard). **1946**-*15-2* ENIAC (Electronic Numerical Integrator and Computer) inaugurée [Réalisée par une équipe de la More School de l'université de Pennsylvanie, dirigée par Prosper Eckert et John Mauchly (n. 1903 à Budapest); pèse 30 t., comprend 17 468 tubes électroniques, 70 000 résistances, 10 000 capacités, 1 500 relais, 6 000 commutateurs. Il fallait tourner à la main chaque commutateur et brancher pour chaque opération des centaines de câbles ; consommait 150 000 W (1 000 fois plus rapide que le Mark 1), les relais électromécaniques étaient remplacés par des circuits électroniques à bascule et pour la 1re fois des impulsions électriques étaient utilisées pour mettre les lampes à vide en position allumée ou éteinte, ouverte ou fermée]. Système de code binaire inventé par John von Neumann (1re construction : l'EDVAC (Electronic Discrete Variable Computer). **1947** Eckert-Mauchly (USA) fondent une petite Sté, qui devient Univac. **1948** Bardeen-Brattain, Schockley (USA) : industrialisent le *transistor.* **1949** Wilkes (Angl.) : 1er calcul auto-électr. à programme enregistré EDSAC. IBM (USA) : commercialisation du CPC, calculateur automatique à carte-programme. **1951** (USA) : 1res machines à usage civil : Univac 1, mis au point par Eckert et Mauchly, refusé par IBM et accepté par Remington. De 1952 à 1954 contrôle tout le marché civil ; 1er calculateur électronique de la Sté Bull. **1952** IBM (USA) : 701 calcul. automatique. Von Neumann-Burks, Goldstine (USA) : calcul. auto-électr. à Princeton. **1959** IBM : ordinateur 1401. **1960** IBM 7070. **1964** IBM 360, 1er ord. à circuit intégré. (9-4) base de contrôle de Bull par General Electric. **1966** Plan-Calcul français. Naissance de la CII. **1967** Série IRIS, 1re gamme de la CII-France. Années **1970** : révolution mini-informatique. **1970** IBM série 370 ; General Electric vend à Honeywell ses participations dans Bull. **1972** IBM : généralisation de la mémoire virtuelle. **1973** IBM : réalisation expérimentale de *mémoires à bulles magnétiques* et de *circuits à jonction Josephson (effet tunnel) ;* mémoire virtuelle, multiplication et multitraitement ; création d'UNIDATA, 1er groupe multinational européen, regroupant CII (France), Siemens (All. féd.) Philips (P.-B.). Micral (micro-ordinateur commercialisé par Apple). **1975** fusion CII Honeywell-Bull. **1987** IBM PS/2 (Personal system). **1990** ATT présente un ord. fonctionnant à la lumière, composé de 32 commutateurs optiques et de 8 diodes laser. Les transistors optiques (symmetric-self-electro optic-effect devices ou S-SEED) réfléchissent en la modifiant très vite la quantité de lumière émise par un faisceau laser et peuvent « fabriquer » ainsi l'équivalent de 0 et de 1 à une vitesse théorique de milliards de fois par seconde. Les rayons laser pouvant se croiser sans interférence, on peut réaliser des circuits plus plats.

Technique

☞ **Unités utilisées.** *« Bit »* (abréviation de *binary digit :* unité d'information contenue dans le choix entre oui et non) ; 1 kilobit : 1 024 bits.

« Octet » (unité d'information correspondant à 1 lettre ou à 1 chiffre et égale à 8 bits).

Ordinateurs

Définition. Machines automatiques de traitement de l'information permettant de conserver, d'élaborer et de restituer des données sans intervention humaine en effectuant sous le contrôle de programmes enregistrés des opérations arithmétiques et logiques.

Composition

Un système informatique se compose du *matériel* (*hardware* en anglais) : ensemble de constituants et d'organes physiques, et du *logiciel* (*software*) : ensemble des programmes nécessaires. Les *ordinateurs* regroupent autour d'une unité centrale arithmétique et logique des unités : d'*entrée* des informations et des programmes à traiter ; de *mémoire ;* de *sortie* des résultats.

• **Unité centrale** (ou unité de logique). Fait 3 sortes d'opérations : transferts d'information d'un endroit à un autre de la machine ; opérations arithmétiques ; comparaisons de valeurs numériques.

• **Programme (logiciel).** Ensemble des instructions permettant de faire exécuter par un ordinateur un travail donné, soit automatiquement, soit au cours d'un « dialogue » utilisateur/machine dans lequel il fait l'interface. Il enregistre dans la mémoire, détermine l'intervention des unités d'entrée, commande calculs et choix à effectuer, décide de la consultation des mémoires et met en route les unités de sortie. Préparé par des programmeurs qui utilisent *divers langages :* exemples : *Fortran* (Formula Translator), conçu 1954 par J. Backus (IBM, USA), *Algol* (Algorithmic Language), *Cobol* (Common Business Oriented Language), créé 1959, *Basic* (Beginners All Purpose Symbolic Instruction Code), créé 1965 par John Kemeny et Thomas Kurz, *PL/1* (Programming Language, diffusé 1966), *Gap 1* (générateur automatique de programme), *Pascal,* créé 1969 par Niklaus Wirth (Suisse). Le compilateur traduit ce langage dans celui de la machine. *C :* créé v. 1970 par Dennis Ritchie. *Forth :* créé 1971 par Charles Moore. *Prolog :* (programmer en logique) : créé 1973 par Alain Colmerauer (Français). *Ada :* créé 1980 [d'Ada Augusta, comtesse Lovelace (fille de Lord Byron), assistante de Babbage (inventeur de la calculatrice)].

• **Mémoires.** Centrales (à accès quasi instantané) ou périphériques (plus lent ; l'information y est stockée sous forme de perforation de carte ou de bande de papier ou de polarisation magnétique de bande ou disque magnétiques), ou de mise en jeu de déplacement de particules électriques (technologie à semi-conducteurs). *Les mémoires* peuvent être à accès : – *direct : mémoire centrale* (ferrite ou semi-conducteur ou conducteur) : de quelques nanosecondes à des milli-secondes ; – *semi-direct* (disques magnétiques) : 20 à 100 millisecondes (pour la transmission et la sauvegarde des informations) ; – *séquentiel* (capacité : quelques millions d'octets, accès en millisecondes).

Les *mémoires centrales réelles* ont une capacité de 96 000 à 2 milliards d'octets (correspondant au contenu de plus de 470 000 livres de 400 pages bien remplies). Les *mémoires virtuelles* [combinaisons de mémoire centrale et auxiliaire (sur disque)] ont une capacité déterminée par l'utilisateur.

Mémoires vives [MEV (en anglais RAM : Random access memory)] : m. de travail accessibles à l'utilisateur ; leur contenu est perdu lorsque l'ordinateur est éteint. **Mémoires mortes** [MEM (en anglais ROM : Read only memory)] : m. permanentes stockant des données ou programmes non modifiables par l'utilisateur ; *programmables par un utilisateur :* PROM (programmables 1 seule fois), EPROM (programmables et effaçables par exposition à une lumière ultraviolette), E²PROM (programmables et effaçables électriquement).

Mémoires permanentes ou de stockage. Conservent leur contenu, ordinateur éteint (disques, disquettes, bandes...).

• **Entrée des informations.** S'effectue sur place ou à distance *(télétraitement)* par : *frappe sur un clavier* (vitesse de la dactylographie) ; *carte perforée* (en voie de disparition, 2 000 cartes à la min) ; *minidisque :* 3 800 enregistrements (1 à 128 c. par min) ; *bande magnétique* (10 000 à 330 000 c. à la s selon le type de dérouleur) ; *recueil d'informations analogiques :* vitesse en temps réel ; *lecture directe* (optique ou magnétique) de caractères imprimés ou manuscrits (8 000 à 24 000 c. à la min).

• **Unités de sortie.** Peuvent, sur place ou à distance, produire des résultats : *enregistrés sur bande* magnétique ou *sur disque* magnétique (vitesse : voir plus haut entrée) ; *imprimés* à « l'impact » (jusqu'à 2 000 lignes par min) ; « sans impact » (13 000 lignes par min) ; *affichés* sur écran cathodique ; *parlés* (par recomposition artificielle de la voix humaine à partir d'une information numérique).

☞ **Caractéristiques des unités de stockage** (temps d'accès en italique et volumes moyens stockés en millions d'octets). *Unité de stockage (type 3850) :* 50 000 à 272 000 ; *de bandes magnétiques : 15 s., X. Disque amovible : 50 ms,* 20 à 1 000, *fixe : 10 ms,* 0,5 à 20. *Cassette : 10 s.,* 0,1. *Disquette : 400 ms,* 0,25 à 1.

Densité (nombre de bits par cm²). *1959 :* 1 000. *74 :* 1 000 000. *79 :* 10 000 000. *84 :* 100 000 000.

Évolution

1re génération (1944-46) : à lampes triodes encombrantes, rapidité de calcul et mémoire limitées. **2e (1958)** : à transistors. Plus petits, remplacent les tubes et permettent des performances élevées. **3e (1964)** : des micromodules microscopiques rassemblent sur quelques mm² des circuits transistorisés. *Miniaturisés à niveau d'intégration élevé* (Large Scale Integration-LSI) ou *très élevé* (VLSI) améliorent capacités et rapidité. *Avantages :* temps de conception et de mise au point réduit ; prix de revient inférieur ; plus grande surface d'aptitude aux modifications ; meilleure fiabilité et entretien plus facile. Permettent de nouveaux langages simplifiés. **4e** : une seule pastille (dite *puce*) peut contenir plusieurs centaines de milliers de transistors (600 000 par puce). Elle peut avoir la même puissance de calcul qu'un ordinateur moyen des années 1960 qui occupait une pièce entière.

Projets. *Japonais :* 1er pour 1990 : *ordinateur super-rapide* pouvant effectuer 10 milliards d'opérations par seconde ; mémoire de 1 milliard d'octets. 2e (5e génération) : machines ne fonctionnant pas en séquentiel, selon les principes de von Neumann, mais organisées en parallèle ; calculant à la vitesse de 10 milliards d'opérations par s et pouvant raisonner ; bâties autour de circuits d'arséniure de gallium ou de matériaux supraconducteurs.

Marisis : machine parallèle, réunion de plusieurs Isis et de 1 Marianne (1988), plus puissante que le Cray X-MP ; moins puissante que le Cray 2 (ses performances seront 50 fois inférieures à celle du super-ordinateur japonais prévu).

On étudie des mémoires *holographiques,* des mémoires à *plasma* (fondées sur l'utilisation de gaz ionisés), des mémoires *ferro-acoustiques,* des mémoires à *bulles magnétiques* [contenance 1 048 576 bits (ou unités d'information) sur 2 cm². *Principe :* on soumet à un champ magnétique faible les « régions » magnétisées (bulles minuscules) des métaux magnétiques (comme le fer), pour les orienter vers une direction unique. Puis on les utilise pour le stockage de l'information].

L'*ovonique* (effet Ovshinsky), qui permet d'utiliser le verre à la place des semi-conducteurs en germanium et silicium, va se développer.

Comparaison

Le **cerveau humain,** qui comprend 12 milliards de neurones, peut enregistrer 1 million de milliards (10^{15}) de *bits.* Une mémoire à ferrite de taille supérieure peut enregistrer 32 millions de *bits* (32×10^6).

Les notions de mini et gros ordinateurs dépendent de la puissance de traitement, du nombre d'utilisateurs simultanés, des capacités de stockage.

Gros ordinateurs. *Vitesse de calcul* en mégaflops (Mflop : 1 million d'opérations flottantes par seconde). *1965* 0,001, *1983* 0,5, *1984* 8,4 (FTAIO de Central Data) 8 (YME Cray, inventé par Slymour Cray) 4,2 (NEC), *1989 :* 8 400 [une opération flottante représente une addition effectuée sur des nombres décimaux écrits à l'aide d'une mantisse (chiffres après la virgule dans un nombre décimal, donc compris entre 0 et 1) et d'une puissance entière de 10. Ex. : 5 720 s'écrira $0{,}5720 \times 10^4$], *1990-95* 100.

Micro-ordinateurs. Constitués généralement d'une unité centrale de quelques K à quelques centaines de K, une ou 2 unités de disquettes amovibles, une ou 2 unités de disques durs, un clavier, un écran, une imprimante, éventuellement de moyens de communication. Construits à partir de circuits intégrés microprocesseurs, 4,8 ou 16 bits et d'une capacité mémoire de 8 à 1 000 K. *Prix :* quelques milliers et quelques dizaines de milliers de F.

Quelques définitions

• **Antiope** (acquisition numérique et télévisualisation d'images organisées en pages d'écriture). Service français de vidéotex de télévision (pages de 24 lignes de 40 caractères, diffusées sur le réseau), pouvant représenter des lettres, des chiffres ou des graphismes simples. Le téléviseur doit être équipé d'un décodeur. *Coût :* 10 000 F env. (plus tard 500 F). Antenne 2 propose, du mardi au vendredi, un « magazine » d'une centaine de pages d'informations diverses. En G.-B., journal sur la BBC (procédé Ceefax).

• **Banques de données.** Ensemble d'informations structurées, stockées sur ordinateur et accessibles en conversationnel par l'intermédiaire d'un terminal. Peuvent être bibliographiques (comme les « Chemical Abstracts » ou « Pascal » qui recensent chacune plusieurs millions de références), factuelles (ex. : des répertoires d'entreprises), textuelles (texte intégral, ex. : lois ou arrêts de jurisprudence) ou numériques (séries chronologiques des instituts statistiques, comme SIC de l'INSEE).

Diffusées par des « centres serveurs » équipés d'ordinateurs à vocation nationale ou internationale (QUESTEL, SINORG, GSI), régionale ou locale (utilisant essentiellement le vidéotex). Accès : les usagers appellent par téléphone les réseaux publics de transmission de données (Transpac pour la France, Euronet au niveau européen, Telenet ou Tymnet aux USA...). **CD-ROM :** *1988 :* 2 500 lecteurs, *1992 :* 284 000 prévus ; peut stocker 220 000 pages dactylographiées sur un disque de 12 cm de diamètre.

Statistiques (France 1982). *Producteurs* 457, *banques de données* 810. *Coût de la consultation :* variable suivant la nature de l'information. Ex. : références bibliographiques, coût horaire d'interrogation 350 à 500 F. Banques de données factuelles ou textuelles 400 à 800.

• **Bureautique.** Automatisation des tâches du bureau pour l'élaboration, la transmission, la réception, l'archivage et la recherche de documents, textes, images (vocales ou auditives).

• **Centre de commutation de messages bancaires (CCMB).** Assure l'envoi, entre banques, des informations relatives aux virements de fonds. Construit autour d'un ensemble d'ordinateurs (Mini-6, CII-Honeywell-Bull). Utilise le réseau Transpac.

• **Disques magnétiques.** *Disquette.* Capacité 320 KO [mots de 8 caractères (320 000 octets)]. **Disque laser** (CD ROM) 600 Mo (600 000 000). *Certains disques durs* 1 Go (gigaoctet : 1 milliard o). *Certaines unités à base de cartouches magnétiques :* plusieurs téraoctets (1 000 milliards). Disque dur tourne à 250 km/h. **Laser.** *Handicaps* par rapport aux supports magnétiques : temps d'accès plus lent (1 seconde) et support non réinscriptible. *Avantages :* compacité, très bonne tenue dans le temps, faible coût de production, capacité d'inscrire sur 1 seule de ses faces 600 millions de caractères. **DON** (disque optique numérique), vierge ; support d'archivage qui ne peut être enregistré qu'une seule fois ; technique WORM (Write Once, Read Many ; 1 seule écriture, plusieurs lectures) ; peut stocker 1 gigaoctet par face (1 milliard de caractères) ; disque de 12 gigaoctets à l'étude.

• **Enseignement assisté par ordinateur (EAO).** L'ordinateur interroge l'élève. L'élève répond à l'aide du clavier, l'ordinateur poursuit son cours si la réponse est satisfaisante, ou revient à la partie mal assimilée.

• **Interface.** Permet de faire communiquer entre eux des machines, des langages informatiques, des systèmes différents. Peut être un matériel ou un logiciel. Il traduit des caractéristiques en d'autres caractéristiques.

• **Microprocesseur (puce).** Inventé 1971 par Ted Hoff. Contient des circuits électroniques intégrés imprimés sur une seule pastille de silicium (semi-conducteur, bon marché). Remplit toutes les fonctions d'un des éléments de base d'un ordinateur ou d'un terminal. Plus les composants sont rapprochés, plus le microprocesseur travaille vite, et plus il possède de circuits électron., plus sa puissance est élevée.

Fabrication : des circuits sont dessinés sur une grande feuille ; ce dessin réduit est projeté sur une plaquette recouverte d'une substance que la lumière attaque là où il n'y a pas de trait. Actuellement, la distance minimale séparant 2 traits est de 2 à 3 micromètres. On ne pourra guère aller au-delà : la lumière créant une courbe sinueuse dont les irrégularités sont d'env. 0,5 micromètre. *Stockage :* actuellement 0,6 à 4 millions de composants. En utilisant un rayonnement non visible (ray. X ou ray. associé à des particules) de longueur d'onde beaucoup plus faible, on peut stocker de 64 millions de composants (en 1991) à plus de 100 (en 1996) ; limite atteinte au niveau expérimental : 1 milliard (limite théorique par cm² : 1 milliard). L'utilisation de l'arséniure de gallium (As Ga) à la place du silicium permettrait une vitesse 7 fois plus grande (coût élevé).

Production de processeurs (1986) : 1 milliard dont 70 % microprocesseurs 4 bits électroménagers.

Coût d'une « puce » de 64 K (64 000 caractères) en 1985 : 3,5 $, 86 : 0,3 $.

• **Modem.** Unité fonctionnelle comprenant un modulateur et un démodulateur de signaux. Permet la transmission de données numériques sur des circuits ordinaires à faible bande passante.

• **Multiprogrammation.** Permet de partager la mémoire de l'ordinateur entre plusieurs travaux et de procéder à leur traitement simultanément. La rapidité de réponse (une fraction de seconde, alors que les questions ne se conçoivent qu'à la cadence de plusieurs minutes) permet l'utilisation de la machine par plusieurs centaines de correspondants par dialogues enchevêtrés, chacun ayant l'impression que la machine travaille pour lui seul.

• **Paiement électronique sur les points de vente.** Types de paiement : *1° transaction en ligne (on line) :* la machine de paiement du commerçant, dans laquelle le client introduit sa carte, est reliée à l'ordinateur de la banque où se trouve son compte ; la caissière, après s'être assurée de la solvabilité, peut débiter le montant des achats ; *2° carte à piste magnétique comportant un code secret* (actionné par le client). La machine de paiement du commerçant n'est pas reliée à l'ordinateur de la banque et le paiement est enregistré localement. Procédé simple, bon marché (2 à 3 F par opération), mais niveau de sécurité insuffisant ; *3° carte à mémoire* (15 F). Opère hors ligne *(off line),* sans liaison avec l'ordinateur de la banque. Sa rédaction crée des embouteillages dans les grandes surfaces.

• **PC.** Personal Computer (ordinateur personnel). **PS.** Personal System.

Pertes informatiques en France (en millions de F). *1987 :* 7 910 dont : risques matériels 1 180, vol, sabotage de matériel 70, pannes 970, erreurs de saisie, transmission et utilisation des informations 770, erreurs d'exploitation 320, erreurs de conception et de réalisation 700, fraude, sabotage de matériel 2 000, indiscrétion, détournement d'information 380, détournement de logiciel 1 420, grève, départ de personnel informatique 100. *1988-89 :* 8 600 dont malveillance 4 255 (1 800 sinistres), risques accidentels 2 515 (11 900), erreur 1 800 (19 000). *Sinistres déclarés :* 10 % du total.

☞ *Des grandes firmes ont été mises en cause pour piratage. En oct. 1989 :* TDF, Paribas. *En déc. 90 :* Rhône-Poulenc Film, France Distribution Système (groupe Bolloré).

• **Réseau.** Ensemble de supports de transmission par fils, voie hertzienne ou câble optique, sur lequel peuvent se brancher les équipements des utilisateurs (par voie visuelle ou auditive).

Réseau Numérique à l'Intégration de Services (NUMERIS). Il permet de transporter la voix, les données et les images, grâce à 3 techniques : la numérisation (même procédé que pour le disque compact, s'opposant à celui, dit analogique, du microsillon) ; l'intégration (grâce à 1 seul numéro de téléphone, l'usager a accès à plusieurs services) ; la signalisation (l'usager peut désigner lui-même le service avec lequel il souhaite être mis en relation : téléphone, télécopie, micro-ordinateur ; la signalisation permettra aussi d'éliminer les appels indésirables). Les postes téléphoniques seront munis d'un écran à cristaux liquides sur lequel s'affichera le numéro de l'usager qui appelle. Abonnement : 200 à 300 F par mois vers 1995.

• **Synthèse de la parole.** Un *synthétiseur* construit une phrase à partir de mots ou à partir de phonèmes préenregistrés. Le phonème correspond généralement à une lettre, mais une lettre peut correspondre à plusieurs phonèmes : « O » ouvert ou fermé. Les groupes de lettres « ch », « an », représentent un phonème. La lettre « X » correspond à un couple de phonèmes : « ks » ou « gz ». Il y a 40 phonèmes français.

Types d'appareils. Synthétiseurs à canaux [1er (Vocoder) construit 1939 par l'Américain Dudley] : le spectre de fréquence de la voix humaine (300 à 3 000 hertz) est divisé en une douzaine de bandes de fréquences ; à chacune correspond un canal dont la pièce essentielle est un oscillateur qui crée un son dont les fréquences sont dans la bande associée au canal. En commandant les intensités et les temps d'émission de chaque canal, on obtient une voix chuchotée. Un micro analyse comment le son reçu se répartit entre les bandes de fréquences et enregistre, pour chacune, le niveau sonore au cours du temps. Cette information est mise sous forme numérique assimilable par un ordinateur. Le codage d'un mot exige en moyenne 600 chiffres binaires. **Synthétiseur par formants :** le spectre de fréquences de la voix présente à chaque instant 2 ou 3 bosses dont la forme et la largeur varient peu ; seules changent la hauteur et la position de ces bosses appelées formants. L'élément essentiel qui permet à l'oreille de distinguer les divers phonèmes, ce sont les formants. Il suffit de donner au synthétiseur la position et l'intensité de 2 ou 3 formants. **Simulateurs de conduit vocal** (stade expérimental) : le son se propage dans ce tuyau de section variable et à chaque élargissement ou rétrécissement vont se produire des réflexions complexes qui étouffent certaines fréquences et en amplifient d'autres. **Systèmes neuronaux :** réseaux neuromimétiques au stade expérimental. Proposent, contrairement aux systèmes experts qui attaquent les problèmes à un haut niveau (en copiant la partie consciente du raisonnement humain), de copier le comportement inconscient en partant du bas niveau, c'est-à-dire des données sensorielles, et en utilisant l'apprentissage comme méthode privilégiée. *Application :* traitement d'images (compression, segmentation, reconnaissance de formes, détection de mouvements, stéréovision), du signal (classification, localisation, séparation, débruissage), reconnaissance de la parole, robotique (coordination moteurs-senseurs).

• **Télématique.** Utilise télécommunications et informatique. Permet un dialogue entre gros ordinateurs traitant des informations de diverses origines (banques de données, voir p. 1474b), via les satellites de télécommunications. L'utilisateur reçoit les informations sur un terminal relié au réseau téléphonique.

• **Traitement de texte.** Logiciel permettant d'écrire à l'écran comme sur une machine à écrire. Permet de réaliser corrections, déplacement ou suppression de mots et de paragraphes, sauvegarde...

• **Transputer** (« trans » pour transistor et « puter » pour computer) mis au point 1983 par Sté Imnos.

• **Virus électronique (bogues).** *Définition :* séquences d'instructions glissées clandestinement dans les calculateurs, permettant une modification des résultats, un ralentissement dans l'exécution, un effacement du contenu des disquettes et des mémoires pour gagner d'autres ordinateurs par des programmes dans lesquels elles parviennent à se glisser. Ces séquences peuvent se recopier elles-mêmes sur les disquettes ou dans les mémoires à l'intérieur des machines. Il suffit d'utiliser un programme « infecté » pour que l'ordinateur puisse contaminer d'autres fichiers. L'épidémie peut se transmettre à distance par les lignes téléphoniques. Le virus peut rester silencieux des mois ou des années, à moins de taper une instruction prédéterminée ou d'utiliser l'ordinateur à une certaine date. Remèdes actuels : éteindre l'appareil pour vider ses mémoires chaque fois que l'on change de disquette ; programmes de décontamination spécifiques à chaque virus, capables de repérer et de détruire le programme tueur.

Techniques de sabotage. *Attaque :* tentative pour deviner un code d'accès. *Bombe logique :* instructions supplémentaires dans un programme, activées à un moment donné sur commande. *« Cheval de Troie » :* programme inséré clandestinement dans un autre ; ne se révèle qu'après une manipulation précise. *Écoute :* interception de données sur une ligne téléphonique. *« Saucisson » :* détournement d'une somme minime sur des millions d'opérations monétaires. *Ver :* programme conçu pour se propager dans la mémoire d'un ordinateur et y effacer les données inscrites. *Virus migrateur :* circule en permanence et de manière aléatoire dans le réseau ; pris en chasse par les « programmes de poursuite », il émet des leurres (petits virus qui égarent les programmes de recherche).

☞ Quelques exemples. *1988 13-4* (veille du jour anniv. de la proclamation de l'État d'Israël) : un virus « sabotage palestinien » devait détruire les fichiers essentiels pour Israël ; déjoué. *3-11 :* USA ont connu la plus grosse épidémie de virus informatique (6 000 ordinateurs touchés). *1989* rumeur : « Des pirates auraient mis en circulation 3 virus (Datacrim. 1, 2 et 3) programmés pour attaquer vendredi 13-10. A minuit, ils ruineront le contenu des mémoires ou bloqueront l'accès à celles-ci ». La police néerlandaise a parlé de 100 000 ordinateurs contaminés. *1991 9-1 :* Daniela devait, selon mise en garde du groupe français Chaos Computer Club France (CCCF) spécialisé dans la détection, contaminer une partie du parc français.

Une escroquerie a coûté, en 6 ans, 2 milliards de $ à l'Equity Funding Insurance. Une vingtaine d'ingénieurs et de cadres supérieurs avaient introduit dans l'ordinateur de la firme 64 000 clients fictifs.

Quelques dates en France

1966, *Plan Calcul :* devait permettre à l'industrie française de prendre une place notable sur le marché des calculateurs. 1re convention signée entre l'État et les groupes industriels pour 1966-70. 2e pour 1971-75 visait la constr. du 1er ensemble véritablement multinational au sein de l'inform. européenne. **1972**-*janv.,* accord CII/Siemens entraînant un partage des responsabilités au niveau de la recherche, de la production et de la commercialisation des ordinateurs. **1973,** accord Unidata pour la définition d'une politique commune de produits (CII, Siemens, Philips). Projet d'un grand ordinateur et de secteurs télématiques géants sur lesquels seraient branchés 18 millions d'abonnés recevant l'information. **1975** *19-12,* Unidata dissoute. **1976,** CII et Honeywell-Bull fusionnent. Répartition du capital de la CII-HB : Cie des machines Bull (CMB) 53 %, Honeywell Information Systems Inc. 47 %. Convention entre l'État et la CII-HB pour 4 ans (1976-1980) : emploi maintenu, innovations technologiques, développement des exp., doublement de la productivité (1981, pertes nettes 1 351 millions de F). **1978**-*juin,* rapport Nora-Minc « Informatisation de la société ». **1981,** création du *Centre mondial informatique et ressources humaines* par J.-J. Servan-Schreiber, consacré aux applications culturelles et sociales de la micro-informatique (75 personnes). **1982,** rattaché au min. des PTT ; participe au plan de contrôle de la France en fibres optiques. **1983,** restructuration de la « filière électronique » par l'État : le groupe Bull constitué de CII-HB renforcée par SEMS (ex-filiale de Thomson) et Transac (ex-fil. de CIT-Alcatel).

Quelques chiffres

Dans le monde

• **Parc mondial d'ordinateurs** (en milliers d'unités et, entre parenthèses, en milliards de dollars). **Très grands ordinateurs scientifiques** (ex. Cray). **Grands systèmes.** *1986 :* 20,8 (97,4). *88 (prév.) :* 24,3 (114,6). **Moyens.** *1986 :* 247,6 (72,6). *88 (prév.) :* 330 (86,8). **Petits.** *1986 :* 3 333,2 (91,1). *88 (prév.) :* 5 219 (126,7). **Ordinateurs personnels (micro et terminus).** *1980 :* 10 000. *86 :* 52 550 (94,2). *88 :* 95 393 (176,6). *90 :* 150 000. *Source :* International Data Corporation.

• **Principaux pays producteurs de matériels informatiques** (en milliards de $). USA 45,4, Japon 21,2, « 4 Dragons » (Corée S., Singapour, Taiwan, Hong Kong) 8,4, All. féd. 8,1, G.-B. 5,9, *France* 5,3, Italie 4,2.

• **Principales sociétés. Chiffre d'affaires** (en milliards de $, 1989) et, entre parenthèses, % du CA informatique). IBM[1] 60,80 (97), Digital[1] 12,93 (100), NEC[2] 11,48 (49,1), Fujitsu[2] 11,37 (63), Unisys[1] 9,39 (93), Hitachi[2] 8,71 (17,8), Hewlett-Packard[1] 7,80 (65,6), Groupe Bull[3] 6,46 (100), Siemens[4] 6,01 (18,5), Olivetti[5] 5,57 (84,7), Apple[1] 5,37 (100), NCR[1] 5,31 (89,3), Toshiba[2] 4,59 (15,9), Canon[2] 3,78 (38,6), Matsushita[2] 3,66 (9), Compaq[1] 2,87 (100), AT&T[1] 2,86 (7,9), NV Philips[6] 2,81 (10,4), Nixdorf[4] 2,79 (100), Xerox[1] 2,79 (15,8).

Nota. – (1) USA (2) Japon. (3) France. (4) All. féd. (5) Italie. (6) P.-Bas.

Pertes (en millions de F, 1990). Bull 6 800, Digital 407, IBM 33 110, Nixdorf 2 720, Unisys 437.

Informatique et bureautique en 1984

Production et marché (en milliards de $)	Informatique [1]		Bureautique [1]		Total électronique	
	Pr.	M.	Pr.	M.	Pr.	M.
France	4,8	5,7	0,1	0,6	16,5	17,5
Eur. de l'O.	18,4	24,8	2,9	3,6	78,8	89,2
Japon	14,1	12,8	5,4	2,1	68,9	42,6
États-Unis	50,8	39,5	8,8	9,8	168	166
Autres	2,4	8,6	0,9	2,5	37,3	55,2
Monde [2]	85,7	85,7	18	18	353	353

Nota. – (1) Non compris télécommunications. (2) Hors pays de l'Est.

• **Part de marché IBM** (en %). *Grands systèmes* 52 (plus de 1 million de $), *mini-ordinateurs* 19,7, *micro-ordinateurs* 22,8. USA 29,9, Europe 28,1, Japon 18,1, reste du monde 23,5.

Marché mondial de l'électronique (estimations 1993, en milliards de $). 1 139 (1987 : 681,1) dont : électronique grand public 103,3, composants actifs passifs 98, 65,8, mesure, instrumentation 54,3, électronique médicale 20,3, matériels électroniques professionnels 130, télécom. 81,5, automatismes 64,1, informatique 285, logiciels et services 207, bureautique 29,7.

• **Ventes mondiales de matériels** (en %). IBM 26,4, DEC 5,5, Fujitsu 4,7, NEC 4,6, Unisys 3,9, Bull (+ Zenith) 3,8, Hitachi 3,2, Hewlett-Packard 3,2, Apple 2,8, Siemens + Nixdorf 2,6. **Grands systèmes** (1 million de $ et +). IBM 52 %, Fujitsu 10,2, Hitachi 7,3, Unisys 7, Amdahl 4,5, Bull 3,4, NEC 2,8, Siemens 2,7, HDS (groupe Hitachi) 2,5. **Mini-ordinateurs.** IBM 19,7, DEC 13,5, Unisys 5,3, Hewlett-Packard 4,9, Fujitsu 4,5, NEC 4,4, Siemens + Nixdorf 3,8, Bull 3, NCR 2,7, Wang 2,1. **Micro-ordinateurs.** IBM 22,8, Apple 8,6, NEC 7,7, Compaq 7,6, Bull + Zenith 5,9, Olivetti 3,5, Jokiba 3,2, Hewlett-Packard 2,5, Epson 1,8, Fujitsu 1,4.

• **Semi-conducteurs. Par produits** (en 1988, en milliards de $). Mémoires 10,9, discrets 9,1 (dont : transistors 3,9, diodes 2,2, optoélectronique 2,1, autres 0,9), analogiques 7,2, microprocesseurs 6,8, autres 11. **Par secteur** (en %). Ordinateurs 43, électronique grand public 20, industrie 14, télécom. 12, automobile, aviation 6, militaire 5.

Principaux fabricants (chiffre d'affaires 1990, en milliards de $). Nec [1] 4,95, Toshiba [1] 4,9, Hitachi [1] 3,92, Motorola [2] 3,69, Intel [2] 3,13, Fujitsu [1] 3,01, Texas Inst. [2] 2,57, Mitsubishi [1] 2,47, Matsushita [1] 1,94, Philips [3] 1,93, National Semiconductor [2] 1,71, SGS Thomson [4,5] 1,46.

Nota. – (1) Japon. (2) USA. (3) P.-Bas. (4) France. (5) Italie.

• **Mémoires Dram** (en milliards de $ en 1988). (*Source :* Dataquest). Toshiba 170, Texas Instruments 160, NEC 156, Samsung 120, Siemens 114, Hitachi 105.

En France

• **Terminaux en fonction. Types de lignes** (au 1-1-82) : *parc total* 99 830 ; *lignes spécialisées* 71 100 ; *réseau commuté téléphonique* 21 300 et *Caducée* 2 157 ; *Transpac* 5 273.

• **Ordinateurs en France** (nombre). **Très petits** (de 130 à 250 000 F). *1966 :* 114. *70 :* 763. *73 :* 2 758. *77 :* 9 752. *81 :* 28 457. *86 :* 63 725. *87 :* 73 533. *90 :* 86 635. **Petits** (250 000 à 1 600 000 F). *1966 :* 1 042. *70 :* 3 960. *73 :* 5 596. *81 :* 21 295. *87 :* 70 256. *88 :* 80 744. *90 :* 102 637. **Moyens** (1,6 à 7 millions de F). *1966 :* 981. *70 :* 1 798. *81 :* 2 386. *87 :* 5 467. *90 :* 5 716. **Grands et très grands** (+ de 7 millions de F). *1966* : 60. *70* : 220. *81* : 1 271. *87* : 2 269. *90* : 2 548. **Total :** *1981* : 88 545. *86* : 278 210 (dont IBM 20,6 %, Bull 11,3, Olivetti Logabax 10,9, Apple Macintosh 9, Victor 7,1, Goupil 5,6, Clones du Sud-Est asiatique 4,2, autres 31,3). *90* : 13 000 à + de 7 millions de F. (*Source* : SFIB).

Ventes en France (1989). *Micro-ordinateurs* (valeur unitaire entre 10 000 et 130 000 F) 750 000. *Très petits* (130 000 à 250 000) 17 280. *Petits* (250 000 à 1,6 MF) 20 116. *Moyens* (1,6 à 7 MF) 1 141. *Grands et très grands* (+ de 7 MF) 529.

Évolution des ventes. *Micro-ordinateurs non portables : 1987* : 455 000. *88* : 577 000. *89* : 888 000. *Portables* : *1987* : 27 500. *88* : 40 800. *89* : 61 600. (*Source* : SFIB).

Dépenses (1988). **Par classes de matériel** (en millions de F). Total 215 dont grands, très grands systèmes 70, moyens 50, petits 65, micros 30. **Par secteurs** (millions de F/en %) : total 215 dont personnel 71,5/33, logiciel et services 61,5/29, matériel 57,5/27, divers 24,5/11. **Par agents écon.** (%) : administrations 18, grandes entreprises 41, PME-PMI 24, très petites entr. 13, divers 4.

Déficit (exportations, entre parenthèses : importations et balance en italique en milliards de F). **1982** 10,06 (15,34) - *5,28*. **83** 14,02 (19,58) - *5,57*. **84** 18,01 (24,22) - *6,14*. **85** 20,44 (29,30) - *8,87*. **86** 21,30 (28,79) - *7,4*. **87** 23,01 (31,41) - *8,45*. **88** 25,42 (40,64) - *15,20*.

Chiffre d'affaires en France (en milliards de F, en 1986). IBM 37,5 (1987), Bull (groupe) 32,7 (1989), DEC 3,8, ECS 3,8, Unisys 3,7, HP 3,4, CGS 2,9, Telic Alcatel 2,5, Olivetti-Logiciel 2,2, Promodata 1,9. **Progiciels** (en millions de F, en 1988). Micro Soft 439, Computer Associates 430, Sema Group 428, Concept 426, GSI 385, CGI 366, Dassault Systèmes 295, Sodeteg Tai 279.

• **Micro-ordinateurs compatibles.** Marché (en 90, 1987). IBM 20. Apple 12. Bull 9. Garpil 7. Olivetti 7. Victor 6,5. Compacq 4. Normerel 3. *Source* : BUE-Efsa. Intelligent Electronics et Dataquest.

• **Calculatrices. Ventes** (en millions, 1988) 12,6 (dont opérateurs 9, programmables 2,85, imprimantes 0,74). *Prix moyen d'une calculatrice de poche* (en F) : 90 dont pièces diverses et assemblage 26, marge distributeur 17,10, TVA 14,10, marge importateur 10, frais de transport et taxes import. 8,8, composants électroniques 8, afficheur 6.

Jouets

Sources : Féd. nat. des industries du jouet.

Dans le monde

Types de jouets. *Vers 1960* : il en existait environ 5 000, *en 1983* : + de 60 000.

Production (en milliards de F, 1982). USA 22,9. Japon 12,5. All. féd. 4,1. *France 4* [5]. G.-B. 3,2.

Principales sociétés (C.A. en milliards de F, 1987). Hasbro [1] 7,8, Mattel [1] 6,8 (vend les poupées Barbie, lancées le 9-3-1959), Lego [2] 5,2, Coleco [1] 4,7, Kenner Parker [1] 4,2, Nintendo [3] 3,1, Bandal [3] 2,8, Fisher Price [1] 2,7, Majorette [4] 0,5 [5], Nathan (jeux) [4] 0,4, Smoby [4] 0,3 [5], Clairbois [4] 0,1, Menneret [4] 0,16 [5], Jouef [4] 0,07 [5].

Dates de création. *Meccano* (G.-B.), 1908, commercialisé en France 1911. *Lego* (1954, Danois Olaf Kirk Christiansen). *Monopoly* par M. Darrow, il y a env. 40 ans.

Nota. – (1) USA. (2) Danemark. (3) Japon. (4) France. (5) 1983.

En France

Chiffre d'affaires global H.T. *1985* : 5,10 milliards de F dont en % : véhicules, engins mécaniques et voitures miniatures 15, jeux de société non électroniques 10,5, jouets en peluche 8,5, articles de fêtes et ornements de Noël 8,5, jouets sportifs et jeux de plein air 7,5, poupées et habillages 6,5, jeux d'activités manuelle et de création 5,5, jeux et jouets d'imitation 5,5, jouets de bébé et de 1er âge 5, figurines, structures avec personnages 4,5, autres 23. *1987* : 5.

Entreprises. Nombre : *1965* : 587. *77* : 307. *81* : 234. *82* : 225. *83* : 200. *84* : 195. *85* : 195. *86* : 185 (dont 27 de + de 100 personnes). **Salariés :** 9 643 en 1985 (dont 890 dirigeants et cadres, 1 913 E.T.A.M., 5 949 ouvriers, apprentis en ateliers, 891 travailleurs permanents à domicile). **Chiffre d'affaires** (en millions de F, en 1989). Majorette (RM, Ly) 800, SMOBY 350, Monneret Jouets 185, Jouets Clairbois 140/145, Droguet 125, Jouef 90.

Consommation. 15 milliards de F en 1989.

Commerce extérieur (en milliards de F, 1987). *Importations* : 2,28 dont (%) Italie 20, All. féd. 12,7, Espagne 8,8, Hong Kong 8. *Export.* : 0,77 dont vers (%) G.-B. 22, All. féd. 15,8, USA 9,7, UEBL 9,6.

Budget annuel d'achat de jouets par enfant. 1 599 F (1990) (All. féd. 1 416 F). **Lieux d'achat.** Commerce traditionnel (détaillants, grands mag., mag. populaires) 52 %, grandes surfaces (hypermarchés, supermarchés) 34 %, vente par corresp. et aux collect. 14 %.

Points de vente. 30 000. **Répartition des ventes** (en %) : hyper et supermarchés 40, mag. spécialisés 23, buralistes, bazars, pompistes, librairies 14, grands magasins 10, vente par corresp. 9, mag. pop. 4.

Jeux de société. Vente en France (en 1986, en milliers de F). *Trivial Pursuit* 1 000. *Scrabble* 700. *Monopoly* 405. *Puissance 4* 180. *Docteur Maboul* 180. *La Bonne Paye* 160. *Qui est-ce ?* 150. *Cluedo* 130. *Risk* 88. *Richesses du Monde* 50. *Richesses de France* 45.

Ludothèque. Centre de prêt de jouets. *Nombre* : 400 en France. *Renseignements* : Sté des Amis du jouet, rue Émile-Augier, 75016 Paris.

☞ Voir également Cours des jouets, p. 419.

Minerais et métaux

• **Métaux précieux.** Or, argent, platine et métaux dits de la mine du platine : palladium, rhodium, iridium, ruthénium, osmium. Ils ont tous un point de fusion élevé et une excellente conductibilité.

• **Consommation mondiale. Prévisions faites** en 1971 pour l'an 2000 en millions de t (entre par., augmentation en % par rapport à 1968). Fer 840 (+ 180), aluminium 83 (+ 750), cuivre 37,5 (+ 440), zinc 13,6 (+ 230), plomb (+ 200), nickel 1,5 (+ 300).

Ces prévisions apparaissent actuellement sous-évaluées. On entrevoit pour plusieurs métaux un risque de pénurie vers l'an 2000, ex. : cuivre, nickel, zinc. Peut-être les océans pourront-ils fournir des ressources supplémentaires (V. à l'Index).

• **Productions minières** (en 1987. % des parts des 3 1ers pays). *Platine* 98 % dont Afr. du S. 66, URSS 30, Chine 14. *Vanadium* 95 : Afr. du S. 51, URSS 30, Chine 14. *Amiante* 82 : URSS 59, Can. 17, Brésil 6. *Potasse* 73 : URSS 36, Can. 27, All. dém. 12. *Tungstène* 72 : Chine 37, URSS 28, Corée 7. *Chrome* 71 : Afr. du S. 35, URSS 28, Albanie 8. *Diamant* 71 : Austr. 34, Zaïre 22, Botswana 15. *Colbat* 70 : Zaïre 43, Zambie 16, Can. 11. *Phosphate* 66 : USA 28, URSS 24, Maroc 14. *Manganèse* 65 : URSS 42, Afr. du S. 13, Gabon 10. *Antimoine* 64 : Chine 35, Bolivie 18, Afr. du S. 11. *Or* 64 : Afr. du S. 37, URSS 17, USA 10. *Bauxite* 61 : Australie 36, Guinée 17, Jamaïque 8. *Uranium* 59 : Can. 35, USA 13, Afr. du S. 11. *Fer* 58 : URSS 27, Chine 17, Brésil 14. *Nickel* 57 : Can. 27, URSS 21, Austr. 9. *Soufre* 57 : USA 25, URSS 16, Can. 16.

• **Évolution du cours des métaux à Paris. Aluminium** (en F/t métrique). *1960* : 2 349. *70* : 3 330. *75* : 4 090. *80* : 7 962. *84* : 13 100. *89* : 15 050. *90 (avril)* : 12 100. *91 (fin)* : 12 100. **Antimoine** (en F/t métrique). *1960* : 2 425. *70* : 30 007. *71* : 7 447. *72* : 6 442. *73* : 10 418. *74* : 26 046. *75* : 15 739. *78* : 12 417. *84* : 33 041. *89* : 18 100. **Argent** (en F/kg). *1960* : 146. *64* : 207. *67* : 260. *68* : 354. *70* : 331. *71* : 292. *73* : 390. *74* : 783. *80* : 3 080. *82* : 1 825. *83* : 3 030. *84* : 2 490. *85* : 1 975. *86* : 1 468. *87* : 1 612. *88* : 1 528. *89* : 1 421. **Cadmium** (en F/kg). *1960* : 15. *70* : 41. *80* : 27. *85* : 21. *86* : 19. *87* : 26. *88* : 108. *89* : 107. **Cobalt** (en F/kg). *1960* : 18. *70* : 27. *80* : 235. *85* : 249. *86* : 184. *87* : 93. *88* : 99. *89* : 118. **Cuivre** (en F/t métrique). *1960* : 3 400. *70* : 7 904. *80* : 9 527. *85* : 13 099. *86* : 9 839. *87* : 10 931. *88* : 10 799. *89* : 18 508. **Étain** (en F/t métrique). *1960* : 11 227. *70* : 21 279. *80* : 75 737. *85* : 118 096. *86* : n.d. *87* : 47 472. *88* : 49 262. *89* : 62 705. **Nickel** (en F/kg). *1960* : 9. *70* : 15,31. *80* : 31. *85* : 53. *86* : 33. *87* : 35. *88* : 78. *89* : 85. **Plomb** (en F/t métrique). *1960* : 1 049. *70* : 1 743. *79* : 5 199. *80* : 3 984. *83* : 3 424. *84* : 4 023. *85* : 3 655. *86* : 2 946. *87* : 3 735. *88* : 4 096. *89* : 4 502. **Zinc** (en F/t métrique). *1960* : 1 280. *70* : 1 770. *80* : 3 549. *85* : 7 946. *86* : 5 755. *87* : 5 159. *88* : 7 915. *89* : 11 740.

☞ **Or.** Voir à Finances p. 1892c.

• **Consommation en France** (milliers de t, 1981). Aluminium 560,2. Cuivre 429,6. Zinc (raffiné) 272,1. Plomb 210,7. Nickel 33,6. Étain 9,1.

Fer

Source : Chambre synd. des mines de fer de France ; Chambre synd. de la sidérurgie française.

Minerai de fer

Dans le monde

Commerce (en millions de t/an, 1988). **Pays exportateurs.** Brésil 107, Australie 97,1, URSS [1] 42,3, Inde 31,6, Canada 31,3, Suède 17,1, Liberia 13,4, Venezuela 12,2, Afr. du S. 11,2, Mauritanie 8,4, *France 3,7*. **Importateurs.** Japon 123,4. URSS[1] 53,9. All. féd. 44,5. Belg.-Lux. 23,4. USA 19,9. *France 19*. G.-B. 18,9. Italie 18,9. Pologne 16,6 [2]. Roumanie 16,4 [2]. Chine 13,7 [2]. Corée du S. 12,7 [2].

Production de minerai de fer en millions de t de métal contenu (1989) et, entre parenthèses, **teneur moyenne du minerai.** URSS 241 (60). Chine 162 (50). Brésil 154,1 (64). Australie 108,7 (64). USA 57,9 (63). Inde 50 (63). Canada 40,9 (61). Afrique du S. 30 (63). Suède 21,8 (62). Venezuela 19 (64). Liberia 12 (68). Mauritanie 12 (65). *France 9,4 (30)*. Mexique 7,6 (63). Chili 7,3 (61). Espagne 4,6 (50). Pérou [1] 4,4 (60). Autriche 3,2 (31). Algérie 2,7 (54). Nouvelle-Zélande [1] 2,2 (56). Japon [2] 0,3 (54). G.-B. [2] 0,2 (22).

Nota. – (1) CAEM. (2) 1988.

Réserves confirmées de minerai de fer. Correspondent à plus de 250 années de production. Elles sont surtout importantes en URSS (110,5 milliards de t), au Canada (36,6), Brésil (27,2), en Australie (17,8), aux USA (17,3), en Inde (9,1), Chine (6,1).

En France

• **Bassins. Est.** Env. 12 couches de quelques dm à plusieurs m (teneur 20 à 40 %), épaisseur totale 30 m, assez régulières ; elles s'enfoncent avec une faible pente. Ne peuvent être exploitées économiquement que les couches d'au moins 2,50 m à 3 m de profondeur (profondeur moyenne exploitée 4 m) et d'une teneur d'au moins 30 % de fer sur sec. Pendage moyen des couches sédimentaires d'environ 3 % vers le Bassin parisien, diminuant progressivement en puissance et en teneur. Les exploitations sont souterraines (profondeur 130 m à 260 m). Les terrains de recouvrement sont aquifères, d'où d'importantes venues d'eau dans certaines mines. En 1982, on a remonté 13,7 t d'eau pour 1 t de minerai. **Réserves exploitables** aux conditions économiques actuelles : 1 milliard de t de minerai calcaire à 33 % de fer sur sec contre 58 à 68 % pour la plupart des minerais concurrents et 0,5 de m. siliceux à 35 %. *Handicaps* : faible teneur en fer, d'où frais de fabrication de l'acier et de consommation de coke et de combustible plus importants ; teneur en phosphore (rendant plus onéreux et plus délicat le traitement de la fonte phosphoreuse à l'aciérie) ; impossibilité de l'enrichir économiquement.

Ouest. Teneur : fer 42 à 50 % ; silice, chaux faible, phosphore 0,4 à 0,8 %. **Réserves.** 1,4 milliard de t. **Production** en baisse (manque de débouchés). Soumont (Calvados) 600 000 t (en 1987), fermée début août 1989 ; Limèle (L.-A.), St-Sulpice-des-Landes (I.-et-V.), Segré (M.-et-L.) ont fermé ; Rougé (L.-A.) 30 000 t (14 salariés) reste ouverte. *Handicap* : coût des transports (loin des usines consommatrices).

• **Exploitations en activité** (1989). 4 dont Lorraine 2 (24 fin 1979), Ouest 1, Pyrénées 1.

• **Effectifs.** *1963* : 25 000, *84* : 2 766, *89* : 1 267 dont ouvriers 955 (dont abattage 285), ETEAM 279, ingénieurs 33.

• **Livraisons** (1989, en t). 10 016 291 dont France 6 554 661 (dont Lorraine 6 188 465, Ouest 344 913, autres 21 283), exportées 3 461 630 vers Lux.

Marché français. *En 1878*, le procédé de déphosphoration des fontes de l'Anglais Thomas a permis l'utilisation des minerais phosphoreux. *Depuis 1960*, des gros minéraliers ont entraîné une baisse des frets maritimes, la mise en exploitation de gisements riches hématites [minerai contenant de l'oxyde ferrique Fe_2O_3 anhydre (hématite rouge) ou plus ou moins hydraté (h. brune), très recherché] outre-mer et la naissance des sidérurgies côtières (Dunkerque, Fos).

La minette lorraine a ainsi perdu progressivement sa place dans la production française d'acier.

Production en milliers de tonnes

	1929	1960	1970	1980	1983	1987	1988	1989
Lorraine	47 842	62 725	54 344	27 663	14 935	10 715	9 369	9 055
Normandie		2 966	1 722	1 218	929			
Anjou						668	516	
Ouest	2 420	3 849	2 410	1 219	929	668	516	338
Pyrénées	312	335	51	99	103	29		
Total	*50 574*	*66 909*	*56 804*	*28 980*	*15 967*	*11 412*	*9 983*	*9 368*

Fonte

Principaux producteurs (en millions de t, en 1990). URSS 110,2. Japon 80,2. Chine 62,6. USA 49,8. All. féd. 30,1. Brésil 16. Corée du S. 15,3. *France 14,4.* Inde 12,6. G.-B. 12,3. Italie 11,9. Tchéc. 9,7. Belgique 9,4. Pologne 8,4. Canada 7,3. Roumanie 6,5 (est.). Afr. du S. 6,3. Australie 6,1. Corée du N 5,9 (est.). Espagne 5,5. P.-Bas 5. Turquie 4,8. Mexique 3,6. Autriche 3,5. Suède 2,7. Luxembourg 2,6. Finlande 2,3. Yougoslavie 2,3. All. dém. 2,2. Argentine 1,9. Hongrie 1,7. *Monde 526,8.*

Acier

Sources : Chambre synd. de la sidérurgie française ; Office fédéral de stat. de RFA.

Histoire

V. 500 av. J.-C. produit en Orient par cémentation du fer doux (incorporation de carbone à haute température, utilisé pour les épées ou les petits instruments chirurgicaux). **VII**[e] **s.** acier de Damas à haute teneur en carbone. **XVI**[e] **s.** acier par grillage de la fonte (décarburation) ; si le fer contient moins de 2 % de carbone on a de l'acier, s'il en contient plus de 2 % on a de la fonte.

Techniques

• **1°) Du minerai à la fonte.** Après concassage, criblage et agglomération, le minerai de fer est introduit dans le *haut fourneau* en couches alternées avec du coke (minerai lorrain : 550 à 700 kg de coke pour 1 000 kg de fonte ; autres minerais : 450 à 550 kg).

La combustion du coke à env. 2 000 °C fournit la chaleur nécessaire à la fusion du fer et de la gangue, après réduction des oxydes de fer du minerai, par le gaz issu de cette combustion. Le fer se combine alors au carbone pour donner la fonte. Toutes les 4 ou 6 h, des coulées permettent de recueillir séparément *fonte* et *laitier* (scorie du haut fourneau composée de silicates d'alumine et de chaux qui nagent sur le métal en fusion ; utilisé comme ballast et dans les mat. isolants) contenant la gangue du minerai et les cendres du coke (utilisé pour ballast et revêtement de route). Les gros hauts fourneaux coulent de façon quasi continue.

La fonte destinée à la fonderie est dite *fonte de moulage.* Le *cubilot* inventé en 1722 par le Français Réaumur permet de refondre en fonderie la fonte des hauts fourneaux afin de la mouler (moules en sable, parfois en acier, en plastique). Celle qui sera affinée est dite *fonte d'affinage* et comprend : *fonte hématite* (traitée parfois dans les fours Martin et surtout dans les convertisseurs à l'O_2) ; *fonte phosphoreuse* (la plus répandue en France, traitée en convertisseurs à l'oxygène) ; *fontes spéciales* comme le ferromanganèse.

Haut fourneau. Évolution. 1340 1er construit à Namur (charbon de bois, puis charbon à partir de 1709). **1735** four à coke. **1810** f. électrique à résistance (Davy). **1856** f. à réverbère (Siemens). **1864** f. Martin. **1885** f. à induction (Colby). **1892** f. à arc industriel (Moissan). **1901** f. à sole conductrice (Paul Girod). **Caractéristiques.** *Hauteur :* 20 à 40 m ou + ; capacité : 800 à 3 000 t ; volume intérieur peut dépasser 3 000 m^3 ; *production journ. :* 2 000 à 10 000 t. *Coût :* 150 à 150 millions de F. *« géants ». Ex. :* n° 4 d'Usinor à Dunkerque : hauteur 86 m, diamètre au creuset 14,20 m, au gueulard 11 m, volume intérieur 4 615 m^3, utile 3 850 m^3, tuyères 40, production journalière 10 000 t. *Record :* Kyushu (Japon) 5 070 m^3.

• **2°) De la fonte (ou de la ferraille) à l'acier.** Procédés utilisés pour éliminer carbone, silicium, manganèse, soufre, phosphore et en faire de l'acier (alliage de fer et de certains éléments).

Convertisseur Thomas. Inventé 1877 par Sydney Thomas (1850-85). Cornue de 25 à 55 t de capacité (max. 70 en All.) où de la fonte à 1 250 °C est versée avec de la chaux (qui fixera l'anhydride phosphorique dégagé par l'oxydation du phosphore et la silice venant de l'oxydation du silicium). Un courant d'air sous pression, enrichi en oxygène, amené par des tuyères, traverse le mélange en fusion, brûlant la majeure partie du carbone, du phosphore et du silicium. Cette combustion élève la température à plus de 1 600 °C, température de coulée de l'acier. L'opération dure env. 30 mn dont 15 de soufflage.

Procédés à l'oxygène. Même principe que ci-dessus, mais de l'oxygène pur à la place de l'air. Capacité de cornue jusqu'à 350 t. **Différents procédés :** 1) *Soufflage par lance verticale :* LD (1949-52) et LD Pompey (1957) pour fontes hématites ; OLP et LD-AC (1958) pour f. phosphoreuses. 2) *Fours tournants et soufflage par lance :* Kaldo (1948-55), Rotor (1952-56) ; pratiquement disparus. 3) *Soufflage par tuyères dans le fond de la cornue :* LWS et OBM (1970) pour f. hématites ; AOD et (Cl. U) pour aciers inoxydables. 4) *Soufflage mixte par lance et tuyères :* permettent d'augmenter la proportion de ferrailles, d'élargir la gamme des nuances, une conduite automatique et la réduction de la teneur en azote (de 0,008 % à 0,002 %).

Four Martin. *Inventé* 1865 par Pierre-Émile Martin (1824-1915). *Capacité* 50 à 400 t (URSS jusqu'à 900 t). *Fusion* par la combustion de gaz (ou de mazout pulvérisé). *Durée :* 4 à 8 h. *Inconvénients :* faible productivité, gros consommateur d'énergie et de produits réfractaires. Fin 1982, il n'existait plus d'aciérie Martin en France.

Four électrique à arc. *Inventé* 1900 par Paul Héroult (1863-1914) qui lui donne sa forme définitive. *Fusion* provoquée par un arc électrique produit entre des électrodes de graphite de plusieurs m de hauteur et de 15 à 50 cm de diamètre. Permet d'obtenir des aciers spéciaux et courants. *Capacité* jusqu'à 230 t. *Fours UHP (Ultra High Power) :* traversés de courants de très haute intensité. Pour les aciers de très haute qualité, on utilise le four électrique à induction sous vide par bombardement d'électrons ou électrodes consommables.

• **3°) Les produits en acier.** A sa sortie du four (creuset ou convertisseur), l'acier est coulé en continu pour donner directement des demi-produits (brames, blooms, billettes, ronds), ou en lingots (de quelques kg à 100 t et plus) qui sont ensuite laminés entre des cylindres tournant en sens inverse sur des trains à demi-produits pour donner des *blooms* ou des *billettes* à section carrée, ou des *brames* à section rectangulaire ou des *ronds.* Les *gros trains* transforment ensuite les blooms en produits finis lourds : *poutrelles, palplanches, rails, ronds. Trains moyens* et *petits trains* transforment blooms et billettes en divers *profilés* (aciers marchands) et en *fil. Trains à larges bandes à chaud* transforment les brames en *bobines de tôle.* Ces bobines sont ensuite relaminées sur des trains à froid pour obtenir des tôles minces. Vitesse : jusqu'à 100 km/h pour les bobines de tôles, 350 km/h pour le fil de 5 mm de diamètre.

Produits obtenus. Plats : tels (en feuilles ou en bobines) *plaques* (15 à 20 mn), *tôles* à chaud (2 à 10 mn), *fer noir, feuillard ;* tôles laminées à froid (– de 3 mn) revêtues par addition d'une *couche d'étain* (fer-blanc), de *zinc* (tôle galvanisée), de *chrome* (t. chromée), d'*aluminium* (t. aluminisée), de *plomb* (t. plombée) ou de *plastique* ou de *peinture.* **Longs :** *profilés lourds :* poutrelles, rails, palplanches, traverses ; *aciers marchands :* cornières, ronds, ronds à béton, profilés de diverses formes ; *fil machine* jusqu'à 5 mm de diamètre et fourni en couronnes (poids pouvant atteindre 2 t) ; *produits pour tubes ronds ou carrés.*

Teneur moyenne en carbone, (en %). **Fonte** grise : 3,5 à 6 ; blanche : 2,5 à 3,5. **Acier** extra-doux : 0,05 à 0,15 ; doux : 0,15 à 0,25 ; demi-doux : 0,25 à 0,40 ; demi-dur : 0,4 à 0,6 ; dur : 0,6 à 0,7 ; très dur : 0,7 à 0,8 ; extra-dur : plus de 0,8. **Fer industriel :** 0 à 0,4 ; pur : 0.

L'acier dans le monde

Évolution de la production d'acier

En millions de tonnes.

• **Production mondiale.** *1900 :* 35. *13 :* 81. *38 :* 110. *60 :* 341. *66 :* 474. *74 :* 710. *77 :* 673. *78 :* 713. *85 :* 718. *87 :* 734. *88 :* 778. *89 :* 782,6. *2000 prév. :* 2 000.

• **Production de quelques pays. Afr. du Sud.** *1930 :* 0,041. *60 :* 2,1. *66 :* 3,2. *76 :* 7,1. *81 :* 9. *85 :* 8,5. *88 :* 8,7. *89 :* 8,7. *90 :* 8,6. **All. dém.** *1956 :* 2,75. *66 :* 5,8. *76 :* 6,7. *81 :* 7,47. *85 :* 7,8. *88 :* 8,1. *89 :* 7,8. *90 :* 5,6. **All. féd.** *1860 :* 0,03. *70 :* 0,2. *1900 :* 6. *30 :* 10,4. *39 :* 18,2. *56 :* 23,2. *60 :* 34,1. *74 :* 53. *76 :* 42,4. *81 :* 41,6. *82 :* 35,9. *85 :* 40,5. *88 :* 41. *89 :* 41,1. *90 :* 38,4. **Argentine.** *1989 :* 3,9. *90 :* 3,6. **Australie.** *1930 :* 0,3. *39 :* 1,2. *56 :* 2,65. *60 :* 3,7. *66 :* 5,9. *76 :* 7,8. *81 :* 7,6. *82 :* 6,4. *85 :* 6,4. *88 :* 6,4. *89 :* 6,73. *90 :* 6,66. **Autriche.** *1900 :* 1,4. *30 :* 0,5. *50 :* 0,9. *60 :* 3,2. *75 :* 4. *81 :* 4,6. *82 :* 4,2. *85 :* 4,7. *88 :* 4,6. *89 :* 4,7. *90 :* 4,3. **Belgique.** *1860 :* 0,2. *1900 :* 0,9. *30 :* 3,4. *50 :* 3,8. *60 :* 7,2. *70 :* 12,6. *81 :* 12,3. *82 :* 9,9. *87 :* 9,8. *88 :* 11,2. *89 :* 10,9. *90 :* 11,4. **Brésil.** *1930 :* 0,02. *56 :* 1,35. *66 :* 3,4. *76 :* 9,25. *81 :* 13,2. *82 :* 13. *85 :* 20,45. *88 :* 24,7. *89 :* 20,6. *90 :* 25,1. **Bulgarie.** *1989 :* 2,5. **Canada.** *1900 :* 0,03. *30 :* 1. *56 :* 4,8. *66 :* 9,3. *76 :* 13,3. *81 :* 14,8. *82 :* 11,9. *85 :* 14,7. *88 :* 15,2. *89 :* 15,5. *90 :* 12,3. **Chine.** *1930 :* 0,01. *50 :* 0,6. *60 :* 16,8. *70 :* 15,7. *75 :* 25,5. *81 :* 35,6. *82 :* 37. *85 :* 46,7. *87 :* 56. *88 :* 59,2. **Corée du N.** *1989 :* 6,8. **Corée du S.** *1950 :* 0,002. *60 :* 0,07. *70 :* 0,5. *75 :* 2,6. *81 :* 10,8. *82 :* 11,8. *85 :* 13,5. *88 :* 19,1. *89 :* 21,9. *90 :* 23,1. **Égypte.** *1989 :* 2. **Espagne.** *1860 :* 0,03. *1930 :* 1. *39 :* 0,6. *56 :* 1,2. *66 :* 3,75. *76 :* 11. *81 :* 13. *82 :* 13,1. *85 :* 14,2. *88 :* 11,8. *89 :* 12,8. *90 :* 12,9. **Finlande.** *1989 :* 2,8. *90 :* 2,9. **France.** *1860 :* 0,04. *1900 :* 1,6. *30 :* 9,5. *60 :* 17,3. *74 :* 27. *76 :* 23,2. *81 :* 21,2. *82 :* 18,4. *85 :* 18,8. *88 :* 19,1. *89 :* 18,7. *90 :* 19. **G.-B.** *1870 :* 2,8. *1900 :* 6,2. *38 :* 10,6. *60 :* 24,7. *76 :* 23,2. *81 :* 15,6. *82 :* 13,7. *85 :* 15,8. *88 :* 19. *89 :* 18,7. *90 :* 17,8. **Hongrie.** *1989 :* 3,6. *90 :* 2,8. **Inde.** *1900 :* 0,6. *56 :* 1,8. *66 :* 6,6. *76 :* 9,3. *81 :* 10,8. *82 :* 11. *85 :* 11,1. *88 :* 14,3. *89 :* 14,6. *90 :* 15. **Indonésie.** *1989 :* 1,9. **Italie.** *1860 :* 0,01. *1900 :* 0,1. *30 :* 1,7. *56 :* 5,9. *60 :* 8,5. *76 :* 23,5. *81 :* 24,8. *85 :* 23,9. *88 :* 23,7. *89 :* 25,2. *90 :* 25,5. **Japon.** *1900 :* 0,04. *39 :* 6,7. *60 :* 22,1. *66 :* 47,8. *76 :* 107,4. *81 :* 101,7. *82 :* 99,5. *85 :* 105,3. *86 :* 98,3. *87 :* 98,5. *88 :* 105,7. *89 :* 107,9. *90 :* 110,3. **Luxembourg.** *1900 :* 0,2. *30 :* 2 ,3. *56 :* 3,5. *60 :* 4,. *76 :* 4,6. *81 :* 3,8. *82 :* 3,5. *85 :* 3,9. *88 :* 3,7. *89 :* 3,7. *90 :* 3,6. **Mexique.** *1989 :* 7,8. *89 :* 7,9. *90 :* 8,7. **P.-Bas.** *1939 :* 0,06. *56 :* 1. *60 :* 1,95. *76 :* 5,2. *81 :* 5,5. *82 :* 4,3. *85 :* 5,5. *88 :* 5,5. *89 :* 5,7. *90 :* 5,4. **Pologne.** *1900 :* 0,2. *30 :* 1,2. *56 :* 5. *66 :* 9,7. *76 :* 15,6. *81 :* 15,7. *82 :* 15 : 15,8. *86 :* 17,1. *87 :* 17,1. *88 :* 16,7. *89 :* 15,1. *90 :* 13,1. **Roumanie.** *1900 :* 0,2. *30 :* 0,15. *56 :* 0,8. *66 :* 3,6. *76 :* 11. *81 :* 13. *82 :* 13. *85 :* 13,8. *88 :* 14,5. *89 :* 15. *90 :* 9,7. **Suède.** *1870 :* 0,01. *1900 :* 0,3. *30 :* 0,6. *56 :* 2,4. *60 :* 3,2. *66 :* 4,8. *76 :* 5,1. *81 :* 3,8. *82 :* 3,9. *85 :* 4,8. *88 :* 4,8. *89 :* 4,7. *90 :* 4,5. **Taiwan.** *1989 :* 8,5. *90 :* 9,7. **Tchécoslovaquie.** *1900 :* 0,002. *30 :* 1,8. *56 :* 4,9. *66 :* 8,9. *76 :* 14,7. *81 :* 15,3. *82 :* 15. *85 :* 15. *88 :* 15,3. *89 :* 15,5. *90 :* 14,9. **Turquie.** *1989 :* 8,1. **URSS.** *1900 :* 2,8. *13 :* 4,9. *38 :* 18,1. *60 :* 65,3. *66 :* 96,5. *76 :* 144,8. *81 :* 148,5. *82 :* 147,5. *85 :* 154,5. *88 :* 163. *89 :* 160,1. *90 :* 154,2. **USA.** *1900 :* 12,6. *13 :* 33,5. *28 :* 52,9. *38 :* 28,8. *60 :* 91,9. *66 :* 124,6. *76 :* 116,1. *81 :* 109,6. *82 :* 67,6. *85 :* 79,2. *86 :* 73,8. *87 :* 81. *88 :* 90,1. *89 :* 88,8. *90 :* 88,9. **Venezuela.** *1989 :* 3,7. *90 :* 3,2. **Yougoslavie.** *1939 :* 0,08. *56 :* 0,9. *66 :* 1,85. *76 :* 2,75. *81 :* 4. *82 :* 3,85. *85 :* 4,5. *88 :* 4,5. *89 :* 4,4. *90 :* 3,6.

Production d'acier brut par procédé de fabrication (1990). *Monde occidental :* 389,3 millions de t dont oxygène 68,9 %, électrique 31,1. *Europe de l'Est :* 202,7 dont foyer ouvert 46,7 %, oxygène 38,7, électrique 14,6.

Grandes sociétés

• **Production d'acier** (en millions de tonnes, en 1989). Nippon Steel 28,4. USINOR-SACILOR 23. Posco 15,5. British Steel 14,2. USX 12,9. NKK Corporation 12,3. Thyssen 11,6. ILVA 11,4. Bethlehem Steel 11,1. Kawasaki 11. Sumimoto 11. SAIL 8,5. LTV 7,7. ISCOR Kobe Steel 6,5. BHP 6,3. China Steel 6. Hoogovens 5,4. Inland Steel 5. Armco 5. Krupp-Stahl 4,6. Voest Alpine Stahl 4,5. Peine-Salzgitter 4,4. USIMINAS 4,4. Cockerill-Sambre 4,4. CSN-Compan Stelco 4,3. Hoesch 4,1. Dofasco 4. ENSIDESA 4. ARBED 3,7. Klöckner-Werke 3,6. Mannesmann 3,6. CSN-Companhia Siderúrgica Nacional 3,5. Nisshin-Steel 3,4. Tokyo Steel 3,4. CST-Siderurgica de Tubarao 3,3. SIDMAR 3,3. COSIPA 3,1. CVG-Siderurgica del Orinoco 2,9. AHMSA 2,9. Saarstahl Völklingen 2,8. SSAB Svenskt Stal 2,6. Rouge Steel 2,6. North Star Steel 2,6. Weirton 2,6. Algoma Steel 2,5. Rautaruukki Oy 2,4. Gerdau 2,4. Tata 2,3. United Engineerring Steels Limited 2,3. Wheeling-Pittsburgh 2,3. Nucor 2,3. Turkish Iron and Steel Works 2,3. Nakayama Steel 2,2. Co-Steel Inc. 2,1. SOMISA 2,1. ACOMINAS 1,9.

Aciéries principales (capacité en millions de t). **Japon :** Fukuyama 16, Mizushima 12, Kimizu 10, Yawata Tobata 10, Wakayama 9, Oita 8, Nagoya 7,5. **URSS :** Magnitogorsk 14,5, Krivoï Rog 10.

USA : Gary 8,5, Sparrows Point 8,5, Indiana Harbour 8.

Coûts à la tonne (en $, 1987). Japon 555, *France 515,* All. 513, USA 470, Taiwan 428, Corée du S. 419, G.-B. 415.

Source : Paine – Weber/Financial Times.

Consommation d'acier

Consommation apparente (en millions de t métriques, 1989) et, entre parenthèses, **prévisions 1995.** *Total 782,6 (775)* dont CEE 124,5 (92), USA 104,2 (109), Japon 93,8 (65), total pays industrialisés 330 (301), total PVD 121,5 (154).

Principaux marchés (prév. an 2000 de Chase Econometrics) en millions de t. Chine 134, USA 94, Japon 72, Inde 32, All. féd. 31, Brésil 29, Italie 22, Canada 15, *France 15.*

L'acier en France

• **Évolution. De 1950 à 73** amélioration ou abandon des convertisseurs Thomas supplantés par la technique autrichienne de convertisseur à oxygène ; transport des usines « au bord de l'eau » (1970 : construction de Fos).

De 1950 à 67 prix bloqués malgré la création de la CECA (Communauté européenne du charbon et de l'acier) en 1951, puis contrôlés (inférieurs de 5 à 20 % aux prix allemands) ; liberté des prix sous réserve de gros efforts d'investissement.

Le blocage a été décidé parce qu'une hausse de l'acier avait entraîné une « flambée générale des prix », qu'il convenait de limiter les profits des entreprises, l'investissement pouvant être financé par l'emprunt a fait perdre à la sidérurgie française env. 10 milliards par an (soit 170 en 17 ans, sans les intérêts). Au début des années 1960, l'intérêt des emprunts (sans le remboursement) représentait 9 % du prix de revient de l'acier français (2,5 % en Allemagne). Cette différence de 6,5 % représentait en 1989 5,5 milliards de F par an et a conduit à la ruine de la sidérurgie française et à sa demi-nationalisation en 1978.

Efforts d'investissement du Ier au VIe Plan (en F constants, 1949). *Ier :* 2 261, *IIe :* 1 708, *IIIe :* 2 392, *IVe :* 4 025, *Ve :* 3 000, *VIe ;* 6 929 (a couvert 46,83 % de la charge globale de la sidérurgie).

1973 *augm. du coût des matières premières :* de 1969 à 74, pétrole (20 % de l'énergie consommée par la sid.) : + 6,8 % ; cokes d'importation : + 260 %. *Développement de la demande* (pour transport, recherche, stockage du pétrole) ; gros effort de financement. **1974-76** crise : commandes 28,2 % (inflation, importante prod. de 1973 non résorbée) ; baisse de la production : *1975 :* 20 %, *76 :* 14, *77 :* 18 (par rapport à 74). *Pertes : 1975-76 :* Usinor et Sacilor 2,45 et 1,95 milliards de F. *Endettement* (1977) : 38 milliards de F (pour un C.A. de 33,5 milliards). *Manque de productivité* de la sid. française : pour produire 1 t d'acier, il faut (en h de travail) : France 10,82 h, All. féd. 7,7, Belgique 7,2, Italie 6,7, Lux. 6,5, Japon 6 ; coexistence d'appareils productifs modernes (Fos, Dunkerque) et d'installations vétustes (30 % de l'ap. total). *Coûts salariaux :* France 168 F/t, All. féd. 194, Belgique 203. *Forte concurrence étrangère* à l'exportation (20 à 25 % du C.A. total) : le Japon couvre 70 % du marché sid. mondial ; prix compétitifs des nouveaux concurrents (Brésil, Venezuela, Iran, Mexique, Asie du S.-Est). **1977 Plan « acier »** *(avril).* Révision du VIIe Plan pour une rentabilité accrue : accroissement + lent de la production. *Investissements : 1977-80* 7 à 8 milliards de F, *1980-83* 5 dont pour Lorraine 50 %, Nord 30. *Endettement :* réduit de 104 % du C.A. (fin 1976) à 69 % en fin 1980 parallèlement à un relèvement des prix de l'acier. **1979**-*24-7* convention sociale entre l'Union patronale de la sidérurgie et les syndicats. *Coût :* 7 milliards de F pour favoriser le départ de 20 000 salariés (prime de départ de 50 000 F, retraite anticipée à 50 ans, pour 7 000 à 8 000 salariés, etc.).

1984 crise mondiale. Plan pour réduire les surcapacités, moderniser les unités et assainir la situation financière des entreprises ; mesures sociales exceptionnelles. **1987** *nov.* rapport des 3 sages (Mayoux, Friedrichs et Colombo) : pour l'abolition des quotas et des mesures transitoires de réduction de la prod. *-22-12* la CEE décide de ne plus soumettre au régime des quotas, à compter du 30-6-88, plus de 50 % de la prod. sid. eur. (contre 85 % fin 1985). A partir du 2e trimestre 1988, quotas relevés de 2 % pour préparer le marché à la libre concurrence.

Concentrations. 1948 *Usinor* (Union sidérurgique du Nord, regroupement des Forges et Aciéries du N. et de l'E. avec Denain-Anzin à laquelle se joint Lorraine-Escaut en 1966). **1951** *Sidelor* (Forges Aciéries de la Marine et d'Homécourt + Forges Aciéries de Micheville, Rombas et Pont-à-Mousson). Création de la *Sollac* (Sté lorraine de laminage continu) par Wendel et Sidelor qui fusionnent ensuite. **1973** *Sacilor* (absorption de la Sté des Aciéries de Lorraine par Wendel-Sidelor). **1977** *Cie Chiers-Châtillon* (regroupement des Hauts Fourneaux de la Chiers, des Forges de Châtillon-Commentry-Biache avec les Aciéries et tréfileries de Neuves-Maisons-Châtillon). **1978** fusion Usinor-Châtillon-Neuves-Maisons. **1979** Sacilor absorbe A. de Pompey. **1980-81** mise en application de l'article 58 du traité CECA permettant, en cas de crise, de contingenter la production pour redresser les prix. Constitution de la *Cie française des aciers spéciaux* par apport des usines spécialisées d'Usinor et de Creusot-Loire. Restructuration du groupe *Empain-Schneider.* **1981** *nov.* l'État prend le contrôle de *Sacilor* et *Usinor.* **1982** nouveau plan de restructuration. *Sacilor* prend le contrôle de la SAFE, Ugine Aciers et de la Sté métallurgique de Normandie. **1987** fusion Usinor-Sacilor.

• **Actions de l'État** (en milliards de F). *Subventions de 1974 à 88 :* 100 ; *investissements : 1987 :* 3,2 ; *88 :* 3,3 ; *89 (prév.) :* 4.

• **Appareils de fabrication en France.** (1989, existants et, en italique, en activité). Hauts fourneaux 21 *18,* fours électriques à arc 34 *29,* fours électriques à induction 12 *10,* procédés à l'oxygène pur 11 *11.*

• **Consommation de l'acier produit** (en %). Bâtiment, travaux publics 32, automobile 25, mécanique 20, ind. divers (emballage) 20.

• **Effectifs** (en milliers) **et,** entre parenthèses, **suppressions d'emplois.** *1984 :* 93,6 (15,3). *85 :* 84,9 (8,7). *86 :* 72,3 (12,6). *87 :* 67,1 (5,6). *88 :* 77,5 (4,6) (46 000 emplois supprimés en 4 ans). *89 :* 57,4.

• **Production** (en milliers de t). **Fonte** *1986 :* 13 982. *1987 :* 13 449. *88 :* 14 786. *89 :* 15 071 dont *affinage* 13 873 (dont phosphoreuse 3 830, non phos. 10 043) ; *moulage* 1 198 (dont phosphoreuse 28, non phos. 824, autres 346).

Acier brut (1989). 19 335 dont oxygène 13 956, électrique 5 379.

• **Productivité.** *1982 :* 7,2 heures pour 1 t d'acier. *1986 :* 5,1. *87 :* 4,6.

Autres minerais et métaux

Sources : Imétal ; World Metal Statistics ; ONU ; Metaleurop.

☞ Or et uranium : voir Index.

Aluminium

Minerais

• **Bauxite** [des Baux (B.-du-R.) où elle fut découverte en 1821 par le minéralogiste Pierre Berthier] contient de l'alumine monohydratée (boehmite et diaspore) ou trihydratée (gibbsite ou hydrargilite).

• **Production minière** (millions de t, en 1989). Australie 38,6. Guinée 17,5. Jamaïque 9,4. Brésil 7,9. URSS 5,7. Inde 4,3. Chine 3,6. Surinam 3,5. Yougoslavie 3,3. Grèce 2,6. Hongrie 2,4. Sierra Leone 1,5. Guyane 1,3. Indonésie 0,9. *France 0,7.* USA 0,7. Venezuela 0,7. Turquie 0,6. Roumanie 0,3. *Monde 106,5.*

• **Réserves mondiales.** 23 milliards de t (dont Guinée 8, Australie 5, Brésil 3, Jamaïque 1,5, autres pays 5,5).

• **Mines en activité en France.** Péchiney a fermé sa dernière mine de bauxite en France en 1990 [Les Canonnettes (B.-du-R.)]. Seuls demeureront 3 petits exploitants approvisionnant les cimenteries.

Consommation de bauxite en France (en milliers de t, 1989) : 1 976 (dont 1 349 importées) dont cimenteries, réfractaires, autres env. 90.

Principales usines consommatrices : Usines d'alumine de Gardanne (bauxite importée), cimenteries.

Métal

• **Fabrication. 1854**-*14-8* Henri Sainte-Claire Deville (Fr., 1818-81) invente la préparation industrielle par la méthode chimique (réduction par du sodium), seule utilisée de façon suivie pendant 30 ans. **1886** Paul Héroult (Fr., 1863-1914) et Charles Hall (Amér., 1863-1914) découvrent le procédé électrolytique. L'aluminium est obtenu par électrolyse de l'*alumine* ou oxyde d'aluminium (Al_2O_3) dissoute dans un bain de *cryolithe* (AlF_3, 3 NaF) en fusion à 950°. Sous l'effet du courant continu, l'électrolyse est décomposée en aluminium qui va à la cathode (pôle –) et en oxygène qui va à l'anode (pôle +). Pour obtenir 1 t d'aluminium, il faut env. 1,9 t d'alumine pouvant être obtenue à partir de 4 à 5 t de bauxite ; 50 kg de produits fluorés ; 14 à 15 000 kWh d'électr. haute tension.

• **Production métallurgique d'aluminium primaire** (milliers de t, 1989). USA 4 030,2. URSS 2 450. Canada 1 557 Australie 1 241,3. Brésil 887,9. Norvège 859. All. féd. 742. Chine 720. Venezuela 546,1. Inde 427,1. Yougoslavie 368. Espagne 352,5. *France 334,9.* G.-B. 297,3. P.-Bas 277,1. Roumanie 269,1. N.-Zélande 259,7. Italie 219,5. Indonésie 196,9. Bahreïn 186,9. Égypte 181. Ghana 168,6. Dubai 168. Afr. du Sud 165,9. Argentine 164,2. Grèce 148,3. *Monde occ. 14 473. Monde 18 139.*

Capacités consolidées d'électrolyse des principaux producteurs d'aluminium de 1re fusion dans le monde (milliers de t, fin 1990 et, entre parenthèses, part du potentiel du monde occidental en %). Alcoa (USA) 1 907 (12,5), Alcan (Canada) 1 697 (11,1), Reynolds (USA) 859 (5,6). Péchiney (France) 841 (5,5). Norsk Hydro (Norvège) 636 (4,2), Amax (USA) 603 (4). *Total monde occ. 15 245.* **Chiffre d'affaires** (en milliards de $, 1990). Alcoa 9,8, Alcan 8,52, Péchiney 7,9, Reynolds 5,62.

• **Consommation d'aluminium primaire** (milliers de t, 1989). USA 4 359,6. Japon 2 150. URSS 1 800 [1]. All. féd. 1 290. Chine 800 [1]. *France 684,4.* Italie 607. G.-B. 454,7. Canada 454. Inde 420. Brésil 350. Australie 323,9. UEBL 302,1. Corée du S. 287,6. Espagne 273,4. All. dém. 222 [1]. Yougoslavie 216,4. Hongrie 197,9 [1]. Taiwan 192,6. Suisse 176,6. Autriche 167,8. Venezuela 142,3. Pologne 135,1 [1]. Argentine 120,6. Turquie 97,7. Suède 91,2. Iran 100. *Monde occ. 14 601. Monde 17 201,2* [1].

Nota. – (1) 1987.

☞ L'aluminium concurrence le cuivre (applications électriques, économie de 50 %) et l'acier [il est plus cher mais plus léger, 1 kg d'alum. remplace 2,5 kg d'acier ou 2 kg de cuivre, se corrode moins et est plus économique à travailler (usinage à vitesse élevée)]. Il existe de nombreux exemples d'alliages d'aluminium [*duralumin* (al. + cuivre + magnésium), *alpax* (al. + silicium)].

• **En France. Consommation d'aluminium** (milliers de t, en 1990). Totale (électrolyse + affinage + récupération des déchets et débris, corrigée du commerce extérieur des demi-produits) : 984 dont aluminium primaire : 724.

Répartition des livraisons intérieures d'aluminium (en %, 1989). Transport 39,8. Bâtiment 14,6. Construction électrique 13,7. Emballage 7,5. Constr. mécanique 5. Équipement domestique et de bureau 4,7. Fer, acier, autres us. métalliques 4. Froid ind., chim., alim. agr. 1,3. Poudre, pâte, grenaille 0,6. Divers 8,7.

• **Prix de l'aluminium** (F/kg). *Lingot A5 1852 :* 5 000. *80 :* 150. *1900 :* 3,2 F-or. *75 :* 4,10. *76 :* 4,70 et 5,10. *77 :* 5,43 et 5,80. *78 :* 6,10. *79 :* 6,60 et 7. *80 :* 7,50 à 8,45. *81 (1-6) :* 8,95. *82 (3-5) :* 9,50. *83 (1-4) :* 10,90. *84 (16-1) :* 13,10. *87 (20-3) :* 13,10. *88 (25-1) :* 13,5. *89 (déc.) :* 13,9. *90 (oct.) : 12,1. 91 (fév.) : 11,1.* **Prix de la tonne à Londres** (en $). *1982 :* 1 000, *88 :* 1 480 (en nov. 2 300), *91* (mars, moy. à 3 mois) : 1 529.

Amiante

• **Minerai.** Connu depuis l'Antiquité (« pierre à coton »). 1860-70 1res applications techniques. *Variétés :* serpentine : chrysolite (silicate de magnésium hydraté), 95 % de la prod. mondiale ; amphiboles : crocidolite (silicate de fer et de sodium), amosite (silicate de fer et de magnésium), anthophyllite, trémolite, actinolite. **Propriétés.** Matière minérale, cristalline, fibreuse, incombustible, imputrescible, non conductrice de la chaleur et de l'électricité, possédant une très grande résistance mécanique et chimique.

• **Production minière** (milliers de t, 1989). URSS 2 568. Canada 708. Brésil 230. Zimbabwe 191. Chine 160. Afr. du S. 156. Italie 80. Grèce 40. USA 18. *Monde 4 250.*

• **Utilisation.** Amiante-ciment ; textiles, papier, cartons et feutres d'am. ; feuilles en am. et élastomères pour joints ; garnitures de friction ; mastics.

Amiante et santé. L'exposition professionnelle aux poussières d'amiante peut entraîner des effets biologiques : l'*asbestose* (maladie professionnelle), fibrose pulmonaire se développant très lentement, complications possibles, *cancer* broncho-pulmonaire, *mésothéliome,* cancer primitif de la plèvre ou du péritoine. *Normes limites d'empoussièrement* établies dans plusieurs pays (en fibres par cm³) : G.-B. 0,5 ; France 1, USA 0,2, prenant en compte les fibres visibles au microscope optique, de 5 microns ou plus de longueur et de diamètre inférieur à 3 microns.

Antimoine

Minerais. Stibine (sulfure) et oxydes. **Production minière** (milliers de t de métal contenu, 1989). Chine 29. Bolivie 8,5. URSS 5,8. Afr. du S. 5,2. USA 2,5 (est.). Canada 2,4. Mexique 1,9. Australie 1,4. Guatemala 1,2. Turquie 1,03. Yougoslavie 0,8. Thaïlande 0,7. Roumanie 0,5. Autriche 0,4. Tchécoslovaquie 0,3. Pérou 0,3. Maroc 0,1. *Monde occ. 26,7. Monde 62,4.* **Régule :** étape intermédiaire entre minerai et oxyde (1982). Chine 7. URSS 3. Youg. 2,4. USA 2,3. Bolivie 2. G.-B. 1. Japon 0,5. *Monde 20,2.*

Utilisation. En alliage : ex. avec le plomb et l'étain pour caractères d'imprimerie, avec zinc *(métal anglais)* et dans divers alliages antifriction *(régule).*

Argent

Minerai. Pauvre (de 0,5 à 13 % à Largentière, France). Souvent associé aux filons de blende, pyrite, galène. **Production minière** (1989, en tonnes métriques). Mexique 2 306,9. USA 2 007. Pérou 1 839,9. URSS 1 500. Canada 1 284,9. Australie 1 075. Chili 536. Corée du N. 300. Bolivie 294,9. Espagne 249,7. Suède 208. Maroc 194,8. Afr. du sud 177,9. Japon 155,8. Chine 155. Yougoslavie 133. Namibie 110. *Monde occ. 11 493,6, Monde 14 624,6.*

> En 1979, Nelson Bunker Hunt (Texan dont la famille possédait de 3 à 5 milliards de $) a voulu s'assurer le contrôle du marché de l'argent, pour réaliser ensuite de gros bénéfices. Il fit monter le cours de 6 $ l'once (31,05 g) à 50,35 $ en janvier 1980, mais le cours baissa brusquement à 11 $ le 27-3-80 [*1990* (juin) 4,815].

Brome

Minerai. Extrait depuis 1926. Se trouve dans l'eau de mer (à plus de 99 %), les végétaux marins, certaines sources minérales : lacs salés (Ohio, chotts tunisiens) et dans les gisements de chlorure (Staffurt et Alsace). Le br. (liquide au-dessus de – 7°) est obtenu en traitant par le chlore les solutions de bromure. **Production** (milliers de t, 1990). USA 175. Israël 120. URSS 65. *Monde 420.*

Utilisation. Produits pharmaceutiques, chimiques, ignifuges ; traitement de l'eau.

Cadmium

Minerais. Ceux du zinc, contenant tous du sulfure de c. en quantités infimes. **Production minière.** V. zinc. **Production métallurgique** (en t, 1989). Japon 2 724. URSS 2 600. Belg.-Lux. 1 741. Canada 1 603. USA 1 550. Mexique 1 251. All. féd. 1 208. Chine 874. Italie 770. Australie 696. Finlande 610. Pologne 555. P.-Bas 505. Yougoslavie 476. Corée du S. 470. G.-B. 395. Espagne 361. Pérou 354. Corée du N. 350. Inde 275. Zaïre 224. Norvège 206. Brésil 197. *France 170.* Bulgarie 160. *Monde occidental 16 085. Monde 20 967.*

Consommation (en t, 1989). USA 4 096. URSS 2 300. Japon 2 143. Belg.-Lux 2 089. G.-B. 1 332. *France 1 200.* All. féd. 808. Chine 420. Corée du S. 420. All. dém. 390. Italie 380. Inde 280. Pologne 200. Suède 181. Yougoslavie 158. Brésil 150. Mexique 145. Canada 112. Taïwan 76. Tchécoslovaquie 70. Bulgarie 62. Australie 55. *Monde occidental 13 901. Monde 17 423.*

Utilisations. *Cadmium* (sous forme de boule) : galvanoplastie. *Poussière de C. :* ind. chimique, métallurgie des poudres, accumulateurs électr., etc. *Oxyde de C. :* ind. chim., catalyseur, galvanoplastie, accumulateurs électr., stabilisant pour mat. plastiques, pigment pour émaux.

Chrome

Minerai. Chromite (oxyde double de fer et de chrome). **Production de chrome** (millions de t, 1986). Afr. du S. 3 453. URSS 2 950. Albanie 850. Finlande 678. Inde 617. Turquie 600 (est.). Zimbabwe 544. Brésil 350 (est.). Philippines 174. *Monde 10 660.*

Réserves métallurgiques. Afr. du S. et Rhodésie 96 %, également Philippines et Turquie.

Utilisation. En revêtement pour des aciers inoxydables ou pour des alliages, nickel-chrome (résistance électrique). Industrie chimique : jaune de chrome, chromates.

Cobalt

Minerais. Smaltine, arséniures ou sulfures doubles de cobalt et de nickel. **Production** (t de métal contenu, 1989). Zaïre 9 311. Zambie 4 488. URSS 2 850. Canada 2 337. Cuba (traité en URSS) 2 000. Australie 1 100. Afr. du s. 750. *Monde 24 700.* **Production métallurgique.** (1989). Zaïre 9 311. URSS 5 300. Zambie 4 488. Canada 2 123. Norvège 1 946. Finlande 1 290. *Monde occ. 20 100. Monde 26 200.*

Utilisation. Alliages spéciaux résistants à haute température (pour aimants) ; sels de cobalt pour couleurs, vernis, émaux, catalyse.

Cuivre

Minerais. Un des rares métaux se trouvant parfois à l'état pur (ex. en Bolivie), aussi fut-il utilisé avant le bronze (alliage étain-cuivre) et le fer. Sulfures (pyrites), carbonates, oxydes. Les pyrites sont concentrées à 33 %, puis affinées par grillage (affinage à 75 %), traitées en convertisseur et purifiées par électrolyse. *Plus grandes mines : USA :* Bingham Copper Mine, *Chili* : Chuquicamata (à 3 000 m d'alt. à ciel ouvert, prof. 100 m), Teniente, Escondida.

Production minière (milliers de t de métal contenu, 1989). Chili 1 609,3. USA 1 497,5. URSS 950. Canada 721,9. Zambie 500. Zaïre 440,6. Pologne 385. Chine 380. Pérou 364,1. Australie 295. Mexique 249,8. N.-Guinée 205,1. Afr. du S. 196,6. Philippines 193,1. Indonésie 148,6. Yougoslavie 119. *Monde occ. 7 132,9. Monde 9 120,1.*

Production de cuivre raffiné (milliers de t, 1989). USA 1 953,8. URSS 1 355. Chili 1 071. Japon 989,6. Canada 511,2. All. féd. 475,2. Chine 470. Zambie 466,3. Pologne 390. Belg.-Lux. 329,2. Zaïre 271,1. Australie 255. Pérou 224,3. Corée du S. 178,7. Espagne 165,6. Brésil 153,4. Yougoslavie 151. Afr. du S. 144,2. Mexique 143,9. *Monde occ. 8 372,9. Monde 10 866,8.*

Consommation de cuivre raffiné (milliers de t, 1989). USA 2 183,8. Japon 1 446,6. URSS 1 140. All. féd. 854,7. Chine 528. *France 458,8.* Italie 458,4. Belg.-Lux. 376. G.-B. 325,2. Taïwan 315,3. Corée du S. 248,5. Pologne 232,8. Canada 215,6. Brésil 180. All. dém. 178. Espagne 145,9. Yougoslavie 130. Inde 130. Australie 129,7. *Monde occ. 8 600,5. Monde 10 926.*

Nota. – Cuivre rouge et cuivre jaune. A l'état natif, il n'y a que du cuivre rouge. Le cuivre jaune est du laiton (alliage de cuivre et de zinc).

Diamant

☞ Voir aussi p. 412.

• **Diamants naturels.** Monocristal constitué d'atomes de carbone contenant une très faible proportion d'impuretés dont la disposition dans la structure cristalline détermine 2 familles : diamants de type I et II. Il cristallise dans le système cubique, mais se présente à l'état naturel sous des formes dérivées du cube primitif (octoèdre, dodécaèdre, hexaoctaèdre...). Formés il y a des millions d'années dans la lave des volcans actifs, érosion et pluies les ont disséminés. Aussi trouve-t-on 3 types de gisements : *primaire :* terre bleue des cônes volcaniques ; *éluvionnaire :* terre jaune proche du gîte primaire ; *alluvionnaire :* à grande distance dans le lit des fleuves actuels ou anciens. Il faut traiter 250 t de minerai en moyenne pour une pierre taillée d'un carat.

On distingue 2 000 catégories de diamant brut. Le *boart,* pierre de qualité secondaire (17,4 millions de carats en 1982), est broyé pour être utilisé sous forme d'abrasif.

Production (en millions de carats, en 1986). Australie 29. Zaïre 20. Botswana 12,9 (78 % des ressources en devises du pays). URSS 12. Afrique du S. 10,1. Namibie 0,94. Amér. du S. (Brésil et Venezuela) 0,86. Ghana 0,65. Rép. centrafr. 0,5. Liberia 0,4. Sierra Leone 0,4. Tanzanie 0,34. Angola 0,18. Divers 0,4.

☞ En 20 siècles, 230 t de diamant ont été produites dans le monde, nécessitant l'extraction de 5 milliards de t de terre et de roches. Du *grand trou* de Kimberley en Afr. du S. (découvert mai 1871, prof. 1 098 m, diam. 463 m, circonf. 1 600 m, surface 16 ha), 23 millions de t de terre ont été extraites qui ont donné 3 t de diamant.

Marché. La De Beers, créée 1880 par Cecil John Rhodes vend les diamants qu'elle produit elle-même ou qu'elle achète à l'étranger (ex. : URSS, Afrique centrale). Elle contrôle 25 % de la prod. mondiale et à travers la CSO (Central Selling Organization) 80 % des ventes de diamants bruts dans le monde.

Total des ventes de diamants bruts par la CSO (en millions de $) *1982 :* 1,2, *1987 :* 3,01, *1988 :* 4,2, *1989 :* 4.

Les USA absorbent 60 % de la production mondiale. Env. 2,4 millions de $ de diamants quitteraient l'Afr. du S. et le S.-O. africain en contrebande chaque année, et 12 millions la Sierra Leone. 50 % des diamants industriels du Zaïre serait écoulés de la même façon.

Utilisation. Joaillerie 20 %, ind. mécanique (meules, dresseurs, filières...), ind. de la pierre et des trav. publics (disques diamantés...), forages pétroliers (trépans, couronnes...), du verre (meules de forme, forets), pâtes diamantées, etc., 80 %.

Consommation de diamants par la joaillerie. % par nombre de pièces (1988). USA 33, Japon 28, Europe occ. 16.

• **Diamants industriels.** Obtenus par cristallisation du carbone sous des pressions et des températures très élevées. Les premiers résultats sont dus à James Hannay en 1880 et Henri Moissan en 1894, mais la synthèse réelle et contrôlée ne fut réalisée qu'en 1953 par la Sté ASEA (Suède), associée aujourd'hui à la De Beers (Afr. du S.), et, en 1955, par la General Electric (USA) sous forme de boart synthétique.

Étain

Minerai. *Le plus répandu :* cassitérite (SnO_2). En *France,* la mine de St-Renan (Finistère) fut épuisée en 1975. **Production** (milliers de t, 1989). Brésil 50,2. Chine 33. Malaisie 32. Indonésie 31,3. Bolivie 16,8. Thaïlande 14,7. URSS 14. Australie 7,7. Pérou 5,1. G.-B. 4. Zaïre 1,6. Nigéria 1,2. Namibie 0,5. *CEE 4,2. Monde occ. 171,7. Monde 223,1.*

Production raffinée (milliers de t, 1989). Malaisie 50,9. Brésil 44,2. Indonésie 29,9. Chine 28,3. URSS 16,5. Thaïl. 14,7. G.-B. 10,8. Bolivie 9,7. P.-Bas 4,7. Corée 2,4. Mexique 2,8. Afr.du S. 2,6. Espagne 2. USA 1,6. Australie 0,7. *CEE 18,4. Monde occ. 181,6. Monde 231,6.*

Consommation d'étain raffiné (milliers de t, 1989). USA 37,1. Japon 33,8. URSS 28. All. féd. 18,6. G.-B. 10,2. *France 8,1.* Brésil 6,9. Corée 6,9. P.-Bas 6,1. Italie 5,9. Espagne 3,6. Tchécoslovaquie 3,5. Belg.-Lux. 3,3. Pologne 3. *CEE 51,4. Monde occ. 178,5. Monde 253,3.*

Utilisation. Allié au cuivre : donne *bronze ;* au plomb : *soudure ;* à l'antimoine : *métal blanc* (antifriction). L'étamage de la tôle fine donne le *fer-blanc. Poterie d'étain* contient 92 à 96 % d'étain, 6 % d'antimoine, 1 à 2 % de cuivre. *Produits et % du total utilisé.* Fer-blanc 38, soudures 25, bronzes 7, antifrictions 5, composés chimiques 12, dépôts d'étain 6, divers 7.

Lithium

Minerai. Rare. Trouvé sous forme de silicates (lépidolite, triphane, triphyline, amblygonite). **Production** (t, 1988). URSS 60 600. Zimbabwe 28 000. Chine 16 500. Australie 13 000. Chili 8 400. Brésil 2 278 dont (en 88 pétalite 1 750, spodumène 440, amblygonite 55, lépidolite 33). Portugal 600. Argentine 110. USA secret (1 seule société).

Utilisateurs. *Autrefois* : céramistes, soudeurs, pharmaciens. *Aujourd'hui* : ind. atomique (sous forme d'alliage) ; verres (augmenter résistance au choc), écrans de télévision (barrières pour rayons X), céramiques, émaux et lubrifiants.

Magnésium

Minerais. *Magnésite* ou giobertite (carbonate de magnésium Mg CO_3). *Chlorure de magnésium* en salines naturelles (*carnalite :* chlorure double de magnésium et de potassium) ou en solution dans l'eau de mer (0,5 %). Métal extrait par électrolyse ignée. *Dolomite* (carbonate double de magnésium et calcium) ; le métal est extrait par le procédé français Magnétherm (réduction par ferrosilicium).

Production (milliers de t, 1989). USA 152,1. URSS 85 (est.). Norvège 49,8. Chine 15 (est.). *France 14,6.* Japon 12,1. Canada 7,2. Brésil 6,2. Yougoslavie 6,1. *Monde 354,2.*

Production métallurgique 2e fusion (milliers de t, 1988). USA 51,2. Japon 17,8. Brésil 1,5 (est.).

Utilisation. Alliages ultra-légers (magnésium avec aluminium et zinc, aluminium et cuivre, cérium ou zirconium). Employé en aéronautique. Extrait du minerai et de l'eau de mer qui en contient 1,3 kg par m³ (usine de la Dow Chemical à Freeport, Texas).

Manganèse

Minerais. *Pyrolusite* (oxyde mixte de manganèse et de fer), *hausmannite* (Mn_3O4), *rhodocrosite* (carbonate, $MnCO_3$). Production minière (milliers de t, 1986). URSS 9 700. Afr. du S. 3 719. Gabon 2 513. Brésil 2 500 (est.). Australie 1 649. Chine 1 600 (est.). Inde 1 200. Mexique 440. *Monde 23 760.* La France fut le 1er producteur devant Russie, All., G.-B. en 1885, mais en 1910, les gisements français furent épuisés.

Utilisation. Alliages ferreux et cuivreux et sous forme de *ferromanganèse* ou de *spiegel* pour la fabrication de la fonte et de l'acier. Bioxyde de manganèse utilisé dans les piles sèches (Leclanché) et les condensateurs électrolytiques.

Mercure

Minerai. Appelé cinabre (HgS). Production (en milliers de t, 1989). URSS 1,5 [1]. Chine 1 [1]. Espagne 1. Algérie 0,7 [1]. USA 0,4. Mexique 0,3 [1]. Turquie 0,2. Tchécoslovaquie 0,16. *Monde 5,5.*

Nota. – (1) Estimation.

Utilisation. Appareillage électrique, instruments de physique, industrie chimique et dans des alliages dits *amalgames* (avec argent, zinc, cuivre, étain, or). En 1978, 200 t de mercure consommées en France (ind. du chlore 37, dentisterie 28, piles et accumulateurs 22). Chaque année 450 t de déchets contenant plus de 1 % de mercure (env. 60 t) sont jetés. Il faudrait les traiter pour récupérer le mercure.

Molybdène

Minerais. *Plombs de mer* ou *molybdénite* (sulfure, MoS_2) traitée par grillage. Production minière (milliers de t, 1984). USA 46,9. Chili 16,9. URSS 11 [1]. Canada 10,8. Mexique 4,1. Pérou 3,1. Chine 2 [1]. Mongolie 0,7 [1]. Bulgarie 0,2 [1]. Japon 0,1. *Monde occ. 81,9. Monde entier 60,4* [1].

Utilisation. En alliage dans les aciers. Éléments de chauffage à résistance, réfractaires.

Nota. – (1) 1983.

Nickel

Histoire. **Antiquité.** Le fer météorite qui contient une forte proportion de nickel est utilisé, ex. : pour fabriquer des armes. Le *packfong* de Chine (cuivre 78 %, nickel 20 %) est utilisé par les Bactriens pour leurs monnaies. **Début du XVIIIe s.,** en Saxe, on produit à partir de minerais locaux un métal qui, présentant des difficultés pour sa mise en œuvre, est appelé « Kupfernickel » (c.-à-d. cuivre du vieux Nick ou cuivre du diable). **1751,** le Suédois Cronstedt réussit à isoler ce nouveau métal.

Minerais. *Oxydés,* formés par la modification chimique de roches de surface sous climat tropical, exploités à ciel ouvert ; teneur de 1,8 %. Seuls les minerais latériques silicates (notamment la *garniérite* de N.-Calédonie, teneur moyenne 2,8 %) ont été jusqu'ici exploités. Constituent l'essentiel des réserves mondiales. 1ers complexes miniers entrés en pleine production entre 1972 et 1975 au Guatemala, St-Domingue, N.-Calédonie, etc. *Sulfurés :* le plus souvent extraits en profondeur, alliés à des minerais annexes, teneur élevée : 70 % de la production mondiale. Mais la teneur des gisements exploités et les réserves reconnues diminuent rapidement.

Réserves (%). N.-Calédonie 24,3, Canada 13,9, URSS 13,1, Australie 9,1, Indonésie 4, *Monde occid. 78,2, à économie planifiée 21,8.*

Production minière (milliers de t, 1989). URSS 210. Canada 202,5. N.-Calédonie 96,2. Australie 65. Indonésie 59,6. Cuba 46,5. Afr. du S. 34 (est.). Rép. Dominicaine 31,3. Chine 27,5. Botswana 19,8. Colombie 16,9. Grèce 16,1. Brésil 13,7. Finlande 10,5. *Monde occ. 601,4. Monde 895,1.*

Production métallurgique (milliers de t, 1989). URSS 225. Canada 129,1. Japon 107,3. Norvège 54,9. Australie 42,9. N.-Calédonie 36,3. Rép. Dominicaine 31,3. Afr. du Sud 30. Cuba 26,5. Chine 26,3. G.-B. 26,1. Zimbabwe 18,6. Colombie 16,9. *Monde occ. 574,8. Monde 862,3.*

Prix. De tous les métaux non ferreux, le nickel exige les plus lourds investissements : pour créer une capacité de production annuelle de métal de 1 kg, il faut investir pour le nickel : 6 $ (cuivre 3, aluminium 1,5, plomb ou zinc 0,7).

Consommation (milliers de t, 1989). Japon 163. URSS 130. USA 127,3. All. féd. 89,1. *France 40.* Italie 30,5. G.-B. 29,5. Chine 29,5. Suède 18,4. Corée du S. 18,3. Finlande 18. Taiwan 17,3. Belg.-Lux. 17,3. Espagne 15,8. Inde 14,8. *Monde occ. 664,1. Monde entier 870,3.*

Utilisation. Entre dans plus de 3 000 sortes d'aciers et alliages. Pur (99 à 99,9 %), il est employé pour le nickelage, dans l'industrie chimique et pour la fabrication des monnaies. **Perspectives.** Aucun produit de remplacement n'a été découvert. Sont liées à la sidérurgie. Ainsi en 1981, la SLN (Sté Le Nickel), filiale d'exploitation à 50 % d'Imétal et 50 % d'Elf-Aquitaine, pour un C.A. de 1,5 milliard de F, a perdu 288 millions de F, l'endettement atteignant 2,5 milliards de F.

Niobium

Utilisation. Métal stratégique employé dans des alliages pour le nucléaire, l'aérospatiale et les fusées. Un gisement a été récemment découvert près de Lambaréné (Gabon).

Phosphates

Généralités. Sels de calcium, naturels, formés le plus souvent par la décomposition d'animaux marins dont les cadavres forment des amas épais. Mat. première (insoluble) dont sont tirés les engrais phosphatés (phosphates bicalciques et superphosphates, solubles) après traitement industriel ; ils restituent aux terres le phosphore exporté par les récoltes, sous forme de phosphates minéraux.

Production (phosphates naturels, millions de t, 1988). USA 49,1. URSS 39. Maroc 17,9. Chine 17. Jordanie 6,6. Tunisie 6,6. Israël 3,9. Brésil 3,6. Togo 3,3. Afr. du Sud 2,9. Sénégal 2,2. Syrie 2,2. Égypte 1,3. Algérie 1,2. Nauru 1,1. Irak 1,1. *Monde 163 232.*

Nota. – En 1975, le Maroc occupa le gisement de Bou Craa tenu par le Polisario (minerai à 70 % de teneur au lieu de 35 % au Maroc) et augmenta le prix (de 14 à 68 $ la t) pour suivre l'augmentation du prix du pétrole. En 1979, le prix de la t est revenu entre 30 et 36 $.

☞ Une réglementation de l'utilisation des phosphates dans les lessives (accusés de dégrader la qualité de l'eau) risque d'en restreindre la consommation.

Platine

Découvert en Colombie v. 1735 et appelé *platina* pour sa ressemblance avec l'argent (en Esp. : *plata*). Craignant les contrefaçons, la reine Isabelle de Castille décréta de jeter le « petit argent » dans l'Amazone. On vit des chercheurs d'or utiliser le platine comme plomb de chasse.

Minerais. Sperrylite (arséniure, Pt As2), dans les minerais nickelifères. Production minière (t, 1984). URSS 115. Afr. du S. 90. Canada 10,8. Japon 1,7. Australie 0,8. Colombie 0,3. *Monde 220.* Réserves connues. Afr. du S. 79,9 %, URSS 19,2 %.

Utilisation. Catalyseur pour le traitement des gaz d'échappement des automobiles (35 % de débouchés mais approbation de catalyseurs sans platine en déc. 1988). Si toute l'essence consommée aux USA devait être traitée au platine, les besoins s'élèveraient à 3 millions d'onces. Catalyseur dans l'ind. du raffinage et l'ind. chimique (procédés nouveaux peuvent le conserver).

Principaux consommateurs. Au Japon, de 1945 à 1980, la joaillerie préférait le pl. à l'or car il ressortait mieux sur la peau des Japonaises ; depuis, l'or a repris le dessus, la modification des habitudes alimentaires des Japonais ayant peu à peu éclairci leur peau, l'or ressort davantage ; USA.

Plomb

Production minière (milliers de t, 1989) URSS 500. Australie 495. USA 419,3. Chine 341,4. Canada 275. Pérou 192,2. Mexique 163. Bulgarie 85. Suède 82. Yougoslavie 79,2. Afr. du S. 78,2. Espagne 62,6. *Monde occ. 2 247,4. Monde 3 341.*

Production de plomb raffiné (milliers de t, 1989). USA 1 169. URSS 750. G.-B. 350. All. féd. 349,9. Japon 332. Chine 301,9. *France 267,4.* Canada 244,5. Australie 204,7. Italie 180,8. Mexique 174,2. Yougoslavie 117,3. Espagne 113,3. Bulgarie 99. *Monde occ. 4 409,3. Monde 5 825,7.*

Consommation de plomb raffiné (milliers de t, 1989). USA 1 263,1. URSS 720. Japon 405,7. All. féd. 375,3. G.-B. 301,3. Chine 302. Italie 259. *France 243,8.* Corée du S. 175,7. Yougoslavie 130. Canada 101,5. Bulgarie 101. Brésil 100,3. Espagne 97,8. Mexique 85,7. All. dém. 73,8. Pologne 70,9. *Monde occ. 4 428,4. Monde 5 839,6.*

Utilisation. Batteries d'accumulateurs, gaines de câbles électriques, tuyaux, équipements de l'ind. chimique, insonorisation, antivibrations, pigments en peintures, antidétonant dans les carburants (plomb tétraéthyle). Cristallerie, verrerie, protection contre rayons X et contre rayons gamma (ind. nucléaire), alliages antifrictions, plomb de chasse, capsules plomb-étain de surbouchage pour vins, caractères d'imprimerie, alliages fusibles, tests, etc.

Carburants. Usage tendant à décroître (pollution). Producteurs et utilisateurs sont tenus de respecter les mesures de prévention contre le *saturnisme* (maladie profess.). On dit que dans la période romaine, par ignorance de ses effets, l'aristocratie aurait été décimée (le carbonate de plomb était utilisé pour sucrer le vin).

Potasse

État naturel. Sels de potassium : *sylvinite* (chlorure KCl, NaCl), *kainite* (sulfate), *carnallite* (chlorure K Cl, Mg Cl_2 6 H_2O).

Production (en milliers de t métriques de K2O contenu en 1989). URSS 10 232. Canada 7 360. All. dém. 3 200. All. féd. 2 186. *France 1 195.* USA 1 580. Israël 1 273. Jordanie 792. Espagne 741. G.-B. 460. Italie 126. Brésil 109. Chine 60.

Radium

Minerais. *Pechblende* (Katanga), *autunite* (Portugal), *carnotite* (USA), *bétafite* (Madagascar).

Production. Minière. *1900-14 :* 2 à 3 g par an (valeur : plusieurs centaines de mille francs-or), en Bohême. *1914-20 :* 22 g env. au Colorado (USA ; minerai d'uranium). *1920-63 :* Congo (60 g), Canada (70 g en 1939). Aucune statistique officielle. Métallurgique. Belgique (Oolen), USA, G.-B., Autriche.

Rhodium

Production. Rhodium primaire (à partir du minerai) 10 t, recyclage 4 à 5 t. **Principaux producteurs.** Afrique du Sud et URSS. **Débouchés :** 79 % pour pots d'échappement catalytiques (1 g par pot), chimie, engrais. Cours (début 1990) 2 000 $ l'once (31,05 g), (juillet 1990) 7 300 $.

Sel gemme ou halite

Principaux gisements. **All. :** Borth, Hannovre, Heilbronn, Stassfuhrt. **Autriche :** Salzbourg. **Espagne :** Saragoza, Jaen. **G.-B. :** Boulby, Winsford. **Italie :** Agrigente. **P.-B. :** Delfzijl, Hengelo. **Pologne :** Wielicka, Bochnia. **Roumanie :** Slanic. **Suisse :** Schweizerhalle, Bex. **France :** Bayonne, Dax, Dombasle, Manosque, Travaux, Varangeville, Vauvert ; 1re mine ouverte au XVIIIe s. Seule la mine de St-Nicolas en Lorraine est encore exploitée (prof. 160 m, épaisseur 4,50 m). De nombreuses communes dont Salins, Château-Salins, Lons-le-Saunier, Salies-de-Béarn, Miserey-les-Salines, Marsal, Soulce, Salzbronn, etc. tirent leur nom du sel gemme de leur sous-sol.

Production mondiale (millions de t, 1989). USA 39,4. URSS 29. Chine 22,7. All. féd. 12,1. Canada 11,8. Inde 8,3. Australie 7,7. *France 7,6.* Mexique 7. G.-B. 6,7. *Monde (1987) 174,1.*

Principales sociétés (capacité en millions de t, 1982). Akzo (P.-Bas, All. féd., USA, Brésil) 15, Solvay (France, All. féd., Benelux, Espagne) 13 (1988), Morton 9, ICI (G.-B.) 8, Cargill 7.

Production française de sel (en milliers de t, 1989). S. en dissolution 4 305. S. marin 1 914. S. ignigène 1 138. S. thermique 172. S. gemme 90.

Sociétés. Cie des Salins du Midi et des Salines de l'Est, Solvay et Cie, Mines de Potasse d'Alsace.

Utilisation. Alimentation humaine et animale, ensilage, production de chlore et de soude, textiles, verre, grès, cuirs et peaux, boues de forage, adoucissement des eaux, déneigement.

Consommation française de sel cristallisé (en milliers de t, 1990). 2 463 (import. comprises) dont chimie 909, viabilité hivernale 486, industries diverses 484, alimentation humaine 391, agriculture 193.

Nota. – Depuis 1910, les mines de potasse d'Alsace exploitent (au N.-O. de Mulhouse) la sylvinite [mélange de chlorure de potassium (engrais) et de chlorure de sodium].

Soufre

Minerais. *Soufre élémentaire* extrait directement de gisements ou récupéré de certains gaz naturels (ex. : à Lacq). *Pyrite* : acide sulfurique produit à partir des gaz de fonderie et des gaz polluants.

Production (soufre brut, millions de t, 1989). 38,4 dont Amérique du N. 16,3 ; Latine 2,5. Europe de l'Est 10,5 ; Ouest 3,5. Asie 5,4. Afrique 0,2.

Thorium

Minerais. *Monazite, thorite, thorianite, uranothorianite.* **Production mondiale.** 100 à 150 t par an (besoins nucléaires actuels 50 t par an). *Production mondiale (t métrique, 1988).* Australie 13 500. Inde 4 000. Malaisie 3 500. Afr. du Sud 1 200. *Monde : 25 404 (84 :* 30 313).

Utilisation. Alliages légers résistant à la chaleur. Revêtement des cathodes.

Titane

Minerais. *Ilménite* (25 % de titane) et *rutile* (96 %). **Production minière** (milliers de t, 1984). *Ilménite :* Australie 1 160. Norvège 661. URSS 440. *Monde 3 245. Rutile :* Australie 182. *Monde 353. Scories :* Canada 725. Afr. 420. *Monde 1 095.* **Production métallurgique** (éponge de titane, intermédiaire entre minerai et métal, 1981). URSS 41 700 t par an, USA 22 100, Japon 15 400, G.-B. 2 700. Chine 2 000. *Monde 85 000.*

Utilisation. Pièces de projectiles, missiles, avions à réaction ; chimie, pigment blanc pour les peintures. **Consommation française.** *1980 :* 1 000 t, *82 :* 2 000 t.

Tungstène

Minerais. *Wolframite, tungstate, ferromanganèse. Gisements :* Costabona (Pyr.-Or. à 2 400 m) et Leucamp (Cantal).

Production minière (milliers de t de métal contenu, 1986, est.). Chine 15. URSS 9,2. Portugal 1,63. Australie 1,51. Canada 1,4. Autriche 1,36. Bolivie 1,09. Brésil 0,9. USA 0,8. *Monde 41,17.* **Production métallurgique.** 38 925 t en 83 (1re fusion). 10 100 t (2e fusion).

Utilisation. Acier et alliages pour outils à coupe rapide.

Vanadium

Minerais. *Patronite, vanadite, carnotite, ferrovanadium.* **Production minière** (t de métal contenu, 1984, estim.). Afrique du S. 12 517. URSS 9 500. Chine 4 500. USA 1 457 + 1 509 (contenu des résidus pétroliers). Finlande 3 064. Japon 700 (résidus). *Monde 31 100 + 2 209.* **Production métallurgique.** Néant.

Utilisation. Affinage de l'acier, alliages spéciaux, gainage des combustibles nucléaires dans les surrégénérateurs.

Zinc

Minerais. Souvent associé au plomb. *Blende* ou *sphalérite, wurtzite* (sulfures) ; *smithsonite, hydrozincites* (carbonates) ; *franklinite, zincite* (oxydes) ; *calamine, villemite* (silicates).

Production minière (milliers de t de métal contenu, 1989). Canada 1 215. URSS 940 . Australie 803. Chine 620. Pérou 597. USA 288. Mexique 284. Espagne 265. Corée du N. 200. Pologne 170. Irlande 169. Suède 168. Japon 132. Afr. du S. (y compris Namibie) 116. Brésil 106. Thaïlande 87. Yougoslavie 75. Bolivie 75. Zaïre 73. Finlande 58. Bulgarie 57. Roumanie 45. Italie 44. Argentine 43. Turquie 37. Honduras 33. *France 27.* Iran 25. Zambie 24. Corée du S. 23. *Europe 967. Monde occ. 5 089. Monde 7 138.*

Production métallurgique (milliers de t, 1989). URSS 1 020. Canada 670. Japon 664. Chine 451. USA 358. All. féd. 354. Australie 296. Belgique-Lux. 287. *France 266.* Espagne 246. Italie 246. Corée du S. 240. Corée du N. 215. P.-Bas 203. Mexique 195. Pologne 164. Finlande 163. Brésil 156. Pérou 138. Yougoslavie 123. Norvège 120. Bulgarie 87. Afr. du S. 85. G.-B. 80. Inde 71. Thaïlande 69. Zaïre 54. *Europe 2 142. Monde occ. 5 210. Monde 7 226.*

Consommation (milliers de t, 1989). USA 1 060. URSS 1 050. Japon 768. All. féd. 453. Chine 451. *France 279.* Italie 262. G.-B. 195. Corée du S. 188. Belgique-Lux 175. Brésil 155. Canada 151. Pologne 148. Inde 135. Yougoslavie 110. Mexique 106. Espagne 103. Australie 95. Afrique du Sud 87. P.-Bas 75. Bulgarie 74. All. dém. 68. Pérou 66. Taïwan 65. Turquie 65. Thaïlande 58. *Europe 1 907. Monde occ. 5 197. Monde 7 171.*

Utilisations. Zinc laminé pour le bâtiment : couvertures, bardages, accessoires d'évacuation d'eaux pluviales, ornementation métallique. **Revêtement anticorrosion et décoration :** zingage électrolytique, galvanisation, peintures riches en zinc, métallisation, shérardisation, matoplastie. **Alliages de fonderie :** automobile, bâtiment, jouets, électroménager, composants électroniques, décoration, habillement, matériel de bureau, phonie-TV, transport. **Oxydes de zinc :** caoutchoucs et élastomères, chimie-électrochim., parachimie, agriculture, alimentation animale, peintures, verres, émaux, céramiques, électroreproduction, pharmacie (cosmétiques, dermatologie), électronique, matières plastiques. **Poussière de zinc :** pour peintures, shérardisation, matoplastie, cémentation, agent de réduction. **Poudre,** pour piles. **Anodes,** pour la protection cathodique.

Nodules polymétalliques

Définition. Concrétions de quelques centimètres à 1 m, formées de couches concentriques contenant principalement des oxydes de métaux à teneurs faibles : manganèse, fer, silicium, aluminium, sodium, calcium, magnésium, cobalt, nickel, cuivre, titane, vanadium. **Découverte.** 1873 (expédition du Challenger).

Formation annuelle. Env. 10 milliards de t ; concentration voisine de 40 000 t/km^2.

Situation. Pacifique [env. 1 500 milliards de t dont manganèse 360 (réserves continentales reconnues 1), nickel 15 (r. c. 0,0015), cuivre 7,5 (r.c. 0,1), cobalt 5,2 (r. c. 0,001)], Atlantique (densité variable ; de 1 000 à 6 000 m), *O. Indien* au large de La Réunion (densité jusqu'à 100 kg au m^2, teneur 0,5 à 1 %).

Exploitation. On peut exploiter ceux qui ont 7 kg de densité par m^2 et contiennent 2,6 % de leur poids sec en nickel, cuivre et cobalt (le fer : 25 à 30 % du poids, est inintéressant, le manganèse : 29 à 30 %, intéresse les USA). Techniques de remontée : hydraulique, « ligne continue de bennes », chantier sous-marin à navettes autonomes. Le *Cyana,* submersible de poche français (1980) peut recueillir les roches à 4 000 m de fond à l'aide d'un bras articulé fixé sur la proue. A partir de 1983, remplacé par S.M. 97, en titane (jusqu'à 6 000 m de fond). Des camions sous-marins télécommandés pourront être employés (se déplaçant sur une chenille).

Le Commissariat à l'énergie atomique, le Bureau de recherches géologiques et minières (BRGM) et les chantiers de France-Dunkerque participent en France aux travaux et IFREMER explore des gisements à partir de la Polynésie française, depuis 1970, en association avec la Sté Le Nickel.

On exploite au large des côtes des gisements superficiels formés d'éléments alluviaux et de dépôts côtiers : places d'or, de diamants (au large du Sud-Ouest africain), d'étain (mer de Chine et Cornouaille britannique), de sables ferrugineux, de minéraux divers.

En 1980, on estimait que les nodules pourraient servir la demande à 100 % pour le manganèse, à 65 % pour le nickel, à 6,5 % pour le cuivre, à 400 % pour le cobalt.

Terres rares ou lanthanides

Définition. Éléments de terres rares (*n° 57 :* le lanthane). *On distingue : 1° les lanthanides légers* ou *terres cériques* (lanthane, cérium, praséodyme, néodyme) ; 2e *les l. lourds* ou *terres yttriques* (samarium, europium, gadolinium, terbium, dysprosium, holmium, erbium, thulium, ytterbium, lutecium et yttrium).

Minerais. Plus de 200 minéraux contiennent des terres rares, mais seuls la *monazite* (phosphate à cérium dominant), la *bastnaesite* (fluocarbonate à cérium dominant) et le *xénotime* (phosphate à yttrium dominant) ont une importance industrielle.

Gisements : sables de plage : monazite et xénotime en compagnie de minerais de titane (ilménite, rutile), de zirconium (zircon) et quelquefois d'étain (cassitérite) ; *roches :* associées aux complexes alcalins : bastnaésite ; *minerais mixtes fer-terres rares :* exploités en Chine du Nord.

Production. *Monde* (estim. 1988). 45 000 à 50 000 t d'oxyde de terres rares dont : USA 18 000, Chine 15 000, Australie 8 000, Inde 2 000, Asie du Sud-Est (Malaisie, Thaïlande, Indonésie) 2 000, Brésil 1 000.

Réserves. Mondiales : + de 100 000 000 de t d'oxyde de terres rares contenues dans le minerai (Chine 100 000 000, USA 5 000 000, Inde 1 000 000). La France possède en Bretagne un gisement de monazite riche en europium, mais inexploitable vu le prix de revient de l'extraction. Rhône-Poulenc est la 1re sté mondiale productrice de terres rares séparées.

Utilisation. Métallurgie et sidérurgie, industrie du pétrole, verrerie et céramique, télévision couleur, manchon à gaz, luminophore pour radiographie médicale (oxyde de gadolinium), pour lampes à vapeur de mercure basse pression (tubes fluorescents), applications nucléaires. Mémoires à bulles (oxyde de gadolinium), aimants permanents samarium cobalt néodyme fer à très hautes performances, catalyse de postcombustion (oxyde de cérium).

Consommation mondiale pour la luminescence : (est. 1988). Oxyde d'yttrium : 650 t, d'europium 21 t.

Pâtes, papiers, cartons

Pâtes

• **Histoire.** *Après 1850,* l'emploi du bois se généralise. *V. 1867* diverses pâtes mécaniques mises au point (Voelter). *V. 1874* au bisulfite (Mitscherlich). *V. 1875* à la soude (Watt). *V. 1878* au sulfate (Dahl). Le bois d'importation (d'origine scandinave au départ) ayant des qualités supérieures et pouvant être livré en quantités importantes et régulières, les premières usines ont d'abord été implantées dans les zones portuaires ou le long des fleuves. *Jusqu'en 1930,* seules n'existent (pratiquement) que des usines de pâte mécanique et de pâte au bisulfite ayant des contraintes étroites pour l'utilisation des diverses essences. *A partir de 1930,* des usines de pâte au sulfate apparaissent.

• **Matières premières.** Les USA pratiquent la coupe rase et utilisent 20 % de rondins et 80 % de déchets des ind. de sciage ou d'usines de panneaux. En France, on pratique l'éclaircie et on utilise 80 % de rondins, ce qui revient plus cher.

Bois utilisé. *Conifères* aux fibres longues de 2 à 3 mm : épicéa, sapin, pin maritime, pin sylvestre. *Feuillus* aux fibres courtes de 0,8 à 1,5 mm : charme, châtaignier, tremble, peuplier, hêtre, bouleau, eucalyptus.

La papeterie utilise essentiellement *taillis,* coupes rases de 10 à 15 ans ; *bois de cime* (houppiers), résidus des grumes utilisés comme bois de sciage (surtout résineux) qui entrent pour 70 % dans la fabrication de la pâte blanchie ; *bois d'éclaircie* (résineux et feuillus) ; *déchets de scierie* (délignures).

Coût du bois par tonne de pâte (en $, 1990). Finlande [1] 385, Suède [2] 340, Espagne [2] 200, *France [3] 196,* Canada [1] 170, USA [4] 135, [5] 90, Brésil [2] 80.

Nota. – (1) Résineux. (2) Eucalyptus. (3) feuillu. (4) Pin du Sud. (5) Feuillu du Sud.

Autres végétaux. Alfa, bambou, abaca, chanvre (très faibles quantités), paille, bagasse de canne à sucre, canne de Provence (stade expérimental).

Résidus. *Industriels :* étoupe de lin, linters (fibres de cellulose qui restent fixées sur les graines) et chiffons de coton [il y a 20 ans env., on utilisait 3 % de chiffons (pour papiers de luxe), auj. 1 %].

• **Fabrication.** Le bois est constitué de fibres cellulosiques, + ou – longues, liées entre elles par la lignine. On isole ces fibres les unes des autres, pour constituer la pulpe qui, additionnée d'eau et de divers produits chimiques, et soumise à différents traitements, constituera la pâte.

Types de pâtes. Mécanique. *Utilisations :* papier journal, magazine, papier communs. *2 procédés : pâte* *mécanique de meule :* le bois en rondins est écorcé puis râpé par des défibreurs à meules. Les fibres arrachées sont ensuite mélangées à de l'eau. La bouillie obtenue contient toutes les composantes du bois (cellulose, hémicellulose, lignine). *Rendement :* 90 à 95 % mais solidité moindre. *Pâte mécanique de raffineurs :* le bois sous forme de copeaux est d'abord mélangé à de l'eau puis soumis à des désintégrateurs à disques. *Rendement* moins élevé, qualité supérieure. **Chimique.** *Utilisations :* papiers d'impression, écriture, p. kraft d'emballage, p. haut de gamme, p. tissu (hygiénique et sanitaire). *Procédé :* le bois, réduit en copeaux, est soumis à cuisson dans des lessiveurs en présence de réactifs chimiques, afin de séparer les fibres de cellulose de leur « ciment » (lignine). Ce mélange est ensuite filtré pour isoler les fibres de cellulose de la « liqueur noire » qui après épaississement sera brûlée. La pâte obtenue est brune, mais on peut la blanchir avec des produits chimiques. Suivant les produits utilisés, on obtient une pâte au bisulfite (procédé acide, à base d'anhydride sulfureux), ou au sulfate et à la soude (procédé alcalin ; 75 % des pâtes consommées en Fr.). *Caractéristiques :* rendement faible (40 à 50 %), coût de production élevé, très bonnes propriétés physiques de la feuille obtenue. **Mi-chimique.** *Utilisations :* cartons pour papiers pour cannelure. *Procédé :* par traitement chimique doux, suivi d'une désintégration mécanique des rondins ou des copeaux. **A haut rendement.** *Utilisations :* papier journal (TMP), carton, papier tissu et, de plus en plus, papiers d'impression-écriture avec bois. *2 procédés : pâte thermo-mécanique* (thermo-mechanical pulp ou TMP : avant le défibrage, les copeaux de bois sont étuvés à + de 100 °C, ce qui facilite la séparation des fibres, tout en les allongeant, ce qui accroît leur résistance. *Caractéristiques :* rendement élevé, propriétés mécaniques excellentes ; de plus en plus utilisée notamment pour papier journal ; *pâte chimico-thermo-mécanique* (chemi-thermo-mechanical Pulp ou CTMP : avant le défibrage, les copeaux sont imprégnés de produits chimiques à + de 100 °C, ou moins avec la pâte CMP, pour favoriser la séparation des fibres). *Caractéristiques :* coûts de production inférieurs à ceux de la pâte chimique, bon rendement (70 et 90 %) mais consommation d'énergie élevée ; blancheur et résistance sont moindres que pour la pâte chimique.

Blanchiment. Avec des produits à base de chlore ou oxygène. Les pâtes mécaniques à haut rendement se blanchissent au péroxyde d'hydrogène.

Unités de fabrication. 2 types d'usines de pâte : *intégrées :* la pâte, liquide, est transformée sur place en papier ; formule utilisée pour papier journal (à base de pâte mécanique), kraft d'emballage (au sulfate ou à la soude), cannelure pour carton ondulé (mi-chimique). Produits à partir d'une seule sorte de pâte. *Non intégrées :* pâte séchée, utilisent une pâte marchande livrée en balles, triturée dans l'eau pour remettre les fibres en suspension.

• **Production de pâte** (toutes sortes) (en millions de t, 1989). Amérique du N. 86,1. Europe 75,2 (dont CÉE *à 12* 35, pays nordiques 18,5, Japon 24,6, autres 40,4.

Industrie française. *Production* (en millions de t). *1974 :* 1,99, *85 :* 1,95, *90 :* 2,2 dont pâte à la soude blanchie 0,8, mécanique 0,6, à la soude écrue 0,5, au bisulfite blanchi 0,2, mi-chimique 0,1. *Bois utilisé en millions de t (1990).* Français 7,3, importé 0,2. *Entreprises (90) :* 17 ; usines 21. *Effectif (90) :* 3 660, *Valeur de la production (90) :* 7 535 (dont prod. commercialisée 3 184) millions de F. *Commerce* (millions de t) exp. (et imp.) : *1974 :* 0,18 (1,64), *83 :* 0,21 (1,62), *85 :* 0,31 (1,55), *89 :* 0,4 [(1,7) *de* Suède 0,33, Canada 0,31, USA 0,26, Portugal 0,18, Finlande 0,15, Norvège 0,07, autres 0,4], *90 :* 0,6 (1,8). *Consommation apparente* (millions de t). *1985 :* 3,3, *89 :* 3,7, *90* (réelle) : 3,5. *Investissements* (millions de F) *1989 :* 1200.

Papiers

• **Origine. Plusieurs siècles av. J.-C.,** la Chine connaît le papier fait avec de la soie. Le Pharaon Ptolémée II (dit Philadelphe, 283-246), jaloux de la réputation de la bibliothèque de Pergame, interdit l'exportation du papyrus égyptien. Pergame créa et utilisa alors des peaux d'animaux tannées (parchemin). **105** 1er papier fait avec du chanvre et de l'écorce de mûrier. Le missel de Silos (près de Burgos) est le plus vieux manuscrit européen sur papier connu. **1216-22** 1re lettre sur papier écrite en France par Raymond de Toulouse à Henry III d'Angleterre. **Jusqu'au XIIIe s.** environ, on écrit surtout sur papyrus, vélin (peau de veau) et parchemin (mouton). **1276** *1ers moulins à papier* connus (Fabriano, Italie). **1326** *moulin* d'Ambert (P.-de-D.). Les moines, à l'époque, hésitent à utiliser un support pouvant avoir une plus faible durée de conservation. Le papier est produit à partir de vieux chiffons, d'ailleurs coûteux. **1719** Réaumur préconise l'emploi du bois. **1751** un de ses élèves fabrique du papier avec de la paille. **1789** Berthollet utilise le chlore pour blanchir la pâte. **XVIIIe s.,** le nombre de livres et de journaux s'accroît ; les moulins à papier du Dauphiné, du Vivarais, de Montargis (Loiret) et de la région d'Annonay (Ardèche) se développent. Le papier est de petite dimension et chaque feuille est fabriquée manuellement. **Début du XIXe s.** machines fabriquant en continu de grandes feuilles de papier (1797 : 1re expérimentée par Louis-Nicolas Robert, à Essonne). L'Anglais Foudrinier prend la suite.

• **Matières premières. Pâtes.** Voir plus haut. **Bois.** Utilisés en France *sous-produits de la forêt* (coupes d'éclaircie, cimes des arbres) et du *sciage* (copeaux et délignures). *Espèces :* bouleau, hêtre, tremble, charme, châtaignier, peuplier, eucalyptus (feuillus), sapin, pin maritime ou sylvestre et épicéa (résineux). **Autres végétaux.** *Chiffons :* ne servent plus aujourd'hui qu'à fabriquer papiers de luxe et papiers spéciaux (ex. : billets de banque). *Fibres de végétaux annuels :* paille, alfa, bagasse (partie fibreuse de la canne à sucre) , roseaux, bambous, lin, chanvre et coton ; peu utilisés. **Vieux papiers.** *Fibres cellulosiques de récupération (FCR)* constituent *la 2e grande matière 1re* pour papiers et cartons. En 1990, représentent 3 300 000 t [soit 47 % des matières 1res consommées par l'industrie papetière fr. (36 % en 1980)]. *Taux d'utilisation :* emballage-conditionnement papiers pour ondulé 88,1 %, carton 77,2 ; papiers à usages graphiques autres que journal 10,4 ; papier journal 54,5. **Produits chimiques (soude, bisulfite) et minéraux.** Kaolin, talc, carbonate de calcium, colorants (pour papiers « couchés »).

• **Fabrication.** Les fibres sont dispersées dans l'eau puis travaillées pour obtenir les caractéristiques désirées, feutrées, enchevêtrées et séchées. Lors du séchage, elles adhèrent naturellement entre elles (sans apport de produit adhésif). On peut fixer sur les fibres diverses matières non fibreuses, telles que des charges, colorants, amidons, colophanes et autres produits auxiliaires. Par adjonction dans la texture fibreuse, ou par dépôt à la surface de la feuille. Peut conférer ainsi au papier des propriétés particulières.

• **Production. Papier journal standard** (en milliers de t, 1990). Canada 7 757, USA 5 000, Japon 2 890, CÉE [1] 2 599 (dont All. féd. 927, G.-B. 474, France 395, Pays-Bas [1] 302, Italie 211, Espagne [1] 147, Belgique 87, Grèce [1] 10), Suède 1 890, URSS 1 435, Finlande 1 191, Norvège 824, Corée 448, Afr. du S. [1] 350, Australie 326, Nlle-Zélande [1] 293, Autriche 277, Argentine [1] 230, Brésil 191.

Nota. – (1) 1988.

Papiers et cartons (en milliers de t, 1990 est.). USA 70 760. CÉE 39 000 [dont All. féd. 13 000, *France 7 049* (dont emballages et conditionnements 3 276, usage graphique 3 195, domestique et sanitaire 329), Italie 5 600]. Japon 28 100. Canada 16 800. Finlande 8 850. Suède 8 400. G.-B. 4 700. Espagne 3 550. *Monde (89) 233 170.*

• **Principales sociétés françaises. Chiffre d'affaires des activités papetières** (en milliards de F, 1989). Arjomari 10. La cellulose du pin 9,1. Aussedat Rey 5,4. Kaysesberg 5. La Rochette 4,6. Gascogne 2,1. Papeteries Clairefontaine 1,3.

• **Consommation. Papier journal** (en milliers de t, 1988). *Monde 31 668* dont USA 12 395. CÉE 5 971 (dont G.-B. 1 870, All. féd. 1 440, *France 749,* Italie 475, P.-Bas 469, Espagne 304, UEBL 233, Danemark 229, Grèce 96, Irlande 58, Portugal 56), Japon 3 361, URSS 1 405, Canada 1 227, Australie 722, Inde 524, Chine 506, Suède 450, Corée du S. 346, Brésil 338, Mexique 332, Suisse 287,6, Argentine 250, Finlande 222, Taiwan 205, Venezuela 172, Norvège 168, All. dém. 157, Turquie 152, Afr. du S. 150, Hong Kong 150, N.-Zél. 149, Yougoslavie 132, Indonésie 124, Autriche 118, Pologne 105, Malaisie 104, Philippines 104, Thaïlande 100.

Consommation de papiers et cartons (en millions de t, 1990). USA 76,7, Japon 28,3, All. 15,3, G.-B. 9,1, *France 8,8,* Italie 6,9, Canada 6, Espagne 4,5, P.-Bas 3,1, Suède 2,1, Belgique 2, Finlande 1,4, Portugal 0,8, Norvège 0,6. **Par habitant** (en kg, 1988). USA 317,8. Suède 311,3. Canada 246,7. Suisse 208,6. Japon 204,5. Finlande 204. All. féd. 203,7. Danemark 202. Belgique 195,3. P.-Bas 194,7. G.-B. 163,5. N.-Zélande 157. Australie 155,5. Taïwan 153. Norvège 151,2. Hong Kong 147. Autriche 144,5. *France 142,2.* Italie 108,4, Islande 104,4.

• **Industrie française de papiers et cartons** (en millions de t). **Production** *1990 :* 7. **Importations** *1990 : de* All. féd. 0,9, Finlande 0,7, Suède 0,6, P.-Bas 0,3, Belgique 0,2, Italie 0,2, G.-B. 0,2, Espagne 0,1 (*selon la sorte en % :* papiers pour articles domestiques et sanitaires 19,9, impression-écriture 11,4, usages graphiques 9,1, papiers d'emballage 7,1, papiers pour ondulé 5,7, emballage et conditionnement 4,5, cartons 2,3, journal 2). **Exportations** *1990 : vers* All. féd. 0,7, G.-B. 0,3, Italie 0,2, Belgique 0,2 Espagne 0,1 (*selon la sorte en % :* journal 19,9, papiers pour articles domestiques et sanitaires 17,9, papiers pour ondulé 13,5, usages graphiques 7,9, emballage et conditionnement 7,2, impression-écriture 6,6, cartons 2,3, papiers d'emballage 0,6).

• **Consommation apparente** *1990 :* 8,8 millions de t. *Valeur* (milliards de F, 1989) *production :* 34,9. *Investissements* 1,65. *Entreprises :* 115. *Usines :* 149. *Machines :* 252. *Effectifs :* 24 560.

Consommation de papiers-cartons (en millions de t, 1990). Usage graphique 4,1, emballage-conditionnement 4, impression-écriture 3,3, pour ondulé 2,5, carton 1, journal 0,8, papiers d'emballage 0,5, domestiques et sanitaires 0,4. *Total* 8,8.

Consommation de papier « toilette » : 7,3 kg par habitant et par an (Suédois 18,6, Italiens 7,8, Belges 7,1, Portugais 3,3) dont 80 % en rouleaux (60 % pour les Parisiens). Types : *bulle corde* (papier de soie), généralement brun, fabriqué avec de vieux papiers ; *crêpé,* à partir de pâtes mécaniques (10 % du marché) ; *ouate de cellulose,* « 2 » (88 % des ouatés) ou « 3 plis » (12 %). Le rose uni l'emporte [chez les Allemands ce sont les fleurettes (30 à 40 %) ; les Japonais : les cours d'anglais]. 2 % des Français en sont encore à la feuille de papier journal pliée en 4.

• **% du C.A. réalisé par des Stés étrangères** (1989). Cartons 71, papier sanitaire et domestique 70, papier d'impression et d'écriture 35, pâte à papier 17, papier journal 0. *Ensemble* 29.

Parfumerie

Généralités

Composition des parfums. Mélange complexe de corps odorants avec, en général, une note de base complétée par des produits complémentaires pour arriver à l'effet souhaité. Le développement d'une odeur est un phénomène physique, une espèce de lente distillation des constituants, les plus volatils diffusant d'abord, et d'où il résulte que l'accord d'un parfum comporte plusieurs parties pouvant ainsi se décomposer : *les notes de « tête » ou de « départ »* (produits les plus volatils, telles les essences d'hespéridées : citron, bergamote...) ; *de « cœur » ou « corps » du parfum* (produits plus persistants et plus corsés assurant le développement de la note de base : jasmin, rose, mousses...) ; *de « fond »* (produits très persistants destinés à freiner l'évaporation des autres constituants et appelés improprement « fixateurs » : produits animaux, muscs artificiels...).

Matières premières utilisées

• **D'origine naturelle. Animale.** *Ambre gris :* concrétion pathologique formée dans l'intestin du cachalot. *Musc naturel :* sécrété par la glande prépubérale du chevrotin porte-musc (Asie centrale). *Civette :* produite par les glandes de petits mammifères carnivores de la famille des viverridés (Asie, Éthiopie). *Castoréum :* sécrétion d'un produit huileux par un rongeur amphibie, le castor (Canada, Sibérie). D'un usage courant dans la 1re moitié du XXe s. sous forme de macérations alcooliques (infusions), ces produits sont de moins en moins utilisés actuellement.

Végétale. Plusieurs centaines : extraits de *fleurs* (jasmin, rose, tubéreuse, oranger, ylang-ylang, lavande, etc.) ; *feuilles* (patchouli, petit-grain, menthe, géranium, estragon, verveine, violette, lemon-grass, etc.) ; *graines* (coriandre, ambrette, carotte, céleri, carvi, persil, fèves tonka, angélique, etc.) ; *bois* (santal, cèdre, bois de rose, etc.) ; *racines* (vétiver, iris, costus, gingembre, angélique, etc.) ; *écorces de fruits* (bergamote, citron, mandarine, orange, etc.) ; *écorce* (bouleau, cannelle, etc.) ; *résine* (cyste, benjoin, myrrhe, galbanum, etc.) ; *lichen* (« mousse » ; chêne, autres arbres, etc.).

Principaux procédés d'extraction. a) Distillation à la vapeur d'eau pour les produits ne se décomposant pas à la chaleur [ex. : lavande, lavandin, citronnelle, lemon-grass, néroli (essence de fleur d'oranger), menthe, patchouli, etc.] ; donne des *essences* ou *huiles essentielles.* **b) Extraction aux solvants volatils** (surtout hexane) : très répandue ; a remplacé l'enfleurage (fixation à froid ou à temp. modérée des substances aromatiques sur les graisses ou huiles, fournissant les prod. de parfum. les plus fins, mais aussi les plus coûteux : « pommade – ou huile – parfumée »). Implique un traitement thermique plus long que celle de l'enfleurage, et par là même une altération plus grande des produits. Après élimination du solvant par évaporation sous vide, on obtient au fond de l'alambic la *concrète* (si l'on est parti de végétaux frais) mêlée à des cires végétales, ou le *résinoïde* (si l'on est parti des végétaux séchés ou de gommes et résines). Pour obtenir l'*absolue,* produit noble, on lave la concrète à l'alcool et après filtration à basse température pour éliminer les cires on distille sous vide pour éliminer le solvant. Sont ainsi traités jasmin, rose, tubéreuse, etc., produits très coûteux en raison de la technique employée qui nécessite un investissement important, et de la masse de fleurs nécessaires. Il faut au moins 600 kg de fleurs de jasmin (soit env. 5 millions de fleurs) pour faire 1 kg d'absolue, 1 000 kg de roses pour 1,8 kg et 1 000 kg de fleurs d'oranger pour un peu moins de 1 kg. La fleur de jasmin est si fragile qu'elle ne peut être cueillie qu'à la main, au lever du soleil, fleur entrouverte ; chaque fleur pèse 1/10 de g. **c) Expression :** employée pour l'obtention d'essences venant d'écorces de fruits (exemples : bergamote, citron, orange, etc.). Les fruits sont pelés et l'écorce est exprimée pour en obtenir directement l'essence.

• **Synthétiques.** Dans les produits naturels cités ci-dessus, il existe des produits aromatiques définis, qui peuvent être extraits par voie physique de ceux-ci, tels : l'alcool phényléthylique (constituant de l'essence de rose), l'acétate de linalyle (lavande), le linalol (bois de rose), etc. Ces produits obtenus par fractionnement de la matière première de base sont nommés *isolats.* Modifiés par réaction chimique, ils conduisent aux produits d'*hémisynthèse* ; ainsi le citronellal, isolat obtenu à partir de la citronelle de Java ou de l'eucalyptus citriodora, conduit à l'hydroxycitronellal (odeur florale de lilas). Par ailleurs, d'autres produits (dits de *synthèse totale*) sont entièrement fabriqués à partir de matières telles que des goudrons de houille, des fractions pétrolières, de térébenthine, d'acétylène, etc., et transformés en corps chimiques définis pour obtenir tel produit odorant recherché. Ils sont regroupés suivant diverses fonctions chimiques, ex : *dérivés nitrés* (musc artificiel), *alcools* (géraniol, linalol, terpinéol), *aldéhydes* (a. cinnamique, a. phényl-acétique, a. alipathiques de C8 à C12), *cétones* (ionones, méthylionones), *phénols* (anéthol, eugénol), *lactones* (coumarine, undécalactone), *esters* (acétate de linalyle, acétate de benzyle).

Ces produits synthétiques très divers (plus d'un millier) permettent de multiples combinaisons, complètent ou suppléent parfois certains produits naturels, sans toutefois les supplanter.

Fabrication du parfum

Lorsque la formule d'un parfum est enfin au point, on effectue les fabrications industrielles du « concentré » en pesant très précisément les différents éléments de la formule et en les dissolvant ensuite les uns dans les autres. Pour les solutions alcooliques, on utilise de l'alcool éthylique aussi neutre d'odeur que possible et représentant env. 96 % de son volume en alcool pur. Le titre volumique (% vol.) qui remplace l'ancienne notion de degré alcoolique indique le volume à 20° C de la quantité d'alcool pur contenue dans un mélange par rapport au volume total de ce mélange à la même température.

Suivant les diverses concentrations dans l'alcool, on obtient *le parfum* ou extrait (en général la plus forte proportion de concentré de la meilleure qualité dilué dans l'alcool) ; *l'eau de parfum* (assez proche) ; *l'eau de toilette* (concentration olfactive plus faible) ; *l'eau de Cologne* (concentration encore plus réduite avec une note généralement plus fraîche et moins tenace ; cependant, aux USA, le terme de « Cologne » désigne une qualité s'apparentant à celle de l'eau de toilette).

Lorsque les solutions alcooliques sont réalisées, intervient la période de « macération » ou mise à repos déterminé pendant laquelle le produit « s'arrondit ». Ensuite, on procède au glaçage, puis à la filtration de la solution, pour obtenir un produit limpide et stable.

Quelques dates

XIVe s. eau de Hongrie. **1555** 1er traité européen de parfumerie (Venise). **1582** statuts créant l'artisanat des parfumeurs gantiers, distincts des apothicaires (Anne-Marie de La Trémoille faisait parfumer ses gants à la fleur d'oranger, puis on a les gants à la frangipane, du nom du marquis de Frangipani, maréchal des armées de Louis XIII). **XVIIe s.** essence de Nice et de Gênes « à la négligence » et à la Phyllis ; Eau d'Émeraude préparée par les capucins du Louvre. **1709** un Italien fonde à Cologne un transit de marchandises, un de ses frères, Jean-Marie Farina exploite la recette d'une eau alcoolique à base d'agrumes, l'Eau admirable (dont la composition est attribuée à son oncle Jean-Paul Feminis). **1732** son frère mort, J.-M. Farina devient l'unique propriétaire de la maison et diffuse en Europe l'Eau admirable que ses clients français nomment eau de Cologne. **1806** un autre J.-M. Farina, proche parent et héritier, s'établit à Paris. **Ier Empire** Napoléon Ier utilise 60 flacons d'eau de Cologne par mois. **1828** Guerlain ouvre rue de Rivoli. Les marques se multiplient. Lubin : Eau de Lubin ; Legrand ; Eau des Alpes. **Autour de 1900** Piver : Trèfle incarnat, préparé dans un laboratoire de l'École polytechnique (entrent dans composition : tréfol, salicylate d'amyle) ; utilisation de produits de synthèse. Suisse : Givaudan, Firmenich. France : Roure et Bertrand, Poulenc, François Coty (François Spoturno, installé rue de La Boétie 1905). **1913** Guerlain : Heure bleue. **1926 à 1938** composition élaborée du parfum ; couturiers parfumeurs : Coco Chanel, Jeanne Lanvin, Molyneux, Jean Patou, Schiaparelli.

Quelques parfums

Balenciaga. *Le Dix* (1947). *Quadrille* (1955). **Balmain.** *Vent Vert* (1945) : jonquilles, muguet, foin, narcisses, jacinthes, fleurs de printemps. *Jolie Madame* (1953) : violette, lilas, jasmin, cèdre, tubéreuse, néroli. **Miss Balmain** (1968). *Ivoire* (1979). **Bourjois** (fondé 1863). *Soir de Paris* (1929) : œillet, rose, violette, jasmin, iris, clou de girofle, vétiver. *Clin d'œil* (1984). **Cacharel.** *Anaïs Anaïs* (1978) : hespéridés, jasmin, rose ; iris de Florence, vétiver bourbon, cèdre de Californie, musc et cuir de Russie. **Caron** (1903). *Narcisse noir* (1911). *En avion* (1930). *Fleurs de Rocaille. Pour un homme* (1934). **Carven.** *Ma Griffe* (1944) : jasmin de Grasse, néroli, vétiver, mousse de chêne, musc. *Robe d'un soir* (1947). *Eau vive* (1968). **Chanel.** *N°5* (1921) : jasmin de Grasse, rose de mai, ylang-ylang, néroli, santal, vétiver, vanille, jonquille, iris, muguet, aubépine, musc, ambre, patchouli (+ de 80 ingrédients). *Coco :* jasmin des Indes, mimosa, pêche, bourgeon de girofle, frangipanier, fleur d'oranger, rose de Bulgarie. *n° 19* (1970). *Cristalle* (1973). **Coty** (créé par François Coty, 1876-1934). *L'Origan :* santal, patchouli, vanille, violette, œillet, jasmin, musc, civette. *Chypre :* mousse de chêne, jasmin, rose, ambre, musc, vanille, bergamote. **Christian Dior.** *Miss Dior* (1947) : gardénia, patchouli, rose, mousse de chêne, ambre gris, galbanum. *Eau sauvage* (1966) : mousse de chêne, vétiver, citron, lavande, genêt, basilic, romarin, miel. *Poison* (1985) : coriandre, poivre, cannelle, miel d'oranger, baies sauvages, civette, ciste-labdanum, ambre gris. **Givenchy.** *L'interdit. De Givenchy* (1957). *Ysatis :* mandarine, bergamote, galbanum, ylang-ylang, fleur d'oranger, jasmin, rose, tubéreuse, iris, patchouli, vétiver, santal, mousse de chêne, castoréum, civette, bay-rhum, girofle, vanille, musc, ambre. **Grès.** *Cabochard* (1957). **Guerlain** (fondé 1828). *Jicky* (1889). *Jardin de mon curé* (1895). *Champs-Élysées* (1904). *Mitsuko* (1919). *Shalimar* (1928) : benjoin, patchouli, opopanax, vanille, encens, bergamote, iris. *Chant d'arômes* (1962) : chèvrefeuille, gardénia, jasmin, vanille. *Nahema :* rose, jacinthe, bois exotiques, fruits de la passion. *Chamade* (1969). *Jardins de Bagatelle* (1983). *Samsara* (1989) : santal, jasmin, iris, violette, narcisse (lancé avec 50 millions de $). **Hermès.** *Amazone* (1975) : narcisse, rose, jasmin, iris, pêche, framboise, pamplemousse, cèdre, santal, vétiver. *Calèche* (1961) : jasmin, rose, iris, gardénia, lilas, essence de cèdre, tubéreuse, cèdre de Virginie, santal de Mysore. *Équipage* (1970). **Houbigant** (crée 1775) *Fougère Royale* (1882). *Quelques fleurs* (1912) : lilas, rose, jasmin, violette, orchidée. **Lagerfeld.** *Chloé* (1975) : tubéreuse, ylang-ylang, rose, chèvrefeuille, jasmin, fleur d'oranger, vétiver, mousse de chêne, patchouli, musc, ambre gris. *K.L.* (1982). **Lancôme** (créé 1935). *Magie noire* (1978) : rose bulgare, galbanum, encens, herbes de la St-Jean, patchouli, cèdre, santal, épices, ambre. **Lanvin.** *Arpège* (1927) : rose de Bulgarie, jasmin de Grasse, muguet sauvage, camélia, chèvrefeuille, vétiver, ambre, jacinthe bleue. **Guy Laroche.** *Fidji* (1966) : galbanum, lilas, œillet, rose, iris, jasmin, musc du Tibet, ylang-ylang. *Drakkar* (1972). *J'ai osé* (1978) : jasmin, camomille, ylang-ylang, myrte, patchouli, santal, vétiver, ambre et épices d'Orient. **L (Louis) T (Toussaint) Piver** (créé 1813). *Trèfle incarnat* (1900) : utilisant pour la 1re fois un produit de synthèse. **Lubin** (fondé 1798). *Nuit de Longchamp* (1937). *Gin Fizz* (1955). *Eau neuve* (1977). **Molinard.** *Habanita* (1934). **Molyneux.** *Numéro cinq de M.* (1927). *Captain Molyneux* (1975). *Quartz* (1977). **Jean Patou.** *A mon amour* (1928). *Moment suprême* (1929). *Joy* (1930) : rose bulgare et rose de mai, jasmin de Grasse, tubéreuse, ylang-ylang. *Vacances* (1936). *Heure attendue* (1946). *1000* (1972) : rose, damascena, absolu de violette, jasmin de Grasse, osmanthus de Chine, santal de Mysore. **Paco Rabanne.** *Calandre* (1968) : bergamote, limette, rose, jasmin, géranium, muguet, ylang-ylang, musc. **Oscar de la Renta** (1977). *Oscar de la Renta :* bois de santal, ylang-ylang, basilic, mandarine, jasmin, rose de Bulgarie, genêt, patchouli, néroli, girofle, vétiver, coriandre, vanille, myrrhe, opopanax, castoréum. **Révillon.** *Amour Daria* (1934). *Carnet de bal* (1937). *Cantilène* (1948). **Nina Ricci.** *Cœur Joie* (1946). *L'Air du temps* (1947) : gardénia, absolue jasmin, santal de Mysore, irisanthème, absolue œillet, rose poivrée, ylang-ylang. **Rochas.** *Audace* (1936). *Femme* (1942) : pêche, jasmin, rose bulgare, ylang-ylang, santal, vétiver, patchouli, ambre. *Madame Rochas* (1960) : tubéreuse, iris, chèvrefeuille, rose bulgare, narcisse, mousse de chêne, cyste. **Roger et Gallet** (noms des acquéreurs en 1862 de la parfumerie fondée 1806 par J.-M. Farina). *Vera Violetta* (1892). *Fleurs d'amour* (1963). **Yves Saint Laurent.** *« Y »* (1964, il posa nu pour le présenter) : tubéreuse, ylang-ylang, jasmin, iris, rose, vétiver, santal, patchouli, mousse de chêne. *Opium* (1977) : mandarine, girofle, coriandre, œillet, prune, muguet, rose, jasmin, labdanum, myrrhe, opopanax, castoréum, cèdre, santal. *Rive gauche* (1971). *Kouros* (1981). *Paris* (1983) : mimosa, géranium, cassis, aubépine, rose, violette, santal, mousse de chêne, iris, ambre, musc. **Schiaparelli.** *Shocking* (1935) : jasmin, rose œillet, patchouli, encens, cèdre. *Zut* (1948). **Ungaro.** *Diva* (1983) : santal Mysore, patchouli, mousse de chêne, roses turques et marocaines, iris de Florence, narcisse, jasmin d'Égypte, tubéreuse, cardamome, mandarine, ylang-ylang. **Van Cleef & Arpels.** *First* (1976) : ylang-ylang, jasmin d'Italie, narcisse, bourgeon de cassis, rose de Turquie, bois de santal, fèves tonka. **Worth.** *Dans la nuit* (1924). *Sans Adieu* (1930). *Je reviens* (1932) : jasmin, jacinthe, rose, tubéreuse, santal, ylang-ylang, patchouli, ambre.

Parfumeurs-créateurs

Quelques parfumeurs-créateurs connus et quelques-uns de leurs parfums

Alméras : Joy, les Parfums de « Rosine ». *Omer Arif :* Pêle-Mêle, Pixiola. *Armingeat :* Pompeia, Rêve d'or. *Ernest Beaux* (n. 1881) N° 5 de Chanel, N° 22, Bois des Iles, Cuir de Russie, Soir de Paris. *Bienaimé :* Quelques Fleurs. *Marcel Billot. Blanchet :* Je reviens, Sans adieu. *Jean Carles :* Tabu, Ma Griffe, Canoë. *Germaine Cellier :* Bandit, Vent vert, Jolie Madame, Cœur Joie. *François Coty :* L'Origan, Émeraude, La Rose Jacqueminot, Le Chypre. *Daltroff :* Narcisse noir, Tabac blond, Nuit de Noël. *Jean Desprez :* Crêpe de Chine, Bal à Versailles. *Georges Fraysse :* Zibeline. *Pierre-François Guerlain :* Eau de Cologne impériale. *Jacques Guerlain :* Mitsouko, Shalimar, Jicky, Après l'ondée, Heure bleue, Sous le vent, Vol de nuit. *Léon Hardy. Jacques Jantzen :* Ho-Hang, Cialenga. *Arturo Jordi-Pey. Parquet :* Fougère royale, Le Parfum idéal, Cœur de Jeannette. *Marius Reboul. Rimmel. Vincent Roubert :* l'Aimant, l'Or, Asuma, Green Water, Vertige. *Rouche :* Le Trèfle incarnat. *Edmond Roudnitska :* Femme, Diorama, Eau d'Hermès, Moustache, Diorissimo, Eau sauvage, Diorella, Dior Dior, Eau sauvage extrême.

Statistiques

Dans le monde

Marché mondial de parfums, cosmétiques, produits de toilette (en milliards de $, 1987) : 70 dont USA 21, Europe 20,4 (*France 6,3,* All. féd. 5,6, Italie 4,2, G.-B. 4,2), Japon 9,8, autres 18,8.

• **Chiffre d'affaire général (parfumerie et cosmétiques)** (en milliards de $, 1988). L'Oréal 4,3 [1], Unilever 4 [2], Shiseido 2,8, Avon 2,2, Revlon 2,1, Kao 1,5, Procter et Gamble 1,4, Estée Lauder 1,3, Bristol Myers 1,3, Beiersdorf 1,1. **En France** (CA en milliards de F). L'Oréal Cosmair 30,4 (1990), Parfums

Christian Dior 3,12, Yves Saint Laurent 3,1 (90), Guerlain 1,3 (dont 72 % à l'export.), Clarins 1,2 (90), Azzaro 0,35 (89).

Nota. – (1) dont 0,9 milliard de $, ventes de Cosmair aux USA et Canada. (2) y compris les activités de Rimmel, Chicago, Calvin Klein et Fabergé / Elizabeth Arden. *Source :* Precepta.

Principales sociétés de matières 1res aromatiques : CA (en millions de $, en 1986). Iff [1] 621, Quest [2] 515, Givaudan [3] 411, Takasago [4] 329, Firmenich [3] 294, Haarmann und Reimer [5] 270, BBA + Union-camp [1,6] 168, Dragoco [5] 151, Florasynth-Lautier [1] 150, PFW Hercules [1] 150.

Nota. – (1) USA. (2) P.-Bas. (3) Suisse. (4) Japon. (5) All. féd. (6) G.-B.

En France

☞ 9 femmes sur 10, 1 homme sur 2 se parfument.

• **Structure de l'industrie** (1989). *Entreprises* 220 dont 20 % ont eu un C.A. fr. sup. à 100 000 000 de F ; 23,1 % inf. à 5 000 000 de F. *Répartition des entreprises par tranche d'effectifs* (en %) : *– de 20 salariés :* 22,7. *20 à 99 :* 48,9. *100 à 499 :* 21,4. *+ de 500 :* 7. *Effectif :* 32 300 dont (en %) 65 femmes, 35 hommes.

Pénétration des capitaux étrangers. *Grandes maisons à capitaux français :* Lanvin, Nina Ricci, Patou, Guerlain, Christian Dior, Givenchy (groupe Louis Vuitton-Moët-Hennessy), Caron (Cora-Révillon), Yves Saint Laurent, Lancôme (L'Oréal), Yves Rocher. *Pénétrées par les capitaux étrangers :* Chanel (Pamerco, Suisse), Paco Rabanne (Puig, Esp.), Rochas (Wella, All.), Beiersdorf S.A. (Beiersdorf, All.), Orlane (Kelemata, Italie), Carven (Beecham, G.-B.). Coty (Pfizer, USA), Elizabeth Arden, Gibbs (Unilever, P.-Bas), L'Oréal [dont la majorité est détenue par le holding français Gesparal, dont Mme Bettencourt a 51 % et Nestlé (Suisse) 49 %].

Comité Colbert

Origine. Association fondée 1954 par Jean-Jacques Guerlain. Regroupe 70 adhérents choisis parmi les plus grands noms français des industries et métiers liés à l'art et à la création. **But.** Transmettre un message culturel représentatif d'une certaine image de la France. **Salariés :** 25 000. **Chiffre d'affaires** (1990) : 27,7 milliards de F dont (en 1989) 68,9 % à l'exportation dont parfumerie 7,3, mode, accessoires, maroquinerie et bagages 6,7, vins fins, alcools et produits gastronomiques 6,2, couture 3, arts de la table 1,6, hôtels, restaurants 1,2, haute joaillerie 0,6, arts décoratifs 0,5.

Membres (1991). **Articles de sport :** la chemise Lacoste *1933.* **Briquets, stylos de luxe :** S.T. Dupont *1872.* **Bronzes d'art :** Charles *1921,* Delisle *1895.* **Cognac :** Courvoisier *1835,* Rémy Martin *1724.* **Haute-couture :** Chanel *1912,* Christian Dior *1947,* Givenchy *1951,* Guy Laroche *1957,* Jean Patou *1919,* Jeanne Lanvin *1889,* Lesage *1870,* Nina Ricci *1932,* Pierre Balmain *1945.* **Cristallerie :** Baccarat *1764,* Daum *1875,* Lalique *1910,* Saint-Louis *1767.* **Décoration :** Didier Aaron *1923,* Manuel Canovas *1963,* Pierre Frey *1935.* **Épicerie fine :** Hédiard *1854.* **Fourrure :** Révillon *1723.* **Horlogerie :** Breguet *1775.* **Hôtellerie :** Crillon *1909,* George V *1928,* Bristol *1923,* Plaza-Athénée *1911,* Ritz *1898,* Royal Évian *1909.* **Imprimerie :** Bussière Arts Graphiques *1924.* **Haute joaillerie :** Boucheron *1858,* Mauboussin *1827,* Mellerio *1613,* Van Cleef et Arpels *1906.* **Linge de maison :** D. Porthault *1924.* **Malletier :** Louis Vuitton *1854.* **Médailles, décorations :** La Monnaie de Paris *1552* [1]. **Musique :** Orchestre national de France/Ademma *1925* [1], Opéra de Paris *1669* [1]. **Objets d'art :** Manufacture nat.de Sèvres *1738* [1]. **Orfèvrerie :** Christofle *1830,* Ercuis *1867,* Puiforcat *1820.* **Parfums :** Caron *1904,* Chanel *1924,* Christian Dior *1948,* Givenchy *1957,* Guerlain *1828,* Hermès *1948,* Jean Patou *1925,* Lanvin *1925,* Nina Ricci *1945,* Rochas *1925.* **Porcelaine de Limoges :** Bernardaud *1863,* Robert Haviland et C. Parlon *1924.* **Faïences :** Faïenceries de Gien. **Prêt-à-porter de luxe :** Léonard Fashion *1943.* **Restaurants :** Michel Guérard *1965,* Oustau de Baumanière *1945.* **Sellerie, Foulards, Couture :** Hermès *1837.* **Tissus :** Souleiado *1780.* **Traiteur :** Lenôtre *1957.* **Vins.** *Bordeaux :* Château Cheval Blanc *1832,* Château d'Yquem *1786,* Château Lafite-Rothschild. *Champagne :* Bollinger *1829,* Krug *1843,* Laurent Perrier *1812,* Louis Roederer *1776,* Ruinart *1729,* Veuve Cliquot Ponsardin *1772.* **Voyages :** Air France *1933* [1].

Nota. – (1) Membres associés.

☞ **Activité d'Hermès** (milliards de F). *1986 :* 1, *89 :* 2,5 [dont (en %) carrés 31, parfum 15, cuir 14, cravates 11,8, prêt-à-porter 9, montres 6, autres (gants, porcelaine, arts de la maison, chaussures, châles, etc.) 13,5]. *Ventes* (%) : France 37, Sud-Est 15,92, Europe 15,52, Amér. du N. 13, Japon 11,5, autres 6,9.

• **Ventes** (en %, 1989). **Par produit :** prod. de beauté 35,2, parfumerie alcoolique 21,8, prod. capillaires 24,3, de toilette 17,9, autres 0,8. **Par type de distribution :** grande diffusion 50,1, distribution sélective 31,7 vente en pharmacie 9,3, vente directe 8,7.

Produits pour hommes. Part du marché par rapport à l'ensemble des ventes en France de prod. de parfumerie, beauté, toilette (en %) : *1965 :* 5,7 ; *70 :* 8,2 ; *83 :* 10,1 ; *88 :* 10,9 ; *89 :* 10,8.

Les plus grosses ventes en France. *Parfumerie alcoolique :* Guy Laroche, Chanel, Christian Dior, Guerlain, Givenchy-Diparco, Yves Saint Laurent, Yves Rocher, Lancôme, Cacharel, Rochas.

Produits de beauté : Avon, Biotherm, Clarins, Christian Dior, Diparco, Lancôme, BDF, Nivéa, Lady Vichy, Roc, P.F. cosmétique, Yves Rocher. *Parfums les plus vendus au monde :* N ° 5 (créé 1929), Shalimar (1925).

☞ **Parfums Bic.** Lancés 1988 à bas prix, distribués en grandes surfaces, stations-services, bureaux de tabac. Le Bon Bich a annoncé le 7-5-1991 qu'il renonçait à en poursuivre la fabrication. Il avait investi env. 250 millions de F et en perdit 90 en 1989 et 50 en 1990.

• **Consommation des produits de parfumerie par habitant** (en F courants). *1970 :* 71,7. *75 :* 132,8. *80 :* 242. *85 :* 458,6. *88 :* 608. *89 :* 670,1.

• **Produits de parfumerie, de beauté et de toilette** (en 1989, en milliards de F). *Chiffre d'aff. :* 40. *Exportations :* 17,3 (sans compter royalties, filiales à l'étranger, achats de touristes en France). *Ventes :* 22,7 dont grande distribution 11,3, diffusion sélective 7,2, pharmacie 2,1, vente directe 1,9.

1ers pays clients (en %, 1989) : All. féd. 13,3, USA 10,2, Italie 9,7, G.-B. 8, Belg.-Luxemb. 6,2, Suisse 4,9, Japon 4,2, Hong Kong 3,6, P.-Bas 3,4, Arabie Saoud. 2,6.

• **Prix. Matières premières** (prix en F au kg, 1987). *Rose :* absolu r. de mai de Grasse 43 000 ; essence bulgare 37 000, turque 40 000, Maroc 40 000. *Jasmin :* abs. j. de Grasse 140 000.

Parfum le plus cher du monde. « Joy » de Patou : 665 F pour 7 ml (5,6 g).

☞ Un *Musée international de la Parfumerie* a été ouvert à Grasse le 28-1-1989 (origine : musée fondé par François Carnot, † 1960, fils du Pt de la Rép. Sadi-Carnot). Il y a un « *Museu del Perfum* » à Barcelone (Esp.) et un « *Museo de la Perfumeria* » à La Havane (Cuba).

Photographie Reprographie

Photographie

Quelques dates

• **Avant la photo. IVe s. av. J.-C.** *Aristote* découvre que la lumière du jour pénétrant par un petit trou aménagé dans le mur d'une pièce obscure projette sur le mur d'en face l'image inversée de tous les objets placés à l'extérieur devant cet orifice. **Ier s. av. J.-C.** l'architecte de Jules César, Marcus Vitruve, constate l'action du Soleil sur la coloration de certains corps organiques. **XIe s.** le mathématicien arabe Al-Hazen (disciple de Ptolémée) parle pour la 1re fois de *« chambre noire ».* **Moyen Age** les alchimistes constatent le noircissement des sels d'argent exposés à la lumière et utilisent la « lune cornée » (nitrate d'argent) pour teindre ivoire, bois, cheveux. **1515** *Léonard de Vinci* décrit la *« camera oscura ».* **1540** Jérôme Cardan remplace le « petit trou » (sténopé) par une *lentille.* La chambre noire permet de dessiner avec exactitude les perspectives. **1650** elle comporte des lentilles de différentes distances focales et devient transportable. **XVIIIe s.** K.W. Scheele (Suédois), J.H. Schulze (Allemand), Sénébier (Suisse), J.A. C. Charles (Français) et Thomas Wedgwood (Anglais) étudient les *réactions photochimiques* sans parvenir à fixer l'image de la chambre noire. **1788** *physionotrace,* inventé par Chrétien et Quenedey, système articulé, permet de donner des profils.

• **Invention de la photo. 1816** 1ers images de Nicéphore Niepce (Fr., 1765-1833) sur papier au chlorure d'argent, fixées à l'acide nitrique, mais les images sont négatives. **1822** images positives de Niepce [à l'aide du bitume de Judée étendu sur une plaque de verre (bitume soluble dans l'essence de lavande et le pétrole et insoluble là où il a été impressionné par la lumière) remplacée 1826 par une plaque d'étain]. « Vue d'une fenêtre », la « Table servie ». Niepce invente également la photogravure (« le Cardinal d'Amboise », « la Sainte Famille »). **1829**-*14-12* Niepce, ruiné, s'associe à Louis-Jacques Mandé-Daguerre (Fr., 1787-1851), peintre décorateur, propriétaire du Diorama, théâtre de panoramas animés par des mouvements et des jeux de lumière. Daguerre reconnaît la paternité de l'invention de Niepce.

1834 après la mort de Niepce (1833), Daguerre travaille seul sur le procédé à l'iodure d'argent : « daguerréotype ». Il abandonne le bitume de Judée trop lent à impressionner, découvre par hasard qu'une cuiller d'argent oubliée sur une plaque iodurée a laissé très rapidement une empreinte mais que l'image est latente (non fixée définitivement). Il met alors au point un procédé à *l'iodure d'argent. Support utilisé :* plaque de cuivre argentée polie et iodurée ; après exposition dans la chambre noire (1/4 d'h de pose au soleil était nécessaire), la plaque est révélée par des vapeurs de mercure chauffé. Le mercure s'amalgamant avec l'argent métallique forme l'image latente noire sur fond jaune (iodure d'argent non impressionné). *Pour dissoudre l'argent,* on lave la plaque dans du sel de cuisine (remplacé ensuite par l'hyposulfite de sodium). Le daguerréotype réduit le temps de pose à 1 ou 2 minutes. (Les 1res photographies de Niepce demandaient 8 h de pose.) *-21-1 :* 1re utilisation du mot *photographie* par son inventeur Hercule Florence, Brésilien d'origine fr., qui aurait découvert un procédé négatif-positif avant Talbot. **1837** Hippolyte Bayard (Fr., 1801-87) présente les *1res images positives sur papier* obtenues directement en chambre noire. Procédé connu, oublié par ses contemporains. **1839**-*7-1* François Arago (Fr., 1786-1853) rend public le secret de la photographie et fait voter la « loi sur la photographie » (7-8-1839) : l'État acquiert l'invention le 14-6 (verse une rente viagère de 6 000 F à Daguerre et 4 000 F à Niepce fils) pour en faire don au monde. William Henry Fox Talbot (Angl., 1800-77) met au point le procédé négatif-positif actuel [*calotype,* utilisé de 1841 à env. 1860, permettant d'obtenir par contact un nombre d'images positives illimitées sur « papier salé » (au chlorure d'argent)]. *-4-11* appareil à soufflet portatif du Bon Séguier.

1841 Voigtländer conçoit (sur les données de Joseph Max Petzval) un objectif constitué sur le principe d'un double système de lentilles. 1er appareil construit en cuivre (Autr.) avec objectif F : 3/6, fournit des daguerréotypes circulaires de 94 mm de diamètre. **1846** Désiré Blanquart-Évrard (Fr., 1802-72) améliore la préparation du papier servant aux négatifs et fonde à Lille la 1re imprimerie photographique (450 à 500 images par j). **1847** Carl Zeiss (All.) installe à Iéna en Prusse des usines d'optique. Le chimiste Eugène Chevreul (Fr., 1786-1889) présente à l'Académie les travaux d'Abel Niepce de Saint-Victor (1805-70) (fils du cousin de Nicéphore) : le négatif sur verre albuminé permettant le tirage de positifs sur papier en quantité illimitée (albumine de poule étendue et séchée sur des glaces parfaitement planes, sensibilisation au nitrate d'argent). Talbot réussit sur papier négatif un « instantané ». **1849** Gustave Le Gray (Fr., 1820-68) utilise le *collodion* pour obtenir un très bon négatif. Une solution de coton et une poudre dans un mélange d'alcool et d'éther sont étendues sur une plaque de verre. **1851** Frederic Scott Archer (Angl., 1813-57) met au point la méthode au *collodion humide* permettant de réaliser des images très fines et de réduire le temps de pose à quelques secondes, mais la plaque ne reste sensible que si elle est humide. *-1-2* création de la 1re sté photo. du monde : la Sté héliographique (deviendra 15-11-1854 la Sté franç. de photographie). **1853** Adolphe Martin (Fr., 1824-96) invente la *ferrotypie.* Même procédé que le collodion humide, mais remplace le support de verre par des plaques métalliques vernies en noir (*tin-type* aux USA). Beaucoup moins cher. **1855** J.-M. Taupenot (Fr., 1824-56) invente un procédé à l'albumine : le *collodion « sec »* permettant de conserver les plaques sensibles plusieurs semaines avant l'exposition. **1856** Alphonse Poitevin (1819-82) découvre le papier au charbon. **1858** Félix Tournachon dit Nadar (Fr., 1820-1910) 1re photo aérienne (d'un ballon) fait breveter un procédé de *photo aérienne* (1re photo au-dessus de Bièvres). **1860** Nadar photographie au *magnésium* dans les catacombes et dans les égouts de Paris. **1862** René-Prudent Dagron (Fr., 1819-1900) invente la *photo microscopique* (procédé d'abord utilisé pour la décoration de bijoux, permit pendant le siège de Paris de 1871 de transporter 18 000 dépêches, en 6 pellicules réduites au poids d'un 1/2 g, avec un seul pigeon voyageur). **1868** Louis Ducos du Hauron (Fr., 1837-1920) dépose une demande de brevet pour la *photo en couleur*. Ses « photochromies » (1878), produites à l'aide des 3 couleurs, jaune, bleu et rouge, n'obtiennent aucun succès.

1871 Richard Leach Maddox (Angl., 1816-1902) obtient par une solution de bromure de cadmium et de nitrate d'argent une émulsion de bromure d'argent donnant des plaques sensibles et sèches de longue conservation. **1874** le Dr Étienne-Jules Marey (Fr., 1830-1904) réalise la 1re synthèse du mouvement avec un fusil photographique à plaques de verre circulaires au gélatino-bromure d'argent. **1876** apparition du *celluloïd* (Cabutt). **1878** Charles E. Bennett (Am., 1840-1925) découvre le phénomène de la maturation donnant aux plaques négatives une rapidité suffisante pour l'instantané, permettant ainsi de tenir l'appareil à la main pour la prise de vue. Edward James Muybridge, (Angl., 1830-1904), avec 40 appareils chronophotographiques, reproduit le mouvement d'un cheval au galop. **1884** Planchon utilise définitivement le celluloïd comme support des émulsions photo. **1888** 1er *« Kodak »* mis au point par l'Am. George Eastman (1854-1932) : boîte de 15 × 10 × 8 cm. Vendu 25 $ (chargé). Après chaque rouleau de 100 photos, on renvoie l'ensemble (appareil et pellicules) à l'usine (pour 10 $, Eastman renvoie les négatifs, les tirages sur papier albuminé et l'appareil rechargé). **1889** la Cie George Eastman, représentée en Europe par Nadar, commercialise les 1res pellicules sur papier (100 poses) puis sur celluloïd (24 à 28 poses). **1890** Alphonse Bertillon (Fr., 1853-1914) invente la *photo judiciaire*. Kodak : 1er appareil photo pliant, permet de prendre 48 vues de 10,16 × 12,7 cm. **1891** Louis Ducos du Hauron (Fr., 1837-1920) invente les images en relief *(anaglyphes)* en utilisant les jumelles à verres rouge et vert. Gabriel Lippmann (Fr., 1845-1921) obtient des photos en couleurs par le procédé interférentiel. Le sel d'argent contenu dans la couche de mercure sensible n'est impressionné que dans les plans ventraux du système d'onde stationnaire correspondant à chaque radiation. La distance entre les dépôts d'argent est 2 fois plus grande pour le violet que pour le rouge. Cette méthode est restée expérimentale. Kodak : 1er appareil pouvant être chargé à la lumière du jour et la pellicule en bobine sous emballage (on n'a plus à retourner l'appareil à l'usine). **1892 (en 1891).** Thomas Edison (Am., 1847-1931) réalise le *kinétoscope* (pour un seul spectateur), 1er film à déroulement continu (16 images/seconde). **1895** *22 mars* Auguste (1862-1954) et Louis (1864-1948) Lumière inventent le *cinématographe* (film à vitesse variable, 1re séance publique le 25-12-1893 dans les sous-sols du Grand Café de Paris).

1903 les frères Lumière inventent l'*autochrome* (plaques à base de fécule de pomme de terre teintées aux 3 couleurs fondamentales, mises en vente en 1907), seul procédé utilisé par les amateurs jusqu'en 1940 exigeant des temps de pose de plusieurs secondes. **1907** Édouard Belin (Fr., 1876-1963) met au point le procédé de transmission télégraphique ou téléphonique des photos *(bélinographe)*. Autochrome des frères Lumière. **1908** Louis Dufay (Fr.) développe le *dioptichrome* (Dufay color en 1935), 1re tentative de restitution des couleurs au cinéma. **1912** plaque Agfa de type autochrome (grains de fécule remplacés par des grains de résine teintée). Léon Gaumont : cinématographie trichrome par synthèse additive simultanée. **1917** Technicolor en bichromie (H.T. Kalmus). **1921** Phototank : 1er appareil 24 × 24 fabriqué à Bordeaux, capacité de 50 vues. **1923** 1er format 24 × 36 de Leitz. **1928** Kodacolor film gaufré (ou lenticulaire). **1932** 1er appareil 24 × 36 à objectif interchangeable. **1935** Laporte : 1res études des éclairs électroniques de lumière blanche. **1935** Kodachrome (cinéma 16 mm). **1936** Agfacolor inversible à 3 couches. **1939** 1er négatif en couleur Agfacolor. **1947** *holographie* conçue par Dennis Gabor (G.-B.). Ektachrome. Développement instantané (Polaroïd de l'Américain Edwin Land, n. 1909). **1964** *Look* (USA) publie la 1re photo en relief. **1968** 1er reflex avec contrôle automatique de l'exposition par mesure de la lumière à travers l'objectif. **1977** 1er *compact autofocus*. **1981** *Mavica* de Sony, appareil photo, disque magnétique réutilisable pouvant enregistrer jusqu'à 50 images projetables sur écran de télévision par un lecteur électronique sans magnétoscope ou transmises à distance par les moyens classiques des télécom. Image de moins bonne qualité que l'image chimique. **1982** Kodak disc : mise au point automatique disque plastique (support de 15 pellicules), flash incorporé automatique, pile donnant 2 000 éclairs. Snappy (Canon) : compact autofocus (mise au point automatique). **1984-85** caméras électroniques compactes à magnétoscope incorporé. **1984** 1er papier photo à longévité supérieure à 100 années. **1987** pellicule la plus sensible au monde (3200 ISO). **1990** Kodak : Compact Disc Photo, 1er système de numérisation des photos pour grand public.

Holographie. Procédé de photographie en relief utilisant les propriétés de la lumière cohérente [interférences produites par 2 faisceaux lasers (l'un vient de l'appareil producteur, l'autre est réfléchi par l'objet à photographier)].

☞ Voir également au chapitre Physique-chimie, page 236.

• **Quelques artistes.** *Adams* Ansel (1902-84, USA), *Adamson* Robert (1821-48), *Archer Frederik Scott* (1813-57, G.-B.), *Atget* Eugène (1857-1927, Fr.), *Avedon* Richard (1923), *Baldus* Édouard Denis (1813-82), *Bayard* Hippolyte (1801-87, Fr.), *Bisson* [Louis-Auguste (1814-76) et Auguste Rosalie (1826-1900) Fr.], *Blumenfeld* Erwin (1897-1969), *Boubat* Édouard (1923, Fr.), *Brassaï* (Gyula Halász 1899-1984, Hongr. nat. Fr.), *Braun* Adolphe (1812-77, Suis.), *Cameron* Julia (1815-79, G.-B.), *Caroll* Lewis (1831-98, G.-B.), *Capa* Robert (1913-54, USA), *Carleton* (1829-1916, USA), *Cartier-Bresson* Henri (1908, Fr.), *Charnay* Désiré (1828-1915), *Delonde* Paul (+ 1896, Fr.), *Demachy* Robert (1859-1936), *Disderi* André-Adolphe (1819-89, Fr.), *Doisneau* Robert (1912, Fr.), *Duane* Michals (1932, USA), *Du Camp* Maxime (1822-94, Fr.), *Ducos du Hauron* Louis (1837-1920, Fr.), *Emerson* Peter Henry (1856-1936, USA), *Fenton* Roger (1819-69, G.-B.), *Fortier* Alphonse (1825-82, Fr.), *Fulton* Hamish (1946), *Hill-Adamson* Paul (1941, G.), *Humbert de Molard* Bon Louis Adolphe (1800-74, Fr.), *Jeuffrain* Paul (1808-96, Fr.), *Kertész* André (1894-1985, Fr.), *Krims* Leslie (1943, USA), *Krull* Germaine (1897, All.), *Lartigue* Jacques-Henri (1894, Fr.), *Le Blondel* A., *Le Gray* Gustave (1820-82, Fr.), *Le Secq* Henri (1818-82, Fr.), *Lumière* Louis (1864-1948, Fr.), *Man* Ray (1890-1976, USA), *Mapplethorpe* Robert (1946-89, USA), *Marey* Étienne (1830-1904), *Martens* Frederich von (v.1809-75), *Marville* Charles (1816-79), *Nadar,* Félix Tournachon dit (1820-1910, Fr.), *Nadar* Paul (1856-1939, Fr., son fils), *Nègre* Charles (1816-80, Fr.), *Newton* Helmut (1920, Austr.), *Niepce* Nicéphore (1765-1833, Fr.), *O'Sullivan* Timothy (1840-82, USA), *Poitevin* Alphonse (1819-82, Fr.), *Puyo* Émile (1857-1933, Fr.), *Regnault* Victor (1810-78, Fr.), *Rejlander* Oscar Gustave (1813-75, Suè.), *Rheims* Bettina (1952), *Rivière* Henri (1864-1951), *Robinson* Henri (1830-1901, G.-B.), *Rodtchenko* Alexandre (1891-1956), *Schaeffer* Johann (1822-?, All.), *Sieff* J.-Loup (1933), *Springs* Alice (Austr.), *Steichen* Edward J. (1879-1973), *Stieglitz* Alfred (1864-1946, USA), *Strand* Paul (1890-1976, USA), *Talbot* William Henry Fox (1800-77, G.-B.), *Weston* Edward (1886-1958, USA).

• **Cours des épreuves** (en F). Dépend de l'époque, sujet, notoriété du photographe, état du cliché. *Daguerréotypes* 200 à 141 000 (N.-D.-de-Paris par Vincent Chevalier de 1840). *Calotypes* (1854-80) : 100 à 242 000 (de lady Clementina Hawarden, 1982) ; 250 000 F (Gustave Le Gray, 1990) ; *Man Ray* jusqu'à 400 000 (retirages de Cartier-Bresson et Kertesz 2 500 à 3 000). *Type stéréoscopique* en couleurs jusqu'à 3 000. *Autochrome Lumière* 2 000 à 60 390 [except. du Baron de Meyer 1911 (Nijinsky) (1980)]. *Originaux de photographes* célèbres dont il reste très peu d'ex. *Moholy Nagy* 500 000. *Man Ray* Rayogramme (1923) 400 000. *Michel* Vue de Paris (1842) 72 000. *Charles Cros* (1876) 45 000. *Nadar* Les Ballons (1870) 6 800. *Laure Allin Guillet* 43 000. *Atget* Prostituée 62 000. Records. *Tina Modotti* Des roses (1923) 165 000 $. *Edward Weston* Palm trunk Cuernavaca (1925) 154 000 $.

Appareils (en milliers de F). XIXe s. 2 à 200 (J.-B. Dancet, 1856, Daguerre 1848), XXe s. 0,15 à 30. Leica 1 à 10. Petites marques françaises (1900 à 1950) : 0,05 à 0,5. Boîtiers, appareils espions miniaturisés, détective, petite boîte 0,5 (objectif passant par la boutonnière) 2 à 10, boîtes d'allumettes ou montres 2 à 5. Appareils à stéréo 0,8 à 3. Vérascope, glyphoscope 0,5 à 2. Homéoscope 6 à 15. Appareils rares 10 à 50.

• **Manifestations.** *Arles :* rencontres annuelles. *Cologne :* Photokina (tous les 2 ans). *Paris :* Salon international Photo-Cinéma-Vidéo (tous les 2 ans) ; mois de la photo (tous les 2 ans) ; festivals audiovisuels annuels de la Fédération nationale des Sociétés photographiques de France.

Premières écoles

Daguerréotypistes (1839-60) : utilisent le daguerréotype (un procédé par école).

Portraitistes (vers les années 1850) : ex., Félix Nadar (1820-1910), Carjat, Adam Salomon, Disderi, Pierre Petit (photographe officiel de Napoléon III). Leur vogue dura 30 ans.

« Reportage » (à partir des années 1860) : créé lors des « grandes guerres » : ex. guerres de Crimée (1854-1856), d'Italie (1858-1860). Le Roumain Popp de Szathamari, les Français de Tannyon et Charles Laongloi, l'Anglais Roger Fenton suivaient les armées dans leurs fourgons-laboratoires.

Pictorialistes (ou l'école de Paris) (vers les années 1890) : ex., commandant Émile Puyo, Robert Demachy, Bucquet et Noulet s'efforçaient d'obtenir les effets de la peinture impressionniste en utilisant le procédé du « flou net » (image enveloppée d'un flou artistique).

Photographie dans le monde

Production. *Matériel photo et surfaces sensibles :* USA env. 60 % de la production mondiale, essentiellement grâce à Eastman-Kodak (près de 20 usines, dont 9 aux USA, 4 en G.-B., 3 en France, 2 en All. féd.) qui couvre 80 % du marché américain de la photo et 45 % du marché mondial. Photo Agfa-Gevaert 15 %.

Chiffre d'affaires (en milliards de F, 1986). Eastman-Kodak [1] 95,2 (1990), Fuji Photo Film [2] 28,8, Agfa-Gevaert [3] 22,1, Konica [2] 13,8, Polaroid [1] 11,2.

Nota. – (1) USA. (2) Japon. (3) All. féd.

Équipement des foyers en appareils photo (en %). USA 90, Japon 85, All. féd. 81, G.-B. 75, *France 73,* Italie 55.

☞ En oct. 1990, Kodak a été condamné à verser 909,5 millions de $ à Polaroïd, dont il avait copié le procédé (entre 1976 et 1986 : env. 20 millions d'ex. Kodak vendus. Polaroïd demandait 11,88 milliards de $).

Photographie et cinéma en France

• **Distribution.** *Détaillants* 11 000 (dont 7 300 spécialistes et 1 700 grandes surfaces).

• **Production** (en millions de F, 1990). 618. *Exportations* 315 dont appareils photo 77,3, caméras 8 et S 8 mm 4,3, projecteurs cinéma 25,6, projecteurs vues fixes 25, autres [1] 183. *Importations* 1 925 dont appareils photo 1 173, caméras 8 et S 8 mm 1,2, projecteurs cinéma 13,7, projecteurs vues fixes 113,4, autres [1] 623,7.

Nota. – (1) Principalement équipement de laboratoire, objectifs et divers (flashes, agrandisseurs, etc.).

• **Consommation apparente** (en millions de F, 1988). 1840. **Pellicules et films** (1990). *Photo :* 104,4 millions dont noir et blanc 6,4, couleurs 86,3, inversible 11,7. *Cinéma :* 0,9 millions. **Papier couleur** (1990) : 39,67 millions de m². **Travaux photographiques** (1990) : 7,4 milliards.

Par appareil en service, les Fr. utilisent en moyenne chaque année 5,8 pellicules (contre 7 en All., en Suisse ou en Suède).

• **Appareils photo. Parc d'appareils en service.** 17 900 000 utilisés au moins une fois en 1990. *24 × 36 mm :* 11 550 000. *Appareils à chargeur* (110, 126, disque) : 6 200 000. Divers 850 000. **Pellicules photographiques.** *Ventes :* 102 millions dont noir et blanc 4,5, négatif couleurs 88, inversible pour diapos 9,3, films ciné 8 mm et Super 8 1,3.

Origine (en milliers, 1990). *24 × 36* 1 988 (dont compacts 1 704, reflex 284) dont Japon 732, Taiwan 543, Hong Kong 224, Corée du S. 106, Malaysia 64,3, All. féd. 8.

Vente (en milliers, 1990). 2 629 dont reflex 284, compacts 1 704, instamatic pocket 199, appareils à développement et tirage automatiques 213, à chargeur 110, 126 et disque 119.

% du chiffre d'affaires (1990). Compact 68 %, 24 × 36 reflex 12,5 %, 110 7,9 % appareils à développement et tirage automatiques 9,8 %.

• **Caméras** (1990). 5 % des ménages ont une caméra (7 % en 1972). **Parc total** *8 et Super 8 mm* (1990) : 1 200 000. **Importations** (en milliers, 1987). 2 654 dont Japon 2 153, Malaysia 205, All. féd. 204, Italie 65, Taiwan (84) 9 519. *88 :* 1 416 dont Japon 1 354. Il n'est pratiquement plus vendu de caméras dep. 1986 (1990 : 1 466) et beaucoup d'appareils sont inutilisés.

• **Camescopes.** *Imp.* (en milliards de F, 1990) : 1,1.

• **Matériels divers.** *Importations* (en milliers, 1990). Objectifs 366, appareils de projection fixe 112, flashes électroniques 182.

• **Sujets photographiés.** Env. 65 % des photos réalisées sur négatif couleurs représentent des personnes (90 % en cas de nouveau tirage). Photos d'adultes, seuls ou en couples (25 % des photos), d'enfants, bébés et jeunes jusqu'à 12 ans (17 %). Les adolescents sont peu photographiés. 8 % des photos représentent des groupes familiaux.

Reprographie

Procédés

1) **Diazographie.** Reproduction par transparence sur papiers sensibles aux rayons ultraviolets.

2) **Photocopie.** Inventée par Chester Carlson qui s'associa avec Haloïd (S[té] de papier photo) : 1re machine présentée 22-10-1948, commercialisée 1959 (Xerox 914). Procédés les plus usités : *a) Électrostatique : sur papiers photosensibles* qui utilisent des papiers à l'oxyde de zinc ou *électroscopie directe, sur papier ordinaire* avec projection d'une image de l'original sur une surface intermédiaire (sélénium). L'encre est attirée par les zones de sélénium qui n'ont pas reçu de lumière. On place ensuite une feuille de papier au contact du sélénium et l'application d'une forte tension électrique transfère l'encre sur le papier. Un chauffage aux infrarouges fixe l'encre. *b) Thermocopie :* utilise la chaleur directement par noircissement local de papier sensible, ou par transfert de colorant, en intercalant un carbone entre l'original et le papier sensible.

3) **Gélatinographie.** Procédé d'impression manuel permettant d'effectuer des travaux divers, et notamment toutes reproductions à peu d'exemplaires, monochromes ou polychromes, sur des supports variés et même dans de très grands formats.

4) **Duplireprographie** ou duplication offset rapide des formats 210 × 297 (A4) ou 297 × 420 (A3). Peu onéreux, utilise des clichés non réutilisables, ne nécessite pas de documents ou d'intermédiaires transparents ; limité, en général, à des tirages de quelques centaines d'ex. sur offset courant avec possibilité d'assemblage en sortie de machine.

5) **Zincographie.** Utilise des machines offset. Adapté à une demande généralement limitée à peu d'exemplaires ; à exécuter dans des délais courts.

6) **Photoreprographie.** Permet la reproduction d'un document ou d'un plan (opaque ou transparent) à son format, ou à une autre échelle sur papier ou film dépoli ou transparent.

Statistiques

Parc. *1984 :* 689 000 (dont Rank Xerox 117 600, 3M 109 900, Canon 65 000, Nashua 38 000, Agfa 22 400).

Copies (par an). 48 milliards. **Moyenne par employé.** 5 000 (G.-B. 1 080, All. féd. 790, Europe 1 003).

Télécopieurs. Ventes en France. *1989 :* 160 000, *90 :* 200 000. Voir Index.

Récupération en France (Industrie de la)

Données générales

• **Chiffre d'affaires** (total en 1988) 23,6 milliards de F (dont export. 4,9, investissements 0,9). **Entreprises** (récupérateurs, 1998. 4 800 dont 85 % ont - de 6 salariés. **Effectifs.** Total (élimination, récupération, valorisation). *1988 :* 99 000 dont (en 1986) récupération 19 000 salariés (dont 2/3 recyclage des métaux et 1/3 récup. des autres matériaux (papier, verre, etc.). *Plus grosse Sté :* C±[e] française des ferrailles.

• **Quantité totale de déchets en France** (estim. 1986, en millions de t par an). 568 dont déchets organiques 400, industriels 150, ménagers 17,8.

Tonnage récupéré (en milliers de t, 1990). *Ferrailles* 9 530 (sans les chutes propres de la sidérurgie mais y compris 500 achats directs) ; *métaux non ferreux* (89) 955 ; *papiers* 3 048 ; *peaux* 6 ; *plastiques* 150 ; *verre* 906. 1/3 des ordures ménagères sont valorisées (prod. d'énergie ou de compost). En 1986 : papier recyclé 43 %, verre recyclé 905 800 t (90), bouteilles 200 millions.

• **Taux d'utilisation** (en 1989, % de la quantité consommée par rapport à la production). *Ferrailles* 38. *Métaux non ferreux* (1988) : aluminium 30, plomb 61, cuivre 28, zinc 24,5. *Papiers, cartons* 45,7. *Verre* 28. *Plastiques* 1.

• **Coût de traitement** (part en F). *Déchets industriels :* de 300 F pour certains déchets liquides et incinérables à haut pouvoir calorifique à + de 4 000 F t pour les difficiles à traiter. *Ordures ménagères* (1989) : incinération simple de 80 à 270, avec récupération d'énergie de 96 à 253, compostage lent de 100 à 175, accéléré de 110 à 260, broyage et mise en décharge de 66 à 196, décharge contrôlée de 35 à 100, contrôlée compactée de 35 à 100.

Économies réalisées par recyclage des déchets. Pour 1 tonne recyclée économie en pétrole (kg) et, entre parenthèses, en matières premières (kg). *Verre* 80 kg de pétrole (1 200 kg de matières premières) ; *papiers, cartons* 200 à 400 (1 700 à 2 400) ; *plastiques (PVC)* 400 (1 400) ; *ferrailles* 220 à 270 (-) ; *aluminium* 4 762 (-) ; *huiles* 850 (1 500).

Données particulières

• **Boues d'épuration** (est. 87). 19 millions de m³ de boues industrielles à 98 % d'eau (500 000 à 600 000 t de matières sèches). Sont mises en décharge (40 %), incinérées (15 %), valorisées en agriculture (45 %). *Matières de vidange :* viennent de l'assainissement individuel 11 000 000 m³.

• **Brasseries** (sous-produits). Drèches 370 000 t/an valorisées en l'état, surpressées ou déshydratées vers l'alimentation animale. Levures 30 000 t/an, valorisées en alimentation humaine.

• **Déchets industriels** (est. 1990). 150 millions de t/an dont : inertes (gravats, matériaux de construction inutilisés...) 100, banals 32, spéciaux 18 (dont 2 toxiques ou dangereux).

Centres collectifs de traitement : des déchets industriels dangereux (1988, nombre, entre parenthèses : capacité en milliers de t, et en italique : tonnage en milliers de t). *Centres collectifs* 41 (1 240) *1 033* dont c. d'incinération 36 (725) *670* [dont centre collectif 10 (330) *330,* centrale thermique 1 (110) *110,* cimenterie 15 (150) *120,* usine d'incinération d'ordures ménagères 2 (25) *23,* unité d'évapo-incinération 8 (110) *87],* physico-chimiques 13 (520) *363 Centre d'enfouissement technique de classe* 1 (11) *500.*

Déchets des ménages. 20,5 millions de t (dont déchet encombrant 3) en 1 990 (358 kg par hab.) dont en % : papier-carton 30, matières putrescibles 25, verres 12, plastiques 10, métaux 6, textiles 2, éléments fins et divers 15. Emballages env. 40 % du volume. **Densité** (en sacs ou poubelles 0,15/0,20, en bennes avec tassement 0,4/0,6). **Humidité** 35% en moyenne (de 25 à 45 %). **Pouvoir calorifique.** 1 800 kcal/kg en moy. (1 200 à 2 000) [1 tonne (équivalent 400 kWh) correspond à 120 l de fuel ou à 200 kg de charbon. **Collecte** (1990) assurée pour 98 % de la pop. **Coût** (1989) : 350 F/t soit 100 F par hab. et par an ; *coût total* (est.) : 9 milliards de F. **Traitement des ordures** assuré en 1989 pour 93,9 % de la pop. ; évaporisation : 35,5 % dont incinération avec récupération d'énergie 28, compostage et traitement mixte 7,5 ; élimination 58,4 % dont incinération simple 13,1, broyage et mise en décharge 6,4, décharge contrôlée (incluant 648 décharges recevant moins de 10 t/jour desservant 1 776 000 hab.) 13,3, décharges contrôlées compactées 25,6. **Collectes sélectives** (1989) (papiers, cartons et surtout verres) dans 18 000 communes (45 millions d'hab. concernés) 518 000 t collectées. **Installations de traitement des ordures ménagères** (1987) : 850 (incinération 218, avec récupération de chaleur 66, compostage 95, broyage 125, décharges 341, divers 5). *Décheteries* (centres d'apport volontaire des encombrants) *1990 :* 300.

Organiques. D'origine domestique (boues d'épuration...), industrielle (sous-produits des abattoirs, des distilleries, des conserveries) ou agricole (résidus des récoltes, déjections d'élevage, déchets du bois) : 400 millions de t. En partie réincorporés dans le sol. Mêlé à trop de débris de verre et de plastique et ne présentant pas encore de garanties suffisantes, le compost (650 000 t, 1984) est mal commercialisé. Sang des abattoirs, sérum des fromageries et eaux grasses de restaurants, mieux valorisés en alimentation animale, permettraient de réduire les importations de tourteaux de soja ; on utilise aussi le sang d'abattoir en charcuterie, ind. pharmaceutique, cosmétiques. Essais pour la fabrication du béton léger.

• **Distilleries (sous-produits).** *Vinicoles :* déchets produits en vinasses 350 000 t, en marcs 750 000 à 800 000 t. En général, épandus en agriculture ou utilisés comme combustible (marc et ses constituants). *De mélasse et betteraves :* vinasses env. 200 000 t. Épandage agricole ou alimentation animale. **Sucreries de betteraves.** Herbe, terre : 10 à 12 millions de t/an. *Mélasses produites :* 1 100 000 t/an, valorisées en alimentation animale 40 %, levureries 25, distillerie 20, usages ind. et divers 15. *Écumes de défécation(épuration chimique du jus sucré) :* env. 300 000 t, épandues en agriculture. *Pulpes :* valorisées en alimentation animale sous diverses présentations dont déshydratées 970 000 t., surpressées 1 870 000, humides 2 300 000.

• **Fruits et légumes.** *Pommes de terre :* déchets de triage ou écarts avant commercialisation(500 à 900 000 t/an), et déchets de transformation (env 200 000 t). *Fruits et légumes :* déchets : 780 000 t dont 70 % de corps étrangers (terre), 26 d'écarts de triage (dont 50 % non récupérés), 4 de matières 1res non commercialisées. Écarts valorisés en alimentation animale.

• **Huiles.** *Moteur :* 250 000 t/an. *Industrielles :* 114 000 t d'h. régénérées à partir de 146 000 t d'h. usagées (1989).

• **Laiteries** (sous-produits). Lactosérum 6/7 000 000 t/an. Babeurre 710 000 t/an. Valorisés en alimentation animale, humaine ou dans les cosmétiques.

• **Métaux ferreux.** Le fer récupéré permet de réaliser une économie d'énergie de 55 % (par rapport au traitement du minerai lui-même). La ferraille vient des chutes de la sidérurgie (recyclée au sein de l'usine de prod.), des chutes des usines de transformation et des ferrailles de récupération [démolitions ferroviaires ou ind., carcasses automobiles (1 750 000 par an), vieux matériels, électroménager, etc.]. *Consommateurs :* sidérurgie, fonderie d'acier non sidérurgique, fonderie de fonte, divers (relaminage, électrométallurgie). *Prod. de ferrailles commercialisées* (milliers de t, 1990) par les négociants récupérateurs : 8 723 dont 6 042 sur le marché intérieur ; *exp.* 3 672 ; *imp.* 991 ; *consommation de la sidérurgie fr.* (90) 7 212 (dont 5 536 achetées).

Non ferreux. Aluminium, cuivre, étain, plomb, zinc viennent des débris domestiques ou artisanaux (plombiers, serruriers, électriciens), de l'Administration (matériel réformé et déchets de fabrication des entreprises d'État), de l'industrie. *Déchets consommés* (milliers de t, 1990) : 955 dont métal contenu 745 (dont aluminium 295, cuivreux et alliages 170, plomb et alliages 164, zinc 116).

Prix des vieux métaux (en F, les 100 kg, à l'achat, févr. 1988). *Aciers alliés :* inox 18/8 neuf 320-340 ; vieux 300-320 ; au chrome F 17 neuf 45-55 ; vieux 25-30. *Aluminium :* rognures neuves alu pur 515-535. *Argent :* fin lingot 103 900 ; argenterie mêlée 1er titre 72 000 ; argenterie mêlée 2e titre 60 900 ; platine 7 820 000 ; palladium 2 010 000. *Bronze :* mitraille 540-560. *Cuivre rouge :* mitraille propre 710-730. *Laiton :* tombant de planche 580-600. *Or :* or fin, lingot 8 300 000, contenu dans déchets 7 625 000, brouille 18 carats (mêlé) 4 991 000. *Plomb :* tuyaux et planches 170-180. *Zinc :* couverture 155-170.

• **Papiers et cartons.** Voir p. 1481.

• **Plastiques.** Au minimum 150 000 t récupérées par an (dont 80 % exportées principalement vers l'Italie pour y être régénérées). Seuls sont récupérés les déchets de composition homogène. Le plastique jeté par les ménages est en général trop mélangé et souillé pour être traité efficacement.

• **Pneumatiques usagés.** 30 millions par an soit 376 milliers de t soit 38 kg par hab. et par an dont 72 rechapés, 11 valorisés sous forme de poudrette, 14 sous forme de caoutchouc régénéré de diverses façons, 9 incinérés avec récupération d'énergie, 12 valorisés de diverses façons.

• **Textiles.** *Utilisation :* cartons, revêtements de sol, « ardoises » artificielles, chiffons, linge de toilette, tissus d'ameublement non tissés, papiers « vélin » et « pur chiffon », billets de banque, papiers techniques, rembourrage. *En 1990 :* env. 130 000 t. *Commerce extérieur : imp.* 77 249 t ; *exp.* 59 569 t.

• Véhicules hors d'usage (1988). 2 000 000 retirés de la circulation, représentant 1,4 million de t de déchets soit 25 kg par hab. dont 1 750 000 traités dans 34 grands chantiers de broyage permettant la valorisation de 1,2 million de t de ferrailles. 2 % se trouvent à l'état d'épaves dispersées dans la nature. Le reste est récupéré (garagistes ou démolisseurs) pour être traité.

• Verre. Tonnage recyclé (1990) : 905 800 t dont 640 000 t de v. ménager, 265 400 t de v. industriel [90 000 t d'équivalent pétrole et 180 000 t de matières premières (sables, calcin, carbonate de soude) économisées].

• Viande (en carcasses abattues, en tonnes), toutes espèces confondues, en 1988. *France métropolitaine :* 3 472 915 t, déchets viandes : env. 2 600 000 t (dont corps gras 590 000, abats 527 000, os 346 000, boyaux 213 000, peaux et cuirs bruts 176 000, sang 174 000). L'équarrissage collecte en outre 290 000 t de cadavres hors abattoirs. Débouché principal : alimentation animale + abats utilisés en alimentation humaine et peaux.

☞ Adresses utiles. *Ministère de l'Environnement,* Direction de la prévention des pollutions : 14, bd du Gal-Leclerc, 92524 Neuilly-sur-S. Cedex ; *Agence nationale pour la récupération et l'élimination des déchets :* 2, square La-Fayette, B.P. 406, 49004 Angers Cedex. *Minitel :* 3615 code IDEAL + déchets.

Services en France

Sources : Chambres syndicales.

• Audit comptable. Contrôle la régularité des comptes d'une entreprise et leur aptitude à donner une image fidèle du résultat. **Chiffres d'affaires total** de 8 835 cabinets (dont 3 000 en région parisienne) : env. 20 milliards de F en 1985. **Principaux cabinets,** (chiffre d'affaires en millions de F, en 1985-86). Helios, Streco, Durando 221,6. Groupe Petiteau Scacchi 212. Guy Barbier et Associés 155. De Bois Dieterlé Associés (DBA) 135. A.C.L. Audit 133. B.E.F.E.C. 117. Frinault Fiduciaire 103.

• Ingénierie et Stés d'études et de conseils (*Engineering* désigne plutôt l'art de l'ingénieur ; *ingénierie* la vente d'études et de conseils à des tiers).

• Conseils et services en informatique. **Stés de services et d'ingénierie informatique (SSII) ou Stés de logiciel. Effectifs.** *1985 :* 81 500, *90 :* 128 000. **Chiffre d'affaires** (en milliards de F). *1985 :* 30,9 (dont international 4,2). *90 :* 69,5 (11). **Chiffre d'affaires** (toutes activités confondues, en milliards de F, en 1989) 45 dont Cap Gemini Sogeti 7,1, Sema-Group 1,4, Sligos 2,5, Concept 2,3, GSI 1,8, Télésystèmes 1,4, CGI 1,2, 1,5 (1990). CISI 1,2.

Entreprises (1988). Nombre, effectifs entre parenthèses, chiffre d'affaires en milliards de F en italique. *Études informatiques* 10 461 (81 795) *43,5* dont 2,1 à l'exportation. *Travaux à façon* 3 571 (40 319) *21,9* dont 0,16 à l'export.

Le *Syntec-informatique* (3, rue Léon-Bonnat, Paris 75016, chambre syndicale des stés d'études et de conseils) regroupait, en 1988, 250 stés ou groupes.

• Nettoyage (entreprises de). **Effectifs** (1990). 205 000 personnes qui entretiennent par jour 15 millions de m² de sols. **Entreprises.** 7 500 (dont 700 dans la région parisienne, env 4 800 artisans). **Chiffre d'affaires.** Env. 22 milliards de F par an.

La Fédération des entreprises de proximité, 34, bd-Maxime Gorki, 94808 Villejuif, regroupe 9 chambres syndicales régionales + 1 regroupant les entreprises multirégionales. 1 700 adhérents.

• Prestations de personnel (travail temporaire). **Entreprises** (1990). Agences 4 764, gérants 1 100. **Chiffre d'affaires** (1990). 48 milliards de F. **Salariés.** *Moyenne occupée par jour (1990) :* 334 000 (1,35 % de la pop. active, 2,33 % de la pop. salariée, hors état et collectivités locales). **Contrats.** *Signés* (en millions) : 1975 : 1, *1980 :* 2,8, *1985 :* 2,8, *1990 :* 7,5. *Durée moyenne* (en semaines) : *1980 :* 3,7, *1990 :* 1,9. **Utilisateurs** (1988, en %). Industrie 51,8, bâtiment, travaux publics 20,1, services 15,1, transports, télécom. 6, divers 7. **Qualifications.** Ouvriers 73,7 (dont qualifiés 32,9, non q. 40,8), employés 19,6, professions intermédiaires 5,4, cadres 0,6, divers 0,6. **Répartition par sexe** (1988). Hommes 74,2 %, femmes 25,8.

L'UNETT (Union nat. des entreprises de trav. temp.) 22, rue de l'Arcade, 75008 Paris. 350 entreprises adhérentes. PROMAT (Syndicat des professionnels du trav. temp.). 94, rue St-Lazare, 75009 Paris. 200 entreprises gérant 1 600 agences.

Principaux groupes d'intérim. Chiffre d'affaires (en milliards en 1989). *Dans le monde :* Manpower (USA) 18 000, Adia (All.) 13 000, Ecco (France) 8 000, Randstadt P.-Bas) 7 500, Kelly (USA) 7 000, Bis (France) 6 700. *En France :* Ecco 7 075, Bis 6 500, Manpower 6 015, Adia 2 800, RMO 2 100.

• Recrutement de personnel (sociétés de). Env. 80 à 90 sociétés spécialisées (70 % ne font que du recrutement). Recrutent surtout des cadres (au revenu annuel minimal d'env. 100 000 F pour 95 %).

• Surveillance et sécurité. Ensemble de la profession. **Chiffre d'affaires** (en millions de F) : 6 000 (dont Groupe SPS 800, Gr. SGI 600, Gr. ACDS 280, SEVIP 180). **Salariés :** 60 000.

Principales sociétés (chiffre d'affaires en millions de F). Fichet-Bauche 2 650, Delta protection 200, CIPE 200, Ecco 11 000, Sidérgie 1 200.

Textiles

Données générales

Origine

Textiles naturels, à base de fibres : 1°) VÉGÉTALES *entourant graines ou fruits :* coton, kapok (du fromager), fibre de coco ; *contenues dans la tige :* chanvre, lin, jute (de la tige ou de la corète capsulaire), ramie, genêt, kenaf, sunn ; ou *dans les feuilles :* abaca (musa textile) ou chanvre de Manille, sisal, henequen, maguey (de l'agave), raphia (du palmier), alfa, sparte. 2°) ANIMALES *venant de toisons :* mouton (laine), chèvre (ex. : angora, mohair de Turquie, USA, Afrique du Sud, cachemire des Indes et du Tibet, chèvres d'Iran), chameau (de Chine ou des Indes), lama (d'Amérique du Sud : variétés vigogne, alpaga, guanaco), castor, loutre, yack ; ou *sécrétées par des chenilles :* soie (bombyx du mûrier), soie sauvage, tussah (bombyx du chêne, de l'ailante, du ricin). 3°) MINÉRALES : amiante, asbeste, verre. 4°) MÉTALLIQUES : aluminium anodisé.

Textiles chimiques. Voir page 1489.

Quelques étoffes et tissus

Batiste. Toile de lin serrée utilisée en lingerie. Vers 1400 Batiste de Cambrai est un des 1ers fabricants. **Cachemire.** Pays au nord de l'Inde. Tissu très fin fait avec les duvets des chèvres et moutons, consacré par la mode. **Cretonne.** Forte toile de coton (ou lin) et de chanvre. Origine incertaine. Au XVIIIe s. il existait une « manufacture de toiles de Lisieux » et une « manufacture de toiles d'Alençon » à Courtonne-la-Meudrac et à Courtonne-la-Ville. Fabriquée à Creton (commune de Buis-sur-Damville) dans l'Eure. **Damas.** Syrie. Tissu aux dessins satinés sur un fond mat. Par extension, étoffes de laine, de fil ou coton qui imitent les damas de soie ; mot fixé vers 1350. **Jaconas.** Mousseline de coton demi-claire de Djaggernat en Inde. **Jersey.** Terme arrivé en France vers 1667 désignant un tissu de laine. **Jouy (toile de).** Fabriquée dep. 1759 par Oberkampf venu de Bavière à Jouy-en-Josas. **Madapolam.** État de Madras. Toile de coton à la mode en 1823. **Mousseline.** Toile de coton très claire ; de Mossoul en Irak. **Organdi** Mousseline très légère et raidie par un apprêt spécial ; d'Urgang au Turkestan russe. **Satin.** Étoffe de soie de Zaitun en Chine. **Shetland.** Tissu de laine des îles Shetland en Écosse. **Tulle.** Fin réseau en fil de lin, au point de filet de pêche fait à la main, parfois employé seul ou brodé de 3 points classiques, le Grossier, le Respectueux et le Picot. **Tweed.** Étoffe de laine ; du fleuve délimitant la frontière entre Angleterre et Écosse.

☞ Consommation mondiale de fibres en 1990 et, entre parenthèses, en 1961. Synthétiques 39 (5), coton 46 (64), laine 5 (10), lin 2, soie 0,2.

Fibres végétales

Chanvre

• Origine. Asie centrale. Plante annuelle. Famille des cannabinacées (urticales), à graines oléagineuses et à fibres corticales ; utilisé depuis plus de 6 000 ans : Cannabis indica (chanvre indien) contient des cannabinoïdes alcaloïdes, le Cannabis sativa n'en contient pratiquement pas. **Récolte** (France) en « non battu » (tiges seulement) vers le 20 août, semis début mai. 20 à 30 j de plus sont nécessaires pour la maturation des graines ; chènevis [récolte « en battu » (graines et tiges) vers les 10-20 sept. : rendement en tiges diminué de 1 à 2 t, en graines 6 à 10 q par ha]. **Rouissage :** destiné à isoler les fibres ; se réalise actuellement à terre, sans aucune opération. **Usages :** *fibre :* textile, papier (Voir Index) ; la partie ligneuse, chènevotte, est utilisée pour fabriquer des panneaux de particules et des litières animales ; *graines (chènevis) :* huile siccative, nourriture pour les oiseaux, pêche. **Variétés :** ch. cultivé en France : monoïque (2 à 2,50 m de haut), de Chine (5 à 6 m), indien (0,50 m à 1 m) cultivé pour ses inflorescences hallucinogènes [du Piémont ou de Bologne (meilleur, 3 à 4 m de haut), d'Anjou ou fils de Piémont (2 à 3 m) n'existent plus]. **Rendement** (à l'ha) : 6 à 8 t de tiges sèches donnant 18 à 24 q de filasse (consommée en 100-110 j). *Monde, 1986 :* 5,8 q/ha.

• Production de fibre et étoupe (1986, milliers de t). Chine 60. Inde 44. URSS 43. Roumanie 31. Hongrie 10. Corée du N. 6. Pakistan 6. Turquie 5. Youg. 5.

• En France. Culture familiale importante jusqu'au milieu du XIXe s. concurrencée ensuite par text. et oléagineux d'outre-mer (coton, sisal, jute, arachide, etc.) et souffrant de la disparition de la marine à voile(*1 840 :* 176 000 ha, *1 932 :* 1 000, *39 :* 3 500, *60 :* 700, *65 : 3 845, 70 : 3 300, 75 :*7 597, *82 :* 5 150, *86 : 5 500, 89 :* 2 850). *Production de tiges transformées. 1979 :* 47 060, *89 :* 17 000 (en filasse pour papeterie 5 500 t, chènevotte pour panneaux et litières 8 500, poudre cellulosique 500). *Chènevis* 1 700 t, *de semences* 300 t. *Prix à la production* (1988) : tiges 530 F/t, chènevis 250 F/q.

Coton

☞ *Sources :* IRCT (Institut de Recherches du Coton et des Textiles exotiques).

• Histoire. **XIe s.** Sarrasins et Arabes importent le coton en Sicile et dans le sud de l'Espagne. **XVIIe s.** début, l'Amérique du N. commence à cultiver du coton venant de graines indiennes. **1753** du coton de Caroline apparaît pour la 1re fois à la Bourse de Londres. Récolte et traitement exigent à l'époque un travail manuel considérable exécuté par des esclaves. La mécanisation favorise le développement. **1764** James Hargreaves construit la 1re machine à filer comprenant plusieurs fuseaux et lui donne le nom de sa fille Spinning Jenny. **1785** Edmund Cartwright (1743-1823) invente le 1er métier à tisser mécanique. **V. 1900** la production mondiale de coton représente 80 % du marché mondial des textiles. **1950** 71 %. **1960** 68 %. **1980** 47 %.

• Cultures. Entre 36° latitude Sud et 43° l. Nord. Sensible au froid à partir de + 5° C, exige plus de 15° C pendant 5 à 6 mois (sur un cycle de 6 à 8 mois).

Plante. Famille des Malvacées. Après la floraison, l'ovaire se transforme en capsule (contenant 20 à 50 graines) qui s'ouvre à maturité. Chaque graine est entourée de 5 000-10 000 duvets et d'env. 10 000 fibres se présentant comme un écheveau. On récolte le coton-graine, qui est ensuite séparé en fibres (32 à 44 %) et en graines (55 à 65 %). *Rendement :* 550 kg de fibres à l'ha (moy. mondiale 1985). La fibre est utilisée, suivant qu'elle est + ou – longue, en filature peignée, en filature cardée ou en ouaterie. *La graine fournit :* de l'huile (env. 18 % de son poids en huile raffinée) à usage alimentaire ; des protéines (env. 17 % du poids de la graine) destinées, jusqu'à maintenant, le plus souvent à l'alimentation du bétail (tourteaux), mais de plus en plus dans l'avenir à l'alimentation humaine (farine et dérivés) grâce à l'utilisation de variétés sans glandes à gossypol ; du duvet ou « linter » (env. 8 % du poids de la graine) utilisé pour des textiles grossiers, en ouaterie, ou dans l'ind. de la cellulose ; des coques (40 à 45 % du poids de la graine) utilisées principalement comme combustible dans les huileries.

Espèces cultivées. *Gossypium hirsutum,* d'Amérique (85 % des cotonniers cultivés dans le monde) : haut. 0,8 à 2 m, fibre de 24 à 32 mm. *Gossypium barbadense,* de la côte ouest de l'Amér. du S., surtout cultivé en Égypte (10 %), haut. 1 à 3 m, fibre de 32 mm et +. *Gossypium arboreum,* d'Asie (5 %), fibre 19 à 24 mm.

• Principaux marchés. *USA :* New York, La Nouvelle-Orléans, Memphis. *Égypte :* Alexandrie. *Europe :* Liverpool, Brême. *Asie :* Hong Kong.

• Cycles de fabrication 1°) **Égrenage :** *triage* des capsules (pour éliminer celles tachées ou les matières étrangères) ; *égrenage* (séparation de la fibre de la graine) ; *nettoyage, pressage* en balles de 217,7 kg (*running balls,* USA), 100 kg (Afr. centrale), 181 kg (Inde), 335 kg (Égypte). 2°) **Filature :** *battage* pour éliminer les poussières ; *cardage, étirage* du ruban de carde et *doublage* : la mèche est *filée*. Après peut intervenir le *peignage* qui écarte les fibres les plus courtes et régularise ainsi le filé. *Filés retors* : filés de plusieurs fils réunis par torsion. *Fil d'Écosse* : fil pur à longues fibres retors, gazé et mercerisé. Le coton filé est caractérisé par un numéro anglais Ne (nombre d'écheveaux de 840 yards dans 1 livre de fil) ou un numéro métrique Nm (nombre de km de fil dans 1 kg de fil) ou par le poids en g d'un km de fil (système Tex). 3°) **Tissage** (ou autres stades équivalents) : assure la transformation du fil en article textile : bonneterie, dentelle, broderie, tulle, filets, feutres, etc. 4°) **Manutention** : blanchiment, teinture ou impression et divers apprêts (ainsi le mercerisage), lessivage à la soude donnant un aspect soyeux et brillant et renforçant la résistance. 5°) **Transformation d'ordre artistique** (dessins, coloris, contextures ou armures de tissus) et commercial.

Statistiques

• Fibres de coton. **Production** (en milliers de t, 1990). Chine 3 788. URSS 2 662. USA 2 655. Inde 2 307. Pakistan 1 455. Brésil 676. Turquie 617. Argentine 313. Égypte 288. Grèce 264. Paraguay 225. *Monde 17 431.*

Commerce. Exportations (1990). USA 1 675. URSS 734. Australie 300. Pakistan 292. Paraguay 230. Chine 201. Inde 185. Soudan 141. Grèce 140. Brésil 130. **Importations** (1990). Japon 675. Corée du S. 450. Chine 395. All. 331. Italie 326. Indonésie 281. Taiwan 268.Thaïlande 265. Hong Kong 223. Portugal 198. Pologne 172. *France 134.*

Consommation (1990). Chine 4 623. URSS 2 003. USA 1 907. Inde 1 875. Pakistan 1 030. Brésil 763. Japon 698. Turquie 560. Corée du S. 452. Taiwan 337. Allem. 334. Italie 315. Égypte 307. *France 206.*

• Graines de coton, huiles en italique et tourteaux entre parenthèses. **Production** (milliers de t, 1989). Chine 7 510 *848* (3 898). USA 5 492 *567* (1 572). URSS 4 786 *660* (1 660). Inde 3 350 *257* (1 821). Pakistan 2 750 *294* (1 196). Brésil 1 350 *176* (636). Turquie 1 150 *140* (444). Égypte 555 *78* (234). Australie 380 *38* (127). Mexique 375 *58* (184). Autres 4 603 *598* (2 148). *Monde 32 000* 3 714 *(13 920).*

Commerce (1986). **Exportations** : Chine 81. Thaïlande 29. USA 9. **Importations** : Japon 147. Mexique 37. CEE 37 (dont Grèce 34). Liban 25.

• Tourteaux de coton. **Commerce** (milliers de t, 1986). **Exportations** : Chine 507. Brésil 87. Inde 69. Argentine 24. USA 5. **Importations** : CEE 791 (dont Danemark 357). URSS 16.

• Huile de coton. **Commerce** (milliers de t, 1986). **Exportations** : USA 201. Brésil 108. Chine 15. **Importations** : Égypte 149. Venezuela 60. Japon 30.

• Filés de coton. **Production** (1990). Chine 4 444. URSS 1 704. USA 1 398 [1]. Inde 1 337 [1]. Pakistan 725 [1]. Brésil 674 [1]. Corée du S. 302,4. Indonésie 485 [1]. Japon 426. Taiwan 415 [1]. Turquie 336. Allemagne 340 [1]. Égypte 258. Italie 226 [1]. Hong Kong 180. *France 170. Monde 17 004.* [1]

Nota. – (1) 1989.

Lin

• Variétés. Environ une centaine d'espèces (textiles, oléagineuses ou mixtes). **Dimensions** : lin commun cultivé pour la graine (haut. 0,3 à 0,8 m), la fibre (0,7 à 1 m et plus).

• Lin textile. **Culture** : en assolement, vient après le blé, les céréales secondaires ou plantes sarclées. Demande un climat doux et brumeux, un sol argilo-sableux, profond et frais. *Semailles* en France en général v. 20 mars-5 avr., récolte 100 j après pour les lins textiles, 150 j après pour les lins oléagineux. Après l'arrachage, la paille est étalée sur le sol pour le *rouissage* (3 à 8 semaines) : sous l'action de la chaleur et de l'humidité, des bactéries et des moisissures se développent et attaquent les ciments qui font adhérer les fibres à la tige de la plante. Ensuite, le lin est ramassé mécaniquement et mis en balles parallélépipédiques ; ou bien l'andin est directement enroulé en « rounders » et stocké sous hangar. Le *teillage* consiste ensuite à séparer les filasses avec une *teilleuse* qui broie la partie ligneuse de la paille en fragments fins *(anas)* et bat ceux-ci pour en éliminer la filasse. 100 kg de paille donnent 50 kg d'anas, 16 kg de lins teillés, 10 kg d'étoupes, 8 kg de graines, 8 kg de paillettes. **Utilisations** : *lin teillé* : filature (étoffes, dont habillement 55 %, linge de maison et ameublement 30 %, tissus techniques 15 %) ; *étoupes* : en plus des précédents usages : ficelles, papiers ; *anas* : panneaux et combustible ; *paillettes* : aliment du bétail ; *déchets* : papeterie, matelasserie ; *terres et poussières* : engrais organiques.

• Graines venant de lins textiles et surtout de lins oléagineux (jusqu'à 10 graines brunes ou jaunes de 4 à 6 mm dans une capsule) : *huile* (pour peinture, vernis, encre d'imprimeur, linoléum), *tourteaux* pour animaux. **Production de graines de lin** (milliers de t, 1986). Canada 1 067. Argentine 565. Inde 373. USA 293. URSS 199. Chine 105. *Monde 2 870.* **Commerce de graines** (1986, milliers de t). **Exp.** : Canada 732,8. USA 39,3. Belg.-Lux. 26,9. *France 15,8.* **Imp.** : All. féd. 363,5. Japon 90. Belg.-Lux. 78,4. USA 60,4. G.-B. 42,8. Tchécosl. 16. P.-Bas 11,6.

• Culture en France. 55 375 ha en 1988, soit 76 % des superficies de la CEE, 7 900 agriculteurs dans : Nord, P.-de-Calais, Somme, S.-Maritime, Calvados, Eure, Oise, S.-et-M. **Production** et, entre parenthèses, **consommation apparente** (en milliers de tonnes). *Pailles* (1985-86) 416,2 (231,8) ; *filasses* (1985-86) : longs brins 48, étoupes 28 (longs brins + étoupes 8,6) ; *fils* (1986) : mouillé 3,7, sec 2,3 (mouillé + sec 2,5) ; *tissus* (1986) : pur lin 1,2 (1,6), lin mélangé 3,4 (2,9). **Entreprises** (1986-87). *Teillage* 51 (1 368 employés) ; *filature* 7 (1 610). **Chiffre d'affaires** (1988 France, en millions d'écus). *Culture* 91 ; *teillage* 107 ; *filature* 66 (filature CEE 227).

• Filés de fibres textiles autres que le coton. **Production** (milliers de t, 1990). **Lin.** URSS 200. Roumanie 38 [1]. Pologne 14. Tchécoslovaquie 14. Yougoslavie 7,2 [2]. Belgique 6,5. Hongrie 5,6. *France 5.* Autriche 3. Japon 2,6. Grèce 2,4. **Jute.** Bangladesh 509. Égypte 25,2. G.-B. 16,3 [3]. Pologne 10,3. Belgique 7,2. Yougoslavie 6 [2]. Tchécoslovaquie 4,2. Portugal 2,4 [2]. Japon 2. All. dém. 1 [1]. *France 0,3.* Hongrie 0,2.

Nota. – (1) 1987. (2) 1988. (3) 1989.

Fibres animales kératiniques

Laine

Généralités

Les poils de mammifères sont constitués d'une scléroprotéine riche en soufre, appelée kératine.

• Laines. 1 700 000 t/an (laine à f.). **Principaux producteurs.** Australie, URSS, Nelle-Zélande, Afr. du S. **Origine.** *Mouton* tondu 1 fois par an (en France, mars-avril). *Rendement* : 1 à 8 kg par toison selon la race (la toison est chargée de 30 à 60 % de suint). **Fibre.** Pleine (sans canal médullaire), légèrement elliptique. La longueur varie selon la race et l'endroit du corps (mérinos, rarement plus de 10 cm ; croisés, jusqu'à 40). Selon la finesse on distingue les laines *mérinos fines* (18 à 23 μm), ondulées (jusqu'à 15 ondulations au cm), souples et relativement courtes (6 à 7 cm) (ex. en Fr. : mérinos d'Arles) ; *les croisés grossiers* (34 à 40 μm) (ex. en Fr. : Ile-de-France) ; *laines jarreuses* (limousine, manech) et pigmentées (bizet, solognote). En combinant les notions de finesse et de qualité on distingue plus de 1 000 variétés de laines. **Laine vierge.** Composée d'une fibre de laine n'ayant jamais été incorporée à un produit fini et n'ayant pas subi certaines opérations de filature et de feutrage, autres que celles requises par la fabrication du produit, ni un traitement ou une utilisation qui ait endommagé la fibre.

• Mohair. 25 000 t/an. **Principaux producteurs.** Afr. du S., USA, Turquie, Argentine, URSS. **Origine.** *Chèvre angora* tondue 2 fois par an. *Rendement* : 4 à 9 kg de mohair par an (env. 20 % de suint). **Fibre.** Pleine (seuls les jarres, 0,1 à 6 % de la toison, ont un canal médullaire ; doivent être éliminés de la toison, car plus grossiers et prenant mal la teinture). *Finesse* : de 27 (kid) à 40 μm. *Qualités* : douceur au toucher, lustre, résistance. L'élevage de la chèvre angora se développe en France dep. le début des années 80 ; 1989 : env. 100 éleveurs (surtout Midi-Pyr., Lang.-Rous., Rh.-Alp.).

• Angora. 8 000 t/an. **Principaux producteurs.** Chine, Chili, Argentine, France, Hongrie. **Origine.** *Lapin angora* tondu ou épilé 4 fois par an. *Rendement* : 0,6 à 1,3 kg (pas de suint) ; jusqu'à 30 % du poids vif du lapin (brebis mérinos ne donne que 9 % de son poids). **Fibre.** Médullée (1 % de jarres recherchés pour la laine fantaisie). *Finesse* : 14 à 16 μm. *Qualités* : très grande douceur au toucher, légèreté (d=1 ; laines=1,3), très isolant. La Fr. est un pays traditionnellement producteur et possède une souche de lapins produisant un angora de qualité supérieure pour la confection des laines fleuffées de haut de gamme. 1988 : 2 000 éleveurs, 300 000 lapins angora (surtout Pays-de-L., Bretagne, Poitou-Ch., B.-Norm.). Autres souches : Allemande (Europe centrale et Amér. du S.), Chinoise (Tanghang).

• Cachemire. 4 500 t/an. **Principaux producteurs.** Chine, Mongolie, Afghanistan, Iran, URSS. **Origine.** *Chèvre cachemire.* 15 variétés ; les meilleures : Jining, Tibétaine, Zhongwei. Tondues ou peignées 1 à 2 fois par an. Rendement : 80 à 300 g par an (20 % de suint). **Fibre.** Pleine (les jarres, 10 à 90 % de la toison, ont un canal médullaire et sont très grossiers 100 μm ; on doit éjarrer le cachemire pour pouvoir l'utiliser). *Finesse* : 13 à 18 μm. Essais récents d'élevage en Europe (Écosse, Islande) ; 1989 : 1ers élevages en France.

• Alpaga. 4 000 t/an. **Principaux producteurs.** Pérou, Bolivie, Chili, Argentine. **Origine.** *Lamas Alpaga*, 2 variétés : Huacayo et Suri. Tondus 1 ou 2 fois par an. **Fibre.** Médullée. *Finesse* : 28 à 40 μm.

• Autres poils utilisés par l'industrie textile. *Poil de yack* (Bos pœphagus, grunniens, Bos taurus), *poils de nombreux camélidés* (chameau bactrian, dromadaire, lama pacos, guanaco, vigogne).

Fabrication

Cycle cardé. Les cardes (rouleaux munis d'aiguilles) démêlent et parallélisent les fibres. Le voile de carde est rassemblé en une mèche qui est filée après avoir été étirée et tordue. L'aspect final est plutôt rustique (tweeds, shetlands). **Cycle peigné.** Le voile de carde, ramassé sous forme de ruban, est rassemblé avec d'autres et étiré plusieurs fois. Il est peigné pour éliminer les fibres courtes, puis filé. Les articles en laine peignée sont d'aspect plutôt fin, sec et plat (gabardines, toiles légères).

Délainage. Consiste à séparer la laine de la peau des moutons abattus. La France, avec Mazamet (Tarn), et la N.-Zélande sont les 2 principaux pays producteurs.

Statistiques

• Laines. **Consommation** (en kg par h., 1989). N.-Zélande 3,56. Suisse 2,62. All. féd. 2,21. Belgique 2,08. Irlande 2,05. Australie 1,99. Autriche 1,96. Hong Kong 1,87. G.-B. 1,61. P.-Bas 1,57. Tchécoslovaquie 1,43. Bulgarie 1,37. Danemark 1,33. Grèce et Chypre 1,18. All. dém. 1,17. URSS 1,13. *France 1,12.* Turquie 1,01. Finlande 0,99. Production (milliers de t, 1989). Australie 1 109[1]. URSS 474. N.-Zélande 309[1]. Chine 238. Argentine 161. Afr. du Sud 97[1]. Uruguay 96[1]. Turquie 85. G.-B. 70. Pakistan 57. Algérie 46. USA 45. Roumanie 44. Espagne 37. Iran 32. Inde 30. Bulgarie 28. Brésil 26. *France 23.* Afghanistan 22. Chili 20. Mongolie 19. Iraq 17. Soudan 17. All. dém. 16. Irlande 15. Pologne 14. *Monde 3 391.*

Nota. – (1)1989-1990.

Exportations (milliers de t, 1989). Australie 717,9. N.-Zélande 232,3. Argentine 40,8. Afr. du S. 37,6. *France 33,7.* Uruguay 26,6. G.-B. 23,3. Mongolie 15,9. URSS 14,6. Belgique 13,2. Irlande 11,8. Taiwan 9,2. Italie 9,2. *Total 1 278,3.*

Importations (milliers de t, 1989). Japon 173. *France 126.* URSS 124,3. G.-B. 110,2. Italie 106,8. All. féd. 74,9. Belgique 69,4. USA 48,5. Taiwan 45. Corée du S. 32,2. *Total 1 241,2.*

• Peignés et rubans cardés. **Production** (milliers de t, 1989). Japon 78. *France 72.* Italie 59,8. G.-B. 38,7. All. féd. 33,4. Uruguay 27,3[1]. Australie 23,4. Belgique, 20,1. Afr. du S. 19,2. Espagne 15,3. *Total 420,3.*

Nota. – (1) Production exportée.

• Fils pure laine et majoritaires laine. **Production** (laine peignée et, entre parenthèses, cardée, en milliers de t, 1989). USA (est.) 550,9 (85,8). Italie 301,3 (259,9). Japon 195,4 (66,4). All. féd. 56,7. G.-B. 56,4 (90,6). *France 50,6 (23).* Belgique 48,2 (54,3). P.-Bas 0,7(est.) (3). *Total (est.) 1 260,2 (617,1).*

• Tissus pure laine et majoritaires laine. **Production** (tissus peignés et, entre parenthèses, cardés, en milliers de t, 1989). Japon 67,3 (26,2). Italie 48,9 (13,4). All. féd. 22,9 (5,5). USA (est.) 20,4 (14,6). G.-B. 8,6 (8,9). *France 8,2 (27).* Belgique 0,7 (0,1). P.-Bas 0,6 (0,8). *Total (est.) 294,6 (221,6).*

• Prix de la laine (en cents australiens par kg). *1972* : 450. *74* : 260. *80* : 400. *87* : 600. *88* : 1 200. *91 (22-3)* : 445.

Soie

Généralités

• Histoire. **XXVIIIe s. av. J.-C., Chine** monopole de la famille impériale, connue des Grecs, venait de Chine appelée alors « Pays des Sères » ou « Pays de la soie ». Les Byzantins en importèrent d'Asie (notamment de Perse), puis en produisirent vers le VIe s. **Moyen Age** développement en Grèce et Asie Mineure. Les Croisés rapportent beaucoup de soieries. L'Église les adopte (des évêques célèbrent des offices dans un vêtement orné des versets du Coran ou d'autres sentences païennes). **XII [e] s.**

la Sicile est le premier centre de fabrication européen (Palerme), puis l'Espagne suit. **XVe s.** sous Louis XI, à Lyon et Tours, des ateliers sont créés. **1494** importations interdites en France. **1550** Henri II réintroduit la soie en France. Sous Henri IV la sériciculture apparaît après l'exil des huguenots. **XVIIe s.** essor de la soierie lyonnaise, mais la révocation de l'édit de Nantes (1685) lui porte un coup sévère. **1800** le métier inventé par le Lyonnais Joseph-Marie Jacquard (1762-1834) en 1800 permet à Lyon de reprendre une place importante. **XIXe s.** production record (26 000 t de cocons frais), puis recul progressif des séricicultures (lié à la montée des salaires).

• **Sériciculture.** Certains insectes sécrètent une « soie » pour construire un *cocon* où ils s'enferment à l'état de *chrysalide*. La *soie sauvage* est ainsi produite par des vers sauvages ou semi-sauvages (ex. : tasar ou *tussah-antheraea mylitta* qui se nourrit de feuilles de chêne). La *soie grège* vient du *Bombyx mori,* qui se nourrit de feuilles de mûrier blanc *(Morus alba).*

Le papillon femelle du bombyx pond en général 500 œufs ou « graines ». Les graines sont conservées au frais pendant la mauvaise saison, puis mises à incuber en temps voulu pour permettre le « nourrissage » des jeunes vers avec les feuilles fraîches de mûrier. Les vers éclos subissent 4 mues avant d'atteindre leur taille maximale (5 à 8 cm). Au cours du « dernier âge », le ver monte, s'accroche à des rameaux disposés sur des claies – ou s'installe (élevage moderne) dans un casier spécialement conçu. Le *ver* file alors avec sa bave, en 3 ou 4 j, un cocon dans lequel il s'enferme pour devenir *chrysalide.* Celle-ci, dans une dernière mue, se transforme en *papillon* qui « perce » le cocon pour sortir.

Afin de conserver intacts les cocons pour le dévidage en filature, on « étouffe » les chrysalides dans les cocons. On ne laisse éclore qu'une petite quantité de papillons qui s'accoupleront pour fournir les graines de la saison suivante (grainage). En France, il ne reste que 2 ou 3 exploitations séricicoles ou *magnaneries* (nom provençal : bâtiment destiné à l'élevage des vers à soie) dans la région du Gard. Actuellement le *Bombyx mori* est surtout utilisé par la science (recherche en biologie moléculaire).

• **Filature.** Un cocon comporte de 700 à 1 000 m de bave constituée de 2 filaments de *fibroïne* et de 20 à 25 % de *séricine* ou *grès* qui enveloppe et soude les filaments. Les baves étant très fines, on assemble en filature de 4 à 10 baves ou « bouts » pour obtenir le fil de soie commercial. Env. 6 kg de cocons frais donnent 1 kg de soie grège (un cocon pèse 8 dg). Les machines automatiques fabriquées essentiellement au Japon sont actuellement utilisées.

Doupion. Les cocons doubles (produits par 2 vers travaillant trop près l'un de l'autre) sont filés par des procédés spéciaux et fournissent une soie dite doupion, irrégulière et de titre plus « ferme », c'est-à-dire plus gros que celui de la soie grège. On en tisse des étoffes qui tirent de l'irrégularité du fil un caractère et des effets spéciaux.

• **Moulinage et tissage.** On « décreuse » en général la soie ; on élimine le grès par trempage en eau savonneuse. En outre, avant tissage, les fils de soie subissent le plus souvent des opérations d'assemblage ou de torsion effectuées par l'industrie du *moulinage.*

Schappe et bourrette. Fils de fibres soyeuses discontinues produits à partir de déchets de soie : cocons percés, déchets de dévidage (frisons, blazes, bassinés), déchets de moulinage. Après décreusage partiel (enlèvement du grès), les déchets sont cardés puis peignés pour paralléliser les filaments, et convertis en fils au moyen de machines analogues à celles qu'on utilise pour la formation de fils de laine ou de coton. Les fils composés de longs filaments sont appelés fils de schappe, ceux qui viennent de filaments courts sont des fils de bourrette.

Deniers. La grosseur ou *titre* commercial d'un fil de soie est exprimée en *deniers,* dont le nombre correspond à la masse en grammes de 9 000 m de fil (ex. : une soie de 20 deniers est une soie dont 9 000 m de longueur pèsent 20 g). Dans le système *tex,* un fil dont une longueur de 1 000 m a une masse de 1 g.

Statistiques

Production. De cocons (milliers de t, 1989). *Monde* 640,2 t dont Chine 420, Inde 96,43, URSS 45, Japon 26,89, Corée du N. 14, Brésil 11,47, Thaïlande 9,8, Corée du S. 5,4, autres 10,14. **De soie grège** (en milliers de t, 1989). *Monde 66,97.* Chine 40,7. Inde 10. Japon 6,07. URSS 4. Brésil 1,9. Corée du N. 1,5. Corée du S. 1,1. Thaïlande 0,9. Autres pays 0,8.

Consommation intérieure de soie grège (milliers de t, 1989). Chine 28,7. Inde 12,5. Japon 8,11. Italie 4,42. Corée du S. 3,2. Thaïlande 1,82. *France 0,76.* USA 0,29. Suisse 0,19, All. féd 0,15. G.-B. 0,1.

Autres fibres végétales

Principaux producteurs. *Source :* FAO.

• **Fibres dures.** Extraites des feuilles des plantes de la famille des agaves *(sisal, henequen).* **Utilisations.** Ficelle agricole, ficelle d'emballage, cordages, tapis.

Production (en milliers de t, 1980). Brésil 205, Tanzanie 86, Mexique 86, Kenya 47, Madagascar 16, Haïti 15, Mozambique 12. Divers 43. *Monde 511* (Amér. lat. 322, Afrique 180, Asie 9). **Abaca.** Philippines 130. Divers 11. *Monde 141.*

Exportations. Brésil 80. Tanzanie 50. Kenya 39. Madagascar 15. Autres 21. *Monde 225.* **Importations.** *France 28.* Italie 18. Belgique 6. Royaume-Uni 5. Autres pays CEE 10. *Total CEE 67.* Autres pays européens 53. *Total Europe occ. 120.* Europe orient. 37. Autres pays développés 21. Pays en voie de développ. 40. *Monde 218.*

• **Fibres libériennes.** Extraites du liber de la tige de plantes de 2 à 3 m de haut : *corchorus* ou *jute* du Bengale, *hibiscus* ou *kenaf* (Thaïlande, Amér. lat., Ouzbékistan, Afrique), *urena, punga, abutilon* (Chine). Les tiges coupées sont rouies en eau dans les mares pour dégager les fibres, rincées et séchées au soleil. **Filature et tissage.** Inde, Bangladesh, Thaïlande, Chine, Europe et dans plusieurs pays d'Afrique, d'Amér. lat. En Europe dep. 1830, en *France* (Somme, Nord) dep. 1843. **Utilisations.** Emballages ; industrie bâtiment, literie (matelas à ressorts, dessous de sommiers), ameublement (sangles, toiles protectrices), automobiles (toiles, feutres), câblerie (guipage des câbles électriques), enduction plastique (maroquinerie, ameublement, revêtements de sols), agriculture (toiles d'ombrage, contre les vents, les gelées), travaux publics (construction de routes, autoroutes, fixation des talus, des sols) ; applications domestiques : tapis, feutres enduits, aiguilletés, toiles teintes, revêtements muraux, toile tailleur, chaussures (semelles d'espadrilles), bagages (toiles enduites).

Production (milliers de t, 1980-81). Extrême-Or. 2 648, Inde 1 512, Chine pop. 1 090, Bangladesh 760, Thaïlande 210, Amér. lat. 103, Népal 59, URSS 50, Proche-Or. 16, Afrique 4. *Monde 3 936.* **Exportations** (milliers de t, 1985). Bangladesh 253,8, Chine 45, Inde 8. **Importations.** Pakistan 79,9, URSS 28,3, Indonésie 23. **Industrie** (prod. filature, 1980). Inde 1 385, Chine 1 128, Bangladesh 570, Europe or. 133, occ. 108 (dont G.-B. 31, *France 15,* Belg. 11, All. féd. 9, Port. 8). Autres 633. *Monde 3 957.*

Textiles chimiques

Nom des fibres

1°) **Artificielles** fabriquées à partir de produits naturels, principalement la cellulose : *viscose :* fils continus ou fibres discontinues [Cidena, Rhovalan, Floccal, Floccolor (Fr.)], *acétate, triacétate* [Arnel (Belg.), Dicel, Tricel (G.-B.)], *cupro* [Bemberg (All., It.)], *modal* [Vincel (G.-B.)] ; les protéines (arachide ou caséine du lait par ex.) ou des algues, soies artificielles (1935).

2°) **Synthétiques** fabriquées à partir de produits chimiques variés issus pour la plupart de la pétrochimie : **Polyamide** (dep. 1938-39, USA) *P. 6-6, base acide adipique et hexaméthylène diamine :* Nylon [inventé par Wallace H. Carothers († 1937), chercheur chez Dupont de Nemours. *Définition : « no run »* (ne file pas) devenu Nolen et Nolon puis Nylon ; on en fit après les initiales d'une boutade : *« Now you lousy old Nippons »* (voilà pour vous sacrés Japs). La découverte fut annoncée publiquement le 27-10-1938. *1939* 1res utilisations : poils de brosse à dents, fils de canne à pêche et fils de suture puis bas (64 millions de paires vendues la 1re année). *Production annuelle (1986) :* 4 millions de t, *CA* de 13 milliards de $ dont Dupont 25 % du marché (10 % de son CA), soit 27 % de la production mondiale de fibres et fils synthétiques : *1965 :* 63 %, *1975-85 :* 50 %. *Utilisations (en %) :* habillement 35, ameublement et tapis (65 % des moquettes) 25, industrie 25, plastiques 20]. *P. 6* (1938-39, All.), *base caprolactame :* Celon (G.-B.), Perlon (All.), Lilion (Fr., Italie). *P. 472* (1968, USA), *base PACM :* Quiana (USA). **Fibres thermostables.** *Polyamide aromatique avec un groupe phénylène :* Nomex (USA). *Polyamide-imide aromatique :* Kermel (1963, France). **Acrylique** (1947, USA). *Base acrylonitrile :* Crylor (France), Courtelle (France, G.-B.), Orlon (1948, USA), Dralon (1954, All.), Dolan et Redon (All.), Acrilan (USA). **Polyester** (1950, G.-B.). *Base acide teréphtalique et éthylène-glycol. :* Tergal (France), Térylène (G.-B.), Dacron (1946, USA), Trevira et Diolen (All.), Terital (Italie), Teriennka (P.-Bas). **Chlorofibre** (1941-42, France). *Base polychlorure de vinyle :* Rhovyl et Clevyl (France), Vinyon (USA), Movil (Italie). (1940, USA) ; *base polychlorure de vinylidène :* Saran (USA). **Polyoléfine** (1964, Italie). *Base propylène :* Méraklon (Italie) ; *base éthylène basse pression :* Courlène (G.-B.). **Élasthanne** (1960, USA). *Base polyuréthane :* Lycra (USA). **Fibre à 2 composants.** *Fibre à structure bilame, deux polymères accolés ou concentriques :* Cantrece (USA). **Fibre de verre textile** (1893). *Base verre de composition spéciale :* Fibergas (Fr., USA), Vétrolex (France).

☞ Textiles artificiels et synthétiques peuvent se présenter sous forme de fils continus ou de fibres discontinues. Les appellations **« rayonne »** (fil continu) et **« fibranne »** (fibre) ne sont plus légales. Le *polyamide* et *l'acrylique* seront sous forme de fil. Le *polyester* peut revêtir les 2 formes. Les filaments constituant les fils continus peuvent être ronds, creux, plats, multilobés, selon la forme des trous de la filière. Les fils continus peuvent être ondulés ou frisés par texturation (fils mousse). Certains sont aussi tordus sur eux-mêmes pour faire du crêpe par ex., ou tordus pour être assemblés à d'autres fils et donner ainsi des fils fantaisie (moulinage). Les fibres synthétiques ou artificielles, obtenues après craquage de rubans de filaments continus, peuvent être utilisées seules ou mélangées entre elles ou avec des matières naturelles.

Non-tissé. Un voile, nappe ou matelas de fibres, réparties directionnellement ou au hasard et dont la cohésion interne est assurée par des méthodes mécaniques (aiguilletage), physiques (soudage ou dissolution partielle...), chimiques (imprégnation...), ou par combinaison de ces divers procédés à l'exclusion du tissage, du tricotage, de la couture-tricotage et du feutrage traditionnel. Les non-tissés peuvent être obtenus par voie humide, sèche, fondue... Ils ne comprennent pas les papiers. *Catégories de produits :* usage unique (hygiène) ; usage court (supportant plusieurs lavages : linge de table...) ; durée de vie traditionnelle (revêtement mural...).

Statistiques

Production (en milliers de t, 1987). **Textiles artificiels.** USA 474,4, CEE 401,9 (dont All. féd. 161,6, G.-B. 94,6, Italie 29,2), Japon 339,6. Divers 2 073,1. *Monde 3 289.* **Synthétiques.** USA 3 472,2, CEE 2 495,7 (dont All. féd. 820, Italie 655,2, Espagne 268,5, G.-B. 227,7, *France 180,8,* Benelux 166,5), Japon 1 387,6. Divers 7 487,5. *Monde 14 843.* **Fibre de verre textile.** *France 61,6* (1986).

Une usine produisant 150 t/jour de fibres acryliques réalise une production équivalente à la production de laine de 12 millions de moutons (la surface nécessaire pour un tel troupeau serait égale à la superficie de la Belgique) ; une unité de 150 t/j de fibres polyester remplace une culture de coton de 100 000 ha.

Premiers groupes mondiaux. (chiffre d'affaires en milliards de F, 1987). Courtaud's [1] 20,9, Burlington [2] 19,4, Hyosung [3] 18,9, Interco [2] 17,5, Coats Viyella [1] 17,4, Kanebo [4] 17,3, Toyobo [4] 15,6, Armstrong [2] 13,4, WP Pepperell [2] 12,7, JP Stevens [2] 11,7, Unitika [4] 11,1, VF [2] 10,8, Springs [2] 10,5, Mitsubishi Rayon [4] 9,8, Farley NWI [2] 8,7, Prouvost [5] 8,4, DWG [2] 8,1, Nisshinbo [4] 7,8, Collins & Aikman [2] 7,7, Fieldcrest Cannon [2] 7,5.

Nota. – (1) G.-B. (2) USA. (3) Corée. (4) Japon. (5) France.

Industrie textile en France

• **Données globales. Effectifs** (est. 1987). 2 350 entreprises, 215 000 salariés (dont en % : Nord 25, Rhône-Alpes 18,8, Champagne 8,7, Lorraine 7,0, Alsace 5,9, Picardie 5,1).

Chiffre d'affaires (1987). 112 milliards de F dont 33 % exportés (50 % en volume).

Commerce (en milliards de F, 1987). **Importations.** 51 dont (en %) : Italie 26,6, All. féd. 14,1, Belg.-Lux. 12,8, G.-B. 4,5, Portugal 3,4, P.-Bas 3,1, Espagne 2,6, Suisse 2,5, Maroc 2, Grèce 2, Chine 2, USA 1,8. **Exportations.** 34 dont (en %) : All. féd. 18,1, Italie 15, Belg.-Lux. 13,2, G.-B. 8,7, USA 4,4, Suisse 4,1, P.-Bas 3,5, Maroc 2,8, Japon 2,5, Portugal 2,4, Tunisie 2,2.

• **Habillement** (1986). **Chiffre d'affaires** (H.T., en milliards de F) : entreprises de 10 personnes et + : 57 (dont habillement sur mesure 1,1). **Exportations :** 18,2 % (soit 11,4 milliards de F). **Importations :** 13,3. **Structures de production :** entreprises de 10 personnes et + : 2 752 (dont 2 018 de 20 pers. et +). **Effectifs :** 199 187 pers. (dont femmes 85 %) dont ouvriers qualifiés 46,91 %, non qualifiés 32,96, employés et techniciens 12,81, ingénieurs et cadres 4,06, agents de maîtrise 3,22.

• **Industries de la maille** (1989). **Entreprises** 472 (*1960* : 1 376). **Salariés** 52 033 (dont 48 084 femmes en 1985). **Chiffre d'affaires** (en milliards de F) : 21,7 dont (en %) chaussants 32, pulls-polos 20, sous-vêtements 14,8, étoffes 14, autres vêtements 18,5. **Exportation** 37 % du C.A.

• **Matériaux utilisés.** Env. 1 million de t de fibres et fils textiles, dont (en %) text. chimiques 57, coton 22, laine 12, autres fibres 8.

• **Consommation.** *Fibres chimiques, de coton et de laine* (1986, en %). Habillement *fc* 54,7 ; *c* 35 ; *l* 10,3. Tapis *fc* 96 ; *c* 1,8 ; *l* 1,2. Autres usages domestiques *fc* 42,2 ; *c* 55,2 ; *l* 2,6. Pneumatiques *fc* 100. Usages techniques *fc* 61,1 ; *c* 37,5 ; *l* 1,4.

Consommation par femme (par an). *1988.* Combinaisons, jupons et caracos 0,5 *(1986* 0,72*).* Slips et culottes 5. Soutien-gorge 1,89. Lingerie de nuit 0,78.

• **Production**, entre parenthèses **exportations** et en italique **importations** (en millions de paires ou de pièces, 1989). *Articles chaussants :* collants 356,6 (245,9) *136,7,* chaussettes 224 (154,8) *21,7,* bas 11,3 (13,9) *10,2 ; sous-vêtements de jour :* slips, culottes et caleçons 98,1 (163,8) *26,9,* tee-shirts 23,4 (104,8) *15,* maillots et gilets 11,7, combinaisons et caracos 3,2 (3,8) *0,3 ; vêtements de nuit :* pyjamas 5,1 (13,5) *1,3,* chemises de nuit 1,7 (4,9) *0,6,* robes de chambre et déshabillés 0,9 ; maillots de bain 5,1 (7,5) *2,6 ; pulls-overs et similaires :* pulls, polos, sweats 38,6 (101) *14,2,* sous-pulls 0,9 (3,9) *0,4 ; vêtements de dessus :* trainings 6 (16,5) *1,3,* robes 3,2 (12,1) *0,8,* jupes 1,5 (4,9) *1,1,* pantalons, culottes courtes 1,6 (9,6) *1,5,* ensembles et costumes 1,6 (11,4) *1,8,* shorts, bermudas 0,9, manteaux, vestes blousons, anoraks 0,6 (1,1) *0,5,* maillots de sport 0,5, chemises, chemisettes 0,7 (24,7) *4,1* chemisiers 0,1 (7,9) *1,6,* culottes de sport 0,2 ; *autres articles :* gants 1,6 (38,8) *5,8,* bérets 4 (17,3) *4,7.*

France

En milliers de t. Production (1987). 846 : textile 762 (dont mat. premières [1] 124, fils 298, tissus 246, divers [2] 94) ; habillement 84 (bonneterie). **Consommation** 660. **Exportations** [3] 1 396. **Importations** 1 210. **Filière textile (en milliards de F). Déficit commercial** (textile + habillement). *1987 :* – 23 , *88 :* – 26. *Textile 87 :* – 14, *88 :* – 16. **Chiffre d'affaires** *1988 :* 112. *89 :* 145. **Imp.** *1989 :* 59,2. **Exp.** *1989 :* 42,7.

Nota. – (1) Fibres chimiques et naturelles. (2) Corderie, ouates, tapis, dentelles, pansements. (3) Textile et habillement.

Importations (% par rapport à la consommation). *1973 :* 33. *77 :* 40. *80 :* 49. *87 :* 65. **En 1986, en %.** Pull-overs 74,3, tee-shirts 59,4, confection masculine 62,5, féminine 56,3, chaussettes 47,5, linge de maison 37,5).

Chiffre d'affaires (en milliards de F en 1990). Chargeurs 11, DMC 10,4, VEV 5,2, Bidermann 4,8, Rhône-Poulenc Fibres 2,8, Sommer 2,2, Devanlay 2,1, DIM 2, Porcher Textiles 1,8, Vestra Union 1.

☞ VEV a perdu 850 millions de F en 1990.

Statistiques mondiales

Nota. – La production est en régression dans les pays industrialisés, et en hausse dans les pays en voie de développement : Hong Kong, Corée, T'ai-wan, Singapour, Inde, Malaisie, Indonésie, Macao, Maurice, Tunisie, Maroc, Chine populaire.

Production de textile en milliers de tonnes

Sources : ICAC et CIRFS.

Années	Coton	Laine	Artificiels et synthétiques	Lin	Soie
1900	3 162	730	1		
1940	6 907	1 134	1 132		
1950	6 647	1 057	1 677		
1960	10 113	1 463	3 358		
1965	11 884	1 484	5 469		
1970	11 784	1 602	8 393		
1974	14 046	1 510	11 019	590	45
1975	11 723	1 539	10 312	699	47
1980	14 040	1 620	13 717	630	56
1985	16 789	1 727	15 514	711	56

L'accord multifibres intervenu dans le cadre du GATT 1973, renouvelé en 1977, 1981 et 1986, plafonne les importations dans la CEE : filés et tissus de coton, tee-shirts, chandails, pantalons, chemises et chemisiers, tissus en fibres synthétiques. L'accord est parfois tourné : certains produits importés par la France des P.-Bas, d'Italie ou d'All. féd. viennent en fait du tiers monde où le coût de la main-d'œuvre est d'env. 90 % inférieur à celui des pays industrialisés.

Main-d'œuvre occupée dans l'ind. textile (en milliers, 1982) : CEE 1 295, USA 750, Japon 495, Corée du S. 410, T'ai-wan 265, Espagne 210, Portugal 142, Hong Kong 113. **Travail au noir** : All. féd. 80 000, *France 100 000* (env. 55 000 dans le Sentier à Paris et au S. de la Loire), Italie 350 000.

Travaux publics et bâtiment en France

Sources : Féd. nat. du bâtiment ; Féd. nat. des travaux publics.

Bâtiment

Données globales (1990). Entreprises. 304 000 dont 286 000 de 0 à 10 salariés (32 % des effectifs salariés), 16 000 de 11 à 50 (32 %), 1 700 de 51 à 200 (17 %), 300 + de 200 (19 %). **Effectifs.** 1 272 000 dont salariés 1 000 000 (second œuvre 560 000, gros œuvre 440 000), dont (en %) ; ouvriers 77,8, ETAM 13,6, IAC 8,6. Travaux (milliards de F). 435 dont construction neuve 230, (logement 119, autres constructions 111), amélioration-entretien 205.

Principaux groupes (chiffre d'affaires, 1989). Générale des Eaux-SGE 98,7 milliards de F ; Bouygues 47 ; Dumez 28,6 ; SAE 19,5 [1] ; Schneider-SPIE Batignolles 18,5 [1].

Nota. – (1) 1986.

Production *Surfaces habitables produites :* 26 408 milliers de m² dont 70 % en logement individuel. *Logements commencés :* 327 000 dont individuels 186 000. *Hors logements* (surface de plancher en milliers de m²) : 37 856 dont bât. agricoles 10 068, industriels et stock 12 030, bureaux 4 423, commerces 4 266, autres 7 069. Le bâtiment absorbe 84 % des matériaux de construction (sables et graviers, produits rouges, plâtre, chaux et ciment, prod. en béton, grès, céramique), 51 % de la prod. de l'ind. du bois, 16 % de la prod. d'aciers, 10 % env. de la prod. de la construction mécanique et électrique.

Travaux publics en 1989

Entreprises. 5 893 dont – *de 51 salariés :* 5 146, *51 à 500 :* 675, *+ de 500 :* 72. **Effectifs** 269 489 salariés. **Investissement** env. 7 % du CA 1989.

Montant des travaux réalisés. 134 050 millions de F HT dont (en %) tr. routiers 30,5, tr. électriques 20,9, adduction d'eau, assainissement, autres canalisations et installations 14,1, ouvrages d'art, génie civil et structures métalliques 11,5, terrassements généraux 11,2, travaux souterrains 2,8, fondations spéciales, sondages, forages 2, voies ferrées 1,3, travaux maritimes et fluviaux 1,2.

Clientèle (en %). Collectivités locales 40,3, entreprises privées 32,8, publiques 18, État 8,9.

Quelques grands chantiers en cours. Tunnel sous la Manche, pont de Normandie, TGV Nord, Eurodisneyland, aménagement de la Loire et de ses affluents. **Activités hors métropole.** *Travaux réalisés* (HT) : 34,1 milliards de F. *Régions d'activité* (en %) : Afrique 26,4 (dont Afr. du N. 5), Europe 22,2 (dont CEE 19,3), Asie 16,7 (dont Moyen-Orient 5,6), Amér. du N. 15,5, Amér. latine 9,9, DOM et TOM 8,5, Océanie 0,5. *Répartition par nature de travaux* (en %) : ouvrages d'art, génie civil et structures métalliques 30. Travaux électriques 19,5. Travaux routiers et terrassements généraux 19,5. Adduction d'eau, assainissement, autres canalisations et installations 15,1. Travaux maritimes et fluviaux 6,6. Fondations spéciales, sondages, forages 6,6. Voies ferrées 1,5. Tr. souterrains 1,2.

Verre

Source : Féd. synd. de l'ind. du verre.

Généralités

• **Origine.** *Antiquité :* connu des Égyptiens et des Phéniciens. Le *soufflage* inventé peu avant J.-C. permit le développement du verre creux. *IIe s. apr. J.-C. :* pénètre en Gaule. Les verreries seront longtemps itinérantes, établissant leurs fours près des forêts qui leur fournissent combustible et fougères dont la cendre sert de fondant. Elles se développent à Venise et en Bohême puis en France, où Louis XIV, avec Colbert, encourage l'ind. du verre : nobles autorisés à exercer sans déroger la profession de maître verrier, anoblissement des roturiers exerçant cette profession. L'invention de la coulée sur table permet au XVIIe s. de réaliser des glaces plus grandes et mieux calibrées. *XIXe s.,* les verriers constituent une grande industrie.

• **Qualités.** Transparent, dur en surface, isolant sonore, thermique et élec., résistant aux agents atmosphériques et aux prod. chimiques (il peut être attaqué par l'acide fluorique que l'on utilise pour graver les objets en verre), imputrescible, ininflammable et incombustible, fragile (mais résistant à la traction et à la courbure ; élastique dans les faibles épaisseurs), non poreux, peu coûteux, « national » (utilise sable et soude d'origine française, seuls les combustibles de fusion comme fuel et gaz sont importés mais ils représentent moins de 10 % du prix du verre).

• **Fabrication. Matières premières** (en %). **Verre usuel :** silice 70 à 73, alumine 0,2 à 2, oxyde de fer 0,02 à 2,5, soude 13 à 16, chaux 8 à 13, magnésie 0 à 4. **Cristal au plomb :** silice 55 à 60, soude ou potasse 10 à 12, oxyde de plomb 24 à 30. **Verre d'optique :** silice 40 à 70, alumine 0 à 2, soude 8 à 15, chaux 3 à 12, magnésie 0 à 2, oxyde de plomb 10 à 70, acide borique 5 à 15.

Fusion. A haute température, dans des bassins ou des creusets en matériau réfractaire, d'un mélange de vitrifiants (72 %, sable siliceux), fondants (14 %, carbonate et sulfate de soude), stabilisants (14 %, carbonate de chaux, alumine, magnésie pour renforcer la résistance à l'eau ou la résistance chimique). On peut ajouter des produits pour modifier certaines propriétés du verre, le colorer ou le décolorer, ainsi que des déchets de verre dits *grosil* ou *calcin* qui facilitent la fusion. Vers 1 500 °C les constituants fondent et se combinent pour former du verre. Pour éliminer les bulles et *affiner* le verre, on le maintient assez longtemps à haute température : les bulles remontent à la surface. Puis on le laisse refroidir jusqu'à une température à laquelle il a le degré de viscosité nécessaire pour mettre en forme les objets qu'on veut obtenir par soufflage ou moulage.

Soufflage. Jusqu'à la fin du XIXe s., la fabrication du v. était effectuée dans des pots ou creusets de 100 à 500 kg. Lorsque le v. se trouvait à la température voulue, le verrier en prélevait la quantité nécessaire à fabriquer un objet en trempant dans la masse en fusion l'extrémité de sa *canne* à laquelle adhérait une boule de v. appelée *paraison.* Quand le creuset était vide, on y versait un nouveau mélange vitrifiable et le cycle recommençait. Pour obtenir de la glace, on renversait le creuset sur une table et le v. était laminé au moyen d'un rouleau cylindrique qui en faisait une feuille d'épaisseur uniforme : c'était la *coulée sur table.* L'invention du *four à bassin* a permis de passer au stade de la *fabrication continue.* Le four est surmonté d'une voûte contenant une masse de v. de plusieurs centaines de t maintenue en fusion par des flammes alimentées au moyen de brûleurs latéraux à mazout et à gaz. Certains fours sont chauffés à l'électricité. On déverse du mélange vitrifiable à l'une des extrémités du four et le soutirage du v. fondu entraîne le déplacement progressif de la masse de v. Le cheminement dure plusieurs jours.

Recuisson du verre. Le v. se dilate lorsqu'on le chauffe et se rétracte lorsqu'on le refroidit. Pour éviter les tensions et la fragilité qui résultent d'un refroidissement trop rapide, on recuit (on réchauffe) les objets en v. jusqu'à env. 500 °C, puis on les refroidit lentement dans un tunnel *(arche)* où la température est réglée. La *trempe* (refroidissement brutal) donne aux objets traités une grande résistance mécanique et la propriété en cas de fracture de se briser en petits morceaux non coupants (v. de sécurité).

Façonnage du verre. Se fait à chaud (on réchauffe un objet avec des brûleurs à gaz pour en modifier la forme) ou à froid (taille et gravure).

Catégories de verre

1°) **Verre plat. Glace :** ses 2 faces sont exactement parallèles et parfaitement polies. Longtemps obtenue par polissage mécanique. Actuellement on utilise souvent le *floatglass,* découvert en 1958 par la firme britannique Pilkington Brothers et utilisé en France dep. 1962 (le v. coulé sur un bain d'étain fondu, par étalement, a une épaisseur de 6 mm ; si on l'enferme en resserrant les bords de son support, on peut augmenter cette épaisseur ; si on l'étire par les côtés, on peut la diminuer jusqu'à 3 mm). **Verre à vitres :** obtenu par l'étirage d'une feuille de verre (épaisseur 2 à 6 mm). **Verre coulé :** obtenu par laminage. *Usages : glace :* bâtiment et auto. ; *v. à vitres et v. coulé :* bâtiment.

2°) **Verre creux. Verre d'emballage** (bouteilles, flacons, pots industriels, bocaux). **Gobeleterie** (verrerie de table, culinaire, etc.). Se fait à chaud (900 °C). En général, on utilise des moules dans lesquels tombe une *paraison* (quantité de v. à la viscosité optimale et dont le poids correspond à celui de l'objet à fabriquer) ; la paraison est appliquée contre les parois du moule par un poinçon (pressage) ou de l'air comprimé (soufflage).

3°) **Verre technique.** V. de labo, lunetterie, optique, ampoules, TV, signalisation ; v de silice (quartz).

4°) **Fibres de verre. Courtes** (utilisées pour l'isolation thermique) : obtenues par centrifugation de v. tombant au centre d'un mécanisme rotatif, suivie d'un étirage vers le bas sous l'action de jets de gaz chauds. *Fibres textiles :* procédé de la filière ; le filet de v. venant du four de fusion tombe dans des filières en platine garnies d'un grand nombre d'orifices d'où le v. est étiré à grande vitesse, formant des fibres de quelques millièmes de mm de diamètre ; les brins (plusieurs centaines) sont rassemblés sur une petite bobine et encollés par un produit d'ensimage.

Fibres optiques. Brins de verre de la finesse d'un cheveu ; transmettent par modulation des signaux lumineux et les impulsions électriques émises par un laser, mieux que les câbles en cuivre (sous un volume mille fois moindre, transmet 30 fois plus d'information). Fabriquées à partir de silice (abondant et peu cher) avec peu de consommation d'énergie : larges bandes passantes, faibles atténuations du signal, absence d'interférences magnétiques (débouchés importants : télécom. : 75 % de la production, visiophonie, TV câblée), télédétection, transmission de données à fort débit en ambiance magnétique.

5°) **Verre à la main.** Exemple : cristal, voir ci-dessous.

6°) **Verre métallique.** Formé d'atomes presque immobiles. *Débouchés :* informatique.

Grandes sociétés. **CA** (en milliards de F). **Saint-Gobain** (France) : 66,1 (1989) dont en % vitrage 19, isolation 19, papier-verre 15, canalisations 15, conditionnement 14, mat. de construct. 12. *Effectif* 87 816. **PPG** (USA), verre plat : 32,85 (85). **Owens Illinois** (USA), bouteilles : 27,77 (85). **Owens Corning** (USA), fibres isolantes : 24,98 (85). **Pilkington** (G.-B.), verre plat : 14,53 (85).

Le verre en France

Effectifs. *1973 :* 500 000 ; *86 :* 33 275 (mécanisation poussée, augmentation du tonnage des fours). *88 :* 32 220 ; *89 :* 32 316 (verrerie mécanique seulement) ; *90 :* 32 316 (verrerie mécanique seulement).

Chiffre d'affaires (en millions de F, 1990). Total hors TVA et, entre parenthèses, marché extérieur. Verre mécanique 25,1 (8,4), dont verre plat et assimilés 4,5 (1,5), fibres de verre 2,6 (0,6), creux mécanique 16,4 (5,6), technique et verre de silice 1,6 (1).

Production (en t, 1990, chiffres partiels). Total verreries mécaniques 4 810 443, dont *verre plat et fibres :* 1 037 508 dont glaces et verres à vitres 857 580, verres coulés 23 383, total fibres de verre 156 545. Débouchés du verre plat (1990) : bâtiment 92 %, automobile 8 %. *Verre creux fabrication entièrement mécanique :* 3 687 437, dont bouteilles et bonbonnes 2 739 262, bocaux 25 365, gobeleterie 452 690, flacons et pots industriels 478 278. *Semi-mécanique ou main* n.c. *Verre technique et spécialités :* 63 913 (1989).

Récupération. Voir p. 1 486.

Cristal

Généralités

Histoire. Découvert au XVIIe s., en Angleterre. Le développement de la marine anglaise nécessitant de plus en plus l'emploi de fûts d'arbres, un édit prescrivit la réduction de l'utilisation du bois comme combustible dans la fabrication du verre. On employa alors des pots couverts dans lesquels on procédait à une réaction chimique avec de l'oxyde de plomb ; le résultat de la fusion de cet oxyde de plomb avec les matières premières essentielles utilisées pour le verre donna naissance au cristal.

Composition. Comprend 1 partie de potasse, 2 de minium de plomb, 3 de silice (sous forme de sable extra-blanc) et une certaine quantité de *groisil* (ou cristal cassé) pour faciliter la fusion. L'oxyde de plomb assure limpidité, sonorité, densité et éclat. Le *cristal au plomb* contient 24 % d'oxyde de plomb, le *cristal supérieur* 30 %.

Fabrication. La composition est placée dans des creusets ou « spots » en terre argileuse, sans fissure, qui ne sont utilisables qu'après plusieurs mois de séchage dans une chambre chaude. A l'intérieur du pot, un cercle de terre réfractaire flotte à la surface de la pâte visqueuse, servant à isoler les matières en cours de fusion des impuretés qui se forment le long de la paroi du pot. Au centre de cet anneau, le verrier cueille le cristal quand il est bon à travailler, après 20 ou 40 h d'enfournement. La cadence est imposée ensuite par le temps de figeage du cristal. Soufflage de la paraison du v., formation de la jambe et du pied du v., et recuisson dans l'arche à recuire portée à 500° C et refroidie en 3 h pour éviter les tensions thermiques pouvant provoquer la cassure. Après un 1er tri de qualité du v., la calotte du v. est coupée à sa hauteur définitive (trait de diamant et chalumeau), puis rebrûlée afin d'arrondir ses bords par ramollissement. Après un dernier recuit dans une arche (évitant toute nouvelle cassure), « travail à froid ». *Taille* à la meule ou à la roue. *Gravure* à l'acide fluorhydrique qui attaque le cristal là où il n'est pas protégé par de l'encre grasse. Cette gravure peut être rehaussée par un dépôt d'or fin que l'on dépose à l'état de chlorure, qui est décomposé par la chaleur par cuisson à 500° C.

Implantation. Héritée de la verrerie (implantée dans les régions forestières en raison de ses besoins de combustible), Normandie et Est. La cristallerie d'Arques fait un cristal mécanique. Les cristalliers traditionnels font du verre soufflé à la bouche [*Baccarat,* (*1764* verrerie de Ste-Anne créée par l'évêque de Metz Mgr de Montmorency-Laval, propriétaire d'importantes forêts, *1816* cristallerie, *1990* 800 000 verres fabriqués). *Cie française du Cristal* qui a racheté Daum (*1875,* Jean Daum rachète la verrerie de Nancy et le Cristal de Sèvres). *Lalique. St-Louis* (origine *1556,* verrerie royale *1761,* racheté *1989* par Pochet et Hermès)].

Statistiques

Production. Principaux pays (en t, 1974). USA 17 000 000. URSS 6 000 000. Japon 4 200 000. All. féd. 4 100 000. *France 3 600 000.* G.-B. 2 900 000. *Monde 700 000 000.*

Chiffre d'affaires. France (1985). 812 millions de F dont 565 réalisés à l'export.

☞ **Service de cristal classique.** 50 pièces : 12 verres à eau, 12 à vin rouge, 12 à vin blanc, 12 flûtes, 1 broc et une carafe. Éventuellement verres à porto, whisky, alcools, jus de fruits.

Commerce et distribution

Statistiques globales

En France

Sources : INSEE, Libre Service Actualités.

Ventes au détail en 1989 (en milliards de F)

Circuit	Alimentaire	Non alimentaire	Total
Hypermarchés	184,65	147,8	331,51
Supermarchés	186,77	38,22	222,98
Ensemble	*371,42*	*186,06*	*554,49*
Magasins pop. (sauf HM leur appartenant)	16,91	10,19	29,59
Grands magasins	4,22	28,02	31,57
Commerce de détail non spécialisé de grande surface ou concentré (dont petites surfaces)	419,35	263,71	680,78
Ensemble du commerce de détail	**617,40**	**972,06**	**1 584,59**
Achats effectués hors commerce de détail	873,39	301,93	388,74
Ensemble des ventes au détail	**704,8**	**1 274,4**	**1 973,3**

• **Effectifs** (au 31-12-88). Ensemble du commerce (y compris intermédiaires) 2 380 200 dont *gros alimentaire* 233 600, *non alim.* 666 800, *détail alim.* 535 900, *non alim.* 738 300.

• **Établissements** (au 1-1-1990). **Commerce de gros** 152 285 dont *alimentaire* 45 802 (mat. 1res agricoles 10 528, bestiaux 5 173, fruits et légumes 7 158, viandes sans abattage 2 462, produits laitiers 2 584, volailles et gibiers 754, poissons 1 929, vins, spiritueux, liqueurs 6 722, autres boissons 1 625, épicerie 2 105, spécialisés en produits divers 4 792), *non alimentaire* 49 686 (acc. auto, mat. de garage 2 575, pneum., cycles 1 256, quincaillerie, app. ménagers 2 043, mat. électr., électron. 9 360, textiles 2 823, habillement, chauss., maroquinerie 8 861, prod. pharm. 692, parf., prod. de beauté 1 110, droguerie, prod. d'entr. 3 265, céramique, verrerie 486, jouets, papeterie, art. fumeurs 1 946, divers 15 269), *interindustriel* 56 797 (text. bruts 312, cuirs, peaux 603, charbon, minerais, minéraux 691, prod. pétroliers 2 283, métaux 1 746, prod. chim. ind. 1 704, bois 2 539, mat. constr., verre à vitres et app. sanitaires 11 816, mat. agric. 5 313, équip. ind. 10 377, mat. et mobilier bureaux 8 530, mat. BTP 2 589, fournit. commerce et services 7 224, papiers et cartons en état 1 070).

Intermédiaires du commerce. 39 795.

Commerce de détail. 552 945 dont *alimentation générale de grande surface* 8 000 (supermarchés 6 222, magasins populaires 687, hypermarchés 1 091), *alim. de proximité ou spécialisée* 166 573 (alim. gén. indépendante 42 225, supérettes indépendantes 2 144, alim. gén. dép. 9 543, supérettes dép. 1 272, coop. alim. 213, fruits et légumes 18 298, prod. laitiers 4 833, viandes 50 116, poissons et coquillages 8 286, vins et boissons 5 828, confiserie et divers 23 815), *non alimentaire* 3 881 (grands magasins 242, autres grandes surfaces 292, grandes surfaces semi-spécialisées 230, VPC à assortiment gén. 954, autres 2 163), *non alimentaire spécialisé* 374 491 (habillement 99 167, chauss. 16 225, maroquinerie et art. de voyage 5 296, text. pour la maison 8 193, meuble 13 207, quincaillerie et app. mén. 9 885, droguerie, couleurs 8 919, mat. électr., radioélectr. et électromén. 19 156, équip. foyer 26 205, pharm. 23 082, art. médic. et de prod. de beauté 8 419, réparation de motocycl., cycl. et véhicules div. 8 376, charbon et combustibles 4 296, livres, papeterie et fournit. de bureau 30 115, optique et photo 8 104, horlogerie, bijouterie 11 166, fleurs, graines et petits animaux d'agrément 20 955, art. sport et campement 11 097, tabac 4 930, divers 37 698).

• **Parts du marché de détail par groupes** (en %). *1988.* Leclerc 5,44, Intermarché 5, Carrefour-France 3,97, Promodès 2,76, Casino 2,31, Euromarché 2,28, Auchan (prov.) 2,24, Système U 2,02.

☞ **Marges types.** Grossistes 22 à 23 %, mandataires des halles 14 à 16 %, petit commerce 24 à 36 %, grandes surfaces 18 à 22 %. Dep. le 16-4-1986, les marges dans le commerce ont été libérées (sauf pour certains produits frais).

• **Coût de la fraude** (1988). « Démarque inconnue », différence entre le stock réel, lors de l'inventaire fait à l'exercice, et le stock théorique comptable ; comprend vols (30 millions) et erreurs administratives : 20 milliards (en % du chiffre d'affaires : grands magasins 2,4, magasins populaires 2, alimentaires 1,8, hypermarchés 1,1).

A l'étranger

Principales sociétés étrangères. CA (en milliards de F, 1987) et, entre parenthèses, **effectifs** (en unités). Sears Roebuck [1] 277 (dont Sears merchandise group 158) [5](380 000). K. Mart [1] 168 (250 000). Safeway Stores [1] 140 (162 088). Kroger [1] 127 (161 986). J.-C. Penney [1] 102 (175 000). American Stores [1] 97. Wal-Mart Stores [1] 82. Tengelmann [2] 79. Southland [1] 76. Marks & Spencer [4] 50 (89-90). Ahold 47 [2,3] Argyll 37 [2,3].

Nota. – (1) USA. (2) CEE. (3) 1988. (4) G.-B. (5) 1990.

Vente par correspondance

Source : Syndicat de la vente par corresp. 60, rue La Boétie, 75 008 Paris.

En France

• **Généralités. Chiffre d'affaires total** (1989) : 39,2 milliards de F. *% de la VPC dans le commerce de détail* dont textile 46,4 ; ameublement, décoration 10,6 ; édition 10,3 ; toilette-beauté 4,6 ; photo-ciné-son 3,8 ; électroménager 3,2 ; chaussures et accessoires 3,2 ; alimentation-boissons 3 ; horlogerie-bijouterie 2,1 ; jeux et jouets 1,8 ; plantes et jardinage 1,7 ; divers 9,4 % ; *dans le monde :* USA 8,1 (1988), All. féd. 4,2, G.-B. 3, France 2,6 (5,2 % du commerce de détail non alimentaire).

Répartition de la clientèle. En 1990, 1 foyer sur 2 achète par correspondance. *Communes rurales :* 51,8 %, *– de 20 000 h. :* 59,6 %, *20 à 100 000 h. :* 47,3 %, *+ de 100 000 h. :* 49,6 %, *aggl. parisienne :* 46 %. *Par âge* (en %) : *15-25 ans :* 48,4, *26-34 :* 57,3, *35-49 :* 53,4, *50-64 :* 52,2, *+ de 65 :* 41,8. *Par catégorie socio-prof.* (en %) : *cadres sup., prof. libérales* 58,8 ; *cadres moyens* 56,2 ; *employés* 54,8 ; *non-actifs* 54,7 ; *artisans, commerçants* 52,7 ; *agriculteurs* 47,8 ; *ouvriers spécialisés* 44,8 ; *ouvriers qualifiés* 40,7.

Expéditions. (en millions, 1989). *Par la poste :* publipostages 1 343, paquets 170 (soit 10 % du trafic postal), catalogues 90 ; *par SNCF (1988) :* paquets 8 (soit 20 % des recettes du SERNAM) ; *par transporteurs privés :* plus de 10 millions.

• **Principales entreprises** (chiffre d'affaires exclusivement VPC en millions de F, 1990). **La Redoute.** *1831* (Joseph Pollet aménage à Roubaix, sur l'emplacement d'une ancienne redoute, un tissage de laine). *1922,* création d'un rayon de VPC de laine à tricoter ; *1929,* atelier de bonneterie. *1960,* exclusivement vente par catalogue. *CA* (1990) : groupe 16 300 ; catalogue 8 945. *Effectifs* catalogue 6 430, groupe 13 000. *Clients* 10 millions. *Catalogues* 2 par an (8 millions d'ex. chacun), + 30 spécialisés. *Documents envoyés* 200 millions (hors catalogues). *Commandes/jour :* 140 000. *Colis expédiés* 31 millions (90). *Articles de référence par catalogue* 6 000. *Codification* 52 000 (type, article, couleur et taille). 56 millions d'articles vendus par an. FILIALES : *Movitex* (catalogue Daxon/CA 1 515 ; effectifs 820 ; colis 2 500/ jour. *Vert Baudet.* CA 667 ; effectifs 405 ; colis 350 000 / mois. *Cyrillus.* CA 242 ; effectifs 230 ; colis 200 000/an. *La Maison de Valérie.* CA : 1070. **Les Trois Suisses.** *1932* (Xavier Toulemonde, gérant de filature). *CA (89/90)* 6 117. *Catalogues* 2 (automne-hiver, printemps-été) tirés à 6 000 000 ex. ; 9 spécialisés. *Bâtiments* 260 000 m². *Effectifs* 3 500. *Capacité (jour) :* commandes 70 000 ; colis expédiés 90 000. *Papier consommé/an* 32 000 t. *Fichier d'adresses* 10 000 000. **La Blanche Porte** (dep. 1893) constituée par les Trois Suisses, *CA* (89/90) 1 880. *Colis expédiés* 8,2 millions/an (87). **Camif.** *Créée 1947.* 3e Sté de vente par correspondance. *CA :* 5 532. *Effectifs :* 1 820. *Catalogues* 2, *c. spécialisés* 14. **Damart.** *CA* (90) 995. *Effectifs* (86) 463. **Quelle.** Fondée 1965 par groupe Schickedanz. *CA* 1 314. *Effectifs :* 948. *Catalogues* 2 par an (3 820 000 ex. print./été, 4 040 000 aut./hiver) + c. saisonniers. *Pages éditées* env. 4 milliards. *Colis expédiés par an* 7 544 868. *Installations :* 70 000 m². **Yves Rocher.** *CA* (1990) 1 754. **Manutention.** *CA* (1990) 845. **Sélection du Reader's Digest.** Livres-disques. *CA* 920. **France Loisirs.** Livres-disques. *CA* 883. **Europe Épargne.** Assortiment général *CA* 835.

• **Chiffre d'affaires global de la vente par correspondance** (en milliards de F, 1989). All. féd. 87,9. *France 39,2.* G.-B. 38,1. Italie 8. Suisse 7,2. Suède 6,5. Autriche 6,3. P.-Bas 5,6. Belgique 3,9. Danemark 3,8. Finlande 3,1. Norvège 2,9.

• **Part de la VPC dans le commerce de détail.** All. féd. 4,2 %, Autriche 3,8, G.-B. 3, Danemark 2,9, Suède 2,8, *France 2,6,* Suisse 2,6, Norvège 1,9, P.-Bas 1,7, Finlande 1,4, Belgique 1,2, Italie 0,5.

☞ **Litiges occasionnés par la VPC.** Le vendeur est tenu de délivrer en bon état la chose vendue (art. 1603 C.C.) et au lieu précisé dans la commande, sauf clause prévue au contrat. *Rupture de stock :* le client peut demander soit le remplacement par un autre article, soit le remboursement des sommes versées, augmentées des intérêts au taux légal (9,50 %) si le vendeur a gardé l'argent plus de 3 mois. *Détérioration de la commande :* si le vendeur utilise ses propres moyens de livraison ou s'il expédie le colis par la poste, ou s'il s'agit d'un envoi « franco » ou contre remboursement, le vendeur est responsable. Si le client constate la détérioration au moment de la livraison il peut la refuser, et s'il ne la constate qu'après le déballage, il doit réexpédier l'objet et demander son remboursement ou son échange. Un transporteur déclaré responsable devra indemniser le client. Si ce dernier n'était indemnisé que partiellement en vertu des clauses limitatives inscrites dans le contrat de transport, il devrait refuser l'indemnité partielle, les clauses du contrat n'ayant pas été portées à sa connaissance et acceptées. *Cas où le client ne reçoit pas son cadeau de première commande ou de parrainage :* possibilité de plainte pour publicité mensongère. *Cas où le client fait l'objet d'une distribution massive d'offres publicitaires d'autres entreprises :* les adhérents des syndicats des entreprises de VPC (60, rue La Boétie, 75008 Paris) se sont engagés à supprimer de leurs fichiers le nom des personnes qui ne veulent pas recevoir de publicité. Si les envois continuent, on peut saisir la Commission nationale informatique et liberté (21, rue St-Guillaume, 75007 Paris).

A l'étranger

• **Principales entreprises. Allemagne fédérale** (en milliards de DM, 1990). *Quelle* 12,6. *Otto* 8,7. *Neckermann* 2,4. *Baur* 1,1 [1]. *Schwab* 0,93. *Schöpflin* 0,67. *Wenz* 0,55 [1]. **Canada.** *Eaton. Simpsons Sears.* **G.-B.** *Great Universal Stores. Littlewoods. Freemans. Grattan. Next Empire. N. Brown.* **Italie** (en milliards de lires, 1990). *Postalmarket* 370. *Vestro* 284. *Euronova* 143. *Club degli Editori* 158. *Euroclub* 63. **USA** (en millions de $, en 1984). *Sears* 4 463. *J.C. Penney* 1 900. *Montgomery Ward* (Mobil) 1 300. *Colonial Penn* 475. *Fingerhut, Figi's* 637. *Spiegel* (Otto Versand) 605.

Nota. – (1) 1989.

• **Chiffre d'affaires** (en millions de $, 1989). **Monde.** 1 350 dont alcool 3 922, parfums et cosmétiques 3 281, tabac 1 896, divers 4 402. **Europe.** All. dém. 11, All. féd. 426,2, Autriche 42,6, Belgique 104, Bulgarie 3,5, Danemark 427,4, Espagne 184,6, Finlande 423,1, *France 373,2,* G.-B. 914,6, Grèce 74,5, Hongrie 5,9, Irlande 69,4, Islande 26,2, Italie 131,3, Luxembourg 3,7, Norvège 106,8, P.-Bas 247,3, Pologne 13,6, Portugal 36,6, Roumanie 1, Suède 410,5, Suisse 126,9, Tchécoslovaquie 8,2, Turquie 51,3, URSS 41,4, Yougoslavie 25,4.

Duty Free (hors douane)

Répartition (en %). Maroquinerie 17,2. Confiserie 12,7. Accessoires 12,3. Divers (y compris jouets, jeux, souvenirs, artisanat) 11,7. Bijouterie 10,5. Montres 9,8. Électronique 4,4. Appareils photos 4,1. Cadeaux (porcelaine, cristallerie...) 3,6. Écriture 3,3. Mode 3,2. Briquets 3. Alimentation 2,5. Audiovisuel 1,8. **Montant mondial** (en millions de F). 40 dont produits français 19.

Vente à domicile (France)

Source : Syndicat national de la vente et du service à domicile (SNVSD) .

Généralités. Chiffre d'affaires (1989). 6,4 milliards de F dont (en 1986 en %) : édition 28,5, articles ménagers 16,2, textiles 13,9, électroménager 13,3, produits d'entretien 11,1, cosmétiques 10,8, agro-alimentaire 1,6, divers 4,6. **Effectifs.** 200 000 (dont env. 50 000 représentants statutaires).

Principales sociétés (chiffre d'affaires en millions de F). *Ustensiles de cuisine* (hermétiques en plastique) : Tupperware (origine : USA, vente par réunion en France dep. 1962). CA : env. 800, 1 700 monitrices et 10 000 présentatrices. *Produits d'entretien :* Stanhome (origine : USA). CA : 700. *Produits de beauté :* Avon (origine : USA 1886), CA mondial : 18 000 (Fr. 360), 1 200 000 revendeurs (60 000 clientes privilégiées en France). Auriège. Nutri-Metics. *Édition :* Hachette-le Livre de Paris (CA 716) ; France Loisirs/SPCL (CA 200) ; Larousse-Distribution-France (CA 162). *Électroménager :* Électrolux-Ménager (CA 600). *Textiles :* Linvosges, Mikava, Solfin. *Vins :* Henri Maire.

Téléachat ou télédistribution

Vente à domicile par minitel ou téléphone auprès de commerçants disposant de messageries, ou par l'intermédiaire d'émissions de télévision.

Messageries. *Origine :* 1981, France. *CA* (1987) : 6 % de la VPC [Camif (30 % des commandes), la Redoute 5,7, les 3 Suisses 6)]. D'autres Stés apparaissent dep. 1985 : Caditel et Télémarket (20 millions de F de CA en 1987), Grands Boulevards (dep. 20-2-1988) : 10 000 produits issus de 14 enseignes (alim., électroménager, prod. fin., voyages).

Télévision. Origine. *USA.* Télévisions par câble proposant uniquement du Téléachat. Stés : leader Home Shopping Network (*CA 1987 :* 4 milliards de F), offre 24 h sur 24 à 25 millions de foyers la possibilité d'acheter 25 000 produits. *France,* dep. 1987 : TF1 : le Magazine de l'objet (CA de 250 000 F/j), Canal + : la Boutique (oct.-déc.). Chaque émission présente 4 objets générant 1 CA d'env. 500 000 F. Émission : ne doit pas dépasser 90 mn/sem. Ne doit pas citer ni mentionner les marques. Plages horaires limitées. Durée min. de 15 mn/émission.

Types d'entreprises en France

Source : Libre Service Actualités.

Points de vente au 1-1-1991. **Nombre** et, entre parenthèses, **surface totale de vente,** en millions de m². *Supermarchés* 6 500 (6,38), *grandes surfaces de bricolage* 2 210 (3,58), *jardineries* 886 (2,16), *hypermarchés* 849 (4,62), *grands magasins* 760 (1,58) [dont équipement de la personne 582 (0,61), multispécialistes 178 (0,96)], *magasins populaires* 524 (0,76), *centres commerciaux* 573 (11,09) [dont régionaux (+ de 30 000 m²) 83 ((4,06), intercommunaux (5 000 à 30 000 m²) 454 (6,63), galeries marchandes 20 (0,2), centres de magasins d'usine 16 (0,2)].

☞ En 1988, les Français ont acheté 51,4 % de leur alimentation dans des grandes surfaces.

Centres commerciaux

Nombre. *1972 (1-1)* 103. *83* 386. *91* 573. **Surface totale.** 11 088 194 m² (moy. d'1 centre 19 351,1 m²).

Centres commerciaux de plus de 20 000 m² (année d'ouverture, surface de vente en 1990, en milliers de m²). *Arcades* Noisy-le-Grand 42,9. *Beaulieu* Nantes 21,4. *Belle-Épine* 1971, Thiais 89,5. *Bonneveine* Marseille 20,7. *CAP 3000* 1969, St-Laurent du Var 68,1. *Créteil-Soleil* 1977, Créteil 115. *Évry* 1975, Évry 70,5. *Les Flanades* Sarcelles 31. *Forum des Halles* 1979, Paris 55,1. *Galaxie* Paris 43,2. *Grand Place* Grenoble 39,7. *La Part Dieu* 1975, Lyon 102,4. *Les 3 Fontaines* Cergy 58,45. *Les 4 Temps* 1980, la Défense 89,7 ; 1981, Puteaux 105. *Mériadeck* Bordeaux 34. *Parinor* 1974, Aulnay-sous-Bois 58,5. *Parly 2* 1969, Le Chesnay 82,8. *Polygone* Montpellier 33,9. *Rosny 2* 1973, Rosny-sous-Bois 100,5. *St-Quentin-en-Yvelines* 36,2. *Les Ulis 2* les Ulis 21,6. *Valentine* Marseille 20. *Vélizy 2* 1972, Vélizy-Villacoublay 297,92 ; 1978, Vélizy 98,3. *Villiers-en-Bière* 1990 : 74. *Villeneuve-d'Ascq* 21,7.

Principaux centres. Surface de vente en m² et entre parenthèses **chiffres d'affaires au m²** en F (1990). *Vélizy 2* 4 104,3 (41 336), *La Défense-Les 4 Temps* 3 339,8 (36 810), *Créteil-Soleil* 3 297,4 (28 654), *Rosny 2* 3 187,6 (31 078), *Parly 2* 3 046,8 (37 373), *Parinor* 2 949,8 (48 621), *Forum des Halles* 2 769,3 (50 453), *Lyon-La Part Dieu* 2 649,8 (25 727), *Thiais-Belle Épine* 2 429,7 (27 148), *Cergy-3 Fontaines* 2 394,1 (45 549), *Évry 2* 2 125,2 (30 642), *Nice-Cap 3000* 1 498,1 (40 194), *St-Quentin* 1 438,8 (40 552), *Noisy-le-Grand-Les Arcades* 1 424,1 (33 203).

Part de la consommation des ménages par groupes de produits en % (en 1989)

Produits alimentaires, boissons, non compris tabac : 18,4 dont viandes 5,3 ; lait, fromages, œufs 2,4 ; fruits et légumes sauf pommes de terre 2,4 ; pain et céréales 2,1 ; autres prod. alimentaires, y compris confiserie 1,5 ; poissons 0,9 ; huiles et graisses 0,6 ; café, thé 0,4 ; pommes de terre et autres tubercules 0,2 ; sucre 0,1 ; *boissons :* 2,5 dont alcoolisées 2. *Tabac :* 1,2. *Articles d'habillement :* 5,4 ; chaussures (y compris réparation) 1,2. *Logement :* 19 dont loyer 14,7 ; chauffage et éclairage 3,8 (électricité 2,1 ; combustibles 0,9, gaz 0,8). *Meubles :* 2,5. *Appareils électroménagers :* 1,3. *Ustensiles de ménage :* 1,4. *Services médicaux et de santé :* 9,3 dont service des médecins et auxiliaires 4,2 ; médicaments et autres produits pharmaceutiques 2,5 ; soins des hôpitaux et assimilés 1,9 ; assurances maladie et accidents 0,4 ; appareils et matériel thérapeutiques 0,3. *Transports et communication :* 16,9 dont achat de véhicules 4,2 ; dépenses d'utilisation de véhicules 8,7 (dont carburants, lubrifiants 3,7 ; pneus, accessoires, frais de réparation 3,9 ; autres dépenses 1,2) ; achat de services de transport 2,1 ; télécommunications et postes 1,6. *Loisirs, spectacles, enseignement, culture :* 7,4 dont service de loisir, culture, sauf cafés, hôtels et restaurants 1,9 ; livres, quotidiens et périodiques 1,5 ; radio, téléviseurs, électrophones 1 ; matériel de photo, instruments de musique et autres biens durables 0,3. *Services de salons de coiffure et instituts de beauté :* 0,9. *Articles pour les soins personnels :* 1. *Bijouterie, horlogerie, y compris réparation :* 0,8. *Hôtels, cafés, restaurants et voyages touristiques :* 6,9. *Action sociale :* 1,7. *Autres biens et services :* 13.

Centrales d'achats

Centralisent les commandes des magasins (propres ou affiliés). Les sociétés succursalistes qui regroupent les achats des magasins qu'elles exploitent sont des centrales d'achats de fait.

Auchan. *Fondé* 6-7-1961 par Gérard Mulliez. 1988 : 42 hypermarchés dans 5 régions ; *CA* (90) 42 à 60 milliards de F. A l'étranger (88) : 12 hypermarchés « Al Campo » en Espagne ; 1 en Italie, 2 aux USA. *Effectifs :* 34 700 dont 17 530 en France.

Carrefour. *Fondé* 11-7-1959 par Marcel Fournier (1914-85) et Denis Defforey (n. 7-7-1925). 1987 restructuration : la Sté Carrefour France (Sté en nom collectif) filiale à 100 % de Carrefour exploite les 71 hypermarchés métropolitains du groupe. **91 :** rachat des 11 hypermarchés Montlaur. *Surface de vente totale* (en m²) : *1970 :* 118 965. *74 :* 222 147. *82 :* 457 000. *85 :* 825 000. *90 :* 1 210 000. *Effectifs* (1990) : 51 300. *CA* (TTC, en milliards de F) : *1985 :* 44,2, *89 :* 73,9, *90 :* 80,8 (*90 (HT) :* 75,8) dont France 52,2, Espagne 15,7, Brésil 6,7, Argentine 0,6, autres 0,6. **91 :** + de 100 avecles alliés (Comptoirs modernes).

Euromarché. *Fondé* 1968 après la fusion avec les « Escale » du groupe Printemps. 78 hypers en métropole dont 54 gérés par Euromarché SA et filiales (Viniprix 53 %, Au Printemps SA 25 %) et 24 par des groupes affiliés. 48 Bricorama, 59 cafétérias Éris. Racheté (91) par Carrefour. *Surface de vente* en métropole (ensemble enseignes Euromarché, Euroloisirs, Éris-restauration) 500 000 m². *CA et résultats consolidés* (en milliards de F H.T.) *et,* entre parenthèses, *part de groupe. 1985 :* 16,4 (0,097), *89 :* 24,2 (– 0,059), *90 :* 25,3 (0,005). *Hyperm. en participation à l'étranger :* 2 au Portugal ; *en franchise :* 2 Réunion, 1 Tahiti, 1 Guadeloupe, 1 Martinique, 1 N.-Calédonie. *Effectifs :* 20 000.

Gagmi (Gagmi Services). Approvisionne env. 300 magasins dont une centaine de points de vente Nouveauté/Textile, une dizaine de Grands Magasins, plus de 100 points de vente Bricolage (dont B3 Bricolage, Pictoral, Eurobri, Rural, Vivre à la Campagne), franchise auto (Bricauto) et textiles (Performance et Vescount). *Surface de vente totale :* 60 000 m² (dont divisions de grandes surfaces 14 500, grands magasins spécialistes 32 225, supermarchés populaires indépendants 13 153). *C.A.* (88) : Gagmi 21 millions de F, adhérents et affiliés 1,5 milliard de F.

Leclerc. (GALEC). Groupement d'achat des centres Édouard Leclerc (n. 1926, 1er mag. en 1949) : 204 hyper., 330 superm., 66 mag. spécialisés dans textile, meubles et chaussures, jardineries, cafétérias, 10 centres auto. (soit env. 100 milliards de F de *C.A.,* 1990). Les adhérents utilisent gratuitement l'enseigne, ne s'engageant qu'à suivre la politique commerciale définie par Édouard Leclerc (frais généraux très succincts, marge bénéficiaire limitée à 14 % au max.), à susciter d'autres vocations « Leclerc » et à verser 25 % des bénéfices avant impôt au personnel ; la centrale propose ses services sans obligation d'achat ; une personne ou un couple ne peut se charger de + de 2 centres. 47 000 salariés. *1978* rachat des Abattoirs « Gilles » en Bretagne, deviennent les « Abattoirs de Kermené » (l'unité d'abattage et de transformation de viande de porc la plus importante de France). *Dep. 1979,* Sté d'imp. des Pétroles Leclerc. *1986* création de la Sté Devinlec (Centres deviennent fabricants de bijoux en or). *1987* SCAC-Voyages Leclerc (50 % Bolloré, 50 % Leclerc).

Paridoc. 5 groupes associés, soit 9 Stés. *Réseaux* au 31-12-89 : 1 252 succursales et supérettes, 233 supermarchés, 66 hypermarchés. *C.A.* (89) : 35 milliards de F. *Employés* 35 000.

Chaînes volontaires

Groupements d'achats de grossistes dont les clients détaillants sont liés au grossiste régional par contrat d'approvisionnement.

Alimentaires. Nombre de grossistes (libres-services de gros) et de détaillants. **SPAR.** *Fondée* 1932 aux P.-B. par Van Well. Opère dans 16 pays. 2 formes légales : société par actions (Internationale SPAR Centrale BV) et association (Interspar Guild). En 1987, 134 grossistes, 19 510 détaillants, 2 375 supermarchés, 127 100 salariés, 19 510 points de vente de détail (179 m² en moyenne). *Surface de vente totale :* 3 699 560 m². *C.A. total de gros* (1987) : 30 411 998 Florins hollandais. *En France :* 8 centres opérationnels (grossistes) et 8 associations, 950 associés détaillants. **Codec** Voir p. 1494b.

Non alimentaires. Nombre de grossistes et de détaillants : **France droguerie** 11 gr., 1 761 dét. **CATENA** (quincaillerie) 11 gr., 850 dét. (1 095 millions de F en 1986). **SERMO** (textile) 14 gr., 368 dét.

Coopératives de consommateurs

Origine. Idée et principes du « système coopératif » remontent à l'utopiste français Charles Fourier (1772-1837) et aux pionniers anglais de Rochdale (1844). *Fédération française,* Tour Mattei 207, rue de Bercy, 75012 Paris. *Créée* 1912. Les bénéfices distribuables sont répartis entre les membres (ristournes). 5 enseignes : Rond-Point (grandes surfaces), Maxicoop et Supermarchés Coop (moyennes), Point Coop (mag. de proximité), Confort Coop (mag. spécialisés dans le non-alim.).

Sociétés coopératives ouvrières de production (Scop). STATISTIQUES. *Nombre 1970 :* 20 ; *75 :* 75 ; *81 :* 200. *Au 16-4-82 :* 979 coop. adhérentes de la Confédération nationale : bâtiment 357, prestations de services 258, mécanique et métallurgie 87, livre et arts graphiques 84. 854 emploient moins de 50 personnes ; 65 ont plus de 100 salariés. *Effectifs totaux :* 34 000 (19 148 sociétaires). *CA* consolidé : 6,6 milliards de F.

ORIGINE DE LA CRÉATION. *Mutations d'entreprises traditionnelles* (18 cas sur 141 en 1980). *Créations spontanées* (94 sur 141 en 1980). *Reprises d'affaires défaillantes :* Lip ; Manufrance ; Manuest ; Weiler ; Japy Marne (Nancy). Réduction de l'échelle des rémunérations de 1 à 5.

Exemples. *Union technique du bâtiment.* Fondée 1933. 360 personnes (dont 52 sociétaires). *Verrerie ouvrière* (fondée 1896 à Albi par Jean Jaurès), 5 % du marché français, 530 personnes.

Détaillants

Isolés. S'adressent individuellement à des grossistes pour faire leurs achats. En général, commerces exploités par 1 personne ou 1 ménage, aidé éventuellement par 1 ou plusieurs membres de la famille ; 58 % d'entre eux n'ont pas de salariés.

Indépendants associés. Affiliés à un groupement d'achats, souvent une sté anonyme coopérative à capital et personnel variables et bénéficiant des avantages que procure le nombre.

Franchise

Définition. Une entreprise (franchiseur) disposant d'une raison sociale, d'une « enseigne », d'un savoir-faire et d'une collection de produits, de services et/ou de technologies brevetées ou non, accorde sa franchise (droit d'enseigne et de marque) à d'autres entreprises contre un « droit d'entrée » et une redevance annuelle proportionnelle au CA (2 à 10 %). Le franchisé doit se conformer aux normes définies par le franchiseur. *Avantages :* clientèle assurée et indépendance pour le franchisé ; rapide multiplication des points de vente à l'enseigne du franchiseur. **Origine.** 1929 USA (General Motors), France (laines Pingouin).

Nombre de franchiseurs et, entre parenthèses, **de franchisés.** *1971 :* 34 (2 000). *1981 :* 330 (13 891). *1990 :* 675 (30 000). **Chiffre d'affaires.** 145 milliards de F. 7 % du commerce de détail (*USA :* 3 000 franchiseurs, 600 000 points de vente, 32 % du CA du commerce de détail).

Exemples. *Commerces :* Rodier, Pronuptia, Truffaut, Ctesse du Barry, Descamps, Yves Rocher, Cacharel, Simone Mahler, etc. *Hôtellerie. Restauration. Services :* Novotel, Ibis, Courtepaille, Milleville, Midas. *Industrie :* Coca-Cola, Yoplait, PPB-SARET, etc.

Organismes. *Centre d'étude du commerce et de la distribution (Cecod),* 19, rue de Calais, 75009 Paris. *Féd. française de la franchise (FFF),* 9, bd des Italiens, 75002 Paris. *Féd. europ. de la franchise (FEF),* av. de Brocqueville, 5, B-1050 Bruxelles. Belgique. *International Franchise Association (IFA),* 1027 Connecticut Avenue N.W., suite 707, Washington D.C. 20036. USA.

Loi Royer. Loi d'orientation adoptée par le Parlement (déc. 1973), organisant un contrôle pour la création des grandes surfaces. 1° les *commissions départementales d'urbanisme commercial* (CDUC) (c. de 9 élus locaux, 9 représentants des activités commerciales et artisanales et 2 consommateurs) peuvent refuser ou accepter l'installation des commerces d'une certaine taille (1 000 m² pour les communes de – de 40 000 hab., 1 500 m² pour les autres) ; 2° les *chambres de commerce et d'industrie* et les *ch. de métiers* participent à l'établissement des schémas directeurs d'aménagement et d'urbanisme (SDAU) et des plans d'occupation des sols (POS) ; 3° elles peuvent participer au rachat de boutiques dans le centre des villes ou aider les commerçants à s'installer dans les nouvelles banlieues. Une *commission nationale* présidée par le min. du Commerce statue sur les appels des décisions des commissions départementales. *1987* réforme de la loi : les abstentions ne seront plus prises en compte dans l'adoption d'un projet : le mandat des membres sera limité à 6 ans ; les dossiers devront comprendre un titre de propriété ; toute personne pourra intenter des poursuites contre l'extension illégale d'un magasin.

Refus de vente. Permet à un producteur de choisir ses distributeurs. Interdit en France (1940, circ. Fontanet de 1900) ; exceptions : distribution sélective ou exclusive (concession). Autorisé dans les principaux pays occidentaux (USA, G.-B., All. féd.).

Grands magasins

Généralités

• **Assortiment.** Environ 250 000 articles à Paris, 40 000 à 80 000 en province. **Surfaces** à Paris 500 à 50 000 m².

• **Quelques dates. 1824,** f. de la *Belle Jardinière.* **1852,** Aristide Boucicaut (1810-77) reprend une boutique de mercerie et de nouveautés à l'enseigne *Au Bon Marché* et généralise le prix fixe indiqué par des étiquettes. On peut entrer librement et toucher les marchandises qui demeurent chez les concurrents empaquetées ou pliées sur des rayons inaccessibles, échanger ou se faire rembourser les articles défectueux. La marge est de 20 % (ailleurs 40 à 50 %). Sa veuve (née Marguerite Guérin 1816-87) poursuivra son œuvre. Bâtiment principal actuel construit en 1869-87. **1855,** Alfred Chauchard (1821-1909) ouvre le magasin du *Louvre* (fermé 1974) et Xavier Ruel (1822-1900) le *Bazar de l'Hôtel de Ville* (Bazar Napoléon jusqu'en 1870). **1865,** Jules Jaluzot (1834-1916) crée le *Printemps.* **1870,** Ernest Cognacq (1839-1928) et sa femme née Marie-Louise Jay (1838-1925), la *Samaritaine,* qu'ils légueront en partie à leur personnel. **1894,** Antoine Corbin (1835-1901) crée les *Magasins Réunis,* pl. de la République (1914, rachète av. des Ternes le mag. A l'Économie ménagère créé 1912 ; vitraux de Gruber, 1924). **1895,** Théophile Bader (1864-1942) et Alphonse Kahn (1865-1926) créent les *Galeries Lafayette.* **1897,** ouverture des *Trois-Quartiers.*

• Statistiques (en 1990). *Nombre :* 200. *Salariés :* env. 35 000. *CA* (88) : 28 004 millions de F. *Surface totale de vente* (en m²) : env. 1 100 000 dont : Nouvelles-Galeries : 396 033. Printemps : 245 045 (dont Paris 9e : 47 020 ; Vélizy 2 : 16 029). Galeries Lafayette : 150 000 (Paris 9e : 47 720). BHV : 105 650 (Rivoli : 33 000). Samaritaine : 53 500 (Paris 1er : 48 000). Au Bon Marché : 31 730 (Paris 7e : 28 500). Gagmi : 23 100. Aux Trois Quartiers : 15 700 (Paris 1er). Jelmoli-Lyon (La Part-Dieu, 69) : 15 000. Decré (Nantes, 44) : 14 500. Primistère-Félix Potin-Exor : 6 947. Bigstore : 3 000.

Rendement au m² (CA, en F, 1981) : BHV-Rivoli (33 000 m², Paris 4e) 40 515, Printemps-Haussmann (1990) (47 020 m², Paris, 9e) 62 335, Galeries Lafayette (1990) (47 720 m², Paris, 9e) 65 654, Paris-Marseille (1 473 m², Marseille, 6e) 33 557, N.-Gal. (1 784 m², Mont-de-Marsan, 40) 32 511.

Chiffre d'affaires (en millions de F, 1985) : Printemps (mag. Haussman) 2 356 (*1986 :* 2 301, *1987 :* 2 420), G. Lafayette (Paris, 9e) 3 133 (90), BHV-Rivoli (Paris, 4e) 1 814 (*1986 :* 1 853), Bon Marché (Paris, 7e) 798 (*1986 :* 858, *1987 :* 904), Trois-Quartiers (Paris, 1er) 413,7, N.-Gal. (St-Laurent-du-Var, 06) 585, N.-Galeries (Toulouse) 404, N.-Gal. (Marseille) 392, N.-Gal. (Lyon) 374.

• **Fédération nationale des entreprises à commerces multiples.** 11, rue St-Florentin, 75008 Paris. *Créée* 1937. *Principaux groupements :* Group. d'études des grands mag., Chambre synd. des mag. popul., Synd. des mag. et galeries, Synd. des mag. indép. ; *magasins :* env. 1 000.

Principaux grands magasins

BHV (Bazar de l'Hôtel de Ville). *Fondé* 1855 par Xavier Ruel (1822-1900). Bazar Napoléon jusqu'en 1870. *1931* Sté anonyme. *1948* introduction en Bourse. *1968* Sté Nouv.-Galeries contrôle 50,04 % du BHV (1985, 48,15 %). *Magasins :* durant 100 ans, 1 à Paris, rue de Rivoli. *1964-90* 7 à Paris et région parisienne. *A partir de 1975 :* chaîne de mag. spécialisés dans bricolage et décoration en prov. [12 magasins BHV à Lyon (Vénissieux, Limonest, La Part-Dieu, St-Genis-Laval), Grenoble (Grand-Place), Strasbourg-les-Halles, Villeneuve-la-Garenne, Bordeaux (Gradignan), St-Étienne, Caen et Rambouillet, Pontault-Combault ; Acajou en Martinique]. *Surface totale de vente* (déc. 86) : 165 700 m². *Effectifs* (31-12-89) : 4 267. *CA* (HT consolidé, 1990) : 4,2 milliards de F.

Galeries Lafayette. *Fondées* 1895 par Théophile Bader (1864-1942). Mag. actuel construit 1909-12 par Ferdinand Chanut. 17 grands mag. (16 à l'enseigne G. Lafayette et 1 Dames de France). 119 magasins populaires : Monoprix, Super M et Inno. Familles Meyer et Moulin détiennent : capital 61,7 %, droits de vote 77 % [aux Nouvelles Galeries : capital 53 %, droits de vote 62,26 % (avec les Devanlay) ; au BHV : capital 62 % (avec famille Boulot)]. *CA consolidé du groupe* (1990) : 16,5 milliards de F. *Effectifs :* 19 412.

Nouvelles Galeries Réunies. *Fondées* 1897 par Aristide Canlorbe (1852-1916) et Léon Demoge (1864-1934). *Unités de vente* 250 [dont 56 grands magasins en propre, 41 affiliés, 31 centres Maison et Jardin en propre et 3 affiliés, 7 grands magasins BHV, 11 BHV bricolage (filiale à 50,04 %), 58 Uniprix (85,09 %), 43 Vetland]. *Surface du groupe SFNGR :* 809 000 m². *Effectifs :* 18 776. *CA* (1990) : 14,9 milliards de F. Objet d'une OPA (juin 91) par les Galeries Lafayette.

Printemps. *Fondé* 11-5-1865 par Jules Jaluzot (1835-1916), ancien chef de comptoir du Bon Marché. Mag. du Havre construit en 1881-83 par Paul Sédille (surélevé en 1961). *2 centrales d'achat :* **1o SAPAC et Cie** *(Sté parisienne d'achats en commun),* qui approvisionne 17 grands mag. du groupe et 47 grands mag. affiliés. *CA* HT (activités grands magasins, 1990) : 5 milliards de F. *Surface de vente des grands magasins* du groupe : 175 800 m² (hors affiliés) ; **2e SAPAC magasins populaires** qui approvisionne 338 mag. à l'enseigne mag. populaires Prisunic (96 mag. propres et 209 mag. affiliés) et Escale (2 mag. propres et 31 mag. affiliés). *CA* HT (activités magasins populaires et mini-hyper., 1990) : 4,9 milliards de F (hors affiliés) ; *surface de vente* des magasins : 157 400 m² (hors affiliés). *Exploitation* de 56 mag. Armand Thiéry et Brummel. *CA* HT : 560 millions de F. Détient 25 % d'Euromarché, 35 % de Viniprix (qui contrôle elle-même 53 % d'Euromarché), participation majoritaire dans le groupe Redoute et dans le groupe Disco.

Samaritaine. *Fondée* 21-3-1870 par Ernest Cognacq (1839-1928). Mag. no 2 construit 1906-07 (terminé 1926-28) par Frantz Jourdain. *PDG* Georges Renand (n. 2-1-1952). *Magasins :* 1 (Paris-Rivoli). *Surf. de vente : 1870* la moitié d'une salle de café ; *1981* 117 650 m², *1984* 74 600 m², *1987* 48 000 m². *CA* (90) : 1 420 millions de F. *Clients :* env. 18 millions par an. *Effectifs* (1989) : 1 800.

Trois-Quartiers (nom tiré d'une comédie de Picart et Mazères, 1827). *Fondé* 1829 par Gallois-Gignoux, agrandi 1897. 1 magasin à Paris (1930). *Surf. de vente :* 16 335 m². *Effectifs* en 1986 : 570. *CA 1987 :* 320 millions de F. *Clients :* 300 000 connus. *Filiale :* Madelios (pour hommes). *Capital :* Bouygues 71,37 % (en oct. 1986). Fermé en 1990.

Coopératives de commerçants détaillants membres de l'UFCC au 1-1-1991

Alimentaires. CODEC (enseignes : Codec, Codi, Lion), 850 magasins, *CA détail TTC :* 15 milliards de F. Dépôt de bilan en 1990, rachat d'une partie des actifs (6,5 milliards de F) par Promodès. **SYSTÈME U** (enseignes : Unico, Super U, Hyper U, Marché U), union de 5 centrales régionales, 1 284 magasins, *CA détail TTC :* 31 milliards de F. 20 % du parc national de supermarchés sont aux enseignes des groupes Codec et Système U.

Non alimentaires. 33 coopératives représentant 10 000 magasins, CA 42,7 millions de F dont : *Ameublement :* **UFEM Monsieur Meuble** (242 mag. CA 2 309 MF). *Chaussures :* **UCF Arbell** (480 mag., 760 MF). *Équip. de la maison :* **Mr Bricolage** (272 mag., 2 220 MF) ; **SAPEC** [(GEMO, Maison Conseil, Bricosphère) 284 mag., 4 200 MF] ; **GEDEX GEDIMAT** (284 mag., 4 200 MF). *Horlogerie bijouterie :* **Guilde des Orfèvres** (118 mag., 800 MF), **CODHOR** (460 mag., 1 900 MF). *Jouets, puériculture :* **EPSE France Maternité** (358 mag., 1 800 MF). **Mamanbébé** (450 mag., 700 MF). *Librairie papeterie :* **Plein Ciel** (310 mag., 2 060 MF) ; **Majuscule** (150 mag., 1 920 MF). *Optique :* **Atol** (388 mag., 900 MF). *Sports :* **Intersport-La Hutte** (550 mag., 1 835 MF) ; **Sport 2000** (450 mag., 1 028 MF). *Voyage :* **Selectour** (360 agences, 4 700 MF).

☞ **UFCC, Union fédérale des coopératives de commerçants.** *Créée* 1964, réunit la plupart des sociétés coop., 2 alimentaires et 33 non alim. *Adhérents* 12 300. *Magasins* 12 500. *CA* TTC 85,7 milliards de F soit 6 % du commerce de détail français (12% en comptant le groupe Leclerc et les coop. de pharmaciens non membres de l'Union).

Consommation des ménages en 1989 (en milliards de F)

Source : INSEE.

Produits alimentaires : 672,2 dont viandes 191,8 ; lait, fromages, œufs 89,2 ; fruits et légumes sauf pommes de terre 86,8 ; pain et céréales 77,5 ; autres produits alimentaires, y compris confiserie 56,1 ; poisson 32,3 ; huiles et graisses 23,5 ; café, thé 13,8 ; pommes de terre et autres tubercules 7 ; sucre 3,6. *Boissons :* 90,6 dont alcoolisées 71,5 ; *tabac :* 42,6. *Articles d'habillement :* 239,5 dont chaussures (y compris 536,4 réparation) 43,8. *Logement :* 695,3 dont loyer ; chauffage et éclairage 137,2 (électricité 75,2 ; combustibles 31,5 gaz 30,5). *Meubles :* 92. *Appareils électroménagers :* 49,3. *Ustensiles de ménage :* 47,5. *Services médicaux et de santé :* 340,3 dont service des médecins et auxiliaires 152,7 ; médicaments et autres produits pharmaceutiques 91,9 ; soins des hôpitaux et assimilés 68,9 ; assurances maladie et accidents 15,4 ; appareils et matériel thérapeutiques 11,4. *Transports et communication :* 618,3 dont achat de véhicules 153,9 ; dépenses d'utilisation de véhicules 317,9 (dont carburants, lubrifiants 134,1 ; pneus, accessoires, frais de réparation 141,4 ; autres dépenses 42,4) ; achat de services de transport 77,8 ; télécommunications et postes 59,8. *Loisirs, spectacles, enseignement, culture :* 270,7 dont service de loisir, culture, sauf cafés, hôtels et restaurants 71 ; livres, quotidiens et périodiques 54,3 ; radio, téléviseurs, électrophones 37,6 ; matériel de photo, instruments de musique et autres biens durables 10,1 ; *services de salons de coiffure et instituts de beauté :* 31,7. *Articles pour les soins personnels :* 37,6. *Bijouterie, horlogerie, y compris réparation* 27,5. *Hôtels, cafés, restaurants et voyages touristiques :* 251. *Action sociale :* 63,8. *Autres biens et services :* 473,1.

Libre-service (magasins)

• **Origine. En France.** *1er magasin d'alimentation libre-service* (Goulet-Turpin) juillet 1948, à Paris. *1er supermarché* 1958 (Docks de France). *1er hypermarché* juin 1963 (Carrefour de Ste-Geneviève-des-Bois, Essonne, 4 420 m²).

• **Nombre total** (au 1-1-1991). Supermarchés 6 920, mag. populaires 524, hypermarchés 851, entrepôts de gros 408. (Au 1-1-1990) supérettes 5 038, mag. de bricolage 2 210, mag. de meubles 2 142, jardineries 886, centrales et organisations d'achats et de services 483, centres commerciaux 573, cash and carry 345, grand mag. 760.

• **Effectifs** (au 1-1-1991) hypermarchés et supermarchés 346 495. 21,4 % de l'effectif salarié du commerce de détail, 12,5 % des salariés de la distribution (gros et détail), 9,76 % de l'effectif total du commerce.

• **Hypermarchés.** Prédominance alimentaire d'une surface de vente minimale de 2 500 m². 39 500 à 70 000 art. **Surface de vente :** (au 1-1-91) 4 583 000 m², moyenne 5 386 m². Contrôlent (au 1-1-91) 19,7 % du marché de détail et 26 % de l'alimentation. **Chiffre d'affaires** (1990) : 293,8 milliards de F. CA (1990)/m²/an 65,8 milliers de F.

Ouvertures. *1963 :* 1. *64 :* 2. *67 :* 8. *68 :* 14. *69 :* 44. *70 :* 41. *71 :* 32. *73 :* 49. *74 :* 35. *75 :* 15. *76 :* 38. *77 :* 31. *78 :* 18. *79 :* 24. *80 :* 21. *81 :* 28. *82 :* 29. *83 :* 21. *84 :* 24. *85 :* 21. *86 :* 35. *87 :* 27. *88 :* 24. *89 :* 40. *90 :* 25. **Fermetures** *1986 :* 4. *87 :* 4. *88 :* 12. *90 :* 25. **Nombre** (au 1-1). *1970 :* 75. *75 :* 287. *80 :* 407. *85 :* 550. *90 :* 851. **Nombre de caisses de sortie** 23 000 (moy. 27), **de places de parking** 755 613 (moy. 1 023). **Effectif total** (1-1-91) : 150 600 employés. **Chariots parc total** 943 759 (1 109 en moy. par unité). **Pompes à essence** 6 808 (8 en moy. par unité).

Nombre d'hypermarchés par centrale et, entre parenthèses, **surface de vente totale** en milliers de m² (au 1-1-1991). Leclerc 224 (809,7). Carrefour (27 magasins propres, 7 Sogara, 7 Sogramo, 4 Superest, 2 GML, 1 Sodisor, 1 Sochadis, 4 Carcoop) 73 (670,6). Euromarché (33 magasins propres, 5 Sodicoma, 8 SND, 8 Sudacha, 15 affiliés divers) 69 (445,2). Casino 61 (341,8). Promodès-Continent (hors coopérateurs) 59 (313,1). Cora 57 (372,5). Docks de France (4 Centre-Ouest, 10 SMdoc, 7 Économats du Centre, 12 La Ruche Picarde, 10 Cofradel, 7 Doc Français) 50 (278). Rallye 45 (250,4). Auchan 44 (419,3). ITM 38 (11,5).

Nombre par enseigne et, entre parenthèses, **surface totale** en milliers de m². Centre Leclerc 224 (809,7). Carrefour 73 (670,3). Euromarché 69 (445,2). Mammouth 62 (352,1). Cora 45 (324,8). Rallye 45 (250,4). Continent 42 (270,2). Auchan 42 (405,7). Géant Casino 40 (247,3). Intermarché 36 (104,4). L'Univers 18 (85,5). Rond-Point 16 (87). Montlaur 15 (72,8). Record 15 (75,5). Escale 13 (37,9). Champion 12 (34). Hyper U 11 (34,2). Stoc 8 (22,5). Super M 8 (46,3). Super Pakbo 6 (19,9). Match 5 (15,2). Maxi Marché 3 (8,2). Lion 3 (7,8). Sodim 3 (8,9). Maxi Coop 3 (8,2). Provencia 3 (9,1). Inno 3 (16). Super U 3 (8,2).

Nombre par tranche de surface. – *de 5 000 m² :* 469. *5 000 à 7 500 :* 204. *7 500 à 10 000 :* 105. *10 000 à 15 000 :* 63. *15 000 et + :* 10.

Les plus grands (m², 1990). Portet-sur-Garonne [1] 24 170. Villiers-en-Bière [1] 20 000. Aulnay-sous-Bois [1] 19 355. Vitrolles [1] 19 000. Vélizy-Villacoublay [2] 16 000. Noyelles Gaudault [2] 15 864. Englos [2] 15 794. Nice [1] 15 704. Dijon [1] 15 000. St-Priest [2] 15 000. Mérignac [1] 14 675. Villeneuve d'Ascq [2] 14 616. Thionville [3] 14 500. Marseille [4] 13 875. Les Ulis [1] 13 630. Le Grand-Quevilly [5] 13 532. Heillecourt [6] 13 505. Roncq [2] 13 500. Mundolsheim [6] 13 500. Ormesson-sur-Marne [7] 13 500.

Nota. – (1) Carrefour. (2) Auchan. (3) Géric. (4) Géant Casino. (5) Rond-Point. (6) Cora. (7) Continent.

Surface (en m²) pour 1 000 hab. *Moyenne :* 83. *Maxim. :* Marne 130, Aube 124, Loire-A. 123, Yvelines et Essonne 120. *Minim. :* Lozère 0, Paris 10, Lot 16, Ariège 20.

• **Supermarchés** (400 à 2 500 m²). **Nombre** 6 920 (dont – *de 800 m² :* 2 613, *800 à 1000 :* 928, *1 000 et + :* 3 379). **Surface de vente totale** (au 1-1-91) : 6 739 000 m². *Moyenne* 974 m².

Surface (en m²) pour 1 000 hab. *Moyenne :* France 122 m² (*max. :* Htes.-Alpes 228, Vienne 204. *Min. :* Seine-St-Denis 69, Haute-Marne 76, Val-de-M. 78).

Ouvertures. *1983 :* 511 ; *84 :* 516 ; *85 :* 376 ; *86 :* 408 ; *87 :* 278 (indépendants 210, maisons à succursales 62, grands magasins et mag. populaires 2, coop. 3, GEGS 2) ; *88 :* 310 ; *90 :* 271. **Chiffre d'affaires**

(1990) : 292,8 milliards de F, dont ventes alim. au détail 36,7 %, de marchandises gén. 6,6 %. **Nombre de caisses de sortie** 5 en moyenne, **de places de parking** 183 168 (27 en moyenne). **Effectifs** (1-1-1991) : 159 200 (23).

Principales enseignes. Nombre de magasins et, entre parenthèses, **surface de vente** en milliers de m² (au 1-1-1991). Intermarché 1 377 (1 709,4). Super U 445 (545,2). Unico 443 (275,1). Champion 367 (440,5). Centre Leclerc 301 (469,6). Shopi 287 (144,8). Stoc 214 (218,8). Timy 187 (89,7). Prisunic 183 (179,3). Casino 149 (157,4). Match 146 (165,4). Bravo 144 (136,9). Le Marché Franprix 133 (82,4). Monoprix 132 (134,1). Atac 124 (135,5). Rallye Super 124 (125,7). Score 121 (62,2). Maxi-Coop 120 (126,7). Franprix super Discount 120 (73,1). Codec 119 (72,5). Genty Super 89 (98,3). Coop 75 (39). Major 74 (82,8). Maxi-Marché 68 (71,4). Sodim 63 (65,8). Cedico 61 (69,2). Lion 57 (75,5). Suma 56 (55,1). Tigre 55 (31,4). G20 53 (35,3). Topco 38 (25,6). UGA 37 (25,7). Comod 33 (16,6). Codec Top 32 (21,3). Supermarché 30 (22,9). Rapid Marché 27 (14,6). Uniprix 26 (28,9). Le Mutant 26 (14,9). Spar Marché 26 (10,5). Sodiprix 25 (21,1). Franprix 25 (13,7). PG 23 (27,4). Lidl 23 (15,5). Ed 23 (10,1). Nouvelles Galeries 22 (15,6). Provencia 21 (25,5). Cédimarché 18 (12,3). Utile 16 (8). Squale 15 (12,6). Banco 15 (9). Uraprix 13 (6,3). Super Coop 13 (6,3). Europrix 12 (11,3). Montlaur 11 (13,2). Kalistore 11 (11,6). Super Pakbo 10 (15,8).

Records. Superficie (surface de vente, m²) : Intermarché (Montmorillon) 2 495. Élysée Mirail (Toulouse) 2 490. Centre Leclerc (Issoudun) 2 490. Champion (Avon) 2 490. **Rendement au m²** (CA, en F) : Leclerc (450 m², Drancy, 93) 98 489, L. (400 m², Bourg-la-Reine, 92) 89 500, L. (500 m², Paris, 14e) 84 940, Pg (550 m², Outreau, 62) 81 818, Leclerc (1 200 m², St-Étienne-du-Rouvray, 76) 77 500, L. (1 920 m², Osny, 95) 76 349, L. (1 700 m², Nanterre, 92) 74 706, L. (1 000 m², Paris, 14e) 74 360. *Moyenne* 31 300. **Chiffre d'affaires** (en millions de F) : Super 3 000 (Nouv. Gal. à St-Laurent-du-Var, 06) 210,90, Leclerc (Osny, 95) 146,59, L. (Nanterre, 92) 127, L. (Royan, 17) 124, L. (Persan, 95) 117, L. (Langon, 33) 113, L. (Quimper, 29) 111,58, L. (Rennes, 35) 105,15, L. (Aubervilliers, 93) 103,77, Pg (St-Martin-Boulogne, 62) 100,25. *Rendement/employé* (CA, en F) : Genty-Super (Crest, 26) 1 866 667, Leclerc (Quimper, 29) 1 859 667, Franprix-Sd (Argenteuil, 95) 1 785 714, Béatrice (Ozoir-la-Ferr., 77) 1 750 000, Franprix-Sd (Les Lilas, 93) 1 750 000, Stoc (Le Croisic, 44) 1 711 429, Franprix-Sd (Franconville, 95) 1 666 667, Sodim (Le Penne-sur-Huveaune, 13) 1 660 000, Leclerc (Pont-Ste-Maxence, 60) 1 658 222, Stoc (Quiberon, 56) 1 654 444. *Moyenne* 980 164.

• **Supérettes** (120 à 400 m², à prédominance alimentaire). **Nombre** (au 1-1) : *1967* 1 994. *70* 3 053. *75* 4 984. *80* 5 589. *85* 5 808. *90* 5 038. (1 096 006 m²). **Surf. moyenne** 218 m². **Effectifs** (1-1-90) 22 300.

Premiers groupes. Nombre, et, entre parenthèses, **surface totale en m².** Promodès 976 (218 652). Disco 587 (128 429). Système U 407 (95 688). Baud Franprix 360 (80 007). Comptoirs Modernes 311 (73 418). Casino 146 (22 367). Coop Normandie et Picardie 124 (24 984). Erteco 113 (35 267). ITM Entreprise 103 (40 103). Coop d'Alsace 101 (22 299).

• **Mini-libres-services ou succursales au 1-1** (moins de 120 m²). *1981* : 17 167 (1 118 135 m² ; s. moyenne de vente 68 m²). *85* : 15 801.

Magasins populaires

• **Généralités. Origine.** 1879 USA, 1906 G.-B., 1927 France. *Magasins à prix unique* 1931 [le prix le plus élevé ne devait pas dépasser 10 F, aussi poids ou quantité de marchandises vendue était fonction de ce prix à l'inverse des autres magasins (technique abandonnée avant 1939 car la clientèle ne pouvait comparer entre les prix des « Prix uniques » et ceux du commerce traditionnel, et le nombre des articles mis en vente était trop restreint)]. Assortiment restreint d'usage courant et de grande consommation (7 000 à 10 000 articles). Surface 300 à 7 500 m². Marges réduites (en moyenne 22 %) car frais généraux réduits (ni catalogue, ni livraisons gratuites à domicile, ni rendus) et rotation rapide des stocks (articles de nouveauté 6, de bazar 8, alimentation 12 à 18, moyenne générale 7 à 9).

Statistiques (1990). *Nombre* env. 580. *Superficie totale* env. 750 000 m², *moyenne* 1 362 m². *Salariés* env. 25 000. *CA moyen/an (86)* 28 937 millions de F. *Nombre moyen de caisses de sortie* 7, *de places de parking* 170 (84).

Les 10 plus grands magasins populaires (surface de vente en m², 1989). Inno-Passy (Paris 16e) 6 039. Inno-Nation (Paris 20e) 4 794. Inno-Montparnasse (Paris 14e) 4 457. Monoprix (Auxerre) 4 318. Prisunic (Longwy) 3 800. Inno (Montpellier) 3 790. Prisunic-Vaugirard (Paris 15e) 3 610. Super-Baze Rd-Point (Marseille 8e) 3 513. Monoprix (Compiègne) 3 344. Monoprix (Soissons) 3 334.

• **Monoprix** (Groupe Galeries Lafayette). 136 magasins propres, 292 affiliés. *Surface de vente totale* : 387 611 m². *CA* (89 TTC) : 10,9 milliards de F.

• **Prisunic** (Groupe Printemps-Prisunic, 1er magasin ouvert en 1932). Au 31-12-1990, 305 mag. Prisunic dont 96 appartiennent au groupe, 209 affiliés ; 33 mag. Escale dont 31 affiliés. *Surface de vente des magasins en exploitation directe* : 175 800 m². *CA* (HT 1990) Sapac-Prisunic (chaînes et affiliés, métropole et hors métropole) : 11,2 milliards de F, Escale (y compris essence) : 3,7 milliards de F.

• **Tati.** *Créé* 1949 par Jules Ouaki (1920-83). *CA (1988)* : 1,6 milliard de F. *Surface de vente* : 15 000 m². *Effectifs* : 1 500.

Magasins divers

Quincailleries-bricolage bâti-centers (au 1-1-1991). 2 210 magasins : Sapec 389, M. Bricolage, Bricotruc 232, Caténa 205. *Surface de vente moyenne* : 1 621 m² [de 514 (CAQF) à 4 178 (BHV-Bricolage)] ; *totale* : 3 384 281 m².

Succursalistes

Syndicat national des maisons d'alimentation à succursales, supermarchés, hypermarchés. *Sociétés adhérentes* : 48. *CA* (88) : 112 milliards de F. *Part de marché dans les achats au détail des ménages* : alimentaire 14,8 %, non alimentaire 4,1 % ; ensemble du commerce de détail 8,4. *Effectif total* : 94 225. *Nombre de magasins et, entre parenthèses, % du CA* : hypermarchés 171 (41), supermarchés 1 146 (44), succursales et supérettes 7 385 (15).

• **Casino Guichard-Perrachon et Cie (Établ. économiques du).** *1898*, créés à partir d'une épicerie de détail ouverte en 1860 dans la salle de l'ancien casino lyrique de Saint-Étienne. *1985*, prise de contrôle du Groupe CEDIS. *Parc de magasins au 31-12-1990.* Succursales Casino 2 286 ; affiliés Épicier Casino 277 ; affiliés SODI 210 ; franchisés Sup'Casino 35 ; Supermarchés Casino 144 ; Sodim et Sodiprix 95 ; Hypermarchés Géant Casino 40, l'Univers 18. « 24 h » convenience stores 50 (dont affiliés 11, franchisés 4). Autoservice 21, fr. Auto Service 5, Atoll lavage 3. Restauration Rapide Quick 106 (dont fr. 10), Free Time 27 (dont fr. 10) ; cafétérias Casino 126, l'Univers 9, restaurants l'Aquarelle 5, Dune 4, rest. d'autoroute Café Casino 1, Hippopotamus 17 (1 fr. Aquaboulevard), pâtisserie-sandwicherie Hippolisson 3, Cash and Carry Cash 10. *USA* : Cash and Carry SFI 108, Café Casino 2, viennoiseries Petit Casino 2, location de matériel et mobilier de réception 3. *Unités de production* : torréfaction de cafés 1 ; chais 2 ; abattoirs 2 ; crèmerie, produits frais 2 ; charcuterie 1 ; plats cuisinés 1; confiserie, chocolaterie 1. *Entrepôts* : 13 Casino, 4 LRM. *Effectifs (1990)* : 47 564. *CA consolidé HT (1990)* : 44,9 milliards de F.

• **Cofradel.** Né de la fusion 1969 de l'Économique et de la Sté laitière moderne. Exerce en Rhône-Alpes, Languedoc-Roussillon et Provence-Côte d'Azur. 10 hypers Mammouth, 16 supermarchés, 543 succursales, 10 cafétérias Miami, soit 127 409 m² de surface de vente et 5,04 milliards de F de CA (HT). *Effectif* : 3 992.

• **Comptoirs Modernes.** Dans 53 départ. Ouest, Nord, Rhône-Alpes, Centre. Magasins Comod 927 dont franchisés Comod 508. Supermarchés Stoc et Major 300. Hyperm. Carrefour 13. *Surface totale de vente* : 565 679 m². *Effectif* : 15 682 pers. *CA* TTC (1990) 22 milliards de F. Filiale en Espagne exploitant 4 supermarchés Merca Plus.

• **Docks de France.** Associé de Paridoc ; I.-de-Fr., N., Centre-O., Centre et S. (principales filiales : Cofradel, La Ruche Picarde, supermarchés Doc, Doc François et Économats du Centre), en Espagne et aux USA. Associés à Paridoc. 44 hypers (Mammouth) ; 182 supermarchés (Sabeco, Atac, Super Pakbo) ; 958 magasins de proximité en France ; 554 convenience stores ; 45 cafétérias. Au 31-12-1990, *surface de vente totale* : 63 359 m². *Effectif* : 23 391. *CA HT* : 24,6 milliards de F.

• **FNAC.** *Créée* 1954. *Pt* : J.-L. Petriat. Groupe de 147 mag. dont 36 tous produits dont [6 à Paris, 26 province et 4 à l'étranger (Belgique)]. *Activités* : photo, son, vidéo, micro-informatique, disques, livres. Fnac-Service 96 dont 28 franchisés, Fnac-Vidéo-entreprise 1, Fnac-Logiciels 1, Fnac-Autoradio 11, Fnac-Musique 2 (Paris), Fnac-Librairie internationale 1 (Paris). *Effectif* : 6 000. *CA* HT du groupe (1990) 6,6 milliards de F. *Club adhérent* : Association culturelle Alpha. *Journal* : « Contact », adressé aux 400 000 adhérents (9 nos/an).

• **Primistères.** Transformé en holding. Participation de 40 % dans Nord-Est-Alimentation. 800 magasins Félix Potin en 1989. *CA* 1,7 milliard.

• **Promodès.** *CA* (1991) : 75 milliards de F. *Salariés (89)* : 34 000. *En France* : 44 hypermarchés Continent, 373 supermarchés Champion, 731 Shopi, 178 Codec, 940 Huit à huit, 88 entrepôts « Promocash et Prodirest ». *A l'étranger* : USA 62 supermarchés, Espagne 19 hypermarchés, 395 mini-discount et 908 mag. de proximité, All. féd. 8 hypermarchés et 47 mini-discount, Portugal 3 hyperm., Italie 3 hypermarchés.

• **Radar SA.** *Fondé* 1887 sous la dénomination « Docks Rémois ». 1973 Sté holding « Radar SA ». *Magasins exploités* (au 1-1-1985, France) : 135 supermarchés (« Radar Maxi » et « Radar Super ») ; 174 supérettes (« Radar Super » et « Radar Junior ») ; 1 123 succursales (« Radar Junior »). *Espagne* : 5 supermarchés et 1 hyper. En 1980, Radar a pris le contrôle de Paris-France (54 magasins) dont « Aux Trois-Quartiers », « Madelios » et 28 magasins de nouveauté « Dames de France » ainsi que 18 magasins populaires (« Monoprix » et « Parunis »). *Superficie totale* 360 230 m². *Centrales d'achat* : Camas (produits alimentaires), Paris-France et Parunis (produits non alimentaires). *CA* (1984) (HT) : 8,3 milliards de F.

• **Viniprix.** *Fondé* 1932. Sté holding de participation et immobilière. CA consolidé 1989 de 22,9 milliards de F. Détient 52,8 % du capital de la Sté d'hypermarchés Euromarché, soit 72 hypermarchés, 53 cafétérias et 23 magasins de bricolage.

Expositions, foires, salons

Nombre de salons en Europe et nombre de visiteurs

Villes	Nbre de salons	Nbre de visiteurs (en millions)
Paris 3	75	6,6 *
Salons inter.	40	4,1
Salons nat.	34	1,4
Foire de Paris	1	0,9
Milan 1	45	3,9
Bari 1	7	1,8
Madrid 2	20	1,7
Hanovre 3	9	1,7
Amsterdam 3	11	1,4
Barcelone 2	20	1,3
Munich 3	15	1,1
Bruxelles 3	10	1,1
Berlin 3	10	1
Bologne 1	12	1
Lyon 3	9	0,9
Leipzig 3	2	0,8
Francfort 3	15	0,8
Turin 1	8	0,7
Cologne 3	18	0,6
Verone 1	6	0,5
Düsseldorf 3	7	0,5
Gênes 1	5	0,5

Nota. – (1) 1983. (2) 1984. (3) 1985. (*) dont 0,35 étrangers.

Premières expositions françaises (Paris)

1798 Champ de Mars[1] (110 exposants). *1801* Cour du Louvre[1] (220). *1802* Cour du Louvre (540). *1803* Esplanade des Invalides[1] (1 422). *1819* Cour du Louvre (1 622). *1822* Cour du Louvre (1 642). *1827* Louvre (1 795). *1834* Place de la Concorde[1] (2 447). *1839* Champs-Élysées[1] (3 381). *1844* Champs-Élysées[1]. *1849* Champs-Élysées[1] (4 494).

Nota. – (1) Exposition industrielle nationale.

Expositions principales

Nombre d'entrées en millions. Édifices remarquables ou curiosités.

1851 *Londres*[3] : 6 (Crystal Palace). **53** *New York* : 1,15. **55** *Paris*[3] : 5,2 (Palais de l'Industrie) ; 34 nations (Russie absente), 24 000 exposants (France 12 000, G.-B. 1 389, Prusse 1 309). 3 matériaux révolutionnaires exposés : ciment (Vicat), plaques d'aluminium, imperméables de Good Year. **62** *Londres* [3] : 6,2. **67** *Paris* [3] : 15 ; 52 000 exposants. **73** *Vienne* [3] : 7,3. **76** *Philadelphie* : 10. **78** *Paris* [3] : 16 (Trocadéro) ; 53 000 exposants. **79** *Sydney* : 1,2. **80** *Melbourne* : 1,3. **83** *Amsterdam*. **85** *Anvers* [3] : 1,5. **86** *Londres* [3] : 5,6. **88** *Barcelone* [3] : 1,3. **89** *Paris* [3] : 32,25 (Tour Eiffel, V. Index ; Galerie des Machines, long. 420 m, larg. 115 m, hauteur 43 m, détruite après 1900) ; 61 722 exposants, 29 États (absence des grandes monarchies en raison de la date choisie : anniversaire de la Révolution). **93** *Chicago* [3] : 27 (Pal. des Manufact.). **93** *Anvers* (Vieil Anvers). **94** *Lyon* [5], *Londres* [5]. **97** *Bruxelles*. **99** *Londres* [5] (Kermesse).

1900 *Paris* [3] : 51 (Gr. Palais et P. Palais, pont Alexandre-III) ; 83 000 exposants (38 000 Français). Grande Roue 93 m de diamètre à 67 m du niveau du sol. **01** *Glasgow* : 11,6. **01** *Buffalo* : 8,2. **02-03** *Hanoï* [6]. **04** *Saint-Louis* [3] : 19,7 (Palais de l'Agric.). **05** *Liège* [3] : 7 (Vieux Liège). **06** *Milan* [3] : 7,7. **08** *Londres* (Franco-Angl.) : 17. **10** *Bruxelles* [3] : 6. **11** *Turin* [6]. *Roubaix* [6]. **13** *Gand* [3]. **15** *San Francisco* [3] : 18,8. **22** *Marseille* [5]. **24** *Londres* : 27 (Stade de Wembley). **25** *Paris* : 15 (Arts Décoratifs). **26** *Philadelphie* : 5,85. **29** *Barcelone* (Village folklorique). **31** *Paris* (Coloniale) : 22,6 (Temple d'Angkor, Musée des Colonies, Zoo). **33** *Milan* [1]. **33-34** *Chicago* [3] : 39. **35** *Bruxelles* [3] : 20 (Pal. des Expositions, Vieux Bruxelles). **36** *Stockholm* (aviation). *Milan* [1]. **37** *Paris* [3] : 31 (P. de Chaillot, P. de Tokyo devenu P. de New York) ; 42 nations, 11 000 exposants. **38** *Glasgow* (Empire britannique) : 12,6. *Helsinki* (aviation). **39** *Liège* (technique de l'eau). *New York* : 27 (Périsphère-Trylone). *San Francisco* : 17. **40** *Bergen* (exposition polaire). *Cologne* (transports et communications). *Milan* [1]. **47** *Milan* [1]. *Paris* (urbanisme). **48** *Chicago* : 5,2. **49** *Stockholm* (sports). *Lyon* (habitat rural). **51** *Lille* (textile). *Londres* : 18 (festival de G.-B.). *Milan* [1]. **53** *Jérusalem* (conquête du désert). *Rome* (agriculture). **54** *Milan* [1]. Naples (navigation). *Strasbourg* (productivité). **55** *Helsinborg* (arts appliqués). *Milan* [1]. *Turin* (sports). **56** *Beit Dagon* (agrumes). **57** *Berlin* (bâtiments). *Milan* [1]. **58** *Bruxelles* : 41,4 (Atomium). **60** *Milan* [1]. *Rotterdam* [2]. **61** *Turin* (travail). **62** *Seattle* (Tour de 183 m). **63** *Hambourg* [2]. **64-65** *Milan* [1]. *Munich* (transports). *New York* : 65. *Vienne* [2]. **67** *Montréal* [3] : 50. **68** *Milan* [1]. *San Antonio* (Hemis-Fair). **69** *Paris* [1]. **70** *Osaka* [3] : 64. **71** *Budapest* (chasse) : 2. **72** *Amsterdam* [2]. *Rio de Janeiro* (progrès de la connaissance). **73** *Hambourg* [2]. **74** *Spokane* (progrès sans pollution). *Vienne* [2]. **75** *Okinawa* : 3,5 (mer et son avenir). **76** *Québec* [2]. **80** *Montréal* [2] : 1,69. **81** *Plovdiv* (la chasse). **82** *Amsterdam* [2]. *Knoxville* (énergie). **83** *Munich* [2]. **84** *La Nouvelle-Orléans* (Eau douce). *Liverpool* [2]. **85** *Tsukuba* (maison et son environnement) : 20. **86** *Vancouver* (transports) : 22. **88** *Brisbane* (loisirs). *Milan* [1]. **90** *Osaka* [2]. **91** *Plovdiv*. **92** *Gênes* (expo. spécialisée). *Séville* (Age de la découverte). *La Haye* (2). **Projet. 2000.** Hanovre ou Toronto.

Projets annulés. *Rome* (1942), *Moscou* (1967), *Philadelphie* (1976), *Los Angeles* (1981), *Paris* (1989, « Les chemins de la Liberté » pour le bicentenaire de la Révolution française). En 1990 (12-6) l'Italie a retiré la candidature de Venise. Voir aussi Quid 1984 p. 1513.

Nota. – (1) Triennale. (2) Horticulture (Floralies). (3) Universelle. (4) Coloniale internationale. (5) Coloniale nationale. (6) Internationale.

Foires internationales

Source : Union des Foires internationales. Calendrier 1992 (sauf autre indication contraire indiquée en italique). *Légende* : mois, entre parenthèses jour du mois, n.f. : non fixé.

Alger 6 (5-16). **Amsterdam** Aquatech 9 (14-18) [1]. Europort 11 (12-16) *93* [1]. Interclean 5 (19-22) [1]. **Ankara** Ankomak 5 (25-30) *93* [1], **Bagdad** 11 (1-15). **Bahreïn.** Arabbuild 10 (26-29) [1]. Bureautique 1 (21-24) *93* [1]. Mecom 1 (18-21) *93* [1]. Mefex 1 (11-14) [1]. Oil Show 4 (3-6) *93* [1]. **Bâle** Igeho 11 (18-24) *93* [1]. **Barcelone** (Foire) 6 (11-16). Alimentaria 3 (7-12) [1]. Construmat 4 *93* [1]. Expoaviga 11 *93* [1]. Expomovil 5 (16-20) [1]. Expoquimia 11 *93* [2]. Graphispack 2 *93* [2]. Informat 5 (11-16). Hostelco 10 *93* [1]. Nautique 11 (28)-12(6). Caravaning 1 (18-26). Mediterrania 5. Sonimag 9 (14-20). Sport et camping 2 (n.f.). **Bari** Foire du Levant 9 (12-22). Expo-Sport-Levante 3-4. **Belgrade** (Technique) 5 (12-17). La mode dans le monde 9 (29)-10 (4). **Berlin (Ouest)** IFW (26-30) *93* [3]. ITB 3 (7-12). Partenaires du progrès 6 (10-13). Son et vidéo 8 (27)-9 (9) *93* [1]. Semaine verte 1 (31)-2 (9). **Bilbao** Ambiente 4 [1]. Biemh 10 [1]. Ela-Elektro 10 *93* [1]. Ferroforma 9 [1]. Sinaval 11 [1]. Siderometalurgica 11 *93* [1]. **Birmingham** Electrex 7 (20-24) [1]. Pakex 5 (31)-6 (5) [2]. Interbuild 11 (24-9). Woodmex (10-11) [1]. World Fishing 5 (26-30) [2]. **Bogota** Foire 7 (n.f.) [1]. Agroexpo 7 *93* [1]. Compuexpo 8 (n.f.). **Bologne** Livre 4 (n.f.). **Bolzano** 9 (12-21). **Bordeaux** 5 (8-17). **Braga** Agro 4 (25)-5 (3). **Bratislava** Incheba 6 (23-27). **Brno** (Constructions mécaniques) 9 (16-23). (Biens de consommation) 4 (2-9). Embax-Print 2 (26)-3 (4) *93* [1]. Fond-Ex 3 (2-6) [3]. Invex 10 (20-24). Salima 2 (26)-3 (4) *93* [1]. Welding 3 (2-6) [1]. **Bruxelles** Eurotech 5 (5-9) [1]. Bois 11 (23-29) *93* [3]. Aqua-Expo 5 *93* [1]. Europlastica 5 (5-9) [1]. **Budapest** Foire 5 (20-28) et 9 (18-27). Agromasexpo 4 (20-23) *93* [1]. Construma 4 (7-10) [1]. Hungaroplast 4 (20-23) *93* [1]. **Buenos Aires** Emaqh 5 (7-16) [1]. Livre 4 (n.f.). **Bulawayo** 4 (n.f.)-5 (n.f.).

Caire (Le) 2 (15-18). **Chicago** Engineering 2 (24-27). Quincaillerie 8 (16-19). **Cologne** Anuga 10 (9-14) *93* [1]. Domotechnica 2 (18-21). Enfance et jeunesse 2 (n.f.)-3 (n.f.) et 9 (n.f.). IFMA 9 (30)-10 (4) [1]. IMB *94* [2]. Interzum 5 (14-18) *93* [1]. ISM 2 (2-6). Jardinage 8 (30)-9 (1). Meuble 1 (21-26). Mode masculine/Inter-Jeans 2 (7-9) et 8 (14-16). Orgatech 10 (22-27) [1]. Photokina 9 (16-22) [1]. Hardware 3 (8-11). S + B (centres sportifs) *93* [1]. Spoga 8 (30)-9 (1). **Copenhague** Bâtiment 9 (21-26) *93* [1]. Industrikontakt *94* [2]. **Dakar** 11 (n.f.)-12 (n.f.) [1]. **Damas** 8 (28)-9 (10). **Dubaï** Motexha-Childexpo 11 (5-8). **Düsseldorf** A+A 10 (26-29) *93* [1]. Boot 1 (18-26). Drupa *95*. Envitec 6 (1-5) [2]. Euroshop 6 *93* [2]. GDS 3 (20-23) et 9 (18-21). Gifa *94*. Imprinta 2 (19-25) [2]. Interkama 10 (5-10) [2]. Interpack 5 *93* [2]. K 10 (29)-11 (5) [2]. Medica 11 (18-21). Igedo (mode) 3 (8-11), 9 (6-9).

Elda Chaussure 3-9 (n.f.), 9. **Essen** Caravane 9 (26)-10 (4). Security 11 (17-20) [1]. **Florence** Artisanat 4 (24)-5 (1). **Francfort** Agritechnica 11 *93* [1]. DLG-Foodtec 11 (3-7) [2]. Huhn und Schwein 6 *93* [1]. Tier & Technik 11 *93* [1]. Automechanika 9 (8-13) [1]. Messe Première 1 (25-29). Messe Ambiente 2 (15-19). Messe Herbst 8 (22-26). Heimtextil 1 (8-11). IFFA 5 (16-21) [1]. Infobase 5 (n.f.). ISH 3 *93* [1]. Interstoff 4 (n.f.) et 10 (n.f.). IWC 5 (15-20) *93* [2]. Musique 3 (n.f.). Fourrure 4 (9-12). **Friedrichshafen** Aero 3 (24-28) *93* [1]. Interboot 9 (19-27). **Gand** 9 (12-27). **Gênes** Tecnhotel 11 (14-18). Bibe/Interfood 3 (7-11). **Glasgow** Foodfare 3 (24-26) [1]. ScotEng 11 (n.f.) [1]. Scotbuild 3 (n.f.) [1]. ScotHot 3 *93* [1]. **Göteborg** Auto 3 (4-8) [2]. Elfack 5 (11-15) [1]. Interfood 10 (20-23) [2]. Luminaire 1 (15-19). Nautique 1 (31)-2 (9). Scanautomatic 11 (16-19) *93* [1]. Scanpack *94* [2]. Scanplast *94* [2]. **Graz** Foire 4 (25)-5 (1). Technova 6 (3-6). **Grenoble** Sig 3 (15-18).

Hambourg InternorGa 3 (13-18). Loisirs et voyages 2 (8-16). Hanseboot 10 (31)-11 (8). Navires et machine 9 (29)-10 (3) [1]. **Hanovre** Industrie 4 (8-15). Cebit 3 (11-18). Constructa 2 *93* [2]. Ligna 5 (19-25) *93* [1]. **Helsinki** Finntec 10 *93* [2]. FinnBuild 4 (7-12) *92* [1]. Habitare 9 *93* [1]. Hepac 4 (7-12) [2]. KT (machines de bureau) 9 (15-18) [1]. Vene-Boat (nautique) 2 (7-16). Pac Tec 10 (6-10) [2]. **Houston** OTC 5 (4-7). **Izmir** 8 (26)-9 (10). **Jakarta** Foire 6 (13)-7 (11). Agriculture 10 (20-24) [1]. Construction Indonesia 9 (22-26) [1]. Production Indonesia 11 (10-14). **Jérusalem.** Livre 4 *93* [1]. **Jönköping** Travail 9 (28)-10 (1) [2]. Machines agricoles (n.f.) [2]. Sous-traitance 11 (9-12) *93* [1]. Traitement des déchets 9 (28)-10 (1) *93* [2]. Eau 3 (10-13) [2]. Bois 6 (1-6) *93* [1]. **Khartoum** 1 (22)-2 (7). **Kinshasa** Fikin 7 (13)-8 (1) *93* [1]. **Klagenfurt** Bois 9 (9-13). **Koweït** Livre 11 (25)-12 (9). Maison moderne 2 (12-21). **Kuala Lumpur** ITM 6 (n.f.).

Leipzig 3 (15-21), 9 (6-12). **Lille** 4 (4-13). **Lima** Pacifique 11 (22-28) *93* [1]. Tecnomin 4 *93* [1]. Agrotec 11 (16-22). **Lisbonne** Fil 5 (6-10). Intercasa 9 (29)-10 (4). SK 3 (26-30). **Ljubljana** LESMAS (bois) 6 (8-12) [1]. Électronique 10 (5-9). **Londres** I.F.E. 4-5 *93* [1]. **Los Angeles** n.f. **Luanda** 11 (6-15). **Luxembourg** (biens de consommation et d'équipement) 5 (23-31) et 10 (3-11). **Lyon** Foire 4 (7-16). Journées professionnelles 3 (10-14). Meuropam 9 (4-7). Expotherm 11 (24-28) [1].

Madrid Fitur 1 (23-27). Expo-Optica 4 (24-27). Matelec 10 (13-17) [1]. Liber 6 (23-27) *93* [1]. Sicur 3 (3-6) [1]. **Malmö** Bygg-Ma 3 *93* [1]. Resta 9 [2]. **Malte** 7 (1-15). **Maputo** 8 (28)-9 (6). **Marseille** Foire 9 (25)-10 (5). Aireloisirs 3 (27-30). Nautique 2 (9-17). **Melbourne** AIFE 9 (6-9) [1]. Fine Food 9 *93* [1]. **Metz** Foire 10 (1-12). **Milan** Eimu 9 (n.f.). Euroluce 4 (10-15) [1]. Meuble 4 (10-15). BIT 2 (26)-3 (1). Intel 5 *93* [1]. SMAU 10 (n.f.). Cart 1 (16-20). Chibicar 1 (16-20). Chibidue 6 (5-8). Macef Autumno 9 (4-7). Macef Primavera 2 (14-17). Miad 5 (n.f.). Mifed 10 (n.f.). Foire 6 (n.f.). Star 5 (n.f.). **Montpellier** Sitevi 11 (24-26). **Montréal** Fourrure 4 (29)-5 (2). **Moscou** Polymère (chimie) n.f. **Munich** IHM 3 (14-22). Analytica 5 (5-8) [1]. Bau *94* [2]. Bauma 4 (6-12) [2]. C.B.R. 2 (1-9). Ceramitec *94* [2]. Electronica 11 (10-14) [1]. Ifat 5 (11-15) *93* [2]. Inhorgenta 2 (7-10). Interbrau 8 (24)-9 (1) *93* [1]. Interforst *94* [3]. Ispo 2 (27)-3 (1) et 9 (1-4). Laser 6 (21-25) *93* [1]. Productronica 11 (9-13) *93* [1]. Imega 9 (12-17) [1]. Systems 10 (18-23) *93* [1]. Modewoche 2 (16-18) et 8 (16-18). **New Delhi** 11 (14-29). **Nice** 3 (14-23). **Nicosie** 5 (21-31). **Novi Sad** Agriculture 5 (14-21). Foire d'automne 9 (23)-10 (3). Chasse 10 (21-25). **Nuremberg** Jouet 2 (6-12). Iwa 3 (13-16). Stone + Tec 5 (20-23) *93* [1]. IKK 10 (1-3). **Offenbach** Maroquinerie 1 (23-26) et 8 (22-25). **Osaka** 4 *92* [1]. **Oslo** Bâtiment 9 (24)-10 (3) *93* [1]. Nor-Shipping 6 (15-18) *93* [1].

Padoue Foire 5 (16-24). Flormart 9 (11-13). Sep-Pollution 3 (29)-4 (2) [1]. Tramag 6 *93* [1]. **Palerme** Foire 5 (n.f.)-6 (n.f.). **Paris** Foire 4 (30)-5 (10). Équip'auto 10 *93* [1]. Europain 2 (n.f.) [1]. Expobois 3 (18-20) [1]. Fourrure 3 (n.f.). Europlast 6 *93*. Paritex 10 *93* [1]. Décormat 10 (27-31) [1]. Prêt-à-porter féminin 2 (n.f.), 3 (n.f.), 9 (n.f.), 10 (n.f.). Sisel 2 (2-5) et 9 (8-10). Arts ménagers professionnels 1 (10-13). Luminaire 1 (9-14). Meuble 1 (10-14). Tapis 1 (10-14). Cuir 9 (19-22). Composants électroniques 11 *93* [1]. Pronic 11 (30)-12 (4) [1]. Festival du Son 3 (n.f.)-4 (n.f.) [1]. Équip'hôtel/collectivité intern. 11 (n.f.). Jouet 1 (29)-2 (4). Sehm-Promas 2 (1-4) et 9 (5-8). Sicob 4 (n.f.). **Parme** Technoconserve 10 *93* [1]. **Pékin** China Print 6 (3-9) [3]. Medical China *95* [3]. **Plovdiv** Consommation 5 (4-10). Technique 9 (21-27). **Poznan** Foire 6 (14-21). Intermasz 4 (7-11) [1]. Salmed 4 (7-11) [1]. **Prague** Pragotherm 11 (10-15) [1]. **Rimini** Alimentation 2 (8-13). Tecnargilla 10 (n.f.) [2].

Riyad SaudiAgriculture 4 (26-30). SaudiBuild 10 *93* [1]. SaudiBusiness 2 *93* [1]. SaudiEducation 2 *93* [1]. SaudiFood 1 *93* [1]. SaudiMedicare 10 (18-22) [1]. **Rome** Électronique 11 (n.f.). **Salzbourg** BWS 4 (n.f.). JIM-ER-es 4-9 (n.f.). Osfa 3 (n.f.), 9 (n.f.). Souvenir Crea'tisch 2 (n.f.), 9 (n.f.). **San Salvador** 11 (4-15) [1]. **Santiago** Fisa 10 (28)-11 (8). **Saragosse** Enomaq 1 (24-28) [1]. Fima 4 (3-9). Smagua 2 *93* [1]. Smopyc 2 (14-18) [1]. **Sarajevo** Plastique 11 (n.f.). **Singapour** Asia-Electronics 11 (n.f.) [1]. Asiapack 6 *93* [1]. Imac-Asia (n.f.) [1]. Asiaprint 6 *93* [1]. Conpex-Asia 11 (n.f.) [1]. Electric-Asia 11 (n.f.) [1]. Medic-Asia 10 (n.f.). ChemAsia 5 *93* [1]. CommunicAsia 6 (2-5) [1]. Exploration maritime pétrolière *93* [2]. Food and Hotelasia 4 (7-10)) [1]. Machine Asia 9 *93* [1]. Metal Asia 11 (n.f.) [1]. Informatique 12 (2-5). **Stockholm** Technique 10 (n.f.). Data Office Environment 9 *93* [1]. Swedental *94* [2]. IM 4 (n.f.) [1]. Médecine 12 (n.f.). Nautique 2 (n.f.)-3 (n.f.). Prêt-à-porter 2 (n.f.), 9 (n.f.). S.P.C.I. 5 *93* [2]. VVS 1 (21-26). Industrie de construction 1 (n.f.) [1].

Strasbourg Foire 9 (4-14). **Stuttgart** CMT 1 (18-26). Intergastra 2 (22-27) [1]. Intervitis 5 (27)-6 (1) [2]. Intherm 3 (10-14) [1]. Stores 4 (1-4) *93* [1]. **Téhéran** 10 (n.f.). **Tel Aviv** Modern Living (biens consom. et équip. 6 (n.f.). **Thessaloniki** Foire 9 (12-21). Detrop 5 *93* [1]. **Tokyo** Foire 4 *93* [1]. Jimtof 10 (27)-11 (4) [1]. **Toulouse** Foire 4 (10-20). **Trieste** Foire 6 (17-29). **Tripoli** Foire 3 (5-25). **Tunis** Foire 10 (5-14). **Turin** Caravan Europa 9 (12-29). Expocasa 3 (12-22). Expovacanze 2 (14-23). Technologie 11 (4-8). Tecnomont 10 (1-4). **Utrecht** Aandrijftechniek 10 (5-10) [1]. Bouwbeurs 2 *93* [1]. Ecotech 10 *93* [1]. Elektrotechniek 9-10 *93* [1]. Europe Software Plus 5 (13-15). Karwei 1 (12-19). Sanitaire 2 (18-22) [1]. Indro-Parfumerie 8 (24-27). Inter-Decor 9 (6-10). Logistica *94* [2]. Machevo Food/Machevo Proces 10 (12-16) [2]. Macropak *94* [2]. Medica 3 *93* [1]. Meubelbeurs 9 (6-9). Roka 4 (26-30) [1]. Security 11 *93* [1]. Tuin en Park 10 (26-30) [1]. Vakantie 1 (15-19). Vat 1 (28-31) [1]. VIV (élevage) 9 (21-25) [1].

Valence (ESPAGNE) Cediver 4 (n.f.)-5 (n.f.). Cevisama 3 (4-8). Fim 9 (22-27). Iberflora 10 (n.f.). FIV 12 (26)-1 (3). Jouet 2 (13-18). Machines à bois 11 *93* [1]. Textilhogar 1 (14-18). Maderalia 11 *93* [1]. **Valencia** (VENEZUELA) Foire 4 (n.f.). **Varsovie** Livre 5 (20-25). **Vérone** Agriculture 3 (n.f.). Eurocarne 5 *93* [1]. Samoter 10 *93* [1]. **Vicenza** Orfèvrerie 1 (12-19), 6 (6-11). **Vienne** Aqua-Therm 4 (8-11) [1]. Viet 10 *93* [1]. Ifabo 5 (12-16). Kuk 10 (17-21). Intertool-Austria 9 (29)-10 (3) [1]. Wiener Intérieur 3 (14-22). Schau der Nationen 9 (n.f.). Vinova 6 (11-15) [1]. **Zagreb** Tourisme 5 (5-9). Bâtiment 4 (21-26) [1]. Biens de consommation 4 (21-26). Biam 6 (16-20) [1]. Cuir et chaussures 2 (25-28). Interbiro-Informatik 10 (20-24). Livre 4 (21-26). Intergrafika 3 (23-27) *93* [1]. Interklima 6 (8-12) *93* [1]. Médecine 5 (26-29). Foire d'automne 9 (14-20). Soudure et Anticorrosion 6 (16-20) [1]. **Zurich** (Salon d'automne) 9 (17-27). Bicyclettes et motos 2 (24)-3 (1) *93* [1]. Hilsa n.f. Mefa *94* [2]. Photexpo 4 *93* [1].

Nota. – (1) Biennale. (2) Triennale. (3) Quadriennale.

Statistiques France

Nombre d'exposants

Total, entre parenthèses exposants indirects, en italique exposants étrangers en 1990.

Foires. Paris 2 844 (0) *694*. Marseille 1 718 (390) *331*. Bordeaux 2 320 (803) *480*. Strasbourg 1 880 (745) *429*. Lille 1 316 (515) *277*.

Salons. Batimat [9] 3 771 (1 449) *1 496*. Semaine du cuir 2 262 (0) *1 587*. Sous-traitance Midest 2 562 (0) *565*. Composants électroniques (1980) 1 268 *29*. Bijhorca (12/16-1) 748 (0) *98*, (1/5-9) 989 (0) *163*. Ateliers d'art (12/16-1) 890 (0) *133*, (1/5-9) 853 (0) *113*. *Prêt-à-porter féminin* (3/6-2) 885 *219*, (1/4-9) 946 *283*. Meuble 1 082 (35) *474*.

Foire à la Brocante et aux Jambons (Chatou). La plus importante du monde. Semestrielle, dans l'île des impressionnistes, à Chatou. 800 exposants. 4 ha ; 80 000 vis.

Foire-Internationale-Brocante. Antiquités. Parcs des Cornouailles, Maurice-Thorez (Ivry-sur-Seine).

Foire de Paris. *1904 mars* 1re au Carreau du Temple (486 exposants). *1905-09* Grand Palais. *1910* Carreau du Temple. *1911* Château-d'Eau. *1917* Invalides. *1919-24* Invalides, Ch. de Mars. *1925* Porte de Versailles (Halls, 50 000 m²).

Foire du Trône (anciennement Foire au Pain d'épice). *Créée* 957.

Marché aux Puces. S'installe dans les terrains vagues de la zone nord-est vers 1880. En 1920, Romain Vernaison, propriétaire d'un terrain riverain, installe des stands et les loue aux brocanteurs. Autres marchés : Biron créé 1925, cité Malik 1935 (reconstruit), cité Jules-Vallès 1938, cité Paul-Bert 1947. *Superficie :* 30 ha, plus de 1 500 boutiques, 1 400 marchands patentés en stands.

Nombre d'entrées en 1990 (en milliers)

• **Foires.** Agen 22. Albi 28. Alençon 54. Alès [9] 10. Angers 112. Angoulême [9] 25. Annecy 100. Argentan 16. Arras 33. Aubenas 9. Auch [9] 11. Aurillac 36. Avignon 64. Bastia 57. Bayonne 44. Beauvais [7] 47. Besançon 102. Béziers [5] 26. Bordeaux 264. Bourg-en-Bresse 42. Bourges (n.c.). Brest [1,7] (n.c.). Brignoles 40. Brive [1,7] 68. Caen 203. Calais [9] 30. Castres 50. Chalon-sur-Saône 34. Châlons-sur-Marne 117. Chambéry 57. Charleville-Mézières 83. Châteaubriant 40. Châteauroux (n.c.). Cholet 23. Clermont-Ferrand 91. Colmar 160. Condom [9] 8. Dax 40. Digne 25. Digoin 11. Dijon 204. Douai 79. Épinal vosgienne 3, forestière [1,7] 43. Fontenay-le-Comte 22. Fougères 17. Grenoble avril 70, nov. 125. Guingamp [9] 13. La Rochelle 76. La Roche-sur-Foron 96. La Roche-sur-Yon 31. Laval 42. Le Mans 111. Lille 245. Limoges 93. Lisieux 18. Lons-le-Saunier 23. Lorient 52. Lyon prof. 32, g. public 413. Mâcon 55. Marseille 342. Metz 114. Montauban [9] 17. Mont-de-Marsan [1] 29. Montélimar [9] 27. Montpellier 206. Morlaix 28. Mulhouse 94. Nancy 159. Nantes 140. Nevers 57. Nice 93. Nîmes 23. Niort 128. Orange 50. Orléans 84. Paris 758. Pau 101. Périgueux 47. Perpignan 48. Poitiers 41. Pontivy 41. Pontoise 6. Quimper [9] 10. Reims 79. Rennes 123. Roanne [9] 25. Rochefort-sur-Mer 12. Romans-sur-Isère 50. Rouen 131. Saint-Brieuc 67. Saint-Étienne [9] 136. Saint-Girons 46. Saintes 32. Strasbourg avr./mai 90, sept. 254. Tarbes 45. Toulon 84. Toulouse 140. Troyes 70. Valence 56. Vannes [1] 52. Verdun 26. Vesoul 15. Villeneuve-sur-Lot 51.

• **Salons** - **Agriculture - Sylviculture - Viticulture et leurs équipements.** Agriculture Paris Machine agr. (Paris) 601. Hormatec (Lyon) [1,9] 22. Jardin-environnement-vins Paris : v. Foire de Paris. Jarditec (Paris) 22, Simaver (Paris) 13, Sisel, vert 22. Journées fruitières et légumières (Agen) 32. Pêche ind. (Lorient) [1,9] 18. Simavip (Paris) 14. Sitevi (Montpellier) 42. Vinitech-Vinexpo (Bordeaux) [1,9] 47. Hortimat (Orléans) [1] 62. Florissimo (Dijon) 220. Sival-Loire (Angers) 17. Vins de Loire (Angers) 9. Space prod. agricole (Rennes) 40. **Alimentation - Hôtellerie et leurs équipements.** Agecotel (Nice) 19. Intersuc-Interglaces (Paris) 36. Équip'Hôtel (Paris) 127. Exp'Hôtel (Bordeaux) 13. Hôtellerie-Restauration (Marseille) 11. Mebotel (Montpellier) 13. Métiers de Bouche (Lyon) [1,9] 112. Regal (Rouen) [7] 8. Restauration rapide (Paris) 17. Serbotel (Nantes) [1,9] 17. Vins (Paris) v. Foire de Paris. Alimentation - Sial (Paris) [1] 90. Équipement laitier (Paris) [3] 14. Expotel (Besançon) 3. Équipement-Gastronomie-Egast (Strasbourg) [1] 19. Europain (Paris) [1] 68. Gia (Paris)-Matic [1] 55. Restauration collective - Gastrolor (Metz) [1] 23. Équipnor (Lille) 15. **Textiles - Habillement - Cuir - Accessoires et leurs équipements.** Femina (Orléans) 13. Bijouterie - Bijorhca (Paris) janv. 35, sept. 34. Chaussures - Midec (Paris) 8. Habillement masculin - Sehm (Paris) févr. 55, sept. 43. Horlogerie-Bijouterie-Joaillerie-Cadeaux (Bordeaux) [9] 0,9. Industries de la fourrure - SIF (Paris) 2. Lingerie (Paris) 21. Maroquinerie (Paris) [9] janv. 5, avr. 3, oct. 3. Première Vision (Paris) mars 39, oct. 43. Mode enfantine (Paris) févr. 25, sept. 19. FATEX (Troyes) [9] 3. Prêt-à-porter féminin (Paris) févr. 45, mars 4, sept. 40, oct. 4. Semaine du cuir (Paris) 80. Première mode sports d'hiver (Paris) 6. Équip. des ind. du vêtement - Vêtimat (Paris) [2,9] 14. **Travaux publics - Bâtiment - Second Œuvre et leurs équipements.** Amélioration de l'habitat (Paris) - Logement (Paris) v. Foire de Paris. Azur Habitat (Nice) [9] 21. Interclima (Paris) [1,9] 109. Maison individuelle (Paris) 18. Quojem (Paris) 31. Funéraire (Paris) [9] 8. Second-Œuvre -Batimat (Paris) [1,9] 608. Aménagement en montagne -SAM (Grenoble) [1] 16. Eurobat [1] (Lyon) 44. Expotherm (Lyon) [1] 46. Intermat (Paris) [2,7] 119. **Habitat - Aménagement de la maison et leurs équipements.** Artisanat (Besançon) [1,9] 7. Maison individuelle et habitat (Besançon) 6. Artisans d'Art (Nîmes) 24. Arts ménagers (Paris) 45. Internationaux créateurs (Paris) janv. 29, sept. 24. Ateliers d'art (Paris) janv. 41, sept. 36. Conforexpo (Bordeaux) 67. Confort ménager (Lille) 146. Ensembliers ameublement - Confort ménager (Paris) v. Foire de Paris. Éditeurs de la décoration (Paris) [1] 36. Artisans d'Art (Toulouse) 20. Meuble et déco (Toulouse) 14. Tex'styles (Paris) 13. Fournitures ameublement - Approfal - Interkit (Paris) - Meuble (Paris) 53. Luminaire (Paris) 27. Parallèle (Paris) janv. 28, sept. 24. Meubles et fournitures - Meuropam (Lyon) 27. Maison 1989 (St-Denis-de-La Réunion) 65. Sinad (Rennes) 16. Mobilier et décoration (Paris) 68. Moving (Paris) janv. 27, sept. 20. Stylbat (Dijon) 7. Papiers peints -Paritex (Paris) 7. Tapis (Paris) 8. Artisanat et cadeaux (Dijon) 12. Habitat (Angers) 19. (Chalon/S.) [9] 5. (Montpellier) [9] 4. (Orléans) 15. (Pau) 7. (Rouen) [9] 35. (Toulouse) 16. **Santé - Hygiène - Environnement -Sécurité et leurs équipements.** Ipharmex (Lyon) 21. Lunetterie - Silmo (Paris) 22. Sitad - Art dentaire (Paris) [1] 18. Europrotection (Paris) [1] 31. Intermedica (Paris) [2,7] 14. Médecine Méditerranée (Marseille) 4. Sécurité-prévention - Securexpo (Lyon) [2] 20 [7]. Pollutec (Lyon) 26. **Transports - Circulation et leurs équipements.** Aéronautique et espace (Paris) [1,9] 395. Automobile (Paris) [1] 945. Automobile (Chambéry) [1] 19. (Dijon) [1,9] 19. (Pau) 14. Automobile (Lyon) [1,9] 260. (Orléans) 18. Auto-Moto (Besançon) [9] 10. Auto-Moto-Caravane (Albi) 6. Équip'auto (Paris) [1,9] 80. SIFAG - Aviation générale (Cannes-Mandelieu) [1] 18. Moto (Paris) 192. **Information - Communication et leurs équipements.** Bureautique-Informatique-Communication - Servica (Nantes) 10. Bureautique-Informatique-Services -Serviter (Besançon) [1,9] 4. Édition musicale - MIDEM (Cannes) 8-MIPCOM 8. Informatique-Automatique - INFORA (Lyon) 16. Informatique-Bureautique - FBI (Dijon) [1,9] 5. Informatique-Télématique-Communication-Organisation de bureau et bureautique - SICOB Printemps (Paris) 138. Langues et cultures-Expolangues (Paris) 30. Programmes télévision - MIP-TV (Cannes) 8. Photo-Video-SITI (Paris) [1,9] 125. Stratégies de l'Informatique-Strates (Strasbourg) 4. Applica (Lille) [1] 37. Cadeau de l'entreprise (Paris) mars 9, sept. 5. **Sports - Jeux - Loisirs et leurs équipements.** Articles de sports d'hiver - SIG (Grenoble) 12. Bricolage (Paris) [9] 201. Caravane (Lille) [9] 65. (Paris) 74. Nautique internationale (Paris) 313. Forainexpo (Paris) 9. Chasse [9] (Chalon/S.) 11. Évasion (Metz) 16. Grand Pavois (La Rochelle) 67. Jouet (Paris) 26. Journées professionnelles du jouet - Le monde de l'enfant (Paris) 8. Maquette-Modèle réduit (Paris) 170. Nautique (Marseille) 19. Pêche de Loisir - SAPEL (Paris) [9] 20. Sport-Camping-Plein Air (Le Mans) 15. Sports et loisirs - SISEL (Paris) 18. SISEL Vert (Paris) - Tourisme et voyages (Paris) 38. Tourisme et vacances (Paris) v. Foire de Paris - Voiture de course (Paris) [9] 72. MITCAR (Paris) 10. **Industrie -Sciences - Techniques et leurs équipements.** Composants électroniques (Paris) [1,9] 53. Productique (Paris) [1,9] 25. Équipement électrique - ELEC (Paris) [2] 56. Physique (Paris) [1,9] 20. Électronique - Électron (Bordeaux) [1,9] 4. Bis expo (Paris) [1,9] 10. Électronique Ind.-Productique-Robotique-SEIPRA (Angers) - First sous-traitance (Nantes) 11. Euromanut - Europack (Lyon) [9] 34. Équipements thermiques - EUROFOUR (Paris) v. Machine-outil. Traitements des surfaces (Paris) [1,9] 22. FIST-Sous-traitance (Orléans) [1,9] 11. FIST (Dijon) 2. Matériel scientifique de l'INSA (Lyon) n.c. Mesure - MESUCORA (Paris) [1,7] 55. Mesure et régulation (Nancy) 2. MIDEST - Sous-traitance (Paris) 65. Papeterie [8] 77 - SIPPA (Paris) 26. Blanchisserie-teinturerie (Paris) [5,8] 21. Composants mécaniques - Mecanelem (Paris) [1] 46-Maintenance (Paris) [1]. Emballage et conditionnement (Paris) [1] 126. Équip. pour l'électronique-Pronic (Paris) [1,7] 16. Europlastique (Paris) [3] 63. Hydroplan (Marseille) 2 [8]. Industries papetières (Grenoble) [v] 2 [6]. Interchimie (Paris) [2,9] 28. Laboratoire (Paris) [2,9] 41. Machine-à-bois - Expobois (Paris) [1] 33. Machine-outil (Paris) [1] 81. Machine-outil de décolletage -SIMODEC (La Roche/Foron) [1] 17. Manutention (Paris) [2,9] 41. Matériel scientifique - Phirama (Marseille) [1] 9. Microtechniques - Micronora (Besançon) [1] 16. Plastexpo (Lyon) [3,7] 21. Techniques-Énergie du futur - SITEF (Toulouse) [1,9] 100. TEC-C (Grenoble) 27. Tech. papetières et graphiques - TPG (Paris) [v,4] 77. **Commerces-Services et leurs équipements.** Assure-Expo (Paris) 26. Épargne (Paris) 59. Épargne et placement (Caen) 3. Équip'Mag (Paris) 14. Etiqua (Dijon) 2. Franchise (Paris) 22. PLV (Paris) 13. Graphitec (Paris) [1,9] 56. Investir et placer (Paris) 35. Patrimoine-Placements (Montpellier) [9] 4. Produits hors taxes (Cannes) 5. Services et besoins de l'entreprise (Orléans) 3. STIBCO (Albi) [2,7] 2. Tertiaire service (Troyes) 2.

Autres manifestations. FIAC (Paris) 129. **Salons d'antiquaires.** Albi 8. Besançon [9] 8. Bordeaux 24. Caen v. Habitat. Chambéry 5. Dijon 13. Grenoble [9] 18. Marseille 20. Metz 11. Montpellier [9] 13. Nîmes 16. Pau [9] 6. Toulouse 33.

Nota. – (1) Foires biennales. (2) triennales. (3) quadriennales. (4) 1983. (5) 1986. (6) 1987. (7) 1988. (8) (v) variables. (9) 1989.

Agriculture

Comparaisons

Espace vital. La Terre compte environ 5 milliards d'habitants. Chacun dispose théoriquement d'un espace vital de 4,69 hectares dont : climat trop froid 0,76 ; trop montagneux 0,76 ; trop aride 0,76 ; impropre à la culture 0,38 ; potentiellement utilisable 0,80 ; effectivement cultivé 0,34.

La Terre pourrait, avec les techniques actuelles, nourrir 12 milliards d'êtres humains. D'ici à l'an 2000, la production mondiale agricole devra doubler, surtout en accroissant la productivité par apport d'eau et d'engrais.

Nombre de personnes nourries par personne active dans l'agriculture. En URSS 4, France 12 *(1700* 1,4, *1846* 1,6, *1910* 4,2, *1946* 5,5), USA 31.

Surfaces nécessaires. Au XVIIIe s., 2 ha de terre moyenne sous climat tempéré nourrissaient 1 personne (10 à 20 en 1988). La densité maximale de population compatible avec une récolte moyenne fut atteinte 3 fois en France de l'an 1000 au XVIIIe s. (1300-1340, 1560-1630, 1680-1709). Il en résulta un très faible niveau de vie des salariés et des paysans non propriétaires de leur terre, des disettes, même des famines (si l'on avait plusieurs années de suite de mauvaises récoltes).

Disponibilités alimentaires

• **Calories. Nombre total de calories par personne et par jour** (1988).

Afrique. Afr. du Sud 3 055, Algérie 2 726, Angola 1 725, Bénin 2 145, Botswana 2 269, Burkina Faso 2 061, Burundi 2 253, Cameroun 2 161, Cap-Vert 2 436, Comores 2 046, Congo 2 512, Côte-d'Ivoire 2 635, Égypte 3 213, Éthiopie 1 658, Gabon 2 396, Gambie 2 360, Ghana 2 209, Guinée 2 042, Guinée-Bissau 2 690, Kenya 1 973, Lesotho 2 307, Liberia 2 270, Libye 3 384, Madagascar 2 101, Malawi 2 009, Mali 2 185, Mauritanie 2 528, Maroc 2 820, Mozam-

Distribution des terres et des continents

Distribution des terres et superficies consacrées à quelques grands produits (en millions d'ha), rendements (en quintaux à l'ha). Production (en millions de t). *Source :* FAO, résultats 1987.

	Afrique	Amérique centrale et Nord	Amérique du Sud	Asie	Europe	Océanie	URSS	Total
Superficie (en M ha)								
Terres arables et cultures permanentes [1]	185	275	141	454	140	50	232	1 476
Prairies et pâturages [1]	789	367	458	645	84	453	375	3 171
Bois [1]	698	659	917	562	155	160	935	4 087
Divers [1]	1 293	838	238	1 017	94	180	685	4 345
Total [1]	*2 965*	*2 139*	*1 753*	*2 679*	*473*	*843*	*2 227*	*13 079*
Avoine	0,7	3,7	0,6	0,7	4,1	1,5	11,9 (est.)	23,3
Blé	8,3	35,1	9	83,4	27	9,1	46,7 (est.)	218,9
Maïs	19,4	32,8	18,7	38,5	11,8	0,07	5,2 (est.)	126,6
Millet	15,5	–	0,09	19,8	0,02	0,04	2,8 (est.)	38,3
Orge	4,7	7,4	0,6	11,8	18,6	2,4	30,6 (est.)	76,2
Riz	5,5	1,8	7,3	126,9	0,4	0,1	0,6 (est.)	142,9
Seigle	0,03	0,5	0,09	0,9	4,7	0,05	10 (est.)	16,3
Coton (graines) [2]	4	3,8	4,3	16,3	0,3	0,2	3,4	32,3
Patates douces [2]	1,1	0,2	0,1	5,8	0,01	0,1	–	7,4
Pommes de terre	0,8	0,6	1	4,5	5	0,05	6,2	18,28
Sorgho	15,4	6,2	1,9	19,1	0,1	0,7	0,2 (est.)	43,7
Production (Mt)								
Avoine	0,2	6,1	0,9	1	12,1	2	18 (est.)	40,4
Blé [3]	13,7	110,1	17,2	200,2	130,3	15,9	108	595,5
Maïs [3]	29,7	223,4	38,7	119,9	44,1	0,4	14	470,3
Millet	10,5	–	0,1	15,4	0,03	0,04	3,9 (est.)	30
Orge [3]	4,7	23,1	1,1	20,1	72	4,5	56,5	181,9
Riz [3]	10,8	8,9	13,8	479,6	2,3	1	2,8	519,3
Seigle	0,005	0,6	0,1	1,4	12,5	0,03	16 (est.)	30,7
Coton (graines) [2]	2,5	5,8	2,7	15	0,5	0,4	5,4	32,5
Patates douces [2]	7	1,4	1,3	99,5	0,1	0,6	–	109,9
Pommes de terre	7,1	18,3	11,4	60,8	106,3	1,4	82	287,2
Sorgho [3]	11,7	18,9	4,4	19,6	0,6	1	0,2	56,3
Rendements (qtx/ha)								
Avoine	2,8	16,5	14,1	14,1	29,1	13,4	15,1	17,3
Blé	14,9	19,4	18,8	22,4	46,1	15,3	18,8	23,3
Maïs	15	41,5	21,4	27,7	56,3	54,5	28,8	31,1
Millet	6,7	–	11,9	7,8	17	9,36	14,1	7,8
Orge	12,7	22,3	14,6	18,2	39,7	16,8	16	22,5
Riz	17,8	51,1	23,2	34,2	54	65,4	40,7	33,4
Seigle	1,8	13,3	10,2	14,8	26,8	5,8	16	18,8
Coton (graines) [2]	9,3	16,9	8,7	13	25,6	35,7	24,04	13,9
Patates douces [2]	61,3	68,7	88,4	171,4	111,9	48,2	–	147,9
Pommes de terre	84,5	283,5	111,2	134,9	211,3	260	132,6	157,1
Sorgho	8,5	32,3	28	9,6	38,9	23,85	7,36	13,6

Nota. – (1) Résultats 1985. (2) 1986. (3) 1990 prévisions.

bique 1 632, Namibie 1 889, Niger 2 340, Nigeria 2 039, Ouganda [2] 2 291, République centrafricaine 1 980, Réunion 2 665, Rwanda 1 786, São Tomé 2 657, Sénégal 1 989, Seychelles 2 146, Sierra Leone 1 806, Somalie 1 736, Soudan 1 996, Swaziland 2 548, Tanzanie 2 151, Tchad 1 852, Togo 2 133, Tunisie 2 964, Zaïre 2 034, Zambie 2 026, Zimbabwe 2 232.

Amérique du Nord. Canada 3 447, Costa Rica 2 782, Cuba 3 103, Guadeloupe 2 788, Guatemala 2 352, Haïti 1 911, Honduras 2 164, Jamaïque 2 572, Martinique 2 835, Mexique 3 149, Nicaragua 2 361, Panamá 2 458, Rép. dominic. 2 357 Salvador 2 415, USA. 3 666.

Amérique du Sud. Argentine 3 118, Bolivie 2 086, Brésil 2 709, Chili 2 584, Colombie 2 561, Équateur 2 338, Guyana 2 379, Guyane 2 841, Paraguay 2 816, Pérou 2 269, Surinam 2 809, Uruguay 2 770, Venezuela 2 547.

Asie. Afghanistan 2 055 [1], Arabie Saoudite 2 832, Bangladesh 1 925, Birmanie 2 518 [2], Cambodge 2 995 [1], Chine 2 632, Chypre 3 378 [1], Corée du S. 2 878, Corée du N. 3 193, Hong Kong 2 899, Inde 2 104, Indonésie 2 667, Iran 3 100, Irak 2 962, Israël 3 138, Japon 2 848, Koweït 3 132, Laos 2 367, Liban 2 995 [1], Malaisie 2 686, Mongolie 2 458, Népal 2 078, Pakistan 2 200, Philippines 2 255, Singapour 2 892, Sri Lanka 2 319, Syrie 3 168, Thaïlande 2 287, Turquie 3 080, Viêt-nam 2 233, Yémen 2 314.

Europe. Albanie 2 741, All. dém. 3 890, All. féd. 3 514, Autriche 3 478, Belg.-Lux. 3 942, Bulgarie 3 614, Danemark 3 577, Espagne 3 543, Finlande 3 170, France 3 310, G.-B. 3 252, Grèce 3 699, Hongrie 3 601, Irlande 3 699, Islande 3 352, Italie 3 366, Norvège 3 253, Pays-Bas 3 354, Pologne 3 451, Portugal 3 382, Roumanie 3 357, Suède 3 007, Suisse 3 547, Tchéc. 3 564, Youg. 3 505.

Océanie. Australie 3 322, Fidji 2 763, Polynésie fr. 2 869, Nouvelle-Calédonie 2 920, Nouvelle-Zélande 3 469, Papouasie-Nouvelle-Guinée 2 236.

URSS 3 386.

Nota. – (1) 1981-83. (2) 1983-85.

• **Calories par personne et par jour fournies par les produits animaux** (1983-85). **Taux les plus élevés et les plus bas. Afrique :** + Somalie 569 ; Libye 566 ; Mauritanie 561 ; Réunion 532. – Rwanda 66 ; Zaïre 59 ; Mozambique 56 ; Burundi 50. **Amér. du Nord et centrale :** + USA 1 264 ; Canada 1 226 ; Bermudes 1 027. Antilles néerl. 961. – République dominicaine 314 ; Honduras 252 ; Guatemala 193 ; Haïti 101. **Amér. du Sud :** Argentine 976 ; + Uruguay 929 ; Guyane française 803. – Bolivie 356 ; Surinam 346 ; Pérou 270 ; Guyana 264. **Asie :** + Mongolie 864 ; Émirats Arabes Unis 846 ; Koweït 779 ; Hong Kong 775. – Birmanie 109 ; Sri Lanka 97 ; Bangladesh 64 ; Indonésie 54. **Europe :** + Danemark 1 568 ; Belg.-Lux. 1 481 ; Irlande 1 427 ; Suisse 1 370. – Roumanie 813 ; Bulgarie 841 ; Malte 743 ; Portugal 579. **Océanie :** + Nouvelle-Zélande 1 510 ; Australie 1 118 ; Polynésie 596. – Fidji 348 ; Kiribati 213 ; îles Salomon 200. **URSS :** 867.

• **Protéines. Taux journaliers les plus élevés et les plus bas** (en g, 1983-1985). **Afrique :** + Libye 94,2 ; Égypte 82,8 ; Tunisie 79,1 ; Afrique Sud 75,1 ; Burundi 73,1. – Guinée 37,8 ; Ghana 36,7 ; Zaïre 33,5 ; Mozambique 29,1. **Amér. du N. :** + USA 104,4 ; Canada 94,2 ; Bermudes 92,1 ; Barbades 88,2. – Antigua 57,7 ; Honduras 54 ; Rép. dominicaine 51,9 ; Haïti 44. **Amér. du S. :** + Argentine 104,4 ; Guyane fr. 88,4 ; Uruguay 79,1 ; Paraguay 78,6. – Colombie 56,7 ; Bolivie 54,9 ; Guyana 54,2 ; Équateur 45. **Asie :** + Israël 101,5 ; Émirats Arabes Unis 98,7 ; Koweït 92,5 ; Mongolie 92. – Inde 52,3 ; Thaïlande 47,8 ; Sri Lanka 47,3 ; Bangladesh 38,6. **Europe :** + Islande 112,9 ; All. dém. 108,1 ; Grèce 107,8 ; Irlande 107,3 ; *France 106,6.* – All. féd. 92,8 ; Suède 92,7 ; Suisse 91,6 ; Portugal 84,5 ; Malte 79,8. **Océanie :** + Nouv.-Zél. 103,6 ; Australie 96,4 ; Nouv.-Calédonie 75,6. – Vanuatu 60,7 ; Samoa 55,1 ; îles Salomon 48,6. **URSS :** 98,3.

• **Lipides par personne et par jour** (en g, 1983-1985). **Afrique :** + Libye 121,7 ; São Tomé 95 ; Réunion 82,6 ; Égypte 70,1. – Ghana 28,7 ; Burundi 27,2 ; Ouganda 24,1 ; Rwanda 14,6. **Amér. du Nord et centrale :** + USA 167,2 ; Canada 155,7 ; Barbades 106,4 ; Bermudes 100,9. – Martinique 64 ; Honduras 45,4 ; Guatemala 44,8 ; Haïti 30,3. **Amér. du Sud :** + Argentine 108,7 ; Uruguay 95,8 ; Guyane fr. 81,7 ; Paraguay 72,8. – Colombie 53,5 ; Bolivie 45 ; Guyana 41,1 ; Pérou 39,1. **Asie :** + Israël 109,6 ; Émirats Arabes Unis 108,3 ; Hong Kong 107,1 ; Koweït 101,6. – Philippines 32,4 ; Népal 27,5 ; Thaïlande 29,3 ; Bangladesh 18,5. **Europe :** + Belg.-Lux. 179,8 ; Pays-Bas 162,4 ; Danemark 170,5 ; Autriche 170,2 ; Suisse 160,7. – Pologne 105,3 ; Portugal 98,5 ; Roumanie 96,9 ; Malte 83,7. **Océanie :** + Nouvelle-Zélande 147,6 ; Australie 137,3 ; Polynésie française 101,7. – Samoa 81 ; Fidji 64,6 ; Salomon 52,1. **URSS :** 99,2.

Mécanisation agricole

Tracteurs et machines agricoles en France

Source : SYGMA.

Chiffre d'affaires (en millions de F). *1976 :* 7 568. *1990 (prov.) :*15 781,3 (tract. 5 870,8, mach. agr. 9 910,5).

Parc (nombre de machines, en milliers). **1985.** *Matériel automoteur :* tracteurs 1 478,6, motoculteurs et motofaucheuses 233,4, récolteuses-hacheuses-chargeuses 2,4, moissonneuses-batteuses 118,2, récolteuses de maïs 1,6, machines à vendanger 1,8, chariots 6,6. *Matériel tracté de labour :* charrues à socs 839,3, à disques 28,6, vigneronnes 118,9, chisels 54,9 ; *travaux du sol :* pulvérisateurs 185,9, cultivateurs 619,7, bineuses 126,2, houes rotatives 165,4, herses animées 141,3, croskills et croskillettes 153,2, butteuses 45,7 ; *semis :* semoirs 512,9, planteuses 81,2 ; *fertilisation :* distributeurs d'engrais solides 651,5, remorques épandeuses de fumier 282, tonnes à lisier 59,4 ; *protection :* pulvérisateurs 463, poudreuses 33,1 ; *récoltes :* faucheuses 592,7, râteaux 592,6, ramasseuses-presses 425, ensileuses 66,7 arracheuses de pommes de terre 44,2 corn-pickers et corn-shellers 16,5, récolteuses de betteraves 17,5, machines à vendanger 2,8 ; *manutention :* chargeurs 330,5, désileuses 29 ; *transport :* bennes 464,6, autochargeuses 28, à vendange 88,6. **1989** (est. au 31-12). Tracteurs 1 074, motoculteurs et motohoues 1 362, moissonneuses-batteuses (fin de moisson) 89.

Immatriculations de tracteurs. *1986 :* 37 957. *87 :* 39 679. *88 :* 42 492. *89 :* 39 707. *90 :* 37 232 dont Renault Agriculture 6 110, Caisse IH 5 698, Massey Ferguson 5 246, Fiatgeotech 5 047, John Deere 4 062, Ford New Holland 2 185, Deutz 1 812, Fendt 1 569, Same 1 145, autres marques 4 358.

Prix (en milliers de F, 1990). *Tracteur moyen :* + de 250 ; *Renault Nectra :* 488 ; *Massey Ferguson 3690* (120 CV, ordinateur de bord pour l'assistance à la gestion des accessoires de traitement de la terre : herses, semoirs...) : 400 ; *Fiat Winner* (120 CV) : + de 400.

Utilisation annuelle moyenne (en heures) **des matériels automoteurs et**, entre parenthèses, **% du matériel utilisé moins de 100 h par an.** Tracteurs classiques 409 (13,3), motoculteurs 103 (83,1), motofaucheuses 91 (85,5) ; ramasseuses-hacheuses-chargeuses à maïs 142 (72,8) [dont 2 rangs 79 (91,1), 3 rangs 224 (45,5), 4 rangs et plus 88 (93,3)] ; moissonneuses-batteuses 107 (71,2) ; corn-pickers 129 (59,8), corn-shellers 110 (81,6) ; récolteuses de betteraves 139 (54,1) ; mach. à vendanger 189 (26).

Ancienneté moyenne des matériels automoteurs et, entre parenthèses, **% matériel acheté d'occasion.** Machines à vendanger 3,6 ans (11,3) ; récolteuses de betteraves 5,9 (38,1) ; ramasseuses-hacheuses-chargeuses 8,8 (40,2) ; chariots 9,4 (43,3) ; récolteuses de maïs-grain 10,7 (59,1) ; motoculteurs et motofaucheuses 11,2 (17,4) ; moissonneuses-batteuses 12,1 (58,7) ; tracteurs 12,9 (44,3).

Production française (en nombre en 1990, prov.). Motoculteurs, motohoues, motobineuses 86 800. Tracteurs à roues complets 19 550. Charrues pour tracteur 15 100. Semoirs en lignes 3 850. Semoirs de précision (rangs, éléments) 33 940. Distributeurs d'engrais 6 760. Pulvérisateurs : à dos sans moteur 237 000, à tracteur 16 300. Faucheuses à tracteur 12 600. Moissonneuses-batteuses 0. Ramasseuses-presses classiques 3 755. Chargeurs frontaux 13 200. Épandeurs de fumier 4 700. Remorques à tracteur 12 700. Évacuateurs automatiques de fumier 2 600. Machines à vendanger 875.

Effectifs (1990, prov.) 24 200. **Entreprises** (1990, prov.) 432.

Exportations (en millions de F). *1974:* 1 851. *1990:* 5 736,6 (tract. 1 878,1, mach. agr. 3 858,5) ; *vers* (en %) All. féd. 16,2, Roy.-Uni 11,4, USA 7,7, Italie 6,7, Espagne 6,4, UEBL 6,1.

Importations (en millions de F). *1974:* 2 455. *1990:* 9 060,2 (tract. 3 635,9, mach. agr. 5 424,3) ; *de* (en %) All. féd. 35,8, Italie 19,7, Roy.-Uni 9, UEBL 8,8, USA 7,4, P.-Bas 3,9.

Tracteurs et machines agricoles dans le monde

4 firmes dominent le marché mondial du gros matériel : Massey Ferguson, Ford, John Deere, International Harvester.

Tracteurs et, entre parenthèses, **moissonneuses-batteuses** (en milliers, 1986). *CEE* dont : All. féd. 1 483 (150), Belg.-Lux. 123,2 [4] (9,5 [1,3]), Danemark 169,7 (35,4 [3]), Espagne 650 [1] (45,5 [2]), Grèce (6,2 [1,3]), Irlande (4,5 [1,3]), Italie 1 169,5 (41,9), P.-Bas (5,8 [1,3]), Portugal 75,6 (4,6 [3]), Roy.-Uni 512,6 (54,5). *Reste de l'Europe :* All. dém. 161,5 (16,9 [4]), Autriche 326,1 [1] (299 [3]), Bulgarie 54,2 (8,5 [4]), Finlande 240 (46 [3]), Hongrie 53,9 (12 [4]), Norvège 154,2 (17,4 [3]), Pologne 989,5 (60,9), Roumanie 194 [1] (52), Suède 183,8 (48,9 [1,3]), Suisse 106 (5,1 [3]), Tchéc. 138,7 [1] (19,5 [4]), URSS 2 854 (849), Youg. 955 (12 [1,3]). *Amérique :* Argentine 206 (46,5), Brésil 775 (42), Canada 728,1 (157,9), USA 4 407,5 [6] (645), Mexique 160 [1]. *Reste du monde :* Afr. du S. 182,8 [1], Australie 332 [1] (57,1), Chine 866,5 (35,7 [3]), Inde 648,9 (2,8), Japon 1 904 [5] (1 201 [5]), Turquie 611,1 (11,5), N.-Zél. 75 [1]. Monde 25 284,5 [1] (3 978,9).

Nota. – (1) Est. (2) 1983. (3) 1984. (4) 1985. (5) 1987. (6) 1989. *Source :* FAO.

Principaux produits

Cacao

Origine. Originaire d'Amér. latine. **1519** rapporté en Espagne par Ferdinand Cortez après la conquête du Mexique. **1585** 1er chargement en Espagne ; puis, le cacao parvient en France, Italie (on en tire alors une boisson à partir des amandes torréfiées et broyées), All. **1819** fabrication du chocolat en barres François Louis Cailler (Suisse). **1822** 1ers cacaoyers plantés en Afrique. **1828** Conrad Van Houten (P.-Bas) extrait la graisse des graines de cacao écrasé, la poudre soluble obtenue sert à fabriquer le chocolat. **1853-70.** essor de la chocolaterie Menier. **1918** 1er producteur : l'Afr. équatoriale.

Aspect. Le cacaoyer (4 à 10 m de haut) donne des cabosses (fruits de 200 g à 800 g contenant de 10 à 50 fèves). Demande un sol riche et de l'ombre, 1 000 plants à l'ha, une température élevée et 1,5 à 2 m d'eau. Fleurit à partir de 3 ans. En plein rapport à 7 ans, baisse de production après 25 ans. **Variétés.** *Criollo :* grande qualité, mais peu cultivée. *Forastero :* originaire d'Amazonie, cacaos courants. *Trinitario :* hybride des 2 variétés, 10 à 15 % de la production mondiale. **Vie.** 40 ans, on connaît des cacaoyères de + de 100 ans. **Rendement moyen.** 350 kg/ha (jusqu'à 2,5 t/ha avec engrais et sans ombrages pour les nouvelles sélections). Dans le Chiapas (sud du Mexique), 3 récoltes de 3 mois par an. Coûts de production relativement élevés au Cameroun et en Côte-d'Ivoire ; plus faibles au Brésil et Malaisie.

Production (en milliers de t, 1989-90). C.-d'Ivoire 710. Brésil 365. Ghana 295. Malaisie 225. Nigeria 160. Cameroun 125. Indonésie 105. Équateur 87. Colombie 53. Mexique 43. Papouasie-Nlle-Guinée 40. *Monde 2 377.* **Marché.** Dominé par 5 États ; très spéculatif. *Consommation :* croissance faible, des produits de substitution se développant. *Depuis 1978* offre excédant la demande (150 000 t en 1989). **Prix** (en F par 100 kg). *1978 :* 1 611,5, *79 :* 1 428,3, *80 :* 1 035, *81 :* 1 149, *82 :* 1 450. *84 :* 1 870-2 495. 1988-89 : chute des cours (plus bas dep. 1975).

Commerce (1989, milliers de t). **Exp. :** C.-d'Ivoire 747,6. Ghana 254,0. Malaisie 169,3. Brésil 106,4. Nigeria 99,2. Cameroun 85,8. Indonésie 67,8. Équateur 44,9. Papouasie-Nlle-Guinée 44,7. Rép. dominicaine 37,3. **Imp. :** USA 266,1. All. féd. 250,1. P.-Bas 230,1. URSS 190,0. Roy.-Uni 130,0. Singapour 121,2. *France 52,0.* Italie 45,3. Belg./Lux. 42,3. Espagne 38,7.

Consommation de fèves de cacao (kg par hab. et par an, 1988-89). Suisse 5,1. Belg.-Lux. 3,8. All. féd. 3,2. Autriche 3,2. Roy.-Uni 2,7. Norvège 2,7. *France 2,3.* USA 2,0. Canada 2,0. Danemark 1,9. Australie 1,9.

Chocolat

Mélange de pâte de cacao (obtenue par broyage des fèves de cabosse) et de sucre.

Types de chocolat. *Ch. de couverture ou de base :* mélange préparé industriellement et vendu en gros aux pâtissiers et chocolatiers. *Ch. de ménage ou à cuire :* contient pour 100 g, 55 à 65 g de sucre, 35 à 43 g de pâte de cacao (dont 18 g de beurre de cacao). *Ch. fondant :* pâte et beurre de cacao, 48 % au minimum, sucre 52 % au max., *Ch. au lait :* pour 100 g, sucre 50 g au max., pâte de beurre de cacao 25 % minimum, lait sec 16 g, matières grasses 26 g. *Ch. blanc :* beurre de cacao 20 g au moins.

Composition du chocolat (pour 100 g). Glucides 64 g. Lipides 22 g. Protéines 6 g. Sels minéraux 4 g. Vitamine A 0,02 mg. Vitamine B 0,07 mg. Vitamine B2 0,24 mg. Vitamine PP 1,1 mg. Théobromine (Alcaloïde stimulant proche de la caféine) 0,4 g. Valeur calorique 500 kcal.

Teneur en cholestérol. En moyenne, 1 mg pour 100 g de chocolat (soit 1/250e de l'apport journalier de cholestérol d'un Occidental). Les phytostérols contenus dans le chocolat gênent l'absorbtion du cholestérol des autres aliments.

Consommation (kg par hab ; 1987). Suisse 10,6. G.-B. 8,1.

Confiserie, chocolaterie en France

Production (en milliers de t, 1989). *615,1* dont *prod. demi-finis* 144,8 dont couverture 56,9 ; *prod. finis de chocolat* 301,7 dont choc. en tablettes 96,8, confiserie de choc. 100,9, poudre de cacao sucrée 34 ; *de confiserie et de sucre* 168,6 dont sucres cuits 32,2, chewing-gum 25,9, gélifiés 23,6, pâte à mâcher 19,4, fruits confits et marrons glacés 18,7, caramels et toffees 13,1.

Matières premières utilisées (en milliers de t 1989). *574,9* dont sucre 233,2, glucose 76,8, cacao en masse acheté 55,3, beurre de cacao 51,3, fèves de cacao 49,2, lait 28,9, fruits à confire 21,6, couverture 19,3, noisettes, amandes 17,1, graisse végétale 15,7.

Ventes de chocolat en France en 1988 (en milliards de F). 8,5 dont Cantalou 1,5, Jacobs Suchard 1,3, Rowntree-Mackintosh 1,3, Nestlé 1, Mars 0,95, Lindt 0,6, Poulain (Cadbury) 0,6, Ferrero 0,45, divers 0,8.

Consommation par hab. (en kg, 1988). **Confiserie.** All. féd. 6,4, Irlande 5,9, G.-B. 5,1, Danemark 4,9, Suède 4,8, P.-Bas 4,5, Norvège 4,3, Belgique 3,9, USA 3,6, Suisse 3,1, *France 2,9,* Autriche 2,7, Italie 2,2, Espagne 2,1, Japon 1,6, Grèce 0,7. **Chocolaterie.** Suisse 9, Norvège 8, G.-B. 7, Belgique 6,9, All. féd. 6,9, Autriche 6,4, P.-Bas 6,2, Irlande 5,9, Danemark 5,8, *France 5,8,* Suède 5,7, USA 4,4, Espagne 1,7, Italie 1,7, Grèce 1,5, Japon 1,5, Portugal 0,8.

Café

Généralités

Aspect. Le caféier (3 à 15 m de haut, 2 à 3 m dans les plantations) fructifie au bout de 3 ans, jusqu'à 30 ans, vit 60 à 100 ans, demande une chaleur de 18-23 °C (arabica), 22-26 °C (robusta), 1,50 à 2 m d'eau par an et des engrais, donne en moy. 2,5 kg de « cerises » par an qui donnent 0,5 kg de café vert, soit 0,4 kg de c. grillé [de quoi faire 40 tasses de bon c. à 8-10 g (législ. 7 g min.) de c. moulu par tasse, soit 1 cuillerée à soupe pleine à dos d'âne]. **Variétés. Arabica :** hauts plateaux d'Amér. lat. dans les vallées abritées entre 800 et 2 000 m [Colombie, Mexique, Brés., etc. (et dans les régions montagneuses d'Afrique et de l'Inde)]. Originaire des forêts des montagnes d'Abyssinie, longtemps cultivé au Yémen (Arabie heureuse) d'où il fut exporté *(1683)* vers l'Europe par le port de Moka. *1650* les Hollandais introduisent sa culture à Java. *1710 :* quelques pieds confiés au Jardin d'Amsterdam. *1712 :* 1 pied confié au Jardin des Plantes par Louis XIV. *1723 :* M. de Clieu, un officier français, sauve en allant aux Antilles le seul pied de caféier restant en partageant sa ration d'eau avec lui : il donne naissance aux plantations des colonies européennes aux Antilles (except. hollandaises). **Robusta** et **Kouillou :** a une teneur sup. en caféine. Originaire des forêts d'Afrique équat. chaude et humide. Couvre 30 % des besoins mondiaux. Cultivés, notamment en plaine, en Afrique, à Madagascar, en Inde, Indonésie, Océanie. **Arabusta :** hybride encore au stade expérimental. **Quelques cotes.** *Dans les bourses internat. de matières premières, : arabicas lavés* (venant surtout d'Am. centrale), *non lavés* (du Brésil), *milds* (arabicas lavés, d'un goût suave ou Colombie-Kenya), *robustas.*

Précautions. Le café ne doit pas bouillir. Utiliser de l'eau froide ayant un extrait sec faible entre 94° et 96 °C. Pour une extraction optimale des arômes, compter 4 mn de contact eau-mouture (percolation) ou 30 sec. (espresso).

Partisans et adversaires. Interdit par le Coran. Mise en garde des chrétiens d'Italie jusqu'à ce que le pape Clément VIII déclare le café agréable. Interdit par les Mormons, le sultan de La Mecque, le bey du Caire (1511), le grand vizir Köprülü (1656), le landgrave Frédéric de Hesse (1773), Charles II d'Angleterre (rétabli 10 j. plus tard). *Amateurs célèbres :* Talleyrand, Balzac, Voltaire, Beethoven.

Caféine. Teneur par tasse (en mg) : robusta fort 200 à 250, arabica fort 80 à 100, c. soluble 50 à 100, c. décaféiné 2 à 10, thé 30 à 60, chocolat 10 à 40, boisson au cola 20 à 30 (pour 33 cl). **Pour 100 g d'aliments aromatisés au café :** Ovomaltine café 156, bonbons Ricqlès café 70, éclair pâtisserie 11. **Selon la variété :** arabica 0,8 à 1,5 %, canephora (robusta, kouillou) 1,5 à 2,7 %, arabusta 1,5 à 2 %. Un café décaféiné ne doit pas contenir + de 0,1 % de son poids de caféine (0,3 % pour les cafés solubles). La caféine est utilisée en pharmacie (aide à l'effort, à la digestion, aiguise les activités intellectuelles, la mémoire, combat la migraine).

Au-dessus de 600 mg (7 à 8 tasses) par jour, il y a risque d'intoxication chronique caractérisée par tremblements, palpitations, insomnies, nervosité, anxiété, irritabilité. Au-delà d'une certaine consommation, *le café décaféiné* augmenterait le taux du mauvais cholestérol.

Le mot *mazagran* désigne un café noir, chaud ou froid, avec du sucre et de l'eau-de-vie, et non un récipient en forme de verre à pied dans lequel il est servi [nom apparu v. 1860, rappelle le combat (1840) soutenu 3 j par 125 soldats du poste de Mazagran (Algérie) ; assaillis par plusieurs milliers d'Arabes, ils n'avaient pu boire leur café qu'a la va-vite].

Statistiques

Commerce (milliers de t, 1989-90). **Exp. :** Brésil 1 033,4. Colombie 824,3. Indonésie 350. Mexique 269,2. Guatemala 209,4. C.-d'Ivoire 192,7. El Salvador 154,6. Costa Rica 142,5. Ouganda 141,7. Cameroun 140,3. Zaïre 125,3. Inde 117,3. Kenya 112,3. **Imp. :** (en milliers de t, 1989). USA 1 255,4. All. féd. 700,0. *France 368,9.* Japon 322,0. Italie 276,3. P.-Bas 170,2. Espagne 165,2. Roy.-Uni 160,0. Canada 126,2. Belg.-Lux. 123,5.

Café vert importé. En France. (en milliers de t, 1988). Côte-d'Ivoire 62 (robusta), Brésil 59 (arabica), Madagascar 22 (r), Colombie 22 (a), Ouganda (r), Cameroun 14,5 (a), Rép. Centrafricaine 7,5 (r), Indonésie 7,4 (r), Costa Rica 7 (a), Éthiopie 6,7 (a).

Source : Organisation Internationale du Café.

Consommation (en kg de café vert par tête et par an, 1989). Finlande 12,8. Suède 11. Danemark 10,7. Autriche 10,6. Norvège 10,2. P.-Bas 9,1. Suisse 8,6. All. féd. 8,5. *France 5,7.*

90 % des Français boivent du café régulièrement, dont 85 % tous les jours (80 % le matin, 69 % après le déjeuner, 29 % l'après-midi, 14 % après le dîner et 8 % la nuit). (Seced, 1987).

Production (en milliers de t, 1989-90). Brésil 1 416. Colombie 780. Indonésie 391. Mexique 309. Guatemala 210. C.-d'Ivoire 205. Ethiopie 195. El Salvador 173. Ouganda 168. Costa Rica 148. Inde 130. Equateur 123. Honduras 112. Kenya 104. Zaïre 103. *Monde 5 525.*

☞ *En 1975-76 :* production réduite (3 760 000 t) : *Brésil,* gel des caféiers en 1975, pluies excessives en 1976 ; *Angola,* destruction des plantations par la guerre ; *Colombie,* sécheresse et rupture du barrage del Monte. *Prix :* s'élevant de 400 à 4 262 livres/t en mars 1977 (record). Au détail, en France, le paquet de 250 g est passé d'env. 3 F au début 1975 à env. 10 F en mars 1977. *1986-87 :* chute des cours d'env. 15 %. *1990 :* le café rapporte à ses producteurs 5 milliards de $ (28 milliards de F) pour 82 millions de sacs de 60 kg vendus (il y a 15 ans : 12 milliards de $ pour 68 millions de sacs). Pour les 25 États concernés en Afrique, baisse en 15 ans de 1,4 milliard de $, soit un recul de 66 %. *1991 (juillet) :* 519 livres/t (prix le + bas dep. 1976).

Principales variétés et marques vendues (1989). *Arabica* (36,5 %en volume, 46,4 % en valeur) : Grand'mère 36,1. Jacques Vabre 16,2. Maison du Café 12,7. Vaudour-Danon 5. Lavazza 4. Distributeurs 12,5. Autres 13,5. *Mélanges dont robusta* (54,5 % vol., 43,4 % val.) : Maison du Café 20,9. Jacques Vabre 18,8. Grand'mère 15,3. Vaudour-Danon 7,6. Legal 5. Lavazza 1,3. Distributeurs 20,2. Autres 10,9. *Decaféiné* (9 % vol., 10,2 % val.). : Jacques Vabre 30,2. Grand'mère 22,4. Maison du Café 11,1. Vaudour-Danon 4,3. Distributeurs 16,5. Autres 15,5. *Solubles (en %, en volume) :* Sopad-Nestlé 65. Maxwell (Général Foods)16,7. Jacques Vabre (jacobs) 6,7. *Tous segments de torréfiés confondus (en %, en volume) :* Jacques Vabre (jacobs) 19,4. grand'mère (jacobs) 23,6. Maison du Café (Douwe egberts) 16. Vaudour Danon (Segafredo Zanetti) 5,8. Legal (Lepork) 3,5. Lavazza 3. Distributeurs 17. Autres 11,7.

Source : Nielsen.

Céréales

Généralités

• Définition. Regroupent des graminées : avoine, blé, maïs, millet, orge, riz, sarrasin, seigle, sorgho. Alimentation principale des hommes et des animaux. 700 à 750 g de céréales (soit 250 kg par an) peuvent fournir à l'homme 2 300 à 2 500 calories par jour. 1 ha de soja ou de céréales peut nourrir 120 personnes (1 ha d'élevage de bœuf : 2).

• Production (en millions de t, 1990). Chine 385. USA 312,4. URSS 230,3. Inde 196,1. CEE 160,3 dont *France 55,1.* Canada 58. Indonésie 49,7. Brésil 33,6. Bangladesh 30,5. Turquie 29,8. Pologne 27,7. Mexique 25,4. Australie 23,6. Thaïlande 22,9. Pakistan 22,1. Roumanie 19,8. Argentine 19,7. Viêt-Nam 18,9. Japon 14,5. Birmanie 14,3. Philippines 14,1. Yougoslavie 14. Hongrie 12,5. Tchéc. 12,4. *Monde 1 955,6.*

• Céréales en France (en milliers de t). **Production** (1990) et, entre parenthèses, **collecte** (1989-90). Blé tendre 31 766 (27 283), maïs 9 157 (11 959), orges 10 099 (6 887) [dont escourgeon et o. d'hiver 8 345, o. de printemps 1 754], blé dur 1 941 (1 369), avoine 847 (402), triticale 593 (108), seigle 241 (126), sorgho 276 (299), riz 125 (105). *Total 55 046 (48 538).* **Commerce extérieur** (en milliards de F, 1990). *Exp.* 29, *imp.* 0,45.

Nota. – Les céréales sont concurrencées par le manioc et des sous-produits de l'industrie alimentaire pour l'alimentation des animaux.

Avoine

• Origine. Indigène en Europe méridionale. Nom du latin *avena :* chaume, paille. Jusqu'au XVIe s., on dit aveine ou avaine. **Culture en France.** Superficie (milliers d'ha) : *1900 :* 4 000, *65 :* 1 000, *70 :* 793, *80 :* 564, *85 :* 431,4, *90 :* 218. **Rendements** (q/ha). *1901-10 :* 12, *65 :* 23,4, *85 :* 40,4, *87 :* 35, *90 :* 38,8 (moy. mondiale 88 : 17,3). Se contente d'un climat assez froid mais humide et de sols relativement pauvres. Vient souvent en fin d'assolement. Semée en oct. ou mars, récoltée en août. **Variétés.** Noire de Brie, grise ou noire de Bretagne, blanche de Géorgie, à 3 grains de Hongrie. Utilisée en grains pour chevaux, en bouillies *(porridge).* Donne le *gin.*

• Production (en millions de t, 1990). URSS 17,6. USA 5,2. Canada 3,5. Pologne 2,2. Finlande 1,6. Suède 1,6. Australie 1,5. All. féd. 1,5. *France 0,9.* Argentine 0,7. Chine 0,6. **Blé tendre** G.-B. 0,53. Espagne 0,52. All. dém. 0,5. Norvège 0,4. Tch. 0,32. Italie 0,31. Turquie 0,27. Autriche 0,25. *Monde 42,24.* Commerce (en milliers de t, 1989). **Exp. :** Canada 933,2. Suède 266,6. Finlande 248,8. Australie 188,9. Argentine 129,6. *France 128.* All. féd. 41,8. P.-Bas 23,2. **Imp. :** USA 1 294,1. URSS 223,4. Suisse 83,8. Japon 79,4. Italie 74,3. All. féd. 62,4. P.-Bas 55,2. Belg.-Lux 47,9.

Blé

• Origine L'une des plus anciennes cultures du monde. Nommé *frumentum* chez les Latins *(froment),* il occupe en France la majorité des terres, riches ou ingrates, jusqu'au XIXe s. **Grain de blé.** Un épi contient 45 à 60 grains de 6 mm chacun. Un grain se compose d'une amande (cellules renfermant les grains d'amidon réunis par le gluten qui donne la farine pour 78 à 81 %) ; des enveloppes (son), 16 à 19 % ; et du germe, 2,5 à 3 %, dont la conservation est délicate. Pour moissonner, on attend que les grains soient mûrs et secs (taux d'humidité max. 15 % du poids du grain). De nombreux systèmes de séchage, par ventilation d'air chaud en particulier, ont été mis au point. **Blé dur.** Grain allongé, paille pleine, toujours barbu. *Débouché : semoulerie,* la semoule servant à fabriquer *couscous* et *pâtes* (en France dep. 1934, Italie 1967, et Grèce, les pâtes ne peuvent être fabriquées qu'avec des semoules de blé dur, en raison de leur richesse en gluten qui donne une meilleure qualité culinaire (fermeté, absence de collant) et de leur couleur jaune ambré.

• Principales variétés cultivées en France. **Blé dur :** *Nord :* Ambral, Cando, Agridur, Néodur, Ardente ; *Sud :* Capdur, Primadur, Arcour, Ardente. **Blé tendre :** Thésée, Apollo, Soissons, Récital, Baroudeur, Génial, Scipion. **Blé noir :** v. *Sarrasin. Rendement moyen* (France, q/ha) *83 :* blé dur 35, tendre 51. *84 :* d. 46, t. 65. *85 :* d. 46, t. 61. *86 :* d. 42, t. 56. *87 :* d. 44, t. 57. *88 :* d. 40, t. 63. *89 :* d. 44, t. 65. Beauce, Bassin parisien, Région du N.

• **Culture.** Le blé s'adapte à des climats et sols variés mais préfère un climat tempéré (il gèle à - 16 °C, - 18 °C, risque d'être atteint à - 10 °C ; la neige le protège ; une brusque élévation à 35-39 °C risque de l'échauder et de l'empêcher de mûrir normalement ; s'il est mûr, un soleil trop chaud fait brûler ses grains), une humidité moyenne, une terre riche (limons, alluvions des vallées, terres argileuses) et bien préparée. Se cultive souvent en *assolement triennal :* 1re année betterave, p. de t., ou maïs, 2e blé, 3e orge, car ces cultures ont des besoins différents et ne demandent donc pas à la terre les mêmes éléments de base. Il peut succéder aux plantes sarclées (betteraves, p. de t., chicorée), aux légumineuses fourragères, aux féveroles, haricots, pois verts, au lin et au colza. **Semailles :** automne (blé d'hiver), févr. (alternatifs), mars-avril (blé de printemps). Un semoir à cuillers ou à distribution forcée fait tomber les grains régulièrement dans les sillons. Lorsque le blé sort de terre, traitement avec désherbants et pesticides. **Moisson :** autrefois à la faux suivie du battage sur l'aire avec des fléaux, et du vanage (le van, corbeille plate en osier, permettait de ne garder que les grains sans la balle qui les entoure et sans débris de paille) ; aujourd'hui, moissonneuses-batteuses permettant de faire tous ces travaux le même jour, avec une seule machine. *Janvier :* Australie, Argentine, Chili, N.-Zélande. *Mars :* Inde orientale, Hte-Égypte. *Avril :* Basse-Égypte, Chypre, Cuba, Proche-Orient. *Mai :* Algérie, Asie centrale, Japon, U.S.A. (Sud, Texas et Floride). *Juin :* Espagne, France (Sud), Grèce, Italie, Portugal, Turquie, U.S.A. (Calif.). *Juillet-août :* Europe, U.S.A. (Centre-N.), Canada. *Septembre :* Écosse, Norvège, Suède, U.R.S.S. (N.). *Novembre :* Pérou, Afr. du S. *Décembre :* Birmanie.

• Collecte en France. *1987-88 :* 22,2 millions de t de blé tendre. *88-89 :* 24,6. *89-90 :* 27,3 ; par les coopératives agricoles : 73,6 % de la récolte ; négociants : 23 % ; industriels utilisateurs (meuniers, fabricants d'aliments pour bétail, exportateurs, etc.) : 3,4 %. **Utilisations en France** (en milliers de t, 1989-90). *Blé : intérieure* 7,7 dont meunerie 5,1, bétail 2,1 ; *exportations* 15 301,7 dont farine 1 468.

• Commerce. **Blé** (en millions de t, campagne 1990-91). **Exp.** USA 28,5. CEE (12) 19,1. Canada 18. Australie 11,2. Argentine 6,5. Arabie S. 1,5. Hongrie 1,5. Suède 1,1. Autriche 0,5. URSS 0,4. *Monde 91,7.* **Imp.** URSS 13. Chine 11. Égypte 7,3. Japon 5,5. Iran 4,6. Corée du S. 3,9. Brésil 3,8. Algérie 3,5. CEE 2,2 (dont Italie 0,8). Indonésie 1,9. Maroc 1,8. Bangladesh 1,6. Philippines 1,5. Pakistan 1,5. Rép. du Yémen 1,3. Syrie 1,2. *Monde 91,7.* (1991-92, prév. : 97).

France (1990). *Balance commerciale céréalière :* +31,8 milliards de F. *Exportations* vers la CEE : (millions de t, 1989-90) : 8, pays tiers : 7,3. *Premiers clients* (millions de t). Italie 2,9. URSS 2,8. P.-Bas 2,2. Belgique-Lux. 1,4, Turquie 1,1. R.F.A. 0,8. Egypte 0,8. Algérie 0,7. Syrie 0,6. Iran 0,4. Tunisie 0,3. (*Source :* Douanes ONIC.)

• Evolution des parts de marché (en % en 1981-82 et, entre parenthèses, en 1990-91). USA 49 (32). CEE (12) 16 (20). Canada 18 (20). Australie 11 (12). Argentine 4 (7). Autres pays 2 (9).

Cultivé essentiellement dans les pays développés [88 % des exp. viennent des pays industrialisés (USA et Canada 56 %)], le blé pourrait être utilisé comme une « arme stratégique ». Cependant les pays acheteurs trouvent toujours à importer les quantités désirées par des voies détournées (il y eut des embargos amér. à l'encontre de Cuba v. 1965, l'URSS en 1980).

• Production (en millions de t, 1990). URSS 108. Chine 96. CEE 84,4 (dont *France 33,4,* All. 15,3, G.-B. 13,9, Italie 8,1, Espagne 4,8). USA 74,5. Inde 50. Canada 31,8. Turquie 18. Australie 15,9. Pakistan 15,5. Argentine 11,5. Pologne 8,6. Iran 7,5. Roumanie 7,5. Youg. 6,4. Hongrie 6,2. Tchéc. 6,2. Bulgarie 5,1. Égypte 4. Mexique 3,6. Arabie S. 3,6. Maroc 3,6. Brésil 3,2. *Monde 594,9.* (1991-92, prév. : 565).

Production blé dur (millions de t, campagne 1989-90). CEE (12) 6,1 (dont Italie 3,1, *France 1,4,* Grèce 1,1). Turquie 4. canada 3,8. USA 2,6. Maroc 1,7. Algérie 0,6. Tunisie 0,3. Argentine 0,1. *Monde 24,2.*

• Prix du blé-fermage (en F, quintal). *1975-76 :* 65, *76-77 :* 70,50, *77-78 :* 75, *78-79 :* 82, *79-80 :* 89, *80-81 :* 96,5, *81-82 :* 104, *82-83 :* 112,5, *83-84 :* 121, *84-85 :* 122,7, *85-86 :* 122,75. *89-90 :* 124,50. *90-91 :* 124,5.

Moyenne des rentes viagères indexées sur le blé (INSEE, 1-8 au 31-7, en F) : *1981-82 :* 105,4, *nov. 82 :* 113,46, *85-86 :* 106,63. Le montant du fermage à régler est exprimé par une quantité déterminée de produit par ha. Il est calculé pour sa partie blé sur la base du prix du blé fermage qui est réajusté chaque année par les pouvoirs publics.

Farine

• Meunerie. Industrie lourde de transformation du blé tendre en farines panifiables.

Moulins. A l'origine, une grande pierre plate servait pour étaler les grains de blé ; une petite pierre ronde, tenue à la main, pour les écraser. Les Romains découvrirent la meule tournante formée au début de 2 pierres plates (ensuite coniques). La pierre du haut était mobile, et des esclaves ou des chevaux la faisaient tourner. Puis, les Romains imaginèrent de placer les moulins près des rivières et de faire tourner les meules en utilisant la force du courant par l'intermédiaire de grosses roues, ce furent les 1ers *moulins à eau.* Les *moulins à vent* sont arrivés plus tard, par les Croisés venant d'Orient où l'eau est plus rare.

Autrefois, le meunier écrasait seulement le blé sous la meule et livrait telle quelle la *boulange.* Le boulanger tamisait et séparait la farine du son. Puis, les meuniers se mirent à séparer eux-mêmes la farine du son, ce fut le *blutage.* En 1740, on les autorisa à « remoudre les sons », ce qui permit, en récupérant la farine adhérant aux enveloppes, d'améliorer les rendements.

Aujourd'hui, les grains, après nettoyage, sont broyés par des séries de cylindres métalliques ; le blutage est assuré par des tamis successifs incorporés dans le plansichter (sorte d'armoire suspendue par des tiges en rotin et animée d'un mouvement de rotation) qui sépare les produits selon leur granulométrie et les dirige vers une nouvelle opération de broyage (cylindres cannelés), ou de claquage (réduction des semoules en farine sur cylindres lisses), ou encore vers les silos à farine ou à issues. A l'intérieur des moulins, les différents produits sont acheminés par un système pneumatique.

100 kg de blé donnent en général 75 kg de farine et 23 kg d'issues (dont une grande partie de son) ; il y a environ 2 kg de pertes.

• Statistiques France (1989). *Moulins en activité :* 960 (30 000 moulins en 1900). *Écrasements :* 6 430 000 t. *Production :* 5 000 000 t. de farine dont *exportations :* 1 390 000 t. (+ de 70 % de la farine consommée en France pour la panification). **Employés :** 9 600. **Chiffre d'affaires** 14 milliards de F dont 24 % à l'exportation.

Farine de blé (milliers de t, 1987). **Exp.** *France 1 625,1.* USA 1 410,8. Italie 969,7. All. féd. 344,7. Canada 342,8. Belg.-Lux. 310,7. Japon 298,4. P.-Bas 253,4. URSS 249,7. Turquie 166,4. Grèce 131,5. Espagne 110,1. *Monde 6 636,8.* **Imp.** Égypte 1 378. Algérie 755. Syrie 384,5. Chine 270. URSS 218,6. Soudan 209. Rép. du Yémen 207. Cuba 160. Pays-Bas 155,4. Irak 150. All. féd. 106,4. Hong Kong 97,9. *Monde 6 372,5.*

Produits dérivés

• Pain. **Définition.** Produit de la cuisson de la pâte obtenue par un pétrissage d'un mélange de farine de blé, destinée à la panification (froment ou seigle), eau potable, sel, agent de fermentation (levure ou levain), avec éventuellement des adjuvants autorisés tels que farine de fève, produits maltés et acide ascorbique. *Le plus long* de France : 3,46 m (réalisé par le boulanger Basile Pain).

Autres produits. *Pain d'épices* (inventé au XVIIe s. à Dijon), composé de farines de seigle ou de froment mélangées ou non de miel et de glucose ; *croissant* d'origine hongroise ; *brioche ; bretzel* (gâteau salé accompagnant la bière), d'origine alsacienne.

• Part de la boulangerie artisanale dans la production. Espagne 95, Italie 95, *France 83,* P.-Bas 75, All. féd. 65, G.-B. 30, Suède 30.

Consommation (en g, par jour, par hab. en France). *1900 :* 450, *58 :* 282, *74 :* 182 (de 142 H.-de-Seine à 260 Gers), *80 :* 180, *84 :* 167. (**En calories par j** et par personne, pain et autres produits céréaliers entre parenthèses) : *1960 :* 696 (141), *70 :* 559 (212), *80 :* 444 (267).

Fabrication de pain (France). Env. 3,48 millions de t/an ; utilise (88) 2 806 966 t de farine, soit env. 3 332 500 t de blé.

Nombre de boulangeries. *1960 :* 54 000, *81 :* 38 700, *85 :* 38 056, *88 :* 38 000. 210 boulangeries industrielles assurent environ 11 % de la production. **Chiffre d'affaires** (1988). 50 milliards de F (dont pain 55, pâtisserie 35, revente 10).

Nombre d'employés (1989). Chefs d'entrepr. artisanales de boul. et leurs épouses 75 300 ; salariés dont employés 36 870, ouvriers boul. 34 080, ouvr. pâtissiers 11 250, apprentis 13 970, autres 4 330.

• Autres produits. **Production** (1988 en France). Biscuiterie, pâtisserie ind. 444 000 t. Biscotterie 113 000 t. Aliments diététiques 151 000 t (dont pour enfants 69 000 t), petits déjeuners (y.c. céréales) 21 000 t. Préparations pour entremets n.c., aides à la pâtisserie 26 000 t.

☞ « Petit Beurre » LU, mis au point en 1886 par Louis Lefèvre-Utile, fils de Jean-Romain Lefèvre et Isabelle Utile, boulangers à Nantes : lait, beurre salé, farine de froment et sucre de canne. Rectangle avec 4 « oreilles » et 48 dents.

• Pâtes alimentaires. **Origine.** Chine, puis Italie (Marco Polo), France (Catherine de Médicis). *Fabrication industrielle* (dep. fin XIXe s).

Fabrication. Pétrissage à froid (sans fermentation) de semoule de blé dur et d'eau (et d'œufs frais pour certaines pâtes) ; laminage ; tréfilage ou estampage (mise en forme par pression au travers de moules) ; séchage (humidité passant de 30 % à 12,5 %, taux de stabilisation qui permet la conservation de longue durée du produit) ; refroidissement.

Statistiques 1990 et, entre parenthèses, **1966** (milliers de t). *Production :* 286 (317). *Consommation :* 371. *Commerce : imp.* 109 (1,6), *exp.* 23,2 (8,5). *Consommation annuelle par tête* (kg) : (6,3) [Italie 25, Suisse 9, Grèce 7,6, Portugal 5,8, All. féd. 4,7, Espagne 4,6]. **Fabricants** (%). France : Panzani 41,3 ; RCL 24,5 ; Import 29 ; divers 5,2.

Maïs

• Nom. De mahiz, nom donné dans les Caraïbes avant l'arrivée des Européens. **Origine.** *5000 a. av. J.-C. :* hauts plateaux du Mexique, d'Amér. Centrale et du S. *1492 :* Christophe Colomb rapporte des grains en Europe. Cultivé en France fin du XVe s. *1532 :* herbier de Jérôme Bock, plus vieux texte se rapportant au maïs. *1536 :* 1re mention irréfutable du maïs en Fr. par le botaniste Jean Ruel. *1542 :* 1res illustrations. Appelé « Fromentum turcicum » ou « blé sarrazin » par Fuchs. *1600-1700 :* en P. basque, puis Béarn, appelé « le pain des pauvres ». *1840 :* 632 000 ha cultivés (541 000 t de grains, rendement 8,5 q/ha). *1934 :* création de l'Association gén. des producteurs de maïs. *1938 :* 322 000 ha (580 000 t, 18 q/ha). *1957 : INRA 200,* 1er hybride précoce français. *1958 : INRA 258,* hybride précoce à la base du développement du maïs en Fr. et en Europe. *1958 :* les triazines permettent le désherbage chimique du maïs. Le maïs actuel ne peut survivre sans l'homme. Il ne possède pas, à l'inverse de la téosinte et du tripsacum, d'organe de résistance ni de mécanisme de dissémination de ses graines.

• Aspect. Graminée, tribu des Maydae, la plante la plus proche est la téosinte au Mexique. Tige généralement unique (1,80 m à 2 m, parfois 4 m) portant de 12 à 20 feuilles (4 à 10 cm de large), fleurs mâles et femelles non bisexuées, un seul épi situé à l'aisselle des feuilles (compact) par plante (mais elle peut en produire 2 à 6 à faible peuplement) portant 8 à 28 rangées de grains. **Croissance :** fin avril à fin sept. *Levée :* 10 à 20 j après le semis, *développement des feuilles :* env. 1 mois, *allongement de la plante :* 6 semaines, *maturation du grain :* 2 mois. **Culture.** Besoins en chaleur, lumière et eau. *Au semis,* levée lente à 10 °C ; moyenne (14 à 18 j) à 12 °C ; rapide (7 à 10 j) à 15,5 °C. *Croissance* nulle à 7 °C, modeste à 14 °C, très rapide à 21 °C. *Temp. mensuelles favorables :* mai 15 à 18°, juin 19 à 20°, juil. 20 à 23°, août 19 à 21°. Les variétés précoces utilisées dans la moitié Nord de la France sont assez résistantes au froid [il y a 40 ans, le m. n'était cultivé qu'en bassin Aquitain, Alsace, Anjou et Bresse (printemps doux et humide, été chaud avec orages, automne sec)]. *Semis :* en France 15 avr.-10 mai. *Peuplement/ha :* maïs grain, 70 000 à 110 000 pieds ; maïs ensilage, 80 000 à 130 000. **Coûts de production.** Équivalents à ceux du blé.

• Récolte et conservation. *Maïs grain :* à l'automne en épi 15 à 20 % de surfaces, en grains 80 à 85 %. **Conservation.** *En épis :* à des humidités initiales du grain variant selon régions et années de 30 à 35 % et séchés naturellement en cribs (Sud, Pays de la Loire, Alsace). 1 m³ de crib permet de stocker 5 q d'épis frais ou 3 q de maïs grains à 15 % d'humidité : 1 m linéaire de crib (4 m de haut sur 0,90 m de large) contient 3,6 m³ d'épis soit 10 à 11 q de grains secs. *En grains :* séchés artificiellement, immédiatement après leur récolte. **Culture du maïs grain en France** (en millions d'ha). *1960 :* 0,8. *70 :* 1,5. *80 :* 1,7. *88 :* 2. *89 :* 1,9. *90 :* 1,5. **Maïs. Ensilage.** La plante entière est ensilée pour l'alimentation du bétail. Elle constitue une excellente source d'énergie (enrichie en protéines par du soja ou de l'urée). **Culture du maïs, ensilage en France** (en milliers d'ha). *1960 :* 260, *70 :* 385, *84 :* 1 400. *88 :* 1 500. *89 :* 1660. *90 :* 1 760.

• Variétés. *Couleur des grains :* jaunes (99 % en France), blancs, violets, noirs. *Maïs dentés* (indentata ou dent-corn, type de maïs américain) : contiennent surtout une amande farineuse et un peu d'amande cornée ou vitreuse à la périphérie sauf à l'extrémité. A maturité, la partie farineuse se rétracte, ce qui provoque à cet endroit une dépression en dent du cheval, d'où leur nom. *Grains cornés* (indurata ou flint-corn cultivés en Argentine et en Afr. du S.) : contiennent surtout de l'amande vitreuse qui constitue à leur périphérie une coque épaisse et indéformable. A maturité, leur aspect ne se modifie pas. Seule l'amande farineuse du centre se crevasse. *Grains cornés-dentés :* croisements des deux types. Caractéristiques intermédiaires ; bien adapté à l'Europe. *M. sucrés* (saccharata) : ont perdu la faculté de synthèse de l'amidon, leurs réserves sont constituées par des sucres ; consommées en vert comme légumes. *M. à éclater* (*Pop-corn* everta) : m. corné à petit grain pointu éclatant à la chaleur.

• Utilisation. **Alimentation animale.** *Ensilage de la plante entière :* ration énergétique de base pour vaches laitières et bovins à l'engraissement. *Grain humide broyé ensilé seul ou avec rafle :* aliment pour porcs. *Grain sec :* aliment énergétique pour volailles (œufs, poulets fermiers jaunes) et porcs (jambon de Bayonne). **Industrie.** *Tiges :* pâte à papier, soie artificielle. *Rafles :* furfurol, combustible, abrasifs, support prod. pharmaceutiques, revêtements de sol, humus, panneaux ligneux. *Grains :* amidonnerie [le m. est la céréale qui fournit le plus d'amidon ; 100 kg donnent 62 à 63 kg d'a., 20 kg de drèches, 5 kg de gluten, 3 l d'huile brute et 4 kg de tourteaux de germes]. *Produits dérivés :* antibiotiques, alim. du bétail, protéines, vernis, text. artificiels, disques ; b. brute pour fonderie et savonnerie, pharmacie ; h. de table, tourteaux, margarine (après raffinage) ; colles, prod. pour brasserie, confiserie, biscuiterie, pâtisserie, charcuterie, potages, sauces, entremets, alim. pour enfants, apprêts pour textiles, tannerie. *Semoulerie :* farines, semoules [*corn-flakes* obtenus à partir de semoules grossières aromatisées de malt, sucre, etc. passées, après une 1re cuisson, dans des compresseurs cylindriques et transformées en flocons puis grillées ; *gritz* (semoules grossières pouvant entrer jusqu'à 25 % des matières 1res dans la composition de la bière, fournissent plus d'alcool que le malt et améliorent la qualité de la bière en raison de leur plus faible teneur en matières azotées et assurent une meilleure conservation)], h. de germe, son et sous-produits (alim. de bétail). *Distillerie :* whisky, gin, bourbon.

• Statistiques. **Production** (en millions de t, 1990). USA 201. Chine 87. Brésil 26. URSS 14. Mexique 12. *France 9,2.* Argentine 7. Canada 7. Roumanie 7. Yougoslavie 7. Afr. du S. 6,5. Italie 6. Hongrie 4,3. Thaïlande 3,7. *Monde 470,3.*

Rendement. Pour un semis de 100 000 grains/ha : on a un peuplement-tige de 85 000 à 90 000 plantes, la récolte (95 à 110 épis pour 100 tiges) sera de 85 000 à 90 000 épis. *En quintaux/ha* (1990) Italie 77,1. USA 74,3. *France 59,1.* **Records.** USA 232 q de grains/ha, *France 180.*

Commerce (en millions de t, 1990). **Exp. :** USA 49. *France 4,7.* Argentine 3,2. Thaïlande 0,9. Afrique du S. 0,6. **Imp. :** Japon 16. Chine 0,1. Mexique 3,2. Espagne 1,7. Corée du S. 5,1. Italie 0,3.

Consommation. *Alimentation animale :* 65 % (pays industrialisés 80 %) de la production ; *alimentation humaine* et *usages industriels :* 27 %. **Consommation humaine** (kg/an/hab.). Moy. 15 ; pays en voie de développement, entre 20 et 40 (Mexique, Guatemala 100 kg). *Record :* Argentine, Brésil 150 ; USA 100 ; URSS et pays de l'Est 90.

Méteil

Du latin *metellum* ou *mistillum* issu de *mistus* ou *mixtus :* mêlé. Mélange de seigle et de blé semés et récoltés ensemble ; le petit méteil contient davantage de seigle, le grand méteil davantage de blé.

Mil et Millet

• Origine. Asiatique et africaine.

• Mil. **Nom.** *Pennisetum typhoïdes : Pearl millet* en anglais, mil à chandelle ou mil pénicillaire, bajra (Inde). **Culture.** Afr. sahélienne et subdésertique car ses besoins en eau sont faibles (400 à 700 mm pendant un cycle de 60 à 90 j), semis avr.-mai. **Rendement.** 300 à 1 500 kg/ha. **Autres espèces.** Éleusine (Inde : ragi), m. commun (proso), m. d'It. ou mil. à oiseaux, m. barnyard (ou du Japon).

• Millet. Ensemble de plusieurs espèces graminées sauvages récoltées en cas de disette avec des rendements dérisoires dans différentes régions du monde. Utilisé par Gaulois et Germains.

Production (en milliers de t, 1990). Inde 10 500. Chine 4 501. URSS 4 250. Nigeria 3 800. Niger 1 500. Mali 800. Sénégal 650. Burkina Faso 630. Corée du N. 575. Ouganda 420. Soudan 290. Tchad 250. Népal 240. Pakistan 210. Tanzanie 200. Birmanie 185. Zimbabwe 143. Cameroun 100. *Monde 30 208.*

Orge

Nom. Venant du latin *hordeum* (de *hordus* lourd, ou *horridus* hérissé, ou *horreum* grenier à céréales). **Origine.** Asie. **Culture.** Exige beaucoup d'eau, des sols de préférence calcaires et aérés, enrichis d'azote, de phosphore et, en faible quantité, de potassium. Rend bien à la chaleur. Semée en avril (l'escourgeon en automne). Récolte en juillet. **Variétés.** *Orge commune,* 2 groupes principaux : o. hexastiques (à 6 rangs de grains), o. distiques (à 2 rangs). **Utilisations.** Alimentation animale (ex. : porcs) ; malt (orge germée) qui sert pour la bière et le whisky.

Production (en millions de t, 1990). URSS 56,5. Allemagne 14. Canada 13,5. *France 10,1.* Espagne 9,4. USA 9,1. G.-B. 7,9. Chine 6,2. Turquie 6. Danemark 5. Tchéc. 4,3. Pologne 4,1. Australie 4. Roumanie 3,2. *Monde 181,9.*

Commerce (en millions de t, 1990). **Exp. :** CEE 8 (dont *France 4,4).* Canada 4,2. USA 2. Australie 1. *Monde 16.* **Imp. :** Arabie S. 3,8. URSS 3,6. Japon 0,9. Algérie 0,7. Libye 0,6. Iran 0,5. Israël 0,3. Taïwan 0,3. *Monde 16.*

Riz

• Origine. Plante spontanée en Asie. Introduite en Iran, Mésopotamie (Ve s. av. J.-C.), Syrie, Égypte, et en Europe comme aliment (330 av. J.-C.), puis comme culture (VIIe-VIIIe s. apr. J.-C.). **Genre.** *Orizae :* 25 espèces (23 sauvages, 2 cultivées), *O. Sativa :* 3 sous-espèces (Japonica, Indica, Javanica), *O. Glaberrima :* Afr. occidentale et Amér. du S. (Guyane). **Culture.** *Riz de plaine irriguée* (le plus répandu ; culture dans 5 à 10 cm d'eau ; de 15 000 à 20 000 m³ d'eau par ha et par an) ; *riz de culture pluviale ou de colline,* cultivé sur sol fumé sans irrigation artificielle ; *riz flottant,* sols immergés de 1,5 à 5 m d'eau. Dans de bonnes conditions (sol riche, température moyenne de 20 °C, 3 m d'eau), le riz mûrit en 4 mois et donne plusieurs récoltes par an [ex. : Java 3 ou 4, Tonkin 2, mais 1 seule au Cambodge, Cochinchine, France (sept.-oct.) et Italie]. En *Camargue,* on sème (150 à 180 kg de riz par semailles et par ha) sur un terrain légèrement inondé pour lutter contre le « panicum », plante parasite envahissante. Le repiquage (qui ne se pratique plus en France) permet d'économiser semences et eau, et assure un meilleur rendement [semis en avril (900 à 1 000 kg à l'ha) ; plants repiqués du 15 mai au 15 juin]. **Rendements** (en t à l'ha). Corée du N. 7,1. C. du Sud 6,4. USA 6,2. Égypte 5,7. *Moyenne :* Asie 3,4. Amér. latine 2,3. Afrique 1,8.

• Appellations. *Riz paddy :* riz non décortiqué (encore enveloppé dans sa balle) ; *riz cargo :* ou riz décortiqué (riz débarrassé de sa balle) ; *riz complet :* riz cargo, ou décortiqué, nettoyé, propre à la consommation ; *riz blanchi :* riz débarrassé de sa seconde enveloppe, l'assise protéique ou péricarpe ; *riz glacé :* riz blanchi enrobé d'un mélange de talc et de glucose de façon à lui donner un aspect brillant ; *riz étuvé :* (ou riz prétraité), riz paddy ayant subi, après trempage, l'action de la vapeur sous pression, ensuite décortiqué et blanchi, l'amidon est alors dextrinisé, il n'a plus de libération d'amidon à la cuisson, le riz est « incollable ». **Catégories.** Riz ronds, demi-longs ou longs. **Rendement moyen** (en kg). 100 kg de paddy, cargo 80, balle + 20, ou de riz blanchi 60, brisures de riz 10, farine base de riz 10 et balle 20.

• Production (riz paddy, en millions de t, 1990). Chine 185. Inde 109. Indonésie 44,5. Bangladesh 27. Thaïlande 19,5. Viêt-nam 18. Birmanie 13,5. Japon 12,9. Brésil 9,8. Philippines 9,4. Corée du S. 7,6. USA 7,2. Corée du N. n.c. Pākistān 5,3. URSS 2,8. Népal n.c. Sri Lanka n.c. Égypte 2,7. Madagascar 2,4. Cambodge n.c. *Monde 514.*

Commerce (riz blanchi, en millions de t, 1990). **Exp.:** Thaïlande 4. USA 2,4. Viêt-nam 1,6. Pākistān 1. Italie 0,45. *Monde 13,1.* **Imp.** : Iran 0,9. URSS 0,6. Arabie S. 0,5. Chine 0,4. Sénégal 0,4. C.-d'Ivoire 0,3. Brésil 0,3. Irak n.c. *Monde* n.c.

• Consommation (kg par hab., par an, 1984-86). Birmanie 186, Laos 176, Thaïlande 170, Cambodge 166, Viêt-nam 149, Chine 115, Japon 80, Portugal 19, Esp. 6,7, Grèce 6, Italie 5,5, Belg.-Lux. 4,5, USA 4,5, Suisse 4,2, *France 3,7,* G.-B. 3, All. féd. 2,4. **1988.** Portugal 12, Esp. 7, Italie 6, *France 3,5.*

☞ En France. Essais aux XVIe, XVIIIe, XXe s. (disparition entre les 2 g.). **Surface ensemencées** (riz paddy milliers d'ha). *1942 :* 0,2. *64 :* 29,8. *79 :* 6,9. *85 :* 11,2. *88 :* 14 (B.-du-Rh. 11,4, Gard 2,5, Aude 0,09). *89 :* 17. *90 :* 19,2. Riziculteurs. *88 :* 230. En moyenne, 75 ha par exploitant. **Production totale** (milliers de t). *1964 :* 125,5. *79 :* 30,3. *80 :* 25,9. *82 :* 28,5. *85 :* 61,6. *88 :* 79,4. *89 :* 104,8. *90 :* 124,6. **Rendement.** *1990 :* 64,9 q/ha. **Aides à la riziculture.** Investissements hydrauliques (10 millions de F sur 5 ans, à partir de 1981), nivellement des rizières (1 000 F/ha à partir de 89 sur 12 500 ha), recherche ; indemnisation des dégâts causés par les flamants roses [**Exp.** (1986, en milliers de t) : 18,7 *vers* G.-B. 6,4, Belg. 3,2, All. féd. 2,7. **Imp.:** 229,9 soit 85 à 90 % des besoins (dont en % du riz consommé : Italie 33,7, U.S.A. 23,2, Thaïlande 16,5, Surinam 6, Espagne 1,5, etc.)].

Sarrasin (blé noir)

Nom. Allusion à la couleur noire des grains (on appelait Sarrasins au Moyen Age les peuples non chrétiens d'Espagne, d'Afrique et d'Orient). **Origine :** spontané en Asie, Népal, Mandchourie. Introduit au Moyen Age en Europe, par la Russie, en France au XVe s. **Utilisations.** Alimentation humaine (bouillies, galettes) ; animale (chevaux, volaille). Total utilisé en 81-82 (France) : 18 milliers de t. **Culture.** S'adapte à tous les sols (préfère sols de bruyère, terres légères, granitiques et schisteuses), aime les climats humides et tempérés. *Assolement :* vient en 3e position après le blé ou en cult. dérobée après fourrage de printemps. Surface cultivée en France. *1938 :* 138 000 ha. *46 :* 115 000 ha. *65 :* 33 200 ha. *78 :* 7 100. *81 :* 5 000. *82 :* 4 700. *83 :* 4 700. *84 :* 4 700.

Production (milliers de t, moy. 71-75). URSS 1 072. Pologne 39. Canada 36,8. Japon 24. *France 16,2* (1981 : 6,8). USA 16. *Monde 1 230.*

Seigle

Nom. Du latin *secale* (racine celtique : *sec* implique l'idée de coupe). En France, on parlait dans le S. et le Centre de *segal* et *segle* (d'où les segalas : terres à seigle du Massif Central), dans le N. de *seille* ou *soile.* **Origine.** Mauvaise herbe commune des champs de froment, cultivée dep. l'ère chrétienne seulement. **Utilisations.** *Farine* panifiable donnant du pain noir et, mélangée à du miel, du pain d'épices ; *grain* pour l'alcool (vodka, gin, whisky), l'alim. des porcs ; *paille,* liens et emballages ; *fourrage* vert donné aux animaux. **Culture.** Tige de 60 à 200 cm, se contente de climats froids. Exigences limitées quant au sol. *Assolement :* vient après la plupart des plantes. Semé en sept. Rendement (monde, 1988) 1 883 kg/ha. Production (en milliers de t, 1990). URSS 20 000. Pologne 5 800. All. dém. 2 300. All. féd. 1 969. Chine 1 000. Canada 926. Tchéc. 690. Danemark 543. Autriche 356. Suède 343. Espagne 280. USA 257. *France 254.* Hongrie 240. *Monde 35 992.* Commerce (en milliers de t, 1989). **Exp. :** Canada 157,2. All. féd. 97,6. Danemark 64,4. Autriche 60. **Imp. :** Japon 202. All. féd. : 59,5. Norvège 40,6. Finlande 36,8. P.-Bas 27,5. Suisse 3,8. Corée du S. 2,3.

En France. **Superficie** (milliers d'ha). *1900 :* 1 400. *65 :* 225. *79 :* 115,9. *80 :* 130. *86 :* 90. *90 :* 65. **Rendement** (1990). 37 q/ha. **Production.** *1984 :* 349 318. *86 :* 229 000. *90 :* 241 000.

Sorgho

Nom. Apparu en France en 1553, de l'italien *sorgo* (sans doute du latin *syricum :* de Syrie). **Origine.** Très répandu à l'état sauvage sous les climats tropicaux et subtropicaux. Introduit en Égypte au début de l'ère chrétienne. Le sorgho à balai est cultivé dep. longtemps en France, introduction récente des s.-grain et fourragers (sudan-grass) et hybrides (sudan-sorgho). **Variétés.** Sorgho à balai (bicolor), milo, (durra), sorgho sucré, kaoliang (Chine).

Utilisations. En Afrique, alimentation humaine (gruau, bière). Dans les pays développés, alimentation du bétail ou des volailles (en l'état ou broyé), qualités blanchissantes : permet d'obtenir des volailles à chair blanche ; couscous, balais de « paille de riz ». **Culture :** en général extensive. Surfaces cultivées : 45,6 millions d'ha dont Afrique et Asie 36 [Europe : superficies faibles par rapport aux régions tropicales : URSS 150 000 ha, *France 69 000 ha,* Espagne 35 000 ha] sur terre ameublie et labourée, en climat chaud et sec. Semis au printemps. Récolte en sept.-oct. Peut atteindre 6 m de haut. **Rendement** (moyen, 1988). 10 à 55 q/ha. *Monde :* 13,6 q/ha.

Production (en millions de t, 1990). USA 14,5. Inde 12,5. Chine 5,8. Mexique 3,7. Nigeria 2,8. Argentine 2,6. Soudan 1,9. Australie 1. Éthiopie 0,9. Colombie 0,7. Tanzanie 0,7. *Monde 56,3.*

Commerce (en millions de t, 1990). **Exp.** USA 5,9. Argentine 1. Chine 0,3. Australie 0,2. *Monde 7,9.* **Imp.** Japon 3,3. Mexique 1,7. Israël 0,4. Taïwan 0,2. *Monde 7,9.*

En France. Sorgho hybride (1990) et entre parenthèses, sorgho fourrage (1988). *Superficie* (ha) : 69 000 (17 290). *Rendement* (q/ha) : 39,8 (298). *Production* (t) : 276 000 (515 992,5).

Triticale

Nom. Nouvelle céréale issue du croisement du blé *(Triticum)* et du seigle *(Secale).* **Culture.** Bien adapté aux zones où le blé pousse mal, le triticale apporte des résultats supérieurs à ceux du seigle. Il peut se rencontrer à l'état accidentel dans la nature (stérile).

En France (1990). **Superficie** 136 300 ha. Production 593 000 t. Rendement 43,5 q/ha.

Corps gras. Oléagineux

Généralités

• Définitions. **Acides gras.** *Constitués* de chaînes carbonées plus ou moins saturées en atomes d'hydrogène. Ils se distinguent par la longueur de leur chaîne, leur degré d'insaturation, leur forme isomérique (CIS ou TRANS). *Stabilité* (résistance à l'oxydation) : dépend du degré d'insaturation, de l'importance relative (en %) dans le corps gras et de la position des chaînes sur le glycérol. Les acides gras saturés et mono-insaturés sont plus stables que les polyinsaturés. **Acides gras essentiels.** *Acide linoléique :* l'organisme ne peut le synthétiser. Comme les autres acides gras, il entre dans la constitution des membranes cellulaires et dans celles d'organites intra-cellulaires, comme le noyau et les mitochondries. Il est métabolisé en une famille d'acides gras précurseurs de molécules ayant une activité biologique, notamment les prostaglandines, qui jouent un rôle important au niveau des vaisseaux et de la coagulation du sang (le thromboxane A_2 est proagrégant, la prostacycline PGI_2 est antiagrégante). *Acide linolénique :* il entre en fortes proportions dans la constitution des cellules nerveuses : système nerveux central, neurones, cellules rétiniennes. L'acide linolénique se transforme en une série de composés analogues aux prostaglandines.

Graisses et huiles. Substances organiques insolubles dans l'eau. A la température d'un appartement, les graisses sont solides, les huiles sont liquides. *Constituants majeurs :* glycérides. 98 à 99 % de triglycérides (molécules de glycérol, combinées chacune à 3 molécules d'acides gras semblables ou différentes) et, en petites quantités (moins de 2 %) de phospholipides (type lécithine), stérols dont le cholestérol, vitamines liposolubles dont les tocophérols [alpha (vitamine E), gamma et delta (antioxygènes naturels)], de pigments (ex. carotène) et de produits odorants. **Graisses visibles,** ajoutées aux aliments les plus utilisés dans notre alimentation. *Origine animale :* beurre (émulsion d'eau dans 82 % minimum de matières grasses provenant du lait), saindoux, lard (graisse de porc), suif (gr. de bœuf ou de mouton), gr. d'oie, huiles marines (baleine) et h. de poisson. *Origine végétale :* huiles végétales (fluides ou concrètes ; composées de près de 100 % de matières grasses ; toutes les h. sont aussi « grasses » les unes que les autres), graisses végétales (beurre de cacao). **Huiles végétales.** Extraites des graines ou des fruits des plantes oléagineuses. *Huiles fluides.* Liquides à température ambiante dans les régions tempérées. Viennent des fruits : olivier ; des graines : arachide, colza, maïs, soja, tournesol. *Huiles concrètes.* A l'état pâteux ou solide dans les régions tempérées, noix du cocotier (provenance de coprah), palmier à l'huile (la pulpe du fruit donnant l'huile de palme et l'amande du noyau, l'h. de palmiste). *Autres provenances :* sésame, noix, noisette, graines de coton, pépins de raisin, cameline, carthame, navette, moutarde. **Margarines :** voir p. 1529 c.

• Composition des huiles alimentaires en acides gras saturés, mono-insaturés, entre parenthèses, polyinsaturés, en italique, dont linolénique (en %). Arachide Afr. 20 (64) *16 ;* Amérique 20 (44) *36 ;* Colza 8 (62) *30 dont 10 ;* maïs 13 (30) *57 ;* olive 15 (73) *12 ;* soja 15 (25) *60 dont 7 ;* tournesol 12 (27) *61.*

Selon la réglementation française de 1973, seules les huiles dont la teneur en acide linolénique ne dépasse pas 2 % ont droit à la dénomination « huile pour fritures et assaisonnements » ; celles dont la teneur est supérieure doivent être appelées « huile végétale pour assaisonnement ». Toutes les huiles végétales fluides peuvent être chauffées et utilisées en fritures, à condition de ne pas dépasser une température de 180 °C.

• Production mondiale. *Graines oléagineuses* (millions de t, estim. 1988-89). 194,58 dont soja 94,75, coton 32,23, colza 21,58, tournesol 21,16, arachide 14,94, coprah 4,76, palmiste 2,77, lin 2,39. *Huile de palme* 8,46.

• Provenance. En milliers de t (huiles et graisses). Dans le monde, en 1980. **Animaux.** *Terrestres :* beurre 6 830, suif 6 156, saindoux 4 521 ; *marins :* poisson 1 215, baleine 15. **Végétaux.** *H. fluides :* 34 830 dont soja 14 900, tournesol 5 480, colza 3 820, arachide 3 410, coton 3 220, olive 1 990, divers 1 920 ; *h. concrètes :* 8 760 dont palme 5 080, coprah 2 850, palmiste 650, babassu 180 ; *h. industrielles :* 1 400 dont lin 890, ricin 380, tung 100, divers 30.

• Consommation d'huiles végétales (en kg/h., par habitant, 1980) : P.-Bas 34, Portugal 28, Danemark 27, Italie 26, Autriche 26, *France 23,* Espagne 22, Belg.-Lux. 22, All. féd. 21, Norvège 21, Canada 19, G.-B. 19, Turquie (79) 17, Suisse 16, Japon 14, Irlande 14, Finlande 10, URSS 10.

Consommation huiles végétales en France (total en équivalent huile raffinée, en miliers de t, (1987). 850 dont *usage alimentaire, consomm. directe* 494 (tournesol 278, arachide 114, colza 26, olive 25, soja 19, coprah-palmiste 10, autres h. fluides 18) ; *ind. aliment.* 204 ; *usage technique* 156.

• Tourteaux. Obtenus après pression et extraction de l'huile : riches en protéines, servent à la fabrication des farines destinées surtout à l'alimentation animale.

Bilan *(en milliers de t.). Production (1983) et* entre parenthèses *consommation (1987).* 1 180 (5 144) dont soja 654 (3 921), colza 342 (502), tournesol 166 (461), arachide 16 (112), lin 3 (123), coprah-palmiste (8), ricin (9), autres (8).

Commerce de tourteaux (milliers de t, 82). **Exp.** Argentine 617,9. P.-B. 83,9. All. féd. 66,8. USA 56. Indonésie 27. Espagne 22. Belg.-Lux. 21,1. *France 20.* **Imp.** Danemark 289,9. All. féd. 234,3. All. dém. 110. P.-B. 77,9. Belg.-Lux. 71,1. G.-B. 64. *France 37,7.* Tchécoslovaquie 32.

Nota. – La France importe graines et tourteaux de soja (86 % de la consommation en 1981, venant des USA, Brésil, Argentine), huile d'arachide, de tournesol et d'olive ; exporte graines et huile de colza, qui ne compensent pas le coût des importations. En 1984-85, le tourteau de colza « double zéro » dépelliculé rivalisait avec les tourteaux de soja.

• Protéagineux. *Source de protéine :* pois et féverole. *Féverole* (1988) : 29 000 ha, 40 q/ha, 115 000 t (estim.). *Pois* (1988) : 472 600 ha, 50 q/ha, 2 379 000 t (estim.).

Arachide

Aspect. Légumineuse annuelle d'origine sudamér. Hauteur 20 à 70 cm. Les fruits souterrains (gousses) contiennent 1 à 4 graines ou *cacahuètes* dont on tire l'huile. Rendement. 1 100 kg à l'ha (moy. mondiale 1986). Demande sol meuble, pluies modérées. Utilisations. Grillé, frit, pâte (beurre d'arachide), huile, tourteau.

Production (en milliers de t, 1989). Inde 8 450. Chine 5 400. USA 1 810. Indonésie 879. Sénégal 844. Nigeria 700. Myanmar 586. Zaïre 400. Soudan 400. Viêt-nam 295. Argentine 243. Ghana 200. Malawi 193. Thaïlande 177. Afr.-du-S. 171. Brésil 150. Cameroun 140. C.-d'Ivoire 137. Gambie 133. Burkina Faso 131. Mali 115. Ouganda 110. Centrafrique 100. Zimbabwe 95. Burundi 86. Tchad 80. Niger 80. Pakistan 78. Bénin 70. Mozambique 70. Tanzanie 55. Ethiopie 53. Guinée 45. Philippines 45. Paraguay 42. *Monde : 23 357.*

Commerce (huile en milliers de t, 1989-90). **Exp. :** Sénégal 105. Argentine 41. Chine 19. Belg.-Lux. 18. *France 15.* Soudan 15. Brésil 13. Afr.-du-S. 12. Singapour 11. Gambie 9. USA 6. *Monde 312,8.* **Imp. :** *France 103.* Italie 55. Belg.-Lux. 35. Hong-Kong 32. Allemagne 19. Chine 13. P.-Bas 12. G.-B. 12. *Monde 318,6.*

Colza

Nom. Du hollandais « Kolzaad » (semence de chou). **Origine.** Graines rondes et noires de 1 à 2 mm de diamètre, riches en huile (41 à 42 %). Hybridation naturelle entre le chou et la navette probablement dans les régions méditerranéennes. Cultivé au XVIIe s. **Aspect.** Famille des crucifères (comme la moutarde et le radis). Tiges ramifiées 1,20 à 1,50 m. Inflorescence en grappe. Fleur jaune. Le fruit, une silique, contient 10 à 30 graines pesant 4 à 5 mg chacune. *Exigences :* azote, potasse, soufre. Cultivé pour son huile (42 % de la graine) et la richesse en protéine du tourteau (produit restant après l'extraction de l'huile et contenant 36 % de protéines). Depuis 1975 sont sélectionnées des variétés sans acide érucique (suspecté d'induire des myocardites) et à basse teneur en glucosinolates, dites variétés double zéro, dont le tourteau est mieux consommé par les animaux. **Culture.** Colza d'hiver : semis fin sept.-début oct., c. de printemps : semis mars-avril. **Rendement moyen.** 100 kg de graines (à 42 % de matières grasses) donnent 41 kg d'huile brute, 57 kg de tourteau (1 à 2 % de matières grasses). Il y a env. 2 % de pertes dues à l'humidité. *France* (90) : 29 q/ha. *Monde* (89) : *13 q/ha.* **Superficie** (France, milliers d'ha). *1960 :* 50, *65 :* 142, *78 :* 253, *83 :* 446, *86 :* 388, *87 :* 735, *88 :* 0,850, *89 :* 613,3 (dont Champagne-Ardenne 98, Bourgogne 93, Centre 82, Lorraine 77, Midi-Pyr. 21), *90 :* 671,4.

Production (1989, milliers de t). Chine 5 440, Inde 3 800, Canada 3 158, *France 1 951,4* (1990), Pologne 1 545, All. féd. 1 452, G.-B. 969, Danemark 652, All. dém. 430, Tchéc. 385, Suède 369, Pakistan 255, Bangladesh 210, Finlande 125, Chili 80, Youg. 80. *Monde 21 766.*

Coprah

Nom. De l'albumen séché de la noix de coco. **Origine** (probable) : Sud-Est asiatique, mais on ne connaît pas de peuplements spontanés. **Aspect :** le cocotier commun peut atteindre 25 m de haut. Le tronc, appelé *stipe,* porte à son sommet un panache d'env. 30 feuilles de 5 à 6 m de long sur 2 m de large. Les palmes les plus âgées tombent en laissant sur le stipe une cicatrice. **Noix de coco.** Comprend une enveloppe fibreuse, la *bourre,* épaisse de 2 à 5 cm (sert pour brosses, tapis brosses, fibres de rembourrage, de cordage). *Coque :* épaisse de 2 à 4 mm (dans l'artisanat : boutons, ustensiles de cuisine ; par combustion ménagée, elle donne un charbon très demandé pour la prod. de charbon actif utilisé comme agent filtrant, notamment dans les centrales nucléaires). *Amande :* blanche creuse, tapisse la coque lorsque la noix est mûre. *Eau de coco* (boisson très utilisée, dont on fait aussi du vinaigre). *Fraîche :* utilisée pour la cuisine (râpée puis pressée pour extraire le lait de coco), les confiseries et la pâtisserie. *Séchée* (appelée coprah) contient 65 % d'huile qui entre dans la fabrication des graisses végétales, margarines, savons et cosmétiques. Riche en acide laurique, elle confère aux savons un bon pouvoir moussant. **Feuilles.** Tressées servent à la fabrication de cloisons. **Stipe.** Peut être utilisé en charpenterie. **Sève.** Donne un liquide analogue au vin de palme ; fermentée, elle devient vinaigre ou alcool dont on tire par distillation une eau-de-vie. **Bourgeon terminal** *(cœur de cocotier).* Excellent légume mais sa cueillette entraîne la mort de l'arbre. **Vie.** Plus de 50 ans. **Fructification.** Variétés hybrides (entre Nains de Malaisie et Grands de l'Afrique de l'O.) créées par l'IRHO, produisent dès 4 ans, plein rendement à partir de 8-10 ans (variétés courantes, 12 ans). L'arbre émet chaque mois env. une inflorescence à l'aisselle de chaque feuille. 11 à 13 mois s'écoulent entre floraison et récolte ; mais la floraison ayant lieu toute l'année, la cueillette est continuelle. **Cultures :** env. 11,6 millions d'ha dans le monde, régions tropicales au-dessous de 500 m d'alt. (température + de 20 °C). *Grandes régions :* Philippines, Indonésie, Inde, Thaïlande, Sri Lanka, Viêt-nam, Malaisie, Papouasie-N.-Guinée, Tanzanie, Mozambique, Mexique, C.-d'Ivoire. **Rendement.** Cocotier sélectionné + de 100 noix par arbre et par an, soit 15 000 à 20 000 noix à l'ha correspondant à 3/4 t de coprah. Culture extensive : 3 000 à 6 000 noix par ha/an.

Production (1989, milliers de t). Philippines 1 830. Indonésie 1 340. Inde 370. Mexique 181. Sri Lanka 151. Papouasie N. Guinée 127. Viêt-nam 124. Malaisie 120. C.-d'Ivoire 75. Mozambique 69. Thaïlande 65. *Monde : 4 802.* **Commerce** (1989/90, milliers de t). **Exp. :** Philippines 100. Papouasie-N.-Guinée 60. Iles Salomon 32. Malaisie 28. Vanuatu 25. *Monde 317.* **Imp. :** All. 60. Corée du S. 54. Japon 51. Singapour 32. Suède 23. Pakistan 18. Bangladesh 12. Taïwan 11. Norvège 10. *Monde 321.*

Huile de coprah (en milliers de t, 1989-90). **Exp. :** Philippines 900. Indonésie 190. Malaisie 50. Singapour 48. Papouasie N.-Guinée 37. *Monde 1 447.* **Imp. :** USA 410. Allemagne 150. P.-Bas 125. *France 80.* URSS 78. Chine 52. G.-B. 50. *Monde 1 423.*

Olives

• **Olivier.** Probablement originaire d'Asie Mineure, cultivé en Égypte au XIIIe s. av. J.-C. Connu en Provence probablement vers le XIe s. av. J.-C. (invasion des Phéniciens). Vit parfois plus de 1 000 ans. Période de croissance, 40 ans. Productivité, jusqu'à 200 ans. **Culture.** Exige un climat méditerranéen sec à hivers courts et étés chauds et une grande luminosité, une température supérieure à 12 °C pour entrer en végétation. Il gèle au-dessous de –12 °C en hiver et de –7 °C au printemps ; il s'adapte à tous les sols (sauf humides). Rarement cultivé au-dessus de 400 m d'alt. (800 dans les Alpes-Mar.), peut atteindre 12 à 15 m et donne en Corse et dans les Alpes-Mar. plus de 100 kg d'olives 1 an sur 2 (beaucoup seulement 15 à 25 kg). Actuellement, la plupart des plantations se font avec des oliviers issus de boutures herbacées qui commencent à produire au bout de 4 a. **Floraison.** Entre mai et juin. **Récolte.** En vert de fin août à nov. par peigne manuel ou vibrant et filets au sol ; par secoueur ou vibreur de tronc de branches, avec filets au sol ou récepteur tracté ; en mûr entre nov. et janvier suivant espèces et régions. Chaque rameau ne fructifie qu'une fois dans sa vie.

• **Olive.** Drupe ovoïde passant du vert pâle au noir au fur et à mesure de la maturation. **Destination.** *Ol. de table* (hors-d'œuvre ou condiments) : ol. vertes cueillies avant maturité, adoucies dans un bain alcalin (soude ou potasse) et conservées dans une saumure ; ol. noires cueillies mûres non désamérisées, conservées en saumure ou au sel sec ; *huile d'olive vierge* obtenue à partir du fruit de l'olivier par des procédés mécaniques sans traitement chimique, seules peuvent être commercialisées : *l'h. d'o. vierge « extra »* (jusqu'à 1° d'acidité) et *l'h. d'o. vierge* (jusqu'à 2° d'acidité) (propres à la consommation en l'état, ont droit au qualificatif de « naturelles ») ; *h. d'o. raffinée* obtenue par raffinage d'h. d'o. vierge impropre à la consommation du fait de son taux d'acidité supérieur à 3° (dite « h. d'o. vierge lampante ») ; *h. d'o.* constituée par un coupage d'h. d'o. vierge et d'h. d'o. raffinée (pouvant être commercialisée) ; *h. de grignons d'o. brute* obtenue par traitement aux solvants des grignons d'olive ; *h. de grignons d'o. raffinée* obtenue par raffinage de l'h. de grignons d'o. brute ; *h. de grignons d'o. :* constituée par coupage d'h. de grignons d'o. raffinée et d'h. d'o. vierge (pouvant être commercialisée) ; *h. de ressence* (qui n'entrent pas dans la classification selon les normes commerciales), obtenues dans les huileries traditionnelles par lavage à l'eau chaude des grignons d'olives issus de presse (savons de Marseille) : les gr. peuvent être utilisés comme combustible (1 kg issu directement des presses = 0,5 l de fuel) ou comme alimentation animale.

Nota. – L'acide oléique (gras monoinsaturé) a un effet sur le cholestérol sanguin et prévient les maladies cardio-vasculaires.

• **Procédé traditionnel d'élaboration de l'huile d'olive vierge.** Après la cueillette (olivade ou olivaison) des olives arrivées à maturité, les o. fraîches sont stockées au moulin à huile (ou à la coopérative oléicole), puis sont broyées entières, sans dénoyautage, dans des broyeurs à meules. La pâte ainsi obtenue est malaxée afin de mieux être répartie sur les scourtins, sorte de disques en sparterie tressée. Ceux-ci sont ensuite empilés (par 25 ou 50) sur les plateaux des presses pour être placés sous les presses hydrauliques. Le pressurage donne le jus de presse, mélange d'huile d'olive et d'eau de végétation (dite « margine »). Huile et eau sont ensuite séparées, décantées dans de grands bassins (les « piles »), ou par centrifugation. Si nécessaire l'huile est filtrée. **Rendement.** 5 kg d'olives donnent 1 kg d'huile, un olivier donne de 1,5 à 3,5 kg d'huile (1 l d'huile pèse entre 914 et 920 g).

Variétés (France). *Alpes-de-Hte-Pr. :* Aglandau ; *Alpes-Mar. :* Cailletier ; *Ardèche :* Rougette ; *Aude :* Lucques ; *B.-du-Rh. :* Salonenque, Aglandau, Grossanne, Verdale des B.-du-R. ; *Corse :* Germaine, Sabine, Picholine ; *Drôme :* Tanche ; *Gard :* Picholine ; *Hérault :* Picholine, Verdale de l'H., Lucques ; *Var :* Aglandau, Belgentiéroise ; *Vaucluse :* Aglandau (dite Verdale de Carpentras).

Grèce : Voliotiki, Kalamata ; *Espagne :* Sévillane. *Italie :* Ascolana. *Afr. du N. :* Sigoise, Cornicabra.

• **En France.** En régression (concurrence des h. et olives de table étrangères, de la vigne, gels de 1929, 1956, 1985). **Nombre d'oliviers** (en milliers). *1840 :* 26 500, *1892 :* 20 000, *1929 :* 13 700, *57 :* 2 400, *76 :* 3 900, *80 :* 4 100, *82 :* 3 100, *84 :* 3 400, *90 :* 3 410 (dont Var 749, B.-du-Rh. 683, Gard 408, Alpes-Mar. 376, Vaucluse 233, Hérault 229, Corse 224 (dont C.-du-S. 116, H.-C. 108), Drôme 221, Al.-de-H.-Prov. 166, Aude 52, Ardèche 29, P.-O. 28). **Densité.** 150 arbres par ha.

Production. *Huile d'olive* (1989-90) 2 470 t, dont Alpes-Mar. 572, B.-du-R. 569, Var 366, Gard 277, Drôme 204, Vaucluse 159, A.-de-H.-P. 114, Corse 114 (dont C.-du-S. 98, H.-C. 16), Hérault 71, Ardèche 12, Aude 9, Pyr.-Or. 3. *Olives vertes* (1989-90) 886,5 t dont Gard 355, Hérault 317,5, Aude 107, B.-du-Rh. 100, Pyr.-Or. 7. *Olives noires* (t, 1988-89) Alpes-Mar. 350, Drôme 250, B.-du-Rh. 35, Vaucluse 30.

• **Dans le monde** (en milliers de t, 1989-90). **Consommation. Huile d'olive :** 1 741, dont CEE (12) 1 297,5 (Italie 625, Espagne 390, Grèce 205, Portugal 35, *France 27,* autres 15,5). USA 75. Syrie 56. Libye 52. Turquie 44. Maroc 40. Tunisie 33. Algérie 15,5. Jordanie 10,5. Yougosl. 8,5. Liban 7. Argentine 4. Chypre 4. Israël 3. Reste du monde 91. **Olives de table** (1985-86). 776,7 dont CEE 266,3, USA 150, Turquie 100, Syrie 42,6, Pérou 18, Égypte 16, Maroc 16.

Production d'O. (en milliers de t, 1989). Italie 3 400. Espagne 2 100. Grèce 1 500. Turquie 600. Syrie 400. Maroc 400. Tunisie 320. Portugal 250. Algérie 173. *Monde 9 512.* **H. d'Olive** (en milliers de t, 1989-90). 1 792,5 dont CEE/12 1 453,5 (Espagne 550,8, Italie 540, Grèce 319,6, Portugal 41, *France 1,9*). Tunisie 130. Maroc 70. Turquie 35. Syrie 30. Algérie 16. Argentine 9. Libye 8. Jordanie 7. Liban 5. Yougosl. 4. Chypre 4. Israël 2,5. USA 1. Reste du monde 17,5.

Commerce d'huile d'olive (en milliers de t, 1987). **Exp. :** Espagne 215,8. Grèce 91,3. Italie 91. Tunisie 57. Turquie 36,6. Portugal 19,2. *Monde 645,3.* **Imp.** (1989-90) : USA 72. CEE (12) (échanges extra-communautaires uniquement) 53,5 (Italie 50, *France 3,* autres 0,5). Libye 43. URSS 20. Brésil 13,5. Australie 9,5. Canada 7. Arabie Saoud. 5,5. Youg. 4. Jordanie 3,5. Suisse 2,5. Turquie 2. Reste du monde 10.

Palmiste et huile de palme

Origine. Afrique occidentale. **Aspect.** Arbre. Le palmier à huile *(Elæis)* peut atteindre 20 m. Porte au sommet 20 à 40 feuilles de 4 à 8 m de long. *Fruits :* drupes ovoïdes, grosses comme une noix ou un petit abricot. 1 000 à 1 500 fruits par régime de 15 kg env. La partie charnue des fruits *(pulpe)* donne l'*huile de palme* et l'amande du noyau l'*huile de palmiste.* **Culture.** Zones équatoriales ou tropicales humides (1,5 à 2 m de pluie/an min.), terres argilo-sablonneuses profondes ou sablo-argileuses (50 à 60 cm). Env. 4 millions d'ha dans le monde (hors palmeraie naturelle) dont Asie 3 (Malaisie, Indonésie, Thaïlande), Afrique 0,6 (Nigéria, C. d'Ivoire, Zaïre), Amér. Lat. 0,4 (Colombie, Équateur, Brésil).

Rendement. Après 4 ou 5 ans, max. 10 ans ; après 3 ou 4 ans, max. 8-10 ans ; sélections actuelles (par an et par ha) 4 à 6 t d'huile de palme (7 à 8 t excellentes conditions ; 8 à 10 t avec le nouveau matériel clonal) et 300 à 500 kg d'h. de palmiste.

Production de palmiste (1989, milliers de t). Malaisie 1 794. Nigeria 300. Indonésie 298. Brésil 205. Zaïre 74. Papouasie-Nlle-Guinée 58. Chine 53. Cameroun 50. Colombie 48. Thaïlande 41. Guinée 40. Ghana 30. Sierra Leone 30. C.-d'Ivoire 23. Équateur 23. Bénin 20. *Monde 3 229.*

Huile de palme. Malaisie 6 053. Indonésie 1 948. Nigeria 612. Colombie 225. C.-d'Ivoire 206. Thaïlande 200. Zaïre 178. Papouasie-N.-Guinée 146. Équateur 127. Cameroun 106. Honduras 73. Ghana 70. Costa Rica 64. Brésil 61. Philippines 51. Guinée 45. Bénin 40. Angola 40. Libéria 35. *Monde 10 332.*

Commerce de l'huile de palme (en milliers de t, 1989-90). **Exp. :** Malaisie 6 135. Indonésie 1 150. Singapour 680. Papouasie-N.-Guinée 140. P.-Bas 103. C.-d'Ivoire 62. Thaïlande 30. *Monde 8 659.* **Imp.** Chine 1 000. Inde 765. Singapour 750. Pākistān 555. Malaisie 451. G.-B. 365. URSS 360. Allemagne 304. Égypte 290. P.-Bas 280. Japon 280. Irak 265. Corée du S. 190. Indonésie 140. Italie 138. USA 136. Kenya 135. Iran 135. Arabie S. 135. *Monde 8 586.*

Ricin

Origine. Probablement Éthiopie. **Aspect.** Arbustes de 1,5 à 3 m de haut (parfois 10 à 15 m). **Variétés.** Annuelles et pérennes. **Utilisations.** Huile non alim. utilisée en pharmacie, mécanique, peinture et pour la fabrication du *rilsan* (textile).

Production de graines (en milliers de t, 1989). Inde 500. Chine 275. Brésil 146. URSS 60. Paraguay 50. Thaïlande 31. Pākistān 14. Éthiopie 13. Roumanie 9. Philippines 8. Équateur 6. *Monde 1 065.*

Sésame

Aspect. Herbacée de 0,60 à 1 m de haut. *Fruits :* capsules contenant des graines de couleur claire ou foncée, contenant 40 à 50 % d'huile. **Utilisations.** Huile comestible, graines grillées. La khalva (Proche-Orient) est un mélange de graines dépelliculées et broyées, de sucre ou de miel. Rendement. 348 kg par ha (1986).

Production de graines (en milliers de t, 1989). Inde 600. Chine 500. Soudan 268. Birmanie 200. Nigeria 70. Bangladesh 57. Corée du S. 55. Venezuela 52. Mexique 50. Somalie 47. Ouganda 40. Turquie 39. Éthiopie 38. Thaïlande 29. Afghanistan 27. Viêt-nam 26. Tanzanie 22. Centrafrique 20. Guatemala 15. Cameroun 14. Tchad 12. *Monde 2 352.*

Commerce (graines, en milliers de t, 1989-90). **Exp.** Soudan 95. Inde 65. Chine 59. Mexique 32. Guatemala 22. Hong Kong 17. Thaïlande 17. Viêtnam 16. Salvador 10. *Monde 389.* **Imp.** Japon 113. CEE 39 (dont Grèce 11, Allemagne 11). USA 38. Taiwan 21. Égypte 21. Hong Kong 19. Singapour 16. Turquie 11. Israël 11. *Monde 388.*

Tournesol ou grand soleil

Origine. De *tournesol :* tourne le dos au soleil le soir. Mexique et Pérou, rapporté en Europe vers 1659. **Extension :** développé d'abord en Europe de l'Est, revient maintenant aux U.S.A. **Aspect.** Plante annuelle, tige poilue de 1,50 à 2 m de haut ; inflorescence à capitule, à fleurons mâles puis femelles. *Fruit:* composé d'une coque et d'une amande. *Graine* contenant 50 % d'huile et 15 à 20 % de protéines. *Espèces :* 67 ; on cultive surtout l'Helionthus annuus. *Utilisations :* cultivé pour son huile et son tourteau (résidu de l'extraction d'huile) pour l'alimentation animale. **Culture :** semé en mars-avril, récolté en sept. avec moissonneuse-batteuse. Le décorticage de la graine permet d'obtenir un tourteau à 40 % de protéines.

Production de graines (en milliers de t, 1989). URSS 7 023. Argentine 3 420. *France 2 054.* Turquie 1 250. Roumanie 1 100. Chine 980. Espagne 869. USA 813. Hongrie 707. Inde 600. Bulgarie 447. Afrique du S. 431. Yougoslavie 420. Italie 330. Myanmar 270. Australie 172. Maroc 103. Tchécosl. 70. *Monde 21 867* (rendement moyen 14,22 q/ha ; France 23,08 q/ha).

En France. **Superficie** (milliers d'ha). *1978 :* 37 ; *81 :* 155 ; *82 :* 283 ; *83 :* 423,35 ; *84 :* 504,15 ; *87 :* 1 048 ; *88 :* 955 (dont Vienne 65, Gers 62,5, Ch.-M. 61, Indre 48, Cher 46, Hte-G. 44, Vendée 41, Deux-S. 40,2, I.-et-L. 40) ; *89 :* 890.

Autres oléagineux.

Chanvre (graine). Voir p. 1487.

Coton (graine). Voir p. 1487.

Illipe. Arbre de l'Inde, genre Bassia, sapotacée. Ses graines donnent une huile se liquéfiant vers 27 °C, utilisée pour le savon.

Jojoba. **Culture.** En Europe : Italie (Sardaigne, Pouilles), Grèce, Espagne, limitée et expérimentale. Pousse à l'état naturel dans le N.-E. du Mexique et le S.-O. des USA. Culture limitée en Israël. Résist. à la sécheresse (croissance rapide et profonde de sa racine), stabilise le sol. **Graines.** Taille d'une petite noix, renferment env. 50 % de cire liquide pouvant remplacer beaucoup de produits dérivés du pétrole. Claire, non toxique, ne rancit pas et garde sa viscosité à haute température. Caractéristiques voisines du blanc de baleine (huile de spermaceti). **Rendement.** Env. 1 t de cire liquide/ha.

Karité ou arbre à beurre. Arbre africain donnant 12 kg de noix sèches par an, dont les amandes fournissent environ 3,5 kg de matières grasses.

Lin. Voir p. 1488.

Navette. Crucifères. En déclin en France.

Noix. Voir p. 1506.

Fourrage

Culture

En France (1988). **Surfaces toujours en herbe (S.T.H.).** 10 214 000 ha dont 1 643 000 de landes, alpages peu productifs. Généralement composite (graminées, légumineuses, divers), caractéristique du milieu et du mode d'exploitation. Fourrage généralement utilisé en pâture ou fauché (foin, ensilage).

Prairies temporaires. 2 147 000 ha. Plus productives, incluses dans l'assolement, mais ensemencées avec une ou plusieurs graminées fourragères [dactyle ; fétuque élevée ; ray-grass d'Italie (courte durée), anglais, hybride ; fétuque des prés ; fléole ; brôme, etc.]. Le fourrage est utilisé en pâture ou fauché.

Prairies artificielles. 639 000 ha. Incluses dans l'assolement, ensemencées avec une légumineuse fourragère (haute teneur en protéines) : luzerne (principalement), trèfle violet (en régression). Fourrage généralement fauché. **Fourrages annuels.** 1 505 000 ha. Maïs (1 468 000), sorgho, tournesol ; choux, pois, vesces et féveroles plus riches en protéines ; plantes sarclées fourragères 113 000 dont betterave 66 000, chou 42 000, autres 5 000.

Produits

Luzerne. **Origine.** Transcaucasie. **Aspect.** Légumineuse vivace à racine pivotante, tiges ramifiées (75 à 80 cm de h.), feuilles à 3 folioles ovales allongées, fleurs en grappes souvent violettes. **Culture.** Semis à l'automne dans le Midi, au printemps dans le Centre et le N. (25 kg de graines à l'ha). **Récolte.** Fauche avant la floraison ou à l'épanouissement des 1res fleurs. La l. flamande, en culture irriguée, fournit 6 à 8 coupes par an. La 1re coupe est souvent la plus abondante. **Rendement max.** Variétés précoces 2e an., tardives 3e ou 4e.

Sainfoin ou esparcette. **Origine.** Sud de la France. **Description.** Tige de 0,40 à 0,65 cm. **Culture.** Plus rustique que la luzerne, résiste mieux au froid et à la sécheresse. Craint l'humidité. *Semis* 150 kg de graines à l'ha. Fauche à la floraison (5 à 7 t de foin à l'ha). **Variétés.** Sainfoin à une coupe, sainfoin ordinaire (récolte pendant 3 ou 4 ans).

Trèfle. **Origine.** Cultivé en France dep. le milieu du XVIIIe s. **Aspect.** Plante fourragère, longues tiges (0,50 à 0,70 m) ; feuilles à 3 folioles. **Culture.** Sensible à la sécheresse, résistant au froid, aimant humidité et lumière. Une ou 2 coupes par an selon les espèces. Récolte pendant 2 ou 3 ans. Cultivé en prairie artificielle ou temporaire, il améliore le sol. Semis au printemps (25 kg de graines par ha). **Rendement.** 6 à 10 t de foin sec par ha.

Fruits

Généralités

Dans le monde

Production mondiale (en millions de t, 1986). 325,8 dont orange 41,4, banane 41,3, pomme 37,9 [1], banane plantain 27,2, mangue 14,7, ananas 10,4, poire 9,6, clémentine/mandarine 7,7, pêche/nectarine 7,6, raisin de table 6,7, prune 6,1, citron et lime 5,3, pamplemousse 4,2, papaye 2,7, datte 2,5, fraise 2,1, abricot 1,8, avocat 1,6.

Consommation de fruits (en kg, par hab., 1983-84). Grèce 76. All. féd. 74. Italie 69. *France 61.* P.-B. 59. UEBL 51. Danemark 38. G.-B. 34. Irlande 29.

Nota. – (1) 1986.

En France

• Commerce extérieur. **Par espèces** (en milliers de t, 1987). *Importations.* 4 884 dont abricot 12,5, ananas 70,8, avocat 75,7, banane 441,8, kiwi 16, cerise 1,5, châtaigne 12,3, citron 144, clémentine 280, fraise 47,6, framboise 1,3, tangerine 10,7, mangue 6,2, nectarine 18,9, noix en coque 1,6, orange 630, pamplemousse 150,5, pêche 31,1, pomme 77,8, poire 65, prune 12,3, raisin 139,5, autres fruits 56,4. *Exportations (réexportations comprises) :* 2 316 dont abricot 13,5, ananas 13,4, avocat 0,9, banane 14,4, kiwi 7,7, cerise 18,4, châtaigne 2,5, citron 16, clémentine 20, fraise 18,9, framboise 0,2, mangue 0,3, nectarine 9,5, noix en coque 5,5, orange 16, pamplemousse 3,4, pêche 24,7, pomme 761,2, poire 116,5, prune 24, raisin 22, autres fruits 27,7. **Balance commerciale** (solde en millions de F). *Fruits métropolitains. 1980 :* + 281. *81 :* + 362. *82 :* + 305. *86 :* – 431. *87 :* – 134 (imp. 4 240, exp. 4 374). *Agrumes et fruits exotiques.* 1980 : – 3 561. *81 :* – 4 141. *82 :* – 4 785. *86 :* – 6 613. *87 :* – 6 525.

Par provenance (fruits frais y compris agrumes, 1986). *Importations.* 11,7 milliards de F de (en %) : Espagne 27,9, Italie 11, Martinique 7,3, C.-d'Ivoire 5,6, USA 5,3, Maroc 5,3, Israël 4,6, Guadeloupe 4,5, Afr. du S. 3,9, Tunisie 2,3, autres pays 22,3. *Exportations.* 4 milliards de F vers All. féd. 28,9, G.-B. 21,5, UEBL 10,5 [1], P.-Bas 8,6 [1], Suisse 4,4 [1], Italie 4,3 [1], Irlande 3,1 [1], Danemark 2,1 [1], Arabie S. 1,7 [1], USA 1,1 [1], autres pays 10,6 [1].

Nota. – (1) 1983.

• Structure des achats de fruits frais par les ménages (en %, 1989). Pomme 18,9. Poire 17,1. Orange 12,2. Pêche 10,5. Clémentine 7,7. Raisin 6,6. Fraise 4,3. Pomelos 4,3. Autres fruits 6,8.

Lieux d'achats (en %, ensemble des fruits et, entre parenthèses, agrumes.) Marché 25,7 (22,5), spécialiste 8,6 (9), alimentation générale 8,2 (8,4), supermarché, supérette 37,2 (41), hypermarché 14,9 (17,3), divers 5,4 (1,8).

• Production (en milliers de t, 1989). Abricot 127,9, amande 3,1 [1], cassis 6,9 [1], cerise 98,6, châtaigne 11,2, clémentine 28,9, citron 0,6 [1], coing 2,2 [1], figue 2,1 [1], fraise 84,9, framboise 6,9 [1], groseille 1,4 [1], kiwi 46,5, mandarine 0,3 [1], nectarine-brugnon 142,8, noisette 2,9 [1], noix 27,9, olive 11, orange 3,1, pamplemousse 0,4 [1], pêche 366,8 (blanche 122,5, jaune 244,3), pomme de table 1 801,4 (golden 1 056,7), poire de table 336,6 (d'été 184,7, d'automne 103,3, d'hiver 48,5), prune 155,9 (reine-claude 35,9 [1], mirabelle 14 [1], quetsche 8 [1], pruneau 71,4), raisin de table 143,9. **En valeur,** en milliards de F (1983). 10,2 dont en % : Provence 21,3, Languedoc 13,3, Rhône-Alpes 11,6, Aquitaine 11,5, Pays-de-Loire 8.

Nota. – (1) 1988 prov.

• Superficies exploitées (en ha, 1988). Abricot 13 725, amande 2 030, cassis 1 899, cerise 16 178, châtaigne 8 427 (*1945 :* 169 700), clémentine 1 580, citron 45, coing 190, figue 562, fraise 8 175, framboise 1 273, groseille 228, kiwi 3 102, mandarine 23, nectarine, brugnon 7 421, noisette 1 542, noix 11 544 (*1945 :* 2 800), olive 17 278 (*1945 :* 77 400), orange 152, pêche 35 000 [1] (*1970 :* 51 500), pomme 65 000 [1], poire 16 993 (*1970 :* 32 800), prune 20 000 [1], raisin de table 22 776.

Nota. – (1) 1989.

• Exploitations (en %). **Taille.** *De 1 ha :* 64,5, *1 à 2 :* 15, *2 à 5 :* 12,5, *5 à 10 :* 4,9, *10 à 20 :* 2,8, *+ de 35 :* 0,3. **Exploitation de fruits et légumes.** *Fruits* (non compris raisin de table) dont vergers 6 espèces 90 500 (169 200 ha) ; *vergers* (abricotier, cerisier, pêcher, prunier, poirier, pommier) 121 600 (169 200 ha).

• Sodas et jus de fruits en France. **Production** (en millions de l, 1990). Boissons aux fruits 771. Colas 681. Limonades 272. Sodas 214. Tonics et bitters 170. **Ventes** (1989). Jus de fruits 297,9 (dont orange 147,1, pomme 49, raisin 33,6, ananas 25,1, pamplemousse 25, cocktails 7,3, tomate 6,4, légumes 1,1). Nectars 53,1 (dont orange 18,9, abricot 11,1, exotique 5,3, poire 3,5). Boissons à base de jus de fruits (12 % jus de fruits) 637,9 dont non gazéifiées 437,2 (dont orange 264,3, f. exotiques 134,9, ananas 4,7, pamplemousse 3,1), gazéifiées 200,6 (dont orange 197,8, pamplemousse 1,6).

Consommation (en milliers d'hl, 1988). *Jus de fruits :* 2 753,3 dont Orange 1 408,3. Pomme 454,1. Raisin 277,3. Pamplemousse 253,1. Ananas 222,2. Tomate 46. Légumes 7,1. Divers 85,1. *Nectars :* 426,5 dont Orange 113,7. Abricot 92,2. Poire 30,4. Exotiques 59,6. Autres 130,5. 2/3 des ventes ont lieu entre juin et sept.

Produits

• **Abricots. Nom.** Du latin *praecox* (précoce). **Origine.** Chine, cultivés dep. 2000 av. J.-C., en France depuis le XVe s. Jusqu'au XVIIIe s. pas ou peu consommé car il était accusé de transmettre les fièvres. Famille des rosacées, arbre de 4 à 6 m de haut. **Vie :** 20 ans, donne des fruits à partir de 4 ans. **Rendement.** Par arbre 40 à 50 kg ; env. 13 t/ha. **Récolte.** Juin-juillet-août. **Variétés** et, entre parenthèses, % de la surface occupée : Polonais (orangé de Provence) (30,6) ; Bergeron (22,2) ; Rouge du Roussillon (14,5) ; Fournes (7,2) ; Colomer (5) ; Tyrinthe (4,5) ; Canino (1,5) ; autres (14,5).

Production en France (milliers de t, 1989, prov.). 130,5 dont Drôme 43,7, B.-du-Rhône 16,5, Gard 13,2, Vaucluse 6,8, Ardèche 4,8. **Consommation en France** (frais) 1,4 kg par hab. par an. **Exp.** (en t) : *1986,* 9 030. **Imp. :** 15 741 t, *de* (en %) Espagne 66, Grèce 22, Italie 6, Tunisie 3.

• **Agrumes.** Nom collectif des oranges ; citrons, limes ; mandarines, tangerines, clémentines, satsumas ; pamplemousses. Voir ces produits. **Production mondiale** (en millions de t). *1975 :* 49, *82 :* 52,6, *89 :* 67,9. **Rendement.** 30 t/ha (1975). *Destruction :* 1868 par les cochenilles en Californie ; *1900* en Italie ; *1918, 1920, 1928, 1929* en France ; destructions enrayées par le développement de l'élevage des coccinelles. **Consommation** (1975 en kg par hab/an). Italie 41,8. P.-Bas 25,7. Belg.-Lux. 21,1. *France 19,3.* All. féd. 16,5. G.-B. 9,8. Danemark 9,6. Irlande 8,4.

Production en France (récoltée, prov. 1989, en t). Clémentines 28 820 ; oranges 3 018 ; citrons 632 ; pamplemousses 675 ; mandarines 191 ; autres n.c.

• **Amandes. Origine.** Plateau iranien. Antiquité : existent en Espagne, Provence. **Taille.** 3 à 6 m selon variété et mode de conduite. **Vie.** 30 à 40 ans. **Rendement.** Par arbre 2 à 5 kg, par ha 200 à 2 000 kg d'amandes décortiquées. **Variétés.** Aï, Marcona, Ferralise, Ferrastar, Ferragnes, Texas, Ferraduel ; autocompatibles. **Récolte.** Fin août à fin oct., amandes vertes cueillies en juill. **Production** (décortiqués, en milliers de t, 1989). USA 300. Espagne 65. Grèce 15. Italie 10. Tunisie 10. Maroc 5. Portugal 4. Bulgarie 2. *France 1* (cultivées sur env. 2 000 ha : B.-du-Rh., Hte-Corse, Languedoc, Vaucluse). *Monde 410 à 420.* **Imp. :** (France, 1989) 20 000 t.

• **Anacardes (noix de cajou). Origine.** Amérique intertropicale (connu au Brésil sous le nom de pomme de cajou), de la coque on tire le baume de cajou. **Production** (1986, milliers de t). Inde 159. Brésil 95. Nigeria 37,9. Mozambique 30. Indonésie 27,9. Tanzanie 25. Kenya 12. Guinée-Bissau 10. *Monde 417,5.*

• **Ananas. Origine.** Découverts en 1493 en Guadeloupe par Christophe Colomb, au Brésil par J. de Léry en 1555, cultivés sous serre en Angleterre en 1657, puis en France en 1733. **Taille.** 0,5 à 1,20 m. **Poids.** Fruit jusqu'à 4 kg. **Vie** 18 mois à 2 ans. **Rendement.** Hawaii 16 à 23 t/ha d'ananas plantés. **Variétés.** Smooth Cayenne (pesant jusqu'à 4 kg) (C.-d'Ivoire et Cameroun), représente 85 % des imp. fr. ; Red Spanish (Cuba) ; Queen (Réunion, Maurice). **Production** (en milliers de t, 1990). Thaïlande 1 745. Philippines 1 200 [1]. Inde 905 [1]. Chine 825 [1]. Brésil 729 [1]. USA 545 [1]. Viêt-nam 490. Mexique 324. Afr. du S. 265. Zaïre 190 [1]. C. d'Ivoire 189. Kenya 185. *Monde 9 888.*

Nota. – (1) Estim. 1990.

• **Arbres à pain. Origine.** Îles du Pacifique. Cultivé aux Antilles, en Inde et en Malaisie. **Récolte.** A partir de 4 ans. Fruit farineux à chair blanchâtre de 10 à 20 cm de diamètre (pesant 3 à 4 kg). Goût de pomme de terre, une fois cuit.

• **Avocats. Origine.** Rég. chaudes de l'Amérique (Mexique). Famille des lauracées. **Aspect.** Fruit de l'avocatier, appelé poire alligator par les Anglais, et d'une taille de 12 à 15 cm. **Principales variétés.** Fuerte, Nabal, Ettinger, Anaheim, Benik, Lula. **Rendement.** Env. 300 fruits par arbre. **Production** (1986, milliers de t). Mexique 450. USA 200. Rép. dominic. 137. Brésil 121. Indonésie 73. *Monde 1 632.* **Consommation en France.** 200 g par personne et par an (multipliée par 10 depuis 1968), 1er consommateur du Marché Commun, 59 000 t en 1985 (G.-B. 13 500 t, All. féd. 4 945 t), (Mexique 15 kg/an). **Imp.** *1970 :* 3 200 t ; *82-83 :* 27 000 t (d'Israël 59 %). *85 :* 53 000 t (dont Israël 34 700 t, Afr. du S. 10 000 t).

• **Bananes. Origine.** Sud-Est asiatique. Connues en France depuis le XIXe s. **Aspect.** Plante arborescente herbacée, famille des scitaminacées, du genre *Musa,* dont la tige est un rhizome souterrain qui donne naissance aux feuilles dont les gaines s'imbriquant les unes dans les autres donnent le « tronc » (jusqu'à 3 m de haut) : chacun porte un régime que l'on coupe lors de la récolte. Baie allongée (jusqu'à 40 cm de long), à mésocarpe charnu, sans graines. La variété *Musa fehi* pousse à l'état spontané en Océanie et Malaisie orientale (régime dressé et non retombant), sinon dans les régions tropicales (Am. centrale). Le bananier textile *(Musa textilis)* ou abaca a des gaines foliaires contenant des fibres (chanvre de Manille). Demande chaleur et eau. Régimes de 20 à 200 fruits, jusqu'à 60 kg (en moyenne 20 kg). Hauteur du bananier : 3 à 6 m, cycle végétatif (plantation-récolte) : 11 à 15 mois. **Variétés.** *Plantains* (bananes légumes) et *bananes dessert :* Petite Naine (Canaries et C.-d'Ivoire), Cavendish (C.-d'Ivoire), Grande Naine (Cameroun, Antilles), Poyo (surtout Antilles, Amér. centrale), Valéry (Amér. centrale), Gros Michel (tend à disparaître, encore cult. en Équateur, Colombie).

Production (en milliers de t, 1990). Inde 6 200. Brésil 5 446. Philippines 3 250. Équateur 2 187. Chine 2 435. Indonésie 2 360. Burundi 1 600. Colombie 1 400. Tanzanie 1 380. Costa Rica 1 250. Viêt-nam 1 200. Venezuela 1 160. Mexique 1 065. Honduras 1 050. Panama 1 000. Papouasie-Nlle.-Guinée 979. Bangladesh 600. Malaisie 505. Ouganda 480. Paraguay 440. Rép. dom. 396. Bolivie 391. Zaïre 355. Égypte 320. Angola 280. Argentine 260. Madagascar 220. Pakistan 217. Martinique 200. Cuba 183. Afr. du S. 182. Somalie 177. Australie 175. Kenya 150. C.-d'Ivoire 130. Jamaïque 130. Cambodge 115. Guinée 111. Guadeloupe 30. *Monde 45 036.*

Importations en France métropolitaine [1] (en milliers de t, 1985). 425 (de Martinique 150,2, Guadeloupe 99,1, C.-d'Ivoire 69,3, Cameroun 40,9, Amér. centrale 69,1). **Consommation** (en kg par hab. par an, 1975). All. féd. 8,78. Belg.-Lux. 8,67. *France 8,5* (83). P.-Bas 7,92. Irlande 7,83. Dan. 6,43. G.-B. 5,50. Italie 5,45.

Nota. – (1) 9 300 ha en Martinique (dont 7 000 en c. intensive) et 7 200 en Guadeloupe. *Rendt moyen* en 1974 : Martinique 28,6 t/ha ; Guadeloupe 25,4 t/ha ; Canaries 35 à 40 t/ha. La prod. représente en valeur 60 % des exp. de la Martinique et 40 % des exp. de la Guadeloupe.

• **Cassis. Origine.** Cultivé au XVIe s. comme fruit de table, se répand en 1712. **Variétés :** noir de Bourgogne, Tenah 4, Tseme, Cotswold Cross, Wellington. **Rendement.** 2 kg par touffe et par an. Feuilles utilisées en herboristerie. **Production** (milliers de t., 1982). *Monde* 338. *France* (1989, prov.) *6,42* dont M.-et-L. 0,92, Yonne 0,66, E.-et-L. 0,51, Sarthe 0,34, Drôme 0,31, Isère 0,30, C.-d'Or 0,2, Rhône 0,12.

• **Cerises. Origine.** Le merisier (ou cerisier des bois ou des oiseaux) vient d'Europe, le c. commun vient d'Asie Mineure. Plus d'une centaine d'espèces en Europe, Asie tempérée ou subtropicale et Amér. du Nord. **Variétés.** Cerises douces [bigarreaux (chair ferme : gros cœuret, Jaboulay, Napoléon, Reverchon...), guignes (chair molle : précoce de Rivers, guigne de mai, noire hâtive)] ; c. acidulées (anglaise hâtive, belle de Choisy, belle de Châtenay ou belle magnifique, Impératrice Eugénie, Reine Hortense, Montmorency, griotte du Nord). **Production** (milliers de t, 1986). All. féd. 239. Italie 131. *France* (1989, prov.) 80,8 dont Ardèche 7,8, Drôme 7,2, T.-et-G. 6,6, Gard 6,4, Rhône 5,8, B.-du-Rh. 3,4, Vaucluse 3,2, Loire 1,98, Hérault 1,7.

• **Châtaignes. Origine.** Les Romains les auraient introduites en Gaule. **Aspect :** châtaignier, haut. 25 à 30 m, produit à partir de 5 ans, production max. vers 60 ans. **Culture.** Appelée castanéiculture. Certaines cultures, comme le marron de Lyon, de Laguépie et Précoce des Vans, sont bien adaptées à la consommation en frais ; d'autres (Montagne, Pellegrine, Bouche Rouge) à l'ind. Terme de marron (différent du marron d'Inde), apparu dans la région lyonnaise pour désigner une forme améliorée de châtaigne ne portant qu'un seul gros fruit à l'intérieur de la bogue (enveloppe épineuse qui s'ouvre à maturité). La châtaigne compte 2 à 5 fruits séparés par des cloisons. Une variété comportant moins de 12 % de fruits cloisonnés est qualifiée de marron.

Production (1986, milliers de t). Chine 255. Corée du S. 66. Turquie 59. Italie 50. Japon 47,3. Esp. 20. Port. 16. *France 15.* Bolivie 12,1. Grèce 11. *Monde 575,7.*

En France. Longtemps base de l'alimentation dans des régions entre 300 et 800 m d'alt. où on l'appelait « l'arbre à pain ». **Surfaces plantées.** *Culture pure : 1967 :* 57 720 ha, *77 :* 32 565 ; *associées ou isolées : 1967 :* 4 654 ha, *77 :* 7 875, *86 :* 11 353. **Rendement.** Vergers modernes 2-4 t/ha, traditionnels 1,5-2,5 t/h. **Production** (1988, prov. en milliers de t). 21,6 dont Corse 9,7 (C. du S. 9,5), Ardèche 3, Dordogne 2, Var 1,9, Gard 1,8. **Imp. :** 5 000 à 6 000 t d'Italie (1er producteur de la C.E.E. avec 60 000 à 70 000 t).

• **Citrons. Origine.** Inde (à l'état sauvage, au pied de l'Himalaya). Acclimaté très tôt en Médie (N.-O. de l'Iran) et en Mésopotamie [répandu par les Arabes en Afrique et en Europe ; au Xe s. en Égypte et en Palestine (d'où il fut introduit par les Croisés en Italie et en Sicile)]. **Aspect.** *Arbre* 3 à 4 m de haut. **Vie :** 40 ans env. (souffre à – 2 °C). **Floraison et fructification.** 3 périodes : *Primofiore* (oct.-déc.), *Limoni* ou *Invernale* (déc.-mi-mai, pleine saison), *Verdelli* (mi-mai-15 sept., floraison artificielle) [floraisons supplémentaires : Bianqueto et Mayolino, Interdonato (sept.-oct.)]. **Variétés.** Verna, Mesero (Espagne) ; Eureka, Lisbon (USA) ; Interdonato ou Speciali, Feminello et Monachello, Lunario (Italie) ; Limes ou citrons verts (C.-d'Ivoire). **Utilisations.** Boisson acidulée, limonade (originaire d'Orient et introduite en Italie vers le XIIIe s., connue en France depuis Mazarin), bois (ébénisterie ; garnit souvent l'intérieur des meubles en acajou d'époque Empire). **Rendement.** 30 à 50 t/ha.

Production [en milliers de t, y compris limes (citrons verts), 1988]. USA 720. Italie 700. Mexique 612. Espagne 585. Inde 563. Argentine 500. Brésil 490. Turquie 340. Égypte 215. Grèce 173. Chili 160. Chine 154. Pérou 130. Pakistan 67. Liban 66. Cuba 65. Soudan 55. Philippines 52. Afr. du S. 45. Israël 40. *Monde 6 323.*

Nota. – (1) Estim. 1990.

Commerce (en milliers de t, 1987). **Exp. :** Espagne 414,1. USA 151. Turquie 104,4. Italie 65,6. Grèce 45,7. Argentine 39,8. Mexique 31. Chypre 19,6. Israël 18. *Monde 1 063,9.* **Imp. :** *France 144.* Japon 128,2. All. féd. 115,2. URSS 61,5. Pologne 58. Tchéc. 56. G.-B. 51. USA 39. Pays-Bas 31. Autriche 29. Canada 26. Youg. 25. All. dém. 23. Suisse 20. *Monde 998,2.*

• **Clémentines. Origine.** Croisement de l'oranger et du mandarinier. Découvertes par un religieux de la région d'Oran (Algérie), le Père Clément, qui féconda des fleurs de mandarinier avec du pollen pris sur un bigaradier (orange amère), en 1900. 4 à 6 m de haut. **Vie :** 40 ans env. Commence à produire la 3e année de sa plantation (1,1 t/ha) ; plein rendement la 10e année. **Rendement.** 30 à 40 t/ha. **Variétés.** Ordinaire (peau plus rouge et plus grumeleuse, chair plus savoureuse et plus parfumée, plus acidulée que les mandarines, sans pépins en général ; Espagne, Maroc, Algérie) ; de Corse (récolte du 15 nov. au 15 janvier, sup. en prod. 2 125 ha soit 86 % du verger agrumicole ; 30 939 t en 1983) ; d'Espagne (« fines », de Nules, Oroval) ; du Maroc (« Bekria », très précoce) ; Monréal (hybride de la c. ordinaire, avec pépins). La plus précoce : Espagne, Algérie. **Production (en t)** Japon 3 000 000, Espagne 500 000, Corse 25 000 à 30 000. **Imp.** 260 000 t (Espagne 80 %, Maroc 15 %).

• **Coings. Origine.** Fruit du cognassier (arbre buissonnant ou de tige de 6 ou 7 m). Vient de Perse, introduit en France (surtout Midi). Supporte les hivers froids. **Récolte.** Fin oct. à maturité. Conservation très difficile, pourrit facilement. **Utilisations.** Porte-greffe du poirier, gelées, pâtes (cotignac d'Orléans), sirops.

• **Dattes. Origine.** Afr. du N. et Proche-Orient. Une centaine de variétés. **Aspect.** De la famille des monocotylédones. La tige, ou stipe, est terminée par un bouquet de feuilles pennées ou en éventail. Hauteur 15 à 20 m. **Vie.** Env. 100 ans. **Multiplication.** Par rejets (env. 40 dans la vie d'un arbre). **Culture.** « Les pieds dans l'eau, la tête dans le feu ». 120 à l'hectare s'ils sont seuls, 100 si d'autres cultures sont pratiquées à leur ombre. 15 ha de palmiers font vivre une famille de 7 personnes. *Nombre (en millions) :* Afr. du N. 30, Pr. Orient 55 (Irak 20, Iran 20), Sud du Sahara 5,5, Pakistan 4, Amérique du N. 0,4, Espagne 0,2 (palmeraie d'Elche, unique en Europe). **Reproduction.** Les arbres sont mâles ou femelles. La pollinisation des arbres femelles est faite uniquement à la main (il faut 2 à 4 palmiers-dattiers mâles pour 100 femelles). **Maladie.** Le palmier-dattier est attaqué par le *bayoud,* maladie provoquée par un champignon du sol, le *fusarium.* Apparue au début du siècle, elle a déjà détruit les 2/3 des palmeraies du Maroc. Il faut replanter avec des arbres naturellement immunisés contre la maladie (l'INRA a mis au point une technique de boutures in vitro). En 18 mois, sur 1 ha d'étagères, on peut produire 1 million de plants. Il faudrait 28 ans et 500 ha pour obtenir le même résultat avec la méthode des rejets. **Production.** Vers la 12e année. Par an, 10 à 15 régimes de 2 à 20 kg (80 à 100 kg en Californie). En 1990 (estim.), milliers de t. Égypte 580. Iran 540. Arabie Saoud. 500. Irak 490. Pakistan 302. Algérie 212. Soudan 130. Oman

125. Libye 108. Tunisie 73. Maroc 46. Bahreïn 46. Tchad 32. *Monde 3 378.*

Commerce (1985, milliers de t). **Exp. :** Irak 75. Arabie Saoudite 25. Pakistan 20,6. Tunisie 15,2. Iran 14. Chine 12. **Imp. :** Chine 30. Inde 18. *France 14,3.* USA 11,9.

• Figues. **Origine.** Orient et Afr. du N., autrefois cultivée aux env. de Paris (Argenteuil). **Aspect :** figuier 8 à 10 m de haut. **Vie.** 50 à 70 ans. **Variétés.** Plus de 750 espèces (la plus connue, la f. ordinaire ou de Carie). **Rendement.** 15 à 20 t/ha. **Récolte.** Toute l'année. **Utilisations.** Fruit, alcool (arrack en Algérie). **Production** (milliers de t, moy. 71-75). Turquie 198,2. Portugal 184,4. Italie 145,8. Grèce 139,6. Espagne 90,2. *France* (89, prov.) *1 759,5 t* dont B.-du-Rh. 680. Var 430. Lang.-Roussil. 317. Pyr.-Or. 170. Vaucluse 145. Corse du S. 65. Hérault 32.

• Fraises. **Origine.** Certaines espèces sont indigènes, d'autres américaines (écarlate de Virginie introduite au début du XVIIIe s., fr. du Chili en 1714) qui ont donné par hybridation des variétés à gros fruits. Vers la fin du XVe s., l'abbé Thivolet obtint les premières fr. remontantes à gros fruits (2 récoltes par an ; la plus connue : fr. St-Joseph). **Aspect.** Le fruit du fraisier est constitué par de nombreux akènes (petites graines) répartis sur un réceptacle charnu. **Culture.** Apprécie les terrains où les éléments silico-argileux prédominent ; les climats tempérés. Un fraisier produit dès la 2e année (pendant 2 à 3 ans). **Rendement** 8,9 t/ha (France, 88 prov. : 11,6).

Production (1986, milliers de t). USA 462,7. Pologne 230. Espagne 200. Japon 196. Italie 180. URSS 128. *France 92.* G.-B. 62. Mexique 56. Corée du S. 44. All. féd. 50,4. Youg. 43,5. Canada 38. Roumanie 35. All. dém. 30,5. Turquie 30. Belg.-Lux. 23. P.-Bas 23. Tchéc. 21,3. Norvège 18,9. Bulgarie 18. Hongrie 17. Finlande 16,9. Autriche 15,2. Danemark 9. *Monde 2 100,4.*

En France. Principales variétés. *En serre chauffée :* Surprise des halles (tend à disparaître) [Vaucluse (févr.-mars), région d'Orléans (1-4/14-5 ; un peu déc.-janv.)]. *En plein champ* [principalement sous abri plastique) : Gorella (rendt par pied moy. 160 g), Red Gauntlet (122 g), Tioga (121 g), Sequoia, Aliso, Cambridge Favourite, Belrubi. **Superficies.** *Sous serre :* 47 ha (rendt 47 q/ha) ; *maraîchère :* 1 465 ha (83 q/ha) ; *plein champ* (85) : 8 000 ha (88 q/ha) (en milliers de t, 1983) : **Production** 85 (89, prov.). **Imp. :** 16. **Exp. :** 9,5.

• Framboises. **Origine.** Indigène en Europe. **Culture.** Très résistante, croît presque partout, préfère sols frais et un peu calcaires. Craint la chaleur. **Variétés.** *Non remontantes* (Malling Promise, Glen Clova, Malling Exploit, Lloyd George, Capitou, Rose de la Côte-d'Or, Schoenemann). *Remontantes* (Zeva Remontante, September, Héritage).

Production (en milliers de t, 1986). URSS 125. Pologne 39,7. Youg. 27,5. All. féd. 24,9. G.-B. 22. *Monde 319,5. France* (89, prov.) 6,2.

• Grenades. **Aspect.** Fruit du grenadier. Sorte de grosse capsule à peau épaisse renfermant un grand nombre de graines. **Origine.** Spontanée en Méditerranée. **Cultivée.** Dans le Midi de la France, Espagne, Afrique.

• Groseilles. **Aspect.** Fruit du groseillier. **Variétés** Jonkheer Van Tets, Wilder, Stanza, Rondon. Le groseillier à maquereau est originaire du nord de l'Europe. Cultivé dep. le XVIe s., surtout en Hollande, Allemagne, Angleterre. **Production** (en milliers de t, 1986). Pologne 186,5. All. féd. 130,6. U.R.S.S. 90. Tchécosl. 34,8. G.-B. 29. All. dém. 28. Autriche 26,8. Norvège 19,3. *France (1989, prov.) 1,68* (dont Lot 0,17. Rhône 0,17. S.-Mar. 0,1. L.-et-G. 0,09. E.-et-L. 0,08. Orne 0,07). *Monde 588,6.*

• Kiwis. **Nom.** Actinidia chinensis. Famille des dilléniacées. Le nom de kiwi a été adopté par la N.-Zélande en 1959 (du nom de la mascotte nationale, l'aptéryx, oiseau marcheur au long bec et aux rudiments d'ailes, spécifique de ce pays). **Origine.** Hauts plateaux de Chine. Rapporté par l'explorateur anglais Fortune, décrit 1847 par un botaniste français, Planchon. **Description.** Liane fruitière, pérenne, plante sauvage (lisières de forêts humides), peut atteindre + de 10 m de haut. *Fruits :* baies rouges appelées yang-tao, traduit initialement en français par « groseille de Chine ». **Variété.** Néo-zél. Hayward, seule cultivée. **Qualités.** 2 à 3 fois plus riche en vitamine C que le citron ou l'orange et contient, en faibles quantités, des vitamines B1 (thiamine), B2 (riboflavine) et A (rétinol), riche en sels minéraux (env. 1 % : calcium, chlore, magnésium, phosphore, potassium, soufre...) et pauvre en nitrates. **Culture.** Investissement de départ + de 200 000 F/ha, frais annuels 35 000 F/ha (pas de traitement, les parasites étant rares). N.-Zélande 15 500 ha (1985). **Rendement.** 600 à 800 fruits par arbre, 20 à 30 t/ha. *Récolte :* les derniers jours d'octobre. *Plantation :* chaque plante est unisexuée et possède soit des fleurs mâles, soit des fleurs femelles. 500 pieds femelles à l'hectare env. pour 85 mâles bien répartis.

Production (1985). N.-Zélande 108 750 (export. 87 000). *France* (1988, prov.) *42 459,4 t.* **Consommation par hab.** (1984). Allem. 360 g, Japon 220 g., *France 220 g.*

• Mandarines. **Nom.** Vient de l'espagnol *Naranja mandarina* (orange des mandarins). **Origine.** Asie. **Variétés.** *Ordinaire,* nombreux pépins, mûre en déc. et janv ; *satsuma,* précoce (oct.), mûre quand la peau est encore verte ; *wilking,* ressemble à la clémentine, 2e quinzaine de janv. ; *tangerine dancy,* plus rouge que la clémentine, tardive (mars), 4 à 6 m de haut. **Nouvelles variétés** (hybrides). Tangelo (tangerine + pomélo) et tangor (tangerine + orange). La 1re partie du nom rappelle la ville de Tanger où l'on consommait une variété d'orange à petits fruits aux coloris très foncés voisins de ceux de la tangerine. Variétés les plus tardives (avril-mai) : les Tangors « Temple » et « Topaz », importées de Floride et d'Israël. Le tangelo « Minneola » est importé des USA et d'Israël (4 000 t/an). **Rendement.** 30 t/ha, 150 kg/arbre env.

Production de tangerines, mandarines, clémentines et satsumas (estim., en milliers de t, 1990). Japon 2 100. Espagne 1 230. Brésil 640. Corée du S 615. Italie 500. USA 455. Pākistān 425 . Chine 378. Turquie 330. Maroc 270. Argentine 240. *Monde 8 513.*

• Mangues. **Nom.** Du malais « mangga ». Fruit du manguier de l'Inde (Mangifera indica). Multiplication par greffes. **Origine.** Asie, Afrique et Amérique tropicale. **Aspect de l'arbre.** Écorce épaisse, brunâtre, feuilles lancéolées, fleurs petites et rougeâtres. **Variétés :** julie, reine-amélie, crassous, freycinet (Antilles fr.) ; cambodiana (Viêt-nam) ; alphonso (Inde). **Production** (1990, estim. en milliers de t). Inde 9 500. Mexique 800. Pakistan 761. Chine 465. Brésil 415. Philippines 375. Haïti 353. Madagascar 196. Rép. Dom. 193. Tanzanie 186. Bangladesh 160. Zaïre 160. Soudan 134. Venezuela 129. Egypte 95. *Monde 15 125.*

• Melons. **Origine.** Asie Mineure, introduits par les papes en Italie à Cantalupo (Cantaloup) ; en France à la fin du XVe s. (retour de Charles VIII). Cucurbitacées. **Variétés.** 3 groupes : melons brodés (sucrin de Tours) ; melons cantaloups à peau lisse, tranches marquées (charentais) ; melons d'hiver ou de garde, peau lisse, chair orangée ou verdâtre, se conserve longtemps (melons d'Antibes). **Production** (cantaloups et autres melons, 1987 milliers de t). Chine 2 324. Espagne 892. USA 885, Égypte 460. Iran 452. Roumanie 400. Japon 380. Italie 368. Mexique 352. Irak 350. *France 280.* Arabie Saoudite 200. Maroc 163. Chili 155. Grèce 141. Afghanistan 123. Bangladesh 120. Syrie 105. Corée du S. 94. Corée du N. 84. Tunisie 80. *Monde 8 967.*

Commerce en France (en t, 1983). **Exp.** 19 638 *vers* UEBL 6 996, Suisse 6 855, G.-B. 2 509, P.-B. 2 107, All. féd. 900.

• Muscadier. **Origine.** Îles des Moluques. Arbre de 10 m de haut. Cultivé pour sa graine dont l'amande est la noix de muscade (condiment et utilisé en pharmacie et en parfumerie). **Produit.** Après 7 ou 8 ans. **Rendement.** 5 kg par arbre.

• Noisettes. Bétulacée, espèce Corylus avellana. **Aspect.** Fruit sec à péricarpe ligneux pesant de 2 à 5 g, renfermant une amande et entouré d'un involucre foliacé et denté. **Utilisations.** Noisettes consommées fraîches ou sèches en dessert, mais surtout utilisées, décortiquées pour la chocolaterie, la biscuiterie, la pâtisserie-confiserie. **Cueillette :** Septembre. **Variétés :** Corabel, Segorbe, Fertile de Coutard, Ennis, Merveille de Bollwiller, Butler ; secondaires : Cosford, Longue d'Espagne, Gunslebert, Daviana, Bergeri, Negret.

Production (en milliers de t, 1990). Turquie 380. Italie 100. Espagne 25. USA 19. URSS 8. Grèce 7. *France 2.* Portugal 1,5. *Monde 550.*

France. *Culture :* S.-O. (2 000 ha), Corse, Pyr.-Or. *Importations* (1989) : 1 033 t coques, 15 927 t amandons. *Exportations :* 1 144 t coques (principalement All. féd.), 997 t amandons.

• Noix. Famille des juglandacées, espèce Juglans regia. **Origine.** Arménie. Introduite par les Romains. Existe depuis plus de 2 000 a. dans le bassin méditerranéen. Vit à l'état sauvage en Arménie, Caucase, Iran, N. de l'Inde, S.O de la chine. **Aspect.** Fruit sec, constitué de 2 valves soudées renfermant une amande (cerneau) cérébriforme du fait de la présence de cloisons internes, et entouré d'une enveloppe verte, le brou, qui s'ouvre à maturité. **Culture.** Sensible aux gelées de printemps. Fructifie vers la 6e année. Production importante dès la 10e-15e année. Cueillette oct. ; 80 à 160 arbres/ha. **Utilisations.** Dessert (fraîche ou sèche) ; cerneau utilisé en pâtisserie-confiserie, en fromagerie, huile ; brou pour liqueur et teinture pour bois ; bois très recherché en ébénisterie ; feuilles (tonique). **Variétés.** Franquette (Périgord, Vallée de la Garonne et surtout Isère), à maturité à la mi-oct., Mayette, et Parisienne (Isère), Marbot, plus précoce (Lot, Sud-Corrèze), Corne, rustique, petit calibre, coque dure et épaisse (Nord-Dordogne, Corrèze), Grandjean pour production de cerneau (région de Sarlat, Dordogne). *2 dénominations régionales :* noix du Périgord (10 000 t/an) ; noix de Grenoble (9 000 t/an), seul fruit avec le raisin « Chasselas de Moissac » à bénéficier d'une appellation d'origine contrôlée.

Production (1990, milliers de t). USA 204. Chine 160. Turquie 63. URSS 55. Roumanie 35. Youg. 28. Tchéc. 27. *France 26.* Bulgarie 25. Inde 20. Italie 18. Grèce 17. Hongrie 13. Chili 6. *Monde 770.*

En France. Superficie : 11 544 ha (Isère, Drôme, Dordogne, Lot, Corrèze, Charente, Alsace). (1988, prov.). **Prod. totale** 26 000 t (1990) ; **commercialisée :** 20 000 t (1986). **Exp. :** (1989) : 4 823 t en coque, 2 664 t à l'état de cerneaux, *vers* All. féd., Espagne, G.-B., Belg., Suisse. **Imp.** (1989) : 2 643 t en coque, 3 200 t en cerneaux, principalement de USA.

• Oranges. **Arbre.** *Vie* 300 à 400 ans, *taille* 2 à 3 m (500 fruits par pied), except. 10,5 m (10 000 fruits). **Origine** (probable). Asie orientale (de l'Inde à la Chine). Importé par les Arabes en Syrie, Égypte, sur la côte orientale de l'Afrique et en Europe par les Croisés. Sa culture ne s'est vulgarisée qu'à la fin du XIVe s. En France, le 1er oranger venant de Pampelune fut apporté à Chantilly en 1550 par le Connétable de Bourbon, puis transféré à Fontainebleau et enfin à l'orangerie de Versailles en 1684 et mourut en 1858. **Culture en France** (Var, Alpes-Mar.). Exige climat chaud (température moy. été 22 °C, hiver – 3 °C), admet tous les sols sauf terres très argileuses et humides. **Densité.** Orangeraies 200 arbres par ha, plantations en terrasse (300).

Variétés d'orangers doux (Citrus sinensis). *Navels :* précoces, nov. à mai : navelines (peau rugueuse) ; navels ordinaires Washington (grosse, rugueuse) ; navel late (rugueuse, ovale, moyenne). *Blondes :* déc. à mars, peu de pépins : Shamouti-Jaffa (grosse, oblongue, peau épaisse) ; Salustiana (assez aplatie, peau grenue, sans pépins) ; Hamlin (moyenne, peau fine, acide). *Sanguines :* janv. à fin avril, pulpe rouge ou léchée de rouge : Sanguinelli ; Sanguines ordinaires (double fine et Washington sanguine) ; Maltaise ; Moro ; Tarocco ; Sanguinello. *Tardives :* mars à oct., chair blonde, peu de pépins : Valencia late, Jaffa late ou Maroc late (peau lisse, peu de pépins, employée pour les jus) ; Vernia (ovale, quelques pépins). **Rendement.** 70 kg par arbre. **Fleurs :** 10 à 20 kg par arbre, distillées donnent de l'essence dite *Neroli* ou de l'eau de fleur (connue XVIe s., utilisée 1680 comme parfum par la duchesse de Neroli). Feuilles et fruits verts donnent une essence inférieure appelée *Petit Grain.*

Production (en milliers de t, estim. 1990). Brésil 17 211 [1]. USA 7 164 [1]. Chine 3 320. Espagne 2 664 [1]. Italie 2 100. Inde 1 876. Egypte 1 420. Pākistān 1 139. Maroc 844 [1]. Grèce 831 [1]. Argentine 750. Turquie 740. Mexique 708 [1]. Israël 630 [1]. Afr. du S [1]. 520. Cuba 520 [1]. Australie 460 [1]. Venezuela 432 [1]. Paraguay 366 [1]. URSS 360. Japon 310. Liban 280. Iran 190. Irak 180. Algérie 177. Pérou 170. Bande de Gaza 167 [1]. Zaïre 153. Syrie 150. Tunisie 150. Uruguay 95. El Salvador 90. Costa Rica 86. Equateur 86. Madagascar 85. Libye 78. Portugal 75. Bolivie 72. Chili 72. *Monde 48 752.*

Nota. – (1) 1990 déf.

Commerce (en milliers de t ; tangerines et clémentines comprises, 1988). **Exp. :** Espagne 1 947,6. Maroc 485,6. Israël 413. USA 402. Afr. du S. 350. Cuba 270. Grèce 202. Italie 158,5. Égypte 155. Turquie 111. Chine 90,7. P.-Bas 89. Brésil 87. Jordanie 62,6. *Monde 5 523,6.* **Imp. :** *France 940.* All. féd. 872,1. G.-B. 484,7. P.-Bas 461,8. URSS 293,8. Canada 284,6. Belg.-Lux. 211,5. Hong Kong 160,5. All. dém. 130. Japon 123,6. Suède 119,3. Suisse 109,8. Autriche 106,9. Finlande 84,1. Tchécosl. 84. *Monde 5 405,4.*

Consommation. France 10 kg/an/hab., le plus consommé après la pomme. *Importations :* navels d'Espagne et du Maroc, sanguines (maltaises) de Tunisie.

• Papayes. **Nom.** Papaya (Caraïbes). **Nom du payer.** *Carica papaya.* **Origine.** Malaisie. Famille des passifloracées. **Aspect.** *Arbres* et *arbrisseaux* à tige cylindrique, terminée par un bouquet de feuilles digitées. *Fleurs* blanches, jaunes ou verdâtres. *Fruit :* baie anguleuse ou arrondie pesant 1 kg ou plus, renfermant de nombreuses graines, à la pulpe comestible. **Production** (1986, milliers de t). Brésil 658. Inde 355. Indonésie 326. Zaïre 170. Philippines 94. Colombie 89. Chine 86. *Monde 2 738.*

• **Pastèques. Origine.** Afrique, introduite en Europe lors des Croisades. **Aspect.** Herbacée annuelle. *Baie* allongée (écorce verte, épaisse, pulpe aqueuse et sucrée, rouge, parsemée de grains ovales et aplatis), peut atteindre plusieurs kg. **Culture.** Afrique, Espagne, USA, France (Midi). **Variétés.** P. à graines noires ou longue de Cavaillon (à fruit vert foncé de 50 cm de long sur 35 cm de large et à chair rouge vif) ; p. à graines rouges (fruit vert pâle et diamètre de 30 à 40 cm). *Pastèques carrées :* cultivées pour la 1re fois en 1979 par un Japonais, Tomyuki Ono, vendues en supermarché 88 F la pièce de 18 cm de côté (fruit rond équivalent 40 F). **Rendement.** *Monde : 14 950 kg/ha (1985).*

Production (1986, milliers de t). Turquie 5 500. Chine 5 419. URSS 4 000. Égypte 1 350. USA 1 220. Iran 960. Japon 840. Italie 790. Irak 650. Syrie 632. Brésil 624. Grèce 619. Espagne 521. Thaïlande 500. Corée du S. 483. Yougosl. 451. Mexique 450. Arabie Saoudite 366. Algérie 350. Bulgarie 321. Tunisie 250. Chili 174. Hongrie 150. *Monde 28 239.*

• **Pêches. Origine.** Perse (d'où son nom Persica). Cultivée en Chine avant l'ère chrétienne (réputée préserver le corps de la corruption), rapportée en Europe par les croisés. Famille des rosacées. **Vie du pêcher.** Env. 15 a. **Rendement max.** Entre 8 et 11 a., 30 à 40 kg. **Culture.** Terres saines et franches (t. argileuses, compactes et humides favorisant la maladie), sensible aux gelées. **Variétés.** *Chair blanche :* May Flower [1], Springtime [1], Ribet [1], Amsden [1], Charles Ingouf [2], Michelini [3] ; *ch. jaune :* Earlired [1], Cardinal [1], Merrill Gemfree [1], Dixired [1], Sunhaven [2], Redhaven [2], Fairhaven [2], Southland et Loring [3], Elberta et J.H. Hale [3], Surcrest [3], nectarines et brugnons à peau lisse.

Nota. – (1) Précoce. (2) Pleine saison. (3) Tardive.

Production (en milliers de t, 1986). Italie 1 434. USA 1 211. Grèce 546. Espagne 527. URSS 475. *France 472* (dont en % en 1983 : Rhône-Alpes 36,6, Languedoc 34, Provence 12,9, Midi-Pyr. 10,4, Aquitaine 4,6, autres 1,5). Chine 457. Turquie 275. Mexique 253. Japon 219. Argentine 209. *Monde 7 664.*

En France. Variétés (% de la surface plantée) : *Chair jaune* (66,1) : Dixired 19,7. Redhaven 12,6. Fairhaven 10,1. J.H. Hale 9,3, Loring 3,6. Autres variétés 10,8. *Blanche* (33,9) : Springtime 10, Amsden 9,1, Redwing 5,1. Michelini 2,2. Autres variétés 7,5. **Commerce** (en t, 1983). **Exp.** 21 740. **Imp.** 31 538 *de* Italie 26 652, Grèce 3 728, Espagne 3 230. **Consommation.** 5 kg par hab. et par an.

• **Poires. Origine.** Europe tempérée. **Description.** Drupe à 5 loges à peine cartilagineuses, renfermant 1 ou 2 pépins. Le poirier vit env. 50 ans. **Rendement.** Meilleur v. 20 ans (50 kg). **Culture.** Terrains silico-argileux, terres franches, sols granitiques et schisteux lui assurent un plein développement et une grande longévité. *Craint* sécheresse, argile verte et calcaire. *Résiste* au froid (peut s'élever en montagne jusqu'à 1 200 ou 1 400 m et supporte alors le froid – 25 ° C).

Production (en milliers de t, 1986). Chine 2 434. Italie 980. USA 689. URSS 575. All. féd. 499. Japon 489. Turquie 380. *France 345 (1988, en 82 : 429)* (dont en % en 1985 : Provence 36,9, Midy-Pyr. 12,9, Rhône-Alpes 12,5, Aquitaine 8,7, Pays de Loire 7, Languedoc 6,3, autres régions 17,6). Espagne 361. Argentine 200. Roumanie 170. Suisse 170. Autriche 160. Afr. du S. 135. Yougosl. 130. Australie 125. P.-Bas 115. Grèce 110. Corée du N. 103. All. dém. 100. Hongrie 100. Pologne 100. Bulgarie 82. Belg.-Lux. 79. Chili 70. Iran 70. *Monde 9 604.*

France. Variétés (% de la surf. plantée) : *Été* (50 à 55 % de la récolte surtout rég. méridionale) : Dr-Jules-Guyot (26), Williams (16,5) ; *automne* (25 % de la récolte) : Beurré Hardy (6,9). Alexandrine Douillard, Louise-Bonne d'Avranches (5,8), Conférence (8,2), Packham's Triumph, Épine du Mas, Doyenné du Comice (7,5) ; *hiver* (20 à 25 % de la récolte) : Passe-Crassane (15,6). **Commerce** (en milliers de t, 1983). **Exp.** 79,4 *vers* All. féd. 28,7, G.-B. 22,8, P.-Bas 7,2, UEBL 6,8, Espagne 3,1, Suède 2,1, Italie 1,9, Canada, Irlande 1. **Imp.** 66 *de* Espagne 8,7, Afr. du S. 8,5, UEBL 8,4, Italie 8, Argentine 4,5. [*La France* exporte des poires d'été (Williams et Guyot) ; imp. surtout. Passe-Crassane d'Italie (hiver) et Packham's de l'hémisphère austral (printemps).] **Surface** (1988). 18 775 (7,8 % des sup. fruitières). **Consommation.** 4,5 kg par hab.

• **Poivre. Origine.** Indes néerlandaises, Sumatra. Connu depuis l'Antiquité. Pierre Poivre (1719-86), gouverneur des îles Maurice et de la Réunion, l'introduisit dans les colonies françaises en 1770. **Poivrier.** Liane grimpant autour des tuteurs jusqu'à 10 m dans les pays tropicaux humides (Indes néerlandaises). Fruits : petites baies en épis serrés et charnus. Trois présentations : p. noir (baies entières séchées au soleil) ; p. blanc (séchées et dépulpées) moins actif, pour consommation de table ; p. vert (baies immatures).

• **Pomelos (Pamplemousses). Nom.** *Citrus paradisi.* Forme évoluée du véritable pamplemousse *(C. grandis)* qui n'est plus cultivé que pour des usages pharmaceutiques et la confiturerie, son écorce épaisse, irrégulière, et sa pulpe contenant beaucoup de pépins étant très acide. **Aspect.** *Arbre* 10 m. *Fruit* de la grappe improprement mais communément appelé pamplemousse (ou *grape-fruit*). **Variétés.** P. blanc ou blond (Marsh), amer, très juteux (Israël) ; p. rose (Thompson) plus sucré, à la peau soyeuse, lisse, jaune vif (Floride, Texas, Californie, Afr. du S.) ; p. rouge (Ruby Red) très coloré et sucré (USA). **Rendement.** 60 à 80 t/ha.

Production de pamplemousses + pomelos Production. (en milliers de t 1990). USA 1 766. Israël 390. Cuba 280. Thaïlande 250. Chine 247. Argentine 170. Mexique 100. Paraguay 69. Soudan 65. Afr. du S. 60. Inde 55. Brésil 48. Jamaïque 40. Honduras 36. Philippines 34. Australie 29. Équateur 29. Somalie 29. *Monde 4 188.*

Importations. 120 000 à 130 000 t des USA (p. roses et rouges) et d'Israël.

• **Pommes. Origine.** Caucase et Asie Mineure (fruit le plus ancien connu), introduit dans les zones tempérées à l'époque préhistorique. **Description.** Famille des rosacées. 2 espèces indigènes : *Malus communis* cime arrondie atteignant 10 m, à gros rameaux, fruit large. *Malus acerba* cime plus dressée, chair acerbe. *Arbre :* vit 20 à 25 ans (pommier palissé), 30 à 35 a. (p. de plein vert). *Fruit :* drupe à 5 loges cartilagineuses dont chacune renferme 1 ou 2 pépins. **Rendement moyen.** Jusqu'à 5 a. 5 t/ha, 5 à 10 a. 25 t/ha, 10 à 15 a. 30 t/ha, + de 15 a. 20 t/ha.

Culture. Aime sols sains, un peu frais, silico-argileux ou légèrement calcaires. L'humidité favorise le chancre. Craint fortes sécheresses, grands froids et gelées d'avril.

Monde. Production (en milliers de t, 1990). URSS 6 300. Chine 4 567. USA 4 400. *France 2 400.* All. féd. 1 953. Italie 1 950. Turquie 1 850. Japon 1 069. Argentine 1 050. Iran 1 020. Inde 980. Hongrie 900. Roumanie 800. Pologne 740. All. féd. 700. Chili 665. Corée du N. 660. Corée du S. 653. Espagne 621. Canada 500. Yougoslavie 500. Brésil 492. Af. du S. 450. Bulgarie 450. P.-Bas 417. Mexique 416. *Monde 40 486.*

Commerce (en milliers de t, 1985). **Exp. :** *France 652,9* (1989-90 : 549,8). Italie 353,5. Hongrie 300,4. Argentine 215. Chili 201,3. Afr. du S; 199,6. USA 191,5. Pologne 185. P.-Bas 164,4. Belg.-Lux. 115. **Imp. :** All. féd. 637,4. URSS 462,4. P.-Bas 218,9. Belg.-Lux. 145. U.S.A. 124,1. Canada 99,4. Italie 92. *France 91.* Brésil 90,8.

France. Variétés traditionnelles européennes (env. 20 % du marché) : *Reine des Reinettes :* maturité sept.-oct. ; *Reinette du Canada :* décembre ; *Reinette clochard :* décembre à mars ; *Reinette du Mans :* fin d'hiver. **Variétés américaines** (plus de 80 % du marché) : 2e quinzaine d'août jusqu'à début nov., peuvent être conservées sous froid jusqu'en mars-avril ; *Golden Delicious* (plus de 65 % du marché) : née d'un semis de hasard en Virginie de l'Ouest aux USA vers la fin du XIXe s. ; *Américaines rouges* (Delicious rouges, Starking, Richared et Winesaf) : Starkrimson ; Granny Smith (ou p. australienne) dep. 1952. **Superficie brute du verger** (1985). 65 000 ha ; sup. du verger commercialisé et traité (1977) : 65 600 ha dont 54 % en Golden, le reste en Granny Smith, Reinettes du Canada, Américaines rouges et traditionnelles. **Consommation.** La pomme est le 1er fruit consommé en France (25,7 % de la consommation fruitière). **Pommes récoltées** (milliers de t, 1988, prov.) 1 911. P. de table 1 834,9 dont Provence 430,7. P. de la Loire 292,7. Midi-Pyrénées 219,1. Centre 180,4. Aquitaine 179,4. Languedoc-Rous. 162,9. **Commerce** (en milliers de t, 1985). **Exp. :** 562 *vers* (1983) G.-B. 213, All. féd. 95, P.-Bas 59, UEBL 41, Irlande 28. Irak 4. **Imp. :** 91.

• **Prunes. Origine.** 2 espèces primitives : le *prunier sauvage, prunaulier* (4 à 6 m de haut, répandu dep. l'Asie Mineure jusqu'en France, Angleterre...), le *pr. domestique, pr. de Damas* (4 à 8 m de haut, à fruits oblongs, croît spontanément en Europe, très cultivé en Syrie ; en 1148, les Croisés n'ayant pu s'emparer de Damas, on les accusa de n'y être allés que « pour des prunes »). **Culture.** Préfère terres sèches et un peu calcaires. Résistant au froid et un peu aux gelées de printemps. *Vit* env. 35 ans. **Rendement.** Meilleur vers 8 ans (25 à 40 kg). **Prunes à noms historiques.** Reine-Claude (femme de François Ier) ; Prune de Monsieur (Monsieur, frère de Louis XIV) ; Galissonnière (prune importée du Canada en 1750 par le marquis de la Galissonnière).

France. Variétés. Japonaises : *Allo, Methley, Golden Japan ;* européennes (surtout consommées crues) : Reine-Claude : d'*Oullins* ou *Massot,* d'*Althan,* de *Bavay, tardive de Chambourcy, Dorée* syn. *Verte ;* prunes diverses : *Monsieur Hâtif, Royale de Montauban, Mirabelle parfumée de septembre ;* surtout transformées : *Mirabelles de Nancy, de Metz, Quetsche d'Alsace, Prune d'Ente* ou *Prune d'Agen.*

Production (en milliers de t, 1986). URSS 1 200. Roumanie 950. Chine 547. Yougosl. 515. All. féd. 453. USA 440. *France 200.* Hongrie 190. Pologne 172. Turquie 164. Italie 146. Bulgarie 115. *Monde 6 168.*

Commerce (en milliers de t, 1983). **Exp. :** 9 (vers All. féd., UEBL, G.-B., P.-Bas). **Imp. :** 14.

Cidre en France

Origine. Sous le nom de « pomade », il est venu de Biscaye au XIe s. et a gagné la Normandie depuis le Pays d'Auge entre les XIIIe s. et XIVe s. **Description.** Résulte de la fermentation naturelle du jus de pommes fraîches ou d'un mélange de jus de pommes ou de poires fraîches extrait avec ou sans addition d'eau potable (3° à 5°). *Cidre pur jus :* produit exclusif de la fermentation de jus de pommes fraîches sans aucune addition d'eau. *Cidre mousseux :* effervescence résultant exclusivement de la fermentation alcoolique (bouteille à conserver debout). *Cidre bouché.* Teneur en anhydride carbonique au moins égale à 3 g/l (obtenu par fermentation naturelle) ou 4 g/l (autres cidres). *Cidre doux.* Titre alcoométrique volumique acquis égal au plus à 3 %, et teneur en sucres résiduels égale ou supérieure à 35 g/l. *Cidre bouché doux.* Titre alcoométrique volumique acquis égal au plus à 3 %, et teneur en sucres résiduels égale ou supérieure à 42 g/l.

Pommes à cidre. Donnent cidre, jus de pomme, calvados. Arbres 11 millions (le 15-10-87, tempête abattant 20 % des arbres) *1929 :* 48, *65 :* 34).

Production totale (en milliers de t, prev. 1990-91) 687,7 (1989-90 : 664, 1982-83 : 1 410) dont Bretagne 163, Basse-Normandie 275, Hte-Normandie 124, Pays de la Loire 124.

Industrie cidricole (1989-90). *Production en milliers d'hl :* cidre 1 231, jus de pommes 442,7, moût de pommes 480,4, calvados et eau-de-vie de cidre (Bretagne, Normandie, Maine) 41 673 hl A.P. concentré de jus de pommes à cidre : 13 328 t.

Consommation taxée (1989-90) 1 107 499 hl (marché intérieur).

Horticulture ornementale (France)

Données générales (France)

• **Superficie cultivée** (en ha, 1989) 22 000, dont : pépinières 15 200 (ornementales 10 300, fruitières 3 500, forestières 2 400) ; horticulture 6 800 (fleurs coupées, plantes en pot, plantes à massif, bulbes, feuillages coupés). **Entreprises de production.** 14 000.

Type de couverture (en ha). Plein air 19 800, sous serre 1 540 (dont chauffées 900, antigel 400), sous tunnels 520 (dont chauffés 70, antigel 150). Chassis 120.

• **Main-d'œuvre.** Salariée à temps complet 25 000, familiale non salariée 18 000, saisonnière 13 000. 15,8 % des salariés agricoles. Par exploitation, 3,5 personnes en moyenne (agriculture 1,4).

• **Valeur à la production** (en millions de F, 1989). Fleurs et plantes 5 802, pépinières 2 360.

• **Commerce** (en millions de F, 1989). **Exp.** 689,5 dont produits de pépinière 360,1 plantes en pot 68,8, fleurs coupées 148,2, bulbes 70,6, feuillages 41,8. **Imp.** 3 913, dont produits de pépinière 600,1 plantes en pot 1 317,5, fleurs coupées 1 545,1, bulbes 404,8, feuillages 45,5.

Principaux pays fournisseurs (% en valeur). P.-Bas 65,8, Belg.-Lux. 15,8, Italie 5,7, Danemark 3,8, All. féd. 2,2, Espagne 1,55, Algérie 1,1, Israël 0,5, USA 0,3, Roy.-Uni 0,3, **Principaux clients.** P.-Bas 18,1, All. féd. 17,4, Italie 13,9, Suisse 9,9. (*Source :* CNIH.)

• **Consommation de végétaux** (en millions de F, 1989). *Intérieur :* 15 587 dont fleurs coupées 5 402, plantes en pot fleuries 5 167, compositions florales 3 952, plantes en pot vertes 1 066. *Extérieur :* 3 570, dont plantes à massif et vivaces 1 324, arbres et arbustes d'ornement 1 055, rosiers 376, fruitiers et fraisiers 356, bulbes et oignons 281, autres plantes 22 ; graines 156. **Consommation des particuliers.** (est. 1989). 22 700.

Consommation de fleurs coupées et plantes en pot par habitant (en F, 1988). P.-Bas 701. Danemark 494. All. féd. 474. *France 334.* Belg.-Lux. 234. Roy.-Uni 177.

• **Lieux de vente.** **En gros. Fleurs coupées.** Production : Nice (St-Augustin), Ollioules ; distribution : Paris-Rungis ; régionaux : Lyon, Lille, Bordeaux. **Plantes en pot.** Part moins importante, vente par tournée très courante. **Pépinières.** La plus grande partie commercialisée hors marchés, par les professionnels. **Détail.** 25 000 professionnels, fleuristes en boutique et de marchés, marchands-grainiers, marbriers-fleuristes, commerce moderne.

Transmissions florales. *Sté française de transmissions florales* (membre de *Interflora Inc.*) : créée 1946. En 1989 : 6 249 adhérents, 2 239 000 ordres transmis. C.A. 554 000 000 F. *Téléfleurs France :* créée 1971, 4 000 fleuristes, 500 000 ordres, C.A. 100 000 000 F. *Transelite :* créée 1987.

Produits

• **Lavande.** La lavande fine sauvage est cueillie dans les Alpes du Sud entre 1890 et 1914, puis sa culture se développe en 1929 (150 t). *Départements producteurs :* Alpes-de-Hte-Provence, Hautes-Alpes, Drôme, Vaucluse (*1988 : 2 746 ha*) 2 000 producteurs, 800 exploitations (– 30 % en 4 ans).

Production. *1929* 150 t, *1989* 90 t (baisse). Concurrence des importations d'essences (à 50 % meilleur marché) des pays de l'Est, Bulgarie, URSS passées de moins de 10 t (1970) à 70 t.

• **Lavandin.** Hybride de lavande vraie et d'aspic. Ne peut pas être reproduit par multiplication sexuée. Cultures réalisées à partir de boutures, chaque plant hybride pouvant être l'origine d'un clone. Principaux : lavandin abrial, lavandin super, lavandin grosso. Culture récente (au-dessous de 900 m et principalement à 600 m). *Prod. :* 50 à 100 kg par ha (lav. grosso), essence moins fine car contient, outre les constituants de l'essence de lavande, ceux de l'essence d'aspic (camphre, cinéol, bornéol).

• **Lupin.** **Aspect.** Plante herbacée, annuelle ou vivace, cultivée comme engrais vert, fourrage ou plante ornementale, famille des papilionacées. Fleurs groupées en grappe dressée ou en épi, feuilles palmées. **Variétés.** Lupin blanc (engrais, pâturage des moutons), bleu, jaune (Allemagne), variable (ornemental). **Espèces vivaces.** Lupin arborescent, hérissé, polyphylle.

Culture du lupin blanc en France (1988). 2 000 ha (P.-de-Dôme, Poitou-Charentes, Limousin, Rh.-Alpes). **Production** 7 400 t. **Rendement :** 37 qx/ha.

Légumes

Généralités

Dans le monde

• **Consommation dans la CEE** (en kg/habitant, 1988). Espagne 141,6. Grèce 102,6. Italie 95,8. *France 69,6.* G.-B. 61,4. P.-Bas 55,6. All. féd. 39,3.

• **Production mondiale** (en millions de t, 1988). Total 426,2 dont tomate 63,9, chou 37,6, pastèque 28,5, oignon sec 25,4, carotte 12,7, concombre/cornichon 13,1, poivron 8,7, courge 6,3, aubergine 5,6, chou-fleur 5,4, petit pois 4,4, haricot vert 2,9, ail 2,8, artichaut 1,3.

En France

• **Commerce extérieur de légumes frais.** (1990). *Importations :* 5,813 millions de F (dont pommes de terre 0,836), dont (en % du tonnage en 1987) UEBL 30, P.-Bas 25, Espagne 15, Maroc 10, Italie 10. *Exportations :* 3,771 millions de F.

Balances commerciales (en milliards de F). *Solde 1988 :* – 1,6 (import. 4,91, export. 3,31). *89 :* – 1,97 (import. 5,51, export. 3,54). *90 :* – 2,4 (import. 5,81, export. 3,77).

Par espèce en milliers de t (1987). **Importations :** 1 514,5 dont tomate 284,4, pomme de terre de conservation 144,4, pomme de terre primeur 134,2, carotte 104,4, oignon 104,2, poivron 52,6, courgette 44,2, concombre 33,3, haricot vert 32,1, artichaut 26,8, céleri rave 19,7, laitue pommée 19,4, aubergine 18,9, céleri branche 17,3, ail 16,5, poireau 15,1, fenouil 14,8, chou blanc et rouge 14,1, chou-fleur 10,5, chou de Bruxelles 10,4, endive 6,2, navet 5,3, petit pois 4,2, asperge 2,2, épinard 0,5, autres racines 43,8, autres choux 8,1. **Exportations :** 986,1 dont chou-fleur 203,1, pomme de terre de conservation 145,4, p. de t. primeur 61,1, carotte 52,3, tomate 37,3, oignon 28,5, laitue pommée 28,3, petit pois 12,4, ail 12,1, endive 9,5, asperge 9,1, céleri branche 7,9, poivron 6,4, poireau 5,4, concombre 4,6, artichaut 3,7, navet 2,8, chou blanc et rouge 1,8, autres choux 8,9, autres racines 1,1.

• **Consommation en volume des légumes** (achats des ménages à domicile, en milliers de t, 1990). 1 890 dont tomate 337, carotte 234, salade 215, endive 162, chou-fleur 117, melon 101, poireau 84, courgette 75, oignon 74, cocombre 52, artichaut 45, chou-pommé 41, haricot vert 39, champignon de couche 31, radis 26, navet 22, betterave potagère 20, céleri rave 20, asperge 19.

• **Lieux d'achat de légumes frais** (achats ménages hors hommes seuls, 1990). Marché 29, supermarché 28, hypermarché 20, supérette petit libre-service 12, primeur 9, divers 2.

• **Production récoltée de légumes frais** (en milliers de t, 1990). P. de t. de conservation 2 988, chou 787,7 [1], tomate 761,6, carotte 589, chou-fleur 550, melon 317,1, laitue 315, endive 234, oignon 231 [1], haricot vert 218 [1], poireau 204,3 [1], scarole et frisée 150, courgette, courge, aubergine, citrouille 144 [1], concombre 105,4, artichaut 93,7, navet 78,2 [1], céleri rave et branche 76,6, épinard 73,3, ail 54,4, haricot grains 49, asperge 41,4, chou de Bruxelles 20,6 [1], radis 12,4 [1].

Nota. – (1) 1989.

• **Superficies** (en milliers ha, 1990). Tomate 12,6, chou-fleur 45,6, carotte 13,7, endive 16,7, laitue 12, melon 18,4, haricot vert 34,5 [1], poireau 8,9 [1], oignon 7,3, petit pois 35,8, chou 54,6, courgette, courge, aubergine, citrouille 4,8, scarole et frisée 6,7, concombre 0,6, artichaut 16,3, navet 3,4, épinard 6, asperge 2,5, radis 3, chou de Bruxelles 1,8, ail 7,2, p. de t. de conservation 98,1.

Nota. – (1) 1989.

• **Exploitations.** **Nombre.** Légumes plein champ 92 500 (195 800 ha), maraîchage 35 900 (41 400 ha).

Répartition selon la superficie. Légumes plein champ et, entre parenthèses, de maraîchage (en %). – *de 1 ha :* 51,8 (64,9), *1 à 2 :* 17,8 (18,4), *2 à 5 :* 18,9 (12), *5 à 10 :* 7,9 (2,5), *10 à 35 :* 3,4 (0,6), *+ de 35 :* 0,2.

Produits

• **Ail.** **Aspect.** Tige cylindrique de 40 à 75 cm, bulbe constitué par 8 à 10 bulbes secondaires appelés caïeux ou gousses. **Variétés.** Ail blanc ou commun, ail rose hâtif à gros caïeux, ail d'Espagne ou Rocambole, ail d'Orient, ail rond du Limousin, ail d'Auvergne, ail de Vendée. **Cultivé** en plein champ. **Récolte.** Juillet.

Rendement. 130 à 200 litres par are soit 75 à 100 kg (1 litre = 250 caïeux) ; moy. mondiale 1986 : 62,9 q/ha.

Production (en milliers de t, 1989). Chine 647, Corée du S. 400. Inde 296. Espagne 229. Égypte 200. USA 150. *Monde 3 012.*

• **Amarante.** **Origine.** Amérique du Centre et du Sud. Les Espagnols interdirent la culture de l'amarante en 1519 car les Aztèques utilisaient des graines d'amarante grillées et liées avec le sang des victimes de leurs sacrifices humains. **Aspect et propriétés.** Feuilles se consommant en légumes verts cuits et graines riches en protéines (surtout lysine) donnant de la farine. Convient particulièrement aux pays du tiers monde car résistante à la sécheresse et facile à cultiver à la main. **Taille.** Graines minuscules (± 2 000 au g).

Variétés. 400. **Rendement.** 20 t à l'ha. 1 livre de graines suffisent pour ensemencer 1 ha (pour près de 180 kg de maïs).

• **Artichauts.** **Origine.** Tige de 1 à 1,50 m de haut, cultivée dep. le XVe s. Plante cultivée pour ses capitules que l'on mange avant l'épanouissement de ses fleurs : *feuilles* (bractées) ; *fond d'artichaut* rempli de mat. nutritives ; *foin* composé de jeunes fleurs en bouton. Considéré par certains comme la nourriture des ânes.

Récolte. Automne la 1re année, début de l'été ensuite. La production diminue au bout de 3 ou 4 ans. **Culture forcée.** Artichauts de printemps. **Variétés.** Camus de Bretagne (70 % de la prod. fr., cult. surtout dans le N. Finistère mais aussi en Anjou ; période de prod. mi-avril à déc.) ; violets (d'Hyères, du Gapeau : Var, P.-Or. ; automne et printemps) ; blanc hyérois (Var, P.-Or. ; surtout au printemps). **Rendement.** 100,12 q/ha (monde, 1986).

Production (en milliers de t, 1988). Italie 494. Espagne 333. *France (1990) 93,7.* Argentine 78. Égypte 55. USA 55. Maroc 41. Grèce 32. *Monde 1 267.*

• **Asperges.** **Origine.** Bassin méditerranéen or., herbacée vivace connue des Romains, cultivée en France dep. le XVe s. **Aspect.** Rhizome souterrain d'où partent chaque année des bourgeons ou turions s'élevant à 1 ou 1,5 m.

Variétés. Asperges vertes ou communes, asperges de Hollande ou violettes de Hollande, asperges d'Argenteuil hâtives ou tardives. **Récolte.** Au bout de 2 ou 3 ans et pendant 3 à 11 ans, 60 à 100 kg par are. Plein champ ou culture forcée sous châssis.

Production (en milliers de t, 1989). USA 113. Espagne 95. *France (1990) 41.* Mexique 18. All. féd. 17. *En 1990,* le Languedoc-Roussillon (40 % de la production franç.) est victime de la fusariose (due au champignon le *fusarium* qui empêche le développement de l'asperge et rend la terre impropre à sa culture pendant plusieurs années).

• **Aubergines.** **Origine.** Inde, se répand en Europe fin XVe s. Consommée comme dessert en Italie, surtout sous forme de cataplasme. Appréciée sous le Directoire, introduite sur marchés parisiens 1825. **Aspect.** Herbacée annuelle à tige demi-ligneuse (50 à 60 cm). Grosse baie allongée violette, jaune ou blanche suivant variétés. Peut atteindre 20 à 25 cm.

Principales variétés. Violettes longues, monstrueuses de New York. **Récolte.** Juill.-août. Plein champ ou culture forcée.

Production (milliers de t, 1988). Chine 2 238. Turquie 730. Japon 605. Égypte 435. Italie 285. Irak 170. Indonésie 155. Philippines 90. *France 28. Monde 5 644.*

• **Bettes.** **Origine.** Nom usuel de la poirée. Cultivée pour ses feuilles. Comme la betterave *(Beta vulgaris)* issue de la bette maritime *(Beta maritima),* spontanée sur les bords de l'Atlantique et de la Méditerranée. **Récolte.** Août. **Rendement.** 200 à 500 kg de feuillage/are.

• **Betteraves.** **Origine.** Eur. orientale, Asie centrale. **Variétés.** *Fourragère :* chair jaune, blanche ou rouge, émerge du sol ; jusqu'à 3 kg, 6 à 12 % de sucre. *Potagère :* rouge ou jaune (cultivée pour sa racine ; bisannuelle ; récolte : mai-mi-nov. ; rendement : 20 à 30 t/ha). *Sucrière :* blanche, enfouie, 14 à 20 % de sucre. *Floraison* la 2e année.

Récolte (pour sucre et alcool). Au bout de 6 mois, racine de 10 à 35 cm pesant 400 à 1 200 g (radicelles latérales jusqu'à 60 cm, racines profondes jusqu'à 2 m). Semée au printemps, récoltée en automne ; sert souvent de tête d'assolement au blé, 70 000 à 100 000 pieds à l'ha. 1 ha donne de 5 000 à 9 000 kg de sucre. *Sols favorables :* limons avec 2 % de mat. organiques, 15 à 20 % d'argile. Achard, en All., en 1799 réussit le 1er à industrialiser l'extraction du sucre.

☞ Voir également :
– le nombre de calories fournies par les principaux légumes, page 1317,
– le poids moyen des légumes, page 1320,
– les régimes végétariens et végétaliens, page 1318,
– la conservation des légumes (congélation, appertisation...), page 1319,
– l'industrie de la conserve, page 1540.

Betteraves sucrières. Production (estim. en millions de t, 1990). URSS 90. *France 29.* USA 24,6. All. féd. 22. Italie 13,3. Pologne 13,2. Turquie 12,4. Chine 10. G.-B. 8. P.-Bas 7,8. Espagne 7,2. Roumanie 7. Yougoslavie 6,3. Belg.-Lux. 6,2. All. dém. 6,1. Tchéc. 6. Japon 3,8 [1]. Iran 3,5 [1]. Danemark 3,3. Maroc 3. Autriche 2,8. *Monde 305,3.*

Production en France (en millions de t, 1989, prov.). **Betteraves fourragères.** 3,4 dont N.P.-de-C. 0,75. Bretagne 0,56, Hte-N. 0,5. **B. à sucre.** *1985-86 :* 24,3, *86-87 :* 22,8, *87-88 :* 25,7, *88-89 :* 25,3, *89-90 :* 24,7. (dont pour le sucre 23,9, l'alcool 0,8), à la richesse moyenne de 17,67.

• Carottes. Origine. De la Gaule, d'un usage courant dep. le XIVe s. Bisannuelle, donne la 1re année une grosse racine qui forme la partie comestible ; la 2e, elle émet, au milieu de la rosace des feuilles, des tiges dressées, rameuses, hautes de 60 cm à 1 m. **Variétés.** Pour le marché du frais « Populations » (Nantaise améliorée, de Carentan, Touchon, De la Halle), « Hybrides » (Tancar, Nandor, Revo, Tiana) ; c. d'industrie : pour la macédoine (Colmar ou Flakkee, Chantenay) ; pour la conserve (type Amsterdam, c. douce Amsterdam). **Rendement.** 22 t/ha (Monde 1986).

Production (en milliers de t, 1989). Chine 2 697. USA 1 347. Pologne 757. Japon 690. G.-B. 580. Italie 508. *France 485.* P.-Bas 300. *Monde 13 684.*

• Cardon. Aspect. Herbacée vivace. Rhizome allongé d'où sortent de grandes feuilles (1,50 m). **Culture.** Semis au printemps, croissance lente jusqu'en août.

• Céleri. Aspect. Racine charnue ; bisannuelle. **Origine.** Issu de l'ache odorante. Employé comme simple au Moyen Age, devient une plante potagère à la Renaissance.

Variétés. *Branche à côtes* (pétioles des feuilles très développés), *rave* (racine très volumineuse). **Culture.** En plusieurs saisons, se développe en 6 mois. **Rendement.** 500 à 900 kg à l'are.

Production (France). *Branche* (1989, prov.) : 37 162 t dont L.-Atl. 9 600, Pyr.-O. 2 640, Lot-et-G. 2 200, Gard 2 200, Morbihan 1 800, M.-et-L. 1 500. *Rave* (89, prov.) 39 464 t dont Nord 4 500, Ain 3 840, Manche 2 310, Calvados 2 250, C.-d'Or 2 200, Loiret 2 190, L.-Atl. 2 080. Charente-Mar. 1 800.

• Champignons de couche. Variétés. Blanc neige, ivoire (apprécié pour le marché du frais), crème (frais et conserve), blond (petit, pour conserve uniquement) (en Fr., il est cult. en cave). **Production en France** (milliers de t, 1984). 184 000 t (Pays de la Loire, Bordelais, région parisienne) dont 70 % pour la conserve (2e prod. mondial après U.S.A. en 1984). **Production mondiale** de champignons comestibles (milliers de t, 1979, estim.). Ch. de couche 850 000, Shii-take 140 000, ch. de paille-de-riz 57 000, Pattes-de-Velours 40 000, Pleurotes 18 000, Nameko 15 000, Oreille-de-Judas 8 000, Strophaire rugueux 2 000, Truffe noire 200, divers 100. *Total 1 130 300.*

• Chicorée. Origine. Chicorée sauvage. 2 variétés de semences : pour feuilles et obtention de légumes [chicorée frisée et scarole (prod. 132 678 t), endive (prod. 250 000 t)] ; pour racine et fabrication de chicorée à café (traitement industriel). *Chicorée à café :* semis fin avril sur 4 000 à 5 000 ha, récolte d'oct. à déc. Les racines sont lavées, découpées en morceaux, déshydratées et procurent des cossettes qui sont torréfiées et vendues sous forme de grain, chicorée moulue, soluble et liquide, pour utilisation à l'état pur, dans le lait, le café, le chocolat, les entremets, la confiserie.

Production (chicorée torréfiée). *Monde* 100 000 t. *France* 36 000 t dont 25 % exportés.

Consommation française. 750 g/hab. soit 45 l de boisson (12,5 cl/jour).

Production (en t, 1987 prov.). *Chicorées frisées* 59 506,5 dont Prov.-Alpes-Côte d'Azur 27 685, B.-du-Rh. 23 120, I.-de-Fr. 5 297, Nord 4 800. *Scaroles* 71 733,5 dont Languedoc-Roussillon 24 582, Pyr.-or. 21 100, Nord 3 120, I.-de-Fr. 6 158, Bretagne 2 715, Hte-Gar. 2 210. *Endives* 440 952,7. *Chicons* 198 484.

• Choux. Culture. *Choux pommés,* semis sous châssis mi-février ou en mars (rég. côtière) ; récolte été ou automne ; *chou quintal* (pour la choucroute), semis vers la mi-août, récolte au printemps, rendt 300 à 700 kg/are ; *chou-rave,* semis au printemps en pépinière, récolte 3 mois après, rendt 250 à 500 kg/are ; *choux-fleurs,* semis à partir d'avr., récolte fin août à l'automne, rendt 100 à 200 kg/are ; *chou brocoli* (récolte avr.-mai).

Variétés. *Chou pommé :* pointus (cabus), ronds lisses (cabus pommés lisses, rouges), ronds frisés (de Milan). *Choux de Bruxelles* (Peer Gynt, Topscore, Lancelot, Lunet, Citadel, Prince Askold). *Choux-fleurs :* hollandais (Erfurt), parisiens (Lecerf), méridionaux (Bagnols), italiens (géant de Naples), d'Alger. **Rendement.** 21,6 t/ha (Monde, 1989).

Production (en milliers de t, 1989). URSS 9 300. Chine 7 960. Japon 2 900. Corée du S. 2 300. Pologne 1 617. USA 1 400. Roumanie 1 200. G.-B. 850. Yougoslavie 678. Tuquie 641. Inde 550. Italie 547. Indonésie 500. All. féd. 527. Espagne 472. Égypte 450. All. dém. 415. Corée du N. 306. Tchéc. 306. P.-Bas 270. Afr. du S. 260. *France 233. Monde 36 649.*

• Choux-fleurs. Production (en milliers de t, 1989). Chine 1 050. Inde 690. *France 585.* Italie 482. G.-B. 400. Espagne 271. Pologne 233. All. dém. 149. Japon 135. Égypte 120. All. féd. 108. *Monde 5 548.* **Rendement.** 5,3 t/ha (Monde, 1989). **Consommation française** (en kg par h. par an, 1980). Région parisienne 4,05, Ouest 2,44.

• Concombres. Origine. Inde. Famille des cucurbitacées. Baie de 20 à 60 cm. **Semis.** D'avril à juin (culture forcée déc. ou janv.).

Variétés. Concombres (20 à 50 cm, blancs ou verts, lisses ou épineux), cornichons (fruits plus petits et plus nombreux).

Production concombres et cornichons (en milliers de t, 1989). Chine 3 930. URSS 1 400. Japon 980. Turquie 750. USA 593. Roumanie 486. P.-Bas 415. Pologne 352. Irak 345. Égypte 300. Espagne 300. Mexique 280. Indonésie 222. Thaïlande 205. Grèce 156. Syrie 153. Hongrie 130. Bulgarie 127. Youg. 106. *France 105. Monde 12 744.* **Rendement.** 14,5 t/ha (Monde, 1989).

• Courges. Aspect. Baie à écorces solides. Nombreuses formes. **Variétés.** Potiron (fruit en forme de sphère, 50 cm de diamètre, plus de 40 kg), courge allongée (3 à 5 kg), c. baleine (40 kg), courgette (200 à 300 g).

• Échalote. Dite à l'origine ail d'Ascalon (Syrie) (allium escalonium) où elle fut découverte en 1099, par les Croisés. Devenu v. 1 500 *échalote.*

• Endives. Origine. Culture développée en France surtout après 1918, améliorée dep. 1976 par forçage de la racine (15 t de chicons par ha en salle contre 10 t en culture traditionnelle). **Production** (milliers de t, 1989/90). *France 206* dont Nord-Picardie 77 %, Bretagne 8 %, Est 7 %. Belgique 90. P.-Bas 73. **Consommation France** (Nord-Picardie, I.-de-Fr.). 200 000 t, soit 3,6 kg/hab.

• Épinards. Origine. Herbacée venant de Perse, Turkestan, Afghanistan, cultivée en Espagne dès le XIe s. **Culture.** Semis d'août à la fin de l'automne ; permet d'obtenir plusieurs récoltes de feuilles (généralement 3 par pied) jusqu'au printemps suivant. Si l'on sème en mars, une seule récolte de feuilles. **Rendement** (France, 1989). 12,2 t/ha. **Production** (en France, en milliers de t, 1989). 73,3 dont (en %) Morbihan 19, Finistère 11, Somme 10, Oise 7, Aisne 5, Nord 5.

• Fèves sèches. Origine (probable). N. de l'Inde. Apparue en Égypte v. 2000 av. J.-C. (mets royal considéré comme un des dieux, origine probable de la fève du gâteau des Rois). **Variétés.** *À grosses graines :* issues des v. potagères (rég. méditer.) ; *à graines rondes* (féveroles) : plus petites, mieux adaptées à une récolte mécanique [Chine, Europe occ. (France 200 000 t en 1984 : N.-Ouest, Nord, Est, Sud-Ouest, Yonne, Indre, Cher), Amér. du N.]. **Rendement.** 13,5 q/ha (monde 1986). 30 à 45 (Bassin méditer., Chine), 30 à 40 (Europe occid.). **Utilisation.** Farine (pour la panification), légume, alimentation animale, protéines.

Production (en milliers de t, 1990). G.-B. 465, Égypte 310 [1], Maroc 250 [1], Italie 120, All. féd. 100, Éthiopie 100 [1] (est.), *France 100,* Tunisie 50 [1], Espagne 40 [2], P.-Bas 27 [2], Portugal 16 [2], Danemark 12 [2], Grèce 12 [2], Belg. 4 [1].

Nota. – (1) 1988. (2) 1989.

• Haricots. Origine. Amérique, Inde, Chine ; introduit en Europe vers 1597. **Aspect.** Herbacée annuelle. Tige 30 cm à 2,50 m. **Variétés.** *H. à parchemin ou à écosser* [on consomme les grains frais ou secs : flageolets blancs (Vendée : *mojette ;* Nord et P.-de-Calais : *lingots*), verts (ou *chevriers*) et *princesse vert* (Arpajon, E.-et-Loir, Val de Loire, Bretagne), rouges (Ch.-Maritime : *rouges de Marans*), ou jaunes selon la couleur du grain, h. suisse à grain allongé et large, h. de Soissons à grain blanc volumineux, h. sobre de Hollande à grain large ; variétés à rames exigeant un support : h. de Soissons, Liancourt, Chartres. *Variétés étrangères :* blancs genre flageolets (USA, Eur. de l'Est) ; blancs genre cocos (USA : *Pea Beans ;* Chili : *Arroz, Cristales ;* Danube) ; blancs genre lingots (Argentine : *Alubias*) ; rouges (Madagascar) ; marbrés (USA : *Cranberries*). *H. verts* [dont on consomme la gousse : filet, mange-tout (vert et beurre)]. *H. ailés :* origine E.-Orient (Papouasie-N.-Guinée) ; riches en protéines (env. 20 %, sup. au manioc, patate douce, igname, p. de terre) ; transformables en farine pour bébés, alim. maternelle ; cult. expérimentale en C.-d'Ivoire, Ghana, Zaïre, Nigeria. **Culture.** Semis au printemps jusqu'à la mi-août. **Récolte.** *H. à écosser* 4 à 5 mois après semis (rendt 15 à 20 hl/ha) ; *h. verts* 2,5 à 3 mois après semis (3 500 à 4 000 kg par ha) ; *h. mange-tout* presque à maturité (30 à 70 kg par are).

Production. Verts à écosser (en milliers de t, 1989). Chine 454. Turquie 400. Espagne 250. Italie 235. France 212. Égypte 165. USA 115. *Monde 3 104.* **Rendement.** 6,9 t/ha (Monde, 1989). **Secs** (en milliers de t, 1988). Inde 3 500. Brésil 2 941. Chine 1 629. Mexique 1 075. USA 872. Birmanie 414. Thaïlande 318. Burundi 316. Ouganda 277. Tanzanie 240. Roumanie 225. Argentine 201. *France 15. Monde 15 333.* **Légumineuses sèches** (en milliers de t, 1988). Inde 11 229. URSS 8 735. Chine 5 679. Brésil 2 981. Turquie 2 298. *France 2 623.* Australie 1 480. Mexique 1 285. USA 1 140. Nigeria 1 050. Éthiopie 987. Danemark 579. Pakistan 552. Canada 518. Tchéc. 259. *Monde 54 652.*

Commerce (en milliers de t : légumineuses sèches, 1989). **Exp. :** *France 907.* Chine 551. G.-B. 464. Turquie 462. USA 331. Hongrie 285. Danemark 172. Pologne 151. Thaïlande 150. Canada 132. *Monde 5 517.* **Imp. :** P.-Bas 769. All. féd. 704. Inde 620. Belg.-Lux. 403. Italie 398. Pakistan 204. G.-B. 182. Japon 180. Espagne 175. Algérie 143. France 129. Cuba 127. Mexique 108. *Monde 5 537.*

• Igname. Nom. Dioscorea batatas. **Origine.** Variable selon espèces. **Aspect.** Plante grimpante à rhizome tuberculeux pesant jusqu'à 20 kg. Frais, les tubercules sont parfois toxiques. **Variétés.** Nombreuses espèces tropicales (« D. alata », « D. cayennensis ») ; « igname de Chine » en Europe.

Production (1986, milliers de t). Nigeria 19 200. C.-d'Ivoire 2 996. Ghana 937. Bénin 858. Cameroun 400. Togo 336. Zaïre 220. Éthiopie 215. Tchad 219. Brésil 200. Rép. centrafr. 198. *Monde 27 076.*

• Laitues. Variétés. Laitues proprement dites (l. beurres), les l. grasses, batavias, romaines.

Production en France (en milliers de t, 1990). 315.

• Lentilles. Origine. Asie du S.-O. Cultivées dep. l'Antiquité. En France culture essentiellement auvergnate. **Aspect.** Tige de 0,20 à 0,40 m. **Exigences.** Climat régulier à pluviosité et températures moyennes. **Rendement.** 0,7 t/ha (Monde, 1989).

Production (en milliers de t, 1989). Inde 741. Turquie 622. Bangladesh 160. Canada 105. Népal 65. Syrie 64. USA 54. *Monde 2 242.*

En France. Loir-et-Cher, I.-et-L., Val de Loire, Cher, Auvergne (lentilles du Puy, du Cantal), Champagne.

• Manioc. Nom. *Manihot* apparaît en français en 1558, devient maniot en 1578 et manioc en 1614. **Origine.** Amazonie. **Aspect.** Tige de 2 à 5 m. Reste 8 mois à 2 ans dans le sol. On consomme les racines (poids : 1 à 5 kg) directement, après élimination du composé toxique. La fécule pure est obtenue après râpage, tamisage, élimination de l'eau de végétation, purification, concentration et séchage. Dans le commerce international, le mot « tapioca » (du tupi guarani « tipioka » ou « tipiak ») désigne les racines (tapioca roots), la farine – telle quelle (t. meal) ou agglomérée (t. pellets) –, l'amidon (t. flour) et le gel sec de ce dernier en flocons (t. flakes), en granules (t. granules) ou en perles (t. pearls) ; la farine de manioc est utilisée dans l'alimentation animale ; le gel sec d'amidon sous ses différentes formes est utilisé au contraire pour ses propriétés particulières dans certaines préparations culinaires très élaborées. **Rendement.** 96,6 q/ha (monde, 1986).

Production (en millions de t, 1989). Brésil 31,1. Thaïlande 25,2. Nigeria 16,5. Zaïre 16,4. Indonésie 16,2. Tanzanie 6,2. Inde 5,2. Paraguay 4. Ghana 3,6. Chine 3,2. Mozambique 3,2. Viêt-nam 2,9. Ouganda 2,4. Madagascar 2,2. Philippines 1,8. Colombie 1,4. *Monde 149.*

• Navets. Origine. Europe du N. **Variétés.** Navets plats et ronds, demi-longs à longs. **Culture.** En pleine terre (semis de printemps à partir du 15 mars, d'été, de fin juill. à mi-sept.) ou forcée. **En France** (1989). *Production :* 78 210 t.

• Oignons. Origine. Iran. **Aspect.** Herbacée bisannuelle de la famille des liliacées. Tige souterraine en forme de bulbe (partie comestible). 2e année fruit [capsule triangulaire remplie de petites graines noires (250 dans 1 g)]. **Variétés.** *O. frais avec feuillage* (mars à juillet) : Merveilles de Pompéi, Baletta, Jolly, extra hâtif, de Malakoff, Vaugirard, Paris. *O. secs* (récolte à partir de juillet) : Rouges et Rosés (Rouge pâle de Niort, Rouge de Huy, Rosé de Roscoff) ; jaunes (Valencia Temprana, o. de Mulhouse, Auxonne, Sélestat) ; prod. tardive (Jaune Paille des Vertus, Grano, Doré de Parme, Rijnsburger). **Culture.** Potagère pour les o. blancs. Bretagne (C.-d'A. ; Finistère), Aisne, Oise, S.-et-O. (L.-et-G.). *Semis* fin fév. à début mars. *Récolte* août. **Rendement.** 14 t/ha (Monde, 1989).

Production (en milliers de t, 1989). Chine 3 826. URSS 2 500. Inde 2 480. USA 2 168. Turquie 1 300. Japon 1 274. Espagne 1 008. Brésil 785. Pakistan 707. Égypte 700. Pologne 564. Corée du S. 545. Iran 500. Colombie 473. Italie 470. Roumanie 420. Argentine 410. P.-Bas 350. Yougoslavie 339. Indonésie 324. G.-B. 302. Maroc 275. Chili 250. Afr. du S. 215. *France 202.* Algérie 200. Myanma (ex-Birmanie) 200. Australie 196. Thaïlande 180. *Monde 26 319.*

• **Patates douces. Nom.** *Ipomea.* **Origine.** Amérique tropicale. **Variété.** La plus recherchée : *patate douce.* Son rhizome en tubercule pèse parfois 20 kg. **Rendement.** 14,4 t/ha.

Production (en milliers de t, 1989). Indonésie 2 106. Viêt-nam 2 000. Ouganda 1 800. Inde 1 350. Japon 1 330. Rwanda 810. Brésil 750. Philippines 661. *Monde 133 234.*

• **Pois chiches. Production** (en milliers de t, est. 1990). Inde 5 000. Turquie 760. Pakistan 537. Chine 200. Mexique 170. Birmanie 138. Éthiopie 125. Iran 81. Espagne 58. Syrie 47. Tunisie 28. *Monde 7 530.*

• **Pois secs. Production** (en milliers de t, est. 1990). URSS 8 500. *France 3 618.* Chine 1 300. Danemark 470. Inde 443. Australie 392. Hongrie 380. Canada 286. G.-B. 275. Tchéc. 191. USA 190. Éhiopie 109. P.-Bas 100. Roumanie 100. Autriche 90. Nlle-Zél. 72. Iran 56. All. dém. 47. Bulgarie 44. Maroc 42. Colombie 35. Italie 30. Burundi 27. Youg. 23. Tanzanie 19. Pérou 18. *Monde 17 188.*

En France. *Pois ronds et cassés :* Nord, Est ; variétés étrangères : Maroc et Alaska. *Pois protéagineux* (Centre, N.-Ouest, Midi) : [composition stable en acides aminés, digestibles pour le porc (85 %), relativement solubles pour les ruminants]. *Prod.* (1986) 1 100 000 t sur 275 000 ha (*1983 :* 102 000 ha, *1987 :* 417 000 ha).

• **Pommes de terre. Nom.** Solanum tuberosum esculentum (donné en 1596 par Gaspard Bauhin). **Origine.** Andes (mentionnée pour la 1re fois en 1533), introduite en Espagne (v. 1570 ?), puis en Irlande par le navigateur Francis Drake (v. 1540-96) ; son emploi dans l'alimentation en France (v. 1616) rencontre de vives résistances, car la plupart des plantes voisines contiennent des poisons violents ; on l'accuse de donner la lèpre ; Louis XVI en mangeait à tous les repas ; en 1786, Antoine-Augustin Parmentier (1737-1813), agronome et apothicaire, fit garder un champ de p. de terre par des soldats, ce qui excita la convoitise des voisins et déclencha son développement (1793 : 35 000 ha, 1815 : 350 000). **Composition du tubercule.** Env. 75 % d'eau, quantité importante de glucides (essentiellement sous forme d'amidon ou fécule), faible taux de protides, très peu de matières grasses. Aliment modérément énergétique (80 cal/100 g), riche en potassium, fer et iode ; possède la plupart des vitamines hydrosolubles ; très riche en vitamine C. Au cours de la conservation, les tubercules exposés à la lumière verdissent.

Plantation. Avril à mai. **Récolte.** De préférence à l'automne (sept. et oct. ; plus tôt pour les variétés précoces).

Variétés. *1789* 13, *1846* 177, *1872* 212, *1983* plus de 1 600 (127 inscrites au catalogue officiel au 30-6-89). **Pomme de t. de conservation.** 65 % de la production totale, récoltée à maturité, stockable, selon les variétés, jusqu'en juin suivant. 2 catégories : DE CONSOMMATION COURANTE : la plus connue est la *Bintje* (80 à 85 % des p. de t. de conservation) : chair jaune, forme arrondie, apte à toutes les utilisations culinaires ; également utilisée dans l'industrie de transformation : frites, chips, flocons (purée) ; DE CONSOMMATION A CHAIR FERME : (env. 10 à 15 % des p. de t. de conservation) très bonne qualité gustative, reste ferme à la cuisson : *Belle de Fontenay, B.F. 15, Roseval, Ratte, Charlotte, Nicola.* **P. de t. de primeur.** 8 % de la prod. totale : récoltée avant maturité, ne se conserve que quelques j. (à cause de la peau très fine) : *Apollo, Sirtema, Ostara.* **P. de t. féculière.** 21 % de la prod. totale. Uniquement destinée à la prod. de fécule pour usages industriels (papeterie, cartonnerie, textile, pharmacie) ou alimentaires : *Kaptah Vandel, Daresa.* Pour ces 3 catégories, la production de **plants** représente env. 6 % de la prod. totale de p. de t.

Superficie (en milliers d'ha, 1989). URSS 6 200. Chine 2 603. Pologne 1 858. Inde 918. USA 518. All. dém. 410. Roumanie 325. Espagne 281. Youg. 274. All. féd. 218. Pérou 200. Turquie 190. *France 190.* G.-B. 178. Tchéc. 177. Colombie 175. P.-Bas 165. Brésil 156. *Monde 18 064.* **Rendement** (moyen France, 1989) : 30 t/ha ; 35 à 40 t/ha dans grandes régions de product. : Nord-P.-de-C., Picardie ; monde 15,5 t/ha.

Production (en millions de t, 1989). URSS 72. Pologne 33,3. Chine 30,1. USA 16,7. Inde 14,5. All. dém. 11,7. All. féd. 7,8. Roumanie 7,2. P.-Bas 7. G.-B. 6,4. *France 5,8.* Espagne 5,4. Turquie 3,9. Japon 3,7. Tchéc. 3,7. Canada 2,9. Argentine 2,8. Colombie 2,7. Italie 2,4. Youg. 2,2. Brésil 2,1. Belg.-Lux 2. Égypte 1,8. Pérou 1,8. Hongrie 1,4. Bangladesh 1,3. Suède 1,3. Algérie 1,1. Danemark 1,1. Portugal 1,1. Afr. du S. 1. Australie 1. Autriche 1. Finlande 1. Grèce 1. Mexique 1. Chili 0,9. *Monde 279,4.*

Commerce (en milliers de t, 1989). **Exp. :** P.-Bas 1 801. Pologne 791. Belg.-Lux. 710. *France 555.* All. féd. 530. Canada 390. Italie 331. G.-B. 161. Égypte 156. Chypre 151. Liban 143. USA 120. Espagne 109. Maroc 100. *Monde 6 710.* **Imp. :** All. féd. 877. P.-Bas 703. URSS 600. *France 466.* G.-B. 460. Italie 444. Belg.-Lux. 421. Espagne 415. USA 304. Portugal 204. Canada 203. *Monde 6 517.*

Consommation (kg par hab. par an, 1988-89). P. de t. en l'état + prod. transformés + autoconsommation. Irlande 142. G.-B. 108,8. Espagne 96,4. Belg.-Lux. 94. Portugal 93,6. Grèce 86,7. P.-Bas 86,1. *France 73,2.* All. féd. 72,4. Danemark 64,5. Italie 38,8.

En France. Commerce (en milliers de t, 1989-90) : **Pommes de t. de conservation. Exp :** 253,1 *vers* Espagne 106,5, Italie 77,2, Portugal 18,2, All. féd. 17,9. **Imp. :** 290,7 *de* UEBL 232,6, P.-Bas 52,1. **Plants. Exp. :** 55 *vers* Algérie 13,4, Tunisie 8,1. **Imp. :** 73,3. *De* P.-Bas 64,2, Danemark 4,1, All. féd. 3,5. **Primeurs** (1990). **Exp. :** 61,2. *vers* All. féd. 27, G.-B. 15,5, **Imp.** 130 *de* Maroc 55, Espagne 20,8, Israël 16,6, Italie 16,1.

• **Rutabaga. Nom.** Rotabagge (suédois), chou-navet. **Origine.** Cultivé en G.-B. depuis la fin du XVIIIe s. **Aspect.** Gros navet à chair jaune. **Culture.** Bisannuelle, fourragère. Jeune, peut être consommé comme légume.

• **Soja. Soja** *(Glycine max.,* en anglais *soybean).* **Origine.** Chine et autres pays d'Orient (cultivé 3 000 a. av. J.-C.), introduit en Europe au XVIIIe s. **Plante.** Légumineuse, rappelant le haricot, graine ronde, grasse, de couleur variable, parfois tachée de noir, de 0,2 à 0,4 g. Taille moy. 80 cm. Fruits : gousses de 2 ou 3 graines.

Variétés. *A gr. vertes,* surtout cultivées en Asie [soja de régime (vigna, radiata, en anglais mungbean)] : gr. ronde, petite, pratiquement sans huile. Consommé en bouillie, purée, soupe, pousses germées, crues ou blanchies, en salades ou cuisinées (cuisine « chinoise »), son amidon sert à faire les nouilles « chinoises » ; pauvre en huile, en pousses ; *à gr. jaunes (Glycine max.)* surtout cultivées en Amérique. La graine donne, après trituration, 18 % d'huile (pour les crudités), et des protéines (38 à 40 % de la matière sèche) utilisées en tourteaux pour le bétail ou pour fabriquer des viandes reconstituées ou des produits diététiques. Contient des facteurs antinutritionnels inhibant l'action des enzymes digestives qui peuvent être détruites par la chaleur (cas des tourteaux). **Culture.** *En France :* semé en avril-mai, récolté en sept.-oct. (*1989 :* 132 000 ha). Peut s'irriguer : on introduit dans le sol (avec la semence) un inoculum spécifique qui apporte au soja les bactéries *(Bradyrhizobium japonicum)* fixatrices d'azote atmosphérique indispensable. **Rendement.** Moy. mondiale (89) 18,41 q/ha (France 23,59).

Production de graines (en milliers de t, 1990). USA 52 440. Brésil 24 044. Chine 10 818. Argentine 6 250. Inde 1 850. Paraguay 1 615. Italie 1 443. Indonésie 1 253. Canada 1 219. Mexique 947. URSS 920. Thaïlande 617. Corée du N. 453. Roumanie 450. *France 311.* Corée du S. 288. Japon 275. Bolivie 226. Youg. 209. Colombie 181. Zimbabwe 176. Turquie 165. Égypte 136. Australie 130. Équateur 125. Hongrie 116. Viêt-nam 105. Uruguay 100. Iran 90. Afr. du S. 80. Nigeria 75. *Monde 107 350.*

Commerce (graines, en milliers de t, 1989-90). **Exp. :** USA 17 250. Brésil 3 500. Argentine 2 525. Chine 1 425. Paraguay 1 355. Canada 190. P.-Bas 185. *Monde 26 985* **Imp. :** Japon 4 750. P.-Bas 3 730. Allemagne 2 615. Espagne 2 390. Taiwan 2 200. Belg.-Lux. 1 285. Corée du S. 1 125. Mexique 935. Portugal 845. URSS 760. G.-B. 745. Italie 740. Indonésie 600. Malaisie 445. Israël 440. Roumanie 370. *France 350.* Norvège 290. Grèce 273. Youg. 248. Chine 235. Finlande 173. Canada 160. Corée duo N. 100. Venezuela 100. Colombie 90. USA 82. Trinidad 81. Égypte 80. Suisse 78. Dan. 73. Bulgarie 61. *Monde 26 921.*

• **Tomates (pommes d'amour). Origine.** Andes (Pérou) (espèce sauvage) ; à petits fruits (tomates cerises). Espagnols et Portugais importèrent en Europe la variété à gros fruits au XVIe s. **Description.** Tiges longues de 40 à 60 cm. Diamètre 5 à 11 cm. Maturité fin de l'été et automne. **Culture.** Semis févr.-mars. **Production** (en milliers de t, est. 1990). USA 10 300. URSS 7 300. Italie 5 900. Turquie 5 750. Chine 5 660. Égypte 5 000. Espagne 2 999. Roumanie 2 350. Brésil 2 348. Grèce 2 000. Mexique 1 746. Portugal 1 005. Inde 806. *France 770.* Nigeria 669. Irak 650. Canada 625. P.-Bas 595. Syrie 580. *Monde 70 170.*

En France. Production. *Introduite* en Provence v. 1750 sous le nom de « pomme d'amour ». Utilisée comme légume à partir du XIXe s. *Premières exploitations :* Barbentane, Châteaurenard, Marseille, Perpignan. *Plantation* en 3 étapes : semis (février, mars, avril), repiquage sur couches, plantation définitive, récolte (juin à oct.). **Principales variétés.** *De serre :* Montfavet H 63,4, H 63,5 (les plus demandées) ; Rustrel, Luca Quatuor, Itake, Lucy, Vémone, Sanvira, Pyros, Flamingo, Fandango. *De plein champ :* culture traditionnelle (avec taille et palissage) : St-Pierre et dérivées ; cult. à plat (type conserve, sans taille ni palissage) : Campbell 1 327, Heinz 2 274, 1 370, Ace 55 VF, Roma VF. Env 10 000 variétés commercialisées (tomates « de bouche » ou d'industrie). **Imp.** (en t, 1982) : env. 200 000 dont 44 471 du Benelux entre mai et juillet. **Exp. :** 10 245 dont vers CEE 5 354 (dont All. féd. 3 128, Belgique 1 052, Italie 434, G.-B. 271), Suisse 4 425.

• **Topinambour. Origine.** Importé d'Amérique au XVIIe s. par le navigateur Champlain, sous le nom de pomme du Canada, artichaut du Canada, artichaut de Jérusalem, soleil vivace ou topine. 1956 : 164 000 ha en France. Presque disparu. Aujourd'hui, grâce aux campagnes de P. Poujade, on pense revenir à 10 000 ha. **Description.** Partie aérienne simple ou ramifiée 2 à 4 m de h., souterraine, racines et tubercules (15 à 30 par touffe). **Culture.** Planté en avril. Excès d'humidité néfaste. En juillet, les tiges doivent atteindre 1 à 2 m et la croissance reprend courant sept.

Variétés. Violet de Rennes, violet commun (rose), patate Vilmorin (jaune et blanc sale), topinambour blanc hâtif. *Rendements :* fanes 10 à 20 t/ha, tubercules 50-60 t/ha (1980 : + de 80 à 90 t/ha). **Utilisation.** Tête d'assolement excellente. Traditionnellement : nourriture pour porcs et vaches laitières. Plante alcooligène pouvant produire 10 à 12 % d'alcool (60 hl à l'ha). Fanes ensilées ou distribuées en vert. Peuvent être brûlées pour chauffer la distillerie.

• **Truffes. Description.** Champignon souterrain (thallophyte ascomycète hypogé) vivant en symbiose avec certains arbres (chêne, noisetier, charme, pin d'Autriche). Des organes mixtes *(mycorhizes)* permettent par les racines une meilleure alimentation minérale de l'arbre qui, en contrepartie, lui apporte des matières organiques. Une truffière se signale par la disparition des herbes (le brûlé). La vraie truffe *melanosporum* ou truffe du Périgord (écorce noire verruqueuse et chair marbrée, très parfumée) vaut 2 500 à 3 200 F/kg. Parmi d'autres variétés, l'*aestivum* ou truffe d'été (écorce noire et chair blanche) vaut 800 F. **Truffes blanches** (*tartuffi bianchi*) (du Piémont, la couleur blanche est due au terrain d'origine). 12 000 F le kg, 250 à 1 000 F pièce. **Huile de truffe.** Huile végétale parfumée avec un arôme de synthèse.

En France. Démarrage de la trufficulture en Dordogne en 1887 (le vignoble, ruiné par le phylloxéra en 1875, ayant été reconverti en plantations à vocation truffière). Depuis 1989, les arbres truffiers sont exonérés de la taxe foncière. Les tentatives pour planter des chênes mycorhisés (à racines mariées au mycélium de la truffe) ont échoué. Une méthode favorisant la croissance de la truffe a été mise au point (sols trufficoles protégés par des serres en plastique, maintien de l'humidité à 15 % et de l'acidité du sol au pH 8 etc). **Production.** *1900 :* 1 500 t, *1982 :* 60 t, *83 :* 10 t (Lot, Drôme, Vaucluse, Dordogne, Gard), *86 :* 2 à 3 t, *87 :* env. 30 t ; (83) Espagne 50 t, Italie 40 t. **Besoins.** 400 t (fraîches 200, conserve 200). **Imp.** Italie 20 t, Espagne 30 t. **Nombre de trufficulteurs** Inorganisés 1 500, organisés 700. **Prix** *86 :* 2 800 F le kg, *87 :* 500 à 1 500, *89 :* 2 500 à 3 200.

Sucre

Généralités

• **Origine.** Glucide soluble : *« oses »* simples [glucose ou dextrose (dattes, raisins, végétaux, etc.), fructose ou lévulose (fruits, miel)] ou *« oses »* combinés [(amidon, cellulose, saccharose) abondants dans certaines espèces végétales : canne à sucre (tige), bett. à sucre (racine), certains sorghos, érable à sucre (sève) et certains palmiers]. On exploite : sucre d'érable au Canada, s. de coco et de palme en Thaïlande, s. de dattes au Pakistan, sirop de maïs aux USA, et surtout betterave, et canne à sucre. La marchandise vendue sous le nom de « sucre » est toujours du saccharose ; les produits, issus par exemple du maïs, sont vendus sous d'autres noms tels que dextrose, glucose, isoglucose, etc.

• **Canne à sucre. Origine.** Vient de l'Inde et de la Chine du Sud ; introduite v. 510 par les Perses sur les bords de la Méditerranée orientale, puis au VIIe s. par les Arabes en Égypte, Rhodes, Chypre, Afrique du N., Espagne du Sud, Syrie ; au XVe s., Espagnols et Portugais l'introduisent dans leurs possessions africaines (Canaries, Madère, Cap-Vert), ensuite au Brésil, à Cuba, au Mexique, aux Antilles ; Holl. et Fr. dans les îles de l'océan Indien et de l'Indonésie. **Aspect.** Tige de 2 à 5 m de haut. Contient 11 à 18 % de sucre sous forme de saccharose et d'un peu de glucose (bout blanc) (Martinique 11 %, Australie 15 à 18). Broyée, elle donne un liquide, le *vesou,* qui, après évaporation, donne le sucre cristallisé et la *mélasse.* Le résidu du broyage *(bagasse)* est utilisé comme combustible. **Culture.** Sur sol riche, temp. + de 20 °C et 1,80 m d'eau. Une souche fournit 6 à 10 récoltes successives (une tous les 12 ou 18 mois). **Rendement.** Variable selon climat, terrain, variété, irrigation, lutte contre les maladies [55 t en moyenne par ha en 12 mois et jusqu'à 350 t (Hawaii en 30 mois)]. **Utilisation.** Sucre, *rhum industriel* (vient de la mélasse de canne fermentée et distillée), *rhum agricole* ou *de plantation* (vient de la distillation du pur jus fermenté).

• **Betterave. Origine.** *Antiquité* la bett. potagère rouge est connue. *1575,* Olivier de Serres remarque sa richesse en sucre ; *1745,* le chimiste allemand Marggraf en extrait du sucre et le solidifie ; *1786,* le chimiste allemand Charles-François Achard (issu d'un français émigré), industrialise le procédé (sucreries en Silésie) ; *1806* 2 sucreries (St-Ouen et abbaye de Chelles) fonctionnent avant le blocus continental ; puis Napoléon fait ensemencer des terres en bett. ; Benjamin Delessert (1773-1847) clarifie le 1er le sucre de bett. *1812* (5-1). Napoléon crée des bourses et 500 licences pour la fabrication du sucre. **Aspect.** Plante bisannuelle ; 1re année phase végétative (le sucre s'accumule dans la racine), 2e année, reproductive ; accidentellement la 1re année (bett. montées en graines) si le semis a été trop hâtif. Pour extraire le sucre qu'elle contient, on la récolte la 1re année. **Espèces.** *Sauvages* (ex. : Beta maritima), racine très mince et fibreuse, 7 % de sucre ; cultivées pour leurs racines : bett. *sucrière* ou industrielle, conique, 15 à 20 % de sucre, issue d'une variété isolée par Achard connue sous le nom de « blanche de Silésie », qui avait une richesse en sucre de 7 %. *7 types :* ZZ contenant 18 % de sucre, Z 17,7, NZ 17,3, N 17, NI 16,7, E 16,3, EE 16. *Demi-sucrière :* sert surtout à l'alimentation du bétail. *Fourragère :* 6 à 12 %, de sucre, chair rouge, jaune ou blanche ; utilisée pour nourrir le bétail. *Potagère :* chair rouge. **Culture.** Exige des sols sains, non acides, avec une bonne structure et des fumures équilibrées. Demande un climat tempéré et humide 6 mois (avril à sept.) avec des périodes ensoleillées et chaudes juste avant la récolte. *Assolement :* en général triennal (bett., blé, orge) ou quadriennal (bett., blé, orge, p. de terre ou maïs) ; parfois, rotation biennale (blé, bett.) avec inconvénients sur le plan phyto-sanitaire. *Récolte :* entre 20 sept. et 15 nov. **Rendement.** 40 à 65 t de racines nues/ha ; moyen 45 t.(+ de 9 t de sucre).

Utilisation. *Betterave :* sucre 94 %, alcool 6 %, 1 t de bett. à richesse en sucre standard de 16 % donne (en kg) : *sucre* env. 130, *mélasse* à 48 % de saccharose 37,5, pour l'alimentation animale et les industries de fermentation (alcool, levure, acides aminés) ; *pulpe :* env. 50 de matière sèche se présentant sous forme de pulpe humide (env. 500), surpressée (env. 220), ou déshydratée (env. 55) ; utilisée pour l'alimentation animale ; *divers* (écumes, déchets végétaux : les verts de bett., feuilles et parties supérieures du collet, utilisés comme engrais verts ou pour l'alim. animale).

Présentations commerciales. *Sucre raffiné ou blanc raffiné :* contient au moins 99,7 % de saccharose. *S. roux :* 85 à 98 % de saccharose et certaines impuretés auxquelles il doit sa couleur plus ou moins brune. *Sucre cristallisé :* blanc recueilli dans les turbines après concentration sous vide et cristallisation des sirops. *S. en poudre :* (encore appelé de semoule) : obtenu par tamisage ou broyage du sucre cristallisé blanc. *S. glace :* poudre blanche obtenue par broyage de sucre cristallisé blanc et additionnée d'amidon (environ 3 %) pour éviter sa prise en bloc, s. des décors. *S. moulé en morceaux :* inventé 1854 par Eugène François, épicier parisien, cristaux de s. blanc ou roux, encore chauds et humides, venant des turbines, compressés dans des moules et agglomérés. *S. en cubes :* irréguliers obtenus après moulage en lingots du s. cristallité puis cassage. *S. candi :* cristaux blancs ou bruns obtenus par cristallisation lente sur un fil de lin ou de coton d'un sirop de sucre concentré et chaud, utilisé dans l'industrie du champagne. *S. pour confiture :* s. blanc additionné de pectine naturelle de fruits (0,4 à 1 %), d'acide citrique alimentaire (0,6 à 0,9 %) et quelquefois d'acide tartrique, facilite la prise des confitures et glaces « maison ». *Cassonade :* s. cristallisé brut, extrait directement du jus de la canne à s. qui lui donne sa couleur brune et sa saveur rappelant celle du rhum. *Vergeoise :* s. à consistance moelleuse venant d'un sirop de raffinerie de betterave ou de canne, coloré et parfumé par les composants de sa matière première ; *blonde* vient d'un sirop éliminé lors d'un 1er essorage du s. brun, résulte de la recuisson du sirop de 2e essorage du s. ; s. des spécialités flamandes. *S. liquide :* ou sirop de s. pour punchs et recettes exotiques. *Pain de sucre :* cristallisé moulé et refroidi dans des formes coniques. Sert de décor et pour des punchs originaux.

Statistiques

• **Production** (en milliers de t de sucre brut, 1989-90). **Sucre de betterave.** URSS 9 565, France (Métropole) 4 198, All. féd. 3 337, USA 3 091, Pologne 1 895, Italie 1 880, Turquie 1 378, G.-B. 1 377, P.-Bas 1 240, Belgique-Lux. 1 038, Espagne 1 023, Yougoslavie 969, Chine 850, Tchéc. 766, All. dém. 678, Japon 667, Hongrie 577, Roumanie 543, Danemark 530, Iran 468, Autriche 458. **Sucre de canne.** Inde 11 985, Cuba 8 050, Brésil 7 793, Chine 4 865, Thaïlande 3 506, Australie 3 844, Mexique 3 406, Afr. du Sud 2 293, Indonésie 2 225, USA 2 097, Pakistan 1 988, Philippines 1 750, Colombie 1 567, Argentine 1 017, Égypte 890, Iles Hawaii 795, Rép. Dominicaine 601, Guatemala 735, I. Maurice 602, Pérou 575, Taiwan 511.

Production mondiale (entre parenthèses % betterave, % canne). **1900-01 :** 11,26 (53,3 et 46,7). **20-21 :** 16,8 (29,2 et 70,8). **30-31 :** 27,86 (42,8 et 57,2). **40-41 :** 29,9 (39,1 et 60,9). **50-51 :** 33,58 (42 et 58). **60-61 :** 55,44 (43,8 et 56,2). **70-71 :** 72 (41,3 et 58,7). **80-81 :** 88 (37,5 et 62,5). **85-86 :** 99,4. **88-89** 105,8 (35,7 et 64,3). **89-90** 108,7 (36 et 64). **1990-91** (prév.) 111,5 (36,1 et 63,9).

Source : F.O. Licht.

• **Commerce** (en millions de t de sucre brut, 1989-90). **Exp. : nettes (exp.– imp.) :** Cuba 6,7. Australie 2,9. Thaïlande 2,7. *France 2,6.* Brésil 1,4. All. féd. 0,9. Afr. du S. 0,87. Ile Maurice 0,64. Belg.-Lux. 0,57. Swaziland 0,52. Fidji 0,49. P.-Bas 0,47. Rép. Dominic. 0,44. Philippines 0,38. Colombie 0,35. Guatemala 0,34. Danemark 0,27. Argentine 0,2. Zimbabwe 0,19. Guyane 0,13. *Monde (est.) 29,34.* **Imp. nettes (imp.-exp.) :** URSS 4,42. Japon 1,76. USA 1,36. Chine 1,05. R.-U. 1,03. Mexique 0,97. Algérie 0,86. Égypte 0,74. Iran 0,74. Canada 0,73. Corée du S. 0,73. Irak 0,61. Malaisie 0,51. Portugal 0,43. Syrie 0,42. Arabie Saoudite 0,4. Bulgarie 0,39. Maroc 0,35. Turquie 0,34. Nigeria 0,32. Sri Lanka 0,32. *Monde (est.) 28,19.* **Commerce international.** Plus de 80 % de la production sucrière mondiale est consommée sur place. Les échanges (29 millions de t, dont 50 % sucre blanc, roux ou brut) se font en majorité dans le cadre d'accords préférentiels de pays à pays (ex. accord Cuba-COMECON, acc. CEE-ACP, accord de livraisons sur les U.S.A. en fonction de quotas d'importations instaurés en 1982) et pour le reste sur le marché « libre », en fonction de l'offre et la demande aux cours établis sur les Bourses de commerce. Une autre partie s'effectuait dans le cadre d'un accord international sur le sucre qui distribuait des quotas aux exportateurs et aux importateurs, mais le dernier accord international a expiré en 1984 sans être renouvelé.

• **Bilan sucrier mondial** (en millions de t de sucre brut, 1988-89). *Stock initial* 33,4. *Production* 104,6. *Importations* 29,7. Total *167,8.* Consommation 107,7. *Exportations* 30,3. Stock final 29,7. (1989-90, estim.). Stock initial 29,7. Production 109,2. Importations 28,2. Total *167,1.* Consommation 108,4. Exportations 29,3. Stock final 29,3. **Cours mondial moyen** (à Paris en F, par t de sucre blanc). *1965 :* 313. *68 :* 200. *70 :* 485. *73 :* 1 000. *74 : janv.* 1 600 ; *22 nov. :* 8 150 ; *fin déc. :* 3 820. *75 :* 2 393. *76 :* 1 516. *77 :* 1 035. *78 :* 915. *79 :* 1 089. *80 :* 2 984. *81 :* 2 407. *82 :* 1 619. *83 :* 1 916. *84 :* 1 477. *85 :* 1 330. *86 :* 1 362. *87 :* 1 168. *88 :* 1 578. *89 :* 2 421. *90 :* 2 093. *91, févr. : 1 493.*

• **Consommation apparente de sucre blanc** (en kg par hab., en 1989). Singapour 65,2. Cuba 62,6. Gibraltar 61,4. Swaziland 59,5. Gambie 55,4. Costa Rica 53,9. Islande 53,1. Bahamas 51,5. Israël 51. Hongrie 49,8. Jamaïque 48,8. Barbade 47,4. Tchéc. 47,1. Trinité et Tob. 47,1. Australie 46,8. Fidji 46,6. Brésil 46,2. Bulgarie 46. N.-Zélande 45,8. Malte 45,2. URSS 44,1. Mexique 43,8. Pologne 43,6. All. dém. 42,6. R.-U. 40,8. Suède 40,8. Finlande 40,1. Suisse 39,9. Belg.-Lux. 39,1. P.-Bas 38,1. Irlande 37,8. Danemark 37,4. Canada 36,8. Norvège 36,5. All. féd. 35,2. Youg. 35,2. *France 33,9.* Grèce 32,5. Portugal 31,7. Afr. du S. 28,4. Maroc 28,4. USA 27,9. Italie 27,2. Espagne 27,1. Irak 27,1. Koweït 27. Argentine 25,5. Roumanie 23,8. Japon 21. Thaïlande 16,3. Indonésie 13,3. C.-d'Ivoire 12,2. Inde 12,1. N.-Guinée 7,5. Mali 7. Viêt-nam 7. Somalie 6,3. Macao 6. Madagascar 6. Chine 5,9. Liberia 5,5. Comores 5,4. Ghana 5,1. Corée du N. 5. Tchad 5. Burkina-Faso 4,1. Guinée-Bissau 3,9. Sierra Leone 3,7. Tanzanie 3,7. Ouganda 3,6. Mozambique 3,3. Afghanistan 3,2. Cameroun 3,2. Bénin 3. Éthiopie 3. Nigeria 2,9. Zaïre 2,9. Burundi 2,8. Niger 2,7. Bangladesh 2,4. Népal 1,7. Laos 1,4. Rwanda 1,3. Rép. centrafricaine 0,9. Birmanie 0,6. Cambodge 0,6.

☞ **Concurrents du sucre. Édulcorants naturels.** Dérivés du *maïs :* glucose, isoglucose ou glucose isomérisé à haute teneur en fructose [high fructose corn syrup (HFCS)], *lait* (lactose), *malt* (maltose), bois (xylose). **Polyols** (sucres-alcools). Parfois utilisés par l'industrie alimentaire. Valeur énergétique 2 et 3 kcalories. Non autorisés dans les boissons à saveur sucrée. *Pouvoir sucrant :* sorbitol (hydrogénation du glucose) 0,5 à 0,6, xylitol (xylanes du bois de bouleau) 1, mannitol (hydrogénation du mannose ou réduction du sucre inverti) 0,5 à 0,7, maltitol (hydrogénation du maltose) 0,85 à 0,95. **Édulcorants chimiques.** N'apportent pas de calories. Les cyclamates sont vendus exclusivement en pharmacie et leur incorporation dans la fabrication des produits alim. est interdite. L'étiquetage doit indiquer : « ne pas donner aux enfants de – de 3 ans », pour l'aspartame : « contient de la phénylalanine », la saccharine et ses sels : « à consommer avec modération par les femmes enceintes ». *Pouvoir sucrant :* saccharine découverte 1879 par Fahlberg (acide ortho-sulfimide-benzoïque obtenu par synthèse chimique à partir du toluène) 300-400, acésulfamK ou acétosulfam (dihydro-oxathiazin-dioxyde obtenu par synthèse chimique à partir du tributylacéto-acétate) 100 à 200, aspartame découvert 1965 par Schalter (dipeptique : aspartyl-phénylalanine-méthyl-ester) 100 à 200, cyclamate découvert 1940 par Audrieth et Sveda (acide cyclo-hexyl-sulfamique obtenu par synthèse chimique à partir du benzène) 25 à 30.

Le sucre dans le Marché commun

Réglementation du Marché commun sur la production et l'achat de sucre. *Entrée en vigueur* le 1-7-1968. **2e règlement :** 1974-75 à 1979-80. **3e :** 1981-82 à 1985-86. **4e :** adopté 10-12-85 pour 1986-87 à 1990-91. Chaque pays dispose d'un contingent de production, les quotas sont répartis entre pays et entreprises sucrières qui traduisent les quotas en droit de livraisons de betteraves pour les planteurs avec lesquels elles concluent des contrats (l'ensemble de ces opérations est régi par un accord interprofessionnel). Un quota de base, appelé *quota A,* correspondant à la consommation totale de la CEE, bénéficie de garanties de prix et d'écoulement. Il supporte une cotisation (dite cot. de base) de 2 % du prix d'intervention fixé par la CEE. Le quota supplémentaire, *(quota B)* fixé pour chaque pays, en considération de ses références de production, est garanti moyennant une cotisation de 2 + 30 %. Si cette participation financière des producteurs est insuffisante pour couvrir les charges à l'exportation, une cotisation supplémentaire pouvant atteindre 7,5 % est appliquée. Le 4e règlement a mis en place une nouvelle cotisation spécifique (1,63 % pour la France) sur les quotas A et B, pour apurer le déficit du précédent règlement ; 1,31 % en moyenne, mais son taux est modulé en fonction des sommes versées durant le précédent règlement. **Cotisation de résorption.** Destinée à résorber le déficit du précédent règlement sucre, elle porte sur les productions A et B. Pour la France son montant est fixé en 1990-91 à 0,882 écus (0,96 F), par quintal de sucre. **Cotisation supplémentaire.** Destinée à résorber le déficit de la campagne, elle porte sur les productions A et B de cette campagne.

Prix de seuil du quintal (en F, 1990-91). *Sucre blanc :* 64,4 écus (508,48 F) ; *s. blanc brut (92 %) :* 56,06 (434,73).

Quotas de production communautaires (pour les campagnes 1986-87 et 1987-88, en milliers de t de sucre blanc). *France 3 802* (A 2 996 et B 806) dont Métropole 3 319 (A 2 560 + B 759), DOM 483 (A 436 + B 47). All. féd. 2 602 (A 1 990 + B 612). Belg.-Lux. 826 (A 680 + 146). Danemark 425 (A 328 + 97). Grèce 319 (A 290 + B 29). Irlande 200 (A 182 + B 18). Italie 1 568 (A 1 320 + B 248). P.-Bas 872 (A 690 + B 182). Roy.-Uni 1 144 (A 1 040 + B 104). Espagne 1 000 (A 960 + B 40). Portugal 70 (A 63,6 + B 6,4), dont Açores 10 (A 9,1 + B 0,9). *Total à 12 :* 12 828 (A 10 539,6 + B 2 288,4).

Nota. - Un quota max. de 870 000 t serait attribué à l'All. dém. comprenant (en milliers de t) : A 665,29, B 204,71. Quota max. de la CEE élargie : 13 698 milliers de t.

Production. A 12 : *1983-84 :* 12,2. *84-85 :* 13,6. *85-86 :* 13,6. *86-87 :* 14,1. *87-88 :* 13,2. *88-89 :* 13,9. *89-90 :* 14,3 **Commerce extérieur 1988-89. Exp.** vers pays tiers 4,8, CEE 2,3. **Imp.** de pays tiers 1,6, CEE 2,3. **Consommation annuelle moy.** 34,1 kg/h.

Le sucre en France

• **Ensemencement de betteraves destinées aux sucreries et sucreries-distilleries** (en milliers d'ha). *1950-51 :* 320. *60-61 :* 385. *70-71 :* 372. *80-81 :* 521. *81-82 :* 620. *82-83 :* 543. *83-84 :* 466. *84-85 :* 506. *85-86 :* 464 + 19 pour les distilleries. *86-87 :* 421. *87-88 :* 421. *88-89 :* 417. *89-90 :* 417. *90-91 :* 458.

• **Sucreries** *1939-40 :* 106. *55-56 :* 109. *70-71 :* 73. *81-82 :* 57. *82-83 :* 57. *83-84 :* 57. *84-85 :* 56. *85-86 :* 55. *86-87 :* 54. *87-88 :* 54. *88-89 :* 52. *90-91 :* 50. Transformant (en 1989-90) *moins de 4 000 t de bett./jour* 5, *4 000 à 5 000 t* 9, *5 000 à 7 000 t* 5, *7 000 à 10 000 t* 15, *+ de 10 000 t* 16. **Métropole.** *Effectifs :* 41 000 planteurs, 31 sociétés, 50 usines ; 24 814 empl. dont camp. 14 886, inter-camp 9 928. *1989-90 : Beghin-Say* assurait 28,5 % de la prod. avec 10 usines ; *Générale sucrière* 14,5 % (5 u.) ; *Compagnie fr. de sucrerie* 8 % (4 u.) ; *Vermandoise-Industries* 6 % (3 u.), Sucreries du N.-E. 3 % (2 u.) ; *Coopératives et Sica* 19 % (9 u.) ; *autres Stés* 21 % (17 u.). *Production (en milliers de t de sucre blanc) : 1939-40 :* 1 047. *55-56 :* 1 488. *60-61 :* 2 546. *65-66 :* 2 190. *70-71 :* 2 480. *75-76 :* 2 981. *80-81 :* 3 921. *81-82 :* 5 130. *82-83 :* 4 446. *83-84 :* 3 562. *84-85 :* 3 957. *85-86 :* 3 953. *86-87 :* 3 410. *87-88 :* 3 649. *88-89 :* 4 022. *89-90 : 3 868.* **DOM** (production en milliers de t). *80-81 :* Réunion 223, Antilles 61, *85-86 :* R. 223, A. 72, *86-87 :* R. 237,2 (5 u.), A. 67,4 (5 u.), *87-88 :* (18 000 planteurs sur 55 000 ha) 302,6 dont R. 221 (4 u.), A. 81,6 (5 u.), *88-89 :* (18 000 planteurs sur 55 000 ha) 328,6 dont R. 245,2 (4 u.), A. 83,4 (5 u.). *89-90 :* (16 500 planteurs sur 51 500 ha) 197,5 dont R. 166,2 (4 u.), A 31,3 (5 u.).

Production de mélasses (milliers de t) en sucrerie : *1939-40 :* 326. *55-56 :* 430. *60-61 :* 656. *65-66 :* 543. *70-71 :* 663. *75-76 :* 984. *80-81 :* 989. *84-85 :* 1 058. *85-86 :* 1 126. *86-87 :* 998. *87-88 :* 1 054. *88-89 :* 1 059. *En raffinerie, 80-81 :* 24. *84-85 :* 16. *85-86 :* 13. *86-87 :* 12.

• **Sociétés de production de sucre de betterave.** Béghin-Say (10 sucreries), appartient au groupe Ferruz ; chiffre d'affaires 36,95 milliards de F en 1989 dont 7,15 concernent le sucre : 28,5 % de la production ; Générale sucrière (5 sucres) : 14,5 % ; Cie française de sucreries (4) : 8 % ; Vermandoise-industries (3) : 6 % ; Sucreries du Nord-Est (2) : 3 % ; Coop. et Sica (9) : 19 % ; autres Stés (17) : 21 %.

☞ La France est le 2e producteur de sucre de betteraves du monde derrière l'URSS

• **Consommation de sucre. Total** (en milliers de t, cons. par hab. en kg entre par.). *1965-66 :* 1 625 (32,9). *70-71 :* 1 834 (35,8). *73-74 :* 2 069 (39,4). *80-81 :* 1 898 (35,2). *85-86 :* 1848 (33,4). *86-87* 2 012 (36,2). *87-88* 1 935 (34,7). *88-89* 1887 (33,7). *89-90* (est.) 1 903 (33,8).

• **Utilisations du sucre** (en milliers de t, 1989). Total : 1 899,8 dont *ventes à la consommation directe :* 586,1 (dont morceaux 328,4, poudre 135,8, cristallisé 119,9, autres sortes 1,9). *Aux principales industries utilisatrices :* 1 172,9. *A l'industrie chimique :* 41. *A l'apiculture :* 1,35. *Divers et indéterminé :* 98,5. **Utilisations indirectes pour la consommation humaine** (en milliers de t, 1989). Total : 1 172,9 dont produits de chocolaterie, confiserie 246,7. Boissons rafraîchissantes 198 [1,2]. Sirops 123,2. Biscuits, pâtisserie ind., biscottes, viennoiseries 109,6, yaourts présucrés, laits gélifiés, crèmes desserts 87,3. Confitures, conserves de fruits 84,2. Pâtisserie artisanale [2] 61. Petits déjeuners, aliments diététiques, entremets 43,9. Déclarations de chaptalisation 22,7. Crèmes glacées 39,1. Pharmacie [2] 26,9. Vins, mousseux et champagnes 30 [2]. Laits concentrés et en poudre 22. Liqueurs et crèmes de cassis 16,5. Conserves et condiments [2] 13,7. Boissons spiritueuses [2] 10. Caramels colorants 8,2. Utilisations diverses 30.

Nota. - (1) + boissons gazeuses et à base de fruits et de jus de fruits. (2) Estimations.

• **Transport.** Au-delà de 25 kg, un titre de mouvement délivré par le service des impôts est obligatoire.

Tabac

Généralités

• **Quelques dates. XVIe s.** ramené d'Amérique par les Espagnols. **1556** introduit en France par André Thevet (Angoulême 1504-1592) cordelier, aumônier de l'expédition de Villegagnon au Brésil ; il sème des graines de cette herbe que les Indiens appellent pétun et l'appelle herbe angoumoise. **1559** Jean Nicot (v. 1530-1600), ambassadeur de François II à Lisbonne, soigne son cuisinier avec un emplâtre de cette herbe. On afflue à Lisbonne pour s'en procurer. Nicot envoie des graines en France et du tabac en poudre à Catherine de Médicis pour soulager ses migraines. Toute la Cour suit des traitements à base de tabac prescrits par Nicot et le grand prieur François de Lorraine le met à la mode. **1561** appelé nicotiana ou herbe à Nicot ou encore « herbe de la reine », « médicée », « catherinaire », « herbe de M. le Prieur », « l'herbe sainte », « herbe à tous les maux », « panacée antarctique », « herbe à l'ambassadeur ». Restera une plante médicinale jusqu'au début du XIXe s. (lavements, purges, dilué dans bouillons pour nettoyer le corps). **Fin XVIe s.** apparition du mot tabac (de tabago, roseau ou cornet entourant les feuilles roulées) qui ne l'emportera sur le mot pétun qu'au milieu du XVIIIe s. **XVIIe s.** le pape Urbain VIII interdit l'usage du tabac dans les églises et envisage d'excommunier les fumeurs. Louis XIII l'interdit. A Moscou, Michel Fedorovitch menace les fumeurs de 60 coups de bâton sur la plante des pieds. **1621** Richelieu augmente la taxe du tabac. **1674** Colbert l'afferme pour 6 a. (redevance de 500 000 puis 700 000 livres les 4 dernières années). Il institue le monopole du tabac. **Fin du XVIIe s. la cigarette,** utilisée par les Indiens (tabac **enroulé** dans des feuilles de maïs), est réinventée par un soldat turc qui bourre de tabac une douille en papier pour remplacer le fourneau de sa pipe arraché par une balle. **Début XVIIIe s.** 1 200 débits de tabac à Paris (le plus chic était « A la civette », place du Palais Royal). **1720** la ferme des tabacs est cédée à la Cie des Indes (loyer : 1 500 000 livres ; rapport : 27 millions de livres en 1771). **1809** Vauquelin isole la nicotine. **1811** Napoléon rétablit le monopole (culture, fabrication, vente). **1818** création du mot nicotine pour l'alcaloïde du tabac. **1842** 1res cigarettes (manufacture du Gros-Caillou). **1844** 1ere machine à rouler les cigarettes : cigarettotype du Français Le Maire. **1860** Direction Gén. des Manufactures de l'État mise en place au Min. des Finances. **1864** succès des cigarettes « façon russe ». Module préféré : 7,4 mm. **1876** des noms propres apparaissent : Odalisques, Entractes, Petits Pages, Chasseurs (cigarettes fermées remplies de débris), Élégantes, Pages, Jockeys, Hongroises, Favorites, Boyards, Russes. Chaque marque est fabriquée dans la version Caporal ordinaire (paquet bleu clair), Caporal supérieur (rose), Maryland (vert clair) ou Levant (violet), Levant supérieur (chamois), Vizir (blanc), Vizir supérieur (vert foncé) et Giubeck (rouge foncé). **1877** il y a 79 marques. **1880** machine de Couflé pour les cigarettes. **1887** les Élégantes sont les préférées. **1893** nouvelles marques : Espagnoles, Almées, Guatemala, Dames, Égyptiennes, Havanaises, Grenades. **1894** il y a 242 marques (combinaison de 17 noms avec 15 qualités de tabac). **1910** les Hongroises deviennent Gauloises [1925 prennent comme symbole « le casque à ailette » (dessiné par Giot) ; 1936 redessiné par Jacno]. Apparition des Gitanes. **V. 1920-25** les Gauloises prennent la 1re place. **1925** vogue des tabacs d'Orient. **1926** création d'une Caisse Autonome d'Amortissement de la dette publique à laquelle sont versées les recettes du monopole des Tabacs (SEIT : Service d'Exploitation Industrielle des Tabacs) ; sera supprimée en 1959. **1931** apparition des Balto. **1933** de la Celtique. **1935** SEIT devient Seita lorsque la gestion du monopole des allumettes lui est confiée. **1959** ordonnance du 7-1-1959 complétée par décret du 10-1-1961 : le Seita devient établissement public à caractère industriel et commercial, chargé de l'exploitation d'un monopole fiscal. Son personnel, avant fonctionnaire ou ouvrier d'État, est régi par un statut autonome décret du 6-7-1962). **1970** suppression du monopole de culture (règlement CEE du 21-4). **1972** loi du 4-12 : fabrication et importation d'allumettes réservées à l'État et confiées au Seita (sauf imp. CEE). **1976** loi du 24-5 : tabacs manufacturés (importation et commercialisation en gros venant de la CEE, ne sont plus réservées à l'État mais confiées au Seita). Le monopole de la vente au détail relève de l'Administration des Impôts qui l'exerce par l'intermédiaire de débitants. Le Seita conserve en France le monopole de fabrication des tabacs et allumettes. **1980-2-7** le Seita devient la Seita, la « Sté d'exploitation industrielle des tabacs et allumettes ». **1984,** *juillet* l'État devient unique actionnaire de Seita.

Nota. - Le losange rouge signalant les débits de tabac est une carotte stylisée qui rappelle les rouleaux de feuilles de tabac que l'on livre pressés et liés par une ficelle.

• **Caractéristiques.** Famille des solanacées, plante annuelle, fleurs hermaphrodites. 60 espèces. *Nicotiana rustica* (9 espèces, solides, qualité inférieure, originaires du Pérou, implantées en Europe de l'Est, teneur élevée en nicotine) ; *tabacum* (majorité du tabac actuel ; solide, 6 espèces dont l'une compte un nombre de chromosomes double des autres) ; *pétunoïde* (45 espèces, culture extensive dans l'hémisphère Sud). **Dimensions.** haut. jusqu'à 2 m, feuilles 85 à 100 cm de long. **Teneur en nicotine.** Racine - de 0,4 %, feuilles de terre 2 %, f. du sommet 4 % et + [*Nijerck* (Lot) peut atteindre 8 %].

• **Traitement.** Le tabac est placé dans des séchoirs généralement en brique et bien aérés : *jaunissement* (par déchlorophyllation et déshydratation), *dessiccation* par ventilation, *réduction.* S'il a été cueilli en feuilles, celles-ci sont empilées en bouquets *(manoques)* ; récolté en tiges, celles-ci sont liées par de grosses ficelles et suspendues par la base.

• **Différents types de tabac.** *T. clairs* (« goût américain ») : faible arôme. *T. d'Orient :* clairs, séchés au soleil *(sun-cured)* ; pour mélanges aromatiques (Moyen-Orient, Asie, différentes marques de goût am.). *T. blonds (goût am. et goût anglais) : séchés à l'air chaud (flue-cured). T. noirs* (goût français) : cigarettes fr. du Kentucky, Cuba, Brésil, Indonésie. Séchés à l'air *(dark air-cured)* ou au feu *(fire-cured).* **Cigare** [de l'espagnol *cigarral,* petit verger (où l'on cultive son propre tabac)] : inventé par les Indiens, répandu en Europe par les P.-Bas (en France à partir de 1816). *T. clairs, séchés à l'air chaud* (flue-cured) du type Virginie (light air-cured) de types Burley, Maryland ; *séchés au soleil* (sun-cured) du type Orient, de type autre que les t. d'Orient. *T. bruns, séchés à l'air naturel* (dark air-cured) du type t. français ; *séchés au feu* (fire-cured) du type Kentucky.

☞ Le tabac pourrait devenir une source importante de protéines : 1 ha cultivé en plein champ peut donner 163 t de feuilles fraîches, soit env. 15 t de mat. sèches dont : *résidus insolubles* enrichis en cellulose 5,9 t (cigarettes, bétail) ; *précipité vert* 14,1 t (pigments et amidon pour enrichir les aliments du bétail 0,9 t, protéines insolubles pour bétail 1,35 t) ; *jus brun* (protéines solubles 1,65 t dont fractions utilisables par l'homme : cristallisées 0,325 t et non cristallisées 1,325 t ; sels, sucres, acides aminés, vitamines, etc. 4,1 t). Néanmoins, la culture nécessite beaucoup d'eau et d'engrais (surtout azotés).

• **Composition type de la fumée, en mg par cigarette.** Les teneurs minimales sont inférieures pour produits ultra-légers. *Phase particulaire :* nicotine 0,3 à 1,5, phénol 0,03 à 0,09, crésol 0,01 à 0,03, benzopyrène 10^{-5} à 2.10^{-5}, chrysène 3.10^{-5} à 6.10^{-5}, autres hydrocarbures aromatiques polycycliques 3.10^{-4} à 6.10^{-4}, aldéhydes + cétones 0,5 à 2, acides 0,5 à 1,5, alcools et polyols 0,2 à 2. *Phase gazeuse :* azote 250 à 270, oxygène 50 à 60, CO_2 40 à 60, CO 8 à 18, H_2 0,1 à 0,2, H_2O 3 à 5.

Constituants biologiquement actifs. La fumée de cigarette est un aérosol composé de particules solides ou liquides de 0,1 à 2αm, et d'un gaz, et qui sont formés sous l'effet de la combustion. Plus de 7 000 composants ont déjà été identifiés.

Nicotine : alcaloïde qui agit d'une manière spécifique sur le système nerveux sympathique et parasympathique. Peut avoir un effet paradoxal en agissant soit comme sédatif, soit comme stimulant favorisant la vigilance. Impliquée dans certains effets du tabac sur l'appareil cardio-vasculaire.

Acroléine et autres aldéhydes : composés irritants (toux du fumeur).

Oxyde de carbone : sous-produit de la combustion incomplète du tabac. Il se fixe sur l'hémoglobine des globules rouges, la transformant en carboxyhémoglobine stable, ce qui réduit l'oxygénation du sang.

Goudrons : (aromatiques polycycliques) : condensat de fumée carcinogènes et cocancérigènes, (benzopyrènes, nitroso-amines, nickel, plutonium 240, arsenic). *Taux européens par cigarettes* : au 1-12-1992 inférieurs à 15 mg, et au 1-12-1997 inférieurs à 12 mg.

Teneurs en nicotine, et entre parenthèses, en goudrons (inscrites sur les paquets, en mg) en 1989.

Légende. Filtre : f ; menthol : m ; rigide : r ; souple : s ; légère : l.

Ariel m 0,98 (14,9). **Armada** Galion et m 1,09 (15,9). **Balto** 1,5 (19,2). **Bastos** de luxe f, r 1,4 (14,5) ; s 1,2 (13,4) ; f 1 (13,5) ; International 0,97 (9,7) ; l 1,5 (18,5) ; paquet bleu 1,2 (19). **Belga** f 1,2 (14,8). **Benson & Hedges** f 1,2 (14) ; Luxury Mild 0,8 (5) ; Special Mild 0,7 (7) ; Ultra Mild 0,3 (3,5). **Blue Way** 1,23 (19,8) ; f 0,82 (13,3). **Boule d'Or** King Size f 0,88 (11,8) ; l 0,49 (4,9). **Boyard** (maïs) 2,95 (45). **Brasilenas** Extra Longue f l (13,5). **Camel** 100 mm 1,19 (15,2) ; Extra Mild 0,46 (4,6) ; f r et s 1,14 (14,19) ; Mild 0,86 (9,7) ; Regular sans f 1,29 (18,5). **Capri** 0,89 (8,9). **Celtique** 1,55 (23). **Chesterfield** King Size Export f 1,14 (14,9) ; King Size sans f 1,55 (19,9) ; Regular sans f 1,29 (17,5). **Corps Diplomatique** Luxury Mild 1 (12). **Craven** A 1,3 (16,8) ; f 1,2 (15) ; l 0,81 (9,7) ; S Special 0,7 (8) ; A King Size f 1,4 (16) ; Export f et m 0,96 (14,7). **Davidoff** 1,56 (17,6). **Diana** King Size 0,9 (14) ; Specially Mild 0,8 (12). **Ducados** f 1 (17). **Ducal** f 1,25 (16) ; Mild 0,88 (9). **Dunhill** International 1,35 (15,8) ; f 1,6 (17,5), m 0,91 (11,2), Superior Mild 0,8 (9) ; King Size 1,2 (14,8), f 1,45 (15,5), m Mild 0,75 (7,8), Super Light et m 0,46 (3,8), Superior Mild 0,7 (6,5) ; Special Light 0,8 (9,5). **Ernte** 23 f 0,87 (14,7). **Excellence 10 mm** f 1 (17). **Fine** 120 1,25 (14) ; m 1,05 (14). **Flash** 85 0,5 (12). **Fontenoy** 1,78 (23) ; f 0,98 (14,5). **Fortuna** f 0,95 (14,9). **Française** 1,39 (19,8) ; f et m f 0,75 (12). **Gallia** et m 0,3 (5,5). **Ganesh Beedies 501 en 25** 3,1 (35). **Gauloises** 1,37 (19,6) ; Blondes et Blondes 100 1,09 (14,9) ; Blondes l et Bl. 1 100 0,78 (9,8) ; Brunes f 0,98 (14,9) ; Disque Bleu 1,45 (18,5) ; Disque B. f 0,77 (12,5) ; Doux 0,58 (16,8) ; Doux f 0,4 (7,2) ; Extra l 0,49 (5,9) ; f 0,84 (13,9) ; goût Maryland 1,2 (21) ; l 0,69 (8,9) ; Longues 0,8 (13) ; Ultra l 0,29 (2,9). **Gitanes** 1,46 (19,5) ; maïs 2,8 (39,8) ; Blondes 0,98 (14,2) ; Extra l 0,61 (5,9) ; f 0,95 (12,2) ; f (maïs) 1,45 (19,8) ; Internationales 1,09 (12,7) ; l f 0,86 (9,8). **Gold Leaf** 1,45 (16,5). **H B** 0,99 (15,4) ; 100 S 0,99 (15,4). **Job Maryland** 1,5 (22), f 1,1 (15,5) ; Spéciales 2,05 (31) ; f 1,45 (22,5) ; Supérieures 1,5 (22) ; f 1,1 (15,5). **John Player** King Size 1,4 (15,5), Extra Mild 0,95 (9) ; Special International 1,45 (15), l 0,95 (9) ; Special King Size 1,25 (12), l 0,95 (9), Ultra l 0,6 (5). **Kent** 1 (13,5) ; De Luxe Lenght 1,25 (14,5). **Kim** 0,69 (8,8) ; Super Lights 0,4 (3,9). **Kool** r et s 1 (13,5) ; Super Light r 0,5 (6,8) ; s 0,58 (6,8) ; Ultra Lights 0,39 (3,9). **Krone** 0,65 (9,9). **Kurmark** 1,05 (15,4). **Lord Extra** 0,55 (9,5). **Lucky Strike** 1,14 (18,4) ; f 0,97 (14,9). **M S** Blu 0,95 (12,5) ; f r et s 1,1 (12) ; Lights King Size f 0,4 (4,5). **Marigny** 0,9 (14,5). **Malboro** 100'S r et s 1,2 (16,9) ; f box et f King Size 1,09 (14,9) ; Lights 100'S 0,8 (10,8) ; Lights King Size 0,7 (9,6) ; m King Size Box 1,09 (14,9). **Melody** 0,59 (6,5). **Merit** f King Size 0,56 (7,5). **Mild Seven** 3,95 (13,6). **Multifilter 100'S** 0,95 (12,9). **Muratti Ambassador** Extra Mild King Size 0,68 (7,8) ; f King Size 8 0,95 (12,9). **Nazionali** f 0,95 (14,5). **Ne Lunba** f 1 (13). **News** 0,98 (14,2). **Pall Mall** s 1,9 (25) ; f (100 mm) 1,15 (14,9) ; f r 1,05 (14,4) ; l (10 mm) 0,75 (9,5) ; m (100 mm) 1,15 (14,9). **Parisiennes** Ultra l 0,09 (0,9). **Peter Stuyvesant** Extra Mild r et m Lights 0,38 (3,5) ; King Size f, r et s 1 (12,7) ; Luxury Length r 1 (13,7), s 1,02 (13,9), Extra 0,65 (6,5), m 1 (13,7), Ultra 0,29 (2,9) ; m et r 0,90 (12) ; Ultra Mild r 0,16 (1,4). **Philip Morris** 100'S Super Lights f 0,4 (4,5) ; f King Size 1,09 (14,9) ; Lights f King Size 0,70 (9,5) ; Super Lights f King Size 0,4 (3,9) ; Ultra Lights f King Size 0,17 (1,3). **Pierre Cardin** et P.C. m 1 (12). **Players Navy Cut** 1,75 (22). **R 6** 0,59 (7,9). **R 1** 0,25 (2,5). **Reval** 1,35 (23) ; f 0,95 (14,8). **Reyno** f et m 0,94 (14,9). **Roth Handle** 1,4 (23) ; f 0,8 (13). **Rothmans** International 1,4 (16,7) ; King Size f 1,1 (14,8), 10,86 (9), Lights Extra l 0,55 (5,5) ; Luxury Lenght 1,25 (16). **Royal** r, s et Extra Longues r 1,15 (14,9), s 1,35 (14,9) ; Extra Longues l 0,6 (6,9), m r et m s 0,98 (14,9) ; l r 0,49 (4,9) ; m r et m s 0,98 (14,9) ; m r l 0,56 (6,2) ; m Ultra l 100 0,22 (2,2) ; Ultra l 0,09 (0,9). **S G** Gigante 1,05 (14,8) ; l 0,98 (9,9). **Seitanes** r 0,45 (8). **Silk Cut** et S C Extra 100'S 0,90 (9,8). **Sobranie** Black Russian l (15,5) ; Elegance In Colour 1,1 (13,5). **St-Moritz** 120 et 120 m 1 (15). **Time** 120 mm r et m r 1 (15,4). **Vogue** 0,5 (3) ; m 0,8 (8,4). **Winston** f 100 mm 1,1 (14,7) ; f r et f s 1 (14) ; Lights 0,56 (9,7) ; Super Lights 0,39 (3,9) ; Ultra Lights 0,15 (1,3). **Y S L** et m 1,14 (12,3).

Tabac dans le monde

• Tabac brut. **Production** (en milliers de t, 1990). Chine 2 692. USA 721. Inde 490. Brésil 435. Turquie 252. URSS 225. Italie 205. Indonésie 158. Zimbabwe 138. Grèce 132. Bulgarie 106. Malawi 101. Taiwan 75. Thaïlande 75. Japon 74. Philippines 71. Corée du S. 70. Pakistan 70. Argentine 67. Canada 65. *Monde 7 056.*

Commerce. Tabac brut (en milliers de t, 1990). **Exp.** : USA 230. Brésil 195. Italie 118. Grèce 116. Zimbabwe 120,2. Turquie 90,2. *Monde 1 456.* **Imp.** : USA 200. All. féd. 152. G.-B. 109,3. P.-Bas 80. Japon 65,3. URSS 50. *Monde 1 402.*

• Cigarettes. **Production** (en milliards d'unités, 1990). Chine 1 650. USA 670. URSS 350. Japon 268. Allemagne 190. Brésil 160. Indonésie 155. G.-B. 112. Corée du N. 87. Inde 85. Bulgarie 83. Pologne 81. Espagne 79. Philippines 71. Italie 65. P.-Bas 65. Turquie 62. Yougoslavie 58. *France 55.* Mexique 50. **Consommation** (nombre de cig. par hab., par an, 1987, *Source* USDA). Grèce 2 961. Pologne 2 760. Japon 2 521. Suisse 2 437. USA 2 333 (*1989 :* 2 267). Canada 2 044. Espagne 2 054. Autriche 1 992. All. Féd. 1 951. Belg.-Lux. 1 743. Italie 1 839. *France 1 700* (*1989 :* 1 668).

En 1989, + de 4 500 milliards de cig. fumées dans le monde (dont Japon 300, Chine 1 500).

Ventes mondiales (en milliards de cigarettes, 1987). Marlboro 293 [1] (1989 : 318 dont étranger 180). Mild Seven 133 [2]. Winston 93 [3]. Benson & Hedges 67 [1,4,5]. Players 55 [1,4,6]. Camel 54 [3]. Populare 50 [7]. Salem 50 [3]. Cléopatra 46 [8]. Sol 45 [9]. MS 42 [10]. Belmont 42 [1,4]. Hollywood 42 [4]. Kool 35 [4]. Gauloise 35 [9].

Nota. – (1) Philip Morris. (2) Japan Tobacco. (3) Reynolds. (4) BAT. (5) Gallaher. (6) Imperial. (7) Monopole polonais. (8) Eastern Tobacco. (9) Monopole coréen. (10) Monopole italien. (11) Seita.

Chiffres d'affaires (en milliards de F, 1989). Philip Morris 82 dont tabac c/50 % (dont Marlboro 9). British American Tobacco 72 [1]. Reynolds 36 [1]. Rothmans 27. Seita 9.

Nota. – Tabac uniquement.

Prix moyen d'un paquet de cigarettes en Europe (1990, en F) et, entre parenthèses, prix des taxes dans le prix de vente . Danemark 23,86 (86). Irlande 17,73 (73). G.-B. 16,30 (74). All. féd. 13,10 (72). Italie 12,62 (72). P.-Bas 11,34 (71). Belgique 10,88 (70). Port. 10,39 (71). *France 9,80 (74,8).* Lux. 8,77 (67). Esp. 7,81 (53,5). Grèce 7,22 (63).

Dépenses de publicité « cigarettes » (en F pour 1 000 hab.). Suisse 2 200. All. féd. 1 200. Belg. 517. G.-B. 350. *France 100.*

• Cigares. **Cuba :** 300 millions produits par an (dont 10 exportés en France). *Producteur exclusif :* Cubatabaco, organisme d'État (300 millions de cigares par an). *1959* contrat avec Zino Davidoff (né à Kiev, fils d'un marchand de tabac ukrainien installé à Genève dep. 1911). *1970* Fidel Castro l'autorise à baguer à son nom des Hoyos-de-Monterrey. *1974* Castro fait créer le Cohiba (tabac en colombien) à partir de tabacs de la région de Vuelta Abajo [les feuilles du corps et de la sous-cape du cigare doivent venir d'une même récolte, seule la cape peut être d'origine différente ; le tabac connaît 3 fermentations (la 3e ôte l'ammoniaque)]. *1978* Davidoff commercialise des havanes sous son nom (gamme des « châteaux »). *1988 (oct.)* Davidoff suspend les commandes de grands « crus » (qualité en baisse). *1989 (-20-10)* 1re vente en France de Cohibas [Lancero (19,2 cm, 105 F). Corona Especial (85 F) et Panatela (50 F), Esplendido (120 F), Exquisito (55 F) et Robusto (65 F)]. *1990 (-15-3)* Davidoff décide de ne plus utiliser de tabac cubain. *(-20-3)* Cubatabaco rappelle qu'elle est la propriétaire légale de la marque Davidoff et qu'elle continue à fabriquer des cigares D. sauf les grands « crus ». *1991 (-6-3)* Davidoff présente des cigares de luxe fabriqués en Rép. Dominicaine. **France** (1989) : 676 000 dont 34 000 exportés. *Consommation* 1 459 000.

☞ USA. % de fumeurs. *1965 :* 40, *88 :* 29. – Dep. le 23-4-1988, interdiction de fumer sur les *avions* effectuant des vols de – de 2 h et sur les vols intérieurs de Northwest Airlines soit 80 % du trafic (amende de 1 000 à 2 000 $) et dép. le 23-2-90 sur les vols intérieurs de – de 6 h.

A *New York*, les restaurants de plus de 50 couverts doivent réserver 70 % des places aux non-fumeurs, les entreprises de plus de 15 personnes doivent aménager des fumoirs. Fumer est interdit dans : taxis, magasins, lieux couverts fréquentés par plus de 15 personnes, cinémas, théâtres.

Tabac en France

• Seita. **Chiffre d'affaires industriel et commercial** (en milliards de F, HT). *1986 :* 7,64, *87 :* 8,02, *88 :* 9,04, *89 :* 10,3, *90 :* 11,23. **Résultats** (en millions de F). *1986 :* – 196,4, *87 :* + 177,9, *88 :* + 461,6, *89 :* + 420,9, *90 :* 377. **Apports de la Seita à l'État.** Total 31,4 (dont impôt spécial 22, TVA et taxe additionnelle à la TVA 3,33, impôt sur les bénéfices 0,009 % des ventes brutes 68, des recettes fiscales brutes de l'État 2,3).

Effectifs. *1986 :* 7 948, *90 :* 6 211, *91 :* 9 505.

• Prix d'un paquet Gauloises (20 cig. par paquet, en F). **1910** *janv.* 0,60 ; **26** *avr.* 2,50 ; **37** *juillet* 3 ; **38** *nov.* 3,50 ; **39** *nov.* 4,50 ; **41** *mai* 6 ; **42** *mars* 7,50 ; **43** *janv.* 9 ; **44** *juin* 12 ; **45** *avr.* 15 ; **46** *janv.* 20, *févr.* 25 ; **47** *11-1* 23,50, *11-3* 22,50, *1-7* 38, *23-12* 48 ; **48** *20-9* 65 ; **51** *3-11* 80 ; **56** *9-7* 95 ; **59** *15-1* 1,15 (NF) ; **61** *30-10* 1,25 ; **63** *31-5* 1,40, *25-9* 1,35 ; **68** *1-8* 1,50 ; **72** *11-7* 1,70 ; **76** *1-7* 2, **78** *16-5* 2,30 ; **79** *1-8* 2,50 ; **80** *15-7* 2,90 ; **81** *3-8* 3,40 ; **82** *1-2* 3,80 ; **83** *24-1* 4, *1-7* 4,30 [1] ; **84** *9-1* 4,55 [1], *15-4* 4,65 [1], *11-7* 4,25 ; **85** *6-5* 4,45 ; **86** *1-4* 4,55, *2-6* 4,80 ; **87** *3-8* 5 ; **88** *18-4* 5,40, *1-7* 5,50 ; **89** *1-1* 5,50. **90** *1-8* brunes 5,50 [dont droits de consommation + accises spécifiques 2,90, TVA + BAPSA 1,24, part fabricant 0,92. Gauloises blondes 7,70 ; Gitanes brunes 6,95 (blondes 9) ; Marlboro 10,30 (au 17-8) dont fiscalité totale 7,44, marge fabricant 2,035, remise débitant 0,825 ; Camel 9,80 ; Peter Stuyvesant 10].

Nota. – Cotisation CNAM incluse.

☞ La Seita perçoit moins de 1 F par paquet de Gauloise vendu 5,50 F au client, et ses 39 000 buralistes conservent moins de 0,50 F.

• Production. **Variétés produites.** Tabacs noirs légers (P.-B., Paraguay, Dragon vert, Geudertheimer, utilisés dans les mélanges Caporal, 99 % de la prod.), corsés (Nijkerk), clairs (Virginie, Burley). **Planteurs.** *1947 :* 115 563. *69 :* 44 249. *79 :* 29 870. *83 :* 19 700. *88 :* 16 000. *89 :* 12 590. *90 :* 11 290. **Surface plantée** (en ha). *1947 :* 29 312. *77 :* 22 000. *81 :* 17 500. *83 :* 14 174. *88 :* 13 000. *90 :* 10 704 dont blond 3 996. **Production.** *1976 :* 61 441 t. *80 :* 46 159 t. *84 :* 36 000 t. *87 :* 33 990 t. *88 :* 30 000 t. *89 :* 29 216 t. *90 :* 28 295 (dont 68,4 % de tabac brun). **Rendement** (en kg/ha). *1980 :* 2 504. *82 :* 2 881. *87 :* 2 369. *89 :* 2 560. **Importations.** *1987 :* 33 865 t. *88 :* 30 000 t. *89 :* 26 584 t. *90 :* 30 306 t. **Usines.** Cigarettes et scaferlatis 7, cigares, allumettes : 2, centres de recherche : 2. **Débits de tabac.** *1989 :* 38 600.

• Vente en France métropolitaine de produits fabriqués par la Seita et, entre parenthèses, par des étrangers (en millions d'unités, 1990). Cigares et cigarillos 738 (736), cigarettes 47 929 (47 879) ; *en t :* scaferlatis (ou scaperletti de l'italien « coupés aux ciseaux » ; tabac haché) 3 290 (1 646), tabac à priser et à mâcher 24 (373). En 1989, 483 marques étrangères et 193 marques françaises ont été vendues en France.

Part des cigarettes étrangères dans le marché français (en %). *1975 :* 13, *1989 :* 48,3.

Ventes de la Seita à l'exportation (en milliards d'unités, 1990). 10,3 dont 3,8 de produits fabriqués sous licence à l'étranger.

• Dépenses de publicité pour le tabac (en millions de F, 1989) 321,5 dont presse magazine 227, cinéma 45.

• Consommation totale (cigarettes et autres produits) (en milliers de t). *1980 :* 97,2. *86 :* 102, 4. *87 :* 101,6. *88 :* 100,1. *89 :* 101,75. **Cigarettes** (en milliards). *1867 :* 0,01. *1876 :* 0,4, *1898 :* 1, *1922 :* 8, *1930 :* 15, *1970 :* 67, *1975 :* 82, *1980 :* 85,7 (1 803 par hab.), *1987 :* 94,2 (1 708 par hab.), *1989 :* 94.

• Fumeurs. **Répartition par âge** (1988). *12-13 a. :* 12 %. *14-15 :* 36. *16-17 :* 56. *18 :* 66. *19-24 :* 57. *25-34 :* 54. *35-49 :* 39. *50-64 :* 26. *65 et + :* 15. **Adultes fumeurs** (en % de la population). *1977 :* hommes 51, femmes 29 ; *1986 :* h 45,8, f 30 ; *1991 :* h 46, f 35. **Fumeuses** (1988 et entre parenthèses 1980, en %). *20-24 a* 64 (37), *25-34* 47 (26), *35-44* 31 (17), *45-54* 18 (13), *55-64* 17 (11). **Quantités fumées [hommes (femmes)] :** *1 à 5 par j.* 6,1 % (6,9 %), *6 à 15* 16,2 (10,3), *16 à 20* 15 (8,7), *21 et +* 6,9 (3,5), *ne savent pas* 0,4 (0,8).

Tabac et santé

☞ Un sujet commençant à fumer à 15 a. un paquet quotidien aura fumé à 45 a. env. 220 000 cig., à 55 a. env. 300 000 [pour un paquet 1/2 (30 cig. par j) : 450 000]. Les parents non fumeurs laissant leur enfant de 10 à 12 a. commencer à fumer ont de bonnes chances de vivre plus longtemps que lui. Plus le tabagisme est précoce, plus il est dangereux (en France, en 1990, 65 % des fumeurs ont commencé à fumer avant 13 ans). Réduire sa consommation peut être illusoire si on la compense par une inhalation plus profonde, en gardant plus longtemps la fumée dans les poumons.

Rôle du tabac

Accidents du travail. Étude (Dr Galle) : atteignaient 37,2 % des fumeurs, 17,7 % des non-fum.

Appareil circulatoire (maladies). Perturbe la circulation du sang (épaississement de l'épithélium des globules rouges). Réduit les échanges gazeux. Affecte particulièrement artères du cerveau, cœur et membres inférieurs, tube digestif, app. génital, sens (fréquence de l'artérite tabagique). *Fréquence des cardiopathies ischémiques* chez les fumeurs de 20 cig./j triple de celle des non-fumeurs.

☞ 2 ans après avoir arrêté de fumer, le risque de décès par maladie coronarienne est réduit de 50 à 60 %. Les anciens fumeurs doivent attendre 5 à 10 ans pour se retrouver au niveau de ceux qui n'ont jamais fumé. D'après l'University School of Medecine de Boston, les cig. dites « *légères* », à faible taux de nicotine, goudron et monoxyde de carbone sont, du point de vue de leurs effets secondaires sur l'appareil cardio-vasculaire, aussi nocives que les cig. normales.

Atteintes buccales et digestives. Dégénérescence des muqueuses de l'app. aéro-digestif par la chaleur (le bout incandescent de la cig. pouvant atteindre plus de 800°). Sécheresse des muqueuses (sauf chez les fumeurs de pipe), bouche pâteuse, haleine fétide, pharyngite chronique, altérations dentaires diverses ; risque de leucoplasie dégénérative chez le fumeur de cig. collées à la lèvre. En 1975, 93 % des ulcéreux fumaient plus de 20 cig./j.

Cancers. **De l'appareil respiratoire et urinaire.** Sur 481 substances cancérigènes isolées par Hart, une seule ne se trouve pas dans la fumée du tabac. **Du poumon :** responsable de 90 % des cancers. **Du larynx et du pharynx :** s'observent particulièrement chez les fumeurs. De **l'œsophage et du larynx :** liés à l'interaction du tabac et de l'alcool ; nettement plus élevé chez les fumeurs. **De la vessie :** selon une étude faite aux USA, les 2/3 des morts par cancer seraient dues au tabagisme et au régime alimentaire.

Espérance de vie à 25 ans (selon Hammond). *Fumeurs* (1 paquet de 20 cig. par j) 42 ans, (1,5 paquet/j) 39 ans, *non-fumeurs* 48 ans. Un « petit » fumeur (env. 10 cig./j) est encore 13 fois plus exposé que le non-fumeur aux risques de maladies liées à l'usage du tabac. Le risque est maximal avec une dose moyenne de un paquet/j. La vie des fumeurs d'âge moyen (35-69) peut être raccourcie de 15 à 20 ans du fait de l'usage du tabac.

Grossesse. Le placenta ne filtre ni la nicotine ni l'oxyde de carbone et les communique à l'enfant dans l'utérus de la mère qui fume ou qui absorbe la fumée d'autres fumeurs proches. *Taux moyen d'oxyde de carbone :* femme ne fumant pas 1,2 % (fœtus 0,7 %), fumant 8,3 % (fœtus 7,3 %). Selon une étude suédoise, le tabagisme est responsable de 11 % des morts tardives du fœtus et 5 % des morts néonatales précoces.

Mortalité. France (surtout par inhalation de la fumée). *1958 :* 11 000 ; *1974 :* 35 000. *1982 :* + de 54 000/an dont 32 000 décès par cancers (poumon, voies aérodigestives sup., vessie) d'après le rapport Hirsch. *1988 (est.) :* 66 000 (55 000 cancers, 11 000 maladies cardio-vasculaires). *2025* (est.) 165 000 décès prématurés. **Coût.** 45 milliards de F en 1985 (alors que le tabac ne rapportait que 23,4 milliards de F de taxes). **Tabagisme passif.** En 1983 selon une enquête américaine, 63 % des non-fumeurs étaient exposés à la fumée dont 15 % au moins 40 h par semaine. 70 % des enfants vivaient dans un foyer où l'un des parents fumait. En restant 8 h dans une salle close où sont fumées 10 cigarettes par heure, on inhale l'équivalent de la consommation de 5 cigarettes. **Dans le monde.** 3 millions par an dont *Europe* 700 000, *URSS* 400 000, *USA* 390 000. Env. 500 millions de personnes, actuellement vivantes dans le monde, mourront du tabac dont 50 % entre 35 et 69 ans. **Taux de mortalité attribuable au tabac** (1989, en %). Pays développés 55, Inde 20, Chine 10, Amérique latine 5, autre pays en voie de développement 10. **Incendies spectaculaires provoqués par des fumeurs.** Chine (1982) + de 1 300 000 ha de forêt incendiés, 400 † ou blessés, 5 600 sans-abri. G.-B. (nov. 1987) métro King's Cross 31 †.

☞ Un non-fumeur dans une pièce enfumée absorbe en une heure la quantité de nitrosamines correspondant à la consommation de 15 cigarettes à bout filtre.

Lutte contre le tabagisme en France

Désintoxication. *Acupuncture :* pose d'aiguilles en des points précis de la surface de la peau correspondant à certaines parties du corps, pendant 20 à 40 min. Permet de rétablir l'équilibre énergétique et de faire disparaître la sensation de besoin en provoquant un certain dégoût du tabac. *Auriculothérapie :* on stimule 2 points précis de l'oreille par un fil, une agrafe, posés sous anesthésie locale et conservés 3 semaines. *Entretien individuel :* réunion avec un thérapeute pour élaborer une stratégie de sevrage personnalisée. *Homéopathie :* administration à des doses infimes et régressives d'un extrait de tabac, pendant plusieurs semaines. *Mésothérapie :* micro-injection en des points d'acupuncture, par de multiples aiguilles, d'un mélange de produits (dont un anesthésiant). *Thérapie de désaccoutumance :* gomme à mâcher à la nicotine prescrite par un médecin. Dose déterminée selon le test de dépendance à la nicotine. Traitement efficace chez les fumeurs dépendants de la nicotine. *Thérapie de groupe :* réunions avec un ou plusieurs thérapeutes s'intéressant aux motivations des fumeurs, donnant des informations sur les méfaits du tabac, des conseils d'hygiène alimentaire et sportive. *Plan de 5 jours. Psychothérapie de groupe réalisée par la Ligue Vie et Santé :* réunion pendant 2 h à 2 h ½, 5 soirs consécutifs ; conseils d'hygiène et de diététique : boissons abondantes mais sans alcool, crudités, fruits et jus de fruits pour augmenter l'apport en vitamines, hydrothérapie, massages, douches, exercices de respiration, le fumeur ayant perdu une part importante de sa capacité respiratoire ; sommeil.

Interdictions. Loi 76-616 du 9-7-1976 et décret 77-1042 du 12-9-1977. Il est interdit de fumer dans : 1) *les locaux affectés à un usage collectif* autres que ceux à l'usage exclusif d'habitation personnelle, n'offrant pas un débit minimal de ventilation de 7 l par seconde et par occupant (locaux ventilés mécaniquement ou par conduits) ; un volume minimal de 7 m³ par occupant (locaux ventilés par ouvrants extérieurs) ; 2) *écoles et collèges* et autres établissements d'enseignement de niveau comparable (locaux fréquentés par les élèves) ; 3) *locaux destinés à recueillir des moins de 16 ans* pour leurs activités collectives de loisirs, d'hébergement des centres de loisirs et de vacances (si des moins de 16 ans y sont admis) ; 4) *établissements d'hospitalisation, de soins et autres et à vocation sanitaire* (locaux à usage collectif utilisés pour accueil, soins et hébergement des malades) ; 5) *véhicules de transports routiers collectifs ;* si ces véhicules ne sont pas destinés à transporter principalement des élèves ou des moins de 16 ans, une zone d'au moins 50 % des places peut être accessible aux fumeurs si un dispositif efficace empêche la propagation de la fumée ; 6) *ascenseurs à usage collectif ;* 7) *voitures de transports publics urbains, funiculaires et téléphériques ;* 8) *transports ferroviaires* (50 % au moins des compartiments doivent être réservés aux non-fumeurs). *Taxi.* Le chauffeur peut inviter ses clients, verbalement ou par affichettes, à s'abstenir de fumer. Lui-même n'a pas le droit de fumer.

Augmentation du prix. Une augmentation de 50 % du prix du tabac diminuerait la consommation d'ensemble de 25 % et de 70 % chez les adolescents. La Finlande qui a fortement augmenté ses prix connaît dep. 1985 une réduction des consommations de 3 % par an (France : 0,4 %). Au Canada, très restrictif, la proportion de fumeurs est passée de 43 à 26 % (1966 à 86). *En France :* augmentation prévue de 15 % pour 1991.

Publicité. Selon la *loi du 9-7-1976* (dite loi Simone Veil), la publicité protabagique est interdite à la radio, télévision, au cinéma, par affiches ou enseignes (sauf exception), par voie aérienne, fluviale ou maritime. Dans la presse écrite, la surface consacrée au tabac ne pourra être supérieure à celle de 1974-75. La teneur moy. en nicotine, goudrons et autres substances doit figurer sur le paquet de cig., ainsi que la mention « abus dangereux ». *Amendement du 14-1-1989 :* soumet aux mêmes restrictions que la publicité pour les produits du tabac celle des produits et articles associés à sa consommation portant le nom, la marque ou l'emblème publicitaire d'un tabac ou d'un produit du tabac. Vise à éviter le détournement de la loi par la publicité de briquets, allumettes, vêtements, voyages, etc. portant le nom d'un tabac. *Loi Evin du 28-6-1990* contre l'alcoolisme et le tabagisme. A partir du *1-1-1993,* interdiction de toute publicité sur le tabac y compris indirecte (publicité pour une marque, parrainage sportif, culturel). En avril 1991, la Ste Chevignon (vêtements pour jeunes) a dû renoncer à son contrat du 20-7-1989 ; elle avait loué son nom à la Seita pour une marque de cigarettes mise en vente le 18-2-91 (la Seita verserait 8 % du prix des cig. vendues à Chevignon avec un min. de 100 millions de F annuel).

☞ 69 % des Français sont favorables à l'interdiction de toute publicité (16 % contre).

Nota. – L'OMS a organisé des journées mondiales (7-4-1988, 31-5-89, 31-5-90, 31-5-91), sans tabac.

Thé

• **Origine.** Depuis plus de 2700 av. J.-C. dans l'Assam supérieur (Inde) et le Yunnan (S.-O. de la Chine). Connu au Japon dep. l'an 700 env. ; en Angleterre par l'intermédiaire des Hollandais et de leur Cie des Indes orientales, vers 1650.

• **Culture.** Le théier [dénommé *« Camellia sinensis » ;* 2 variétés principales, le théier de Chine (*C. sinensis* var. sinensis) et le théier d'Assam (*C. sinensis* var. assamica)], arbuste à feuilles persistantes maintenu à 1,20 m de haut en tables de cueillette (à l'état sauvage peut atteindre 10 à 15 m) ; cultivé dans des régions au climat chaud et humide avec des pluies régulières réparties de préférence au cours de l'année. Croît entre le 42e degré de latitude Nord et le 31e degré Sud. Peut être cultivé jusqu'à 2 500 m dans l'Himalaya (Darjeeling). Une plantation commence à produire au bout de 3 à 4 ans. Des tailles successives permettent un bon rendement pendant 50 ans. **Cueillette** des jeunes pousses toutes les 2 semaines, toute l'année, sauf en altitude où elle cesse l'hiver. *Cueillette fine* [3 feuilles terminales (jeunes pousses) : constituée par le *pekoe* (du chinois *Pak-ho :* cheveu ou duvet) [bourgeon terminal] et les 2 feuilles suivantes (orange pekoe)]. En Chine on cueille jusqu'aux 4e et 5e feuilles qu'on appelle *souchong.* Une bonne cueilleuse peut ramasser 6 kg (théier de Chine) à 10 kg (th. d'Assam) soit 20 à 30 kg de feuilles fraîches. Il faut env. 5 kg de feuilles pour 1 kg de thé manufacturé sur place, dans les 36 h qui suivent la cueillette. Généralement, le thé noir vient du théier d'Assam, le thé vert du théier de Chine.

• **Thés noirs.** Pratiquement les seuls utilisés en Europe. Ils subissent le traitement suivant en partant des feuilles fraîches : *Flétrissage :* en chambres ou greniers de flétrissage (env. 20 h). *Roulage :* en plusieurs opérations avec criblage intermédiaire (env. 30 mn). *Fermentation :* de 1 h à 3 h suivant les régions. *Dessiccation* ou *torréfaction :* 15 à 20 mn pour arrêter la fermentation. *Triage :* suivant les grades, avant l'emballage. La préparation du thé de Chine est un peu différente mais repose sur les mêmes principes.

Grades des thés noirs (sauf thés de Chine). FEUILLES ENTIÈRES. *Flowery orange pekoe (FOP) :* long, fin, bien enroulé, contenant les pointes fines des bourgeons appelées *tips* ou pointes dorées. *Orange pekoe (OP) :* long, morceaux minces de feuilles jeunes et souples avec quelques tips. *Pekoe (P) :* plus court, moins fin, ne contenant pas de tips. *Pekoe souchong (PS) :* encore plus court et plus grossier, composé de feuilles plus âgées. *Souchong (S) :* régulier, sans feuilles ouvertes ; fait de petites boules représentant des feuilles plus âgées.

FEUILLES BRISÉES (rendement supérieur, qualité similaire). *Broken orange pekoe (BOP) :* morceaux de jeunes feuilles brisées pendant le roulage (ou volontairement brisées après la torréfaction), morceaux jamais plats devant aussi contenir des tips. *Flowery Broken Orange Pekoe :* même définition. *Broken pekoe (BP) :* morceaux plats, venant de feuilles plus âgées, sans tips. *Broken tea (BT) :* morceaux plats des feuilles les plus âgées n'ayant pu s'enrouler lors du roulage. *Fannings (F)* ou *pekoe fannings (PF) :* morceaux plats, petits, parfois avec tips (PF) recherchés pour les sachets. *Dust :* poussière de thé formée par les brisures des feuilles, recherché pour les sachets en papier filtre.

THÉS NOIRS DE CHINE, à servir sans lait et parfois parfumés de fleurs odorantes. *Flowery Pekoe* ou *Pekoe* à pointes blanches : préparé avec les feuilles terminales les plus jeunes et les plus tendres ne comprenant que les bourgeons terminaux des feuilles repliées sur elles-mêmes. *Pekoe :* feuilles les plus tendres. *Souchong :* grosses feuilles plus âgées, fermées à la préparation. *Congou :* variété de feuilles courtes (*Panyong, Moning, Keemun,* etc.).

THÉS NOIRS SEMI-FERMENTÉS (intermédiaires entre thés noirs et verts). Le *Oolong* de Formose est le plus célèbre ; particulièrement recherché aux USA et en France (3e consommateur mondial).

☞ Qui aime les thés très corsés choisira les *Broken* et les *Pekoe ;* qui aime les thés délicats choisira les *Orange Pekoe.*

• **Thés verts.** Tous non fermentés contrairement aux thés noirs [après humidification, feuilles chauffées (torréfiées ou ébouillantées) puis séchées] ; les plus connus en Europe et dans les pays africains musulmans sont : *Gunpowder :* feuilles roulées ayant l'aspect de grains de 3 mm. *Chun-Mee :* feuilles enroulées irrégulièrement, plus longues. *Sow-Mee :* morceaux plus petits et brisés. *Young Hyson* et *Hyson :* feuilles jeunes, du début du printemps, très rares et peu consommées en France.

• **Règles de consommation.** Il faut : ébouillanter la théière, mettre une cuiller à thé par personne (env. 2,5 g), verser l'eau frémissante et non bouillie sur le thé, laisser infuser 3 à 6 mn selon l'origine, enlever les feuilles de la théière, remuer et servir. En général les thés noirs peuvent être consommés avec du lait sauf les thés de Chine.

• **Statistiques. Production** (en milliers de t, 1989). Inde 684. Chine 535. Sri Lanka 208. Kenya 187. Indonésie 151. Turquie 136. Japon 90. Iran 56. Argentine 40. Malawi 40. Viêt-nam 39. Bangladesh 38. *Monde 2 451.*

Commerce (en milliers de t, 1989). **Exp. :** Inde 220,7. Chine 204,6. Sri Lanka 203,8. Kenya 163,2. Indonésie 114,7. Argentine 43,3. Malawi 39,9. **Imp. :** URSS 214,6. Roy.-Uni 162,9. Pakistan 116,9. USA 90,1. Egypte 62,0. Irak 36,6. Pologne 33,5. Japon 30,8. Iran 30,0. Maroc 27,5.

Consommation. Mondiale env. 1 750 000 t (soit env. 900 milliards de tasses). *En kg, par an, par hab.* (moy. 1986-88). Irlande 3,07. Irak 2,95. Qatar 2,91. Roy.-Uni 2,84. Turquie 2,73. Koweït 2,32. Tunisie 1,72. Hong Kong 1,66. N.-Zél. 1,66. Égypte 1,40. Bahreïn 1,35. Sri Lanka 1,33. Arabie S. 1,26. USA 0,35. All. féd. 0,24. *France 0,18.*

Un Anglais prend env. 2 000 tasses par an, un Allemand 130, *un Français 75 à 80.*

Divers

Arbre à lait

• **Origine.** N. de l'Amér. du S. De la famille du figuier fournissant un lait (latex) blanc (par incision de l'écorce), sucré, se buvant en petites quantités (astringent).

Bière

• **Origine.** Cervoise XIIIe s. On incorpore du houblon. **Composition.** *Boisson* obtenue par la fermentation alcoolique d'un moût composé d'eau, de malt d'orge pur ou associé à 30 % au plus de grains crus (maïs ou riz) ou (et) de succédanés (glucose, saccharose), aromatisé par le houblon (donne l'amertume et la digestibilité) : 170 g/hl de bière. *Eau :* sa bonne qualité est indispensable. *Levures :* donnent parfum et partie du goût. **Composition centésimale.** Bière dite « de luxe » et, entre parenthèses, bière sans alcool. *Valeur énergétique :* kcalories 45 (27,4). Kjoules 188,5 (114,4). *Glucides g :* 4 (5,6) dont dextrines g 2,7 (2,4). *Protéines g :* 0,4 (0,2), *Alcool g :* 3,2 (0,6). Degré volumétrique 4 (0,8). *Éléments minéraux :* Potassium mg 57 (23,8). Sodium mg 3 (3,2). Magnésium mg 5 (3). Calcium mg 12 (2,4). Phosphore mg 15 (7,4). *Vitamines :* Thiamine (B1) mcg 1,2 (0,8). Riboflavine (B2) mcg 30 (11,5). Pyridoxine (B6) mcg 80 (20). Acide pantothénique mcg 60 (58). Acide nicotinique (PP) mcg 800 (460).

• **Fabrication.** *Maltage :* trempage de l'orge et germination. *Touraillage et séchage :* arrêt de la germination ; de blond, il devient brun, lorsque le malt a été plus longuement grillé. *Dégermage :* enlèvement des radicelles. *Brassage :* le malt, moulu en farine, est brassé avec de l'eau et à haute température. *Après filtrage,* il est mis 2 heures à bouillir avec du houblon, puis il est refroidi. *Fermentation :* 2 stades : *ferm. principale,* durée 5 à 10 j, temp. 8 à 10 °C ; *ferm. secondaire* ou *garde,* durée 2 à 8 semaines, temp. env. 0 °C. Le moût est additionné de levures ; on le laisse fermenter plusieurs j. Suivant le type de levure utilisée, on distingue la *fermentation haute* (la plus traditionnelle) : rapide et à température élevée (15 à 25 °C) ; la levure monte à la surface et la *ferm. basse :* temp. moins élevée ; la levure se dépose au fond de la cuve. Ensuite, la bière est *filtrée* puis *soutirée,* et mise en bouteilles pasteurisées (pour améliorer la conservation) ou en fûts. Pour faire 1 l de bière il faut env. 150 g de malt obtenus à partir de 200 g d'orge, de 1,5 à 2 g de fleurs de houblon séchées, 50 g de maïs.

• **Monde. Consommation CEE** (en l par hab., 1989). All. féd. 142,9. Danemark 127,3. G.-B. 110,8. UEBL 115. Irlande 90,3. P.-Bas 87,6. Espagne 71. Portugal 63,6. *France 40,8.* Italie 21,8. **Production** (en millions d'hl, 1989). USA 233,6. All. féd. 93,2. Japon 61. G.-B. 60,1. Chine 60. URSS 56. Brésil 55. Mexique 38,7. Espagne 27,2. All. dém. 24,8. Canada 22,7. Tchéc. 22,7. *France 20,9.* P.-Bas 18,8. Colombie 18. Roumanie 14. Philippines 13,6. Belg. 13,2. Pologne 12,4. Yougoslavie 11,1. Venezuela 11. Corée du S. 10,5. Italie 10,4.

Premiers producteurs mondiaux (en millions d'hectolitres). Anheuser-Busch Inc [1] 90,1, Miller Brewing Co (Phillip Moris) [1] 47,2, Heineken [2] 43, Kirin Brewery [3] 30,4, Bond Corp. [4] 29,9, The Stroh Brewery Co [1] 25,8, Elders Brewing Group [4] 21, Groupe BSN [5] 19,8, Adolph Coors Co [1] 19,2, Companhia Cervejaria Brahma [6] 18.

Nota. – (1) USA. (2) P.-Bas. (3) Japon. (4) Australie. (5) France. (6) Brésil.

• **En France. Consommation** (en hl, 1989). 22 838 039. **Ventes** (en hl, 1989). 20 926 657 dont Alsace 10 804 720, Nord 3 161 003, autres régions 6 960 934.

• **Brasseries** *1900* 3 000, *1990* 28. **Entreprises.** 3 réalisent 85 % des ventes ; *Kronenbourg* (groupe BSN) *Gamme Kronenbourg :* Kronenbourg light, 1664, Obernai, Force 4, Krony, Kronenpils ; *gamme Kanterbrau :* Gold Kanterbrau, Chopp de Kanterbrau, Tourtel, Valstar, Wilfort. *Française de brasserie : Heineken & Pelforth SNC :* Pelforth brune, Heineken, George Killian's, Mutzig, Mutzig Old Lager, Pelforth Pale, Pelican ; *Union de Brasserie SNC :* 33 Export, Panach', Buckler, Dry de 33, Tuborg Dr, Lowenbrau, John Courage, Porter, Record. *Interbrew France :* Stella Artois, Club de Stella Artois, Jupiter, Abbaye de Leffe, Gueuze, Kriek, Framboise de la Bécasse, Hoegaarden, Loburg, Sernia, Vezelise, Vega Pils, Atlas, Lutèce, Palten, Setz Brau, Helios, Kassel, Bière de Printemps, Cave à Bières, Café Leffe.

• **Statistiques** (en milliers d'hl, 1989). **Production** (1989) 20 900. **Imp. :** 2 748 dont UEBL 1 591,8. P.-Bas 480. All. féd. 410,1. Danemark 128,6. Irlande 26,4. Portugal 23,7. G.-B. 16,4. Autres pays d'Europe 30,7. Autres pays du monde 65,3. **Exp. :** 836,6 dont Espagne 142,4, Italie 136,5, UEBL 84,3, G.-B. 56.

Ventes par types de conditionnement (en milliers d'hl, 1989). 20 702,3 dont 25 cl 10 861, 5, fûts 4 934,8, 100 cl 1 934,3, 33 cl 1 142, 7, boîtes 898,6, 75 cl 1 674, 65 cl 152,4, citernes 98,3, 50 cl 5,9.

Bière française ou pasteurisée. En 1873, *Louis Pasteur* (1822-1895) préconisa, pour détruire les germes se trouvant dans la bière, de détruire les micro-organismes par élévation de température et souhaita que son procédé porte le nom de Bière de la Revanche nationale, et à l'étr. celui de Bière française. *Jean-Louis Baudelot* (Fr.) avait inventé en 1856 un refroidisseur de moût permettant de fabriquer de la bière toute l'année.

Brasserie la plus grande d'Europe. *Guinness* de Dublin (Irlande, f. en 1759) 23,16 ha.

Catégories de bières. B. de table 2° à 2,2°. B. bock 3,3° à 3,9°. B. de luxe 4,4° et + (au min. 37 g d'alcool pur par litre). *Gueuze :* bière belge à base de lambic (produit de la fermentation de malt 58 %, froment 40 %, houblon). Ce n'est pas une bière au sens de la législation française.

Musée de la Bière. A Rodt (Belgique). + de 2 000 bouteilles différentes venant de 62 pays.

Houblon

Origine. Asie ; All. du S. à partir du VIIIe s. **Aspect.** Plante grimpante jusqu'à 8 m. Pousse d'avril à sept., cultivée pour la bière en France (Alsace, Flandres, Bourgogne), All., Belg., G.-B., pays de l'Est, USA, etc. La plante s'enroule autour d'un fil tuteur lié à un échafaudage (2 500 à 3 000 pieds/ha, 500 g de houblon par pied). Les fleurs femelles contiennent la *lupuline* (poudre jaune) qui sécrète les résines amères et des huiles. **Utilisation.** Brasserie (la fleur femelle ajoutée au moût donne à la bière son goût et la conserve). Parfois on mange les jeunes pousses comme les asperges (Belg., All.). **Rendement.** Variétés à arôme 28 à 38 q/ha ; v. riches en résine alpha 30 à 50 q/ha. Il faut env. 100 g/hl de bière. **Consommation.** *France* 2 150 t. *Monde* inconnue.

Production (en milliers de t, 1990). All. 30,12. USA 25,8. Tchéc. 10,6. URSS (89) 11. G.-B. 4,6. Youg. 4,1. Pologne 2,47. Espagne 2,1. *France 0,8.* Belgique 0,6. *Monde (88) 118,3.*

Vignes, vins et alcools

Généralités

• **Alcool contenu. Fermentation.** Transforme certains sucres en alcool éthylique et en gaz carbonique C6 H12 O6 (sucres) → M 2 C_2 H_5 OH (alcool éthylique) + 2 CO_2 (gaz carbonique). Due à l'action d'organismes vivants microscopiques présents dans le moût, les *levures,* notamment du genre saccharomyces qui utilisent les matières azotées, sucrées et minérales du moût, décomposant ainsi les sucres.

Teneur alcoolique d'un vin. Dépend du taux de sucre dans le moût. 100 g de sucre de raisin donnent en moyenne (en g) : alcool 48,45, gaz carbonique 45,65, glycérine 3,23, acide succinique 0,62. La fermentation de 17-18 g de sucre donne 1 degré d'alcool par litre. **Méthodes pour remonter le degré.** 1re *concentration du moût.* 2e *ajout de moût concentré.* Courantes en France et en Italie. 3e *chaptalisation* [préconisée par le Français Jean Chaptal (1751-1832)] : on introduit du sucre pendant la fermentation de la vendange (pour les vins rouges) ou des moûts (pour les vins rosés et blancs). En augmentant le sucre, on élève le titre du vin. Dans les zones où cela est permis, on ne doit pas dépasser 9 kg par 3 hl et 200 kg par ha de vigne en production. Pour augmenter la teneur alcoolique de 1°, il faut 17 à 18 g de sucre par l de vin. La fermentation du sucre crée aussi des sous-produits (glycéral et acide succinique notamment) qui dissimulent l'âpreté. 4e *concentration :* du vin lui-même (peu utilisée).

Degré moyen. Apéritifs. Vermouth et ap. à base de vin 15/18°. Amers 27/40°. Anis (pastis) 45°. **Bière** 4 à 8°. **Cidre** 4 à 8°. **Eaux-de-vie.** Cognac (production 70°, consommation 40°), armagnac, kirsch, quetsche, genièvre, gin, whisky, etc. 40 à 60°. **Liqueurs.** Cassis 20 à 30°. Anisette 26 à 30°. Cherry 30 à 35°. Cointreau, Grand Marnier 40°. Arquebuse 43°. Bénédictine 43°. Chartreuse jaune 43°. Izarra jaune 43°. Kummel 50°. Arack 50°. Izarra verte 51°. Chartreuse verte 55°. Rhums 44 à 50°. **Vin** 8 à 15°. **Vins de liqueur** 15 à 22°.

• **Apports en calories (nombre),** (g, sucre entre parenthèses et alcool), pour 100 g, env. 1/10 de l. *Vin blanc à 10° :* 71,8 (4) *8 ; rouge à 10° :* 56,2 (0,2) *8 ; champagne brut :* 70 (0,7) *10 ; Suze :* 105 (1) *15 ;* Ricard : 252 (14) *36 ;* whisky : 244 (14) *35 ;* cognac : 243,3 (5) *35 ;* liqueur sucrée : 270 (30) *30.* 1 g d'alcool apporte 7 calories. Ainsi pour un vin à 10° on aura 560 calories/l et pour un vin à 12°, 700 calories/l.

• **Blanc de blancs.** Voir champagne p. 1520.

• **Blanc de noirs.** Vins blancs provenant de raisins de cépage rouge ayant un jus blanc.

• **Bourru.** Vin de Gaillac, Pays de Loire, etc., encore doux, en fermentation, vendu au verre.

• **Cépages. Vin blanc.** *Aligoté :* cépage bourguignon donnant des vins ordinaires (souvent verts). *Blanc fumé :* autre nom du *Sauvignon* faisant allusion à l'arôme fumé du vin des Pays de Loire (Sancerre et Pouilly). *Bual :* vins doux de Madère. *Chardonnay :* principal cép. blanc de Bourgogne, utilisé en Champagne, considéré comme le meilleur en Californie et Australie. *Chasselas :* précoce, bouquet délicat, également cultivé comme raisin de table (*Fendant* en Valais Suisse, *Gutedel* en All.). *Chenin blanc :* principal cép. d'Anjou et Touraine (Vouvray, Layon, etc.) ; sec, doux ou très doux ; toujours acide. *Clairette :* sans caractère, autrefois très utilisé dans le Midi. *Folle-Blanche :* beaucoup d'acidité et peu d'arôme (*Gros Plant* en pays Nantais, *Picpoul* en Armagnac). *Furmint :* appellation commerciale du Tokay en Hongrie et d'un vin de table vif et vigoureux à la saveur de pomme appelé *Sipon* en Yougoslavie. *Gewurztraminer (ou Traminer). Malvoisie : Malmsey* à Madère, *Malvoisia* en Italie ; également cultivé en Grèce, Espagne et Europe de l'Est. *Muscadet ou Melon de Bourgogne :* vins légers très secs. *Muscat. Palomino (Listan) :* donne les meilleurs Xérès mais vin de table médiocre. *Pedro Ximenez :* vins très forts à Montilla et Malaga ; utilisé pour le Xérès. *Pinot blanc :* très proche du *Chardonnay. Pinot gris :* blancs plutôt lourds. *Pinot noir :* utilisé surtout en champagne. *Riesling :* meilleur cép. all. *Riesling italien :* cultivé en It. du Nord. *Sauvignon blanc :* parfois fumé ou âpre (Pays de Loire), plantureux (Sauternes où il est associé avec le *Sémillon*). *Sémillon :* utilisé pour les Graves, Sauternes et Bordeaux blancs secs (sujet à la pourriture noble). *Sercial :* vin blanc le plus sec de Madère. *Steen :* le cép. blanc d'Afrique du S. le plus populaire ; vif et fruité. *Sylvaner. Tokay :* voir Pinot gris. *Trebbiano :* Italie (*Ugni blanc* dans le Midi,

« *St-Émilion* à Cognac). **Vin rouge.** *Cabernet Franc :* Chinon et rosé. *Cabernet Sauvignon :* meilleur cép. du Médoc. *Carignan :* le plus courant de France. *Cinsaut :* Midi ; croisé en Afr. du S. avec *Pinot noir* pour Pinotage. *Gamay :* Beaujolais. *Grenache :* vin alcoolisé fruité mais pâle. *Malbec :* mineur en Bordelais, important à Cahors et Argentine. *Merlot :* Pomerol et St-Émilion ; important dans les rouges du Médoc. *Mouvèdre (ou Matare) :* utilisé pour les coupages en Provence. *Pinot noir :* Côte-d'Or. *Syrah (Shiroz) :* vallée du Rhône.

Nota. – Cépages les plus importants : Cabernet, Pinot noir, Riesling, Sauvignon blanc, Chardonnay, Gewurztraminer, Muscat, Merlot, Syrah, Sémillon. *Bourgogne rouge :* Pinot noir uniquement. *Bordeaux rouge :* 2 Cabernet, Merlot, Malbec, et parfois d'autres.

Cépages par régions. *Provence, Vallée du Rhône :* Grenache et Carignan noir : majorité de l'encépagement ; Syrah, Mouvèdre. « Beaujolais » : Gamay noir à jus blanc. *Bourgogne :* cépages limités, principalement du Pinot noir et du Chardonnay. *Bordelais :* cépages blancs 50 %, rouges 50 % : Cabernet, Sauvignon, Cabernet franc, Merlot. Blanc : Sauvignon, Sémillon, Muscadelle. *Anjou et Val-de-Loire :* blanc : Chenin, Sauvignon ; rouge : comparable au Bordelais. *Champagne :* Meunier, Chardonnay et Pinot noir.

Classification des vins

• **Au niveau européen. 2 catégories :** *vins de table* soumis à une organisation de marché ; *VQPRD* (vins de qualité produits dans des régions déterminées).

• **Au niveau français. 4 catégories. AOC :** vins d'appellation d'origine contrôlée.

VDQS : vins délimités de qualité supérieure. A.O.C. et V.D.Q.S. correspondent au niveau européen aux VQPRD.

Vin de pays : vin de table avec indication de provenance. Réglementés par un décret du 04-09-1979. *Conditions :* rendement maximal des parcelles productrices de 90 hl/ha dans des exploitations ou rendement inférieur à 100 hl/ha. *Degré alcool. min. :* régions médit. 10°, Sud-Ouest et Centre-Est 9°5, Val de Loire et Est 9°. Teneur en anhydride sulfureux 125 mg par l pour les vins rouges, 150 mg pour les vins blancs et rosés (norme CEE 220 mg, USA 350 mg). Acidité volatile – 0,4 g par l exprimée en acide sulfurique. Doivent être vinifiés et conservés à part. Caractères organoleptiques vérifiés par des commissions de dégustation. Conditions applicables aux vins de pays désignés sous le nom des départements ; cond. plus restrictives, pour ceux désignés sous le nom d'une zone de production. *Production :* 1971 : 1,9 million hl ; *72 :* 1,5 ; *73 :* 3,9 ; *78 :* 6,9 ; *79 :* 7,6 ; *80 :* 6,485 ; *82 :* 6,4 (dont 4,7 agréés) ; *83 :* 7,7 ; *84 :* 5,6 ; *85 :* 6,5.

Produits dans une quarantaine de départements, les 2/3 viennent de l'Aude, Hérault, Gard et Pyr.-Or. *Dénominations de zones* 141 en 3 catégories : *vins de pays de dép. (38) :* Ain, Alp.-de-Hte-Pr., Alp.-Mar., Ardèche, Aude, Aveyron, B.-du-Rh., Cher, Deux-Sèvres, Dordogne, Drôme, Gard, Gers, Gironde, Htes-Alpes, Hte-Garonne, Hérault, Indre, Indre-et-L., Landes, L.-Atl., Loir-et-Cher, Loire, Lot, M.-et-L., Meuse, Nièvre, P.-de-D., Pyr.-Atl., Pyr.-Or., Sarthe, D.-Sèvres, Tarn, T.-et-G., Var, Vaucluse, Vendée, Vienne ; *de zones (env. 99 zones) :* Coteaux Miramont, Val de Montferrand, Ile de Beauté, etc. ; *de grande zone ayant une dénomination régionale :* v. du Pays du Jardin de la France, v. du Pays d'Oc (Aude, Gard, Hérault, P.-Or., Ardèche, B.-du-R., Var, Vaucluse), v. du Comté Tolosan, v. des Comtés Rhodaniens.

Vin de table : sans indication de provenance (peuvent être assemblés) correspondent au niveau européen aux vins de table.

Pour chaque AOC ou VDQS, un décret indique l'aire de production, les cépages à planter, la méthode de culture, de vinification, le rendement et le degré minimal naturel du moût.

• **Climat.** En Bourgogne, synonyme de lieu-dit. Chaque village est divisé en « climats ». Les plus réputés produisent des vins ayant droit à leur propre appellation d'origine contrôlée qui est d'ailleurs le nom du climat (Chambertin à Gevrey, Richebourg à Vosne). Certains climats désignent des 1ers crus associés à l'appellation communale (ex. : Morey St-Denis 1er cru : les Chaffots).

• **Clos.** En Bourgogne, certaines parcelles de vigne entourées de murs sont dénommées « clos ».

• **Collage.** Clarification du vin : accélération du processus naturel de décantation par addition de substances colloïdales qui précipitent les matières en suspension par divers produits organiques : colles mixtes à base de bentonite avec de la gélatine ou de l'albumine.

• **Congé.** En France. *Capsule congé :* comporte un timbre fiscal (à l'effigie de Marianne), *bleue* pour vins de table, *verte* pour VDQS et AOC, mousseux et vins doux naturels (VDN), *violette* pour cidres, *orange* pour vins de liqueur (VDL) à appellation d'origine. Atteste que les droits ont été acquittés (par le vendeur) ; une « facture congé » globale, établie par le vigneron ou le négociant, joue le même rôle. Si le vin est acheté « en vrac » ou en bouteilles sans capsule congé, le vendeur doit établir une « facture congé » tirée d'un carnet à souche, sinon faire établir le document par la recette-perception avant le transport. Si l'on veut transporter plus de 60 litres sans « capsules congé » ni facture (ou 6 litres de spiritueux), il faut demander à la perception un « *passavant* » qui autorise le transport en franchise. On utilise l'*acquit* pour les mouvements de vins entre professionnels (entre négociants ou entre négociants et viticulteurs).

• **Crémant.** Connu depuis le début du XIXe s. Champagne d'une technique particulière selon laquelle la pression dans la bouteille après prise de mousse est de 3 atmosphères au lieu des 6 du ch. normal. Pour y arriver, on obtient une 2e fermentation en ajoutant 12 g de sucre par l de vin et non 24 ; la pression est alors réduite de moitié. « Crémant » vient probablement de « crème » (analogie avec la mousse qui se forme lorsqu'on le verse). Ne pas confondre avec « cramant », grand cru de la Côte des Blancs. Dep. 1975, l'usage du mot « crémant » est autorisé pour désigner les vins mousseux, méthode de 2e fermentation en bouteilles (dite avant le 18-11-1985 méth. champenoise), d'appellation contrôlée, autres que le champagne, tels le crémant de la Loire, c. d'Alsace, c. de Bourgogne, et sans qu'ils soient obligatoirement élaborés selon la technique traditionnelle du crémant. « Crémant » peut donc désigner un champagne (pression : 3 atmosphères) ou des mousseux qui ne sont pas du champagne (pression : 6 atm.).

• **Cru.** Zone à l'intérieur de laquelle l'ensemble des produits présentent des caractères originaux communs, en se démarquant de ceux des terroirs voisins. Dans le Bordelais, il désigne un « domaine », un « château », dans le Beaujolais, il correspond à l'appellation communale. Peut également désigner le vin issu du terroir en question.

Cru bourgeois. Classement de 1932 par une commission de courtiers sous l'autorité de la Ch. de commerce et de la Ch. d'agric. de la Gironde, 444 propriétés (auj. 140), palmarès syndical en 1966 et 1978. Utilisé pour le Médoc. On distingue : cru grand bourgeois exceptionnel, cru grand bourgeois et cru bourgeois.

• **Cuve close.** Méthode pour rendre le vin mousseux par une 2e fermentation en cuve, sous pression et qui est immédiatement mis en bouteille.

• **Débourbage.** Consiste à séparer le moût des bourbes des vins blancs (matières en suspension) avant de le faire fermenter.

• **Dépôts.** *Pulvérants colorés :* matières colorantes et tanin. *Cristallins :* tartrate de calcium et bitartrate de potassium.

• **Fraude.** *Acidification* et *désacidification* des vins par des procédés interdits. *Ajout d'alcool méthylique* (toxique) (ex. : fraude sur les vins italiens). *Utilisation d'acide sulfurique* pour enlever le mauvais goût laissé par un emploi abusif de stabilisant au soufre. *Étiquetage tendancieux.* Substitution du vin de table à un vin d'appellation contrôlée par trafic de papiers (ex. pour du bordeaux : procès en 1974, maison Cruse impliquée ; en 1989 petits vins de Bergerac revendus comme grands crus bordelais). *Fausses appellations* (ex. en 1982, on a révélé que 70 000 hl de vin du S.-O. avaient été vendus comme du muscadet ou du gros plant ; affaire Martin-Jarry). *Vins blancs colorés* en rouge. *Glycérinage* [pour donner de la rondeur, du gras à un vin (en Autriche, 365 crus ont été fabriqués avec de l'éthylène-glycol qui est un poison violent)]. Collecte de vins d'appellations différentes dans le même contenant. Enrichissement au-delà des limites autorisées. *Chaptalisation* au-dessus de 2°. Les techniques de résonance magnétique nucléaire (RMN) doivent permettre de déceler vins mouillés ou chaptalisés. *Faux vins* en Corse en 1974 : mélange sucre, acide sulfurique, glycérine et de colorant.

• **Gris (ou vin d'une nuit).** Rosé léger, avec une macération courte (une nuit). Issu de la vinification en blanc (pressurage immédiat : extraction rapide du jus exempt de rafles, peaux et pépins) de raisins noirs à jus blanc. Vin des Côtes de Toul.

• **Jaune (vin)** [Jura]. Au cours de l'année, le vin est mis en fût pour 6 à 10 ans, en vidange ; un voile se forme et les micro-organismes (levures) lui donnent un goût très spécial.

• **Mouillage.** Ajout d'eau.

• **Mutage.** Opération consistant à empêcher ou à stopper la fermentation d'un moût, uniquement par adjonction d'alcool ou d'eau-de-vie, pour obtenir un « vin de liqueur » (tel le Pineau des Charentes) ou un « vin doux naturel » (VDN du Roussillon).

• **Paille (vin de)** (ou *v. passerillé*). Vin blanc liquoreux (sucré) titrant 14° d'alcool min. Vient de la fermentation du raisin séché pendant 2 à 4 mois, étendu sur de la paille ou suspendu à des lattes. Prix de revient élevé. Produit : Jura, Hermitage, Espagne (Andalousie).

• **Pelure d'oignon.** Désigne la teinte fauve, presque orangée, que certains vins rouges acquièrent avec l'âge. N'est plus employée dans le commerce que pour des vins sans appellation d'origine.

• **Pinard.** D'Adolphe Pinard (1844-1934), médecin. S'intéressa au vin qu'on donnait aux soldats et constatant les dégâts de certaines maladies prescrivit d'y ajouter du mercure. Le terme « pinard » relevé 1616 est aussi une déformation de « vin pineau » ou « pinot ».

• **Piquette.** Procédé créé par le chimiste Thénard et son préparateur Petiot (« petiotisation »). En ajoutant au marc frais (ou fermenté) du sucre et de l'eau, on obtient une boisson alcoolisée ayant un goût de raisin. Actuellement interdit.

• **Porto.** Vin de liqueur du Portugal. Raisins rouges foulés dans un fouloir en pierre ; fermentation du moût dans une cuve jusqu'à conversion de la moitié du sucre en alcool (on arrête la fermentation en ajoutant de l'eau-de-vie).

• **Pourriture noble** *(Botrytis cinerea).* Champignon qui s'attaque au raisin pendant la maturation, rend les baies perméables et concentre le jus par évaporation d'eau. On ne parle de pourriture noble que si le sucre dans le raisin atteint 70° Oechsle ou 17° Brix (assez pour donner un vin de 9° d'alcool).

Exemple du Sauternes. Dans la région, brouillards matinaux et soleil l'après-midi alternent à l'époque des vendanges, favorisant le développement du champignon : les raisins prennent une teinte grise sur laquelle apparaissent les spores de la moisissure, puis tournent au violet-marron et la peau du fruit ramollie n'est plus qu'une pulpe. Le jus concentré est très doux et riche en glycérine. Si les conditions atmosphériques sont parfaites (ex. en 1967 et 76), le phénomène se produit brutalement et complètement, sinon les baies pourrissent de-ci de-là, parfois même une par une, et l'on doit les récolter en plusieurs fois (parfois 10 à 11). *Sols :* argile mêlée à des cailloux roulés et à des grains, recouverte par une faible épaisseur de graves ou de sables ; drainage assuré par des drains en poterie placés il y a 100 ans. *Encépagement :* 80 % Sémillon, 20 % Sauvignon. *Vinification :* traditionnelle ; fermentation en barriques de chêne merrain. *Élevage :* 3 ans en barriques retenues et signées. *Production annuelle :* 70 000 bouteilles. Un pied donne env. 1 verre de vin. *Château-Yquem :* cultivé sur 102 ha.

Utilisation du raisin suivant les continents

(en %)	pressoir [1]	r. de table	r. secs
Europe	97,1	2,8	0,1
Asie	56,3	38,3	5,4
Amérique	86,3	10,2	3,5
Afrique	84,2	9,4	6,4
Océanie	65,6	5,6	28,8

Nota. – (1) Vin surtout.

• **Raisin. Composition** (en %). Eau 79,1, corps azotés 0,7, acides 0,7, sucres 15, autres hydrates de carbone 1,9, fibres 7,1, déchets végétaux 0,5. **Variétés principales. Raisin de table.** *Chasselas :* 57 % de la production du Sud-Ouest. 29 % des encépagements, précoce, blanc à petits grains ronds, récolte : août à nov. *Alphonse Lavallée :* 20 %, gros grains noirs et entièrement méditerr., ronds et résistants, récolte : fin août à début oct. *Muscat de Hambourg :* 7 % de la prod. totale, 17,6 % des encépagements, parfumé et fin, récolte : août à début nov. *Cardinal :* le plus précoce des raisins noirs (Sud-Est). *Gros Vert :* blanc tardif (Vaucluse, B.-du-R.), 17 % de la production française. Nouvelles variétés mises au point par l'INRA. *Lival* et Ribol : noirs. *Daulas et Datal :* blancs. Les pépins servent pour le tannage des cuirs et donnent une huile comestible très légère.

• **Rancio.** Vin ayant vieilli en bonbonne. Procédé pratiqué surtout sur les vins doux naturels.

• **Soutirage.** Consiste à séparer le vin clair des lies après fermentation.

• **Sucre.** Un raisin normalement mûr contient 170 g à 200 g de sucre par litre (atteint de pourriture noble, il va jusqu'à 350 g).

• **Vendanges. Machines.** *Prix :* 160 000 à 600 000 F. H.T. Les grappes peuvent être récoltées jusqu'à 15 cm du sol. *Pertes : 6 à 15 %.*

• **Vigne.** Plante originaire des pays boisés d'Europe et d'Asie centrale importée en Grèce, puis en Europe du Nord. Très tôt, on écrasa les baies et on les fit fermenter. La vigne *(Vitis)* compte env. 20 espèces dont l'une est la vigne à vin *(Vitis vinifera)* qui comprend env. 4 000 variétés dont env. 12 ont un développement mondial. *Principaux ennemis :* mildiou, oïdium, phylloxéra, viroses, pourriture grise, eutypiose [maladie du bois : 1/3 des plants Ugni-blancs (Cognac) touchés].

Rendement. Un pied produit de sa 2e année à parfois 100 ans. La production des AOC n'est prise en compte qu'à partir de la 3e année, mais il faut 10 à 12 ans avant qu'il ne donne son rendement optimal. Les grands vins viennent de vignes de 20 à 40 ans. *Rendements à l'ha (en hl en 1986) :* AOC 56, VDQS 57, cognac 119, divers 82.

• **Vin.** Jus de raisin fermenté. **Constituants de base.** *Eau :* jusqu'à 90 %. *Acides. Tanins. Éthanol* (alcool éthylique) ; produit au cours de la fermentation alcoolique par l'action des levures sur les sucres du raisin, de 50 à 140 g par litre ; le titre alcoométrique (degré) indique le % d'alcool contenu dans le liquide. *Ex. :* 12° : 120 cm³ d'alcool par litre de vin (soit 120 × 0,79 g = 94,8 g par l). *Méthanol* (alcool méthylique) : 0,02 à 0,2 g/l dans les raisins de *Vitis vinifera ;* vient de l'hydrolyse des pectines en cours de fermentation ; donne au vin sa saveur sucrée, l'impression de chaleur et augmente sa viscosité. Donne du gras, du sucré, de la souplesse au vin : teneur 4 à 20 g/l (plus pour les vins très liquoreux).

Vin blanc. Fermentation de raisins rouges à jus blanc ou blancs versés directement dans un pressoir ou après passage dans un égouttoir qui écrase les grappes et sépare les *rafles* (grappe sans grains) : une pompe amène les raisins broyés dans un pressoir ; le *moût* (vin doux non fermenté) coule dans la *maie* (table du pressoir), une pompe le transporte dans la cuve de fermentation ; selon la durée de la fermentation, on obtient un vin sec (fermentation complète de tout le sucre) ou un vin doux ou mousseux (arrêt de la fermentation en cours).

Vin doux naturel (VDN) et vin de liqueur (VDL). Vins dont on arrête la fermentation en ajoutant de l'alcool [10 % pour les VDN en cours de fermentation (pièce de régie couleur verte) et 15 % pour les VDL avant la fermentation (orange)], d'où un fort taux de sucre.

Vin mousseux. Méthode de seconde fermentation en bouteilles (dite avant le 18-11-1985 champenoise) : vin rendu mousseux par une 2e fermentation en bouteilles pendant 9 mois min. MÉTHODE ALLEMANDE (SEKT) : fermentation en bouteilles, après la prise de mousse, les bouteilles sont transvasées dans une cuve close, sous contre-pression d'azote. Le vin stabilisé par le froid est additionné de liqueur d'expédition, filtré et tiré en bouteille. **Vin mousseux produit en cuve close :** le vin de base additionné de sucre et de levain dans une cuve résistante à la pression et maintenue à température basse et constante, subit une 2e fermentation. La réfrigération à – 5° permet de la bloquer lorsque la pression est à 5 ou 6 kg avec la quantité de sucre résiduel voulue. Après un repos à basse température, le vin est filtré puis tiré avec addition de la « liqueur d'expédition ». MÉTHODE DE TRANSFERT : la prise de mousse s'effectue en bouteilles, le vin est ensuite transvasé dans une cuve inoxydable où il est stabilisé par le froid puis filtré et mis en bouteille. Temps d'élaboration au minimum de 4 mois. Procédé essentiellement utilisé par 2 marques (Kriter et Café de Paris). MÉTHODE RURALE : le vin est mis en bouteille définitive avant la fin de la fermentation alcoolique. Seul le sucre naturel du raisin formera le gaz carbonique (de Die, Gaillac, certains mousseux, Limoux). **Asti spumante.** Le moût (et non le vin issu de la 1re fermentation) est mis en cuve close, la fermentation des sucres du raisin provoque le dégagement de CO2 donc la mousse. La pression de l'atmosphère étant atteinte en 2 semaines. **Vin mousseux gazéifié,** se pratique de moins en moins : obtenu par addition d'acide carbonique.

Vins nouveaux. *De l'année.* A boire dans les mois suivant sa date légale de sortie des chais des producteurs (pas avant décembre). Le vin reste nouveau jusqu'aux prochaines vendanges. *Primeur :* peut être dégusté dès le 3e jeudi de nov., à 0 h et ne peut rester en vente sous ce nom au-delà du printemps suivant. **Date légale de sortie des chais.** *Vins de pays :* lorsqu'ils ont reçu l'agrément ; *VDQS :* à compter du 1-12 suivant la récolte ; *AOC :* au 15-12, sauf pour les vins autorisés à sortir plus tôt [certains AOC comme Beaujolais, Côtes-du-Rhône, vins de Loire, Gaillac rouge peuvent être, pour les « primeurs », vendus avant le 1-12 (ils le sont parfois plus tard s'ils ne sont pas « terminés »).

Vins pétillants. Qualification utilisée avec certaines appellations contrôlées (Anjou, Saumur, Montlouis, Touraine, etc.) contenant de l'anhydride carbonique : la pression intérieure est inférieure à celle d'un vin mousseux (– de 2,5 atmosphères ; pour le champagne 4,5 ou 5).

Vin rosé. Fermentation de raisins rouges broyés, puis pompés dans une cuve de fermentation ; rapidement, le jus est versé dans une 2e cuve après avoir pris une couleur rosée (contact rapide avec les pellicules). Il ne s'agit pas d'un mélange de vin rouge et de vin blanc. Seuls les Champenois ont le droit de mettre un certain % de vin rouge de Champagne très coloré (souvent 4 à 5° de Bouzy) dans le vin blanc pour obtenir du champagne rosé.

Vin rouge. Fermentation de raisins rouges versés dans un broyeur ou un broyeur-égrappoir, puis pompés dans une cuve ; fermentation complète en présence des pellicules colorées ; *vin de goutte* mis en fût ; pressurage des « marcs » (rafles et pellicules) avec un pressoir hydraulique donnant le *vin de presse* auquel on peut ajouter du *vin de goutte* pour le rendre consommable.

Quelques conseils

Quel vin boire à table ? Avec poissons, huîtres, coquillages ou crustacés. Vins blancs secs, mousseux blancs secs, champagne brut. **Entrées et hors-d'œuvre.** Vins blancs secs ou demi-secs, vins rosés. **Viandes et volailles.** Vins rouges bouquetés et pas trop corsés. **Gibier.** Grands vins rouges corsés, généreux et puissants. **Fromages.** Grands vins rouges, grands millésimes, avec les fromages fermentés ; vins blancs de pays avec les fromages doux à pâte molle et les fromages de chèvre (ex. du Sauvignon avec le crottin de Chavignol). **Foie gras.** Selon les goûts, grands vins rouges ou grands blancs liquoreux. **Desserts sucrés.** Champagne demi-sec, mousseux, vins liquoreux, vins doux naturels (prendre un alcool blanc avec un entremets au chocolat). **Fruits.** Vins blancs liquoreux, champagne demi-sec.

☞ Le champagne peut accompagner tout un repas. Ne pas boire de vins avec les salades et mets à la vinaigrette.

Température de dégustation. *Champagne :* 6 à 8 °C (éviter congélateur et seau à champagne garni de gros sel qui « cassent »). *Bourgogne rouge :* 14 à 16°. *Bordeaux rouge :* 15 à 16°. *Rhônes rouge :* 15 à 16°. *Loire rouge :* 14 à 15°. *Vin rouge léger* à boire frais : 10 à 12°. *Rouge robuste :* charpenté, plus généreux 14°. Pour chambrer, éviter les fortes sources de chaleur (étuve, radiateur, bain-marie). Le bouchon ne doit pas sentir le liège ou une odeur de parasite.

• **Ouverture des bouteilles.** *Vins jeunes :* quelques h à l'avance ; *vins plus vieux :* ouverts trop tôt se « fanent » mais doivent être décantés si dépôt au fond en transvasant dans une carafe (vins jeunes pour aérer et amorcer une oxydation). Bourgogne rouges moins tanniques que les Bordeaux (oxydation) décantation parfois néfaste. Certains Bordeaux perdent leur bouquet après 2 à 3 h, d'autres non ; il vaut mieux décanter à la dernière minute. Généralement ne décanter que les très grandes années.

Qualités d'une cave à vin. *Température :* de 9 à 12 °C ; ni sèche, ni humide (hygrométrie de 70 % pour éviter au bouchon de se dessécher) ; *clarté :* aussi faible que possible (une lumière trop vive oxyde le vin) ; *sol :* en terre battue couvert de gravier ou dalles espacées ; loin d'odeurs se communiquant au vin (mazout, fromage, etc.) ; *bouteilles couchées :* le vin doit rester en contact avec le bouchon pour l'empêcher de se dessécher et de laisser entrer l'air avec germes nocifs pour le vin.

Statistiques

• **Superficie du vignoble** (en milliers d'ha, 1989). *Monde 8 812 dont Europe 6 150* (Espagne 1 473, URSS 1 081, Italie 1 074, *France 948,* Portugal 385, Roumanie 268, Youg. 227, Grèce 170, Hongrie 140, Bulgarie 139, All. féd. 102, Autriche 58, Tchéc. 47). *Amérique 868* (USA 331, Argentine 260, Chili 118). *Afrique 393* (Algérie 134, Afr. du S, 106). *Asie 1 338* (Turquie 625, Iran 170, Chine 160, Syrie 110). *Océanie 63* (Australie 58).

• **Raisin. Production** (en milliers de t, 1989). Italie 10 000. *France 8 000.* URSS 5 450. USA 5 345. Esp. 5 110. Turquie 3 000. Argentine 2 908. Roumanie 2 266. Grèce 1 700. All. féd. 1 450. Afr. du S. 1 420. Portugal 1 300. Youg. 1 186. Chili 1 100. Bulgarie 960. Australie 910. Chine 800. Brésil 706. Mexique 564. Égypte 550. Hongrie 540. Afghanistan 480. Algérie 460. Irak 455. Syrie 450. Autriche 440. Japon 297. Inde 291. Suisse 170. Corée du S. 180. Maroc 180. Liban 163. Tunisie 130. *Monde 60 524.*

• **Vin. Production** (en milliers de t, 1989). *France 6 081,8,* Italie 5 980. Esp. 2 896. URSS 2 118. Argentine 2 032. All. Féd. 1 323. USA 1 557. Roumanie 1 000. Afr. du S. 967. Portugal 766. Australie 500. Youg. 485. Chili 390. Hongrie 371. Brésil 298. Bulgarie 289. Autriche 258. Suisse 170. Mexique 162. Tchéc. 117. Algérie 100. Chine 85. Uruguay 74. Chypre 72. Japon 61. Canada 57. N.-Zél. 40. Maroc 38. Albanie 26. Lux. 23. Tunisie 23. Turquie 22. *Monde 29 015.*

Commerce (en millions d'hl, 1987). **Exp. :** Italie 13,2. *France 13.* Esp. 5. URSS 4,7. All. Féd. 2,9. Hongrie 2,3. Bulg. 1,6. Port. 1,6. Grèce 1,4. Alg. 0,9. Youg. 0,9. USA 0,8. *Europe 47,8.* **Imp. :** All. Féd. 8,8. G.-B. 6,8. *France 5,7.* USA 2,7. URSS 2,3. P.-Bas. 2,2. All. dém. 2. Suisse 2. Belg. 1,8. Port. 1,8. Canada 1,5. Dan. 1,1. Suède 1,1. Japon 0,9. Pologne 0,9. Italie 0,7. *Europe 38,7.*

Consommation (1 par hab. et par an, 1989, et entre parenthèses 1965). *Fr. 74 (117,6),* It. 72,1 (110,1), Lux. 61,4, Arg. 54,4, Port. 53, Suisse 47,7 (38,1), Esp. 47,2, Roum. 42,8, Autr. 35,2, Chili 35, Grèce 29,9, Uruguay 28, All. féd. 26,1 (14,7), Danemark 24,8 (4,1), Belg. 21,1 (11,2), Youg. 21,1, Hongrie 20, Australie 19,1, Bulg. 15, P.-Bas 13,7 (3,4), Chypre 13,2, N.-Zél. 12,9, Suède 12,6, All. dém. 12, G.-B. 12 (2,2), Tchéc. 10, Afr. du S. 9,1, Canada 9,1 (2,6), URSS 9, USA 8 (3,7), Finl. 6, Norv. 5,2, Irl. 4,2, Israël 4, Pologne 2,8, Tunisie 2,5, Paraguay 1,9, Brésil 1,8, Maroc 1,6, Algér. 1,2, Japon 1 (0,3), Pérou 0,6, Turquie 0,4.

Répartition de la consommation (en %). All. féd. [2] : blanc 59,6 (rouge 33,7) *rosé 6,7.* Belgique [2] : 79,7 (15,5) *4,8.* Canada [2] : provinces anglophones : 73 (25) *20;* Québec : 51 (48) *1.* G.-B. [2] : 70 (26) *4.* Japon [1] : 60 (30) *10.* P.-Bas [2] : 50,5 (47) *2,5.* U.S.A. [2] : 59,6 (30,9) *9,6.*

Nota. – (1) 1984. (2) 1985.

• **Mousseux. Production** (en millions de bouteilles, 1988). *France 406* [dont exp. 140, marché int. 266 (dont champagne exp. 90, marché int. 147)]. All. féd. [1] 338 (dont groupe Oerker 90, Günther Reh 70, Racke 12, Deinhard 12). U.R.S.S. 270. Italie 210. Espagne 150. U.S.A. 148. Australie 63. *Ensemble 1 585.*

Nota. – (1) 1er consommateur : 400 millions de bouteilles (6 par hab./an).

Quelques pays producteurs

• **Afrique du S.** *Vignobles* (1989) : 106 000 ha. *Production* (1989) : 9,6 millions d'hl.

• **Allemagne fédérale. Législation.** 3 catégories : *Tafelwein* (vin de table, qualité passable, pas de mention de vignoble d'origine ; peut s'agir de *deutsche Tafelwein,* d'origine all., de *Tafelwein* souvent d'origine italienne, ou de *Landwein* vin de pays) ; *Qualitätswein bestimmter Anbaugebiete* (QbA, vin de qualité d'une région déterminée) ; *Qualitätswein mit Prädikat* (QmP, catégorie supérieure). *Régions :* 11 viticoles délimitées *(bestimmte Anbaugebiete),* divisées en 32 districts *(Bereiche),* divisés en villages *(Gemeinden),* divisés en 2 600 vignobles *(Einzellagen).*

Vignoble (en milliers d'ha, 1989) 102. **Producteurs.** *1964 :* 122 000, *1982 :* 89 471. **Rendement** (hl par ha). *1900 :* 25 ; *1939 :* 40 ; *1970 :* 100 ; *1982 :* 171 (record 200). **Production** (millions d'hl). *80 :* 4,6. *81 :* 7,3. *82 :* 15,7. *83 :* 13. *84 :* 8. *85 :* 5. *86 :* 10,1. *88 :* 9,7. *89 :* 13,1.

• **Argentine.** *Vignobles* (1989) : 260 000 ha. *Production* (1989) : 20,3 M hl.

• **Chili.** *Vignobles* (1989) : 118 000 ha. *Production* (1989) : 3,9 M hl.

• Espagne. **Législation.** Organisme de contrôle créé 1972 pour la *Denominación de origen.* [26 régions avec des contrôles d'appellations (soit env. 50 % du vignoble)]. **Quelques vins.** *Xérès* (en anglais, *sherry*) : région de Cadix, vin blanc, acidité augmentée par du gypse ou du plâtre, fermentation dans des fûts de chêne jusqu'à 12 à 16°, coupé avec de l'alcool pour atteindre 15 à 18°, puis vieillissement, on appelle *manzanilla* le Xérès de Sanlúcar de Barrameda qui a un goût salé car il mûrit près de la mer. Types fino (17,5/18°), manzanilla ou palma, amontillado (19°), oloroso (19°), cream-sherry (20°), palo cortado (rare). *Málaga :* Andalousie, vin blanc ou vin rouge de dessert ou d'apéritif. **Superficie** (1989) 1 473 000 ha. **Production** (millions d'hl). Moyenne *1976-80 :* 33,8 ; *81-88 :* 33,1 ; *89 :* 29.

• États-Unis. *Vignobles* (1988) : 319 000 ha dont Californie 281 000, New York 15 000, Washington 11 000, divers 15 000. (1989) : 331 000 ha. **Production** (89) : 15,6 millions d'hl.

• Grèce. *Superficie* (1989) : 170 000 ha. *Production* (1989) : 5 M hl.

• Hongrie. **Tokay.** Produit sur les rives du Bodroy à l'Est de Budapest. *Tokay aszu* (le plus connu) : fabriqué à partir du sirop obtenu par pressurage des raisins *Aszu (surmuris)* contenant jusqu'à 60 % de sucre ; l'arrière-goût subsiste 1/2 h. En 1989, 140 000 ha, prod. 3 711 000 hl.

• Italie. **Législation.** *2 catégories : Denominazione di Origine Controllata* (10 à 12 % de la récolte réglementée selon volume de la vendange et vins). DOC g (garantita) de table avec dénomination géographique 12 à 15 %, sans dén. 55 à 65 (mousseux etc.) ; tous les autres vins. **Quelques vins.** *Asti spumante :* Piémont, vin blanc mousseux. *Valpolicella :* Vénétie, vin rouge. *Lambrusco :* Émilie-Romagne, vin rouge pétillant. *Chianti :* Toscane, vin rouge, 2 sortes (jeune présenté dans des *fiaschi* ou bouteilles entourées de paillons ou de plastique, vieux mûri en fûts et présenté dans des bouteilles type Bordeaux). *Lacryma Christi :* Campanie, coteaux du Vésuve, rouge rosé ou blanc. *Marsala :* Sicile (pentes de l'Etna et région de Syracuse), vin d'apéritif ou de dessert lancé 1773 par l'Anglais John Woodhouse. **Superficie** (1989) 1 074 000 ha. **Production** (millions d'hl). Moy. *1976-80 :* 74,6 ; *81-88 :* 71,2 (de 40 en Basilicate à 150 en Émilie Romagne). *89 :* 59,8.

• Portugal. **Superficie** 385 000 ha. **Viticulteurs** 200 000. **Production** (millions d'hl) : *moy.* 10, *1988 :* 3,8, *89 :* 7,7. **Vinho verde :** (vin vert) : province du Minho, vin rouge ou blanc, cultivé en polyculture avec maïs et légumes et en hauteur (2 à 2,5 m) ce qui ralentit la maturité, 40 000 ha, 2 millions d'hl. **Porto :** région de Porto, vin rouge destiné à l'Angleterre et dans lequel on ajoute depuis le XVIIIe s. de l'eau-de-vie pour le stabiliser et arrêter la fermentation, 85 000 vignobles sur 24 800 ha, classés selon la qualité sur une échelle de 8 crans, quotas annuels (40 % de la récolte est transformé en Porto). **Bairrada** 18 600 ha, 500 000 hl (95 % rouge). **Dao** 18 000 ha. 500 000 hl (rouge 70 %, blanc 20 %, rosé 10 %) très veloutés. *Qualités :* blancs (issus de raisins blancs) ; rouges vieillissant en fûts : Ruby (passe peu de temps en fût ; rouge rubis, fruité et frais), Tawny (plus vieux, clair, moelleux, mi-sec ou doux), bon de 3 à plus de 40 ans ; peut porter un millésime assorti de la date de mise en bouteille : Colheitas ou Réserve issue de vins d'une même année ; Late Bottled Vintages (LBT) issu d'une seule année, passe 3 à 6 ans en fûts avant ; rouges vieillissant en bouteilles : Vintages (d'une seule récolte, produit dans les années exceptionnelles, longévité 50 ans ; bonnes années : *1927, 35, 45, 55, 63, 70, 77*). *Ventes mondiales* (1989 en milliers d'hl). 702 dont France 296, Bel.-Lux. 131, G.-B. 80, P.-B. 63, Italie 32, All. 29. **Principales S[tés] :** Ferreira (seule vraiment portugaise ; 150 ha). Porto Croft : créée 1678 par John Croft. Sandeman : créée 1790. Porto Cruz (17 % du marché).

Madère : île de Madère, se développe au XVIIe s., une loi britannique de 1665, interdisant d'exporter des vins d'Europe dans les colonies brit., M. exporte vers l'Empire un vin qui s'améliore en voyageant ; à partir du XVIIIe s., on ajoute aussi de l'eau-de-vie. Passe de 4 à 5 mois en étuve portée d'abord à 50 °C. Après un lent refroidissement, il possède le caramel qui l'a rendu célèbre.

• Suisse. **Quelques vins.** *Blancs :* Vaudois (Lavaux, Yvorne, Aigle, Féchy) ; Valais (Fendant) ; Neuchâtelois (Anvernier, Boudry, Colombier). *Rouges :* frais et légers : Dôle, Blauburgunder, Cortaillod ; corsé : Merlot (Tessin). *Liquoreux :* Malvoisie (Valais). **Production** (1989, en hl, et, entre par. rendement en hl/ha). Suisse romande 1 508 574 (135), Deutsche Schweiz 193 938 (85), Suisse ital. 44 519 (36).

• Tunisie. **Production** (en millions d'hl) *1955 :* 1,8, *71-75 :* 1,08, *81-85 : 0,58, 87 :* 0,39, *88 :* 0,2, *89 :*0,23, grand cru du Monarg, coteaux de Tebourba.

Vin en France

Généralités

Histoire. *VIe s. av. J.-C.* culture introduite par Phéniciens et Grecs à Port-Vendres et Marseille. Extension au Ier s. av. J.-C. sous l'impulsion des Romains dans la région méditerranéenne. *92* pour protéger le vignoble italien de cette concurrence, un édit de Domitien prescrivit l'arrachage de 50 % des vignes gauloises qui se trouvent sur des terres labourables. *Vers 280* Probus rétablit la liberté. Plus tard, la culture en France connaît des périodes d'extension et de limitation. *1441* édit de Philippe le Bon, duc de Bourgogne, interdit la culture dans les terres riches. *1731* Louis XV interdit de nouvelles plantations sauf dérogation pour des terroirs propres à donner des vins de qualité. *1789* Révolution rétablit la liberté de culture jusqu'en 1875 (crise du *phylloxéra*). La vigne était alors cultivée sur des coteaux ensoleillés, en terrains secs, ce qui ne permettait que de faibles rendements. Maintenant, elle s'étend plutôt dans les plaines grasses et les vallées humides. Elle a reculé le long de la Loire, en Charente, en Bourgogne, sur les côtes du Rhône, en Bordelais et s'est développée dans le Gard, Vaucluse, Aude, Hérault, Var.

Crises viticoles. **1907** devant l'effondrement du prix du vin, révolte des vignerons. *12-5* 15 000 vign. manifestent à Béziers menés par Marcelin Albert. *20-6* Narbonne, des soldats du 139e régiment de ligne ouvrent le feu (4 tués). *20-6* Agde, 2 bataillons du 17e régiment d'infanterie refusent d'obéir à leur colonel. *29-6* loi contre la fraude, mesures d'apaisement. *22-9* création de la Confédération générale des vignerons. **1975** à la suite d'importations de vin d'Italie (7 millions d'hl) malgré l'application des règlements de la CEE (montants compensatoires, dévaluation de la lire verte), manif. dans le Languedoc, boycottage des vins ital. *28-3* la Fr. suspend pour 1 mois les imp. de vins ital. *16-4* le conseil des ministres de la CEE autorise pour 50 j la distillation à guichet ouvert des excédents français et ital. Les frontières fr. sont rouvertes et le stockage de 1,5 million d'hl de vin ital. est décidé. *11-9* la Fr. taxe de 12 % les vins importés. **1976** *4-3* heurts entre CRS et vignerons à Montredon (1 C[dt] de CRS et 1 vigneron tués). *1-4* suppression de la taxe de 12 %. (V. Quid 1981 p. 1488 b). **1977-81** raids sporadiques contre des camions-citernes contenant des vins ital. (ouverture de vannes, camions incendiés). **1981** *août* retards considérables pour le dédouanement dans le port de Sète de navires « pinardiers » ital. **1982** *6-3* la Cour de justice eur. condamne la Fr. à lever le blocage des vins ital. décidé le 1-2. **1983-84** manif. nombreuses. Coût du soutien du marché du vin : 1 milliard d'ÉCUS (7 milliards de F). La France demande une distillation exceptionnelle de 5 millions d'hl. **1984-85** réforme de l'organisation commune du vin. Intensification des aides à l'arrachage ; distillation obligatoire des excédents à bas prix. **1988** accord de Bruxelles sur les « stabilisateurs budgétaires » : baisse du prix de la distillation obligatoire, incitation à l'arrachage.

Culture. *Altitude :* en général moins de 300 m, parfois jusqu'à 600 ou 800 m (Plateau Central, Alpes). *Répartition* (en %) : vignobles sur plaines ou sables littoraux 35, coteaux 45, plateaux 20. *Exposition :* S.-E. ou S.-O. (sauf dans le N., ou S.-E. et S. sont meilleurs). *Température :* au-delà de la limite N. les raisins ne mûrissent pas (Vannes, Paris, Mézières, Francfort, Dresde, Carpates, bords de la mer Noire). Ailleurs, les cépages doivent être précoces sous un climat froid, et tardifs sous un climat chaud. *Pluviométrie :* préfère un climat sec (400 à 600 mm par an) mais supporte 800 à 1 000 mm. Les chutes doivent être bien réparties. *Vents :* craint les vents violents qui cassent les sarments non palissés mais peuvent être bénéfiques dans le Midi quand, soufflant du N. (mistral, tramontane), ils assèchent l'atmosphère et stoppent les attaques de champignons parasites comme le mildiou. *Sol :* une prédominance de silice favorise les vins fins, parfois peu bouquetés ; l'argile non prédominante peut donner du corps ; le calcaire domine dans les zones de prod. de grands vins blancs (champagne).

Statistiques

• Vignobles. **Superficie** (en milliers d'ha, 1989-90). **Vignes des viticulteurs commercialisant.** 946,8 dont Hérault 126,3, Gard 105,8, Aude 97,8, Vaucluse 53,7, Pyr.-Or. 48,1, Ch.-M. 44,7, Charente 41,9, Var 39,2. *Vignoble d'AOC* (1989-90) : 430,2. dont Aquitaine 117,3, Languedoc-Roussillon 90,4, Provence-Côte d'Azur 59,1, Val de Loire 39,8, Rhône-Alpes 37,8, Bourgogne 33,4, Champagne 25,4, Alsace 13,1, Midi-Pyrénées 7,2, Corse 2, autres 4,7. *Vignoble pour vins aptes à prod. du cognac :* 78 6.

Viticulteurs. Nombre de déclarants en récolte. *1920-24 :* 1 340 000, *35-39 :* 1 560 000, *50-54 :* 1 610 000, *60 :* 1 375 000, *70 :* 1 075 000, *78 :* 815 000, *1982 :* 711 810, *88 :* 532 300, *90 :* 462 700. **Exploitations (taille moyenne).** 2,5 ha.

• Production de vin (en millions d'hl). **Récoltes élevées** (+ de 65). *1934 :* 78,1 ; *35 :* 76 ; *62 :* 73,5 ; *70 :* 74,4 ; *73 :* 82,4 ; *74 :* 75,5 ; *75 :* 66 ; *76 :* 73 ; *79 :* 83,5 ; *80 :* 69,20 ; *85 :* 69,2 ; *86 :* 73,2 ; *87 :* 69,4 ; *88 :* 57,5 ; *89 :* 61 ; *90-91 :* 65,5 (VQPRD 23,6 dont AOC 23, VDQS 0,6, autres vins 29, 3 dont v. de pays 12,3, v. pour le cognac 12,6). **Récoltes faibles** (- de 50). *1930 :* 45,6 ; *42 :* 35 ; *45 :* 28,6 ; *69 :* 49,8.

Régions productrices (en millions d'hl, 1990). Languedoc-Rouss. 22,1 ; Charentes 13,2 ; Aquitaine 8,4 ; Provence-C.-d'Azur 5,6 ; Val de Loire-Centre 3,8 ; Rhône-Alpes 3,6 ; Midi-Pyr. 3,3 ; Champagne 2,2 ; Bourgogne 1,5 ; Alsace 1,1. Autres 0,7.

• Vin commercialisé en France (conditionnement en %, 1986). Verre 65,3 (dont 6 étoiles 38, 75 cl 27,3) ; gros condit. 29 ; plastique 4,8 ; brique-carton 0,9.

Ventes de vins mousseux français. (en millions de bouteilles, 1987) 380 dont Champagne 217,7, VM 76,7, VMQPRD 54,9 (dont Saumur 12,1, Blanquette de Limoux 7,5, Clairette de Die 7,1, Crémant d'Alsace 6,3, Vouvray 5, Bordeaux 4,2, Touraine 4, Crémant de Bourgogne 2,9, de Loire 1,22, Anjou 1,1, Gaillac 0,95, Côtes du Jura 0,7, Montlouis 0,7, Mousseux de Savoie 0,35, Arbois 0,3, Mousseux de Bugey 0,15, Bourgogne 0,14, Seyssel 0,1, VQ 30,5. **Mousseux et pétillants** (1989). 84,5 (dont mousseux nature 87,9 %, pétillants nature 5,4, pétillants aromatisés 6,7).

Commerce des vins (en millions d'hl et entre parenthèses, valeur en millions de F, 1990). **Imp. françaises :** 4,5 (1 993) dont vins de qualité 0,262 (240), de table 3,9 (1 085), de Porto 0,26 (579). **Exp. françaises :** 12,3 (23 025) dont A.O.C. tranquilles 6,9 (19 708) (dont volumes en milliers d'hl : Bordeaux 1 803, Côtes-du-Rhône 605, Beaujolais 581, Bourgogne 515, Alsace blancs 336, Muscadet 239, Anjou-Saumur 233, Côtes-de-Provence 111, autres 1 409), vins de table 3,65 (2 110), de pays 1,4 (919), champagne 0,69 (6 851), vins mousseux 0,4 (616). *Principaux clients* (en millions de F) : G.-B. 4 751, All. féd. 3 888, UEBL 2 515, USA 2 480, Suisse 1 918, P.-Bas 1 387, Japon 1 106, Italie 988, Canada 866, Danemark 727.

Savour Club

Fondé 1965 par Robert Descamps (actuel P.-D.G.). *Chiffre d'affaires (en millions de F) :* 350 dont France 280, All. féd. 33, Belgique 28, Suisse 7. *Clients-membres (en milliers) :* 300 dont France 235, All. féd. 35, Belgique 20, Suisse 10. 12 millions de bouteilles vendues au prix moyen de 29 F.

• Consommation de vin (en millions d'hl) : *1950 :* 60 ; *70 :* 45,98 ; *85 :* 39,7 ; *86 :* 39,2 ; *87 :* 38,2 ; *88 :* 37,7 ; *89 :* 37,2 ; *90 :*36,9.

% de Français buvant aux repas du soir : eau : 7,5, vin : 27, jus de fruit : 6, bière : 3,2, cidre : 2. 35 % boivent du vin tous les jours ou presque, 33,3 % occasionnellement. Sur 100 consommateurs, 26 mettent de l'eau dans leur vin.

• Prix du vin. Cours moyen des *vins de table rouges* (à la production) degré/hectolitre, recueillis sur les 5 places officielles françaises du Midi, Béziers, Montpellier, Narbonne, Nîmes, Perpignan. *1965-66 :* 5,10 F, *70-71 :* 6,93, *75-76 :* 10,01, *80-81 :* 13,45, *juil. 85 :* 18 F, *89-90 :* 24,64. *Vins de table blancs* (type A I) : cote à Nantes et Bordeaux *1981-82 :* moy. arithmétique 20,33 F/hl, pondérée 22,186 F/hl, *juil. 85 :* 21,87. *1989-90 :* 30,98. Prix de référence v. rouges 32,29, v. blancs (sauf riesling et sylvaner) 30,48. Rouges et blancs (1989-90) : 34,5 F/hl. *Prix au détail* (INSEE), Rég. parisienne. *Nov. 1990 (rouge)* 11° : 8,4 ; 12° : 8,72.

Ventes. Hospices de Beaune. Depuis 1851. *Vente 1989. Blancs :* 82 600 F la pièce de 228 l [270 F la bouteille pour le négociant (400 F au consommateur)] ; *vente record :* Robert Klapp (G.-B.) : 5 pièces de Corton-Charlemagne à 300 000 F l'unité (1 000 F la bouteille). *Rouge :* 37 000 F pièce (+13,5 %).

• Prix du Bordeaux. **Prix moyen pondéré du Bordeaux rouge à la propriété** (en F, le tonneau de 900 l). *1970-71* 1 438. *71-72* 2 119. *72-73* 3 628. *73-74* 1 757. *74-75* 1 250. *75-76* 2 069. *76-77* 2 555. *77-78* 3 913. *78-79* 4 395. *79-80* 3 832. *80-81* 3 840. *81-82* 4 017. *82-83* 4 006. *83-84* 4 276. *84-85* 6 317. *85-86* 6 128. *86-87* 5 689. *87-88:* 5 186. *88-89:* 5 453. *89-90:* 5 828. **Prix à la bouteille du Mouton-Rothschild** (en F). *1975 :* 50. *80 :* 83. *82 :* 170. *85 :* 200. *86 :* 180. *90 :* 270. **Prix moyen de la bouteille de Bordeaux rouge à la consommation** (en F). *1970 :* 3,24. *75 :* 4,77. *80 :* 9,94. *85 :* 14,72. *90 :* 19,68. **Blanc** *1990 :* 25,2.

Prix en primeur millésimé 1990 (en F HT, au 15-8-1991). *Margaux :* 1er cru 270. *St Julien :* Léoville-Barton 2e cru 85, Ducru-Beaucaillou 2e cru 120. *Pauillac :* Lafite-Rothschild 1er cru 270, Latour 1er cru 270, Mouton-Rothschild 1er cru 270. *St Estèphe :* Montrose 2e cru 110. *St Émilion :* Ausone 1er cru A 360, Cheval blanc 1er cru A 270, Canon 1er cru B 120. *Pomerol :* La Conseillante 200. *Graves :* Haut Brion 1er cru 270, Latour Haut-Brion 110. *Sauternes :* Rieussec 165.

Prix records. *Château-Lafite : 1787 :* 1 100 000 F (105 000 £), aux initiales de Thomas Jefferson, acheté chez Christie's à Londres le 5-12-1985 par Malcom Forbes pour l'offrir à un musée ; une 2e bouteille estimée 3 200 000 F a été brisée par mégarde au restaurant « Les Quatre Saisons » à New York en 1986 par un négociant, William Sokolin. *1806* vendu à Chicago le 29-5-80 : 31 000 $ (soit 140 000 F) (*en 79 :* 126 000 F) ; *1811 :* 20 000 £ (Christie's Londres, 23-5-88) ; *1820 :* 78 500 F une bouteille en verre soufflé bouchée à l'émeri, à Drouot en oct. 1987 ; *1882 :* 14 000 F ; *1848 :* 4 000 F. *Lafite-Rothschild : 1832* 24 000 £ (par international Wine Action, Londres 9-4-88). *Latour : 1888* 16 000 £ (Sotheby's Londres, déc. 87). *Margaux : 1784* 18 000 £ (demi-bouteille, Vin Expo France, 26-6-87). *Mouton-Rothschild* Impériale *de 1924* (6 litres) vendu à Londres le 26-9-1984 : 9 350 £ (110 000 F). *Riesling : 1735 :* 180 000 F en 1987. *Yquem : 1784* 36 000 £ (Christie's Londres, 4-12-86).

Grands vins français

Bordeaux

• Quelques chiffres. *Propriétaires déclarés :* 17 865. *Vignobles connus :* 2 000 (dont 200 de grande qualité). *Récolte AOC 1989* (100 000 ha) en milliers d'hl : rouges 4 900, blancs 1 000. *Exportations 89-90* (milliers hl) 1 800 vers G.-B. 308 hl (629 millions de F), UEBL 300 (630), All. féd. 269 (523).

Production vins AOC (en milliers d'hl, campagne 1990-91 millésime 90). **Rouges.** *Groupe Bordeaux :* B. rouge 1 906,8. Ste-Foy-B. 2,7. B. rosé 61,4. B. supérieur 583,9. *Côtes :* B. Côtes-de-Castillon 165,4. B. Côtes-de-Francs 21,8. 1res Côtes-de-Blaye 208,1. Côtes-de-Bourg 214. 1res Côtes-de-B. 118,7. Graves-de-Vayres 17,9. *Médoc et Graves :* Médoc 263. Ht-Médoc 221,8. Listrac 39,6. Moulis 29,9. Margaux 70,9. St-Julien 50,1. Pauillac 64,5. St-Estèphe 65,7. Graves 94,7. Pessac-Léognan 56,6. *St-Émilion-Pomerol-Fronsac :* St-Émilion 289,4 (dont grand cru 178,7). Montagne-St-É. 84,7. St-Georges-St-É. 9,8. Lussac-St-É. 75,2. Puisseguin-St-É. 36,4. Pomerol 37,1. Lalande-de-Pomerol 51,8. Fronsac 46,8. Canon-Fronsac 16,8. **Blancs.** *Secs :* B. 675,3. Blayais 27,9. Côtes-de-Blaye 20,9. Côtes-de-Bourg 3,6. Entre-deux-Mers 156,7. Graves-de-Vayres 13,2. Graves 50,1. Pessac-Léognan 11,2. *Doux :* B. supérieur 6,3. Ste-Foy-B. 2,8. Côtes-de-Bordeaux. St-Macaire 2,5. 1res Côtes-de-B. + Cadillac 29,9. Graves supérieur 15,5. Cérons 2,6. Loupiac 13,9. Ste-Croix-du-Mont 16,3. Barsac 13,6. Sauternes 35,6.

• Rouges. **Médoc** *(classification du 8-4-1855* du Syndicat des courtiers en vins de B., établie à l'occasion de l'Exposition universelle de Paris). **1ers crus** (cités par ordre alpha. dep. 1973) : Ch. Ht-Brion (Graves). Lafite-Rothschild [1] : 90 ha, millésimes : 1975, 87, 79, 82 et 83 sont des vins de garde, 76 et 80 peuvent se boire plus tôt. Latour [1]. Margaux [2]. Mouton-Rothschild [1] (classé 1er cru par arrêté du 21-6-1973).

Autres crus (châteaux par ordre de mérite) 2es : Rausan-Segla [2]. Rauzan-Gassies [2]. Léoville-Las Cases [5]. Léoville-Poyferré [5]. Léoville-Barton [5]. Durfort-Vivens [2]. Gruaud-Larose [5]. Lascombes [2]. Brane-Cantenac [3]. Pichon-Longueville-Bon [1]. Pichon-Longueville-Ctesse de Lalande [1]. Ducru-Beaucaillou [5]. Cos d'Estournel [4]. Montrose [4]. **3es :** Kirwan [3]. d'Issan [3]. Lagrange [5]. Langoa Barton [5]. Giscours [7]. Malescot St-Exupéry [2]. Boyd-Cantenac [3]. Cantenac-Brown [3]. Palmer [3]. La Lagune [6]. Desmirail [2]. Calon-Ségur [4]. Ferrière [2]. Marquis d'Alesme-Becker [2]. **4es :** St-Pierre [5]. Talbot [5]. Branaire-Duluc-Ducru [5]. Duhart-Milon-Rothschild [1]. Pouget [3]. La Tour-Carnet [8]. Lafon-Rochet [4]. Beychevelle [5]. Prieuré-Lichine [3]. Marquis-de-Terme [2]. **5es :** Pontet-Canet [1]. Batailley [1]. Haut-Batailley [1]. Grand-Puy-Lacoste [1]. Grand-Puy-Ducasse [1]. Lynch-Bages [1]. Lynch-Moussas [1]. Dauzac [1]. d'Armailhac (anciennement Château Mouton-Baronne-Philippe) [1]. du Tertre [10]. Haut-Bages-Liberal [1]. Pedesclaux [1]. Belgrave [8]. Camensac [8]. Cos Labory [4]. Clerc-Milon [1]. Croizet-Bages [1]. Cantemerle [9].

Nota. – Tous en Médoc sauf le C. Haut-Brion (Graves). *Communes de :* (1) Pauillac. (2) Margaux. (3) Cantenac. (4) St-Estèphe. (5) St-Julien. (6) Ludon. (7) Labarde. (8) St-Laurent. (9) Macau. (10) Arsac.

Graves. *Vins rouges (classification* par décret du 16-2-1959). *1er cru :* Ch. Ht-Brion [1,6]. *Crus classés :* Ch. Ht-Bailly [2]. Ch. La Mission Ht-Brion [3]. Ch. Latour-Ht-Brion [3]. Ch. Carbonnieux [2]. Domaine de Chevalier [2]. Ch. Malartic-Lagravière [2]. Ch. Olivier [2]. Ch. Latour-Martillac [4]. Ch. Smith-Ht-Lafite [4]. Ch. Bouscaut [5]. Ch. Pape Clément [1]. Ch. Fieuzal [2].

Nota. – Communes de : (1) Pessac. (2) Léognan. (3) Talence. (4) Martillac. (5) Cadaujac. (6) Classé en 1855.

☞ Talleyrand fut propriétaire du Ch. Ht-Brion.

Saint-Émilion *(classification* 1954, *révisions* 1969, 1983 et décret du 23-5-1986). **Châteaux 1ers grands crus** (ordre alphabétique). **Classés : A.** Ausone, Cheval-Blanc (35 ha). **B.** Beauséjour-Duffau-Lagarosse. Belair. Figeac. Clos Fourtet. La Gaffelière. Magdelaine. Pavie. Trottevieille. **Grands crus classés :** L'Angelus. L'Arrosée. Balestard la Tonnelle. Beau-Séjour Becot. Bellevue. Bergat. Berliquet. Cadet-Piola. Canon-la-Gaffelière. Cap de Mourlin. Le Châtelet. Chauvin. Clos des Jacobins. La Clotte. La Clusière. Corbin. Corbin Michotte. des Jacobins. Croque Michotte. Cure Bon la Madeleine. Dassault. La Dominique. Faurie de Souchard. Fonplegade. Fonroque. Franc-Mayne. Grand Barrail Lamarzelle Figeac. Grand Corbin. Grand Corbin Despagne. Grand Mayne. Grand Pontet. Guadet Saint Julien. Haut-Corbin. Haut-Sarpe. La Marzelle. Laniote. Larcis Ducasse. Larmande. Laroze. La Madeleine. Matras. Mauvezin. Moulin du Cadet. L'Oratoire. Pavie Decesse. Pavie Macquin. Pavillon Cadet. Petit-Faurie-de-Soutard. Le Prieuré. Ripeau. Saint-Georges Côte Pavie. Clos Saint-Martin. Sansonnet. La Serre. Soutard. Tertre Daugay. La Tour Figeac. La Tour du Pin Figeac (Giraud-Belivier). La Tour du Pin Figeac (Moueix). Trimoulet. Troplong Mondot. Villemaurine. Yon-Figeac.

Nota. – Tous sur commune de St-Émilion. Au total 1 000 crus (11 1ers grands crus classés, 63 grands crus classés et une centaine de grands crus), 5 000 ha répartis sur 8 communes.

Pomerol. *Appellations :* Pomerol. *1er cru :* Château Pétrus. *Châteaux :* La Conseillante, L'Évangile, La Fleur, Latour Pomerol, Petit-Village, Trotanoy, Vieux Château Certan, Beauregard, Gazin, Nénin.

Nota. – Commune de Pomerol : 700 ha (pas de classement officiel).

Appellations régionales et communales

Vins d'AOC rouges. *Bordeaux :* Bordeaux, B. Supérieur, B. Rosé, B. Supérieur Rosé, B. Clairet, B. Supérieur Clairet, Ste-Foy B. *Côtes :* Côtes de Francs, Côtes de Castillon, Côtes de Bourg, Bourg, 1res Côtes de Blaye, Blaye, 1res Côtes de B., Graves de Vayres. *Libournais :* St-Émilion, Grand Cru St-Émilion, Montagne St-Émilion, Puisseguin St-Émilion, Lussac St-Émilion, St-Georges St-Émilion, Pomerol, Lalande de Pomerol, Fronsac, Canon Fronsac. *Médoc et Graves :* Graves, Médoc, Haut-Médoc, Listrac, Margaux, Moulis ou Moulis-Médoc, Pauillac, St-Estèphe, St-Julien. *Décret du 9-9-1987 :* nouvelle AOC Pessac-Léognan : certains vins de Graves peuvent être désignés sous le nom de Graves Pessac et Graves Léognan.

Vins d'AOC blancs. *Vins blancs secs :* Blaye, Premières Côtes de Blaye, Côtes de Blaye, Bordeaux, Côtes de Francs, Côtes de Bourg, Bourg, Entre-Deux-Mers, Graves, Pessac-Léognan, Graves de Vayres. *Vins blancs doux :* Bordeaux Supérieur, Ste-Foy Bordeaux, Côtes de Bordeaux St-Macaire, Graves Supérieures, Premières Côtes de Bordeaux, Cadillac, Cérons, Loupiac, Ste-Croix du Mont, Barsac, Sauternes.

Crémant de Bordeaux. Appellation créée par décret du 3-4-1990 : vin mousseux produit selon méthode traditionnelle.

Autres vins du Sud-Ouest. Bergerac, Monbazillac, Côtes de Duras, Gaillac, etc.

• Sauternes et Barsac. **Par ordre de mérite.** *Vins blancs liquoreux (classification* 1855). **1er grand cru :** Ch. d'Yquem [1] (pas de production en 1964, 72, 74). **1ers crus classés :** Ch. La Tour Blanche [2]. Lafaurie-Peyraguey [2]. Clos Haut-Peyraguey [2]. Rayne-Vigneau [2]. Suduiraut [3]. Coutet [4]. Climens [4]. Guiraud [1]. Rieussec [5]. Rabaud-Promis [2]. Sigalas-Rabaud [2]. **2es crus :** de Myrat [4]. Doisy-Daëne [4]. Doisy-Dubroca [4]. Doisy-Védrines [4]. d'Arche [1]. Filhot [1]. Broustet [4]. Nairac [4]. Caillou [4]. Suau [4]. de Malle [3]. Romer du Hayot [5]. Lamothe-Despujols [1]. Lamothe-Guignard [1].

Nota. – Communes de : (1) Sauternes. (2) Bommes. (3) Preignac. (4) Barsac. (5) Fargues de Langon.

Graves. *Rouges (r) et blancs (b) classés en 1959.* Haut-Brion ayant été classé en 1855, voir plus haut. Ch. Bouscaut [2], r, b. Carbonnieux [1], r, b. de Chevalier [1], r, b. Couhins [4], b. Couhins-Lurton [4], b. de Fieuzal, r. Haut-Bailly, r. Laville Haut-Brion [3], b. Malartic-Lagravière [1], r, b. La Mission Haut-Brion, r. Olivier [1], r, b. Pape Clément, r. Smith-Haut-Lafite, r. La Tour Haut-Brion, r. La Tour-Martillac, r, b.

Nota. – Communes de : (1) Léognan. (2) Cadaujac. (3) Pessac et Talence. (4) Villenave-d'Ornon. (5) Martillac. Au total, 181 crus sont classés (non compris les grands crus de St-Émilion, dont le classement change chaque année en fonction de la qualité).

☞ Achats récents de vignobles bordelais. *1979 :* Mentzelopoulos († 1980) achète *Château Margaux* (aux Ginestet) 72 MF (millions de F). *1984-88* Ch. Beychevelle par GMF, 84 ha à 3 MF l'ha. *1987* Axa achète *Ch. Pichon-Longueville-Baron* 200 MF (5 MF l'ha). *Mars 1989* le groupe Pearson cède à Allied Lyons 53,5 % de *Ch. Latour :* 605 MF (Pearson avait payé 6 MF en 1962). L'ensemble Ch. Latour (80 ha) vaudrait donc 1 500 à 2 000 MF soit 20 MF l'ha (stocks compris). Il valait en 1962 pour 60 ha plantés 13 MF lors de la vente par les héritiers du Mis de Ségur. *1989 Ch. Dauzac,* 120 ha acheté 200 MF par MAIIF, Crédit Lyonnais, banque de Neuflize, Schlumberger, Mallet. *Ch. La-France* (Entre-Deux-Mers) 80 ha échangés contre actions de Cie d'assurances filiale du groupe Lazard. *1991 Ch. Larmande* acheté par La Mondiale [22 ha, 100 MF soit 4 MF l'ha (déduction faite des stocks)]. *Ch. Smith-Haut-Lafite* acheté par Daniel Cathiard (4 MF l'ha). *Ch. Margaux* prise de participation du groupe Agnelli. *Ch. Beauregard* (Pomerol) acheté par Crédit Foncier. *Ch. La Fleur St-Georges* (Lalande de Pomerol) acheté par AGF.

Bourgogne

Bourgogne (rouge, blanc, rosé), B. passe-tout-grain (rouge, rosé), B. aligoté (blanc), B. grand ordinaire (rouge, blanc, rosé).

Yonne. *Appellations :* Chablis (1 431 ha), Chablis 1er Cru (593 ha), Chablis Grand Cru (94 ha), Petit Chablis (160 ha). *Grands crus* (tous blancs) : Blanchots, Bougros, Les Clos, Grenouilles, Preuses, Valmur, Vaudésir (tous rive droite du Serein, au N. de Chablis). *VDQS* (bl.) : Sauvignon de St-Bris.

Côte de Nuits (Côte-d'Or). *Appellations communales* (presque tous rouges) : Fixin, Marsannay, Gevrey-Chambertin, Morey-St-Denis, Chambolle-Musigny, Vougeot, Vosne-Romanée, Nuits-St-Georges, Côte de Nuits-Villages. *Grands crus* (tous rouges, sauf un peu de blanc en Musigny) : Chambertin, Chambertin Clos-de-Bèze, Chapelle-Chambertin, Charmes-Ch., Griotte-Ch., Latricières-Ch., Mazis-Ch., Mazoyères-Ch., Ruchotte-Ch., Clos de la Roche, Clos St-Denis, Clos de Tart, Bonnes Mares, Musigny, Clos de Vougeota, Échézeaux, Grands-Échézeaux, La Romanée, Romanée Conti, Romanée-St-Vivant (9 ha), Richebourg, La Tâche, Clos des Lambrays.

Côte de Beaune (Côte-d'Or). *Appellations communales* (presque tous blancs et rouges) : Pernand-Vergelesses, Ladoix, Aloxe-Corton, Chorey-lès-Beaune, Savigny, Beaune, Côte de Beaune, Pommard, Volnay, Monthelie, Meursault (blanc moy. 9 000 hl sur 295 ha, 1er cru 3 500 hl pour 110 ha ; rouge 1 500 hl sur 62 ha), Saint-Romain, Auxey-Duresses, Puligny-Montrachet, Chassagne-Montrachet, Saint-Aubin, Santenay, Blagny, Côte de Beaune-Villages. *Grands crus* (tous blancs sauf Corton : bl. et r.) : Corton, Charlemagne, Corton Charlemagne, Montrachet, Chevalier-Montrachet, Bienvenues-Bâtard-Montrachet, Criots-Bâtard-Montrachet, Bâtard-Montrachet.

Saône-et-Loire. Mâcon et Mâcon Supérieur (bl. et r.), Mâcon Villages (bl.), Pinot-Chardonnay-Mâcon (bl.). *Appellations communales :* Pouilly-Fuissé (bl.), Pouilly-Loché (bl.), Pouilly-Vinzelles (bl.), Saint-Véran (bl.), Montagny (bl.), Rully, Givry, Mercurey (rouges et blancs), Maranges.

Rhône. Beaujolais, Beaujolais Supérieur (r. et bl.), Beaujolais Villages (r. et bl.). *Récoltes* (en milliers d'hl). *1986 :* 1 350, *87 :* 1 150, *89 :* 1 270, *90 :* 1 350. Le Beaujolais nouveau a été inventé en 1954 par Louis Orizet pour Georges Duboeuf. *Appellations communales :* Chénas, Chiroubles, Fleurie, Juliénas, Morgon, Moulin-à-Vent, Saint-Amour, Brouilly, Côte-de-Brouilly, Régnié. *Obtenu* sans foulage initial, le raisin est placé entier, avec la rafle, dans une cuve fermée 3 à 4 j ; par la « respiration du raisin », la cuve se sature en gaz carbonique qui accélère la fermentation. *Prix de la barrique (216 l). 1988 :* 2 050 à 2 100 F, *89 :* 2 500 F (début des enchères).

☞ Le cru *Clos de Vougeot*, le plus vaste [51 ha en un seul tenant autour du château (XVIe s.), avec cuverie et cellier (XIIe s.)] a 77 propriétaires. *Prix de l'ha.* Bâtard-Montrachet 10 584 677 F (1989), Montrachet 5 700 000 (1979), Romanée St-Vivant 4 741 159 (1987).

Champagne

• **Origine.** V. 1688, Dom Pérignon (1638-1715) enterré à Hautvillers, cellérier de l'abbaye bénédictine d'Hautvillers, inventa des principes œnologiques encore en vigueur.

• **Champagne viticole.** Sol formé principalement de craie à bélemnites. Couvre env. 30 000 ha de vignes plantées. D'autres terrains (env. 4 000 ha) sont susceptibles de se voir attribuer l'appellation « Champagne » sur décision de l'INAO en application de la loi du 16-11-1984. 29 506 ha étaient effectivement cultivés en 1990 (Marne 20 843, Aube 6 017, Aisne 2 551, S.-et-Marne 38, Hte-Marne 57). 35 % des vignes avaient – de 10 ans, 27 % de 10 à 20, 38 % + de 20.

Répartition de la propriété du vignoble : 87 % de la superficie entre 15 500 vignerons pratiquant la monoculture, 13 % (3 835 ha) entre 64 maisons de négoce qui y trouvent un appoint de leur approvisionnement. *6* maisons exploitent plus de 200 ha ; *5* 100 à 200 ha ; *12* 20 à 50 ha ; *41* – de 10 ha. La moitié des vignerons sont membres de coopératives (145 en 1990) qui assurent pressurage, stockage et éventuellement commercialisation. Les récoltants-manipulants (4 600) assurent eux-mêmes ou avec l'aide de leur coopérative la vinification de tout ou partie de leur récolte et la commercialisation du champagne à leur marque.

Prix de l'ha en appellation champagne : 2 à 3 millions de F (seules, des petites parcelles de quelques m² sont disponibles).

• **Dénominations.** *Appellation « Champagne »,* protégée par la réglementation européenne et réservée aux vins élaborés à partir de raisins venant exclusivement de cette région. Dans certains pays (USA, Canada, Australie, etc.), le mot Champagne peut être utilisé par tous les producteurs de mousseux. Seul le nom de la marque est alors une référence pour le consommateur. Le prix du raisin est fonction du classement des communes dans l'échelle des crus. *Grands crus :* classés 100 % dans l'échelle (crus de la Côte des Blancs et certains crus de la Montagne de Reims). *1ers crus :* classés de 90 à 99 % (certains de la Montagne de Reims et de la vallée de la Marne). *Autres crus :* classés de 80 à 90 % (certains de la vallée de la Marne et crus de l'Aube). Le lieu de domicile du viticulteur ou du siège social de la maison de champagne ne garantit pas que leurs raisins viennent de ce cru. Les vins d'autres crus de la Marne, de l'Aube et de l'Aisne entrent également dans la composition des cuvées.

• **Vigne. Vie.** Env. 30 ans. Disposée en lignes espacées d'1 m env., les ceps plantés sur chacune d'elles à 1 m ou 1,20 m les uns des autres. Piquets hauts de 80 cm. 7 000 à 8 000 pieds par ha. **Cépages.** Seules variétés légalement autorisées en dehors de quelques plants locaux en voie d'extinction : Pinots noirs et de Pinots meuniers à raisins noirs (2/3 du vignoble) ; Chardonnay à raisins blancs.

• **Récolte.** 3 années après la plantation ; (en milliers de pièces, ou fûts de 205 l) *1975 :* 641 ; *76 :* 779 ; *77 :* 692 ; *78 :* 290 ; *79 :* 837 ; *80 :* 415 ; *81 :* 337 ; *82 :* 1 079 ; *83 :* 1 093 ; *84 :* 724 ; *85 :* 560 ; *86 :* 957 ; *87 :* 969 ; *88 :* 820 ; *89 :* 1 023 ; *90 :* 1 068. **Rapport à l'ha.** 9 000 à 10 000 kg sur 10 ans.

• **Pressurage.** Chaque pressoir reçoit 4 000 kg de raisins d'où l'on tire 2 666 l de jus ou *moût* destinés à faire du *champagne :* une 1re pressée donnera 2 000 l de *cuvée* et 2 pressées ultérieures 666 l qui constituent les 1re et 2e *tailles.* Le jus *rebêché* (recoupé) éventuellement obtenu au-delà de cette limite n'a pas droit à l'appellation *champagne* et n'est pas commercialisé.

• **Vinification.** **1re fermentation** ou « bouillage » dans les tonneaux de chêne traditionnels ou des cuves en acier émaillé ou inoxydable. Température constante 20 ou 22 °C. Fermentation « tumultueuse » pendant quelques j, puis son intensité décroît. Au bout de 3 semaines, *1er soutirage :* les vins sont exposés au froid qui en précipite les dépôts et leur assure une bonne stabilité. Puis le vin clair est à nouveau soutiré.

Cuvée. Élaborée par des spécialistes qui assemblent des vins d'années, cépages et crus différents. Traditionnellement, le ch. comporte des vins de raisins noirs et blancs. Des ch. élaborés exclusivement à partir de blancs sont dits *Blanc de Blancs.* Généralement, les cuvées contiennent une quantité de vins vieux ou *vins de réserve* venant des meilleures récoltes précédentes. Les années d'une qualité particulière, on ne met pas de vins de réserve. On a alors un ch. *millésimé* provenant d'une seule année de récolte. Pour le *ch. rosé,* on incorpore du vin rouge d'appellation champagne, sauf si l'on a réservé à cet effet un vin obtenu rosé dès le pressoir. La composition de la cuvée se termine début mars.

Tirage. Au printemps, le vin est tiré en bouteilles. On y ajoute des ferments naturels champenois et une liqueur, formée d'une dissolution de sucre dans du vin. La transformation du sucre en alcool et gaz carbonique s'effectue lentement et le vin prend mousse peu à peu.

2e fermentation. Doit avoir lieu très lentement si l'on veut une mousse légère et persistante. Lorsque la mousse est complète, on laisse le vin séjourner en cave au moins 1 an (3 pour les millésimés). La fermentation secondaire achevée, le vin est clair et limpide, son degré d'alcool est d'env. 12°. Il reste à en expulser le dépôt par le *remuage* (durée env. 6 semaines) : un ouvrier-remueur imprime chaque jour à chaque bouteille (env. 30 000 par j) un mouvement alternatif très vif de rotation en même temps qu'une légère trépidation. Le remuage automatique se développe et de nouvelles techniques sont à l'étude.

Dégorgement. Évacue le dépôt rassemblé sur le bouchon, sans perdre la mousse et en laissant échapper le moins de vin possible. On utilise souvent le froid artificiel, en plongeant le goulot dans un bac à – 20°. Il se forme contre le bouchon un glaçon renfermant les particules de dépôt emprisonnées dans le col. La bouteille débouchée, le bouchon est expulsé avec le glaçon, entraînant tout le dépôt et un peu de mousse. On remplace le vin parti par du vin de même cuvée et quelques g d'une liqueur de dosage (vin vieux de Ch. et sucre de canne) ; la proportion dépendant du type de ch. désiré : *extra-brut :* 1/2 %, *brut :* 1/2 à 1 %, *extra-dry :* 1 à 2 %, *sec :* 2 à 4 %, *demi-sec :* 4 à 6 %.

• **Négoce.** *« Maisons de Champagne »* (entreprises qui complètent l'approvisionnement de leurs vignes par des achats pour élaborer en 3 années, ou plus, le champagne de leur marque) : 96 en 1990 (env. 6 000 salariés), la plupart situées à Reims, Épernay ou dans les environs immédiats. Les 8 premières assurent 80 % du chiffre d'affaires total. Elles disposent de caves (dans les anciennes carrières de craie à ciel fermé : plus de 250 km de galeries jusqu'à 40 m sous terre) où se fait l'élaboration du vin et où sont entreposés des stocks (725 millions de bouteilles au 1-8-90). *Délai légal de vente :* après 12 mois en cave ; le vin vieillit en moyenne 3 ans (dans les grandes maisons 4 ou 5 a.). *Maisons de champagne les plus anciennes :* Moët et Chandon : 1743. Vve Clicquot Ponsardin : 1772 (Nicole-Barbe Ponsardin reprit à 27 ans, en 1805, à la mort de son mari Francis Clicquot, l'affaire). Ruinart Père et Fils : 1729 [fondé par Nicolas, marchand de drap (neveu de Dom Thierry Ruinart 1657-1709) et son fils Claude].

Lettres figurant sur l'étiquette. NM : négociant-manipulant ; *RM :* récoltant-manipulant (utilisent seulement les raisins de leurs vignes) ; *RC :* récoltant-coopérateur ; *CM :* coopérative de manipulation commercialise elle-même du champagne pour le compte de ses adhérents ; *SR :* société de récoltant. *MA :* marque d'un acheteur commercialisant le champagne élaboré à façon par un manipulant (négociant, récoltant ou coopérative).

Prix du kg de raisin (1990). 32 F.

Volume des récoltes (en millions de bouteilles). *1981 :* 91 , *82 :* 290, *83 :* 300, *84 :* 195, *85 :* 151, *86 :* 258, *87 :* 261, *88 :* 221, *89 :* 275, *90 :* 288.

Ventes en bouteilles (en millions). *1950 :* 33 ; *60 :* 50 ; *70 :* 102 ; *75 :* 122,2 ; *76 :* 153,5 ; *77 :* 170,2 ; *78 :* 185,9 ; *79 :* 184,1 ; *80 :* 176,5 ; *81 :* 159 ; *82 :* 146,5 ; *83 :* 159,5 ; *84 :* 188 ; *85 :* 195,4 ; *86 :* 204,9 ; *87 :* 217,7 ; *88 :* 237,3 ; *89 :* 248,9 ; *90 :* 232,4 (dont récoltants 79,1, négoce 153,2) : vendues en *France* 147,6 (dont récoltants 72,8, négoce 74,8). *Exp.* 84,8 (7,6 ; 86,7) ; vers G.-B. 21,3 ; All. 14,2 ; USA 11,6 ; Italie 9,6 ; Suisse 8,6 ; Belgique 5,9 ; Japon 1,6 ; P.-Bas 1,6.

Expéditions de bouteilles du groupe LVMH (en millions, 1990) 45,5 dont Moët-et-Chandon 24,6, Vve-Clicquot-Ponsardin 9,9, Mercier 5,7, Canard-Duchêne 3, Ruinart 1,4, Henriot 0,9.

Vente en bouteilles (en millions, 1990). *80 % du chiffre d'affaires réalisé par 8 grandes maisons (ou groupes) :* Moët-et-Chandon, Mercier, Ruinart et Pommery (filiale LVMH) ; Mumm, Heidsieck Monopole, Perrier-Jouët [dépendent du canadien Seagram (leader mondial de vins et spiritueux)] ; Vve-Clicquot, Canard Duchêne et Henriot (filiale LVMH) ; Piper, Charles Heidsieck et Krug (filiales du Groupe de Cognac Rémy Martin) ; Lanson et Besserat de Bellefon ; Laurent-Perrier, Salon et Lemoine ; Taittinger et Irroy ; Louis et Théophile Roederer. *15 % par une vingtaine de maisons de taille moyenne* (chiffre d'affaires : 20 à 30 millions de F, 500 000 à 4 millions de bouteilles) : Ayala et Montebello, Abelé (filiale de l'espagnol Freixenet), Billecart Salmon, Boizel, Bollinger, Bricout (filiale du Groupe allemand Racke), de Castellane, de Cazanove et Marie Stuart, Charbaut, Deutz, Duval Leroy, H. Germain, Gosset et Ivernel, Martel, Joseph Perrier, Philipponnat et Lepitre (filiales de Marie Brizard), Pol Roger, de Venoge (filiale de la Cie de Navigation), Vranken-Lafite et Sacotte. *5 % par 70 petites entreprises* (env. 6 millions de bouteilles).

Principaux producteurs de champagne. Part du marché (en %) et, entre parenthèses, **nombre de bouteilles** (en millions). *LVMH* (Moët-et-Chandon, Ruinart, Vve-Clicquot, Mercier, Henriot, Pommery, Canard-Duchêne) 33 (52). *Burtin* (Marne et Champagne, Lanson, Masse, Besserat-de-Bellefont) 12 (20. *Seagram* (Mum, Heidsieck-Monopole, Perrier-Jouët) 9 (14,5). *De Nonancourt* (Laurent-Perrier. De Catellane, Salon-Lemoine-Delamotte) 6,5 (10,5) [1]. *Rémy-Cointreau* (Piper-Heidsieck, Charles-Heidsieck, Krug, Bonnet-Seconde) 8 (9) [1]. *Taitinger* 3 (4). *Duval-Leroy* 2,2 (3,5) [1]. *Same-Lombard* (De Cazanove, Marie-Stuart) 2 (3) [1]. *Vranken-Lafite* 1,8 (2,8) [1]. *Roederer* 1,7 (2,7).

Nota. (1) Estimation.

☞ Pommery et Lanson, achetés par BSN en 1984 pour 0,6 milliard de F, ont été cédés pour 3,1 à LVMH (déc. 1990) qui a revendu Lanson à Marne-et-Champagne 1,5 milliard de F en mars 1991.

Principales Stés 1990	Vign. ha.	Appr. [1] %	Bout. millions
LVMH (Moët)	1 249	20	46,2
Groupe Mumm	430	25	15,1
Vve-Clicquot Ponsardin	265	40	11
Laurent Perrier	–	–	12 [2]
Piper Heidsieck	–	–	4,8 [3]
Pommery et Lanson [4]	406	29	14,7
Taittinger	250	40	2,7 [3]
Louis Roederer	180	75	2,7

Nota. – (1) Approvisionnement de la maison sur son propre vignoble. (2) 1984. (3) 1988. (4) 1989.

• **Consommation moyenne** (en verres de 7,5 cl par an par habitant). *France 26,* Suisse 12, Belgique 5, G.-B. 3,6, All. féd. 2, Italie 1,5, USA 0,6.

Région de la Loire

• **Anjou et Saumur. Blancs :** Anjou, Anjou coteaux de la Loire, coteaux de l'Aubance, coteaux du Layon, coteaux de Saumur, Saumur. *Appellations communales ou villages Coteaux du Layon :* Beaulieu-sur-Layon, Chaume, Faye-d'Anjou, Rablay-sur-Layon, Rochefort-sur-Loire, Saint-Aubin-de-Luigné, St-Lambert-du-Lattay. *Crus :* Bonnezeaux, Quarts-de-Chaume 13 à 15°, doux, raisin atteint de pourriture noble comme le Sauternes, Savennières, Savennières-La Roche-aux-Moines, Savennières-Coulée de Serrant. **Rosés :** Rosé d'Anjou, Cabernet d'Anjou, de Saumur, Rosé de Loire. **Rouges :** Anjou, Anjou Gamay, Anjou-Villages, Saumur, Saumur-Champigny. **Effervescents méthode champenoise :** Saumur, Anjou, Rosé d'Anjou, Crémant de Loire. **Pétillants :** Saumur, Anjou, Rosé d'Anjou.

• **Touraine. Rouges, rosés ou blancs :** Touraine, Touraine-Amboise, Touraine-Azay-le-Rideau, Touraine-Mesland. **Rouges et rosés :** Bourgueil, Saint-Nicolas-de-Bourgueil, Chinon, Rosé de Loire. **Blancs :** Vouvray, Montlouis (peuvent être élaborés en mousseux et en pétillants), Chinon. Ensemble des appellations de la Touraine : 10 500 ha de vigne. Production annuelle moyenne : 650 000 hl.

Vins de Nantes. Env. 15 000 ha. – **Production** (en millions de bouteilles). *AOC Blancs :* Muscadet 10,

M. de Sèvres et Maine 85, M. des coteaux de la Loire 5. *AOVDQS Blanc :* Gros Plant 25. *Rouge, rosé, blanc :* coteaux d'Andenis 1.– Muscadet et Gros Plant peuvent être mis en bouteille sur lie : conservation sous soutirage sur lies fines et mise en bouteille avant l'été qui suit la récolte. *Cépage :* Muscadet (Melon), Gros Plant (Folle Blanche), coteaux d'Ancenis (Gamay, Cabernet, Pinot Gris, Chenin).

• Vins de pays. Du Jardin de la France, Des Marches de Bretagne.

• Autres régions de la vallée de la Loire. **Blancs :** Sancerre, Pouilly fumé ou Blanc fumé de Pouilly, Pouilly-sur-Loire, Reuilly, Quincy, Menetou-Salon.

Autres régions françaises

• Alsace. **Superficie :** 13 200 ha en AOC. *Production moy. :* 100 000 hl (145 millions de bouteilles). **Viticulteurs :** 7 800 dont 2 000 disposant de + de 2 ha et exploitant + des 3/4 de la surface totale du vignoble. 1 250 opérateurs vendant en bouteilles. **Appellations :** Alsace et Alsace Grand Cru, complétées par l'indication d'un nom de cépage ; appellation complémentaire de Crémant d'Alsace : + de 9 millions de bouteilles (69 000 hl) commercialisées 1989. **Cépages** (en %) : Riesling 30,5, Sylvaner 24,7, Gewurztraminer 18,8, Tokay Pinot gris + Muscat 7,3, autres 18,7. Les assemblages de cépages sont souvent nommés Edelzwicker. Blancs secs : 93 % [sauf le Pinot noir (rosé, rouge, 7 %)]. Crémant d'Alsace : mousseux AOC méthode traditionnellle.

• Béarn. Jurançon (600 ha AOC sur 25 communes), Madiran (917 ha), Pacherenc du Vic-Bilh.

• Corse. Muscats du *cap Corse.* Patrimonio (superficie en vigne *1961 :* 8 000. *1976 :* 32 000. *86 :* 11 000).

• Jura et Savoie. **Jura.** Arbois (r., bl., jaune) ; Château-Chalon (jaune) ; l'Étoile (mousseux). Vins de paille à partir de grappes séchées au moins 2 mois (le raisin passerillé puis pressuré subit une longue fermentation alcoolique en fût ; titre alors entre 14 et 18°) sur clayons de paille ou claies grillagées. *Vins jaunes* vinifiés en fûts sans ouillage au moins 6 ans, sous voile de levures en fleur à l'abri de l'air.

Savoie. Vins AOC, 24 crus sur 1 600 ha (prod. 120 000 hl). Seyssel, (63 ha, 2 749 hl dont 719 de mousseux), Crépy (bl. 68 ha, 2 844 hl, serait le plus diurétique des vins de Fr.), Roussette de Savoie. Vin de Savoie (r., bl., mousseux).

• Languedoc. **Blancs :** Muscat (Frontignan, Lunel, Mireval, St-Jean-de-Minervois), Clairette (Languedoc, Bellegarde), Picpoul de Pinet, Blanquette de Limoux (mousseux). **Rouges (AOC) :** Fitou, Faugères, St-Chinian, Corbières, coteaux du Languedoc comprenant St-Georges-d'Orques, les coteaux de la Méjanelle, St-Drézéry, St-Christol, Vérargues, Cabrières, Montpeyroux, St-Saturnin, Pic-St-Loup, Costières. Nouvelle appellation : Minervois. Vins de pays, de département et de zone.

• Pays basque. Irouléguy (120 ha).

• Périgord. **Cépages.** *Blancs :* vigoureux Sémillon 75 %, Sauvignon 20 %, Muscadelle. *Rouges :* Merlot, Cabernet Sauvignon, Cabernet franc, Cot, Malbec ou Auxerrois. **Vignes AOC.** *Exportations :* 1 478, *superficie :* 12 633 ha ; *production :* 581 431 hl (1990). **Appellation.** *Bergerac :* côtes de Bergerac rouges, rosés et blancs. *Saussignac :* blanc. *Pécharmant :* de « Pech Armand » (ou sommet appartenant à Armand, au N.-E. de Bergerac, colline de 280 ha, 15 000 hl). *Rosette :* blancs. *Montravel :* 1 200 ha ; blancs sec (Montravel), moelleux (Côtes-de-Montravel et Haut-Montravel). *Montbazillac :* 2 500 ha ; blancs liquoreux.

• Provence. **Cépages.** Carignan, Grenache, Cinsault, Syrah, Mourvèdre, Tibouren, Cabernet-Sauvignon, Clairette, Ugni-blanc, Rolle, Sémillon. VDQS en 1951 ; AOC en 1977. 18 000 ha (dont B.-du-R. 15 communes, Var 48, Alpes-M. 1). **Volumes agréés AOC** (1989, en hl). Rosé 625 222, rouge 136 639, blanc 32 696. **Bandol.** 1 100 ha en prod. (annuelle : 40 000 hl). *Bouteilles vendues :* bl. 244 000, rosé 2 100 000, rouge 2 700 000. *Rendements moyens :* appellation 36 hl, Mourvèdre 30 hl. **Bellet.** Classement AOC en 1941. 650 ha (dont 60 en vigne et 45 ont droit à l'appellation). *Prod. :* 1 200 hl (160 000 bouteilles env.). **Cassis.** 200 ha. 4 700 hl (dont 2/3 en blanc). AOC en 1936. **Coteaux d'Aix-en-Provence.** 3 000 ha. AOC en 1985. Château La Coste : 148 ha. *Prod. :* 9 500 hl. **Vins de pays.** Petite Crau, Mont de Caume, Argens, Maures. **Coteaux Varois.** *Rendement :* 40 hl à l'ha. 1989 : extension de l'appellation d'origine. *Prod. :* 40 000 hl (1989 : 70 000 dont bl. 1 %, rouges 32, rosés 67). **Palette.** 23 ha (château Simone : 17 ha, ch. Crémade 6 ha). 900 hl. AOC en 1948. *Prod. :* rouges 60 %, rosés et bl. 40 %.

• Roussillon. 52 000 ha. **AOC** *Vins doux naturels* (90 % de la prod. fr.) : Banyuls, Banyuls Grand Cru, Maury, Muscat de Rivesaltes, Rivesaltes, Grand Roussillon. *Rouge, rosé, blanc :* Collioure, Côtes du Roussillon, Côtes du Roussillon-Villages. **Vins de pays.** Catalan, Coteaux de Fenouillèdes, Côtes catalanes, Côte Vermeille, d'Oc, des P.-O, Vals d'Algy.

• Vallée du Rhône. **Appellations Côtes-du-Rhône :** 63 344 ha, sur 200 km au sud de Lyon, à Avignon sur *5 départements* (Loire, Rhône, Ardèche, Drôme, Gard), en *AOC régionales* 80 %. [(53 500 ha). VDQS régionaux (2 930 ha)]. Villages 9 % (17 communes). Locales 11 % (12 crus). *Exploitants :* 12 000 viticulteurs. *Ventes (1990) :* 2 472 737 hl/an. **Grands crus** (7 150 ha, 280 000 hl). *Septentrionaux* (1 437 ha) : Côte Rotie : 106 ha, 4 717 hl, rouge ; Condrieu blancs : 876 hl (Château Grillet, 2,7 ha), 96 hl ; St-Joseph (rouges : 298 ha) : 14 967 hl ; Hermitage : 125 ha, 5 256 ; Crozes-Hermitages : 822 ha, bl. et r. 52 804 ; Cornas rouges : 53 ha, 2 680 hl ; Saint-Peray : 2 475, 35 ha, bl. *Méridionaux* (5 477 ha) : Châteauneuf-du-Pape 3 050 ha, 104 457 hl, r. ; Gigondas 1 080 ha, 29 124 hl, r. ; Tavel rosé 863 ha, 45 016 hl ; Lirac 483 ha, 27 564 hl, bl., r., rosé ; CDR villages 188 186.

Autres. Clairette de Die (bl.), Coteaux du Tricastin.

• Vins de liqueur et vins doux naturels. 9,8 millions de litres de muscat commercialisés en 1988. **Roussillon.** Banyuls, Maury, Côtes-d'Agly, Rivesaltes, Côtes-du-Haut-Roussillon, Muscat de Rivesaltes. **Autres régions.** *Hérault :* Muscat (Frontignan, Lunel, St-Jean-de-Minervois) ; *Vaucluse :* Grenache de Rasteau, Muscat de Beaumes de Venise ; *Cognac :* Pineau des Charentes (16° à 22° élaboré avec du moût de raisin et des eaux-de-vie de Cognac. Le moût doit avoir subi un début de fermentation et le cognac titrant 60° minimum doit venir de l'exploitation et avoir au moins un an de vieillissement en fût de chêne ; prod. 104 000 hl en 1989). *Armagnac :* Floc de Gascogne ; vin de liqueur à l'Armagnac de 16 à 18°.

Grands millésimes

Qualité par année. *1 :* année except. *2 :* excellent. *3 :* très bon. *4 :* bon. *5 :* assez bon. *6 :* médiocre.

Alsace : 61^3. 62^4. 64^4. 66^3. 67^3. 69^4. 70^3. 71^1. 76^3. 78^4. 79^3. 81^3. 82^3. 83^1. 85^3. 86^4. 87^4. 88^1.

Anjou-Touraine : 34^3. 37^3. 43^4. 47^1. 49^5. 52^4. 53^4. 55^5. 57^4. 59^1. 61^4. 62^4. 67^5. 69^3. 70^4. 71^4. 72^5. 73^3. 74^3. 75^4. 76^1. 77^3. 78^3. 79^4. 80^3. 81^4. 82^4. 83^3. 84^4. 85^3. 86^4. 87^5. 88^4. 89^2. 90^3.

Beaujolais : 82^3. 83^4. 85^1. 86^5. 87^4. 88^3. 89^1.

Bordeaux blanc : 28^4. 29^3. 34^4. 37^3. 43^4. 45^3. 47^5. 49^5. 50^5. 52^4. *Liquoreux :* 53^3. 55^3. 61^1. 62^3. 66^6. 69^5. 70^3. 71^3. 75^1. 76^3. 78^5. 79^4. 81^3. 82^4. 83^1. 84^5. 85^5. 86^3. 87^6. 88^1. *Sec :* 71^1. 75^1. 76^3. 78^3. 79^4. 81^4. 82^4. 83^4. 84^5. 85^4. 86^4. 87^3. 88^4. 89^2.

Bordeaux rouge : 28^2. 29^3. 34^3. 37^3. 43^5. 45^3. 47^1. 48^3. 49^1. 50^4. 52^3. 53^4. 55^3. 61^1. 62^4. 66^3. 69^5. 70^1. 71^3. 75^1. 76^4. 78^1. 79^4. 81^3. 82^1. 83^3. 84^5. 85^1. 86^3. 87^5. 88^3. 89^2.

Bourgogne blanc : 28^5. 29^6. 34^4. 37^4. 43^4. 45^4. 47^5. 49^4. 50^4. 52^4. 53^4. 55^5. 57^4. 59^4. 61^5. 62^4. 64^4. 66^4. 67^4. 69^5. 70^1. 71^1. 75^4. 76^3. 78^3. 79^3. 81^3. 82^3. 83^4. 84^3. 85^4. 86^3. 87^5. 88^4. 89^2.

Bourgogne rouge : 28^4. 29^2. 34^3. 37^3. 43^4. 45^4. 47^5. 49^1. 52^4. 53^4. 55^3. 61^1. 62^3. 66^3. 69^1. 70^5. 71^3. 75^6. 76^3. 78^1. 79^4. 81^4. 82^5. 83^3. 84^5. 85^1. 86^4. 87^4. 88^3. 89^2.

Champagnes : 82^4. 83^4. 85^3. 86^4. 87^6. 88^4. 89^2.

Crus des Côtes du Rhône : 34^4. 37^3. 43^4. 45^3. 47^1. 49^5. 50^4. 52^3. 55^5. 57^4. 59^5. 61^1. 62^3. 64^1. 66^3. 67^3. 69^3. 70^4. 71^3. 76^3. 78^1. 79^4. 81^4. 82^3. 83^3. 85^3. 86^4. 87^6. 88^4. 89^2.

Muscadet : 76^2. 79^2. 82^2. 85^3. 86^4. 87^3. 88^4. 89^2. 90^2.

Pouilly-s/Loire, Sancerre : 69^4. 70^3. 71^4. 72^6. 73^4. 74^4. 75^4. 76^3. 77^4. 78^4. 79^5. 80^4. 81^3. 82^5. 83^5. 84^5. 85^3. 86^4. 89^2.

Appréciations sur les millésimes récents en 1991. Année, entre parenthèses, date du début des vendanges, degré d'abondance, qualité et quand les boire. *1961* (22-9) PR^2, année à boire. *64* (28-9) A^4 à b. *66* (20-9) M^4, à b. *70* (27-9) TGR^2, à b. *71* (27-9) PR^4, à b. *75* (22-9) M^2, à commencer à boire. *76* (13-9) A^4, à b. *77* (5-10) PR^3, b. sans attendre. *78* (8-10) M^2, à comm. à b. *79* (5-10) TGR^4, à b. *80* (8-10)M^3, à b. *81* (28-9) M^4, à b. *82* (13-9) TGR^1, attendre. *83* (26-9) A^2, comm. à b. *84* (1-10) M^3, comm. à b. *85* (30-9) A^2, 10 à 15 a. *86* (26-9) TGR^2, 10 à 20 a. *87* (1-10) M^3, 2 à 5 a. *88* (28-9) TGR^2, 10 à 15 a. *89* (2/3-9) TGR^1, 10 à 15 a.

Nota. –(1) Très grande année. (2) Vins excellents. (3) Assez bonne année. (4) Très bons vins. TGR : très grande récolte. M : moyenne récolte. A : abondante récolte. PR : petite récolte.

☞ En 1893, les vendanges ont commencé au mois d'août de même en 1984 dans certains crus du Bordelais.

Exemples de prix de grands vins (en F H.T., 1991), *Source :* « Les Vins des grands vignobles ». **Vins rouges. 1988.** *Margaux :* Château-Issan (3e cru classé) 91,34 F. La Tour de Mons (cru bourgeois) 66,75. *Saint-Julien :* Léoville-Las Cases (2e cru) 189,71. Beychevelle (4e cru) 133,50. Branaire-Ducru (4e cru) 108,91. *Pauillac :* Mouton-Rothschild (1er cru) 351,32. Pichon-Longueville-Baron-de-Longueville (2e cru) 140,53. Pichon-Longueville-Ctesse-de-Lalande (2e cru) 189,71. Haut-Batailley (5e cru) 87,83. Lynch Bages (5e cru) 137,02. Mouton-Baronne-Philippe (5e cru) 84,32. *Saint-Estèphe :* Cos d'Estournel (2e cru) 175,66. Montrose (2e cru) 129,99. Les Ormes de Pez (cru bourgeois) 73,78. *Haut-Médoc et Moulis :* La Lagune (3e cru) 101,88. Chasse Spleen (cru bourgeois Moulis) 94,86. *Graves-Pessac-Léognan :* Haut-Brion (1er cru) 351,32. La Mission Haut-Brion (cru classé) 295,11. Domaine de Chevalier (cru classé) 182,69. *Pomerol :* L'Évangile 217,82. La Conseillante 217,82. *St-Émilion :* Canon (1er grand cru classé B) 182,69. Figeac (1er grand cru classé B) 189,71. La Gaffelière (1er grand cru classé B) 133,50. Château-Larmande (grand cru classé) 91,34. **1982.** *Margaux :* Margaux (1er cru classé) 632,38. Giscours (3e cru) 189,71. *Saint-Julien :* Gruaud Larose (2e cru) 302,14. Talbot (4e cru) 203,77. *Pauillac :* Lafite-Rothschild (1er cru) 632,38. Pichon-Longueville-Baron-de-Longueville (2e cru) 210,79. Lynch Bages (5e cru) 196,74. *Saint-Estèphe :* Montrose (2e cru) 189,71. *Graves :* Haut-Brion (1er cru) 632,38. Pape Clément (cru classé) 203,77. La Mission Haut-Brion (cru classé) 512,93. *Pomerol :* Vieux Certan 281,06. *Saint-Émilion :* Cheval Blanc (1er grand cru classé A) 632,38. Figeac (1er grand cru classé B) 316,19. **Vins blancs liquoreux. 1986.** Yquem (1er cru classé exceptionnel) 1 053,96. Suduiraut (1er cru) 175,66.

Alcools et spiritueux

Dans le monde

Sortes d'alcool

• Absinthe. Infusion d'herbes (surtout fenouil, anis et absinthe) dans de l'alcool. Connue des Romains, qui l'utilisaient, sous forme d'infusion et de vin, pour ses vertus médicinales (surtout digestives). Propagée par le médecin français Pierre Ordinaire. *1797* Henri-Louis Pernod achète la recette, l'exploite en Suisse puis le major Dubied, son gendre, en *1805* à Pontarlier. Provoque une exaltation de la sensibilité, accoutumance et aliénation mentale. Aucun pays ne l'interdit formellement (réglementée en France par la loi du 16-3-1915).

Consommation en France (1913). Alcool pur (non compris vin) 1 558 000 hl dont absinthe 239 000.

• Amer. Infusion de plantes amères.

• Angostura. Bitter à base de rhum fait à la Trinité (mis au point au XIXe s. par le Dr Siegert).

• Anisés. A base d'alcool neutre et de macération de plantes (anis étoilé, essence naturelle d'anis, fenouil). Ont remplacé l'absinthe réglementée en 1915. 40°. **Principaux fabricants.** Pernod-Ricard, Duval, Casanis, Berger, Monier, Floranis (La Martiniquaise), Phénix (Thivolet).

• Aquavit (akvavit). Distillat de céréales ou alcool rectifié de pomme de terre.

• Armagnac. Eau-de-vie de vin blanc. La 1re distillation d'eau-de-vie d'armagnac est attribuée à Arnaud de Villeneuve, alchimiste qui mourut en 1311, mais la production n'en fut véritablement commercialisée qu'à partir du XVe s. Le développement commercial date du XVIIe s.

Étiquettes. *Trois Étoiles :* composé d'eau-de-vie dont la plus jeune a au - 2 ans ; *V.S.O.P :* au - 5 a. ; *Napoléon X.O. hors âges :* au - 6 a. Souvent les armagnacs utilisés sont plus âgés. Le millésime représente l'année de la récolte du vin qui a été distillé, sans aucun coupage ni assemblage avec une autre année. **Distillation** (1989-90). 46 290 hl d'alcool pur. **Ventes** (1988-89). 34 600 hl d'alcool pur dont France 18 443, export. 16 157. Bouteilles (hl), 89-90 : France 10 780 ; exportation 13 276 (soit 255 millions de F) vers Japon 3 345, G.-B. 1 870, USA 1 262. Allemagne 1 167.

• **Arquebuse.** Fabriquée à base de 33 plantes mises à macérer aussitôt récoltées dans l'alcool avec des feuilles ou des racines. Vieillie dans des fûts de chêne. Formule inspirée en 1857 de l'Eau d'Arquebuse, avec laquelle on pansait autrefois les plaies faites par les décharges des « arquebuses ». Jusqu'en 1905, région de St-Genin-de-Laval ; après l'expulsion des frères Maristes, près de Turin.

• **Arrack (arraki, arack, arak).** Alcool local d'Orient et d'Europe orientale (Inde : sève de palmier ou de riz ; Grèce : alcool de grain ; Proche-Orient-Égypte : alcool de dattes ; Java : rhum).

• **Baie.** Presque toutes les baies de nos forêts peuvent être distillées. Les eaux-de-vie de mûres et de sureaux auraient des vertus stomacales. La myrtille améliorerait la vue, le gratte-cul stimulerait le cœur. On distille aussi sorbier, prunelle sauvage, alisier, bourgeon de sapin, baie de houx. Les baies macèrent dans l'eau-de-vie de vin avant d'être distillées.

• **Bénédictine.** Élaborée en 1510 par Dom Bernardo Vincelli à Fécamp. Faite d'eau-de-vie de vin et de nombreuses herbes et plantes.

• **Bitter.** Apéritif alcool aromatisé par des substances amères (cannelle, coriandre). 20 à 44°.

• **Blanc de kiwi.** À base de pulpe de kiwi ; de 8 à 12°. Marque déposée commercialisée avec le Kiwibulle (pétillant) et Green kiwi (aromatisé au curaçao bleu).

• **Brandy.** En France et dans les pays de langue anglaise, synonyme d'eau-de-vie de vin. Vente tolérée sous la dénomination « brandy » des coupages d'alcools rectifiés extra-neutres et d'eaux-de-vie de vin ou piquette, sauf vers la G.-B.

• **Calvados.** Résultat de la distillation de cidres. 40 à 50°. *Régions :* Pays d'Auge, Avranchin, Calvados, Cotentin, Domfrontais, Mortanais, Pays de Bray, Pays de Merlerault, Pays de la Risle, Perche, Vallée de l'Orne. Il y a 12 000 récoltants de fruits à cidre dont 600 producteurs de calva. *Production* (hl, d'acool pur). *1987-88 :* 34 000, *1988-89 :* 60 000.

• **Cassis.** Liqueur tirée du cassis.

• **Chartreuse.** Liqueur faite à Tarragone (Espagne) et Voiron (France) d'eau-de-vie de vin et de nombreuses herbes ; jaune (douce) ou verte (forte). *Grande Chartreuse* fondée 1084 par St Bruno.

• **Cherry-brandy.** Eau-de-vie de cerises contenant des noyaux de cerises écrasés lui donnant un goût d'amande amère.

• **Cocktails.** Mélanges variés, confectionnés dans un shaker, un verre à mélange ou un tumbler (verre à whisky). *Grands classiques. After 'dinner.* Mélange à base de liqueurs digestives. *Cobblers.* Long drink à base de vin ou d'eau-de-vie + sucre dissous dans de l'eau gazeuse, glace concassée puis alcool. *Collins.* Long, eau-de-vie, cognac, armagnac, gin, tequila, vodka, avec sucre, jus de citron, eau gazeuse. *Coolers.* Long, eau-de-vie avec sucre, sirop de grenadine ou d'orgeat et jus de fruit. On complète avec du Ginger Ale ou du champagne. *Cups.* Fruits de saison, sucre et liqueurs (curaçao, cognac...) + champagne, vin ou soda. *Daisies.* Short drink préparé au shaker, à base de sirop de grenadine et jus de citron + eau-de-vie (gin, vodka). *Eggs nogs.* 1 œuf (parfois seulement le jaune), sucre, alcool, et lait saupoudré de noix de muscade. Froid ou chaud. *Highballs.* Alcool avec eau gazeuse ou plat et du tonic (Ginger Ale, Bitter Lemon...). *Juleps.* Long, feuilles de menthe fraîche pilées, sucre, angustura, glace, et alcool (whisky, cognac, bourbon...). *Sours.* Short, au shaker : sucre, jus de citron et alcool.

• **Cognac.** Vient de la distillation des vins blancs issus de cépages sélectionnés, récoltés et distillés dans une région délimitée, couvrant en gros Charente et Charente-Maritime. *Origine :* XVIe s. Les paysans d'Angoumois, d'Aunis et de Saintonge passaient leur vin à l'alambic pour qu'il supporte mieux le transport par mer.

Crus. *Grande Champagne* (27 communes, 13 316 ha, limitées au nord par la Charente entre Cognac et Jarnac, et au sud par le Né) : eaux-de-vie très fines et supérieures. *Petite Champagne* (60 com. autour de la Gde Ch., 15 827 ha ; limitée au N. par le Né et la Charente, à l'O. par la Seugne, du S. à l'E. par une ligne imaginaire du S. de Jonzac à l'E. de Barbezieux). Sol plus épais, plus dur et moins perméable, mais proches, en qualité, de la Gde Ch. *Borderies.* 10 com. , 4 068 ha : sol moins chargé en calcaire, plutôt argileux : eaux-de-vie très riches en arômes, vieillissement plus rapide *Fins bois* 278 com., 34 389 ha (jadis couverte de forêts) ; moins fines, vieillissant plus vite. *Bons bois* 274 com. , 13 593 ha ; terrains plus pauvres en calcaire et plus sensibles aux influences maritimes, qualité moindre que Fins Bois. *Bois ordinaires :* 2 001 ha, sur le littoral et les îles, à l'ouest des Bons Bois ; bouquet de « terroir » prononcé. *Esprit de cognac* (titrant entre 80° et 85°), usage culinaire ou servant à la préparation de la « liqueur d'expédition » des vins mousseux et pétillants.

Cépages. *Ugni Blanc* (*Colombard* et *Folle Blanche* ne sont plus guère employés) donne un vin blanc fruité à faible teneur alcoolique (7° à 10°). Assez acide et pauvre en tanin.

Fabrication. 1°) Distillation. Dans des alambics de cuivre à feu nu, de forme traditionnelle. Le vin est exposé à la chaleur dans la *cucurbite ;* les vapeurs s'élèvent dans le chapiteau (sorte d'entonnoir renversé), puis passent dans le *col-de-cygne* pour aboutir au *réfrigérant* (serpentin plongé dans une cuve d'eau froide) où elles reprendront l'état liquide. La distillation est dite à *« repasse »* car il y a 2 chauffes. 1re de 8 h env. [donnant un *brouillis* (flegme impur) titrant 27 à 30° et la *vinasse,* que l'on rejette]. 2e ou « bonne chauffe » de 12 h [donnant une eau-de-vie titrant entre 69 et 71° : les « têtes » et les « queues » sont séparées du « cœur », qui constitue seul l'eau-de-vie prête au vieillissement (incolore, titrant env. 70°)].

2°) Vieillissement. Dans des fûts de bois de chêne du Limousin ou de Tronçais. Le bois, taillé à la main, doit sécher en plein air 3 ans au moins, pour dégorger l'excès de tanin et son amertume. Une fois séché, le fût sera « entraîné » au vieillissement ; la 1re eau-de-vie qu'il contiendra n'y séjournera que quelques mois (un séjour plus prolongé la rendrait amère par excès de tanin et lui ferait perdre son arôme) ; la 2e y séjourne un an puis les temps de séjour augmentent progressivement, jusqu'à ce que le fût devienne « roux ». L'eau-de-vie respire à travers le bois et s'oxyde ; elle s'affine, perd son amertume, prend du moelleux, s'imprègne des parfums du bois et lui prend une partie de son tanin, qui lui donne sa teinte ambrée. *Les chais* ne doivent être ni trop secs (ils donneraient des eaux-de-vie dures à trop forte évaporation) ni trop humides (donneraient des eaux-de-vie molles avec une perte excessive de degré d'alcool). Pendant le vieillissement, 2 à 3 % du cognac s'évaporent chaque année (on parle de la part des anges). On en remet périodiquement *(ouillage),* et le cognac perd env. 1 % d'alcool par an. Pour l'amener au degré de consommation (40 %), on ajoute une certaine quantité d'eau distillée. Une fois mis en bouteilles, le cognac n'évolue plus.

3°) Coupage. Le cognac commercialisé vient souvent de l'assemblage d'eaux-de-vie de différentes années et de divers crus. N'a droit à l'appellation de « Fine Champagne » que le cognac venant uniquement des crus des 2 Champagne et contenant au moins 50 % de Grande Champagne.

Age d'un cognac. L'étiquette indique l'âge de la plus jeune eau-de-vie et l'assemblage. *** *ou V.S. :* l'eau-de-vie la plus jeune a - de 4 ans et demi. *VSOP (Very Superior Old Pale), VO (Very Old) ou Réserve :* 4 a. et demi à 6 a. et demi. *Napoléon, Vieille Réserve, X.O., Extra, Hors d'âge... :* + de 6 a. et demi. En général, le négociant utilise des eaux-de-vie plus âgées que le minimum requis.

☞ *Paradis :* nom du lieu où les grandes maisons de cognac conservent leurs plus vieilles réserves.

Statistiques (France). *Nombre d'exploitations* (récolte 90) : 24 894. *Superficie :* 86 641 ha dont en production 83 847 (dont vins A.O.C. Cognac 78 868, vins rouges 4 743, vins blancs autres 236). *Récolte de vins blancs pour la fabrication du cognac* (en millions d'hl) : *87 :* 9,2 à 7° 5 ; *88 :* 6,5 à 9° 6 ; *89 :* 8,5 à 10° 94. *90 :* 11 à 9° 84. **En millions de bouteilles** (1990). *Production :* 288. *Stock global :* 1 081. *Total des ventes :* 175 dont U.S.A. 32, Japon 28,5, R.-U. 16,8, All. féd. 10,2, Singapour 3,8.

Principales firmes. Bisquit, Camus, Castillon Renault, Courvoisier, Delamain, Gaston de Lagrange, Hardy, Hennessy, Hine, Larsen, Martell, Monnet, Otard, Polignac, Remy Martin, Rouillet-Guillet, Royer, Salignac, etc.

• **Cointreau.** Liqueur à base d'écorces d'oranges douces et amères. Société créée en 1849, transférée à St-Barthélemy, près d'Angers, 1972. *Vente en France 1988-89 :* 1 000 000 hl.

• **Cordial.** Boisson fortifiante.

• **Curaçao.** A partir d'écorces d'oranges, de sucre et d'eau-de-vie.

• **Cusenier.** Crème de cassis Guignolet (1858).

• **Eau-de-vie.** Alcool produit par distillation du vin, marc, cidre, grain, etc.

• **Faugères.** Eau-de-vie de Faugères (Hérault).

• **Fine.** Eau-de-vie de vin (ex. : Fine Champagne, Fine Languedoc) ou de cidre (Fine Calvados) à appellation d'origine. *Origine :* Aquitaine, Bourgogne, Bugey, Centre-Est, Coteaux de la Loire, Côtes-du-Rhône, Franche-Comté, Languedoc, Marne, Provence, Savoie.

• **Framboise.** Il faut env. 8 kg de framboises pour obtenir 1 l d'eau-de-vie pure. Vieillie en vase de grès, en bonbonnes ou en cuves verrées. A consommer jeune (2 ans après sa mise en bouteille).

• **Genièvre.** Eau-de-vie de baies de genévrier.

• **Gentiane.** Apéritif à base d'alcool, issu de l'infusion après macération de gentiane dans de l'alcool. 16° environ.

• **Gin.** Alcool à goût de genièvre obtenu par distillation et rectification d'orge malté, de seigle ou d'avoine (parfois de maïs). 34 à 47°. *Consommation en millions de bouteilles (1982) :* U.S.A. 230, Espagne 110, G.-B. 57, All. féd. 8, Belg. 4, France (1983) 3,7. *Import. (1982, en milliers de F) :* 30 914 *de* G.-B. 29 700, P.-Bas 1 106, Danemark 44, Irlande 23, All. féd. 10, Canada 9, Italie 9, Espagne 3. *Ventes en France* (90) : 5,2 millions de bouteilles (dont Old Lady's 21 %).

• **Grand Marnier.** Curaçao fait avec du cognac Fine Champagne (créé 1859 par J.-Baptiste Lapostolle).

• **Grog.** Boisson chaude faite d'eau de vie ou de rhum, citron et eau sucrée. En 1740, l'amiral brit. Edward Vernon (surnommé par ses hommes « old grog » car habillé de vêtements en grogram ou gros-grain) donne aux marins (à la place de la ration de rhum pur) une ration largement coupée d'eau : ils l'appellent grog.

• **Guignolet.** Eau-de-vie de cerise noire (Anjou, Touraine, Vendée). Apéritif (16°).

• **Izarra.** Liqueur du pays basque. Jaune (douce) ou verte (forte) ressemblant à la chartreuse.

• **Kaluha.** Alcool de café.

• **Kir.** Apéritif (vin blanc crème de Cassis). Du nom du chanoine Kir (1876-1968), député-maire de Dijon qui offrait cet apéritif à ses invités pour relancer la fabrication de la liqueur de cassis.

• **Kirsch** (de kirschwasser, eau de cerise). A partir de cerises. Les meilleures (guignes noires sucrées à petit noyau) viennent d'Alsace, de Fougerolles en Franche-Comté et de la Vallée du Rhône. Les noyaux, jamais broyés, communiquent un léger goût d'amande. Il faut env. 18 kg de cerises pour obtenir 1 l d'eau-de-vie pure. Contient de 30 à 50 mg d'acide cyanhydrique par litre (Alsace). *K. pur* obtenu uniquement par distillation du fruit après macération. *K. de commerce :* 70 à 10 % de k. pur. *K. fantaisie :* alcool neutre auquel on ajoute une petite quantité de k. pur et de l'extrait de noyau.

• **Kummel.** Liqueur aromatisée au cumin (Allemagne, Russie).

• **Kvas (Kwas).** A base d'orge fermentée (Russie).

• **Lait de poule.** A l'origine, jaune d'œuf battu, chaude, avec du sucre en poudre. Lait, rhum ou fleur d'oranger remplacent maintenant l'eau.

• **Liqueurs.** Inventées par les Arabes en 900 (?), mises au point par des moines. Eaux-de-vie aromatisées par infusion ou macération de fruits, fleurs, plantes, graines ou racines. 15 à 55°. *Production* (hl vol., 1989). **Fruits** (autres que cassis) 308 886, cassis 128 719, plantes 71 957, graines 3 174, fruits à l'alcool et à l'eau-de-vie 3 174. *Total* 524 695. *Matières 1res mises en œuvre (1989) :* alcool pur 135 444 hl, eaux-de-vie 22 340, sucre 16 530 t. *Ventes* (hl vol., 1989) : 393 168 dont export. 228 572 (dont CEE 111 168).

• **Malibu.** Liqueur à base de rhum et de coco lancée 1981. 24°.

• **Marasquin.** Liqueur de cerises appelées marascas (origine Dalmatie, 32°).

• **Marc.** Eau-de-vie de marc (distillation du résidu de fruits que l'on a pressés pour en extraire le jus, alcool blanc que l'on fait mûrir en fûts). *Origine :* Aquitaine, Auvergne, Bourgogne, Bugey, Centre-Est, Coteaux de la Loire, Côtes-du-Rhône, Franche-Comté, Languedoc, Champagne, Provence, Savoie. Marc d'Alsace Gewurtztraminer, de Lorraine.

• **Mirabelle.** Petite prune jaune foncé, distillée principalement dans l'Est et surtout en Lorraine. Il faut env. 18 kg pour 1 l d'eau-de-vie pure.

• **Ouzo.** Proche du pastis (Grèce).

• **Pastis.** Fabriqué avec de l'alcool, pur et neutre, d'origine agricole, purifié par triple distillation (40°

à 45°). Contient par litre de 1,5 à 2 g d'anéthol obtenu à partir d'anis purifié (badiane, anis vert, fenouil, absinthe, tanaisie, carvi et anéthol de synthèse sont interdits). On consomme en France 125 millions de bouteilles d'apéritifs anisés par an.

• **Pimms' cup.** Cordial (n° 1 à base de gin, n° 2 whisky, n° 3 rhum, n° 4 eau-de-vie de vin).

• **Pippermint get.** Liqueur de menthe.

• **Poiré.** Eau-de-vie de Bretagne, Normandie, Maine.

• **Pulque.** Jus de cactus fermenté (pulque, agave, aloès américain, mescal).

• **Punch.** Cordial, eau-de-vie épicée qu'on flambe (Suède : à base de rhum, Norvège : d'arrack).

• **Quetsche.** Grosse prune oblongue, violette à chair jaune, mûrit en octobre principalement en Alsace et sur les coteaux de Hte-Marne et Hte-Saône. Il faut env. 25 kg pour 1 l d'eau-de-vie pure.

• **Quinquina.** Vin apéritif contenant du quinquina (écorce de chinchona). 16 à 17°.

• **Raki.** Voir Arrack.

• **Ratafia.** A l'origine, tout breuvage bu lors de la ratification d'un traité ou d'un accord. Aujourd'hui apéritif doux à base de vin.

• **Rhum** (ou tafia). A partir de canne à sucre (Antilles). *1° Rhum agricole* ou *grappe blanche* (R. de Vesou ou jus de canne). Surtout fabriqué aux Antilles. Une partie importante est livrée à la consommation locale dans l'état où le distillat sort de l'appareil, ramené à 50 ° Gay-Lussac par adjonction d'eau pure. *R. vieux :* vieilli en fûts de chêne d'une contenance maximale de 650 l pendant 3 ans min. Le plus souvent mis en bouteilles chez le producteur sous sa marque. *2° R. industriel* (r. de mélasse) : fabriqué à partir des mélasses de sucrerie ; distillé et exporté entre 65 et 70 ° GL (max. autorisé 80°GL), ramené au degré de consommation, environ 44°, par adjonction d'eau pure, incolore ; coloré par vieillissement ou par adjonction de caramel (4 à 5 l de caramel par 1 000 l de rhum). *Traditionnel :* destiné en grande partie à des usages culinaires, substances volatiles non alcool. min. de 225 g par hl d'alcool pur. Mêmes règles de vieillissement que pour le r. agricole. *R. « grand arôme » :* r. de mélasse très aromatisé, fort % d'éléments non alcool. (de 600 à 1 000 g par hl d'alcool pur), obtenu par fermentation de longue durée, de 8 à 10 j à partir de moûts de forte densité (1 110 à 1 115). Sert essentiellement à des coupages comme bonificateur (produit en Martinique). *R. léger :* r. distillé à haut degré Gay-Lussac, de goût plus neutre, de faible arôme. En général blanc. Min. de non-alcool, 60 g par hl d'alcool pur depuis le 30-3-1971. Pas de minimum exigé dans certains pays. *3° Mélanges-cocktails : daïquiri* (à base de rhum blanc) ; *punch planteur* (à base de rhum ambré ou blanc) ; *punch coco* (à base de rhum et d'extrait de noix de coco).

Production de rhum (en HAP : hl d'alcool pur, 1985) : Réunion 102 359. Martinique 93 326. Guadeloupe 74 947. *Pour la consommation en France,* contingent annuel autorisé en HAP (en franchise de la soulte de 1 076 F par HAP perçue au profit du Service des alcools) : Martinique 88 915. Guadeloupe 68 065. Réunion 37 326. Madagascar 6 994. Guyane 2 750. Sur ces quantités, 3/10 sont débloqués et consommés sur le marché français.

• **Saké.** Boisson fermentée à base de riz (12 à 18°).

• **Scotch Whiskies.** Voir Whisky.

Nombre de calories au litre. Apéritifs. Whisky 2 500, Pernod 2 500, porto, cherry, martini, madère 1 600. **Digestifs.** Rhum, cognac, armagnac, calvados, gin : 2 500. **Champagne.** *doux :* 1 200, *brut :* 850. **Vin.** 600. **Sodas et dérivés.** *Bitter :* 40/520, soda 480, Coca-Cola 440, Schweppes 400, limonade 360. **Bière.** 400. **Cidre.** 400.

Éléments secondaires du scotch, du bourbon et du cognac. Total des prod. secondaires (en % poids-volume) ; S 0,160 ; B 0,309 ; C 0,239.

En g, par 100 litres à 50°	S	B	C
Alcools sup.	143	195	193
Acides totaux ...	15	63	36
Esters	17	43	41
Aldéhydes	4,5	5,4	7,6
Furfurol	0,11	0,90	0,67
Tannins	8	48	25
Corps solides ...	127	159	698

• **Schnaps.** N'importe quel spiritueux fort et sec [Allemagne (particulièrement eau-de-vie de grain (kornschnaps), P.-Bas].

• **Slivovitz.** Eau-de-vie de prune serbe et bosnienne (Yougoslavie). Nom employé également dans plusieurs pays de l'Est.

• **Snaps.** Aquavit suédois.

• **Suze.** Apéritif à la gentiane.

• **Tafia.** Eau-de-vie de canne à sucre (Antilles).

• **Tequila.** Eau-de-vie tirée du fruit de l'agave. La 1re chauffe donne un brouillis à 20° environ (le mescal) ; la 2e donne une eau-de-vie forte, pure, claire, généralement vieillie en fûts de chêne blanc, légèrement foncée (qualité anejo). *Quelques marques :* Sauza, José Cuervo, Olméca, Eucario, Gonzalez, El Toro, José Cortez, Montezuma, Mariachi, Herradura. **Vente en France** *(1990) :* 600 000 bouteilles (dont T. Mariachi 26,5 %).

• **Tuica (Tzuica).** Eau-de-vie à base de prune (Roumanie).

• **Vermouth** (de l'allemand Wermuth : absinthe). Apéritif à base de mistelles blanches aromatisées. Seul le « Vermouth de Chambéry » bénéficie d'une appellation d'origine (moût de raisin auquel on a rajouté de l'alcool vinique à 95° pour empêcher la fermentation).

• **Vieille cure.** Faite à Cenon (près de Bordeaux), composée de diverses eaux-de-vie et de 52 herbes différentes.

• **Vodka.** Eau-de-vie née en Pologne au XVIe siècle puis introduite en Russie. Vient de la distillation de blé, seigle, orge ou maïs. Parfois élaborée à partir d'alcool de betterave, de pomme de terre ou de riz (Sibérie). 34 à 47°. [*1818* commercialisée pour la 1re fois à Moscou ; y restera jusqu'en *1918 ;* fin des années 30, Heublein Corporation (Cie amér. d'agro-alim.) rachète ; fabriquée exclusivement avec de l'alcool de blé ; 40°.

Vente en France : 4 700 000 bout. (1991) dont 77 % de v. locales (Smirnoff, Eristov), 23 à 30 % de v. importées dont 15 à 17 % russe (Moskovskaya, Stolichnaya, Tuborskaya), et 12 à 14 % de Pologne (Wyborowa, Zubrowkaia), de Finlande (Finlandia).

• **Whisky.** Du gaélique : *uisge beatha,* eau-de-vie. Plus de 3 500 différents (chaque orge est différente selon la façon dont elle germe). On distingue : *w. de malt* [orge maltée d'Écosse [4 crus : Highlands, Lowlands (région de Glasgow), Campbeltown (rég. de Campbeltown) et Islay (île de Islay)] et d'Irlande], *w. de grain* (bouillie d'orge maltée et d'autres céréales, Écosse, Irl., Japon, U.S.A., Canada), *bourbon* (États-Unis, au moins 51 % de maïs, spécialité du Kentucky) ; 1re pub. de ce whisky à Paris, cap. du comté de Bourbon, N.-E. du Kentucky), *rye* (seigle, 51 % min., U.S.A.) ; *whiskey* (avoine, Irlande ; w. de grain des U.S.A. : ex. : *Jack Daniel's.*) ; w. de malt et w. de grain sont généralement mélangés *(blended)* dans le *Scotch. Tennessee Jack Daniel's :* distillation de maïs, d'orge ou de seigle et filtrage sur charbon de bois d'érable.

Whiskies ou whiskey ne sont pas toujours mis en bouteilles dans les régions de production. Exportés en vrac, ils sont quelquefois mis en bouteilles en France, pour pouvoir être vendus à moins de 40°, ce qui est interdit dans la plupart des régions de production. Les appellations : Whisky, Whiskey, Bourbon, Rye sont protégées en France par une réglementation floue, à caractère sanitaire. *Scotch Whisky* (fixé dep. 1909) : fabriqué uniquement en Écosse : céréales maltées le plus souvent et séchées au four chauffé à la tourbe ; distillation en alambic ; vieillissement dans des fûts de bois en entrepôt : blend 3 ans, malt 5 a. minimum. Il se bonifie avec le temps, l'atmosphère et les fûts utilisés en chêne blanc d'Amérique (les meilleurs ont contenu du Xérès d'Espagne). Un whisky atteint toute sa plénitude vers 15 ans. *Scotch standard :* assemblage de w. de grain et de w. de malt. *Pur Malt :* mélange de *Single malt* (venant d'une seule distillerie) élaboré uniquement à partir d'orge maltée. *Irish Whiskey :* irlandais, n'a pas de goût fumé (l'orge malté n'est pas séché à l'aide de feux de tourbe comme en Écosse mais dans des fours fermés). Distillé 3 fois, il vieillit en fûts, ayant contenu rhum, sherry ou whisky, en général 7 ans.

Procédés. *Maltage :* transformation de l'orge en malt ; l'orge germée, séchée est transformée en farine. *Patent Still :* distillation en une opération où le mélange alcool et vapeur monte vers le haut de « l'alambic coffey » par condensation alors que les résidus de wash qui a été porté à ébullition sont évacués par le bas. *Pot Still :* distillation en 2 temps : dans l'alambic du wash chauffé jusqu'à évaporation pour obtenir les low wines ; dans l'alambic des low wines (alambic à alcool). *Wash :* produit de la fermentation des moûts par les levures. *Wort :* moût (liquide obtenu par brassage des céréales maltées dans de l'eau chaude).

Sites célèbres. *Glenfiddich :* vallée (glen) de Fiddich, affluent de la Spey, patrie des distilleries de pur malt (a donné son nom à une marque). *Glenlivet :* vallée de la Livet, la 1re distillerie officielle d'Écosse, marque connue (1823). *Speyside :* rives de la Spey.

Grandes marques. Scotch : *Blended :* Johnnie Walker, J and B, Cutty Sark, Ballantine's, White Horse, Haig, Vat 69, Chivas, Black and White, Clan Campbell, Famous Grouse, Long John, Mac Gregor's, 100 Pipers, Teacher's, White Label, William Lawson, Bell's, White Heather. *Pure malt :* Glen Eagle. *Single malt :* Glenfiddich, The Glenlivet, Glenmorangle, The Glenturret. **Whisky irlandais :** John Jameson, Old Bushmills. **Bourbon :** Four Roses, Jack Daniel's, Jim Beam. **Whisky canadien :** Canadian Club, Sunloly.

% du marché total. *Blended :* Johnnie Walker 10 (créé 1820). Ballantine's 8. J and B 8. Label 5,7. Long John 4. White Heather 1,6. *Pur Malt :* Glen Turner 46,7. Glenfiddich 20,5. Food Glen Rogers 9,4. Aberlour Glenlivet 2,4.

Marché du whisky en France (en millions de bouteilles). *86-87 :* 76,7, *87-88 :* 82,7, *89-90 :* 94 ; *en % :* scotch 86,8, français 8, bourbon 4,8, irish 0,3. *Consommation taxée :* 207 374 hl (imp. 208 777, produits en Fr. 8 245, exp. 9 648). *Imp.* en valeur (1982, en millions de F) 791,7 dont de G.-B. 751,2, USA 34,6 (dont bourbon 31,7), Irlande 4, Canada 0,8, All. féd. 0,6, Suisse 0,2, Italie 0,1.

• **Williamine Williamson.** Eau-de-vie de poires William (28 kg de poires pour 1 l d'eau-de-vie pure).

Nota. – Eaux-de-vie AOC (appellations contrôlées) ou AOR (appellations réglementées).

Statistiques

• **Consommation** (en l d'alcool pur par hab., en 1988). *France 13,3* [adulte 15 ans ou + 17,1 l (1973 : 22,6)], Lux. 13 [1], Espagne 12,1, Suisse 11, All. dém. 11, Hongrie 10,5, All. féd. 10,4, Portugal 10,4, Belg. 10, Autriche 9,9, Danemark 9,7, Italie 9, Bulgarie 8,8, Tchéc. 8,6, Australie 8,5, P.-Bas 8,3, Argentine 8, Canada 7,7 [2], N.-Zélande 7,7, Roumanie 7,5, U.S.A. 7,5, R.-U. 7,4, Finlande 7,3, Pologne 7,1, Youg. 7, Chypre 6,7, Japon 6,4, Irlande 6,2, Grèce 5,8 [3], Uruguay 5,7, Suède 5,5, Chili 5,2 [3], Afr. du S. 4,7, Islande 4,3, Norvège 4,2, Venezuela 3,8 [3], URSS 3,6, Colombie 2,9 [4], Pérou 2,2 [3], Mexique 1,9 [3].

Nota. – (1) Importants achats étrangers frontaliers ou à l'aéroport (2) 1987. (3) Bière et vin seulement. (4) Bière seulement.

• **Grands Groupes de Spiritueux** (chiffre d'affaires en milliards de F et, entre parenthèses, % vins et spiritueux, 1987). **Grand Metropolitan** [1] 63 (30) : J. & B, Smirnoff vodka, Bayley's, Malibu, Piat en Beaujolais, Gilbey de Loudenne à Bordeaux, Cointreau et Cinzano en Europe. **American Brands** [2] 50 (15) : Jim Beam, Old Grand Dad, National Distillers. **Allied Breweries** [1] 45 (33) : Ballantine's, Teachers, Courvoisiers, Canadian Club, liqueur Tia Maria, et 50 % de European Cellars. **United Distillers** [1] Group 40 (80) : Johnnie Walker, Bell's, Cardhu, Black and White, Vat 69, White Horse, Gin Gordon's Pimm's. **Suntory** [3] 34 (66) : Château Lagrange. **Seagram** [4] 19 (100) : Mumm et Perrier Jouet, Barton et Guestier, Bourbon Four Roses, Porto Sandeman ; (achat : Cognac Martell). **Whitbread** [5] 18 (20) : Long John, Laphroaig, Scoreby European Cellars (50 %). **Louis Vuitton-Moët-Hennessy** (L.V.M.H.) [5] 13,5 (50) : Moët-et-Chandon, Ruinart, Veuve (Clicquot), Mercier, Canard Duchêne, Hennessy, Hine. **Pernod-Ricard** [5] 11 (50) : Ricard, Pernod, Pastis 51, Bisquit, Clan Campbell, Besserat de Bellefon, Wild Turkey, Sté des Vins de France. **Brown Forman** [2] 8 (66) : Jack Daniel's, Southern Comfort, Canadian Mist. **Martini** [6] 5,5 (100) : Martini, William Lawson's, Duquesne, Noilly Prat, Saint-Raphaël, Boulard, Vve Amiot, Avèze, Bénédictine. **Rémy-Martin** [5] 3,5 (100) : Rémy Martin, de Luze, Charles Heidsieck, Krug, Piper Heidsieck, (vend une partie de Nicolas au Groupe Castel frères).

Nota. – (1) Anglais. (2) Américain. (3) Japonais. (4) Canadien. (5) Français. (6) Helvético-Hollandais.

• **Marques les plus vendues** (en millions de caisses, 1990). Bacardi [1] (Bacardi & Co) 22,8. Smirnoff [2] (Heublein) 14,9. Ricard [3] (Pd-Ricard) 7,5. J. Walker Red [5] (Guiness) 6,6. Gordon's [4] (Guiness) 6,3. J & B Rare [5] (gd-Met) 5,7. Ballantine's (Allied Lyons) 5,4. Jim Beam (Jim Beam Co) 5. Presidente (P.Domecq)

4,7. Bell's (Guiness) 4,2. Seagram's 7 Crown [8] (Seagram) 4,2. J. Daniel's (Brown Form) 4,2.

Nota. – (1) Rhum. (2) Vodka. (3) Pastis. (4) Gin. (5) Scotch. (6) Japanese. (7) Liqueurs. (8) US Blend.

En France

Statistiques

• **Production. Régions :** *Alcool de betterave, mélasse :* surtout dans le Nord, Picardie, Rég. parisienne, Champagne et Cher, dans les sucreries-distilleries. *A. d'origine vinicole* (distilleries ind. et distil. coopératives ou bouilleurs de cru ambulants) : Aude, Hérault, Gironde, Gard et Var.

Production des alcools (en milliers d'hl, campagne 1989-90). 6 139,6 dont *bouilleurs et distillateurs de profession :* betteraves et mélasse 2 867,5. Synthèse 1 410,1. Vins (dont cognac 424,9, armagnac 31,7, autres 186,5). Marcs 317,9. Lies 190,2. Substances farineuses et céréales 169,3. Cidres et poirés, lies de cidre et de poires 48,6. Fruits autres que raisins, pommes et poires 5,3. Pommes et poires, marcs de pommes et poires 5,9. Gentiane 0,025. Grains mis en œuvre pour la production des genièvres 2,3. Divers 27,9. *Total 5 688. Bouilleurs de cru :* vins (dont cognacs 381,8, armagnacs 14,6, autres 6,2). Cidres et poirés 23,3. Raisins et marcs de raisin 11,6. Autres (prunes, cerises, prunelles) 13,6. Fruits non privilégiés 0,4. Gentiane 0,044. *Total 451,5.* La production réelle est au moins double, peut-être triple, car les statistiques indiquent le volume d'alcool pur à 100°, alors que la boisson est réduite à 40°.

Nombre d'entreprises et entre parenthèses **de salariés.** Distillation d'alcool de betteraves (87-88) 30 dont distilleries pures 13 (930), sucreries distilleries 17. C.A. 586 F ; distillation d'eau-de-vie naturelle 59 (4 853), C.A. 3 408 F ; prod. de liqueurs et apéritifs alcoolisés autres qu'à base de vin 52 (6 608), C.A. 5 754 F ; prod. d'ap. à base de vin 6 (2 663), C.A. 1 536 F ; champagnisation 92 (8 176), C.A. 4 545 F.

• **Commerce extérieur des boissons spiritueuses** (en milliers d'hl d'alcool pur, 1990). **Exp. :** 1 281 dont eaux-de-vie de vin sans appellation 565, cognac 410, liqueurs 159, armagnac 15, calvados 15. *Principaux clients* (millions de F) : U.S.A. 1 971, Japon 1 916, R.-U. 1 150, Hong Kong 1 129, All. féd. 939. **Imp. :** 1 110 dont whisky 277 (dont G.-B. 268), rhum 108, gin 20, bourbon 16, vodka 5,2 (dont Pologne 2,4), tequila 4.

• **Consommation** (en litre, par adulte de 15 ans ou +, 1988). Vin 96,3 (1970 : 143), bière 47,3 (1970 : 55), cidre 8,4 (70 : 21), spiritueux (alcool pur) 3,3 (70 : 3,9), boissons non alcoolisées (non compris eau du robinet, lait, café, thé, tisanes) 105 [1]. **Spiritueux** (en milliers d'hl AP, 1989 et, entre parenthèses, en 1971). *Total* 1 458,3 dont : *Apéritifs anisés* 566,2 (380,3). *Alcool de céréales* (whisky, gin, vodka) 315 (91). *Rhum* 74,8 (119). *Liqueurs sans cassis* 68,5 [1]. *Vin de liqueur A.O.C.* 68,1 [1]. *Apéritifs à base de vin* 53,5. *Eaux-de-vie à A.O.C.* 64,5. A.O.R. 13. *Alcool de mutage* (V.D.N. mousseux) 44,4. *Amers, gentiane* 28,6. *Crème de cassis* 22 (9). *Autres apéritifs* (punchs, cocktails) 23 [1]. *Genièvre* 2,5 [1].

Nota. – (1) 1987.

• **Distribution** (1990). **Débits de boissons permanents (Métropole) I** *+ app.* 377 896 licenciés dont : *débits de b. à consommer sur place* 222 219 [dont lic. *1re cat.* (sans alcool) + appareils automatiques 53 598 ; *2e* (boissons fermentées vins, bières, vins doux naturels, vins de Cassis) 1 064 ; *3e* (liqueurs, apéritifs à base de vin ne titrant pas plus de 18° et les boissons de la licence IV aux h de repas uniquement) 7 303 ; *4e* (plein exercice permet de servir de l'alcool de 5 h à 2 h du matin, en dehors de ces h, autorisations spéciales) 151 254]. *Restaurants* 33 723 (dont « petite licence rest. » 7 159). *Débits de boissons à emporter* 121 954 (dont « petite licence à emp. » 53 666).

La loi réglemente la création de licences de 3e cat. et interdit la création de lic. de 4e cat., ce qui conduit à leur disparition progressive.

• **Liqueurs. Principaux fabricants :** Bénédictine, Cusenier, Grand-Marnier, Cointreau, Lejay-Lagoute, Grande-Chartreuse, Rocher, Verveine du Velay (Pagès), Bardinet, Marie-Brizard, Get (Peppermint) et Izarra.

Commercialisation. En milliers d'hl de vin : liqueurs métropole 183, exp. 224,8 ; crème de cassis métr. 97,6, exp. 11,6. *En millions de F, 1988 :* import. spiritueux 1 899, export. 8 802.

Réglementation

La loi du 11-7-1985 a supprimé le principe de réservation de l'alcool à l'État et instauré un régime de liberté de production et de commerce dans le cadre d'un régime fiscal maintenu. La production d'alcool viticole est décidée à Bruxelles. Son écoulement est supporté par la Communauté et les États. La loi prévoit un régime préférentiel pour 204 000 hl/AP de rhums blancs de canne des TOM. Le décret du 19-12-1985 supprimant de fait le Service des alcools transfère les responsabilités de l'État à l'Office national interprofessionnel des vins (ONIVINS) pour les alcools viniques qui délègue, par convention, l'exécution de ses attributions à la Sté des alcools viticoles (SAV). Les opérateurs de la filière, et dépositaires-entrepositaires ont dû adopter le statut de négociant en gros ; ils deviennent propriétaires du stock (jusqu'alors propriété de l'État). Ils sont libres de leurs prix.

• **Bouilleurs de cru. Statut.** Leur privilège exercé librement sous l'Ancien Régime (impôt spécial) a été aboli sous la Révolution, mais rétabli à des fins politiques par Napoléon Ier en 1808, puis supprimé par l'ordonnance du 29-11-1960, « à la mort de chacun des bénéficiaires ou de leur conjoint survivant ». Il donne droit de distiller pour son propre compte 10 l d'alcool pur par an et par bouilleur (35 l avant le 28-2-1923) et l'exempte (droit héréditaire) des droits de consommation. Important dans l'Ouest (eau-de-vie et cidre), le Nord (genièvre) et l'Est (kirsch, quetsche, mirabelle). Le nombre des cirrhoses alcooliques semble lié à la densité des bouilleurs de cru : alcool moins cher et de mauvaise qualité.

En 1988-89, 1 587 799 bouilleurs de cru inscrits (dont 720 336 ayant effectivement distillé) ont produit 46 542 hl d'alcool pur en franchise [prod. totale (83-84) 314 464 hl]. En 1975 : 68 876 *alambics* répertoriés.

• **Distribution. Implantation réglementée.** Aucune « grande licence » ne peut être créée. Seul son transfert sous certaines conditions permet l'ouverture d'un nouveau débit. *Transfert :* effectué librement dans la même commune, ou dans un rayon de 50 km vers une autre commune dépourvue de débit, peut être autorisé jusqu'à 100 km par une commission présidée par un magistrat s'il est motivé par un besoin touristique. Un débit ne peut être ouvert dans une commune où le total des débits dépasse 1 pour 450 hab. ; 1 pour 3 000 hab. dans les grands ensembles construits après 1955 ou à construire et groupant plus de 1 000 logements ; ni dans une zone protégée. *Ces zones,* fixées par arrêté préfectoral, délimitent des distances de protection autour de certains édifices : églises, cimetières, hôpitaux, hospices, écoles, stades, piscines, prisons, casernes. Les débits déjà installés à l'intérieur des zones protégées autour des établissements hospitaliers ne peuvent être maintenus après la mort de l'exploitant et du conjoint survivant. Indépendamment de la distance fixée par le préfet, la distance de protection autour des grands ensembles d'habitation est portée à 200 m. Toute licence qui n'a pas été exploitée pendant un an est supprimée.

Interdiction de distribution pour les boissons alcoolisées. Sur stades et terrains de sport publics ou privés, dans piscines et salles de sport et tous locaux occupés par des associations de jeunesse ou d'éducation populaire, avec interdiction de distribuer aux mineurs prospectus ou objets quelconques nommant une boisson ou constituant une publicité pour celle-ci.

Interdiction de diffusion de messages publicitaires en faveur de boissons contenant plus de 1° d'alcool. A la télévision ; dans les publications destinées à la jeunesse ; sur les stades, terrains de sport publics ou privés, dans les lieux où sont installées des piscines et dans tous locaux occupés par des associations de jeunesse. Toute publicité en faveur des boissons contenant plus de 1° d'alcool doit comporter un conseil de modération.

Alcoolisme

Généralités

• **Quantités d'alcool pur dans les boissons.** *Teneur (pour un verre) en alcool pur en cl et, en italique, en g.* Apéritif à 18° 1,4, *11,5*, bière (demi) 1,5, *12*, liqueur à 40° 1,3, *10,5*, pastis 45° 1,5, *12*, vin 11° 1,3, *10,5*. Un litre de vin à 10° contient 100 cm³ (10 cl ou 80 g) d'alcool pur. 4 litres de vin à 12° contiennent 120 × 4 = 480 cm³ (48 cl) d'alcool pur, soit autant que 1 litre d'eau-de-vie à 48°.

• **Alcoolémie.** Teneur en alcool du sang exprimée en g/l. Une alcoolémie à 0,80 g représente 0,80 g d'alcool par l de sang ; atteint son maximum moins d'1 h après ingestion. La richesse en alcool (degré) de la boisson, le fait de boire à jeun ou au cours d'un repas, la nature des aliments, le poids de la personne, le sexe modifient la courbe d'alcoolémie. *La formule de Widmark :* taux d'alcoolémie en g par l de sang $= \frac{a}{p \times k}$. Précise l'alcoolémie théorique maximale en g/l de sang ½ h à 1 h ½ après la prise d'alcool.

Nota. – a = quantité d'alcool bu évaluée en grammes ; p = poids de la personne en kg ; k = coefficient de diffusion (homme 0,70, femme 0,60).

Exemple : un homme de 75 kg aura, après l'ingestion d'1 l de vin à 10° à jeun, une alcoolémie égale à 75 × 0,70 = 1,52 g pour mille. Pour la même quantité bue au cours d'un repas, le taux sera 1/3 plus faible. L'alcoolémie diminuant de 0,15 g/h, il faudrait théoriquement 10 h pour que le taux tombe à 0 et 5 h pour qu'il tombe au-dessous du taux légal de 0,80, à condition de ne pas boire à nouveau.

Taux d'alcoolémie pour quelques boissons une heure après absorption chez un homme de 75 kg (doses réglementaires dans les débits de boisson ; les doses servies chez soi sont souvent plus fortes). A jeun et, entre parenthèses, avec un repas. ½ litre de vin à 11° 0,83 (0,55). ½ l de bière à 5° 0,29 (0,19). 2 cl (°) apéritif anisé 45° 0,13 (0,09). 6 cl (°) apéritif à 16° 0,15 (0,10). 4 cl (°) de whisky 0,36 (0,24). 4 cl (°) de cognac à 40° 0,32 (0,21).

Effets de l'alcool sur l'organisme

☞ Quelle que soit la forme sous laquelle on l'absorbe, et contrairement aux préjugés en vigueur, l'alcool ne réchauffe pas durablement, ne donne pas de force, n'est pas un aliment nécessaire à la croissance et au fonctionnement de l'organisme, n'est pas « bon pour le cœur et les vaisseaux », n'est pas indispensable à la vie, ne désaltère pas (il augmente le volume des urines et donne soif), ne donne pas d'appétit et n'aide pas à digérer. Seule l'eau est nécessaire à la vie.

• **Effets sur l'appareil digestif.** L'alcool agresse les muqueuses (œsophage, estomac, intestin), provoque une sensation de brûlure (signe d'inflammation pouvant conduire à l'ulcère et au cancer). Poison violent du foie (il provoque la dégénérescence des cellules conduisant à la cirrhose presque toujours mortelle). Il perturbe la digestion (mauvaise assimilation de certains aliments, diminution d'appétit, déséquilibre nutritionnel avec au début surcharge de poids). Nombre de calories, voir p. 1524a.

CIRRHOSES. *Taux de mortalité pour 100 000 h.* (1987). Chili 60. Hongrie 42. Roumanie 37. Porto Rico 34. Italie 32. Portugal 30. Autriche 27. *France 23.* All. féd. 19. Japon 14. U.S.A. 13. Pologne 12. Suisse 10. Uruguay 9. Singapour 8. Suède 6. P.-Bas 6.

Le taux est beaucoup plus élevé chez les hommes. *France :* hommes 44,3, femmes 17,8. *Italie :* H. 49,5, F. 19,5. *Portugal :* H. 51, F. 19,9. *Espagne :* H. 32,3, F. 13,2. *Suisse :* H. 21, F. 6,6. *Belg. :* H. 16,7, F. 10. Il est similaire en *G.-B. :* H. 3,8, F. 3,5 (1983).

• **Effets sur le système nerveux :** troubles des réflexes, de la vision, de l'équilibre, du jugement. Alcoolisme chronique : lésions des nerfs : fourmillements, crampes, douleurs, paralysie (polynévrite). Lésions possibles des centres nerveux : confusion mentale, diminution de la mémoire, somnolence, torpeur. Psychisme altéré : troubles du caractère, irritabilité, susceptibilité, humeur sombre ; affaiblissement de la volonté et du contrôle de soi : insouciance, mensonges, vantardise, hypocrisie ; insomnies ; état dépressif avec complexe d'infériorité, cause de suicide ; baisse des facultés intellectuelles et des capacités d'attention ; parfois délires chroniques ou phénomènes de démence, conduisant à l'hospitalisation psychiatrique. Parmi les autres organes touchés : système cardio-vasculaire, glandes endocrines, pancréas.

☞ Les boissons alcoolisées peuvent être une contre-indication à la prise de certains médicaments.

• **Effets psychophysiologiques selon le taux d'alcoolémie** (en g/l de sang). *De 0,1 à 0,3 :* zone de tolérance physiologique. Aucun trouble n'est constaté. *De 0,3 à 0,5 :* aucun signe clinique apparent mais les gestes commencent à être perturbés. Parfois la fusion optique des images est troublée et la sensibilité de la vision diminue. Estimation des distances et vitesses faussée. *De 0,5 à 0,8 :* troubles commençant à apparaître. Temps de réaction allongés. Réactions motrices troublées. Euphorie. *De 0,8 à 1,5 :* réflexes de plus en plus troublés. Ivresse légère. Baisse de la vigilance.

Conduite dangereuse. *De 1,5 à 3 :* allure titubante. Diplopie (on voit double). *De 3 à 5 :* ivresse nette. Conduite impossible. *Au-delà de 5 :* coma pouvant entraîner la mort.

Tous les conducteurs devraient s'abstenir de prendre une boisson alcoolique à jeun et plus d'un demi de bière ou d'un quart de vin au repas.

☞ **Les enfants nés** de mères buveuses sont souvent prématurés, plus fragiles ou ont un poids plus faible à la naissance. L'alcool passe dans le lait de la femme qui nourrit son enfant et le rend toxique.

L'alcoolisme en France

• **Alcooliques** (nombre). Env. 4 500 000 buveurs excessifs (dont 2 000 000 avec imprégnation alc. importante). Beaucoup ont subi un entraînement socioprofessionnel, d'autres ont des problèmes psychonévrotiques.

Hôpitaux généraux. *Nombre des malades alcooliques :* 20 à 40 % en services hommes, 8 à 10 % en serv. femmes. 1 malade hospitalisé sur 3 est alcoolique. **Établissements psychiatriques.** *Nombre d'admissions pour psychoses alcooliques :* 40 % des adm. hommes, 10 % des adm. femmes.

• **Mortalité. Nombre de décès dus à l'alcoolisme** (1988). Alcoolisme et psychose alc. 2 978. Cirrhose du foie (4/5) 10 059. Tumeurs malignes de la cavité buccale, du pharynx et de l'œsophage (4/5) 13 168. Tuberculose de l'app. respiratoire (1/3) 345. Homicides (½) 347 [1]. Suicides (¼) 2 900. Accidents de la circulation (1/3) 3 374. Autres accidents et morts violentes (1/10) 2 536. Causes non spécifiées (1/10) 2 554.

Décès selon l'âge (hommes et entre parenthèses femmes, en %). *35-44 ans :* 12,5 (11), *45-54 a. :* 20 (12,5), *55-64 a. :* 16,7 (8,3).

Décès par alcoolisme (delirium, polynévrite) et cirrhose du foie (nombre et taux pour 100 000 hab.)

Mortalité	Cirrhose du foie		Alcoolisme, Psychose alcoolique	
	Nombre	Taux	Nombre	Taux
1960	13 401	29,4	5 074	11,1
1970	16 865	30	4 042	7,9
1975	17 546	33,3	4 192	7,9
1980	14 881	27,8	3 334	6,2
1984	12 961	23,6	3 321	6,0
1985	12 084	21,9	3 212	5,8
1986	11 428	20,6	3 147	5,7
1987	10 791	19,4	2 816	5,1
1988	10 588 [1]	18,9	2 978 [2]	5,3

Nota. – (1) dont 7 382 H et 3 206 F. (2) dont 2 369 H et 609 F.

Décès attribués aux psychoses alcooliques et aux cirrhoses du foie (en 1988, taux pour 100 000 hab.). Nord-P.-de-C. 39,5, Bretagne 32,3, Hte-Normandie 31,7, Auvergne 29,1, Limousin 28,1, Picardie 28, Champagne-Ardenne 27,9, Bourgogne 27,6, Lorraine 27, Pays de Loire 26,3, Centre 25,1, Alsace 24,6, Poitou-Charentes 24,5, Basse-Normandie 22,6, Rhône-Alpes 21,3, Franche-Comté 21, Aquitaine 20,8, Ile-de-France 19,5, Prov.-Alpes-C. d'Azur 19,4, Languedoc-Roussillon 16,8, Corse 16,5, Midi-Pyrénées 14,7, *France entière 24,3.*

☞ Les décès ne se limitent pas à ceux figurant sous les rubriques : alcoolisme et cirrhose du foie. L'alcool est cause secondaire ou déterminante dans nombre de décès accidentels ou attribués à d'autres maladies (ex. : décès d'un alcoolique dont l'organisme affaibli n'a pas résisté à la grippe ou à la bronchopneumonie).

• **Autres effets.** *Absentéisme pour maladie :* 3 à 4 fois plus élevé chez les buveurs que chez les autres. *Accidents du travail :* part de l'alcoolisation 15 à 25 % au minimum. *Durée du séjour dans un service général de médecine :* double de celle d'un non-buveur.

• **Coût 1988.** 70 milliards de F (dont hospitalisations 55, soins et consultations 15 dont financés par la Séc. soc. 49, les mutuelles 5, l'État 3, les particuliers 13).

Lutte contre l'alcoolisme

Information et prévention. *Haut comité d'étude et d'information sur l'alcoolisme,* 17, rue Margueritte, 75017 Paris. Placé auprès du Cabinet du ministre

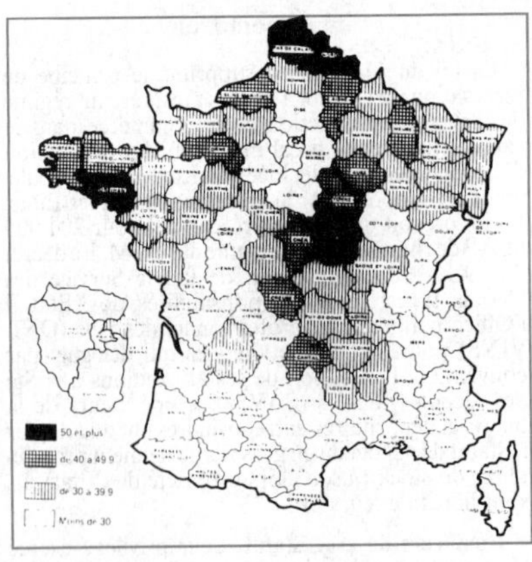

chargé de la Santé. Minitel : 3614 Alco-Infos. *Association nat. de prévention de l'alcoolisme,* 20, rue St-Fiacre, 75002 Paris ; ass. privée loi de 1901. Minitel : 3615 ANPA.

Mouvements de buveurs guéris et d'abstinents volontaires. *Alcooliques anonymes,* 21, rue Trousseau, 75011 Paris ; créés U.S.A. 1935, France 1960. 2 millions de membres dans 134 pays ; en France, 9 000 m. (410 groupes). *La Croix bleue,* 47, rue de Clichy, 75009 Paris ; créée Suisse 1877 310 000 m. dans le monde. *Sté française de la Croix bleue.* Créée 1883 110 lieux d'implantation : 2 centres de postcure pour h., 1 pour f. : durée de séjour 90 j ; aide de l'entourage, d'associations « dites » d'anciens buveurs, information sur lieux de travail ; journal « Le Libérateur ». 4 000 m. ; 40 000 pers. en contact. *La Croix d'Or,* 10, rue des Messageries, 75010 Paris, créée 1910. 15 810 membres en France (actifs et amis, au 31-12-89). 76 assoc. départ., 14 régionales. Initiatrice de la Féd. européenne des mouvements Croix d'Or. *Les Bons Templiers,* 7, rue du Major-Martin, 69001 Lyon. Plus d'1 million de m. de plus de 50 pays ; siège mondial à Cambridge. *Fédération nat. Joie et Santé,* 35, rue Ampère, 94400 Vitry, créée 1964, 20 000 membres, 24 assoc. départem. *Féd. nat. Santé-Abstinence-Amitié,* 6, rue de Breuchwickersheim, 67117 Ittenheim ; créée 1978, 21 000 membres actifs pour 29 départ. *Mouvement national Vie libre,* 8, impasse Dumur, 92110 Clichy ; créé 1953 ; 391 sections ; 20 000 adhérents ; 43 comités départ. ; 13 régionaux.

Action en milieu professionnel. *Féd. française interprofessionnelle pour le traitement et la prévention de l'alcoolisme et autres toxicomanies (FITPAT),* créée 1978, 12 *bis,* rue du Terrage, 75010 Paris. Regroupe 18 assoc.

Cures de désintoxication. Associent les tech. médicamenteuses (dégoût), absorption de disulfirame ou espéral, piqûres chauffantes, aux médicaments de soutien (vitamines) et à la psychothérapie. Prolongation indispensable : postcures (sans laquelle les rechutes sont fréquentes), aide de la famille, d'associations d'anciens buveurs sur les lieux de travail.

Élevage

• **Cheptel français** (en milliers de têtes, déc. 1988). Bovins 20 109, ovins 9 972, caprins 1 022. En 1988, sur 1 017 000 exploitants, 49 % possèdent des bovins (*1979 :* 58), 26 % des vaches laitières (*1979 :* 41), 22 % des vaches allaitantes (*1979 :* 18). De 79 à 88, le cheptel a baissé de 9 %.

• **Formes d'élevage. Extensif.** Sur des pâturages naturels, les bêtes se déplacent avec leurs gardiens (*cow-boys* américains, *gauchos* argentins, *squatters* australiens). Il faut 8 ha pour nourrir une vache à l'année dans l'Ouest américain. **Élevage moderne en plein air.** Dans une prairie permanente, entretenue. **Élevage en batterie.** Agriculture hors sol développée dans plusieurs secteurs de l'élevage (veaux, volailles). **Embouche.** Bêtes élevées dans des régions peu fertiles, engraissées dans des régions riches (Charolais, Nivernais, Normandie). **Migration estivale (transhumance).** De nov. à juin, les moutons paissent dans la Crau et, de juin à oct., dans les Alpes. **Seminomadisme.** Bêtes l'été sur hauts pâturages (+ de 2 200 m), l'hiver redescendues dans les fermes. **Stabulation libre** (hangar ouvert sur champ). Bêtes nourries avec des produits préparés par *ensilage* (moyen de conserver plantes fourragères, feuilles de betteraves, pulpes, etc.). **Vaine pâture.** Bêtes menées dans chaumes et jachères.

• **Insémination artificielle** (1989). **Bovins.** *Vaches inséminées :* 5 597 568 dont (en %) avec des semences de taureaux de race Prim'Holstein 49, Charolaise 15, Normande 11, Montbéliarde 8, Limousine 7, Blonde d'Aquitaine 5, races bouchères div. 4, races laitières div. 1. *Inséminateurs* 1 900. *Centres* 60. **Porcins.** *Truies inséminées :* 610 000. *Centres* 8. **Ovins.** *Brebis ins. :* 600 000 (dont 60 % races laitières, 40 % races à viande). *Centres* 25. **Caprins.** *Chèvres ins.* 55 000. Centres 24. *Importations de semences* (en doses, 1987-88) *de :* U.S.A. 85 714, Belg. 8 912, All. féd. 4 000, P.-Bas 3 000. *Total 101 626.*

1er embryon conçu en Europe in toto in vitro. UNCEIA (France) janv. 1988 : maturation des ovules in vitro, capacitation du sperme congelé in vitro, fécondation in vitro proprement dite et culture in vitro de l'embryon pendant une semaine (blastocyte) jusqu'au stade du transfert.

1ers veaux cultivés in vitro nés en France. 4 veaux nés janv. 1990 (INRA-UNCEIA).

1er veau in toto in vitro né en France (dérivé des techniques précédentes). Gédéon, 51,5 kg, né le 20-3-90 au Centre génétique de Douai.

1er lapereaux et agneaux clonés (clones de 6 lapereaux). Nés en France en 1990, issus de reprogrammation nucléaire de cellules embryonnaires (blastomères) précédemment congelées. Ces clones sont issus après leur transfert dans des ovules énucléés (INRA, 1990).

Anes

Taille. Moyenne : long. 1,40 m, haut. 1,10 m, oreilles 0,20 m. **Poids.** 150 à 700 kg. **Vie.** 15 à 18 ans. **Races.** Commune, Afrique du Nord, Égypte, Poitou, Pyrénées.

Nombre (1986, en milliers). Chine 10 415. Éthiopie 3 920. Mexique 3 183. Pakistan 2 857. Égypte 1 900. Iran 1 800. Afghanistan 1 250. Brésil 1 250. Turquie 1 200. Inde 1 001. Maroc 800. Nigeria 700. Colombie 650. Soudan 650. Bolivie 600. Mali 550. Yémen du N. 520. Niger 507. Pérou 490. Algérie 475. Irak 450. Venezuela 440. Bulgarie 345. U.R.S.S. 322. *Monde 40 477.*

Beurre

Dans le monde

Commerce (en milliers de t, 1989). **Exp. :** Europe occ. 440 dont CEE [1] 314 *(France 107,8),* Finlande 22, Suède 17. Europe orient. 80. Océanie 288 dont N.-Zélande 236. Australie 52. Amér. du N. 40 dont U.S.A. 40. URSS 20. Amér. du S. 5. *Monde 873.* **Imp. :** URSS 450. Europe occ. 77 dont CEE [1] 70 *(France 103,1),* Suisse 46. Europe orient. 46. Japon 10. Amér. du S. 8. Amér. du N. 6 dont USA 3, Canada 3. Afr. du S. 1. *Monde 598.*

Nota. – (1) commerce extra-C.E.E.

Consommation (beurre + M.G. butyrique, kg par hab., 1989). N.-Zél. 10,8. *France 8,5.* Belgique 7,9. Tchéc. 7,9. Pologne (cons. à la ferme n.c.) [1] 7,8. Finlande 7,5. All. féd. 7,4. Danemark 7. Luxembourg 7. Irlande 6,1. Suède 5,6. Suisse 5,6. URSS 5,4. Islande [1] 5,1. Norvège 4,6. Autriche 4,3. R.-U. 3,9. Canada 3,6. Australie 3,5. P.-Bas 3,4. Bulgarie [1] 2,6. Hongrie 2,2. Italie 1,9. USA 1,9. Grèce 1,6. Inde 1,3. Portugal [1] 1. Afr. du S. 0,7. Japon 0,7. Espagne 0,6. Israël 0,6.

Nota. – (1) 1988.

Production de beurre et matière grasse butyrique (en milliers de t, 1989). URSS 1 800. Inde 890. U.S.A. 570. *France 523.* All. féd. 400. All. dém. [1] 322. Pakistan 312. Pologne 280. N.-Zélande 248. P.-Bas 165. Tchéc [1] 150. Irlande 139. G.-B. 136. Turquie [1] 118. Canada 106. Australie 92. Danemark 92. Japon 85. Egypte [1] 81. Brésil 80. Italie 78. Iran [1] 72. Suède 68. Belg.-Lux. 60. Finlande 59. *Monde 6 657.*

Nota. – (1) 1988.

Stock CEE (au 31-12, milliers de t). **Beurre :** *1979 :* 270. *80 :* 127. *81 :* 10. *82 :* 112. *83 :* 692. *85 :* 996. *86 :* 1 283. *87 :* 860. *88 :* 102. *89 :* 20. *90 :* 251 dont Irlande 83, P.-Bas 58, All. féd. 28, Espagne 28, R.-U. 24, *France 16,* Italie 6, Danemark 5, UEBL 3, Grèce 0, Portugal 0. **Lait écrémé en poudre :** *1976 :* 1 135. *77 :* 969,8. *78 :* 663. *79 :* 227. *80 :* 230. *81 :* 279. *82 :* 576. *83 :* 692. *84 :* 841. *85 :* 520. *86 :* 771. *87 :* 473. *88 :* 7. *89 :* 5. *90 :* 333.

En France

Catégories. Beurre *fermier* : fabriqué à la ferme ; *laitier* : dans une usine laitière avec des crèmes non pasteurisées ; *pasteurisé* : dans des entreprises laitières (qualité contrôlée de façon permanente par le B.I.L. : Bureau de l'inspection du lait) ; *salé* : la mention demi-sel (– de 5 %) ou salé (5 à 10 %) doit figurer sur l'emballage. Le « St-Hubert 41 » ne contient que 41 g de lipides pour 100 g.

Production (beurre et matière grasse butyrique, en milliers de t). Prod. totale : laiterie (beurre, MGLA) + fabrications fermières. *1985* : 532,6 ; *86* : 627 ; *87* : *578* ; *88* : *530* ; *89* : 525 ; *90 (prov.)* : 553 ; *91 (est)* : 525.

Nota. – (1) beurre en l'état.

Stocks publics (au 31-12, milliers de t). *Beurre* et, entre parenthèses, *poudre à 0 %* : *80* : 6 (9,8). *81* : 3,8 (28). *82* : 23,5 (39). *83* : 148 (29). *84* : 117 (3). *85* : 84 (3,8). *86* : 191 (4,4). *87* : 120. *88* : 8,1 (0). *89* : 1,3 (0). *90* : 16 (20,1).

Bovins

• **Caractéristiques.** Ruminants ayant un estomac à 4 poches (panse, bonnet, feuillet, caillette). **Élevage.** Reproduction possible à partir de 1 an, 1re saillie pratiquée en général vers 20 mois pour les 2 sexes. Les chaleurs de la vache (tous les 20 j env., 14 h après l'ovulation) durent 1,5 j. L'accouplement se fait soit en liberté (un taureau servant 25 à 30 vaches) soit en main (un taureau pour 100 vaches). On utilise aussi l'insémination artificielle. **Vie.** 15 à 20 ans. **Gestation.** Env. 280 j. Veau pèse à la naissance de 20 (race bretonne pie noire) à 60 kg (charolais) ; (250 à 5 mois). Veau de St-Étienne : 45 à 60 (7 à 8 mois : 350). Prend en général 400 g par j le 1er mois, et 1 kg par j vers le 3e mois. *Le veau au colostrum* (8 à 10 j) est recherché pour l'élevage en batterie en France, Hollande et Italie. Le *veau* « blanc », spécialité française, n'est guère apprécié à l'étranger. Les *veaux de Lyon* et *St-Étienne,* issus de race Limousine, ne sont prisés que dans ces 2 villes. L'Italie préfère des animaux un peu plus lourds, les *vitelloni.* Dans les races à viande, laissé au pré avec sa mère, se sèvre lui-même progressivement ; dans les races laitières, est éloigné de sa mère et nourri au seau afin de contrôler son alimentation. Le sevrage se fait alors vers le 3e mois.

Poids atteint. Veau (à la naissance) 20 à 60 kg. **Bœuf** Charolais ou limousin à 12 mois, 520 ou 450 kg ; à 18 mois, 650 ou 580 ; à 30 mois, 750 ou 700. Les jeunes bovins (en France 16-18 mois, non castrés) précoces ou *baby-beef* (12-14 mois) sont très appréciés en All. féd., G.-B. et U.S.A., mais peu en France où les citadins préfèrent en général le *bœuf d'embouche* traditionnel, abattu vers 3 ans (viande de luxe). En fait, ce sont les vaches de réforme assez jeunes et bien conformées qui fournissent le gros du tonnage de viande. Les *vaches âgées* sont destinées aux pays et régions qui ont une industrie de transformation active : certaines régions de France, l'Allemagne, l'Italie et les Pays-Bas.

Rendement (rapport entre poids de viande nette et poids vif de l'animal). 50 à 60 %, (moins chez les vaches) ; diminue avec l'âge. *Viande tendre* : bovin 700 kg : 120 kg en moyenne (« culard » : 300 kg) ; bovin 1 000 kg (projet an 2000) : 500 kg.

• **Races.** Env. 30. *Principales en France* : Normande (apte boucherie et laiterie), Française Frisonne-pie noire, Pie-rouge de l'Est, Charolaise, Limousine, Blonde d'Aquitaine, Salers, Maine-Anjou, etc.

• **Nombre de bovins** (en millions, 1990). *Afrique* : Éthiopie 30. Soudan 21. Kenya 13,8. Nigeria 12,2. Afrique du S. 11,9. Madagascar 10,3. *Amérique du N.* : USA 99,3. Mexique 28,2. Canada 12,4. Cuba 4,9. *Amérique du S.* : Brésil 140. Argentine 50,6. Colombie 24,7. Venezuela 13,9. Uruguay 8,7, Pérou 3,8. Chili 3,7. *Asie* : Inde 197,3. Chine 77. Bangladesh 23,1. Pakistan 17,5. Turquie 11,6. Birmanie 9,1. Indonésie 10,3. Iran 8. Népal 6,4. Thaïlande 5,4. Japon 4,8. Cambodge 2,1. Philippines 1,6. *Europe* : *France 21,2* [vaches 9,2 (dont laitières 5,7, nourrices 3,5), bovins de – d'1 an 5, d'1 à 2 ans 4, 2 ans et + 3. All. féd. 14,6. G.-B. 11,9. Pologne 10,6. Italie 8,7. Roumanie 7,2. All. dém. 5,7. Irlande 5,9. Tchéc. 5,1. Espagne 5,3. Youg. 4,7. P.-Bas 4,7. Belg.-Lux. 3. Autriche 2,6. Danemark 2,2. Suisse 1,8. Suède 1,7. Hongrie 1,6. Bulgarie 1,6. URSS 118,3. *Océanie* : Australie 22,6. N.-Zélande 8. *Monde 1 282,2.*

☞ **Vaches folles.** De 1986 à 1990, 25 000 vaches (1/1000 du cheptel) ont dû être abattues en G.-B. (dont 13 767 en 1990) pour cause de BSE ou encéphalite bovine spongiforme (dégénérescence nerveuse provoquant perte de l'équilibre, tremblements, puis la mort). Serait due à l'absorption de farines contenant des abats de moutons malades de la « tremblante ». 5 à 20 % du cheptel serait atteint. On ignore encore si la BSE est transmissible à l'homme par voie orale (transmissible aux souris selon les expériences). *Cas signalés en France* (au 24-5-1991) : 4 (Bretagne 3, Manche 1).

En France

Gros bovins (en milliers de t équivalent carcasses, 1987). *Prod.* : 1 619. *Consom.* : 1 394. *Achats à l'intervention* : 179. *Commerce extérieur* (milliards de F, 1985). **Imp.** viande fraîche 5,7, congelée 0,3, animaux vivants 0,5. **Exp.** fraîche 3,2, congelée 2, vivants 4, conserves 0,2. **Solde** (milliards de F, 1986) + 2,7 (fraîche – 2,7, congelée + 1,2, vivants + 3,6).

Veaux (en milliers de t équivalent carcasses, 1987). *Production* : 360. *Consommation* : 346. **Imp.** 250 000 têtes. **Exp.** 980 000 têtes. **Solde commerce ext.** (milliards de F) + 1,9.

Consommation de viande (en kg par hab., 1987). 90,9 dont porcs 36,6, gros bovins 25,1, volailles 18, veaux 6,5, ovins, caprins 4,3, équidés 0,9.

Bisons

Espèces. Américaine. *Bison bison* : 60 à 75 millions au début du XIXe s. en Amérique du N. Exterminés lors de la conquête de l'Ouest, il n'en restait que 800 en 1905 (dont 200 dans le parc de Yellowstone). **Européenne.** *Bison bonasus* : dernier représentant sauvage tué en 1919 dans la forêt de Bialowieza (frontière soviéto-polonaise) ; réintroduite à partir de 3 couples venant de zoos, env. 2 000 en liberté aujourd'hui). **Élevage.** Pratiqué pour la boucherie, en Amérique du N. (env. 160 000 têtes) et en France, dans le Limousin (expérimental de 25 têtes). Le bison se contente de pâturages médiocres. Sa viande est pauvre en cholestérol, avec une teneur en lipides (1 à 2 %) inférieure à celle du bœuf dont elle a l'aspect et un goût voisin.

Buffles

Nombre (en millions, 1990). Inde 75. Chine 21,4. Pakistan 15. Thaïlande 4,7. Indonésie 3,5. Népal 2,9. Philippines 2,8. Birmanie 2. Bangladesh 2. Brésil 1,2. Laos 1. Cambodge 0,7. Turquie 0,5. U.R.S.S. 0,4. Iran 0,2. Roumanie 0,2. *Monde 140,9.*

Camélidés

Chameaux et dromadaires portent une charge de 300 kg max.

Chameaux, nombre (en millions, 1987). Somalie 5 (88). Soudan 2 (88). Inde 1,1. Éthiopie 1 (88). Pakistan 0,9. Mauritanie 0,8. Kenya 0,6. Tchad 0,6. Mongolie 0,6. Chine 0,5. Niger 0,4. Afghanistan 0,3. Mali 0,2. Algérie 0,1 (88 ; 0,2 en 1900). Maroc 0,05 (88 ; 0,2 en 1960). Tunisie 0,08 (88 ; 0,2 en 1956). *Monde 17,4.*

Canards

Races. Canard commun, canard de Rouen, coureur indien, khaki-campbell, Pékin, canard d'Aylesbury, canard de Barbarie (originaire d'Amérique, appelé aussi canard musqué). En France, toutes les races et variétés sont représentées, mais le canard de Barbarie représente près de 85 % des abattages contrôlés(prod. industrielle). Il est aussi utilisé pour la production du foie gras, notamment en croisement (mulard). **Élevage naturel.** Le mâle vit avec 5 ou 6 femelles. Ponte max. de févr. à juill. Pour la prod. de canetons, les œufs sont couvés par la cane (12 œufs), une poule (8) ou une dinde (20). Croissance très rapide du caneton (souvent 2 kg à 2 mois). **Produits.** Œufs (cuisine, pâtisserie). **Production en France** (1990, estim.) 102 000 t dont (%, 1989). P. de Loire 52. Bretagne 28, Rhône-Alpes 5, Poitou-Charentes 5. Bourgogne 4. Canards de Barbarie : 82 % des abattages totaux. **Commerce** (1990, équivalent carcasses). *Exp.* 10 400 t. *Imp.* 6 200 t. **Consommation** (kg par hab.) 1,8.

Caprins

• **Races. Laitières européennes. Alpine chamoisée et Saanen** (nom français : Gessenay). Taille (boucs et femelles) 0,90 à 1 m (0,70 à 0,80) ; 80 à 100 kg (60 à 80 kg), en France, Suisse, Allemagne. **Poitevine** (boucs et femelles) : 0,80 à 1 m (0,75 à 0,80 m) ; 55 à 75 kg (40 à 60 kg). **Production.** Lait (400 à 1 500 kg par an), viande de chevreaux (6 à 10 kg de 4 à 8 semaines), peau du chevreau pour chaussure et ganterie. **Reproduction.** Gestation de 5 mois ; 1, 2 ou 3 chevreaux ; saillies à partir de 7 mois permettant une 1re lactation à 12 mois.

Autres races européennes. Toggenbourg, Grisons (Suisse), **Anglo-nubienne, de Murcie, Malaga...** Pour la viande : africaine et asiatique ; pour le poil : angora 55 à 60 cm ; blanc de 20 à 30 cm (mohair), origin. d'Asie ; chèvre du Cachemire à poils longs (tissus dits cachemire).

• **Nombre** (en millions, 1989). Inde 107. Chine 78,2. Pakistan 34,2. Nigeria 26. Éthiopie 18. Soudan 14,5. Iran 13,5. Turquie 13,1. Brésil 11. Bangladesh 10,9. Indonésie 10,6. Mexique 10,2. Tanzanie 6,6. URSS 6,5. Maroc 6. Grèce 6. Afr. du S. 5,9. Espagne 3,6. Argentine 3,2. Philippines 2,2. U.S.A. 1,8. Pérou 1,7. Égypte 1,6. Irak 1,6. Venezuela 1,5. *France 1,2.* Italie 1,2. N.-Zélande 1,2. Syrie 1,1. Birmanie 1. Roumanie 1. Colombie 1. *Monde 528,8.*

• **France. Nombre de caprins** (en millions). *1970* : 0,79 ; *79* : 1,2 ; *88* : 1,24 (chèvres 0,91, boucs 0,04, autres 0,29). *En % par régions* : Poitou-Ch. 32, Rhône-Alpes 15, Centre 12. *Races reconnues.* Laitières : alpine chamoisée, saanen, poitevine. Laine mohair : angora. **Exploitations.** *1970* : 162 557 ; *79* : 123 257 ; *88* : 62 491 (moyenne de 19,4 caprins). *Production lait* : 526 l par tête/an. En 1989, 399 millions de l transformés en fromage (60 % en entreprises ind., 40 % à la ferme). **Fabrication fromage** (milliers de t.). 51 dont ind. 35, fermière 16. *Appellations* : crottin de Chavignol 0,91, Pouligny-St-Pierre 0,16. Selles-sur-Cher 0,15, Picodons de l'Ardèche et de la Drôme 0,03. **Exportations :** 1,9.

• **Viande de chèvre.** Voir Ovins.

Chevaux

Généralités. Cœur. Diamètre 26 cm, poids moyen 3 kg. **Mouvements respiratoires.** 50 à 70 au galop et au trot, 18 à 20 au pas, jusqu'à 10 au repos. **Dentition.** 6 incisives, 12 molaires + 4 canines chez le mâle (jument 36 dents, cheval 40). **Intestin.** Longueur 22 m ; diamètre 3 à 4 cm. **Vision.** Varie selon les races. Champ visuel très étendu sur les côtés et vers l'arrière. 75 % des chevaux de trait sont myopes. **Alimentation.** 20 à 30 l d'eau par jour ; fourrages (foin, paille, avoine, orge) ou seigle, blé, maïs, tourteaux, féverolle, son. **Digestion.** Assez rapide. Le cheval rejette près de 6 l d'urine par jour. **Procréation.** *Jument* : entre 3 et 15 ans. *Étalon* : peut débuter vers 2 ans. **Allures.** *Pas* : à 4 temps et diagonal ; 100 à 110 m/mn (6,5 km/h). *Trot* : diagonale et sautée à 2 temps ; 14 km/h en moyenne. *Galop* : sautée à 3 temps, plus un temps de suspension ; 20 à 60 km/h.

Records. Cheval le plus lourd du monde : « Brooklyn Suprême », pur-sang belge, de 1,98 m au garrot, 1 440 kg. **Le plus grand :** « Sampson », shire, 2,19 m (1 850). **Le plus petit :** « Little Pumpkin », 35,5 cm au garrot, 9,1 kg. **Les plus vieux :** 62 ans ; poney 54 ; pur-sang 42. **Les plus forts :** charge de 42,3 t de bois tirée sur 400 m par 2 chevaux de trait.

Chevaux de trait (France). *Zone d'élevage* : Nord-Est, Bretagne, Massif central, Jura, Alpes, Pyrénées. ARDENNAIS : N.-E., Est du Bassin parisien, contreforts du Jura et Massif central : env. 300 étalons et 5 000 juments. V. 1910 l'a. du N. est appelé « trait du Nord ». AUXOIS : S.-O. de la C.-d'Or, Yonne et S.-et-L. Culture et viande. BOULONNAIS : excellent cheval de traction et boucherie. BRETON : puissant, rustique, actif. Utilisé par maraîchers ou pour récolte du goémon. Actuellement pour viande. COB : Manche. Issu du « carrossier normand ». Cob léger absorbé par cheval de selle et gros cob « cultural », rattaché aux races de chevaux lourds. Tourisme et attelage. COMTOIS : Franche-Comté (Ht-Jura), Massif central, Pyrénées, Alpes. Viande et traction (débardage du bois et travaux de la vigne). PERCHERON : Perche, Nivernais, Bourbonnais, Morvan. 25 % des chevaux de trait.

Nombre (en millions, 1986). Chine 11. USA 10,8. Mexique 6,1. URSS 5,8. Brésil 5,5. Arg. 3. Mongolie 1,9. Colombie 1,9. Éthiopie 1,6. Pol. 1,3. Inde 0,9. Cuba 0,7. Indonésie 0,7. Roum. 0,7. Pérou 0,6.

Turquie 0,6. Uruguay 0,5. Venez. 0,5. Chili 0,5. Austr. 0,4. Canada 0,4. Haïti 0,4. Afghanistan 0,4. Pakistan 0,4. All. féd. 0,4. Niger 0,3. Nicaragua 0,3. Bolivie 0,3. Équateur 0,3. Paraguay 0,3. Iran 0,3. Philippines 0,3. *France 0,3.* Maroc 0,2. *Monde 64,6.*

En France. **Chevaux de trait.** *1931* : 3 000 000. *56* : 2 000 000. *66* : 1 000 000. *79* : 181 984. *85* : 40 622. *91* : env. 100 000 (juments, étalons, jeunes). **Viande de boucherie** (v. riche en albumine et fer, pas de parasites, consommation en milliers de t) : *1966* : 100,4. *78* : 97,1. *80* : 92,1. *85* : 65,9. *90* : 58,8.

☞ Voir hippisme à l'Index.

Dindes

Origine. Introduites en France au XVIe s. Le mâle sait faire la roue. **Races.** Dindon noir de Sologne (jusqu'à 12 kg), bronzé (mâle 8 à 9 kg), blanc de Betsville (mâle de 6 kg à 20 semaines). **Record** : dinde sur pied 36,780 kg, vendue, en 1986, 34 000 F. **Reproduction.** Un mâle de 1 à 6 ans suffit à 12 femelles. Ponte 20 œufs au printemps (éclosent après 30 j). A 2,5 mois, le dindonneau est suralimenté pour surmonter la crise du rouge (sortie des caroncules rouges de la tête), entre 6 et 8 mois il est engraissé (maïs et orge) avant d'être tué.

Nombre de dindons (en millions, 1989). USA 276. *France 82,7.* G.-B. 34,4. Italie 24,4. URSS 22. Canada 20. Israël 6. *Monde 520.*

Production (en milliers de t, 1990). France 433 dont (en %) Bretagne 53, P. de Loire 16, Centre 9, Rhône-Alpes 7. **Dans le monde** (en milliers de t, 1989) USA 2 068, *France 433,* Italie 279, G.-B. 175, All. féd. 131, Canada 120, Israël 50. **Consommation** (en kg/h ab., 1989). Israël 10, USA 8,3, *France 5,6,* Italie 4,7, Irlande 4,3, G.-B. 3.

Exportations (1989) : 87 500 t équivalent carcasses (1er rang mondial), vers l'All. féd. (27,8 % des exp.), Belg. (21,7 %), G.-B. (9,5 %), Espagne (7,3 %), Suisse (6,3 %).

Escargots

Durée d'engraissement. 4 à 6 mois en élevage intensif sous bâtiment climatisé. Marché. *France :* 1er consommateur mondial avec plus de 30 000 t. **Imp.** (1989) *France 1er imp.* avec + de 10 000 t d'équivalents-vivants, surtout des p. du pourtour méditer. (Grèce, Turquie, Yougoslavie) : 40 % ; de l'Europe centr. (Pologne, Hongrie, Tchécoslovaquie) : 20 % ; de l'Asie (Indonésie : 20 %). **Exp.** 1 790 t conserves (dont 55 % CEE et 32 % Amér. du N.). **Déficit** (en millions de F). *1976* : 70. *1980* : 110. *1985* : 86. *1987* : 200. *1989* : 180.

Fromages

Dans le monde

Production (toutes les sortes, en milliers de t). **1987 :** USA 2 903. URSS 1 944. *France 1 380.* All. féd. 1 005. Italie 682. P.-Bas 556. Pologne 449. Égypte 313. G.-B. 293. Canada 286. Argentine 279. Danemark 275. All. dém. 267. Tchéc. 220. Grèce 203. Espagne 184. Australie 180. Bulgarie 180. Youg. 147. Turquie 140. Chine 138. Suisse 131. N.-Zélande 129. Suède 118. *Monde 14 036.* **1989 :** USA 2 570. *France 1 417.* URSS 920. Canada 260. Australie 185. Suisse 135. Nlle-Zélande 124. Suède 109. Finlande 75. Japon 27.

Commerce (fromage et caillebotte, milliers de t, 1989). **Exp. :** Europe occ. 554 dont CEE [1] 433 *(France [1] 82),* Suisse 63, Finlande 24, Suède 3. Europe orient. 84. URSS 7. Océanie 153 dont Nelle-Zélande 94, Australie 59, Amér. du N. 15 dont Canada 10, USA 5. Amér. du S. 14. *Monde 827.* **Imp. :** Europe occ. 168 dont CEE [1] 114 *(France [1] 11),* Suisse 23, Suède 18, Finlande 1. Europe orient. 25. URSS 15. Amér. du N. 127 dont USA 110, Canada 15. Japon 125. Océanie 20. Amér. du S. 16. *Monde 496.*

Nota – (1) Commerce extra-CEE.

Consommation (en kg par hab. y compris fromage frais, 1989). Grèce 22,9. *France 22,3* All. féd. 18,1. Italie 17,8. Islande 16,5. Belgique 16,5. Suisse 16,2. Israël 16,2. Suède 15,5. Canada 15,3. P.-Bas 14,8. Danemark 14,2. Norvège 13,2. Tchécosl. 13. Finlande 12,9. Luxembourg 12,9. USA 12,3. Autriche 10,9. Australie 9,2. Hongrie 8,5. G.-B. 8,1. Nlle-Zélande 7,9. URSS 6,6. Espagne 5,3. Irlande 5,3. Portugal 4,6. Afr. du S. 1,7. Japon 1,2. Inde 0,2.

☞ Problème de la listériose. *1975* Angers 30 † suspects. *1979* (Boston U.S.A.) fromage mexicain, 150 †. *1983-87* canton de Vaud (Suisse) 31 †, dont 25 dus au Vacherin Mont-d'or.

En France

• Production (en milliers de t, 1990). 1 424,7 dont *fromages au lait de vache* : 1 353,8 dont fromages frais 449, pâtes molles 437,2 (dont Camembert, Brie, Coulommiers 251,6), pressées cuites 245,7 (dont Emmental 191,3, Comté 35,7), pressées non cuites 189,9 (dont St-Paulin 19,9, Cantal 16,3, Édam, Gouda, Mimolette 12,9), persillées 32,1. *Au lait de chèvre :* 36,5. *Au lait de brebis :* 34,4. *Fromages fondus :* 99,2.

Production du fromage d'appellation d'origine contrôlée (en t, 1989). Gruyère de Comté (ou Comté) 37 046. Roquefort [2] 18 320. Cantal (ou Fourme de Cantal et Salers) 17 490. St-Nectaire 11 083. Reblochon (ou petit Rebl.) 10 180. Munster (ou Munster Géromé) 8 655. Camembert de Normandie 8 598. Bleu d'Auvergne 7 913. Brie de Meaux 6 485. Fourme d'Ambert (ou de Montbrison) 4 289. Pont-l'Évêque (et petit Pt-l'Év.) 3 097. Ossau-Iraty [2] 1 998. Beaufort 2 715. Bleu des Causses 2 101. Maroilles (ou Marolles) 2 085. Crottin de Chavignol 1 217. Chaource 1 207. Neufchâtel 735. Livarot 790. Lagniale 515. Mont-d'Or (ou Vacherin du Haut-Doubs)

Différentes sortes de fromages

La France produit 340 variétés de fromages.

• **Fromages frais.** Non fermentés (petit suisse, fromage blanc).

• **Fromages fermentés. Pâte molle.** Faits de lait caillé par la présure, puis moulés. Dits à *croûte fleurie* (Brie, Camembert, Carré de l'Est) ou à *croûte lavée* (Pont-l'Évêque, Maroilles, Munster, Livarot). **Pâte pressée.** Faits de lait caillé par la présure, puis traités de façon à obtenir des grains qui seront pressés ensuite dans un moule (Port-Salut, St-Paulin, Tommes, Cantal, etc.). *Pressée cuite* : faits de lait caillé par la présure, puis chauffés ou cuits (Comté, Emmental, Beaufort, Édam).

Fromages fondus. Onctueux, obtenus à partir d'une fusion de plusieurs espèces de fromages (Cheddar, Gruyère, Gouda, etc.) additionnés éventuellement de beurre.

Pâte persillée (bleus). Présente dans la masse des moisissures colorées, bleues et vertes.

Principaux fromages français. Provenance (V : vache. C : chèvre. B : brebis). Meilleure époque.
Aisy-Cendré (Bourgogne) V – Oct.-Juin.
Banon (Provence) C – Mai-déc.
Beaufort (Savoie) V – Janv.-Oct.
Bleu d'Auvergne (Auv.) V – Janv.-Déc.
Bleu de Bresse (Bresse) V – Janv.-Déc.
Bleu de Gex (Franche-Comté) V – Juin-Déc.
Bleu de Laqueuille (Auvergne) V – Juin-Déc.
Bleu des Causses (Aveyron) V – Juin-Déc.
Bondart (Normandie) V – Déc.-Mai.
Bondon (Normandie) V – Juill.-Mars.
Bossons (Languedoc) V – Déc.-Avr.
Boulette d'Avesnes (Thiérache) V – Juill.-Mars.
Bricquebec (Normandie) V – Janv.-Déc.
Brie de Meaux (Ile-de-Fr.) V – Juill.-Mars.
Brie de Melun (Ile-de-Fr.) V – Juill.-Mars.
Brie de Montereau (Gâtinais) V – Juill.-Mars.
Broccio (Corse) B – Année.
Brousses (Provence) – Nov.-Avr.
Cabécou (Quercy) C – Nov.-Avr.
Camembert (Normandie) V – Mai-Nov. mis au point par Marie Fontaine, mère de Marie Harel (1781-1855), épouse Paynel.
Cancoillotte (Franche-Comté) V – Janv.-Déc.
Cantal (Auvergne) V – Juill.-Nov.
Carré de l'Est (Champ. Lor.) V – Année.
Cervelle de canut : fromage blanc battu « comme si c'était sa femme », recette inventée 1934 par Paule Lacombe (qui a une rue à Lyon).
Chabichou (Poitou) C – Mai-Nov.
Chaource (Champagne) V – Juill.-Nov.
Charolles (Mâconnais) V C – Avr.-Déc.
Chavignol (Berry) C – Mai-Oct.
Chécy (Orléanais) V – Juin-Mars.
Chèvretons (Auvergne) C – Avr.-Nov.
Chevrotin (Savoie) C – Mai-Nov.
Cîteaux (Bourgogne) V – Mai-Nov.
Comté (Franche-Comté) V – Août-Mars.
Coulommiers (Ile-de-France) V – Juill.-Mai.
Cremets (Anjou) V – Janv.-Déc.
Crottin de Chavignol (Berry) C – Déc.-Mars.
Dauphin (Thiérache) V – Juill.-Mars.
Échourgnac (Guyenne) V – Janv.-Déc.
Édam français V – Janv.-Déc.
Emmental français V – Janv.-Déc.
Époisses (Bourgogne) V – Juill.-Mars.
Excelsior (Normandie) V – Juill.-Nov.
Feuille de Dreux (Ile-de-Fr.) V – Oct.-Mars.
Fondu Raisin (Savoie) V – Janv.-Déc.
Fontainebleau (Ile-de-France) V – Année.
Fourme d'Ambert (Auvergne) V – Juill.-Déc.
Fourme de Montbr. (Forez) V – Juill.-Déc.
Frinault cendré (Orléanais) V – Juill.-Déc.
Gapron (Auvergne) V – Oct.-Mai.
Géromé (Lorraine) V – Juill.-Mars.
Géromé anisé (Als.-Lor.) V – Juill.-Mars.
Gouda français (Flandres) V – Janv.-Déc.
Gournay (Normandie) V – Mai-Déc.
Gournay frais (Normandie) V – Janv.-Déc.
Gris de Lille (Flandres) V – Nov.-Juill.
Hauteluce (Savoie) C – Mai-Sept.
La Bouille (Normandie) V – Juill.-Mars.
Laguiole (Aveyron) V – Juill.-Mars.
La Mothe-St-Héray (Poitou) C – Mai-Nov.
Langres (Champagne) V – Mai-Déc.
Les Riceys (Champagne) V – Juill.-Déc.
Levroux (Berry) C – Mai-Nov.
Ligueuil (Touraine) V – Mai-Nov.
Livarot (Normandie) V – Mai-Mars.
Mâcon (Bourgogne) C – Mai-Nov.
Maroilles (Thiérache) V – Juill.-Mars.
Mimolette (Flandres) V – Janv.-Déc.
Monsieur Fromage (Nor.) V – Mai-Nov.
Mont-d'Or (Lyon) V – Année. C – Mai-Nov.
Morbier (Franche-Comté) V – Mars-Juin.
Munster (Alsace) V – Année.
Munster au cumin (Alsace) V – Année.
Murol (Auvergne) V – Juill.-Déc.
Neufchâtel (Normandie) V – Oct.-Mai.
Niolo (Corse) B – Mai-Déc.
Olivet bleu (Orléanais) V – Juin-Déc.
Olivet cendré (Orléanais) V – Juill.-Mars.
Oloron (Béarn) B – Juin.-Déc.
Oustet (Pyrénées) C – Avr.-Sept.
Pélardon (Cévennes) C – Mai-Nov.
Persillé de Savoie (Savoie) V – Mai-Déc.
Picodon (Dauphiné) C – Mai-Janv.
Pithiviers au foin (Orléan.) V – Juill.-Nov.
Poivre d'âne (Provence) C – Mai-Nov. B – Mars-Avr., V – Année.
Pont-l'Évêque (Normandie) V – Juill.-Mars.
Port-Salut [1] (France) V – Janv.-Déc.
Pouligny-St-Pierre (Berry) C – Avr.-Nov.
Poustagnac (Guyenne) C – Nov.-Avr.
Puant macéré (Flandres) V – Juill.-Mars.
Reblochon (Savoie) V – Juill.-Nov.
Récollet (Vosges) V – Oct.-Juin.
Rigotte de Condrieu (Lyon) V – Année.
Rocamadour (Guyenne) C – Avr.-Nov.
Rogeret des Cévennes (Lang.) C – Mai-Nov.
Rollot (Picardie) V – Mai-Nov.
Romans (Dauphiné) V – Juill.-Nov.
Roquefort (Aveyron) B – Janv.-Déc.
Saingorlon (Fr.) V – Janv.-Déc.
Ste-Maure (Touraine) C – Avr.-Nov.
St-Florentin (Bourgogne) V – Année.
St-Marcellin (Isère) V – Année.
St-Nectaire (Auvergne) V – Juill.-Déc.
St-Paulin V – Janv.-Déc.
Salers (Auvergne) V – Janv.-Déc.
Sassenage (Dauphiné) V – Mai-Déc.
Savaron (Auvergne) V – Janv.-Déc.
Selles-sur-Cher (Berry) C – Mai-Oct.
Sorbais (Ardennes) V – Mai-Déc.
Soumaintrain (Bourg.) V – Mai-Déc.
Tamie (Savoie) V – Juill.-Déc.
Tomme au Marc (Savoie) V – Nov.-Mai.
Tomme de Belley (Bugey) C – Mai-Oct.
Tomme de Camargue (Prov.) B – Janv.-Mai.
Tomme de Savoie (Savoie) V – Avr.-Déc.
Vacherin d'Abondance (Sav.) V – Déc.-Avr. – des *Beauges* (Savoie) V – Déc.-Avr.
Vacherin Mt-d'Or (Fr.-Comté) V – Déc.-Avr.
Valençay (Berry) C – Année.
Vendôme bleu (Orléanais) – Juill.-Nov. – cendré (Orléanais) – Juill.-Mars.
Vézelay (Bourgogne) C – Juill.-Nov.

Nota. – Teneur en matières grasses (au minimum) : Triple crème 75 %, Double crème 60 %, Extra-gras (ou crème) 45 %, Gras 40 %-25 %, Maigre moins de 25 %. (1) fabriqué en Normandie dep. 1814 par abbaye de Port-du-Salut. Disparaît en 1988 (contrôles sanitaires coûteux).

450. Bleu du Haut-Jura, de Gex ou de Septmoncel 469. Picodon de l'Ardèche ou de la Drôme 283. Brie de Melun 227. Pouligny St-Pierre 181. Selles-sur-Cher 168. *Total 148 297* (dont vache 126 130, brebis 20 318, chèvre 1 849).

Nota. – (1) Chèvre. (2) Brebis.

☞ Les fromages d'AOC représentent 11 % de la production. 7 % sont fabriqués à la ferme (lait de l'exploitation). 22 AOC sont au lait de vache, 4 au lait de chèvre (crottin de Chavignol, picodon, Pouligny St-Pierre, Selles-sur-Cher), 2 au lait de brebis (Ossau-Iraty et Roquefort). 72 % des AOC sont fabriqués à partir de lait cru.

Il faut en moy. 4,5 l de lait pour 1 kg de roquefort et 2 l pour un camembert de 250 g. La Vache qui rit a été créée en 1921 par Léon Bel (Jura).

Commerce (milliers de t, 1990). **Exp. :** 341,4 (CEE 261,6) dont pâtes molles 98,5 dont Brie 40,9, Camembert 11,9 ; fr. frais et caillebotte 80,3 ; fr. fondus 52,7 ; Emmenthal, Gruyère 17,2 ; St-Paulin, St-Nectaire 13,4 ; Roquefort 2,3. **Imp. :** 101,1

Fromage le plus cher : « Bouton de culotte » de la Vallée de la Loire : 4 F les 20 g (200 F le kg).

Lait

Statistiques mondiales

• **Production. Lait de vaches** (frais, entier, en millions de t, 1990). URSS 109 [1]. USA 67. *France 26.* Inde 24,5. All. féd. 23,6. G.-B. 15,3. Pologne 15 [1]. Brésil 14,2. P.-Bas 11,2. Italie 10,4 [1]. All. dém. 9,3. Canada 8,3. Japon 8. Nlle Zélande 7,9. Tchécosl. 7,1 [1]. Argentine 7. Australie 6,6. Mexique 6,1. Irlande 5,5. Danemark 4,7. Yougoslavie 4,6. Roumanie 4,4. Chine 4,1. Belg.-Lux. 3,9. Suisse 3,8. Colombie 3,5 [1]. Suède 3,5. Autriche 3,4. Pakistan 3,3 [1]. Turquie 3 [1]. Hongrie 2,9. Finlande 2,7. Afr. du S. 2,6 [1]. Bulgarie 2,1 [1]. Soudan 2 [1]. Iran 1,7 [1]. Portugal 1,5. Venezuela 1,5. Chili 1,4. Équateur 1,4 [1]. Cuba 1,1 [1]. Égypte 1 [1]. Uruguay 1 [1]. Israël 0,9. Maroc 0,9 [1]. Pérou 0,8. Grèce 0,7. Éthiopie 0,6 [1]. Tanzanie 0,5 [1]. *Monde 476,1.*

Nota. – (1) 1990, estimations.

Production mondiale (milliers de t, 1990). *De bufflonne* 43 728 ; *brebis* 8 728 ; *chèvre* 8 588.

• **Rendement moyen de l'ensemble des vaches (laitières). Selon les pays.** (en kg/an/vache, 1990). *2 114.* Europe 3 745 dont CEE 4 664 *(France 4 928).* URSS 2 614. Amér. du N. 4 303 dont U.S.A. 6 673, Canada 5 780. Océanie 3 646 dont N.-Zélande 3 528, Australie 3 879. Amér. du S. 1 036. Asie 945 dont Inde 831, Israël 8 519. Afrique 485. **Selon les races** (suivant le poids, rendement annuel en l de lait, et, entre parenthèses, le nombre de l nécessaire pour produire 1 kg de beurre) : *Hollandaise 600 kg :* 4 000 à 5 000 (26-28) ; *Flamande 550 kg :* 3 500 (25-26) ; *Normande 600 kg :* 3 400 (23-25) ; *Jerseyaise 350 kg :* 2 000 à 2 200 (16-18) ; *Bretonne 300 kg :* 1 600 à 1 800 (19-21).

☞ Une vache peut faire 13 lactations (record 18). Le plein rapport est entre le 3e et le 7e veau (entre 5 et 10 a.), le rendement max. au 6e (vers 8 ou 9 a.). **Record.** 14 368 kg de lait en 305 j (traite quotidienne moyenne, 47,11 kg) pour une Frisonne élevée dans l'Orne. **Utilisation** (en moyenne) de 100 l de lait : laits de consommation 52,7, lait sec et beurre 17,9, fromage 13,6, produits frais (yaourts, crèmes dessert fraîches, fr. blancs, etc.) 9,3, divers 6,5.

• **Commerce** (en milliers de t, 1989). **Lait écrémé en poudre. Exportations,** entre parenthèses, **importations.** *CEE à 12* 380 [1] (6 [1]) dont Suède 15 (1), France 8 [1] (3 [1]), Finlande 6 (0), Suisse 3 (0) ; URSS 0 (0) ; USA 160 (1), Canada 40 (0) ; N.-Zélande 154 (0), Australie 68 (3).

Nota. – (1) Commerce extra-CÉE.

• **Consommation de lait** (liquides, en kg/hab., 1989). Islande 194,3. Irlande 184,6. Finlande 180,1. Norvège 162,2. Suède 139,8. URSS 133,1. Danemark 122,6. G.-B. 122,5. Suisse 107,9. USA 107,5. Tchéc. 103,6. Espagne 102,6. Hongrie 99,3. Canada 98,8. P.-Bas 93. Australie 91,4. Autriche 91,3. *France 79,5.* Italie 78,1. Luxembourg 76,9.

Nota. – Nov. 1978 : mise en service d'un « tube au lait » pour le transport du lait entre l'île d'Ameland et la côte de la Frise (P.-Bas) (long. 14 580 m) ; le lait est envoyé comme une bombe pneumatique, enfermé entre 2 balles en caoutchouc ; les « paquets » de 30 000 l sont propulsés par de l'air comprimé ; l'envoi ne doit être ni trop lent (le lait fermenterait), ni trop rapide (il se décomposerait).

Lait en France

Source : CNIEL.

Vaches (en milliers de têtes, 1991). 8 969 dont vaches laitières 5 276, nourrices 3 693 (dont 5 598 fécondées en 1989 par les coopératives d'élevage et d'insémination artif.) [semence de taureaux français : (en %) Prim'Holstein (49), Charolais (15), Normand (11), Montbéliard (8), Limousin (7), Blond d'Aquitaine (5)].

Exploitations pratiquant l'élevage laitier (en milliers). *1969 :* 928. *75 :* 667. *80 :* 485. *85 :* 367. *88 :* 291. *89 :* 268 ayant en moy. 20,5 vaches (en 75 : 12,5).

Collecte régionale de lait de vache en 1990, et entre parenthèses **en 1977** (en millions de l.). Bretagne 4 628 (3 841). P. de la Loire 3 624 (2 763). Basse-Norm. 2 777 (2 598). Rhône-Alpes 1 471 (1 407). Lorraine 1 418 (1 238). N.-P.-de-Calais 1 236 (1 068). Franche-Comté 1 129 (973). Midi-Pyr. 1 047 (1 019). Auvergne 953 (783). Picardie 906 (910). Poitou-Char. 888 (981). Hte-Norm. 789 (833). Champ.-Ardennes 630 (727). Aquitaine 577 (630). Bourgogne 471 (466). Centre 357 (584). Alsace 236 (269). Limousin 169 (189). Languedoc-Rous. 84 (56). Prov.-Alpes-C. d'Azur 40 (66). Ile-de-Fr. 12 (43). *France 23 441 (21 445).*

Production (en millions de litres de lait, 1990). **Produits collectés.** 23 868 dont lait de vache 23 441, chèvre 256, brebis 171. **Produits transformés ou traités.** *Laits liquides :* 4 094,2 dont U.H.T. 3 058,1, pasteurisé vrac 398, pasteurisé conditionné 274, stérilisé 307,7, aromatisé 53,9, cru 2,5. *Produits frais (en milliers de tonnes) :* yaourts et autres laits fermentés 943,1, desserts lactés frais 339,6, crème de consommation (pasteurisée, stérilisée, U.H.T.) 184,2, crème industrielle vrac 25,6. *Beurre :* 448,7. *M.G.-L.A. fabriquée à partir de crème :* 77,8. *Beurre « allégé » :* 5,2. *Butter Oil (à partir de beurre) :* 42. *Fromages :* 1 424,7 dont lait de vache 1 353,8, de chèvre 36,5, de brebis 34,4. *Fromages fondus :* 99,2. *Laits concentrés :* 73. *Desserts lactés de conserve :* 41,4. *Laits en poudre « petits boîtages » :* 113,1, *industriel vrac :* 679,8. *Poudre de babeurre :* 30. *De lactosérum :* 399,9. *Caséines et caséinates :* 25,5.

Prix successifs du lait à la production (prix indicatif H.T. commun en F du kg, à 3,7 % de mat. grasses, rendu usine). *1980-81 :* 1,3015. *1985-86 :* 1,9783. *1986-87 :* 2,0358. *1987-88 :* 2,0813. *1988-89 :* 2,0813 à 2,1114. *1989-90 :* 2,1431. *1990-91 :* 2,1051.

Industrie laitière (1989). **Entreprises** exerçant une activité laitière 1396. **Salariés** 72 995. **Chiffre d'aff. net** (en milliards de F). 152,6. **Commerce extérieur** (en milliards de F, 1990) lait et prod. laitiers + laits et yaourts aromatisés, l. diététiques, caséines et lactose et, entre parenthèses prod. lait. + prod. à base de lait : crèmes glacées, aliments veaux, préparations aliment. > 26 % de MG butyrique). *Exp.* 19,7 (24,3). *Imp.* 6,2 (8,2).

• **Étiquetage du lait en France.** Capsule à dominante *rouge :* lait entier ; *bleue :* demi-écrémé ; *verte :* écrémé ; *lait cru :* mention « lait cru » sur bande jaune.

• **Glaces, sorbets et crèmes glacées** (en milliers de litres, en France, 1988). **Production.** 270 618 dont vrac ou conditionnement familial 154 653 ; cond. individuel 115 695 (dont bâtonnets et assimilés 72 575, pots 13 174, spécialités en portions 30 216). **Imp.** 43 835. **Exp.** 11 615. **Marché intérieur** 302 838.

Matières premières (en milliers de l). Lait frais écrémé 24 949, entier 86. (En t) : sucre 27 905, fruits (jus et concentré) 10 723, poudre de cacao et couverture 8 995, beurre 7 508, glucose 7 071, laits concentrés 5 815, lait en poudre écrémé 4 265, crème de lait 3 386, lactosérum déshydraté 2 830, œufs 642, lait en poudre entier 56.

• **Yaourts.** Lait fermenté, non égoutté, sous l'effet de 2 bactéries lactiques : le *Lactobacillus bulgarius* et le *Streptococcus thermophilus* (l'un donne l'acidité, l'autre le goût). 2 variétés de yaourt nature : le yaourt traditionnel et le yaourt brassé. Le yaourt brassé est fabriqué comme le traditionnel mais avec une fermentation en cuve et non en pots ; il est caillé, brassé puis versé dans les pots et conservé en chambre froide. Le yaourt 0 % est fabriqué avec du lait écrémé.

Valeur nutritionnelle (protéines, lipides, glucides en g, et, entre parenthèses, Kcal). *Yaourt lait entier :* 5,2 ; 4,4 ; 6,2 (89). *Lait écrémé :* 5,4 ; 0,4 ; 6,5 (55). *Aux fruits, lait entier :* 4 ; 3,4 ; 23,7 (140), *écrémé :* 4,5 ; n.c. ; 21,5 (105).

Quotas laitiers. Introduits en 1984 pour éliminer les stocks excédentaires de la CEE et augmenter les prix sur les marchés mondiaux. **France.** *1983 :* 26 millions de t, *88 :* 24. *91-92 :* 24 pour la livraison, 0,7 pour ventes directes.

Lapins

Races domestiques. Fauve de Bourgogne (4 à 5 kg adulte), Géant des Flandres (gris, 6 à 8 kg), Gris argenté, Lapin russe (blanc à extrémités noires, 3 kg), Géant blanc du Bouscat (5 kg), Angora (fourrure). Actuellement, à base de croisements de souches hybrides américaines (Californie, Nlle-Zélande).

Élevage. Mâle vit séparé des femelles (1 pour 10 env.), 1re saillie à 1 an pour les mâles, 6 à 8 mois pour les femelles, 30 j de gestation. La femelle met bas dans un nid tapissé des poils de son ventre ; elle peut élever 6 ou 7 lapereaux (on enlève les lapereaux en surnombre) en les allaitant jusqu'à 2 mois. 3 *portées* par an (une race « fabriquée » par l'INRA a 7 portées par an). **Alimentation.** 3 repas par j, soit 80 g de foin sec, 75 à 100 g de grains (son, avoine, tourteau), 300 g de verdure (luzerne, sainfoin, trèfle, carottes, betteraves avec leurs feuilles, choux, etc.). Besoin de beaucoup d'eau.

Production de viande (en milliers de t, 1990). URSS 160. *France 150.* Italie 130. Espagne 100. Hongrie 70. All. féd. 30. R.-U. 25. UEBL 20. P.-Bas 20. Suisse 5. **Commerce extérieur (France).** (1990, en milliers de t). *Imp.* 12,3 dont (en %) Chine 63, pays de l'Eur. centrale 20, CEE 17. *Exp.* 4,5 dont (en %) CEE 57, Suisse 28.

Margarine

Origine. Inventée en 1869 par le Français Mège-Mouriès qui l'appela oléo-margarine (d'un blanc de perle). La loi du 16-4-1897 interdisait sa vente dans les locaux où l'on vendait le beurre. **Définition** (décret 30-12-1988). Produit obtenu par mélange de matière grasse et d'eau ou de lait ou de dérivés du lait, se présentant sous la forme d'une émulsion renfermant au moins 82 g de mat. grasses par 100 g de produit fini dont au plus 10 % d'origine laitière. Margarine allégée : 41 à 65 % de mat. grasse. Minarine ou demi-margarine : 41 %. La *Végétaline* (marque déposée) n'est pas une margarine, car elle ne contient pas d'eau.

Production française. Environ 160 000 t par an. **Consommation** (en kg par h, par an, 1988). Danemark 15. Belg-Lux. 13,8. P.-Bas 10,2. All. féd. 7,7. G.-B. 7,3. Irlande 4,1. *France 3,8.* Grèce 1,3.

Miel

• **Abeille. Description.** Ordre des *hyménoptères.* 2 yeux larges (composés) et 3 *ocelles* (petits yeux simples, vue éloignée). 2 antennes (organes des sens). Au thorax (en 3 anneaux), 2 paires d'ailes, 3 paires de pattes. A l'abdomen, 7 anneaux, le dernier portant l'aiguillon. **Métamorphose.** La mère, fécondée 6 ou 8 j après sa naissance, pond dans chaque alvéole un œuf (1,5 × 0,5 mm) ; en 24 h jusqu'à son propre poids d'œufs (+ de 3 000) ; l'œuf éclot en 3 j, la larve se développe, puis l'insecte (reine) apparaît (12 à 15 j après). **Vie.** *Reine :* grosse et allongée, seule femelle complètement développée, vient d'un œuf ordinaire pondu dans une grande cellule de reine, la larve étant nourrie de gelée royale. Peut piquer uniquement ses rivales. En saison, pond plus de 2 000 œufs par jour [600 000 à 800 000 pour une vie de plus de 4 à 5 ans (ponte maximale à 2 ans)]. Vit plusieurs années. *Ouvrières :* plus petites, sécrètent la cire par des plaques ventrales (glandes cirières) ; leur 3e paire de pattes comporte une corbeille à pollen (sont le principal agent de pollinisation de nombreux végétaux) ; produisent la gelée royale (glandes hypopharyngiennes) ; pondent des œufs non fécondés quand la ruche est orpheline. Vivent de 40 j (saison chaude) à quelques mois (repos hivernal). *Jeunes :* fabriquent des rayons de cire, ventilent en maintenant la température à 35/37° C par leurs battements d'ailes, nettoient, fabriquent la nourriture pour les larves et la mère (miel + pollen + eau). *Vieilles abeilles :* gardent, récoltent nectar, pollen et eau, propolis (mastic de bourgeons de peuplier, saule et pin pour réduire les fissures de la ruche). *Mâles ou faux bourdons :* œufs non fécondés, gros et sans aiguillon ; un certain nombre s'accoupleront (dans les airs) avec des jeunes reines pour les féconder. La plupart seront chassés en fin de saison ou en période de disette.

Essaimage. *Naturel* en mai-juin, les abeilles se trouvant en trop grand nombre quelques j avant l'éclosion d'une nouvelle reine, une partie quitte la ruche avec la vieille reine et va s'établir dans un autre abri ; *artificiel :* l'apiculteur prélève un cadre ou plusieurs cadres de couvain (œufs et larves) avec quelques cadres contenant des provisions (miel + pollen). Cette nouvelle colonie élèvera elle-même une nouvelle reine (ou l'apiculteur lui fournira une reine fécondée). **Transhumance :** transport de la ruche dans les lieux où la miellée est favorable, ce qui permet plusieurs récoltes et réduit la période d'hivernage. **Miellée :** production optimale de nectar par les plantes mellifères (nectaires des fleurs) ou miellat sécrété par certains pucerons à partir de la sève des plantes dont ils sont les hôtes (ex. : sapin, tilleul, chêne, etc.).

Quelques chiffres. Une colonie peut féconder 28 à 35 millions de fleurs par jour ; elle parcourt 960 000 km l'été. Une abeille bat des ailes 720 000 fois en 1 h pendant laquelle elle parcourt 30 km. Elle produit 5 g de miel par jour. Pour produire 1 kg de miel, les abeilles d'une colonie parcourent 24 000 km. *Nombre d'abeilles dans un essaim :* 40 000 à 50 000 en période de récolte.

• Miel. **Élaboration.** Par les abeilles à partir du nectar des fleurs qu'elles butinent, transforment et combinent avec des matières spécifiques et emmagasinent dans les rayons de la ruche. Au printemps, une hausse, dans laquelle les abeilles déposent leur excédent de miel, est posée sur la ruche. **Récolte.** En une fois (miels toutes fleurs) ou après chaque floraison (miels unifloraux). A lieu avant la fin des miellées principales, souvent en août : on chasse les abeilles des hausses par la fumée ou d'autres produits répulsifs, les cadres de la hausse désopercules sont passés à l'extracteur, le miel qui s'en écoule est laissé quelques j au repos avant la mise en pots. **Récolte record.** 223 kg de miel dans une seule ruche à Prats-Sournia (P.-O.). **Goût** variable suivant les espèces de plantes butinées : *sainfoin* (miels blancs et fins : Gâtinais, Touraine, Champagne, Bourgogne, Saintonge) ; *lavandes et labiées* (ambrés riches en fer : Alpes, Pyr.-Or.) ; *romarin* (Roussillon, Pyr.-Or., Narbonnais, Provence) ; *colza* (consistants, grenus, riches en glucose) ; *bruyère* (foncés, riches en fer et phosphore : landes) ; *sapin* (saveur parfumée, balsamique, médicalisés : Vosges) ; *acacia* (ambrés, sirupeux, odorants : Ile-de-France, etc.). **Caractéristiques.** Immédiatement assimilable. 100 g = 300 calories. Laxatif doux, il a une action sur la flore intestinale et combat les fermentations.

• Gelée royale. La loi n'impose pas d'indication d'origine. Utilisation thérapeutique lancée en 1952 par le biologiste de Belveger (2 ou 3 cures de 20 g à raison de 1 g/j). Prix : 80/100 F les 10 g.

• Statistiques. **Production** (en milliers de t, 1988). Asie 292 [1] dont Chine 176 [1]. URSS 230 [1]. Amér. du N. 200 dont USA 102, Mexique 49, Canada 39. Europe 181 [1] dont *France 26* [1] (100 000 possesseurs de ruches dont 1 500 en vivent exclusivement), Pologne 19. Afrique 107 [1] dont Éthiopie 22. Amér. du S. 73 dont Argentine 35. Océanie 37 dont Australie 28. *Monde 1 118* [1].

Nota. – (1) 1989.

Commerce (en milliers de t, 1985). **Exportations :** Chine 44. Mexique 43. Argentine 38. URSS 22,7. Australie 17,6. Canada 17,3. Hongrie 15,3. All. féd. 13,9. Cuba 8,1. Bulgarie 6,3. Pologne 4,5. **Importations :** All. féd. 78,8. USA 62,7. Japon 25. G.-B. 21,2. Italie 12,7. P.-Bas 9,3. *France 7,6.* Australie 6,3. Espagne 6. Suisse 5,5.

Consommation (g./an) Italie 6 000 à 7 000. All. dém. 3 500 à 5 500. Autriche 2 000 à 5 000. Suisse 1 000 à 5 000. G.-B. 3 300. All. féd. 1 000. Belg.-Lux. 500 à 1 000. P.-Bas 400 à 500. *France 380.*

☞ Depuis 1982, en France, épidémie de varroase (le varroa est un parasite qui se fixe sur l'abeille, suce son sang, la mutile et finit par la tuer). *Traitements :* chimiques, difficiles à mettre en œuvre.

Moutons (ovins)

Généralités

Aspect. Mesure au garrot 50 à 70 cm, pèse entre 30 et 90 kg (brebis), jusqu'à 130 kg (bélier). On appelle : *agneau* et *agnelle* les o. de moins de 1 an, *antenais* et *antenaise* de 1 à 2 ans ; *bélier* le mâle et *brebis* la femelle adultes ; *mouton* mâle castré de plus de 1 an. **Races.** Croisées à la fin du XVIIIe s. avec des mérinos pour améliorer la production lainière, avec des races anglaises dep. le milieu XIXe s. pour améliorer la prod. de viande. Le *flock-book* est le livre généalogique des ovins. Depuis une dizaine d'années, des *unités de sélection et de production de race* (UPRA) l'ont remplacé. Elevage. Saillie ou lutte par bélier de 8-10 mois et brebis en chaleur (tous les 18 j) du même âge. *Gestation* 5 mois. *Sevrage* vers 3-4 mois. Produits. *Laine :* poids du bélier, de la brebis et de la toison suivant la race en kg : Ile-de-France (100-60-4) ; Berrichon du Cher (85-55-3) ; Charmois (80-50-2) ; Mérinos d'Arles (60-40-2,5) ; Wanganella (Australie 60-45-4 à 4,5). *Lait* (plus riche que le lait de vache en matières grasses et caséine) ; les brebis nourrissent les agneaux 4 ou 5 semaines et fournissent entre 120 et 150 l de lait par lactation ; il faut 4 à 5 l de lait pour faire 1 kg de fromage (Roquefort, fr. de Corse ou brebis des Pyrénées, Ossau Iraty) ; *viande* [agnelet (a. de 5 semaines, 6 à 12 kg vif), agneau de lait, a. blanc ou a. de 100 j. (a. de 30 à 40 kg vif, tué entre 90 et 150 j), a. gris ou broutard (de 6 mois à 1 an)]. Les animaux de réforme (mâles et femelles) fournissent 20 à 25 % de la prod. de viande ovine.

En France

Nombre de moutons (en millions). *1840 :* 32. *62 :* 29. *82 :* 24. *92 :* 21. *1908 :* 17,5. *13 :* 16. *16 :* 10. *39 :* 8,9. *76 :* 10,9. *80 :* 12,9. *87 :* 10,3. *88 :* 11,5. *89 :* 11,88 (brebis mères 7,58, agnelles 1,69, autres 2,61).

Effectifs par race (campagne 1983-84, en milliers de têtes et, entre parenthèses, poids en kg des mâles simples à 70 j). *Mérinos :* d'Arles 400 (18,9), Est à laine mérinos 80 (27,7), précoce 2,5 (22,2), Rambouillet (importé d'Espagne en 1786) 0,1 (19,15). *Races régionales :* Lacaune 430 (29,8), Blanc du Massif central 300 (27,2), Préalpes du S. 300 (21,9), Causses du Lot 270 (20,7), Limousine 170 (24,6), Tarasconnaise 100 (20,3), Rava 30 (26,3), Noire du Velay 25 (24), Bizet 10 (22,41), Romanov 10 (18,1), Berrichon de l'Indre 5 (23,8), Clun-Forest 2 (23,5), Solognote 2 (21,6). *D'herbage :* Rouge de l'Ouest 180 (26,4), Texel 180 (27,9), Vendéen 150 (24,4), Bleu du Maine 130 (27,2), Charollais 100 (26,2), Avranchin 15 (24,6), Cotentin 10 (34,7), Roussin 10 (25,1). *R. précoces :* Ile-de-France 350 (26,2), Southdown 250 (21,4), Charmoise 200 (19,1), Berrichon du Cher 140 (24,8), Suffolk 40 (29,1), Hampshire 12 (26,2), Dorset-Down 2 (25,8). *R. laitières* (en milliers de têtes, entre parenthèses production laitière en l) : Lacaune 400 (177 en 161 j), Manech (Rousse + Noire) 300 (86 en 125 j), Corse 100 (99 en 161 j), Basco-Béarnaise 80 (97 en 127 j), Brigasque 5.

Exploitations. *1979 :* 174 303, *88 :* 165 100, avec en moy. 48 brebis (200 en G.-B.). **Régions :** 30 % de la prod. ovine souvent complémentaire est généralement localisée dans les zones les plus difficiles, qui comptent souvent un fort % d'exploitants âgés. **Revenu de l'éleveur :** 95 % vient de la viande, 5 % (au max.) de la laine.

Production (1988). *Viande* 140 000 t (consommation (1988) 252 000 t). *Taux d'approvisionnement en %* et, entre parenthèses, consommation annuelle par hab. (en kg) : *1963 :* 86,2 (2,3). *70 :* 77,8 (3). *75 :* 69,1 (3,5). *82 :* 80 (4,2). *84 :* 75 (4,3). *Laine :* 23 000 t. *Lait* (1983) : 1 217 734 hl livrés par 6 174 éleveurs (3 374 du rayon de Roquefort, 2 800 de Pyr.-Atlantiques). **Valeur de la production** (en milliards de F, 1983). 15,8 dont viande 5,05, lait 0,64, laine 0,19 ; Ve quartier (peaux et abats), marché régional du fumier, marché des reproducteurs 180 (1981). **Importations :** en viande (1988) 104 000 t. **Exportations :** (1988) 444 000 têtes.

Dans le monde

Nombre (en millions, 1990). Australie 167,8. URSS 137. Chine 113,5. Nlle-Zélande 60. Inde 54,6. Iran 34. Turquie 31. Afr. du S. 29,8. G.-B. 29,6. Argentine 29,4. Pakistan 29. Espagne 27,4. Éthiopie 23. Brésil 21. Soudan 20,3. Roumanie 19. Maroc 17,5. Syrie 14,1. Nigeria 13,2. Pérou 12,8. *France 11,9.* Italie 11,7. USA 11,4. Grèce 10,4. Irak 9,5. Bulgarie 8. *Monde 1 196.*

Mulets

Nombre (en milliers, 1986). Chine 4 972. Mexique 3 130. Brésil 2 000. Éthiopie 1 480. Colombie 600. Maroc 466. Pérou 220. Turquie 210. Tanzanie 170. Argentine 165. Algérie 160. Espagne 135. Inde 132. Iran 123. Équateur 115. Rép. dominic. 100. Grèce 90. Portugal 89. Haïti 84. Bolivie 80. Tunisie 75. Venezuela 72. Honduras 68. *Monde 15 142.*

Œufs

Voir aussi Index.

• Dans le monde. **Commerce** (en millions d'œufs, 1989). **Exp. :** P.-Bas 6 375. USA 1 189. Belg.-Lux. 930. All. féd. 716. *France 409.* R.-U. 390. Finlande 307. **Imp. :** All. féd. 4 615. Japon 4 245. Hong Kong 1 624. Belg.-Lux. 865. Italie 720. *France 706.* Espagne 565. Suisse 467. R.-U. 424. Irak 400.

Consommation d'œufs (en œuf, par hab. et par an, en 1989). Israël 345. Espagne 296. Japon 294. All. féd. 253. *France 252.* Grèce 252. Autriche 244. USA 235.

Production (en milliers de t d'œufs de poule, 1989). Chine 6 800. URSS 4 680. USA 3 974. Japon 2 408. Brésil 1 100. Inde 1 072. *France 891.* Mexique 847. Espagne 773. All. féd. 726. Italie 669. P.-Bas 640. Indonésie 435. Pologne 448. Corée du S. 415. Roumanie 380. Turquie 341. All. dém. 333. Canada 311. Nigeria 307. Argentine 287. Tchéc. 281. Philippines 270. Iran 260. Colombie 247. Youg. 240. Hongrie 236. Pakistan 202. Afr. du S. 199. Malaisie 190. Algérie 165. Belg.-Lux. 157. Arabie Saoud. 153. Bulgarie 150. Égypte 143. Suède 128. Grèce 121. Thaïlande 111. Chili 110. Cuba 105. Venezuela 105. Israël 104. *Monde 34 714.*

• En France. **Poules pondeuses** (moyenne 270 œufs par an) production intensive : 45 000 000 dans 1 900 élevages de + de 5 000 p. (80 % de la production) ; semi-intens. : 7 000 000 (12,4 %) ; fermière et artisanale : 8 000 000 (14,2 %). **Couvoirs** (1-1-89). 228 ; *capacité moyenne :* 405 000 œufs. 72 couvoirs d'une capacité sup. à 200 000 œufs assurent 90 % de la production totale.

☞ La réglementation communautaire n'autorise que la mention de la date d'emballage et interdit l'apposition d'une date de ponte (incontrôlable).

Oies

Description. 3 doigts des pattes sont palmés. *Mâle :* jars. *Femelle :* oie. *Petits :* oisons. Descendante de l'oie sauvage ou oie cendrée. **Races.** *A rôtir :* o. du Rhin blanche (40 à 50 œufs par saison donnant 30 à 35 oisons) [poids à 10 sem. 4,5 kg, 17 sem. 5,5 kg], o. du Siam blanche, bec orange, o. de Guinée grise, bec noir, moins prolifique [poids à 10 sem. 3 kg, 13 sem. 4,5 kg]. *A foie gras :* Alsace (presque disparue), grise du S.-Ouest dont o. des Landes, de Toulouse (la Masseube, Gers) type agr., de Toulouse type ind. [à bavette (moins fréquente, trop lourde)]. Élevage. 1 mâle pour 3 à 5 femelles ; ponte naturelle janv.-juin, artificielle été et automne. **Incubation.** En général artificielle. *Durée :* 30 à 31 j. **Gavage.** En général à 4 mois mais souvent plus tard ; 21 à 30 j avec 0,5 à 1,3 kg/j. *Meilleurs foies gras :* 700 à 900 g. **Plumes.** Récupérées après l'abattage pour l'ind.

Production de viande d'oie en France (1990) 8 000 t. Oie grasse et oie à rôtir. Abattages contrôlés (1989) 1 244 t (surtout oie à rôtir) dont (en %) Pays de Loire 38, Centre 15, Bretagne 14, Poitou-Charentes 13. **Imp.** (1990) : 183 t (Hongrie, Bulgarie, Israël). En Europe, l'All. féd. est un marché important (*imp.* 10 000 t de Pologne, Hongrie ; *prod.* 2 000 t).

Foie gras. Voir p. 1 532a.

Pigeons

Races. **Comestibles.** Souches américaines autosexables ou blanches, King et Texan (12 pigeonneaux en moy. par couple/an) ; françaises de couleur. **Races d'agrément et voyageurs.** Nombreuses et variées. Élevage. Monogames, vivent par couple 6 à 8 ans. Pondent 2 œufs couvés alternativement 17 j par mâle et femelle. Petits nourris par les adultes jusqu'à 28 à 30 j. Production en France (1989). 4 500 t env. ; 1res régions : P.-de-Loire, Bret., Aquitaine, Rh.-Alpes.

☞ Pigeon voyageur, voir p. 187.

Pintades

Origine. Pintade sauvage d'Afrique. **Élevage.** En Europe seulement p. commune (cri perçant et caractère batailleur, rebute souvent les éleveurs). Troupeau : un mâle et 5 ou 6 douzaines de jeunes au printemps (la p., mauvaise couveuse, est souvent remplacée par poules ou dindes). *Incubation* 28 j. Actuellement, production en bâtiments spécialisés et insémination artificielle.

Production (1989). 50 millions de sujets dont *prod. intensive* 85 %, *sous label* plus de 9 % (surtout Sud-Est et Centre-Ouest). CEE 70 000 t dont France 53 000 t (1990) soit 76 % de la production (*1965* : 15 000 t). Le reste, surtout Italie, quelques élevages en Belg. et au R.-U. *Principales régions* (en %, en 1989) : P. de Loire 33, Bretagne 12, Rhône-Alpes 9, Centre 7, Basse-Normandie 7. **Exp.** (1990) : 1 094 t et 3 815 t de p. vivantes (dont 97 % vers Italie). **Imp. :** 6 t.

Porcs

Voir aussi viande ci-contre.

• **Description.** Hauteur max. 1,10 m, peau nue recouverte de soies (poils raides), groin (nez), monogastrique (estomac à une seule poche), omnivore, 44 dents adultes, 12 à 16 paires de côtes selon la longueur du corps (liée à la race). **Races.** Origine 3 types : *ibérique* (tête longue et oreilles dressées), *celtique* (tête lourde et massive, grandes oreilles sur les yeux), *asiatique* (peau plissée et oreilles tombantes). Actuellement 5 races utilisées en France dont 1 d'origine chinoise (Mei Shan) le plus souvent croisées entre elles pour faire le porc de boucherie. Le choix dépend du produit désiré. *Large White,* peau blanche, oreilles dressées, très prolifique, excellente croissance, race la plus répandue en Fr. *Landrace,* peau blanche, oreilles inclinées, prolifique, croissance satisfaisante, la plus répandue en Europe. *Belge,* peau blanche, oreilles inclinées, prolificité et croissance moyennes mais très bien conformé (type culard). *Piétrain,* peau tachetée noir et blanc, oreilles droites, prolificité et croissance très moyennes mais très bien conformé (type très culard), originaire de Belgique. *Mei Shan :* très prolifique (16 à 18 porcelets par portée) et très précoce (pubère à 80 j). Croissance faible et carcasse très grasse. *Races de pays :* Porc Blanc de l'Ouest, Normand, Limousin, Gascon et Basque.

• **Élevage. Poids** (kg). *A la naissance :* 1,5, *3 semaines :* 4-5, *6 semaines :* 12-15, *2 mois :* 20-25, *6 mois :* 100 (poids moyen d'abattage, donnant un poids de carcasse avec tête d'env. 80) ; *adulte :* verrats : 350 à 500, truies : 250 à 400. **Vie.** *Castration* à 10-15 j, *sevrage* 3 à 6 semaines, *mise à l'engraissement* à 2 mois 1/2. *Age à la puberté* 6 mois, *Age moyen à la réforme :* truie 3 ans, verrats 2 ans (les reproducteurs peuvent vivre 10 ans et +). **Truies.** Elles doivent avoir 12 tétines fonctionnelles pour reproduire. Chaleurs toutes les 3 semaines, saillies vers 7 mois (il faut 1 verrat pour 15 truies présentes). *Gestation* 114 j. *Porcelets* 9 à 11 à la mise bas, 8 à 10 au sevrage. *Portées* + de 2 dans l'année. **Habitat.** Dans des bâtiments, sur caillebotis (réduction de la surface par animal et des temps de nettoyage). **Alimentation.** Céréales 80 % (maïs, blé, orge) ; produits riches en protéines (tourteau de soja), minéraux et vitamines (20 %). *Truie :* consomme env. 1 200 kg d'aliments par an, soit 1 150 unités fourragères (UF). *Porc* (de la naissance à 100 kg) : 300 à 350 kg d'un aliment dosant 1 UF au kg.

• **Nombre** (en millions, 1990). Chine 359,6. URSS 78,9. USA 53,9. Brésil 33,2. All. féd. 22,2. Pologne 19,8. Mexique 17,3. Espagne 16,9. Roumanie 15,5. *France 12,2.* All. dém. 12. Japon 11,9. Canada 10,5. Inde 10,4. Danemark 9,3. Italie 9,3. Philippines 8. Hongrie 7,7. Youg. 7,2. Belg.-Lux. 6,1. Thaïlande 4,6. Argentine 4,4. Bulgarie 4,4. Autriche 3,8. Australie 2,6. Birmanie 2,6. Colombie 2,6. Pérou 2,3. Venezuela 2,3. Suède 2,2. Suisse 1,9. Cuba 1,8. Cambodge 1,6. Afr. du S. 1,5. Chili 1,4. Madagascar 1,4. Laos 1,3. Irlande 1. *Monde 860,7.*

• **Dans la CEE** (1989). 101,6 millions de porcs dont 8,6 millions de truies ; (1985) 1 862 300 éleveurs, soit env. 42 porcs par exploitation. **Production** (en milliers de t, 1989) : 13 070 ; **imp. :** 140 ; **exp. :** 490. **Consommation** 12 720. Auto-approvisionnement 102,5 %. **En 1988** (en kg/tête) : 39,7 dont Danemark 65,9, All. féd. 62,1, U.E.B.L. 47, P.-Bas 46,5, Espagne 44,6, *France 37,7,* Irlande 34,5, Italie 29,8, R.-U. 24,9, Portugal 24,3, Grèce 21,6.

• **En France** (1989). 11 711 200 porcs dont truies 1 072 400 ; éleveurs 170 400. **Production** (en milliers de t équivalent carcasse, 1989) : 1 779 ; **imp. :** 519 ; **exp. :** 201 ; **consommation :** 2 098. Auto-approvisionnement 37,5 %. **Principales régions** (en %) : Bretagne 51,2, P. de Loire 9,4, Nord-P.-de-C. 5,3, Midi-Pyr. 4,9.

Poules

Races. Pour la ponte. Bresse (chair appréciée, pond à partir de 5 à 6 mois), Leghorn blanche d'Amérique (bonne pondeuse, 200 œufs de 50 g env., précoce, pond à partir de 5 mois), Wyandotte (origine amér., nom d'une ancienne tribu indienne, bonne pondeuse d'hiver, 180 œufs), Hambourg (allem.), Campine et Braekel (belges). *Principales régions :* (%, 1988) : Bretagne 33,5, Rhône-Alpes 9,7, P. de la Loire 8,9, Ile-de-Fr. 6,4, Provence-C.-d'Azur 6,2. **Pour la chair.** Faverolles (1,5 kg à 3 mois, 2,5 kg à 4 mois, 3 à 4 kg adulte) : Bourbourg, Poule d'Estaires, Coucou de Malines et des Flandres en sont des variétés. **Races mixtes.** Rhode-Island, Gâtinaise (plumage blanc, bonne pondeuse d'hiver, 150 œufs de 60 à 65 g), Sussex.

Nombre (1990, estim.). Chine 1 982. USA 1 460. URSS 1 200. Brésil 615. Indonésie 480. Japon 334. Inde 310. Mexique 234. *France 200.* Pakistan 170. Nigeria 150. Roumanie 140. Italie 128. Iran 120. G.-B. 119. Canada 110. P.-Bas 100. Thaïlande 100. Bangladesh 89. Irak 80. Viêt-nam 78. Youg. 74. All. féd. 72. Philippines 70. Corée du S. 62. Pologne 60. Turquie 59. Éthiopie 58. Pérou 55. Venezuela 54. Argentine 52. Espagne 51. Tchéc. 47. Bulgarie 40. Colombie 40. Maroc 39. Afr. du S. 32. *Monde 10 659.*

Viande

Rendement de la transformation animale en %

	Énergétique	Protéines
Vache	44	47
Chèvre	25	44
Brebis	17,5	43
Truie	33	38
Poule	20	36

Nota. – Énergie : rapport des quantités d'énergie absorbées et transformées en produit animal. *Protéines* : rapport des quantités de prot. digérées et fournies. Le rendement des bovins est supérieur, mais il est moins mécanisé que celui du poulet ou du porc. Les ruminants transforment les fourrages grossiers (foin, herbe de pâturage), les porcs et les volailles ne transforment que des aliments concentrés (céréales, tourteaux), donc chers.

• **Production. Viande** (en millions de t, 1990). Chine 28,57. USA 28,32. URSS 19,18. Brésil 6,34. *France 5,62.* All. féd. 5,31. Italie 3,92. Japon 3,68. Mexique 3,55. Espagne 3,35. G.-B. 3,31. Argentine 3,26. Australie 3,07. Canada 2,82. P.-Bas 2,55. All. dém. 1,95. Inde 1,75. Tchécosl. 1,66. Roumanie 1,64. Hongrie 1,64. Danemark 1,51. Belg.-Lux. 1,38. Afr. du S. 1,34. Pakistan 1,25. Colombie 1,22. Thaïlande 1,18. Viêt-Nam 1,18. Nlle-Zélande 1,12. Philippines 1,12. Indonésie 1,08. Turquie 0,96. Égypte 0,83. Bulgarie 0,80. Nigeria 0,78. Irlande 0,76. Iran 0,74. Autriche 0,72. Venezuela 0,70. Éthiopie 0,60. Grèce 0,52. Suède 0,52. Pérou 0,50. Portugal 0,50. Suisse 0,48. Chili 0,47. Kenya 0,47. Uruguay 0,42. Bangladesh 0,38. Cuba 0,33. *Monde 171,1.*

Bovins et buffles (en milliers de t, 1990). USA 10 483. URSS 8 453. Brésil 2 882. Argentine 2 500. Mexique 1 904. *France 1 715* [1]. Australie 1 679. All. féd. 1 612. Italie 1 177. Chine 1 089. G.-B. 976. Canada 950. Colombie 815. Afr. du S. 650. Inde 641. Pologne 630. Pakistan 581. Égypte 565. Nlle-Zél. 478. P.-Bas 460. Espagne 455. All. dém. 430. Tchéc. 410. Belg.-Lux. 330. Uruguay 302. Youg. 280. Soudan 215. *Monde 51 749.*

☞ Dep. 1984, la politique des quotas laitiers a entraîné des abattages massifs de vaches.

La pénurie de viande bovine en Europe et aux USA a été stoppée momentanément. La France (avec les races Charolaise, Limousine, Maine-Anjou, Blonde d'Aquitaine) et l'Italie (race Piémontaise) sont les seules de la CEE à posséder des races spécialisées dans la production de viande.

Cheval (milliers de t, 1986). USA 100. Mexique 63. Italie 55. Argentine 51. Chine 46. Mongolie 29. *France 24.* Brésil 24. Pologne 22. Canada 17. Chili 13. G.-B. 9. *Monde 548.*

Mouton et chèvre (en milliers de t, 1990). Chine 986. URSS 845. Australie 628. Inde 572. Nlle-Zélande 519. Pakistan 479. Turquie 390. G.-B. 375. Iran 281. Espagne 250. Nigeria 179. Afr. du S. 167. USA 167. *France 158.* Éthiopie 148. Afghanistan 138 [1]. Grèce 129. Mongolie 124. Soudan 102. Indonésie 101. Syrie 101. Argentine 99. *Monde 9 146.*

Porc (en milliers de t, 1990). Chine 22 245. USA 6 961. URSS 6 480. All. féd. 3 190. *France 1 870.* Espagne 1 730. Pologne 1 670. Japon 1 635. P.-Bas 1 630. All. dém. 1 324. Italie 1 280. Danemark 1 180. Canada 1 140. Brésil 1 050. Hongrie 1 000. G.-B. 946. Tchéc. 954. Roumanie 920. Belg.-Lux. 825. Mexique 732. Youg. 725. *Monde 67 115.*

• **Commerce. Viande** (en milliers de t, 1989). **Bovins** (viande fraîche, réfrigérée et congelée). **Exp. :** All. féd. 564. *France 481.* USA 379. Irlande 340,1. P.-Bas 309,1. G.-B. 137. Danemark 122,4. Belg.-Lux. 116,8. Uruguay 112,4. Argentine 98. Canada 85,2. Italie 77,9. N.-Zélande 69,9. Brésil 61,5. Autriche 49. Pologne 45,6. Tchéc. 35. Hongrie 34,8. Roumanie 30. Youg. 28,5. Costa Rica 20,6. Australie 11,6. **Imp. :** USA 636,2. Italie 465,9. Japon 348,7. *France 334,2.* All. féd. 228,1. URSS 200. G.-B. 178,3. Portugal 178,3. Brésil 160. Égypte 117,8. Canada 144,4. Yougosl. 61,5. P.-Bas 60,4. Israël 38,4. Malaysia 35,5. Arabie S. 33. Hong Kong 32. Belg.-Lux. 22,4. Côte-d'Ivoire 20. Algérie 0,5.

Cheval, âne, mulet et bardot (viande fraîche, réfrigérée ou congelée, 1985). **Exp. :** Argentine 33,9. U.S.A. 19,8. Brésil 14,5. Pologne 13,6. Canada 12,6. *Monde 134,7.* **Imp. :** Japon 39. *France 37,3.* Belg.-Lux. 28,6. P.-Bas 25,5. *Monde 143,4.*

Mouton et chèvre (viande fraîche, réfrigérée et congelée, 1989). **Exp. :** N.-Zél. 425. Australie 137,2. G.-B. 89,2. Irlande 37,1. Turquie 15,8. Corée du S. 14,8. P.-Bas 5,9. **Imp. :** *France 120.* G.-B. 112. Japon 69,5. All. féd. 29. Corée du S. 26,4. Arabie S. 25. Italie 24,1. USA 21. Grèce 17,9. Canada 11,8.

Porc (viande fraîche, réfrigérée et congelée, 1989). **Exp. :** P.-Bas 761,9. Danemark 439. Belg.-Lux. 291,2. Canada 228,4. Chine 176,9. Hongrie 131,9. *France 119,6.* All. féd. 91,9. USA 79. All. dém. 78,2. G.-B. 51,9. Roumanie 50. Suède 36,5. Irlande 27,7. Pologne 4,1. **Imp. :** All. féd. 523,1. Italie 486,6. Japon 345,2. *France 292,8.* USA 226. URSS 171,4. G.-B. 87,8. Espagne 67,2. Hong Kong 53,3. Portugal 30,2. Belg.-Lux. 30,1. P.-Bas 18,2. Pologne 15,6. Canada 7,6.

• **Consommation. Viande et abats** (poids en carcasse, kg/hab./an, 1983). U.S.A. 112. *France 109.* All. féd. 97. Belg.-Lux. 97. Irlande 97. Canada 95. Suisse 88. Autriche 86. Italie 79. P.-Bas 79. Danemark 78. Grèce 77. Espagne 75. G.-B. 72. Finlande 65. Suède 62. Portugal 57. Norvège 51. Japon 36. Turquie 25.

La viande en France

Les Français consommant de préférence des v. à griller et à rôtir, la France exporte des quartiers avant de bœuf (ou des prod. en dérivant) et importe des quartiers arrière plus coûteux.

1990	en milliers de t		
	Prod.	Cons.	Solde
Gros bovins	1 599	1 362,1	236,9
Veaux	312,7	313,8	– 1,1
Ovins-caprins	176,6	312,5	– 135,9
Porcs	1 816,6	2 100,6	– 283,9
Cheval	10,2	57,6	– 47,4
Total	*3 915,1*	*4 146,6*	*– 231,5*

Abattage contrôlé (en milliers de t-équivalent carcasse, en données brutes, 1990). Porcins 1 990, gros bovins 1 432, veaux 278, équidés 13,4. **Abattoirs** (1990). 571 dont 391 publics, 180 privés. *Tonnage abattoirs* (1989) : publics 1 469 463, industriels 1 918 329. *Tueries :* 2 936 t. **Capacité des ab. publics et industriels.** *De 0 à 1 000 t/an :* 217 ; *de 1 000 à 5 000 t/an :* 190 ; *de 5 000 à 10 000 t/an :* 78 ; *+ de 10 000 t/an :* 86. **Entreprises du commerce en gros et d'industrie des viandes** (1980) 3 132. **Détaillants** (1981) 64 424 dont bouchers et grandes surfaces 93,1 %. **Consommation industrielle et animale de protéines.** *Besoins en tourteaux :* 11 millions de t [dont fourrages 60 %, céréales 20 %, matières riches en protéines 20,5 %, tourteaux (soja) 17,3 %].

Volailles

• **Poids carcasse atteint.** *Canard* 2 à 3 kg (13 sem.) ; *oie* 4 à 5 (8 sem.) ; *pintade* 1,0 à 1,5 (13 sem.) ; *poulet* 1,2 à 2 (8 sem.). **Maigrets ou magrets.** « Muscles de la masse pectorale constituant le filet prélevé sur un canard ou une oie engraissés par gavage pour la production de foie gras » (décret de 1986).

• Monde. **Production** (en milliers de t, 1989). USA 10 088. URSS 3 250. Chine 2 767. Brésil 2 140. *France 1 552.* Japon 1 475. Italie 1 070. R.-U. 1 036. Mexique 846. Espagne 804. Canada 667. Thaïlande 587. P.-Bas 506. Indonésie 447. Hongrie 423. All. féd. 425. Australie 392. Afr. du S. 374. Roumanie 365. Nigeria 352. Argentine 345. Youg. 338. Pologne 332. *Monde 37 817. 1990 :* 39 300. *1991 (prév.) :* 40 000.

Commerce (en milliers de t, 1989). **Exportations** USA 469. *France 426.* P.-Bas 261. Brésil 240. Hongrie 224. Thaïlande 103. Danemark 69. R.-U. 65. Belg.-Lux. 64. *Monde 1 950.* **Importations** Japon 280. All. féd. 263. URSS 200. Arabie S. 196. Hong Kong 110. R.-U. 84. P.-Bas 49. *France 45.* Émirats arabes 45. Belg.-Lux. 44. Suisse 43. Italie 42. Espagne 40. Égypte 30. *Monde 1 980.*

Consommation de viande de volaille (en kg par hab., 1989). USA 38,8. Israël 35. Canada 27. Espagne 21,5. *France 20,5* (poulet 10,4, dinde 5,4, canard 1,8, poule 1,7, pintade 1, oie 0,2). Portugal 20,4. Italie 19,6. Irlande 19,4. R.-U. 18,3. CEE 17,7. Belg.-Lux. 16,7. Grèce 15,9. P.-Bas 15,7. Japon 14,4. Autriche 13,3. Danemark 12,5. URSS 11,6. All. féd. 11,4.

• France. **Cheptel** (en millions de têtes, 1989). Poulets 115 ; poules pondeuses 50 ; poulettes 18 ; dindes 25 ; canards 15 ; pintades 13 ; pigeons, cailles 10 ; oies 1. **Élevages** 27 000, 50 000 bâtiments spécialisés. **Labels.** *1989 :* 65 millions de têtes, *1977 :* 16. *Chiffre d'aff.* (1990) : 1,5 milliard de F. *Filière :* 34 org. certificateurs, 162 labels, 5 300 éleveurs, 55 couvoirs, 137 firmes d'alim. du bétail, 144 abattoirs. **Production** (en milliers de t, 1990, entre parenthèses élevage traditionnel). Poulet 863 (15). Dinde 432 (8). Canard 104 (12). Poule 95 (15). Pintade 55 (1). Oie 8 (7). *Total 1 657 (59).*

Abattage de volailles (milliers de t, 1989). 1 314 dont (en %) Bretagne 47, Pays de la Loire 20, Rh.-Alpes 6, Centre 6, Aquitaine 3. 1 500 établ. dont 950 traitent moins de 50 000 volailles par an mais n'assurent que 12 % du tonnage. **Abattoirs.** 1 250 dont 900 de dindes (19 assurent 79 % de la production).

Foie gras

Généralités. Foies d'oies ou canards gavés (soumis à une alimentation forcée) : 700 à 900 g (foie d'oie), 400 g (canard). **Gavage.** Commence vers 4 ou 5 mois (canard 2 fois par j pendant 3 semaines, oie 3 fois par j pendant 1 mois) : maïs broyé et légèrement cuit, matières grasses, sel et ferments lactiques afin de maintenir l'équilibre de la flore intestinale.

Dénominations. *1) Foie gras entier* (100 % foie gras) ; obtenu à partir d'un ou plusieurs lobes moulés, ou d'un morceau de lobe. *2) Foie gras* à partir de morceaux de lobes agglomérés sans barde ni enrobage. *3) Bloc de foie gras* (reconstitué à partir de foies gras ; à la coupe, peut présenter des morceaux apparents). *4) Parfaits* (75 % de foie gras, mélange de foies d'espèces différentes autorisé). *5) Préparations* (pâté 50 % de foie gras, entouré d'une farce ; galantine 35 % min. de morceaux avec barde et farce ; purée ou mousse à 50 % d'un mélange aggloméré de foie gras et farce, sans barde). *6) Foie vendu cru. 7) Foie gras frais* (cuit à 65-68 °C. Peut se conserver au max. 3 semaines à + 4 °C. *8) Foie gras mi-cuit* (semi-conserve). Pasteurisé à 80 °C, peut se conserver env. 6 mois entre 0 et + 4 °C. *9) Foie gras en conserve* (cuisson 105 ou 108 °C, se conserve plusieurs années à 10-15 °C. Perte de finesse et de moelleux et amertume). **Préparations contenant un min. de 50 % de foie gras** (poids net du produit débarrassé de sa barde). *Pâté de foie :* noyau de f. g. entouré d'une farce ; *galantine de foie :* f. g. (dont 35 % doivent être des morceaux apparents à la coupe), mêlé à une farce ; *purée de foie :* f. g. homogénéisé et farce, mêlés de façon à donner la texture caractéristique de sa dénomination.

Production (en t). France. *1982 :* 2 000, *90 :* 6 000 [(dont canards 5 300, oies 700), dont (en %) Aquitaine 50, Midi-Pyr. 25], Hongrie 1 700, Israël 500, Pologne 200.

Landes : env. 6,5 millions de canards gras et 100 000 oies grasses.

Commerce. **Foie gras d'oie ou de canard** (en t, 1990). *Exp.* 217,7 (dont canard 128,8) dont *vers* Suisse 68,7, Japon 23,4, UEBL 21,7, R.-U. 20,6, Espagne 20,2, All. féd. 15,1, P.-Bas 18,6, Italie 13,7. *Import.* 2 619,6 (dont canard 987,4) dont *de* Hongrie 1 539,2, Bulgarie 430,2, Israël 353, Pologne 244. **D'autres volailles.** *Exportations* 644,1 dont *vers* P.-Bas 216,6, All. féd. 131,9, R.-U. 111,2, UEBL 60, Autriche 53. *Importations* 3 139 dont *de* USA 1 580,3, P.-Bas 727,9, R.-U. 250,1, Espagne 168, Pologne 108,5, Belgique 94,7.

Conserves et préparations de foie gras (en t). *Exp.* 830,9 (167,4 millions de F) dont *vers* Japon 128,5, Suisse 119,5, UEBL 105,3, Espagne 81,3, All. féd. 56,9, Italie 47,7, R.-U. 40,3, USA 36,4. **D'autres volailles.** *Exp.* 1 511,4 (37,8 millions de F) dont *vers* Martinique 172, R.-U. 162,4, UEBL 160,2, All. féd. 151,5, Réunion 145,7, Espagne 114,9. Portugal 52. *Imp.* 2 727,7 (64,9 millions de F) dont *de* UEBL 2 351,5, Danemark 233,7, P.-Bas 90.

Le Marché commun et la politique agricole commune

Évolution

Quelques dates

1950 *Août* le Conseil de l'Europe recommande la création d'un Marché commun de l'agriculture. Réunie en mars 1952, mars 1953 et juillet 1954, une conférence préparatoire ne parvient pas à un accord. Les plans des ministres britannique *Eccles* et néerlandais *Mansholt* ne sont pas retenus. France et P.-Bas proposent une Haute Autorité dotée de pouvoirs propres, avec des moyens financiers indépendants des budgets nationaux. La G.-B. souhaite un comité intergouvernemental (sans moyens de contrainte sur les États) pour coordonner les politiques agricoles nationales. **1956** l'agriculture fr. commence à connaître des excédents. La libération des échanges serait inefficace et dangereuse. **1957** *25-3 tr. de Rome* instituant CEE et Euratom. Voir p. 821 et 823. **1958** *1-1* entrée en vigueur des tr. de Rome. Conférence des États membres à Stresa (juill.) : accord sur objectifs agr. à atteindre. **1962** *14-1* début de la politique agr. commune (PAC) ; *1er marathon agricole ;* 1ers règlements d'organisation commune de marchés arrêtés pour céréales, porc, œufs et volailles, vin, fruits et légumes. Création du Fonds européen d'orientation et de garantie agricole (FEOGA) (V. Index). **1963** *Fin déc. 2e marathon,* règlements concernant viande bovine, produits laitiers et riz. D'autres produits donneront lieu ensuite à une organisation commune de marchés. **1964** *Déc. 3e marathon,* accord couvrant blé et céréales secondaires. **1967** *1-7* entrée en vigueur du marché unique des céréales, porc, œufs et volailles, fruits et légumes. **1968** *2-7* des produits laitiers et de la viande bovine. *Déc.* programme « Agriculture 1980 » *(Plan Mansholt) :* meilleure orientation des productions et action structurelle en matière régionale et sociale pour atténuer l'accroissement des disparités de revenus.

1970 *1-6* entrée en vigueur du marché unique du vin. **1971** *1-1* du régime des ressources propres à la CEE pour financer la PAC. *23-3* Bruxelles, 100 000 agriculteurs des 6 pays dénonçent l'immobilisme de la PAC et réclament l'amélioration de leur revenu. *11-5* et *19-8* mise en place et généralisation du système des MCM (*montants compensatoires*). **1972** *24-3* le Conseil adopte 3 directives sociostructurelles sur la modernisation de l'exploitation, la cessation de l'activité agricole et l'information socio-écon. des agriculteurs. **1973** *1-1* élargissement de la CEE à G.-B., Danemark et Irlande. *1-5* la France obtient la modification des prix agr. prévus ; adoption de la résolution sur l'agr. de certaines régions défavorisées. **1974** *juin* règlement sur la coordination de la recherche agr. au niveau eur. *Juillet* organisation commune d'un marché pour les graines de soja et harmonisation des législations vétérinaires et phytosanitaires. **1974 et 1975** crises : désaccords sur les augmentations de prix (inflation, hausse des prix de revient, augmentation des prix de vente mise en question). *Sept.* introduction de la taxe de coresponsabilité dans le secteur laitier. *31-12* fin de la période transitoire pour les nouveaux membres (G.-B., Irlande, Danemark). **1978** *mai* plan global de développement pour les régions méditerr. *Juin* nouveaux règlements sur le marché de l'huile d'olive. *Déc.* adoption du système monétaire eur. avec la prévision d'application à la PAC en 1980. **1980** *1-6* les MCM négatifs sont supprimés, le marché du mouton en régime interne est soutenu par des interventions publiques et des aides au stockage privé. En régime extérieur, les charges à l'export. sur viandes fraîches et congelées sont maintenues au niveau de 20 % consolidé du GATT ; en contrepartie, les pays tiers fournisseurs devront s'engager à restreindre leurs envois à des niveaux compatibles avec l'équilibre du marché de la CEE. **1981** *1-1* élargissement de la CEE à la Grèce. *1-4 Accords de Bruxelles :* démantèlement de MCM positifs (étape vers le retour à l'unité des prix). Augmentation moyenne des prix agr. de 11 %. Rejet d'une supertaxe laitière proposée (la Fr. aurait supporté 49 % de la dépense). Réforme de la politique commune des structures et mesures en faveur des jeunes agriculteurs. Programmes spécifiques pour DOM et Lozère. *1-7* nouvelle organisation communautaire des marchés du sucre. *Marché unique :* les produits, sauf alcool et p. de terre, circulent librement à l'intérieur de la Communauté. Droits de douane, taxes équivalentes, subventions, restrictions quantitatives faussant la concurrence entre États membres sont supprimés. *Préférence communautaire :* les États membres accordent une préférence à la production communautaire et se protègent ensemble à la frontière extérieure commune contre les fortes fluctuations des prix sur le marché mondial et les importations à bas prix. *Responsabilité financière commune :* par le FEOGA *Participation financière des producteurs :* pour certains produits agr. particulièrement excédentaires. *Seuils de production* (cadre pluri-annuel) : en cas de dépassement, contribution des producteurs : réduction des prix de soutien ou autres mesures appropriées, c.-à-d. diminution de leurs « garanties ». **1983** *3-1* MCM de – 1,7 pour les échanges agricoles avec la Grèce. *17-1* suppression des MCM britanniques. *26-1* MCM de – 10,8 pour les échanges avec la Grèce (drachme dévaluée de 7 %). *21-3* suite aux nouveaux taux pivots au sein du SME, adaptation des taux « verts » de la livre et de la drachme et nouveaux MCM. *17-5* prix agric. pour 1983-84 : en moyenne + 4,2 % en ECU. (+ 6,9 en monnaie nat.) ; seuils de garantie pour le lait, les céréales et le colza. *11-10* la Commission suspend jusqu'au 23-10-83 le paiement d'avances sur les aides et restitutions à l'exp. des produits agric. *21-10* suspension prorogée jusqu'au 31-12-83. **1984** *30/31-3* accord du Cons. des min. : 1°) démantèlement des MCM : 80 % des MCM positifs en All. féd. et aux P.-B. en 10 mois ; 2°) prix agric. : en moyenne – 0,5 % en ECU, + 5 % (lait : + 5,86) en F français (v. ci-après) ; 3°) maîtrise de la prod. laitière : régime de 5 ans, prix garanti pour 98,2 millions de t + réserve communautaire (en 1984-85 pour 99,4 millions de t + réserves com.) ; 4°) extension des seuils de garantie (les produits concernés représentent 35 % de la valeur de la prod. et 60 % des dépenses pour les organisations communes de marché). *12-7* nouveau régime d'imp. de beurre néo-zél. en G.-B. pour 1984-88 : 83 000 t en 84, 81 000 en 85, 79 000 en 86. **1985**-*25/26-2* réforme du règlement viti-vinicole, applicable à partir du 1-9-1985 (distillation obligatoire à 50 % du prix d'orientation, à 40 % au-delà de 10 millions d'hl, en cas d'excédents, le volume étant réparti entre les régions viticoles au prorata de leur contribution aux excédents, primes incitant à l'arrachage des vignes à hauts rendements et à celles produisant du raisin de table...), assouplissement du régime des quotas laitiers. *16-5* le Cons. des min. ne peut fixer les prix des céréales et du colza, l'All. féd. s'opposant à leur baisse.

Entrée de l'Espagne et du Portugal dans la CEE 1986. **Espagne :** 7 ans de transition pour la plupart des produits (10 ans pour matières grasses végétales, fruits et légumes), permettant le rapprochement progressif des prix et des aides, l'application de montants compensatoires « adhésion », la réalisation de l'union douanière, et la reprise par l'Esp. des régimes préférentiels de la CEE ; pour les vins de table, montant régulateur, volume de prod. de 27,5 millions d'hl (distillation obligatoire pour 85 %). **Portugal :** transition en 2 étapes (de 5 ans chacune) pour la plupart des produits (céréales, riz, lait et prod. laitiers, v. bovine et porcine, œufs et volailles, albumines, fruits et légumes frais, vins), programme de développement de 10 ans (700 millions d'ECU à la charge du FEOGA) pour l'amélioration des structures de prod. et de commercialisation.

1986 *25-4* accord de prix orge, sorgho, blés fourragers – 5 % ; blés panifiables + 2 %. MCM français appliqués aux produits végétaux – 1,5 %, animaux – 3 % (les prix officiels français seront augmentés dans les mêmes proportions à la viande de porc, aux œufs et à la volaille, suspension prévue au 1-6). All. féd. et P.-Bas sont les seuls États membres où le gel des prix officiels sera tout à fait effectif. Les autres, comme la France, peuvent relever leurs prix en jouant sur les MCM. Les producteurs de blé, d'orge, de maïs, de seigle, comme les producteurs de lait dep. la fin des années 70, seront assujettis à une taxe de coresponsabilité qui contribuera au financement des dépenses nécessaires pour résorber les excédents

Part des États membres de la CEE (en %) dans la production finale de l'agriculture communautaire, par produit en 1986

	All. féd.	Fr.	It.	P.-B.	Belg.	Lux.	G.-B.	Irl.	Dan.	Gr.
I Blé	12,1	39,1	20,4	1,4	2,1	0,0	18,5	0,4	2,0	4,0
Seigle	70,5	3,5	0,7	0,8	0,4	0,1	0,6	0,0	22,8	0,6
Avoine	14,4	30,8	17,3	3,4	2,2	0,3	16,6	2,5	10,6	1,8
Orge	18,5	28,4	4,1	1,2	2,5	0,1	29,7	2,8	10,7	1,2
Maïs	4,9	52,3	35,3	0,0	0,0	0,0	0,0	0,0	0,0	7,6
Riz	0,0	5,2	87,2	0,0	0,0	0,0	0,0	0,0	0,0	7,5
Betteraves sucrières	25,7	26,8	18,0	8,5	5,9	–	8,0	1,5	3,2	2,5
Tabac	3,1	13,5	34,2	–	0,7	–	0,0	0,0	0,0	48,5
Huile d'olive	–	–	–	–	–	–	–	–	–	–
Graines oléagineuses	12,6	42,9	20,2	0,4	0,0	0,0	13,0	0,0	9,0	1,9
Fruits frais	18,4	22,4	38,0	2,8	2,5	0,0	5,8	0,1	0,5	9,4
Légumes frais	4,6	22,0	39,8	11,1	4,9	0,0	9,9	0,7	0,9	6,0
Vins et moûts	18,3	18,3	19,9	–	–	0,0	–	0,7	5,0	1,2
Vins de qualité	–	–	–	–	–	–	–	–	–	
Semences	–	–	–	–	–	–	–	–	–	–
Fibres textiles	–	19,4	0,0	–	1,0	–	0,0	–	0,0	79,4
Houblon	81,6	3,1	–	0,0	1,3	–	14,1	0,0	0,0	0,0
Lait	23,9	24,2	12,9	12,1	3,0	0,3	12,3	4,2	5,0	2,1
Viande bovine	21,1	30,2	16,1	6,8	5,1	0,2	10,1	6,5	2,8	1,2
Viande porcine	28,2	15,0	12,9	15,1	6,6	0,1	8,4	1,2	10,8	1,8
Viande ovine et caprine	3,4	26,4	10,5	2,2	0,5	0,0	29,8	5,1	0,1	21,9
Vers à soie	0,0	0,0	0,0	0,0	0,0	0,0	0,0	0,0	0,0	0,0
Sous-total	*19,1*	*25,8*	*19,2*	*7,7*	*3,5*	*0,1*	*10,8*	–	*4,1*	*3,9*
Œufs	21,0	19,4	19,4	12,5	4,2	0,0	17,0	0,8	1,7	4,0
Volaille	7,6	31,7	28,3	7,8	2,5	0,0	16,6	1,5	1,7	2,4
Autres fruits et légumes	0,4	17,3	57,7	2,0	0,1	0,0	7,0	0,0	5,6	10,0
Sous-total	*10,3*	*25,4*	*31,0*	*8,1*	*2,6*	*0,0*	*15,0*	*1,0*	*2,4*	*4,3*
II Pommes de terre	13,7	20,6	15,1	15,0	5,3	0,1	21,3	2,3	2,0	5,0
Autres	5,9	25,9	31,2	4,7	3,0	–	7,7	2,4	12,4	2,7
Sous-total	*19,0*	*24,8*	*18,9*	*9,3*	*5,1*	*0,1*	*11,6*	*3,6*	*5,9*	*2,7*
Total général	**17,3**	**26,9**	**21,8**	**8,8**	**3,4**	**0,1**	**10,9**	**2,3**	**4,1**	**4,4**

Légende. **I** : produits soumis à l'organisation commune des marchés. **II** : produits sans organisation commune de marché. *Source :* Eurostat.

Consommation humaine de certains produits agricoles (kg/tête)

		Eur. 12	All.	Fr.	It.	P.-B.	UEBL	G.-B.	Irl.	Dan.	Gr.	Esp.	Port.
Céréales [1] (sans riz)	84/85	84	73	80	115	60	72	77	81	71	107	74	102
Froment [1]	84/85	72	51	70	107	54	69	63	80	46	106	72	68
Seigle [1]	84/85	3	13	0	0	3	1	0	0	18	0	1	6
Maïs grains [1]	84/85	7	6	9	8	2	2	12	8	2	–	1	27
Riz usiné total	84/85	4	2	4	5	2	3	3	2	2	5	6	13
Pommes de terre	84/85	79	73	75	37	85	97	107	126	66	82	106	86
Sucre [3]	84/85	33	35	35	27	37	36	36	41	41	28	25	28
Légumes (+ les conserves)	84/85	116	72	118	174	91	85	85	84	63	194	150	112
dont : – Choux-fleurs [4]	84/85	5	3	5	5	6	5	6	4	3	3	5	1
– Tomates [4]	84/85	27	14	21	41	16	21	14	11	14	92	27	28
Fruits (+ conserves, jus de fruits)	84/85	60	79	55	69	64	50	38	30	38	77	67	37
dont : – Pommes [4]	84/85	19	22	16	20	33	20	12	18	19	22	21	9
– Poires [4]	84/85	7	4	6	14	5	6	2	2	3	9	11	6
– Pêches [4]	84/85	7	5	7	16	3	4	2	1	3	9	10	3
Agrumes	84/85	26	28	13	39	82	21	14	15	11	44	25	13
dont :													
– Oranges [4]	84/85	16	8	11	23	73	16	10	12	6	27	17	9
Vin [4]	84/85	43	25	81	71	14	78	9	3	19	31	49	72
Produits laitiers													
Produits frais sauf crème	1984	–	88	96	84	135	85	131	196	154	65	–	–
Fromage	1984	–	14	20	14 [8]	13	11	6	4	12	21	–	–
Beurre (matière grasse)	1984	–	6	8	2	3	7	4	10	6	1	–	–
Margarine (graisse pure)	1984	5	7	3	1	11	11	7	5	12	2	1	5
Œufs	1984	–	17	15	12	12	14	13	13	15	12	–	–
Viandes [7] (sans abats)	1984	73	95	64	79	75	93	69	53	83	72	47	50
dont : – total bovine	1984	21	23	21	27	18	26	22	15	13	22	8	11
– de bœuf	1984	18	21	17	23	16	23	21	15	12	18	6	10
– de veau	1984	2	2	4	4	2	3	0,1	0,1	0,5	4	2	1
– porcine	1984	33	60	24	28	42	45	24	22	58	21	21	20
– de volaille	1984	14	10	12	18	14	15	16	11	11	15	14	14
– ovine et caprine	1984	3	1	3	2	1	2	7	5	1	13	2	3
Graisses et huiles	1984	26	21	22	28	35	27	30	17	30	30	27	26
dont : – végétales	1984	14	6	13	23	6	5	13	10	16	22	22	19
– d'animaux marins	1984	0	0	0	0	0	0	0	0	0	0	0	0
– d'animaux terrestres	1984	5	6	5	4	13	8	9	1	2	3	2	2

Nota. – (1) Équivalent farine. (2) Exprimé en poids de produit. (3) Équivalent sucre blanc. (4) Consommation humaine sur le bilan du marché, y compris les produits transformés. (5) Non compris les agrumes. (6) Litres/têtes. (7) Y compris graisses de découpe. (8) 1983. *Source :* Eurostat.

(subventions aux exportations, recherche de nouveaux débouchés). Taxe prévue en 1986 : 3 %. L'aide accordée aux producteurs de colza et tournesol sera diminuée lorsque la production dépassera un seuil fixé par le Conseil. *Résultats du compromis :* prix du lait, du beurre et de la poudre de lait resteront inchangés, sauf réduction des quotas laitiers de 3 % d'ici 3 ans [1re réduction 1-4-1987 (– 2 %), et 1-4-1988 (– 1 %)]. Les décisions à prendre pour aménager la réglementation applicable à la viande de bœuf sont reportées à la fin de l'année. *25-6* démantèlement des MCM négatifs français sur le porc. **1988** objectif de soustraire 1 million d'ha à la culture. **1989** *avr.* prix garantis + 2 % en moy. (produits laitiers + 4 %).

1990 Manifestations d'agriculteurs contre le GATT. *13-11* 15 000 à Bruxelles. *3-12* 25 000 à Bruxelles. **1991.** *24-5* compromis européen. Diminution de 2 % des quotas laitiers, mais avec indemnité de 0,10 ECU par litre pendant 5 ans à partir de 1992 pour les éleveurs qui accepteront de se limiter. Relèvement de 3 à 5 % de la taxe de coresponsabilité céréalière (sanction de toute surproduction par une baisse de prix) ; les cultivateurs qui accepteront de geler 15 % de leurs terres en seront exemptés et recevront des primes de la CEE. La France compte 110 000 ha en jachère alors qu'il faudrait atteindre 600 à 700 000 ha. Baisse de prix : blé dur – 7 %, oléo-protéagineux – 1,5 %, viande bovine – 2 %, tabac – 6 % (en moyenne). **1992** grand marché européen.

Fonctionnement du Marché commun agricole

Les produits agricoles communautaires, sauf alcool et p. de terre, sont actuellement soumis à une organisation commune de marché et, de ce fait, les prod. concernés circulent librement au sein de la Communauté et le mode de fixation de leurs prix devient uniforme. Le FEOGA prend en charge le financement de la politique agricole commune.

Unité de compte. Dep. 13-3-1979, est remplacée par l'ECU (Voir Index).

Prélèvements et restitutions. [En cas d'échanges avec des pays tiers (hors CÉE).]. *Exemples :* 1°) *le prix de seuil en vigueur (ou prix minimum d'entrée sur le marché communautaire)* est supérieur au cours mondial (100 $ par t au lieu de 70 $). *Prélèvement :* l'All. féd. (pays membre de la CÉE) achète du blé à l'Argentine à 70 $ la t. L'Arg. reçoit 70 $ et l'All. verse 30 $ au FEOGA (100 – 70 = 30 $). *Restitution :* l'URSS (pays tiers) achète du blé à la Fr. à 65 $ la t. La Fr. demande un complément de prix au FEOGA qui lui versera 35 $. 2°) *le cours mondial est supérieur au prix de seuil :* les exportations peuvent faire l'objet d'un prélèvement. A l'origine, les restitutions avaient été conçues comme le pendant des prélèvements perçus à l'importation. Aujourd'hui, les prélèvements sont en fait fixés selon des modalités diverses qui n'aboutissent pas en général à une perception égale à la différence entre le cours du marché européen et le cours du marché mondial. La restitution n'est pas automatique et, s'il y a restitution, son montant et ses conditions d'octroi sont établis autant en fonction de la politique commerciale suivie par la Communauté que de la différence entre certains prix communautaires et les prix mondiaux.

Mesures de sauvegarde. Si les prix intérieurs de la Communauté deviennent plus avantageux pour les acheteurs que les cours internationaux, des taxes à l'export. viennent renchérir le prix d'export. CÉE, et la Commission peut suspendre la délivrance des certificats d'export. En cas d'abondance, elle peut percevoir des taxes à l'imp. et suspendre temporairement les imp.

Montants compensatoires monétaires (MCM). *Créés* pour neutraliser dans les échanges agricoles les différences de prix qui d'un État membre à un autre résultent des variations monétaires, et pour préserver la libre circulation des produits en évitant la préférence pour l'achat des productions dans les pays à monnaie faible. **MCM positifs** (dans les pays à monnaie forte) : subventions à l'exportation et taxes à l'importation ; **MCM négatifs** (pays à monnaie faible) : taxes à l'export. et subventions à l'import. Calculés à partir des « taux verts » (différents taux de change officiels) utilisés pour convertir les monnaies nat. (deutsche Mark, F français, etc.) en ECU (prix communs). Le système a engendré la création de zones de prix différentes dans la Communauté (en 1978, l'écart atteignit ainsi env. 40 %). Les subventions à l'exportation versées aux producteurs des pays à monnaie réévaluée (par ex. All. féd.) et les prélèvements à l'exportation effectués auprès des producteurs des pays à monnaie dévaluée (par ex. France, Italie) ont provoqué des distorsions commerciales et un développement artificiel de la production dans certaines régions (conditions naturelles moins favorables qu'ailleurs). Depuis l'instauration du système monétaire européen (SME) en avril 1979, et à cause de la relative stabilité monétaire, le montant des dépenses au titre des MCM était passé de 989 millions d'ECU en 1977 (soit 14,5 % des dépenses de la section garantie) à 238 millions d'ECU en 1981 (2,2 %). Mais en raison des réajustements monétaires entre oct. 1982 et mars 1983 (avec dévaluation du F français et réévaluation du mark et du florin) et leurs effets sur les MCM (hausse des MCM positifs des pays à monnaie faible), de nouveaux MCM ont été fixés. *Accords d'oct. 1982 et du 17-5-1983.*

Accords de juin 1987. Les MCM positifs existants sont éliminés sur 2 campagnes. Les aides à la T.V.A. en All. féd. seront supprimées aux dates prévues. Les MCM négatifs en France sont annulés (porc, œufs, volailles) ou réduits (autres produits). En cas de nouvel aménagement monétaire, on ne créera plus de MCM positifs. *MCM appliqués le 30-6-87. U.E.L.B. et Danemark :* tous produits 0. *Portugal :* tous prod. 0, sauf sucre – 5,2. *All. féd. :* tous prod. 0, sauf prod. laitiers + 1,4, porc + 1,3, céréales + 1. *France :* porc, œufs, volailles 0, bœuf – 1, prod. laitiers, sucre, céréales – 3,5, vin – 2,8. *Pays-Bas :* tous prod. 0, sauf prod. laitiers + 1,4, porc + 1,8, céréales + 1. *G.-B. :* bœuf – 10,6, prod. laitiers – 18,2, porc – 17,1,

L'agriculture dans l'Europe des douze en 1986

Caractéristiques	All.	Fr.	It.	P.-B.	Belg.	Lux.	G.-B.	Irl.	Dan.	Gr.	Esp.	Port.	Eur. 12
Superficie totale [1]	24,8	54,9	30,1	3,7	3,1	0,2	24,4	7	4,3	13,1	50,4	9,2	225,5
Superficie agricole utile [1]	12	31,4	17,4	2	1,4	0,1	18,6	5,6	2,8	5,7	27,2	4,5	129
Emploi [2]													
– nombre (1 000 pers.)	1 345	1 536	2 242	248	103	6,5	619	168	178	1 026	1 742	890	10 104
– % dans la pop. active civile occupée	5,3	7,3	10,9	4,8	2,9	4	2,6	15,8	6,8	28,5	16,1	21,9	8,3
Exploitations agric. (1 000 exploit.) [3]	740	1 057	2 801	136	98	4	258	220	92	952	1 818 [6]	769 [7]	8 947
SAU par exploit. (ha) [3]	16	27	5,6	14,9	14,1	28,6	65,1	22,5	30,7	4,3	12,9 [6]	4,3 [7]	8,9
Production agric. finale [3] [4]	26,8	41	33,9	14,1	5,3	0,16	19,4	3,8	6,7	7,8	20,3	–	179,7 [8]
% de l'agriculture dans le PIB [3]	1,8	3,7	5	4,2	2,5	2,6	1,8	10,2	5	16,6	6,1	–	3,5 [8]
Produits agric. et alim.													
– % imp. dans imp. de tous produits	13,6	15,8	16,2	19,9	12,8 [9]	12,8 [9]	14,8	11,5	17,6	13,5	20,7	33,8	15,7
– % exp. dans exp. de tous produits	3,6	12,6	5,2	20,6	6,4 [9]	6,4 [9]	6,7	27,6	25,7	27,2	15,1	14,3	8,4
Solde du commerce extérieur des produits agric. et alim. [4]	– 7,7	– 0,8	– 5	– 2,1	– 1,5 [9]	– 1,5 [9]	– 5,5	0,6	1	– 0,8	– 1,8	– 1	– 23,9
% des dépenses des ménages en aliments, boissons, tabac dans les dép. totales de consom. [5]	17,8	21,2	29	19,8	21,9	21,3	19,9	44,6	24,7	41,3	27,1	36,5	21,9

Nota. – (1) Millions d'ha. (2) Agriculture, sylviculture, chasse, pêche. (3) 1985. (4) Milliards d'ECU. (5) 1984. (6) 1982. (7) 1979. (8) Eur. à 11. (9) UEBL.

Degré de l'auto-approvisionnement de certains produits agricoles (en %)

		Eur. 12 [1]	All.	Fr.	It.	P.-B.	UEBL	G.-B.	Irl.	Dan.	Gr.	Esp.	Port. [1]
Céréales (sans riz)	84/85	110	95	201	80	28	54	120	90	117	104	84	29
Blé total	84/85	124	101	233	81	55	69	117	60	117	116	94	37
Seigle	84/85	111	108	103	81	34	78	76	0	197	100	101	100
Orge	84/85	120	101	192	58	23	75	154	121	116	93	105	62
Maïs grains	84/85	75	41	176	86	0	5	0	0	0	96	44	20
Riz usiné, total	84/85	73	0	11	215	0	0	0	0	0	125	97	57
Pommes de terre	84/85	101	92	101	96	144	107	93	86	101	107	100	92
Sucre	84/85	123	131	226	81	153	227	59	135	221	970	107	0
Légumes frais	84/85	107	37	91	125	204	116	63	80	70	155	131	146
Fruits frais (sans agrumes)	84/85	87	54	89	128	57	61	22	15	38	125	116	95
Agrumes	84/85	78	0	4	112	0	0	0	0	0	162	273	100
Vin	84/85	104	57	108	121	0	7	0	0	0	165	118	112
Produits laitiers													
Matières grasses	1984	–	123 [3]	121 [3]	71 [2]	288 [2]	103 [2]	86 [3]	241 [2]	225 [2]	0	–	–
Protéines	1984	–	131 [2]	122 [3]	65 [2]	124 [2]	97 [2]	104 [3]	167 [2]	184 [2]	0	–	–
Produits frais (sans crème)	1984	–	103	102	98 [2]	94	123	100	100	105	99	–	–
Beurre	1984	–	133	121	62 [2]	512	120	72	395	202	52	–	–
Margarine	1984	102	100	76	80	142	132	91	88	120	95	96	102
Œufs	1984	–	73	101	92	315	116	96	77	100	97	–	–
Viandes [4]	1985	101	91	99	74	240	123	82	500	329	70	97 [3]	96
Bovine totale	1985	–	119	119	62	199	130	88	645	367	35	87	88
De bœuf	1985	–	122	121	59	142	130	88	648	378	40	83	88
De veau	1985	–	80	110	76	726	130	142	100	100	16	99	86
Porcine	1985	–	87	81	71	270	149	71	117	369	71	99	97
De volaille	1985	–	61	130	98	216	83	96	92	205	99	98	100
Ovine et caprine	1985	–	45	72	58	257	22	78	188	33	87	100	100
Graisses et huiles	1984	90	108	75	75	98	129	40	52	114	134	131	138
Végétales	1984	96	110	68	72	128	147	39	4	60	153	149	149
D'abattage	1984	85	117	102	89	58	79	54	447	146	67	84	78
D'anim. marins	1984	19	7	9	1	0	0	4	200	165	0	82	220

Nota. – (1) 1982. (2) 1983. (3) 1985. (4) Sans abats, y compris graisses de découpe. *Source :* Eurostat.

Superficies consacrées à la culture des principaux produits agricoles (1 000 ha, 1986)

	Céréales riz compris	Légumes	Pommes de terre	Betteraves sucrières	Graines oléagineuses	Fourrages verts	Légumes secs	Cultures fruitières	Vignes
Eur. 12	35 807 [1]	1 691 [1]	1 461	1 913	3 819	13 871 [2]	1 659	2 424	4 264
All. fédérale	4 812	56	210	390	308	1 255	69	47	101
Belgique	350	32	48	113	3	163	3	10	0
Danemark	1 588	18	31	70	230	357 [2]	145	6	0
Espagne	7 671 [1]	460 [1]	289 [1]	195 [1]	1 048 [1]	1 118 [1]	417 [1]	868	1 574
France	*9 477*	*250*	*201*	*449*	*1 335*	*5 095*	*354*	*206*	*1 041*
G.-B.	4 024	147	178	205	299	1 751	150	38	0
Grèce	1 461 [1]	140 [1]	56 [1]	42 [1]	313 [1]	241 [1,2]	43 [1]	144	170
Irlande	380	3 [2]	31	37	2	595 [2]	2	1	0
Italie	4 737	411	120	273	232	2 603	174	844	1 098
Luxembourg	34	0	1	0	1	19	0	0	1
P.-Bas	170	68	167	138	6	237	32	22	0
Portugal	1 007 [1]	94 [2]	131 [1]	1 [1]	42 [1]	470	270 [1]	238	270

Nota. – (1) Superficie récoltée. (2) 1985.

sucre et céréales – 19,9, œufs, volailles – 16,4. *Italie :* bœuf, prod. laitiers, sucre – 3,8, porc – 5,1, céréales – 4,8, œufs, volailles – 1,3, vin – 3,2. *Grèce :* bœuf, prod. laitiers – 39,5, porc – 46,3, sucre, céréales – 29,7, œufs, volailles – 26,2, vin – 44,31. *Irlande :* bœuf – 2, prod. laitiers – 3,5, porc – 2,8, sucre, céréales – 3,6, œufs, volailles 0. *Espagne :* bœuf, prod. laitiers – 2,6, porc – 6, sucre, céréales – 3,7, œufs, volailles 0, vin – 5,1.

Montants compensatoires adhésion (MCA). Destinés à corriger les effets des différences de prix entre les États membres et les nouveaux États membres pendant une période de transition. Instaurés du 1-1-1973 au 31-12-77 lors de l'adhésion de G.-B., Dan., Irl. et du 1-1-1981 au 31-12-85, de l'entrée de la Grèce.

Résultats de la politique agricole commune

Création d'un grand marché agricole. En 1985, env. 321 millions de consom. et 10 millions de pers. actives dans l'agriculture (8,5 % de la pop. civile occupée) cultivant env. 132 millions d'ha.

Production agricole communautaire (1988). Europe des 12 : 185,7 milliards d'écus dont (en %) : *France 22,8,* Italie 18,4, All. féd. 14,5, Espagne 12,6, G.-B. 9,7, P.Bas 7,9, Grèce 3,9, Danemark 3,4, U.E.B.L. 3, Irlande 2,2, Portugal 1,7.

Quantités produites (1988). Europe des 12 : 100 % dont *oléagineux :* France 40,1, Italie 14,7, All. féd. 10,3, G.B. 8,6, autres 26,3. *Céréales :* Fr. 34,3, All. féd. 16, Esp. 14,2, G.B. 12,9, autres 22. *Vin :* It. 35,8, Fr. 32,7, Esp. 19,6, autres 11,9. *Betteraves :* Fr. 30, All. féd. 19,5, It. 14,1, Esp. 9,5, autres 25,9. *Fruits frais :* It. 32,1, All. féd. 17,6, Esp. 16,2, Fr. 15,7, autres 18,4. *Légumes frais :* It. 27,1, Esp. 23,7, Fr. 12,9, Grèce 8,7, autres 27,6. *Viande bovine, bœuf, veau :* Fr. 26, All. féd. 20,2, G.-B. 11,6, It. 11,4, autres 31,8. *Viande de volailles :* Fr. 24,8, G.-B. 18,6, It. 18,4, Esp. 14,1, autres 24,1. *Lait :* Fr. 24,3, All. féd. 21,8, G.-B. 14,7, P.-Bas 11,1, autres 28,1. *Œufs :* Fr. 19,3, G.-B. 16,8, All. féd. 14,5, Esp. 13,9, autres 35,5. *Viande de porc :* All. féd. 24,7 P.-Bas 14,7, *Fr. 13,5,* Esp. 13, autres 34,1. *Sources :* SCEES et Eurostat.

Développement des échanges avec les pays tiers. Les importations de produits agr. et alim. dans la Communauté ont plus que doublé entre 1963 et 1976, augmenté de 138 % de 1973 à 1982, de 6,3 % par an de 1981 à 83. Approvisionnement en denrées alim. plus diversifié et plus constant (le nombre d'articles proposés a triplé de 1968 à 1973).

Amélioration structurelle de l'agriculture. Le nombre des exploitations a diminué d'env. 3,9 % par an de 1967 à 1970, et de 3 % de 1970 à 1982. Entre 1960 et 1983, la population active agric. a diminué d'env. 11 millions de personnes dans la Communauté des 10. La produc. a augmenté grâce à la hausse de la valeur ajoutée : de 1973 à 1982, la valeur de la prod. agric. a augmenté de 18 % en termes réels alors que la main-d'œuvre agric. baissait de 31 %. Mais il y a 9 fois plus d'actifs agric. pour 100 ha utilisés qu'aux U.S.A.

Échecs. Les grandes *disparités* de revenus se sont maintenues. *Disparité du revenu entre agriculteurs « moyens » :* pour une moyenne communautaire du revenu agricole (valeur ajoutée nette d'exploitation par unité de travail agricole) de 100, le revenu agricole moyen est de 45 en Grèce, 67 en Italie, 94 en All. féd., 96 en Irl., 110 au Lux., 118 en France, 173 en G.-B., 208 au Dan., 250 aux P.-Bas.

Certains *déséquilibres* sur les marchés agricoles n'ont pu être évités : excédents dans le secteur laitier, en céréales panifiables, en viande rouge ; déficit en céréales fourragères. Ces déséquilibres ont contribué à un accroissement notable des dépenses de la section Garantie du FEOGA (dénaturation du blé tendre, mesures spéciales d'écoulement du beurre).

Les régions du Nord bénéficient d'un soutien plus élevé que celles du Sud. Les régions agr. où les revenus sont plus élevés sont celles qui coûtent le plus cher. *Escroqueries nombreuses :* coût annuel 30 milliards de F (63 a dit Mme Thatcher). Primes et subventions versées pour des centaines de milliers de bovins inexistants, cargaisons de fruits et légumes fantômes, beurre fabriqué avec du lard de cochon, pseudo-champs de blé.

Évolution du revenu agricole européen (en %, en 1990 et, entre parenthèses, en 1989). *CEE –2,8 (+ 11,5).* All. féd. –9,8 (+16,7). Belgique – 15,2 (+ 16,5). Danemark – 4,7 (+ 19,5). Espagne + 3,6 (+ 1,8). *France – 1,9 (+ 15,6).* Grèce – 5,8 (+ 8). Irlande – 10 (+ 1,3). Italie – 9,9 (+ 1,8). Luxembourg – 7 (+ 15,8). P.-Bas – 2,4 (+ 16,6). Portugal + 10,5 (+ 17). G.-B. – 3,6 (+15,6).

FEOGA

• **Institué.** 14-1-1962. Fait partie du budget des communautés européennes ; géré par la Commission, assistée du comité du FEOGA. Doit assurer le soutien des prix et la régularisation des marchés (section Garantie), favoriser les améliorations structurelles dans le domaine agricole (section Orientation). Il ne supprime pas les fonds agricoles nationaux tels l'ONIC ou le FORMA.

• **Ressources du budget communautaire.** *Prélèvements et autres perceptions sur les échanges* avec les pays tiers dans le cadre de la politique agr. commune, *cotisations* à la production et au stockage prévues dans le cadre de l'organisation commune du marché du sucre, *droits de douane* perçus lors des import. communautaires sur la base de droits fixés par le tarif douanier commun, *fraction des ressources de la TVA* perçue par les États membres, max. 1 % (1984), *recettes diverses.*

• **Dépenses :** (en millions d'ECU) : 1°) **Section Garantie.** *1978 :* 8 672,7. *79 :* 10 440,7. *80 :* 11 314,9. *81 :* 10 980,2. *1982 :* 12 405,6. *1983 :* 15 811,6. *1984 :* 18 346,4. *1985 :* 19 744,2. *1986 :* 22 137,4. *1987 :* (exercice budgétaire : 10 mois) 22 967,7. *1988 :* (11 mois et ½) 27 687,3 (y. c. les conséquences de l'apurement des exercices 1985 et antérieurs). *1989 :* 25 873 (y.c. apurement des exercices antérieurs) (dep. agr. 25 840).

Répartition (en % en 1989) secteurs : lait et produits laitiers 19,1, céréales 12,1, oléagineux 10,3, viande bovine 9,3, sucre 7,6, huile d'olive 5,6, viande ovine et caprine 5,6, tabac 4,4, vin 4,4.

Par nature : aides comp. des prix 42,9, restitution à l'export. 35,3 (dont aide aliment. 0,5), stockage 15,4 (dont dépréciation 9), primes orientatives 3,5.

Évolution des dép. (nettes) en % du P.I.B. (Europe des 10 jusqu'en 1985, puis des 12 dep. 1986) : 1981 : 0,40. *82 :* 0,41. *83 :* 0,50. *84 :* 0,55. *85 :* 0,57. *86 :* 0,56. *87 :* 0,53. *88 :* 0,62.

2°) **Section Orientation.** Financement principalement effectué sur la base du remboursement d'une partie des dépenses éligibles des États membres : *actions indirectes,* type « remboursement ». Pour *actions directes,* les subventions sont directement payées au bénéficiaire, type « projet ». La politique structurelle est financée partiellement par la Commission ; la politique commune des marchés l'est intégralement. % de la participation financière de la section : 25 % à 65 %. *Dotation quinquennale des crédits pour engagements :* les crédits inscrits chaque année dans le budget sont établis selon les besoins prévus pour l'exercice en cause.

Paiements (en millions d'ECU). *1978 :* 348,3. *79 :* 402,7. *80 :* 603,1. *81 :* 576,4. *82 :* 650. *83 :* 728. *84 :* 676,2. *85 :* 719,6. *86 :* 773,5. *87 :* 926. *88 :* 1197,9. *89 :* 1 349,350.

Prix agricoles

Définitions

Les prix fixés au début de chaque campagne à Bruxelles par le Conseil des ministres sont des prix souhaitables. *Modalités d'intervention :* les *céréaliers* jouissent d'une garantie de prix *directe* sur le produit non transformé. Les *producteurs de lait* ne bénéficient que d'un prix indicatif théorique, en fait supérieur au prix réellement perçu ; la garantie porte sur les produits transformés (beurre et poudre de lait).

Prix d'achat. Fixé entre 40 et 70 % du prix de base. Tarif auquel les organismes d'intervention achètent des excédents en cas de « crise grave » (c.-à-d. lorsque durant 3 j les cours sont inférieurs à ce prix) dans le secteur fruits et légumes ou viande porcine.

Prix de base (viande porcine). Correspond au prix d'orientation ou indicatif. Si le prix de gros est inférieur à ce prix, la Commission europ. examine s'il y a lieu de procéder à des achats d'intervention pour soutenir les cours. Les prix de base sont fixés par le Cons. des min. de la CEE pour chaque campagne.

Prix d'écluse (viande porcine, œufs et volailles). Correspond au prix de revient du pays tiers ayant la meilleure efficience technique et les meilleures conditions d'approvisionnement en éléments fourragers. Lorsque des marchandises importées sont offertes à un niveau inférieur, un montant suppl. est ajouté aux prélèvements afin que leurs prix ne soient pas inférieurs, à l'intérieur de la Communauté, à la somme prix d'écluse + prélèv. Les prix d'écluse sont calculés chaque trimestre par la Commission europ.

Prix indicatif (céréales et riz, sucre, lait, huile d'olive, colza, tournesol). Prix de gros que l'organisation commune des marchés vise à assurer aux producteurs. Fixé pour chaque campagne par le Conseil des ministres de la CEE pour la zone déficitaire (cas des céréales et du riz), pour l'ensemble du territoire douanier de la CEE (lait, huile d'olive et oléagineux) ou pour les zones excédentaires (sucre).

Prix d'intervention (céréales, riz, colza, tournesol, huile d'olive, viandes bovine et porcine, beurre, poudre de lait, tabac, sucre, certains fromages italiens). Prix auquel des organismes d'intervention (en France, la Sté interprofessionnelle du bétail et de la viande, et la Sté Interlait par ex.) doivent acheter les produits qui n'ont pu trouver preneur sur le marché communautaire ou à l'exportation. Ces prix d'intervention sont remaniés chaque année. Le prix d'intervention « de base » (uniquement pour les céréales) est applicable au marché de Duisbourg (All. féd.) ; région la plus défavorisée (prix d'intervention le plus faible) : Châteauroux.

Prix minimal (betterave à sucre). Garanti au producteur dans la zone la plus excédentaire et dans la limite, pour chaque usine, d'un quota de base (quantité) fixé par la Commission. Décidé chaque année par le Conseil des min. de la CEE.

Prix d'objectif (tabac en feuilles). Fixé par le Conseil des min. de la CEE pour chaque campagne, à un niveau qui doit assurer un revenu équitable aux planteurs gérant des entreprises rationnelles, et de façon à promouvoir une spécialisation conforme aux vocations naturelles des régions. Les acheteurs qui acquièrent du tabac communautaire plus cher que celui des pays tiers reçoivent une prime qui compense l'écart de prix, sous réserve d'avoir passé des contrats avec les planteurs.

Prix d'orientation (gros bovins, veaux, vin). Prix de gros que l'on souhaite atteindre en moyenne pour une campagne donnée. Fixé en début de campagne. Lorsque le prix de marché devient inférieur au prix d'orientation, des prélèvements sont perçus en plus du droit de douane *ad valorem.*

Prix de référence (fruits et légumes, vins, certains produits de la pêche). Déterminé en fonction du prix à la production dans la Communauté. Il représente le prix minimal auquel un produit des pays tiers peut être importé. Pour le *vin :* calculé à partir de la moyenne arithmétique des prix intérieurs à la production, majorée d'un montant forfaitaire pour tenir compte du coût de la commercialisation des vins importés. Si le prix à l'importation devient inférieur au prix de référence, les importations subissent un prélèvement compensatoire ou sont provisoirement annulées. Pour *fruits* et *légumes :* base de calcul des cours constatés sur les marchés excédentaires durant les 3 années précédant la campagne.

Prix de retrait (fruits et légumes). Prix au-dessous duquel les organisations de producteurs ne mettent pas en vente les produits apportés par leurs adhérents qui reçoivent, en contrepartie, une indemnité. Égaux, au maximum, au prix d'achat majoré d'une somme égale à 10 % du prix de base.

Prix de seuil (céréales, riz, sucre, produits laitiers, huile d'olive). Prix le plus bas auquel une marchandise venant de pays tiers peut entrer dans la Communauté pour parvenir sur les marchés de gros, au moins au prix indicatif. La différence entre le prix mondial et ce prix est comblée par un prélèvement. Fixé par rapport au prix indicatif, il s'agit du *prix d'écluse* pour viande porcine, œufs et volaille.

Statistiques

Valeur vénale des terres agricoles (parcelles) (en ECU/ha, 1988). *France :* t. labourables 3 158, prairies 2 372. *P.-B. (1987) :* t. lab. 14 306, pr. 17 834. *Belg. :* t. lab. 9 957, pr. 7 970. *G.-B. :* t. agricoles : Angl. 7 280, P. de Galles 5 765, Écosse 2 650, Irl. du N. 4 847.

Commerce de la C.É.E. de produits agricoles et alimentaires suivant les principaux pays clients, exportations et, entre parenthèses, importations (en millions d'ECU, en 1989). USA 4 738 (6 314). Suisse 2 393 (738). Japon 2 298 (225). URSS 1 433 (217). Suède 1 330 (353). Autriche 1 206 (561). Arabie Saoudite 1 163 (46). Algérie 1 041 (18). Canada 867 (948).

Soldes les plus importants (en millions d'ECU, 1989). POSITIFS : Japon + 2 073. Suisse + 1 655. URSS + 1 216. Arabie Saoudite + 1 116. Algérie + 1 024. NÉGATIFS : Brésil – 4 398. Argentine – 1 916. USA – 1 576. Colombie – 960. Thaïlande – 889.

Dépenses du FEOGA et, entre parenthèses, **budget communautaire** (en milliards d'ECU). *1980 :* 11,9 (16,3), *86 :* 22,9 (34,9), *87 :* 23,9 (35,5), *88 :* 28,9 (41,1), *89* [1] *: 29,7 (44,8), 90* [2] *:* 30,1 [dont garantie 28,4 (dont perceptions au titre de la politique agricole commune 2,5 : prélèvements 1,2, cotisations sucre 1,3 ; dépenses nettes 25,9) orientation 1,7] (46,9).

Nota. – (1) Budget. (2) Projet de budget.

Engagements effectués (en millions d'écus, en 1989). 1 461,99 dont actions structurelles directement liées à la politique des marchés 248 ; améliorations des structures agricoles, services agriculteurs, infrastructures méditerranéennes 386,44 ; autres actions structurelles 827,55.

☞ **Aides globales par agriculteur** (en milliers de $, 1989). Norvège 32. Finlande 26. Suisse 26. Suède 25. USA 20. Japon 15. Canada 13. Autriche 9. CEE 8. Australie 4. N.-Zél. 2.

L'agriculture en France

Quelques dates

1807-*15-9 :* instauration du cadastre. **1813**-*20-3 :* caisse d'amortissement chargée de vendre les communaux. **1816**-*28-4 :* communes récupèrent biens communaux non vendus ; autorisées à les louer en bloc. **1847**-*28-1 :* loi facilitant l'importation des grains. **1850**-*6-12 :* loi conférant aux particuliers l'initiative des demandes des partages communaux. **1856 :** mauvaise récolte de céréales. **1860**-*23/28-1 :* traité de commerce avec G.-B. ; 1re loi sur restauration des terrains en montagne ; communes autorisées à vendre le tiers du communal. **1863 :** 1res atteintes du phylloxéra dans Gard. **(1867)** Sté des agriculteurs de France fondée. **1875**-*14-12 :* privilège des bouilleurs de cru. **1880 :** Sté française d'encouragement à l'agriculture, fondée à l'instigation de Gambetta. **1881**-*14-11 :* ministère de l'Agriculture créé. **1884**-*24-3 :* droits sur entrées de blé. **1886 :** union centrale des syndicats agricoles de France créée. **1889**-*9-7 :* interdiction de vaine pâture. **1892**-*11-1 :* tarif « Méline » renforçant droits de douane. **1894**-*6-11 :* caisses locales du crédit agricole créées. **1897**-*29-3 :* loi du « cadenas » permettant nouvelles hausses du droit de douane. **1899**-*31-3 :* droit de parcours aboli. **1904**-*janv. :* statut de la mutualité agricole. **1907**-*29-6 :* mouillage des vins interdit et réglementation du sucrage. **1911**-*avril :* manif. des vignerons de l'Aude, réprimée par Clemenceau. **1915**-*16-10 :* réquisition et contrôle de circulation des blés. **1916**-*20-7 :* blé taxé. **1918**-*10-2 :* contrôle général des prix. **1920**-*5-8 :* office nat. du crédit agricole créé. **1924**-*3-1 :* chambres d'agriculture instituées. **1925**-*18-1 :* conseil paysan français regroupant les syndicats de paysans travailleurs créé. **1928**-*déc. :* Dorgères organise des Comités de défense paysanne. **1929 :** JAC fondée. **1931**-*4-7 :* statut du vin (aménagé 1933-34). **1933**-*13-2 :* Conféd. nat. paysanne créée ; *-10-7 :* prix minimum du blé. **1934**-*avril :* front paysan créé ; *-24-12 :* prix du blé redevient libre ; loi sur distillation des excédents de vin et primes à l'arrachage des vignes. **1936**-*20-6 :* congés payés ; *-5-8 :* extension des allocations familiales pour salariés agricoles ; office nat. interprofessionnel du blé créé. **1939**-*21-4 :* décret-loi consacrant le droit de tout héritier travaillant sur l'exploitation d'en obtenir l'attribution sans partage ; *-29-7 :* allocations familiales aux exploitants agricoles. **1940**-*21-11 :* loi sur l'habitat rural ; *-2-12 :* loi sur l'organisation corporative de l'agriculture. **1942**-*16-12 :* corporation paysanne organisée. **1943**-*15-1 :* législation en faveur de l'héritier coexploitant renforcée ; *-4-9 :* droits des fermiers améliorés. **1944**-*26-7 :* corporation paysanne supprimée ; *-12-10 :* CGA créé. **1946**-*13-3 :* FNSEA créée ; *-13-4 :* statut du fermage et du métayage ; *-18-5 :* INRA créé. **1948**-*10-3 :* durée du travail salarié limitée à 2 400 h. **1950**-*11-2 :* renaissance des Chambres d'agriculture. **1951**-*15-2 :* centre nat. des indépendants et paysans fondé. **1952**-*10-7 :* assurance-vieillesse des exploitants. **1953**-*28-7 :* violentes manif. (viticulteurs Midi). *-15-12 :* SIBEV et Interlait créés. **1954**-*19-1 :* CGA perd tout pouvoir de décision. **1955**-*1-4 :* assemblée constitutive de l'Union de défense des agriculteurs de France à l'initiative de Pierre Poujade. **1957**-*25-3 :* traité de Rome ; *été :* manif. paysannes ; indexation des prix. **1959**-*févr. :* indexation des prix supprimée ; *-7-4 :* MODEF créé ; restructuré en confédération syndicale en 1975. **1960**-*févr. :* violentes manif. ; *-5-8 :* loi d'« orientation agricole ». **1961**-*25-1 :* assurance-maladie, invalidité et maternité des exploitants ; *-juin :* violentes manif. en Bretagne ; *8-8 :* loi complémentaire à la loi « d'orientation agricole » (loi Pisani).

Part des produits dans la production finale de l'agriculture (en %, 1986)

	Eur. 10	All.	Fr.	It.	P.-B.	Belg.	Lux.	G.-B.	Irl.	Dan.	Gr.	Esp. [1]	Port. [3]
I Blé	7,1	5	10,3	6,6	1,1	4,2	2,1	12	1,3	3,5	6,4	4,6	–
Seigle	0,2	0,9	0	0	0	0	0,1	0	0	1,2	0	0,1	–
Avoine	0,1	0,1	0,1	0,1	0	0,1	0,3	0,2	0,1	0,3	0,7	0,2	–
Orge	2,6	2,9	2,7	0,5	0,3	1,9	2,4	7,2	3,2	6,7	0	5,9	–
Maïs	2	0,6	3,9	3,2	0	0	0	0	0	0	3,4	2,6	–
Riz	0,3	0	0,1	1,1	0	0	0	0	0	0	0,5	0,7	–
Betteraves sucrières	2,6	3,8	2,6	2,1	2,5	4,4	–	1,9	1,7	2	1,4	2	–
Tabac	0,6	0,1	0,3	1	0,1	0,1	–	0	0	0	6,7	0,5	–
Huile d'olive	1,3[1]	0[1]	0[1]	4[1]	0[1]	0[1]	0[1]	0[1]	–	0[1]	8,8[1]	5,2	–
Graines oléagineuses	2	1,5	3,2	1,8	0,1	0	0,4	2,4	0	4,4	0,9	1,9	–
Fruits frais	4,2	4,5	3,5	7,3	1,3	3	1,9	2,2	0,2	0,5	8,9	6,5	–
Légumes frais	7,3	1,9	6	13,4	9,2	10,5	1,1	6,7	2,2	1,6	10	11,1	–
Vins et moûts	5,8	6,2	4	5,3	17,8	6,7	0,3	3	1,7	7,2	1,5	3,5	–
Lait	19,5	27,1	17,6	11,6	26,7	17,5	46,5	22	35,4	24,1	9,3	9,5	–
Viande bovine	13,6	16,6	15,2	10	10,4	20,2	26	12,5	38,1	9,2	3,6	6,7	–
Viande porcine	10,6	17,4	5,9	6,3	18,1	20,5	8,1	8,2	5,3	28	4,4	9,1	–
Semences	–	0,3[1]	–	–	1,5[1]	0,1[1]	–	0,3[1]	0[1]	0,8[1]	0,1[1]	0,8	–
Fibres textiles	0,2	–	0,3	0	0	0,1	–	0	0	0	7,5	0,9	–
Houblon	0,1	0,4	0	–	–	0	–	0,1	0	0	–	–	–
Vers à soie	–	0	–	0	0	–	0	0	0	0	0	–	–
Viandes ovine et caprine	1,6	0,3	1,6	0,8	0,4	0,2	–	4,4	3,5	0	7,9	3,5	–
Vin de qualité	–	–	0,3[1]	–	–	–	–	–	0[1]	0[1]	–	–	–
Œufs	2,6	3,1	1,9	2,3	3,6	3,1	0,9	4	0,9	1	2,3	4,3	–
Volaille	4,3	1,9	5,1	5,6	3,8	3,1	0,1	6,6	2,9	1,7	2,4	5,5	–
Autres fruits et légumes [2]	1,6	0	1,1	4,1	0,3	0,1	0	1	0	2,1	3,5	5,3	–
Sous-total	*88,9*	*94,3*	*85,4*	*83,1*	*95,7*	*95,4*	*90,2*	*94,2*	*96,5*	*93,5*	*81,3*	*90,4*	–
II Pommes de terre	1,9	1,5	1,4	1,3	3,2	2,9	1,2	3,7	1,7	1,1	2,1	2,2	–
Autres	9,2	4,2	13,2	15,6	1,1	1,7	8,6	2,1	1,8	5,4	16,6	7,4	–
Sous-total	*11,1*	*5,7*	*14,6*	*16,9*	*4,3*	*4,6*	*9,8*	*5,8*	*3,5*	*6,5*	*18,7*	*9,6*	–
Total général	**100**	**100**	**100**	**100**	**100**	**100**	**100**	**100**	**100**	**100**	**100**	**100**	–

Nota. – **I** : produits soumis à l'organisation commune des marchés. **II** : produits sans organisation commune du marché. (1) 1985. (2) Légumes secs et agrumes. (3) Pas de chiffres disponibles. *Source :* Eurostat.

GAEC et IVD créés. **1962**-*14-1* : début de la politique agricole commune : 1er « marathon » agricole. **1967**-*1-7* : entrée en vigueur du marché unique des céréales. **1968**-*1-6* : salaire minimum garanti des ouvriers aligné sur celui des s. de l'industrie et du commerce ; -*10-12* : rapport Mansholt rendu public. **1969**-*2-12* : Fédér. française de l'agriculture créée. **1970**-*31-12* : groupements fonciers agricoles. **1976**-*6-2* : dotation aux jeunes agriculteurs ; *mars* : violentes manif. **1980**-*4-7* : loi d'orientation agricole. **1981**-*4-6* : Confédér. nat. des syndicats de travailleurs paysans créée. **1982**-*23-3* : manif. à Paris à l'appel de la FNSEA ; -*6-10* : offices nat. interprofessionnels d'intervention créés. **1984**-*30/31-3* : instauration des quotas laitiers par CEE. **1990** *août* : manif. souvent violentes (Angers, Évreux, Bourges...).

Agriculteurs

Population totale active et, entre parenthèses, **pop. active agricole** (en millions, 1989). *1850* : 22,7 (14,3). *1900* : 20,7 (8,2). *62* : 19,2 (3,9). *68* : 20,4 (3). *75* : 22,2 (2,1). *80* : 23,2 (1,9). *88* : 23,9 (1,6). *89* : 24,1 (1,5).

Population totale et, entre parenthèses, **pop. rurale** (en millions, 1990 [1]). *1850* : 35,4 (26,6). *1900* : 38,9 (23). *62* : 46,5 (17). *68* : 49,8 (14,2). *75* : 52,7 (14,2). *82* : 54,4 (14,4). *90* : 56,6 (15,5).

Nota. – (1) Comprend les communes de moins de 2 000 hab. agglomérées au chef-lieu de la commune.

Nombre d'actifs agricoles. *Total (temps complet + partiel)*. **1955** : 6 136 000. **1988** : 2 025 700 (dont chefs d'exploitation : 1 016 800, conjoints 507 000, autres aides familiaux 345 800, salariés permanents 156 100). *A temps complet* : 812 600 (dont chefs d'expl. 512 200). *Partiel* : 1 213 100 (504 600).

Population agricole familiale [vit et/ou travaille sur les exploit. agricoles (chefs d'exploit. et membres de leur famille) (en milliers)]. **1975** : 4 946 (hommes 2 561, femmes 2 385). *80* : 4 327,1 (H 2 270,1, F 2 057). 85 : 3 539 (H 1 868, F 1 671). **88** : 3 259 (H 1 732, F 1 527).

Seulement 3 fils d'agriculteurs sur 10 et 2 filles sur 10 deviennent actifs agricoles. *Causes* : difficultés d'installation, poids du foncier, conditions de vie et de travail. Les filles sont parties les 1res entraînant souvent le départ des garçons. La population qui reste est âgée avec un niveau de formation faible. En 1970, 22 % de la population agricole familiale avait moins de 15 ans, en 1988 15 %.

Femmes (1988). 149 800 chefs d'exploitation sont des femmes. Entre 1985 et 1987, 28 000 avaient pris la succession de leur conjoint retraité (56 % des cas), décédé (24 %), actif non agricole (8 %).

Célibat. 14 % des chefs d'exploitation hommes étaient célibataires en 1988 (Franche-Comté et Rh.-Alpes 20 %, Midi-Pyrénées et Limousin 21 %, Auvergne 23 %, Corse 30 %).

Aides familiaux (autres que les conjoints) actifs (1988). *Hommes* : 239 500 dont 30 % entre 35 et 64 ans ; travaillant à temps complet sur l'exploitation 39 %, moins d'un quart de temps 31 %. *Femmes* : 106 400 dont 43 % travaillant moins d'un quart de temps et 65 % moins d'un mi-temps. *Les 2 sexes* : 345 800, dont 15 % ont une autre activité non agricole.

Travail total. En 1988, 1 401 200 unités de travail annuel (UTA) fournies, soit 1,4 UTA par exploitation dont 84 % d'origine familiale et 51 % fournie par le chef d'exploit.

Exode rural (nombre de personnes)

	1962/1968	1968/1974	1974/1980
Entrées	+ 190 100	+ 115 200	+ 108 300
Départs	– 226 600	– 210 100	– 148 000
Retraite, décès	– 786 100	– 568 100	– 459 700
Solde	– 822 600	– 663 000	– 499 400

Age. Des actifs agricoles (en %, 1988). *16 à 34 ans* : 19, *35 à 54 a.* : 40, *55 à 64 a.* : 28, *65 a. et +* : 3. **Moyen des chefs d'exploitation.** 51 ans (59 % ont + de 50 a., 27 % + de 60 a., 7 % + de 70 a.). 73 % des 567 000 agr. qui ont + de 50 ans n'ont pas de successeur connu.

Catégories. *Paysans pauvres* : 15 à 20 % des exploitants disposant de 5 % des terres cultivées, investissements inexistants, âge de l'expl. souvent supérieur à 50 ans. *Agriculteurs moyens* : surface moyenne, niveau de vie correct, beaucoup de célibataires, les uns se préoccupent surtout d'agrandissement, d'autres s'endettent pour être rentables. *Exploitants industrialisés* : niveau de vie confortable, investissements importants, représentent 35 % des cultivateurs et contrôlent près de 50 % de la surface agricole.

Pour se maintenir, beaucoup de paysans ont essayé d'avoir une activité annexe. 20 % des chefs d'exploitation exerçaient une autre activité en 1988 (14 % à titre principal) : ouvriers (39 %), employés (21), artisans, cadres moyens (10), commerçants (9). La plupart redoutent de devenir ouvriers et de ne pouvoir conserver ce qui compense les difficultés d'une existence difficile : initiative, compréhension des tâches, responsabilité et indépendance.

Taux de départ en vacances d'été. Agriculteurs y compris salariés agric. et, entre parenthèses, ensemble de la pop. fr. (en %) *1982* : 20,1 (60,3). *83* : 23 (55,2). *84* : 22,2 (53,9). *85* : 17,7 (53,8). *87* : 22,9 (54,2). *88* : 31,2 (55,5).

Budget de l'agriculture

Données globales

Budget du ministère de l'Agriculture (en millions de F, 1991). *Dépenses ordinaires* 37 279,9 dont personnel 6 245,7, fonctionnement 1 280, action éducative 1 908,1, action économique 15 282,5, action sociale 12 563,6. *Dépenses en capital* 2 486,9. *Budget total* 38 419,1.

Évolution (en milliards de F et, entre parenthèses, % dans le budget général). *1970* : 18,2 (14,3). *1975* : 31,3 (14,5). *1980* : 60,8 (14,5). *1981* : 70,9 (14,5). *1982* : 84,3 (13). *1983* : 92,5 (12,7). *1984* : 99,9 (13). *1985* : 109,4 (13). *1986* : 113,6. *1987* : 116,6. *1988* : 127,9. *1989* : 133,8. *1990* : 135,6.

Nota. – Dépenses du FEOGA, financées par le budget de la CEE (voir p. 1535).

Dépenses de l'État bénéficiant à l'agriculture (en millions de F, 1990 et, entre parenthèses, projet de budget 1991). Ministère de l'Agriculture et de la Forêt 37 542,9 (38 419,1). BAPSA (budget annexe des prestations sociales agricoles) 50 232 (53 426). Comptes spéciaux du Trésor 1 924,8 (1 852,6). Autres ministères : Recherche (INRA, CEMAGREF) 2 609 (2 843,70), Aménagement du territoire (FIDAR + FIAM) 305 (409), Intérieur (décentralisation de l'enseignement) 331,8 (355,1). Pertes de recettes du budget général : détaxe du carburant agricole 75 (0), estimation des versements de ressources à la CEE affectées à des dépenses agricoles 42 600 (46 225). Total : 135 620,5 (143 530,4).

Nota. – Dotation d'installation des jeunes agriculteurs : 767 millions de F en 1988 (*1980* : 217, *84* : 856) ; montant selon les zones (en F) : 52 000 à 78 000 (plaine), 67 200 à 100 800 (z. défavorisée), 108 000 à 162 000 (montagne).

Aides de l'État versées aux agriculteurs (en millions de F). **1982** : 5 056. **1983** : 5 738. **1984** : 7 041. **1985** : 7 234. **1986** : 9 556. **1987** : 10 493. **1988** : 10 766. **1989** : 10 316. **1990** : 13 897.

Nota. – Part des prestations vieillesse dans les prestations sociales agr. totales (1990 : 57 %).

Revenu agricole

Comptes d'exploitation et de revenu (en nouvelle base 1980)

Compte de production (en milliards de F en 1990 et, entre parenthèses, en 1989). Livraisons 326,3 (319,5), consommations intermédiaires 140,9 (138,5), valeur ajoutée brute des livraisons 185,4 (181,1).

Compte d'exploitation (en milliards de F en 1990 et, entre parenthèses, en 1989). **Ressources** 199,3 (191,4) dont valeur ajoutée brute 185,4 (181,1), subventions d'exploitation 13,9 (10,3). **Emplois** 199,3 (191,4) dont salaires 19,8 (19), cotisations sociales 6,6 (6,5), impôts 8 (5,3). Excédent brut d'exploitations des livraisons 164,9 (160,6).

Compte de revenu (en milliards de F en 1990 et, entre parenthèses, en 1989). **Ressources** 187,3 (181,5), dont EBE des livraisons 164,9 (160,6), indemnités d'assurances 4 (3,5), prestations sociales 18,3 (17,4). **Emplois** 187,3 (181,5) dont intérêts 12,5 (12,4), primes d'assurances 5,1 (5), impôts fonciers sur les terres exploitées en faire-valoir direct 3,8 (3,7), cotisations sociales au profit des exploitants 16 (14,8), revenu brut agricole 140,7 (132,2). Consommation de capital fixe 32,2 (31).

Revenu brut agricole (RBA)

Définition. Différence entre tous les biens d'origine agricole vendus ou autoconsommés par la branche agriculture (c'est-à-dire tous les agents économiques produisant des biens d'origine agricole, qu'ils soient ou non agriculteurs) et les dépenses courantes nécessaires à ces productions.

RBA global (en milliards de F). *1980* : 78,5. *81* : 89,4. *82* : 110,8. *83* : 109,5. *84* : 120. *85* : 120. *86* : 122,7. *87* : 129,2. *88* : 124,7. *89* : 133,2. *90* : 140,7.

Évolution du RBA moyen par exploitation en valeur réelle en optique livraison et, entre parenthèses, **optique production** (en %). *1981* : + 4,7 (+ 4,7). *82* : + 13,5 (+ 22,1). *83* : – 7,8 (– 11,1). *84* : + 4,5 (– 2,1). *85* : – 2,5 (– 0,5). *86* : – 0,1 (+ 1,3). *87* : + 5 (– 1,7). *88* : 5,6 (– 2,5). *89* : + 8,2 (+ 17,4). *90* : + 5.

Évolution en 1990 et, entre parenthèses, **en 1989** (en %). *RBA global* : + 5,7 (9). *Nombre d'exploitations* : – 2,6 (– 2,6). *PIB marchand* : + 3,4 (+ 3,4). *RBA moyen par exploitation en valeur réelle* : + 5 (+ 8,2)

Revenu net moyen par exploitation en valeur réelle : + 5,4 (+ 9,8).

Principales composantes du revenu (en milliards de F, 1988). *Recettes* 332,9 dont livraisons 302,8, subventions et indemnités d'assurances 13,5, prestations sociales 16,6. *Dépenses* 293,1 dont consom. intermédiaires 213,1, charges d'exploitation 62,7, cotisations sociales 14,2.

Nota. – Entre 1973 et 1988, le revenu net moyen par exploitation a chuté de 22,5 % alors que celui des salariés augmentait de 20 %. Plus de 11 % des exploitations sont en situation financière difficile. Sur 68 000 fermes, 20 500 sont difficilement redressables, + de 50 % des paysans qui arrêtent leur activité ont – de 40 a.

Résultat brut d'exploitation (RBE)

Définition. Différence entre la valeur des ventes et des dépenses courantes des exploitations agricoles. Sur ce revenu, l'agriculteur se rémunère ainsi que sa famille, paie ses cotisations soc., ses annuités emprunt en capital et finance ses investissements.

RBE moyen par exploitation à temps complet (en nouvelle base 1981, en F, 1989). *Viticulture de qualité* 309 000. *Horticulture* 275 000. *Agriculture générale* 213 000. *Céréales* 172 000. *Arboriculture fruitière* 195 000. *Viticulture courante* 150 000. *Bovins* lait 120 000, *autres herbivores* 68 000, *bovins* viande 59 000. *Moy. nationale* 134 500.

Part des subventions dans le revenu brut d'exploitation (en %, 1990). Ensemble des exploitations 11,7. A temps partiel 11,2. Herbivores (sauf bovins) 63,3. Bovins viande 44. Bovins 18,4. Arboriculture fruitière 9,2. Polyculture 9,1. Viticulture ordinaire 8,9. Grandes cultures 8,2. Élevage hors sol 7. Céréales 6,8. Maraîchage et fleurs 5,4. Vins de qualité 1.

Coûts de production

Consommations intermédiaires (en nouvelle base 1980, en milliards de F, 1990). 140,9 (hors TVA) dont alim. des animaux 46,3, engrais 20,3, protection des cultures 16,8, entretien du matériel 10,2, produits pétroliers 9,9, dépenses vétérinaires 5,3, entretien des bâtiments 1,3, autres biens 10,8, autres services 12,7. *Part des consom. interm. dans la production totale 43.*

Charges d'exploitation (en milliards de F, 1990). 79,7 dont charges salariales 26,2, cotisations soc. 15,9, intérêts 12,5, impôts 11,8, charges locatives et impôts fonciers sur terres exploitées en faire-valoir direct 10,7, primes d'assurances 5,1. *Part des charges d'expl. dans les livraisons : 25 %.*

Endettement. De l'agriculture (fin 1987). 237 milliards de F, soit 19 % du bilan financier de l'agriculture, 130 % de la valeur ajoutée annuelle de l'agr. **Des exploitations** (en %, 1987). *– de 100 000 F :* 31. *100 à 250 000 F :* 25. *+ de 250 000 F :* 44.

Part de l'agr. dans le PIB marchand (1989) : 3,6 %, *part des industries agro-alimentaires :* 3,2 % [1980 : 5,1 % (3,7 %)].

Exploitations

Définitions

Autrefois, une exploitation agricole se suffisait à elle-même ; le surplus était vendu pour acquérir les biens de consommation indispensables et pour payer les impôts. Si cet apport était insuffisant, le paysan travaillait pour un salaire hors de l'exploitation en étant journalier ou artisan. Chaque société villageoise, avec ses agriculteurs (petits, moyens et gros exploitants) et ses pauvres sans terres (domestiques, ouvriers agricoles), ses médiateurs (notables, officiers ministériels, prêtres, instituteurs, médecins), quelques négociants, patrons de manufactures, artisans et petit personnel (admin., service), constituait un tout, avec des traditions communes. L'industrialisation et les besoins en main-d'œuvre qui en ont découlé ont bouleversé ce monde fermé.

• **Banques de travail.** Échange gratuit et réciproque du matériel et de la main-d'œuvre. Fonctionnent souvent au sein des CUMA. Les participants payent à la banque les services rendus. Celle-ci établit sur un tableau le bilan des services échangés entre les différents participants. Elle comptabilise les travaux que chacun exécute pour ses collègues. Ex. : 1 h de travail d'homme égale 1 unité ; 1 h de tracteur plus remorque 2,85 un. ; 1 tronçonneuse 3 un. Les participants sont occasionnels ou réguliers.

• **Bilan moyen des exploitations** (en millions de F, au 31-12-1989). *Actif* 1 262 dont capital immobilisé 882 dont foncier 312, matériel 204, bâtiments 149, animaux reproducteurs 141, autres 76 ; capital circulant 380 dont stocks 259, réalisations disponibles 121. *Passif (capital permanent)* 1 145 dont capitaux propres 875, dettes à long et moyen terme 270, à court terme 118.

• **Centres d'études techniques agricoles (CETA).** 13, square Gabriel-Fauré, 75017 Paris. Conseils d'ingénieurs et de techniciens compétents.

• **Entreprises en atelier ou nouvelles entreprises agricoles (NEA).** Divisées en plusieurs ateliers de production de même nature et en ateliers complémentaires, chacun rassemblant de 3 à 5 hommes et s'occupant d'une seule prod. (ou de prod. indissociables). Une entreprise peut ainsi réunir 5 ateliers (étables laitières, production de fourrage, commercialisation, administration, etc.) et 20 à 25 salariés. *But :* éviter la déshumanisation de la grosse entreprise et l'inefficacité de la petite exploitation familiale. L'autonomie de chaque atelier doit favoriser la formation, l'esprit d'équipe, le sens des responsabilités.

• **Exploitation en association.** Mise en commun sur plusieurs exploitations des moyens de production, de la commercialisation des produits, ce qui permet d'alléger les charges et d'abaisser les prix de revient.

• **Fermage.** Contrat par lequel le propriétaire abandonne à un locataire l'exploitation d'un domaine moyennant une redevance (ou *fermage)* fixée par avance périodiquement et indépendante des résultats obtenus. *Durée des baux :* b. à terme : 9 a. généralement (représentent de 56 à 80 % des baux pour les surfaces de 1,5 ha et +) ; b. à long terme : 18 a. min. ; b. à 25 a. ; b. de carrière : 25 a. min. *Règlement :* en nature ou en espèces ou partie en nature et partie en espèces. Le bail ne doit comprendre, en plus, aucune redevance ou service. Le fermier et le propriétaire conviennent à leur gré du partage des taxes. *Prix du bail :* fixé à partir de *quantités maximales et minimales de denrées* arrêtées par le préfet de chaque département, sur proposition de commissions consultatives paritaires et dans des conditions fixées par décret ; en tenant compte de la durée du bail, de l'existence dans ce bail d'une clause de reprise éventuelle, de l'état et de l'importance des bâtiments, de la qualité des sols et de la structure parcellaire. Si les 2 parties n'ont pas rédigé de contrat écrit, toutes les clauses de leur bail sont imposées par un règlement type. La loi de 1946 a unifié les baux de fermage. Le fermier (locataire) est maître de l'exploitation et de l'organisation de sa ferme. Il peut transformer une prairie en terre de culture et vice versa, effectuer un plus grand nombre de travaux, mettre en œuvre les moyens culturaux de son choix. *Reprise* triennale au cours du 1er bail de 9 ans remplacée par une reprise sexennale au cours du 2e, afin d'assurer au fermier une garantie d'exploitation de 15 ans au moins. Le propriétaire ne peut reprendre l'exploitation si le fermier, au terme du bail, est à 5 ans de la retraite. Le bailleur reprenant un fonds doit l'exploiter lui-même 9 ans.

Vente. Selon la loi du 15-7-1975, le fermier peut faire jouer son droit de préemption pour un de ses descendants.

• **Grandes entreprises.** En Seine-et-M., les exploitations céréalières ont plus de 100 ha. Très mécanisées, elles utilisent peu de salariés. Ceux-ci, en général moins payés qu'à l'usine, ont des avantages en nourriture, logement, prix préférentiels pour certaines denrées.

• **Groupements agricoles d'exploitation en commun (GAEC).** Mise en commun des moyens de production dans des conditions juridiques peu contraignantes pour permettre à des agriculteurs d'améliorer la rentabilité de leurs exploitations en les groupant. Chaque associé conserve les avantages qu'il possédait lorsqu'il était exploitant individuel, et doit participer au travail en commun dans des conditions comparables à celles existant dans les exploitations de caractère familial. *Nombre :* 37 700 (1988).

• **Groupements fonciers agricoles (GFA).** Stés civiles ayant pour objet la création ou la conservation d'une ou plusieurs exploitations agricoles en vue de faciliter leur gestion, notamment en les louant. Permettent de regrouper des terres ou d'éviter leur démembrement, de résoudre les problèmes de financement en incitant les capitaux à s'investir ou, à tout le moins, demeurer à la terre. Depuis 1974, les SAFER peuvent faire partie à titre transitoire d'un GFA, sans détenir plus de 30 % des parts ni faire partie du conseil d'administration. Selon le CERC (Centre d'étude des revenus et des coûts), les GFA obtiennent des fermages de 20 % sup. à la moyenne.

• **Groupements de production.** Ex. : *Groupement cantonal* réunissant, moyennant une cotisation très faible, un certain nombre d'adhérents qui apportent leurs porcs (un minimum de truies étant requis). *Groupement départemental* emmenant aux abattoirs avec lesquels il a passé contrat ; les porcs sont payés aux producteurs selon un barème commun, les prix étant établis selon le rendement et la qualité. *Nombre* (1981) : 1 344.

• **Installations.** *Moyenne annuelle (1975-78) :* 37 000. *(1985-87) :* 35 000 dont enfant de l'ancien chef 14 600 (86 % d'hommes), conjoint 15 100 (93 % de femmes), autres cas 5 300 (85 % d'hommes) ; dont (en %) – de 35 ans : 33, 35-44 ans : 19, 45-54 ans : 14, 55-64 ans : 29, 65 ans et + : 5 ; dont vivaient auparavant hors agric. : 21 %. En 1988, 10 809 dotations à des jeunes pour 766 850 000 F.

• **Métayage.** Le propriétaire d'une terre en cède l'usage à un locataire ou métayer, moyennant une rétribution (en général 1/3 des produits de l'exploitation ; dans ce cas le bailleur participe pour 1/3 aux dépenses de l'expl.). *Contrat min. :* 9 ans renouvelable. La loi du 1-8-1984 rend la conversion du métayage toujours possible, même pour les b. à long terme ; la conversion est automatique quand elle est demandée par un métayer en place dep. 9 ans ou +.

Statistiques

• **Superficie. Des propriétés non bâties imposables et des sols de propriétés privées** (en milliers d'ha, au 1-1-1989). Terres 19 733,3, bois 13 115,9, prés 9 832,5, landes 5 149,7, sols 1 673,1, vignes 1 101,1, vergers 570, jardins 372,7, eaux 282,3, parcelles non taxées 260,8, terrains d'agrément 220,4, terrains à bâtir 182,9, chemin de fer 94,2, carrières 40,5. **Surface agricole utilisée (SAU).** 30 710,2 dont *terres arables* 17 899 [dont céréales (y compris semences) 9 409,2, prairies non permanentes 2 809,4, fourrages annuels 1 778,5, oléagineux (y c. semences) 1 680,8, p. de terre, lég. frais et secs 1046,3, bett. industr. 430,6, jardins familiaux 233,1, racines et tub. fourragers 103,5, jachères 218,1, semences et plants divers 83,9, plantes textiles (y c. semences) 61,3, pl. médic. et à parfum 21,2, cult. ind. diverses 15,9, cult. florales 7,3] ; *surfaces toujours couvertes d'herbe* 11 598,1 ; *vignes* 964 ; *culture fruitière* 229,2 ; *pépinières* 18,6 ; *cultures permanentes autres* 1,4. **Surfaces boisées** 14 556,4. **Terres non agricoles** 5 887,1. **Terres agricoles non cultivées** 2 902,1. **Peupleraies** 226,1. **Étangs en rapport** 135,2. **Autres eaux intérieures** 491,4. **Surface totale révisée** 54 909 (sans Paris).

• **SAU selon le mode de faire-valoir** (en ha, 1988). *Faire-valoir direct* 12 866 000 (45 %), *fermage* 15 556 000 (54 %), *métayage* 174 000 (moins de 1 %). *Total* 28 596 000.

• **Nombre d'exploitations en milliers et,** entre parenthèses, **SAU** (en milliers d'ha, 1988). 1016,8

Évolution annuelle du prix des terres

% annuel d'évolution	1980	1981	1982	1983	1984	1985	1986	1987	1988	1989
En valeur courante :										
Terres labourables	+ 5,3	+ 3,0	+ 0,6	– 1,0	– 0,8	– 0,8	– 0,9	– 1,3	– 0,2	+ 1
Prairies naturelles	+ 6,1	+ 2,6	– 1,0	– 2,2	– 2,4	– 2,3	– 3,4	– 3,0	– 2,3	+ 0,2
Terres labourables + Prairies naturelles ...	+ 5,6	+ 2,9	0,0	– 1,5	– 1,3	– 1,2	– 2,0	– 1,8	– 0,8	+ 0,7
En valeur réelle :										
Terres labourables	– 5,2	– 7,1	– 9,6	– 9,8	– 7,5	– 6,6	– 5,9	– 4,4	– 3,6	– 2,3
Prairies naturelles	– 4,5	– 7,5	– 11,1	– 10,8	– 9,0	– 8,0	– 8,3	– 6,0	– 5,6	+ 3,1
Terres labourables + Prairies naturelles	– 5,0	– 7,2	– 10,2	– 10,1	– 7,9	– 7,0	– 6,9	– 4,8	– 4,2	– 2

Prix des terres agricoles selon les départements[1] (en 1989, en F par ha)

1 : terres labourables. 2 : prairies naturelles

	1	2
ILE-DE-FRANCE	28 600	27 400
Seine-et-Marne	28 800	25 000
Yvelines	27 600	28 900
Essonne	30 700	26 000
Hauts-de-Seine, Seine-St-Denis, Val-de-Marne	37 000	40 000
Val d'Oise	26 600	31 500
CHAMPAGNE-ARDENNES	22 400	14 100
Ardennes	23 500	16 800
Aube	24 200	15 000
Marne	25 100	17 800
Haute-Marne	11 800	10 100
PICARDIE	28 700	23 300
Aisne	27 300	18 900
Oise	27 800	25 800
Somme	30 700	28 000
HAUTE-NORMANDIE	30 500	27 400
Eure	28 100	24 100
Seine-Maritime	33 400	29 300
CENTRE	21 000	11 200
Cher	16 700	9 600
Eure-et-Loir	35 500	19 300

	1	2
Indre	14 600	10 900
Indre-et-Loire	15 400	12 000
Loir-et-Cher	18 400	13 200
Loiret	26 100	13 900
BASSE-NORMANDIE	22 500	20 900
Calvados	25 900	21 700
Manche	27 300	24 100
Orne	16 300	16 000
BOURGOGNE	13 900	11 700
Côte-d'Or	12 200	9 600
Nièvre	14 700	12 300
Sâone-et-Loire	10 000	11 900
Yonne	16 400	12 900
NORD-PAS-DE-CALAIS	28 500	23 900
Nord	32 900	23 400
Pas-de-Calais	25 800	24 500
LORRAINE	14 700	13 900
Meurthe-et-Moselle	15 200	13 900
Meuse	13 500	13 900
Moselle	17 200	13 700
Vosges	16 200	14 100
ALSACE	32 900	21 200
Bas-Rhin	33 200	17 900

	1	2
Haut-Rhin	32 600	27 800
FRANCHE-COMTÉ	13 600	12 000
Doubs	14 400	15 000
Jura	13 900	9 700
Haute-Sâone	12 700	10 500
Belfort (Terr. de)	17 800	17 500
PAYS DE LA LOIRE	13 600	12 800
Loire-Atlantique	8 700	8 000
Maine-et-Loire	12 500	10 900
Mayenne	19 200	17 700
Sarthe	16 600	13 700
Vendée	11 900	9 000
BRETAGNE	22 500	13 300
Côtes-d'Armor	21 200	7 600
Finistère	24 300	9 800
Ille-et-Vilaine	24 700	20 300
Morbihan	19 800	10 400
POITOU-CHARENTES	15 900	12 200
Charente	17 000	11 500
Charente-Maritime	21 900	13 800
Deux-Sèvres	13 200	12 300
Vienne	15 900	11 400
AQUITAINE	25 200	19 000
Dordogne	20 900	20 300

	1	2
Gironde	18 400	12 200
Landes	27 000	16 500
Lot-et-Garonne	25 400	14 700
Pyr.-Atlantiques	30 400	23 000
MIDI-PYRÉNÉES	23 600	19 800
Ariège	16 100	10 900
Aveyron	28 600	29 400
Haute-Garonne	22 100	11 100
Gers	24 500	15 100
Lot	18 400	18 500
Hautes-Pyrénées	27 600	18 300
Tarn	21 100	18 200
Tarn-et-Garonne	23 100	12 900
LIMOUSIN	13 200	11 600
Corrèze	16 800	13 400
Creuse	9 300	8 900
Haute-Vienne	14 600	12 800
RHÔNE-ALPES	24 800	18 900
Ain	18 000	12 500
Ardèche	20 900	15 300
Drôme	26 700	13 300
Isère	27 600	23 900
Loire	17 300	16 100
Rhône	25 300	21 800
Savoie	32 800	20 600
Haute-Savoie	45 200	28 500

	1	2
AUVERGNE	20 100	15 600
Allier	17 000	13 100
Cantal	20 000	19 100
Haute-Loire	15 700	15 800
Puy-de-Dôme	25 500	14 600
LANGUEDOC-ROUSSILLON	28 500	14 900
Aude	27 600	12 100
Gard	35 200	22 800
Hérault	29 500	7 000
Lozère	12 200	17 000
Pyrénées-Orientales	46 800	18 800
PROVENCE-ALPES CÔTE D'AZUR	32 500	26 200
Alpes Hte-Provence	23 000	13 100
Hautes-Alpes	22 600	16 200
Alpes-Maritimes	57 300	26 200
Bouches-du-Rhône	39 800	45 400
Var	39 900	36 200
Vaucluse	39 700	30 500
CORSE	17 800	11 100
Corse-du-Sud	13 200	11 500
Haute-Corse	18 800	10 000
FRANCE MÉTROP.	21 850	16 050

Nota. – (1) Chiffre estimé. Les prix indiqués sont valables pour des parcelles d'au moins 1 ha, libres à la vente. Le prix de terres louées est moins élevé : moins-value de 10 à 30 % et plus selon la durée du bail restant à courir. Cette différence s'accroît dans plusieurs régions, principalement l'Ouest, les investisseurs non agriculteurs se détournant du placement en terre en raison de la faible rentabilité des fermages. Les exploitations entières ont une moins-value d'env. 10-15 % par rapport au prix des parcelles : concurrence entre voisins, difficultés de financement.

(28 598,8) dont 645,9 à temps complet. Bretagne 92,5 (1 755,1). Midi-Pyr. 87,9 (2 397). P. de la Loire 86,6 (2 309,1). Rh.-Alpes 86,2 (1 607,1). Aquitaine 77,6 (1 542). Languedoc-Roussillon 68,8 (1 019,8). Poitou-Charentes 56,2 (1 788,1). B.-Normandie 54,2 (1 356,7). Centre 53 (2 450). Pr.-Alpes-Côte d'Azur 44,6 (661,5). Auvergne 43,7 (1 562,6). Bourgogne 37,9(1 797,5). Champagne-Ardennes 35,5 (1 558,7). Nord-P.-de-Calais 31,2 (877,6). Limousin 29,4 (886,7). Lorraine 27 (1 116). Picardie 24,1 (1 355,9). H.-Normandie 23,3 (819,7). Alsace 22,5 (329,3). Fr.-Comté 19,7 (682,9). Ile-de-France 9,7 (595). Corse 5,1 (125,3).

1979 à 1988 : le nombre d'exploitations a décru de 19 %. Il restera 600 à 700 000 expl. en l'an 2000.

Superficie des exploitations (en 1988)	Nombre (1 000)	%	SAU (1 000 ha)	%
– 5 ha	278	27	519	2
5/19,9 ha	278	27	3 258	11
20/49,9 ha	288	29	9 348	33
50/99,9 ha	128	13	8 709	30
100 ha et +	44	4	6 782	24
Total	*1017*	*100*	*28 596*	*100*

Superficie moyenne. 28 ha en 1988 (19 en 1970). Est. an 2000 : entre 32 et 48 ha. Mis à part les ateliers de prod. hors sol, les exploitations de moins de 5 ha ne sont plus guère exploitées que par des retraités âgés et sont condamnées à disparaître, ou constituent une activité complémentaire pour des personnes travaillant à plein temps hors de l'exploitation.

• **Marge brute standard (MBS).** Compte tenu de la surface ou du cheptel, de l'activité et de la région considérée. *Moyenne :* 25 400 Écus (l'équivalent de 32 ha de céréales). – de 58 % des exploit. ont une taille inférieure à 24 ha d'équivalent blé (en %) : *– de 12 ha d'équivalent blé :* 41,1. *12 à 24 :* 16,7. *24 à 60 :* 27,9. *60 à 90 :* 7,5. *90 à 150 :* 4,6. *+ de 150 :* 2,3.

• **Gel des terres.** La CEE a instauré (règlements des 25-4 et 29-4-1988) un régime d'aides destinées à encourager le retrait des terres arables. Les terres retirées de la prod. doivent au moins représenter 20 % des terres arables de l'exploitation privée et être mises hors culture pendant au moins 5 ans (friches ou jachères ; boisées ou utilisées à des fins non agricoles). *1988-89 en France :* 15 707 ha. Une aide compensatoire au revenu est prévue sur 5 ans. **Montant.** *France :* 130 à 350. *Allemagne :* 450 à 600. *P.-Bas :* 600. *USA :* 600 ; résultats 1986 : 31 millions d'ha gelés (= SAU française).

• **Territoire agricole non utilisé (friches, landes)** (en millions d'ha). *France : 1938 :* 5,7. *50 :* 6,7. *60 :* 4,2. *70 :* 3. *80 :* 2,8. *89 :* 2,9.

• **Hydraulique agricole** (en milliers d'hectares, 1988). Superficie drainée par drains enterrés 2 084 ; irrigable 1 796 ; irriguée 1 147.

Cultures irriguées (pour 100 ha irrigués) (en %, 1988). Maïs 50, légumes, fleurs 19, cultures permanentes 12, fourrages 8, STH 4, tournesol 4, soja 3.

• **Vente des terres sur marché agricole** (1988). Acquéreurs sur 445 000 ha. *Agriculteurs et SAFER :* 316 000 (dont fermiers 96 000). *Non agriculteurs et étrangers :* 109 000. *Non déclaré :* 20 000.

Valeur vénale des terres agricoles

Prix comparés (prix moyen en F à l'ha, 1988). Japon rizière 100 000 à 900 000. G.-B. 311 000, P.-Bas 109 400. All. féd. 105 800. Danemark 34 000. Espagne 20 800 (non irrigable), 80 300 (irrigable), orangeraie 287 300.

Facteurs. Exemples : plus-values des plaines par rapport aux montagnes, des vallées fluviales par rapport aux plateaux, du littoral par rapport à l'intérieur, des abords des villes par rapport aux campagnes éloignées ; à l'intérieur d'une même région : différences liées à la fertilité, l'exposition, la situation de chaque terre. L'évolution de l'agriculture et l'usage des prairies temporaires et des aliments composés pour les animaux ont réduit l'écart des terres labourables et des prairies.

Terres les plus chères. Plaines de grande culture du Nord, du Bassin parisien et de Picardie (40 000-50 000 F l'ha en moy.) ; régions où les terres labourables sont fertiles et relativement rares : Normandie (la plus grande partie de la superficie totale est consacrée aux prairies), vallées du Rhône et de la Garonne, littoral méditerranéen (forte demande non agricole), ceinture de Paris.

Terres les moins chères. Régions montagneuses.

Évolution. *De 1950 à 1980 :* + 2 000 % en F courants, + 300 en valeur réelle. La hausse n'a pas été régulière. *1950-53 :* stabilisation monétaire et baisse en *valeur réelle en 1951 et 1952. 1954 et 1955 :* + 5 à 6 %. *1956-57-58 :* « boom » ; *en 1956 et 1957 :* + 20 % : début de la guerre d'Algérie et installation (dans le Midi) des colons du Maroc et de Tunisie. *1959-60 :* stabilisation. *1961-64 :* hausse ; les rapatriés d'Algérie achètent des terres, + 50 % en valeur réelle. *1965 :* stabilisation. *1969-71 :* baisse en valeur réelle. *1970-78 :* hausse moyenne de 10,4 % par an (inflation : – de 9 % par an). *1978-88 :* baisse de 50 % soit en moyenne – 6,7 % par an sauf pour les vignobles + 10,6 % (+ 4,7 % pour les vignobles d'appellation).

Terres labourables. Prix moyen (en F l'ha). *1986 :* 22 000, *87 :* 21 700, *88 :* 21 650, *89 :* 21 850. **Prairies naturelles.** *1986 :* 17 000. *87 :* 16 450. *88 :* 16 025. *89 :* 19 875.

Terres louées (% de moins-value par rapport aux terres libres). 10 à 30 % (baux de 9 ans) à 45 % si début de bail à long terme.

Terrains maraîchers. *Situés près des villes* (deviennent souvent des terrains à bâtir). *Moyenne 1981 :* 79 150. *82 :* 77 950. *83 :* 76 700. *84 :* 73 100. *85 :* 69 650. *86 :* 66 600. *87 :* 64 600. *88 :* 65 500. *89 :* 66 500.

Régions purement maraîchères : Val de Loire, Gironde 30 000 à 100 000 ; P.-Or. 70 000 à 210 000 ; Finistère 60 000 à 250 000 ; A.-Maritimes 150 000 à 650 000 ; C.-d'Or 20 000 à 30 000 ; Lorraine 25 000 à 70 000 ; P.-Char. 20 000 à 30 000.

Vergers. *Prix moyen 1980 :* 46 000 F l'ha. *1981 :* 47 950, *82 :* 47 600, *83 :* 46 150, *84 :* 44 250, *85 :* 42 200, *86 :* 40 800, *87 :* 41 000, *88 :* 41 500, *89 :* 42 200.

Vignobles. *1982* non AOC 38 100 (AOC 126 050). *1983 :* 36 700 (129 350). *1984 :* 35 900 (135 550). *1985 :* 36 100 (145 000). *1986 :* 36 200 (165 800). *1987 :* 37 100 (175 400). *1988 :* 41 050 (183 700). *1989 :* 45 100 (212 000).

Prix maximum (1989, hors grands crus). Médoc 1 900 000, Pomerol 5 000 000, Beaujolais 600 000.

Nota. – Terres achetées 498 000 ha (dont par agric. déjà propriétaire 238 000, fermiers 100 000, non agriculteurs 160 000) (soit 1 % de la surface agr. utile). *Terres : changements de propriétaires par successions :* 1 million d'ha. **Marché foncier rural** (en milliers d'ha, 1988) sans tenir compte des échanges entre parents et des ventes de massifs boisés. 501,3 dont bâtis 183,8 (dont fermettes 21, exploit. agric. 121,1), non bâtis 317,5 dont 65,7 par des non agriculteurs.

Valeur locative des terres agricoles

Revenu brut moyen (en % par rapport à la valeur vénale) 2 à 3,5 %. Écarts : 1,2 Indre et Tarn-et-Gar., 5,8 Gironde pour les terres labourables, 1,3 Haute-Vienne et 6,6 Saône-et-L. pour les prairies naturelles. Le propriétaire doit déduire les charges qu'il supporte (impôts, assurances et entretien des bâtiments).

Il fut des époques où les fermages ont représenté de 4 à 5 % de la valeur d'un patrimoine foncier agricole. Des *baux de chasse* offrent dans certaines régions des revenus supplémentaires. Ils sont, fréquemment, 2 à 3 fois plus chers que le fermage en Alsace, en Sologne et dans le Quercy. Dans certaines régions, diverses pratiques améliorent la valeur locative. Ainsi, dans le Nord, la Picardie, la Champagne, le Bassin parisien, l'usage du « droit au bail », versé par les fermiers prenant une exploitation en location, s'est répandu, bien que la loi l'interdise. Ce « prix du vent » atteint des sommes considérables mais le « fermier sortant » est parfois seul à en profiter.

Dans les zones d'élevage, des « contrats de vente d'herbe », laissant aux propr. les charges d'entretien de leurs fonds et l'intégralité des charges fiscales et parafiscales qui s'y attachent, leur permettent d'obtenir des loyers plus élevés et de conserver, d'une année sur l'autre, la libre disposition de leur bien.

Rapport du fermage à l'ha (en Écus, 1988). P.-Bas[1] 216, All. féd. 175, G.-B. (Angl. 164, P. de Galles 84, Écosse 109), Grèce[1] 74, *France*[1] *72.*

Nota. – (1) Terres labourables.

L'indexation du fermage sur les prod. animales (viande, lait) offre une meilleure rentabilité (589 F/ha en moyenne) que celle sur les prod. végétales (502 F) ;

en l'absence d'indexation, 425 F. Un bail écrit permet un taux de rendement net sup. d'env. 15 % à celui d'un bail verbal.

Livraisons de l'agriculture

En milliards de F en 1990 et, entre parenthèses, **en 1989** (chiffres prov.) (y compris taxes à la production, en nouvelle base 1980). **Prod. végétaux** 179,4 (170,2). *Céréales* 53,1 (53,6) [blé tendre 32,2 (30,3), dur 2,9 (2,3), orge 7,2 (7), avoine 0,3 (0,4), maïs 9,7 (12,9), autres 0,8 (0,8)]. *Fruits et légumes* 43,1 (39,5) [p. de terre 4,4 (4), lég. frais 17,7 (17,5), secs 5,4 (5,1), fruits 15,6 (12,9)]. *Plantes industrielles* 21,8 (22,9) [betteraves 8,3 (8,1), oléagineux 12,2 (13,3), tabac 0,7 (0,7), autres 0,6 (0,8)]. *Vins* 53,2 (45,5) [courants 12,1 (10,1), de qualité 41,1 (35,4)]. *Autres prod. végétaux* 8,1 (8,7) [plants de pépinières 2,4 (2,4), fleurs et plantes 5,2 (5,8), autres 0,5 (0,5)]. **Prod. animaux** 148 (150,4). *Bétail* 69,7 (73) [bovins 34,6 (35,6), veaux 11,1 (12,1), porcins 19,8 (20,6), équins 0,4 (0,4), ovins et caprins 3,8 (4,1)]. *Autres* 20,8 (20,6) [volailles 17,1 (17), div. 3,7 (3,7)]. *Prod. animaux* 57,5 (56,9) [lait 51,5 (50,5), œufs 5,4 (5,7), div. 0,6 (0,7)]. *Total :* 327,4 (320,6).

Bilan par produit (solde en milliards de F, 1990). *Excédents :* céréales 30,7. Vins, vermouth et spiritueux 29,6. Produits laitiers 12,8. Sucre 6,8. Oléagineux (sauf soja) 5,7. Bovins et viandes bovines 5. Minoterie 4,2. Viandes de volailles 3,9. *Déficits :* poissons, crustacés et mollusques 7,2. Fruits tropicaux et agrumes 7,1. Conserves et épicerie sèche 6,6. Élevage et viandes (autres que bovins et avicoles) 6,3. Soja et manioc 5. Tabac 4,5. Plantes et floriculture 3,5. Café 2,7. Légumes frais 2. Huiles et corps gras 2. Cacao 1,2.

Principaux clients. *CEE :* All. féd. 30,2. Italie 28. UEBL 21,5. P.-Bas 19,3. G.-B. 17,1. Espagne 9,5. Portugal 2,2. Grèce 1,8. Danemark 1,8. *Pays tiers :* USA 6,3. Suisse 5. Japon 4. Algérie 2,7. URSS 2. Canada 1,5. **Fournisseurs.** *CEE :* P.-Bas 20,1. UEBL 16,6. All. féd. 13,6. Italie 9,2. G.-B. 9,1. Espagne 8,7. Danemark 4,5. Irlande 3,3. *Pays tiers :* Brésil 5,3. USA 4,7.

Recettes régionales de l'agriculture

Recettes en milliards de F et, entre parenthèses, **élevage (en %, 1989).** *Total* 318,7 (47,4) dont Bretagne 38,2 (87,1). Pays de la Loire 29,9 (71,6). Aquitaine 23 (33,3). Centre 21,7 (22,3). Champagne-Ardenne 20,3 (16,1). Rhône-Alpes 19,1 (49,3). Midi-Pyrénées 18 (51,5). Picardie 16,6 (25,3). Poitou-Charentes 16 (43,1). Bourgogne 14,7 (37,4). Provence-Alpes-Côte d'Azur 13,6 (7,8). Basse-Normandie 13,2 (79,3). Nord-Pas-de-Calais 12,9 (48). Languedoc-Roussillon 12,3 (11). Auvergne 8,5 (78,3). Haute-Norm. 8,3 (48,1). Lorraine 7,9 (62,8). Ile-de-Fr. 7,4 (0,8). Alsace 6,2 (27,2). Fr.-Comté 5,2 (79,4). Corse 0,9 (27,8).

Céréales

Production et rendements (évolution). Production moyenne en millions de t (rendement en quintaux à l'ha). **Avoine.** *1901-10 :* 4,6 (12). *11-20 :* 3,9 (11,8). *21-30 :* 4,6 (13,5). *31-40 :* 4,6 (14,3). *41-45 :* 2,6 (11,1). *46-50 :* 3,3 (13,4). *51-55 :* 3,6 (16,2). *56-60 :* 3,1 (18,5). *61-65 :* 2,6 (20,8). *66-70 :* 2,5 (26,1). *71-77 :* 2 (29,8). *78-82 :* 1,9 (35,3). *80-84 :* 1,8 (36,7). *88 :* 1,1 (39). *89-90 (prév.) :* 1 (37,8). **Blé dur.** *1956-60 :* 0,4 (14,6). *61-65 :* 0,7 (18,8). *66-70 :* 0,3 (26,4). *71-77 :* 0,5 (28,2). *78-82 :* 0,4 (33,5). *80-84 :* 0,5 (37,2). *89-90 (prév.) :* 1,3 (44,3). **Blé tendre.** *1901-10 :* 8,9 (13,5). *11-20 :* 6,7 (12,32). *21-30 :* 7,6 (14,18). *31-40 :* 7,9 (15,52). *41-45 :* 5,6 (13,45). *46-50 :* 6,7 (16,5). *51-55 :* 9,1 (16,5). *56-60 :* 10,8 (23,3). *61-65 :* 12,4 (29,2). *66-70 :* 13,3 (34,7). *71-77 :* 16,5 (42,7). *78-82 :* 22,1 (50,5). *80-84 :* 26 (55). *89-90 (prév.) :* 30,6 (64,9). **Maïs.** *1901-10 :* 0,6 (12,1). *11-20 :* 0,4 (11,1). *21-30 :* 0,4 (12,1). *31-40 :* 0,5 (15,5). *41-45 :* 0,2 (1,6). *46-50 :* 0,3 (10,3). *51-55 :* 0,8 (20,8). *56-60 :* 1,9 (28,8). *61-65 :* 2,8 (29,8). *66-70 :* 5,4 (47,7). *71-77 :* 8,4 (47,7). *78-82 :* 9,6 (54,9). *80-84 :* 10,2 (60,1). *89-90 (prév.) :* 13,1 (69,3). **Orge.** *1901-10 :* 0,9 (12,9). *11-20 :* 0,8 (12,2). *21-30 :* 1 (14,3). *31-40 :* 1,1 (14,7). *41-45 :* 0,7 (10,9). *46-50 :* 1,3 (14,8). *51-55 :* 2,2 (18,5). *56-60 :* 5 (25,1). *61-65 :* 6,6 (27,9). *66-70 :* 8,8 (31,4). *71-77 :* 9,7 (35,5). *78-82 :* 10,9 (41,4). *80-84 :* 10,6 (45). *89-90 (prév.) :* 9,8 (54). **Riz paddy** (prod. en millions de quintaux). *1942-45 :* 0,012. *46-50 :* 0,17. *51-55 :* 0,7 (37). *56-60 :* 1,2 (40). *61-65 :* 1,2 (39,5). *66-70 :* 1 (39,8). *71-77 :* 0,4 (34,2). *78-82 :* 0,3 (39,5). *80-84 :* 0,03 (46,8). *88 :* 0,6 (48). **Seigle.** *1901-10 :* 1,3 (10,6). *11-20 :* 0,9 (9,9). *21-30 :* 0,9 (11,2). *31-40 :* 0,7 (11,7). *41-45 :* 0,3 (8,4). *46-50 :* 0,5 (11,1). *51-55 :* 0,5 (11,5). *56-60 :* 0,4 (13,2). *61-65 :* 0,4 (15,7). *66-70 :* 0,3 (19,8). *71-77 :* 0,3 (26,3). *78-82 :* 0,4 (30,2). *80-84 :* 0,3 (31,1). *89-90 (prév.) :* 0,3 (35,5). **Sorgho.** *1961-65 :* 0,04 (30,6). *66-70 :* 0,2 (31,9). *71-77 :* 0,2 (37). *78-82 :* 0,3 (44,5). *80-84 :* 0,3 (46,7). *88 :* 0,2 (55). *89-90 (prév.) :* 0,3 (44,3). **Triticale.** *1988 :* 0,5 (42). *89-90 (prév.) :* 0,6 (43).

Productions principales (en milliers de q) de 1980 à 1988

Culture	1988	1986	1985	1984	1983	1982	1981	Meilleure année		Plus mauv. an.	
								Production	An.	Production	An.
Abricots	970,4	1 208	1 071	888	1 069	750	865	1 632	63	136	56
Artichauts	884,5	662	552	787	740	874	1 016				
Asperges	583,8	511	511	489	470	474	438				
Avoine	10 737,5	10 959,3	17 699,6	18 737,6	14 186,4	18 018	17 561,9	46 042	56	10 737	88
Betteraves fourragères	52 998,9		65 234,5	76 025	73 605,5	94 217,4	95 674,2	433 456	58	65 234,5	85
Betteraves industrielles	286 058,7	246 695,1	299 767,7	287 524,4	263 198,1	323 308,7	364 287,6	331 986,2	81	77 599	59
Blé (tendre et dur)	397 599,3	265 702,8	288 206,1	329 772,2	247 947,6	253 580,6	227 767,7	328 846,8	84	56 826	56
Carottes	5 153	5 332	6 436	5 421	5 080	5 778	5 212				
Cerises	734,8	1 004	1 116	1 345	1 091	1 418	1 120	1 688	65	589,2	77
Chanvre papier	245,2		374,9	295,7	279,2	336,2	391,4				
Châtaignes	215,8	164	128	219	288	283	248	1 366	53	65,5	85
Chicorée à café (racines)	1 392		1 595	1 394	1 550	1 658	1 206	2 226	70	227,5	77
Choux-fleurs	5 680,3	5 526	5 263	3 722	5 433	5 061	4 963				
Choux fourrages	50 499,7		54 156,8	69 033,7	77 809,9	59 854,7	71 607,7				
Colza	24 694,6	10 475,3	14 183,2	13 528,2	9 667,5	11 844,9	10 054,7	14 000,3	85	732	56
Endives	4 458,7	2 111	2 050	1 646	1 667	1 619	1 754				
Fèves en vert (gousses)			42	59	66	70	72				
Fourrages annuels			746 908,5	723 984,8	762 924,8	563 931,4	684 013,7	762 924,8	83	30 358	52
Fraises	950,6		921	898	838	889	787				
Haricots secs	563,2		532,2	504,4	493	184,5	177,4	1 196	56	177,4	81
Haricots verts	2 296	2 325	2 310	1 839	1 682	2 429	2 107				
Houblon	8,6		12,7	13,2	13,7	16,2	15,2	23	59	12,7	85
Lait (milliers d'hl)	316 739,3		322 572	329 878	326 292	321 017	314 754	336 400	85	150 000	52
Lentilles			n.c.	n.c.	n.c.	129,3	117,9	192,1	79	54	52
Lin oléagineux	281,2		312,2	284,9	210,4	68,6	58,1	1 656,8	76	15	72
Lin textile (1)	3 796,6	2 540,9	4 018,3	3 307,4	2 488,6	2 558,1	1 768,5	5 073	64	1 478,4	76
Maïs	141 199,5	107 918,5	124 413,8	103 591,5	103 899,6	103 029,1	91 458,5	118 745,6	85	4 043	50
Melons	2 804,6	2 676	2 539	2 345	2 218	2 338	2 120	2 464,4	85	568,4	45
Méteil	137,9		167,7	131,1	151,6	188,3	193,9				
Millet			n.c.	n.c.	n.c.	33,8	29,3				
Noix (2)	181,3	187	193	243	262	398	162	411	52	115	57
Œillette			171,3	156,1	181,8	278,3	155,9				
Orge	100 861,5	100 629,9	114 401,3	115 088,2	87 726,9	100 359,8	101 022,1	117 155,5	80	15 718	50
Pêches	3 506,6	3 267	3 470	3 924	3 878	3 493	4 230	6 148	68	1 049,6	76
Poires de table	3 552,7	3 588	4 399	4 798	4 457	4 590	4 553	5 529	71	1 227	51
Poireaux	2 262,5	2 269	2 286	2 180	2 344	2 458	2 251				
Petits pois (gousses)	1 896,4	3 947	4 269	5 092	3 991	5 399	4 439	2 330,7	82	96	67
Pommes et poires à cidre		7 816	5 782	10 099	4 233	12 131	3 869	58 639	50	522,9	85
Pommes de table	19 328,7	19 544	18 778	21 171	16 481	21 020	15 702	18 646,1	82	1 788	57
Pommes de terre	63 438,1	60 208,3	69 173,1	61 254,4	53 173,9	66 416,3	63 463,7	168 467	56	41 926	76
Prairies artificielles	50 926,8		50 109,3	54 996,1	53 518,6	57 335,4	69 680,1	185 181	48	77 867,2	77
Prairies temporaires			180 327,1	190 426,1	193 297,4	176 534	196 521,5	217 306,2	77	30 656	52
Prunes	2 221,6	1 254	1 372	1 425	1 113	1 287	872	1 741,9	82	258,1	76
Prunes à pruneaux	1 375,2	883	805	1 095	836	1 005	789	898,8	82	70	58
Raisins de table	1 697,4	1 970	2 020	2 052	1 986	2 290	2 192	3 409	66	1 520,2	77
Riz paddy	652,1	603,6	615,6	356	376	265	185	1 405	58	201,5	81
Salades		4 546	4 572	4 087	4 510	4 762	4 590				
Sarrasin		n.c.	n.c.	n.c.	n.c.	n.c.	67,8	3 729,8	32	67,8	81
Seigle	2 757,7	2 256,9	2 967,6	3 466,7	2 927,6	3 264,1	3 303,4	6 612	65	2 837	76
Soja	2 549,3		578,2	497,1	270,4	207,2	190,4				
Sorgho	2 341,7		1 917,4	2 551,9	2 478,5	2 590,4	3 206,4				
Tabac	326,1	355,9	357,8	355,3	361,8	429,8	423,8	638	57	342	61
Tomates	7 430	7 538	9 403	8 331	7 620	8 626	8 189				
Tournesol	24 566,5	18 476,5	15 133,3	9 788,2	8 412	6 439	4 232,8				
Vin (milliers d'hl)	57 136,5		70 524,3	64 467,9	68 855,7	75 908	60 611,3	83 884,7	79	32 500	57

Nota. – (1) Paille et graines. (2) Pour fruit et pour huile.

Évolution des surfaces cultivées (en milliers d'ha)

	Froment (blé)	Seigle	Orge	Avoine	Riz	Maïs	Better. fourrag.	Better. industr.	P. de terre	Sorgho
1900	6 864	1 420	757	3 941	–	541	492	330	1 510	
1910	6 554	1 212	748	3 951	0,5	482	729	297	1 547	
1938	5 050	631	759	3 245	0,3	340	976,8	319	1 425	
1950	4 319	504	962	2 353	10,9	325	848,4	395	988	
1961	3 960	263	2 263	1 421	32,9	965	775,6	360	878	8,3
1970	3 746	132	2 953	805	21,5	1 483	452	403	410	55
1975	3 858,3	111,1	2 721,7	629,7	9,7	1 983,9	295,8	601,6	292,9	85,2
1980	4 576,4	127,7	2 648,2	534,3	6,8	1 752,3	186	544,6	247,6	70,8
1985	4 827,8	88,2	2 255,3	431	11,2	1 857,9	117,2	490,2	211,4	43,6
1988	4 824,8	78,6	1 916,4	272,8	13,6	1 969,7	85,8	431,8	183,4	42,5

Nota. – En 1984 : Colza 9,3. Soja 22,5. Prairies artificielles 710,4 [dont blé tendre 4 969,8 (83 : 4 716,9), dur 125,4 (83 : 112,5)].

Industries agricoles et alimentaires en France

Source : ANIA.

Entreprises de + de 10 salariés (1989). 4 168. Salariés 390 732. **Investissements** (1989). 20,1 milliards de F.

Chiffre d'affaires (1990). 643,5 milliards de F (487 en 1986) dont en % : ind. du lait 25,8, de la viande 23, travail du grain 16,1, fab. des boissons et alcools 12,2, conserverie 7, prod. alim. divers 14,4.

Commerce extérieur agro-alimentaire de la France

Solde de la balance commerciale (en milliards de F). *1970 :* – 0,4. *80 :* + 16. *85 :* + 34,2. *86 :* + 28,2. *87 :* + 31,7. *88 :* + 41,6. *89 :* + 51. *90 :* + 52,2.

Répartition produits agricoles bruts/produits agro-alim. (en milliards de F, 1990). *Produits agricoles bruts :* import. 44,8, export 65,9, solde + 21,1. *Produits agro-alim. :* import. 88,1, export. 119,2, solde + 31,1.

Principaux secteurs des exportations agro-alimentaires (en %, 1990). Vins et spiritueux 34,6 dont : vins 23,3, spiritueux 11,3. Céréales 32,9 dont : blé 17,9, orge 4,1, maïs 10,1. Animaux et viandes 23,3 dont : bovins vivants 7, viandes bovines 7,1, viandes de volailles 4,9. Produits laitiers 18,5, dont : lait 7,9, beurre 1,8, fromages 8,7. Conserves et épicerie sèche 16,5. Fruits et légumes 13,2 dont : fruits 6, légumes 7,2. Sucre 8,1. Oléagineux 6,5, dont : graines de tournesol 4,1, graines de colza 2,4. *Total* 185,1.

Principaux secteurs des importations agro-alimentaires (en %, 1990). Conserves et épicerie sèche 23,1. Animaux et viandes 22,8 dont : viandes bovines 8,2, viandes de porc 4,3, porcs vivants 0,9. Fruits et légumes 20,7 dont : fruits tropicaux et agrumes 7,7, autres fruits 5,5, légumes frais 5,8. Poissons, crustacés et mollusques 11,8. Boissons 7,2, dont : vins 2,2, spiritueux 2,7, bière 1. Produits laitiers 5,6 dont : lait 1,6, beurre 1,3, fromages 2,7. Soja et manioc 5,1 dont : tourteaux de soja 4,1.

Soldes commerciaux avec les principaux pays (en milliards de F, 1990). *Excédents :* Italie 18,9. Allemagne 16,6. G.-B. 8. Belg.-Lux. 4,9. Suisse 4,1. Japon 3,7. Algérie 2,7. URSS 1,7. USA 1,6. Arabie S. 1,4. Hong Kong 1,4. Égypte 1,3. Portugal 1,3. *Déficits :* Brésil 4,9. Danemark 2,7. Irlande 2,3. Maroc 2,1. Argentine 1,8. Côte d'Ivoire 1,5. Norvège 1,4. Israël 1. Sénégal 0,9. P.-Bas 0,8. Islande 0,8. Indonésie 0,8. Afr. du S. 0,7.

Place de la France sur le marché mondial. **Principaux exportateurs de produits agricoles et agro-alimentaires** (en milliards de F, 1989). USA 266,4. *France 183,5 (1990 : 185,1).* P.-Bas 163,6. Allemagne 114,4. G.-B. 71,1. Belg.-Lux. 63,6. Canada 61,1. Italie 58,8. Danemark 52,5. Chine 51,2. Espagne 46. Australie 43,7. Irlande 32,3. N.-Zél. 25,9. CEE 240. **Principaux importateurs mondiaux.** Japon 223. Allemagne 196,8. USA 189. *France 132,5. (1990 : 132,9).* G.-B. 132,1. Italie 128,8. URSS 107 (1988). P.-Bas 93.

Balances agro-alimentaires (en milliards de F, 1989). *Excédentaires :* USA 77,4. P.-Bas 70,6. Brésil 54. *France 51 (1990 : 52,2).* Argentine 31,2. Australie 31,1. Danemark 30. Thaïlande 24,6. N. Zél. 22. *Déficitaires :* Japon 210. URSS 89. Allemagne 82,4. Italie 70. G.-B. 61. Hong Kong 36,2. Égypte 32,5. Arabie S. 17,6. CEE 59,7.

Industrie de la conserve

Source : Conf. fr. de la conserve.

☞ 1 t 1/2 brut = 1 000 boîtes 1/1 ou 4/4 de 850 cm³.

• Nombre d'entreprises (1989). 852. **Chiffre d'affaires** (en millions de F, HT, 1990) 20 980 ; 13 entr. de + de 200 millions : 48 % du chiffre d'aff. total.

• Production. **Conserves** (en milliers de t). *1955 :* 201. *60 :* 446. *65 :* 625. *70 :* 1 101. *75 :* 1 455. *81 :* 1 953. *82 :* 2 170. *83 :* 1913. *84 :* 2 131. *89 :* 2 414. *90 :* 2 438.

Légumes (en milliers de t 1/2 brut, 1990). Tomates (89) 323 (dont concentré 249, pelées 53, autres 21). Haricots verts et mange-tout 197,1, petits pois 175,6, pois et carottes 150,7, maïs 138,5, macédoine 96,2, flageolets 41,5, carottes 34,1, salsifis 31,9, épinards 22,2, céleris 19,8, haricots blancs 18,6, pois chiches 15,4, pommes de terre 10,4, haricots beurres 10,3, asperges 0,6, artichauts 0,5, autres légumes 46,1. *Total* 1 068,9.

Plats cuisinés (en milliers de t net, 1990). Cassoulet 96,3. Pâtes cuisinées 93,6. Viandes et légumes 48,7. Sauces 36. Haricots cuisinés 22,5. Couscous 21. Choucroute garnie 20,1. Quenelles 14. Lentilles cuisinées 13,8. Paella 21,1. Autres légumes cuisinés 1,5. Choucroute cuisinée 3,6. Autres plats cuisinés 22,1. *Total* 393,1.

Spécialités françaises (en t 1/2 brut, 1990). Volailles et gibiers 11 517. Champ. sylvestres 5 600. Confits 4 529. Foie gras frais mis en œuvre 4 450. Escargots 2 087 (89-90). Graisses 694. Achatines 670 (89-90). Rillettes (oie, canard) 410. Truffes (en t net) 55.

Déshydratés et lyophilisés (en t, 1989-90). Oignons 6 620,9. Carottes 2 224,3. Tomates en poudre et déshydratées 1 382,9. Fruits 860,8. Persil et fines herbes 618,5. Poireaux 200,7 [1]. Asperges 126 [1]. Ail 47,2 [1]. Autres 1 915. *Total* 13 746,6.

Nota. – (1) 1988-89.

Fruits (en milliers de t 1/2 brut, 1990). Confitures [1] et gelées « extra » et autres 131 dont fraises 40,8, abricots 32,5, groseilles 8,3, oranges + oranges amères 7, prunes 4,8. Coulis et nappages 202. Compotes 124 dont pommes 91,4. Fruits au sirop 98,5. Mélanges de fruits au sirop 29,3. Produits à base de marrons 20,5 dont crèmes [1] 7,7, entiers au naturel 11,8. Purées non sucrées 11,2, sucrées 8,5. Fruits à l'eau 2,2.

Nota. – (1) milliers de t net.

Poissons (en milliers de t 1/2 brut, 1990). *Total 106,1* dont : thon 52,5 ; maquereaux 30,2 ; sardines 19,3 ; anchois 2,2 ; harengs 1,4, autres 2,7.

☞ Produits surgelés (production et consommation), voir plus loin.

• Consommation de conserves (par habitant, par kg/an, 1989-90). Conserves de légumes 18 ; conserves de poissons 4,5 ; conserves de fruits avec sucre (sauf ananas) 3,5 ; conserves de tomates 1,45 ; conserves de champignons 1,9.

• Commerce. **Prod. agricoles. Exportations** (en milliers de t, 1990). Champignons de couche 63. Haricots verts 43,5. Petits pois 32,5. Concentré de tomates 4,7. Tomates pelées 4. Asperges 0,6. **Importations** (en milliers de t, 1989). Tomates pelées 63,4. Concentré de tomates 41,6. Haricots verts 22,8. Asperges 15. Champignons de couche 14,7. Petits pois 5,1.

Fruits (en milliers de t, 1989). **Exportations.** Jus et concentrés 106,4. Confitures, gelées, marmelades 21,5, séchés 13,4, compotes et purées 7. **Importations.** Jus et concentrés 337,9, séchés 43,8, purées 15, confitures, marmelades 5,6.

Industries charcutières Production diverse (1989)

Source : Féd. française des ind. charcutières.

• Salaisons (en milliers de t). 335,5. *Produits crus salés :* jambons à cuire 3,5, poitrines, échines, palettes, jambonneaux 18,6. *Produits séchés fumés :* jambons et noix, coppa 37,4, filets de bacon 2,2, poitrines, échines, palettes, jambonneaux séchés 27,7, autres 3,2. **Produits cuits :** jambons cuits 192,7, épaules cuites 31,96, noix, jambonneaux cuits 4,4, autres 10,8. **Saucissons secs** 87,9. *Pur porc :* 76,3. *Mélanges porc et bœuf ou bœuf et porc :* 11,6. **Charcuterie** 355,8. *Pâtés et assimilés :* pâté de foie, crème, mousse, purée 36,1, pâté de campagne 27,8, confit de foie de porc 2,5, pâté avec volaille, gibier 13,7, rillettes de porc et grattons 19,3, rillettes d'oie, canard 4, galantines, mosaïques, roulades, ballotines 5,7, autres 9,2, pâtés, mousses, terrines avec poisson 1,7. *Produits à base de tête :* porc (pâté ou fromage de tête, tête roulée, hure, museau, langue) 19,5, bœuf (museau, langue) 3,99. *Produits en croûte :* pâté 8,2, autres 5. *Saucissons et similaires cuits :* saucissons 36,4, cervelas 7,1, mortadelles 4,2, andouilles de Vire, de Guémené, de Savoie 4,8, autres 0,3. *Saucisses fraîches, cuites et similaires :* saucisses à pâte fine 45,3, saucisses cocktail 5,5, saucisses à gros hachage 48,4, boudins noirs 10,5, blancs 4,9, andouillettes 11,9. *Autres préparations :* tripes, tripoux 14, frittons, rillauds, pieds cuits panés, farcis 5,8. **Conserves à base de bœuf** (conserves, semi-conserves, boîtes, bocaux verre) 22,9.

Plats cuisinés. 62,2 dont choucroute garnie 19,7, quiches, bouchées garnies, pizzas, croissants 15,1, autres 16,6, salades composées 10,8.

Saindoux. 0,9.

Total toutes fabrications : 865,4.

Nombre de salariés (au 31-12-1989). 33 339. *CA* 1989 (milliards de F) : 24,778 (+ 8,8). **Nombre d'établissements** (1989) : 462.

• Bouillons et potages. Industrie très concentrée ; utilise des protéines, des céréales, des épices et toutes sortes de légumes. **Production** (en t, 1989). Pot. déshyd. 23 100, bouillons solides ordinaires 2 720, supérieurs 6 825.

• Condiments. **Production** (en t, 1985). Moutardes 62 447, sauces froides 40 255.

Marchés d'intérêt national

Créés 1953 et placés sous la tutelle de l'État ; ils sont soumis à une réglementation particulière, en raison de leur importance dans la commercialisation des produits alimentaires périssables, et des prod. de l'horticulture.

Activités (1988, en millions de t). Fruits et légumes : 4,3 ; produits carnés : 0,5 ; produits laitiers et avicoles : 0,2 ; produits de la mer et d'eau douce : 0,2 ; produits de l'horticulture : 2,9 milliards de F.

Rungis

SEMMARIS (Sté d'économie mixte d'aménagement et de gestion du marché d'intérêt national de la région parisienne). **Ouvert** *mars 1969.* **Superficie :** 220 ha + 400 ha secteurs d'entrepôts annexes (centrales d'achat du commerce intégré). **Approvisionne** I.-de-Fr. 10,2 millions de consommateurs (Halles centrales de Paris en 1860 : 1,5 million), province et étranger (10 à 20 % du tonnage total). *En 1990 :* 879 grossistes, 650 producteurs (horticulteurs et maraîchers), 450 entreprises de service. *En 1990* (en milliers de t) : fruits 774, lég. 614, prod. carnés 463, prod. laitiers et avicoles 162, prod. mer et eau douce 107, prod. transf. frais 41 ; fleurs coupées 4 465 000 colis, plantes pots 15 000 000 unités. Transit (1990) : 56 000 t dont prod. carnés 23 000, prod. mer et eau douce 18 000 t. **Chiffre d'affaires (1990) :** 62 milliards de F. **Fréquentation :** 29 400 véhicules/j d'ouv.

Produits surgelés

• Unité de congélation-surgélation (1988). Établissements de fabrication 337, entrepôts frigorifiques ouverts au public 203. **Capacité d'entreposage frigorifique.** 7 181 859 m³ dont établissements ayant des activités de fabrication 1 913 500 m³ et entrepôts frigorifiques ouverts au public 4 668 359 m³. **Capacité de congélation.** 22 597 t/j. **Points de vente d'aliments surgelés.** 50 à 60 000. **Pêche.** Navires et, entre parenthèses, armements au 1-1-89. Grande pêche congelée 4 (1). Pêche thonière congelée 28 (6). Langoustiers-congélateurs 5 (1). Mini-congélateurs 6 (5).

• Production en France (en t, 1988). Surgelés et, en italique, congelés destinés à la consommation directe. Légumes 235 818. Produits de pommes de terre 165 740. Viandes 124 939 *40 561.* Produits de pâte et pâtisserie 120 671 *1 401.* Préparations élaborées 98 994 *3 379.* Produits de la mer 53 230 *7 361.* Volailles 34 328 *326 572.* Abats 6 311 *13 789.* Pisciculture 2 954 *1 217.* Fruits 2 759. Laiterie 492 *837.* Lapins 250 *202.* Jus de fruits 111. Gibiers 2 *45.* Produits de confiserie *54.* Total 846 599 *395 418* (+ viande en carcasse *124 815,* beurre *30 726*).

• Congelés destinés à l'utilisation après transformation (en t). Viandes 152 753. Produits de la mer 135 540. Pâte et pâtisserie 97 620. Légumes 43 664. Abats 36 226. Fruits 28 974. Volailles 26 705. Ovoproduits 11 935. Laiterie 3 767. Pisciculture 1 341. Chair d'escargots 869. *Total 539 865.*

Consommation de surgelés par hab. (en kg, 1988). Danemark 34,45. Irlande 22,57. All. féd. 20,86. *France 19,05.* G.-B. 18,28. P.-Bas 15,67. Belgique 15,09. Espagne 11,46. Italie 5,9.

Alimentation animale

Production (en t, 1989). Aliments d'allaitement 675 543. Bovins 3 761 409 dont v. laitières 2 783 176 ; ovins-caprins 421 243 ; porcins 5 133 734 ; volailles 6 468 458 ; lapins 710 790 ; chiens-chats 53 078 ; autres 268 590. *Total 17 492 845.* Chiffre d'affaires (1989) : 22 milliards de F. *Entreprises* (1989) : 455.

Animaux familiers (1990). *CA :* 8,4 milliards de F, *prod.* 1 260 000 t (source : FACCO).

Structures administratives

Ministère de l'Agriculture

• Services centraux. *Administration centrale*, 78, rue de Varenne, 75007 Paris. *Service central des enquêtes et études statistiques*, 4, av. de Saint-Mandé, 75570 Paris Cedex 12. *Direction des Forêts*, 1 ter, av. de Lowendal, 75007 Paris. *Service des haras et de l'équitation*, 14, av. de la Grande-Armée, 75017 Paris. *Dir. générale de l'Alimentation*, 35, rue St-Dominique, 75007 Paris ; 175, rue du Chevaleret, 75013 Paris.

• Services extérieurs (décrets du 28-12-1984). **Niveau régional.** Une Direction régionale de l'Agriculture et de la Forêt (DRAF) regroupe tous les services : Aménagement des eaux (SRAE), Aménagement forestier (SRAF), Production agricole et Statistique agricole, Atelier régional d'études économiques et d'aménagement rural (AREAR). Son directeur est le correspondant de toutes les dir. de l'Adm. centrale et du préfet. **Niveau départemental.** Direction départementale de l'Agriculture (DDA) réformée sur le modèle des nouvelles dir. rég.

• Services annexes. **Protection vétérinaire.** *Inspection des denrées d'origine animale* (protection et inspection sanitaire et qualitative du cheptel). *Inspection sanitaire et qualitative des denrées animales* livrées au public pour la consommation. Prophylaxie collective pour certaines maladies (tuberculose bovine, fièvre aphteuse, peste porcine, brucellose, etc.).

Protection des végétaux. 175, rue du Chevaleret, 75013 Paris. Dépend du Service de la protection des végétaux au ministère. 22 services régionaux + 2 outre-mer. Les stations d'avertissement agricoles informent les agriculteurs des méthodes.

Inspection des denrées animales. Par le *Service d'État d'hygiène alimentaire. Créé* 1968. 9 laboratoires de recherche et de contrôle.

Établissements publics

Sous la tutelle du ministère de l'Agriculture.

• CNASEA **(Centre national pour l'aménagement des structures des exploitations agricoles).** 7, rue Ernest-Renan, 92136 Issy-les-Moulineaux Cedex. *Dir. gén. :* Jean Guellec ; *secr. gén. :* Jean-Claude Bessemoulin. Établ. public national sous la tutelle du min. de l'Agr. *Créé* 1965. *Budget 1991 :* 16 900 000 000 F dont 2/3 en prestations de service pour la formation professionnelle. Les dépenses sont partiellement remboursées par le Fonds social européen (FSE) ou par le FEOGA.

Certaines actions du CNASEA (missions d'information et constitutions de dossiers) sont confiées aux Assoc. dép. pour l'aménagement des structures des exploitations agr. (ADASEA).

Bilan des interventions (au 1-1-1991). **Mission de service public pour l'aménagement des structures des exploitations agricoles :** 1. *Dotations d'installation aux jeunes agric.* 155 000. 2. Modernisation des exploitations : *Plans de développement* 50 000, remplacés par les *Plans d'amélioration matérielle dep.* 1985 50 000. 3. *Opérations groupées d'aménagement foncier* 810 (soit 106 000 dossiers individuels et 17 OGAF environnement). 4. *Aides au retrait des t. arables.* 3 600. 5. *Aide à la cessation d'activité laitière* 117 000. 6. *Aides à la réinsertion professionnelle* 3 500. **Prestations de service pour la formation professionnelle et l'emploi :** 2,8 millions de stagiaires rémunérés par le CNASEA pour le compte de l'État ou des régions, et 254 000 contrats emploi solidarité.

• FASASA **(Fonds d'action sociale pour l'aménagement des structures agricoles).** *Créé* le 8-8-62. Supprimé dep. le 1-1-1990. V. Quid 1991, p. 1380 c.

• FIDAR **(Fonds interministériel de développement et d'aménagement rural).** DATAR, 1, avenue Charles-Floquet, 75007 Paris. *Secr. gén.* Thierry Berlizot. *Créé* 3-4-1979. *Objectif :* favoriser le développement économique dans les 7 massifs montagneux et autres zones rurales. Intervient dans le cadre des contrats de plan signés entre l'État et les régions concernées. *Budget* (en millions de F, 1991) : 355 + 35 du Fonds d'Intervention pour l'autodéveloppement en montagne (créé 1985).

• FORMA **(Fonds d'orientation et de régularisation des marchés agricoles).** Dissous par le décret n° 86-136 du 29-1-1986.

Autres organismes

ACOFA **(Agence centrale des organismes d'intervention dans le secteur agricole).** 2, rue Saint-Charles, 75740 Paris Cedex 15. *Créée* 7-7-1983. *Rôle :* coordonne certaines opérations administratives, financières (notamment statut commun du personnel, informatique, relations avec le FEOGA, contrôle de l'emploi des fonds communautaires) intéressant les organismes d'intervention (FIRS, ODEADOM, OFIVAL, ONIFLHOR, ONILAIT, ONIPAM, ONIVINS, SIDO) ou les organismes de nature similaire (FIOM, INAO). *Dir. :* Denis Schrameck.

ACTIA **(Association de coordination technique des industries agro-alim.).** *Créée* mai 1983. Regroupe centres techniques et organismes collectifs de rech.

CEMAGREF **(Centre national du machinisme agricole, du génie rural, des eaux et des forêts).** Parc de Tourvoie, 92160 Antony. *Créé* janv. 1981. Transformé 27-12-85 en EPST sous tutelle du min. de la Recherche et de la Technologie et du min. de l'Agric. *Effectifs :* 1 000 pers. dont 450 scientifiques. *Pt :* T. Chambolle. *Dir. gén. :* Y. Le Bars.

CENECA **(Centre national des expositions et concours agricoles).** 19, bd Henri-IV, Paris 4e. *Pt :* Michel Souplet. *Dir. :* Maurice Hasson.

CETIOM **(Centre technique interprofessionnel des oléagineux métropolitains).** 174, avenue Victor-Hugo, Paris 16e. *Créé* 1957. *Pt :* J.-C. Sabin. *Directeur :* Émile Choné.

CNCA S.A. **(Caisse nationale de crédit agricole).** 91-93, bd Pasteur, Paris 15e. V. Banque à l'Index.

SAFER
Société d'Aménagement Foncier et d'Établissement Rural

FNSAFER (Féd. Nat. des SAFER) et **SCAFR (Société Centrale d'Aménagement Foncier Rural),** 3, rue de Turin, 75 008 Paris. *Créées* par la loi d'orientation agricole du 5-8-1960. Acquièrent, au besoin par préemption, des terres agricoles ou forestières, à l'aide de prêts de la Caisse nationale de crédit agricole. Doivent revendre ces terres dans les 5 ans, pour améliorer les structures des exploitations agricoles, dans le cadre de leur activité traditionnelle ou pour des usages non agricoles en vue de favoriser le développement rural et la protection de la nature et de l'environnement (loi du 23-1-1990). Peuvent apporter leur concours technique aux collectivités territoriales et aux établissements publics rattachés. Tout propriétaire peut, par convention, mettre des terrains à leur disposition pendant une durée limitée pour aménagement ou mise en valeur agricole. *Nombre :* métropole 27, DOM 3 (Guadeloupe, Martinique et Réunion). *Statut :* sociétés anonymes.

Acquisitions. De l'origine à fin 1989 : 2 027 000 ha + 26 000 ha de baux emphytéotiques dont 91 % acquis à l'amiable et 9 % par préemption. *Acquisition (1989) :* 106 000 ha (baux emphytéotiques exclus). *Prix d'acquisition moyen* (F/ha) : *1983 :* 21 649, *84 :* 20 849, *88 :* 22 338, *89 :* 23 074.

Rétrocessions. De l'origine à fin 1989 : 1 959 000 ha en 367 954 opérations. *En 1989,* 112 000 ha en 18 962 opérations dont (en %) : agrandissement d'expl. 53,3, premières installations 19,6, remaniements parcellaires 6,5, réinstallations 4,8, maintien des fermiers en place 4,4, opérations forestières 2, pastorales 1,3, expl. de pluriactifs 0,8, rétrocessions diverses 7,3.

Stock foncier. *Fin 1989 :* 68 000 ha (65% des acquisitions annuelles).

Crédits publics. *1985 :* 83 en millions de F, *86 :* 87,9, *87 :* 72,2, *88 :* 63, *89 :* 70. *90 :* 85.

Marché foncier. Les SAFER ont reçu 110 300 notifications de vente agricoles en 1989 portant sur 489 700 ha et représentant 16 milliards de F. Prix moyen/ha : 20 300 F pour les biens agric. non bâtis (hors cultures spéciales).

Remembrement

Superficie totale remembrée (remembrement normal, dispositions du *Code rural,* règlement du 7-1-1942 et du décret du 10-4-63 + rem. consécutif à la const. d'autoroutes). 877 462 ha au 31-12-83. 308 054 en 1983. *Au 31-12-1990 :* 31 985 606 ha remembrables dont (en %) remembrés 42,89, en cours 4,42, en instance 3,36. *Lieux où l'aménagement foncier a été le plus important (en milliers d'ha) :* Centre 1 616,5, Champagne 1 490,6, Bretagne 1 158,3, Picardie 1 142,1, Marne 554,7, E.-et-L. 528,1, Aisne 449, Somme 390,4. *Opérations terminées en 1988 :* 300, pour 265 979 ha. Depuis 1942 13 718 247 ha ont été aménagés.

Création d'office d'interventions (loi du 6-10-1982) : offices nationaux interprofessionnels. V. OFIVAL, ONIC, ONIFLHOR, ONILAIT, ONIPAM, ONIVINS.

CNIEL **(Centre national interprofessionnel de l'économie laitière).** 27, rue de la Procession, Paris 15e. *Fondé* 1974. Adhérents : 3 (Féd. des producteurs de lait, Féd. nat. des coop. lait. et Féd. nat. de l'ind. laitière). *Pt :* Christophe Bridel.

CNIPT **(Comité national interprofessionnel de la pomme de terre).** 21, rue de Madrid, Paris 8e. *Reconnu* le 27-7-1977. *Pt :* M. Le Jannou. *Dir. :* J.-F. Estrade.

FIRS **(Fonds d'intervention et de régularisation du marché du sucre).** 120, bd de Courcelles, Paris 17e. *Pt :* Michel Perdrix. *Dir. :* Robert Halluin. Établissement public à caractère industriel et commercial (EPIC). *Créé* 9-7-1968.

INAO **(Institut national des appellations d'origine des vins et eaux-de-vie).** 138, av. des Champs-Élysées, Paris 8e. *Créé* le 30-7-1935. *Pt :* Jean Pinchon (13-9-1925). *Directeur :* Alain Berger. *Nombre de centres en Fr. :* 24.

OFIVAL **(Office national interprofessionnel des viandes, de l'élevage et de l'aviculture).** 33, av. du Maine, Tour Maine-Montparnasse, 75755 Paris Cedex 15. *Créé* par décret 18-3-1983. *Pt :* Louis Collaudin. *Directeur :* Jean-Jacques Bénetière. *Effectifs :* 236 agents (EPIC). Se substitue à l'ONIBEV, créé 2-9-1972 et au FORMA pour les productions hors sol.

ONF **(Office national des forêts).** 2, avenue de St-Mandé, 75570 Paris Cedex 12. Voir p. 1546. *Pt :* Jean-Louis Bianco. *Dir. gén. :* Georges Touzet.

ONIC **(Office national interprofessionnel des céréales).** 21, avenue Bosquet, Paris 7e. *Succéda,* en 1940, à l'Off. nat. interprofessionnel du blé créé 15-8-1936. Établ. public. *Pt du Conseil central :* Daniel Tournay. *Dir. gén. :* Jean Renard. *Employés* (1-1-90) : 700.

ONIFLHOR **(Office national des fruits, des légumes et de l'horticulture).** 164, rue de Javel, 75739 Paris. Cedex 15. *Créé* 18-3-1983. *Pts :* Paul Moati et Denis Onfroy. *Dir. :* Georges Dutruc Rosset. Établissement à caractère industriel et commercial.

ONILAIT **(Office national interprofessionnel du lait et des produits laitiers).** 2, rue Saint-Charles, 75740 Paris Cedex 15. *Créé* 18-3-1983. *Pt :* Jean-Claude Debaudre. *Dir. :* Jean-Daniel Bénard. EPIC. Tutelle de la Société INTERLAIT qui gère les interventions communautaires de stockage. Dépenses prises en charge par l'État (actions nationales) et le FEOGA (actions communautaires).

ONIPPAM **(Office national interprofessionnel des plantes à parfum, aromatiques et médicinales).** 25, rue Maréchal-Foch, BP 8, 01430 Volx. *Créé* 18-3-1983. EPIC. *Dir. :* Marc Villard. 1 Conseil de direction (*Pt :* Émile Martineau) et 2 Conseils spécialisés (plantes aromatiques et médicinales et plantes à parfum) (*Pts :* en instance de nomination).

ONIVINS **(Office national interprofessionnel des vins).** 232, rue de Rivoli, Paris 1er. *Créé* 1983. Délégations rég. 8, agents 270. *Pt :* D. Verdier.

SIDO **(Sté interprofessionnelle des oléagineux).** 174, av. Victor-Hugo, Paris 16e. *Pt :* Muray-Labarthe.

SOPEXA **(Société pour l'expansion des produits agricoles et alimentaires).** 43-45, rue de Naples, Paris 8e. *Pt :* A. Verdale.

☞ **Répartition des crédits entre les offices** (en millions de F). *1990 :* 3 855 Ofival 1 085, dont Onilait 945, Onivins 786, Oniflhor 593, Sido 210, autres 236.

Organisations professionnelles
Organisations générales

APCA **(Assemblée permanente des Chambres d'agriculture).** 9, av. Georges-V, Paris 8e. Établissement public *créé* 1935. Composée des Pts des Ch. d'agric. départem. (94 membres). A un rôle consultatif auprès des pouvoirs publics et peut créer ou subventionner tout établissement, service d'utilité agricole ou entreprise collective d'intérêt agricole. Apporte aux Chambres d'agriculture un appui juridique et technique. *Pt :* Pierre Cormorèche.

Chambres d'agriculture départementales. *Créées* par la loi du 3-1-1924. Établ. publics. 1 chambre par département (y compris outre-mer, mais sauf Rég. paris. où il y a 1 chambre interdépartementale : 75, 78, 91, 92, 93, 94, 95). *Employés :* 7 000 dont 4 500 techniciens. Leurs membres sont élus au niveau départemental au scrutin secret pour 6 ans par l'ensemble des agriculteurs et de leurs organisations (5 collèges d'électeurs individuels : chefs d'expl., propriétaires, salariés d'expl., salariés d'organisations, anciens expl., 5 collèges de groupements prof.). 1res élections en 1927. Suspendues 1940 et remplacées par la *Corporation paysanne,* reconnues légalement en 1949, renouvelées en 1952. Régies par les art. L 511-1 et suivants du Code rural. *Rôle :* conseils légaux des pouvoirs publics : missions d'intervention au service des agriculteurs. Détiennent un certain pouvoir réglementaire : usages locaux, extension des règles de discipline, etc. *Financement :* taxe payée par les propriétaires fonciers, qui leur est, le cas échéant, remboursée pour moitié par le fermier ou le métayer ; autres ressources versées par le budget de l'État et le Fonds national de développement agricole et redevances d'utilisateurs.

Chambres régionales d'agriculture. 1 par région, composées des représentants des mêmes collèges que les Chambres départementales, désignés par et parmi les élus de ces dernières ; même rôle consultatif et d'intervention au niveau de la région.

CNJA **(Centre national des jeunes agriculteurs).** 14, rue La Boétie, 75382 Paris Cedex 08. *Créé* 1947, transformé en association en 1954 et en Union des syndicats en 1957. Organiquement rattachée à la FNSEA mais juridiquement autonome. Centres départementaux 94, cantonaux 2 803. *Adhérents :* 80 000. *Pt :* P. Mangin. *Publication :* Jeunes agriculteurs (de 16 à 35 ans) (mensuel).

Agriculture biologique

• **Origine.** Agriculture sans fertilisants artificiels ni pesticides de synthèse, conforme aux équilibres écologiques respectant tous les maillons de la chaîne alimentaire, allant du sol à l'étable, de l'étable à la table. Développée selon les travaux d'Albert Howard (le Testament agricole, 1924) en G.-B., elle s'inspira partiellement de E. Pfeiffer en All. et aux USA et des travaux de P. Delbet sur le magnésium [Politique préventive du cancer ; l'Agriculture et la Santé (1945)] en France. Les travaux de C.L. Kervran sur les transmutations biologiques et à faible énergie (1950 à 1980) peuvent donner une explication des faits constatés. Développement de la recherche après 1945 (travaux de H. Müller et de H.P. Rusch, All.) répandus en Suisse, All., Autriche. En France, en 1958, Jean Boucher fonde le Groupement d'agriculture biologique de l'Ouest (GABO), qui en 1961, se transforma en Assoc. fr. d'agr. biol. (AFAB). A partir de 1960, Raoul Lemaire lança la culture biol. avec lithothamne Calmagol. En 1963, Jean Boucher le rejoignit : méthode Lemaire-Boucher (1964-78).

• **Principes.** Améliorer la vie microbiologique du sol, réaliser un équilibre cultural (prairies, céréales, végétation forestière, arbres et brise-vent) pour préserver les principaux équilibres chimiques, microbiologiques, magnétiques ; améliorer la résistance aux maladies et au parasitisme.

• **Moyens.** Fertilisation proscrivant les éléments d'excrétion (sels minéraux de l'azote, potasse sauf cas exceptionnels), limitant les apports calciques, établie sur la notion d'immunité innée ; la fertilisation est prescrite selon les résultats d'analyses de sols et de récoltes avec programmation selon teneur souhaitable en magnésium établie sur la moyenne des terres en état de santé potentielle (cartes géologiques de L. Robinet, 1930) : 500 ppm de MgO échangeable, au lieu de 140 ppm en agronomie conventionnelle : sous cette condition, la teneur couramment admise de 200 ppm K_2O échangeable paraît souhaitable. Programme de restauration de fertilité de 2 à 3 ans ; programme de stimulation peu coûteux et immédiatement rentable. *Apports d'engrais : organiques* dans l'équilibre carbone/azote [fumier équilibré en paille, puis composté, résidus de récoltes, poudre d'os, de corne, etc., algues herbacées, acides aminés, préparations biodynamiques, etc.] incorporés au sol après compostage ou non, pulvérisations d'extraits de plantes ou d'algues ; *minéraux naturels* (poudres de roches, phosphates naturels, magnésie et sulfate de magnésium, algues calcaires : lithothamnium pêché vivant, préconisé par la méthode Lemaire-Boucher, micropulvérisé sans échauffement, essences naturelles). *Travail du sol superficiel* avec ameublement profond pour développer la vie microbienne et préserver l'humus resté en place. Cette pratique permet, en céréaliculture, d'obtenir un blé de qualité exceptionnelle, caractérisée par la vitrosité du grain (translucidité du gluten (méth. AFAB-Boucher). *Pratiques d'engrais verts et d'associations végétales cultivées*, à base de légumineuses, en culture céréalière, viticulture et culture fruitière pour limiter le lessivage et les besoins de fertilisants, obtenir un apport naturel en azote organique, éliminer les mauvaises herbes sans herbicides, protéger des insectes auxiliaires, et éliminer l'emploi des insecticides, fongicides. Cette pratique des asssociations végétales se conjugue maintenant avec l'ameublissement sans labour en cultures fruitières et viticulture (méth. AFAB-Boucher). *Condamne l'emploi des produits chimiques dans le monde vivant* (toxiques) : antibiotiques, hormones, produits vétérinaires dangereux, vaccins ; des engins lourds pouvant porter atteinte à la vie du sol. Encourage toute technique tendant à développer l'activité biologique du sol (micro-organismes, bactéries, vers de terre). *Admet en matière sanitaire animale ou végétale* l'homéopathie, l'aromathérapie, l'usage des insecticides végétaux ou microbiens non toxiques et des produits minéraux simples (cuivre, soufre, bouillie sulfo-calcique), d'autres minéraux étant interdits parce que toxiques et d'ailleurs inutiles (arséniates par ex.). *Respecte* influences planétaires et cosmiques (calendrier journalier pour semer, récolter, travailler la terre, tailler...).

• **Rendements et résultats financiers.** Bien comprise et bien appliquée, l'agriculture biologique permet des résultats comparables à ceux de l'agriculture conventionnelle et résout les problèmes de pollution en milieu rural. Elle concourt à donner à l'agriculture son autonomie énergétique et procure des aliments de qualité.

• **Surfaces cultivées.** *France* (fermes n'employant ni engrais « conventionnels » ni pesticides de synthèse) : env. 100 000 ha. (*Australie* : 150 000 ha ; *USA* : plusieurs centaines de milliers ; *Europe* : 200 000 ha).

Part dans la production totale agricole : environ 0,5 à 1 %.

• **Garanties.** Des producteurs s'engagent à respecter un cahier des charges sous contrôle : marques Terre et Vie (FESA), Paysan biologique, Demeter (culture biodynamique), Mention Nature et Progrès, marque Biofranc (FNAB).

Le 6-3-1984 a été créé un logo officiel sous l'égide du ministère de l'Agriculture, apposable sur les étiquettes des produits qui répondent à des critères d'homologation.

• **Principales associations. Production :** *Féd. nat. de défense de la culture bio.,* Cedex 2206 Lametz, 08130 Attigny. *Féd. nat. d'agr. biol. (FNAB). Féd. eur. des syndicats des agrologistes (FESA),* « La Courtinière de l'Étang », Treize Septiers, 85600 Montaigu. *Syndicat Mention Nature et Progrès,* La-Bergerie-les-Iles, 84840 Lapalud. *Union pour la recherche et l'application des pratiques agrobiodynamiques et homéopathiques en agric. (URAPAHA),* domaine de Malleval, 69430 Beaujeu. *Syndicat d'agr. biodynamique,* c/o T. Kuhn, Le Petit Porteau, 37300 Joué-lès-Tours. *Féd. nat. des syndicats de défense de l'agr. biol. et de protection de la santé des sols,* 5, rue de Renac, 44110 Châteaubriant.

Transformation, distribution. *Union des transformateurs et distributeurs de produits de l'agr. bio. (UNITRAB),* 9, rue Cels, Paris 14e.

Consommation. *Association de défense des intérêts des consommateurs de produits de l'agric. biol* « l'Œil ouvert », 9, rue Cels, 75014 Paris.

Conseil technique et recherche. *Ass. conseillers en agr. bio. (ACAB),* Lotissement Mariani, rue de la Mouette, 84600 Valréas. *Assoc. franç. d'agr. bio. (AFAB),* 3, rue de Mourzouck, 44300 Nantes. *Institut pour la rech. et l'application en agr. bio (IRAAB),* 20, rue Jacob, 75006 Paris. *Institut techn. de l'agr. bio. (ITAB),* B.P. 8 Baldenheim, 67600 Sélestat. *Institut pour la rech. et l'application en agr. bio.* S.V.B. Lemaire, B.P. 9, 49480 St-Sylvain-d'Anjou.

Organismes à vocation multiple. *Société agricole du paysan bio. (SAPB),* B.P. 114, 44143 Châteaubriant Cedex. *Assoc. eur. d'agr. et d'hygiène bio. « Nature et Progrès »,* 14, rue des Goncourt, Paris 11e. *Comité interprofessionnel nat. de l'agr. biol. (CINAB),* 24, les Cirollières, 91770 St-Vrain. Féd. internat. *Comité interprofessionnel de l'agr. bio. franç.* (assoc. loi 1901), 163, rue St-Honoré, Paris 1er. IFOAM G Videgard, 161, domaine des Bois-Murées, 06130 Grasse. *ABF-Comité interprofessionnel de l'Agr. biol. fr.,* 163, rue St-Honoré, Paris 1er.

CNMCCA **(Confédération nationale de la mutualité, de la coopération et du crédit agricoles).** 129, bd St-Germain, Paris 6e. 1er Congrès en 1907. Regroupe CFCA (Conféd. nat. de la coop. agr.), FNCA (Féd. nat. du crédit agr.) et la FNMA (Féd. nat. de la mutualité agr.). *Pt :* Jacques Chambaud. Membre au niveau européen du comité des organisations professionnelles agr. (COPA).

Confédération paysanne. 17, place de l'Argonne, Paris 19e. *Créée* 29-4-1987 par fusion CNSTP (Conféd. nat. des syndicats de travailleurs paysans, créée 4-6-1981), FNSP (Féd. nat. des syndicats paysans) et des syndicats départementaux. *Comité nat.* (30 m.). *Secrétariat nat.* [7 m. dont Michel Berhocoirigoin (secrét. gén.) et Guy Le Fur (porte-parole)]. Implantée dans 78 départements (20 % des v. aux élect. aux chambres d'agriculture en janv. 89). *Publication :* Campagnes solidaires (mens.). Adhère à la Coordination paysanne europ.

FFA **(Fédération française de l'agriculture).** *Siège adm. :* 30, rue de la Préfecture, 37000 Tours. *Créée* 2-12-1969 d'une scission de la FNSEA. *Pt :* Henri Gaulandeau. *Vice-Pt :* Joseph Debiez. *Secr. gén. :* Lionel Guillard. *Adhérents :* 75 000 env. *Féd. départ.* structurées 50. *Publication :* Action agricole de Fr.

FGSOA **(Fédération générale des salariés des organisations agricoles et de l'agro-alimentaire).** 119, bd Sébastopol, Paris 2e. *Secr. gén. :* Daniel Tuvache. Comprend 9 syndicats nationaux, 38 000 adhérents (100 000 v. aux élections professionnelles). Fait partie du « groupe des 10 » (SNJ, FAT, SNUI, SNCTA, SUACCE, FADN, SNAPCC, SNABF).

FNCA **(Fédération nationale du crédit agricole).** 48, rue La Boétie, Paris 8e. *Pt :* Yves Barsalou. *Secr. gén. :* Marc Didierjean. *Dir. gén. :* Jean-Claude Pichon. Rassemble les 89 caisses régionales de Crédit agr. qu'elle représente, au niveau national, auprès des pouvoirs publics, du monde agr. et coopératif et des autres secteurs prof. Participe à la définition de la politique du groupe Crédit agr. en liaison avec la Caisse nat. de Crédit agr. et assure certaines missions opérationnelles pour les Caisses régionales (gestion de la Convention collective nationale, orientation et promotion des cadres dirigeants, conseil fiscal, fonction de sécurité et animation des clubs d'utilisateurs de matériel informatique). *Publication :* L'Administrateur du Crédit agr. (bimestriel).

FNCUMA **(Fédération nat. des coopératives d'utilisation de matériel agricole).** 48, rue Montmartre, Paris 2e. *Créée* 22-11-1945. *Pt :* P. Favreau. *Secr. gén. :* Jean-Marie Rey. *Adhérents :* 12 500 CUMA, 86 FDCUMA.

FNPA **(Féd. nat. de la propriété agricole).** 39, rue St-Dominique, Paris 7e. *Créée* 1947. *Pt :* B. de Jouvencel. *Délégué gén. :* G. Tetu. Membre fondateur de l'ELO (European Landowners Organisation). *Adhérents :* env. 50 000 propriétaires de t. agric., exploitants ou bailleurs regroupés en 80 syndicats départ. et 21 unions régionales. *Publication :* La Propriété agric. (mens., 22 000 ex.).

FNSEA **(Féd. nat. des syndicats d'exploitants agricoles).** 11, rue de La Baume, Paris 8e. *Créée* le 14-3-1946. 1er Pt : Eugène Forget (11-11-1901). *Pt :* Raymond Lacombe (28-11-1929) a succédé le 27-3-1986 à François Guillaume (19-10-1932) devenu min. de l'Agriculture ; réélu le 1-4-1987. Organisme privé, préside le CAF (Conseil de l'agriculture fr.), membre de la CGA (Confédération gén. de l'agr.), du COPA (Comité des organisations prof. agricoles : 30 organisations dans les pays de la CEE). Regroupe 94 fédérations ou unions dép. en France et outre-mer. *Adhérents :* 600 000 familles paysannes réunies au sein de 30 000 syndicats locaux, env. 40 associations de producteurs spécialisés par produit. *Employés :* 90 permanents à Paris ; env. 3 000 dans les fédérations et unions départementales. *Publications :* L'Information agricole (mens.), Actuagri (hebdo), ISA (Informations syndicales agricoles, hebdo départemental), La Lettre de Conjoncture (bi-mensuel).

MODEF **(Mouvement de défense des exploitants familiaux).** 100, rue de Bordeaux, 16000 Angoulême. *Créé* 7-4-1959 par des dirigeants d'organisations agricoles de 23 départ. du sud de la Loire dont de nombreuses exclues de la FNSEA. A depuis 1976 le statut de syndicat sous le nom de Confédération nat. des syndicats d'exploitants familiaux-MODEF. *Pts :* Franck Marcadé, Raymond Mineau. *Secr. gén. :* Christian Chaval. *Publication :* l'Exploitant familial.

UCCMA **(Union des caisses centrales de la mutualité agricole).** 8-10, rue d'Astorg, 75413 Paris Cedex 08. *Pt :* Bordeaux Montrieux. *Dir. gén. :* Serge Avoine. *Publication :* Bulletin d'Information de la Mutualité agricole (BIMA), 170 000 ex.

La coopération agricole

Statistiques

Coopératives. **D'achat et de vente de prod. agr. et alim.** *1970 :* 5 050, *75 :* 4 400, *80 :* 4 092, *85 :* 4 130, *89 :* 4 100. **De services.** CUMA *(89)* 12 000 ; *d'insémination artif.* 60. **Adhérents actifs des coop.** *1970 :* 2 500 000, *89 :* 1 500 000 (la plupart des agr. sont adhérents de plusieurs coop.). **Salariés permanents des coop. de commercialisation et transform. de prod. agr.** *1980 :* 106 503, *84 :* 104 800, *85 :* 112 600, *87 :* 110 000, *89 :* 130 000. **Chiffre d'affaires des coop.** (en millions de F) : *1972 :* 50 730, *81 :* 167 000, *85 :* 275 000, *89 :* 400 000, filiales comprises.

Principales coopératives agricoles (CA consolidé en milliards de F, 1988-89). *Union laitière normande* 10,9 (produits laitiers, 10 % de la collecte nat. de lait, plus de 40 usines), *SOCOPA* 11,5 (viande), *SODIMA-SODIAAL* 12,5 (produits laitiers coopératives, Yoplait et Candia). *CAB* 6,5 (polyvalente ; produits laitiers), *UNCAA* 10,1 (approvisionnement), *UNCAC* 8,1 (céréales), *CANA* 4,9 (polyvalente, dominante animale).

Nombre d'organismes, coop., unions, SICA **et,** entre parenthèses, part dans l'exportation en % (1989). *Céréales et oléagineux :* 384 org. (50) : collecte 71, fabr. d'aliments pour animaux 42, malterie 43,

43, maïserie 40, meunerie 25, panification 25. *Lait et produits laitiers :* 792 organismes (32) : collecte 49, lait de consom. 61, beurre 54, poudre 53, yaourts 29, fromages 33. *Bétail et viande :* 372 organismes (32) : jeunes bovins 65, tous bovins 25, porcins 78, ovins 50. *Fruits et légumes* (frais et conserves) : 421 organismes (fruits frais 55, conserves 30) : fruits frais 30, lég. frais 20, fruits au sirop 60, pruneaux 45, confitures 5, champignons 80, tomates transformées 40, lég. apertisés 50,4e gamme 40, lég. surgelés 40, fruits surgelés 60. *Vins et alcools :* 1 501 organismes (exp. VCC 27, VQPRD 27), VCC 60, VQPRD 68, distillation 65, cognac 14, champagne 7. *Divers :* 63 organismes : œufs 40, volailles 30, déshydratation luzerne 92, pulpes betteraves 75 ; distillation alcool bett. 42, sucre betterave 18, semences céréales et oléagineux 70, fourragères 60, huile d'olive 48, plants de pomme de terre 25, horticulture 5.

Organismes

CFCA **(Confédération française de la coopération agricole).** 18, rue des Pyramides, Paris 1er (presque tous les agriculteurs sont membres d'une ou plusieurs coopératives). Représentée au niveau européen par le COGECA, 23/25 rue de la Science, 31040 Bruxelles. *Créée* 3-2-1966 (fusion de la FNCA et de la CGCA). *Pt :* Joseph Ballé (1-1-1940). Compose, avec la Féd. nat. du crédit agr. et la Féd. nat. de la mut. agr., la Conf. nat. de la mut., du crédit et de la coop. agr. (CNMCCA, 129, bd St-Germain, Paris 6e). Réunit 3 collèges d'adhérents : fédérations nat. de coopératives, féd. régionales, membres de « Promotion-coopérative ». *Publication :* Agriculture et Coopération.

CCVF **(Confédération des coopératives vinicoles de France).** 53, rue de Rome, Paris 8e. *Créée* 1932. *Organisation :* en 1989, 1 068 coopératives vinicoles. Regroupe 190 820 adhérents (531 173 viticulteurs ont souscrit en 1989 une déclaration de récolte). Contrôle 51 % de la superficie du vignoble en exploitation. Vinifie 57 % de la récolte (vins de table : 74 %, vins de pays : 70 %, AOC : 41 %). Il existe des coop. vin. dans une cinquantaine de départ., regroupées en féd. départementales ou régionales.

CUMA **(Coopératives d'utilisation du matériel agricole).** Nombre de sociétaires : min. 4. Ressources : apport de cap. social par les sociétaires en proportion de leur engagement à faire appel aux services de la CUMA. Possibilité d'emprunts de capitaux. Emploi possible de main-d'œuvre. *Nombre* (1989) : + de 12 000 dans 86 féd. départ. (concernent 250 000 agriculteurs). Forte densité dans S.-O., O., Rh.-Alpes. *Activités* (en %) : récolte des fourrages 49, fertilisation, traitements, protections des cultures 44, récoltes de céréales, betteraves, p. de terre ou oléagineux 41, semis et plantations 39, travail du sol 37, transport et manutention des produits agr. 19,5, vocation spéciale (irrigation, drainage, déshydratation, etc.) 20.

FNCBV **(Fédération nationale de la coopération bétail et viande).** 8, rue Armand-Moisant, Paris 15e. *Créée* 1954. *Dirs. :* M. Lestoille, Y. Costes. Association des SICA coopératives et groupements de producteurs effectuant les opérations d'expédition, d'abattage et de ventes de bétail et de viande. *Publication :* Bevi-Flash.

SICA **(Sociétés d'intérêt collectif agricole).** *Créées* 6-8-1961. Groupements paracoopératifs qui permettent d'organiser des relations interprofessionnelles (agriculture, industrie, commerce) au sein d'un même groupement dont les agriculteurs conservent la majorité. *But :* créer ou gérer des installations et équipements, assurer la fourniture de services pour les agriculteurs et les habitants d'une région rurale déterminée. *Nombre au 1-1-1982 :* 1 200 en service et 500 s'occupant de prod. agricoles.

SIGMA-UNCAC **(Union nat. des coopératives agricoles de collecte).** 83-85, avenue de la Grande-Armée, 75782 Paris Cedex 16. Née de la fusion, le 24-1-1991, de l'UGCAF (Union gén. des coopératives agr. françaises) et de l'UNCAC, *créée* le 8-8-1945. *Pt :* Jean Gonnard. *Dir. gén. :* Bruno Catton. 380 coop. sociétaires. CA consolidé (1989-90) : 9,4 milliards de F.

Organisation des producteurs

Groupements de producteurs. Syndicats, associations, coopératives ou SICA. Peuvent dans certains cas recevoir des aides de l'État.

Comités économiques. Sous forme d'associations ou de syndicats, rassemblent au niveau d'une région les groupements de producteurs reconnus et le syndicalisme à vocation générale ou spécialisée. *Nombre :* env. 30 surtout dans 3 secteurs (fruits et légumes, aviculture et productions spéciales).

Contrats et accords interprofessionnels. Dep. 5-8-1960 et 6-7-1964. Passés entre producteurs, industriels et commerçants.

Organisation interprofessionnelle. Cadre juridique de l'Organisation des productions et des marchés, *créée* 30-6-1975. Voir Ofival, Oniflhor, Onilait, ONIPPAM, Onivins. Voir p. 1541.

Autres associations. **AGPB (Association générale des producteurs de blé et autres céréales).** 8, av. du Pt-Wilson, Paris 16e. *Créée* 1924. *Pt :* Henri de Benoist. *Adhérents :* 300 000. **AGPM (Ass. gén. des producteurs de maïs).** 122, bd Tourasse, 64000 Pau. **ANDA (Ass. nat. pour le développement agricole).** 25, av. de Villiers, Paris 17e. *Pt :* Michel Fau. *Créée* 4-10-1966. Composée paritairement de représentants des Pouvoirs publics et des organisations agricoles. Mission : gérer le FNDA (Fonds national de développement agricole) alimenté par des taxes parafiscales. Participer au financement des programmes de recherche et d'expérimentation, de formation des hommes et de diffusion des connaissances. **CFA (Confédération française de l'aviculture).** 28, rue du Rocher, Paris 8e. *Créée* juillet 1945. Association spécialisée de la FNSEA. *Pt :* Eugène Schaeffer. **CGB (Conf. gén. des planteurs de betteraves).** 43-45, rue de Naples, Paris 8e. *Créée* 1921. *Pt :* Georges Garinois. *Dir. gén. :* Maurice Rossin. *Adhérents :* les 15 syndicats de planteurs de betteraves français. **CNE (Conf. nat. de l'élevage).** 149, rue de Bercy, 75595 Paris Cedex 12. *Créée* 1946. **FAVF (Conféd. des ass. viticoles de France).** 21, rue François-Ier, Paris 8e. **FNB (Féd. nat. bovine).** 149, rue de Bercy, 75595 Paris Cedex 12. **FNO (Féd. nat. ovine).** 149, rue de Bercy, 75595 Paris Cedex 12. **FNPF (Féd. nat. des producteurs de fruits).** 14, rue Ste-Cécile, Paris 9e. *Créée* 1946. *Pt :* Henri Bois. **FNPL (Féd. nat. des producteurs de lait).** 149, rue de Bercy, 75595 Paris Cedex 12. *Créée* mars 1947. *Pt :* Jean-Marie Raoult. *Adhérents :* 280 000 regroupés dans 85 fédérations départ. et rég. **FNPT (Féd. nat. des planteurs de tabac).** 19, rue Ballu, Paris 9e. *Créée* 1908. *Pt :* André Mariette. **FOP (Fédération française des producteurs d'oléagineux et de protéagineux).** 12, av. George V, Paris 8e. A absorbé en 1990 l'AGPO (Ass. gén. des producteurs d'oléagineux, *créée 1945*). *Pt. :* Robert Soucat. *Dir. gén. :* Philippe Tillous Borde. *Adhérents :* 130 000.

Recherche agronomique

INRA **(Institut national de la recherche agronomique).** 147, rue de l'Université, 75338 Paris Cedex 07. *Créé* 18-5-1946. Établissement public nat. *Budget total annuel :* 2,7 milliards de F. Scientifiques et ingénieurs 3 600, techniciens et administratifs 4 867. *Pt :* Pierre Douzou (n. 25-8-26) dep. 1990. *Dir. gén. :* Hervé Bichat (n. 26-3-38) dep. 1990.

☞ **Comices agricoles.** *Origine :* v. *1750* fête des Vaillants créée par Louis de Lapeyrière (Lacépède, Lot-et-G.). *1755* (15-8) Volandry (Anjou) par le marquis de Turbilles. *1773* concours organisé à Vouxey (Lorraine) par le chanoine Jean-François Duquesnoy.

Forêts

Forêts

☞ Voir aussi p. 65.

Généralités

Une forêt (vierge) qu'on ne coupe pas consomme, en respirant et en pourrissant sur pied, autant d'oxygène qu'elle en produit. Si elle brûle, elle donne du gaz carbonique qui, s'ajoutant à la pollution atmosphérique, provoque, par effet de serre, un réchauffement dangereux du climat mondial. En revanche, une forêt bien exploitée peut stocker le gaz carbonique sous forme de bois qu'on pourra utiliser, et produira plus d'oxygène qu'elle n'en consomme.

• Grands types. *Forêt résineuse* conifères (ex. : la Taïga). *F. sclérophylle* essences à petites feuilles coriaces et persistantes (ex. : f. de chênes verts). *F. tropicale humide (semper virens : toujours verte).* Superficie en millions de km² : Amér. du S. et centrale 6 (dont Brésil 3,7), Asie du S.-E. et Australie 3, Afrique 2,1. *F. feuillue caducifoliée* essences à feuilles caduques (ex. : chênaie-hêtraie).

• Origine des peuplements. *Semis naturels :* graines tombées des arbres ; on peut favoriser ce semis en supprimant les sujets gênants, en nettoyant et en travaillant le sol. *Rejets de souche :* origine des taillis. *Plantations.*

• Types d'exploitation. **Futaie.** Arbres de « franc-pied » (issus de semences à l'exclusion des tiges venant de rejets de souches). *Futaie régulière :* sensiblement du même âge et de la même taille. *Forêt jardinée :* les arbres d'âges différents sont mêlés (fréquente en montagne : Vosges, Jura, Alpes, Pyrénées). Par des méthodes dynamiques (entretien, travail du sol, apports d'engrais), la production des plantations (notamment peuplier et pin maritime) peut être accélérée. *Révolution de la futaie :* durée s'écoulant entre 2 régénérations. Pins maritimes et autres résineux à croissance rapide 40-60 ans, résineux produisant du bois de qualité de grosses dimensions 60-120, feuillus de qualité 80-240.

Taillis. Arbres venant des rejets des souches recépées. Les tiges, issues d'une même souche, se présentent en bouquets appelés « cépées ». **Taillis simple :** à maturité on coupe à blanc étoc. La périodicité de ces coupes *(révolution)* varie en moyenne entre 20 et 40 ans suivant la vitesse de croissance du taillis et les dimensions des produits recherchés. **Taillis sous futaie :** arbres de « franc-pied » (futaie) et rejets de souches (taillis). Rotation des coupes fixée par la maturité du taillis. Chaque coupe exploite tout le taillis et une partie de la futaie. La « réserve » (arbres non abattus) comprend *baliveaux* (âge égal à 1 rotation de taillis), *modernes* (âge égal à 2), *anciens* (à 3), *bisanciens* (à 4), *vieilles écorces* (à 5). Pour préserver les baliveaux, on maintient autour d'eux des brins de taillis (« Gaine de soutien »).

Quelques définitions

Bille : tronçon découpé dans une grume. **Bois d'industrie ou de trituration :** en général, bois dont la grosseur ne permet pas leur sciage, utilisés à l'état brut (poteaux télégraphiques, étais de mines) ou en copeaux pour être reconstitués en panneaux ou pour fabriquer de la pâte à papier. **Bois d'œuvre :** troncs (ou grumes) assez gros pour pouvoir être sciés, tranchés (qualité supérieure) ou déroulés. **Chablis :** arbre renversé par le vent. **Déroulage :** transformation d'une bille en placage en principe continu, en l'attaquant tangentiellement aux couches annuelles au moyen d'une lame coupante parallèle à l'axe de la bille, celle-ci étant montée entre pointes et animée d'un mouvement rotatif. **Grume :** tronc d'arbre abattu, ébranché et recouvert ou non de son écorce. **Houppier :** ensemble des branches et ramilles d'un arbre. **Stère :** rondins de bois empilés mesurant un mètre en tous sens. Généralement, un stère comprend 600 à 700 litres de bois et 400 à 300 l de vide. **Tranchage :** débitage d'une bille en placage avec une lame coupante travaillant comme un rabot, parallèlement à l'axe de la pièce de bois.

• Rendement (en Europe). **Feuillus.** 3 à 5 m³ de bois par ha et par an (dont 50 % env. en futaie). *Peupliers :* jusqu'à 20 m³ (vallée du Pô). Un chêne de la forêt de Tronçais âgé de 250 ans et de 30 m de haut a donné 32 m³ de bois d'ébénisterie.

Résineux. 5 à 25 m³ de bois d'œuvre par ha et par an. *Record : Danemark :* épicéa, 40 m³. *France :* pins maritimes des Landes, de 5 à 10 m³. Forêt de la Joux (Jura : sapin-épicéa), 10 à 12 m³. Douglas (esp. la + plantée), 17 m³.

Types de bois

Charpentes

• **Traditionnelles.** *Autrefois :* essentiellement en chêne, puis peuplier [1]. *Aujourd'hui :* résineux.

• **Modernes.** *Industrialisées* (fermettes) : débits résineux de 40 mm (ou 38) d'épaisseur, de 75, 100 ou 112 mm de large, aboutés ou non et assemblés par des connecteurs métalliques (plaques perforées à picots). *Lamellés-collés :* poutres en arc (jusqu'à 100 m sans appuis intermédiaires), ou poutres droites. Planchettes aboutées en lits collés de 15 à 50 mm d'épaisseur selon le rayon de courbure des poutres à réaliser ; en résineux (surtout sapin et épicéa). *Composites :* membrures en bois massif associées à des contreplaqués constituant les âmes des poutres en des goussets d'assemblage. *Caissons chevronnés :* « pans » de toiture préfabriqués. *Pannes :* pièces longues parallèles au faîte d'un toit, reposant généralement sur des murs-pignons et sur des fermes traditionnelles. *Chevrons :* pièces parallèles à la pente d'un toit, placées sur les pannes et supportant la couverture (par des liteaux, lattes ou panneaux).

☞ Il n'y a que quelques charpentes en châtaignier (ex : Château de Sully-sur-Loire, Hospices de Beaune) : les gros châtaigniers sont *atteints de « roulure »* (décollement des accroissements annuels), et peu utilisables.

Bois de menuiserie

Caractéristiques. Un bois de menuiserie ne doit pas : *présenter de gros nœuds* à partir de 50 mm pour le pin et emplois très communs, mais plutôt 25 à 30 mm en général (nœuds sains) ; dans les pièces visibles, seuls les nœuds sains de quelques mm sont admis ; *ni de défauts notables* (fentes, échauffures, vermoulures, pentes de fil importantes...) ; *avoir une texture grossière* (cernes de – de 5 mm) ; *être humide :* taux de 18 % et + (14 % pour emplois inférieurs). **Il doit** être traité contre les attaques d'insectes et de champignons dans le cas de menuiseries extérieures, s'il n'est pas naturellement durable (bois parfait de chêne, de pin, d'iroko, etc.).

Principaux emplois (en %). *Pin maritime :* parquets 65, autres résineux 18, chêne 10. *Fenêtres, portes-fenêtres et portes extérieures :* bois tropicaux (85 à 90 %).

Bois de tranchage et de déroulage

Placages d'ébénisterie. Tranchés, sauf les *loupes* (terme commercial, désigne le plus souvent des broussins), qui sont déroulées. *Épaisseur :* 6 à 7/10 de mm.

Contreplaqué. Origine tropicale (4/5) : okoumé, samba, limba, homba, tola, ozigo, meranti-lauan, etc. ; 1/5ᵉ : pin maritime, peuplier et hêtre. Venant de billes de pied sans défaut notable, d'au moins 1,50 m de long. *Catégories : contr. multiplis :* ordinaires obtenus par traitement sous pression (10 bars), à 90/130° C, d'empilements d'un nombre impair de feuilles de placage déroulées, préencollées (en gén. contreplaqué le + couramment vendu en France : le 5 plis de 10 mm d'épaisseur totale) et disposées de telle sorte que le fil du bois soit croisé d'une feuille à l'autre. *Colles employées :* surtout des urée-formols et résorcines. *Lattés :* âme en petits liteaux jointifs (à disposition alternée des cernes, non collés sur chants), recouverte sur ses 2 faces par des placages déroulés collés. *Lamibois (ou microlam) :* feuilles de placage non disposées à fil croisé.

Bois d'ameublement

Essences utilisées (en %). Chêne 28, hêtre 14, peuplier 7, divers feuillus (noyer, merisier, frêne, érable, orme, châtaignier) 13, résineux 13, feuillus importés 18, résineux importés 6.

Bois d'emballage

Usages. *Caisserie* (15 % du bois d'emballage). *Caisse armée et emballages* légers (30 à 35). *Palette et caisse-palette* (50).

Essences utilisées (en %). Sapin-épicéa 30, peuplier 25 (fournit des sciage, déroulage et contreplaqué), pin (surtout maritime) 25, bois divers 20, [dont chêne (4) et châtaignier (1) pour la tonnellerie, et hêtre (7) pour déroulage].

☞ En 1940, il y avait 12 000 tonneliers. Il en reste 300 utilisant 100 à 120 000 m³ sc. de merrains.

Bois de trituration

Bois à fragments. En vue d'une réagglomération ultérieure avec ou sans liant, en panneaux plats, feuilles ou objets moulés. Trituration du bois faite par découpage en copeaux plats : en *défibrage mécanique* (sur des meules ou disques abrasifs) ou *chimique* (dissolution de la lignine). **Bois pour panneaux agglomérés.** *Panneaux de fibres durs :* sans liant exogène, densité de + de 800 kg/m³ [« Isorel » (procédé humide) ou « Biplac » (procédé sec)]. *De fibres de moyenne densité* (MDF : medium density fiberboard) avec 650 à 700 kg/m³, un peu de liant exogène (colles urée-formol), généralement épais (20 à 30 mm). *Panneaux de particules traditionnels :* bois non défibré mais découpé en copeaux (long et larg. de l'ordre du mm, épaisseur de 1/10ᵉ à 1/100ᵉ de mm), additionné de 8 à 10 % de liants divers : famille des résorcines (composés phénoliques), urées-formol, urées mélamines, isocyanates, etc ; *modernes :* copeaux assez grands conservant la structure originelle du bois (nommés wafers, flakes, shavings, selon formes et dimensions). Peuvent être revêtus d'une finition décorative ; surfacés mélaminés.

Bois, source de chaleur et d'énergie

Composition du bois. Partie combustible 45 % (celluloses, hémicelluloses et lignines), oxygène 44, hydrogène 6, azote 1, cendres 1.

Pouvoir calorifique inférieur [p.c.i. : quantité de chaleur dégagée par unité de masse sans condensation de l'eau lors de la combustion, ou dégagée par le combustible (cas de la combustion à l'air libre)]. Bois anhydre 4 000 et 5 000 Kcal (4 ou 5 thermies) par kg de bois ; résineux 4 400 à 5 000 ; feuillus 4 000 à 4 800 (au m³, le p.c.i. des feuillus, plus denses, est plus élevé que celui des résineux) ; briquettes de sciure et copeaux (p.c.i. : 4 000 à 4 200 th/t) ; granules (Woodex) : p.c.i. 4 000 à 4 200 th/t. Un bois humide peut détériorer les conduits de fumée par goudronnage et bistrage.

Humidité. Calculée *par les industriels* dans la masse de bois brute (un bois à 40 % contient 60 de bois et 40 d'eau), *par les scientifiques* par rapport à la masse de bois anhydre [« sur sec » ; un bois à 40 % contient 100 % de bois et 40 % d'eau pour une masse totale de 140 (soit 71,5 % de bois et 28,5 % d'eau pour une masse totale de 100)].

Bois commercialement sec. Bois ayant séché 2 ans à l'air libre, en bûches de 1 m, humidité sur sec d'env. 20 %. Séchage artificiel répandu.

Bois frais de coupe. Peuplier : humidité 100 à 200 %, résineux 100, feuillus 60 à 80.

Pouvoir calorifique d'un stère de : 0,6 m³ (en fait 0,44 à 0,63 m³ selon le diamètre des rondins : de 5 à 12 cm) 1 465 thermies (1 405/1 525). **Comparaison (p.c.i. en thermies/tonne) :** bois feuillu sec à l'air 3 500 à 3 600 ; anthracite 7 000 ; gaz de Lacq 8 800 ; fuel domestique (FOD) 10 150 ; butane 11 000.

Bois de feu hêtre. Comparaison au début (après/sous abri en 24 mois). *Humidité sur sec (%) :* 78 (24/15). *Masse spécifique kg/m³ :* 980 (705/690). *P.c.i. en thermies/tonne :* 2 100 (3 325/3 700) ; en thermies/m³ : 2 055 (2 315/2 545).

Comportement au feu. Flamme vers 270 °C. *Température* de 720 °C au bout de 1/4 d'heure, 1 h 925 °C, max. 1 200 °C. Après un temps bref où la temp. du bois ne dépasse pas 100 °C (par suite de l'humidité), le bois commence à se décomposer (réaction endothermique) en émettant des gaz combustibles (flammes de + de 1 000 °C) ; une couche de charbon de bois se forme, qui peut continuer à brûler sans apport de chaleur extérieure (réaction exothermique). Ce processus gagne le centre du bois (de 7/10 de mm par min. ou 4 cm à 4,5 cm par h). Pendant ce temps, le bois ne se dilate pas sensiblement, et, sous forte épaisseur ou forte section, ne se déforme pas et conserve une résistance mécanique fonction du volume relatif des parties non carbonisées.

Nota. – Lors d'un incendie : le fer, qui ne « brûle » pas, se dilate et s'amollit rapidement, la pierre et le béton, incombustibles, se fendent ou éclatent (en particulier sous les jets des lances d'incendie).

Durée de résistance au feu, en minutes, de poteaux de 2,30 m chargés à 10 t, de chêne (0,15 × 0,15) et, entre parenthèses, **d'acier à poutrelles (HN 100).** Poteau nu 52 min. (8 à 10 min), protégé par 1 cm de plâtre 81 (60 à 69), par 2 cm 118 (84 à 95).

Quelques bois tropicaux

• **Nom le plus courant et,** entre parenthèses, **nom botanique. Feuillus.** *Bois surtout déroulés pour la fabrication de contreplaqué :* Framiré (Terminalia ivorensis). Ilomba (Pycnanthus angolensis). Limba [Fraké] (Terminalia superba). Obéché [Samba, Ayous] (Triplochiton xéroxylon). Okoumé (Aucoumea, Kleineana). Ozigo [Assia] (Dacryodes, Buettneri). Tchitola (Oxystigma oxyphyllum). Tola (Grossweille-rodendron balsamiferum). *Bois de menuiserie courante et parfois charpente :* Andiroba (Carapa guianensis). Bosse (Guarea). Kosipo (Entendophragma, Candollei). Keruing (Dipterocarpus, divers). Makore (Tieghemella, divers). Mengkulang (Heritiera, divers). Meranti (dark red) (Shorea, divers). Meranti (light red) (Shorea, divers). Niangon (Tarrietia, divers). Sipo (Entendophragma). *Bois de menuiserie fine, moulures, ébénisterie, ameublement, placages.* Acajou d'Afrique (Khaya, divers). Afrormosia (Pericopsis elata). Avodiré (Turroeanthus africana). Bété (Mansonia altissima). Bubinga (Guibourtia, divers). Noyer noir (de Virginie) (Juglans nigra). Dibétou (Lovoa, divers). Eyong (Eribroma oblonga). Lauan (White) [Almon] (Pentacme, divers). Mahogany [Acajou vrai] (Swietenia, divers). Ramin (Gonystylus bancanus). Sapelli [Aboudikro] (Entendophragma cylindricum). Teck (Tectena grandis). Tiama (Entendophragma angolense). Angélique [Basra locus] (Dicorynia guianensis). Azobé (Lophira alata). Balsa (Ochroma lagopus). Doussié (Afzelia, divers). Iroko (Chlorophora excelsa).

Résineux. Pin de Parana (Araucaria angustifolia). Pitchpin (Pinus palustris, Pinus toeda). Sequoia [Redwood] (Sequoia sempervirens). Spruces (Picea, divers). Western Hemlock (Tsuga heterophylla). Western red cedar (Thuya plicata).

Produits annexes

Adragante (Asie Mineure) : pharmacie. **Alcool :** l'action des acides forts (acides sulfurique et chlorhydrique) sur la cellulose du bois donne des sucres, avec lesquels on peut faire de l'alcool éthylique ou produire des levures pour le bétail. 100 kg de bois sec peuvent donner 25 à 30 l d'alcool absolu. La lignine reste comme sous-produit.

Baume du Pérou (Salvador). **Bois :** menuiserie, charpente, ébénisterie, etc., combustible, pâte à papier (jeunes arbres, parties hautes des pieds ou houppiers, maîtresses branches, déchets de scierie).

Camphre (Japon, T'ai-wan) : laurier camphrier. **Cellulose :** extraite chimiquement par la méthode au bisulfite de calcium. *C. dispersées et régénérées :* les c. sont imbibées par la soude, dispersées dans du sulfure de carbone en présence d'un excès de soude, puis recoagulées par action chimique, sous forme de fils avec lesquels on fait la rayonne et la fibrane, ou sous forme de feuilles (cellophane). *Nitrocelluloses :* les c. attaquées par l'acide nitrique (en présence de catalyseurs) donnent des nitr. ; usages variés : celluloïd (par plastification avec le camphre), films (durs mais inflammables), vernis, explosifs, etc. *Acétocelluloses :* en présence d'acide sulfurique, les c. peuvent se combiner à l'acide acétique pour donner des acét. ; usages variés : textiles, poudres à mouler, mat. plastiques, feuilles transparentes, vernis, etc.

Charbon : une meule de 4 stères de bois donne de 240 à 320 kg de ch. en 48 h, un camion de 3 à 5 t consomme de 40 à 50 kg de charbon aux 100 km ou 100 kg de bois s'il a un générateur à bois. *Carbonisation par distillation :* rendement de 25 % en poids, permet de recueillir les produits volatils : gaz non condensables (hydrogène, méthane, oxyde de carbone, gaz carbonique, azote, etc.) ; alcools + ou – volatils (surtout alcool méthylique) ; acide acétique dilué dans de l'eau ; goudrons facilement condensables.

Chicle (Honduras) : sapotillier utilisé pour le chewing-gum. **Colophane** (Asie Mineure) : venant de la distillation de la résine-gemme des pins. **Copal** (Afrique) : pour les vernis. **Écorce pour tannerie :** chêne (surtout ch. vert), épicéa ; tannin contenu dans l'écorce en % : jeune chêne 16, vieux 7, épicéa 4. Rendement en écorce taillis 25 à 30 ans 3 à 5 t par ha. Pour tanner une peau de vache, il faut 120 kg d'écorce. On fabrique maintenant surtout des extraits tannants avec le bois de châtaignier (qui sert ensuite à faire de la cellulose) ou des écorces de bois tropicaux (mimosas, palétuviers, sumacs, quebracho, etc.). **Encens** (Inde et Afrique). **Essence de bois de rose** (Amérique). **Gemme :** pin d'Alep et maritime (2 à 4 l par an par arbre). On en tire colophane, brai, essence de térébenthine. *Principaux producteurs :* USA, France. **Gomme :** *g.-laque, (*Inde, Indochine) larve d'un insecte parasite ; *g. arabique* (Sénégal), acacia ; *g.-gutte* (Asie du S.). **Laque** (Extrême-Orient) : laquier du Tonkin. **Latex** (Extrême-Orient) : caoutchouc. **Liège** (régions méditerr.) : écorce du chêne-liège. 1er écorçage ou démasclage à 15-18 ans (liège mâle cassant utilisé pour les agglomérés) ; 2e éc. 10 ans après ; femelle pour la bouchonnerie. A 120 ans, l'arbre est abattu et écorcé (la mère fournit le tan). 1 ha donne de 80 à 120 kg de liège tous les 10 ans (avec lesquels on peut faire 10 000 à 15 000 bouchons). *Principaux producteurs,* en milliers de t : Portugal 197, Espagne 65, Algérie 27, Maroc 26, *France 13* (surtout en Corse). **Myrrhe** (Afrique). **Quinine** (du quinquina des Andes, Sri Lanka, Java, Indes, Guinées) haut. env. 30 m.

La forêt dans le monde

% de la forêt (par rapport à la superficie totale). Finlande 69, Suède 52, Canada 44, URSS 40,6, Brésil 40, Luxembourg 32, All. féd. 29. *France 26,7,* Argentine 22, Italie 21, Belgique 20, Inde 18, Danemark 11, P.-Bas 8, G.-B. 8, Irlande 4, Gambie, Tunisie, Maroc 3.

La forêt tropicale qui couvre 1,2 milliard d'ha, soit 7 % des terres émergées, renferme + de 50 % de la faune et de la flore du monde (80 % des insectes et 90 % des primates), recule chaque année de 125 000 km². (35 000 défrichés retomberont en jachère et donneront une forêt secondaire.)

Production totale (en millions de m³, 1986). **Bois rond.** Asie 998,1 ; Amérique du N. 723,2 ; Afrique 449,5 ; URSS 377,6 ; Europe 351,3 ; Amérique du S. 314,7 ; Océanie 38. *France 39,1.* **Sciages résineux.** 356 dont URSS 87 ; USA 81 ; Canada 52 ; Japon 24 ; Suède-Finlande 18 ; Europe (sauf Suède, Finlande, URSS) 49 ; reste du monde 45 ; *France 5,7.* **Sciages feuillus.** 116 dont Asie 47 ; Amérique du N. 17 ; Europe 17 ; Amérique du S. 14 ; URSS 12,3 ; Afrique 6 ; Japon 5 ; Océanie 2 ; *France 3,2.* **Grumes conifères.** 695 dont USA 208 ; URSS 139 ; Canada 126 ; Suède-Finlande 38 ; Chine 24,9 ; Japon 16 ; Europe (sauf Suède, Finlande, URSS) 81 ; reste du monde 87 ; *France 11.* **Grumes feuillus.** 264 dont Asie 107 ; Amérique du N. 44 ; Europe 36 ; Amérique du S. 30 ; URSS 23 ; Afrique 17 ; Océanie 7 ; Japon 3 ; *France 8.* **Bois de trituration.** 394 dont Amérique du N. 171 ; Europe 113 ; URSS 40 ; Amérique du Sud 28 ; Japon 13 ; Océanie 12 ; Afrique 7 ; *France 9,2.* **Panneaux.** 119,1 dont USA 34,9 ; URSS 13,5 ; Japon 8,9 ; Canada 6,2 ; Indonésie 5,7 ; Chine 3,3 ; Brésil 2,5 ; *France 2,5.* **Contre-plaqués.** 49,1 dont USA 20,4 ; Japon 7 ; Indonésie 5,7 ; URSS 2,3 ; Canada 2,1 ; Chine 1,9 ; *France 0,4.* **Pâtes de bois** (en millions de t). 140,4 dont USA 51,9 ; Canada 21,6 ; URSS 10,9 ; Japon 9,2 ; Suède 9,1 ; Finlande 7,9 ; Brésil 3,8 ; All. féd. 2,2 ; *France 2.*

Le coût de production de bois est le plus bas aux USA en Scandinavie et au Canada, grâce à la forte mécanisation de la coupe et du déboisage.

Le kenaf pourrait, en Afrique, se substituer au bois pour le papier (rendement 9 fois supérieur à celui du bois ; se récolte chaque année).

La forêt dans la CEE (1987)	Superficie boisée			Propriété		Futaie (en %)
	1 000 ha	%	ha par hab.	publique (en %)	Dont à l'État	
Belgique	617	20	0,06	46,8	10,9	70
Danemark	493	11,6	0,10	34,5	30,4	100
Espagne	12 511	13,8	0,18	34	4	88
France	14 765	25,2	0,25	28	9,6	49
Grèce	5 755	19,5	0,26	85	73,2	51
Irlande	397	5,8	0,11	80	79,3	100
Italie	6 403	21,8	0,11	40	5,9	64
Luxemb.	82	31,8	0,22	46	8,5	82
P.-Bas	348	9,8	0,02	47	30	79
Portugal	2 976	28,6	0,26	19	3,5	92
All. [1]	10 162	28,5	0,13	65,5	47,6	96,9
Roy.-Uni	2 230	8,5	0,04	43,5	43,5	91
Moyennes CEE	56 735	19,7	0,14	45,1	31,5	75,9

Nota. – (1) All. féd. + All. dém.

La forêt en France

Caractéristiques

• **Superficie** (en millions d'ha). *5000 av. J.-C.* : 44 ; *époque gallo-romaine* 40 ; *XVIIe s.* : 13 ; *1789* : 6 ; *1880* : 8 ; *1889* : 9 (politique de reboisement de *1827 à 1847,* dépopulation des campagnes) ; *1900* : 10 ; *1946* : 10,8 ; *1990* : 15,2.

• **Type de peuplement en ha** (1988). 15 159 000 dont feuillus 8 514 600 ; conifères 4 093 200 ; mixte 1 268 000 ; surfaces boisées hors forêts 951 600 ; peupleraies 275 400 ; feuillus en voie d'enrésinement 56 300 ; boisées hors forêts 973 400 ; peupleraies 276 400.

• **Territoire occupé par la forêt** (%). *1876* : 17. *1920* : 18,8. *60* : 21,2. *90* : 25 (dont % futaies 35, taillis sous futaie 31, taillis et formations forestières plus ou moins dégradées 34). **Régions les plus boisées.** En % taux de boisement et, entre parenthèses, % de répartition entre feuillus, résineux, mixtes. Franche-Comté 42 (73, 21, 6). Aquitaine 42 (32, 59, 9). Lorraine 36 (71, 24, 5). Alsace 35 (49, 35, 16). Provence-Côte d'Azur 34 (30, 48, 22). Rhône-Alpes 31 (45, 31, 16). Bourgogne 30 (36, 10, 54). **Les moins boisées.** Nord-Pas-de-Calais 7 (92, 4, 4). Basse-Normandie 8 (78, 15, 7). Bretagne 9 (44, 43, 13). Pays de la Loire 9 (65, 26, 9).

Superficie totale par région et département et, entre parenthèses, **surfaces boisées en milliers d'ha** (au 1-1-1991). *Ile-de-France* 1 196 (255,9) : S.-et-M. 593 (126,5), Yvelines 231 (72,1), Essonne 182 (39,4), Hts-de-S. 18 (1,6), S.-St-D. 24 (0,8), V.-de-M. 25 (2,5), Val-d'O. 125 (20,4). *Champagne-Ardenne* 2 572 (660,2) : Ardennes 524 (147,4), Aube 603 (140,5), Marne 820 (130,8), Hte-M. 625 (241,5). *Picardie* 1 952 (290) : Aisne 742 (122), Oise 589 (115,9), Somme 621 (52,1). *Hte-Normandie* 1 233 (222,5) : Eure 603 (121,6), S.-M. 630 (100,9). *Centre* 3 953 (822,9) : Cher 731 (162,6), Eure-et-Loir 593 (67,4), Indre 690 (107,8), Indre-et-Loire 615 (135,1), L.-et-C. 642 (186,5), Loiret 681 (163,5). *Basse-Normandie* 1 774 (151,4) : Calvados 560 (40,4), Manche 599 (22), Orne 614 (89). *Bourgogne* 3 175 (947,1) : Côte-d'Or 880 (312,8), Nièvre 687 (228), Saône-et-Loire 861 (184,7), Yonne 746 (221,6). *Nord-P.-de-C.* 1 245 (82,2) : Nord 574 (42,8), P.-de-C. 671 (39,4). *Lorraine* 2 367 (849,3) : Meurthe-et-Moselle 528 (169,2), Meuse 624 (227,6), Moselle 625 (170,6), Vosges 590 (281,9). *Alsace* 833 (307) : Bas-Rhin 480 (168,7), Ht-Rhin 353 (138,3). *Franche-Comté* 1 631 (686,5) : Doubs 526 (214,6), Jura 505 (226,7), Hte-Saône 539 (219,8), Territoire de Belfort 61 (25,4). *Pays de la Loire* 3 240 (292,6) : Loire-Atl. 696 (44,1), Maine-et-Loire 723 (75,8), Mayenne 521 (33,8), Sarthe 624 (104,5), Vendée 675 (34,4). *Bretagne* 2 751 (266,9) : Côtes-d'Armor 700 (66,5), Finistère 679 (54,4), Ille-et-Vilaine 685 (56,2), Morbihan 687 (89,8). *Poitou-Charentes* 922 (359,9) : Charente 597 (110,6), Charente-Maritime 689 (99,3), Sèvres (Deux-) 604 (46,3), Vienne 704 (103,7). *Aquitaine* 418 (1 717,9) : Dordogne 922 (372,4), Gironde 1 020 (472,7), Landes 935 (563,2), Lot-et-Garonne 538 (117,5), Pyrénées-Atlantiques 768 (192,1). *Midi-Pyrénées* 4 560 (1 141) : Ariège 491 (191,7), Aveyron 877 (224,6), Garonne (Hte-) 636 (125,2), Gers 630 (76,6), Lot 522 (186,5), Pyrénées (Htes-) 452 (121,3), Tarn 578 (157,4), Tarn-et-Garonne 373 (57,7). *Limousin* 1 706 (529,9) : Corrèze 590 (247,6), Creuse 560 (147,1), Vienne (Hte-) 556 (135,2). *Rhône-Alpes* 4 497 (1 451,6) : Ain 578 (176,8), Ardèche 557 (224,5), Drôme 656 (262,6), Isère 788 (243), Loire 481 (123,3), Rhône 326 (70,5), Savoie 627 (179,5), Hte-Savoie 484 (171,4). *Auvergne* 2 617 (673,5) : Allier 738 (122,6), Cantal 578 (146,2), Hte-Loire 500 (169,2), Puy-de-Dôme 801 (235,5). *Languedoc-Roussillon* 2 776 (804,6) : Aude 634 (150,5), Gard 587 (171,5), Hérault 623 (162,3), Lozère 518 (206,1), Pyrénées-orientales 414,1 (114,2). *Provence-Alpes-Côte d'Azur* 3 179 (1 210,7) : Alpes de Hte-Prov. 696 (297,9), Htes-Alpes 569 (161,4), Alpes-Maritimes 429 (190,9), Bouches-du-Rhône 525 (96,8), Var 603 (341), Vaucluse 357 (122,7). *Corse* 872 (249,4) : C.-du-S. 403 (131,3), Hte-C. 469 (118,1). **France 54 909 (14 556,4).**

• **Accroissement moyen annuel** (en millions de m³). Feuillus 38 ; résineux 31 ; peupleraies 1 ; autres formations boisées 1.

• **Reboisements** effectués avec l'aide du Fonds forestier national. *1947-86* 1 970 000 ha plantés dont échec 322 000 ha (19,2 %), réussite 1 120 000 ha (67 %), médiocre 231 000 ha (13,8 %). *1987* 24 650 [dont pins 10 000 (dont maritimes 7 200), autres conifères 8 100, peupliers 1 700, autres feuillus 4 700].

• **Forêts les plus grandes. Massifs forestiers** (en ha). Landes 935 000 (la plus grande d'Europe, forêt artificielle, semée et non plantée vers 1858 pour la production de résine de pin ; 90 % sont privés). Vosges 250 000. Provence 120 000. Ardennes 100 000.

Principales forêts. *Domaniales.* (en ha). Orléans 34 632, Fontainebleau (S.-et-M.). 17 077, Aigoual (Gard et Lozère) 15 831, Rambouillet (Yvelines) 14 646, Compiègne (Oise) 14 482, Haguenau (B.-Rhin) 13 359, La Harth (H.-Rhin) 13 130, Chaux (Jura) 13 053, Retz (Aisne) 12 945, Arc-en-Barrois (H.-Marne) 10 688, Lyons (Seine-M. et Eure) 10 653, Tronçais (Allier) 10 586, Haut-Vallespir (Pyr.-O.) 10 433, Maures (Var) 10 353, Verdun (Meuse) 9 596, Eu (Seine-M.) 9 301, Mormal (Nord) 9 128, Châtillon-sur-Seine (C.-d'Or) 8 865, Grande Chartreuse (Isère) 8 385, Écouve (Orne) 8 164, Darney (Vosges) 8 010, Bertranges (Nièvre) 7 646, Ste-Eulalie (Landes) 7 341.

Privées. Forêt d'Othe 15 556. Grand Orient 5 000. Amboise, Conches-Breteuil, Dambach.

• **Forêt méditerranéenne.** 4 200 000 ha dont véritables forêts 2 200 000, garrigues, landes et maquis qui s'étendent en gagnant sur des terres autrefois cultivées env. 2 000 000 ; accès difficile (relief tourmenté), économiquement peu intéressante et souvent délaissée ; 10 % appartiennent à l'État, 15 % aux collectivités locales, 75 % à des propriétaires privés (50 % couvrant moins de 25 ha).

Espèces en fonction du sol. Siliceuses uniquement et, entre parenthèses, siliceuses ou calcaires. *Littoral* (– de 300 à 400 m) : chêne-liège [1], pin maritime (chêne vert [1], kermès [1], pin pignon [1], d'Alep [1]). *Basses montagnes* (– de 700 à 800 m) : châtaignier (chêne vert [1], pubescent [1], pin laricio de Corse [1], noir d'Autriche, sylvestre, cèdre [1]). *Montagnes* (+ de 700 à 800 m) (hêtre-sapin).

Nota. – (1) Espèces d'origines méditerranéennes.

• **Forêts les plus belles. Chênaies.** Forêt de Bercé (Sarthe). Bellême (Orne). Réno Valdieu (Orne). Blois (L.-et-Cher). Hanau (Moselle). Tronçais (Allier). *Chênes célèbres :* le Chevalier (Tronçais), le Jupiter, (Fontainebleau), le Lorentz (Bellême). **Hêtraies.** Lyons (Eure). Eawy (S.-M.). Compiègne (Oise). Villers-Cotterêts (Aisne). Haye (Mthe-et-Mlle). Darney (Vosges). Eu (S.-M.). Auberive (Hte-Marne). **Pins sylvestres.** Hanau (Moselle). Haguenau (B.-Rhin) (plaine). Wangenbourg (B.-Rhin) (montagne). **Sapinières.** Gérardmer (Vosges). La Joux (Jura). Hte vallée de l'Aude. La Grande Chartreuse (Isère). Boscodon (H.-Alpes). **Taillis sous futaie.** F. du Rhin. F. de la Saône.

• **Production moyenne** (en m³/ha/an et entre parenthèses % de bois d'œuvre). Taillis simples coupés à 30 ans 4 (0), taillis sous futaie à hêtre dominant 5 (25), futaie à hêtre dominant 7 (60).

☞ Arbres les plus hauts, voir p. 191.

Principaux arbres

• **Surface occupée** (en %, 1989). *Feuillus :* 64 dont chêne 41, hêtre 9, divers (frêne, tremble, saule, aulne, alisier, orme, érable, bouleau, merisier, tilleul, robinier) 7, charme 3, châtaignier 3, peuplier 1.

Résineux : 34 dont pin maritime 11, pin sylvestre 9, épicéa 6, sapin 4, douglas 2, divers (cèdre, pin laricio, d'Alep, parasol, à crochet, weymouth, mélèze) 4.

• **Feuillus. Indigènes. Alisier** blanc (Allouchier), A. torminal ou noir 15 à 20 m. **Aune** glutineux (Aune rouge, Verne) 25 m. **Bouleau** verruqueux 20 à 25 m, pubescent (blanc ou collant) 100 ans. **Buis** recherché par les tourneurs. **Charme** 25 m, 120 ans. **Châtaignier** 30 m, v. Index, env. 300 ans. **Chêne** rouvre (ex. à Bercé et Tronçais) 20 à 40 m, pédonculé 25 à 40 m (on en connaît de 1 600 ans), vert méridional à feuilles persistantes (yeuse) 15 m ; liège 5 à 20 m, occidental, pubescent 15 à 25 m, tauzin (Ouest, S.-O.) 15 à 30 m, chevelu (rare) 20 à 30 m, kermès 0,5 à 2 m. Un ch. rouvre de 300 ans peut avoir une circonférence de 4,45 m à 1,30 m du sol. **Cornouiller** sanguin 4 m. **Érable sycomore** (bois blanc nacré) 20-25 m, plane 20 m, champêtre (bois blanc jaunâtre) 15 m. **Frêne** 40 m. **Hêtre** 10 à 40 m, 120 à 180 ans. **Merisier. Micocoulier. Noyer** commun, 15 à 30 m. **Orme** champêtre, de montagne 20 à 45 m, 120 à 180 ans. Atteints depuis 1976 en France par la *graphiose,* maladie provoquée par des champignons interrompant la circulation de la sève. **Peuplier** blanc + de 30 m, noir 20 à 30 m, d'Italie 25 à 30 m. **Tremble** 5 à 30 m. **Platane** 10 à 30 m. **Poirier. Pommier. Saule** marsault (jusqu'à 10 m), blanc (le long des ruisseaux) osier. **Sorbier** domestique (cormier), des oiseleurs (grenotier et co-chêne). **Tilleul** petites feuilles 30 m, grandes feuilles + grand, 200 ans et +.

Introduits. Ailante ou Vernis du Japon (1751) 30 m et +. **Catalpa. Chêne** américain (dont le ch. rouge 25 m). **Eucalyptus. Liquidambar. Marronnier d'Inde** 25 m. **Mûrier** – de 20 m, blanc à petites feuilles, noir à plus gros fût. **Noyer noir** (intr. au début du XVIIe s.). **Robinier** (faux acacia) (intr. en 1601 par Robin) 30 m, 60 à 80 ans. **Tulipier de Virginie.**

• **Résineux. Indigènes. Épicéa** jusqu'à 40 m et +, 120 à 180 ans. **Mélèze** jusqu'à 40 m, 120 à 250 ans. **Pin** d'Alep 20 m, cembro (hte montagne) env. 25 m, laricio de Corse et pin pignon (pinier, parasol) 25 m, 250 ans, maritime 40 m, de montagne 3 à 20 m, sylvestre. **Sapin** 30 à 45 m, 120 à 150 ans.

Introduits. **Cèdre** du Liban (introd. 1733 par Bernard de Jussieu), de l'Himālaya (Déodar), de l'Atlas (Ventoux) 40 m et + (intr. en 1860). **Douglas** (intr. 1827 par l'Écossais Douglas), vert (croît de 1 m par an, peut atteindre 80 à 100 m), bleu. **Épicéa de Sitka 30 à 35 m. Pin de Monterey** 30 à 35 m. **Pin noir d'Autriche** (XIXe s.) 30 à 35 m. **Pin Weymouth** (XVIIIe s.) 50 m (en Amérique). **Sapin de Nordmann et de Vancouver. Séquoia. Thuyas.**

☞ Le sapin de Noël est un épicéa, le sapin rouge du Nord un pin sylvestre, le sapin de Douglas un pseudotsuga.

Administration des forêts

Quelques dates

1291 ordonnance de Philippe IV le Bel, crée le corps des « maîtres des Eaux et Forêts » ; **1346** ord. de Philippe VI de Valois, dite de Brunoy : 1er Code forestier royal ; **1376** ord. de Charles V le Sage : base du règlement général des Eaux et Forêts ; **1518** ord. de François Ier étendant aux autres bois et forêts du royaume les ord. et défenses jusqu'alors réservées au domaine royal ; **1561 et 1563** édits interdisant de couper les taillis de – de 10 ans, et obligeant à laisser en haute futaie le tiers des taillis ; **1669** ord. de Colbert, mise en ordre des forêts royales, réglementation de l'exploitation ; **1790** ord. de la Constituante supprimant droit de triage et maîtrises ; **1801** loi de nivôse rétablissant une administration des Eaux et Forêts avec 28 conservations ; **1810-62** fixation des dunes de la côte aquitaine ; **1824** conversion en futaie des taillis sous futaie ; création de l'École nationale des Eaux et Forêts de Nancy ; **1827** Code forestier ; **1830-80** reboisement des vides entrecoupant les forêts feuillues de plaine du centre et de l'ouest de la France (pin sylvestre, essence déjà utilisée sous l'Ancien Régime), sur plus de 100 000 ha. Fixation des dunes du littoral. À partir de **1857** assainissement et reboisement en pins maritimes des landes insalubres de Gascogne sur plus de 1 000 000 ha par collectivités et propriétaires particuliers ; **1859** loi sur le contrôle des défrichements des forêts particulières. **Lois de 1860, 1862, 1882, 1913** restauration des terrains de montagne et régularisation du régime des eaux ; plus de 500 000 ha de bassins versants érodés sont délimités, de nombreux torrents sont assagis par des ouvrages de génie civil (barrages) et 250 000 ha sont reboisés pour fixer et protéger ces bassins versants (ex. : reboisement du massif de l'Aigoual sur 15 000 ha). Fixation des dunes de Gascogne et des dunes littorales et reboisement ; **1877** transfert de l'administration forestière du min. des Finances au min. de l'Agriculture ; **1880 à 1913** lois sur la fixation des dunes et le reboisement ; **1913**-*2-7 loi Audiffred* (Jean-Honoré, 1840-1917) sur la gestion contractuelle des forêts privées (art. L. 224-6 du Code forestier).

Après la g. de 1914-18 mise en valeur des terrains dévastés (plus de 40 000 ha ; région de Verdun 14 000 ha dont 2/3 sur des terrains spécialement acquis par l'État) ; **1922**-*28-4* loi sur régime spécial des forêts de protection ; **1930**-*16-4 loi Sérot* sur la réduction des droits de mutation (art. 703 du Code gén. des impôts) ; **1934**-*20-7* et **1973** décret-loi sur l'exonération trentenaire de la contribution foncière accordée aux propriétaires reboiseurs (art. 1395 du Code gén. des impôts) ; **1946** loi du 30-9 crée le *Fonds forestier national.* Reboisement et désenclavement des forêts : plus de 1 850 000 ha de terrains nus ou de forêts appauvries reboisées, 21 000 km de routes et pistes forestières construits en 35 ans, 10 000 km de sentiers pédestres et 2 000 km de pistes cavalières ; création de groupements forestiers, modernisation et équipement des exploitations forestières et des scieries ; **1949** après les grands incendies, développement de la défense contre l'incendie ; **1954**-*30-12* décret créant les groupements forestiers ; **1958 et 1959** réglementation sur création et conservation d'espaces boisés dans les plans d'urbanisme ; **1958**-*24-9* création de l'*Inventaire permanent des ressources forestières nat.* (art. L. 521 du Code forestier) ; débute en 1960, terminé début 80, doit se faire tous les 10 ans ; **1959**-*28-12* amendement Monichon sur la réduction des droits de succession (art. 793 du Code gén. des impôts) ; **1960** réserves naturelles, parcs nationaux, parcs naturels régionaux, préinventaire des ressources naturelles, protection phytosanitaire des forêts, espaces verts forestiers suburbains, etc. ; **1963**-*6-8* loi pour l'amélioration de la prod. et de la structure foncière des forêts privées fr., création des CRPF ; **1964**-*23-12* loi concernant les forêts domaniales et celles des collectivités publiques, création de *l'Office nat. des forêts ;* **1965**-*28-10* arrêté créant les services régionaux d'aménagement forestier (SRAF) ; **1966**-*12-7* loi sur la protection et la reconstitution de la forêt méditerranéenne ; **1969** taxe sur le défrichement et modification de la réglementation du défrichement ; **1971**-*22-5* loi sur l'amélioration des structures forestières et institution des périmètres d'actions forestières dans les zones de moyenne alt. et d'exode rural à vocation forestière dominante ; **1976**-*10-7* loi sur la protection de la nature ; **1978**-*18-8* décret à ce sujet ; **1979**-*7-2* orientation vers l'extension de la protection et de la valorisation des domaines forestiers (aides financières et fiscales) pour la f. privée (possibilités de création d'assoc. syndicales de reboisement ou d'équipement ou de gestion for. ; création d'un Centre nat. de la propriété for.), protection de l'espace for. (taxe de défrichement 5 000 à 15 000 F/ha). **1985**-*4-12 loi forestière.* Chaque région définira ses orientations au sein d'une commission régionale. Les crédits publics iront en priorité aux f. bien gérées (publiques, privées dotées d'un plan simple de gestion, groupements de propriétaires reconnus). Les propriétaires de 10 ha pourront établir un plan simple de gestion. Des comités de filières établiront les normes techniques applicables aux entreprises. Les conseils d'administration des centres régionaux de la propriété for. seront composés pour 1/3 des représentants des professionnels. Les 2 autres tiers seront élus par les propriétaires de + de 4 ha. La forêt pourra être incluse dans le périmètre d'un remembrement agricole. Les SAFER pourront intervenir. *Taxe de défrichement à but non agricole* 30 000 F l'ha, *agricole* 10 000 F l'ha (le golf est considéré depuis 1987 comme espace agricole). **1989**-*22-7* loi renforce les mesures contre l'incendie et en sanctionne les auteurs. **1991**-*5-1* loi étend les possibilités d'intervention de l'ONF ; autorise des prises de participation de l'ONF dans la filière bois (sauf dans les entreprises d'exploitation ou de transformation du bois) ; confirme la possibilité de vendre des bois façonnés et simplifie la procédure pour les ventes amiables des coupes et produits des coupes.

Administration actuelle

● Organisation. **Direction de l'espace rural et de la forêt (DERF).** Auprès du ministère de l'Agriculture et de la Forêt, met en œuvre la politique forestière de l'État (réglementation, aides et incitations tutelle sur la forêt « soumise » au régime forestier). Relayée par les *Services régionaux de la forêt et du bois (SERFOB),* et par les *Directions dép. de l'agriculture et de la forêt (DDAF).*

Centres régionaux de la propriété forestière (CRPF). Établissements publics (17) administrés par des propriétaires forestiers élus chargés d'appeler, d'instruire et d'agréer les « plans simples de gestion », obligatoires pour les forêts privées de plus de 25 ha, facultatifs entre 10 et 25 ha (ces plans décrivent chaque parcelle et prévoient coupes et travaux à effectuer pendant 10 à 30 ans). *Association nationale,* 34, rue Hamelin, 75116 Paris.

Syndicat nat. (Comité des forêts, 46, rue Fontaine, 75009 Paris), 82 synd. départ., *Fédération nat.* 6, rue de La Trémoille, 75008 Paris. **Institut pour le développement forestier (IDF).** 23, av. Bosquet, 75007 Paris. **Centres d'études techniques forestières (CETEF).**

● Gestion. **Forêts soumises au régime forestier. Office national des forêts (ONF).** 2, av. de St-Mandé, 75570 Paris Cedex 12. Établissement public national à caractère industriel et commercial créé le 1-1-1966, doté de la personnalité civile et de l'autonomie financière. Gère et équipe les f. domaniales pour le compte de l'État ; assure la gestion des f. appartenant aux collectivités locales en collaboration avec les élus (mise en œuvre au régime forestier). Exécute (en application des contrats passés avec l'État, les collectivités locales ou les particuliers) en France et à l'étranger des opérations de gestion, d'étude, ou des travaux concernant la forêt et l'espace naturel. **Effectifs** (au 1-1-1990). 7 430 dont emplois de direction 36, ingénieurs du génie rural des Eaux et Forêts 145, ing. des travaux des Eaux et Forêts 386, techniciens forestiers 1 255, chefs de district et agents techniques forestiers 3 995, cadres et agents administratifs (titulaires, contractuels, détachés) 1 605, ingénieurs chargés d'études 10. **Surfaces gérées** (au 31-12-90, en ha). *Métropole :* 4 404 538 dont forêts et terrains domaniaux 1 742 488, f. affectées à divers départements ministériels 33 226, f. communales et sectionales 2 503 738, f. des autres collectivités 101 966, f. sous contrat 23 118. *Martinique, Guadeloupe, Réunion :* forêts et terrains domaniaux 15 600, f. des collectivités 140 000. *Guyane :* forêts domaniales env. 7 750 000.

Forêts privées. Non soumises au régime forestier. 10 255 279 ha. *Gestion :* par le propriétaire qui peut se faire conseiller par un expert forestier, qui engage alors sa responsabilité. Indépendant ou salarié d'un organisme de gestion. Le ministère de l'Agriculture publie la liste des experts (Cie nat. des ing., experts forestiers et en bois, 6, av. de St-Mandé, 75012 Paris).

● Appartenance. **Forêts publiques.** 4 380 000 ha dont env. 3 700 000 boisés ; 1 509 forêts domaniales (1 742 000 ha dont 1 400 000 boisés) et 14 900 forêts appartenant à 10 000 collectivités (2 605 000 ha, dont 2 200 000 boisés). **Privées.** 10 200 000 ha (73,4 %) ; 3 600 000 propriétaires dont env. 22 500 possèdent + de 50 ha (env. 6 ha par propr. en moy.) ; 156 propr. ont plus de 500 ha (120 000 ha), 5 500 de 100 à 500 ha (945 000 ha), 36 400 de 25 à 100 ha (1 623 000 ha). 90 % des parcelles ne dépassent pas 5 ha.

Acquisitions par l'État (en ha). *1876-1912 :* env. 230 000 (7 000 par an). *1912-42 :* 210 000 (7 000 par an). *1942-71 :* en moy. 2 500 par an. *1971-75 :* 30 984 dont forêt d'Arc-en-Barrois (Hte-M.) 12 541, espaces verts f. 10 060, f. de production 20 924. *75-80 :* 31 450 dont 19 856 de production et 11 594 d'espaces verts f. *81-85 :* 14 987. *86-90 :* 10 825.

● % de surfaces boisées et, entre parenthèses, % d'exploitation du bois. Forêt privée 74 (62,5) ; domaniale 10 (16) ; communale 16 (21,5).

● % de volume sur pied et, entre parenthèses, % d'exploitation du bois. Forêt privée 63 (62,5) dont feuillus 64 (65) ; conifères 62 (60,5).

Production de bois

● Volumes sur pied (en millions de m³, 1990). 1 759,1 dont feuillus 1 078,1, conifères 681. Production biologique annuelle 69,1 dont feuillus 38,2, conifères 30,9. Volumes par ha boisé en m³ (1990). Feuillus 81, conifères 51. Production biologique. Feuillus 2,9, conifères 2,3.

● Production (en millions de m³, 1988). **Bois d'œuvre.** Feuillu 9,6 dont chêne 3,3, peuplier 2,9, hêtre 2,3, autres feuillus 1,1. Résineux 12,5 dont sapin, épicéa, douglas, mélèze 5,7, pin maritime 4,7 ; autres résineux 2. **Bois d'industrie.** Bois de trituration 10,4 dont feuillu 5,2 ; résineux 5,2. Autres : 0,5. **Bois de feu commercialisé :** 2,4.

Bois de feu non autoconsommé. 2 750 000 m³ (1 cheminée consomme en moy. 1,5 stère par an. Il y a 6 millions de cheminées dont 10 % inutilisées ; beaucoup sont approvisionnées par le ramassage « sauvage »). Bois de feu autoconsommé 26 000 000 m³

Source : enquête CERENE 1986.

Production prévue en 2010. 45 millions de m³.

Cours du bois

Cours indicatifs au m³ réel sur écorce des bois sur pied, sur bille comprise, en F, au 30-6-1991.

Source : La Forêt privée

Essences	Circonférences en cm, à 1,50 m du sol		
	60 à 85	**150 à 175**	**250 et +**
Chêne f choix 1 [1]	100 à 120	500 à 900	1 500 à 2 800
Chêne f choix 3 [2]	60 à 80	250 à 350	500 à 700
Frêne choix 1 [3]	100 à 150	500 à 1 000	1 500 à 2 500
Hêtre choix 1	70 à 90	350 à 650	800 à 1 200
Sycomore	70 à 90	300 à 450	600 à 800
Acacia, châtaignier [4]	60 à 80	150 à 350	jusqu'à 450 selon qualité
Charme, érable [5]	60 à 80	200 à 300	
Orme, platane [5]	60 à 80	200 à 400	400 à 600
Aulne, bouleau, tilleul [6]	70 à 80	150 à 300	
Merisier, fruitiers [5]	80 à 100	700 à 1 500	1 500 à 3 500
Peuplier [7]	80 à 90	160 à 300	220 à 300
Grisard [8]	60 à 80	120 à 160	150 à 200
Épicéa, sapin, mélèze, douglas [5]	80 à 100	200 à 400	300 à 500
Pin [9]	70 à 80	150 à 250	250 à 380
Pin maritime et pin noir	60 à 70	150 à 200	190 à 300
Noyer [10,11]	–	–	–

Nota. – (1) Futaie. (2) Gélif ou roulé. (3) Frêne blanc. (4) Pieux, étais, sciages. (5) Fût propre. (6) Meubles, lutherie. (7) Fût propre et droit. (8) Peuplier, tremble. (9) Sylvestres, laricios à fûts propres. (10) De pays et d'Amérique. (11) À grosseur égale, le prix du m³ est propre à chaque arbre : 1 500 à 9 000 F pour les 200 cm de circonférence et plus.

Bois vendu par l'ONF (forêts domaniales et des collectivités locales gérées par l'ONF, en millions de m³). *1982 :* 11,3. *83 :* 12,7. *86 :* 13,1. *87 :* 13,4.

88 : 14,1. *89 :* 13,5. *90 :* 15,8 dont bois sur pied 13 (feuillus 4,4 ; résineux 4,8 ; taillis et houppiers 3,8) et bois façonnés 2,8 (feuillus 1,1 ; résineux 1,3 ; bois enstérés ou pesés 0,4). Importantes renversées de chablis dues aux tempêtes successives (1982, 84, 87 et 90).

Les ventes de bois par l'ONF (bois de l'État et des communes) se font principalement par adjudication publique à l'automne et au printemps. Les particuliers vendent à tout moment, mais de plus en plus dans le cadre des ventes groupées ayant lieu souvent après celles de l'ONF fin automne ou début hiver.

Prix moyens par essence obtenus aux grandes ventes

(taxe forfaitaire comprise ; en F par m^3).

Source : ONF	72	73	75	79	80	82	84	87	89	90
chêne 50 [1] et +	187	402	338	850	771	625	803	797	867	812
chêne 30-45 [1]	51	110	107	268	256	192	203	230	261	249
hêtre 40 [1] et +	99	195	146	287	296	263	231	329	414	420
pin sylvestre 25 [1] et +	99	199	17	159	186	155	148	157	182	181
sapin 25 [1] et +	70	128	117	298	366	279	265	268	326	309

Nota. – (1) Diamètre en cm.

• **Scieries.** 1 134 ét. occupant 21 402 salariés permanents et produisant 8 886 000 m^3 de sciages, 3 336 000 m^3 de produits connexes.

• **Commerce extérieur du bois. Importations et entre parenthèses exportations** (en millions de F, 1989). *Produits d'exploitation forestière et de scierie :* 5 593 (4 553) dont grumes feuillus 1 245 (1 724), conifères 32 (124) ; bois trituration feuillus, conifères 5 (519) ; sciages feuillus 1 567 (1 343), conifères 2 468 (348) ; traverses 27 (195) ; délignures et plaquettes pour trituration 120 (132) ; divers 129 (168). *Autres produits :* 1 363 (311) dont extraits tannants végétaux 40 (67), térébenthine, colophane et dérivés 322 (119), liège naturel brut et déchets de liège, ouvrages en liège naturel et aggloméré 1 001 (125). *Produits des industries du bois :* 43 543 (22 071) dont meubles et sièges en bois 11 431 (3 708), placages et panneaux contre-plaqués de fibres et de particules de bois 2 311 (1 549), autres produits du travail mécanique du bois 2 296 (1 843), pâtes et vieux papiers 9 214 (2 285), papiers et cartons 17 854 (12 184). *Total filière bois :* 50 499 (26 935).

Bilan (en milliers de m^3 de bois rond, 1988). **Production :** 35 628 dont bois d'œuvre 22 041, d'industrie 10 872 (dont trituration 10 402, divers 470), de feu 2 715. **Importations :** 29 835 dont b. d'œuvre 6 221, d'ind. 23 607, de feu 7. **Exportations :** 17 729 dont b. d'œuvre 4 809, d'ind. 12 877, de feu 43. **Consommation apparente :** 47 734 dont b. d'œuvre 23 453, d'ind. 21 602, de feu 2 679.

Solde des échanges extérieurs (en milliards de F). *1978 :* –6,1. *1979 :* – 8,7. *1980 :* – 11,3. *1981 :* – 12. *1982 :* – 13,7. *1983 :* – 13,2. *1984 :* – 14,3. *1985 :* – 14,07. *1986 :* – 15,73. *1987 :* – 19,12. *1988 :* – 12,1.

Nota. – 11 millions de sapins de Noël sont vendus chaque année en France (soit une étendue boisée de 6 000 ha).

Incendies

• **Nombre d'incendies** et, entre parenthèses, **surface incendiée** (en ha). *1970 :* 1 960 (61 419). *71 :* 2 423 (19 710). *72 :* 2 376 (16 441). *73 :* 6 484 (69 578). *74 :* 3 398 (41 427). *75 :* 4 017 (25 829). *76 :* 9 800 (88 344). *77 :* 2 432 (19 875). *78 :* 6 973 (46 701). *79 :* 5 057 (59 727). *80 :* 5 040 (22 176). *81 :* 5 173 (27 711). *82 :* 5 308 (55 145). *83 :* 4 659 (53 729). *84 :* 5 672 (27 200). *85 :* 6 249 (57 400). *86 :* 4 353 (51 860). *87 :* 3 043 (14 108). *88 :* 2 837 (6 701). *89 :* 6 743 (75 566). **Tués.** 1970 (oct.) 11 † (Var, Alp.-Mar.) dont le 3-10 l'épouse et les 4 enfants de Martin Gray. *1985* (août) : 8 † dont 5 pompiers le 1-5 dans le massif du Tanneron (A.-M.). *1986 :* 11 †. *89 :* 14 †.

Nota. – En *1989 :* 92 % des feux ont été limités à moins de 10 ha, 28 feux ont parcouru plus de 500 ha et provoqué à eux seuls 68 % des destructions.

• **Origine des feux de forêts en France** (de 1973 à 1988). *Source :* Fichier Prométhée ; dépouillement de 30 484 enquêtes. Causes inconnues 18 461. Connues 12 023. Accidentelle 2 503 dont foudre 648, lignes EDF 432, chemin de fer 179, échappement de véhicules 115, dépôts d'ordures aménagés 599, clandestins 161, autres installations 113, reprises d'incendie 256. Malveillance 1 914. Imprudences 6 626 dont : travaux en forêt 2 032, agricoles 2 657, jeux d'enfants 533, emploi d'un réchaud 48, feux de bois en forêt (loisir) 151 ; jets de mégots d'un véhicule 288, fumeurs à pied 289, autres imprudences 628. Autres 980.

• **Infractions. A la réglementation d'emploi du feu** *(fumer en forêt, allumer du feu en période dangereuse) :* amende de 200 à 1 300 F. **Incendie** (art. 435 et suivants du Code pénal, L 322-9 du Code forestier) *volontaire :* 5 à 10 ans d'emprisonnement, 5 000 à 200 000 F d'amende, 10 à 20 ans si commis en bande organisée, réclusion criminelle à perpétuité s'il y a eu mort ou infirmité permanente d'une personne, interdiction de séjour de 2 à 10 ans (art. 44 CP). *Involontaire :* emprisonnement de 11 jours à 6 mois et/ou amende de 13 000 à 200 000 F mais en cas de mort ou de blessures les peines encourues sont celles de l'art. 320-1 CP (homicide ou blessure par imprudence).

• **Lutte et prévention** (1990). **Moyens terrestres locaux.** Déploiement de 30 300 hommes (dont 27 000 sapeurs-pompiers locaux, 300 sap.-pompiers des colonnes préventives, 1 000 des colonnes complémentaires, 1 000 militaires des UIISC, 600 militaires mis à la disposition du min. de l'Intérieur, 400 militaires mis à la disposition de la Sécurité civile), 208 635 volontaires (1989). **Moyens aériens.** *Avions de liaison :* 3 (1 Piper Navajo, 1 King 90, 1 King 200). *Avions bombardiers d'eau :* 28 dont 26 propriété de l'État (11 Canadair CL 215, 13 Tracker dont 4 turbines, 2 Fokker 27) ; 2 loués ou prêtés par sté privée (1 Macavia HS 748, 1 C130 Hercules). *Hélicoptères de liaison et de reconnaissance :* 34 dont 24 Alouette III (2 prêtés par min. Déf.), 4 Puma (prêtés par min. Déf.). *Hélicoptères bombardiers d'eau :* 25 dont 5 Écureuil appartenant à l'État, 20 mis à disposition ou loués [dont 2 Super Puma (Alat et Aérospatiale), 7 Bell (stés privées et dép. du Var et des B.-du-Rh.), 9 Lama dont 1 dép. des Alpes-M., 2 Bell Sud-Ouest].

Caractéristiques de quelques appareils. *Beechraft King Air 90. Canadair CL 215* (bimoteur, capacité 5 500 l d'eau, vitesse 275 km/h, autonomie au feu 4 h, largage 30/50 m sur une ellipse d'env. 120 × 60 m, remplissage sur aérodrome en 1 mn 30 par écopage en 10 s). *CL 215 T* à turbopropulseur *Douglas DC 3 :* [quadrimoteur, capacité 11 360 l d'eau, vitesse 360 km/h, autonomie au feu 4 h 30, temps de rotation (entre atterrissage, redécollage, rechargement) moins de 10 mn, largage maximal sur 700 m]. *DC 6, Fokkers* (6 300l). *Grumman Tracker CS 2 F* (bimoteur, vitesse 333 km/h, autonomie 4 h, réservoir 3 500 l, largage sur 90 m).

Superficie incendiée dans le monde (en ha)

Canada 110 000 (8 000 incendies). **Espagne** *1983* 117 599. *84* 164 546. *85* 468 000. *86* 284 450. **Italie** *1983* 212 678. *84* 75 272. *85* 190 640. *86* 86 420. **Grèce** *1983* 19 613. *84* 33 527. *85* 102 627. *86* 24 509. **Portugal** *1983* 47 812. *84* 52 713. *85* 142 039. *86* 106 500.

Quelques grands incendies

1825 au Nouveau-Brunswick (Canada) : 1,6 million d'ha brûlés. **1871** Wisconsin (USA) : 500 000 ha. **1983** (mois) Kalimantan (Indonésie) : 3 000 000 ha. **1988**-*6-5* monts Daxinganling (Chine) : env. 200 †, 650 000 ha détruits. **Juin-sept.** parc de Yellowstone (USA) : 380 000 ha détruits sur 1 800 000. **1989**-*7*-Manitoba, Saskatchewan (Canada) : 2 150 000. Yucatan (Mexique) : 135 000. Sakhaline (URSS) : 200 000 ha taïga. Alaska : 1 000 000. **1991** *juin-juillet,* Québec (Canada) : 260 000 ha.

Activité (1984). 639 feux traités, 4 366 écopages, 2 102 pleins au sol, 6 466 largages, 35 721 t déversées.

Coûts (1986). *Canadair* 50 millions de F (heure de vol : *DC 6* 30 000 F, *Tracker* 12 000 F). *Véhicule CCF* (camion-citerne, capacité 2 000 l) : 300 000 à 350 000 F. Débroussaillement mécanisable : 3 000 à 6 000 F (+ 10 % par an d'entretien par hectare) ; manuel : 8 000 à 15 000 F (+ 10 % par an d'entretien) ; plantation (d'un hectare) : 8 000 à 12 000 F.

☞ En août 1949, incendie des *Landes* 52 000 ha, 83 † et 66 maisons détruites. *Provence-Alpes-Côte d'Azur, années « noires » : 1962 :* 29 000 ha incendiés, *64 :* 28 000, *70 :* 42 000, *79 :* 30 729 ; *années « fastes » : 76 :* 2 410, *77 :* 970.

Autres catastrophes

Parasites. Châtaignier : dep. 1860 maladie de l'encre attaquant le tronc ; dep. 1956 (surtout dans le S.-E.) ; *Endothia parasitica.* **Chêne :** dep. 1976, oïdium (champignons blanchâtres tapissant les feuilles basses après un printemps humide) ; nombreuses « chenilles défoliatrices » dévorant les jeunes feuilles au printemps (Tortrix, Chenille processionnaire, Bombyx cul brun...). **Chêne rouge :** *Ceratocystis fagacearum* (USA). **Cyprès :** dep. 1949, champignon coryneum bouche les canaux. *Épicéas :* ips typographe forant des galeries dans les troncs et les branches (Est). Fomes (maladie « du rond ») pourrissant le cœur des arbres atteints et se propageant par les racines, Dendroctone, etc. **Hêtre :** dep. 1972, cochenille *(Cryptococcus fagi),* dont les piqûres permettent l'implantation du champignon *(Nectrya coccinea),* qui ultérieurement, envahit l'arbre, causant sa mort par obturation des vaisseaux conducteurs de la sève (Seine-Mar., Ile-de-Fr.). **Orme :** graphiose, champignon colonisant les vaisseaux conducteurs de la sève. Peut être transmis par simple contact entre les racines des arbres, ou par les morsures d'un insecte xylophage, le scolyte de l'orme, dont les vols assurent la dissémination longue distance. **Pin maritime :** dep. 1957, cochenille *Matsucoccus feytaudi* qui suce la sève (Sud : 150 000 ha en Provence semblent irrémédiablement perdus ; Aquitaine chenilles processionnaires). **Platane :** dep. 1975 (mais arrivé en 1944) chancre doré *Ceratocystis fimbriata,* maladie transmise par contact racinaire, les élagages, contact de la sciure d'arbres infestés (Provence, Alpes, Côte d'Azur).

État sanitaire des résineux en 1988 et, entre parenthèses, **en 1987. Perte de + de 25 % de leur feuillage / feuillage à coloration anormale, en %.** *Plaine Alsace* 15,7 (14,6) / 25,1 (18,1). *Vosges* 17,1 (18) / 14,2 (12,5). *Langres Bassigny* 8 (6,9) / 6,9 (4). *Jura* 12,2 (13) / 15 (9,8). *Alpes du Nord* 10,7 (11,6) / 16,9 (15,8). *A. du Sud* 21,6 (18,9) / 15,8 (15,2). *Pyrénées* 10,8 (8,6) / 27,2 (22,2). *Massif central* 6,4 (6,8) / 13,1 (10). *Bassin parisien* 7,5 (3,8) / 9,7 (7,2). *Nord* 2,7 (1,1) / 5,7 (5,7). *Causes :* pollution atmosphérique, sécheresses répétées depuis 1976, « stations forestières » exposées et fragiles, champignons, insectes.

Sécheresse. *Régions atteintes en 1976, en ha :* France entière 88 344 (dont régions méditerranéennes 42 180). Haies, pommiers, poiriers : feu bactérien *(Erwinia amylovora).*

Tempêtes. 1982 (6/7-11) : plus grosse catastrophe forestière connue en France ; 20 départements touchés en Auvergne, Limousin, Rhône-Alpes, Languedoc-Roussillon, Midi-Pyrénées, Aquitaine, Bourgogne ; pointes de vent de 140 à 160 km/h. 700 000 abonnés privés d'électricité le 1er jour, 100 000 lignes téléphoniques en dérangement. *Dégâts : 10 millions de m^3* (1/3 de la prod. totale commercialisée annuellement) dont Puy-de-Dôme 6, Corrèze 1,2 à 1,5, Morvan 1. **1984** (11 au 12) : 15 000 ha touchés ; *dégâts :* 1,8 million de m^3. **1987** (15/16-10) : Bretagne et Normandie (dégâts 6 millions de m^3).

Pêche

Ressources de la mer

Poids de la mer dans l'économie mondiale (en milliards de F)

Loisirs (plaisance, sports marins et sous-marins, thalassothérapie) 100, *ressources alimentaires* (pêche, élevage, aquaculture) 105, *pétrole* 200, *minerais* (nodules polymétalliques, sel marin, usines de dessalement) 5 à 10. 200 millions d'hommes vivent de la mer.

Produits végétaux

Algues

Histoire. Antiquité. Utilisées pour l'amendement des terres. **XVIIe s.** les verriers normands achètent des cendres d'algues pour la fabrication du verre ordinaire. **1829** 1re usine d'iode en France. **Fin XIXe s.** approvisionnement en goémon séché des grandes régions légumières. **Début du XXe s.** une trentaine d'usines d'iode, 2 000 récoltants, surtout en Bretagne-Nord.

Espèces. 20 000 à 30 000 dans le monde (côtes françaises 800). **Exploitation.** Quelques dizaines sont exploitées surtout les *algues brunes* (Macrocystis laminaires fucales) pour l'extraction de l'acide alginique, *rouges* (famille des Gélidiales) pour l'extraction de l'agar-agar (famille des Gigartinales) et pour celle des carraghénanes. Goémon et varech récoltés sur le rivage sont utilisés comme engrais. Les a. fraîches finement broyées sont employées en aspersion foliaire pour traitement phytosanitaire. En Extrême-Orient, cultures sur cordages (laminaires : Kombu ; Undaria : Wakame) et sur filets (Porphyra : Nori). *Utilisation des sous-produits : agar-agar et carraghénanes ;* gélifiants ou stabilisants (crèmes, pâtes de fruits, sauces, confitures) ; *phycocyanine* extrait de la spiruline, seul colorant bleu naturel, ou scientifiques (préparations bactériologiques). *Acide alginique* et *alginates (macrocystis, laminaires...)* papeterie, alimentation, pâtisserie, industries textiles, pharmaceutiques, médicales, préparation du latex, des matières plastiques, cosmétiques, peintures dans la métallurgie, synthèse des électrodes de soudure, traitement des eaux. *Farines et tourteaux* alimentation animale. L'IFREMER (Institut français de recherche et d'exploration de la mer) effectue des recherches pour la culture des algues. Les premières récoltes ont eu lieu en 1983 à l'île d'Ouessant.

Consommation dans le monde (en t équivalent poids sec et, entre parenthèses, % de l'algue alimentaire dans la production totale). Japon 97 000 (97), Corée 97 000 (93), Chine 71 000 (49), Taiwan 3 000, Amérique du N. 240 (< 1), Europe hors France 70 (< 1), *France* 27 (< 1).

Production en France (1987, en t). *Laminaria digitata* 54 650. *Chondrus crispus* 3 940. *Ascophyllum nodosum* 3 350. *Laminaria Hyperborea* 2 100. *Gelidium sesquipedale* 2 000. *Fucus serratus* 1 980. *Fucus Vesiculosus* 880. *Palmaria palmata* 68. *Ulva sp.* 22. *Porphyra sp.* 19. *Himanthalia elongata* 14. *Laminaria saccharina* 11. *Enteromorpha sp.* 9. *Undaria pinnatifida* 5. *Algues alimentaires* (poids sec 87) : 60 t dont 40 exportées, 5 entrant dans la fabrication de produits alimentaires transformés. Le GRAAL (Groupement Algues Alimentaires) regroupe 20 sociétés.

Prix (en F/tonne, 1982). Ascophyllum vert 115, sec 380. Laminaires sèches 1 300, vertes de coupe 160, épave 144. Hyperborea d'épave 126, de coupe 147. Fucus vert 115, sec 380. Lichen vert égoutté 880, rouge sec 3 080, blanc 4 300.

Produits animaux

Chaîne alimentaire marine. Elle part des sels minéraux que les plantes microscopiques *(phytoplancton)* assimilent par photosynthèse et transforment en matière vivante. Le phytoplancton nourrit le *zooplancton* qui nourrit à son tour des poissons planctonophages gros ou petits. *Rendement d'un maillon à l'autre :* 1 000 kg de plancton donnent 100 kg de zooplancton qui donnent 10 kg de petit poisson qui donnent 1 kg de gros poisson.

Caviar

Origine. Vient exclusivement des œufs d'esturgeon, poisson de mer remontant les fleuves à l'époque du frai (pêche au printemps et en automne). **Fabrication.** Œufs extraits du ventre des femelles (env. 10 % du poids du poisson), lavés, triés, puis salés, et mis en boîtes de 1,8 kg env. Traditionnellement préparé en Russie puis en Iran, introduit en France après la révolution russe par des princes, commercialisé par 2 émigrés arméniens (les frères Melkoum et Mouchegh Petrossian) v. 1926. **Espèces.** Esturgeon *Beluga* (pèse 200 à 300 kg, max. 800 kg : gros grains gris clair à gris foncé, œufs fragiles) ; *Ossetra* (grains moyens, jaune doré à brun) ; *Sevruga* (15 à 70 kg : grains petits, gris clair à gris foncé). **Caviar pressé.** Grains plus mûrs pressés ensemble (1,3 kg de caviar en grains pour 1 kg de c. pressé). **Caviar « blanc ».** Œufs de gros bélugas, plus clairs que les autres.

Production moyenne. URSS 2 000 t (25 000 t d'esturgeons). Iran 180 t env., Roumanie, France [Gironde, 0,025 en 1980 (tentative de réintroduction du « sturio »)]. **Principaux centres :** Astrakhan (emb. de la Volga) ; Gouriev (estuaire de l'Oural) ; Bandar-Anzali (S. de la Caspienne, Iran).

Consommation (t/an). USA 55, *France 50,* G.-B. 20, All. féd. 20 (en partie réexportées).

Dégustation. Avec toasts légèrement beurrés ou blinis (caviar pressé) et vodka. Sortir la boîte du réfrigérateur sans l'ouvrir, ½ h avant la consommation. Ne jamais congeler.

Prix en F (au 1-9-1988 à Paris). *Pour 100 g :* beluga 698, ossetra 410, sevruga 330, caviar pressé 260.

Cétacés

• **Espèces.** 79 vivantes. **Cétacés à fanons :** baleines bleues 33 m (env. 150 t, langue 3 t, cœur 0,6 t ; nouveau-né 7 m, 2, après 7 mois de lactation 14 m, 20 t), rorquals 24 m, bal. franches 20 m, rorquals seï 18 m, bal. à bosse 16 m, rorquals de Bryde 15 m, bal. grises 15 m, minkes 10 m. **A dents :** cachalots 18 à 20 m, épaulards 9 m, hyperoodons 5 à 10 m, bal. pilotes 7 m, bal. blanches 5 m, narvals 5 m, dauphins 2,50 m, marsouins 1,80 à 8,50 m, dauphins communs 1,75 m, à bec court *(tursiops)* 2,50 m, marsouins 1,5 à 2 m.

• **Grands cétacés. Dans le monde** (en 1974 et en italique en 1930). **Total :** moins de 1 million *(5 millions). Baleine* grise 11 000 *(20 000),* des Basques (très peu), du Groenland quelques douzaines *(1 000),* franche du Pacifique (très peu), fr. australe 1 200 (total des *b. franches* en 1930 env. *500 000*) ; *b. bleue* 2 800 *(300 000) ; cachalot* 170 000 *(290 000) ; mégaptère* (jubarte) [dite baleine à bosse] 6 000 *(30 000) ; rorqual* commun 92 000 *(423 000),* boréal 125 000 *(220 000),* bleu 4 000 *(510 000),* petit 6 000 (?).

Plusieurs espèces ont été protégées tellement tard qu'elles ne montrent pas encore de signe de repeuplement après plusieurs années et même plusieurs dizaines d'années de protection (baleines bleues, franches ; jubartes).

En France. *Échouages : 120* au 1-4-1988 (150 en 1986). *Observations en 1987 :* rorquals *3,* dauphins rayés bleu et blanc *34,* dauphins communs *45,* grands dauphins *8,* dauphin à bec blanc *1,* dauphins de Risso *3,* globicéphales noirs *16,* marsouins communs *2,* baleines à bec de la mer du Nord *2,* dauphins indéterminés *11. Lieux :* Manche 27, Atlantique 66, Méditerranée *42.*

Baleines capturées. *1969-70 :* 42 481. *1974-75 :* 29 726. *1978-79 :* 10 549. *1979-80 :* 13 995. *1981-82 :* 13 764. *1983-84 :* 11 456. *1984-85 :* 9 066. *1985-87 :* 8 574 (dont 6 544 petits rorquals, 634 rorquals tropicaux, 341 baleines grises, 200 cachalots, 165 rorquals communs, 690 autres espèces). **Par région** (1985-87). *Atlantique Nord et Arctique :* 1 487 ; *Pacifique Nord :* 1 518. **Par pavillon.** Japon 3 690, URSS 3 369, Norvège 754, Islande 216, Groenland 156, Corée 69, USA 20.

Protection. *Interdiction de pêche absolue baleine grise* (dep. 1947), *b. franche* (dep. 1935), *b. bleue* dans l'Atlantique (dep. 1965), *mégaptères* ou *jubartes* (dep. 1972), *rorquals de Rudolphi* de – de 12,2 m, *r. communs* de – 17,4 m (hémisphère S.), – 16,8 m (hémisphère Nord), *cachalots* de – 9,2 m (– 10,7 m en Atlantique Nord).

QUOTAS FIXÉS. *Cachalots. 1978 :* 6 844, *1979 :* 3 800, *1985 :* 0. *Petits rorquals. 1983 :* 635. *1985 :* 5 721. *Baleines. 1982-83 :* 12 415, *1983-84 :* 10 160, *1985 :* 536.

En 1982, la Commission internationale baleinière a interdit la chasse pour au moins 5 ans à partir de 1986 (25 voix pour ; contre : Japon, URSS, Brésil, Islande, Corée du Sud, Norvège et Pérou ; abstention : Chili, Chine, Philippines, Afr. du S. et Suisse). Le 6-7-1990, moratoire prorogé. *En 1983,* le Pérou a accepté la suspension. *Rorqual boréal (1983) :* 43 pour les USA sur 2 ans (max. 27/an). *1987-22-5* l'URSS suspend la chasse.

La Commission a institué une clause « d'exemption aborigène » : les peuples qui ont toujours vécu de la baleine (Esquimaux, Tchouktches...) peuvent continuer d'en tuer chaque année un certain nombre. La clause « à des fins scientifiques » autorise quelques captures destinées à mieux connaître les espèces de cétacés (*1988-89 :* 270 captures, *90 :* 305).

• **Équipement baleinier** (1979-80). Nombre d'établissements côtiers, entre parenthèses, d'usines flottantes, et, en ital., de baleiniers. *Monde* 9 (3) *36.* Japon 4 (1) *17.* URSS (2) *10.* Islande *4.* Espagne *3.* Chili *1.* Brésil *1.*

• **Produits tirés des baleines.** Viande, huile (*1974-75 :* 130 000 t, *78-79 :* 55 100 t, *79-80 :* 15 900 t, *88 :* 527 t) de baleine, de cachalot [(ou spermaceti), blanc de baleine, tiré du « melon » de l'animal (masse de tissus fibreux et graisseux représentant 80 % du crâne)].

Utilisation (et produits de substitution) (b. : baleine ; c. : cachalot). *Aliments pour animaux :* viande de b. (résidus de graines et d'algues, restes d'abattoirs). *Bougies :* huile de b. ou de c. (cire d'abeille, paraffine). *Crayons :* h. et spermaceti (cire de simmondsia). *Linoléum :* h. de b. et c. (h. de lin et de simmondsia). *Glycérine :* h. de b. (graisse ou huile saponifiée). *Huiles industrielles :* h. de c. (h. de lin, de simmondsia). *Mécanique fine* (horlogerie, rouages, engrenages) : h. de c. (h. de jujube). *Margarine :* h. de b. (h. végétales). *Prod. pharmaceutiques, crèmes, hormones, vitamine A :* spermaceti, glandes endocrines, foie de b. (autres sources animales, h. de foie de morue, carotène des carottes). *Encre d'imprimerie :* h. de b. ou de c. (h. de simmondsia). *Pâtes et cosmétiques, cold-cream, rouge à lèvres, crèmes à raser, pommades :* h. de c. (h. de citron, h. de jujube, crème d'avocat, lait de concombre). *Parfums :* h. de c. (fixateurs 404 ou autres). *Cirages, diluants et fixateurs de teintures :* h. de c. (h. de jujube).

Corail

Espèces. Env. 350. **Origine.** Sicile, mer Égée, Algérie, Océanie. **Composé** de petits polypes gélatineux sécrétant un squelette calcaire externe, qui seul subsiste à leur mort. Les coraux qui vivent en association symbiotique avec des algues zooxanthelles (algues qui se développent à l'intérieur des tissus des polypes et favorisent l'élaboration du squelette qu'ils construisent) sont appelés « hermatypiques » (ou coraux constructeurs). Les algues symbiotes permettent aux coraux de fixer beaucoup plus rapidement le calcaire ; c'est pourquoi ils peuvent former de grandes barrières de corail. Ils se développent dans les zones éclairées par le soleil (jamais à plus de 90 m, stade où l'on rencontre des coraux dits « Leptoseris »). Les coraux qui ne vivent pas en symbiose avec des zooxanthelles (ceux de Méditerranée, par exemple) sont dits « ahermatypiques » ; ils ne peuvent construire de récifs mais vivent jusqu'à 6 000 m de profondeur. **Quelques types.** *Corail rouge* (« Corallium rubrum ») de Méditerranée ; *tubipore* formé de tubes verticaux, rouge grenat ; *corail noir* qui présente une texture cornée. **Tonnage des captures** (1985). 189 100 t.

Crustacés

Espèces. Ordre des décapodes, sauf exceptions. On distingue : 1° *décapodes nageurs* dont les crevettes ; 4 familles importantes : *pénéides* [grandes crevettes habitant les basses latitudes (cr. rose tropicale ou du Sénégal, nom scient. *Paenus duorarum Bückenroad,* jusqu'à 20 cm, fonds sablo-vaseux, côtiers, estuaires et lagunes)] ; *pandalidés* (eaux boréales) ; *palémonidés* [bouquet et cr. rose (teinte de cuisson), 7 à 12 cm, côtes rocheuses atl. et médit. ; *crangonidés* [cr. grise 3 à 6 cm, herbiers et fonds sableux côtiers des eaux tempérées (voisinage des estuaires)]. 2° *macroures* à abdomen bien développé [langoustes, homards, langoustines (8 à 24 cm, fonds vaseux de 40 à 200 m de profondeur, près des côtes de l'Atl. et moins fréquemment, en Médit.)]. 3° *brachyoures* à abdomen réduit (crabes dont étrilles, tourteaux, araignées de mer, crabe royal du Pacifique N.).

Krill. Antarctique. Essaims de petites crevettes (long. 3 cm) molles (jusqu'à 60 000 par m³), *Euphausia superba,* se nourrissant de phytoplancton et constituant la nourriture de poissons, calmars, phoques, manchots, oiseaux et baleines. Celles-ci ayant été peu à peu massacrées, le surplus de krill pourrait constituer une réserve de protéines pour l'homme (est. : 100 à 150 millions de t par an). Consommé au Japon et en URSS sous forme de pâte (60 kg de pâte cuite à partir de 100 kg de crevettes). **Production** (1984). 189 329 t.

• **Fraîcheur.** Voir l'aspect plus ou moins sec de la carapace et le noircissement de la chair de l'abdomen.

• **Lieux de récolte.** Zones rocheuses en général. *Araignée :* Bretagne N. et S., Yeu ; *bouquet, cr. rose* (*pêche* haveneau ou casiers), Bret. N. et S., Yeu, côtes charentaises ; *cr. grise* (*pêche* haveneau, chalut), golfe de St-Malo, Manche E. et N. (zones sableuses), côte Vendée et Oléron, secteur de Royan ; *étrille :* Manche, Bret., Vendée ; *homard :* Bret. N. et S., Vendée ; *langouste* peu pêchée en France, Bret. ; *langoustine* (*pêche* chalut), Bret. S. surtout en mer Celtique (v. par. prod.) ; *tourteau :* Manche, Bret. S., Yeu, Noirmoutier, côtes anglaises.

Principaux pays pêcheurs de langoustine. R.-U. + de 19 000 t, *France 89 :* 9 624 t, Islande 4 000 t.

Production française (en t). *Bouquet, crev. rose : 1980 :* 615, *81 :* 535, *82 :* 659, *85 :* 512, *88 :* 390, *89 :* 513. *Crev. grise : 1980 :* 12 000, *81 :* 1 100, *82 :* 1 031, *85 :* 755, *88 :* 869, *89 :* 908. *Langoustine* (prod. mondiale, en t) : côtes irlandaises et écossaises *1985 :* 52 607 dont 18 244, golfe de Gascogne 4 800, mer du N. 48 692, Médit. 3 808.

Éponges

Utilisées depuis l'Antiquité ; en France depuis le XVIe s. **Principales zones de production des spongiaires.** Méditerranée (Tunisie : îles de Kerkennah, Djerba ; Syrie ; îles grecques), océan Atlantique, mer des Antilles (Cuba ; Bahamas ; Nassau ; îles Abaco ; côtes de la Floride). **Production** (en t). *1892 :* 91, *1900 :* 96, *05 :* 151, *45 :* 100, *84 :* 172 000. **France.** *Imp. 1960 :* 120,2 t (dont de Tunisie 102,3).

Mollusques

• **Principales familles exploitées.** *Lamellibranches* ou *bivalves* (moules, coquilles St-Jacques, vanneaux, huîtres, coques, prairies, palourdes, clovisses, clams) ; *gastéropodes* à coquille très variable (ormeaux, patelles, buccins, bigorneaux) ; *céphalopodes* à coquille interne (seiches, encornets, calmars) ou sans coquille (poulpes). Les bivalves doivent être livrés vivants.

• **Huîtres (France).** On distingue les h. à *chair verte* livrées sous le nom de *marennes,* et les h. à *chair blanche* [*belons,* h. de *pleine mer* ou *armoricaines* (si elles viennent de Bretagne) d'*Arcachon ou gravettes*]. En Méditerranée, *h. plates* et *portugaises,* vendues sous la dénomination d'*h. de Bouzigues* [village du bassin de Thau (7 500 ha, 15 000 t d'huîtres par an)], sont fixées tous les 8 à 10 cm avec du ciment sur des collecteurs qui sont ensuite immergés. 1967-80, décimées par le *Marteilia refringens* et en 1979 par le *Bonamia ostreae* [1987-88, dans la baie de Chesapeake (USA) par l'*Haplosporidium nelsoni.*]

Huîtres creuses *(Crassostrea angulata).* Travaillées principalement à Marennes, Arcachon, sur la côte vendéenne, en Bretagne et dans l'étang de Thau, soit « à plat » en terrain découvrant ou en eau profonde, soit sur des tables. *H. de claire,* introduite sur les côtes d'Aquitaine en 1868 (le *Morlaisien* se réfugia dans l'estuaire de la Gironde lors d'une tempête et on jeta sa cargaison d'h. portugaises par-dessus bord. L'espèce s'implanta en Gironde, puis à Oléron, le long de la côte charentaise). Frappée dep. 1966 par un parasite, a disparu ; remplacée par la *Crassostrea gigas* (ou h. japonaise) qui s'est bien acclimatée.

Huîtres plates *(Ostrea edulis).* Recueillies à l'état de larves sur des collecteurs (tuiles creuses chaulées) dans le golfe du Morbihan, la rade de Brest et le bassin d'Arcachon. À environ 8 mois, placées dans des caisses ostréophiles, puis sur des parcs aménagés pour les protéger des parasites (crabes et poissons). Cultivées ainsi 2 ou 3 ans, suivant les régions, puis dirigées sur les centres d'engraissement et d'affinage, où, après quelques semaines à 1 an, elles sont livrées à la consommation.

Reproduction. Principalement assurée par les gisements naturels d'huîtres mères, surveillés (parfois reconstitués) par l'ISTPM (Institut scientifique et technique des pêches maritimes). L'huître plate vivipare libère de 500 000 à 1 500 000 larves qui partent à la recherche d'un support. L'h. creuse ovipare pond 20 à 100 millions d'œufs dont la fécondation dépend des courants. Sur ce nombre ne survivra qu'une dizaine d'adultes. Ponte en juin-juillet.

Ostréiculture et mytiliculture en France. Superficie. Env. 20 000 ha et 6 000 ha en eau profonde réalisant l'affinage et l'expédition. **Entreprises.** 8 300 ; *employés* 23 000 permanents, 31 000 saisonniers (fêtes de fin d'année). **C.A. à la production** (millions de F). Conchyliculture (élevage de coquillages) 1 189 dont huîtres 945. **Production des huîtres creuses et,** entre parenthèses, **plates** (en t). *1960 :* 66 000 (21 600), *80 :* 95 000 (4 100), *85 :* 120 000 (1 467), *89 :* 129 000 (1 500). *Principales régions* (1989) : Marennes-Oléron 52 392, Vendée 15 700, Bretagne N. 15 000, Normandie 15 500, Arcachon 10 018, Bretagne S. 18 100, Thau 11 800 (50 % consommées à Noël et au Jour de l'An).

Précautions à observer. 1) Ne pas mettre les huîtres à tremper dans de l'eau douce, elles entreraient rapidement en putréfaction. 2) Les ouvrir au dernier moment. 3) Une huître fraîche doit baigner dans son eau (éliminer celles qui n'ont plus d'eau). 4) Pour s'assurer qu'une huître est toujours vivante, l'exciter avec du jus de citron ou la pointe d'un couteau : le bord de son manteau doit se rétracter. Les huîtres sont grasses, laiteuses et moins recherchées pendant les *mois sans* "*r* " (mai, juin, juillet, août).

Dans certaines zones, pollution possible (ex. estuaire de la Gironde, teneur en cadmium de 12 à 228 microgrammes par g de matière sèche au lieu de 2 à 4).

Calibres *(poids en g).* **Plates.** *000 :* 100 à 125. *00 :* 90 à 100. *0 :* 80. *1 :* 70. *2 :* 60. *3 :* 50. *4 :* 40. *5 :* 30. *6 :* 20. **Creuses.** *Très grosses (TG 1)* 100 et +, *grosses (G 2)* 80 à 99. *Moyennes (M), M 3 :* 65 à 79. *M 4 :* 50 à 64. *Petites (P) P 5 :* 40 à 49. *P 6 :* – de 40.

• **Moules. Culture (mytiliculture) France.** Remonte à 1235. **Espèces cultivées :** Manche et Atlantique *Mytilus edulis,* Méditerranée *Mytilus galloprovincialis.* La moule bivalve des eaux saumâtres se nourrit par filtration (2 à 4 l d'eau de mer à l'heure) et atteint une taille commerciale en moins de 2 ans. Les moules de bouchots, tendres et savoureuses, peuvent être consommées toute l'année crues ou cuites sans danger. **Superficie.** 900 ha. *Atlantique et Manche,* Vendée, Loire-Atl., Char.-Mar., embouchure de la Vilaine, baie de Cancale, côte du Cotentin (Le Vivier-sur-Mer), sur env. 1 600 km de *bouchots* (rangées de pieux) fichés dans la vase : les uns, éloignés du rivage et non reliés entre eux, sur lesquels se fixent les jeunes moules (pieux à *naissain*) ; les autres, plus rapprochés de la côte et réunis entre eux par un clayonnage horizontal de branches flexibles formant panier (*bouchots* à grossissement) sur lequel le naissain se fixe et se développe. *En Méditerranée,* en pleine eau en *cordes :* des charpentes, soutenues par des rails de chemin de fer plantés à même le sol par 3 à 9 m de profondeur, supportent les « cordes à moules » : cordelettes de 3 m environ assemblées par 5 ou 6 et reliées par un nœud tous les 18 ou 20 cm. Ces cordelettes ainsi placées forment des poches dans lesquelles le naissain de moule est introduit.

Production (en t). *Jusqu'en 1971 :* – de 40 000, *89 :* 50 000. Normandie-mer du N. 11 000, Bretagne du N. 15 600, Vendée env. 22 500, Thau 15 730. *Importations* (en t) : *1975 :* 38 500, *80 :* 27 500, *85 :* 37 514, *89 :* 39 573 (P.-Bas 17 329, Espagne 11 597, G.-B. 4 939, Irlande 4 994) surtout de pêche, moins charnues et savoureuses que les m. d'élevage.

• **Coquillages.** Certains sont livrés à la consommation après affinage (clams, palourdes, clovisses, vigneaux) ; d'autres viennent des bancs coquilliers (coquilles St-Jacques, praires, pétoncles, coques, etc.). *Échinodermes.* Oursins, violets.

PRINCIPAUX LIEUX DE RÉCOLTE EN FRANCE. *Coquilles St-Jacques :* Bretagne [rade de Brest, baie de St-Brieuc (Erquy), Calvados] ; *pétoncles :* rade de Brest, Ch.-Maritime ; *coques :* tout le littoral ; *praires :* Bretagne Nord, Méditerranée ; *palourdes :* tout le littoral, surtout régions sableuses ou sablo-vaseuses ; *clovisses :* régions sableuses de Méditerranée ; *clams :* région de la Seudre surtout.

Phoques

Généralités. Avec les *otaries* (ph. à oreilles et à fourrure) forment le sous-groupe des *pinnipèdes, mammifères marins.* Recherchés pour chair, cuir, huile et fourrure.

Phoques et otaries du Canada. *Zone arctique :* phoque annelé + de 1 000 000, barbu inconnu. *Zones tempérées :* ph. commun 73 000, gris 70 000, éléphant de mer boréal inconnu. *Espèces migratoires :* ph. du Groenland + de 2 000 000, à capuchon 300 000, otarie de Steller 5 000, de Californie 4 500. **Abattage.** Gourdin, hakapik, fusil. Consomment des quantités importantes de poisson selon leur grosseur. Le Canada annonçait en 1987 une nouvelle politique de gestion des phoques : interdiction de la chasse commerciale aux blanchons et aux dos bleus, fin de la chasse avec des bateaux de plus de 20 m, avec les filets sauf pour les Inuit. **Prises.** *1987 :* 50 000, *1988 :* 80 000. **Nombre de phoques** *du Groenland dans l'Atlantique N.O.* + de 3 000 000 d'un an et +. **Prises possibles.** 285 000 par an sans réduire l'importance du troupeau. *Naissances :* + de 500 000. L'abondance de phoques causerait de 174 à 402 millions de $ de dégâts par an. Les phoques traqueraient même les morues. En 1983, la CEE avait décidé un embargo sur les peaux de phoques. En 1985, la CEE a reconduit cet embargo pour 4 ans. **Chasseurs.** 160 sur 8 palangriers de chasse commerciale ; 700 sur 204 petits navires et 2 000 bateaux côtiers (en canot quand la mouvée, à la faveur du mouvement des glaces, se rapproche de la côte). **Nombre de chasseurs** *canadiens sur la côte Atlantique.* Entre 8 000 et 9 000.

France. *1987,* 58 phoques ont pu être observés sur nos côtes : phoques gris : 13, phoques-veaux marins : 30 dont 12 en baie de Somme (signe de la recolonisation de ce site), phoques annelés : 2, phoques du Groenland : 6 (ces 2 dernières espèces ne font pas partie de notre faune), 7 n'ont pas été identifiés.

Poissons

Espèces. 20 000, groupées en 300 familles.

Migrateurs. Apparaissant à l'époque du frai (saumon) ou à l'arrivée de masses d'eau ou de courants (morue, merlan, hareng, maquereau, thon, sardine, anchois). Peuvent passer leur vie entière dans la mer (thon, maquereau, sardine, hareng, etc.) ou passer de l'eau de mer à l'eau douce et inversement [*le saumon* voir ci-contre ; *l'anguille* arrive sur les côtes européennes sous forme de civelle, gagne les eaux douces pour y effectuer sa croissance, met de 8 à 10 ans pour regagner la mer et, à 50-100 km par jour, se diriger vers l'aire de ponte de la mer des Sargasses].

Sédentaires. Pêchés toute l'année près des côtes : p. ronds (mulet, rouget, congre, bar) ; p. plats (sole, limande, turbot, barbue, raie).

Poissons comestibles

• **Caractéristiques.** *P. maigres* [ex. : p. de fond comme les galidés, p. plats sauf flétans et turbots ; teneur de graisse – de 4 %, apport de 78 calories pour 100 g de chair fraîche (comme la volaille)] et *p. gras* [ex. : scombridés, clupéidés et mugilidés ; teneur en graisse 4 à 28 %, 140 calories pour 100 g (comme la viande de bœuf)]. Teneur en protéines comparable dans les 2 groupes (17,8 %). Chair riche en vitamines, phosphore, iode ; plus facilement assimilable que les aliments azotés courants.

• **Consommation.** 4 % de notre alimentation vient de la mer (dont 8 millions de t en élevage), alors que les 4/5 de la vie animale s'y développent.

Consommation par personne, par an : Anglais 127 kg (Londres excepté) ; Norvégiens et Islandais 50 ; Japonais 36 ; *Français 9* (Parisiens 28).

• **Élevage.** *Méthodes. Récifs artificiels :* blocs de béton, carcasses de vieilles voitures. *Ensemencement des lieux de pêche naturels en jeunes poissons.* En capturant des parents avant la reproduction et en ensemençant directement les œufs avec la laitance, on multiplie le nombre des fécondations par 1 000 ou 10 000 ; puis on élève les jeunes jusqu'à ce qu'ils soient suffisamment vigoureux pour avoir une forte chance de survivre dans leur milieu naturel. *Engraissement* des poissons parqués dans lagunes ou étangs salés (mulets, bars, daurades et anguilles furent longtemps *engraissés* ainsi dans les anciennes salines du bassin d'Arcachon). *Cages flottantes :* en eaux marines littorales, Norvège 25 000 t en 1984. *Rendement : poissons* 50 à 100 kg, *saumons* 200 à 300, *crevettes* 110 à 220 kg par ha et par an.

Production de poissons d'eau douce (1982). 6 984 471 t dont cyprinidés 762 524, cichlidés 498 860, autres 5 723 287. *France* (1980) : anguilles 2 582, truites arc-en-ciel 20 000, autres truites (1982) 3 521.

Perte de fraîcheur d'un poisson. *Cabillaud :* colle au toucher, les filets rougissent. *Carrelet :* perd ses points orange. *Hareng, sardine :* l'œil perd sa forme bombée et se creuse progressivement, les ouïes deviennent rouges puis brun jaunâtre, le corps se ramollit et perd de son éclat, les écailles tombent progressivement. *Lieu noir :* colle au toucher, les filets jaunissent. *Maquereau :* perd ses reflets irisés caractéristiques, l'œil se ternit, des traces de sang apparaissent. *Merlan :* ventre alourdi, œil creux, décoloration de la peau. *Merlu (ou colin) :* se recouvre d'un enduit muqueux jaunâtre, visqueux et malodorant, sa chair jaunit, la peau n'adhère plus. *Rouget :* se décolore rapidement, ses chairs ramollissent. *Sole :* perd sa couleur blanc rosé et devient jaunâtre, sa peau se décolle facilement.

• **Saumon.** *2 genres : Oncorhynchus* Pacifique, 6 espèces dont 5 mourant après une seule reproduction ; *Salmo* Atlantique et Baltique, 1 seule espèce pouvant peser 2 à 35 kg.

Passe 1 à 8 ans en rivière selon la température (1 à 3 ans en France) puis, ayant atteint la taille d'une sardine, rejoint ses aires d'engraissement maritimes (le saumon de France va surtout à l'ouest du Groenland). Il revient dans la rivière d'où il est parti après 15 mois à 3 à 4 ans de mer pour un nouveau séjour en eau douce durant lequel il ne se nourrit pas, se reproduit puis, s'il survit, redescend en mer. Certains (peu nombreux) reviendront à nouveau en eau douce pour se reproduire. La pollution des cours d'eau, l'assèchement des marais et tourbières, les extractions de gravier, les écluses, barrages et ouvrages hydroélectriques le font fuir [en France il a disparu de Seine, Yonne, Rhin, Moselle, Cher et Vienne ; il en reste dans la Loire et l'Allier (il leur faut 5 à 7 mois au lieu de 1 en 1900 pour remonter le cours en raison des obstacles), en Bretagne et dans les Pyrénées-Atlantiques].

Méthodes de pêche : « purse seiner », « thillnetter », « troller », « trap netting » (s. de l'Atl.). *Consommation :* frais ou fumé [fumage à froid (30 °C) dans *four traditionnel :* les s. sont suspendus au-dessus d'un feu de sciure de bois après séchage pendant plusieurs heures, puis refroidis ; *four électrique* contrôlé par thermostat : résultats moins satisfaisants].

Saumons Salmo Salar (Atlantique). *S. capturés* (pêcheurs professionnels et amateurs) 12/13 000 t ; *s. d'élevage* (Salmoni culture) 60 000 t commercialisées (dont de Norvège 40 000, d'Écosse 15 000).

En France, saumons capturés : v. 1955 : env. 36 000/an ; *80 :* – de 2 000 ; *86 :* env. 6 600. *Imp.* (en milliers de t, 1989) : 50 107. Saumons frais ou réfrigérés 32 826 dont de Norvège 20 909, G.-B. 7 372. Saumons congelés 9 168 dont USA 6 356, Canada 2 413. *Exp. :* 2 509.

• **Silure.** De la famille des siluridés, proche du poisson-chat. Plus gros poisson d'eau douce du monde (jusqu'à 300 kg et 5 m de long). Vit en France dans le Rhône et la Saône. Expériences de pisciculture intensive en eau à 25° C, dans les bacs en plastique, avec une nourriture à base de granules de farine de poisson. Gain de poids moyen dans ces conditions : 12 g/jour (carpes 6,5 g, anguilles 0,3 g).

Ressources minérales

• **Eau de mer.** Masse des océans et mers 1,4 milliard de km³ d'eau salée couvrant 350 millions de km² (soit 650 fois la France). Évaporation annuelle de 37 000 km² d'eau.

Dessalement : 800 installations dessalent chaque jour dans le monde de 1 à 2 millions de m³ d'eau de mer. Prix de revient encore élevé.

Extractions industrielles : chlorure de sodium (85 % de la masse des sels dissous, env. 30 kg par m³ d'eau de mer), magnésium (1,3 kg par m³) et brome. L'extraction de l'uranium est possible (prix de revient 50 $ le kg d'oxyde). Celle du zinc, étain, cuivre, uranium, nickel, titane n'est pas rentable.

Sel. *Marais salants,* aménagés dans des zones ensoleillées. Les grandes marées (en Atlantique) amènent l'eau de mer par des chenaux ou étiers sur des « vasières » (de 50 ares à plusieurs ha), qui servent de réservoir (se réchauffe et se concentre par évaporation en même temps que la vase, en suspension, se dépose). L'eau atteint (sur env. 20 cm) 18 °C pour une salinité de 34 ‰ (marais de Guérande) à l'entrée dans la « vasière », et 22 °C et 40 ‰ de salinité à sa sortie lorsqu'elle entre, par gravité, dans un 2e bassin (« corbier » à Guérande) ayant des cloisons en chicane. L'épaisseur d'eau ne dépasse pas 5 cm ; évaporation et décantation se poursuivent. A sa sortie vers la « saline » l'eau atteint 20 °C et 50 ‰ de salinité. Après être passée entre de multiples chicanes, elle peut parvenir aux « œillets » (concentrations de sel de 250 g par litre). A ce moment se forment les cristaux de gros sel qui tombent sur le fond et parfois des cristaux blancs, fins et légers, qui flottent en surface (« fleur de sel » très recherchée).

PRODUCTION (1985). *Méditerranée :* 1 622 000 t dont aux Salins de Giraud 952 000, Aigues-Mortes 490 000, Berre 42 000, Lapalme 38 000, Guissan 28 500, Les Pesquiers 23 000, Ste-Lucie 19 000. *Atlantique :* 13 000 t (très petites exploitations : Guérande, île de Ré, Noirmoutier).

• **Plateau continental. Sédiments meubles.** *Placers* formés à partir de minéraux arrachés au continent par les eaux de ruissellement. *Or* (Alaska). *Étain* (cassitérite des îles de la Sonde). *Zircon* (Floride et Sri Lanka). *Rutile* (Australie). *Diamant* (Afrique du S.), dragues suceuses donnant 1 000 carats par jour, exploitation abandonnée depuis 1971, les conditions étant trop difficiles. *Titano-magnétique* (Japon, Philippines). *Sables, graviers* (G.-B. + de 10 millions de t par an, France 40 millions de t sur la Manche).

Sous-sol rocheux. Certains gisements prolongent des gisements terrestres côtiers : *charbon* extrait sous la mer au Japon, Canada, Chili, Écosse ; *fer* en Finlande ; *soufre* en Louisiane (2 millions de t par an). *Pétrole.* V. Index.

• **Grandes profondeurs. Nodules polymétalliques.** Voir Index.

Minéraux marins destinés aux engrais. Phosphorites formées à partir des squelettes de poissons (réserves : plus de 10 milliards de t) ; glauconie.

La pêche dans le monde

Moyens

• **Engins. Lignes** *à main* (de fond ou de surface). *De traîne* (remorquées en surface ou entre deux eaux). **Palangres :** engins dormants mouillés sur le fond ou entre deux eaux ; la palangre à thon japonaise mesure jusqu'à 100 km. **Nasses** *et casiers* (crustacés). **Dragues** *à coquillages* (coquilles St-Jacques). **Chaluts** *de fond* (raclent le fond détruisant organismes végétaux et animaux essentiels à la chaîne alimentaire) ou *pélagiques* (remorqués entre 2 eaux) à mailles fines attrapent inutilement des petites espèces et des jeunes des grosses espèces. **Filets tournants.** *Sennes* tournantes pour la capture d'espèces en surface [sardine, anchois, hareng, thon (jusqu'à 1 000 m de long et 100 m de haut)]. Ayant constaté que les thons suivent les dauphins qui détectent la nourriture, les thoniers américains chassent les dauphins avec des bateaux rapides, puis les encerclent avec des filets. Une embarcation annexe tourne autour d'eux en resserrant le filet. En 30 ans, 6 500 000 dauphins seraient morts étouffés ou écrasés. **Filets dérivants.** Jusqu'à 60 km. En nylon, non détectable par les poissons ou les sonars marins. Lesté à la base et maintenu verticalement dans l'eau par des flotteurs, on le laisse dériver au gré des vents et courants. Dans le Pacifique (Japon, Corée du Sud, Taiwan), utilisés pour pêcher calmars et saumon ; pendant la saison de pêche, 1 500 bateaux déploient chaque nuit 32 000 km de filets. **Électronarcose.** Permet d'étourdir le poisson et de le capturer par pompage.

☞ Le dépistage à ultrasons et le chalut à immersion variable se développent et augmentent nettement le rendement des prises. On expérimente en URSS une *« pompe à poissons »,* des *« rideaux de bulles »* aux États-Unis pour remplacer parfois les filets. On utilise également la « théorie des jeux et des confrontations de stratégies » pour prévoir les mouvements des bancs de poissons.

La pêche de thons à l'appât vivant se pratique de plus en plus. On jette à la mer des petites sardines ou anchois vivants lorsqu'un banc est repéré. Attirés par tout ce qui brille, les poissons mordent aux hameçons sans appât accrochés au bout de cannes qu'il suffit alors de relever brutalement.

• **Flotte de pêche.** *Navires en acier de + de 100 tx de jauge brute* (nombre et, entre par., tonnage en milliers de tx).

Navires de pêche (nombre et entre parenthèses milliers de tjb au 1-1-1990). Belgique 20 [1] (25,4). Danemark 300 (122,3). Espagne 1 743 (619,3). G.-B. 819 [1] (175,5) [1]. Grèce 20 276 [2] (129,8). Irlande 1 596 [2] (55,8). Italie 19 256 [2] (282,6). P.-Bas 653 [2] (82,4) [2]. Portugal 9 497 [2] (195,9). All. féd. 68 [1] (47,9).

Nota. – (1) 1-1-1989. (2) 1-1-1987.

Navires de transformation (1979). URSS 576 (2 765), Japon 104 (188), Corée du S. 13 (54), Chine 12 (15), Panamá 10 (21), Pologne 9 (75), All. dém. 9 (55), USA 8 (5), Roumanie 6 (58), Bulgarie 6 (32).

Total mondial (pêche et transformation) (1979). 20 408 (12 270) dont 1 555 de 2 000 tx et + (URSS 1 158).

• **Aquaculture. Extensive.** Faible densité en poisson (à partir de 100 kg/ha) ; nourriture fournie par le milieu ; bassins en terre, marais ou étangs, de plusieurs ha. Marées ou vent renouvellent les débits d'eau. **Intensive.** Forte densité (+ de 10 kg par m³ d'eau). Nourriture préparée et distribuée aux poissons qui restent confinés dans des cages flottantes ou des viviers immergés en mer. Le pompage qui provoque de forts débits est très surveillé.

Dans le monde. Valeur de la production (1986, en millions de $). USA 496,3, *France 404,3,* Norvège 233,3, G.-B. 91,6, Danemark 74,7, All. féd. 55,3, Pays-Bas 51,3, Finlande 44,8, Canada 32.

En France et DOM-TOM (1987). Fait vivre environ 12 000 personnes. **Production en t.** *Marine.* Saumons 85, truites de mer 650, bars et loups 115, dorades 8, turbots 12. Crevettes : métropole 15, tropicales eau douce 194, trop. mer 103. Palourdes 560, moules vertes 6, tortues 30. *Eau douce.* Truites arc-en-ciel 30 000 (1er producteur mondial).

Pêcheries

Domaines maritimes

1° **Domaine pélagique, peuple du pelagos,** qui vit en pleine eau, libre de tout contact avec le fond, même pour sa nourriture. 2 formes : a) *le necton :* animaux pélagiques ayant une mobilité propre et pouvant se déplacer malgré les courants ; b) *le plancton :* organismes se laissant entraîner par les courants. On distingue le *zooplancton* (animal : protozoaires, crustacés, mollusques, etc., à la répartition verticale et irrégulière) et le *phytoplancton* (plancton végétal : diatomées, péridiniens, etc., surtout jusqu'à env. 30 m de profondeur).

Pêches pélagiques (capture des poissons de surface ou nageant entre deux eaux). *Océan :* thons et chasse des cétacés. *Zone néritique :* harengs, sardines, sardinelles, anchois, menhadens, maquereaux, au comportement grégaire. Les captures ont lieu lorsque les poissons sont en bancs (certains bancs de harengs atteignent deux km de long). Certaines espèces sont capturées pour l'alimentation du bétail : anchois du Pérou, menhaden et une grande partie du hareng pêché par les Norvégiens ou les Danois.

2° **Domaine benthique peuplé par le benthos.** Constitué par des organismes libres, fixés ou enfouis, dont la majeure partie de l'existence est liée au fond de la mer, notamment pour les besoins alimentaires. En général, la biomasse benthique diminue quand la profondeur augmente. *Pêches benthiques :* exploite les fonds du plateau continental et du haut du talus.

Zones de pêche

Leur richesse varie en fonction de facteurs physiques (température, éclairement), chimiques (teneur en sels nutritifs), biologiques, et de l'étalement ou du raccourcissement du cycle vital.

95 % des zones sont : au-dessus des plateaux continentaux, dans les régions d'*upwelling* pour les espèces pélagiques telles que sardines, anchois, etc., où les eaux froides et riches en sels minéraux remontent en surface, ou dans les zones de contact de 2 masses d'eau de températures différentes. Seule, ou presque, la pêche au thon se pratique en haute mer.

Zones les plus productives. *Atlantique N.-E. :* de la Norvège à la péninsule Ibérique, y compris Islande et Est-Groenland ; *N.-O. :* côte est des USA, de la N.-Écosse au cap Hatteras ; *Atl. Sud-E. :* Angola ; *Atl. Sud-O. :* Sud-Argentine et Patagonie ; *Pacifique N.-E. :* Californie ; *N.-O. :* du détroit de Béring à Formose ; *océan Indien :* Sud-Java et Sumatra. **Zones de productivité moyenne.** Zones ceinturant les régions ci-dessus ; z. mauritanienne et sénégalaise, côtes pacifiques de l'Amérique du Sud.

La surexploitation est nette : sur la *côte est des États-Unis* où se retrouvent les flottes de pêche soviétique, japonaise, polonaise, est-allemande ; dans l'*Atlantique tropical* où la taille moy. des thons pêchés est tombée de 21 kg en 1969 à 11 kg ; sur les *côtes de l'Amérique du Sud* (anchois).

Quotas de pêche. L'OPANO (Organisation de Pêche de l'Atlantique Nord-Ouest) fixe chaque année le tonnage des prises admissibles (TPA) dans l'Atlantique Nord sans mettre en danger les espèces. *Quota 1986* (toutes espèces confondues) : 24 571 t. En fait, la CEE en a prélevé 7 fois plus (172 000 t), et les quotas sont régulièrement transgressés par les Portugais et les Espagnols (91 % des bateaux de la CEE opérant au nord du Canada). Le stock de morues du banc de Terre-Neuve aurait ainsi diminué de 33 % en 2 ans.

Principaux plateaux continentaux de l'Atlantique exploités (superficie en km²). *Mer de Barents :* 550 000, morue, églefin, poissons plats ; *Spitzberg :* 240 000, morue, églefin, lieu noir ; *mer de Norvège :* 120 000, morue, lieu noir, merlu ; *mer du Nord :* 570 000, merlan, églefin, lieu noir, merlu, poissons plats ; *Baltique :* 390 000, morue, saumon, lamproie ; *Féroé et Islande :* 120 000, morue, églefin, sébaste ; *Irlande :* 380 000, merlu, merlan, lieu jaune, poissons plats, langoustines ; *golfe de Gascogne, Manche, mer Celtique :* 170 000, merlu, lieu jaune, poissons plats, langoustines ; *péninsule Ibérique :* 50 000, merlu, dorade ; *Groenland oriental :* 180 000, morue ; *occidental :* 160 000, morue, sébaste, églefin, flétan ; *Labrador, Terre-Neuve :* 400 000, morue, églefin, flétan ; *N.-Écosse :* 370 000, morue, poissons plats, coquilles St-Jacques ; *N.-Angleterre et Caroline :* 220 000, coquilles St-Jacques, sébaste, merlu, églefin ; *golfe du Mexique (Nord) :* 450 000, mulet, crevettes ; *golfe de Campêche :* 180 000, crustacés ; *Venezuela :* 130 000, crustacés.

Eaux territoriales et, en italique, **zone de pêche** (en milles marins) : Afr. du Sud 6 *200,* Albanie 12 *12,* Algérie 12 *12,* All. dém. 3, All. féd. 3 *200,* Arabie Saoudite 12, Argentine 200 *200,* Australie 3 *12,* Bahamas 3 *12,* Bahreïn 3, Bangladesh 12, Barbade (La) 3 *200,* Belgique 12 *200,* Bénin 12 *200,* Birmanie 12 *12,* Brésil 200 *200,* Brunei 3, Bulgarie 12, Cambodge 12 *12,* Cameroun 18 *18,* Canada 12 *200,* Cap-Vert 12 *200,* Chili 200 *200,* Chine 12, Chypre 12 *12,* Colombie 3 *12,* Congo 30, Corée du N. 12, Corée du S. 200, Costa Rica 12 *200,* C.-d'Ivoire 6 *12,* Cuba 3 *200,* Danemark 3 *200* (Groenland, îles Féroé 3 *12*), Égypte 12 *12,* Équateur 200 *200,* Espagne (et territoires d'outre-mer) 12 *12,* Éthiopie 12 *12,* Fidji 3, Finlande 4, *France* (et DOM et TOM sauf la Terre Adélie) 12 *200* (métropole 340 000 km², Pacifique 7 668 730, océans Indien et Antarctique 2 518 235, DOM 663 400), Gabon 100, Gambie 50 *50,* Ghana 50, Grèce 6 *6,* Guatemala 12 *12,* Guinée 12 *200,* Guinée équatoriale 12, Guyane 3, Guyane fr. 12 *80,* Haïti 12, Honduras 12 *12,* Inde 12 *112,* Indonésie *12,* Irak 12 *12,* Iran 50, Irlande 50 *200,* Islande 12 *200,* Israël 6 *6,* Italie 6 *6,* Jamaïque 12, Japon 3 *3,* Jordanie 3 *3,* Kenya 12 *13,* Koweït 12, Liban 6 *6,* Liberia 12, Libye 12, Madagascar 50, Malaisie 12 *12,* Maldives 12, Malte 6 *20,* Maroc 12 *70,* Maurice 12, Mauritanie 30 *30,* Mexique 9 *200,* Monaco 3 *12,* Nicaragua 3 *200,* Nigeria 30 *30,* Norvège 4 *12,* N.-Zél. 3 *12,* Oman 12 *200,* Pakistan 12 *50,* Panamá 200 *200,* P.-Bas (et territoires d'outre-mer) 12 *200,* Pérou 200 *200,* Philippines 280, Pologne 12 *200,* Portugal 6 *200,* Qatar 3, Rép. dominicaine 6 *12,* Roumanie 12, Roy.-Uni 12 à 50 *200,* Salvador 200 *200,* Sénégal 12 *150,* Sierra Leone 200 *200,* Singapour 3, Somalie 200, Soudan 12, Sri Lanka 12 *100,* Suède 4 *12,* Surinam 3, Syrie 12, T'ai-wan 3 *12,* Tanzanie 50, Thaïlande 12 *12,* Togo 12 *20,* Tonga 3, Trinité-et-Tobago 12, Trucial States 3, Tunisie 12 *12,* Turquie 6 *12,* URSS 12 *200,* Uruguay 200 *200,* USA 3 *200,* Venezuela 12, Viêt-nam 12 *50,* Yémen 12, Sud-Yémen 12, Youg. 10 *10,* Zaïre 12.

La CEE a décidé de créer une zone de pêche communautaire (1-1-1977) de 200 milles au large de la mer du Nord et de l'Atlantique N. (incluant les départements français de St-Pierre-et-Miquelon, des Antilles et de la Guyane). A l'intérieur chaque pays membre conserve une bande côtière de 6 milles, réservée aux pêcheurs locaux [12 milles dans certaines zones (France : au large des départ. de la Manche jusqu'au Morbihan inclus)]. La nouvelle Convention internationale sur le droit de la mer (Montego-Bay, 10-12-1982) prévoit l'extension des eaux territoriales aux 12 milles. Des licences sont accordées par dérogation à des navires de pêche de certains pays tiers (Norvège, Féroé, USA, Japon, Corée, dans les eaux de la Guyane).

Production mondiale

☞ La pêche prélève 1/4 de la production alimentaire des océans. On pêche peu d'espèces : surtout anchois, harengs, morues, merlus, merlans, maquereaux, chinchards, thons, poissons plats.

Production moy. de poisson des océans (par ha et par an). 0,5 kg (Méditer. 1,5, mer de Barents 4,5, m. du Nord 16 à 24,5, m. du Japon 28,8, m. d'Azov 80).

Poissons congelés (non compris les filets, en milliers de t, 1988). 12 198,8 dont poissons d'eau douce 7,3, diadromes (qui remontent de l'océan au fleuve) 1,5, anguilles 0,9, saumon de l'Atlantique 14,5, s. du Pacifique 77,3, tranches de saumon 0,9, truites et ombles 14,4, éperlans 0,5, flétan de l'Atlantique 1,6, f. du Pacifique 2,5, f. noir 9,3, tranches de f. 3,5, plies 3,3, soles 13,2, flet 8,6, poissons plats 18,6, morue de l'Atlantique 110,1, m. du Pacifique 3,5, églefin 4,6, lieu noir 2,7, l. de l'Alaska 207,4, merlan 2,1, merlus 352,3, m. hachés 1,2, poissons gadiformes 27,4, serranides 11,2, lutianides 1,9, sciaenidés 39,4, sparides 18, abadèche du Cap 5,1, sébastes de l'Atlantique 23,1, machoiron 5,1, compères 1,9 ; rascasses, perches de mer, etc. 141,2, capelan 44,8, balaou du Japon 214,2, chinchards noirs 218,9, stromate argenté 0,6 ; chinchards, mulets, etc. 8,8, hareng de l'Atlantique 136,9, h. du Pacifique 4,3, pilchards 1 545,8, sardine d'Europe 21,2, sprat 3,9, anchois 31, clupéodes 0,6, bonite 1,5, listão 465,9, thon rouge 12,3, germon 114,6, thon albacore 145,4, patudo 118,4, makaires 20,7, espadon 19,3, thon 203,2, poissons sabres 18,9, maquereau espagnol 400,9, m. de l'Atlantique 164,5, thyrsite 7,7 ; autres maquereaux 175,6, squales 23,9, raies 2,6 ; squales, raies, etc. 0,8. *Autres poissons marins* 6 589,2.

Poissons frais, réfrigérés ou congelés (en milliers de t, 1988). 14 143,9, dont Japon 3 740,8, URSS 3 231,4, Corée du S. 1 167,5, Corée du N. 630,5, USA 461, Chine 438,4, Espagne 399,6, Canada 329,8, Norvège 280,5, Thaïlande 250, G.-B. 209, Danemark 191,3, Pologne 180,8, Islande 176,4, P.-Bas 174,8, Brésil 173,6, Argentine 160,6, All. féd. 152,8, N.-Zélande 146,8, *France 139,3,* Afr. du S. 138,6, Irlande 128,7, Roumanie 107,4, Cuba 94,2, Maroc 86,7.

Poissons séchés, salés ou fumés (en milliers de t, 1988). 5 627,8 dont Chine 1 440,6, Japon 954,5, Indonésie 711,7, URSS 673,6, Philippines 222,8, Inde 153,9, Corée du N. 137, Islande 94,9, Thaïlande 82,8, Norvège 82,6, Canada 72,9, Ghana 60, Pologne 57,1, Tanzanie 57, Birmanie 55,8, Roumanie 52,8.

Crustacés et mollusques frais, congelés, séchés, salés, etc., (en milliers de t, 1988). 2 095,1 dont Japon 363,8, USA 304,8, Thaïlande 223,4, Chine 150,8, Espagne 85,9, Inde 83,8, Danemark 54,6, Équateur 52,5, Mexique 45,9, Mauritanie 45,6, Canada 44,6, Maroc 42,2, Pologne 41,9, Corée du S. 40,1.

Produits de poisson et préparation en récipients hermétiques ou non (en milliers de t, 1988). 5 440,6 dont Japon 1 655,8, URSS 1 283,3, USA 357,2, Thaïl. 267,7, Corée du S. 182,2, All. féd. 118,2, Espagne 115,8, Birmanie 108,8, Italie 107,5, *France 103,6,* Danemark 69,4, Mexique 63,1, Chili 63, Philippines 61, Pologne 58,5.

La pêche française

Source : Comité central des pêches maritimes.

Consommation

Consommation apparente (en milliers de t, 1989). *Produits frais :* 678,8 dont poissons de mer 349,3, d'eau douce 33,6 ; crustacés 32 ; mollusques 263,9 (huîtres 126, moules 86,6, coquillages 31,6, céphalopodes 19,7). *Produits congelés :* 276,2 dont de mer 198,6, d'eau douce 25,3 ; crustacés 39 ; mollusques 13,3 (coquillages 4,1, céphalopodes 9,2). *Produits salés, séchés, fumés :* 16,7. *Conserves :* 241,1 dont thon 105,5, sardine 45,6, maquereau 30,4, hareng 4,2, divers 55,4.

Par habitant (produits de la mer en kg/an, 1984). *Produits frais :* 12,8 dont poissons de mer 7,8 ; crustacés 0,7 ; mollusques 4,6 (huîtres 2, moules 1,7, coquillages autres 0,6, céphalopodes 0,2). *Produits congelés :* 4,1 dont p. de mer 3,5 ; crustacés 0,4 ; mollusques 0,2. *Prod. salés, séchés, fumés :* 0,2. *Conserves :* 3.

Flotte de pêche

● **Flotte de pêche** (au 7-6-90). **Nombre de navires** 9 520 dont pêche artisanale : *– de 12 m :* 7 347, *de 12 à 16 m :* 897 ; *de 16 à 25 m :* 1 039 ; Pêche industrielle : *+ de 38 m :* 105.

Chalutier de type grande pêche récent. Jauge brute 1 680 tx, longueur HT 77 m, vitesse 14,5 n., capacité des cales 540 m³ pour le poisson, 475 m³ (à – 30 °C) pour le congelé ; capacité journalière de congélation 8 t de filets en plaques. Surgèle le poisson à – 40 °C et entrepose à – 20 °C (les thoniers congèlent et conservent le thon à – 15 °C).

Campagne. De février à déc. ; divisée en 3 voyages de 3 mois ; 1er et 3e généralement sur les bancs de Terre-Neuve et du St-Laurent, 2e sur les bancs du Groenland occidental, du Labrador et éventuellement de la mer de Barents [1509 : 1er débarquement de morue salée venant des côtes amér. ; 1903 : 10 000 h (Terreneuvas) sur 436 navires].

● **Pêcheurs embarqués** (au 31-12-1989). 18 462 dont petite pêche 12 006, pêche au large 3 330, pêche côtière 2 588, grande pêche 538

Pêcheurs morts en mer. *1985 :* 23. *1986 :* 23 (beaucoup à cause des « croches » : le filet se prend dans un obstacle, le câble se tend, le navire est tiré par le fond).

Nota. – Grève des pêcheurs en 1980 voir Quid 1983, page 1380.

● **Zones de pêche. Chalutiers de grande pêche :** Atl. N.-Ouest et N.-Est. **Ch. de pêche fraîche :** mer du Nord et Manche, à l'ouest et au nord de l'Irlande et de l'Écosse, au sud de l'Islande et dans le golfe de Gascogne. **Thoniers de pêche fraîche :** la répartition des thons est influencée par la présence quasi permanente en mers chaudes d'une couche de discontinuité thermique, la *thermocline* (entre 30 et 100 m de profondeur). Les pêcheurs français n'exploitent que le thon de surface à la traîne, à l'appât vivant ou à la senne tournante. Le germon (thon blanc) apparaît en surface début juin entre Portugal et Açores et, suivant la progression des eaux, il remonte vers la mer Celtique (en particulier, golfe de Gascogne) et disparaît en octobre. Environ 170 thoniers français le poursuivent. Certains (15) basés à Dakar pêchent l'albacore et le listão sur les côtes occid. de l'Afrique. **Thoniers congélateurs** (36) : pêchent l'albacore et le listão à la senne tournante au large de Dakar, Abidjan, Pointe-Noire et le long de l'Angola et dans l'océan Indien (Somalie, Madagascar et Seychelles). **Pêche à la sardine :** pratiquée par les artisans en Atl. et Méditerranée ; 5 nav. sardiniers congél. dans l'Atl. Nord à rayon d'action très large. **Langoustiers congélateurs :** le long du Maroc et de la Mauritanie, mais les fonds s'appauvrissent et leur accès est maintenant soumis à des limitations.

Nota. – (1) Depuis le 15-5-1986, l'accès au golfe du St-Laurent est interdit aux chalutiers français.

Conflits avec Espagnols. En 1990 : 674 filets français détruits par les Esp. dans le golfe de Gascogne.

Production

Source : Comité central des pêches maritimes.

• **Production. Quantité** (milliers de t) et, entre parenthèses, **valeur** (milliers de F, 1989). *Total poisson* 463,9 (5 271,4). [*Poisson frais :* 333 (4 538,5) dont p. de fond ronds 204,9 (2 862,3), p. pélagiques 78 (432,1), p. de fond plats 41,1 (970,4) p. anadromes 1,8 (114), p. divers 7,2 (159,7). *Poisson congelé :* 130,9 (732,2) dont p. pélagiques 127 (644,9), p. de fond 3,9 (87,4). *Poisson salé :* 0,02 (0,6)]. *Crustacés :* 20,7 (671,3) dont langoustine 8,6 (336,2), tourteau 7,1 (110,7), araignée 1,6 (30,9), crevette grise 0,9 (32,9), crevette rose bouquet 0,5 (50,1), étrille 0,5 (7,8), homard 0,3 (30,1), langouste rose 0,2 (25,8), l. rouge 0,2 (30,2), divers 0,8 (16,8). *Mollusques :* 49,1 (595,8) dont coquillages 26,6 (270,5) [*bivalves :* coquilles St-Jacques 5,3 (126,7), coques 4,4 (10,9), amandes de mer 2 (4,4), pétoncles 1,6 (11,5), palourdes 1,6 (26,7), praires 1,4 (36,3)] ; *gastéropodes :* 5 (31,4) ; *coquillages divers :* 5,4 (22,6) ; *céphalopodes :* 22,5 (325,3) dont seiches 12,3 (135,5), encornets 8,4 (168,7), poulpes 1,3 (11,6), divers 0,5 (9,5). *Violets et oursins :* 0,3 (4,7). *Farine :* 1,1 (5,2). *Total :* 535,9 (6 576,6). *Ostréiculture :* 130,5 (1 086,8) dont huîtres creuses 129 (1 032), h. plates 1,5 (54,8). *Mytiliculture :* 50 (350). *Algues marines* (poids sec) : 16,8 (20,2).

• **Principales espèces débarquées. En t** (1989). Thon 144 887 (dont blanc 4 020, rouge 5 374, albacore 66 905, listão et patudo 68 588). Lieu noir 35 647 (dont frais 35 616, filets congelés 31). Cabillaud 28 607 (dont frais 26 815, filets congelés 1 770, morue salée 22). Merlan 23 210. Sardine 22 290. Merlu 21 279. Lingue 17 417. Maquereau 16 789. Baudroie 15 710. Seiche 12 348. Raie 11 940. Anchois 11 028. Hareng 10 299 (dont frais 10 062, congelé 237). Chinchard 8 690 (dont frais 8 176, congelé 514). Sole 8 694. Langoustine 8 624. Plie 8 495. Encornet 8 370. Tourteau 7 059. Cardine 5 849. Tacaud 5 772. Grondin 5 730. Coquilles St-Jacques 5 261. Congre 5 260. Églefin 5 178 (dont frais 5 161, congelé 17). Lieu jaune 4 967. Coques 4 380. Sébaste 4 206.

En milliers de F. Huîtres 1 086,8. Thon 813,7 [dont albacore, listão, patudo 687,5, blanc (germon) 56,2, rouge 70]. Merlu 538,6. Sole 504,8. Baudroie 421,9. Cabillaud 384,2 (dont frais 341,2, congelé 42,2, morue salée 0,6). Moules 350. Langoustine 336,2. Bar 302,2. Merlan 216,7. Lieu noir 210,8. Lingue 170,8. Encornet 168,7. Seiche 135,5. Raie 132,6. Coquilles St-Jacques 126,7. Crevettes 111 (dont fraîches 82,8, congelées 28,2). Tourteau 110,7. Anchois 110,4. Cardine 110,4. Turbot 81,8. Lieu jaune 78,9. Rouget barbet 76,4. Sardine 73,2. Maquereau 64,8. Grondin 53. Congre 52,1. Plie 49,2. Églefin 46,7.

• **Production par zones** (1989, en t). **Nord-Normandie** 149 337 dont poissons de fond frais, mer 100 299, mollusques 31 217, crustacés 1 037. **Bretagne-Nord** 130 137 dont p. de fond frais, mer 11 490, mollusques 39 122 (huîtres et moules 25 094), crustacés 5 203, algues 70 292. **Bretagne-Sud** 210 934 dont p. de mer 169 155 (dont thon tropical congelé 38 118), crustacés 8 977. **Loire-Atlantique-Vendée** 68 069 dont p. de mer 26 923, anadromes 60, mollusques 43 306, crustacés 2 891. **Sud-Ouest** 111 914 dont p. de fond frais, mer 22 262, mollusques 96 186 (huîtres 72 980), crustacés 1 206. **Méditerranée** 72 977 dont p. de fond frais, mer 40 760, mollusques 28 753 (huîtres 11 802), crustacés 58.

• **Principaux ports de pêche** (en millions de F, 1989). Marennes-Oléron (huîtres comprises) 935,5, Concarneau 797,8, Le Guilvinec 693,6, Lorient 567,1, Boulogne 509,5, Sète 474,2, Les Sables-d'Olonne 418,9, La Rochelle 413,9, St-Malo 287,1, Caen 260,4, Douarnenez-Camaret 247,1, Noirmoutier 245,4, Martigues 222, Bayonne 221,6, St-Nazaire 195, Dieppe 160,8, Auray 157,8, Morlaix 143,7, Vannes 131,8, St-Brieuc 127,3, Arcachon 123,7, Brest 105, Paimpol 95,3, Yeu 93,9, Port-Vendres 68,7, Nantes 53,9, Toulon 53,6, Marseille 53.

• **Intermédiaires.** *Mareyeurs :* 950 entreprises, 6 000 salariés, C.-. représentant 80 % des apports français + importations. *Négociants :* 12 000 points de vente, 48 000 salariés. *Ind. du froid :* 80 entreprises, 1 900 sal. ; *de la conserve :* 39 entr., 5 813 sal.

• **Conserve** (1989). *Total (en t) :* 104 572. *Poids ½ brut de la production de conserves (en t) :* 109 610 dont thon 50 968, maquereau 29 107, sardine 20 215, thon blanc 3 340, autres 5 980. *C.A. (en milliers de F, H.T.) :* 3 252. *Nombre d'entreprises :* 24. *Approvisionnement du marché franç. (en t, 1989) :* thon blanc (pêche franç. et importé) 3 800. Thon (p. fr. et imp.) 42. Sardine (fraîche ou congelée imp.) 13 100, (fr. Méditerranée) 5 300, (fr. Atlantique) 1 700. Maquereau (p. fr. et imp.) 28 800. Hareng 2 200. Poisson chalut 2 600. Coquilles St-Jacques 5 300.

Commerce

Source : Comité central des pêches maritimes.

• **Importations** (en milliers de t, 1989). *Poissons de mer :* cong., surg. 85,2, filetés 106,7, frais, réfrig. 101,3, conserves 114,4, séchés, salés 12,4, fumés 1,3. *Poissons amphibiotiques* (salmonidés, anguilles civelles) : frais ou réfrig. 33,4, cong. ou surg. 20,9, conserves 4,8, fumés même cuits 2,3, salés ou séchés 0,005. *Poissons d'eau douce* (truites, carpes, brochets) : cong. ou surg. 5,8, frais ou réfrig. 4,7, fumés même cuits 0,3. *Crustacés marins :* frais ou cong. 63,5, conserves ou autres 15,7. Écrevisses : fraîche ou cong. 0,5. *Coquillages et mollusques marins :* frais ou cong. 75,6, conserves 13,9, séchés 8,4. *Foies, œufs, laitance :* 2,5. *Farines et poudres de poissons :* 73,8. *Graisses et huiles marines :* 20. *Algues et dérivés :* 16,7. *Total :* 784,1 dont prod. frais ou cong. 498,2, prépar. et conserves 150,6, salés ou séchés 21,1, fumés 3,7.

• **Exportations** (en milliers de t, 1989). *Poissons de mer :* cong., surg. ent. 118,5, filetés 5,7, frais, réfrig. ent. 81,7, filetés 1,4, conserves 13,5, séchés, salés 3,9, fumés 0,3. *Poissons amphibiotiques :* frais ou réfrig. 1,8, fumés même cuits 1,3, salés ou séchés 0,002, cong. ou surg. 1, conserves 0,5. *Poissons d'eau douce :* frais ou réfrig. 4,5, cong. ou surg. 0,4, fumés même cuits 0,01. *Crustacés marins :* frais ou cong. 11,7, conserves 1,6. *Écrevisses :* 0,01. *Coquillages et mollusques marins :* 34,7. *Foies, œufs, laitance :* 0,2. *Farines et poudres de poissons :* 7,8. *Graisses et huiles marines :* 13,9. Algues et dérivés : 7. *Total :* 311,3 dont frais ou cong. 257,2, prépar. et conserves 17,3, salés ou séchés 6,6, fumés 1,7.

Part des produits de la pêche dans le commerce extérieur français. Quantité (en t) et, entre parenthèses, valeur (en milliards de F, 1989) : imp. 784 123 (14,4), exp. 311 331 (5,2), déficit 472 792 (9,2).

Transports aériens

Grandes dates

Conquête de l'espace

Aviette (vol musculaire)

1020-40 Olivier de Malmesbury se lance d'une tour de son couvent. **1496-1505** Léonard de Vinci expérimente des machines à voler (Milan, Florence). **1655** Robert Hooke aurait construit un hélicoptère en Angleterre. **1678** le serrurier Besnier aurait expérimenté un appareil en vol. **1742** le Mis de Bacqueville aurait volé au-dessus de la Seine en s'élançant de la terrasse de son hôtel, quai des Théatins (quai Voltaire).

1977-*23-8* Bryan Allen (cycliste amér. 24 ans) vole 7 mn 27,5 s. sur le Gossamer Condor, conçu par Paul Mac Cready. **1979**-*12-6 1re traversée de la Manche* (2 h 49 mn, 35,82 km, arrive cap Gris-Nez), Bryan Allen sur le Gossamer Albatros gagne le prix Kremer.

Avions

1855 Joseph Pline invente le mot « *aéroplane* ». **1857-58** Un modèle réduit motorisé construit par Félix Du Temple (Fr. 1823-90), propulsé par un mouvement d'horlogerie et par la vapeur, quitte le sol par ses propres moyens. **1863** Gabriel de la Landelle invente le mot *aviation.* **1868** 1re exposition aéronautique au Crystal Palace de Londres. **1881** Louis Mouillard (1834-97, Fr. dans l'indigence au Caire) parle dans « l'Empire de l'air » du gauchissement des ailes ; il prépare un nouveau livre, « le Vol sans battement » qu'il soumet à Octave Chanute (1832-1910), qui le soumit à Wright qui s'en serait inspiré. **1890**-*9-10 1er soulèvement au monde* d'un avion plus lourd que l'air, à moteur, emmenant son pilote : Clément Ader (1841-1925), sur l'*Éole I* (envergure 13,7 m, forme d'une chauve-souris ; long. 6,5 m ; haut. 3,5 m ; fuselage recouvert de toile, 1 moteur à vapeur 4 cyl. 20 cv ; 1 hélice bambou de 2,6 m à 4 pales ; 296 kg), fait un bond de 50 m (à quelques cm de haut.) au château d'Armainvilliers. Un procès-verbal fut dressé mais non signé. Une réplique (voilure 22 m², poids à vide 210 kg, moteur à pistons de 64 ch utilisé à 30 ch) a volé en juin 1990 à Meaux-Esbley. **1896** Samuel Langley (U.S.A. 1834-1906) (4,26 m d'enverg., moteur à vapeur) accomplit des vols sustentés sur 1 400 m (aérodromes nos 5 et 6). **1897**-*14-10,* 17 h 30 *1er vol (controversé)* de Clément Ader, sur *Avion III* (env. 16 m, surface des ailes 46 m², poids à vide 258 kg, en charge 400 kg, 2 hélices centrorotatives de 3 m de diam., 2 moteurs de 20 ch à vapeur d'alcool de 2 cylindres, condenseur de 1 600 tubes de cuivre placé au-dessus de l'avion), à Satory (Yvelines), devant le Gal Mensier ; quitte le sol sur 300 m mais déporté par une bourrasque retombe et se brise en partie.

1903-*17-12 : 1ers vols* d'Orville (1871-1948) et Wilbur Wright (1867-1912) (USA). 4 vols à tour de rôle : Orville 36,6 m ; Wilbur 59,4 m en 13 s ; Orville 66 m en 15 s et Wilbur 284 m en 59 s. Sur *Flyer I* à Kitty Hawk (Caroline du N., USA). Envergure 12,29 m ; long 6,43 m ; haut. 2,44 m ; poids à vide 274 kg ; p. max. 340 kg ; vit. 48 km/h ; équipage 1 h. **1905**-*27-5* le capitaine Ferdinand Ferber (1862-1909) réalise un vol comparable (le 1er en Europe). *-4-10* Orville Wright (USA) reste 33 mn 17 s en vol à 37 m d'altitude à Dayton (Ohio). **1906**-*23-10* Alberto Santos Dumont (Brésilien 1873-1932) parcourt 60 m à Bagatelle (France), et remporte le *prix Archdeacon* de 3 000 F-or créé 1904 récompensant celui qui réalisera it, sur un appareil plus lourd que l'air, le *1er vol dépassant 25 m. -12-11* en 21,4 s il parcourt à Bagatelle 220 m à 6 m de haut. (41,3 km/h) à bord du biplan 14 bis (moteur Antoinette de 50 ch), remportant le prix de 1 500 F-or offert par l'Aéro-Club de Fr. pour le *1er vol officiellement contrôlé dépassant 100 m.*

1907-*5-11* Léon Delagrange (1873-1910, Fr.) sur Voisin-Delagrange 1 : *500 m en 40 s. -16-11* Robert Esnault-Pelterie (1881-1957) sur son REP 1 : 600 m en 55 s. **1908**-*13-1* Henri Farman (1874-1958, Angl. naturalisé Fr. en 1937) parcourt *1 km en circuit fermé* à Issy-les-Moulineaux en 1 mn 28 s sur biplan Voisin ; gagne le grand prix d'aviation de 50 000 F-or offert par Henry Deutsch de La Meurthe (1846-1919) et Ernest Archdeacon au 1er pilote qui couvrirait 1 km. *-14-5 1er passager sur un avion* Charles Furnas, mécanicien pris par Wilson Wright, sur 600 m pendant 29 s. *-8-7 1re femme à voler en aéroplane.* Thérèse Peltier avec Léon Delagrange à Turin (sur Voisin) sur 150 m ; sera peu après la *1re femme à voler en solo. -9-9* Orville Wright *vole + de 1 h* à Fort Myer (Virginie). *-17-9 1er accident mortel :* le Lt Thomas Selfridge meurt à Fort Myer dans un avion piloté par Orville Wright. *-21-9* Wilbur Wright à Auvours (Sarthe), vol de 1'h 31 mn 25 s avec un passager, M. Fordyce. *30-10 1er voyage en avion de Bouy à Reims* (27 km) par Henry Farman sur biplan Voisin. *-31-12* Wilbur Wright parcourt + de 100 km (124,7). **1909**-*19-7 1re tentative de traversée du Pas-de-Calais* par Hubert Latham (Fr. 1883-1912). A bord d'un Antoinette IV, décolle de Sangatte (près de Calais), mais par suite d'une panne de moteur s'abîme en mer après 10 à 13 km ; il est recueilli par un remorqueur fr., le Calaisien. *-25-7 1re traversée de la Manche* par Louis Blériot (Fr. 1872-1936) en 38 mn, au lever du soleil, de 4 h 35 à 5 h 13 (des Baraques, près de Calais, à Northfall Meadow, près du château de Douvres ; env. 48 km ; il y avait 40,744 km mais Blériot fit un détour de 6 à 7 km, vent favorable faisant gagner 20 à 25 km/h) sur Blériot XI : enverg. 7,77 m ; voilure 14 m² ; long. 8 m ; haut. 2,59 m ; poids au décollage 300 kg ; vit. 58 km/h ; moteur Anzani 25 ch, hélice de bois de 2,10 m. *-27-7* Latham échoue à 1 mille des falaises de Douvres. *-22-29-8 1er meeting aérien intern.* à Reims (Fr). *-25-8 Records du monde de distance* 134 km, et *de durée* 2 h 43 mn 24 s 4/5 par Paulhan. *-22-9 1er accident mortel par capotage d'un avion roulant au sol,* le capitaine Ferdinand

AFT·IFTIM, LEADER EUROPÉEN DE LA FORMATION PROFESSIONNELLE TRANSPORT, LOGISTIQUE ET TOURISME

Communication, échanges, rencontres, voyages sont la marque du 3e millénaire.

Les perspectives du marché de l'emploi dans le secteur du Transport*, de la Logistique et du Tourisme sont extrêmement favorables : 30 000 emplois sont créés chaque année – compte d'autrui et compte propre – et 50 000 avec le remplacement des partants, et pour le personnel d'encadrement avec une offre particulièrement forte qui représente 6 % des salariés et qui devrait passer à plus de 12 % (selon le BIPE) avant l'an 2000.

Peu de secteurs sont aussi bien placés dans l'économie française et internationale.

Jacques TRORIAL
Président Délégué Général

C'est pourquoi **le groupe AFT·IFTIM**, a pour objectif de :

- contribuer à l'orientation et à la formation des jeunes et des adultes,
- créer et concevoir de nouveaux enseignements,
- couvrir progressivement le champ complet des formations transport-logistique, en étroite liaison avec le système éducatif, notamment avec l'enseignement supérieur,
- former et perfectionner à tous les niveaux les chefs d'entreprise et les salariés des entreprises de transport nationales et internationales, de logistique et de tourisme.

De la formation des jeunes...

Ainsi, il ne s'agit pas seulement de former aux métiers de base (cariste, agent de magasinage, conducteur routier, déménageur professionnel), ni de pourvoir aux seuls besoins en techniciens (agent de méthode et d'exploitation logistique, organisateur de transports internationaux, technicien d'agence de voyages...), il s'agit aussi de mettre en place en collaboration étroite avec l'Education Nationale, l'Université et les Grandes Ecoles, de nouvelles filières de formation Transport-Logistique plus élevées, plus qualifiées.

Aujourd'hui, c'est plus de 70 filières de formation qui sont proposées aux jeunes de 18 et 25 ans. Ce sont plus de 200 établissements publics ou privés, écoles et centres gérés par l'AFT et par l'IFTIM, qui préparent plus de 11 000 jeunes aux carrières du Transport, de la Logistique et du Tourisme par les voies scolaires classiques et, depuis de nombreuses années déjà, par l'apprentissage et par l'alternance.

Pas de formation sans recrutement : l'AFT·IFTIM intensifie l'information et la sensibilisation des jeunes et des familles sur les débouchés d'emplois Transport-Logistique et les filières de formation qui y conduisent.

Le thème de la communication **"Oui à la vie, oui aux métiers d'avenir"** reflète bien notre préoccupation qui reste plus que jamais d'actualité avec le lancement de notre serveur national et régional **36.16 FTL** (Formation-Transport-Logistique).

... à la formation continue

Autre sujet d'actualité : l'efficacité et la rentabilité des entreprises.

En conséquence, nous nous attachons quotidiennement à devenir pour chacun le partenaire privilégié, capable d'apporter un conseil éclairé par une expérience et des responsabilités uniques sur le marché, des moyens pour élever le niveau de compétences dans l'optique d'une meilleure efficacité économique, des solutions de formation créatives et adaptées, enrichies par une recherche prospective permanente.

Il en résulte que nous proposons à l'ensemble des entreprises de Transport et de Logistique des moyens d'action : formation, perfectionnement, conseil, à la hauteur de leur défi.

Le groupe AFT·IFTIM représente une création originale, des moyens performants qui permettent à tous ceux qui souhaitent participer à la construction d'une société européenne et internationale, d'y trouver une place professionnelle et finalement une raison de se réaliser en tant que partenaire social.

Potentiel du groupe

- 1000 collaborateurs permanents, 800 consultants extérieurs et vacataires,
- 6 directions inter-régionales
- 70 centres de formation (57 sites physiques) dont 4 écoles à BAC + 4 et centres d'apprentissage
- 70 000 personnes en formation par an
- 200 établissements d'enseignement public ou privé partenaires de l'AFT et de l'IFTIM
- 1 Institut Pédagogique du Transport et de la Logistique
- 1 Institut Français de la Maintenance Industrielle
- 1 département CESTRAL (Centre d'Etudes Supérieures en Transport et Logistique)
- 1 département CERTEL (Conseil Etudes et Recherches en Transport et Logistique)
- 500 véhicules-école
- 250 chariots-élévateurs
- 15 matériels lourds de levage
- 7 Unités Pédagogiques Mobiles (U.P.M.)
- 1 société de conseil en Transport et Logistique Global Logistique Conseil
- 500 types de stages de tous niveaux

Une volonté constante : "anticiper l'avenir en forgeant aujourd'hui les compétences de demain". Sans ce devoir d'excellence, à tous les niveaux, chez chacun des hommes et des femmes qui font le groupe, l'AFT·IFTIM ne pourrait être ce qu'il est aujourd'hui : le leader européen de formation professionnelle Transport-Logistique et Tourisme.

Jacques TRORIAL

Les Directions Inter-Régionales du Groupe AFT·IFTIM

AFT·IFTIM Nord
60290 Monchy-St-Eloi
Tél. : 44 61 36 36 - Télex : 145 143
Fax : 44 71 87 61

AFT·IFTIM Ouest
94, rue du Porteau
86036 Poitiers Cedex
Tél. : 49 88 23 68 - Télex : 791 828
Fax : 49 88 10 15

AFT·IFTIM Sud
368, boulevard Henri Barnier
13016 Marseille
Tél. : 91 46 70 02 - Télex : 400 729
Fax : 91 46 30 42

AFT·IFTIM Rhône-Alpes Auvergne
38280 Villette d'Anthon
Tél. : 72 02 40 40 - Télex : 380 026
Fax : 72 02 46 41

AFT·IFTIM Est
Avenue du Général de Gaulle - B.P. 72
54140 Jarville-la-Malgrange
Tél. : 83 51 02 94 - Télex : 960 244
Fax : 83 56 65 23

AFT·IFTIM Ile-de-France
11, place d'Aquitaine - B.P. 475
94152 Rungis Cedex
Tél. : 46 87 24 96
Fax : 46 87 43 89

* *L'ensemble des acteurs du Transport et de la Logistique représente une population de 1 130 000 salariés, dont 458 000 dans le Transport routier de voyageurs et de marchandises et professions auxiliaires et 700 000 répartis dans les fonctions Transport-Logistique des entreprises industrielles et commerciales. A titre d'exemple, citons les effectifs de grandes entreprises publiques telles que la SNCF qui regroupe 202 290 salariés ; la RATP : 38 400 ; le Groupe Air France : 31 800 ; quant au transport maritime (personnel navigant), 11 100 personnes y sont recensées.*

Siège social : 46, avenue de Villiers - 75017 PARIS
Tél. : (1) 47 66 03 60 - Fax : (1) 47 64 96 39 - Minitel 36.16 FTL

(Information)

Ferber est tué. *-18-10* le Cte de Lambert (1865-1944) *survole Paris pour la 1re fois* à bord d'un appareil Wright et effectue un virage autour de la tour Eiffel. Constitution de la *1re compagnie aérienne fr. :* la Cie générale transaérienne (CGT) ; 10 ans plus tard, elle transportera des passagers.

1910-*7-1* Hubert Latham *dépasse 1 000 m d'alt.* sur un Antoinette à Mourmelon. *-28-3 1er vol d'un hydravion* (voir p. 1556). *30-4* au *5-5, meeting d'aviation de Touraine,* une femme Mme de Laroche y participe. *-10-7* Morane *atteint 106,5 km* sur un monoplan Blériot. *-7-8* Circuit de l'Est (1er vol aérien du monde) 1er Albert Leblanc sur Blériot X1. *-8-9 1re collision aérienne* entre 2 avions pilotés par les frères Warchalovski, à Wiener-Neustadt (Autriche) ; l'un a une jambe brisée. *-23-9* Geo Chavez (Pérou1887-1910) *traverse les Alpes* de Brigue à Domodossola en 40 mn et est tué à l'atterrissage. *-14-11 1er vol depuis un navire* (croiseur US Birmingham à Hampton Roads, Virginie) ; Lt Eugene Ely (1886-1911) sur un Curtiss. *-21-12 1er vol de + de 500 km* en circuit fermé ; Legagneux (Fr.) à Pau, 511,90 km en 5 h 59 mn. **1911**-*18-1 1er appontage* (sur le croiseur *Pennsylvania*) ; Lt Eugene Ely à San Francisco. *-18-2 1er vol aéropostal ;* le Français Henri Pequet transporte 6 600 lettres entre Allahabad et Naini (Inde) dans un biplan Humber. *-12-4 1er vol sans escale :* Londres (Hendon), Paris (Issy-les-M.) (Pierre Prier : monoplan Blériot en 3 h 56 mn). *-3-8 1er vol d'un avion amphibie,* Le Canard ; pilote Colliex (Fr.) ; constructeurs Gabriel Voisin (Fr. 1880-1973), Charles (1882-1912). *-27-9 1er vol d'un bimoteur* (Roger Sommer à Douzy). *-22-10 1re utilisation militaire d'un avion :* capitaine Piazza (Italie) ; vol de reconnaissance de Tripoli à Azizia en Libye. *16-12* au *2-1-1912 : 3e exposition de la locomotion aérienne* (nette industrialisation de la construction. Parmi les exposants : Robert Esnault-Pelterie, Breguet, Sommer, Train, Voisin, Coanda, Morane-Saulnier). **1912** *1er pilote automatique efficace* [Elmer Sperry sur Curtiss (USA)]. *-1-3 1er saut en parachute* d'un avion par l'Amér. Berry à St-Louis. **1913**-*13-5* Igor Sikorsky Russe (1889-1972), (Bolchoï, 28,2 m, 10 passagers) *essaie un quadrimoteur. -27-8 1er looping ;* à Kiev, Lt Nesterov (Russie) sur Nieuport IV. *-21-9* Adolphe Pégoud (Fr. 1889-1915) tourne la *1re boucle* sur Blériot de 50 ch. *-23-9 1re traversée de la Méditerranée :* Roland Garros (Fr. 1888-1918) en 7 h 33 mn (760 km : de St-Raphaël à Bizerte) sur Morane-Saulnier type H. *-29-9* Maurice Prévost, sur monoplan Deperdussin, dépasse 200 km/h, à Reims. **1914** *1er service régulier de passagers* St-Pétersbourg - Tampa (Floride, USA). Apparition des trimoteurs (avec l'It. Gianni Caproni, 1886-1957). Lawrence Sperry (USA) présente le système de pilotage automatique de son père Elmer. *-30-7 1er survol de la mer du Nord* d'Aberdeen à Stavanger par Tryggve Gran. *-5-10 1ère victoire aérienne :* le sergent français Frantz et son mécanicien Quenault abattent un Aviatik. **1915** *1er aéroplane entièrement métallique* (Junkers J1, Allemagne) (de Hugo Junkers, 1859-1935). **1916**-*20-6 1ers 1 000 km en ligne droite,* par le Lt Marchal, sur biplan Nieuport, de Nancy à Cholm (Pologne) avec survol de Berlin. **1917**-*20-5 1er sous-marin coulé par un avion.* **1918** *1er-4* création de la Royal Air Force. **1919**-*19-1* Jules Védrines (1881-1919) sur Caudron G. III *atterrit sur le toit des Galeries Lafayette* à Paris : surface disponible : 28 × 12 m, et reçoit un prix de 25 000 F pour cet exploit. *-5-2 1re ligne commerciale internationale* Paris-Londres sur Farman Goliath F 60 (pilote : Lucien Bossoutrot 1890-1958), vit. 150 km/h, durée de Toussus-le-Noble à Kentley 2 h 30. *-9-3 1er vol Toulouse-Rabat* [pilote : cap. Lemaître ; passager : Pierre Latécoère (1883-1943) ; avion biplan Salmson]. *-14-3 Création de la Cie des lignes Latécoère* à Toulouse-Montaudran. *14/15/16-6 1re traversée de l'Atlantique* sans escale à bord d'un bombardier bimoteur Vickers Vimy transformé [John Alcock (1892-1919), Arthur Brown (1886-1948)] : 3 032 km, St John's, Terre-Neuve/Clifden/Irlande, en 15 h 57 mn (prix du Daily Mail 10 000 £). *-7-8* Charles Godefroy sur un Nieuport XXVII de 120 ch, 8,22 m d'env., passe *sous l'arche centrale de l'Arc de triomphe,* large de 14,60 m, pour protester contre la place insuffisante qu'avait reçue l'aviation dans le défilé de la Victoire du 14-7-1919. *-1-9 1er transport de courrier Toulouse-Rabat* (pilote : Didier Daurat (1891-1969) ; avion biplan Breguet 14).

1920-*27-2.* le major Schroeder (USA) dépasse les 10 000 m d'altitude pour la 1re fois, à Dayton (Ohio), à bord d'un Lepere Fighter. *-1-4.* Adrienne Bolland (1896-1975) *1re femme à traverser les Andes* sur Caudron G 3. *-9-7* l'*aviette* (17 kg, biplan, env. 6 m) s'envole à 40 km/h sur 11,72 m et 12,30 m avec Gabriel Poulain. **1921**-*21-7* 1ers navires coulés par avions (2 cuirassés voués à la casse, pour démonstration). **1922** *inauguration du « port aérien du Bourget ». -7-6 1er vol de nuit en ligne* Paris-Londres, pilote René Labouchère. **1923**-*3-5* 1er vol Casablanca-Dakar. *-23-5 1re traversée des USA sans escale* par les lieutenants Oakley Kelly et John Macready, sur Fokker T-2 : New York - San Diego en 26 h 50 mn et 3 s. *-26-6 1er ravitaillement en vol :* durée de vol 24 h ; Cap. Lowell H. Smith (USA), Lt Virgil Hine (USA). *1ers vols intercontinentaux de passagers :* Marseille-Alger par Perpignan, Barcelone et Palma. **1924**-*6-4/28-9 1er tour du monde aérien* par 2 appareils Douglas World Cruiser (Lts Lowell Smith et Erik Nelson), en 175 j. *-19-3/28-9 1er tour du monde en avion* par les Amér. Smith, Wade et Nelson sur 3 biplans Douglas DT2 transformables en hydravions. **1925**-*14-1 1er transport postal aérien :* Rio de Janeiro-São Paulo-Porto Alegre-Montevideo-Buenos Aires. *-15-5 1er service Toulouse-Alicante-Alger* (lignes Latécoère). *-1-6 1er service Casablanca-Dakar* (lignes Latécoère). **1926**-*9-5 1er survol du Pôle Nord* en avion par Richard Byrd et Floyd Bennet (USA) sur trimoteur Fokker F VII Joséphine Ford. *-26-5 1er service Paris-Cologne-Berlin* (SGTA). **1927**-*mars 1ers vols de nuit* Toulouse-Casablanca (monoplan Laté 25).*-8-5* les Français Charles Nungesser (1892-1927) et François Coli (1881-1927) sur l'*Oiseau Blanc* (avion marin Levasseur ; enverg. 14,60 m ; long. 10 m ; haut. 3,90 m ; surface 60,5 m² ; poids total 5 030 kg ; vitesse de croisière 165 km/h ; équipage 2 h.) se perdent entre Paris et New York en mer (ou au sol dans la forêt du Maine ?). *-20/21-5 1re traversée de l'Atlantique en solo sans escale New York (Roosevelt field, Long Island)-Paris Le Bourget.* 5 809 km en 33 h 30 mn ; Charles Lindbergh (USA 1902-74) seul sur le *Spirit of St Louis* (enverg. 14,02 m ; long. 8,36 m ; haut. 2,44 m ; poids à vide 975 kg ; p. max. 2 379 kg ; vit. max. 209 km/h ; vit. croisière 180 km/h ; plafond 5 000 m ; équipage 1 h.). Lindbergh était le 67e à traverser l'Atlantique sans escale (21 avaient traversé en avion en 1919, des Hauts de Terre-Neuve vers l'Irlande, 31 dans le dirigeable R 34 d'Écosse en Amérique et retour les 14/15-6 1919, 31 dans le Zeppelin ZRS de Friedrichshafen (All.) à Lakehurst (N. Jersey, USA) en 1924. *-11-10 liaison Toulouse-Dakar sans escale* (lignes Latécoère). *-14-10 1re traversée de l'Atlantique Sud sans escale.* Les Français Dieudonné Costes (1892-1973) et Joseph Le Brix (1899-1931) de St-Louis du Sénégal à Natal (Brésil) sur Breguet XIX GR « Nungesser et Coli » (enverg. 16 m ; long. 9,65 m ; haut. 3,55 m ; surface 52 m² ; poids au décollage 5 150 kg ; moteur de 600 ch ; vitesse max. 180 km/h ; équipage 2 h.) ; 3 400 km en 18 h 15 mn. *-14-11 1er service Rio de Janeiro-Natal* sur monoplan Laté 25, 150 km/h, piloté par Pivot ; et Rio de Janeiro-Buenos Aires sur Laté 25, piloté par Paul Vachet (1897-1974). *Apparition des stewards* sur les Imperial Airways et Air Union. **1928**-*1-3 1er service postal aérien Toulouse-Buenos Aires* (Aéropostale) avec 2 Laté 28, pilotés par Paul Vachet et Chenu. *-10-4 1er vol de nuit sur Rio-Buenos Aires* (24 h de vol) en Fokker F 7 (3 moteurs Wright de 230 ch). *-12/13-4 1re traversée de l'Atlantique Nord d'Est en Ouest,* par Koehl et Hünefeld (All.), pilotés par Fitzmaurice (Irlandais) sur monoplan Junkers. *-31-5/9-6 1re traversée du Pacifique San Francisco-Brisbane avec escale,* Fokker F 7 Southern Cross piloté par Charles Kingsford Smith et Charles Ulm (Australie), Harry Lyons et James Warner (USA). *-11-6 1er avion propulsé par fusée :* planeur Ente (Canard), actionné par 2 fusées Sander à combustion lente (All.), piloté par Friedrich Stamer, vol de 228 m de 1 mn environ *-30-8 1re liaison commerciale régulière Marseille-Beyrouth* (Air Union, Lignes d'Orient). **1929**-*18-3 1er service Marseille-Ajaccio-Tunis* (Air Union). *-17-7 1er courrier officiel Santiago-Buenos Aires* Jean Mermoz (1901-36) et Henri Guillaumet (1902-40). *-30-9 avion propulsé par fusée* (All. Fritz von Opel, vol de 1 800 m à 160 km/h). *-28/29-11 1er survol du pôle Sud* par Cdt Richard Byrd, pilote Bernt Balchen (trimoteur Fokker). *Avion restaurant* sur Air Union (Paris-Londres). *1er train d'atterrissage rentrant opérationnel* [Georges Messier (Fr.)].

1930*12-5 Dakar-Natal (Brésil)* Jean Mermoz et Jean Dabry (1901-90) sur Latécoère 28 Cte de La Vaux en 28 h 40 mn. *-15-5 1res hôtesses de l'air sur San Francisco-Chicago. -1/2-9 1re traversée Paris-New York* (Valley Stream) *sans escale.* Dieudonné Costes (1892-1973) et Maurice Bellonte (1896-1984, Fr.), 6 200 km en 37 h 17 mn sur le Breguet Grand Raid (ou Super Bidon) *Point d'Interrogation* (enverg. 18,30 m ; long. 10,71 m ; haut. 4,08 m ; surface 59,94 m² ; poids au décollage 6 150 kg ; vitesse max. 247 km/h ; équipage 2 h.). **1931**-*17-1 1er service passager Marseille-Damas-Saigon. -28/30-7* Russel Boardman, John Polando (USA), *New York-Istanbul direct* 8 065 km en 49 h. *-12-9* Joseph Le Bris et Mesmin (Fr.) périssent sur le Dewoitine D 33 Trait d'Union II (monomoteur 650 ch ; envergure 28 m ; long. 14,40 m ; haut. 3,50 m ; surface 78 m² ; poids total 9 800 kg ; vitesse max. 245 km/h) dans l'Oural en tentant la 1re liaison Paris-Tōkyō. *-4/5-10 1re traversée du Pacifique sans escale du Japon aux USA* par Clyde Panghorn et Hugh Herndon (Amér.) sur un monomoteur Bellanca ; 7 335 km en 41 h 13 mn. **1932**-*20/21-5 1re traversée « solo » de l'Atlantique Nord* par une femme, Amelia Earhart (Mme Putnam) sur Lockheed Vega. **1933**-*16-1 Traversée St-Louis-du-Sénégal-Natal* sur Couzinet 70 *Arc-en-Ciel* (trimoteur, enverg. 30 m ; long. 16,13 m ; surface 97 m² ; poids total 14 395 kg ; vitesse 250 km/h), *févr. 1er vol commercial du Boeing 247,* 1er avion conçu pour le transport de passagers. Suivi du Douglas DC-1. *-6/8-2* Gayford et Nicholetts (Anglais), 8 544 km *en direct de Cranwell (G.-B.) à Walvis Bay* (Afr. du S.) sur Fairey en 57 h 25 mn. *-3-4 1er survol de l'Everest* par 2 avions Westland pilotés par le Mis de Clydesdale et le cap. McIntyre, chacun avec un passager. *-15/22-7 1er tour du monde en solitaire* (Wiley Hardemann, USA) sur le Winnie Mae, monoplan Lockheed *Vega :* 25 099 km en 7 j 18 h 49 mn. *-5/7-8* les Français Maurice Rossi (1901-66) et Paul Codos (1896-1960) ; *New York-Rayak (Syrie)* 9 104 km en 55 h 30 mn. **1934**-*28-2 fondation de la Régie Air Afrique. -28-5 1re traversée commerciale régulière Paris-Buenos Aires,* Couzinet 70 *Arc-en-Ciel* (trimoteur 650 ch Hispano-Suiza) piloté par Jean Mermoz ; 2e pilote Dabry, radiotélégraphiste Gimié, mécanicien Collenot ; chargé de lettres, décolle de St-Louis du Sénégal à 3 h 50 mn (h. de Paris), se pose à 19 h 10 à Natal. **1935** *1er avion commercial britannique,* le Bristol 142, et *allemand,* le Junker Ju 86. *-2-4 liaison directe Paris-Alger. -9-10 inauguration d'une ligne entièrement française* Alger-Tananarive (Régie Air Afrique). *-11/13-11 1re traversée de l'Atlantique Sud par une femme,* Jean Batten. *-17-12 1er vol du DC 3.* **1937**-*12/14-7 Moscou-San Jacinto (Californie)* 10 148 km en 63 h 17 mn, Gromov, Youmatchey et Daniline (URSS), sur Antonov 251. *-23-8 1er atterrissage entièrement automatique* par le Capitaine Carl Crane, inventeur du système et le Capitaine Holloman (USA). **1939**-*27-8 1er vol d'un turbojet,* Heinkel He-178, piloté par Erich Warsitz (All.).

1940-*8-8 1er vol commercial aux USA d'un avion à cabine pressurisée* (Boeing 307 B). *-27-11* Henri Guillaumet (n. 1902) et Marcel Reine disparaissent au large de la Sardaigne (sur quadrimoteur Farman avec à bord Jean Chiappe, haut-commissaire en Syrie). **1941** *1er siège éjectable opérationnel* (Heinkel). *-15-5 1er vol d'un avion à réaction britannique,* le Gloster, Whittle E 28, à Cranwell. L'avion tint l'air pendant 17 mn. **1942**-*17-2 1er vol du DC 4.* **1944**-*avril 1er avion de chasse à réaction :* Messerschmitt 262 A-1 biréacteur capable d'atteindre 920 km/h en palier à 3 800 m. d'altitude. *1res missions opérationnelles* à partir de Lechfeld (Bavière) effectuées par 12 Me 262 du Erprobungs-Kommando 262 commandé par l'Hauptmann Werner Thierfelder. *-31-7* Antoine de Saint-Exupéry (n. 1900) disparaît (sur un Lightning) au large de la Corse. **1946**-*1-7 inauguration de la ligne régulière d'Air France Paris-New York en DC 4. -18-10 1er vol du Lockheed Constellation.* **1947**-*19-6 1er vol à 1000 km/h* par le Colonel Boyd (USA) pilotant un Lockheed P 80 *Shooting Star,* à Muroc. *-14-10 1er vol supersonique :* sur Bell X1, Charles Yeager (n. 1923, USA). 1 078 km/h à 12 800 m d'alt. **1949**-*26-2/2-3 1er tour du monde* sans escale. James Gallagher et 13 h d'équipage (USA) 37 734 km en 94 h 1 mn (4 ravitaillements en vol) sur Boeing B 50 A superforteresse *Lucky Lady II. -21-4 1er vol d'un avion à tuyère thermo-propulsive :* Leduc 010 avec Gonord. *-27-7 1er vol inauguré du LDH 106 De Havilland Comet* (G.-B., avion de ligne à réaction).

1950-*8-11 1er combat entre avions à réaction sur Lockheed F 80 ;* Lt amér. Russel Brown abat un Mig chinois en Corée. **1951** *1er vol du DC 6 B.* **1952**-*2-5 1er service en jet :* Londres-Johannesburg 10 750 km en 17 h 06 mn sur Comet 1 De Havilland. *-26-8 1re traversée AR de l'Atlantique dans la journée* [Gander (Irl.)-Terre Neuve et retour] par biréacteur Canberra. *-12-11 1er pilote français à passer le mur du son,* le Cdt Roger Carpentier (1921-59), sur Mystère II. **1952**-*10/15-12 tour du monde en avion à hélices sur lignes commerciales* par Jean-Marie Audibert (Fr.) en 115 h 38 mn. **1953**-*18-5 1re femme dépassant la vitesse du son* Jacqueline Cochran, sur F 86 Sabre, à Edwards Air Force Base (Californie). *-12-12 1er vol à 2 fois la vitesse du son,* par Charles Yeager, sur Bell X-1 A, à Edwards Air Force Base (Californie). **1954**-*2-6 1er décollage et atterrissage verticaux d'un avion :* le Convair XFY-1 avec J.F. Coleman, à Mofett Naval Air Station (Californie). *1er vol du Boeing 707.* **1955**-*26-2 1er saut en parachute au-delà de la vitesse du son* par George Franklin Smith d'un North American F 100, à Los Angeles. *27-5 1er vol du SE 210 Caravelle* construit à Toulouse (SNCASE), moteur Rolls-

Royce puis Pratt et Whitney, 1er avion de transport à réaction français, 1er avec réacteurs sur les flancs du fuselage, 1er à pouvoir effectuer régulièrement des atterrissages semi-automatiques (vitesse 860 km/h à 10 000 m), poids max. au décollage 56 t, 64 passagers (puis 140). **1956**-*3-2 Air France achète ses premiers jets* (12 Caravelle et 10 Boeing). **1957**-*18-1 1er tour du monde sans escale d'avions à réaction* en 45 h 19 mn (39 147 km) 3 B 52, atterrissent à March Air Force Base. **1958** *-1-10 service commercial par avions à réaction sur l'Atlantique Nord :* 2 De Havilland Comet IV (BOAC) volent : l'un de New York à Londres, l'autre en sens inverse. *1er vol à Mach 2 en France sur Mirage III A.* **1959**-*24-3 baptême de la Caravelle par Mme de Gaulle. -6-5* mise en service de la *Caravelle* sur Paris-Rome-Athènes-Istanbul. *-8-6 1er vol libre du « X-15 »* avec Scott Crossfield.

1960-*31-1 707* sur Paris-New York. **1962**-*10/11-1* record de distance : 20 178 km par Evely (USA) sur Boeing B-52. *-27-10* un « U-2 » est abattu au-dessus de Cuba. **1965**-*6-1 1re variation de géométrie en vol* du *F 111.* **1966**-*8-6 Joe Walker, pilote du X 15, se tue sur F-104* en percutant un des 2 exemplaires du bombardier XB-70. *-23-12 1er vol du mirage F 1.* **1967** le X-15 atteint Mach 6,72 (7 297 km/h) avec William Knight. **1968**-*30-6 1er vol de C 5 A Galaxie* (USA, 380 t, long. 74,67 m, enverg. 67,73 m). *-31-12 1er vol du supersonique soviétique* Tupolev Tu 144 (1er vol en supersonique le 5-6-69). Pan Am inaugure liaison régulière New York-Paris avec le B 707. **1969**-*9-2 1er vol du Boeing 747* (978 km/h, enverg. 60 m, long. 70,5 m, 500 pass.). *-2-3 1er vol de Concorde* à Mach 1,5, piloté par André Turcat. *1er avion à décollage et atterrissage vertical,* le Harrier (G.-B.). *-6-8* le Mi-12 (URSS), enver. 67 m, fuselage 37 m, 4 turbomoteurs d'une puissance unitaire sur arbre de 6 500 ch, transporte une charge commerciale de 40 204,5 kg à 2 255 m.

1970-*21-1 1er vol commercial du B 747 sur New York-Londres. -4-11 1er vol à Mach 2* pour Concorde 001. *-16-11* 1er vol du *Lockheed L-1011* Tristar. **1971**-*28-5 1er vol du Mercure 100.* **1972**-*28-10 1er vol de l'Airbus A 300.* **1973**-*26-9 Concorde 002, 1re traversée directe de l'Atlantique Nord* (Washington-Orly en 3 h 33). **1975**-*1-9* le Concorde britannique G-BOAC réussit 4 traversées de l'Atlantique le même j. **1976** *1ers vols commerciaux supersoniques. -21-1* en Concorde Air France, Paris-Dakar-Rio (7 h 30 de vol) et British Airways, Londres-Bahreïn. *-9-4* Air France, Paris-Caracas. *-24-5* Paris-Washington et Londres-Washington. **1977**-*1-11* Tupolev 144 sur Moscou-Alma-Ata (3 250 km, Mach 1,9). *-22-11* ouverture simultanée des lignes Paris-New York (3 h 30 de vol), Londres-New York, Paris-Rio et Londres-Bahreïn en Concorde. **1978**-*10-3 1er vol du Mirage 2000,* **1979**-*9-3* du *Mirage 4000.*

1981-*28-3 dernier vol de Caravelle* sur Air France. *-oct. 1er vol Airbus A 300,* conçu pour pilotage à 2. **1989** *août* plus long vol sans escale réalisé par un Boeing 747-400, Londres-Sydney (17 600 km) à 920 km/h, 15 000 m d'alt., 24 passagers.

☞ **Tour du monde en avion à hélice.** **1931** 8 j 11 h 45 min : Wiley Post, Harold Gatty. **1937** 7 j 18 h 42 min : Wiley Post, borgne, seul à bord. **1938** *14-7* 23 852 km en 3 j 19 h 14 min. 10 sec. : Howard Hughes + 4 membres d'équipage sur le bimoteur Lockheed Cyclone *l'Exposition de New York.* Décolle de l'aéroport de Floyd Bennett (New York) et atterrit au Bourget après 16 h 35 min. **1986**-*14-12 au 23-12* Dick Rutan (48 ans) et Jeana Yeager (34 ans) font en 9 j 3 mn 44 s le *tour du monde (40 244 km) sans escale et sans ravitaillement en vol* sur le *Voyager :* essentiellement en fibres de carbone, graphite moulé, résines, kevlar ; longueur 10 m ; fuselage 7,74 m ; aile : enverg. 33,77 m , surface 33,72 m² ; petite aile devant 10,15 m, surface 15,66 m² ; poids à vide 843 kg, théorique au décollage 5 137 kg dont 5 913 l de carburant. Consommation 6 l aux 100 km. A l'avant un moteur à pistons Continental type 0-240 (à 4 cylindres) refroidi par air, fournissant au décollage une puissance de 130 ch entraînant à 2 700 tours/mn une hélice bipale à pas variable ; à l'arrière, un moteur, Teledyne-continental IOL-200 de 110 ch. à 2 750 tours/mn, à injection, surcomprimé (taux de compression : 11,4) et refroidi par eau. Décollage après avoir roulé 4 km, vitesse moyenne 183,6 km/h. A l'arrivée il restait 70 l de carburant, de quoi parcourir 1 500 km. **1987**-*17/21-6* 4 équipiers, Henri Pescarolo, Hubert Auriol, Patrick Fourtick et Arthur Powel sur *Spirit of J and B* (ancienne forteresse volante de la 2e Guerre mondiale) en 89 h 22 mn refont le voyage d'H. Hughes.

Avion solaire

1980-*18-5 1er vol du Gossamer Penguin* (200 m, 24 km/h, 3,6 m d'alt.), conçu par Paul Mac Cready, piloté par Janice Brown : 25 kg, envergure 21,9 m, 3 420 cellules photovoltaïques. *nov. 1ers essais du Solar Challenger* (90 kg, envergure 14,3 m, 16 128 cellules solaires, vitesse 30-35 km/h au niveau de la mer, 50-60 km/h à 9 000 m d'alt.).

1981-*7-7 1re traversée de la Manche* par le *Solar Challenger* piloté par Steve Ptacek, de Cormeilles-en-Vexin (Val-d'O.) à Manston (près de Canterbury, Angl.) en 5 h 23 mn, à 48 km/h et 1 500 m d'alt. Alt. max. 3 353 m, vitesse max. 60 km/h.

Ballons et dirigeables

Ballons

1738 (?) Guzman (moine et physicien portugais) se serait élevé à 60 m. **1782**-*25/26-11* Joseph Montgolfier expérimente en chambre un sac cubique en soie de 1 m³. *-Début déc.* les frères Montgolfier réussissent l'ascension en chambre puis en plein air d'un sac cylindrique en soie de 1 m³. Flambée de paille et laine humide ; *-14-12* vol libre d'un globe en soie de 18 m³ qui atteint 250 m. **1783** *début avril vols captifs sans aéronautes. -25-4 1re ascension d'un ballon à l'air chaud sans aéronaute* vol libre nocturne distance 2 000 m, diam. 11 m, composé de fuseaux de toile doublée de papier assemblés par des boutonnières. Joseph (1740-1810) et Étienne (1745-99) de Montgolfier à Annonay (France). *-4-6 1re démonstration publique* à Annonay, vol libre (globe 900 m sans nacelle, sans passagers) alt. de 1 600 à 2 000 m, distance 2 km. *-27-8 1re ascension d'un ballon à hydrogène* lancé par Charles (1746-1823) et les frères Nicolas Louis et Anne-Jean Robert (25 km, soie caoutchoutée). *-19-9 1ers êtres vivants à effectuer une ascension en ballon* à Versailles devant Louis XVI : un mouton, un canard et un coq. Les animaux atterrissent dans la forêt de Vaucresson (3,5 km, 500 m d'alt., 8 mn) et sont récupérés. *-15-10* (ou *12/14-10* par Montgolfier) *1re ascension d'un homme en ballon captif,* retenu au sol par des cordes (altitude : 26 m). François Pilâtre de Rozier (1756-85). *-21-11 1er voyage en ballon libre à air chaud,* alt. 1 000 m, voyage de 25 mn sur 12 km (du château de la Muette aux Gobelins près de la Butte-aux-Cailles). F. Pilâtre de Rozier et marquis d'Arlandes (1742-1809). *-1-12 1er voyage d'un ballon à hydrogène* (diam. 9 m). Jacques Charles et Robert (1761-1828) (Fr.) partent des Tuileries (Paris) et atterrissent à 36 km à Nesles-la-Vallée après 2 h de vol. Ayant déposé son passager, Charles repart seul à bord, atteint 2 000 m d'alt. et après 30 mn de vol atterrit à Lay. **1784**-*19-1* La *Fesselles* de Joseph Montgolfier embarque 7 passagers à Lyon (durée 13 mn). *-25-2 1re ascension hors de France* Cte Paolo Andreani Augustino et Carlo Giuseppi Gerti (près de Milan) (haut. 43 m, diam. 35 m). *-20-5 1res femmes en ballon captif ;* Marquise et Ctesse de Montalembert, Ctesse de Podenas et Mlle de Lagarde depuis le Fg St-Antoine à Paris. *-23-5* aérostat muni d'ailes de Blanchard. *-4-6 1re femme passagère dans un ballon libre,* Elisabeth Estrieux, épouse Thiblé (chanteuse d'opéra) à Lyon. *-12-6* aérostat à rames et palmes de Guyton de Morveau sur la Gustave avec Fleurant devant le roi de Suède Gustave III (vol de 45 mn). *-19-7* les frères Robert vont de Paris à Béthune (255 km). **1785**-*7-1 1re traversée de la Manche en ballon non dirigé,* Jean-Pierre Blanchard (1753-1809, Fr.) et John Jeffries (1744-1819, Amér.) décollent de Douvres et après 3 h de vol, se posent sur un arbre en forêt de Guines près de Boulogne. *-15-6 1res victimes en ballon,* F. Pilâtre de Rozier et Romain (le constructeur du ballon) tentent de traverser la Manche depuis Boulogne avec un ballon gonflé à l'air chaud et à l'hydrogène, le ballon brûle et tombe à Wimille quelques minutes après le départ. Blanchard et le chevalier de l'Épinard s'envolent de Lille et se posent à Servon-en-Clermontois après avoir parcouru 252 km. Pendant le vol, Blanchard *largue un chien en parachute* qui est récupéré vivant. **1786**-*18-6 1er voyage de nuit* Testu Brissy (près de Montmorency). **1794**-*26-6 1er usage militaire d'un ballon monté,* le capitaine Jean-Marie Coutelle (Fr.) sur l'*Entreprenant,* ballon à gaz captif (rattaché au sol par des cordes), surveille le champ de bataille de Fleurus et transmet des messages. La bataille est gagnée.

1819-*7 1re femme fr. tuée dans un accident aérien.* Mme Blanchard (b. à hydrogène s'enflamme lors d'un feu d'artifice à Paris). **1849**-*8 1er raid de bombardement par ballon :* montgolfières autrichiennes, chacune transportant une bombe de 14 kg, sur Venise. **1862** *le Géant.* Construit par Nadar. Haut. 40 m, volume 6 000 m³, la nacelle pouvait emporter 13 passagers, coût 200 000 F ; 2 exhibitions à Paris et 1 à Londres rapportèrent 79 000 F ; détruit dans une tentative de voyage au long cours le 18-10-1863. **1870-71** utilisés pendant le siège de Paris (Gambetta en utilisa un pour s'évader de la capitale). *-6/7* utilisés par la poste du 23-9-1870 au 28-1-1871 (ballon Gal Cambronne atterrit dans la Sarthe), voyages de jour jusqu'au 11-11-70, puis de nuit après le 18-11. Transpot de 2 500 000 lettres représentant 11 000 kg. 3 furent pris par l'ennemi ; 4 atterrirent en Belgique ; 2 en Hollande ; 1 en Norvège (le Ville-d'Orléans parti le 24-11-70 tombé à 100 km au S.-O. d'Oslo ; les occupants se jetèrent de 25 m de haut dans la neige avant que le ballon secoué par le vent chute à quelques km). **1875**-*15-4* le *Zénith* (3 000 m²), qui a atteint 8 600 m d'alt., s'écrase ; Théodore Sivel (Fr. 1834-75) et Eustache Croce Spinelli (Fr. 1845-75) meurent ; ils n'ont pu supporter la basse pression atmosphérique (rupture des vaisseaux capillaires du poumon). Gaston Tissandier (Fr. 1843-99) est vivant. **1878** *ballon de l'Exposition Universelle,* conçu par Giffard, haut. 55 m, diamètre 56 m, volume 25 000 m³, nacelle 1 800 kg (50 voyageurs à la fois) ; du 24-7 au 4-11 : 1 033 ascensions (35 000 voyageurs).

1912-*27 au 29-10 1er voyage aérien de + de 2 000 km,* de Stuttgart (All.) à Ribnoyé (Russie) : 2 191 km pour les Français Bienaimé et Rumpelmayer sur ballon libre. **1913** essais à l'aérodrome de St-Cyr d'un ballon rigide breveté par Spiess en 1873. **1914**-*8 au 10-2 1er voyage aérien de + de 3 000 km,* avec Berlinet (All.) et 2 coéquipiers : 3 052,7 km en ballon libre, de Bitterfeld (All.) à Perm (Russie). **1929** *1er vol du Metalcloud ZMC-2* de la marine amér. ; ballon métallique réalisé d'après les plans de David Schwartz (Youg. n. 1885). **1977**-*9* Ben Abruzzo et Maxie Anderson tentent de traverser l'Atlantique, mais ils amerrissent à 5 km du N.-O. de l'Islande après 4 521 km en 66 h. **1978**-*fin juil.* 2 Britanniques, Donald Cameron et Christopher Davey, partis de St-Johas (Terre-Neuve) en ballon hybride (hélium-air chaud), amerrissent à 195 km de Brest (coût de l'expérience 1 282 500 F). *Du 12 au 17-8 1re traversée de l'Atlantique en ballon* (4 997 km en 138 h 6 mn), Ben Abruzzo, Maxie Anderson et Larry Newman. Partis de Presqu'Ile (Maine, USA) à Miserey (Eure, France), sur le *Double Eagle II :* gonflé à l'hélium [env. 4 500 m³, alt. moy. de vol 2 000 à 5 000 m (pointes à 7 000 m), nacelle 3,5 m × 2 m, 4,8 t (dont 2,2 t de lest de sable et plomb), 10 j de vivres, appareils de radio et de navigation]. env. 5 mois de préparation. Coût : 540 000 F. **1981**-*9 au 12-11 1re traversée du Pacifique* (de Nagashina, Japon, à 160 km au N. de San Francisco), par Rocki Aoki, Ben Abruzzo, Larry Newman et Ron Clarke sur le *Double Eagle V.* **1983**-*mars 1re traversée réussie de la Méditerranée en montgolfière géante* de 15 000 m³ d'Alès (Gard) à Tozeur (Tunisie), avec les Français Michel Arnould et Hélène d'Origny (24 h de vol). *Septembre tour du monde d'un ballon à air chaud ;* la MIR (montgolfière à infrarouge) inhabitée, chauffée aux rayons infrarouges du soleil que captait son enveloppe, 51 j de vol entre 18 000 et 28 000 m d'altitude. *Novembre 1re traversée Fr.-Angleterre* de la Manche par Michel Arnould et Hélène d'Origny du Touquet à Cripps Corner (Sussex), à 90 km de Londres. **1984** *1re traversée de l'Atlantique en solitaire :* Joe Kittinger (USA) sur le Rosie O'Grady (5 000 m³ d'hélium). **1985**-*août* 2 montgolfières françaises de 3 000 m³ dépassent pour la 1re fois le 80e de lat. nord en survolant la banquise du Spitzberg. **1987**-*2/3-juillet* échec, au large d'Écosse, de la tentative de traversée de l'Atlantique, par Richard Branson et Peter Lindstrand (Angl.), partis de Sugar Loaf (Maine, USA) à bord du *Virgin Atlantic Flyer* (montgolfière à cabine pressurisée mue au propane et à l'énergie solaire), après 4 948 km en 31 h 41 mn de 9 000 m d'alt. et 170 km/h de moyenne avec un record à 222 km/h. *17 novembre* 1re traversée Continent (Cuers, Var)-Corse (Portiglio-Rocher Rouge) en montgolfière (3 000 m³) par Michel Carail et Guy Issanjou en 6 h de vol. **1988-89** une montgolfière à infrarouge du CNES, inhabitée, réalise 2 tours du monde en 53 j.

Dirigeables

1852-*24-9 1res évolutions d'un engin aérien sous l'action d'un propulseur mécanique :* Henri Giffard (1825-82) (enveloppe de 44 m de long sur 12 m de diam., volume 2 500 m³, machine à vapeur de 3 ch ; 150 kg à vide, hélice à 3 pales). **1883**-*8-10* Gaston Tissandier applique les moteurs dynamo-électriques à la navigation aérienne. **1884**-*9-8 1er circuit aérien fermé* avec atterrissage au point de départ, par Charles Renard (1847-1905) et Arthur Krebs (1847-1935) (Fr.) sur le *France* (souple, long. 50,42 m, diam. 8,40 m, volume 1 864 m³, moteur électrique de 8 ch) entre Chalais-Meudon et Villacoublay (76 km en 23 mn). **1897**-*3-11 1re ascension d'un dirigeable rigide* à Tempelhof (Berlin) [David Schwartz (Autr.)] [enveloppe 3 700 m³, en feuilles d'aluminium (0,2 mm d'épaisseur) sur une carcasse de même métal, moteur à explosion de 12 ch actionnant 3 hélices].

1900-*2-7 1er vol du dirigeable rigide Zeppelin.* Ferdinand von Zeppelin (All., 1838-1917). [carcasse aluminium de 128 m de long ; 17 ballonnets contenant au total 11 300 m^3 ; 2 nacelles portant chacune un moteur de 15 ch (29 km/h)]. **1908**-*1-7* vol de 12 h au-dessus des Alpes par le Zeppelin IV. **1909**-*8* mise en service de Zeppelin ZI et ZII dans l'armée allemande. **1910**-*16-10 1er dirigeable traversant la Manche* avec Clément Bayard II (Fr.). **1914-18.** Des Zeppelins bombardent Paris. **1919**-*2 au 6-7 et 10 au 13-7 1re traversée aérienne aller-retour de l'Atlantique :* le major George Scott (Angl.) avec 30 h. d'équipage sur le R4, aller 108 h 12 mn (5 037 km), retour 75 h 3 mn (5 150 km) : Écosse (Firth of Forth)-Mineola (près de New York) et retour (atterrissage à Pulham). **1921**-*1-12 1er dirigeable à l'hélium C7* (marine US). **1926**-*11/14-5 1re traversée de la calotte polaire arctique :* dirigeable *Norge* piloté par le colonel Umberto Nobile (Italien 1885-1978). **1929**-*8, -29-8 1er tour du monde en dirigeable Graf Zeppelin* commandé par Hugo Eckener (All. 1868-1954).

Giravions

Autogires

1923-*9-1 Autogire CA,* réalisé par l'Espagnol Juan de La Cierva (1896-1936) à Getafe, près de Madrid. *-31-1* vol piloté par G. Spencer. **1927**-*29-7 1er autogire biplace :* le Cierva C 6D, piloté par F.T. Courtney à Hamble (Angl.). **1928**-*18-9* de Croydon au Bourget avec *Cierva C 8L type II,* piloté par La Cierva.

Hélicoptères

1842 *modèle réduit* actionné par W.H. Phillips, par la vapeur ; pales rotatives mises en mouvement par un flux d'échappement terminal. **1877**-*29-6* l'hélicoptère de Forlanini atteint 13 m d'alt.

1907-*29-9 1er soulèvement d'un hélicoptère monté :* le gyroplane Bréguet-Richet n⁰ 1, avec Volumard, à Douai. *-13-11 1er soulèvement libre d'un hélicoptère avec son pilote* Paul Cornu (1881-1944) près de Lisieux (Fr.). **1924**-*18-4 1er record de distance* (736 m) Pescara. *-4-5 1er km en circuit fermé* par Étienne Oehmichen (Fr., 1884-1955) sur hélic. n⁰ 2 à Valentigney (Doubs). **1936**-*26-6* vol réussi du prototype Focke-Wulf Fw 61 V1 (160 ch). **1937**-*25-10* Hanna Reitsch (All., 1912-79) parcourt en ligne droite 108 km 974 m. **1939** *1er vol réussi du monorotor* de Sikorsky.

1952-*15/31-7 1re traversée de l'Atlantique en hél. avec escales* en 42 h 25 mn de vol. [Vincent Mc Govern, Harold W. Moore sur 2 Sikorsky H-90 s de Westover (Mass., USA) à Prestwick (Écosse) en 5 étapes]. **1953**-*24-7 1er vol du 1er hél. à réaction* sur Sikorsky S 52. **1967**-*31-5/1-6 1re traversée de l'Atlantique* par 2 hél. américains Sikorsky HH 3E *Sea Ring* sans escale (mais avec 9 ravitaillements).

Hydravions

1910-*28-3 1er vol d'un hydravion.* Henri Fabre (Fr., 1882-1984) décolle de l'étang de Berre (le Canard, env. 15 m, parcourt 800 m à 5 m d'altitude, voilure 24 m^2, 475 kg, moteur Gnome de 50 ch). **1919**-*16/17-5 1re traversée transatlantique* en hydravion NC4, de Terre-Neuve aux Açores, puis Ponta Delgada (20-5) et Lisbonne (27-5) par le commandant Albert Read (USA, 1887-1970) et 5 aides. **1922**-*30-3/5-6 1re traversée de l'Atlantique Sud Portugal-Brésil.* Sacadura Cabral (1881-1924), Cago Goutinho (1870-1959) (Port.) : Fairey sur le *Lusitania.* **1926**-*22-1/10-2* Ramón Franco, Julio Ruiz de Alda, Juan M. Durán (Esp.) : Esp.-Arg. (Séville-Buenos Aires) 10 120 km en 61 h 44 mn.

1930-*12-5 1re liaison aérienne France-Amér. du S.* (Natal, Brésil) Pilote : Jean Mermoz (1901-36), navigateur Jean Dabry, radio Gimié, via St-Louis du Sénégal, à bord du Laté 28 *Comte de La Vaulx* en 21 h 14. **1936**-*7-12* Mermoz disparaît au large de Dakar, à bord de son hydravion Latécoère *La Croix du Sud* (accident ou sabotage ?). **1938**-*6/8-10* Cap DCT Bennelt (Angl.) sur Short Mayo Mercury, record en ligne droite 9 652 km (non battu depuis). Un gros hydr. Short *Mayo* (« C » Class) et un petit Short *Mercury*, tous 2 quadrimoteurs. **1939,** il faut 6 j et 6 escales à un hydr. quadrimoteur pour relier les Philippines à San Francisco, et 7 à 11 j pour relier la France à l'Indochine. **1947**-*26-7 1re liaison commerciale France-Antilles :* Biscarosse-Fort-de-France en hydr. Laté 631. *-2-11* Howard Hughes vole 1 km à 20 m d'alt. à Long Beach sur le *Spruce-Goose* (8 moteurs).

Planeurs

1804 Georges Cayley (Angl. 1773-1857) fait voler un modèle réduit. **1809** un planeur de grandeur réelle. **1853** avec son cocher dans pl. à rames (invérifiable). **1856** *déc.* Jean-Marie Le Bris (1817-72) à Tréfeuntec (près de Douarnenez) place le planeur sur une charrette : une corde s'enroule autour de la jambe du cocher (le meunier Doaré) qui décolle aussi, s'élève à 100 m. **1879** planeur de Massia-Biot (le plus ancien des planeurs conservés dans le monde). **1890-96** Otto Lillienthal (All. 1848-† 9-8-96, s'écrase avec un planeur) réussit + de 2 000 vols planés. **1896-97** Herring et Avery expérimentent des multiplans à aile oscillante d'Octave Chanute. **1974**-*18-9* le Lt-colonel Jean Vuillemot réussit la plus grande traversée maritime (200 km).

Conquête de la hauteur

☞ Date et hauteur atteinte.

Ballons

Captifs. 1971-*21-10* expérience scientifique Essor (Fr.) : *18 000 m.*

Libres. 1783-*15-10* Pilâtre de Rozier (1756-85) en ballon captif : 26 m. *-19-10 :* 85 m. *-21-11* Pilâtre de Rozier avec Giroud de Villette séjournent 25 mn : *107 m ;* avec le Mis d'Arlandes : *1 000 m* env. *-1-12* Charles : *3 000 m.* 1804-*16-9* Gay-Lussac : *7 016 m.* 1862-*5-9* Glaisher et Coxwell : *8 838 m.* 1931-*27-5* les Suisses Auguste Piccard (1884-1962) et Ch. Kipfer : *15 781 m.* 1933-*3-10* Prokofiev, Godounov et Birnbaum : *17 900 m.* 1935-*11-11* Orvil Stevens et Albert Andersen (USA) : *22 066 m.* 1957-*19/20-8* David G. Simons : *33 800 m.* 1961 *-4-5* Cdt Malcolm Ross et Lt Victor Prahter (USA) *34 668 m.*

Records. *Ballon à air chaud* 28-1-1985 H. Warner (Canada) 1 470 km, *à nacelle ouverte* 29-9-1975 Kingswood Spratt junior (USA) 11 822 m. *Sans passagers* oct. 1972 le Winzen (USA) 51 815 m.

Hélicoptères

1958-*13-5* J. Boulet et Petit (France) sur Alouette II : *10 984 m.* 1963-*13-1* Alouette SE : *11 036 m.* 1972-*21-6* Jean Boulet (Istres, France) sur SA 315 B Lama, moteur Artouste III B 735 KW : *12 442 m.*

Avions pilotés

1890-*9-10* Clément Ader sur l'*Éole I,* monomoteur, - *de 1 m 1er vol au monde sur 50 m.* 1893-*14-10* C. Ader sur l'*Avion III,* bimoteur, *quelques m 2e vol sur 300 m.* 1903-*17-12* Orville et Wilbur Wright 4 vols, dont un sur 280 m : *3 m.* 1908 Henry Farman : *25 m.* W. Wright : *95 m.* 1909-*29-8* Latham [1] (Fr.) sur *Antoinette : 150 m.* 1910-*7-1* Latham (Fr.) sur *Antoinette : 1 384 m.* *-11-8* Drexel (USA) sur Blériot : *2 012 m.* *-3-9* Robert Morane (1886-1968) sur Blériot : *2 582 m.* *-8-12* Legagneux (Fr.) sur Blériot : *3 100 m.* 1911-*4-9* Garros [2] (Fr.) sur Blériot : *3 910 m.* 1912-*6-9* Garros (Fr.) sur Blériot : *4 900 m.* *-17-9* Legagneux (Fr.) sur Morane Saulnier : *5 120 m.* *-11-12* Garros (Fr.) sur Morane Saulnier : *5 610 m.* 1913-*28-12* Legagneux (Fr.) sur Blériot : *6 120 m.* 1915-*8-9* Audemars (Suisse) sur Morane Saulnier Parasol : *6 540 m.* 1916 Audemars (Suisse) sur Morane : *6 700 m.* *-7-11* Guido Guidi (It.) : *7 200 m.* 1918-*18-9* R.W. Schroeder (USA) sur Bristol : *8 814 m.* 1919-*14-6* Casale sur Nieuport 29 en France : *9 520 m.* 1920-*27-2* Schroeder (USA) sur Lepere : *10 093 m.* 1923-*30-10* Sadi Lecointe (Fr.) sur Nieuport : *11 145 m.* 1929-*26-5* Neunhofen (All.) sur Junkers : *12 739 m.* 1930-*4-6* Soucek (USA) sur Wright Apache : *13 157 m.* 1933-*28-9* Lemoine (Fr.) sur Potez 50 : *13 661 m.* 1934-*11-4* Donati (It.) sur Caproni : *14 433 m.* 1937-*8-5* Mario Pezzi (It.) sur Caproni : *15 655 m.* *-30-6* Adam (G.-B.) sur Bristol : *16 440 m.* 1938-*22-10* Pezzi (It.) sur Caproni, record non battu par avion à piston : *17 083 m.* 1948-*23-3* Cunningham (G.-B.) sur De Havilland Vampire : *18 133 m.* 1958-*2-5* Carpentier (Fr.) sur Trident II : *24 217 m.* *-8-5* H.C. Johnson (USA) sur Lockheed F 104 A : *27 375 m.* 1961-*28-4* Georgyi Mosolov (URSS) sur Mikoyan Ye 66A : *34 714 m.* 1963-*nov.* R.W. Smith (USA) sur Lockheed NF-104 A : *36 229 m.* 1977-*31-8* Alexandre Fedotov (URSS) sur E 266 M : *37 650 m.*

Nota. – (1) Bert Latham (1883-1912). (2) Roland Garros (1888-1918).

Appareils largués en vol. 1956 Kincheloe sur Bell X 2 : *38 465 mètres.* 1961-*31-3* J. Walker sur X 15 : *50 300 m.* 1961-*11-10* Scott Crossfield sur X 15 : *65 968 m.* 1962-*30-4* J. Walker sur X 15 : *72 209 m.* 1962-*17-7* Bob White sur X 15 : *95 936 m.* 1963-*22-8* J. Walker sur X 15 : *107 960 m.*

Aéronefs à moteur fusée. 1958-*2-5* Cdt R. Carpentier (Fr.) sur S.O. Trident (2 Turbomeca 5 500 kg, 2 fusées SEPR 1 500 kg) : *24 217 m.*

Nota. – L'avion de reconnaissance américain Lockheed SR 71 pourrait atteindre 30 500 m d'altitude et 3 701 km/h.

Conquête de la vitesse

☞ Date du record, vitesse en km/h, type d'avion, nom du pilote.

Avions à hélice

1906. **41,3.** *Santos-Dumont* (Alberto Santos-Dumont, 1873-1932). 1907. **52,7.** *Voisin* (Henri Farman, 1874-1958). 1909. **69,8.** *Herring-Curtiss* (Glenn Curtiss, 1878-1930). **77.** *Blériot XII* (Louis Blériot, 1872-1936). 1910. **111,8.** *Blériot XI* (Alfred Leblanc, 1869-1921). 1911. **133,1.** *Nieuport* (Édouard Nieuport, 1875-1911). 1912. **170,7.** *Deperdussin* (Jules Vedrines, 1881-1919). 1913. **203,9.** *Deperdussin* (Marcel Prévost). 1920. **275,3.** *Nieuport-29* (Sadi Lecointe). **283,5.** *Espad 20 bis* (Jean Casale). 1921. **330,3.** *Nieuport-Delage* (Sadi Lecointe). 1922. **341,2.** *Nieuport Sesquiplan* (Sadi Lecointe). **358,8.** *Curtiss CD 12* (Gal B. Mitchell). 1923. **375.** *Nieuport Sesquiplan* (Sadi Lecointe). **380,8.** *Curtiss R6* (Cdt Maughan). **417,1.** *Curtiss D 12 C-1* (Lt Brow). **429.** *Curtiss R2 C-1* (Lt Williams). 1924. (11-12) **448,17.** *Bernard V2* (adj. Bonnet). 1927. **479,3.** *Macchi M52* (de Bernardi). 1928. **512,8.** *Macchi M52bis* [1] (de Bernardi). 1929. **575,7.** *Supermarine S-6* [1] (A. Orlebar). 1931. **655.** *Supermarine S-6B* [1] (Stainforth). 1933. **682,1.** 1934. **709,2.** *Macchi MC-72* [1] (Lt Agello). 1939. **746,6.** *Heinkel HE-112* (H. Dieterle). 26-4 **755,1.** *Messerschmitt Bf 109 R* (Fritz Wendel, 1915-75). 1969 *-16-8.* **776,4** Darryl Greenamyer sur *Grumman F8F-2.* 1979-*14-8.* **803,1.** *Mustang P5 10* (Steve Hinton)

Nota. – En piqué, le Thunderbolt XP-47 (expér. 1944) a dépassé les 800 km/h. (1) Hydravion.

Le X 15 passe de 1 100 km/h (Mach 1) à 6 500 km/h env. (Mach 6) en 82 s (il a parcouru 80 km) ; tout son carburant est épuisé et l'avion rentre en vol plané à sa base (à 240 km/h).

Avions à réaction

1945. **975,7.** *Gloster Meteor IV* (J. Wilson). 1946. **991.** *Gloster Meteor IV* (cap. Donaldson). 1947. **1 003,8.** *Lockheed P-60-R* (Cel Albert Boyd). **1 047,5.** *Douglas D 558 I Skystreak* (maj. Marion Carl). 1948. **1 079,9.** *North American F 86 D Sabre* (maj. R.L. Johnson). 1952. **1 124,1.** *Id.* (capit. J. Nash). 1953. **1 151,8.** *Id.* (Cel Barns). **1 171.** *Hawker-Hunter* (N. Duke). **1 184.** *Supermarine Swift F* (Michael Lithgow). **1 211,7.** *Douglas F AD-1 Skyray* (Lt J. Verdin) (sur base). **1 215,3.** *North Amer. prototype du F (Fighter) 100 Super Sabre* (Lt F. Everest) (sur base de 15 km). 1955. **1 323,3.** *100 C Super Sabre* (Cel Horace Hanes). 1956. **1 822.** *Fairey FD-2* (Peter Twiss). 1957. **1 943,5.** *Mc Donnel F 101 Voodoo* (major A. Drew). 1958. **2 259,5.** *Usaf* (W.W. Irwin). *-24-10* **2 400.** *Mirage III A 01* (Glavany, Fr.). 1er vol à Mach 2 en France. 1959. **2 330.** *Nord 1500 Griffon II* (Turcat, Fr.), atteint Mach 2,19 à 15 000 m d'alt., record d'Europe. **2 455,7.** *Convair F 106 A* (Rodgers). 1961. **2 585,4.** F 44 *Phantom II* (R. Robinson). 1962. **2 681.** *YE 166* (Cel russe Gueorgui Mosolov). 1976-*28-7.* **3 529,5.** *Lockheed SR-71 A* (cap. Eldon W. Joersz et maj. George T. Morgan Jr) (long. 32,73 m, env. 16,94, poids 91,1 t).

☞ Records de vitesse sur parcours commercial pour avion à réaction (groupe 3) : *Concorde Air Fr.* Paris-New York 3 h 30'11" (1 669,7 km/h) 22-8-78. *British Airways,* New York-Londres 2 h 59' (1 886 km/h en 1980).

Records en circuit fermé

☞ Vitesse en km/h.

• **Avions. Sur base de 15/25 km.** 1976 *(28-7)* **3 529,56** *Lockheed SR-71* (cap. Eldon W. Joersz [1]) [Femme : 1975 *(22-6)* **2 683,44** *E-133* (S. Savitskaia [2])]. **Sur 100 km.** 1973 *(8-4)* **2 605,1** *E-266* (Alexandre Fedotov [2]) [Femme : **1967** *(18-2)* **2 128,7** *E-76* (E. Martova [2])]. **Sur 500 km.** 1967 *(5-10)* **2 981,5** *E-266* (M.

Principaux types d'hélicoptères	Places	Long. m	Poids kg	Vitesse km/h	Altitude max.	Rayon d'action en km
Alouette III Aérosp. SA 316 (Fr., 28-2-59)	7	11,02	2 200	220	4 100	510
Biglifter Bell (U.S.A.)	15	18,4 [1]	3 521	260	4 575	330
Chinook Agusta (It.)	36 à 37	29,9	9 091	313	3 640	635
Chinook Boeing (U.S.A.)	44	30	9 845	305	4 560	695
Chinook Boeing (U.S.A.)	44	30,2	9 859	306	4 270	695
Coast Guard SA 366 G (Fr.)	n.c.	13,7	2 786	278	n.c.	670
Cobra Bell (U.S.A.)	2	16,1	2 939	352	2 940	625
Commando MK2 Westland (G.-B.)		17	9 500	210		1 100
Dauphin 2 Aérosp. SA 365 (Fr., 31-2-79)	14	13,46	1 995	286	3 750 [5]	900
Dauphin SA 365 F 2 Naval (Fr.)	n.c.	13,75	2 141	280	n.c.	805
Écureuil AS 355 F 2 Twinster (Fr.)	n.c.	13	1 275	242	n.c.	760
Écureuil AS 350 (F2 SNIAS 1983) (Fr.)	6	10,91	1 095	246	4 875	740
Écureuil AS 350 Aérospatiale (Fr., 27-6-76)	6	13	1 950 [1]	210	4 750	720
Sup Frelon SA 321 Aérosp. (Fr., 7-12-62)	29	23,03	13 000 [2]	248	3 100	815
Gazelle SA 342 L Aérosp. (Fr., 11-5-73)	5	11,97	975	270	4 300 [5]	785
Iroquois Bell (U.S.A.)	11	17,5	2 363	204	4 150	465
Kawasaki-Hugues 500 (Jap.)	5 à 7	9,2	536	255	4 090	690
Lama Aérospatiale 315 B (Fr., 17-3-69) [3]	5	12,92	1 021	192	5 400	515
LHX (Light Helicopter Experimental) (U.S.A)						
Lynx-Westland-Aéros. (G.-B.-Fr.,)	11	15,1	2 808	296	3 340	760
MI8 Mikhail-t Mil (U.R.S.S.)		18,3	11 100	220		540
Puma SA 330 Aérospatiale (Fr., 15-4-65)	23	18,73	7 400 [4]	258	2 140	550
Super Puma AS 332 L/M Aérosp. (Fr., 10-10-80)	27	18,73	4 265	282	4 750 [5]	865
S 76 Sikorsky (U.S.A.)	12	17,6	2 234	290	1 555	870
Sea Cobra Bell (U.S.A.)	2	16,2	2 918	281	3 970	600
Sea King Sikorsky (U.S.A.)	25	22,1	5 475	268	3 220	1 005
Sea Knight Boeing (U.S.A.)	25	2,6	6 920	259	3 590	340
Sea Stallion Sikorsky (U.S.A.)	37	26,8	10 167	313	3 310	420
Super Puma AS 332 B/C (Fr.)	n.c.	18,75	4 100	282	n.c.	625
Super Puma Naval AS 332 F (Fr.)	n.c.	18,7	4 500	250	n.c.	740
Wessex 60 Westland (G.-B.)	18	19,9	3 551	215	2 130	630
Yuh-60 A Sikorsky (U.S.A.) [6]	11	15,3	9 700	295		630
Yuk-61 A Boeing (U.S.A.)	12 à 20	16	8 900	280	2 173 [7]	600

☞ Projet : Supercopter LHX (Light Helicopter Experimental) piloté par une seule personne assistée d'un ordinateur, hybride entre un jet et un hélicoptère.

Nota. – (1) Poids max., et 1 045 kg à vide. (2) Poids max., et 6 863 kg à vide. (3) Le Lama peut transporter des charges à l'élingue de 1 135 kg. Détient le record mondial d'alt. par hél. (12 440 m) et le record d'atterrissage en haute montagne (poser à 6 858 m). *Masse max. :* 1 950 kg, avec charge externe de 2 300 kg. *Moteur :* 1 turbomoteur Artouste III B Turboméca de 870 ch. *Performance à la masse* de 1 950 kg. Vit. max. 210 km/h, de croisière 192 km/h, ascensionnelle 5,5 m/s, plafond pratique 5 400 m, en vol stationnaire dans l'effet de sol 5 050 m, hors d'effet de sol 4 600 m, distance franchissable 515 km. (4) Poids max. et 3 766 kg à vide. (5) Altitude opérationnelle. (6) Dénomination civile S 70. (7) Sur un seul moteur.

Komarov [2]) [Femme : **1977** *(21-10)* **2 466,31** *E-133* (S. Savitskaia [2])]. Sur 1 000 km 1976 *(27-7)* **3 367,221** *Lockheed SR-71* (major A.H. Bledsoe Jr [1]) [Femme : **1978** *(12-4)* **2 333** *E-133* (S. Savitskaia [2])].

• **Avions à moteur fusée.** 1947 **1 150** *Bell X-1.* 1948 **1 609** *Bell X-1* 1951 **1 981** *Douglas Skyroket.* 1953 **2 123** *Douglas Skyroket.* 1953 **2 640** *Bell X-1 A.* 1956 **3 315** *Bell X-2.* 1961 **5 322, 6 587** *North American X-15.* 1962 **6 606** *American X-15.* 1967 **7 297** *American X-15.*

• **Hélicoptères. Sur base de 15/25 km.** 1963 *(19-7)* **351,2** *Super Frelon* J. Boulet [3]. **355,485** *Sikorsky S. 67* Blackhawk K.F. Cannon [3]. 1978 *(21-9)* record officiel **368,4** *A-10* Gourguen Karapetyan [2]. 1979 *(avril)* **508,7** *Bell YUH IB 533* expérimental (Arlington, Texas [1]). *Dauphin II B* Pasquet [3]. **Sur parcours reconnu.** 1980 *(6-2)* **294,26** Paris-Londres-Paris (2 h 18 mn 56 s).

• **Hydravions. Sur base de 15/25 km.** 1961 *(7-8)* record officiel. 1962 *Beriev M-10* A.J. Andrievsky [2].

Nota. – (1) USA. (2) URSS. (3) France.

Courses organisées par le Daily Mail. 1959 l'Anglais Maughan relie Londres (Marble Arch) à Paris (Arc de Triomphe), soit 344 km en 40 mn 44 s en utilisant divers moyens de locomotion (avec le service régulier, il aurait mis 3 h 15 mn). **1969** *mai* course, dans les deux sens, entre la tour des Postes de Londres et l'Empire State Building de New York : T. Lecky Thompson a gagné en 5 h 19 mn 16 s (dont 4 h 46 mn sur chasseur à réaction Phantom de la Royal Navy entre l'aérodrome Floyd-Bennet et le terrain de Wisley (banlieue londonienne) moy. 1 164 km/h record.

Musée de l'Air et de l'Espace. *Fondé* 1919, inauguré 1921 et installé à l'aéroport du Bourget depuis 1975. 180 avions (civils ou militaires), 40 satellites, lanceurs ou sondes spatiales. *1990-17-5* incendie dans le dépôt du musée à Dugny (Seine-St-D.), env. 20 avions détruits.

Musée de l'Aéronautique de Nancy. Inauguration prévue 1992.

Aéronefs

Définitions

Classification

• **FAI** (Fédération aéronautique internationale). *11 classes.*

Cl. A : *ballons libres.* **B** : *dirigeables.* **C** : *avions, hydravions, amphibies* (moteurs à piston, turbopropulseurs, turboréacteurs et moteurs-fusées ; jusqu'à 3 000 kg, on parle d'avions légers ; de 3 000 à 26 000 kg d'av. d'affaires). **D** : *planeurs.* **E** : *giravions hélicoptères.* **F** : *aéromodèles* (de dimensions réduites, munis ou non d'organe motopropulseur, non susceptibles d'emporter un être humain). **G** : *parachutes.* **H** : *aéronefs à sustentation par réaction* [VTOL : Vertical Take Off and Landing. (ADAV : appareil à décollage et atterrissage verticaux. Ex. : Hawker Siddeley V-Stol Harrier/AV8-A, et les prototypes LTV XC-142 A, Ryan XV-5 A et Dassault Mirage III-V) capables de décoller, de se ravitailler en vol stationnaire et d'atterrir en obtenant essentiellement leur sustentation d'un ou de plusieurs moteurs à réaction, et ne nécessitant pas, pour le décollage et l'atterrissage, une sustentation fournie par des surfaces extérieures]. **I** : *aviettes* (aérodynes capables de décoller et de se maintenir en l'air uniquement au moyen de l'énergie musculaire de leur pilote ou de leur équipage). **K** : *véhicules spatiaux.* **P** : *véhicules aérospatiaux* (Columbia). **L** : *véhicules à coussin d'air* [v. autonomes dont le poids est constamment supporté, partiellement ou totalement, par un coussin d'air et qui dépendent de lui pour se déplacer sur une surface quelconque (aérotrain, hovercraft, terraplane, naviplane, cushioncraft, hovermarine, aéroglide, aérocar, aérobac, aéroglisseur, hydrofoil, hydroptère, etc.)].

Aérodyne. Aéronef plus lourd que l'air.

Aéronef. Nom générique servant à désigner tous les appareils d'aviation.

Aérostat. Aéronef plus léger que l'air.

Aile supercritique. Aux approches de la vitesse du son, avec les profils classiques, on constate une brutale augmentation de la traînée due à l'apparition, sur l'extrados de l'aile, d'une zone d'écoulement supersonique limitée à l'arrière par une onde de choc, c'est-à-dire une brutale recompression. Ainsi, à mesure que la vitesse augmente, on observe une perte de finesse aérodynamique. En arrière de l'onde de choc, finit par se produire un décollement de la couche limite qui provoque, en plus d'une augmentation de traînée, des vibrations qui peuvent être dangereuses pour l'avion. L'ensemble de ces phénomènes constitue les troubles de compressibilité que l'on retarde en augmentant la flèche de la voilure et l'épaisseur du profil. Ces profils sont surnommés *supercritiques* (le Mach critique étant celui à partir duquel l'écoulement devient localement supersonique).

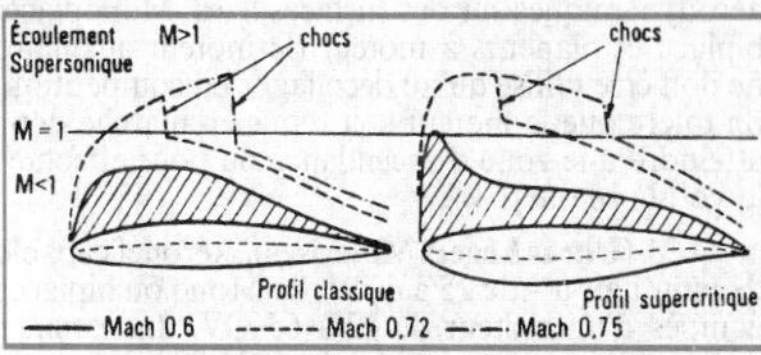

ATL. Avion très léger, coût env. 220 000 F. Consom. 9 l d'essence à 150 km/h.

Autogire. E 2 : *convertiplane* [sustentation en vol horizontal assurée en totalité par des surfaces fixes et en vol vertical par des voilures tournantes actionnées par un appareil propulseur (vertoplane)]. **E 3 :** *autogires :* sutentation assurée par rotor tournant librement sous l'action du vent créé par le déplacement horizontal de l'appareil.

Avion. Aérodyne entraîné par un organe moteur et dont la sustentation est assurée par une voilure fixe. Ce nom figure pour la première fois dans le brevet déposé par Ader (nom choisi par le Gal Roques en 1910 en son honneur, pour les aéroplanes militaires. Le mot aviation fut utilisé pour la 1re fois en 1863 par Gabriel de La Landelle). Voir plus loin.

Ballon. Voir Aérostat. **B. captif :** retenu au sol par un câble, ex. : b. d'observation comme les *Saucisses.* Voir plus loin.

Comburant. Corps oxydant qui, en se combinant avec un autre appelé combustible, provoque sa combustion. On peut utiliser l'oxygène de l'air (cas des moteurs aérobies comme les moteurs de voitures) ou des *propergols* liquides (acide nitrique, eau oxygénée concentrée, fluor liquide, fluorure de brome ou de chlore, oxyde de fluor, oxygène liquide, ozone liquide, perchlorate de fluor, trifluore de chlore) et solides (perchlorate de sodium, ammonium). Tout comburant ou tout combustible entrant dans la composition d'un mélange propulsif pour fusées est un ergol.

Combustible. Matière qui, en se combinant avec un comburant, brûle en dégageant de la chaleur. *Liquides :* alcool éthylique, ammoniac, boranes (diborane, pentaborane, décaborane), cyanogène, furatine, hydine, hydrate d'hydrazine, hydrazine, hydrogène liquide, hydrures d'azote ou de lithium, kérosène, lithium, monométhylhydrazine, nitriles, nitrométhane, térébenthine, triéthylaluminium.

Giravion. Appareil à voilure tournante dont la sustentation est assurée par des surfaces mobiles, les rotors. Autogire et hélicoptère sont des giravions.

Hélicoptère. Voir p. 1556 et 1562.

Hélicostat. Engin hybride : la masse à vide est en partie équilibrée par la poussée aérostatique de ballons gonflés à l'hélium ; la charge utile (carburant + charge) et le complément de la masse à vide sont sustentés par des rotors d'hélicoptères. Conçu pour la manutention des charges (jusqu'à 50 t) sur courtes distances, il ne nécessite pas de lestage comme les dirigeables. *Projets : USA :* US Navy, Nasa et Goodyear pour transporter 70 t. *France :* Aérospatiale (1977) : long. 34,5 m ; largeur 35,69 m ; volume hélium 1 700-2 075 m³ ; charge marchande 2,3 à 4 t.

Hydravion. Avion décollant et se posant sur l'eau. *Richard Penhoët :* long. 27,30 m ; env. 39,40, coque largeur 3,90 m, 2 étages, aile 1,80 m de haut abritant les réservoirs d'essence (4 000 l) ; hauteur 5,50 m ; surface portante 2,75 m² ; 5 moteurs de 420 ch (puiss. totale 2 100 ch), plafond 4 000 m ; rayon 10 h à 160 à 170 km/h ; poids en charge 20 t (à vide 11,8).

Jumbo Jet. Avion à réaction de grande capacité comme le Boeing 747.

Matériaux composites. Constitués de couches de fibre : f. de verre, de carbone (ou de graphite), de bore, de borsic (f. de bore enrobées de carbure de silicium), f. organiques (Kevlar 49). Les fibres sont noyées dans une matrice de résine (polyester, époxy, popyimide) ou parfois métallique (aluminium, magnésium, titane) qui résiste mieux aux hautes températures. Les matériaux composites entraînent une économie de poids lors de l'usinage de matière (ex. : 103 kg de composite au bore sont nécessaires pour 1 pièce d'avion de 94 kg ; 1 812 kg d'aluminium pour 1 pièce de 208 kg).

Ornithoptère. Machine à ailes battantes.

Parachute motorisé. *Paraplane* (USA, 1984) : 2 moteurs de 15 ch, monoplace, décollage en 30/40 m, 40 km/h. *Parafan* (Fr., 1984), 35 ch, décollage sur 20 m, 35 km/h.

Planeur. Appareil non propulsé mécaniquement et dont la sustentation est obtenue par des réactions aérodynamiques sur des surfaces fixes. Monoplace, biplace et planeurs à moteur (le moteur auxiliaire ne doit être utilisé qu'au décollage ; en compétition, on tolère que le moteur soit remis en marche pour atteindre une zone d'ascendance ou pour effectuer le vol de retour).

ULM (Ultras Légers Motorisés). Aéronef capable de tenir l'air à – de 25 à 60 km/h. Mono ou biplaces équipés d'un moteur de 12 à 65 CV. *Autonomie :* 2 h à 500 m en moyenne (plafond 3 000 m), jusqu'à 5 ou 6 h en compétition avec 25 l de carburant. *Vitesse de croisière :* 60 à 120 km/h. 3 types. 1°) ULM pendulaire, dérivé de l'aile Delta du vol libre à laquelle on adapte un tricycle ou un chariot. 2°) ULM multiaxes à 2 ou 3 axes (type avion) se pilotant à l'aide de gouvernes aérodynamiques. 3°) ULM paramoteur : voile souple (type parapente) avec un moteur dorsal monté sur un harnais ; décollage à pied, ou appareil tricycle ; mono ou biplace. *Catégories :* monoplace (masse à vide max. : 150 kg) et biplace ou monoplace (150 à 175 kg), avec surface de voilure portante sup. à 10 m² et rapport masse/surface inf. à 10 kg/m². *Conditions pour voler avec un ULM.* Appareil immatriculé. Avoir + de 15 ans. Posséder le brevet (examen théorique au sol) et la licence (brevet + autorisation de vol en solitaire, délivrée par un instructeur à la suite d'une formation pratique). Obtention de l'équivalence possible pour les tit. des brevets de : pilote privé d'avion, hélicoptère, planeur, ballon libre ; brevet de base de pilote d'avion ou licence étrangère de pilote d'aéronef (normes de la Convention relative à l'Aviation Civile Internationale). *Interdiction* de décoller ou atterrir dans un champ ou un jardin sans l'autorisation du propriétaire (et obligation de déclaration préalable de l'utilisation occasionnelle d'un terrain au maire de la commune concernée). Interdit en Suisse. *Altitude :* arrêté du 17-6-1986, le pilote doit voler à une hauteur telle que le bruit perçu au sol ne soit pas supérieur à 65 décibels. En France (1991) : 12 000 pilotes d'ULM. *Morts 1989 :* 8. *Appareils, 1990 :* 5 500. *Licenciés 1984 :* 2 900, *85 :* 2 600, *87 :* 3 000, *89 :* 4 983, *90 :* 5 500. *Prix :* 50 000 à 220 000 F. **Épreuves :** *1re course d'ULM (1-9-82) :* Biggin-Hill (G.-B.), Bagatelle (France) avec escale au Touquet. *1er rallye :* Tunisie (1983), Michel Alcover (Fr.). *1er Championnat de France* (1984) à Millau (Aveyron). **Championnat du monde** (tous les 2 ans) : créé **1985** (août) à Millau, 1 † : Joachim Krendz (All.) sur FK6. **Championnat d'Europe** (tous les 2 ans) : créé **1986** (sept.) à Sanchidrian (Espagne). *Paramoteur :* Antares, 1er raid en France en 1990. Rassemblement annuel à Blois en sept. (tous types). *Adresse :* Fédération fr. de Planeur Ultraléger Motorisé (FFPLUM), 24, rue du Plateau, 94700 Maisons-Alfort.

Vortex generator (générateur de tourbillon). Petites pièces de tôle carrées ou trapézoïdales pour canaliser les filets d'air le long de la voilure ou de l'empennage d'un avion et les empêcher d'atteindre des vitesses supersoniques qui créeraient des ondes de choc suivies d'ondes tourbillonnaires. Environ 90 % des avions modernes en service ont des vortexs (ex. : *Caravelle, Boeing 727, Trident, DC-10*).

Avions

Fonctionnement

L'avion *vole* en raison de sa *portance* (composante verticale de la résultante aérodynamique qui équilibre le poids) et de sa *traînée* (composante horizontale qui équilibre la traction) (poussée).

• **Avion à moteur à pistons.** Propulsé par un moteur alternatif entraînant une hélice qui rejette une grande masse d'air à vitesse relativement faible. Son rendement chute lorsque l'extrémité des pales de l'hélice atteint la vitesse du son, provoquant ainsi l'apparition d'ondes de choc et un écoulement de l'air plus perturbé. L'hélice carénée (qui agit comme un compresseur) permet d'y remédier partiellement : l'air est ralenti dans la partie avant divergente du carénage, puis accéléré dans le rétrécissement arrière.

• **Avion à réaction.** Propulsé par un réacteur [*origine :* statoréacteur (tuyère thermopropulsive) inventé 1911 par le Français René Lorin, perfectionné et mis en application par René Leduc en 1936].

Turboréacteur. Moteur constitué d'un système de compression, d'une chambre de combustion, d'une turbine, d'une tuyère de détente. L'air aspiré par l'avant est comprimé, chauffé par la combustion d'un carburant, détendu dans la turbine, rejeté vers l'arrière à grande vitesse à travers la tuyère. La turbine permet de prélever une partie de l'énergie du gaz, pour provoquer le fonctionnement du compresseur, qu'elle entraîne par un arbre.

Turboréacteur double flux (ou *turbosoufflante,* ou encore *turbofan*). Réacteur dans lequel une partie de l'air aspiré n'est que faiblement comprimée, puis rejetée dans l'atmosphère (flux froid), l'autre partie subissant le cycle complet de compression, chauffage puis détente (flux chaud). Cette technique permet, par rapport au réacteur simple flux (chaud), des gains de carburant et une réduction du bruit. Plus l'altitude est élevée, plus l'air est raréfié, moins le réacteur pousse (mais la résistance à l'avancement diminue aussi). Plus la température est basse, plus forte est la poussée. Lorsque l'avion monte, la temp. de l'air extérieur diminue jusqu'à – 57 °C vers 12 000 m ; au-delà, elle reste constante. C'est donc vers 12 000 m qu'on obtient les meilleures vitesses.

Dispositifs pour augmenter la poussée au décollage : 1° *injection d'eau et de méthanol* afin d'augmenter provisoirement la masse éjectée, augmente la poussée de 15 % ; avions commerciaux. 2° *post-combustion* par réinjection de pétrole (à la sortie du réacteur) dans l'air non utilisé dans la combustion ; augmente la poussée de 50 %, avions militaires.

Turbomoteur. Moteur à turbine analogue au turboréacteur mais énergie prélevée par la turbine ; entraîne d'autres systèmes de propulsion, par ex. un rotor d'hélicoptère ou turbopropulseur à hélice. Procure un gain important en consommation mais une vitesse moins élevée.

• **Avion-fusée.** Propulsé par une fusée (le moteur-fusée emporte à la fois combustible et comburant, et fonctionne sans apport de l'air extérieur). La consommation à basse altitude est très élevée. L'X 15, avion-fusée américain, était lâché en vol par un avion à 14 700 m d'altitude et atteignait plus de 100 km d'altitude par ses propres moyens. Il mesurait 6 m de long, 6,70 m d'envergure et pesait 22 516 kg (dont 12 000 de propergol).

• **Avion STOL (Short Take-Off and Landing)** (ADAC : appareil à décollage et atterrissage courts). La portance des ailes est augmentée par des dispositifs hypersustentateurs. Ex. : Breguet 942 (poids au décollage 20 500 kg, 40 à 60 passagers, décollage 310 à 340 m, atterrissage 240 à 270 m) ; Dornier Do-27, Pilatus Porter, De Havilland-Canada : Caribou, Buffalo et Twin-Otter.

• **Avion supersonique (TSS :** transport supersonique, ou **SST :** supersonic transport). A réaction ou à fusée. Vitesse supérieure à celle du son, soit Mach 1 (env. 1 200 km/h).

Avions commerciaux supersoniques : URSS : Tupolev 144 [*1968*-31-12 : 1er vol ; *1970* mai dépasse le mur de son ; *1971* mis en service ; *1973* un appareil s'écrase près du Bourget (12 †) ; 26-12-*1975* à juin *1978* liaison Moscou-Alma-Ata (3 700 km), un appareil s'écrase près de Moscou ; *1979* le Tupolev 144 D relie Moscou à Khabarovsk (6 185 km en 3 h 21) et effectue des liaisons non régulières]. Des vibrations excessives le rendaient inconfortable, le niveau de bruit des réacteurs était élevé, le système de pressurisation interne devait être amélioré, le manque de puissance des réacteurs contraignait l'équipage à utiliser plus longtemps et plus souvent que prévu la postcombustion (dispositif de réchauffe supplémentaire), d'où consommation accrue de carburant. **France et G.-B. : Concorde** voir encadré ci-contre. **USA :** projet **SST 2 707** (1969) abandonné en mars 1971 par vote du Sénat (malgré 130 options prises), *raisons :* économiques et écologiques ; technique difficile à maîtriser (vitesse supérieure à Concorde ; nécessite des alliages nouveaux).

Concorde

• **Quelques dates. 1956** *1res études.* **1962**-*24-11* accord franco-brit. pour construire un avion supersonique. **1967** *avr.* 74 options de 16 compagnies. **1969**-*2-3* 1er vol du prototype 001 à Toulouse-Blagnac pendant 40 mn (dont 29 en vol), pilote André Turcat. *-9-4* 1er vol du prot. 002 à Filton (G.-B.), pilote Brian Trubshaw. *-1-10* franchissement du mur du son. **1970**-*4-11* atteint Mach 2. **1971** Jean-Jacques Servan-Schreiber, député, estime que Concorde est un « Viêt-nam industriel ». **1973** 70 commandes et options ont été prises par 13 transporteurs, mais le *31-1* PanAm, American et TWA renoncent. Les autres suivent : seuls Air France et British Airways se partageront les 14 avions construits en sus des 2 prototypes. *-6-12* sortie du 1er avion de série. **1975**-*10-10* certificat de navigation français. **1976**-*21-1* mise en ligne Paris-Rio (avec escale à Dakar) et Londres-Bahreïn. **1977**-*22-11* Paris-New York (7 AR par semaine, 11 à partir du 29-3-81) après 20 mois de procès pour obtenir le droit de se poser à Kennedy Airport. **1978**-*20-9* vol Air France prolongé sur Washington. **1979** les gouvernements français et brit. décident de limiter la série à 16 avions et 88 réacteurs. *-12-6* vol Air France prolongé sur Mexico. **1980** la ligne Londres-Bahreïn-Singapour est fermée. **1982**-*1-4* abandon des lignes vers l'Amér. du S. *-1-11* vers Washington et Mexico. Air France possède 7 Concorde ; 4 volent régulièrement, 1 est pratiquement en état de vol, les 2 autres servent à maintenir en état les 4 appareils volant régulièrement.

• **Coût.** *Estimé en 1969 :* 5,9 milliards de F pour la partie française (soit 26,5 en 1990) ; *en 1977 :* 17,2 (soit 42 mds en 1990). Au total, avec la partie britannique, env. 34 (soit 84 mds de F en 1990, certains parlent de 120). Des 1res études (1956) à la construction de 16 appareils (dont 2 prototypes) : 30 milliards de F. *Prix de vente de chaque appareil :* 235 à 270 millions de F (fixé pour une série de 150 à 200 appareils).

• **Appareils en service** (en 1989, sur 16 vendus). 13 [7 britanniques ; 6 français ayant réalisé en moyenne 8 000 h de vol et pouvant être exploités jusqu'en 2020 (au rythme moyen de 600 h de vol par appareil et par an)]. **Entretien.** *Durée moyenne :* 8 h pour 1 h de vol (B 747 ou A 320 : 2 à 3 h pour 1 h).

• **Bilan Air France** (de 1976 à 86). *Vols réalisés* 10 500 (46 850 h). *Passagers transportés* 621 000 (en 1988, 61 000 sur Paris/New York). *Vitesse record* 1 732,6 km/h [le 19-3-82 sur 5 111 km entre Santa Maria (Açores) et Caracas (Venezuela)]. *Taux* (1988) de ponctualité : à 2 min. 67,9 % ; à 15 min. 83,8 %. Pour 1 h de vol il faut 17 h d'entretien (3 pour les Airbus). *Consommation :* Paris-New York 70 t de kérosène (1 Boeing 747 à capacité triple consomme 80 à 85 t). *Coefficient d'occupation :* (Paris-New York) *1983 :* 59,7, *84 :* 61,6, *85 :* 62,3 (record 74,4 en oct. 85), *88 :* 61,7. *Vols charters :* prix : 170 000 F l'h. Nombre de vols ch. effectués : 320 en 10 ans [dont 80 en 1985 (dont 14 pour le Pt de la Rép. et le PM)].

Un concorde a perdu le 27-9-1989 un élément du carénage de 1,80 m au-dessus de Sannois.

Compte d'exploitation (en millions de F). *En ne retenant que les dépenses courantes* (équipage, entretien et carburant) : *1982 :* – 117. *83 :* + 31,3. *84 :* + 66,2. *85 :* + 86,2. *86 :* + 14,9. *87 :* + 85,3. *88 :* + 80,2. *En comptabilisant aussi frais financiers et amortissements* (sur 17 ans), pris en charge par l'État : *1977 :* – 283. *78 :* – 302. *79 :* – 265. *80 :* – 281. *81 :* – 345. *82 :* – 117. *84 :* – 140. *85 :* – 126 (dont amortissements 103, frais financiers 23). *86 :* – 60,4. *87 :* – 77,8. *88 :* – 73,9. Le contrat de plan 1984-86 stipulait que l'État continuerait de prendre en charge frais financiers et amortissements liés aux investissements réalisés avant le 1-1-1984. Et, depuis, tous ceux rendus nécessaires par les modifications aéronautiques préalablement acceptées par l'État. Les autres investissements (ex. : renouvellement des pièces de rechange) doivent être assumés par Air France pour 50 % de leur coût (Air France doit partager avec l'État 50 % du résultat d'exploitation courante de Concorde).

British Airways. De 1975 à 85 : *Passagers :* 800 000 (dont 50 000 sur charters). *Lignes :* Londres-New York (2 fois/j), Londres-Washington-Miami (3 fois par sem.). **1989** *(11-4) :* un Concorde perd (à 1 600 km/h) un des stabilisateurs de son empennage au-dessus de la mer de Tasmanie, avec des touristes américains [ayant payé pour 3 semaines : 39 000 $ (250 000 F)].

Principaux types d'avions commerciaux (entre parenthèses : 1er vol)	Enverg. m	Long. m	Masse [1] kg	Passagers	Vitesse km/h	Rayon d'act. [2] km
Avions à turboréacteurs						
Airbus A-310-200 (03-04-82)	43,90	46,66	138 600	214 à 255	896	7 900
Airbus A-310-300 (8-7-85)	43,90	46,66	150 000	234	896	9 500
Airbus A-300 B2 [8] (28-10-72)	44,84	53,62	142 000	251 à 345	950	4 635
Airbus A-300 B4 [8] (26-12-74)	44,84	53,62	165 000	251 à 345	915	4 580
Airbus A-300-600 (Fr.) (8-7-83)	44,8	54,1	165 000	267	915	7 100
Airbus A-320-100 (22-2-87) (Fr.)	33,9	37,57	68 000	150	902	3 240
Airbus A-321 (1993)	34,1	44,50	82 200	185	902	460
Airbus A-330-300 (6-92)	58,64	63,60	208 000	328	945	
Airbus A-340-300 (1991) (Fr.)	58,64	63,60	251 000	294	945	13 000
Antonov 124 Ruslan (URSS) (1986)	67,88	69,5	405 000	–	850	16 000 [25]
Antonov 225	88,4		600 000			
BAC 1-11 [4] (série 500) (G.-B.)	28,50	32,61	47 400	90 à 119	885	2 735
BAC VC-10 [3] (G.-B.)	42,73	52,36	152 000	151	961	9 700
Boeing 707-120 [3] (USA) [12]	39,87	44,04	116 000	181	990	7 485
Boeing 707-320 B/C (intercontinental) (USA)	44,42	46,61	152 405	147 à 189	1 010	11 186
Boeing 727 avancé [6] (USA)	32,92	46,69	94 225	134 à 187	994	5 778
Boeing 737 avancé [4] (USA)	28,35	30,50	52 390	115 à 130	943	4 630 [17]
Boeing 747 [3] (USA) [11]	59,64	70,50	351 540	350 à 500	1 030	9 200
Boeing 747 SP (USA)	44,64	56,20	293 000	280 à 360	980	11 000
Boeing 747 [28] (1992)				150		4 800
Boeing 757 (USA) (février 1982)	37,95	47,32	104 325	178 à 224	873	4 614
Boeing 767 (USA) (26-9-81)	47,57	48,51	136 080	211 à 289	873	5 152
Caravelle 3 Aérospatiale (France)	34,30	32,01	48 000	99	800	2 200
Caravelle 12 [4] Aérospatiale (France)	34,30	36,236	58 000	128	812	3 150
Comet 4B [3] Hawker Siddeley (G.-B.)	32,88	35,97	71 650	72 à 101	891 [15]	4 135
Concorde [3,5] BAC-Aérosp. (Fr.-G.-B.) (20-3-69)	25,56	62,10	185 070 [20]	100 à 128	2 200	6 500
Convair 880 [3] (USA)	36,58	39,42	86 000	88 à 110	970	5 000
Convair 990 [3] (USA)	36,58	42,50	108 000	121	1 030	7 000
Falcon 100 Dassault-Breguet (Fr., 1-12-70)	13,08	13,86	8 880	4 à 7	910	3 550
Falcon 20 F Dassault-Breguet (Fr., 4-5-63)	16,30	17,1	13 000	8 à 14	860	3 300
Falcon 50 Dassault-Breguet (Fr., 7-11-76)	18,86	18	18 500	8 à 14	880	6 500
Falcon 200 Dassault-Breguet (Fr., 1981)	16,32	17,15	13 900	1 à 15	850	4 540
Falcon 900 Dassault-Breguet (21-9-84)	19,33	20,21	20 640		930	
Fokker VFW-614 [4] (All. féd.-P.-Bas)	21,50	20,57	12 000	44	700	1 200
Fokker F-28 (P.-Bas)	23,58	29,61	16 470	65	843	1 300
Iliouchine IL-62 [3] (URSS)	43,30	53,12	157 000	186	900	9 200
Iliouchine IL-86	48,06	59,54	206 000	350	950	4 600 [23]
Iliouchine 76 [3] (URSS)	50,50	46,50	157 000	n.c.	n.c.	5 000
Lockheed L-1011 [6] (USA) (16-11-70)	47,35	54,00	186 000	345	930	5 200
Lockheed C-5A Galaxy (USA) (1970)	67,88	75,54	348 000	–	920	12 860 [26]
Lockheed C-5B Galaxy (USA) (1986)	67,88	75,54	379 600	–	920	10 400 [27]
Mercure Dassault [4] (Fr.) (28-5-71)	30,55	34,84	57 000	130 à 150	945	2 000 [17]
McDonnell Douglas DC-8 [3] (série 62) (USA)	45,23	47,80	152 000	189	965	13 676
McDonnell Douglas DC-8 (juin 63)	45,20	57,10	1 590/1 620	259	965	7 240
McDonnell Douglas DC-9 [4] (série 30) (USA)	28,47	36,36	46 720	115	909	2 510 [9]
McDonnell Douglas DC-10 [6] (série 30) (USA)	50,42	55,32	252 000	270 à 380	925	9 815 [10]
McDonnell Douglas MD 11 (1990)				276		12 750
Gulfstream 3 Grumman (USA)	25,8	26,6	17 604	22	1 055	8 170
HS 125 Hawker Siddeley (G.-B.)	14,33	15,39	11 340	8 à 14	845	3 000
HS Trident 2 E (G.-B.)	29,90	32	65 540	91 à 149	960 [16]	4 095
HS Trident 3 B (G.-B.)	29,90	39,90	71 670	136 à 180	895	3 300
Piaggio P 180 (1986) (It.)	13,84	14,16	4 445	n.c.	740	3 892
SN 601 Corvette Aérosp. (Fr., 6-7-70)	12,87	13,83	3 870	6 à 14	760	2 500
Tupolev 104 B [4] (URSS)	34,54	38,85	100 000	70	850	3 100
Tupolev 124 [4] (URSS)	25,55	30,58	38 000	56	n.c.	1 200
Tupolev 134 [4] (URSS)	29,00	35,00	44 000	72	885	3 500
Tupolev 144 [3] (URSS)	28,80	64,45	180 000	126	2 300	6 500
Tupolev 154 [6] (URSS)	37,55	47,90	90 000	164	950	4 000 [19]
Tupolev 204 (2-1-1989)	42	46,22	93 500	170 à 214	840	4 000
Yakovlev 14 [4] (URSS)	n.c.	n.c.	n.c.	120	n.c.	2 800
Yakovlev 40 [6] (URSS)	25,00	20,36	15 500	27	550	1 000
☞ Mirages, voir Défense nationale.						
Avions à turbopropulseurs						
Antonov 22 [7] (URSS)	64,50	57,89	250 000	724	740	10 950 [24]
Antonov 24-26 (URSS)	29,20	24,00	17 000	50	430	600 [19]
ATR-42-300 (France-Italie) (16-8-84)	24,57	22,67	16 700	42 à 49	493	1 760
ATR [30] 42 Colibri	24,57	22,67	16 700	48	493	1 315
ATR 72 (10-88)	27,05	27,17	21 500	70	530	
Breguet Br. 941 [7] STOL (France)	23,20	27,73	24 000	48	425	5 000
De Havilland Dash 8-100						
De Havilland Dash 8-300						
Embraer-120						
Fairchild F-27 (USA)	29,00	23,50	17 463	4 à 48	443	2 460
Fokker F-27/500 (P.-Bas)	29,00	25,06	19 730	52	450	1 900
Fokker 50						
Fokker 100						
Frégate (Nord 262 C et D) Aérospatiale (France)	22,60	19,28	10 800	26 à 29	415	1 020
HS 748 Hawker Siddeley (G.-B.)	30,02	20,42	21 088	40 à 60	448 [13]	2 650 [14]
Lockheed (Electra) [7] (USA)	30,18	31,81	52 000	66 à 93	652	5 470
Namc YS-11 (Jap.)	32,00	26,30	15 300	60	450	1 700
Transall C-160 (Fr.-All. féd.) (25-2-63) [29]	40,00	32,40	51 000	3	500	8 800
Ilyouchine 18 [7] (URSS)	37,40	35,90	61 000	73 à 111	650	5 000
Nord 262 Aérospatiale (France 24-12-62)	21,90	19,28	10 600	29	395	980
Saab-340 (Suède, 25-1-1983)	21,44	19,72	12 372	35	504	1 000
Socata	12,16	10,43	1 492	6 à 7		
Tupolev 114 [7] (URSS)	51,10	54,10	171 000	220	770	8 950
Vickers-Vanguard [7] (G.-B.)	35,96	37,38	66 500	97 à 139	680	4 160
Vickers-Viscount 708 et 724 [7] (G.-B.)	28,55	24,74	26 000	60 à 62	505	3 300
Avions à moteurs à pistons						
Breguet Deux Ponts [7] (France)	42,99	28,95	50 000	59 ht 48 bas	400	3 700
Douglas DC-3 [23] (USA)	28,90	18,63	11 800	21	290	2 500
Douglas DC-4 [7] (USA)	35,80	28,47	33 100	55	480	4 300
Douglas DC-6 [7] (USA)	35,80	32,46	48 000	87	580	9 500
Douglas DC-7 [7] (USA)	38,86	34,62	64 850	22	580	9 600
Lockheed (Constellation) [7] (USA)	37,49	28,97	47 700	44	525	8 800
Lockheed (Super Constellation) [7] (USA)	37,50	34,60	62 400	48 à 88	470	5 000
Lockheed (Super Starliner) [7] (USA)	45,72	34,02	72 600	48 à 88	560	9 560
Nord 2501 (France)	32,50	21,80	19 600	40	440	1 000

◀ Nota. – (1) Masse maximale au décollage (t). (2) Rayon d'action max. (km) à vide. (3) 4 réacteurs. (4) 2 réacteurs. (5) 4 réacteurs à simple flux SNECMA – Olympus 593 ; puissance 17 100 kg de poussée, consommation 1,327 kg/kgp/h, hauteur 11,40 m. (6) 3 réacteurs. (7) 4 hélices. (8) Voir encadré. (9) Avec 75 passagers. (10) Avec 270 passagers et bagages. (11) Hauteur 19,33 m. (12) Hauteur 12,90 m. Nouvelles versions prévues : court-courrier 747 SR (537 pass.), long-courrier (385 p.). Version fuselage allongé de 15 m : court-courrier (750 p.), long-courrier (550 p). (13) Vitesse à 4 600 m d'altit. (14) Avec 3 620 kg de charge utile. (15) Vitesse de croisière moyenne. (16) Vitesse de croisière typique. (17) Rayon d'action commercial, compte tenu de la réserve de carburant, B 737 : 2 500, Mercure : 2 000. (18) Corvette 100 : 12 à 14 places, consomme 10 l de carburant par passager aux 100 km, 200. (19) Rayon d'action max. à pleine charge. (20) *Au décollage* : à l'atterrissage 111 380 (100 passagers), sans carburant 92 080, charge marchande type 11 340. (21) Le dernier Comet a été retiré du service en 1980. (22) Avec charge de 20 t, 3 200 km avec 40 t. (23) Douglas commercial n° 3 : 1er vol le 17-12-1935, 13 000 ex. construits dans le monde jusqu'en 1947. (24) 5 000 avec la charge max. de 80 t. (25) 4 500 avec la charge payante max. de 150 t. (26) 6 030 avec la charge payante max. de 100,2 t. (27) 5 525 avec la charge payante max. de 118,4 t. (28) 2 hélices incurvées de 3 m de diamètre tournant à l'extérieur de la nacelle où se trouve la turbine. (29) Accord franco-all. sur ce projet en janvier 1959, 1re livraison 1967. (30) Avion de transport régional (ATR) franco-italien construit à parité par Aérospatiale et Aeritalia.

• **Projets. Avion spatial transatmosphérique.** Masse 350 t. Propulseurs à hydrogène liquide, atteindrait 25 000 km/h en moins de 10 mn, volerait à 300/400 km d'alt. Coût du projet : 10 milliards de $.

Avion de transport supersonique (futur ATSF). Projet de l'Aérospatiale. Accord le 9-5-1990 avec British Aerospatial pour le construire. *Coût du programme :* 50 à 80 milliards de F. *Marché :* 300 à 500 (?) entre 2005 et 2025. *Passagers :* 200 à 300 (Concorde : 128). *Rayon d'action :* 12 000 km (C. 6 000). *Voilure :* 500 m² (360). *Vitesse :* Mach 2,4 soit env. 2 500 km/h [C. 2,02 (soit env. 2 100 km/h)]. *Longueur :* 76 (C. 62,17). *Envergure :* 36,6 (C. 25,6). *Poids au décollage :* 225 t (C. 183). *Masse au décollage :* 660 t (C. 403). 4 propulseurs séparés de 20 t chacun (C. 17 t), vraisemblablement à capacité variable. *Consommation en carburant :* 4,5 l par passager pour 100 km (C. 101). **Avion à grande vitesse (AGV).** Étudié pour 2015-2020. 300 t, 150 passagers, rayon 12 000 km, alt. de vol 30 000 m, vitesse 5 000 km/h.

Appareils expérimentaux. 30 de Mc Donnell Douglas et Rockwell. SST 2000 (en All. Sanger). Projet. 300 à 400 t, 150 passagers, vitesse 25 000 km/h.

HOTOL (Horizontal and Take-off Landing) de British Aerospace. Décollerait sans pilote sur un chariot lancé à 500 km/h. Quand la vitesse orbitale (env. 28 000 km/h) serait atteinte (vers 90 km d'altitude), les moteurs seraient coupés et l'HOTOL, sur sa lancée, monterait jusqu'à 300 km. 22 petits moteurs fusées suffiraient ensuite à assurer la décélération nécessaire pour ramener le périgée à 70 km d'alt. *Atterrissage* à 320 km/h sur 1 800 m de roulement. *Permettrait* de relier Londres à Sydney en 45 mn de vol, de verticale à verticale, soit de 65 à 70 mn de vol, du décollage à l'atterrissage. *Coût du voyage :* 24 millions de F (soit, pour 50 sièges occupés, 480 000 F par passager).

Sharp. Avion à micro-ondes (stationary high altitude relay platform : répéteur fixe de haute altitude), Canada. Envergure : 4 m., masse : 5 kg. Un faisceau de micro-ondes lui fournit, en altitude, l'énergie nécessaire. Vitesse : 20 km/h.

Quelques chiffres

• **Altitude optimale de vol** (en m). *Concorde* 18 000, *Boeing 747* 13 740, *727* 12 800, *Douglas DC-10* 12 200, *737* 10 600.

• **Bruit.** *Zones de bruit engendrées par différents types d'avion :* début de piste d'envol et, entre parenthèses, surface en km². 707 (267) ; 727-200 (52) ; 737 (34) ; Tristar 1011 (22) ; A300B (13).

Consommation moyenne horaire de carburant kérosène (en t) (1988)

Appareils	Sièges	Vit. km/h	Cons.
Concorde	100	2 200	20
Boeing 747 mixte	350/477	900	11,5
Boeing 747 combiné	250	900	11
Boeing 727	155	870	4,2
Boeing 737	108	800	2,5
Airbus A 300-B2	281/292	860	6
Airbus A 300-B4	207/292	860	6,1
Airbus A 310	246	830	4,4
Airbus A 320	153	800	–

• Consommation. **Nombre de passagers/km effectivement réalisés par kg de carburant brûlé (à taux de remplissage maximal).** *Paquebot* 4, *avion supersonique Concorde* 10, *récent B 747* 38, *B 737* 25. Avec les taux d'occupation existants ou attendus : *Paquebot* 3, *Concorde* 7, *B 747* 23, *B 737* 15.

MacDonnell met au point une aile perforée qui, en réduisant les turbulences, ferait baisser de 45 % la consommation du kérosène.

• Dimensions. **Avions de transport les plus gros : USA :** *C-5A,* dit *Galaxy,* construit par Lockheed (347 t, long. 43,90, larg. 5,80, 28 roues). Les moteurs TF-39 ont chacun une poussée de 18 650 kg et 10 275 kg. 11 *C-5A,* transportant 91 t et volant 10 h par jour, auraient pu assurer à eux seuls le pont aérien de Berlin en 1948 (il avait alors fallu 375 avions, dont 225 américains et 150 anglais). **URSS :** *Antonov 22 « Anthée »* (1985) : (250 t en charge). 4 turbopropulseurs développant chacun 15 000 ch entraînant 8 hélices contrerotatives. Charge payante 80 t. *Antonov-124 Ruslan* (1982) : quadrimoteur de 405 t en charge, charge 150 t, aile 73 m d'envergure et 628 m² de surface, décolle à pleine charge sur 3 000 m de longueur, train d'atterrissage à 24 roues. *Antonov-225* (1988) : hexaréacteur (6 réacteurs) 600 t et 90 m d'envergure env., poussée totale de 140 t, équipé pour transporter sur son dos la navette spatiale Bourane.

Avions les plus petits : *Skybaby (biplan Stits)* : en 1952 (enverg. 2,18 m, long. 3 m, moteur de 85 ch, 205 kg à vide, vitesse max. 298 km/h). *Cri-Cri* : enverg. 4,90 m, long. 3,90 m, 72 kg.

Le plus léger : *Birdman* : 55 kg, enverg. 10 m, décolle en 30 m, se pose en 15 m, moteur de 11,5 ch, 80 km/h.

• Pistes. **Longueurs nécessaires** (en m) : *Airbus B4* : 2 320. *Boeing 707* : 2 900 à 3 320. *727* : 2 400 à 2 600. *737* : 2 100. *747* : 2 720 à 3 200. *Caravelle* : 1 800 à 2 000. *Concorde* : 3 000 à 3 200. *DC-3* : 1 200. *DC-4 Constellation* : 1 550. *DC-6* : 1 860. *Superconstell.* : 1 970. *Tupolev 154* : 2 100. *Viscount 708* : 1 650.

• Prix de vente. **Avions commerciaux** (en millions de $ U.S., avec p. de rechanges en 1985). **Airbus :** *300-600* 75,1 ; *310-200* 64,1. **Boeing :** *737-200* 19,7 ; *737-300* 27,7 ; *747-200* 99,6 ; *757-200* 44,7 ; *767-200* 56,8. **MDC-**80 29. **Hélicoptères** (en millions de F, 1979). *SA 315 B* 2,1. *SA 319 B* 2,7. *SA 330 JP* 10,0. *AS 350 Écureuil* 1,6. *Bell 206 B Jet Ranger II* 0,9. *Bell 206 L* 1,6. *Bell 222* 4,1. *Sikorsky S-76* : 5,2. **Avions de tourisme et d'affaires** (en F). *Galopin* (110 ch) 241 900. *Tampico* (160 ch) 288 000. *Trinidad* (250 ch) 529 000. *Tobago* (180 ch) 314 000. *Gabier* (235 ch) 410 200.

Avions d'occasion (en F). *Vieux coucou* 10 000. *Ancien Morane ou Jodel* 15 000 environ. *Rallye* 30 000. *Robin quadriplace* 60 000 et +. **Avions commerciaux d'occasion** (en millions de F, en 1988) : DC10-30 (acheté 115 en 1982) : 180. Boeing 747 (acheté 300 en 1983) : 345. Boeing 727 (acheté 35) : 70.

• Prix de revient. Heure de vol et coût du km/avion, entre par. (en F). *Piper « Chieftain »* 330 km/h 2 207 (6,68). *Beechcraft « King-Air » 200* : 3 928 (7,55). *Dassault Falcon 20 F* : 850 km/h 9 779 (1,43).

• Vitesse. **A l'atterrissage :** *Boeing 747* : 260, *737* : 240, *727* : 222, *DC-10* : 260, *Concorde* : 296. **De croisière :** voir tableau p. 1559.

• Production, commerce. Voir p. 1562.

Ballons libres

Quelques précisions

Adresses. *Fédération française d'aérostation,* 6, rue Galilée, 75016 Paris (96 clubs affiliés). *Club aérostatique de France,* 3 bis, square Antoine-Arnaud, 75016 Paris. *École de pilotage* à Maintenon et à Metz. *École aérostatique de France* à Meaux. *Club des ballons libres du Nord,* 190, rue Abbé-Bonpain, 59800 Lille. *Les Montgolfières de France,* 55, quai de Bourbon, 75004 Paris.

Nombre dans le monde (mars 91). *Montgolfières* + de 12 000 (USA 9 000, France 500, Suisse 294). *Ballons gaz* 171 (Fr. 13).

Pilotes USA 4 500. G.-B. 1 000. All. 870. France 783. Japon 652. Suisse 400.

Prix. *Ballon* : 70 000 F (constr. artisanale, amateur) à 300 000 F. *Montgolfière* : 100/180 000 F env. Inscription au club + assurance + inscription à la Fédération 600 à 800 F. 1 h de vol (montgolfière) : 550 à 700 F. **Brevet de pilotage.** Après 12 h de vol (dont 2 en solo).

Types de ballons. *1°) à gaz* alimentés en général à l'hydrogène ou à l'hélium (ex. : *Double Eagle II,* en août 1978, a traversé l'Atlantique, 5 001 km, durée 5 j et 17 h). *2°) à air chaud* (ou montgolfières). Record : distance 1 450 km (1re traversée de la Méditerranée, mars 1983, durée 29 h, altitude 16 805 m ; rec. du monde). *3°) hybrides* air chaud et gaz (type prévu pour un tour du monde à haute altitude : 20 j sur plus de 30 000 km). *4°) permettant la pressurisation de gaz à l'intérieur de l'enveloppe* (encore peu utilisés). *5°) à énergie solaire* (expérimentaux) ; une enveloppe noire emmagasinant la chaleur est recouverte d'une autre enveloppe en matière synthétique transparente laissant pénétrer les rayons solaires. *6°) planétaires,* envisagés comme moyen d'observation des planètes (gonflés à l'eau ou à l'ammoniaque depuis le sol d'autres planètes).

Ces catégories comportent 15 sous-classes de 250 m³ à 22 000 m³ et +.

Vitesse. Celle du vent qui le déplace.

Ballon à gaz

• Description. 1°) **Enveloppe ou peau de ballon.** Sphère en tissu non synthétique : coton Baptiste recouvert de caoutchouc sur chaque face pour éviter l'électricité statique (les premiers ballons étaient en soie vernie), composée de fuseaux (32 pour un ballon de 700 m³) assemblés par collage et coutures recouvertes de bandes d'étanchéité. Chaque fuseau est lui-même décomposé en panneaux. L'enveloppe est gonflée avec un gaz plus léger que l'air, le plus souvent de l'hydrogène ; elle s'ouvre à sa partie supérieure par une *soupape* qui permet l'évacuation du gaz et le déclenchement de mouvements vers le bas, et à sa partie inférieure par la *manche de gonflement,* ou appendice, qui sert à l'introduction du gaz dans l'enveloppe et, en cours de vol, en particulier durant la montée, à l'évacuation libre d'un excès de gaz dilaté par la diminution de la pression atmosphérique. Elle comporte aussi un panneau de déchirure en tissu (triangulaire en haut du ballon), qui sert de volet. En tirant sur une corde on peut l'ouvrir pour dégonfler rapidement le ballon lors de l'atterrissage, pour éviter que la nacelle ne soit traînée au sol. 2°) **Filet.** En chanvre italien, à fibres longues et serrées (résistance au déchirement 90 kg pour une corde de 3 mm de diamètre ; 1 100 kg pour 11 mm) ou filets synthétiques plus légers et résistants, il recouvre l'enveloppe et se termine par des suspentes (12 à 16) qui aboutissent au *cercle de charge* (en bois ou métal léger) auquel sont attachées les suspentes de la nacelle. 3°) **Nacelle.** Panier en osier (résistance, souplesse, légèreté, électricité statique nulle). Doit avoir actuellement 1,10 × 1 m × 1 m de haut au moins pour transporter 4 personnes. 4°) **Guiderope.** Corde en coco de 60 à 75 m de long accrochée sur un des côtés de la nacelle. En le déroulant (lorsqu'il touche le sol), il sert de délesteur, frein partiel, moyen d'orienter le ballon avant son atterrissage. 5°) **Ancre.** Servant de frein, n'est plus utilisée aujourd'hui. 6°) **Lest.** Corps pesants (sable en sacs de 15 kg) que l'on jette pour régler l'ascension du ballon. 7°) **Instruments :** *altimètre* (baromètre gradué en altitude) ; *variomètre* (indique en m/s la vitesse de montée ou de descente) ; *thermomètre* et parfois *hygromètre, barographe* (enregistre le vol) et *radio* éventuellement : transpondeur qui transmet dans la fréquence radar.

Nota. – *Ballon de 700 m³* poids mort 260 kg (sans lest, lest minimum 70 kg, charge en passagers max. 430 kg = 5 passagers), *b. de 400 m³* 140 kg.

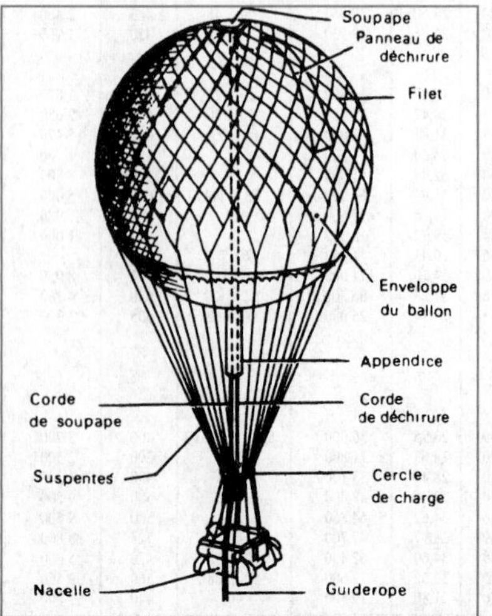

• Principe. Les b. à gaz sont aujourd'hui gonflés à l'*hydrogène* qui a une force ascensionnelle moyenne de 1,1 kg/m³. L'*hélium,* plus lourd que l'hydrogène mais ininflammable, est rarement employé car coûteux. Le *gaz d'éclairage* n'est plus employé (il est en général plus lourd que l'air sauf le gaz des houillères). Une fois le b. gonflé, le pilote jette du lest jusqu'à ce que le b. atteigne son point d'équilibre au niveau du sol (opération appelée pesage). Cet équilibre est atteint dès que le poids total du b. correspond au poids de l'air déplacé par le b. selon le *principe d'Archimède* (tout corps plongé dans un fluide subit de la part de ce fluide une poussée verticale de bas en haut égale au poids du fluide qu'il déplace). La *force ascensionnelle* est égale à la différence entre le poids de l'air déplacé par le b. et le poids du b. Le poids de l'air variant avec la température, l'altitude et l'humidité relative, la force ascensionnelle du b. et sa hauteur d'équilibre varient selon les conditions atmosphériques. Au fur et à mesure que le b. monte, le poids de l'air diminue alors que le gaz, devenant plus léger, augmente de volume (*loi de Mariotte :* à température constante, le produit des nombres qui mesurent la pression et le volume est un nombre constant pv = p'v' = constante).

Tout b. qui a atteint son point d'équilibre redescend jusqu'au sol (à 1, et 3,5 m/s suivant l'altitude) s'il n'est pas maintenu en altitude par un délestage régulier. *Pour accélérer la descente,* on ouvre la soupape ; *pour la freiner,* on déleste ; *pour maintenir une alt. constante,* on alterne.

Quantités minimales de lest embarqué (1 sac de lest = 15 kg net) : *ballon de catégorie 1* (600 m³) 4 sacs = 60 kg ; *2 et 3* (jusqu'à 1 200 m³) 8 = 120 kg ; *4* (jusqu'à 1 600 m³) 12 = 180 kg ; *5* (jusqu'à 2 600 m³) 15 = 225 kg. Au minimum, on embarque en poids les 10 % du volume. *Influence de la température :* si la température du gaz baisse, le volume gazeux diminue et la force descendante égale 4 % du poids de l'air déplacé par degré. A 2 000 m d'alt., 1 m³ d'air pesant env. 1 kg, un b. de 1 000 m³ subit ainsi une force descendante de 40 kg env. pour une baisse de température de gaz de 10 °C. La descente qui s'ensuit ne peut alors être freinée qu'avec 40 kg de lest.

Ballon flasque. Rempli incomplètement, il s'élève avec une vitesse constante jusqu'à ce que son enveloppe soit entièrement dilatée. Il devient alors un b. plein qui continue son ascension jusqu'à son point d'équilibre. *Avantages* 1° : il s'élève à son altitude de gonflement maximale sans intervention du pilote (sa force ascensionnelle restant constante) ; il est donc plus vite à l'abri des obstacles imprévus ; 2° il économise du gaz.

Ballon stratosphérique ouvert. Ballon d'env. 350 000 m³ (90 m de diamètre), emportant 600 kg à 40 km d'alt. Enveloppe légère (polyéthylène de 10 à 25 microns d'épaisseur) remplie de gaz léger (hélium ou hydrogène), ouverte à sa partie inférieure. A la fin de l'expérience, séparée, la nacelle se détache et redescend avec un parachute ; le ballon éclate.

Ballons pour vols de longue durée. Fermés pressurisés ; ils gardent un volume constant jour et nuit (sur les ballons ouverts, le volume diminue la nuit à cause du refroidissement et le ballon descend). Ils sont chauffés le jour par le rayonnement solaire, et la nuit par le rayonnement infrarouge émis par la terre. En 1978, on utilisait seulement des ballons surpressurisés et sphériques. Depuis, on a étudié des ballons lobés « potirons », emportant 12 kg à 17 km d'alt. pendant 5 mois, ou 50 kg à 26 km.

Ballon à air chaud ou montgolfière

• Description. 1°) **Enveloppe :** en forme de poire en Nylon indémaillable, traitée en surface par un vernis polyuréthane (1/10 mm d'épaisseur, 35 à 40 g/ m²). Sa partie inférieure, faite en nomex (tissu synthétique très résistant à la chaleur) est ouverte. En dessous, au milieu du cercle de charge en acier, le brûleur : actionné par le pilote, il réchauffe par intermittence l'air contenu dans l'enveloppe et maintient l'aérostat en ligne de vol régulière. Autrefois, on brûlait de la paille. Sur les nouveaux types de montgolfières, la soupape latérale en Nylon et le panneau de déchirure triangulaire ou circulaire fixé à l'aide de bandes Velcro sont remplacés par le panneau « parachute », calotte amovible plaquée à l'intérieur, au sommet du ballon, par la pression de l'air chaud. A l'aide d'un câble, le pilote en contrôle l'ouverture. Il n'y a pas de filet. Chaque fuseau possède une sangle en matière synthétique qui se termine par un câble d'acier fixé au cercle de charge. 2°) **Nacelle :** généralement en osier, comporte 8 suspentes en câble d'acier inox. On n'embarque pas de lest à bord, mais des bouteilles de propane liquide de 20 kg (assurant chacune un vol de 25 à 50 mn, suivant le volume du b., la température extérieure et la charge de la nacelle) ou de 35 kg (autonomie de 45 à 90 mn). **Capacité.** Souvent 1 800 à 2 200 m^3 (b. à gaz 400 à 2 000 m^3). A capacité égale, une montgolfière emmène moins de passagers qu'un b. à gaz. **Gonflage.** On remplit d'abord au tiers d'air ambiant avec un ventilateur, puis on chauffe en envoyant la flamme à l'horizontale. L'air, en se dilatant, gonfle très rapidement l'enveloppe qui se redresse. Il ne reste plus qu'à chauffer pour trouver la force ascensionnelle (en moy. 1 m^3 d'air chaud possède un pouvoir ascensionnel de 250 g lorsque la temp. extér. est de 18 °C).

• **Principe.** *Pour le pilotage,* on dispose d'un variomètre, d'un altimètre et d'un indicateur de température (max. à ne pas dépasser : 130 °C). *Inconvénients :* les montgolfières ne peuvent voler que par très beau temps, à cause de leur grande prise au vent, de la technique de gonflement, et des turbulences aérologiques causées par les nuages. *Avantages :* mise en œuvre rapide, prix de revient au vol moins élevé que les ballons à gaz.

• **Montgolfières à formes spéciales.** Ayant la forme de bouteilles, bonshommes, paquets de cigarettes, camions, motos, pagodes, châteaux, maisons, avions, pneus, minarets, sphinxs, boîtes de conserves, bougies, ours, éléphants, etc. Pilotage très délicat.

• **Record. Distance :** *traversée du Pacifique* (15/17-1-1991) : Richard Brandon et Per Lindstrand (Angl.), 10 878 km sur le Pacific Flyer de 74 000 m^3. Alt. max. 11 000 m, vitesse max. 385 km/h, vit. moy. 237 km/h, durée du vol 46,06 h (du Japon au Canada) ; *de l'Atlantique* (2/3-7-1987) : Richard Brandon et Per Lindstrand (Angl.), 4 948 km sur le Virgin 63 713 m^3 (capacité record). **Altitude :** Julien Nott sur ICI Innovation, 16 805 m.

Dirigeables

• **Types. Souples :** sans support intérieur ou extérieur. **Rigides :** à structure recouverte par l'enveloppe ; nacelle et bâtis moteurs sont solidaires de l'armature. La carène est constituée par des anneaux en aluminium, reliés par des poutres longitudinales. Chaque extrémité est terminée par un cône. L'intérieur est divisé en compartiments dans lesquels sont placés des ballonnets contenant hydrogène ou hélium. On distingue les *aérocranes* ayant la forme d'un ballon et les *hélistats* ayant celle d'un zeppelin.

Nota. – Il existe 22 dirigeables à air chaud (dont 3 en France) qui sont en fait des montgolfières oblongues ; un moteur de 60 ch env. entraîne une hélice carénée permettant à la montgolfière de revenir à son point de départ si le vent ne dépasse pas une vitesse de 10 km/h.

• **Zeppelins.** Le Cte Ferdinand von Zeppelin (All., 1838-1917) a donné leur essor aux dirigeables. Du 2-7-1900 à 1937, 119 sortirent de son usine de Friedrichshafen. Les *zeppelins* ont assuré, à partir du 1-10-1928, un service transatlantique vers New York (de 1928 à 1935, le *Graf Zeppelin* a traversé 144 fois l'Atlantique, parcourant 1 695 272 km en transportant 13 110 personnes, sans accident), Pernambouc et Rio de Janeiro. Un Zeppelin a effectué un tour du monde en 21 j 7 h 22 mn du 8 au 29-8-1929. Les zeppelins disparurent après l'incendie (dû à un attentat ?) du *LZ 129 Hindenburg* le 6-5-1937, lors de son atterrissage à Lakehurst (USA) (35 †).

Types. Construits entre 1916 et 1919 : long. 178-226 m ; diamètre 18,7-23,9 m ; volume 40 000-70 000 m^3 ; vitesse 70-110 km/h ; alt. max. atteinte par le L 55 : 7 600 m ; masse embarquée du L 59 : 56 000 kg (B = 68 500 m^3) ; autonomie 101 h. **LZ 127 Graf Zep.** lancé 8-7-1928 : long. 236,60 m, haut. 33,7 m, diam. max. 30,5 m, vol. 105 000 m^3 d'hydrog., 5 moteurs de 530 ch, vitesse com. 117 km/h, alt. env. 250 m, auton. 10 000 km, 20 passagers, 40 h d'équipage, 8 t de charge utile, poids total 110 t ; les compartiments extrêmes et la partie inférieure de l'enveloppe contenaient 12 ballonnets remplis au départ de gaz combustible pour l'alimentation des moteurs (ce gaz était remplacé par de l'air au fur et à mesure de sa consommation). **LZ 291 Hindenburg :** 1936, longueur 245 m, diamètre 41,20 m, haut. 44,80 m, vol. 190 000 m^3 d'hydrogène, 4 moteurs de 1 050 ch, 40 h d'équipage, 55 (puis 72) passagers, 20 t de charge utile, poids total 200 t, vitesse comm. 127 km/h, alt. env. 250 m, autonomie 14 000 km, aménagement : 2 étages, 25 cabines à 2 couchettes, un fumoir, 2 salons, un bar, une salle à manger.

• **R 100 et R 101.** Construits en G.-B. 141 000 m^3, long. 220 m, diam. max. 40 m, haut. 42 m, 5 moteurs de 650 ch.

Principaux types d'avions légers	Enverg. m	Long. m	Masse kg	Places [1]	Vitesse [2] km/h	Rayon d'action km
Avions à turboréacteurs						
500 Citation Cessna (USA)	14,3	13,3	2 931	7 à 9	840	2 455
650 Citation Cessna (USA)	15,4	15,7	4 364	8 à 13	972	5 534
Cessna Citation III (USA)	16,31	16,92	5 357 [3]	11	515	
Cessna Citation V (USA)	15,90		4 000 [3]	7 à 11	541	
Gates Learjet 24E (USA)	10,9	13,2	3 187	8	980	2 340
Gates Learjet 36A (USA)	12	14,8	4 152	8	1 000	5 290
Gulfstream 2 Grumman (USA)	21,9	24,4	16 738	21	1 020	6 200
HFB 320 Hansa (All. féd.)	14,44	16,56	5 420	14	930	2 520
HS-125-700 Hawker Siddeley (G.-B.)	14,3	15,5	5 765	10 à 16	935	4 270
Jet Star 2 Lockheed (USA)	16,6	18,4	10 967	12	980	4 980
Sabreliner 60 Rockwell (USA)	13,6	14,3	5 103	12	960	3 380
Sabreliner 80 A Rockewell (USA)	15,4	14,4	n.c.	12	960	n.c.
Avions à turbopropulseurs						
PA-31-T Cheyenne Piper (USA)	13	10,6	2 257	8	520	2 800
441 Conquest Cessna (USA)	15	12	2 489	8 à 11	530	3 390
400 Hustler American Jet (USA)	9,9	11,7	1 678	7	610	4 590
C 90 King Air Beech (USA)	15,3	10,8	2 593	6 à 11	412	2 370
B 100 King Air Beech (USA)	14	12,2	3 208	6 à 16	491	2 450
King Air 300 L W (USA)	16,61		3 851 [3]	8	568	
MU-2N Mitsubishi (USA)	11,9	12	3 491	8 à 11	545	2 220
MU-2P Mitsubishi (USA)	11,9	10,1	3 129	7 à 9	590	2 580
200 Super King Air Beech (USA)	16,6	13,3	3 327	7 à 16	536	3 500
690 B Turbo Commander Rockwell (USA)	14,2	13,5	2 810	7 à 10	530	2 720
Cessna Caravan I	15,85	11,46	1 753 [3]		341	
Avions à moteurs à pistons						
Cessna Caravan I	15,85	11,46	1 753 [3]		341	
Aiglon R 1 180 P. Robin (Fr., 3-2-77)	9,08	7,26	650	4	178	1 600
ATL P. Robin (Fr.)	10,26	6,72	340 [3]	n.c.	166	650
Baron B55 Beech (USA)	11,5	8,5	1 463	4 à 6	348	1 840
Bonanza A 36 Beech (USA)	10,2	8,4	978	4 à 6	310	1 530
Businessliner 402 Cessna (USA)	12,2	11	1 757	6 à 8	356	790
CAP 21 Mudry (Fr., 23-6-80)	8,08	6,46	490	1	320	2 400
CAP X Super Mudry (Fr.)	8,4	6,1	415 [3]	n.c.	180	800
CAP 10 Mudry (Fr.)	8,06	7,15	540	n.c.	240	1 000
Cardinal 177 Cessna (USA)	10,8	8,3	695	4	240	990
Cherokee PA-28-235 Piper (USA)	9,8	7,3	722	4	250	1 270
Commander 700 Rockwell (USA)	12,9	12	n.c.	6	n.c.	n.c.
Commuter 421C Cessna (USA)	12,6	11,1	1 938	10	390	1 550
Cessna 421 (USA)	14,07	11,96		7		
Cougar GA-7 Grumman (USA)	11,2	0,1	n.c.	4	n.c.	n.c.
DR 400/160 Major 80 P. Robin (Fr., 29-6-72)	8,72	6,96	565	4	248	1 580
DR 400/180 Régent P. Robin (Fr., 27-3-72)	8,72	6,96	575	4	257	n.c.
DR 400 Dauphin P. Robin (Fr.)	8,72	6,96	535	n.c.	216	930
F 406 Reims (Fr.)	15,04	11,95	2 172	n.c.	458	2 372
P 152 + FA 152 Reims (Fr.)	10,11	7,57	515	n.c.	198	1 278
R 3 000 P. Robin (Fr.)	9,81	7,51	650 [3]	n.c.	255	1 350
F 172 Reims Aviation (Fr., 1-4-63)	10,97	8,22	648	4	226	1 390
Tampico Socata (Fr., 23-2-77)	9,76	7,63	650	4 à 5	232	860
Trinidad Socata (Fr., 14-11-80)	9,77	7,71	762	4 à 5	303	2 145
Duke B60 Beech (USA)	12	10,3	1 937	4 à 6	440	2 165
Navajo PA-31-350 Piper (USA)	12,4	9,9	1 810	6 à 8	400	1 865
Senera 2 PA-34-200 Piper (USA)	11,9	8,7	1 280	6 à 7	350	1 450
Skywagon 180 Cessna (USA)	11	7,8	748	4 à 9	260	955
Tobago-Socata (Fr., 23-2-77)	9,76	7,63	670	4 à 5	247	1 075
Socata TB 9 Club (Fr.)	9,77	7,7	650 [3]	4		
Socata TB 10 (Fr.)	9,77	7,7	690 [3]	4 à 5		
Socata TB 20 (Fr.)	9,77	7,71	791 [3]	5		
Socata 21 TC (Fr.)	9,77	7,71	844 [3]	5		

Nota. – (1) Y compris l'équipage. (2) Non compris la réserve de sécurité. (3) Masse à vide.

• **Causes des disparitions de 123 dirigeables rigides.** Détruits par incendie 23, accidents en vol au voisinage du sol ou à l'atterrissage 15, rupture en vol 3, heurt d'un hangar 3, causes diverses (tempête, givrage, causes inconnues) 16, réformés après utilisation 63. Gonflés à l'hydrogène, ils étaient très inflammables. L'incendie pouvait être provoqué par l'électricité statique en atmosphère orageuse, une défaillance des circuits électriques ou des moteurs, l'imprudence d'un fumeur ou même l'étincelle provoquée par le frottement du fer d'une chaussure. Pour supprimer ce risque, il aurait fallu gonfler les dirigeables à l'hélium, gaz ininflammable, mais rare et cher.

• **Dirigeables-grues.** Ex. **Titan :** du type lenticulaire (sorte de soucoupe volante), dérivé d'un véhicule stratosphérique étudié dans le cadre du projet Pégase de relais géostationnaires de télécomm. Épaisseur 55 m, volume 950 000 m^3, masse embarquée 500 t, alt. de vol 1 000 m, vit. max. 140 km/h. **Obélix :** ensemble de 4 ballons de 220 000 m^3 chacun fixés aux 4 pieds d'un portique de manutention de 70 m de haut et 60 m de base. Au total : hauteur 200 m, largeur 170 m, longueur 200 m, poids 1 040 t (dont charge payante 500 t). Se déplacera à 80 km/h à 1 000/1 200 m d'alt., pourra franchir 650 km avec 500 t. Pourrait voler 200 j par an en moyenne, avec un vent de – de 36 km/h, mais nécessiterait autant de personnel au sol qu'un gros hélicoptère. **Skyship AD 5 000 :** en forme de soucoupe : 45 m de diamètre, 16 d'épaisseur au centre, nacelle 9,2 × 2,4 m. **Skyship SKS 600 :** 6 666 m^3, 59 m de long, nacelle 11,6 × 2,5 m, 20 pers., 3 t de charge disponible (aux essais). En 1989, pendant les fêtes du Bicentenaire, un Skyship a stationné au-dessus de Paris (Sécurité des personnalités).

• **Dirigeable à énergie humaine.** De l'Américain Bill Watson : 16 m de long (volume 2 050 m^3), gonflé à l'hélium. Poids à vide : 80 kg, hélice actionnée par pédalier ; prix : env. 300 000 F.

• **Dirigeables à air chaud.** Volume moyen de 3 000 m^3, achetés par des sponsors, mais qui ne peuvent évoluer que par très beau temps (quasi-impossibilité de remonter le vent sup. à 20 km/h).

• **Hélidirigeable.** Prototype mis au point par Goodyear. Compromis entre un hélicoptère et un dirigeable, il permettrait dans sa version « transport de charges » de soulever 1 000 t et de les transporter à 450 km à + de 100 km/h.

• **Évaluation du marché.** *Transp. local* [charge utile 5 à 10 t (50 à 60 passagers), vit. 100 à 120 km/h, 1 000 km] : 2 000 dirigeables. *Rég.* (20 à 30 t ; 100 à 120 km/h, 2 000 à 3 000 km) : 200 à 500. *Longue distance* (100 à 200 t, 100 km/h, 500 à 5 000 km) : quelques dizaines. *Croisières touristiques* (30 t, 100 à 120 km/h. 1 500 à 2 000 km) : quelques dizaines. *Surveillance économique :* 2 à 5 t, alt. basse, 60 à 120 km/h, autonomie 20 à 30 h ; *militaire :* 20 000 à 40 000 m^3, alt. 2 000 à 5 000 m, aut. 20 à 30 h, masse 3 à 5 t.

Avantages attendus. *Économie de carburant.* Un Boeing cargo 747 utilise 60 kg de carburant par t

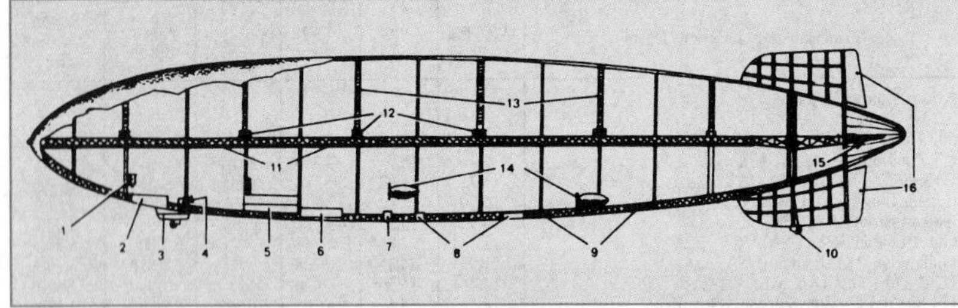

Un dirigeable Zeppelin du type Hindenburg : 1 Water-ballast. 2 Carré des officiers. 3 Cabine de pilotage. 4 Salle de radio. 5 Installation des passagers. 6 Cabines de l'équipage. 7 Salle des machines. 8 Passerelle de quille. 9 Réservoirs d'eau et de gas-oil. 10 Train d'atterrissage de queue. 11 Passerelle. 12 Soupapes. 13 Cheminées de gaz. 14 Moteur. 15 Gouverne de profondeur précédée d'un plan fixe de stabilisation. 16 Gouvernail.

et par heure (pour se « sustenter » 70 % et se mouvoir «à %). Un dirigeable de même capacité utiliserait 20 kg. Un Airbnus sur Paris-Londres utilise 7 t de carburant pour 230 passagers, le Skyship utilise 2,3 t pour 500 passagers. *Poids soulevé :* hélicoptère 15 t, dirigeable 400 ou 500 t procurant à charge égale une économie de 60 % de carburant. *Sécurité :* emploi de l'hélium (qui ne brûle pas) ; l'enveloppe peut contenir une centaine de ballons autonomes. *Économie d'infrastructures.*

☞ **Association d'étude et de recherche sur les aéronefs allégés** (6, av. Constant-Coquelin, 75007 Paris). *Créée* 1972. *Pt :* J.-R. Fontaine.

Hélicoptères

• **Définition.** Aéronef dans lequel la force sustentatrice et la force nécessaire à l'avancement sont fournies par une ou plusieurs hélices à axe vertical. En général héli. monorotor : le couple transmis au rotor par le moteur est centré par un rotor anticouple placé à l'arrière du fuselage.

• **Description. Fuselage :** dépend des dimensions et de l'emploi. A l'avant : poste de pilotage (sur les petits héli., il n'est pas séparé de la cabine). Autour de la cabine : batterie de démarrage, réservoirs de carburant, d'huile, de liquide hydraulique, différents systèmes de génération hydraulique et électrique, postes de radio et de radionavigation. A l'extrémité de la poutre de queue : stabilisateurs. **Moteur.** *A pistons :* moins onéreux, mais plus lourd et moins puissant ; utilisé pour petits héli. ; *turbomoteur :* utilisé surtout à partir de 300 ch env. souvent 1, 2 ou 3 turbines. **Rotors :** *articulés :* avec des axes de battement, de traînée et de pas qui permettent les débattements de la pale autour du moyeu pour compenser les variations de forces aérodynamiques dues à la dissymétrie de vitesse ; *semi-articulés* ou *rigides :* tout ou partie des mouvements de la pale sont pris en compte par la souplesse de la pale ou du bras de moyeu, et non par des articulations. **Pales :** selon la masse de l'appareil, rotors à 2, 3, 4, 5 ou 6 pales. Les variations de pas (angle d'incidence de la pale) sont commandées par un ensemble de biellettes (1 par pale). *Matériaux :* bois de différentes espèces collés (soumis à l'influence de l'humidité en particulier) ; longeron métallique avec remplissage en « nid d'abeille » et revêtement métallique ; en matériau composite moulé avec remplissage en « nid d'abeille » ou similaire, et revêtement en fibres de verre ou (et) de carbone pour adapter la rigidité de la pale en flexion et torsion (pale plastique) et éliminer les problèmes de corrosion, de propagation de criques (cassure accid. du matériau). **Train d'atterrissage :** fixe à patins (sur les petits hélicoptères) ou à roues (fixes ou escamotables) pour faciliter la manutention au sol.

• **Consommation.** Environ 2,5 fois plus qu'un avion de même capacité d'emport. Ex. : entre 2 appareils pouvant transporter 20 passagers : héli. SA 330 Puma biturbine (2 moteurs de 1 580 a) : 650 l à l'heure ; avion biturbopropulseur Embraer 110 Bandeirante (2 moteurs de 680 a) : 280 l/h ; héli. AS Écureuil (monoturbine) : 165 l/h, avion Piper Cherokee Six (à pistons) : 60 l/h.

• **Vol.** *Stationnaire* et *vertical :* 2 forces en présence : la portance Fz génératrice de la sustentation, et le poids de l'appareil P qui lui est opposé. *« Translationnel »* (déplacement en avant, arrière ou sur le côté) : on incline le plan de rotation de la voilure tournante par rapport à l'axe du fuselage, à la portance et au poids, auxquels s'ajoute la traînée. La résultante F des forces aérodynamiques créées par cette giration est inclinée vers l'avant et peut se décomposer en une force de traction horizontale Fx, opposée à la traînée t de l'ensemble de l'appareil, et en une portance Fz verticale, opposée au poids, mais égale en valeur absolue à celui-ci et à la traînée t.

Construction aérospatiale

Dans le monde

Perspectives

Livraisons d'avions civils à réaction de 1989 à 2008 dont entre parenthèses **de 1989 à 1998.** *Moins de 131 places :* 1 605 (1 118). *De 131 à 170 :* 2 360 (1 441). *171 à 230 :* 2 153 (1 103). *231 à 340 :* 3 117 (1 231). *341 à 430 :* 1 751 (640). *Plus de 431 :* 150 (43). *Total :* 11 136 (5 576) dont Europe [2 685 (1 468), Amérique du N. 4 680 (2 535), autres pays 3 771 (1 573)] + loueurs 1 070 (710). *Total avec loueurs :* 12 206 (6 286) dont à fuselage étroit 6 237.

Flotte. *1988 :* 7 397. *2008 :* 14 064 [soit + 6 667 (livraisons 12 206, avions retirés 5 539)].

Avions commerciaux. De + de 100 places (fabriqués aux USA et en Europe). **Long-courriers :** B 747 : 300 à 600 places, Airbus A-340 : 250 pl., mis en service en 1992, McDonnell Douglas MD-11, remplaçants du DC-10. **Moyen-courriers de 200 à 400 pl. :** Airbus A-310, A-330 et A300-600R et Boeing B 767-200 et 300 et B 757-200. **Court- et moyen-courriers de 150 pl. :** Douglas MD-89, Boeing 737-300 et Airbus A-320 (150 pl.), A-321 (180 pl.). **Court-courriers de 100 pl. au moins :** BAe 146, Fokker F 100, Douglas MD-87 et Boeing B 737-100. **Régionaux de 40 à 100 pl. :** L 000 dont Fokker F 50, ATR 42 et Dash 7.

Avions d'affaires. 10 000 avions (dont Dassault-Falcon, Gulfstream, Learjet, Beechcraft, ATP, Cessna, etc.).

Principales sociétés

Chiffre d'affaires (en milliards de F, 1989). Boeing [1, 5] 125,9, McDonnell Douglas [1] 85,49, General Electric [1] 77,48, United Technologies [1] 67,52, Lockheed [1, 6] 56,04, BAE [2, 7] 55,1, DASA [4] 47,75, General Dynamics [2] 42,29, Rockwell [2] 42,09, Raytheon [2] 39,86, Aérospatiale [3] 33,9, Northrop [2] 33,48.

Nota. – (1) USA. (2) G.-B. (3) France. (4) All. féd. (5) *En 1990 :* 27,6 milliards de $, bénéfice 1,4 (*En 1988 :* 16,96 et 0,93), 161 000 employés (au 1-1-91). *Commandes reçues. 1985 :* 390, *86 :* 336, *87 :* 366, *88 :* 632, *89 :* 887, *90 :* 543 (dont 172 *747,* 162 *737,* 97 *757,* 52 *767,* 49 *777* (nouveau), 30 *De Havilland Dash 8,* 11 *707*). De 1955 à fin 90 a vendu (y.c. de Haviland) 7 582 avions à réaction. *Les + vendus : 727 :* 1 831 ; *737 :* 1 970. (6) Est. 89 : 90 [dont voitures (Rover) 39 %, aviation militaire 23, systèmes d'armes et électronique 17, aviation civile 13, travaux publics 6, espace 2]. (7) *Chiffre d'aff.* (milliards de $). *88 :* 10,4 ; *89 :* 9,9, employés 82 500.

Principaux pays constructeurs

• **Aéronautique civile.** *Avions à réaction livrés : 1989 :* 526. *Commandés : 1988 :* 1 123, *89 :* 1 793 (soit 80,8 milliards de $) dont *USA* 1 226 (53,9 md $) dont Boeing 887 (39,7), MacDonnell Douglas 339 (14,2), *Europe* 567 (26,9) dont Airbus 405 (23,5), British Aerospace 43 (0,9), Fokker 567 (26,9). *90 :* 1 147 dont Boeing 532, Airbus 359, MacDonnell Douglas 189, autres 167.

Boeing (milliards de F). *C.A. 1989 :* 102 (20,3 md de $), *90 :* 138 (27,6) ; *bénéfices nets 1989 :* 3,4 (0,675), *90 :* 7 (1,4) ; *commandes (appareils) 1989 :* 237 (446), *90 :* 240 (47,7) ; *livraisons (appareils) 1989 :* 342, *90 :* 449 (dont 94 % civils), *91* (prév.) : 506 ; *commandes (appareils) 1989 :* 883, *90 :* 543 ; *effectifs :* 161 000.

Industrie aérospatiale occidentale (en milliards d'écus, 1989). *Chiffre d'affaires total consolidé (dont exportations) :* USA 96,8 (16,9), G.-B. 13,5 (9), France 11,7 (7), Allemagne 8,3 (4,3).

Production

• **Nombre total d'avions produits par catégories principales, des origines à fin 1987 et,** entre parenthèses, **livrés en 1987.** *Total : 5 599 (272). A 300* 197 (4). *A 310 :* 84 (10). *A 320 :* 0 (0) [90 A-320 commandés en 85, 28 livrables en 88]. *F. 28 :* 62 (0). *B 707 :* 136 (0). *B 727 :* 1 122 (0). *B 737 :* 788 (74). *B 747 :* 480 (11). *B 757 :* 56 (5). *B 767 :* 122 (23). *DC-9 :* 508 (0). *MD-80 :* 331 (65). *DC-10 :* 297 (1).

• **Avions livrés et,** entre parenthèses, **commandés** au 1-1-1991. **Boeing.** *707/720* (dep. 1958) 990 (999). *727* (dep. 1963) 1 831 (1 831). *737* (1967) 1 970 (2 885). *747* (1969) 825 (1 123). *757* (1982) 332 (724). *767* (1982) 343 (526). *De Havilland Dash 6* 844. 7 111. *8* 241. *Total* 7 487. *Livraisons en 1989 :* 284 (dont 146 *737,* 51 *757,* 45 *747,* 37 *767,* 5 *707*). *90 :* 381 (174 *737,* 70 *747,* 77 *757,* 60 *767*).

1°) **Avions civils.** Total des avions livrés au 1-1-88, entre parenthèses restant à livrer en 1988, et en italique en 1989 (URSS exceptée). **A turboréacteurs.** *Airbus Industrie A-300.* Total 5 849 (643) dont *A-300* 197 (13) *13, A-310* 84 (12) *12, A-310 C* 2 (–), *British Aerospace - BAC One Eleven* 83 (–) –, *146* 14 (8) *6, Boeing 727 (toutes séries)* 1 122 (–) –, *737* 788 (41) *102, 747* (toutes séries) 480 (3) *49, 757* 56 (5) *12, 767* 122 (24) *27, Fokker VFW F-28* 62 (–) –, *Lockheed L-1011* 142 (–), *McDonnell-Douglas DC-9* 508 (–) –, *DC-10* 297 (–). **A turbopropulseurs.** Total 1 019 (399) dont *Aérospatiale/Aeritalia ATR-42* 23 (12) *10, De Havilland Canada DHC-7* 25 (2) –, *Fokker F-27* 132 (–). **Petits avions.** 569 (12) *22.*

2°) **Avions militaires.** Voir Index.

3°) **Hélicoptères.** Voir tableau p. 1557.

Nota. – *Donald Douglas* (1892-1981) construisit le 1er DC-3 (Dakota) en 1935 : produit à 13 641 ex. (civils + militaires) dont 2 500 à 3 000 étaient encore en service début 1981. *James McDonnell* (1899-1980) reprit Douglas en 1967 et constr. les DC-8, 9 et 10. *John Northrop* (1895-1981) construisit surtout des appareils militaires.

☞ En avril 1989, *GPA (Guinness Peat Aviation)* créé en 1975 en Irlande, loueur d'avions (possède 172 avions), a commandé 308 avions de ligne (dont 182 Boeing, 72 Douglas, 54 Airbus, 30 A 320, 24 A 330/340) pour 16,8 milliards de $ (106,6 milliards de F). *United Airlines* a commandé à Boeing pour 15,7 milliards de $ (99 millions de F) [dont 120 B 737 (+ 13 options), 60 B 757 (+ 60 options)].

En France

Données globales

☞ L'industrie aérospatiale comprend env. 200 sociétés, dont les grands maîtres d'œuvre : Aérospatiale, Avions Marcel Dassault, SNECMA, Matra, Thomson-CSF. Elle touche env. 5 000 sous-traitants ou fournisseurs directs (1990 : 119 600 employés).

• **Chiffre d'affaires consolidé** (en milliards de F, H.T.). *1981 :* 43,8. *82 :* 51,3. *83 : 60,3. 84 :* 68,5. *85 :* 72,8. *86 :* 74,6. *87 :* 75,4. *88 :* 83,4. *89 :* 93,2. *90 :* 100,9 dont avec État 35,6 (dont cellules 19,7, moteurs 7,2, matériel d'équip. 8,7).

C.A. de l'aéronautique civile (1989, en milliards de F). 33,1 (dont exportation 82,5 %) dont avions de lignes 12,3, d'affaires 3,8, hélicoptères 2,5, moteurs 10,1, équipements 4, aviation légère 0,4. *1990* (prév.) : 36.

• **Principales firmes. Chiffre d'affaires consolidé,** (hors taxe, en millions de F) **et,** entre parenthèses, **effectifs, filiales comprises** (1990). Aérospatiale 32 800 (37 842). Dassault Breguet 18 800 (15 800). Turbomeca 2 370 (3 883). Snecma 23 000 (25 554). Matra (militaire et spatial) 24 300 (4 500). SEP 4 470 (3 886). SNPE (militaire et spatial) 3 220 (1 698). Avions Murdy 30 (50). Robin 76 (520). Socata 750 (950). Messier Hispano Bugatti 21 280 (2 800). Reims-Aviation 229 (510).

Chiffre d'affaires (non consolidé)

En millions de F H.T. en 1990	Cellules	Moteurs	Équipements [1]	Total
Avec l'État	19 660	7 216	8 735	35 611
Exportations directes	33 769	14 594	7 294	55 657
Avec clients fr. (sauf État)	5 775	1 579	2 270	9 624
Avec construct. aérospatiaux fr.	3 687	2 614	11 360	17 661
Total	62 891	26 003	26 659	118 553

Nota. – (1) Y compris avionique. *En 1990 :* 98 755 millions de F (dont aérodynes et missiles 52,5 %, équipement 25,4, propulseurs 22,1).

• **Exportations aéronautiques. Commandes** (en milliards de F) **et,** entre parenthèses, **livraisons. 1979** 26,9 (15 676). **1980** 27 (20 504). **1981** 35,2 (27 110). **1982** 44,4 (32 122). **1983** 23,8. **1984** 37 (41 226). **1985** 61,6 (43 989). **1986** 39 (45 450). **1987** 47,4 (estimation 48 400). **1989** 76,1 (55 012). **1990** 62,9 (55,7) [dont cellules et avions complets 32,3 (19,2), hélicoptères 7,1 (5,4), moteurs 9,5 (14,6), engins 5,7, (6,9), espace 2,8, (2,2), équipements 5,6 (7,3)].

Solde aéro et spatial (en milliards de F). *1981 :* 18,6. *82 :* 22,8. *83 :* 28,3. *84 :* 31,8. *85 :* 34,1. *86 :* 34,1. *87 :* 30,6. *88 :* 34,2. *89 :* 36,4. *90 :* 33,4.

Principaux constructeurs

Avions, hélicoptères

Nota. – (1) En milliards de F.

• **Aérospatiale.** *Créée* 1-1-1970 par le regroupement de Nord-Aviation, Sud-Aviation et Sereb. **Effectifs** (1990) 37 842. **Capital social** [1] **:** *1987* (31-12) : 1,016 , *88 ;* 2,497 ; *89 :* 3,747. *Apports de l'État en fonds propres* [1]. *1987 :* 1,25 (versé en janvier 88). *88 :* 1,25, *89 :* . *Effectifs 1989 :* 30 000. *Endettement financier net. 1987 :* 5,6 ; *88 :* 2,8 ; *89 :* 3,8 ; *90 :* 7,2 ; *91 (prév.) :* 8,3. **C.A. et,** entre parenthèses, **commandes** [1]. *1984 :* 25,1 (20,1) ; *85 :* 24,6 (34,8) ; *86 :* 25,4 (28,8) ; *87 :* 24,9 (29,2) ; *88 :* 28 (38,4) ; *89 :* 31,7 ; *90 :* 32,8 dont avions 10,6 (66 % export.), hélicoptères 7,8 (74,4 % export.), engins tactiques 6,2 (64,8 %), systèmes stratégiques et espace 23 (63,3 dont 46 à l'export.). **Résultat net** (en millions de F). *1984 :* + 332, *85 :* + 454, *86 :* + 227, *87 :* + 50 ; *88 :* + 93, *89 :* + 204, *90 :* + 38. Commandes prises en 1990 : 59,7 (dont 65 % à l'export.). **Activités civiles** 51 % dont avions 38 %, hélico 22, engins techniques 20, systèmes stratégiques et spatiaux 20). **Exportations** (1988). C.A. 16,5 milliards de F (54 % du total), commandes 26 (68). **Secteurs de production.** Missiles Exocet, hélicoptères, satellites (Meteosat), TDF, avions. **Avions de transport** (avril 1989). *Concorde* (1969) 16 dont 14 vendus (7 Air France, 7 British Airways, 2 servent aux essais). *ATR 42* (1984). Programme lancé par un GIE (Ærospatiale 50 %, Æritalia 50 %). Commandes et options 380 dont 115 pour la version allongée ATR72 (68-74 passagers). *Corvette* (1972) série de 40 achevée en 1978. *Nord 262* (1962) et *Frégate* (1969) série de 110 achevée en 1976. *Transall* (1963) série de 178. Nouvelle série lancée (1er vol 1981), commandés 25, livrés 25. 3 Epsilon (1979) commandés 175, livrés 156.

Hélicoptères. Au 1-1-1988. Livraisons : *Alouette* 3 097. *Gazelle* 1 207. *Écureuil* 1 388. *Puma et Super-Puma* 917. *Dauphin* 362. *Super Frelon* 90. *Lama* 395.

• **Airbus Industrie.** Groupement d'intérêt économique (Aérospatiale 37,9 %, Deutsche Airbus 37,9, British Aérospace 20, CASA Esp. 4,2). **Histoire :** *1970* (18-12) création d'Airbus Industrie qui réunit l'Aérospatiale (France) et la Deutsche Airbus, filiale de MBB et VFW (RFA). (28-12) les P.-Bas participent pour 6,6 % au budget. *1978* (juillet) lancement A-310. Reprise des négociations avec G.-B. *1979* (1-1) répartition des parts. *1990* (mars) accord sur regroupement sur un même site de l'assemblage final et de l'aménagement intérieur pour les futurs avions : A-321 (à Hambourg), A-330 et A-340 (à Toulouse). **Cies clientes :** 87. Commandes aux USA 448 (dont 62 livrés au 1-1-1989 dont 310 *A 320* (dont Braniff 100, Northwest 100, Air Canada 54, Canadian 34, Intern Leasing 32, GATX (leasing) 20. *A 321* (1994) 107.

Avions (dates). **A-300** *1969* lancé, *72* (oct.) 1er vol, *74* (mai) mise en service Air France. **A-300-600** *1980* (déc.) lancé, *83* (juil.) 1er vol. *88* (mai) mise en service (American Airlines). **A-310** *1978* (juil.) lancé, *82* (avril) 1er vol, *83* mis en s. (Lufthansa, Swissair). **A-310-600** *1984* (avril) mise en s. (Saudia). **A-310-300** *1985* (déc.) mise en s. (Swissair). **A-320** *1984* (mars) lancé, *87* (févr.) 1er vol, *88* (avril) mise en s. (Air France, British Airways). **A-330/A-340** lancé 27 juin, *91* (oct.) 1er vol A-340, *92* (automne) 1er vol A-330. **A-321** *1989* (nov.) lancé, *93* 1er vol.

Commandes dont entre parenthèses **livrées** (au 30-6-91). *A-300 :* 424 (349) dont *B2/B4 :* 248 (248), *600 :* 176 (101). *A-310 :* 250 (191) dont *200 :* 85 (85), *300 :* 165 (106). *A 320 :* 658 (187). *A 321 :* 140 (0). *A 330 :* 143 (0). *A 340 :* 97 (0). *Total :* 1 712 (727). **Principaux clients.** Air France 67 (23 *A 300*, 11 *A 310*, 26 *A 320*, 7 *A 340*) ; Air Inter 54 (*A 300, 320, 330*) ; Alitalia 48 (40 *A 321*) ; American Airlines 35 *A 300 ;* Air Canada 33 *A 320 ;* Eastern Airlines 34 *A 300 ;* GPA 125 (88 *A 320*) ; JLFC : 74 (35 *A 320*) ; Lufthansa 111 (34 *A 320*) ; North West Airlines 136 (100 *A 320*) ; Swissair 35.

Part de marché prévue (1990-2008, en milliards de F). 230 (sur un total de 680) dont fuselage standard (*A-320, 321*) 75 (sur 230), large (*A-300, 310, 330, 340*) 155 (sur 450). *En nombre d'appareils :* 3 800 (sur 12 300) dont fus. st. 1 800 (sur 6 300), large 2 000 (sur 1 600). **Exportations.** *Nombre d'appareils, et,* entre parenthèses *valeur en milliards de F : 1984 :* 45 app. (20,70 md F), *85 :* 40 (17,23), *86 :* 32 (10,27), *87 :* 32 (10,66), *88 :* 49 (15,16), *89 :* 92 (26,44), *90 (prév.) :* 88 (22,33 dont part Française 7,5).

Résultat (en millions de $) : *1987 :* – 453, *88 :* – 508, *89 :* – 150, *90 :* 105.

Le gouv. amér. a déposé plainte contre le financement d'Airbus (fonds d'origine public faussant la concurrence). *1ere* plainte (févr. 91), concernait la garantie de change (accordée par le gouv. all. à Deutsche Aerospace contre les dépréciations trop fortes du $). *2e* concerne les avances remboursables consenties par les gouvernements all., brit., esp. et franç. pour les nouveaux modèles d'avions. Les Américains veulent contraindre les Européens à limiter leurs avances à 25 % des coûts de développement, au lieu de 75. Airbus accepterait de revenir à 40, mais remarque qu'aux USA la part venant du budget américain (militaire et Nasa) atteint 72 % du chiffre d'aff. global de l'aéronautique. En Europe, seulement 36 % vient des budgets nationaux. En outre, 75 % de la recherche-développement aérospatiale amér. est financée par le gouv.

• **Boeing. CA** (milliards de $). *1988 :* 16,96. *89 :* 20,3. *90 :* 27,6. **Résultats.** *1988 :* 0,87. *89 :* 0,87. *90 :* 1,4. **Effectifs** (1-1-91) 161 000. **Commandes reçues.** *1985 :* 390. *86 :* 336. *87 :* 366. *88 :* 632. *89 :* 887. *90 :* 543 (dont 172 *747*, 162 *737*, 97 *757*, 52 *767*, 49 *777*, 30 *De Havilland 18*, 11 *707*). **Livraisons** *1989 :* 342. *90 :* 449 (dont 94 % civils). *91 (prév.) :* 506. **Total des ventes** (1955 à 1990, y compris De Havilland) 7 582 avions à réaction (dont 1970 *737*, 1 831 *727*).

• **Dassault-Breguet (AMD-BA).** Sté « Avion Marcel Dassault-Breguet Aviation », 17 usines. **Quelques dates.** *1918* Marcel Dassault (1892-1986) lance son 1er prototype. *Après 1945* lance Ouragan, Flamant, Mystère, Mirage. *1967* Mystère-Falcon. *1971* fusion avec Breguet Aviation. *1978* Mirage 2000. *1986* mort de Marcel Dassault, André Giraud, min. de la Défense, essaye d'imposer Jacques Benichou, Pt de la Snecma, comme Pt (l'État détient 46 % du capital de Dassault contre 49 % à la famille mais dispose de 56 % des voix grâce au vote double de certaines de ses actions). Le 29-10-86, appuyé par Jacques Chirac, Serge Dassault devient Pt. *Avions neufs* produits ou fabriqués (au 31-12-86) : 6 157 (dont 177 prototypes et de présérie). Commandés : 6 515 (dont 179 prot. et de présérie). (90) : 6 634 dont 1 040 Falcon, et 172 prototypes ou de présérie ; commandés : 6 613 (dont 180 protos ou présérie).

C.A. et, entre parenthèses, **commandes** (milliards de F). *81 :* 12,4 (12,6). *85 :* 16,6 (19,6). *86 :* 15,6 (8,8), *87 :* 15,5 (13,4), *88 :* 18,8 (15,8). *89 :* 17,3 (16,5 dont 2,5 à l'exp. : pièces de rechange) *90 :* 17,1 (16,04). *C.A. consolidé :* 18,8. Bénéfice consolidé *90 :* 0,374. *Effectifs :* 12 500. **Production** (31-12-90). AVIONS CIVILS (livraisons) et entre par., exportations : *Falcon tous types :* 1 040 dont *F. 900 :* 89 (95 %). AVIONS MILITAIRES (commandes, en italique, livrés, et, entre parenthèses, exportations commandées) : *Mirage III/5-Mirage 50 :* 1 422, *1 417* (949 par 20 pays), *Mirage F1 :* 731 *723* (699, 10 pays), *Mirage 2000* (7 protos) : 470, *301* (169, 6 pays), *Super-Étendard :* 85, *85* (14, 1 pays), *Jaguar* (8 protos) : 575, *555* (352, 5 pays), *Alphajet* (6 protos) 510, *509* (328, 9 pays), *Atlantic Mkl* (4 protos) : 88, *88* (51, 4 pays), *Atlantique 2* (2 protos) : 22, *4* (0). *Rafale A :* 1 démonstrateur (1er vol le 4-7-86), *Rafale C, B et M :* 1 proto C, 1 proto B, 2 protos M commandés. *Ventes* (1990) : 35 avions militaires, 35 Falcon, 40 fuselages de Fokker 50.

Sites. *Dir. gén.* Vaucresson. *Bureau d'études princ.* St-Cloud. *Centre spatial* Toulouse. *Usines (complémentaires)* Argenteuil, Argonay, Biarritz (2), Martignas, Mérignac, Poitiers, Seclin. *Essais* Istres (vol), Brétigny (systèmes), Cazaux (armements). *Après vente* Vélizy.

☞ Le groupe Dassault : C.A. 23,9 MdF [dont Sté Dassault (AMD-DA) et filiales 18,82, Electronique Serge Dassault 4,04, autres stés 1,04].

• **SOCATA (Sté de construction d'avions de tourisme et d'aff.,** appartient au groupe Aérospatiale). *Production totale :* 4 400. *Avions légers type « Rallye » :* 235 *G Guerrier ; type TB : TB-9 Tampico ; TB-10 Tobago ; TB-20 Trinidad. TB 21 Trinidad TC (total TB* commandés : 820 ; livrés : 584 au 1-1-88), *TB 30 Epsilon* (153 commandés, 90 livrés) ; *TBM-700* (commandes en cours).

• **Mudry.** *Avions légers : CAP X* (1982) : 2 protot. *CAP 10* (1966) : 1 225, 90 en prod. *CAP 21 (+ CAP 20 L)* (1980) : 26 l., 10 en prod. *CAP 230 :* 1 protot. + 5 pré-série.

• **Avions Pierre Robin** (ex-Sté Centre Est aéronautique créée 1957, transformée 1969, filiale d'Aéronautique Service dep. mi-1988). *Production totale :* (1-1-91) 3 049 (dont env. 40 % exp.). En production : *R 3000/160* (1988), *ATL* (1985), série *DR 400 : 100 Cadet* (1988), *120 Dauphin* 2 + 2 (1972), *140 B Dauphin* 4 (1988), *160 Major* (1972), *180 Régent* (1972), *180 Remorqueur* (1970). Cadences mens. (91) : séries *R 3000* 1, *ATL* 1, *DR 400* 6. 1991 : sous traitance pour Aérospatiale et Hurel-Dubois.

• **Reims Aviation.** *Créée* 1962, issue de la Sté nouvelle des avions Max Holste créée 1956 par Max Holste. **Prod. totale** (au 31-3-91) : 6 331 [1] ex. dont *F 150* (1965) + F 152 (1966) 1980, *FA 150* + *FRA 150* (1969) + *FA 152* (1967) 423, *F 172* (1963) + *FR 172* 2 933, *F 172 RG* 73, F 177 RG (1971) 177, *182* + *F 182* (1976) + *RG 182* (1978) 296, *F 337* (1969) + *FT 337* (1972) + *FTB 337* (1972) 181, *F 406 Caravan II* (1983, biturbopropulseur, certifié 21-12-84) (85 lancés en série dont 58 en service ou vendus en mars 1991), *divers (F 185, 188, 206, 207, 210)* 205. 1990 : sous-traitance pour Dassault Aviation et Aérospatiale : Nord 262, Airbus A 300, 310, 320, 330/340, ATR 42, 72, Atlantic II, Falcon 20-50-900, Mirage III, F1, 2000, Transall.

Nota. – (1) Total : + de 6 800 en ajoutant *MH 52, MH 152, MH 1521 Broussard* (383 construits), *MH 260 super Broussard* (devenu *Nord 262*, 110 construits) et le montage d'autres types de la gamme Cessna (arrêt 1986 de la production des monomoteurs et bimoteurs légers de cette gamme).

Moteurs

• **SNECMA (Sté nationale d'étude et de construction de moteurs d'aviation).** *Créée 1945* (fusion Gnome et Rhône, Renault-Moteurs-Aviation, Lorraine Groupe Études-Moteurs-Huile-Lourde). **Implantations principales :** région parisienne : *autres :* Le Havre, Bordeaux, Châtellerault, Molsheim, Bidos. *Principales filiales :* SEP, Hispano-Suiza, Messier-Bugatti, Sochata, FN Moteurs (Belgique). **Principales activités :** moteurs d'avions civils et militaires (60 % env. du C.A.), moteurs de fusée et propulseurs de missiles, systèmes d'atterrissage et de freinage, réparation moteurs, matériaux composites, etc. **C.A. de la Sté Mère** (HT, milliards de F). *1985 :* 9,4, *86 :* 10,3, *87 :* 9,4, *88 :* 10,3, *89 :* 13,4, *90 :* 14,1. *Résultat* (millions de F). *1985 :* + 76,5, *86 :* + 46, *87 :* – 410, *88 :* – 250, *89 :* + 85, *90 :* + 50 à 100. **Productions, commandes-livraisons** en italique et, entre parenthèses, **exportations commandées** (au 31-12-1990) : *moteurs militaires :* Atar 9K50 (pour Mirage F1 et 50), 1 089 *1 053* (735) ; Larzac (pour Alpha-Jet), 1 259 *1 259* (388) ; Tyne relance Atlantic et Transall 154 *120* (22) ; M 53 (pour Mirage 2000), 590 *443* (203). *Moteurs civils :* CFM 56-2 (pour DC 8, KC 135 et C 135 F, E 3/KE 3 et E 6), 2 135 *1 882* (2 135) ; CFM 56-3 (pour Boeing 737), 4 037 *2 058* (4 037) ; CFM 56-5 (pour A 320 et 340) 1 039 *357* (1 035) ; CF 80 C/E (jeux et montages pour gros porteurs), 1 980 *903* (1 980). Ces 2 domaines représentent 65 % du C.A. du groupe. *Exp. :* + de 60 % des ventes. **Effectifs** (au 31-12-1990) : 27 842.

Centres d'essais

• **ONERA (Centres de l'Office national d'études et de recherches aéronautiques.** *Créé* 1946. Ét. public scientifique et technique placé sous l'autorité du min. de la Défense (délégué gén. pour l'Armement). **Effectif :** 2 100 pers. **Principaux Éts :** Châtillon-sous-Bagneux (siège et principaux labo.), Chalais-Meudon (souffleries de recherche), Palaiseau (recherche en énergétique), Modane-Avrieux (grandes souffleries), Centre d'études et de recherches de Toulouse et

Centre d'essais du Fauga-Mauzac (grands moyens d'essais nouveaux pour aérodynamique et propulsion), Lille (mécanique du vol et mécanique des structures).

• **Landes.** Côte atlantique ; engins balistiques et tactiques. **Méditerranée.** Ile du Levant ; missiles tactiques, sous-marins.

• **Institut franco-allemand de St-Louis.** St-Louis (Ht-Rhin) : essais sur concepts d'armements, projectiles, munitions et leurs effets. **Essais en vol.** *Brétigny* (siège) ; équipements et hélicoptères. *Istres* (13) : avions, moteurs, simulation des vols, école de personnel navigant d'essais et de réception. *Cazaux* (33) : armements et armes aéroportées. Détachements divers : Bordeaux, Toulouse, Marignane, Melun... **Propulseurs.** *Saclay* (Paris) ; moteurs au sol et vol simulé. **Aéronautiques de Toulouse.** Essais statiques de fatigue, en cuve, calorifiques ; de cellules, de trains, de pneus, d'équipements. **Centre d'expériences aériennes militaires (CEAM).** Mont-de-Marsan (Landes). **Centre d'achèvement et d'essais de propulseurs d'engins.** St-Médard (Bordeaux) ; propulseurs à propergol liquide et solide, engins et lanceurs spatiaux. **Laboratoire de recherches balistiques et aérodynamiques (LRBA).** Vernon (Paris) ; matériels inertiels, souffleries. **Centre d'électronique de l'armement (CELAR).** Bruz (Rennes) ; matériels électroniques et informatiques.

Flotte aérienne

Flotte mondiale

Appareils

• **Nombre d'avions civils de + de 9 t dans le monde** (fin 1989). **A turboréacteur :** 15 230 dont *1 moteur :* 220, *2 moteurs :* 10 570, *3 :* 2 700, *4 :* 1 740. **A turbopropulseur :** 12 790 dont *1 moteur :* 820, *2 :* 11 520, *4 :* 450. **A propulsion par piston :** 328 180 dont *1 moteur :* 286 860, *2 :* 40 760, *3 :* 100, *4 :* 460. **Total** 356 200 dont transp. commercial 40 230, av. gén. 335 400. (*Source :* OACI.)

• **Nombre d'hélicoptères. Moteur à turbine** 10 910 dont *1 moteur* 7 750, *2* 3 160. **Moteur à piston** 8 520 dont *1 moteur* 8 420, *2* 100.

• **Principaux types d'appareils en service sur des lignes régulières.** Boeing 4 070 dont 1 520 *727*, 1 410 *737*, 660 *747*, 270 *767*, 210 *757*. Douglas 1 720 dont 1 400 *DC 9/MD80*, 320 *DC 10*. Airbus 380 *A 300*. Lockheed 200 *L-1011 TriStar*. Fokker 180 *F-28*. **Lignes et compagnies non régulières.** Boeing 360 dont 180 *727*, 100 *727*, 30 *757*. Douglas 190 dont 90 *DC 8*, 70 *DC 9/MD 80*, 30 *DC 10*. British Aerospace 40 *BAC One-Eleven*. Sud-Aviation 30 *SE-120 Caravelle*. Airbus 20 *A-300B/A-310*.

Nota. – (1) URSS et Chine exceptés.

Compagnie les plus importantes

• **Chiffre d'affaires et**, entre parenthèses, **résultat net** (en millions de $ en 1989). American Airlines [1,19] 11 700 (– 39,6), United Airlines [1,19], 11 000 (– 94,5), Delta [1,19], 8 700 (–154), Lufthansa [5] 5 619 [17] British Airways [2,17] 6 445, Northwest [1,17] 5 583 (163), Air France [4] 5 471 (107), Continental Airlines [1] 5 076 (3,1), TWA [1,17] 4 364 (250), Federal Express [1,17] 4 301 (210), Eastern [1,17] 3 888 (-335), Pan Am [1,17] 3 593 (-118), Alitalia [10] 3 505 [P] (175,8 [P]), KLM [7] 3 338 (225,3 [P]), Iberia [9] 2 985 [P] (52,3 [P]), Swissair [11] 2 845 [P] (58,8), Air Canada [8] 2 632 (127,1), Qantas Airways [15] 2 389 (142,4), Korean Air 2 320 (47,6), Aeroflot [12] (International), 1 884 [P] (19,4 [P]), VARIG [16] 1 862 (10,4), Air Inter [4] 1 396 (18,3), Japan Air System [3] 1 354 (14), America West Airlines [1] 993 (20), Sabena [15] 961 [17], Olympic Airways [13] 779 [E] (114 [e]), Air India 745 (28), Aerolineas Argentinas 719 [P] (24,6 [P]), El Al [14] 713 (24,2), UTA [4] 699 [17], Pakistan International 658 (3,7), Finnair 657 [11], Dan Air [2] 641 (4,4 [P]), JAT [18] 585 (1,6), Turkish Airlines 483 (2 [P]).

Nota. – (1) USA. (2) G.-B. (3) Japon. (4) France. (5) All. féd. (6) Australie. (7) P.-Bas. (8) Canada. (9) Esp. (10) Italie. (11) Suisse. (12) URSS. (13) Grèce. (14) Israël. (15) Belg. (16) Brésil. (17) 1988. (18) Youg. (19) 1990. (P) Provisoire. (E) Estimation.

• **Avions. Nombre total** (en 1989). Aeroflot + 3 000 [1] Texas Air 551 [1], American 500, Northwest 449 [1], U.S. Air 436, United Airlines 429, Delta 402 [1] Federal Express 343, TWA 213, British Airways 211, Easterm Airlines 191, Groupe Air France 183 [1].

Nota. – (1) 1988.

Age moyen (en années, au 1-7-1988). Singapore Airlines 4,5, Thaï Airways 6,1, Lufthansa 7,7, All Nippon 8,16, KLM 8,69, Cathay Pacific 8,80, Japan Airlines 9,14, Air France 9,59, Delta 9,48, Alitalia 9,94, British Airways 10,02, Usair 10,11, Malaysian 10,27, Piedmont 10,34, American 10,84, Continental 12,12, Air Canada 13, Pan Am 14,63, TWA 15,29.

• **Cœfficient de remplissage.** Rapport en % du nombre de passagers-km au nombre de sièges-km disponibles (en 1990 ; *source* I.A.T.A.) sur lignes régulières : vols internationaux, entre parenthèses vols domestiques et entre crochets, vols charter. Aeroflot 70,4 (88,8) [66,6], Aeromexico 52,7 (70,1) [55,4 (55,4)], Air Algerie 74, Air Canada 73,5 (67,1) [84,6 (76,3)], *Air France 68,4 (72,4) [48,3 (79,9)],* Air India 67,5 (33,7) [53,9], *Air Inter (68,3), Air Littoral 31,1 (54,7) [82,4 (82,5)], Air Tahiti (68),* Alitalia 64,8 (63,5) [71,9 (48,9)], All Nippon Airways 74,1 (72,1) [88,1 (44,2)], American Airlines 66,1 (61,5) [43,1 (42,2)], Ansett Airlines of Australia 72,1 (72,1), Australian 76,1 (76,1) [49,7 (49,7)], Austrian 59,7 (77,2), Avianca 61,8 (65,1), British Airways 71,9 (68,7) [65 (88,7)], Canadian Airlines Int. 72,4 (60,4) [76,6 (31,6)], Continental Airlines 66,3 (58,6) [85,5 (88)], Cruzeiro do Sul 69,7 (70,1), Egypt Air 60,6 (67,3), El Al 72,8 (55,7) [61,6], Finnair 60,9 (55,6) [90,4 (42,6)], Iberia 68,7 (70,8) [(63,4)], Indian Airlines 63 (79,6) [79,3 (45)], Iran Air 72 (90,4) [99,1 (99,6)], Japan Airlines 76,6 (76,1) [61,7 (1,7)], JAT-Yugoslav Airlines 72,3 (43,2) [74,8 (13,7)], KLM 70,3 (40,9) [53], Korean Airlines 73,1 (73,8) [61,6], Lufthansa 65,3 (59,3) [65,4 (60)], Mexicana 61,8 (56,9) [53,9 (50,2)], Olympic Airways 62,2 (74,7) [64,1 (40,2)], Pakistan Int. 64,4 (72,8) [49,9 (39)], Pan American 67,2 (60) [77 (80,4)], Qantas Airways 68,2 [76,5 (100)], Royal Air Maroc 59,4 (41,5) [100 (100)], Sabena 64,4, Swissair 65,4 (49,1) [74,5 (12)], Turkish Airlines 60,2 (70,2) [77,6 (100)], Tunis Air 63,4 (68) [74,9 (55,9)], TWA 68,7 (59,3) [44,3 (77,8)], United Airlines 72,8 (63,9) [61,4 (48)], *UTA 66,8 (70,7) [68,2 (59,8)],* VARIG 71,5 (65,8) [33,1 (46,3)].

• **Fret. Total** (en milliers de t, en 1990) : Aeroflot 2 901, Federal Express 2 617, Japan Air Lines 730, Lufthansa 707, *Air France 516,* Korean Air 508, United Airlines 425, American Airlines 384, All Nippon 376, British Airways 363. *Vols internationaux.* Federal Express 805, Lufthansa 640, *Air France 488,* Japan Air Lines 435, Korean Air 395, British Airways 354, KLM 342. Cathay Pacific Airways 308, Singapore Airlines 291, Swissair 200.

• **Passagers. Nombre transporté** (en millions, 1990, vols intérieurs et internationaux) : Aéroflot 137,2, American Airlines 73,2, Delta Airlines, USAir 60,1, United Airlines 57,8, Continental Airlines 35,2, All Nippon 33,1, British Airways 25,2, TWA 24,5, Japan Air Lines 23,5, Lufthansa 21,6, Alitalia 18,2, pan American 17,5. Air Inter 17,1, Iberia 16,2, *Air France 15,7. Vols Internationaux* British Airways 19,7, Lufthansa 13,3, *Air France 12,4,* Pan American 10,1, Japan Air Lines 8,4, American Airlines 8,3, Scandinavian Airlines System 8,3, Cathay Pacific Airways 7,4, Alitalia 7,1, Singapore Airlines 7,1, Swissair 7, KLM 6,9, United Airlines 6,1, Iberia 5,9, Continental Airlines 4,7.

Total (en milliards de km parcourus) Aeroflot 242,2, American Airlines 123,9, United Airlines 122,2, Delta Air Lines 94,9, British Airways 66,8, Continental Airlines 63, USAir 57,2, TWA 55,6, Japan Airlines 55,2, Pan American 50. *Vols internationaux.* British Airways 62,8, Japan Air Lines 42,7, Lufthansa 38,7, Pan American 38,2, United Airlines 24,1, Singapore Airlines 31,5, *Air France 29,* Qantas 27,7, KLM 26,4, American Airlines 24,1.

Principales compagnies aériennes (membres de l'IATA en 1990)

☞ Légende. – *1er chiffre :* nombre de passagers en service régulier, en milliers. *2e :* entre parenthèses, total des passagers, bagages, fret, courrier transportés, en millions de tonnes-km. *3e :* en italique, nombre d'appareils.

Adria Airways (Youg.) 410 (27,7) *13.* Aer Lingus (Irl.) 4 067 (496,1) *31.* Aeroflot : m. de l'IATA dep. 1990 ; 1re Cie du monde : 3 000 avions (dont 103 lignes internat.) desservent 3 600 villes d'URSS et 125 à l'étranger ; lignes : 1 000 000 de km (dont 350 000 internationales) ; passagers transportés : 137,2 millions (dont internationaux 4,4) ; 24 874,5 millions de t de passagers, bagages, fret ; elle répand des engrais en URSS sur 90 millions d'ha ; ses patrouilles aériennes surveillent 750 millions d'ha de forêts, elles détectent 75 % des incendies. Aerolineas Argentinas 3 248 (953,9) *29.* Aero Lloyd (All.) 131 (13,1) *21.* Aeromexico 5 460 (621,6) *39.* Aeronica (Nicarag.) 130 (13,6) *6.* Aeroperu 902 (123) *11.* Affretair (Zimb.) [1] 5,7 (50) *2.* Air Algérie [1] 1 851 (211) *48* [3]. Air Botswana 101 (8,7) *4.* Air Bridge Carriers (13) *7.* Air Calédonie International 83 *2.* Air Canada 10 325 (3 163) *115.* Air Europe [4] 1 511 (112) *36.* *Air France* 15 693 (6 855) *121.* Air Gabon 398 (66,5) *6.* Air India 2 305 (1 450) *22.* Air Inter [2] 17 141 (805,8) *52* [4]. Air Jamaïca 910 (119,6) *8.* Air Lanka 892 (413,3) *8.* Air Littoral 421 (14,5) *30.* Air Madagascar 423 (76,5) *11.* Air Malawi 121 (8,3) *3.* Air Malta 598 (84,1) *9.* Air Martinique 101 (1,8) *7.* Air Mauritius 520 (292,7) *10.* Air New Zealand 4 254 (1 334,9) *32.* Air Pacific (Fidji) 315 (103,2) *4.* Air Seychelles [1] 54 (46,4) *6.* Air Tahiti [2] 290 (7,8) *5.* Air Tanzania 282 (20) *8.* Air Tungaru (Kiribati) 25 (1,5) *4.* Air UK (G.-B.) 1 913 (75,9) *25.* Air Zaïre 197 (96,5) *4.* Alaska Airlines (USA) 5 406 (753,3) *62.* Alisarda Linee Aeree Della Sardegna (Italie) 1 547 (79,1) *11.* Alitalia-Linee Aeree Italiane 18 203 (3 246,6) *119.* All Nippon Airways 33 070 (3 190) *108.* Aloha Airlines 4 627 (104,7) *16.* Alyemda 279 (33,2) *7.* America West Airlines (USA) 15 667 (1 766) *103.* American Airlines (USA) 73 244 (12 689) *552.* Ansett (Austr.) [2] 5 276 (569,4) *36.* Ansett (N.-Zél.) 1 133 (57,7) *12.* Austral Lineas Aereas (Arg.) 955 (76,8) *12.* Australian 5 804 (570,3) *34.* Austrian (Autr.) 2 261 (316,3) *24.* Aviaco (Espagne) 4 903 (185,5) *25.* Avianca (Colombie) 3 205 (403,9) *27.*

Balkan Bulgarian 1 907 (219,4) *54.* Birmingham European Airways (G.-B.) 218 (17,4) *7.* Braathens SAFE (Norv.) 3 348 (117,8) *21.* British Airways (G.-B. née 1-4-74 fusion BEA-BOAC) 25 172 (8 468,5) *228.* British Midland (G.-B.) 3 410 (138,9) *28.* Brymon Airways (G.-B.) [4] 230 (5,6) *7.* BWIA International (Trin. et Tob.) 1 285 *13.*

Cameroon Airlines [4] 475 (81,90) *6.* Canadian Airlines International 8 850 (2 542,8) *88.* Cathay Pacific (Hong Kong) 7 520 (3 636,7) *40.* Comair (Afr. du S.) 119 (4,3) *5.* Continental Airlines (USA) C.A. 35 165 (6 283,4) *386.* Crossair (Suisse) 602 (16,2) *27.* Cruzeiro do Sul (Brésil) 3 227 (342,8) *11.* CSA – Ceskoslovenske Aerolinie (Tchéc.) 1 095 (200,9) *32.* Cubana (Cuba) 1 030 (189,6) *42.* Cyprus (Chypre) [1] 814 (203,3) *11.*

Dan-Air (G.-B.) 1 795 (103,7) *41.* Delta Air Lines (USA) 65 671 (9 820) *444.* Delta Air Regional (All. féd.) n.c. (2) *n.c.* DLT (All. féd.) *17.* Dragonair (H.-Kong) [1] 576 (74,2) *6.*

Eastern Air Lines (USA). 14 464 (1 857) *191.* Ecuatoriana (Éq.) [1] 263 (155,5) *5.* Egyptair 3 239 (694,4) *33.* El Al (Israël) 1 581 (1 467,7) *22.* Emirates (E. Arabes Unis) [1] 915 (340) *8.* Ethiopian Airlines 620 (219,9) *26.*

Falcon Cargo (Suède) (5,5) *4.* Federal Express (USA) (5 935,3) *395.* Finnair (Finl.) 3 903 (562,2) *45.* Flight West Airlines (Austr.) [2,4] 39 (2,8) *13.* Friendly Islands Airways (Tonga) 27 (0,5) *2.*

Garuda Indonesia 6 733 (1 716,7) *67.* Ghana Airways 188 (49,1) *4.* Gulf Air (Bahrein, Oman, Qatar, Emirats Arabes Unis) [1] 3 084 (771,9) *26.*

Iberia (Esp.) 16 228 (2 777) *93.* Icelandair (Isl.) 807 (176,3) *10.* Indian Airlines 8 214 (721,7) *55.* Intair (Can.) [2,4] 842 (41,6) *40.* Ipec Aviation (Austr.) [2,4] 30 (10) *4.* Iran Air 5 206 (626,9) *30.* Iraqi Airways [4] 1 160 (278) *13.*

Jamahiriya Libyan Arab Airlines 1 803 (178,4) *38.* Japan Air Lines 23 464 (8 594) *98.* Japan Air System (Japon) 13 436 (843,8) *72.* Jat-Yougoslav Airlines 3 258 (657,8) *32.*

Kendell Airlines (Austr.) 349 (9,8) *13.* Kenya Airways 794 (204) *13.* KLM (Pays-Bas) 6 903 (4 625,3) *57.* Korean Air Lines (Corée du S.) 12 091 (4 269,8) *72.* Kuwait Airways [1,4] 1 640 (597) *18.*

Lab-Lloyd Aereo Boliviano 1 239 (102,3) *14.* Lascsa (Costa Rica) [1] 448 (146,1) *5.* Ladeco (Chili) 567 (159,9) *13.* Lam (Mozamb.) 280 (55,6) *6.* Lan-Chile (Chili) 751 (402,8) *15.* Lap (Paraguay) 239 (55) *7.* Lauda Air (Austr.) 66 (95,7) *4.* Linjeflyg (Suède) 4 914 (174,7) *33.* Loganair (G.-B.) 562 (13,6) *17.* Lot-Polish-Airiines (Pologne) 1 510 (350,9) *45.* LTU (All. féd.) *10.* Lufthansa (Allemagne) 21 613 (8 217,4) *177.*

Malaysian Airline System 10 255 (1 625,6) *59.* Malev (Hongrie) [1] 1 363 (142,9) *22.* Mea-Airliban (Liban) 572 (111,1) *14.* Mexicana 8 681 (1 078,1) *49.* Minerve (Fr.) 46 (30) *11.* Mount Cook (Nlle-Zél.) 475 (10,5) *11.*

Namib Air (Namibie) 129 (4,9) *5.* NFD (Allem.) 254 (17,3) *21.* Nigeria Airways 965 (142,6) *16.* Nippon Cargo (Japon) [1] (883,8) *5.*

Olympic Airways (Grèce) 6 135 (821,7) *50.*

Pakistan International 5 180 (1 284,7) *43.* Pan American World Airways (USA) 17 527 (5 797) *154.* Pluna (Uruguay) [1] 318 (44,2) *4.*

Qantas Airways (Australie) 4 208 (3 758,4) *45.*

Royal Air Maroc 1 580 (254,5) *27.* Royal Brunei [1] 307 (53,3) *4.* Royal Jordanian 964 (478,8) *19.* Royal

Swazi (Swaziland) [1] 55 (4,3) *1.* Ryanair (Irl.) 745 (33,6) *8.*

Sabena (Belg.) [1] 3 166 (1 371,2) *29.* Sas-Scandinavian Airlines System (Dan., Norv., Suède) 14 938 (1 989,1) *128.* Sata-Air Açores (Port.) [2] 247 (4,7) *3.* Saudi Arabian Airlines (Arabie S.) 10 311 (2 088,7) *107.* Singapore Airlines [1] 7 093 (4 724) *40.* Somali Airlines [4] 85,48 (30) *4.* Saa-South African Airways (Afr. du S.) 5 246 (992,8) *26.* Sudan Airways 454 (66,6) *12.* Sunflower (Fiji) [2] 57 (0,5) *7.* Sunstate (Austr.) [2] 190 (n.c.) *10.* Swedain (Suède) 70 (n.c.) *11.* Swissair 7 809 (2 513) *55.* Syrian Arab Airlines 613 (117) *12.*

Taag (Angola) [4] 510 (123) *27.* Talair (Papouasie, Nlle-Guinée) [4] 238 (7,8) *34.* Tap-Air Portugal (Portugal) 3 257 (793,9) *27.* TAT (France) n.c. (28,9) *n.c.* Tampelhof Airways (USA) [1] 61 (2,3) *4.* Thai Airways (Thaïl.) 8 201 (2 485,2) *63.* TMA (Liban) (143) *7.* Tower Air (USA) 226 (184,1) *5.* Transavia (P.-B.) [1] 187 (7,6) *8.* Transbrasil (Brésil) 2 588 (419) *20.* Trans-Jamaïcan [2] 81 (n.c.) *7.* Trans World Airlines (USA) 24 483 (5 957,9) *206.* Tunis Air 1 314 (155) *15.* Turkish Airlines 4 136 (525,5) *33.*

United Airlines (USA) 57 753 (13 070) *462.* Usair (USA) 60 059 (5 534,7) *454.* UTA (France) 895 (1 925,1) *12.* Varig (Brésil) 6 896 (2 449,5) *80.* VASP (Brésil) 4 453 (440,2) *36.* Viasa (Venez.) [1] 681 (465,5) *8.* Virgin (G.-B.) [1] 838 (n.c.) *6.* Widerœ (Norv.) [2] 774 (13) *20.* Yemen Airways 460 (75,9) *7.* Zambia Airways 407 (122,5) *7.*

Nota. – (1) Trafic international. (2) Trafic intérieur. (3) 1987. (4) 1989.

Évolution mondiale du trafic régulier payant

Années	Passagers transportés	Tonnes de fret	Passagers kilomètre	Sièges-km disponibles	Remplissage passagers	Tonnes-kilomètre réalisés		
						Fret	Poste	Total
	Millions	Millions	Milliards	Milliards	%	Millions	Millions	Millions
1975	534	8,7	697	1 179	59	19 370	2 900	84 700
1980	748	11,1	1 089	1 724	63	29 380	3 680	130 980
1985	899	13,7	1 367	2 081	66	39 840	4 400	167 690
1986	960	14,7	1 452	2 235	65	43 190	4 550	178 800
1987	1 027	16,1	1 589	2 367	67	48 370	4 680	196 430
1988	1 079	17,3	1 704	2 525	67	53 490	4 830	212 120
1989	1 117	18,2	1 785	2 622	68	57 320	5 050	223 870
1990 [1]	1 159	18,1	1 888	2 778	68	58 790	5 300	234 910

Nota. – (1) Estimation. Ne sont pas compris les Etats qui n'étaient pas membres de l'O.A.C.I. en 1990.

Trafic aérien

Trafic mondial

Trafic par pays. Nombre de passagers-km, entre parenthèses de tonnes-km (passagers, fret, poste), en milliards, sur les services réguliers (nationaux et internationaux) en 1989. *Source :* OACI.

USA 693,13 (90,29) ; URSS 226,73 (23,69) ; Japon 93,28 (13,25) ; R.-U. 92,29 (12,38) ; *France 51,47 (8,54) ;* Canada 50,86 (6,09) ; Australie 36,78 (4,58) ; All. féd. 36,32 (7,49) ; Singapour 30,47 (4,6) ; P.-Bas 25,9 (4,48) ; Brésil 25,85 (3,64) ; Espagne 22,85 (2,81) ; Italie 21,49 (3,08) ; Thaïlande 18,83 (2,35) ; Corée du S. 18,16 (4,04) ; Inde 18,01 (2,28) ; Chine 17,91 (2) ; Mexique 16,06 (1,47) ; Arabie S. 15,7 (2,04) ; Suisse 15,54 (2,45). **Total mondial.** Passagers (en milliards) *89* 1,12, *90* 1,16. En 2000 (est.) 2 milliards de passagers transportés et 124 milliards de t/km de fret.

Trafic sur l'Atlantique Nord. *Passagers* (en millions) *1980 :* 18,5. *85 :* 23,2. *88 :* 28,2 dont services réguliers 26,2. vols charters 1,2. *Coeff. de remplissage 83 :* 69,8. *84 :* 70,9. *85 :* 69,3. *86 :* 63,6. *Fret 88 :* 1 602 805 t. *Courrier 88 :* 89 309 t. *Vols 88 :* 147 386 (dont 135 000 réguliers, 11 786 charters).

Pointes journalières de trafic civil. En France. Ensemble de l'espace en 1989. *Paris Athis-Mons : 2 945 ; Aix-en-Pr.* 2 149 ; *Bordeaux* 1 347 ; *Brest* 1 080.

Circulation aérienne

☞ **Circulation en Europe occidentale :** 12 000 vols quotidiens. Sur 1 500 000 mouvements d'avions contrôlés en 1 an, 600 000 (43 %) ne font que la survoler. La distance qui sépare les avions dans un même couloir est de 18 km (qui, à 900 km/h, se rencontrent en 36 secondes). En 1989, 44 centres de contrôle (20 aux USA), ce morcellement a coûté 31,5 milliards de F en 1988.

Organisation de l'espace

Espace inférieur. *Du sol au niveau de vol 195, soit 19 500 pieds (6 100 m) pour une pression au niveau de la mer de 1 013 Hpa.* A l'intérieur, sont définis : 1° des espaces aériens contrôlés, comprenant les voies aériennes [couloirs larges généralement de 18 km, plancher à au moins 300 m au-dessus du relief balisé par des dispositifs radioélectriques (radiophares MF-VHF)], les régions terminales et les zones de contrôle englobant trajectoires d'arrivée et de départ d'un ou plusieurs aéroports rapprochés ; 2° des zones réglementées ou dangereuses, perméables sous certaines conditions ; 3° quelques zones interdites. En dehors des espaces aériens contrôlés, les aéronefs évoluant en VFR (vol à vue) ou IFR (vol aux instruments), tenus au respect des règles de l'air, bénéficient du service d'informations de vol et, éventuellement, d'alerte. Dans les espaces contrôlés, les aéronefs doivent se tenir en liaison avec le centre de contrôle de la zone et suivre ses instructions.

Espace supérieur. Au-dessus du niveau 195, l'espace est globalement contrôlé jusqu'au niveau de vol 660 (env. 20 000 m) ; des zones réservées temporaires protègent certaines activités militaires. Seuls sont admis les vols effectués selon les règles de vol aux instruments (IFR) ; ils suivent, sauf autorisation particulière, des itinéraires prédéterminés.

AEA (Association des transporteurs aériens européens). *Créée* 1954. Au 9-5-1989 : 22 compagnies, 312 200 personnes, 1 091 avions de ligne à réaction.

Fédération nationale aéronautique. *Créée* 1929. En 1990, 14 unions régionales, 532 aéroclubs répartis sur 415 aérodromes (ayant 2 405 avions), 50 665 pilotes pratiquant régulièrement le vol à moteur (836 248 h de vol en 1990). 1990 : Licences délivrées 50 665. Age. – de 25 ans 21,76 %, 26 à 35 : 23,55, 36 à 50 : 37,22 ; + de 50 : 17,46. Moyenne des h. de vol par an. *1973* 18,3 ; *77* 17,45 ; *87* 15,57 ; *90* 17,03.

IATA (International Air Transport Association). *Créée* 1919, réorganisée 1945. *Compagnies officielles* au 22-11-88 : 175 employant 1 017 000 personnes et mettant en ligne 4 945 avions et hélicoptères (au 31-12-86) [1]. *1987 :* passagers transportés (services réguliers) *597,7 milliers ;* passagers-km réalisés *1 042,4 millions* dont réguliers *996,8,* charters *45,6 ;* fret transporté 10 millions de t.

Contrôle en France

☞ **Les pilotes** qui volent en IFR, franchissent une frontière, effectuent un survol maritime... ou veulent bénéficier des services d'alerte et de secours, doivent déposer un plan de vol (immatriculation de l'avion, type et équipement, points et heures de départ et d'arrivée, route suivie, vitesse, altitude, etc.), donner les reports de leur position sur des fréquences de radiocommunication prédéterminées en des points spécifiés. Le plan de vol doit être clôturé à l'arrivée, les reports signalés. Les contrôleurs peuvent ainsi assurer des séparations entre les avions et un écoulement rapide de la circulation. Une coordination est assurée avec les organismes militaires.

• **Résultats** (1990). Vols IFR contrôlés : 1 619 771.

• **Corps techniques de l'Aviation civile** (en fonction au 1-4-1990) : 5 513. Ingénieurs de l'Aviation civile (IAC) : 142. *Ing. des études et de l'exploitation de l'A. civ. (IEEAC)* : 603. *Officiers contrôleurs de la circ. aér. (ICNA ex.* OCCA) : 2 721. *Électroniciens de la Sécurité aér. (IESSA ex.* ESA) : 1 026. *Techniciens de l'Av. civile (TAC) :* 1 021.

• **Redevances versées au budget annexe de la navigation aérienne. De route :** *créée* 1972. Pour tout avion civil effectuant un vol IFR à travers l'espace aérien français. *Calculée* selon coût des services mis en œuvre, distance parcourue et poids des aéronefs [*ex. Boeing 747* survolant la France sur 1 000 km : 9 861 F (au 1-1-91)]. *Évolution* (en milliards de F). *1985 :* 1,3. *86 :* 1,5. *87 :* 1,9. *88 :* 1,9. *89 :* 2,08. *90 :* 2,3. *91* (prév.) : 2,8.

Pour « services terminaux de la circulation aérienne ». *Créée* 1-9-1985. Pour tout avion civil décollant d'un grand aérodrome français pour un vol IFR. *Calculée* selon coût des services et installations mis en œuvre (pour assurer la sécurité de la circulation aérienne et la rapidité des mouvements à l'arrivée et au départ de l'aérodrome), et poids de l'avion. [*ex. : Boeing 747* décollant de Roissy-Charles-de-Gaulle : 7 000 F (au 1-1-91)]. *Évolution* (milliards de F) : *1985 :* 0,04. *86 :* 0,30. *87 :* 0,38. *88 :* 0,44. *89 :* 0,50. *90 :* 0,67.

Quelques actes de terrorisme dep. 1973. 1973-*18-10 Boeing* Orly-Nice détourné sur Marseille-Marignane par Craven (mortellement blessé par les forces de police). *30-4 DC 10* Orly-Ankara détourné sur Marseille par un passager turc (qui se rend). **1976**-*27-6 Airbus A-300* Tel-Aviv-Athènes-Paris détourné sur Entebbé. *-3-7* un commando de l'armée israélienne libère les otages d'Entebbé, parmi lesquels 3 victimes, 1 soldat israélien, 20 soldats ougandais et 7 terroristes †. **1977**-*12-8* vol Paris-Le Caire, contraint de se poser à Brindisi, le pirate de l'air égyptien capturé. *-30-9 Caravelle* Air Inter Orly-Lyon détournée par Jacques Ribert (malade mental), 1 hôtesse, le pilote et 1 passager blessés, 1 employé d'Air Inter tué. **1983**-*27-3 Boeing 727* Vienne-Paris s'envole à Genève (37 pass. débarqués), Catane (55 débarqués), puis Téhéran 18 otages restant libérés, les 4 pirates se rendent. **1984**-*31-7/2-8 Boeing 737,* Francfort-Paris détourné vers Téhéran, via Genève-Beyrouth-Larnaca, avion détruit. **1985**-*12-6 Boeing 727* d'Alia détourné via Larnaca, Palerme puis Beyrouth, 54 otages libérés après 29 h de détention. Avion détruit. *-14-6 Boeing 727* Athènes-Rome détourné vers Beyrouth. 1 †, 39 otages (libérés 30-6). *-23-11 Boeing 737* Egyptair détourné sur Malte, 60 † le 24-11 au cours de l'assaut à Malte. **1986**-*5-9 Boeing 747* (PAN AM) attaqué au sol à Karachi par 4 pirates armés. 20 †, 100 bl., pirates arrêtés. *-25-12 Boeing* (Iraqi Airways) capturé en vol par 4 pirates ; explosion d'une grenade et mitraillage provoquent un atterrissage forcé ; 71 †, nombreux bl. **1987**-*24-7 DC 10* (Air Afrique) Brazzaville-Bangui-Rome-Paris détourné sur Genève par 1 pirate qui, après avoir tué 1 passager, sera maîtrisé. 1 bl. grave. **1988**-*5-4 (Kuwait-Airways)* Bangkok-Koweït, 112 pass. se posent à Meched (Iran), *-6-4* 24 femmes libérées, *-7-4* 32 pers. libérées, *-8-4* ne peut se poser à Beyrouth, atterrit à Larnaka (Chypre), *-9-4* 1 otage exécuté, *-11-4* 1 otage exécuté, *-12-4* 12 pers. libérées, *-13-4* atterrit à Alger, *-20-4* otages libérés. *-12-5* détournement de Chine vers Taïwan, 117 pass. libérés, *-23-5 Colombie (Avianca)* détourné sur Panama, aucune victime, pirate arrêté, *-29-9 Brésil* détourné sur Giona, aucune victime, pirate arrêté, *-2-12 URSS - Israël,* détourné sur Tel-Aviv, aucune victime, 6 pirates arrêtés. *-11-12 (USA)* tentative de détournement sur Cuba. **1989**-*23-8* tentative entre Paris et Alger. *-16-12 Boeing* Chinois (Pékin - New York) détourné sur Japon, 3 pirates arrêtés et rendus à la Chine.

☞ Voir aussi attentats p. 1623 b.

Piraterie aérienne

Nombre de tentatives dont, entre parenthèse, **tentatives réussies.** *1948-57 :* 15 (13). *1958-67 :* 48 (31). *1968 :* 38 (33). *1969 :* 82 (70). *1970 :* 72 (46). *1971 :* 62 (24). *1972 :* 70 (37). *1973 :* 28 (14). *1974 :* 18 (7). *1975 :* 19 (7). *1976 :* 19 (6). *1977 :* 25 (5). *1978 :* 26 (7). *1979 :* 15 (10). *1980 :* 35 (18). *1981 :* 29 (13). *1982 :* 36 (14). *1983 :* 31 (21). *1984 :* 28 (15). *1985 :* 16 (9). *1986 :* 18 (4). *1987 :* (13). *1988 :* 10 (7).

Répression. Selon la convention de La Haye du 16-12-1970, tout État contractant s'engage à réprimer la piraterie aérienne par des peines sévères. La convention de Montréal du 23-9-1971 prévoit « la répression d'actes illicites dirigés contre la sécurité de l'aviation civile ». En France, le Code pénal prévoit une peine de réclusion criminelle de 5 à 10 ans pour toute personne qui s'empare, par violence ou menace de violence, du contrôle d'un aéronef.

Compagnies françaises

Données générales

Aviation civile (1988). Budget : 4 969,3 millions de F (10,8 % du budget des transports dont tr. aériens 0,9) ; construction aéronautique 2 331 ; navigation aérienne 1 127,6 ; bases aériennes 213,3 ; formation aéronautique 189,2 ; administration générale 1 107,3.

Grandes compagnies régulières (groupe Air-France) 1990. **Trafic** *passagers :* Air France 15,7, Air Inter 16,1, UTA 0,9. **Coefficient moyen d'occupation** *en % :* Air France 69,2, Air Inter 68,3, UTA 67,7. **Fret** (millions de t/km) : Air France 3 574, UTA 590, Air Inter 37.

Compagnies régionales. Elles exploitent 175 lignes (35 radiales, 140 transversales) desservant 130 villes (dont 30 en Europe, hors de France). *Chiffre d'aff.* (1988) : 2,5 milliards de F. *Trafic* (1988) : réseau régulier, 1 290 760 passagers.

Personnel (au 31-12-90). *Groupe A.F.* 59 119 dont 39 810 (dont personnel au sol 31 529, navigants techniques 2 453, commerciaux (31-12-90) 5 828. *Air Inter* 10 892 (dont personnel au sol 7 960, nav. tech. 934, comm. 1 998). *UTA* 7 907 (dont au sol 6 481, nav. tech. 422, comm. 1 004), Cies régionales (1989) 2 571 (dont 1 035 navigants).

☞ **Coût des grèves sur les compagnies aériennes** (en millions de F.) Air France et entre parenthèses Air Inter. *1985 :* 47,3 (33,7). *86 :* 19,5 (10,7). *87 :* 43,3 (71,4). *88* (1er semestre) : 5 (163,9).

Principales compagnies régulières

Air France

Nom. Trouvé par le journaliste Georges Raffalovitch. **Origine. 1933**-*13-8* création de la 1re Cie Air France, officiellement inaugurée le 7-10 ; née de la fusion, sous l'impulsion du min. de l'Air Pierre Cot, de : la *SGTA (Sté générale des Transports aériens)* créée 24-5-1920 à partir des « Lignes aériennes Farman » créées mars 1919 ; *Air Union* (résultant de la fusion, le 1-1-1921, des *Messageries aériennes* créées févr. 1919 par Louis Breguet et de la *Cie des Grands Express aériens* créée 20-3-1919 ; elle avait, en outre, absorbé le 1-1-1926 *l'Aéronavale* créée 14-6-1919 par Fernand Lioré ; la *CIDNA (Cie internationale de Navigation aérienne)* (résultant de la transformation en janvier 1925 de la Cie franco-roumaine de Navig. aér., née avril 1920) ; *Air Orient* [résultant de la transfor., en juill. 1930, d'Air Union Lignes d'Orient (héritière des Messageries transaériennes créées 1919), créée janv. 1928 par Air Union, et d'Air Asie créée 1928] ; enfin Air France racheta, dès sa création, la *Cie générale Aéropostale* créée 5-5-1927 par Marcel Bouilloux-Laffont (1871-1944) qui reprit les lignes de Pierre Latécoère fondées 1918 devenant CGEA (Cie générale d'Entreprises aéronautiques), mise en liquidation judiciaire en mars 1931. Depuis leur création, les Stés aériennes vivaient en grande partie des subventions de l'État et lui étaient liées par des contrats qui expiraient presque tous en mai 1933. La faillite de l'Aéropostale avait révélé leur fragilité et les inconvénients de leur dispersion. La G.-B. et l'Allemagne avaient déjà donné l'exemple de regroupement avec les Imperial Airways en 1924 et la Lufthansa en 1926. Le 14-4-1933, le ministre de l'Air décida de confier l'exploitation de toutes les lignes subventionnées à une compagnie unique et ouvrit un concours. Les 4 Cie existantes firent savoir immédiatement qu'elles étaient prêtes à fusionner pour créer une Sté unique d'exploitation avec participation de l'État. Ce fut Air France, qui fut créée définitivement le 30-8-1933. **1941** devient la Sté nationale Air France après fusion Cie Air France, Air Bleu créée 1935, Air France Transatlantique créée 1938, Aéromaritime créée 1937, Air Afrique créée 1937 (fusion des lignes aériennes Nord Afr. Régie Air Afrique, Malgache créées 1934). **1942** *Air France* Sté nationale après fusion avec RLAF (Réseau des lignes aériennes françaises). **1948**-16-6 Sté d'écon. mixte dès l'origine, Air France devient Cie nationale.

Statuts. Régie par le code de l'Aviation civile et la législation sur les S[tes] anonymes. *But :* exploitation des transports aériens dans les conditions fixées par le min. chargé de l'Aviation civile, création ou gestion d'entreprises présentant un caractère annexe à cette activité, prise de participation dans des entreprises de ce genre, après autorisation donnée par voie réglementaire. Air France est ainsi : une *entreprise commerciale* soumise à la concurrence internationale, tenue de couvrir par ses ressources propres ses dépenses d'exploitation, ses charges financières et annuités d'amortissements ; et un *service public* soumis au double contrôle des ministères de tutelle (elle peut se voir imposer certaines contraintes d'exploitation pour des raisons d'intérêt général).

Capital (1989). 3 156 570 000 F. L'État peut rétrocéder jusqu'à 30 % du capital à des collectivités publiques ou à des actionnaires privés ; ces derniers ne peuvent toutefois posséder plus de 15 % du capital. **Actionnaires :** État français 99,38 %, Caisse des dépôts et consignations 0,57 %, établissements publics (chambres de commerce, villes) ; administrateurs ; représentants de l'État, personnalités qualifiées et représentants du personnel Air France 0,5 %. *Pt :* Bernard Attali (1-11-43), dep. 15-10-88 [avant, Marceau Long, puis Jacques Friedmann (15-10-32) dep. 24-2-87].

Un contrat de plan « Groupe Air France » (1991 à 93), au sein duquel la Sté mère Air France occupera une place prépondérante, devait être signé mi 1991.

Filiales. Dep. 1990, le groupe Air France a acquis la majorité du capital d'UTA (et indirectement d'Air Inter). Contrôle 81 Stés exerçant des activités de transport aérien ou complémentaires : entretien des avions, tourisme (Sotair), hôtellerie (Méridien), commissariat et restauration (Servair), activité de transitaire (Sodetair), informatique commerciale (Estérel, Amadeus France), formation de pilotes (école Amaury de La Grange) etc. 3e groupe mondial, 1er européen.

Groupe Air France (en 1990). *Chiffre d'affaires :* 56,8 milliards de F. *Résultat net :* – 717,2 millions de F. Le conflit du Golfe a coûté au groupe 3,35 milliards de F (dont 1,258 au 1er trim. 1991). *Passagers transportés :* 35 241 991. *Effectif :* 59 119 (dont 46 144 au sol). *Escales régulières :* 233. *Heures de vol :* 677 442.

Réseau (en milliers de km). *1933 :* 38, *39 :* 60, *45 :* 75, *46 :* 140, *54 :* 250, *60 :* 325, *70 :* 435, *82 :* 624, *90 :* 1 072. 75 pays et 186 escales desservis. **Trafic total passagers** (1990). 15 730 101. *Passagers/km transportés* (en millions) *et,* entre parenthèses, *coefficient de remplissage :* 36 774 (69,2). **Fret** (1990). *Total en millions de t/km transportées (*messageries, poste et colis postaux) : 3 574.

Supersonique (1990). *Passagers/km transportés :* 298,2 millions dont 252,8 sur Paris-New York (43 380 passagers). Coefficient d'occupation 62,5 (dont : Paris-New York 59,2).

Total groupe (1990). *Passagers :* 35 241 991. *Passagers / km (en millions) :* 57 336. *Cœfficient d'occupation :* 69,6. *Fret (t/km transportées) :* 4 479.

Accidents mortels. *1930-39 :* 41, *1940-49 :* 37, *1950-59 :* 13, *1960-69 :* 9, *1970-79 :* 0, *1980-82 :* 0, *1983-89 :* n.c.

Participations d'Air France (en %). Air Charter 80, Air Inter (qui détient 20 % d'Air Charter) 72,3, UTA (qui détient 51 % d'Aéro Maritime et 28 % d'Air Afrique) 71, Euroberlin (49 % détenus par Lufthansa) 51, TAT 35, Alsavia 33, MEA 28,5, Cameroon Airlines 25, Air Mauritius 12,5, Tunis Air 5,6, Royal Air Maroc 4, Air Madagascar 3,5, Austrian Airlines 1,5.

Finances Air France (H.T. en milliards de F). **Chiffre d'aff. :** *1977 :* 9,8, *80 :* 15,6, *85 :* 30,3, *86 :* 27,8, *88 :* 31,3, *90 :* 34,4. **Résultat net :** *1984 :* 0,53, *85 :* 0,72, *86 :* 0,68, *87 :* 0,71, *88 :* 1,2, *89 :* 0,6. **C.A. export et,** entre parenthèses **% du C.A. total :** *1986 :* 14,8 (53,3), *87 :* 15,1, *88 :* 16,7 (53,3), *90 :* 18,3 (53,08). **C.A. fret :** *1984 :* 4,8, *85 :* 5,4, *86 :* 5, *87 :* 4,9, *88 :* 5,1, *90 :* 5,4. **Marge brute d'autofinancement :** *1981 :* 0,77, *82 :* 0,5, *83 :* 2,4, *84 :* 3, *85 :* 2,8, *86 :* 2,5, *90 :* – 0,44. **Capacité d'autofinancement :** *87 :* 2,67, *88 :* 3,6. **Aides publiques apportées par l'État.** *1982 :* total 0,44 dont Concord 0,28, desserte D.O.M. 0,12, Corse 0,04. *88 :* total 0,07 dont Corse 0,05. *90 :* total 0,1 dont Corse 0,03.

Flotte (au 31-12-90). *Concorde :* 7 ; *Boeing 747 :* 27 ; *Boeing 727 :* 15 ; *Airbus A 300 :* 15 ; *Boeing 737 :* 16 ; *Airbus A 310 :* 10 ; *Airbus A 320 :* 14 ; *Boeing 747 Cargo :* 9. Total : 113. Total gr. Air France : 195.

Commandes (au 1-1-91). *A 320 :* 11. *A 340-300 :* 7. *B. 747-400 :* 20. *B. 737-500 :* 12. *A 310-300 :* 1. *Total gr. Air France :* 108.

Nota. – En 1990, accord de coopération avec Lufthansa, Cathay Pacific et Japan Airlines (informatique relative au transport de fret – convention de facilités de correspondances et promotion conjointe avec USAir – constit. avec Aéroflot et les Postes française et soviétique d'une Sté de traitement des colis express et plis urgents), création par Air France (34 %), la région (34 %) et autres partenaires (32 %) d'Air Austral : basée à la Réunion pour les liaisons avec Madagascar, Maurice et les Seychelles.

Air Inter

Origine. Créé 12-11-1954. *1958* tentative d'exploitation : échec. *1960 juin* exploite des lignes régulières après s'être assuré, auprès des collectivités locales et de l'État, des garanties préalables. Protocole avec Air France de coopération, et reconnaissant leur vocation respective (A.I. transport intérieur, A.F. international). *1969* 1re mondiale d'un atterrissage tous temps. *1988-89* dessert 5 destinations sous pavillon Air France. *1990 12-1* constitution du groupe Air France. *1-5* tous les vols intérieurs deviennent non-fumeurs. **Statut.** Sté anonyme de droit privé. *P.D.G. : 1984* (juil.) Pierre Eelsen/1990 (nov.). Jean-Cyril Spinetta (n. 4-10-1943).

Capital. 76 456 500 F détenus en % (au 6-1-91) par : Air France 72,33, S.N.C.F. 12,32, C.D.C. Participations 4,1, Groupe Crédit Lyonnais 4, Chambres de commerce 1,83, F.C.P. Air-Inter 0,88, divers 4,54.

Filiales principales (en %). Sodetif-Visit France (tourisme, 46 000 clients en 1990) : 65. Terminal Elysées (agence de réservation) : 51. Orlyval (véhicule automatique léger) : 26. Air Charter : 20. SEA (fret de nuit) : 20. Esterel (exploitation service télématique) : 18. SATT (fret par route) : 10.

Chiffre d'affaires (en millions de F hors taxes). *1979 :* 2 224,5. *80 :* 2 895. *81 :* 3 481. *83 :* 4 777. *84 :* 5 058. *85 :* 5 685. *86 :* 6 292. *87 :* 6 750. *88 :* 7 377. *89 :* 8 647. *90 :* 9 506. **Résultat net.** *87 :* 0,09. *88 :* 0,146. *89 :* 115. *90 :* – 166,5. **Effectifs** (1990) 10 892 (sol 7 960, navigant 2 932).

Flotte (au 1-5-91). *Airbus 300 :* 22, *Super 12 :* 8, *Mercure :* 11, *Airbus 320 :* 14. **Commandes.** *A-320 :* 16. *A-321 :* 7. *A-330 :* 15.

Réseau. *Nombres de vols :* 120 964 ; *km parcourus* 63,9 millions ; relations (France) : 53 permanentes, 9 saisonnières ; (Europe) 6 perm., 1 s. **Ponctualité** à 15 mn : *1985 :* 91,2 %. *86 :* 87 %. *87 :* 85 %. *88 :* 81 %. *89 :* 83,9 %. *90 :* 85,5 %.

Trafic passagers. *1962 :* 203 247. *66 :* 1 170 206. *69 :* 2 399 773. *73 :* 4 111 896. *76 :* 5 494 840. *79 :* 6 813 811. *80 :* 8 238 369. *82 :* 9 874 909. *84 :* 10 977 397. *85 :* 11 382 946. *87 :* 12 804 000. *88 :* 13 750 179. *89 :* 15 688 394. *90 :* 16 163 000. **Coefficient de remplissage** (en %) : *1983 :* 64,3. *84 :* 64,79. *85 :* 66,3. *86 :* 68,5. *87 :* 69,3. *88 :* 68,6. *89 :* 70,29. *90 :* 68,33. **Passagers/km** (en millions) : *1987 :* 6 975. *88 :* 7 492. *89 :* 8 595. *90 :* 8 939. **Fret :** t/km. *1990 :* 37,1.

Comparaisons entre Air Inter et, entre parenthèses **Air France. Charges d'exploitation** (1989). 8,77 milliards de F (36,15) dont (en %) charges de personnel 32,9 (30,2), loyers, entretien et autres charges 19,4 (17,7), dotations aux amortissements et provisions 12 (7,7), carburant 9,2 (10,5), redevances aéronautiques 7,6 (6,7), loyers avions 7,5 (2), commissions et honoraires 5,6 (7,4), achats produits et fournitures 3,9 (16,6), impôts et taxes 1,9 (1,2).

UTA (Union de transports aériens)

Origine. *1963* née de la fusion de la *TAI (Transports aériens internationaux* créés 1946) et de l'*UAT (Union aérienne des transports* créée 1-1-1949). *Pt 1963* Gal Georges Fayet, *1969* Francis Fabre, *1981* René Lapautre. *1990* Bernard Attali. Sté anonyme à participation ouvrière. *1990*-12-1 Air France se porte acquéreur de la majorité du capital d'UTA et de 48,55 % (4 040 millions de F) d'Aéromaritime.

Capital. 119 270 970 F. *Principaux actionnaires (en %) :* Air France 84,45, Chargeurs Réunis 10. **C.A. et résultat net (ou perte)** en millions de F. *1980 :* 3 713 (+ 67,1). *81 :* 4 543,6 (+ 33,4). *82 :* 5 253 (+ 7,3). *83 :* 5 777 (+ 162). *84 :* 6 062 (+ 219). *85 :* 6 587,4 (+ 771). *86 :* 6 456 (+ 810). *87 :* 6 218 (+ 814). *88 :* 6 648 (+ 600). *89 :* 6 700 (+ 243). *90 :* 7 357 (– 460). **Effectifs** (au 31-12-90) : 7 908. **Flotte** (au 1-1-91) : 15 appareils dont 6 *DC 10-30,* 3 *B 747-300 « Combis »,* 2 *B 747-200 « Cargo »,* 1 *B 747-400,* 1 *B 747-200 C,* 1 *B 747-300 « Cuixre »,* 1 *B 737-300.*

Réseau. *Longueur* 268 452 km. *Escales* 41 dans 33 pays (Moyen-Orient, Extrême-Orient, Pacifique, Afrique, côte Ouest des USA). **Trafic passagers.** *1974 :* 547 674. *80 :* 874 370. *82 :* 983 192. *84 :* 851 945. *85 :* 862 775. *86 :* 904 130. *87 :* 894 578. *88 :* 835 225. *89 :* 860 638. *90 :* 937 400. *Passagers/km* (en milliards) : *80 :* 4,7. *82 :* 5,4. *84 :* 5. *85 :* 5,2. *86 :* 5,5.

87: 5,7. *88:* 5,5. *89:* 5,6. *90:* 6,2. **Fret** *t/km transportées* (en millions) : *1974 :* 227,8. *80 :* 471,3. *83 :* 528. *84 :* 514. *85 :* 501. *86 :* 465. *87 :* 449. *88 :* 531. *89 :* 569. *90 :* 590. *Coefficient de remplissage* (en %). *85 :* 69,6. *86 :* 67,4. *87 :* 57,1. *88 :* 59,2. *89 :* 68,1. *90 :* 67,7.

Filiale. *Aéromaritime Charters :* vols spéciaux, affrètements 435 (80 % navigants) ; flotte (Boeing) : 6 *737-300*, 1 *737-400*, 1 *747-200*, 1 *747-300*, 2 *767-200*.

Compagnies régionales

Aigle-Azur[1]. *Aéroport* Paris-Pontoise, BP 24, 95301 Cergy-Pontoise Cedex. *Flotte :* 2 Mystère 20, 1 Bandeirante, 2 Beech 200 (dont 1 porte-cargo), 1 Beech 90, 1 Mystère 10, 1 Saab 340. *Effectifs* (31-3-89) : 35 agents dont 10 PN. Ligne permanente Pontoise-Londres Gatwick, Deauville-Londres Gatwick. Activités de transport à la demande.

Air Calédonie[1]. *Aéroport* de Magenta, B.P. 212, Nouméa, N.-Calédonie. *Flotte :* 3 ATR 42 et 2 Dornier 228. *Effectifs* (31-12-90) : 221 dont 15 % navigant. *Passagers* (1990-91) : 236 422 ; *fret :* 1 028 t. *C.A. brut* (1990-91) : 87,3 millions de F. *Lignes régulières :* Lifou, Mare, Ouvéa, île des Pins, Tiga, Kone, Touho, Koumac, Belep. *Charters :* Norfolk.

Air Calédonie International[1] 8, rue Frédéric-Surleau, Nouméa, Nlle-Calédonie. *Aéroport :* Nouméa la Tontouta. *Flotte :* 1 B737-300, 1 Twinn-otter DHG. *Effectifs* (1990) : 152. *Passagers* (1990) : 82 974. *C.A. brut,* (1989) : 98 millions de F. *Lignes régulières :* Brisbane, Melbourne, Sydney (Austr.) ; Auckland (N.-Z.) ; Port Vila (Vanuatu) ; Nandi (Fidji) ; Wallis, Futuna (Territ. de Wallis et Futuna) ; Papeete (Tahiti). *Activités :* trans. aér. réguliers, affrètements.

Air Charter. 4, rue de la Couture, zone SILIC 318, 94588 Rungis Cedex. *Base d'exploitation :* Orly. *Créée* 1966. Filiale d'Air France (80 %) et d'Air Inter (20 %) ; 1re Cie fr. de charters. *Flotte :* 7 Boeing 727, 3 Boeing 737, 2 Airbus A 300 ; utilise en outre, 4 Boeing 737, 5 d'E.A.S. et 5 Boeing 737-200 d'Euralair, et les flottes d'Air France et d'Air Inter. *Effectifs* (1-4-91) : 50. *Trafic :* 1 950 000 passagers. *C.A.* (1990) : 1,66 milliard de F.

Air Guadeloupe[1] aéroport du Raizet, 97110 Pointe-à-Pitre. *Flotte :* 2 ATR 42, 3 Dornier, 2 Twin Otter. *Effectifs* (1990) : 217 agents dont 42 navigants. *Passagers (1990) :* 230 000. *C.A.* (1990) : 140 millions de F. *Réseau :* Désirade, Dominique, Les Saintes, Marie-Galante, Martinique, San Ivan, Ste-Lucie, St-Barthélemy, St-Martin, Grand Case, St-Thomas. Exploitation d'1 *B 737-300* sur 4 réseaux régionaux en coopération avec Air Martinique et Air Guyane à partir de nov. 1991.

Air Guyane[1]. *Aéroport* Rochambeau, 97307 Matoury. *Flotte :* 1 BN 2, 1 Cessna, 1 DHC 6. *Effectifs* (1987) : 20 personnel sol, 4 navigants techniques. *Réseau :* lignes régulières en Guyane et entre Cayenne et Paramaribo, et Cayenne et Macapa.

Air Jet[1]. 27-35, rue de la Villette, Lyon 3e. *Base* principale à Orly. *Créée* 1980. *Flotte :* 5 F 27-600, 1 Beech 200, 1 BAe 146 QC. *Effectifs* (31-3-91) : 122 dont 37 navigants. *Ligne régulière :* Avignon-Lyon. *Fret* 6 lignes. Vol à la demande et vols d'affaires en Eur. et Bassin méd. *C.A.* (exercice 1990-91, est.) : 94 millions de F.

Air Limousin[1] T.A. (ALTA [1]). *Aéroport :* Limoges-Bellegarde, 87100 Limoges. *Flotte :* 2 SAAB SF-340, 4 Nord 262, 6 Metro II. *Effectifs :* 145 agents dont 63 navigants. *Passagers* (1987) : 71 980. *C.A.* (1988) : 100 millions de F (déficit 42) ; dépôt de bilan 31-12-88.

Air Littoral. *Aéroport :* Montpellier-Fréjorgues, 34130 Mauguio Cedex. *Créé* 1972. A fusionné avec Cie aérienne du Languedoc en 1988. *Flotte* (au 31-3-91) : 3 Bandeirante EMB-110, 10 Brasilia EMB-120, 5 ATR 42, 6 Metro II Swearigen, 2 Nord 262, 6 Fokker 100. *Effectifs* (31-3-91) : 827 agents dont 347 navigants. *Passagers* (1990) : 567 600. *C.A.* (1990) : 570 millions de F. *Capital :* 115,27 millions de F. Nombre d'heures de vol (90) : 40 300. *Réseau :* 7 lignes radiales (Province-Paris), 21 transversales (Province-Province), 39 internat. (30 Province-CEE et 9 Paris-CEE). Activité de transport à la demande ; fret ; maintenance aéronautique. FILIALE ESMA (École sup. des métiers de l'aéronautique) : *C.A.* (1990) : 37 millions de F. *Flotte :* 8 appareils (1 Beechcraft King 200, 2 Beechcraft Baron 58, 3 Trinidad TB 20, 2 Tampico TB 9) ; 1 Bandeirante EMB-110. Effectifs : 60 collaborateurs.

Air Martinique[1]. *Aéroport* de Fort-de-France, 97232 Le Lamentin. *Flotte :* 3 Dornier 228, 2 ATR 42. *Effectifs* (28-2-91) : 190 personnes dont 35 navigants. *Passagers* (1990) : 150 000. Fret (1989) : 576 t. *C.A.* (1990) : 78 millions de F. *Réseau :* desserte régulière des Antilles de/vers Martinique, Antigua, Dominique, Barbade, Ste-Lucie, St-Vincent et Grenadines (Union, Canouan, Moustique). St-Martin, Gaudeloupe et Paris. *Charters* (affrètements, zone) : bassin Caraïbes.

Air Moorea[1]. *Aéroport* de Tahiti-Faaa (Tahiti), BP 6019. *Flotte :* 1 Dornier 228-212, 1 PA 31-350, 4 BN 2A. Desserte régulière Tahiti Moorea, vol à la demande.

Air Réunion[1]. *Aéroport* de Gillot, B.P. 611, 97473 St-Denis Cedex, île de la Réunion. Représentation aéromaritime. *Créé* 1975. *Flotte, avions :* 1 Fokker 28-1 000, 1 HS 748, 1 Piper Chieftain ; *hélicoptères :* 2 Alouette III, 1 Écureuil B 1, 1 Dauphin C 3 et 2 Lamas. *Effectifs* (1989) : 80 agents. *Passagers* (1989) : avion : 18 840, hélicoptère : 9 143. *Lignes régulières :* Réunion-Mayotte, Réunion-Tamatave, St-Denis-St-Pierre. Transport à la demande. *C.A.* (1989) : *60* milliards de F.

Air Saint-Pierre[1]. 9, rue Albert-Briand, 97500 St-Pierre-et-Miquelon. *Flotte :* 2 HS-748, 1 Piper Aztec, 1 Piper Chieftain. 4 lignes régulières : St-Pierre/Miquelon, St-P./Sydney (Canada), St-P./Halifax (Can.), St-P./Montréal (Mirabel). *Effectifs :* 34 dont 6 PNT. *Passagers* (1990) : 24 790. Transport à la demande.

Air Tahiti[1]. B.P. 314, Papeete, Tahiti. *Flotte :* 1 Dornier 228, 4 ATR 42. *Effectifs :* 530. *Passagers :* 300 000. *C.A. :* 4 milliards de F. Pacifique. *Réseau :* 36 îles de Polynésie française.

Air Transport Pyrénées. 4 lignes régulières au départ de Pau vers Nantes, Biarritz et Toulouse, de Toulouse vers St-Étienne. *Flotte :* 7 Beechcraft King dont 1 : *200*, 4 : *100* et 1 : *90*.

Air Vendée[1]. Route de Nantes, BP. 39, 85002 La Roche-sur-Yon. Créée 1975. *Flotte :* 5 Metro III, 2 King-Air 200, 1 Saab 340 B. *Effectifs :* 70 personnes dont 22 navigants. *Passagers* (1990) : 60 000. *C.A.* (1990) : 65 millions de F. *Lignes :* Nantes-Le Havre-Bruxelles, Nantes-Bruxelles, Nantes-Rouen-Londres, Nantes-Barcelone, Nantes-Rouen-Amsterdam, Rennes-Marseille, Rouen-Lyon, Nantes-Clermont-Ferrand-Genève, Limoges-Marseille. Transport à la demande.

Brit Air[1]. B.P. 156. *Aéroport :* Ploujean, 29204 Morlaix. *Créée* 1973. *Flotte :* 3 Bandeirante 110, 2 Beechcraft, 2 ATR 72, 10 ATR 42, 6 Saab SF 340, 1 Piper Cheyenne. *Effectifs* (1990) : 395 agents. *Passagers* (1990) : 550 000. *C.A.* (1990) : 355 millions de F. *Lignes régulières :* Rennes-Lyon, Rennes-Londres, Rennes-Toulouse, Rennes-Nice, Caen-Toulouse, Caen-Lyon, Caen-Londres, Le Havre-Lyon, Le Havre-Londres, St-Brieuc-Paris, Quimper-Londres, Brest-Londres, Brest-Lyon, Brest-Toulouse, Toulouse-Bruxelles, Nantes-Düsseldorf, Nantes-Milan ; *saisonnières :* Nantes-Cork, Brest-Cork, Deauville-Nice. *Activités* pour *Air Inter* et *Air France* au départ d'une vingtaine d'aéroports européens. Transport à la demande.

CCM (Cie Aérienne Corse Méditerranée). *Créée* 1990. 2 ATR 72 sur Nice-Ajaccio et Nice-Bastia.

Finist'Air[1] aéroport Brest-Guipavas, 29490 Guipavas. *Flotte :* 3 Cessna 207 (7 passagers), 1 C. 208 (9 pas.). *Passagers* (1990) : 13 428. *C.A.* (1990) : 4,2 millions de F. *Lignes régulières :* Brest-Ouessant, Belle-Ile-Quiberon-Lorient. Transports à la demande.

Flandre Air[1]. *Aéroport* de Lille-Lesquin, B.P. 202, 59812 Lesquin Cedex. *Flotte :* 2 Beech 100, 3 Beech 200, 1 Piper Chieftain PA 31, 1 Beech 55. *Effectifs* (mars 90) : 35 agents dont 15 navigants. *Passagers* (1990) : 12 500. *C.A.* (1990) : 33 millions de F. *Lignes régulières :* Lille-Metz. Lille-Francfort, Lille-Rennes. Transport à la demande.

Corse Air International. 20, rue des Capucines, 75002 Paris. *Base d'exploitation* Orly. *Créée* 1981. *Flotte :* 2 Boeing 737-300 et 1 Boeing 747-200. *Effectifs :* 250 dont 45 navigants techniques. 10 000 h de vol par an. *Activité charter :* Europe, Bassin méditerranéen, Afr. de l'Ouest, Amérique du N. *Ligne régulière :* Paris-Malte. *C.A.* (1988) : 240 000 000 F.

Euralair International. *Aéroport* de Paris, Le Bourget, Zone Nord. *Flotte :* 5 B 737-200, 2 B 737-500, 2 BAe 146, 10 avions d'affaires. *Effectifs* (1990) : 400 dont 160 navigants techniques. *C.A.* (1990) : 500 millions de F.

Europe Aéro Service. *Aéroport* de Perpignan-Rivesaltes. 66 028 Perpignan. *Créée* 1950. *Centres d'exploitation :* Orly et Perpignan. *Flotte :* 4 B 727, 4 super-Caravelle, 5 B 737. *Effectifs :* 795 dont 345 navigants. *Passagers* (1990) : 1 215 000. *C.A.* (1990) : 668 millions de F. *Lignes régulières :* Paris-Gérone, P.-Bissau, P.-Cap-Vert, P.-Perpignan, P.-Figari. *Zones d'activités :* vols affrêtés, vols réguliers, maintenance aéronautique.

Minerve. 1, allée Maryse-Bastié, 91781 Wissous. *Base d'exploitation* Orly. *Créée* 1975. *Flotte :* 2 DC 10, 2 DC 8-73, 5 MD-83, 3 MD-11. *Effectifs* (mars 90) : 800 dont 350 navigants. Filiale du Club Méditerranée. *C.A.* (1989) : 920 millions de F.

Point Air. Mulhouse. *Créée* 1982. En liquidation judiciaire dep. 1-1-88.

Stellair. *Aérop.* de Nantes Atlantique, 44340 Bouguenais. *Flotte :* 2 Fairchild F 27-J, 2 Bandeirante EMB 110, 1 Twinn Otter DHC 6, 1 Mooney M 20 C, 1 Cessna 152. *Effectifs* (1991) : 30. *C.A.* (1990) : 32 millions de F. *Activités :* transport de passagers et fret à la demande.

Transport aérien transrégional (TAT)[1]. 47, rue Christiaan-Huygens, 37100 Tours. B.P. 0237, 37002 Tours Cedex. Minitel : 36-15 code TAT. *Créé* 1968 (Touraine Air Transport), a racheté 17 Cies françaises dont Rousseau Aviation, Air Alpes, Air Alsace, Air Rouergue. *Flotte* (1991) : 60 dont 4 B 737, 2 Fokker 100, 22 Fokker 28, 8 ATR 42, 2 ATR 72. *Effectifs :* 1 500 agents. *Passagers* (1990) : 3 000 000 (dont 800 000 sur réseau propre). *C.A.* (1990) : 2,25 milliards de F dont (en %) transp. aérien 65,7, fret 18,3, négoce d'avions 7,3, maintenance 6,3, formation 2,4. *Fret* (1990) : 42 000 t. *Réseau :* 67 lignes sous pavillon TAT, dont 15 Province-Paris, 25 Province-Province, 27 saisonnières (dont 18 nat., 9 internat.). Assure 30 lignes en Europe pour Air France.

Nota. – (1) Membre du Comité des transporteurs aériens complémentaires (CTAC) 43, bd Malesherbes, 75008 Paris.

Transvalair-ACE. *Aérodrome* de Caen-Carpiquet 14650 Carpiquet. *Créée* 1984. *Flotte :* 2 FH 227 (cargos), 2 F 27 (passagers). *Effectifs* (1990) : 30. *C.A.* (1990) : 40 millions de F.

Uni Air International. Toulouse-Blagnac, B.P. 25, 31701 Blagnac Cedex et 93350 Le Bourget. *Créée* 1969. *Flotte :* 6 Jet Corvette, 1 FK 27, 2 Lear 35, 3 Falcon E/R, 1 King Air. *Effectifs :* 75 agents dont 30 navigants. *C.A.* (1990) : 100 millions de F.

Aviation générale en France

• **Définition.** Comprend l'« ensemble » des types d'opérations d'aviation civile autres que les services aériens réguliers et les transports aériens non réguliers effectués contre rémunération ou au titre d'un contrat de location « Définition de l'OACI ».

• **Aéro-clubs.** *Vol à moteur :* 536 affiliés à la FNA (Fédération nat. aéronautique), dont 466 sont agréés par la Direction générale de l'Aviation civile. *Licences délivrées par la F.N.A. : 1975 :* 39 165 (femmes 2 577). *80 :* 39 516 (2 655). *85 :* 42 661 (3 180). *89 :* 48 470 (3 513). *Nombre moyen d'h. de vol par an par licence : 1975 :* 18,13 h. *86 :* 15,56. *89 :* 17,66. *Vol à voile :* 159 affiliés à la FFVV (Fédération fr. de vol à voile) dont 148 sont agréés par la Direction générale de l'Aviation civile.

• **Aérodromes.** Y compris DOM-TOM. 719 dont 304 ouverts à la circulation aérienne publique, 114 à usage restreint et 60 à usage exclusif des administrations de l'État, 241 à usage privé.

• **Aéronefs civils en France. Total** général 10 180. **Avions :** 7 242. *Transport public :* 634 dont Air France 120, Air Inter 45, UTA 10, T.A.T. 36, divers 423. *Av. générale :* 5 589 dont État 205, Sociétés 957, constructeurs 43, aéroclubs 2 991, particuliers 1 393, CRNA et CRNAC (construction amateur) 1 019.

Hélicoptères : 617 dont *transport public :* 171 dont Héli Union 79, autres Cies 92. *Aviation générale :* 446 dont État 1, Stés 352, constructeurs 4, aéroclubs 15, particuliers 74. **Planeurs :** 1 888 dont État 43, constructeurs 1, aéroclubs 1 406, particuliers 378, Stés 14, CRNA 46. **Ballons-Aérostats :** 433.

Heures de vol (1987). *Avions* 864 689 (dont aéroclubs 703 324, particuliers 100 000, centres SFACT 61 365). *Planeurs* 349 726 (dont aéro-clubs et particuliers 335 000, CNFA de Saint-Auban 14 726).

• **Mouvements d'avions.** *1982 :* env. 4 259 302, vols locaux de l'av. générale 2 976 888, voyages de l'av. gén. 1 282 414 ; *85 :* 4 2000 vols par j ; *89 :* 5 600.

• **Pilotes français.** Pilotes de ligne 1 451, professionnels de 1re classe 1 397, prof. qualifiés pour le vol aux instruments 2 037, prof. 812, mécaniciens navigants français 1 129. **Formation de pilotes.** *1986 :* 30, *88 :* 140, *89, 90 et 91 :* 400 à 450.

Aéroports

Aéroports dans le monde

Trafic en 1990

• **Aéroports, nombre de passagers** (en millions) **et,** entre parenthèses, **fret** (en milliers de t).

Amérique du Nord. U.S.A. New York 74,8 (1 721) dont JFK (John Fitzgerald Kennedy) 29,8 (1 207), LGA (La Guardia) 22,8 (64), NIA (Newark) 22,3 (449). Chicago 68,5 (761) dont O'Hare 59,9 (749), Midway 8,5 (12). Dallas 54,3 (402) dont Fort Worth 48,5 (402), Love Field 5,7. Los Angeles 51,2 (1 388) dont LAX 45,8 (1 165), Ontario 5 (223). Atlanta (Int'l) 48 (432). San Francisco 31,1 (449). Denver 27,4 (207). Miami 25,8 (908). Washington 25,8 (149) dont National 15,6 (15), Dulles Int'l 10,2 (134). Houston 25,8 (216) dont Intercontinental 17,6 (181), W.P. Hobby 8,1 (5,6), Ellington-Field 0,04 (30). Boston 23,3 (310). Detroit/Wayne City 21,9 (125). Phoenix 21,7 (95). Minneapolis 20,4 (184). Saint-Louis 20 (80,4). Las Vegas 18,6 (16). Orlando 18,4 (95). Pittsburgh 17,1 (83). Philadelphie 16,3 (320). Salt Lake City 12 (76). San Diego 11,2 (48). Tampa 10,6 (106). Baltimore 10,3 (117). Seattle 10,2 (245). Milwaukee 4,5 (61,5). Louisville 2,1 (0,7). **Canada.** Toronto 21,5. Vancouver 9,9 (119). Montréal 8,9 (n.c.) dont Dorval 6,4 (n.c.), Mirabel 2,5 (n.c.), Calgary 4,6 (41), Ottawa [1] 2,7 (62). Edmonton 2,1 (32). **Amér. centrale et du Sud.** Mexico 12,1 (125). Saõ Paulo 9,6 (268) dont Guarulhos 7,1 (265), Congonhas 2,5 (3,3). Rio de Janeiro 9,6 (132) dont Galeaõ 7,7 (131), Santos Dumont 1,9 (0,4). Porto Rico 8,7 (203). Caracas [1] 7,9 (n.c.). Buenos Aires [1] 5,5 (90) dont Ezeiza 2,8 (66), Aeroparque 2,7 (24). Guadalajara 4,1 (20). Cancun 3,2 (8,1). Brasilia 3,2 (27). Recife 2,1 (23). Salvador 2 (20). Santiago du Chili 1,8 (101). Tujuina 1,7 (6,2). Monterrey 1,6 (9,5). Les Barbades 1,6 (15). Quito 1,5 (27). Porto Alegre 1,5 (27). Acapulco 1,5 (2,9). Port of Spain 1,4 (23). La Havane 1. Lusaka 0,6 (0,9).

Europe. Londres 65,6 (951) dont Heathrow [2] (à 24 km de Londres) 43 (698), Gatwick (à 45 km) 21,2 (220), Stansted (à 56 km) 1,2 (33), City Airport (à 10 km) 0,2. Paris 46,8 (872) dont Orly 24,3 (254), Ch.-de-Gaulle 22,5 (618). Francfort 29,6 (1 115). Rome 18,4 (243) dont Fiumicino 17,8 (237), Ciampino 0,6 (5,3). Madrid 16,7 (221). Amsterdam 16,5 (604). Stockholm 14,9 (75). Copenhague 12,8 (140). Zurich 12,7 (256). Düsseldorf 11,9 (46). Milan 11,8 (144) dont Linate 9,4 (72). Malpensa 2,4 (72). Palma 11,5 (21). Moscou 11,5 (26,1). Munich 11,4 (57). Manchester 10,8 (73). Athènes 10,1 (88). Barcelone 9,4 (66). Leningrad 9 (13,3). Berlin 8,7 (31) dont Tegel 6,7 (16). Schönefeld 2 (14). Bruxelles [1] 8,5 (282). Helsinki 8 (60). Hambourg 6,9 (45). Las Palmas 6,7 (35). Oslo 6,6 (44). Istanbul 6,5 (79). Genève 6 (56). Tenerife 5,7 (18). Nice 5,7 (22). Vienne 5,7 (58). Dublin 5,5 (n.c.). Lisbonne 5,3 (75). Marseille 5 (33). Malaga 4,8 (7,7). Stuttgart 4,4 (19). Glasgow 4,4 (19). Lyon 3,9 (17). Birmingham 3,6 (21). Toulouse 3,2 (25). Larnaca 3,1 (24). Cologne 3,1 (163). Göteborg 3 (22). Kiev 3 (58,1). Belgrade 2,8 (34). Hanovre 2,8 (12). Faro 2,8 (1,9). Luton 2,7 (23). Varsovie 2,7 (17). Alicante 2,7 (6,4). Edimbourg 2,6 (1,2). Bordeaux 2,6 (10). Budapest 2,5 (20). Ibiza 2,4 (4,7). Belfast 2,3 (24). Lanzarote 2,3 (3,9). Antalya 2,1 (3,6). Naples 2,1 (3,3). Ankara 2 (13).

Asie. Tokyo 61,9 (1 424) dont Haneda 40,2 (485), Narita 21,7 (940). Osaka 23,5 (936). Hong Kong 20,1 (802). Seoul 16,8 (852). Bangkok 15,9 (404). Singapour 15,6 (624). Taipei 10,1 (396). Jakarta 8,6 (166) dont Soekarno 8 (164), Halim Perdan 0,6 (2,1). Bombay 8,5 (189). New Delhi 5,8 (127). Cheju 5,8 (128). Pusan 5,7 (78). Karachi 5,3 (146). Canton [1] 4 (n.c.). Pékin [1] 3,5 (n.c.). Shanghaï [1] 3,3 (70). Bali 2,5 (18). Calcutta 3,3 (34). Penang 2,1 (99). Surabaya 2 (21). Islamabad 1,8 (24). Madras 1,8 (40). Lahore 1,8 (23). Colombo 1,5 (35). Medan 1,1 (22). Ujungpandang 1,1 (20).

Australie-Océanie. Sydney 12,2 (321). Melbourne 8,5 (227). Auckland 5,4 (110). Brisbane 5,2 (36). Christchurch 3 (35). Perth 2,5 (54). Cairns 1,2 (5,6). Townsville 0,4 (n.c.). Mount Isa 0,05 (n.c.).

Proche-Orient. Le Caire 8,3 (90). Dubai 5 (144). Tel Aviv 3,6 (200). Abu Dhabi 2,3 (34). Amman 1,8 (67). Damas 1,6 (6,2). Mascate 1,4 (26). Doha 1,4 (24). Sharjah 0,8 (29).

Afrique du Nord. Alger 4,1 (21). Tunis 2,3 (25). Casablanca 2 (40). Monastir 2 (1,7). Oran 0,9 (7,5). Jerba 0,8 (1,2). Constantine 0,7 (4). Agadir 0,7 (2,4). Marrakech 0,7 (1,6). Annaba [1] 0,4 (n.c.). Tanger 0,4 (1,1). Ghardaïa 0,2 (0,3). Tamanrasset 0,2 (2,3). Oujda 0,1 (0,8). In-Amenas 0,1 (0,4). Rabat 0,1 (1,2).

Afrique. Johannesburg 5,8 (142). Cap Town 2,4 (35). Lagos 2,2 (21). Durban 2 (13). Maurice 1 (27). Freetown 1. Abidjan 0,8 (21). Dakar 0,8 (22). Port Elizabeth 0,8 (8,1). Kinshasa 0,6 (76). Libreville 0,5 (9,9). Douala 0,4 (13). Lomé 0,4 (6,3). Antananarivo 0,4 (8,4). East London 0,4 (3,4). Accra 0,3 (17). Lilongwe 0,3 (6). Bloemfontein 0,2 (2,4). Bamako 0,2 (8,3). George 0,2 (11). Brazzaville 0,2 (8,9). Yaoundé 0,2 (0,5). Nouakchott 0,2 (3,1). Kilimanjaro 0,2 (1,6). Port Gentil [1] 0,2 (4,6). Ouagadougou 0,1 (9,3). Cotonou 0,1 (2,6). Kigali 0,1 (8,5). Niamey 0,1 (5). Nouadhibou 0,09 (0,9). Pointe Noire [1] 0,08 (1). Garoua [1] 0,07 (1). Tamatave [1] 0,06 (0,4). N'Djamena 0,06 (6,4). Bangui 0,06 (4,9).

Nota. – (1) Estimations. (2) Le plus grand aéroport international (1985 : 318 860 vols vers 80 pays).

Nombre d'aérodromes civils (1989)

• **Total mondial.** 37 726 dont 22 250 privés, 15 476 publics (dont terrestres 14 413, aquatiques 308, hélicop. 755). **Total par pays. Publics,** entre parenthèses, **privés.** USA 17 167 (11 583), Brésil 2 269 (1 314), Mexique 2 042 (1 446), Canada 1 175 (576), Bolivie 1 146 (555), Paraguay 1 001 (972), *France 709 (290),* Colombie 599 (393), Indonésie 521 (374), Zimbabwe 479 (446), Australie 436, Papouasie 435 (33), Argentine 433 (64), Guatemala 353 (278), Venezuela 333 (235), All. féd. 316 (206), Pérou 297 (134), Philippines 295, Afr. du S. 278 (108), Zaïre 261 (160), Chili 259 (127), Inde 225 (46), Suède 204 (7), Danemark 172 (114), N.-Zél. 164 (105), Espagne 159 (120), G.-B. 142, Nicaragua 138 (127), Madagascar 137 (78), Zambie 130 (60), Japon 121 (35), Tchad 105 (54), Italie 98 (53), Norvège 98 (40), Chine 97, Éthiopie 90 (50), Mozambique 90 (72), Côte-d'Ivoire 88 (59), Nigeria 86 (40), Finlande 86 (11), Gabon 83 (44), Uruguay 81 (54), Yougoslavie 76 (58), Rép. centrafr. 70 (30), Algérie 68 (19), Tchécoslovaquie 66, Mauritanie 65 (45), Pakistan 65 (31), Corée 65 (44), Birmanie 62, Autriche 62 (51), Turquie 53 (14), Grèce 51 (15), Soudan 51 (26), Pologne 47 (36), Libye 45, Mali 45 (16), Sénégal 45 (29), Ouganda 42 (32), Népal 41, 40 (23), Pays-Bas 40 (25), URSS 38, Maroc 34 (5), Iran 34, Belgique 32 (20), Thaïlande 31, Arabie S. 29 (6), Viêt-nam 24 (20), Hongrie 23 (21), Cuba 21 (1), Égypte 21 (4), Afghanistan 20, Tunisie 18 (6), Bangladesh 15, Guinée 14 (3), Cambodge 13 (7), Luxembourg 13 (7), Bénin 8, Togo 8, Syrie 7, Jordanie 3, Irak 2.

Quelques records

Aéroport le plus grand. *King Khaled International Airport* (Ryad, Arabie Saoudite). 22 100 ha, ouvert 14-11-1983. Coût : 21 milliards de F. Tour de contrôle : hauteur 74 m. *Dallas Fortworth* (Texas, USA). 7 080 ha, ouvert en janv. 74, coût 4 milliards de F, 6 pistes et 5 aérogares (projet : 9 pistes, 13 aérogares, 150 millions de passagers).

Aéroport le plus haut. *Lhassa* (Tibet) à 4 363 m. **Le plus bas.** *Schipol* à Amsterdam (P.-Bas) à 3,9 m au-dessous du niveau de la mer.

Aéroport le plus éloigné. *Viracopos,* (Brésil) à 96 km de São Paulo. **Le plus proche.** *Gibraltar,* à 800 m du centre-ville.

Aéroports français

☞ **Trafic total en France métropolitaine. Passagers** (en millions) : *1987 :* 64. *88 :* 70. *89 :* 77. *90 :* 80. **Fret** (en tonnes) : *1988 :* 930 094. *89 :* 968 673. *90 :* 1 014 395.

Retards. *De + de 10 min. au départ des aér. français : 1986 :* 3 005, *87 :* 11 254 (2,9 %), *88 :* 23 354 (4,6 %), *89 :* 29 911 (3,9 %) [dont (en %) *10-30 mn :* 60, *30-45 :* 18, *45-60 :* 9, *+ de 60 :* 13.

Causes (en %, 1989) : capacité du système navigation aérienne français 28 (25), étranger 52 (21), mouvements sociaux 17 (47), météo, radar 3 (7).

Vols retardés pour ATC par nombre de départs IFR (en %) : *1988 :* 3,9. *89 :* 4,4. *En 1990 :* en tenant compte de l'ensemble des délais liés au service du contrôle ou aux problèmes des compagnies aériennes (passager en retard, problème technique affectant un aéronef et la sécurité des vols, etc.) 13,3 % des vols étaient retardés.

Aéroports de Paris

Généralités

• **Statut.** Établissement public de l'État, à caractère industriel et commercial, indépendant des compagnies aériennes qui utilisent ses services. A pour vocation de créer, aménager, exploiter et développer les aéroports et aérodromes civils dans un rayon de 50 km autour de Paris. *Comprend : 3 aéroports principaux* (essentiellement aviation marchande) : Le Bourget, Orly et Roissy-Charles-de-Gaulle, *11 aérodromes* (tourisme, aviation légère, héliport) : Toussus-le-Noble, Guyancourt (fermé 31-9-89), Étampes (dep. le 1-10-89), Pontoise-Cormeilles, Coulommiers, Saint-Cyr, Chavenay, Persan-Beaumont, Meaux, Chelles, Lognes, Issy-les-Moulineaux.

• **Chiffre d'affaires** (en millions de F, 1990). 5 100 (bénéfices 500). Redevances aériennes 32 %, domaniales 17 %, commerciales 16 %, assistance aéroportuaire 19 %, coopération technique 5 % (dont 90 MF d'activité d'ingénierie). *Charges* 4 600. *Autofinancement* 1 000. *Investissements* (1990-95) : 5 milliards de F.

• **Effectifs des aéroports parisiens.** 6 400 ; 60 000 personnes travaillent pour les entreprises implantées sur les aéroports parisiens (1,3 % du nombre d'emplois en Ile-de-France).

• **Superficie totale.** 6 520,5 ha (dont propriétés et installations diverses 13,9 dont aides à la navigation aérienne 4,05, stations de mesure de bruit 1, logements 9,6, autres installations 13,9).

• **Trafic annuel** (1990). **3 aérodromes principaux :** mouvements d'avions : 443 200 dont commerciaux 424 000, passagers 46 900 000, fret 874 000 t, poste 62 900 t ; dont **Charles-de-Gaulle :** mouvements d'avions 241 400, passagers 22 559 000, fret 619 000 t, poste 29 500 t ; **Orly :** mouvements d'avions 201 800, passagers 24 348 000, fret 255 000 t, poste 33 400 t ; **Le Bourget :** mouvements d'avions 70 960, passagers 76 900.

11 aérodromes : mouvements d'aéronefs 1 052 179 (dont 964 030 avions, 78 309 hélicoptères, 9 840 planeurs), Lognes 190 200, St-Cyr 173 329, Toussus-le-Noble 160 680, Pontoise 131 058, Chavenay 99 492, Étampes 90 545, Meaux 86 615, Persan-Beaumont 47 702, Coulommiers 35 212, Issy-les-Moulineaux 31 402, Chelles (résultat partiel) 5 944.

Trafic maximal. De 7 h à 8 h ; 11 h à 12 h (le plus important) ; 18 à 19 h (heure TU). En 1980, on estimait qu'un avion décollait ou atterrissait toutes les 1,4 mn environ.

• **Pointes** (1990). **Mensuelles.** *Mouvements :* Orly (sept.) 18 447, Ch.-de-Gaulle (oct.) 21 744. *Passagers :* Orly (sept.) 2 373 000, Ch.-de-Gaulle (sept.) 2 148 000. *Fret* (t) : Orly (mars) 23 234, Ch.-de-Gaulle (mars) 59 340. **Journalières.** *Mouvements :* Orly (22-12) 729, Ch.-de-Gaulle (22-12) 763. *Passagers :* Orly (2-9) 97 400, Ch.-de-Gaulle (2-9) 87 611.

• **Compagnies.** En 1990, *+ de 200 Cies aériennes* ont fait escale sur Orly, Ch.-de-Gaulle et Le Bourget, assurant des vols vers 457 villes dans 125 pays du monde. *10 Cies* ont assuré + de 70 % du trafic de passagers dont en % (British Airways 33, Air Inter 32,2, Air France 26,7, Air Charter Internat. 2,2, Alitalia 2,2, Lufthansa 1,8, TWA 1,7, Air Algérie 1,5, UTA 1,5, Ibéria 1,3). *15 types d'avions* (Airbus, B 727, B 737, B 747, Fokker, Mercure, Caravelle, DC 9...) ont assuré + de 80 % des services.

• **Capacité d'accueil des aéroports de Paris** (en millions de passagers). *1989 :* 43. *90 :* 48. *91 :* 51. *94 :* 60. *2010 :* 100).

• **Distance moyenne parcourue** par chacun des 46 900 000 passagers atterrissant à Orly, Ch.-de-Gaulle et Le Bourget : 2 118 km (moyenne O.A.C.I. : 1 629 km). Mais 27,7 % des passagers effectuent un parcours de – de 500 km, 31,8 % de 500 à 1 000 km, 14,9 % de 1 000 à 2 000 km, 4,1 % de 2 000 à 3 000 km, 4,1 % de 3 000 à 5 000 km, 15,3 % de 5 000 à 10 000 km et 2,1 % de + de 10 000 km.

• **Villes desservies.** *Près de 500 villes du monde entier ont été desservies* régulièrement ou occasionnellement par des appareils ayant fait escale sur l'un ou l'autre des aéroports parisiens.

Données particulières

Le Bourget. 564 ha ; à 15 km du centre de Paris. *Créé* 1914-18 (c'est le plus ancien aéroport commercial français) ; dep. juillet 1977 fermé, sauf pour l'aviation d'affaires. Il est le siège du musée de l'Air et d'un parc d'expositions.

Orly. 1 533 ha ; à 14 km au sud de Paris. 1er aéroport au monde à disposer d'installations complètes et définitives spécialement conçues pour les avions à grande capacité. *Inauguré* févr. 1961, conçu pour 6 millions de passagers (en a accueilli + de 10 millions en 1970), *Orly Sud* (1989) 9,6. Avec *Orly Ouest* [mis en service printemps 1971 (14,7)] en reçoit 22. Dep. 1979, Orly a retrouvé une activité égale à celle de 1973, année qui précéda l'ouverture de Roissy.

Roissy (Charles-de-Gaulle). 3 104 ha, à 25 km au nord de Paris. *Mis en service CDG 1 :* 13-3-1974. *CDG 2 :* 28-3-1982, *TO* (Tours opérateurs) : juin 1990, *CDG 3 :* prévu 1995. Pourra traiter en phase finale plus de 80 millions de passagers et 2 millions de t de fret par an.

Autres aéroports (superficie en ha). Chavenay 47,6, Chelles 30,8, Coulommiers 303,4, Étampes 153, Guyancourt (fermé 31-9-89) 92,5, Héliport de Paris-Issy-les-Moulineaux 9,7, Lognes 86,7, Meaux 102,6 ha, Persan-Beaumont 141,1, Pontoise-Cormeilles 237,6, Toussus-le-Noble 166,7, Saint-Cyr 80,5.

Survol de Paris. Un arrêté ministériel du 20-1-1948 interdit le survol de Paris à tous les aéronefs (sauf les aéronefs de transport public effectuant un transport régulier et les avions militaires assurant un service de transport) à - de 2 000 m. Des dérogations sont accordées par la préfecture de police aux aéronefs et hélicoptères. Une trajectoire d'approche utilisée par les avions à destination d'Orly longe le sud de Paris, à 2 000 m. La procédure de départ de Ch. de Gaulle (configuration face à l'ouest) vers le sud survole l'ouest/sud-ouest de Paris, en général à + de 5 000 m. *Autorisations* (1989) : hélicoptères 25 diurnes et 1 nocturne, avions 1 diurne (non compris les évacuations sanitaires qui nécessitent une autorisation en temps réel). *Survols intempestifs : 1988 :* 88, *89* (1er semestre) : 5. Un pilote, Albert Maltret (dit le Baron noir), ayant enfreint l'interdiction de survoler Paris, a été condamné le 10-11-1988 à 50 000 F d'amende et à la suspension de sa licence pendant 3 ans.

Autres agglomérations, survol réglementé par l'arrêté du 10-10-1957.

Taxe de sûreté (en millions de F, 1990). 256. Dont SYCOSCAN (examen radiographique des conteneurs de frêt) 24, clôture et accès divers 12, hébergement policiers auxiliaires 18,6, approchement des forces de gendarmerie de leur zone d'intervention 45, SACAPA (contrôle automatisé des accès sur aérodromes), matériels (appareils à rayons X, portiques de détection métallique) 12,5, aménagement d'aérogare et surveillance vidéo 21,7, équipes cynotechniques 2,5, recherche, formation 11. *Paiement :* 253 dont Air France 87, Air Inter 105, UTA 6, TAT 5. *Dépenses :* 85-125 sans compter les dépenses de fonctionnement (police de l'air et des frontières).

Aéroports de province

Trafic en 1990

Trafic de passagers locaux. Aéroports ayant enregistré plus de 1 000 passagers locaux en 1990, en milliers. Agen 26,24, Ajaccio 836,69, Albi 26,53, Angoulême 38,5, Annecy 46,18, Aurillac 11,94, Auxerre 2,03, Avignon 124,29, Bastia 726,16, Beauvais 138,05, Bergerac 58,37, Béziers 67,47, Biarritz 549,08, Bordeaux 2 572, Bourges 1,5, Brest 500,22, Brive 17,62, Caen 37,25, Calais 7, Calvi 246,65, Cannes 9,34, Carcassonne 1,36, Chambéry 80,22, Châteauroux 15,26, Cherbourg 35,23, Clermont-Ferrand 268,53, Cognac 2,82, Colmar 3,31, Deauville 19,92, Dijon 21,92, Dinard 62,75, Dôle 10,35, Épinal 17,95, Figari 167,18, Fréjus 1,17, Grenoble-St-Geoirs 379,82, île d'Yeu 1,91, Lannion 62,74, La Rochelle 45,89, La Roche-sur-Yon 2,4, Laval 1,04, Le Havre 64,57, Le Mans 5,28, Le Puy 6,97, Le Touquet 31,5, Lille 807,79, Limoges 135,73, Lorient 252,75, Lyon (Satolas-Bron) 3 853,78 Marseille 4 982,82 (prév. 2000 : 10 000), Metz 108,81, Montluçon-Gueret 2,83, Montpellier 1 114,32, Morlaix 1,98, Nancy 60,97, Nantes 1 076,7, Nice 5 725,85 (dont, en 88, 2 300 Nice-Paris), Nîmes 363,17, Niort 1,71, Ouessant 8,9, Pau 540,73, Périgueux 40,94, Perpignan 534,72, Poitiers 39,37, Quimper 130,98, Reims 15, Rennes 183,21, Roanne 5,05, Rochefort 1,48, Rodez 84,45, Rouen 33,11, St-Brieuc 30,09, St-Étienne 86,92 St-Nazaire 2,07, Strasbourg 1 557,82 (prév. 1992 : 2 000), Tarbes 444,19, Toulon 797,65, Toulouse 3 181,87, Tours 21,61, Troyes 3,04, Valence 16,68, Valenciennes 2,57, Vichy 3,21. **Total :** 33 606,97. Bâle-Mulhouse 1 837,2.

Trafic de fret et, entre parenthèses **de poste.** Aéroports dont le trafic a dépassé 100 t, en milliers. Agen 0,69, Ajaccio 2,87 (3,99), Avignon 3,69, Bastia 2,06 (3,9), Beauvais 0,25, Biarritz 0,59, Bordeaux 10,08 (3,79), Brest 1,15 (2,49), Calvi 0,15, Châteauroux 3,81, Clermont-Ferrand 0,2 (4,86), Deauville 0,34, Grenoble 0,18, La Rochelle 0,73, Lille 1,85 (3,82), Limoges 0,17, Lorient 0,13 (0,25), Lyon 17,07 (14,69), Marseille 33,16 (15,86), Montpellier 6,38 (2,75), Nancy 0,33 [1], Nantes 2,18 (2,59), Nice 21,78 (9,84), Nîmes 0,3, Paris 872,39 (62,87), Pau 1,09 (1,3), Perpignan 0,52 (0,35), Poitiers (1,93), Rennes 0,11 (3,55), Strasbourg 4,18 (3,34), Tarbes 0,13 (0,16), Toulon 0,55 (0,8), Toulouse 24,86 (5,32). **Total :** 1 014,4 (147,79). Bâle-Mulhouse 26,16 (2,79).

Aéroports de la France métropolitaine

Mouvements d'avions

Aéroports, mouvements d'avions commerciaux et, entre parenthèses, **mouvements non commerciaux** (1990). Abbeville 20 (11 084), Agen 2 284 (37 687), Aix-en-Provence (79 122), Ajaccio 17 518 (49 314), Albi 1 847 (15 480), Amiens 400 (18 000), Angers [1] 385 (15 643), Angoulême 3 509 (30 523), Annecy 1 714 (41 558), Arras (11 720), Aubenas 58 (14 341), Aurillac 1 085 (17 284), Autun [1] (8 240), Auxerre 345 (21 319), Avignon 4 689 (84 337), Bastia 10 345 (26 493), Beauvais 1 912 (43 404), Bergerac 3 911 (32 216), Besançon 104 (4 943), Béziers 3 798 (45 014), Biarritz 6 232 (36 725), Blois 52 (23 399), Bordeaux 34 084 (37 393), Bourges 246 (37 787), Brest 10 575 (36 507), Brive 1 949 (20 360), Caen 3 916 (39 073), Cahors 553 (13 291), Calais 1 620 (21 360), Calvi 4 170 (10 427), Cannes 3 021 (124 373), Carcassonne 167 (47 581), Castres-Mazamet [1] (9 624), Chalon-Champforgueil [1] (15 000), Chambéry 2 498 (46 829), Charleville-Mézières 146 (6 345), Chartres (25 987), Châteauroux 903 (22 318), Chaumont n.c., Cherbourg 5 622 (12 112), Clermont-Ferrand 11 394 (51 821), Cognac 430 (226), Colmar 1 278 (53 101), Deauville 2 608 (37 580), Dieppe (17 064), Dijon 4 833 (6 016), Dinard 3 659 (73 647), Dole 517 (30 516), Dreux (22 100), Épinal-Mirecourt 1 840 (9 414), Figari 6 153 (17 937), Fréjus 40 (38 845), Gap 555 (58 589), Granville 330 (27 713), Grenoble-le-Versoud (78 105), Grenoble-St-Geoirs 6 105 (67 993), Ile d'Yeu 691 (5 320), Lannion 2 123 (24 985), La Rochelle 2 114 (25 229), La Roche-sur-Yon 404 (23 102), La Tour-du-Pin n.c., Laval 312 (24 720), Le Havre 5 890 (23 393), Le Mans 1 093 (30 740), Le Puy 825 (8 020), Le Touquet 2 154 (19 683), Le Tréport (4 593), Lézignan-Corbières (9 600), Lille 19 239 (21 350), Limoges 4 124 (37 452), Lorient 2 390, Lyon-Bron 4 818 (82 399), Lyon-Satolas 65 755 (8 925), Mâcon 45 (20 740), Marseille-Provence 61 016 (50 227), Maubeuge 10 (5 695), Megève (20 500), Mende 20 (7 714), Merville (67 552), Metz 4 864 (16 823), Montceau-les-Mines [1] (15 324), Montluçon-Gueret 854 (8 519), Montpellier 13 893 (124 648, est.), Morlaix 1 301 (11 437), Mortagne-au-Perche (2 253), Moulins 132 (14 501), Nancy 3 574 (51 101), Nantes 22 812 (57 945), Nevers 196 (24 766), Nice 121 689 (23 923), Nîmes 3 616 (10 133), Niort 641 (20 029), Orléans 324, Ouessant 2 476 (1 061), Pau 8 772 (52 302), Périgueux 2 643 (13 281), Péronne (13 108), Perpignan 4 547 (71 974), Poitiers 4 639 (36 008), Propriano (est.) 2 000 (4 000), Quimper 2 149 (28 790), Redon (2 502), Reims-Champagne 1 462 (9 449), Reims-Prunay (37 004), Rennes 10 348 (66 151), Roanne 862 (25 871), Rochefort-Saint-Agnan 260 (27 589), Rodez 2 535 (19 063), Rouen 3 775 (35 000, est.), Saint-Brieuc 1 878 (24 871), Saint-Étienne 3 543 (33 713), Saint-Girons (10 000, est.), Saint-Malo (13 050), Saint-Nazaire 287 (7 664), Saumur 64 (15 912), Strasbourg 21 036 (10 489), Tarbes-Laloubère (10 979), Tarbes-Ossun-Lourdes 4 432 (57 616), Toulon-Hyères 6 199 (830), Toulouse 38 352 (39 456), Tours 1 598 (8 892), Troyes 581 (28 551), Valence 1 199 (66 566), Valenciennes 505 (28 602), Vichy 514 (32 248), Vienne-Reventin (10 000, est.), Villefranche-sur-Saône (23 164). **Total général :** 1 109 114 (4 565 174). **Province :** 642 095 (3 553 977). **Paris :** 467 019 (1 011 197) dont Charles-de-Gaulle, Orly, Le Bourget 424 421 (89 765) et aérodromes secondaires 42 598 (921 432). Bâle-Mulhouse 52 480 (42 708).

Nota. – (1) Chiffres DGAC.

Aéroports d'outre-mer (DOM-TOM)

Trafic en 1990

Passagers (en milliers). Bora-Bora 124,49, Cayenne 336,45, Fort-de-France 1 462,72, Huahine 73,8, Moorea 183,89, Nouméa 300,39, Pointe-à-Pitre 1 466,14, Raiatea 85,05, Saint-Denis-de-La Réunion 843,03, Tahiti-Faaa 836,26. **total :** 5 712,2.

Fret (en tonnes). Bora-Bora 115, Cayenne 8 246, Fort-de-France 13 998, Huahine 58, Nouméa 6 947, Pointe-à-Pitre 13 590, Raiatea 136, St-Denis 16 529, Tahiti-Faaa 6 467. **Total :** 66 081.

Poste (en tonnes). Cayenne 1 171, Fort-de-France 2 231, Nouméa 1 037, Pointe-à-Pitre 2 274, St-Denis 2 784, Tahiti-Faaa 826. **Total :** 10 323.

Mouvements commerciaux. Bora-Bora 4 169, Cayenne 9 084, Fort-de-France 27 645, Huahine 3 197, Moorea 21 593, Nouméa 2 577, Pointe-à-Pitre 31 108, Raiatea 3 256, St-Denis (La Réunion) 9 406, Tahiti-Faaa 33 145. **Total :** 145 180.

Aéroports dangereux

Selon la Féd. intern. des Associations de pilotes de ligne, il y a au moins 23 aéroports intern. dangereux dans le monde dont 3 aux USA, 2 en Grèce, 2 en Italie.

Les moins sûrs seraient : Boston, Los Angeles, St-Thomas (îles Vierges), Alghero (Sardaigne), Rimini (Italie), Corfou et Rhodes (Grèce) et 7 aéroports de Colombie. Les pilotes mettent en cause la longueur des pistes d'envol, l'environnement dû au relief, les diverses restrictions pour diminuer le bruit des avions (ce qui les empêche souvent de décoller contre le vent) et l'utilisation de pistes identiques pour atterrissages et décollages.

Voyages en avion

Renseignements pratiques

Abréviations utilisées. *Classes de transport :* R = Concorde, F = première, Y = économique, C = le Club, K ou M = vacances. *État de réservation :* OK = lorsqu'elle est ferme, RQ = en demande, NS = No Seat (pour les bébés).

Animaux. Chiens admis sauf à bord de Concorde, voyagent en principe en soute. Caisses spéciales en vente à leur intention [320 F (64 × 41 × 51 cm), 400 F (74 × 48 × 58 cm), 480 F (99 × 53 × 78 cm)]. *Sur les lignes internationales :* ils voyagent sous le régime des excédents de bagages ; entre la France métropolitaine et les DOM, ils peuvent être compris dans la franchise des bagages ; entre la France continentale et la Corse taxation forfaitaire de 140 F (70 F entre Marseille ou Nice et Corse). *En cabine :* sont acceptés en nombre limité les petits chiens et chats (poids max. 5 kg), canaris, perruches, perroquets ou autres petits oiseaux apprivoisés, placés dans un panier, cage ou petite caisse 45 × 35 × 20 cm ; chiens d'aveugles muselés (sauf en G.-B.).

Étranger : dans la plupart des pays, formalités à l'entrée (parfois interdite ou soumise à la quarantaine).

Bagages. ADMIS EN FRANCHISE : *1re classe :* 40 kg, *cl. affaires et « Air France Club » :* 30 kg, *cl. économique :* 23 kg sauf *Cl. vacances : métropole de/vers Antilles, Guyane, Réunion :* 25 kg. France-U.S.A., Canada : 2 valises. ADMIS EN CABINE : 1 bagage : dimensions max. : total longueur, hauteur, largeur : 115 cm. *1re classe :* housse à vêtements en +.

ACCEPTÉS GRATUITEMENT EN SUS DE LA FRANCHISE (règle internationale IATA) : sous la garde du passager : manteau, pardessus, couverture, parapluie, canne, appareil photo, jumelles, livres et revues, sac à main ou pochette, nourriture pour les bébés, moïse. Dep. le 1-1-83, étiquetage extérieur des bagages enregistrés obligatoire avec adresse personnelle et adresse de destination. *Non acceptés :* serviettes et attachés-cases comportant un dispositif d'alarme ; gaz comprimés (inflammables ou non, toxiques) comme le gaz de camping ; produits corrosifs (tels qu'acides, alcalis et piles à éléments humides) ; agents étiologiques ; explosifs, munitions, pièces de pyrotechnie et signaux d'alarme ; liquides et solides inflammables (tels que carburants pour l'éclairage ou le chauffage, allumettes et articles qui s'enflamment facilement) ; matières irritantes ; matières aimantées : matières oxydantes (telles que chlorure de chaux et peroxydes) ; poisons ; matières radioactives ; autres articles réglementés tels que le mercure ou des matières nocives figurant dans le manuel IATA des articles réglementés. *Exclus du régime « bagages » :* appareils ménagers lourds, tels que réfrigérateurs, machines à laver, télévisions, etc. *Bagages non accompagnés (remis au moins 72 h avant départ) :* tarif

Voyages à partir de Paris (Durée en h, distance en km, de Paris-Orly)

Abidjan (6 h 30)	4 969
Abu Dhabi (7 h)	5 248
Agadir (3 h 30)	2 290
Ajaccio (1 h 30)	919
Alger (2 h)	1 353
Amman (6 h 05)	3 380
Amsterdam (1 h)	420
Anchorage (13 h)	7 535
Antananarivo	8 748
Athènes (3 h)	2 098
Auckland	18 562
Bagdad (5 h)	3 850
Bangkok (14 h)	9 435
Bastia (1 h 35)	890
Belfast (3 h 55)	869
Belgrade (2 h 20)	1 430
Berlin (Tempelhof) (1 h 45)	875
Beyrouth (4 h 20)	3 191
Biarritz (1 h 10)	661
Bilbao	761
Birmingham	487
Bogotá (14 h)	8 640
Bombay (12 h)	7 004
Bordeaux (0 h 55)	525
Boston (6 h 52)	5 531
Brazzaville	6 011
Brest (1 h)	500
Bristol	457
Bruxelles (0 h 50)	274
Bucarest (2 h 10)	1 862
Budapest (2 h 15)	1 257
Buenos Aires (18 h)	11 065
Bujumbura	6 362
Calcutta (16 h)	7 852
Calvi (1 h 30)	852
Caracas (11 h)	7 617
Casablanca (3 h)	1 894
Cayenne (11 h 10)	7 094
Chicago (8 h 50)	6 664
Clermont-Ferrand (0 h 50)	333
Cologne (1 h)	407
Colombo	8 487
Conakry (6 h 55)	4 838
Copenhague (1 h 45)	1 025
Cotonou (6 h)	4 811
Dakar (6 h 25)	4 206
Damas (4 h 50)	3 292
Djakarta	11 587
Delhi (9 h 55)	6 579
Detroit	6 358
Djeddah (5 h 40)	4 446
Djibouti (7 h)	5 588
Doha	4 970
Douala	5 018
Dublin (1 h 35)	784
Édimbourg	867
Francfort (1 h 10)	465
Genève (0 h 55)	402
Glasgow (3 h 50)	896
Göteborg	1 156
Grenoble (0 h 50)	433
Guernesey	377
Hambourg (1 h 35)	750
Hanovre (2 h 15)	632
Harare (11 h 10)	7 934
Helsinki	1 894
Ho-Chi-Minh-Ville	10 177
Hong Kong (23 h 20)	9 982
Honolulu	11 948
Houston (10 h 25)	8 080
Istanbul (7 h)	2 243
Izmir	2 294
Jersey	346
Johannesburg (13 h 20)	8 707
Karachi (7 h 55)	6 130
Khartoum	4 602
Kiev	2 033
Kigali	6 254
Kinshasa (7 h 20)	6 053
Koweït (5 h 55)	4 403
Lagos	4 685
Larnaca	2 986
Las Palmas (3 h)	2 767
Le Caire (3 h 30)	3 210
Le Cap (13 h 10)	10 100
Leningrad	2 143
Libreville	5 407
Lille (1 h)	210
Lima (17 h 40)	10 373
Limoges (0 h 50)	333
Lisbonne (1 h 20)	1 451
Lomé (6 h)	4 748
Londres (H) (1 h)	346
Londres (GT) (1 h)	307
Lorient (1 h)	444
Los Angeles (10 h 30)	9 107
Lourdes (1 h 05)	644
Luanda (9 h 30)	4 041
Luxembourg	273
Lyon (0 h 50)	412
Madrid (1 h 50)	1 044
Manille (20 h)	11 086
Marrakech	2 108
Marseille (1 h)	652
Maurice (île) (24 h)	9 445
Melbourne	16 762
Mexico (15 h)	9 194
Miami	7 361
Milan (M) (1 h 15)	619
Montevideo (20 h 15)	10 975
Montpellier (1 h 05)	613
Montréal (7 h 30)	5 525
Moroni	7 833
Moscou (3 h 30)	2 478
Mulhouse-Bâle (0 h 50)	465
Munich	690
Nairobi (8 h)	6 487
Nantes (0 h 50)	370
Naples	1 290
New York [1] (3 h 45)	5 837
Niamey	3 915
Nice (1 h 25)	685
Nîmes (1 h 05)	574
Nouméa (25 h)	18 713
Nuremberg	621
Oran	1 493
Osaka	13 516
Oslo (3 h 20)	1 337
Ottawa	5 654
Oujda	1 604
Ouarzazate	2 125
Palerme	1 470
Palma	1 035
Papeete (30 h 25)	15 718
Pau (1 h 05)	635
Pékin (15 h 30)	12 566
Perpignan (1 h 05)	669
Philadelphie [1] (4 h 15)	5 981
Phnom Penh	9 931
Pise (1 h 30)	833
Pittsburgh (7 h 10)	6 273
Pointe-à-Pitre (8 h 15)	6 756
Pointe-Noire (10 h 35)	6 022
Poitiers (2 h 10)	286
Port-au-Prince	7 743
Port-Gentil (7 h 15)	5 527
Porto (1 h 55)	1 213
Prague (1 h 45)	869
Prestwick (1 h 35)	889
Pula (1 h 50)	974
Québec (10 h 40)	5 288
Quimper (1 h 30)	491
Quito (16 h 55)	9 363
Rabat (2 h 40)	1 812
Rangoon (10 h 35)	8 865
Recife	7 305
Reggan	2 458
Reims	139
Rennes (1 h)	311
Reus	849
Réunion (île) (12 h 40)	9 352
Reykjavik	2 244
Rhodes (5 h 50)	2 497
Riga (3 h 25)	1 708
Rimini (2 h 10)	942
Rio de Janeiro (11 h 10)	9 166
Riyad (7 h)	4 673
Rome (C) (2 h)	1 107
Rotterdam (0 h 50)	381
Saigon (18 h)	10 119
Saint-Denis	9 440
Saint-Dominique	7 179
Saint-Étienne (0 h 55)	388
Saint-J.-de-Compost.	1 055
Skikda	1 463
St-John's (10 h)	3 982
St-Louis (USA) (9 h 30)	7 060
St-Louis (Sén.) (7 h 45)	4 014
St-Nazaire (1 h 15)	372
Salonique (5 h 05)	1 858
Salon (1 h 10)	608
Salt Lake City (11 h)	8 160
Salzbourg (2 h 35)	782
San Francisco (15 h 10)	8 971
San Juan (9 h 15)	6 899
Santiago (19 h 50)	11 831
São Paulo (8 h 20)	9 417
Seattle (10 h 30)	8 055
Seychelles	7 842
Séoul (19 h)	8 988
Séville SP (3 h 30)	1 437
Séville M	1 439
Sfax	1 714
Shanghai (20 h 15)	9 259
Shannon (1 h 50)	901
Sidi-bel-Abbès	1 528
Singapour (14 h 35)	10 728
Sofia (2 h 45)	1 760
Solenzara (1 h 35)	933
Southampton	352
Southend (2 h)	358
Split (1 h 30)	1 253
Stavanger (4 h 05)	1 116
Stockholm (A) (2 h 20)	1 569
Stockholm (B) (2 h 30)	1 549
Strasbourg (0 h 50)	385
Stuttgart (1 h 05)	499
Swansea (2 h 15)	559
Sydney (Can.) (12 h 40)	4 569
Sydney (Austr.) (24 h 50)	16 954
Tamanrasset (5 h 20)	2 895
Tananarive (12 h)	8 735
Tanger (2 h 35)	1 596
Tarbes (1 h 15)	644
Téhéran (5 h 40)	4 199
Tel-Aviv (4 h 20)	3 289
Ténériffe (3 h 50)	2 759
Thiès	4 163
Timimoun	2 176
Tirana	1 591
Tlemcen (2 h 30)	1 570
Tobrouk	2 598
Tōkyō via Moscou	9 998
Tōkyō via Alaska	13 084
Tōkyō via Sibérie	9 703
Toronto (8 h 10)	6 015
Touggourt	1 764
Toulon (1 h 20)	685
Toulouse (B) (1 h 10)	574
Tours	191
Tripoli (Libye) (3 h)	1 998
Tripoli (Liban) (4 h 40)	3 167
Tulsa	7 608
Tunis (2 h 15)	1 477
Turin (1 h 15)	568
Valence (Fr.) (1 h)	453
Valence (Esp.) (1 h 45)	1 067
Vancouver (17 h 25)	7 938
Varsovie (2 h 20)	1 360
Venise (1 h 35)	838
Vichy (1 h 05)	295
Vienne (2 h)	1 044
Vittel	268
Washington (10 h)	6 164
Zagreb (1 h 45)	1 086
Zurich (1 h)	481

Nota. – (1) En Concorde.

Distance de :

Bordeaux-Marseille 498, -Nice 645, -Toulouse 215. **Lille**-Lyon 554, -Marseille 809, -Nice 828, -Strasbourg 396. **Lorient**-Nantes 154. **Lyon**-Ajaccio 516, -Bastia 498, -Bordeaux 454, -Marseille 256, -Nice 299, -Toulouse 367. **Marseille**-Ajaccio 339, -Bastia 361, -Calvi 307, -Nice 163. **Nantes**-Lyon 526, -Marseille 675, -Nice 788. **Nice**-Calvi 180. **Strasbourg**-Lyon 372, -Marseille 598, -Nice 543. **Toulouse**-Nice 471.

plus avantageux que celui des excédents de bagages. *Régimes particuliers :* taxations spéciales pour les équipements de sport. Fusils de chasse non acceptés en cabine.

PERTES : 3 000 par j sur 3,5 à 4 millions de bagages transportés dans le monde. Environ 90 % sont récupérés dans les 24 ou 48 h, grâce au « Bag Trac », système informatisé de recherche mondiale de bagages auquel adhèrent env. 150 compagnies. Pour les autres (1 à 1,5 bagage sur 10 000 acheminés), la plupart des transporteurs interrompent toute recherche au bout d'un mois. *Remboursement :* au prorata du poids soit (en mai 1989) 20 $ US (127 F) par kg manquant (soit 2 500 F pour une valise de 20 kg). Air France et Air Inter remboursent 140 F par kg, Lufthansa 167 F. Les abonnés d'Air Inter sont en outre automatiquement couverts jusqu'à 10 000 F de perte.

Billet. Nominatif et ne peut être cédé. Validité normale maximale 1 an. Certains tarifs comportent des conditions de réservation et de « séjour minimum » (le parcours retour ne peut être effectué avant la date donnée). *Comporte :* une couverture imprimée, 2 faux feuillets sur lesquels figurent les « conditions de contrat de transport » et la « limitation de responsabilité en matière de bagages », 1 à 4 « coupons de vol » détachés à l'aéroport lors de « l'enregistrement » et 1 coupon pour le passager.

Billet non utilisé ou utilisé partiellement : présenter la demande de remboursement au plus tard dans les 30 j suivant la date d'expiration du billet.

ATB Automated Ticket Boarding Pass : billet d'avion magnétique conçu dans la perspective d'une automatisation totale de l'enregistrement et de l'embarquement des passagers aux aéroports.

Composantes d'un billet d'avion. *Air France* [hors Concorde, avions-cargos et combis (passagers et cargos), en %, en 1986] : redevances d'aéroport, aide à la navigation et frais de touchée 18,5, frais de vente des billets 17,2, carburant 11,8, équipage 15,8, frais généraux et divers 15,4, entretien 10,8, amortissement 10,5. *Vols réguliers internationaux de l'IATA* Coût unitaire (en 1986). 0,368 $ par tonne/km disponible dont (en %) navigants techniques 6,8, carburant et huile 16,1, assurance des matériels volants, amortissement et location 9,9, entretien et révision 10,8 redevances d'atterrissage 4, de route 2,2, opérations au sol et d'escale 11,9, navigants commerciaux et prestations passagers 12,2, billetterie, vente et promotion 20,1, frais admini. et coût généraux 6.

Blocs sièges. Allotements de sièges consentis aux voyagistes aux termes d'un contrat exigeant le versement intégral du montant convenu pour l'opération, que les sièges aient été occupés ou non.

Conditions générales de transport. Texte de base rassemblant les règles communes aux transporteurs aériens. Ce texte est édité par chaque Cie et porté à la connaissance des passagers sur leur demande.

Embarquement. Heure limite de présentation à la porte d'embarquement : 25 mn avant le départ de l'avion pour l'Europe et la Métropole, et 35 ou 45 mn selon la compagnie et l'aéroport pour les autres destinations. Parfois délais plus importants pour des raisons de sécurité.

Enfants voyageant seuls. *S'ils ont moins de 4 ans :* ils devront être accompagnés par une hôtesse spéciale (billet payant pour elle, tarif réduit pour l'enfant). *De 4 ans à 12 ans :* demander l'accord de la Cie, remplir une décharge de responsabilité au moment de l'achat du billet, donner le nom et le moyen de contacter la personne chargée de venir chercher l'enfant à l'arrivée. Il porte au cou une pochette UM (unaccompanied minor).

Femmes enceintes. *Grossesse normale :* voyage autorisé sans formalité au cours des 8 premiers mois. *Autres cas :* interroger la Cie.

IT (inclusive tour : forfait). Voyage organisé, vendu par l'intermédiaire des agences, comprend transport aérien, hébergement et éventuellement des prestations annexes telles que repas et excursions. Dates de départ et de retour fixées à l'avance.

Pilotage à 2. Introduit il y a 22 ans sur les avions à fuselage étroit (DC 9, MD 80, Boeing 737 et 757), puis sur les gros fuselages (Airbus A 310, A 300-600, Boeing 767). Adopté maintenant sur les plus gros avions (Boeing 747-400). En 1988, 3 750 avions commerciaux à réaction, soit 50 % de la flotte occidentale (7 000), volaient en équipage à 2 pour 218 Cie aériennes. *En 1988 :* Air Inter a subi des grèves de personnels contestant le pilotage à 2 pour des « raisons techniques ».

Réduction enfants, jeunes et étudiants. *Enfants - de 2 ans* : 90 % ; *2 à 12 a.* : de 33 à 50 %. *Jeunes 12 à 21 a. et étudiants jusqu'à 25 ou 30 a.* (sur certaines destinations) : tarifs particuliers.

Repas à bord. En moyenne, il représente 4,6 % du prix du billet. Prix payé par une Cie à son fournisseur ; repas froid 25 à 45 F ; chaud 40 à 100 F ; 1re classe 80 à 200 F + boissons.

Réservations. Seule la mention « O.K. » garantit une place réservée. *Réservation par téléphone :* elle est toujours possible (excepté pour les tarifs « visite » et « vacances »), la place ne sera définitivement réservée qu'à l'achat du billet. *Billet sans réservation :* par exemple billet « retour », faire porter cette réservation sur le billet (dans une agence de voyage ou auprès du transporteur). Beaucoup de Cies pratiquent la surréservation (*surbooking*) : si l'on ne peut embarquer sur le vol prévu, on peut obtenir un dédommagement. Pour un vol de - de 3 500 km : 150 écus (1 050 F) ; au dessus : 300 (2 100 F).

Responsabilité de la Cie. Les dommages au cours du voyage relèvent de la Convention de Varsovie et des conventions qui la modifient. Les plafonds de limitation de responsabilité figurent dans les « conditions générales de transport », de chaque Cie.

Stand by. Pas de réservation. Embarquement dans la limite des places disponibles.

Syndrome de la classe économique. Sorte de thrombose pulmonaire. 12 cas mortels en 3 ans (parfois plusieurs semaines après le vol). La pression exercée sur le siège pendant des vols de 7 à 24 h peut provoquer des caillots de sang dans les jambes qui viennent ensuite se loger dans les poumons, causant une embolie pulmonaire. Pour limiter les risques, faire quelques exercices pendant le vol, éviter de fumer et de boire de l'alcool ; le cas échéant, prendre de l'aspirine pour faciliter la circulation sanguine.

Tarifs. Normaux : 1re classe et classe économique, vendables en aller simple et permettant de faire plusieurs arrêts en cours de route. **Spéciaux : Apex** (advance purchase excursion : excursion achetée à l'avance) : frais d'intervention en cas de modification ou d'annulation. **Super Apex :** moins cher qu'un Apex avec les mêmes contraintes, mais exigeant un transport par vol direct. **Budget :** tarif bas qui regroupe les contraintes des tarifs visite et parfois des tarifs Apex surtout au départ de G.-B. **Tarif économique :** tarif normal, vendu en aller simple permettant de faire plusieurs arrêts en cours de route. **Vacances/visite :** comporte certaines contraintes (réservation, paiement et validité) et vendu à des niveaux proches des vols charters. **Vara** (vol avec réservation à l'avance) : aller-retour dans un avion entièrement réservé par un tour-opérator pour une date fixe. La liste des passagers doit être connue en principe 30 j avant le départ.

Tarifs aériens au départ de Paris

• **Prix aller et retour en classe économique** (en F au 1-7-91), **et, entre parenthèses, prix le plus bas,** de vols réguliers avec réductions (sous certaines conditions). Tarifs Air France. Aberdeen 6 200 (2 080). Abidjan 13 820 (7 605). Abou Dhabi 16 155 (8 005). Addis-Abeba 16 510 (10 265). Aden 16 230 (8 045). Agadir 7 450 (4 055). Ajaccio 2 260 (915). Albi 2 178 (868). Alger 4 280 (3 000). Alicante 5 320 (1 720). Amman 9 750 (4 835). Amsterdam 2 850 (900). Anchorage 15 620 (5 990). Angoulême 1 830 (680). Ankara 10 900 (3 400). Annecy 2 378 (868). Antalya 10 900 (6 975). Antananarivo 17 620 (8 290). Asuncion 26 430 (10 895). Athènes 9 170 (3 050). Atlanta 13 480 (4 970). Aurillac 2 308 (868). Avignon 2 000 (710). Bagdad n.c. Bahrein 15 380 (7 790). Bâle (voir Mulhouse). Baltimore (voir Washington). Bamako 11 750 (6 465). Bangkok 21 605 (8 635). Bangui 16 050 (8 830). Barcelone 4 260 (1 380). Bari 6 780 (2 090). Bastia 2 260 (915). Belem 23 875 (9 460). Belgrade 7 140 (1 690). Belo Horizonte 23 875 (15 170). Bergen 7 790 (2 580). Berlin 4 730 (1 460). Berne 3 170 (960). Beyrouth 9 750 (4 835). Biarritz 1 940 (650). Bilbao 3 750 (1 220). Birmingham 4 590 (1 580). Bogotá 20 970 (12 900). Bologne 5 150 (1 775). Bombay 17 805 (7 865). Bonn (voir Cologne). Bordeaux 1 470 (480). Boston 11 500 (4 330). Brasilia 24 405 (15 500). Brazzaville 16 460 (9 055). Brême 4 250 (1 320). Brest 1 690 (590). Bristol 3 060 (1 090). Brive 2 308 (868). Bruxelles 2 520 (770). Bucarest 8 980 (3 610). Budapest 6 100 (2 550). Buenos Aires 25 930 (10 690). Buffalo 13 350 (5 110). Bujumbura 18 600 (7 885). Cagliari 6 300 (3 740). Calcutta 20 020. Calgary 18 420 (7 865). Calvi 2 260 (915). Caracas 19 690 (12 660). Cardiff 3 500 (1 250). Casablanca 6 800 (2 815). Castres 2 178 (868). Catane 7 200 (2 270). Cayenne 9 670 (4 630). Chambéry 2 378 (868). Charlotte 14 250 (5 695). Chicago 13 480 (4 820). Cincinnati 13 940 (4 820). Clermont-Ferrand 1 430 (510). Cleveland 13 580 (5 330). Cologne/Bonn 2 730 (900). Colombo 21 620 (7 670). Conakry 12 730 (7 005). Copenhague 5 830 (1 790). Cordoba 25 930 (16 795). Cork 5 020 (1 345). Cotonou 13 820 (7 605). Cracovie 5 960 (3 000). Dakar 11 060 (4 185). Dallas 14 500 (5 290). Damas 9 750 (4 835). Dar-es-Salaam 18 280 (8 000). Delhi 17 805 (7 865). Denpasar 28 805 (11 305). Denver 14 400 (6 135). Detroit 13 480 (4 820). Dhahran 15 375 (7 790). Dinard 2 278 (868). Djakarta 28 615 (10 215). Djeddah 13 565 (6 720). Djerba 5 380 (2 480). Djibouti 16 860 (6 270). Doha 15 375 (7 790). Douala 14 670 (7 945). Doubai 16 155 (8 005). Dresde 4 900 (2 765). Dublin 5 020 (1 255). Düsseldorf 2 730 (900). Dzaoudzi 16 735 (8 860). Édimbourg 5 900 (1 980). Eindhoven 2 850 (900). Faro 7 220 (1 900). Fez 6 800 (3 740). Florence 5 180 (1 830). Fort-de-France 9 350 (3 520). Francfort 3 190 (1 010). Freetown 15 020 (9 040). Fréjus 2 280 (1 010). Friedrichshafen 3 770 (2 045). Funchal 8 230 (2 350). Gaborone 24 020 (10 005). Garoua 14 140 (7 780). Gênes 4 680 (1 590). Genève 3 050 (860). Glasgow 5 900 (1 980). Göteborg 7 090 (2 230). Graz 5 980 (1 790). Grenoble 1 500 (490). Hambourg 4 320 (1 400). Hanoi 24 110. Hanovre 4 140 (1 280). Hartford 12 580 (4 795). Helsinki 7 790 (2 690). Ho-Chi-Minh-Ville ; consulter les agences. Honk Kong 25 100 (10 350). Houston 14 500 (5 160). Ibiza 5 080 (1 650). Indianapolis 14 300 (5 005). Innsbruck 4 270 (1 420). Istanbul 9 910 (3 100). Izmir 10 440 (3 250). Jersey 2 680 (910). Johannesbourg 24 020 (8 000). Kansas City 14 630 (6 155). Karachi 17 400. Kathmandou 20 020. Khartoum 13 470 (6 675). Kiev 8 270 (3 320). Kigali 18 390 (7 715). Kinshasa 18 340. Koweït n.c. Kuala Lumpur 29 370 (25 535). Lagos 14 660 (7 990). La Havane 15 010 (7 190). Lannion 2 578 (868). La Paz 27 090 (17 595). Larnaca 9 240 (3 500). La Rochelle 2 578 (868). Las Palmas 8 020 (2 580). Las Vegas 17 400 (6 030). Le Caire 9 835 (4 880). Le Havre 1 500. Leipzig 4 610. Leningrad 8 400 (3 370). Libreville 16 340 (8 990). Lille 1 978 (868). Lilongwe 23 280 (14 030). Lima 24 260 (8 660). Limoges 1 540 (650). Linz 4 980 (1 670). Lisbonne 7 110 (1 900). Ljubljana 5 460 (1 590). Lomé 13 820 (7 605). Londres (Heathrow) 2 690 (890). Lorient 1 730 (630). Los Angeles 15 840 (5 990). Lourdes/Tarbes 1 850 (680). Luanda 19 130. Lugano 4 570 (2 235). Lusaka 23 280 (10 035). Luxembourg 2 350 (840). Lyon 1 470 (470). Madras 20 955. Madrid 5 500 (1 550). Malaga Torremolinos 6 700 (2 165). Manaus 24 405 (15 500). Manchester 5 000 (1 670). Manille 24 175 (10 350). Marrakech 7 120 (3 900). Marseille 1 680 (590). Mascate 20 680 (9 060). Maurice (île) 20 210 (8 030). Metz 2 068 (868). Mexico 18 000 (6 685). Miami 14 480 (4 990). Milan 4 240 (1 505). Milwaukee 14 660 (5 535). Minneapolis 15 010 (6 030). Mombasa 17 600. Monaco n.c. Monastir 5 140 (2 360). Montevideo 26 430 (10 895). Montpellier 1 660 (710). Montréal 13 560 (4 525). Moroni 18 050 (7 245). Moscou 9 180 (3 680). Mulhouse 1 580 (520). Munich 4 060 (1 260). Munster 3 570 (1 975). Nairobi 17 390 (7 285). Nancy 2 068 (868). Nantes 1 470 (460). Naples 6 540 (2 020). Nassau 17 560 (10 680). N'djamena 13 760 (7 370). New York (3 810). Niamey 11 930 (6 565). Nice 1 850 (770). Nîmes 1 660 (710). Nouakchott 10 830 (5 560). Nouméa 30 640 (11 615). Nlle-Orléans 14 530 (6 170). Nuremberg 4 110 (1 320). Orlando 14 480 (4 990). Osaka 26 150 (11 255). Oslo 7 380 (2 240). Ouagadougou 13 030 (7 170). Ouarzazate 7 390 (4 055). Oujda 6 120 (3 370). Palerme 6 990 (2 270). Palma de Majorque 4 870 (1 580). Papeete 26 550 (10 290). Pau 1 850 (680). Pékin 23 300 (11 235). Périgueux 1 870 (780). Perpignan 2 000 (720). Philadelphie 12 760 (4 360). Phoenix 14 890 (5 895). Pise 5 150 (1 830). Pittsburgh 13 500 (5 400). Pointe-à-Pitre 9 350 (3 520). Port-au-Prince 17 750 (6 640). Portland 18 200 (6 735). Porto 6 780 (1 900). Prague 4 540 (1 850). Quimper 1 990 (910). Quito 22 790 (14 395). Rabat 6 800 (3 740). Recife 22 130 (9 080). Rennes 1 520 (650). Riyad 15 375 (7 790). Rio de Janeiro 23 875 (9 460). Rodez 2 178 (868). Rome 5 990 (1 830). Rotterdam 2 850 (900). St-Denis 13 210 (5 490). St-Domingue 17 750 (6 640). St-Étienne 1 530 (500). St-Jacques-de-Compostelle 5 580 (1 800). St-Louis (U.S.A.) 14 440 (4 970). St-Martin 17 920 (4 030). St-Pierre-et-Miquelon 9 200 (5 210). Salonique 9 170 (3 050). Salt Lake City 15 100 (6 485). Salvador-Bahia 23 875 (9 460). Salzbourg 4 270 (1 420). Sana 15 430 (7 640). San Antonio 15 870 (6 495). San Diego 16 060 (6 735). San Francisco 15 840 (5 990). San Juan 17 920 (6 640). Santa-Cruz (Bol.) 27 090 (17 595). (Canaries) 8 020 (2 580). Santiago 29 285 (12 070). São Paulo 24 405 (9 680). Seattle 18 120 (6 735). Séoul 26 150 (11 255). Séville 6 700 (2 165). Seychelles 18 820 (7 600). Sfax 5 380 (2 480). Shannon 5 020 (1 345). Singapour 25 535 (9 085). Sofia 8 980 (3 610). Southampton 2 630 (940). Stavanger 6 810 (2 250). Stockholm 8 040 (2 360). Strasbourg 1 380 (450). Stuttgart 3 220 (1 000). Sydney 37 460 (12 390). Taipeh 25 960 (12 245). Tampa 14 480 (4 990). Tanger 6 120 (3 370). Téhéran 14 075 (10 690). Tel Aviv 9 040 (2 990). Tirana 8 380. Tōkyō 26 150 (11 255). Toronto 15 610 (3 930). Toulon/Hyères 1 950 (700). Toulouse 1 640 (610). Tripoli 7 720. Tunis 5 140 (3 600). Turin 4 240 (1 505). Valence 5 110 (1 660). Vancouver 19 760 (7 565). Varsovie 5 960 (3 000). Venise 5 060 (1 745). Vérone 5 060 (1 745). Vienne 5 980 (1 790). Washington 12 760 (4 360). Windhoek 24 020 (10 005). Yaoundé 15 100 (8 305). Zagreb 5 960 (2 010). Zurich 3 370 (1 010).

• **Prix du km aérien en F au départ de Paris, en juillet 1989** [aller-retour sur vol régulier calculé sur le tarif le plus économique (vols vacances, Apex)]. Madrid 2,2, Londres 1,86, Berlin 1,78, Stockholm 1,25, Athènes 1, Le Caire 0,95, Ajaccio 0,81, Pékin 0,78, Dakar 0,76, Antilles 0,75, Delhi 0,69, Réunion 0,67, Rio 0,62, Bangkok 0,45, New York 0,43.

• **Salons aériens. Paris.** *Créé* 1909. Au Grand Palais, de 1909 à 1938, 1946, 1949, 1951, puis au *Bourget* dep. 1953. En 1990 : 1 730 exposants de 38 pays (55 % d'étrangers, 45 % de Français), 190 aéronefs exposés au sol, 53 000 m² de surfaces couvertes, 34 457 m² de surfaces extérieures, + de 400 000 visiteurs. Farnborough (G.-B.).

• **Musées de l'air. Paris.** *Le Bourget :* dans l'aérogare désaffectée du Bourget. Le 1er avion restauré dans le monde fut le Spad VII de Guynemer qui est exposé. *Conservatoire national des arts et métiers :* possède l'Avion n° 3 de Clément Ader (restauré par le Musée de l'Air et de l'Espace), le Blériot de la traversée de la Manche, le monoplan Esnault-Pelterie de 1906, un biplan Bréguet de 1913.

Angers. A Avrillé. **Biscarosse.** Surtout documents, maquettes et objets. **Dax.** Musée de l'aviation légère de l'armée de Terre (ALAT). **La Ferté-Alais.** Rassemblement permanent d'avions anciens. **Le Mas Palégry.** Avions militaires à réaction, maquettes. **Nancy.** En construction. Rochefort-sur-mer. Sur la vieille base aérienne. **St Rambert d'Albon.** Hangar abritant des avions anciens en état de vol, association Aéro-Rétro. **Savigny lès Beaune.** Avions militaires à réaction.

Dans le monde. Dans la plupart des pays d'**Europe.** *Allemagne :* Münich. *G.-B :* nombreux dont le RAF Museum à Hendon. **Proche-orient.** *Syrie :* Damas. **Asie.** *Indonésie :* Djakarta. *Philippines :* Manille. *Thaïlande :* Bangkok. *Viêt-nam :* Hanoï. **Amérique du Nord.** *Canada :* Ottawa. *U.S.A :* Dayton, US Air Force. Seattle, musée Boeing. Washington (le plus fréquenté du monde). **Amérique du Sud. Australie :** Melbourne.

Transports ferroviaires

Matériels

Locomotives

Quelques dates

1550 utilisation de *chariots sur rail* dans les mines de Leberthal (Alsace). **1758**-*9-6 : 1er train régulier* à locomotive à vapeur entre la mine de charbon de Middleton et le pont de Leeds, Yorkshire. **1770** 1re utilisation de *l'action directe du piston* sur la manivelle pour actionner la roue motrice (Cugnot, France).

1804-*24-2 : 1re locom.* de Richard Trevithick et Andrew Vivian, charge utile 10 t et 70 personnes, curieux ou enthousiastes, le train ne transportant que du charbon ou des marchandises (la notion de « voyageur » n'apparaît que 20 ans plus tard) sur la ligne de Penydarran (Galles), 15 km. Chaudière à foyer intérieur et à tube en retour pour multiplier la surface de chauffe, cylindre horizontal et réchauffeur d'eau d'alimentation ; jantes de roues garnies d'aspérités et de rainures. 2 autres locom. (1805 et 1808) suivront ; l'une appelée *Catch me who can* (« M'attrape qui peut ») sert d'attraction foraine à Londres. **1812** John Blenkinsop : *locom. à roue dentée* qui s'accroche sur une crémaillère extérieure à la voie. **1813** Brunton propose une machine surnommée *steam horse* (cheval vapeur) qui « marche », toujours par crainte du manque d'adhérence, grâce à 2 béquilles alternativement appuyées sur le sol. Elle explose en 1815. Christopher Blackett et William Hedley démontrent que l'adhérence des roues permet la traction de charges importantes, et remorquent avec leurs locomotives de 8,3 t des trains de 50 t à 8 km/h. **1814** George Stephenson construit une locom. pour les mines de Killingworth : roues accouplées par une chaîne sans fin (plus tard par une bielle rigide) ; en service de 1814 à 1825. **1823** George Stephenson et son fils Robert, Edward Pease et Michel Longridge fondent la *1re usine de construction de locom.* à Newcastle (concurrencée à partir de 1830 par celle d'Edward Bury à Liverpool). **1827** Timothy Hackworth achève la *Royal George,* la plus puissante machine du temps, et la 1re à 6 roues couplées par des bielles extérieures (030) ; elle fonctionnera jusqu'en 1842. *-14-5 : 1er chemin de fer fr.* entre Andrézieux et St-Étienne (20 km) pour le transport du charbon. **1828**-*22-2 :* Marc Seguin : brevet d'invention de la *chaudière à tubes de fumée* multipliant la surface de chauffe (les gaz chauds de la combustion passent dans un faisceau de tubes traversant l'eau de la chaudière). **1829** utilisant ce principe, Robert Stephenson construit *The Rocket* (La Fusée) qui comporte un échappement de la vapeur dans la cheminée, ce qui active automatiquement le tirage. Elle gagne le concours Rainhill (G.-B., 1829, vitesse 47 km/h) en roulant *haut le pied* (expression désignant un cheval de rechange qui, non monté, suivait les autres en levant plus aisément le pied que s'il avait eu un cavalier). **1831** l'ingénieur Rimber (USA) : 1re locomotive pour service mixte à adhérence et à crémaillère. **1832** sur la ligne Liverpool-Manchester, des locom. remorquent des trains de 223 t (50 wagons) à 16 km/h. **1838** locom. à 3 essieux indépendants. La détente commence à être employée sur les locom. Manchester-Liverpool. La *Gironde* sur la ligne de Versailles (rive droite) remorque des trains sur des rampes de 35 %. **1839** 1re locom. à air comprimé d'Andraud.

1842 la *1re locom. électrique de Robert Davidson* atteint 6 km/h sur la ligne Édimbourg-Glasgow. **1847** *chemin de fer atmosphérique* sur la ligne de Paris-St-Germain au Pecq, une voiture directrice remplace la locom. Sous son châssis un piston plonge dans un tube disposé entre les rails jusqu'à St-Germain où des pompes font le vide dans le tube ; la rame est alors « aspirée » le long de la rampe de 35 ‰. *1re locom. de Thomas Russell Crampton* sur la London North Western Railway. Roues motrices de grand diam. pour la vitesse, abaissement du centre de gravité pour la stabilité (essieu moteur à l'arrière du foyer ; cylindres reculés ; porte-à-faux à l'avant et à l'arrière supprimés). Un type à 2 essieux accouplés et essieu porteur à l'avant atteindra 110 km/h et sera employé pendant 30 ans. **1849** *brevet de la « surchauffe »* par Quillac et Montreuil. La vapeur traverse des tubes placés à l'intérieur d'autres tubes originaires de la chaudière en contact avec les gaz chauds de la combustion. La condensation diminue et on économise ainsi 16 % de charbon et 21 % d'eau. Le procédé n'est utilisé qu'en 1898 par Schmidt. **1864** brevet du Français Cazal : *moteur électrique s'appliquant directement à l'essieu.* Mise en service sur le P.O. des locom. Forquenot en 1874. **1866**-*6-7 : locom. Petiet* à 6 essieux moteurs, accouplés en 2 groupes indépendants (inauguration de la ligne Enghien-Montmorency). **1867** locom. Forquenot, dites *Cantal,* 1res machines françaises équipées de 5 essieux couplés (Paris-Orléans). **1876** 1re application pratique par l'ingénieur Mallet du *système « compound »* sur une locom. du Bayonne-Biarritz. Ce système, indiqué dès 1803 par Arthur Woolf et déjà en usage dans la marine, utilise mieux la force expansive de la vapeur qui passe une 1re fois dans un cylindre à haute pression (comme sur une machine à simple expansion), puis une 2e fois, en détente, dans un 2e cylindre à basse pression. **1879** *1er train remorqué par une locomotive électrique* (Exposition industrielle de Berlin. Locom. Siemens et Halske, voie de 550 m). **1883** 1re locom. électrique en G.-B. (la ligne existe toujours à Brighton). **1894** *1ers essais de traction électrique* banlieue de Paris (St-Germain État-St-Germain Grande Ceinture). 1res locom. de vitesse type « Coupe-vent » du PLM.

1900 *1ers trains à traction électrique* sur la ligne Paris-Invalides aux Moulineaux (avril), Paris-Orsay à Paris-Austerlitz (28-5). **1907** *1res* locom. de vitesse du type *Pacific* (Cie du PO). **1911** essai de traction électrique par courant alternatif monophasé (ligne PLM de Cannes à Grasse). **1920** essais en Allemagne de traction sur rails par des hélices (moteurs d'aviation). **1930**-*10-2 :* inauguration du train radio (émission et réception), en France (réseau de l'État). **1931**-*1-1 :* circulation du *1er autorail. -10-9 :* circulation des 1ers autorails à roues munies de pneumatiques : *Michelines* (6 roues, pneus Michelin, moteur Hispano-Suiza de 55 cv et carlingue d'avion de 12 pl. ; Paris-Deauville à 107 km/h). Michelin livrera 23 types d'autorails de 1932 à 1938. **1937**-*29-12 : 1er train français remorqué par une locom. Diesel électrique* à grande puissance (ligne Paris-Dijon). **1938**-*13-12 : 1re grande ligne entièrement à traction électrique* (Paris-Bordeaux).

1946 1re locom. à vapeur chauffée au fuel. **1948**-*4-12 : rame sur pneumatique* (Paris-Strasbourg). **1950** 1er essai monophasé en Savoie. **1952** traction électr. intégrale sur Paris-Lyon. **1954**-*18-7 :* 1re mise en service de la traction électr. en courant monophasé 25 kV 50 Hz (Charleville-Valenciennes). **1955**-*28 et 29-3 :* record mondial de vitesse sur voie ferrée : 331 km/h entre Facture et Morcenx (Landes) avec 2 locom. électr., la BB 9004 et la CC 7107 ; *-5-6 :* traction électr. intégrale sur Paris-Rome. **1962**-*22-6 :* sur Paris-Marseille. **1963**-*9-9 :* mise en service électrification Paris-Bruxelles. **1964** la locomotive Diesel de grande puissance circule en France, série 69 000 (3 500 kW, soit 4 800 ch). *-30-5 : 1re locom. quadricourant* type CC 40100 (sur Paris-Bruxelles). **1967**-*28-5 : 1re circ. commerciale à 200 km/h (le Capitole* sur la section Les Aubrais-Vierzon). 1re rame expérimentale turb. à gaz (turbotrain, 160 km/h). **1969** locom. électr. la + puissante de la SNCF, type CC 6500 (6 000 kW = 8 000 chevaux environ). **1970**-*16-3 :* 1er serv. commercial par *turbotrain* (Paris-Caen). **1971**-*23-5 : TEE* Aquitaine sur Paris-Bordeaux (record d'Europe de vitesse moy. commerciale). *-19-8 :* 1ers essais de la BB 15001 équipée d'un dispositif pour régler la vitesse sur un taux affiché. Locomotive de 4 600 kW qui utilise pour la 1re fois l'électronique (thyristors) dans ses appareillages de puissance. **1972**-*4-4 : 1ers essais en ligne du TGV 001.* **1976** *1re BB 7200* pour courant continu à régulation électronique de la vitesse. Suivront les BB 22200, de conception identique mais bicourant. **1978**-*29-7 : 1re rame TGV de série.* **1979** 1er élément automoteur électrique pour l'interconnexion SNCF/RATP banlieue de Paris (Z 8100 dit MI79).

1980 livraison 1res automotrices électriques Z2 pour dessertes régionales. **1981**-*26-2 : record du monde de vitesse sur rail :* 380 km/h par le TGV Sud-Est. *-27-9 :* ouverture TGV Sud-Est. **1982** 1ers essais du prototype BB 10004 à moteurs synchrones autopilotés. Livraison 1res automotrices de banlieue à 2 niveaux (Z2N) pour desserte banlieue Sud-Est et ligne C du RER. **1983**-*29-5* vitesse max. des TGV autorisée en service commercial, portée à 270 km/h. **1985** sortie de 2 locomotives Sybic (à moteurs synchrones, bicourant) BB 20011 et BB 20012 (5 600 kW), issues de la série BB 22200, et préfigurant la future BB 26000. **1987** record mondial de vitesse pour un matériel à marchandises avec un nouveau type de bogies (203,8 km/h). **1988**-*31-3* sortie de la 1re locomotive BB 26000 de série apte à tirer des trains de frets lourds (2 000 t en rampe de 8,8 ‰) et des trains de voyageurs à 200 km/h. *-26-6* sortie de la 1re automotrice de banlieue à 2 niveaux (Z 20 500) à moteurs asynchrones (1,5 KV cc-2,5 KV 50 Hz). *-7-7* livraison de la 1re rame du TGV Atlantique. **1989** livraison des 15 1ers locotracteurs de la série Y 8 400 télécommandés. **1990**-*18-5* record du monde sur rails à 515,3 km/h établi par le TGV Atlantique. **1991**-*2-6* mise en service prévue du TGV allemand (ICE).

Locomotives à vapeur

Principe. La vapeur produite dans une chaudière à tubes de fumée (chauffée au charbon ou, dep. 17-10-1946 en France, au fuel) meut les pistons dans des cyclindres. Des bielles transmettent aux roues motrices le mouvement du piston. *La pression maximale (ou timbre)* de la vapeur est d'env. 20 bars avec une surchauffe à 400 °C. Un régulateur et des tiroirs permettent de régler la quantité de vapeur admise dans les cylindres. Pour augmenter l'adhérence sur les rails, on utilise plusieurs essieux moteurs (2, 3 et plus) reliés entre eux par des bielles d'accouplement. On projette du sable en cas de patinage, au démarrage par exemple, devant les roues motrices et accouplées. Aux roues accouplées s'ajoutent parfois des roues porteuses (selon type et dest. de la loc.) afin de mieux répartir la masse totale de la loc. sur la voie (la charge par essieu admise en France variant entre 18 et 23 t). **Inconvénients de la vapeur.** Faible rendement énergétique, intervention de main-d'œuvre qui serait prohibitive aujourd'hui (30 h aux 1 000 km).

Bissel (du nom de l'inventeur américain Levi Bissel). Chariot articulé à un essieu porteur, supportant une partie du poids de la locomotive et participant à son guidage dans les courbes.

Bogie. Chariot articulé à 2 essieux (ou +) supportant une partie du poids de la loc., permettant une répartition équilibrée de ce poids et une inscription aisée en courbe. Dep. fin 1978, il n'y a plus de voitures à essieux (à empattement rigide) en service commercial SNCF.

Tender. Attelé à la locom., transportait 6 t de charbon et 38 m^3 d'eau (France). Une locomotive consommait 10 kg de charbon et 100 l d'eau au km.

Puissances (ordre de grandeur). **France :** *232 U-1 Nord* (de l'ingénieur de Caso) : 140 km/h ; 3 400 ch (2 427 kW) à la jante. *241 P :* 120 km/h ; 4 000 ch (2 940 kW). *242 A 1 :* 140 km/h ; 4 200 ch (3 080 kW), record des locom. européennes. **Amérique :** *222 :* 6 200 ch (4 560 kW) ; *1 442* (pour trains de 1 500 m) ; le spécimen le plus lourd serait sans doute la *Q 2* de l'Union Pacific avec une puissance de 8 000 ch (5 990 kW), record absolu.

Vitesse. 1835 : 100 km/h locom. Sharps et Roberts (Liverpool-Manchester). **1846**-*11-7 :* 120 entre Londres et Dicot. **1853 :** 132. **1890 :** 144. « Crampton » (France) 210 remorquant une voiture sur une rampe de 0,5 %. **1893**-*10-5 :* 181 (« 999 » du New York Central sur 1,7 km en remorquant l'Empire State Express). **1895**-*22-8 :* sur la côte Ouest (G.-B.) : 87 sur 870 km. **1903 :** 200, train spécial du Pennsylvania sur 100 km. **1905**-*12-6 :* 204,48, « Atlantic » (221) du Pennsylvania entre New York et Chicago remorquant 4 voitures. **1936**-*11-5 :* 200,4, la « 05002 (type 232 de la Deutsche Reichsbahn). **1938**-*3-7 :* 202,7 sur 402 m, la « Pacific » carénée (4 468), « Mallard » du LNER (London and North Eastern Railway).

Fin de la vapeur en France

Dernier convoi à vapeur. *Voyageurs* fin 1972 ; *marchandises* mars 1974 (140 C/141 R du dépôt de Sarreguemines). **Nombre de locomotives.** *1925 :*

Quelques locomotives à vapeur

The Rocket [« la Fusée » (G.-B.) ; 1829]. *Chaudière :* diam. 1,01 m, long. 1,83 m ; *surface de chauffe :* 12,8 m² ; *roues :* diam. 1,42 m ; *masse* de la machine en ordre de marche 4,3 t.

Locomotive Seguin [modèle 1829 (Fr.)]. 1re loc. française à tubes de fumée. *Chaudière* (timbre) : 4 kg/cm² ; *roues :* diam. 1,150 m ; *masse totale* et *adhérente* 4,5 t.

La « Gironde » [1838 (Fr.)]. *Chaudière :* diam. 1,11 m ; *surf. de chauffe :* 50,48 m² ; *roues motrices :* diam. 1,67 m ; *masse totale* 15,5 t, *adhérente* 7 t.

Locomotive Stephenson Long Boiler (G.-B.-Fr.) (1846 à 1 essieu moteur et 2 porteurs avec tender). *Chaudière* (timbre) : 7 kg/cm² ; *surf. de chauffe :* 72 m² ; *cylindres :* diam. 380 mm ; *pistons :* course 560 mm ; *roues motrices :* diam. 1,740 m ; *masse totale* 22 t, *adhérente* 10 t.

Type Crampton. Apparues en France à partir de 1849, sur le Nord. 1res machines à grande vitesse. L'une atteignant 144 km/h en 1890.

Type « Atlantic ». Bogie porteur à l'avant, 2 essieux accouplés et 1 essieu porteur arrière ou *bissel* ou essieu radial.

Type « Ten Wheel » (Fr.). 1300 Midi. *Longueur* 10,635 m ; *masse totale* 59,9 t ; *adhérente* 44,1 t. *Chaudière* (timbre) 15 kg/cm². Surface 176,495 m² (chauffe-grille 2,530, foyer 13,570, tubes 162,925). *Cylindres diamètre HP* 350 mm. *Roues accouplées* diamètre 1,560 mm. 1 bogie avant et 3 essieux accouplés, foyer étroit.

Type Pacific (Fr.). Ex. : 4 500-PO. *Longueur* 13,405 m ; *masse totale* 92 t ; *adhérente* 53 t ; *roues motrices* diamètre 1,7 m. *Chaudière* (timbre) 16 kg/cm². Surface 257,25 m² (chauffe-grille 4,27, foyer 15,37, tubes 241,88). *Cylindres diamètre HP* 390 mm, *BP* 640 mm. Un bogie porteur à l'avant, 3 essieux moteurs accouplés et 1 essieu porteur arrière (essieu radial). Remorquait 500 t à 90 km/h.

20 000. *1969 :* 514. *1980 :* 1 [construite en 1922 et conservée en état de marche par la SNCF (230 G 353), a parcouru 2 000 000 de km ; basée à Noisy-le-Sec, utilisée pour des circuits touristiques (trains affrétés) et tournages de films]. D'autres locomotives à vapeur sont également préservées par des associations d'amateurs. *En 1987,* 40 locomotives à vapeur dont 1 Pacific 231 K 8 (de 1911) et une 141 R 420 (« Mikado » livrée en 1945 par les USA), ont été classées par la Dir. du patrimoine industriel. *Locomotives à vapeur préservées ou en cours de restauration :* 200.

☞ Le type des locomotives à vapeur, caractérisé par la disposition de ses essieux, était symbolisé en France par un nombre conventionnel de 3 chiffres indiquant : 1er nombre d'essieux porteurs avant, 2e moteurs, 3e porteurs arrière (un zéro indiquant l'absence d'essieux porteurs avant et/ou d'essieux porteurs arrière). Ce nombre était suivi par une majuscule indiquant la série de l'engin (précédée de la lettre T dans le cas d'une locomotive-tender). *Ex. :* 221 A 10 ; 231 F 141 ; 040 TA 6.

Locomotives Diesel

• **Principe.** Force motrice fournie par un ou plusieurs moteurs Diesel. La plupart utilisent la transmission électrique : le moteur entraîne soit une génératrice, soit de plus en plus souvent un alternateur suivi d'un redresseur alimentant le ou les moteurs de traction, qui agissent sur les essieux par un train d'engrenages. Certains (surtout en All. féd.) utilisent la transmission hydraulique. Une pompe hydraulique reliée au moteur diesel actionne un convertisseur de couple qui accroît ou réduit l'énergie transmise à faible ou grande vitesse. **Avantages sur la locom. à vapeur.** Rendement thermodynamique supérieur (la température de combustion étant plus élevée) : 17 % au crochet de traction. Autonomie double. Peu d'entretien. Puissance massique 25 kW/t (au lieu de 15 kW/t). **Puissance (max.) :** 4 500 kW (env. 6 000 ch). **Vitesse (max.) : 1931**-*21-6 :* 230 km/h, véhicule à hélice de Franz Kruckenberg (moteur à essence de 600 ch BMW utilisé sur les avions). **1973 :** 229 km/h (G.-B.).

• **Quelques locomotives Diesel. Diesels-électriques doubles à configuration d'essieux 2C2 + 2C2, la 262 DA1 et la 262 DB1,** 1res diesels de ligne en France, construites pour le PLM (1937 et 1938) : articulées,

Quelques séries de locomotives SNCF	Date de construction	Nombre construit	Masse t	Puiss. kW	Vit. max. km/h
Électriques					
BB 8 100-8 200 [1]	1947-55	172	92	2 100	105
CC 7 100 [1]	1949-55	60	107	3 490	140
BB 9 400 [1]	1959-64	135	56	1 630	130/180
BB 9 200 [1]	1957-64	132	82	3 850	160
BB 9 300 [1]	1957-64	132	84	3 850	160
BB 8 500 [1]	1954-74	146	79	2 940	140
CC 6 500 [1]	1969-75	74	115	5 900	220
BB 7 200 [1]	1976	240	84	4 400	180
BB 12 000 [2]	–	–	84	2 470	120
BB 16 000 [2]	1958-63	62	85	4 130	160
BB 17 000 [2]	1965-68	105	79	2 940	150
BB 15 000 [2]	1971	65	8	4 600	180
BB 25 100 [3]	1965-77	70	84	4 130	130
BB 25 200 [3]	1965-74	51	87	4 130	160
BB 25 500 [3]	1964-76	194	80	2 940	140
CC 21 000 [3]	1969-74	4	122	5 900	220
BB 22 200 [3]	1976	205	89,5	4 400	180/200
BB 26 000 [3]	1985	8	90	5 600	200
CC 40 100 [4]	1964-70	10	108	3 670/4 480	160/200
Diesel					
BB 63 000-63 500	1963-71	853	68	355/450	80
BB 66 000-66 400-66 000	1957-71	421	72	830/890	120
BB 67 000	1963-75	425	80	1 240	90/130
BB 67 300-67 400	–	–	83	1 440-1 525	140
CC 72 000	1957-69	92	114	2 250	140/160

Nota. – (1) A courant continu 1,5 kV. (2) A courant alternatif industriel 25 kV 50 Hz. (3) Bicourant. (4) Quadricourant.

longueur + de 30 m, masse 230 t, puissance 3 100 kW ; remorquaient sans ravitaillement en carburant des rapides de 600 t à 130 km/h (vitesse max.) entre Paris et Menton. **CC 72075 (1977) :** *longueur hors tout* 20,190 m, vitesse max. de service (km/h) 85 (petite vitesse) et 160 (grande). *Puissance* 3 530 kW. *Diamètre des roues* 1,140 m. *Masse totale* 118 t. *Moteur* SEMT Pielstick à 12 cylindres en V à 4 temps. *Transmission* électrique triphasé continu. *Moteurs* de traction à double rapport de réduction. *Bogies* monomoteurs. Remorque des trains « voyageurs » (GV) ou « marchandises » (PV) ; c'est la locomotive la plus puissante au monde, à un seul groupe Diesel. Les 91 autres locomotives Diesel électriques de la série CC 72000 sont équipées d'un moteur SACM à 16 cylindres en V à 4 temps développant une puissance de 2 650 kW (M). **Autorails :** éléments automoteurs à traction diesel ; ils assurent les relations à courte distance.

Traction électrique

• **Principe.** Les roues motrices sont entraînées par des moteurs électriques au moyen d'un train d'engrenages. Le réglage de la vitesse s'obtient par le changement de couplage des moteurs de traction (M), par le shuntage des inducteurs de ces derniers, et par un dispositif de régulation continue (rhéostat ou hacheur de courant, pour la traction en courant continu, transformateurs à prises multiples ou équipement électronique, pour la traction en courant alternatif). Le courant d'alimentation est continu ou alternatif monophasé (dans ce cas, la tension est abaissée par un transformateur et des redresseurs la convertissent en courant continu). Le courant délivré par ces redresseurs (M) est un courant « ondulé » dont s'accommodent les moteurs à courant continu grâce à l'introduction d'une inductance importante appelée *« self de lissage ».* Certains réseaux étrangers ont utilisé au début de leur électrification des moteurs de traction fonctionnant directement sous courant alternatif, ce qui les a obligés à choisir un courant alternatif de fréquence spéciale de faible valeur : 16 2/3 Hz. L'électrification du réseau français a débuté en courant continu 750 V (alimentation par le 3e rail), mais a été principalement réalisée en courant continu 1,5 kV, puis complétée en courant monophasé 25 kV à partir de 1950.

Le courant électrique est fourni aux engins de traction par 1 fil de contact suspendu à des câbles porteurs ; l'ensemble est appelé *caténaire.* La somme des sections de ces divers conducteurs est de 400 à 480 mm² ; des câbles de renforcement appelés *feeders* permettent d'atteindre une section de 1 000 mm².

Le courant est capté par l'intermédiaire d'un *pantographe* (dispositif articulé), fixé sur la toiture de l'engin. La caténaire est alimentée par des *sous-stations* équipées pour la traction en courant continu de transformateurs et de redresseurs et, pour la traction en courant monophasé, de transformateurs seulement (espacement moyen 8 à 17 km en continu ; 45 à 50 km en monophasé).

L'électrification est en général réservée aux lignes à fort trafic ou d'exploitation difficile (lignes de montagne). En courant monophasé 25 kV, elle permet un plus grand espacement des sous-stations et une section moindre de la caténaire, donc un investissement moins important que l'électrification en courant continu 1,5 kV.

Avantages de la traction électrique. Au diesel. Performances et disponibilité meilleures, taux d'incident moindre. *Coût d'entretien* au km, 1990 : diesel 8,8 F, électrique 4 F (la BB 15 000, la plus fiable du monde, peut parcourir plus de 6 millions de km sans révision générale). *Économie d'énergie* (20 %) (avant 1973 elle coûtait 100 % de +). Les trains de marchandises roulant de nuit, l'énergie électrique de traction est consommée à 40 % en h creuses et à 5 % en h de pointe d'hiver. La consommation SNCF représente 1 % de la consom. française d'énergie.

• **Puissance.** *Record :* la Re 6/6 des Chemins de fer suisses (7 800 kW ou env. 10 600 ch).

• **Charges remorquées.** *BB 15 000 :* 800 t à 145 km/h en rampe de 8 ‰ et courbe de 1 000 m de rayon. *BB 7 200/22 200 :* 800 t à 140 km/h ou 16 090 t à 50 km/h (5 ‰). *CC 6 500 :* voyageurs 800 t à 160 km/h (8 ‰ et courbe de 1 000 m de r.) ou 625 t à 200 km/h (5 ‰) ; marchandises 1 600 t à 80 km/h (7 ‰) ou 625 t à 45 km/h (30 ‰ et courbe de 500 m de rayon).

• **Vitesse (records en km/h). 1901 :** 140 (automotrice Siemens, Allem.), 160 (automotrice AEG, All.). **1903**-*6-10 :* 213 Siemens, *-28-10 :* 200 AEG. **1954**-*21-2 :* 243 (CC 721). **1955**-*28 et 29-3 :* 330,8 [CC 7 017 et BB 9 004 (M), France]. **1974 :** 402 (autorail Garrett, USA, moteur linéaire et turbine à gaz d'appoint). **1981**-*26-2 :* 380 (TGV 16, France, record mondial battu avec du matériel de série sur la ligne nouvelle Paris-Sud-Est). **1987**-*11-12 :* 406 (Transrapid : train à sustentation magnétique, All.). **1988**-*1 :* 412,6 (Transrapid, All.) ; *-2-5 :* 406,9 (ICE, train à grande vitesse sur rail, All.) ; *-12-12* (+ de 408) : TGV (Atlantique). **1989**-*5-12 :* 482,4 (TGV Atlantique de série). Rame 325 de 4 voitures, poids 291,6 t (rame ordinaire 10 voitures, 489,6 t), longueur 125 m. Roues de 1 050 mm de diamètre (au lieu de 920 mm). 8 moteurs autosynchrones, 1 par essieu (2 motrices à 2 bogies de 2 essieux), poussés à 1 700 kW (8 500 en service ordinaire). **1990**-*9-5 :* 515,3 (id.). *-18-5 :* 515,3 (id.).

☞ Les records de vitesse des machines électriques ont été battus aux USA par des véhicules propulsés par des fusées servant à tester les avions supersoniques et le matériel des engins spatiaux (records secrets). Les prototypes de voitures de course n'atteignent que 400 km/h sur la ligne droite du Mans. 480 km/h était la vitesse de croisière d'un Constellation il y a 30 ans, avec 51 passagers.

• **Économies obtenues par rapport à la vapeur.** 50 % (énergie), 60 % (personnel), 70 à 80 % (entretien), 70 % (équipement de distribution pour le 25 kV).

• **Désignation des engins moteurs à la SNCF** (locomotives Diesel ou électriques). D'après la disposition des essieux. Les essieux porteurs sont désignés par des chiffres arabes (indiquant le nombre d'essieux successifs de même nature), les essieux moteurs par des lettres latines dont le rang dans l'alphabet correspond au nombre d'essieux successifs de même nature. Chaque châssis (caisse principale ou châssis secondaire, tel que bogie ou bissel) possède son symbole propre de type. Pour un même véhicule, ces symboles sont placés à la suite l'un de l'autre. L'absence d'essieux porteurs n'est indiquée par aucune notation spéciale. Exemple : 2D2 signifie que la locomotive comporte 4 essieux moteurs encadrés par 2 bogies à 2 essieux porteurs ; CC : la loc. repose sur 2 bogies à 3 essieux moteurs chacun ; A1A-A1A : la loc. repose sur 2 bogies comportant chacun 2 essieux moteurs encadrant un essieu porteur.

Numéro de série. Locomotives électriques : *à courant continu :* chiffre de 1 à 9 999 ; *monophasé* 25 kV-50 Hz : 10 000 à 19 999 ; *polycourant* (respectivement bi, tri ou quadricourant) : 20 000, 30 000 ou 40 000. **Loc. Diesel :** 60 000, 70 000 et 72 000. **Automotrices :** éléments automoteurs à traction électrique (1 500 V, 25 000 V ou bicourant), assurant les relations régionales (série la plus moderne : la Z 2) ou la desserte de la banlieue parisienne (série la plus moderne : les Z2N). *TGV* rames articulées.

• **Courant utilisé à l'étranger.** *P.-Bas :* continu 1,5 kV ; *G.-B. :* cont. 1,5 kV et courant industriel 25 kV 50 Hz ; *URSS :* cont. 3 kV et cour. ind. 25 kV 50 Hz ; *Italie :* cont. 3 kV et, sur quelques lignes, cour. 15 kV 16 2/3 Hz ; *Belgique :* cont. 3 kV ; *Espagne :* cont. 3 kV et 1,5 kV ; *Portugal :* cont. 1,5 kV et cour. ind. 25 kV 50 Hz ; *Autriche, Suisse, All. féd., Norvège et Suède :* cour. alternatif monophasé 15 kV 16 2/3 Hz.

Turbine à gaz

Principe. *Turbine à gaz de type aéronautique* utilisant l'énergie fournie par la détente de gaz chauds. L'air, comprimé par un ou plusieurs compresseurs, est envoyé dans une chambre de combustion où il est mélangé au combustible et brûle. La détente des gaz chauds dans les ailettes d'une turbine assure la rotation de celle-ci et l'entraînement des compresseurs. On recueille l'énergie mécanique en bout d'arbre de la turbine.

Origines. *1941 :* 1ers essais en Suisse. *1953 :* aux USA, non rentables. *1966 :* essais avec des turbines aéronautiques + légères et + économiques. *1967 :* avec une turbine aéronautique, la SNCF atteint 252 km/h. Ce matériel a donné naissance au turbotrain et permis la réalisation d'un prototype à très grande vitesse (le TGV 001). V. ci-dessous.

Turbotrains. En exploitation en France dep. 1970. RTG (rames à turbines à gaz) : Paris-Caen-Cherbourg, Paris-Boulogne, Lyon-Strasbourg, Lyon-Bordeaux, Caen-Tours ; ETG (éléments à turbine à gaz) : Lyon-Annecy, Lyon-Clermont, Clermont-Besançon, Clermont-Dijon, Dijon-Nevers et Annecy-Grenoble-Valence.

Quelques projets

A coussins d'air

• **Aérotrain.** Inventé par le Français Jean Bertin (1917-75). Sustenté et guidé par des coussins d'air horizontaux et verticaux, il glisse sur une voie en béton ayant la forme d'un T inversé. Peut être propulsé de diverses manières. **Avantages :** simplicité du système de sustentation et de guidage à coussins d'air, absence de contact avec la voie d'où économie d'entretien ; freinage, sécurité ; légèreté (300 kg par place au lieu de 1 000 en ferroviaire : infrastructure 2 à 3 fois moins chère suivant l'encombrement du sol ou du relief). **Inconvénients :** consommation d'énergie permanente pour sustentation et guidage, compensée par les économies d'infrastructure, surtout pour les lignes à fréquentation moyenne ; problème de retournement des véhicules aéropulsés limitant leur capacité, tandis que les véhicules à propulsion électrique peuvent être assemblés en convoi et circuler dans les 2 sens.

Essais. 2 véhicules d'essais à l'échelle 1/2 ont atteint 303 km/h en déc. 1966 et 422 km/h en janv. 1969. Puis un aérotrain de 80 places (vitesse de croisière 250 km/h, propulsé par hélice carénée) a été testé (entre 1969 et 1972) sur 18 km de voie surélevée (5 m du sol), tronçon d'une future ligne Paris-Orléans. Équipé ensuite d'un réacteur muni d'un dispositif d'insonorisation (80 dbA à 60 m), il a atteint une vitesse stabilisée de 428 km/h en mars 1974.

En moyenne vitesse (180 km/h), une version entièrement électrique a été essayée en France et sous licence aux USA, avec une propulsion par moteur linéaire embarqué. *Études les plus récentes :* la ligne EUROPOLE (Bruxelles-Genève) sur un parcours parfois accidenté ; la desserte, de style RER, de la région Marseille-Aix-Vitrolles. Divers projets présentés en Argentine, à T'ai-wan, etc. Rentabilité commencerait vers 5 millions de passagers/an.

Nota. – La Sté de l'Aérotrain, créée en 1965, a été absorbée par la Sté Bertin en déc. 1980.

• **Hovertrain** (G.-B.). Sur coussins d'air. Prototype abandonné 1973 (difficile mise au point du moteur électrique linéaire). En raison de la configuration voie/véhicule (à cheval sur un U inversé), il fallait utiliser un moteur linéaire à plat d'où nécessité d'une suspension secondaire ; le guidage de détresse était délicat à réaliser.

Systèmes magnétiques

• **Sustentation magnétique.** *Maglev* (Magnétisme Lévitation). Par attraction sur l'envers de la voie grâce à des bobines électromagnétiques. **Avantages :** similaires à ceux du coussin d'air pour le confort et le franchissement de fortes pentes. **Inconvénients :** véhicule et voie plus lourds et plus compliqués, et nécessitant plus de précision ; d'où un coût d'infrastructure supérieur ; en cas de panne, le véhicule en détresse ne peut rester inerte ; il faut des dispositifs dont la fiabilité est encore peu sûre.

Allemagne. *1°) Véhicule reposant sur 2 poutres parallèles* (disposition abandonnée).

2°) Véhicule enveloppant une large poutre caisson, solution retenue pour la ligne expérimentale de 31 km (ouverte 1987 à Ems). Des bogies regroupent aimants porteurs et stators des moteurs linéaires, de chaque côté, les spires du « rotor long » étant noyées dans la voie. Suspension secondaire. *Construction envisagée* d'une 1re ligne Cologne-Bonn (35 km, après essai d'un nouveau prototype).

Corée. Train expérimental Komag 01 présenté 21-12-1990 (1,8 t, charge 1,2 t, vitesse max. 40 km/h, s'élève à 13 puis 8 mm au-dessus de la voie), prototype d'un modèle à basse et moyenne vitesse qui sera mis en service à l'exposition de Taejon (1993).

Japon. 2 véhicules d'essais miniatures de conception analogue ont été essayés par JAL à vitesses moyennes. A l'exposition de Tsukuba 85, un véhicule de 47 places a été présenté à 40 km/h, sur une piste de 350 m. Projet : liaison zone hôtelière de Las Vegas. *L 500* (voiture de 10 t, longueur 13,5 m, hauteur 2,7 m) sur une voie expérimentale de 7 km (île de Kyushu). Formule de supraconduction avec utilisation de câbles creux en titane-niobium, remplis d'hélium liquide (permettant de passer de 0 à 290 km/h en 30 s) ; freinage à 3 circuits (électrique, hydraulique et mécanique). Projet (années 90) : 2 voies suspendues, alimentées en 3 000 volts (nord d'Hokkaido et centre du Japon).

• **Répulsion électrodynamique.** Obtenue grâce à un déplacement de bobines supraconductrices induisant un courant dans une suite de bobines incorporées à la voie. Elle ne présente pas les mêmes problèmes de sécurité que la sustentation magnétique, mais son coût risque d'être élevé et les contraintes sont considérables : nécessité de faire baigner les aimants supraconducteurs dans une enceinte proche du zéro absolu (les véhicules doivent comporter une unité de reliquéfaction d'hélium pour compenser les pertes), nécessité d'un train de roues pour atteindre 100 km/h, vitesse à laquelle le phénomène électrodynamique qui se produit est suffisamment important pour sustenter le véhicule (véhicules lourds et sophistiqués).

État des travaux. Allemagne : abandonné. **Japon :** JNR (Japonese National Railways), un véhicule d'essais a atteint 500 km/h sur 7 km. Les coûts très élevés d'infrastructure limitent le marché à des liaisons disposant de plusieurs centaines de milliers de passagers par jour (1 seule dans le monde pour le moment). **USA :** travaux en sommeil (après étude de l'Institut de recherches de Stanford).

Moteur linéaire (dit moteur axial). N'exige aucune conversion de mouvements tournants en mouvement longitudinal. Il comporte un alignement de bobinages sous tension alternative, créant, dans un conducteur placé entre les pôles, un champ électromagnétique variable, donc des courants induits dans ce conducteur. La force de réaction électromagnétique créée tend à déplacer le bloc de bobinages. Pour freiner, on inverse le sens de passage du courant dans le rotor du véhicule. Le moteur est silencieux, ne pollue pas l'atmosphère ; mis au point par Pierre Guimbal, il a un rendement élevé.

Moteur thermique rectilinéaire. Conçu et mis au point de 1970 à 1980 par Jean Jarret (né 8-7-1918) et Jacques Jarret (né 26-10-1924). Comprend un cylindre fermé à ses 2 extrémités, à l'intérieur duquel se déplacent symétriquement 2 pistons. Chaque explosion, au centre du cylindre, écarte les pistons qui sont ensuite rapprochés par des ressorts hydrauliques. Des noyaux magnétiques solidaires des pistons constituent les éléments mobiles d'un générateur de courant électrique qui transmet à l'extérieur l'énergie utile. Par rapport aux moteurs thermiques conventionnels, la durée des hautes températures est réduite de 95 %, tandis que le rapport volumétrique de détente est presque doublé. Ce cycle thermodynamique permet d'augmenter le rendement et de réduire la pollution.

Tubes sous vide

La résistance de l'air croissant rapidement avec la vitesse, on a imaginé de faire circuler un véhicule dans un tube où le vide serait réalisé, espérant ainsi atteindre 600 à 1 000 km/h. *Projets* peu réalisables abandonnés (coût et difficultés). Parmi eux, le *Rapid Gravity Tube* proposait un tube en forme de parabole s'enfonçant très loin dans la terre pour accélérer puis ralentir le véhicule par gravité.

Transports mixtes passagers et marchandises

Hochleistungs-Schnellbahn (HSB, All. féd.). Visait à transporter automobiles et camions qui, après avoir emprunté ce système, reprenaient la route. Les véhicules (8 m de large sur 7 m de haut) ont été envisagés soit sur rail, ou à sustentation sur coussins d'air, ou magnétiques à des vitesses d'env. 300 km/h. Étude abandonnée (pas rentable).

Rollway (USA). Aurait transporté automobiles et voyageurs sur des wagons ferroviaires très larges (7 m) roulant sur une voie de 5,40 m à des vitesses supposées atteindre 320 km/h. Projet abandonné (pas rentable).

Voitures et wagons

Quelques dates

Nota. – Aujourd'hui on appelle *voiture* le matériel destiné aux voyageurs et *wagon* celui réservé au fret. Exception : la CIWLT (Cie internationale des wagons-lits et du tourisme).

Début du XIXe s. caisses de berlines ou de diligences placées sur « trucks » ; wagons-tombereaux à portes d'acier latérales et marchepieds. **1838**-*15-5 :* 1res voitures fermées et garnies traînées par des chevaux. **V. 1840** 1res voitures spécifiquement ferroviaires (caisse et châssis en bois). **1842** 1res voitures sur châssis en fer (sur le Great Western, USA). **1844** les voitures de 3e classe doivent être couvertes et fermées au moins avec des rideaux. **1850** capitonnage des 1re et 2e cl. **1855**-*1-2 : 1er train postal* (G.-B., entre Londres et Bristol). 1ers wagons de 10 t. **1859**-*1-9 : 1re voiture-lit* conçue par Georges Pullman (Amér.). **1863** *1res voitures-restaurants* (ligne Philadelphie-Baltimore, USA). **1872**-*1-10 :* fondation des wagons-lits (v. plus loin). **1873** 1ers wagons français *frigorifiques.* **1877** tables pour les repas en 3e cl. 1ers wagons de 15 t (Cie PLM). **1880** adoption, en France, du frein à air comprimé Westinghouse qui permet de commander le freinage de tous les véhicules. **1887**-*11-4 :* 1er train de voyageurs avec intercirculation par *soufflets* (brevet George Pullman) entre Chicago et Otto sur l'Illinois Central Railroad. **1889** 1re application de l'intercirculation par soufflet (PLM).

1900 1ers wagons de 20 t (Cie de l'Est). **1920** voitures semi-métalliques ; caisses métalliques autoportantes. **1923** 1re voiture pour train express entièrement en acier, construite en France (Cie du Nord). **1925** 1re voit. métallique étudiée par l'OCEM (Office central d'études de matériel). **1935** *1er train aérodynamique* à traction à vapeur (locomotives et voitures carénées) (Cie PLM). **1950** *Talgo* sur Madrid-Hendaye (*train articulé léger Goicoechea y Oriol,* du nom de l'inventeur et du commanditaire). **1956**-*3-6 :* suppression de la 3e cl. (Fr.). *-30-9 :* 1re relation TEE « Trans-Europ-Express » (Lyon-Milan). **1974** réservation électronique des places. **1975** 1res voitures *Corail,* 1re et 2e cl. à conditionnement d'air. **1976** 1res voitures couchettes de 2e cl. à conditionnement d'air. **1980** sur la ligne classique Paris-Lyon via Dijon 1res rames du TGV. **1982** voitures « Espace-Enfants ». **1985**-*4-3*: voitures « 1re classe Plus » et « Cabine 8 ».

Éclairage et chauffage

1ers trains éclairés aux bougies, puis avec des lampes à huile et à pétrole. **1858**-*10-12* : 1er essai d'éclairage au gaz *(Paris-Strasbourg).* **1860** 1er éclairage électrique. **1882**-*9-9* : éclairage de la gare St-Lazare, *1re gare de voyageurs éclairée en France.* **1885** les voitures de 1re cl. sont chauffées par des bouillottes, renouvelées pendant les arrêts. **1891** chauffage à eau chaude à thermosiphon avec foyer extérieur sur chaque voiture, appliqué d'abord à la Cie de l'Est. **1892** essai d'éclairage électr. des voitures par piles. **1897** chauffage des voitures par circulation de vapeur venant de la locom. (essais). **1899** essais d'éclairage électr. sur Paris-Le Havre et Paris-Bordeaux (système Vicarino, avec dynamos commandées par l'un des essieux). **1919** sur les lignes électrifiées, les radiateurs électriques seront alimentés par le courant recueilli par la motrice sur la ligne caténaire (1ers essais en 1910 sur les lignes de la Valteline en Italie, et de St-Moritz en Suisse). **1948** application en série de l'éclairage fluorescent. **1975** généralisation du conditionnement d'air sur le Corail (1re et 2e cl.), grâce à un convertisseur statique alimenté par la ligne du train.

Caractéristiques

Longueur et tonnage. Records du monde. *USA* (15-11-1969) (Virginie) 6 000 m, 500 wagons ; *Mauritanie* (dep. 1966) chemin de fer minier de la Miferma, 2 150 m, 184 wagons, 4 loc. Diesel électriques, charge de 18 500 t (record le 4-5-1966 : 19 722 t) ; *Canada* chemin de fer minier du Labrador, 2 600 m, tiré par 4 locomotives Diesel, 125 wagons.

Train le plus lourd en France. 3 600 t (charge utile 2 700 t). En 1967, un wagon de 500 t de charge utile (record du monde) a été mis en service en France (longueur 53 m, poids à vide 185 t). En 1975, une église du XVIe s. (9 980 t) a été transportée sur rail à Most (Tchécosl.), vitesse 3 cm/mn, sur 730 m. *Projet SNCF :* trains « hyperlourds » (fret) jusqu'à 5 000 t.

Caractéristiques moyennes. *Trains de marchandises.* 750 m (60 à 75 wagons). *Voyageurs* 500 à 900 m, 12 à 18 voitures, 500 à 1 200 voyageurs.

Voitures-lits

Quelques dates. 1872-*1-10* : fondation de la 1re *compagnie internat. des wagons-lits* par Georges Nagelmackers (Cie internationale le 4-12-1876). **1873** 1er wagon-lit (sleeping-car) sur un réseau français (Paris-Avricourt). **1882**-*10-10* : 1er *wagon-restaurant* (Paris-Vienne). **1883**-*5-6* : inauguration du *Train-Express-Orient* que l'on n'appellera bientôt plus que l'*Orient-Express.* Contournant les Alpes par le nord (le tunnel du Simplon ne fut ouvert qu'en 1906), puis longeant le Danube, il reliait Paris, Vienne, Budapest, Bucarest et Constantinople. Après Bucarest, il s'arrêtait à Giurgevo ; les voyageurs traversaient le Danube sur un bac à vapeur, débarquaient en Bulgarie, à Routschouck, montaient dans un autre train qui, en 7 h, les conduisait à Varna, sur la mer Noire, où ils embarquaient sur un paquebot (autrichien) qui les déposait à Constantinople après une traversée de 15 h. Partis de Paris les mardis ou les vendredis à 7 h 30 du soir, ils parvenaient à Constantinople les samedis et mardis à 7 h du matin, mais le trajet représentait une réduction de 30 h sur les horaires précédents. **1889**-*1-6* : la voie ferrée Belgrade-Nish-Sofia-Constantinople ayant été achevée, le voyage se fait entièrement par fer de Paris à Constantinople : 3 186 km en 67 h 35. **1894** *voitures-lits* : Ostende-Vienne. **1895** Paris-St-Pétersbourg. **1919**-*12-4* : Simplon-Orient-Express. **1968** *voit.-lits T2* (accessibles avec un billet de 2e cl.) (18 compartiments à 2 lits). **1976** une agence suisse remet en service 14 voit.-lits et voit.-restaurants pour des trains spéciaux Zurich-Istanbul (Nostalgie Orient-Express). **1982**-*25-5* 1res circulations du *Venise-Simplon-Orient-Express,* exploité par une Cie privée et constitué de matériel ancien de la CIWL. *Moyenne :* 75 km/h sur les 1 667 km. *Passagers :* 22 000 en 1984 (40 % d'Anglais, 35 d'Amér., 12 de Français, 9 d'Italiens, 2 de Japonais et 1 d'Australiens). *Prix :* aller 4 950 F comprenant dîner, petit déjeuner, déjeuner, thé. 36 personnes s'occupent des 180 passagers. **1984** mise en service de l'*Istanbul-Orient-Express* avec matériel de 1930 loué par VPS (Visit Paris Service) à la CIWL.

Cie int. des wagons-lits. Sté de droit belge. Principaux actionnaires (en %). Caisse des dépôts et consignations et sa filiale Sofitour 28, Pargesa-Bruxelles-Lambert (Bruxelles) 27, Sodexho 18,6, Rolaco (Bruxelles) 6. **Chiffre d'affaires** (en 1989, en milliards de F) : 15,7 (dont restauration collective et publique avec Eurest 44 %, hôtellerie 22, wagons-lits 20, tourisme 10). A repris Europcar et les 2 premiers loueurs mondiaux de bateaux de plaisance. **Bénéfices nets :** 238 millions de F (+ 7,5 %) en 1989.

Voyageurs transportés en voit.-lits. 3 558 000 (Espagne 1 021 000, Italie 944 000, France 717 000, autres pays 876 000) ; classe « touriste » : 1 863 000.

Trafic de quelques trains (1983). Paris-Côte d'Azur 150 100 ; Rome-Milan 118 000 ; P.-Milan 39 100 ; Madrid-Bilbao 28 400.

Prestations servies. Voitures-restaurant : 10 044 900 repas ; v. libre-service : 1 093 300 ; v.-bar : 777 100 prestations ; plateaux-repas : 559 500 plateaux. **Agents** (au 31-12-1984) : 38 500.

Projets. Voitures-lits pour les futurs TGV reliant le sud de la France (Nice, Perpignan) au nord de l'Europe (Amsterdam) et liaison trans-Manche.

Statistiques

En France

Parc (en service au 31-12-1990). 2 298 locomotives électriques, 1 958 diesels : 814 automotrices électr., 702 autorails, 182 TGV, 51 turbotrains, 1 424 locotracteurs.

Voitures et wagons en exploitation (effectif moyen, 1990). *Voyageurs :* 15 691 voitures (y compris automotrices électriques, autorails, turbotrains, remorqueurs d'automotrices et d'autorails). *Fret :* 163 079 wagons (dont 73 323 wagons de particuliers). 35 % du parc assurent plus de 55 % du tonnage kilométrique.

Voitures (en service en 1990). *Type* standard européennes : 100, climatisées, aptes à rouler à 200 km/h après adaptation du frein, 9 compartiments de 1re classe. *Type VTU (Corail) :* 2 335, climatisées, insonorisées, pas de compartiments, couloir central, aptes à rouler à 200 km/h après adaptation du frein. *Type VU (Corail) :* 1 442, climatisées, insonorisées, avec des compartiments, couloir latéral, aptes à rouler à 200 km/h après adaptation du frein (voitures-couchettes 1 414). *Voitures-lits* 176 ; *voitures à 2 niveaux* (banlieue parisienne) : 589.

Prix (en millions de F, HT, en 1990). *Locomotive électrique* (BB 26 000-5 600 kW) 17,2. *Voiture Corail :* de 3,5 à 3,8. *Rames TGV :* Sud-Est (6 450 kW, 270 km/h) à 10 caisses : 69,5 ; Atlantique (8 800 kW, 300 km/h) à 12 caisses : 79,9. *Wagon à bogies :* 0,35 à 0,68.

Dans le monde

1989 *Source :* UIC	Voit. voy. [1]	Wagons march. [2]	Locom. et assim.
Allemagne fédérale	14 762	257 537	8 123
Belgique	3 346	31 523	1 737
Espagne	3 796	39 127	1 959
France	*15 423*	*152 900*	*7 247*
G.-B.	12 623	22 013	n.c.
Italie	14 017	100 071	4 857
Japon	26 610	29 765	23 898
Pays-Bas	2 218	6 602	1 222
Suède	1 858	30 332	1 487
Suisse	4 332	27 142	1 349
Turquie	1 403	21 820	1 057
USA [3]	n.c.	826 072	22 416

Nota. – (1) Y compris matériel en situation spéciale. (2) Effectif en exploitation, corrigé du solde des échanges entre réseau. (3) 1988.

Réseau

Quelques dates

1825-*27-9* : *1re ligne ouverte aux voyageurs :* Stockton à Darlington (G.-B.). **1827** St-Étienne-Andrézieux (Fr.). Ouverte aux marchandises. **1829-30** exploitation commerciale voyageurs sur Liverpool-Manchester avec traction entièrement à vapeur. **1830**-*3-5* : *1er train régulier de passagers en G.-B.* sur une section d'un mile, partie d'une voie de 6,25 miles (10,05 km). **1831** *1er transport de voyageurs en France* à Givors (sur chariots destinés au transport du charbon). **1832** *1er billet de chemin de fer* sur le Leicester Swannigton Railway. *-1-3* [voitures spécialement construites, St-Étienne-Andrézieux (18 km)] : *1er train de voyageurs en France.* **1833**-*4-4* : Givors-Lyon. **1834**- *17-12* : *1er chemin de f. irlandais.* **1835**-*5-5* : *belge* (Bruxelles-Malines). **1835**-*7-12* : *allemand* (Nuremberg-Furth). **1836**-*juillet* : *canadien* (St-John-Laprairie). *-30-10* : *russe* (St-Pétersbourg-Pavlosk). **1837**-*24-8* : inauguration du Paris-St-Germain. La ligne s'arrêtait au Pecq, les locom. ne pouvant gravir la rampe qui conduisait à St-Germain. **1838**-*mars* : Montpellier-Sète. *-2-8* : Asnières-Versailles (rive droite). **1839**-*12-9* : Mulhouse-Thann. *-20-9* : *néerlandais* (Amsterdam-Haarlem). *-4-10* : *italien* (Naples-Portici). **1840**-*19-8* : Alais-Beaucaire. *-10-9* : Paris-Versailles (rive gauche). *-20-9* : Paris-Corbeil.

1841-*17-8* : ligne Kœnigshoffen (Strasbourg) à St-Louis (Bâle) 136 km ; *1re ligne internationale* en Europe. **1842**-*nov.* : Lille-Valenciennes à la frontière. **1843**-*2-5* : Juvisy-Orléans (Paris-Orléans). *-3-5* : Colombes-St-Sever (Paris-Rouen) en passant par le tunnel de Rolleboise long de 2 646 m. **1844**-*15-1* : *1re gare de marchandises* importante en France (les Batignolles, à Paris, 14 ha). **1846**-*14-6* : Paris-Lille-Valenciennes. *-23-6* : Paris-Sceaux. **1847**-*22-3* : Rouen-Le Havre. *-20-7* : Orléans-Vierzon-Bourges. *-9-8* : *1er chem. de f. suisse* (Zurich-Bâle). **1849**-*20-8* : *1re gare maritime de France* à Calais. **1853**-*16-4* : *1er chem. de f. des Indes* (Bombay-Thana). **1855**-*26-9* : *d'Australie* (Sydney-Liverpool). **1856** la Malle des Indes emprunte la ligne Calais-Marseille. **1857**-*1-1* : *1er chem. de f. égyptien* (Alexandrie-Le Caire). 1872 *japonais* (Tokyo-Yokohama). **1876**-*30-6* : *chinois* (Shangai-Kungwan). **1883** création de l'Orient-Express (Voir ci-dessus : Voitures-lits). **1891-1916** construction du *Transsibérien* à partir du Pacifique : le plus long chem. de f. du monde (7 371 km) ; inauguré 1900 avec 2 240 km de parcours en navire ; en 1901, wagons-lits Moscou-Irkoutsk. **1894** *Le Cap-Mafeking* (Afr. du S. poursuivi 1906 jusqu'à Broken Hill : 3 235 km).

1901 liaison Chili-Argentine à travers les Andes par un tunnel à 3 155 m d'alt. **1917** *ferry-boats* entre France et G.-B. (trains militaires de ravitaillement et de munitions). **1917** ouverture du *Transaustralien.* **1918**-*22-2* : ferry-boat voyageurs sur la Manche (Newhaven-Dieppe). **1930** ouvert. du *Turksib* (Turkestan-Sibérie). **1981** ouvert. du *2e Transsibérien. -27-9* : ouv. du tronçon sud St-Florentin-Sathonay du TGV Paris-Sud-Est. **1989** ouv. TGV Atlantique voir p. 1579c.

Évolution des réseaux jusqu'en 1876

• **En km. 1825.** *40* (G.-B.). **1830.** *187 :* Europe 141 (G.-B. 91, France 50) ; Amér. 66. **1835.** *2 199 :* Amér. 1 767 ; Europe 432 (G.-B. 253, Fr. 141, Belg. 19). **1840.** *7 507 :* Amér. 4 745 ; Europe 2 762 (G.-B. 1 358, All. 468, Fr. 426). **1845.** *16 925 :* Amér. 7 873 ; Europe 9 052 (G.-B. 4 080, All. 2 127, Autr. 898, Fr. 875). **1850.** *38 055 :* Europe 23 060 (G.-B. 10 653, All. 5 855, Fr. 3 000, Autr. 1 290). **1855.** *65 979 :* Europe 33 907 (G.-B. 13 322, All. 7 824, Fr. 5 526, Autr. 1 443) ; Amér. 32 430 ; Inde 251. **1860.** *117 242 :* Amér. 52 792 (A. du S. 410) ; Europe 51 066 (G.-B. 16 787, All. 11 087, Fr. 9 444, Autr. 2 876) ; Asie 1 396 (Inde 1 353) ; Turquie 43. **1865.** *144 336 :* Europe 74 538 (G.-B. 21 382, All. 13 899, Fr. 13 590, Italie 4 034, Autr. 3 582) ; Asie 5 625 (Inde 5 419). **1870.** *208 930 :* Europe 102 804 (G.-B. 23 507, All. 18 664, Fr. 17 762, Russie 11 240, It. 6 173, Autr. 5 992) ; Amér. 94 171 ; Asie 8 350 (Inde 7 788). **1875.** *296 299 :* Europe 141 990 (All. 27 951, G.-B. 27 039, Fr. 19 913, Russie 19 427, Autr. 10 324) ; Amér. 136 387 ; Asie 12 018. **1876.** *312 581 :* Europe 149 468 (All. 29 177, G.-B. 27 621, Russie 21 923, Fr. 20 355, Autr. 11 090) ; Amér. 143 117 ; Asie 13 230.

Nota. – La circulation des trains se faisait à droite sur le chemin de fer reliant Strasbourg à Bâle ouvert de 1839 à 1841.

• **Plus long réseau du monde.** USA 205 280 km.

Réseaux actuels

En France

• **Longueur** (en km). **Lignes** *1932 :* 42 600. *50 :* 41 300. *60 :* 38 840. *70 :* 36 530. *82 :* 34 599. *89 :* 34 322. *90 (31-12) :* 34 070 dont en exploitation ferroviaire 30 411. LIGNES ÉLECTRIFIÉES : *1939 :* 3 340. *50 :* 3 890. *60 :* 6 820. *70 :* 9 360. *82 :* 10 660. *85 :* 11 488. *89 :*

12 430. *90 :* 12 609. OUVERTES AU TRAFIC VOYAGEURS : *1950 :* 30 600. *60 :* 29 270. *70 :* 25 640. *82 :* 23 771. *88 :* 23 782. *90 (31-12) :* 23 875. MARCHANDISES : *1990 (31-12) :* 32 367 km. VOIES PRINCIPALES (au 31-12-90) : 50 128 km dont 29 585 armés de longs rails soudés (18 500 km sur traverses de béton armé), 2 714 autorisant 200 km/h et +, 16 080 km de service.

Coût de l'électrification. 2,5 millions de F au km. L'électricité qui coûtait, avant 1973, 2 fois + cher que le diesel, coûtait en 1981 36 % moins cher [meilleures performances des locomotives, entretien facile (2 h tous les 1 000 km), moins d'incidents techniques (2 pour 1 000 000 km), moins de pollution].

• **Lignes fermées** (au service d'intérêt régional). De **1967 à 1981 :** 996 km (30 lignes) sans remplacement, et 7 466 km (158 lignes) avec transfert sur route du service de voyageurs. **1982 à 87 : aucune. 1988** Serqueux-Dieppe (48 km), avec transfert sur route du service de voyageurs.

• **Lignes ouvertes. Principales, de 1920 à 1975. 1928**-*11-7 :* Bedous à Canfranc (gare internationale). *-21-10 :* Saales à St-Dié. *-31-10 :* Nice à St-Dalmas de Tende. **1929 :** Ax-les-Thermes à La Tour-de-Carol. Entveitg (frontière espagnole). **1931**-*15-5 :* Novéan + à Lérouville. *-1-7 :* Vichy à Riom. **1932**-*25-8 :* Gannat à La Ferté-Hauterive. **1937**-*2-8 :* Ste-Marie-aux-Mines à Lesseux-Frapelle. **1974**-*16-2 :* Viry-Châtillon à Grigny-Centre.

Lignes ouvertes ou réouvertes depuis 1975. 1975-*16-12 :* Grigny-Centre à Corbeil-Essonnes (11 km). **1976**-*30-5 :* Aulnay-sous-Bois à Roissy (aéroport) (13 km) : service voyageurs. **1977**-*25-9 :* Pont de Rungis. Aéroport d'Orly à Massy-Palaiseau (10 km). **1978**-*27-5 :* Cannes-Ranguin (3 km). **1979**-*1-4 :* Paris-St-Lazare-Cergy Préfecture (17 km). *-30-9 :* jonction banlieue S.-O. avec ligne Paris-Invalides-Versailles-RG (tunnel de 840 m) entre les terminus de 2 lignes anciennes (Quai d'Orsay, Invalides) (ligne C du RER). *-7-10 :* Coni-Breil-Vintimille (47 km en territoire fr.), rouverte et exploitée par les Chemins de fer italiens (FS) avec leur personnel et leur matériel de traction. **1981**-*27-9 :* tronçon sud du TGV Paris-S.-E. (St-Florentin-Sathonay-Rillieux : 274 km, raccordement de Pasilly et de Pont-de-Veyle : 20 km). Bréaute-Beuzeville-Fécamp (20 km). *-18-12 :* Clamecy-Corbigny (33 km ; rouv. serv. voy. ; 2 allers-retours express en fin de semaine). **1982**-*4-1 :* Ballan-Chinon (39 km) fermée aux voyageurs en sept. 80. *-28-3 :* La Ferté-Milon-Reims (76 km) fermée aux voyageurs depuis 1972. **1983**-*25-9 :* tronçon nord du TGV Paris-Sud-Est (Combs-la-Ville/St-Florentin : 116 km). **1985**-*29-9 :* Cergy, préfecture de Cergy-Saint-Christophe.

Ont été également ouvertes ou réouvertes depuis 1975. Lignes La Pauline-Hyères à Hyères (10 km) ; Langon-Bazas (20 km).

• **Embranchements particuliers** (privés). *Longueur :* moins de 100 m à plusieurs dizaines de km. *Propriétaires :* certains services de l'armée, mines, carrières, usines, entrepôts, silos. Env. 9 500 établissements sont reliés au réseau public directement (7 400) ou par un sous-embranchement (2 100).

Trafic : quelques milliers à plusieurs millions de t par an. Env. 90 % du trafic total de marchandises de la SNCF, en wagon complet, partent d'un embranchement ou y aboutissent ; (env. 75 millions de t en 1987) vont par trains complets d'embranchement à embranchement sans triage intermédiaire.

• **Établissements commerciaux** (1988). Voyageurs et fret : 6 593. Dépôts ou relais de locomotives : 87. Ateliers de matériel roulant : 21.

• **Passages à niveau** (au 31-12-90). 21 268 dont gardés 3 570, automatiques 11 610. En 1990, 83 millions de F ont été consacrés à l'automatisation de 117 passages à niveau et 159 millions de F à la suppression de 120 autres, 45 ayant été remplacés par un ouvrage d'art. *Sept. 1979 :* 1er passage à énergie solaire à Savonnières (I.-et-L.), sur Tours-Saumur. *Sept. 1980 :* 1er passage à aérogénérateur (énergie éolienne) à Saujon (C. M.), sur Saintes-Royan. **Accidents** *1987 :* 262 (48 †). *88 :* 224 (35 †).

• **Domaine foncier** (1987). 115 000 ha dont 95 % supportent lignes et installations techniques ou d'exploitation (il y a 10 000 communes traversées).

Trains à grande vitesse

Allemagne féd. *Berlin-Hanovre (1933-34) :* 133,7 km/h (sur 254 km). *ICE (Intercity Experimental) record mai 88 :* 406,9 km/h sur la nouvelle ligne Fulda-Würzburg (exploité commercialement à 250 km/h 1991). *91 (2-6) :* mise en service Hambourg-Munich (427 km de voies nouvelles), pointes à 280 km/h. 2 motrices à moteur asynchrone, rame de 14 voitures [capacité 579 voyageurs, prix unitaire de 50 millions de marks (170 millions de F), étanchéisé]. Moins rapide que TGV (vitesse de croisière : 30 km/h, de pointe : 109 km/h) mais l'All. a choisi de faire rouler sur ses voies à grande vitesse les trains de marchandises. Les « Verts » ont fait modifier son tracé d'où de nombreux tunnels qui ont retardé la construction. Il doit s'arrêter souvent pour prendre une clientèle plus dispersée. La vitesse pure lui est moins nécessaire que la puissance pour lui permettre de redémarrer efficacement.

Australie. *Sydney-Melbourne :* (prév. 2000), 870 km, coût : 6 milliards de $ AUS.

Canada. Projet de TGV transcanadien : *Montréal-Toronto* (prév. 1993) ; coût prévisionnel : 2,5 millards de $. *Québec-Windson :* (prév. 2000) 930 km, coût : 6 milliards de $ can.

Corée du S. (Séoul-Pusan). Projet de mise en service 1998, 450 km, 8 milliards de $ US.

Espagne. *Tren AVE alta velocidad española* (ouverture prévue 4-4-1992) : *Madrid/Séville :* 471 km en 2 h 50, vitesse max. 300 km/h ; rame (200,19 m, 421,5 t) 2 motrices encadrant 8 voitures, 329 pl., coût : 7 milliards de F ; *Madrid/Barcelone* (prévu 1994) : 550 km, coût : 17,5 milliards de F. Alsthom fournira les rames, Siemens les locomotives de puissance E 120.

États-Unis. Texas. *Dallas-Houston-San Antonio* via *Austin* [Dallas-Houston (prév. 1998) en 1 h 30 à 320 km/h ; Houston-San Antonio (fin des travaux prévue en 2005)], coût : 5,8 milliards de $, commande passée au Consortium franco-amér. Texas TGV.

France. *TGV* voir p. 1579.

G.-B. *Intercity 125* (200 km/h) sur la ligne Londres-Bristol, 7 voitures Mark III encadrées par 2 loco. Diesel (dep. 1976). *HST (High Speed Trains) :* Londres-Édimbourg autorisés à 125 miles/h (201,2 km/h). British Rail a abandonné le projet de liaison rapide entre Londres et le tunnel sous la Manche [le coût des travaux prévus ayant triplé en raison des exigences écologistes (36,5 milliards de F)].

Italie. *La Direttissima* (Rome-Florence, 1977-82). Distance réduite de 314 à 254 km.

Japon. *Shinkansen* (le nouveau train) *Tokaïdo* (1re ligne, Tokyo-Osaka-Hakata) 1 069 km (dont 347 km de tunnels) en 6 h 54 mn à 155 km/h. Écartement 1,436 m, courant 25 kV, fréquence 60 Hz. En service jusqu'à Osaka 25-8-1964 : 565 km (65 km de tunnel, 18 de ponts, 45 de viaducs). Okayama dep. mars 1972, Hakata dep. mars 1975. 2 genres de train : *Hikari* (l'Éclair) ne s'arrête que dans les gares principales ; *Kodama* (l'Écho), omnibus. *Ligne Joetsu-Shinkansen* (1982) entre Niigata et Omiya (270 km dont 106 de tunnels et 30 km de ponts), 1 h 30. *Ligne Tohoku-Shinkansen* (1982) entre Morioka et Omiya (496 km dont 115 km de tunnels et 78 km de ponts), 3 h 17.

Taiwan. *Taïbei-Kaushiung :* (projet de mise en service 1998), 350 km, coût 15 milliards de $ US.

URSS. *Leningrad-Bologoïe :* Aurora, 136,63 km/h (318,81 km en 140 mn).

Ligne droite la plus longue. 478 km : plaine de Nullarbor (Australie).

Gare la plus fréquentée du monde. Gare centrale de Moscou : 2 800 000 voyageurs par j. **De France.** Gare St-Lazare (Paris) : en 1987, 126 millions de voyageurs.

Salle d'attente. La plus grande : gare de Pékin inaugurée sept. 1959 : 14 000 voyageurs. **Quai le plus long.** Khargpur (Inde) : 833 m.

Trains européens baptisés

Légende. Eurocity (EC) : trains européens de qualité qui desservent 14 pays européens. *TAC :* trains autos-couchettes. Vitesses moyennes données au service d'hiver 1988/89.

Alienor : Bordeaux-Paris. *Admiral de Ruyter (EC) :* Amsterdam-Londres. *Adriatico :* Milan-Bari, 869 km. *Akropolis :* Ljubljana-Athènes, 1 841 km. *Albatros :* Paris-Le Havre. *Alfred Nobel (EC) :* Hambourg-Oslo. *Alpazur :* Grenoble-Digne-Nice-Marseille. *Ambrosiano :* Milan-Rome, 632 km. *Aquitaine :* Paris-Bordeaux-Dax-Hendaye. *Arbalète (EC) :* Paris-Bâle-Zurich. *Arlberg-Express :* Paris-Innsbruck. *Armor :* Paris-Brest. *Arverne :* Paris-Clermont-Ferrand. *Athènes Express :* Athènes-Venise, 2 162 km. *Aubrac :* Clermont-Ferrand-St-Flour-Millau-Béziers. *Aunis :* Paris-La Rochelle. *Autan :* Toulouse-Paris.

Barbarossa (EC) : Milan-Stuttgart. *Barcelona-Talgo (EC) :* Paris-Port-Bou-Barcelone. *Bavaria (EC) :* Zurich-Munich. *Benjamin Britten (EC) :* Amsterdam-Harwich-Londres. *Blauer Enzian (EC) :* Klagenfurt-Munich-Dortmund. *Bocage :* Paris-Granville. *Bourbonnais :* Paris-Clermont-Ferrand. *Brabant (EC) :* Paris-Bruxelles, 312 km (2 h 29 min.). *Brighton Belle* (Pullman Limited Express) : 1881-1-5 / 1972. Brighton-Londres. 1er train entièrement Pullman d'Europe et éclairé à l'électricité. Les voitures portaient les noms des princesses royales (Louise, Maud, Béatrice).

Carlo Magno (EC) : Sestri Levante-Milan-Bâle-Dortmund. *Camino Azul :* Bruxelles-Port-Bou. *Capitole :* Paris-Toulouse, 713 km (Paris-Limoges 400 km). *Capitole du soir et du matin :* Paris-Limoges-Toulouse. *Catalan-Talgo (EC) :* Genève-Barcelone. *Cévenol :* Paris-Clermont-Ferrand-Marseille. *Champs-Élysées (EC) :* Paris-Lausanne-Berne. *Cisalpin (EC) :* Paris-Lausanne. *Costa del Sol :* Madrid-Málaga. *Côte-d'Azur-Paris :* Paris-Vintimille. *Côte Vermeille-Paris :* Paris-Cerbère.

Drapeau : Paris-Bordeaux.

Edelweiss : Amsterdam-Ancône. *Erasmus (EC) :* Amsterdam-Munich (Innsbruck). *Esterel :* Paris-Nice. *Étendard :* Bordeaux-Paris. *Étoile du Nord (EC) :* Paris-Bruxelles-Amsterdam. *Européen :* Francfort/M.-Metz et Luxembourg-Metz-Paris (IC)-Amsterdam-Calais-Maritime.

Faidherbe : Paris-Tourcoing, 271 km, 2 h 25. *Flandres-Riviera :* Amsterdam/Calais-Maritime/Lille-Paris-Vintimille. *Flandres-Roussillon :* Amsterdam/Calais-Maritime-Port-Bou. *Flèche d'Or (Golden Arrow) :* 1926-15-9 / 1940 et 5-8-1946 / 1969. Londres-Calais-Paris. Train ferry à partir de 1936. Surnommé « the princely path to Paris » (la « voie royale vers Paris »). *Flying Scotsman :* Londres-Édimbourg ; depuis 115 ans, il quitte Londres à 10 h. *Franz Hals (EC) :* Amsterdam-Francfort-Nuremberg-Munich. *Franz Schubert (EC) :* Vienne-Innsbruck-Bâle. *Freccia del Sole :* Bruxelles-Ancône. *Frégate :* Paris-Le Havre, 228 km (1 h 55 min.).

Galiléi (EC) : Paris-Venise-Florence. *Gambrinus :* Dortmund-Cologne-Stuttgart, 507 km. *Gayant :* Paris-Tourcoing, 271 km. *Genevois (EC) :* Paris-Genève. *Goéland :* Paris-Rennes-Brest/Quimper. *Goethe (EC) :* Paris-Francfort. *Gottardo :* Milan-Zurich, 276 km. *Gottfried Keller (EC) :* Zurich-Munich. *Gustave Doré :* Paris-Strasbourg. *Gustave Eiffel (EC) :* Paris-Bruxelles-Cologne.

Hansa (EC) : Copenhague-Hambourg. *Hellas-Express :* Cologne-Athènes. *Helvetia (EC) :* Zurich-

Dans le monde

Lignes en km (1989) *Source :* UIC	Total	dont élect.
Afrique du Sud	21 303	9 078
Algérie	3 836	299
Allemagne démocratique	14 035	3 829
Allemagne fédérale	27 045	11 688
Arabie Saoudite	1 390	nul
Autriche	5 641	3 238
Belgique	5 513	2 266
Bulgarie	4 300	2 609
Chine	53 187	6 372
Corée du Sud	3 121	525
Danemark	2 344	230
Espagne [2]	12 565	6 422
États-Unis	205 280 [1]	1 667 [1]
Finlande	5 884	1 636
France	*34 322*	*12 430*
Grande-Bretagne	16 588	4 546
Grèce	2 479	nul
Hongrie	7 619	2 129
Inde	61 985	8 880
Irak	3 081 [1]	nul
Irlande	1 944	37
Israël	n.c.	nul
Italie	16 030	9 443
Japon	20 341	11 586
Luxembourg	272	197
Maroc	1 893	974
Norvège	4 044	2 426
Pays-Bas	2 828	1 957
Pologne	26 644	11 016
Portugal	3 064	461
Suède	11 022	6 995
Suisse	3 239	3 224
Syrie	1 525	nul
Tchécoslovaquie	13 104 [1]	3 799
Tunisie	1 941	24
Turquie	8 430	479
Yougoslavie	9 567	3 782

Nota. – (1) 1988. (2) Modernisation en cours (en 1988, 80 % encore à voie unique), projet de TAV.

Bâle-Francfort-Hambourg. *Hermann Hesse (EC)* : Chiasso-Zurich-Stuttgart. *Henry Dunant (EC)* : Paris-Genève. *Hispánia* : Bâle-Port-Bou (Barcelone).

Ile-de-France (EC) : Paris-Bruxelles, 315 km, 2 h 28. *Ibéria-Express* : Madrid-Paris. *Iris (EC)* : Bruxelles-Strasbourg-Zurich, 683 km. *Istanbul Express* : Munich-Istanbul, 1 646 km. *Italia Express* : Bruxelles-Calais Marit./Rome.

Jean-Jacques Rousseau (EC) : Paris-Genève. *Jean Lamour* : Strasbourg-Paris. *Johann Strauss (EC)* : Vienne-Francfort-Cologne. *Jules Verne* : Paris-Nantes, 396 km.

Karwendel (EC) : Innsbruck-Munich-Hambourg. *Kléber* : Paris-Strasbourg, 504 km. *Komet (EC)* : Chur-Bâle-Hambourg.

Le Corbusier (EC) : Paris-Bâle-Zurich. *Lemano (EC)* : Paris-Lausanne. *Leonardo da Vinci (EC)* : Milan-Munich-Stuttgart-Dortmund. *Les Ecrins* : Valence-Briançon. *Ligure* : Marseille-Milan. *Limousin* : Brive-la-Gaillarde-Paris, 499 km. *L'Oiseau Bleu* : *1929-36 Paris-Bruxelles-Anvers ; 1936-39 et 1947-63 jusqu'à Amsterdam en 36-39 et à partir de 1947. Devenu TEE. Lorazur* : Metz-Nice. *Lötschberg (EC)* : Brig-Bâle-Hanovre. *Lusitania-Express* : Madrid-Lisbonne. *Lutétia (EC)* : Paris-Lausanne. *Lys de Flandre* : Paris-Lille, 258 km (2 h).

Maine-Océan : Paris-St-Nazaire-Le Croisic (Paris-Nantes : 396 km, 2 h 57, 134,2 km/h). *Mare Nostrum* : Port-Bou-Alicante, 997 km. *Maria Theresia (EC)* : Vienne-Innsbruck-Zurich. *Méditerranée-Express* : Paris-Nice. *Memling (EC)* : Cologne-Bruxelles-Ostende. *Merkur (EC)* : Copenhague-Hambourg-Francfort. *Molière (EC)* : Paris-Cologne-Dortmund. *Montaigne* : Paris-Bordeaux. *Mont-Blanc (EC)* : Genève-Bâle-Francfort-Hambourg. *Mont-Cenis* : Lyon-Turin-Milan. *Monteverdi (EC)* : Venise-Milan-Genève. *Mozart* : Paris-Vienne.

Nantais : Paris-Nantes. *Napoli-Express* : Paris-Naples, 1 682 km. *Night Ferry* : Paris-Dieppe. *Nord-Express* : Paris-Copenhague (1 307 km). *Noroît* : Paris-Dieppe.

Occitan : Paris-Toulouse. *Orient-Express* : Paris-Budapest-Bucarest (2 518 km). *Ost-West-Express* : Paris-Varsovie-Moscou, 2 998 km.

Palatino (EC) : Paris-Rome. *Palombe bleue* : Paris-Irun/Tarbes. *Paludier* : Nantes-Bordeaux. *Paris-Côte d'Azur* : Paris-Nice. *Paris-Côte Vermeille* : Paris-Port-Bou. *Paris-Madrid Talgo (EC)* : Paris-Madrid, 1 426 km. *Parsifal (EC)* : Paris-Cologne. *Parthénon* : Paris-Brindisi (serv. d'été seulement). *Phocéen* : Paris-Marseille. *Piémontais (EC)* : Lyon-Turin. *Prinz Eugen (EC)* : Vienne-Würzburg-Hambourg. *Puerta del Sol* : Paris-Madrid. *Pyrénéo* : Bruxelles-Utrecht.

Rätia (EC) : Chur-Bâle-Francfort-Hambourg. *Rembrandt (EC)* : Chur-Bâle-Cologne-Amsterdam. *Rheinpfeil (EC)* : Chur-Bâle-Cologne-Hanovre. *Rhodanien* : Genève-Marseille. *Rhône-Océan* : Lyon-Nantes. *Robert Schuman (EC)* : Paris-Luxembourg. *Roland* : Brême-Stuttgart, 681 km. *Romulus (EC)* : Vienne-Venise-Rome. *Rossini (EC)* : Milan-Zurich. *Rouget de l'Isle* : Strasbourg-Nice. *Roussillon-Flandres* : Cerbère-Paris Nord. *Rubens* : Paris-Bruxelles, 315 km.

Saphir (EC) : Nuremberg-Bruxelles. *Schwabenland (EC)* : Zurich-Stuttgart. *Schweizerland (EC)* : Zurich-Munich. *Settebello* : Milan-Rome, 632 km, 5 h 55. *Simplon-Express* : Paris-Venise-Belgrade, 1 983 km. *Skandinavien (EC)* : Copenhague-Hambourg. *Stachus (EC)* : Vienne-Munich. *Stanislas* : Paris-Strasbourg. *Stendhal (EC)* : Paris-Turin-Milan. *Sud-Express* : Paris-Irun-Madrid-Lisbonne, 1 889 km.

Tauern-Express : Ostende-Split. *Thermal* : Paris-Clermont-Ferrand-Le Mont-Dore. *Tiziano (EC)* : Milan-Bâle-Hambourg. *Train Bleu* : Paris-Nice-Vintimille, 1 121 km [1er 9-12-1922 appartenant à la CIWL (Compagnie internationale des wagons-lits) ; jusqu'aux années 30, Calais-Méditerranée et Paris-Méditerranée, puis les 2 voitures de Calais furent accrochées en queue de la « Flèche d'or » et incorporées au Train Bleu à Lyon ; partait à 19 h 30 ; nom donné en Angleterre à un parfum créé par Picot et au restaurant de la gare de Lyon ; dernier voyage 1974]. *Tramontana* : Deen-Haag-Port-Bou. *Transalpin* : Vienne-Bâle. *Trouvère* : Paris-Calais. *Turgot* : Brive-la-Gaillarde-Paris.

Val de Durance : Marseille-Briançon. *Valencia-Express* : Paris-Port-Bou-Barcelone. *Valentré* : Paris-Toulouse. *Vauban* : Bâle-Bruxelles. *Venezia-Express* : Venise-Athènes, 2 162 km. *Ventadour* : Lyon-Bordeaux. *Versailles (EC)* : Paris-Genève. *Vert-Galant* : Bayonne-Toulouse. *Vesuvio* : Milan-Naples, 843 km, 8 h 20. *Victor Hugo (EC)* : Paris-Metz-Francfort. *Vienne-Ostende-Express* : Vienne-Ostende. *Viking Express* : Paris-Copenhague. *Voltaire (EC)* : Paris-Genève.

Watteau : Paris-Tourcoing, 271 km. *Wiener Walzer* : Bâle-Budapest, 1 218 km.

Transcontinentaux

Afrique. *Sud-Africain* : Beira-Lobito, 4 711 km.

Amérique du Nord. *Canadian Pacific* (1885) : Montréal-Vancouver, 4 609 km. *Central Pacific* (1869) : New York-San Francisco, 4 246 km (via St-Louis), 5 099 km (via Chicago). *North Pacific* (1893) : New York-Seattle, 3 560 km. *South Pacific* (1881) : Washington-Los Angeles, 4 787 km.

Amérique du Sud. *Transandin* (1910) : Buenos Aires-Valparaiso, 1 457 km.

Asie. Chine. *Central Kingdom Express.*

Océanie. *Transaustralien* : Pt Darwin-Pt Augusta EC, 2 650 km. *Transaustralien* (1917) : Perth-Brisbane, 5 600 km.

URSS. *Transsibérien* (1903) : Moscou-Vladivostok, 9 334 km. *Prolongement jusqu'au port de Nakhodka, à l'E. de Vl.* : 9 438 km, voyage de 8 j, 4 h 25 mn, avec 97 arrêts. *Baïkal Amour Magistral* (BAM) (1983) : Oustkout-Komsomolsk/s/ Amour, 3 148 km.

La distance max. que l'on puisse parcourir en train dans le monde est Lisbonne-Nakhodka [14 334 km (mais on parcourt 250 km de plus en quittant la ligne à Sétil, à 51 km de Lisbonne, pour aller jusqu'à Faro, dans l'Algarve)]. Le Transsaharien (Alger-Dakar) aurait couvert 4 000 km s'il avait été construit.

Signaux

Quelques dates. 1820 signaux à la main. Un homme à cheval précédait le convoi en jouant du cornet. **1827** 1er *signal fixe* (Stockton-Darlington, G.-B.). **1833** Georges Stephenson monte le 1er *sifflet* sur la « Samson » (G.-B.). **1840** 1er emploi des *télégraphes électriques* (Londres-Blackwall). **1850** la Cie du Nord utilise le *pétard* et des signaux fixes pour la 1re fois en France. **1855** Vignier (aiguilleur français) a l'idée de solidariser signaux et appareils de voie pour améliorer la sécurité : c'est le 1er enclenchement efficace. **1859** 1ers *avertisseurs électriques pour passages à niveau* (sur le Nord ; système Tesse et Lartigue). **1865** la Cie du Nord adopte un système de *sonnerie d'alarme* par circuit électrique. **1867** 1re application du *block system* sur le PLM : la ligne est divisée en sections de 1 à plusieurs km (appelés *cantons*), où ne doit pénétrer qu'un seul convoi à la fois ; un canton libre entre 2 convois est quelquefois exigé. **1872** le *crocodile* (des ingénieurs Lartigue et Forest) assure la *répétition des signaux sur la locomotive.* Placée au droit d'un signal, une pièce métallique, allongée (d'où son nom) et fixée sur les traverses entre les rails, est alimentée en courant électrique dont la polarité par rapport aux rails est fonction de l'indication donnée par le signal (ouvert ou fermé). La locomotive porte une brosse métallique ; au passage sur le crocodile, elle recueille le courant qui déclenche un timbre si le signal est ouvert et une sirène si le signal est fermé, rappelant ainsi au mécanicien la position du signal qu'il vient de franchir. **1878** 1res applications en France de l'électricité pour l'amélioration de la sécurité des circulations (sonneries), **1883** 1er *block automatique* en France (Cie du Midi). **1885-*15-11*** : un arrêté ministériel instaure un *code des signaux* en Fr. **1898** 1re installation d'*aiguillage électrique* (gare de Lyon, Paris).

1903 1re application en France du système de commande à distance des aiguilles et signaux dit « levier d'itinéraire » (Cie du Midi à Bordeaux-St-Jean). **1920** répétition des signaux sur les locomotives rendue obligatoire. **1923** adoption du block automatique avec signalisation lumineuse de jour et de nuit (ligne Paris-St-Germain-en-Laye). **1932** 1er poste de débranchement automatique dans un triage sous la forme du poste à billes (triage de Trappes). **1933** mise en service du 1er poste de commande centralisée (Paris-St-Lazare). **1934** application d'un nouveau code des signaux visant à l'unification des couleurs avec les réseaux étrangers. La signalisation actuelle en découle. **1948-50** 1er PRS (poste tout relais à transit souple) (453 au 1-1-1985). **1959** mise en service (Mouchard) d'un programmateur pour la commande centralisée des trains sur la section Mouchard-Frasne à voie unique. **1963** expérimentation des liaisons radiotéléphoniques entre le régulateur et les trains en marche (Dôle-Vallorbe). **1966** remplacement dans les triages du poste à billes par un poste électronique. **1967** 1re utilisation du « cab signal » : les indications concernant la signalisation sont données directement dans la cabine de conduite (section Les Aubrais-Vierzon parcourue à 200 km/h par le train « Le Capitole »). **1968** 1re mise en service du BAPR : block automatique à permissivité restreinte (section Pontoise-Gisors). **1974** introduction des ordinateurs dans les triages. **1977** commande automatique des itinéraires à partir d'un ordinateur gérant le suivi des trains à Versailles-Chantiers. **1981** nouveau système de signalis. visualisée en cabine (TGV S.-E.) ; les informations sont transmises par la voie et recueillies par des capteurs sous la motrice. **1983-*18-12*** 1er poste tous relais avec commande purement informatique (PRCI-La Ferté-Alais).

L'automatisation de la signalisation d'espacement des trains qui se succèdent sur une même voie accroît le débit de la ligne (permet des successions de trains à 3 mn d'interv.) et supprime les risques.

Installations (au 31-12-90). Lignes équipées en TMV (transmission « voie-machine ») 669 km, blocks automatiques 11 749 km dont BAL (block automatique lumineux) 9 743, BAPR (block automatique à permissivité restreinte) 2 006, blocks manuels 7 471 km, CAPI (cantonnement assisté par ordinateur) 3 714 km, postes d'aiguillages 2 376 dont 932 électriques.

Tunnels ferroviaires

Quelques dates. 1826 1er t. ferr. : ligne *Liverpool-Manchester* (G.-B.) dû à Stephenson. **1827-29** St-

Principaux tunnels ferroviaires (longueur en mètres)

Tunnel	m	Tunnel	m	Tunnel	m
Seikan (Japon) (1988) [1]	53 850	Moffat (USA) (1928)	9 997	Somport (Fr.-Esp.) (1928)	7 875
Sous la Manche (1993) [6]	50 500	Shimizu (Jap.) (1931)	9 702	Old Tanna (Jap.) (1934)	7 806
Daishimizu (Jap.) (1982)	22 200	Kvineshei (Norv.) (1943)	9 063	Hoosac (USA) (1875)	7 562
Simplon (Sui.-Ital.) (1906) [4]	19 731	Bigo (Jap.) (1975)	8 900	Monte-Orso (It.) (1927)	7 562
Shin Kanmon (Jap.) (1975)	18 713	Rimutaka (N.-Zél.) (1955)	8 797	Vivola (It.) (1927)	7 355
Apennins (It.) (1934)	18 159	Ricken (Sui.) (1910)	8 603	Monte-Adone (It.) (1934)	7 132
Rokko (Jap.) (1972)	16 250	Grenchenberg (Suisse) (1915)	8 578	Jungfrau (Sui.) (1912)	7 123
Henderson (USA) (1975)	15 800	Otira (N.-Zél.) (1923)	8 563	Borgallo (It.) (1894)	7 077
St-Gothard (Sui.) (1882) [2]	14 998	Tauern (Autr.) (1909)	8 551	Severn (G.-B.) (1886)	7 011
Lötschberg (Sui.) (1913)	14 612	Fukuoka (Jap.) (1975)	8 498	Ste-Marie-aux Mines (Fr.) (1937) [5]	6 872
Hokuriku (Jap.) (1962)	13 870	Haegebostad (Norv.) (1943)	8 474	Marianopoli [5] (It.) (1885)	6 475
Mont-Cenis (Fr.-It.) (1871) [3]	13 656	Ronco (Ital.) (1889)	8 300	Turchino (It.) (1894)	6 446
Shin-Shimizu (Jap.) (1961)	13 500	Hauenstein (Sui.) (1916)	8 134	Podbrdo (Youg.) (1906)	6 339
Aki (Jap.) (1975)	13 030	Tende (Fr.-Ital.) (1900)	8 098	Mont-d'Or (Fr.-Sui.) (1915)	6 097
Cascades (U.S.A.) (1929)	12 542	Connaught (Can.) (1916)	8 083	Col de Braus (Fr.) (1928)	5 949
Kita Kyushu (Jap.) (1975)	11 747	Ceylan (Sri Lanka)	8 000	Albula (Sui.) (1903)	5 865
Flathead (USA) (1970)	11 299	Karawanken (Autr.) (1906)	7 976	Gyland (Norv.) (1943)	5 717
Lierasen (Norvège) (1973)	10 700	New Tanna (Jap.) (1964)	7 958	Totley (G.-B.) (1893)	5 697
Arlberg (Autriche) (1884)	10 250	Roger Pass (USA)	7 910		

Nota. – (1) Diam. 11 m. Construit de 1971 à 1988, il relie les îles de Hokkaïdo et de Honshu et passe (sur 23,3 km) à 100 m sous le sol de la mer (soit à 240 m de la surface). Coût : 22 milliards de F. Depuis le 13-3-88 (date de l'inauguration), 5 rapides, 1 express et 8 omnibus y circulent quotidiennement et dans chaque sens. (2) Les conditions de travail des 2 480 ouvriers engagés étaient alors insupportables. Poussière et fumées, chaleur et eau limitaient à 3 ou 4 mois la présence d'un homme sur le chantier. La construction de l'ouvrage dura 10 ans. Chaque année, on relevait environ 25 morts et des centaines de blessés. Chaque mois, une trentaine de chevaux et de mules tombaient d'épuisement. Il fallait 1 h 20 min pour percer 1 m de tunnel de 7 m^2 de section (aujourd'hui, il faut de 1 min 30 à 3 min) et 45 heures pour extraire 1 m^3 de roche (aujourd'hui 2 h 25). Coûta 70 millions de F de l'époque. (3) A l'origine 12 790 m (début des travaux en 1857). (4) Simplon I, 19 803 m (1898-1906). II, 19 823 m (1918-22). Coût 57 millions de F de 1921. (5) N'est plus ferroviaire. (6) Voir Index.

Étienne-Lyon (vallée du Gier) : *T. de Terrenoire,* 1 298 m, 1 voie ; élargi à 2 voies en 1855-57. *T. de Couzon à Rive-de-Gier,* 977 m, 1 voie ; abandonné 1856 et remplacé par l'actuel tunnel à 2 voies de 552 m de long. **1839** 1er tunnel ferroviaire allemand sur la ligne Leipzig-Dresde. **1843-48** t. d'Arzviller en Moselle (2 572 m) entre Saverne et Sarrebourg (le plus ancien en état). **1871**-*17-9 :* inauguration du *t. du Mt-Cenis* (dit *de Fréjus*) : long. 13 656 m dont 6 907 en France. **1898-1905** *t. du Simplon.* **1929** *t. de Puymorens* sur Toulouse-Latour-de-Carol, 5 330 m, le plus long, entièrement en France. **V. 1995** *t. du Somport* 8,8 km. Coût 900 millions de F.

Avantages. Si la profondeur de la tranchée à creuser dépasse 20 m.

Nombre en France. Longueur totale 591 km. Ligne du TGV Sud-Est : aucun tunnel, TGV Atlantique : 5 (dont Villejust 4 800 m, franchissable à 270 km/h). De 18218 à 1975, 1 659 percés (80 % avant 1900) (638 km) dont 1 414 (554 km) en service en 1990.

Viaducs et ponts

Matériaux. Acier, maçonnerie et aujourd'hui béton armé ou précontraint. Nombre en France. 35 849 (> à 2 m), 52 905 (< à 2 m) dont : *Chaumont* (1857) : long. 600 m, haut. 50 m, 3 étages d'arches (ligne Paris-Mulhouse) ; *Garabit* (1884) dû à Gustave Eiffel : long. 564 m, (ligne Béziers-Neussargues), haut. 122 m ; *Les Fades* (1909) : long. 470 m, haut. 133 m (ligne Lapeyrouse-Volvic) ; *pont d'Asnières* (renouvelé 1979/81) : 10 voies sur 160 m de long. TGV SUD-EST : env. 500 ponts et 9 viaducs (voir p. 1579) ; ATLANTIQUE : 290.

Voies

• Ballast. Matériau anguleux, élastique et perméable qui supporte et encoffre la voie. Permet de transmettre à la plate-forme les efforts supportés par la voie en les répartissant aussi uniformément que possible et sur une plus grande surface ; d'amortir les vibrations ; de s'opposer à la déformation du châssis de voie en place. Autrefois en sable, en cailloux roulés, actuellement en pierre dure concassée (granit, porphyre, basalte), parfois en laitier de haut fourneau. Granularité : 25 à 50 mm. Entre plate-forme meuble et ballast, on interpose une sous-couche en matériaux de bonne qualité (sables).

• Chemins de fer les plus hauts. **Du monde :** *voie normale :* Pérou, Lima-Huancayo 4 818 m (la Cima) ; *métrique :* Chili, Ollagüe-Collahuasi 4 826 m (mines de cuivre). **D'Europe :** *Suisse,* Jungfrau 3 454 m : voie étroite de 0,80 m, crémaillère à lame horizontale système Locher. **De France :** gare de Bolquère-Eyne, 1 593 m : tramway du Mont-Blanc 1 909 m (au Montenvers).

• Crémaillère (trains à). **1860** 1er ch. de fer à crémaillère du monde (mont Washington, USA). **1887**-*6-11 :* 1er ch. en France (Langres). **Principe :** une roue dentée s'engrène dans les crans d'un rail spécial placé entre les rails de roulement. *Système le plus courant* (pic Pike aux USA, Snowdon en G.-B. et beaucoup de lignes en Suisse à l'origine) : 2 rails dentés parallèles mais décalés (les dents de l'un sont au niveau des crans de l'autre) ; les 2 roues qui s'y engrènent sont aussi décalées, d'où une double sécurité et une progression régulière.

• Déclivité. Dénivellation de points espacés horizontalement de 1 m. S'exprime en ‰. On parle de rampe (sens montant) ou de pente (sens descendant). Lignes de plaine : jusqu'à 10 ‰ ; de montagne : jusqu'à 40 ‰ ; à grande vitesse Paris S.-E., max. 35 ‰ (utilisation de l'énergie cinétique des rames).

Rampes (en ‰). **Adhérence simple :** St-Gervais-Vallorcine : 90. **Funiculaire** du Ritom (Suisse) 878. **Crémaillère :** *voies normales :* 200 à 250 ; *autres voies :* Canal de Panamá (voie 1,524 m) 500, Mt Pilate (Suisse, 0,80 m) 480, Mt Washington (USA, 1,41 m) 377. **Tramways :** San Francisco 140. Boulogne-sur-Mer 122. Rouen 120. Le Havre 115.

• Funiculaires. **Principe :** sur pentes très raides et courtes, le véhicule est tiré à la montée et retenu à la descente par un câble moteur mis en mouvement par une machine fixe ou par un contrepoids d'eau. **Quelques dates : 1840** *1re traction funiculaire :* train de houille remonté le long d'un plan incliné par un train descendant formé de wagons-citernes remplis d'eau. *1ers plans inclinés :* St-Étienne-Roanne et Alais-Beaucaire ; pentes 0,093/m. **1862** *1er ch. de fer fun. français de Lyon* à la Croix-Rousse (construit par MM. Molinos et Pronier) (différence de niveau de 70 m ; pente de 160 ‰, environ 450 m). **1870** plan incliné d'Offen (Hongrie) (45 m). **1873** funiculaire par câbles sans fin (San Francisco).

• Rails. **Quelques dates : XVIe s.** des *rails en bois* sont utilisés dans les mines. **1738** les rails en bois sont recouverts de plaques de fonte à Whitehaven (G.-B.) : plus efficaces, ils s'usent encore trop vite. **1763** Richard Reynolds introduit les *1ers rails métalliques* (G.-B.). **1805** on emploie le fer forgé. **1810** les *rails en fonte* sont peu à peu remplacés par des rails en fer. **1820** John Cass Birkinshaw (1811-67, G.-B.) réalise un *rail de fer* par *puddlage.* **1830** Robert Stevens (1787-1856, USA) imagine le *rail à patin,* improprement appelé par la suite rail *Vignole* du nom de l'ingénieur anglais Charles Vignoles (1793-1875) qui l'introduit en Europe vers 1836. **1857** Robert F. Mushet (G.-B.) fabrique les *1ers rails d'acier* à Derby où des rails de fer s'étaient usés en 3 mois : durée 16 a. **1860** l'acier remplace peu à peu le fer sur toutes les lignes. **1886** *10 mai :* la 2e conférence internationale de Berne fixe *l'écartement* de la voie normale à 1,435 m (alignement droit) et à 1,465 m max. (courbes). **Longueur :** A L'ORIGINE (et encore sur lignes secondaires), long. courante 5,50 m, 8 m, 11 m, 12 m ; puis a augmenté : 8 m à 18, 24 et 36 m, ce qui a permis de diminuer le nombre des joints, points faibles sur la voie. DEPUIS 1945, sur les *lignes principales :* pour éviter les chocs répétés à chaque extrémité des rails, surtout lors des grandes vitesses, les rails sont soudés bout à bout. Les rails de 18 m ou 36 m sont soudés électriquement en atelier sur 288 m. Après mise en place, ces long. sont soudées entre elles par aluminothermie. On a ainsi des rails pouvant atteindre plusieurs dizaines de km. Seules les courbes de faible rayon et les plates-formes instables limitent l'emploi de ces longs rails soudés (LRS).

Largeur de voie (écartement entre bords intérieurs des rails). *Voie normale :* 1,435 m (cas de la plupart des chemins de fer européens). Quelques lignes secondaires : *métrique :* 1 m, 1,067 m, *étroite :* 0,60 m, *larges :* URSS 1,524 m, Espagne et Portugal 1,676 m. Au début les ingénieurs appliquaient leurs propres conceptions sans se soucier de l'unification éventuelle des réseaux, puis des raisons stratégiques, et surtout économiques, conduisirent au maintien de cette situation qui impose changements de matériel ou d'essieux aux frontières ou l'utilisation d'essieux à écartement variable.

Formes. Les rails reçoivent directement les charges des roues. En raison de la résistance spécifique exigée (faible surface du contact entre roue et rail), ils ont été très vite fabriqués en acier. Au début, ils avaient une section en I *(rail à double champignon).* On avait espéré en doubler l'usage. Étant difficiles à fixer et ne pouvant être retournés car la surface inférieure se détériorait au contact des coussinets d'appui, ils furent abandonnés pour le *rail à patin* ou *rail Vignole.*

Section des rails (poids au mètre) a augmenté de 30 à 60 kg au m (sur les grandes artères) pour supporter la charge des essieux : 20 t voire 23 (essieux de locomotives, wagons spéciaux). Le contrôle des inclusions non métalliques, sources d'amorces de fissures en service, est fait en usine par procédé ultrasonore. Les voies du Chicago-Milwaukee supportent un poids de 32,5 t par essieu, avec des rails de 56 kg/m posés sur 2 400 traverses au km ; le ballast étant inaccessible, la voie doit être changée d'un bloc.

Tonnage total (rails actuellement en voie, en F) : 7 000 000 t. Consommation de rails neufs SNCF : *1988,* 126 000 t dont 20 000 pour le TGV Atlantique.

Joints. Pour les rails éclissés (de 36 m au plus), les joints permettent la libre dilatation des rails. Pour les rails soudés, le ballast s'oppose, par l'intermédiaire des traverses, à toute variation de leur longueur. Seules, les extrémités des longs rails soudés (sur 100 m env.) peuvent se déplacer (déplacement absorbé par des appareils de dilatation). Les variations de la température se manifestent par des contraintes à l'intérieur des longs rails soudés.

• Traverses. Supportent les rails, maintiennent leur écartement et leur inclinaison, et transmettent les charges au ballast. **En bois** [*dur* (chêne, hêtre de préférence, ou bois exotique) imprégné à la créosote (distillation du goudron de houille) pour éviter son dépérissement rapide sous les actions bactériologiques] : dimensions types, long. 2,60 m, larg. 0,25 m, épaiss. 0,15 m. En courbe, on interpose une selle métallique entre rail et traverse pour répartir la pression. **En métal :** épaiss. 7 à 13 mm, poids env. 75 kg : abandonnées en raison de leur coût sur les grands réseaux, malgré leur durabilité. Se développent surtout dans les pays sans bois de bonne qualité. **En béton armé ou précontraint :** 1°) Mixtes avec 2 blochets en béton armé réunis par une entretoise métallique ; 185 à 245 kg. 2°) Monoblocs en précontraint ; 235 à 300 kg. Il y a entre rail et traverse une semelle en élastomère. À la SNCF, les longs rails soudés sont fixés aux traverses par des attaches élastiques « Nabla ».

Nombre de traverses au km de voie (travelage). 1 500 (voies anciennes) à 1 666 (voies franç. importantes) ou 2 000 (courbes de faible rayon ou de trafic très lourd).

Trafic

Circulation ferroviaire

Circulation à gauche. **Origine :** *G.-B.* Dans un chemin creux, 2 cavaliers se croisaient à gauche pour éviter d'entremêler leurs épées (accrochées à gauche). *France :* la ligne Paris-Rouen (1843) fut en majeure partie construite avec des capitaux, des ingénieurs, du personnel et du matériel britanniques. **État actuel.** Afrique du N., Belgique, Espagne, *France* [sauf Alsace-Lorraine (entre 1871 et 1918, en Alsace-Lorraine, 835 km dont 738 en service ont été cédés à l'Allemagne qui a implanté les signaux à droite. Le « saut de mouton » permet de faire passer un convoi de la voie de gauche à celle de droite, et vice versa, entre Igney-Avricourt et Sarrebourg (km 427), sur la ligne Paris-Strasbourg ; entre Altkirch et Mulhouse (km 481), sur Paris-Mulhouse et à l'arrivée à Metz (km 353)sur Paris-Metz)]. G.-B., Inde, Italie, Japon, Suède, URSS.

Circulation à droite. Allemagne féd., Chine, Espagne, Grèce, Luxembourg, Pays-Bas, Pologne (et autres pays de l'Est : Hongrie...), Turquie, USA.

En France

Généralités

• Nombre de trains circulant chaque jour sur les lignes SNCF (1987). 13 000 en moyenne (dont tr. banlieue de Paris 5 000, rapides et express 1 300, régionaux 3 700, de marchandises 3 000). Réalisent des parcours quotidiens de 1 252 000 km [dont (en km) TGV 66 800, rapides, express et autres 386 800, régionaux 236 400, banlieues de Paris 122 000, de marchandises 440 000].

• Kilomètres parcourus par an (1988). 457 millions.

• Vitesse. **Autorisée :** limitée en fonction des installations fixes et du matériel roulant. **Maximale en service commercial :** *ligne classique :* 200 km/h (Paris-Bordeaux ; Paris-Toulouse ; Le Mans-Nantes et Valence-Miramas). *Lignes TGV Sud-Est :* 270 km/h. *Atlantique :* 300 km/h. **Moyenne la plus élevée :** Paris-Mâcon *(TGV) :* 217,8 (363 km).

Moyenne horaire sur certains parcours (en km/h, au départ de Paris, au 29-5-88). **Relations internationales :** Paris-Bruxelles 127,3 ; Francfort 109,5 ; Madrid 108 ; Cologne 96 ; Rome 96,6. **Intérieures :** Lyon (TGV) 213,5 ; Grenoble (TGV) 175,6 ; Marseille (TGV) 166,9 ; Montpellier (TGV) 165,2 ; Paris-Bordeaux 144,4 ; Limoges 140,4 ; Nancy 137,5 ; Metz 132,8 ; Strasbourg 132,6 ; Caen 128 ; Amiens 126,8 ; Lille 126,6 ; Toulouse 119,2 ; Mulhouse 118,1 ; Brest 110,1 ; Boulogne 105,8.

TGV meilleurs temps de parcours au départ de Paris. Agen 4 h 08 ; Aix-les-Bains 2 h 54 ; Angers 1 h 29 ; Angoulême 2 h 20 ; Annecy 3 h 31 ; Arras 0 h 55 [3] ; Avignon 2 h 38 ; Bayonne 4 h 33 ; Beaune 1 h 58 ; Berne 4 h 24 ; Besançon 2 h 29 ; Biarritz 4 h 48 ; Bordeaux 2 h 58 ; Bourg-en-Bresse 1 h 55 ; Brest 3 h 59 ; Calais 1 h 20 [3] ; Cannes 4 h 50 ; Chalon-sur-Saône 2 h 16 ; Chambéry 3 h 13 ; Châtellerault 1 h 31 ; Dax 4 h 05 ; Dijon 1 h 36 ; Dole 2 h 02 ; Genève 2 h 39 ; Grenoble 2 h 42 ; Guingamp 3 h 09 ; Hendaye 5 h 08 ; La Baule 3 h 11 [1] ; La Rochelle 3 h 00 [2] ; Lausanne 3 h 41 ; Laval 1 h 34 ; Le Creusot 1 h 25 ; Le Croisic 3 h 04 ; Le Mans 0 h 55 ; Libourne 3 h 04 ; Lille 1 h 00 [3] ; Longueau 1 h 02 [3] ; Lorient 3 h 44 [1] ; Lourdes 5 h 20 ; Lyon 1 h 50 ; Mâcon 1 h 40 ; Mantes 0 h 34 [3] ; Marseille 3 h 00 ; Montauban 4 h 40 ; Montbard 1 h 05 ; Montpellier 3 h 34 ; Morlaix 3 h 39 ; Nantes 1 h 59 ; Neuchâtel 3 h 51 ; Nice 5 h 15 ; Nîmes 3 h 09 ; Niort 2 h 20 [3] ; Pau 4 h 54 ; Perpignan 4 h 58 ; Poitiers 1 h 35 ; Pontarlier 3 h 08 ; Quimper 4 h 21 [1] ; Redon 2 h 45 ; Rennes 2 h 04 ; Rouen 1 h 09 [3] ; Tarbes 5 h 36 ; Tou-

Temps de parcours par chemin de fer

De Paris à	1938	1960	1980	1990
Dist. en km				
Paris-Bordeaux (581)	5 h 39[1]	4 h 48	3 h 50	2 h 58
Lille (251)	2 h 30[2]	2 h 10	1 h 55	1 h 59
Lyon (512, 427[3])	5 h 05[2]	4 h	3 h 49	1 h 50
Marseille (863, 779[3])	9 h 14[2]	7 h 33	6 h 40	3 h 00
Nancy (353)	3 h 02[2]	3 h 37	2 h 40	2 h 36
Nantes (396)	4 h 18[2]	3 h 53	3 h 17	1 h 59
Rennes (374)	4 h [2]	3 h 55	2 h 58	2 h 04
Bordeaux-Marseille (682)	10 h 10	8 h 40		6 h 01
Nantes-Lyon (650)	10 h 19	10 h 23		6 h 34

Nota. – (1) Autorail Bugatti 1re classe. (2) Train à vapeur aérodynamique. (3) Par TGV.

---

lon 3 h 40 ; Toulouse 5 h 10 ; St-Brieuc 2 h 50 ; St-Étienne 2 h 36 ; St-Jean-de-Luz 5 h 00 ; St-Nazaire 2 h 35 ; St-Pierre-des-Corps (Tours) 1 h 02 ; Valence 2 h 12 ; Vannes 3 h 11 ; Vendôme 0 h 49.

Nota. – (1) Mai 1992. (2) Sept. 1993. (3) Sept. 1994.

☞ *En 1750,* il fallait 11 j pour aller de Paris à Toulouse en malle-poste ; *en 1840,* 70 h en roulant nuit et jour ; *en 1850,* 31 h de train ; *en 1891,* 15 h ; *en 1930,* 12 h ; *en 1974,* – de 6 h.

Trafic de marchandises (dit fret dep. 1987)

Trafic en 1990 (par wagons SNCF)	Milliards de t/km taxées	Millions de t
Transports combinés	7,29	12,2
Produits de la sidérurgie	6,4	22,4
Céréales, alim. animale	5,53	15,2
Prod. de carrière, mat. de constr. ...	5,33	18,9
Prod. chimiques	3,86	10,3
Prod. pétroliers	3,53	10,3
Boissons	3,6	7,13
Amendements et engrais	2,62	6,28
Combustibles solides	2,11	11
Véhicules, mach. agricoles	2,1	3,69
Minerais pour sidérurgie, ferrailles ..	1,67	7,69
Bois, extraits tannants	1,33	2,53
Prod. d'épicerie	0,99	3,12
Denrées périssables	0,49	0,66
Papiers et cartons	0,96	2,05
Autres marchandises	1,87	4,72
Total marchandises	*49,68*	*138,17*

Total transporté (en millions de t). *1938 :* 132. *70 :* 251. *75 :* 208. *80 :* 209. *85 :* 161. *86 :* 146. *87 :* 142,3. *88 :* 144,9. *89 :* 146,5. *90 :* 142,4.

Tonnes/km (en milliards). *1938 :* 26,5. *60 :* 56,9. *65 :* 64,6. *70 :* 70,5. *75 :* 61,3. *80 :* 66,4. *85 :* 55,8. *86 :* 51,7. *87 :* 51,33. *88 :* 52,29. *89 :* 53,3. *90 :* 51,53.

Selon le mode de traction (en %). *1948 :* électrique 19,6, vapeur 79,1, diesel 1,3. *1961 :* E. 57,9, V. 34,4, D. 7,7. *1971 :* E. 77,5, V. 1,1, D. 22,5. *1980 :* E. 79,2, D. 20,8. *1985 :* E. 83, D. 17. *89 :* E. 85,3, D. 14,7.

Trafic voyageurs

Voyageurs transportés (en millions) [*1835 (diligence) :* 5 en France]. *1841* (train) : 6. *1860 :* 37. *1871 :* 94. *1901 :* 406. *30 :* 790. *38 :* 540. *60 :* 570. *65 :* 628. *71 :* 590. *75 :* 639. *80 :* 685. *85 :* 777. *86 :* 779. *87 :* 780. *88 :* 810. *89 :* 822. *90 :* 842,31 (réseau principal 311,88 dont TGV 29,94, banlieue par. 530,43).

Voyageurs-kilomètres (en milliards). *1841 :* 0,11. *1871 :* 4,58. *1901 :* 12,9. *21 :* 25,7. *30 :* 29,2. *38 :* 22,1, (dont banlieue parisienne 3,8). *60 :* 32,03 (b. par. 4,53). *70 :* 40,6 (5,8). *80 :* 54,7 (7,6). *85 :* 62,1 (8,5). *86 :* 59,9 (8,6). *87 :* 59,97 (8,65). *88 :* 63,29 (8,91). *89 :* 64,5 (9,1). *90 :* 63,95 dont intercités 48,16 (dont TGV 1re classe 8,07 %, 2e cl. 22,91 %, autres trains 1re cl. 8,93 %, autres trains 2e cl. 60,09 %).

Parcours moyen d'un voyageur. *1938 :* 40,8. *66 :* 61,1. *81 :* 79,8. *85 :* 79,9. *86 :* 76,9. *87 :* 77. *88 :* 77,3. *89 :* 78,5.

> Sont volés par an env. 50 000 couvertures, 100 000 taies d'oreiller, 300 000 draps-sacs, 2 000 échelles de couchette, 16 800 marteaux brise-vitre, 2 000 savonniers, 400 rideaux de voiture Corail, 1 200 cadres-photos, et divers autres objets, pour une valeur de 2 millions de F. Il y a en outre 400 000 F de déprédations.

Nombre de places couchées. *1947 :* 250 000. *60 :* 2 370 000. *70 :* 5 170 000. *81 :* 8 810 000. *88 :* 6 406 000.

Trains-autos accompagnées. Nombre de voyageurs et, entre parenthèses, **autos** (en milliers). *1960 :* 75 (27). *70 :* 400 (163). *80 :* 669 (279). *85 :* 716 (320). *86 :* 755 (334 y compris motos). *87 :* 589 (281 id.). *88 :* 813 000 (348 autos, 9,4 motos).

Parcours des engins moteurs (en 1989, en millions de km). Locomotives électr. 329,7. Diesel 104,4. Automotrices électr. 76,7. Autorails 65,7. Turbotrains 9,7. TGV Sud-Est 40,1.

Gares

● **Nombre total. Points de vente :** 6 593 ouverts au trafic voyageurs et fret. **Bâtiments :** *au 31-12-90 :* 2 880 gares (non compris les points d'arrêt voyageurs), 15 millions de m^2 couverts, 3,1 millions de m^2 de halles marchandises. *Prév. au 1-1-95 :* 1 200 (300 principales).

● **Principales gares. Marchandises** (en milliers de t, 1987) : Dunkerque 13 000. Longwy (y compris Rehon et Mont-St-Martin) 4 200. Modane 7 000. Rouen 5 300. Bening-Cocheren 4 700. Fos 5 700. Thionville (y compris Ébange) 4 200. Bâle 4 700. Feignies 4 400. Le Havre 4 600.

● **Triage** (nombre). 40 principales : *région parisienne,* Villeneuve-St-Georges, Le Bourget ; *Nord,* Tergnier-Somain ; *Est,* Woippy (Metz) (la plus grande : env. 2 300 wag. par j), Hausbergen (Strasbourg) ; *S.-E.,* Gevrey (Dijon), Sibelin (Lyon), Miramas (Marseille) ; *Ouest,* Sotteville (Rouen) ; *S.-O.,* St-Pierre-des-Corps (Tours), Hourcade (Bordeaux), St-Jory (Toulouse). **Wagons expédiés :** *par les triages (1987) :* env. 37 000 par jour.

● **Gares parisiennes. Voyageurs** (départs + arrivées, 1988). *Nombre total* (ensemble des gares) *réseau banlieue :* 502 millions. Nombre par jour (en milliers), en 1988 : St-Lazare 432. Paris-Nord 391. Est 177. Lyon 157. Ligne C du RER (Austerlitz à Boulevard Victor) 233. Montparnasse 86. Départs entre *17 h* et *18 h* 176 000 ; arrivées entre *8 h* et *9 h* 190 000.

Trains (nombre moyen par jour en 1988). *Trains de la banlieue de Paris.* Paris-St-Lazare 1 942, Paris-Nord 1 379, Paris Sud-Ouest 793, Paris Sud-Est 616, Paris-Est 443, Paris-Montparnasse 279. *Rapides et express :* 1 228.

☞ Transporte quotidiennement sur 932 km de banlieue 2 000 000 de voyageurs (1 400 000 arrivent ou partent de Paris. Grandes lignes : jour le plus chargé 512 290 (le 21-12-1984).

> **Gare la + grande de France.** Gare de Lyon (Paris) 11 ha, 6 250 m de quais ; gare Montparnasse (Paris) agrandie 1987-89, coût 1 milliard de F (dont 0,4 pour la dalle recouvrant les voies), accueillera 60 millions de voyageurs par an en 1995.
>
> **Gares inscrites à l'Inventaire supplémentaire des monuments historiques.** *Strasbourg :* construite de 1871 à 1883 par l'architecte allemand Jacobstahl. *Rouen :* 1912-1923. Style Art nouveau. L'une des premières entièrement en béton armé habillé de pierre. *Rochefort-sur-Mer :* 1913. Style Arts déco.

☞ *Emprise des voies nouvelles* (7 ha au km) 25 % de moins qu'une autoroute (débit bien inférieur). *Volume à remuer* 150 000 à 200 000 m^3 par km. Protection clôtures ; pour les animaux, franchissement par km. *Rayon du virage* 5 000 m, rampe 35 m par km (au lieu de 15 m). *Bruit perçu à 25 m au passage d'une rame :* TGV Paris-Lyon : 97 décibels, express à 140 km/h : 92, TGV Atlantique : 90.

TGV (Trains à grande vitesse)

TGV Sud-Est

● **Ligne.** Dessert 48 villes. Ligne à grande vitesse Paris (Combs-la-Ville) à Lyon (Sathonay). *1er tronçon* [274 km de St-Florentin (Yonne) à Sathonay, et raccordements de 15 km de Pasilly à Aisy vers Dijon, et de 5 km à Pont-de-Veyle vers Bourg] en service 27-9-1981. *2e* (117 km de Combs-la-Ville à St-Florentin) en service le 25-9-83. Dessert Lausanne 27-1-84 ; Toulon 3-6-84 ; Lille-Lyon 30-9-84 ; Grenoble 4-3-86 ; Rouen-Lyon 26-9-86. **Rampes max.** 35 ‰. **Vitesse max.** 270 km/h. *Distance d'accélération pour atteindre 250 km/h :* 8 730 m ; de *freinage à 250 km/h :* 2 400 m. **Terrains occupés.** 2 300 ha (dont 700 pour une bande de 5 m de large pour les Télécom.). **Énergie (économie).** 100 000 t de pétrole grâce au report sur le TGV de voyages aériens ou routiers. **Infrastructure nécessaire.** 185 ponts-routes, 315 ponts-rails dont 2 ouvrages d'art sur l'autoroute A 6, 9 viaducs, 6 sauts-de-mouton, 2 ponts sur de grands cours d'eau, 100 000 t de rails, 1 400 000 t de traverses, 3 300 000 t de ballast, 2 700 000 t de graves (mélange de terre sablonneuse et de cailloux) et sables, 850 km de clôtures. 2 gares nouvelles : Montchanin et Mâcon (les 2 en S.-et-L.). **Signalisation.** Dispositif placé dans la cabine de conduite (pas de signaux lumineux le long de la ligne). Le conducteur est également relié par radio avec le poste de commandement. **Pilotage.** Manuel et surveillance électronique du conducteur (en cas de vitesse excessive, dispositifs de freinage automatique).

● **Rames.** *Composition :* 2 motrices pour 8 remorques. Au total, 6 bogies bimoteurs (2 par motrices et le 1er de chaque remorque attenante), 6 300 kW sous 25 kV-50 Hz (8 560 ch), 386 t et 200 m de long. Rames bicourant 1,50 kV continu et 25 kV-50 Hz [en 1972, on avait prévu des turbines à gaz]. *Places* 386. *Commande totale* de la SNCF : 109 rames, et 8 tricourant pour circulation en Suisse vers Lausanne. Système articulé avec des bogies entre les véhic.

● **Trafic. Cadence maximale :** 1 train toutes les 4 min, 17 km env. séparant 2 rames. **Circulation :** env. 50 à 60 TGV par jour dans chaque sens : 9 desservent la Bourgogne, la Franche-Comté et 4 Lausanne ; 22 Lyon ; 3 St-Étienne ; 5 Grenoble ; 9 Marseille ; 3 Toulon ; 6 Nîmes et Montpellier ; 3 Chambéry, Annecy et 5 Genève. Chaque jour les rames 110 000 km et transportent en moyenne 53 000 voyageurs.

Nombre de voyageurs (en millions). *1982 :* 6,88. *83 :* 9,2. *84 :* 13,77. *85 :* 15,38. *86 :* 15,58. *87 :* 16,97. *88 :* 18,11. *89 :* 19 (par j, moy. 51 000, pointe 89 000, taux d'occupation des rames 67 %). **Km parcourus :** 238 millions en 1988.

● **Coût** (hors taxe, en milliards de F, 1984). *Construction* (infrastructure et superstructure) : 7,85 (8,5 avec acquisition des terrains) ; *achat des rames* TGV : 5,3 (moins le coût d'acquisition évité du matériel classique auquel elles se substituent : 1,85). En 1991, l'investissement sera remboursé. **Bénéfices nets** (en millions de F). *1984 :* 401. *1985 :* 927. *1986 :* 1 002. *1987 :* 1 400.

● **Incidents. 1984**-*22-5* déboulonnage de 55 m de rails à Montlay-en-Auxois (Côte-d'Or). **1990**-*22-4* une trentaine de loubards attaquent une rame de TGV (vide) qui venait de quitter la gare St-Charles de Marseille, après l'avoir stoppée avec des blocs de béton.

TGV Atlantique

Origine. *1975-77* 1res études. *1984* (26-5) : déclaré d'utilité publique au JO. *1985* (15-2) : ouverture officielle des travaux. *1988-14-4* livraison de la 1re rame. *1989 sept.* ouverture Paris-Le-Mans. **Ligne.** Dessert 19 villes sur l'Ouest et 20 sur le Sud-Ouest. *Long. prévue* 280 km avec un tronc commun de 124 km de Paris-Montparnasse à Courtalain, et 2 branches : *Ouest* de 52 km jusqu'à Connerré-Beillé, avant Le Mans, pour desservir la Bretagne (mise en service 24-9-1989) ; *Sud-Ouest* de 104 km jusqu'à Monts, au sud de Tours, pour desservir l'Aquitaine (mise en service le 30-9-1990). Création d'une coulée verte en banlieue de Paris, construction de gares nouvelles à Vendôme et à Massy. **Rampes.** Maximales 25 ‰. **Rames** (bleu et blanc argent, long. 237,6 m, poids 490 t, coût 84 millions de F). 2 motrices encadrant 10 remorques. 4 moteurs synchrones par motrice (bicourant 1,5 kV continu et 25 kw, 50 Hz) développant 8 800 kW (12 000 ch). **Places.** 485 (3 voit. de 1re cl. 116 pl., 6 de 2e cl. 369 pl.). **Vitesse max. de croisière.** 300 km/h. **Coût.** 10,8 milliards de F [installations fixes 8 : rames (95) 7], remboursé en moins de 10 ans. **Trafic attendu.** *(1992).* 21,5 millions de voyageurs *(1990 :* 11 dont branche Sud-Ouest 2). **Taux d'occupation.** *1990 :* + de 70 %.

TGV Nord

Ligne prévue. 1993. Coût. 17 milliards de F (tracé de 330 km de lignes nouvelles, établi en 1974 le 9-10, arrêté le 9-10-1987) passe à 40 km d'Amiens. Interconnexion à Roissy des réseaux nord, sud-est et Atlantique prévue pour 1994, coûtera 5 milliards de F (dont 1 pour la gare de Roissy). **Vitesse** (prévue). 320 km/h. **Durée du trajet depuis Paris.** Lille 1 h. Bruxelles 1 h 20. Calais 1 h 30. Cologne 2 h 30. Amsterdam 3 h. Londres 3 h.

☞ Le TGV Nord-Européen coûterait 90 milliards de F (All. 24, France 16, Belg. 12, P.-Bas 4,6, ligne entre le tunnel et Londres 35).

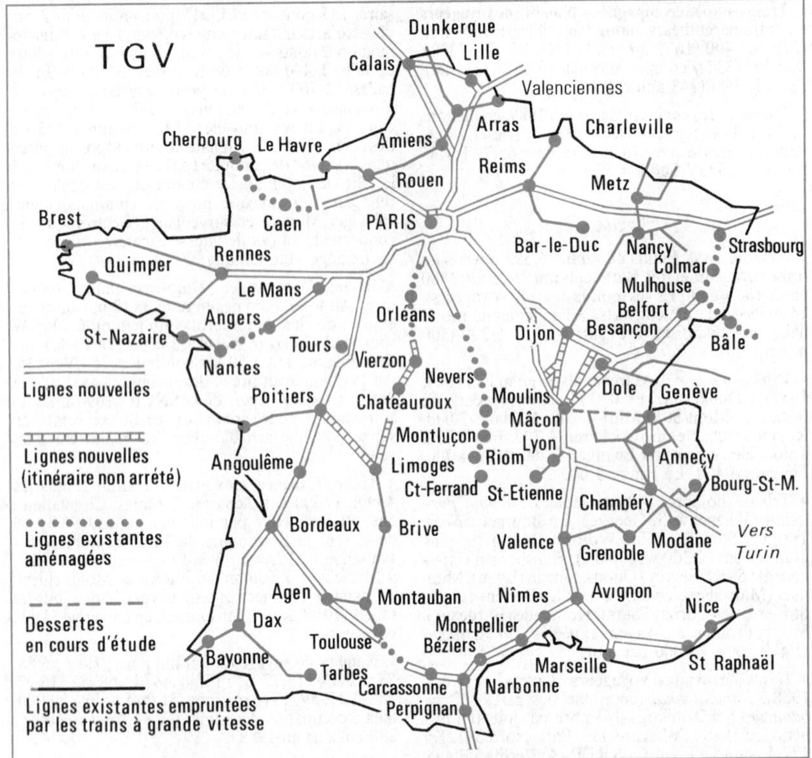

Projets de liaisons ferroviaires à grande vitesse

215 milliards de F (dont 30 pour le matériel roulant) seront investis pour faire rouler à 300 km/h des TGV sur 4 432 km de voies nouvelles vers 2 015 (construction de 3 172 km s'ajoutant aux 590 km en exploitation et aux 670 km en construction ou programmés). 535 milliards de F seront consacrés à la mise au point d'une nouvelle génération qui roulerait à 350 km/h.

Lignes futures. **Aquitaine :** prolongement de la voie nouvelle de Tours à Bordeaux 480 km, Paris-Bordeaux : 2 h 06 (au lieu de 4 h 08). **Auvergne :** voie nouvelle et aménagement de la ligne existante vers Nevers et Clermont-Ferrand, Paris-Clermont-Ferrand en 2 h 32 (3 h 49). **Bretagne :** prolongement Mans-Rennes 156 km, Paris-Rennes 1 h 26 (2 h), Rennes-Marseille 4 h 20. **Est** (460 km). Interconnexions à Reims, Metz et Strasbourg, et avec réseaux sarrois, allemands et suisses ; Paris-Strasbourg 1 h 50 (3 h 48). **Interconnexion Sud de l'Ile-de-France** (49 km à la hauteur d'Arpajon) : pour relier la voie Atlantique et la voie Sud-Est. **Liaison transalpine Lyon-Chambéry-Turin** (261 km) avec tunnel (25 km) sous les Alpes (Turin-Lyon 1 h 25). **Limousin** (174 km + aménagements) : par Orléans ou par Poitiers. Limoges à 2 h 01 de Paris. **Méditerranée** (132 km Aix-en-Pr.-Fréjus) : avec branche *Provence-Côte d'Azur vers Marseille et Nice.* Son tracé, au nord de Salon-de-Provence, rencontre l'opposition des viticulteurs et des défenseurs du paysage. *Une branche Languedoc-Roussillon* (261,7 km). Vers Montpellier, Perpignan et Barcelone ; Paris-Marseille 3 h (4 h 40), Paris-Perpignan 3 h 40 (5 h 30). **Midi-Pyrénées :** Bordeaux-Toulouse 184 km, prolongerait le TGV Atlantique et Aquitaine, Paris-Toulouse 2 h 48 (5 h 59), Bordeaux-Toulouse 1 h. **Normandie :** 169 km Paris-Nanterre-Rouen-Caen, Paris-Rouen 40 min., Paris-Caen 1 h 25 (1 h 52). **TGV Pays de la Loire :** 78 km Le Mans-Angers (Paris-Nantes 1 h 46). **Picardie :** 165 km entre TGV Nord et tunnel sous la Manche par Amiens-Paris-Amiens 0,40 (1 h 30). **Provence :** 219 km. Valence-Marseille (à 3 h de Paris). **Rhin-Rhône :** 425 km, relierait Bourgogne, Franche-Comté et sud de l'Alsace aux réseaux suisses et allemands et à Paris, Paris-Belfort 2 h (3 h 39), Besançon 2 h 10. **Grand Sud :** 70 km Carcassonne-Narbonne + aménagements, Toulouse-Marseille 2 h.

Statistiques

Transport annuel des axes de TGV (en millions de voyageurs). *Avant le TGV :* Atlantique 15,5 (1980), Sud-Est 12 (1980), Nord 11, Est 8,5 (dont militaires du contingent 1,6). *Avec le TGV :* total 160.

Trafic (1989) *Source :* UIC	Marchandises (millions de tonnes-km)	Voyageurs (millions de voyageurs-km)
Afrique du Sud	13 385 [1]	9 137 [1]
Algérie	2 702	2 724
Allemagne dém.	59 054	23 596
Allemagne féd.	66 713	45 255
Arabie Saoudite	875	156
Autriche	12 179	9 463
Belgique	9 442	6 400
Bulgarie	17 034	7 601
Chine	1 037 295	303 437
Corée du Sud	13 605	27 390
Danemark	1 740	4 649
Espagne	14 393	14 715
États-Unis	1 454 423 [1]	20 600 [1]
Finlande	8 057	3 208
France	*55 424*	*64 492*
Grande-Bretagne	16 742	33 323
Grèce	657	2 447
Hongrie	19 528	9 511
Inde	222 374	263 731
Irak	2 683	1 642
Irlande	560	1 220
Israël	n.c.	n.c.
Italie	21 299	44 617
Japon	24 769	224 838
Luxembourg	703	280
Maroc	4 519	2 168
Norvège	2 810	2 395
Pays-Bas	3 279	10 162
Pologne	111 181	55 888
Portugal	1 771	5 914
Suède	18 650	6 098
Suisse	8 650	11 437
Syrie	1 350	1 096
Tchécoslovaquie	66 313	19 669
Tunisie	2 072	1 039
Turquie	7 728	6 846
Yougoslavie	25 921	11 653

Nota. – (1) 1988.

Parc TGV de la SNCF (au 31-12-90). Rames TGV Sud-Ouest 108, Atlantique 74. **Nombre de km de lignes du TGV.** *1989 :* 3 600, *90 :* 4 700.

Coûts d'investissements totaux (infrastructures et matériel) en milliards de F, en 1989, et, entre parenthèses, **rentabilité pour la SNCF,** (en %). Aquitaine 17,1 (7,6). Auvergne 5,9 (3,1). Bretagne 6,5 (7,4). Est 28,3 (4,3). Grand Sud 6,6 (3,4). Interconnexion Sud 3,3 (8,2). Liaison Transalpine 27 (5,6). Limousin 6,7 (2,4). Provence 14,7 (9,8). Côte d'Azur 10,5 (8,4). Languedoc-Roussillon 18,1 (6,1). Midi-Pyrénées 8,4 (5,5). Normandie 11,6 (0,1). Pays de la Loire 3,3 (5,4). Picardie 6,3 (4,8). Rhin-Rhône 22,1 (5,9).

Temps de parcours prévisible en TGV. Paris-Bruxelles 1 h 20, Paris-Rotterdam 2 h 15, Londres 2 h 30, Francfort 3 h, Cologne 3 h, Stuttgart 3 h 15, Bonn 3 h 25, Berne 4 h 15, Munich 4 h 50, Turin 5 h, Milan 5 h 20, Hambourg 6 h 30, Florence 7 h, Berlin 7 h 30, Barcelone 8 h 15, Vienne 8 h 20, Rome 8 h 30, Stockholm 12 h, Lisbonne 14 h.

Vitesse comparée (centre à centre en 1990). Avion, entre parenthèses TGV, en italique voiture. Paris-Lyon 3 h 10 (2 h) *4 h 50.* Paris-Marseille 3 h 10 (4 h 40) *8 h.* Paris-Montpellier 2 h 50 (4 h 40) *8 h 55.* Paris-Nice 3 h 05 (7 h 14) *9 h 30.* Paris-Grenoble 3 h 10 (3 h 10) *6 h.* Paris-Genève 3 h 15 (3 h 30) *6 h 10.* Paris-Saint-Étienne 2 h 50 (2 h 48) *5 h 35.* Lille-Lyon 2 h 20 (4 h 23) *6 h 30.* Paris-Rennes 2 h 45 (2 h 05) *3 h 45.* Paris-Nantes 2 h 50 (2 h 05) *4 h 10.* Paris-Brest 2 h 45 (4 h 15) *6 h 45.* Paris-Bordeaux 2 h 55 (2 h 55) *6 h.* Paris-Toulouse 3 h 15 (5 h 10) *8 h 25.*

Organisation des chemins de fer français

Origine des compagnies

Les 1res compagnies de chemins de fer étaient privées et assuraient la construction et l'exploitation des lignes. **1838 :** Cie d'Orléans. **1842 :** une loi confie à l'État l'infrastructure, et laisse à des compagnies fermières la superstructure, le matériel et l'exploitation, dans certaines conditions déterminées. **1845 :** Cies du Nord, de l'Est. **1849 :** fusion de 28 Cies en 6 : Est, Nord, Paris, Orléans, Midi, Ouest. **1857 :** Paris-Lyon-Méditerranée (PLM), fusion des Cies de Paris à Lyon, de Lyon à la Méditerranée, de Lyon à Genève, du Dauphiné et d'une partie du grand Central (concession pour 99 ans). **1863 :** conventions fixant une nouvelle répartition des lignes entre l'ancien et le nouveau réseau, à la suite de la création de nombreuses lignes. **1875-83 :** l'État crée un *réseau d'État* en rachetant 2 600 km de lignes à des Cies défaillantes. **1879 :** loi du 17-7-1879 : *Plan Freycinet* tendant à la création de 17 000 km de lignes d'intérêt général. **1883 :** conventions entre État et Stés précisant les conditions financières Freycinet. **1909-*1-1* :** l'État propriétaire du réseau de l'Ouest. **1921 :** création du Fonds commun pour équilibrer le déficit de certains réseaux. **1938-*1-1* :** création de la SNCF (Sté nationale des Chemins de Fer français) en vertu de la convention passée entre l'État et les 5 grandes Cies ferroviaires (Est, Nord, Paris-Orléans, PLM et Midi). Cette convention, modifiée plusieurs fois, était en vigueur jusqu'au 31-12-1982. Idées directrices : fusionner les réseaux en un réseau unique placé sous la tutelle de l'État et objet d'une gestion « industrielle », à l'effet d'équilibrer recettes et dépenses.

La SNCF

• **Naissance de la SNCF.** Les « droits d'exploiter » et, éventuellement, de construire des chemins de fer, antérieurement détenus par les 5 grandes Cies concessionnaires (Nord, Est, Paris-Orléans, Paris-Lyon-Méditerranée et Midi) et 2 réseaux d'État (État et Alsace-Lorraine) furent confiés par convention et décret-loi du 31-8-1937 à une entreprise unique, la SNCF, pour 45 ans (1-1-1938 au 31-12-1982).

• **Ancienne organisation.** Sté d'économie mixte, Sté anonyme par actions avec capital réparti entre État (51 %) et anciennes Cies concessionnaires (49 %). *Conseil d'administration :* 10 représentants de l'État dont Pt et 1er vice-Pt, 3 des actionnaires privés (ayants droit des anciennes Cies, dont un 2e vice-Pt) et 5 du personnel, désignés sur proposition des org. syndicales. *Direction :* sous l'égide du Pt, 1 directeur gén. assisté de 3 directeurs gén. adjoints, 1 secr. gén. et 1 secr. gén. adjoint.

• **Nouvelle organisation** (dep. la loi d'orientation des transports intérieurs du 30-12-1982). Un établissement public industriel et commercial conservant la dénomination SNCF succède à la Sté.

Conseil d'administration : 18 membres, soit 7 représentants de l'État nommés par décret ; 6 du personnel dont 5 élus directement par les salariés de l'entreprise et de ses filiales et 1 désigné au suffrage indirect par les repr. des cadres ; 5 membres choisis en raison de leur compétence, nommés par décret, dont 2 repr. des usagers voyageurs et marchandises.

Pt Jacques Fournier : désigné par les pouvoirs publics parmi les administrateurs sur proposition du Conseil ; est assisté d'un directeur général nommé par décret en Conseil des ministres, sur sa proposition et après avis du Conseil d'administration ; 5 directeurs adjoints entourent le directeur général.

• **Contrôle technique, écon. et financier de l'État.** Le min. des Transports nomme auprès de la SNCF un *commissaire du Gouvernement* (assisté d'un com. du Gouv. adj.) qui siège au Conseil avec voix consultative, ainsi qu'un chef de la mission de contrôle écon. et financier des Transports (dep. 1949), et fonctionnant sous l'autorité et pour le compte du ou des min. chargés de l'Économie et du Budget.

• **Contrat de plan État-SNCF.** Signé janvier 1990, fixe pour objectif à la SNCF l'équilibre annuel des comptes. En contrepartie de l'annulation partielle de sa dette, la SNCF s'est engagée à investir 796,6 millions de F, dont 43,5 pour les futurs TGV auxquels s'ajoutent plus de 10 milliards pour la banlieue parisienne. Elle devra financer 34 % de ses investissements, sans tomber au-dessous de 20 % au cours de ses différents exercices.

• **Budget (milliards de F).** *1985* : 73,1. *86* : 75,1. *87* : 76,4. *88* : 77,8. *89* : 80,6 (dont salaires 28, charges sociales 12,6, charges financières et exceptionnelles 12,1, impôts 2,2).

Produits. *1985* : 68,6. *86* : 71,2. *87* : 75,4. *88* : 77,3. *89* : 80,6 (dont produits du trafic 46,5, versements État et collectivités 15,3, concours exceptionnels d'exploitation 4, produits financiers 2,2).

Endettement (long terme). *1982* : 51,5. *85* : 76,4. *89* : 99,4. En 1990, l'État a accepté d'annuler 38 milliards (les emprunts à long terme contractés par la SNCF depuis 10 ans pour payer les déficits).

CA (hors taxe). *1990* : 53 146 millions de F.

Résultats. *1985* : – 4 37. *86* : – 4 05. *87* : – 8,6. *88* : – 0,4. *89* : + 0,2 (amélioration due au licenciement de 45 000 cheminots en 5 ans, et au TGV) ; *90* : + 17.

Investissements. *1987* : 9,9. *88* : 11,3. *1990* : 18,7 dont TGV 8,77 ; banlieue 1,9. *91* : 22. **En matériel roulant** (1991). *Total* : 6,2 dont locomotives 0,8, TGV 3,6, classique 0,274, wagons 0,92, banlieue 0,96, transformation 0,465.

Concours de l'État en millions de F, 1991. **Loi de finances initiale** 37 292 dont *total ministère des Transports* : 32 415 [dont contribution aux charges de retraite 14 208, aux charges d'infrastructure 10 671, contribution à l'exploitation des services d'intérêt régional 3 889, versement au service de la dette 4 004, indemnité compensatrice (banlieue par.) 756, lignes maintenues pour la défense 7,2], réductions tarifaires 3 577.

Financement des investissements (1991, en milliards de F). Autofinancement, cession d'actifs, subventions 7, emprunts Eurofina 1,5, cession-bail des rames TGV [1], marché obligataire 19.

Nota. – (1) La SNCF revend une ou plusieurs rames (83 millions l'unité) à des organismes financiers, filiales de banques constituées en GIE, et loue ensuite ces rames avec option d'achat à ces GIE pendant 15 ans.

• **Nombre d'agents** (au 31-12). *1939* : 500 000. *72* : 285 760. *75* : 276 600. *80* : 251 680. *85* : 238 780. *86* : 228 400. *87* : 218 100. *88* : 209 350. *89* : 204 879. *90* : 201 148 dont cadres permanents 198 290 (dont temps partiel 3 015), contractuels 2 858. **Unités kilométriques équivalentes par agent.** *1980* : 575, *90* : 717.

Recettes et dépenses comparées de l'État pour la route et le rail en milliards de F (MF)

• **Recettes. Routes.** L'État reçoit la quasi-totalité des recettes de la route, dont la TVA (normale ou majorée) sur les véhicules routiers (de Stés ou de particuliers).

Fer. Taxes sur le matériel ferroviaire (1,6 MF en 1983), TVA sur les titres de transport (8,2 MF en 1983), taxes payées par la SNCF pour sa consommation d'énergie.

• **Dépenses. Routes :** entretien de 34 000 km sur un total de 800 000 km dont 400 000 de voies communales, taxes payées sur les carburants utilisés par des moteurs autres que routiers ; *coût social des accidents* : 80 MF (en 1982).

• **Déficit** (en milliards de F). *1983* : 8,38 ; *84* : 6,15 ; *85* : 5,1 ; *86* : 3,9 (dont 0,92 en raison des grèves) ; parmi les filiales Armement naval 0,08, Sernam 0,24 ; *87* : 0,993 ; *88* : 0,563 ; *89* : 0,110 ; *90 (prév.)* : 0,79.

Énergie : la route consomme 100 % de l'énergie importée, mais l'électricité consomme du pétrole dans les centrales thermiques, le gros de la consommation pétrolière étant affectée au chauffage.

☞ **Arguments en faveur du rail.** Pour payer ses investissements, la SNCF doit emprunter. L'État, son unique actionnaire, peut, pour certains investissements d'infrastructure, lui accorder son aide [électrification des lignes de Bretagne ou du Bourbonnais, par exemple (30 %), ou ligne nouvelle du TGV Atlantique (30 %)]. Ces concours de l'État devraient transiter par d'autres min. que celui des Transports. Certains estiment que si l'on cessait de favoriser les modes concurrents par des crédits exagérés d'investissements et des avances, la SNCF récupérerait un trafic voyageurs et marchandises, et pourrait équilibrer ses comptes tout en permettant des économies de temps, d'espace, d'énergie, de nuisances. Ils déplorent qu'on limite les investissements de la SNCF afin de freiner la dégradation de ses finances, alors que des entreprises ind., à l'avenir incertain, sont subventionnées à fonds perdus. Malgré la crise énergétique, le rythme des électrifications sera réduit de moitié. Le TGV Atlantique sera construit au détriment du reste du réseau qui se dégradera d'autant que la plupart des conseils régionaux s'en désintéressent. Le rapport Bouladon de l'OCDE estime que le rail est rentable, la route déficitaire.

Industries ferroviaires (France)

• **Nombre d'entreprises.** Traction : 3. Moteurs thermiques : 3. Équipement électrique : 1. Rames automotrices, turbotrains, autorails, remorques, voitures, métros, tramways : 4. Wagons : 3. Équipements ferroviaires : 22. Réparation : 22. Signalisation : 3. Voie ferrée : 9. Ensembliers ferroviaires.

• **Chiffres d'affaires** (en milliards de F). *1936* : 0,27. *46* : 1,4. *52* : 1,7. *70* : 4,4. *80* : 8,4. *84* : 10,6. *85* : 10,4. *86* : 11,7. *87* : 10,02. *88* : 9,6. *89* : 10,3. *90* : 10,2 (CA Export : 1,8), dont : **matériel de traction** 2 (0,33) ; **voyageurs** 3,2 (0,21) ; **marchandises** 0,7 (0,17) ; **équipements pour matériel roulant** 1,3 (0,36) ; **signalisation** 0,6 (0,1) ; **équipements fixes de voie** 1,5 (0,59) ; **réparations voitures et wagons** 0,8.

Volume d'affaires (en milliards de F). *1981* : 14,5. *1988* : 9,6. *1989* : 10,7. *1990* : 10,2.

• **Production-livraison.** MOYENNES ANNUELLES. **Locomotives.** *1919-29* : à vapeur [1] 900, électriques 35. *30-38* : vap. [1] 150, él. 40. *45-52* : vap. [1] 130, él. 20. *52-70* : diesels [1] 350, él. 90. *71-79* : d. [1] 140, él. 82. *83* : 166 (dont motrices TGV 40). *85* : 106 (él. 24, motrices TGV 11, thermiques 34, locotracteurs 37) dont exportés 34 therm., 7 locotract. *86* : él. 22, therm. 11, locotract. 52. *87* : él. 118, therm. 32, locotract. 35. *88* : él. 133 (dont 8 TGV), therm. 1, locotract. 35. *89* : él. 74 (dont 74 TGV), therm. 3, locotract. 30. *90* : 116 (dont 82 TGV), locotract. 32.

Nota. – (1) Y compris locom. de manœuvre.

Voitures à voyageurs (nombre de véhicules). *1919-29* : 940. *30-38* : 490. *45-52* : 190. *52-70* : 520. *71-79* : 1 150. *81* : 1 072. *85* : 844. *86* : 1 008. *87* : 742 (y compris métro). *88* : 539. *89* : 706. *90* : 607.

Wagons marchandises. *1919-29* : 13 330. *30-38* : 5 500. *45-52* : 5 400. *52-70* : 10 000. *71-79* : 11 050. *81* : 6 552. *85* : 1 736. *86* : 755. *87* : 1 370. *88* : 1 214. *89* : 1 009. *90* : 941.

Renseignements pratiques (France)

Tarifs au 15-6-1991

• **Animaux en train.** Chiens et animaux domestiques de petite taille peuvent être tolérés. *Prix* : 50 % du tarif 2ᵉ cl. avec, pour les petits chiens ne pesant pas plus de 6 kg et autres petits animaux domestiques transportés dans un contenant approprié (dimensions max. 45 cm × 30 cm × 25 cm), un prix max. par contenant : tout parcours : 25 F.

• **Automobiles accompagnées.** 3 formules : *trains-autos-couchettes* (TAC) : le voyageur dispose d'une place couchée dans le même train que sa voiture ; *services autos-express* (SAE) : le voyageur utilise le train de son choix, sa voiture est transportée de nuit par un autre train, il la retrouve à destination ; *trains-autos-jour* (TAJ) : sur Paris-Lyon, l'automobiliste voyage de jour par le même train que sa voiture.

Prix (en F). Varient selon 3 périodes : bleu, blanc, rouge. Ex. : aller simple Paris-St-Raphaël : *voit. de – de 3,81 m* : 547/1 031/1 567 ; *de 3,81 m à 4,42 m* : 645/1 217/1 849 ; *de + de 4,42 m* : 814/1 536/2 334.

Assurance spéciale pour voyage avec auto ou moto accompagnée. Par fraction de 6 000 F (véhicule) et 6 000 F (bagages) assurés (max. 3 000 F pour appareils photo et assimilés, bijoux et objets de valeur), prime par trajet : 15 F pour bagages seuls, 42 F pour bagages et véhicule.

• **Bagages. 1°) Sont acceptés** comme bagages enregistrés les objets contenus dans des malles, cantines, paniers, valises, sacs de voyage, se prêtant sans difficulté, et sans risque d'avarie, à la manutention et au transport, sous réserve que : le poids unitaire ne dépasse pas 30 kg (40 kg pour une malle ou une cantine par voyageur). **2°) Dispositions particulières :** peuvent être également acceptés (par voyageur) : bicyclettes et tandems emballés ou non, fauteuils roulants, voiturettes de personne à mobilité réduite, avec ou sans moteur, de – de 60 kg, emballés ; landaus, skis et monoskis remis isolément ou en fardeau (au max. 3 paires de skis ou 3 monoskis (et leurs bâtons, à l'exclusion des chaussures), planches nautiques de – de 3 m, sous réserve que l'enregistrement soit effectué sur des relations directes de gare à gare désignées. **3°) En aucun cas ne sont acceptés :** matières dangereuses ; objets de valeur : objets destinés à la vente ; cyclomoteur. *Prix* : 50 F par bagage. A domicile. **Enlèvement :** tél. 4 j à l'avance (demander le service de l'enlèvement à domicile avec enregistrement direct) ; **livraison** (à demander lors de l'enregistrement au départ). *Prix* : 50 F par opération d'enlèvement ou de livraison. Pas d'enlèvement ni de livraison à domicile pour planches nautiques ; restrictions pour bicyclettes. **Consigne :** 22 F par colis et par 24 h, 23 F pour bicyclettes, tandems, voiturettes de malades ou d'invalides, planches nautiques.

Assurance générale pour bagages enregistrés ou à main : barème progressif selon la durée et le capital assuré (prime minimale : 45 F pour 3 000 F assurés pendant 15 jours).

• **Billets ordinaires.** UTILISATION : utilisables un j quelconque compris dans une période de 2 mois à compter du j de leur émission ou de la date pour laquelle la place a été réservée. Pour être valable, le billet doit être composté. Les arrêts en cours de route sont autorisés (sauf billets de promenades d'enfants). Au départ de la gare d'arrêt, le voyageur doit à nouveau composter son billet. *Banlieue de Paris* : tarifs fixés comme ceux de la RATP, par le syndicat des transports parisiens. Validité des billets illimitée, compostage obligatoire.

• **Billet individuel BIGE** [Billet international pour jeunes de – de 26 ans (étudiants ou non)]. Réduction 20 à 35 % de France vers All., Autriche, Belgique, Danemark, Espagne, G.-B., Grèce, Italie, Luxembourg, Norvège, P.-Bas, Portugal, Rép. d'Irlande, Suède, Suisse... Billets AR et trajets simples dans des trains autorisés à des jours désignés. *Demande* : *Transalpino,* 16, rue Lafayette, 75009 Paris. *Wasteels,* Tour Gamma B, 195, rue de Bercy, 75582 Paris Cedex 12. *Eurotrain-CIT,* 3, bd des Capucines, 75002 Paris *et correspondants de ces 3 agences.*

• **Billets pris dans le train.** *Jusqu'à 74 km* : absence de titre 115 F, titre non valable, non composté, conditions d'admission non respectées 75 F. *Au-delà de 74 km* : majoration de 75 F pour adultes, 40 F pour enfants.

• **Billets à tarifs réduits.** Tarifs Couples, Kiwi, Vermeil, Jeunes. Billets séjour : *périodes creuses (jours « bleus »)* du lundi 12 h au vendredi 12 h et du samedi 12 h au dimanche 15 h en général ; *de pointe (j « blancs »)* du vendredi 12 h au samedi 12 h et du dimanche 15 h au lundi 12 h, plus quelques j de fête ; *de super-pointe (j « rouges »)* quelques j de grands départs.

Tarif à la carte (supplément RESA 300). En vigueur sur le TGV Atlantique. Montant variable selon h et j, en fonction du taux d'occupation des trains. Un 2ᵉ classe Paris-Le Mans peut ainsi être augmenté de 48 à 60 % en période chargée, par rapport au billet normal « grandes lignes ».

Aveugles. *Carte d'invalidité « cécité étoile verte »* : gratuité pour le guide.

Congé annuel (billets). *Bénéficiaires* : salariés, petits artisans, trav. à domicile, petits agriculteurs exploitants français ou de la CEE ; l'épouse et les jeunes de – de 21 a., la mère et/ou le père du titulaire célibataire si ces personnes habitent chez lui et qu'il voyage avec elles ; les demandeurs d'emploi, sous certaines conditions. *Parcours :* minimum 200 km AR. *Avantage :* 25 ou 50 % de réduction. Remplir un formulaire. Le déposer au moins 24 h avant le départ à la gare. *Période d'utilisation :* 3 mois sans prolongation.

Populaires (billets). 25 % de réd. en 2e classe pour 1 aller et retour par an. 50 % en période bleue pour allers et retours populaires, si au moins la moitié est réglée par chèque-vacances. Les billets d'allers et retours pop. comprennent les billets de congé annuel, de pensionnés, retraités, allocataires, veuves et orphelins de guerre.

Congrès (billets aller-retour). 20 % de réduction. Utilisables quel que soit le j.

Couple. *Bénéficiaires :* tout couple (mariés ou concubins), carte « couple » délivrée gratuitement par gares et agences de voyages agréées. Valable 5 ans. *Avantage :* 50 % de réduction à la 2e personne. *Conditions :* début du voyage en période creuse (j bleu). Voyager ensemble (même classe de voiture sur tout le parcours). Pas d'obligation d'aller-retour.

Comparaison des prix air/fer

De Paris à	Prix plein tarif		
	SNCF au 1-08-91		Air Inter au 01-08-91
	1re cl.	2e cl.	
Lyon	366 F	244 F	735 F
Bordeaux	404 F	269 F	735 F
Toulouse	473 F	315 F	820 F
Nice	670 F	447 F	925 F
Nantes	299 F	199 F	735 F

Famille (billets). *Réductions pour familles nombreuses* (enfants de – de 18 ans), calculées sur le prix du billet de 2e (on peut voyager en 1re en payant la différence des billets de 1re et 2e en plein tarif). *3 enf. :* 30 % ; *4 :* 40 % ; *5 :* 50 % ; *6 et + :* 75 %. De plus, le père et la mère qui ont eu au moins 5 enfants vivant simultanément, gardent, toute leur vie, 30 % de réduction. Tous ces taux sont ramenés au taux unique de 50 % sur les réseaux RATP et SNCF de la banlieue de Paris. La réduction de 30 % applicable aux familles de 3 enfants mineurs est maintenue au père, à la mère, et à chacun des enfants mineurs jusqu'à ce que le dernier ait atteint 18 ans. Cette mesure ne touche que le réseau « grandes lignes » SNCF.

Carte Rail Europ F (REF) : réservée aux familles d'au moins 3 personnes. Permet d'obtenir des billets internationaux avec réd. de 50 % à partir de la 2e pers., à condition que 3 pers. au minimum (8 au max.) effectuent le voyage à destination de : Autriche, Belgique, Danemark, Espagne, G.-B., Grèce, Italie, Luxembourg, P.-Bas, All. féd., Irlande, Portugal, Suisse, Turquie, Yougoslavie, ou à l'intérieur de ces pays. Valable 1 an, en 1re ou 2e cl., à condition que le voyage commence en France en dehors des périodes de fort trafic (j rouges). *Prix :* 50 F.

Personnes accompagnées d'enfants (offre « famille »). Dans certains trains : 1) tout groupe de voyageurs composé au minimum de 4 personnes payantes dont au moins un enfant de – de 16 ans, peut, sauf pour les périodes rouges du calendrier « voyageurs », réserver un compartiment entier (places assises le jour et couchées la nuit) ; supplément 128 F de jour, prix de 6 couchettes pour la nuit (468 F). 2) Les – de 4 ans peuvent occuper seuls une place assise disponible (ou préalablement réservée) ou une couchette, s'ils sont munis d'un billet « bambin » taxé au quart du prix payé par un adulte, et ont acquitté droit ou suppléments correspondants. Des trains de jour disposent d'une voiture espace jeux, d'un local nurserie avec table à langer et prise de courant pour chauffe-biberon.

Groupe (billets de). 20 % de réduction pour 6 personnes ou payant pour 6 ; 30 % à partir de 25 ou payant pour 25. Certains trains et certaines périodes (rouges) ne sont pas autorisés. *Voitures-lits :* 10 % de réd. du lundi au jeudi inclus et le samedi aux groupes d'au moins 25 ou payant pour 25 (supplément gratuit au-dessus de 30 voy.). Supplément gratuit par fraction de 50 voyageurs payants à partir de 15 v. payants. Billet valable 2 mois. Réservation obligatoire.

Pensionné, retraité, allocataire, veuve et orphelin de guerre de – de 21 a., préretraités âgés d'au moins 55 ans + le conjoint et les jeunes de – de 21 a. habitant sous le même toit s'ils voyagent avec le titulaire du billet. *Parcours :* sans condition. *Période d'utilisation :* 2 régimes au choix : *1°* 1 billet AR utilisable 3 mois sans prolongation, mêmes possibilités que le billet de congé annuel. *2°* 2 billets simples utilisables chacun 1 mois et délivrés séparément, le billet de retour étant délivré contre remise d'un bon valable 6 mois, établi lors de l'émission du billet aller. Le retour peut s'effectuer à partir de n'importe quelle gare. Réduction de 25 ou 50 %.

Séjour (billets). 25 % de réduction, en toutes classes, pour un parcours aller et retour ou circulaire d'au moins 1 000 km, retour compris (ou en payant pour cette distance). Les billets AR doivent comporter chacun un parcours fer de 200 km min. *Période d'utilisation :* 2 mois (3 moyennant supplément de 10 %). Chacun des trajets A et R doit commencer en période bleue. Le retour ne peut être commencé qu'après une période comprenant une fraction de dimanche ou un j férié légal.

• **Abonnement Modulopass.** Comprend une carte nominative en 1re ou 2e classe pour un ou plusieurs parcours déterminés ou pour la France entière, et un coupon Modulopass valable 6 mois ou 1 an. On peut acheter à tout moment : 1) des billets demi-tarif [1] à l'unité (réservation et suppléments payants) ou par achat groupé de 8 billets minimum (réservation payante, suppléments gratuits) ; 2) un forfait mensuel libre circulation qui permet d'obtenir 10 réservations gratuites (20 si emprunt d'un TGV) et les suppléments gratuits.

Nota. – (1) Valable 2 mois à compter de la date d'émission pour les billets à l'unité et 2 mois à compter de la date de la 1re réservation pour les billets par achats groupés.

Tarif pour l'ensemble des lignes. 1re classe et, entre parenthèses, 2e classe. *1 an :* 3 990 (2 666) ; *6 mois :* isolé 2 394 (1 596), renouvellement 1 996 (1 990) ; *Forfait mensuel :* 4 214 (2 810).

Améthyste (cartes) (violette). Réservées aux personnes remplissant certaines conditions (âge, ressources, handicaps, situation administrative). Réseau banlieue. Gratuité ou demi-tarif selon les cas. Demande au bureau d'aide sociale de la mairie.

Centres de vacances. Pour groupe d'au moins 10 personnes composé d'enfants de – de 18 ans et d'accompagnateurs (1 pour 10 ou fraction de 10 enfants). Billets AR ou circulaires. Réduction de 50 % les j bleus, 20 ou 30 % les j blancs (annulées dans certains trains, valable 3 mois, réservation gratuite mais obligatoire).

Carte « Jeune » (12 à moins de 26 ans). Permet de juin à sept. inclus de voyager à demi-tarif sur le réseau SNCF (1re et 2e cl.), sauf sur la banlieue de Paris, pour chaque trajet commencé en période bleue, d'avoir une couchette gratuite, 50 % de réduction pour une traversée Dieppe-Newhaven (aller et retour), 10 % de réd. sur les services de tourisme SNCF. *Prix :* 165 F. En 1990, permet de voyager avec des réductions de 30 ou 50 %, dans des conditions analogues en Espagne, Portugal, Maroc, Italie (y c. via la Suisse) et All. féd. (y compris via la Belgique), avec vignettes spécifiques (Espagne et All. féd. 90 F, autres pays 60 F).

Carte « Kiwi ». Valable 1 an pour tout – de 16 ans qui pourra voyager accompagné de 1 à 4 personnes (adulte ou non, ayant ou non un lien de parenté), l'ensemble des voyageurs bénéficiant d'une réduction de 50 % sur le prix du voyage en 1re et 2e cl., en période blanche ou bleue. La réduction Kiwi n'est cumulable avec aucune autre (même avec la réd. enfant).

Avantages complémentaires. Titulaire : – de 4 ans, place assise gratuite, couchette gratuite, boisson gratuite, transport gratuit de l'animal familier, carte complémentaire à moindre prix pour les frères et sœurs, bon de réd. pour une réservation « jeunes voyageurs service », bon de réd. permettant de voyager en 1re classe sur un trajet simple, bon de réd. après 3 000 km pour l'achat d'une nouvelle carte Kiwi, d'une carte jeune ou d'un carré jeune. *Accompagnateur(s) :* bon de réd. pour une réservation « compartiment famille », bon de réd. pour le transport d'une auto en « Train Autos Accompagnées » (sauf période rouge), 30 % de réd. sur le tarif des locations train + auto, les fins de semaine et les vacances scolaires, 25 % de réd. pour le musée Grévin et la visite de la tour Montparnasse. *Prix :* 360 F (All. féd. 50 % avec billet acheté en France, pas de réd. sur parcours belge ou suisse).

« Carré Jeune » (12 à moins de 26 ans). Valable 1 an pour 4 trajets simples sur le réseau SNCF (1re et 2e cl.), sauf sur la banlieue de Paris. Réd. de 50 % en période bleue et 20 % en p. blanche. Possibilité d'acheter plusieurs cartes dans la même année. *Prix :* 165 F.

Inter-Rail (cartes). Valables pour les – de 26 a. résidant en France dep. au – 6 mois, pendant 1 mois en 2e cl. dans 21 pays. En France, réduction de 50 %, sauf sur la banlieue de Paris (10 % sur services de tourisme SNCF). Gratuité sur principaux réseaux étrangers. Réduction sur services maritimes et cars. *Prix :* 1 793 F. *Demande :* gares SNCF (passeport ou carte d'id. exigé).

Travail (cartes de) (valables en 2e cl. seulement). *Hebdomadaires :* parcours de 75 km max. : un AR par j, 6 j pris dans une période de 7 j consécutifs. L'emprunt de certains trains n'est pas autorisé (ex. : rapides, express et directs, sauf dérogations). Présenter une attestation de l'employeur. Peut se combiner à la carte orange.

Vermeil (cartes). Réservées aux personnes résidant habituellement en France et ayant atteint 60 ans. Valables 1 an, 50 % de réduction sur le réseau SNCF (1re et 2e cl.) sauf sur la banlieue de Paris. Le trajet doit commencer en période bleue. *Prix :* 139 F. *Carte internationale Rail Europ S (RES) :* réservée aux détenteurs d'une carte « Vermeil » (la validité de la carte Rail Europe S ne peut dépasser celle de la carte « Vermeil », il est donc conseillé d'acheter les 2 cartes à des dates rapprochées). Permet d'obtenir des billets internationaux à prix réduit pour des voyages à l'intérieur de l'Autriche, Belgique, Danemark, Espagne, Finlande, G.-B., Grèce, Hongrie, Italie, Lux., Norvège, P.-B., Portugal, All. féd., Irlande, Suède, Suisse, Youg. ainsi que sur des réseaux secondaires, les Cies maritimes et sur la plupart des services de tourisme SNCF. Valable 1 an ; donne droit à des réductions (30 ou 50 % selon pays, 50 % en France), en 1re ou en 2e cl. si le voyage commence en France en période bleue. *Prix :* 50 F.

• **Places « Joker ».** Proposées dans certains trains sur 50 villes + une trentaine à l'étranger ; uniquement valables dans le train désigné sur la réservation. A tarif préférentiel ne sont ni remboursables ni échangeables.

• **Couchettes.** Droit de réservation compris : 1re classe (4 couchettes par compartiment) ou 2e cl. (6 couch.) 75 F. *Un enfant de – de 12 ans* peut partager la couchette d'un adulte, *2 enfants de – de 12 ans* peuvent occuper une même couchette : dans ces 2 cas, il n'est perçu qu'un seul supplément couchette.

• **Départ empêché.** *Aller ou retour non utilisé.* Demander le remboursement du billet dans n'importe quelle gare de la SNCF ou dans l'agence de voyages qui l'a établi au plus tard 2 mois après l'expiration de sa période d'utilisation. Une somme forfaitaire est retenue sur le montant du billet à rembourser.

• **Enfants. Tarifs :** *– de 4 ans* ne paient rien et ne peuvent se voir attribuer une place distincte. *De 4 à 12 ans* paient demi-tarif et ont droit à une place distincte (sauf sur la banlieue de Paris, de 4 à 10 ans).

Seuls en train. Formule « Jeune Voyageur Service ». Prise en charge par des hôtesses, des enfants seuls *de 4 ans à – de 14 ans.* Service assuré durant les vacances scolaires. En principe 1 ou 2 j par semaine. Plus de 150 gares desservies. Réservation obligatoire. Présenter le livret de famille ou justificatif de l'autorité parentale. *Prix :* billet 2e cl. + *train de jour :* supplément JVS + droit de réservation place assise : 203 F ; *de nuit :* sup. JVS + sup. couchette : 265 F. Exonération du paiement du sup. prévu en cas de train à supplément.

• **Militaires.** Réd. de 75 à 100 %. Carte du serv. militaire actif.

• **Motos accompagnées.** Sur les relations TAA (Trains Autos Accompagnées). *Prix :* Paris-Marseille selon période bleue, blanche, rouge : 277/522/793 F.

• **Promenade d'enfants.** Groupe d'au moins 10 personnes : enf. de – de 15 ans en voyage d'instruction ou déplacement à la campagne et 1 accompagnateur pour 10, ou fraction de 10. Réd. de 75 % (limitée ou annulée dans certains trains et certains j). Billet AR ou circulaire. Réservation gratuite mais obligatoire.

• **Réformés, pensionnés de guerre et handicapés.** *Avec taux d'invalidité d'au moins 25 % ;* réduction de 50 ou 75 % ; carte délivrée par les offices départementaux des Anciens Comb. et Victimes de guerre ; *25 à 45 % (1 barre bleue),* 50 % de réduction ; *de 50 % et + (1 barre rouge),* 75 % ; *mutilé et son guide (double barre rouge),* 75 % aux 2 pers. ; *mutilé et guide (double barre bleue),* 75 % au mutilé, 100 % au guide. *Handicapé titulaire de la carte d'invalidité* (taux d'incapacité 80 % ou +) : réduction de 50 %, en période bleue, pour l'accompagnateur. *H. bénéficiant d'un avantage « tierce personne » :* gratuité de transport, en période bleue, pour l'accompagnateur. *H. en*

Musées

Musée français du chemin de fer. 2, rue Alfred-de-Glehn, 68200 Mulhouse. *Créé* en 1971. *Au 1-1-1991 :* sur 13 000 m², 12 voies couvertes (longueur totale 1 350 m). Exposés : 31 locom. à vapeur (la plus ancienne, Buddicom, de 1844), 6 électriques, 2 diesels, 2 automotrices électriques, 5 autorails, 16 voitures, 16 wagons anciens, 1 tender, 2 chasse-neige, 1 motrice de métro de Paris, 1 tramway. Maquettes. Nombreuses pièces illustrant la fonction équipement.

Musée provençal des transports urbains et régionaux. Gare SNCF, 13970 La Barque.

Musée des transports de Pithiviers (Loiret). *Créé* 1965. Matériel à voie étroite. Promenade en train à vapeur.

Historial de St-Léonard-de-Noblat (Hte-Vienne). *Créé* 1988 matériels réels et modélisme présentés dans 520 m².

Chemins de fer pittoresques (longueur en km). *4 lignes SNCF à voie métrique :* Vallorcine-Chamonix-St-Gervais (35), Salbris-Luçay-le-Mâle (67), La Tour-de-Carol-Villefranche-Vernet-les-Bains (ligne de Cerdagne, 95), Ajaccio-Bastia-Calvi (233) ; *1 secondaire d'intérêt général* (métrique) : Nice-Digne (153) ; *3 à crémaillère :* tramway du Mont-Blanc (12), ch. de f. du Montenvers (Hte-Savoie 6), de la Rhune (P.-Atl. 4).

Lignes touristiques. La plupart sont exploitées par des associations d'amateurs bénévoles. Longueur en km. **A voie normale** Vermandois, St-Quentin-Origny [1] (Aisne), Cernay-Sentheim [1] (H.-Rhin), Vigny-Hombourg [1] (Moselle), Ottrott-Rosheim [1] (Bas-Rhin), Chinon-Richelieu [1] (I.-et-L.), Pontcharra-La Rochette [1] (Savoie), Landes de Gascogne [1] (Labouheyre-Marquèse, Landes) ; Guîtres-Marcenais [1] (Gir.), Connerré-Beillé à Bonnétable [1] (Sarthe), Anduze-St-Jean-du-Gard [1] (Gard), Sanjon-La-Tremblade [1] (Ch.-M.), Narbonne-Bize [1] (Aude), Mortagne-sur-Sèvre-les-Herbiers [1] (Vendée) ; Rhin, Volgelstein-Marckolsheim [1] (Bas-Rhin). **A voies de 1 m** baie de Somme [1] (St-Valery-Le-Crotoy), Vivarais [1] (Tournon-Lamastre, Ardèche), La Mure [1] (Gorges du Drac, Isère). **A divers écartements** (0,70, 0,60, 0,50 m) Froissy-Dompierre [1] (Somme), Abreschviller (Moselle), Pithiviers [1] (Loiret), St-Trojan [1] (île d'Oléron), lac d'Artouste [1] (P.-A.), Bligny-sur-Ouche [1] (C.-d'Or) ; **Lignes de parcs d'attractions** St-Eutrope [1] (2,5) Évry (Essonne), Anse [1] (Rhône, 0,38 m d'écart.), Méjanes [1] (Camargue), *Paris* Jardin d'acclimatation, Parc de Bagatelle [1] (Somme), Chanteraines [1] (Hts-de-S.), ch. de fer du Belvédère [1] (Renaison, Loire).

Nota. – (1) Vapeur.

Funiculaires. Barèges, Pic de Ver (Pyrénées), St-Hilaire du Touvet (Isère), voie métrique, Paris, funiculaire de Montmartre, Lyon « La Ficelle ».

fauteuil roulant : surclassement gratuit, dans la limite des places disponibles équipées à cet effet dans certains trains, avec réservation obligatoire.

• **Réservation des places avant le départ. Au guichet :** 2 mois à l'avance (3 pour les TAA). **Par téléphone :** 2 mois (id. pour TAA). **Par lettre :** à partir de 6 mois. **Par minitel.** 3615 code SNCF, ou directement 36.26.50.50. Billets envoyés à domicile ou retirés à la gare dans les billeteries automatiques, jusqu'au dernier moment. Pl. assises, trafic intérieur SNCF : 16 à 80 F par pl. réservée, 8 F pour personnes bénéficiant du tarif groupe. La réservation cesse au plus tard : la veille à 20 h pour trains du lendemain jusqu'à 17 h ; le jour même à 12 h pour tr. partant après 17 h ; 2 h avant le départ du tr. (mais avant 20 h) pour couchettes (TGV : réservation obligatoire, possible jusqu'à quelques min. avant le départ au guichet, ou avec les distributeurs à réservation rapide). Réservation dans toute gare ou agence quel que soit le parcours. En mars 92, mise en place de *Socrate,* système de réservation et de vente de billets à piste magnétique informatisé (4 000 terminaux dans les gares).

• **Taxis. A Paris :** on peut appeler un *taxi-radio* à Paris-Austerlitz ou P.-Lyon. Il est délivré un bon-taxi de 15 F non déductible du prix de la course.

• **Train + auto.** Location de voitures de tourisme. *Tarif :* par ex., pour 24 h *Opel Corsa :* 220,16 F par j TTC, 3,15 F par km parcouru ; *Renault 19 :* 272,64 F par j, TTC 4,11 F par km parcouru (essence et huile à la charge du client). *Formalités :* être âgé de 23 ans (25 pour certaines catégories) et justification de domicile. Attention : le calendrier bleu/blanc/rouge des réductions voyageurs ne correspond pas obligatoirement au calendrier bleu/blanc/rouge des TAA/TMA. **Avance sur location :** minimum 1 500 F. **Restitution de la voiture :** possible dans une autre ville (frais de retour éventuels).

• **Train + vélo.** Dans 283 gares, on peut louer des bicyclettes. *Tarif :* la journée 40 F, la demi-journée 30 F (bicyclette randonneur et « tous chemins » 50 F la journée, 40 F la demi-journée). *Formalités :* présenter pièce d'identité, caution de 500 F. *Assurance* souscrite par la SNCF couvre la responsabilité civile de l'utilisateur.

• **Voitures-lits.** Prix en service intérieur français (par personne). *1re cl. Single* (cabine à 1 lit) : 838 F. *Spécial* (à 1 lit) : 595 F. *Double* (à 2 l.) : 360 F, *2e cl. T2* (à 2 l.) : 360 F, *T3* (à 3 l.) : 240 F. Bulletin gratuit délivré après 9 voyages en voitures-lits dans un délai d'un an.

• **Voyage interrompu.** Demander immédiatement le remboursement de la partie inutilisée du billet à la gare où le voyage est interrompu, ou le faire annoter dans cette même gare pour un remboursement ultérieur (cf. ci-contre § Départ empêché).

Expéditions par SNCF

Service national des messageries (SERNAM). *Recettes commerciales (1989) :* 4 milliards de F. *Envois (1990) :* 21,4 millions soit 2,2 millions de t. Chargé de tous les transports de colis par expédition jusqu'à 5 t et dans un délai moyen de 3 j. Les expéditeurs assurant un trafic régulier bénéficient de conditions particulières. Agit aussi comme commissionnaire et peut assurer toutes prestations complémentaires : entreposage, gestion de stocks, emballage, conseil en transport, etc.

Colis express. Expédiés dans les gares à voyageurs et les bureaux SNCF des grandes villes. Acheminés par trains de voyageurs à l'exemple des bagages, ou par trains spécialisés sur certaines relations. *Taxation* par coupure de poids (0 à 2,5 kg ; 2,5 à 5,5 ; 5,5 à 10 ; 10 à 15 ; 15 à 20 ; 20 à 30 ; etc.), et de département à département. Conditions particulières pour colis lourds ou encombrants.

Fret SNCF. Assure le transport des marchandises par charges complètes (quantité de marchandises adressée en 1 seule fois par un expéditeur à un destinataire et absorbant complètement la capacité de transport d'un véhic., wagon ou camion), ainsi que des prestations logistiques (manutention, stockage...). Commercialisation auprès des industriels et négociants par 500 responsables commerciaux implantés dans 120 agences en Fr. Il y a des tarifs de base pour les contrats négociés entre clients et commerciaux de la SNCF variant selon le volume des marchandises à transporter et de la concurrence.

Principales prestations

Embranchements particuliers. Conçus et financés par les filiales SNCF Cogerail et Sefergie, voir p. 1576a. **Fercam.** Réception ou enlèvement de la marchandise à domicile par camion sous responsabilité de la SNCF. Prix global. **Ferdom.** Wagons livrés ou enlevés à domicile sur remorque routière spécialement aménagée. **Transports en conteneurs.** Par la Cie nouvelle des conteneurs (CNC), Sté du groupe SNCF ; assure aussi les parcours routiers terminaux et transbordements sur wagon. **Transport sur wagon de véhicules routiers** (Sté Novatrans, du groupe SNCF). Transport des semi-remorques routières sur wagons spécialement aménagés (« kangourou »). Utilisation de la technique américaine de « Road-Railer » (adaptation de bogies ferroviaires sur une semi-remorque routière).

Responsabilité (trafic wagons)

• **Régime intérieur français.** *Définition :* le Chemin de fer est présumé responsable en cas de manquant, d'avarie ou de retard survenus au cours du transport, s'il ne prouve pas que le dommage résulte d'un cas fortuit ou de force majeure, du vice propre de la chose transportée ou de la faute de l'expéditeur.

Cependant, il n'est tenu de réparer que les dommages prévus ou prévisibles au moment de la formation du contrat de transport et qui constituent une suite immédiate et directe de l'inexécution ou de la mauvaise exécution du contrat.

Limites tarifaires de la responsabilité : d'une manière générale, les conditions générales de vente des transports de marchandises par charges complètes (CGVTM) limitent l'indemnité à payer pour tous les dommages justifiés résultant de la perte, de l'avarie ou du retard à 150 F par kg pour chacun des objets compris dans l'envoi. Si le préjudice prouvé est constitué, en tout ou en partie, de dommages autres que matériels, l'indemnité ne peut excéder le double des frais de transport du ou des wagons concernés. Certains tarifs prévoient des limitations particulières.

Pour échapper à certaines de ces limitations tarifaires, on peut souscrire une déclaration de valeur : l'indemnité pourra atteindre la somme déclarée. *Attention :* respecter les formalités pour éviter la forclusion prévue par l'article 105 du Code de commerce (notamment réserves à la livraison) et mettre le Chemin de fer en demeure de livrer en cas de retard. Il y a prescription au bout d'un an de toute action fondée sur le contrat de transport.

• **Régime international.** Définition de la responsabilité. (Voir ci-dessus.) Force majeure, faute de l'expéditeur, vice propre de la marchandise peuvent dégager le Chemin de fer dans le cas où les dommages sont aussi reconnus par les règles uniformes concernant le contrat de transport international ferroviaire des marchandises (CIM). La présomption de responsabilité peut être écartée si le transport présente des risques particuliers de perte ou d'avaries (circonstances, nature de la marchandise), énumérés à la CIM (ex., transport en wagon découvert, absence ou défectuosité de l'emballage, conséquences du chargement et du déchargement effectués par l'expéditeur et le destinataire, etc.). Il faut alors prouver la faute du Chemin de fer dans l'exécution du transport. La constatation des dommages doit être faite par le Chemin de fer, tenu de dresser sans délai procès-verbal. Si le procès-verbal conclut à l'irresponsabilité du Chemin de fer, on peut en contester les termes avec une expertise amiable ou judiciaire (les réserves par lettre ou autre moyen étant sans valeur).

Indemnité (perte ou avaries) : max. 17 unités de compte/kg manquant de masse brute de marchandise avariée ou perdue, à l'exclusion de toute indemnisation liée à des dommages autres que ceux subis par la marchandise. L'unité de compte est le droit de tirage spécial défini par le FMI (1 DTS = 7,69 F au 28-2-87).

Dépassement du délai de livraison : indemnité au plus égale au triple des frais de transport si le préjudice est prouvé (quelle que soit l'importance du retard). [Le Sernam rembourse une partie du prix de port à l'expéditeur, lorsque le délai de transport dépasse 5 j.] *On peut aussi souscrire au départ une déclaration d'intérêt* à la livraison dont le montant peut couvrir les dommages prouvés non indemnisés totalement ou partiellement par la CIM.

Réclamation auprès du Chemin de fer expéditeur, destinaire ou de celui sur lequel s'est produit le fait générateur du dommage, par le destinataire (ou l'expéditeur sous certaines conditions) tant que son droit d'action n'est ni éteint, ni prescrit. En principe, le droit d'action est éteint dès l'acceptation de la marchandise. Mais dans le cas de perte partielle ou d'avaries, si un procès-verbal a été établi, on peut exercer ultérieurement son recours. En cas de retard, il a 60 j après livraison pour présenter sa réclamation. *Délai de prescription :* 1 an.

Transports fluviaux

Bateaux

Origine

Gaule. *Troncs d'arbres* creusés *(barques monoxyles).* **Moyen Age.** Bateaux de marchandises lents, bateaux rapides *(fugaces* ou *cursoriae).* **xve s.,** Bateaux couverts, telle la *cabane,* avançant à l'aviron, à la voile, au halage ou remorqué par un bateau de rameurs (« les tirots»). Les bateaux s'adaptaient aux voies d'eau qu'ils fréquentaient. On naviguait à la voile dans le Nord, à la rame sur Loire ou Garonne, à la perche dans les passages encombrés, au halage quand les rives le permettaient.

Types de bateaux

Automoteurs

Définition. La cale de chargement est plus réduite que sur les bateaux tractés ou poussés (présence du moteur). *Port en lourd* 240 à 350 t. *Enfoncement* 1,80 à 2,20 m. *Moteurs* 80 à 250 ch (pour des automoteurs de 38,50 m). *Vitesse* 10 à 12 km/h en rivière (réglementairement limitée à 6 km/h). Les citernes indépendantes (utilisées même dans des bateaux en bois) ont fait place aux citernes-coques plus légères. Les bateaux-citernes transportent vins, hydrocarbures, mélasses, huiles alimentaires et prod. chimiques. Les bateaux destinés principalement au trafic des produits lourds (fuels ou mélasses) sont munis de serpentins de réchauffage.

Automoteurs du Rhône. **A l'origine** barques tractées (long. 50 à 70 m, larg. 7 à 8 m, creux 2,50 à 3 m), pouvant porter env. 500 t. **Tendance actuelle :** automoteurs (long. 50 à 70 m, larg. 5,05 à 11,4 m) portant 500 à 1 000 t, à 3 m d'enfoncement. Très fins en raison de la vitesse du courant dans certaines sections (12 à 15 km/h).

Barges. **De canal à petit gabarit.** *Long.* 38,50 m. *Larg.* 5,05 m. *Enfoncement* 1,80 à 2,70 m. **Industrielles à grand gabarit** (rivières aménagées ou canaux). *Petites :* long. 70 m, larg. 9,50 m, 1 500 t. *Grandes :* long. 76,50 m, larg. 11,40 m, 2 500 t.

Chalands. **Du Rhin.** *Long.* 60 m à 125 m. *Larg.* 8 à 13,6 m. *Enfoncement* 2 m à 2,70 m. *Port en lourd* 600 à 1 500 t. Avant 1939, beaucoup venaient d'Allemagne (livrés après le traité de Versailles). Actuellement, automoteurs de 3 000 t. Certains spécialisés (transport de gaz). **De Seine.** *Long.* 40 à 80 m. *Larg.* 5,05 à 11,4 m. *Enfoncement* 2,4 à 3 m. *Tonnage* 700 à 1 000 t. Beaucoup d'automoteurs-citernes.

Péniche. *Au gabarit des canaux Freycinet. Long.* 38,50 m. *Larg.* 5,05 m à 5,10 m. *Enfoncement* 2,4 à 2,6 m. *Tonnage* 280 t à l'enfoncement de 1,80 m (310 à 350 t à 2,10 m). En acier (avant en bois, puis en fer). *Noms particuliers :* Ardennes, Flûte de Bourgogne, Spit, Toue. *Compartiments :* logement du second ou du pilote (env. 3 m à l'avant), cale de chargement (env. 30 m), logement du patron (5,50 m à l'arrière), surmonté de la cabine de pilotage. Autrefois le logement se trouvait au milieu, superposé ou adjoint à l'écurie abritant les animaux de traction.

Pousseurs. **Pour barges de canal.** Long. 38,50 m, moteur 250 à 300 ch. Ont à l'avant un « bouclier de poussage ». Les convois portent 600 à 900 t. **Pour barges industrielles.** *Seine :* long. 25 m, jusqu'à 1 500 ch ; *Rhin :* long. 32 m, 2 500 à 5 000 ch ; Moselle : long. 15 m, 1 000 ch ; *Rhône :* certains ont les mêmes caractéristiques que ceux de la Seine. Convois de 2 à 4 barges sur Seine ou Rhône et jusqu'à 6 barges sur Rhin. Convoi de 10 000 à 15 000 t.

Poussés

Origine. Pratiqué dep. longtemps aux USA, introduit en France après 1945, développé dep. 1960.

Principe. Les trains de barges sont propulsés par des pousseurs (puissance totale 1 000 à 2 500 ch ; munis de plusieurs hélices, avec des gouvernails multiples placés dans le remous des hélices). *Économie :* main-d'œuvre (sur la Seine les convois de plus de 92 m de long ont un équipage d'au moins 3 h. et les convois moins longs peuvent avoir un équipage de 2 h.) ; puissance (la résistance de l'eau sur les barges accolées est moindre) ; place (les équipements peuvent être réduits aux bollards et à un mât) ; possibilité d'utiliser un seul pousseur pour 2 séries de barges (l'une étant en cours de chargement ou de déchargement). Des exploitants artisanaux utilisent un automoteur de 38,5 m transformé en barge et le placent devant un autre automoteur de 38,5 m muni d'un moteur de 250 à 300 ch et d'un bouclier de poussage. Sur l'automoteur transformé en barge, ils laissent souvent l'ancien moteur (80 à 100 ch), le convoi pouvant porter 600 à 900 t sur les voies à grand gabarit ou sur le canal du Nord, et se désaccoupler pour un voyage terminal sur un canal au gabarit Freycinet. *Convois poussés :* longueur limitée par les écluses de 185 m de long (Seine, Rhône, Saône, Oise et Moselle), et 144,6 m (canal Dunkerque-Valenciennes) : 1 file de barges de 11,4 m de large portant 5 000 t si les écluses ont 12 m de large ; 2 files (soit 10 000 t) si les écluses ont 24 m. Sur le Rhin, circulent en aval des écluses, des convois de 6 barges sur 3 files de 2 barges portant 15 000 t.

Tractés

Remorquage. Pratiqué autrefois sur 1 800 km de rivières ; il n'est pas toléré sur les canaux (détériorerait leur cuvette par la violence des remous) sauf sur de petits tronçons [c. de la Sambre à l'Oise et c. de l'E. (branche N.), c. de l'O., du Midi où circulent des vedettes légères attelées à une péniche].

Sur Seine, Marne et Oise, voies d'eau faciles, on avait, avant guerre, des remorqueurs à hélice (moteurs à vapeur de 500 à 750 ch ou diesel de 300 à 500 ch) tirant au max. 9 péniches sur la Seine, 5 sur l'Oise, 4 sur la Marne. Sur le Rhône ont été utilisés des remorqueurs à aubes de 700 à 1 500 ch pouvant tirer à la remonte 2 ou 3 barges malgré le faible tirant d'eau à l'étiage. Le *Frédéric-Mistral,* à 4 hélices sous voûtes commandées par des moteurs Diesel de 2 200 ch, a été longtemps en service. Le remorquage a presque disparu ; il faut une autorisation du Service de navigation.

Halage (n'est plus pratiqué). *Par homme :* (un h. peut tirer à lui seul une lourde charge à env. 1 km/h). *Par animaux :* chevaux ou mulets, placés côte à côte ou en flèche, agissent sur le câble par un palonnier recourbé, d'où le nom de « courbe » donné à l'attelage. Vitesse max. 2,5 km/h. Les bêtes appartenant aux mariniers étaient logées à bord, d'où le nom de bateaux-écuries (*1935 :* 1 572, *1951 :* 600, *1960 :* 0), ou à des entrepreneurs de transport qui organisaient des relais.

Tracteur mécanique. *1873 :* sur la berge du canal de Bourgogne, locomotive à vapeur sur rail. *1880 à 1886 :* procédé exploité dans le Nord sur 77 km. *1895 :* traction électrique par tricycle ou cheval électrique roulant directement sur le chemin de halage, tirant 2 ou 3 péniches de 300 t à 2,5 à 3 km/h. *1899 :* 120 machines circulent le long du canal de l'Aire. Puis l'on revient au rail sur la partie la plus fréquentée du réseau. *1904 :* nouveau tracteur sur voie ferrée. *1907 :* la Sté de Halage électrique obtient la concession de la traction sur 80 km entre Béthune et Le Bassin-Rond. *1927 :* la traction électrique relie le Bassin parisien à la région du Nord. *1932 :* équipe presque tous les canaux de l'Est. Là où le rail n'est pas amortissable, on adopte des tracteurs à pneus à propulsion électrique (type trolley-bus) ou à moteur à combustion interne. La traction mécanique n'existe plus que dans quelques souterrains non ventilés où l'usage du moteur est interdit.

Touage. Longtemps employé pour des raisons d'économie (quoique dangereux dans les rivières étroites à navigation intense). *Touage à chaînes noyées :* 1er v. 1830. Chaîne au fond d'un chenal et fixée à ses 2 extrémités. Le toueur est un bateau portant un treuil (actionné par machine à vapeur ou moteur) enroulant la chaîne. Le toueur avance, il peut haler un train de 30 à 40 péniches (pendant la guerre, le toueur du bief de passage du canal de St-Quentin a tiré jusqu'à 75 péniches en un seul convoi). *Touage sur câbles à relais :* 1er v. 1880. Utilisé sur rivière (Rhin, Rhône). Le touage est encore utilisé pour certains souterrains non ventilés (les automoteurs devant arrêter leurs moteurs).

Parcs de bateaux

En Europe

En 1983	Nombre	Capacité en tonnes
Allemagne fédérale [5] .	3 143	3 277 000
Autriche	220	210 300
Belgique [5]	2 508	1 729 000
Bulgarie [1]	214	227 000
France [5]	*4 729*	*2 308 000*
G.-B. [2]	1 609	379
Hongrie	287	274 100
Italie [4]	2 927	–
Luxembourg [5]	17	12 000
Pays-Bas [5]	10 896	6 572 000
Pologne [3]	1 546	513 500
Suisse	418	634 700
Tchécoslovaquie	703	455 800
Yougoslavie	1 161	727 700

Nota. – Source : Bulletin de transports statistiques pour l'Europe (ONU). (1) 1974. (2) 1980. (3) 1981. (4) 1982. USA. (82) 41 941 (134 451). (5) Bateaux porteurs de marchandises en 1985.

Sources : ONN (Office national de la navigation), Comité des armateurs fluviaux et ONU.

En France

Parc par catégories et, entre parenthèses, **tonnage** en milliers de t (au 31-12-1988). **Bateaux porteurs.** *Par type* [1] : Bateaux du Rhin 71 (143), de rivière 822 (738), de canal 2 872 (1 191), petits et très petits bateaux 80 (19). *Par spécialité :* spécialisés (avec ou sans moteur) 311 (265), automoteurs non spécialisés 3 534 (1 206), sans moteur non spécialisés 1 007 (620). *Par tonnage : jusqu'à 249 t :* 112 (24), *250 à 399 t :* 2 649 (1 100), *400 à 649 t :* 658 (309), *650 à 999 t :* 273 (224), *1 000 à 1 499 t :* 49 (67), *1 500 t et + :* 145 (367). **Remorqueurs et pousseurs.** *– de 50 ch :* 90, *de 50 à 99 ch :* 7, *de 100 à 149 ch :* 16, *de 150 à 199 ch :* 21, *de 200 à 249 ch :* 14, *de 250 à 299 ch :* 9, *de 300 à 399 ch :* 33, *de 400 à 499 ch :* 19, *de 500 à 749 ch :* 39, *de 750 à 999 ch :* 19, *de 1 000 et plus :* 48.

Nota. (1) *Bateaux de rivière :* ne pouvant franchir les écluses de 38,50 m (à l'exception des b. du Midi classés comme petits bateaux malgré leur grande largeur). *B. de canal :* pouvant franchir les écluses de 38,50 m, longs d'au moins 34 m. *Petits bateaux :* – de 34 m, tonnage au plus grand enfoncement supérieur à 60 t.

Bateaux porteurs sans moteur par capacité et, entre parenthèses, **tonnage** en t (au 31-12-1983). *Jusqu'à 249 t :* 105 (16 863), *250 à 399 t :* 316 (108 018), *400 à 649 t :* 346 (160 929), *650 à 999 t :* 140 (107 879), *1 000 à 1 499 t :* 40 (47 135), *1 500 t et + :* 189 (445 221).

Bateaux automoteurs par capacité et, entre parenthèses, **tonnage** en t, en ital. **puissance** en ch (au 31-12-1983). *Jusqu'à 249 t :* 65 (11 322) *7 887. 250 à 399 t :* 3 073 (1 129 830) *517 296. 400 à 649 t :* 377 (176 361) *81 354. 650 à 999 t :* 145 (121 297) *64 129. De 1 000 à 1 499 t :* 29 (34 829) *18 764. 1 500 t et + :* 6 (14 740) *7 103.*

Nombre de bateaux munis d'un permis d'exploitation (1987) : 4 296.

Personnel des transporteurs publics et privés des voies navigables (1987). 8 139 dont transports publics et privés 5 150 (trav. indép. 2 137, salariés 2 139, traction sur berges 20, administratif et technique des Cies de navig. 585, bureaux d'affrètement 89), assurant le fonctionnement des voies navigables 2 989 (conducteurs des TPE 519, agents des TPE 2 237, éclusiers auxiliaires 233).

Quelques prix en F (1981). *Automoteur 38,50 m, capacité 300 t* 892 687,5 à 931 500. *1 000 t* 2 380 500 à 2 484 000. *1 000 t hydrocarbures* 3 967 500 à 4 140 000. *Barge hydrocarbures 2 000 t* 5 356 125 à 5 589 000 ; *march. générales 2 000 t* 2 578 875 à

2 691 000. *Pousseur 1 200 ch Seine* 9 918 750 à 10 350 000, *2 800 ch Rhône* 12 894 375 à 13 455 000. *Convoi Rhône 4 000 t, 2 800 ch, hydrocarb.* 23 606 625 à 24 633 000, *march. gén.* 18 052 125 à 18 837 000 ; *Seine 4 000 t, 1 200 ch, hydrocarb.* 20 636 750 à 21 534 000, *march. gén.* 15 076 500 à 15 732 000.

Écluses. *185 × 24 m avec 5 m de chute* 51 577 500 à 53 820 000, *av. 25 m* 51 750 000 à 62 100 000.

Voies. *1 km de voie navigable à grand gabarit : sur la Saône* 9 300 000 à 17 275 875 et 9 700 000 à 20 700 000, *vallée du Doubs* 26 383 875 à 27 531 000, *canal à grand gabarit* 43 642 500 à 45 540 000.

Voies navigables

Types de voies

Canal (voie d'eau artificielle)

Origine. Les *Romains* construisirent 2 canaux en Gaule (1 réunissant le Rhône et la Saône près de leur confluent, 1 autre entre le golfe de Fos et Arles). Au *Moyen Age,* apparition des 1res écluses dans le bassin de l'Yonne (on pouvait ainsi provoquer des crues artificielles permettant la navigation même en période de basses eaux). Jusqu'à la fin du XVIe s., on ne connaît que *les canaux de dérivation simple* ou de *dérivation à écluses,* à *sas* [à doubles portes ; inventées par Léonard de Vinci (1452-1519)]. Les écluses à sas permettent de franchir d'importantes différences de niveau. Le *canal à point de partage* [inventé par Adam de Craponne, ingénieur français (1527-76)] permet de joindre 2 rivières coulant dans des bassins différents, séparés par un seuil, ou élévation importante. Il combine l'écluse à sas (multipliée et échelonnée sur les pentes à gravir et à descendre) et une alimentation en eau indépendante des rivières à réunir. Le *canal de Briare* fut le 1er à réaliser ce principe en Europe (1604-42). La Loire à Briare est à 125 m d'alt., le Loing à Rogny (où l'on construisit 7 écluses de suite) à 140 m. La ligne de partage forme un seuil à 173 m près du Rondeau (Yonne). Il y eut 47 écluses sur 57 441 m.

Rivière (voie d'eau naturelle)

Aménagée par curage du lit, faucardage des herbes, suppression des seuils naturels. Coffrages des rives contre les érosions, ou perrés en maçonnerie. On contient les inondations par des digues, submersibles ou non, ou par des réservoirs. On agit sur le lit, pour le fixer et l'approfondir, par des digues longitudinales ou des épis transversaux.

Canalisée. Divisée en *biefs* séparés par des barrages pour régulariser le cours. Les premiers barrages étaient fixes avec des ouvertures *(pertuis* ou portes marinières) fermées au moyen d'organes mobiles, mais ces pertuis s'avéraient insuffisants. Les barrages actuels sont presque tous mobiles : appuis fixes dans le lit de la rivière soutenant des parties mobiles (vannes, poutrelles ou aiguilles) que l'on peut enlever à volonté ; éléments (fermettes, hausses ou tambours) qui s'effacent entièrement sur le radier laissant à l'eau la liberté de s'écouler ; pont supérieur sous lequel peuvent être relevés les éléments du vannage. A tous sont accolées une ou plusieurs écluses.

Nota. – L'aménagement des rivières sert aussi pour l'irrigation et le drainage des terres, la lutte contre les inondations, l'alimentation des villes et la production de l'énergie électrique.

Aménagements

☞ S'il n'y a pas de problèmes d'alimentation en eau, on utilise des écluses (sans dépenses d'énergie) ; pour le franchissement des chutes : écluses avec pompage de l'eau, ou ascenseur, pente d'eau, plans inclinés.

• **Ascenseurs de bateaux. Hydrauliques :** bac porté par des vérins hydrauliques (système employé au XIXe s. pour de petits ouvrages). **A flotteurs :** poids du bac équilibré par des flotteurs situés dans des puits profonds. La profondeur nécessaire pour les puits empêche d'utiliser ce procédé pour les grandes dénivellations. **Funiculaires** (à câbles) : *Strepy-Thieu (Belgique) :* sur le canal du Centre. 130 m de long et 117 m de haut *(le + grand du monde),* hauteur « rachetée » de 73 m ; peut recevoir des convois poussés et des péniches de 1 350 t. Chaque ascenseur est autonome : système de contrepoids (soit 112 câbles de 85 mm de diamètre supportant 6 400 t, et 32 câbles de commande supportant 1 400 t). Freinage : par 4 moteurs électriques de 500 kW. Cycle : 80 mn. *Avant :* chute de 68 m (4 ascenseurs hydrauliques de 17 m chacun composés de 2 bacs, chacun rempli de 599 t d'eau reposant sur un piston de 2 m de diamètre). *Niederfinow (RDA) :* sur le canal Oder-Havel (dénivellation 37 m), bac 85 × 12 m, profondeur d'eau 2,50 m ; poids en service 4 300 t. Vitesse de translation du bac 0,20 m/s (pour une chute de 25 m : cycle 40 mn). *Fontinettes (1877, P.-de-C.)* sur le canal de Neuffossé, hors service depuis l'ouverture d'une nouvelle écluse.

• **Écluses. Cycle.** D'autant plus long que la chute est plus grande. *Vitesse ascensionnelle maximale* 3 m/mn, moyenne 1 m/mn. **Capacité d'une échelle d'écluses.** Réduite plus il y a de sas. On peut construire 2 échelles parallèles (chacune réservée à un seul sens) : ex. canal de Welland (voie maritime du St-Laurent) 2 fois 3 sas (de 235 × 24,50 m) pour une dénivellation de 42,50 m (hauteurs de chute partielles : 14,60 m et 13,30 m).

Les plus grandes du monde. MARITIMES. *Le Havre,* Fr. (long. 400 m, larg. 67 m, prof. 24 m, accessible aux navires de 250 000 t, inaugurée le 27-10-72) ; *Ijmuiden,* P.-Bas (long. 400 m, larg. 50 m, prof. 15 m, accessible aux navires de 60 000 t). NON MARITIMES. *États-Unis,* sur le Mississippi (366 × 33,55 m) ; *d'Europe :* 2 de *Djerdap,* sur le Danube au défilé des Portes de Fer, 1 sur la rive yougoslave, 1 sur la rive roumaine (310 × 34 × 4,50 m) ; *de France : à Gambsheim et Ifferzheim* (mise en serv. 14-3-1977), chacune 2 sas de 270 × 24 m. **La plus profonde du monde.** *Barrage John Day* (sur la Columbia, Oregon, USA, 1963) 34,40 m, la porte aval pèse 998 t.

Les plus fortes chutes. Du monde. *URSS :* écluse d'*Oust-Kamenogorsk,* sur l'Irtych, chute 42 m, sas 100 × 18 m. Remplissage : env. 20 mn ; cycle : env. 1 h 1/2 (soit env. le double d'une écluse courante). *Brésil :* projet écluse d'env. 50 m de chute sur le Paraná. **De France.** *St-Pierre,* sur le Rhône (aménagement de Donzère-Mondragon), chute 26 m, sas 195 × 12 m, consommation en eau : 65 000 m³ par cycle.

• **Pente d'eau.** Invention française (Pr. Aubert). Une masse d'eau (sur laquelle flottent un ou plusieurs bateaux) est poussée dans un canal en béton en pente par un « bouclier » mobile, sur pneu, circulant sur des chemins de roulement situés de part et d'autre du canal. *Montech :* sur le canal latéral de la Garonne, mise en service 1973, dénivelé de 14 m accessible aux bateaux de 38,50 m. *Fonserannes :* sur le canal du Midi, près de Béziers, remplace une écluse septuple ; pente, 5 % ; dénivelé, 13,60 m ; puissance de l'engin moteur, 1 100 kW (650 en régime d'exploitation) ; déplacement du bouclier moteur, 272 m en 6 mn, capacité journalière, 14 automoteurs et 200 bateaux de plaisance en 13 h. Projet à grand gabarit pour Seine-Nord.

• **Plans inclinés.** Bac monté sur roues. **Longitudinal non automoteur.** Ex. *pl. de Ronquières* sur le canal Bruxelles-Charleroi, en 1969 (2 plans inclinés parallèles et indépendants, long. 1 432 m, pente 5 %, dénivellation 67,50 m). Bac 87 × 12 m, prof. d'eau max. 3,70 m, poids total en service 5 000 à 5 700 t. Chaque bac est supporté par 236 roues de 0,70 m de diam. groupées en 59 essieux. Cycle complet (pour un plan incliné) 72 mn env., soit env. 50 % de plus que le cycle des autres écluses de ce canal. **Automoteur :** *Krasnoiarsk* (URSS) sur l'Iénisséi, chute de 101 m (barrage hydroélectrique). Bac 90 × 18 m, prof. 2,20 m ; peut recevoir un bateau de 1 500 à 2 000 t. **Transversal :** *Arzwiller* sur le canal de la Marne au Rhin pour bateaux de 350 t, remplace une suite de 17 écluses. Dénivellation 44,50 m, pente de 41 %. Bac 41 × 5,20 m, vitesse de translation 0,60 m/s. Cycle 40 mn. Franchissement, env. 20 mn (au lieu de 1 j pour les 17 écluses anciennes).

• **Ponts-canaux.** Permettent le passage d'un canal au-dessus d'une route ou d'un cours d'eau. Il y en a 100 en France. *Principaux : Briare* (Loiret) : le canal latéral à la Loire franchit la Loire, 4 piliers [ou pilastres (colonnes rostrales)], 2 culées, 14 piles : long. 662,69 m, superficie d'eau 3 720 m² (entre les parapets 602,60), largeur entre parapets 11,50 m, passage bateau 6,20 m, trottoirs 2,50 m de chaque côté, prof. 3,40 m (mouillage 2,20 m) ; construit 1890-96 ; cuvette métallique reposant à 8 m au-dessus des eaux sur des piles de granit, poids avec eau 13 530 t, le + long pont-canal métallique du monde. *Agen* (Lot-et-G.) : long. 546 m, en pierre (23 arches) ; c. lat. à la Garonne, franchit la Garonne. *Béziers* (Hérault) : long. 193 ; c. du Midi, franchit l'Orb, construit 1857. *Guétin* (Cher) : c. lat. à la Loire, franchit l'Allier, pont de 346 m (18 arches), construit 1835. *Moissac* (T.-et-G.) : c. lat. à la Garonne, franchit le Tarn, pont de 356 m. *Digoin* (S.-et-L.) : un bras du c. du Centre reliant le c. lat. à la Loire et le c. de Digoin à Roanne sur un pont (15 arches, 244 m). *St-Phlin* (Meurthe) : 110 m (c. de la Marne au Rhin).

Tunnels principaux	Long. en m	Larg. du plan d'eau en m	Haut. en m
Rove (Cl de Marseille au Rhône) [1]	7 290		
Bony (ou de Macquincourt) (Canal de St-Quentin)	5 670	6,75	3,58
Mauvages (Cl de la Marne au Rhin)	4 877	6,20	3,50
Balesmes (Cl Marne à Saône)	4 820	6,30	4,75
Ruyaulcourt (Cl du Nord)	4 349	6,38	4,10
Pouilly-en-Auxois (Cl de Bourgogne)	3 349	5,70	3,10
Braye-en-Laonnois (Cl de l'Oise à l'Aisne)	2 366	6,20	3,50
Arzwiller (Cl de la Marne au Rhin)	2 306	6,25	4,30
Mont de Billy (Cl Aisne à Marne)	2 302	6,20	3,70
Voûte Richard-Lenoir (Paris) (Cl St-Martin)	1 510	16	5,13
Le Tronquoy (ou Lesdins) (Cl de St-Quentin)	1 098	6,75	3,58
La Panneterie (Cl du Nord)	1 061	6,08	4

Nota. – (1) Construit de 1912 à 1927 ; 1re traversée 23-10-1926. Larg. 18 m, haut. 15,4 m. Sa section (320 m²) est 6 fois celle d'un tunnel ordinaire de chemin de fer à double voie. Le plan d'eau est limité par 2 banquettes latérales de 2 m ; 2 chalands de mer de 3,20 m de tirant d'eau peuvent se croiser. Volume 1,7 million de m³. Hors service par suite de l'écroulement de la voûte (16-6-1963). La remise en état sera entreprise lorsque le trafic en fera apparaître l'utilité. Actuellement, les bateaux de navigation intérieure effectuent la traversée maritime, en cabotage, entre le golfe de Fos et le port de Marseille.

• **Souterrain. Le plus large :** voûte du Temple sur le canal St-Martin (larg. 24,50 m ; long. 242 m). **Les moins larges** (5,40 m) : la Collancelle, Breuilles et Mouas (canal du Nivernais). **Les moins hauts** (3,10 m) : Pouilly-en-Auxois (c. de Bourgogne) ; (3,20 m) : la Collancelle, Breuilles, Mouas. **Le plus ancien** encore en service : Malpas (c. du Midi) : construit en 1680, 161 m de long.

• **Barrage mobile.** Maintient le niveau de la rivière pour permettre la navigation ; s'efface pendant les crues (régularisation du débit). *Barrages anciens (XIXe s) :* aiguilles ; *modernes :* à vannes.

Réseau fluvial

Records

Fleuve navigable le plus long du monde. L'Amazone, sur 3 598 km de la côte Atlantique à Iquitos (Pérou) pour les navires de haute mer. **Grand Canal de Chine Pékin-Hang-Tchéou.** Commencé 540 av. J.-C., terminé 1327, mesurait 1 781 km (y compris sections de rivières canalisées).

Réseau fluvial européen

• **Système le plus long.** Canal de la Volga à la Baltique (1965), 2 300 km, d'Astrakan (sur Volga) à Leningrad (U.R.S.S.) en passant par Kouïbychev, Gorki et le lac Ladoga.

• **Danube. Débit :** *moyen* 6 500 m³/s (le plus puissant d'Europe) ; *maximal* (Vidin 1 897, 16 000 m³/s). **Canal de Constanza** (Roumanie ; ouverture 1981), raccourcit le trajet de 240 km entre Cernavoda et la mer Noire. **Projet** *de réunir les 8 États riverains du Danube* (All. féd., Autriche, Tchécoslovaquie, Hongrie, Yougoslavie, Roumanie, Bulgarie, U.R.S.S.) par *1° le Main* et la *Regnitz* (All. féd.), au bassin du Rhin et aux autres fleuves de l'Europe occid. (« liaison Rhin-Main-Danube », prévue pour fin 1992) [1]. *2° la Morava* et l'*Elbe* (Tchéc.) à l'Oder et aux fleuves de l'Eur. orientale. Travaux en cours : barrage du coude du Danube (frontière tchéc.-hongr.), lac de retenue de plusieurs milliers de km².

Nota. – (1) Le canal Main-Danube, 677 km, permettra de relier mer Noire et mer du Nord (3 500 km de voies d'eau) à travers Roumanie, Yougoslavie, Hongrie, Autriche, All. féd., P.-Bas. Un tronçon relie Bamberg (Main) et Kelkeim (Danube) sur 171 km.

Réseau fluvial français suivant le gabarit

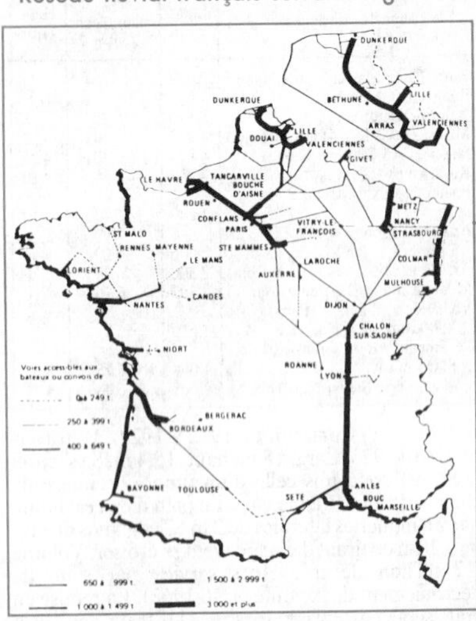

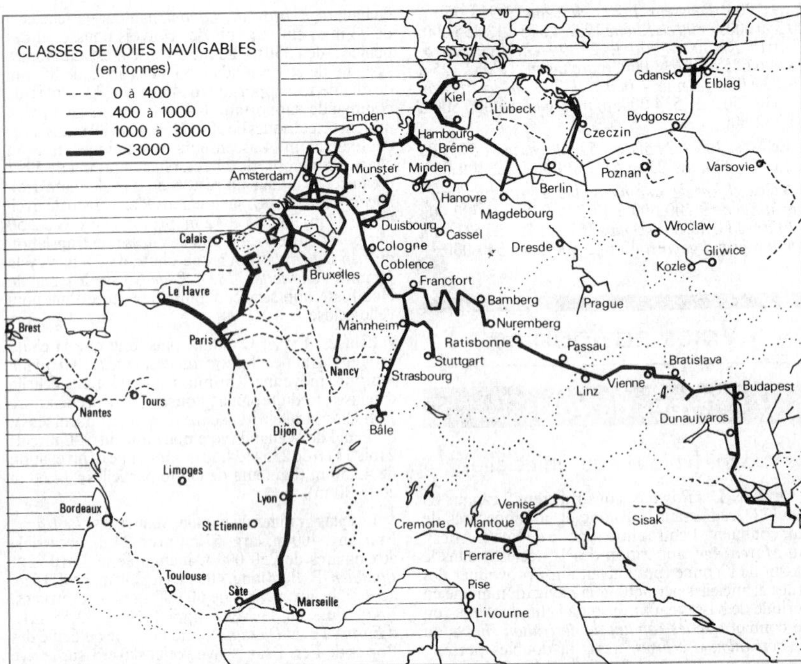

Longueur en km

Pays (1983)	Canaux	Fleuves	Total
All. démocratique ...	566	1 753	2 319
All. fédérale	1 426	2 876	4 461 [6]
Autriche	7	351	358
Belgique	892	1 064	1 517 [6]
Bulgarie [2]	–	471	471
Finlande	77	5 980	6 057
France [5]	*4 613*	*3 955*	*6 324* [6]
Grande-Bretagne	944	14 097	1 631 [6]
Hongrie	171	1 451	1 622
Italie	332	1 034	2 237 [6]
Luxembourg	–	37	37
Pays-Bas [4]	3 533	841	4 832 [6]
Pologne	374	2 645	3 019
Roumanie [3]	40	1 619	1 659
Suède	476	689	439 [6]
Suisse	–	21	21
Tchécoslovaquie [1] ...	10	473	483
U.R.S.S.	–	–	138 900 [6]
U.S.A. [4]	296	41 107	41 403
Yougoslavie [1]	191	1 810	2 001

Nota. – (1) 1969. (2) 1973. (3) 1975. (4) 1982. (5) Dont régulièrement utilisés : canaux 3 880, fleuves 2 596, total 6 476. (6) Longueur des voies navigables utilisées en km, 1985. – *Source :* ONU.

• **Rhin.** *Trafic :* sur le Rhin international à la frontière germano-néerlandaise 121 100 000 t, sur le Rhin moyen (amont du confluent Rhin-Moselle) 45 980 000 t. *Principales marchandises transportées (en %) :* minerais 24, sables et mat. de construction 21, prod. pétroliers 19, prod. agr. 9, prod. métallurgiques 9, charbon 8, divers 10 ; en particulier entre les ports du Mississippi et les ports rhénans par barges de navire (ex. barges LASH). *% assuré par les diverses flottes à la frontière germano-néerlandaise* (Emm Rich-Lobith) : néerlandaise 50, allemande 31, belge 9, suisse 6, française 3, diverses 1.

Internationalisation du Rhin et de la Moselle. Les traités de Paris (1814) et de Vienne (1815) ont posé les principes de la libre navigation du *Rhin* de Bâle à la mer. Cette liberté a été codifiée par l'Acte de Mannheim du 17-10-1868. La Commission centrale du Rhin (à Strasbourg) groupe les représentants des gouvernements des pays riverains, plus G.-B. et Belgique. Les décisions y sont prises à l'unanimité. Le traité de Versailles (1919) a étendu aux bateaux de toutes les nations et à leurs chargements les droits et privilèges accordés aux bateaux appartenant à la navigation du Rhin et à leurs chargements. Pour la *Moselle,* la convention franco-germano-luxembourgeoise du 27-10-1956 a traité de sa canalisation, codifié la libre navigation de Metz à Coblence et créé la Commission de la Moselle (siège Trèves).

Réseau fluvial français

• **Quelques dates. 1666-1681** construction par Pierre Paul de Riquet (1604-80) du *canal des Deux-Mers* (Atl.-Méd.) achevé 1681 par son fils (voir plus loin). **1789** 1 000 km de canaux en exploitation. **XIXe s.** 200 km construits sous l'Empire *(c. de St-Quentin),* de la Restauration au Second Empire, se développe (*c. du Nord* 1818-22, *du Centre* et *du Rhône au Rhin* 1832). **1879** Charles de Freycinet, min. des Travaux publics, propose de nouveaux canaux *(c. de l'Est* 1878-87, *de la Marne à la Saône* 1880-87, *de l'Oise à l'Aisne, de Tancarville au Havre* 1884). **V. 1890** réseau navigable : 11 000 km, dont + de 4 600 km de canaux. Trafic : + de 2 milliards de t/km. **1900 à 1950** concurrence de la voie ferrée, manque d'entretien, destructions des guerres. **A partir des années 50** le poussage s'impose, Rhône et Rhin sont aménagés (en liaison avec la prod. électr.) et on cherche à relier la Méditerranée à la mer du Nord par un réseau cohérent. **1991** création de l'EPIC (établissement public des voies navigables) : reprend à sa charge le réseau.

• **Caractéristiques. Petit gabarit.** *Classe 0 :* (non accessible à l'automoteur type Freycinet) - de 250 t. *Classe I :* accessible à l'aut. Freycinet, écluse : longueur utile 40 m, largeur utile 6 m, mouillage 3 m ou 3,30 m. *En 1979 :* 437 km. **Moyen gabarit.** *Classe II :* accessible à des bateaux de 400 à 650 tpl (port en lourd) (type Campinois de 6,60 m de largeur et 50 m de longueur). *Classe III :* écluse 92 × 6 m, mouillage 3 m ou 3,30 m, accessible à des convois de 2 bateaux ou barges du type Freycinet de 650 à 1 000 tpl. *En 1979 :* 734 km. **Grand gabarit.** *Classe IV :* écluse 110 × 12 m, mouillage 3,50 m à 4,50 m, accessible à l'automoteur type RHK et à des convois d'une grande barge poussée de 1 000 à 1 500 tpl. *Classe V :* écluse 185 × 12 m, mouillage 3,50 m, accessible à des convois de 2 grandes barges poussées en flèche et aux automoteurs de 1 500 à 3 000 tpl (enfoncement 2,50 m). *Classe VI :* écluse 185 × 12 m, mouillage 4,50 m, accessible à un convoi de 2 grandes barges poussées en flèche (3 000 à 5 000 tpl). *Classe VII :* accessible à des convois de plus de 2 grandes barges. **Gabarit européen.** Écluse 185 m × 12 m, accessible aux convois poussés de 3 200 tpl, enfoncement 2,50 m (classe V), et 4 400 tpl, enfoncement 3 m (classe VI).

• **Voies navigables. Nombre :** 56 de quelques dizaines à quelques centaines de km (c. du Rhône au Rhin 320 km ; de la Marne au Rhin 313 ; du Midi 240 ; de la Marne à la Saône 224).

Canaux les plus anciens. *C. de Bergues* (tracé indiqué sur une carte du IXe siècle) ; *c. de Briare* (1604-42), 1er ouvrage à bief de partage mis au gabarit Freycinet en 1880 ; *c. de Furnes* (mis en service en 1638) ; *c. du Midi* (1681). **Les plus récents.** *C. de Dunkerque à Valenciennes* (Dunkerque-Denain ouvert en 1969, Valenciennes 1971, 3 000 t) ; avec embranchement à Lille 1979 ; actuellement, prolongements vers la Belgique (par la Deûle et par l'Escaut) en travaux ; *c. de Moselle* de Frouard à Neuves-Maisons (1979) ; *c. du Rhône :* dernier aménagement à Vaugris, achevé 1981 ; *c. des Dunes à Dunkerque* (relie ports Est et Ouest) mis en service 1987.

• **Liste des voies. Petit gabarit. Classe 0.** *Canal du Nivernais* (Clamecy à Decize) ; *du Midi* (Toulouse à Agde et embranchement de Port-la-Nouvelle) ; *Mayenne* (Mayenne à Port-Meslet) ; *Rance et canal d'Ille-et-Rance ; Sarthe ; Vilaine* (Rennes à Redon), *c. du Blavet, de Nantes à Brest* (Guerledan à Redon et de Redon à Nantes) ; *Sèvre nantaise* (Monnières à Nantes). **Classe I.** *Aa* (Watten à Gravelines) ; *Lys* [Aire, à la frontière (hauteur libre : 4,10 m)] ; *Scarpe ; c. de Bergues à Dunkerque ; de Bourbourg ; de Calais ; de la Colme ; de Furnes ; de Mons à Condé ; de Roubaix ; Escaut* (Cambrai à Etrun) ; *c. latéral à l'Aisne, à la Marne ; Sambre canalisée* (Landrecies à la frontière) ; *c. de l'Aisne à la Marne ; des Ardennes ; c. latéral à l'Oise* (Abbecourt à Pont-l'Evêque) ; *de l'Oise à l'Aisne ; de St-Quentin ; de la Sambre à l'Oise ; de la Somme ; de la haute Seine ; de la Saône* (Corre à St-Symphorien) ; *de l'Est branche nord* (Troussey à la frontière) ; *branche sud ; des Houillères et la Sarre canalisée ; de la Marne au Rhin ; de la Marne à la Saône ; d'Arles à Boue ; de Bourgogne ; de Briare et c. du Loing ; du Centre ; c. latéral à la Loire ; du Nivernais* (Auxerre à Clamecy) ; *c. latéral à la Garonne.* **Classe II.** *de Lens ; Aisne canalisée ; Marne canalisée* (Epernay à l'écluse de St-Maur) ; *Seine* (Méry-sur-S. à Nogent-sur-S.) ; *St-Denis ; de l'Ourcq* et *St-Martin ; Yonne* (Auxerre à Montereau) ; *c. du Midi et étang de Thau* (d'Agde à Sète) ; *Loire* (Bouchemaine à Nantes) ; *Maine* (Port-Meslet à Bouchemaine) ; *Vilaine* (Redon à la mer) ; *Dordogne* (Bergerac à Libourne). **Classe III.** *C. du Nord ; c. latéral à l'Oise* (Pont-l'Évêque à Janville).

Grand gabarit. Classe IV. *Marne* (écluse St-Maur à Charenton et embranchement du port de Bonneuil) ; *c. du Rhône à Sète* (St-Gilles à Sète). **Classe V.** *Moselle-Saône ; Oise de Creil à Compiègne.* **Classe VI.** *C. de Dunkerque à Valenciennes* (longueur des écluses : 144,60 m) ; *de la Deûle* (Beauvin à Marquette) ; Seine-Oise Rhône de Barcarin à Fos. **Classe VII.** *Seine C. du Havre à Tancarville ; Rhin et grand canal d'Alsace.*

• **Longueur des voies ouvertes aux bateaux ou convois poussés** (longueur totale et, entre parenthèses, longueur utilisée, en km) (1987). **Petit gabarit :** – *de 250 t :* 1 880 (309), *250 à 399 t :* 3 904 (3 662), *400 à 649 t :* 266 (213), *650 à 999 t :* 441 (322). **Grand gabarit :** *1 000 à 1 499 t :* 91 (41), *1 500 à 2 999 t :* 271 (249), *3 000 t et + :* 1 647 (1 588).

Quelques précisions

• **Schéma directeur des voies navigables** (1983-88). Établi par la Commission Grégoire *propose* de construire « un véritable réseau à grand gabarit » : amélioration de certaines parties du réseau Freycinet, extension du réseau à grand gabarit ; priorités : liaisons Seine-Nord, Seine-Est, Méditerranée-Rhin. Resté sans suite.

• **Canal du Midi (ou des Deux-Mers).** L'idée de relier la Garonne à la Méditerranée par un canal remonte à François Ier, mais les plans et la réalisation furent l'œuvre de Pierre Paul de Riquet (1604-80). *1681 (15-5) :* achevé après 15 ans de travaux par son fils. *XVIIIe s.* trafic maximal (1 600 bateaux par j à Toulouse). *Jusqu'en 1850,* les coches d'eau entre Bordeaux et Toulouse transportent 300 passagers, 3 fois par semaine, sur la Garonne. *1856 :* le canal est prolongé jusqu'à Langon (Gironde) par un canal latéral (53 écluses, long. 200 km, mêmes chalands de 150 t). *1857 :* le chemin de fer concurrence le canal (dont la gestion est confiée à la Cie ferroviaire). *1970-73* (canal latéral) : travaux de mise au gabarit Freycinet (pour bateaux de 38,50 m portant 250 t à 1,80 m d'enfoncement). *1977-78 :* travaux entre Toulouse et Baziège. *1978-79 :* Sète-Béziers et canal de jonction d'Argens à Sallèles d'Aude ; écluses de Bayard et de Matabiau à Toulouse. *1979-80 :* Sallèles d'Aude-Port-la-Nouvelle.

Caractéristiques actuelles. Longueur : 240 km de Toulouse (jonction avec le canal latéral à la Garonne) à l'étang de Thau. *Différences de niveau :* 62,70 m (côté Océan) et 189,43 m (Méditerranée), rachetées la 1re par 26 écluses, la 2e par 77. Beaucoup d'écluses sont groupées en échelles : échelle de 4e écl. de Castelnaudary, et échelle de 7e écl. de Fonséranes (dénivellation de 13,60, à l'origine 10 écl., sas de 6 × 30 m, doublées par une pente d'eau). *Touristes :* 50 000/an.

• **Nord-Belgique (liaison).** *1982 (juillet)* 1re liaison à 1 350 t ouverte par le canal de Mons à Condé. *1983* suppression de l'écluse de Rodignies plaçant l'Escaut en classe III. *1984* ouverture à 1 350 t. Travaux sur la Deûle et sur la Lys mitoyenne en cours.

• **Rhin-Saône (liaison)** (229 km). Projet confié à la CNR *(1980)* : 1 580 km de Rotterdam à Fos, à grand gabarit (automoteurs de 1 500 t, convois poussés de 3 000 t à 5 000 t). Liaison à travers la Franche-Comté, de la Saône à Mulhouse, desservant Montbéliard, Sochaux et Besançon. Dénivellation totale (264 m) franchie par 24 écluses (au lieu de 111 pour le canal du Rhône au Rhin) [long. 185 m, larg. 12 m, mouillage 5 m]. *Coût :* + de 18 milliards de F. Bief Niffer-Mulhouse (Rhin) en cours d'étude.

• **Rhône (aménagement du).** *Objectif :* aménager 522 km : 187 km de la frontière suisse à Lyon (haut Rhône) et 335 km entre Lyon et la mer (bas Rhône) pour énergie hydraulique, navigation et irrigation.

Haut Rhône. Il existait autrefois un service de bateaux à vapeur pour voyageurs (3 mois par an) qui dura peu et un trafic de marchandises. Ces transports s'effectuaient sur des bateaux à fond plat (rigues). Malgré des aménagements, les transports ont pratiquement disparu. *1850-60 :* construction du c. de Miribel (20 km). *1880 :* dérivation éclusée de Sault-Brenaz c. de 1 680 m, écluse de 160 × 16 m rachetant une chute de 2,40 m à l'étiage. *1892 :* construction de la dérivation de « Jonage » (nom d'une agglomér.) du nom du canal (18 km, 2 écluses de 165 × 16 m) pour produire de l'énergie électrique. *1933 (27-5) :* création de la Compagnie nationale du (CNR). *1934 (5-6) :* CNR reçoit la concession et l'aménagement du Rhône et l'exploitation des futurs ouvrages. *1948 :* mise en service du barrage-usine de Génissiat (haut. 104 m), construction de l'usine-barrage de Seyssel (7 m de chute, productibilité de 150 millions de kWh). *1988 :* aménagement de la section Bregner-Codonen-aval de Seyssel, achèvement du barrage de Sault-Brénaz.

Bas Rhône. Utilisé à l'état naturel jusqu'au début du XIXe s. avec des bateaux halés. *1840-70 :* des travaux (pour concentrer les eaux d'étiage et moyennes dans un bras principal) provoqueront un basculement du lit et de fortes érosions. *Après 1870 :* aménagement pour la navigation à courant libre. Le mouillage à l'étiage assuré en moyenne 340 j par an passe de 0,80 m à 1,60 m en 1893. *1893-1921 :* des travaux améliorent les mauvais passages mais apparaissent insuffisants pour obtenir une profondeur de 3 m sur un chenal assez large. On construit alors des barrages avec dérivations (larg. min. de 60 m au plafond, rayons de courbure inférieurs à 800 m, prof. min. de 3 m). *1970-80 :* travaux complétés par le raccordement à grand gabarit du port de Fos en 1980.

Programme actuel de la CNR : 21 aménagements mixtes (barrages, canaux de dérivation, usines hydroélectriques, écluses et ouvrages de drainage ou d'irrigation) alimentant 19 centrales hydroélectriques, 7 en amont, 12 en aval de Lyon. En fin de programme, production d'électricité en année moyenne : 25 % des possibilités hydroélectriques françaises (*1977 :* 7,7 % de la production fr. totale d'électricité, 20,6 % de la production d'énergie hydroélectr.), 200 000 ha irrigués, 41 000 protégés des crues. Rhône rendu navigable de Lyon à la mer (330 km). 13 biefs de 25 km de moyenne séparés par 12 écluses de 195 m × 12 m (mouillage de 3,50 m, tirant d'air de 7 m) accessible aux automoteurs de 1 500 t et convois poussés de 4 400 à 6 000 t.

• **Seine.** Aménagé : 19 barrages (6 en aval de Paris, 13 en amont) doublés d'écluses. Sans ces barrages, la Seine aurait dans Paris moins de 1 m d'eau (au lieu de 4 m) pendant 6 mois chaque année.

• **Seine-Nord (liaison).** Projet de mise à grand gabarit du canal latéral à l'Oise entre Compiègne et Noyon, et réalisation d'un nouveau entre Noyon et l'Escaut (empruntant sensiblement le tracé de St-Quentin). Permettrait le passage de convois poussés de 4 400 t. Comporterait 13 écluses et 2 pentes d'eau ou 17 écluses : 185 × 12 m, mouillage 4,5 m [(haut. de chute 3,82 à 19,45 m) au lieu de 38 m], éviterait le franchissement de souterrains. *Coût :* 9 milliards de F (base 1991).

• **Seine-Est (liaison).** Projet d'aménagement de l'Aisne, du canal lat. à l'Aisne et du c. de l'Aisne à la Marne pour relier au grand gabarit Compiègne à Reims. 9 écluses (185 × 12 × 4 m) permettraient le passage de convois poussés de 3 000 à 5 000 t. *Coût :* env. 750 millions de F.

Nota. – Pour le projet Seine-Est-Nord reliant Paris, Lille et la Moselle, 2 tracés proposés : Seine-Nord par c. du N. et c. de St-Quentin ; Seine-Est par Compiègne-Reims et par Nogent (tracé S.). Une liaison Saône-Moselle pourrait être envisagée comme alternative à Saône-Rhin.

• **Saône (aménagement de la).** Sur 220 km, entre St-Symphorien et le point de débouché dans la Saône et la future liaison Rhin-Saône et Lyon. Les 10 biefs existants seront remplacés par 6 biefs (long. de 18,8 km à 58,5 km) séparés par 5 ensembles d'écluses-barrages établis en dérivation.

Trafic

Généralités

Comparaison prix par t/km TTC. Prix de revient : convoi poussé ou automoteur de 38,50 m : 7 à 11 centimes ; train complet SNCF : 14 c ; camion : 23 c. Là où un camion coûte 10, un train complet 8, l'automoteur coûte 5, les grandes barges coûtent 3.

Chargement des convois. Les plus importants : *U.S.A.* env. 70 000 t sur le Mississippi inférieur. *Europe de l'Ouest*, sur le Rhin 6 000 t avec un encombrement de 185 × 22,80 m. Des essais ont été faits avec des convois de 261,50 × 22,80 m de 10 000 t. ; sur la Seine, en aval de Paris 5 000 t (équivalant à une file de camions de 15 t de 25 km compte tenu de l'espacement réglementaire de 50 m entre 2 véhicules).

Un convoi fluvial de 3 800 t équivaut à 66 wagons de chemin de fer de 58 t ou à 127 camions semi-remorques de 30 t. Le transport fluvial peut assurer sur de longues distances le transport de masses lourdes et indivisibles (une cuve de centrale nucléaire, par ex.).

Vitesse (moyenne). *Sur fleuve :* descente 15 km/h, remontée 12 (sur route 50). *Sur canal :* limitée à 9 km/h pour éviter la détérioration des berges.

En Europe

Transport de marchandises (en millions de tonnes/km, 1983). URSS 273 200. All. féd. 41 472 (2). P.-Bas 27 308 (2). *France 7 370 (2).* Yougoslavie 7 670. Belgique 4 584 (2). Tchécoslovaquie 3 815. Roumanie 2 548 (1). All. dém. 2 424. Hongrie 1 737. Pologne 1 452. Autriche 1 298. G.-B. 380. Italie 317 (1). Luxembourg 304 (2). Finlande 256. Suisse 53,9.

Nota. – (1) (1982). USA (82) : 1 408 472. (2) 1988.

En France

Trafic

Trafic global (tonnage en millions de t et, entre parenthèses, tonnage kilométrique en milliards de TK sauf *Rhin et Moselle*). *1900 :* 32,4 (4,7). *1910 :* 34,6 (5,2). *1920 :* 23,3 (3,2). *1930 :* 53,3 (7,3). *1950 :* 42,6 (6,7). *1960 :* 68 (10,8). *1970 :* 110,4 (14,2). *1981 :* 83,6 (11,1). *1985 :* 64,1 (8,4). *1988 :* 64,6 (7,3). *1989 :* 69,6 (7,3). *Rhin et Moselle* 38,2 (5,7) [*Trafic à la réglementation internationale :* 17,5 (1,5)]. *Trafic de transit :* 4,2 (0,7).

Répartition des produits par rapport au trafic en t et, entre parenthèses, **en t/km** (en %, 1987). Minerais bruts ou manufacturés et matériaux de construction 29,8 (35), produits agricoles 9,8 (26,4), produits pétroliers raffinés 9,4 (14,4), combustibles minéraux solides 3,3 (6,1).

Répartition des transporteurs par catégories en milliers de t et, entre parenthèses, **en millions de t/km** (1987). 8 864 (1 697) dont compagnies 1 354 (247) ; petites flottes 2 040 (384) ; artisans 2 850 (639) ; étrangers 2 620 (427).

Ports les plus fréquentés (en millions de t) **en 1987 et**, entre parenthèses, **en 1974.** *Paris* (38,82) 20,9 (1) dont (en %) matér. de construction 78, prod. agric. 8, prod. pétroliers 4, charbon 3, divers 7 [port autonome : 300 installations portuaires dont 220 ports privés sur 500 km de voies navigables de l'Ile-de-France. 750 ha de zones portuaires aménagées. 130 000 m² d'entrepôts loués ; C.A. : 200 millions de F (1988), 2e port européen après Rotterdam], *Strasbourg* 10,64 (15,81), *Rouen* 3,85 (9,40), *Thionville - Illange* 2,87 (4,32), *Dunkerque* 2,07 (3,59), *Le Havre* 1,91 (4,36), *Metz* 1,12, *Bordeaux* 0,71 (4,35).

Nota. – (1) 1988.

☞ Baisse de 40 % en 12 ans. *Causes :* baisse du transport des pondéreux charbon hydrocarbures (EDF a moins de centrales thermiques) et des matériaux de construction (crise du bâtiment), concurrence de la SNCF (notamment pour céréales) ; face à celle-ci. Batellerie corporatiste a exigé un contrôle a priori des contrats par les pouvoirs publics et la profession. Les artisans-bateliers ont pu aussi imposer aux compagnies de navigation un partage des trafics fluviaux et conserver un monopole sur les transports de grain. En fait, il y a une surcapacité d'au moins 1 000 péniches chez les 2 500 artisans-bateliers.

Part de la navigation intérieure dans le trafic terrestre (1987) : 6 %.

☞ **Effectifs de la batellerie en 1986.** 4 769 dont artisans 2 458, petites flottes 561, salariés 1 750.

Budget de l'État (en millions de F, 1989). 489,3 dont équipement des voies navig. et des ports fluviaux (investissements directs) 289,3, entretien et fonctionnement 118,1, subvention à l'ONN 38,9, batellerie 38, (subventions d'invest.) 5, protection des berges et lutte contre la pollution 0 ; autorisations de programme 281,3 dont équipement des voies navig. et des ports fluviaux (invest. directs) 279,3, (subventions d'invest.) 2.

Transport des passagers

Jusqu'au XIXe s., de nombreux transports en commun des voyageurs étaient assurés par *coches d'eau* (grand bateau couvert, ex. celui du Paris-Montereau 400 personnes), *carrosses d'eau* (avec 3 chambres de classes différentes), *galiotes* (18 à 20 m de long, 4 m de large, avec 4 banquettes dans le sens de la longueur, 80 à 100 passagers).

Le trajet Paris-Rouen s'effectuait en voiture de Paris à Maisons-Laffitte, puis de là, en bateau à roues (*tarif :* 12 F et 9 F). Des bateaux-postes accélérés avec chevaux de halage lancés au galop allaient de Meaux à Paris à plus de 16 km/h. Sous la Restauration, apparurent des compagnies de navigation à vapeur : les *Gondoles*, les *Messageries royales*, les *Hirondelles* et les *Abeilles*. Le trafic sur la Loire était assuré par les *Paquebots* et les *Inexplosibles* de la haute et basse Loire. Sur la Somme, les *Jumeaux* faisaient le service entre Amiens et Abbeville. La vapeur permit d'augmenter la vitesse (Paris-Auxerre en 32 ou 33 h), mais le chemin de fer s'imposa bientôt.

Région parisienne. Un service touristique par bateaux-mouches (10 km/h) a été rétabli en 1983, pendant les mois d'été sur le canal de l'Ourcq, entre Paris et La Ferté-Milon.

Du 1-5 au 30-9-1989 : un batobus a assuré une navette d'Alfortville à Suresnes. *Coût :* 30 F l'aller simple. *Nombre de passagers :* 106 000. *Projet :* flotte de 20 bateaux (15 escales), navette toutes les 10 mn.

Transports maritimes

Quelques définitions

Accastillage. Petit équipement de pont sur un bateau de plaisance (poulies, feux, taquets).

Acconier. Exécute les opérations de chargement, déchargement et d'arrimage, a la garde de la marchandise sous le hangar, emploie les dockers.

Acte de francisation. Document de douane certifiant la nationalité française et la propriété du navire, ce qui permet son hypothèque. Exigé pour les bâtiments de pêche et de commerce de + de 2 tonneaux de jauge, et les b. de plaisance de + de 10 tx.

Affréteur. Locataire du navire.

Ancre. Lourde pièce de métal à l'extrémité de la ligne de mouillage dont les aspérités permettent de crocher le fond. Les grosses ancres sont à basculement des pattes ou à jas ; les petites (grappin ou chatte) n'ont pas de pièce mobile.

Angarie. Mode de réquisition, moyennant indemnité, des navires étrangers par un État belligérant en temps de guerre.

Armateur. Celui qui équipe et exploite des navires pour la navigation commerciale ou de pêche. Désigne aussi le propriétaire de ce navire. C. Y. Yung (1911-82), Chinois de Hong Kong, était l'un des plus grands du monde. Il possédait une flotte (Island Navigation) de 10 millions de tpl (+ de 125 navires).

Armer. Mettre à bord tout ce qui est nécessaire pour navigation, équipage, matériel, vivres.

Arraisonnement. Acte par lequel un navire de guerre demande à un navire de commerce des explications sur son pavillon, sa cargaison, sa destination ou sa provenance, etc. Ne peut être effectué (sauf exceptions prévues par la convention de guerre) que par un navire du même pavillon.

Artimon. Mât qui se trouve le plus sur l'arrière.

Baleinière. Embarcation pointue des 2 bouts (comme les pirogues pour pêcher jadis la baleine) servant au transport des passagers et au sauvetage.

Barges océaniques. La cargaison est chargée, en général en vrac, dans des barges dépourvues d'équipage. Ces barges sont remorquées, poussées par des remorqueurs ou pousseurs de haute mer.

Bassin de radoub. *Le plus grand du monde :* Dubaï n° 1 largeur 102 m, long. 525 m ; *de France :* Marseille 85 m et 465 m (prof. 12 m).

Bordée. Partie de l'équipage assurant le service pour un temps donné (ex. : la bordée de quart de midi à 4 h). Partie de trajet faite entre 2 virements de bord quand le voilier louvoie pour remonter au vent. Amusements des marins à terre.

Bossoir (ou *portemanteau*). Arcs-boutants servant à suspendre les embarcations de sauvetage.

Cambuse. Lieu où l'on garde les vivres. *Cambusier :* chargé des vivres.

Car-ferries, ferry-boats. Transbordeurs. Effectuant des liaisons courtes (200 à 300 milles) à env. 20 nœuds. Il y en a env. 2 900 dans le monde. *Record :* le *Pride of Dover* construit en RFA, mis en service le 2-06-1987. 26 000 tjb, 2 300 passagers, 650 voitures (long. 169,2 m, larg. hors membrures 27,8 m).

Cargo (cargo-boat : bateau de charge). Destiné au transport de marchandises. *Cargo mixte :* aménagé pour recevoir en sus quelques passagers.

Carré. Salle à manger du personnel d'état-major.

Chargeur. Expéditeur de tout ou partie de la cargaison, client de l'armateur.

Classification des navires. *Sociétés de classification reconnues pour la délivrance des certificats de franc-bord :* American Bureau of Shipping (créé 1861-62) ; Bureau Veritas (fondé à Anvers 1828 et à Paris dep. 1832) ; Lloyd's Register of Shipping, datant de 1760 (classe + de 30 % des navires en service dans le monde). *Agréées comme Stés de classification :* Bureau Veritas et Lloyd's Register of Shipping.

Compas. Boussole magnétique ou gyroscopique, indiquant l'angle entre axe du navire et méridien Nord.

Connaissement et manifeste. Reçu délivré par le capitaine pour les marchandises reçues à bord. Le manifeste récapitule l'ensemble des connaissements.

Consignataire ou agent maritime. Agent d'un armateur étranger chargé à la fois d'organiser l'escale du navire et de lui recruter du fret. Agent maritime collecteur de marchandises.

Courtier maritime. Interprète, il est le seul officier ministériel vis-à-vis de la douane, dans la langue étrangère pour laquelle il est agréé.

Creux. Distance du pont continu le plus élevé à la quille.

Darse. Bassin dans un port.

Déplacement (displacement tonnage). Poids exprimé en tonnes métriques ou anglaises (1 016 kg) du volume d'eau déplacé par le navire. Il égale celui du navire et est donné pour la charge maximale *(dépl. en charge)* ou pour le navire prêt à prendre la mer, mais sans charge ni matière consommable, excepté l'eau des chaudières et tuyautages *(dépl. lège).* Pour les navires de guerre, on indique le *dépl. Washington* (édicté par la Conférence de Washington 1921) : dépl. du navire sans combustible ni munitions. Le cuirassé « Richelieu » déplaçait 35 000 t Washington et env. 45 000 t en pleine charge.

Désarmement. Navire désarmé : cesse d'être exploité ; est dépourvu du personnel et du matériel nécessaires pour prendre la mer ; une équipe réduite assure le gardiennage.

Dunette. Superstructure à l'arrière d'un navire, s'étendant d'un bord à l'autre.

Franc-bord. Distance minimale autorisée entre le niveau de la flottaison et le pont continu le plus élevé ; les lignes de charge indiquent la limite de chargement (suivant la saison et la zone où le bâtiment navigue : eau douce, mers tropicales, été, hiver, etc.).

Fret. Désigne la marchandise, le taux auquel elle est transportée ou la variation des taux. Pour les cargos de ligne ou navires à passagers, les taux sont fixés par des *conférences* auxquelles adhèrent des Cies assurant un service régulier sur une ligne donnée. Pour les navires exploités au *tramping* (cargos et pétroliers), les taux résultent de la confrontation des offres de tonnage des armateurs et des demandes de tonnage des affréteurs. Ces opérations se traitent généralement par l'intermédiaire de courtiers (brokers) ; il existe aussi des « courtiers de vente et d'affrètement de navires » et des courtiers d'assurance maritime comme le *Baltic and Mercantile Exchange* de Londres ou la Bourse de New York.

Coût d'exploitation d'un navire (dépenses journalières fixes en 1984, charges financières, combustibles, assurances, salaires et charges sociales, entretien, frais portuaires et divers) : porte-conteneur 100 000 à 180 000 F / jour ; vraquier 80 000 à 150 000 F / j ; cargo classique 95 000 à 150 000 F/j ; pétrolier U.L.C.C. 300 000 à 400 000 F/j ; méthanier (de 125 000 m³) 350 000 à 450 000 F/j.

Les plus grands navires

• **Bac.** *El Rey* (16 700 t), long. 176,78 m, 376 remorques de poids lourds sur 3 niveaux.

• **Baleinier.** *Sovietskaya Ukraina* (32 034 tx), port en lourd 46 738 t.

• **Brise-glace.** *Oden.* capable de briser une glace épaisse de 1,8 m et d'ouvrir un chenal de + de 29 m de large.

• **Cargo.** *Berge Stahl,* minéralier, 365 000 tx, long. 342 m, larg. 63,50 m (1986).

• **Catamaran.** (long. 73 m, larg. 27 m.) 4 du même type de la Cie Overspeed (filiale de British Ferries), liaison Boulogne-Douvres en 45 mn avec 450 passagers et 80 voitures.

• **Drague.** *Prins der Nederlanden* (P.-B.) 10 586 t, long. 142,70 m, peut draguer 20 000 t à 35 m de profondeur, en moins de 1 h.

• **Paquebot. Les plus grands depuis 1858** (années en service), tonnage. *Great Eastern* (1858-88) 18 914 (long. 210 m) ; *Oceanic* (1899-1914) 17 274 (28 000 ch) ; *Baltic* (1904-33) 23 884 ; *Lusitania* (1907 - coulé 1915) 31 550 (68 000 ch, 236 m, consommation 1 500 t de charbon par 24 h) ; *Mauretania* (1907-35) 31 938 ; *Olympic* (1911-35) 45 300 (30 000 ch) ; *Titanic* (1912 coulé) 46 232 ; *Imperator puis Berengaria* (1913 - coulé 1938) 52 022 (272 m) ; *Vaterland puis Leviathan* (1914 - coulé 1938) 54 282 ; *Bismarck puis Majestic puis Caledonia* (1922 - coulé 1939) 56 621 ; *Normandie* [9] 79 301 / 83 102 ; *Queen Mary* (1936-67) 80 774 / 81 237 ; *Queen Elizabeth* (1938 - 72 [1]) 83 673 / 82 998. **Actuels.** *Sovereign of the Seas, Norway (ex-France)* [2], *QE II (Queen Elizabeth II), Celebration* [3], *Jubilee* [4], *Holiday* [5], *Canberra* [6], *Royal Princess* [7], *Seaward* [7], *Westerdam* [8]. Voir p. 1591.

Longueur en m : *Norway* ex-*France* (1961) 290,66. *QE II* (1969) 270,39. *Sovereign of the Seas* (1987) 236,02. *Rotterdam* 228,18. *Canberra* 225,56. *Festivale* 213,37. *Starship / Vicking Sun* 204,02. *Sky Princess* 203,03. *Royal Princess* 193,17.

Nota. – (1) Après refonte, incendié à Hong Kong 9-1-1972. (2) France. (3) Écosse. (3) Suède. (4) Danemark. (5) Irlande du Nord. (6) Finlande. (7) Finlande. (8) All. féd. (9) Construit à St-Nazaire (Penhoët), lancé le 29-10-1932, voyage inaugural 29-5-1935, long de 313,75 m, large de 36,4 m, vitesse moy. 30 nœuds, salon de 720 m² (plafond haut. 9,5 m), 1 972 passagers et 1 347 h. d'équipage, désarmé à New York le 6-9-1939, rebaptisé *La Fayette,* brûle lors de travaux de transformation (pour le transport de troupes), réquisitionné par les Armées amér. à New York le 9-2-1942. Jugé irréparable, vendu 161 680 $ et démoli. Il avait transporté 132 508 passagers. Un paquebot du même nom avait été lancé en 1889 (*Normandie* : 144 m, 6 500 t, 6 500 ch).

☞ Le *France* démoli 1935 (lancé 1912) : 220 m, 23 n., 24 838 tjb, 45 000 tpl, 1926 passagers, 600 h. d'équipage. L'*Ile-de-France* (construit 1924-26) : 41 000 t, long. 241,35 m, larg. 30 m, creux 21,5 m, tirant d'eau 9,75, 52 000 ch, 1 740 passagers.

• **Pétrolier.** *Seawise Giant* [1] (1979, construit au Japon), long. 458,45 m, larg. 68,9 m, port en lourd 564 739 t, tirant d'eau 24,6 m, le 5-10-87 et le 4-5-88 endommagé par attaques iraniennes, sert comme entrepôt. *Hellas Fos* [2] (1979, construit en France) 414,23 m, 555 051 t. *Bellamya* (français), long. 414,23 m, larg. 63,05 m, tirant d'eau 28,6 m, 650 000 m² de citernes. *Pierre-Guillaumat,* 550 000 t (construit 1977, coût + de 130 millions de $), aurait dû être amorti sur 15 ans ; après 6 ans d'exploitation et 19 voyages, vendu à la ferraille 8 millions de $; la baisse de la consommation de pétrole a entraîné le désarmement de plus de 200 pétroliers ; les – de 100 000 t sont mieux adaptés à la demande et aux ports actuels. *Esso Atlantic* [1] (1977) 40,59 (516,895). *Esso Pacific* [1] (1977) 390,13 (516,423). *King Alexander* [3] (1978) 364,02 (491,120). *Nissei Maru* [1] (1975) 378,85 (484,276). *Stena King* [4] (1978) 378,42 (457,927). *Stena Queen* [4] (1977) 378,42 (457,841). *Esso Méditerranéen* [1] (1977) 378,39 (457,062). *Esso Caribbean* (1976) 378,39 (456,38).

Nota. – (1) Japon. (2) France. (3) Suède. (4) Taiwan.

Le plus gros pétrolier sous pavillon français (au 1-1-90) : le *Lanistes* (1975, 36 000 ch) 150 806 tjb, 311 883 tpl.

• **Porte-conteneurs.** Le + grand sous pavillon français (au 1-1-90) : *Korrigan* (1973 ; 53 600 ch), 57 303 tjb, 48 850 tpl.

• **Remorqueur. Le plus puissant :** le *Smit Singapore,* long. 75,20 m, larg. 15,70 m, armé avril 1984 par Smit Tak International, puissance 24 000 ch, traction au bollard 189 t à plein régime.

• **Vraquier** 330 000 t en construction en Corée du S. pour Sig Bergensen (Norv.). **Le + grand** (vrac sec) **sous pavillon français au 1-1-90 :** *Pengal* (1982) 18 590 ch, 74 510 tjb, 139 609 tpl.

Taux de fret (barème Worldscale flat = 100) : 1987 : 64 à 94. *88 :* 82 à 119. *89 :* 106 à 138. *90 :* 117 à 157. *91 (mars) :* 166.

Gaillard. Superstructure sur l'avant du pont supérieur et s'étendant sur toute la largeur du navire.

Gréement. Accessoires de mâture et voilure.

Guidon. Pavillon triangulaire à 2 pointes. Autrefois chacun des 5 arrondissements maritimes en France avait son guidon.

Loch. Sert à mesurer la vitesse d'un navire par rapport à l'eau.

Lo-lo (lift-on, lift-off). Méthode de chargement par engins de levage à terre ou à bord (par opposition à ro-ro). Manutention verticale.

Longueur hors tout. Longueur max. d'encombrement.

Motor ship (MS). Navire à moteur.

Navire frigorifique. Peut maintenir dans ses cales une température sensiblement constante : ex. bananier à + 12 °C. S'il dispose d'une grande souplesse de réglage, il est alors « polytherme ».

Navire océanographique. *Jean-Charcot* (lancé 1964, refondu 1983), long. 74,5 m, déplacement 2 200 t, 1er nav. civil équipé du Seabeam (sondeur multifaisceau. de 57°). Peut mettre en œuvre le *Cyana* (9 t dans l'air). *Atalante* (lancé 26-10-1990), long. 84,6 m, larg. 15,85 m, tirant d'eau 5,05 m, port en lourd 1 120 t, déplacement 3 300 t, vitesse max. 14,5 nœuds (croisière 13), 450 m² de locaux scientifiques ; autonomie de 60 j sans escale avec 59 h. à bord (dont 25 scientifiques et techniciens) ; coût : 280 millions de F ; sondeur de 130°, peut cartographier une longueur de 7 fois la profondeur d'eau (max. + de 20 km). Peut mettre en œuvre les s.-marins *Nautile* (18 t dans l'air), *SAR* (remorqué) et *Epaulard.*

Nuclear ship (NS). Navire à combustible nucléaire ; peu compétitif sur un plan civil. Etudes toujours en cours notamment en All. féd., Japon et U.S.A. pour des porte-conteneurs rapides, ou pour des sous-marins (pour exploiter le gaz sous-marin). Voir tableau p. 1591. Navires construits et en exploitation en URSS (brise-glace notamment).

Octant. Instrument servant autrefois à mesurer les angles et à observer la hauteur d'un astre au-dessus de l'horizon. Sur les petits navires, des sextants à bulle et des intégrateurs sont parfois utilisés.

Paquebot. De l'anglais *packet boat,* navire courrier. Tout bâtiment qui peut transporter plus de 100 passagers est appelé paquebot. PAQUEBOTS D'AUTREFOIS : *Impératrice-Eugénie* (1805) 108 m. *France* (1912) 217, *Ile-de-France* (1927) 241,35 (largeur : 30, creux : 21,50, tirant d'eau : 9,75, 52 000 CV, 41 000 t), *Normandie* (1935) 313. RÉCENTS : *Nieuw-Amsterdam* (1983) 266 m, *Noordman* (1984) 215 et *Sovereign of the Seas* (1987). **Nombre en service** (1985) : 120 de + de 2 000 tjb dont 30 construits dep. 1970, 10 en construction. **Nombre de touristes de croisière** (1985) : 2 600 000 [dont Américains 2 000 000, Européens 600 000 (Allemands 150 000, Britanniques 150 000, Italiens 120 000, *Français 80 000*)]. Les transmanches ont de 2 000 à 5 000 t, les transatlantiques parfois plus de 80 000 t. Voir tableau p. 1591. Actuellement, les paquebots sont essentiellement affectés aux croisières, les liaisons régulières courtes étant assurées par des transbordeurs.

Pétrolier. Voir tableau p. 1591.

Point (faire le p.) **En vue de terre :** on relève à l'aide du compas la direction (relèvement) d'au moins 2 points remarquables de la côte (*amers*). Le point de concours de ces 2 relèvements tracés à l'aide d'un rapporteur sur une carte marine donne la position. **Au large :** *point astronomique.* A l'aide d'un sextant on mesure l'angle (hauteur) formé par un astre, l'œil de l'observateur et la ligne d'horizon. Cet angle détermine sur la Terre un cercle, lieu géométrique des points d'où l'on observe un astre donné sous un angle donné (cercle de hauteur). L'observation de plusieurs astres (ou d'un même astre après qu'il se soit déplacé dans le ciel) détermine plusieurs cercles de hauteur qui se recoupent. Le point commun à tous ces cercles donne la position du navire à l'aide de tables astronomiques et trigonométriques spéciales qui exigent de connaître avec précision l'heure des observations. Les résultats sont exprimés en degrés et minutes de latitude ou de longitude.

Port en lourd (tpl) (deadweight). Différence, en tonnes métriques ou anglaises (1 016 kg), entre le *déplacement en charge* et le *déplacement lège.* Correspond au poids total des marchandises, des approvisionnements, des passagers et de l'équipage pour la ligne de charge d'été.

Porte-barges. Navire portant des barges embarquées à l'arrière, à l'aide d'un portique et disposées verticalement dans des cellules analogues à celles d'un porte-conteneurs. *Lighter Aboard Ship (Lash) :* peut charger, suivant sa taille, 73, 83 ou 89 barges de 370 t. 1er de ce type, l'*Acadia Forest :* 24 (sur l'Atlantique Nord 9, le Pacifique 15). *Seabee* peut charger 38 barges de 850 t ; en service sur l'Atlantique Nord (1er exploité : *Doctor Lykes* en 1971). *Bacat (Barge Aboard Catamaran),* inventé par G. Drohse (courtier maritime danois), construit au chantier danois Frederikshaven Vaerft. Long. 104 m, larg. 21 m, port en lourd 2 700 t, de type catamaran de petites dimensions, destiné au trafic Angleterre / Europe du N. Le *Bacat-1* (1974) : 1er et seul en service, peut transporter 10 barges d'env. 140 t et 3 barges *lash.* Le chargement s'effectue entre les 2 coques.

Prix des navires porte-barges (y compris les jeux de barges) : environ le double de celui d'un grand porte-conteneurs moderne, mais l'économie sur le coût global du transport pourrait atteindre 30 à 40 %.

Porte-conteneurs. 10 000 à 70 000 t, portant jusqu'à 4 600 conteneurs, vitesse env. 20 nœuds. Cadence chargement (ou déchargement) 1 000 t/h.

Préfectures maritimes. *Créées en 1800* pour unifier le commandement dans les ports, autrefois partagé entre l'intendant (administrateur civil), et le commandant de la marine (officier général). Chef-lieu d'arrond. maritime dans lequel le préfet maritime commande à tous les chefs de services militaires ; son autorité s'étend aussi aux bâtiments armés rattachés à son arrond. *Siège :* à l'origine : Le Havre (puis Cherbourg), Brest, Lorient, Rochefort, Toulon ; actuellement : Cherbourg, Brest et Toulon.

« Roll on-roll off » (qui roule pour entrer et sortir ; abrév. ro-ro). Manutention par roulage direct des camions et engins qui circulent par des rampes ; à l'intérieur du navire, accès assuré par d'autres rampes ou des ascenseurs (nav. spécialisés : nav. « rouliers »). Manutention dite horizontale.

Scooters des mers. Nombre en France. *1987 :* 1 000, *89 :* 5 000.

Sextant. Instrument à limbe gradué sur 60° (d'où son nom) servant à mesurer la hauteur des astres et par conséquent à déterminer la position du navire.

Shipchandler. Fournisseur de vivres et produits à consommer à bord.

Steamship (SS). Navire à vapeur (chauffé au charbon ou au fuel).

Tirant d'eau (calaison). Hauteur verticale du plan de flottaison au-dessus de la quille (varie avec poids du chargement et densité de l'eau).

Tpl. Voir **Port en lourd.**

Tonnage (jauge) (en anglais **GRT, gross registered ton**). Mesure de capacité. Unité : tonneau de 100 pieds cubes anglais, soit 2,83 m³. Autrefois on exprimait la capacité des navires par le nombre de barriques ou tonneaux qu'ils pouvaient contenir. On distinguait : *jauge brute* (t.j.b.) : capacité intérieure totale ; et *jauge nette* (t.j.n.) : cap. utilisable (pour marchandises et passagers). Dep. le 18-7-1982, on applique la Convention intern. de 1969 : jauge exprimée par un chiffre sans unité, fonction du volume total de tous les espaces fermés du navire.

Transitaire. Mandataire du propriétaire de la marchandise pour en faire exécuter le transport, le transbordement, le dédouanement et la livraison.

Transporteurs de gaz liquéfiés. Gaz de pétrole liquide (GPL) (à –40 °C). Gaz naturel liquide (GNL) (à – 180 °C). Les méthaniers les plus gros transportent 130 000 m³ de gaz. *Capacité totale de la flotte de méthaniers :* 6,5 millions de m³. *Lignes :* Algérie-Europe de l'Ouest, Indonésie-Japon, Malaisie-Japon, Alaska-Japon, golfe Persique-Japon. Voir tableau p. 1591.

Transporteurs de vrac (vraquiers). *Minéraliers, charbonniers, transports de grains,* etc. (les plus gros atteignent 270 000 t ; des unités de 305 000 t environ étaient en commande en 1984) (voir encadré).

Turbine à gaz. Permet d'obtenir de fortes puissances, volume et poids inférieurs de 10 à 15 % à puissance égale par rapport à un autre appareil propulsif. Consommation plus élevée. 1er navire de commerce : *Callaghan* (U.S.A. 1969). *Euroliner :* 2 turbines de 30 900 ch chacune, 28 nœuds. Le dernier navire civil équipé de turbines à gaz fut le transbordeur *Finnjet* (construit en 1977).

Vitesse. *Unité : le nœud :* vitesse d'un navire parcourant 1 mille marin en 1 h. A l'origine le nœud était une distance de 15,435 m (soit 1/120 de mille), marquée par des nœuds fixés tous les 47 pieds 1/2 sur la ligne de loch (triangle en bois attaché à une longue corde). Pour mesurer la vitesse d'un navire, on jette le loch à l'eau pendant 30 sec. mesurées par un sablier spécial appelé *ampoulette* et l'on compte le nombre de nœuds qui se sont déroulés. Les bateaux à moteur comptent en général simplement leurs tours d'hélice ; sur les navires actuels, on utilise des lochs à tube de pitot, électromagnétiques, à effet Doppler. Actuellement, on tend à réduire la vitesse des navires pour économiser le combustible.

Vraquiers. Voir transporteurs de vrac.

Navires à rames

Quelques types. Antiquité : les 1ers bateaux furent sans doute des troncs d'arbres et des radeaux poussés à la gaffe, puis des pirogues (creusées dans des arbres). **Phéniciens :** *pentécontore* (24 × 3,50 m, 50 rameurs) ; **Egyptiens :** *gaulos* (24 rameurs, 1 voile) ; de ce mot dérivèrent *galère* et *galéasse ;* **Grecs, Romains, Carthaginois :** *galère* à plusieurs files de rameurs (trirème ou trière 30 × 4 m, quadrirème, quinquérème ou pentière, certains nav. ayant 400 rameurs).

Moyen Age. Italie, Marseille : *liburne* (galère à un étage), *dromon* (25 à 30 rames), *pamphile* (plus grand, 2 rangs de rames, 300 h. d'équipage), *galéasse* (galère agrandie jusqu'à 50 × 9 m, armée de canons), *galères* (les avirons sortent des sabords par groupes de 3). **Scandinavie** (du VIIIe au XIe s.) (navires tirant leurs noms des figures de proues sculptées) : *drakkars* (dragons) et *snekkars* (serpents) (certains de 20 à 90 m, 120 rameurs, pourraient transporter 1 000 h.).

Voiliers et voiles

• **Quelques dates. Moyen Age. Portugal, Gênes :** *caravelle* (1415, souvent non pontée mais avec château à l'avant et à l'arrière, 1 mât avec une voile carrée surmontée d'un hunier, les 3 autres avec des voiles latines ou à antennes). La *Santa Maria* de Christophe Colomb (1492) mesurait 23 × 7,90 m (creux 3,80 m, port en lourd 233 t, voilure 466 m², équipage 60 h., vitesse 5 n.). *Galion* (plus bas sur l'eau, env. 40 × 10 m), *galiote* et nefs, moins légers que la caravelle. *Galée* et *galère* de 200 à 250 rames avec 2 mâts. *Caraque :* de plus fort tonnage. **XVIIe s.** *Galères ordinaires :* 45 × 7 m. *Chiourme :* 240 rameurs (5 par rame et banc). Disparaîtront en 1773 des listes de la flotte.

1836 *1er navire en fer,* l'*Ironside* (G.-B.). **1850** goélette *Excelsior,* et trois-mâts barque *Marion Mac Intyre* en métal et bois. **1853** *1er long courrier en fer,* le *Martabaze* (753 tx). **1864** *1er navire en tôle d'acier :* l'*Atlair.* **1880** goélettes de 4 mâts (env. 1 000 tx) à 7 mâts [7 000 tx, 26 h. d'équipage, 1 seule connue : le *Thomas W. Lawson* 123 × 15 m]. **1889** *1er cinq-mâts barque,* le *France* (I).

1902 *Preussen* (All.), *cinq-mâts,* 53 voiles, vitesse max. théorique avec coque propre 17 n., réelle 7,5, fait naufrage en 1910. **1911** *France II, cinq-mâts* construit à Bordeaux fut *le plus grand voilier du monde* (126 × 16,90 m, jauge brute 6 255 tx, port en lourd + de 8 000 t, 2 moteurs de 900 ch, en acier, perdu la nuit du 11/12-7-1922 en N.-Calédonie). **1914** 164 grands voiliers français [98 trois-mâts barque, 31 trois-mâts carrés (jauge d'env. 2 400 tx, port en lourd 3 200 t, équipage 25 h.), 31 quatre-mâts barque, 3 quatre-mâts carrés (3 000 tx, 4 000 t, équipage 30 h.), 1 cinq-mâts barque]. **1924** *dernier cinq-mâts à voiles :* le *Copenhague.*

• **Derniers voiliers.** *Le plus grand* fut le *Great Republic* (98,77 × 16,16 m, creux 11,89 m, 5 000 tx b., 3 mâts carrés, voilure 5 800 m² s'élevant à 64 m de haut. au-dessus du pont ; 100 h. d'équipage et 30 mousses). Le *dernier voilier long-courrier français,* le *Bonchamps,* construit en 1902, fut désarmé en 1931 et envoyé à la démolition. Les voiliers de pêche ont été désarmés entre 1947 et 1955.

Quand la voile disparut, les grands voiliers portaient de 130 à 135 t par homme d'équipage (300 t sur les goélettes amér.) contre 44 t en 1860. On arrivait à manier 120 m² de toile par personne.

• **Clippers** (de l'anglais *to clip :* couper, ils coupaient l'eau). Bateaux très longs, aux voiles moins hautes et plus larges. Ils concurrencèrent avec succès les nav. à vapeur avant l'ouverture du canal de Suez (non navigable pour les bat. à voiles). *1ers clippers d'opium,* 250 à 400 tx, *clippers de thé* 700 à 800 tx ou plus (ex. : 921 tx pour le *Cutty Sark* construit 1869, 85,3 × 11 m, tirant d'eau 6,4 m, voilure 3 000 m² qui détenait le record aller-retour Australie-Manche en 67 j), puis de 3 000 à 5 000 tx, vitesse max. 15 à 21 n. (le *James Baines*). Ont disparu en France de 1927 à 1933, à cause de la journée de 8 h imposant 3 bordées au lieu de 2. Les derniers ont été démolis ou achetés à l'étranger notamment par Ericson (Finlande).

• Flotte actuelle de grands voiliers (non exploités pour des transports). **USA :** 65 [*Eagle* (1936) trois-mâts barque, long. 90 m, voilure 1 983 m²]. **G.-B. :** 20. **France :** 7 : l'*Étoile* (1929) et la *Belle-Poule* (1931) goélettes à hunier, long. 37,50 m, voilure 425 m², le *Mutin*, le *Bel Espoir* et son frère *Espérance*, la *Duchesse Anne* (1901), *Belem* trois-mâts barque, coque et mâture en acier ; long. 58 m, larg. 8,80 m, 406 tx, creux en quille de 4,9 m, tirant d'eau actuel de 3,5 m, voilure 1 200 m², *1896* lancé à Nantes, transporta d'abord du cacao, du bétail et du charbon entre France et Brésil. *1914* racheté par le duc de Westminster qui en fait un yacht de plaisance. *1921* racheté par Lord Guinness (Irl.), devient le *Fantôme II*. *1950* racheté par le Cte Cini (appelé *Giorgio-Cini*) pour la marine italienne. *1979* rachat par Caisse d'épargne « Écureuil », ramené à Brest, transféré à Paris pour réfection. *1985* quitte Paris pour St-Malo. **URSS :** *Kruzenshtern* quatre-mâts école de la mar. march. (soviét.), long. 115 m. *Sedov*, long. 118 m, le plus grand voilier du monde, voilure 4 200 m². *Sagres* (1937) trois-mâts école de la marine portugaise, long. 89 m, voilure 1 935 m². *Esmeralda* quatre-mâts école de la marine chilienne lancé à Cadix (1952), voilure 2 800 m², 373 h. d'équipage. *Gorch Fock* (1957), All. féd., trois-mâts barque, long. 89 m, voilure 1 952 m². *Amerigo Vespucci* (1931) Italie, trois-mâts carré, long. 101 m, voilure 3 000 m². *Cuauhtemoc* (1982) Mexique, trois-mâts barque, long. 89 m, voilure 2 250 m². *Dar Mlodziezy* (1981) Pologne, long. 109 m, voilure 3 015 m². *Libertad* (1956), Argentine, trois-mâts carré, long. 103 m, voilure 2 643 m². *Statstraad Lehmkühl* (1914), All. féd., trois-mâts barque de 98 m, 2 000 m².

Voiliers récents

Daish. Trois-mâts expérimental (japonais) 26 m de long, voiles rigides en plastique, vitesse 6 nœuds.

Bateau à turbovoile. Système du Pr Lucien Malavard (Fr., 7-10-1910). La turbovoile est un cylindre orientable et creux, doté d'une fente longitudinale qui permet, grâce à une turbine d'aspiration située à l'intérieur, de faire varier la pression des filets d'air sur sa surface, donc de diriger selon les besoins la force propulsive du vent ; un ordinateur (enregistrant en continu la vitesse du navire, son cap et les caractéristiques de ses moteurs) commande l'angle d'attaque par rapport au vent, la position du volet et la puissance d'aspiration. Un autre système ajuste le régime des moteurs principaux de manière à rendre optimales les économies de combustible (15 à 35 %). Expérimenté en 1983 sur un catamaran, *Moulin à vent I*, transporteur de vrac de 5 000 t. *Alcyone* (monocoque de 31 m de long, 76 t en charge, 2 turbovoiles de 10,2 m et une section elliptique de 1,35 × 2,05 m, d'où une surface « exposée » de 21 m² ; vitesse prévue par vent de 30 nœuds : 10 à 12 nœuds), mis à l'eau début avril 85, il a traversé l'Atlantique en juin 1985. *Cargo de 6 000 t* équipé de 2 turbovoiles d'env. 22 m de haut et 4,5 m de large (surface : 100 à 110 m²).

Guinness (G.-B.). 30 m de long (1984).

Paquebots à voile. *Wind Star* (lancé 13-11-1985 au Havre) et *Wind Song* (long. 134 m, tirant d'eau 4 m, 4 mâts de 48 m, 2 000 m² de voilures, gréés en focs baumés de 370 m², 5 ponts, 75 cabines, équipage 85 h, passagers 148). *La Fayette*, long. 185 m, 5 mâts, 430 passagers, coût 550 millions de F (lancé 23-12-1988 au Havre). *Club Med.* 5 mâts de 50 m de haut, 2 500 m² de voilures, long. 187 m, largeur 20 m, tirant d'eau 5 m, 8 ponts, vitesse de croisière 11 à 15 n., moteur 5 000 ch, 2 piscines (6,21 m × 5,30 et 4,95 × 5,30). 14 540 tjb. Coût : 580 millions de F. Construit au Havre. Entré en flotte 29-12-1989. Coque nue sous pavillon des Bahamas. Passagers : 416, équipage 176 h. (61 gentils organisateurs, 83 personnes de service, 32 h. d'équipage). *Club Med II* lancé le 12-7-1991 du Havre, long. 187 m, larg. 20, moteur 7 000 ch, passagers 430. Coût : 800 millions de F dont 500 financés par l'État sous réserve que le pavillon soit français, que le navire reste 26 semaines en Nouv.-Calédonie où 3 bases seront construites. *Le Ponant.* Long. 88 m,. 3 mâts, voilure 1 300 m², 32 cabines, 64 passagers.

Projet Phicoe. Conçu par les Français Marc Philippe et Marcel Coessin : voiles ressemblant à des ailes d'avion, déformables pour s'adapter au vent et utilisant 2 surfaces de voilure (intrados et extrados alors que les voiles classiques n'utilisent que l'intrados). Relié à un ordinateur de bord qui reçoit ses informations par satellite, un microprocesseur modifie la courbure des voiles en fonction du vent. Vitesse : 20 à 25 nœuds, pour un bateau de 6 m de long ; coût des voiles : env. 27 000 F.

Projet des chantiers Cockerill (Belg.). Cinq-mâts, haut. 82 m, larg. 167 m, surface totale 12 000 m², vitesse 12 nœuds.

Shin Aitoku Maru. Transporteur de produits pétroliers de 1 600 tpl, à voiles auxiliaires de type rigide et à moteur diesel, construit au Japon en 1980. En exploitation régulière.

Techniques avancées. Catamaran conçu par les élèves de l'École nat. sup. des techniques avancées. *Voiles :* 2 ailes rigides fonctionnant comme des ailes de planeur. À 25 nœuds, se hisse hors de l'eau et ne navigue + que sur ses 3 dérives (ou foils) asymétriques. *Vitesse visée :* 40 nœuds ; a atteint + de 20 n. (juin 88), pourrait aller jusqu'à 55 n. si le phénomène de ventilation sur les foils ne mettait en péril la stabilité.

• Voiles. Différentes sortes. **Voiles latines ou triangulaires :** *foc*, voile d'avant hissée entre mât de misaine et beaupré (mât horizontal à l'avant) ; *voile d'étai* accrochée à un cordage (draille) tendu entre 2 mâts verticaux. **Voiles auriques :** ayant la forme d'un quadrilatère, elles sont assujetties à leur partie supérieure à une *corne* (mât suspendu obliquement) et parfois maintenues à leur partie inférieure par une *bôme* ou un *gui* (mât suspendu horizontalement) ; à bourcet, au tiers, à livarde brigantine. **Voiles de forme trapézoïdale :** la partie supérieure est lacée à une vergue perpendiculaire au mât ; de bas en haut : *basse-voile, hunier, perroquet, cacatois.*

Les voiles de l'extrême avant (focs) et de l'extrême arrière sont des *voiles d'évolution*. Les voiles des mâts sont des *voiles de propulsion*.

• Mâts. Autrefois en bois (pin sylvestre, sapin, mélèze, cèdre) qui réunissaient 3 qualités : flexibilité, élasticité, légèreté. Ils étaient soutenus par des étais (à l'avant du mât) et des haubans (par le travers et vers l'arrière).

• Classification des voiliers d'après leur gréement. **1 mât et 1 voile :** petits *yachts*, cat. boat. **1 mât et 2 voiles :** *youyous*. **1 mât vertical et beaupré à l'avant :** *cotres* (ou cutters, nav. de guerre), ou *sloops* (nav. de commerce) ; si l'on ajoute un mâtereau à l'arrière *(tape-cul) : yawl*. **2 mâts** (souvent un peu inclinés sur l'arrière) : *goélette* (voiles auriques, mât avant + bas que mât arrière), *baleinière* (2 voiles, 1 foc). **3 mâts :** *chasse-marées* (voiles à bourcet), *lougre* (4 voiles : foc, misaine, grand-voile et tape-cul sur un petit mât). **Tartane :** 1 mât à calcet, balancelle (avec très grand beaupré + 1 mât tape-cul). **Felouque :** 2 mâts à calcet. **Chebec :** 3 mâts à calcet. **Mât avant à traits carrés :** goélette à hunier. **2 mâts à traits carrés** (ou voiles carrées, ou phares carrés) : *brick* (ou *brigantin*). **3 et 4 mâts à traits carrés** (grands bâtiments marchands, nav. de g. : *corvette* à vaisseaux de ligne) ; nom des mâts : misaine (avant), grand mât (milieu), artimon (arrière). **3 et 4 mâts barque :** l'artimon porte un gréement longitudinal.

• Durées des trajets en j en 1900 et 1901. **Pour l'Europe :** De Calcutta : 99 à 142, Rangoon 106 à 170, Melbourne 85 à 158, Sydney 85 à 146, N.-Calédonie 100 à 171, N.-Zélande 79 à 181, San Francisco 96 à 181, Chili 61 à 155. **D'Europe :** à Calcutta 82 à 199, Maurice 71 à 128, Hong Kong 106 à 198, Melbourne 77 à 138, Sydney 74 à 134, Adélaïde 73 à 135, San Francisco 109 à 201, Chili 64 à 160.

Navigation à vapeur

• Quelques dates. **1543** Blasco de Garay (Esp.) essaie à Barcelone un bateau à vapeur de 200 tx. **1690** Denis Papin a sans doute l'idée, mais ne la réalise pas. **1707** il essaye à Kassel, sur la Fulda, un bateau à roues mû par la force humaine. **1736** Jonathan Hull (G.-B.) dessine un projet de bateau à vapeur. **1770** le Cte d'Auxiron et le Cte de Folleney s'associent ; leur bateau équipé d'une machine à 2 cylindres sombrera. **1775** Jacques Constantin Périer essaye sur la Seine un petit bateau à roues, mais la machine n'est pas assez forte. **1776** Claude, Mis de Jouffroy d'Abbans (1751-1832), essaye sur le Doubs un *pyroscaphe* de 13 m de large, avec un système « palmipède » (des volets plongeant de 40 cm dans l'eau puis s'effaçant) ; échec. **1783**-*17-7* il essaye sur la Saône un autre pyroscaphe [de 160 t (machine 13 t, chargement 182 t), long. 46 m, largeur 4,50 m, tirant d'eau 0,95 m, roues diam. 4,50 m, aube largeur 1,95 m, s'enfonçant de 65 cm] qui navigue 16 mois.

1803-*9-8* l'Américain Robert Fulton (1765-1815) fait naviguer sur la Seine un bateau à roues (long. 21,70 m, larg. 3,55 m, puissance 8 ch). **1805** il construit le *Clermont* (39 × 5,40 m, creux 2 m, déplacement 160 tx, roues 4,50 m) qui transportera sur l'Hudson (U.S.A.) pass. et march., liaison régulière à partir du 17-8-1807, New York-Albany (remontera l'Hudson sur 240 km en 32 h). Il eut des imitateurs (1809 *Accon* sur le St-Laurent, 1811 *Orléans* sur le Mississippi ; en 1817, il y avait en tout 131 bateaux et en 1832, 474). **1808** 1er voyage maritime à la vapeur (New York-Philadelphie) par Stevens. **1814** en Angleterre apparaît un steamer sur l'Humber, un autre sur la Tamise. **1816** 1re traversée de la Manche par l'*Élise* (ex. *Margery*, 16 m, 10 ch) avec le capitaine Andriel (Newhaven-Le Havre en 17 h). **1817**-*20-4* Jouffroy d'Abbans essaye le *Charles-Philippe* à Bercy. **1819**-*25-5/29-6* le *Savannah* (45 m, 380 tx, à voile et à vapeur actionnant des roues à aubes) traverse l'Atlantique de Savannah à Liverpool en 25 j (dont 18 à vapeur) ; termine sa carrière en voilier. **1824** la marine fr. met en chantier 5 vaisseaux à vapeur (36 m, 80 ou 160 ch). **1829** le *Civetta* (Autriche) utilise l'hélice sur l'initiative de Josef Russel. **1830** le *Sphinx* (construit à Rochefort), 1er navire à vapeur de la marine fr., amène en France l'obélisque de Louksor. Mise en service jusqu'en 1842 du *Var*, du *Liamone* et du *Golo* (construits à Toulon, machines anglaises) utilisés pour le service des dépêches Toulon/la Corse. **1832** brevet de Frédéric Sauvage (1786-1857) pour un propulseur formé d'une vis à un filet décrivant une spire (Augustin Normand en fera une hélice à 3 pales pour le *Corse*). **1836** le *Francis Ogden* du Suédois Ericsson, à hélice (14 × 2,5 m), remonte la Tamise à 8 n. (propulseur hélicoïdal monté directement sur le moteur). **1837** 1er navire commercial (fluvial à hélice, le *Novelty*), 1er nav. de guerre (le *Princeton* 1839-40, en Amérique). **1838** *avril* le *Great Western* en bois (64,60 × 10,60 m, creux 7 m, 1 340 tjb) avec 8 passagers et le *Sirius* (voilier de 700 tx équipé d'une machine à vapeur) traversent l'Atlantique en 15 j ½ (10 milles/h) et 18 j ½ (8 milles/h). Le *Great Britain* (de la Great Western) en fer (84 × 14,70 m, creux 9,54, 2 984 tjb, machine 1 000 ch) à hélice et à voile (6 mâts). **1842** (6-12) 1er nav. à hélice construit en France au Havre par Augustin Normand [*Napoléon*, aviso de 2e cl., 220 ch, 11 n. à la vapeur, 13 n. sous voiles et vapeur (principe de Frédéric Sauvage), 20-9-1786–17-7-1857 (dans asile d'aliénés), hélice à propulsion entière brevetée 1832, adaptée dans une hélice à 4 pales, devenu le *Corse* et affecté au service postal Marseille-Ajaccio ; il navigue jusqu'en 1890]. **1843** Sauvage ne parvient pas à perfectionner le système à hélice de Dallery. **1849** apparition du chauffage central sur les paquebots. **1850** 1er nav. à hélice faisant de la voile l'auxiliaire de la vapeur (et non plus le contraire) appelé le *Vingt-quatre février* puis le *Président*, en bois, 5 047 t, 2 ponts, 13,86 m, 92 canons, 900 ch tirant d'eau. **1853** lancement du *Great Eastern*, de l'*Arabia* (Cunard Line), dernier navire en bois, 1er à chaudière tubulaire, vitesse 11,5 n. **1856** *Persia* (Cunard line) en fer, vitesse 12 n. **1863** la Cunard adopte l'hélice et la machine à bielles renversées, sur les paquebots *China* et *Cuba* : vitesse 14,8 n. On estimait que l'hélice (réputée supérieure pour les nav. de guerre) fatiguait les passagers de l'arrière à cause des vibrations. Désormais, on transformera les vaisseaux à roues. **1872** apparition de l'éclairage au gaz sur les paquebots. **1879** apparition de l'électricité. **1894** 1er bateau à turbine, le *Turbinia* 30,48 m, 45,20 t, 3 turbines à vapeur totalisant ensemble 2 000 ch, vitesse 34,50 nœuds (64 km/h).

Aéroglisseurs (ou hovercrafts)

• Origine. Engins spéciaux maintenus en marche, à quelques centimètres au-dessus de l'eau, par un coussin d'air (produit sous la coque par des ventilateurs axiaux ou centrifuges installés à bord). Les 1ers aéroglisseurs utilisaient une chambre rigide dans laquelle l'air était insufflé pour former un coussin d'air. Ils ne pouvaient transporter qu'une charge limitée sur eau calme et se déséquilibraient assez facilement. La technique française [depuis 1957, perfectionnée par Jean Bertin (1917-76) avec le *Terraplane* de 3,5 t lancé le 7-1-1962] utilise plusieurs

Grands paquebots contemporains	Année constr.	Jauge brute tjn	Longueur hors tout en m	Largeur en m	Vitesse nœuds	Pass.
Sovereign of the Seas (Liberia) [1]	1987	73 192	266	32	21	2 282
Norway (Norvège) [2]	1961	70 202	315	34	24	1 800
Queen Elizabeth 2 (G.-B.) [3]	1968	66 450	293	32	34	1 815
Jubilee [4]	1986	47 262	228	28	22	1 486
Celebration	1987	47 262	228	–	–	–
Fairsky [5]	1984	46 314	240	28	22	1 212
Holiday (Danemark)	1985	46 052	221	28	22	1 452
Canberra (G.-B.) P & O	1960	44 807	249	31	30	1 648
Royal Princess (Finlande)	1984	44 348	231	29	22	1 260
Seaward(Finlande)	1988	42 276	213	28	20	1 672
Westerdam (All. féd.)	1986	42 092	–	–	–	–
Oriana (G.-B.) P & O [6]	1960	41 910	245	29	30	1 700
Oceanic	1965	40 000	238	29	29	1 500
Crown Odyssey	1988	40 000	187	28	20	990
United States (U.S.A.)	1952	38 216	302	31	42	1 930
Festivale (ex-S.A. Vaal)	1960	38 175	232	27	24	1 148
Rotterdam (P.-Bas)	1959	37 783	228	28	23	1 111
Song of America	1982	37 584	214	28	21	1 310
Tropicale	1982	36 674	204	26	20	1 022
Royal Viking Sun [7]	1988	36 000	204	29	20	760
Europa (All. Féd.)	1981	33 819	199	28	22	600
Raffaello (It.) [8]	1965	45 933	275	31	26,5	1 775
Michelangelo (It.) [8]	1965	45 911	275	31	29,5	1 775
Chant du monde (Norv.) [9]	1987	–	266	–	–	–
Windsor Castle (G.-B.) Un.	1960	36 277	238,66	28,04	23,5	852
Leonardo da Vinci (It.) It.	1960	33 340	233,87	28	25,5	1 326
Eugenio C. (It.) Costa	1966	30 567	217,5	29,4	27	1 636
S.A. Vaal (Afr.-S.) Safnar	1961	30 213	231,69	27,43	23,5	730
Arcadia (G.-B.) P & O	1954	29 871	220	27,7	22	1 448
Cristoforo Colombo (It.) It	1954	29 429	213,5	27,4	23	1 161
Pendemis Castle (G.-B.)	1958	28 442	232,71	25,31	22,5	707

Nota. – (1) 2 autres paquebots commandés par la Royal Admiral Corporation aux chantiers de l'Atlantique : l'Impératrice du Nord, livrable avril 1991 (coût : 1,6 milliard de F) ; *31-7-1989 :* 3e bateau, long. 300 m, 2 600 passagers, livrable fin 1992 (coût : 2,5 milliards de F dont 1,57 armateur et 0,7 État français). (2) ex-*France* mesure 70 202 tjb, atteint 24 nœuds avec 80 000 CV, héberge 900 couples (max. 2 400 env.) depuis 1980, après rajeunissement en Allemagne, hauteur de la cheminée au-dessus de la ligne zéro : 56 m. Hauteur du mât radar : 66,9 m. 12 ponts aménagés. Volume des cales et entreponts : 6 350 m³. Puissance des machines : 160 000 ch. Places : 1re classe, 407 à 618 ; touriste, 1 259 à 1 626. Coût : 400 millions de F, dont 80 versés par l'État. On escomptait l'amortissement en 20 ans. Son exploitation sous pavillon français a cessé le 30-10-74. A quai il coûtait, en 1976, 30 millions de F (frais d'immobilisation 9,6 ; amortissement 19 ; frais divers 1,4). *Après transformation :* (1980) : passagers 900 couples (max. 2 400 env.), équipage 755 (avant : 1 200), vitesse 21 nœuds (avant : 34). *Consommation* à 17 nœuds 228 t par jour (avant : 700 t de carburant). Le 24-10-1978 Akram Ojjeh (Saoudien) racheta le *France* environ 80 millions de F. Il le revendit, le 25-6-1979, 18 millions de $ à l'armateur norvégien Knut Klosters pour des croisières d'agrément dans les Caraïbes. Celui-ci le fit transformer par les chantiers Hapag Lloyds de Bremerhaven (All. féd.), et le rebaptisa *Norway ;* restauré en 32 semaines ; a représenté pour lui un investissement total (achat puis transformation) de 90 millions de $. Un bateau neuf, pour lequel il aurait fallu attendre 2 ou 3 ans, aurait coûté, pour 1 400 passagers, 120 à 130 millions de $. (3) Au retour des Malouines en 1984, agrandi à 67 410 tjb, puis en 1987 remotorisé en Allemagne. (4) Construit en Finlande, de forme carrée. (5) *Fairsky,* dernier bateau de La Seyne/s/Mer, pavillon libérien. (6) Désarmé en janvier 1987 pour devenir hôtel flottant à Osaka (Japon). (7) Navire en achèvement en Finlande (déc. 88). (8) Désarmés en 1975 ; vendus en 1976 à l'Iran. (9) Construit par Alsthom/Chantiers de l'Atlantique à St-Nazaire : tirant d'eau : 7,55 m ; hauteur de la cheminée : 60,5 m ; 14 ponts ; 16 ascenseurs ; 767 membres d'équipage ; réseau intérieur de télévision ; 1 127 cabines ; salle de spectacle de 800 places ; 11 bars.

Autres grands navires marchands	Année	Port en lourd	Jauge brute	Long. m	Larg. m	Vit. nds
Navires atomiques						
Otto Hahn (All. féd.) [1]	1968	14 200	16 871	171,8	23,4	15,7
Savannah (U.S.A.) [1]	1962	9 834	15 585	166	24	20,2
Arktika (U.R.S.S.) (brise-glace)	1974	4 096	18 172	149,9	29,8	–
Lenin (U.R.S.S.) (brise-glace)	1959	3 788	14 067	134	28	18
Mutsu (Japon) [1]	1970	2 360	8 350	130	19	17
Otto Schmidt (U.R.S.S.) (brise-glace et laboratoire de recherche)	–	–	–	–	–	–
Sibérie (U.R.S.S.) (brise-glace)	–	–	–	–	–	–
Pétroliers						
Seawise Giant [2]	1981	564 763		458,5	68,9	29,8
Bellamya (France) [3]	1977	554 000	274 650	414,23	63,05	16,7
Nanny (Suède)	1979	499 000	–	–	–	–
Nissei Maru (Japon)	1975	484 337	238 517	379,11	61,9	14,2
Globtik London (G.-B.)	1973	483 939	238 207	373	61	14,7
Globtik Tokyo (G.-B.)	1973	483 664	238 252	373	61	15,0
Berge Emperor (Norvège)	1975	414 000	213 000	365,08	68	15,5
Hilda Knudsen (Norvège)	1975	409 500	202 406	378,20	68,93	15,7
Transporteurs de gaz						
Methania	1978	–	131 580	–	–	–
Larbi Ben M'Hidi	1977	–	129 500	–	–	–
Édouard L.-D.	1977	–	129 300	–	–	–
Golar Freeze et Hoegh Gandria	1977	–	125 800	–	–	–
Ramdane Abane	1981	119 811	126 200	–	–	–

Nota. – (1) Désarmé. (2) Ancien *Oppama* (422 018 t) rallongé de 81 m. (3) *Batillus, Bellamya* (livrés en 1976), *Pierre-Guillaumat* (livré en 1977) et *Prairial* (livré, coût 570 millions de F) sont les plus grands navires du monde et ont des caractéristiques générales semblables ; *Pierre-Guillaumat,* coût 500 millions de F, citernes de cargaison 677 000 m³ (divisés en 42 citernes) ; haut. de la quille à la pomme du mât 74,50 m ; capacité en combustible 14 500 t ; cons. journalière 330 t ; autonomie en combustible en pleine puissance 42 j (permet de parcourir 17 000 milles, soit les 3/4 du tour de la planète) ; propulsion par 2 groupes turboréducteurs développant chacun 32 500 ch à 86 tours/mn ; 2 hélices à 5 pales pesant chacune 51 t et d'un diam. de 8,50 m ; 2 gouvernails situés chacun derrière son hélice, équipage 12 off., 26 marins. *Batillus, Bellamya,* creux (hauteur jusqu'au pont) 36 m, tirant d'eau en charge 28,5 m, 2 lignes d'arbres, puissance totale 65 000 ch, capacité des citernes 650 000 m³, poids à vide (poids lège) 77 000 t (11 fois le poids de la tour Eiffel). Ces bateaux mettent env. 40 j pour aller du Havre au golfe Persique (à 12,8 nœuds en 1 heure pour consommer moins, et 28 à 30 j pour le retour à 16,2 nœuds). La cargaison représente env. 300 millions de F.

☞ Voir également, au chapitre Défense nationale, les textes consacrés :

- aux navires anciens (navires à rames, navires à voile, navires à vapeur, sous-marin) ;
- aux navires récents (cuirassés, porte-avions, frégates lance-engin, croiseurs, corvettes et avisos, navires à effet de surface, sous-marins).

jupes « internes » (ex. : 8 sur un appareil de 30 t), entourées d'une jupe externe. Chacune peut être alimentée individuellement en air ; souples (pouvant durer 2 000/3 000 h) elles s'adaptent au relief.

Le *1er hovercraft* atteignit en 1958, en face de Cowes (île de Wight), 32 nœuds avec 2 moteurs de 60 ch ; le 25-8-1959, il traversa la Manche avec 3 passagers à bord. *1er service pour passagers :* en juillet 1962 par Vickers Armstrong (G.-B.) sur l'estuaire de la Dee avec le V.A.3 de 11 t transportant 24 passagers à une vitesse de 100 km/h. *1res courses d'hovercrafts :* 14-3-1964, Canberra (Austr.) (12 concurrents et 10 appareils différents).

• **Quelques types. G.-B.** (construits par la British Hovercraft Corporation) : **SR-N2** (1962) 68 passagers, 70 nœuds. **SR-N4** (1968) 40 m, 165 t, 170 à 250 pass., 24 à 34 autos ou 500 pass., 130 km/h par mer calme et 90 km/h par vagues de 2 m de creux. **SR-N6** (1965) 10 t, 52 nœuds, 38 pass. **SR-N6** et **BH7**, milit., 3 versions (transport de troupes, assaut, surveillance). **API-88** long. 21 m, larg. 10 m, 80 à 100 km/h, 80 pass. **U.S.A.** (projets) 5 000 ch, 10 000 t.

France (construits par la SEDAM). **N 300** (1968) 24 × 10,5 m, 27 t, 120 km/h, 90 passagers (ou 35 + 4 voitures), 2 300 ch (2/3 pour le propulseur, 1/3 pour la sustentation), creux max. franchissable 2 m. 2 ont été exploités en 1969-70 entre San Remo, Nice, Cannes, St-Raphaël et St-Tropez. L'un a assuré un service de car-ferry mixte (voitures-passagers) sur la Gironde de 1971 à 1976. Une version militaire a été étudiée (14 t utiles, 3 versions : transport de troupes, support logistique, patrouilles d'intervention). **N 500** (1978) le plus gros du monde : 50 × 23 m, 17 m de haut, 155 t, 130 km/h, 70 nœuds, 16 000 ch, 5 moteurs, Lycoming TF40 (3 pour propulsion, 2 pour sustentation), masse totale en charge de 250 t, capacité 400 passagers, 45 voitures (ou 125 pass., 65 voit. ; ou 280 pass., 10 voit. et 5 autocars). Creux max. franchissable 2,5 m. Retiré du service (non rentable). Prix : 120 millions de F. Exploité dep. 5-7-1978 sur Boulogne-Douvres-Calais. **D.N./SEDAM. AEROBAC AB 7 :** long. 11,5 m, larg. 6,2 m, haut. 3,37 m, masse à vide 13 000 kg, à pleine charge 20 000 kg, vitesse max. 16 n., rayon d'action 400 km. **Windlord :** construit par Transfutur. Peut se déplacer sur terre ou sur l'eau (32 à 38 n.). Autonomie 6 h. Supporte des vents de force 4 à 5. Prix env. 75 000 F.

Plates-formes *agricoles, pétrolières, pour missions polaires,* etc. : à l'étude.

• **Trafic.** 30 % du trafic voyageurs sur Calais-Ramsgate et Calais-Douvres-Boulogne et 25 % du trafic véhicules (largement utilisé sur Saint-Malo-Jersey-Guernesey). *Trafic maritime total par aéroglisseur* (1979) : env. 11 millions de passagers.

Hydroptères (hydrofoils)

• **Caractéristiques.** Propulsés par une hélice marine classique. Ils évoluent au-dessus de l'eau, soutenus par des ailes portantes situées au bas des pieds liés à la coque ; *1re génération* (depuis + de 15 ans) utilise des plans porteurs traversant la surface de l'eau. *2e génération* utilise des plans porteurs totalement immergés.

Lorsque le plan d'eau est agité, l'appareil subit de fortes accélérations verticales et la navigation devient inconfortable, voire impossible. On étudie des solutions hybrides, ailes immergées à l'arrière, ailes classiques à l'avant, contrôle de la portance par insufflation d'air, etc. En service en Baltique, Méditerranée, lacs italiens, URSS et dans le pas de Calais.

• **Types. PT 20** (Suisse) : plans porteurs émergeants ; masse totale en charge 32 t ; charge utile 7 t ; 20,75 m × 4,49 m ; 1350 ch ; 1 diesel ; vitesse max. 34 nœuds. **FHE 400** (Canada) : plans porteurs mixtes ; masse totale en charge 215 t ; charge utile 50 t ; 45,90 m × 6,50 m ; 25 000 ch ; 1 turbine ; vitesse max. 60 nœuds. **Boeing :** 1 turbine ; 261 passagers. **Plainview :** (314 t à pleine charge), lancé à Seattle (U.S.A.) le 28-6-1965, 65 m de long., vitesse 50 nœuds (92 km/h), *le plus grand hydroptère.*

Véhicules d'exploration sous-marine

• **Origine.** Instruments dirigés de la surface et retenus au bout d'un filin (1930, *bathysphère* de William Beere ; 2,25 t, diamètre 1,45 m, atteignit 932 m aux Bermudes en 1934).

• **Problèmes techniques.** *Visibilité :* obscurité totale à partir d'env. 100 m de profondeur, ondes radioélectriques et radiations lumineuses s'atténuent rapidement ; ondes sonores et ultrasonores se propagent moins, surtout dans les basses fréquences. *Pression :* augmente de 1 bar tous les 10 m. *Pilotage :* à vue par les hublots ou des caméras de télévision ou des sonars. *Liaisons par câble* ou téléphone ultrasonore.

• **Caractéristiques.** *Flotteur :* à parois minces, rempli généralement d'essence (2 l donnent une force de sustentation de 1 kg), de mousse plastique (Moray) ou de billes de verre creuses noyées dans de la résine époxy (Deep Jeep). *Coque :* généralement une sphère au-delà de 1 000 m ; cylindre à calottes sphériques exceptionnellement ellipsoïde. *Source :* accumulateurs au plomb à l'extérieur de la coque avec équilibrage à la pression d'immersion, utilisés comme lest de secours largable ; batteries alcalines (cadmium-nickel) plus robustes ; accumulateurs argent-zinc légers et compacts ; plus tard, piles à combustible et moteur nucléaire. *Propulsion :* hélices mues par des moteurs électriques ou hydrauliques ou tuyères éjectant de l'eau sous pression produite par une pompe ; hélices contrarotatives ou à pas variable, propulseurs cycloïdaux.

• **Bathyscaphes. FNRS 2.** 1er réalisé en 1948 par Auguste Piccard (Suisse 1884-1962) sous l'égide du Fonds national de la recherche scientifique belge ; descendit à vide à 1 380 m. **Trieste :** construit en 1953 par Piccard et son fils Jacques (n. 1922), atteint 3 150 m le 30-9, racheté par la marine américaine et piloté par un ingénieur américain D. Walsh et

J. Piccard ; bat en 1960 le record de plongée, (10 916 m dans la fosse des Mariannes). **FNRS III :** reprise de la sphère du FNRS II par la Marine nationale, confié à Georges Houot (1913-77) qui, avec Pierre Willm (29-3-1926), atteint, le 15-2-1954, 15 050 m au large de Dakar.

Archimède : construit par Houot (pilote) et Willm (ingénieur chargé) pour la Marine française, lancé 28-7-1961. Déplacement plongée 208,90 t, surface 200,90 t, long. 22,10 m, largeur 5 m, hauteur 9,10 m, tirant d'eau moyen en surface 5,20 m. La sphère étanche, plus lourde (19 t) que le volume d'eau qu'elle déplace, est soutenue par un flotteur contenant 170 m³ d'essence ultralégère. Divisé en 16 réservoirs principaux et 4 réservoirs d'équilibrage, communiquants. La plongée est amorcée en remplissant d'eau les 2 sas d'accès. Le bathyscaphe alourdi s'enfonce. La pression de l'eau de mer comprime l'essence, et celle-ci pénètre dans la base d'un des réservoirs d'équilibrage, ce qui alourdit d'autant plus le bathyscaphe qui descend... Pour remonter, on lâche de la grenaille de fonte, maintenue par des électro-aimants. Toute panne de batterie ou des circuits électriques ouvrirait les silos par coupure de courant, le bathyscaphe remonterait automatiquement. *Records : 25-7-1962 :* dans la fosse de Kouriles. O'Byrne, pilote ; Sasaki, passager ; Delauze, copilote.– 9 545 m. Pour des raisons budgétaires, *L'Archimède* a été mis en réserve depuis 1975.

• **Sous-marins. Cyana** (SP 3 000 soucoupe plongeante) : s.-m. de l'IFREMER, 9 t, éq. 3 personnes, charge utile 50 kg, peut aller à 3 000 m et explorer 20 % des fonds ; mis en service 1970 ; utilisé à des fins industrielles (ex. : préparation à la pose des gazoducs en mer) ou scientifiques.

SM 97-Nautile : s.-m. lancé le 5-11-1984. Long. 8 m, larg. 2,70 m, haut. 3,45 m, 18,5 t, charge utile 200 kg, sphère habitacle et conteneurs divers en alliage de titane TA 6 V 4, équipage 3 personnes, autonomie 13 h, survie 130 h, peut atteindre 6 000 m (ce qui permet d'explorer 97 % des fonds marins), mis au point par l'IFREMER et la Direction des Constructions navales ; *coût :* 100 millions de F. 600 plongées au 1-4-91.

Saga : s.-m. d'assistance à grande autonomie. *Origine :* Argyronète (nom d'une araignée aquatique vivant sous l'eau dans une cloche de soie filtrée par elle et emplie d'air par ses soins) sous-marin expérimental de recherche commencé 7-11-1969 par l'Institut français du pétrole et le CNEXO et arrêté 24-9-1971. Voir Quid 1991 p. 1605a. *Projet repris en 1982 par COMEX et CNEXO :* long. 28,06 m, 310 t (déplace 545 t en plongée), 2 moteurs Stirling (fabriqués par la Sté suédoise Kockums) de 75 kw chacun (la combustion de fuel et d'oxygène liquide chauffe de l'hélium dont la dilatation puis la contraction en circuit fermé font aller et venir les pistons du moteur) ; autonomie : 550 km en plongée (a fait évoluer 4 plongeurs par 316 m de fond, le 6-5-1990) à 9,2 km/h + 10 j de travail sous-marin. *Coût :* 165 millions de F dont IFREMER 50, Stés canadiennes ISE (International Submarine Engineering) et ECS (Energy Conversion System) 34, COMEX 32, Fonds de soutien aux hydrocarbures via le Comité d'études pétrolières et marines 32, Communautés européennes 8. *Coût d'utilisation :* 200 000 F/j.

Smal : 1,2 ou 5 : s-m autonome de loisirs à pression atmosphérique (selon nombre de places). Capot de fermeture manœuvrable de l'intérieur et de l'extérieur, hublot cylindrique. *Autonomie :* 6 h (survie 72 h) ; *plongée :* 50 m ; *vitesse :* 2 nœuds.

Seabus. Long. 12,50 m, constitué de 7 bagues en acrylique transparent reliées entre elles par des montants métalliques, s.-m. de loisir, plonge à 85 m.

• **Engins robots.** Pour explorer une zone à grande vitesse à coût relativement faible et mesurer certains paramètres bathymétriques, géologiques, physico-chimiques. 500 robots construits dans les 20 dernières années.

Robots remorqués : ex. *Raie* (Remorquage abyssal d'instrumentation pour l'exploration) pouvant opérer à 6 000 m.

Robots télécommandés à câble : ex. *Télénaute* (1962, 1er de ce genre réalisé par l'Institut français du pétrole) et *PAP 104* (à usage militaire, réalisé par la direction des Constructions et armes navales de Brest) ; *Sar* (système acoustique remorqué) essayé en 1984, relié à un bateau par un câble de 8 000 m, 2,4 t, long. 5 m, diam. 1 m, peut explorer les fonds jusqu'à 6 000 m ; **sans câble :** *Epaulard* construit par le CNEXO, opérationnel dep. 1981, télécommandé par ondes acoustiques, atteint 4 000 à 6 000 m, autonomie 10 h, prend des photos des fonds marins ; *Nadia,* foreur mis au point par l'IFREMER en 1988. *CURV* (Cable Underwater Recovery Vehicle, Véhicule téléguidé de sauvetage en mer), non habité, *1966* a participé au large de Palomares en Espagne à la recherche d'une bombe H (perdue lors d'une collision de 2 avions de l'U.S. Air Force au cours d'un ravitaillement en vol) ; avec son bras télécommandé réussit à s'en saisir et à la remonter à la surface.

Records sur l'eau

Vitesse en km/h, canot, année et pilote. *Source :* Union internationale motonautique.

• **Selon le type de propulsion. Propulsion classique.** 149,35 *Miss America VII* 1928 (Gar Wood [2]) ; 158,80 *Miss England II* 1930 (Henry Segrave [1]) ; 166,51 (id.) 1931 (Kaye Don [2]) ; 177,38 (id.) 1931 (id.) ; 179,67 *Miss America IX* 1932 (Gar Wood [1]) ; 192,68 *Miss England III* 1932 (Kaye Don [2]) ; 200,90 *Miss America X 1932 (Gar Wood [2]*) ; 208,40 *Blue Bird* 1937 (Malcolm Campbell [2]) ; 210,68 (id.) 1938 (id.) ; 228,10 *Blue Bird II* 1939 (id.) ; 258,01 *Slo-Mo-Shun IV* 1950 (Stan S. Sayres [1]) ; 287,26 (id.) 1952 (id.) ; 296,95 *Miss Supertest II* 1957 (A.C. Asbury [3]) ; 302,14 *Hawaii-kaii III* 1957 (Jack Regas [1]) ; 314,35 (id.) 1957 (id.) ; 322,54 *Miss U.S. 1* (Staudach/Merlin) 1962 (Ray Duby [1]).

Propulsion par réaction (fusée jets). 325,61 *Blue Bird* 1955 (Donald Campbell [2]) ; 348,02 *Blue Bird II* 1956 ; 384,74 *Blue Bird III* 1957 (Donald Campbell [2]) ; 400,18 (id.) 1958 (id.) ; 418,98 (id.) 1959 (id.) ; 444,72 *Blue Bird IV* 1964 (id.) ; 459 *Hustler* 1967 (Lee Taylor [1]) ; 464,45 1977 (Ken Warby [6]) ; 510,45 *Spirit of Australia* 1978 (id.) ; 511,62 *DEM* 1978.

Propulsion par hélice aérienne. 120,53 *Marcel Besson* 1923 *Canivet* [4] ; 137,87 *Hydroglisseur Farman* 1924 *J. Fischer* [4] ; 155,87 *Centro Spar* 1951 *Venturi* [5] ; 322,54 *Ray Duby* 1962.

Propulsion par diesel. 103,75 *Maltese* (Magnum/Daytona) 1967 Don Aronow [1] ; 126,10 *Abbate Perkins* 1972 Macchia Livio ; 213,08 Carlo Bonomi [5] 1982.

• **Selon le type de bateau. Hors-bord de course classe 01.** *210,90 1966 Starflite 4* (Mc Donald) Gerry Walin.

Nota. – Le 4-1-1967, D. Campbell, avant de se tuer, avait atteint 515 km/h. (1) U.S.A. (2) G.-B. (3) Canada. (4) France. (5) Italie. (6) Australie.

Paquebots. Vitesse maximale en km/h, année de construction. 16 *Britannia* (G.-B. 750 ch, 1 500 t) 1840 ; 30 *Etruria* (G.-B. 14 000 ch) 1885 ; 34 *Lucania* (G.-B. 31 000 ch) 1893 ; 47 *Mauretania* (G.-B. 70 000 ch) 1908 ; 50 *Mauretania* 1929 ; 52 *Bremen* (Allemagne 96 800 ch) 1933 ; 53 *Rex* (Italie 120 000 ch) 1934 ; 56 *Normandie* [1] (France 160 000 ch) 1935 ; 57 *Queen Mary* (G.-B. 200 000 ch) 1936 ; 66 *United States* (U.S.A.) 1952. 75 *Great-Britain* (G.-B.) 1990.

Principales traversées d'océan en bateaux
Traversée de l'Atlantique

Dates	Navires	Distances[9]	Temps[10]	Vitesse[11]
1819 (22-5/20-6)	Savannah [1,6,a]	–	29.4.0	–
1838 (7-5/22-5)	Great Western [2,7,b]	3 218	14.15.59	9.14
1840 (4-8/14-8)	Britannia [2,c]	2 610	9.21.44	10.98 †
1854 (28-6/7-7)	Baltic [1,d]	3 037	9.16.52	13.04
1856 (6-8/15-8)	Persia [2,e]	3 046	8.23.19	14.15 †
1876 (16-12/24-12)	Britannic [2,f]	2 882	7.12.41	15.94
1895 (18-5/24-5)	Lucania [2,f]	2 897	5.11.40	22.00
1898 (30-3/5-4)	Kaiser Wilhelm der Grosse [3,g]	3 120	5.20.0	22.29
1901 (10-7/17-7)	Deutschland [3,h]	3 082	5.11.5	23.51
1907 (6-10/10-10)	Lusitania [3,i]	2 780	4.19.52	23.99
1924 (20-8/25-8)	Mauretania [2,j]	3 198	5.1.49	26.25
1929 (17-7/22-7)	Bremen [3,k]	3 164	4.17.42	27.83
1933 (27-6/2-7)	Europa [3,k]	3 149	4.16.48	27.92
1933 (11-8/16-8)	Rex [4,l]	3 181	4.13.58	28.92
1935 (30-5/3-6)	Normandie [5,m]	2 971	4.3.2.	29.98
1938 (10-8/14-8)	Queen Mary [2,n]	2 938	3.20.42	31.69
1952 (11-7/15-7)	United States [1,8,m]	2 906	3.12.12	34.51
1952 (3-7/7-7)	United States [1,8,n]	2 942	3.10.40	35.59

Nota. – (1) USA. (2) G.-B. (3) Allemagne. (4) Italie. (5) France. (6) Voilier assisté d'un moteur, 1er navire utilisant la vapeur pour traverser un océan (105 h pendant la traversée). (7) 1 340 tx. (8) Remporta le record de vitesse, dit « ruban bleu ». (9) En milles. (10) Heure, minute, seconde. (11) En nœuds.

(a) Savannah – Liverpool. (b) New York – Avonmouth. (c) Halifax – Liverpool. (d) Liverpool – New York. (e) Sandy Hook – Liverpool. (f) Sandy Hook – Queenstown. (g) Needles – Sandy Hook. (h) Sandy Hook – Eddystone. (i) Queenstown – Sandy Hook. (j) Ambrose – Cherbourg. (k) Cherbourg – Ambrose. (l) Gibraltar – Ambrose. (m) Bishop – Rock Ambrose. (n) Ambrose – Bishop Rock.

Navires de guerre. 66 *Swift,* contre-torpilleur (1 800 t, 105 m de long, 10,40 m de large, G.-B.) 1910. *Le Terrible,* contre-torpilleur 84 km/h, 1939.

• **Vitesses habituelles.** Aéroglisseurs 70 à 150 km/h. Porte-conteneurs 3e gén. 43. Paquebot *France* 59. Car-ferry 39. Pétrolier long cours 30. Cargo de ligne polyvalent 28 à 35.

Virgin Atlantic Challenger (G.-B.) (1986). 3 j 8 h. *Great Britain* [9] (G.-B.) (23-6-1990) 3 j 7 h 58 ; trimaran construit en Tasmanie (Austr.) 2 928 milles en 3 j 6 h 50 avec 2 passagers et 10 h. d'équipage. Mis en service commercial entre Cherbourg et Portsmouth le 12-7-1990, long. 75 m, 200 tjb, capacité : 455 passagers et 90 véhicules, 40 nœuds (75 km/h).

En 1989 le *Gentry Eagle* (monocoque de 33 m, 2 Diesel Turbo V 16 de 3480 ch traverse en 3 j 7 mn 42 s à 48 nœuds mais sa performance n'est pas homologuée (il a dû se ravitailler à mi-chemin et ne transportait pas de passagers). Le *Deutschland* avait parcouru dans l'Atl. 601 milles (1852) en 24 h, le *Mauretania* 673 milles (1 247 km).

• **Traversée du Pacifique. Record :** *Sea-land Trade (USA)* pétrolier de 50 135 t, août 1973 de Kōbe (Japon) à Race Rock (USA), 5 j, 6 h, moy. 32,75 n.

Marine marchande

Construction navale

Sources : CSCN, Le Journal de la Marine marchande ; The Motor Ship ; Lloyd's Register ; Ann. stat. des transports.

Généralités

Lieu de construction. Sur *cale inclinée* (le navire est *lancé* quand sa coque est en état de flotter) ou dans un *bassin* (il n'y a pas de lancement, mais seulement mise à l'eau et sortie du bassin). **Durée.** Dépend du type du navire : quelques mois pour un navire relativement simple (ex. : pétrolier).

Prix. Varie selon le type du navire et son tonnage. Apport en lourd équivalent, les transporteurs de gaz liquéfiés ou les porte-conteneurs (construction assez compliquée) coûtent plus cher que les charbonniers ou pétroliers, dont la construction est plus simple et moins longue. *Ex.* en millions de $. *Pétrolier neuf* de 80 000 t, *1989* (oct.) : 38 ; *cargo* de 120 000 t, – de 5 ans, *1989 :* 33,4.

Livraisons en 1985 et, entre parenthèses, **meilleure et moins bonne année depuis 1971** (en milliers de tjb). Japon 9 503 (16 991 [3] - 4 697 [1]). Corée du S. 2 620 (n.c.). Brésil 581 (n.c.). All. féd. 562 (2 500 [3]-376 [8]). Espagne 551 (1 813 [5]-335,10 [8]) [10]. Danemark 458 (1 076 [2]-207 [8]). Chine (y compris T'ai-wan) 444 (n.c.). Pologne 361 (735 [3]-285 [9]). All. dém. 358 (410 [6]-295 [1]). Yougoslavie 259 (720 [2]-149 [8]). Suède 201 (2 515 [4]-201 [11]) [12]. *France 200 (1 673 [4] -200 [11]).* U.S.A. 180 (1 352 [7]-841 [9]). P.-Bas 180 (1 028 [3]-122 [8]). G.-B. 172 (1 233 [1]-172 [11]). Norvège 122 (1 052 [3]-111 [10]). Italie 88 (953 [2]-88 [11]). *Monde 1971 :* 24 387, *75 :* 34 203, *81 :* 16 932, *82 :* 16 820, *83 :* 15 911, *84 :* 18 334 (2 210 navires), *85 :* 18 155 [dont pétroliers 2 739 (174), vraquiers-pétr. 442 (11), minéraliers et vraquiers 8 578 (325), cargos 2 000 tjb et + 2 366 (293), – de 2 000 tjb 172 (201), porte-conteneurs 1 532 (65), transp. de gaz liquéfiés et de prod. chim. 593 (94), b. de pêche 204 (380), divers 1 529 (421)].

Nota. – (1) 1971. (2) 1974. (3) 1975. (4) 1976. (5) 1977. (6) 1978. (7) 1979. (8) 1980. (9) 1981. (10) 1984. (11) 1985. (12) Kockums, le dernier grand chantier suédois, a fermé ses portes en 1986.

Carnet de commandes total des pays constructeurs (en millions de tjb). *1976 :* 55. *86 :* 21. *89 :* 31. *90 :* 39,8 [*en commande :* 26,2 (soit 1 345 nav.), *en constr. :* 13,6 (1 288 nav.)].

Tonnage en construction ou en commande par pays d'immatriculation (en milliers de tpl au 1-10-90). Liberia 12 218, Panamá 9 336, Norvège 5 171, Japon 4 380, URSS 3 182, Suède 2 750, Italie 2 710, Danemark 2 570, Singapour 1 868, Chypre 1 711. Autres pays 29 039. *Monde 74 935* (soit 1 938 navires) *1973 :* 128 900, *78 :* 25 859, *84 :* 32 619 dont pétroliers 45 329 (686 navires), transp. de vrac 19 518 (251 n.), porte-conteneurs 5 597 (236 n.), autres cargos 4 491 (765 n.).

Carnets de commande par pays constructeurs (en millions de tjb, en juin 1990). Japon 13,2. Corée du

S. 9,8. Danemark 1,7. Yougoslavie 1,7. All. féd. 1,5. Italie 1,4. Espagne 1,3. Chine (est.) 1. Pologne 1. All. dém. (est.) 0,7. G.-B. 0,6. Roumanie 0,6. Finlande 0,4. Norvège 0,4. Turquie 0,3. *Total* : 39,9.

Principaux types de navires (en millions de tjb) commandés dont, entre parenthèses, en construction. Pétroliers 18,5 (4,5). Vraquiers 8,8 (3,6). Transporteurs de diverses 7,3 (2,5). Autres 2,3 (1,4).

Navires désarmés chaque année (au 1-7). *Nombre et,* entre parenthèses, *tonnage en millions de tpl. 1978* : 763 (57). *79* : 507 (21,5). *80* : 401 (14,7). *81* : 414 (17,3). *82* : 861 (59,2). *83* : 1 694 (98). *84* : 1 471 (71,5). *85* : 1 255 (64,1). *86* : 1 058 (33,7). *87* : 792 (20,6). *88* : 490 (12,7). *89* : 313 (4,15).

☞ *En 1950* : les 11 pays européens constructeurs de navires assuraient 65 % des livraisons mondiales ; en 1987, 13 %. En dépit d'aides publiques versées depuis 30 ans, la construction navale s'est effondrée. *Effectifs 1975* : 222 000. *87* : 75 000.

France

Carnet de commandes de l'armement français (nombre en milliers de tpl, au 1-1-1991). Navires à passagers 4 (11,9), porte-conteneurs 7 (232), cargos polythermes 3 (24,7), vraquiers 2 (300 000), pétroliers 1 (4,8), transp. prod. chimiques 1 (4,2), rouliers 1 (5,1), citernes alim. et chimiques 1 (8,5). **Total** 20 (591,2).

Effectifs des entreprises de construction et de réparation navales (en 1983 et, entre parenthèses, au 31-12-1989). **Total** 28 883 (8 403). **Construction** 23 546 (6 796) dont *grande constr. nav.* : ch. Atlantique et ch. Dubigeon 7 297 (4 564) [dont St-Nazaire 5 660 (4 564), Nantes 1 637 (0)] ; Normed 10 728 (0) [dont la Seyne 3 929 (0), la Ciotat 3 680 (0), Dunkerque 3 119 (0)] ; ACHP 2 157 (976) [dont La Rochelle 955 (0), Le Havre 882 (707), Granville 320 (269)]. *Petite constr. nav.* : C.M. de Normandie Cherbourg 1 053 (700), Manche S.A. Grand-Quevilly 632 (0), Manche Ind. mar. Dieppe 470 (68), SFCN Villeneuve-la-Garenne 341 (172), St-Malo Naval 257 (113), Acso Bordeaux 214 (0), Auroux Arcachon 37 (0). **Réparation** 5 337 (1 607) dont Arno 2 175 (289) [dont Dunkerque 906 (143), Le Havre 632 (0), St-Nazaire 550 (95), Dieppe 87 (34), Grand-Quevilly 0 (17)] ; Sud Marine Marseille 782 ; Sobrena (ex. Arno) Brest 774 (137) ; ACMP Marseille 675 (0) ; CMR Marseille 552 (385) ; Siren Le Havre 379 (125).

☞ *1982 (déc)* : Louis Le Pensec, min. de la Mer du gouv. Mauroy, décide de réunir les 5 grands chantiers français en 2 groupes : 1°) *St-Nazaire et Dubigeon-Normandie* (Nantes), 2°) *Dunkerque, La Ciotat et La Seyne* (qui prend le nom de Chantiers du Nord et de la Méditerranée). Effectifs : 11 385 pers., capacité de production/an : 220 000 tonneaux de jauge brute compensée. Mais la baisse du prix de vente des navires jusqu'en 1985, l'augmentation du prix de revient français et la concurrence étrangère (Corée du S.) mettent Normed en difficulté. *1986(30-6)* : Normed, en cessation de paiement, est mise en redressement judiciaire. 3 mois + tard, un accord social est signé par les parties. Le chantier de Dunkerque ferme et les 2 autres sites sont placés en location-gérance auprès d'une filiale de Normed, la « Sté Construction navale du littoral ». *1989 (28-2)* : Normed est mise en liquidation. *1990(15-1)* : 15 ha de terrains sur 44 sont rachetés par la mairie de la Ciotat, et les 29 restants, gérés par le Conseil général du département, sont concédés à la Lexmar [Cie contrôlée par les capitaux suédois et américains, créée 1986 ; (création prévue de 2 284 emplois), mais Lexmar France a été mise en liquidation le 18-2-1991].

Flotte marchande mondiale

Données globales

• **Total** (en millions de tjb). **1914.** G.-B. 19,9. Allemagne 5. USA 4,3. *France 2,3.* Norvège 2. Japon 1,7. P.-Bas 1,5. Italie 1,4. Suède 1. Espagne 0,9. Russie 0,9. Grèce 0,8. Dan. 0,8. *Monde 45,4.*

1939. G.-B. 17,9. USA 11,4. Japon 5,6. Norv. 4,8. All. 4,5. Italie 3,4. *France 3.* P.-Bas 3. Grèce 1,8. Suède 1,6. URSS 1,3. Canada 1,2. Dan. 1,2. Esp. 0,9 (1932 : 1,2). Panamá [1] 0,7. *Monde 68,5.*

1960. USA 24,8. G.-B. 21. Liberia [1] 11,3. Norvège 11,2. Japon 6,9. Italie 5,1. P.-Bas 4,9. *France 4,8.* All. féd. 4,5. Grèce 4,5. Panamá [1] 4,2. Suède 3,7. URSS 3,4. Danemark 2,3. Espagne 1,8. Canada 1,6. Argentine 1. Brésil 1. *Monde 129,8.*

1990. Liberia [1] 54,3 (1979 : 81). Panamá [1] 38,4. Japon 25. Norvège 22,4. Grèce 20,8. URSS 18,8. Chypre [1] 18. U.S.A. 13,8, Bahamas [1] 13,7. Chine 13,5. Philippines 8,3. Italie 7,8. Singapour 7,8. Corée du S. 7. Hong Kong 6,4. G.-B. 6,1. Inde 6. Taiwan 5,9. Brésil 5,8. Danemark 5. Iran 4,7. Malte 4,5. All. féd. 4. Bermudes 3,8. Roumanie 3,8. Turquie 3,8. Yougoslavie 3,8. *France 3,5.* Espagne 3,1. P.-Bas 3,1. Pologne 3,1. Suède 2,6. Australie 2,3. Vanuatu 2. *Total 398,8.*

1990 (en millions de tpl et, entre parenthèses, nombre de navires de + de 300 tjb). Liberia [1] 98,7 (1 597). Panamá [1] 61,2 (3 447). Norvège 40 (1 219). Japon 38,7 (3 806). Grèce 38,1 (1 384). Chypre [1] 32,5 (1 218). URSS 24,8 (2 698). Bahamas [1] 22,7 (675). USA 20,8 (512). Chine 20,6 (1 534). Philippines 14 (799). Singapour 12,8 (495). Italie 11,8 (846). Corée du S. 11,7 (656). Hong Kong 11 (240). Inde 10,1 (353), etc. *France (28e) 5,3 (195). Total 639,9 (33 671).*

Nota. – (1) Pavillons de complaisance.

• **Par types de navires de + de 100 tjb** (nombre et, entre parenthèses, millions de tjb en 1990). Total : 40 306 (398,8) dont 7 599 (138,3), transp. vrac sec 4 796 (113,4), navires 4 087 (11,1), porte-conteneurs intégraux 1 169 (23,9), transp. gaz 814 (10,7), transp. vrac mixtes 360 (19,8), autres cargos 21 481 (81,6).

Navires de gros tonnage (1989). *+ de 140 000 t* : 128, *de 100 000 (200 000 tpl) à 140 000 (275 000 tpl)* : 327.

Flotte pétrolière (navires de 10 000 tpl et +) par tranches en milliers de tpl. *Nombre de navires total dont,* entre parenthèses, *construits avant 1980* (au 30-6-1990). *10 à 25* : 631 (418). *25 à 40* : 731 (478). *40 à 70* : 398 (156). *70 à 125* : 513 (333). *125 à 200* : 213 (179). *+ de 200* : 425 (365). *Total* : 2 911 (1 929).

• **Age moyen** (au 1-1-1991). Flotte mondiale (en % du port en lourd). *De 0 à 4 ans* : 13,8. *5-9* : 19,7. *10-14 ans* : 27,1. *15-19 ans* : 19,3. *20-24 ans* : 11,8. *25-29 ans* : 4,2. *+ de 30 ans* : 4,1. *Age moyen* : 13,4 (pétrolier 12,8, vraquier 11,4).

• **Taux de couverture. Apparent :** rapport du tonnage transporté par la flotte d'un pays au tonnage total transporté par voie maritime pour le commerce extérieur de ce pays. **Global :** on ajoute au taux apparent les marchandises entre pays étrangers que la marine d'un pays transporte. Ce taux peut dépasser 100 % si la capacité de transport de la flotte est supérieure aux besoins du commerce extérieur du pays. Taux pour la France, voir p. 1594.

Taux pour la France (en %). *1970* : apparent 39,2 (global 63,1). *1975* : 33,8 (60). *79* : 26,9 (54). *80* : 29 (54). *81* : 29,2 (50,6). *82* : 28,8 (50,8). *83* : 29,2 (50,4). *84* : 25,1 (51,7). *86* : 17,2.

• **Commerce maritime mondial** (en millions de t, 1990). 3 860 dont pétrole, produits pétroliers et gaz 425, marchandises solides (vrac) 2 450 dont minerai de fer 350, charbon 335, céréales 195.

• **Pavillons** (en % du volume du commerce extérieur par voie maritime, 1989). *Exportations* : pavillons de complaisance 17,5, européens 12,5, national 11. *Importations* : p. de compl. 29, européens 24, national 6.

• **Trafic conteneurisé mondial** (en équivalents 20 pieds, en millions, 1989). USA 14 410. Japon 7 353. Taiwan 5 278. Hong Kong 4 463. P.-Bas 3 711. G.-B. 3 710. Singapour 4 364. All. féd. 3 041. Corée du S. 2 158. Belgique 1 785. Espagne 1 768. Italie 1 619. *France 1 607.* Canada 1 433. Australie 1 379.

• **Occasions** (prix en millions de $). En 1988, la valeur des occasions a augmenté car la livraison de navires neufs a été limitée à 14 millions de t (16 en 1987). **Pétroliers.** Panamax : *88* : 12,5. *89* : 17,5. *90* : 13. **Gazier :** *88* : 30. *89* : 47. *90* : 49. **Marchandise solide :** *88* : 4,5. *89* : 4,8. *90* : 3,4. **Vraquier** (60 000 tpl, 5 ans) : *88* : 17. *89* : 21,5. *90* : 18,5.

• **Pertes et démolitions des navires** (nombre et, entre parenthèses, tjb en milliers, en 1984). **Pertes.** Total mondial : 327 (2 353,9 soit 0,56 % de la flotte mondiale). **Ferraillages.** *1987* : 745 (19 millions de t), *1988* : 436 (5,7 millions de t). **Démolitions.** *1987* : 1 474 (12 009).

Nota. – En 1985 : 42 millions de tonnes de navires ont été envoyées à la casse [dont 2 superpétroliers français le *Batillus* et le *Bellemaya* (les + grands du monde) : 550 000 tpl chacun]. En 1987, plus de 20 millions de tjb.

• **Aide à la flotte** (1988, subvention en F par tjb). USA 6,6. *France 6,3.* Pays-Bas 6,1. Allemagne 5,6. Belgique 5,1. Suède 3,4. G.-B. 3,3.

Pavillons de complaisance

• **Signes distinctifs.** 1°) Le pays d'immatriculation autorise des non-résidents à être propriétaires ou à contrôler ses navires marchands sans que l'armateur soit soumis à une législation susceptible de le gêner dans la conduite de ses affaires. 2°) L'immatriculation est facile à obtenir : en général, on peut immatriculer un nav. à l'étranger au bureau d'un consul. Le transfert de l'immatriculation, au choix du propriétaire, se fait sans restriction. 3°) Le revenu tiré du navire n'est pas soumis localement à l'impôt sinon faible. 4°) Le pays d'immatriculation est une petite puissance qui n'a et n'aura pas besoin dans un avenir prévisible de tous les nav. immatriculés sur ses registres. Il n'a pas les moyens d'en revendiquer la disposition. 5°) L'armement des nav. par des équipages étrangers est librement autorisé dans des conditions qui interdisent tout contrôle sur le nav. 6°) Le pays d'immatriculation n'a ni le pouvoir d'imposer des réglementations nationales ou intern., ni les services correspondantes.

Certains territoires offrent un « refuge fiscal », mais soumettent les navires immatriculés aux réglementations et inspections imposées ; ex. : Panamá, Bermudes, Bahamas, Gibraltar, Vanuatu.

• **Pour l'armateur. Avantages.** *Fiscaux* : impôts allégés, pas de déclarations de revenus. *Coût allégé : main-d'œuvre étrangère bon marché et moins nombreuse. Indépendance vis-à-vis des pouvoirs publics* : libre choix des chantiers de construction sur le marché international, non-réquisition de l'État en cas de guerre ou crises. **Inconvénients.** Perte de certains avantages financiers accordés aux navires nationaux (subventions directes ou prêts à des taux inférieurs à ceux du marché).

Coût d'un bateau sous pavillon français (1990). 8 000 $/j dont équipage 6 000 [avec l'aide publique, 443 millions de F en 1990, ramène le coût à 5 000 (dont équipage 3 500)]. **Sous pavillon économique.** 3 000 $ dont équipage 2 000.

• **Pour l'équipage. Avantages.** Revenu net sans impôts. Salaires parfois supérieurs à ceux des pays maritimes traditionnels. **Inconvénients.** Pas de conventions syndicales, ni de protection sociale.

• **Relations avec le tiers monde.** La Commission des Nations unies pour le commerce et le développement (CNUCED) (à l'issue de négociations qui ont duré + de 10 ans) a adopté, en février 1986, une convention internationale sur les conditions d'immatriculation des navires qui consacre la réalité d'un « lien authentique » entre navires et États d'immatriculation. Ceux-ci doivent exiger que le propriétaire du navire, ou son représentant responsable, soit établi sur leur territoire. Ces États doivent disposer, en outre, d'une « administration maritime suffisante » (art. 5) et tenir un registre d'immatriculation « digne de ce nom » (art. 4). Ils doivent également prendre des dispositions législatives pour permettre à leurs nationaux de faire partie des équipages. L'ensemble de ces dispositions entrera en vigueur lorsque 40 États représentant 25 % du tonnage mondial l'auront ratifié. Le Code de conduite des conférences ne laisse aux armateurs « indépendants » (dont font souvent partie les flottes de pavillon de complaisance) qu'une part réduite du trafic entre pays industrialisés et pays en voie de développement. Ce Code est ratifié sinon adopté par 57 nations maritimes représentant près de 40 % du tonnage mondial. Cependant, les pays abritant les pavillons de complaisance ainsi que les U.S.A., T'ai-wan et l'Australie l'ont rejeté.

• **Navires sous pavillons de complaisance. Proportion globale.** *1939* : 1 % de la flotte mondiale. *1970* : 20. *1982* : 30. *1989* : 38,4. La majorité du tonnage sous pavillon libérien (créé 1948) est récente et répond aux normes de sécurité (45 % du tonnage a – de 5 ans) tandis que 80 % du tonnage sous pavillon de Chypre a + de 15 ans.

• **% de navires de complaisance par rapport au total des navires pétroliers de même type** (entre parenthèses en millions de tjb). Pétroliers 45,11 (33,45), minéraliers et vraquiers secs 33,1 (30), pétrominéraliers 8,51 (35,87), cargos 14,2 (18,84), t. de gaz liquéfiés 2,34 (23,54), t. de produits chimiques 2,7 (77,75).

• **Propriété effective des flottes de libre immatriculation** (au 1-1-1990, en %). *Liberia* : USA 31, Hong Kong 22, Grèce 15, Japon 8,5, Norvège 5. *Panamá* : Japon 21, Hong Kong 16, Grèce 16, U.S.A. 12, All. féd. 5. *Chypre [1]* : 11 dont Grèce 8. *Bahamas [1]* : 5 dont U.S.A. 4. *Bermudes [1]* : 1,4 dont G.-B. 0,8.

Nota. – (1) En 1984, en millions de tjb.

Nouveaux registres de libre immatriculation

• **But.** Créés pour contrer la concurrence des pavillons de complaisance et des flottes des pays nouvellement industrialisés (Corée du S., T'ai-wan) ; dits « offshore ». Ils permettent d'engager des marins « au contrat » et de composer des équipages avec des navigants étrangers.

• **Exemples. Danemark.** « DIS » (Danish International Ship Register), (oct. 1990 : 324 navires et 128 restés sous pavillon classique).

France. *TAAF* (Terres Australes Antarctiques Françaises) dit *Kerguelen,* décret du 20-3-1987 (modifié le 28-12-1989) ; 75 % de l'équipage échappe au statut du marin français ; ouvert aux transporteurs de vrac à l'exclusion des pétroliers nécessaires à l'approvisionnement national + All. féd. (41 navires). Au 1-1-1991, 57 navires de charge pour 703 000 tjb y sont immatriculés.

G.-B. *Ile de Man* (Irl.), ouvert aux armements britanniques et aux filiales des Cies étrangères. + de 3 000 000 de tpl.

Norvège. « NIS » (Norwegian Intern. Ship Reg.), oct. 1990 : 814 navires pour 21 millions de tjb contre 405 et 1,9 million de t de port en lourd restant sous pavillon classique.

Flotte marchande française

Données globales

• **Chiffre d'affaires** (en milliards de F). *1980 :* 14,8. *88 :* 18,6 dont long cours 11,5, cabotage 2,15, passagers 1,8.

• **Cies de navigation.** 72 dont 46 environ dépassent 10 000 tjb.

• **Navires de commerce, nombre et,** entre parenthèses, **total en milliers de tjb.** *1965 :* 699 de + de 500 tjb (4 800). *1-1-1975 :* 514 (9 476,5). *1-1-82 :* 393 (10 319). *1-1-85 :* 349 (7 998). *1-7-90 :* 216 (3 578). *1-1-91 :* 218 (3 713).

1-1-1991 : 218 dont navires à passagers 29 (218), pétroliers long-courriers 14 (1 594), pétroliers caboteurs 26 (232), pétroliers station. 9 (57), transporteurs de gaz 7 (200), tr. de vrac divers 15 (441), porte-conteneurs 31 (777), tr. de prod. chimiques 4 (14), polythermes 3 (6), cargos 34 (128), autres navires 46 (35,4).

• **Age moyen** (au 1-1-1991, en années et mois). *Total : 12,6 ;* navires à passagers 9,8 (dont paquebots 17,3, transbordeurs 9,6, aéroglisseurs 21,5), cargos de ligne 12,2, porte-conteneurs 9,8, polythermes 11, transporteurs de vrac sec 8,1, mixte 10, navires citernes pour liquides alimentaires 18, tr. de prod. chimiques 13,5, caboteurs de moins de 500 tjb 19,1, navires secs stationnaires 21,6, pétroliers long-courriers 15,2, caboteurs pétroliers 14,1, tr. de gaz liquéfié 13,7, pétroliers station. 5,2.

Effectifs. Marins et officiers employés. *1975 :* 47 000. *84 :* 21 240. *85 :* 24 500. *87 :* 14 380. *88 :* 12 630. *89 :* 11 300. *90 :* 11 100. **Postes de travail** *89 :* 5 022 dont officiers 1971, autres 3 051. *90 :* 4 830 dont officiers 1910, autres 2 920. **Personnel d'un navire moderne** (type porte-conteneurs) : env. 18 marins (8 officiers et 10 hommes).

Charges sociales des armateurs (en % des salaires d'embarquement et de congés, en 1985) : *France 42,2,* Suède 38,2, All. féd. 28, P.-Bas 26,2, Belgique 23,1, Norv. 19,1, G.-B. 18,9, Finl. 16,3.

☞ En 1990, l'ensemble des navires sous contrôle français se situe au 11e rang mondial. Pavillon français 200 navires (10 000 marins), des Kerguelen 57 (250 officiers et 77 marins), libre immatriculation 100 (300).

Principales entreprises

• **Compagnies de navigation. Compagnie générale maritime et financière (CGMF).** *Née* 23-2-1977 de la fusion de la Cie des Messageries maritimes et de la Cie générale transatlantique (créée 1861 sous le nom Cie maritime). Dessert, au départ de Fr. et par lignes régulières directes, + de 200 ports et 750 agences dans le monde. *Flotte (au 1-1-91) :* 47 navires, [2 cargos conventionnels, 3 semi-porte-conteneurs, 11 porte-conteneurs, 8 porte-conteneurs/rouliers, 5 rouliers, 2 vraquiers, 4 PCRP, 6 paquebots-transbordeurs dont *Napoléon* (1976, 844 passagers, 500 voitures), *Cyrnos* (1979, devenu *Ile-de-Beauté,* 1 667 p., 520 v.), *Liberté* (1980, 1 240 p., 440 v.), *Esterel* (1981, 2 286 p., 700 v.), *Corse* (1983, 2 262 p., 700 v.), *Danielle-Casanova* (1989, 2 430 p., 800 v.). En 1989, a transporté sur la Corse : 1 253 000 p. et 404 000 v., Sardaigne 24 000 (6 400), Algérie 135 000 (45 000), Tunisie 101 000 (35 000), 2 chimiquiers, 1 transporteur de gaz, 3 navires spécialisés]. Parc de 70 000 conteneurs I.S.O. *En commande :* 48 navires. **En millions de F. Chiffre d'affaires.** *1987 :* 8 669. *1988 :* 9 800. *1989 :* 12 373. Après plusieurs années successives de déficit. **Résultats.** *1977 :* 240. *78 :* 399. *79 :* 265. *80 :* 381,8. *81 :* 480,5. *82 :* 735,6. *83 :* 545,6. *84 :* 365,6. *85 :* 269. *86 :* 389. *87 :* 220. *89 :* 58,5. *Bénéfices. 1988 :* + 94, *89 :* + 80. *Activités :* passage (SNCM), conteneurisée en ligne régulière (CGM), entreposage, logistiques du froid et gestion immobilière (Financière d'Atlantique).

Voir Quid 1982, p. 1416b.

Delmas (ex-Sté navale et commerciale Delmas-Vieljeux). Sté anonyme (capital 228 467 520 F). *Activités* maritimes : la NCHP en France, ANZDL aux U.S.A. et Elder Dempster en G.-B., et a repris l'essentiel de la flotte et de l'exploitation des lignes de la Cie maritime des Chargeurs réunis (sauf Extrême-Orient dont les parts conférentielles de trafic ont été vendues à un armement danois). Transport maritime : Afr. du Nord, Afr. Noire, Afr. Australe, Océan Indien, Antilles, Guyane et Pacifique Sud. *Flotte* (au 1-1-1990) : 52 navires (1 020 100 tpl), conteneurs 65 000. En commande : 5 porte-conteneurs moyens. *Chiffre d'affaires du groupe (millions de F, 1990) :* 6 479 (bénéfices : 115).

• **Armement hors pétrole, en milliers de tjb,** entre parenthèses **nombre de navires,** au 1-1-1991. CGM 495,4 (20). Chargeurs Delmas 271,8 (11). Cetramar 198,4 (4). Ste nat. M/ME Corse Méditerranée 92,2 (10). Total Cie fr. de navig. 74,5 (1). Cie navale atlantique 63,9 (2). Cie nat. de navig. 53,8 (4). Sté navale de l'Ouest 51,8 (3). Sabemen (B.A.I.) 40,1 (3). Louis-Dreyfus et Cie 38,2 (3). SNCF 27,5 (4). Cie méridionale de navig. 20,4 (3). Sté navale caennaise 18,3 (2). Sté propriétaire de navires 17,4 (2). Chargeurs réunis 17,2 (1). Sofrana Unilines Holding 12,6 (2). Bretagne-Angleterre-Irlande 15,4 (3). Solumar/Van Ommeren France 13 (1). Sté finistérienne de cabotage 12,8 (2). Carline SA 9,6 (6). Senacal 9,4 (1). Sté de navig. et transp. vinicoles Leduc 9,1 (4). Sté nat. Elf Aquitaine 7,1 (1). Cobrecaf 6,2 (3). Cie morbihannaise et nantaise 5,9 (3).

• **Armement pétrolier, en milliers de tjb,** entre parenthèses **nombre de navires** (au 1-1-1991). Esso-Standard (S.A. Française) 427 (5). Mobil Oil Fr. 281,5 (2). Cie nat. de navig. 273 (4). Total CFP 271,4 (2). Sté maritime Shell 221,7 (3). Sté mar. des Pétroles B.P. 131,7 (1). Soflumar Van Ommeren Fr. 121,8 (9). Louis-Dreyfus 78,2 (1). Sté nouv. des pêches lointaines 69 (1). Socatra 38,1 (5). Gazocéan 32,7 (1). Messigaz 27,4 (1). Sté Eur. de Transports maritimes 25,6 (4). Sofrana Unilines 25,1 (1). Cie Port-au-Prince 19,5 (1). Fouquet-Sacop maritime 11,3 (3). Pétromarine 7,3 (1). Services et Transports 4,3 (1).

Canaux maritimes

Principaux canaux	Année d'ouv.	Long. km.	Larg. min.	Prof. min.
Saint-Laurent (Canada, USA)	1959	293	68,6	8,2
Suez (Égypte)	1869	195	160 [2]	11,7 [2]
Albert (Belgique)	1939	129	16,2	5
Kiel (Allemagne)	1895	99	104	11
Alphonse-XIII (Espagne)	1926	85	9	n.c.
Panamá (Panamá)	1914	80,5	91,5 [1]	12,5
Beaumont, Pt-Arthur (USA)	1916	72	61	9,6
Houston (USA, Texas)	1914	69	91	10,4
Manchester (G.-B.)	1894	64	26	8
Welland (Canada)	1933	43,45	58,5	8,2
Mer du Nord (Pays-Bas)	1870	25	37	11
Chesapeake (USA, Delaware)	1927	23	76,2	8,3
Bruges (Belgique)	1907	10	n.c.	8,5
Corinthe (Grèce)	1893	6	22	8

Nota. – (1) Écluse 33,5 m. Le canal projeté qui traversait l'isthme de Tehuantepec (Mexique) coûterait 450 millions de $ (Panamá en a coûté 367 et le St-Laurent 410) et aurait 218 km de long. Les travaux dureraient 9 ans. (2) Largeur sous 11 m d'eau ; largeur effective du plan d'eau 160 à 200 m.

Canal de Suez

• **Histoire. Avant J.-C.** *V. 2000* 1er canal creusé (Nil et affluents) par le pharaon Senusret III (v. 1489 av. J.-C.). *1300* achevé par les pharaons Sethi et Ramsès II. *590* nouveau canal du pharaon Néchao, terminé par Darius (de Suez au Nil par les lacs Amer et le lac de Timsah). *285-246* élargi au gabarit de 2 trirèmes par Ptolémée II. **Après J.-C.** Trajan (96-117 apr. J.-C.) et Hadrien restaurent le canal qui, peu adapté à la navigation, sera plus tard abandonné. *639* rétabli par le khalife Omar, appelé canal d'*Amir el-Momeneen. 775* le khalife Abou Jafar el-Mansour fait combler l'embouchure pour défendre l'Égypte contre son neveu le pacha de Médine. *1854-*25-11 acte de concession accordé à Ferdinand de Lesseps. *1859-*25-4 début des travaux du nouveau canal. *1863-66* interruption. *1869-*18-8 travaux terminés. -17-11 inauguré par l'impératrice Eugénie.

• **Statuts. Avant 1956.** Une compagnie, créée par Ferdinand de Lesseps (1805-94), avait été chargée par le pacha Saïd (firmans des 30-11-1854 et 5-1-1856) d'établir un passage entre Méditerranée et mer Rouge. Les terrains nécessaires étaient concédés pour 99 ans, A l'expiration de cette concession (17-11-1968), l'Ég. devait entrer gratuitement en possession du canal, racheter matériel, approvisionnements et immeubles destinés au logement du personnel. Les bénéfices prévus devaient être ainsi répartis : Cie 75 %, Egypte 15 %, fondat. 10 %. Le firman de 1856 posait le principe du libre passage.

Lesseps avait envisagé une Cie universelle, mais en dépit de l'appel adressé aux différentes nations, le capital fut souscrit essentiellement par la France (52 %) et par le vice-roi d'Ég. (44 %), le reste (4 %) se répartissant entre 14 pays. En 1875, à la suite de difficultés financières, le khédive Ismaïl céda ses actions à la G.-B. ; 3 représentants du gouv. britannique entrèrent au Conseil. En 1880, l'Ég. céda sa part de bénéfice au Crédit foncier qui constitua pour le gérer la Sté des parts civiles de Suez. En 1888, le principe de libre passage fut précisé et complété. A la suite de l'occupation anglaise de l'Ég. en 1882, à l'occasion de la crise provoquée par Arabi Pacha, un accord intervint en 1883 : 7 armateurs brit. représentèrent dans le Conseil les intérêts du pavillon brit., le plus important dans le trafic.

Dès le début, il avait été prévu que l'Ég. serait associée à l'adm. du canal (il y eut d'abord un commissaire ég. puis, en 1936-37, 2 administrateurs ég. et 5 en 1949). *A la veille de la « nationalisation »,* le Conseil comprenait 16 Français, 9 Britanniques, 5 Egyptiens, 1 Hollandais, 1 Américain. En 1936-37 une nouvelle redevance de 300 000 livres ég. fut instituée, remplacée en 1949 par une participation fixée à 7 % des bénéfices bruts. A la veille de la « nationalisation », la Cie versait annuellement, au titre de la redevance des impôts payés par elle-même et les porteurs de titres, 4,4 millions de livres ég.

Si, dès l'origine, le personnel ouvrier fut en majorité égyptien, le pers. employé resta longtemps presque totalement européen. En juill. 1956, sur 910 employés : 381 Égyp., 311 Français, 118 divers.

Nationalisation. Le 26-7-1956 le c. fut nationalisé, pilotes et fonctionnaires étrangers se retirèrent le 15-9-1956 (le principe d'indemnisation prévu par la loi ég. fut réglé entre autres par l'accord du 13-7-1958 entre le gouv. ég. et la Cie financière de Suez), ce qui déclencha l'expédition franco-anglaise de Suez (nov. 1956). Le c. fut alors bloqué du 29-10-1956 au 15-4-1957 par des navires coulés.

Guerre des 6 jours. Le canal fut bloqué du 7-6-1967 au 5-6-1975. *L'URSS et l'Égypte en pâtirent,* toutes les liaisons marit. à partir des ports de la mer Noire, en direction de l'Afr. et de l'Asie, devant se faire par le cap de Bonne-Espérance.

• **Caractéristiques. Tirant d'eau max.** (en pieds) : *1869 :* 22, *1956 :* 35, *1982 :* 53. **Longueur** (en km) : *1869 :* 52, *1989 :* 162,5 (Port-Saïd-Port Taufig). Zones de dérivation 68,5 dont de Port-Saïd 26,5, de Ballah 8, de Timsah 5, des lacs (déversoir) 27. **Largeur** [(en m) en 1989 et, entre parenthèses, 1869 et 1956)] : *du plan d'eau :* 365 (52, 160) ; *de la voie navigable :* 190 (44, 110) ; *min. sous 11 m d'eau :* 160 (0, 60). **Section mouillée du canal** (en m²) : *1864 :* 304, *1950 :* 1 250 puis 1 800, *1982 :* 3 600 (prévu 5 000).

Améliorations. 1976-80 but : permettre le transit à des pétroliers de 150 000 t (à pleine charge) et 370 000 t (sur lest), élargissement de la section mouillée de 1 800 à 3 700 m² entre Port-Saïd et le km 61, et 3 400 m² du km 61 à Suez, et approfondissement pour permettre le passage de navires avec un tirant d'eau de 53 pieds. 3 dérivations : au km 17 ; du km 76,6 à 81,7 ; du km 95 à 104. *Coût :* 1 275 millions de $, recettes prévues 800 millions de $ par an. **1980** *oct.* inauguration d'un tunnel sous le canal (1 640 m, 51 m de prof., 150 millions de $). *-16-12* inauguration des 1ers travaux : coût 1 275 millions de $. **1985**-*27-2* de la drague hydraulique d'Obur-Port-Saïd (19 810 CV) avec tonnage max. de 10 653 t (long. 116,3 m, larg. 20,8 m, haut. 10,5, tirant d'eau à pleine charge 8,5, prof. max. pour le déblaiement 35, prof. naturelle pour le déblaiement 25 pieds). *Coût* : 21 millions de $. *23-2* début de l'élargissement de la rive est du canal (50 m). **1987** fin des travaux. **1988**-*12-5* début des travaux de déblaiement et de développement du canal d'entrée du port de Damiette. *25-6* fin de la construction de dépôts pétroliers de 103 000 m^3 chacun.

• **Trafic. Navires.** *1978 :* 21 266 (dont 2 489 pétroliers). *88 :* 18 190 (3 429). *89 :* 17 628 (3 424). *90 :* 17 664 (3 682) moy. par j 49,7 (*1869 :* 3. *1956 :* 40. *1984 :* 58,4 ; *record :* 94 le 25-2-1981). **Tonnage** (milliers de t) : *1984 :* 371 039. *1985 :* 353 200. *1986 :* 410 322. *Moyenne par jour : (1869 :* 1,2. *1956 :* 424. *1990 :* 1 124 ; *record :* 2 000 le 2-3-1981). **Tonnages marchandises** (1990). 273 559 (dont produits pétroliers 79 640) dont Nord-Sud 116 836 (13 844), Sud-Nord 155 045 (65 796). **Recettes** (millions de livres) : *1956 :* 32. *1980 :* 459. *1981 :* 622. *1982 :* 770. *87 :* 228. *88 :* 1 310. *89 :* 1 340 millions de $.

Plus gros pétroliers qui aient transité. *21-1-1985, Hetin* 160 000 t (à plein) ; *27-2-85, Beyuk Selkiko* 423 000 t (à vide). *26-5-1986 Hellas Fos* (grec) : 555 000 t (à vide), long. 414 m, larg. 63 m, force des machines 64 000 ch.

Transit. *Durée :* env. 15 h. ; en 3 convois (2 de Port-Saïd, 1 de Suez) avec pilotage obligatoire (pour les navires de + de 300 t et les pétroliers, 11 stations de pilotage, tous les 10 km, env. 300 pilotes). *Vitesse max. :* 13 à 14 km/h.

• **Trajet par Suez et Le Cap (km).** Le Havre : Bombay par Suez 11 500 (22 000), Singapour 15 000 (21 500), Yokohama par Le Cap 20 500 (26 500), Melbourne 20 500 (22 000). Le canal raccourcit de 17 à 60 % les distances entre l'Asie et l'Europe. La traversée d'un cargo de 18 000 t entre l'Europe du Nord et le Japon coûtait ainsi v. 1980 13 000 $ de moins par le canal que par Le Cap malgré 11 900 $ de passage du canal et 25 000 $ d'assurance. Le voyage par Le Cap dure en moyenne 2 mois aller-retour, et l'équipage des pétroliers est embarqué pour 4 mois (jusqu'à 6 si le navire ne revient pas en Europe).

Canal de Panamá

• **Origine. 1524** Charles V d'Espagne fait étudier un projet de canal. **1849-55** ligne de chemin de fer construite dans l'isthme de Panamá à Colón (12 000 travailleurs † : épidémie). Cie américaine du Canal maritime Pacifique-Atlantique pour la construction du canal de Nicaragua créée. **1850** USA et G.-B. signent traité *Clayton-Bulwern* pour déterminer le régime politique du canal de Nicaragua. **1876** la Commission supérieure amér. chargée de réunir les résultats des missions qui ont parcouru les isthmes de Téhuantepec, Nicaragua, Panamá, Darien et de l'Atrato se déclare pour la route de Nicaragua. En France, la Sté de géographie crée un comité d'études confié à Ferdinand de Lesseps et envoie une équipe d'ingénieurs de diverses nationalités, dirigée par le lieutenant Louis-Napoléon Bonaparte-Wyse, dresser une carte. **1879** *mars* congrès international d'ingénieurs réuni à Paris, approuve projet de Lesseps : le canal à niveau. *Juillet* Lesseps rachète la concession Bonaparte-Wyse. *Déc.* va sur place avec sa famille. **1880** *janv.* les travaux commencent. *Oct.* crée Cie universelle du canal interocéanique. **1889** après 9 ans de travaux (1880-89), la Cie avoue sa faillite [la tâche a été sous-estimée (Lesseps, qui a dû renoncer à construire, a dû commander en 1887 des écluses à Eiffel)]. **1896** la Cie nouvelle de Panamá offre l'affaire aux USA mais ceux-ci préfèrent construire un autre canal au Nicaragua en utilisant le fleuve San Juan et le grand lac de Nicaragua. **1901** accord John Hay (USA) Paunchfote (Brit.) annule la clause du traité Clayton (USA)-Bulwern (Brit.) interdisant à la G.-B. et aux USA de rechercher le contrôle d'une éventuelle voie interocéanique. **1902** l'éruption de la montagne Pelée (Martinique) rappelle aux Américains le danger que représentent les volcans au Nicaragua. **1903** *janv.* traité *John Hay-Herran,* la Colombie cède pour 100 ans aux USA le droit de construire et d'exploiter le canal et une zone de souveraineté de 5 km. *-4-5* ils rachètent à la Cie fr. ses droits pour 40 millions de $ (200 millions de F, alors que 1 milliard a été dépensé). *-12-8* le Congrès colombien rejette l'accord prévu, le Pt Theodore Roosevelt favorise une insurrection. *-3-11* la Rép. de Panamá est proclamée. *-18-11* tr. signé par le Français Philippe Bunau-Varilla, ingénieur en chef de la Cie, agissant également en tant qu'ambassadeur du nouveau gouv. Les USA obtiennent le contrôle à perpétuité d'une zone de 16 km de part et d'autre du canal avec tous les droits, pouvoirs et autorité qu'ils posséderaient et exerceraient s'ils étaient puissance souveraine sur ce territoire. Ils s'engagent à verser au Panamá une redevance annuelle et garantissent son indépendance. Les travaux sont achevés pour 387 millions de $ (2 milliards de F, soit le triple de la somme estimée en 1888). **1914**-*5-8* ouverture. *-15-8 1er* navire : le *M.S. Ancon.* **1977**-*7-9* traité USA Panamá. **1979**-*1-10* une commission du canal remplace l'ancienne Cie (la zone du canal et son gouvernement sont dissous). **1982** un oléoduc transisthmique concurrence le canal. **1990** le directeur de la commission sera panaméen (et non plus américain). **1999**-*31-12* les USA transféreront le canal à Panamá.

Scandale de Panamá. 1880 Lesseps lance des actions (il demande 300 millions de F et en reçoit 600). **1887** Lesseps ayant besoin de 600 millions de F, une émission à lots est envisagée, mais il fallait l'autorisation de la Chambre des députés. La corruption (organisée par le baron Jacques de Reinach et Cornélius Herz) se déchaîne. **1888**-*9-6* la Chambre autorise la Cie à lancer l'emprunt à lots. Le public ne souscrit que pour 1 million. En déc., une nouvelle émission n'a pas plus de succès. **1889**-*4-2* la liquidation de la Cie est prononcée (près de un million de petits porteurs seront lésés). **1891** *juin* une instruction est ouverte contre les administrateurs. **1892** *sept. La Libre Parole* d'Édouard Drumont dénonce les libéralités de Charles de Lesseps (fils de Ferdinand). *19-11* des poursuites sont engagées contre les administrateurs pour abus de confiance et escroquerie. Dans la nuit du 19 au 20, Reinach meurt dans des conditions suspectes. Cornélius Herz part pour Londres. *22-11* une commission parlementaire d'enquête est instituée. *29-11* le ministère Loubet qui a refusé d'enquêter sur la mort de Reinach est renversé. Maurice Rouvier, min. dans le nouveau cabinet d'Alexandre Ribot, doit démissionner. Les talons de chèques, remplis par Reinach et portant les noms des bénéficiaires, parviennent à la commission chargée de l'enquête. *20-12* la levée de l'immunité parlementaire est demandée contre 3 députés (dont Rouvier et le journaliste Emmanuel Arène) et 5 sénateurs. Ferdinand de Lesseps (87 ans) et son fils Charles seront condamnés à 5 ans de prison. Gustave Eiffel et 2 administrateurs à 2 ans. Tous sauf Charles (qui devait encore être jugé pour corruption) seront libérés le 15-8 (les arrêts ayant été cassés, car il y avait prescription). Dans le procès en corruption, 5 parlementaires et l'administrateur furent acquittés ; seuls furent condamnés l'ancien ministre Baïhaut à 5 ans de prison, un complice, Blondin, à 2 ans, Charles de Lesseps à 1 an (libéré en septembre 1893) et Cornélius Herz à 5 ans, par défaut. **1897** à la suite des révélations d'un ancien intermédiaire du baron de Reinach, Léopold Arton, de nouvelles poursuites sont lancées contre 3 députés ; ils seront tous acquittés.

• **Caractéristiques.** *Longueur :* 80 km des eaux profondes de l'Atlantique aux eaux profondes du Pacifique dont 64,4 km dans l'isthme (dont 38 km à travers le lac artificiel de Gatun de 423,12 km^2) + un chenal dragué de 8 km de chaque côté de l'isthme. *Alt.* (à l'origine) de la ligne de partage des eaux : 95 m. *Plus petite largeur :* 152,4 m, *profondeur max. :* 26 m. *Alt. max.* 26 m qui varie selon les précipitations. 3 *écluses* doubles de 305 m sur 33,50 m. *Tirant d'eau max. autorisé :* 12 m. Certains porte-avions et pétroliers géants ne peuvent le franchir en raison du gabarit trop faible des écluses. *Marées :* du côté Pacifique diurnes (2 hautes, 2 basses par jour avec une différence max. de 6,92 m) ; du côté Atlantique, irrégulières (variation max. 0,95 m). *Projets :* canal construit au niveau de la mer (plus profond et plus large), à 16 km à l'ouest du canal actuel (long. 98 km, larg. 200 à 400 m, prof. 30 m, pas d'écluses, ouvrable aux navires de 500 000 t, traversée en 2 h).

• **Trafic.** *1981 :* 171,5 millions de t. *82 :* 186. *85 :* 136. *88 :* 157. *89 :* 152. *90 :* 157. **Navires.** *81 :* 13 984. *82 :* 14 142. *85 :* 11 654. *88 :* 12 234. *89 :* 11 890. *90 :* 11 941. Max. 42 bateaux par jour. *Le plus long navire* qui a passé fut le *Marcona Prospector* (le 6-4-73), 296,46 m, *les plus larges,* la gamme des *USS New Jersey* 32,91 m, *le plus chargé* 299 000 t (15-12-81) *Arco Texas 65 299.* **Temps moyen de traversée.** 16 à 20 h (canal proprement dit 9 h), *les plus rapides* 2 h 41 mn hydrofoil *USS Pegasus* (20-6-79).

• **Droits.** Calculés par t ($ 1,6, sur lest, $ 2,01 pour bateaux chargés). En 1990, en moyenne, un bateau paie 30 000 $. Le canal économise parfois 10 fois le montant des droits par rapport à un détour par la Terre de Feu.

Droits de péage (millions de $) : *1981 :* 303. *82 :* 325,6. *83 :* 287,8. *84 :* 289,2. *85 :* 300,8. *86 :* 322,7. *87 :* 329,9. *88 :* 339,3. *89 :* 329,7. *90 :* 355,5. *Droits max. payés : Star Princess* (59 920 t, 246 m) 120 439,2 (5-10-90) ; *Queen Elizabeth II* (58 351 t, 293 m) 117 285,51 (8-12-89) ; *min.* 36 cents par Richard Halliburton (traversée à la nage 1928).

Au Pakistan, construction du c. de Tarbela, entre l'Indus et le Jhelum : 102 km, 13 m de profondeur par endroits. Coût 210 millions de F.

Voie maritime Atlantique-Duluth

Achevée. 1959. **Écluses.** 13 canad., 4 améri. **Longueur.** 3 770 km (par le St-Laurent, lacs St-Louis, St-François, St-Laurent, Ontario, le canal de Welland, lacs Érié, Huron, Michigan, Supérieur). **Capacité** *(dénivellation* 180 m). Navires de 28 000 t mesurant + de 220 m. **Trafic** (1989, en millions de t). Section Montréal-lac Ontario 39 section Welland 39,9.

Ports

Trafic marchandises et trafic voyageurs en France en 1990

Ports français (classement géographique)	Marchandises (en milliers de t)		Voyageurs (en milliers)	
	Entrées	Sorties	Entrées	Sorties
Dunkerque [1]	27 020	9 540	772	778
Calais [2]	7 401	8 619	5 318	5 364
Boulogne-sur-Mer [3]	2 831	2 578	1 474	1 501
Le Tréport	166	165		
Dieppe [4]	893	986	426	407
Fécamp	144	4		
Le Havre [5]	42 614	11 404	501	505
Rouen [10]	8 475	13 872		
Honfleur	89	0,5		
Caen-Ouistreham	2 570	1 440	481	489
Cherbourg	1 230	1 267	622	619
Granville	131	49	88	83
Saint-Malo	1 507	247	487	463
Le Légué (St-Brieuc)	260	80		
Pontrieux	148	0		
Tréguier	83	14		
Roscoff-Bloscon	302	239	284	290
Brest [6]	1 513	249		
Douarnenez	56	0		
Quimper-Corniguel	197	1		
Concarneau	79	3		
Lorient	3 098	32		
Nantes-Saint-Nazaire [7]	20 093	4 850		
Les Sables-d'Olonne	280	221		
La Rochelle-Pallice	3 718	1 946	2	2
Rochefort	285	181		
Tonnay-Charente	127	227		
Royan	50	0		
Bordeaux [8]	6 011	3 635	5	5
Bayonne	1 084	2 213		
Port-Vendres	109	22		
Port-La Nouvelle	1 379	984		
Sète	3 515	921	38	30
Marseille [9]	73 503	16 820	520	594
Toulon	57	76	113	101
Nice-Villefranche	97	403	238	230
Bastia	871	301	703	667
Ile Rousse	43	25	54	49
Ajaccio	703	209	280	263
Porto-Vecchio	119	29	3	3
Autres ports métrop.	352	125	202	220
Total ports métrop.	*213 213*	*83 979*	*12 613*	*12 668*
Total ports d'outre-mer	*6 245*	*1 701*	*735*	*735*

Nota. – **(1) Dunkerque :** 3e port de France. *1er* pour *importations* de minerais et charbon. 2 ports : *Est* (trafic classique ind. et commercial, nav. jusqu'à 115 000 t ; nombreux terminaux spécialisés : bois, sucre, aciers, céréales, prod. chim.) ; *Ouest* (terminal moderne à conteneurs, trafic transmanche, liaisons passagers et marchandises avec la G.-B., terminal à pondéreux (minerais, charbon) accessible aux gros vraquiers de 180 000 t, appontement pour pétroliers de 300 000 t. **(2) Calais :** *1er port fr. pour trafic des transbordeurs* avec + de 10 millions de passagers/an. 6 passerelles dont 5 à deux niveaux et 3 capables de recevoir les jumbo-ferries. *6e port fr. pour les marchandises.* Mise en service au 1er sem. 1990 d'un nouveau bassin en eau profonde pouvant accueillir simultanément 3 cargos de 40 000 t de port en lourd ; quai équipé de 4 grues d'une capacité de 22 t à 40 m et 40 t à 25 m. **(3) Boulogne-sur-Mer :** *1er port de pêche fr.* (tonnage 1990 : 68 600 t), *2e port fr. pour voyageurs,* 3 passerelles (dont 1 à 2 niveaux) pour les nav. transbordeurs et catamarans, et 1 passerelle pour trafic roll on/roll off. *Marchandises :* peut recevoir des nav. classiques jusqu'à 230 m de long et 10,50 m de tirant d'eau et des rouliers jusqu'à 140 m de long et 7 m de tirant d'eau. 1er *port fr. exportateur de farine.* Équipé d'un portique tous temps. **(4) Dieppe :** port de mer le plus proche de Paris (160 km). Ligne ferry Dieppe-Newhaven. *3e port fruitier après Marseille et Le Havre, 1er port de pêche fr. pour coquilles St-Jacques.* **(5) Le Havre :** *1er port fr. pour le commerce extérieur,* 177 milliards de F de marchandises importées et exportées en 1989 ; *pour marchandises diverses* (env. 4 000 porte-conteneurs reçus chaque année) et par le nombre de lignes régulières (240 desservant 530 ports sur les 5 continents). Autrefois escale privilégiée des transatlantiques puis des grands pétroliers. À 20 km au nord du Havre, Antifer terminal pétrolier à 2 appontements pour tankers de 550 000 tpl. **(6) Brest :** dispose depuis 1980 d'une station de soutage et de déballastage, de 5 quais de réparation à flot et de 3 formes de radoub dont une (420 × 80 m) permet l'accueil des plus gros pétroliers. En 1983, mise en service de silos, (capacité actuelle 32 000 t). Plaisance : 1 200 places (base de vitesse de voile, Trophée des multicoques). **(7) Nantes-St-Nazaire :** *1990 :* 24,9 Mt, 4e port de Fr. ; *1er pour alimentation bétail, bois, sucre* 788 millions de F d'investissements prévus en 1991-95. **(8) Bordeaux :** *1990 :* 9,6 Mt (dont hydrocarbures 4,7, céréales 2,05), se développe essentiellement sur Le Verdon (porte-conteneurs de 30 000 t) et Bassens (céréaliers, transp. de bois, minéraliers de 80 000 t, etc.) ; travaux pour accueillir des nav. de 120 000 tpl à mi-charge ; 1er port eur. exportateur de maïs. **(9) Marseille-Fos :** *1er port fr. et de la Méditerranée.* (1er pour pétrol., réparation navale), 2e d'Europe. Trafic (t) *1981 :* 97 ; *82 :* 91,56 ; *83 :* 86,62 ; *84 :* 88,01 ; *85 :* 89,39 ; *86 :* 98,2 ; *87 :* 91,3 ; *88 :* 96,9 ; *89 :* 94,6 ; *90 :* 91,6 ; peut recevoir des nav. de 400 000 tdw. Postes offrant des tirants d'eau de 7 à 23,50 m. Forme de radoub no 10 (465 × 85 m), la plus vaste de la CEE. Une forme de construction navale et de radoub (mixte) plus vaste existe à Lisbonne (Lisnave). **(10) Rouen :** *90 :* 22,9 Mt, à 120 km de la mer, accessible aux 140 000 t. Comprend les ports de Honfleur (quai en Seine), Port-Jérôme, Radicatel, St-Wandrille-Le Trait et Rouen. *3e fr. pour conteneurs. Export. :* 1er port europ. pour céréales (1989 : 7,8 millions de t, + de 40 % des capacités nat. de stockage de céréales : 8 silos maritimes, 730 000 t) ; 1er port fr. pour agroalimentaire en sacs. *Import. :* 1er port fr. des produits forestiers. Terminaux spécialisés pour céréales, sacs, produits forestiers, engrais (1re plate-forme européenne de production) ; 3 raffineries dans la circonscription portuaire. 2 terminaux pour porte-conteneurs intégraux et 2 mixtes pour conteneurs et marchandises diverses conventionnelles. Réseau de lignes régulières de navigation sur : Europe du Nord, côte Afrique, Méditerranée, océan Indien, Antilles, etc.

Ports maritimes de commerce

Trafic marchandises

Dans le monde

Source : Journal de la Marine marchande.

Ports les plus importants (en millions de tonnes, 1989). Rotterdam (P.-Bas) *1961 :* 100. *75 :* 300. *84 :* 239,6. *85 :* 244,6. *86 :* 256 (dont produits pétroliers 117). *87 :* 250,3. *88 :* 272,7 (dont prod. pétroliers sauf gaz 117). *89 :* 291,9 dont hydrocarbures 125 charbon et acier 60, grains et autres cargaisons « sèches » 45, cargaisons mixtes 60, *90 :* 288,1. Chaque jour, 350 bateaux fluviaux et 90 navires océaniques. Port 40 km, quais 43,2, des nav. de 350 000 t et de 23 m de tirant d'eau peuvent accoster. Singapour 173,3. Chiba (Jap.) 164. Nagoya (Jap.) 116,2 [9]. Anvers (Belg.) 95,5 (90 : 102). *Marseille (France) 93,4* (90 : 91,6). Osaka (Jap.) 86,3 [9]. Hong Kong 85,4. Gaoxiong (Taiwan) 78,1. Philadelphie (USA) 71,8. Corpus Christi (USA) 69. La Nouvelle-Orléans (USA) 65 [9]. Long Beach (USA) 65,2. Yokohama (Jap.) 64,3. Vancouver (Canada) 64. Houston (USA) 62,6. Los Angeles (USA) 62,5. Hambourg (All.) 57,6 (90 : 61,4). New York (USA) 57 [9]. Richard's Bay (Afr. du S.) 54,6. Londres (G.-B.) 54. Tampa (USA) 53,2. *Le Havre (France) 52,2* (90 : 54).

Autres ports importants (en millions de t, 1989). *Afr. du S. :* Durban 25,2, Saldanha Bay 16, Port-Elizabeth 4,7, Le Cap 4,4. *Algérie :* Arzew 32,4 [9], Skikda 10 [1], Bejaia 9,6 [9], Alger 6,8. *All. dém. :* Rostock 20,8. *All. féd. :* Brême-Bremerhaven 32,5, Lübeck 17,7, Wilhemshaven 14,6. *Arabie Saoudite :* Yambu 23,3, Jubail 20,9. *Australie :* Port Hedland 36,2, Newcastle 35,3, Gladstone 29,4, Port Kembla 22,5, Sydney 19,9 [9], Botany Bay 17,5 [9], Fremantle 17,4, Brisbane 15,2. *Bangladesh :* Chittagong 8,6. *Belgique :* Bruges-Zeebrugge 25,8, Gand 23. *Brésil :* Santos 29,6, Rio 29 [7]. *Canada :* Sept-Iles 23,3, Port Cartier 21,4, Montréal 20,4, Lakehead 17,1 [9], Halifax 16,8, Québec 15,7. *Canaries :* Santa Cruz de Tenerife 12,7 [9], Las Palmas 5,5. *Colombie :* Carthagène 0,8 [9]. *Congo :* Pointe-Noire 3,7 [9]. *Côte-d'Ivoire :* Abidjan 10,1. *Danemark :* Copenhague 9, Aarus 7. *Dubayy :* Jebel Ali 10. *Égypte :* Alexandrie 31,7, Port-Saïd 2,7. *Espagne :* Bilbao 27, Tarragone 26, Algésiras 21 env. [9], Barcelone 18,1, La Corogne 12,6, Gijón 12,2, Valence 10,8 [9], Huelva 10,4. *Finlande :* Helsinki 8,1, Kotka 6. *France :* voir ci-contre. *G.-B. :* Tees-Hartlepool 39,3, Grimsby-Immigham 36,8, Milford-Haven 33,1, Southampton 26,1, Forth 22,9, Liverpool 20,2, Felixstowe 16,5, Medway 14, Douvres 13,5, estuaire de la Clyde 8,9, Manchester 8,3, Belfast 8,1. *Grèce :* Salonique 14,6, Le Pirée 9,4. *Hawaii :* Honolulu 9,3 [9]. *Inde :* Bombay 27,8, Madras 23,8 [9], Vizagapatam 20, Mormugao 15,3 [9]. *Indonésie :* Surahaya 7 [2]. *Irlande :* Dublin 7,3, Cork 5,7, Rosslare 5,6. *Israël :* Ashdod 7,3 [6], Haïfa 5,1 [4]. *Italie :* Gênes 41,3 (90 : 43), Tarente 30,1 [9], Trieste 29,1, Augusta 27,4, Venise 25,4, Naples 19,9, Brindisi 19,2, Livourne 14,7, Savone 12,7, La Spezia 8,9. *Jamaïque :* Kingston 13,4. *Jordanie :* Aqaba 18,7. *Kenya :* Mombasa 6,9. *Koweït :* Koweït 7,1 [9]. *Liberia :* Buchanan 13,4 [7,9]. *Malaysia :* Keelang 18,3, Penang 8,4. *Maroc :* Casablanca 15. *Nigeria :* Warri 36,2, Port-Harcourt 30,3. *Mexique :* Tampico 10,8. *Norvège :* Narvik 11,7 (export. minerai de fer), Oslo 5,4. *Nlle-Calédonie :* Nouméa 3,7. *Nlle-Zélande :* Whangarei 6,9 [9], Auckland 5,8 [9], Wellington 5,8. *Pakistan :* Karachi 14,9 [4]. *P.-Bas :* Amsterdam 28,7, Ijmuiden 15,3, Terneuzen 9. *Philippines :* Manille 30,4. *Pologne :* Szczecin 20,6 [9], Gdańsk 20,2 [9], Gdynia 10 [9]. *Porto Rico :* San Juan 15,6. *Portugal :* Sines 19,2, Lisbonne 14, Leixoês 11,3. *Sénégal :* Dakar 5,7. *Sri Lanka :* Colombo 11,8. *Suède :* Göteborg 24,3, Helsinborg 9,3 [9], Trelleborg 6,8, Luka 5,7 [9], Stockholm 5,1, Malmö 4,6. *Taiwan :* Keelung 24,2, Taiching 13. *Thaïlande :* Bangkok 12,2. *Tunisie :* Bizerte 4,8, Sfax 4,4, Tunis-La Goulette 3,4. *Turquie :* Mersin 10,1. *URSS :* Klapeïda 20,3, Novotallinnshiy 5,3. *USA :* Mobile 37,3, Duluth 37, Baltimore 31, Tacoma 17,2, Toledo 14,7, Oakland 14,2, Savannah 10,3. *Yémen :* Aden 21,3 [7,9]. *Yougoslavie :* Rijeka 13,6 [9], Koper 5,1.

Source : Ports of the World, Lloyd's. Journal de la Marine marchande.

Nota. – (1) 1982. (2) 1983. (3) 1984. (4) 1985. (5) 1984/85. (6) 1985/86. (7) Chargement en lourd. (8) Tonnage brut. (9) 1988.

Quelques records

Brise-lames. En granit de Galveston Texas (U.S.A.) 10,850 km. **Jetée.** Damman (Arabie Saoudite, en 1948/50) 11 km ; *longueur de quai :* quai Hermann-du Pasquier (Le Havre, France) 1 524 m en bassin à flot.

Prof. d'eau à quai. Antifer 29,8 m, Fos 23,5 m (accès possible aux 450 000 tpl).

Porte de bassin. Nigg Bay (Écosse, 1976) 124 m de long, béton armé 16 257 t.

En France

Trafic maritime (en millions de tonnes, 1989). *Imp. :* 162,8 (dont sous pavillon français 14,3). *Exp. :* 55,4 (dont sous p. fr. 9).

Principaux produits (en milliers de t, 1989). *Exp. :* céréales 18 212, autres produits agr. 8 093, pétrole 5 659, sidérurgie 4 491, minéraux 2 164, prod. chim. 5 001, manufacturés 4 205. *Imp. :* céréales 147, aut. prod. agric. 8 670, charbon 13 703, pétrole 98 038, minerais 17 002, engrais 3 845, prod. chim. 4 047.

Selon le mode de conditionnement (poids brut, entrées et sorties, en millions de t, 1989, et entre parenthèses en 1973). *Vrac liquide :* 153,3 (219,5) dont prod. pétroliers : 141,8 (214,2). *Vrac solide :* 77,4 (45,2). *Autres que les vracs :* 65,9 (30,3). **Total** 296,6.

Chiffre d'affaires du transport maritime (en millions de F, 1988). Lignes régulières 11,1, contrôle des filiales étrangères 8, trafic passager 3, pétrole 2,6, vrac 1,9.

Trafic détourné (millions de t et, entre parenthèses, en milliards de F en 1990). *À l'imp. :* 14 (118,5). *À l'exp. :* 6,8 (74,2).

Port le plus petit de France. *Port-Racine,* St-Germain-des-Vaux (Manche). 45 m × 20 m, entrée 8 m.

Dockers professionnels. Effectifs *1980 :* 14 229. *86 :* 11 248. *89 :* 8 743. Taux d'inemploi (%). *1986 :* 33,1. *89 :* 26,6. *90* (fév.) : 29,2.

Budget de l'État pour la mer (1989). *Crédits :* 5,95 milliards de F dont (en millions de F) : Établissement national des invalides de la marine 4 000 ; ports maritimes : 798,2 (696,5 en 1988) ; autorisations de programme pour l'équipement des ports de commerce et de pêche 293,7 ; crédits de paiement : 248 ; dotations pour l'entretien et l'exploitation des ports d'intérêt national : 44,4 ; participation aux dépenses d'entretien des ports autonomes : 483,4.

Tunnels sous-marins

Tunnel sous la Manche

Premiers projets

• **Quelques dates. 1751** Nicolas Desmarets (un ingénieur) lance l'idée d'un tunnel. **1802** 1er projet (souterrain avec route pierrée) de l'ingénieur français Albert Mathieu-Favier, remis après la paix d'Amiens à Bonaparte, 1er Consul. **1803** projet Tessier du Mottray (tube de fer). **1834** Thomé de Gamond propose un tunnel de tubes métalliques. **1835** voûte sous-marine en béton coulée au fond de la mer. **1836** bac flottant, d'une jetée française à une jetée anglaise, toutes deux fort longues. **1840** isthme artificiel au moyen de blocs de béton immergés au fond du chenal. **1846** pont mobile. **1852** pont et viaduc avec 400 tubes de fer jetés sur des arches de granit. **1855** cubes soudés, posés sur le fond marin, avec, aux extrémités, 2 parties creusées. **1869** Angleterre et France créent un Channel Tunnel Committee financé du côté français par les Rothschild, du côté britannique par Lord Richard Grosvenor. **1872** fondation de la Channel Tunnel Co. par Lord Grosvenor. **1875** de la Sté concessionnaire du chemin de fer sous-marin entre France et Angl. (concession de 99 ans). **1878-83** forage à Sangatte (France) du puits des Anciens : prof. 92,50 m d'où part une galerie de 2,14 m de diam., 1 840 m de long sur 5,4 m de diamètre ; près de Douvres, à Abbots-Cliff et à Shakespeare-Cliff (Angl.) : 2 galeries de 1 800 m et 800 m, arrêt des travaux ordonné en G.-B. pour raisons militaires.

1956 la Cie financière de Suez se rapproche des Cies angl. et fr. et constitue en 1957 le *Groupement d'études du tunnel sous la Manche* qui, en 1964-65, mène une campagne de forages en mer. *Capital du groupe* (au 1-1-75) 80 millions de F partagés sensiblement par moitié entre la Sté fr. et la Sté brit., celles-ci constituant le Groupe du Tunnel sous la Manche. **1973-*17-11*** après la signature de la Convention no 2 entre le Groupe (privé) et les 2 gouv., et la signature d'un traité entre les 2 États (qui devait être ratifié avant 1-1-75), les travaux commencent des 2 côtés du détroit. Achèvement prévu fin été 1980. **1975-*1-1*** pour des raisons économiques, le gouv. brit. renonce à ratifier le traité, le gouv. français doit rembourser aux Stés les capitaux (privés) déjà engagés (500 millions de F partagés également entre les 2 gouvernements). Les travaux (300 m du côté français sur le 1,5 km prévu entre nov. 73 et juill. 75, 400 m du côté brit. sur 2 km prévus), dont une grande partie sous la mer, ont été stoppés le 20-1-75. Les mesures conservatoires exécutées, l'ouvrage réalisé a été envahi par les eaux. *Caractéristiques prévues :* 49,26 km (dont 39 sous la mer), 2 tunnels (de 6,85 m) et 1 galerie de service (4,5 m) partant, l'un de Sangatte, l'autre entre Douvres et Folkestone. Prof. max. 107,30 m sous le niveau moyen de la mer. *Vitesse moyenne des trains :* 140 km/h. *Durée moyenne du trajet dans le tunnel :* 31 mn de terminal à terminal. *Trajet Paris-Londres* pour les trains T.E.E. : 3 h 40 ; à très grande vitesse : 2 h 40. *Coût total prévu* (juin 73) : travaux seuls : 5,286 milliards de F.

Pas de Calais

Largeur 35 km. *Trafic* (navires par j) Manche-mer du N. env. 300, G.-B. Continent 300. *Visibilité :* inf. 1 jour sur 2 à quelques milles, et plus du 1/4 des périodes de vent dépasse la force 8 Beaufort. *Dep. 1967 :* voie montante le long des côtes fr., descendante le long des côtes brit. ; chenaux réservés aux gros pétroliers ; centres d'information et de surveillance à Langton-Battery (Douvres) et au cap Gris-Nez.

Trafic trans-Manche

En 1986 (passagers en milliers, entre par. véhicules en milliers, en ital. fret en milliers de t). Boulogne 2 954 (222) [1] *1 854,5,* Calais 9 186 (929) [1] *9 535,* Cherbourg 1 095 (140) [1] *1 959,5,* Dieppe 930 (844) [1] *1 631,* Dunkerque 1 232 *7 875,5,* Granville [1] 484 *20,* Le Havre 822 *359,* Roscoff [1] 214 (38) *354,* Saint-Malo 767 (90) [1] *325.*

Nota – (1) 1983.

Pont sur la Manche

Projets. 1836. Aimé Thomé de Gamond (ingénieur français), n. 1807, se ralliera, en 1857, au projet de tunnel. **1860** Gustave Robert (jetée de 32 km, haut. 6 m, avec 4 voies ferrées et percée de 2 passes pour la circulation maritime). **1869** Boutet (Français), pont suspendu de 30 km de portée sans piles intermédiaires, puis avec 2 piles et 10 travées intermédiaires. **1870** Vérar de Sainte-Anne. **1884** The Channel Bridge and Railway Company Limited (capital 5 000 000 F divisé en 50 000 parts) est créée pour l'élaboration d'un projet de voie ferrée à ciel ouvert et l'obtention des concessions nécessaires à l'établissement d'un pont. **1889** Hersent et la Cie Schneider, pont de 38 600 m à 56 m au-dessus de l'eau, portée de 600 m, coût 4,25 milliards de F-or. **1890** projet cap Blanc-Nez-South Foreland en ligne droite, long. 33 450 m, 72 piles (45 m × 20 m au-dessus des plus hautes mers) supportant 73 travées métalliques de 400 et 500 m à 68 m au-dessus du niveau des basses mers. **1960**-*27-12* constitution de la Sté d'études du pont sur la Manche (S.E.P.M.), Pt Jules Moch, pont 33 km, 130 appuis, abandonné en 1963-64. **1980-85** projets de ponts suspendus.

Europont. Partenaires : Nord-France ; Ballot S.A. ; F.B.M. Construct (filiale de la Sté belge des bétons) ; Chantiers modernes ; Banque Neuflize, Schlumberger, Mallet ; Continental Trust ; ICI Fibres ; Laing International... *Coût :* 50 milliards de F dont tunnel ferroviaire 8 à 10. *Travaux :* 5 ans. **Description.** 7 travées d'env. 5 km, piles de 340 m de haut, câbles porteurs diamètre 1,40 m et suspentes en Kevlar (6 fois plus léger que l'acier). Véhicules circulent sur le pont dans un tunnel (35 km, suspendu à 70 m au-dessus de la mer : 2 niveaux de 6 voies chacun). *Débit :* 18 000 véhicules/h.

Euroroute. Partenaires : Alsthom ; G.T.M. Entrepose ; Cie Gén. Électricité ; Usinor ; Paribas ; Sté générale. British Ship Builders ; British Steel Corporation ; John Howard ; Kleinwort-Benson ; Trafalgar House ; Barclay's Bank. **Coût :** 57 milliards de F. *Travaux :* 6 ans. **Description :** pont à haubans (câbles d'acier) côté français 7 km, anglais 8,5, portée 500 m, suspendu à 50 m. Rampes hélicoïdales de 2 km rejoignant 2 îles artificielles. Entre elles : tunnel immergé de 21 km dans une tranchée avec 2 routes à 2 voies superposées. *Vitesse autorisée (km/h) :* sur le pont 100, rampes de descente 60, tunnel 80. *Traversée :* 30 mn. *Débit :* 25 000 véhicules/j dans les 2 sens. Pas d'arrêt + de 3 j par an [brouillard (visibilité – de 200 m) 72 h par an].

1981 *sept.* dossier rouvert. **1984** *mai* 5 banques françaises et britanniques concluent pour une liaison fixe et finançable. **1985**-*2-4* consultation lancée. -*31-10* 3 propositions assurant le trafic ferroviaire et routier sans rupture de charge : Eurobridge-Europont 68 milliards de F, Euroroute (v. encadré) 54, Transmanche-Express-Channel Expressway 25 (projet de British Ferries, filiale de Sea Containers ; 2 tunnels communs route-rail, forés (diam. 11,3) avec 2 voies de circulation routière, bande d'arrêt d'urgence et rails encastrés dans la voie rapide, 1 offrant navettes ferroviaires pour véhicules routiers et trains classiques (France-Manche-Channel Tunnel Group). **1986**-*20-1* ce dernier est retenu ; -*11-2* traité signé à Canterbury ; -*14-3* acte de concession pour 55 ans à dater de la ratification du tr. Au début, 36 % des Anglais étaient pour le tunnel sous la Manche, 51 contre, 13 ne savaient pas. **1987**-*3-2* projet de loi adopté en G.-B. ; -*23-4* adopté à l'unanimité en Fr. à l'Ass. nationale ; -*6-5* déclaré en Fr. d'utilité publique ; -*21-7* approbation du Channel Tunnel Bill et ratification du traité ; -*23-7* Royal Assent donné par la reine ; -*29-7* ratification par la Fr. **1988**-*28-2* mise en service du 1er tunnelier. **1989** 2 derniers tunneliers français (5 en tout), enlevant 30 000 m³ de déblais par j. **1990** *févr.* Eurotunnel condamné à payer 670 millions de F à TML. -*21-6* sur 150 km prévus, 75,7 : du côté brit. 42 (dont 26 sous la mer), français 33 (24). 24 millions de F ont été dépensés. Ouvriers tués dep. le début 7 (6 du côté brit., 1 du côté fr.). Les 5 constructeurs brit. de Trans-Manche Link ont été condamnés en mars 90 à 50 000 £ d'amende pour ne pas avoir respecté les consignes de sécurité. Augmentation de capital de 5,659 milliards de F, emprunt suppl. 21 md, -*1-12* jonction. **1993**-*15-6* achèvement prévu.

• Projet de tunnel retenu (Eurotunnel). **Caractéristiques.** *Tunnels : 2 ferroviaires* (diam. 7,6 m) parallèles, distants de 30 m, forés à 40 m sous le fond de la Manche, soit au max. à 100 m au-dessous du niveau de la mer. Des voies de passage permettent de rester en service même en cas de fermeture de l'une des sections. *Longueur :* Tunnel nord (forage achevé 22-5-91) 50 470 m (sous mer 37 925 m ; sous terre G.-B. 9 280, France 3 265). Galerie de service (1-12-90) 50 440 m (s.m. 37 916, s.t. G.-B. 9 293, Fr. 3 251), diam. 4,8 m, entre les 2 tunnels auxquels elle est reliée tous les 375 m. Tunnel sud (28-6-91) 50 480 (s.m. 37 925, s.t. G.-B. 9 278, Fr. 3 277). *Puits de Sangatte* (d'où partent les travaux de forage vers le terminal de Coquelles, point de jonction) prof. 65 m, diam. 55 m.

Coût (total prévu en milliards de F). **Origine :** 27,3 (besoin de financement total 51,7 comprenant assurances, conception, contrôle des travaux 4,3, inflation 10,5, intérêts 9,6) dont terminaux de surface 4,5, tunnels 13,7, équipements fixes 6,4, matériel roulant 2,7. **1988 :** 52,3 dont 36,5 pour la construction. **1989 :** rapport du maître d'œuvre, Setec-Atkins, 70 dont B.T.P. (ensemble travaux) 32, provision et frais financiers 24, navettes 7,5, frais Eurotunnel 6,5. **1990** *(oct.) :* 76 dont travaux 36,69. Crédits disponibles : capitaux propres 16,9 (dont 5,66 souscrits fin 90) et 1,02 (droit de souscription), prêts 68 + 3 de la BEI. Financement pour 7 ans de 1986 à la livraison le 15-6-1993. *Recettes :* 70 [1] dont crédits bancaires 50, fonds propres 10, crédits bancaires supplémentaires 7,5, augmentation de capital 2,5. *1990 (juin)* 76,6 (hausse due aux dépassements du devis et à des modifications). **Chiffre d'affaires** (prévisions en janv. 91, en milliards de F). *1993 :* 5,9. *2003 :* 8,5. *2013 :* 10,3. *Résultats avant impôt* pertes jusqu'en 1997. *98* 0,56. *Rentabilité* prévue 14,6 % pour la durée de la concession jusqu'en 2042.

Trafic. Trains passagers (TGV possible), marchandises. Navettes (formées de 1 ou 2 rames) de 800 m de long, capacité 200 voitures ou 35 camions ; les conducteurs de voitures, autocars, poids lourds y accèdent directement, partent toutes les 3 mn en période de pointe. *Capacité :* 4 000 véhicules/h par sens, supérieure à celle d'une autoroute à 2 fois 2 voies. *Temps de traversée* entre Cheriton (G.-B.) et Frethun (Fr. près de Calais) : 30 mn, trains directs 20 mn à 160 km/h. Transit de terminal à terminal : voiture 64 mn, poids lourd 81. Paris-Londres en 4 h 30 (par TGV 3 h 15). *Nombre de voyageurs prévus par an :* 28,8 millions ; *de marchandises :* 16,2 millions de t. *Tarif (en F).* Automobiliste 250, passager autocar 67, train 80.

Creusement. Au-delà de 100 m, 400 à 500 m par mois de chaque côté par des tunneliers (côté français 5 : pour tunnel ferroviaire, long. 13 m diam. 8,72 m 1 200 t tunnel de service 11 m, 5,74 m, 470 t. *Durée des travaux :* 7 ans.

Participants. *Français :* Bouygues, Dumez, S.A.E.-Borie, Sté générale d'entreprises, Spie-Batignolles, Crédit Lyonnais, BNP, Indosuez. *Britanniques :* Balfour Beatty, Costain U.K., Tarmac, Taylor Woodrow, Wimpey, National Westminster Bank, Midland Bank. **Pts.** *Français :* André Bénard (19-8-1922). *Brit. :* Alastair Morton (11-1-1938), devenu vice-Pt 20-2-90. **Actionnaires d'Eurotunnel** (1991). 437 000 Français, 120 000 Anglais.

Tunnels japonais

Shimonoseki (1974) : 11 km. **Shin-Kanmon :** 18,7 km. *1er tunnel sous-marin du monde* (détroit de Shimonoseki entre Honshu et Kyushu). **Seikan** (1971 au 13-3-88 mise en service) : 53,85 km dont 23,3 km sous la mer à env. 240 m au-dessous du niveau de la mer et 100 m au-dessous du fond marin ; galerie de 9,7 de diamètre intérieur avec une double voie ferrée de 1,435 m + tunnel de service, 4 m de diam. intérieur (5 m extérieur). *Coût final* (1988) : 600 milliards de yens. Très contesté en 1970. *Trafic : 1989 :* 3 500 000 voyageurs.

Signalisation maritime

Moyens utilisés

Ondes lumineuses et sonores. **Phares et feux :** éclairage par des brasiers (feu de bois ou de houille) depuis l'Antiquité, puis à partir de la fin du XVIIe s. (1696, phares d'Eddystone, G.-B.) par des chandelles et des lampes ; en 1782, le ph. de *Cordouan* était éclairé par 80 lampes à mèche plate donnant beaucoup de fumée. En 1784, *Argand* construisit une lampe à double courant d'air (la mèche en forme de cylindre creux enfermée dans une cheminée de verre). On utilisa des lampes à huile de colza (puis à partir de 1857, à l'huile minérale). *Réflecteur :* en 1783, Teulère imagina des miroirs polis qu'il faisait tourner (système catoptrique adopté à Dieppe par Borda en 1784). En faisant varier la vitesse de rotation et la disposition des miroirs, on pouvait donner à chaque phare une « identité » particulière. Arago et Augustin Fresnel préconisèrent des lampes à mèches concentriques (jusqu'à 5 ou 6). L'électricité fut utilisée pour la 1re fois en G.-B. en 1859 (en France, en 1863, ph. de la Hève). Fresnel imposa des appareils dioptriques. Il remplaça la lentille ordinaire par une lentille à plan convexe dont la face de sortie était taillée en échelons. Ainsi les rayons lumineux formaient à la sortie de l'appareil un faisceau lumineux parallèle. La plupart des phares sont sur les côtes, d'autres sur des îlots ou des écueils immergés à haute mer [le 1er important établi ainsi fut en France le phare des Héaux de Bréhat (1836-40)].

Autres moyens. Balises, bouées, bouées-phares, avertisseurs sonores.

Ondes électromagnétiques. Radiophares maritimes, chaînes « Loran » et « Toran », « Rana », Omega différentiel, balises radar, réflecteurs radar, système Sylédis.

Phares célèbres

Légende. – Date de construction en ital. (et entre par. date de reconstruction du bâtiment actuel). P : portée nominale en milles (par visibilité météor. de 10 milles). I : intensité en millions de candelas [le 2e chiffre : lorsque l'éclairage est assuré par lampe à arc (temps de brume)]. H : hauteur en m du foyer au-dessus de la mer (Méditerranée) ou des hautes mers (Manche, Atlantique).

Cap Gris-Nez (P.-de-C.) *1837 (1957).* P 29, I 1,3/25. H 72. **La Canche** (P.-de-C.) *1852 (1951).* P. 25. I 0,92. H 53,65. **L'Ailly** (S.-M.) *v. 1775 (1958).* P 31. I 6. H 95,33. **Antifer** (S.-M.) *v. 1835 (1956).* P 29. I 3,6. H 128. **La Hève** (S.-M.) *1774 (1951).* P.24. I 0,55. H 123,2. **Gatteville** (Manche) *1775* et *1835.* P 29. II 3/6. H 72,35 ; hauteur de la tour 71 m. Guide plusieurs dizaines de milliers de navires par an. **Carteret** (Manche) *1839 (1906).* P 26. I 1. H 80,6. **Cap Fréhel** (C.-du-N.) *1695 (1950).* P 29. I 3,6. H 85,3. **Roches-Douvres** (C.-du-N.) *1868 (1948).* P 28. I 2. H 60. **Ile de Batz** (Fin.) *1836 (1900).* P 23. I 0,35. H 69. **Ile Vierge** (Fin.) *1845 (1902).* P 27. I 1,5. H 77, hauteur de la tour 75 m. **Creac'h d'Ouessant** (Fin.) *1862.* P 34. I 20. H 69,7, hauteur de la tour 47 m. Alimenté par huile minérale, puis en 1939 électrifié. 4 optiques (de 2 panneaux chacune) réparties sur 2 étages. 8 faisceaux lumineux de 20 000 000 de Candelas groupés 2 à 2 de telle sorte que les navigateurs voient un groupe de 2 éclats. Lanterne 11 m de haut, 6 m de diam. ; 33 t ; haut. 55 m au-dessus du sol (75 m au-dessus des hautes mers) ; visible à 169 km de distance ; portée normale 63 km. *Projet :* décidé 1981 et abandonné le 14-5-1986 (le sol risquait de s'affaisser sous les 14 000 t de l'engin). Phare à 40 milles (74 km) au S.-O. d'Ouessant. Projet Spie-Batignolles retenu (13-6-1984) : tour de béton (diam. 7 m) de 70 m de haut sur plate-forme à 30 m au-dessus de la mer. *Portée :* feu et balise répondeuse de radar 25 à 30 milles (46 à 56 km) ; radiophare 100 milles résisté à un courant de 2 m/s, un vent de 200 km/h

• **Phares. Le plus ancien.** *Égypte :* Alexandrie. *France :* Cordouan (Gironde), édifié sous Louis le Débonnaire, rebâti 1362-70, puis 1584-1610, agrandi (1788-89), classé M. H. dep. 1870. **La plus grande portée.** *Empire State Building* New York U.S.A. (mis en service 31-3-1956), haut. 332 m, 4 lampes à arc au mercure, puissance 450 millions de bougies, visible au sol à 130 km de distance, à partir d'avion à 490 km. **Le plus haut.** *Tour d'acier du parc Yashimita,* Japon, 106 m, puissance 600 000 bougies, visible à 32 km. En G.-B. : *Bishop's Rock* (îles Sorlingues) et *Eddystone* sur le pas de Calais 490. **Le plus puissant du monde.** *Le Creac'h à Ouessant* (Finistère) : voir ci-dessus.

• **Service des phares et balises. Matériel géré** (au 1-1-1991). **Métropole :** 1 167 phares et feux, 19 bordures lumineuses, 32 radiophares, 11 radiobalises, 697 bouées lumineuses, 3 bouées-phares, 2 287 balises, amers et bouées non lumineuses. **DOM.** 128 ph. et feux, 7 lumineuses, 1 radiophare, 136 bouées lumineuses, 95 balises, amers et bouées non lumineuses. **TOM.** 201 ph. et f., 30 bouées lumineuses, 1 213 balises, amers et bouées non lumineuses.

résisté à un courant de 2 m/s, un vent de 200 km/h et une houle de 30 m de haut. Aurait permis de repousser de 25 milles au large la circulation, estimée trop proche de la côte bretonne. *Coût :* + de 550 millions de F dont 160 dépensés à perte. Guide environ 50 000 navires par an. **St-Mathieu** (Fin.) *1740 (1835).* P 27. I 1,5. H 55,8. **Ile de Sein** (Fin.) *1839 (1952).* P 29. I 3. H 48,9. **Eckmühl** (Fin.) *1797 (1897).* P 24. I 0,55. H 60,09. **Belle-Ile** (Morb.) *1836.* P 28. I 2. H 87,25. **Ile d'Yeu** (Vendée) *1829 (1950).* P 24. I 0,55. H 56. **Chassiron** (Ch.-M.) *1680 (1836).* P 28. I 2,1 H 50,1. **La Coubre** (Ch.-M.) *1905.* P 28. I 2. H 64,5. **Ile de Ré** (Ch.-M.) *1854. Ph. des Baleines.* P 27. I 1,5. H 52,60. **Cordouan** (Gir.) *1584-1611,* surélevé *1788-80. Fin XVIIe s. :* appareil à 12 grands réflecteurs paraboliques fonctionnant avec une lampe à mèche d'Argand. *1854 :* feu à éclipes avec éclats alternatifs blancs et rouges. *1907 :* brûleur à incandescence. *1950 :* lampe électrique à 2 groupes électrogènes. *1981 :* abandonné par les Phares et Balises, classé monument historique pour sa partie basse en 1862, restauration en 1984. H 60,3 ; secteur blanc P 23. I 0,35 ; rouge P 19. I 0,07 ; vert P 19. I 0,07. **Cap Ferret** (Gir.) P 27. I 1,6. H 53,43, tour de 52 m construite 1946-47 pour remplacer l'ancienne (1840) que les Allemands avaient fait sauter en 1944. **Biarritz** (P.-Atl.) *1830.* P 29. I 3. H 73,2. **Cap Béar** (P.-Or.) *1836 (1905).* P 30. I 4,8. H 79,67. **Mont St-Clair** (Hér.) *v. 1900.* P 29. I 4. H 93,05. **Le Planier** (B.-du-R.) *1771 (1959).* P 27. I 1,3. H 67,74. **Porquerolles** (Var) *1837.* P 29. I 3. H 80. **La Garoupe** (A.-M.) *1837 (1848).* P 29. I 3. H 103,7. **La Giraglia** (Corse) *1848.* P 29. I 3. H 85,2.

Effectif (1991). 1 004 dont inscrits maritimes 315, électromécaniciens de phare 262, moniteurs-vérificateurs 28, auxiliaires 66, agents de travaux 72, ouvriers des parcs et ateliers 261.

Surveillance de la circulation maritime

Dépend du ministère chargé de la Mer. Assurée par les Centres régionaux opérationnels de surveillance et de sauvetage (Cross) et plus particulièrement ceux de Gris-Nez, Jobourg et Corsen, qui surveillent la circulation des navires dans les dispositifs de séparation de trafic (DST) du pas de Calais, des Casquets et d'Ouessant et leurs abords. Ils sont plus spécialement chargés du suivi de la navigation des navires transportant hydrocarbures et substances dangereuses, qui doivent annoncer leur passage (compte rendu du navire) et signaler leurs avaries. Considérés par ailleurs comme des services de trafic maritime côtiers (STM) au sens des règles de l'Organisation maritime internationale (OMI), ils diffusent, dans leur zone, toutes informations de sécurité (avis aux navigateurs, météo, etc.) pour faciliter la navigation. Ils répondent à toutes demandes des navires, relèvent les infractions aux règles de la navigation commises dans les eaux territoriales (PV transmis aux Affaires maritimes pour renvoi devant les tribunaux maritimes commerciaux), ou internationales (PV transmis à l'État du pavillon). *Contrevenants constatés : 1987 :* 2 155, *88 :* 3 200, *89 :* 2 500, *90 :* 1 600 ; *identifiés : 1987 :* 755, *88 :* 1 022. *Taux d'identification par rapport aux navires détectés : 1986 :* 43 %, *87 :* 37, *88 :* 26, *89 :* 26, *90 :* 28. **Effectif des Cross** (1991). 233 dont aspirants, équitages de la flotte et marins des ports 192, officiers 31, civils 10.

Transports routiers

Véhicules

Quelques dates

Traction animale

Antiquité les véhicules à roues étaient connus (ex. Égypte, Assyrie, Phrygie). **IXe s.** l'usage des voitures disparaît quasiment (on garde animaux de selle ou de bât et litières). **Xe s.** le collier d'épaules améliore le rendement du cheval de trait. **XIIIe s.** l'usage des voitures revient (charrettes pour marchandises, chars non suspendus pour voyageurs). **XIVe s.** apparition d'entreprises particulières de messageries. **XVe s.** amélioration du confort (chars à chaînes ou chariots branlants dont la caisse est suspendue avec des chaînes). **XVIe s.** *1res grandes voitures de transport en commun* (coches). *1er service public* Paris-Orléans (1571). **XVIIe s.** *1er service à Paris de transport public par chaises à porteur.* Carrosses de louage. Suspension perfectionnée avec les chaises de poste, carrosse (voiture de cour), coche (moins logeable), patache, gondole, galiote (plus léger), carabas (cage d'osier à 8 chevaux). **V. 1670-1700** *berline (de Chiese)* 4 roues, 2 fonds symétriques, capote garnie de glaces. **1691** *diligence* (coche à 4 roues, suspendu et couvert, parcourant 23 lieues par jour : Paris-Lyon en 5 j l'été, 6 l'hiver). **1723** *phaéton* 4 places, voiture légère, découverte, haute sur roues. **1775** *turgotine* diligence des Messageries royales. **1820** *landau* 4 roues, 2 banquettes vis-à-vis, 2 soufflets se fermant et s'ouvrant à volonté ; *tilbury* cabriolet léger, 2 roues, découvert.

Véhicules à vapeur

XVe s. projet de véhicules de Léonard de Vinci et de Salomon de Caus († 1635). **1680** *1er chariot actionné par éolipyle* (un jet de vapeur frappe une roue à aubes et propulse le chariot par réaction). Newton construit un véhicule à chaudière sphérique à vapeur. **1687** *1re automobile* (à vapeur, 60 cm de long), de Ferdinand Verbiest, jésuite belge ; décrite dans son *Astronomia Europea.* **1769** *1er fardier automobile,* à 3 roues, du Français Nicolas-Joseph Cugnot (1725-1804), construit sur l'ordre du duc de Choiseul, aux frais du roi : 2 cylindres en bronze (long. 378 mm, diam. 325 mm). Transporte 4 personnes et parcourt 3 500 à 3 900 m à l'heure. **1771** *2e fardier* de Cugnot (visible au Conservatoire des Arts et Métiers, à Paris), vitesse env. 3,5 km/h, capacité de charge 5 t ; chaudière trop petite, le conducteur doit s'arrêter toutes les 10 mn pour que la pression de la vapeur remonte ; moteur en porte-à-faux à l'avant. **1784** James Watt (1736-1819) : brevet pour une voiture à vapeur. William Murdoch (1754-1839) : brevet pour un tricycle à vapeur. **1801** *1re locomotive routière* « Traveling Engine » des Anglais Richard Trevithick Jr (1771-1833) et Andrew Vivian. **1821 et suivantes** diligences à vapeur de Julius Griffith, David Gordon, Goldworthy, Gurney (1793-1875 ; atteint 48 km/h). **1827** brevet du Français Onésiphore Pecqueur (1792-1852) pour véhicule avec *différentiel.* **1830** Trevithick installe un petit circuit avec machine à vapeur sur rail et admet le public, moyennant finance, à exécuter quelques tours de circuit. 1re application publique de la machine à vapeur. **1835** *1er service régulier automobile* en France entre Paris et Versailles et Bordeaux-Libourne, par remorqueur routier (1 tender et 2 diligences portant chacune 42 pers. ; 12 km/h, consommant 180 kg de coke à l'heure) Charles Dietz (1801-88). **1855** Lotz, Cail, Albaret : construction de locomotives routières. **1861, 1865** *locomotives Acts* en G.-B., les loc. à vapeur ne peuvent rouler à plus de 6 km/h en campagne (3 en ville), un homme à pied agitant un drapeau rouge doit les précéder. **1866** routière de Lotz, 8 t, 16 à 20 km/h. **1868** 1re voiture de Ravel (1832-1908) avec chaudière chauffée au pétrole. **1870** un tracteur à vapeur (firme Aveline et Porter, G.-B.), mieux suspendu, peut remorquer 33 t à 7,5 km/h. **1872-83** constructions d'Amédée Bollée (1844-1917). **1872** un char à vapeur l'« Obéissante » 4 cyl. groupés 2 à 2, poids (en charge + 12 voyageurs) 4,8 t, vitesse 20 km/h. **1878** la « Mancelle » 4 cyl. verticaux (musée de Compiègne). **1879** la « Marie-Anne » locomotive routière de 28,3 t, vitesse 10 km/h, voyage dans le S.-O. et Pyrénées. **1880** omnibus fermé, conduite intérieure, roues indépendantes la « Nouvelle ». **1881** la « Rapide ». **1885** le « Mail coach » pour le Mis de Broc. Tous ces véhicules ont participé à des démonstrations à l'étranger (Autriche, Italie, Russie). Ses 3 fils Amédée, Léon et Camille se consacreront à la voiture à pétrole. **1884**-*12-2* brevet de moteur à gaz d'Édouard Delamare-Deboutteville. Tricycle (à vapeur) du Mis Albert de Dion (1856-1946), de Trépardoux et Georges Bouton (1847-1938). **1885** tricycle de Merelle à roue motrice. Camion à vapeur qui peut transporter 5 t, de Trépardoux. Quadricycle à roues arrière directrices et transmission par courroie de Dion, Bouton, Trépardoux. **1887** tricycle de Léon Serpollet avec serpentin. **1889** voiture de Serpollet (1858-1907), qui obtient du préfet l'autorisation de circuler avec. **1895** *1er phaéton à vapeur* (4 places) de Dion, Bouton. **1897** concours des Poids lourds qui révèle le train *Scotte* (1848-1934) avec remorque (ancêtre de nos semi-remorques) pouvant transp. 40 voyageurs ou 12 t, et le tombereau *Thornycroft* à benne basculante. **1902** Serpollet atteint 120,805 km/h. **1906** *dernier record homologué de vitesse* 196,650 km/h par Marriott sur Stanley (USA). Moteurs à pétrole remplacent la vapeur. **1923-31** Abner Doble (USA) ; série E 4 cyl. de 3,5 l, 150 km/h, accélération de 0 à 120 km/h en 10 sec. Le moteur à explosion prend l'avantage et la vapeur n'est plus utilisée que pour des camions : Purrey, Valentin et De Dion-Bouton en France, et une demi-douzaine de constructeurs brit. dont Alley-Mc Lellan qui produira son modèle Sentinel jusqu'en 1950. **1968-72** projets étudiés (USA) : la vapeur économiserait 39 % du carburant en ville, serait plus silencieuse et moins polluante.

Véhicules électriques

1880-81 *Charles Jeanteaud* (1843-1906), qui créera le terme *limousine* pour les voitures fermées, *C. Faure, G. Trouvé* (1839-1902) et *N.-J. Raffard* (1824-1898) réalisent de petits véhicules (accumulateurs et piles) à faible rayon d'action. **1894** Amérique : l'« Électrobat », surtout utilisée comme fiacre. **1895** break 6 pl. de Jeanteaud prend part à la course Paris-Bordeaux (sans grand succès). Divers essais par *Darracq, Lenain, Mildé* et surtout *Krieger* [jusqu'en 1910 (création de centres de recharge d'accumulateurs), construction de fiacres et voitures de maître]. **1895-1900** Angleterre : quelques essais : *Gerard* et *Blumfield, Haddan, Voughan, Bessey, Hart.* **1899** record de vitesse de Chasseloup-Laubat (95 km/h), battu par Camille Jenatzy sur la *« Jamais-Contente »,* construite en partinium (aluminium laminé) et carrossée par Rothschild (105,88 km/h) (près de Paris). **1903** France : voiture mixte, moteur pétrole et dynamo l'« Électrogénia » ; Allemagne : la Lohner Porsche, même système. **V. 1911** des *taxis électriques* circulent à Londres et à Paris puis disparaissent. La voiture électrique, trop coûteuse (entretien, recharges), ne servira plus que pour des transports en commun ou des transports utilitaires. **1940-45** utilisation de petits véhicules électriques en France occupée [Mildé, Satam, Faure, Peugeot, et l'« Œuf » de P. Arzens (n. 1903)]. **Depuis 1945** petits véhicules urbains, mais poids des accumulateurs trop lourd (30 % du poids de la voiture) ; des petits chariots sont utilisés en usine et à la SNCF. **1990** *avril PSA* commercialise des véhicules utilitaires (Peugeot J5, fourgonnette C25) en série ; vitesse 70 km/h, autonomie 100 km, prix 129 700 F HT + 27 800 F de batteries et 10 500 F de chargeur ; coût supérieur de 30 % au diesel. *Nippon Steel NAV* (Next Generation Advanced Electric Vehicle) 110 km/h, autonomie 240 km. BMW 325 I 100 km/h, autonomie 300 km. *Jeanneau Microcar* livrera fin 1992 1 300 voitures électriques à la Sté suisse Willy. **1995 (prév.)** 1re voiture électrique grand public : *Peugeot 205* ou *Citroën AX.*

Véhicules avec moteur à gaz ou à pétrole

1805 *1re automobile à moteur à explosion* (hydrogène), Isaac de Rivaz (Suisse). **1826 mai** *1er véhicule à combustion interne* construit par le Londonien Samuel Brown (brevet 5 350, 25-4-1826) ; moteur 2 cylindres de 88 l à gaz atmosphérique, 4,05 CV. **1860** brevet Étienne Lenoir (1822-1900) [moteur à gaz, allumage électrique monté sur une voiture en 1863]. **1862** mémoire d'Alphonse Beau de Rochas (1815-93) énonçant le principe du cycle « 4 temps ». **1876** Nicolas Otto (1832-1891, All.) construit un moteur à gaz 4 temps qu'il doit abandonner n'étant pas détenteur des brevets. **1883** un break, sur lequel est monté un moteur à pétrole d'*Édouard Delamare-Deboutteville* (1855-1901) et *Léon Malandin,* effectue, près de Rouen, quelques parcours sur route (brevet du 12-2-1884 de moteur à essence adapté aux véhicules). **1885-86** *Allemagne* (Mannheim), *Karl Benz* (1844-1929) construit un tricycle châssis tubulaire, moteur à pétrole, 4 temps, vitesse 13 à 16 km/h. Sa femme Bertha et ses fils l'utilisent à son insu et parcourent 200 km sur route. A Cannstatt, *Gottlieb Daimler* (1834-1900) monte sur un break son moteur à 1 CV, 4 temps, 750 tours/mn, puis un 2-cylindres 1 CV, 6 (quadricycle) Stahbradwagen. Essais concluants sur route. *France : Émile Roger* (1850-97), agent de Benz, monte des voitures à Paris, y apporte quelques améliorations, mais la vente marche mal. Représentants en France de Daimler, Édouard († 1887) et Louise Sarrazin (qui, veuve, épousera E. Levassor en 1890) font adopter ces moteurs par *René Panhard* (1841-1908), *Émile Levassor* (1844-97) et *Armand Peugeot* (1843-1915). **1888** *Félix Millet* fait breveter un moteur rotatif Seyl adapté à la roue arrière d'un vélocipède et réalise *la 1re moto.* **1889** moteur vertical, 4 cyl. monobloc, soupapes en tête, de *Fernand Forest* (1851-1914). **1891** 1er brevet de pneu démontable : *Édouard* (1859-1940) et *André* (1853-1931) *Michelin,* améliorant le pneu de l'Irlandais *Dunlop* qui, 2 ans avant, avait repris l'invention de l'Anglais *Thomson* (1845), des bandages à air, collés sur les jantes. *Espagne : Fr. Bonnet* construit des Tricars. *Amérique :* voiture légère des frères Nadig sans succès vu le très mauvais état des routes. *Janvier* Émile Levassor essaie une voiture 4 places dos à dos, moteur central Daimler 2 CV, 2 cylindres en V (usine Panhard et Levassor), 1 tonne. *2-4* voiture Peugeot nº 2, moteur Daimler, fabriquée par Panhard et Levassor (P. & L.) sous licence. P. & L. sort 5 voitures à 2 places « type 2 », 735 kg, moteur avant, dites le « crabe ». *Sept.* Peugeot « type 3 », partie de Valentigney, suit la course cycliste Paris-Brest-Paris et retourne à Valentigney : 2 047 km en 139 h à 14,7 km/h de moy. **1892** brevet Rudolf *Diesel* (Paris 1858/20-9-1913, suicide ?) pour moteur à allumage par compression. Peugeot vend 29 voitures et P. & L. 19. **1893** De Dion fait breveter son pont arr. à double cardan transversal. *Henriod* construit (en Suisse puis en Fr.) plusieurs petits véhicules et *Egg* une voiture à moteur Benz avec transmission à rapport variable (actuellement, Variomatic Daf). *Belgique :* Benz construite sous licence la « Dasse ». **1894** *France : 1re revue* consacrée à l'automobile, la « Locomotion automobile ». Benz abandonne le tricycle et présente une 4-roues la « Viktoria ». *Amérique :* les frères Duryea fondent la 1re usine autom. à Peoria. Daimler cède sa licence aux Anglais. **1894-1903** *France :* grandes courses sur route : *1894* Paris-Rouen. *1895* Paris-Bordeaux-Paris (1 175 km ; 1er Levassor, moyenne 24,077 km/h ; participation d'une voiture à bandages pneumatiques Michelin. *1896* Paris-Marseille-Paris. *1897* Marseille-Nice et La Turbie, Paris-Dieppe. *1898* Paris-Amsterdam-Paris. *1899* Tour de France, Paris-Bordeaux. *1900* Paris-Toulouse-Paris. *1901* Paris-Berlin. *1902* Paris-Vienne. *1903* Paris-Madrid (arrêté à Bordeaux en raison de nombreux accidents : mort de Marcel Renault). **1895** De Dion-Bouton construit un *moteur à pétrole* à « grande vitesse » (1 500-3 000 tours), à allumage à trembleur commandé, graissages pression, embrayage à plateau ; ce moteur est vendu à de nombreux constructeurs naissants (Renault, Delage, Barré, etc.). *1er tricycle de Dion :* moteur Daimler à 4 temps, 3/4 de cheval à allumage électrique, construit jusqu'en 1902 à 15 000 ex. et copié ou fabriqué sous licence dans de nombreux pays. *Fondation du 1er club auto ACF* (Automobile Club de Fr.). *1re exposition de véhicules à moteurs,* organisée par ACF au Champ de Mars. **1896** *Léon Bollée* (1870-1913) baptise « Voiturette » son Tricar. *Paul Decauville* [1846-1922, constructeur de chemin de fer à voie droite (40 ou 60 cm)] sort une « voiturelle » à roues avant indépendantes. Ampoule à iode. *Russie :* Yakovlev-Freze : peut être équipée de skis ; Puzyrev. *Autriche :* Graf und Stift : à roues avant indépendantes (devient plus tard la firme Tatra). *Angleterre :* la liberté de circulation est rendue aux automobilistes qui fêtent l'événement par le 1er Londres-Brighton (nov. 1896). *P.-Bas :* Simplex, l'Eysink et (en 1902), Spyker qui participe au Pékin-Paris. *Danemark :* Hammel (on doit tourner son volant à droite pour aller à gauche et vice versa), Brems. *Suède :* Vabis, solide voiture qui, en 1911, entre dans le groupe Scania-Vabis-Saab. *Italie :* Welleys (brevets Ceirano et Faccioli) et Lanza, rachetées 1899 par Giovanni Agnelli qui fonde la FIAT. **1897** *1er arrêté réglementant la circulation des auto en France.* **1898** turbocompresseur de suralimentation : Paul Daniel. *1er Salon de l'auto,* organisé par l'ACF aux Tuileries (à partir de 1901 au Gd Palais). **1899** brevet pour boîte de vitesses avec « prise directe » de *Louis Renault* (1877-1944), montée sur sa 1re voiturette de 1898. *1er « ralentisseur »* par frein-moteur sur échappement (en usage encore avec les moteurs Diesel routiers) ; *1re conduite intérieure* (Renault). Essor de la presse automobile.

1900 nombreux congrès intern. (Paris, Londres, Bruxelles) pour régir la circulation automobile. *France :* nombreux concours (voitures, poids lourds, carburant, alcool). *G.-B. :* Napier émerge en gagnant les 1 000 miles suivi par Austin, Wolseley, Sunbeam, Singer, Vauxhall, Humber. *Amérique :* démarrage rapide après les exploits sur route de Winton et Packard. *Allemagne :* Daimler meurt ; son ingénieur Maybach (1846-1929) et Jellinek vendent les voitures sous le prénom de sa fille, *Mercedes. 1er guide Michelin.* **1900 à 1908. Ère des circuits : 1900-05** coupe Gordon-Bennett (gagnée 4 fois par Fr., 1 fois par G.-B., 1 fois par Allem.). *France :* circuit des Ardennes (1902-08) ; Gd prix ACF (1906-08) ; coupe en voiturettes (1905-08) ; courses de côte de : Gaillon (1899-1908), Château-Thierry (1902-08), Mt Ventoux (1902-08). *Italie :* circuit Brescia (1904-05) ; Targa-Florio (1906-07-08) ; Targa-Bologne (1908). *G.-B. :* Tourist Trophy (1905-08). *Amérique :* Gd prix d'Amér. (1908) ; meeting de Floride (1905-08) ; coupe Vanderbilt (1904). **1902** *1er moteur 8 cyl. en ligne* par CGV et *1er moteur 8 cyl. en V.* par *Clément Ader* (1841-1925) monté sur une voiture. Freins à disque brevetés par *F. W. Lanschester* (G.-B.). *L. Boudeville* (1887-1950) invente la magnéto haute tension construite par R. Bosch (1861-1942). **1903** *Train routier* (inventé par le Cel Charles Renard 22-11-1847 ; suicide 13-4-1905 et construit par la Sté Sur-

Records automobiles

Date	Pilote (Voiture)	Km/h
	Voitures électriques	
1898-18-12	G. de Chasseloup-Laubat (Jeantaud) [a]	63,158
1899-17-1	C. Jenatzy (C.I.T.A) [a]	66,667
-17-1	G. de Chasseloup-Laubat (Jeantaud) [a]	70,312
-27-1	C. Jenatzy (C.I.T.A.) [a]	80,357
- 4-3	G. de Chasseloup-Laubat (Jeantaud) [a]	92,783
-29-4	C. Jenatzy (C.I.T.A.) [a]	105,882
	Voitures à pétrole (sauf celles mentionnées à vapeur)	
1902-13-4	L. Serpollet (Gardner-Serpollet) (vap.) [b]	120,805
- 5-8	W.K. Vanderbilt (Mors Z) [c]	122,449
- 5-11	H. Fournier (Mors Z) [d]	123,287
-17-11	Augières (Mors Z) [d]	124,102
1903- 7-3	C.S. Rolls (Mors Z) [e]	133,333
-17-7	A. Duray (Gobron-Brillié) [f]	134,328
juillet	Baron de Forest (Mors Dauphin) [g]	136,338
oct.	C.S. Rolls (Mors Dauphin) [e]	136,363
- 5-11	A. Duray (Gobron-Brillié) [d]	136,363
1904-12-1	H. Ford (Ford) [h]	147,014
-27-1	W.K. Vanderbilt (Mercedes) [i]	148,510
-31-3	L. Rigolly (Gobron-Brillié) [b]	152,542
-25-5	Baron P. de Caters (Mercedes) [f]	156,522
-21-7	P. Baras (Daracq) [f]	163,636
-21-7	L. Rigolly (Gobron-Brillié) [f]	166,666
-13-11	P. Baras (Darracq) [f]	168,224
1905-24-1	A. Macdonald (Napier) [i]	168,381
-25-1	H.L. Bowden (Mercedes) [i]	174,757
-31-1	H.L. Bowden (Mercedes) [i]	174,757
-15-11	F. Dufaux (CH-Dufaux) [j]	156,522
-30-12	V. Hémery (Darracq V 8) [j]	174,757
1906-23-1	V. Hémery (Darracq V 8) [i]	185,567
-26-1	F. Marriott (Stanley) (vap.) [i]	195,652
1909- 8-11	V. Hémery (Benz) [k]	202,631
1910-23-3	B. Oldfield (Benz) [i]	211,267
1911-23-4	R. Burman (Benz) [i]	226,700
1919-12-2	R. De Palma (Packard) [i]	242,261
1920-27-4	T. Milton (Duesenberg) [i]	250,000
1922- 6-4	S. Haugdahl (Wisconsin) [i]	260,869
1926-27-4	J.G. Parry Thomas (Thomas Special) [l]	272,459
-28-4	J.G. Parry Thomas (Thomas Special) [l]	275,229
1927- 4-2	M. Campbell (Napier-Campbell) [l]	288,578
-29-3	H.O.D. Segrave (Sunbeam) [i]	326,679
1928-19-2	M. Campbell (Napier-Campbell) [i]	333,063
-22-4	R. Keech (White) [i]	334,023
1929-11-3	H.O.D. Segrave (Irving-Napier) [i]	369,041
1931- 5-2	M. Campbell (Napier-Campbell) [i]	418,721
1933-22-2	M. Campbell (Campbell-R.-Royce) [i]	438,291
1935- 7-3	M. Campbell [i]	485,750
- 3-9	M. Campbell (Campbell-R.-Royce) [m]	484,518
1937-19-11	G.E.T. Eyston (Thunderbolt) [m]	502,442
1938-27-8	G.E.T. Eyston (Thunderbolt) [m]	555,555
-15-9	J.R. Cobb (Railton) [m]	563,380
-16-9	G.E.T. Eyston (Thunderbolt) [m]	575,080
1939-23-8	J.R. Cobb (Railton) [m]	595,041
1947-16-9	J.R. Cobb (Railton Mobil Special) [m]	672,470
1960- 9-9	M. Thompson (Challenger I) [m]	
1964-17-7	Donald Campbell (Blue Bird Proteus) [1, n]	690,909
- 5-10	A. Arfons (Green-Monster) [m]	699,029
-13-10	C.N. Breedlove (Spirit of America) [m]	754,170
-15-10	C.N. Breedlove (Spirit of America) [m]	846,784
-27-10	A. Arfons (Green-Monster) [m]	875,699
1965- 2-11	C.N. Breedlove (Spirit of America) [m]	893,966
- 7-11	A. Arfons (Green-Monster)	921,423
-12-11	R.S. Summers (Goldenrod) [2, m]	673,516
-15-11	C.N. Breedlove (Spirit of America I) [4, m]	988,129
1970-23-10	Gary Gabelich (Blue Flame) [3, m]	1 001,473
1979-17-12	Stan Barrett (Budweiser Rocket) [5, o]	1 190,377
1985-18-8	R. Barber (Steamin'Deamon) (vap.) [m]	234,330

Nota. – (1) Moteur à réacteur. **Plus grande vitesse atteinte par une voiture à roues motrices :** 690,909 km/h sur une lancée de 609,342 m. Blue Bird : long. 9,10 m, 4 354 kg, vitesse de pointe 716 km/h, moteur à turbine à gaz Bristol Siddeley Proteus 705, développant 4 500 CV. (2) **Plus grande vitesse atteinte par une voiture à moteur à piston :** 673,516 km sur une lancée de 609,342 m à bord de Goldenrod (long. 9,75 m, 2 500 kg, propulsée par 4 moteurs à injection Chrysler Hemi de 27 924 cm³, développant 2 400 CV). (3) **Record officiel.** Voiture à 4 roues, moteur alimenté par du gaz naturel liquide et du peroxyde d'oxygène, produisant 9 980 kg en poussée statique maximale. Peut théoriquement atteindre 1 450 km/h. (4) Voiture sur une lancée de 609,342 m, long. 10,50 m, 4 080 kg, moteur à réaction General Electric J 79 GE-3 développant 6 080 kg au niveau de la mer. (5) **Plus grande vitesse atteinte par un véhicule à roues :** 1 190,377 km/h (Mach 1,0106), record non homologué officiellement. Moteur fusée de 48 000 CV, poussée supplémentaire fournie par missile latéral de 3 000 kg.

Lieu. (a) Achères. (b) Nice. (c) Ablis. (d) Dourdan. (e) Clipstone. (f) Ostende. (g) Dublin. (h) Lake St. Clair. (i) Daytona. (j) Arles. (k) Brooklands. (l) Pendine. (m) Bonneville. (n) Lake Eyre. (o) Edwards.

• **Raids automobiles au Sahara et en Afrique. 1916** tentative de jonction *Ouargla-In Salah* (Gal Laperrine), insuccès. **1919** *Saouara-Tidikelt* (Cdt Battembourg), automitrailleuses. **1920** *Ouargla-le Hoggar,* 30 camionnettes au départ, 3 à l'arrivée. **1922/23** *1re mission Citroën :* traversée du Sahara (16-12-22 Touggourt- 7-1-23 Tombouctou et retour le 7-3-23 par le Hoggar et le Tanezrouft après 7 000 km de désert), Georges-Marie Haardt (1884-1932) et Louis Audouin-Dubreuil (1887-1960) (autochenilles Citroën 10 CV à propulseur Kégresse-Hinstein). **1923** *Touggourt-Tozeur* (mission Schwol) sur Renault 6 roues. **1924/25** *2e mission Citroën* **(Croisière noire) :** Colomb-Béchar 28-10-24- Le Cap-Madagascar, Haardt et Audouin-Dubreuil (autochenilles Citroën-Kégresse). Le 17-4 à Kampala se sépare en 4 groupes de 2 autochenilles. Groupe I atteint Mombasa 18-5, II Dar es-Salaam 15-5, III Beira 19-6, IV Le Cap 1-8. Les I et III arrivent à Madagascar le 18-6, le IV en août. **1924** *Alger-Niger* (Lt Estienne et Gradis) sur Renault 6 roues. *Conakry-Djibouti* (mission Tranin-Duverne) sur 10 CV Rolland-Pilain. **1925** *Tunis-le Tchad* (Cel Courtot). **1925/26** *Oran-Le Cap* (Cdt et Mme Delingette) sur Renault. **1926** *Paris-le Tchad* en 18 j (Lt Estienne) sur 6 CV Renault. **1929** *Alger-l'A.O.F.* et retour (Lt Loiseau) sur Bugatti. **1930** *1er Rallye automobile saharien* (Alger-Gao-Tamanrasset-Alger). **Après 1930** les « Cies Sahariennes » et la « Sté Algérienne de transports tropicaux » traversent régulièrement le Sahara. De nombreuses voitures particulières effectuent chaque année la traversée du Sahara (route Gradis ou route du Hoggar). **1978** Thierry Sabine (1949-86) reprend l'idée d'un raid africain et organise le 1er *Paris-Alger-Dakar,* internat., ouvert aux autos, motos, camions.

• **Autres grands raids importants. 1907** *Pékin-Paris,* départ juin ; sur 5 voitures, 3 arrivent et 2 renoncent [Spyker (holl.) et Mototri] ; 1re Itala, 4 cyl., 7 433 cm³, 45 ch, vit. max. 100 km/h, 33 l aux 100 km, boîte de vitesses à 4 rapports, roues avec rayons en bois type artillerie et pneus Pirelli 935 × 135 (Pce Scipion Borghèse arrive 10-8 après 16 000 km en 44 j) et 2 de Dion 12 ch. **1908** *New York-Paris* (San Francisco-Vladivostok-Moscou-Berlin-Paris), 6 voitures au départ, 2 à l'arrivée. **1927** *Rio de Janeiro-La Paz-Lima* (M. et Mme Courteville) sur Renault 6 roues. **1931/32** *3e mission Citroën* **(Croisière jaune).** Groupe « Pamir » (Haardt-Audouin-Dubreuil) : départ 4-4-1931 de Bir Hassen à 5 km de Beyrouth vers le Tibet. Groupe « Chine » (Lt de Vais, Victor Point, 1902-32) : départ de Tien-Tsin 6-4-31 vers le Tibet. Les 2 gr. se retrouvent le 8-10-31 à Aksou et d'Ouroumtsi regagnent ensemble Pékin le 12-2-1932 après 12 115 km. Décès de G.M. Haardt le 16-3-32 à Hong Kong. Traversée Indochine et embarquement sur bateau de la mission pour retour en Fr. le 4-4-1932 (autochenilles C4 et C6 Citroën-Kégresse). **1936** *Buenos Aires-Caracas* (par l'Équateur et la Bolivie) (H. Carton de Wiart) sur Ford V 8. **1987**-*4-2 au 1-4* Pierre d'Arenberg, Alexis Corneille et une équipe de 6 personnes réalisent le 1er raid ralliant les points les plus extrêmes du continent américain (Prudhoe-Bay, Alaska/La Pataia, Ushuaia, Argentine) en Land-Rover, soit 29 500 km en 56 j 12 h et 27 mn. **1988**-*12-7/12-9* raid *Paris-Pékin,* 25 voitures, organisé par A. Lafeuillade et P. Jouhandeaux.

couf, utilisé quelques années dans l'armée) exploité dans plusieurs dép. dont ligne Remiremont-Plombières en 1906 : *tracteur* à moteur de 50 ch et 3 remorques motrices (par transmission de la force du moteur à l'aide d'un arbre articulé) reliées entre elles et au tracteur par un arbre de direction, pouvant transporter 36 t à 16-20 km/h, peu maniable (long. 22,50 m). **1904** *1re voiture « à pétrole » pourvue de freins* (à air comprimé) sur les 4 roues (voiture Charley sur châssis Mercedes). **1905** *suspension pneumatique* avec coussins d'air gonflables : brevet Bernard et Patoureau (utilisée pour des véhicules de transport de pianos Pleyel). **1906** *transmission automatique* avec convertisseur hydraulique (voitures et camions Turgan). **1907** 1re expo. rétrospective à l'occasion du Xe Salon. **1908** *1-10* les usines Henry Ford (1863-1947) créées 1902 sortent le *modèle T :* 4 cyl., 3 litres, 21 chevaux au frein à 1 500 tours/mn., vendu 825 $, version luxe 875 $, baisse à 490 $ (1914), 360 (1916), 260 à 290 (1924), surnommée *la flivver* (qui sera fabriqué jusqu'au 26-5-1927 à 15 456 868 d'ex.). *1ers essais de goudronnage des routes* (difficultés d'adhérence au sol). **1910** *allumage par batterie bobine allumeur* (Delco) présenté aux USA par Ketterig. **1911** *1er freinage sur les 4 roues.* **1912** frein à main sur Isotta Fraschini. **1914** les industries *Klaxon* déposent le nom de leur avertisseur sonore.

1919 *1ers freins à commande hydraulique :* Lockheed. Création de nouvelles firmes : *André Citroën* (1878-1935), *G. Voisin* (1880-1973), Amilcar, Farman, Fonck, Mathis, Salmson. **1922** freinage hydraulique sur une Duesenberg. **1922-33** des Grands Prix de vitesse organisés. Bugatti et Delage triomphent puis Alfa-Romeo, Mercedes, Maserati. **1923** pneu « confort » basse pression, abandon des pneus à talon gonflés à 3 kg. **1924.** *1re carrosserie « tout acier »* (Citroën). **1926** l'ingénieur Jean-Albert Grégoire (n. 1899) présente une *traction avant* « Tracta », munie de joints homocinétiques permettant le braquage et entraînant les roues avant, même à grande vitesse. Daimler et Benz fusionnent pour devenir Mercedes. **1930** *roues avant indépendantes* sur les voitures de grande série. **1933** *carrosseries aérodynamiques.* **1934** 7 CV Citroën *traction avant avec caisse autoporteuse* [brevet Andreau (1890-1963), *monocoque (disparition du châssis,* vendue 17 700 F), suivie de la 11 légère (mai 1934, 1 911 cm³, 4 cyl., puiss. 56 ch à 3 800 tr/mn), 11 normale (rallongée de 20 cm, ensuite de 12 cm, août 1934), 11 performance (le moteur donne 10 ch de plus, mars 1939), 15 six (6 cylindres, avril 1938, 2 867 cm³, 16 CV fiscaux, puiss. max. 77 ch à 3 800 tr/mn, 3 vitesses, 1 280 kg, vitesse de pointe 130 km/h), 15 hydropneumatique (avril 1954) ; la fabrication des tractions cessera le 25-7-1957 ; en 33 ans 758 857 avaient été construites [dont G.-B. (à Slough) 26 800, Belg. 31 750]. **1936** *Volkswagen Coccinelle* (arrêtée 1978 en All. et 1985 dans le monde. + de 19 millions vendues). *Simca 5,* réplique de la Fiat 500 Topolino. *1re voiture de tourisme à moteur diesel, 1re suspension indépendante* (limousine 260 D Daimler, 4 cyl., 45 ch, 95 km/h). **1938** *Simca 8.* **1939**-*2-9 1re 2 CV Citroën* sort de la chaîne à 12 h, h de la déclaration de guerre. **1940** *gazogènes* en France (à cause des restrictions d'essence). **1946** *4 CV Renault* (la 1 105 543e et dernière sortira le 6-7-1961). **1947** *Panhard Dyna* 3,82 m, 650 kg, carrosserie aluminium, cyl. à plat 610 cm³ refroidi par air, 24 ch. **1948**-*7-10* la *2 CV Citroën* est présentée au Salon de l'auto à 185 000 F (le tiers du prix de la 4 CV) ; en 1949 elle sera à 228 000 F (Smic horaire alors à 52,50 F). Conçue en 1935 sous le nom de code TPV (toute petite voiture) comme une voiture « pouvant transporter 2 cultivateurs en sabots, 50 kg de pommes de terre ou un tonnelet à 60 km/h pour une consommation de 3 l aux 100 km ; son prix devra être inférieur au tiers de celui de la traction avant 11 CV ; le point de vue esthétique n'a aucune importance » (*production annuelle dans les années 1960 :* + de 150 000, *1968* 57 473, *1974* + de 150 000, *1988-juillet 90* n'est plus fabriquée qu'au Portugal, à Mangualde (85 par j de 39 800 à 44 800 F) la dernière sort le 27-1-90 ; *production totale* 7 millions (avec ses dérivés : fourgonnette, Dyane, Méhari). *1er pneumatique à carcasse radiale* sur Citroën 11 BL. *Oct. Morris Minor* 3,80 m, 860 ou 1 100 cm³, 4 cyl., 1re voiture angl. fabriquée à 1 million d'ex. *Dauphine Renault* 5 CV, 845 cm³, 630 kg, vitesse de pointe 116 km/h. **1949** modèles 203 Peugeot (dernière en 1959), Frégate Renault, Vedette Ford, Simca-Aronde (devenue Chrysler puis Talbot). 7 CV, 1 221 cm³, 625 000 F, vit. de pointe 125 km/h, moy. sur 100 km 100 km/h (1953), 113 km/h (1957). **1950** *Simca 8-1200,* 220 cm³, 40 ch. *1re carrosserie plastique* de Darin (USA) sur Alpine A 106. *Production en Fr.* 357 550 véhicules dont v. particulières 257 290, utilitaires 100 260. **1951** *camion à turbine à combustion* (1er prototype, Laffly). Emploi étendu de l'aluminium (moteurs). Allègement des véhicules. Aérodynamisme plus poussé. Direction et conduite plus douces. Boîte synchronisée. Boîtes automatiques *(Fluid Drive)* et direction assistée. Pneumatique cramponné. Servofrein sur Chrysler. **1952** moteur V6 à 60°, cyl. 2,5 l. **1953** amortisseur à gaz de M. de Carbon. Injection mécanique de Bosch sur *Mercedes 300 SL.* **1954** *Panhard Dyna Z,* 4,54 L × 1,67 l, 848 cm³, 42 ch, 130 km/h. Ceinture de sécurité proposée par Pegaso (Esp.). Suspension hydropneumatique sur dernières *Traction 15/6.* **1955** *DS 19 Citroën,* 11 CV, 1 911 cm³, 4 cyl., puiss. 15 ch à 4 500 tr/mn, vitesse pointe 144 km/h, suspension hydropneumatique. Disparition des marques avec « longs capots » (Hotchkiss, Talbot, Delahaye, Delage, Salmson). *403 Peugeot* vitesse pointe 133 km/h. Frein à disque sur *Jaguar XK 140.* **1956** *Ariane Simca.* **1957** *Vedette Versailles Simca* moteur V8 de 3 l. **1958** RDA *Trabant* (2 temps) 3 millions fabriquées (dernière 21-5-1990). **1959** (26-8) 1re mini Austin conçue par Alec Issigonis, *1re traction avant à moteur transversal,* boîte de vitesses dans le bas moteur, 3 m, 4 cyl., 850 cm³, + de 5 millions seront vendues. **1960** le Japon commence à s'imposer. **1961** *Renault R4 ou 4L,* 8 millions fabriquées (1989 fabrication arrêtée en France, continue en Youg.). *Simca 1 000* moteur arrière. Turbocompresseur sur *Chevrolet Corvair* 6 cyl. **1962** *10-6 Renault 8* 1re voiture fr. à freins à disques. **1963** *Simca 1 300* et *1 500* 1 118 cm³ puis 1 204 cm³ et 1 294 cm³ pour la 11. **1964** moteur Wankel sur *Prinz NSU.* Phare à iode utilisé pour la 1re fois aux 24 h du Mans. **1965** *Peugeot 204, DS 21, R 16.* **1967** *20-7* dernière Panhard construite ; *20-9 Citroën Dyane.* Injection électronique sur *Volkswagen 411.* **1968** *Renault 6, Peugeot 504, Citroën ID 20.* **1970** le plastique remplace de nombreux éléments métalliques de carrosserie. *Prod. en France* 2 750 000 véhic. dont utilitaires 292 046, part. 2 458 038. **1972** *R 5* (se diversifie : 1976 R 5 GTL, R 5 Alpine, 1984 Supercinq). **1973** 4 soupapes par cyl. sur *Triumph Dolomite Spirit.* **1974** *Mercedes 240 D-30,* 1er moteur Diesel 5 cyl., pour voiture de tourisme (148 km/h) ; record de diesel. **1976** Ford Fiesta, Peugeot absorbe Citroën. **1977** roues directrices « passives » sur *Porsche 928* à essieu Weissach. Allumage électronique intégral sur *Citroën LN* bicylindre. **1978** turbodiesel sur Peugeot 604. Antiblocage électronique Bosch sur *Mercedes classe S.* Peugeot prend le contrôle de Chrysler-France. **1979** motronic sur *BMW 732.* Renaissance de Talbot. **1980** l'électronique s'impose (allumage, cadrans, commandes diverses). 4 soupapes + turbo sur *Lotus Esprit Turbo.* **1981** biturbo sur *Maserati* (1 par rangée de cyl. du V6, 3 soupapes par cyl.). **1983** *Peugeot 205.* Peugeot absorbe Talbot. **1984** des carrosseries entièrement plastiques sortent (« Espace » de Renault). **1985** robotisation intégrale des nouvelles usines. **1987** roues arrières directrices sur *Honda Prélude.* **1988** Citroën ferme l'usine de Levallois. **1989** boîte 6 vitesses sur *Chevrolet Corvette ZR-1.* **1992** *31-12* pot catalytique obligatoire sur voitures neuves.

Voitures solaires

1971 voiture de la NASA utilisée sur la Lune (vol Apollo 15) construite par Boeing Aerop. Corp. (20 kg, 96 km d'autonomie). **1984** traversée de l'Australie. **1985** 1re course de 368 km (Suisse), vainqueur Mercedes (60 km/h). D. Le Pivain (n. 1946) parcourt en solitaire Zinder-Dakar (3 000 km). **1987** Mlle R. Jenni parcourt sur voit. de sa fabrication Genève-Le-Grau du Roi dans la journée. **1988** le prof. Jannere et l'Éc. des Ingénieurs de Bienne (Suisse) construisent un véhicule qui roule à 120/130 km/h en formule I solaire. P. Scholl (Suisse) sur voiture de sa fabrication traverse le Sahara (par le Hoggar). *World Solar Challenge* (Australie). Grand prix *créé* 1987. 3 005 km, 6 jours de course, 26 voitures. Vainqueur *Spirit of Biel* (construite à l'université de Biel, coût 1 million de $, cellules photovoltaïques convertissant l'énergie solaire en énergie électrique à un taux de 17 %) en 46 h 23, vitesse moy. 67 km/h, max. 100 km/h ; 400 km sur le 2e *Sunflyer de Honda* 140 kg, vitesse max. 120 km/h.

Voiture volante

1990 M 400, voiture volante pour 4 passagers et avec 8 engins rotatifs. Décolle verticalement, roule à 112 km/h et vole entre 320 et 650 km/h, altitude max. 9 144 m, prix 1 500 000 F.

Parc automobile

Immatriculations voitures particulières et, entre parenthèses, **utilitaires** (en milliers, 1989). USA 9 903 (4 944). Japon 4 404 (2 853). All. féd. 2 832 (173). Italie 3 362 (157). G.-B. 2 301 (371). *France 2 274 (448).* Espagne 1 006 [1] (257). Canada 987 (470). P.-Bas 494 (59). Belgique 440 (48 [2]). Suisse 323 (26). Suède 307 (44). Autriche 276 (26). Portugal 192 (71). Danemark 78 (22). Irlande 76 (21). Norvège 55 (18).

Nota. – (1) Y compris zones franches de Ceuta et Melilla et vente aux administrations. (2) + Luxembourg.

Voitures japonaises (en % des immatriculations totales, 1989). Norvège 37,9. Autriche 30,2. Grèce 28,6. P.-Bas 26,3. USA 25,9. Suède 24,8. Belgique 19,1. All. féd. 15,1. G.-B. 11,1. Portugal 5,6. *France 2,8.* Italie 1,4, Espagne 0,8.

En France

Voitures particulières et commerciales

• **Parc** (au 1-1, en milliers). *1895 :* 0,3. *1900 :* 2,9. *1910 :* 53,7. *14 :* 107,5. *22 :* 242,6. *30 :* 1 109. *39 :* 1 900. *44 :* 680. *51 :* 1 700. *56 :* 3 240. *60 :* 4 950. *65 :* 8 320. *70 :* 11 860. *74 :* 14 620. *80 :* 18 440. *85 :*

Parc automobile au 1-1-1989

Pays	V.P. [1,2]	V.I. [1,3]	Personnes par V.P. [4]
Afrique			
Afr. du Sud	3 245	1 335	n.c.
Algérie	750	500	17,5
Botswana	13,5	25	130
Burkina	10,5	13,5	385
Cameroun	91	75	260
Centrafr. (Rép.)	7,5	7	130
Côte-d'Ivoire	165	91,5	41
Djibouti	10	5	28
Égypte	500	235	37,2
Éthiopie	44	19,5	695
Gabon	20	17	29
Gambie	5	3	126
Ghana	59	45	130
Kenya	133	137	72,5
Lesotho	5,1 [5]	12 [5]	n.c.
Liberia	7,5	3	220
Madagascar	52	42	224,9
Malawi	17	17	308,1
Maroc	470	205	36
Maurice (île)	32	12	n.c.
Niger	18	17	180
Nigeria	770	620	70
Ouganda	30	14,5	n.c.
Rwanda	13	9	175
Sénégal	89	25	60
Soudan	80	45,5	140
Swaziland	17,5	16,5	14
Tanzanie	45	52	225
Togo	23	13	82,5
Tunisie	170	175	20
Zimbabwe	185	80	32
Amérique			
Argentine	4 185	1 490	5,4
Brésil	10 250	2 400	10,7
Canada	12 435	3 960	1,5
Chili	520	250	12,7
Colombie	620	610	19,2
Costa Rica	86	66	17,5
Dominic. (Rép.)	2,5	1,5	33
Équateur	64	162	40
Guyane fr.	20,5	7	27
Honduras	30	50	57
Martiniq.-Guadel.	131	51,5	n.c.
Mexique	5 400	2 400	10
Nicaragua	32	28,5	47,2
Panamá	146	45,5	10
Porto Rico	1 170	212	2,3
Salvador	55	65	n.c.
Trinité-et-Tobago	240	76	3,6
Uruguay	172	81	12
U.S.A.	144 375	44 295	1,2
Venezuela	1 620	900	10,1
Europe			
Allem. fédér.	30 150	1 830	1,9
Autriche	2 900	287	2,4
Belgique	3 697	283	2,4
Bulgarie	820	157	7,2
Chypre	134	48	2,7
Danemark	1 594	302,5	2,7
Espagne	11 470	2 205	2,8
Finlande	1 910	274	2,3
France	*22 750*	*3 051*	*2*
Gibraltar	10	1	2,5
G.-B.	22 430	3 310	2,2
Grèce	1 530	698	4,5
Hongrie	1 845	181	5,3
Irlande	773	139	3,9
Islande	120	14	1,8
Italie	24 300	2 080	2,2
Luxembourg	177	16,8	1,9
Malte	84	19,5	3
Monaco	13,5	3,4	n.c.
Norvège	1 613	320	2,2
Pays-Bas	5 370	557	2,5
Pologne	3 750	885	6,7
Portugal	1 474	434	5,4
Suède	3 578	309	2,2
Suisse	2 900	261	2,2
Tchécoslovaquie	2 800	435	4,5
Turquie	1 210	635	30
U.R.S.S.	12 250	9 500	12,5
Yougoslavie	3 100	845	5,9
Asie			
Arabie S.	1 350	1 480	3,6
Chine	310	2 800	265
Corée	1 560	1 100	n.c.
Hong Kong	167	147	16
Inde	1 630	1 470	240
Irak	310	260	17
Israël	760	155	4,7
Japon	32 620	22 470	2,2
Jordanie	143	63,5	3
Koweït	575	207	2,1
Liban	435	45	n.c.
Malaysia	1 000	330	11
Népal	12,5 [5]	1,9 [5]	n.c.
Pakistan	420	290	128,2
Philippines	360	530	52,5
Singapour	250	140	6,5
Sri Lanka	151	133	52,7
Thaïlande	530	735	42
Yémen (Nord)	90	133	15,5
Océanie			
Australie	7 442	2 047	1,8
Fidji	33	25	12,5
N.-Zélande	1 557	316	1,8

Nota. – (1) En milliers. (2) Voitures particulières. (3) Véhicules industriels [autobus, autocars. camions, tracteurs (sans tr. agricoles). (4) Nombre de personnes par voiture particulière. (5) 1988.

20 800. *90* (– de 15 ans) : 26 437. *91* (– de 15 ans) : 27 072 dont (en %) *0-3 ans* : 25,6 ; *4-5* : 15 ; *6-7* : 13 ; *8-10* : 20,6 ; *11-15* : 25,8 ; *selon leur puissance* (en millions) *1 à 4 CV* : 6,6 ; *5 CV* : 3,93 ; *6 CV* : 4,29 ; *7 CV*: 7,56 ; *8 CV*: 1,17 ; *9 CV*: 1,59 ; *10-11 CV*: 1,35 ; *12 CV et +* : 0,58 ; *non indiqué* 0,02.

• **Immatriculations. Selon la puissance** (1990, neuves et entre parenthèses occasions) 2 309 130 (4 758 750) [dont essence 1 546 938 (3 831 937), gazole 762 054 (925 766), autres 138 (1 047)] dont *1 à 3 CV et non indiqué* : 5 467 (139 735) ; *4 CV* : 623 411 (1 060 486) ; *5 CV*: 404 360 (706 001) ; *6 CV*: 515 692 (822 800) ; *7 CV*: 433 291 (1 188 616) ; *8 CV*: 81 028 (219 832) ; *9 CV* : 109 031 (290 295) ; *10-12 CV*: 99 418 (246 065) ; *13-16 CV*: 26 939 (66 047) ; *17 CV et +* : 10 493 (18 873).

Neuves. Françaises 1 404 943 (dont gazole 506 614) dont RENAULT 639 440 [*1989*: 661 083 (*R4*: 14 161, *R5*: 236 929, *R 19*: 174 417, *R 21*: 140 862, *R 25*: 65 465, *Espace*: 19 760, *Express*: 6 366, *Trafic*: 2 145, *Alpine* : 394, *divers* : 584)] ; PEUGEOT 498 481 [*1989* : 473 096 (*205* : 220 869, *309* : 93 584, *305* : 1 188, *405* : 144 977, *505* : 5 977, *605* : 5 408, *J5* : 1 034, *divers* : 59)] ; CITROËN 266 822 [*1989* : 273 014 (*2 CV* : 5 231, *AX* : 138 418, *BX* : 105 854, *CX* : 3 254, *XM* : 18 812, *C 25* : 912, *divers* : 533)]. **Étrangères** 904 187 (dont gazole 255 440) dont *Ford CEE* 159 575, *Volkswagen* 155 971, *Fiat* 128 822, *Opel* 113 490, *Seat* 48 052, *Austin Rover* 41 147, *Audi* 32 762, *BMW* 29 580, *Mercedes* 28 605, *Nissan* 23 496, *Mazda* 18 563, *Lancia* 18 225, *Alfa Romeo* 15 916, *Toyota* 15 839, *Lada* 15 758, *Honda* 14 002, *Volvo* 12 415, *Mitsubishi* 4 298, *Chrysler* 4 084, *Jeep* 3 824, *Land Rover* 3 611, *Saab* 2 459, *Ebro* 2 211, *Skoda* 1 825, *Santana* 1 746, *Zastava* 1 643, *Porsche* 1 297, *Jaguar* 1 290, *Maruti* 1 229, *Polskifiat* 474, *Daimler* 369, *Ferrari* 316, *Aro* 234, *G.M.E.* 225, *Ford U.S.A* 220, *Bertone* 132, *autres* 482.

Occasions. Françaises. 3 229 909 dont *Renault* 1 578 281, *Peugeot* 908 210, *Citroën* 641 692, *Talbot* 94 650, *Talbot-Matra* 3 967, *Talbot-Sunbeam* 639, *Panhard* 536, *autres marques* 1 934. **Étrangères** 1 528 841 dont *Ford CEE* 269 377, *Volkswagen* 253 422, *Fiat* 212 278, *Opel* 152 654, *BMW* 83 795, *Mercedes* 73 722, *Audi* 60 965, *Alfa Romeo* 47 301, *Seat* 40 216, *Austin Rover* 38 909, *Volvo* 33 683, *Nissan* 29 026, *Lada* 28 213, *Mazda* 25 216, *Toyota* 24 726, *Lancia* 24 212, *Mini* 23 341, *Honda* 19 524, *Rover* 8 740, *Mitsubishi* 8 333, *Porsche* 7 924, *Saab* 5 006, *Innocenti* 4 000, *Triumph* 3 603, *Jeep* 3 188, *Jaguar* 3 122, *Land Rover* 2 875, *Skoda* 2 575, *M.G.* 2 497, *Zastava* 2 130, *Polskifiat* 1 973, *Santana* 1 454, *Morris* 1 204, *D.A.F.* 1 186, *Chrysler* 1 096, *Chevrolet* 823, *Ebro* 796, *Aro* 732, *Ferrari* 674, *Daimler* 487, *Ford U.S.A.* 483, *Cadillac* 420, *Buick* 403, *Rolls-Royce* 321, *Oldsmobile* 278, *Pontiac* 272, *Maserati* 256, *Maruti* 161, *Princess* 123, *Bentley* 120, *Honda G.-B.* 114, *Dodge* 109. *Autres marques* 1 465.

☞ Part des voitures étrangères importées. *1980* : 22,9. *81* : 28,1. *82* : 30,6. *83* : 23,7. *84* : 35,9. *85* : 36,6. *86* : 36,4. *87* : 36,1. *88* : 36,8.

• **Nombre de voitures pour 1 000 hab.** (au 1-1-89). *Départements les mieux équipés* : Corse 727, Haute-Savoie 568, Alpes-de-Haute-Prov. 548. *Les moins bien équipés* : Paris 410, Sarthe 408, Seine-St-Denis 403, Nord 403, Pas-de-Calais 392.

• **Modèles les plus vendus en France** (1990). **Toutes énergies** 2 309 130 dont *français* : *205* [1] 229 044, *R 21* [2] 152 223, *R 5* [2] 146 443, *R 19* [2] 144 250, *405* [1] 131 874, *AX* [3] 127 810, *Clio* [2] 105 253, *309* [1] 96 898, *BX* [3] 88 985, *R 25* [2] 47 815, *XM* [3] 43 923, *605* [1] 36 956, *Espace* [2] 23 753, *R 4* [2] 10 533, *Express* [2] 373, *2 CV* [3] 4 669, *505* [1] 2 525, *Trafic* [2] 2 509, *J 5* [1] 1 177, *C 25* [3] 913, *CX* [3] 497, *Alpine* [2] 261. *Étrangers* : *Golf* [4] 88 990. **Diesel** 762 054 dont *fr.* : *R 21* [2] 74 666, *405* [1] 70 350, *205* [1] 66 532, *BX* [3] 51 689, *R 19* [2] 49 750, *309* [1] 39 395, *AX* [3] 32 655, *XM* [3] 26 314, *R 5* [1] 22 718. *Étr.* : *Golf* [4] 35 425.

Nota. – (1) Peugeot. (2) Renault. (3) Citroën. (4) Volkswagen.

Véhicules utilitaires + cars

• **Parc** (en milliers). *1956* : 1 203. *60* : 1 540. *70* : 1 850. *76* : 2 290. *80* : 2 550. *85* : 3 248. *90* (– de 10 ans) 3 832,1. *91* (– de 10 a.) 3 968,3 dont camionnettes et camions 3 567,8, tracteurs routiers 166,8, semi-remorques 138, autobus-cars 68,7, remorques 27.

• **Immatriculations** (1990, neufs et entre parenthèses occasions) 507,1 (852,9) dont camionnettes et camions 420,6 (691,4), tracteurs agricoles 37,2 (100,5), tr. routiers 22,2 (22,9), semi-remorques 19,5 (25,7), autobus-cars 4,2 (7,5), remorques 3,4 (4,9).

• **Camionnettes et camions. Immatriculations. Neufs.** *1970* : 192 389. *75* : 191 943. *80* : 300 214. *89* : 421 764. *90* : 420 619 (dont marques franç. 331 576). *Selon le poids total autorisé en charge*. *– de 1,5 t* : 205 919. *1,5-2,5* : 86 786. *2,6-3,5* : 99 598. *3,6-6* : 1 098. *6,1-10,9* : 6 824. *11-19* : 15 985. *19,1-21* : 39. *21,1-26* : 4 249. *+ de 26* : 121. **Occasion.** *1970* : 256 540. *75* : 344 069. *80* : 468 728. *85* : 628 612. *89* : 648 414. *90* : 691 408 (dont marques fr. 536 814).

Selon la marque (1990). **Françaises.** *Neufs* : 331 576 dont Renault 173 859, Citroën 80 879, Peugeot 60 590, Unic 15 533, P.P.M. 208, autres 507. *Occasion* : 536 814 dont Renault 268 316, Citroën 121 927, Peugeot 100 646, Unic 15 246, Saviem 13 275, Talbot 5 717, Berliet 5 551, Hotchkiss 841, Talbot-Matra 792, Sovam 260, PMM 158, Cournil 131. Autres 3 954. **Étrangères.** *Neufs* : 89 043 dont Mercedes 16 842, Ford C.E.E. 16 240, Fiat 10 145, Volkswagen 9 680, Toyota 6 099, Sea 3 947, Ebro 3 466, DAF 734, Land Rover 2 718, Jeep 2 503, Opel 2 408, GME 2 330, Volvo 1 771, Nissan 1 597, Santana 1 390, Mazda 1 067. Autres 4 106. *Occasion* : 154 594 dont Mercedes 28 667, Ford C.E.E 24 026, Volkswagen 21 754, Fiat 16 553, Toyota 13 261, Land Rover 5 063, Jeep 4 378, Opel 4 011, Santana 3 450, Ebro 3 306, Volvo 3 147, Bedford 2 774, Nissan 2 772, DAF 2 145. Autres 19 317.

Autobus et autocars

• **Parc** (au 1-1). *1971* : 41 827. *75* : 54 935. *80* : 64 588. *85* : 82 483. *90* : 73 159. *91* (– de 10 ans) 68 671 dont *– de 10 places* : 24 032 ; *10-19* : 5 067 ; *20-29* : 10 290 ; *30-39* : 7 192 ; *40 et +* : 21 982 ; *non déterminé* : 108. **Selon la source d'énergie** (1991) : à essence : 14 975 ; au gazole : 53 483.

• **Immatriculations. Neufs :** *1970* : 5 924. *75* : 5 559. *80* : 8 757. *89* : 4 075. *90* : 4 210 (dont français 3 024) dont *10-19 places* : 669 ; *20-29* : 989 ; *30-39* : 519 ; *40 et +* : 2 033. **Occasion :** *1990* : 7 486 (dont français : 3 704). **Selon la marque** (1990, neuf + occasion). Renault 3 509, Mercedes 1 834, Kass Bohrer 1 519, Saviem [1] 1 210, Peugeot 777, Van Hool 683, Berliet [1] 338, Unic 295, Heuliez 280, Man [1] 232, Citroën [1] 168, Volvo [1] 104. *Autres marques étr.* 595 ; *fr.* 152.

Nota. – (1) occasion uniquement.

Construction automobile

Dans le monde

Principaux constructeurs

• **Production totale** dont, entre parenthèses, **voitures particulières** (en milliers) [1]. *Source* : CCFA. **1989** General Motors USA 4 818 (3 214). Toyota Japon 3 976 (3 055). Ford USA 3 173 (1 677). Nissan Jap. 2 428 (1 973). Fiat Iveco [2] 2 172 (1 959). Peugeot S.A. 2 148 (1 962). Volkswagen-Audi 1 963 (1 885). Renault-RVI 1 779 (1 447). Chrysler USA 1 567 (916). Honda Jap. 1 363 (1 556). Mazda Jap. 1 270 (968). Mitsubishi Jap. 1 250 (708). Ford-Werke [3]

Production 1990	Total	Voitures particul.	Véhicules utilitaires
Japon	13 497 600	9 948 000	3 549 600
USA	9 768 000	6 048 000	3 720 000
All. féd.	4 966 600	4 617 600	349 000
France	*3 768 000*	*3 214 800*	*553 200*
URSS	2 119 200	1 258 000	860 400
Italie	2 216 000	1 970 000	246 000
Espagne	2 206 940	1 800 000	406 940
Canada	1 747 600	940 000	807 600
G.-B.	1 569 600	1 296 000	273 600
Corée du S.	1 279 200	957 600	321 600
Brésil	939 600	267 600	672 000
Mexique [3]	568 632	438 632	130 000
Chine [2]	490 000	40 000	450 000
Suède [3]	465 876	384 206	81 670
Australie	384 000	361 200	22 800
Yougoslavie	340 800	291 600	49 200
Pologne	309 600	266 400	43 200
Inde [3]	292 800	177 600	115 200
Tchécoslov.	248 400	190 800	57 600
P.-Bas [3]	164 400	134 400	30 000
Argentine [3]	133 200	114 000	19 200
Roumanie	124 800	120 000	4 800
Belgique [3,4]	103 792	97 500	6 292
Afr. du S. [3,4]	29 647	19 621	10 025
Autriche	19 200	14 400	4 800
Thaïlande [3,4]	18 739	5 789	12 950

Nota. – (1) 1987. (2) 1988. (3) 1989. (4) Montage.

1 020 (959). Opel All. 996 (982). Susuki Jap. 868 (430). General M. Canada 735 (417). Mercedes-Benz 689 (537). Daihatsu Jap. 664 (263). Hyundai 614 (526). Ford Can. 591 (436). Isuzu Jap. 557 (189). Fuji Jap. 556 (311). Rover 512 (467). Ford G.-B. [4] 507 (363). Autolatina Brésil 498 (389). BMW 490 (490). Chrysler Can. 480 (40). Seat 474 (450). Volvo [5] 456 (411). General M. Esp. 380 (370). GM Continental Belg. 374 (374). Fasa-Renault [6] 369 (274). Honda USA 362 (362). KIA 317 (182). Ford Esp. 310 (294). **1990 (voitures particulières).** General Motors 5 480, Toyota 4 230, Ford 3 720, Volkswagen 2 880, Nissan 2 410, Fiat 2 350, PSA 1 980, Honda 1 840, Renault 1 510, Mazda 1 430, Mitsubishi 1 050, Chrysler 940.

Nota. – (1) Pays de l'Est non compris et hors petites collections. (2) Comprend Fiat, Ferrari, Alfa Lancia et Iveco Eur. (3) Prod. all. + Genk en Belg. (4) Non compris AC Cars, Aston Martin et Jaguar. (5) Prod. Suède + P.-Bas. (6) Non compris 4 088 véhicules prod. par Renault Vehiculos Industriales.

• Ventes de voitures particulières (1989, en milliers). **Europe occidentale :** 13 478 dont Volkswagen 2 021 (15 %), Fiat 1 991 (14,8), PSA 1 704 (12,7), Ford 1 562 (11,6), General Motors 1 488 (11), Renault 1 392 (10,4), Mercedes-Benz 434 (3,2), Austin Rover 412 (3,5), Nissan 392 (3), BMW 377 (2,7), Toyota 344 (2,7), Volvo 266 (2,1). **États-Unis :** 9 800 dont (en %) General Motors 35,1, Ford 22,2, Chrysler 10,3, Honda 7,9, Toyota 7,3, Nissan 5,1, autres japonaises 5,2, autres 6,9. **Japon :** 4 400 dont (en %) Toyota 39,9, Nissan 22,6, Honda 10,4, autres japonaises7,5, occidentales 4,1.

Chiffre d'affaires (milliards de F). **1989** General Motors 723. Ford Motor 548. Toyota Motor [1,3] 273. Renault-Volvo [2] 265. Daimler-Benz 260. Fiat 233 [5]. Volkswagen [2] 214. Chrysler 199. Nissan [1] 182. PSA 153. Honda [1] 132. Fiat 112 [4,6]. **1990.** GM 124,7 (– 1,98). Ford 97,7 (– 0,81). Chrysler 30,02 (+ 0,07).

Nota. – (1) Exercice 88-89 clos au 31-3-1989. (2) Estimation. (3) Bénéfice 26,6. (4) Bénéfice 8,6. (5) 1990 : 257 (+ 7,4). (6) 1990 : 124 (+ 3,3).

Capitalisation boursière (en milliards de F, 1989). Toyota 320. General Motors 219. Ford 169. Nissan 168. Fiat 115. Daimler-Benz 113. Honda 87. Mazda 51. Volkswagen 49. Peugeot 46. Mitsubishi 42. Chrysler 41. Volvo 38. BMW 33.

• Marché européen (1989). *Part des groupes (en %) :* Volkswagen (+ Seat) 14,9. Fiat (+ Lancia et Alfa Romeo) 14,8. PSA 12,7. Ford 11,6. General Motors 10,9. Japonais 10,8. Renault 10,3. Mercedes 3,2. Austin Rover 3. Volvo 2.

• Marché américain (en %, 1989). *Marques américaines :* 67,2 ; *japonaises :* 25,9 ; *européennes :* 4,8. Volkswagen 1,29. Volvo 1,03. Mercedes 0,76. BMW 0,65. Saab 0,32. Audi 0,21. Jaguar 0,19. Porsche 0,09. Peugeot 0,06. Sterling (Rover) 0,06. Range Rover 0,05. Alfa Romeo 0,03.

En milliers. *1988 :* 15 463. *90 :* 14 146, *91 (est.) :* 12 800. **Voitures part.** (en milliers). *1988 :* 10 639. *90 :* 9 300. *91 (est.) :* 8 800. *Prod. amér. 1988 :* 7 539. *90 :* 6 897. *91 (est.) :* 6 400. *Import. 88 :* 3 100 (japon. 1 910). *90 :* 2 403 (jap. 1 523). *91 (est.) :* 2 400 (jap. 1 550). *Camions amér. 88 :* 4 220. *90 :* 4 259. *91 (est.) :* 3 600 ; *import. 88 :* 604. *90 :* 586. *91 (est.) :* 400.

Rolls-Royce

Origine. *1904* (1-4) 1re Royce (3 exemplaires) : biplace, 2 cylindres, 1 800 cc. *Mai* rencontre et accord entre Henry Royce (1863-1933), fils d'un minotier anglais, vendeur de journaux, puis ingénieur électricien à 20 ans, anobli en 1930, et Charles Stuart Rolls (1877/12-7-1910, 1er mort au cours d'un vol à moteur), aristocrate, meilleur pilote britannique de l'époque, et distributeur de voitures. Royce construira les voitures et Rolls aura l'exclusivité de leur distribution pour la marque Rolls-Royce. *1906* fusion des 2 stés en Rolls-Royce Ltd. *1971* perd sa filiale aviation. *Depuis 1973,* la Sté Rolls-Royce Motors s'est convertie en Sté anonyme, Rolls-Royce Motors Holding Ltd. *1980* acquise par Vickers pour 40 millions de £. **Différents modèles** (38 depuis la fondation) : *1906-25 :* 40/50 CV (Silver Ghost) : elle couvrit 23 123 km sans un seul arrêt involontaire ; production : 7 870 dont 1 700 à Springfield (U.S.A.). *1922-29 :* 20 CV (dite bébé Rolls-Royce) ; prod. 2 940. *1925-29 : Derby. 1926-31 : nouvelle Phantom :* version améliorée de la Silver Ghost, 1re Rolls avec freins servo-assistés ; prod. 3 450 dont 1 240 aux U.S.A. *1929-35 : Phantom II :* mise au point à partir de la Ph. I ; Ph. II Continental (châssis plus court et rapport d'essieux différent) ; prod. 1 767. *1929-36 :* 20/25 CV : pointes d'env. 124 km/h ; prod. 3 827. *1936-39 : Ph. III* moteur V 12 7 340 cc, vitesse + de 160 km/h ; 1re RR avec suspension avant indépendante ; prod. 710. *1938-39 : Wraith :* moteur 4 237 cc modifié ; prod. 491. *1949-55 : Silver Dawn :* 1re RR à carrosserie construite par la Sté, et entièrement produite à Crewe, G.-B. ; moteur 4 257 cc, + ensuite ; prod. env. 600 (avec Bentley). *1950-56 : Ph. IV,* 8 cyl. en ligne, 5 675 cc ; prod. 18. *1955-59 : Silver Cloud,* 6 cyl. en ligne, 4 887 cc ; prod. env. 2 000. *1959-66 : Silver Cloud II,* moteur V 8 en aluminium, 6 230 cc ; prod. env. 2 700. *1959-68 : Ph. V,* V 8, 6 230 cc ; prod. 832. *1962-66 : Silver Cloud III :* capot abaissé pour meilleure visibilité ; prod. 4 000. *1965-80 : Silver Shadow, Silver Shadow II. Silver Wraith II, Corniche,* V 8, 6 750 cc ; prod. 35 000 (toutes variantes). *1965 : Ph. VI,* V 8, 6 750 cc ; prod. 20 par année. *1980 : Silver Spirit, Silver Spur, Bentley Mulsanne, Corniche,* V 8, 6 750 cc. *1982 : Bentley Mulsanne Turbo :* V 8, 6 750 cc avec turbocompresseur. *1985 : Bentley Eight* V 8, 6 750 cc, *Bentley Turbo* R V 8, 6 750 cc avec turbocompresseur, *Bentley Continental* V 8, 6 750 cc. *1987 : Royce Corniche II* et toute la gamme avec V 8, 6 750 cc à injection et système de freinage ABS. *1988 : Bentley Mulsanne,* V 8, 6 750 cc à injection. *1989 : Silver-Spirit II, Silver Spur II, Corniche III* et la gamme Bentley, avec réglage de suspension automatique et réaménagement de l'intérieur. *1991 : Bentley Continental R. ;* coupé 2 portes.

☞ Un modèle de petite voiture : la *Twenty.*

Modes de fabrication. Moteur V 8 de 6,75 l en aluminium ; chaque moteur achevé est rodé au gaz naturel sur banc d'essai pendant env. 240 km ; 1 moteur sur 100 fonctionne pendant 8 h à l'essence, et il est démonté ensuite ; ses pièces sont contrôlées et chaque écart de dimension est comparé à la tolérance spécifiée sur le dessin d'origine ; le système de freinage à double circuit et freins à disque permet, à 96 km/h, de s'arrêter en moins de 4 s en toute sécurité.

Prix (TTC) : (Bentley Eight) 846 558 ; (Rolls-Royce Silver Spirit II) 1 111 908 ; (R.-R. Corniche II convertible) 1 627 236. Le 4-12-1989, un modèle de 1912 a été vendu pour 1,65 million de £.

Ventes. *1979 :* 3 344. *80 :* 3 216. *81 :* 3 205. *83 :* 2 270. *84 :* 2 270. *85 :* 2 385. *86 :* 2 603. *87 :* 2 784. *88 :* 2 801. *89 :* 3 242. *90 :* 3 333 (dont USA 1 182, G.-B. 1 007, Japon 294, *France 159,* All. féd. 149, pétroliers du Golfe 149, Suisse 79, Italie 57, Esp. 40). Plus de 70 % des 116 000 Rolls-Royce Motors vendues depuis 1904 sont encore en état de marche. **C.A.** (1990) : 325,1 millions de £. **Profit net** (1990) : 24,7 millions de £.

• Pénétration des automobiles japonaises (1989, en %). Japon 95. Irlande 39. Danemark 31. USA 28. Pays-Bas 26. All. féd. 15. G.-B. 12. *France 3.* Italie 1,5. Espagne 0,8.

• Ventes de voitures Diesel (1988, en milliers). **Par pays.** *France 522,4,* Italie 399, All. féd. 377, Japon 178,6, Belgique 132,3, Espagne 131, G.-B. 101,1, U.S.A. 1,6.

Par marques en Europe (1988, en milliers et entre parenthèses en % de la production). Peugeot SA 392 (37), Vag 262 (13,6), Fiat 248 (12,8), Renault 220 (17), Ford Europe 202 (13,8), Mercedes 161 (36), Opel 120 (8,9), Volvo 28 (10,4).

• Production nationale (en milliers). **Par pays.** Voitures particulières (1988). *Source :* l'Argus sept.-oct. 89. **All. féd.** 4 346 (BMW 464, Daimler-Benz 698, Ford-Werke 609, Opel 896, Porsche 26, Volkswagen-Audi 1 798). **Argentine** 136 (Fiat 35, Ford 20, Renault 43, Peugeot-Sevel 21, Volkswagen 16). **Australie** 329 (Ford 109, Holden-Bedford 83, Mitsubishi 51, Toyota 45, Nissan 41). **Belgique** 276. **Brésil** 782. **Canada** 1 019 (American Motors 4,4, Ford 500, General Motors 410, Chrysler 489, Volvo 6,2). **Espagne** 1 497 [Citroën-Hispania 111, Fasa-Renault 254, Ford-España 266, General Motors (Opel) 354, Seat 301]. **États-Unis** 7 110 (Dodge 511, Plymouth 313, Chrysler 1 072, Ford 1 805, Lincoln 207, Mercury 293, Buick 484, Cadillac 265, Chevrolet 1 381, Oldsmobile 563, Pontiac 806, General Motors 3 501, Honda 366, Nissan 109, Volkswagen 36). **France** 3 223 (Citroën 681, Peugeot 1 157, Renault et RVI 1 385). **Grande-Bretagne** 1 226 (Rover 474, British-Leyland [1] 465, Ford 375, Talbot [2] 67, Vauxhall-Bedford 176, Jaguar 52, Lotus 1,3, Reliant Group 0,2, Rolls-Royce 3, TVR 0,7. **Italie** 1 884 [Bertone 1,6, De Tomaso 0,01, Fiat-Iveco [3] 1 371, Innocenti (Nuova) 10, Lamborghini 0,28, Maserati 3, Alfa-Romeo 229, Autobianchi 132]. **Japon** 8 198 [Daihatsu 160, Fuji (Subaru) 276, Honda 072, Isuzu 158, Mitsubishi 639, Nissan 1 731, Suzuki 296, Toyo-Kogyo (Mazda) 880, Toyota 2 982]. **Pays-Bas** 119 (Volvo). **Pologne** 305 (Polski 205 FSO 100). **Suède** 407 (Saab 120, Volvo 286). **U.R.S.S.** 1 262 [Lada (Fiat) 731, Moskvitch 115, Volga 128, Saporoshje 155]. **Autres pays** Afrique du Sud 230, All. dém. 220, Autriche 7,2, Belgique 276, Corée du S. 872, Inde 194, Mexique 208, Roumanie 110, Tchécoslovaquie 168, Turquie 120, Yougoslavie 290.

Véhicules utilitaires (1988). **All. féd.** 279 (Auwärten [1] 0,8, Daimler-Benz 144, Faun 0,18, Kassbohrer 2,13, Magirus-Iveco 16, Man 24,7, Opel 8, Volkswagen-Audi 81). **Argentine** 28 (Fiat 1,1, Ford 11, Mercedes-Benz 4,2, Renault 2,9, Peugeot-Sevel 6,6, Volkswagen 0,4, divers 1,4). **Australie** 13 (Ford [1] 2, Holden-Bedford [1] 42, Mitsubishi [1] 1,2, Toyota [1] 5,3, divers [1] 1,5). **Belgique** 73. **Brésil** 286 (Chrysler [1] 5,5, Fiat 62,8, Ford 51, General Motors 50, Mercedes-Benz 45, Volkswagen 57, divers 18). **Canada** 930 (Chrysler 429, Ford 153, General Motors 312, International [1] 11, divers 7,8). **Espagne** 368 [General Motors 7, Citroën-Hispania 87, Nissan (Motor Iberica) 76, Enasa (Sava-Pegaso) 12, Fasa-Renault 89, Ford-España 15, Mercedes 23, Santa Ana 28,4, Seat 26, divers [1] 0,2]. **États-Unis** 4 079 (Dodge 391, Ford Motor Company 1 524, Chevrolet 1 259, GMC 386, General Motors 1 696, AMC/Renault/Jeep 255, International 85,1, Mack 21,6, Nissan 96, divers 59). **France** 474 (Citroën 92, Peugeot 86,7, Renault et RVI 295, Sovam 0,08, Unic-Iveco 0,06, C.B.M. [1] 0,06). **Grande-Bretagne** 318 (Rover 45, Leyland Truck Division 36, British-Leyland [1] 91, Ford 132, Vauxhall-Bedford 30,2, Seddon-Atkinson 2,4, Foden 1,6, Reliant Group 0,16, Renault Truck Industries 4,5, divers 0,13). **Italie** 226 [Fiat/Iveco 100, Sevel (Fiat PSA) 121, divers 0,9]. **Japon** 4 501 [Daihatsu 483, Fuji (Subaru) 318, Hino 81, Honda 220, Isuzu 417, Mitsubishi 621, Nissan 482, Suzuki 549, Toyo-Kogyo (Mazda) 340, Toyota 985, divers 0,48]. **Pays-Bas** 19 (Daf-Trucks 18,6). **Pologne** 61,6 (divers 61,6). **Suède** 76 (Saab-Scania 31,8, Volvo 44). **URSS** 885.

Nota – (1) 1985. (2) 1987. (3) Comprend Fiat, Autobianchi, Lancia, Ferrari, Alfa Romeo, OM, Magirus, Unic.

Construction en France

Évolution

• 1900 à 1938 (tous véhicules). C. : Citroën, P : Peugeot, R : Renault, S : Simca. **1900 :** 4 100 (P 500, R 179). *1913 :* 45 000 (P 9 330, R 4 481). **1919 :** 18 000 (C 3 325, R 2 456, P 500). **1928 :** 224 000 (C 62 000, R 55 884, P 25 652). **1932 :** 163 000 (C 48 027, R 43 215, P 28 317). **1938 :** 224 000 (C 68 109, R 58 396, P 47 213, S 20 933).

Années	Total	V.U.	V.P.
1946	95 062	65 633	30 429
1950	357 552	100 260	257 292
1955	725 061	163 596	561 465
1960 [1]	1 369 263	194 012 [2]	1 175 251
1965 [1]	1 641 696	218 618 [2]	1 423 078
1970 [1]	2 750 086	292 048 [2]	2 458 038
1975 [1]	3 299 620	346 796 [2]	2 952 824
1979 [3]	3 613 458	393 064 [4]	3 220 394
1980 [3]	3 378 433	439 852 [4]	2 938 581
1981	3 019 430	407 566	2 611 864
1982	3 148 047	371 682	2 777 125
1983 [3]	3 335 862	375 039 [4]	2 960 823
1984	3 059 500	346 200	2 713 300
1985	3 062 152	348 863	2 713 289
1986 [3]	3 194 615	421 521 [4]	2 773 094
1987 [3]	3 493 210	441 380 [4]	3 051 830
1988 [3]	3 698 465	474 478 [4]	3 223 987
1989 [3]	3 919 776	508 080 [4]	3 409 017
1990 [3]	3 768 993	474 178	3 294 815

Nota. – (1) De 1960 à 1975 : petites collections comprises. (2) Y compris autocars et autobus. (3) Non compris « petites collections » et lots de pièces destinées à l'étranger. (4) Dont poids total autorisé 5 t et +, + autocars et autobus.

• **Production voitures particulières et commerciales** (1990). **Voitures complètes :** 3 768 993 dont Renault 1 616 104, Peugeot 1 370 458, Citroën 782 125. 782 125. *Petites collections :* 287 512 dont Renault 205 184, Peugeot 51 750, Citroën 30 578.

• **Exportations** (1990). **Voitures complètes :** 2 095 500 dont Peugeot 822 640, Renault 801 700, Citroën 471 146. **Petites collections :** 220 448 dont Renault 205 184, Peugeot 15 264. **Par pays (voit. partic.)** (1990). *Italie* 324 952, *Espagne* 297 846, *Allemagne* 277 424, *G.-B.* 245 989, *Belg.-Lux.* 144 896, *P.-Bas* 95 340, *Portugal* 59 459, *Suisse* 43 832, *Autriche* 36 175, *Iran* 29 852.

Voitures particulières les plus exportées (1990, petites collections comprises). *Peugeot 205* 327 748, *Renault 19* 266 740, *Peugeot 405* 209 946, *Citroën AX* 182 014, *Renault 5* 172 292, *Citroën BX* 146 974, *Peugeot 309* 133 540, *Renault 21* 121 628, *Renault Clio* 107 970, *Citroën XM* 54 016.

• **Importations** (1988). **Neuves :** 1 152 709 (+ 2,96 %) dont : All. féd. 309 348 (+ 10,30), Espagne 252 671 (– 15,80), Belgique 189 673 (+ 26,22), Italie 170 344 (+ 1,79), Japon 67 433 (+ 4,84), G.-B. 62 220 (+ 25,30), Portugal 25 719 (+ 7,36), Youg. 23 151 (+ 7,24), U.R.S.S. 22 667 (– 31,19), P.-Bas 9 183 (– 16,01), Suède 5 116 (+ 9,31), Pologne 3 758 (+ 26,61), U.S.A. 2 071 (+ 186,04), Tchéc. 409 (– 57,12), Canada 23 (0), divers 8 923 (+ 3,62). **Usagées :** 16 864 (+ 21,19) dont : All. féd. 5 198 (– 27,76), Belgique 2 130 (+ 49,57), G.-B. 1 811 (+ 67,84), U.S.A. 765 (+ 15,55), Japon 630 (– 33,89), Italie 313 (– 54,37), Suède 128 (– 29,28), Suisse 92 (– 56,60), P.-Bas 48 (– 51,51), Espagne 46 (– 77,33), Portugal 12 (+ 20), divers 5 691 (0). **Total général : 1 169 573.**

Part de marché des constructeurs étrangers. *1988 :* 36,8, *90 :* 32,9.

Véhicules utilitaires

Production (1990). – **de 5 t.** 436 567 dont : Renault 261 798, Citroën 92 160, Peugeot 82 538, Sovam 71. *Petites collections (fabric. à l'étranger) :* 79 271 dont : Peugeot 40 230, Citroën 30 578, Renault 8 463. **De + de 5 t.** 35 070 dont : Renault 35 070. **Autocars et autobus.** 2 537 dont : Renault 2 306, Heuliez 231.

Exportations (1990). **Total. Véhicules utilitaires. - de 5 t.** 198 049 dont : Renault 98 794, Peugeot 58 034, Citroën 41 209, Sovam 12. *Petites collections (fabric. à l'étranger) :* 12 207 dont : Renault 8 463, Peugeot 3 744, Citroën 0 (1 815 en 1987). **De + de 5 t.** 14 900 dont : Renault 14 898, Sovam 2. *Autocars et autobus.* 553 (Renault).

Peugeot

• **Quelques dates.** *1890 :* Armand Peugeot fabrique une machine à moteur Daimler. *1896 :* Robert Peugeot (1873-1945) crée la « Sté anonyme des automobiles Peugeot ». *1965 :* devient Sté holding (Peugeot SA) ; une filiale prend le nom « Automobiles Peugeot ». *1976 :* Peugeot SA absorbe Citroën SA (créée 1924, ayant en 1965 absorbé Panhard et Levassor) et devient PSA Peugeot-Citroën. *1978 :* prend le contrôle de Chrysler en France, G.-B. et Esp. *1979 :* lance marque Talbot. Chrysler France devient Automobiles Talbot, nom étendu aux autres filiales européennes. PSA Peugeot-Citroën redevient Peugeot SA *1980 :* Automobiles Peugeot absorbe Automobiles Talbot. *1989 :* du 5-9 au 24-10 grève de 7 sem. (env. 6 % des effectifs), perte : chiffre d'affaires 3,5 milliards de F, 70 000 voitures-équivalent 205.

• **Principales usines.** *Sochaux (Doubs) :* production : 205, 405, 505 ; salariés : 23 371. *Mulhouse (Haut-Rhin) :* prod. : 205 ; sal. : 12 279. *Vesoul (Haute-Saône) :* prod. : pièces de rechange ; sal. : 2 826. *Vieux-Condé (Nord) :* frappe à froid, décolletage ; sal. : 1 190. *Lille (Nord) :* prod. : moteurs Diesel ; sal. : 1 185. *Septfonds (Yonne) :* fonderie de ferreux ; sal. : 944.

• **Groupe PSA. C.A. consolidé (milliards de F).** *1983 :* 85,2. *84 :* 91,1. *85 :* 100,3. *86 :* 104,9. *87 :* 118,2. *88 :* 138,5. *89 :* 153 dont France 45,8 %. *90 :* 160. *Résultats nets. 78 :* + 1,29. *79 :* + 1,8. *80 :* – 1,5. *81 :* – 1,99. *82 :* – 2,15. *83 :* – 2,59. *84 :* – 0,34. *85 :* + 0,543. *86 :* 3,59. *87 :* 6,7. *88 :* 8,85. *89 :* 10,3. *90 :* 9,3. *91 (prév.) :* 11,3. **Endettement financier net.** *1983 :* 30,7, *84 :* 33,1, *85 :* 32,1, *86 :* 29,9, *87 :* 18,6, *88 :* 6. *89 :* 1,9. *90 :* 8,3. **Fonds propres.** *1983 :* 5,7, *84 :* 5,3, *85 :* 6,7, *86 :* 10,5, *87 :* 20,5, *88 :* 29,2. *89 :* 38,5. *90 :* 47,9. **Marge brute, autofinancement.** *1983 :* 1, *84 :* 2,2, *85 :* 4,2, *86 :* 7,2, *87 :* 13,5, *88 :* 16. *89 :* 18,7. *90 :* 16,2. **Investissement** *85 :* 5,88. *86 :* 7,35. *87 :* 8,8. *88 :* 12. *89 :* 12,2. *90 :* 15,1. **Effectifs** (en milliers) : *78 :* 272. *79 :* 265. *80 :* 245. *81 :* 214. *82 :* 208. *83 :* 203. *84 :* 187. *85 :* 177. *86 :* 165. *87 :* 160. *88 :* 158. *89 :* 159. **1er exportateur français :** 55 md de F en 88. **Pertes aux U.S.A. :** 270 millions (88). [Citroën (1989) C.A. 65, résultat net 2,05, voitures produites 905 180, salariés 58 850].

Production mondiale de voitures particulières et véhicules utilitaires (en milliers) : *78 :* 2 481,6. *79 :* 2 310. *80 :* 1 961. *81 :* 1 704,8. *82 :* 1 602,6. *83 :* 1 680,6. *84 :* 1 624,5. *85 :* 1 655. *86 :* 1 736. *87 :* 1 952. *88 :* 2 104. *89 :* 2 148. *90 :* 2 250. **Part du marché français** (calculée sur immatriculations de voit. partic.) : *78 :* 45,04. *79 :* 43,38. *80 :* 36,64. *81 :* 33,14. *82 :* 33,34. *83 :* 32,35. *84 :* 33,31. *85 :* 34,85. *86 :* 32,07. *87 :* 33,42. *88 :* 34,17. *89 :* 32,81. *90 :* 33,2. **Européen :** *83 :* 11,72. *84 :* 11,51. *85 :* 11,54. *86 :* 11,38. *87 :* 12,14. *88 :* 12,91. *89 :* 12,67. *90 :* 12,9.

Renault

• **Origine.** *1898* Louis Renault (12-2-1877, † 24-10-44) construit à Billancourt une voiturette à prise directe. *1918* char léger FTA, *1922* sté anonyme SAUR, *1940-24-6* saisie des usines par les Allemands (définitive 1-9). *1942* bombardements (1942-3-3 RAF, 1943-4-4 et 3 et 15-9 American Air Force) 1 059 + 1 049 bl., 10 % du parc machines détruit. *1944-23-9* Louis Renault arrêté (inculpé de commerce avec l'ennemi). *24-10* † clinique St-Jean-de-Dieu. *27-9* usine réquisitionnée. *5-10* Pierre Lefaucheux adm. prov. *1945-16-1* Renault nationalisée. *1946* sortie de la 1re 4 CV (1re voiture fr. vendue à + de 1 000 000 d'ex.). *1952* usine de Flins inaugurée. *1955* fusion division poids lourds avec Latil et Somua. Saviem créée. *1956* Dauphine lancée. *1958* usine de Cléon mise en route. *1961* 4 L lancée (dépassera 5 millions

Quelques chiffres

Budget routier de l'État

• **Recettes. Fiscalité spécifique.** En 1991 (prév. des lois de finances et estimations) et, entre parenthèses en 1990. En millions de F. *Total général* 166 635 (162 995) dont **part de l'État** 142 805 (140 575) dont *usage des véhicules :* taxes spécifiques sur carburant [1] 128 000 (122 600), doublement pour véhicules terrestres à moteur de la taxe sur assurances [2] 6 250 (6 050) ; *acquisition des véhicules :* TVA sur voitures particulières [3] 5 100 (8 670) ; *possession des véhicules :* voitures de Stés 2 350 (2 300), taxe à l'essieu 530 (505), vignette [4] 315 (300) ; *contribution autoroutière* [5] 260 (150) ; **autres bénéficiaires :** départements (vignette) [4] 12 250 (11 730), régions (permis de conduire et cartes grises) 6 280 (5 500), Séc. soc. (majoration des primes d'assurance auto. responsabilité civile) [2] 5 300 (5 190).

Nota. – (1) TIPP (taxe intérieure sur produits pétroliers + part de la TVA assise sur ces taxes pour voitures particulières et totalité de la TVA non déductible pour véhic. utilitaires. (2) De 9 à 18 % en 1984 (Italie 10, Belgique 9,25, P.-Bas 7, All. féd. et Luxembourg 5, G.-B. et Irlande 0) + 15 % à la séc. soc., 1,9 au fonds de garantie auto., 0,1 au fonds de revalorisation des rentes (soit total 35 % pour la part obligatoire de l'assurance auto.). (3) Différence entre TVA exceptionnelle de 33,3 % ramenée à 25 % à partir du 8-9-1989, et le taux normal de 18,6 %. (4) Transférée aux départements (à la région Corse) en 1984, l'État prélevant 2,5 % de leur produit. (5) « Volontaire » des Stés autoroutières, atteindra progressivement 440 MF en année pleine.

Péage (en millions de F). Le produit doit être consacré à la réalisation, l'amélioration et l'entretien du réseau autoroutier. *1989 :* 14 730, *1990 :* 16 600.

• **Coût.** Dépenses routières de l'État (routes nationales et autoroutes en milliards de F, en 1989) : 29 (est.) dont en % État 30, collectivités locales 58, Stés d'autoroutes 52.

Env. 1/3 finance les dépenses de fonctionnement, 2/3 les intérêts et remboursements des emprunts contractés pour les constructions nouvelles (une partie correspond aux avances de l'État aux Stés avant 1988 ; lors de l'établissement des contrats État-régions 1989-93, il a été convenu que, de 1990 à 1993, l'État consacrerait chaque année 625 MF venant de ces remboursements aux travaux routiers cofinancés avec les régions).

• **Bilan** (en milliards de F). **Recettes spécifiques.** *1981 :* 72. *85 :* 113,4. *86 :* 124,4. *87 :* 132. *88 :* 136,9. *89 :* 143,9. *90 :* 140,6. *91 :* 142,8. **Dépenses routières** (traitements et frais de fonctionnement des services gérant réseaux et police de la route. *1987 :* 9,4. *88 :* 9. *89 :* 8,5. *90 :* 9. *91 :* 9.

• **Dépenses indirectes lors d'accidents corporels (préjudice moral, perte de production).** Dommages matériels remboursés (en milliards de F, en 1986). 22,9 (dont assurances 16, sécurité sociale 0,8, autres 0,2) dont voitures particulières et commerciales 15,6, moto 3,2, poids lourds 2,8, véhicules utilitaires légers 0,9, autocars-autobus 0,4.

Consommation

• **Consommation des ménages** (en milliards de F, 1988). **Transports individuels :** Achat véhicule TTC 149,3 (automobiles 141,1, caravanes, motos cycles 8,2) ; dépenses d'utilisation 290,8 (dont pneus, accessoires, frais réparation 127,7, carburants et lubrifiants 124, péages, parking, location, auto-écoles 18,3, assurances 20,8). *Total :* 440,1. **Collectifs :** 75,2. *Consommation automobile par ménage motorisé :* 27 680 F.

• **Consommation des entreprises** (de transport de marchandises, voyageurs, voitures de sociétés, véhicules utilitaires légers, poids lourds et autocars) en milliards de F, 1986. Investissement 39, carburant 41, autres consommations 75, intermédiaires (rémunérations) 158, divers transferts aux pouvoirs publics 29. *Total :* 342.

Industrie automobile

• **Chiffre d'affaires** (est. 1989, en milliards de F). Construction 214. Équipements 97,5.

• **Effectifs** (est. 1989). *Production :* 831 100 dont métallurgie-biens d'équipement 225 000, pneumatiques, caoutchouc, mat. plastiques 100 000, produit et services (verre, textile, peinture, etc.) 160 000, construction 214 000, équip., accessoires 115 000, carrosseries neuves-remorques-caravanes 17 000. *Transports, activités annexes :* 1 184 000 dont construc., entretien en routes 83 000, transp. routier marchandises et voyageurs, services annexes 1 080 000, police, santé, enseign. (serv. non marchands) 21 000. *Usage de l'auto, réparation, entretien :* 572 000 dont production, approv. carburants 33 000, assurances, experts, crédit 106 000, auto-écoles, examen permis 10 000, distribution, répar., entret., stat.-serv., contrôle technique 403 000, sport, presse, édition, divers 20 000. *Total :* 2 587 000.

• **Activités induites.** + de 12 000 fournisseurs (la plupart, PME). *Part (en %) consommée par l'industrie automobile :* fonderie, travail des métaux 26,3, minerais et métaux ferreux 16,6, caoutchouc, mat. plastique 13,2, services marchands aux entreprises 9,2, transports 4,3, construction mécanique 4,2, prod. pétroliers 3,1. En 1986, l'automobile consommait 30 millions de TEP (t équiv. pétrole) (consom. fr. totale 197,6 TEP dont pétrole 85,5).

☞ Une voiture moyenne de 850 kg contient : acier 530 kg, fonte 145 kg, caoutchouc 59 kg, stérile 58 kg, aluminium 30 kg, verre 24 kg, cuivre 4 kg, plomb 4 kg.

d'ex. en 1977, record). *1962* 4e semaine de congés payés. *1965* usine Le Havre-Sandouville inaugurée. *1969* R 12 lancée. *1971* accord Renault-Peugeot-Volvo pour prod. de moteurs. *1972* R 5 lancée. *1975* entrée de Berliet dans le groupe Renault. *1978* R 18 lancée. *1979* entrée d'American Motors dans le groupe Renault. *1981* R 9 lancée. *1983* R 11 lancée. *1984* R 25, Espace et Super 5 lancées. Nouveau conseil d'administration comportant des élus du personnel. *1986* R 21 lancée. *1987* American Motors cédé à Chrysler ; groupe Renault V.I. constitué. *1988* R 19 lancée. *1989* R 19 Chamade lancée. *1990-22-2* projet d'accord avec Volvo. *6-7* la Régie devient une S.A. Clio lancée. *1992 avril* fermeture prévue de l'usine Billancourt. Vente prévue de terrains (65,20 ha dont Ile Seguin 11,56).

P.-D.G. *1945 :* Pierre Lefaucheux (1898-1956 administrateur provisoire dès 5-10-44). *1955 :* Pierre Dreyfus (18-9-07). *1975 :* Bernard Vernier-Palliez (2-3-18). *1981 :* Bernard Hanon (7-1-32). *1985 :* Georges Besse (25-12-27/assassiné 17-11-86 par Action directe). *1986 :* Raymond Lévy (28-6-27).

• Nombre d'usines 44 dont France 24.

• Chiffre d'affaires H.T. consolidé (entre parenthèses % **du C.A. export**) et, en italique, résultats du groupe (en milliards de F). *1980 :* 80,1 (47,7 %) *+ 0,64. 81 :* 88 (46,5) *- 0,69. 82 :* 104,1 (43,4) *- 1,28. 83 :* 110,3 (47) *- 1,58. 84 :* 117,6 (50) *- 12,55. 85 :* 111,4 (51,2) *- 12,25. 86 :* 122,3 *- 4,9. 87 :* 147,9 (51,3) *+ 3,6. 88 :* 161,4 (51,8) *+ 8,9. 89 :* 174,5 (50,8) *+ 9,3. 90 :* 163,6 *+ 1,2.*

• Augmentation de capital (en milliards de F). *1982 :* 1,02. *83 :* 1. *84 :* 1,92. *85 :* 3,3. *87 :* 8,1. *88 :* 16,4. *89 :* réduction 2,4. **Investissements.** *1980 :* 6,7. *81 :* 8. *82 :* 8,6. *83 :* 10,5. *84 :* 9,9. *85 :* 8,3. *86 :* 5,2. *87 :* 7,02. *88 :* 7,3. *89 :* 10,3. *90 :* 13,2. **Dettes à long terme.** *1980 :* 13,1. *81 :* 18,5. *82 :* 22. *83 :* 28,3. *84 :* 40,6. *85 :* 7. *86 :* 49,1. *87 :* 43,4. *88 :* 26,3. *89 :* 17,6. *90 :* 27,11.

• Versements de l'État. *1984-86* 8 milliards de F (dotation en capital). *1988* l'État désendette Renault de 12 milliards de F. *1989,* Renault efface son report négatif (24,296 milliards), réduit son capital du montant des capitaux propres de 1988, puis transfère ce même montant, augmenté de l'apport de restructuratoin, de l'écart de conversion et des bénéfices, dans les réserves. Le capital est tombé de 16,5 milliards de F à 2,5, les réserves passent de -24,3 milliards de F en 1988 à + 11,5 en 1989.

• Production totale (en milliers de véhicules) dont, entre parenthèses, production France (y compris build-up et CKD). *1980 :* 2 054 (1 493). *81 :* 1 812 (1 296). *82 :* 1 967 (1 492). *83 :* 2 072 (1 639). *84 :* 1 781 (1 429). *85 :* 1 675 (1 354). *86 :* 1 792 (1 392). *87 :* 1 831,3 (1 612,4). *88 :* 1 850,6 (1 630,7). *89 :* 1 966 (1 176). *90 :* 1 776,7 (1 018,7).

Exportations (en milliers de véhicules). *1982 :* 1 004,8. *83 :* 1 165,2. *84 :* 1 043,9. *85 :* 1 036. *86 :* 1 012,8. *87 :* 1 708. *88 :* 1 085,2. *89 :* 1 146,9. *90 :* 1 039,2

Part du marché en Europe et en France (en %). *1981 :* 13,7 (40,2). *82 :* 14,5 (40,1). *83 :* 12,6 (36,5). *84 :* 10,9 (32,9). *85 :* 10,7 (30,1) [% du marché mondial 6 %]. *86 :* 10,6 (33,3). *87 :* 10,6 (32,2). *88 :* 10,2 (30,9). *89 :* 10,4 (29,2). *90 :* 10,8 (29,8).

• Effectifs totaux dont, entre parenthèses, Régie (en milliers). *1980 :* 223,4 (105,3). *81 :* 212,8 (103,6). *82 : 217,2 (103,7). 83 :* 210 (102,5). *84 :* 210 (98,1). *85 :* 196,4 (86,1). *86 :* 196,7 (79,1). *87 :* 188,9 (75,9). *88 :* 181,7 (71,8). *89 :* 174,5 (70,7). *90 :* 157,3 (68,7). *Employés à l'usine de Billancourt : 1964 :* 21, *84 :* 12, *86 :* 7, *89 :* 4.

Deux-roues

Deux-roues à moteur et assimilés

Dans le monde

Production (1984). **Cyclomoteurs :** Japon 1 875 789, All. dém. 200 100 (1983), *France 432 271,* Italie 415 000, Inde 212 564 (1982), Espagne 143 250, Autriche 135 206, Pologne 107 000 (1983), Tchéc. 82 770 (1982), All. féd. 78 728, Youg. 66 406 (1982), Portugal 38 954 (1983), Grèce 31 730 (1982), Suisse 12 716, P.-Bas 6 100 (1982), Suède 2 929. **Motocycles** *(y compris scooters) :* Japon 2 150 518, URSS 1 127 000 (1983), Inde 380 726 (1982), Italie 301 675, Tchéc. 135 728 (1982), USA 105 000 (1982), All. dém. 80 000 (1983), Pologne 55 000 (1983), All. féd. 41 295, Espagne 33 906, *France 17 046,* Autriche 10 743, Suède 7 010 (1983), Youg. 5 200 (1982), Portugal 2 277 (1983), G.-B. 2 200 (1982).

Parc au 1-1-1985	Total	Motos scooters	Cyclo-moteurs
All. féd.	2 894 698	933 642	1 961 056 [1]
Belgique [2]	645 749	110 228	535 521
Espagne	706 017	706 017	n.c. [3]
France	*5 065 000*	*665 000*	*4 400 000*
G.-B.	1 225 000	776 000	449 000
Hongrie	422 012	166 884	255 128
Inde	3 511 868	3 511 868	n.c.
Italie	n.c.	1 205 754	n.c.
Japon [5]	17 353 659	3 450 087	13 903 572
Malaisie (Ouest)	2 132 791	2 132 791	n.c.
P.-Bas	784 000	127 000	657 000
Suisse	846 693	199 302	647 391
Thaïlande [6]	1 140 703	1 140 703	n.c.
U.S.A. [7]	6 685 112	5 585 112 [8]	1 100 000 [9]

Nota. – (1) Fin juin. (2) Au 1-8. (3) Ne sont pas immatriculés. (4) Y. c. motocyclettes jusqu'à 50 cc. (5) Au 31-3. (6) Au 31-12-1983. (7) Au 31-12-1983. (8) Motocyclettes seulement. (9) Vélomoteurs, ne sont pas immatriculés. *Source :* FRI

Nota. – Japon : toutes cylindrées, produits en 1984 : 4 026 307 (dont Honda 1 676 820, Yamaha 1 141 186, Suzuki 931 981, Kawasaki 276 320) ; exportations 2 122 440.

En France

• Définitions. **Cyclomoteurs.** *Jusqu'à 50 cc :* pédales non obligatoires dep. 1-7-1983, vitesse max. 45 km/h, sans permis, âge 14 ans, bruit 72 dB, autoroutes interdites (pistes cyclables obligatoires). **Scooters 50 cc.**

Motos légères. *MTL 1 : de 50 cc (compris) à 80 cc. (non compris)* (automatique). Vitesse max. 75 km/h ; âge min. 16 ans ; permis A MTL ou B, C, D(délivré à partir du 1-3-80) [1,2,3,4], bruit 78 dB ; pistes cyclables interdites. *MTL 2 : de 50 cc à 80 cc (non compris)* (non automatique). Vit. max. 75 km/h ; âge min. 16 ans ; permis A MTL [1,2,3,4] ; bruit 78 dB. *MTL 3 : de 80 cc à 125 cc (non compris).* Puissance- de 13 CV ; vitesse non limitée à la construction ; âge min. 17 ans ; permis A MTL [1,2,3,4] ; bruit 80 dB.

Motos. *MTTE : de 80 cc à 125 cc (non compris).* Puissance 13 CV et + ; vit. non limitée à la constr. âge min. 18 ans ; permis A MTTE [2,3,4] ; bruit 80 dB. *MTTE : de 125 cc et +.* Puiss. maxi. 100 CV ; vit. non limitée à la constr. ; âge min. 18 ans ; permis A MTTE [2,3,4] ; bruit 83 dB (de 125 à 350 cc), 85 (de 350 à 500 cc), 86 (+ de 500 cc). **Scooters 80 cc et 125 cc.**

☞ 1re moto Diesel française : mise en vente en 1989.

Voiturettes (tricycles ou quadricycles *TQM*). 5,6 à 13,7 ch. Atteignent 75 km/h avec moteurs Diesel bicylindres de + de 600 m³. *Jusqu'à 50 cc :* vitesse limitée. 50 km/h ; sans permis ; âge 14 ans ; bruit 73 dB ; pistes cyclables interdites. *Jusqu'à 125 cc :* vitesse non limitée ; permis A4 ; âge 16 ans ; bruit 80 dB ; pistes cyclables interdites.

Nota. – (1) Pour âgés d'au moins 17 ans et titulaires du permis A1 (délivré entre 1-3-80 et 31-12-84), A, B, C, D (délivré avant 1-3-80), licence de circulation délivrée avant 1-4-58 ; ces permis permettent aussi de conduire des 125 cc mis en circulation avant le 31-12-84. (2) Permis A2 (délivré entre 1-3-80 et 31-12-84, titulaire dep. au moins 2 ans, et justifiant une pratique suffisante). (3) A3 (délivré entre 1-3-80 et 31-12-84). (4) A (délivré avant le 1-3-80).

• Formalités **assurance.** *Pour cyclomoteurs, motos légères et motos : assurance obligatoire ;* l'ass. à responsabilité civile (aux tiers) ne joue que si le conducteur a bien l'âge et le permis requis, la garantie spéciale de la responsabilité du conducteur vis-à-vis de son passager est obligatoire, s'il en transporte un.

Casque. *Port :* motos légères et motos, obligatoire pour conducteur et passager ; cyclomoteurs, conducteur obligatoire, passager conseillé ; voiturette, tricycle et quadricycle : sans casque. Si l'on circule sans casque (si port obligatoire), en cas d'accident, les indemnités sont minorées si l'absence du port du casque a été la cause d'une aggravation des blessures.

Circulation. Conducteurs de cyclomoteurs et de motocyclettes ne doivent jamais rouler de front ; les cyclistes peuvent rouler (au plus) à 2 de front, mais doivent se mettre en file simple dès la chute du jour et si les conditions de la circulation l'exigent.

Immatriculation. Pour tous, sauf cyclomoteurs, scooters 50 cc et voiturettes.

Signalisation. Cyclomoteurs : projecteur avant, portée 25 m, et feu rouge arrière. **Cycles :** lanterne unique à l'avant, feu rouge arrière. Un dispositif réfléchissant rouge (ou plusieurs) valable pour cycles et cyclomoteurs. Pédales avec dispositifs réfléchissants orangés. Les motocyclettes (+ de 125 cm³) doivent, de jour, circuler les feux de croisement allumés sous peine d'amende de 150 à 300 F. *Plaque d'identité* fixe avec nom et adresse du propriétaire obligatoire pour bicyclettes et cyclomoteurs (sous peine d'amende de 20 à 150 F pour les premiers, 300 à 600 pour les seconds).

Transport de passagers. Pas de limite d'âge, sauf pour cyclomoteurs (pas + de 14 ans).

Vignette moto. Instituée à l'automne 1979 pour les + de 750 cm³, supprimée fin 1981. *Pour voiturettes et tricycles, quadricycles :* ass. à responsabilité civile.

• Consommation. Cyclomoteur de 50 cm³, 10 à 15 g d'essence au km (voiture 60 à 80).

• Production. **Chiffre d'affaires (H.T.).** En millions de F. *1971 :* 592 ; *82 :* 1 248 ; *83 :* 1 236 ; *84 :* 1 295.

Ventes (1988, en milliers). Cyclomoteurs (< 50 cm³) 218 dont scooters 27. Motocycles 102 dont 80 cm³ 9,5, 125 cm³ 31,5, > 125 cm³ 61.

Balance commerciale en millions de F. (Exportations et, entre parenthèses, importations.) *1981 :* 267 (786). *82 :* 329 (973). *83 :* 345 (988). *84 :* 379 (1 024 [dont cyclomoteurs 269 (118) ; autres 110 (905)]. *85 :* 361 (977) [dont - 50 cc 246 (118), autres 115 (859)].

• Livraisons. **Cyclomoteurs.** *1950 :* 94 398. *51 :* 287 145. *52 :* 382 768. *53 :* 553 210. *54 :* 694 252. *55 :* 830 575. *60 :* 962 338. *62 :* 1 149 235. *65 :* 1 111 867. *70 :* 1 102 498. *74 :* 1 381 480 (record). *75 :* 1 073 105. *80 :* 650 956. *85 : - 50 cc :* 443 678 dont Peugeot 297 124 et MBK 146 554. **Motocyclettes.** *1950 :* 18 592. *54 :* 35 603. *57 :* 10 416. *60 :* 1 411. *63 :* 241. *65 :* 1. *68 :* 14. *73 :* 550. *75 :* 492. *80 :* 71. *81 :* 5 492, *82 :* 3 155, *83 :* 2 397, *84 :* 1 905 dont **1re catégorie :** 931 (Peugeot), **2e cat. :** 967 dont Peugeot 932, Boudet (a cessé ses activités en 1984) 35, **3e cat. :** 7 (M.K.B. Industrie). **Scooters.** *1950 :* 1 820. *51 :* 14 380. *52 :* 50 829. *53 :* 84 002. *54 :* 100 366. *55 :* 135 657. *56 :* 118 293. *57 :* 102 082. *58 :* 51 668. *59 :* 38 455. *60 :* 37 038. *61 :* 13 714. *62 :* 304. *83 :* 7 343, *84 :* 15 141 dont **50 cc :** 11 480, **80 cc :** 3 661. **Vélomoteurs.** *1950 :* 100 156. *54 :* 171 974. *55 :* 151 229. *57 :* 86 987. *60 :* 6 582. *63 :* 2 658. *65 :* 10 545. *68 :* 5 045. *70 :* 4 292. *75 :* 8 021. *78 :* 3 584. *79 :* 3 964. *80 :* 795.

• Exportations (1987). - 50 cc : 94 833 ; + 50 cc : 8 634. **Principaux clients** (1985). *Engins de - de 50 cc :* Tunisie 17 878, Burkina Faso 11 486, Belg.-Luxembourg 6 906, Italie 6 880, Algérie 3 011. *De + de 50 cc :* Italie 3 519, All. féd. 546.

• Importations (1988). - *de 50 cc :* 125 785, *+ de 50 cc :* 57 134.

• Marché intérieur. **- de 50 cc** (y compris scooters). *1981 :* 429 967 (dont imp. 66 698). *85 :* 211 051 (35 805). *88 :* 210 202 (57 134). **+ de 50 cc** (y compris scooters). **1980 :** 169 916 (163 359). *85 :* 96 952 (80 673). *90 :* 148 627 (125 785).

• Immatriculation véhicules neufs, et entre parenthèses, occasions. *1973 :* 70 728, *75 :* 92 716 (111 525), *80 :* 136 399 (218 515), *84 :* 80 283. (231 319), *85 :* 73 331 (237 883), *89 :* 113 570, *90 :* 125 225 dont tricycles et quadricycles 2 096, 1 CV (MOT 1 ou MTL 1/2) 13 903, MOT 2 ou MTL 3 32 784, 2 CV 34, 3 7 824, 4 1 942, 5 5 052, 6 + 7 38 977, + de 7 22 613 (273 930). **Par marques** (1990) : 125 225 dont Yamaha 34 902, Honda 26 876, Suzuki 23 328, Kawasaki 10 162, Peugeot 5 373, Vespa-Piaggio 4 746, Aprilia 2 620, BMW 2 280, Harley-Davidson 2 214, MBK 1 231, Husqvarna 1 040, H.D. CAGIVA 990, Ducati 854, KTM 830, MZ 736, Fantic-Motor 727, Gilera 635, Guzzi 380, *Autres marques fr.* 367, *étr.* 4 889.

• Prix. **Motos neuves** (en F, 1985). YAMAHA : *350 LC :* 27 340 (avril) ; *DT 80 LC :* 13 258 (mars). KAWASAKI : *600 E :* 25 970 (avril) ; *ZX 400 :* 24 885 (avril) ; *KLR :* 20 150 (févr.). HONDA : *MTX 200 :* 16 500 (janv.) ; *MTX 80 R :* 10 651 (févr.) ; *VF 1000 R :* 73 000 (janv.). GUZZI : *V 65 Lario :* 28 750 (janv.) ; *1000 :* 43 435 (janv.). SUZUKI : *RH 250 :* 17 315 (janv.). GODIER GENOUD-REPLICA : entre 63 000 et 80 000 (selon les options). **Cyclomoteurs :** 3 500 à 6 000 F (Peugeot 103 SP : 5 295 F). **Scooters :** 6 785 à 14 000 F (Peugeot ST 50 L : 6 785 F, SC 50 L : 8 700 F, SC 80 L : 9 275 F).

• Parc (en milliers). **-de 50 cc.** *1948 :* 41. *51 :* 277. *55 :* 1 880. *59 :* 3 800. *74 :* 5 950. *80 :* 5 180. *85 :* 3 550. *88 :* 2 550. **+ de 50 cc.** *1980 :* 687. *85 :* 835. *88 :* 743.

Vélo Solex. Lancé 1946 par Maurice Goudard et Marcel Mennesson. Racheté 1974 par Motobécane (lui-même repris 1986 par Yamaha). Fabrication arrêtée nov. 1988. **Vente.** *1946 :* 220 000, *56 :* 202 687, *71 :* 198 000, *64 :* 380 000, *68 :* 286 000, *78 :* 1 000, *80 :* 7 100, *82 :* 4 000, *87 :* 2 700 (en tout 7 millions vendus dans 75 pays en 42 ans). **Prix (en F).** *1946 :* 30 600 F (soit 9 455 F 1988), *55 :* (2 815 F 88), *64 :* 340 NF (2 028 F 88), *68 :* (1 727 F 88), *78 :* (2 267 F 88), *88 :* 2 995 F.

Mobylette. 1re sortie chez Motobécane en 1952. *Vente :* 15 millions d'ex.

L'Hirondelle. Fabriquée par Manufrance, utilisée jusque dans les années 1950 par les gardiens de la Paix cyclistes, leur donna son nom.

☞ La *rustine* fut inventée par M. Rustin.

Cycles

Dans le monde

Production (en milliers, 1988). Chine 41 220. USA 8 900. Japon 7 509. Taiwan 7 350. URSS 6 500. Inde n.c. Corée du S. 2 841. Italie 2 750. Brésil [1] 2 249. Mexique 1 508. Pologne [2] 1 431. France 1 297. Youg. 1 155. G.-B. 1 065. Espagne 1 790. P.-Bas 754. Tchéc. 668. All. dém. 668. Pakistan 1 607.

Nota.- (1) 1987. (2) 86.

En France

• Chiffre d'affaires (milliards de F). *1978 :* 0,97. *85 :* 1,23. *86 :* 1,09. *87 :* 1,16. *88 :* 1,19.

• Production (milliers). *1978 :* 2 116. *85 :* 1 673. *86 :* 1 441. *87 :* 1 376. *88 :* 1 297 (adultes 75,9 %).

• Ventes dont, entre parenthèses, **importations** (en milliers). *1971 :* 1 222,9 (189,7), *76 :* 2 155,3 (586,9), *80 :* 2 653,3 (508), *85 :* 2 047,5 (890,4). *87 :* 1 903,6 (1 019). *88 :* 2 051 (1 255). *89 :* 2 400 (dont VTT 400). *90 :* 2 800 (dont VTT 800).

Principales marques. *Motobécane. 1960 :* 115,9. *65 :* 239,1. *70 :* 425,5. *75 :* 445,4. *76 :* 490,4. *81 :* 600. *Peugeot. 1960 :* 188,9. *65 :* 208,1. *70 :* 385,5. *75 :* 742. *76 :* 708,7. *81 :* 657. *84 :* 634.

Exportations *1971 :* 518, *76 :* 373,2, *80 :* 630,7, *85 :* 516,1, *86 :* 432,6, *87 :* 491,9, *88 :* 559,1 (dont G.-B. 132,8, All. féd. 104,4, Belg.-Lux. 45,8, P.-Bas 41,6). **Importations.** *86 :* 909. *87 :* 1 019. *88 :* 1 312,7 (dont P.-Bas 682,3, Chine 253,6, Taiwan 131,4, All. féd. 39,9, Youg. 39,8, Thaïlande 39,1).

• Parc (milliers). *1980 :* 17 000. *88 :* 19 000.

• Prix moyen unitaire (en F). *1978 :* 456,77. *88 :* 915,64. vente en France (française 863,03, importée 356,05, d'Inde 148,5, de Suisse 677,42).

• Effectifs (au 31-12). *1984 :* 3 435. *88 :* 2 116.

Camping-cars, caravanes

Camping-cars

• Marché officiel (1987). All. féd. 7 898, *France 4 574, (88)* G.-B. 2 735, Italie 2 000, Suisse 340, Suède 300, Belgique 100.

• Parc. **USA.** 223 700 camping-cars. **France. % d'utilisateurs selon les régions** (1987). Midi-Pyrénées 21,1, Ouest 19,9, Région parisienne 19,3, Méditerranée 11,2, Rhône-Alpes 9,1, Est 8,2, Centre 7, Nord 4,2.

Caravanes

• Dans le monde. **Nombre de caravanes** (en milliers, au 31-12-1984). USA 2 394, *France 1 290* [3], All. féd. 524,9, Pays-Bas 580, Suède 156,2, Italie 131,7 [1], Afr. du S. 128, Norvège 95,5, Danemark 74,5, Belgique 64, Finlande 30,7, Suisse 27,8, Luxembourg 2,6, Malawi 0,2 [2] (2,7 en 1980).

Nota. – (1) 31-12-1980. (2) 31-12-1980. (3) 1-1-1986.

Marché (1987). All. féd. 28 923. G.-B. 25 591. P.-Bas 22 750. Italie 16 000. Suède 10 664. Norvège 7 390. Danemark 6 320. Finlande 5 199. Belgique 3 700. Suisse 2 342.

• En France. **Production** (1985). 44 315 dont *Car. de tourisme :* 34 954 (dont de 750 kg 16 265, + de 750 kg 16 489). *Résidences mobiles* 2 200. *Car. pliantes* 9 361.

Exportations. *1980 :* 22 883, *81 :* 24 774, *82 :* 22 320, *83 :* 20 620, *84 :* 21 002, *85 :* 18 444, *86 :* 17 157, *87 :* 17 790 (*vers* All. féd. 8 718, P.-Bas 2 068, Espagne 1 683, Italie 1 515, Belg. 1 281.

Importations. *1979 :* 36 712, *80 :* 34 364, *81 :* 33 160, *82 :* 30 310, *83 :* 34 210, *84 :* 14 875, *85 :* 16 670, *86 :* 17 655, *87 :* 18 661 (*de* All. féd. 6 656, R.-U. 5 246, Yougoslavie 5 192, All. dém. 1 004, P.-Bas 164).

Immatriculations (remorques et caravanes de + de 500 kg doivent avoir leur propre immatriculation). *1970 :* 52 000, *71 :* 58 620, *75 :* 74 000, *79 :* 89 996, *80 :* 81 829, *81 :* 71 728, *82 :* 68 422, *83 :* 58 387, *84 :* 48 507, *85 :* 40 039 (dont 31 555 fabriquées en Fr.), *86 :* 35 383, *87 :* 31 817, *88 :* 28 527.

Catégories socioprofessionnelles d'acheteurs de caravanes (en %, 1988). Employés 32, retraités 18,9, ouvriers 16,4, artisans commerçants 5,7.

Source : Syndicat des Ind. de la caravane, des véh. et résidences de loisirs.

Voiturettes

En France. *Production annuelle :* 18 000. *Parc :* 60 000 environ dont 52,7 % en zone rurale et 50,6 % conduites par des 65 ans et +. *Vente* (1989) : 13 000. *Prix.* 12 500 à + de 55 000 F (ex. : Aixam 325i 51 400 F, Microcar Stid 905 63 000 F).

Données techniques

Carburant

Généralités

• Indice d'octane d'un carburant. Obtenu avec un moteur d'essai monocylindrique dans lequel le carburant de référence est un mélange d'iso-octane et d'heptane (ce dernier possédant de mauvaises propriétés « anticognement », alors que l'iso-octane représente la valeur optimale de 100). Si un carburant testé dans ce moteur donne les mêmes résultats qu'un mélange contenant par ex. 90 % d'iso-octane et 10 % d'heptane, on dit qu'il a un indice d'octane de 90. Selon le procédé utilisé, on parle d'*octane research* (RON) ou d'*octane motor* (MON) qui peuvent présenter des différences de 6 à 14 % (la cotation RON étant la plus élevée). C'est surtout l'élévation du taux de compression qui fait apparaître le régime de détonation. Les moteurs d'auto ont en général des taux de compression de 7,5/10,5. Toute élévation du taux ou tout facteur contribuant à l'augmenter doit être compensé par un carburant à indice d'octane élevé.

Le besoin en octane sera plus élevé si : la culasse et le bloc-moteur sont en fonte, l'emplacement des bougies est dans une zone froide, les sièges de soupapes sont étroits, la chambre de combustion a une forme « baignoire » ou « en coin », le moteur « remplit » bien, il y a trop d'avance à l'allumage, la boîte de vitesses est mécanique, etc. ; il fait chaud, l'on utilise de l'huile épaisse, les chambres de combustion sont calaminées, l'allumage est mal réglé, la température de fonctionnement est trop élevée, le moteur est vieux sans avoir été « nettoyé » ; les bougies sont vieilles, l'allumage est mal calé, le moteur doit supporter une forte charge à haut régime, il y a des dépôts dans la tubulure d'admission, etc.

Il sera moindre si : la culasse est en aluminium, les chambres de combustion sont hémisphériques, les bougies sont dans une zone chaude, les sièges de soupapes sont larges, la tubulure d'admission est longue, il n'y a qu'un seul carburateur, le mélange air-essence est riche, le remplissage des cylindres est moyen, la transmission est automatique...

• G.P.L. **Définition.** Voir énergie à l'Index. **Proportion de butane et de propane.** Varie selon pays et saisons. **Température d'évaporation du mélange.** Inférieure à la temp. extérieure (on doit le maintenir sous une pression de 2 à 8 bars). **Carburateur.** Remplacé par un système comportant un détendeur et un adaptateur-mélangeur. **Avantages.** Coût peu élevé. Bon rendement par une répartition équilibrée du mélange dans les cylindres ; suppression du dépôt de calamine ; pollution moindre ; bruit réduit. **Inconvénients :** encombrement des bouteilles de gaz, coût de la transformation du carburateur (de 3 000 à 6 000 F) ; consommation accrue de 10 % (11 l de GPL équivalent à 10 l de super) ; puissance max. du véhicule diminuée de 8 % env.

Voitures équipées GPL. Italie 650 000, P.-Bas 300 000, *France 80 000,* Japon 29 000, Allemagne féd. 15 000.

• Consommation. Voir Index.

Moteur à explosion

• Principes. Transforme l'énergie thermique produite par la combustion d'un mélange carburant-air en énergie mécanique.

• Moteurs à allumage par étincelle. **A 4 temps. 1er temps : aspiration,** la soupape d'admission est ouverte, le piston aspire en descendant du mélange frais de carburant et d'air dans le cylindre. **2e temps : compression,** les soupapes sont fermées, le piston comprime en remontant le mélange, ensuite a lieu l'allumage par bougie. **3e temps : explosion (temps moteur),** les soupapes étant fermées, la pression des gaz produits par la combustion repousse le piston vers le bas. **4e temps : expulsion et détente,** la soupape d'échappement étant ouverte, le piston chasse en remontant les gaz brûlés. Il y a aussi un temps moteur tous les 2 tours de vibrequin.

A 2 temps. Sauf cas spéciaux, n'ont pas de soupapes mais 3 ouvertures dans le cylindre, dites « lumières ». Après allumage et explosion, le piston descend, la lumière d'échappement s'ouvre, les gaz brûlés s'échappent, puis la *lumière d'admission* dans le carter de précompression se ferme, et la *lumière de trop-plein* s'ouvre. Les gaz frais passent du carter dans

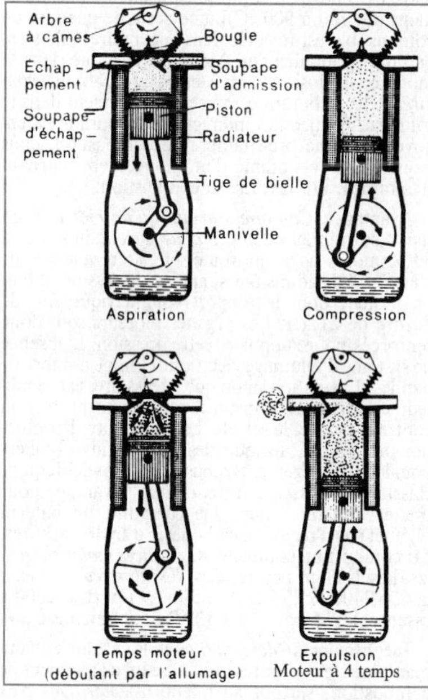

Moteur à 4 temps

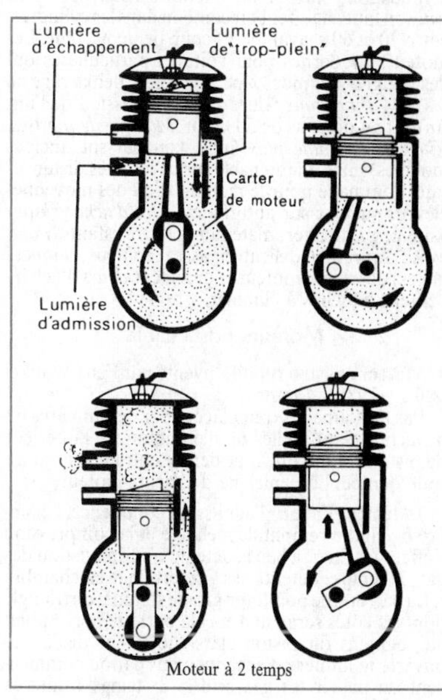

Moteur à 2 temps

le cylindre. Le piston remonte, les 3 lumières sont fermées, le mélange est comprimé dans le cylindre. En fin de course, la lumière d'admission s'ouvre, un mélange frais pénètre dans le carter.

Avantages. Meilleure qualité de fonctionnement, consommation moindre, puissance sup. de 50 % pour une cylindrée donnée, entretien plus facile (inutile de vidanger) ; plus compact, 60 % plus léger et moins encombrant ; émet moins d'oxyde d'azote. **Inconvénients.** Difficile d'éviter le mélange d'air frais et d'essence et des gaz ; des gaz brûlés restant dans le cylindre, perturbent la propagation de la combustion, et de l'essence non brulée est rejetée dans l'atmosphère. Augmente les émissions d'hydrocarbures ; nécessite de l'huile : consomme 2 % d'huile (contre un 4 temps – de 0,2 %), bruyant, les clapets d'admission d'air frais se refermant brutalement lors de l'échappement pour éviter que cet air ne reparte vers l'extérieur.

• **A injection.** A 4 ou 2 temps. Le moteur aspire seulement de l'air au 1er temps du cycle. **1° injection directe :** le carburant est injecté dans la chambre. **2° indirecte :** il est injecté dans la tubulure d'admission. L'allumage commandé se fait soit en même temps que l'inj., soit à la fin du temps de compression. **Avantages :** diminution des émissions nocives, amélioration du rendement et de la puissance (surtout grâce à une régulation électronique de l'inj.). **Inconvénient :** coût plus élevé.

• **Auto-inflammation du combustible. Diesel.** Taux de compression élevés (de 16 à 22/l). L'air aspiré dans le cylindre est comprimé [beaucoup plus fortement (de 700 à 900 °C)], une certaine quantité de combustible est injectée dans le cylindre. Elle s'enflamme spontanément. Mêmes cycles que dans le moteur à explosion (4 ou 2 temps). *Diesel à injection directe,* le carburant est injecté directement dans le cylindre. A injection indirecte, le carburant est envoyé dans une pré-chambre de combustion, dans laquelle l'air est animé d'un mouvement tournant très rapide, qui favorise la combustion.

Avantages. *Consomme moins qu'un moteur à essence,* surtout au ralenti (*prix de revient* du km env. 50 % moins cher sur route, 60 % en ville). Pour chauffer l'air admis par simple compression, il faut un moteur dont le rapport volumétrique soit de l'ordre de 21 à 1. Les organes moteurs sont donc renforcés pour supporter cette pression. L'absence de système d'allumage électrique élimine nombre de pannes. L'isolation phonique nécessaire, car le moteur est bruyant, constitue une bonne protection contre la rouille, le sel, etc. La lutte contre les vibrations a conduit à fabriquer des vilebrequins à 5 paliers pour les 4 cylindres, plus robustes que les vilebrequins classiques. *Puissance à bas régime :* avantage pour tracter une remorque, une caravane, un bateau. N'émet pas d'oxyde de carbone, ni d'hydrocarbures, car combustion complète. *Assurances moins chères :* les diesels étant peu rapides. *Fiscalité réduite :* ex. : la CX 2400 (2 175 cm³) est une 9 CV (CX 2000 à essence 1 985 cm³, 11 CV). *Prix de revente* élevé.

Inconvénients. *Moteur bruyant :* le gazole s'enflammant dans les cylindres provoque un claquement de combustion, surtout au ralenti. *Démarrages plus longs :* il faut chauffer l'air contenu dans les cylindres, entre 20 et 60 s, avant le 1er coup de démarreur. Les moteurs modernes pour voitures particulières ont des bougies « rapides » permettant le démarrage en 8 s env. *Vibrations :* dues à la compression de l'air, surtout au-dessous de 50 km/h. *Manque de reprises. Vitesse maximale plus faible* (surtout sur anciens modèles) mais maintenable sur de longues distances sans dommage pour le moteur, d'où des moyennes élevées surtout sur autoroutes. *Prix d'achat élevé :* usinage particulier, matériaux plus résistants. *Poids élevé. Entretien* délicat et assez coûteux. *Fumées* (suies) dès que le moteur se dérègle. *Odeurs* d'échappement difficiles à éliminer.

Moteurs particuliers

• **Moteur à piston rotatif.** Inventé par Felix Wankel (All., † 1988). 4 temps.

Pas de soupapes (remplacées par des lumières ou ouvertures), ni bielles ni vilebrequin. A l'intérieur du piston rotatif, une roue dentée entraîne une autre roue dentée, l'excentrique de l'arbre-moteur.

1er temps : Face *a :* l'admission commence. Chambre *b :* elle se remplit de mélange et la compression s'effectue. En *c :* a lieu la détente ou combustion des gaz. **2e temps :** détente des gaz terminée en chambre *c.* La barrette de pointe (en gros le sommet du triangle dont les côtés seraient *a* et *c,* la barrette correspond au segment du piston classique) vient de laisser ouverte la lumière d'échappement par où commencent de passer les gaz brûlés. **3e temps :** dans la chambre *a,* l'admission de mélange se poursuit toujours. En *b,* la compression atteint son maximum. Le mélange est mis à feu par la bougie, en *c.* L'échappement continue. **4e temps :** chambre *a* remplie de gaz frais. La compression débute dès que la barrette a obturé la lumière d'admission. Dans la chambre *b,* les gaz brûlés se détendent et entraînent l'arbre à excentrique par l'intermédiaire du piston.

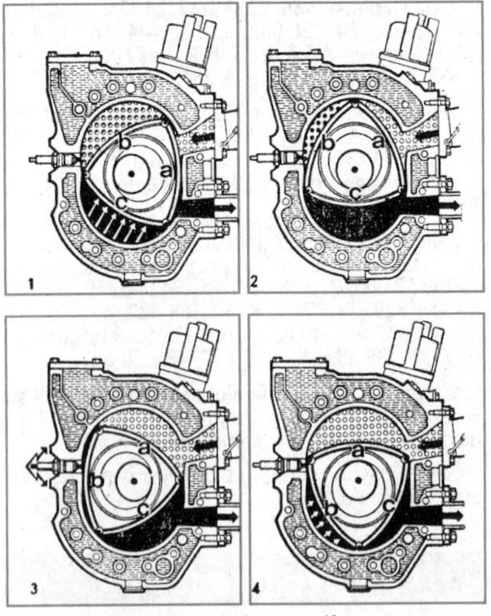

Moteur à piston rotatif

Le piston n'a effectué qu'un tiers de tour. En un tour complet, le cycle à 4 temps se répète 3 fois, et l'arbre à excentrique effectue 3 tours.

Avantages. Supprime certaines vibrations dues au mouvement alternatif des pistons, dimensions restreintes, longévité, fiabilité, peu de réparations. **Inconvénients :** consommation élevée (huile et carburant), difficultés à ramener la pollution aux limites légales, vitesse élevée de l'arbre de sortie, freinmoteur faible. Depuis 1978, seul Toyo-Kogyo (devenu Mazda Motor Co.) continue à utiliser le moteur Wankel sur des voitures sportives.

• **Moteur Stirling à combustion externe. Principe de fonctionnement.** Une masse de gaz évolue en circuit fermé dans un ou plusieurs cylindres (étanches). Au cours du cycle moteur, elle subit d'abord une compression isotherme. Chauffée à volume constant, elle se détend isothermiquement au cours de la phase suivante en repoussant le piston auquel elle fournit le travail moteur. Enfin, elle se refroidit à volume constant, et le cycle recommence. L'énergie calorifique qui sert à échauffer la masse gazeuse est fournie par la chambre de combustion externe indépendante, et transmise par l'échangeur qui en récupère une partie au cours de la 4e phase. On peut théoriquement employer n'importe quel combustible. **Avantages.** Peu polluant, peu bruyant consommation + faible (environ 30 %). **Inconvénients.** Encombrement. Cependant Philips a pu loger un moteur de 17 ch. dans une boîte de 30 cm de côté.

• **Suralimentation par compresseurs.** Comme pour obtenir une puissance supérieure, on ne peut augmenter indéfiniment les cylindres (interdictions réglementaires, limitations de fait dues à l'encombrement), on alimente ceux-ci par un gaz préalablement comprimé (suralimentation continue ou momentanée) dans des compresseurs à entraînement mécanique ou à turbine utilisant les gaz d'échappement (turbo-compresseur).

Puissance d'un moteur

Dépend de la cylindrée, du rapport de compression et du carburant.

Puissance réelle. Théorique. Que fournirait le moteur si l'énergie thermique du combustible était transformée entièrement en travail mécanique. **Effective.** Réellement utilisable sur l'arbre moteur [rendement : rapport entre l'énergie recueillie et l'énergie fournie au moteur sous forme de combustible (toujours inférieur à 1)]. **Spécifique.** Rapport de la p. max. à la cylindrée, en moyenne 50 ch au litre (voitures de sport et de compétition : + de 100 ch).

Estimation puissance brute (gross power) du moteur déconnecté de tous ses accessoires (filtre à air, ventilateur, dynamo ou alternateur, etc.) [ancienne formule]. SAE (Society of Automotive Engineers, des USA). *Puissance nette* mesurée sur l'arbre du moteur entraînant tous les accessoires nécessaires au fonctionnement de la voiture. Représente sensiblement la puissance utile disponible pour propulser le véhicule mesurée suivant les formules SAE nette, DIN (Deutsche Industrial Normen : normes industrielles allemandes) ou ISO (Organisation internationale de standardisation) ou suivant le projet de recommandation de Genève (CEE).

Puissance administrative française. Calculée, depuis le 1-1-1978, à partir de la cylindrée du moteur et d'un paramètre caractérisant la démultiplication de la transmission du mouvement et du carburant. Ce paramètre, fonction du type de transmission (boîtes de vitesses manuelles à 4 ou 5 rapports, boîtes de vitesses automatiques) est proportionnel à la somme des vitesses théoriquement atteintes au régime moteur de 1 000 t/mn, pour les différents rapports de démultiplication de la boîte de vitesses. *Formule* P : = m(0,0458 × C/K) 1,48. [C cylindrée du moteur, K rapport de démultiplication, m vaut 1 pour les véhicules à essence et 0,7 pour les diesels.]

Nota. – Un coefficient spécifique est appliqué aux boîtes automatiques.

Système d'allumage

Durée de vie. *Bougies courantes* 10 000 à 15 000 km, *à électrode annulaire* 30 000 à 40 000 km. *Vis platinées du rupteur* 10 000 km. La consommation s'élève de 5 à 15 % en cas d'usure des vis platinées et des bougies. *Condensateur* 20 000 à 40 000 km. *Bobine* jusqu'à 120 000 km.

Les systèmes d'allumage électroniques ou optoélectroniques fournissent des étincelles bien réglées et leur vie est accrue parce qu'ils ne comportent pas de pièce frottante. Certains sont livrés pour la durée de la voiture, sans nécessiter de réglage ou de révision (en dehors d'accidents occasionnels).

Allumeur à contacts autonettoyants. Créé par la Sté CAV Lucas. Permet d'espacer les opérations d'entretien (rupteur remplacé tous les 40 000 km, avec nettoyage intermédiaire aux 20 000 km).

Bougies à préchauffage rapide. Utilisées pour les diesels. Permettent de démarrer en 6 secondes.

Pannes les plus fréquentes

Durabilité moyenne critique en km et taux global (en %). Échappement 18 000 (25), plaquettes/garniture 23 000 (19,5), allumage 36 000 (12), batterie 45 000 (10), essuie-glace/laveglace 60 000 (7,5), amortisseurs 62 000 (7,3), alignement roues 62 000 (7,2), carburation 62 000 (7,2), embrayage 63 000 (7,1), culasse/joint culasse/soupapes 65 000 (6,9), éclairage route/clignoteur 68 000 (6,6), témoins tableau de bord 68 000 (6,6), frein à main 71 000 (6,3), alternateur 76 000 (5,9), circuit hydraulique/frein 77 000 (5,8), démarreur 82 000 (5,5), tambours disques 86 000 (5,2). Selon les automobiles clubs, 1 voiture sur 2 serait en mauvais état, 1 sur 3 a des freins défectueux, 1 sur 4 a des problèmes de direction et roule avec des pneus sous-gonflés ou abîmés.

Pneus

La différence entre la profondeur des rainures de 2 pneus montés sur un même essieu ne doit pas dépasser 5 mm (il faut donc les remplacer par paire). L'usure et le vieillissement diminuent l'adhérence sur sol mouillé, favorisent l'aquaplanage, entraînent un risque d'éclatement consécutif à un échauffement plus important de la carcasse.

Pneus cloutés. 100/150 crampons par pneu. Vitesse limitée à 90 km/h, indiquée sur un disque amovible apposé à l'arrière du véhicule. Utilisation autorisée en France, du samedi précédant le 11 nov. au dernier dimanche de mars de l'année suivante. Interdits dans certains pays (ex. All. féd., Pologne, Portugal, Yougoslavie, etc.).

Kilométrage moyen d'usure. Base carcasse radiale avec ou sans chambre suivant les montages d'origine : 50 000 (à 160 000) ; tractions avant et utilitaires : 40 000 (Peugeot J9, Citroën C35, Renault Master, Ford Transit : 45 000). En fait un pneu fait en moy. 35 000 km sur bonnes routes, sur mauvaises : 6 000 km, en ville : 4 500 km.

Transmission

Organes de transmission. *Embrayage :* assure la liaison (qu'on peut interrompre) entre moteur et boîte de vitesses. *Boîte de vitesses :* permet au moteur et aux roues tractrices de tourner à des vitesses adaptées aux circonstances et au terrain.

Couple hypoïde (non-coïncidence de l'axe du pignon et de l'axe de la roue) : envoie le mouvement aux arbres des roues. *Différentiel* : permet aux roues de tourner à des vitesses différentes dans les virages.

Boîtes automatiques. 5 à 6 % des voitures vendues en France en sont équipées (USA 90 %). *Avantages* : sécurité améliorée (le conducteur peut garder les mains sur le volant et consacrer toute son attention à la circulation). La voiture ne cale pas. *Inconvénients* : prix d'achat majoré, consommation plus élevée (le convertisseur hydraulique de couple absorbe une fraction de la puissance par glissement, compensée par le choix optimal du rapport convenable). De nouvelles boîtes automatiques pour voitures légères consomment moins de puissance grâce au verrouillage du convertisseur en marche normale. *Boîtes semi-automatiques* : convertisseur hydraulique de couple associé à une boîte à sélection manuelle comportant un élément de coupure automatique (par ex., embrayage électromagnétique).

Transmission à variation continue. Longtemps proposée par DAF (Variomatic) : une courroie métallique circule entre des disques formant poulies dilatables et assure une variation continue du rapport de démultiplication, avec régulation (transmission CVT).

Données pratiques

Papiers

Généralités

Papiers que l'on doit avoir sur soi en France. Permis de conduire valide, attestation d'assurance (Voir Assurances), carte grise (+ celle de la remorque si elle pèse plus de 500 kg en charge) (la photocopie certifiée conforme est admise pour les véhic. de transports de marchandises d'un PTAC sup. à 3,5 t, soumis à des visites techniques périodiques obligatoires, ainsi que pour les véhicules de location sauf ceux loués avec option d'achat, l'original de ce document étant exigé à l'étranger), volet détachable de la vignette du véhicule en cours. *Non-présentation immédiate des papiers* d'attestation d'assurance aux forces de l'ordre : contrav. de 2 e cl., 230 F. Si, dans les 5 j, on ne vient pas présenter ses papiers, contravention 4e cl. : 900 F. **Papiers perdus ou volés.** Faire une déclaration au commissariat ou à la gendarmerie ; le récépissé qui sera délivré remplace le permis de conduire pendant 2 mois.

Papiers nécessaires à l'étranger. *En Europe* : carte verte d'assurance internationale, permis de conduire à 3 volets (ou permis intern. pour URSS et Grèce) ; *hors d'Europe* : permis de conduire int. et certificat int. pour automobile sont parfois exigés. On se procure le permis de conduire intern. sur présentation du permis français, de 2 photos et d'un timbre fiscal, auprès de la préfecture ou des automobiles clubs.

Carte grise

• **Demande.** *Véhicule neuf* : s'adresser à la préfecture (Paris : Préf. de Police, 1, rue de Lutèce, 75004). Remplir un formulaire et joindre certificat de vente, cert. de conformité du constructeur, justification du domicile et pièce d'identité. Droits : varient selon les régions. Ex. pour Paris (91) 100 F par CV. Demi-tarif pour moto et vélomoteur, voiture particulière de + de 10 ans, véh. de + de 3,5 t. Remorques, tracteurs agr. (112,5 F par CV), véhicules immatriculés TT : (150 F par CV). En attendant l'immatr. définitive, le vendeur remet une *carte provisoire WW* qui permettra de circuler 15 j ouvrés.

• **Duplicata.** *Demande* : fournir volet nº 2 de la déclaration de perte ou de vol, imprimé de demande de duplicata, titre de paiement des droits fixes à acquitter [chèque bancaire, postal, mandat postal à l'ordre du Régisseur des Recettes de la Préfecture de... (lieu d'immatriculation du véhicule), sauf si paiement en espèces. Éventuellement enveloppe affranchie au tarif « recommandé » et l'adresse du propriétaire]. Pièces justificatives de l'identité et du domicile. S'adresser à la préfecture ou sous-préfecture du lieu d'immatriculation : par lettre (sauf à Paris), ou déposer ou faire transmettre (sauf à Paris) par préfecture, sous-préfecture, ou éventuellement la mairie du chef-lieu de canton, qui a reçu la déclaration de perte. A Paris, si l'on est Parisien. *Demande* : à la Préfecture de Police ou à la mairie de l'arrondissement. *Droit fixe* (à Paris, en F) : voiture particulière 100. Moto, vélomoteur 1 CV 25 ; 2 CV – de 10 ans 100 ; 2 CV de + de 10 ans 50. Moto 3 CV – de 10 ans 100 ; de + de 10 ans 75 ; de 4 CV et + 100.

Véhicule d'occasion. Une nouvelle carte grise doit être établie dans les 15 j suivant la vente. Le vendeur doit remettre à l'acheteur : certificat de vente (imprimé dans les préfectures et sous-préfectures) dont le vendeur envoie le double à la préfecture, vignette, carte grise (barrée de 2 lignes transversales et revêtue de la mention vendue le ... à M. X et signée) et certificat de passage dans un centre de contrôle technique, si le véhicule a + de 5 ans. Mêmes formalités que pour les neufs. Joindre une attestation d'inscription ou de non-inscription de gage (délivrée par la préfecture où la voiture est immatriculée, si la préfecture du domicile de l'acheteur est différente) et les pièces remises par le vendeur, pièce d'identité et justification du domicile. Droits : voir neuf.

Nota. – Formalités (Paris) : à la Préfecture de Police (ensemble des opérations) ou dans les mairies d'arrond. (transferts simples de propriété).

• **Cas particulier. Changement de domicile.** Formalités à accomplir dans le mois suivant. *Dans le même dép.* : s'adresser à la préf., sous-préf., commissariat de police, brigade de gendarmerie (à Paris : Préf. de Police, ou antennes dans les mairies d'arr.). Remplir un formulaire, présenter justification du nouveau domicile, pièce d'identité et remettre la carte grise à modifier. Gratuit. *Dans un autre dép.* : s'adresser à la préf. du nouveau domicile. Joindre aux pièces ci-dessus une attestation d'inscription ou de non-inscription de gage délivrée par la préf. qui a établi la précédente carte grise. Gratuit.

Changement d'état civil. (art. 1 635 bis G à 1 635 bis K, Code général des impôts). Gratuit en cas de changement d'état matrimonial (après mariage, divorce, veuvage) sur présentation des pièces justificatives adéquates. Taux fixe en cas de modification d'état civil de la personne physique propriétaire du véhicule pour véhicule à moteur autre que vélomoteurs et motocyclettes et dont la cylindrée n'excède pas 125 cm³. 1/4 du taux unitaire pour vélomoteurs et motocyclettes. **Héritage.** L'immatriculation au nom de l'héritier pourra être obtenue sur présentation d'une attestation du notaire, d'un certificat d'hérédité délivré par le maire, ou d'un certificat de propriété délivré par un juge d'instance. **Perte.** *Déclaration* : préfecture, mairies des chefs-lieux de canton. A Paris, mairie de l'arrondissement du domicile. **Vol.** Déclaration au commissariat de police ou à la brigade de gendarmerie du lieu de la résidence du déclarant, ou du lieu où le fait a été constaté. Droits identiques à ceux d'un duplicata. taxe de 100 F pour immatriculation WW, 200 F pour W ou duplicata.

Permis de conduire

☞ **Origine.** *17-4-1891* : 1er permis délivré à Léon Serpollet et Avezard fils. *14-3-1893* : certificat de capacité délivré par les préfectures. *10-3-1899* : certificat de capacité spéciale permettant de conduire sur route à 30 km/h et en ville à 20 km/h. *31-12-1922* : permis de conduire. *10-7-1954* : diverses catégories (sauf A1).

• **Annulation du permis.** *Cas possibles* : conducteur condamné pour conduite en état d'ivresse ou sous l'empire d'un état alcoolique, délit de fuite, homicide involontaire ou blessures involontaires de + de 3 mois commis à l'occasion de la conduite d'un véhicule. *Annulation de plein droit* : en cas de récidive de ces délits ou s'il y a conduite en état d'ivresse ou sous l'empire d'un état alcoolique avec homicide ou blessures involontaires de + de 3 mois. Le condamné ne pourra solliciter un nouveau permis qu'à l'expiration du délai d'annulation qui ne peut excéder 3 ans. Il devra être reconnu apte après un examen médical et psychotechnique effectué à ses frais.

Conduire ou tenter d'obtenir un nouveau permis malgré une annulation ou une suspension peut entraîner un emprisonnement de 2 mois à 2 ans et/ou une amende de 2 000 à 30 000 F (idem si l'on refuse de donner son permis à la personne chargée d'exécuter la décision). Le conducteur dont le permis est annulé ou suspendu n'est couvert par aucune assurance.

• **Conduite accompagnée.** À partir de 16 ans. *1re étape* : formation théorique et pratique dans une auto-école agréée. *2e étape* : conduite en France avec un accompagnateur âgé de 28 ans révolus, possédant un permis en cours de validité depuis au moins 3 ans et non condamné pour infraction grave au Code de la route. L'examen sera passé à 18 ans. La surprime d'assurance de 140 % max., appliquée aux novices, est réduite au moins de moitié pour les titulaires du permis ainsi formés pendant la 1re année d'assurance, et supprimée dès la 2e année si aucun sinistre responsable n'est enregistré.

• **Épreuve. Théorique** (code). Pour les permis A, B, C, D et E : examen audiovisuel et collectif, sauf pour les non-francophones, sourds, sourds-muets, illettrés qui sont examinés par une méthode audiovisuelle spéciale. Sur 40 diapositives avec questions, il faut 35 réponses justes pour être reçu. On peut le passer à 16 ans minimun pour les catégories AT, AL, B (pour B, sous réserve de suivre une formation d'apprentissage anticipé de la conduite AAC) ; 17 1/2 pour la cat. B (formation traditionnelle) ; 18 a. pour cat. C et E (C) ; 20 a. 1/2 pour cat. D. Valable 2 ans (sauf formation AAC : 3 ans) et pour 5 examens pratiques max. Ensuite, il faut repasser cette épreuve. Les titulaires d'un permis français de – de 5 ans sont dispensés de l'épreuve théorique s'ils désirent un permis d'une autre catégorie. Délai d'1 mois entre enregistrement à la préfecture d'une demande cat. B et le passage de la 1re épreuve théorique ; 2 semaines entre 2 épreuves théoriques.

Pratique (conduite). On peut apprendre à conduire sans le concours d'une auto-école. Permis B : épreuve en circulation. Autres permis : épreuves en circulation et hors circulation. Délai de 24 h entre l'épreuve hors circulation et l'épreuve en circulation de l'épreuve pratique des cat. AL, A, C, D, E (C). *Cat. A* : délai de 48 h entre 1er et 2e passage, d'1 mois entre suivants. *Cat. C. D. E (C)* : 1 sem. entre 1er et 2e pas., 1 mois entre les suivants. *Cat. B* : 1 mois entre date d'enregistrement et 1re épreuves, si pratique, l'on est dispensé de l'épreuve théorique ; 2 semaines entre réussite au code et 1er pas. conduite ; 2 semaines entre 2 pas. de la conduite.

• **Catégories. AT.** Tricycle ou quadricycle à moteur, de 50 à 125 cc, 13 ch maximum, poids à vide 400 kg, PTAC 1 000 kg, 16 ans, vitesse max. 75 km/h, bruit 80 dB, pistes cyclables interdites.

AL. Motocyclette légère. *Jusqu'à 80 cc* : vitesse max. 75 km/h, 16 ans, bruit 78 dB, pistes cyclables interdites. *Jusqu'à 125 cc* : vitesse max. 100 km/h, 13 ch max., âge 17 ans, bruit 80 dB, pistes cyclables interdites.

A. Toutes motocyclettes, 100 ch max., 18 ans, bruit 86 dB max. Les titulaires du permis A2 dep. au moins 2 ans pourront obtenir un permis A (toutes motocyclettes – demande auprès des services préfectoraux avec déclaration sur l'honneur certifiant une pratique de 2 ans sur un véhicule A2).

B. De tourisme. Poids max. en charge 3 500 kg. 18 ans (projet 16 ans). Transport des personnes. 8 places assises au max., non comprise celle du conducteur. *Remorque possible* : poids total autorisé en charge (PTAC) : 750 kg n'entraînant pas le classement du véhicule dans cat. E. Véhicules assimilés aux précédents dont liste est fixée par arrêté du min. des Transports. *Transport de marchandises.* PTAC max. 3 500 kg. Voitures d'incendie pour le transport de personnes (10 places ou +). 18 ans. **B restrictif** (embrayage automatique pour voiture ordinaire, il faudra repasser la conduite).

C. Transport de marchandises ou de matériels. Véhic. isolé d'un PTAC de + de 3,5 t. Remorque possible de – de 750 kg. 18 ans. Valable 5 ans.

D. Transport de personnes. PTAC de + de 3 500 kg ; transportant + de 8 pers. (conducteur exclu) ; + de 8 pl. assises (en plus du conducteur). Remorque possible de – de 750 kg. 21 ans. Valable 5 ans. Les titulaires peuvent utiliser des véhicules de 15 pl.

Ceux qui n'ont pas de diplôme professionnel, ou qui ne peuvent pas justifier d'une année d'activité de conducteur affecté au transport des marchandises, peuvent conduire des véhicules de + de 15 pl., dans un rayon de 50 km au max. autour du point d'attache du véhicule (sans limite lorsqu'ils justifieront avoir parcouru au moins 5 000 km pendant au moins 1 an avec un véhicule de transport en commun, quel que soit le nombre de places).

E. (B) : *véhicules relevant de la catégorie B attelés d'une remorque* de + de 750 kg quand le PTAC de la remorque est sup. au poids à vide du véhicule tracteur, ou que le total des PTAC de l'ensemble (véhic. tracteur + remorque) est sup. à 350 kg. **E (C)** : *ensemble de véhicules couplés dont le véhic. tracteur est de cat. C*, attelé d'une remorque de + de 750 kg. **E (D)** : *ensemble dont le véhic. tracteur est de cat. D*, attelé d'une remorque de + de 750 kg. Pour les cat. B et D, les enfants de – de 10 ans comptent pour 1/2 s'ils sont – de 10.

F. Supprimé en 1984 en temps que catégorie spécifique aux handicapés ; ceux-ci conduiront des véhic. des catégories A et B avec aménagement et (ou) prothèses figurant sur le permis.

Nota. – Certains permis portent la mention « port de verres correcteurs obligatoires » (lunettes correctrices ou verres de contact ou lentilles cornéennes, suivant le cas). La mention peut être modifiée après sur attestation d'un ophtalmologiste agréé par le préfet. Toutefois, le titulaire doit être en possession à tout moment d'une paire de lunettes correctrices.

Sans permis. *Cyclomoteur :* véhicule ayant un moteur thermique auxiliaire de – de 50 cm³, un pédalier et une vitesse inférieure à 45 km/h, un embrayage et une boîte de vitesse automat. Age min. 14 ans. Assurance obligatoire. Interdiction de transporter un passager de + de 14 ans. Accès interdit aux autoroutes. Pistes cyclables obligatoires. *Voiturette électrique :* ni carte grise, ni vignette, ni disque de stationnement, ni plaque d'assurance. Se conduit à partir de 14 ans. 3 ou 4 roues, 45 km/h max., au + 1 kilowatt. Moins de 50 cm³ , 2 places, le passager ne devant pas avoir plus de 14 ans.

Coût du permis de conduire. Moto ; forfait de 10 h : 2 100 ; de 21 h : 3 700 + frais de dossier : 130 F. **Véhicules légers :** stage pour 20 h de conduite + code de la route + frais de dossier : 3 805 F ; pour 30 h : 4 905. **Poids lourds :** *permis Cl et D :* stage de 10 j : 6 500 ; de 15 j : 9 054 F + frais de dossier de 402,96 F ; *permis C :* stage de 10 J : 7 019,5 F ; de 15 j : 9 657 F + frais de dossier de 402,96 F.

Permis de navigation mer : forfait à partir de 1 200 F ; *mer et rivière : jusqu'à 2 300 F.*

Avion privé. Brevet et licence de base ou brevet et licence de pilote. Droit d'entrée au club : 500 F env. + cotis. annuelle 600 F env. + assur. fédérale 290 F env. + formation en 40 h de vol à 400 F env. l'h, soit 17 440 F ; formation en 50 h de vol : 21 390 F. H de vol ensuite : 480 F env. ULM 5 000 F ; h de vol : 400 ou 500 F. **Planeur :** 7 000 F (20 h de vol à 60 F l'h). **Hélicoptère :** 65 000 F (env. 1 900 F l'h de vol). **Montgolfière :** 10 000 F (1 000 F env. l'h de vol sur son propre ballon).

• Permis de conduire à points. *Créé* par la loi 89-469 du 10-7-1989, il entrera en vigueur le 1-1-1992. *Principes.* Le permis est doté, lors de sa délivrance, d'un capital de points. Chaque infraction grave est affectée d'un certain nombre de points de démérite. *3 points :* délits d'alcoolémie, fuite, homicide ou blessures involontaires, refus d'obtempérer, usage de fausses plaques ; *2 points :* excès de vitesse, non respect de priorité, feux rouge, stop, dépassement dangereux ; *1 point :* maintien des feux de route, ou de brouillard. La condamnation pour l'une de ces infractions entraîne automatiquement le retrait des points correspondants. Quand le capital des points est épuisé, le permis est annulé et on doit attendre 6 mois avant de le repasser. En l'absence d'infractions pendant 3 ans, le capital de points initial est reconstitué ; il peut l'être également, au moins partiellement, si le conducteur se soumet à une formation spécifique comportant un programme de sensibilisation aux causes et conséquences des accidents de la route (2 jours de stage facturé 1 200 F).

• Permis de conduire international. Valable dans tous les États sauf dans celui où le permis a été délivré. N'est plus valable dans un État dès lors que son titulaire y établit sa résidence. *S'adresser :* à la préfecture du domicile, ou Préfecture de Police, 1, rue de Lutèce, 75004 Paris. Présenter permis de conduire national, carte d'identité, une quittance de loyer ou EDF, 2 photos. On peut envoyer *une autre personne* avec une procuration sur papier libre l'autorisant à retirer le permis et les pièces mentionnées ci-dessus. *Prix :* 17 F, obtention immédiate et validité de 3 ans ou durée de validité du permis national si celui-ci est délivré pour une durée inf.

• Statistiques (1989). Examens toutes catégories : 1 871 822. *Reçus :* 975 667 dont 804 728 pour le permis B. *89 : Examinés, épreuves théoriques* 1 527 483. *Reçus, épr. théor.* 957 400. *% de réussite à l'examen lors de la 1re présentation : 1976 :* 34,85, *1988 :* 50.

• Suspension du permis. Procédure judiciaire. Les tribunaux correctionnels ou de police peuvent prononcer la suspension pour 3 ans au plus (6 ans en cas de récidive, de délit de fuite ou de conduite sous l'empire d'un état alcoolique). La suspension peut être assortie du sursis (pas d'infraction pendant 5 ans sinon elle est exécutée), sauf en cas d'ivresse au volant.

Procédure administrative. Le préfet peut prononcer un avertissement ou suspendre le permis au max. pour 6 mois, pour contraventions de 4e et 5e classe, ou 1 an pour homicide ou blessures involontaires avec incapacité totale de travail, délit d'alcoolémie, délit de fuite. En cas d'urgence, la suspension peut être prononcée pour au max. 2 mois, par arrêté préfectoral pris sur avis du délégué permanent de la commission de suspension du permis de conduire.

Officiers et agents de police judiciaire peuvent retenir le permis de conduire, à titre conservatoire et pour 72 h au plus, lorsque le conducteur, du fait du résultat et de son comportement, aura été présumé en état alcoolique. Dès lors que cet état alcoolique aura été établi, une suspension ferme du permis de 6 mois maximum pourra intervenir. Si l'état alcoolique a été établi dans les 72 h de la rétention provisoire du permis de conduire, ou si le conducteur a refusé de se soumettre aux épreuves et vérifications destinées à établir la preuve de l'état alcoolique, on peut appliquer la procédure prévue à l'art. L18-1 du Code de la route permettant au préfet de prononcer immédiatement la suspension du permis de conduire pour au max. 6 mois.

☞ *Une autorisation de conduire pour l'exercice d'une activité professionnelle* peut parfois être accordée malgré la suspension du permis (le tribunal en définit les conditions).

Infractions constatées au code de la route. *Infractions : 89 :* 19 708 082, *90 :* 20 803 592. **Suspension du permis.** *86 :* 229 244, *87 :* 317 886, *88 :* 351 268, *89 :* 436 169. *Département le + répressif en 1989 :* Nord 13 099 mesures de suspension ; *le – :* Lozère : 188.

• Visite médicale. *Examen médical occasionnel : avant le permis :* après avoir déposé sa demande de permis, on doit déclarer sur l'honneur ne pas être atteint d'incapacité incompatible avec la conduite (cf. arrêté du 24-3-1981, fixant la liste des incapacités incompatibles avec l'obtention ou le maintien du permis de conduire). Si l'on signale une incapacité, il faut passer une visite médicale. *Après le permis :* après un accident, une infraction grave ou sur informations en sa possession, le préfet peut ordonner une visite médicale. *Examen médical périodique :* pour les candidats aux permis poids lourds, les titulaires de permis poids lourds, les taxis, ambulanciers, moniteurs d'auto-école, conducteurs de cars de ramassage scolaire, conducteurs tractant une remorque lourde, handicapés. La visite doit être repassée tous les 5 ans avant 60 ans, 2 ans de 60 à 76 ans, 1 an ensuite.

• Vitesse limitée. *A 90 km/h pendant 1 an* pour les nouveaux conducteurs : disque (90) apposé sur l'arrière du véhicule.

• **Contrôle technique périodique.** A partir du 1-1-1992, les voitures de + de 5 a. devront s'y soumettre tous les 3 a. dans un centre agréé qui ne sera pas un garage. *Coût :* 200 à 250 F.

Vignette

☞ **Origine.** *Créée* le 30-6-1956 pour alimenter provisoirement le Fonds national de solidarité en faveur des personnes âgées, devenue le 1-1-1984 taxe différentielle perçue au profit des départements ou de la Corse (*la taxe spéciale* sur les voitures particulières de + de 16 CV a été supprimée car incompatible avec la législation européenne).

Achat. *Vente* du 1-11 au 1-12 dans les recettes des impôts et les débits de tabac du département de l'immatriculation. Après le 1-12, dans les recettes, en payant un intérêt de retard de 0,75 % par mois et une majoration de 5 % (loi du 8-7-1987). On doit garder le reçu avec les papiers de la voiture, pour le présenter éventuellement lors d'un contrôle, sous peine d'amende (égale au double du prix de la vignette). *Valable* du 1-12 au 30-11. **Véhicules neufs.** On a 1 mois après la mise en circulation pour acheter la vignette. Les véhic. mis en circulation entre le 15-8 et le 30-11 en sont dispensés jusqu'au 1-12 suivant. **Véhicule d'occasion acheté à un particulier.** Doit être vendu avec la vignette, même s'il est vendu après le 15-8. Si le vendeur n'a pas sa vignette, l'acheteur peut en exiger le montant (éventuellement majoré de 10 %). **Poids lourds.** Une *taxe à l'essieu* est perçue par le service des douanes.

Montant (1991). **Taxe différentielle Paris et** entre parenthèses **Corse** (tarif le + bas) **Htes-Pyrénées** (tarif le + haut). – **de 5 ans.** *cat. A 1* (1 à 4 CV) : 192 (128/248) ; *A 10* (23 CV et +) : 9 172 (6 050/12 398) ; **5 à 20 ans :** *H 1* (1 à 4 CV) : 96 (64/124) ; *H 10* (23 CV et +) : 4 586 (3 025/6 199) ; *S* (20 à 25 ans, toutes puissances) : 79 (51/98).

☞ *A l'étranger.* P.-Bas : le prix de la vignette dépend du poids du véhicule ; All. féd. : de la cylindrée du moteur ; G.-B. : le prix est le même pour toutes les voitures particulières.

Vignettes délivrées. Nombre de véhicules (en milliers) et, entre parenthèses recouvrements (en millions de F). *1960 :* 5 817 (427,7). *70 :* 14 215 (1 390). *80* (tarifs augmentés) : 23 104 (5 545,1). *90 :* 29 526 dont payantes 28 262 [dont *véhicules jusqu'à 5 ans :* 13 291, *de 5 à 20 a. :* 14 619, *de 20 a. à 25 a. :* 352].

Taxe sur les voitures particulières des sociétés. Se cumule avec la taxe différentielle. *Montant :* 5 880 F pour les moins de 7 CV, 12 900 F pour les + de 7 CV.

Perte ou vol. *Du timbre adhésif,* on peut, après avoir rempli le formulaire n° 2851, obtenir immédiatement un duplicata dans n'importe quelle recette des impôts. *Du reçu et du timbre adhésif ou du seul reçu :* le duplicata ne pourra être établi que par la recette ayant délivré la vignette. Si l'on est en déplacement, on peut souscrire une déclaration dans n'importe quelle recette qui délivrera une attestation valable 15 j en attendant la régularisation auprès de la Recette ayant délivré la vignette.

Véhicules exonérés ou dispensés de vignette. V. diplomatiques, v. soumis à la taxe à l'essieu, v. en transit temporaire (immatriculés TT), v. de + de 25 ans, taxis, v. destinés normalement au transport en commun de voyageurs, v. spéciaux d'infirmes ou de mutilés, v. de tourisme appartenant à certains invalides militaires et pensionnés de guerre, infirmes civils ou à leurs conjoints ou parents, ou personnes les ayant recueillis, s'ils ont la charge effective de l'invalide (se renseigner), v. de tourisme appartenant aux pensionnés (taux d'invalidité de 80 % au moins) ayant une carte avec mention : « station debout pénible », ou à leurs conjoints ou parents ou personnes les ayant recueillis s'ils ont la charge effective du pensionné (au sens de l'impôt sur le revenu), ambulances, v. sanitaires légers, corbillards et fourgons mortuaires, bennes à ordures et divers techniques (se renseigner), v. immatriculés en W (vente, réparation, essai ou étude) ou en WW (v. sortant d'usine), v. militaires, v. transportant lait, vin, bétail, viande.

☞ Taux de TVA sur les automobiles dans la CEE (%, en 1988). Espagne 33, *France 25,* Irlande 25, Belgique 25 à 33, Danemark 22, Italie 19 à 38, Portugal 16, G.-B. 15, All. féd. 14, P.-Bas 13,5, Luxembourg 12, Grèce 6.

Plaques d'immatriculation

• Numéro. **En France. Jusqu'en 1928 :** n° d'immatriculation délivré par le service des Mines (d'où l'appellation de n° minéralogique) et attribué par la préfecture au moment de la délivrance du récépissé de déclaration de mise en circulation (carte grise). D'abord groupe de 1 à 5 chiffres, suivi de la lettre caractéristique de l'arrondissement minéralogique (nombre : 16) où la voiture était immatriculée suivi d'un indice numérique de 1 à 9. **De 1928 (1-10) à 1950 (1-4)** (prévu pour durer 75 ans) *:* la préfecture délivre directement le n° qui change en même temps que le propriétaire. Comportait 2 lettres accolées, caractéristiques du département, précédées d'un nombre de 1 à 9 999, suivi ou non d'un indice numérique allant de 1 à 9 (ex : 3789 TU 4). **Dep. le 1-4-1950. Séries normales,** le numéro est formé de 1 à 3 lettres, sauf dans les départements où il n'est formé que de 1 à 2 lettres. Ne sont pas employées les lettres **I** (ni seule, ni combinée), **O** (ni seule, ni combinée à cause du risque de confusion avec le zéro), **D** (seule, elle est réservée aux voitures des Domaines), **U** (seule, à cause du risque de confusion avec la lettre **V**). **Cas particuliers : C** (consulat), lettres blanches sur fond vert jaspé, **CD** (corps diplomatique), **CMD** (chef de mission diplomatique), lettres orangées sur fond vert jaspé, **DF** (forces allemandes stationnées en France), **FFA** (f. françaises stationnées en All.), lettres blanches sur fond bleu clair, **FZ** (f. françaises stationnées à Berlin), lettres blanches sur fond noir, **K** (fonctionnaires internationaux, OCDE, UNESCO ; personnel administratif et technique des missions diplomatiques), lettres blanches sur fond vert jaspé, **SCV** (Cité du Vatican), lettres noires sur fond blanc, rouges sur fond blanc pour les hauts dignitaires de l'Église, **TT** (voitures en transit temporaire ou franchise de droits de douane), plaque rouge et lettres blanches (voit. achetée sans taxes par un étranger ne résidant pas en France, valable 1 an), **W** (voit. confiée à un garagiste qui l'essaie, ou non vendue et conduite chez un concessionnaire), **WW** [immatriculation temporaire (15 j ouvrés pour une voit. que l'on vient d'acheter)].

Corps diplomatique. Le *nombre* précédant les lettres *CD, C* ou *K* identifie le pays ; le nombre suivant indique l'ordre d'immatriculation par ambassade ou consulat. Les *lettres* précédant le 1er nombre identifient les délégations permanentes des pays étrangers auprès des organisations intern. (exemple : *U* UNESCO). Les immatriculations *C* et *K* (si le véhicule appartient à un membre du personnel d'un consulat) sont suivies de l'*indicatif départemental* de la préfecture qui délivre la carte grise (75, 76, etc.).

Barème du kilomètre roulant 1991 [3]

Source : L'Auto-Journal (janvier 1991)

	FRAIS FIXES ANNUELS				PRIX DE REV. KILOM.		
	TOTAL (1)	ASSURANCE (1)	VIGNETTE	CARBURANT	SUR 1 AN (2)	SUR 3 ANS (2)	SUR 5 ANS (2)
Alfa Roméo							
75 1.8 IE	21 286	8 700	1 041	0,5 469	3,623	2,933	2,873
Audi							
80 1.8 S Evolution	20 274	8 300	438	0,4 778	3,050	2,636	2,634
100 Turbo D	28 223	12 700	438	0,3 255	4,329	3,568	3,546
BMW							
320i 2P	26 708	12 700	1 041	0,5 918	4,170	3,487	3,450
Citroën							
AX K.Way 3P	12 858	4 700	229	0,3 228	1,739	1,586	1,626
AX GT 3P	16 600	7 150	438	0,4 089	2,461	2,106	2,096
BX 14 TE	16 844	6 250	438	0,4 455	2,521	2,168	2,161
BX GTi	21 655	8 750	1 041	0,5 315	3,750	2,966	2,864
XM 2.0 Séduction	24 690	10 000	1 041	0,5 380	3,659	3,148	3,124
XM 6.24 Exclusive	39 500	16 750	2 656	0,7 381	7,666	5,175	5,391
XM D.12 Harmonie	25 066	10 000	438	0,3 057	3,714	3,073	3,007
Fiat							
Panda Pop	11 981	4 300	229	0,2 410	1,462	1,355	1,396
Uno Pop	12 646	4 700	229	0,4 024	1,742	1,612	1,654
Uno Turbo i.e	18 588	8 700	438	0,5 219	3,064	2,528	2,494
Tipo 1.4 Pop	15 585	6 700	438	0,4 065	2,194	1,996	2,036
Croma Turbo i.e	24 730	12 700	1 041	0,5 488	4,745	3,710	3,560
Ford							
Fiesta 1.1 Fun 3P	13 564	5 150	229	0,3 874	1,920	1,730	1,754
Fiesta Turbo	20 546	10 000	438	0,5 622	3,101	2,679	2,643
Escort/Orion 1400 CLX	16 608	5 900	438	0,4 734	2,459	2,162	2,163
Honda							
Civic 1.4 GL	18 808	8 900	438	0,4 304	2,681	2,392	2,431
Concerto SX 1.6i-16	24 978	10 900	1 041	0,5 402	3,483	3,090	3,130
Accord EXI 2.2i	30 192	13 900	1 233	0,5 810	4,667	3,873	3,815
Lancia							
Y10 Fire	13 299	5 150	229	0,3 551	1,783	1,618	1,644
Thema V6	32 872	13 900	2 186	0,5 380	5,805	4,413	4,197
Mazda							
121 1.3 L	15 701	6 650	438	0,4 681	2,251	2,041	2,084
929 2Oi GLX	25 696	10 900	1 233	0,5 983	3,908	3,327	3,322
Mercedes							
190 E	29 560	12 700	1 041	0,5 380	4,524	3,754	3,665
190 E 2.6	39 550	19 000	2 656	0,5 961	6,603	5,037	4,798
Opel							
Corsa 1.0 S Viva 3P	12 846	4 700	229	0,4 089	1,820	1,668	1,706
Kadett 1,4 S LS 5P	15 987	6 700	438	0,4 358	2,403	2,079	2,083
Vectra 2000 16V	29 168	12 700	1 233	0,5 079	4,358	3,632	3,534
Peugeot							
205 Junior 3P	12 912	4 700	229	0,3 820	1,818	1,664	1,706
205 GTI 1.6	19 087	8 300	1 041	0,4 864	2,839	2,501	2,517
309 Chorus 3P	15 051	5 150	229	0,4 218	2,138	1,921	1,950
309 GTI 16	25 516	12 000	1 233	0,5 595	3,307	2,854	2,824
405 GL 1.4	18 702	6 700	438	0,4 465	2,558	2,266	2,277
405 Mi 16	28 856	12 700	1 233	0,5 541	4,507	3,680	3,574
405 GLD	18 892	7 150	438	0,2 748	2,701	2,329	2,326
605 SL	24 668	10 000	1 041	0,5 358	3,642	3,138	3,120
605 SV 24	41 644	20 000	2 656	0,7 102	7,472	5,734	5,471
Renault							
4L Savane	12 237	4 300	229	0,2 798	1,651	1,471	1,498
5 Five 3P	13 789	5 600	229	0,3 551	1,825	1,658	1,685
Clio 1.1 RL 3P	13 501	5 150	229	0,3 809	1,888	1,701	1,722
Clio 1.9 D RL 5P	16 035	6 700	438	0,2 539	2,157	1,875	1,871
21 TL 4/5P	18 806	6 700	438	0,4 519	2,601	2,284	2,278
21 TXI 4/5P	25 570	10 500	1 233	0,5 703	3,794	3,242	3,194
25 GTS	22 715	8 300	438	0,5 111	3,565	2,952	2,895
25 V6	31 918	12 700	2 656	0,6 865	5,832	4,509	4,332
Espace GTS	24 419	9 550	1 041	0,5 488	3,665	3,119	3,077
Rover							
Mini Special	13 728	4 700	229	0,3 723	1,775	1,684	1,760
827i Vitesse	37 413	18 000	2 186	0,6 219	6,301	4,836	4,607
Saab							
900i Turbo 16 3P	35 598	18 000	1 041	0,6 295	5,838	4,505	4,289
Seat							
Marbella 903 Special	12 358	4 700	229	0,4 089	1,657	1,565	1,621
Ibiza 1.7 Diesel spéc. 3P	14 551	5 900	438	0,3 173	1,946	1,791	1,852
Toyota							
Corolla GTi 16	22 097	10 900	1 041	0,4 627	3,096	2,736	2,766
Volkswagen							
Polo CLI	15 970	6 700	438	0,4 476	2,309	2,062	2,087
Golf Boston 55 ch 3P	16 262	5 900	438	0,4 788	2,342	2,099	2,124
Golf GTI 16S 3P	24 432	11 250	1 041	0,5 272	3,551	3,061	3,035
Passat GL 136 ch	26 376	11 250	1 041	0,6 047	4,138	3,430	3,353
Volvo							
440 GLE	23 162	10 000	1 041	0,5 165	3,592	2,977	2,919
960 6 cylindres 4P	43 732	20 500	2 656	0,6 671	7,221	5,567	5,237

Nota. – (1) Plus de 12 000 km. (2) Sur la base de 20 000 km/an. (3) Prix correspondant à la zone D (Région parisienne).

◀ *Formule de calcul du prix de revient du km.*

$$PRK = \frac{EC}{100} + \frac{HQ + S}{V} + \frac{ZA}{TK} + \frac{R}{K} + \frac{F\,(TK)}{10\,000} + \frac{1}{K}\,(G + X + I + Y) + \frac{4P}{Km}.$$

A Achat. *C* Consommation moyenne de carburant aux 100 km en l. *E* Énergie (prix de 1 l de carburant). *F* Forfait de réparations mécaniques. *G* Garage prix annuel. *H* Huile (prix de 1 l moteur). *I* Intérêt annuel du capital investi pour l'achat. *K* Kilométrage annuel choisi pour servir de base au calcul du prix de revient. *Km* Kilométrage moyen des pneus. *P* Pneumatiques (prix). *PRK* Prix de revient kilométrique. *Q* Quantité d'huile contenue dans le carter moteur à laquelle on doit ajouter, s'il y a lieu, la quantité pour rétablir le niveau entre deux vidanges. *R* Facteur de correction de la perte à la revente en fonction du kilométrage affiché au compteur. *S* Prix TTC d'une vidange. *T* Temps d'utilisation du véhicule (en années). *V* Vidange, espacement en km (voit. à essence, tous les 10 000 km, diesel, 7 500 km). *X* Prime annuelle d'assurance. *Y* Vignette (sauf pour les exemptés V. ci-contre). *Z* % de dépréciation du véh. au moment de la revente.

Nota. – Pour les véhicules de société, ajouter le facteur 8 100/K ou 4 200/K par année d'utilisation selon que la voiture fait + ou – de 7 CV, correspondant à l'impôt annuel.

Huile. *Prix du litre :* 52,5 F *moteur à ess.* (espacement des vidanges 10 000 km, 1,5 l d'huile supplémentaire entre chaque vidange, *Diesel* (tous les 7 500 km, 1,5 l d'huile supplémentaire entre chaque vidange, un filtre d'huile toute les deux vidanges).

Main-d'œuvre (réparations). 182 F T.T.C.

TIR. Transports internationaux routiers. Un groupe de chiffres indique le département d'immatriculation (sauf 2 A Corse-du-Sud et 2 B Haute-Corse). **DOM,** depuis le 11-1-1972, 3 groupes de chiffres (ex. : 8 A 973). *Véhicules militaires. Armée de terre,* lettres remplacées par un drapeau tricolore ; *Marine,* cocarde surchargée d'une ancre ; *Aviation,* un épervier. **Voitures circulant à l'étranger :** elles doivent porter l'indication du pays d'origine, à l'arrière. Les signes (**EU** Europe unie, **BZH** Bretagne libre ou **Oc.** Occitania) pouvant créer une confusion sont interdits (en fait tolérés).

Nota. – Un Français ne peut conduire en France un véhicule immatriculé à l'étranger (sauf cas particuliers).

Plaque GIC (Grands infirmes civils). *Conditions :* être titulaire de la carte d'invalidité prévue par l'art. 173 du Code de la famille et de l'aide sociale, délivrée aux grands infirmes (taux d'inval. min. 80 %) ; présenter un certif. médical du médecin expert de la DDASS attestant : a) pour handicapés physiques (notamment moteurs) que tout déplacement à pied est impossible ou très difficile ; b) pour hand. mentaux qu'ils ne disposent pas d'une autonomie suffisante pour se déplacer seuls et qu'ils doivent être obligatoirement accompagnés par un tiers.

Mesure étendue aux aveugles civils titulaires de la carte d'invalidité « cécité » auxquels l'assistance d'un tiers est reconnue de droit, ainsi qu'aux personnes atteintes de silicose, dès lors que celles-ci remplissent les conditions édictées par les textes en vigueur. *S'adresser* à la préfecture (à Paris : Préfecture de Police, 11, rue des Ursins, 75001).

La carte d'invalidité « station debout pénible », ne permet pas l'octroi de l'insigne GIC.

Infirmes de guerre. Ayant plus de 85 % d'invalidité et possédant la carte de mutilés de g. double bande rouge ou double bande bleue avec au recto l'inscription « station debout pénible ». *Formalités :* produire carte grise du véhicule ; dernière vignette gratuite délivrée par l'Enregistrement ; fiche descriptive des infirmités. S'adresser à l'ordre de la Fédération des amputés de guerre de France. *Frais :* 55 F au siège, 65 F par courrier.

• **Pays. Signes distinctifs des automobiles.** *Source :* Nations unies. **A** Autriche. **ADN** Yémen (signe établi sous anc. Aden). **AFG** Afghānistān. **AL** Albanie. **AND** Andorre. **AUS** Australie. **B** Belgique. **BD** Bangladesh. **BDS** Barbade. **BG** Bulgarie. **BH** Bélize (anc. Honduras britannique). **BR** Brésil. **BRN** Bahreïn. **BRU** Brunei. **BS** Bahamas. **BUI** ° îles Vierges. **BUR** Birmanie. **C** Cuba. **CAM** ° Cameroun. **CDN** Canada. **CH** Suisse. **CI** Côte-d'Ivoire. **CL** Sri Lanka (anc. Ceylan). **CO** Colombie. **CR** Costa Rica. **CS** Tchécoslovaquie. **CY** Chypre. **D** Rép. féd. d'Allemagne.

DDR Rép. dém. allemande. **DK** Danemark. **DOM** Rép. Dominicaine. **DY** Bénin (anc. Dahomey). **DZ** Algérie. **ES** El Salvador. **E** Espagne. **EAZ** Tanzanie (signe ancien Zanzibar). **EAK** Kenya. **EAT** Tanzanie (anc. Tanganyika). **EAU** Ouganda. **EC** Équateur. **ET** Égypte. **ETH** Éthiopie.

F France (y compris DOM-TOM). **FJI** Fidji. **FL** Liechtenstein. **FR** îles Féroé. **GAB** ° Gabon. **GB** Royaume-Uni de Grande-Bretagne et d'Irlande du Nord. **GBA** Aurigny. **GBG** Guernesey. **GBJ** Jersey. **GBM** île de Man. **GBZ** Gibraltar. **GCA** Guatemala. **GH** Ghana. **GR** Grèce. **GUY** Guyane (anc. G. britannique). **H** Hongrie. **HK** Hong Kong. **HKJ** Jordanie. **I** Italie. **IL** Israël. **IND** Inde. **IR** Iran. **IRL** Irlande. **IRQ** Irak. **IS** Islande. **J** Japon. **JA** Jamaïque. **K** Kampuchéa (anc. Cambodge). **KWT** Koweït.

L Luxembourg. **LAO** Laos. **LAR** Libye. **LB** Liberia. **LS** Lesotho (anc. Basutoland). **M** Malte. **MA** Maroc. **MAL** Malaysia. **MC** Monaco. **MEX** Mexique. **MOC** ° Mozambique. **MS** île Maurice. **MW** Malawi. **N** Norvège. **NA** Antilles néerlandaises. **NAU** ° Nauru. **NEP** ° Népal. **NIC** Nicaragua. **NIG** ° Niger. **NL** Pays-Bas. **NZ** Nouvelle-Zélande. **P** Portugal. **PA** Panamá. **PAK** Pakistan. **PE** Pérou. **PL** Pologne. **PNG** Papouasie Nouvelle-Guinée. **PY** Paraguay. **QA** Qatar.

RA Argentine. **RB** Botswana. **RC** rép. nat. Chine (T'ai-wan). **RCA** Centrafrique. **RCB** Congo. **RCH** Chili. **RG** ° Guinée. **RH** Haïti. **RI** Indonésie. **RIM** Mauritanie. **RL** Liban. **RM** Madagascar. **RMM** Mali. **RN** Niger. **RO** Roumanie. **ROK** Rép. Corée. **ROU** Uruguay. **RP** Philippines. **RSM** Saint-Marin. **RSR** ° Zimbabwe (anc. Rhodésie, aussi ZW). **RU** Burundi. **RWA** Rwanda. **S** Suède. **SD** Swaziland. **SF** Finlande. **SGP** Singapour. **SME** Surinam. **SN** Sénégal. **SO** ° Somalie. **SU** URSS. **SUD** ° Soudan. **SWA** Sud-Ouest africain [Namibie (aussi ZA)]. **SY** Seychelles. **SYR** Syrie.

T Thaïlande. **TD** ou **TCH** ° Tchad. **TG** Togo. **TN** Tunisie. **TR** Turquie. **TT** Trinité-et-Tobago. **USA** États-Unis. **V** Saint-Siège. **VN** Viêt-nam. **WAG** Gambie. **WAL** Sierra Leone. **WAN** Nigeria. **WD** Dominique (îles du Vent). **WG** Grenade (îles du Vent). **WS** Samoa occidentales. **WV** St-Vincent (îles du Vent). **WL** St-Lucie (îles du Vent). **YAR** ° Yémen. **YU** Yougoslavie. **YV** Venezuela. **Z** Zambie. **ZA** Afrique du Sud. **ZRE** Zaïre. **ZW** Zimbabwe.

Nota. – ° Signes utilisés dans les pays respectifs, mais non officiellement reconnus par l'ONU.

• Durée de vie (en km) (enquête de *Que choisir* 1990). **Amortisseurs :** Seat 38 730. Lancia 42 330. Alfa-Romeo 48 310. Lada 51 400. Rover 60 110. Fiat 63 320. Renault 67 640. Ford 68 020. Opel 71 520. Saab 74 008. Citroën 74 890. Toyota 76 420. Peugeot 81 830. Nissan 82 340. Mitsubishi 84 590. Volkswagen 91 700. Mazda 93 070. Honda 94 190. BMW 97 570. Audi 99 730. Volvo 100 460. Mercedes 138 130. **Echappement :** Seat 37 350. Lada 43 540. Rover 44 190. Lancia 47 230. Alfa Romeo 48 150. Fiat 48 640. Citroën 49 620. Renault 54 050. Ford 55 240. Saab 55 630. Mazda 56 750. Peugeot 57 020. Nissan 58 190. Honda 61 790. Opel 62 470. BMW 64 250. Volvo 65 740. Toyota 66 810. Audi 67 040. Mitsubishi 67 530. Volkswagen 75 380. Mercedes 111 840. **Embrayage :** Lada 40 810. Seat 50 873. Lancia 51 650. Rover 52 610. Fiat 57 420. Alfa Roméo 64 570. Ford 69 160. Renault 71 820. Citroën 73 330. Saab 74 134. Peugeot 76 210. BMW 82 850. Audi 83 770. Opel 84 040. Nissan 87 170. Toyota 88 230. Volvo 90 210. Volkswagen 92 330. Mitsubishi 92 530. Mazda 93 610. Honda 94 930. Mercedes 142 760. **Freins :** Alfa Roméo 30 700. Lancia 35 240. Seat 37 220. Lada 57 510. Saab 40 180. Fiat 40 870. Rover 44 500. Citroën 46 160. Renault 46 410. Peugeot 50 840. Opel 51 530. Nissan 53 230. Ford 53 460. Volkswagen 54 780. BMW 56 340. Honda 57 330. Toyota 60 660. Mazda 61 490. Audi 63 970. Volvo 64 310. Mitsubishi 66 560. Mercedes 71 900.

• Fiabilité des marques. **Marques,** entre parenthèses, **pannes en % mars 1990. Petites :** Nissan Micra (2). Nissan Sunny (2,5) 2 100. Ford Fiesta D (2,9). Honda Civic (3) 2 800. Toyota Tercel (3,2) 1 580. Opel Corsa (3,5) 1 940. Citroën AX (5,3) 1 030. Peugeot 205 (5,6) 2 220. Ford Fiesta (6,2) 3 720. Nissan Sunny D (6,2). VW Polo (6,4) 3 130. Fiat Uno D (7). **Moyennes :** Rover 213 (0,9). Toyota Corolla (2). Toyota Corolla D (2). Peugeot 309 D (2,6) 2 250. Mazda 323 (2,7) 2 710. Ford Escort D (3,1). Honda Prelude (3,2) 2 530. Ford Orion D (4). Peugeot 309 (4,1) 1 470. VW Golf (4,9) 1 360. VW Jetta D (4,9) 1 750. Renault 11 D (5) 1 200. **Familiales :** Mazda 626 (1,5) 1 970. Mazda 626 D (1,9). Nissan Blues AD (1,9). VW Passat (2). Honda cccrd (2,2) 1 640. Toyota Cabina (2,3). Nissan Eluebird (3,2). Peugeot 309 1.9 D (4,3) 2 940. Peugeot 505 D (4,4) 2 900. Peugeot 305 1.6 (4,4) 4 070. VW Passat D (4,8) 1 750. Volvo 240 (5,2) 3 130. **Prestigieuses :** BMW 324 D (1,8). Mercedes 190 (3,2). Mercedes 190 D (3,2) 3 020. Mercedes 200/230 (3,2). Toyota Celica (3,2). Volvo 740 (3,6). BMW Série 3 (4,1) 5 150. Volvo 740 D (4,2). Mercedes 200/240 D (4,5). Saab 900 9 000 (6,9). Audi 90/100 (7,2) 4 370. Opel Omega (7,4).

Prix au kilo (en F). *Alfa 164 3,0 I V6B* 156,15, *Fiat Panda 750 Fire* 55,5, *Jaguar Sovereign 4,0 L* 202,25, *Maserati 430* 289,59, *Mercedes 500 SL Roadster* 391,5, *Peugeot 205 Junior* 64,07, *605 SV 24* 163,64, *Porsche 928 GT* 379,87, *Renault Clio 1,1 RL* 62,4, *Clio 1,9 D RN* 77,37, *25 V6 Turbo Baccara* 187,16, *Rolls Royce Silver Spirit* 484,78, *Volkswagen Polo 45,* 64,24, *Golf GTI 16 S* 120,05.

Consommation

Consommation moyenne en litres aux 100 km pour une vitesse de 80 km/h et, entre parenthèses, de 100 km/h. 1 personne à bord 7 (8), 2 personnes à l'avant, voiture chargée à plein 7,6 (9), + galerie avec cantine et 2 valises 9,7 (14).

Sur 1 000 km : une voiture à 100 km/h mettra 10 h et consommera 82 l ; à 120 km/h 8 h 20 (103 l) et à 140 km/h 7 h (116 l).

Coût du temps économisé en roulant à *120 km/h ou 130 km/h :* 0,80 à 1 F la minute.

Records. **1973**-*2-10,* Opel Caravan 959, 1,5 l modifié Ben et Caroline Visser (USA) : 3,78/litres pour 606 km, vitesse max. 20 km/h. **1979**-*10, 3 roues Diesel de 200 cm³* de Franz Maier (All.), 1 litre de gasoil pour 1 284,13 km. **1981**-*2-11* California Commuter à 3 roues Douglas Malewicki (USA) 424,2 km à 90,6 km/h (1,49 litre au 100 km). **1984** *UFO 2* (20 kg, vit. max. 40 km, tricycle) 0,074 litre aux 100 km. **1990** (juin) *Microjoule* mis au point par les enseignants et les élèves d'un lycée technique de Nantes (St-Joseph-de-la-Joliverie) 1 l d'essence pour 1 291,5 km sur le circuit du Castellet.

Barème indicatif de la Dir. gén. des impôts du prix de revient kilométrique (en F, 1991, applicable aux revenus perçus en 1990) selon le kilométrage annuel parcouru : 5 000 km (ou 10 000 km) et selon la puissance du véhicule en CV. *3 CV* 1,83 (1,23), *4* 2,16 (1,42), *5* 2,43 (1,58), *6* 2,65 (1,72), *7* 2,75 (1,79), *8* 2,97 (1,93), *9* 3,04 (2), *10* 3,19 (2,10), *11* 3,25 (2,17), *12* 3,49 (2,32), *13* 3,55 (2,38).

Les frais de garage peuvent, sous réserve des justifications nécessaires, être ajoutés en déduisant la part correspondant à l'usage privé des frais de garage.

Taux de TVA auto dans la CEE (en %). Espagne 33, Belgique 25 (+ 8 pour autos de luxe), France *avant 1987* 33,3, *87* 28, *89 (8-9)* 25, *90 (sept.)* 22, *93* 18,6, Irlande 25, Italie 19, P.-Bas 18,5, Portugal 17, G.-B. 15, All. féd. 14, Luxembourg 12, Grèce 6.

Prix de revient annuel des voitures les plus vendues en France (1990, en F). *Renault Clio 1.1 RL* 34 020, *1.7 RT* 44 820, *1.9 D RL* 37 500. *Peugeot 205 Junior* 33 280, *1.4 XR* 38 280, *D Turbo* 41 900. *Renault 21 TL* 45 680, *Turbo* 79 800, *Turbo D* 52 520, *Renault 19 Prima* 38 540, *TD* 40 960, *16 S* 58 600. *Peugeot 405 GL 1.4* 45 320, *MI 16* 73 600, *GRD Turbo* 52 100. *Citroën AX K Way* 31 720, *GT* 42 120, *14 D* 32 720. *Peugeot 309 Chorus* 38 420, *GTI 16 S* 63 140, *SRD Turbo* 48 360. *V. Golf 55* 41 980, *GTI 16* 61 220, *GTD 80* 48 340. *Ford Fiesta 1.1* 34 600, *Turbo* 53 580, *1.8* 34 680. *Opel Corsa 1.0 S* 33 360, *GSI* 46 320, *1.5 TD* 36 980. *Mercedes 300 D* 87 000, *300 E 24* 124 400. *BMW 3.25 I* 91 240, *5.25 I* 93 800, *7.30 I* 126 060. *Rover 827* 96 720. *Alfa Romeo 164 V6* 97 900. *Renault 25 V6 Turbo* 100 842. *Citroën XM V6* 114 680. *Peugeot 605 SV 24* 114 680.

☞ *Fiat Panda Pop :* voiture la – chère, coûte 1,617 F du km (pour une utilisation moy. nationale de 13 470 km par an), coûte 21 780 F pour 3 ans d'utilisation (si on accomplit 60 000 km et si on la revend avant la fin de la 1re année, on descend à 0,971 F/km). *Lamborghini Diablo :* 20 000 km/an pendant 3 ans : 20,04 F/km, 400 800 F/a. Prix de vente 1 440 000 F, jeu complet de pneumatiques 20 000 F, consommation variable de 16,5 l au double. *Trabant :* moteur bicylindre, 595 cm³ : 1,67 F/km. *Rolls 54 CV fiscaux :* vignette 11,062, carte grise 5 753, assurance 38 000 ; 14,5 F/km.

Location automobile

• Statistiques globales. **Nombre de locations.** *1978 :* 1 000 000. *82 :* 1 500 000. *84 :* 3 500 000. *90 :* 5 000 000. **Durée moyenne** (1990). 3 j. **Kilométrage moyen :** *par location :* 360, *par j de location :* 120.

Chiffre d'affaires global (en milliards de F, 1990) : 4,9 dont voitures 3,8, utilitaires 1,1. *Achats et reventes de véhicules par an :* Env. 160 000. *Age moyen des voitures particulières :* 9 mois.

• Principales sociétés en France (nombre de stations, entre parenthèses nombre de véhicules en saison : particuliers, et utilitaires de 3,5 t max.) (1990). *Avis* 522 (15 150, 2 450). *Hertz* 400 (15 000, 2 500), *Europcar* 396 (13 500, 4 500), *Citer* 312 (3 700, 1 500), *Budget* 221 (5 700, 2 650), *Eurorent* 195 (4 250, 1 880), *Eurodollar* 80 (1 550, 750), *Thrifty* 47 (604, 328). *Total :* 2 182 (59 454, 16 558), avec les indépendants 3 500 (98 000, 33 000).

• Rentabilité. La location est rentable jusqu'à 90 à 110 j d'utilisation annuels pour 9 000 à 11 000 km par rapport à un achat, si l'on ajoute au prix d'achat *les intérêts du capital immobilisé :* 12 à 14 % ; *la dépréciation annuelle :* 22 à 25 % ; *l'entretien :* 3 à 6 % ; *l'assurance tous risques avec franchise :* 6 à 12 %.

• Tarif (en F TTC), par jour et, entre parenthèses, par km TTC. *Exemples. Avis* (21-1-91) : Opel Corsa 264,9 (+ 4,21), Mercedes 300 SE 1 184,95 (+ 12,55). *Budget* (mai 89) : Ford Fiesta 3 P 231,25 (+ 3,51), Mercedes 190 537,50 (+ 6,44). *Eurorent* (1-1-90) : Super 5 225,28 (3,16).

• Location de véhicules industriels. C.A. en millions de F et, entre parenthèses, parc. Fraskin (et filiale SEMAM) 722,6 (8 497). Via Location 667,5 (5 200). Locamion 664,4 (4 727). Transauto Stur 426,6 (1 766). France Location 367,9 (2 929).

6 300 entreprises dont 2 800 pour qui c'est l'activité principale. *C.A.* 13 milliards de F. 60 000 salariés. *Parc en 1991 :* 190 000 dont 110 000 camionnettes de – de 3 t, 30 000 camions de + de 3 t, 30 000 semi-remorques, 20 000 tracteurs.

Voitures d'occasion

• Age du véhicule. La date de 1ere mise en circulation portée sur la carte grise n'est pas un critère suffisant. Le numéro de série inscrit sur le châssis constitue une référence indispensable pour connaître le modèle, d'où une double définition (millésime et modèle). Pour vérifier : se reporter au *Catalogue des catalogues* (Éd. Lefèvre, 1, av. Félix-Faure, 75015 Paris). Seuls, peuvent porter le millésime d'une année modèle déterminée, les véhicules vendus à l'utilisateur à partir du 1-7 de l'année civile précédente. Règle entrée en vigueur avec les voitures du millésime 1980, vendues à partir du 1-7-1979. Pour les années antérieures, le début de « l'année auto. » reste fixé au 1-9.

• Épaves en France. **Nombre annuel.** 1 325 000 dont 240 000 vendues aux démolisseurs par les réseaux de démolition des constructeurs (notamment Peugeot « Assainauto », Citroën « Place nette », Renault « Sococasse », Fiat « Afficasse », Ford « Fordéli », VAG, Austin Rover, Alfa Romeo). 400 000 revendues après accidents par les Cies d'assurances sur appel d'offres. 150 000 abandonnées dans la nature, à l'étranger, au fond d'un garage, etc. **Démolisseurs.** 275 traitant 600 000 à 750 000 voitures par an, recyclant les pièces détachées (5 % du marché) et revendant les matériaux récupérés (+ de 500 000 t/an de métaux). **Formalités.** Le dernier propriétaire d'un véhicule détruit doit adresser au préfet du département de son domicile une déclaration de cette destruction avec la carte grise. En cas de vente d'un véhicule en vue de sa destruction, l'ancien propriétaire doit, dans les 15 j suivant la transaction, adresser au préfet du département de son domicile, avec la carte grise, une déclaration de vente du véhicule en vue de sa destruction indiquant l'acquéreur (art. R. 116 du Code de la route).

• Formalités. L'*acheteur* doit exiger : carte grise, barrée par le vendeur et portant la mention « vendue le... », signée de sa main, vignette (en 2 volets : l'un sur le pare-brise, l'autre détachable), certificat de non-gage – si le véhicule change de département – délivré par la préfecture (apportant la preuve que la voiture a été entièrement payée et qu'elle ne fait l'objet d'aucune sûreté réelle), reçu des sommes versées pour l'achat (acompte ou totalité), certificat de cession sur imprimé ou papier libre. Le *vendeur* doit (dep. le 1-1-86) faire passer sa voiture (si elle a 5 ans et +) à la visite technique dans un centre de contrôle agréé par la préfecture (examen payant) et

Prix des voitures neuves en France en juillet 1991

(*Source :* l'Action automobile et touristique)

☞ Les prix clés en mains (sans carte grise, ni plaques, ni plein d'essence) concernent les millésimes 91 et sont tels que les constructeurs ou importateurs les ont communiqués à la date indiquée pour chacun.

TYPE	CV	PRIX
ALFA ROMEO (03/91) Italie		
33 1.3	6	74 000
75 Turbo	7	127 000
164 Quadrifoglio	16	240 800
ES 30	14	400 000
AUDI (01/91) Allemagne		
80 1.8S	7	93 750
80 Turbo D Confort	4	125 550
90 2.0E	10	137 900
V8	23	445 000
BMW (12/90) Allemagne		
318i 4 p.	9	138 800
320i cabriolet	8	178 000
850i	29	605 000
CITROEN (01/91) France		
AX 10 E	4	49 900
AX GTi	7	83 100
ZX Reflex 1,1	5	69 000
ZX Volcane	9	111 100
BX 16 TGS	7	87 600
BX 16 TZS auto.	7	104 700
BX 19 TGS	9	94 900
BX TD	6	89 000
BX 19 TZD	6	104 400
BX TZD Turbo	5	114 100
BX 14 TE Evasion	7	80 700
BX 19 TZI Evasion	9	115 400
BX 19 TGD Evasion	7	102 800
CX Evasion	11	133 500
CX Evasion Turbo D	7	178 500
XM 24 Exclusive	16	270 000
XM D 12 Séduction	7	137 500
FERRARI (01/91) Italie		
348 tb	21	667 000
Mondial T	22	620 000
Testarossa	34	1 131 000
FIAT (03/91) Italie		
126 Bis	3	34 700
Panda Pop	4	37 800
Panda 1000 S	4	47 300
Uno Pop	4	44 900
Uno Turbo ie	6	83 800
Tipo 1.4 Pop	7	59 900
Tipo 1.8 ie	10	85 600
Tipo 1.9 D DGT	7	83 700
Tempra 1.4	7	68 400
Croma CHT	9	101 600
Croma TD 2.5	8	131 000
FORD (01/91) Allemagne		
Fiesta 1.1 Fun 3 p.	4	51 000
Fiesta XR2 i	8	83 600
Fiesta Turbo	6	98 000
Escort/Orion 1.4 i GL	6	83 000
Escort/Orion D Ghia	5	80 100
Escort cabriolet	7	130 200
Clipper 1.6 CLX	7	79 900
Sierra 1.6 CL 4/5 p.	7	79 900
Sierra 2.0 i XR 4×4 5 p.	11	142 400
Scorpio Ghia 4×4 4 p.	15	201 900
HONDA (05/91) Japon		
Civic 1.4 GL	6	81 950
Shuttle 1.4	6	98 627
Shuttle 1.6 i 4WD	8	120 196
CRX 16 S	8	115 100
CRX VTec	8	132 689
Concerto 1.6 i SX	9	107 411
Accord EX	10	117 375
Accord EXI 2.21 4WS	11	163 930
Legend V6	17	275 000
NSX	16	495 000
INNOCENTI (09/90) Italie		
500 L	3	43 890
990 Diesel FL	3	54 290
JAGUAR (05/91) GB		
XJ6 3.2	17	273 600
Sovereign 3.2	18	336 300
Daimler Double-six	28	451 300
XJS C V12	29	509 000
LADA (02/91) URSS		
1 500 GL break	7	42 500
Samara 1 100 3 p.	5	41 500
Samara 1 500 5 p.	7	51 200
Niva	9	58 950
LANCIA (02/91) Italie		
Y 10 Fire	4	48 200
Y 10 Selectronic	5	61 400
Delta	6	70 700
Delta intégrale 16V	9	196 000
Dedra 1.6 ie	8	98 500
Dedra 2.0 ie	11	136 700
Thema ie	10	138 500
Thema turbo 16V	8	198 800
Thema 8.32	18	450 000
LAND ROVER (03/91) GB		
Defender TD 90	10	152 000
Defender TD 110	10	189 200
Discovery TD	10	179 200
Range V8 3 p.	23	207 500
Range V8 Vogue SE	23	335 400
Range TD 5 p.	10	232 600
LOTUS (09/90) GB		
Elan SE	7	258 000
Esprit Turbo SE	20	539 200
MARUTI (09/90) Inde		
800 Spéciale	4	39 840
MASERATI (09/90) Italie		
222 SE	14	335 500
228	13	442 250
430	13	361 120
MAZDA (03/91) Japon		
121 1.1 L	5	51 990
323 1.3 LX 4 p.	6	72 090
323 1.6 GLX 3 p.	8	72 090
323 1.8 GT SSP 5 p.	10	107 990
626 2.0 LX 4 p.	9	84 290
626 2.0 GT 4WS 5 p.	10	166 090
RX7 FL	15	265 590
MERCEDES (01/91) Allemagne		
190 E 1.8 contact	8	139 800
190 E 2.6	15	209 000
200 E contact	8	179 900
300 E	16	249 000
500 E	32	550 000
300 SEL	19	453 000
500 SE auto.	30	587 000
600 SEL auto.	40	818 000
MITSUBISHI (04/90) Japon		
Colt GL	6	59 900
Galant 2.0 GLS i	9	114 600
Space Wagon 4WD	11	136 650
NISSAN (03/91) Japon		
Micra 1.0 L 3 p.	4	48 800
Sunny 1.6. SLX 5 p.	7	83 500
Sunny 1.6 SLX 5 p. auto.	8	87 500
Sunny GTI	11	121 000
Maxima SLX	13	200 100
300 ZX	15	375 600
Terrano V6 5 p.	17	175 700
OPEL (01/91) Allemagne		
Corsa 1.0 City 3 p.	4	44 400
Corsa GSI	8	78 000
Kadett 1.2 LS 3 p.	5	59 800
Kadett GSI 3 p.	10	99 900
Kadett D LS 3 p.	5	70 000
Kadett cabrio. GSI	10	134 000
Vectra 1.4 GL 4/5 p.	6	79 900
Vectra 2.0 i CD auto.	8	137 700
Calibra 2.0 i	10	133 000
Calibra 16V 4×4	10	186 400
Omega 1.8 i GL	8	108 500
Omega 2.6 i CD auto.	12	180 500
Senator CD 24V	15	255 000
PEUGEOT (01/91) France		
205 Junior 3 p.	4	49 900
205 Junior 5 p.	4	53 000
205 XE	4	49 600
205 XL	4	56 800
205 Auto. 5 p.	7	81 300
205 XS	7	72 500
205 GT	7	75 400
205 GTI 1.6	8	89 300
205 D Turbo 5 p.	5	86 300
205 CTI	8	116 500
309 Chorus 3 p.	4	62 300
309 GTI 5 p.	9	110 100
309 GTI 16	10	121 300
309 XLD	6	77 500
309 SRD Turbo	5	102 300
405 GL 1.4	6	77 000
405 GR Auto.	9	106 000
405 MI 16	10	152 500
405 SRx4	10	136 600
505 SXD familiale	10	118 600
605 SL	9	124 000
605 SRI	11	141 000
605 SR 3.0 auto.	16	179 500
605 SV 24	16	245 400
PORSCHE (04/91) Allemagne		
944 S2	17	320 100
944 Turbo cabriolet	11	398 000
911 Carrera 2	20	439 200
911 Turbo	14	707 600
928 GT	31	600 200
RENAULT (01/91) France		
4 TL Savane	4	43 600
4 GTL Clan	4	49 200
5 Five	4	49 300
5 Five 5 p.	4	52 100
5 Five D 3 p.	4	62 400
5 Five D 5 p.	4	65 200
Express Combi. 1.1	5	62 300
Express GTL	6	71 100
Clio RL 1.1 3 p.	4	52 200
Clio RL 1.1 5 p.	4	55 300
Clio RL 1.2 3 p.	5	57 600
Clio RT 1.2 5 p.	5	69 200
Clio RN 1.4 3 p.	6	64 700
Clio RT 1.4 5 p.	6	72 600
Clio RT 1.4 5 p. auto.	6	77 530
Clio RT 1.7 3 p.	8	77 700
Clio RT 1.7 5 p.	8	80 500
Clio 16S	9	101 600
Clio RT 1.9 D 5 p.	6	80 900
19 Prima 3 p.	6	62 500
19/Chamade GTX	8	82 800
19/Chamade TXI	9	101 700
19/Chamade TD	6	80 200
19 Cabrio. 16S	9	155 000
21 TL 4/5 p.	7	78 000
21 TXE 4/5 p.	9	113 000
21 Baccara 4.5 p.	9	165 100
21 Turbo Quadra	9	192 000
Nevada TL	7	83 700
Nevada GTS	7	96 200
Nevada TD	6	99 200
Nevada 4×4 GTD	6	130 700
25 GTS	9	117 900
25 TX auto.	11	134 600
25 V8 inj.	16	189 800
25 Baccara	16	234 500
25 Baccara Turbo	12	270 800
Espace RT 2.21	11	146 000
Espace RXE V6 i	16	199 500
Wrangler Texan	14	127 200
Cherokee Ltd 4.0	23	202 800
ROVER (02/91) GB		
Mini spécial	4	42 300
Mini Cooper	6	54 500
Montego 2.0 DSL T	5	94 000
216 GSi 16V	8	103 000
216 GTi	9	109 000
820 e 5 p.	9	120 000
827 SLi 4/5 p.	14	210 000
SAAB (09/90) Suède		
900 i 16 3 p.	10	126 900
900 T 16 3 p.	8	181 300
9 000 CD i 2.3	11	162 900
9 000 CD T 2.3 SE	11	242 900
SEAT (05/91) Espagne		
Marbella Fresh	4	38 900
Marbella Le jouet	4	41 300
Ibiza 903 Sp. 3 p.	5	44 900
Ibiza SXI 3 p.	7	73 900
Malaga 1.7 D pack 1	6	65 900
TOYOTA (01/91) Japon		
Starlet 1.0 XL 3 p.	4	53 350
Corolia 1.8 D 4/5 p.	6	85 950
Carina XL Diesel	7	103 450
Runner V6	17	171 050
VOLKSWAGEN (04/91) All.		
Polo 45 Coach	5	47 900
Polo 55	6	57 300
Polo GT	7	72 650
Golf Boston 55/3 p.	6	68 000
Golf Boston 90/5 p.	7	80 300
Golf GTI 3 p.	9	99 850
Golf GTI 5 p.	9	104 250
Golf Syncro GT 3 p.	10	113 850
Passat GL TD	5	125 300
Passat bk GL TD	5	130 650
Corrado G 60	8	176 000
VOLVO (04/91) Suède		
340 DL Diesel	5	79 800
440 GLT	9	109 900
460 GLE auto.	10	119 900
480 Turbo	7	152 900
240 break	10	115 000
240 break D	8	120 000
740 GL 2.0	9	120 600
740 break GL	9	147 000
940 GL Greyline	9	129 100
940 GLE	11	153 600
960 6 cyl. auto.	16	275 100
YUGO (09/90) Youg.		
45 America S	4	32 420
65 America	6	43 920
Florida 1 400	6	51 630

• **Musées automobiles. En France. Alpes-Mar. :** *Mougins* 80 voit. **Ardennes :** *Novion-Porcien* 40 véh. **Côte-d'Or :** *Savigny-lès-Beaune* 180 mot. **Doubs :** *Montbéliard* 80 véh. *Sochaux, musée Peugeot* 70 voit. **Drôme :** *St-Marcel-lès-Valence* 80 véh. **Essonne :** Ballainvilliers. **Eure :** *Buis-s.-Damville* 100 voit. et mot., *Le Bec-Hellouin* 45 voit. **Gard :** *Moulin-de-Chalier,* près Uzès, voit. et équipements agric. **Haut-Rhin :** *Mulhouse* [collection rassemblée dans les années 1960-70 par les frères Hans (mort le 1-1-89 à 84 ans) et Fritz Schlumpf pour laquelle ils auraient détourné env. 42 millions de F par abus de biens sociaux de leur affaire textile ; reprise en mars 1977 par le personnel et vendue 44 millions de F en 1981 par le syndic de liquidation à une association regroupant plusieurs collectivités : env. 450 voit. dont 145 Bugatti, dont 2 « Royale »]. **Ille-et-Vilaine :** *Cesson-Sévigné* 65 véh. **Indre :** *Valençay* 60 véh. **Isère :** *Grenoble* 40 véh. **Loir-et-Cher :** *Romorantin* 30 voit., *Pontlevoy* 30 cam. **Loiret :** *Briare* 80 véh. **Marne :** *Reims* 120 voit. **Meurthe-et-Mos. :** *Lunéville* 200 mot. et vélos, *Vélaine-en-Haye* 110 voit. **Oise :** *Compiègne* 30 voit. et nbreux véh. hippomob. *Paris 3e :* 20 voit., avions, mot. ; *Paris 8e :* 40 voit. **Rhône :** *Vénissieux* 50 cam. et bus, *Rochetaillée* 120 voit. **Saône-et-Loire :** *Chauffailles* 200 voit. **Sarthe :** *Le Mans* 200 véh. **Seine-Marit. :** *Clères* 80 véh. **Vendée :** *La Roche-s.-Yon* 25 voit., *Talmont-St-Hilaire* 100 véh. **Vienne :** *Châtellerault* 180 véh. **Val-de-M. :** *St-Mandé* 100 autobus-tramways.

A Bruxelles. Musée de l'Automobile créé par Ghislain Mahy : 1 000 voitures.

• **Fédération française des automobiles d'époque.** 8, place de la Concorde, 75008 Paris. *Clubs et associations reconnus :* + de 300 [regroupant près de 40 000 adhérents, 170 000 véhicules de 1900 à 1960 (dont 50 % en état de marche recensés)].

• **Revues spécialisées.** *Auto-Moto-Rétro,* 23, bd des Capucines, 75002 Paris (mensuel, 53 280 ex.). *La Vie de l'auto,* 16, rue Le-Primatice, 77303 Fontainebleau (hebdo., 31 253 ex.). Le *Fanauto,* 15/17, quai de l'Oise, 75019 Paris (mensuel, 33 500 ex.).

• **Voitures de collection. Prix récents** (en milliers de F). ALFA-ROMEO *1933 :* 2 775, *1934 :* **type BP3** (sur laquelle Nuvolari avait gagné le grand prix d'All. 1935) 21 080 (28-4-89). AMILCAR *1928 :* 73. ASTON MARTIN COACH *1953 :* 150, **coupé** *1958 :* 185.

BR2, *1957* 21 780 (1989) BENTLEY *1930 :* 2 800, **coupé 4 L 1/4** *1937 :* 3 260. BUGATTI **10 CV type 40** *1929 :* 220, **type 44** *1927 :* 827. **Royale** *1931 :* 55 000, **coupé type 57** *1935 :* 1 900, *1938 :* 550, **57 S** *1937 :* 8 000, **10 CV** *1925 :* 8 720, **10 CV** *1926 :* 300, **coupé** *1938 :* 1 859. **5-5 Supermod** *1931 :* 3 650. **roadster type 54** *1932 :* 5 550. BUICK *1953 :* 122. CADILLAC **Eldorado** *1960 :* 200. CITROËN **9 CV, type B 2** *1923 :* 25 000, **THP** *1925 :* 40, **C 3** *1925 :* 58. DBRR (conduite par Stirling Moss 1959) *1957 :* 23 310 (21-4-89, Monaco). DELAGE **type D 6** *1935 :* 132. DELAHAYE *1954 :* 160. DUESENBERG **S J roadster** *1930 :* 8 000/10 000. FACEL VEGA F III *1964 :* 710 (2-2-90). FERRARI **Testa Rossa** (chez Christie's) *1958 :* 8 880. **23 CV Super American** *1962 :* 690, **F type 400 Super American** *1962 :* 690. **196 SP** *1962 :* 15 000 (1989). **250 GT** *1961 :* 4 010. **250 GTO** *1963 :* 9 200. **250 GT/L « Lusso »** *1963 :* 4 000. **F type 365 GTB 4** *1970,* **275 GTB 2** *1965 :* 3 500, **275 GTB 4** *1967 :* 5 500 (11-2-90) (450 ex produits de 1966 à 1968). **F 40** (1988) 6 300 (1984), **Daytona** 25 CV *1971 :* 630, *1970 :* 560, **250 MM** *1953 :* 23 800 (1989), **F 365 GTB 4** *1974 :* 832,5, *1989 :* 2 800, **288 GTO** *1985 :* 2 850. **512 BB « compétition »** *1982 :* 2 700. FORD **V 8/40** *1934 :* 58. **Fleetwood** *1941 :* 90. GAZ **limousine** *1955 :* 55. GRULIX **1660** *1964 :* 90. **37/80** *1937 :* 34. **201 E** *1932 :* 90. HISPANO-SUIZA **HS** *1936 :* 26 200, **H6 B** *1924 :* 1 200 (déc. 88), *1925 :* 410, **H6 C** *1929 :* 1 900 (déc. 88). **coach décapotable (J 12 carrossé par Saoutchik et restauré)** 2 500, *1931 :* 1 100. HORCH **cabriolet 853** *1939 :* 2 200. HOTCHKISS **864 549 Biarritz** *1950 :* 170. ISOTTA-FRASCHINI **type 8 A** *1931 :* 1 554. JAGUAR **XK 120** carrossée Farina *1952 :* 340 (déc. 88), type EV 12 Série 3-*1972 :* 138. LAMBORGHINI **23 CV Flying Star** *1967 :* 300. LANCIA **D24** *1953 :* 10 000. MARK **V 20** *1949 :* 215. **XK 140 roadster** *1956 :* 300. MASERATI **A 6 G 1500** *1949 :* 555, **CLT** *1948 :* 5 000 (1989), **type Indy** *1989 :* 310, **Piccolo (250 F)** *1958 :* 9 990. MERCEDES-BENZ **300 SL** *1956 :* 850 à 30 000, **12 CV** *1959 :* 150. **500 K** *1935 :* 19 758 (1989). PACKARD **cabriolet** *1928 :* 485. PEUGEOT **201 E coupé** *1931 :* 32. **205 Turbo** *1985 :* 430. PORSCHE **356 A-1600 S Cabriolet** *1958 :* 90, **917** *1970 :* 35 000. **959** (1988) 4 324 (17-12-89), RSL 3 L *1974 :* 1 800 (2-12-90). RENAULT **NN Toyeder** *1925 :* 38. **ROLLS-ROYCE type 20/25** 1934 : 165, 320. **Phantom V** de John Lennon 16 000 (1989). **CV Silver Wraith** 1954 : 300. **Silver Cloud II 36 CV** *1961 :* 186, **Silver Cloud III** *1962* coupé *(1985) :* 525 (12-12-90). **Silver Shadow** *1969 :* 155, **Silver Dawn** *1961 :* 170, **Silver Ghost** (partiellement plaquée or) 2 830. ROSENGART *1936 :* 32. TALBOT *1930 :* 100, **T 26** *1952 :* 2 150. VOISIN **C 14** *1928 :* 250.

☞ Copie de la Bugatti 55 (modèle 1932) fabriquée en 1985 : 400 000 F.

remettre à l'acheteur la feuille de renseignements sans laquelle celui-ci ne pourra changer la carte grise. La feuille ne doit pas dater de + de 6 mois. *L'assurance* du véhicule vendu ne continue pas au bénéfice de l'acquéreur. La garantie cesse le soir de la vente à minuit, si elle n'est pas reportée sur un autre véhicule. La vente doit être signalée immédiatement à l'assureur par lettre recom. avec accusé de réception. L'acheteur doit demander à son assureur de garantir sa nouvelle voiture avant de prendre le volant.

• **Garanties proposées par les professionnels.** *G. constructeurs* (ex. « Garantie Or » chez Renault, « G. Eurocasion » chez Citroën). *G. contractuelle INC-CSNC-RA* prévoyant 2 contrats types : 1°) g. contractuelle complémentaire (définies dans un « carnet de garantie » signé par les parties) ; 2°) contrôle de sécurité (le vendeur s'engage à l'effectuer sur les amortisseurs, les organes de direction, les systèmes de freinage et d'éclairage, les pneus).

Garanties non professionnelles. *Achat par la Centrale des particuliers :* garantie spéciale *Achat par petites annonces et de propriétaire à propriétaire,* par relations : aucune garantie (sauf celle de l'article 1611 du Code civil : « Le vendeur est tenu de la garantie à raison des défauts cachés dans la chose vendue qui la rendent impropre à l'usage auquel on la destine, ou qui diminuent tellement cet usage que l'acheteur ne l'aurait pas acquise ou bien n'en aurait donné qu'un moindre prix s'il les avait connus. »).

• **Litige.** *S'adresser :* Association de consommateurs, Syndicat prof. du vendeur ou Boîte postale 5000 de son département (Institut national de la consommation) ; recours judiciaire. *Constituer un dossier* (compromis de vente, facture, garantie, dossier de crédit, certificat d'expertise, etc.). *S'il y a eu fraude :* la faire constater par le Service de la répression des fraudes du département (adresse au trib. de commerce). *Infraction à la réglementation sur la publicité des prix :* s'adresser à la Direction dép. de la consommation, de la concurrence et de la répression des fraudes. *Pour porter plainte,* s'adresser au procureur de la Rép. du tribunal de son domicile.

• **Précautions.** Vérifier l'aspect général, dessous, jeu de direction (le volant à l'arrêt), le bon fonctionnement au ralenti, pot d'échappement (fumées bleuâtres : surconsommation d'huile ou mauvais état des soupapes ; fumées blanches : joint de culasse à changer), taches d'huile ou d'eau sous la voiture à l'arrêt, état des pneus, bon fonctionnement des freins, qualité de l'embrayage (embrayer doucement en 4e, si le moteur cale l'embrayage est bon, s'il est défectueux, on entend patiner), sécurité du circuit électrique, amortisseurs (appuyer sur chaque aile, la voiture doit remonter sans se balancer).

• **Cours moyens Argus.** Correspondent au mois moyen d'immatriculation dans une année modèle : janvier à partir du millésime 1980 ; début mars pour les années antérieures. Etat standard : bon état de marche, sécurité, entretien, présentation, avec 5 pneus usés au max. à 50 %, ayant parcouru au max. 15 000 km par an, (moteur essence) ou 25 000 (Diesel). Au-delà, déduire par km et par an pour **la voiture essence :** de *2 à 4 CV :* 15 centimes, *5 à 7 :* 16 c., *8 à 12 :* 18 c., *13 à 16 :* 21 c., *17 et + :* 25 c. ; **diesel :** *jusqu'à 9 CV :* 10 c., *10 et + :* 18 c. Le vendeur peut ajouter les frais de remise en état effectués. *Pour la valeur de reprise,* déduire 15 % pour frais professionnels du garagiste.

• **Statistiques. Ventes annuelles.** *1985 :* 4 800 000. *89 :* 4 568 316 dont 40 % de ventes de particulier à particulier.

• **Vices cachés.** Le vendeur doit restituer le prix et rembourser les frais occasionnés par la vente si le véhicule est reconnu avoir été vendu entaché d'un vice ; s'il les connaissait, il doit en outre des dommages-intérêts. Un vendeur professionel est présumé connaître les vices du véhicule qu'il vend. Il ne peut à l'avance récuser sa responsabilité pour des vices cachés, même en mentionnant sur la facture : « voiture d'occasion vendue dans son état actuel de mécanique et de carrosserie. »

☞ **Véhicules gravement accidentés (VGA).** La police, constatant un accident, peut retirer la carte grise de tout véhicule présumé dangereux. Le véhicule ne pourra être remis en circulation qu'après expertise.

Routes

Quelques dates

• **Généralités. Réseau romain.** (a subsisté jusqu'au XVIIe s.) *Longueur* 80 000 km dont 4 000 km en Gaule. La plus ancienne voie pavée est la Via Appia (Rome-Capoue) (312 av. J.-C.). *Largeur : via* 2,48 m en ligne droite (8 pieds), 4,96 m dans les courbes (16 p.) ; *actus* 1,20 m (4 p.) ; *iter* (chemin secondaire) 0,60 m (2 p.). Chargements limités à 492 kg.

1670 Colbert veut améliorer les voies : 4 chariots doivent pouvoir circuler de front sur les chemins royaux (larges de 7,80 à 9,80 m), 2 sur les chemins de traverse (4,40 à 4,80 m). **1716** création du service public des Ponts et Chaussées (de l'École en 1747) ; le contrôleur général Orry nomme *Daniel Trudaine* (1703-69), conseiller d'État, intendant général des routes. *Pierre Trésaguet* (1716-96) : 1res routes économiques [hérisson (soubassement épais en pierre d'env. 17 cm), empierrement (env. 17 cm), couche d'usure en gravier fin (8 cm)]. *Telford* (1757-1834) en G.-B. : principe analogue : hérisson, 2 couches de pierre (50 cm d'épaisseur au milieu), couche d'usure de 5 cm de gravier. *Mac Adam* (1756-1836), ingénieur écossais, ayant observé qu'un sol sous-jacent sec peut supporter le trafic, se passe de hérisson : 3 couches de 5 cm de pierre de calibre décroissant posées sur un sol bombé. Les routes sont conçues pour une circulation légère, peu rapide et des véhicules plus étroits (1,44 m au lieu de 2 m) ; les diligences les plus volumineuses pèsent env. 5 t, circulent à 10-15 km/h. Les gros « fardiers » hippomobiles plus lents sont rares. **1800** routes nationales ; départementales ; chemins vicinaux (domaine public des communes) ; ruraux (domaine privé des com.). **Sous Louis-Philippe** chemins vicinaux importants administrés par un service départemental, deviennent chemins vicinaux de grande communication et d'intérêt commun. **1908-13** congrès définissant des normes internationales (Paris, Londres, Bruxelles).

• **Données diverses (France). 1932-***25-9* décret, distingue parmi les routes nat. les routes à grande circulation (leurs usagers bénéficient d'une priorité absolue). **1938-***24-5* et *25-10* décrets créent chemins départementaux qui regroupent routes dép. et chemins vicinaux de grande communication et d'intérêt général ; budget dép. assure l'entretien. **1959-***7-1* voirie communale refondue. Comprend : *voies communales*, regroupant voies urbaines, chemins vicinaux à l'état d'entretien et chemins ruraux dont le conseil municipal a décidé l'incorporation (domaine public de la com.) et *chemins ruraux* regroupant chemins vicinaux et ruraux autres (domaine privé). **1955-***18-4* loi crée le statut des autoroutes. **1969-***3-1* loi crée la catégorie des voies rapides : autoroutes et routes express.

Dénomination. Routes : construites et entretenues aux frais de l'État ou des départements ; **chemins :** aux frais des communes ; *vicinaux :* chemins *de grande communication d'intérêt commun et ordinaire* reliant les communes au chef-lieu de canton ou à d'autres communes ou hameaux.

Goudronnage. 1904-13 1ers essais de goudronnage superficiel des routes.

Jalonnement. Avant 1789, certaines routes ont été jalonnées tous les milles (1 852 m). **1830** *les bornes kilométriques* (parfois hectométriques) apparaissent. A l'origine la nationale 7 était jalonnée par des bornes espacées de 10 en 10 m.

Longueur. V. 1789 32 000 km (15 000 rayonnant de Paris, 17 000 reliant les frontières) : chemins particuliers 20 000 km. *La France a le 1er réseau d'Europe.* **1811** routes impériales 33 162 km (dont à peine 30 000 ouvertes à la circulation), départementales 25 155 (dont 18 600 praticables). **1847** routes nat. 34 798. **1900** nat. 38 065. **1930** nat. 40 000 km + 40 000 km de chemins départ. classés r. nat. ; routes départ. 280 000 ; chem. vicinaux 370 000 dont 310 000 en état de viabilité ; chem. ruraux reconnus 215 000, non reconnus 485 000 ; voies urbaines 45 000.

Numérotation des routes. 1786 22-4 implantation de la borne initiale sur le parvis de Notre-Dame à Paris, à partir de laquelle on mesure les distances. **1811** numération à partir de Paris, dans le sens des aiguilles d'une montre [jusqu'en 1840 la route nº 7 de Paris vers Rome était le nº 1].

Relais. Après 1840, les relais des Postes nationales sont peu à peu abandonnés ; quelques auberges subsistent.

• **Autoroutes. 1909** la Sté AVUS (Automobile Verkehrs und Ubungs Strasse GmbH) dresse les plans et construit dans une lande sablonneuse à l'ouest de Berlin une route d'essai spécialisée de 10 km à 2 chaussées séparées ; mise en service le 25-9-1921. **1914** chaussée de 65 km (10 m de large), goudronnée, dans l'île de Long Island près de New York ; 1re route pour trafic à longue distance, sans accès direct des propriétés riveraines (desservies par des routes latérales), ayant peu de points d'échange avec la voirie ordinaire. **1923** l'Italien Puricelli (fondateur de la Sté Strade et Cave) définit les caractères spécifiques de l'autoroute, notamment les croisements à niveaux séparés. **1924** *(21-9) 1re autoroute du monde* (Milan-Varèse, Italie, 85 km, larg 11 à 14 m) construite par Puricelli. **1925-39** Italie 482 km d'autostrades à chaussée unique construites (réseau suburbain au début, sauf la liaison Turin-Milan). **1927** conception en Allemagne d'un réseau rapide à longue distance. **1927-51** concession du financement et du péage aux USA (1927-32), Allemagne (1921-33) et Italie (1923-55). **1933-45** réseau allemand : 3 869 km en service, 25 000 km en travaux, 3 000 en projet. **V. 1950** autoroutes urbaines aux USA et Japon. **1957** définition internationale de l'autoroute à la Conférence europ. des ministres des Transports à Genève.

Réseau mondial

Longueur

• **Longueur totale des routes non urbaines dont,** entre parenthèses, **autoroutes** en km. *Source :* Féd. routière internationale (FRI). Au 1-1-85.

Afrique. Afr. du S.[12,10,a] 184 330 (1 692). Algérie[9] 72 091. Bénin[3] 7 445 (10). Botswana 8 206. Burundi[9,c] 5 144. Cameroun 64 905. Rép. Centrafr. 20 218. Congo[6] 8 246. Côte-d'Ivoire[10] 53 736 (128). Djibouti[10] 2 795. Égypte 30 089[10]. Éthiopie 37 506. Gabon[10] 7 393 (37). Gambie 3 083[10]. Ghana 21 738 (24)[10]. Burkina Faso[13] 8 664. Kenya 64 584[10]. Lesotho 4 085. Liberia[9] 5 412. Libye[2] 64 200. Madagascar[10] 49 638. Malawi[9,14] 10 772. Mali[5] 14 704. Maroc 57 651 (59). Maurice (île) 1 787 (33)[10]. Mauritanie[10] 6 904. Mozambique 19 990. Niger 19 000. Nigeria[8] 107 990 (115). Ouganda[10] 27 824. Rhodésie[4] 78 740. Rwanda 12 070. Sénégal[10] 13 968 (7). Sierra Leone[7] 7 395. Soudan[10] 9 018. Swaziland[10] 2 723. Tanzanie 81 895. Tchad[4] 30 725. Togo 7 000. Tunisie 26 194. Zaïre 145 000. Zambie[10] 37 232. Zimbabwe 185 580.

Amérique. Argentine[7] 212 305 (378). Brésil 1 437 574. Canada[10,15] 391 792 (5 848). Chili 79 010 (55). Colombie[8] 74 735. Costa Rica 29 093. Rép. Dom.[10] 17 362. El Salvador 12 146 (107). Équateur 37 718 (100,8). Guatemala[7] 17 278 (1). Guyane fr.[9] 678. Honduras 12 058. Martinique 1 819 (7). Mexique[10] 214 073 (1 178). Nicaragua[9] 6 712. Panama[8] 8 612. Paraguay 11 320. Pérou[3] 50 670. Porto Rico[10] 9 337 (236). Trinité-et-Tobago 5 175 (50). Uruguay[9] 49 813. USA[10] 6 242 340 (80 530). Venezuela[9] 63 050 (1 120).

Il y a à Los Angeles (USA), agglomération longue de 100 km, 1 800 km d'autoroutes (pour 11 millions d'habitants et 7 millions d'automobiles).

Asie. Afghānistān[7] 18 752. Arabie Saoudite[10] 69 434. Chine[9] 17 530 (382). Corée 51 003 (1 421). Hong Kong 1 279. Inde[7] 1 604 110. Indonésie 177 896 (96). Irak[10,16] 25 265. Iran[10] 108 970 (457). Israël[9] 4 631 (95). Japon 1 125 217 (3 435). Jordanie 5 227[10] (40)[8]. Koweït 1 944 (653). Liban[10] 7 000 (410). Malaisie 28 928. Népal[7] 4 600. Pakistan 100 300. Philippines 157 139. Singapour 2 594 (57). Seychelles[10] 257. Sri Lanka 86 218 (4 050). Syrie[1] 11 709. Thaïlande 76 315 (47). Viêt-nam[4] 29 917. Yémen du N. 36 412.

Europe. All. féd.[10] 487 251 (8 670)[19]. Autriche 107 404 (1 137). Belgique 127 688 (1 375). Bulgarie 37 691 (211). Chypre 11 292. Danemark 70 170 (549). Espagne 318 548 (1 977). Finlande 75 848 (205). *France 804 585 (6 085)*[17]. Gibraltar 50. G.-B. 347 376 (2 980)[19]. Grèce[11,b] 34 492 (92). Hongrie[10] 88 184 (230). Irlande 92 303 (8). Islande 11 619. Italie[10] 296 986 (6 150)[19]. Luxembourg 5 157 (58). Malte[10] 1 300. Monaco 47. Norvège 84 562 (74). P.-Bas[10] 110 327 (1 892). Pologne 299 887 (168). Portugal 51 929[9] (181). Roumanie[10] 73 363 (96). Suède 136 418 (892). Suisse 70 820 (1 030). Tchéc.[9] 73 788 (373). Turquie[7] 232 162 (189). URSS[2] 1 358 000. Youg.[10] 115 787 (613).

Océanie. Australie 796 960 (16 100). Fidji[10] 4 295. N.-Zélande 92 648 (134).

• **Densité. Longueur des routes en km au km^2** (au 31-12-84). Malaisie 22. Belgique 4,2. Japon 2,98. P.-Bas 2,68[10]. Luxembourg 1,99. All. féd. 1,96. Danemark 1,63. Suisse 1,7. Ile Maurice 1,55. G.-B. 1,49 ®. *France 1,46.* Autriche 1,28. Chypre 1,24. Hong Kong 1,20. Italie 0,98. Pologne 0,96. Hongrie 0,95[10]. USA 0,66[10,18]. Espagne 0,63. Portugal 0,58[9]. Youg. 0,45[10]. Suède 0,30.

Nota. – (a) Au 31-3. (b) Au 30-4. (c) Au 30-6. (d) A partir du 1-4. (1) Au 31-12 : 1973 ; (2) 74 ; (3) 75 ; (4) 76 ; (5) 77 ; (6) 78 ; (7) 79 ; (8) 80 ; (9) 81 ; (10) 82 ; (11) 83. (12) Transkei, Bophuthatswana, Venda et Ciskei n.c. (13) n.c. 2 547 km de routes non classées. (14) Dont 6 000 km non revêtues. (15) n.c. voies municipales. (16) n.c. rues urbaines. (17) Dont 1 320 km d'autoroutes urbaines. (18) Uniquement routes publiques comprises. (19) 1989.

• **Pistes cyclables (km).** USA 170 000. All. féd. 20 000. P.-Bas 10 000. Danemark 4 100. *France 2 500* (diminution due à la décentralisation et à une absence de crédits de l'État dep. 1982). Dans les pays européens, pistes surtout à vocation urbaine.

Redevances et dépenses routières des États

Légende : **1** Total des taxes routières. **2** % de ce total par rapport au P.N.B. **3** % par rapport au total des taxes de l'État. **4** Total des dépenses rout. (en millions de F, 1984).

Pays	1	2	3	4
All. féd.	94 916,5	1,8	3,9	59 397,66
Autriche	10 622	1,98	7,8	12 875,2
Danemark	14 366,96	3	5,3	5 608,98
Espagne	21 671,7	2,32	15,16	3 765,6
France	*123 500*	*2,89*	*13*	
G.-B.	124 192,8	3,5	8,1	34 846,7
Grèce	n.c.	n.c.	n.c.	1 583,9
Japon	193 207,6	1,7	3,4	245 167
Norvège	12 352,5	2,6	10,2	9 165,9[2]
P.-Bas	24 177,7	2,7	6,8	5 278,1
Suède	14 553,1[1]	1,9[1]	6,1[1]	6 359,1
Suisse	16 332,5	2,1	7,3	16 603,2
U.S.A.	412 970[1]	1,4[1]	4,5[1]	412 973

Nota. – (1) En 1979. *Source :* F.R.I.

Trafic routier

Parcours kilométriques annuels moyens d'une voiture particulière (en 1988). Finlande 17 600. Canada[1] 17 250. Danemark 17 000. USA[1] 15 900. Autriche[1]

Marchandises sur routes 31-12-1984

Pays	Millions de t	Millions de t/km
All. féd.[4]	2 338	125 300
Australie[1]	912,6	48 127
Autriche[4]	15,6[a]	7 264
Belgique[4]	343	17 600
Canada[2]	137	42 388
Danemark[4]	215	8 800
Espagne[4]	n.c.	92 400[b]
Finlande	411	20 700
France	*1 260*	*105 000*
G.-B.[4]	1 402	100 400
Hongrie[4]	562	11 951
Italie[3]	n.c.	137 071
Japon[4]	5 123	193 537
Luxembourg[3]	14	263
Norvège[3]	220	5 424
P.-Bas	347,8	18 366
Pologne	1 421	426
Suède	378	22 986
Suisse	303	6 337
U.S.A.[3]	n.c.	768 000
Yougoslavie[4]	235[c]	20 762

Nota. – (1) 1980. (2) 1981. (3) 1982. (4) 1983. (a) Transp. > 80 km. (b) Routes d'État. (c) Uniquement transports routiers publics.

15 600. Grèce [2] 15 500. P.-Bas 15 400. G.-B. 14 650. All. féd. 14 600. Norvège 14 100. *France 13 470.* Belgique [2] 12 600. Yougoslavie [2] 12 500. Suède [3] 12 000. Japon [1] 10 100. Italie [2] 9 900. Pologne 6 000. *Source :* Union routière de France.

Nota.– (1) 1987. (2) 1985. (3) 1986.

Tunnels routiers

☞ Tunnels ferroviaires. Voir p. 1577.

• **Quelques dates.** Antiquité, tunnel d'Agrippa (près de Naples), sous le Mt Posilipe, long. 900 m, largeur 7,5 m. **1813** tunnel des Échelles (ou de St-Christophe, Savoie). 294 m de long (49,3 m² de section intérieure), 6,50 m de largeur entre trottoirs. **1847** Le Lioran (Cantal). 1 414 m (34,8 m²) 6,5 m. **1882** Tende (France-Italie). 3 186 m (29,5 m²) 6,5 m. **1918** t. des Échelles, éclairé la nuit. **1919** éclairage permanent ; t. de la Porte Champerret (Paris). **1937** caissons avec des lampes à vapeur de sodium SO 85. **1945** t. de St-Cloud (832 m × 17 m), 1er tube ventilateur de 10 m de diamètre aspirant l'air vicié pour le rejeter par un puits central. **1952** t. de la Croix-Rousse (1 752 m), ventilé de manière transversale. **1967** Marseille, 1er t. en caissons immergés (600 m de long, traverse Vieux Port). **1968** t. du Chat. : ventilation longitudinale avec accélérateurs accrochés dans la voûte. **1970** « PSGR » passage souterrain à gabarit réduit : haut. 1,90 à 2,75 m, larg. 6,70. (ex. à Paris : 380 m, gabarit 2,60 m, passe sous l'Arc de Triomphe). **1983** Bastia, traversée du port. **1989** Marne, Nogent, autoroute A 86, t. immergé (800 m).

Longueur en mètres.

St-Gothard (Suisse 1980) [1]	16 918
Arlberg (Autriche 1978)	13 972
Fréjus (France-Italie 1980) [2]	12 868
Mont-Blanc (France-Italie 1965) [3]	11 600
Gudvangen (Norvège, en constr.)	11 400
Leirfjord (Norvège, en constr.)	11 105
Kan Etsu (Japon, en constr.)	11 010
Kan Etsu (Japon 1985)	10 926
Gran Sasso (Italie 1984)	10 173
Plabutsch (Autriche, 1987)	9 755
Tokyo (baie de) (Japon, en constr.)	9 500
Seelisberg (Suisse 1980)	9 280
Enasan 2 (Japon 1985)	8 625
Enasan (Japon 1975)	8 489
Gleinalm (Autriche 1978)	8 320
Steigen (Norvège, 1989)	8 040
Tommernes (Norvège, en constr.)	8 000
Karawanken (Autriche-Youg., en constr.)	7 864
Glomfjord (Norvège, 1987)	7 800
Nygardstangen (Norvège, en constr.)	7 700
Svartisen (Norvège 1986)	7 630
Hoyanger (Norvège 1982)	7 522
Vallavik (Norvège 1985)	7 511
Winterbru-Vassum (Norvège, en constr.)	7 510
Shin-Kobe (Japon 1988)	7 175
Shin-Kobe (Japon 1976)	6 910
Maurice-Lemaire (France 1976) [4]	6 872
Pfander (Autriche 1980)	6 719
Karisaka (Japon, en constr.)	6 625
San Bernardino (Suisse 1967)	6 600
Tauern (Autriche 1975)	6 401
Fjaerland (Norvège 1986)	6 385
Higo (Japon 1989)	6 340
Kakutoh (Japon, en constr.)	6 213
Bulken-Dale (Norvège, en constr.)	5 850
Grand-St-Bernard (Suisse-Italie 1964)	5 828
Kerenzerberg (Suisse 1986)	5 760
Tosen (Norvège 1986)	5 745
Haukeli (Norvège 1967)	5 688
Hanna (Japon, en constr.)	5 577
Bosruck (Autriche 1983)	5 500
Katschberg (Autriche 1974)	5 439
Kanpusan (Japon, en constr.)	5 432
Cels (Italie,constr.)	5 400
Felbertauern (Autriche 1966)	5 281
Tafjord (Norvège 1984)	5 277
Cefalū 3 (Italie, en constr.)	5 200
Viella (Espagne 1948)	5 133
Roppener (Autriche, 1990)	5 100
Ucka (Yougoslavie 1981)	5 062
Sierra del Cadi (Espagne 1984)	5 026
Flenja (Norvège 1985)	5 010

Nota. – (1) Réunit Göschenen (canton d'Uri) à Airolo (Canton du Tessin). Coût au km (en FS) 44 millions sans frais financiers. (2) 6,5 km en France. Chaussée 9 m de large. Largeur entre piédroits 10,10 m. Coût au km 100 900 000 F (total 1,5 milliard de F). Trafic (1989) : 2 546 véhic. par j dont (1986) 43,7 % de poids lourds. (3) 1er tunnel transalpin. Chaussée de 7 m de large, 5,98 m de haut., à 2 480 m du sommet ; gabarit autorisé 4,50 m ; haut. côté français 1 274 m, italien 1 381 m. Trafic (1989) : 700 000 poids lourds ; 4 991 véh. par j. (4) Ste Marie-aux-Mines (ferroviaire 1937, routier 1976) ; gabarit autorisé 4 m. Trafic (1989) : 2 400 véhic. par j dont (1986) 28 % de poids lourds. (5) 1 765 m en France, 1 305 m en Espagne ; gabarit autorisé 4,30 m. Fermé en hiver. (6) 17 m entre piédroits dans l'ancien tunnel.

• **Tunnel routier le plus large.** Ile de Yerba Buena, San Francisco (Californie, U.S.A.). 23 m de large, 17 m de haut, 165 m de long. Plus de 80 000 000 de véhicules l'empruntent chaque année.

• **Autres grands tunnels français.** Roux (1930) 3 336. Chamoise (1986) 3 300. Tende (Fr.-It., 1882) 3 186. L'Épine (1974) 3 117 ; doublement en constr. 3 200. Aragnouet-Bielsa (Fr.-Esp., 1976)[5] 3 070. Montets (1985) 1 882. Fourvière (Lyon, 1971) 1 836-1 853. Les Chavants (Les Houches, en constr. 1800). Croix-Rousse (Lyon, 1952) 1 753. Liaison A 8-RN7 (en constr.) 1 535. Étroit du Siaix (1990) 1 500. Chat (1931) 1 488. Voirie Forum Central-Semah (Forum central, Paris, 1979) 1 470. Dullin (1974) 1 460-1 460. Lioran (1847) 1 414. Vuache (1982) 1 390-1 430. Ponserand (1989) 1 300. Saint-Germain-de-Joux (1989) 1 200-1 200. Las Planas (1983) 1 108-1 072. L'Arme (1989) 1 105-1 105. Rive g. du Paillon, Nice (1983) 1 100. Mescla (en constr.) 1 014. Les Chavants (1990) 1 000. Puech Mergou (1918) 963. S.-Cloud (1945-1976) [6] 832-909. Couverture de Champigny (1976) 845-895. Les Monts Chambéry (1982) 842-862. Tuileries (Paris, 1967) 861. EPAD-Puteaux (1984) 850. Pénétrante des Halles (Strasbourg, 1980) 645-845. Boulogne (A. Paré) (1974) 828-828. Front de Mer (Bastia, 1983) 822. La Coupière (1970) 803-814. Nogent-sur-M. (1987) 800. Trou au Renard-Guy Moquet (1990) 800-800. Passage sous la Marne A-86 (1989) 800. Col du Rousset (1979) 769. Grand Chambon (1935) 753. F.F.F. A.-86 (en constr.) 750-750. Castillon (1988) 750. Aéroport Nice (1979) 725. Châtillon (1989) 720-720. La Crotte (en constr.) 700. Porte de Pantin (bd des Maréchaux, Paris, 1966) 655. Cap Estel (en constr.) 650. Canta Galet A-8 (1983) 515-615. Vieux-Port (Marseille, 1967) 597-602. Pessicart A-8 (1983) 599-600. Courbevoie desserte int. (1983) 600. Puteaux desserte int. (1984) 600. Ardoisières (1858) 590. Jenner (Le Havre, 1956) 585-585. Parc-des-Princes (bd Périphérique, Paris, 1971) 580-580. Lac Supérieur (bd Périphérique, Paris, 1971) 574-580. Castellar (1970) 568-575. Pl. de la Comédie, Montpellier (1985) 550. Orly (1959) 550. Roissy A-1 (1970) 536-536. Roissy (1970) 536. Malleval 530. La Grande Mare (Rouen, en construction). Reine-Blanche-Grandchamps (1970) 530. Mortier (1968) 502. St-Pancrasse (1954) 502. Rocher-Chambrand 500.

Tunnels frontaliers français. 4 avec l'Italie (Tende, Mont-Blanc, Fréjus, La Giraude), 1 avec l'Espagne (Aragnouet-Bielsa). 1965-70, 3 070 m ×7,50 m.

• **Tunnels en exploitation. France** (au 1-1-1990). *Longueur en m :* 185 037 (dont éclairés 153 860, ventilés 93 273). *Nombre :* 715 (dont éclairés 377, ventilés 71) dont : 99 de 2 tubes et + (66 768 m). Dont *0-100 m :* 429 tunnels, *100-200 :* 109, *200-300 :* 69, *300-400 :* 29, *400-500 :* 25, *500-600 :* 15, *600-1 000 :* 17, *1 000-2 000 :* 16, *+ de 2 000 :* 6.

Europe (au 1-1-1989). Italie 1 254, longueur totale 704 515 m (dont 416 à 2 tubes et +, long. 486 728 m). Norvège 493, 314 528 m (4, 11 756 m). Espagne 270, 72 302 m (17, 17 429 m). Suisse 149, 166 624 m (67, 103 468 m). Autriche 111, 154 299 m (26, 40 956 m). All. féd. 89, 63 463 m (52, 51 421 m).

Méthode de construction. Creusement 129 378 m, tranchée couverte 54 518 m, caissons immergés 1 141 m.

Réseau français

Données globales

Dépenses. *Budget direction des routes* (crédits routiers pour 1989 en millions de F). *Total* 9 770,2 dont : développement du réseau national 5 190,2 (dont autoroutes non concédées 70, investissements routiers 5 845,2), entretien du réseau national 3 200,3 (dont renforcement et aménagements de sécurité 340, ouvrages d'art 230,6, entretien des routes et grosses réparations 2 629,7.

Direction de la Sécurité et de la circulation routière (1989, en millions de F). *Actions de sécurité et de circulation :* 389,7 (dont résorption des points noirs 270, autres aménagements routiers 96,7, informations routières 2, aménagements de pistes pour permis de conduire 9, réseau d'appel d'urgence 12). *Études et expérimentations :* 22,3 (dont équipements de sécurité et d'exploitation du réseau 6,4, aménagement des routes 5,5, réglementation technique des véhicules 6, études générales sur séc. et circ. 4,4).

Dommages causés aux chaussées. Selon l'OCDE, les véhicules lourds (+ de 10 t de charge utile) seraient responsables de 55 à 75 % des dépenses d'entretien des chaussées (70 % en France), alors qu'ils ne représentent que 1,5 % du parc total des véhicules immatriculés.

Coûts sociaux de la circulation automobile (accidents, bruit, pollution...). 4 à 6 % du PNB, dont 20 % seraient imputables aux véhicules lourds.

Longueur

Longueur totale du réseau routier (non compris chemins ruraux, au 1-1-89). 805 298 km.

Autoroutes (au 1-1-89). 6 763 dont 1 303 km de liaisons assurant la continuité du réseau (2 445 km en cours d'aménagement progressif). *Autoroutes en travaux ou à lancer en 1989 :* 880 km ; *prévues au schéma directeur :* 2 338 km.

Routes nationales (en km) env. 29 000 dont 25 000 à chaussée unique (20 770 à 2 voies) et env. 4 000 à v. séparées (3 000 à 2 fois 2 voies).

Chemins départementaux. 347 000 km (1-1-83). Comprenant 54 083 km de routes nat. secondaires (sur 82 000 km) transférés à la voirie départementale (au 1-1-75) en application de la loi de Finances de 1972 permettant ce transfert aux départements qui le souhaitaient ; ils reçoivent une subvention annuelle (455 millions de F en 1980) en fonction de la situation financière et de l'état des routes du département (moyenne 5 400 F par km).

On revient ainsi à la situation d'avant 1930, où étaient classés 40 000 km de chemins départementaux dans le réseau national.

Chemins communaux [largeur min. 5 m (5,50 au passage des ouvrages d'art)]. 421 000 km (1-1-83). **Ruraux.** 700 000 km.

Trafic

Indices annuels de la circulation motorisée sur le réseau national (base 100 en 1970). Routes nationales [1] 164, ensemble des autoroutes [2] 286. Ensemble du réseau national 200.

Nombre de voyageurs (milliards de voy./km), **et** entre parenthèses **part du trafic total** (en %) **par mode de transport** (1986). Route [3] (rase campagne et voirie urbaine) 556,3 (87,9) dont voitures particulières 517,3 (81,7), autocars-autobus 39 (6,2). Fer (SNCF, RER, métro) 68,4 (10,8). Air 8,3 (1,3). *Total :* 633 (100).

Nota. – (1) En rase campagne et agglomérations de – de 5 000 hab. (2) Indice de débit calculé à réseau comparable. (3) A l'except. des 2-roues.

Circulation parisienne. Chaque jour en moyenne 1 300 000 voitures entrent et sortent de Paris. 2 600 000 véhicules circulent sur les 1 245 km des 6 253 rues, traversent les 6 600 carrefours dont 1 100 équipés de feux.

Trafic routier de marchandises (1989, en millions de t). 1 513 dont intérieur 1 463, international 50, en milliards de t/KM : 116,7 dont intérieur 101,5, international 15,2.

Types de marchandises transportées (en milliards de t/km, 1989). 117 dont prod. agr. et animaux vivants 14, prod. alim. et fourrage 24,1, combust. minéraux solides 0,6, prod. pétr. 5, minéraux et déchets métall. 0,7, minéraux bruts ou manufacturés et mat. de constr. 21,3, prod. chim. 7, prod. manufacturés 22,4.

Utilisation du parc (camions, remorques et semi-remorques de 3 t et + de charge utile et de – de 15 ans). 469 000 (compte propre 284 000, compte d'autrui 185 000).

Entreprises

Transport de voyageurs, dont entre parenthèses **transport routier** (au 31-12-1989). *Entreprises* 2 898 (2 713). *Effectifs* 86 272 (52 542). *Recettes nettes* (en millions de F, hors taxes) : 20 980 (15 036). *Investissements :* 3 134 (1 974). *Parc en service (autobus et autocars) :* 55 401 (42 565).

Transport routier de marchandises (au 31-12-1989). *Entreprises :* 36 761 (zones longues et courtes 33 130, déménagement 1 336, location de véhicules 2 245). *Effectifs :* 267 111 (z. l. et c. 232 612, d. 12 295, loc. 22 804). *Recettes nettes* (en millions de F, hors taxes) : 121 927 (dont z. l. et c. 106 636, d. 4 175, loc. 11 115).

Autoroutes

Centre de renseignements autoroutes. 3, rue Edmond-Valentin, 75007 Paris.

Généralités

• Définitions. Permettent à un véh. isolé de rouler en tout point à une vitesse max. de 130 km/h sur aut. de liaison, 110 km/h sur aut. de dégagement. Comportent 2 chaussées (chacune dotée d'au moins 2 voies de 3,5 m) séparées par 1 terre-plein central, l'accès se faisant en des points spécialement aménagés. *Largeur moy.* : 3,50 m par voie avec en général 2 × 2 voies (la + large a 2 × 6 v.).

• Nom. **Origine :** on utilise des lettres : A (autor. principales), B (compléments), H (doublements), F (voies rapides) et des chiffres reprenant ceux des grandes nationales que les autor. doublent : A-1 (RN 1), A-4 (RN 4), A-6 (RN 6), A-13 (RN 13). Puis le réseau s'étendant, on utilise des groupes de numéros par régions (région Rhône-Alpes 40, Est 30, etc.). **1973 :** 8 concours organisés par le ministère de l'Équipement (36 000 participants) permettent de choisir 8 noms : *aut. du Nord* Paris-Lille (A-1) ; *de l'Est* Paris-Strasbourg (A-4) ; *du Soleil* Paris-Marseille (A-6, A-7) ; *la Provençale* Aix-Nice (A-8) ; *la Languedocienne* Orange-Narbonne (A-9) ; *l'Aquitaine* Paris-Bordeaux (A-10) ; *l'Océane* Paris-Nantes (A-11) ; *aut. de Normandie* Paris-Caen (A-13) ; *la Catalane* Narbonne-Le Perthus (A-9) ; *aut. des Deux-mers :* (A-62) ; *la Blanche :* (A-40, Suisse au Fayet). **Depuis 1982 :** toutes les autoroutes sont désignées par la lettre A ; env. 1 000 km d'autor. changent de numéro ; les groupes de numéros par région sont maintenus.

Organisation des autoroutes

• Non concédées ou libres. L'État a construit les 1res aut. sur ses crédits budgétaires ou sur le FSIR (Fonds spécial d'investissement routier) avec la participation des collectivités locales intéressées. Puis, il a confié à des entreprises semi-publiques (1955), ensuite privées (1970), la construction et l'exploitation d'une partie du réseau (90 % autoroutes de rase campagne en 1977).

• Concédées. **Réseaux** (au 1-1-1991). *ACOBA* [1] 66 km ; autoroute de la Côte basque (A63). *AREA* [1] 283 km ; aut. Rhône-Alpes (A41N, A41S, A43, A48, A49, A430, A435). *ASF* [1] 1 500 km ; aut. du S. de la France (A7, A7B, A8, A9, A10, A11A, A54, A54E, A61, A612, A62, A64, A64W, A72, A720). *Cofiroute* 732 km ; Cie financière et industrielle des aut. (A10, A11, A11B, A71, A81, A701). *ESCOTA* [1] 381 km ; aut. de l'Estérel-Côte d'Azur (A8, A50, A50W, A51, A52, A501, A503). *SANEF* [1] 929 km ; Sté des aut. du N. et de l'E. de la France (A1, A2, A4, A26, A32, A140, A314, A4E). *SAPN* [1] 187 km ; aut. Paris-Normandie (A13, A930, A931, A932). *SAPRR* [1] 1 301 km ; Sté de l'aut. Paris-Rhin-Rhône (A5, A6, A26S, A31, A311, A36, A40, A42, A600, A71, tunnel Ste-Marie-aux-Mines). *STMB* [1] 105 km ; tunnel sous le Mont-Blanc (A40, A411).

Nota. – (1) Membre des 8 *SEM.*

Stés d'économie mixte (SEM). Gèrent 87 % du réseau concédé (4 752 km sur 5 357 km au 1-1-1991), au capital souscrit par collectivités territoriales, chambres de commerce, caisses d'épargne, Caisse de dépôts et consignations (principal actionnaire) et Sté centrale pour l'équipement du territoire qui leur fournit une assistance commune de gestion et 1 Sté de tunnel sous le Mont-Blanc (STMB), où l'État est majoritaire (52,5 %).

Chaque nouvelle section fait l'objet d'un contrat de concession entre la Sté concessionnaire et l'État (ministère chargé des Transports), pour en principe 35 ans. L'État détermine : tracé, échangeurs et caractéristiques générales des ouvrages. La Sté concessionnaire acquiert les emprises après déclaration d'utilité publique du projet, elle effectue études techniques détaillées pour marchés après appel à la concurrence, contrôle les travaux, entretient et exploite les ouvrages. Les 7 SEM ont un maître d'œuvre commun : SCETAUROUTE. Le délai de construction d'une section est d'env. 3 ans. La Sté finance les dépenses par emprunts gagés sur les ressources de péage (Caisse nationale des autoroutes créée 1963). Selon les cas, l'État participe au financement par des avances budgétaires (15 % en moyenne), indexées et remboursables à Autoroutes de France (établissement public) qui recouvre toutes les créances de l'État sur les SEM et contribue à l'équilibre financier de l'ensemble des SEM.

Distances par la route en km	Paris	Lyon	Marseille	Strasbourg	Bruxelles	Genève	Luxembourg
Amsterdam	514	995	1 323	683	220	1 014	429
Athènes	3 146	2 774	2 797	2 581	3 021	2 692	2 744
Barcelone	1 125	644	515	1 072	1 419	758	1 153
Belgrade	1 957	1 585	1 608	1 392	832	1 503	1 555
Berlin	1 094	1 289	1 584	801	782	1 141	767
Berne	556	317	598	232	655	155	429
Bruxelles	294	671	999	488		674	220
Copenhague	1 329	1 586	1 914	1 158	1 035	1 531	1 106
Genève	546	162	443	371	674		492
Kiel	977	1 234	1 562	806	683	1 195	754
La Haye	464	945	1 273	668	170	964	390
Le Havre	211	692	1 020	667	407	757	511
Lisbonne	1 786	1 784	1 781	2 212	2 080	2 024	2 192
Luxembourg	348	509	873	224	220	492	
Lyon	481		382	428	671	162	509
Madrid	1 268	1 272	1 143	1 700	1 562	1 386	1 781
Marseille	809	328		814	999	443	837
Milan	850	494	587	511	934	412	708
Munich	827	753	1 034	371	811	591	543
Naples	1 764	1 299	1 189	1 425	1 848	1 326	1 622
Nice	921	440	227	868	1 277	483	949
Paris		481	809	456	294	546	348
Prague	1 094	1 116	1 397	638	911	954	746
Rome	1 531	1 066	956	1 192	1 615	1 093	1 389
Strasbourg	456	428	814		488	371	224
Stuttgart	621	667	948	165	641	505	325
Trieste	1 292	936	998	905	1 393	854	1 166
Venise	1 145	789	812	806	1 229	707	1 003
Vienne	1 285	1 217	1 414	829	1 134	1 055	1 001
Zurich	557	404	721	218	641	278	415

• Distances de Paris en km par la route. Bergen 2 303, Bucarest 2 290, Budapest 1 990, Cardiff 668, Cologne 494, Dublin 826, Édimbourg 1 044, Florence 1 215, Francfort 571, Gibraltar 2 020, Göteborg 1 492, Hambourg 955, Hammerfest 3 740, Helsinki, Messine 2 347, Moscou 2 747, Oslo 1 808, Saint-Sébastien 790, Salonique 2 561, Stockholm 1 856, Varsovie 1 440, Zagreb 1 434, Zurich 557.

• De Tanger à : Alger 1 370, Annaba 1 965, Casablanca 373, Oran 919, Tunis 2 280.

☞ Distances par avion voir p. 1570.

• Stés privées. Elles financent par emprunt et réalisent les travaux. Leur capital détenu par des entrepreneurs de travaux publics et des établ. financiers atteint 10 % du coût des ouvrages.

Dep. 1985, il en reste 1 (sur 4 en 1983) : COFIROUTE dont la 1re section concédée fut inaugurée en 1972 (Paris-Chartres). APEL et AREA ont été rachetées par la Caisse des dépôts et consignations, l'ACOBA par l'ASF (dont elle est devenue filiale) et la CDC (Caisse des dépôts). L'APEL a été fusionnée avec la SANEF au 1-1-89.

Recettes des péages. (en milliards de F, 1990). ASF 4,58, SAPRR 3,22, COFIROUTE 2,46, SANEF 2,29, ESCOTA 1,62, AREA 0,87, SAPN 0,53, STMB 0,52, ACOBA 0,2. **Répartition des recettes de péage** (1990, en %). Frais financiers 32, remboursement d'emprunts et d'avances 30, entretien et réparations 14, personnel 11, impôts, taxes et divers 9.

• Coût des autoroutes de rase campagne (au km). **Construction.** *Exemples.* Type II (plateforme de 34 m, 2 chaussées de 7 m, terre-plein central de 12 m) env. 30 millions de F. Le Paillon-La Turbie 113,5. Sylans-Châtillon-de-Michaille [13 km, ouverte 1989 (Ain A40)] 140. *Structure de coût* (moyenne en %, en 1981 pour les SEM). Ouvrages d'art 14, études et surveillance des travaux 7, terrains 9, terrassements 30, drainages des eaux 6, chaussées 23, divers (équipements de sécurité, glissières, plantations, etc.) 11. **Entretien.** *Coût annuel* (pour 1 km en 1985). Grosses réparations (couche de roulement et ouvrages d'art) 150 000 F, entretien courant (viabilité hivernale normale, signalisation, ordures, remplacement des glissières, fauchage) 150 000 F. En montagne (entretien des viaducs et des tunnels) 180 000 à 700 000 F.

Trafic moyen nécessaire pour couvrir les dépenses. 5 000 véhicules par jour pour couvrir coûts d'exploitation et d'entretien. + de 15 000 pour rembourser les emprunts.

• Intervention financière de l'État. **Investissements directs** (autoroutes non concédées et quasi-totalité des voies rapides urbaines).

Aide aux Stés d'autoroutes : garantie (variable jusqu'à 70 % des emprunts à long terme émis par les stés), octroi d'avance à la construction (15 % en moyenne).

FSGT (Fonds spécial de grands travaux). Créé par la loi du 3-8-1982. Géré par la Caisse des dépôts et consignations, peut contracter des emprunts [remboursement gagé sur une taxe sur carburants (12,2 centimes/litre fin 1986, soit un prélèvement annuel de 4,6 milliards de F). Ressources complétées par le fonds de concours des collectivités locales. A consacré, en 5 tranches, 9,5 milliards aux investissements routiers.

Schéma directeur du réseau routier national (objectifs à atteindre vers l'an 2000). *Coût total :* 150 milliards de F. *Autoroutes* (février 1988 et novembre 1988) : 8 590 km. *Liaisons assurant la continuité du réseau autoroutier :* 2 740 km. *Autres grandes liaisons d'aménagement du territoire :* 4 850 km ; *financement des 1 500 km d'autoroutes supplémentaires (avril 87) :* 40 à 50 milliards de F. *Réseau des routes nationales ordinaires :* 20 620 km.

Total des avances de l'État (en millions de F courants). *1972 :* 182. *73 :* 252. *74 :* 189. *75 :* 458. *76 :* 467. *77 :* 443. *78 :* 421. *79 :* 714. *80 :* 463. *81 :* 826. *82 :* 725. *83 :* 1 228. *84 :* 307. *85 :* 459.

Dep. 1974, les conditions économiques (emprunts plus onéreux, coûts de construction, ralentissement de la croissance du trafic) ont contraint l'État à intervenir pour assurer l'équilibre financier de certaines Stés. Une nouvelle politique autoroutière a été définie le 17-9-1981 : maîtrise publique des Stés d'autoroutes en difficulté ; harmonisation progressive des péages sur la base d'un même tarif (modulé pour tenir compte notamment du coût des ouvrages except.), accompagnée d'une péréquation entre les Stés d'économie mixte par l'intermédiaire de l'établ. public « Autoroutes de France » ; évolution modérée des péages, meilleure concertation pour la gestion du réseau avec les associations d'usagers ; amélioration de la qualité des services offerts (VL et PL) et accessibilité pour les handicapés.

• Taux de péage. **Taux de base du km,** en F, (pour les véhicules légers au 15-7-1991 : inchangé dep. 31-12-88 ; motos taux réduit 40 %). **Stés d'économie mixte.** ACOBA : 0,529 (Hendaye/St-Geours) ; AREA : 0,444 (A41, A43, Lyon/Autoroute Blanche) ; 0,389 (A43, A48, Lyon/Grenoble) ; 0,393 (A41, Grenoble/Chambéry) ; ASF ; 0,305 (A7, A8,

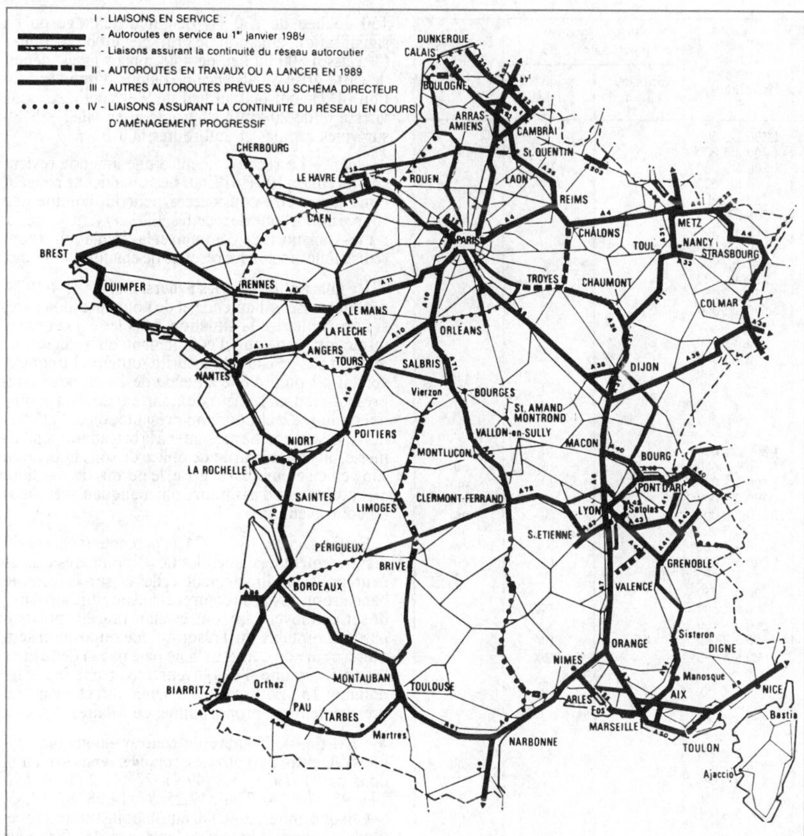

A9, Lyon/Orange/Aix/Montpellier/Berre) ; 0,335 (A9, A61, Narbonne/Toulouse/Montpellier/Le Perthus) ; 0,346 (A9, A61, St-Selve/Toulouse) ; 0,328 (A9, A61, Ste-Suzanne (Bordeaux/Tarbes) ; 0,382 (A72, Clermont/Vauchette (St-Étienne) ; 0,335 (Poitiers/Bordeaux) ; 0,368 (A11, Durtal/Angers) ; ESCOTA : 0,401 (A8, Aix/Italie) ; 0,369 (A8, A50, A52, Aix/Toulon) ; 0,416 (A51, Aix/Manosque) : SANEF : 0,294 (A1, A2, A26, Nordausques/Survilliers) ; 0,312 (A4, Paris/Strasbourg) ; SAPN : 0,274 (Mantes/Caen) ; SAPRR : 0,285 (A6, A36, A31, Lyon/Dijon/Mulhouse) ; 0,295 (A26, A31, Dijon/Toul/Chaumont) ; 0,399 (A40, A42, Lyon/Mâcon/Sylans) ; 1,119 (Tunnel de Ste-Marie-aux-Mines) ; STMB : 0,322 (Châtillon/Lefayet).

Société privée. COFIROUTE : 0,354 (A10, A71, Paris/Orléans/Tours/Salbris/Bourges) ; 0,361 (A10, A71, Tours/Poitiers) ; 0,468 (A10, Tours/Chambray) ; 0,356 (A11, A81, Paris/Vitré) ; 0,404 (A11, Angers/Nantes). *Moyenne du réseau total :* 0,316.

☞ Le taux varie du simple au double selon le coût de construction et le trafic. *Taux moyen :* 0,30.

Réseau

• **Quelques dates. Les plus anciennes autoroutes françaises. 1946** A-13 St-Cloud-Orgeval (22 km) ; commencée en 1936, finissait aux Quatre-Pavés du Roy. **50** A-12 Rocquencourt-Trappes (8). **51-53** A-51 Nord de Marseille (12). **52** B-42, C-42 Lyon-tunnel de la Croix-Rousse et accès Sud-Est (6). **54** A-1 Lille-Carvin (19) ; A-25 (B-9 périphérique Sud Ronchin-Porte d'Arras) (1) ; C-27 Lille (B-9 périphérique Sud Ronchin-La Madeleine) (3).

Dates de mise en service du 1er et dernier tronçon des grandes autoroutes. *A-1* Paris-Belgique 1954-74. *A-4* Paris-Metz 1975-76. *A-6* Paris-Lyon 1960-71. *A-7* Lyon-Marseille 1958-74. *A-8* Coudoux frontière italienne 1979, St-Isidore-Nice nord (2e chaussée) 1984. *A-9* Orange-Le Perthus 1978. *A-10* Palaiseau-déviation de Bordeaux 1967-81. *A-11* Paris-Le Mans 1966-78, Angers-Nantes 1980. Le Mans-Angers 1988-89. *A-13* Paris-Caen 1946-77. *A-26* Calais-Reims 1976-89. *A-31* Beaune-Toul 1974-89. *A-41* Grenoble-Scientrier 1978-81. *A-43* Lyon-Chambéry 1974.1981. *A-48* Coiranne-Grenoble 1975. *A-61* Toulouse-Narbonne 1979. *A-62 A-61* Bordeaux-Narbonne (sauf contournement Toulouse) 1975-82. *A-71* Orléans-Clermont 1986-89. *A-72* Chabreloche-Feurs 1984. *F-11* Le Mans-Laval 1980.

• **Longueur totale. Avant 1954** 77. **60** 174. **65** 653. **70** 1 599. **72** 2 172. **73** 2 474. **74** 2 878. **75** 3 401. **76** 3 985. **77** 4 293. **78** 4 604. **79** 4 896. **80** 5 251. **81** 5 715. **82** 5 934. **83** 6 113. **84** 6 085. **85** 6 350. **87** (au 1-1) 6 280. **88** 6 530. **89** (au 1-1-90) 5 830 (concédées 5 357 ; urbaines 1 449). **90** 5 484.

Kilométrage mis en service par année. Total dont autoroutes de liaison, routes express et, en italique, voies rapides urbaines. **1969** 190 (dont 59, *59*). **70** 258 (187, *71*). **71** 176 (120, *56*). **72** 397 (351, *9*). **73** 302 (231, e 21, *75*). **74** 404 (287, e 21, *96*). **75** 523 (489, e 212, *75*). **76** 584 (489, e 7, *88*). **77** 308 (228, *80*). **78** 311 (264, e 16, *31*). **79** 292 (201, e 19, *72*). **80** 392 (342, *50*). **81** 464 (416,6, *47,3*). **82** 217 (157 *60*). **83** 169 (136, *33*). **84** 204 (156, *48*). **85** 245,1 (152,9, e 56,3, *35,9*). **86** 111,6 (179,2 de chaussée élargie à 2 ou 3 voies). **87** 163,2. **88** 126,1. **89** 354,9 (concédées) ; voies suppl. (3e et 4e v., V.S.R.) 157,2. **90** 133 (concédés) ; voies suppl. 132.

Prévisions, en km (sections neuves). **1991 :** 240 dont *AREA* A49, Thullins-Bourg-de-Péage 52, A43/A431, Montmellian-Gilly 34 ; doublement du tunnel de Chambéry. *ASF* A64, Urt-Peyrehorade-Salies-de-Béarn 34 ; A65, Cap Vern-Pinas 12 ; A83, Nantes-Montaigu 23 ; Rocade Sud-Est du Mans, déviation de Montastruc et Nervieux-Balbigny. *ESCOTA* A57, Cuers-Le-Cannet 34. *SAPRR* A46, Anse-Rilleux, 23 ; A432, La Boise-Pusignan 12. *STMB* A41, St-Julien-Frontière suisse.

Chantiers de sections neuves en cours (en km, 1991), 407 dont *ASF* A46, de A43 à A7 ; A68 Toulouse-Monstastuc. *COFIROUTE* A821, contournement de Nantes. *ESCOTA* A 800, bretelle de Monaco. *SANEF* A16, Isle Adam-Amiens-Boulogne ; A26, Châlons-Troyes. *SAPN* A14, Orgeval-La-Défense ; A29, Ais-Yvetot. *SAPRR* A26, Troyes nord-Troyes est ; A5 Melun-Troyes ; A5A Justice-Eprunes ; A5B, Gregy-Eprunes-RN36.

Réseau concédé au 15-2-1991. Longueur totale (dont entre parenthèses concédée). **ACOBA.** *A63* 66,5 (66,5). **AREA.** *A43* 93 (90). *A48* 91 (50). *A41S* 50,2 (50,2). *A41N* 166,3 (73,3). *A430* 18,9 (4,4). *A43S* 110 (4). *A49* (9,5). *A54* (24,6). *A64W* (5,6). **ASF.** *A10* 529,1 (218). *A64* 178,1 (120,1). *A62* 225,8 (215,8). *A61* 377,5 (138,8). *A9* 280,5 (280,5). *A7* 253,9 (250,5). *A8* 18,1 (18,1). *A7B* 6,8 (6,8). *A72* 123,3 (116,6). *A54* 2,1 (2,1). *A720* 6,7 (6,7). *A11* 257,9 (81,3). *A612* 240,5 (15,8). *A54* 24,6 (24,6). *A64W* 5,5 (5,7). **COFIROUTE.** *A11B* 65,5 (65,5). *A81* 268,3 (94). *A11* 176,6 (150,5). *A10* 311,1 (311,1). *A71* 209,8 (111,1). *A701* 94,4 (1). **ESCOTA.** *A8* 224 (205,9). *A52* 26,1 (26,1). *A50* 67,7 (41,6). *A501* 5,4 (2,8). *A503* 2,9 (2,9). *A50W* 16,7 (1,3). *A51* 123,5 (100,2). **SANEF.** *A4E* 149 (145,9). *A1* 174,4 (155,6). *A26* 262,9 (262,9). *A2* 42,7 (42,7). *A32* 44,3 (0,5). *A3143*,1 (3,1). *A4* 328,7 (316). *A140* 3,6 (3,6). **SAPN.** *A13* 222,3 (201,3). *A930* 116,3 (3,3). *A932* 186 (5,6). *A931* 59,2 (3,5). **SAPRR.** *A42* 52,6 (48). *A6* 445,3 (400,8). *A36* 216,9 (216,9). *A31* 228,4 (228,4). *A600* 87,6 (7). *A26S* 19,8 (19,8). *A40W* 204,3 (101,5). *A71S* 388,6 (178,8). *A311* 32,3 (4,5). *A5* 208,8 (77,6). **STMB.** *A40* 102,9 (102,9). *A411* 2,2 (2,2).

Trafic des autoroutes
(Moyenne journalière)

Autoroutes non concédées. Paris *(entrées + sorties* 1976). Autoroute du Sud (A-6) 107 562, (B-6) 90 977, Porte de la Chapelle (A-1) 132 723 ; Autoroute de l'Ouest (A-13) 115 336 ; de Bagnolet (A-3) 149 919.

Autoroutes concédées (au 31-1-1991). **ACOBA :** A63 (Hendaye-Dax) 14 102. **AREA :** A43 (Lyon-Chambéry) 30 287. A48 (bifurcation A43-A48 Grenoble) 14 643. A41 (Chambéry-Grenoble) 15 291. A41 (Chambéry-A40) 16 132. **ASF :** A7 (Lyon-Orange) 44 947. A9 (Orange-Narbonne) 35 868. A9 (Narbonne-Espagne) 19 831. A61/A62 (Bordeaux-Narbonne) 17 129. A64 (Bayonne-Tarbes) 7 210. A10 (Poitiers-Bordeaux) 16 995. A11 (Le Mans-Angers) 11 124. A72 (Clermont-St-Etienne) 10 484. A54 17 443. **COFIROUTE :** A10 (La Folie Bessin-Ponthévrand) 61 767. A11 (bifurcation A10/A11-Le Mans) 24 436. A10 (Ponthévrand-Poitiers) 24 436. A71 (bifurcation A10/A71-Orléans/Bourges) 12 284. A81 (Le Mans-Rennes) 14 956. A11 (Angers-Nantes) 11 797. **ESCOTA :** A8 (Aix-Italie) 37 043. A50/A52 (Aix-Toulon) 28 676. A51 (Aix-Aubignosc) 8 561. **SANEF :** A1 (Paris-Lille) 46 887. A2 (Combles-Hordain) 14 987. A26 (Calais-Roeux) 9 016. A26 (Roeux-Reims) 8 278. A4 (Paris-Metz) 14 996. A4 (Metz-Freyming) 17 988. A4 (Freyming-Strasbourg) 13 823. **SAPN :** A13 (Paris-Caen) 25 241. **STMB :** A40 (Genève-Annemasse) 13 836. **SAPRR :** A6 (Paris-Beaune) 32 917. A6 (Beaune-Lyon) 48 301. A31 (Beaune-Toul) 13 435. A36 (Beaune-Mulhouse) 13 484. A71 (Clermont-Fd-Bourges) 8 351. A40 (Mâcon-Châtillon) 13 882. A42 (Lyon-bifurcation A40/A42) 13 884. A5 3 719.

Piétons

Réglementation. Un piéton isolé (ou en colonne par 1) doit marcher à gauche, face au trafic. Une colonne avec 2 ou 3 piétons de front doit marcher sur la droite de la chaussée en laissant toute la moitié gauche. De nuit, elle doit être signalée par un feu blanc ou jaune à l'avant, rouge à l'arrière. Les piétons doivent utiliser les passages prévus à leur intention lorsqu'il en existe à moins de 50 m. Engagés dans un passage réservé (en traversant une rue), ils ont priorité sur les automobilistes qui tournent à droite. Sur les trottoirs où sont aménagées des places de stationnement, les automobilistes doivent circuler à allure très réduite.

Loi Badinter : elle tend à l'indemnisation automatique du préjudice corporel des piétons et cyclistes de - de 16 ans et de + de 70 ans ainsi que des passagers transportés, sans discussion de la responsabilité (sauf cas d'accident volontaire). La faute inexcusable, qui serait la cause exclusive de l'accident, serait retenue à l'encontre des piétons et cyclistes de 16 à 70 ans sauf s'ils sont titulaires d'un titre d'invalidité d'un taux égal à 80 % d'incapacité permanente.

Droits du piéton. 15, rue de l'Échiquier, 75010 Paris. Créé en avril 1959 par Roger Lapeyre (n. le 4-4-1911). *Pt :* Daniel Leroy. 18 500 membres, 40 associations départementales.

Contraventions et délits

Généralités

• **Amendes. Forfaitaires.** Pour les 4 premières classes payables par timbre-amende dans les 30 j qui suivent la constatation ou l'envoi de l'avis de contravention. *1re classe :* 30 F minimum piétons, 75 F autres, *2e :* 230 F, *3e :* 450 F, *4e :* 900 F. On a 30 j pour réclamer. Le ministère public peut classer sans suite ou poursuivre par ordonnance pénale ou citation directe. En cas de condamnation, l'amende prononcée ne pourra pas être inférieure à l'amende forfaitaire.

Forfaitaires majorées. En cas de non-paiement de l'amende forfaitaire et d'absence de requête, *1re classe :* 220 F, *2e :* 500 F, *3e :* 1 200 F, *4e :* 2 500 F, recouvrée au profit du Trésor public selon la procédure habituelle. On a 10 j après l'envoi de l'avertissement pour réclamer auprès du ministère public qui

Contraventions	Amende Forfaitaire F	Amende Pénale encourue (ou, si récidive) F	Prison possible pour contrevenant		Suspension possible du permis de conduire
			primaire 1 j à	récidiviste 1 j à	
Abandon de voiture-épave		1 300 à 3 000	5	10	
Arrêt dangereux (art. R. 37-2)		1 300 à 3 000	5	10	oui
Arrêt non respecté, signal par agent, panneau ou feu rouge		1 300 à 3 000	5	10	oui
Assurance (défaut d'attest.)	230	250 à 600			
Avertisseur sonore (usage abusif)	230	250 à 600			
– Non-usage si nécessité		1 300 à 3 000			
– Défaut	450	600 à 1 300			
Carte grise – Défaut (4e cl.)	900	1 300 à 3 000			
Casque					
– Non-port de	230	250 à 600			
– Non conforme	75	30 à 250			
– Défaut d'équipement	450	600 à 1 300			
Ceintures de sécurité					
– Non-port de	230	250 à 600			
– Défaut d'équip.	450	600 à 1 300			
Chang. de dir. sans précaution	230	250 à 600			oui
Chev. ou franchissement ligne continue	230	1 300 à 3 000	5	10	oui
Circul. à gauche en marche normale		1 500 à 3 000	5	10	oui
Circul. sur chaussée, voie, piste réservées	230	250 à 600			
Course de véhicules					
– Sans respect de réglementations		1 300 à 3 000	5	10	
Dépassement – Accélérat. au moment d'être dépassé		1 300 à 3 000	5	10	oui
– À droite		1 300 à 3 000	5	10	oui
– Dans un virage		1 300 à 3 000	5	10	oui
– Dans une intersection non prioritaire		1 300 à 3 000	5	10	oui
– Défaut de serrer à droite		1 300 à 3 000	5	10	oui
– Malgré l'interdiction		1 300 à 3 000	5	10	oui
– Retour prémat. à droite		1 300 à 3 000	5	10	oui
Descente d'un véhicule sans précaution	75	30 à 250			
Disque (défaut de)	75	30 à 250			
Échappement silencieux défaillant	450	600 à 1 300		(8)	
Enfants (non-placement à l'arrière)	230	250 à 600			
Feux de route ou de brouillard maintenus en croisant		1 300 à 3 000	5	10	oui
Fumées gênantes	450	600 à 1 300		(8)	
Indicateurs de changement de dir. défaillants ou irréguliers	450	600 à 1 300		(8)	
Motocyclette (non-allumage de jour des feux de croisement)	230	250 à 600			
Nouveaux conducteurs					
– Défaut de disque 90	230	250 à 600			
– Dépassem. des 90 km/h	230	250 à 600			oui
Péage (refus d'acquitter)	230	250 à 600			
Piétons (infract. des)	30	30 à 250			
Plaques d'immatriculation – Défaut	900 maj. 2 500	1 300 à 3 000			
Pneus lisses		1 300 à 3 000	5	10	
– A crampons non conformes ou hors périodes		1 300 à 3 000	5	10	
Priorité, non-respect :					
– De la droite		1 300 à 3 000	5	10	oui
– D'une route à grande circ.		1 300 à 3 000	5	10	oui
– Indiquée par « Stop »		1 300 à 3 000	5	10	oui
– Non-respect de la priorité piétons		1 300 à 3 000	5	10	
Radar (détention, usage ou vente appareil détecteur)		3 000 à 6 000	10 j à 1 m		
Sens interdit emprunté	900 maj. 2 500	1 300 à 3 000			
– Rampe d'accès autoroute		1 300 à 3 000	5	10	
Signaux de freinage défaillants ou irréguliers	450	600 à 1 300	5	10	
– Non-fonctionnement ou absence de feux		600 à 1 300			
– Feux d'une couleur autre que orangée ou rouge	450	600 à 1 300			
– Non-usage de ce dispositif pour signaler un ralentissement	230	250 à 600			oui
Stationnement abusif	230	250 à 600			
Arrêt : Dangereux		1 300 à 3 000	5	10	oui
– Gênant	230	250 à 600			
– Sur voie réservée aux transports en commun		1 300 à 3 000		cond. part.	
– Payant (non payé)	75	30 à 250			
Vitesse : Excès de		1 300 à 3 000	5	10	oui
– Non-maîtrise de la		1 300 à 3 000	5	10	oui
– Non réduite dans agglom.		1 300 à 3 000	5	10	oui
– par temps de pluie		1 300 à 3 000	5	10	oui

Délits	Amende pénale encourue (ou, si récidive) F	Prison possible pour contrevenant	Suspension possible du permis de conduire
Assurances (défaut) : contraventions 5e cl.	3 000 à 6 000	10 j à 1 m	oui
	+ 50 % (recouvr.)	10 j à 3 m	oui
Barrage forcé, refus d'obtempérer	500 à 15 000	10 j à 3 m	oui
Barrière de dégel non respectée et passage sur les ponts : contraventions 5e cl.	3 000 à 6 000		oui
Carte grise :			
– Défaut, en récidive	1 300 à 3 000		non
– Fausse ou altérée	1 500 à 20 000	et 6 m à 3 a	oui
Course de véhicules sans autorisation	2 000 à 120 000	10 j à 6 m	non
Délit de fuite	2 000 à 30 000	et/ou 2 m à 2 a	oui
Homicide involontaire	1 000 à 30 000	et 3 m à 2 a	oui
Ivresse : taux d'alcool pur égal ou sup. à 0,80 g	2 000 à 30 000	2 m à 2 a	oui
Permis de conduire :			
– Défaut de, en récidive	2 000 à 30 000	2 m à 2 a	non
– Conduite malgré suspension	2 000 à 30 000	2 m à 2 a	oui
Plaques d'immatriculation :			possib. annul.
– Usages de fausses	500 à 20 000	6 mois à 5 ans	oui

peut classer sans suite ou poursuivre par ordonnance pénale ou citation directe. En cas de condamnation, l'amende prononcée ne peut être inférieure à l'a. forf. majorée.

Autres contraventions. Relèvent de la procédure ordinaire.

Recouvrement des amendes (sauf celles payées par timbre-amende). Un 1er avertissement est envoyé, puis un 2e. *A défaut de paiement,* il est procédé à un commandement, puis à la saisie. Le procureur de la Rép. peut ordonner la contrainte par corps : la personne qui refuse de payer l'amende est alors incarcérée pendant un délai variant suivant la somme due (ex. 20 j pour une amende pénale fixe de 800 F). Les frais de recouvrement s'ajoutent à l'amende (si l'on paye l'ordonnance pénale dès sa réception sans attendre l'avertissement du comptable du Trésor, on ne devra aucun frais de recouvrement). Dep. le 15-5-1990, on peut s'acquitter immédiatement de certaines contraventions avec une ristourne. *Ex. :* défaut de port de la ceinture ou du casque (2e classe) 150 au lieu de 230 F ; défaut d'éclairage ou de signalisation, émission de bruit gênant ou de fumée (3e classe) 300 au lieu de 450 ; pneus lisses, défaut de carte grise ou absence de plaque d'immatriculation (4e classe) 600 au lieu de 900 ; petit excès de vitesse (– de 20 km/h sur route et en ville, – de 30 sur voies rapides et autoroutes 600 F.

Nota. – Le recouvrement d'une amende revient en moyenne à 100 F à l'État. Les amendes ne peuvent donc guère être considérées pour lui comme une source importante de recettes. Elles servent à améliorer les transports en commun et la circulation et sont redistribuées selon les recettes de chaque commune.

Régularisation dans les 5 jours. Dep. le 15-1-1978, sont dispensées d'amende et de poursuite judiciaire, si l'on régularise la situation dans les 5 j certaines infractions : défaut d'équipement du véhicule ne mettant pas en cause la sécurité routière. Le contrevenant est puni d'une amende de 1re cl. pour non-présentation sur les lieux de la carte grise et du permis de conduire ; 2e cl. pour non-présentation de l'attestation d'assurance. Se présenter à la brigade de gendarmerie, au commissariat de police de son choix (avec son véhicule ou la carte grise, le permis de conduire ou l'attestation d'assurance qui manquait avec l'avis de contravention).

Saisie. Dep. le 15-1-1974, le percepteur chargé du recouvrement des amendes des 3 premières classes peut prélever directement celles-ci sur le compte bancaire ou postal du contrevenant ou entre les mains de son employeur. Le contrevenant doit être prévenu par le comptable du Trésor qu'une opposition sera exercée sur son compte s'il ne paie pas sa dette dans les 15 j. Ensuite, l'employeur reçoit une lettre lui donnant 15 j pour payer l'amende directement. Le prélèvement est proportionnel au salaire.

• **Statistiques.** **Nombre de contraventions** (en millions) **et,** entre parenthèses, **sommes versées** (en millions de F). *1973 :* 5,8 (47,9). *77 :* 12,2 (130). *80 :* 14 (195). *83 :* 15,17. *86 :* 17,25. *87 :* 14,08. *88 :* 12,65.

Chaque année, 200 000 automobilistes sont sanctionnés pour être passés au feu rouge, 450 000 pour défaut du port de la ceinture et 170 000 du casque.

Moyenne (1980). 46 contr. pour 100 véhicules (524 à Paris ; 1 en Lozère).

Infractions liées à la limitation de vitesse (1987). 983 719 dont vit. excessive en raison des circonstances 79 510, inobservation de la lim. imposée aux nouveaux conducteurs 4 902, de lim. générale en agglomération 483 221, hors aggl. 244 351, sur autoroutes 130 306, lim. pour véhicules de P.T. de plus de 10 t 14 871, des arrêtés préfectoraux ou municipaux de lim. 26 558.

Enlèvements à Paris (1987). *Nombre :* 162 732 dont stat. gênant 153 448, véhicules abandonnés à l'état d'épaves 9 284.

Coût : 450 F de frais de transport + 21 F par jour de frais de garde (à régler lors du retrait du véhicule) + 230 F d'amende (payable par timbre-amende). La Sté de remorquage reçoit 150 F dont 30 pour le chauffeur du camion-grue (en 1985).

• **Tarif des contraventions** (au 1-1-1990). **1re classe :** *timbre-amende* 30 à 250 F, *amende forfaitaire majorée* 50 ou 220 F. **2e cl. :** 250 à 600 F. **3e cl. :** 600 à 1 300 F. **4e cl. :** 1 300 à 3 000 F et/ou emprisonnement de 5 j au plus (10 j au plus en cas de récidive). **5e cl. :** 3 000 à 6 000 F et/ou emprisonnement de 10 j à 1 mois (12 000 F au plus et emprisonnement de 2 mois en cas de récidive).

• **Voitures volées.** Envoyer, dès qu'on a reçu l'avis, une lettre recommandée avec demande d'avis de réception au procureur de la République (ou à l'organisme indiqué sur l'avis d'amende) pour signaler le vol. Joindre une photocopie de la déclaration de vol délivrée par le commissariat de police ou la gendarmerie.

Recensement

Casier des contraventions de circulation. Tenu au greffe du tribunal de grande instance (pour les personnes nées dans la circonscription du tribunal) et au ministère de la Justice (pour celles nées à l'étranger).

Les fiches sont retirées du casier et détruites en cas de décès du condamné, d'amnistie et d'opposition à une condamnation par défaut ou à une ordonnance pénale, 2 ans après la condamnation à l'amende ou à l'emprisonnement, jusqu'à la fin de l'exécution de la mesure restrictive du droit de conduire, si elle est supérieure à 2 ans ; 1 an après l'expiration du délai d'épreuve de 5 ans lorsque la suspension du permis de conduire aura été assortie d'un sursis.

Le bulletin du casier est délivré aux autorités judiciaires et au commissaire de la République, saisi du procès-verbal d'une infraction l'autorisant à prononcer la suspension du permis de conduire. Le conducteur ne peut pas le demander. Mais s'il est poursuivi devant une juridiction, son avocat peut en avoir connaissance en consultant le dossier, si les magistrats ont demandé un extrait de ce bulletin.

Fichier des conducteurs. Institué par la loi du 24-6-1970 et placé sous l'autorité et le contrôle du garde des Sceaux. Supprimé le 4-1-1980.

Fichier national des permis de conduire. Créé par la loi du 24-6-1970, abrogée 14-12-1990, sous le contrôle du ministère de l'Intérieur, il centralise les renseignements relatifs aux permis de conduire civils, et les décisions administratives et judiciaires qui peuvent affecter leur validité : avertissement, suspension, annulation, interdiction de présentation aux épreuves du permis, mesures administratives prises par le préfet sur avis de la Commission médicale compétente.

Les renseignements peuvent être communiqués (par l'autorité préfectorale du lieu de résidence du conducteur ou du siège des autorités précitées) au conducteur, aux autorités judiciaires et administratives, aux compagnies d'assurances pour ceux dont elles garantissent la responsabilité.

Quelques cas

Blessures. 1°) *Blessures involontaires, coups ou maladies entraînant une incapacité totale de travail personnel* pendant plus de 3 mois : *délit* : empris. 15 j à 1 an, et amende de 500 à 20 000 F (ou l'une de ces 2 peines seulement). 2°) *de 3 m. au plus : contravention (suspension du permis possible dans les 2 cas)* : emprisonnement de 10 j à 1 mois et (ou) amende de 2 500 à 5 000 F.

Délit de fuite. Punissable d'un emprisonnement de 2 mois à 2 ans et (ou) amende de 2 000 à 30 000 F. S'il y a en plus *homicide involontaire* : 6 mois à 4 ans : 2 000 à 60 000 F ; *coups et blessures involontaires* ayant entraîné une incapacité totale de travail personnel de + de 3 mois : 30 j à 2 ans : 1 000 à 40 000 F.

Immobilisation du véhicule. Prescrite pour *a)* Conduite en état d'ivresse ou sous l'empire d'un état alcoolique. *b)* Défaut de permis de conduire. *c)* Mauvais état du véhicule, équipement réglementaire absent, non conforme ou défectueux (pression sur le sol, poids, forme et nature des pneus, freins, éclairage ou chargement) créant un danger important pour les autres usagers ou constituant une menace pour l'intégrité de la chaussée. Seuls sont retenus les dépassements de plus de 5 % du poids total autorisé et de la charge par essieu. *d)* Défaut d'autorisation pour un transport exceptionnel. *e)* Détérioration de la route ou de ses dépendances. *f)* Infractions aux règlements relatifs aux barrières de dégel, aux transports de matières dangereuses ou à ceux qui portent restriction de circulation. *g)* Altération ou suppression des dispositifs contre le bruit et émissions de fumée ou gaz toxiques. *h)* Entrave ou gêne à la circulation. *i)* Défaut de présentation d'autorisation de mise en circulation pour un véhicule de transport en commun. *j)* Infraction aux règles relatives aux conditions de travail dans les transports routiers ou défaut de présentation des documents dûment remplis permettant de contrôler le respect de ces règles. *k)* Infraction au code des assurances.

Non-assistance *à personne en péril sans risque pour soi ou pour les tiers* : 3 mois à 5 ans de prison et (ou) amende de 360 à 20 000 F.

Refus d'obtempérer à sommation de s'arrêter ou de se soumettre aux vérifications des fonctionnaires ou agents munis des insignes extérieurs et apparents de leur qualité : emprisonnement de 10 j à 3 mois et/ou amende de 500 à 15 000 F.

Suspension du permis de conduire. Voir p. 1608a.

Quelques précisions

• **Autoroute. Accès interdit.** Piétons, cavaliers, cyclistes, animaux, véhicules à traction non mécanique, véhicules à traction mécanique non soumis à immatriculation (cyclomoteurs), véhicules ne pouvant circuler sans autorisation spéciale, transports exceptionnels, véhicules ne dépassant pas 40 km/h (si un véhicule est obligé de rouler très lentement, il doit prendre les mesures nécessaires pour faciliter son dépassement), tracteurs ou matériel agricole ou de travaux publics.

Sont interdits les essais de véhicules à moteur, courses, épreuves sportives, leçons de conduite (sauf arrêté préfectoral).

Sur autoroute ou route à 3 voies ou + dans un même sens, il est interdit aux véhicules de 3,5 t (PTC) ou aux ensembles de véhicules de + de 7 m ou aux véhic. de transport en commun d'emprunter d'autres voies que les 2 de droite.

• **Axes rouges** (exemples). *Madrid* : zones rouges : principales rues du centre ; arrêt interdit, amende de 50 000 pesetas (2 500 F). *Copenhague* : arrêt interdit sur axes de grande circulation (certains inter-dits jour et nuit). *Londres* : interdiction partielle ou totale de stationner répandue ; aucune interdiction totale de s'arrêter. *Rome* : centre ville fermé aux automobiles particulières de 7 h à 11 h et 13 à 19 h ; macaron permettant l'accès pour env. 150 000 véhicules. *Athènes* : circulation 1 jour sur 2 selon le dernier chiffre (pair ou impair) dans centre ville de 6 h à 20 h.

• **Circulation.** N'utiliser la file de gauche que pour dépasser (circuler à gauche et accélérer l'allure alors que le conducteur est sur le point d'être dépassé peut entraîner une suspension de permis et une amende de 600 à 1 200 F). Circulation dense : ne changer de file que pour préparer un changement de direction. Utiliser la voie réservée aux véhicules lents si on ne dépasse pas 60 km/h.

• **Coffre.** En l'absence d'une enquête criminelle en cours, justifiant les fouilles de véhicules et diligentée par un juge d'instruction, aucun policier, hors cas de crimes flagrants, ne peut contraindre légalement un conducteur à ouvrir le coffre de sa voiture.

• **Éclairage des véhicules.** La lumière jaune est supérieure à la blanche (adoptée dans les autres pays de la CEE) : acuité visuelle supérieure de 10 %, meilleure visibilité due à une moindre diffusion de la lumière jaune, comme par temps clair, brumeux, diminution du temps de réadaptation de l'œil à la vision normale après éblouissement prolongé.

L'allumage des feux de croisement (dits codes) en ville a été rendu obligatoire d'oct. 1979 au 18-6-1982, puis rendu facultatif. En Allemagne et en Suède (1990), les phares doivent être allumés jour et nuit.

• **Freinage.** Freiner avant et non pas dans le virage. *Sur route non glissante* : ne pas freiner en position « débrayée », mais débrayer au dernier moment (moteur prêt à caler). *Si 2 véhicules se suivent* à la même vitesse et que le 1er freine, le 2e conducteur réagira avec 3/4 à 1 seconde de retard.

Distances nécessaires pour freiner. *Calcul rapide* (en tenant compte de la distance parcourue pendant le temps de réaction et pendant le freinage) ; sur route sèche multiplier par lui-même le chiffre des dizaines de la vitesse. A 60 km/h : 6 × 6 = 36 m, à 80 km/h : 8 ×8 = 64 m, à 120 km/h 12 × 12 = 144 m. Sur route mouillée ajouter la moitié. Ex. : à 80 km/h : 64 (8 × 8) + 32 = 96 m.

☞ L'arrêt d'une voiture roulant à 50 km/h correspond à une chute libre de 10 m de haut, à 75 km/h de 22 m, à 100 km/h de 40 m (sommet d'un immeuble de 14 étages). A 80 km/h le cerveau, qui pèse normalement 1,5 kg, arrive à peser 33 kg. Le foie passe de 1,7 kg à 38 kg, le cœur de 300 g à 7 kg et le sang de 5 kg à 100 kg (168 kg à 120 km/h).

Un homme de 75 kg, roulant à 50 km/h, se transforme au moment du choc en un projectile d'une masse de 3 t capable de tordre des barres d'acier, donc de déformer le tableau de bord.

• **Priorité à droite.** *1910* appliquée pour la 1re fois à Paris par le préfet Lépine. *1925* incorporée au Code de la route. *1944* des associations se prononcent pour la priorité à gauche. *1968* le Conseil économique recommande la priorité à gauche (il est en effet dangereux d'avancer jusqu'au milieu de la chaussée car on peut être heurté par un véhicule venant de la gauche ; 45 % des accidents ont lieu à des carrefours et auraient pu être évités si la priorité était différente). *1984* (1-5) « tout conducteur abordant un carrefour à sens giratoire est tenu, quel que soit le classement de la route qu'il s'apprête à quitter, à céder le passage aux usagers circulant sur la chaussée qui ceinture le carrefour à sens giratoire ».

• **Remorque et caravane.** Une voiture de 6 à 8 CV peut tracter une rem. de 100 à 150 kg de charge utile. *Longueur max.* de l'attelage voiture et caravane 18 m, de la caravane timon non compris 11 m. *Largeur max.* 2,5 m. *Intervalles* entre voitures tractant remorque, caravane en dehors des agglomérations, 50 m (si l'ensemble voiture et caravane dépasse 7 m ou si le poids total en charge dépasse 3,5 t).

Freinage. Si la remorque pèse - de 750 kg en charge et - de la moitié du poids à vide de la voiture tractrice, freinage non obligatoire ; *de 750 à 3 500 kg* : fr. « par inertie » obligatoire ; *au-delà* : fr. « en continu » (hydraulique, à dépression ou électrique).

• **Stationnement. Définition.** *Arrêt* : immobilisation momentanée pendant la montée et la descente des passagers et le chargement, le conducteur restant au volant ou à proximité de son véhicule pour pouvoir le déplacer. *Stationnement* : immobilisation de plus longue durée, en dehors de la présence du conducteur. **Responsabilité** : véhicule se trouvant à un emplacement où il gêne la circulation, où le stationnement est interdit, peut supporter tout ou partie de la responsabilité d'un accident, sauf si le stationnement irrégulier est toléré, s'il est visible sur une ligne droite, s'il est sans lien de causalité avec l'accident.

Interdictions. *Sur autoroute* : stationnement interdit sur chaussée, bande d'arrêt d'urgence (sauf en cas de nécessité absolue), bande séparant les chaussées, accotement, bretelles de raccordement.

Dans les agglomérations : interdit + de 24 h au même endroit à Paris (7 j ailleurs), sur emplacements réservés aux autobus, taxis, sur les ponts, dans les passages souterrains, tunnels, près des signaux lumineux de circulation ou des panneaux de signalisation (à Paris, laisser 10 m avant les feux de signalisation et 2 m avant l'alignement des immeubles de la rue transversale à une intersection). Si l'éclairage public est suffisant, on peut ne pas signaler la nuit un véhicule en stationnement sauf s'il a une remorque et dépasse 6 m de long et 2 m de large.

Si une auto bloque l'entrée d'un garage, on peut faire appel au commissariat de l'arrondissement. Si le commissariat ne peut faire enlever sur-le-champ le véhicule gênant, il établit un procès-verbal ; on peut demander au procureur de la République auprès du tribunal compétent le numéro de ce procès-verbal, et se porter partie civile devant le tribunal de police et obtenir éventuellement des dommages et intérêts si l'on peut prouver que ce stationnement abusif a causé un préjudice. Procédure gratuite.

• **Préfourrière et fourrière.** Une voiture en stationnement peut être déplacée [pour raison de sécurité notamment (s'adresser au commissariat de voie publique de l'arrondissement)] ; ou enlevée par un service de police (infraction grave : s'adresser au commissariat du quartier) et mise en préfourrière, puis après délai de 48 h, en fourrière. Après 45 j, à compter de la mise en demeure faite au propriétaire d'avoir à retirer son véhic. par lettre recommandée avec A.R., le véhic. est remis au service des Domaines qui le vend ou l'envoie à la casse s'il n'est pas en état de circuler. On peut récupérer le prix de la vente après déduction des frais (garde, expertise, vente).

Frais (en F). **Mise en fourrière** : *poids lourds* + de 3,5 t : enlèvement 300, opérations préalables 150 ; *voitures particulières* : enlèvement 450, préalables 105 ; *autres véhicules* : à moteur 53, sans moteur 26. **Garde en fourrière,** *pour 24 h* : *poids lourds* 40, *voit. partic. et commerciales* 21, *autres véhicules* 16. *Si l'on arrive sur les lieux de l'infraction* avant que l'engin de remorquage de la fourrière ait quitté sa base, un procès-verbal est dressé et l'on ne paye pas la taxe d'enlèvement ; si l'engin a quitté sa base et fait route sur les lieux de l'enlèvement (ou est déjà sur place), on doit payer les frais.

• **Vitesse (limite). France. Agglomération.** Sauf signalisation spéciale, 50 km/h du panneau d'entrée en agglomération au panneau de sortie. Routes 90, à 4 voies séparées par un terre-plein central et autoroutes de dégagement urbaines 110, autoroutes 130 (80 au min. sur la bande de gauche).

Par temps de pluie et autres précipitations (décret du 30-7-1985). Autoroutes 110, sections en zone d'habitat dense et voies à 2 chaussées séparées par un terre-plein central 100 (autres routes 80).

Véhic. de + de 10 t (en km/h). *Autoroutes* : si - de 19 t : 90 ; si + de 19 t : 80. *Routes à grande circulation* 80. *Autres routes* : si - de 19 t : 80 ; si + de 19 t : 60. *Agglomération* 50. **Véhic. (ou ensemble de véhic.) transportant des matières dangereuses.** *Autoroutes* 80. *Autres routes* 60. *Agglomération* 50. **Transports en commun.** *Hors agglomération* 90 (100 sur autoroute pour certains autocars). *Agglomération* 50.

Étranger. Sur route et sur autoroute en km/h. Allemagne féd. 100, 130 (recommandé). Autriche 100, 130. Belgique 90, 120. Danemark 80, 100. Espagne 90, 120. États-Unis env. 90 (55 mph, ensemble réseau rase campagne). G.-B. 97,112. Grèce 80, 100. Irlande 96,96. Italie 80 à 110, 90 à 140 (selon la puissance des moteurs). Luxembourg 90, 120. Norvège 80, 90. Pays-Bas 80, 120. Pologne 80, 90. Portugal 90, 120. Suède de 70 à 110 (selon le type de route), 110. Suisse 80, 120. Turquie 90, 110. URSS 90. Yougoslavie 80 ou 100 (selon le type de route), 120.

Transports urbains

Quelques comparaisons

Liaisons suburbaines rapides

Véhicules expérimentaux

Coussins d'air. France : *Aérotrain S44* (40 places, moteur électrique linéaire) essayé à Gometz (Essonne) sur une piste de 4 km, a atteint 170 km/h en 1971, prototype devant ouvrir la voie à des véhicules accouplés à motorisation électrique (roues pressées ou moteur linéaire) pour les dessertes d'aéroports et de villes satellites. Après le rejet d'un projet de ligne « Orly-Roissy-Charles-de-Gaulle » présenté par un consortium privé, les pouvoirs publics proposèrent la desserte « La Défense-Cergy Pontoise » qui était conçue pour déconcentrer les emplois tertiaires par une liaison directe avec La Défense. Le projet fut abandonné devant la résistance des banlieues traversées par la ligne mais non desservies. **USA :** aérotrain fabriqué sous licence par Rohr Industries pour le DOT (Département fédéral des Transports), 60 places, moteur électrique linéaire classique : a atteint 230 km/h en mai 76 sur une voie de 9 km.

Magnétique. Mêmes solutions techniques que pour la haute vitesse.

Trafic urbain

☞ **Pour de très gros débits,** le métro reste irremplaçable. 1er inauguré à Londres 10-1-1863. 1er entièrement automatique le VAL 206 à Lille (25-4-1983). Voir p. 1620, Jacksonville (USA Val 250 dep. 1989) ; prévu à Bordeaux (1996 coût 5 550 millions de francs), Rennes (1 879 MF).

• **Véhicules à roues portées. Sur 2 rails.** 1re génération : a disparu sauf en Europe de l'Est et All. féd. 2e, 1re ligne ouverte à Edmonton Canada. **En France.** *Nantes :* mise en service 7-1-1985, 2 rames de 28,50 m, vitesse 25 km/h, 168 voyageurs. 1 tronçon de 10,6 km et 22 stations, 1 autre de 4 km. Coût : 600 MF. *Strasbourg :* projet, 1 l de 13 km et 23 stations. Coût : 730 MF. *Grenoble :* mise en service 1987 (8,4 km, 18 stations, coût 1 milliard pour les équipements et 235 millions pour les 20 rames de 252 places chacune). 1 autre en projet, de 5 km. *St-Denis-Bobigny* (1992). Projets : Brest, Reims, Rouen. *Toulouse :* un réseau de 30 km à l'étude. *St-Étienne :* modernisation depuis 1974 de la ligne.

Sur monorail. ALWEG (Seattle, Tōkyō), pneus sur un monorail en béton, soutenu par des pylônes.

Sur piste à plat. Il y en a un grand nombre, différenciés essentiellement par le guidage. **ACT** (Automatically Controlled Transportation) : projet Ford (USA), véhicules modulaires, long. 7,5 m, larg. 2 m, sans conducteur, sur pneus, moteur électrique ; navette télécommandée par ordinateur : les passagers sélectionnent leur destination ; guidé sur 1 piste à bords relevés en U ; *vitesse max.* 48 km/h. **Airtrans** (Intra Airport Transportation System) : Dallas (USA) ; parcourt 14,5 km, guidé sur une piste à bords relevés en U, véhicule modulaire, long. 6,4 m, larg. 2,1 m, entièrement automatique. Moteur électrique. *Vitesse max. 30,6 km/h.*

• **Véhicules à roues, suspendus.** *1900* 1er à Wuppertal (All. féd.), sur roues métalliques. *Type SAFEGE :* caisse suspendue, avec double roulement de pneus circulant à l'intérieur d'une poutre caisson montée sur pylônes espacés de 30 m. Voitures de 16 m sur 2,50 m (150 passagers dont 48 assis). Vitesse commerciale (arrêts compris, avec stations distantes de 1 000 à 1 500 m) 60 km/h. *Ligne* (Japon) : 7 km (1970 Shonan) ; Chiba : en construction. *Autres systèmes :* en cours d'expérimentation.

• **Véhicules à sustentation. Par coussins d'air. TRIDIM :** projet français Bertin, véhicules modulaires de 36 places « assises » et 16 « debout », associés en trains, vitesse 60 à 100 km/h, guidage sur piste au sol ou surélevée. 3 propulsions possibles : moteur électrique linéaire, roues pressées, crémaillères souples à pignons à axes verticaux. **URBA** (projet abandonné), voir Quid 81, p. 1396b. **Magnétique. TRANSURBAN Conveyor Belt System :** projet de Krauss-Maffei (All. féd.). Trottoir équipé de sièges individuels. Déplacé par des moteurs linéaires asynchrones. Embarquement et débarquement grâce à des disques sur lesquels la vitesse décroît du centre au bord. Vitesse 21 km/h.

• **Véhicules à câbles. Suspendu : aérobus :** ligne expérimentale de 1 km sur les rives du lac de Zurich, caisse aérodynamique (30 places, plus tard 100), long. 10,50 m, larg. 2,20 m, 12 moteurs électriques installés sur le toit et alimentés en courant continu de 500 V. 12 roues motrices, garnies de caoutchouc, sur 2 câbles à faible écartement. *Vitesse :* 70 km/h.

Tracté : POMA 2000 : envisagé puis abandonné par Grenoble ; ligne expérimentale à crémaillère 1,5 km, à Laon de la gare à l'hôtel de ville dep. 4-2-1989. *Cabine* (50 places) sur chemin de roulement au sol ou aérien, tractée par câble. *Cadence :* 1 cab. toutes les 32 s. *Vitesse* 36 km/h. **SK :** cabines (10 à 20 places) sur rail, tractées par un câble sans fin [1986 exposition de Vancouver (Canada), Yokohama (Japon), Villepinte (du parking au hall d'exposition, gare de Lyon-Austerlitz (475 m ; coût : 30 millions de F ; prévu v. 1995)].

• **Systèmes PRT (Personal Rapid Transit).** Petits véhicules programmés directement par l'usager. **Skybus** (Sté Westinghouse), en service dans les aéroports de Tampa (Floride) et Seattle (Washington). **TTD-Otis** sur coussin d'air, hôpital de l'université de Duke (Caroline) pour intégrer liaisons horizontales et verticales par ascenseurs. **Aramis** (agencement en rames automatisées de modules indépendants en station) : *Matra* et *Cabinentaxi* (Demag et Messerschmidt-Bloehm-Bolkow). *Cabine :* 2 t, 10 places, moteurs électriques sur les 4 roues (à pneus), 60 km/h. *Pas de conducteur :* cerveau électronique ; instructions envoyées au véhic. par un rail latéral par lequel lui arrive également le courant électrique. Les rames peuvent être composées de cabines faisant un bout de chemin ensemble, puis se dirigeant vers des terminus différents. *Voies :* 2 ; larg. totale 4,50 m (métro parisien : 7,50 m) ; hauteur 2,50 m (tunnel métro : 4 m). Rampes 8 % (métro : 5 %), rayon de courbure : 25 m (métro : 40 m). Infrastructure des voies : 60 % du coût d'un métro ; capacité 17 000 voyageurs heure (métro classique : 30 000). Projet abandonné. Fiabilité et sécurité encore incertaines.

Accélérateurs pour piétons. *Vitesse :* quelques km/h. *Capacités :* fortes. *Ex. Trax :* trottoir roulant accéléré, entrée ou sortie 3 km/h, vitesse max. de 12 km/h. *Lieu :* Invalides (correspondance RER), projet abandonné car coût trop élevé : 60 millions.

VEC. Les cabines ralentissent sans s'arrêter dans les stations puis accélèrent. *Capacité pratique* 1 800 à 21 600 personnes à l'heure. *Fréquence de passage* 2 à 6 secondes.

Transports parisiens

Quelques chiffres

Carrosses. *1550 :* 3. *1658 :* 310. *XVIIIe s. :* entre 6 000 et 24 000 (au moins 20 000 en 1752).

Voitures (au 1-1-1819 et, entre parenthèses, au 1-1-1891). **Transport des personnes :** v. bourgeoises de toutes sortes 8 804 (12 893), v. de louage dites « de place » (fiacres) 2 071 (9 136), dites « de remise » 877 (4 710), v. pour le transport en commun : omnibus ordinaires (628), tramways (806), chemins de fer voit. pour voyageurs avec bagages (421), ch. de fer omnibus pour voyageurs sans bagages (85), v. de l'extérieur dites « coucous » 500, messageries de long cours 484, messageries des environs de Paris 249 (786), omnibus servant au transport des facteurs dans Paris (28). **Total** 12 985 (29 493). **Transport des marchandises,** denrées et autres matières : 10 424 (15 592). **Total général** 23 409 (45 085). **Chevaux,** juments, mulets et mules : 16 000 (78 851).

Quelques dates

Jusqu'au XIIIe s. charrettes et bacs. **XIVe s.** chars et chariots employés par les souverains et la Cour ; *litière couverte* pour les femmes nobles. **1305** entrée d'Isabeau de Bavière sur un chariot branlant (1re voiture « suspendue »).

XVIe s. apparition du *carrosse* et **v. 1575-80** du *coche* (carrosse suspendu). **XVIIe s.** la *chaise à bras (à porteurs* ou *portative)* d'abord utilisée pour les malades ou infirmes, puis par tous.

1617-*22-10* 1re concession pour chaises portatives ; d'autres pour des carrosses ou carrioles de louage (Nicolas Sauvage) (on appela ces carrosses *fiacres,* car ils stationnaient devant une hôtellerie placée sous le patronage de saint Fiacre) ; Givray, en 1657, Catherine Henriette de Beauvais en 1661. **1662** *janvier* des lettres patentes autorisent le duc de Rouanès, le Mis de Surches et le Mis de Crénan à faire circuler dans Paris des carrosses à itinéraire fixe. **1664** *calèche à cheval* et à 4 places ; chaise de Crenan, d'abord voiture de ville, puis chaise de poste. **1671** chaises roulantes (roulettes, brouettes et vinaigrettes). Transports à l'usage particulier : cabriolet, carrosse moderne, berline proprement dite, berline à 2 fonds, vis-à-vis, carrosse coupé en berlingot ou diligence, désobligeante. **1682** *18-3* carrosses à 5 sols à Paris. **1780** le cabriolet de louage remplace chaises à porteurs et chaises roulantes.

1853-*16-8* un ingénieur français, M. Loubat, qui en 1852 avait rétabli des tramways à New York (les tramways créés en 1832 avaient échoué), est autorisé à appliquer à Paris, entre Alma et Iéna, le système établi à New York. **1854**-*8-2* un décret l'autorise définitivement à établir une voie entre Sèvres et Vincennes avec embranchement sur le rond-point de Boulogne (long. 29 178 m), mais seule la concession entre la place de la Concorde et Vincennes sera exploitée. Mars et mai, ouverture du chemin de ceinture (rive droite) et de la gare St-Lazare à Auteuil. (Févr.) création de la *CGO (Cie gén. des omnibus)* qui reçoit pour 30 ans, puis pour 56 (jusqu'au 31-4-1910), le privilège de faire stationner et circuler des omnibus dans Paris, ainsi que la faculté de créer 2 lignes vers les bois de Boulogne et de Vincennes. Le réseau (150 km dans Paris) comprend 25 lignes (désignées par des lettres). **1855** omnibus traînés par 2 chevaux (24 places). Tarifs : 30 c. à l'intérieur avec droit à la correspondance, 15 c. sur l'impériale (inventée 1853) sans droit à la correspondance. **1856** Loubat rétrocède sa concession à la CGO. **1867** exposition universelle, ouverture de l'embranchement du Champ-de-Mars (1-1-1867) et du *chemin de fer de ceinture* (rive gauche). *-25-2* services des *Bateaux-Omnibus* et des *Hirondelles parisiennes* qui remplacent le bateau à roues du Port Royal à Saint-Cloud. **1874**-*3-9* ouverture du *tramway* de l'Étoile à Courbevoie. **1875**-*15-6* ouverture de la ligne Étoile à la Villette. **1879** Werner von Siemens construit la 1re locomotive électrique à Berlin. **1890**-*31-12* 300 km de réseau en exploitation (Cie gén. des omnibus et Cies de tramways Nord et Sud). **1897** Fulgence Bienvenüe (1858-1936) dresse l'avant-projet de métro, puis le projet définitif (en profitant des études antérieures, comme celles de Berlier). **1898**-*7-7* début des travaux. On creusait soit à ciel ouvert une tranchée qu'on recouvrait ensuite d'un tablier pour continuer le percement à l'abri de la voûte *(méthode du cut and cover),* soit un souterrain à partir d'une galerie initiale élargie par la suite *(méthode belge),* soit à l'aide d'un bouclier, notamment pour les traversées sous-fluviales (certaines ont cependant été construites par *fonçages de caissons dans le lit du fleuve*).

Vitesse (v. 1900 en km/h). **Omnibus** à 2 chevaux 8,162, à 3 ch. 7,685. **Tramways** à traction animale 8,718 , à tr. mécanique 10,218 (vit. max. autorisée : tr. méc. 6 km/h, automobile 12 km/h).

1900-*19-7* inauguration de la 1re ligne Maillot-Vincennes construite en 19 mois par Bienvenüe. Prix : 1re classe 0,25 F, 2e cl. 0,15. A.R. 0,20. **V. 1905** 1er *autobus à essence,* rue de Rennes (14 km/h). **1913** suppression des *derniers omnibus à chevaux* (Villette-St-Sulpice) et des *tramways à chevaux* (Pantin-Opéra). **1920** *sept.* création de la Sté des transports en commun de la région parisienne (STCRP) chargée d'exploiter l'ensemble des transports en commun de surface, sous la tutelle du département de la Seine. **1937**-*15-3 dernier voyage du tramway* Vincennes-Porte de St-Cloud, le 123/124 (P.C.). **1938**-*14-8* dernier voyage d'un tramway en région parisienne (Montfermeil-Le Raincy). **1948** loi du 21-3 instituant la Régie autonome des transports parisiens (RATP), établissement public à caractère industriel et commercial, doté du monopole des transports souterrains et des transports routiers en surface, antérieurement assurés par la STCRP et la Cie du métro de Paris. **1964** 1er couloir autobus réservé. **1968** *juin* 1er à étage (sur le 94). **1971** *janv.* parcours du dernier bus à plate-forme. **1972-76** péage automatique apparaît dans métro. **1974** *juin* exploitation à un seul agent par contrôle généralisée. **1979** *févr.* tous les bus sont équipés de radiotéléphone. **1983** *mai* 3 lignes équipées de bus articulés. **1992** 1re réapparition (dep. 1938) du *tramway*, en région paris. : gare de St-Denis-préfecture de Bobigny.

Nota. – Il existe un musée des transports urbains à St-Mandé, 60, avenue Ste-Marie, 94160.

☞ *Tramway :* Grenoble, Nantes, Lyon (v. 1994 ; coût : 3 milliards de F), Brest (projet abandonné après référendum 14-10-1990), Reims (projet remis en cause).

Quelques chiffres de la RATP

• En millions de F **(1990). Montant total (HT) des charges d'exploitation (y compris charges financières) :** *indemnité compensatrice :* 5 600. *Produits du transport :* 14 420 dont venant des usagers 38 % (part ramenée à 30,2 % en tenant compte du remboursement par l'employeur de 50 % du coût de la carte orange), employeurs 24, État 19, collectivités locales 10, divers 9. *Dette financière 1989* (31-12) : 16 440, *90* (31-12) : env. 17 500.

Dépenses (1990) : 17 329 dont *charges d'exploitation* 15 384 (dont consommations en provenance de tiers : matières et autres charges externes 1 682, énergie 586, frais relatifs aux lignes affrétées 258, charges de circulation SNCF 147 ; impôts hors TVA : 546 ; charges de personnel 10 059, dotations aux amortissements et aux provisions 2 034 ; autres charges 22), *financières* 1 798, *exceptionnelles* 47, *provision pour aléas* 100.

Contribution de l'État (1991) : 5 756,5 dont indemnité compensatrice RATP 4 183, SNCF 756, subventions d'investissement RATP 207,5, SNCF-banlieue 216,3, aménagement d'infrastructures de voirie en Ile-de-Fr. 157,70, réduction de tarifs RATP 115,5, SNCF-banlieue 105, desserte interne des villes nouvelles 2, TVA (RATP) 14.

Nota. – La part de l'État doit être peu à peu supprimée. Une loi du 12-7-1971 a institué un versement payé par les personnes physiques ou morales, publiques ou privées, qui emploient plus de 9 salariés à Paris et en Ile-de-France. Ce versement (1,9 % du montant des salaires payés dans la limite du plafond du régime général de la Séc. soc. pour Paris et les 3 départements de la petite couronne, à 1 % pour les 3 de la grande couronne) est destiné à compenser le manque à gagner résultant du prix des cartes hebdomadaires et orange.

Depuis nov. 1982, les employeurs prennent en charge 50 % du coût des déplacements domicile-travail effectués en transport en commun.

Fraude. *Pertes de recettes* (1989) : env. 400 [soit 6 % des rec. directes de l'année (6,5 milliards)]. *Fraude ostensible :* 5,8 % du trafic. *Moyens :* ne permettent le contrôle que de 1 % des voyageurs et n'assurent l'interception que de 1 % des fraudeurs (50 % des amendes infligées sont réglées).

Vandalisme. *Coût :* 70 dont sièges lacérés 25, vols ou déprédations 10, lutte graffitis[1] (croît d'année en année) 35.

Nota. – (1) Stations : situation maîtrisée grâce aux vernis réticulés antigraffitis (VRAG) et aux dissolvants spéciaux ; trains : près de 20 % recouverts d'inscriptions indélébiles.

• En francs. **Tarif du billet 2e cl.** (vente au carnet) : *1-2-70 :* 0,70 ; *1-7-75 :* 0,90 ; *1-7-80 :* 1,75 ; *1-8-91 :* 3,45 (5,20). **A l'unité en 2e cl. et,** entre parenthèses, **en 1re cl.** *1-4-85 :* 4,40 (6,50) ; *1-5-86 :* 4,60 (6,80) ; *1-6-87 :* 4,70 (7) ; *1-8-89 :* 5 (7,40) ; *1-8-90 :* 5,25 (7,80) ; *1-8-91 :* 5,50 (8,50).

Carte orange. *Créée* 1-7-1975. Permet un nombre illimité de voyages dans les zones choisies. **Hebdomadaire : 1o) Réseau RATP :** valable 12 voyages (2 par j pendant 7 j consécutifs pouvant débuter n'importe quel j de la semaine) ; valable en autobus ou sur le RER, mais sur un même itinéraire. **Autobus :** *1 ou 2 sections :* 28,50 F, *3 à 5 :* 49, *6 à 13 :* 70, *14 et + :* 91. **Ferré** (métro, RER) : section urbaine : 31,20 F, banlieue : 28,50 à 91 F, mixte urbaine et 1 ou plusieurs banlieues : 49 à 90 F. **2o) Réseau SNCF :** *banlieue :* 28,50 à 91 F. *Banlieue (max. 75 km) + urbaine (métro ou RER) :* 49 à 91 F.

☞ La RATP n'est pas maîtresse de son exploitation et de ses tarifs. Le Syndicat des transports parisiens fixe le prix des transports et peut imposer la création de nouvelles dessertes, même si elles ne sont pas rentables, compte tenu des tarifs et de l'importance de la clientèle. En contrepartie d'obligations légales (tarifs réduits ou maintien à un niveau modéré), la RATP reçoit une subvention. Dep. le décret du 7-1-1959, le Synd. des transp. parisiens a pu subordonner le maintien ou la création de dessertes déficitaires, sur la demande des collectivités locales, au versement de subventions par ces collect.

Dep. le 1-10-1983, les employeurs de la région parisienne doivent prendre en charge à 50 % les titres d'abonnements. Dep. le 1-1-1991, la région des « Transports parisiens », zone d'intervention du STP (Syndicat des transports parisiens) s'étend à toute l'Ile-de-Fr. et comprend 8 zones. Points extrêmes : à l'Ouest : 74 km, S.-O. : 75, S.-E. : Souppes-sur-Loing : 97, E. : Provins 94, N. : 51.

Prix selon les zones choisies. 2e cl. et, entre parenthèses, 1re cl. **Carte hebdo.** *Zones 1-2 :* 54 (81), *1-3 :* 71 (115), *1-4 :* 98 (160), *1-5 :* 119 (211), *1-6 :* 123 (219). **Mens.** *Z. 1-2 :* 190 (285), *1-3 :* 247 (399), *1-4 :* 342 (589), *1-5 :* 416 (737), *1-6 :* 429 (763). **Ann.** *Z. 1-2 :* 2 000 (3 000), *1-3 :* 2 590 (4 180), *1-4 :* 3 590 (6 180), *1-5 :* 4 370 (7 740).

• Personnel. *1985 (1-1) :* 40 378 (dont 520 indisponibles non payés). *87 :* 38 400. *90 :* 38 980 dont bus 11 900, métro 9 400, maintenance réseaux ferré et routier 6 400, RER 2 200. La RATP emploie 10 000 agents dont 4 000 de station et 650 de contrôle (surveillant 293 stations de métro et 62 de RER). 40 % des stations sont ouvertes et fermées par un agent unique (60 % sont des femmes).

• Trafic voyageurs (en millions). *1989 :* 2 380 dont métro 1 221, bus Paris 328, banlieue 505, RER 326. *90 :* 2 420.

Réseau du métro

• Ascenseurs. **Dans le métro :** 21 cabines (10 stations). Capacité variable (30, 50 ou 100 personnes). + *grande hauteur d'élévation* (en m) : Buttes-Chaumont 28,70 ; Abbesses 23,51 ; Lilas 21,92. *Plus faible :* St-Michel 8,10 ; Cité 13,18. **Dans le RER :** 15 cabines (1 station).

• Chaleur. L'énergie cinétique des trains se transforme en chaleur (1 500 watts par m de ligne), sauf sur les lignes 7, 8 et 13 où le freinage se fait avec récupération d'énergie ; chaque passager dégage 100 w. **Courants d'air.** Peuvent atteindre 40 km/h.

• Classe. 2 (de 1900 à 1947). 1 (1947). 2 (de 1947 à 1991). 1 (dep. le 1-8-1991).

• Contrôles magnétiques. 1 807 lecteurs magn. équipent (au 1-1-87) 292 stations de métro.

• Escaliers mécaniques (1-1-87). 403 sur le métro (Place des Fêtes 20,32 m, le + long) dans 175 stations, 264 pour 26 gares du RER.

• Fraude. **Taux** (en %) : *1976 :* 2,6. *81 :* 5,6. *86 :* 6. Il y a environ 450 000 voyages impayés par jour. **Perte :** 300 millions de F. **Amendes :** *forfaitaire :* 1re cl. avec un billet de 2e cl. : 70 F ; sans billet en 2e cl. : 100 F : *transactionnelle :* ceux qui rentrent par une sortie ou sautent le tourniquet : 200 F (amende jusqu'à 400 F ou poursuite devant les tribunaux).

• Hygiène. Rapport du laboratoire d'hygiène de la Ville de Paris : excès de chaleur, sécheresse de l'air ; 20 fois plus de bactéries (staphylocoques et streptocoques) qu'à l'extérieur ; air 2,5 fois plus pollué.

• Lignes exploitées. **Longueur totale** (en km, au 31-12) : *1900 :* 13,3. *10 :* 75,2. *20 :* 94,7. *30 :* 116,5. *38 :* 154. *45 :* 164,5. *47 :* 166. *60 :* 169. *70 :* 171. *71 :* 172. *72 :* 173. *74 :* 178,2. *75 :* 178,7. *76 :* 182,7. *77 :* 183,4. *78 :* 183,4. *79 :* 185,7. *80 :* 190,2. *81 :* 190,8 (dont 157,4 à Paris, 34,6 banlieue et 14,8 aérien). *86 :* 192. *87 :* 198. *89 :* 200. **La plus courte** 1,3 km (ligne 3 bis). **La plus longue** 22,1 (ligne 8, Balard-Créteil). **Nombre :** 13 + 2 navettes, 3 bis et 7 bis. **Franchissement de la Seine :** aérien : 4 fois, tunnel 6. **Marne :** aérien : 1 fois.

Lignes sur pneumatiques. *11* « Châtelet-Mairie des Lilas » (1956) ; *1* « Pont de Neuilly-Château de Vincennes » (1963) ; *4* « Porte de Clignancourt-Porte d'Orléans » (1966) ; *6* « Nation-Charles-de-Gaulle-Etoile » (1-7-74).

Extensions récentes. *1981 :* **10 :** Boulogne-Jean-Jaurès – Boulogne-Pont de St-Cloud. *1982 :* **7 :** Maison-Blanche – Kremlin-Bicêtre. *1983 :* **5 :** Église de Pantin – Bobigny. *1985 :* **7 :** Kremlin-Bicêtre-Villejuif III. *1986 :* **7 :** Fort d'Aubervilliers-La Courneuve. *1992 :* **1 :** Pt de Neuilly-La Défense.

☞ 50 km de lignes de métro, bus et RER seront créées de 1990 à 1995.

Lignes les plus chargées (en millions de voyageurs, en 1990)). *L4 :* 133, *L7 :* 114, *L1 :* 113,5, *L9 :* 113, *L13 :* 97.

• Sécurité (bilan de la Cie centrale de sécurité du métro en 1983). *Contrôle* des rames 350 975, visites des stations 340 000, interpellations pour vérifications 414 000 (354 308 en 1988), conduites au poste 11 470, remises à la police judiciaire 11 440. **Vols :** *à la tire déclarés par les voyageurs : 1985 :* 4 077 ; *86 :* 2 988 ; *87 :* 3 854 ; *89 :* 3 395 ; *avec violence : 1985 :* 2 389 ; *86 :* 1 311 ; *87 :* 1 506 ; *à l'arraché* (bijoux, sacs) : *1987 :* 1 506, *88 :* 1 078 ; *de bijoux avec violence : 1985 :* 1 465 ; *86 :* 717 ; *87 :* 715 ; *attaques accompagnées de racket : 1986 :* 23 ; *87 :* 19 ; *agressions de voyageurs : 1970 :* 133, *74 :* 581, *81 :* 1 110, *83 :* 3 461, *84 :* 4 101, *85 :* 3 550, *86 :* 2 386, *87 :* 2 686 (7 par j), *88 :* 2 196 ; *avec coups et blessures volontaires : 1986 :* 579 ; *87 :* 617 ; *88 :* 650 ; *à l'aide d'une arme ou d'un objet : 1986 :* 437 ; *87 :* 567 ; *d'agents : 1982 :* 300 ; *84 :* 404 ; *86 :* 351 ; *87 :* 719 ; *88 :* 771. Agressions *contre agents RATP : 1988 :* 254, *89 :* 367.

Stations les plus dangereuses (1989). Nation, République, Châtelet, Strasbourg-St-Denis, Gare de l'Est, Gare du Nord, Auber, Opéra, Étoile. 1989, 30 % du réseau équipé de caméras (+ 1 000 prévues). *Heures les plus dangereuses :* 16 h 30 à 20 h 30.

Nota. – 16 158 incidents ont été recensés par la police dans le métro et le RER en 1988.

☞ *Guardian Angels :* milice de bénévoles assurant surveillance et protection dans le métro new-yorkais. En 10 ans ont permis 2 000 arrestations. *En août 1989 :* ont fait une démonstration à Paris (échec).

• Stations (réseau urbain). **Longueurs des quais :** *total :* 60 km. *Nombre de stations selon la longueur de leur quai (en m) :* 75 (231 stations), 80 (5 st.), 90 (37 st.), 105 (75 st.), 110 (5 st.), 120 (3 st.) (1 sur les lignes 1, 2 et 3). **Profondeur** *moyenne :* 4 à 12 m ; *les plus profondes :* Buttes-Chaumont 31,66 m (ligne no 7 *bis*). Abbesses 29,69 m (l. 12). Porte des Lilas 28,60 m (l. 3 *bis*). Télégraphe 25,63 m (l. 11). Place des Fêtes 25,26 m (l. 11). Lamarck-Caulaincourt 25,09 m (l. 12). **Nombre de stations** (1989) : 368 ; par lignes : de 4 (ligne 3 *bis*) à 37 (8 et 9). Points d'arrêt (au 1-1-84) : 359 dont 286 nomin., 55 corresp., 315 à Paris. **Intervalle entre chaque arrêt, moyenne :** 543 m (le + long. 1 756 m, Créteil Université – Crét. Préf.). **Stations fermées** *définitivement :* Arsenal, Champ-de-Mars, Croix-Rouge, Saint-Martin, Martin-Nadaud, Mairie de Clichy, Gabriel Péri. **Station réouverte** *en 1988 :* Cluny (fermée en 1939), sous le nom de Cluny-La Sorbonne (correspondance entre les lignes 10 du métro et B et C du RER, avec accès à la gare RER de St-Michel ; *ouvertes* les j ouvr. de 5 h 30 à 20 h : Liège et Rennes.

Stations les plus fréquentées (1990, en millions d'entrants par an). St-Lazare 35, G. du Nord 28, Montparnasse-Bienvenüe 26, G. de l'Est 26, République 16,5, G. de Lyon 16, Châtelet 14,5, Opéra 13,5, Franklin D. Roosevelt 13, G. d'Austerlitz 13 (Église d'Auteuil 0,15).

• Suicides (métro et RER). *1970 :* 28. *80 :* 116 (42 †). *81 :* 146. *82 :* 161 (52 †). *83 :* 139 (50 †). *85 :* 183 (56 †). *86 :* 168. *87 :* 158.

• Télévision. Apparue janv. 1986. 750 écrans (équipement : 120 quais de 26 stations du métro et du RER). Station « Tube » pub. (spot de pub. 36 sec. toutes les 2 minutes) a cessé d'émettre dep. 31-12-1989 [pertes en 1989 : 15 MF (CA de – de 6 MF)].

• Trafic. **Voyageurs transportés annuellement** par le métro (en millions). *1900 :* 18. *10 :* 318. *20 :* 688. *30 :* 888. *38 :* 761. *46 :* 1 598. *50 :* 1 129. *60 :* 1 213. *70 :* 1 128. *75 :* 1 055,4 (+ RER 130,2). *80 :* 1 093,9 (+ 205,1). *85 :* 1 151,4 (261,4). *90 :* 1 226 (+ 344,4). *Voyageurs km (en milliards). 1983 :* 5,58 (+ RER 2,81). *88 :* 5,74 (+ 3,07).

Déplacements (1989), Réseau ferré 1 547 (dont métro urbain 1 221,1, RER 325,9). Autobus RATP 811,3 autres lignes 25,3.

Heures de pointe. 7/9 h, 17/19 h.

• Trains. **Longueur :** 3 voitures sur la ligne 3 bis ; 4 v. sur les lignes 11 et 7 bis ; 5 sur les autres [sauf 1 et 4 : 6 voitures (long. 90 m) ; en 1910 : 5 voit. de 13,60 m soit 68 m]. **Nombre max.** en semaine aux h d'affluence : métro 559, RER 89 (31-12-1987).

Rames Boa (remplaceront les 1 400 voitures non pneumatiques). Voitures à 2 étages équipées d'essieux orientables. Long. 46 m, larg. 2,45 m, capacité 890 passagers. On peut circuler entre les voitures. Expérimenté sur la ligne 5 (Bobigny-Place d'Italie).

Les métros dans le monde

En service	Année d'inauguration	Long. km	Lignes	Stations	Vitesse km/h	Voy. millions (1982) ou v. nota
Europe						
Amsterdam	1977-82	24	1	20	32-35	33,8
Athènes [1]	1925-57	25,7	1	21	30	87,3
Bakou	1967-76	28,6	2	12	40	136,2
Barcelone [2]	1924-82	68,6	4	7	27,6	214,2
Berlin-Est	1902-73	15,8	2	23	25-23	75
Berlin-Ouest [3]	1902-80	151,5	8	111	31,7	352,6
Bordeaux [41]	1996	45	3			
Bruxelles [4,40]	1976	33,3	2	53	30,3	77,4
Bucarest [5]	1979-81	52,3	1	12	36	52
Budapest [6]	1896-1982	26,6	3	36	19	362
Copenhague [7]	1934	134,5	7	61	–	15
Erevan	1981	11,5	1	5	40,9	18,2
Francfort [8]	1968	40,3	5	55	31,3	35,3
Glasgow	1896	10,5	1	15	29	11,9
Gorki	1985	9,6	1	8	–	–
Hambourg	1912-73	89,5	3	80	71,6	191,2
Helsinki [9]	1982-83	14,2	1	9	43	–
Kharkov	1975-78	29,6	1	13	40,3	180,1
Kiev	1960-82	32,9	2	25	40,6	335,3
Kouibychev	1986	11,2	1	6	–	–
Leningrad	1955-82	83	3	43	40,4	762,6
Lille [10]	1983	25,8	2	36	35,5	12
Lisbonne [11]	1959	12	1	20	28	132
Londres [12]	1863-1979	430	9	272	32,8	563
Lyon [13]	1978-92	12	4	37	22	66,3 [40]
Madrid	1919-83	112,2	11	141	21,7-29,3	357
Marseille [14-15]	77-84-86-87	18	2	22	24,7	60,7 [40]
Milan	1964-81	66	2	57	27-40	217,6
Minsk	1984	10	1	8	–	–
Moscou [16]	1935-79	225	8	115	40,9	2 417,2
Munich [17]	1971-83	43,3	4	44	34	158
Newcastle	1980-82	54,8	1	35	37	39,4
Novossibirsk	1985	12,9	1	10	–	–
Nuremberg [18]	1972-82	18,5	1	22	33	
Oslo [19]	1966-81	37,8	1	45	32	32,8
Paris métro [20]	1900-85	198,3	15	366	23,7	1 177,1
Paris RER	1969-81	102,7	3	64	25,8	278
Prague [22]	1974-80	26,4		23	4	259,7
Rome [23]	1955-80	24,7	2	33	33-37,3	145
Rotterdam	1968-74	29,1	1	12	42	39,1
Sofia	1985	7,5	1	7	–	–
Stockholm [24]	1950-78	107,9	3	94	33-40	197
Tachkent	1977-80	25,6	1	12	39,5	92,7
Tbilissi	1966-79	25,7	2	16	39,1	143,7
Vienne [25]	1976	30,4	3	39	34,4	161,8
Wuppertal	1901-03	13,3	1	19	26,4	16
Amérique						
Atlanta	1979-82	40,7	2	20	32	21
Baltimore	1983	21,8	1	9	48	–
Boston	1897-1980	60,6	3	51	27-39	95
Buenos Aires	1913-66	39,1	5	57	18-26	219,8
Caracas	1983	56	2	55	34	–
Chicago	1892-1983	156	6	142	38-45	147,2
Cleveland	1955-68	46,5	1	18	48	11
Detroit	1986	4,7	–	–	–	–
Mexico	1969-82	125,4	5	57	34,6	1 037,5
Miami	1984	33	1	20	–	–
Montréal [26]	1966-82	60,7	3	51	38,7	191,3

En service	Année d'inauguration	Long. km	Lignes	Stations	Vitesse km/h	Voy. en millions (1982)
New York :						
urbain [27]	1868-1968	369,8	23	461	30-35	991
régional	1908	22,2	1	13	34,4	53
Philadelphie :						
urbain	1907	39,2	2	54	29-32	65
régional	1969	23,3	1	14	60	11
Recife [36]	1985					
Rio de Janeiro [28]	1979-82	19	2	18	3,1	98,1
San Francisco	1972-74	115	1	34	53	53,7
Santiago	1975-80	27,9	2	35	32	122,2
São Paulo	1974-82	26	3	27	29-34	347,3
Toronto	1954-80	63,9	–	–	–	–
Vancouver	1985	21,4	1	61	29-37	150,5
Washington [29]	1976-83	118	3	47	56	80,8
Asie						
Calcutta	1984	17,1	1	17	30	
Fukuoka [30]	1981-83	9,8	1	11		–
Haïfa [37]	1959	1,75	1	6	30	8,3
Hong Kong [31]	1979-82	38,6	2	25	32	351
Istanbul [37]	1875	0,57	1	2	30	6,1
Kobé	1977-83	36,6	1	8	44,1	20
Kyoto	1981	18,6	1	8	33	
Nagoya [32]	1957-82	69,1	4	56	33-35	
Osaka	1933-83	91,1	6	88	29-34	794,2
Pékin	1971	56	1	17	38	45
Pusan	1984	25,9	1	16	–	–
Pyong Yang	1973	22	–	–	–	–
Sapporo [34]	1971-82	31,6	2	33	31,7-34,6	–
Sendaï	1985	18	1	6	–	–
Séoul [35]	1974-80	116,5	2	20	35	300
Singapour	1986	26	2			
Tianjin	1980	8	1	6	–	–
Tōkyō	1960-80	64,3	3	60	31,4-31,9	398
Tōkyō	1927	154	7	132	24,9-44,9	1 694
Yokohama	1972-76	11,5	1	12	–	–
En construction						
Afrique						
Le Caire [38]	1987	42	1	–	60	–
Europe						
Dniepropetrovsk	1984	4,2	1	9	–	–
Naples	1987	11,4	1	16	–	–
Séville	1987	10,5	1	16	–	–
Sverdlovsk	1992	18	1	6	–	–
Toulouse [33]	1993	13	1	16	–	–
Valence		7,7	3	8	–	–
Amérique [39]						
Buffalo (USA)		10,3	1	14	–	–
Recife	–	20,4	1	17	32,7	30,1
Asie						
Téhéran		15,4	1	12	–	–

Nota. – **(1)** En projet : 2 lignes (9 et 8,5 km). **(2)** Prolongements et constr. d'une nouvelle l. (21 km, 29 stations). En projet : prolongement (46 km, 51 st.). **(3)** En constr. 8,1 km (8 st.). **(4)** Prolong. : 4 (9,2 km), 1984 à 1986. **(5)** Prolong. (17,6 km, 7 st.), mise en serv. 1983-85 et 2e ligne (17 km, 2 st.) en 1985-86. **(6)** Prolong. (8,8 km) ; mise en service partiel 1984. **(7)** 1981. **(8)** 1981. **(9)** En projet : prolong. (3,1 km, 2 st.). **(10)** Système Val ; coût 1,5 milliard de F (janv. 1977), début des travaux mai 1978, mise en service 16-5-1983 ; voitures à petit gabarit (2,06 m de large ext., 38 rames, fonctionnement automatique des stations). *Projet :* ligne 1 *bis,* desservant Lomme et Lambersat (1989, 12 km, 18 st.) et l. nº 2 Roubaix-Tourcoing (1990). Un val 256 a été mis en service en 1989 à Jackson-ville (USA). **(11)** Lignes à branches. En constr. prolong. (1,1 km, 1 st.) et 2 branches (5,1 km, 5 st.). **(12)** Profondeur : 18 ou 19 m, parfois 55 m (à Hampstead), 1re ligne metropolitan mise en service le 10-1-1863, reliait Paddington à Farrington Street (env. 6 400 m). 2e ligne : District (24-12-1868), 3e circle (6-10-1884). Exploité à la vapeur 40 ans, tunnels et véhicules étaient éclairés au gaz ; électrification à partir de 1905. Le 1er tunnel de type *tube* fut ouvert en 1870, les passagers étaient transportés dans une voiture tirée par un câble. *Le 1er chemin de fer en tube* fut créé le 18-12-1890 ; il était mû par l'électricité. Station la + fréquentée : Victoria (73 millions de passagers par an). **(13)** Coût 1 315 MF (78), profondeur moy. en station 4,5 m, quais 70,8 × 3 à 4,5 m, long. (lignes A et B) 9,6 km, rames de 3 voitures, 160 passagers assis, 224 debout, 1re tranche mise en service le 2-5-1978, extension ligne B 2,4 km, ouverte au public en 1981. En constr. : ligne D, Gorge-de-Loup-Gare de Vénissieux ; 12 km, 13 stations. Mise en service du 1er tronçon Grange Blanche-Gorge-de-Loup en sept. 1991 en conduite manuelle provisoire. Avec l'ouverture du 2e tronçon gare de Vénissieux-Grange Blanche en sept. 1992, la ligne D sera équipée d'un pilotage automatique intégral : Maggaly (Métro automatique à grand gabarit de l'agglomération lyonnaise). Une extension de la ligne C de 1,5 km de longueur (2 stations) a été effectuée le 8-12-84. **(14)** Rame 4 voit. sur pneumatiques larg. 2,60 m, capacité 470 places dont 180 assises. **(15)** Prolongement : ligne 1 : Castellane-La Timone, 1 500 m, 2 stations, mise en service sept. 1992. L. 2 : Bougainville-Madrague Ville, 2 500 m, 3 stat. ; Ste-Marguerite-St-Loup, 3 300 m, 3 stat. **(16)** En constr. (16,7 km), prolong. (9,8 km) prév. 1984-85. En projet (15 km). **(17)** Réseau de 90 km prév. pour 1990 (en constr. 22,3 km). **(18)** 200 000 voy./jour (fin 81). **(19)** En constr. prolong. mis en serv. 1985. En projet : prolong. (5,5 km, 3 st.). **(20)** En constr. prolong. lignes 7 à La Courneuve (6,3 km, mises en serv. 1984-86). En projet : prolong. de plusieurs lignes de banlieue. **(21)** Gare St-Michel-Notre-Dame (correspondance entre lignes B et C, l. 4 et 10 métro ; mise en serv. en 1988). Interconnexion ligne A du RER avec ligne de Cergy de la SNCF depuis le 29-5-88. **(22)** En constr. (9,8 km). En projet (9,4 km). **(23)** En constr. (3,8 km, 4 st.) ; en projet (3,6 km, 4 st.). **(24)** En constr. (6,3 km, 5 st.). En projet (10,7 km). **(25)** En projet 2 lignes englobant la ligne de tramway. **(26)** Sur pneus. En constr. prolong. (3,5 km, 4 st.) et 4e ligne (9,7 km, 12 st.). En projet : prolong. (5,8 km, 6 st.). **(27)** 2 lignes en constr. (East 63 rd Street et Southeast Queens Line). **(28)** En constr. (19,2 km, 12 st.). En projet (16,6 km, 9 st.). **(29)** 612 km, 86 st. en 1993. **(30)** 52 000 voy./jour (fin 1982). **(31)** Constr. (12,5 km, 14 st.) ; 1985-86. **(32)** 750 000 voy./jour (début 1981). **(33)** Début des travaux en 1987. *Toulouse :* 1 ligne (Jolimont-Le Mirail), 10 km (dont 7 sous terre), 16 stations. Métro Val sur pneus (rame long. 26 m, largeur 2,06 m, hauteur 3,25, places 154 dont 48 assises, 68 avec strapontins, vitesse max. 80 km/h, moyenne 32). **(34)** 600 000 voy./jour en 1982. **(35)** En constr. (33,5 km). **(36)** Pas un métro mais un LRT. **(37)** Funiculaire. **(38)** Construit par 17 entreprises françaises, en collaboration avec des stés locales ; 42 km de lignes dont 4,5 souterraines ; coût : 2 580 millions de francs. **(39)** A Chicago et Jacksonville (Floride), desserte interne des aéroports avec le Val, en cours de réalisation. **(40)** 1989. **(41)** 1re 6,7 km, 2e 6,4, coût 1re phase 5,55 milliards de F.

8 trains de 3 voitures (25 millions de F par rame) commandées à ANF Industrie et à Alsthom entreront en service de 1991 à 1992 sur la ligne 7 bis (Louis-Blanc/Pré-St-Gervais), type MF 88.

• **Trottoirs roulants.** *Châtelet* 2 (long. 132 m, larg. 1 m, vitesse 45 m/mn, débit horaire max. 10 000 personnes/h). *Les Halles* 3 (long. 154 m, larg. 1 m, 50 m/mn). *Invalides* (174 m). *Montparnasse* 3 (185 m, 1,12 m, 50 m/mn, 11 000 p/h). *Opéra-Auber* 4 (75 m, 1,11 m, 50 m/mn, 11 000 p/h).

• **Vandalisme.** *Coût* (millions de F). *Déprédations* (sans les graffitis) *1987* : 20, *89* : 20 ; *graffitis (coût pour les effacer) 1986* : 6, *87* : 14, *88* : 25, *89* : 20 ; *interpellés (taggers) 1987* : 345, *88* : 524, *89* : 427. *Peines* : 3 mois à 2 ans de prison, 2 500 à 50 000 F d'amende (un tagger peut réaliser 40 000 F de dégats en 3 mn).

• **Vendeurs à la sauvette.** *1989* : 53 000 procès-verbaux (loi du 2-1-1990 : la marchandise peut être confisquée).

• **Vitesse commerciale moyenne** (en km/h). *1970* : 22,459, *75* : 22,02, *82* : 23,9.

• **Voitures** (au 31-12-88). Métro 3 472 (2 153 motrices, 1 319 remorques). RER 904 (515 motrices, 389 remorques).

• **Météor (métro Est-Ouest rapide).** Prévu fin 1995, entièrement automatisé, composé de rames de 7 voitures (6 et 8 plus tard) sans séparation entre elles pouvant se succéder à un intervalle de 85 s. sur pneumatiques, reliant Maison-Blanche et gare St-Lazare (env. 10 km, 10 stations), via gare de Lyon et Châtelet ; vitesse commerciale 40 km/h ; capacité 40 000 voyageurs/h, coût prévu (en milliards de F) : génie civil 6, matériel roulant 0,638 ; correspondances avec les lignes A, B, C, D du RER et 11 du métro. Matra effectue conception et fabrication des automatismes.

• **Orlyval.** Métro léger : Antony (gare RER, l. B) à l'aéroport d'Orly (1992) : 7,8 km ; 4,2 millions de passagers/an ; coût : 1,2 milliard de F.

Réseau d'autobus

• **Accidents** (1989). Paris banlieue : autobus impliqués 743 dont 376 dans Paris (pour 142 millions de km).

• **Arrêt (points d')** (au 31-12-88). 6 644 (lignes de Paris 1 683, de banlieue 4 961).

• **Carrefours (priorité aux).** Quelques carrefours dont la quasi-totalité des lignes 26 et 131, isolés sont équipés d'un système permettant aux autobus de prolonger la phase verte ou d'anticiper son apparition.

Gain de temps : 10 secondes env. par autobus et par carrefour (système onéreux).

• **Couloirs réservés.** *Créés* 1964. Longueur (au 31-12-88) : *Paris* 120 km (concernant 80 lignes y compris celles pénétrant dans Paris). *Banlieue* 68,5 km (102 lignes). 659 agents RATP assermentés relèvent les infractions des automobilistes.

• **Heures de pointe.** 7 h 30-9 h / 16 h 30-18 h 30.

• **Intervalle min. et max. entre 2 autobus** (en 1988). *Paris* 4 mn ; 20 mn. *Banlieue* 4 mn ; 25 mn.

• **Kilométrage annuel moyen des autobus en France.** *1980* : 34 500, *1986* : 31 600 soit – 8,4 %. **Nombre de trajets par an** (1988) 330 millions.

• **Longueur** (au 1-1-89). *Paris* 521 km (57 l.). *Banlieue* 2 316 km (209 l. dont 27 affrétées à billetterie spéciale RATP). *Services communaux* 56,2 km (11 l.). *Villes nouvelles* 329,8 km (29 l.). + 1 service communal 17,5 km (1 l.) à billetterie spéciale. Tous les autobus sont exploités par 1 agent. *Total* : 266 lignes.

• **Pannes.** 0,7 pour 10 000 km. Machines 11 000.

• **Sécurité.** *Machinistes agressés* : *1987* : 257, *88* : 253. *Voyageurs* : *1987* : 790, *88* : 867.

• **Soirée** (services de). 17 lignes sur 55 fonctionnent entre 20 h 30 et minuit. Noctambus : une dizaine de lignes durant la nuit démarrent toutes les h du Châtelet.

• **Vitesse commerciale moyenne** *(en km/h, Paris et,* entre parenthèses *banlieue)* : *1952* : 13,4 (18). *1955* : 12,6 (17,2). *1960* : 11,6 (16,2). *1965* : 10,7 (14,4). *1970* : 11,2 (22,2). *1975* : 9,92 (13,80). *1980* : 9,9 (13,8). *1988* : 9 (13). *Grande banlieue* : 24,5. *1980* : 10,17 (13,23). *1981* : 9,9 (13,8). *1988* : 9,5 (13,5).

☞ Selon la RATP, si l'on augmentait de 1 km/h la vitesse des bus on gagnerait 100 millions de F en frais d'exploitation.

• **Voitures** (au 31-12-88). 3 925 dont 255 autobus articulés, 3 483 aut. standard (type 5 C 10) mis en service 1975-88, 146 aut. standard à moteur arrière, 17 aut. à gabarit réduit et 24 minibus. **Taux d'occupation moyen :** *1985* : lignes de Paris 24 % ; de banlieue 19 %. 3 500 en service simultanément.

Autobus à étages : 82 places dont 52 assises. 2 portes, longueur 9,83 m. Largeur 2,50 m. Puissance 135 ch. ; mis en service à titre expérimental sur 2 lignes (53 et 94) en 1967 (1 seul) et 1968 (25 ex.), puis retirés de la circulation (en 1977, leur hauteur leur interdisant certains itinéraires).

Nouveaux matériels : autobus à plate-forme ouverte (lignes 20 et 83), à banquette arrière en rotonde, à large plate-forme centrale, autobus articulés (148 places). Autobus R 312 (mis en circulation juin 1988), à 3 portes avec plate-forme basse (moteur arrière). Coût 12 000 000 F.

• **Voyageurs** (en millions, 1989). **Par jour** 3. Lignes régulières de Paris 328,1 ; de banlieue 483,2 avec la TRA (lignes associées), villes nouv. et service communal 25,3. Total : 836,6. **Voyageurs km** (en milliards). *1983* : 2,08. *89* : 2,16. **% des déplacements de surface effectués en bus** (1990). 22.

RER

• **Quelques dates.** **1964** *1-8* ligne de Sceaux ; section Sud (Massy-Palaiseau-St-Rémy). **1969** *14-12* Nation-Boissy-St-Léger avec réutilisation et électrification de l'ancienne ligne SNCF de Vincennes. **1970** *21-2* Charles-de-Gaulle-Étoile à La Défense. **1971** *23-11* Charles-de-Gaulle-Étoile à Auber. **1972** *1-10* La Défense-St-Germain-en-Laye après réélectrification en courant continu 1 500 V. **1977** *9-12* jonctions Auber-Nation (ligne A) et Châtelet-Les-Halles-Luxembourg (ligne B), partie de la branche de Marne-la-Vallée (ligne A : Fontenay-Noisy-le-Grand-Mont d'Est). **1979** *30-9* Gare d'Orsay-Invalides permettant la transversale rive gauche, ligne C du RER exploitée par la SNCF. **1980** *19-12* totalité de la branche de Marne-la-Vallée (ligne A : Noisy-Torcy). **1981** *10-12* prolongement ligne B Châtelet-Gare du Nord et mise en service de la gare souterraine de banlieue. **1983** *7-6* interconnexion partielle de la ligne B, parcourue de bout en bout par les trains SNCF comme par les trains RATP. **1987** interconnexion banlieue Nord (Orry-la-Ville/Châtelet-Les Halles). **1988** interconnexion ligne de Cergy (St-Christophe) et ligne A du RER à Nanterre-Préfecture, gare de correspondance entre lignes B et C à St-Michel. 1re étape liaison vallée de Montmorency-Invalides (branche Nord-Ouest de la ligne C du RER). **1989** desserte définitive sur branche N.-O. ligne C du RER (Montigny-Beauchamp). **1990** poursuite interconnexion ligne D du RER : départ et réception à Châtelet-Les Halles des trains de Goussainville et Orry-la-Ville. **1991** gare de correspondance ligne C du RER avec ligne 13 du métro. **1992** Chessy Eurodisneyland (Marne-la-Vallée) par ligne A du RER. **1993** prolongement ligne A du RER de Cergy-St-Christophe à Cergy-le-Haut.

• **Coût des travaux.** Ligne A : 5 milliards de F (79).

Exploitation. Lignes A et B (79) : dépenses 804,90 MF ; recettes 826,80 MF.

• **Lignes.** L'appellation RER couvre 4 lignes. *2 lignes interconnectées SNCF-RATP* : St-Germain-en-Laye-Châtelet-les Halles-Boissy-St-Léger/Torcy-Marne-la-Vallée/Cergy-St-Christophe Poissy (ligne A, 98,2 km, 41 gares) ; Mitry/Roissy-Gare du Nord-Châtelet-les Halles-St-Rémy-lès-Chevreuse/Robinson (ligne B, 79,6 km, 57 gares).

2 lignes SNCF : St-Martin d'Étampes/Dourdan/Massy-Palaiseau-Paris-Versailles rive gauche/St-Quentin-en-Yvelines (ligne C, 128 km, 52 gares, trafic : 270 000 voyageurs par jour) ; Orry-la-Ville-Châtelet Les Halles (D).

Longueur des lignes exploitées (en km, au 31-12). *1976* : 74,86. *77* : 92. *79* : 92,20. *80* : 230. *81* : 270,8. *82* : 274. *Fin 89* : 358 (252 SNCF,106 RATP).

• **Matériel roulant** (date de construction, nombre, caractéristiques). **Automotrices** *Z* (ligne de Sceaux) (1936-62) : 148 motrices ; 2 moteurs (larg. 3,04 m, long. 20,7 m) ; réformés. **Matériel MS61** (1967-77), sur ligne A : 381 voitures dont 254 motrices (4 moteurs : 2,91 m / 23,8 m) et 127 remorques mixtes (2,91 m / 23,5 m).

Matériel interconnexion (MI 79/Z 8100). Peut recevoir une double alimentation (1,5 kV continu pour lignes RATP et SNCF du S.-E., et 25 kV alternatif pour lignes SNCF de la banlieue N. avec commutation automatique de la tension d'alim.) ; desservir des stations à quais de différentes hauteurs (*RATP* : 1,10 m à 1 m ; *banlieue, gares souterraines* : 1 m, 0,80 m et 0,55 m). Utilise la capacité max. permise par la longueur de quais RATP (225 m) et SNCF (315 m) : exploitation avec un seul agent à bord ; composition modulable, performances élevées d'accélération et décélération, vitesse max. 140 km/h, aptitude à gravir des rampes de 40,8 ‰. Au 1-1-86 : 120 rames livrées dont SNCF 51, et RATP 272 voitures dont 136 motrices.

• **Stations.** **Longueur standard** 225 m, permettant d'accueillir le matériel interconnexion (1 élément de 4 voitures : 104 m, ou 2 éléments de 8 v. : 208 m).

Station souterraine la plus grande du monde : RER Châtelet-les-Halles (long. 315 m, larg. 82 m). 7 voies dont 2 exploitées depuis sept. 87 avec les lignes SNCF d'Orry-la-Ville et Villiers-le-Bel (95) (ligne D du RER).

• **Voyageurs** (en millions). 362 par an (dont Châtelet-les-Halles 42,4, St-Michel-Notre-Dame 31,3, Charles-de-Gaulle-Étoile 25,7, Gare de Lyon 27,6, la Défense 24,6, Auber 23,6).

Réseau SNCF banlieue de Paris (fin 87) : lignes : 925 km dont 921 électrifiées, 327 gares 30 lignes dont ligne C du RER (131 km), ligne B partie nord (40 km), ligne D (15 km). *Trafic* (1987) : 482 millions de voyageurs. *Fréquence* (h creuses) : 15 mn jusqu'à 60 km ; pointe : 7 mn.

Taxi

• **Abonnement.** Radio-téléphone. *Avantages variables* : selon les Cies, l'abonné peut disposer d'une ligne prioritaire, payer par chèque, réserver plus facilement (ex. la veille ou le jour même 1 h avant).

• **Agressions.** *1982* : 121. *83* : 147. *84* : 161 (dont 89 à Paris). *85* : 61 (23). *Chauffeurs de taxis tués* (de 1946 à fin nov. 81) : 55.

• **Borne.** Paris 128.

• **Client.** *Il peut choisir,* en station, le véhicule qui lui convient, sauf s'il existe des files d'attente matérialisées par des chaînes (gares et aéroports principalement). Il *peut* ouvrir et fermer les glaces, exiger que le conducteur suive un itinéraire particulier et demander qu'il ferme sa radio.

• **Compteur.** Horokilométrique, il enregistre le prix de la course d'après la distance parcourue (la vitesse de marche ou le temps attendu).

• **Conducteur.** Il *doit accepter* un client lorsque le taxi est libre, quelle que soit la place de sa voiture sur une station de taxis ou lorsqu'il circule sur la voie publique. Il ne peut refuser une course qu'il estime trop courte. *Il doit refuser* : *1°* de prendre un client à moins de 50 m d'une station occupée par des taxis libres ; *2°* d'attendre un client à un emplacement où le stationnement est interdit ou plus longtemps que la réglementation ne le permet.

Il peut, à son gré, conduire ou refuser : 1° un client pour toute destination hors de sa zone d'exercice (taxis parisiens : Paris, Hauts-de-S., Seine-St-D., Val-de-M., Le Bourget, Orly, Charles-de-Gaulle à Roissy, le parc des Expositions de Villepinte, *un taxi parisien stationnant à Roissy doit charger* pour n'importe quelle destination de la France métropolitaine ; *à Orly, il peut refuser* de conduire hors de la zone d'activité des taxis parisiens) ; *2° un client accompagné de plus de 2 grandes personnes* quand il n'y a pas de strapontin dans la voiture (2 enf. de moins de 10 a. comptent comme une personne) ; *3° un client dont les bagages sont trop nombreux* ou intransportables à la main ; *4° un voyageur à côté de lui, un client ivre* ou *accompagné d'un animal* (sauf chiens d'aveugles), ou *en tenue sale*, ou portant des bagages salissants, ou laissant une mauvaise odeur, un client voulant suivre un convoi funéraire. *Il ne peut refuser* les handicapés et leurs véhicules pliables. *Il peut prier son client de ne pas fumer,* mais ne peut le lui interdire. A Paris, il peut apposer sur la vitre arrière de son véhicule une affichette interdisant aux clients de fumer. *Il ne peut exiger* un pourboire (quoique ce soit un usage), ni *refuser* un bulletin mentionnant le prix de la course. *Il peut demander le paiement d'avance* de l'heure en cours si son client lui demande de l'attendre ou s'il doit l'attendre sur une voie où la durée de stationnement est limitée, ou s'il n'est pas immédiatement occupé après une demande.

Un taxi libre, hélé par un client alors qu'il n'est pas en station, peut refuser de le prendre en charge pour une direction l'éloignant de son garage ou de son domicile, dans la demi-heure qui précède l'heure du retour indiquée sur l'appareil horaire placé sur la plage arrière du taxi.

• **Objets trouvés dans les voitures.** Déposés au Service des objets trouvés, 36, rue des Morillons, 75015.

• Origine. *1904* 1ers taxis-aut., Renault à 2 cylindres, peints en rouge.

• Statistiques France. 38 828 artisans taxis (dont 18 000 à la FNAT, Féd. nat.) **Paris. Clientèle :** *potentiel :* Paris et communes rattachées au statut des taxis parisiens : 5 468 000 hab. ; *nombre moyen de courses par semaine :* Paris intra-muros 1 150 000, banlieue 360 000 ; *taux d'occupation des taxis :* 1,45 ; *nombre moyen de prises en charge journalières :* 18. **Voyageurs transportés :** 300 000 par jour.

Conducteurs : ARTISANS : *coût officieux de la cession de l'autorisation :* 100 000 à 110 000 F ; *charges d'exploitation (en %) :* maladie, vieillesse, invalidité, retraite complément. 34,6, amortissement 19, assurance voiture 14, carburant 14, entretien, réparations 10, accessoires (compteur) 2,3, taxe sur le chiffre d'affaires 2,2, div. 3,9. SALARIÉS : *recette minimale :* 16 200 F par mois (24 j à 675 F). *Salaire minimal :* 4 050 F (25 % de la recette min.) *+ fixe journalier* 44,80 F × 24 = 1 075 F + 1 620 F de *pourboires plus suppléments* comptabilisés pour 10 % de la recette mais plus près de 7 %, soit un salaire brut mensuel d'env. 6 745 F.

Parcours quotidiens (par chauffeur) : moyenne 150 km dont 50 à vide. Soit 42 000 km par an.

Stations. Paris intra-muros 550, représentant 4 500 places dont 2 600 supersignalisées ; en banlieue 195. *Équipées de téléphone :* Paris 122, banlieue 83. *Chauffeurs :* à Paris 17 500 (dont 1 000 femmes).

Taxis. *1920 :* 8 403, *25 :* 13 426, *30 :* 19 250, *31 :* 20 155, *36 :* 14 328, *38* (à partir de) : nombre fixé par arrêté, *46 :* 3 000, *49 :* 10 000, *50 :* 11 000, *54 :* 12 500, *62 :* 13 250 (+ 250 pour les rapatriés d'Algérie), *67 :* 14 300, *88 :* 14 305, *89 :* catégorie A (artisans propriétaires de leur véhic.) 8 532, B (petits loueurs de 6 à 200 véhic.) 4 373, C (loueurs de plus de 200 véhic.) 1 395, *90 :* cat. A : 8 598, cat. B : 4 096, C : 1 806. Total 14 500 (dont à 2 chauffeurs 1 120, circulant 20 h par jour). *Chauffeurs inscrits sur liste d'attente : 1990 :* 5 316 *En 1990,* 670 transferts d'autorisations ; autorisations délivrées à titre gratuit : 200 (augmentation du nombre des taxis), 56 (renouvellement du contingent).

Aux heures de pointe : 0 h : 2 800. *2 h :* 1 500. *4 h :* 700. *6 h :* 2 000. *8 h :* 5 500. *10 h :* 8 000. *12 h :* 9 200. *14 h :* 10 200. *15 h :* 10 600. *17 h :* 9 300. *19 h :* 6 000. *21 h :* 4 000. *23 h :* 3 000.

☞ **En 1982.** Londres 16 037, New York 12 500, Montréal 5 800, Rome 5 000, Milan 3 600.

Mode de propulsion. Gas-oil 12 252, essence 1 983, gaz 65. **Marques.** *Les plus courantes :* Peugeot 505 et 305 D, 50 ; Renault (R 21 à 25 D) ; *françaises :* 11 023, *étrangères :* 3 277. **Compteurs** (1987). Électroniques 8 100, mécaniques 4 410.

• Réclamations. S'adresser à la préfecture (à Paris : Préf. de police, service des taxis, 36, rue des Morillons, 75732 Paris Cedex 15).

• Surveillance. Assurée, à Paris, par 16 gardiens de la paix en civil (surnommés les Boers).

• Tarifs (15-1-91). *Prise en charge :* 11 F ; km A : 2,62 ; B : 4,08 ; C : 5,48 ; heure d'attente : 108.

Tarif applicable de 7 h à 19 h et, entre parenthèses, de 19 h à 7 h. *Zone parisienne (Paris, b. périphérique compris) :* A (B) ; dimanches et jours fériés : B. *Zone suburbaine (Hauts-de-Seine, Seine-St-Denis, Val-de-M.) :* B (C). *Au-delà : 1°* le taxi revient à vide C (C) ; *2°* le client garde le taxi pour le retour A (B). Aucune indemnité de retour n'est due. Le trajet pour aller chercher le client est tarifé comme une course normale quand la course est demandée par borne d'appel ou par téléphone.

Le dispositif lumineux (sur l'avant du toit) affiche la tarification applicable au compteur (lampe blanche : tarif A, orange : B, bleue : C).

Chaque taxi doit être muni d'une carte indiquant les limites des zones parisienne, suburbaine, extérieure. Pour les aéroports (Orly, Bourget, Roissy), le changement de tarif se fait à l'entrée des autoroutes.

Lorsqu'une voiture est occupée à l'heure où le tarif change (20 h ou 7 h), le conducteur doit aviser le client et faire apparaître sur le compteur l'indication du nouveau tarif (A, B ou C).

Gares. Prise en charge majorée de 4,50 F sur les stations des gares parisiennes, au terminal de l'avenue Carnot et à l'aérogare des Invalides, et spécialement indiquée sur une pancarte.

Bagages. Petits objets, bagages à main, première valise ou premier colis de plus de 5 kg : gratuit ; autres valises et colis de plus de 5 kg : 5 F chacun. Bagages et colis encombrants (skis, vélo, malle, voiture d'enfant, etc.) : 5 F chacun, sans franchise pour le 1er colis. Prise en charge d'une 4e personne : 5 F. Prise en charge d'un animal : 3 F.

• Taxi libre. Lorsque le dispositif lumineux situé sur le toit est éclairé, sans gaine, et les 3 globes répétiteurs (A, B, C) éteints.

• Voiture (durée de vie moyenne). Artisans 3 ans, compagnies 4 ans.

☞ Voiture de petite remise. Assure le transport des personnes et de leurs bagages. Le chauffeur n'a pas le droit de stationner ou de circuler sur la voie publique pour y chercher des clients (loi du 3-1-1977) ; il doit prendre contact avec eux, mais ne peut utiliser à bord un radio-téléphone (sauf dans les communes rurales où il n'existe pas de taxi). La voiture ne peut porter des signes distinctifs permettant de la reconnaître de l'extérieur. Les tarifs sont libres.

Taxis scooters. Fin mai 1985 : 1er essai avec 4 scooters à Paris.

Transports divers, Trafic

Transports par conduites (pipe-lines)

Généralités

• Définition. Canalisation, généralement sous pression, utilisée pour transport, à moyenne et grande distance, des liquides (oléoducs, pétrole brut, produits raffinés), gazeux (gazoducs, gaz naturel) en *« capsules »,* conteneurs rigides ou souples mus dans du liquide à l'étude. Entraînent peu de nuisances : encombrement, bruit, pollution, etc. *Solides en suspension* se développent pour de plus longues distances.

• Pose. Composés de tubes soudés les uns aux autres, enfouis sous terre (0,80 à 1 mètre). Nécessite un matériel spécialisé (creusement et remblaiement des tranchées, soudure des tubes, etc.). Pour être rentables (investissement lourd), il leur faut un trafic régulier et important. Le coût est inversement proportionnel au diamètre.

Oléoducs

• Première conduite. En Pennsylvanie, en 1865 : diamètre de 2" (5 cm), longueur 8 km, transportait 100 m3 de pétrole brut par j.

• Principaux oléoducs (pétrole brut et produits raffinés). **Longueur en km et,** entre parenthèses, **millions de t transportées** (1988) : Afrique du N. 6 093 (188,3). Afrique du Sud 3 063 (12). Moyen et Proche-Orient 16 266 (589,5). Extr.-Orient 8 342 (70,16). Amérique du N. 30 984 (329,5). Amérique du S. 9 190 (86,6). Europe occ. 12 468 (586,6). Europe orient. 37 820 (555).

• Longueur en km des lignes de transport dans le monde (1988). Pétrole et gaz naturel 1 200 000.

Records de longueur. *Canada :* puits d'Alberta à Sarnia, 2 911 km ; *URSS :* Transsibérien, 6 200 km ; projet : Trans African Pipeline (Arabie Saoudite-mer Rouge-Soudan-Rép. centraf.-Cameroun) 3 650 km.

• Réseau français. **Origine :** né avec la Sté des transports pétroliers par pipe-line (TRAPIL) qui mit en service en 1953 le 1er pipe-line [10 pouces (25 cm de diamètre), 240 km de long], destiné au ravitaillement de la région parisienne en produits pétroliers raffinés. Il fut doublé, puis triplé par des pipe-lines plus importants. Des antennes partent ravitailler d'autres zones (ex. : Caen, Rouen, Orléans). Une nouvelle conduite entre Orléans et Tours a été mise en exploitation en oct. 1980. **Long. (principale) totale** (1988) : 6 893 km (3 290 pour le pétrole brut et 3 603 pour les produits raffinés). **Réseau des pipe-lines de défense :** ligne Le Havre-Cambrai-Valenciennes, ligne Marseille-Langres-Mirecourt-Strasbourg et système Donges-Metz. Il peut être utilisé à des fins civiles.

Gazoducs

• Conduites de produits chimiques. Transports sous forme liquide (par ex. sous pression et à basse température) ou gazeuse, assurant un transport plus sûr pour la qualité du produit et la sécurité de l'exploitation.

• Records de longueur. *USA : achevé : Texas-New York* 3 444 km ; *Transcanadien* 9 332 (plusieurs lignes) ; *Transsibérien* 9 344 : le plus long ouvrage jamais construit par les hommes. *En chantier : Progress* (URSS) 4 600 km.

• Canalisations en France. Année de mise en service, longueur (km), diamètre en pouces (") et débit possible en millions de tonnes/an (Mt).

Ammoniac. *Carling-Besch* (1968), 53 km (4" 1/2) 0,16 Mt. **Éthylène.** *Feyzin-St-Pierre-de-Chandieu-Tavaux* et *St-Pierre-de-Chandieu-Pont-de-Claix-Jarrie* (1967), 278 km (8" ou 6" 5/8) 0,11 à 0,28 Mt. *Lavera-Berre-St-Auban* (1968), 124 km (8" 5/8 ou 10" 3/4) 0,08 à 0,1 Mt. *St-Auban-Pont-de-Claix* (1972), 146 km (8" 5/8) 0,2 Mt. *Carling-Sarralbe* (1970), 30 km, 6", 0,07 Mt. *Gonfreville-Port-Jérôme,* 50 km (6 "). **Gaz carbonique.** *Carling-Besch* (1968), 53 km (10" 3/4) 0,155 Mt. **Propylène.** *Feyzin-le-Grand-Serre-Pont-de-Claix* (1972), 145 km (8" 5/8 ou 6" 5/8) 0,25 Mt. **Saumure.** *Hauterives-Pont-de-Claix* (1966), 80 km (16" et 14") 3,5 Mt. *Vauvert-Lavera* (1966), 85 km (18") 7 Mt.

Trafic global

Trafic dans le monde

Trafics de voyageurs

	1970 [1]	1987	
		1	2
Voitures partic.	1 302,9	2 191,0	83,5
France	*304,7*	*533,6*	*83,1*
Allemagne	350,6	531,3	84,7
Belgique	49,2	70,5	88,7
Italie	230	427,2	78,8
Royaume-Uni	263	451	86
Pays-Bas	72,1	129,7	85,9
Danemark	33,3	47,7	83,4
Transports ferrés	**166,3**	**206,3**	**7,9**
France	*47,1*	*69,1*	*10,8*
Allemagne	37,3	43,1	6,9
Belgique	7,6	6,3	7,9
Italie	32,5	41,4	7,6
Royaume-Uni	30,4	32,2	6,1
Pays-Bas	8	9,4	6,2
Danemark	3,4	4,8	8,4
Autobus, autocar	181,8	226,2	8,6
France	*25,2*	*39,6*	*6,2*
Allemagne	48,7	52,9	8,4
Belgique	3	2,7	3,4
Italie	37,4	73,4	13,5
Royaume-Uni	53	41	7,8
Pays-Bas	9,9	11,9	7,9
Danemark	4,6	4,7	8,2
Ensemble	**1 651**	**2 623,5**	**100**
France	*377*	*642,3*	*100*
Allemagne	436,6	627,3	100
Belgique	59,8	79,5	100
Italie	299,9	542	100
Royaume-Uni	346,4	524,2	100
Pays-Bas	90	151	100
Danemark	41,3	57,2	100

Nota. – (1) En milliards de voy./km. (2) Part modale en %.

Trafics de marchandises

	1970 [1]	1987	
		1	2
Routiers	315,5	538,2	61,5
France	*76,1*	*125*	*57,9*
Allemagne	78	140,6	53,6
Belgique	13,1	25	63,7
Italie	43,1	109,7	79,3
Royaume-Uni	85	108,6	77,9
Pays-Bas	12,4	20,2	31,5
Danemark	7,8	9,1	69,3
Ferroviaires	193	154,4	18,7
France	*66,6*	*49,8*	*24,9*
Allemagne	70,3	57,8	23,1
Belgique	7,9	7,3	19,9
Italie	18,1	18,4	13,3
Royaume-Uni	24,5	16,4	12,7
Pays-Bas	3,7	3	4,9
Danemark	1,9	1,7	14,1
Fluviaux	104,8	100,7	12,5
France	*14,2*	*7,4*	*3,9*
Allemagne	48,8	49,7	20,2
Belgique	6,7	5,1	14
Italie	0,4	0,2	0,2
Royaume-Uni	2	2,5	1,9
Pays-Bas	30,7	33,8	56,6
Danemark	2	2	16,5
Oléoducs	57,5	59,2	7,2
France	*26,2*	*25,7*	*13,3*
Allemagne	15,1	8,7	3,2
Belgique	0,3	0,9	2,4
Italie	9,1	9,9	7,3
Royaume-Uni	2,7	9,9	7,5
Pays-Bas	4,1	4,1	7
Danemark	0	0	0
Ensemble	670,8	825,5	100
France	*183,1*	*207,9*	*100*
Allemagne	212,2	256,8	100
Belgique	28	38,3	100
Italie	70,7	138,2	100
Royaume-Uni	114,2	137,4	100
Pays-Bas	50,9	61,1	100
Danemark	11,7	12,8	100

Nota. – (1) En milliards de voyag./km. (2) Part modale en %.

Pays	Rail	Route	V. nav.	Oléoduc
All. démocratique	75,8	20,7	3,5	–
All. fédérale	24,1	51,7	20,8	3,4
Autriche [3]	53,4	16,5	6,6	23,5
Espagne	9,2	88,3	–	2,5
France	*33,3*	*47,9*	*4,8*	*14*
G.-B.	11,9	80,5	0,2	7,3
Hongrie	58	30,3	4,6	7,1
Italie	10,8	83,9	0,2	5,6
P.-Bas [1]	5,2	35	51,6	8,2
Pologne [2]	68,2	20,9	0,8	10,1
Suisse [2]	47,1	44,4	0,4	8,1
Tchécoslovaquie	68,4	19,3	4	8,2
URSS	63,1	8,5	4,6	23,8
Yougoslavie [1]	33	54,3	12,5	0,2

Nota. – (1) 1980. (2) 1982. (3) 1983.

Trafic en France

• **Nombre de salariés** (en milliers de personnes, 1987 ; *Source :* UNEDIC). *Transports routiers, urbains, conduites* 311,7 dont routiers zone longue 115,1, courte 74,1, routiers de voyageurs 44,6, transports urbains 32, location 22,7, déménagement 12,9, taxis (salariés) 8,7. *Maritime* 16,3. *Aérien* 21,3. *Activ. annexes (gares, ports, entr.)* 37,3. *Auxiliaires de transport* 129,7, dont collecte frêt terrestre 60,6, agence de voyage 21,4, routage 12,6. *Ferroviaire* (hors SNCF) 1,5. *Navigation intérieure* 1,9.

Consommation par voyageurs × km transportés dans des conditions commerciales (en gramme équivalent pétrole). *Avion:* Fokker étape courte 173, Airbus Paris-Marseille 52 (haute densité 37), vol vacances Antilles Boeing 747 29. *Voiture :* conducteur seul en ville grosse cylindrée 93, petite 67, autoroute 2 personnes, grosse cylindrée 50, 7 CV 35, autocar 21. *Train* omnibus-rural 35-60, rapide TEE 20, banlieue 18, TGV 17, express 15. *Métro* 23.

Trafics intérieurs des voyageurs

Milliards de voy./km	1986	1987	1988
Véhicules particuliers	517,3	533,6	554,3
Urbain	160,2	165	171
Interurbain	357,1	368,6	383,3
Autobus, autocar	39,5	42,2	43,2
Urbain	4,5	5,0	5,1
Interurbain	5,4	5,9	5,6
Ile-de-France	1,3	1,3	1,3
Scolaire	5,7	5,9	6,1
Personnel	4,6	4,6	4,4
Occasionnel	15,8	17,3	18,5
Autobus RATP	2,2	2,2	2,2
Transports ferrés	69,0	69,1	72,5
SNCF	59,9	60	63,3
TGV	8,8	9,7	10,4
Réseau principal sauf TGV	42,5	41,7	44
Banlieue parisienne	8,6	8,6	8,9
RATP réseau ferré	8,7	8,7	8,8
Métro de province	0,4	0,4	0,4
Transports aériens	8,3	9	9,6
Ensemble trafic intérieur	634,1	653,9	679,6

Sources : OEST, SNCF, RATP, DGAC, estimation 1988 pour autocars et tr. aérien.

Emplois. Effectifs d'entreprises (1989). 951 000, SNCF et RATP 245 000, autres 606 000.

• **Transports terrestres** (milliards de t/km). **Intérieurs** (1989) : 177,1 dont *routiers* 117,2 (dont pour compte d'autrui 79,6, compte propre 37,6), *ferroviaires* 53,3, *fluviaux* 6,6. *Oléoducs* 21,3. **Internationaux** (1988) : 37,5 dont ferroviaires 20,4, routiers 14,2, fluviaux 2,9.

• **Grandes entreprises nationales.** *Chiffre d'affaires consolidé* (en milliards de F, 1990) : SCETA 19. SNCF 18,4. CGMF 13,5. GIE Air France Cargo 6,8. SCAC 6,6. GEFCO 6,6. Delmas-Vieljeux 6,5. SAGA 4,5. MORY 3,2.

Accidents

Données générales

Accidents en France

Nombre de voyageurs tués par milliards de voyageurs/kilomètres en France.

Année	SNCF	Transports routiers	Transports aériens
1957	2,42	119	8
1961	0,95	94	25
1965	0,31	88	1,3
1970	0,01	77	2,9
1980	0,00	46	0,08

Accidents aériens

Données globales

En France

• **Nombre total** dont, entre parenthèses, aviation privée (autogires, ballons, hélicoptères, planeurs, ULM non compris).

	Accidents	Morts	Blessés
1977	62 (57)	76 (74)	68 (57)
1978	78 (74)	104 (88)	72 (65)
1979	73 (69)	93 (84)	103 (98)
1980	66 (62)	83 (81)	71 (68)
1981	55 (54)	39 (83)	69 (69)
1982	45 (42)	34 (31)	64 (61)
1983	42 (40)	48 (48)	45 (43)
1984	84 (75)	80 (72)	129 (83)
1985	82 (81)	84 (82)	82 (82)
1986	78 (73)	61 (54)	86 (70)
1987	73 (68)	90 (65)	78 (74)
1988	129 (121)	134 (101)	175 (81)
1989 [1]	120 (115)	308 (116)	92 (116)

Nota. – (1) 1 attentat (170 †) inclus.

Dans le monde

• **Accidents d'avions civils.** *Nombre total et,* entre parenthèses, *nombre d'avions commerciaux : 1988 :* 5 250 (650), *89 :* 5 000 (760). **Tués.** *Nombre : 1988 :* 2 950 (sur av. comm. 1 280), *89 :* 3 240 (1 610 dont de vols réguliers 891).

• **Taux (sur les services réguliers). Accidents mortels** *pour 100 000 h de vol : 1975 :* 0,16. *79* 0,21. *89 :* 0,13 ; *pour 100 000 atterrissages : 1979 :* 0,29. *89 :* 0,20. **Passagers tués** *pour 100 millions de passagers/km : 1976 :* 0,12. *80 :* 0,09. *81 :* 0,04. *84 :* 0,02. *85 :* 0,09. *86 :* 0,03. *87 :* 0,06. *88 :* 0,04 (non rég. 0,07). *89 :* 0,05 (non rég. 0,17).

• **Décès en avion.** Étude du JAMA (journal de l'association américaine de médecine) de 1977 à 1984. 42 transporteurs ont enregistré 577 décès en vol (72 par an), dont 326 (56 %) relevant d'une mort subite d'origine cardiaque, et concernant pour 66 % des hommes (âge moyen 53,8 ans). *Soit : taux moyen de décès en vol par million de passagers :* 0,31 ; *par milliard de km-passagers :* 125 ; *par million de départs :* 25,1.

• **Causes des accidents** (en %). Avions 10, erreurs de la tour de contrôle 5 ; % survenus dans les 2 premières minutes après le décollage 30, dans les 4 min. d'approche finale et d'atterrissage 40. Sur 83 accidents (de court-courriers 737), dans 4 cas l'équipage avait omis de sortir le train d'atterrissage, et à 24 reprises avait raté ou dépassé la piste.

Avions et hélicoptères

Accidents principaux

• **Les plus graves. Accidents d'avions. Dans le monde : 1977-***27-3 :* coll. au sol entre 2 B-747 (Pan Am et KLM) à Tenerife (Canaries), 643 pers. à bord, 612 †, 3 blessés, 28 survivants ; indemnisation des victimes : env. 81,5 millions de $ (405 millions de F). **1974-***4-12* DC-8 affrété par une Cie néerlandaise, tempête près de Colombo (Sri-Lanka), 191 †. **1978-***1-1* Boeing d'Air India explose après avoir décollé de Bombey, 213 †. **1979-***28-11* DC-10 d'Air New Zealand, a percuté une montagne dans l'Antarctique (erreur de navigation), 257 †. **1980-***19-8 :* Lockheed Tristar Saoudien, près de Riyâd (Arabie), 303 †. **1983-***1-9* B-747 de Korean Airlines, abattu par chasseur soviétique au large de la presqu'île de Sakhaline, 269 †. **1985-***12-8 :* B-747 (Japan Airlines) 524 †, s'écrase au sol (Mtogura, à l'ouest de Tokyo), 4 survivants (la + grave catastrophe civile concernant un seul appareil) : fuite d'air pressurisé à travers une cloison fendue ; Boeing a, depuis, demandé aux 70 Cies exploitant les 615 B-747 actuellement en service, de renforcer la partie arrière de l'appareil. *-23-6 :* B-747 Air India près de l'Irlande (attentat sikhs), 329 †. **Aux USA 1979-***25-5 :* DC-10 American Airlines perd un réacteur au décollage, s'écrase sur l'aéroport de Chicago-O'Hare, 275 †. **Canada.** Terre-Neuve **1985-***12-12 :* DC-8 Arrow air, au décollage à Gander, 256 †. **En France 1974-***3-3 :* DC-10 de la Turkish Airlines près d'Ermenonville, 346 † (cause : mauvaise fermeture d'une porte de soute).

• **Accidents d'avions récents** (liste non limitative). **1987-***9-5* Il-62, Lot (Pologne), 183 †, *-16-8 :* DC-9, Northwest Airlines (près Detroit, USA), 161 † (dont

6 au sol), 1 survivant, *-27-9* A 300 B4 *1er accident mortel :* Airbus s'écrase sur la piste de l'aéoport de Louxor pendant un vol d'entraînement, 5 † (erreur de pilotage) ; *-11-10 :* Fokker F-27, Burma Airways (Pagan, Birmanie), 49 †, *-15-10:* ATR-42, ATI (prov. de Côme, Italie), 37 †, *-20-10 :* Corsair (avion de chasse) sur un hôtel (Indianapolis, USA), 14 † (clients de l'hôtel), *-28-11 :* B-747, South African Airways, océan Indien, 159 †, *-21-12 :* Brasilia (Air Littoral) près de Bordeaux, 16 † (faute de pilotage : non-respect des visibilités minimales ; 0,35 g d'alcool par litre dans le sang du commandant de bord). **1988**-*27-2 :* Tupolev 134, Aeroflot (Sourgout, Sibérie.), 51 †, *-4-3 :* Fairchild 227, TAT (Machault, S.-et-M.), 24 †, panne technique et distraction du commandant qui parlait à un passager dans le poste de pilotage ; *-17-3 :* B-727 (Avianca) Colombie 137 †, *-28-4:* B-737, Aloha Airlines, 5 m de fuselage arrachés (Hawaii,), 1 †, *-3-7* Airbus A-300 d'Iran Air, abattu par 1 croiseur américain dans le Golfe, 290 †, *-19-10 :* B-737 (Indian Airlines) à l'atterrissage à Ahmedabad, 131 †. **1989**-*8-1 :* B-737 British Midland Airways (Angl.) 47 † (79 rescapés), moteur de gauche prend feu, moteur droit coupé par erreur (circuits inversés), *-8-2:* B-707 (Indépendant Air Corporation) aux Açores 145 †, *24-2 :* B-747 UAL, fuselage déchiré, verrou défectueux, 9 † aspirés, *-10-4 :* Fokker 27 (Uni Air) près de Valence, 22 †, faute de pilotage ; *-7-6 :* DC-8 de Surinam Airways, heurte des arbres à Paramaribo (brouillard), 174 † ; *-19-7:* DC-10 (UAL), atterrissage d'urgence à Sioux City (Iowa, USA), 112 † ; *-27-7 :* DC-10 (Korean Air Lines), erreur d'appréciation à l'atterrissage à Tripoli (Libye), 82 † (dont 4 au sol) ; *-3-9:* Ilyouchine 62 (Cubana de Aviacion), au décollage de La Havane (Cuba), 170 † (dont 45 hab. du quartier) ; *-21-10:* B-727 (Tan Sahsa), près de Tegucigalpa (Honduras), 146 †. **1990**-*25-1:* B-707 (Avianca) banlieue de New York, 72 † ; *-14-2 :* A-320 (Indian Airlines) à l'atterrissage à Bengalore (Inde), erreur de pilotage, 90 †. **1991**-*5-3* B-737 (UAL) Colorado, 23 † ; *-26/27-5* B-767-300 (Lauda Air) Thaïlande, inversion de poussée d'un réacteur, 223 † ; *-6-10* (MB46 de l'armée ital.) Casalecchio (It.), s'écrase sur école, 12 †.

☞ Le 1-2-1989, l'administration américaine de l'aviation (FAA) a ordonné de vérifier câblages et systèmes anti-incendie des moteurs et soutes des B-737, 757, 767, 747, livrés après le 1-12-1980 (au total 741).

• **Accidents d'hélicoptères récents.** **1982**-*11-9 :* de l'US Air Force s'écrase au sol à Mannheim (All.), 46 parachutistes (23 Français) †. **1984**-*11-4:* 2 Puma se heurtent en vol près de Cosne-sur-Loire (Nièvre), 6 militaires †. **1985**-*27-6 :* Jet Ranger de André Roussel s'écrase après avoir heurté une ligne de haute tension à Martini (Suisse), 4 †. *-11-8:* près du sommet du Grand-Argentier (Savoie), hélico. s'écrase, 2 gendarmes †. **1986**-*14-1 :* Écureuil de Thierry Sabine s'écrase (en Afrique) pendant le Paris-Dakar, 3 †.

Circonstances particulières

• **Accidents d'avions ayant causé la mort.** **De dirigeants politiques : 1959**-*29-3* Barthélemy Boganda, Pt du gouvernement de la Rép. centrafricaine ; **79**-*27-5* Lt-colonel Ahmed Ould Bousseif, PM mauritanien ; **80**-*4-12* Francesco sa Carneiro, PM portugais ; **81**-*24-5* Jaime Roldos Aguilera, Pt de l'Équateur ; *-1-8* Général Omar Torrijos, homme fort du régime panaméen ; **86**-*20-10* Samora Machel, Pt du Mozambique ; **88**-*17-8* Général Zia-ul-Haq, Pt du Pakistan. **D'autres personnalités :** Dag Hammarskjoeld, secrétaire général de l'ONU (1961), Maréchal Lin Piao, min. chinois de la Défense et dauphin de Mao Tsé-toung (1971), Mohammed Benyahia, min. algérien des Aff. étr. (1982), Contre-amiral Guy Sibon, min. malgache de la Défense (1986).

• **Accidents ayant endeuillé le sport.** **1949 :** équipe de football ital. à Superga (Italie) ; **1949**-*27-10 :* aux Açores, Marcel Cerdan. **1958**-*6-2 :* éq. de football Manchester U à Munich. **1961 :** 18 patineurs de l'équipe amér. à Bruxelles. **1966 :** éq. ital. de natation, à Brême. **1972 :** Andes, éq. de rugby de Montevideo, survit grâce à l'anthropophagie. **1976 :** éq. d'escrime cubaine, voir ci-contre attentats. **1979 :** éq. de football sov. de Tachkent. **1980**-*14-3 :* 22 sportifs amér. à Varsovie. **1987**-*9-12 :* éq. de football péruvienne (« Alianza-Lima »), en mer. **1988**-*17-3 :* 2 éq. de football, en Colombie (137 †). **1989**-*7-6* 23 footballeurs néerl. à Paramaribo (Ven.).

• **Accidents lors de meetings aériens.** **Allemagne.** *Ramstein. 28-8-1988* 70 † (collision de 3 avions de la Frecce Tricolori, patrouille de haute voltige de l'armée de l'air ital.). *Hanovre. 6-5-1988* hélicoptères 27 †. **Angleterre.** *Farnborough. 7-5-1952* Super DH 110 De Havilland se désintègre, 27 † (pilote, navigateur, 25 spectateurs). *20-9-1968* Breguet 1150 Atlantic pris dans un courant descendant accroche un hangar et s'abat, 12 † dont plusieurs spectateurs. *10-9-1970* rotor d'un autogire se brise, l'appareil tombe de 60 m. Pilote tué. *Old Warden. 26-6-1966* Cessna biplace s'écrase sur des voitures, 3 † et 10 blessés. **Canada.** *5-9-1989* collision de 2 avions de la « Snowbirds » (patrouille acrobatique canadienne) au-dessus du lac Ontario, 1 †.

États-Unis. **1991**-*29-6* collision de 2 T34, 2 †.

France. **1911**-*21-5 :* Henri-Maurice Berteaux (n. 1852), ministre de la Guerre, tué par l'hélice d'un monoplan sur le champ de manœuvres d'Issy au départ de la course Paris-Madrid. **1961**-*4-6:* bombardier amér. B-58 s'écrase près de Louvres, 3 †. **1963**-*16-6 :* Hawker P-1127, prototype brit., manque son atterrissage, pilote indemne. **1965**-*15-6 :* B-58 Hustler, bombardier am., s'écrase près de Goussainville, 3 †. **1967**-*4-6 :* Fouga-Magister de la Patrouille de France qui tente de se poser en catastrophe, train d'atterris. rentré, explose non loin de la tribune d'honneur, pilote † ; hélicoptère amér. s'écrase près de la piste, 1 †. **1969 :** chasseur italien Fiat G-91 s'abat sur un parc à voitures, 6 † (5 spectateurs et pilote). **1973**-*3-6 :* Tupolev 144 explose en vol et s'écrase au-dessus de Goussainville, 13 † (équipage 6, et 7 hab. de Goussainville). **1986**-*13-2 :* Dassault-Flamand près de Pouilloux (S.-et-L.) 6 †. **1988**-*26-6 :* Airbus A-320 (volant à 9 m du sol à 220 km/h) s'écrase à Mulhouse-Halbsheim (Ht-Rhin), 3 †, 133 rescapés. **1989** *juin* Mig 29 (pas de tué), cause : oiseau dans les réacteurs.

• **Attentats.** **1976**-*6-10* DC-8 Cuba au large de la Barbade, 73 † dont 43 de l'équipe cubaine d'escrime (anticastristes). **1982**-*11-8:* B. 747 (Pan Am) à l'atterrissage à Honolulu, 1 † (Palestiniens accusés). **1983**-*23-9:* Boeing de la Gulf Air à 120 km d'Abu Dhabi, 111 † (Brigades révol. arabes). **1985**-*12-12 :* DC-8 amér. à Terre-Neuve, 256 milit. † (Organ. des révol. d'Égypte), *-31-3 :* B-727 Mexique, 170 † (Brigades révol. arabes), *-23-6 :* B-747 Air India, mer l'Irlande (provoqué par Sikhs), 329 †. **1986**-*2-4:* B-727 (TWA) à 3 300 m au-dessus de Mycènes (Grèce), explosion (revendiquée par fedayins) perfore la cabine, 4 passagers † (aspirés). **1987**-*29-11 :* B-707 (Korean Airlines), en mer au large de la Birmanie, 115 †. Une Coréenne, Kum Hyn-Hee, admet en janv. 1988 avoir posé une bombe dans l'avion sur incitation des autorités nord-coréennes pour saboter les J.O. de Séoul. *-7-12:* BAE-146, Pacific Southwest Airlines (Templeton, Calif.), s'écrase (bombe posée par Coréenne), 43 †. **1988**-*21-12 :* B-747 (Pan Am) à Lockerbie (Écosse), 270 † (259 passagers, 11 personnes au sol) [transistor piégé (att. qui aurait été organisé par le PLP, Ahmed Jibril)]. *Coût pour Pan Am :* 250 millions de $. **1989**-*19-9:* DC-10 d'UTA explose dans le Ténéré (Niger), 170 † (105 corps identifiés). Conviction du magistrat instructeur : Syrie a commandité l'attentat en représailles contre le rôle de la France au Liban ; opérateur : Mouvement du 15 Mai fondé par Abou Ibrahim (nom de guerre de Hussein Humari). *-27-11:* B 727 (Avianca), explose au Sud de Bogota (Colombie) 111 †, revendiqué par trafiquants de drogue.

• **Avions civils abattus.** **1943**-*1-6 :* avion anglais de retour du Portugal par les Allemands qui croyaient Churchill à bord, 17 †. **1954**-*23-7:* DC-4 de la Cathay Pacific Airways par les Chinois, 10 †. **1955**-*27-7 :* Constellation d'El Al abattu par des chasseurs bulgares, 58 †. **1968**-*11-9 :* Caravelle au large du cap d'Antibes, 91 †. **1973**-*21-2:* B-727 de la Libyan Arab Airlines par la chasse israél. au-dessus du Sinaï, 110 †. **1976**-*6-10:* DC-8 (Cubana de Aviacion), Barbade 76 †. **1979 :** Viscount (Air Rhodésie) par des maquisards, 48 †. **1980**-*27-6 :* DC-9 en Calabre, 93 † (par un Mig libyen ?). **1983 :** B-737 de la TAAG (Angola) 130 †, *-31-8 :* B-747 Korean Airlines, 269 †. Ayant quitté Anchorage, il avait survolé la zone interdite du Kamtchatka et de Sakhaline tout en affirmant aux contrôleurs aériens qu'il suivait la route normale. Pendant ce temps, des combats aériens avaient lieu dans la zone (au moins 3 appareils, sans doute amér., abattus). Version amér. : le 747 fut abattu sans sommations à 3 h 26, près de l'île de Moneron. Autre version : a poursuivi son vol 3/4 d'h vers le Sud avant de s'écraser en mer (les 1ers débris n'ont été retrouvés que 8 j après, le long de la côte de Hokkaidō et au nord de Honshu ; les débris retrouvés à Moneron étaient ceux d'un RC-135 (707 avion espion équipé de matériel électronique), 2 navires (1 d'écoute : Bagder, 1 lance-missiles : Elliott) se trouvaient au large de Vladivostok. Les radars amér. qui surveillent la zone, repérèrent le 747 hors du couloir normal et arrivant de l'espace soviét. et l'auraient pris pour un appareil hostile. **1985 :** avion de ligne afghan, 52 †. **1986 :** Sudan Airways (abattu par Sam 7), 60 †. **1988**-*3-7 :* Airbus A 300 (Iran Air) dans le Golfe, par missile du croiseur amér. Vincennes, 290 †.

Quelques précisions

• **« Air miss »** (collision évitée de justesse, à moins de 9 km, parfois à - de 40 m). **Nombre. USA :** *1984 :* 509. *85 :* 758. *86 : 820 (1er sem.). 87 :* 494. dont le *-15-8* à - 75 m entre hélicoptère de R. Reagan et Piper Archer (Santa Barbara, Californie). En **Europe :** *France 1983 :* 68. *84 :* 67. *85 :* 50. *86 :* 51. *87 :* 69. *88 :* 71. *89 :* 87 (dont 24 en route). *RFA : 1987 :* 41.

• **Boîtes noires** (en fait de couleur orange vif afin d'être plus repérables). 2 par avion de ligne, enregistrement dès que l'avion est sous pression. En acier, résistent à 1 500° pendant 30 min. à des chocs violents et peuvent séjourner 1 mois en eau de mer ; au contact de l'eau, émettent un signal acoustique en ultrasons de 30 kilohertz. La 1re : dans le poste de pilotage, enregistre les conversations ; la 2e : dans la queue de l'avion, enregistre altitude, température extérieure, position des gouvernes, alarmes diverses, etc.

• **Cause des accidents aériens** (en %). Faute de pilotage : 74 %, défaillance mécanique 11,6, météo 5,5, contrôle aérien 4,2, faute de maintenance 1,6, autres 3,2. **Circonstances** (en %) : approche et descente 37,7, atterrissage 25,7, montée 15,8, décollage 12,2, croisière 5,5, circulation et stationnement 3,1.

Corps étrangers. Dans 85 % des cas, *impacts d'oiseaux.* Dégâts 85 %, 8 % légers, 7 % importants (antennes, sondes, phares et radomes détériorés). *Types d'oiseaux rencontrés* (*1984-85,* % des collisions). Mouettes et goélands 31,5, rapaces diurnes et nocturnes (faucon crécerelle, buse variable, milan noir) 22,1, vanneaux huppés 14,4, hirondelles et martinets 8,7, pigeons 6,5 corvidés 2,4, étourneaux 1,6, autres [dont héron cendré (1 coll. en 84 et 1 en 85) ; cigogne blanche, flamant rose (1 coll. en 84) ; oie cendrée, linotte mélodieuse (1 en 85)] 12,8. *Prévention :* battues, sur quelques grands aéroports, méthodes d'effarouchement (diffusion de cris de détresse spécifiques, tir de cartouches...), toute l'année destruction autorisée (mouettes rieuses, pigeons, vanneaux huppés, goélands argentés, étourneaux, corneilles noires, corbeaux freux).

Au sol, des corps étrangers (boulons, graviers, clous...) peuvent causer d'importants dégâts en étant aspirés par les réacteurs.

Précautions : à l'atterrissage, distance minimale entre 2 appareils 7,5 km (en France). En vol : distance horizontale entre 2 avions 18 km (bientôt réduite de moitié grâce à un matériel perfectionné), séparation verticale au moins 600 m à 8 850 m d'altitude et 1 200 m au-dessus.

• **Facteurs d'aggravation des risques.** *Déréglementation aérienne :* USA : 1979. Europe : 1992. Accroît la concurrence, et le nombre des compagnies et des vols effectués. **Accroissement du trafic** (ex. *USA :* O'Hare, Chicago, 39 vols programmés pour atterrir à 9 h 15, certains matins). La région de Los Angeles compte 27 000 pilotes privés (51 air miss enregistrés en 1987 avec de petits avions). *Défectuosité du contrôle aérien :* aux **USA,** les contrôleurs suivent 25 avions par écran radar (moitié moins en Europe), mais ont un niveau moindre qu'en Europe. *Défaillances des équipages :* actives (non-respect des règles et procédures), passives (distraction), incapacité physique (alcool, médicaments), erreur de jugement.

• **Systèmes d'aide à l'atterrissage.** ILS (Instrument Landing System) qui définit 1 axe radioélectrique que l'avion doit suivre pour toucher le sol. Dans quelques années, le MLS (Microwave Landing System) donnera l'axe et le volume d'approche.

• **Heurts avec les oiseaux.** **1960 :** Boston. Loockeed Electra : 62 † (vol d'étourneaux). **1973 :** Atlanta. Lear 24 : 7 † (avait percuté 1 cygne). **1987**-*28-9:* BIB détruit (heurté par des pélicans).

• **Passagers disparus en vol.** A 8 000/10 000 m d'altitude, la pression est 3 fois moins forte qu'à l'intérieur de l'avion (200 millibars contre 750). En cas d'ouverture, l'aspiration vers l'extérieur (pression élevée) est irrésistible. **1957** 1 Français perdu en vol au-dessus de l'Iran (appareil de type Constellation). **1972** janv. : DC-9 youg., après explosion de la queue, 1 hôtesse projetée dans le vide à 10 160 m : 27 j de coma et quelques mois d'hôpital. **1980**-

23-12 : 2 enfants pakistanais éjectés d'un Tristar (Saudi Airlines) à la suite d'une explosion à l'intérieur, sont repêchés vivants dans la mer Rouge. **1986-**2-4 : 4 passagers aspirés dans le vide et tués à la suite de l'explosion d'une bombe dans un B-727 (TWA) en Grèce. **1987-**11-7 : 1 bébé de 13 mois arraché aux bras de sa mère et projeté dans le vide à 5 000 m, porte de secours ouverte accidentellement. **1988-**28-4 : 1 hôtesse disparaît au-dessus du Pacifique : fuselage du B-737 (Aloha Airlines) déchiré sur 6 m (rupture de rivets). **1989-**24-2 : 16 passagers éjectés d'un B-747, au-dessus du Pacifique ; déchirure de la carlingue due au verrouillage d'une porte. **1990-**10-6 : commandant de bord brit. Timothy Lancaster à demi éjecté du cockpit à 7 000 m, après l'éclatement d'un hublot. **Autre cas :** 1 lieutenant soviétique éjecté d'1 Iliouchine R à 6 700 m : fracture du bassinet et de la colonne vertébrale (la neige a amorti le choc).

☞ **1989-**13-7 : Thomas Root (Amér., 36 ans, avocat) parcourt aux commandes d'un Cessna 1 400 km avec une balle dans la poitrine et s'abat dans l'Atlantique (en caleçon et chaussettes) sans trop de dégâts.

Dirigeables

Nombre. De 1900 à 1939, 178 dirigeables de toutes nationalités ont effectué env. 80 000 h de vol. 99 d'entre eux ont connu une fin tragique : 13 brûlés dans leur hangar, 39 détruits pendant la guerre, 47 ont eu un accident de vol (dont 16 perdus en mer ou dans une tempête, 15 à l'atterrissage, 7 brûlés en vol, 6 au sol, 3 désintégrés en vol).

Principaux accidents. **1913-**17-10 : LZ 18 (All.) brûle en vol, 28 †. **1917-**30-3 : SL 9 (All.) brûle en vol, 23 †. **1921-**24-8 : R 38 (ZR 2) (G.-B.) désintégré en vol, 44 †. **1923-**21-12 : LZ 114 (Dixmude) (France) brûle en vol, 50 †. **1928** disparition au large du Svalbard de l'*Italia* lors de l'expédition polaire de Nobile. **1930-**5-10 : R 101 (G.-B.) s'écrase au sol à Allonne près de Beauvais, 48 †, 7 survivants. **1933-**4-4 : ZRS-4 (Akron) (USA), tempête en mer, 73 †, 3 survivants. **1937-**6-5 : LZ 129 (Hindenburg) (All.) brûle en vol, 35 †.

Montgolfière

1989-13-8 : Australie, collision avec un autre aérostat, chute de 600 m, 13 occupants †.

Accidents de chemin de fer

Nombre de tués

• **En France.** **1842-**8-5 *Meudon* (Ht-de-S.), ligne de Versailles (rive gauche), 150 †. **1910-**14-8 *Villepreux* (Yv.), 37. -10-9 *Bernay* (Eure), 15. **1913-**4-11 *Melun* (S.-et-M.), 39. **1917-**12-12 *St-Michel-de-Maurienne* près de Modane (Sav.) [1] (425 permissionnaires dont 148 identifiés) + 2 cheminots ; 207 bl., 350 rescapés (1918, conseil de guerre, 6 cheminots acquittés ; 1962 corps transférés au cimetière de Lyon-la-Doua). **1921-**5-10 *Tunnel des Batignolles* (Paris) n.c. **1925-**29/30-7 *St-Antoine-du-Rocher* (I.-et-L.), 16. **1927-**25-8 *Montenvers* (Hte.-Sav.), 14. **1933-**24-10 *St-Élier* (Eure), 30. -23-12 *Pomponne* (à 2 km de Lagny), S.-et-M., 230. **1946-**14-11 *Revigny-sur-Ornain* (Meuse), 15. **1947** déraillement (sabotage de la voie) *Paris-Lille* (près d'Arras), 16 † et 60 blessés. **1949-**17/18-2 *Port-d'Atelier* (Hte-S.), 42. **1956-**14-6 *Paris-Luxembourg* Fismes (Marne) [1], 11. **1957-**19-7 *Nice-Paris* [1], Bollène (Vaucluse), 31. -7-9 *Paris-Nîmes* [1] Nozières-Brignon (Ardèche), 26. -16-9 *Chantonnay* (Vendée), 29. -16-11 *autorail et train de marchandises* [2] (Vendée), 29. **1961-**18-6 *Strasbourg-Paris* [1], Vitry-le-François (Marne), 24. **1962-**23-7 *Paris-Marseille* [1] (Velars-sur-Ouche, près de Dijon), 39 ; *oct.* Montbard (C.-d'Or), 12. **1965-**28-8 *Simplon Express et Lombardie Express* [2], gare de Pont d'Héry (Jura), 12. **1966-**21-10 *Montargis-Nevers* [1], Cosne (Nièvre), 10. **1972-**16-6 *effondrement voûte de tunnel* Vierzy (Aisne), sur 2 trains, 108. **1974-**4-8 *Caen-Rennes*, Dol-de-Bretagne (I.-et-V.) [1], 10. **1975-**22-5 *Séméac* (H.-Pyr.), 5. -25-12 *Chalon-sur-Saône* (S.-et-L.), 4. **1981-**mars *Beaune* (C.-d'Or), 2. **1982-**15-1 *Épinay-sur-Seine* (S.-St-D.), 3. **1983-**26-7 *Barbentane-Rognonas*, 5. **1985-**8-7 *St-Pierre-du-Vauvray* (Eure), collision avec poids lourd, 9 † 54 bl. -3-8 *Flaujac* (Lot), collision train corail-autorail, 32 † 160 bl. -31-8 *Argenton-sur-Creuse* (Indre), déraillement + collision, 43 †. -25-12 *Issy-la-Plaine* (Hts-de-S.) collision 2 trains de RER, 1 † 13 bl. **1988-**27-6 *Gare de Lyon à Paris* 56 † et 32 bl. (1 train de banlieue percute 1 convoi arrêté). -6-8 *Gare de l'Est à Paris* 1 † et 9 bl. -23-9 *Voiron* (Isère) TGV collision avec convoi immobilisé sur

SNCF	Nombre de tués			
	Agents [1]	Voyageurs [2]	Divers [3]	Total
1976	28	44	55	127
1977	24	43	70	137
1978	34	50	94	178
1979	23	45	68	136
1980	17	33	81	131
1981	21	45	85	151
1982	22	58	89	169
1983	14	65	100	179
1984	7	39	81	127
1985	15	115	88	218
1986	11	43	62	116
1987	11	36	65	112
1988	21	80	92	193
1989	16	44	86	146

Nota. – (1) En service. (2) Par accident individuel de chemin de fer. (3) *Ex.* : voyageur montant dans un train en marche, automobiliste tué à un passage à niveau.

passage à niveau, 2 †. -7-11 *Ay* (Marne) erreur d'aiguillage, 9 †. **1990-**2-4 *Gare d'Austerlitz à Paris* défonce un butoir, traverse le quai, percute une buvette.

Accidents ferroviaires en 1986. 532 dont acc. de trains 112, collisions 50, déraillement et autres 62. *Tués*, entre parenthèses, *blessés graves* : 116 (153) dont agents en service 11 (13), voyageurs 43 (111) [dont par acc. de trains (0)], autres 62 (29). **Passages à niveau.** *Accidents* : 286 dont collisions de véhicules ferroviaires et routiers sur passages à niveau : avec signalisation automatique 179, non gardés (sans barrières, ni signalisation) 66, gardés 11 ; acc. piétons 30. *Tués* : 79. *Blessés graves* : 39.

• **Dans le monde.** 1876-29-12 *Ashtabula River* [3] (Ohio, USA), 91 †. **1879-**28-12 *Firth of Tay* (Écosse) ; le pond métallique le + long du monde (3 200 m), achevé mai 1878, se rompt, 72 †. **1881-**2-6 *Cuartla* (Mex.), 200. **1882-**13-7 *Tcherny* (Russie), 150. **1889-**12-6 *Ligne Great Northern Railway* (Irl.), 78. **1891** *Bâle* (Suisse), 100. **1915-**14-6 *Quintinshill* (Écosse [2]), 227. **1917-**12-3 *Bolivar* (Bolivie) [4] (29 f. et 30 enf.), 66. -9-7 Nashville (USA), 101. -1-11 *New York* (USA), 97. **1932-**14-9 *Turenne* (Alg.), 61 ou +. **1939-**22-12 *Magdebourg* (All.), 125. **1940-**29-1 *Osaka* (Japon), 200. **1944-**3-1 *Torre* (Esp.) [2], 500 à 800. -2-3 *Balvano* (Italie) [5] dans le tunnel d'Armi, 521. **1945-**24-6 *Ouarzirah* (Maroc), n.c. **1949-**22-10 *Nowy Dwor* (Pol.), 200. **1950-**6-4 *Rio de Janeiro* (Brésil), 128. **1952-**4-3 *Rio de Janeiro*, 119. -9-7 *Rzepin* (Pol.), 160. -8-10 *Harrow* (Angl.) [2], 122. **1953-**24-12 *Walouri* (N.-Zél.) [6], 184. *Sakvice* (Tchéc.), 103. **1954-**24-9 *Madras-New Delhi* (Inde), 300. -28-12 *Hyderabad* (Inde), 137. **1955-**3-4 *près de Guadalajara* (Mex.) [6], 300. **1957-**1-9 *Kendal* (Jamaïque), 120 ou 175. -29-9 *Montgomery* (Pakistan) [2], 250 à 300. -4-12 *Lewisham* (Angl.) [2], 90. **1958-**8-5 *Rio de Janeiro* (Brés.), 128. **1959-**28-5 *Djakarta* (Indon.), 185. **1960-**14-11 *Pardubice* (Tchéc.), 117. **1961-**23-12 *Catanzaro* (It.), 69. **1962-**8-1 *Woerden* (P.-Bas), 91. -3-5 *Mikawashima* (Japon) [7], 142. -31-5 *Voghera* (It.), 65. -21-7 *Tumraon* (Pak.), 65. **1963-**9-11 *Tsurumi* (Japon) [7], 168. **1964-**27-7 *Porto* (Port.), 103. **1970-**4-2 *près de Buenos Aires* (Arg.) [2], 236. -16-2 *Langalanga* (Nigeria), 150. **1972-**20-7 *El Curvo* (Esp.), 76. -6-10 *Saltillo* (Mex.) [1], 204. **1975-**22-2 2 trains, *Oslo* (Norv.) [2], 27. -22-5 *Rabat* (Maroc), 34. -8-6 *Warngau* (All. féd.), 36. -19-7 *Rio de Janeiro* (Brés.), 100. -29-9 *Buenos Aires* (Arg.), 32. **1976-**27-6 *Neufvilles* (Belg.), 11. -2-11 à *Czestochowa* (Pol.) [2], 26. -23-7 *Brigue* (Suisse), 6. **1977-**18-1 *Granville* (Austr.), 82. -27-6 *Francfort-sur-Oder* (All. dém.) [2], 19. **1978-**15-4 *Mozzuno* (Italie) [2], 50. -23-11 *Oturkpo* (Nigeria), 100. -18-12 *Chengchow* (Chine), 104. **1979-**27-1 *Chuadanga* (Bangladesh), 70. -21-8 *Bangkok* (Thaïlande), 50. -13-9 *Express Belgrade-Skopjie* (Youg.) [2], 60. -14-9 *Stalac* (Youg.), 57. -10-11 *Mississanga* (Canada), n.c. 250 000 personnes évacuées (émanations toxiques, incendie de produits chimiques dangereux). **1980-**juil. *Torralbadel Moral* (Esp.). -19-8 *Torun* (Pol.) [2], 69. -21-11 *Calabre* (It.) [2], 28. **1981-**16-3 (Pérou), 35. -22-3 *Youg.* [8], 38. -5-6 *Samastipur* (Inde), 800 (rivière Baymaté). **1982-**27-1 *Bou Halouane* (Alg.), 130. -12-9 *Zurich* (Suisse) [2], avec un car, 29. **1983-**avril, *prov. de Human* (Chine) [2], 600. **1984-**14-7 *Youg.* [2], 31. -1-9 *Martigny* (Suisse), 6. **1985-**14-1 (Éthiopie), 392. -11-9 *Mangualde* (Port.), 13. -14-9 *Renens* (Suisse), 5. **1986-**5-5 *Santa Iria* (Port.), 17. -8-6 *Hinton* (Can.), 30. **1987-**17-2 *Itaqueira* (Brésil), 69. -2-7 (Zaïre), 150. -7-8 *Kamenskaïa* (URSS), 106. -29-11 *Bakou* (URSS), 30. -12 banlieue du *Caire* (Égypte), avec un car, 63. **1988-**7-1 *Hubei (Chine)*, 34. -17-1 ligne du *Heilongjiang* (nord-est Chine), 15 (9). -24-1 *Kumming-Shanghai* (Chine), 90. -24-3 *Shanghai* (Chine), 30. -8-7 près de *Quilom* (Inde), env. 150. -16-8 à 10 km de *Bologoye* (Russie), 17. -12-1 -12-12 *Clapham* (G.-B.), 36. **1989-**15-1 *Pubail* (Bangladesh) 135. *San Severo* (Italie). -19-4 *Madhya-Pradesh* (Inde) 68. **1989-**3-6 *Acha* (URSS), env. 600 † (explosion, fuite de gazoduc longeant la voie). **1990-**4-1 *Sukkur* [2] (Pak.), env. 160. -16-4 *Patna* [9] (Inde), env. 71. -8-8 *Capoma* [8] (Mex.), 91. -16-11 Crotone [2] (Italie), 12.

Nota. – (1) Déraillement. (2) Collision. (3) Pont effondré. (4) Panique. (5) Asphyxie. (6) Dans la mer. (7) Collison de 3 trains. (8) Chute dans une rivière. (9) Incendie.

Accidents de métro

• **Paris.** **1903-**10-8 : court-circuit détecté à Barbès, le feu reprend à Ménilmontant ; à Couronnes, on fait descendre les voyageurs (300) ; mais la majorité restent sur le quai pour se faire rembourser leur billet. La fumée arrive par le tunnel, panique : 84 † asphyxiés. -23-4 : collision à la Porte de Versailles : 2 †. **1962-**8-2 : à Charonne, panique lors d'une manif. anti-OAS : 9 †. **1976-**25-11 : collision entre Madeleine et Concorde : 33 bl. légers. **1981-**19-1 : Auber : 1 †, 71 bl. -6-2 : Nation : 1 †, 5 bl. **1987-**24-12 : Issy-les-Moulineaux entre 2 rames de RER, 1 †.

• **Monde.** **Berlin.** *1908* : coll. : 19 †. **Chicago.** *1977-4-2* : coll. : 11 †, 200 bl. **Londres.** *1975-28-2* : 29 †. *1987-18-11* (King's Cross) : incendie : 30 †. **Mexico.** *1975-20-10* : coll. : 50 †. **Moscou.** *1981-10-6* : coll. : 7 †.

Accidents maritimes

Navires perdus dans le monde. *1984* : 327 (2,35 millions de t brutes). *85* : 307 (1,65). *89* : 211 (0,67). *90* : 188 (1,13). *Morts. 1984* : 525. *85* : 614. *87* : + de 2 600. *89* : 688. *90* : 389.

Navires français et étrangers dans les eaux territoriales françaises

Accidents (mer) France	1984	1985	1986	1987	1988	1989
Total	3 629	4 174	3 923	2 167	2 312	4 470
commerce	393	172	132	106	134	131
pêche	376	400	434	503	519	530
plaisance	1 602	2 707	3 780	1 498	1 659	2 373
Morts	150	77	151	57	79	169
Blessés	110	176	265	224	227	259
Disparus	72	53	99	48	5	74

☞ *Plage de la Côte d'Azur.* Tués par accidents de type abordage : *1987* : 2, *88* : 1, *89* : 1.

Naufrages

Navires de surface

Causes et nombre de morts. *Légende* : *co.* : collision, *inc.* : incendie, *te.* : tempête, *to.* : torpille.

1782-29-8 *Royal George* (G.-B.), 800. **1799-**10-10 *Lutine* (avec un trésor de 250 000 à1 400 000 livres sterling ; explorée en 1859, on retrouvera 100 000 livres, et la cloche qui depuis est suspendue au-dessus de l'estrade du Lloyds de Londres ; traditionnellement, sonne 2 coups pour les bonnes nouvelles maritimes, et 1 coup pour les mauvaises).

1814 mars, *Président* (G.-B.) 1er bateau à vapeur ayant fait naufrage, 140. **1816-**2-7 *La Méduse* (Fr.) : env. 300 †. Sur 395 personnes à bord (équipage 167, passagers 22), 66 personnes (commandant, officiers et leurs domestiques) ont embarqué sur des canots, 147 sur un radeau (20 × 7 m) dont 27 ont survécu au bout du 4e j (sans eau potable ni nourriture), 15 au bout de 13 j (5 succombèrent une fois arrivés à terre). L'épave a été retrouvée en 1980 à 80 km au large de la Mauritanie. **54-**mars *City of Glasgow* (G.-B.) : 450. -27-9 *Arctic* (G.-B.), co. avec *Vesta* (Fr.) : 346. **55-**15-2 *La Sémillante* (Fr.), aux Lavezzi : 773. **56-**23-1 *Pacific* disp. : 186. **57-**12-9 *Central America* (paquebot à aubes), à 320 km de la Caroline du S., à 2 400 m de prof., 423 † (150 rescapés), épave repérée 1987, de l'or a été remonté en 1989 (trésor : 6,7 milliards de F ?). **65-**27-4 *Sultana* (USA), explos. : 1 547. **72** *Marie-Céleste* (USA), trouvée le 5-12 abandonnée, l'équipage ayant disparu. **73-**23-11 *Ville du Havre*

(Fr.), co. : 230. **75**-*1-4 Atlantic* (G.-B.) : 481 ou 585. **78**-*3-9 Princess Alice* (G.-B.), co. : 786. -*18-12 Byzantin* (Fr.), co. : 210. **80**-*24-11 Oncle Josef* (Fr.), co. : 250. **90**-*19-9 Ertogrul* (Tur.) : 540. **91**-*17-3 Utopia* (G.-B.) : 562. -*30-1 Northfleet* (G.-B.), co. : 300. **94** *Kowshing* (G.-B.), to. : 1 150. **95**-*29-1 Elbe* (All.), co. : 332. **98**-*15-2 Maine* (USA) à Cuba, explos. : 266. -*4-7 La Bourgogne* (Fr.), co. avec Cromartyshire (G.-B.) : 565.

1904-*15-6 General Slocum* (USA), inc. : 1 021. -*28-6 Norge* : 590. **06**-*12-4 Cte de Smet de Naeyer* (navire école belge), te. : 59. **07**-*21-2 Berlin* (G.-B.), te. : 129. -*12-3 Iéna* (cuirassé, Fr.) explos. à Toulon : 117. **09** *janv. Republic* (G.-B. White Starline) heurte le *Florida*, lance le 1er appel radio de l'histoire, les 800 personnes à bord sont sauvées. **10**-*9-2 Général Chanzy* (Fr.), à Minorque : 155. -*17-7 La Grandière* chaloupe canonnière (Mékong) : 5. **11**-*25-9 Liberté* (cuirassé, Fr.) : 285. **12**-*5-3 Principe de Asturias* (Esp.), rocher : 500. -*15-4 Titanic*, voir ci-après. -*28-9 Kichemary* (Jap.) : 1 000. **13**-*6-1 Masséna* (Fr.), explos. : 8. **14**-*24-5 Empress of Ireland* (Angl.), co. avec cargo norvégien *Storstad* sur le St-Laurent : 1 370 (204 rescapés). **15**-*7-5 Lusitania* (G.-B.), to. par l'*U.20* (All.) : 1 198. -*24-7 Eastland* (USA), retourné : 812. **16**-*26-2 Provence* (croiseur, Fr.), to. : 3 100. **17**-*6-12 Mt-Blanc* (bateau de munitions, Fr.), co. avec *Imo* (Belg.) à Halifax (Can.) : 1 600. **18**-*11-11 Vestris* (E.-U.), te. : 317. **19**-*27-1 Chaonia* (Fr.) : 460. **20**-*12-1 Afrique* (Fr.), machines : env. 450. -*2/4-2 Ville d'Alger* (Fr.) : te. ; près la Réunion ; inc. : 141. **27**-*26-10 Principessa Mafalda* (It.) : 314. **31**-*14-6 St-Philibert* (Fr.), te. : 450. **32**-*16-5 Georges Philipar* (Fr.), inc. : 90 (dont Albert Londres). **34**-*8-9 Le Morro-Castle* (paquebot, USA), inc. : 180. **36**-*16-9 Pourquoi pas ?* (nav. de bois de 449 tx), te., s'écrase sur rocher à 40 km de Reyjavick (Isl.), 37 † [dont Jean Charcot (n. 15-7-1867) médecin, explorateur], 1 survivant. **38**-*mars Admiral Karpfanger* (voilier école allem.), disparu : 60. **40**-*28-5 Brazza* (nav. de commerce, Fr.) to. et coulé : 369. -*17-6 Lancastria* (paquebot de la Cunard-Line), coulé au large de St-Nazaire par bombardiers all. : 4 000. **41**-*24-5 Hood* (croiseur, G.-B.), coulé par le Bismark 1418. **42**-*9-1 Lamoricière* (Fr.) : 299. -*9-2 Normandie* (Fr.), inc. : 1. -*2-10 Curaç 0041* (croiseur, G.-B.), heurté par Queen Mary : 338. **45**-*30-1 Wilhelm Gustloff* et *Gal Steuben* (All.), to. : 6 800. -*7-4 Yamoto* (cuirassé, jap.), 3 033. **47**-*17-6 Ramdas* (Inde), orage : 625. **48**-*3-12 Kianguya* (Chine), expl. : 1 000. **49**-*27-1* 3 *navires* (Chine), co. : 600. -*17-9 Noronic* (Can.), inc. : 138. **51**-*28-12 Flying Enterprise* (USA), capitaine K. Carlsen reste, au large des côtes anglaises, dans l'Atlantique, jusqu'au 11-1-52, seul à bord, qui, a-t-on appris depuis, transportait du zirconium pour la fabrication du sous-marin atomique Nautilus. **52**-*26-4 Hobson* (destroyer, USA), co. : 176. -*22-12 Champollion* (paquebot, Fr.), échoué près du Ras Beyrouth (confusion avec le feu de l'aéroport de Khaldé mis en service sans préavis) : 15. **53**-*31-1 Princess Victoria* (G.-B.), te. : 128. -*1-8 Monique* (Fr.), disparu : 120. **54**-*26-9 : 2 ferries* dont le Toya Maru (Japon), co. : 1 172. **56**-*26-7 Andrea Doria* (It., paquebot, long. 213 m, 29 000 t), co. avec le paq. *Stockholm* (suédois, long. 159 m, 12 400 t) au large de New York : 52 (dont 5 sur le Stockholm). -*21-9 bateau* près Secunderabad (Inde) : 121. -*23-11 bateau :* rivière de Marudaiyar (Inde) : 143. **57**-*14-7 Eshghabad* (URSS), inc. : 270. **58**-*1-3 ferry* (Turquie), te. : 361. **59**-*30-1 Hans Hedtoft* (Dan.), iceberg : 93. **61**-*7-7 Save* (Port.), explos. : 150. -*8-8 Dara* (G.-B.), inc. : 212. -*4-12 Vencedor* (Col.), inc. : 300. **63**-*11-7 Ciudad de Asuncion* (Arg.), inc. : 40. -*23-12 Lakonia* (Grèce), inc. : 155. **64**-*26-7 Porto* (Portugal) : 94. **66**-*7-12 Heraklion* (Gr.), te. : 264. **67**-*6-6 Langenweddingen* (All. dém.) : 82. -*22-9* Pakistan : 250. -*5-11 Londres* (G.-B.) : 53. **69**-*18-8 Fraidieu* (lac Léman), te. : 24. **70**-*30-1* 1 *bateau :* Iran : 90. -*1-8 Christina* (île Nevis) : 125. -*7-8 Ste-Odile* (lac Léman), te. : 7. **71**-*28-5 Wuppertal* (All. féd.) : 47. -*28-8 Héléana* (Adriatique), inc. : 25. **72**-*févr.* A Rangoon (Birm.), co. : 200. -*11-5 Royston Grange et Tien Chee,* co. (Rio de la Plata) : 84. **73**-*5-5* au Bangladesh, co. : 250. -*24-12 ferry* (Équateur) : 200. **74**-*25-10 ferry* (Bangladesh) : 200. **75**-*23-7 Vénus des Iles* (Fr.) : 14. **79**-*8-1 Betelgeuse* (pétrolier, Fr.), inc., explos. : 50. -*16-1 pétrolier* (Roum.) : 51. -*14-2 François Vieljeux* (Fr.) chavire : 23. -*26-6 Emmanuel Delmas* (Fr.) co. avec *Vera Berlingieri* (It.), inc., explos. : 27. **80**-*24-4 Don Juan* (Philipp.) : 350. **81**-*1* au Brésil, banc de sable : env. 200. -*27-1 Tamponas II* (Indonésie), inc. : 589. **83**-*25-5* bateau Nil (Ég.) : 326. -*5-6 Alexandre Souvorov* (URSS), Volga : 250. **84**-*3-6 Marques* (G.-B.) près des Bermudes : 19. -*2-10 Martina* (All.), coulé par le chargement d'un chaland à Hambourg : 23. -*15-10* bateau au Nigeria : 100. **85**-*23-3* au Bangladesh, sur la Buriganga : 250. -*30-5 aéroglisseur* (G.-B.) heurte jetée à Douvres : 2. -*11-6* vedette à Timor : 103. -*14-8* ferry en Chine : 161. -*5-10* bateau Bangladesh : env. 100. **86**-*18-1* ferry Viêt-nam : 108. -*11-4* ferry Chine, fleuve Jaune : 129. -*20-4* ferry Bangladesh, sur fleuve : 200. -*25-5* ferry Bangladesh : 224. -*31-8/1-9 Admiral Nakhimov* (URSS), co. avec cargo : 398 sur 1 234. -*10-11* cargo haïtien : 200. -*11-11* caboteur entre Haïti et la Gonave : 200. **87**-*16-1* bateau Philippines : 72. -*6-3 Herald of Free Enterprise* (G.-B., Townsend Thoresen Car Ferry), porte non fermée, se retourne à l'entrée de Zeebrugge (Belg.) : 193. *Juin Fuyoh Maru* (pétrolier, Pan.), co. avec pétrolier grec *Vittoria* Seine entre Rouen et Le Havre : 2. *Juillet* (Zaïre) : 420. *Octobre* (St-Domingue) : 100 ; ferry Bangladesh : 100. -*20-12* ferry *Donapaz* heurte un pétrolier dans le détroit de Tablas (Philipp.) : 1 540 (record après le Titanic). **88**-*6-8* Gange (Inde) : 300 à 500. -*10-8 Nubis* sur le Nil (Égypte) : 26. -*23-10 Doña Marilyn* ferry coulé par typhon (Philipp.) : 502. -*31-12 Bateau-Mouche IV* (Rio, Brésil) : + de 100. **89**-*19-6 Maxime-Gorki* (Spitzberg), heurte un iceberg, 377 marins et 575 passagers sauvés. -*20-8 Marchioness* (bateau discothèque, à Londres) : 63, co. -*10-9* nav. roumain sur Danube : 164, co. **90**-*7-4 Scandinavian Star ferry* incendie (volontaire ?) : 158 †. **91**-*11-4 Moby Prince* ferry incendié après collision avec pétrolier, au large de Livourne : 140. -*6-5 Chachita,* rio Maranon (Pérou) : 260.

Le Titanic (1912)

Paquebot réputé insubmersible de la White Star Line (G.-B.) construit 1909, lancé 31-5-1911 ; alors le plus grand nav. du monde : 268,99 m hors tout, largeur 28,9 m, hauteur 30 m (53 avec cheminée), déplacement 52 250 t, capacité : passagers 2 435 (1re cl. : 905, 2e : 564, 3e : 1 134), équipage 900, capacité totale des 20 canots de sauvetage : 1 178 personnes. Lors de son voyage inaugural (commencé 10-4-1912) heurte un iceberg à 22 h 15 le dimanche 14-4-12, envoie un 1er signal de détresse à 22 h 25, un SOS le 15-4 à 0 h 45 ; le 1er canot est mis à l'eau à 0 h 45, le dernier à 2 h 05 ; à 2 h 18 se brise en deux, l'avant coule à 2 h 20, la partie arrière se dresse verticalement puis coule. De 4 h 10 à 8 h 50, le Carpathia qui, à 150 km de là, avait capté le message recueille les rescapés. Gît à 3 850 m de fond, à 725 km au S.-E. de Terre-Neuve. *Personnes à bord :* 2 201 (dont équipage 885), perdues 1 490 (alors record historique), survivants 711 [dont pass. 1re cl. 203 sur 325 (62,46 %), 2e cl. 118 sur 285 (41,40 %), 3e cl. 499 sur 1 316 (37,94 %), équipage 212 sur 885 (23,95 %), dont pour les passagers femmes adultes 296 (sur 402), enfants 57 (sur 109), hommes 126 (sur 805)]. Pour l'équipage : 20 des 23 femmes furent sauvées. Parmi les victimes, 4 milliardaires américains : John Astor, Benjamin Guggenheim (« roi » du cuivre), Georges Widener (« roi » des tramways), Charles H. Hays (« roi » des chemins de fer). 440 corps seront retrouvés (120 décomposés seront rejetés à la mer), et 320 ramenés et enterrés à Halifax. Le coffre-fort contiendrait pour 300 millions de $ de bijoux. Le 1-9-1985, une équipe franco-amér., conduite par le Pr Robert Ballaro, a découvert l'épave. Elle sera explorée par un robot Jason Junior et photographiée par l'engin Argo. En 1987, la Sté Taurus Internationale dirigera une campagne de 71 j effectuée par l'Ifremer pour la Sté Ore. 32 plongées permettront de réaliser + de 155 h d'exploration, 12 000 photos, 80 h de films vidéo et de remonter du fond 1 100 objets. Une expo. a eu lieu au musée de la Marine (Paris) en 1989 et 1990. Le 11-4-1987, à Wilmington (Delaware), au dîner-anniversaire organisé par la Sté historique du Titanic (2 700 membres), participaient 9 des 25 survivants encore vivants ; au menu : faux-filet aux champignons et éclairs comme en 1re cl. le soir du naufrage.

Nota. – Le Titanic avait 2 jumeaux : l'*Olympic* lancé le 20-10-1910 (voyage inaugural juin 1911), désarmé en 1935 et le *Britannic* lancé févr. 1914, coulé en 1916.

☞ Pour les naufrages des pétroliers voir pollution à l'Index. *Le plus grand navire du monde qui ait fait naufrage* est le **Marpessa**, pétrolier de la Shell, coulé au cours de son 2e voyage, après un incendie, le 15-12-1969. Il avait coûté 73 millions de $.

Flotte française	Accidents	Morts	Blessés graves Tiers compris	Blessés légers	Nombre accidents matériels > 10 %
1973	82	54	39	64	260
1974	77	73	39	69	286
1975	70	65	23	56	239
1976	73	75	28	43	242
1977	69	85	23	52	257
1978	90	110	39	45	245
1979	84	92	40	68	222
1980	76	80	42	45	194
1981	67	78	19	45	169
1982	94	46	27	86	235
1983	74	62	22	40	200
1984	97	80	21	109	269

☞ **Trésors.** De nombreuses épaves en contiennent. Ex. : 1912 l'*Oceana* coulé ; 2 j après, des scaphandriers récupèrent 700 000 £. Le *Geldermalsen,* vaisseau de la Cie des Indes néerlandaises, coulé au XVIIe s. est retrouvé 1983 : 160 000 pièces de porcelaine intactes, vendues + de 100 millions de F par Christie's en 1986. *La Tocha* (coulé 1622), butin vendu 20 millions de F (1988) ; le *Nuestra Senora de la Maravilla* retrouvé 1987 : butin récupéré estimé 7 milliards de F.

Sous-marins (nombre de morts)

1905-*6/7-7 Farfadet* (Fr.) 14 †. **06**-*16-10 Lutin* (Fr.) 16. **10**-*26-5 Pluviose* (Fr.) 27. **21** *M* (G.-B.) 69. **23**-*21-8 Ro-31* (Jap.) 88 (3 rescapés). **24**-*10-1 L-24* (G.-B.) 48. **25**-*26-8 Veniero* (Italie) 50. -*26-9 S-51* (USA), coll. 34. -*12-11 M-1* (G.-B.) 69. **28**-*6-8 F-14* (It.), coulé 27. -*3-10 Ondine* (Fr.), coll. 43. **29**-*9-7 H-47* (G.-B.), coll. n.c. **31**-*22-5 Q* (URSS) 35. **32**-*26-1 M-2* (G.-B.) 66. -*7-7 Prométhée* (Fr.) 63. **39**-*2-2 I-36* (Japon) 81 (6 rescapés), collision. -*24-5 Squalus* (USA) 26. -*1-6 Thétis* (G.-B.) 98 (le capitaine et 2 h. purent s'échapper), coulé 13-3-43 par un nav. it. -*16-6 Phénix* (Fr.) 71. **41**-*16-6* (USA) 33. **42**-*18-2 Surcouf* (Fr.) 159 (collision avec cargo US Thomas Lykes). **46**-*6-12* le *2326* (Fr.) 22. **49**-*août Cochino* (USA) 76. **50**-*12-1 Truculent* (G.-B.), coll. 64 (la plupart de froid), 15 rescapés. **51**-*17-4 Affray* (G.-B.) 75. **52**-*24-9 Sibylle* (Fr.) 48. **53**-*6-4 Dumlupinar* (Turquie) 91 (5 rescapés), collision. **55**-*16-6 Sidon* (G.-B.) 13. **63**-*10-4 Tresher* (USA) s.-m. nucléaire 129. **66**-*14-9 Hai* (All.) 20. **68**-*25-1 Dakar* (Israël) 69. -*27-1 Minerve* (Fr.) 52. *12-4* s.m. (URSS) 88. -*21-5 Scorpion* (USA) s.-m. nucléaire 99 ; *s.-m. nucléaire* (URSS). **70**-*4-3 Eurydice* (Fr.) 57. -*20-8 Galatée* (Fr.) 6. **81**-*août G* (Chine), explosion en plongée 100. **83**-*juin s.-m. nucléaire* (URSS). **89**. -*7-4* incendie *s.-m. nucléaire* (URSS) type Mike, mer de Norvège (42 † ?). -*26-6* incendie *s.-m.* (URSS) type Echo 2 dans l'océan Arctique.

Nota. – Les sous-marins sont conçus pour naviguer à 200/300 m de profondeur. Vers 500 m, la coque s'écrase.

Accidents de la route

Dans le monde

Les comparaisons entre pays sont difficiles. La CEE compte comme tués les décédés dans les 30 j suivant l'accident (sauf Grèce 3 j, France 6 j, Italie 7 j), dans l'année en Suisse.

Nombre de blessés et de tués en 1989

Pays	Blessés	Tués
Allemagne féd.	424 622	7 995
Belgique	79 861 [1]	1 973
Danemark ...	714	
Espagne	153 388	9 333
France	*244 042* [3]	*11 475*
G.-B.	316 078	5 423
Grèce	1 902	
Irlande	477	
Italie	212 664 [4]	7 011
Luxembourg ..	1 682	67
P.-Bas	49 189	1 456
Portugal	3 067	
Suède	20 467	787 [1]
Suisse	29 150	787 [1]
URSS	300 000	47 000 [1]
USA	3 347 000 [2]	46 056 [2]

Nota. – (1) 1987. (2) 1985. (3) 1988. (4) 1986.

Tués pour 100 000 habitants (1987). Portugal 30,4. Espagne 19,6. Belgique 19,5. *France 19,4.* G.-B. 9,4. Luxembourg 18,4. Grèce 16,9. Danemark 13,6. Italie 13,2. All. féd. 13. Irlande 10,9. P.-Bas 10,1.

Nombre global. Il y a env. 400 000 personnes tuées par les accidents de la route chaque année et env. 12 000 000 de blessés. L'Europe est en tête avec

66 000 morts par an, contre 57 000 aux États-Unis, au Japon et au Canada.

Les plus grands accidents routiers

Brésil. *1960-24-8* TURVO : autobus 60 †. *1974-28-7* BELEM : coll. autobus camion 69 †, 10 bl. *1988-20-3* 120 km de Salvador : chute d'un camion dans un ravin, 60 †. **Corée du Sud.** *1972-10-5* autobus tombant dans l'eau, 77 noyés. **Égypte.** *1965-1-11* LE CAIRE : trolleybus tombant dans le Nil, 74 noyés, 19 survivants. **Espagne.** *1978-11-7* LOS ALFAQUES : camion de propylène explosant près d'un camping, env. 200 †. **France.** *1955-13-6* LE MANS : la Mercedes de Levegh entre dans la foule, 82 †. *1964-27-7* HARVILLE-SOUS-MONTFORT (Vosges) : car 20 †. *-16-8* PETIT-ST-BERNARD : car 17 †. *1971-30-8* SANCY-LES-PROVINS (S.-et-M.) : car-camion 11 †. *1972-26-2* AUTOROUTE DU NORD : carambolage 12 †, 22 bl. graves. *1973-1-2* ST-AMAND-LES-EAUX (Nord) : explosion d'un camion-citerne, 4 †, 33 bl. *-18-7* VIZILLE (Isère) : autocar belge, chute dans ravin 43 †. *1975-2-4* VIZILLE (Isère) : chute d'un car, 29 †. *1976-21-12* car transportant des enfants handicapés chute dans le Rhône 14 †. *1978-28-3* COL DE PEYRESOURDE : autocar d'enfants, chute, 8 †. *1979-19-10* SÉMÉAC (H.-P.) : collision train et autocar de pèlerins, 21 †. *1980-23-3* car de la base aérienne d'Istres, chute, 17 †. *1981-5-12* PÉAGE-DE-ROUSSILLON (Isère) : carambolage poids lourds et voitures, 6 †, 18 bl. *-19-11* LA GARDE-ADHÉMAR (Drôme) : car, incendie, 5 †. *1982-31-7* AUTOROUTE A-6 près de Beaune (C.-d'O.) : coll. et incendie de 2 cars d'enfants et 6 voitures, 53 †, dont 46 enfants. *1987-31-12* CHÂTENAY (E.-et-L.) : carambolage, 8 †. *1989-3-6* JOIGNY (Yonne) : autocar brit., 11 †. **Inde.** *1962-30-5* AHMADABAD : autobus, 69 †. *1973-7-7* ALWAR : autobus emporté par rivière en crue, 78 †. *1975-19-5* POONO : véhicule de ferme transportant un mariage heurte un train, 66 †. **Philippines.** *1967-6-1* TERPATE : collision de 2 autobus, 84 †. **Togo.** *1965-6-12* SOTOUBOUA : 2 camions entrent dans la foule, plus de 125 †.

En France

Statistiques globales

• **Coût des accidents de la route. Indemnisations** *assurances et Sécu. soc. comprises, en 1987, en milliards de F :* 26 dont tués : 15,85, blessés graves 8,12, blessés légers 1,7. Dégâts matériels et frais d'assurances 59. **Indemnisation maximale** *assurance, Sécu. soc. et frais d'obsèques, en millions de F :* pour un décès *1983 :* 3,77, *84 :* 2,3, *85 :* 1,9, *86 :* 3,49, *87 :* 2,75 ; pour un blessé grave (10 % d'IPP, incapacité permanente) *1983 :* 7,5, *84 :* 9, *85 :* 11,3, *86 :* 18. **Coût moyen :** *en 1987* décès (assurances et Sécu. soc. comprises) 1,6 ; blessé grave (+ de 6 j d'hospitalisation) 0,14 ; blessé léger 0,01.

• **Victimes. Blessés.** *Nombre. 1910 :* 185 031. *67 :* 301 356. *72 :* 388 067. *80 :* 335 818. *85 :* 270 745. *86 :* 259 015. *87 :* 236 638. *88 :* 244 042. *89 :* 235 999. *90 :* 225 860.

Tués. *Nombre et taux aux 100 millions de véhic./km. 1972 :* 16 617 (8,2). *73 :* 15 636 (7,1). *74 :* 13 521 (6,2). *75 :* 13 170 (5,8). *76 :* 13 787 (5,7). *77 :* 13 104 (5,3). *78 :* 12 137 (4,6). *79 :* 12 480 (4,6). *80 :* 12 510. *85 :* 10 447. *86 :* 10 961. *87 :* 9 855. *88 :* 10 548. *89 :* 10 528. *90 :* 10 289.

• **Bilan 1990.** *Accidents corporels :* 162 573, dont zone urbaine 102 999. *Blessés :* 225 860, dont z. urbaine 135 748. *Tués :* 10 289, dont z. urbaine 2 722. *Nombre de tués pour 100 accidents :* en z. urbaine 2,6, sur le reste du réseau 12,7 (en 1988 : *sur autoroutes* 10,7, *nationales* 17,2, *voies express* 17,8, *chemins départementaux* 12,5).

Répartition dans l'espace. *Catégories de voies.* Chemins départementaux 36 008 accidents corporels (4 199 tués), routes nationales 14 342 (2 177), chemins communaux 5 523 (425), autoroutes 2 551 (432), bretelles d'autoroutes 203 (8), routes express 240 (53). *Situation des voies hors agglomérations et,* entre parenthèses, *en agglomérations :* 38 941 acc. corporels (20 633), 33 803 acc. non mortels (19 157), 5 138 acc. mortels (1 476), 5 983 tués (1 584), 23 157 blessés graves (10 241), 39 191 bl. légers (17 523). *Caractéristiques des voies.* Acc. corporels et, entre parenthèses, tués : hors intersections 46 936 (6 586), plats 45 846 (5 701), rectilignes 39 381 (4 745), en intersections 12 638 (981), descentes 7 256 (845), courbes 7 153 (823), montées 6 071 (668), bas de descentes 1 567 (216), sommets de côtes 1 010 (137). *Régime de circulation.* Acc. corporels et, entre parenthèses, tués : à 2 sens 54 419 (6 767), chaussées séparées 4 486 (675), sens uniques 1 724 (125).

Vitesse de l'univers

En km/h. *Lumière* 1 079 351 200. *Électron* dans un accélérateur de particules 1 008 000 000 ; molécules (à 0°) d'hydrogène 5 868 000, d'oxygène 1 852 000. *Rayon alpha* 360 000 000. **Astres :** tournent autour du centre de leur galaxie à une vitesse proportionnelle au carré de leur distance, mais avec 2 maximums (env. 900 000). *Soleil* 792 000 (220 km/s). **Planètes** *Terre,* rotation autour du Soleil : 107 000 ; sur elle-même à l'équateur : 1 674, à Paris : 1 100. *Mercure* rot. sur elle-même : 169,56. *Vénus* 96. *Mars* 86,76. *Pluton* 16,92.

La masse augmente avec la vitesse. La masse d'une auto de 1 000 kg circulant à 60 km/h (17 m/s) augmente de 0,000 000 000 02 g. Entre 150 et 150 000 km/s, la masse augmente de 15 % ; au-delà, elle augmente, d'après les formules d'Einstein, à l'infini, et la vitesse de la lumière ne peut donc pas être donnée à un corps matériel (car la notion de « masse infinie » est inconcevable).

Vitesses dues à l'homme

En km/h. Espace : *disque de plastique* de 2 micro-grammes propulsé par laser 525 000. *Sonde* spatiale 51 800. *Vaisseau* spatial habité 39 897. *Missile* 18 000. *Obus* (canon K 12) 5 814. *Avion à réaction* 3 525,5. *Balle de fusil et obus* de 300 à 1 000. *Avion* à hélice 811,1. *Flèche* 360. *Balle de golf* 250 ; *de tennis* 248. *Fronde* 158. *Boomerang* 90. **Sur terre :** *traîneau* à fusées 1 017. *Auto* 1 001,6. *Moto* 338. *Bobsleigh* 200. *Ski* 175, 43. *Vélo derrière moto* 122,77. *Luge* 100. *Patinage* 75,6. *Vélo* 47,347. *Ascenseur* 28,8. **Sur l'eau :** *hydroplane (fusée jet)* 515, *voilier* 66,78. *Sous-marin* 66,7. *Paquebot* 65,8.

Répartition par jour des accidents corporels dont, entre parenthèses, **acc. mortels.** *Lundi* 7 465 (909), *mardi* 7 240 (848), *mercredi* 7 171 (821), *jeudi* 7 469 (872), *vendredi* 9 237 (1 198), *samedi* 10 729 (1 444), *dimanche* 10 263 (1 475), *veille de fête* 1 994 (227), *jour férié* 2 592 (363).

Répartition (en %) **selon les heures.** *0-3 h :* 6,2 ; *3-6 h :* 6,1 ; *6-9 h :* 10,5 ; *9-12 h :* 12,2 ; *12-15 h :* 14,7 ; *15-18 h :* 19,7 ; *18-21 h :* 21,1 ; *21-24 h :* 9,5.

Accidents mortels par rapport aux accidents corporels (en %). **Selon les mois :** *janvier :* 12,1 ; *février :* 10,6 ; *mars :* 11,1 ; *avril :* 10,6 ; *mai :* 10 ; *juin :* 11,1 ; *juillet :* 11 ; *août :* 11,2 ; *septembre :* 11,3 ; *octobre :* 11,7 ; *novembre :* 11,3 ; *décembre :* 11,3. **Selon les heures :** *0-3 h :* 17,9 ; *3-6 h :* 17,4 ; *6-9 h :* 11,1 ; *9-12 h :* 9,1 ; *12-15 h :* 8,4 ; *15-18 h :* 9,2 ; *18-21 h :* 10,7 ; *21-24 h :* 14,2. **Selon le type de voie :** voie express 19,6. Route nationale 13,7. Autoroute 12,9. Chemin départemental 10,8. Bretelle d'autoroute 5 [1]. Chemin communal 1,8 [1]. *En 1990 :* il y a eu 37 % des accidents, 74 % des tués, 40 % des blessés en dehors des zones urbaines.

Nota. – (1) 1987.

Véhicules impliqués dans des accidents corporels (véhicules accidentés). Bicyclettes 3 131, cyclomoteurs 6 880, motocyclettes 382, voitures de tourisme 71 175, utilitaires et poids lourds 10 918, transports en commun 560, autres 1 548.

Auteurs présumés des accidents corporels (en %). Réseau rase campagne, gend. nat. *Répartition selon l'ancienneté du permis de conduire : sans permis* 2,7. *– 1 an :* 9. *De 1 à 5 ans :* 22,8. *De 5 à 20 ans :* 39,1. *+ de 20 ans :* 26,4.

• **% de tués par rapport à l'ensemble des victimes. Selon les mois :** *janvier :* 8,5 ; *février :* 7,6 ; *mars :* 8 ; *avril :* 7,4 ; *mai :* 7,1 ; *juin :* 7,7 ; *juillet :* 7,7 ; *août :* 7,6 ; *septembre :* 7,9 ; *octobre :* 8,2 ; *novembre :* 7,7 ; *décembre :* 7,7. **Par catégorie d'usagers :** piétons 14 ; deux roues 8 ; véhicules utilitaires 8 ; voit. de tourisme 7,2. **Par tranches d'âges :** *– de 14 ans* 3,7 ; *de 14 à 18* 4,5 ; *de 18 à 25* 24,9 ; *de 25 à 65* 52,3 ; *+ de 65* 14,6.

• **A Paris. Accidents :** CORPORELS : *1972 :* 16 619 ; *1987 :* 10 187 ; MORTELS : *1984 :* 123, *1987 :* 81. *Sur le bd périphérique : 1984 :* 25, *85 :* 28, *86 :* 14, *87 :* 13. **Tués :** *1972 :* 183, *1987 :* 87.

Causes principales des accidents (peuvent se cumuler). Vitesse 47, ceinture 29, fatigue 26, alcool 21, météo 13, pneus éclatés 10, non-respect des distances et changements de file 10.

2-Roues

Nombre de tués et, entre parenthèses, **de blessés impliqués dans les accidents de la route,** (1989). Cyclistes 446 (4 647). Cyclomotoristes 875 (12 418). Vélomoteurs 46 (559). Motocyclistes 972 (9 289). Ensemble 2-roues 2 339 (26 913). (80 % des accidents mortels sont dus aux blessures à la tête). *Rase campagne et milieu urbain* (1989) : cyclomoteurs 334 avec casque (113 sans), vélomoteurs 18 (9), motos 446 (73).

Causes des accidents corporels

• **Causes. 1990. Liées à une infraction :** vitesse excessive (dépassement de la v. autorisée et v. inadaptée en raison des circonstances) 16 225 ; circulation à gauche 3 156 ; influence de l'alcool (résultats inférieurs à la réalité puisque les dépistages ne peuvent être effectués sur morts ou blessés graves) 7 054 ; priorité inobservée 8 200 ; changement de direction sans précaution 2 715 ; dépassement dangereux 2 092 ; changement d'allure 22 ; arrêt ou stationnement dangereux 254 ; autres infractions 11 951. **Liées à l'état de l'usager :** malaise, fatigue 1 312 ; autres causes humaines 83. **Autres causes liées :** au véhicule 515 ; à la route 452 ; aux intempéries 554. **Diverses ou indéterminées :** 4 589.

• **Circonstances** (1990). Chaussée : mouillée 12 689 ; enneigée 346 ; gravillons 691 ; boue 61 ; déformée 383 ; verglacée 694. **Conditions atmosphériques :** pluie 7 673 ; neige, grêle 454 ; brouillard, fumée 1 157 ; vent fort, tempête 694 ; temps éblouissant 3 052. **Manœuvres :** dépassement 3 707 ; croisement 10 788 ; rabattement 830 ; changement de direction 6 181 ; circulation même sens 1 500 ; franchissement T.P.C. 155 ; arrêt stationnement 600. **Collision :** frontale 15 906 ; latérale 18 046 ; par l'arrière 5 733 ; en chaîne 1 205 ; contre obstacle fixe, avec sortie de chaussée 8 550 ; sans sortie de chaussée 1 001. **Sans collision :** 3 275.

Nota. – **Sur les autoroutes** (1990). 2 551 acc. corp., 432 †, 4 375 blessés. *Principales causes (en 1990) en % :* vitesses excessives et dangereuses 27. Véhicule 7,2. État alcoolique 4,2. État de l'usager 10,6.

Avant la limitation de vitesse sur les autoroutes, il y avait 3,6 † pour 100 millions de km parcourus. De déc. 1972 à mars 1973 (vitesse limitée à 120 km/h), le taux est tombé à 1,5, il est remonté quand la vitesse a été portée à 130 km/h.

• **Appui-tête.** En cas de choc arrière : évite des lésions causées par de petites collisions (env. 35 km/h).

Les chocs importants engendrent presque toujours un arrachement des sièges et un basculement vers l'arrière de l'ensemble siège-dossier sans intervention de l'appui-tête.

• **Ceinture de sécurité. Origine. 1973-*1-7*** obligatoire pour les conducteurs et passagers ayant des voitures particulières immatriculées dep. le 1-4-1970. **1975-*1-1*** dans les agglomérations, en permanence sur voies réservées aux auto., de 22 h à 6 h ailleurs (en toutes circonstances de jour comme de nuit dep. le 1-1-1979). **1978-*1-10*** équipement obligatoire en c. de sécurité pour places arrière des v. particulières neuves. **1990-*1-12*** usage obligatoire à l'arrière sauf taille ne le permettant pas.

Accidents (% de tués). Ceintures, entre parenthèses, sans ceintures (pour 100 victimes d'accidents de même nature). *Conducteurs* tués ceinturés 2,3 % (non ceinturés 7,6 %), *passagers* 2,5 (5,2).

Taux de port (1987) : autoroutes 89 % ; sur routes nat. 83 % ; en agglomération 53 % ; à Paris 62 %.

Grossesse (en cas de). Le port de la ceinture « 3 points » est recommandé (même si l'on risque la mort du fœtus).

En effet, en l'absence de ceinture, la mort du fœtus n'est pas évitée et s'accompagne souvent de mort maternelle.

Dans les chocs. *Frontaux. 25 km/h* 0 (non ceinturés 0,5), *de 25 à 55 km/h* 2 (n.c. 12). *Choc latéral.* Éjectés 0 (n.c. 29), non éjectés 5,9 (n.c. 7). *Retournement :* 1,9 (n.c. 9,45. dont 8,88 % après éjection).

Incendie. Conducteurs ceinturés blessés 14 % (n.c. 28 %), *passagers* 3,4 (n.c. 27).

Facteurs particuliers

Age. Le temps de réaction augmente des 2/3 entre 20 et 60 ans. **Alcool :** voir ci-dessous.

Daltoniens. 3 à 4 % de la population ; ils repèrent le rouge placé en haut mais certains ne le distinguent pas en lumière atténuée. **Faim.** La baisse du taux de sucre dans le sang provoque très vite une diminution de l'attention et de la rapidité des réflexes. **Place du mort.** Pl. du passager avant ; avec la ceinture de sécurité, elle n'est pas plus dangereuse qu'une autre. **Portes de garage automatiques.** En 1987, ont causé 5 † et 17 accidents. **Seconde collision** (collision du conducteur ou de son passager contre certains éléments de sa voiture). 30 % des blessures seraient causées par volant, 21 % tableau de bord, 17 % pare-brise, 15 % portières. **Vision gênée.** Dans 1 accident mortel sur 8, la vision du conducteur aurait été gênée (dans 40 % des cas par des bagages encombrants).

Alcool au volant

L'alcool est directement responsable de 1 000 morts par an sur les routes de France. 40 % des responsables d'accident mortel ont un taux d'alcoolémie supérieur à 0,80 g.

• **Effets physiologiques selon le taux d'alcoolémie dans le sang** (en g/litre), et coefficient multiplicateur du risque pour les accidents corporels (entre parenthèses pour les accidents mortels). *0,01 à 0,16 g* aucun effet apparent × 1,16 (× 1,20). *0,16 à 0,20 g* pour 20 % des conducteurs, réflexes diminués × 1,35 (× 1,45). *0,20 à 0,30 g* électroencéphalogramme perturbé, mauvaise appréciation des distances et des vitesses × 1,57 (× 1,75). *0,30 à 0,50 g* aucun effet apparent mais vision troublée et légère euphorie × 2,12 (× 2,53). *0,50 à 0,80 g* peu d'effets apparents, temps de réaction allongé, réactions motrices perturbées, euphorie du conducteur × 3,33 (× 4,42). *0,80 à 1,50 g* réflexes de plus en plus troublés, ivresse légère, baisse de vigilance, perturbation générale du comportement, conduite dangereuse × 9,55 (× 16,21). *A partir de 1,50 g* ivresse manifeste : allure titubante, diplopie, incapacité de coordonner les mouvements nécessaires à la conduite. *Au-delà de 5 g* coma pouvant entraîner la mort.

• **Précautions.** Le taux d'alcoolémie diminuant en moyenne d'environ 0,15 g par heure, si l'on a bu 2 verres de vin à 10° ou 1 whisky ou 2 verres d'apéritif : attendre 1 h avant de prendre le volant ; 1 verre de vin à 10° ou 1 whisky plus 1 coupe de champagne ou 2 v. d'alcool : 2 à 3 h (malgré l'absence de troubles apparents, le fonctionnement cérébral est altéré) ; 4 v. de vin à 10° ou 1/2 bouteille de vin fin ou 2 whiskies : 3 à 4 h (les temps de réaction de choix devant les obstacles sont allongés) ; 5 v. de vin à 10° ou 1/2 bout. de vin fin + 1 apéritif ou 2 whiskies et 1 v. de vin : 4 à 5 h (la plupart perdent presque toutes les facultés nécessaires à la conduite).

• **Taux d'alcoolémie autorisé en France** (depuis 1970) jusqu'à 0,80 g. **Loi du 12-7-1978.** Elle prévoit que tout conducteur peut subir le contrôle de l'alcoolémie à titre préventif (sans qu'il y ait infraction ou accident) dans le cadre des contrôles ordonnés par le procureur de la République. Si le dépistage préventif se révèle positif, le conducteur doit s'abstenir de conduire le temps nécessaire à l'oxydation de l'alcool absorbé. Dans certains cas, il peut être procédé à l'immobilisation du véhicule. Le préfet peut décider d'une suspension de permis de conduire.

Loi du 8-12-1983. La conduite sous l'empire d'un état alcoolique est délictuelle dès le taux de 0,80 g % au lieu de 1,20 g. L'état alcoolique est caractérisé par la présence dans le sang d'un taux d'alcool pur égal ou supérieur à 0,80 g % ou par celle, dans l'air expiré, d'un taux d'alcool pur, égal ou supérieur à 0,40 milligrammes par l. *Sanctions :* emprisonnement (1 mois à 1 an) et amendes (8 000 à 15 000 F) ou l'une de ces 2 peines seulement. Suspension du permis ou annulation possible. Permis annulé de plein droit si le taux d'alcool constaté est de 0,80 g % ou +, et que le conducteur a provoqué un homicide ou des blessures involontaires ou récidive de conduite avec un taux d'alcool de 0,80 g % ou +.

• **Comparaisons avec l'étranger.** *Taux admissibles d'alcoolémie. 0,0 :* All. dém., Bulgarie, Hongrie, Roumanie, Tchécoslovaquie, URSS. *0,5 :* Finlande, Grèce, Islande, Norvège, P.-Bas, Pologne, Suède, Yougoslavie. *0,8 :* All. féd., Autriche, Belgique, Danemark, Espagne, G.-B., Luxembourg, Portugal, Suisse. *Pas de taux légal :* Italie, Monaco.

• **Mesure de l'alcoolisme. Alcootest :** le ballon mesure le volume d'air. A l'intérieur du tube, une ampoule contient un mélange d'acide sulfurique et de bichromate de potassium sur gel de silice de couleur jaune. L'alcool fait virer ce mélange au vert sur une longueur proportionnelle à la quantité d'alcool contenu dans l'air. Le niveau 0,80 g est marqué d'un trait ou d'une encoche. Le dépassement indique une présomption d'alcoolémie (marge d'erreur 15 %). Si le test est positif, une prise de sang déterminera l'alcoolémie précise. Il est inutile de chercher à retarder le moment de la prise de sang lorsque le ballon est positif car le temps de retard est pris en compte (on ajoute 0,15 g par l et par h écoulés entre dépistage et prise de sang). **Breathalyser** (analyseur d'haleine) : la modification de la coloration est appréciée par une cellule photoélectrique, le taux s'inscrit sur un cadran et une carte (l'air sera recueilli dans 3 récipients dont l'un a été scellé). Utilisé aux USA, Canada, Australie, Ulster et G.-B. **Appareils utilisant chromographie, semi-conducteurs. Éthylotest :** lecture numérique utilisable plusieurs fois.

Conduite sous l'empire d'un état alcoolique. Constatations de la gendarmerie. Nombre de dépistages pratiqués (en 1990) **et,** entre parenthèses, **positifs.** *Total* 3 511 376 (72 036), dont contrôles préventifs (loi du 12-6-1978) 2 071 731 (24 921), contraventions routières 1 305 128 (17 284), délits routiers (sauf ivresse manifeste) 4 732 (404), conduite en état d'ivresse manifeste 25 173 (22 485), accidents matériels 14 093 (1 138), accidents corporels : mortels : 5 381 (370), autres 85 138 (5 434).

Alcoolémie par sexe. *Hommes :* 38 %, *femmes :* 11,7 %.

Accidents mortels et corporels dus à l'alcool entre août 1986 et juil. 88 (en %). *Les + forts :* Morbihan 17,4, Indre 16, Côtes-du-Nord 15,8, Finistère 15,5, Loire-Atl. 13,3, Hte-Loire 13,2, Hte-Marne 12,7, Manche 12,6. *Les + faibles :* Alpes-Mar. 3,5, Hte-Corse 3,5, Corse du Sud 3,8, Bouches-du-Rhône 3,9, Var 4,8, Paris 4,9.

Source. Sécurité routière (SETRA).

L'ascenseur est le moyen de transport le plus sûr : 3 accidents par an pour 25 millions d'usagers.

L'enfant et la route en France

47 % des décès accidentels d'enfants de + de 5 ans sont dus à la route.

• **Nombre d'enfants tués et,** entre parenthèses, **part des enfants dans le nombre total des tués. Piétons :** *70 :* 567 (21,4), *75 :* 470 (18,7), *80 :* 321 (14,7), *85 :* 252 (16,1), *89 :* 163 (11,1). **Bicyclettes :** *70 :* 170 (21,4), *75 :* 138 (24,4), *80 :* 152 (23), *85 :* 76 (17,8). *89 :* 43 (10,5). **Cyclomoteurs, motos :** *70 :* 61 (2,1), *75 :* 70 (2,5), *80 :* 46 (2), *85 :* 21 (1,3), *89 :* 22 (1,4). **Véhicules :** *70 :* 420 (5,2), *75 :* 322 (4,5), *80 :* 324 (4,5), *85 :* 267 (3,9), *89 :* 288 (4,1).

En *1989,* 1 tué sur 20, 1 blessé grave sur 13, 1 blessé léger sur 11 étaient des enfants (soit 21 456 enfants blessés en 89).

• **Enfants cyclistes.** *En 1989 :* 43 tués. En 1986 : 722 blessés graves et 1 701 bl. légers. *Causes :* comportement de l'enfant 72 %, des autres usagers : 28 (aptitude 24, vitesse 24, mauvais comportement face à une situation d'urgence 10).

• **Enfants piétons.** – *de 6 ans :* 38,7 % des tués, *6 à 10 :* 37,4, *10 à 15 :* 23,9. 65 % des enfants renversés débouchent sur la chaussée entre 2 véhicules en stationnement ; accèdent ou sortent d'un véhicule ; n'ont pas respecté la réglementation ; 5 % étaient peu visibles, 7 % ont été accidentés du fait de leur état ou de leur aptitude. Dans 82 % des cas, l'enfant est victime d'un automobiliste : qui roule trop vite (22 %), inattentif (17 %), qui effectue une mauvaise manœuvre d'urgence (12 %), a bu (5 %), a commis une infraction importante (5 %), a des problèmes physiques (3 %), fatigué (3 %).

• **Enfants en voiture** *de moins de 14 ans et,* entre parenthèses, de 15 à 19 ans : tués 267 (668), blessés graves 1 655 (3 867), légers 9 589 (11 270).

Animaux sauvages tués. *1986 :* 4 400 (dont 3 400 chevreuils, 400 cerfs et biches, 430 sangliers).

• **Adolescents.** *En 1986 :* 1 163 tués, 10 539 blessés graves, 29 729 blessés légers. Les 14-18 ans sont impliqués dans 4 % des accidents mortels, les 18-24 ans dans près de 40 %.

Accidents de cyclomoteur. *Causes :* non-port du casque : 40 %, manœuvre dangereuse : 33 %, infractions importantes : 25 %, vitesse : 20 %. *Lieux :* 53 % en ville, 51 % contre une voiture et 25 % contre un véhicule lourd.

• **Jeunes de 19 à 24 ans.** *1986 :* 2 023 tués.

Jeunes automobilistes. *Lieux des accidents :* campagne 58 %, ville 31 ; *époque :* week-end : 52 ; *heure :* entre minuit et 5 h : 30. *Causes :* dans 2 accidents sur 3 : alcool : 27 %, inaptitude à la conduite : 25 %, fatigue : 22 %, inattention : 15 % ; vitesse : 53 %, non-port de ceinture : 23 %.

Jeunes motards. Accidents de moto seule : 39 % des cas, de moto contre voiture : 36 %. 71 % des motos impliquées sont de grosses cylindrées (sup. à 400 cm^3) récentes (2/3 des cas). *Lieux :* rase campagne 47 %, ville 45 %. *Facteurs :* inaptitude à la conduite 29 %, alcool 19 %, problèmes physiques ou psychologiques 14 %, fatigue 11 %, inattention 9 %, vitesse 64 %, non-port du casque 21 %.

Tourisme

Quelques grandes fêtes à l'étranger

Janvier : *Republic Day Parade* New Delhi (Inde). *Tamborrada de San Sebastian* (Espagne). *Le Jour des Rois* (Mexique). **Février :** *Procession de la St-Jean* à San Juan de Zacatapeces (Guatemala). *Carnavals* de Belem, Bahia, Rio de Janeiro (Brésil) ; de Baranquilla (Colombie) ; d'Oruro (Bolivie) ; de Port-au-Prince (Haïti) ; de Munich, Rhénanie, Hesse (All. féd.) ; de Binche (Belgique). *Nouvel An Chinois* (Hong Kong). *Semaine de la Vierge* (Pérou). **Mars :** *Cortège du Lundi-gras* Aix-la-Chapelle, Bonn, Düsseldorf, Cologne (All. féd.). *Fête de Holi* (nord Inde). *Semaine sainte* Séville (Espagne) ; (Guatemala). *Fête de la St-Patrick* (New York). *Fête de Sekaten* à Djogjakarta et Surakarta (Indon.).

Avril : *Fête de Trichur* (Inde). *Nouvel An* à Bhadgaon (Népal) ; à Colombo (Sri Lanka). **Mai :** *Carnaval sarde* à Sassari (Sardaigne). *Danse des Bergers* à Rothenbourg (All. féd.). *Fête de la Crevette* à Oosduinkerke (Belg.). *Commémor. de* Morat (Suisse). *Fête de la San Isidro* (Mex.). **Juin :** *Ballet du Ramayana* à Prambanan (Indonésie). *Spectacle inca* à Cuzco (Pérou). *Festival historique* « la Maîtresse rasade » à Rothenbourg (All. féd). *Trooping the colour* à Londres. *Festival Viking* à Frederiksund (Danemark). *Veillée de la Saint-Jean* à Helsinki (Finl.). *Manifestation de la marche à pied* à Castelbar (Irlande). *Fête des Fleurs* à Genzano (It.). *Joute du Pont* à Pisa (It.). *Fête du Genêt* à Wiltz (Lux.). *Moussem de Goulimine* à Asrir (Maroc). *Fête des Tondeurs de moutons* à Ede (P.-Bas). *Fête des Saints* à Lisbonne (Port.). *Fête des Enfants* à Saint-Gall (Suisse). *Festival folklorique* de Straznice (Tchécosl.). *Concours de lutte* à Edirne (Turquie). *Fête de la Danse des Écoliers* à Tallin (URSS).

Juillet : *Course de chevaux du Palio delle Contrade* à Sienne (Italie). *Procession historique* à Gistel (Belg.). *Festival Intern. des Jumeaux* à Barvaux (Belg.). *Cortège des Sorcières* à Besslare (Belg.). *Festival Andersen* à Odense (Dan.). *Championnats des flotteurs de bois* à Porttikoski (Finl.). *Championnats des chercheurs d'or* à Tankavaara (Finl.). *Festival d'Athènes* (Grèce). *Festival de danses populaires* à

Cobh (Irl.). *Journée des bergers* de Kiskunsag (Hongrie). *Festival des métiers anciens* à Meijel (P.-Bas). *Foire de St-Jacques* à Covilha (Port.). *Festival de Tabarka* (Tunisie). *Festival de Dubrovnik* (Youg.). *Festival de musique légère* à Split (Youg.). *Fête de l'Indépendance* (USA). *Fête de la San Firmin* à Pampelune (Esp.). **Août** : *Moussem de Moulay Abdallah* à El Jadida (Maroc). *Show de Mount Hagen* (Nouv.-Guinée). *Festival de Perahera* à Kandy (Sri Lanka). *Festival du Rhin en flammes* de Braubach à Coblence (All. féd.). *Festival* d'Épidaure et d'Athènes (Grèce). *Festival de danses folklor.* à Debrecen (Hongrie). *Foire annuelle aux chevaux* à Dublin (Irlande). *Festival de théâtre et de musique en plein air* à Wiltz (Lux.). *Fêtes d'Or* le nord Norvège. *Fêtes de Gualterianas* à Guimaraès (Port.). *Fête des pêcheurs de harengs* à Soderhamn (Norv.). *Fête des bergers* à Daubensee (Suisse). *Foire internationale d'Izmir* (Turquie). *Festival de la chanson soviétique* à Moscou. *Pèlerinage* de Tinos (Grèce). *Fête de l'Assomption* (Mex.). *Festival du Kataragama* (Sri Lanka). **Septembre** : *Moussem des fiançailles* à Imilchil (Maroc). *Fête de la bière* à Munich. *Joute du Sarrazin* à Arezzo (Italie). *Fête des Moulins* dans le nord des Pays-Bas. *Fête des vendanges* à Palmela (Port.). *Festival de musique* à Sotchi (URSS). *Jeux chevaleresques du XVIe s.* à Moneska (Youg.). *Festival du vin* à Daphni (Grèce).

Octobre : *Moussem de Moulay Idriss* (Maroc). *Bouskachi royal* à Kaboul (Afghan.). *Fête de l'avènement de la République* (Turquie). **Novembre** : *Fête des éléphants* à Surin (Thaïlande). *Fête des morts* à Todos los Santos (Guatemala). *Fête de l'Empire Inca* à Puno (Pérou). *Foire aux chameaux* de Pushkar (Inde). **Décembre** : *Saint Thomas* à Chichicastenango (Guatemala). *Noël* (Philippines). *Fête de Notre-Dame-de-Guadalupe* à Mexico. *Fête des derviches tourneurs* à Konya (Turquie).

Hauts Lieux du patrimoine mondial

Légende. p.n. : parc national. r.n. : réserve naturelle.

La Convention pour la protection du patrimoine mondial, culturel et naturel, adoptée par la conférence générale de l'Unesco, vise à organiser la solidarité internationale pour sauvegarder des biens culturels et naturels inscrits sur la Liste du patrimoine mondial. *Entrée en vigueur* 1975. *États parties* (janvier 1991) 111. *Biens inscrits sur la Liste du patrimoine mondial* (au 1-1-1991) 337 dont biens culturels 245, naturels 78, mixtes 14, situés dans 73 États parties.

• **Afrique. Algérie** : Kalâa des Béni Hammad, Tassili n'Ajjer, M'Zab (vallée), Djémila, Tipasa, Timgad. **Bénin** : Palais royaux d'Abomey. **Cameroun** : réserve de faune du Dja. **Côte-d'Ivoire** : Taï et Comoé (p.n.). **Égypte** : Memphis (et sa nécropole), Guizeh à Dahchour (zones des pyramides), Thèbes, Abou Mena, monuments de Nubie (d'Abou Simbel à Philae), Le Caire islamique. **Éthiopie** : L'Aouache (basse vallée), Tiya, Axoum, Omo (basse vallée), Fasil Ghebi, Lalibela (églises dans le roc), Simen (p.n.). **Ghana** : forts et châteaux de Volta, d'Accra et ses environs et des régions centrale et ouest, bâtiments traditionnels Asante. **Guinée et Côte-d'Ivoire** : r.n. intégrale du Mont Nimba. **Jamahiriya arabe libyenne** : Ghadamès (ancienne ville), Leptis Magna, Sabratha, Cyrène (sites archéol.), Tadrart Acacus (sites rupestres). **Madagascar** : Bemaraha (r.n. intégrale de Tsingy). **Malawi** : Lac Malawi (p.n.). **Mali** : Djenné (villes anciennes), Tombouctou, Bandiagara (falaises, pays Dogon). **Maroc** : Fès, Marrakech (médinas), ksar d'Aït-Ben-Haddou. **Mauritanie** : Banc d'Arguin (p.n.). **Rép. centrafricaine** : Manovo-Gounda St-Floris (p.n.). **Sénégal** : Gorée (île), Djoudj (p.n. des oiseaux), Niokolo-Koba (p.n.). **Seychelles** : atoll d'Aldabra, vallée de Mai (r.n.). **Tanzanie** : Ngorongoro (zone de conservation), Serengeti (p.n.), Kilwa Kisiwani et Songo Mnara (ruines), Selous (r. de gibier), Kilimandjaro (p.n.). **Tunisie** : Carthage, Kerkouane (sites puniques), El Jem (amphithéâtre romain), Ichkeul (p.n.), Tunis (médina), Sousse (médina), Kairouan. **Zaïre** : Garamba, Kahuzi-Biega et Salonga (p.n.), Virunga (p.n. : source du Nil Blanc). **Zambie et Zimbabwe** : chutes Victoria, Mosi-oa-Tunya. **Zimbabwe** : Mana Pools (p.n.), Safari Sapi, Chewore (aires), Grand Zimbabwe (monument nat.), Khami (ruines).

• **Amérique. Argentine** : Los Glaciares, Iguazu (p.n.). **Argentine et Brésil** : missions jésuites des Guaranis : San Ignacio Mini, Santa Ana, Nuestra Senora de Loreto et Santa Maria Mayor (Argentine), ruines de Sao Miguel das Missoes (Brésil). **Bolivie** : Potosi (ville), missions jésuites des Chiquitos. **Brésil** : Ouro Preto (ville historique), Olinda, Salvador de Bahia (centre hist.), Congonhas (sanctuaire du Bon Jésus), Ignaçu (p.n.), Brasilia. **Canada** : Anse aux Meadows, Nahanni, Wood Buffalo, Gros Morne (p.n.), P. des Rocheuses can., p. provincial des Dinosaures, île Anthony, « Head-Smashed-In Bison Jump Complex » (précipice à bisons), Québec (arr. histor.). **Canada et États-Unis** : Kluane (p.n.), Wrangell-St-Elias (r, p.n.). **Colombie** : Carthagène (port, forteresse, monuments). **Costa Rica** : r. de la Cordillère de Talamanca-La Amistad. **Cuba** : La Havane (vieille ville et fortifications), Trinidad et Vallée de los Ingenios. **Équateur** : Galapagos (îles), Quito (ville), Sangay (p.n.). **États-Unis** : Everglades (p.n., Floride), Grand Canyon (Arizona), Mesa Verde (Colorado), Independence Hall (Philadelphie), Redwood (p.n., Californie), Yellowstone (p.n.), Mammoth Cave (p.n., Kentucky), p.n. Olympique (Washington), Cahokia Mounds (site historique, Illinois), Great Smoky Mountains (p.n.), San Juan (Porto-Rico, site hist. et forteresse), statue de la Liberté, Yosemite (p.n.), Monticello et université de Virginie (Charlottesville), Chaco (p.n. hist.), volcans d'Hawaii (p.n.). **Guatemala** : Tikal (p.n.), Antigua Guatemala (ville), Quirigua (p. archéologique et ruines). **Haïti** : Citadelle, Sans Souci, Ramiers (p.n. hist.). **Honduras** : Copan (site maya), Rio Platano (r. de la biosphère). **Mexique** : Sian Ka'an, Palenque (cité préhispanique et p.n.), Téotihuacan (cité préhispanique), Mexico, Xochimilco, Puebla, Oaxaca (centres hist.), Monte Alban (zone archéologique), Guanajuato et mines adjacentes, Chichen-Itza (ville préhisp.). **Panamá** : Portobelo, San Lorenzo (fortifications), Darien (p.n.), La Amistad. **Pérou** : Cuzco (ville), Machupicchu (sanctuaire hist.), Chavin (site archéo.), Huascaran (p.n.), Chan Chan (zone archéo.), Manu (p.n.), San Francisco de Lima (ensemble conventuel), Rio Abiseo (p.n.). **Rép. dominicaine** : St-Domingue (ville).

• **Asie. Bangladesh** : Bagerhat (ville-mosquée hist.), Paharpur (ruines du Vihara bouddhique). **Chine** : mont Taishan, la Grande Muraille, Palais impérial des dynasties Ming et Qing, Mogao (grottes), mausolée du premier empereur Qin, Tcheou-Kéou-Tien (site de l'Homme de Pékin). **Chypre** : Paphos, Troodos (églises peintes). **Inde** : Ajanta, Ellora, Elephanta (grottes), Agra (fort), Taj Mahal (palais), temple du Soleil à Konarak, Mahabalipuram, Khajuraho, Hampi, Pattadakal (monuments), Kaziranga, Keoladeo, Sundarbans, Nanda Devi (p.n.), Manas (s. faune), Goa (égl. et couvents), Fatehpur Sikri, Brihadisvara (temple à Thanjavur), Sânchi (mon. bouddhiques). **Irak** : Hatra. **Iran** : Persépolis, Tchoga Zanbil, Ispahan (Meidan Emam : place Royale). **Jordanie** : Jérusalem (vieille ville et remparts), Pétra, Qusair Amra. **Liban** : Anjar, Baalbek, Byblos, Tyr. **Népal** : Sagarmatha (p.n. contenant l'Everest : 8 848 m et 7 sommets de + de 7 000 m), Kathmandu (vallée), Royal Chitwan (p.n.). **Oman** : fort de Bahla, Bat, Al-Khutm et Al-Ayn (sites archéo.). **Pakistan** : Mohenjo Daro (ruines archéo.), Taxila, Takht-i-Bahi (ruines bouddhiques) et Sahr-i-Bahlol (vestiges), Thatta (mon. hist.), Lahore (fort et jardins de Shalimar). **Sri Lanka** : Anuradhapura, Polonnaruva, Sigiriya, Galle, Kandy (villes), Sinharaja (réserve forestière). **Syrie** : Damas, Bosra, Alep (villes), Palmyre (site). **Turquie** : Istanbul (zone hist.), Göreme (p.n.), Cappadoce (sites rupestres), Divrigi (Grande Mosquée et Hôpital), Hattousa, Nemrut Dag, Xanthos-Letoon, Hierapolis-Pamukkale. **Yémen** : Sanaā (vieille ville). **Yémen démocr.** : Shibam (ancienne ville et mur d'enceinte).

• **Europe. Allemagne.** : Aix-la-Chapelle (cath.), Spire (cath.), Trèves (monuments romains, cathédrale, égl. N.-Dame), Wurtzbourg (résidence : jardins de la Cour, place de la Résidence), Wies (égl. de pèlerinage), Brühl (châteaux d'Augustusburg et de Falkenlust), Hildesheim (cath. Ste-Marie, égl. St-Michel), Lübeck (ville hanséatique), Berlin (châteaux et parcs de Postdam). **Bulgarie** : Boyana (égl. avec peint.), Ivanovo (égl. rupestres), Kazanlak, Svechtari (tombes thraces), Madara (cavalier), Nessebar (ancienne cité), Pirin (p.n.), Rila (monastère), Srébarna (réserve naturelle). **Espagne** : Altamira (grotte), Asturies (égl. du royaume), Ávila (vieille ville et égl.), Barcelone (Casa Mila, parc et palais Güell), Burgos (cath.), Cordoue (Mosquée), Grenade (Alhambra et Generalife), Madrid (monastère et site de l'Escurial), St-Jacques-de-Compostelle (vieille ville), Ségovie (vieille ville et aqueduc), Teruel (archit. mudéjare), Tolède (ville hist.), Garajonay (p.n.), Cáceres (vieille ville), Séville (cath., Alcazar et Archivo de Indias), Salamanque (vieille ville). **France** : Amiens (cath.), Arles (mon. romains et romans), Chambord (château, domaine), Chartres (cath.), Fontainebleau (palais, parc), Fontenay (abbaye), Mont-St-Michel et sa baie, Orange (théâtre antique, abords, « Arc de Triomphe »), Pont du Gard, Versailles (palais, parc), Vézelay (basil., colline), Vézère (grottes ornées), Arc-et-Senans (saline royale), Nancy (places Stanislas, de la Carrière et d'Alliance), St-Savin-sur-Gartempe (égl.), Girolata et Porto (caps), Scandola (Corse, r.n.), Strasbourg (Grande Ile). **G.-B.** : Chaussée des Géants et sa côte, Durham (cath. et château), Ironbridge (gorge), parc de Studley Royal, abbaye de Fountains (ruines), Stonehenge, Avebury, ancienne principauté de Gwynedd, St. Kilda (île), Blenheim (palais), Bath (ville), mur d'Hadrien, palais et abbaye de Westminster, église Ste-Marguerite, île d'Henderson, Tour de Londres, Cantorbery (cath, abbaye St-Augustin et église Saint-Martin). **Grèce** : Bassae (temple d'Apollon Epikourios), Delphes (site archéol.), Athènes (Acropole), Mont Athos, Météores, Thessalonique (monuments paléochrétiens et byzantins), Épidaure, Olympie (sites archéol.), Rhodes (ville), Mystras, Daphni, Hossios Luckas et Néa Moni de Chios (monastères). **Hongrie** : Budapest (panorama bords du Danube et quartier du château de Buda, Hollokö). **Italie** : Florence (centre hist.), Santa Maria delle Grazie avec « la Cène » de Léonard de Vinci (égl., couvent dominicain), Valcamonica (art rupestre, 2 400 roches gravées), Venise (lagune), Pise (Piazza del Duomo), San Gimignano (centre hist.). **Italie/St-Siège** : Rome (centre hist.), St-Paul-hors-les-Murs. **Malte** : Ggantija (temples), Hal Saflièni (hypogée), La Valette (ville). **Norvège** : Alta (art rupestre), Bergen (vieux quartier de Bryggen), Røros, « Stavkirke » d'Urnes (égl. à piliers de bois XIIe s.). **Pologne** : Cracovie et Varsovie (centres hist.), Wieliczka (mines de sel), Auschwitz (camp), Bialowieza (p.n., bisons). **Portugal** : Angra do Heroismo (Açores), Monastère des Hiéronymites et Tour de Belém (Lisbonne), Batalha (monastère), Tomar (couvent), Evora (centre hist.), Alcobaça (monastère). **Saint-Siège** : Vatican. **Suisse** : St-Gall (couvent), Müstair (couvent bénédictin), Berne (vieille ville). **URSS** : Itchan Kala, Kiev (cath. Ste-Sophie, bâtiments monastiques, la Laure de Kievo-Petchersk), Kizhi Pogost, Leningrad (centre hist. et mon. annexes), Moscou (Kremlin et Place rouge). **Yougoslavie** : Dubrovnik (vieille ville), Durmitor et Plitvicka (p.n.), le vieux Ras avec Sopocani, Split (noyau hist., palais de Dioclétien), Ohrid et Kotor (régions, aspects culturels et hist.), Studenica (monastère), Skocjan (grottes).

• **Océanie. Australie** : Kakadu (p.n.), la Grande Barrière, Willandra (région des lacs), îles Lord Howe, Tasmanie occidentale (p.n. des étendues sauvages), forêts pluviales tempérées subtropicales de la côte Est, Uluru (p.n.), Queensland (tropiques humides). **Nouvelle-Zélande** : Te Wahipounamu (dans la zone sud-ouest, p.n. de Westland, du Mont Cook, de Fiordland), Tongariro (p.n.).

Statistiques internationales

Généralités

Tourisme mondial en 1989 (OMT)

Arrivées aux frontières (en millions) : 414 dont Europe 267, Amériques 78, Asie du S.-E. et Pacifique 44.

Dépenses (en milliards de $) *1984* : 92,6, *85* : 98,6, *87* : 147,8.

Recettes *1987* : 170, *88* : 196, *89* : 209.

Départs en vacances (taux par pays en %, en 1988). Suisse 76, Suède 75, Norvège 70, Australie 65, P.-Bas 65, Danemark 64, G.-B. 61, All. féd. 60, *France 58*, Luxembourg 58, Italie 57, Grèce 46, Espagne 44, Irlande 41, Belgique 41, USA 41, Portugal 31.

Partent à l'étranger : Luxembourgeois 94, Néerlandais (89) 64, Allemands 60, Espagnols (89) 60, Belges 56, Britanniques (89) 54, Irlandais 51, Italiens (85) 45, Danois 44, Français 19, Grecs 7, Portugais (89) 2.

Voyagent en avion (1988) : Irlandais 31, Britanniques 24, Luxembourgeois 19, Danois 18, Allemands 17, Néerlandais 14, Grecs 13, Belges 10, Français 6, Italiens 5, Espagnols 5, Portugais 3.

Séjournent à l'hôtel (1988) : Luxembourgeois 53, Allemands 43, Grecs 38, Britanniques 36, Irlandais 33, Italiens 33, Belges 30, Néerlandais 30, Danois 26, Espagnols 21, Français 19, Portugais 13.

Touristes faisant des excursions maritimes. Nombre (en millions, en 1989) : Amérique 3,3, Europe 0,8 (France 0,1).

☞ Sont partis en vacances en 1987 : 185 millions d'Européens de l'Ouest sur 320, 30 millions d'Américains, 6 millions de Japonais.

Budget touristique

Recettes (A) **et dépenses** (B) en millions de $ (1988) ; A' par rapport aux export. (1989). B' par rapport aux importations (1989).

Pays	Recettes		Dépenses	
	A	A'	B	B'
All. féd.	8 658	2,5	23 727	8,8
Australie	3 435	9,3	3 783	9,4
Autriche [8]	11 946	33	7 077	16,3
Belgique	3 064 [2]	3	4 272 [2]	4,3
Canada	5 014 [3]	4,3	7 370 [3]	6,5
Danemark	2 313	8,2	2 932 [1]	11
Espagne	16 174	22,6	3 080	4,3
États-Unis	34 432	9,4	34 977	7,1
Finlande	1 011	4,3	2 045	8,3
France	*16 500*	*9,2*	*10 292*	*5,3*
Grèce	2 575	21,1 [4]	1 088	4,6 [4]
Hongrie [7]	972	11	583	–
Irlande	1 070 [5]	5,2	989	5,7
Islande [7]	122	5,6	218	10,5
Italie	11 984	8,6	6 772	4,4
Japon	3 143	1,1	22 490	10,7
Norvège	1 329	4,9	2 848	12
N.-Zélande	1 005	1,1	1 374	15,7
P.-Bas	3 022	2,8	6 454	6,2
Portugal	3 098	24,5	661	3,5
R.-Uni	11 182	7,3	15 111	7,6
Suède [1]	2 874	3,7	6 047	7,1
Suisse	5 568	10,8	4 907	8,4
Turquie	2 557	22	565	3,6
Yougoslavie	2 274 [7]	16,7	131	0,1

Nota. – (1) Y compris au titre des transports internationaux. (2) Belgique et Lux. (3) A l'exclusion des dépenses des membres d'équipage et des paiements au titre des transports intern. de passagers. (4) 1988. (5) Y compris recettes des excursionnistes. (6) Chiffres préliminaires. (7) 1990. (8) 1989.

Pays accueillant des touristes

Légende. – Arrivées aux frontières (1989, en milliers). (1) 1986. (2) 1990. (3) Arrivées dans les hôtels et établissements assimilés. (4) Arrivées dans l'ensemble des moyens d'hébergement. (5) Nuitées dans l'ensemble des moyens d'hébergement. (6) Nuitées dans les hôtels et les campings. (7) 1987. (8) 1988. *Source :* Organisation mondiale du tourisme, statistiques officielles. Cependant les définitions et unités de mesure diffèrent de pays à pays.

● **Afrique du Sud** 1 029, dont : 135 Brit., 83 All. féd., 47 (USA), *20 Français,* 17 Suisses. **Algérie** [2] 686 dont 226 Europ. *(121 Français),* 431 Afr. et Moyen-Orientaux (153 Tunisiens). **Ali. dém.** 3 102. 674[8] dont : 658 Européens (126 Sov.). **All. féd.**[5] 33 054 (à l'exclusion des campings) dont 4 230 USA, 5 963 Holl., 2 964 Brit., 1 499 Suédois, 1 658 Français, 1 404 Danois, 1 665 It., 1 513 Suisses. **Andorre** [2] 8 000. **Anguilla** 29. **Antigua-et-Barbuda** 189. **Argentine** 2 492. 455[8] dont : 42 USA, 41 Brés., 20 Esp., 15 Italiens. **Australie** 2 080 dont : 449 N.-Zél., 349 Jap., 315 USA., 285 Brit., 245 Europ. (cont.). **Autriche** [2,4] 25 257 dont : 9 419 All., 1 345 Holl., 935 Brit., *837 Français,* 783 Suisses, 885 USA, 446 Belg. et Lux., 340 Suédois.

● **Bahamas**[2] 1 575. **Bahreïn**[7] 176. **Bangladesh** 128. 107[8], dont 17 Eur., 8 USA. **Barbade** 432 dont : 142 USA, 58 Can., 153 Eur., (95 Brit.). **Belgique**[5] 12 168 dont : 4 484 Holl., 1 959 All. féd., *1 210 Français,* 1 184 Brit., 696 USA, 361 It. **Belize** 220. **Bermudes** 418. 631[8] dont : 562 USA, 34 Can., 17 Brit. **Bhoutan** 2. **Bolivie** 194. 147[8] dont : 17 USA, 16 Arg., 14 All. féd., 12 Brés. **Birmanie** 41 dont : 27 Eur., 10 Am. du N. **Bostwana**[8] 432 dont : 37 Eur (18 Brit. + Irl.), 6 USA. **Brésil** 1 272. 1 929[8] dont : 499 Arg., 252 USA, 92 All. (féd. + dém.), 79 It., *63 Français.* **Bulgarie** 7 594[8] dont : 2 950 Turcs, 1 436 Youg., 384 Sov., 268 All. féd. 18 728[5].

● **Canada** 15 111 dont : 12 746 USA, 446 Brit., 253 Jap., 239 All. féd., *246 Français,* 81 Austr., 79 Holl., 62 Suisses, 55 It., 47 Mexic., 44 Ind. **Chili** 797. 559[8] dont : 285 Arg. 49 Eur., 38 USA, 24 Brés., 3 Vénéz. **Chine** 1 728[8] dont : 578 Jap., 367 Eur. (84 Brit., 60 All. féd., *54 Français*), 315 USA, 59 Austr. **Chypre**[2] 1 561 dont : 692 Brit., 119 Finl., 107 Suèd., 100 All., 80 Libanais, 71 Grecs, 45 Suisses, 33 Norv., 30 Holl. **Colombie** 733. 829[8] dont : 116 USA, 49 Eur. (10 Esp., 7 All. féd., 8 It., *7 Français*), 34 Can. **Comores** 13. **Congo**[3,8] 39 dont : 23 Eur. *(15 Français),* 14 Afr., 1 USA. **Corée (Rép. de)** 1 874[8] dont 894 Jap., 326 USA. 8 010[5] **Costa Rica** 376. 278[8] dont : 137 Amér. centr. et du S., 91 Amér. du N., 33 Eur. **C.-d'Ivoire**[8] 190 dont : *80 Français,* 20 It., 17 Niger., 16 Ghan., 15 Maliens, 10 Bénin., 10 Togol., 10 USA, 7,2 Sénég., 4,8 Brit. **Cuba** 314 dont (1986) : 50 Can., 26 All. féd., 24 Esp., 15 Mex., 14 It., *8 Français.* **Curaçao** (n.c. résidents des Antilles néerlandaises) 193 (départs).

● **Danemark** 7 591 dont : 2 738 All. féd., 1 520 Suéd., 932 Norv., 518 Finl., 496 Holl., 384 USA, 335 Brit., 139 It., *126 Français.* **Dominicaine (Rép.)** [1] 400 dont (1986) : 226 USA, 17 Vénéz., 14 Can., 12 Esp., 5 It., *4 Français.* **Dominique** 35.

● **Égypte** 2 600 dont 216 All., 216 Brit., *164 Français,* 133 USA, 106 It., 63 Benelux, 53 Scand., 52 Jap., 41 Esp., 35 Suisses, 31 Grecs. **Équateur** 306. 276[8] dont : 56 Eur. (12 Esp.), 56 USA. **Espagne** [2] 52 035 dont : *11 621 Français,* 10 106 Port., 6 854 All., 6 285 Brit., 1 953 Néerl., 1 656 It., 1 260 Belg., 1 085 Suisses, 835 USA. **États-Unis** 36 604. 34 245 [8] dont : 13 843 Can., 9 253 Am. centr. et du S. (7 890 Mex.), 2 542 Jap., 1 828 Brit., 1 153 All. féd., *619 Français.* **Éthiopie** 65 (par avion).

● **Fidji** 251. 190[8] dont : 65 Austr., 47 USA. Finlande 2 816[2,5] dont : 616 Suédois, 429 All. féd., 360 Soviétiques, 232 USA, 147 Brit. et Irl., 118 Norv., *105 Français.* **France** 50 199 dont (env.) 10 000 All.féd., 9 000 Brit., 4 000 Esp., 3 000 USA, 2 000 It., 1 000 Jap. : *Nuitées*[5] 125 000 dont *84 000 Fr.*

● **Gambie** 85. **Ghana** 125. **Gibraltar** 86[7]. **Grande-Bretagne** 17 338 dont : 2 842 USA, *2 261 Français,* 2 027 All. féd., 1 302 Irlandais, 940 Holl., 708 It., 639 Can., 622 Esp., 618 Belg., 535 Austr., 505 Jap., 481 Suéd. **Grèce**[2] (est. 90) 9 213 dont : 1 681 Brit., 1 854 All. féd., 877 Scand., 655 It., *492 Français,* 475 holl., 281 USA, 156 Suisses, 82 Can., 114 Jap. **Grenade** 69. **Guadeloupe** 123 [3]. 153[3,8] dont : 119 Eur. *(98 Français,* 7 Suisses, 7 Holl.), 22 USA, 9 Can. **Guatemala** 435 dont : 86 USA.

● **Haïti** 122 (par voie aérienne) dont (88) : 78 USA, 14 Can., 10 Eur. **Hollande** 5 831 dont : 1 815 All., 831 Brit., 517 USA, *422 Français,* 377 It., 330 Belg., 199 Esp. et Port., 131 Suéd., 131 Suisses, 111 Can., 103 Jap.

● **Inde** 1 484 [8] dont : 230,9 Brit., 122,5 USA, *82 Français,* 69 All., 61 Jap. **Indonésie** 1 060 dont : 255 Eur., 71 USA. **Iran** 69 dont : 34 Asiatiques du S. (5 Ind.), 16 Eur. **Iraq** 739 dont : 577 Moy.-Or., 66 Eur. **Irlande**[2] 3 143 dont : 1 836 Brit. et Irl. du N., 444 USA, *199 Français,* 175 All. **Islande**[2] 284 dont : 23 USA, 21 All. féd., 19 Suéd., 15 Dan., 14 Brit., *10 Français,* 10 Norv. **Israël** 1 424 dont : 344 USA, 135 Brit., *132 Français,* 119 All.féd., 50 Eur. de l'Est, 35 Suisses. **Italie**[4] 21 610 dont : 6 753 All. féd., *2 079 Français,* 2 031 USA, 1 453 Brit., 1 245 Suisses, 1 093 Autr.

● **Jamaïque** 739 dont : 545 USA, 110 Canadiens. **Japon** 3 236 [2] dont : 740 Coréens, 633 USA, 608 Taiw., 516 Eur. (214 Brit., 65 All., *51 Français*), 108 Phil., 106 Chin., 75 Thaïlande, 64 Can., 56 Austr. **Jersey** 1 500 dont : 322 « Continentaux ». **Jordanie**[8] (y compris pèlerins) 1 899 dont : 603 Égyp., 283 Saoud., 180 Eur. (80 Turcs), 42 USA.

● **Kenya** 714 dont : 172 Afr., 107 All., 95 Brit., 84 USA, *39 Français,* 37 Suisse, 29 Scand., 13 Canada, 11 Inde, 9 Jap.

● **Lesotho** 169. **Libye** (74) 296. **Liechtenstein** [3] 77.75[3,8] dont : 21 All. féd., 16 Suisses, 10 USA, 4 Scand., 4 It. **Luxembourg**[4] 875 dont : 270 Holl., 146 Belg., 99 All., *61 Français,* 43 Brit., 35 USA.

● **Macao** [8] 908 (n.c. 4 192 Chin. venant de Hong Kong) dont : 261 Jap., 109 Brit., 117 USA, 41 Austr. **Madagascar** 39 (par voie aér.) dont : *9 Français.* **Malaisie** 3 954 (départs) dont : 134 Jap., 86 Austr., 72 Brit., 45 USA, 36 Ind., 27 All. féd. *15 Français.* **Malawi** 117 (départs). **Maldives** 158. 131 [8] (par voie aér.) dont : 37 All. féd., 23 It., 11 Jap., 8 Suisses, 7 Brit., *7 Français,* 7 Ind. **Mali** [3] 52. **Malte** [2] 872 dont : 450 Brit., 130 All. féd., 64 It., 36 Libyens, *34 Français.* **Mariannes (îles)**[8] 195. **Maroc** 1 978 dont : *485 Français,* 330 Esp., 168 All. féd., 109 Brit., 67 USA, 66 It., 32 Suisses, 30 Belg., 27 Holl., 18 Dan., 17 Can., 15 Finl., 15 Port., 15 Afr. (dont Arabes). **Marshall (îles)**[8] 2 (par voie aér.). **Martinique** 312 (*en 1986 :* 183 dont *86 Français,* 38 USA, 16 Can.). **Maurice** 263. 208[8] dont : *44 Français.* **Mexique** 6 297. 5 407[8] dont : 4 620 USA, 195 Eur. *(63 Français).* **Monaco** [3] 245. 214 [8] dont : 54 It., *50 Français,* 31 USA. **Mongolie** 237. **Montserrat** 17.

● **Népal** 240. 248[8] dont : 59 Ind., 26 USA, 19 Brit., 17 All. féd., *16 Français,* 16 Jap., 11 Austr. **Norvège** [3] 1 867. **N.-Calédonie** 82 (par voie aér.). 60[8] dont : 16 Jap., 12 Austr., *10 Français.* **N.-Zélande** 901. 844 dont : 295 Austr., 180 USA, 76 Jap., 61 Brit.

● **Pakistan** 495. 425[8] dont : 189 Ind., 73 Brit., 28 USA, 10 All. féd., 9 Jap., 7 Can., *6 Français,* 6 Saoud. **Panamá** 190. 267[8] dont : 60 USA. **Papouasie-N.-Guinée** 49. 35[8] dont 17 Austr. **Paraguay** 279. 303[8] dont : 116 Arg., 66 Brés., 14 All. féd., 10 USA. **Pérou** 334. 330[8] dont 130 Eur., 74 USA. **Philippines** 1 076. 795[8] (y compris 73 nat. résidant à l'étranger) dont : 211 USA, 127 Jap., 44 Austr., 24 All. féd., 21 Brit. **Pologne**[2] 2 386 dont : *156 Français.* **Polynésie française** 140. 143[8] dont : 70 USA, *21 Français,* 9 Austr., 4 Jap., 4 Can., 4 N.-Zél., 4 All. féd., 4 It., 4 Brit. **Porto Rico** 2 450 [3]. 1 872[8] (par voie aér.) dont 1 396 USA. **Portugal** 7 116 (n.c. nat. résidant à l'étranger ; y compris arrivées à Madère et aux Açores).

● **Roumanie** 5 142 dont : 1 007 Youg., 577 Sov., 132 All. dém., 46 Turcs, 30 It., *26 Français.*

● **St-Eustache.** 16. **St-Kitts-et-Nevis** 72. **Ste-Lucie** 135. **St-Martin** 504 [3] (par voie aér.). **St-Vincent-Grenadines** 50. **Salvador**[8] 125 dont : 28 USA. **Samoa** 55 (par voie aér.). **Samoa amér.** 47. **Sénégal** 259 [3]. 235[4,8] dont : *135 Français.* 11 All. féd., 9 USA, 8 It. **Seychelles** 86. 71[8] (par voie aér.) dont : 17 All. féd., 14 Brit., *14 Français.* **Singapour** 4 397. 3 679[8] dont : 541 Jap., 330 Austr., 243 Ind., 211 USA, 195 Brit. **Salomon (îles)** 10. **Soudan** 23. **Sri Lanka** 185. 183[8] (n.c. nat. résidant à l'étranger) dont : 45 All. féd., 18 Brit., *15 Français,* 12 Ind., 9 It., 7 Jap., 7 Suéd. **Suède** [2,5] 6 575 dont : 1 545 Norv., 1 402 All., 587 Dan., 580 Fin., 380 Holl., 336 Brit., 342 USA, 141 It. **Suisse** 12 600. 9 323 [4] dont : 3 020 All. féd., 1 117 USA, *725 Français,* 668 Brit., 595 It., 512 Holl., 383 Jap., 326 Belg., 226 Esp., 189 Autr., 131 Austr. et Océan., 128 Suéd., 126 Can. **Syrie** 411. 1 218[8] dont : 840 Moy.-Or. (78 Saoud.), 111 Turcs.

● **T'ai-wan** 1 452 (1985). **Tchad** 21[8]. **Tchécoslovaquie** 8 036. 29 571[5,8] dont : 11 371 Polonais, 5 747 All. dém., 534 Hongrois, 1 272 Youg., 1 172 Sov., 753 All. féd., 500 Bulgares, 313 Autr., 151 It., 81 USA, 56 Holl., 47 Suéd., *45 Français.* **Thaïlande** 4 810. 3 483[8] dont : 342 Jap., 236 USA, 184 Brit., 148 All. féd., *132 Français,* 118 Ind., 111 Austr., 66 It., 59 Saoud., 45 Suisses. **Togo** 61 (par voie aér.) 115[3]. 61[8] dont : 34 Afr., *13 Français.* **Tonga** 21. **Trinité-et-Tobago** 194 (par voie aér.). **Tunisie** [2] 3 204 dont : 796 Libyens, 480 All., *459 Français,* 436 Alg., 192 Brit., 190 It., 144 Maroc., 96 Holl., 77 Scand., 74 Belg., 48 Suisses, 45 Moyen-Or., 38 Autr., 33 Esp. **Turquie** [2] 4 459 (visiteurs intern.) dont : 897 All. féd., 406 Brit., *284 Français,* 277 Grecs, 241 Iran., 217 Youg., 205 USA, 196 Pol., 194 Hong., 157 Autr., 154 It., 107 Holl.

● **URSS** 2 740. 5 246[7] (vis. intern.) dont : 894 Finl., 203 All. féd., 126 USA, 109 It., 88 Scand., *78 Français,* 77 Brit., 46 Jap., 21 Esp., 20 Holl. **Uruguay** 1 031 (1985) dont : 704 Arg., 76 Brés., 12 USA, 11 Chil., 6 Parag.

● **Vanuatu** 24. 15[8] dont : 7 Austr. **Venezuela** 412. 615[8] dont : 133 USA, 95 Holl., 93 Can., 33 It., 27 Esp., *18 Français,* 16 Arg., 16 All. féd. **Vierges (îles) amér.** 492 (par avion). 290[1] dont : 261 USA ; **britanniques** [1] 141.

● **Yémen** 55[3]. 47[8] dont : 7 All. féd., *6 Français,* 4 Brit., 3 It., 3 USA. **Yémen démocratique** 47[8]. **Yougoslavie** [2,4] 7 879 dont : 1 981 All., 1 494 It., 661 Brit., 584 Autr., 451 Holl., 368 Sov., *293 Français,* 240 USA, 225 Tchécoslovaques.

● **Zaïre** 56 dont : 20 Eur., 3 USA. **Zambie** 113. 120[8] dont : 25 Eur., 6 USA. **Zimbabwe** 474. 455[8] dont : 368 Afr., 30 Brit. et Irl., 15 USA, 8 All. féd.

Séjours et nuitées

● **Durée moyenne de séjour des touristes étrangers** (en jours dans les moyens d'héberg. en 1989). Japon 2,2 (établissements homologués). Allemagne 2,3. Turquie 3,1. Suisse 3,6. Portugal 4,1. *France*[2] *4,4.* Hongrie[3] 4,4. P.-Bas 4,5. Italie[3] 4,9. Grèce[1] 5. Autriche 5,1. Youg.[4] 5,5. Espagne 5,9. Canada 6. Irlande 9,2 (dans tout le pays). G.-B. 10,8 (dans le pays). Australie 16 (commercial).

Nota. – (1) 1986. (2) 1987. (3) 1988. (4) 1990.

Parcs récréatifs dans le monde

Quelques dates. 1843 *Tivoli* (Copenhague, Danemark, sur 5 ha). **1895** *Sea Lion Park* (Coney Island, New York, USA) 1er parc d'attractions américain. **1904** *Luna Park* (id.) propose une balade sur la Lune. **1909** *Luna Park* de Gaston Akoun à Paris (fermé en 1948). **1919** il y a 1 500 parcs aux USA. **1936** il en reste 500. **1952** *Madurodam* (P.-Bas) ville miniature. **1955** *Disneyland* (Los Angeles, Californie) 1er parc à thème (5 millions de visiteurs). **1967** *Phantasialand* (Brühl, All. féd.). **1971** *Walt Disneyworld* (Floride). **1973** *Thorpe Park* (G.-B.) 300 ha. **1974** *Alton Tower* (G.-B.) 450 ha. **1983** *Tokyo-Disneyland.*

En France

Parcs créés avant 1985. *Jardin d'acclimatation* (Paris), 1 500 000 vis., *Thoiry* (Paris) 900 000 vis., *Mer de Sable* (Ermenonville) 300 000 vis., *parc de Bagatelle* (Le Touquet) 300 000 vis, *Le Pal* (Dompierre près de Moulins) 300 000 vis., *Avenir Land* (Grenoble), *OK Corral* (Aubagne).

Parcs à thème. Coût en millions de F et nombre de visiteurs par an. **Astérix** (Plailly, Oise). *Ouvert :* 1989 sur 150 ha (dont attractions 20, parking 22). *Coût :* 950. *Visiteurs attendus :* 2 000 000 (*1989 :* 1 340 000). *CA :* 240 MF. *Passif (1989) :* 53 MF (dont 50 d'intérêts). **Big Bang Schtroumpfs** (Hagondage, Moselle). *Ouvert :* 1989. *Coût :* 730. *Visiteurs attendus :* 1 800 000 (*1989 :* 400 000). *CA (1989) :* 130 MF. *Passif :* 35 MF. L'Anaconda Coaster (grand-huit, longueur 1 200 m, hauteur 35 m, vitesse 110 km/h). **Eurodisneyland** (Marne-la-Vallée, Seine-et-Marne). *Superficie totale prévue :* 1 943 ha (1/5 de la ville de Paris). Parc à thèmes de 29 attractions. Aménagement de 6 hôtels (5 200 ch.), centre de divertissements de 16 000 m^2, 1 camping-caravaning de 181 pl. et 414 bungalows, 1 golf de 18 trous (9 de + en 1993). *Ouverture prévue : printemps 1992 :* avec 600 ha ; *1993 :* ouverture de studios cinématographiques et audiovisuels ; *1994-95 :* ouverture d'un parc à thèmes, construction de 13 000 ch. d'hôtels, 1 centre de congrès, 1 parc aquatique, 2e golf et camping-caravaning. *Coût :* 22 milliards de F. *Partenaires :* Renault, BNP, Europcar, Kodak, Nestlé, Coca-Cola, Philips, Esso, France-Télécom. *Offre publique de souscription* (oct. 89) : 86 millions d'actions. *Capitalisation boursière prévue avr. 1992 :* 18 700 MF, *printemps 93* [selon nombre de visiteurs (10 ou 14 millions)] : 15 030 à 29 330. *Résultat avant impôt 1992 :* 22 MF, *96 :* 1 700, *2006 :* 4 300, *16 :* 9 900. *Engagements pris par les parties publiques* (État, région Ile-de-France, dép. de Seine-et-Marne, RATP, établissement public d'aménagement) (en millions de F valeur 1986) : prolongement du RER 750 (dont État 100, région 100) ; échangeurs autoroutiers 140 (dont État 35, région 30) ; voirie primaire 280 dont financés par le dép. en 1989 100. *Visiteurs attendus en 1992-93 :* 11 millions. **Futuroscope** (Jaunay-Clan, Vienne). *Ouvert :* 1987. *Coût :* 740. *Visiteurs attendus :* 400 000 (*1989 :* 900 000). **Mer de Sable** (Ermenonville, Oise). 55 ha. 25 attractions. **Mirapolis** (Cergy-Pontoise, Val-d'Oise). *Ouvert :* 1987. 20 km. *Coût :* 600. *Visiteurs attendus :* 2 000 000 (*1987 :* 600 000, *88 :* 1 000 000, *89 :* 600 000). A déposé son bilan 22-1-90 (passif 330 millions de F dont 285 de charges d'emprunt). Rouvert 4-4-90 par les Forains déjà associés à l'exploitation. Le Gargantua mesure 35 m de haut. **Nigloland** (Dolancourt, Aube) 12 ha. **Pal** (St-Poursain-sur-Besbre, Allier) 25 ha. **La Toison d'or** (Dijon, Côte-d'Or). **Les Vikings** (Amiens, Oise). *Ouvert :* 1989. **Walibi** (Les Avenières, Isère) 14 ha. **Zigoparc** (Nice, Alp.-M.). *Coût :* 420. *Visiteurs attendus :* 771 000 (*1988 :* 308 000, *89 :* 350 000). Mis en liquidation le 31-1-1988, racheté par le groupe Bellix 53 MF (nouveau nom : *Alton Park).* **Parcs nautiques. 1983** *Aqualand* (Cap d'Agde, Hérault). **1984-89.** *Aquaboulevard* (Paris XVe). *Coût :* 450 millions de F ; déficit (89) : 32 MF. *Visiteurs (90) :* 800 000. *Nautiland* (Haguenau, Bas-Rhin). **1985** *Aquacity* (Gujan-Mestras, Gironde). *Aquacity* (Les Pennes Mirabeau, B.-du-Rh.). *Aqualand* (Marquenterre, Somme). *Aqualud* (Le Touquet, P.-de-C.). **1986** *Aquatica* (Fréjus, Var). *Océade* (Strasbourg, Bas-Rh.). *Nauticlub* (Marcq-en-Barœul, Nord).

• **Nuitées de touristes** (en millions, 89 ; touristes nationaux et entre parenthèses étrangers). Allemagne 260,9 (38). Autriche 123,8 (95). Canada[1] 349,4 (91,9). Danemark 22,2 (9,1). Finlande 13 (2,8). *France[1] 1 101,8[2] (347,1)[3].* Hongrie[1] 27,8 (16). Italie 246,5 (86,9). Norvège 16,7 (5,5). Portugal 30,8 (18,2). Suède 36,2 (7,6). Suisse 75,8 (35,9). Turquie 17,4 (11,9). Youg. 100,3 (49,2).

Nota. – (1) 1988. (2) Dont nationaux 754 700 (jours et non nuitées). (3) Estim. à partir de l'enquête aux frontières 1982.

Quels pays visitent-ils ?

Légende. – Nombre en milliers en 1989. (1) Arrivées dans les hôtels. (2) Dans les moyens d'hébergement. (3) Nuitées dans les moyens d'hébergement. (4) Arrivées de touristes étrangers aux frontières. (5) Nuitées dans l'hôtellerie. (6) 1982. (7) 1983. (8) 1985. (9) 1986. (10) 1987. (11) 1988. (12) 1989.

Allemands féd. *France 10 493* [4]. Italie 10 134 [4]. Espagne 6 784 [4]. Autriche 6 362 [2]. Suisse 2 130 [1]. G.-B. 2 027 [4]. Grèce 1 655 [4]. Belgique 1 636 [3]. Youg. 1 310 [1]. USA 1 076 [4]. Turquie 897 [4]. P.-Bas 675 [1]. Pologne 650 [4]. Portugal 611 [4]. Tunisie 455 [4]. Finlande 354 [5].

Américains [11]. Mexique 13 421. Canada 13 341. Europe 6 488. Caraïbes 3 831. Asie 1 870. Amér. du S. 900. Amér. centr. 557. Océanie 547. Afrique 48.

Australiens [4]. G.-B. 456. Singapour 291. Hong Kong 253. N.-Zélande 251. USA 231. Indonésie 107. All. féd. 91 [1,6]. Canada 68. Macao 58. Japon 57. Philippines 50.

Autrichiens [10]. Italie 671. Youg. 541. Grèce 259. Espagne et Portugal 143.

Belges [12]. *France* 1 110. Espagne 797. Italie 370. Autriche 236.

Britanniques. *France 6 480.* Espagne 6 202. Irlande 2 010. USA 1 879. Allemagne 1 672. Grèce 1 635. Italie 1 300. P.-Bas 1 125. Gibraltar-Malte-Chypre 1 101. Portugal 1 006. Belg.-Lux. 831. Autriche 696. Suisse 609. Youg. 554.

Canadiens. USA 10 982 [4]. G.-B. 567 [4]. *France 348* [4]. Italie 267 [2]. Espagne 155 [2]. Suisse 149 [2]. All. féd. 113 [1,6]. P.-Bas 92 [1,7]. Bahamas 85 [4]. Jamaïque 79 [4]. Barbade 67 [4]. Japon 61 [4]. Turquie 13.

Espagnols. Portugal 1 924 [4]. *France 821* [4]. Italie 486 [4]. G.-B. 293 [4]. Suisse 197 [3]. USA 91 [4].

Français. Espagne 9 982 [4]. Italie 8 462 [7]. G.-B. 1 632 [4]. All. féd. 575 [6]. Suisse 531 [4]. Autriche 499 [4]. Youg. 432 [4]. Grèce 406 [4]. USA 334 [4]. Portugal 313 [4]. P.-Bas 261 [1,6]. Turquie 103 [4].

Hollandais. Benelux et G.-B. 3 304. *France 1 471.* Autriche et Suisse 1 248. Espagne et Portugal 1 008. Italie, Grèce, Youg. 1 001. Pays scandinaves 167. Autres pays 354.

Hong Kong. USA 704. Australie 276.

Italiens. *France[3] 28 200.* G.-B. 8 198. Youg. 6 144. Autriche 2 787. Grèce 1 800. Suisse 1 748. All. 1 665. Espagne[5] 1 512. Turquie 490. USA[4] 355. Belgique 326.

Japonais. USA 3 080 dont Hawaii (est.) 1 319. Corée[4] 1 379. Hong Kong[4] 1 176. *France[1] 1 062.* Taiwan[4] 962. Singapour[4] 841. Thaïlande[4] 547. G.-B.[4] 500. Suisse[1] 472. Italie[4] 457. Chine[4] 359. Australie[4] 349. Macao[4] 329.

Polonais. All. dém. 1 257. Tchéc. 1 003. Hongrie 837. URSS 456. All. féd. 409. *France 63.*

Roumains [4]. Hongrie 1 193. Bulgarie 244. Tchéc. 111 [9]. Pologne 52. Turquie 20. Youg 17 [2]. Irak 13. Espagne 8. Grèce 7. Autriche 6. USA 4. Syrie 4. Égypte 3. Israël 3. Canada 1.

Soviétiques. Pologne 931 [8]. Roumanie 565 [4]. Tchéc. 397 [4]. Hongrie 330 [8]. Finlande 246 [3]. Youg. 211 [4]. Espagne 166 [4]. All. féd. 38 [1,6]. Cuba 22 [4]. Turquie 16. Autriche 10 [2]. Japon 7 [4].

Suisses. *France 2 106* [4,7]. Italie 1 100 [3]. Espagne 818 [5]. Autriche 476 [3]. All. féd. 394 [3]. G.-B. 313 [3]. Grèce 157 [3]. USA 156 [3]. Youg. 124 [3]. P.-Bas 74 [5]. Portugal 53 [3] (sans les appartements de vacances). Canada 47 [3]. Hongrie 46 [3].

Tchèques [11]. All. dém. 2 522. Hongrie 1 906. Pologne 885. URSS 414. Yougoslavie 362. Bulgarie 334. All. féd. 248. Autriche 136. Roumanie 131. Italie 46. Belg.-Holl.-Lux. 41. Suisse 38. *France 35.* G.-B., Irlande 20. Grèce 20. Danemark, Suède 18. Espagne, Portugal 12. USA 9. Canada 6.

Tunisiens [8]. Lybie 808. *France 297.* Algérie 161. Italie 90. Moy.-Or. 57. Allemagne 24. Suisse 14. Belgique 9. Maroc 8.

Turcs. Bulgarie 2 743. All. féd. 210 [3,6]. Italie 200 [1]. Syrie 136. Youg. 120. Jordanie 108. Grèce 43 [4]. Suisse 37 [2]. Autriche 24. G.-B. 19. Espagne 13. Iran 12.

Statistiques françaises

Statistiques générales

• **Budget de l'État consacré au tourisme en 1989 :** 343,6 millions de F. *1990 :* 382,9. *91 :* 396,7 (loi de finances initiale).

Balance de paiement du tourisme (poste voyage, en milliards de F). **1981 :** recettes 39,3, dépenses 31,2. **82 :** r. 46, d. 33,9. **83 :** r. 55,1, d. 32,6. **84 :** r. 66,4, d. 37,3. **85 :** r. 71,4, d. 40,9. **86** r. 67, d. 45. **87 :** r. 71,3, d. 51. **88 :** r. 82,1 d. 57,8. **89 :** r. 105,3, d. 65,7. + 30,5. **90 :** + 42.

Consommation intérieure touristique (en milliards de F). **1978 :** 138,8. **80 :** 186,7. **86 :** 360,5. **87 :** 380,9. **88 :** 403. **90 :** 437,7 (dont nationale 388,7).

• **Effectifs salariés dans le tourisme** (au 31-12-87). Restaurants 186 253, hôtels-rest. 113 457, hôtels 20 661, cafés, débits de boissons 52 114, villages de vac. 28 581, ag. de voyages 21 443, établ. thermaux ou de thalassothérapie 15 337, camping 9 284, remontées mécaniques 7 320, offices de tourisme 4 643.

• **Hébergement** (1985). **Lits :** 15,8 millions (dont en %) : villages de vacances et maisons familiales 1,7, hôtellerie 10,2, gîtes et chambres d'hôtes 1, résidences secondaires 71,6 (11 millions de lits).

Hôtels classés (1989, estim.) : 20 300 (543 000 chambres) dont chaînes intégrées 1 600 (125 000), volontaires 5 000 (135 000), indépendants 13 700 (283 000). *0 étoile :* 125 (3 000), *1 ét. :* 8 300 (140 000), *2 ét. :* 8 850 (250 000), *3 ét. :* 2 675 (125 000), *4 ét. et luxe :* 350 (25 000). **Hôtels non homologués :** 21 000 (200 000 ch.).

Camping-caravaning (terrains homologués au 31-12-87) : 8 218 (emplacements 817 217) dont *1 étoile :* 1 504 (76 064), *2 ét. :* 4 765 (432 506), *3 ét. :* 1 457 (213 532), *4 ét. :* 473 (94 948), *4 ét. luxe :* 19 (2 167).

Maisons familiales de vacances (1-1-90) : 840 (lits 91 098). **Villages de vacances agréés :** 715 (242 026). **Auberges de jeunesse :** 349 (21 007).

Hébergement à usage privé. *Caravanes* (au 1-1-1986) : 1 280 000. *Résidences secondaires* (1982) : 2 258 342. *Flotte de plaisance immatriculée* (y compris dériveurs, navires sans couchette au 30-9-1986) : 176 553 dont Méditer. 73 808, Atlant. 102 745.

• **Foire.** *Nombre de visiteurs* (1985) : 9 654 726.

• **Thermalisme.** Curistes (libres ou assurés sociaux, 1988) : 636 086.

• **Touristes étrangers** (1987). *Arrivées aux frontières* 36 974 000, *nuitées* 339 922 000, *durée moyenne des séjours* 9,2 j. 1988 : 38 000 000. 1989 : 43 000 000.

• **Nombre d'étrangers entrés en France** (en millions). *1986 :* + 69,1. *87 :* + 72,8. *88 :* + 75,8.

Arrivées par nationalité (en milliers, en 1987). 36 974 dont All. féd. 8 915, G.-B. et Irlande 6 368, P.-Bas 3 936, Suisse 3 372, Italie 3 157, Belg.-Lux. 3 111, USA et Canada 2 151, Afr. du N. 696.

Bicentenaire de la Révolution française. *Coût :* 430 millions de F. *Recettes :* 2 milliards de F (prév.). *Nuitées d'étrangers à Paris en juillet :* 2,5 millions (env. 1 million les autres années).

Renseignements pratiques

Adresses utiles

• **Ambassades (A), Consulats (C), Nonciatures (N) et offices de tourisme (O) étrangers à Paris.**

• **Afghanistān. A** et **C** 32, av. Raphaël 16e. **Afrique du Sud. A** 59, quai d'Orsay 7e. **O** 9, bd de la Madeleine 1er. **Albanie. A** 131, r. de la Pompe 16e. **Algérie. A** 18, r. Hamelin 16e. **C** 11, r. d'Argentine 16e. **O** 3,

r. Joseph-Sansbœuf 8e. **All. dém.** A 24, r. Marbeau 16e. O 49, av. de l'Opéra 2e. **All. féd.** A13/15, av. F.-D.-Roosevelt 8e. C 34, av. d'Iéna 16e. O 4, place de l'Opéra 2e. **Angola.** A 19, av. Foch 16e. **Arabie Saoudite.** A 5, av. Hoche 8e. **Argentine.** A 6, r. Cimarosa 16e. C impasse Kléber 16e. O 83, av. H.-Martin 16e. **Australie.** A, C et O 4, r. Jean-Rey 15e. **Autriche.** A 6, r. Fabert 7e. C 12, r. Edmond-Valentin 7e. O 47, av. de l'Opéra 2e. **Bahamas.** O 9, bd de la Madeleine 1er. **Bahreïn.** A 15, av. Raymond-Poincaré 16e. **Bangladesh.** A 5, square Pétrarque 16e. **Barbade, Ste-Lucie et Dominique.** O 102, av. des Ch.-Élysées 8e. **Belgique.** A et C 9, r. de Tilsitt 17e. O 21, bd des Capucines 2e. **Bénin.** A 87, av. Victor-Hugo 16e. **Birmanie.** A et C 60, r. de Courcelles 8e. **Bolivie.** A et C 12, av. Kennedy 16e. O 18, rue de l'Exposition 7e. **Burkina.** A 159, bd Haussmann 8e. **Brésil,** A 34, cours Albert-Ier 8e. C 122, av. des Champs-Élysées 8e. O 3, av. de l'Opéra 1er. **Bulgarie.** A 1, av. Rapp 7e. O 45, av. de l'Opéra 2e. **Burundi.** A 3, r. Octave-Feuillet 16e.

• **Cameroun.** A et C 73, r. d'Auteuil 16e. **Canada.** A et C 35, av. Montaigne 8e. O 37, av. Montaigne 8e. **Centrafricaine (République).** A 29, bd de Montmorency 16e. **Ceylan (Sri Lanka).** A 15, r. d'Astorg 8e. O 19, r. du 4-Septembre 2e. **Chili.** A 2, av. de la Motte-Picquet 7e. **Chine (République populaire).** A 11, av. George-V 8e. O 51, r. Ste-Anne 2e. **Chypre.** A 23, r. Galilée 16e. **Colombie.** A 22, r. de l'Élysée 8e. C 11, rue Christophe-Colomb 8e. O 9, bd de la Madeleine 1er. **Comores.** A 15, r. de la Néva 8e. **Congo.** A 37 bis, r. Paul-Valéry 16e. **Corée.** A 125, r. de Grenelle 7e. **Costa Rica.** A 98, r. de Miromesnil 8e. **Côte-d'Ivoire.** A 102, av. R.-Poincaré 16e. O 24, bd Suchet 16e. C 8, r. Dumont-d'Urville 16e. **Cuba.** A 16, rue de Presles 15e. C 14, r. de Presles 15e. O 24, r. du 4-Septembre 2e. **Danemark.** A 77, av. Marceau 16e. O 142, av. des Champs-Élysées 8e. **Djibouti.** A 26, r. Émile-Ménier 16e. **Dominicaine (République).** A 2, r. Georges-Ville 16e. **Égypte.** A 56, av. d'Iéna 16e. C 58, av. Foch 16e. O 90, av. des Champs-Élysées 8e. **Émirats Arabes Unis.** A 3, r. Lota 16e.

• **Équateur.** A et C 34, av. de Messine 8e. O 8, r. Mabillon 6e. **Espagne.** A 13, av. George-V 8e. C 165, bd Malesherbes 17e. O 43 ter, av. Pierre-Ier-de-Serbie. 8e. **États-Unis.** A et C 2, av. Gabriel 8e. O 23, place Vendôme 1er. **Éthiopie.** A et C 35, av. Charles-Floquet 7e. O 10, r. Auber 9e. **Finlande.** A 2, r. Fabert 7e. C 18 bis, r. d'Anjou 8e. O 13, r. Auber 9e. **Gabon.** A 26 bis, av. Raphaël 16e. **G.-B.** A 35, r. du Faubourg-St-Honoré 8e. C 16, rue d'Anjou 8e. O 63, rue Pierre-Charron 8e. **Ghana.** A 8, villa Saïd 16e. **Grèce.** A 17, r. Auguste-Vacquerie 16e. C 23, r. Galilée 16e. O 3, av. de l'Opéra 1er. **Guatemala.** A et C 73, r. de Courcelles 8e. **Guinée.** A 24, r. Émile-Ménier 16e. **Guinée Équatoriale.** A 6, r. Alfred-de-Vigny 8e. **Haïti.** A 10, r. Théodule-Ribot 17e. **Honduras.** A 6, place Vendôme 1er. **Hong Kong.** O 38, av. George-V 8e. **Hongrie.** A 5 bis, square de l'av. Foch 16e. C 326, r. St-Jacques 5e. O 8, rue de Montyon 9e. **Ile Maurice.** A 68, bd de Courcelles 17e. O 225, r. du Fg-St-Honoré 8e. **Inde.** A 15, r. Alfred-Dehodencq 16e. O 8, bd de la Madeleine 9e. **Indonésie.** A, O et C 49, r. Cortambert 16e. **Irak.** A 53, r. de la Faisanderie 16e. C 9, rue du Gal Appert 16e. **Iran** A 4, av. d'Iéna 16e. **Irlande.** A 12, av. Foch 16e. O 9, bd de la Madeleine 1er. **Islande.** A 124, bd Haussmann 8e. **Israël.** A et C 3, r. Rabelais 8e. O 14, r. de la Paix 2e. **Italie.** A 51, r. de Varenne 7e. C 5, bd Émile-Augier 16e. O 23, r. de la Paix 2e.

• **Japon.** A 7, av. Hoche 8e. O 4/8, r. Ste-Anne 1er. **Jordanie.** C et O 80, bd Maurice-Barrès, 92 Neuilly. **Kenya.** A et C 3, r. Cimarosa 16e. O 5, rue Volnay 2e. **Koweït.** A 2, r. de Lübeck 16e. **Laos.** A 74, av. Raymond-Poincaré 16e. **Liban.** A 3, villa Copernic 16e. C 47, rue Dumont-d'Urville 16e. O 124, r. du Fg-St-Honoré 8e. **Luxembourg.** A et C 33, av. Rapp 7e. O 21, bd des Capucines 2e.

• **Madagascar.** A et O 4, av. Raphaël 16e. **Malaisie** A, C et O 2 bis, rue de Bénouville 16e. **Mali.** A 89, r. du Cherche-Midi 6e. **Malte.** A et C 92, av. des Ch.-Élysées 8e. O 82, r. Vaneau 7e. **Maroc.** A 3/5, r. Le Tasse 16e. C 19, r. Saulnier 9e. O 161, r. St-Honoré 1er. **Mauritanie.** A 5, r. de Montevideo 16e. **Mexique.** A 9, r. de Longchamp 16e. C 16, r. Hamelin 16e. O 34, av. George-V 8e. **Monaco.** A 22, bd Suchet 16e. O 9, r. de la Paix 1er. **Mongolie.** A 5, av. Robert-Schuman 92100 Boulogne-Billancourt. **Mozambique.** A (en résidence à l'Ambassade d'Angola). **Népal.** A et C 7, r. Washington 8e. **Nicaragua.** A 11, r. de Soutay 16e. **Niger.** A et C 154, r. de Longchamp 16e. **Nigeria.** A 173, av. Victor-Hugo 16e. **Norvège.** A et C 28, r. Bayard 8e. O 88, av. Charles-de-Gaulle, 92 Neuilly. **Nouvelle-Zélande.** A 7 ter, r. Léonard-de-Vinci 16e. **Oman.** A 50, av. d'Iéna 16e. **Ouganda.** A 13, av. R.-Poincaré 16e.

Pākistān. A et C 18, rue Lord-Byron 8e. **Panamá.** A 145, av. de Suffren 15e. **Paraguay.** A 8, av. Ch.-Floquet 7e. C 12, r. de l'Abreuvoir, 92 Courbevoie. **Pays-Bas.** A et C 7-9, r. Eblé 7e. O 31/33 av. des Ch.-Élysées 8e. **Pérou.** A et C 50, av. Kléber 16e. O 116 bis, av. des Champs-Élysées 8e. **Philippines.** A, C et O 39, av. Georges-Mandel 16e. **Pologne.** A 1/3, r. de Talleyrand 7e. C 5, r. de Talleyrand 7e. O 49, av. de l'Opéra 2e. **Portugal.** A 3, r. de Noisiel 16e. C 187, r. Chevaleret 13e. O 7, r. Scribe 9e. **Qatar.** A 57, quai d'Orsay 7e. **Roumanie.** A 5, r. de l'Exposition 7e. O 38, av. de l'Opéra 1er. **Rwanda.** A 70, bd de Courcelles 17e. **Saint-Marin.** A 6, av. F.-Roosevelt 8e. **Saint-Siège.** N 10, av. du Président-Wilson 16e. **Salvador.** A 12, r. Galilée 16e.

• **Sénégal.** A 14, av. Robert-Schuman 7e. C 22, r. Hamelin 16e. O 24, bd de l'Hôpital 5e. **Seychelles.** C 53, r. François-Ier 8e. O 32, r. de Ponthieu 9e. **Sierra Leone.** A 9, bd Jules-Sandeau 16e. **Singapour.** A 12, sq. de l'av. Foch 16e. O 2, pl. du Palais Royal 1er. **Somalie.** A 26, r. Dumont-d'Urville 16e. **Soudan.** A 56, av. Montaigne 8e. **Suède.** A 17, r. Barbet-de-Jouy 7e. O 146-150, av. des Champs-Élysées 8e. **Suisse.** A. 142, r. de Grenelle 7e. O 11 bis, r. Scribe 9e. **Syrie.** A 20, r. Vaneau 7e. O 103, r. La Boétie 8e. **Tanzanie.** A 70, bd Pereire 17e. **Tchad.** A 65, r. des Belles-Feuilles 16e. **Tchécoslovaquie.** A 15, av. Charles-Floquet 7e. **Thaïlande.** A et C 8, r. Greuze 16e. O 90, av. des Champs-Élysées 8e. **Togo.** A 8, r. Alfred-Roll 17e. **Trinité-et-Tobago.** O BOMC 91, av. des Champs-Élysées 8e. **Tunisie.** A 25, r. Barbet-de-Jouy 7e. C 17, rue de Lübeck 16e. O 32, av. de l'Opéra 2e. **Turquie.** A 16, av. de Lamballe 16e. C 184, bd Malesherbes 17e. O 102, av. des Champs-Élysées 8e.

• **URSS.** A 40-50, bd Lannes 16e. C 8, r. de Prony 17e. O 7, bd des Capucines 2e. **Uruguay.** A 15, r. Le Sueur 16e. **Venezuela.** A 11, r. Copernic 16e. C 42, av. du Pt-Wilson 16e. **Viêt-nam.** A 62, r. Boileau 16e. **Yémen (République arabe du).** A 21, av. Charles-Floquet 7e. **Yémen (République dém. populaire du).** A 25, r. Georges-Bizet 16e. **Yougoslavie.** A et C 54, r. de la Faisanderie 16e. O 31, bd des Italiens 2e. **Zaïre.** A et C 32, cours Albert-Ier 16e. **Zambie.** A et C 76, av. d'Iéna 16e. **Zimbabwe A,** 5, r. de Tilsitt 8e.

• **Auberges de France** (voir Logis de France).

• **Auberges de jeunesse (Fédération unie) (FUAJ),** 27, rue Pajol, 75018 Paris. *Créée* 6-4-1956. *Agréée* 3-7-1959. *Pt:* Serge Goupil. *Secr. gén.:* Édith Arnoult. *Nombre :* + de 200 (15 000 lits), 1 300 000 nuitées. *Adhérents:* 175 000. Les membres adhérents peuvent utiliser les auberges de jeunesse françaises (+ de 200) et étrangères (+ de 5 500 – 57 pays). Carte FUAJ, intern. : cotisation annuelle : – *de 26 ans* 100 F (y compris Carte Jeunes), *+ de 26 ans* 100 F. Tarif hébergement (25 à 59 F selon catégorie). Certaines aub. assurent repas : petit déj. 15 F ; repas 41 F (boissons n.c.). *Activités* (séjours individuels ou collectifs en pension complète). *Hiver* (21 centres) : stages de ski (piste, fond, randonnée, compétition, surf, monoski). *Été* (env. 150 programmes dans 35 AJ) : stages d'activités sportives, culturelles, artisanales. Chantiers-rencontres internation. *Voyages à l'étranger :* env. 60 destinations.

• **Bourses de voyage. B. de l'aventure** (plusieurs dizaines) 5 000 à 100 000 F. **Fondation de l'av.** 11, rue de Vaugirard, 75006 Paris. **B. de l'av. équestre** (min. une dizaine) 5 000 F, attribuées par le service des haras et de l'équitation du min. de l'Agr. **B. Athlon** 10 000 à 50 000 F. **B. de l'av. Mairie de Paris,** 10 000 à 100 000. **B. de l'av. Telcipro** 50 000 F de pellicules et prestations permettant la réalisation d'un film 16 mm professionnel. **B. de l'av. Yamaha** env. 10 000 F + pièces détachées ou XT 500 cm^3. **B. de l'av. humanitaire** 10 000 à 100 000 F. Attribuées au forum d'Agen par la Fond. Raoul Folereau, le min. de la Coopération et diverses entreprises. **B. tiers monde** 2 000 F, accordées par le min. de la Jeunesse et des Sports. **B. Elf de l'Aventure Utile** 50 000 à 100 000 F. **Grand Prix** 500 000 F, pour élèves des écoles de commerce et d'ingénieurs. **B. Sopad Nestlé de l'aventure solidaire** de 5 000 F à 10 000 F pour des projets tiers monde. **Bourses du Défi,** min. de la Jeunesse et des Sports. **B. Mairie de Paris** 600 000 F. **B. Zellidja,** 5 bis, rue Popincourt, 75011 Paris. 5 000 F maxi. pour voyage d'étude de 4 semaines min., sur un thème d'étude librement choisi, à faire seul. Date limite dépôt projets : 15 mars. Age : 16-20 ans. Faire un rapport au retour ; si jugé bon, possibilité de 2e voyage (7 000 F max.), attribution du titre de lauréat Zellidja à la remise du second rapport + possibilité de prix. **Dotation Kodak grand reportage,** 26, rue Villiot, 75594 Paris Cedex 12. De 18 à 35 ans avec dotation de 2 000 à 10 000 F en produits photo pour un projet d'étude, à but culturel, scientifique, humanitaire ou sportif. **Prix découverte du Japon,** Association de presse France-Japon, 14, rue de Cimarosa, 75116 Paris. Séjour au Japon en été, billet avion AR, avec bourse, pour F. moins de 30 ans n'ayant jamais

Vacances des Français

• **Vacances (été + hiver) (oct. 1988 à sept. 89). Français partis (%) :** 61 dont été 56,5 (*1979:* 53,3), hiver 27,3. **Taux de départ (1989) par catégories socio-professionnelles** (été) : cadres sup. et prof. libérales 85,4, cadres moyens 76,8, employés 63,2, patrons industrie et du commerce 56,8, ouvriers qualifiés, contremaîtres 54,5, ouvr. non qual. 43,6, retraités 40,3, exploitants et salariés agric. 29,3. **Selon l'âge :** *0 à 13 a. :* 65,4, *14 à 24 a. :* 59,7, *25 à 29 a. :* 57,3, *30 à 39 a. :* 62, *40 à 49 a. :* 62,6, *50 à 64 a. :* 49,9, *65 à 69 a. :* 46,2, *70 a. et + :* 28,5.

Séjours de vacances (nombre). 62,6 millions (en France 52, à l'étranger 10,6). **Journées de vacances.** 929 millions (Fr. 745, étr. 184).

Nombre moyen de j par personne partie (été). 23,3 dont retraités 29,1, ouvriers non qualifiés 24,8, cadres sup. et prof. libérales 24,7, cadres moyens 22,8, employés 22,5, ouvr. qual., contremaîtres 20,9, patrons industrie et du commerce 18,7, exploitants et salariés agric. 15,5.

Mode de transport (%). Auto 82,7, train 10,5, avion 2,8, car 2,2, bateau et autres 1,4.

Séjours (genre, en %). Mer 42,5, campagne 27,7, montagne hors sports d'hiver 18,9, ville 7,7, circuit 3,2. *Professions libérales et cadres supérieurs et,* entre parenthèses, *ouvriers et personnel de service :* mer 33,6 (30), campagne 23,5 (28,3), sports d'hiver 25,8 (19,9), hors sports d'hiver 9,6 (12,9), circuit 6,3 (4,2), ville 8,7 (12,3).

Hébergement (% des séjours). Parents et amis 37,4, location 16,6, r. secondaire 14, caravane 12,9, tente 7, hôtel 4,9, village de vacances 4,9, auberge de jeunesse et autres 2,3.

• **Vacances d'été. Période des départs** (en %). *Mai* 4,3. *Juin* 8,9. *Juillet* 45,1. *Août* 36,5. *Sept.* 5,2.

Personnes parties. 30,3 millions (55,5 %).

Destination (1989). *France* 87. *Étranger* 13 dont Andorre, Espagne, Portugal 35,9, Algérie, Maroc, Tunisie 15,2, Eur. de l'Ouest 13,6, Italie 9,4, pays à destination lointaine 7,9, Grèce, Monaco, Turquie, îles méditerr. 6,9, brit. 5,2, Eur. de l'Est, URSS 2, Yougoslavie 1,8, autres circuits 2,1.

• **Vacances d'hiver (1989-90). Taux de départ en % :** 26,7 dont sports d'hiver 7,1. **Par catégories :** cadres sup. et prof. libérales 60,2, cadres moyens 42, employés 29,7, patrons de l'ind. et du commerce 28,6, retraités 20,4, ouvriers, contremaîtres 15,1, exploitants et salariés agric. 8,1, autres 27,4. **Selon l'âge :** *0 à 13 ans :* 29,6, *14 à 24 a. :* 26,1, *25 à 39 a. :* 30,1, *40 à 49 a. :* 31,3, *50 à 64 a. :* 23,7, *65 à 69 a. :* 20, *70 a. et + : 15,9.*

Mode de transport (1988). *France :* auto 76,3, train 17,8, car 2,4, avion 3,1, bateau et autres 0,4. *Étranger :* auto 38,3, avion 36,1, train 15,6, car 7,1, bateau et autres 2,9.

Nombre moyen de j par personne partie, entre parenthèses, **pour celles parties aux sports d'hiver.** Retraités 20,5 (11,6), cadres sup. et prof. libérales 13 (9,2), cadres moyens 12,4 (8,4), ouvriers, contremaîtres 11 (8), employés 10,9 (8,5), patrons de l'ind. et du commerce 9,9 (8,8), exploitants et salariés agric. 9,8 (7,6) autres 17,9 (5,3).

Répartition selon les zones d'accueil (France). *Montagne :* 37,6 dont massif alpin 26,8, pyrénéen 4,1, central 4, Jura, Vosges, Franche-Comté 2,7 ; *intérieur :* 31,6 dont Ile-de-Fr. 5,9, Périgord, Quercy, Limousin, pourtours du M. central 4,7, Rhône, Saône, Loire 2,1, Vallée du Rhône mérid. 1,7, autres 17,8 ; *littoral :* 30,8 dont Atlantique 7,7, Méditerranée or. 7,7, Bretagne 6,7, Médit. occ. 3,2, Manche normande 2,9, Manche, P.-de-Calais 2,6.

Type d'hébergement, entre parenthèses, **aux sports d'hiver :** parents, amis 55,2 (20,1), location 14,1 (39,3), résidence secondaire 13,4 (9,5), hôtel 8,9 (14,7), village de vacances 3,9 (8,7), caravane 1,4 (0,9), autre 3,1 (6,8).

été au J. **Programme O.F.A.J. pour individuels,** Office franco-allemand pour la jeunesse, 51, rue Mouchez, 75013 Paris. Remboursement billet AR chemin de fer, frais séjour 500 à 750 F/semaine. **Programme O.F.Q.J.,** Office franco-québécois pour la jeunesse, 5, rue Logelbach, 75847 Paris Cedex 17. Grand Prix de l'Aventure au Québec doté de 50 000 F. Concours littéraire doté de 25 000 F ; en retour de 1 400 F, possibilités pour les 16-35 ans de voyages d'études, stages en milieu de travail, échanges franco-québ.

• Campeurs-randonneurs (Union laïque des) (ULCR). **12, r. de la Victoire, 75441 Paris.**

• Cap France (Fédération des MFV) (maisons, villages, gîtes et campings), 28, place St-Georges, 75009 Paris. Créée en 1949. Accueil familles (tarif dégressif pour les enfants), retraités, classes et groupes hors vacances scolaires, séminaires et congrès.

• Centres de vacances. 23 000 centres ont reçu 933 000 enfants l'été 1988 (fréquentation en baisse de plus de 20 % entre 1974 et 1987).

• Cheval voyage. Hobby voyage. Nautic voyage. 8, rue de Milan, 75009 Paris. Séjours en house-boat (Bourgogne, Nivernais, Camargue).

• Cyclotourisme (Fédération française de cyclotourisme). 8, rue Jean-Marie Jégo, 75013 Paris.

• Gîtes ruraux (Fédération nat. des Gîtes de France). 35, rue Godot-de-Mauroy, 75009 Paris. 95 antennes départementales assurent contrôle, classement et réservation de 38 000 gîtes ruraux, 10 200 chambres d'hôtes, 950 tables d'hôtes, 500 gîtes d'enfants, 1 000 campings à la ferme, 800 gîtes d'étape, 240 gîtes de pêche.

• Handicapés, séjours de vacances. **Fédération des aveugles de France,** 58, av. Bosquet, 75007 Paris. **Association nat. animation-éducation (ANAE),** 21, r. Viète, 75017 Paris. **Comité nat. français de liaison pour la réadaptation des handicapés,** 38, bd Raspail, 75007 Paris. **Concordia,** 27, r. du Pont-Neuf, 75001 Paris. **Éclaireurs et Éclaireuses de France,** 66, r. de la Chaussée-d'Antin, 75009 Paris. **Groupement pour l'insertion des handicapés physiques,** 20, av. Paul-Appell, 75014 Paris. **Scouts de France,** 23, r. Ligner, 75020 Paris. **Sentier fleuri,** 219, r. St-Honoré, 75001 Paris. **S.O.S. Jeunes, Secours catholique,** 106 r. du Bac, 75007 Paris. **Union fr. des colonies de vac.,** 28, r. d'Angleterre, 59000 Lille. (Vacances pour handicapés) du CIDJ.

• Logis de France (Fédér. nat. des). 83, av. d'Italie, 75013 Paris. Guide : 4 320 hôtels-restaurants (garantis par signature d'une charte). *Créée* 1949.

• Loisirs de France Jeunes. 30, rue Godot-de-Mauroy, 75009 Paris. *Créés* 1966, colonies de vac. enfants (6 à 12 ans), centres ado. (13 à 17 ans), classes de neige, de mer, de découvertes destinées aux élèves du primaire et du secondaire et aux étudiants, camps itinérants, hôtels d'association pour adultes.

• Loisirs Vacances Tourisme. 43, rue de Dunkerque, 75010 Paris. *Créé* nov. 1974. 110 associations gérant plus de 130 réalisations de vac. (maisons familiales, gîtes, tourisme fluvial, stages sportifs, techniques et artisanaux, voyages et circuits France, étranger, etc.). Tarifs dégressifs suivant ressources. Accueil de familles, jeunes, retraités, handicapés, classes, séminaires et congrès. **Fédération des œuvres laïques de Paris (Vacances pour tous).** 12, r. de la Victoire, 75441 Paris Cedex 09 : plus de 2 000 *centres de vac.* (4 -18 ans), *maisons familiales, séjours et circuits à l'étranger.* Stages, activités sportives et associatives, spectacles à prix réduits. **Vacances Loisirs Familles.** 12, rue du 8-Mai-1945, 75010 Paris.

• Maisons provinciales à Paris. **Alpes-Dauphiné.** 2, pl. André-Malraux 1er. **Alsace.** 39, Ch.-Élysées, 8e. **Auvergne.** 194 bis, r. de Rivoli, 1er. **Aveyron.** 46, rue Berger, 1er. **Bretagne.** 17, r. de l'Arrivée, 14e. **Corse.** 12, rue Godot-de-Mauroy, 9e. **Maison des Antilles, de la Guyane et de la Réunion.** 3 bis, bd de Charonne, 11e. **Drôme.** 14, bd Haussmann, 9e. **Franche-Comté.** 2, bd de la Madeleine, 9e. **Gers** et **Armagnac.** 16, bd Haussmann, 9e. **Htes-Alpes-Ubaye.** 4, av. de l'Opéra, 1er. **Limousin.** 18, bd Haussmann, 9e. **Lot-et-Garonne.** 15-17, pass. Choiseul, 2e. **Lozère.** 4, r. Hautefeuille, 6e. **Nord-Pas-de-Calais.** 18, bd Haussmann, 9e. **Périgord.** 30, r. Louis-le-Grand, 2e. **Poitou-Charente-Vendée.** 4, av. de l'Opéra, 1er. **Pyrénées.** 95, rue St-Augustin, 8e. **Savoie.** 16, bd Haussmann, 9e. **Tarn.** 34, av. de Villiers, 17e.

• Meublés. V. logement à l'Index. **Fédération nationale des agents immobiliers** 129, rue du Faubourg-St-Honoré, Paris 8e : *brochure : « Allô Vacances ».* **Bertrand** (11, r. du Louvre, 75001 Paris) publie un indicateur et, chaque année, « Vacances » (adresses de loueurs), « Locations de vacances » (agences et loueurs professionnels), « Vacances-hiver » (octobre). **Lagrange** (34, r. Pasquier, 75008 Paris) : catalogue de l'agence du même nom.

• Offices de tourisme-syndicats d'initiative (Fédération nationale). 2, rue de Linois, 75015 Paris. Minitel 3615 ITOUR. *Origine :* 1er synd. d'init. 1889 Grenoble. *Organisation :* 3 273 O.T-S.I regroupés en 95 unions départementales, 26 fédérations régionales. *Effectifs :* 32 025 bénévoles, 6 000 salariés. *Adhérents :* 28 462. *Budget global (90) : 801,8 millions de F. Publications :* 48,7 millions de documents, annuaire officiel de 3 000 pages, répertoire : tous les O.T-S.I dans votre poche. *Accueil* (1990) : 26,5 millions de touristes (dont étrangers 7,4).

• Parcs naturels (Fédération de France). 4, rue de Stockholm, 75008 Paris.

• Raids (organismes). PARIS : **Club Aventure.** 122, rue d'Assas, 75006 Paris. **Nouvelles Frontières.** 37, rue Violet, 75015 Paris. **Explorator.** 16, place de la Madeleine, 75008 Paris. **Rivages.** 5, rue P.-Louis-Courier, 75007 Paris. **Terres d'aventure.** 5, rue St-Victor, 75005 Paris. **Visages du monde.** 5, rue J.-du-Bellay, 75004 Paris. PROVINCE : **Arvel.** 57, rue Paul-Verlaine, 69100 Villeurbanne. **Askavel.** 25, rue des Caboteurs, 44600 St-Nazaire. **Bivouacs au bout du monde.** Scientrier, 74800 La Roche-sur-Foron. **Guilde Européenne du Raid.** 11, rue de Vaugirard, 75006 Paris. Manifestations Raids-Missions humanitaires. Bourses. Édition. **Sté des explorateurs et des voyageurs français,** 184, bd St-Germain, 75006 Paris. Parrainages d'expéditions.

• Séjours linguistiques. **UNOSEL** (Union des organisations de séjours linguistiques). 69, av. du Maine, 75014 Paris. *Bibliogr. :* les dossiers de l'Étudiant, vacances-voyages (mars ou avril).

• Stations de sports d'hiver. **Maison des Arcs.** 94, bd Montparnasse, 14e. **M. de l'Alpe-d'Huez.** 6, r. Marbeuf. **M. d'Avoriaz.** 54, av. Marceau, 8e. **M. de Flaine.** 23, r. Cambon, 8e. **M. de la Plagne.** 92, av. Kléber, 16e. **M. de Superdévoluy.** 18, av. des Champs-Élysées, 8e. **M. de Tignes.** 46, r. de la Tour, 16e. **M. des Trois-Vallées (Courchevel-Méribel-Les-Ménuires).** 10, rue Auber, 8e. **M. de Valmorel.** 58, rue Maurice-Ripoche, 14e. **M. de Val-Thorens.** 24, av. de l'Opéra, 1er.

• Stations vertes de vacances et villages de neige (Fédération française des). Hôtel du département de la Côte-d'Or, 21035 Dijon. Regroupe plus de 850 localités réparties dans 84 départements (du village au bourg de 10 000 h.). Possèdent au minimum : 1 hôtel classé 1 étoile ou Logis de France, un certain nombre de meublés ou gîtes ruraux, 1 camping 2 ét., 1 piscine ou baignade surveillée (étang, rivière aménagée) ; 1 terrain de jeux, 1 court de tennis et des magasins ouverts en permanence. *Au total :* 47 398 chambres d'hôtel, 27 239 meublés, gîtes ruraux et lits dans villages de vacances, 68 616 emplacements dans campings (soit 22 840 lits).

Section Village de neige : 27 petites communes de moyenne montagne dans 15 départements, ne pouvant prétendre au titre de stations de sports d'hiver mais possédant 2 638 emplacements dans des caravanings de neige, 3 951 chambres d'hôtel, 1 741 gîtes ruraux et meublés, 3 592 lits dans hébergements divers. Auberges de jeunesse.

• Travail en vacances. **Cotravaux (coordination pour le travail volontaire des jeunes).** 11, rue de Clichy, 75009 Paris. *Créé* 1959. Chantiers, en général, 2 à 3 semaines, 10 à 20 adolescents (13-18 ans) ou adultes (+ 18 ans) ; aménagement de villages et équipement rural, équipements sportifs, socioculturels, touristiques, protection de la nature, fouilles archéologiques, aide aux mal logés en France et à l'étranger. **Associations membres. Alpes de lumière.** Prieuré de Salagon, Mane, 04300 Forcalquier. **Féd. unie des auberges de jeunesse.** 27, rue Pajol, 75018 Paris. **Compagnons Bâtisseurs** 5, rue des Immeubles-Industriels, 75011 Paris. **Concordia.** 38, rue du Faubourg-St-Denis, 75010 Paris. **Jeunesse et Reconstruction.** 10, rue de Trévise, 75009 Paris. **Neige et Merveilles.** La Minière de Vallauria, 06430 St-Dalmas-de-Tende. **Service civil international.** 2, rue Eugène-Fournière, 75018 Paris. **Solidarités Jeunesse.** 38, rue du Faubourg-St-Denis, 75010 Paris. **UNAREC.** 33, rue Campagne-Première, 75014 Paris. **Union REMPART.** 1, rue des Guillemites, 75004 Paris.

Autres associations. **Ass. chantiers internationaux de volontaires.** 1, av. St-Félix, 44000 Nantes. **Ass. Lou Valat.** Vernet, 48240 St-Germain-de-Calberte. **Ass. lyonnaise de sauvetage des sites archéologiques médiévaux.** J.-F. Reynaud, URA 26, archéologie médiévale, 18, quai Claude-Bernard, 69365 Lyon Cedex 2. **Ass. de mise en valeur du château de Coucy.** 02380 Coucy-le-Château. **Ass. de sauvegarde de l'Abbaye de Lieu restauré.** 60123 Bonneuil-en-Valois. **Centre d'archéol. histor. des musées de Grenoble et de l'Isère.** 11, montée de Chalement, 38000 Grenoble. **Centre culturel scientifique et technique.** La Casemate, place St-Laurent, 38000 Grenoble. **Centre de recherches archéol. de la moyenne vallée de l'Oise.** 21, rue des Cordeliers, 60200 Compiègne. **Centre nat. de la recherche scientifique.** Place A.-Briand, 92190 Meudon. **Chantiers de jeunes de Provence-Côte d'Azur.** 3, rue Esprit-Violet, 06400 Cannes. **Le Club du Vieux-Manoir.** 10, rue de la Cossonnerie, 75001 Paris. **Fédération mondiale des villes jumelées.** 23, rue de Logelbach, 75017 Paris. **Féd. unie des auberges de jeunesse.** 6, rue Mesnil, 75116 Paris. **Fouilles urbaines de St-Denis.** 8, rue de Strasbourg, 93200 St-Denis. **Institut Dolomieu.** Géologie et minéralogie, Université 1 de Grenoble, rue M.-Cignoux, 38031 Grenoble. **Maison des jeunes et de la culture de St-Denis.** 12, place de la Résistance, 93200 St-Denis. **Sté archéol. histor. et géogr.** de Creil et de sa région. Mairie, Creil. **Union française des centres de vacances et de loisirs.** 16, rue de la Santé, 35000 Rennes.

☞ *Renseignements : CIDJ,* 101, quai Branly, 75754 Paris, Cedex 15. *Centre d'étude et d'information du volontariat.* 130, rue des Poissonniers, 75018.

• A l'étranger. **Comité de coordination du service volontaire international (CCIVS).** UNESCO, 1, rue Miolis, 75015 Paris. *Créé* 1948. 108 organisations membres. Service volontaire à court terme (1-3 mois) et à long terme (6 mois-2 ans). **Allemagne.** *Office franco-allemand pour la jeunesse (OFAJ),* section de Paris, 51, rue Mouchez, 75013 Paris. **Espagne.** *Bolsa Universitaria del Trabajo SEU,* Glorieta de Quevedo, 8, Madrid-10. **Italie.** *Centre international de coordination culturelle,* Via Cassia 00123 la Storta (Rome) ou à *Amitié mondiale,* 39, rue Cambon, 75001 Paris. **Suède.** *Section suédoise du Service civil international :* 129, r. du Fg-Poissonnière, 75009.

• Villages de vacances. **Club Méditerranée.** 25, rue Vivienne, 75002 Paris. Voir p. 1636a.

Touring Club de France. Quai Conférence, 75008 Paris. Voir Quid 83. Sté en liquidation le 28-3-1983.

Villages Vacances Familles (VVF). Association française de tourisme familial. Tour Maine-Montparnasse, 33, av. du Maine, 75755 Paris Cedex 15. Renseignements/réservations : 38, boulevard Edgar-Quinet, 75014 Paris. *Créé* 1959 par André Guignand [Pt et fondateur de VVF, Pt de l'International Federation of Popular Travel Organisations (IFPTO)]. *Pt :* Edmond Maire. Gère 179 équipements sur 151 sites de vacances. 65 000 lits. *C.A. :* 750 millions de F. 140 communes dans 58 départ.

Agences de voyages

• Responsabilité. Toute vente de prestations de séjours ou de voyages donne lieu à la remise d'un document approprié (arrêté du 14-6-1982). L'ag. n'est pas responsable en cas de retard de l'avion, grèves, catastrophes ou événement de force majeure. Pour les réservations de places dans les hôtels, l'organisation de la visite des musées et des monuments, la location de places à des entreprises de transports qu'elles n'utilisent pas de façon exclusive, etc., les agences agissent comme mandataires et ne sont responsables que de leurs fautes prouvées. *Bagages :* les conditions générales prévues comportent la plupart du temps une clause déclinant toute resp. en cas de perte, de vol ou d'avarie des bagages. Cette clause n'est valable que pour les bagages, bijoux ou vêtements que les voyageurs conservent auprès d'eux pendant la durée du voyage.

Le client peut se plaindre en cas de *tromperie* (l'hôtel n'est pas de la catégorie promise), *dol* (les excursions sont en supplément alors qu'elles sont comprises sur la brochure), *« surbooking »* (pour pallier les défaillances éventuelles, l'ag. a vendu plus de billets qu'elle n'a de places).

Adresser les plaintes au : ministère chargé du Tourisme, 17, r. de l'Ingénieur-Keller, 75740 Paris Cedex 15 ; Syndicat nat. des ag. de voyages, 6, rue Villaret-de-Joyeuse, 75017 Paris.

On peut souscrire une assurance individuelle garantissant contre tout dommage matériel ou corporel survenu au cours du voyage.

• Voyage annulé. **Du fait du client :** il est pénalisé d'une somme égale au versement de l'acompte si l'annulation intervient + de 30 j avant le départ, à 50 % du prix par personne si elle intervient avant 10 jours et à 100 % la veille ou le jour du départ. Le client peut souscrire une assurance annulation (la plupart ne jouent qu'en cas d'annulation pour raison de santé ou pour motif familial). **Du fait de l'agence :** elle doit rembourser les sommes versées par son client, lui payer une indemnité égale à celle qu'il aurait dû verser si l'annulation lui était imputable. L'indemnité n'est pas due lorsque l'annulation est imposée par force majeure, la sécurité des voyageurs ou l'insuffisance du nombre des participants, tel que précisé dans le contrat.

• **Modification du voyage ou séjour.** **Avant le départ,** *l'agence modifie un voyage ou un séjour sur des éléments essentiels :* le client pourra choisir de mettre fin à sa réservation et de se faire rembourser sommes déversées et pénalité prévue au contrat, ou accepter le changement en signant un avenant au contrat, avec éventuellement augmentation ou diminution du prix. **En cours de voyage :** le client peut à son retour demander le remboursement des prestations non effectuées et non remplacées. Il ne peut modifier séjour ou voyage qu'avec l'accord préalable de l'organisateur.

• **Statistiques.** **Chiffres d'affaires** en milliards de F. **Principaux voyagistes européens et nombre de clients** (en millions, en 1988). Thomson Travel Group [1] + Horizon Holidays [1] 12 (5,2), TUI [2] 10,8 (2,8), Club Méditerranée [3] + Nouvelles Frontières [3] 9,5 (2,7), International Leisure Group [1] 7 (2,6), Neckerman [2] 5,4 (1,4), Fram [3] + Frantour [3] + Sotair [3] 4,8 (1,3), LTT [2] 4,7 (1), Sun International [4] + ITS [2] + Voyage Conseil [3] 4,5 (2,2), Spies [5] + Tiareborg [2] 4,3 (1,5).

Nota. – (1) G.-B. (2) All. féd. (3) France. (4) Belgique. (5) Danemark.

Principaux réseaux d'agences de voyage français (en milliards de F, 1989). Havas Tourisme-Scac 6, Sélectour 4,7, Wagons-Lits Tourisme 3,5, Nouvelles Frontières 2,2, Via Voyages 1,4.

Vacanciers utilisant une agence de voyages (en, 1988, en %). G.-B. 70, Irlande 37, Luxembourg 34, P.-Bas 28, All. féd. 25, Danemark 24, *France 10* (en 1990), Italie 7, Espagne 7, Grèce 7, Portugal 3.

Formalités

Change

☞ Le contrôle des changes a été levé le 29-12-1989.

• **Achat et location de biens immobiliers à l'étranger.** Les résidents peuvent acheter librement des biens immobiliers sans limitation de montant.

• **Transferts de fonds par les résidents.** Tout résident peut effectuer librement tout transfert de fonds à l'étranger sans être tenu de fournir de justificatif préalable à l'intermédiaire résident chargé du transfert ; il lui fournit pour la déclaration statistique les renseignements sur la nature économique de l'opération (par exemple : paiement de biens ou services, acquisition immobilière à l'étranger, placement sous forme de titres ou de compte personnel, etc...).

• **Rapatriement des créances détenues à l'étranger.** Les résidents peuvent désormais ne pas rapatrier leurs créances.

Exportation de moyens de paiement. Les résidents se rendant à l'étranger sont autorisés à exporter sans limitation de montant tous moyens de paiement libellés en F ou devises. Résidents et non-résidents doivent déclarer au bureau de douane à la frontière l'importation ou l'exportation des sommes, titres ou valeurs en leur possession si le montant global en F ou contrevaleur excède 50 000 F. **Opérations financières réalisées à l'étranger.** Les résidents doivent déclarer à la Banque de France les mouvements de fonds réalisés directement à l'étranger ou avec des non-résidents s'ils excèdent 100 000 F sur un mois. Ils doivent déclarer sur leur déclaration de revenus les comptes ouverts auprès des banques à l'étranger.

Évolution des allocations touristiques (accordées) en devises et, entre parenthèses, **en F :** *1957 :* 200 (200). *1959 :* 1 000 (au 1-6). 1 500 (au 29-10) (200). *1960 :* 1 500 (500). *1961 :* 2 500 (500). *1962-63 :* 3 500 par voy. (illim.). *1964-65 :* 5 000 par voy. (illim.). *1967 :* illimité (illim.). *1968 :* 1 000 (200) du 29-5 au 4-9 et 500 (200) après le 24-11. *1969 :* 1 000 (200). *1970 :* 1 500 (200 puis 500). *1971 :* 2 000 (500). *1972-73 :* 3 500 (500). *1973* (10-8) : 5 000 (ou 5 000) *1983* (28-3) : 2 000 (1 000). *1984 :* 5 000 (5 000) par voy. (illim.). *1985 :* 12 000. *Depuis 1987 :* illimité.

Cartes de crédit, de paiement... Utilisation sans limitation de montant. Ces possibilités ne dispensent pas les résidents du respect des formalités fiscales relatives aux importations et aux exportations.

Douane

• **Quelques chiffres.** **Moyens.** Au 1-1-1991 la Douane employait 20 092 agents, utilisait 20 avions, 5 hélicoptères, 69 bateaux, 33 canots pneumatiques, 2 392 véhicules dont 222 motocyclettes et 2 camions de surveillance radar, 112 équipes de maîtres-chiens anti-stupéfiants et 29 équipes de maîtres-chiens anti-explosifs. Sur 290 points de passage carrossables aux frontières, 200 sont gardés. Il existe au moins 1 bureau de douane dans chaque département. Les entreprises peuvent effectuer les opérations d'importation et d'exportation dans leurs propres locaux.

Résultats. En 1990, elle a dépensé 3,7 milliards de F, recouvré 318,4 milliards de F, soit 22,8 % des recettes fiscales de l'État, constaté 168 156 infractions, saisi 19,4 t de cannabis, 1 052,2 kg de cocaïne, 254,1 kg d'héroïne, 30 361 doses de LSD et enregistré 21,9 millions de déclarations.

Marchandises (en millions de t et, entre parenthèses, en milliards de F). **Importations :** *1984 :* 235 (870,7), *1985 :* 239,9 (930,9), *1986 :* 244,1 (863,3), *1987 :* 248 (944), *1988 :* 258 (1 053), *1989 :* 273,3 (1 216,6), *1990 :* 283,4 (1 266,5). **Exportations :** *1984 :* 137 (850,9), *1985 :* 145,3 (906,8), *1986 :* 140,5 (826), *1987 :* 143 (857), *1988 :* 151 (963), *1989 :* 159,6 (1 102,6), *1990 :* 162,2 (1 141,2).

Voyageurs. En 1990, env. 253 millions ont franchi les frontières.

• **Contrôles.** Les contrôles de douane peuvent avoir lieu à la frontière ou à l'intérieur du territoire. Les agents des douanes peuvent, en vue de la recherche de la fraude, visiter marchandises, moyens de transport et personnes. On est donc tenu d'ouvrir ses bagages, coffres de son véhicule et l'on doit permettre aux agents des douanes d'examiner son moyen de transport. On peut être contrôlé plusieurs fois.

Visites domiciliaires. Pour la recherche et la constatation de délits douaniers, les agents des douanes peuvent procéder à des visites domiciliaires, en tous lieux, même privés, où marchandises et documents sont susceptibles de se trouver. Ils sont accompagnés d'un officier de police judiciaire sauf en cas de poursuite à vue. Sauf le cas du flagrant délit, la visite domiciliaire doit être autorisée par une ordonnance du Pt du tribunal de grande instance. Les visites ne peuvent avoir lieu la nuit (sauf cas de poursuite à vue). Si l'on refuse d'ouvrir la porte, les agents des douanes peuvent la faire ouvrir, par ex. par un serrurier, mais en présence d'un officier de police judiciaire.

• **Déclaration.** On doit : tout déclarer sauf les produits admis en franchise des droits et taxes ; il faut pouvoir justifier le prix et l'origine avec une facture ou une quittance de douane. Les voyageurs peuvent rapporter en franchise, quand ils ne sont pas destinés à un usage commercial, des objets ou produits, mais sous certaines conditions.

Voyageurs venant d'un pays de la CEE (Marché commun) : franchise de 4 200 F (1 100 pour les – de 15 ans). *D'un autre pays, ou achats en détaxe dans les ports, aéroports, bateaux et avions :* fr. de 300 F (150 F pour – de 15 ans). Au-delà, il faut déclarer les marchandises transportées. Ces franchises ne sont pas cumulables pour acheter un objet [4 adultes ne peuvent ainsi rapporter d'un pays CEE un appareil de photo valant 16 800 F (4 × 4 200)].

Ce que l'on peut importer dans les bagages à main, sans payer de droits et taxes. Si l'on vient d'un pays de la CEE et, entre parenthèses, **d'un autre pays.** *Alcool :* 5 litres de vin de table (2 l), et soit 3 l de boissons alcoolisées de 22° ou – (2 l), soit 1,5 l de + de 22° (1 l) ; *café :* 1 000 g (500), extraits 400 g (200) ; *parfum :* 75 g(50) [eau de toilette : 37,5 cl (25 cl)] ; *tabac : cigares :* 75 (50), *cigarettes :* 300 (200), *cigarillos :* 150 (100), *tabac :* 400 g (250) ; *thé :* 200 g (100), extraits 80 g (40).

Nota. – Les – de 17 ans ne peuvent importer en franchise ni tabac, ni boissons alcoolisées. L'alcool et le tabac peuvent faire l'objet d'un assortiment proportionnel d'une même catégorie (panachage).

• **Animaux familiers.** **Chiens et chats de** – de 3 mois : entrée en France interdite, *de + de 3 mois :* admise (max. 3 animaux dont au plus, un chat de 3 à 6 mois), sur présentation d'un certificat vétérinaire attestant qu'ils sont originaires d'un pays indemne de la rage depuis 3 ans. **Autres animaux :** formalités particulières. Se renseigner auprès du Service vétérinaire de la Santé et de la Protection animale, min. de l'Agriculture. **Denrées animales ou d'origine animale.** – **Produits de la mer et d'eau douce :** pour les marchandises non prohibées, les formalités sanitaires sont exigibles pour les quantités sup. à 1 kg (viandes et produits à base de viande) et 2 kg (produits de la mer et d'eau douce ; autres denrées animales ou d'origine animale). **Végétaux et produits vég. :** l'importation de certains végétaux est prohibée (notamment plantes et parties de plantes hôtes du feu bactérien, telles que les rosacées, les cotonéasters). **Espèces de faune et de flore sauvages menacées d'extinction et produits issus de ces espèces (convention de Washington).** Autorisation de la Direction de la Protection de la Nature (en particulier : peaux et cuirs, animaux empaillés, etc). *Renseignements :* Service vétérinaire et d'hygiène alimentaire, min. de l'Agriculture, 175, rue du Chevaleret, 75646 Paris Cedex 13.

Gibier mort. On peut en rapporter pendant la période d'ouverture de la chasse en France sauf certains gibiers de montagne, des oiseaux migrateurs et certaines espèces d'oiseaux. *Renseignements :* Direction de la Protection de la Nature (service de la police et de la chasse), min. de l'Environnement, 14, bd du Général-Leclerc, 92524 Neuilly-sur-Seine Cedex.

• **Armes et munitions.** *1re catégorie :* armes à feu de guerre ; *4e :* à feu de défense ; *5e :* – de chasse ; *6e :* blanches ; *7e :* – de tir, foire ou salon ; *8e :* – historiques et de collection. IL FAUT PRODUIRE : A LA SORTIE : *1re et 4e cat. :* autorisation de détention ; *autre cat. :* néant. A L'ENTRÉE : *1°) l'arme initialement sortie de la 1re et 4e cat. :* autorisation de détention ; *d'une autre cat. :* néant. *2°) arme introduite pour la 1re fois en France ; 1re et 4e cat. :* autorisation d'acquisition et de détention à demander à la préfecture du départ. du lieu du domicile ; attestation d'importation (cerfa 30 1598) établie en 3 exemplaires ; *de 5e et 6e cat. :* autorisation d'importation délivrée par la direction gén. des Douanes sur demande adressée au min. de la Défense DGA-DAI, 14, rue St-Dominique, 75997 Paris-Armées ; *de 7e cat. :* néant ; *8e cat. :* arme dédouanée à Bourges (si antérieure au 1-1-80), ou St-Étienne (si rendue inapte au tir).

A la sortie comme au retour, on doit soit pouvoir justifier que l'arme a été acquise en France ou régulièrement introduite (facture, quittance de droits et taxes ou carte de libre circulation), soit acquitter droits et taxes éventuellement exigibles. Demander, le cas échéant, une carte de libre circ.

• **Boissons alcoolisées.** (Eaux-de-vie, apéritifs, liqueurs, vermouth, vins, cidres...) : se procurer auprès des services fiscaux (contributions indirectes) un « titre de mouvement ». Les spiritueux anisés non conformes à la législation française sont interdits. *Franchises :* voir plus haut.

• **Œuvre d'art exécutée par un particulier.** Importations par des particuliers, auteurs ou ses ayants droit exonérées des droits de douane et de la TVA ; par un particulier s'il a acheté à l'auteur ou à ses ayants droit : exonération des droits et de la TVA ; s'il a acheté à un négociant, exonération des droits de douane mais TVA sur 30 % de la valeur déclarée à l'importation au taux de 18,6 %. **Antiquités (+ de 100 ans d'âge) et objets de collection.** *Importations* par des particuliers : exonérées des droits de douane, mais passible de la TVA sur leur valeur au taux des biens neufs. En général, les *exportations* sont soumises à des formalités particulières. *Renseignements :* Direction des musées de France, bureau des collections et des opérations douanières, Palais du Louvre, 75041 Paris Cedex 01.

• **Or et matières d'or.** Imp. ou exp. non soumises à autorisation mais à déclarer à la douane.

• **Produits médicaux** [médecine humaine et vétérinaire (dont les stupéfiants)] **et diététiques.** Interdits, ils ne peuvent être mis sur le marché qu'après obtention d'une autorisation préalable de la Dir. de la Pharmacie ou de la Dir. des Services vétérinaires (arrêté du 22-9-1965). Les courants d'importation de produits « à risques » doivent être détectés et le ministère de la Santé averti (produits alim.). Les normes à l'importation des produits industriels sont contrôlées. **Contrefaçons en librairie.** Interdites.

• **Formalités spéciales.** *Moyens de transport personnels* (autos, motos, bateaux, avions privés...). Réparations effectuées dans la CEE : pas de double imposition à la TVA ; hors CEE : taxation sauf s'il s'agit de réparations après accident ou panne.

• **Cas particuliers des frontaliers et assimilés.** **Trafic France/CEE** *Frontaliers :* personnes résidant dans la zone frontalière (inscrite dans un cercle de 15 km de rayon dont le centre se situe au point de passage en douane. Si, habitant une zone frontalière d'un pays de la CEE, l'on se rend en touriste dans ce pays, on bénéficie au retour du régime de franchise de droit commun. *Travailleurs frontaliers et personnes* *assimilées :* personnel des moyens de transport utilisés dans le trafic international, personnels des forces armées (statut spécial pour militaires stationnés à Berlin), d'un État de la CEE stationnés dans un autre État de la CEE (y compris personnel civil, conjoints et enfants à charge) : valeur non taxable jusqu'à 420 F par adulte, 110 F par personne de – de 15 ans ; *tabacs :* 40 cigarettes ou 20 cigarillos ou 10 cigares ou 50 g de tabac à fumer ; *boissons alcoolisées :* vin de table et d'appellation non pétillants non mousseux 0,5 l et, soit 0,25 l de boissons titrant plus de 22°, soit 0,5 l de boissons titrant 22° ou moins ; *parfums :* 7,5 g ; *eaux de toilette :* 3,75 cl ; *cafés :* 100 g ou *extraits et essences de café :* 40 g ; *thé :* 20 g ou *extraits et essences de thé :* 8 g. **France-Suisse.** Zone frontalière de 10 km à la frontière suisse. *Frontaliers, travailleurs frontaliers et assimilés :* 140 F par adulte et 40 F par personne de – de 15 ans. Mêmes restrictions quantitatives que précédemment.

• **Marchandises rapportées : des îles anglo-normandes :** facilités moins larges que pour la G.-B. **Iles de St-Barthélemy et de St-Marin** (partie française) : franchises voyageurs réservées aux pays tiers pour les marchandises rapportées vers les pays membres de la CEE. **France-Andorre :** zone frontalière de 15 km. *Frontaliers, travailleurs frontaliers et assimilés :* 300 F par adulte et 150 F par personne de – de 15 ans [produits agr. et alim. Limitations quantitatives pour l'admission en franchise du lait en poudre (2,5 kg), du lait condensé (3 kg), du lait frais (6 kg), du beurre (1 kg), du fromage (4 kg), du sucre et des sucreries (5 kg), de la viande (5 kg)]. 900 F (autres produits). Alcools, tabacs : mêmes restrictions que pour les voyageurs venant de CEE.

☞ *Centre de renseignements douaniers,* 238, quai de Bercy, bât. H1, 75012 Paris. *Bordeaux :* 1, quai de la Douane. *Lyon :* 41, rue Sala. *Marseille :* CMCI, 2, rue H.-Barbusse. *Nantes :* 15, quai Ernest Renaud. *Strasbourg :* Maison du Commerce Intern., 4, quai Kléber.

Pièces nécessaires aux Français pour se rendre à l'étranger

Généralités

☞ Renseignements : consulat du pays, agence de voyage, compagnie délivrant le billet. **Attention,** toutes ces données peuvent changer en cours d'année. Voir également Assurances à l'Index.

• **Autorisation parentale de sortie du territoire.** Pour les mineurs (sauf ceux qui possèdent un passeport valide). *Pièces à fournir* au commissariat : livret de famille, carte d'identité ; présence des parents ; jugement à fournir en cas de divorce. *Validité :* 5 ans. *Obtention :* immédiate.

• **Cartes internationales d'étudiants.** Nombreuses réductions à l'étranger (avions, trains, bateaux, musées, théâtres, cités universitaires...) et mêmes droits que les étudiants du pays étranger. ISIC (International Student Identity Card), UIC (Union intern. des étudiants pour les pays de l'Est), carte franco-allemande. **Carte Fiyto** (Féder. intern. des organisations de voyages pour jeunes). Nombreuses réd. pour les – de 26 ans. S'adresser à l'OTU, 137, bd St-Michel, 75005 Paris, ou au CROUS.

• **Carte d'adhésion internationale des Auberges de la jeunesse.** Voir p. 1632b.

• **Passeport.** *Délivrance (Paris :* mairie ; *autres départements :* mairie, commissariat de police, préfecture, sous-préfecture) : fournir carte d'identité nationale ; justification de domicile (quittances de loyer, E.D.F...) ; timbre fiscal de 350 F (dans les bureaux de tabac) ; 2 photos de face récentes et identiques. Délai d'obtention : en général aussitôt. *Validité :* 5 ans. Jugement du divorce pour le parent investi du droit de garde. *Enfants mineurs :* le père ou la mère doit remplir une autorisation de demande de passeport. Les – de 15 ans peuvent avoir un passeport individuel ou être inscrits sur le passeport d'une personne française qui les accompagne, même si cette personne a moins de 18 ans. Pour inscrire un enfant sur un passeport, remplir un formulaire spécial, être muni(e) de : son passeport et son livret de famille ou une fiche d'état civil de l'enfant ; 2 photos d'identité par enfant âgé de plus de 7 ans (gratuit).

• **Sécurité sociale.** Voir Index.

• **Vaccins. Certificat de vaccination.** Exigé pour les voyages internationaux et dans les zones d'endémie de fièvre jaune (voir vaccin à l'index). **Choléra :** en fonction de circonstances épidémiques, quelques pays exigent un certificat de vacc. **Fièvre jaune :** il est conseillé de se faire vacciner (au plus tard 10 j avant le départ). Durée de validité : 10 ans. **Hépatite B :** vaccin utile dans les régions hyperendémiques. **Paludisme :** un séjour très bref, une escale peuvent suffire. *Protection :* éviter la piqûre des moustiques infestants (moustiquaire, pommades aromatiques répulsives), prise régulière d'un médicament protecteur dès l'arrivée en zone infestée, puis pendant tout le séjour et les 4 semaines suivant le retour en zone indemne. **Poliomyélite et tétanos :** mise à jour conseillée en association avec rappel tous les 10 ans. **Typhoïde :** v. parfois utile dans une région hyperendémique du tiers monde. **Variole :** la maladie a été éradiquée.

Délivrance des certificats internationaux. Fièvre jaune : délivré par les centres habilités (liste disponible dans mairies, directions dép. des Affaires sanitaires et sociales, aéroports, ministère chargé de la Santé. **Paludisme :** médecin traitant (peut prescrire un traitement par voie orale).

• **Visa.** Obligatoire dans certains pays ; s'obtient au consulat à Paris ou parfois à la frontière (souvent plus cher). **Pièces à fournir :** passeport, 3 photos d'identité, billet aller et retour. **Visa de transit** (simple passage dans le pays) ou de **double transit** (2 passages) ; **de tourisme :** valable de 15 j à 3 mois, peut être prolongé au bureau du service d'immigration ou au serv. de douane du pays. **Prix :** variable selon les pays, 30 à 200 F. **Délai d'obtention :** 1 j à 1 sem., parfois + avant les vacances.

Hôtellerie dans le monde

• **Nombre de lits disponibles** (en milliers, 1987). Dans les hôtels et établissements assimilés et, entre parenthèses, dans les hébergements complémentaires au 1-1-84. *Source :* OCDE All. féd. 1 096,4 (531), Australie (nbre de ch.) 368,7 (616), Autriche 650,5 (523,7), Belgique 89,1 (442,2), Canada n.c. (3,4), Danemark 79 (9,9), Espagne 1 034,6 (10 250,3), Finlande 78,9 (n.c.), *France 1 042,1 (2 446,1),* Grèce 375,4 (202,7), Irlande [1] 43,6 (n.c.), Italie [1] 1 646,5 (3 352,1), Norv. 103,8 (6,5), P.-Bas [1] 106,7 (548,8), Port. 149,6 (256,7), Suède 151,5 (420,7), Suisse 274,8 (883), Turquie 81,1 [2] (21,5 + 6,1 sur bat. de plaisance + 223,6 n. enregistrés), Youg. 351,4 (1 017,4).

Nota. – (1) 1986. (2) Éts approuvés par le min. de la Culture et du Tourisme.

• **Personnes employées dans l'hôtellerie** (en milliers). All. féd. [3] 839,3 [8], Australie [4] 65,3 [7], Autriche [4] 116,9 [6], Belgique [3] 17,7 [6], Canada [4] 152 [7], Danemark [3] 54,8 [8], Espagne [4] 129,8 [6], Finlande [3] 64 [8], *France [5] 162,9 [8],* G.-B. [3] 286 [6], Grèce [1] 169,7 [6], Irlande [4] 18,6 [6], Italie [4] 332 [6], Japon [1] 643,7 [6], Luxembourg [2] 7,6 [8], N.-Zélande [4] 27,9 [6], Norvège [4] 43,8 [6], P.-Bas [5] 20 [6], Portugal [4] 32,9 [6], Suède [4] 28 [6], Suisse [3] 65 [6], Turquie [5] 129,9 [8], U.S.A. [3] 1 752 [7].

Nota. – (1) 1978. (2) 1979. (3) 1983. (4) 1984. (5) 1986. (6) Hôtel. (7) Hôtels et Motels. (8) Hôtellerie/restauration.

• **Hôtel le plus grand.** *Du monde* (le plus grand nombre de chambres). Hôtel-Casino Excalibur (Nevada, USA) ouvert avril 1990 : 4 032 ch., 7 restaurants (47,3 ha). *Privé :* Hilton de Las Vegas (1981), U.S.A., 3 174 ch., 12 restaurants, 3 600 employés. Terrasse 24 700 m² et salle de conférence 11 600 m². **D'Europe occidentale.** Le Méridien, à Paris, avec 1 027 chambres.

• **Grands groupes mondiaux. 1990 :** Nombre de chambres et entre parenthèses nombre d'hôtels. Holiday Inn Worldwide 315 000 (1 600), Accor/Pullman 200 000, Manor Care/Choice 180 000, Accor 170 000 (1 236[1]), Marriott 135 901[2] (450[1]), ITT Sheraton 134 000 (465[1]), Days Inns[2] 120 725 (775[1]), New-World/Ramada 108 134 (769[1]), Hilton[2] 94 752 (271[1]), Hyatt International 71 047, Trust House Forte[4] 67 065 (893[1]), Club Méditerranée[1,3] 61 860 (249).

Nota. – (1) 1989. (2) USA. (3) France. (4) G.-B.

• **Hôtels les plus luxueux du monde.** Oriental (Bangkok), Mandarin (Hong Kong), Okura (Tokyo), Regent (Hong Kong), Vier Jahreszeiten (Hambourg), Connaught (Londres), Shangri-La (Singapour), Ritz (Paris), Peninsula (Hong Kong), Plaza Athénée (Paris), Claridge's (Londres), Regent (Sydney), Ritz (Madrid), Carlyle (New York), Four Seasons (Washington), Dolder Grand (Zurich), Berkeley (Londres), Hassler Villa Medicis (Rome), Crillon (Paris), Stanford Court (San Francisco).

Source : Institutional Investor.

Hôtellerie en France

Renseignements pratiques

• **Chambre (réservation).** Demander à l'hôtelier une lettre signée précisant éléments de confort, situation de la chambre, conditions de location, etc.

L'hôtelier qui ne fournit pas la chambre réservée est responsable vis-à-vis du voyageur. En revanche, celui-ci devra réparer le préjudice causé à l'hôtelier s'il ne prend pas possession de la chambre retenue, s'il vient avec moins de personnes qu'il n'en a indiqué et s'il quitte l'hôtel sans motif légitime, avant l'expiration de la durée prévue du séjour.

• **Fiche d'accueil.** Non obligatoire. Destinée à faciliter l'exploitation de l'établiss. (la fiche de police a été supprimée en fin 1974 sauf pour les étrangers). Les hôteliers ne peuvent pas refuser une ch. à une pers. ne voulant pas donner son identité ; ils doivent établir pour chaque client une note avec son identité, mais ne peuvent exiger pour cela une pièce d'id. La fiche peut donc comporter un nom d'emprunt.

• **Prix.** *Doivent être affichés,* au lieu de réception et dans chaque chambre, les prix de la location, taxes et service compris, des chambres, du petit déjeuner, de la demi-pension et de la pension ; à l'extérieur de l'établissement, les prix minima et maxima des différentes catégories de chambres. En cas de non-paiement intégral, l'hôtelier peut garder en gage les bagages ou la voiture jusqu'au paiement. L'hôtelier peut exiger le paiement d'avance si le client arrive tard, sans bagages ou sans réservation.

• **Responsabilité des hôteliers.** Illimitée, nonobstant toute clause contraire, en cas de vol ou de détérioration des objets déposés entre leurs mains ou qu'ils ont refusé de recevoir sans motif légitime, ou en cas de faute de l'hôtelier pour les objets non spécialement confiés à leur garde.

Dans tous les autres cas, les dommages et intérêts dus au voyageur, s'il peut prouver qu'il était en possession des objets volés ou détériorés, sont, à l'exclusion de toute limitation conventionnelle inférieure, limités à l'équivalent de cent fois le prix de location du logement par journée, sauf lorsque le voyageur démontre que le préjudice qu'il a subi résulte d'une faute de celui qui l'héberge ou des personnes dont ce dernier doit répondre.

Aubergistes ou hôteliers sont responsables des objets laissés dans les véhicules stationnés sur les lieux dont ils ont la jouissance privative à concurrence de 50 fois le prix de location du logement par journée.

• **Types d'hôtel. Hôtels de tourisme** homologués par l'autorité de tutelle (Tourisme). *1 étoile :* eau courante chaude et froide, équipement sanitaire en parfait état de marche, mobilier, tapis de bonne qualité. Surface minimale : 7 m² pour 1 pers., 10 m² pour 2. 1 siège par occupant. Dans l'hôtel : 1 cabine téléphonique, salon ou hall aménagé de 15 m², salle de b. pour 15 chambres et 1 wc pour 10 ch. par étage. *2 étoiles :* en plus, téléphone intérieur dans la ch., tapis dans l'escalier, ascenseur à partir de 3 étages, salle de b. commune pour 10 pers. par étage, 30 % des ch. doivent avoir douche ou baignoire. Petit déj. servi dans les ch. *3 étoiles :* ch. d'au moins 9 m² pour 1 pers., 12 m² pour 2 dont 7 sur 10 avec salle d'eau, 5 sur 10 avec wc privé et 5 sur 10 avec téléphone relié au réseau. Personnel parlant 2 langues étrangères dont l'anglais. *4 étoiles :* ch. plus grande (10 et 14 m²) dont 9 sur 10 avec salle de b. et wc. Tél. relié au réseau. Ascenseur à partir de 2 ét. *Luxe :* hall et salon de + de 150 m², ch. de 10 et 16 m². Ascenseur pour le 1er ét. **Hôtels de préfecture** (ces hôtels sont souvent de dimensions modestes) qui n'ont pas normalement de relations avec le secrétariat d'État mais avec les services des préfectures (classement de F à M par ordre décroissant). Confort moins élevé et prix modestes.

Statistiques

• **Emplois dans l'industrie hôtelière** (en janv. 1984). Hôtels et hôtels-restaurants 340 000. Restaurants publics 70 000, collectifs 250 000. Cafés, débits de boisson 150 000. Divers 50 000. *Total 860 000.*

• **Fréquentation** (occupation des chambres en %) **et,** entre parenthèses, **durée moy. de séjour dans l'hôtellerie parisienne** (1984). *H. luxe :* 70,2 (2,4 j), *4 ét. :* 75,7 (2,7 j), *3 ét. :* 84,5 (2,6 j), *2 ét.* (2,5), *1 ét.* (2,9).

• **Hôtellerie homologuée à Paris** (1990) : 1 430 h. (70 917 ch.) dont 1 ét. 268 h, 2 ét. 647 h., 3 ét. 449 h., 4 ét. 64 h., luxe 3 h. (Meurisse, Maxim's, Scribe). **I.-de-Fr.** (hors Paris) : 618 h. (33 050 ch.).

• **Principales sociétés propriétaires d'hôtels.** *Grils-Campanile* 10 000 ch., 220 h. (135 h. fin 86). *C.G.H.T.* 506 ch., 3 h. *Chaîne thermale du soleil* 1 937 ch., 38 h. *Gr. Elitair :* Climat de France 6 200 ch., 140 h. Nuit d'Hôtel 256 ch., 4 h. Esso-Motor Hotels (n.c.). Eurotel 75 ch., 1 h. Évian 153 ch., 2 h. Formule-1 8 651 ch., 128 h. Gr. des Hôtels de la Cité 950 ch., 5 h. Holiday Inn 1 825 ch., 11 h. Immobilière hôtelière Montparnasse (I.H.M.) 1 000 ch., 1 h. Inter continental Hotels 1 320 ch., 3 h. Lucien Barrière 830 ch., 3 h. Penta Hotel 5 400 ch., 18 h. Ramada 197 ch., 1 h. Relais Aériens Relais Top (n.c.). Sepad Flaine 769 ch., 5 h.

• **Clientèle étrangère** (en %, 1985). *Méridien* 80. *L'Horset* 70. *Cidotel* 65. *Frantour* 60. *Sudotel* 51.

• **Présence à l'étranger. Nombre d'établissements (au 1-1-90) :** *Novotel* 122. *Club Méditerranée* 98. *Pullman International Hotels* 137. *Ibis/Urbis* 45. *Méridien* 46. *Sofitel* 22. *Mercure* 15.

• **Chaînes volontaires. Nombre total de chambres** (1988/90) : *Best Western France* 260 228. *Logis et Auberges de France.* Créé 1950. 76 570 ch. (5 458 h.). *Minotels France Accueil* 14 200. *Relais et Châteaux.* Créé 1954. 6 112 ch. (357 h.). *Inter Hôtel* 8 500. *Relais du silence* 7 576. *Châteaux-Hôtels indépendants et Hostelleries d'atmosphère* 4 530. *Groupement des Palaces de la Côte d'Azur* 2 654. *Châteaux et demeures de tradition* 1 929. *Relais St-Pierre* 1 765. *Charentotel* 1 746. *Les nids de France* 1 597. *Les étapes hôtellières corses* 1 527. *La Castellerie* 1 400. *Brittany Hôtels* 1 100. *Hostellerie du vignoble français* 1 036. *Hôtels d'altitude* 796. *Néotel Europe* 737. *Moulin étape* 465. *Hexagone* 135. *Motels des lions* 119.

• **Chaînes hôtelières** (chiffre d'aff. en milliards de F) **Accor.** *Créé* 1983 (fusion de Novotel SIE et Jacques Borel International) [Novotel 228 h. (1er Lille ouvert 1967), Mercure 108 h., Sofitel 59 h., Ibis/Urbis 257 h., Formule 1 167 h., hôtels de loisirs 23, Hôtelia (résid. 3e âge) 10, Motels 6 551, autres 18, restaurants (1-1-90) 2 712]. Au 31-12-1990 : 1 522 hôtels (dont 101 en constr.), 159 877 chambres (dont France 600 h., 54 031 ch.), *C.A.* (hors franchise) 11,7. Taux d'occupation 66,9 %. **Campanile Campaville.** *Fondé* 1976. 220 h. (dont France 195 h. 8 800 ch.), *C.A.* 1,1. **Château accueil.** Association 73 ch. privés. **Club Méditerranée.** Association à but non lucratif *créé* 1950 par Gérard Blitz (1912-90) et Gilbert Trigano (n. 28-7-1920) devenue Sté anonyme en 1961. 237 unités d'hébergement, 120 000 lits. *C.A. (90)* 8,2. **Concorde.** 57 h., 13 000 ch. (dont *France* 21 h., 4 247 ch.), *C.A.* 1,5. *Taux d'occ. (1985) :* 72 %. **Frantour.** (SNCF) 6 h., 1 284 ch. *Résidences de vacances* 6 h., 3 950 lits. *C.A.* h. 0,120, rés. de v. 0,064. *Taux d'occ. :* 86 %. **Hilton International.** *Créé* 1949. 150 h. 50 000 ch. (dont *France* 1 329 ch.). **Hôtels Claridge.** 2 h., 1 résidence, 160 ch. **Ibis/Urbis.** *Rattachés :* Sphere S.A. (liés groupe ACCOR). Unités 257, 23 811 ch. (dont *France* 208 h., 16 954 ch.). *C.A.* 1,7. *Taux d'occ. :* 63,4 %. **Mercure.** *Rattaché* ACCOR. 108 h., 11 005 ch. (dont *France* 89 h., 8 726 ch.). *C.A.* 1,3. *Taux d'occ. :* 63,7 %. **Méridien.** *Créé* 26-12-1972. *Rattaché* Air France. 56 h., 19 100 ch. (dont, en 1988, *France* et *Dom-Tom* 6 h., 2 576 ch.). *C.A.* 4,6. *Taux d'occ. :* 67,1 %. **Novotel.** *Créé* 1967. *Rattaché* ACCOR. 228 h., 33 287 ch. (dont *France* 99 h., 11 624 ch.). *C.A.* 4,6. **Pullman International Hotel,** *(Pullman, Altea, P.L.M. Azur, Arcade, Primo 99).* Rattaché ACCOR. *Fondé* 21-10-1986. Au 1-1-1991 : 314 h., 38 700 ch. (*Pullman :* 66 h. ; *Altea :* 72 h. ; *P.L.M. Azur :* 45 h. ; *Arcade* 100 h ; *Primo 99* 3.). *C.A.* 2,9. *Taux d'occ. :* 65 %. **Sofitel.** *Créé* 1961. *Rattaché* ACCOR. 59 h., 10 822 ch. (dont *France* 27 h., 4 194 ch.). **C.A.** 1,9. *Taux d'occ. :* 59,3 %. **Groupement des palaces de la Côte d'Azur.** *Créé* 1962. 20 h., 2 584 ch. + 75 appart.

Chaînes d'hôtels « bon marché ». (1989). Nombre d'hôtels, entre parenthèses nombre de chambres. Formule 1 (90) 167 (11 353) ; Balladins 61 (2 100) ; Liberté 11 (635) ; Lune Etoile 9 (500) ; Aster 8 (382) ; Fasthôtel 8 (362) ; Marmotte 7 (252) ; Aurore 6 (280) ; One Star 5 (243) ; Nuit d'Hôtel 4 (256).

Congrès internationaux

Nombre (en 1990). **Pays :** USA 894, *France 757,* Grande-Bretagne 722, Allemagne 505, Pays-Bas 385, Italie 332, Suisse 318, Belgique 303, Espagne 294, Japon 266. **Villes :** *Paris 361,* Londres 268, Bruxelles 194, Vienne 177, Genève 166, Berlin 166, Madrid 151, Singapour 136, Amsterdam 108, Washington 101.

Palais des Congrès

Porte Maillot, inauguré 28-2-1974, édifié par la Chambre de commerce qui en assure la gestion : 50 salles de congrès (dont un auditorium de 3 700 places), 8 000 m² de surfaces d'exposition. Effectif 170. A reçu 210 congrès internationaux en 1988. 4 millions de visiteurs. C.A. (1989) 370 millions de F.

Camping-caravaning

• **Adresses (quelques).** *Féd fr. de camping et de caravaning,* 78, rue de Rivoli, 75004 Paris ; *Féd. nat de l'hôtellerie de plein air,* 105, rue Lafayette, 75010 Paris ; *Syndicat des industries de la caravane, des véhicules et résidences de loisirs,* 3-5, rue des Cordelières, 75013 Paris ; *Union nat. des parcs résidentiels de loisirs,* H. Dauguet, Camping Clos Goujet, 78200 Boinvilliers ; *Clubs de caravaniers : Auto-camping-Club de Fr.,* 37, rue d'Hauteville, 75010 Paris ; *Camping-Club de Fr.,* 218, boulevard St-Germain, 75007 Paris ; *Camping-Club intern. de Fr.,* 14, rue des Bourdonnais, 75001 Paris ; *Groupement des campeurs universitaires de Fr.,* 24, rue du Rocher, 75008 Paris.

• **Guides (quelques).** *Guide officiel Camping-caravaning* (FFCC), 78, rue de Rivoli, 75004 Paris. *(Michelin) :* 46, av. de Breteuil, 75007 Paris. *Susse* (France, Europe, Afrique), 5, rue de La Baume, 75008 Paris.

• **Réglementation. Camping libre :** le camping est librement pratiqué en France, avec l'accord de celui qui a la jouissance du sol, sous réserve de l'opposition du propriétaire. Cependant il est interdit sur routes et voies publiques, rivage de la mer, dans sites classés et inscrits, certaines zones de protection du patrimoine, réserves naturelles et périmètres des points d'eau captés pour la consommation. Des arrêtés motivés pris par les maires peuvent aussi l'interdire en certains lieux. Dans ce cas, les interdictions doivent être signalées par des panneaux réglementaires. Par ailleurs, un propriétaire ou la personne qui a la jouissance du sol peut recevoir sur son terrain jusqu'à 20 personnes dans 6 abris de camping (tentes ou caravanes) de manière habituelle, à condition d'en faire la déclaration auprès du maire de la commune. **Camping en forêt domaniale :** autorisation possible dans un endroit déterminé sur présentation d'une carte de club de camping ou d'une attestation d'assurance en responsabilité civile incendie. **Campings aménagés :** 4 catégories : 1 à 4 étoiles. Emplacements délimités dans les 3 et 4 ét. : 95 à 100 m². Nouveau classement pour les terrains créés depuis déc. 1985 avec une nouvelle catégorie : 4 ét. grand confort, et des terrains dénommés « camps de loisirs » comportant classement confort et grand confort.

Caravanes. Ne peuvent stationner plus de 3 mois par an, consécutifs ou non, sans autorisation du maire, excepté sur terrains collectifs, dans jardin, remise ou garage de la résidence de l'utilisateur.

• **Statistiques** (1990). Terrains camping : 8 919 classés par arrêté préfectoral ; total : 868 304 emplacements (soit 2 604 912 pers.) ; environ 1 248 terrains déclarés en mairie + 1 028 aires naturelles de camping, totalisant env. 34 000 emplacements.

Naturisme

Se caractérise par la pratique de la nudité en commun ayant pour but de favoriser le respect de soi-même, des autres, de l'environnement.

• **Histoire. 1903** 1er centre gymnique créé par Paul Zimmermann en Allemagne à Klingberg. **1904** S. Gay crée en France au Bois-Fourgon une colonie naturiste. **1907** l'abbé Legree avec l'accord de ses supérieurs emmène ses élèves se baigner sans maillot. **1922** Jacques Demarquette fonde un camp naturiste à Chevreuse. **1926** Marcel Kienné, journaliste, crée le *Sparta Club,* 1er grand club naturiste, et lance la revue *Vivre intégralement.* **1930** 2 médecins, André et Gaston Durville, ouvrent un centre naturiste à Villennes (Physiopolis) ; 1er congrès nudiste. **1931** l'île du Levant devient le lieu de rassemblement. **1936** Léo Lagrange (1er sous-secr. d'État aux Sports et Loisirs) reconnaît officiellement l'utilité du mouvement naturiste. **1944** Albert Lecoq crée le *Club du Soleil.* **1949** ouverture du centre hélio-marin par une municipalité à Montalivet. **1950** féd. fr. de naturisme créée, agréée 1983 en tant qu'association de jeunesse et d'éducation populaire, 26 clubs affiliés. **1953** féd. naturiste internat. (F.N.I.) créée.

• **Législation.** Pas de dispositions légales. Le nudisme relève de l'art. 330 du Code pénal : distinction est faite entre nudisme voyant et provocant et la pratique de naturisme dans des lieux signalés.

• **Pays pratiquant le naturisme.** Afrique du S., Allemagne, Australie, Autriche, Belgique, Canada, Côte-d'Ivoire, Danemark, Espagne, *France,* G.-B., Grèce, Hongrie, Irlande, Italie, Norvège, N.-Zélande, P.-Bas, Pologne, Polynésie fr., Roumanie, Suède, Suisse, Tchécoslovaquie, Uruguay, U.S.A., Vanuatu, Yougoslavie ; U.R.S.S., Chili, certaines rép. de l'Est interdisent les assoc. de naturistes. **Monde.** 1 700 000 à 2 000 000 de naturistes.

• **Statistiques. France :** la Fédération française de naturisme (FFN, 53, rue de la Chaussée-d'Antin, 75009 Paris) rassemble env. 200 associations et sections d'ass. **Adhérents.** *1965 :* 6 672, *66 :* 17 492, *76 :* 59 820, *83 :* 84 500, *89, 90 :* 78 000. **Saisonniers** (non inscrits dans les associations). + de 500 000. *Origine :* Ile-de-France 1/3, province 2/3. *Age moyen :* 39 ans pour les h., 34 ans pour les f. Les familles, avec enfants de – de 15 ans, représentent près de 80 %. *Catégories socioprofessionnelles* en %. Cadres moyens 34, cadres sup., prof. libérales 19, non-actifs 14, employés 11, patrons de l'ind. et du comm. 8, ouvriers 6, autres 5, personnel de service 2, agriculteurs 1. *Étrangers* dans les camps français 300 000 (Allemands 50 %, Benelux 30 %, Scandinaves et Anglais 10 %, divers 10 %) soit 4 millions de nuitées. **Centres de vacances.** 70 **Structures d'accueil et de loisirs.** 18 000 places pour tentes et caravanes, 3 600 bungalows, 70 piscines, 28 plages, 35 restaurants.

• **Villages naturistes en France.** *Montalivet :* centre héliomarin (C.H.M.), créé 1949, 170 ha clos (+ 20 ha de plage), capacité d'accueil + de 8 000 personnes. *Cap-d'Agde :* camping créé 1966, complexe naturiste (1971-74). *Centre Euronat* (1975, Gironde) : capacité + de 8 000 pers. *Port Leucate. Les centres Ulysse et Aphrodite* (1975, Aude). *Hauts-de-Belezy* (Provence). *Village la Senny* (Gironde). *Le Clapotin* (Aude).

Plages

• **Naturisme.** Plages réservées. Ailleurs, infractions passibles de 3 mois à 2 ans de prison et de 500 à 4 500 F d'amende. Les 2-pièces et maillots sont parfois interdits hors de la plage par les municipalités.

• **Plages payantes.** Gérées par une commune ou un particulier (l'État ne peut en concéder que 30 % sur les plages naturelles et 75 % sur les plages artificielles). Leur accès est libre (pas de droit d'entrée) mais différents services payants sont offerts, parfois obligatoires pour l'usager (passage libre, stationnement subordonné à l'utilisation payante des installations ou services : parasols, cabines...).

Plages privées. Les écriteaux « plage privée » sont illégaux : jusqu'au niveau atteint par la mer aux marées hautes + 3 m, elles sont dom. public ; murs et grillages élevés par des riverains empêchant la circulation sur le rivage sont interdits. Par contre, les rochers tombant directement dans la mer peuvent être privés et entourés de murs ou grillages.

Pollution. Voir Index.

• **Sécurité.** La commune peut être responsable des accidents ; les vacanciers doivent respecter les différentes consignes de séc. : pavillon **vert :** baignade surveillée non dangereuse ; **jaune :** b. surveillée dangereuse ; **rouge :** b. interdite.

• **Vacanciers par km de plage** en Provence-Côte d'Azur 12 000, Languedoc-Roussillon 3 500.

Restaurants

Réglementation

• **Prix affichés.** S'entendent prix service compris avec mention du taux pratiqué ou prix nets. L'affichage est déterminé par les arrêtés des 27-3-1987 et 29-6-1990. La liberté des prix a été accordée en vertu du décret d'application n° 86-1309 du 29-12-1986 de l'ordonnance n° 86-1243 du 1-12-1986.

• **Eau, vin.** Le restaurateur doit vous apporter de l'eau si vous le désirez. Cartes et menus doivent comporter, pour chaque prestation : le prix, la mention « boisson comprise » ou « non comprise » et, dans tous les cas, indiquer pour les boissons la nature et la contenance offerte (ord. du 27-3-1987).

Restauration hors foyer

Nombre de repas servis par an : 4,95 milliards. **Nombre d'établissements par secteur et,** entre parenthèses, **nombre de repas/an (en millions) :** restaurants et cafés-rest. 77 409 (912), enseignement 61 259 (1 086), travail 40 493 (496), hôtels-restaurants 30 381 (542), santé, social 10 787 (1 004), restauration rapide 1 730 (260), cafétérias 900 (226), divers (453).

Restauration rapide (fast-food)

Dans le monde (1987). Chiffre d'affaires en milliards de $, nombre de restaurants et effectifs. Mc Donald's 15 [10 500 (150 000)]. Burger King 5 [5 578 (250 000)]. Wendy's 2,9 [3 816 (180 000)].

En France (1990). Chiffre d'aff. en milliards de F et nombre de restaurants. 7 (1 700) dont France Quick (enseigne Quick et Freetime) 1,45 (131). Mc Donald's 4,34 (84 [2]). Le Duff [1,2] 0,22 (140). Burger King [2] 0,22 (17). La Croissanterie [1,2] 0,17 (138).

Clientèle par groupe d'âge (en %) : - de 16 ans : 14 ; *17 à 22 a. :* 53 ; *23 à 40 a. :* 26.

1 repas sur 9 pris à l'extérieur est pris dans un fast-food, servi en 3 mn, ne dure pas plus d'1/2 h, coûte 23 F en moyenne.

Nota. – (1) Viennoiserie, (2) 1988.

Traiteurs

Nombre 10 000 **dont les 10 plus gros chiffres d'affaires en 1989** [1] (en millions de F). Potel et Chabot 168, Lenôtre 150, Raynier-Marchetti 120, Rosell 100, François Clerc Traiteur 60, Dalloyau 56, Noël Traiteur 32, Duval Maîtres Traiteurs 26, Riem-Becker 22,8, Scott Traiteur 22.

Nota. – (1). Adhérents du STFOR (Syndicat des traiteurs de France organisateurs de réceptions), Fauchon et Hédiard n'adhérant pas au STFOR ne figurent pas dans ce classement.

Quelques cuisiniers et gourmets célèbres

Alexandre Grimod de La Reynière (1758-1837) auteur de *l'Almanach des gourmands* (1802), Jean-Anthelme Brillat-Savarin (1755-1826) auteur de *La Physiologie du goût* (1825), Eugène Briffault (1799-1854), auteur de *Paris à table* (1846), Charles Monselet relanceur de *l'Almanach des gourmands* de 1860 à 1864, Baron Brisse (1813-76), Alexandre Dumas père (1802-70), auteur du *Grand Dictionnaire de cuisine,* Marie-Antoine Carême (1785-1833) auteur du *Pâtissier royal* (1815), *Le Maître d'hôtel français ou Parallèle de la cuisine ancienne et moderne* (1822), Alphonse Dugléré (1805-84), Jules Gouffé (1807-77), Joseph Favre (1849-1903), Philéas Gilbert (1857-1943), Apollon Caillat (1857-n.c) auteur de *150 manières d'accommoder les sardines* (1898), coauteur du *Guide culinaire* avec Escoffier et Gilbert, Prosper Montagné (1865-1948), Auguste Escoffier (1846-1935) auteur du *Guide culinaire,* Edouard Nignon (1865-1935) auteur *des Eloges de la cuisine française, de l'Heptaméron des gourmets ou les délices de la table,* André Pic (1893-n.c.), La mère Brazier (1895-1977).

• **Pain, couvert.** Il est interdit de facturer pain et couvert sauf dans les cafétérias.

• **Note.** On est tenu de vous remettre une note datée, indiquant prix de chaque prestation servie, montant du service, total des sommes dues (pour les repas de moins de 60 F, T.V.A. comprise : la note est facultative, sauf sur la demande expresse du consommateur).

• **Perte d'effets.** La présomption de faute pèse sur le restaurateur s'il y a eu dépôt des objets au vestiaire du restaurant, présomption dont il ne pourra se décharger qu'en établissant cas fortuit ou force majeure. L'affiche ou la mention inscrite au bas du menu selon laquelle « la maison n'est pas responsable des objets volés » ne l'exonère pas de sa responsabilité. La perte du ticket n'empêche pas de récupérer son vêtement si le propriétaire peut faire état d'un témoignage.

Guides spécialisés

Bottin gourmand. *Créé* 1983. *Ventes* (1990) : 70 000 ex. *Classification :* 13 *4 étoiles,* 55 : *3 ét.,* 199 : 2 ét., 728 : *1 ét.* et 7 731 établissements et 2 279 localités cités.

Gault-Millau. Guide. *Créé* 1972. *Tirage* (1988) : 260 000 ex. *Classification* (1988) : *Super 4 toques :* 13 ; *4 t. :* 25 ; *3 t. :* 94 ; *2 t. :* 491 ; *1 t. :* 1 422, et distinguant entre toques blanches (cuisine classique) et rouges (cuis. nouvelle), 8 100 établissements cités (dont 4 386 restaurants).

Michelin. Guide. *Créé* 1900 (30 000 ex.), indique les meilleurs restaurants en 1926, vente du 20 000 000e ex. en 1986. *Tirage* (1991) : 650 000. *Classification* (1991) : 19 *3 étoiles* (une des meilleures tables de Fr., vaut le voyage, créé 1931), 87 *2 ét.* (table excellente, mérite le détour, créé 1931), 498 *1 ét.* (très bonne table dans sa catégorie, créé 1926). 10 722 établissements cités dans 4 608 localités (dont 3 961 restaurants pour 4 608 localités. **La Manufacture française Michelin.** *Créée* 1889 par les frères Edouard (1859-1940) et André Michelin (1853-1931). Publie les *Guides Rouges* (sélection d'hôtels, restaurants, plans de villes) ; 9 titres dont le Guide France, Guide Camping-Caravaning (en 1991 : 3 650 terrains cités) ; réactualisés chaque année. *Les Guides Verts* [40 titres dont meilleure vente Côte d'Azur (+ de 100 000 ex/an)], des *Cartes routières* (éch. entre 1/10 000 et 1/4 000 000) dont carte France n° 989 : + d'1 000 000 ex. **Ventes dans le monde 1990** (en millions d'u.) cartes routières 14,2, Guides Verts 3,3, Guides Rouges 1,5.

Pudlowski de Paris gourmand. Guide. Restaurants, boutiques et lieux de rendez-vous (bistrots à vin, bière, salons de thé, boutiques). *Classification :* 151 tables dont 10 : 3 assiettes, 29 : 2 assiettes et 119 : 1 assiette.

Kléber. Guide. *Créé* 1954, ne paraît plus depuis 1982.

Champérard. Guide. *Créé* 1985, 6 000 hôtels cités et 2 000 restaurants (en Europe).

Relais et Châteaux. *Créé* 1954. Donne 375 maisons dans 36 pays. Guide bilingue tiré à 650 000 ex.

Baedeker. Guide. *Créé* en 1827 par Karl Baedeker (All., 1801-59), traduit et diffusé en France de 1832 à 1939.

Bleu. Guide. *Créé* par Adolphe Joanne en 1841, puis Louis Hachette et Joanne (en 1860), inspiré du Baedeker. *Titres : 1860* 120, *1916* 2 000, *1990* G.B. par pays 40, villes 7, régions de France 10, villes de France 10, G. Visa 60, Routard 32, G. en poche 6. *Ventes :* Guides Bleus : 300 000 ex. par an, Visa 450 000, Routard 750 000. *C.A.* (1982) : 18 millions de F, (1990) : 77 millions de F.

Fodor. Guide. *Fondé* par Eugène Fodor (Amér. d'origine hongroise, 1905-91). *Le plus célèbre : "On the Continent" (1936), destiné aux Britanniques. Titres :* 140. *Ventes :* 200 millions d'ex. par an.

Restaurants les plus cotés

Légende : B : Bottin gourmand, nombre d'étoiles. G : Gault et Millau, nombre de toques et note (sur 20). M : Michelin nombre d'étoiles.

• **Paris. 1er arrondissement.** *Armand au Palais Royal* B1, G1-13 ; *Carré des Feuillants* (Alain Dutournier) : B2, G3-18, M2 ; *Chez Pauline :* B1, G2-15, M1 ; *Les Cartes Postales* G2-15 ; *Gérard Besson :* B2, G2-16, M2 ; *Goumard :* B1, G2-16, M1 ; *Le Grand Véfour :* B2, G2-16, M2 (3 de 53 à 82) ; *A la Grille St-Honoré* B1, G2-15 ; *Mercure Galant :* B1, G2-15, M1 ; *Bernard Chirent* G1-14 ; *Le Ritz Espadon* (Guy Legay) : B3, G2-15, M2 ; *Pharamond :* G1-13, M1 ; *Pierre au Palais-Royal :* B1, G2-15, M1. **2e**. *Le Céladon :* B1, G2-15, M1 ; *La Corbeille :* B1, G1-14. *Drouant* R2, G3-17, M1. **3e**. *L'Ambassade d'Auvergne :* B1, G2-15. **4e**. *Au Franc Pinot* G2-15 ; *L'Ambroisie :* B3, G3-18, M3 ; *Miravile* (Gilles Epié) : B2, G2-16, M1 ; *Au Quai des Ormes :* G2-15 ; *Benoît :* B1, G2-16, M1. **5e**. *Auberge des Deux Signes* G2-15 ; *La Bûcherie :* B1, G2-15 ; *Dodin Bouffant :* G2-15, M1 ; *Au Pactole :* G2-15 ; *La Tour d'Argent* [1] (Martinez) B3, G3-18, M3 dep. 49. *La Timonerie* B1, G1-14, M1 ; **6e**. *Allard :* G1-13 ; *La Bauta :* G1-13 ; *Jacques Cagna :* B2, G3-18, M2 ; *Le Chat Grippé* G2-15 ; *La Luna :* G2-15 ; *Le Paris :* B1, G2-16, M1 ; *Princesse :* G2-15 ; *Relais Louis XIII :* B1, G2-15. **7e**. *Arpège:* B2, G3-18, M2; *Bistrot de Paris :* G2-15 ; *Bellecour* G2-16 ; *Le Bourdonnais : B2, G3-17 dep. 86 ; La Bourgogne, Duquesnoy :* B2, G2-16, M2 ; *Chez les Anges :* G1-14 ; *Le Dauphin:* G2-15 ; *Le Divellec :* B3, G3-18, M2 ; *La Ferme Saint-Simon :* B1, G2-15, M1 ; *La Flamberge :* G1-13 ; *Les Glénans :* G1-14 ; *Jules Verne* (2e tour Eiffel) : B2, G2-16, M1 ; *Le Récamier :* B2, G2-15, M1 ; *Vin sur Vin :* G1-14. **8e**. *Alain Rayé :* B2, G2-16 ; *Les Ambassadeurs* (Hôtel de Crillon, M. Roche) : B3, G3-17, M2 ; *Bacchus gourmand :* G2-15 ; *Bristol :* B2, G2-15 ; M1 ; *Chiberta* (Jean-Michel Bédier) : B2, G2-16, M1 ; *La Couronne :* B2, G1-14, M1 ; *Elysées Lenôtre* (Patrick Lenôtre) : B1, G2-16, M1 ; *Les Elysées du Vernet :* G2-15 ; *Fouquet's :* B1, G1-13, M1 ; *Lamazère* (Roger Lamazère) : B2, G2-16 ; *Lasserre* (René Lasserre) : B3, G2-16, M2 ; *Laurent* (Guilhaudin) : B3, G2-16 ; M2 ; *Ledoyen* B1, G2-16, M1 ; *Le Lord Gourmand :* G1-13 ; *Lucas-Carton* (Alain Senderens) : B4, G4-19,5, M3 ; *La Marée :* B2, G2-16 ; M1 ; *Maxim's :* B2, G2-16 ; *Montaigne :* G3-17 ; *Au Petit Montmorency :* B2, G2-17 ; *Les Princes :* B1, G2-15, M1 ; *Prince de Galles :* B1, G2-15 ; *Régence Plaza :* B2, G1, M1 ; *Royal Monceau-Le Jardin :* B2 ; *Taillevent* (J.-C. Vrinat) : B4, G4-19, M3 dep. 73. **9e**. *La Table d'Anvers :* B1, G2-16, M1. **10e**. *Chez Michel :* B2, G2-15. **11e**. *La Belle Époque* G1-14 ; *Le Péché Mignon :* B1, G1 ; *A Sousceyrac :* B2, G2-15, M1. **12e**. *Au Pressoir :* B2, G2-16, M1 ; *La Gourmandise* G2-15 ; *Au Trou Gascon :* B1, G2-16, M1. **14e**. *La Cagouille :* G2-16 ; *Le Duc :* B2, G3-18 ; *Lous Landès :* B1, G1-14. **15e**. *Bistro 121 :* B1, M1 ; *Les Célébrités :* B2, G2-16, M1 ; *Le Clos Morillons* B1, G1-14 ; *Le Croquant :* B1, G1-13 ; *Morot Gaudry :* B2, G2-16, M1 ; *La Petite Bretonnière* G2-15, M1 ; *Olympe* (Dominique Nahmias) : G2-16 ; *Pierre Vedel :* B1, G2-15 ; *Le Relais de Sèvres :* B1, G2-15, M1. **16e**. *Conti :* G2-15, M1 ; *Faugeron* (Henri Faugeron) : B3, G3-17, M2 ; *La Grande Cascade :* B2, G2-16, M1 ; *Jamin (Robuchon) :* B4, G4-19,5, M3 ; *Jean-Claude Ferrero :* B2, G2-16 ; *Patrick Lenôtre :* B2, G3-17, M1 ; *Le Petit Bedon* (Christian Ignace) : G2-16 ; *Le Pré Catelan :* B1, G3-17, M1 ; *Le Relais d'Auteuil :* B1, G2-15, M1 ; *Le Sully d'Auteuil :* G1-13 ; *Le Toit de Passy :* B2, G2-16, M1 ; *Le Vivarois* (Claude Peyrot) : B3, G4-19 ; M2 (3 de 73 à 89). **17e**. *Amphyclès* G3-17, M2 ; *Apicius :* B2, G3-18, M2 ; *La Barrière de Clichy :* B1, G2-16 ; *La Braisière :* B1, G1-14, M1 ; *Chez Augusta :* G2-15 ; *Le Clos Longchamp* (Hôtel Méridien) : B2, G3-17, M2 ; *L'Étoile d'Or :* B1, G1-14, M1 ; *Guy Savoy :* B3, G4-19, M2 ; *Guyvonne :* B1, G2-15 ; *Le Manoir de Paris :* B1, G3-17, M1 ; *Maître Corbeau* B1, G2-16 ; *Michel Comby :* B2, G2 ; *Michel Rostang :* B3, G3-18, M2 ; *Nicole et Gérard :* B2 ; *Le Petit Colombier :* G2-16 ; *La Petite Auberge :* B2, G1-14 ; *Sormani :* B1, B2-17, M1 ; *La Toque :* B1, G2-15. **18e**. *Beauvilliers* (Édouard Carlier) : B2, G3-17, M1 ; *Le Clodenis :* G1-14 ; *Les Fusains :* G2-15 ; *Oréade :* G2-16. **19e**. *Au Cochon d'Or :* G2-15, M1 ; *Pavillon Puebla* (Christian Vergès) : G2-15.

Nota. – (1) Le 749 038 ième canard au sang a été découpé le 18-2-1990.

• **Province. Agde** (Hér.) : *La Tamarissière* B2, G3-17. **Agen-Puymirol** (L.-et-G.) : *L'Aubergade* B3, G4-19, M2. **Aiguebelle-Plage** (Var) : *Les Roches* B2, G3-18, M1. **Aix-en-Provence** (B.-du-Rh.) : *Clos de la Violette* B2, G2-16, M1. **Albertville** (Sav.) : *Million* B2, G2-15, M2. **Ammerschwihr** (Ht-Rh.) : *Aux Armes de France* B2, G2-15, M1. **Angles (Les)** (Gard) : *Ermitage Meissonnier* B2, G2-16, M1. **Angoulême** (Char.) : *Le Moulin gourmand* B2, G2-15, M1 ; **Annecy** (Hte-Sav.) : *Auberge de L'Éridan* B3, G4-19,5, M2. *L'Amandier* B1, G2-16, M1 ; *Le Belvédère* B1, G2-15 ; **Antibes** (A.-M.) : *La Bonne Auberge* (Philippe Rostang) B2, G3-17, M2 ; *Bacon* B2. **Arbois** (Jura) : *Jean-Paul Jeunet* B2, G3-17. **Arras** (P.-de-C.) : *La Faisanderie* B2, G1-14, M1 ; *Le Paris :* M1. **Auch** (Gers) : *Hôtel de France* (André Daguin) B3, G3-17, M2. **Audierne** (Fin.) : *Le Goyen* B2, G3-17, M1. **Au Mont-Aubrac** (Lozère) : *Prouhèze* B1, G2-16, M1. **Auvillers-les-Forges** (Ard.) : *Host.-Lenoir* B2, G2-16, M1. **Auxerre (à Vaux)** (Yonne) : *Le Jardin Gourmand* B1, G2-16 ; *Jean-Luc Banabet* B2, G2-15. **Avignon** (Vaucl.) : *Hiély-Lucullus* B2, G3-17, M2 ; *La Vieille Fontaine* B2, G2-16, M1. **Barbizon** (S. et M.) : *Le Bas Bréau* B2, G2-16, M1. **Baux-de-Provence (Les)** (B.-du-Rh.) : *Oustaù de Baumanière* (Burnel) : B3, G3-18, M2. **Beaulieu-sur-Mer** (A.-M.) : *Le Métropole* B1, G2-16, M1 ; *La Réserve de Beaulieu* B2, G2-15. **Beaune** (C.-d'Or) : *Ermitage Corton* B2, G2-15, M1 ; *Host. de Levernois* B2, M2. **Belfort :** *Host. du Château Dervin* B1, G2-16, M1. **Bénodet** (Fin.) : *Ferme du Letty* B1, G2-16, M1. **Bézards (Les)** (Loiret) : *Auberge des Templiers* (Philippe Dépée) B3, G3-18, M2. **Biarritz** (P.-A.) : *Le Café de Paris* B2, G3-17. *Le Grand Siècle* B2, G2-16. *Le Relais de Miramar* B2, G2-16. **Bidart** (P.-A.) : *Les Frères Ibarboure* B2, G3-17, M1. **Billiers** (Morb.) : *Domaine de Rochevilaine* B2, G2-16, M1. **Bonlieu** (Jura) : *La Poutre* B2, M1. **Bordeaux** (Gironde) : *Le Chapon Fin* (Francis Garcia) B3, G3-17, M1 ; *La Chamade* B1, G2-16, M1 ; *Jean Ramet* B2, G3-17, M1 ; *Les Plaisirs d'Ausone* G2-16 ; *Pavillon des Boulevards* B1, G2-16, *Le Vieux Bordeaux* B1, G2-16, M1 ; *Le Rouzic* B2,

G2-17, M1 ; *Amat* (à Bouliac) B3, G4-19 ; *Le St-James* B3, M2. **Bouilland** (C.-d'O.) : *Le Vieux Moulin* B1, G3-17, M2. **Bourget du Lac (Le)** (Sav.) : *Le Bateau Ivre* B2, G3-17, M2. **Bouzigues** (Hérault) : *Côte Bleue* G2-16. **Bracieux** (L.-et-C.) : *Bernard Robin* B2, G3-18, M2. **Brantôme** (Dord.) : *Moulin de l'Abbaye* B2, G3-17, M1. **Brive-la-Gaillarde** (Corrèze) : *Château de Castel Novel* B2, G2-15, M1. **Caen** (Bénouville, Calvados) : *La Bourride* B2, G3-18, M2 ; *Le Manoir d'Hastings* (Scaviner), G2-16, M1. **Cahors** (Lot) : *Le Balandre* B2, G2-15 ; **Cancale** (I.-et-V.) : *De Bricourt* B3, G4-19, M2. **Cannes** (A.-M.) : *La Palme d'Or* (hôtel Martinez) B3, G3-18, M2 ; *Le Royal Gray* : B2, G4-19, M2. **Carry-le-Rouet** (B.-du-Rh.) : *L'Escale* B3, G2-16, M2. **Cergy-Pontoise** (V.-d'O.) : *Relais Ste-Jeanne* M2. **Chagny** (S.-et-L.) : *Lameloise* (Jacques Lameloise) B3, G3-18, M3. **Chalon-sur-Saône** (S.-et-L.) : *Le Moulin de Martorey* B1, G3-17, M1. *Saint Georges* B2, M1. G1-14. **Châlons-sur-Marne** (Marne) : *Aux Armes de Champagne* B2, G2-16, M1. **Champtoceaux** (M.-et-L.) : *Jardins de la Forge* B2, G2-15, M1. **Château-Arnoux** (A.-de-Hte-P.) : *La Bonne Étape* (Pierre Gleize) B3, G3-17, M2. **Châteaufort** (Yv.) : *La Belle Époque* B2, G2-16, M1. **Clermont-Ferrand** (Chamalières, P.-de-D.) : *Hôtel Radio* B1, G3-18, M1. (à Durtol) *Bernard Andrieux* B2, G2-16, M1. **Colmar** (Ht-Rhin) : *Au Fer Rouge* B3, G3-17, M1 ; *Schillinger* B3, G2-16, M2. **Colroy-La-Roche** (Bas-Rh.) : *La Cheneaudière* B2, G2-15, M1. **Cormeilles-en-Vexin** (V.-d'O.) : *Relais Ste-Jeanne* B2, M2. **Courchevel** (Savoie) : *Chabichou* B2, G3-17, M2 ; *Le Bateau Ivre* B2, G3-17, M2. **Deauville** (Calv.) : *Normandy-La-Potinière* B2. (à St-Martin-aux-Chartrains) *La Truite* B2. **Dijon** (C.-d'O.) : *Jean-Pierre Billoux* B3, G3-18, M2 ; *Thibert* B1, G3-17, M1. **Dinan** (C.-d'A.) : *La Caravelle* B2, G2-15. **Divonne-les-Bains** (Ain) : *Château de Divonne* B3, G2-16, M1. **Dunkerque** (Nord) : *La Meunière* B2, G2-16. **Enghien** (V.-d'O.) : *Le Duc d'Enghien* B3 dep. 86, G3-17, M2. **Épinal** (Vosges) : *Les Abbesses* B2, G3-17, M1 ; *Les Ducs de Lorraine* B1, G2-15, M1. **Eugénie-les-B.** (Landes) : *Les Prés d'Eugénie* (Michel Guérard) B4, G4-19,5, M3. **Évian** (Hte-Sav.) : *Royale Club Evian* B2, G3-17, M1. **Eyzies (Les)** (Dord.) : *Le Centenaire* B3, G3-17, M2. **Èze** (A.-M.) : *Château Eza* B2. *La Chèvre d'Or* B2, M1. **Fère-en-Tardenois** (Aisne) : *Hostellerie du Château* B2, G2-15 dep. 86, M1. **Ferney-Voltaire** (Ain) : *Le Pirate* B2, G1-13, M1. **Ferté-sous-Jouarre (La)** (S.-et-M.) : *Auberge de Condé* (Pascal Tingaud) B2, G2-15, M1. **Fontvieille** (B.-du-Rh.) : *La Régalido* B2, G1-13, M1. **La Garenne-Colombes** (Hts-de-S.) : *Auberge du 14 Juillet* B2, G1-14. **Gevrey-Chambertin** (C.-d'O.) : *Les Millésimes* B2, G2-15, M1 ; *Rôtisserie du Chambertin* (Pierre Menneveau), B1, G3-17, M1. **Gouesnière (La)** (I.-et-V.) : *Tirel* B2, M1. **Grande-Motte** (Hér.) : *Alexandre* B2, G2-15. **Grenade-sur-Adour** (Landes) : *Pain, Adour et Fantaisie* B2, G3-18, M2. **Hennebont** (Morb.) : *Château de Locguénolé* B3, G3-17, M2. **Illhaeusern** (Ht-Rh.) : *Auberge de l'Ill* (Paul et Marc Haeberlin) B4, G4-19,5, M3. **Issoudun** (Indre) : *La Cognette* B2, G3-17, M1. **Joigny** (Yonne) : *A la Côte Saint-Jacques* (Michel Lorain) B3, G4-19, M3. **Juan-les-Pins** (A.-M.) : *La Terrasse* (J. Morisset) B2, G3-17, M2. **Kaysersberg** (H.-Rh.) : *Chambard* B2, G1-14, M1. **Laguiole** (Aveyron) : *Michel Bras* B3, G4-19,5, M2. **Landersheim** (B.-Rh.) : *Auberge du Kochersberg* B2, G1-14, M1. **Langon** (Gironde) : *Claude Darroze* B2, M2. **Lembach** (B.-Rh.) : *Le Cheval Blanc* B2, G2-15, M2. **Lille** (Nord) : *Arabian* B2, G3-17, M2 ; *Le Flambard* B3, G3-18, M2 ; *A L'Huîtrière* B2, G2-15, M1. **Lons-le-Saunier** (Jura) : (à Courlans) *Auberge de Chavannes* B2, G2-16, M1. **Lorient** (Morbihan) : (à Keryado) *L'Amphitryon* B2, G2-15, M1. **Loué** (Sarthe) : *Laurent* B2, G2-16, M1. **Loyettes** (Ain) : *La Terrasse, Gérard Antonin* B2, G1-14, M1. **Lumbres** (P.-de-C.) *Moulin de Mombreux* B2, G1-14, M1. **Lunéville** (M.-et-M.) : *Château d'Adoménil* B2, G2-16, M1. **Lyon** (Rhône) : *Bourillot* B2, G2-15, M1 ; *Fedora* B2, G2-16, M1 ; *Le Gourmandin* G2-16 ; *Henry* B2, G2-15, M1 ; *Léon de Lyon* B2, G3-18, M2 ; *La Mère Brazier* B1, G2-16, M1 ; *La Mère Guy* B2 ; *Nandron* B2, G3-17, M1 ; *Orsi* B4, G2-16, M2 ; *Le Passage* G2-15, M1 ; *La Tour Rose* B2, G3-18, M1 ; *Vettard* G2-16 ; **à Collonges-au-Mont-d'Or :** *Bocuse* (Paul Bocuse) B4, G4-19, M3 ; **à Dardilly :** *Le Panorama Danil Léron* B2 ; **à Limonest :** *La Gentil'Hordière* B2, G1-13 ; **à Rillieux-la-Pape :** *Larivoire* B2, G2-16, M1. **Magescq** (Landes) : *Relais de la Poste* B2, G2-16, M2. **Magny-Cours** (Nièvre) : *La Renaissance* B2, G2-16, M2. **Maisons-Laffitte** (Yv.) : *Le Tastevin* B2, G2-16, M2 ; *La Vieille Fontaine* (François Clerc) B2, G3-18, M1. **Manosque** (Alp.-de-H.-Prov.) : *Host. de la Fuste* B2, G2-16, M1. **Marlenheim** (B.-Rh.) : *Le Cerf* B3, G3-17, M2. **Marseille** (B.-du-Rh.) : *Au Petit Nice* B2, M1 ; *Aux Mets de Provence* B2. *Le Petit Nice* B3 dep. 86, G3-17, M2. *L'Oursinade* G2-16 ; *Passédat* G3-17. **Mesnuls (les)** (Yv.) : *La Toque Blanche* B2, G2-15, M1. **Meudon** (Hts-de-S.) : *Relais des Gardes* G2-15. **Milly-la-Forêt** (Essonne) : *Le Moustier* B2, M1. **Mionnay** (Ain) : *Alain Chapel* B3, G4-19,5, M2. **Montauban** (T.-et-G.) : *Depeyre* B2, M1. **Montbazon** (I.-et-L.) : *Château d'Artigny* B2, G2-16, M1. *La Chancelière* B3, G2-16, M2. **Monte-Carlo** (A.-M.) : *Louis XV-Alain Ducasse* B4, G4-19, M3. *Mirabeau-La Coupole* B2, M1. **Montignac** (Dordogne) : *Château du Puy Robert* B2, M1. **Montmorillon** (Vienne) : *France Mercier* B2, G1-14. **Montpeyroux** (P.-de-D.) : *Auberge de Tralume* B2. **Montrond-les-Bains** (Loire) : *Host. La Poularde* (Gilles Étéocle) B3, G2-16, M2. **Mougins** (A.-M.) : *L'Amandier de Mougins* B2, G1-13, M1 ; *Les Muscadins* G2-15 ; *Le Moulin de Mougins* (Roger Vergé) B4, G3-18, M3 ; *Le Relais à Mougins* B2, G2-15, M1. **Mur-de-Bretagne** (C.-d'A.) : *Grand'Maison* B2, G2-16, M1. **Nancy** (M.-et-M.) : *Capucin Gourmand* B2, G1-14, M1. **Nantes** (L.-Atl.) : *Les Maraîchers* B2, G2-16, *Le Colvert* G2-16 ; **à Orvault :** *Domaine d'Orvault* B2, G2-15, M1 ; **à Sucé-sur-Erdre :** *La Châtaigneraie (Delphin)* B2, M2 ; **à St-Sébastien :** *Manoir de la Comète* B2, G2-15. **Narbonne** (Aude) : *Le Réverbère* B3, G2-16. **Neuilly** (Hts-de-S.) : *Jacqueline Fénix* B2, G2-16, M1. **Nevers** (Nièvre) : *La Renaissance* M2. **Nice** (A.-M.) : *Chantecler* (Dominique Le Stanc) B3, G3-17, M1 ; *Maximin* B3, G4-19, M2. *Rôtisserie St-Pancrace* G2-15. **Nieuil** (Charente) : *Château de Nieuil* B2, M1. **Nuits-St-Georges** (C.-d'O.) : *La Côte d'Or* G1-14, M1. **Orléans** (Loiret) : *La Crémaillère* B2, G3-18, M1. **Périgueux** (Dord.) : *L'Oison* B2, G2-16, M1. **Plaisance-du-Gers** (Gers) : *Ripa-Alta* B2, G2-16. **Pléhedel** (C.-d'A.) : *Château de Coatguelen* B2. **Plounerin** (C.-d'A.) : *Patrick Jeffroy* B2, G2-16, M1. **Pons** (Ch.-M.) : *Moulin de Marcouze* M2. **Pont-Aven** (Finistère) : *La Taupinière* G2-16, M1. **Pontchartrain** (Yv.) : *L'Aubergade* B2, G1-13. **Pont-de-l'Isère** (Drôme) : *Chabran* B2, G3-18, M2. **Ponts-Neufs (Les)** (Côtes-d'Armor) : *Lorand-Barre* B2, M1. **Port-sur-Saône** (H.-Saône) : *Château de Vauchoux* B2, M1. **Porquerolles** (Var) : *Mas du Langoustier* B1, G2-16. **Port-Villez** (Yv.) : *La Gueulardière* B2, G2-15. **Poudenas** (L.-et-G.) : *La Belle Gasconne* B2, G2-16, M1. **Prémesques** (Nord) : l'*Armorial* B2. **Puymirol** (L.-et-G.) : *L'Aubergade* B3, M2. **Questembert** (Morb.) : *La Bretagne* (Georges Paineau) B4, G3-18, M2. **Reims** (Marne) : *L'Assiette Champenoise* B2, M1. *Boyer Les Crayères* (G. et E. Boyer) B4, G4-19, M3 ; *Florence* B2, G2-16, M1. **Rennes** (I.-et-V.) : *Le Piré* B2, G2-16, M1. *Marc Daniel* B2. **Ribeauvillé** (Ht-Rh.) : *Les Vosges* B2, G1-14, M1. **Roanne** (Loire) : *Troisgros (Les)* (Pierre et Michel Troigros) B4, G4-19,5, M3. **Roche-Bernard (La)** (Morb.) : *Auberge Bretonne* B3, G3-17, M1. **Rochelle (La)** (Ch.-M.) : *Richard Coutanceau* B3, G3-17, M2. **Romorantin** (L.-et-C.) : *Le Lion d'Or* B3, G4-19, M2. **Les Rosiers-sur-Loire** (M.-et-L.) : *Jeanne de Laval* B2, G2-16, M1. **Rouen** (S.-M.) : *Bertrand Warin* B2, G2-16, M1 ; *Le Beffroy* B1, G2-15, M1. *Gill* B2, M2, G3-17 ; **Rousses (Les)** (Jura) : *Le France* B2, G2-15, M1. **Sarreguemines** (Mos.) : *Auberge St-Walfrid* B2, M1. **Sélestat** (B.-Rh.) *Edel* B2, M1. **Saulieu** (C.-d'Or) : *La Côte-d'Or* B3, G4-19, M3. **St-Bonnet-le-Froid** (Hte-Loire) : *Les Cîmes* B1, G3-17, M1. **St-Etienne** (Loire) : *Pierre Gagnaire* B3, G4-19, M2. **St-Jean-Cap-Ferrat** (Alpes-Mar.) : *Jean-Jacques Jouteux* G3-17. **St-Jean-Pied-de-Port** (P.-A.) : *Les Pyrénées* B2, G3-18, M2. **St-Julien-en-Genevoix** (Hte-Sav.) : *La Diligence* B2, G2-15. **St-Lambert-des-Bois** (Yv.) : *Les Hauts de Port-Royal* B2, G2-15, M1 ; *La Cressonnière* B2. **St-Martin-du-Var** (A.-M.) : *J.-F. Issautier* B3, G3-17, M2. **Saint-Quentin** (Aisne) : *Le Président* B1, G2-16, M1. **St-Rémy-lès-Chevreuse** (Yv.) : *La Cressonière* B2, M1. **St-Tropez** (Var) : *Le Chabichou* B2, G3-17, M1 ; (à Gassin) *Domaine de Bélieu* B2 ; *Mas de Chastelas* B2 ; *Résidence de la Pinède* G3-17. **St-Yrieix** (Hte-V.) (La Roche-l'Abeille) : *Moulin de la Gorce* B2, M2. **Steinbrunn-Le Bas** (H.-Rh.) : *Moulin de Kaegy* B2, G2-16, M1. **Strasbourg** (B.-Rh.) : *Au Crocodile* (Émile Jung) B3, G3-18, M3 ; *Buerehiesel* B3, G3-18, M2. **Talloires** (H.-S.) : *Auberge du Père Bise* B3, G2-16, M2. **Tence** (H.-Loire) : *Grand Hôtel Placide* B2, G1-14. **Thionville** (Mos.) : *Le Concorde* B2, G1-14. **Thoissey** (Ain) : *Au Chapon Fin-Paul Blanc* B2, G1-14, M1. **Tonnerre** (Yonne) : *Abbaye St-Michel* B2, G3-17, M2. **Toul** (M.-et-M.) : *Le Dauphin* B2, G2-16, M1. **Toulon** (Var) : *La Corniche* G2-15. *Le Lingousto* G2-16 ; **Toulouse** (H.-G.) : *Jardins de l'Opéra* B2, G3-17, M2. *Vanel* B2, G3-18, M1. **Touquet (Le)** (P.-de-C.) : *Flavio* B2, M1. **Tournus** (S.-et-L.) : *Restaurant Greuze* B3, G3-17, M2. **Tours** (I.-et-L.) : *Jean Bardet* B3, G4-19, M2 ; *Barrier* B2, G2-16, M2. **Tourtour** (Var) : *Les Chênes Verts* B2, G2-15, M1. **Trémolat** (Dord.) : *Le Vieux Logis* B2, G2-16, M1. **Val-André (Le)** (C.-d'A.) : *La Cotriade* B2, M1. **Valence** (Drôme) : *Pic* (Jacques Pic) B4, G4-19, M3 . **Vannes** (Morb.) : *Le Pressoir* B2, G1-14, M1 ; *Régis Mahé* B1, G3-17, M1. **Versailles** (Yv.) : *Les Trois Marches* (Gérard Vié) B3, G3-18. **Vézelay** (Yonne) : *L'Espérance* (Marc Meneau) B3, G4-19,5, M3. **Vienne** (Isère) : *La Pyramide* B2, G3-18, M1. **Villeneuve-lès-Avignon** (Gard) : *Le Prieuré* B2, G2-15. **Villeneuve-de-Marsan** (Landes) : *Darroze* B1, G2-16, M1. **Villeneuve-sur-Lot** (Pujols) (L.-et-G.) : *La Toque Blanche* B2, G2-15, M1. **Vonnas-sur-Veyle** (Ain) : *La Mère Blanc* (Georges Blanc) B4, G4-19,5, M3.

☞ **Prix culinaire international Pierre Taittinger.** *Créé* 1967. *Pt :* Michel Comby.

Grande-Bretagne. Nombre de visiteurs en milliers (1990). Tour de Londres 2 298, Château d'Edimbourg 1 078, Bath 950, Ch. de Windsor 855, Ch. de Warwick 685, Stonehenge 703, Palais de Hampton Court 525, Ch. de Leeds 540, Beaulieu 493, Tower Bridge 428. *Lieux payants :* Madame Tussaud 2 547, Tours d'Alton 2 070, Tour de Blackpool 1 426. *Musées :* British Museum 4 769, National Gallery 3 682, M. des Sciences 1 303, Tour de Londres (The Royal Armouries) 1 825,4 [1], Tate Gallery 1 562, M. d'Hist. naturelle (British Museum) 1 534, Victoria and Albert 962. *Jardins :* Kew Gardens (Londres) 1 196, Duthie Park (jardin d'hiver, Aberdeen) 1 130, Stapley Water Gardens 1 000 [1], Royal Botanic Garden (Edimbourg) 786, Wilsey Garden 614,7 [1]. *Autres :* plage de Blackpool 6 500, Abbaye de Westminster 3 000, Albert Dock (Liverpool) 6 000, Cathédrale St-Paul (Londres) 2 500 [1], d'York 2 500, de Canterbury 2 250, Parc de Strathclyde [1] 3 900, Plage de Great Yarmouth [1] 2 475, Parc de Thorpe (Surrey) [1] 1 300, "Le Monde d'Aventures" de Chessington [1] 1 236, Zoo de Londres [1] 1 221.

Nota. – (1) 1989.

Monuments ou musées

(1) 1975. (2) 1976. (3) 1977. (4) 1978. (5) 1979. (6) 1980. (7) 1981. (8) 1982. (9) 1983. (10) 1984. (11) 1985. (12) 1986. (13) 1987. (14) 1988. (15) 1988, entrées gratuites non comptabilisées. (16) 1989. ab. : abbaye, cath. : cathédrale, ch. : château, égl. : église, m. : musée, pal. : palais. (17) 1990.

Paris

Nombre d'entrées en 1990 (en milliers). Centre Pompidou 8 130. Tour Eiffel 5 700. Louvre 5 338. Cité des Sciences 4 492,9. Versailles (y compris Grand et Petit Trianon) 4 127. Orsay 3 000. Parc zoologique 943. M. de l'Armée (y compris tombeau de Napoléon) [résulte de la fusion (décret du 26-7-1905) du M. de l'Artillerie (successeur, en 1871, des collections de l'Arsenal remontant au début du XVIIe s.) et du M. historique de l'Armée (1896). Rivalise, par ses collections, avec ceux de Madrid, Vienne ou Londres, et possède une annexe avec le M. de L'Empéri (Salon-de-Provence)] 906. Arc de Triomphe 728. Palais de la Découverte 660. Ste Chapelle 641. M. Grévin 606. M. Picasso 509. Jardin des Plantes 500 [16]. Tours de Notre-Dame 404. M. Rodin (et Meudon) 383. Trianons 361 [16]. Orangerie 332. M. de l'Homme 316. Arts africains et océaniens 297. Petit Palais 289,5. M. Municipal d'Art moderne 273. M. Carnavalet 259. Conciergerie 219. M. de la Marine (f. 1827) 212 [16]. Panthéon 195. M. des Thermes et Hôtel de Cluny 194. Catacombes 141. M. des Arts décoratifs 137 [16]. Église abbatiale de St-Denis 132 [16]. M. Guimet 129. Maison de Victor Hugo 110. M. de la Mode et du Costume 92. Crypte de N.-D. 87. M. de l'Air et de l'Espace 86 [16]. M. des Arts et Traditions populaires 67. Vincennes (Donjon) 51. M. des Monuments français 45. M. Bourdelle 41. M. Cognacq-Jay 31. M. Gustave Moreau 20. Maison de Balzac 17. M Cernuschi 15. M. Eugène Delacroix 15. M. Zadkine 13,5. Pavillon des Arts 13. M. du Jeu de Paume 12. Gobelins 11,8. M. Renan-Scheffer 10. Chapelle expiatoire 6,4 [16]. M. Hébert 2.

Province

Ain. *Bourg-en-Bresse :* anc. ab. de Brou 81,9. **Aisne [14].** *Blérancourt :* 11 ; *Coucy :* ch. 11, ab. de Vauclair 100, m. de la Caverne du Dragon 65 ; *Corbeny :* m. vivant de l'Abeille 70 ; *St-Quentin :* m. Antoine-Lécuyer 5,5. **Allier [12].** *Lapalisse :* ch. 14 ; *Montluçon :* municipal 9,7 ; *Moulins :* triptyque (cath.)

12 ; *St-Augustin* : 18. *Souvigny* : m. lapidaire et ab. 24. **Alpes-de-Haute-Provence** [5]. *Allemagne-en-Pr.* : ch. 3,3. *Barcelonnette* : m. Chabrand, m. municipal ; *Colmars-les-Alpes* : fort de Savoie ; *Digne-les-Bains* : m. municipal 6,8, villa d'Alexandra David-Neel 2 ; *Entrevaux* : citadelle ; *Forcalquier* : couvent des Cordeliers ; *Ganagobie* : prieuré 20 ; *Mane* : conservatoire de Salagon 2,2, ch. de *Sauvan* : 6,5 ; *Moustiers-Ste-Marie* : m. artistique de la Faïence (du 1-4 au 31-10) 2,5 v. par mois ; *Riez* : m. lapidaire ; Seyne-les-Alpes : fort ; *Sisteron* : m. du vieux Sisteron, Citadelle (d'avril à nov.) 78,5. **Alpes (Htes)** [5]. *Boscodon* : ab. ; *Briançon* : citadelle, remparts et égl. fortifiée 0,1 ; *Embrun* : cath. 11 ; *Gap* : m. départemental 6,3 ; *Montdauphin* : citadelle 4 ; *Montmaur* : ch. ; *Tallard* : ch. **Alpes-Maritimes.** *Antibes* : m. Picasso. *Beaulieu* : villa Kerylos ; *Biot* : m. Fernand Léger ; *Cagnes-sur-Mer* : ch.-m. ; *Cannes* : fort Ste-Marguerite ; *Gourdon* : ch. 40,6 [17] ; *La Turbie* : trophée d'Auguste 40,5 ; *Monaco* : m. océanographique ; *Nice* : m. Chagall 132,1 [16], m. Masséna 22 [8], m. Jules-Chéret 28 [8], m. Matisse 65 [8], m. d'Archéologie 35 [4], m. Barla 26 [4], pal. Lascaris 47 ; *St-Jean Cap Ferrat* : m. Ephrussi-de-Rothschild ; *St-Paul-de-Vence* : fond. Maeght ; *Vallauris* : m. Picasso 30,9, m. F.-Léger 22 [1] ; *Villefranche* : citadelle, chap. St-Pierre (Cocteau). **Ardèche** [6]. *Aubenas* : ch. 25. *Orgnac* : aven 138 ; *Peaugres* : safari-parc 250 ; *Vivarais* : Chemin de fer 51. **Ardennes** [11]. *Bazeilles* : m. de la « Dernière Cartouche » 5,3 ; *Charleville-Mézières* : m. Rimbaud 19 ; *Fumay* : m. de l'Ardoise 3,3 [11]. *Givet* : fort Charlemont 2,4. *Moncornet* : ch. 3,7 ; *Sedan* : ch.-fort 32 ; *Villy-la-Ferté* : fort 2,8 [9]. **Ariège.** *Foix* : ch. et m. départ. 80 [10] ; *Labouiche* : rivière souterraine ; *Mas d'Azil* : grottes préhistoriques 46 ; *Montségur* : ch. 115 (est.) ; *Niaux* : grottes préhist. 24. **Aube.** *Troyes* [9] : m. des Beaux-Arts 18, de la Bonneterie 11, pharmacie de l'Hôtel-Dieu 5,9 ; *La Motte-Tilly* : ch. et parc 11,9. *Outil* : maison 16 ; *Vauluisant* : m. 10. **Aude.** *Carcassonne* : cité 236,4, m. 15 [12], trésor de la cath. 0,052 [7] ; *Fonfroide* : ab. ; 73,3 [17] ; *Narbonne* [12] : palais des Archevêques 118. **Aveyron.** *La Couvertoirade* : cité templière 87,5 [16], *Millau* : m. archéologique-maison de la Peau et du Gant : 14,6 [16], fouilles de Graufesenque 1,1. Montpellier-Le-Vieux 88 [16]. *Roquefort* : caves 169,6 [16].

Bouches-du-Rhône. *Arles* : arènes 219 [4], th. ant. 166 [4] ; *Glanum* : fouilles 72 ; *Marseille* : ch. d'If 65,9 ; Fort St-Jean 2,5 ; *Montmajour* : ab. 67,7 ; *Saint-Blaise* : fouilles 2,7 ; *Silvacane* : ab. 29 ; *Tarascon* : 60.

Calvados. *Arromanches* [5] : m. du Débarquement 400 ; *Bayeux* : tapisserie 240 [6] ; *Balleroy* : ch. et m. de l'Aérostation 20 [6], ab. aux Hommes 7,1 [5] ; *Caen* : m. de Normandie 16 [4], m. des Beaux-Arts 11 [4] ; memorial 312,3 [14] ; *Honfleur* : m. Boudin 24 [6] ; *Martainville* : 13,8. **Cantal** [12]. *Anjony* : 20 [17] ; *St-Flour* : m. Hte-Auvergne 9,5 ; *Val* : ch. 55, Maisons des Volcans 13. **Charente** [6]. *Angoulême* : ruines gallo-romaines à Chassenon 15 [14] ; m. de Cognac 31,3 [14] ; cath. 200 ; m. 28 ; m. archéologique et historique 3,5 ; *Aubeterre* : égl. monolithe 22 [14] ; m. de Rochebrune 7 ; circuits de la Préhistoire 3. *Fleurac* : m. du papier 7 [14]. *La Rochefoucauld* : ch. 10 [14]. **Charente-Maritime.** *Aix (île)* : m. Napoléon 35,7, m. africain 24 ; *La Roche-Courbon* : 57,9 [17] ; *La Rochelle* : tour de St-Nicolas 43,5 ; M. africain 27 [11] ; à la Chaîne 16 [8] ; de la Lanterne 46,1 ; *Rochefort* : m. Pierre-Loti 17 [8] ; *Saintes* : arènes. **Cher.** *Ainay-le-Vieil* : 27,9 [17] ; *Apremont* : 40 [17] ; *Bourges* : tour cath. 34,6 ; palais Jacques-Cœur 38,2 ; hôtel Lallemant 11 [14] ; *Brou* : ab. 79,3 [15] ; *Noirlac* : ab. 35,9 [14], m. du Berry 15,4 [14]. **Corrèze** [7]. *Arnac-Pompadour* : jardins du ch. et haras ; *Aubazine* : abbaye cistercienne ; *Beaulieu* : égl. ; *Bort-les-Orgues* : château de Val ; *Clergoux* : ch. de Sédières ; *Noaihac* : ch. de Lacoste ; *St-Geniez-ô-Merle* : tours de Merle (son et lumière) ; *Ségur* : ch. et vill. médiéval ; *Turenne* : ch. **Corse.** *Ajaccio* : Maison Bonaparte 85,1 ; chapelle impériale 0,5 [16]. **Côte-d'Or.** *Alésia* : site-fouilles 36,4 [14] ; *Bèze* : grottes 12 724 [14] ; *Beaune* : Hôtel-Dieu 326,8 [14], m. du vin 74 [12] ; *Bussy-Rabutin* : ch. 27,1 ; *Châteauneuf-en-Auxois* : ch. 20,3 ; *Châtillon* : m. archéologique 26,7 [14] ; *Commarin* : ch. 13 [12] ; *Dijon* : m. des Beaux-Arts 107,3 [14], m. Magnin 11,5 ; *Fontenay* : 108,2 [17]. **Côtes-d'Armor.** *Rosambo* : 35 [17]. *Tréguier* : maison de Renan 2,3 ; m. de St-Brieuc ; m. de Dinan. **Creuse** [7]. *Aubusson* : maison du Vieux-Tapissier ; Centre culturel Jean-Lurçat, Musée départemental de la tapisserie ; *Bourganeuf* : tour Zizim et coll. archéol. ; *Boussac* : ch. ; *Guéret* : m. 8 [8] ; *Lavaufranche* : commanderie des Templiers ; *Mainsat* : ch. des Portes ; *St-Germain Beaupré* : ch. ; *St-Maixant* : ch. et parc animalier ; *Ste-Feyre* : ch.

Dordogne. *Beynac* : ch. 72 [17] ; *Combarelles* : grottes 8,8 ; *Les Eyzies* : m. 157,7, m. et grottes du Grand-Roc 115 [8] ; *Font-de-Gaume* : grotte 38,9 ; *Hautefort* : ch. 64 [17] ; *Laugerie-Haute* : grotte 1,1 ; *Montcaret* : fouilles 4,2 ; *Montfort* : ch. 40 [1] ; *Puy Guilhem* : ch. 16 [8] ; *Thonac* : m. 25 [8] ; *Bourdeilles* : ch. 45 [8] ; *Biron* : 31 [8]. **Doubs.** *Besançon* : cath. 0,1, horloge 12,4 ; m. populaire comtois 164 [8], m. de la Résistance 62 [8] ; m. du château 28 [8], m. des B.-A. ; m. hist. du Palais Orauvelle ; *Montbéliard* : m. hist. 0,4 [4]. **Drôme** [1]. *Die* : m. ; *Grignan* : m. ; *Pègue* : m. préhistorique ; *Poet-Laval* : m. du Protestantisme ; *Romans* : m. de la Chaussure 45 ; *Valence* : m. 16 ; *Vassieux-en-Vercors* : m. de la Déportation.

Essonne. *Montlhéry* : ch. 3,6. *Courances* : m. 40,6 ; *Couson* : 45 [17] ; **Eure.** *Les Andelys* : Ch.-Gaillard 17 [5] ; *Bec-Hellouin* : ab. 16,5 ; *Bizy* : ch. 17 [5] ; *Gisors* : ch. 11 [5] ; *Giverny* : jardin et maison de Claude Monet 76s5 ; *Harcourt* : ch. 18 [5] ; *Mortemer* : ab. 19 [5] ; *Vascœuil* : ch. 35 [5]. **Eure-et-Loir** [16]. *Anet* : ch. 43,2 [17] ; *Chartres* : cath. 35,2 ; m. des B.-A. 18 [14] ; Centre intern. du vitrail : 22 ; *Châteaudun* : ch. 29,4, m. 14,8, Grottes du Foulon 21,4 ; *Dreux* : beffroi 2,1, m. 2,6, Chap. royale 33,5 [17] ; *Maintenon* : ch. 39,5 [17] ; *Montigny-le-Gannelon* : ch. 12,5 ; *Nogent-le-Rotrou* : ch. 12,3.

Finistère. *Brest* : m. des B.-A. ; m. Naval (ch.) ; m. de la ville (tour de la Motte-Tanguy) ; *Camaret* : m. naval ; *Concarneau* : m. de la pêche ; *Kerjean* : ch. 5,4 [12] ; *Morlaix* : m. des Jacobins ; *Penmarch* : m. préhistorique 17 [8] ; *Pont-l'Abbé* : m. bigouden 19 [8] ; *Quimper* : m. breton, m. des B.-A. 43 [8].

Gard. *Aigues-Mortes* : remparts 167,7 [16] ; *Nîmes* : arènes, tour Magne, Maison carrée... 293 [12] ; *Villeneuve-lès-Avignon* : chartreuse 32,6, fort St-André 7. **Garonne (Haute-).** *Montmaurin* : 13,5, *Toulouse* : m. d'Hist. nat. 45 [4], des Augustins 37 [1]. **Gers** [5]. *Auch* : cath. 85 ; m. d'archéol. ; *Condom* : m. de l'Armagnac 5 ; *Flaran* : ab. 20 ; *Lectoure* : m. lapidaire 5 ; *Mirande* : m. de Peinture 3. **Gironde.** *Blasimon* : ab. St-Nicolas ; *Bordeaux* : trésor de la cath. ; *Cadillac* : 11 ; *Entre-Deux-Mers* : bastides ; *Gamage et Dropt (vallées)* : moulins fortifiés (Espiet, St-Aubin-de-Branne, Labarthe, Cleyrac, Gornac) ; *Roquetaillade* : 36 [17] ; *Sauve-Majeure* : ab. 8,1 ; *Villandraut* : ch. clémentins du Bazadais.

Hauts-de-Seine. *Boulogne-Billancourt* : maison de la nature 45 [12], jardins A.-Kahn 95 [12] ; *Rueil-Malmaison* : Bois-Préau, ch. de la Malmaison 107,7 ; *Sèvres* : 430 [16] ; M. nat. de la céramique 38,9 ; *Sceaux* : M. de l'Ile-de-France 28 [12]. **Hérault.** *Ensérune* : fouilles 29,3 ; *Sète* : m. Paul-valéry 65 [10] ; *St-Bauzille* : grottes des Demoiselles 120 [10].

Ille-et-Vilaine [5]. *Combourg* : ch. 40 [12] ; *Fougères* : *m. Emmanuel-de-La-Villéon 2,4* [10] ; *Rennes* : m. des B.-A. 38, m. de Bretagne 40 [10] ; *St-Malo* : International du Long-Cours-Cap-Hornier 13 ; *Vitré* : m. du ch. 31 [10]. **Indre.** *Argentomagus* : fouilles 7 [12] ; *Argy* : ch. 3 [12] ; *Azay-le-Ferron* : ch. 14 [12] ; *Bouges* : ch. 13,1, parc 1,6 ; *Châteauroux* : m. Bertrand 31 ; *Châtillon-sur-Indre* : donjon : 0,1 [12] ; *Diors* : m. des 3 Guerres 9,5 [12] ; *Gargilesse-Dampierre* : égl. 10 [12], m. G.-Sand 8 [12] ; *Issoudun* : m. Saint-Roch 9,5 [12] ; *La Châtre* : m. G.-Sand 4,4 [12] ; *Nohant* : domaine de G. Sand 34,8 ; *Rosnay* : ch. du Bouchet 5 [12] ; *Sarzay* : ch. 4 [12] ; *Valençay* : ch. 104 [17]. **Indre-et-Loire** [16]. *Amboise* : ch. 404,6 [17] ; *Azay-le-Rideau* : ch. 394 ; *Chenonceau* : ch. 950 [17] ; *Chinon* : ch. 125,7 ; *Le Clos-Lucé* 243,2 [17] ; *Langeais* : ch. 155 ; *Loches* : ch. 99,6 ; *Psalette (La)* : ch. 2 174 [7] ; *Saché* : ch. 32,3 ; *Tours* : cath. et cloître 1,8, m. du compagnonnage 62,4, m. des B.-A. 47,5 [14] ; *Historial* (Grévin) 78. *Ussé* : 125 [17]. *Villandry* : 317 [17]. **Isère.** *Notre-Dame-en-Vaux* : 4,3 [16] ; *Vizille* : ch. 45 [9].

Jura. *Arbois* : maison de Pasteur ; *Arlay* : ch. du Pin ; *Beaume-les-Messieurs* : ab. ; *Grigny* : égl. ; *St-Claude* : cath., m. de la Pipe.

Landes [5]. *Biscarrosse* : M. des Hydravions 5 ; *Biscarrosse Bourg* : m. Naturama 5,5 ; *Brassempouy* : M. de la Préhistoire 2 ; *Dax* : m. de Borda 3,3 ; *Hastingues* : m. + abbaye d'Arthous 4,6 ; *Mont-de-Marsan* : m. de Sculpture Despiau-Wlérick, m. Dubalen (préhistoire et sciences naturelles) 8,1 ; *Montfort-en-Chalosse* : m. de la Chalosse 3 ; *Parentis-en-Born* : M. du Pétrole 85 ; *Sabres* : Écomusée de la Grande Lande 97 ; *Samadet* : M. de la Faïencerie 5 ; *St-Sever* : m. des Jacobins 4,8 ; *Sanguinet* : m. 3. **Loir-et-Cher** [16]. *Blois* : ch. 408,9 ; *Chambord* : ch. 681 ; *Chaumont* : ch. et écuries 114,6, parc 18 ; *Fougères-sur-Bièvre* : ch. 8,8 ; *Montrichard* : ch. 10,7 ; *Romorantin* : m. de Sologne 6,2 ; *Talcy* : ch. 17,1 ; *Vendôme* : m. 14,1, ch. 8,9. **Loire** [12]. *Ambierle* : m. forézien 10 ; *Chalmazel* : ch. 2,4 ; *St-Marcel-de-Félines* : ch. 1,3 ; *Urfé* : Batie 8. **Loire-Atlantique.** *Blain* : maison des Arts et Traditions populaires 3,3 [14] ; *Bourgneuf* : m. du Pays de Retz 13 [14] ; *Le Croisic* : m. de la Marine 8,5 [14] ; *Goulaine* : 30 [17] ; *Guérande* : m. de Guérande 25 [14] ; *Nantes* : m. des B.-A. 68,8 [14], m. Dobrée 33 [14], muséum d'Hist. nat. 106,6 [14], m. Jules-Verne 13,2 [14], m. des Salorges 218,6 [14], m. Breton. **Haute-Loire.** *Le Puy* : cloître et trésor cath. 38,6 ; *Chaise-Dieu* : ab. 59 [10] ; *Polignac* : donjon 11 [12] ; *Puy (Le)* : rocher Corneille 143 [10], N.-D. de France 147 [12], cath. (cloître et baptistère) 42 [15], m. Crozatier 23 [12] ; *St-Michel d'Aiguilhe* : chap. 56 [12]. **Loiret** [16]. *Artenay* : moulin de pierre 1,2 ; *Beaugency* : m. Dunois 15 ; *Gien* : ch. (m. de la Chasse) 46 ; *La Bussière* : ch. des Pêcheurs 12,3 ; *La Ferté-St.-Aubin* 60 [17] ; *Meung-sur-L.* : ch. 18 ; *Orléans* : m. des Beaux-Arts 31, Jeanne d'Arc 22, des Sc. naturelles 15,6, Parc floral 124, m. Hist. et Arch. 7,5 ; *Pithiviers* : m. des Transports 15 ; *Sully-sur-Loire* : ch. 63 ; *Vienne-en-Val* : dépôt archéol. 0,3 [14]. **Lot.** *Assier* : ch. 2,7 [5] ; *Castelnau-Bretenoux* : ch. 47,3 ; *Cougnac* : grotte 22 [5] ; *Genevières* : ch. 5 [5] ; *Lacave* : grotte 159 [5] ; *Montal* : ch. 13 [5] ; *Padirac* : gouffre 404 [5] ; *Presque* : grotte 23 [5]. **Lot-et-Garonne** [5]. *Agen* : m. 9,5 ; *Fumel* : ch. de Bonaguil 44 ; *Gavaudun* : ch. 8 ; *Nérac* : m. 7 ; *Villeneuve-sur-Lot* : m. 1,6. **Lozère** [14]. *Aven Armand* : 177. *Mende* : m. env. 5 [7].

Maine-et-Loire. *Angers* : trésor de la cath. 30 [14] et ch. du roi René 169,6 [16], m. Jean Lurçat 60 [14], m. David d'Angers 32,7 [14], m. des Beaux-Arts 16,2 [14], m. Pincé 11,5 [14] ; *Brissac* : 33 [17] ; *Fontevraud* : ab. 130,1 [16] ; *Lurçat* : m. 42 [8] ; *Montreuil-Bellay* : ch. 37,5 [17] ; *Plessis-Bourré* : ch. 32,9 [17] ; *Saumur* : ch. 129,2 [14], m. des Blindés 31 [14], m. de l'école de cavalerie 40 [14], m. des Champignons 80 [14] ; *Trélazé* : m. de l'Ardoise 16,7 [14]. **Manche.** *Avranches* : m. 7 [9] ; *Cerisy-la-Forêt* : m. de l'Ab. 4,5 [9] ; *Cherbourg* : m. du Roule 20 [9], m. des B.-A. 3,5 [9] ; *Coutances* : m. 7,5 [9] ; *Granville* : m. du Vieux-Granville 7,7 [9] ; *Hambye* : ab. 19 [9] ; *Lucerne d'Outre-Mer* : ab. 15 [9] ; *Mont-St-Michel* : ancienne ab. 773, m. historial 57 [8], m. historique 153 [8], ab. 701 [16], Porte du Roy 220 [8], jardins 80 [10], m. de Ste-Mère-l'Église ; *Mortain* : ab. Blanche 10 [9] ; *Pirou* : ch. 11 [9] ; *St-Lô* : m. 2,4 [9] ; *St-Michel-de-Montjoie* : m. du Grabit 8,6 [9] ; *St-Sauveur-le-Vicomte* : m. Barbey-d'Aurevilly 4 [9] ; *Ste-Marie-du-Mont* : m. du Débarquement 68 [9] ; *Ste-Mère-Église* : m. des Troupes aéroportées 10 [9] m. de la Ferme 19 [9] ; *Valognes* : m. régional du Cidre 15 [9] ; *Villedieu-les-Poêles* : m. du Cuivre 20 [9], m. du Meuble 24 [9]. **Marne.** *Châlons* : N.-D. en Vaux 4,4 ; *Épernay* : caves Moët et Chandon 143 [1] ; *Reims* : palais du Tau 69,9, cath. 10,5. **Marne (Haute-)** [5]. *Chaumont* : m. 8 ; *Colombey-les-Deux-Églises* : mémorial du Gal de Gaulle 397, m. de la Boisserie. **Mayenne** [12]. *Château-Gontier* : refuge de l'Arche 37 [14]. *Cosse-le-Vivien* : m. Robert-Tatin 17 ; *Jublains* : site gallo-romain 13 [14] ; *Lassay-les-Châteaux* : ch. 12 [14]. *Laval* : m. Art naïf 17 ; *Renaze* : m. de l'Ardoise 5 ; *Ste-Suzanne* : ch. et son et lumière 12,5. **Meurthe-et-Moselle** [12]. *Baccarat* : m. du Cristal 24 ; *Cons-la-Grandville* : ch. 1,7 ; *Fermont* : (ligne Maginot) 23 ; *Haroué* : ch. 23 ; *Jarville* : m. du Fer 3,4 [8] ; *Longwy* : m. 3,3 ; *Lunéville* : m. 12 ; *Montaigu* : ch. 1,2 ; *Nancy* : M. lorrain 61, m. des B.-A. 15, m. de l'École-de-Nancy 10, Zoologie et aquarium m. 36 ; *Pont-à-Mousson* : ab. des Prémontrés 13 ; *Velaine-en-Haye* : m. de l'Automobile 10. **Meuse** [5]. *Bar-le-Duc* : égl. St-Étienne ; *Douaumont* : ossuaire 410, fort 133 ; *Hattonchatel* : égl. ; *Nubécourt* : sépulture du Pt Poincaré ; *Princerie* : m. 8 ; *St-Michel* : égl. de St-Michel et St-Étienne ; *Verdun* : Hôtel de V. et m. de la Guerre 22. **Morbihan.** *Carnac* : mégalithes ; *Guehenno* : calvaire ; *Inzinzac-Lochrist* : éco-m. ouvrier des forges d'Hennebont ; *Josselin* : ch. 77,5 [17] ; *Lorient* : m. de la Marine et base sous-marine ; *Ploërmel* : égl. ; *Pontivy* : ch. ; *Port-Louis* : m. de l'Atlantique ; *Saint-Marcel* : m. de la Résistance ; *Sarzeau* : ch. de Suscinio 60 [2] ; *Vannes* : m. archéol, trésor de la cath. et remparts. **Moselle** [5]. *Bitche* : m. 12 ; *Gravelotte* : m. 5 ; *Marsal* : m. du Sel 10 ; *Metz* : m. 48 ; *Phalsbourg, Sarreguemines, Fenetrange* : m. ; *Sierck-les-Bains* : m. 17.

Nord. *Douai* : égl. N.-D. ; *Dunkerque* : égl. St-Éloi, m. d'Art contemporain ; *Lille* : m. des Beaux-Arts (peintures, porcelaines), m. de l'Hospice Comtesse (art et traditions populaires), vieille bourse ; *Villeneuve-d'Ascq* : m. d'Art moderne.

Oise [14]. *Beauvais* : (tapisseries) ch. 10,2 ; *Chantilly* : m. Condé 219, m. vivant du Cheval 130 ; *Compiègne* : m. du ch. 215,2 ; *Orrouy* : ruines de Champlieu 11 [5] ; *Pierrefonds* : ch. 91,9 [16] ; *Senlis* : m. de la Vènerie 13 [14]. **Orne.** *Aigle (L')* : m. « Juin 44 » 11 [2] ; *Alençon* : maison de Ste-Thérèse, école dentellière 8 [2], m. d'Ozé 0,6 [2], égl. N.-D. ; *Carrouges* : ch. 18,2 ; *Mortrée* : ch. d'O ; *Pin (Le)* : haras 32 [2] ; *Sées* : cath. ; *St-Cyr-la-Rosière* : m. des Traditions popul. 9,6 [2].

Pas-de-Calais. *N.-D.-de-Lorette* : cimetière mil. 183 [5] ; *Wimille* : colonne de la Grande Armée 5,2 ; Vimy : mémorial canadien 0,6 [12]. **Puy-de-Dôme.** *Cordès* : 30 [17] ; *Livradois* : m. vivants 116 [8] ; *Puy-de-Dôme* : sommet 374 [9] ; *Villeneuve-Lembron* : ch. 7.

Pyrénées-Atlantiques. *Bayonne* : M. basque 46 [5], m. Bonnat 19,7 [5], cath. 7,8 ; *Biarritz* : m. de la Mer 162 [5] ; *Cambo* : m. E.-Rostand 63 [5] ; *Pau* : m. du ch. 135, m. des B.-A. 20 [5]. **Pyrénées (H.-).** *Lourdes* : M. pyrénéen 200 [5] ; *Tarbes* : maison du maréchal Foch 0,8. **Pyrénées-Or.** *Arles-sur-Tech* : égl. et cloître ;

Castelnou : ch. 37 [6] ; *Collioure* : égl. et tour ; *Elne* : cloître ; *Marchands* : loge ; *Maureillas* : chapelle de St-Martin-de-Fenouillar ; *Perpignan* : palais des rois de Majorque et le Castillet, *St-Jacques* : égl. ; *St-Martin-du-Canigou* : ab. ; *St-Michel-de-Cuxa* : ab. ; *Salses* : fort 84,8. *Serrabonne* : égl. ; *Thuir* : caves de Byrrh 212 [3] ; *Villefranche-de-Conflent* : égl. et remparts.

Rhin (Bas-). *Ht-Koenigsbourg* : ch. 529,7 ; *Natzwiller* : camp de Struthof 140 [6] ; *Strasbourg* : cath. 260 [12]. Rhin (Haut-). *Cernay* (près de) : monument du Vieil-Armand 105 [2] ; *Colmar* : m. Unterlinden 354 [11] ; *Mulhouse* : m. de l'Automobile 1 359 [10], m. de l'Impression sur étoffes 21 [12], m. du Chemin de fer 201 [12]. Rhône. *Lyon* : cath. St-Jean 4,6, m. Guimet 113 [11], m. gallo-romain 95 [11], esp. d'art contemp. Elac 143 [11] ; *Rochetaillée* : m. automobile 132 [11].

Saône (Haute-) [10]. *Champagney* : m. de la Négritude 1,5 ; *Champlitte* : m. Albert-Demard 50 ; *Château-Lambert* : m. 15 [9] ; *Fougerolles* : m. rural 4 ; *Gray* : m. Baron-Martin 7,1 ; *Haut-du-Them* : m. de la Montagne 12 [9] ; *Luxeuil-les-Bains* : m. d'Archéologie 6 ; *Passavant-la-Rochère* : verreries 90 [9] ; *Ray-sur-Saône* : ch. 3 [9] ; *Ronchamp* : chapelle Notre-Dame-du-Haut 110 [9] ; *Vesoul* : m. 32. Saône-et-Loire [12]. *Autun* : m. Rollin 32 ; *Chalon-sur-S.* : m. Niepce 18, m. Denon 9,1 ; *Champlieu* : 7,1 [7] ; *La Clayette* : m. de l'Automobile 29 ; *Cluny* : ab. 111,4 ; *Cormatin* : 51 [17] ; *Couches* : ch. 5,7 ; *Le Creusot-Montceau-les-Mines* : écomusée 17 ; *Digoin* : m. de la Céramique 5,5 ; *Pierre-de-Bresse* : écomusée 12 ; *Tournus* : ab. St-Philibert, m. Greuze 4,9, m. Bourguignon 4,2. Sarthe [11]. *Breil-sur-Merise* : ch. de Pescheray 51,9 [14] ; *Fresnay-sur-Sarthe* : m. des Coiffes 2,7 [14] ; *La Flèche* 59 [8], zoo 163,8 [14] ; *Le Mans* : m. de l'Automobile 50 [14], m. de Tessé et m. de la Reine-Bérangère 61,2 [14] ; *Le Lude* : ch. (son et lumière) 45 ; *L'Épau* : ab. 17,3 [14] ; *Poncé* : centre artisanal 95 ; *Tessé* : m. 56 ; *Vivoin* : prieuré 11,4 [14]. Savoie [5]. *Aix-les-Bains* : thermes 53 [11] curistes ; *Chambéry* : ch. des Ducs de Savoie 10 ; *Vanoise* : parc 700 [10] journées. Savoie (Hte-) [10]. *Annecy* : ch. et palais de l'Isle 82 ; *Clermont* : ch. 3,5 ; *Lovagny* : ch. de Montrottier 30 ; *Menthon-St-Bernard* : ch. 18 ; *Thonon* : ch. de Ripaille 17 ; *Thorens* : ch. de Sales. Seine-et-Marne. *Anet-sur-M.* : ch. ; *Champs-sur-M.* : ch. 17,6 ; *Fontainebleau* : ch. 424 ; *Moret-sur-Loing* : ch. (festival en juin) ; *Morin* : vallée du Grand et du Petit (pêche) ; *Provins* : ch. ; *Vaux-le-Vicomte* : 282 [17]. Seine-Maritime. *Dieppe* : m. du ch. 72 [6] ; *Jumièges* : ab. et m. 78,6, m. Antiquités 26 [6] ; *Martainville* : ch. 15 [15] ; *Rouen* : m. des Beaux-Arts : 100 [6]. Seine-St-Denis. Basilique de St-Denis 125,3. Sèvres (Deux-). *Niort* : 10 [5] ; *Oiron* : ch. 13,9. Somme [14]. *Albert* : mémoriaux 1re G. 100 ; *Amiens* : cath. 150, m. de Picardie et d'Art local 100, hortillonnages 35, centre culturel de St-Riquier, ab. 30, parc Samara 50 ; *Naours* : grottes 80 ; parc ornithologique du Marquenterre et Maison de l'oiseau 140.

Tarn [11]. *Albi* : m. Toulouse-Lautrec 89 ; *Castres* : m. Goya 14. Tarn-et-Garonne. *Aveyron* : vallée ; *Beaulieu* : ab. 6,9 ; *Gramont* : ch. Renaissance et parc 4,3, ab. 6 ; *Malause-Golfech* : plan d'eau ; *Montauban* : m. Ingres 20 [8] ; *Moissac* : cloître 40 [8] ; *St-Antonin-Noble-Val* : village médiéval. Terr. de Belfort. *Belfort* : Lion (Bartholdi), ch. et m. historique 48 [2].

Val-de-Marne. *Vincennes* : ch. 50,8. Val-d'Oise. *Écouen* : ch. et m. 63,8.

Var. *Collobrières* : chartreuse de la Verne 22 [1] ; *Fréjus* : 27,4 ; *La Seyne-sur-Mer* : fort de Balaguier (1er m. naval de Fr.) + de 50/an ; *St-Maximin* : ab. 13 [1] ; *St-Tropez* : m. de l'Annonciade 11 [1] ; *Thoronet (le)* : ab. 96 ; *Toulon* : mémorial du mt Faron 116 [1], m. naval et tour Royale 37 [5]. Vaucluse [5]. *Avignon* : palais des Papes 468 [11], N.-D.-des-Doms, rocher des Doms, remparts, m. du Petit Palais 50 [16], m. Calvet 19, pont St-Bénézet 48 [11] ; *Carpentras* : 43 [2], cath. St-Siffrein 2,5 [2] et synagogue 4,4 [2] ; *Cavaillon* : cath., arc romain et synagogue ; *Gordes* : ab. cistercienne de Sénanque 103, m. Vasarely 51 [11] ; *Orange* : th. antique 184 [11] ; *Vaison* : ville romaine et bourg médiéval, fouilles archéologiques 125 [11]. Vendée. *Mouilleron-en-P.* (m.) : m. Clemenceau 4,9, m. De Lattre 6,1. *Fontenay-le-Comte* : ch. de Terre-Neuve 16 [14] ; *Les Epesses* : ch. du Puy-du-Fou (spectacle et musées) 292 [14] ; *Les Sables-d'Olonne* : m. de l'ab. Ste-Croix 20 [14] ; Nieuls-s.-l'Autize 11,9 [14] ; *Noirmoutier* : ch. 71,3 [14] ; *St-Cyr-en-Talmondais, La Court d'Aron* : parc floral 65 [8], ch. 10,9 [14] ; *St-Vincent-sur-Jard* : m. Clemenceau 22. Vienne. *Sanxay* : 11,1. *Charroux* : ab. 2,3. Vienne (Hte-). *Chalus* : ch. Chabrol ; *Champagnac-la Rivière* : ch. de Brie ; *Charroux* : ab. 2,6 [15] ; *Châteauponsac* : m. ; *Dournazac* : ch. de Montbrun ; *Limoges* : m. de l'Évêché 42 [9], m. Adrien-Dubouché 25,1, égl. St-Michel, cath. 1,1, égl. St-Pierre-du-Queyroix, chapelle St-Aurélien, crypte St-Martial ; *Oradour-sur-Glane* : ruines ; *Rochechouart* : m. 6,4 [9] ; Vosges [9]. *Domrémy-la-Pucelle* : maison de Jeanne d'Arc 62 ; *Épinal* : m. de l'Imagerie 32 ; *Grand* : mosaïque et amphithéâtre 15.

Yonne [12]. *Ancy-le-Franc* : ch. 35 [17] ; *Auxerre* : maison du Coche-d'eau 19, anc. ab. de St-Germain 17 ; *Saint-Fargeau* : 38 [17] ; *Sens* : m. municipal et trésor de la cath., palais synodal 25 ; *Tanlay* : ch. 17 [9]. **Yvelines.** *Maisons-Laffitte* : ch. 10,6 ; *Rambouillet* : ch. 29,6 (laiterie de la Reine et pavillon des Coquillages 8) ; *St-Germain-en-Laye* : ch. 125,3 ; *ch. de Breteuil* 112 [17]. *Port-Royal* : 8,9 ; *Thoiry* : parc et ch. 355 [17]. *La Motte-Tilly* : 11,3.

• Exemples de tarifs (en F) pour une soirée. **Locations : Abbaye du Mt-St-Michel :** *Abbatiale* 4 500. **Angers (château) :** *Chapelle* (messes et concerts), *Orangerie* 2 200. **Azay-le-Rideau :** 4 500. **Bourges :** *Hôtel Jacques Cœur* 2 300. **Chambord :** *Communs d'Orléans* 13 650. **Châteaudun :** *Salle des Gardes* 3 800. **Fontainebleau :** *Cour du Quartier Henri IV* 5 000. **Maisons :** *Château* 16 000 à 29 000. **Paris :** *Conciergerie, Palais de St-Louis, Salles gothiques* 50 000. *Hôtel de Sully, Orangerie* 9 500. *Ste-Chapelle (ch. Haute)* 5 200. **Pau :** *Château* 1 150. **Pierrefonds :** *Château* 1 200 à 3 300. **St-Cloud :** *Parc* 10 000 à 20 000. **St-Germain-en-Laye :** *Parc* 4 000. **Tarascon :** *Château* 5 500. **Versailles :** *Domaine, Orangerie* 220 000. **Vincennes (château) :** *Chapelle royale* 3 300.

Visites de centrales électriques.
Nombre 1990 : 20 nucléaires en service et 40 classiques. Nombre de visiteurs (1990, en milliers). Chinon 33,3, Gravelines 28, Cattenon 21,1, Blayais 17,2, Bugey 15,2, Fessenheim 15,2, Paluel 13,6, St-Laurent-des-Eaux 13,4, Tricastin 12, Flamanville 11,5, St-Alban 11, Creys-Malville (Super Phénix) 10,5, Cruas 7,5, Dampierre 5.

Énergie

Généralités

Quelques équivalences

Charbon *(1 t)* : houille 0,619 tep (26 gigajoules), coke de houille 0,677 (28,4), agglomérés et briquettes de lignite 0,762 (32), lignites et produits cendreux de récupération 0,405 (17) ; **produits pétroliers** *(1 t)* : pétrole brut, gazole, fuel domestique, produits à usages non énergétiques 1 (42), gaz de pétrole liquéfié 1,095 (46), essences moteur et carburéacteur 1,048 (44), fuels-oils lourds 0,952 (40), coke de pétrole 0,762 (32) ; **électricité** *(1 mégawattheure)* : 0,222 (9,33) ; **gaz naturel** *(1 mégawattheure PCS)* : 0,077 (3,24), [ancienne équivalence 0,086 (tenant compte du pouvoir calorifique supérieur du gaz)].

Pétrole. 1 baril = 159,984 l ; *1 baril de brut* = 0,14 t métrique ; *1 baril/jour* = 50 t/an ; **1 tonne** = 6,7 à 7,7 barils (moy. 7,3) ; *1 tep* = 1,5 tec, 10 000 thermies soit 11 626 kWh, 7,3 barils, 1 000 m^3 de gaz naturel, 1,75 m^3 de gaz naturel liquéfié, 4 500 kWhe (kWh électrique) ; **1 tec** = 2/3 tep ; **1 quad** [ou 1 quadrillon Btu (British thermal unit) soit 10^{15} Btu] × 2,1 = 1 million de barils par jour d'équivalent pétrole (1 mbdoe) soit 50 millions de tep (toe) par an (1 t courte = 907,20 kg) ; *1 pied cube/jour* = 10 m^3/an.

Uranium. *Centrales nucléaires classiques* : 1 t d'uranium naturel = 15 000 tec ou 45 millions de kWh ; *surgénérateurs* : 1 t d'uranium naturel = 900 000 tec ou 2,7 milliards de kWh.

Nota. – Équivalences obtenues à partir du pouvoir calorifique inférieur pour les combustibles. Tec : tonne d'équivalent charbon. Tep : tonne d'équivalent pétrole.

Dans le monde

Statistiques par pays

• **Réserves mondiales de combustibles fossiles (1987).** Réserves prouvées récupérables en gigatonnes équivalent pétrole, entre parenthèses production en millions de tonnes équivalent pétrole, en italique durée de vie en années (ratio réserves/production 1987) : 903 (7 937,8) *114* dont *combustibles minéraux solides* 577 (2 750) *210* dont houille 412 (2 182) *189,* autres 165 (568) *291* ; *gaz* 94 (1 658) *57* ; *pétrole conventionnel* 124 (3 080) *40* ; *schistes bitumineux* 10 (11,2) [1] *893* ; *bitume naturel* 41 (16,6) *247* ; *uranium* 57 (422) *135*.

Nota. – (1) Estimations.

• **Consommation mondiale prévisible en l'an 2000 et 2020** (en millions de tep 1989). 16 580 (27 720). **Pays industrialisés :** 11 540 (14 650) dont Am. du N. 3 910 (4 760), Eur. de l'O. 2 430 (2 950), Japon, Océanie 1 090 (1 450), Eur. de l'Est 4 110 (4 500). **Pays en voie de développement :** 5 040 (13 160) dont OPEP 910 (2 800), autres pays 2 520 (6 160), Chine 1 610 (4 200).

Répartition des sources d'énergie en l'an 2000 (en %) : charbon 28, pétrole 25, gaz 22, nucléaire 9, énergies renouvelables 8, hydraulique 6.

☞ **Nombre de tep pour obtenir 1 t :** d'acier 6,7, papier 6,2, verre 6, ciment 6,2, aluminium 42, PVC 15, polystyrène 25.

• **Sources d'économie possibles.** 1/3 diminution du gaspillage, 1/3 grâce à des investissements mettant

Consommation et production d'énergie
(en millions de tep, en 1990)

Pays		Comb. solides	Pétrole brut	Gaz nat.	Électricité	
					hydr.	nucl.
Europe						
All. féd.	C	72,8	112,5	46,5	3,6	32,6
	P	67,9	3,6	13,4	3,6	32,6
Autriche [1]	C	3,3	10,6	4,5	8,3	0
Belg.-Lux.	C	9,9	24,1	8,3	0,1	9,9
	P	1,7	0	0	0,1	9,9
Danemark	C	5,3	8,8	1,9	0	0
	P	0	6	2,6	0	0
Espagne	C	19,9	48,1	5	5,7	11,5
	P	17,9	0,8	1,2	5,7	11,5
Finlande [1]	C	3,6	11	1,4	3,3	4,6
France	*C*	*18,8*	*88,7*	*25,1*	*11,2*	*61,1*
	P	*7,6*	*3,4*	*2,5*	*11,2*	*61,1*
G.-B.	C	64,1	82,4	48,8	1,5	14,2
	P	55,9	93,5	40,9	1,5	14,2
Grèce [1]	C	7,8	14,1	0,1	0,8	0
Irlande [1]	C	3,7	3,8	1,2	0,2	0
Islande [1]	C	0,1	0,6	0	0,9	0
Italie [1]	C	15,7	92,3	39,3	7,7	0
	P	0,2	4,8	15,6	7,7	0
Norvège	C	0,6	9,2	0	23,8	0
	P	0	81,9	25	23,8	0
Pays-Bas	C	8,9	34,2	30,4	0	0,8
	P	0	3,9	54,5	0	0,8
Portugal [1]	C	2,2	8	0	1,1	0
Suède	C	1,6	15	0,6	17,7	15,8
	P	0	0	0	17,7	15,8
Suisse [1]	C	0,3	12,4	1,1	9,4	5,5
Turquie [1]	C	24,8	22,3	0,2	4,4	0
Autres pays						
Australie [1]	C	42,7	29,9	14,3	3,9	0
Canada [1]	C	34,7	74,7	46,4	76,2	19,6
Chine [1]	C	581,1	100,7	13,4	31,5	0
Corée [1]	C	26,9	34,7	2,5	1,1	10,8
États-Unis [1]	C	479,8	789,2	460,2	66,8	144,8
Japon [1]	C	76,2	222,2	39,2	18,9	43,4
Taiwan [1]	C	10,1	22,9	1	2,1	10,1
U.R.S.S. [1]	C	310,1	439,1	548,9	56	42,5

Nota. – (1) 1988.

en œuvre des techniques éprouvées [niveau raisonnable d'investissement, 3 500 F par tep économisée, or l'investissement coûte plus de 4 000 F par tep (eau chaude solaire 6 000, chauffage solaire 10 000)], 1/3 grâce à des techniques nouvelles.

Consommation mondiale d'énergie (en millions de tep 1990). 8 030,5 dont pétrole brut 3 098,7 ; combustibles solides 2 192 ; gaz naturel 1 738,1 ; électricité 1001,7 dont hydraulique 540,6, nucléaire 461,1.

Consommation individuelle

• **Par pays** (en tep par hab., 1989). Canada 9,63 [1], USA 7,96 [1], Norv. 7,71, Suède 6,63, Islande 6,4 [1], Austr. 5,50 [1], P.-Bas 5, URSS 4,88 [1], Finlande 4,83 [1], N.-Zél. 4,82 [1], Suisse 4,38 [1], All. féd. 4,29, *France 3,6*, Autriche 3,53 [1], G.-B. 3,52, Japon 3,26 [1], Dan. 3,19, Italie 2,69, Islande 2,49 [1], Grèce 2,27 [1], Esp. 2,22, Port. 1,11 [1], Turquie 0,96, [1], Chine 0,67 [1].

Nota. – (1) 1988.

• **Évolution.** En thermies par j (dont alimentation, domestique et tertiaire, industrie et agriculture, transport). *Homme primitif* : 2. *Chasseur* : 5 (dont al. 3, dom. et t. 2). *Agriculteur primitif* : 12 (dont al. 4, dom. et t. 4, ind. et agr. 4). *Évolué* : 26 (dont al. 6, dom. et t. 12, ind. et agr. 7, transp. 1). *Homme « industriel »* : 77 (dont al. 7, dom. et t. 32, ind. et agr. 24, transp. 14). *« Technologique »* : 230 (dont al. 10, dom. et t. 66, ind. et agr. 91, transp. 63). *Source :* UNESCO.

• **Par produits. Consommation totale d'énergie (fabrication + fonctionnement) de 35 produits courants, indispensables à la vie quotidienne,** sur un an et pour une personne, en thermies. *Source :* Science et Vie. **5 954** habitat individuel ; chauffage central fuel (15 °C) ; **4 807** trajet domicile-travail en auto ; **4 106** habitat collectif ; chauffage fuel (19 °C) ; **3 600** h. en béton : chauffage électr. (19 °C) ; **3 309** gaz par appartement (19 °C) ; **2 260** (16 °C) ; **1 606** plat principal du soir : poisson d'élevage frais, cuisson électr. à domicile ; **1 397** vêtements en coton ; **1 392** trajet domicile-travail en autobus ; **1 381** vêtements en synthétique ; **1 350** plat principal du soir : bœuf bourguignon surgelé [1] ; **1 058** frais [1] ; **1 040** en conserve [1] ; **1 025** steak frais [1] ; **1 014** cuisson gaz à domicile ; **927** lavage du corps : baignoire + lavabo ; (chauffage urbain) ; **825** trajet de week-end et vacances en auto ; **822** trajet domicile-travail en train ; **769** lavage du corps : douche ; chauffage urbain ; **717** trajet de week-end et vacances en autocar ; **603** vêtements laine fabriqués à domicile ; **532** trajet en auto (relations) ; **519** trajet de week-end et vacances en train ; **405** plat principal du soir : protéines végétales [1] ; **345** lavage du linge à domicile (machine à chauffage intégré 95 °C) ; **335** en laverie collective (chauffage intégré 95 °C) ; **263** trajet domicile-travail à bicyclette ; **253** lavage du linge à domicile (machine à chauffage intégré 60 °C) ; **217** approvisionnement : en hypermarché (trajet en voiture) ; **209** en supérette (trajet à pied) ; **180** visiophone ; **157** lavage du linge (machine simple Calor 60 °C chaudière mixte gaz) ; **135** lavage du corps : lavabo (chauffage urbain) ; **92** lavage du linge à la main (40 °C, chaudière mixte gaz) ; **84** approvisionnement : par livraison à domicile ; commande par téléphone hebdomadaire.

Nota. – (1) Cuisson électrique à domicile.

☞ Une maison individuelle chauffée au fuel à 19° consomme 2,6 fois plus d'énergie qu'un appartement chauffé au gaz à 16°. L'utilisation d'une voiture pour partir en vacances ou en week-end consomme à peine plus d'énergie (825 thermies) que l'autocar (717 thermies). On consomme 4 fois plus d'énergie en dînant d'un poisson d'élevage qu'en mangeant des protéines végétales. Aller faire ses courses chez l'épicier du coin est 2,5 fois plus « énergivore » que de passer sa commande par téléphone et de se faire livrer.

Chauffage : 1 °C représente 7 % de consommation en + ou en –. *Automobile* : un conducteur attentif peut réduire d'au moins 1/3 sa consommation.

En France

Réserves énergétiques

En millions de tep, 1989	Réserves prouvées	Production	Réserves [1] (années)	Taux d'indépendance %
Houille ...	133	8,3	19	42,3
Lignite ...	27			
Pétrole ...	27,4 [3]	3,7	7	4,2
Gaz	29	2,5	12	10,2
Uranium [2].	590	31,5	19	47
Total	*1 296*	*46*	*28*	*47,4*

Approvisionnement énergétique français
(en millions de tep en 1989)

1989 (chiffres provisoires)	Charbon	Pétrole	Gaz	Électricité	Énergie nouv.	Total
Production ..	7,7	3,4	2,5	12,8 (H) 69,6 (N)	4,2	100,2
Importation ..	12	109,2	24,5	1,5	–	138
Exportation ..	–0,4	– 13,9	– 0,3	– 11,6	–	– 26,5
Variation de stocks	– 0,9	0	– 1,6	0	–	– 2,6
Disponible ...	18,8	88,7	25,6	72,3	4,2	209,1
Ind. énerg. (%)	41	3,8	10	114	–	47,9

Légende. – H : hydraulique. N : nucléaire.

Facture énergétique de la France
(en milliards de F)

Importations de produits énergétiques et, entre parenthèses, **solde énergétique,** *1980* : 151,7 (– 132,9). *81* : 186,9 (– 161,6). *82* : 201,6 (– 177,9). *83* : 194,8 (– 168,7). *84* : 218 (– 188,7). *85* : 213,6 (– 180,6). *86* : 111,4 (– 89,7). *87* : 100,8 (– 82,3). *88* : 85,6 (– 66,6). *89* : 106,4 (– 83,1).

Importations (1991) (hypothèse dollar à 5,70 F). *Baril 25 $* : 135, *30 $* : 162, *35 $* : 189.

Années	78	84	85	86	87	88	89	90
Pétr. brut	– 53,9	– 136,3	– 126,7	– 51,3	– 50,4	– 43	– 54,8	– 61,3
CMS [1]	– 5,5	– 9,6	– 9,9	– 7,5	– 4,9	– 4,2	– 6,1	– 6,6
Gaz nat.	– 4,9	– 28,3	– 30,3	– 23,2	– 14,1	– 12,8	– 13,9	– 16,5
Électr.	– 0,6	+ 3,5	+ 4,2	+ 5,3	+ 5,6	+ 7,3	+ 10,1	+ 10,2
Prod. pétr. raffinés	+ 2,9	– 16,2	– 17,9	– 13,0	– 18,5	– 7,4	– 11	– 9,7
Total	*– 62*	*– 187*	*– 180,6*	*– 89,6*	*– 82,3*	*– 60,1*	*– 79,3*	*– 83,9*

Nota. – (1) Combustibles minéraux solides.

La baisse dep. 1984 s'explique par celle du baril (*1984* : 28 $, *88* : 15 $) et par celle du $ (9 à 6 F).

Importations françaises d'énergie (1990). Pétrole brut 73,3 Mtep (dont en %) Proche-Orient 43,1 (Arabie Saoudite [1] 20,6, Iran [1] 12,3, Irak [1] 4, Abu Dhabi [1] 2,1) : Afrique 28,6 dont Afr. du N. 9,8, Gabon 6,6, Nigeria [1] 4,2 ; autres : 28,3 dont mer du Nord 14, URSS 8,5, Mexique 3,4. **Produits raffinés** 27,6 Mtep. **Gaz naturel** 318,7 TWh (dont en %) Algérie [1] 32,8, URSS 34,3, mer du Nord 19,6, Pays-Bas 13,3. **Charbon** 20,7 Mtep (dont en %) USA 31,9, Australie 17,2, All. féd. 10,6.

Nota. – (1) Pays de l'OPEP.

Consommation énergétique
(en millions de tep)

	1973	1975	1990	2000
Charbon	27,8	24,8	19	19,5 - 25
Pétrole	126,6	101,1	90,6	83,3 - 94,4
Gaz nat.	13,3	15,6	26,3	27,7 - 31,9
Hydraulique	10,7	13,4	} 73,7	} 86,4 - 91
Nucléaire	3,3	4,1		
Én. renouvelables	2	2,3	4,2	4,7 - 5
Échanges d'électr.	– 0,7	+0,6	–	–
Corrections climat. sur l'électr.	–	+0,9	+4,7	n.c.
Total [3]	183	170,9	213,8	221,6 - 247,3
Consom. intér. d'électr. (TWh)[2].	171,4	n.c.	n.c.	n.c.

Nota. – (1) 1988. (2) Corrigé du climat. (3) *1985* : 193, *86* : 197, *87* : 197. *88* : 204,8.

Répercussion en % d'une hausse de 100 % de produits énergétiques sur le prix de certains produits

Source : INSEE	Pétrole raffiné	Électr.	Gaz	Charbon
Consom. ménages	+ 6,5	2,1	0,5	0,4
Transports terrestres	+ 10,5	+ 1,6	0,1	0,3
Transports aériens	19,1	0,7	–	–
Matér. de construction	7,1	2,4	0,4	0,9
Verre	7,8	2,2	1,1	0,9
Sidérurgie	2,7	3,8	1,6	0,8
Appareils ménagers	6	1	0,1	–
Chimie organique	6,8	4,7	1,6	0,3
Caoutchouc brut	7,1	2,1	0,8	0,1
Produits de la pêche	11,1	0	–	0,4
Automobiles	2,7	1,8	0,3	0,2

◀ *Nota.* – (1) Ratio Réserves/Production. (2) Ressources raisonnablement assurées (1 tonne uranium = 10 000 tep). (3) Y compris condensats du gaz naturel (3,4 Mtep).

Couverture des besoins par la production nationale (en %). *1960* : 59. *65* : 48. *70* : 32. *73* : 22,5. *78* : 24,7. *80* : 27,4. *82* : 34,5. *84* : 45. *86* : 46,5. *87* : 47,3. *88* : 48,2. *89* : 47,4. *90* : 47,9. La baisse de 1989 est due à la sécheresse et aux incidents survenus dans les centrales nucléaires.

Économies d'énergie (en millions de tep par an). *1974-77* : 3,6. *1978* : 1. *79* : 2,5. *80* : 6. *81* : 3,5. *82* : 2,8. *83* : 0,8. *84* : 0,9. *85* : 1,9. *86* : –0,8. *87* : 0,8.

Charbon

Le charbon dans le monde

Généralités

• **Avantages.** Énergie fossile la plus abondante et la mieux répartie dans le monde. La pollution est aujourd'hui bien maîtrisée.

• **Formation.** Il y a 250 à 300 millions d'années (période carbonifère à la fin de l'ère primaire), la forêt hercynienne, aux arbres géants, aux fougères arborescentes, couvrait de vastes étendues. Les débris végétaux (bois, écorces, feuilles, spores, algues microscopiques) se sont accumulés et ont été recouverts par suite de phénomènes de subsidence, par un faible niveau d'eau. Ces dépôts, au gré des fluctuations de la subsidence, ont été recouverts de sédiments argileux ou sableux, puis des alluvions s'y sont ajoutées. Enfermé à l'abri de l'air, le dépôt végétal allait fermenter et s'enrichir en carbone. Ces débris végétaux se sont accumulés sur place dans des dépressions (sédiments autochtones) ou ont pu être transportés par des cours d'eau qui les ont déposés au fond de grands bassins sédimentaires (dépôts allochtones) comme au N. de l'Eur. occid. et à l'ouest des Appalaches (U.S.A.). **Composition du charbon en %.** Humidité 1,2, cendres 7,3, carbone « total » 78, hydrogène 5, oxygène 6,4, azote 1,4, soufre 0,7.

• **Différents charbons.** On pense que les charbons dérivent les uns des autres, mais la question n'est pas tranchée : des terrains primaires recèlent des lignites, des houilles se trouvent dans des terrains secondaires.

Anthracite. Massive, homogène, teneur en matières volatiles très réduite, dure, cassure brillante.

Coke. Obtenu en calcinant la houille dans des fours à plus de 1 000 °C pendant 12 à 18 h. Dépourvu des produits volatils de la houille, il brûle sans fumée ni odeur. *Coke métallurgique :* utilisé dans les hauts fourneaux, très compact, fournit environ 7 000 kilocalories et laisse peu de cendres. *Classification* en mm. 10/20 ; 20/40 ; 40/60 ; 60/90.

Graphite. Carbone naturel cristallisé. Ses gisements dérivent pour la grande majorité du métamorphisme de couches charbonneuses. Se trouve à l'état de paillettes (cristallisé) ou finement divisé (amorphe ou cryptocristallin). On obtient du graphite artificiel à partir du charbon ou du coke de pétrole. *Utilisation :* creuset et moule pour fonderie (variété cristalline) ; aciers spéciaux, lubrifiants, piles et crayons.

Houille. Terme général désignant les diverses variétés de charbon. Les principaux gisements datent de l'ère primaire. Au microscope, fragments d'écorces, tissus ligneux, feuilles et spores, noyés dans une masse fondamentale, une espèce de gelée. Riche en carbone. Teneur en cendres, en matières volatiles et en eau, variable selon les gisements. Les variétés de charbon sont distinguées en fonction de leur teneur en matières volatiles et du gonflement : charbons anthraciteux (gonflement 0 et indice de matières volatiles inférieur à 10), charbons flambants secs (gonflement < 2 et IMV > 34). Les charbons à coke (gonflement < 7 et IMV > 85) fournissent env. 750 kg de coke pour 1 tonne de produit brut.

Lignite. Noir, brun noirâtre, parfois brun. Les principaux gisements sont de formation tertiaire. Structure fibreuse plus homogène que la tourbe, laisse apparaître des rameaux et de grosses branches. Plus riche en carbone que la tourbe, mais teneur en matières volatiles élevée, combustible assez médiocre.

Tourbe. Noirâtre ou brune, fibreuse, retenant fortement l'eau, de formation quaternaire. Les tourbières d'où elle est extraite sont des marais couverts d'une végétation hygrophile, de mousses en particulier. Elle contient peu de carbone. Après dessiccation, sa combustion dégage beaucoup de fumée, peu de chaleur et laisse des résidus importants.

• **Nouvelles exploitations.** *Gisement de charbon souterrain.* Il doit contenir au moins 50 millions de t de réserves planifiables. Les investissements sont d'env. 3 milliards de F pour une production annuelle de 2 millions de t. Le délai entre l'exploration et la mise en production est, en général, de 10 ans. *Mines à ciel ouvert :* l'exploitation peut être envisagée si, pour 1 t de charbon vendu (soit 1 m³ de minerai brut avant lavage), il ne faut pas avoir à enlever plus de 10 m³ (soit 24 à 25 t) de terrains de couverture.

• **Terrils.** Entassement (parfois de 50 à 100 m de haut) des déchets de la mine : pierres et terres, *stériles* (morceaux de charbon non minéralisés) rejetés après triage et lavage, cendres et scories des chaudières. Certains sont aménagés et plantés. D'autres, contenant jusqu'à près de 20 % de produits « mixtes » sont repris et relavés. Ils fournissent 1 500 000 t de produits cendreux pour centrales thermiques. D'autres sont exploités pour fabriquer des matériaux de construction (briques surschistes) et dans les travaux publics (fondations d'autoroutes, etc.).

• **Classification des charbons. Par catégorie** *(% de matières volatiles).* Anthracite – de 8, maigres anthraciteux 8 à 14, 1/4 gras 12 à 16, 1/2 gras 14 à 22, gras à courte flamme ou 3/4 gras 18 à 27, gras proprement dit 27 à 40, flambants gras + de 30, secs + de 34. **Par calibre** *(dimensions en mm).* Gros calibres 80 × 120 ; gailletins 50 × 80 ; noix 30 × 50 ; noisettes 20 × 30 ou 15 × 30 ; braisettes 10 × 20 ou 10 × 15 ; grains 6 × 10. **Par pouvoir calorifique** *(en thermies PCS sur pur par t).* Anthracites 8 450/8 640, maigres 8 510/8 710, 1/4 gras 8 580/8 800, 1/2 gras 8 590/8 830, gras à courte flamme 8 560/8 810, g. proprement dit 8 390/8 600, flambants gras 8 110/8 335, secs 7 200/7 780, ligniteux 6 390/7 224.

Ces classifications divergent légèrement de bassin à bassin, pour tenir compte des usages régionaux. Les *charbons maigres* sont utilisés surtout dans les fours à feu continu. Les *flambants* permettent de donner des « coups de feu ». Plus il y a de matières volatiles, plus le charbon brûle vite.

Types d'exploitation

• **Mine souterraine.** Le charbon est extrait par creusement de galeries à l'intérieur du sol jusqu'à la veine. Celle-ci est exploitée à l'aide de matériel d'extraction souterrain (haveuses et rabots dans les exploit. par longue taille, machines en continu dans les chantiers en dressants ou dans les exploit. par chambres et piliers). L'accès aux veines à exploiter se fait par puits et galeries (inclinées ou non) en rocher, ou par descenderie (plan incliné d'accès, débouchant au jour). **Profondeur** max. : 1 000 à 1 200 m.

Rendement (fond) (en t par mineur et par heure, en 1986). All. féd. 0,6. G.-B. 0,5. *France 0,4.* USA 1,6.

Records (juin 1988). *France :* Reumaux 8 000 t/j. *Allemagne :* Walsum 4 800 t/j.

• **Mine à ciel ouvert (ou découverte).** L'exploitation est généralement entre 10 et 300 m de la surface du sol. Les couches de terre recouvrant ou entourant le charbon (morts terrains) sont décapées pour mettre à nu la veine de charbon, qui est exploitée avec des engins de chantier. *Rendement en t par mineur et par heure (1987) :* USA et Australie 33.

Répartition, % de production en 1987 et, entre parenthèses, **en 1970.** Mines souterraines 66 (78), à ciel ouvert 34 (22).

Catastrophes. Voir Index.

Réserves

Techniquement et économiquement exploitables au coût actuel dans le monde, elles représentent 80 % de l'ensemble des énergies fossiles, soit 7 fois plus que le gaz et que le pétrole. En prévoyant une croissance annuelle régulière de 2,8 %, les réserves exploitables sont estimées suffisantes pour 250 ans.

Production

• **Houille (y compris anthracite). Production** (en millions de t, 1989 estim.). Chine 1 050 [1], USA 861 [1], URSS 471 [1], CEE 215 (G.-B. 92 [1], All. féd. 76 [1], *France 12*), Pologne 192, Inde 180, Afr. du S. 178, Australie 134, autres pays 213. *Monde 3 400.* **Perspectives en 2000.** Chine 1 100, USA 900, URSS 640, Inde 300, Afr. du S. 260, Australie 220, Pologne 170, Canada 105, G.-B. 95, All. féd. 60, autres pays 600. *Monde* 4 500.

Nota. – (1) 1990.

Réserves prouvées récupérables de charbon dans le monde en milliards de tonnes

Pays	Houille	Lignite
Afrique	62,6	0,3
Ar. du S.	55,3	0
Botswana	3,5	0
Swaziland	1,8	0
Zimbabwe	0,7	0
Niger	0,07	–
Zaïre	0,6	0
Amér. latine	12,3	3,3
Mexique	1,3	0,6
Colombie	9,7	–
Chili	0,03	1,1
Brésil	0,07	–
Amér. du Nord	116,8	105,4
U.S.A.	113	102,3
Canada	3,8	3,1
Asie	673,5	130
Chine	610,7	120
Inde	60,6	1,9
Indonésie	1	2
Japon	1	0,02
Turquie	0,2	5,9
Europe de l'Est	135,3	197,3
U.R.S.S.	104	137,0
Pologne	28,7	11,7
All. dém.	–	21
Tchécosl.	1,9	3,5
Hongrie	0,6	3,9
Yougoslavie	0,07	16,5
Bulgarie	0,03	3,7
Europe de l'Ouest	28,9	45,2
All. féd.	23,9	35,1
G.-B.	3,3	0,5
Grèce	–	3
Espagne	0,4	0,4
France	0,2	0,05
Océanie	45,4	45,7
Australie	45,3	45,6
Monde	1075,5	522,5

Source : Conférence mondiale de l'énergie (1989).

• **Lignite. Production** (en millions de t, 1990). All. dém. 301 [1], URSS 156, All. féd. 107, USA 82,6, *Monde 1 267* [2].

Nota. – (1) 1989. (2) 1988.

Commerce

• **Transport.** Le charbon peut être transporté par pipelines, carboducs, sous forme de fines particules diluées dans une solution liquide (petites distances), par voie fluviale (péniche ou barge), par train ou bateau. En 1987, 272 millions de t de charbon dont 136 de coke et 136 de charbon vapeur ont été transportées par mer dans le monde, dont 15 pour la France (75 % sous pavillon français). De nombreux ports pourront recevoir et décharger les navires minéraliers de 100 000 à 200 000 t pl.

• **Commerce maritime** (en millions de t, 1989). **Expor. :** Australie 98, USA 75, Afr. du S. 45, Canada 32, Pologne 15, autres pays 60. **Impor. :** *France 18,* Japon 104, autres pays d'Asie 55, Europe occ. 117. Monde 310.

Prix

Prix mondial ($ par tonne). *1987 :* 30. *89 :* 40.

L'Afrique du S. disposant d'une main-d'œuvre bon marché « fait » les cours internationaux. **L'Australie** (main-d'œuvre fortement syndiquée) suit mais à perte (env. 1 milliard de F en 1987-88). **L'Allemagne** verse une aide d'env. 41 milliards de F en faveur de son charbon s'appuyant : 1° sur le *Jahrhundert Vertrag* ou contrat du siècle qui oblige les producteurs d'électricité all. à enlever 40 millions de t de charbon/an (contrainte prise en charge par les utilisateurs de courant et par des aides publiques) ; 2° sur *le Kohlenpfennig :* taxe parafiscale supportée par les consommateurs (montant : 7,5 à 8 %). Ce système maintient en activité des puits non rentables.

Utilisations

• **Secteurs principaux.** Production d'électricité (42 % de l'électricité mondiale), de coke sidérurgique ; grandes chaufferies (industrie, collectifs, chauffages urbains). *USA (1986) :* centrales électriques 85 %, cokeries 5 %, industrie et foyers domestiques 10 %. *France 1989 (prév.) :* centrales 33 %, sidérurgie 37 %, industrie et chauffage 27 %. *OCDE 1988 :* centrales électriques 70 %, cokeries 12 %, autres secteurs 18 %.

• **Techniques.** *France :* foyers à grille mécanique, lits fluidisés chauds type Ignifluid, foyers à projection, grills vibrants, foyers à charbon pulvérisé de moyenne puissance et des chaudières à lit fluidisé.

• **Perspectives.** Procédés de cokéfaction qui permettraient d'utiliser des charbons de moins bonne qualité : gazéification souterraine (grâce à 2 puits percés à faible distance) pour obtenir un substitut au gaz naturel : le gaz naturel de synthèse (GNS) par combustion directe dans la veine et récupération du gaz ainsi produit. Production de gaz (méthane) par dégazage des veines à action de forages et « fracting » du charbon. Liquéfaction et gazéification en surface permettant de fabriquer carburants ou fluides susceptibles d'être brûlés dans les chaudières ou transformés dans la chimie.

L'*Allemagne* produisit pendant la guerre de 1939-45 : 5 millions de t/a d'essence à partir de la houille. Actuellement l'unité pilote de BASF et Mines de Sarre produit 3 t d'hydrocarbures à partir de 6 t de houille.

En *Afrique du Sud,* à Sasol, 230 000 t d'essence synthétique sont produites par an.

Le charbon en France

Quelques dates

XIIIe s. le charbon est exploité ; d'abord les « affleurements » à St-Étienne, au Creusot, à Alès, Graissessac, Carmaux, par des galeries à flanc de coteau ou par des puits, de quelques m, équipés d'un treuil en bois. **XVe s.** pénurie de bois, des industries se concentrent autour des exploitations (ex. à St-Étienne et environs : forgerons, couteliers, quincailliers, armuriers). **1548** Henri II adjuge l'exploitation des gisements découverts ou à découvrir à une compagnie privilégiée. **1597** Henri IV restitue le droit d'exploiter aux propriétaires, mais avec un contrôle royal plus strict. **1601** il crée une « Grande Maîtrise des mines et minières de France », seule habilitée à accorder l'autorisation d'ouvrir une mine. **XVIIe s.** le charbon de Brassac (Auvergne), grâce au canal de Briare, peut en 1664 se vendre à Paris. Mines exploitées en Boulonnais et Hainaut. Tout propriétaire d'une parcelle peut en exploiter le tréfonds, d'où un morcellement interdisant toute installation rentable. En cas d'éboulements, on abandonne le puits. Dangers : l'eau qu'on ne peut évacuer, les incendies qui se prolongent. **1689** Louis XIV donne au duc de Montpensier le monopole de l'ouverture des mines. **1698** devant la médiocrité des résultats, le roi rend aux propriétaires la liberté de forer les puits. **1717** la Grande Maîtrise est rétablie pour le duc de Bourbon et supprimée à sa mort. **XVIIIe s.** la révolution industrielle s'appuie sur le charbon en G.-B., puis en France. *Prospections et découvertes :* Languedoc, Alpes et Provence, bassin du N. Des nobles s'intéressent à l'exploitation des mines (car elles n'entraînent pas « la dérogeance »). **1733** découverte à Anzin suivie de *progrès technique :* bennes mues par des treuils, puits spéciaux d'aération, galeries maçonnées, petites pompes à bras, grandes pompes mues par un homme et des chevaux, puis par des machines à vapeur. **1810** loi du 21-4 instituant la propriété perpétuelle des concessions (qui ne sera remise en cause qu'en 1919). L'inventeur d'un gisement n'est assuré d'obtenir la permission d'exploiter que s'il présente des garanties rigoureuses, qu'en pratique seules des stés de capitaux peuvent réunir. **1815** prospection en Lorraine. La France perd la partie houillère de la Sarre qui revient à la Prusse. **1820** concession accordée à Schoeneck ; à Stiring : commencement de l'exploitation, et à Petite-Rosselle. Longtemps, bien des industriels de la métallurgie croient à la supériorité de la fonte au bois sur le charbon, difficile à se procurer. Le développement des chemins de fer, de la navigation à vapeur entraîne le développement de la production. **1827** 1er chemin de fer français entre St-Étienne et Andrézieux, pour transporter le charbon entre la mine et le port d'embarquement sur la Loire. La sidérurgie adopte définitivement la fonte au coke. Des usines à gaz se créent. **1860** des sous-produits de la houille sont traités. Nouvelles voies avec l'électricité. **1871** tr. de Francfort, la France perd le bassin houiller lorrain.

1919 tr. de Versailles, la France récupère la Lorraine et exploite les mines de la Sarre. **1925** les mines du Nord sont réparées. Centrales électriques nombreuses. Après les travaux de Georges Claude sur la fabrication de l'ammoniac, le gaz des fours à coke devient la matière 1re d'une ind. de synthèse. **1945** « bataille du charbon » : les mineurs contribuent au relèvement économique du pays. **1946** *17-5* loi de nationalisation de l'industrie charbonnière française. **1945-58** modernisation, concentration des sièges et mécanisation des chantiers. Le rendement triple et la production passe de 4,6 millions de t à près de 60. Parallèlement, l'usage du pétrole commence à se développer en Europe. **1957** les stocks s'accumulent (notamment en Belgique et Allemagne) : *1957 :* 10 millions de t, *1958 :* 30, *1959 :* 40, le chômage s'étend. **1960** la France révise le Plan, prévoyant de baisser la production de 1, puis 2, puis 3 millions de t par an, puis propose de ramener la production à 25,6 millions de t en 1975. **1973** crise pétrolière remettant « en selle » le charbon. **1974** la CEE décide que les combustibles minéraux solides doivent participer à concurrence de 17 %, soit 250 millions de tep ou 375 millions de t, à son approvisionnement énergétique ; nouveau programme en France. La consommation devra passer dans l'industrie et les chauffages collectifs de 5 à 15 millions de t en 1990. **1978-80,** l'étude WOCOL (World Coal Study, 96 pays participants) révèle que la consommation de charbon devra tripler en 20 ans pour couvrir env. 2/3 de l'augmentation de la consommation totale d'énergie avant l'an 2000 surtout dans l'ind. (× 2 ou 4 d'ici à l'an 2000). **1979** (déc.), le Parti communiste affirme qu'on peut porter la production française à 45 millions de t en 1990 et, grâce à la gazéification en profondeur, à 70 millions de t en l'an 2000. **1981** (oct.), le gouvernement envisage une relance (objectif souhaitable : 30 millions de t). **1981-82** près de 10 000 mineurs embauchés. **1982** création de CdF Énergie pour promouvoir l'utilisation du charbon. **1983-84** les objectifs de relance de la production française sont abandonnés : non-rentabilité d'une partie des gisements et montée en puissance du programme nucléaire. **1984** CdF annonce un plan de restructuration : concentration de l'activité sur les exploitations les plus rentables, et suppression annuelle de 5 000 à 6 000 emplois jusqu'en 1988, date à laquelle les résultats de l'entreprise devront être équilibrés. L'État s'engage à maintenir une subvention annuelle de 6,5 milliards de F (valeur 1984) pendant le IXe Plan (1984-88). Un contrat, signé avec EDF pour la période 1984-88, prévoit quantités et prix des charbons et de l'électricité qui seront fournis par CdF à EDF, qui s'engage à embaucher en priorité 5 000 mineurs pendant les 5 années du contrat. Un plan social encourage les départs des agents de CdF vers d'autres entreprises. Une subvention annuelle de 325 millions de F sera en outre versée à CdF pendant la même période pour soutenir l'industrialisation des régions minières qui permettra de créer en *1984* 3 460 emplois, *85 :* 6 050, *86 :* 7 073, *87 :* 7 500, *88 :* 10 665, *89 :* 10 367 dans les régions minières (interventions de SOFIREM et FINORPA et des fonds d'industrialisation). **1988** les sites fond du Gard, de Carmaux, de Messeix sont fermés ainsi que certains sièges du Nord dont l'arrêt définitif de l'exploitation fond est fixé à 1991 ; d'où 6 034 départs soit 18 % de l'effectif.

Un nouveau contrat avec EDF est signé pour la période 1989/1993. Il fixe pour 5 ans les quantités et le prix annuel des charbons et de l'électricité enlevés par EDF.

Organisation de l'industrie

• **Évolution. Avant 1939,** il y avait 113 Stés productrices (dont – de 30 assuraient 90 % de la prod.). **De 1944 à 1946,** 98 % env. des charbonnages français sont nationalisés. L'exploitation ne peut se faire qu'en vertu d'une concession (perpétuelle) de l'État ou d'un permis (renouvelable) pour les petits gisements. 9 houillères de bassin regroupent toutes les concessions minières autrefois accordées sur une même formation géologique, et l'ensemble est coiffé par un organisme central, *Charbonnages de France.* **Dep. le 1-1-1969,** 4 établ. publics dotés de la personnalité civile et de l'autonomie financière : *3 houillères de bassin* (Nord et P.-de-C., Lorraine, Centre-Midi qui regroupe les houillères d'Aquitaine, Auvergne, Blanzy, Cévennes, Dauphiné, Loire, Provence), organes de production, d'exploitation et 1 *établissement central,* qui coordonne leur activité, Charbonnages de France.

• **Groupe CdF** (1989). **Production** (en millions de t). *Charbon* 13,2 (vente à EDF 2,219), *coke :* 2,035, *agglomérés :* 0,492, *électricité :* 12,154 millions de kWh (vente à EDF 9,984).

Effectifs totaux des houillères. *1947 :* 358 000. *58 :* 240 000. *70 :* 120 000. *75 :* 84 939. *80 :* 60 931 (dont fond 27 350, jour 15 837). *85 :* 46 295. *86 :* 41 497. *87 :* 36 070. *88 :* 30 137. *89 :* 25 846. *90 :* 22 748.

Chiffre d'affaires de Charbonnages de France (en milliards de F). *1983 :* 12,8. *84 :* 14,66. *85 :* 14,04. *86 :* 12,31. *87 :* 10,82. *88 :* 8,78. *89 :* 9,71. *90 :* 8,49. **Résultat d'exploitation.** *1987 :* – 2,47, *88 :* – 2,46, *89 :* – 1,80. *90 :* – 1,38. **Résultat net.** *1987 :* – 0,2. *88 :* – 2,23. *89 :* 1,17. *90 :* – 0,68.

Endettement (en milliards de F). *Au 1-1-1973 :* 4,9. *80 :* 6,8. *85 :* 15,98. *88 :* 15. *89 :* 15,36. *90 :* 15,79.

Subventions de l'État à CdF (en milliards de F) et, entre parenthèses, **subventions d'exploitation pour favoriser le charbon national.** *1980 :* 4. *81 :* 4,1. *82 :* 5,9 (3,4). *83 :* 6,4 (3,8). *84 :* 6,5 (3,7). *85 :* 6,8 (3,37). *86 :* 7,3 (3,4). *87 :* 6,8 (3,26). *88 :* 6,99 (3,28). *89 :* 7 (3,26). *90 :* 7 (3,1). + de 50 % de la subvention est destinée à compenser des charges sociales (dues aux 230 000 retraités et à leurs ayants droit) et financières imputables au passé de l'entreprise. Le soutien au charbon national compense les différences entre les coûts de revient élevés dus à des conditions d'extraction difficile et les prix de vente fixés par le marché.

Subvention à la t. (en F/t). *1985 :* 250. *86 :* 247. *87 :* 215. *88 :* 142. *89 :* 115.

Principales filiales et participations (% détenus par CdF). Activités financières : SEEM (50), Sofirem (100), Méridionale comm. et financière (99,9), Finorpa (52,5). **Commerce des combustibles et exploitation de chauffage :** CdF Énergie (100), Solorchar (57,5), Soméca (50), Districhaleur (50), Climadef (50), Méridionale des combustibles (50), Sté nouvelle Vinot-Postry (58), Charbogard (52), Monteney Turbo (15,5), Sodelif (79), Sidec (58), Bail Charbon (56). **Activités industrielles et services :** CdF Ingénierie (100), Générale de mécanique et thermique (100), CdF Informatique (100), Surschiste (100). **Activités intern :** CdF International (100), Wamb. Mining Corp. (17), *Gestion immobilière* Soginorpa (99,9).

• **Mines non nationalisées.** *Houille :* production totale : *1947* 1 330 000, *1973* env. 11 000 t., *1988 :* 0. *Lignite :* d'Arjuzanx (Landes, exploitée par EDF pour une centrale thermique. *1989 :* 432 958 t).

Production

• **Production. Houille** (En millions de tonnes). *1811 :* 0,8. *40 :* 3. *70 :* 13,3. *1900 :* 33,4. *12 :* 41,1. *30 :* 55. *38 :* 40,6. *45 :* 35. *60 :* 55,9. *65 :* 51,3. *70 :* 37,3. *73 :* 25,7. *75 :* 22,4. *80 :* 18,1. *81 :* 18,6. *82 :* 16,9. *83 :* 17. *84 :* 16,6. *85 :* 15,1. *86 :* 14,4. *87 :* 13,7. *88 :* 12,1. *89 :* 11,5. *90 :* 9,9. **Lignite.** *1987 :* 2,1. *88 :* 2,4. *89 :* 2,2. *90 :* 2,3.

• **Caractéristiques des gisements** (au 1-1-1990). **Nord-Pas-de-Calais** (Douai) contiendrait env. 400 couches, exploitables ou non, correspondant à autant de cycles végétaux successifs. S'étageant sur + de 2 000 m de profondeur, le charbon occupe une épaisseur totale d'env. 50 m. Conditions d'exploitation mauvaises ; veines peu épaisses (80 cm) souvent faillées, venues d'eau fréquentes, puits profonds (+ de 1 000 m parfois). *Rendement de fond :* 1 709 kg/h/poste. *Effectifs actifs 1947 :* 202 100 dont 135 300 de fond. 1989 : 5 322 dont 1 441 de fond. Arrêt de l'exploitation le 21-12-1991 (dernier puits : 9 d'Oignies).

Lorraine (Freyming-Merlebach) 4 puits en Moselle : La Houve, Reumaux, Vouters, Forbach. Réserves riches veines régulières, d'épaisseur moyenne (1,30 à 7 m) en dressants, semi-dressants et plateures. Flambant gras A 56 %, cokéfiables avec appoint de charbons amaigrissants de la Ruhr. 67 % de la prod. fr. *rendement de fond* (1989) : 5 821 kg/h/poste. *Effectifs actifs* 15 703 dont 7 444 min. de fond.

Centre-Midi (regroupement en 1968) *Carmaux (Tarn) :* charbons gras exploités à ciel ouvert dep. 1986, avant en souterrain (5 millions de t de réserve) ; *Decazeville (Aveyron) :* charbons flambants exploités en MCO ; *Aumance (Allier) :* id. et par mine souterraine. *Blanzy (Saône-et-L.) :* charbon maigre à anthraciteux exploité en mine souterraine et flambants secs exploités en MCO ; CÉVENNES : *Alès et La Grand-Combe (Gard) :* demi-gras et maigres expl. en MCO ; *Le Bousquet-d'Orb (Hérault) :* demi-gras expl. en MCO ; DAUPHINÉ : *La Mure (Isère) :* anthracite exploité en mine souterraine ; PROVENCE : *Gardanne (B.-du-Rh.) :* charbon ligniteux exploité en mine souterraine. *Rendement fond* (1989) : 8 387 kg/h/poste. *Effectifs actifs* (1989) : 4 821 dont 1 446 min. de fond. Des 4 exploitations en veine souterraine, seuls les gisements de Provence et de l'Aumance (Allier) disposent de couches régulières, permettant une forte mécanisation.

Production des bassins en millions de t

	1965	1970	1975	1980	1985	1989	1990
Nord.-P.-de-Calais	25,5	17	7,7	4,46	2,38	0,49	0,23
Lorraine	15,3	12,8	10	9,81	9,81	8,81	8,36
Centre-Midi	11,9	9,1	6,3	5,44	4,15	4,36 [1]	3,66
dont découvertes	0,7	0,8	1,1	1,5	1,7	1,51	1,99
Total Houillères	53	38,9	24	19,71	16,34	13,18	12,20
Total France	*54*	*40,1*	*25,6*	*20,72*	*16,96*	*13,66*	*12,82*

Nota. – (1) Dont Arjuzanx, *89 :* 0,48.

Mines à ciel ouvert en exploitation. *Aquitaine :* Decazeville (Aveyron) et Carmaux (Tarn). *Auvergne :* Aumance (Allier, veine très irrégulière), Montceau-les-Mines (S.-et-L.). *Cévennes :* Alès (Gard), Graissessac (Hérault). Ces mines, plus performantes, seront développées (à Carmaux, l'exploitation a commencé en 1989).

Importations

Importations (en millions de t). *1983 :* 20,25. *84 :* 23,8. *85 :* 21,3. *87 :* 14,6. *88 :* 13,8. *89 :* 17,7. *90 :* 20,7 (dont : USA 6,59, Austr. 3,55, All. féd. 2,18, Afr. du S. 0,86, URSS 0,84, Pol. 0,32, G.-B. 0,31).

Nota. – En 1985 un embargo sur le charbon d'Afr. du S. avait été décidé, mais la France continua d'en importer (légalement 700 000 t en 1987 et illégalement, par la Belgique, 540 000 t censées venir d'Australie).

Consommation

Consommation de minéraux solides (houille, lignite, coke et agglomérés, en millions de t). *1973 :* 46,2. *85 :* 40,6. *86 :* 34,7. *87 :* 30,3. *88 :* 30. *89 :* 40,2.

Part du charbon dans la consommation d'énergie y compris les importations. (en France, en %). *1962 :* 54. *67 :* 38. *70 :* 29. *73 :* 15,2. *82 :* 15,5. *83 :* 14. *84 :* 13,2. *85 :* 12,5. *86 :* 10,1. *87 :* 9,1. *88 :* 8,8. *89 :* 9,4.

Principaux utilisateurs, 1989 (en millions de t). *Centrales électriques* 12,5 (dont importations EDF 4,2), *sidérurgie* 10,6 (dont imp. 9,2), *industrie hors sidérurgie* 5, *résidentiel et tertiaire* 2,6.

Prix du charbon

Les conditions difficiles des gisements français (profondeur, épaisseur des couches, discontinuité géologique) expliquent son prix de revient élevé.

Prix de revient à la t *(1989, F) :* 541,7 (577 en 1987) dont Nord-Pas-de-Calais 1 638,9, Centre-Midi 449,7, Lorraine 521,3. Tonne importée 286 (prix de revient en Australie, 213 F la t en 88).

Nota. – All. féd. 789, G.-B. 556, USA-Canada 140, Australie 127, Afrique du S. 85.

Recette moyenne par t, en F 1989. 1982 : 594, *83 :* 555, *84 :* 524, *85 :* 500, *86 :* 409, *87 :* 313. *88 :* 302, *89 :* 358,3. **Déficit à la t produite (en F, 1989).** *1980 :* 102, *83 :* 194, *86 :* 243, *87 :* 257, *88 :* 273, *89 :* 183,4.

Prix de vente TTC au kWh (1 kWh = 0,866 thermie). *Rendu région parisienne (1989) ;* à l'industrie charbon, fines 0/6 : 7,83 c. ; fioul lourd : 6,96 c.

Électricité

Généralités

☞ **Définition, effets et production du courant.** Voir p. 224.

• **Découvertes.** *VIe s. av. J.-C. :* L'ambre (en grec *êlekron)* attire les corps légers après frottement (Thalès de Milet). *1727 :* les corps bon conducteurs peuvent être électrisés (Gray). *1750 :* Du Fay découvre les 2 espèces d'électricité. *1785 :* loi des attractions et répulsions électriques (Coulomb). *1793 :* invention de la pile (Volta). *1812 :* action des courants sur les aimants (Œrsted). *1820 :* loi de l'électromagnétisme et de l'électrodynamisme ; électroaimant (Ampère et Arago). *1826 :* lois reliant l'intensité et la résistance (Ohm). *1831 :* électrolyse ; induction électromagnétique (Faraday). *1842 :* dégagement de chaleur dans un conducteur (Joule). *1859 :* accumulateur au plomb (Planté). *1868 :* identité des ondes lumineuses et électriques (Maxwell) ; découverte des rayons cathodiques (Hittorf). *1870 :* dynamo ; création de l'électrotechnique (Gramme). *1878 :* lampe à incandescence à filament de carbone. *1887 :* effet photoélectrique ; ondes électromagnétiques (Hertz). *1888 :* construction du détecteur à limaille (Branly). *1895 :* découverte des rayons X (Röntgen). *1896 :* radioactivité naturelle de l'uranium (H. Becquerel). *1897 :* 1re communication par T.S.F. (Marconi). *1898 :* découverte du radium (P. Curie et M. Curie). *1919 :* 1re réaction de transmutation (Rutherford). *1921 :* structure de l'électricité ; charge de l'électron (Millikan). *1931 :* découverte du neutron (Chadwick). *1932 :* découverte du positon (Anderson). Rupture du noyau d'uranium (Anderson). *1934 :* radioact. artif. (Joliot-Curie). *1935 :* prévision théorique du méson (Yukawa).

• **Origines.** *Hydroélectricité :* cours d'eau (débits irréguliers). *Centrales thermiques classiques :* fuel, charbon. *Nucléaires :* Voir p. 1648, *marémotrices :* Voir p. 1668.

• **Stockage.** *2 formes : 1°) Énergie mécanique potentielle* (réservoirs alimentés par pompage aux heures creuses permettant de produire du courant aux heures de pointe). *2°) Én. chimique* (par accumulateurs, rentable pour le stockage d'én. très faible).

• **Transport.** Instantané, par un réseau longue distance entre transformateurs des centrales productrices et transformateurs des zones consommatrices. A partir de ces derniers, rayonnent des lignes à basse tension (220 V pour usage domestique, 380 pour la force, plusieurs milliers pour l'industrie). Pour l'industrie, l'énergie mécanique est transformée en énergie électrique par des générateurs.

Électricité sans fil. On étudie (au Japon) la transmission de l'énergie par faisceau d'ondes ou par rayon laser. L'énergie électrique serait produite en orbite par des photopiles ou en utilisant le rayonnement solaire pour chauffer un fluide qui actionnerait une machine thermique. L'onde serait reçue par un champ d'antennes de 10 km de diamètre (un rayon laser permettrait des collecteurs plus petits).

• **Unités. Énergie. kWh** (kilowattheure) = 1 000 Wh (wattheure). **MWh** (mégawattheure) = 1 000 kWh. **GWh** (gigawattheure) = 1 million KWh. **TWh** (terawattheure) = 1 milliard de kWh. **Puissance. W** (watt). **kW** (kilowatt) = 1 000 W. **MW** (mégawatt) = 1 000 kW. **GW** (gigawatt) = 1 million de kW.

Électricité dans le monde

• **Production d'électricité totale** (en milliards de kWh, 1990). USA 3 005. URSS 1 728. Japon 714. Canada 480. All. féd. 393. *France 341.* G.-B. 279. Italie 221. Afr. du S. 147. Suède 142. Pologne 136. Espagne 123. Norvège 121. Corée du S. 108, Tchécosl. 85. Youg. 82. P.-Bas 72. Belg. 71. Roumanie 64. Finlande 52. Autriche 51. Suisse 45. Bulgarie 42. Grèce 31. Hongrie 28.

• **Consommation moyenne par habitant** (en kWh, 1988). Norvège 22 228 [1]. Canada 15 727 [1]. Suède 15 075 [1]. Luxembourg 10 755. USA 10 073 [1]. Suisse 6 665 [1]. All. féd. 6 261. Belgique 5 618. Danemark 5 522. *France 5 478.* URSS n.c. Japon 5 227 [1]. G.-B. 4 803. P.-Bas 4 727. Italie 3 525. Espagne 2 992.

Nota.- (1) 1987.

• **Prix de l'électricité** (en centimes/kWh, 1990). Esp. 66,1, All. féd. 57,63, Italie 49,23, Belg. 43,44, Irlande 42,69, G.-B. 42,04, USA 38,30, *France 35,87,* P.-Bas 34,38, Finl. 33,63, Norv. 33,35, Suède 27,93, Australie 27,18, Canada 25,50.

• **Centrales hydroélectriques principales. Puissance.** Date de mise en service, puissance en GW. Itaïpu (Brésil-Paraguay 1982) 12,6, Grand Coulee (USA 1942) 9,8, Guri (Venezuela 1968) 8,85, Tucurui (Brésil 1982) 6,48, Sayano-Chuchenskaya (URSS 1980) 6,4, Krasnoïarsk (URSS 1968) 6, La Grande 2 (Canada 1982) 5,33 [1], Churchill Falls (Canada 1971) 5,22, Bratsk (URSS 1964) 4,6, Ust-Ilim (URSS 1974) 4,5, Yacireta-Apipe (Paraguay-Argentine 1985) 4,05, Cabora Bassa (Mozambique 1975) 4, Chief Joseph (USA 1956) 3,67, Rogun (URSS 1985) 3,6, Inga (Zaïre 1974) 3,5.

Nota. – (1) *Projet de la baie James (Canada).* L'énergie vient d'un lac artificiel (dans le N. du Québec), grand comme 5 fois le Léman. 125 km de digues (600 m de largeur à la base, 18 au sommet) retiennent les eaux. *Puissance installée (prévue)* 21 GW, avec les complexes de la Grande Baleine au Nord, NBR, du fleuve Rupert au Sud. 5 150 km de lignes de 735 000 volts apporteront le courant à Montréal ou Québec. *Coût :* env. 15,1 milliards de $ canadiens (env. 55 milliards de F) pour la phase 1 [10 000 MW avec les centrales L.G.2. (la plus grande centrale souterraine du monde : long. 480 m, haut. 47, larg. 26, creusée à 140 m sous terre ; 12 turbines, puissance installée 5,3 GW), L.G.3. et L.G.4.].

Productibilité (en GWh). Bratsk 22 600, Boguchansk 21 000, Krasnoïarsk 20 000.

• **Part de l'électronucléaire en %. Dans le monde.** *1980 :* 2,5. *83 :* 10. *84 :* 12. *85 :* 15. *86 :* 16. *87 :* 16. *89 :* 17. *2000 :* 18. **En France :** *1978 :* 13,4. *80 :* 23,5. *81 :* 37,1. *82 :* 38,7. *83 :* 48,3. *84 :* 58,7. *85 :* 64,9. *86 :* 69,8. *87 :* 69,8. *89 :* 75. *90 :* 76. *2000 :* près de 80. *Source :* CEA-DPg.

• **Production d'électricité non conventionnelle** (1987). Puissance installée : MWe et, entre parenthèses, produite GWh. **Micro-hydraulique :** Afr. du S. 2,5 (n. d.), Argentine 7 (16), Autriche 440 (n. d.), Canada 1 800 (n. d.), Chine pop. 3 693 (6 529), Espagne 103 (246), USA 90 (1 050), Finlande 110 (n. d.), *France 446 (n. d.),* Indonésie 27 (n. d.), Islande 8,2 (n. d.), Mexique 76 (139), N.-Zél. 0,3 (1,5), Philippines 6 (n. d.), All. féd. 372 (1 382), R.-U. 20 (100), Venezuela 23 (n. d.). *Monde 9 243 (14 933).* **Marémotrice :** Canada 17,8 (50), Chine pop. 3,2 (11), *France 240 (540),* URSS 0,4 (n.d.). *Monde 261 (590).* **Géothermique :** Chine pop. 17,3 (80), USA 2 022 (10 775), Indonésie 88 (n. d.), Islande 39 (181), Italie 506 (2 986), Japon 215 (1 100), Mexique 650 (4 418), N.-Zél. 165 (1 224), Philippines 894 (n. d.), All. dém. 3 (47,2), Turquie 15 (58), URSS 11 (25). *Monde 4 814 (20 900).* **Éolienne :** Afr. du S. 50 (n. d.), Canada 6 (11), Chine pop. 8 (n. d.), Danemark 140 (n. d.), Espagne 1,7 (1,55), USA 1 300 (1 700), *France 0,2 (0,4),* Italie 1 (n. d.), Japon 0,02, Mexique 265, N.-Zél. 0,1, All. féd. 3,8 (2,37), R.-U. 6 (1,5), Suède 5 (6), URSS 3 (5,1), Venezuela 3 (3). *Monde 1 827,6 (1 807,3).*

Barrages

Types de barrages

☞ V. : Volume. M³ : millions de m³.

• **Remblayés. En terre :** ce sont les plus anciens. *Les plus hauts :* Rogun (URSS, h. 325 m, l. 760 m, vol. 75,7 Mm³), Nurek (URSS, 300 m, l. 704 m, v. 68 Mm³), Oroville (USA, 1968, h. 236 m, l. 2 316 m, v. 60 Mm³). **En enrochements :** massif d'éléments rocheux, dont les dimensions s'étalent, suivant les cas, sur un très large éventail, l'étanchéité venant soit d'un masque, soit d'un écran placé dans le corps du massif. *Les plus hauts :* Chicoassen (Mexique, 1980, h. 263 m, l. 600 m, v. 15 Mm³), Mica (Can., h. 240 m, l. 792 m, v. 32 Mm³), Chivor (Colombie, 1975, h. 237 m, l. 280 m, v. 11 Mm³), Keban (Turquie, 1974, h. 207 m, l. 1 097 m, v. 15 Mm³), Sadd el Aali Assouan (Égypte, 1970, h. 111 m, l. 3 830 m, v. 43 milliards de m³) construit principalement en sable, sur le Nil (voir p. 924 a).

• **En béton. Barrage-poids :** généralement un gros mur implanté à travers la vallée suivant un axe rectiligne ou incurvé à très grand rayon dont l'épaisseur augmentée de la crête au pied est constante à chaque niveau, d'une rive à l'autre ; il semble destiné aux vallées larges et très larges. *Les plus importants :* Grand Coulee (USA, 1942, h. 168 m, l. 1 272 m, v. 8 Mm³), Bratsk (URSS, 1964, h. 123 m, l. 1 430 m, 4,4 M m³), Grande-Dixence (Suisse, h. 285 m, l. 695 m), Bhakra (Inde, h. 226 m, l. 518 m). *En France : Sarrans* (h. 113 m, l. 220 m).

Barrage-poids évidé : on réserve au cœur du massif, à intervalles réguliers, des grands vides depuis la fondation. *Le plus important :* Itaïpu (Brésil, 1983, h. 185 m, l. 2 050 m).

Barrage-voûte : voûte à convexité tournée vers la retenue et prenant appui sur le terrain des rives. Construit d'abord dans les vallées étroites. Ses formes spécifiques modernes apparaîtront avec Marèges (Fr., 1935, h. 90 m, l. 200 m). Sur plus de 700 en service dans le monde (dont une centaine ont plus de 100 m), peu ont éprouvé des dommages mineurs dus à leur environnement. Le barrage italien de Vajont a eu ses superstructures légères abîmées dans la ruée d'une lame déversante de 200 à 300 m de hauteur provoquée par la chute brutale d'un énorme pan de montagne dans la retenue. Celui de Malpasset, en 1959, a subi la rupture brutale de l'appui rive gauche (pas de défaillance de la voûte). **Les plus anciens :** Iran, fin XIIIᵉ ou début XIVᵉ s., Kebar (h. 45 m, l. 55 m), Kurit (h. 66 m). Italie et Espagne, XVIᵉ s. : Ponte-Alto, Almanza, Elche. **Temps modernes :** France, Zola (h. 42 m, l. 66 m) ; USA, Ottay Upper (1901, h. 27 m, l. 86 m). Ex. : *Vallées larges :* Kariba (Zimbabwe, sur le Zambèze, 1959, h. 126 m, l. 617 m, v. 1 000 000 m³) ; Hendrik Verwoerd (Afr. du S.) : h. 88 m, l. 914 m, v. 1 400 000 m³. *Les plus hauts :* Inguri (URSS, h. 272 m, l. 680 m), Sayano Suschensk (URSS, h. 242 m, l. 1 068 m), Mauvoisin (Suisse, 1957, h. 237 m, l. 520 m) ; en France, *Tignes* (1962, h. 180 m, l. 375 m). *Barrage dit « voûte épaisse » ou poids-voûte.* Ex. : *L'Aigle* (Fr., 1949, h. 95 m, l. 290 m, v. 240 000 m³).

Barrages à contreforts. *Les plus hauts :* Alcantara II (Espagne 1969, h. 138 m, l. 570 m), Hatanagi (Japon 1962, h. 125 m, l. 228 m), Valle-Grande (Argentine, 1965, h. 115 m, l. 300 m). **A voûtes multiples.** Beaucoup ont d'abord été réalisés suivant les techniques du béton armé, en petites épaisseurs renforcées par des ferraillages. Ex. : La Roche-qui-Boit (Fr., 1919, h. 15 m, l. 125 m), Vezins (Fr. 1932, h. 36 m, l. 250 m), Faux-la-Montagne (Fr., 1951, h. 19 m, l. 130 m) dont les voûtes n'ont que 6 cm d'épaisseur et dont l'épaisseur moyenne (voûtes et contreforts) est d'env. 20 cm seulement. Puis on a utilisé du béton ordinaire, sans la sujétion de la minceur et des armatures. Ex. en France : Pradeaux (1940, h. 26 m, l. 200 m), Pannessière-Chaumard (1950, h. 50 m, l. 340 m). A Coyne et à Nabeul (Tunisie, 1955, h. 71 m, l. 470 m), on a utilisé des contreforts espacés (50 m) et épais (5 m) et des voûtes épaisses (7 m à la base). Sur ce modèle ont été élevés : Grandval (Fr., 1959, h. 88 m, l. 400 m), Daniel-Johnson (Can., 1968, h. 251 m, l. 1 314 m, v. 2 300 000 m³) initialement dénommé Manicouagan n° 5, dont les voûtes ordinaires ont une portée de 75 m et la voûte centrale 150 m. *Les plus élevés :* Daniel Johnson Mossyrock (USA, h. 185 m), Beznar (Esp., h. 137 m, l. 405 m).

Barrages en rivière. En béton, ou mixtes béton/terre ou béton/enrochement, qui ne remontent pas fortement le niveau comparativement à la profondeur naturelle du cours d'eau. Certains servent à détourner le courant dans le canal ou la galerie alimentant une centrale située en aval (cas de nombreux petits barrages de montagne). La digue du Bazacle, sur la Garonne à Toulouse, fin du XIIᵉ s., réalisée en enrochements contenus dans des caissons à claire-voie en bois remplis d'alluvions, était de ce type.

Grands barrages

• **Définition.** Selon la Commission internationale des grands barrages (CIGB), un *grand barrage* a au min. 15 m de haut au-dessus du plus bas de la fondation, ou 10 à 15 m avec des conditions complémentaires, ou de longueur selon la crête, ou de capacité ou de débit max. des évacuateurs, ou de difficultés de sa fondation, ou de conception inhabituelle.

• **Dans le monde. Nombre** (fin 1982). 35 000 dont Chine 53 %, USA 15 %, Japon 6 %, autres pays 25 % et 1 500 en construction. **Hauteur.** *- de 30 m :* 80 %, *30 à 60 m :* 16, *+ de 60 m :* 4 (dont 0,2 % de plus de 150 m). **En 1982,** 83 % du type remblayé dont 78 % en terre et 5 % en enrochement. 50 % des b. en terre aux USA, 25 % en Asie, 25 % ailleurs.

Plus grands réservoirs artificiels (capacité en milliards de m³). *Owen Falls* (Ouganda) 204,75, *Bratsk* (URSS) 169,2, *Assouan* (Égypte) 169, *Kariba* (Zimbabwe) 160,3, *Akosombo* (Ghana) 148, *Daniel Johnson* (Canada) 142 (France : Serre-Ponçon 1,27). **Plus grand lac artificiel** (en superficie). *Volta* (Ghana, retenu par le barrage d'Akosombo) 8 482 km².

☞ **Critiques des écologistes.** *Assouan* (Égypte), voir p. 924 a. A *Itaïpu,* on redoute des miniséismes provoqués par le poids de l'eau (voir Index). A *Lubuanga* (île de Luçon, Philippines), un barrage sur le Chico, de même grandeur qu'Itaïpu, inonde les terres de 100 000 riziculteurs. A *Sélingué* (Mali), le barrage sur le Niger coupe le chemin des poissons migrateurs ; le bassin est envahi par la végétation.

• **En France. Nombre.** En 1982, 430 barrages (1,2 % du monde), env. 20 en construction. *Hauteur : - de 30 m* 63 %, *de 30 à 60 m* 25 %, *+ de 30 m* 12 %, 1 barrage pour 1 270 km². **Histoire.** *1675* construit à St-Ferréol par Henri Riquet pour alimenter le bief supérieur du Canal du Midi. *1782* 2 barrages de plus d'une vingtaine de m. *1837* début de la série industrielle (Chazilly, C.-d'Or). *1900* env. 30 barrages, hauteur moy. 29 m (max. 52 m au Gouffre d'Enfer construit en 1866 pour alimenter Saint-Étienne). *1950* env. 170 barrages, hauteur moy. 56 m (max. 136 m à Chambon sur la Romanche, 1934).

Digues les plus importantes. Mont-Cenis, long. 1 400 m, haut. 120 m, 14,85 millions de m³ de terre et d'enrochement, Serre-Ponçon (14,1 millions de m³, 129 m de haut), Grand'Maison, haut. 160 m, long. 550 m (12,5 millions de m³ de terre et enrochement). **Barrage situé à l'altitude la plus élevée :** Le Portillon (Hte-Gar.) à 2 560 m d'alt. **Le plus haut :** Tignes, voûte 180 m. **Le plus grand réservoir artificiel :** Serre-Ponçon, 1,2 milliard de m³.

Quelques barrages célèbres

Assouan (Égypte). Voir p. 924 a.

Cabora Bassa (Mozambique). Barrage voûte mis en service 1975. *Volume :* 510 000 m³. *Longueur :* en crête, 321 m. *Haut. :* 170 m. *Lac de retenue :* 220 km de long, 64 milliards de m³. Alimente une usine de 2 000 MW (pouvant être portée à 4 000 MW).

Fort Peck Dam (USA, sur le Missouri). *Volume :* 96 millions de m³ de terre. *Haut. :* 76 m. *Longueur* (en crête) : 6 400 m. *Retenue :* 23 600 millions de m³.

Itaïpu (sur le Parana, tronçon commun au Brésil, Argentine et au Paraguay). Inaug. 1982. Barrage à contreforts en béton et digues en enrochement et en terre. *Volume des ouvrages :* 27 millions de m³. *Haut. :* 195 m. *Longueur :* 7 900 m. *Capacité du réservoir :* 29 milliards de m³. *Coût :* 14 milliards de $. Alimente l'usine la plus puissante du monde (1er tronçon mis en service 1983), coût 3 milliards de $, puissance 12 600 MW. *Prod. annuelle prév. :* en 1988, 75 milliards de kWh.

Yacireta et **Corpus** (voir p. 1037b).

Tarbela (Pakistan, sur l'Indus). Achevé 1976. Le plus grand barrage du monde. *Volume :* 121 millions de m³ de terre et d'enrochement (3 fois Assouan). *Haut. :* 148 m. *Longueur* (en crête) : 2 750 m. *Retenue :* 13 287 millions de m³. Alimente une usine de 4 groupes de 175 MW, dont la puissance totale peut être portée à 2 100 MW.

Électricité en France

Organisation

Origine. En 1946, il y avait en France 86 *centrales thermiques* réparties entre 54 Stés et 300 *c. hydrauliques* appartenant à 100 Stés. Le *transport* était partagé entre 86 Stés, la distribution entre 1 150 Stés.

EDF

• **Statut. La loi de nationalisation** du 8-4-1946 a transféré à *Électricité de France,* pour des raisons politiques, sociales et économiques, les biens des entreprises de production, de transport et de distribution d'électricité. *En furent exclus :* les entreprises de production d'électricité dont la production annuelle moyenne de 1942 et 1943 avait été inférieure à 12 millions de kWh ; les ouvrages de production d'électricité appartenant à la SNCF et aux Houillères nationales ; les concessions de distribution d'électricité gérées par des Régies ou des Syndicats d'intérêt collectif agricole (SICA). Ces organismes, d'un intérêt local, sont d'ailleurs alimentés dans la plupart des cas en haute tension par EDF et distribuent principalement en basse tension. **Monopole** EDF a le monopole de la distribution, mais pas celui de la production d'électricité. Un particulier peut fabriquer sa propre électricité et, depuis la loi du 15-7-1980, construire une microcentrale hydraulique après autorisation du préfet pour 75 ans max. (– de 4 500 kW) ou concession accordée par le Conseil d'État pour 75 ans, renouvelable pour 30 ans (4 500 à 8 000 kW).

Seul cas en France : les œuvres sociales d'EDF sont financées par un prélèvement de 1 % sur les recettes et non sur la masse salariale (pour 1987, cela correspondait à 1,3 milliard de F ; la CGT gère seule ce fonds avec 4 200 salariés).

• **Budget** (en milliards de F). **Chiffre d'affaires :** *1985 :* 131,5. *86 :* 133,9. *87 :* 135,7. *88 :* 139,5. *89 :* 147,1. *90 :* 156,5. **Investissements :** *1986 :* 36,6. *87 :* 36,4. *88 :* 35,7. *89 :* 34,7. *90 :* 33,3 dont production 11,1 (nucléaire 9,4), transport en haute tension 6,6, distribution 14,6, autre inv. 1. **Capacité d'autofinancement :** *1985 :* 31. *86 :* 31. *87 :* 41. *88 :* 41,2. *89 :* 37,8. *90 :* 43,5.

Résultats nets (en milliards de F.). *1982 :* – 8. *83 :* – 5,7. *84 :* – 0,9. *85 :* + 1. *86 :* 1,3. *87 :* 0,2. *88 :* – 1,9. *89 :* – 4,2. *90 :* + 0,1. Si les tarifs d'EDF s'étaient situés au niveau européen, elle aurait enregistré un résultat net positif de 15 milliards de F, la moyenne des tarifs européens étant supérieur d'env. 10 % aux tarifs fr. (toutes tensions confondues).

• **Endettement** (en milliards de F au 31-12). *1986 :* 221. *87 :* 224. *88 :* 233. *89 :* 231. *90 :* 223. **Indice d'endettement.** *Dettes à long, moyen et court terme* divisé par le chiffre d'affaires × 100 : *1973 :* 191 %. *78 :* 162. *83 :* 177. *85 :* 165. *86 :* 159. *87 :* 165. *88 :* 167. *89 :* 157. *90 :* 142. *Charges financières* (comprenant provisions pour pertes de change) divisé par chiffre d'aff. × 100 : *1978 :* 14,4 %. *83 :* 25,7. *85 :* 21,09. *88 :* 20,3. *89 :* 19,5. *90 :* 18,4. *Dette (au 31-12-90) :* 19,7 milliards de F.

• **Financement en 1990** et, entre parenthèses, **1989** (en milliards de F). *Emplois :* acquisitions d'actifs immobilisés 34,6 (36,3), charges à répartir sur plusieurs exercices 8,5 (8,4), remboursement de dettes financières 16,9 (13,2), augmentation du fonds de roulement 3,8 (4,1). Total : 63,8 (62). *Ressources :* autofinancement 43,5 (37,8), cessions ou réductions d'éléments de l'actif immobilisé 0,9 (2,4), augmentation des capitaux propres 2,6 (2,5), augm. des dettes financières 16,8 (20,8). Total : 63,8 (63,5).

• **Domaine** d'EDF. Privé 435 km², concédé 1 300 km². Les sols survolés par les lignes de transport ne sont pas concédés mais frappés de servitude.

• **Effectifs** (au 31-12). *1985 :* 124 526. *90 :* 119 900 dont EDF-GDF Services 67 619, prod. et transport 39 384, autres 12 830. *Pt :* Pierre Delaporte (n. 30-7-1928) [avant : Marcel Boiteux (n. 9-5-1922)].

• **Puissance installée** (MW). 93 000 (dont nucléaire 54 000, hydraulique 23 200, thermique classique 16 000).

Autres producteurs

• **Compagnie nationale du Rhône** (créée 1921). Propriétaire d'ouvrages implantés sur le Rhône, notamment les usines de Génissiat, Bollène (Donzère-Mondragon), Bregnier-Cordon, Brens, Châteauneuf-du-Rhône, Logis-Neuf, Beauchastel, Bourg-lès-Valence, Seyssel, Gervans, Sablons, Pierre-Bénite, Beaucaire, Avignon-Sauveterre, Caderousse, Vaugris, Chautagne, Sault-Brenaz mais leur exploitation est assurée par EDF.

• **Autres producteurs** gèrent des centrales et produisent 31 milliards de kWh (9 % de la consommation). *Investissements nécessaires :* 5 000 à 15 000 F par kW installé (pour produire l'électricité d'une famille, il faut une centrale de 500 kW, soit investir env. 5 millions de F). En cas de production excédentaire, EDF doit acheter celle-ci au producteur autonome (22,79 c. le kWh en hiver et 11,41 c. en été, plus primes si le débit est régulier).

Production totale

TWh, térawattheures (ou milliards de kWh)

Date	Total	Thermique		Hydraul.	Solde échanges
		Nucl.	Class.		
1938	20,7	–	10,4	10,3	0,404
1950	33,2	–	17	16,2	0,365
1960	72,3	0,13	31,64	40,5	0,098 [1]
1970	140,7	5,15	78,95	56,6	0,506 [1]
1975	178,5	17,45	101,17	59,8	2,5
1980	245,8	57,94	118,84	69,8	3,09
1985	265,1	213,1	52,1	63,4	23,4
1989	387,5	289	48,2	50,3	42 [1]
1990	399,5 [2]	297,9	45,2	57	45,7 [1]

Nota. – (1) Exportations 52,4. (2) *Part EDF* (1990) 379 (dont nucléaire 295, thermique classique 25,3, hydraulique 52, fourniture des tiers 16, import. 6,5, export. – 52,4, énergie pour pompage – 4,9, consom. : 337,4). **Consom. intérieure** (plan national) 349,5, pertes 26,6, consom. nette (plan national) 322,9 (dont tarif vert + jaune 195, bleu 127,9). *Part des autres* 27,9 (dont thermique 22,9, nucl. 3, classique 19,9, hydr. 5), solde imp. 0,2 ; 16 fournis à l'EDF et 12,1 directement consommés.

Production par origine énergétique (plan national, en TWh, 1990). Nucléaire 297,7, hydraulique 56,5, classique 43,5, dont charbon 30, fuel 7, divers 8,3.

Électricité thermique

• **Consommation de combustible** (plan national, en millions de tep, en 1990). Uranium 70, charbon 7,5, fuel 1,6, divers 1,9. *Ensemble 81.*

• **Besoins en eau des centrales thermiques** réfrigérées en circuit ouvert selon la puissance nominale des tranches. Débit traversant le conducteur en m³/s, échauffement de l'eau en °C, volume prélevé par kWh produit en litres. *Classiques :* 125 MW 5,5 m³/s, 7°, 158 l. 250 MW 10 m³/s, 7°, 144 l. 600 MW 24 m³/s, 7°, 144 l. *Nucléaires :* PWR 900 MW 41 m³/s, 10,8°, 164 l. PWR 1 300 MW 45 m³/s, 13,8°, 130 l. Rapide 1 200 MW 36 m³/s, 11°, 108 l.

• **Production par catégorie de combustible.** Total prod. thermique (en TWh) et, entre parenthèses, combustibles utilisés (en %). **1950 :** 6,9 (charbon 59, fioul 7, divers 34). **1955 :** 24,5 (c. 42, f. 7, d. 51). **1960 :** 31,8 (c. 39, f. 8, gaz nat. 11, d. 42). **1965 :** 55 (c. 44, f. 20, g. 6, d. 30). **1970 :** 84,1 (c. 34, f. 34, g. 8, d. 24). **1975 :** 118,6 (c. 28, f. 41, g. 16, uranium 15). **1980 :** 176,8 (c. 26, f. 38, g. 3, u. 33). **1985 :** 265,2 (c. 14, f. 3, g. 3, u. 80). **1989 :** 337,4 (c. 9, f. 3, g. 3, u. 85).

• **Puissance maximale possible** (au 31-12-90 en MW). *Total* (classique + nucléaire) : plan national 78 450 (dont : EDF 70 210). *Équipement thermique classique :* plan national 22 700 (dont : EDF 16 140, Charbonnages de France 2 880, autres 3 680). *Nucléaire :* plan national 55 750 (dont EDF 54 070).

• **Principales centrales thermiques.** Production 1990 en GWh et, entre parenthèses, puissance maximale possible en MW. En italique : centrale nucléaire. *Gravelines B et C* (Nord) 34 953 (5 460). *Paluel* (S.-M.) 29 153 (5 320). *Cruas-Meysse* (Ard.) 23 323 (3 590). *Chinon B* (I-et-L) 22 613 (3 585). *Tricastin (Le)* (Drôme) 22 355 (3 660). *Le Blayais* (Gironde) 22 229 (3 640). *Le Bugey* (Ain) 20 152 (4 140). *Dampierre-en-Burly* (Loiret) 18 157 (3 560). *Cattenom* (Mos.) 17 448 (3 900). *Flamanville* (Manche) 14 888 (2 660). *Belleville* (Cher) 14 214 (2 620). *Nogent-sur-Seine* (Aube) 14 110 (2 620). *St-Alban-St-Maurice* (Isère) 13 815 (2 670). *St-Laurent-des-Eaux B* (L.-et-C.) 11 257 (1 830). *Fessenheim* (Ht-Rhin) 8 573 (1 760). *Cordemais* (L.-A.) 6 447 (3 115). *Émile-Huchet* (M.-et-M.) 4 800 (1 159). *Le Havre* (S.-M.) 4 142 (2 000). *Penly* (S.-M.) 2 879 (1 330). *Blenod* (M.-et-M.) 2 493 (1 000). *Gardanne* (B.-du-R.) 2 414 (825). *Golfech* (T.-et-G.) 1 785 (1 310). *St-Laurent-des-Eaux* (L.-et-C.) 1 749 (450). *Vitry-sur-Seine* (V.-de-M.) 1 555 (1 120). Maxe (La) (Mos.) 1 480 (500). *Chooz* (Ard.) 1 479 (305). Richemont 1 244 (384). Dunkerque (Nord) 1 216 (234). Porcheville B (Yvel.) 1 088 (2 340). Loire-sur-Rhône 944 (500). *Phénix* 970 (233). Courrières 917 (234). Bouchain 827 (582). Lucy III 737 (248). Hornaing 734 (357). Vaires-sur-Marne (S.-et-M.) 630 (480). Albi 626 (250). Martigues-Ponteau (Gard) 591 (750). Montereau 587 (500). Audience 582 (96). Champagne-sur-Oise (V.-d'O.) 496 (490). Pont-de-Claix 469 (166). Pont-sur-Sambre 428 (250).

Nota. – Entre 1984 et 1989, env. 48 unités de production de centrales EDF ont été déclassées (trop vieilles, manque de compétitivité).

Ouvrage en construction. Gennevilliers (puissance max. en construction : 200 milliers de kW ; prévision de mise en service : 1992).

• Thermique nucléaire. Voir p. 1652.

Électricité hydraulique

• Avantages. Longévité des ouvrages, modicité d'entretien, souplesse de fonctionnement, possibilité d'associer la production d'électricité à d'autres usages (écrêtement ou laminage des crues, soutien des étiages, alimentation urbaine, etc.), source nationale, renouvelable et propre.

• Potentiel français. La 1re haute chute fut équipée en 1880 près de Grenoble par Aristide Bergès, qui le 1er parla de *houille blanche.* **Petites chutes aménageables :** 300 000 (*hauteur* moyenne annuelle des précipitations 315 mm, soit 173 milliards de m³) pour produire 1 kWh, 1 m³ d'eau douce doit tomber de 365 m. **Altitude moy. de chute :** env. 560 m (soit 1,53 fois 365 m). **Potentiel :** *théorique* [défini à partir de 265 TWh (88 Mtec)] ; *équipable* 100 TWh ; *économique utilisable* 72 TWh (24 Mtec). En 1977 et jusqu'en août 78, grâce à une hydraulicité exceptionnelle, ce niveau a été dépassé de 4 TWh.

• Équipement. En année normale, fournit 62 TWh (21 Mtec), soit en puissance 18 500 MW. Selon l'AFME, le potentiel équipable permettrait de doubler la prod., soit 2 à 2,5 milliards de kWh (économie 500 000 TEP). Mais cela entraînerait des inconvénients : les barrages empêchent les migrations des poissons et provoquent un réchauffement des eaux ; les turbines sont des pièges à poissons [la construction de microcentrales est ainsi interdite sur une centaine de rivières à poissons (Loire, Canche, bassin de l'Adour, rivières normandes, bretonnes)], les descentes en canoë sont gênées (ex. : sur la Vézère, l'Auvezère, la Dordogne), l'environnement peut en souffrir (ex. : gorges du Verdon).

• Catégories d'usines. **Lac :** usines ayant un réservoir dont le temps de remplissage, égal ou supérieur à 400 h, permet de stocker les apports en période de hautes eaux pour les libérer en période de pointes de consommation. Parfois *de haute chute,* demandent au moins 400 m pour que leur réserve atteigne la cote normale. Ex. : dans les Alpes, La Bathie Roselend p. max. 546 MW (productibilité an. 1 080 GN h). **Usines au fil de l'eau, de basse chute :** ne peuvent retenir l'eau plus de 2 h. Ex. : Bollène sur le Rhône (335 MW, 2 110 GWh). Les chutes fournissent des kWh toute l'année et assurent la base du diagramme de production électrique ; les hautes chutes mobilisent leur puissance aux h de pointe et aux h pleines d'hiver, soit env. 1/5 de l'année. **Éclusées :** réservoir dont le temps de remplissage, entre 2 et 400 h, permet de stocker de l'eau la nuit pour turbiner aux h de forte charge. Ex. : Éguzon sur la Creuse (70,6 MW, 105 GWh) ou Génissiat sur le Rhône (405 MW, 1 700 GWh). **Fil de l'eau :** réservoir à temps de remplissage de 2 h au moins et utilisant le débit tel qu'il se présente. **Pompage :** disposent de 2 réservoirs, un supérieur et un inférieur, reliés par des pompes, pour remonter l'eau, et des turbines pour produire de l'énergie. *Pompage pur :* apports naturels dans le réservoir supérieur négligeables (productibilité nulle). Ex. : Revin près de la Meuse, 1re grande installation de ce type (1976, de 800 MW). *Pompage mixte :* apports naturels, productibilité certaine. Mobilisables au moment voulu moyennant une perte physique de 1/3 compensé par un gain économique : le kWh turbiné le matin ou le soir vaut en hiver jusqu'à 2 fois celui du refoulement à minuit. Sites recensés en France, total : puissance 18 500 MW ou +.

• Statistiques (1990, prov.). Puissance installée nominale [somme des puissances nominales des générateurs principaux d'énergie électrique (à l'exclusion des auxiliaires)], en MW 24 700 dont fil 7 560, éclusées 3 950, lac 8 820, pompage pur 1 730, mixte 2 640.

Production (en 1990, prov.) (en GWh, plan national dont entre parenthèses EDF) 56 500 (51 700) dont usines au fil de l'eau 31 500 (27 900), éclusées 9 300 (8 700), lac 11 900 (11 300), pompage pur (1 700), mixte (2 100).

Total (1986) (64 000) dont Alpes 46 748 (44 568), Centre 10 306 (9 014), Pyrénées 6 360 (4 714).

Productibilité (quantité annuelle moyenne d'énergie que les apports permettraient de produire ou de stocker durant l'année, en l'absence de toute indisponibilité de matériel et de toute contrainte d'exploitation), en GWh. 69 700 dont fil 38 220, éclusées 12 730, lac 17 580, pompage mixte 1 170.

• Réservoirs saisonniers. Remplissage en général à partir de la fonte des neiges (mai-juin), maximum atteint en automne. Le déstockage permet de faire face aux périodes de grosse consommation en hiver.

Capacité en énergie (quantité d'énergie qui serait produite dans l'ensemble des usines de tête et aval si on vidait le réservoir plein). Réservoirs saisonniers dont entre parenthèses, EDF (en GWh, en 1989). *Total* 9 831 (9 150) dont : centrales de tête 4 873 (4 334), centrales aval 4 958 (4 816) ; Alpes 67 % de la capacité.

Principaux réservoirs. Capacité en millions de kWh. *Alpes :* Serre-Ponçon 1 677, Mont-Cenis 1 063, Tignes 665, Roselend 639, Grand-Maison 451, Émosson 372, Ste-Croix 297. *Pyrénées :* Cap-de-Long 299, Lanoux 257, Naguilhès 114. *Centre :* Bort 313, Grandval 271, Sarrans 251, Pareloup 234.

• Principaux aménagements hydrauliques (1990). Production et productibilité annuelle moyenne, entre parenthèses [somme des moyennes de productibilités annuelles nettes calculées pour chaque usine sur le plus grand nombre d'années possible], en GWh ; *puissance maximale possible,* en italique, de 1 h : somme des p. max. nettes réalisables par chaque usine en service continu, quand chacune de ses installations principales et annexes est en état de marche et quand les conditions de débit, de réserve et de hauteur de chute sont optimales], en MW.

Bollène (Vaucluse, canal du Rhône) 1 780 (2 140) *335.* Génissiat (Ain, Ht-Rhône) 1 652 (1 700) *405.* Châteauneuf-du-Rhône (Drôme, dérivation du Rhône) 1 399 (1 660) *285.* Montezic 1 096 (0) *912.* Grand-Maison 1 286 (215) *1 690.* Montezic 1 197 (0) *968.* Beaucaire (Gard, Rhône) 1 135 (1 310) *210.* Logis-Neuf (Drôme, dériv. du Rhône) 1 034 (1 220) *210.* Beauchastel (Ardèche, dériv. du Rhône) 1 027 (1 236) *223.* La Bathie-Roselend (Savoie, Isère) 956 (1 080) *546.* Bourg-lès-Valence (Drôme, Rhône) 941 (1 110) *186.* Fessenheim (Ht-Rhin, canal d'Alsace) 927 (1 040) *172.* Ottmarsheim (Ht-Rhin, canal d'Alsace) 875 (980) *156.* Rhinau (B.-Rhin, Rhin) 832 (946) *161.* Kembs (Ht-Rhin, Rhin) 824 (938) *158.* Marckolsheim (B.-Rhin, Rhin) 808 (938) *156.* Sablons (Isère) 797 (905) *161.* Strasbourg (B.-Rhin, Rhin) 771 (868) *131.* Avignon-Sauveterre (Vaucluse, Rhône) 761 (920) *164.* Gerstheim (B.-Rhin) 732 (818) *130.* Vogelgrun (Ht-Rhin) 723 (810) *130.* Caderousse (Vaucluse) 709 (870) *156.* Le Cheylas (Isère, Arc) 643 (680) *485.* Brommat (Aveyron, Truyère) 640 (900) *416.* Villarodin-Combe-d'Avrieux (Savoie) 599 (730) *482.* Gervans (Drôme) 575 (700) *116.* Rance (C.-d'A.) 571 (540) *240.* Malgovert (Savoie, Isère) 533 (660) *297.* La Coche 516 (490) *310.* Revin 500 (0) *800.* Oraison (A.-de-Hte-Pr., Durance) 483 (784) *192.* Pierre-Bénite 482 (535) *81.* Émosson 462 (225) *189.* Super-Bissorte 458 (165) *746.* Randens (Savoie) 450 (482) *124.* Sisteron (A.-de-Hte-Pr., Durance) 436 (710) *214.* Serre-Ponçon (A.-de-Hte-Pr., Durance) 426 (720) *385.* Chautagne 418 (455) *92.* Passy 406 (350) *109.* Cusset 400 (425) *65.* Brens 396 (449) *91.* L'Aigle 379 (500) *360.* St-Estève (P.-O.) 375 (720) *141.* Monteynard 361 (475) *364.* Le Chastang 356 (520) *290.* Iffezheim 353 (342) *54.* La Saussaz II 345 (480) *146.* Hermillon 332 (460) *114.* Vaugris 312 (335) *61.* Gambsheim 311 (317) *96.*

Ouvrages en construction. Date de mise en service, *puissance nominale en construction en MW,* productibilité annuelle moyenne GWh entre parenthèses. *Moyenne Isère aval* 1991 *46* (209). *Sampolo-Corse* 1991 *39* (73). *Le Buech* 1992 *14* (138).

☞ La sécheresse de 1989 a occasionné pour EDF un déficit de production hydraulique de 19 milliards de kWh, surcoût 2 milliards de F. Parallèlement, EDF a consenti 160 millions de m³ de lâchers d'eau supplémentaires (au-delà de ceux normalement prévus), par les ouvrages à buts multiples, (ex. : retenue de Serre-Ponçon). Le 1-9-1990, les lacs d'EDF étaient, en moyenne, remplis à 73 % de leur capacité ; Alpes du Sud 50 %.

Consommation

• Consommation (1989, prov.). **Brute** (y compris pertes dans le réseau), entre parenthèses, **nette** (en milliards de KWh). *1950 :* 33,4 (28,9). *60 :* 72 (65,2). *70 :* 140 (130,1). *80 :* 248,7 (231,5). *85 :* 303 (297,4). *89 :* 341 (315). **Totale** 349 [tarif Vert + Jaune (Hte tension) 195,7, Bleu (basse tension) 126,3, pertes 27]. **Par activité (1990, prov.) V.J. :** 195,7 dont commerces, services marchands 32,3, minerais et transformations associées 22,7 (dont sidérurgie 10,6), chimie et parachimie 21,9, mécanique, fonderie, travail des métaux 21,1, diverses énergies 20,3, industries alim. 13,6, autres ind. 13, textile, habillement, ameublement 11,7, transports et télécom. 10,4, minéraux et matériaux 9,7, administration, services non marchands 8,7, pétrole 4,3, agriculture 2,1, combustibles minéraux solides 1,5, non classé (clients EDF et DNN) 2,4. *B :* 126,3 dont usages domestiques 95,4, professionnels et services publics 30,9. *Total* 322.

Par ville (ou région) (en GWh dont, en italique, tarif V.J., 1989). Ile-de-France 45 800 *24 100.* Paris 10 871 *5 124.* Marseille 2 519 *1 018.* Lyon 1 698 *734.* Toulouse 1 663 *957.* Strasbourg 1 455 *953.* Bordeaux 1 169 *696.* Nice 1 168 *412.* Nantes 832 *421.* Lille 814 *461.* Grenoble 804 *464.* Reims 790 *505.* Le Havre 745 *431.* Mulhouse 734 *549.* St-Étienne 732 *432.* Clermont-Ferrand 715 *488.*

Par fournisseur (en TWh, 1990, prov.) **Tarif V.J.** *Total* 195,7 [EDF 178,4 (dont clients distribution 101,5, prod. transport 76,9), distributeurs non nationalisés 5,6, ind. sur production propre 11,7]. **Tarif B.** *Total* 126,3 (EDF 118,7, distrib. non nat. 7,6).

• Abonnés (1990). L'EDF dessert 27 390 000 abonnés en tarif B [énergie livrée 118 700 GWh] et 588 ab. en tarif VJ DPT, taille 1 [76 900 GWh], 33 500 ab. en tarif VJ DD, taille 1, 236 100 ab. en tarif VJ DD taille 2 [101 500 GWh].

• Pointe journalière. **Consommation intérieure. Puissance en GW** *1950 (21-12) :* 6,5. *60 (15-12) :* 12,9. *70 (18-2) :* 23,3. *80 (9-12) :* 44,1. *86 (10-2 à 19 h) :* 58. *89 (11-12 à 19h) :* 59,6. *90 (17-12 à 19 h) :* 63,4. **Énergie (en GWh).** *89 (5-12) :* 1 303. *90 (20-12) :* 1 385. (écart de température de – 2,9° par rapport à la normale).

Journée la plus chargée de l'hiver 1990-91. *6-2-91 à 19 h :* puissance maximale appelée 67,8 GW, énergie 1 473 GWh, température (écart à la normale) – 7,6°.

• Scénario type d'une journée à risque maximal de coupures. Un mardi, mercredi ou jeudi de la 2e semaine de janvier à la fin février par un temps froid et sec. Une baisse de temp. d'un degré entraîne une consommation supplémentaire de 1 000 MGW. Entre 9 h et midi, et 17 et 21 h, EDF peut être contrainte de couper 1, 2 ou 3 % de la consom. nat. En cas de grève, un seul gréviste qui oublierait d'adapter la demande à l'offre d'électricité (en procédant à des coupures judicieuses quand la production baisse, alors que la consommation reste forte) peut faire sauter tout le réseau EDF.

• Temps moyen de coupure client basse tension (1986). *France 5 h 22 (1990 :* 4 h 30), G.-B. 2 h 45, All. féd. 1 h, P.-Bas 26 mn.

• Pannes importantes. **19-12-1978** (8 h 26 à 13 h 45). Due au déclenchement pour surcharge de la ligne 400 kV Bezaumont (N. de Nancy)-Greney (Troyes) qui entraîna en cascade l'interruption de l'alimentation sauf dans les régions N.-E., S.-E. et Alpes, les lignes du réseau étant interconnectées. Profondeur

Pannes de New York. 9-11-1965, panne de générateurs, toucha 25 000 000 de personnes (N.-E. des USA et partie du Canada), dura 24 h. **13/14-7-1977** dura plus de 24 h ; entraîna de nombreux pillages.

max. de la coupure 29±1 GW sur un appel de consommation de 38,5 GW. **14-1-1985** Paris (Nord et Ouest) 18 h 45-21 h. **12-1/25-1-1987,** 4 h 30 à 5 h 30 300 000 personnes dans le Centre.

Échanges d'énergie avec l'étranger

Importations et, entre parenthèses, exportations (en millions de kWh, en 1990). Belgique 3 544 (2 312). Espagne 1 875 (1 512). All. 534 (8 665). Suisse 408 (12 071). G.-B. 45 (11 925). Italie 19 (15 441). Monaco (315). Andorre (177). *Total* 6 425 (52 418).

Réseau

Définition

Réseaux. Très haute tension. Exploitées au niveau national, les lignes à 400 000 V relient entre elles les principales centrales de production (thermiques, nucléaires et hydroélectriques) et assurent l'interconnexion régionale et internationale. **Haute tension.** Assure les mouvements d'énergie régionaux, l'alimentation des centres de distribution et de certains gros usagers industriels. **Moyenne tension.** Assure les mouvements d'énergie dans le cadre régional, et la fourniture de l'énergie aux usagers industriels dans le cadre local. Exploité par les services de la Distribution. **Basse tension.** Assure dans le cadre local la distribution aux usagers domestiques, aux petits industriels, commerciaux et divers. Exploité par les services de la Distribution.

Statistiques

• **Longueur des lignes** (km, 1990, plan national et entre parenthèses EDF). *400 000 volts : 19 000* (19 000). *225 000 :* 25 500 (25 450). *150 000 :* 2 400 (2 400). *HT :* 53 100 (47 300). *MT :* 570 000 (535 000). *BT :* 652 000 (616 000).

• **Transformateurs** hors élévateurs de production (puissance nominale MVA, en 1990, plan national et entre parenthèses EDF). *400 000 volts :* 94 200 (89 500). *225 000 :* 93 500 (81 200).

Technique

• **Câbles.** *Pour 400 000 volts,* faisceau de 3 câbles pesant 4,8 kg par m, soutenu par un pylône de 6 à 80 t tous les 500 m en moyenne. *Pour 63 000 v.,* câble unique, 800 g par m, pylônes de 1 à 3 t tous les 250 m en moyenne. 20 % des lignes à moyenne tension et 15 % à basse tension sont enterrées.

Une ligne capable de résister à une surcharge de 6 kg par m coûte 100 à 110 % de plus qu'une ligne ordinaire qui supporte une surcharge de 2 kg par m. La neige peut enrober les câbles d'un manchon de 15 cm de diamètre parfois sur des câbles d'env. 3 cm de diamètre ce qui entraîne une surcharge de 10 kg par m. Certains câbles sont faits de torons d'aluminium. Poids 350 à quelques g par m, utilisés pour les lignes à moyenne et basse tension. Possibilité de surcharge de 1 à 6 kg.

Pylônes. Utilisés pour la construction des lignes aériennes haute ou très haute tension (63 à 400 kV). *Nombre :* env. 250 000. *Matériaux :* profilé ou tube d'acier. 9 formes différentes et env. 2 000 types de caractéristiques mécaniques. *Poids :* 4 à 100 t. *Hauteur :* 25 à 100 m.

• **Poteaux.** *Nombre* 15 à 17 millions. Il en faut chaque année 450 000 (lignes nouvelles 150 000, remplacement 300 000). *Matériaux : bois :* durée de vie moy. 35 à 40 ans. *Béton :* utilisé lorsque les poteaux doivent supporter des efforts importants. *Bois lamellé* collé. *Plastique. Tôle* d'acier.

• **Lignes souterraines.** Elles sont l'exception du fait de leurs inconvénients. **Coût :** *ligne souterraine de 400 kV :* 8 à 13 fois supérieur à celui d'une ligne aérienne ; *de 225 kV* 7 à 8 fois ; *63 et 90 kV* 6 fois ; *moy. tension* 3,5 à 5, *basse tension* 2,5 à 3. **Pertes en ligne :** au-delà de 45 km, un câble de 400 kV ne peut plus transporter de courant utile. En pratique, les liaisons souterraines ne peuvent dépasser 10 km en 400 kV, 20 km en 225 kV. **Probabilités d'avarie :** 2 fois plus en basse tension, parfois 30 fois plus pour la très haute tension (pas d'entretien préventif possible, vulnérabilité aux engins de terrassement, etc.). **Emprise :** une ligne souterraine empêche toute construction sur une bande de terrain de 4 à 5 m de large. Soit 4 000 m² au km (contre 100 à 200 m² pour les pylônes d'une ligne aérienne). **Réparations :** ne peuvent être faites sous tension et demandent beaucoup plus de temps (5 fois plus pour une ligne de 225 kV).

Câble et interconnexion des réseaux français et anglais. Permet de favoriser les échanges d'électricité car les heures de pointes ne sont pas les mêmes selon les pays. **1961** *Ifa 1* entre Échinghen près de Boulogne-sur-Mer et Lydd (G.-B.) puissance 160 MW. **1981** exploitation arrêtée (frais d'entretien prohibitifs dus aux avaries des ancres et chalûts). **1985, 1990** *Ifa 2* courant continu, puissance 2 000 MW. 8 câbles sous-marins (par paires) de 270 kv, enterrés à 1,70 m sous la mer entre Sangatte et Folkestone (45 km). Câbles de 900 mm² de section, faits de 12 couches de maillages d'acier et d'isolants qui protègent le conducteur en cuivre. Fabriqués par tronçons de 50 km (1 800 t) posés d'un seul morceau.

Prix

• **Prix de revient du kW/h** (1990). Coût de production d'achat et de transport 29,8 c, coût du kW/h distribué 17,6. **Prix moyen de vente du kW/h** (1990). Services tarifs bleu 63,9 c, jaune et vert 41,2, production transport tarif vert 24,9.

• **Indices des prix hors taxes de l'électricité en France et dans les pays de la communauté** (1-1-89). *Usages domestiques* (3 500 kWh/an dont 1 300 en heures creuses) et *usages industriels* [160 000 kWh/an (100 kW × 1 600 h)]. All. féd. 134 (145). P.-Bas 106 (106). Belg. 150 (125). G.-B. 146 (123). Dan. 76 (52). Irlande 121 (134). Italie 81 (134). *France 100 (100).*

Énergie nucléaire

Sources : EDF ; CEA.

Généralités

Réactions nucléaires

• **Principes.** Le noyau d'un atome se compose de neutrons non chargés et de protons chargés d'électricité positive. Les protons portant une charge de même signe devraient se repousser mutuellement. Or, ils demeurent rassemblés, la force d'attraction du noyau étant supérieure à la force de répulsion électrique. Mais la masse du noyau est inférieure à celle que totaliseraient ses constituants s'ils étaient libres. Il y a donc dans le noyau un *défaut de masse* Δ m, équivalant à une certaine quantité d'énergie de liaison E qui assure la cohésion du noyau. C'est l'énergie qu'il faut fournir au noyau pour dissocier les particules qui le composent : $E = \Delta m \times C^2$ (C, vitesse de la lumière = 300 000 km/s). Un très faible défaut de masse correspond à une énergie importante. Le défaut de masse est relativement faible pour les noyaux légers (hydrogène), maximal pour ceux de masse moyenne (fer), plus faible pour les noyaux lourds (uranium).

L'apparition de l'énergie nucléaire résulte d'une *modification du noyau.* Elle s'accompagne d'une disparition de matière, c'est-à-dire d'une augmentation du défaut de masse.

Elle se produit *spontanément* dans certains éléments naturels (exemple : l'uranium 238 se transforme en thorium 234 en émettant un rayonnement α). On peut la produire artificiellement en provoquant une transformation donnant des noyaux de masse moyenne pour lesquels le défaut de masse est maximal. D'où 2 types de réactions nucléaires énergétiques. 1° la *fission* ou rupture d'un noyau très lourd en 2 noyaux plus légers ; 2° la *fusion* ou agglomération de noyaux très légers pour former un noyau plus lourd.

Activité. Nombre des désintégrations qui se produisent dans une substance radioactive. Mesurée en curies ou en becquerels (1 désintégration par seconde ; 1 curie = 3 710⁹ becquerel).

Période radioactive, ou demi-vie. Temps durant lequel la moitié des atomes présents initialement se désintègrent. Au bout d'une période, un corps a ainsi perdu la moité de son activité. *Polonium 218* 3,03 mn, *iode 131* 8 j, *krypton 85* 10 ans, *plutonium 239* 24 000 ans, *uranium naturel* 4,5 milliards d'années. **Périodes de quelques éléments.** *Polonium 212* 3.10^{-7} s, *polonium 214* $1{,}6.10^{-4}$ s, *iode 128* 25 mn, *sodium 24* 15 h, *radon 222* 3,8 jours, *iode 131* 8 j, *phosphore 32* 14,3 j, *cobalt 60* 5,3 ans, *strontium 90* 28 a, *césium 137* 33 a, *radium 226* 1 620 a, *plutonium 239* 24 100 a, *uranium 234* $0{,}25.10^4$ a (2 500 000), *uranium 235* 710.10^6 a, *uranium 238* $4{,}5.10^9$ (4,5 milliards d'années), *thorium 232* 14.10^9 a.

Becquerel, curie. Expriment l'activité radioactive d'un corps en fonction du nombre de noyaux atomiques qui se désintègrent spontanément à chaque seconde. 1 becquerel = 1 désintégration par seconde. 1 curie = 37 milliards de becquerels.

Fission nucléaire

• **Théorie.** La fission est la rupture d'un noyau lourd (uranium 235 par ex.), sous l'impact d'un neutron, en noyaux plus petits. Elle s'accompagne d'un dégagement d'énergie (env. 200 millions d'électronvolts) dû à l'augmentation de la perte de masse. Simultanément se produit la libération de 2 ou 3 neutrons et de produits radioactifs. Exemple :

$${}^{1}_{0}n + {}^{235}_{92}U \rightarrow {}^{94}_{38}Sr + {}^{140}_{54}Xe + 2\,{}^{1}_{0}n + \text{énergie}$$

Les neutrons libérés peuvent provoquer à leur tour la fission d'autres noyaux et la libération d'autres neutrons, et ainsi de suite (c'est la *réaction en chaîne*), mais les neutrons peuvent aussi être absorbés dans l'uranium 238 ou s'évader sans provoquer de fission. Pour qu'une réaction en chaîne s'établisse, il faut rassembler en un même volume une masse suffisante de noyaux fissiles, appelée *masse critique,* afin que le nombre de neutrons productifs (susceptibles de provoquer des fissions) soit supérieur au nombre de neutrons improductifs (qui seront absorbés ou s'évaderont). Lors de sa fission, le noyau éclate. Les fragments sont ralentis au contact des noyaux voisins. Cette agitation produit un échauffement de la matière fissile. Cette réaction est à la base du fonctionnement des centrales nucléaires actuelles.

La *bombe atomique* est constituée par une masse critique où la réaction en chaîne se propage si rapidement qu'elle conduit à une réaction explosive dégageant une énergie considérable (V. Index).

• **Histoire. 1re fission** de l'atome : 1938 par O. Hahn et F. Strassmann, à Copenhague, dans le laboratoire de Niels Bohr. **1re pile** fonctionne à l'université de Chicago le 2-12-1942 [« combustible » : uranium + oxyde d'uranium ; modérateur : graphite ; aucun refroidissement ; puissance : 200 W] ; *France,* à Châtillon, *Zoé* (Zéro énergie, Oxyde d'uranium, Eau lourde), le 15-12-1948 [oxyde d'uranium ; mod. : eau lourde (6 t) ; pas de refroidissement, puissance : 1 à 5 kW] ; *G.-B.,* Harwell (GLEEP) le 15-8-1947 [uranium + oxyde d'uranium (7 t) ; mod. : graphite (10 t), eau lourde (2 t) ; refroidissement : air ; puissance : 100 kW].

Fusion nucléaire

• **Principe.** Très répandu dans l'univers : des noyaux d'atomes fusionnent en permanence au sein des étoiles. Utilisé dans la bombe H, mais son utilisation pacifique en est encore au stade expérimental.

Pour réaliser la fusion des noyaux d'atomes, il faut vaincre leur répulsion électrostatique et les amener au contact l'un de l'autre. Alors ils s'interpénètrent, forment très brièvement un noyau unique qui se redécompose en noyaux différents de ceux dont on est parti. Les réactions nucléaires auxquelles on s'intéresse pour produire de l'énergie font intervenir les isotopes de l'hydrogène, le deutérium et le tritium, ainsi que l'hélium :

$${}^{2}_{1}H + {}^{2}_{1}H \rightarrow {}^{3}_{2}He + {}^{1}_{0}M + 3{,}27\ \text{MeV}$$

$${}^{2}_{1}H + {}^{2}_{1}H \rightarrow {}^{3}_{1}H + {}^{1}_{1}p + 4{,}03\ \text{MeV}$$

$${}^{2}_{1}H + {}^{3}_{1}H \rightarrow {}^{4}_{1}He + {}^{1}_{0}n + 17{,}6\ \text{MeV}$$

$${}^{2}_{1}H + {}^{3}_{2}He \rightarrow {}^{4}_{2}He + {}^{1}_{1}p + 18{,}3\ \text{MeV}$$

Nota. – MeV : 1 million d'électronvolts.

Les taux de réaction sont différents pour chacune de ces fusions et dépendent de l'énergie fournie aux particules incidentes. A énergie égale, c'est la 3e réaction, deutérium + tritium, qui a le taux le plus élevé. Elle a un intérêt industriel potentiel pour une énergie des particules correspondant à une agitation thermique de 100 millions de degrés K. Les autres réactions demandent, à taux égal, des températures bien plus élevées et ne sont pas pour le moment envisagées dans les expériences.

A ces températures très élevées, la matière se trouve à l'état de *plasma* (les atomes sont totalement ou fortement dépouillés de leurs électrons périphériques). La physique correspondante combine les propriétés des gaz et les lois de l'électromagnétisme. Les particules en présence, noyaux et électrons, sont en effet chargées électriquement, et partant de là sensibles aux champs électriques et magnétiques.

• **Méthodes.** Dans les réacteurs futurs, pour que l'énergie produite par la fusion soit supérieure à celle investie dans le chauffage des particules et dans le fonctionnement des circuits, il faut que le produit de la densité, n, du plasma par le temps, t, pendant lequel son énergie reste confinée loin de toutes parois matérielles, soit supérieur à une certaine valeur : $n \times t \leqslant 100\,000$ milliards de $cm^{-3} \times$ sec. à 100 millions de degrés K.

Voie du confinement magnétique. La densité n est faible et le temps t est long. On s'efforce de maintenir les particules loin des parois grâce à un champ magnétique. Les meilleures performances ont été obtenues sur les **Tokamak** (du russe *tok :* courant, et *mak :* magnétique) à symétrie toroïdale (de *tore :* sorte d'anneau) : inventés par les Soviétiques en 1958. 3 en fonctionnement [*TFTR* (Tokamak Fusion Test Reactor) de l'université de Princeton (USA) aurait atteint 200 millions de degrés. *JT 60* (Japanese Tokamak) de l'Institut de recherche atomique de Tokaï-Mura, près de Tokyo. *Jet* (Joint European Torus) : en fonction dep. 1983 à Culham (G.-B.) ; financé par Euratom (80 %), Atomic Energy Authority (G.-B., 10 %), organismes nationaux associés (10 %) ; le plus grand en service, aurait atteint 140 puis 300 millions de degrés pendant 1,8 s]. *Tore-Supra* réalisé (1981-88) à Cadarache, en niobium-titane, maintenu à 1,7 degré Kelvin (– 270 °C env.) ; mise en œuvre de bobines supraconductrices pour l'établissement du champ magnétique toroïdal ; rayon hors tout : 11,5 m ; grand rayon du tore de plasma : 2,35 m, petit : 0,70 m ; courant induit dans le plasma : 1,7 million d'ampères ; champ magnétique de confinement : 4,5 teslas ; puissance de chauffage complémentaire : 15 MW (obtenu par injection de particules et d'ondes à haute fréquence). *NET (Next European Torus) :* abordera les problèmes de faisabilité technologique. *CIT (Compact Ignition Tokamak)* labo de Princeton, dérivé du TFTR, coût 1,2 million de $. *ITER (International Thermonuclear Experimental Reactor).*

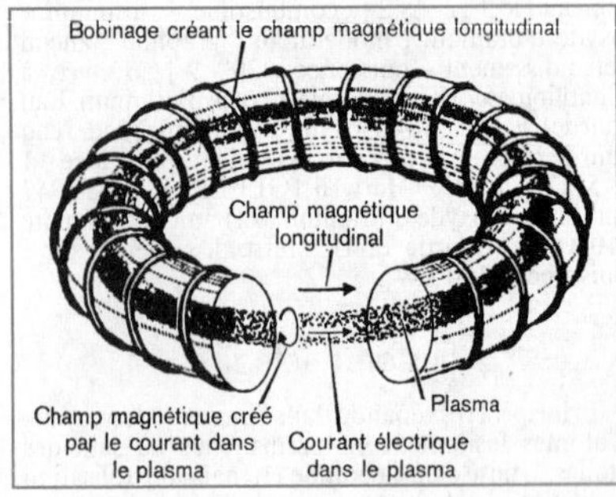

Principe de la machine Tokamak

Voie du confinement inertiel. La densité n est très forte, 1 000 fois celle des solides, et le temps t est très court. Les particules sont échauffées et comprimées grâce à une impulsion sphérique provoquée par une convergence de faisceaux lasers, de faisceaux d'électrons ou d'ions.

Dans les 2 cas, la majeure partie de l'énergie de fusion est emportée par les neutrons. Ces particules cèdent leur énergie à une enceinte extérieure qui devient de ce fait source d'énergie thermique. Cette source est ensuite exploitée de façon classique.

Nota. – Le tritium ^3H qui n'existe qu'en très faible quantité dans l'atmosphère, où il est produit par les rayons cosmiques, est obtenu par bombardement neutronique du *lithium.* Ce qui permet d'envisager une régulation *in situ* en ne consommant que du lithium et du deutérium. Le deutérium est un isotope stable de l'hydrogène qui en contient 0,015 %. Le lithium étant abondant sur Terre, la capacité théorique de production énergétique serait gigantesque.

Fusion froide. Le 23-3-1989, les électroniciens américains Martin Fleischmann et Stanley Pons annoncèrent qu'ils avaient réussi une réaction de fusion à froid (température ambiante) par électrolyse de l'eau lourde. Mais leurs résultats ont été remis en cause par d'autres expériences mieux conduites.

Centrales nucléaires

Généralités

• **Principe.** Les centrales brûlent du charbon ou du fuel produisant de la chaleur. *Dans les centrales nucléaires,* la chaleur est produite par la fission de l'uranium dans le réacteur (dit aussi pile atomique). Dans les 2 types de centrales, cette chaleur produite sert à vaporiser de l'eau ; la vapeur est ensuite détendue dans une turbine qui entraîne un alternateur produisant de l'énergie électrique. Dans les centrales nucléaires, la chaleur est recueillie par un *fluide caloporteur.* La vapeur peut être produite soit directement dans le réacteur (cycle direct), soit par l'intermédiaire d'un échangeur (cycle indirect). Une enveloppe résistant à la pression du fluide caloporteur entoure le cœur du réacteur.

• **Composition d'un réacteur.** *La partie active* d'un réacteur, appelée *cœur,* est constituée par une *masse critique* où la réaction en chaîne est contrôlée de façon à obtenir un dégagement d'énergie continu et prédéterminé. Sachant qu'ainsi 1 000 fissions donnent spontanément naissance à env. 2 500 neutrons, il faut alors 1 000 fissions nouvelles et 1 500 captures et fuites. Matériaux et taille du cœur du réacteur sont calculés pour obtenir cet équilibre. Le réglage fin est assuré par des barres de commande. *Un réacteur de centrale comprend :* 1°) **Un combustible** qui comprend de la matière fissile [uranium naturel (qui contient 1 atome d'U 235 pour 139 d'U 238), ou uranium enrichi en U 235, ou plutonium] et un matériau fertile (l'uranium 238). L'ensemble est protégé par des gaines métalliques étanches.

2°) **Un modérateur** ou ralentisseur (dans les réacteurs à neutrons thermiques), chargé de ralentir les neutrons issus d'une fission, généralement trop rapides pour pouvoir engendrer une nouvelle fission. Le modérateur est constitué généralement par du graphite, de l'eau lourde ou de l'eau ordinaire. L'*eau lourde* est de l'eau dans laquelle l'hydrogène est remplacé par son isotope à 1 neutron, le deutérium (ou hydrogène lourd, très rare dans la nature ; 15 atomes sur 100 000 d'hydrogène). Elle existe en faible quantité dans l'eau ordinaire. On peut l'en isoler par électrolyse ou par d'autres procédés (échange isotopique, etc.). Certains réacteurs utilisent la même matière à la fois comme modérateur et comme caloporteur.

3°) **Un fluide** caloporteur (gaz, eau ou métal liquide) pour évacuer et éventuellement récupérer l'énergie thermique produite par la fission. Il est généralement contenu dans une cuve métallique.

4°) **Un système de contrôle** pour maintenir constante ou faire varier la densité des réactions de fission. Il est constitué par des barres en acier au bore, au cadmium ou au hafnium (qui absorbent les neutrons) pouvant être plongées à l'intérieur du cœur du réacteur.

5°) **Une enceinte assurant l'étanchéité vis-à-vis de l'extérieur** et servant de protection contre les rayonnements, dite enceinte de confinement. Au cours de ce séjour dans le réacteur (plusieurs années), le combustible se transforme. La fission des noyaux fissiles donne naissance à des produits de fission constitués de nombreux éléments sous la forme d'isotopes radioactifs. La capture des neutrons par des noyaux lourds engendre des éléments « transuraniens » également radioactifs. L'évolution du combustible ainsi irradié se caractérise par son taux de combustion [quantité d'énergie produite par unité de poids du combustible, unité : MWj/t (million de watts × jour par tonne)]. Le taux varie selon le type de réacteur.

• **Puissance d'un réacteur.** Définie par le nombre de fissions par unité de temps ; chaque fission libère environ 200 MeV soit $3{,}2.10^{-4}$ erg ou $3{,}2.10^{-11}$ joules ; 1 kW correspond alors à 3.10^{13} fissions par sec.

Principales filières

☞ *MW :* mégawatt.

Description

On distingue : **les réacteurs à neutrons rapides** (ex. : Creys-Malville), où les neutrons ne sont pas ralentis ; il faut alors un combustible très fissile ; **les réacteurs à neutrons lents** (ou thermiques) où les neutrons sont ralentis par un *modérateur* (les neutrons lents provoquent plus de fission que les neutrons rapides).

On peut classer les réacteurs suivant la *nature du combustible* (uranium naturel ou enrichi à l'U 235 ou au plutonium) ou les *utilisations envisagées* (recherche, étude des matériaux, prod. d'isotopes, de plutonium, d'énergie électrique). On les distingue aussi selon leur filière (combustible, modérateur, fluide caloporteur).

• **Uranium naturel, graphite, gaz (UNGG).** *Combustible :* uranium naturel (0,7 % d'U 235 et 99,3 % d'U 238). *Modérateur :* graphite. *Fluide caloporteur :* gaz carbonique à 25 kg de pression/cm^2, atteignant une température de 400 °C [réacteurs développés en G.-B. et en France. *Centrale type* (St-Laurent-des-Eaux) puissance électrique 500 MWe pour 1 500 MW de puissance thermique.] *Chargement en uranium naturel :* environ 400 t. Le combustible est déchargé en continu sans arrêter le réacteur. *Taux de combustion maximum :* 6 500 MWj/t.

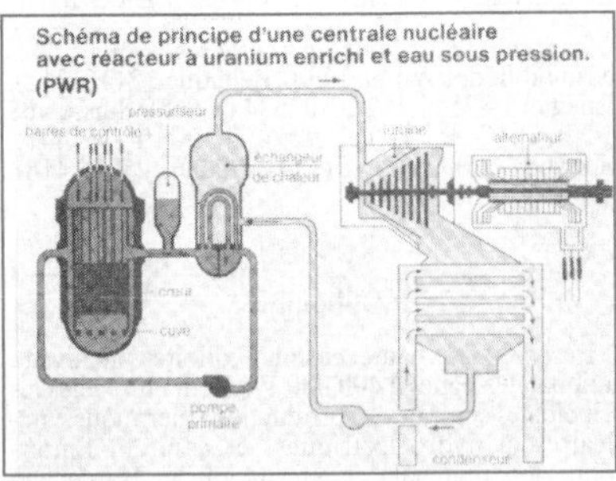

• **Eau lourde.** *Combustible :* uranium naturel ou très légèrement enrichi. *Fluide caloporteur :* eau lourde ou eau ordinaire ou gaz. *Modérateur :* eau lourde (le meilleur modérateur mais difficile à fabriquer). [filière développée, surtout au Canada (filière CANDU : uranium naturel, fluide caloporteur eau lourde). *Chargement en uranium naturel d'une centrale de 500 MWe :* env. 90 t. *Taux de combustion max. (filière CANDU) :* 7 500 MWj/t.

• **Eau ordinaire.** *Combustible :* uranium enrichi (3,25 % en uranium 235). *Fluide caloporteur :* eau ordinaire. *Modérateur : 1° REP* [*réacteur à eau sous pression (PWR = Pressurized Water Reactor)] :* pression de 150 kg/cm^2 pour empêcher l'ébullition ; *2° REB* [*réacteur à eau bouillante (BWR = Boiling Water Reactor)] :* sous pression à 70 kg/cm^2 permettant l'ébullition ; température de l'eau à la sortie du réacteur : env. 320 °C (ces 2 types ont été développés aux U.S.A., essentiellement par Westinghouse pour les REP et General Electric pour les REB. En France, seuls les REP ont été développés par Framatome). *Chargement en uranium pour une centrale de 1 000 MWe (3 000 MW thermiques) :* env. 75 t pour un REP (enrichissement moyen de 3,25 %) et 110 t pour un REB (enr. moyen de 2,7 %). Le combustible séjourne 3 à 4 ans dans le réacteur qui est déchargé par fraction tous les ans. *Taux de combustion max. :* 33 000 MWj/t (porté à 45 000). Utilisé pour les sous-marins atomiques (petite taille).

• **Filière à haute température (HTR).** *Combustible :* uranium enrichi (5 à 10 %), ou thorium très enrichi (90 %) sous forme de particules enrobées de pyrocarbone qui résistent à des températures beaucoup plus élevées que les gaines métalliques. *Fluide caloporteur :* hélium. *Modérateur :* graphite. Le fluide atteint près de 900 °C et on envisage l'utilisation de ces réacteurs comme sources de chaleur industrielles pour des installations sidérurgiques ou chimiques, ou pour produire de l'hydrogène (2 réacteurs existent au stade de prototypes en All. féd.). *Rendement d'une centrale électrogène HTR :* env. 40 %. *Taux de combustion max. :* 80 000 MWj/t. *Temps de séjour dans le réacteur :* 6 ans.

• **Filière à neutrons rapides ou « surgénérateurs ».** *Combustible :* uranium enrichi (20 à 30 %), au plutonium (sous-produit des réacteurs à uranium, voir retraitement). *Fluide caloporteur :* sodium liquide (à cause de ses propriétés thermodynamiques). Il récupère la chaleur et la transmet à un circuit d'eau qui se transforme en vapeur et fait tourner les turbines. *Pas de modérateur.* On dispose *en couverture* autour du cœur des éléments d'uranium naturel ou appauvri (venant d'un enrichiss. de l'uranium). Les neutrons très lourds ou neutrons rapides émis par le cœur y sont capturés par l'uranium 238 qui se

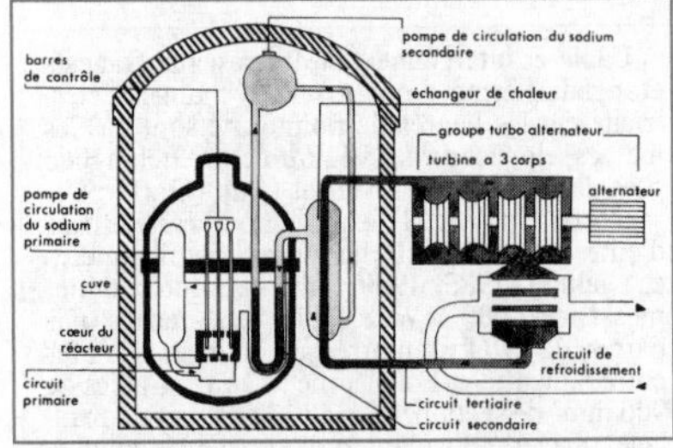

Centrale thermique nucléaire « surgénérateur » à neutrons rapides, refroidie au sodium.

transforme en plutonium. Cœur et couverture donnent ainsi à la fin du séjour dans le réacteur plus de plutonium fabriqué qu'il n'y en avait lors du chargement initial. En retraitant les combustibles, on extraira ce plutonium fabriqué qui constituera le combustible d'un nouveau réacteur. Cette filière fournit 50 à 70 fois plus d'énergie que les autres avec la même quantité d'uranium. *Taux de combustion :* env. 100 000 MWj/t. *Charge d'une centrale de 1 200 MWe :* 5,5 t de plutonium (rend. thermique 40 %).

Réfrigération. Circuit ouvert : *1 tranche classique 600 MW :* 22 m³/s d'eau réchauffée de 7 à 8 °C. *4 tranches 900 MW :* 140 à 180 m³/s d'eau réchauffée de 10 à 12 °C. **Fermé :** sur rivière pour limiter le réchauffement ; on utilise au besoin des tours de réfrigération pour une partie ou la totalité des tranches. *4 tranches 900 MW,* prélèvement de 8 à 16 m³/s dont 2,5 m³/s seront évaporés.

Construction (durée théorique). *Centrale thermique classique :* 4 ans ; *nucléaire* 900 MW : 5 ; 1 300 : 6.

Combustible nécessaire (pour produire 1 milliard de kWh) : *charbon* 335 000 t ; *fuel-oil* 220 000 t ; *uranium enrichi* 27 t (soit 155 t d'uranium naturel).

Critiques de l'énergie nucléaire

• **Les partisans** du remplacement des centrales thermiques classiques par des nucléaires insistaient sur : le *prix de revient* moins élevé de l'électricité produite (prix kW/h EDF nucléaire : 23 c, charbon : 33 c, fuel : 43 c) ; la *pollution* plus faible : d'après le Comité scientifique des Nations-Unies, si 60 % de l'énergie utilisée était d'origine nucléaire en l'an 2000, la contamination due à cette énergie nucléaire atteindrait au max. 4 % de l'irradiation naturelle ; l'*indépendance* vis-à-vis des producteurs de pétrole ; la *nécessité de disposer d'une source d'énergie différente* avant l'épuisement des réserves d'hydrocarbures qu'il est préférable de conserver pour l'industrie chimique (fabrication des plastiques, etc.) ; la *nécessité d'approvisionner le pays en énergie* (sans le nucléaire, la pénurie menacerait gravement car les autres sources ne peuvent couvrir les besoins, sauf importations massives). La *sécurité :* depuis son origine, l'énergie nucléaire avait provoqué peu d'accidents mortels, dont aucun du fait de l'irradiation [par contre les autres sources d'énergie avaient provoqué de nombreuses morts. *Charbon :* 4 500 mineurs depuis 1940. *Énergie hydraulique :* 9 000 par rupture de barrage depuis 1960. *Énergie nucléaire :* env. 100 en tout, y compris les ouvriers tombant d'un échafaudage].

• **Les adversaires** répondaient : *1°)* Même en fonctionnement normal, une centrale rejette des produits radioactifs. Elle peut en rejeter des quantités considérables par suite d'accidents, de négligences, de sabotages ou de faits de guerre. Ces radiations peuvent alors provoquer la mort de milliers d'individus, un accroissement des maladies cancéreuses, des anomalies génétiques. Quelles que soient les sécurités, une installation n'est jamais sûre à 100 %. Tous les risques n'ont pas été évalués. Le problème des déchets n'a été résolu que temporairement et, malgré les précautions prises, il n'existe pas de conditionnement satisfaisant pour les déchets alpha présentant des risques pendant plusieurs dizaines de milliers d'années (plutonium 239), ou plusieurs millions (neptunium 237). La pollution thermique des rivières et des mers peut provoquer des modifications de la faune et de la flore. *2°) D'autres sources d'énergie naturelles sont envisageables pour remplacer le pétrole :* géothermie, énergie solaire. On ne consacre à l'étude de celles-ci que des sommes très faibles par rapport à celles qui sont consacrées à l'énergie nucléaire. *3°) Les centrales sont vulnérables* (sabotages, terrorisme). La nuit du 28 au 29-10-1987, lors d'un exercice destiné à tester la protection des sites nucléaires, une équipe de la DGSE a réussi à déposer 2 charges explosives et 1 lance-roquettes sur le site de la centrale de Bugey. En mai 90, des écologistes sont parvenus à se procurer les plans secrets et détaillés de la centrale nucléaire de Blavais.

Radioactivité, sécurité

☞ **Pour indiquer la radioactivité.** *1°) L'activité* (unité légale : le becquerel qui correspond à une désintégration par seconde) ; ancienne unité : le curie (égal à 37 milliards de becquerels). *2°) L'irradiation :* énergie déposée par les rayonnements dans la matière et particulièrement la matière vivante. On utilise le sievert (Sv) qui vaut 100 rems (Rad Equivalent Man). Il permet de tenir compte de l'efficacité biologique des rayonnements, c'est-à-dire la capacité à causer des dommages dans les tissus vivants. Cette efficacité varie avec la nature des rayonnements et parfois même avec leur énergie (ex. : cas des neutrons). Les rayonnements alpha sont 20 fois plus efficaces que les r. bêta ou gamma par exemple. Le sievert traduit donc la dose reçue qui est une grandeur physique, en termes de dommages apportés aux organes ou tissus humains, exprimée en gray (1 gray = 100 rads ou 1 joule/kilo) multiplié par un facteur de qualité (rayons gammas, X, et particules béta : 1, particules alpha : 20, neutrons : 3 à 10 selon l'énergie).

Radioactivité

• **Nature.** Les noyaux des atomes des éléments radioactifs naturels ou artificiels en se désintégrant émettent des rayonnements de différents types (*alpha :* noyaux d'hélium ; *béta :* électrons ou positrons ; *gamma :* photons de haute énergie). Ces rayonnements interagissent avec la matière environnante dans laquelle ils perdent leur énergie (voir *Physique* à l'index). Les réactions de fission utilisées dans les centrales nucléaires produisent beaucoup de radioéléments artificiels, soit directement par cassure des noyaux d'Uranium 235 ou de Plutonium 239, soit par activation des différents matériaux du cœur soumis au flux de neutrons.

Danger du plutonium. *Pénétration directe dans le sang :* risques plus grands dans le cas d'inhalation de poussières de plutonium, ou de pénétration directe dans le sang par blessure ; réduits dans le tube digestif [avec les aliments ou l'eau de boisson, car il ne traverse que dans une proportion infime (du 1/10 000 au 1/1 000 000) la paroi intestinale]. Le plutonium dispersé dans le sol n'est pratiquement pas absorbé par les plantes.

Toxicité du plutonium 239. *Risques mortels* en moins de 2 mois (pour 50 % des personnes intoxiquées) : inhalé à partir de 50 mg ou à partir de 25 mg quand il y a eu pénétration directe dans le sang. *Risques à long terme* (en l'absence de traitement approprié) : au poumon pour 0,1 mg fixé (soit au moins 0,4 mg inhalé) ; à l'os pour 0,3 mg dans le sang. *Doses de sécurité (limites à ne pas dépasser pour les travailleurs nucléaires) :* plutonium fixé au poumon 0,25 microgramme (soit au moins 1 microgramme inhalé) ; fixé dans l'os : 0,65 microgramme.

• **Effets sur l'homme.** Les rayonnements provoquent des ionisations ou des excitations des molécules aboutissant à la formation de radicaux libres. Ces effets vont être d'autant plus graves qu'ils se produisent au niveau du noyau des cellules où se trouvent les molécules d'ADN (modification de liaisons, cassures de brins). L'action des rayonnements au niveau des membranes cellulaires provoque la formation de radicaux libres entraînant une fragilisation des membranes (effet Petkau).

1°) **Effets somatiques.** [Doses absorbées, données en sievert (Sv)]. a) *Effets non stochastiques* (dont la gravité augmente avec la dose mais ont un seuil) : *à partir de 50 mSv :* modification de la formule sanguine, diminution des défenses immunitaires, possibilités de malformations cérébrales chez l'embryon (voir « Effets tératogènes ») ; *à partir de 0,5 Sv :* stérilité temporaire par mort des cellules souches des spermatozoïdes ; *de 1 Sv :* stérilité chez l'homme (pendant 3 ans) et chez la femme ; *de 2,5 à 4 Sv :* malaises, diarrhées, vomissements, syndrome hématopoïétique, pancytopénie avec anémie, leucopénie entraînant une résistance moindre aux infections pouvant entraîner la mort ; *5 Sv :* dose léthale à 50 %.

b) *Effets stochastiques :* cancérigènes augmentant avec la dose et son seuil. La gravité du cas ne dépend pas de la dose, mais celle-ci, en augmentant, augmente le risque d'être touché. *Supplément de décès par cancers* (facteur de risque) fixé par la CIPR (Commission Internationale de Protection Radiologique) : 1,25.10-2 par Sv, soit 125 décès par cancer suppl. pour 10 000 personnes recevant une dose de 1 Sv. Certains effets sont immédiats, d'autres différés (leucémies, cancers, cataractes). Sur 52 enfants atteints de leucémie dans le comté de Cumbria (G.-B.) entre 1950 et 1988, 10 étaient nés de pères employés à la centrale de Sellafield. On a constaté en G.-B. une augmentation de 100 % des morts par leucémies lymphoïdes dans un rayon inférieur à 10 km d'une centrale ; de 21 % jusqu'à 15 km (15 % pour l'ensemble des leucémies). Sur 5 enfants atteints de leucémie à Seascale, 4 avaient leur père travaillant à la centrale voisine de Sellafield. Aux États-Unis, le Congrès a déclaré indemnisables, en cas de cancers reconnus comme provoqués par des radiations, 62 000 anciens militaires qui avaient pris part, de 1951 à 1962, à des essais nucléaires dans le Nevada.

Risque individuel de cancer mortel radio-induit pour une exposition de l'organisme entier à 1 rad. Risque homme et, entre parenthèses, femme. Chance. *A - d'1 an :* 1 sur 64 (1 sur 68), *5 ans :* 1 sur 71 (1 sur 80), *10 a :* 8 (104), *15 a :* 178 (217), *20 a :* 200 (249), *30 a :* 234 (285), *35 a :* 328 (398), *40 a :* 538 (637), *45 a :* 1 234 (1 408), *50 a :* 13 500 (14 500), *55 a :* 20 000 (21 000).

2°) **Effets génétiques.** Augmentation des mutations par modification de la molécule d'ADN contenue dans le noyau des cellules sexuelles, ces mutations pouvant apparaître après plusieurs générations. Augmentation des cas d'anomalies génétiques (trisomies...) dues à une mauvaise distribution chromosomique au moment de la méiose. *Supplément d'anomalies génétiques* évalué par la CIPR à 0,42.10-2 par Sv (soit 42 anomalies génétiques viables pour 10 000 personnes recevant une dose de 1 Sv).

3°) **Effets tératogènes.** Perturbations du développement de l'embryon pouvant entraîner malformations et retard mental. Risques non pris en compte par la CIPR.

• **Limites réglementaires de la radioactivité autre que naturelle.** Pour les travailleurs des installations nucléaires : 50 mSv ; public : 5 mSv ; population dans son ensemble : 0,5 mSv. **Taux d'irradiation annuelle :** dose naturelle : 1,7 mSv (cf. *Irradiation naturelle*), examen radiologique : 0,5 mSv.

(Selon l'Académie américaine des Sciences). *Une irradiation de 1 rem (0,001 Sv)* sur 1 million de sujets : provoquerait 67 à 226 décès ; *de 4 millirems* par an [due à l'ensemble des activités industrielles humaines : vols à haute altitude, utilisation industrielle des corps radioactifs, énergie nucléaire (en 1980, 25 % du total)], pendant 20 ans, et affectant l'ensemble de la population américaine (250 millions d'habitants), provoquerait 2 000 cancers dont la plupart ne surviendraient que longtemps après l'an 2000. A rapprocher du nombre d'autres cancers survenus dans le même temps (500 000/an soit 10 000 000 en 20 ans dont au moins 2 500 000 dus au tabac) ; ou du nombre de † par accidents d'auto. (50 000/an pendant 20 ans soit 1 000 000).

Irradiation naturelle

• **Origine. Irradiation « cosmique » :** liée aux rayonnements qui viennent du Soleil et des étoiles. La couche d'air située jusqu'à 20 km d'altitude (troposphère) nous en protège. **Doses reçues** *au niveau de la mer* 30 mrem/an ; *à 3 000 m d'alt.,* 80 ; *à 10 000 m,* 9 000 (env. 1 par h).

Irradiation « tellurique » : venant des produits radioactifs naturels présents dans le sol, les roches, les matériaux de construction, etc. essentiellement U 238 (et le Radon 222 qui en découle), U 235, Thorium 232 et Potassium 40. **Doses reçues.** Irradiation externe (tellurique + cosmique), 90 à 220 millirems par an, 180 à 240 si l'on tient compte de l'irradiation interne (gaz et produits radioactifs respirés, et contamination interne).

• **Exposition moyenne en France. 0,3 mSv/an** [origine en % : radon 33, médical 30, corps humain 12, sol 12, cosmique 10, autres 3 (dont centrales nucléaires 0,1)].

• **Équivalent de dose efficace annuel** (en mSv) **dû aux sources naturelles d'irradiation (zones d'irr. moyenne) (UNSCEAR 82).** Total dont, entre parenthèses, irr. interne. *Rayons cosmiques* 0,30 dont ionisation 0,28, neutrons 0,02 ; *nucléides d'origine cosmique* 0,015 (0,015) ; *potassium 40* 0,30 (0,18) ; *rubidium 87* 0,006 (0,006) ; *famille de l'uranium 238* 1,04 (0,95) ; *du thorium 232* 0,33 (0,19).

Mesures de sécurité

• **Barrières.** 1°) **Centrales à eau sous pression (PWR) :** 3 barrières : gaine métallique qui contient le combustible, cuve en acier (340 t, hauteur 12 m, diamètre 4 m, épaisseur 23 cm), circuits réacteurs-échangeurs, enceinte étanche en béton. En cas de rupture complète et instantanée d'une conduite entre réacteur et générateur de vapeur, plusieurs systèmes de refroidissement de secours se substituent automatiquement au circuit défaillant et assurent la réfrigération du cœur, pour empêcher une fusion du combustible car, même la réaction stoppée, les produits de fission entretiennent une puissance calorifique importante (chaleur résiduelle). *En cas de défaillance généralisée de tous les systèmes de réfrigération,* le cœur fondrait au-dessus de 2 700 °C.

2°) **Surgénérateurs (Super-Phénix) :** 4 barrières : gaine métallique, cuve interne et dalle de fermeture, cuve de sécurité et dôme d'acier, bâtiment du réacteur. Même en cas d'arrêt des pompes, la chaleur résiduelle peut être évacuée par convection naturelle (thermo-syphon). Si les pompes s'arrêtent, il se peut qu'aucune chute de barre ne se produise (la chute d'une seule barre réduit la réaction à un niveau très faible) pour que le cœur fonde. Super-phénix a 3 systèmes de barres indépendants, chacun assure l'arrêt total de la réaction. L'un comporte des barres articulées pouvant pénétrer dans le cœur, même après déformation des conduits où elles circulent (moins de 1 chance par an sur 10 à 100 millions). La fusion du cœur n'engendrerait pas d'explosion nucléaire mais, dans des hypothèses très pessimistes, des réactions thermodynamiques violentes (comme lorsque l'on jette de l'eau sur une surface très chaude). Ce phénomène de réaction nucléaire incontrôlée, appelé *excursion* ou *accident de surcriticité* a été provoqué expérimentalement (réacteur Cabri). Il disparaît par dispersion du combustible sous l'effet de la chaleur.

Accidents

Généralités

Comparaisons des effets d'une bombe atomique (type Hiroshima) et d'une explosion nucléaire. La pression produite par la bombe est 10 [12] fois plus grande ; la température 10 [6] fois plus élevée ; l'énergie mécanique dégagée 10 [5] fois plus forte.

Événements exceptionnels : chute d'avion, séisme. Les centrales sont prévues pour fonctionner normalement après un séisme de la plus grande intensité jamais observée dans la région. L'enceinte bétonnée doit pouvoir résister à l'impact d'un avion de tourisme ou d'un moteur de Boeing 747.

Fréquences d'accidents prévisibles. *D'après le rapport du Pr Rasmussen (USA),* il y aurait, par réacteur, 1 risque de fusion du cœur tous les 20 000 ans (cette fusion ne provoquant généralement ni morts, ni blessés) ; 1 sinistre provoquant la mort de 10 personnes tous les 3 000 000 d'années ; provoquant celle de 3 300 personnes tous les milliards d'années (si la méthode de rapport reste valide, les chiffres sont cependant contestés). Pour 100 centrales nucléaires en service aux USA, le risque d'accident mortel est le même que celui de voir tomber une grosse météorite sur une ville. *Selon l'Institut d'écologie appliquée de Fribourg-en-Brisgau (All. féd.),* un accident comparable à celui de Tchernobyl est probable tous les 10 ans. *Selon 2 études récentes (EDF et Institut de Protection et de Sûreté nucléaire, IPSN),* le risque de fusion des réacteurs serait de 4,95 cent millièmes par année réacteur pour les 900 MW (IPSN) et de 1 cent millième pour les 1 300 MW (EDF). Le risque présenté par un réacteur à l'arrêt dont le cœur n'a pas été déchargé représente 32 % du total. (Le cœur n'est pas déchargé pendant environ la moitié du temps des arrêts pour maintenance).

Coût du risque nucléaire. France. *Responsabilité en cas d'accident dans une centrale :* plafond des indemnités dues (EDF) : 600 millions de F. *Indemnité complémentaire de l'État :* 2,5 milliards de F. **USA.** *Rapport Wash 740* de l'AEC (Commission amér. à l'énergie atomique) en *mars 1957 :* le pire accident envisagé entraînerait 3 400 † et 43 000 blessés. *Loi Price-Anderson (sept. 1957) :* prévoit qu'en cas d'accident, au-delà d'un plafond (560 millions de $) à la charge des exploitants et de leurs Cies d'assurance privées, l'AEC indemnisera elle-même exploitants de réacteurs et victimes. **1988** *août* plafond à 700 millions de $. **1989** selon la Cour des comptes amér. (General Accounting Office), les indemnisations dues pour un accident grave survenant sur l'un des réacteurs amér. pourraient aller de 67 millions de $ à 15,5 milliards de $ (dans 95 % des cas, 6 au max.). Ce calcul ne retient que le cas de retombées dans un rayon de 100 km (or, pour Tchernobyl, le rayon fut de 1 500 km). Si un accident survenait à la *centrale d'Indian Point (à 40 miles de New York) :* les pertes dues en tenant compte de l'abandon des établissements industriels seraient infiniment plus importantes.

Échelle de gravité en France. 6 *Accidents majeurs :* rejets à l'extérieur d'une fraction significative de l'inventaire du cœur en produits de fission (équivalence en iode 131 : au-delà de quelques PBq) (ex : Tchernobyl, 1986). 5 *Acc. présentant des risques à l'extérieur du site :* conduisant à prendre des dispositions de protection extérieures au site en cas de rejets ou de menace de rejets (équivalence en iode 131 : au-delà de quelques dizaines de TBq) (ex : Windscale 1957, Three Mile Island, 1979). 4 *Acc. sur l'installation :* entraînant des rejets extérieurs de l'ordre de grandeur des limites annuelles autorisées, n'entraînant pas de conséquences sanitaires significatives pour les populations ; endommagement partiel du cœur de l'installation ; agents de l'installation irradiés ou contaminés radioactivement d'une gravité justiciable de soins médicaux spécialisés [ex : Saint-Laurent A2, 1980 (endommagement d'éléments combustibles)]. 3 *Incidents affectant la sûreté :* conduisant à des rejets supérieurs ou égaux au dixième des limites annuelles autorisées ; fuites internes significatives de radioactivité ; état dégradé des barrières ou des systèmes de sécurité ; agents de l'installation irradiés ou contaminés radioactivement à une valeur supérieure à la limite de dose annuelle autorisée [ex : Gravelines 1, 1989 (indisponibilité de soupapes de protection)]. 2 *Inc. susceptibles de développements ultérieurs :* ayant potentiellement des conséquences significatives pour la sûreté et/ou entraînant des réparations ou des travaux prolongés [ex : Nogent 1, 1989 (défaut générateur de vapeur)]. 1 *Anomalies de fonctionnement :* dépassement du domaine autorisé par les spécifications techniques ; utilisation justifiée de systèmes de sécurité [ex : Cruas 1, 1989 (arrêt automatique et injection eau de sécurité)].

Nota. – PBq : Petabecquerel. TBq : Térabecquerel.

☞ *Échelles de gravité des accidents nucléaires. AIEA :* 8 niveaux, de zéro à 7 (Tchernobyl).

Accidents principaux

☞ Plusieurs milliers d'incidents ont lieu chaque année dans le monde dans les 382 réacteurs en service. Une demi-douzaine ont provoqué des rejets radioactifs.

• **Tcheliabinsk 40** (Kychtym, Oural, URSS, 29-9-1957). Explosion dans un dépôt militaire de déchets. A lâché 50 millions de curies (Tchernobyl : 2) à la suite d'une fuite dans le système de refroidissement. *Conséquences* (selon le rapport officiel présenté en juin 1989) : libération de zirconium, ruténium, césium 137, strontium 90 et traces de plutonium ; doses reçues sur plus de 15 000 km² (270 000 habitants) : + de 0,1 curie par km² ; sur 1 000 km² (bande de 105 km de long et 8 à 9 km de large) : 2 curies par km². Dans les 7 à 10 j, 600 personnes vivant dans une zone à 500 curies au km² ont été évacuées ; dans les 22 mois suivants, 10 180 personnes. Une zone de défense sanitaire de 700 km² (où le taux de strontium 90 dépassait 2 curies au km²) a été créée et soustraite à l'agriculture (10 000 ha sont encore gelés). On n'a constaté, dans la population vivant dans la zone contaminée, aucune recrudescence des maladies du sang ou de tumeurs malignes.

• **Windscale** (G.-B., 10-10-1957, appelé Sellafield jusqu'à cette date). Le ralentisseur de graphite libère brutalement l'énergie accumulée dans le graphite par effet Wigner. Des produits de fission, dont 20 000 Ci d'iode-131, sont libérés dans l'environnement. Sur 238 personnes examinées, 126 présentent une légère contamination au niveau de la thyroïde ; 96 travaillant dans l'installation sont légèrement contaminées ; 14 agents subissent une faible irradiation externe (inférieure à celles subies lors de certaines radiographies médicales).

• **Chine** (N.-O., 1969). 10 personnes contaminées.

• **Beloyarka** (Oural, URSS, 30-12-1978). Accident de centrale.

• **Three Mile Island** (Pennsylvanie, USA, 28-3-1979). Les pompes principales d'alimentation en eau tombent en panne, interrompant le refroidissement par le circuit primaire. 45 % du noyau du réacteur fond (soit 62 t dont 20 t se déplacent dans la partie basse du réacteur). Les systèmes de sécurité, constitués par un jeu de pompes de secours (2 électriques et 1 fonctionnant à la vapeur), se mettent automatiquement en route, mais les soupapes des canalisations de refoulement des pompes ayant été fermées par inadvertance 2 j avant l'accident, les générateurs de vapeur sont rapidement asséchés. La vanne de décharge du circuit primaire, au sommet du pressuriseur, ayant été ouverte 15 secondes et ne s'étant pas refermée, le système principal se met alors lui-même à fuir, sans que les opérateurs en soient informés. On avait pu ouvrir les soupapes 8 minutes après le début de l'accident, assez tôt pour éviter des dégâts plus importants. Quand le système de secours qui surveillait le refroidissement du cœur se mit automatiquement en marche (2 minutes après le début de l'accident), les opérateurs crurent à une erreur, et ne le laissèrent opérer que 2 minutes environ, avant de l'arrêter. La fuite dans la vanne de décharge ne fut découverte et fermée que 2 h ½ après.

Plusieurs heures, le cœur restera finalement à découvert (sans subir de fusion). Une bulle d'hydrogène se formera par oxydation du zirconium des gaines de combustible, avant d'être piégée à la partie supérieure de la cuve contenant le réacteur, on tentera de l'évacuer avant qu'il y ait suffisamment d'oxygène pour provoquer une explosion. Dès les premiers instants, il y eut émission de xénon 133 (période de 5 j), provoquant une irradiation du public d'environ 40 hommes-sievert (taux correspondant, en risque de cancers, à moins d'un cas au cours des 30 à 40 années à venir). S'il y avait eu fusion du cœur du réacteur (évitée selon certains à 30-60 mn près) les barres de combustible, entrées en fusion, auraient pu traverser le fond de la cuve du réacteur (20 cm d'acier) et le combustible s'enfoncer dans le sol (syndrome chinois).

En 1984, la Commission de contrôle nucléaire a décidé que les 2 réacteurs non touchés par l'accident pourraient être remis *en marche.*

• **Tchernobyl** [URSS, centrale Lénine de type RBMK (Reactor Bolchoie Molchnastie Kipiachie) : à 22 km de Tchernobyl et à 120 km au nord de Kiev]. **Déroulement.** *26-4-1986* (à 1 h 23 mn 4 s locale) (soit le 25-4 à 21 h 23 GMT), un opérateur procédant à des essais électriques débranche l'arrêt d'urgence sur arrêt turbine puis ferme les vannes d'admission vapeur à la turbine où l'ébullition en masse se produit. La puissance thermique du réacteur passe de 250 MW à 530 MW en 2 secondes, entraînant une 1re explosion puis une 2e quelques secondes plus tard dans le réacteur n° 4 de la centrale (filière graphite-uranium naturel-refroidissement à l'eau bouillante) produisant du plutonium militaire. Ces explosions provoquent un incendie et la destruction partielle du cœur du réacteur (qui fonctionnait à 7 % de sa puissance car il était en phase de déchargement-rechargement du combustible). 5 t de combustible sont projetées dans l'atmosphère (50 millions de curies de radiation). L'incendie des bâtiments sera maîtrisé dans la matinée, mais le cœur du réacteur continuera longtemps de brûler, tandis qu'augmentera la radioactivité de l'atmosphère. Des hélicoptères largueront sur le réacteur 5 000 t de sable et des produits neutralisants (bore et 70 t de plomb). De 1986 à 89, 600 000 t de béton et de plomb larguées. Des plongeurs sous-marins videront la piscine sous le réacteur, puis 400 mineurs creuseront un tunnel de 160 m à 6 m de profondeur pour permettre d'injecter du béton dans le vide ainsi créé. Pour stopper le risque d'une contamination de la nappe phréatique, le sol sera gelé autour du réacteur par injection d'azote liquide. Le 22-9-1986, le vice-premier ministre soviétique affirme qu'il n'y a plus d'émanation dangereuse ; le 26-9, le réacteur n° 1 est remis en service.

Nuage radioactif. L'émission de radioéléments (césium 134 et 137, iode 131, molybdène 99, ruthénium 103, cérium 144, lanthane 140, zirconium 95) a été favorisée par l'absence d'une enceinte de confinement. Le nuage radioactif a fait le tour de la Terre, touchant particulièrement Ukraine (145 000 h vivent dans des zones polluées, 309 800 sont surveillés médicalement), Biélorussie (70 % des retombées), Finlande, Scandinavie, Pologne, Allemagne de l'Est et de l'Ouest, France.

Bilan. En URSS. Personnes ayant été exposées aux radiations : 4 millions ; ayant été irradiées 1 500 000 ; **évacuées** et soumises à des contrôles médicaux : 150 000. *Pripiat* (50 000 hab.) à 3 km de la centrale et 119 villages atteints dans un rayon de 30 km autour de Tchernobyl sont définitivement abandonnés, 3 000 km² restant interdits. Mais les 12 000 hab. de Tchernobyl (à 15 km de la centrale) ont pu rentrer chez eux. En 1990, 14 000 personnes encore évacuées de la zone interdite (60 km de diamètre). Près de 4 000 y seraient cependant revenues. **Morts** (au 5-6-1987) : 32 officiellement dont 29 par irradiation, 1 tué par l'explosion, 1 mort de ses brûlures quelques heures plus tard. Le 2-7-1990, Anatoly Grichenko, irradié en survolant le cœur du réacteur (26-4-1986), est mort à Seattle (E.-U.) des suites d'une infection pulmonaire. Atteint de leucémie, il y avait subi une greffe de moelle prélevée sur une donneuse française anonyme. Selon le Pr Tchernonsenko (1991), 7 000 à 10 000 † parmi les 650 000 « liquidateurs » ayant participé au nettoyage de la centrale et de ses abords. Chiffre contesté. **Blessés graves :** 499 (membres du personnel ou sauveteurs). En 1990, près de 3 millions de personnes (Ukraine, Biélorussie, Russie) toujours sous surveillance médicale, dont 600 000 ayant travaillé dans la zone irradiée. **Montant des dégâts.** 20 milliards de F.

Précautions prises. Vêtements et cheveux des habitants demeurant au-delà du périmètre interdit ont été contrôlés. Interdiction de consommer les aliments produits sur place. A Kiev où le nuage a stationné quelques j., lavage des trottoirs, confinement des femmes enceintes à domicile. Vacances scolaires avancées au 15-5. Dans les autres régions affectées par le nuage radioactif, les aliments ont été contrôlés. A Moscou, aucune mise en vente n'était possible sans un contrôle préalable (cependant, un rôti de veau acheté par un garde de l'ambassade de France, présentait 3 500 Bq/kg, soit 10 fois + que le taux admis par la CEE pour les femmes enceintes et les enfants de 6 mois, et 6 fois + que celui admis pour le reste de la population). *Conséquences.* 10 000 habitations rasées ou engluées dans un film de plastique. Environ 3 500 000 m³ de déchets divers enterrés dans 800 fosses nucléaires réparties dans une zone interdite de 10 km autour de la centrale. En Biélorussie, qui a reçu 70 % des retombées, plus de 20 % des terres agricoles sont toujours inutilisables. En 1990, les 3 autres réacteurs de la centrale sont toujours en service, produisant 20 milliards de kWh par an. 16 centrales de type RBMK étaient encore en service en URSS en mai 1991.

Autres pays. 1986-*28-4* l'alerte est déclenchée en Suède. -*29-4* France atteinte. -*2-5* G.-B. atteinte, toute la France atteinte. -*5-5* Suisse, Autriche, All. féd., Italie et P.-Bas recommandent de ne consommer ni lait, ni légumes frais. *Pays occidentaux :* il est recommandé en Scandinavie de n'acheter ni lait ni produits frais et de donner aux enfants et aux femmes enceintes des pastilles d'iode (la glande thyroïde ainsi saturée ne fixe pas l'iode radioactif). -*7-5* les P.-Bas gèlent le projet de construction de 4 centrales ; la Yougoslavie reporte sa 2e centrale. -*8-5* la CEE bloque les importations de viande fraîche venant de 7 pays de l'Est. -*9-5* le gouvernement canadien conseille aux habitants d'Ottawa de ne pas utiliser l'eau de pluie. *11-5 CEE,* les 12 réunis à Bruxelles ne parviennent pas à un accord. L'Italie, craignant pour son agriculture, demande d'autoriser un taux de 1 000 becquerels d'iode 131 par kg de légumes à feuilles (contre 250 dans le projet initial). -*13-5* en France, le ministre de l'Industrie interdit la consommation d'épinards en Alsace. *30-5 CEE,* des normes communes sont déterminées : 370 becquerels par litre de lait et kg d'aliments pour les nourrissons ; 600 par kg pour les autres produits. -*1-6 Pologne* 20 000 manif. à Cracovie contre le nucléaire. -*3-6* la vente des baies et fruits rouges est interdite dans le sud de l'Autriche (on a trouvé du césium 137). -*20-6* dans 2 régions de G.-B., la vente d'agneaux est interdite pendant 3 semaines. -*26-6* des analyses de thym, dans la Drôme, révèlent une radioactivité de 28 000 Bq/kg, 50 fois plus que les normes de la CEE. Les plantes aromatiques et médicinales de la Drôme resteront radioactives jusqu'en mai 1987. -*3-9* la Suisse interdit la pêche dans le lac de Lugano, à cause de la radioactivité des poissons. -*8-9* les USA décident un contrôle des boissons alcoolisées importées d'Europe. -*29-9* 500 000 moutons du pays de Galles, dont la viande est jugée radioactive, restent interdits d'abattage. -*2-10* la Malaisie renvoie aux P.-Bas 45 000 kg de beurre. Raison : leur taux de radioactivité.

Répercussions économiques : spéculations sur sucre et céréales (contrôle sévère et souvent un boycottage de certains produits alimentaires, lait ou légumes verts) ; 10 millions de t de blé ont été contaminées ; *politiques :* remise en cause des programmes nucléaires civils en Occident, perte de crédibilité de M. Gorbatchev (lenteur des autorités soviétiques à avertir les pays voisins).

Taux de radioactivité [dépôts au sol (Bq/m²)]. **France :** *29/30-4 :* Marcoule [1] 42 500, Cadarache 14 200. *1/2-5 :* Bruyères-le-Châtel 2 100. *4-5 :* Saclay [1] 1 325. *5-5 :* La Hague 380. *7-5 :* Sud-Est 920, Est 740, Centre 410, Ouest 180. **All. féd. :** *1-5 :* Passau 26 000. *2-5 :* Hof 16 200, Musbach 4 500. *3-5 :* Munich 20 700. *4-5 :* Nersingen [2] 95 000. *7-5 :* Munich [2] 25 000. **Italie :** *30-4/15-5 :* Ispra 79 300. *6-5 :* Milan 56 650. *7-5 :* Milan 25 800. **G.-B. :** *2-5 :* Sud G.-B. 810. *4-5 :* Nord G.-B. 27 000. **Suède :** *28-4 :* Forsmark 89 000, Barseback 830. *30-4 :* Taernsjo 700 000, Sudsvick 750.

Nota. – (1) Dépôts humides. (2) Maxima observés dans le Sud.

☞ **Normes de radioactivité préconisées pour les aliments par la CEE en cas d'accident nucléaire,** (au 20-5-1987 en Bq/Kg). *Iode et strontium :* lait 500, viande 3 000, eau potable 400, aliments pour animaux 0, autres denrées 3 000. *Émetteurs Alpha :* lait 20, viande 80, eau potable 10, aliments pour animaux 0, autres denrées 80. *Césium :* lait 1 000 (nourrissons 370), viande 1 250, eau potable 800, aliments pour animaux 2 500, autres 1 250.

Accidents ayant entraîné des décès

1945-*8-6 Los Alamos* (USA) : 1 † (en empilant des blocs réflecteurs autour d'un assemblage sous-critique, un employé a créé la masse critique). **1946**-*21-5 Los Alamos :* 1 † (lors d'une mesure d'approche de la masse critique, rapprochement accidentel d'une coquille creuse réflectrice de neutrons). **1958**-*15-10 Vinca* (Youg.) : 1 † (erreur humaine : montée du niveau d'eau lourde dans un réacteur de recherche non protégé). -*30-12 Los Alamos :* 1 † (transvasement d'un liquide). **1961**-*3-1 Idaho Falls* (USA) : 3 † [transgression des consignes de sécurité lors du retrait des barres de contrôle. 2 † sur le coup (explosion due à un « coup d'eau »), 1 † 2 h plus tard (blessure à la tête)]. **1964**-*24-7 Woods River* (USA) : 1 † (erreur de transvasement d'une solution de nitrate d'uranyle très enrichi). **1975**-*13-5 Italie :* 1 † [irradiation dans une installation de stérilisation de denrées alim. (la source de cobalt 60 s'était détachée de son support)]. **1986**-*4-1 Webber Falls* (USA) 1 †, explosion de réservoir. *26-4 Tchernobyl* (URSS) : 32 † (voir p. 1650).

Accidents en France

• **Avec irradiation.** *Aucun n'a été mortel.* Pour les centrales nucléaires, 1 cas d'irradiation du personnel (mars 1965, Chinon 1, un agent a franchi une balise d'interdiction et a reçu une dose de 56 rad).

Plan ORSEC-Rad

Variante du plan ORSEC contre irradiation et contamination radioactives accidentelles. Mis au point le 3-8-1963. Un par département. Reste confidentiel. 3 étapes : état d'alerte des spécialistes du service central de protection contre les rayonnements ionisants (SCPRI, au Vésinet, Yvelines) ; mise à l'abri de la pop. et du bétail ; évacuation.

Applicable aux transports civils et militaires et aux centrales.

• **Sans irradiation de personnes.** Plusieurs ont entraîné une indisponibilité des installations, dont en **1968,** Sena-Chooz (réacteur à eau ordinaire PWR de 300 MWe), arrêt du réacteur pendant 2 mois ; **1976** Phénix, à Marcoule (surgénérateur de 250 MWe), fuite de sodium secondaire sur 2 échangeurs intermédiaires, arrêt de 15 mois. **1987**-*31-3* Creys-Malville ; *12-4* Pierrelatte, fuite d'hexafluorure d'uranium et *16-4* fuite de gaz ; *18-4* Fessenheim, dégagement de vapeur non radioactive. **1989***4-4* Gravelines, rupture d'une barre de commande. *6 et 24-8 et 14-9* arrêt automatique de Phénix (Marcoule), une boule d'argon s'étant formée dans le circuit à l'intérieur du cœur par suite d'un mauvais fonctionnement des purgeurs. *Total 1989 :* 83 incidents dont 1 de niveau 3 (Gravelines). **1990** *27/28-4* fuite de sodium liquide non radioactif sur un circuit secondaire de Superphénix : arrêt 2 mois env. *Total* (cours du 1er trimestre) : 21 incidents de niveau 1 (sur 10 sites, dont Palmel et St-Laurent avec 4 chacun), 1 de niveau 2 (à Blayais près de Bordeaux).

Origine des accidents. Vieillissement précoce des générateurs de vapeur, oxydation et érosion par l'eau ayant été sous-évaluées ; sur les réacteurs plus récents, la fabrication serait en cause (fatigue thermique des soudures comme à Creys-Malville).

Nombre d'incidents liés à une défaillance humaine. 4 par an par tranche de 900 MW, 2 par tranche de 1 300 MW.

☞ En 1990, plusieurs réacteurs ont dû être modifiés pour des défauts (conception ou montage) de filtration, 17 de 1 300 MW (sur 8 sites) (défaut détecté à Golfech) : incident classé niveau 2 ; 17 à 900 MW (sur 34) : défaut découvert fin oct. 1990 à Blayais.

Rejets thermiques et radioactifs

Rejets thermiques

Une centrale graphite-gaz transforme en électricité 30 % de la chaleur produite ; *à eau légère* 34 % ; *Phénix* 45 % (rendements bruts). Le reste de la chaleur est évacué dans l'eau d'un fleuve ou de la mer (circuit ouvert), ou dans l'air (circuit fermé avec réfrigérants atmosphériques).

• **Refroidissement.** Le refroidissement de la vapeur sortant d'une turbine associée à une centrale thermique classique ou nucléaire nécessite, au niveau des condenseurs, 40 m³/s d'eau froide pour une tranche de 1 000 MW (mégawatts). Cette eau se réchauffe d'env. 10 à 12 °C dans le condenseur avant de retourner à la source froide d'où elle a été prélevée. L'eau vient :

1°) **Soit d'un circuit ouvert** (rivière, lac ou mer). Un prélèvement en rivière de 100 m³/s élevé de 10 °C n'entraîne, après mélange, qu'un échauffement max. de 3 °C immédiatement en aval de la centrale si l'étiage est de 300 m³/s. En mer, les échauffements supérieurs à quelques degrés restent limités dans une zone restreinte (5 km² pour une centrale de 5 000 MW et un échauffement de + de 1 °C).

2°) **Soit d'un circuit fermé** si les débits d'étiage de la rivière sont faibles et les possibilités de refroidissement limitées. Ce circuit est équipé de réfrigérants atmosphériques *humides* (l'eau de refroidissement venant du condenseur est mise, dans le réfrigérant, en contact direct avec l'air atmosphérique ; à la traversée du réfrigérant, cet air est échauffé et saturé en vapeur d'eau, tandis que l'eau est refroidie), ou *secs* [aérocondenseurs : l'air se réchauffe au contact d'une paroi (métal plastique) qui le sépare de l'eau du condenseur ou, plus directement, de la vapeur de la turbine ; on parle de *réfrigérant sec* lorsque celui-ci reçoit l'eau chaude d'un condenseur ; d'aérocondenseur lorsqu'il reçoit directement la vapeur de la turbine et joue simultanément un rôle de condenseur et de réfrigérant], ou *humides-secs* (l'eau du condenseur est refroidie en partie par contact indirect avec l'air).

Pour une tranche nucléaire REP 900, le débit d'air réfrigérant est de 25 000 à 30 000 m³/s (en cas de réfrigération humide). La pression assurant la circulation de l'air est obtenue : *soit par tirage naturel :* avec une tour d'env. 160 m formant cheminée ; la différence de masse des colonnes d'air à l'intérieur de la tour (air chaud) et à l'extérieur (air atmosphérique) fournit une pression motrice faible, imposant des vitesses d'air modérées (quelques m/s) et, compte tenu des débits en jeu, des sections de passage considérables ; *soit par le tirage forcé ou induit :* avec de nombreux ventilateurs axiaux, à grand diamètre de roue qui permettent de diminuer la hauteur des tours de réfrigération (d'où une économie d'investissement), mais nécessitent une forte puissance électrique (pour la ventilation). L'air y est réchauffé de 15 °C. Par tour (1 000 MW) de 160 m, 0,5 m³ d'eau sont évaporés par seconde, la vapeur en se condensant forme parfois un panache (exceptionnellement un nuage).

Utilisation de la chaleur des réacteurs. L'eau réchauffée rejetée peut servir au réchauffage des sols, à l'agriculture, à la pisciculture, au chauffage urbain et à l'industrie. Certains réacteurs en cours d'expérimentation (type HTR) permettraient d'obtenir des températures d'env. 800 °C. Cette chaleur serait utilisable par les raffineries et certaines industries ou pour produire économiquement de l'hydrogène par décomposition thermochimique de l'eau.

Rejets radioactifs

Centrales à eau pressurisée (REP) (par réacteur de 1 000 MW et par an). *Effluents gazeux* + de 10 000 curies de gaz rares (krypton, xénon). Ces gaz n'ont pas d'affinités chimiques et ne peuvent se fixer dans l'organisme ; *effluents rejetés dans l'eau* 1 500 curies de tritium (eau tritiée) ; *autres rejets* (dans l'air ou dans l'eau) : moins de 5 curies au total : cérium, cobalt, manganèse, iode en quantités très faibles. Les rejets exceptionnels sont effectués après accord du SCPRI (Service central de protection contre les rayonnements ionisants, relevant du min. de la Santé).

Chlore : 18 à 19 g/s, (0,75 à 1,5 t/j) pour une centrale de 1 300 MW.

Surgénérateurs. Pas de rejets liquides, peu de rejets gazeux.

L'énergie nucléaire dans le monde

Données globales

• **Premières centrales. USA** EBR-1, 20-12-1951 (300 kW), 1re unité nucléaire électrogène au monde. **URSS** APS-Obninsk, mai 1954. **G.-B.** Calder Hall, mai 1956. **France** G1-Marcoule, janvier 1956.

Puissance en GWe nets et (nombre d'unités)

Filières au 1-1-90	Installé [1]	En construction	En commande [2]	Total
Eau ordinaire sous pression [3]	202,1 (237)	69,9 (75)	8,5 (10)	280,5 (322)
Eau ordinaire bouillante [4]	71,9 (87)	8,2 (9)	3,4 (3)	83,5 (99)
Eau lourde [5]	15,9 (28)	8 (16)	1,4 (4)	25,3 (49)
Graphite-Gaz [6]	16,1 (43)	–	–	16,1 (43)
Graphite-Eau ordinaire [7]	15,6 (22)	1,9 (2)	–	17,5 (24)
Neutrons rapides [8]	2,4 (8)	1,3 (3)	0,8 (1)	4,5 (12)
Divers	0,2 (2)	–	–	0,2 (2)

Nota. – (1) Somme des puissances des unités ayant réalisé leur 1re divergence. (2) Somme des puissances des unités en attente de début de travaux. (3) REP ou PWR et VVER soviétiques. (4) REB ou BWR. (5) PHWR, BHWR, CANDU. (6) UNGG, MG-UNGG, AGR. (7) RBMK, soviétique. (8) FBR, surgénérateur. (9) Monde à économie de marché. (10) Les Italiens se sont prononcés par référendum contre le nucléaire : 2 centrales ont été arrêtées.

Centrales de + de 25 ans (zone OCDE) *1995* : 25, *2010* : 240 (durée moy. prévue : pour 40 ans).

• **Nombre de centrales et**, entre parenthèses, **puissance en GWe installées.** USA 112 (101,7). CEE [1] 132 (104,9) dont France 56 (55,9). Europe hors CEE 22 (15,9). Europe de l'Est 60 (43,2). Asie 66 (44,7). Reste du monde 26 (18,1). Monde 418 (328,5).

Nota. – (1) Y compris ex-RDA.

• **Centrales en construction.** Puissance en GWe nets et, entre parenthèses, nombre d'unités. **En construction.** *Monde* 85 (77,5). **Commandées.** *Monde* 17 (11,6). **Retirées.** *Monde* 102 (15,9), *dont* USA 37 (4,9), CEE 31 (5), Eur. Est 2,7 (4,5). **Annulées.** *Monde* 225 (227) *dont* USA 132 (143) Eur. Est 29 (25,5).

Formules de réacteurs choisies

☞ **REP :** réacteur à eau ordinaire sous pression. Filière à uranium enrichi et eau ordinaire du type pressurisé (PWR : pressurized water reactor). **REB :** à eau bouillante.

Allemagne fédérale. REP (licence KWU) et REB (licences General Electric US et KWU). Les compagnies d'électricité semblent actuellement plus favorables au REP. Le réacteur prototype HTR (à haute pression) de 300 MW, de Hamm-Uentrop (Rhénanie) a été définitivement abandonné. Il n'avait pas besoin d'être découplé du réseau pour le remplacement du combustible nucléaire mais son rendement n'était que de 45 % en moyenne. *Coût de réalisation :* 13,5 milliards de F, soit 3,5 de + que pour un réacteur à eau pressurisé français de 1 300 MW.

France. Prit d'abord la filière uranium naturel-graphite-gaz [*Marcoule* 1956, *Chinon 1* (70 MW, mis en service 1963, arrêté 1973), *2* (210 MW, 1965), *3* (400 MW, 1967), *St-Laurent-des-Eaux 1* (400 MW, 1969), *2* (515 MW, 1971), *Bugey 1* (540 MW, 1972)] ; mais cette filière revenant plus cher, l'EDF opta en 1969 pour la filière à uranium enrichi-eau ordinaire (1re construite 1977, à Fessenheim, Alsace, 900 MW). Le prix du pétrole restant avantageux jusqu'à fin 1973, on ne mit en chantier que 5 tranches de 900 MW de 1970 à 73. Après la crise pétrolière d'oct. 1973, un programme nucléaire fut décidé.

G.-B. En 1965, réacteurs AGR, à uranium faiblement enrichi, mais à la suite des difficultés techniques la G.-B. envisagea d'utiliser la filière SGHWR (à eau lourde) puis lança en janv. 1978 un nouveau programme de 4 tranches AGR, décida d'étudier la filière REP, construisit une tranche REP en 1986-87.

URSS. Filière uranium enrichi-eau ordinaire sous pression, VVER (proche des REP) et uranium enrichi, graphite, eau ordinaire bouillante (filière RBMK, de type canal). Elle a annoncé en 1984 son intention de construire une série de réacteurs surgénérateurs du type BN-800. 20 % des 40 réacteurs en service doivent être arrêtés.

USA. Disposant d'uranium enrichi produit par leurs 3 usines d'enrichissement construites à des fins militaires, se sont orientés pendant les années 50 vers la filière REP et du type à eau bouillante.

Parc de surgénérateurs

• **Électrogènes, réacteurs expérimentaux ou prototypes commerciaux** [en service, en construction, ou en projet, nom du réacteur ou de la tranche, année de 1re divergence, puissance électrique en megawatts (millions de watts)]. **All. féd.** *KNK II* (1977) 21 ; *SNR-300 Kalkar* (1987) 327. **France.** *Phénix* (1973-31-8) à Marcoule, 250 (arrêté pendant 17 ans, 15 % du temps pour incidents). *Super-Phénix 1* (mis en chantier 1975, en service janv. 1986 avec 5 ans de rertard) à Creys-Malville (Isère) [EDF 51 %, Enel (Italie) 33 %, S.K.B. (All. féd.)] 1 240 ; a coûté 27 milliards de F. [1er devis (1977), 5,35] ; oct. 1983 / 9,3 (valeur 1977) ; fin de contrat 19. Le kWh revient 2 fois plus cher que celui d'une centrale REP. *1986* 14-1 confié au réseau EDF. 9-12 pleine puissance atteinte. *1987* 26-5 arrêt (incident du barillet). *1989* 24-1 redémarre. 21-4 couplé au réseau. 6-8, 24-8, 14-9, 3 arrêts automatiques. *1990* 28-4 arrêt (fuite de sodium dans circuit secondaire. 8-6 couplé au réseau. 3-7 arrêt [colmatage de filtres : impuretés dans le sodium (risque classe 2)]. *1991* 27-5 le Conseil d'État annule l'art. 3 du décret du 10-1-89 autorisant le redémarrage provisoire. En 1991, un nouveau système de transport de combustible remplacera le barillet. Pour des raisons de rentabilité (réserves de plutonium pléthoriques), fonctionnera comme une centrale classique à partir de 1996, le taux régénérateur passant de 1,19 (1,2) à 1,02. Le 31-7-77, un manifestant antinucléaire y est tué par une grenade des forces de l'ordre. 18-1-82, des inconnus lancent 5 roquettes. **G.-B.** PFR Dounreay (1974) 270. **Inde.** *FBTR-Kalpakkam* (1985) 15. **Japon.** *MONJU JPFR* (1992) 280. **URSS** *BOR-60* (1968) 12 ; *BN-350* (Schevchenko 1972) 150 ; *BN-600* (1980) 600 ; *BN-800 Beloyarsk* (après 1990) 800 ; *BN-1 600 Obninsk* (après 1993) 1 600 ; *Youzhno Ouralsk* (après 1995) 800. **USA :** *EBR 2* (Experimental Breeder Reactor 1963) 20 ; *CRBR* (Clinch River Breeder Reactor, projet abandonné en 1983), 350.

Puissance électronucléaire en service industriel dans le monde, au 31-12

	Puissances en GWe nets								Production en tWh bruts	
	1965	1970	1975	1980	1985	1990	1995 [1]	2005 [1]	1990	% [2]
Afrique du Sud	–	–	–	–	1,8	1,8	1,8	1,8	8,9	5,7
Allemagne dém.	–	0,06	0,9	1,7	1,7	–	–	–	5,5	5
Allemagne féd	0,06	0,0	3,3	8,6	16,4	22,5	24,6	25,2	147,2	37,8
Argentine	–	–	0,3	0,3	0,9	0,9	1,6	2	7,4	17,5
Belgique	0,01	0,01	1,7	1,7	5,5	5,5	5,5	3,8	42,7	60,1
Brésil	–	–	–	–	0,6	0,6	1,9	1,9	2,3	1
Bulgarie	–	–	0,8	1,2	1,6	3,5	3,7	5,6	14,7	34,8
Canada	0,02	0,5	2,5	5,5	10,3	14	15,8	15,2	76,5	15
Chine insulaire	–	–	–	1,2	4,9	4,9	4,9	6,8	32,9	38,3
Corée du Sud	–	–	–	0,6	3,6	7,2	8,1	11,6	52,9	49,1
Espagne	–	0,6	1,1	1,1	5,6	7,1	7,1	10,9	54,3	35,9
États-Unis	1,9	7,6	38,6	54,5	82,3	101,6	105,1	106	606,9	20,5
Finlande	–	–	–	2,2	2,3	2,3	2,3	3,3	18,9	35,2
France	*0,4*	*1,6*	*2,9*	*5,6*	*38,9*	*55,9*	*58,5*	*65,5*	*314,1*	*74,5*
Hongrie	–	–	–	–	0,8	1,7	1,7	2,6	13,6	49
Inde	–	0,4	0,6	0,8	1,3	1,6	2,7	8,5	5,9	2,5
Italie	0,6	0,6	0,6	1,4	1,3	–	–	–	–	–
Japon	0,2	1,2	6,3	15,5	23,6	30,9	39,7	54,7	195,1	26,1
Mexique	–	–	–	–	–	0,6	1,3	1,3	2,9	4,1
Pakistan	–	–	0,1	0,1	0,1	0,1	0,1	0,3	0,4	0,2
Pays-Bas	–	0,05	0,5	0,5	0,5	0,5	0,5	–	3,5	4,9
Royaume-Uni	3,4	5,4	6,9	8,2	11,7	13,5	12,8	10,9	65,9	19,7
Suède	0,009	0,4	3,1	6,4	9,5	10	10	6,7	68,2	46,3
Suisse	–	0,3	1,01	1,9	2,9	2,9	2,9	1,9	23,6	44,3
Tchécoslovaquie	–	–	0,1	0,8	1,98	3,2	4,9	7,6	24,6	26
U.R.S.S.	0,9	1,5	5,1	13,6	27,6	34,7	34,1	57	211,5	12,2
Yougoslavie	–	–	–	–	0,6	0,6	–	–	4,6	3
Monde	7,4	21,3	76,4	142,9	258,5	328,1	351,6	411,1		

Nota. – (1) Prévisions. (2) % du nucléaire dans la production d'électricité. *Source :* CEA.

• **Non électrogènes, prototypes.** Puissance thermique en millions de watts. **France.** Rhapsodie (1967) 40. **Japon.** Joyo ou JEFR (1977). **USA :** FFTF (1979-80) 400.

☞ En 1977, la commission Péon prévoyait d'installer de 13 à 19 surgénérateurs d'ici l'an 2000 en France. Mais les surgénérateurs de grosse puissance (comme Superphénix) se sont révélés délicats à mettre au point et plus chers à construire que prévu. De plus, le ralentissement des programmes mondiaux a entraîné une surcapacité et une baisse des cours de l'uranium naturel, ce qui diminue l'intérêt économique des surgénérateurs. EDF a donc décidé de repousser la construction en série de ces réacteurs au siècle prochain. Le plutonium extrait du retraitement n'ayant plus de débouché et étant délicat et coûteux à stocker, le retraitement perd une partie de son intérêt économique (il est plus rentable de stocker en l'état le combustible usagé tiré des centrales, comme aux USA).

Arguments des partisans du surgénérateur. *Réserves d'uranium :* ne représentent que quelques dizaines d'années de consommation avec les réacteurs actuels (qui ne brûlent que 1 % de l'uranium utilisé) ; des centaines d'années avec le surgénérateur. *Incidents du surgénérateur :* comparables à ceux connus pour les 1ers réacteurs en service. *Coût du kWh :* réacteur actuel 0,22 F, surgénérateur 0,50 (0,16 si l'on ne tient pas compte de l'investissement).

L'énergie nucléaire en France

Commissariat à l'énergie atomique (CEA)

Organisation. Créé 18-10-1945. *Établissement public de recherche.* **Administrateur général :** Philippe Rouvillois (n. 1935). **Haut-Commissaire :** Jean Teillac (n. 1920). **Secr. gén. :** Jean Marmot **Groupe industriel : Filiales les plus importantes :** *COGEMA* (Cie gén. des matières nucléaires) qui gère le cycle du combustible nucléaire, et en particulier le retraitement, *Technicatome* qui étudie et construit les réacteurs de recherche et les petits réacteurs de puissance, *ORIS-Industrie* (applications médicales et industrielles des radioéléments), *CISI* entreprise d'informatique, *Intercontrôle* contrôle non destructif, *STMI* (intervention en milieu ionisant). **Employés :** 30 100. **Crédits** (en milliards de F) : *1985 :* 16,9. *86 :* 17,4. *87 :* 18,5. *88 :* 19,6. *89 :* 20,1. *90 : 20. 91 :* 19,82 (dont activités militaires 9,91). *Subventions de l'État 90 :* 16,19. *91 :* 16,18.

Rôle. Matières nucléaires, applications militaires, recherche fondamentale, protection et sûreté nucléaire, applications industrielles nucléaires. Valorisation des activités de recherche et de développement dans des domaines non nucléaires.

☞ **L'Agence nationale pour la gestion des déchets radioactifs (ANDRA).** *Créée* le 7-11-1979, dépend du CEA.

Matériel

• **Constructeurs de réacteurs. Framatome** (actionnaires 1990 CGE 52 %, CEA 35, EDF 10) pour la filière sous pression. Jusqu'en 1989, *actionnaires privés :* CGE 40 %, Dumez 12 % ; *publics :* CEA 35 %, EDF 10 % ; *salariés* 3 %. La CGE ayant été privatisée en 1987, la majorité du capital échappait au secteur public mais aucun actionnaire n'avait le pouvoir de décision. L'État, qui n'avait pu alors en acquérir le contrôle (Dumez ayant, le 14-6-90, vendu ses parts à la CGE), a ensuite racheté à la CGE (devenue Alcatel-Alsthom) 7 % et est redevenu majoritaire [actionnaires publics 51 % (dont CEA Industrie/EDF 46, Crédit Lyonnais 5), CGE 44, Framépargne 5]. *Chiffre d'aff. consolidé* en milliards de F. *89 :* 19,96 (dont nucléaire 14,97, Superphénix 8,26). *90 :* 15,57 (dont nucléaire 8,6, Superphénix 0). *Résultats nets 89 :* 0,74. *90 :* 0,98. **Novatome** (actionnaire Framatome 100 %) pour les surgénérateurs. *Chiffre d'aff. 1988 :* 1,065 milliard de F, *1989 (est.) :* 732.

• **Exportations de centrales.** Localisation, date de mise en service industriel, système, puiss. en Mwe. **Groupement d'industriels français :** *Espagne,* Vandellos 1 (1972, UNGG, 480 MWe). **Framatome :** *Belgique,* Tihange 1 (1975, REP, 870), 2 (1983, REP, 902), Doel 3 (1983, REP, 891) ; *Afr. du S.,* Koeberg 1 (1984, REP, 922), 2 (1985, REP, 922) ; *Corée du S.,* Uljin-1 et 2 (1988, REP, 900), Buku-Ri 2 (1989, REP, 900) ; Iran (2 commandes en 1977, annulées 1979). Négociations en cours avec Chine, Pakistan.

Centrales

Données globales

☞ MWe : mégawatt.

• **Tranches en France** (1990). 56 tranches installées, dont : 2 anciennes (graphite-gaz), 2 surgénérateurs, 52 REP ou réacteurs à eau ordinaire sous pression (1 de 300 MWe, 34 de 900 MWe, 17 de 1 300 MWe).

Ouvrages dont la construction est engagée. Prévision de mise en service, puissance max. en construction en MWe. *Chooz 1* (1993) 1 455. *Chooz 2* (1994) 1 455. *Penly 2* (1992) 1 330. *Cattenom 4* (1991) 1 300. *Golfech 2* (1993) 1 310.

Production d'électricité nucléaire de 297,7 TWh nets (prov., 1990) (Térawatts/heures ou milliards de KWh), soit env. 74,5 % de la prod. élec.

• **Puissance nucléaire couplée au réseau** (en MWe bruts et entre parenthèses nombre d'unités). *Au 1-1-1970* : 1 796 (8). *73* : 2 881 (10). *80* : 14 394 (23). *81* : 21 634 (31). *82* : 23 287 (34). *83* : 26 857 (38). *84* : 32 947 (43). *85* : 37 487 (45). *86* : 44 702 (51). *87* : 49 418 (53). *88* : 52 430 (55). Depuis l'été 89, les 14 tranches les plus récentes et les plus puissantes (1 400 MWe) ne tournent qu'à 62 % de leur potentiel.

Aptitude à produire de l'électricité, que la centrale fonctionne à pleine puissance ou à charge partielle, qu'elle soit ou non appelée sur le réseau. *Coefficient de disponibilité en % (en 1990)* : Centrales à eau légère 1 300 MW 69,8 ; de 900 MW 76,5 ; ensemble des centrales nucléaires EDF 73,7.

Liste des centrales

Situation au 31-12-1990. Site, appellation des tranches, année de mise en service, puissance maximale électrique possible en MWe nets. **Exploitation EDF. Belleville** [1] *(Cher) : tranche 1* (1987) 1 310 MWe, *2* (1988) 1 310. **Bugey** (Le) *(Ain) : tr. 1* [3] (1972) 540, *2* [1] (1978) 920, *3* [1] (1978) 920, *4* [1] (1979) 880, *5* [1] (1979) 880. **Cattenom** [1] *(Moselle) : tr. 1* (1986) 1 300, *2* (1987) 1 300, *3* (1990) 1 300, *4* (1991) 1 300. **Chinon** *(I.-et-L.) : tr. A3* [3] (1967) 360, (arrêtée en 1990), *B1* [1] (1982) 870, *B2* [1] (1983) 870, *B3* [1] (1986) 905, *B4* [1] (1987) 905. **Chooz** *(Ardennes) : tr. B1* [1] (1993) 1 455, *B2* [1] (1994) 1 455. **Cruas Meysse** [1] *(Ardèche) : tr. 1* (1983) 880, *2* (1984) 915, *3* (1984) 915, *4* (1984) 880. **Dampierre** [1] *(Loiret) : tr. 1* (1980) 890, *2* (1981) 890, *3* (1981) 890, *4* (1981) 890. **Fessenheim** *(Ht-Rhin) : tr. 1* (1977) 880, *2* (1977) 880. 7-4-1989, arrêt pour une révision de 4 mois du réacteur n° 1. **Flamanville** [1] *(Manche) : tr. 1* (1985) 1 330, *2* (1986) 1 330. **Golfech** [1] *(T.-et-G.) : tr. 1* (1990) 1 310, *2* (1993) 1 310 ; contestée par les écologistes, inquiets de son impact sur la Garonne. **Gravelines** [1] *(Nord) : tr. B1* (1980) 910, *B2* (1980) 910, *B3* (1980) 910, *B4* (1981) 910, *C5* (1984) 910, *C6* (1985) 910. **Le Blayais** [1] *(Gironde) : tr. 1* (1981) 910, *2* (1982) 910, *3* (1983) 910, *4* (1983) 910. **Nogent-sur-Seine** [1] *(Aube) : tr. 1* (1987) 1 310, *2* (1988) 1 310. **Paluel** 1 + *(S.-M.) : tr. 1* (1984) 1 330, *2* (1984) 1 330, *3* (1985) 1 330, *4* (1986) 1 330. **Penly** *(S.-M.) : tr. 1* [1] (1990) 1 330, *2* [1] (1992) 1 330. **Phénix** *(Marcoule)* : surgénérateur, voir p. 1652b. **St-Alban** [1] *(Isère) : tr. 1* (1985) 1 335, *2* (1986) 1 335. **St-Laurent-des-Eaux** *(L.-et-C.) : tr. A1* [3] (1969, arrêtée 1990) 390, *A2* [3] (1971) 450, *B1* [1] (1981) 915, *B2* [1] (1981) 915. **Tricastin** [1] *(Drôme) : tr. 1* (1980) 915, *2* (1980) 915, *3* (1981) 915, *4* (1981) 915.

Sites nucléaires en France au 1-1-1991

Autres exploitants. *NERSA* Creys-Malville : *tr. 1* (1986) 1 142. *SENA* Chooz : *tr. 1* (1967) 305. *CEA* Phénix : *tr. 1* (1973) 233.

Nota. – (1) REP : réacteur à eau pressurisée. (2) PWR : pressurized water reactor. (3) UNGG : uranium naturel, graphite, gaz.

Coefficient de production du parc EDF (%). *1980* : 60,5 (22). *1981* : 59,1 (30). *1982* : 53,3 (32). *1983* : 62,5 (36). *1984* : 70,5 (41) (toutes filières de réacteur confondues). *1985* : 70,6 (coefficient de disponibilité en énergie à partir de la mise en service industriel).

Combustible nucléaire

Minerais et concentrés

Principaux types de minerais

Uranium. *Nom* : d'Uranus (planète découverte en 1781), selon la tradition alchimiste qui associait les planètes aux métaux. *1789* l'urane, ou oxyde d'uranium, est identifié par Martin Heinrich Klaproth (All., 1743-1817) qui donne le nom d'uranium à la poudre obtenue en cuisant de la pechblende. *1841* Eugène-Melchior Peligot (Fr., 1811-90) produit de l'uranium-métal par réduction chimique. *1896* Henri Becquerel (Fr., 1852-1908) découvre la radioactivité. *1938* Otto Hahn et Fritz Strassmann parviennent à casser son noyau à coups de neutrons, produisant ainsi d'autres corps radioactifs (baryum, krypton). *XIXe s.*, est utilisé comme agent chimique en céramique et dans la miroiterie ; *début XXe s.*, dans la fabrication d'aciers à haute résistance ; *en 1919 et 39*, dans le traitement médical des tumeurs. **Minerai.** Mines souterraines ou à ciel ouvert. *Pechblende* (mélange d'oxydes d'uranium, teneur de 50 à 80 %) et dérivés ; *vanadates* (francevillite, carnotite) ; *phosphates* (chalcolite, autunite).

Thorium. *Thorianite* (45 à 88 % de thorium) ; *uranothorianite* (jusqu'à 12 % d'uranium) ; *monazite* (12 % de thorium, parfois un peu d'uranium ; Madagascar, Inde, Austr., Brésil).

Statistiques mondiales

• **Production d'uranium mondiale (non compris Chine et URSS orientale).** *1986* : 37 200. *87* : 36 691. *88* : 36,628. *89* : 34 850 [dont Canada 11 350 (8 750 [1]), USA 5 300 (3 400 [1]), Australie 3 656 (3 530 [1]), Namibie 3 600, France 3 206 (2 850 [1]), Niger 3 000, Afr. du Sud 2 900, Gabon 950, Espagne 225 (215 [1]), Inde 200, Argentine 150, Portugal 128 (111 [1]), Yougoslavie 85, Belgique 40, Allemagne 30 (30 [1]). Pakistan 30]. *90* : 33 178.

Nota. – (1) Prévisions 1990.

Cycle. Les parties les plus riches sélectionnées à l'abattage, puis à la remontée, avec des compteurs Geiger, sont *concentrées* (par traitement chimique donnant de l'uranate à 60 % d'uranium ou du nitrate d'uranyle à 400 g d'uranium par litre), puis *raffinées* (purification par voie aqueuse, puis élaboration du produit fini, par voie sèche). Pour 1 t de minerai extrait, on obtient 2 à 4 kg d'uranium de base (dit *yellow cake*, composé de 0,71 % d'U. 235 fissile, utilisé dans les centrales, et 99,29 % d'U. 238). Le composé obtenu se présente sous forme de poudre. Son transport n'exige aucune précaution particulière.

L'uranium naturel (sous forme de métal) sert pour les filières uranium naturel-graphite-gaz et à eau lourde (sous forme d'oxyde). Pour les filières uranium enrichi, l'uranium doit d'abord être mis sous forme d'*hexafluorure UF^6* (en France à Pierrelatte depuis 1962, capacité actuelle 14 000 t). Il sera ensuite *enrichi* (voir ci-contre). Puis on fabrique les éléments combustibles (*UO^2*) et, après les avoir gainés, on les assemble en grappes.

Après env. 3 ans d'utilisation dans un réacteur nucléaire, on décharge le combustible et on l'entrepose dans une piscine d'eau pour laisser décroître sa radioactivité. Après env. 6 mois, il peut être transporté dans des conteneurs à parois de plomb et d'acier (les « châteaux ») à l'usine de retraitement des combustibles usés, où l'on sépare l'uranium et le plutonium, qui seront réutilisés, et les produits de fission qui seront stockés.

1 kg d'uranium enrichi à 3 % donne après irradiation puis retraitement 1 kg d'uranium à 0,9 %, 6 g de plutonium fissile (isotopes 239 et 241), 4 g de plutonium non fissile et certains déchets : strontium 90, césium 137 et neptunium récupérés pour l'utilisation comme source autonome d'irradiation et de chaleur, avec ou sans transformation en énergie [*stimulateurs cardiaques* (à générateur isotopique) : batteries au plutonium 238 ; *bouées-balises de navigation* (à générateur isotopique) ; *conservation des denrées alimentaires* (par le rayonnement gamma, émis par le cobalt 60 ou le césium 137, ou par le traitement par des électrons d'une énergie inférieure à 10 MeV)].

• **Besoins annuels d'uranium. Monde à économie de marché** (dit monde occidental). Milliers de t. d'uranium naturel. *1986* : 36,3. *87* : 37,5. *88* : 40,6. *89* : 41,5. *90* : 41,9. *95* : 43,6. *2000* : 49.

• **Besoins des pays en 1990** et, entre parenthèses 2000, en milliers de t. All. féd. 3,3 (3,5), Belgique 0,95 (0,95), Canada 1,9 (2), Espagne 1,3 (1,7), Finlande 0,5 (0,5), *France 6,8 (8)*, G.-B. 1,9 (1,7), Japon 6,9 (9,2), P.-Bas 0,1 (0,1), Suède 1,5 (1,2), Suisse 0,5 (0,7), USA 13,4 (14,1), reste du monde à éco. de marché 28,5 (5,35).

• **Plus grandes régions uranifères** *(connues)*. Saskatchewan (Canada), territoires du N. (Austr.), Witwatersrand (Afr. du S.), chaîne hercynienne (Eur.).

Ressources d'uranium raisonnablement assurées à – de 80 $/kg et, entre parenthèses, **entre 80 et 130 $/kg.** *Total* (sauf Chine et URSS) 1 641 (663) dont Afr. Sud 317 (101,5), Algérie 26, All. 0,8 (4), Argentine 9,05 (2,6), Australie 480 (58), Brésil 162,71, Canada 132 (95), Centrafrique 8 (8), Corée Sud – (11,8), Danemark – (27), Espagne 17,1 (19,3), Finlande – (1,5), *France 42 (14,7)*, Gabon 13 (4,65), Grèce 0,3, Inde 41,14 (6,15), Indonésie – (1), Italie 4,8, Japon – (6,6), Mexique 4,5 (3,24), Namibie 90,9 (16), Niger 173,71 (2,2), Pérou – (1,79), Portugal 7,3 (1,4), Somalie – (6,6), Suède 2 (2), Turquie – (3,9), USA 106,5 (263,5), Zaïre 1,8.

Statistiques françaises

• **Exploitations minières en France.** La prospection a commencé en 1946. Les gisements (3 % des réserves mondiales) sont à faible teneur et trop dispersés. **Sites exploités :** Vendée (région de Mortagne-sur-Sèvre, fermeture en cours), Hérault (Lodève) et Limousin (La Crouzille). Autres petits gisements : Massif armoricain, Cantal.

Principales sociétés productrices (1990, en t d'uranium contenues). Total : 2 820. **Cogema** (Cie générale des matières nucléaires), *créée* 1976. Groupe industriel de droit privé à capitaux publics. *Capital détenu* par le CEA à 100 %. *Pt.* : Jean Syrota (n. 9-2-1937). *Chiffre d'aff.* (en milliards de F) : 21,4 (dont 31,3 % à l'export.). *Bénéfices 1988* : 0,51, *89* : 1,54 [facturation du cœur et d'une 1re recharge pour Superphénix, *90* : 1,03. *Effectif* (31-12-90) : 16 814]. *Détient* 20 % de la capacité mondiale de prod. et de concentration de l'uranium et 80 % des réserves françaises. *Production (en t). France : 1989* : 2 830, *90* : 2 400. Filiales étrangères : 4 200 dont Niger 1 960, Gabon 710, Canada 770. **Total Cie minière,** qui a absorbé en 1985 ses 2 filiales : *Dong-Trieu* [Limousin] et la *SCUMRA (Sté centrale de l'uranium et des minéraux et métaux radioactifs)* [Cantal, Creuse et Aveyron] : 406.

• **Concentration de minerai d'uranium.** *Cogema* dans ses divisions minières [Lodève, St-Jean-du-Bosc (Hérault), Bessines (Hte-V.), L'Escarpière (L.-Atl.). *Total Cie minière* à Lussac-les-Églises (Hte-V.)].

• **Prix de vente spot. Oxyde** (en $ par livre anglaise d'U_3O_8) vers *1953* : 8 (commandes militaires importantes) puis 5. *1974* : 7. *75* : + de 10. *78* : env. 20. *79* : 45. *80* : 26. *85* : 17. *89* : 10. *90* : 9,7.

• **Stocks français.** Sécurité : niveau minimal 3 ans de consommation pour faire face à d'éventuelles ruptures d'approvisionnement à l'extérieur.

Enrichissement de l'uranium

L'uranium naturel est un mélange de plusieurs isotopes (isotopes = corps ayant le même nombre de protons, mais se différenciant par le nombre de neutrons) : $\frac{234}{92}$ U (0,056 % de la masse) ; $\frac{235}{92}$ U (0,711 %) ; $\frac{238}{92}$ U (99,283 %). En cas de choc d'un neutron sur un atome d'U 235 il y a fission ; sur un atome d'U 238 il y a capture de neutrons avec production de plutonium. On dit que l'U 235 est *fissile* et l'U 238 *fertile*.

On cherche donc à obtenir de l'*uranium enrichi* qui contient une proportion plus grande d'U 235.

Technique. Procédés pour séparer l'isotope 235 du 238 : *diffusion gazeuse, centrifugation, diffusion thermique, séparation électromagnétique, séparation par laser*. La plupart utilisent la différence de masses des 2 isotopes (inférieure à 1 %).

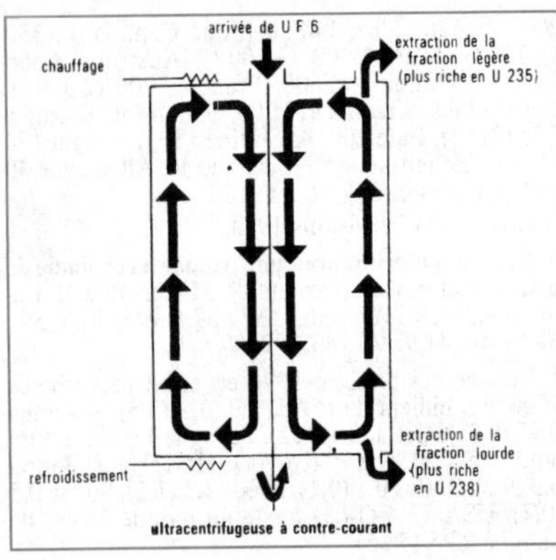

ultracentrifugeuse à contre-courant

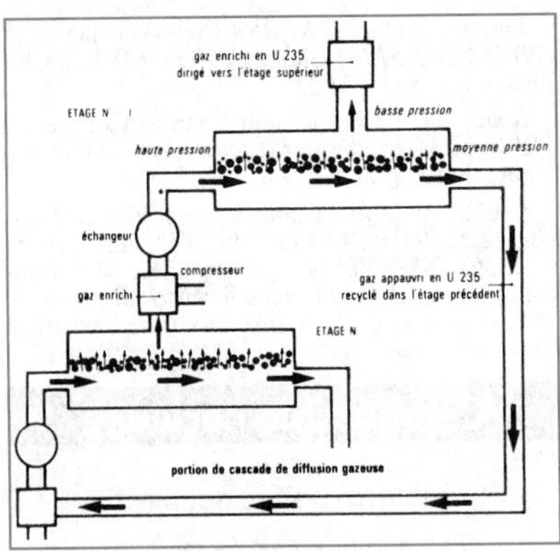

portion de cascade de diffusion gazeuse

Statistiques

Besoins d'enrichissement [en millions d'UTS (unité de travail de séparation isotopique)] avec taux de rejet de 0,2 %. **France :** *1978 :* 1,1. *80 :* 6,4. *90 :* 4,9. **USA :** *1978 :* 6,9. *80 :* 22,3. *90 :* 9,2. **Europe :** *1978 :* 6,4. *80 :* 20,2. *90 :* 11,6. **Japon :** *1978 :* 1,5. *80 :* 5. *90 :* 3,1. **Monde** (hors pays de l'Est) : *1978 :* 13,2. *80 :* 49,5. *90 :* 31,3.

Capacité d'enrichissement

millions d'UTS [1]/an	1977	1980	1986	1990
US DOE [2] (diff. civil)	15,9	21,4	19,6	19,2
US centrifugation	0	0	0	0,2 [4]
EURODIF [3]	0	6,3	10,8	10,8
URENCO	0,2	1,4	1,7	2,4
URSS (export)	3	4	1,1	2
Total	*19,1*	*33,1*	*33,2*	*34,6*

Nota. – (1) Unité de travail de séparation isotopique. (2) DOE (Department of Energy). Début production 1986 (1,1 million d'UTS) ; pleine production 1988. (3) EURODIF (Sté européenne d'enrichissement de l'uranium) selon le procédé de la diffusion gazeuse. Participants (en %) : *France* (Cogema) 51,55, Italie (Agip nucleare, Enea) 16,25, Belgique (Soben) 11, Espagne (Enusa) 11, Iran 10. *Capacité prévue :* 10,8 millions d'UTS par an, soit 2 670 t d'uranium enrichi à 3,15 % par an. *Teneur de rejet* 0,25 %. *Puissance électrique moyenne nécessaire* pour alimenter l'usine 3 100 MW. *Implantation :* Tricastin (Drôme). *Coût :* 12 milliards de F. *Construction :* 1974-82. (4) INFI (Japon).

Enrichissement de l'uranium en France. Transformation à partir du tétrafluorure (UF 4) par la filière UNGG (Uranium Naturel Graphite Gaz) en hexafluorure (UF 6), en vue de l'enrichissement ultérieur pour les tranches REP, assurée par la Comurhex (détenue par Cogema 49 %, PUK 51 %). *Capacité de Pierrelatte* pour l'UF 6, *1977 :* 8 000 t ; *1988 :* 14 000 t (25 % du marché mondial).

Approvisionnement français en uranium enrichi (en 1980 et, entre parenthèses, en 1990, en %). *EURODIF* 76,1 (90). URSS 19,6 (8). USA 4,3 (2).

Fabrication des combustibles

Réacteurs uranium naturel graphite-gaz (UNGG). Combustibles, mis au point par le CEA, fournis à EDF après montage dans l'usine que la SICN, filiale à 100 % de Cogema, exploite à Annecy.

Réacteurs à eau sous-pression. Fabrication par la Sté franco-belge FBFC, filiale d'Uranium Pechiney Cogema et Framatome à Dessel (Belgique) et en France à Romans et Pierrelatte (Drôme). Le combustible utilisé se présente sous forme de pastilles d'oxyde d'uranium empilées dans des tubes de zircalloy (alliage de zirconium) formant la *gaine* (longueur de ces crayons, égale à la hauteur du cœur, env. 4 m ; diamètre env. 10 mm).

On constitue des assemblages allant jusqu'à 300 crayons dans des grappes verticales. Ces combustibles sont commercialisés par Fragema (GIE 50/50 entre Cogema et Framatome).

Surgénérateurs. Fabrication à Cadarache (COGEMA). Le combustible, constitué d'aiguilles faites de pastilles d'oxyde mixte d'uranium et de plutonium de 5 à 7 mm de diamètre empilées dans des gaines en acier inoxydable, est commercialisé par Corrap (GIE 50/50 entre Cogema et Framatome).

Combustibles irradiés

Généralités

Processus. Dans le cœur du réacteur, le combustible subit un taux de combustion exprimé en mégawatts (thermiques) × jours par tonne (MWj/t), mesurant l'énergie fournie et son taux d'usure. Une fois irradié, le combustible contient : *1°) Les produits de fission,* généralement émetteurs β et γ de période relativement courte, responsables de la quasi-totalité de l'activité.

2°) Des corps lourds, généralement émetteurs α de longue période (transuraniens comme les isotopes du neptunium, plutonium, americium et curium).

3°) Du tritium, formé par fission ternaire. Après le déchargement, l'ensemble de cette radioactivité dégage de la chaleur (exprimée en W/t) qui forme la puissance résiduelle (d'env. 6 % de la puissance du réacteur au départ, elle tombe au 1/100 de sa valeur au bout de 180 j).

Bilan. Après 3 ans en centrale nucléaire : 100 kg d'uranium (97 kg d'U 238 + 3 d'U 235) donnent 95 kg d'U 238, 1 d'U 235, 1 kg de plutonium, 3 kg de produits de fission.

Transport. Les conteneurs de combustibles usés sont testés : épreuve mécanique (chute de 9 m sur une surface indéformable), thermique (exposition à un feu de 800 °C pendant 8 h), d'immersion (sous 0,9 m d'eau pendant 8 h) et test sur un autre colis du même type sous 15 m d'eau pendant 8 h.

Aux USA et en G.-B., des essais ont permis de tester la bonne résistance des conteneurs lors de collisions à grande vitesse de trains ou de véhicules routiers. D'autre part, il faut environ 5 à 6 transports par an pour un réacteur de 1 000 MW.

Retraitement. Les assemblages de combustibles usés, constitués de 200 à 300 « crayons » contenant l'oxyde d'uranium et enfermés dans des tubes de zirconium, sont immergés dans une piscine pendant 2 ou 3 ans env. ; l'eau assure une protection contre les rayons γ des produits de fission et contre la chaleur dégagée par la radioactivité. Puis les crayons combustibles, cisaillés en tronçons de 3 à 5 cm, sont dissous dans une solution d'acide nitrique. Uranium et plutonium, sous forme de nitrates, sont séparés des produits de fission par voie chimique (solvants organiques), puis séparés l'un de l'autre et purifiés, également par voie chimique. On obtient l'uranium dont l'enrichissement résiduel est de l'ordre de 0,8 à 0,9 % à comparer à l'enrichissement d'environ 3 % avant irradiation (une fois réenrichi, il peut être réutilisé dans les centrales REP). Le plutonium, stocké sous forme d'oxydes, peut être réutilisé dans les surgénérateurs et les REP (combustible Mox).

Objectif. La *France* récupère le plutonium pour diminuer sa dépendance de ses sources d'approvisionnement en uranium naturel, tout en conditionnant de façon appropriée les déchets radioactifs produits dans le combustible. Une t de combustible usé équivaut sur le plan énergétique à environ 2 200 t de pétrole (à La Hague à partir de 1993, on retraitera 1 600 t par an de combustible usé). Aux *USA,* pays riche en énergie (pétrole, charbon, gaz), le DOE a décidé de stocker le combustible usé d'une manière réversible ; ils pourront retraiter plus tard ou stocker définitivement en profondeur (Throaway cycle).

MOX (mixed oxide : mélanges d'oxydes d'uranium et de plutonium). Fabriqué à Dessel (Belg.) à Hanau (All. féd.) et à Cadarache (France). Utilisé pour la 1re fois en France à St-Laurent-des-Eaux (réacteur chargé à 5 % de plutonium) le 13-10-87. Plan d'EDF : équiper en plutonium 12 à 16 des centrales françaises ; l'usine Melox de Marcoule, construite par Cogema, en produira à partir de 1993, 95 120 t par an. *Avantages :* économie pour EDF d'uranium naturel (20 %) et de services d'enrichissement de cet uranium (10 %), et recyclage du plutonium dans les centrales nucléaires.

Statistiques

• **Besoins de traitement** en t d'uranium, **capacité** entre parenthèses et **tonnages non retraités :** *USA 1976 :* 1 162 (750) 1 933, *78 :* 1 701 (1 500) 2 146, *80 :* 2 212 (1 500) 2 012 ; *Europe 1976 :* 215 (400), *78 :* 720 (750) ; *Japon 1975 :* 50 (0) 50.

• **Coût du retraitement eau légère.** Prix du kg d'uranium traité en France (en F courants) : *1975 :* 450. *80 :* 3 000. *84 :* 6 150. *86 :* 3 650. *Marché mondial du retraitement : 1988 :* 3 à 4 milliards de F/an, *1995 (prév.) :* env. 25, soit 4 000 t (dont France 45 %, G.-B. 33, Japon 22).

• **Marché des quantités de combustible retraitées en % (1989).** Cogema (Fr.) 76,6, PNC (Jap.) 10,9, NFS (USA) 6,3, DWK (All. Féd.) 2,2, Eurochimic (Belg.) 2, BNFL (G.-B.) 1,9.

• **Usines de retraitement.** Date de mise en service et capacité théorique annuelle en t d'U. avant irradiation.

France. Cogema, 1re entreprise mondiale, exploite *Marcoule* UP 1 *1958 :* 800-1 000 [a]. *La Hague* UP 2 *1967 :* 800 [a], *76 :* 800 [a] (ou 400 [b]), *88 :* 400 [b], *90 :* 800 [b], *93 :* 800 [b] (l'usine rend aux étrangers uranium et plutonium récupérés, ainsi que les déchets radioactifs).

All. féd. *GWK Karlsruhe 1970 :* 35 [b]. *Mars 90 :* l'All. renonce à construire une autre usine. **G.-B. :** *Windscale* (tête oxyde Windscale, arrêtée 1973 après accident de contamination). *1964 :* 1 500-2 000 [a]. *Windscale* (Thorp [1]) *1995 :* 1 200 [b]. **Inde :** *Trombay 1975 :* 100 [b,c]. *Tarapur 1979 :* 100 [b,c]. **Italie :** *Saluggia 1970 :* 25. **Japon :** *Tokaï-mura 1968 :* 20, *77 :* 200 [b], *98 :* 800 [b]. *Rokasho-mura.* **USA :** situation bloquée dep. avril 1977 (*West Valley* 300, mise en service 1966, fermée). *Barnwell* (Caroline du S., 1 500 t/an, achevée 1976, n'a jamais fonctionné).

Nota. – Combustible retraité : (a) métal, (b) oxyde, (c) eau lourde. (1) Enquête publique en cours. (2) France, G.-B., All. féd., se sont réunies en 1971 dans une association, l'United Reprocessors GmbH.

Déchets

Généralités

• **Nature. Déchets de faible activité (radioéléments à vie courte).** Pièces contaminées par des matières contenant des radioéléments : gants, plastiques, matériel consommable de laboratoires, pièces d'équipement d'usines non réutilisables, etc., venant des centrales, centres de recherche, usines du cycle de combustibles, hôpitaux ou laboratoires utilisant des radio-isotopes (CNRS, INSERM) à vie courte. 1 million de m³ en l'an 2000. A surveiller 300 ans.

Déchets de haute activité et déchets à vie longue (> 30 ans). Les produits de fission, récupérés tous les 3 ans, contiennent plus de 99 % de la radioactivité qu'ils ont produite. Cette radioactivité décroîtra à une vitesse variable ; elle diminuera de 50 % en une fraction de seconde pour certains corps en 28 ans pour le strontium 90, 30 a. pour le césium 137. Ainsi, la quantité produite est divisée par 1 000 env. au bout de 10 périodes (temps où la radioactivité est diminuée de 50 %) et par 1 million au bout de 20. Un faible % de transuraniens qui ne peuvent être récupérés en totalité reste mêlé aux produits de fission : 80 000 m³ (déchets B) et 3 000 m³ (déchets C, les plus toxiques) en l'an 2000.

• **Gestion des déchets radioactifs.** Ils sont en général enrobés de bitume, de béton ou de résine thermodurcissable selon leur niveau d'activité.

A La Hague et à Marcoule, ils sont conditionnés sous forme de blocs solides de verre insoluble.

Belgique et All. féd. envisagent d'utiliser de petites billes de verre ou de céramique noyées dans du plomb.

Déchets de haute activité à vie longue. *Entreposage de quelques dizaines d'années* sur place dans des puits bétonnés (et ventilés) dans les usines de retraitement ; puis stockage dans des formations géologiques (basaltiques, argileuses ou granitiques ou même de sel, l'une des roches les plus radioactives) stables et exemptes de venue d'eau, sans gardiennage mais sous contrôle.

On étudie le recyclage dans les réacteurs à neutrons rapides (voir surgénérateurs). **A vie courte.** Stockés en surface (tumulus et monolithes).

Pour la France, l'ANDRA (Agence nationale pour la gestion des déchets radioactifs), créée 1979, gère l'ensemble des déchets radioactifs nationaux.

• **Lieux de stockage. All. fédérale :** mines de sel d'Asse (débris de la centrale démantelée de Niederaichbach à 1 200 m de profondeur dans une mine de fer). **Belgique :** expérimentation dans l'argile à Mol. **Chine :** désert de Gobi (négociation avec Suisse et All. féd.). **Espagne :** site de surface (50 000 m³) à *Cabril.* **France :** *La Hague* (Manche, dep. 1960). *Sites à l'étude en 1983 28 délimités, en 1987 4 :* Neuvy-Bouin (Deux-Sèvres, granite), Montcornet-Sissonne (Aisne, argile), Montrevel (Ain, sel), Segré (M.-et-L., schiste). *En cours d'aménagement :* Soulaines (Aube). **G.-B. :** jusqu'en 1983, immersion en mer ; dep. 1986, en surface en attendant l'aménagement d'un site souterrain. **Japon :** fosse au N. des Mariannes. **Suède :** sous la Baltique, à Forsmark (plus grand dépôt mondial). **Suisse :** en piscine, en attendant l'aménagement d'une ancienne galerie de barrage hydraulique. **URSS :** officiellement, 35 dépôts de surface. **USA :** dans des piscines sur chaque site ; un projet de stockage définitif dans le désert Nevada a été abandonné après la découverte d'une faille géologique.

• **Besoins. Emprise au sol.** 200 hectares dont 90 % d'espaces verts, pour une centrale de 5 000 MW, soit env. 60 km² pour des sites de l'an 2000.

Projet Seabed. Immersion dans les sédiments marins, ceux-ci ayant de bonnes qualités absorbantes de particules radioactives en cas de fuite. Mais les pays ne possédant pas l'énergie nucléaire s'y opposent.

☞ **Actinides.** La radioactivité décroît lentement, se manifestant par l'émission de rayons alpha. Le *Neptunium-237* perd la moitié de sa radioactivité (env. 2 millions d'années) et la totalité en 20 millions d'a. *Américium-241* perd la moitié de sa radioact. en 430 ans, mais se transforme progressivement en neptunium (*Américium-243 :* 7 400 ans, *Curium-245 :* 8 500 a.). *Technique étudiée :* molécules-cages (cryptates) où viendraient se piéger sélectivement tel ou tel radioélément. Combustion dans un surgénérateur ou bombardement dans un accélérateur de particules (expérience Superfact 1989).

Statistiques

• **Production annuelle de déchets d'une centrale nucléaire de 1 000 MW aux différents stades.** *Concentration du minerai :* déchets solides 105 000 t, liquides 300 m³. *Conversion, enrichissement :* déchets solides : quantité négligeable. *Réacteur :* rejets gazeux centrale BWR 100 000 curies ; REP 40 000 curies. *Station de traitement des effluents :* rejets liquides 4 m³ par heure (dilués dans 80 000 m³ d'eau par heure), centrale PWR 105 curies (+ 1 000 ³H), *REB* 100 curies (+ 30 ³H) ; déchets solides 100 à 300 m³ ; rejets gazeux 300 000 ⁸⁵ krypton. *Retraitement :* rejets liquides 1 200 m³ et 300 curies.

Comparaisons. *Électricité nécessaire à la consommation d'une ville de 100 000 h. pendant 1 an. Produite par une centrale nucléaire :* 90 l de verre de stockage des déchets radioactifs de haute activité (h) 0,15 m³ par t de combustibles + 20 à 25 m³ de déchets de faible et moyenne activité par t retraitée à La Hague [dont un certain nombre de produits contaminés par des émetteurs alpha à très long terme (million d'années)]. *Par une centrale thermique au charbon :* 20 000 t de déchets (cendres et stériles).

• **Dans le monde. Radioactivité cumulée** (en milliards de curies en 1980 et, entre parenthèses, en l'an 2000). *Césium 137 :* 2 (30-40) ; *strontium 90 :* 1,6 (20-25).

La couche superficielle de la Terre contient, sur une épaisseur de 2 000 m, + de 160 milliards de t d'uranium (activité contenue : + de 10 000 milliards de curies, dont + de 1 000 de radium).

Production cumulée de produits de fission gazeux rejetés dans l'atmosphère (en milliards de curies en 1980 et en l'an 2000) : *tritium* 12 (0,18-0,25) ; *krypton 85* 0,4 (4,5-6).

Aux USA, l'irradiation due à ces effluents était en 1980 de 0,05 millirem/an et sera en l'an 2000 de 0,37 mrem/an (irradiation naturelle : 100 et 300 mrem/an).

Proportion de transuraniens dans les déchets de haute activité : 1/400 soit un total cumulé, d'ici à l'an 2000, de 10 m³.

Transuraniens, retrouvés dans les déchets (en t en 1980 et en l'an 2000). Plutonium 0,2 (8-11) [soit en milliards de curies : 3,10 (0,12-0,17)] ; américium 0,3 (0,015-0,02) [soit : 4 (0,20-0,26)] ; curium 0,14 (0,005-0,007) [soit : 83 (0,3-0,4)].

• **En France. Volume de déchets enrobés** (en m³). **Quantité cumulée en 1982 et,** entre parenthèses, **en 2000.** *Faible et moyenne activité,* radioéléments à vie courte, très peu à vie longue : 170 000 (700 000 à 900 000), *alpha à vie longue* 10 000 (60 000 à 80 000), haute activité à vie courte, à fort dégagement de chaleur ; *à vie longue avec activité radioactive moyenne* (vitrifiés ou, en cas de non-retraitement, combustibles irradiés) 120 (3 000).

Démantèlement des équipements nucléaires

• **Nombre d'arrêts** (1990). 75 réacteurs, 22 piles de recherche, 22 sous-marins atomiques et plusieurs dizaines de laboratoires définitivement arrêtés.

• **Sort des réacteurs après leur arrêt définitif.** 1°) On retire le combustible irradié et on l'expédie à l'usine de traitement. 2°) Plusieurs possibilités : a) les ouvertures du réacteur sont obturées et les installations sont laissées en l'état sous surveillance ; b) les pièces les plus radioactives sont démontées puis stockées sur un autre emplacement et l'installation est condamnée ; c) le réacteur est totalement démonté et l'emplacement est réutilisé (coût de 50 à 75 millions de F pour une tranche de 900 MW). De nouvelles centrales sont construites à côté des anciennes, la surveillance de celles-ci étant ainsi assurée (solution adoptée à Chinon 1re tranche EDF).

• **Réacteurs arrêtés en France.** 4 réacteurs de laboratoires ont été démantelés [dont **1965** *EL2* (Saclay, 2 000 kW, ralenti à l'eau lourde, avec réflecteur de graphite, et refroidi par du bioxyde de carbone sous pression) ; **1974** *Zoé,* expérimental (fort de Châtillon, ralenti et refroidi à l'eau lourde, 100 kW) ; **1975** *Pégase,* expérimental (Cadarache) destiné à effectuer des essais sur les combustibles des filières à gaz ; sa piscine sera utilisée pour stocker des combustibles irradiés ; **1976** *Peggy,* expérimental de faible puissance, maquette du réacteur *Pégase ;* démonté ; sa piscine, qui ne présente plus de trace de radioactivité, est utilisée pour des expériences de neutronique] et 6 sont sous cocon ; 6 réacteurs de puissance ont été arrêtés et murés [à Marcoule : **1968**-*15-10 G-1* (ralenti au graphite et refroidi par de l'air circulant en circuit ouvert) ; **1980**-*2-2 G-2* (43 MWe) ; **1984**-*20-6 G-3* (42 MWe) ; à Chinon : **1973**-*16-4 Chinon 1* (80 MWe) ; **1985**-*14-6 Ch. A2* (210 MWe) ; à Brennilis : *-31-7 EL4* (70 MWe)].

La démolition de « Rapsodie », réacteur de recherche à Cadarache, doit durer 4 ans. Selon Framatome, pour chaque réacteur, les masses à traiter atteindront 14 000 t, dont 8 000, trop polluées, devraient être placées en conteneur et stockées.

• **Remplacement des générateurs de vapeur** (GV) 1-4-1990 : Dampierre-en-Burly (Loiret). *Prévisions :* d'ici à 2010, 75 sur 25 réacteurs de 900 MW. Les 3 300 tubes (près de 80 km) d'un GV tendent à se fissurer (chaleur et corrosion). En cas de fuite, on peut obturer jusqu'à 15 % des tuyaux sans perturber le fonctionnement du GV ; au-delà, il faut remplacer l'ensemble. Des interventions sont aussi prévues sur les réacteurs de 1 300 MW.

☞ EDF envisage de convertir certaines de ses anciennes centrales nucléaires au gaz naturel en réutilisant la partie électrique, qui s'use moins vite que les chaudières nucléaires, pour greffer des turbines à gaz performantes dites à cycle combiné. Saint-Laurent-des-Eaux, où les 4 tranches nucléaires de 250 mGW devraient être définitivement arrêtées d'ici à 1995, présente un avantage supplémentaire du fait qu'il est situé à proximité du site de stockage de gaz de Chémery.

Coût du kWh en intégrant les provisions pour démantèlement et changement des générateurs de vapeur. Centrale thermique. Classique : *si facteur de charge 100 % :* 18,6 F, *70 % :* 20, *60 % :* 20,8, *20 % :* 31,5. **Nucléaire.** *900 Mwe : 100 % :* 15,2, *70 % :* 18,8, *60 % :* 20,8, *20 % :* 48,5.

Provisions pour déclassement des centrales en milliards. *1985 :* 1 446. *86 :* 1 703. *87 :* 1 956. *88 :* 2 120. *89 :* 2 406.

Où peut-on voir un lac radioactif ? En URSS dans l'Oural. Ce lac artificiel s'est formé lorsque les Soviétiques firent exploser au moins 13 bombes atomiques de 1960 à 1975 pour tenter de creuser un canal qui aurait relié la mer de Kara à la mer Caspienne. Long de 600 m, large de 400 m et profond d'une dizaine de m, il a une radioactivité de 1,5 rem à l'heure sur les bords, et de 5 rems à l'heure au centre (dose plus d'un millier de fois supérieur à la norme).

Gaz

Généralités

• **Quelques dates. Fin XVIIIe** le *gaz de ville* (appelé longtemps *gaz d'éclairage)* est découvert simultanément par le Français Philippe Lebon (1769-1804) et l'Anglais William Murdoch (1754-1839). Fabriqué en chauffant de la houille ou de la sciure de bois à l'abri de l'air, pendant plusieurs heures à 1 100 °C ; la houille ainsi distillée donnait naissance à 2 produits principaux : gaz et coke. **Jusqu'en 1850** le gaz de houille est surtout utilisé pour l'éclairage des rues, des lieux publics et des logements, puis d'autres emplois apparurent (cuisine, production d'eau chaude). L'industrie du gaz progressa alors rapidement d'année en année. **A partir de 1880** l'électricité le concurrence pour l'éclairage ; l'usage du gaz se développe alors autrement. **1929** la crise stoppe cet essor. **A partir de 1930** les USA commencent à tirer profit des gisements de gaz indépendants des nappes pétrolières. Jusque-là, le gaz était réinjecté dans les puits de pétrole, pour maintenir la pression (ou brûlé à la torche). **1939-45** la guerre aggrave la situation : vieillissement des structures, prix de revient élevé du gaz face à celui du charbon et du pétrole. **Après 1945** progrès (techniques de prod. et transport), découverte de très importants gisements de gaz naturel, permettant un nouveau développement.

• **Définitions. Gaz manufacturé.** La houille donnait un mélange de gaz comprenant : hydrogène (H), méthane (CH4), oxyde de carbone (CO), carbures d'hydrogène non saturés et aromatiques (Cn Hm), en proportion variable suivant la qualité des houilles, les systèmes de fours employés et la façon dont était conduite la distillation. On ajouta du *gaz pauvre* venant des gazogènes servant au chauffage des fours, et constitué principalement d'oxyde de carbone CO et d'azote inerte, ou du *gaz à l'eau* obtenu en injectant de la vapeur d'eau sur le coke incandescent en fin de distillation, ce qui donnait un mélange d'hydrogène et d'oxyde de carbone.

GNL (Gaz naturel liquéfié). Inventé en 1883 par Faraday, forme sous laquelle est transporté le gaz naturel sur de longues distances ; il faut ensuite le regazéifier pour lui rendre son état naturel. **GNS (gaz naturel synthétique).** Fabriqué par traitement du charbon ; pourrait à longue échéance remplacer le gaz naturel. **GPL (gaz de pétrole liquéfié).** Fraction de gaz naturel séparée de celui-ci ; propane, butane.

• **Pouvoir calorifique.** Quantité de chaleur développée par la combustion de 1 m³ de gaz. Comparaison (en kWh, par m³) : carbures non saturés et aromatiques 17,5 à 40,5, méthane 11, hydrogène 3,15, oxyde de carbone 3,5 [*butane* GPL 34,9 ; *propane* GPL 26,7 ; *air propané* (mélange d'air et propane) 15,7 (ou 7,5) ; *gaz nat.* d'Hassi R'Mel (Alg.) 12,3, Ekofisk (Norvège) 11,6, Aquitaine 11,2, Orenbourg (URSS) 10, Groningue (P.-B.) 9,8 ; *manufacturé* 5,2].

• **Accidents.** *Causes :* fuite de gaz non brûlé dans un local fermé, mélange de gaz avec l'air dans une proportion de 5 à 15 % env. pour le gaz naturel, et présence d'une flamme ou d'une étincelle. *Circonstances :* mauvais fonctionnement d'un appareil ménager qui peut être la cause d'une combustion incomplète qui entraînera un dégagement d'oxyde de carbone. *Fuites :* tuyaux défectueux, joints. *Conduites extérieures :* affaissement de terrain, provoqué le plus souvent par la circulation, le stationnement de poids lourds sur les trottoirs, les travaux de terrassement, la pose d'égouts, la rupture des conduites d'eau ; détérioration involontaire à l'occasion de travaux de voirie ou de terrassement ; défauts ou imperfections de joints (rares) [le gaz naturel ne ronge pas les tuyaux, il est épuré, éventuellement débarrassé de son soufre (dès sa sortie du gisement) et conditionné (on lui injecte de la vapeur d'eau et un liquide solvant, pour que les joints assument leur service avec le maximum d'efficacité)].

Statistiques. Accidents. *Involontaires :* 332 dont produits de la combustion 182, gaz non brûlé 150 [dont avant compteur (gaz non brûlé 27), après c. 305 (prod. de la comb. 182, gaz non brûlé 123)]. *Volontaires :* 57 dont gaz non brûlé 56, prod. de la comb. 1. **Victimes.** *Involontaires :* 59 dont prod. de comb. 34, gaz non brûlé 25 [dont avant comp. 3 (gaz non brûlé), après comp. 56 (dont prod. de la comb. 34, gaz non brûlé 22)]. *Volontaires :* 7 (gaz non brûlé).

Accidents récents. *1971-21-12.* Argenteuil (Val-d'O.) dans une tour de 15 étages 21 † (incendie dans le local du vide-ordures, probablement explosion d'une conduite). *1978-17-2* rue Raynouard (Paris 16e) 3 immeubles soufflés 13 † (rupture d'une canalisation à la suite d'un glissement de terrain, a coûté 58 millions de F aux assurances). *1989-15-12* Toulon (Var) 14 †. *1990-4-10* Massy (Essonne) 37 appartements détruits, 17 † (tuyau de raccordement détaché d'un robinet resté ouvert).

Gaz naturel

Généralités

• **Origine.** Connu dans l'Antiquité [Perse, Chine (les Chinois en cherchant des gisements de sel trouvaient parfois des poches de gaz qu'ils canalisaient dans des tiges de bambou)]. Formé il y a des millions d'années à partir des dépôts organiques au fond des océans ou des lacs. On le trouve en gisement *sec* (accompagné parfois de gouttelettes dispersées de pétrole parce que le pétrole a « fui » ailleurs, ou parce qu'il ne s'est pas formé en quantité suffisante), ou *humide* (associé au pétrole ; le plus souvent, le gaz, moins lourd, occupe la partie supérieure de la cavité appelée « roche magasin », le pétrole, la partie moyenne, et de l'eau salée, la partie basse. Il arrive aussi que le gaz naturel soit seul). Il est épuré et traité avant d'être utilisé. Souvent, il faut séparer des gouttelettes d'hydrocarbure liquide se trouvant en suspension dans le gaz, par lavage des huiles d'absorption sous pression *(dégazolinage).*

• **Avantages.** Faiblesse des dépenses d'entretien et de dispositifs antipollution, haut pouvoir calorifique ; souplesse générale d'emploi, sécurité d'approvisionnement (les ressources étant surtout situées dans des régions politiquement stables). Énergie propre (sa flamme en brûlant ne dégage ni cendres, ni oxyde de carbone, ni produits sulfureux, mais seulement du gaz carbonique et de la vapeur d'eau ; ne contenant pas d'oxyde de carbone, il n'est pas toxique, ce qui rend impossible tout suicide). Normalement inodore, mais odorisé avec généralement du tétrahydrothyophène (THT).

• **Contrats de fourniture de gaz.** Presque toujours à long terme, 2 formules possibles : 1° *Contrats « supply ».* Le producteur s'engage à livrer et l'acheteur à enlever un volume donné par an, pendant un nombre donné d'années (ex. : contrats hollandais de Groningue). 2° *Contrats « depletion ».* Lorsque la recherche, la mise en production des puits, les gazoducs sous-marins, etc. (mer du Nord par ex.), demandent des investissements considérables. Ce type de contrat couvre toutes les réserves économiquement récupérables du gisement.

• **Stockage. En nappe aquifère.** On réalise artificiellement un gisement de gaz dans une roche poreuse et perméable (calcaire ou grès) (entre – 300 et – 1 200 m), surmontée d'une couche de terrain imperméable (argile), généralement en forme de dôme. Pour le bon fonctionnement technique du réservoir, on laisse en place un « coussin de gaz », qui réduit à la moitié du volume total la capacité utile du réservoir. **En couches de sel.** On dissout à l'eau douce le sel d'un gisement pour réaliser des cavités piriformes dans lesquelles le gaz est stocké sous pression élevée et soutiré par simple détente. **Réservoir le plus grand du monde :** Chémery (France) : 6 milliards de m³.

• **Moyens de transport** (après épuration sur les lieux mêmes du gisement). **Gazoducs :** conduites souterraines ou immergées (entre Tunisie et Sicile par ex.). *Coût :* 3 fois supérieur au coût du transport d'une même quantité d'énergie de pétrole par oléoduc. Un gazoduc est constitué par des tubes d'acier soudés (épaisseur quelques mm, diamètre 20 cm à 1,40 m). Pour donner au gaz une vitesse de transport suffisante, on utilise la pression existant à la sortie du gisement puis, pour assurer dans les conduites le maintien de la pression désirée (en moyenne 70 bars), des stations de compression sont installées en principe tous les 80 km. Des pistons racleurs permettent de nettoyer l'intérieur des canalisations. Des inspections périodiques sont effectuées sur le terrain ou en hélicoptère (la végétation plantée au-dessus du gazoduc enterré change d'aspect si des fuites se produisent). **Navires :** *coût* encore plus élevé : il faut au départ liquéfier le gaz au port d'embarquement à 160 °C pour réduire de 600 fois son volume, le transporter sur le méthanier, puis le regazéifier après déchargement. *Chaînes de transport entrées en service : 1964* Algérie-G.-B. *65* Alg.-France (Le Havre). *69* USA (Alaska)-Japon. *72* Libye-Italie ; Libye-Espagne. *73* Alg.-France (Fos-sur-Mer), Alg.-USA ; Brunei-Japon ; Alg.-Esp. *77* Abū Dhabī-Japon. *78* Indonésie-Japon. *82* Alg.-France (Montoir-de-Bretagne).

Statistiques mondiales

• **Contenance initiale de quelques grands gisements** (en milliards de m³). *Groningue* (P.-Bas), *Hassi R'Mel* (Algérie), *Orenbourg* (URSS) 2 000, *Troll-Bergen* (mer du Nord) 1 300, situé sous 336 m d'eau, *Frigg* (mer du N.) 300, *Lacq* (France) 200, *Ekofisk* (mer du N.) 200, *Panhandle-Hugoton* (Texas) 190.

• **Principaux producteurs** (en milliards de m³, 1990). *Total mondial* 2 050,5 dont : *pays à économie planifiée* (Europe Orientale et Chine) 877,1 (dont : URSS 815,3, Roumanie 28, Chine 14,4, Hongrie 4,9, Pologne 3,8). *Amérique du Nord* 602,3 dont : USA 495,5, Canada 106,8. *Europe occidentale* 190,2 dont : P.-Bas 71,8, G.-B. 46,3, Norvège 25,4, Italie 17,1, All. 16, *France 3,* Autriche 1,4. *Extrême-Orient/Océanie* (Chine exclue) 132,5 dont : Indonésie 43,2, Australie 18,6, Pakistan 14,3, Japon 2,1. *Proche-Orient* 104,7 dont : Arabie Saoudite 30,5, Iran 23,7. *Amérique latine 74,1* dont : Mexique 26,7, Argentine 17,8, Venezuela 11,4, Trinité-et-Tobago 5, Bolivie 3. Afrique 69,6 dont : Algérie 50,6. *Source :* Cedigaz.

• **Consommation** (en milliards de m³, 1990). *Total mondial* 2 050,5 dont : *pays à économie planifiée* (Europe Orientale et Chine) 817,2 (dont : URSS 707,1, Roumanie 35,3, All. de l'Est 16,2, Chine 14,4, Tchécoslovaquie 13,3, Pologne 12,2, Hongrie 11,2). *Amérique du Nord* 603,4 dont : USA 535,8, Canada 67,6. *Europe occidentale* 277,8 (dont import. 195) : All. 65,4 (dont import. 50,5), G.-B. 53,6 (7,3), Italie 48 (30,9), P.-Bas 39,2 (2,3), *France 32,5 (29,5),* Belgique/Luxembourg 10,2 (9,6), Autriche 6,7 (5,3). *Extrême-Orient* (Chine exclue) : 137 dont : Japon 49,9, Australie 18,6, Indonésie 15,7, Pakistan 14,3. *Proche-Orient* 102,6 dont : Arabie Saoudite 30,5, Iran 21,5, Koweït 7,2. *Amérique latine* 74,2 dont : Mexique 26,8, Argentine 20, Venezuela 11,4, Brésil 3,5. *Afrique* 38,3 dont : Algérie 19,3. *Source :* Cedigaz.

• **Réserves mondiales** (au 1-1-1991, en milliards de m³). *Total mondial* 119 298 dont : *Afrique* 7 860 (dont : Algérie 3 246, Angola-Cabinda 51, Cameroun 110, Congo 73, Côte-d'Ivoire 99, Égypte 351, Éthiopie 25, Gabon 14, Libye 1 217, Nigeria 2 473, Tunisie 85, Tanzanie 116). *Amérique du Nord* 7 466 (dont : USA 4 704, Canada 2 762). *Amérique latine* 6 852 (dont : Argentine 764, Bolivie 117, Brésil 114, Chili 116, Colombie 127, Equateur 112, Mexique 2 059, Pérou 200, Trinité 252, Venezuela 2 991). *Europe Occidentale* 5 174 (dont : All. féd. 176, Autriche 11, Danemark 127, Espagne 22, *France 37,* Grèce 1, Irlande 48, Italie 329, Norvège 1 717, P.-Bas 2 113, G.-B. 560, Turquie 33). *Extrême-Orient* 7 396 (dont : Australie 437, Bangladesh 359, Birmanie 266, Brunei 317, Inde 709, Indonésie 2 588, Japon 32, Malaisie 1 610, N.-Zélande 116, Pakistan 550, Taiwan 20, Thaïlande 166, Papouasie-Nouvelle-Guinée 226). *Pays à économie planifiée* 47 082 (dont : Albanie 6, All. dém. 351, Chine 999, Hongrie 118, Pologne 104, Roumanie 133, Tchécoslovaquie 9, URSS 45 280, Yougoslavie 82). *Proche-Orient* 37 468 [dont : Abū Dhabī 5 173, Arabie Séoudite 5 246, Bahreïn 177, Dubayy 136, Iran 16 990, Irak 2 689, Koweït 1 517, Oman 204, Qatar 4 619, Ra's al-Khayma 57, Chārdjā 306, Syrie 156, Yémen (Nord) 198]. *Sources :* Oil and Gas Journal, Cedigaz et divers.

Nota. – **États-Unis.** *Production* en l'an 2000 : 225 milliards de m³, de quoi satisfaire la demande nationale en énergie. Le droit d'exploitation appartient au propriétaire du terrain. Le propriétaire peut également être associé aux résultats du forage. *Transport :* la loi interdit que le gaz soit consommé dans l'État où il a été extrait.

• **Commerce** (en milliards de m³ en 1989). **Exportateurs** (entre parenthèses, 1er pays client, en 1986) : URSS 78,71 (All. féd.), Pays-Bas 34,94 (All. féd.), Norvège 26,05 (Roy.-Uni), Canada 21,09 (U.S.A.), Algérie 20,68 (Italie), Indonésie 20,34 (Japon), Brunei 7,10 (Japon), Malaisie 6,79 (Japon), Abū Dhabī 3 (Japon), Afghanistan 2,40 (URSS), Bolivie 2,20 (Argentine). *Monde 229,49.* **Importateurs.** All. féd. 48,6 (URSS 21,1, P.-B. 18,8, Norv. 8,2), Italie 28,5 (URSS 11,4), *France 27,2* (Alg. 9, URSS 8,4, Norv. 5,6, P.-B. 4,3), G.-B. 10,6 (Norv 10,5), Belg. 9,8 (P.-B. 4,1, Alg. 3,7, Norv. 2), Autriche 4,26 (Alg. 11,2, P.-B. 5,6, URSS 4,11, Ly 0,5), Suisse 1,7 (All. 1, P.-B. 0,4, URSS 0,2).

Nota. – L'URSS aurait découvert en 1988 un gisement en mer de Barents de 3 000 milliards de m³.

• **Transport de gaz** (en milliards de m³, en 1986). 229,49 dont *par gazoduc* 178,10 (dont URSS 78,71, Pays-Bas 34,94, Norvège 26,05, Canada 21,09, Algérie 8,68, Afghanistan 2,40, Bolivie 2,20, Chārdjā 1,50, P.-Bas 1,11, Danemark 0,61, Irak 0,50, USA 0,31). *Par méthaniers* 51,39 (dont Indonésie 20,34, Algérie 12, Brunei 7,10, Malaysia 6,79, Abū Dhabī 3, USA 1,30, Libye 0,86).

Nota. – Réseau de transport USA 400 000 km, URSS 150 000, Canada 50 000, *France 28 450.* Navires (au 1-1-1989) : transporteurs de GPL 152, méthaniers (jusqu'à 125 000 m³) 65.

☞ **Gazoduc Maghreb-Europe.** *Projet : 1995* Hassi R'mel-Séville, via Tanger et détroit de Gibraltar : long. 1 265 km, coût : 1,3 milliard de $ (env. 7,5 milliards de F), capacité : 10 millions de m³ puis 20.

Le gaz en France

Généralités

• **Histoire** (gaz naturel). *XVIIe s.* Connu en France (en Isère : le docteur Tardin s'intéressa à la « fontaine qui brûle près de Grenoble »). *1925* petit gisement exploité quelques années dans le Jura (à Vaux-en-Bugey). *1939* exploitation du 1er véritable gisement d'intérêt régional (St-Marcet, Hte-Garonne). *1946* le gaz naturel et, pour les villes éloignées des réseaux de transport, des gaz d'origine pétrolière, remplaçent le gaz de houille. *1951* découverte du gisement de Lacq (P.-Atl.). *1957* exploitation de Lacq.

• **Gaz de France.** *Créé* par la loi du 8-4-1946 qui nationalisa les industries du gaz et de l'électricité, soit 615 exploitations gazières, représentant 550 usines à gaz de houille (94 % de l'actif gazier français). *Aujourd'hui,* Gaz de France a perdu sa fonction de producteur de gaz ; ses missions essentielles consistent à conclure les contrats d'approvisionnement de la France en gaz naturel, à transporter, commercialiser et distribuer ce gaz à l'intérieur du pays.

Conseil d'administration. 18 membres : 6 représentants de l'État, 6 repr. du personnel, 6 personnalités choisies en raison de leur compétence. *Pt* Francis Gutman (n. 4-10-1930).

Principales filiales. *Cie française du méthane (CeFeM), Sté nationale des gaz du Sud-Ouest (SNGSO),* formées avec la SNER (P), commercialisant le gaz du réseau Aquitaine auprès de gros industriels. *Sofregaz,* génie technique. *Technigaz* et *Gazocéan Gaz Transport,* études. *Gaz Marine,* propriétaire du méthanier « Jules-Verne ». *Messigaz,* exploite le méthanier « Tellier ». *Segamo,* études pour la traversée de la Méditerranée occ. par un gazoduc sous-marin. *Compagnie gazière de service et d'entretien (CGST-SAVE). Sté auxiliaire pour le financement d'installations de gaz (Sofigaz). Sté de service gazier. Pétrofigaz,* crédit. *Sté pour le développement de l'industrie du gaz en France (SDIG). BOG (Baumgarten Oberkappel Gasleitung GmbH)* (Autriche). *SEGEO (Sté européenne du gazoduc Est-Ouest)* (Belgique). *MEGAL GmbH* (All. féd.) qui a construit et exploite le gazoduc de gaz soviétique. *MEGAL, FINCO* (All. féd.), qui financent *MEGAL GmbH.*

Statistiques

• **Effectifs** (au 31-12). *1985 :* 29 025. *88 :* 28 289. *89 :* 27 649. *90 :* 26 920.

• **Statistiques financières** (en milliards de F 90). **Chiffre d'aff.** (H.T.) : 41,8. **Investissements :** *1985 :* 4,22. *86 :* 3,95. *87 :* 4,08. *88 :* 4,22. *89 :* 4,36. *90 :* 4,54 (dont, en % distribution 59,7 ; transp.-stockage 20,7, autres 19,6). **Valeur à neuf** actualisée des installations en service 89 : 104,22. **Production (exercice**

Caractéristiques de certains gisements	France [1]	Algérie [2]	P.-Bas [3]	Italie [4]
Prof. min. (en m) ..	3 000	2 200	3 000	850
max.	5 200			2 000
Temp. au fond (°C)	140	90	70	–
Pression fond (bars)	670	310	296	177
(en %) méthane	69,2	83,5	81,3	95,9
méthane	3,3	7,9	2,9	1,4
propane	1	2,1	0,4	0,4
butane	0,6	1	0,2	0,2
hydrogène sulfuré ..	15,2	–	–	15,2
azote	0,6	5,3	14,3	1,8
gaz carbonique	9,6	0,2	0,9	0,2
dérivés du carbone .	0,5	–	–	–

Nota. – Les forages profonds (5 000 à 9 000 m) présentent des obstacles techniques (pression, chaleur, sulfuration) et coûtent cher : 3,5 à 8 millions de $ (– de 2 000 m : 0,4 $). (1) Lacq. (2) Hassi R'Mel. (3) Groningue. (4) Cortemaggiore.

89) : 43,21. **Valeur ajoutée :** 1990 : 17,17. **Résultat d'exploitation :** *1985* : 3,79. *86* : 5,14. *87* : 4,56. *88* : 3,27. *89* : 2,98. *90* : 2,8 ; **net** *85* : 0,48. *86* : 0,73 (après prélèvement de l'État de 0,73) : *1987* : 0,06. *88* : 0,08. *89* : – 0,05. *90* : 0,1. **Dettes d'emprunt :** *1984* : 31,58. *85* : 26,34. *86* : 20,95. *87* : 18,43. *88* : 18,95. *89* : 18,21. *90* : 19. **Capacité d'autofinancement :** *1989* : 4,59. *90* : 4,60.

• Ressources (milliards de kWh, en 1990, prov.). *Gaz naturel* 349,9 (dont GDF 334,4) dont importations 319 dont URSS 109,5, Algérie 104,4, Mer du Nord 62,8, P.-Bas 42,3 ; prod. nationale : 30,9. *Butane, propane en canalisation* 0,55, *autres gaz* 0,35. *Total* 350,8 (dont GDF 335,5).

• Consommation annuelle par abonné domestique (gaz unitaire, en kWh). *1969* : 4 080. *71* : 4 998. *81* : 8 975. *82* : 8 818. *83* : 9 218. *84* : 9 896. *85* : 10 164. *86* : 10 738. *87* : 10 726. *88* : 9 740.

• Distribution. **Cessions de gaz** (en milliards de kWh). *1947* : 12. *69* : 100,1. *71* : 116,3. *75* : 200,1. *83* : 285,5. *84* : 300,8. *85* : 314,9. *86* : 312,9. *87* : 324,5. *88* : 310,3. *89* : 320,6. *90* : 326,2 dont (en %) résidentiel 42,6, ind. 41,7, tertiaire 15,7.

Par usage (cession de GDF) (1990, prov.) : 311,2 dont domestiques 117,3, tertiaire 44,3, industriels 120,1, Stés étrangères 4,3, régies et entreprises non nationalisées 5, SNEA et SNEA (P) 20,2.

Abonnements (en milliers). *1971* : 7 300 (dont gaz naturel pur 4 610). *86* : 8 602,2 (8 499). *89* : 8 846,2. *90* : 8 936,5 : domestiques 8 540, secteur tertiaire 375, industriels 21,5.

Appareils (en milliers, 1989). Cuisine 7 952, chaudières 4 050 (dont double service 3 423, simple 627), radiateurs indép. 1 352, chauffe-eau 2 450, chauffe-bains et accumulateurs 1 973.

• Prix moyens de vente du gaz (en centimes par kWh HT). **Usages domestiques individuels :** *1958* : 7,39. *78* : 9,53. *79* : 9,96. *80* : 12,79. *81* : 16,08. *82* : 19,52. *83* : 21,21. *84* : 22,6. *85* : 24,3. *86* : 22,3. *87* : 19,02. *88* : 18,65. *89* : 18,79. *90* : 19,28.

Industriels : *58* : 3,05. *78* : 3,82. *79* : 4,2. *80* : 6,40. *81* : 8,44. *82* : 10,59. *83* : 11,57. *84* : 12,5. *85* : 13,4. *86* : 8,4. *87* : 7,09. *88* : 6,2. *89* : 6,51. *90* : 6,86.

• Production (1990, en milliards de m³). 4,3 [dont Aquitaine : S.N.E.A. 4,2, ESSOREP 0,009 (Ledeuix, 1981, 2 230 m) 0,004 ; Bassin parisien : EURAFREP 0,1 dont Trois-Fontaines (déc. 1982, 1 468 m) 0,1 ; autres régions : n.c. (dont commercialisée 3)].

Gisements SNEA (P) (année de découverte, profondeur moyenne en m en italique, et production cumulée en 1989 en milliards de m³ entre parenthèses). **St-Marcet** 1939, *845* (6,9). **Lacq profond** 1951, *3 100* (211,1). Initialement contenait 269 milliards de m³ de gaz, pression interne de 640 bars, gaz contenu dans les pores microscopiques d'une « roche-réservoir » de calcaire et de dolomie. Situé au sommet d'un dôme de 15 km (largeur 10 km), épais de 500 m, le « toit » étant à 3 250 m sous la surface du sol. Production annuelle (md de m³) : *v. 1970* 7,5, *84* 6,2, *85* 6,1, *87 à 95* env. 3,5, *v. 2000* 0,9. *Prix de revient (1986)* : 0,55 F en kilothermie PCI. **Meillon (Saint-Faust** 1965, *4 050* (46,8). **Mazères profond** 1965, *4 200*. **Pont-d'As-Baysère** 1967, *4 500*) (43,4 1988). **Rousse** 1967, *4 230* (3,9). **Ucha** 1970, *4 460* (1,7). **Pécorade** 1974, *2 370* (0,3). **Ger** 1975, *1 644* (0,1 1988). **Vic-Bilh** 1979, *1 900* (0,4). **Ledeuix** 1981, *2 230* (0,1). **Trois-Fontaines** 1982, 1 468 (0,5).

Produits extraits du gaz naturel (en milliers de t, 1989). Soufre 647 ; butane 81,1 ; propane 63,4 ; condensats et essences 208,4.

Le gaz de mine (dit grisou, en fait, du méthane) est récupéré et injecté dans le réseau de gaz naturel après enrichissement ou directement après avoir été seulement comprimé, déshydraté et odorisé [à Avion (P.d.C.), réinjecté à Arleux-en-Gohelle, dans le réseau à haute pression]. Le grisou du gisement de Lens-Liévin (fermé dep. 1988) représente + de 7 milliards de kWh.

• Importations. **Coût total.** *1989* : 13,9 milliards de F. **Coût « cif » du gaz naturel importé en France.** Moyen 2,28 $ (sur 11 mois de 1988) par million de BTU, d'Algérie 2,50, Norvège 2,28, URSS 2,16, P.-Bas 2,04.

Par origine (en milliards de m³, 1990). URSS *10,94 (6,77)*, Alg. *8,49 (85 : 7,86)*, Norvège *5,4 (2,67)*, P.-Bas *4,31 (8,3)*.

• Fournisseurs. **Algérie.** Le gaz découvert en 1956 vient d'*Hassi R'Mel* (Sahara) par : *1) Le Havre* : à partir de 1965, le méthanier français *Jules-Verne* (25 000 m³) assura la liaison avec Arzew jusqu'à la cessation (le 1-6-1988) de l'exploitation du terminal du Havre et du Jules-Verne (vendu à une compagnie néerlandaise). Contrat de 1962, prod. 0,5 milliard de m³/an. *2) Fos-sur-Mer* : dep. 1973, le Hassi R'Mel et le Tellier (40 000 m³) l'assurent avec Skikda. Contrat de 1971 (fin 1998 : 3,5 md de m³/an). *3) Montoir-de-Bretagne (Loire-Atl.)* : pouvant accueillir des navires de 25 000 à 130 000 m³, comme l'Edouard L.D. et le Ramdane Abane en liaison avec le Béthioua. Contrat de 1976 (fin 2002 : 5 md de m³/an). **Prix.** Indexé sur l'évolution des cours (moyenne trimestrielle) des bruts algérien (Sahara blend), nigérian (Bras River), koweïtien, libyen (Zuetina), saoudien (Arabian Light), irakien (Kirkouk), iranien (Light) et des Émirats (Murban). *Prix* du GNL livré à Gaz de France par la Sonatrach au 1-1-84 : 3,98 $ pour 1 million de BTU = 293 kWh = 25 m³ = 0,18 baril de pétrole brut. *25-3-86* : 3,10 $ (accord provisoire). *1-1-87* : 2,90 $. *12-1-89* : 2,30 $.

Iran. Études en cours pour 2005.

Mer du Nord. Zone britannique : contient les plus grandes réserves, serait réservée au marché intérieur anglais (capacité de consommation 59,9 milliards de m³ en 1987). **Zone norvégienne :** *Ekofisk* exploité dep. 17-9-1977, participation des stés pétrolières françaises de 13,3 %. Le gaz est amené à Emden (All. féd.) par gazoduc sous-marin de 443 km ; France, Belgique et P.-Bas se répartissent les quantités disponibles. Contrat 1973 pour 2 md de m³/an. *Eldfisk-Tor-Albuskjell* : contrat 1975/76 pour 1,2 md de m³/an (fin 1997). *Statfjord-Heimdal-Gullfaks* : contrat 1982-85 pour 3 md de m³/an (fin 2002). *Troll-Sleipner* : contrat 1986 [1re livraison 1993 et 1996 (fin 2020)] pour 6 md de m³/an (+ 2 options). *Frigg*, par des Stés françaises 62 %, destiné à la G.-B. Contrat signé en 1986 pour consortium européen et Norvège (fin 2027).

Pays-Bas. Vient de *Groningue* (découvert 1959), en France via la Belgique dep. 1967. Dessert Région parisienne, Nord et Est. *Contrats : Groningue I* : 1966, (fin 1995) pour 1,85 md de m³/an ; *II* : 1985 [1re livraison : 1996, (fin 2006)] pour 5 md de m³/an ; *III* : révision en baisse 4 md de m³/an.

URSS. Détient + de 40 % des réserves mondiales [en Sibérie occidentale (Tioumen), en Asie centrale (Tachkent) et dans l'Oural (Orenbourg)]. A fourni de 1976 à 1979 du gaz par échange (contre du gaz néerlandais initialement destiné à l'Italie). Dep. le 1-1-1980, le gaz vient directement en France par les réseaux WAG et MEGAL (Mittel Europäische Gasleiungs Gesellschaft) à travers Autriche et All. féd. *Contrats I et II* : signé 1975 (fin 2000) pour 4 md de m³/an . *III* (provenance principale : Urengoi), 1982 (fin 2009), pour 8 md de m³/an. *Coût total* en

Gaz industriels

• **Origine.** Oxygène, azote et gaz rares (néon, argon, xénon, krypton, hélium) sont obtenus de façon industrielle par distillation fractionnée de l'air liquide à basse température. Les autres gaz produits n'existent pas à l'état naturel.

• **Chiffre d'affaires annuel.** Env. 1 milliard de F en France (3,6 aux USA).

• **Consommation.** En expansion. **Oxygène :** sidérurgie (acier à l'oxygène), métallurgie (coupage et soudage), chimie (fabrication de l'ammoniac, du méthanol, de l'oxyde d'éthylène), lutte contre la pollution (épuration des eaux, des effluents gazeux des centrales thermiques à fuel ; remplacement du chlore par l'oxygène pour le blanchiment de la pâte à papier).

Azote : industrie du froid (alimentation), du verre (procédé float-glass), chimie de synthèse et électronique.

Hydrogène : pétrochimie et cryogénie.

Gaz rares : éclairage (tubes fluorescents), soudage à l'arc sous flux gazeux, médecine (encéphalographie), étude des très basses températures (hélium liquide).

• **Groupes internationaux.** *Américains* : Union Carbide, Airco, Air Products et Chemetron Corporation. *Européens* : Air liquide (numéro 1 mondial), British Oxygen, Aga (Suède), Linde et Messer (All. féd.). De petites affaires subsistent, juridiquement contrôlées ou liées par des contrats d'approvisionnement aux principaux groupes : ainsi en France, l'Oxhydrique française avec Duffour, et Igon avec l'Air liquide.

• **Transport.** Par gazoducs (oxyducs). L'Air liquide dispose ainsi d'un réseau de plus de 1 000 km, lui permettant de desservir plusieurs pays européens.

25 ans : 212 millions de F (+ hausses éventuelles, les prix étant indexés sur celui du pétrole). *8 gazoducs:* Brastvo [(2 500 km), vers la Tchécoslovaquie à partir de laquelle il se divise en 2 branches : 1° vers Italie et Autriche avec prolongement vers la France ; 2° vers All. féd.] ; Soyouz [(2 750 km) desservant Europe de l'Est et All., Italie et France] ; « Projet Russie n° 6 » [(5 500 km), coût 10 milliards de $ (70 milliards de F)] construit pour fournir à l'Europe occidentale 40 md de m³ d'Urengoï.

• **Approvisionnement français** (1990, en milliards de kWh). *Gaz nat. importé* 318,8 (*1986* : 281,6, *1987* : 297) dont Algérie 104,5, URSS 109,4, mer du Nord 64,4, Pays-Bas 40. *Prod. nat.* : *31 Total gaz disponible* (1989) : 327,7 (dont gaz naturel 326,9, butane-propane 0,6, autres gaz 0,2).

• **Transport. Canalisations de transport.** 29 701 km [Gaz de France 28 400 au 31-12-90, Gaz du S.-O. 3 500, Houillères 110, SNEA (P.) 91].

Réseau de distribution. 113 000 km (G. de F. 113 000 au 31-12-90). Reliés à l'artère de transport par des postes de détente qui abaissent la pression du gaz, en moyenne (entre 50 mbars et 5 bars) puis en basse pression (env. 20 mbars pour le gaz naturel). Dans les réseaux nouveaux, on n'utilise pratiquement plus la basse pression, et le gaz livré en moyenne pression est détendu chez le client au moyen d'un détendeur individuel, ou au niveau de l'immeuble par un détendeur collectif. *Diamètre des conduites* : 8 cm et 1 m, enterrées à env. 0,80 m. Env. 30 000 km sont en fonte grise, 8 000 km en matériaux divers [tôle bitumée (à Paris, 5 000 km), cuivre et polyéthylène] et 75 000 km en acier ou fonte souple, maintenant seuls utilisés pour remplacer les vieilles canalisations et allonger le réseau au rythme d'env. 3 000 km par an.

☞ **Prix du transport** (par millions de BTU). Vers l'Europe du Nord : d'Algérie 1,5 à 2 ; du Proche-Orient 2,5 à 3,5. Compte pour 30 % dans le prix du gaz (6 % pour le pétrole).

• **Stockage. Capacité** (en milliards de m³). *1987* : 7,9. *1990* : 11. **Coût** 1,30 F par m³.

Réservoirs souterrains. Profondeur en m de la partie supérieure du réservoir, capacité max. de stockage en millions de m³, débit max. de soutirage journalier en millions de m³. **En nappes aquifères.** *Beynes supérieur* (Yv., 1956) 405 m 475 (4,5). *Lussagnet* (Landes, 1957) 600 m 1 300 à 3 000 (11,2). *St-Illiers* (Yv., 1965) 470 m 1 260 (14). *Chémery* (L.-et-C., 1968) 1 120 m 6 000 (37). *Cerville-Velaine* (M.-et-M., 1970) 470 m 1 375 (12). *Beynes-Profond* (Yv., 1975) 740 m 800 (6,7). *Gournay-sur-Aronde* (Oise, 1976) 750 m 3 100 (15). *Izaute* (Gers, 1981) 500 m 4 500 (3,2). *St-Clair-sur-Epte* (Val-d'O., 1979) 750 m 600 (1,8). *Soings-en-Sologne* (L.-et-C., 1981) 1 150 m 700 (2,6), *Germigny-sous-Coulombs* (S.-et-M., 1982) 890 m 2 200. **En couches de sel.** *Tersanne* (Drôme, 1970) 1 400 m 480 (14,6). *Etrez* (Ain, 1979) 1 400 m, 1 160 (7,5).

• **Gaz de pétrole liquéfiés (GPL).** Butane (utilisé en France dep. 1932) et propane (dep. 1939). **Distribution** (1991) : par 8 Stés (disposant de 60 centres emplisseurs de bouteilles ou de dépôts vrac pour camions-citernes) et 180 000 détaillants. **Parc** (en service chez les particuliers), 47 000 000 de bouteilles et 500 000 réservoirs.

Ventes (1990, en t). 2 629 065 dont en bouteilles 1 021 931, en vrac 1 607 134, carburant automobile 50 233.

Utilisateurs. Env. 10 000 000 dont (en %) domestique 66, ind. et services publics 16, agricole 14, carburant automobile 4.

Stockages souterrains de gaz naturel

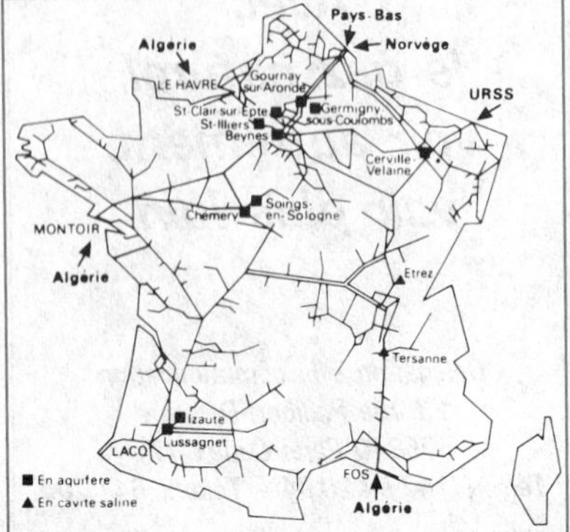

Pétrole

Origine

• **Nom.** Du latin médiéval « petroleum » : huile de pierre. **Antiquité :** l'arche de Noé et le berceau de Moïse auraient été calfatés avec du bitume pétrolier. **Avant J.-C.,** les Chinois forent des puits de 1 000 m de profondeur. **XVIIIe s.** en France, le gisement de Pechelbronn est connu. **1857** Bucarest (Roumanie) est éclairée au pétrole. **1859** 1er forage de l'ère industrielle à Titusville (Pennsylvanie, U.S.A.), par Drake, à 23 m de profondeur.

• **Principaux bruts.** Degré API et teneur en soufre (% poids). *Abū Dhabī* : Murban 39° (0,8 %), *Algérie* : Sahara 44° (0,1 %), *Arabie Saoudite* : léger 34° (1,8 %), moyen 31° (2,4 %), lourd 27° (2,8 %), *Indonésie* : Sumatra 34° (0,1 %), Bekapai 31° (0,1 %), *Koweït* : 31° (2,5 %), *Mer du Nord* : Brent 38° (0,4 %), Forties 37° (0,3 %), *Mexique* : Maya 22° (3,3 %), Isthmus 34° (1,5 %), *Nigeria* : Forcados 30° (0,2 %), Bonny 37° (0,1 %), *USA* : West Texas Intermediate 40° (0,4 %), Alaska 27° (0,1 %), *Venezuela* : Bachequero 17° (2,9 %).

Nota. – Le degré API (American Petroleum Institute) est calculé selon la formule : (141,5/densité à 60 °F) – 131,5. Plus il est élevé, plus le pétrole est léger et riche en essence et en coupes légères.

Prospection

Méthodes les plus courantes. Sismique : l'onde de choc de l'explosion d'une charge de dynamite se réfléchit différemment sur des roches et permet d'en calculer les profondeurs approximatives. **Gravimétrique :** observation des variations de l'attraction terrestre). **Magnétique :** variations du champ magnétique terrestre. **Électrique :** mesure de la résistance des roches aux passages du courant, obtenue maintenant par diagraphie pratiquée dans le trou de sondage ; inventée par *Schlumberger* en 1927 (« carottage électrique »). **Acoustique :** amélioration de la méth. sismique ; la mesure des variations de l'impédance acoustique permet de déterminer les couches de sables ou de calcaires riches en pétrole situées sous l'argile imperméable) ; *compteur Geiger.* **Chimique :** stade expérimental ; la présence dans des carottes de marqueurs biologiques identiques ou apparentés à des marqueurs déjà répertoriés signale la présence de pétrole. Il ne reste plus pour forer qu'à repérer la roche-magasin où celui-ci est accumulé.

Forage

Technique

Trou réalisé par rotation d'un outil ou trépan par l'intermédiaire de tiges creuses vissées bout à bout et dont la manœuvre nécessite un chevalement *(derrick)* ou maintenant, de plus en plus, des « mâts » (2 poutres à treillis en forme de V renversé) pouvant être déplacés par le treuil de forage en quelques mn (hauteur 18 à 60 m). 3 mois au moins sont nécessaires pour forer un puits ; en exploration, 6 à 8 puits sont « secs » pour un seul prometteur.

• **Méthodes.** 1°) *Classique (Rotary)* : trépans à molettes et couronnes diamantaires entraînés depuis la surface par le train de tiges. 2°) *Turboforage* : train de tiges fixe, une turbine située au fond du puits entraîne le trépan ; méthode évitant la perte d'énergie due au frottement (9/10 à 3 000 m) et le risque de torsion des tiges. 3°) *Drainage* : les forages à l'horizontale permettant d'envisager l'exploitation des gisements d'huiles lourdes et visqueuses coûtent 1 fois et demi plus cher mais ont un potentiel de production de 4 à 20 fois supérieur (expérimenté à Rospo Mare, dans l'Adriatique, par Elf Aquitaine dep. 1-1-1988 : 6 puits horizontaux, 3 verticaux ou déviés).

• **Profondeur. Maximale :** 17 400 m (en cours) à Saatly (Azerbaïdjan, URSS) ; 11 000 m, presqu'île de Kola (URSS) ; 9 583 m, Oklahoma (USA) ; 6 650 m (Ger 1, France). **Moyenne :** 3 350 m, Hassi Messaoud (Sahara) ; 2 350 m, Parentis (France).

• **Taux de récupération** (pétrole qui peut être ramené à la surface.) **Primaire :** prod. naturelle du puits par décompression, env. 10 % du contenu. **R. secondaire :** pompage ou injection d'un fluide non miscible comme de l'eau sous pression ou du gaz (balayage), 15 à 20 %. **R. tertiaire :** *procédés thermique* (injection de vapeur ou combustion souterraine), *par injection de solvants miscibles* (hydrocarbures légers ou gaz carbonique), *chimiques* (injections de polymères organiques), 30 à 60 %. Aux USA, on pourrait extraire, par récupération secondaire, 43 milliards de t supplémentaires ; assistée, 7 milliards de t. En l'an 2000, la récupération représenterait chaque année 1,5 milliard de t.

Statistiques

• **Coût moyen. Forage.** *A terre* 5 à 20 millions de F, *en mer* 40 à 60. Le mètre foré au-delà de 5 000 m de profondeur coûte 8 fois plus cher qu'entre 500 et 800 m. Son prix en Alaska est actuellement 100 fois plus élevé que dans les autres États américains.

Coût technique de production du pétrole brut (y compris amortissements) en $/baril et entre parenthèses en F/tonne, début 1989 (1 $ = 7,50 FF). *Moyen-Orient* : à terre : champ ancien 0,4 – 0,8 (15-30), récent 0,5 – 3 (25-150) ; en mer : 2 – 6 (85-255). *U.S.A.* : 3 – 13 (120-600). *Mer du Nord* : 3 – 25 (125-1 040).

• **Puits forés** (dans les pays à économie de marché). **Nombre de forages.** *1950* : 47 365. *55* : 63 658. *60* : 55 616. *65* : 48 738. *70* : 35 187. *75* : 47 748. *80* : 85 291. *84* : 107 209. *85* : 96 584. *86* : 60 067. *87* : 57 107. *88* : 52 842. *89* : 46 843. *90 (prov.)* : 58 937 (dont productifs : huile 20 424) (dont USA 39 490, Chine 9 345, Canada 5 600, Argentine 1 028, Indonésie 844, Inde 583, Vénézuela 390, Brésil 360, G.-B. 360).

Profondeur. Moyenne (en m). *1985* : 1 430. *86* : 1 469. *87* : 1 484. *88* : 1 682. *89* : 1 666. **Totale forée** (en milliers de m). *1985* : 138 118. *86* : 89 631. *87* : 84 770. *88* : 88 874. *89* : 78 048 dont Amér. du N. 47 498 (dont U.S.A. 40 315), Extrême-Orient, Océanie 20 411 (dont Chine 16 756), Amér. lat. 4 593 (dont Argentine 1 491), Europe occ. 2 402 (dont G.-B. 954, Norvège 333), Proche-Orient 1 707 (dont Oman 343, Irak 343), Afrique 1 437 (dont Égypte 367).

• **Rendement moyen annuel d'un puits** (en milliers de t, 1985). Iran 1 514,5, Norvège 880,3, G.-B. 754,6, Malaysia 696,9, Arabie S. 495,2, Koweït 402,4, Abū Dhabī 309,4, Dubayy 268,9, Qatar 261,9, Égypte 220, Nigeria 211,4, Algérie 186,6, Libye 163, Mexique 133,8, Oman 118,7, Australie 93, Brunei 44,5, Inde 43,8, Indonésie 37,1, Venezuela 24,8, Brésil 23,6, Chine 12,8, Argentine 8,9, Canada 6,7, USA 2,2.

• **Forages dans le monde** (1990). *Gaz* : Amérique du N. 10 325. Extrême-Orient 189. Europe occid. 163. Amér. lat. 77. Afrique 32. Proche-Orient 26.

Forages en mer (off shore)

• **Origines.** 1er 1947, Nouvelle-Orléans (U.S.A.). Fonds de quelques dizaines de m d'eau à 2 292 m (le long du Mississippi), 1 740 (Méditerranée, Espagne), 1 325 (Congo).

• **Plates-formes. Types.** *Fixe sur pilotis* (jacket) : dep. 1950, peu coûteuse mais vulnérable aux vents et aux vagues ; « clouée » au fond en cas de tempête avec des pieux (12 par jambe) qui pénètrent de plusieurs dizaines de m dans le sous-sol. *Auto-élévatrice* (jack-up) depuis 1953 (329) : peut aller jusqu'à 100 m de fond, se déplace sur les fonds une fois les piliers relevés par des vérins ou des crics ; sur l'emplacement du forage, elle abaisse ses piles au fond de la mer et élève sa plate-forme au-dessus de la surface de l'eau ; l'outil de forage est à l'extérieur sur un support en porte à faux. *Semi-submersible* de type Pentagone dep. 1962 : maintenue en place par un système d'ancrage (ballasts immergés au-dessous de la couche d'eau agitée par les vagues) ; sensibilité au vent et aux courants de marée, ancrage difficile et long (15 000 à 30 000 $ par j). *A embase poids* : construite sur une base en béton d'un poids suffisant pour assurer la stabilité sans ancrage par piles. Lorsque la base est en forme de caisson, elle peut être utilisée comme réservoir de pétrole permettant, sans arrêter la production du champ, d'attendre le chargement dans un navire-citerne.

Dimensions. Jusqu'à 100 m de prof. de la mer : ex. *acier* (3 000 à 8 000 t, 2 000 à 5 000 t d'équipements, 100 à 500 millions de F), *béton* (200 000 t, 40 000 t d'équipements, 250 à 500 millions de F). **Plus de 200 m :** *acier* (45 000 t, 1 500 millions de F). Les plates-formes sont conçues pour résister à des vagues de 30 m de haut et des vents de 230 km/h. **Plus grande plate-forme :** Golfe du Mexique à 160 km au S. de

La Nouvelle-Orléans (Louisiane, USA), pylônes à 312 m de profondeur, haut. totale 385,5 m ; *coût :* 1 500 millions de F. *En mer du Nord,* Statfjord B, 816 000 t, béton, 271 m de haut. *Projet Troll (1995) :* 2 000 000 t, [soit 286 fois le poids de la tour Eiffel (7 000t). 470 m dont 330 immergés]. *Ekofisk :* 210 000 t + 160 000 t d'eau de mer, fonds à 69,30 m, hauteur 99 m, 2 ponts superposés (sup. 2 ha), réservoir entouré d'un mur haut de 82 m à 19,4 du réservoir ; le fond de la mer s'abaissant, on a, en 1987, rehaussé de 6 m les 47 jambes des 9 plates-formes et, en 1989, on a entouré le réservoir d'un mur de 106 m en béton (coût 3,8 milliards de F).

Nombre (au 1-1-87). **En service :** 657 (auto-élévatrices 434, semi-submersibles 169, nav. de forage 52, barges 26, submersibles 22). Au 1-1-88 : 624. **En construction :** 91 (45 auto-élévatrices, 39 semi-submersibles, 5 sub., 2 nav. de forage) dont USA 16, Japon 14, Sing. 14, Corée du S. 9, *France 7,* Brésil 5, Chine 5. Installées dans + de 6 m d'eau 4 650 (dont 2/3 dans le Golfe du Mexique).

• **Accidents. Nombre.** De 1960 à 88, env. 30 ayant fait 700 victimes. **Principaux. Mer du Nord :** *1975, novembre* Ekofisk, plate-forme « Alfa », explosion : 3 †. *1976, mars* échouage d'une plate-forme au large de la Norvège : 6 noyés. *1977,* 22-4 Ekofisk, pl.-f. « Bravo », explosion : 12 000 t de pétrole répandues. *1978, février* pl.-f. « Statfjord », incendie : 5 †. *1980,* 27-3 Ekofisk, pl.-f. « Alexander-Kielland » ; rupture d'un longeron, d'où rupture d'1 des 5 pieds et retournement : 123 †, 89 rescapés. *1981,* 24-11 pl.-f. « Philipps SS » et « Transworld 58 », rompent leurs amarres, dérivent et sont évacuées ; déc. Écosse, pl.-f. « Borgland-Dolphin », fissure, évacuation. *1988,* 6-7 pl.-f. « Piper Alpha », explosion 167 †, 6 milliards de F de dégâts [mise en place 1976 (coût : 5,5 milliards de F), produisait 10 % du pétrole de mer du Nord (manque à gagner annuel pour la G.-B. de 3,3 milliards de F)]. **1989,** 18-4 pl.-f. Cormorant Alpha pas de victimes. Il faut fermer 8 pl.-f. et tous les oléoducs de Brent plusieurs semaines. **Chine :** *1979,* 25-11 pl.-f. « Bohai-2 », effondrement au large de Tianjin : 72 †. **Golfe du Mexique :** *1976,* 16-4 pl.-f. « Ocean Express », naufrage : 13 †. **Terre-Neuve :** *1982,* 15-2 pl.-f. « Odeco Ocean Ranger », coule (tempête) : 84 †. **URSS :** *1987,* effondrement pl.-f. en mer Caspienne (Bakou).

• **Navires de forage.** *Rapides* (10 à 13 nœuds), capables de résister au mauvais temps ou de le fuir. Prix : 600 millions de F. Certains sont à *positionnement dynamique* (maintenus à la verticale par des hélices, l'influence du vent et de la houle étant automatiquement corrigée par ordinateur). Forages jusqu'à 1 200 m sans équipements particuliers.

• **Forage sous-marin automatique.** Permet la prospection jusqu'à 1 000 m ; au fond, têtes de puits sous-marines télécommandées avec connexion automatique et canalisations souples faisant remonter le pétrole à une plate-forme flottante. *Robot TIM* (Télémanipulateur d'Intervention et de Maintenance) 12 t, mis en service par Elf à Grondin au Gabon (1re mondiale). 5 caméras permettent de le manœuvrer. Coût : 230 millions de F. **Pompe multiphasique (projet Poséidon),** lancé 1984 (Total-IFP-Statoil). Mise au point d'un système de pompage et d'évacuation par pipeline sous-marin du pétrole et du gaz bruts directement à la sortie du puits sans traitement préalable, c'est-à-dire sans effectuer les opérations habituelles qui justifient l'installation d'une plate-forme.

• **Marché mondial de l'off shore.** Évalué à 10 milliards de $. La France (au 2e rang, après les USA) détient 40 à 50 % du marché de la plongée sous-marine industrielle (COMEX) et + de 10 % de la géophysique marine ; en mer du Nord assure 50 % des commandes de plates-formes en béton, 25 % des pl.-f. en acier, 10 % des pl.-f. semi-submersibles.

Réserves de pétrole brut

• **Montant. Réserves probables prouvées récupérables** (découvertes attendues à court terme et exploitables aux mêmes conditions de coût et de technologie du moment) en milliards de t. *1940 :* 4,5. *50 :* 11. *60 :* 41. *70 :* 73. *80 :* 87,5. *85 :* 96,4. *90 :* 137,2. *91 :* 138 (dont OPEP 104,5). **Ultimes** (sans considération de conditions d'exploitation) 300 md de t. **Pétrole non conventionnel** (à extraire des schistes bitumeux et des sables asphaltiques) + de 1 000 md de t (le charbon ultime représenterait 6 000 milliards de tep).

Réserves off shore (en milliards de t). A *- de 200 m :* prouvées 27 ; possibles 68. *A + de 200 m :* prouvées 20 ; possibles 50 à 150.

Réserves mondiales prouvées de pétrole brut
(au 1-1, en millions de t)

Régions et pays	1973	1990	Ratio *Réserves* Production
Amér. du Nord	6 415	4 370	8,7
dont : Canada	1 392	792	8,7
États-Unis	5 023	3 578	8,7
Amérique Latine	4 448	16 596	45,2
dont : Mexique	382	7 121	48,7
Venezuela	1 869	8 088	73,5
Proche-Orient	49 257	90 767	110
dont : Arabie Saoudite [1]	19 918	35 618	111,3
Émirats	2 833	12 630	125
Irak	3 957	13 699	136,9
Iran	8 868	12 719	81,5
Koweït [1]	9 945	13 292	229,1
Oman	682	589	17,8
Qatar	955	616	32,4
Extr.-Orient et Océanie	2 036	3 594	11,4
dont : Australie	289	215	7,9
Inde	114	1 095	35,3
Indonésie	1 365	1 514	21,9
Afrique	8 922	8 204	25,8
dont : Algérie	1 528	1 260	22,5
Égypte	167	616	14
Gabon	104	100	7,6
Libye	4 148	3 123	48
Nigeria	2 046	2 342	26
Europe occidentale	1 648	3 054	12
dont : Norvège	273	1 495	18,4
Royaume-Uni	682	1 200	5,6
Pays à économie planifiée	13 370	11 408	11,7
dont : Chine	2 660	3 288	24
U.R.S.S	10 232	7 808	13,7
TOTAL MONDIAL	86 096	137 993	43,5
dont OPEP		104 510	85,6

Nota. – Conversion en t sur la base d'1 t = 7,33 barils. (1) Les réserves de la zone neutre ont été réparties en parts égales entre l'Arabie Saoudite et le Koweït.

Réserves prouvées en années de production de l'époque. *1948 :* 20 ans. *58 :* 41. *79 :* 29. *83 :* 33,7. *85 :* 34,4. *90 :* 44.

• **Situation. Terres émergées :** terrains sédimentaires env. 29,4 millions de km² (dont 11,3 en URSS). Certains sont encore vierges : nord du Canada, Australie centrale, Afrique du Sud, Asie sino-soviétique, Antarctique, mer de Louisiane, golfe Persique, mer Rouge, mers Australes, Méditerranée, Caspienne, des Caraïbes, golfe du Mexique, régions de Bornéo, de Java et Sumatra, Arctique.

Terres immergées : sur 362 millions de km² : 84 de bassins sédimentaires pourraient renfermer du pétrole dont b. de *0 à 20 m de prof.* 9,4 ; *20 à 100 m* 15,2 ; *100 à 300 m* 3,1 ; *300 à 1 000 m* 15 ; *1 000 à 2 000 m* 15 ; *2 000 à 3 000 m* 26,3.

Production de pétrole brut

Évolution

• **Production pétrolière** (en millions de t). **1929 :** 191,4 dont USA 138,1, Venezuela 19,9, URSS 13,5, Mexique 6,4, Iran 5,8, Indonésie 5,2, Roumanie 4,8, Colombie 2,9, Pérou 1,8, Argentine 1,4, Trinité-et-Tobago 1,2, Pologne 0,7, Japon 0,3, Égypte 0,3, Inde 0,2, Équateur 0,2, Canada 0,1, Irak 0,1, All. occ. 0,1. **1938 :** 271,6 dont USA 170, URSS 30,1, Venezuela 27,5, Iran 10,3, Indonésie 7,3, Roumanie 6, Mexique 5,5, Irak 4,3, Colombie 3, Trinité-et-Tobago 2,6, Argentine 2,4, Pérou 2,1, Bahreïn 1,1, Birmanie 1, Canada 0,8, Brunei 0,7, All. occ. 0,5, Pologne 0,5, Japon 0,3, Inde 0,3, Équateur 0,3, Égypte 0,2, G.-B. 0,1, *France 0,08,* Arabie Saoudite 0,06, Autriche 0,05, Hongrie 0,04, Tchécosl. 0,02. **1946 :** 375 dont USA 234,3, Venezuela 56,8, URSS 21,8, Abū Dhabī 8,2, Mexique 7, Irak 4,7, Roumanie 4,1, Colombie 3,1, Argentine 3, Trinité-et-Tobago 2,9, Pérou 1,7, Égypte 1,2, Bahreïn 1,1, Canada 0,9, Autriche 0,8, Koweït 0,8, Hongrie 0,7, All. féd. 0,6, Équateur 0,3, Indonésie 0,3, Brunei 0,3, Japon 0,2, G.-B. 0,2, Pologne 0,1. **1955 :** 772,8 dont USA 335,7, Moyen-Orient (total) 161,7, Venezuela 115,1, URSS 70,7, Koweït 54,7, Arabie Saoudite 47, Irak 32,7, Canada 17,4, Iran 17, Mexique 12,8, Indonésie 11,7, Roumanie 10,5, Colombie 5,5, Qatar 5,4, Brunei 5,2, Argentine 4,4, Autriche 3,6, Trinité-et-Tobago 3,5, All. féd. 3,1, Pérou 2,3, Égypte 1,8, Hongrie 1,6, Bahreïn 1,5, P.-B. 1, Chine (Rép. pop.) 0,9, *France 0,9,* Équateur 0,4, Chili 0,3, Bolivie, Inde 0,3, Japon 0,3, Pakistān 0,2, Brésil 0,2, Yougoslavie 0,2, Birmanie 0,2, Albanie 0,2, Italie 0,2, Pologne 0,1, G.-B. 0,1, Bulgarie 0,1, Tchécosl. 0,1, Maroc 0,1, Algérie 0,05, Espagne 0,03. **1960 :** 1 056,8 dont USA 348, Moyen-Orient (total) 161,7, Venezuela 152,3, URSS 147,8, Koweït 81,8, Arabie Saoudite 62, Iran 52,2, Irak 47,4, Canada 26, Indonésie 20,6, Mexique 14,3, Roumanie 11,5, Argentine 9,1, Algérie 8,8, Qatar 8,2, Colombie 7,6, Turquie 7,2, Trinité-et-Tobago 6, All. féd. 5,5, Chine (pop.) 5,5, Brunei 4,6, Brésil 3,8, Égypte 3,3, Pérou 2,5, Autriche 2,4, Bahreïn 2,2, Italie 2, *France 1,9,* P.-B. 1,9, Hongrie 1,2, Yougoslavie 0,9, Chili 0,9, Nigeria 0,8, Gabon 0,8, Albanie 0,6, Birmanie 0,5, Japon 0,5, Inde 0,4, Bolivie 0,4, Turquie 0,3,

Capacité de raffinage
(en millions de tonnes/an en 1990) [1]

Pays	10^6 t
Europe occ. [2]	
All. féd.	78,3
Autriche	9,7
Belgique	35,2
Chypre	0,8
Danemark	9
Eire	2,8
Espagne	62,2
Finlande	10,5
France	*84,6*
Grèce	18,2
Italie	117
Norvège	13,5
Pays-Bas	59,8
Portugal	14,4
Royaume-Uni	91
Suède	20,1
Suisse	6,8
Turquie	35,1
Total	*669*
Pr.-Orient	
Abū Dhabī	9
A. Saoudite [3]	90,5
Bahreïn	12,4
Irak	15,9
Iran	37
Israël	9
Jordanie	4,9
Koweït [3]	33,5
Liban	1,8
Oman	3,8
Qatar	3
Syrie	11,9
Yémen du N.	0,5
Yémen du S.	8
Total	*241,2*
Afrique	
Afr. du Sud	21,7
Algérie	23,2
Angola	1,7
Cameroun	2,1
Congo	1
Côte-d'Ivoire	3
Égypte	26,2
Éthiopie	0,9
Gabon	1,2
Ghana	1,3
Kenya	4,5
Liberia	0,7
Libye	17
Madagascar	0,8
Maroc	7,7
Mauritanie	1
Mozambique	0,8
Nigeria	21,6
Sénégal	1,2
Sierra Leone	0,5
Somalie	0,5
Soudan	1,2
Tanzanie	0,6
Togo	-
Tunisie	1,6
Zaïre	0,8
Zambie	1,2
Total	*144*

Pays	10^6 t
Amér. du N.	
Canada	94,1
États-Unis	777,9
Total	*872*
Amér. latine	
Antilles néerl.	16
Argentine	34,5
Bahamas	
Bolivie	2,8
Brésil	70,4
Chili	7,3
Colombie	12,4
Cuba	14
Dominique	2,4
Équateur	7
Guatemala	0,8
Jamaïque	1,7
Martinique	0,6
Mexique	83,9
Nicaragua	0,7
Panamá	4,9
Pérou	8,6
Porto Rico	6,1
Trinité	15
Uruguay	1,6
Venezuela	58,3
Iles Vierges	27,2
Autres [4]	2,1
Total	*378,3*
Extr.-Orient/ Océanie	
Australie	35,3
Bangladesh	1,5
Birmanie	1,6
Brunei	0,5
Corée du S.	43,3
Guam	–
Inde	56,1
Indonésie	40,7
Japon	201,8
Malaysia	10,4
N.-Zélande	4,7
Pakistan	6,5
Philippines	14,2
Singapour	43,9
Sri Lanka (Ceylan)	2,4
Taiwan	28,5
Thaïlande	11
Viêt-nam	6
Total	*508,4*
P. à économie planifiée	
U.R.S.S.	615
Eur. de l'Est [5]	170
Chine	110
Total	*895*
Total mondial	**3 707,9**

Nota. – (1) En fin d'année. (2) La Yougoslavie est incluse dans l'Europe de l'Est. (3) Y compris zone neutre. (4) Barbade, Costa Rica, Salvador, Honduras, Paraguay. (5) Y compris Yougoslavie.

Les chiffres étant arrondis, les totaux ne correspondent pas toujours exactement à la somme des tonnages indiqués. La conversion des barils en tonnes a été faite sur la base de 7,3 barils par tonne.

Équateur 0,3, Pākistān 0,3, Nlle-Guinée 0,2, Bulgarie 0,2, Pologne 0,2, G.-B. 0,1, Tchécosl. 0,1, Israël 0,1, Maroc 0,09, Angola 0,06.

1970 : 2 278,4 dont Moyen-Or. (total) 711,9, USA 475,2, URSS 353, Venezuela 194,3, Iran 191,7, Arabie Saoudite 176,8, Libye 161,7, Koweït 137,3, Irak 76,4, Canada 60,6, Nigeria 54, Indonésie 42,1, Algérie 48,2, Abū Dhabī 33,7, Chine (pop.) 29, Mexique 21,5, Argentine 20, Qatar 17,3, Égypte 16,4, Oman 16,3, Roumanie 13,3, Colombie 11,3, Australie 8,4, Brésil 7,9, All. féd. 7,5, Trinité-et-Tobago 7,2, Inde 6,8, Brunei 6,6, Gabon 5,4, Angola 5, Syrie 4,2, Dubayy 4,2, Tunisie 4,1, Bahreïn 3,8, Pérou 3,5, Turquie 3,5, Autriche 2,8, *France 2,3,* Hongrie 1,9, P.-B. 1,9, Chili 1,5, Albanie 1,4, Italie 1,4, Bolivie 1,1, Malaysia 0,8, Birmanie 0,8, Japon 0,7, Pākistān 0,5, Pologne 0,4, Bulgarie 0,3, Tchécoslovaquie 0,2, Équateur 0,1, Espagne 0,1, Israël 0,08, P.-B. 0,08, All. dém. 0,06, Maroc 0,04, Congo (Rép. pop.) 0,01. Voir tableau ci-dessous.

• Crises et ruptures d'approvisionnement. **Consommation mondiale et,** entre parenthèse, **manque à produire** en millions de barils/j, en italique en %. **1951 (mars)-84 (oct.) :** nationalisation du pétrole iranien 13,22 (0,7) *5,3.* **1956 (nov.)-57 (mars) :** guerre-blocage du canal de Suez 17,5 (2) *11,43.* **1966 (déc.)-67 (mars) :** querelle financière oléoducs de Syrie 34,3 (0,7) *2,04.* **1967 (juin)-67 (août) :** g. des 6 j : 40 (2) *5.* **1967 (juill.)-68 (oct.) :** g. civile au Nigéria 40,1 (0,5) *1,25.* **1970 (mai)-71 (janv.) :** controverse sur prix avec Libye 48 (1,3) *2,71.* **1971 (avr.)-71 (août) :** national. des pétroles algériens 50,2 (0,6) *1,2.* **1973 (mars)-73 (mai) :** conflit au Liban 58,2 (0,5) *0,86.* **1973 (oct.)-74 (mars) :** g. israélo-arabe 58,2 (1,6) *2,75.* **1976 (avr.)-(mai) :** g. civile au Liban 60,2 (0,3) *0,5.* **1977 (mai) :** accident sur champ saoudien 62,1 (0,7) *1,13.* **1978 (nov.)-79 (avr.) :** révolution Iran 65,1 (3,7) *5,68.* **1980 (oct.)-81 (janv.) :** début g. Irak-Iran 60,4 (3) *4,97.* **1988 (juill.)-1989 (nov.) :** explosion plate-forme Piper Alpha (mer du N.) 49,8 (0,3) *0,60.* **1988 (déc.)-89 (mars) :** acc. Fulmer (mer du N.) 51,6 (0,2) *0,39.* **1989 (avr.)-1989 (juin) :** acc. plate-forme Cormorant (mer du N.) 51,6 (0,5) *0,97).* **1990 (août) :** occupation Koweït 52,4 (4,2) *8.*

Stocks de pétrole de la France. Dépassent de 20 j le minimum prévu (110 j de réserve).

Zones de développement

• Afrique. **Du Nord :** Libye, Algérie, Égypte. **Noire :** Nigeria.

• Amérique. **Alaska.** Gisement principal à Prudhoe Bay. *Réserves :* pétrole : 1,6 milliard de t (36 % des réserves prouvées des USA) ; gaz : 900 milliards de m³ (15 %). *1res explorations* en 1963, *découvertes* en 1965. *Investissements :* 15 milliards de $, dont 10 pour le pipe-line. *Coût de maintenance :* 240 millions de $/an, soit environ 55 cents par baril. *Production (1982) :* pétrole : 83,3 millions de t, gaz : 6 920 millions de m³. *Exploitation :* difficile en raison du *permafrost* (sol, ne dégelant que superficiellement l'été dans le Nord) et, sur la mer, en raison des *glaces* (banquises ou icebergs). L'été, le sol devient un bourbier (marécages remplis de moustiques) où s'enlisent les véhicules et où basculent les structures. Les hydrocarbures arrivant en surface à des températures d'autant plus élevées que la profondeur du gisement est grande et que le débit est important, il faut donc isoler les puits pour éviter le dégel afin que les têtes de puits auxquelles sont accrochés tubes et vannes dont dépend la sécurité du forage ne s'effondrent pas. *Évacuation du pétrole :* après les essais du pétrolier brise-glace *Manhattan* en 1969, on a choisi le *pipe-line* (1 275 km, de Prudhoe Bay à Valdez) ; il franchit 3 chaînes de montagnes, 70 cours d'eau et des zones sismiques ; doit être isolé du permafrost pour ne pas le faire dégeler (le pétrole, en raison des frictions dues à son écoulement, atteindrait + 145 °C). **Golfe du Mexique.** Off shore à 930 m sous l'eau ; Champ de Mars contiendrait 140 millions de t. **Venezuela.**

• Asie. **Indonésie** (faible teneur en soufre : 0,038 %) dans le nord de Sumatra ; présence à 3 000 km du Japon (important consommateur).

• Europe **(mer du Nord). Historique. 1965** 1er gisement de gaz (West Sole, zone brit. découvert). **1969** 1er de pétrole (Ekofisk, zone norvégienne). **1983** 36 de gaz en exploitation (14 z. norv., 10 z. brit., 11 z. néerl., 1 z. danoise), 56 de pétrole (35 z. brit., 16 z. norv., 3 z. dan., 2 z. néerl.). **Profondeurs max. des forages :** *1977 :* 480 m (Ekofisk 70 m, Forties 120 m, Brent 150 m). *1980 :* 1 000 m. **Conditions climatiques :** pointes de vent de 245 km/h (travail impossible si vent de + de 80 km/h), vagues de 25 à 30 m, (cas extrêmes, sur 360 périodes de 12 h, 38 sont favorables au travail, 49 médiocres et 273 mauvaises).

Superficie prospectée (en km² et en %). G.-B. 244 000 (46). Norvège 131 000 (27). P.-Bas 62 000 (11). Danemark 56 000 (10). All. féd. 24 000 (5). Belg. 4 000 (0,5). *France 4 000 (0,5)* [Intérêts français regroupés dans un Consortium : Petroland (Erap-Elf) en zone norv., all. et néerl. (86,3 %), CFP (30 %) surtout en zone britannique, SNPA (20 %), Coparex (8,2 %), Eurafrep (8,8 %), Francarep (3 %)].

Production. Pétrole (en millions de t) : *1972 :* 1,7. *75 :* 11,1. *76 :* 25,7. *77 :* 52,2. *80 :* 104,9. *85 :* 171. *86 :* 176. *87 :* 180,3. *88 :* 177,9, *89 :* 174,1. *90 :* 180,1 (dont zones brit. 89,9 (dont part Sté franç. 5), norv. 81,9 (3), danoise 6, néerl. 2,4). **Gaz naturel** (en milliards de m³) : *1970 :* 11,3. *75 :* 37,2. *80 :* 75,4. *85 :* 87. *86 :* 89,8. *87 :* 96,7. *88 :* 95,3. *89 : 97,4. 90 :* 95,5 dont zones brit. 49,5 (dont part Sté franç. 4,8), norv. 25,4 (4,8), néerl. (en mer) 17,9, danoise 2,7.

Réserves. Pétrole : env. 2 milliards de t. **Gaz :** 2 700 milliards de m³. Représentent 6 % des réserves mondiales off shore. On estimait qu'à partir de 1985, elles s'épuiseraient environ en 15 ans.

• URSS. **Principaux gisements exploités :** *Bakou* (Azerbaïdjan) 250 000 b/j, *bassin de la Volga* entre Kouibichev et Perm, *Sibérie occidentale* (Samotlor, Tyoumen, Kazakstan, Turkménie). **Non exploités :** *Sibérie orientale.* Les Suédois avaient annoncé le 5-12-80 que la formation de Bazhenov (1 million de km²) recelait 619 milliards environ de t de réserves dont 30 % récupérables, mais les Soviétiques l'ont démenti en mars 81. *Caspienne* (off shore). *Réserves :* 5 milliards de t en 1977 selon la CIA ; plus de 20 milliards selon la Sté suédoise Petrostudies. *En 1988,* découverte d'un gisement de 2,5 milliards de t de rés. potentielles à Tenghiz (nord de la mer Caspienne).

Pétroles non conventionnels

Exploitation en cours

• Huiles lourdes. Après traitements thermiques pour diminuer la viscosité, on peut extraire 15 à 40 % des gisements (+ parfois). **Coût :** 22/23 $ le baril d'équivalent pétrole. **Potentiel** (en milliards de t) : *Canada* (sables) : Athabasca, Cold Lake, Wabasca, Peace River 140 à 200, « Triangle carbonaté » (Alberta) n.c. *USA* (sables) : Utah et Californie 4. *URSS* (sables, carbonates) : Melekess (Volga-Oural) 20, divers 3. *Venezuela* (sables) : Orénoque 150 à 300. *Autres pays :* 50 à 70. *Total :* 370 à 600.

• Sables asphaltiques. Hydrocarbures très visqueux, très lourds, piégés dans des sables ou des grès ou dans des schistes, calcaires, conglomérats. *Réserves* (en milliards de t) *Venezuela, USA* (Utah, 3,5), *Madagascar* 2,5, *Trinité-et-Tobago, Argentine, Mexique, Colombie, Roumanie, URSS, Canada* [Alberta : Athabasca, Cold Lake, Wabasca et Peace River 120 dont plus de 10 % exploitables en carrières ; Great Canadian Oil Stands Ltd produit 2,5 millions de t d'huile par an dep. 1971, et Syncrude Canada 6,25 millions dep. 1978].

• Schistes bitumeux. **Teneur en kérogène :** 30 à 40 l par t (ex. : 120 à 140 l au Colorado, 40/50 l Est de la France). Une teneur inférieure ne permet pas une exploitation rentable. **Extraction** *par distillation* du kérogène (à 500 °C sous vide) dans des installations de surface (après extraction de la roche), ou directement par combustion contrôlée *in situ,* ou par une méthode mixte (foudroyage de galeries de mines à la base de la couche de combustion *in situ,* en utilisant les éboulis ainsi créés) ; ou *chauffage* par des champs électriques créés par des fréquences radio, gaz et

Production mondiale de pétrole brut y compris condensats et liquides de gaz nat. (milliers de tonnes)

Pays et 1re année de prod.	1978	1988	1989	1990
• Canada 1862	74 671	93 660	90 652	90 963
• U.S.A. 1859	479 702	453 607	425 664	411 838
AMÉR. DU NORD	554 373	547 267	516 316	502 801
• Argentine 1907	23 515	24 314	24 955	24 168
Barbade 1978	37	65	60	60
• Bolivie 1950	1 499	1 208	1 208	930
• Brésil 1940	8 274	28 784	30 660	32 500
• Chili 1929	1 285	1 550	1 500	980
• Colombie 1921	7 014	18 202	20 574	22 600
Cuba 1976	115	750	800	736
• Équateur * 1917	10 284	15 913	14 629	14 583
Guatemala 1978	43	150	150	169
• Mexique 1901	66 178	145 209	144 961	146 678
• Pérou 1896	7 791	7 025	6 588	6 830
Surinam 1985	–	140	115	198
Trinité-et-Tobago 1908	11 854	7 691	7 778	7 833
• Venezuela * 1917	115 696	96 694	96 778	113 810
AMÉR. LATINE	253 585	347 695	350 756	372 075
• Arabie S. * (a) 1936	422 427	260 679	270 589	335 720
• Bahrein 1932	2 656	2 497	2 321	2 228
• Emirats arabes unis * :	89 240	80 434	96 559	110 040
• Abū Dhabī * 1962	70 009	58 187	72 828	84 956
• Dubayy * 1969	18 157	18 547	20 860	21 402
• Chārdjā * 1974	1 074	3 150	3 472	3 282
• Ra's al-Khayma * 1984	–	550	398	400
• Iran * 1913	264 492	112 434	143 902	157 080
• Irak * 1927	125 881	127 139	139 397	100 860
Israël 1956	700	12	12	10
• Koweït * (a) 1946	108 420	75 195	94 934	60 600
Oman 1967	15 594	29 647	30 764	33 056
• Qatar * 1949	23 712	16 668	20 423	20 900
Syrie 1968	8 932	14 266	16 000	20 292
Yémen N. 1986	–	7 700	10 000	9 930
Yémen S. 1987	–	600	850	850
PROCHE-ORIENT	1 062 054	727 271	827 740	851 566
• Algérie * 1956	57 195	50 509	55 208	58 300
Angola/Cabinda 1972	7 198	22 641	24 000	23 960
Bénin 1982	–	246	200	200
Cameroun 1978	625	8 295	8 140	8 230
Congo 1969	1 610	7 038	7 970	8 000
Côte-d'Ivoire 1980	–	646	350	350
• Égypte 1911	25 050	44 500	46 540	45 175
Gabon * 1957	10 562	9 515	11 802	13 493
Ghana 1979	–	–	–	–
• Libye * 1961	97 929	50 438	57 518	70 980
Maroc 1943	24	19	–	–
Nigeria * 1958	93 610	69 033	79 021	79 021
Tunisie 1966	4 982	4 908	4 930	4 512
Zaïre 1975	1 145	1 494	1 400	1 350
AFRIQUE	299 930	269 282	297 079	313 571

Pays et 1re année de prod.	1978	1988	1989	1990
All. féd. 1880	5 059	3 937	3 770	3 605
• Autriche 1860	1 813	1 216	1 211	1 238
• Danemark 1972	432	4 734	5 530	5 595
Espagne 1967	980	1 483	1 038	795
• *France 1918*	*1 968*	*3 728*	*3 627*	*3 368*
• G.-B. 1919	54 006	114 409	74 887	81 860
• Grèce 1981	–	1 118	4 400	4 753
• Italie 1933	1 488	4 838	913	821
• Norvège 1971	16 957	56 651	91 813	93 471
• P.-Bas 1943	1 520	4 271	3 814	3 876
Suède 1982	1	2	–	–
Turquie 1948	2 887	2 564	2 876	3 717
EUROPE OCCIDENTALE	87 111	198 951	193 879	203 499
• Australie 1933	20 056	24 500	22 721	27 687
Birmanie 1934	1 410	775	700	781
• Brunei 1913	11 460	7 180	8 014	7 950
Inde 1889	10 993	31 569	33 569	31 703
• Indonésie * 1893	81 259	63 992	65 710	71 670
Japon 1975	542	589	559	540
• Malaysia 1968	10 840	26 732	29 528	28 584
• N.-Zél. 1978	575	1 300	1 500	1 657
Pakistan 1947	488	2 346	2 589	3 042
Philippines 1979	–	436	250	362
Taiwan 1976	220	118	140	100
• Thaïlande 1882	11	1 768	2 535	1 816
• Viêt-nam 1986	–	675	1 000	2 482
EXTR.-ORIENT	137 854	161 980	168 815	178 374
Albanie 1933	2 000	3 000	3 000	1 985
All. dém. 1880	200	60	60	60
Bulgarie 1955	240	280	280	270
Hongrie 1937	2 200	1 900	1 900	1 970
Pologne 1874	450	140	130	140
Roumanie 1857	13 724	10 000	9 000	7 930
Tchécosl. 1919	120	140	130	113
• U.R.S.S. 1963	572 500	624 000	607 000	569 000
Yougosl. 1943	4 077	3 700	3 500	3 620
EUROPE ORIENTALE	595 511	643 220	625 000	585 088
Chine 1939	104 050	135 000	136 937	137 679
• TOTAL MONDIAL	3 094 468	3 030 666	3 116 522	3 144 653
• dont O.P.E.P.	1 500 707	1 028 643	1 148 459	1 207 057
Liquides de gaz naturel O.P.E.P. (1)	22 455	50 448	63 773	64 483

* Pays membres de l'O.P.E.P.
• Y compris condensats et liquides de gaz naturel.
(a) Y compris la production de la zone partagée (ex. zone neutre)
(1) Y compris condensats pour l'Algérie.

pétrole se trouvant ainsi libérés. **Ressources potentielles** (en milliards de t) : *USA* (Green River, Colorado) : 20 à 25 extractibles économiquement. *Canada :* couvriraient les besoins pendant 1 000 ans. *Amérique du Sud :* 110. *Afrique :* 13. *Asie :* 12. *Europe :* 7 (*France : 1,* bordure du Bassin parisien, du sud du Luxembourg au Morvan ; exploités à Autun de 1837 à 1945 ; possibilités à Fécocourt, près Nancy).

Exploitation en cours. *Brésil* (à São Mateu do Sul, 2 500 t de roches fournissent 1 000 barils d'huile et 36 500 m³ de gaz par j). *Chine* (Mandchourie). *Maroc* (projet à Timahdit dans l'Atlas, 30 à 40 millions de t par an). *URSS, USA* (Colorado : prod. à partir de 1985 de 2,4 millions de t par an).

Raffinage

• **Définition.** Transformation du pétrole brut en carburants, combustibles, solvants, lubrifiants, bitumes, paraffines (au total env. 500 produits). Le *brut* est constitué d'un mélange complexe d'hydrocarbures inutilisables à l'état naturel (trop inflammables, trop riches en carbone). Sa composition varie d'un gisement à l'autre (bruts paraffiniques, naphténiques ou aromatiques).

• **Principaux procédés. Séparation :** *distillation* [par condensation des vapeurs du pétrole brut (ses composants, ayant un point d'ébullition différent, sont séparés par chauffage progressif)] ; *extraction* par solvant ; *absorption* par tamis moléculaires. **Épuration** [ex. : *désulfuration, dégazolinage* (épuration des gaz de leurs éléments condensables)]. **Synthèse :** *craquage* [*cracking :* casse les molécules lourdes en molécules plus légères ; *hydrocracking :* un flux d'hydrogène à haute température et à haute pression (en présence d'un catalyseur chimique qui active les réactions) « découpe » les molécules du fuel lourd] ; *hydrogénation, isomérisation, reformage* catalytique [*reforming :* transforme la structure moléculaire des essences issues de la distillation (essence légère et essence lourde)] ; *alkylation, polymérisation* qui créent des hydrocarbures nouveaux.

• **Produits de la distillation du brut.** Gaz, fuels (domestiques ou industriels), essences 80 %, naphta 20 % (dont 90 % servent à fabriquer des carburants). Les mesures antipollution impliquent que la part du naphta augmente dans la confection des essences. Autres débouchés : matières plastiques, engrais.

• **Raffineries d'Europe occidentale les plus importantes.** Capacité de raffinage en millions de t/an, fin 1984. *All. féd. :* Gelsenkirchen 10,5. *Belgique :* Anvers (Sté ind. belg. des pétroles) 15. *Espagne :* Tarragone 11. *France :* Gonfreville 15,1. *Italie :* Sarroch 15,5, Priolo 15. *P.-B. :* Rotterdam 21,7 Pernis (Shell 21,8 Chevron Petroleum MIJ 13). *G.-B. :* Fawley 14.

Coût des importations de pétrole brut

En milliards de $	1973	1974	1980	1985	1986	1987	1988
All.	3,4	8,8	24,3	13,6	7,8	8,9	8,4
Bel.	1,2	3,2	9,7	6,7	4,9	5,5	n.c.
Esp.	1,1	3,4	11,3	8,6	4,9	6	n.c.
U.S.A.	4,2	16,6	64,6	34,1	24,2	30,8	27,8
France	*3,5*	*10,1*	*26,2*	*14,1*	*8*	*8,3*	*7,2*
Italie	3,4	9,6	20,2	13,3	8,3	8,8	5
Japon	5,9	18,9	52,7	34,6	19,5	20,6	18,8
P.-Bas	2,1	4,8	12	8,2	5,1	6,4	5
R.-Uni	3,1	8,7	9,5	5,4	n.c.	n.c.	n.c.

Organisation de pays exportateurs

• **OPEP (Organisation des pays exportateurs de pétrole) Origine. Avant 1939** de grandes compagnies disposaient de vastes concessions, égales parfois à l'étendue totale d'un pays, et versaient de faibles royalties. **1948** le Venezuela obtient le partage des revenus pétroliers avec les Cies concessionnaires. **1949** l'Américain Paul Getty offre à l'Arabie des royalties importantes. La plupart des compagnies doivent suivre. **1949** le Venezuela propose à 6 pays du Moyen-Orient (dont Iran, Irak, Koweït et Arabie Saoudite) de se réunir. **V. 1950** l'Anglo-Iranian Oil Cy, issue de l'exploitation de la concession d'Arcy, refuse le partage des revenus pétroliers avec l'Iran sur la base 50-50. **1951**-*29-4* ses gisements sont nationalisés sous l'influence du PM Mossadegh. Mais ce dernier est éliminé après 2 ans d'affrontement, l'Anglo-Iranian étant soutenue par le gouvernement britannique et la CIA américaine. **1954** nouvel accord, remettant en cause les mesures de 1951, tout en ne contestant pas le principe de la nationalisation. **1959**-*16-4* Pacte de Maadi, création au Caire d'une Commission consultative du pétrole ; des pays demanderont aux Cies de consulter les gouv. des pays prod. pour fixer les prix (les Cies ayant réduit les prix du baril de 0,05 et 0,25 $ au Venezuela et de 0,18 $ au Moyen-Orient). **1960** *août* nouvelle réduction de 0,10 à 0,14 $ (décision unilatérale). *10-9* les 5 principaux producteurs (Venezuela, Iran, Irak, Arabie Saoudite, Koweït) se réunissent à Bagdad pour étudier les moyens de protéger leurs revenus. *14-9* ils fondent l'OPEP. Peu à peu, elle regroupera les grands producteurs du tiers monde.

Importations de pétrole brut (B) et de pétrole raffiné (R), en millions de t

Pays		1978	1987	1989	1990
All. Féd.	B	95,7	63,8	66,1	71,9
	R	48,8	50,9	43	41,1
Autriche	B	8	6,2	5,9	6,8
	R	3,6	3,5	3,6	2,3
Belgique	B	33,8	27,8	29,7	25,1
	R	8,7	11,4	11,9	12
Danemark	B	7,7	4,9	5,2	4
	R	10,7	5,7	4	3,8
Espagne	B	46,9	44,3	49,9	49,9
	R	2,2	7,3	8,4	10,7
Finlande	B	10,5	10,7	8,8	9
	R	3	4,4	3,9	3,4
France	*B*	*115,6*	*66,4*	*70,6*	*72,8*
	R	*9,5*	*31,2*	*28,7*	*27,4*
G.-B.	B	68	41,5	49,5	53,8
	R	11,6	8,6	9,5	10,5
Grèce	B	12,6	16,2	15,2	15,9
	R	3,8	2,6	3,7	5,4
Irlande	B	2,2	1,5	1,6	1,9
	R	3,7	2,9	2,7	3,4
Islande	B	0	0	0	0
	R	0,6	0,6	0,5	0,5
Italie	B	108	67,4	68,3	78,2
	R	6,7	23,8	24,5	22,5
Japon	B	0	159	178	194,3
	R	0	44,2	56,4	43,7
Luxembourg	B	0	0	0	0
	R	1,4	1,3	1,5	1,6
Norvège	B	7,9	2,6	0,6	1,5
	R	2,8	3,3	3,8	3,6
Pays-Bas	B	55,2	48,2	51,1	45,5
	R	13,6	34,4	38	40,8
Portugal	B	6,2	8	10,3	11,2
	R	1,1	2,1	3,9	3,1
Suède	B	16,2	15,3	15,6	16,9
	R	12,5	7,4	6,5	6,5
Suisse	B	3,9	3,9	3	3,1
	R	9,3	7,5	8,2	8,9
Turquie	B	12,5	20,1	18,6	20,1
	R	2,7	1,4	1,8	2,7
U.S.A.	B	0	229,2	286,5	292,4
	R	0	77,6	107,6	102,7

Siège. Vienne (Autriche). **Membres** (en 1990). 13 : Arabie Saoudite, Irak, Iran, Koweït, Venezuela, (dep. 1960) ; Qatar (janvier 1961) ; Indonésie, Libye (juin 1962) ; Abū Dhabī (nov. 1967) ; Algérie (juillet 1969) ; Nigeria (juillet 1971) ; Équateur (nov. 1973) ; Gabon (juin 1975).

☞ Avant la crise (1973), 4 pays de l'OPEP (Arabie Saoudite, Émirats arabes unis, Koweït, Qatar) recevaient 22 milliards de $ par an, qu'ils utilisaient pour leurs importations. En 1978, leur excédent commercial était de 47 milliards de $. Incapables de l'absorber, ils l'ont recyclé dans les circuits économiques mondiaux. On a parlé de pétrodollars [terme journalistique à l'image des eurodollars, avoirs en monnaie étrangère ($ ou autre) détenus par un ressortissant d'un pays ayant des revenus pétroliers]. La hausse provoqua l'accroissement des forages chez les non-OPEP puis l'abondance sur le marché d'où une baisse des cours.

• **OPAEP (Organisation des pays arabes exportateurs de pétrole). Créée** 1968. Autonome de l'OPEP. **Siège :** Koweït. **Membres :** Arabie Saoudite, Koweït, Libye (m. fondateurs), Irak, Algérie, Émirats ar. unis, Qatar, Égypte (mise à l'écart du 17-4-1979 au 13-5-1989), Syrie, Bahreïn, Tunisie (du 6-3-82 au 1-1-87). L'OPAEP a établi 5 Stés arabes com. et 1 institut arabe de formation pétrolière. Un tribunal judiciaire (créé 1981, siège Koweït) juge les litiges entre pays membres et entre pays membres et Cies pétrolières.

Depuis 1982 le *Centre arabe des études de l'énergie* suit l'évolution de la situation mondiale. L'OPAEP n'intervient pas sur le prix du pétrole ni sur les quotas de production (domaine réservé à l'OPEP à Vienne).

• **Association des producteurs de pétrole africains. (APPA). Créée** 26-1-1987 par 8 pays africains (Nigeria, Algérie, Libye, Gabon, Angola, Cameroun, Congo et Bénin). **Extraction** (1986) : 188 millions de t de pétrole brut (soit 6,4 % de la production mondiale).

Prix du pétrole

Régime des prix

☞ mb/j = million de barils produit par jour.

• **Avant 1971. Système du Gulf Plus. 1928** *Accord de la ligne rouge :* le golfe du Mexique est le centre à partir duquel est calculé le prix de base, auquel les vendeurs ajoutent un coût de fret égal aux dépenses de transport entre le golfe et le point de destination. Ce système avantage les producteurs américains qui bénéficient d'une rente de situation. **1948** *Double Basing Point System :* le prix pratiqué dans le golfe du Mexique reste le prix directeur, mais on évalue le coût du fret à partir du Moyen-Orient ou du Mexique. **1950** *prix affichés :* système introduit au Moyen-Orient pour servir au calcul de la taxe fiscale que les entreprises doivent verser aux pays producteurs, fixée par les entreprises pétrolières elles-mêmes ; ils baisseront de 1950 à 1960, (env. 2 $ le baril de 1960 à 1970). *Prix de revient brut :* prix comprenant le coût de production, la redevance (12,5 %) et l'impôt (55 % du prix affiché diminué des coûts de production et des redevances) dus aux pays producteurs, et la marge bénéficiaire des compagnies ; *net :* prix CAF (moyenne du prix de transport du pétrole venant de la Méditerranée et de celui venant du golfe Persique). *Prix du marché :* prix de vente du surplus des compagnies selon l'offre et la demande. **1961-70.** Varie peu. **1970** *déc. conférence de l'OPEP à Caracas :* augmentation générale des prix affichés, généralisation à 55 % du taux de l'impôt sur les bénéfices.

• **De 1971 à 1986. 1971**-*14-2 accord de Téhéran* entre États producteurs du golfe Persique et compagnies pétrolières. *2-4 accord de Tripoli* analogue pour les pays intéressés au pétrole livré en Méditerranée ; prévoit la généralisation du taux de l'impôt à 55 %, une majoration immédiate des prix affichés et un calendrier des majorations ultérieures jusqu'en 1975. La production se décompose en **brut de participation :** quantité de pétrole dont l'État producteur est propriétaire ; il est revendu aux compagnies à 93 % du prix affiché ; **brut de concession :** le *prix de revient*

Pays de l'OPEP (1990)

Pays	Superficie [1]	Population [2]	Production [3]	Exportations [3]					Commerce Extérieur [4]		Part du pétrole dans les export. [5]
				1979	1981	1988	1989	1990	Import.	Export.	
Algérie	2,38	24,6	35,7	45	32	20	19,7	21	8 661	10 600	66
Arabie S.	2,15	14,4	320,7	440	449	180	179,7	178	21 609	27 236	88,1
Émir. ar. unis	0,084	1,6	101,7	87	69	55	55,5	77	10 163	15 582	73,8
Equateur	0,28	10,5	14,5	6	5	8	7,6	9	1 855	2 354	48,7
Gabon	0,26	1,1	13,8	9	6	7	6,8	6	786	1 600	75
Indonésie	1,90	178,2	66,7	n.c.	n.c.	n.c.	35,5	35,6	15 905	21 635	26,4
Irak	0,43	17,8	100,3	160	34	98	106,4	106	7 675	14 600	99,3
Iran	1,64	54	156,1	121	41	82	97,8	98	10 683	13 500	92,6
Koweït	0,01	2,1	58,4	104	41	36	42	42	6 334	11 383	95,5
Libye	1,76	4,4	46	95	46	51	46	46	5 497	7 750	96,8
Nigeria	0,92	128,3	73,6	109	62	60	73,6	74	5 484	9 730	89,4
Qatar	0,01	0,3	15,3	24	19	13	15,3	15	1 259	2 160	92,6
Venezuela	0,9	19,3	48,5	74	66	55	48,5	48	8 728	92 796	78,3

Nota. – (1) En millions de km². (2) En millions. (3) En millions de t. (4) En millions de $. (5) En %.

Revenus des pays producteurs en provenance du pétrole (en millions de $)

Années	Algérie	Arabie Saoudite	E.A.U. [1]	Équateur	Gabon	Indonésie	Irak	Iran	Koweït	Libye	Nigeria	Qatar	Venezuela
1970	272	1 214	223	–	4	254	521	1 109	821	1 351	247	125	1 377
1971	321	1 885	431	–	9	336	840	1 851	954	1 674	847	200	1 675
1972	613	2 745	551	30	18	506	575	2 396	1 404	1 563	1 117	255	1 902
1973	988	4 340	900	129	29	688	1 843	4 399	1 735	2 223	2 048	463	3 029
1974	3 299	22 573	5 536	414	173	1 364	5 700	17 822	6 543	5 999	6 654	1 451	9 271
1975	3 262	25 676	6 000	293	484	3 233	7 500	18 433	6 393	5 101	7 422	1 685	6 968
1976	3 699	30 755	7 000	533	800	4 466	8 500	20 243	6 870	7 500	7 715	2 092	7 713
1977	4 254	36 538	9 030	499	600	4 692	9 631	2 120	7 516	8 850	9 600	1 994	8 106
1978	4 589	32 234	8 200	400	500	5 200	10 200	19 300	7 952	8 400	7 900	2 200	7 319
1979	7 513	57 522	12 862	800	900	8 100	21 291	20 500	16 863	15 223	15 900	3 082	11 956
1980	12 500	102 212	19 500	1 394	1 800	12 859	26 100	13 500	17 900	22 600	23 405	4 795	16 344
1981	10 700	113 200	18 700	1 560	1 600	14 393	10 400	9 300	14 900	15 600	16 713	4 722	17 401
1982	8 500	76 000	16 000	1 184	1 500	12 703	9 500	17 600	9 477	14 000	13 086	3 145	13 543
1983	9 700	46 100	12 800	1 100	1 500	9 660	8 400	20 000	9 900	11 200	10 100	3 000	13 500
1984	9 700	31 470	10 100	1 600	1 400	10 400	10 400	16 700	10 400	10 400	12 400	2 970	13 700
1985	9 835	23 411	9 636	1 400	1 350	9 800	11 920	14 420	8 495	9 700	11 942	2 528	11 900
1986	5 354	16 744	5 848	750	725	4 000	6 630	5 910	4 982	5 000	5 997	1 337	7 500
1987	6 815	19 808	8 316	750	955	5 000	11 300	9 210	8 138	6 000	6 233	1 717	9 430
1988	5 450	18 875	8 500	n.c.	800	n.c.	11 400	9 000	5 580	5 200	5 555	1 486	8 642
1989	7 000	24 000	11 500	1 147	1 200	n.c.	14 500	12 500	10 863	7 500	8 700	2 000	10 020
1990	10 497	47 960	17 073	1 471	2 068	n.c.	10 214	17 674	6 856	11 500	14 171	3 290	14 721

Nota. – Revenu des 13 pays. *1987 :* 120,2. *88 :* 69,1. *89 :* 116,6. *90 :* 165,8. (1) Abū Dhabī, Dubaï, Chardja.
Source : OPEP.

---

brut est la « moyenne » du prix participation et du prix concession. **1972**-*20-1 1er accord de Genève :* prévoit une révision trimestrielle des prix affichés en fonction de l'évolution des taux de change d'un cocktail de monnaies, et décide une augmentation de 8,49 % à cause de la dévaluation du dollar du 18-12-71 (– 7,89 %). **1973**-*1-6 2e accord de Genève* après une nouvelle dévaluation du dollar (– 10 % le 12-2-73), augmentation de 11,9 % des prix affichés ; la révision des prix sera désormais mensuelle.

1er choc pétrolier. 1973-*6-10* guerre du Kippour. -*16-10* les États producteurs du Proche-Orient réunis au *Koweït* décident une hausse de 70 à 100 % selon origines et quantités, embargo (Voir Index). -*23-12* ils décident à *Téhéran* que les prix affichés seront plus que doublés (130 % pour les pays de l'OPEP) à compter du 1-1-74. **1974**-*1-7 Conf. de Quito (OPEP) :* la redevance passe de 12,5 % du prix affiché à 14,5 % ; le prix de revient du brut participation passe à 94,8 % du prix affiché. -*1-10 Conf. de Vienne (I) :* redevance passe à 16,67 % du prix affiché, impôt sur le bénéfice passe de 55 % à 65,7 % ; prix du brut participation 93 % du prix affiché. -*1-11 Abū-Dhabī :* Arabie S., Qatar et Abū-Dhabī décident une baisse de 0,40 $ par baril du prix affiché et une hausse de la redevance (20 %) et de l'impôt (85 %). -*13-12 Conf. de Vienne (II) :* l'OPEP ratifie les décisions prises. Le prix de vente (93 % du prix affiché) est de 10,46 $ par baril, le pétrole de concession vaut 9,92 $ par baril et le prix moyen (60 % de brut participation et 40 % de pétrole concession) revient à 10,24 $ le baril. Le prélèvement du pays producteur est de 10,12 $ par baril et le coût de production de 0,12 $. **1975**-*9-6 Conf. de Libreville (OPEP) :* réajustement des prix à partir du 1-10-75, adoption des DTS comme unité de compte. -*24/27-9 Conf. de Vienne (III) :* hausse de 10 % du prix du brut de référence « Arabian Light » à partir du 1-10-75 ; gel des prix jusqu'en juin 76 ; le dollar étant remonté, on renonce aux DTS **1976**-*mai Conf. de Bali :* maintien jusqu'à fin 76 des prix en vigueur dep. le 1-10-75. -*16-12 Conf. de Doha (OPEP) :* hausse de 5 % à partir du 1-1-77 (Ar. S. et Émirats arabes unis) et 10,33 % pour les autres pays producteurs. **1977**-*1-1* hausse de 5 % en moy. pour l'Arabie S. et Émirats, 10 % en moy. pour les autres pays de l'OPEP. -*1-7* hausse supplémentaire de 5 % pour Arabie S. et Émirats arabes, les autres membres renonçant à la hausse supplémentaire de 5 % prévue. -*13-7 Conf. de Stockholm :* Arabie S. et Émirats augmentent leurs prix de 5 %, mettant ainsi fin au double prix en vigueur dep. le 1-1. Les autres États de l'OPEP abandonnent la hausse envisagée de 5 %. *20/21-12 Conf. de Caracas :* le prix de l'« Arabian Light » reste à son niveau antérieur (12,70 $ le baril), les pays membres n'ayant pu parvenir à un accord sur une hausse éventuelle des prix. **1978**-*17/19-6 Conf. de Genève :* reconduction du gel des prix jusqu'à fin 78. -*16-12 Conf. d'Abū-Dhabī :* prix de l'« Arabian Light » passe à 13,339 $ le baril ; calendrier des hausses pour 1979 : + 5 % au 1-1 (13,339), + 3,809 % au 1-4 (13,843), + 2,294 % au 1-7 (14,161), + 2,691 % au 1-10 (14,542). Calendrier non tenu dès avril. **1978** *fin déc.-janv. 79* arrêt des livraisons iraniennes après le départ du Shah.

2e choc pétrolier. 1979-*27-3 Conf. de Genève :* prix de l'« Arabian Light » augmenté de 9,5 % au 1-4 (14,546) soit le niveau initialement prévu au 1-10. -*26/28-6 Conf. de Genève :* Arabian Light à 18 $ au 1-7 et à 24 $ au 14-12. -*17/20-12 Conf. de Caracas :* les pays prod. ne peuvent s'entendre sur les prix. Augmentation du prix moyen des bruts de l'OPEP de 24,8 % de juillet à déc. (20,30 $/b. à 25,75 $/b. en moyenne) (doublement de déc. 78 à déc. 79).

3e choc pétrolier. 1980 -*9/10-6 Conf. d'Alger :* hausses variables selon les pays au 1-7. -*12-9 guerre Irak-Iran ;* hausses désordonnées tout au long de l'année. -*15/16-9 Conf. de Vienne :* Arabian Light à 30 $ au 1-8, hausse de 2 $ dans les Émirats au 1-9. 6 pays de l'OPEP proposent l'indexation du prix du baril sur l'inflation et le taux de croissance des pays ind. ; repoussé. -*15-12 Conf. de Bali :* hausse de 2 $ pour l'Arabie au 1-11 et de 3 à 4 $ au 1-1-81 pour autres pays. **1981**-*1-1* augmentation mondiale d'env. 10 %. *À Genève* projet de diminuer de 2 millions de barils la prod. saoudienne et d'augmenter de 2 $ env. le prix du baril de pétrole saoudien.

● **Baisse des cours. 1981**-*juill.-nov.* baisse de 2 à 3 $ en Irak, 3,5 $ au Nigeria et en Libye, 3,5 à 6 $ au Mexique, 1,8 au Qatar, 2,75 en mer du N. -*18-8 Conf. de Genève :* pas d'accord sur un prix unique, Arabian Light à 32 $, diminution de la prod. -*29-10 Conf. de Genève :* essai de remise en ordre des prix, Arabian Light à 34 $ jusqu'au 31-12-81, baisses ou hausses des autres qualités selon les cas. **1982**-*20-3 Conf. de Vienne :* contrôle et plafonnement de la prod. à 17,5 Mb/j et un quota par pays. Refus de l'Iran. -*20-5 Conf. de Quito :* maintien du contrôle de la prod., gel des prix jusqu'à fin 82. *Août* l'Irak décide le blocus du terminal iranien de Kharg. -*20-12 Conf. de Vienne :* pas d'accord. **1983**-*24-1 Conf. de Genève :* pas d'accord. *Févr.* de nombreux pays baissent leurs prix (offre trop importante). -*7-3 Conf. de Londres :* accord le 14-3 sur un prix de référence à 29 $, un système de quotas (17,5 Mb/j pour 1983 à répartir). *Juil. Conf. d'Helsinki :* reconduction de l'accord du 14-3. *Sept. Conf. de Vienne :* idem. -*7-12 Conf. de Genève :* idem. **1984**-*29/31-10 Conf. extraordinaire à Genève :* quota abaissé à 16 Mb/j. *19/21 et 27/29-12 Conf. à Genève :* le brut de référence est maintenu à 29 $/b. Le « Brent » (G.-B.) remplace « Arabian Light ». **1985**-*28/30-1 à Genève :* abandon théorique de la notion de brut de référence ; baisse des prix des bruts légers (l'Arabian Light est ramené à 28 $/b) ; resserrement à 2,40 $/b du différentiel entre bruts légers et lourds. -*1-2* nouveau prix moyen pondéré du brut OPEP : 27,96 $/b. -*7/9-12 à Genève :* la priorité donnée par l'OPEP (pour défendre sa part du marché) provoquera une baisse des prix du brut qui s'accélérera les mois suivants. **1986**-*16 au 24-3 et 15 au 21-4 à Genève :* principe d'une répartition de la production de brut entre pays de l'OPEP, sans accord sur sa mise en pratique. 10 pays fixent un objectif global de 16,7 Mb/j pour 1986 ; Algérie, Iran et Libye refusent, le trouvant trop élevé. *Fin mars,* cours spot (moyenne bruts OPEP et brut Brent) 12 $/b. -*20/21-12 à Genève :* accord quota 15,8 Mb/j pour 1er semestre 1987 (dont Arabie S. 4,1, Iran 2,2, Venezuela 1,5, Irak 1,4, Nigeria 1,2, Indonésie 1,1, Koweït 0,9, Libye 0,9, Émirats arabes unis 0,9, Algérie 0,6, Qatar 0,3, Équateur 0,2, Gabon 0,1).

● **Depuis 1987.** -*10-4* Brent à 19,75 $ par livraison en mai. -*27-6 à Vienne :* prod. limitée à 16,6 Mb/jour. -*9/14-12* Vienne : les pays m. (Irak exclu) fixent le plafond à 15,06 Mb/j pour le 1er sem. 1988 ; prix de référence implicitement maintenu. Le marché mondial baisse (env. 16 $/b le 15-12). **1988**-*1-5* 1re réunion de l'OPEP/non-OPEP (Angola, Chine, Colombie, Égypte, Malaisie, Mexique, Oman) ; aucun accord. -*14-6* Vienne, plafond reconduit pour 6 mois (15,06 Mb/j), la production réelle était de 18,5. Espoir de hausse des cours de 15 à 18 $ par baril. -*21-11* (84e Conférence) *à Vienne :* plafond à 18,5 Mb/j pour le 1er sem. **1989** l'Iran est réintégré dans le système des quotas, soit un accroissement de 1,9 Mb/j par rapport au dernier plafond. L'accord provoque un raffermissement des prix. -*21-2* à Londres, des non-OPEP (Mexique, Malaysia, Oman, Chine, Égypte, Angola, Yémen du Nord) décident de réduire leurs export. de 5 % le 2e sem. 1989, pour aider l'OPEP à stabiliser les prix ; l'URSS (observateur) annonce une réduction similaire (export. vers les pays capitalistes) ; diminution globale : env. 0,3 Mb/j. -*7-6 à Vienne :* plafond de production limité à 19,5 Mb/j (prod. estimée en mai : 21,06 Mb/j). -*23-9 à Genève : plafond 20,5 Mb/j.* -*25-11 à Vienne :* plafond à 22 Mb/j, dont : Algérie 0,827, Équateur 0,273, Gabon 0,197, Indonésie 1,374, Iran 3,14, Irak 3,14, Koweït 1,5, Libye 1,233, Nigeria 1,611, Qatar 0,371, Arabie s. 5,38, Émirats arabes unis 1,095, Venezuela 1,945. **1990**-*2-5 à Genève :* réunion des ministres, réduction immédiate de la prod. jusqu'à fin juill. de 1,445 Mb/j (la prod. atteignait en mars 24 Mb/j, avril 23,5 Mb/j). *Mai :* prod. 23,6 Mb/j. *Juin :* 23,2 Mb/j. -*27-7* prix de référence de 21 $ par baril + 3 $ par rapport au prix de réf. précédent + 4 $ par rapport aux prix réels du marché ; quotas : plafond global de 22,491 Mb/j pour le 2e semestre (Arabie S. 5,38, Irak 3,14, Iran 3,14, Vénézuela 1,945, Nigeria 1,611, Koweït 1,5, Émirats arabes 1,5, Indonésie 1,374, Libye 1,233, Algérie 0,827, Qatar 0,371, Équateur 0,273, Gabon 0,197). **1990-91** g. du Golfe, voir index.

☞ **Production moy. OPEP** (en millions de barils/j). *1989 :* 21,73. *90 :* 23,15. *91 (1er trim.) :* 23,2.

Production Koweït (en millions de barils/j). *juin 1990 :* 1,8 ; *juin 1991 :* 0,05, *déc. (prév.) :* 0,3 à 0,5.

Transactions pétrolières

● **Modes de transactions.** Récemment, 95 % s'effectuaient par contrats à long terme entre pays producteurs et compagnies étrangères ou États consommateurs. Le solde était traité au coup par coup sur le marché libre de Rotterdam *(marché spot)* qui permettait d'écouler ou de trouver un supplément disponible (produits raffinés surtout). Début 1980, les pays producteurs écoulaient jusqu'à 15 % de leur brut sur un marché parallèle, à des prix supérieurs aux prix officiels. Privées de leurs approvisionnements traditionnels, les grandes compagnies devaient se fournir en partie sur le marché spot (1,5 Mb/j, et jusqu'à 20 % de leurs besoins pour 4 compagnies sur 7). D'où une surenchère par rapport aux prix de l'OPEP. Actuellement, les contrats sont négociés au niveau des gouvernements, puis gérés par des entreprises désignées.

● **Définitions. Baril :** unité de mesure du pétrole brut. 1 baril équivaut à 159 litres. Il y a 7,3 barils dans 1 tonne. 1 million de barils/jour équivaut à 50 millions de tonnes/an. **Barter :** troc (compensation). **Brent :** mélange type de qualités de bruts de la mer du Nord, production (environ 1 million de barils/jour) presque toute vendue sur le marché libre. **Brut :** pétrole non raffiné. Variétés, selon provenances et qualités : plus « légers », dépourvus de soufre, « lourds », visqueux (presque solides). Le « brent », le « WTI » (West Texas Intermediate) américain, l'« Arabe léger » saoudien, l'« Oural » soviétique, sont les plus connus. Brut *Mollah* (ou princier) : pétrole vendu sous le manteau par des intermédiaires touchant des bakchichs. **Daisy chain** « guirlande de marguerites » : ensemble des acheteurs et vendeurs successifs d'une même cargaison (record à 56). **Distressed cargo** (cargo en détresse) : cargaison de brut en cours de transport non encore vendue à un utilisateur final. *Le trader* (dernier propriétaire) devra, pour trouver acheteur, brader ses prix. **Marché du brent :** marché à terme, informel, entre gros opérateurs. Les transactions, cargaison par cargaison (500 millions de $ environ), dépassent de 2 à 3 fois le volume du pétrole réellement échangé. Des ventes « promptes », au jour le jour, s'y effectuent également. **Marché de Rotterdam :** souvent confondu avec le précédent. Aujourd'hui limité aux ventes de produits raffinés destinés aux marchés de l'Europe du Nord. Rotterdam est le plus grand centre de stockage et de raffinage de la région. **Marché spot ou marché libre :** ensemble des ventes ne faisant pas l'objet de contrats à moyen terme entre producteurs et compagnies. Est « spot » toute vente. Les prix sont fixés instantanément ou révisables à très court terme. **Merc ou Nymex :** New York Mercantile Exchange, marché à terme de New York, où sont cotés des lots de « WTI », qualité de brut américaine la plus échangée. **Netback** (ou valorisation) : calcul théorique de la valeur d'un brut à partir des cours des produits qu'on en tire après son raffinage. **Paper baril** (baril-papier, ou baril-titre) : cargaison souvent fictive, vendue à terme, et dont la date de livraison est suffisamment éloignée (2 à 3 mois) pour qu'elle puisse passer de main en main avant qu'une date précise ne soit fixée. **« Platt's » :** quotidien publiant des cours. **Processing** (contrat de) : raffinage à façon, souvent fictif, moyen pour les producteurs de vendre du brut au-delà des quotas de l'OPEP. **Trader :** négociant. Alors que le « broker », courtier, est un simple intermédiaire payé au %, le trader achète et revend, prend des positions. **Wet baril** (baril mouillé) : cargaison dont la date de livraison approche et dont la vente doit faire l'objet d'un échange physique de pétrole.

• **Coût technique du baril de pétrole** (en $). **Moyen-Orient.** Champs anciens 0,4 à 0,8, récents 0,6 à 3. *Mer :* grands champs 2 à 4, petits c. 3 à 6. **Afrique.** Libye 1 à 2, Algérie 1,8 à 3, Nigeria 1,8 à 3. *Mer :* golfe de Guinée 3 à 6. **Amériques.** Canada 2 à 5, USA (champs imp.) 2,6 à 5,6, Alaska 6 à 10, Venezuela 1,5 à 2,5. *Mer :* USA (golfe du Mexique) 3 à 5. **Europe.** Mer du Nord : zone nord 8 à 20, sud 4 à 10, champs marginaux 15 à 25 ; bassin parisien 7 à 9 ; P.-Bas (gaz) 2.

• **Prix de vente du baril de 159 l d' « Arabian Light »** (API 34 °) (par rapport auquel sont fixés les prix des autres bruts, en $). **1970 :** 1,8. **71** *15-2 :* 2,2. **72 :** *20-1 :* 2,5. **73 :** *1-6 :* 2,9, *16-10 :* 5,11. **74 :** *1-1 :* 11,6, *1-11 :* 11,2. **75** *1-10 :* 11,5. **77** *1-1 :* 12, *1-7 :* 12,7. **79** *1-1 :* 13,3, *1-4 :* 14,5, *1-7 :* 18, *1-11 :* 24. **80** *1-1 :* 26, *1-4 :* 28, *1-8 :* 30, *1-11 :* 32. **81** *1-11 :* 34. **83** *14-3 :* 29, **84** *févr. :* 29. **85** *févr. :* 28. **86** *déc. :* 17,52. **87** *juin :* 18. **88** *juin :* 15,9. **89** *janv. :* 15,35. **90** *janv. :* 17,75. **91** *janv. :* 16,75. **Baril de référence** (7 barils). **88** *nov. :* 12. **N.E. Texas Intermediate 1986** *31-8 :* 14,50, *31-9 :* 11. **89** *avril :* 22,61. **90** *janv. :* 22,95, *24-5 :* 17,83. **91** *janv. :* 22,90. **Panier de brut de l'OPEP** 1990 : *déb. janv. :* 20,56, *15-3 :* 17,88, *13-5 :* 14,50, *juin :* 15,45, *sept. :* 40,35.

Prix spot de vente des pétroles bruts ($ par baril en mars 1991 et au 1-1-1981). **Proche-Orient.** *Arabie léger* 15,75 (33,52), *berry* 17,25, *lourd* 16,6 (31). *Qatar* 16,30 (37,42). *Algérie Mélange Sahara* 19,35 (40). *Libye Es Sider* 18 (40,78). *Nigeria Bonny Light* 18,50 (40,02). **Mer du Nord.** *Ekofisk* 18,55 (40). *Forties* 18,40 (39,25). **Amér. du S.** *Venezuela* [2], *Tia Juana léger* 17,05 (36), *Bachaquero* 11,45 (27,95).

• **Prix du baril de brut** (en F constant 1973). *1973 :* 25,6. *74 :* 46. *79 :* 108,7. *81 :* 76,4. *85 :* 121,4. *86 :* 40,5. *88 :* 29,9. *90 (août) :* 42,7.

• **Marges bénéficiaires laissées, par baril, aux sociétés concessionnaires par les producteurs.** Golfe Persique (Arabie Saoudite exclue) 20 à 40 cents. Algérie, Irak, Indonésie, Nigeria 50 c à 1 $. Pays industriels (G.-B., Norvège, USA, Canada) 3 à 6 $, le reste étant repris par la fiscalité.

Prix de vente des carburants (avril 1991)

Pays	Essence [4]		Super		Gasoil	
	% taxes	Prix en F/l	% taxes	Prix en F/l	% taxes	Prix en F/l
All. féd. . . .	60	4,06 [1]	64,3	4,35	58,3	3,24
Autriche . .	55,3	4,38 [1]	58,7	4,70	58,1	3,88
Belgique . .	62	4,62	66,6	5,12	57,6	3,76
Danemark	67,9	5,80 [1]	64,5	5,51	58	3,88
Espagne . .	64,4	3,76	65,8	4,82	56,1	3,93
Finlande . .	55,2	4,93	60,7	6,38	52,6	4,36
France	*71,4*	*5,21* [3]	*76*	*5,26*	*63,3*	*3,43*
Italie	75,2	6,04	76,9	6,99	71,9	5,03
Luxembourg	49,6	3,30 [2]	56	3,61	40,8	2,35
Pays-Bas . .	63,2	5,01 [2]	68,2	5,09	55,2	3,16
Portugal	65,8	4,71	74,7	5,69	56	3,89
Royaume-Uni	64,8	4,41	67,5	4,97	64,8	4,43
Suède	55	4,78	67,9	6,30	43,8	4,94
Suisse	54	3,95	59,6	4,35	60,6	4,23

Nota. – (1) Sans plomb. (2) Eurosuper sans plomb 95 RON. (3) Prix moyen. (4) Au 15-4-1989.

Prix de vente dans l'agglomération parisienne. 1988 *janv.* essence ordinaire 4,66 (super carburant 4,80) *gas-oil 3,26.* **1989** *janv.* 4,93 (5,08) *3,42.* **1990** *janv.* octane 98 : 5,18 (5,30) *3,72.* **1991** *janv.* 5,52 (5,69) *4,37 ; août* 5,53 (5,87) *4,04.*

Sociétés pétrolières

Généralités

• **Principales sociétés.** *1°) Majors* (autrefois appelés les « 7 sœurs ») : 6 depuis la fusion de Gulf et Chevron, ex-Standard Oil of California, en 1984, dont 4 américains (Chevron, Exxon, Mobil, Texaco) et 2 européens (British Petroleum et Royal Dutch/Shell) ; *2°) Indépendants américains :* Amoco (Standard Oil of Indiana), Arco (Atlantic Richfield), Phillips, Sun, Sohio, Tenneco, etc. ; *3°) Cies des pays consommateurs à participation étatique :* B.P. (G.-B.), ENI (Italie), Elf-Aquitaine et TOTAL-CFP (France), VEBA (All. féd.), etc. ; *4°) Cies nationales des grands pays exportateurs :* Pemex (Mex.), Sonatrach (Alg.), NIOC (Iran), Pertamina (Indonésie), Koweït Oil C°, Aramco (Arabie S.), etc.

• **Régimes des sociétés. Association :** Sté d'État et Cie privée constituent une Ste commune. Elles assument les investissements et se partagent le pétrole au prorata de leur participation. Ex. Elf, au Nigeria (l'État a 55 %), l'ENI en Libye (l'État a 51 %). **Concession :** l'État producteur cède les droits miniers à la Cie qui devient propriétaire du pétrole. L'État perçoit l'impôt, reçoit des « royalties ». **Contrat d'entreprise :** la Cie, prestataire de services, fait les recherches et avance les investissements. Elle est rémunérée par du brut et peut voir ses frais remboursés en cas de découverte (ex. Indonésie). **Cas particuliers.** *Iran :* jusqu'en 1979 : exploitation du pétrole nationalisée mais concédée aux compagnies étr. ; dep. 1979 : le nouveau régime a démantelé le consortium de Cies étr. et créé la NIOC (National Iranian Oil Company). *Irak :* l'INOC (créée 1964) reste l'unique Cie nationale après la nationalisation des Cies étrangères de 1972 à 1975.

• **Chiffre d'affaires,** (en milliards de $, 1988). Royal Dutch/Shell 99,4, Exxon 88,6, BP 58,9, Mobil 54,9, Texaco 35,1, Chevron 28,9, Eni 25,4, Amoco 23,9, Elf Aquitaine 21,2, Occidental 19,9, Arco 18,3, Total (groupe) 14, Petrofina 13,6, Conoco 11,6, Phillips 11,5, Unocal 10,08, Sun 10, Amerada Hess 4,2, Pennzoil 2,3, Ashland 2,1, Murphy 1,5, Louisiana Land 0,7.

• **Bénéfices nets des compagnies pétrolières** (en milliards de F, 1990). Royal Dutch Shell 35,5, Exxon 25,4, British Petroleum 11,8, Chevron 10,9, Mobil 9,78, Amoco 9,68, Texaco 7,76, Petrofina 3,5.

Résultats de grosses sociétés

Amoco (USA). *Chiffre d'aff.* (1989, milliards de $) : 24,2, *bénéfices :* 1,6, *réserves prouvées :* 2,7 milliards de barils.

British Petroleum Co. (Ex. Anglo-Persian Oil Co., fondée en 1909, devenue 1935 l'Anglo-Iranian Co.). Détenue par l'État britannique à 31,6 % (privatisée entre 1929 et 1987). *Salariés :* 120 000. *Points de vente :* 22 000. *Raffineries :* 17. *Réserves* (monde) : 7 milliards de barils. *Production :* 1 600 000 b/j. *Chiffre d'aff. :* 296 milliards de F. **BP-France.** *Chiffre d'aff. : (1990) :* 23,8 milliards de F. *Effectif :* 2 356.

Chevron Corporation. (Ex. Standard Oil of California, dite Esso standard, fondée 1870 par John D. Rockefeller). Devenue **Chevron** 1-7-1984, après acquisition de la Gulf Corporation le 15-6-1984. *Réserves :* 2,8 milliards de barils. *Revenus* (1990, milliards de $) : 41,5. *Ventes de pétrole raffiné* (1989, b/jour) : 2 482. *C.A.* (1990) : 42,6 milliards de $, *Bénéfice :* 2,157 milliards de $.

Exxon Corporation. Ex-Standard Oil Co. (New Jersey). 1er des producteurs, raffineurs et distributeurs mondiaux de pétrole brut et produits raffinés. *C.A.* (1990) 116,9 milliards de $, (bénéfice net 5,01). *Activités diversifiées* (fabrication et vente de pr. chimiques, exploitation et vente de charbon et d'uranium, fabrication et vente de combustibles nucléaires, minerais, stockage et traitement des informations). *Production (1990) : pétrole brut* 1,7 Mb/j ; *brut traité* 3,3 Mb/j. *Ventes : produits pétroliers* 4,7 Mb/j. *Distribue ses produits* dans près d'une centaine de pays. **En France : Esso SAF** (filiale à 81,5 %), 2 raffineries à Port-Jérôme, Fos-sur-Mer. Une dizaine de dépôts vrac sur le territoire métropolitain, 2 500 stations-service. *C.A. (1990) :* 32,9 milliards. **Esso REP** (filiale à 89 % d'Esso SAF) : domaine minier en métropole de 36 000 km^2 exploré (en participation). *Production (en millions de t) : 88 :* 1,59, *89 :* 1,48, *90 :* 1,44 (1er producteur français). **Sté Française Exxon Chemical :** usines à N.-D.-de-Gravenchon, à côté de la raffinerie Esso de Port-Jérôme.

Mobil Oil Corporation (1989). *Production pétrole brut et gaz nat. liquide :* 749 millions de b/j dont USA 315, Europe 155, Canada 75, Indonésie 98, divers 71. *Prod. gaz nat. :* 0,076 Mb/j. *Capacité de raffinage :* 2 118 Mb/j. *Réserves :* 2,6 milliards de barils. *Flotte :* 50 navires. *Ventes (France) :* 4 855 milliers de t. *Chiffre d'aff.* (1989) 56,7 milliards de $ (bénéfice 1,8).

Pétrofina. *Fondée* 1920 à Anvers (Belgique). *Production* (1990, en milliers de t) : 5 733 [1] (mer du Nord 3 720, USA 966 [2], Angola 601, Zaïre 306, Tunisie 42). Ses ressources couvrent 21 % de ses besoins. Pétrole brut traité dans les raffineries du groupe : 41,5 millions de t. *Flotte :* 1 415 000 t. *Vente produits finis :* 35 millions de t, *gaz naturel :* 5,9 milliards de m^3. *Chimie :* C.A. : 108,9 milliards de FB.

Nota. – (1) Déduction faite des redevances prélevées en nature (prod. avant redevances : 6 150). (2) Déduction faite de toutes redevances.

Royal Dutch/Shell. *Créée* 1907. Filiale à 60 % de la Sté néerlandaise Royal Dutch Petroleum Co. (créée 1890), et à 40 % de la Sté britannique Shell Transport and Trading Co. *En 1990 : approvisionnements :* en pétrole brut (1 000 barils/j) 6 254 ; pétrole brut traité 3 379 ; *ventes :* pétrole (1 000 barils/j) 7 840 ; gaz naturel (millions de m^3/j) 161. *Réserves :* 9,1 milliards de barils. *C.A.* 59,4 milliards de £ (bénéfice 3,61) ; *effectifs : 89 :* 137 000.

Sté nationale Elf Aquitaine (SNEA). *Créée* 1976, filiale de l'Entreprise de recherches et d'activités pétrolières (ERAP créée 1966), établissement public à caractère industriel et commercial, qui détient 55,6 % de son capital. **Principales filiales.** *Exploration et production des hydrocarbures,* SNEA (P), Elf Aquitaine Norge, Elf U.K., Elf Italiana, Elf Petroland, Elf Aq. Angola, Elf Congo, Elf Gabon, Elf Aq. Nigeria, Elf URSS... ; *raffinage et distribution des produits finis :* Elf France, Elf Antargaz, S.L.E.A., Elf Mineraloël, Elf Oil Ltd, Elf Belgique, Elf Nederland, Elf Suisse, Elf Espagne, Elf Portugal... ; principales marques : Elf et Antar ; *commerce intern. et transports maritimes :* Elf Trading SA, Elf Trading Inc, Elf Trading Asia, Socap Internat... ; *chimie de base* (pétrochimie, chlorochimie) Atochem, Texasgulf ; *chimie de spécialités* (chimie fine et produits industriels...), Atochem North America, Ceca, Soferti, Alphacan, Appryl... ; *pharmacie :* Sanofi et filiales santé ; *Bio-activités :* Sanofi Bio-industries... ; *beauté :* Sanofi Beauté, Yves Rocher, Nina Ricci. *Recherche :* 20 centres ; 5 650 personnes. **Principaux chiffres (1990).** *Domaine minier :* 30 pays ; 310 000 km^2 dont 123 450 en mer. *Production :* 15 pays ; part d'Elf Aquitaine : pétrole brut 25,9 millions de t, gaz naturel commercialisable : 12,8 milliards de m^3, *soufre :* 1 million de t. *Raffineries :* 9 en propre ou en participation, dont 3 en France ; intérêts dans 6 autres en Afrique. *Transp. maritimes :*

15 navires (32 millions de t de brut transportées). *Effectifs en 1990* : 90 000. *Chiffres d'affaires* : (en milliards de F) : *1977* : 37,6 ; *80* : 76,7 ; *85* : 180,7 ; *88* : 126,1 ; *89* : 149,8 ; *90* : 175,5. *Bénéfice consolidé* : 10,6 millards de F. *Investissements* : 31,4 milliards de F. **1990-23-5** contrat d'exploration avec URSS sur 40 000 km².

Standard Oil Cy of California (Chevron Group of Companies). F. 1870 par John D. Rockefeller à Cleveland (USA). *En 1985 : ventes* 2,929 milliards. de $. *(revenu net* 0,3). *Production* 0,72 Mb/j dont 0,68 de l'Alaska. *Raffinage* 0,66 Mb/j. *Flotte* (1983) 55 bateaux (8 702 millions de TPL).

Texaco Inc. *Fondée* 1902. En 1990 : *production : pétrole brut et gaz nat. liquide* 0,81 Mb/j ; *gaz nat.* 21 700 000 de m³/j ; *brut raffiné* 1,39 Mb/j. *Ventes : prod. raffinés* 2,38 Mb/j ; *gaz nat.* 32 000 000 m³/j. *Réserves* : 2,3 milliards de barils. *Résultats financiers* (en milliards de $) : *chiffres d'aff. (1990) consolidés* 41,8 ; *bénéfice net* 1,5 ; *investissements* 3,4.

Total/Cie française des pétroles (T-CFP). La CFP fut fondée en 1924, pour gérer la part française dans la Turkish Petroleum Cº d'Irak, à l'initiative de l'État français qui en détenait directement 35 % du capital et 40 % des voix. **Filiales :** env. 550 filiales et participations dans 75 pays dont près de 200 directement ou indirectement majoritaires. Détient 96,2 % du capital de la *Cie de raffinage et de distribution Total-France* (CFD) qui traite env. 25 % du brut raffiné en France et assure 20 % de l'approvisionnement français des carburants. **Potentiel industriel (1989).** Domaine minier (pétrole et gaz) : env. 753 000 km² dont 208 000 de part nette. **Flotte pétrolière** : 8 navires totalisant 1,47 million de tpl. **Réserve** (90) : pétrole 498 Mt (dont Moyen-Orient 400), gaz nat. 178 milliards de m³ (dont 83,5 prouvés développés). **Production** (90) : pétrole 22,6 Mt, gaz 8,8 G m³ raffiné 42,3. **Chiffre d'aff.** *1988* : 83,3, *89* : 107,9, *90* : 128,5 (*résultat net* consolidé 90 : 4,1). **Effectifs** (88) : 41 862.

Pays consommateurs

Statistiques

Principaux pays consommateurs (tous produits) en 1990 et, en italique, **1978** (en millions de t). USA 778,9 (dont en 1989 essences 332,8, gasoil/diesel-oil 226,1, fuel-oil 73) *888,8.* URSS 402,6 *419,2.* Japon 245 (dont en 1989 essences 46,5, gasoil/diesel-oil 76,7, fuel-oil 61,8) *262,7.* Chine 113,4 *84,7.* All. féd. 112,5 *141,7.* Italie 92,3 *99,8. France* 88,7 *119.* G.-B. 82,4 *94.* Canada 74,8 (dont en 1989 essences 27,3, gasoil/diesel-oil 24,2, fuel-oil 7,6 *86,9).* Corée du S. 48,5. Espagne 48,1 *46,4.* Australie 36 *35,2.* Pays-Bas 34,2 *38,4.* Indonésie 30,9. Taïwan 26,2. Belgique/Luxembourg 24,1 *29.* Turquie 23,8 *15,3.* Suède 15 *26,4.* Grèce 14,5 *11,7.* Suisse 12,8 *13,4.* Portugal 11 *7,4.* Autriche 10,7 *12.* Norvège 9,2 *9,3.* Danemark 8,8 *16,1.* Irlande 4,4 *6.* Islande 0,7 *0,6. Total monde* 3 101,4 *3084,4* [dont Amér. du N. 853,7 *975,7,* URSS et Europe de l'Est 495,7 *549,6,* Asie 614,2 *483,* Europe occidentale 606,8 *701,4,* Amér. latine 254,8 *191,2,* Proche-Orient 146,3 *85,5,* Afrique 93,9 *62,8*]. *Source :* BP Statistical Review.

Conférences

Agence internationale de l'énergie. 2, rue André-Pascal, 75775 Paris Cedex 16, France. *Créée* 15-11-1974 au sein de l'OCDE. *Dir. exécutif* : Helga Steeg (All. féd.). *Pt du Conseil de Direction* : G. Chipperfield (R.-U.). *Adhérents* : All. féd., Australie, Autriche, Belgique, Canada, Danemark, Espagne, G.-B., Grèce, Irlande, Italie, Japon, Luxembourg, N.-Zélande, Pays-Bas, Portugal, Suède, Suisse, Turquie, USA ; la Norvège a un statut spécial. *But :* assurer en cas d'urgence l'approvisionnement, élaborer un programme de coopération à long terme.

Conférence tripartite sur l'énergie. Doit réunir, à l'initiative de la France, pays consomm. et product. de pétrole et des représentants du tiers monde non pétrolier.

Crise de Suez (1956)

Origine. 1956-*26-7* nationalisation du canal par le colonel Nasser. Les mois suivants, négociations menées par G.-B., France et USA pour obtenir la libre circulation sur le canal. *-16-8* 1re conférence à Londres des usagers du canal. *-29-10* g. avec Israël. *-7-11* cessez-le-feu franco-brit. Le canal rendu impraticable par l'Égypte entraîne pour l'Europe un déficit d'env. 100 millions de t par an (env. 25 %). Les Français commencent à constituer des stocks.

Mesures prises en France après la fermeture du canal. 1956-*28-11,* rationnement décidé. Chaque possesseur de véhicule a droit à une allocation de base pour la période du 28-11 au 31-12-56 : voiture de *+ de 5 CV* 30 l d'essence ; *- de 5 CV* 20 l ; *camions et camionnettes* 40 l ; *cars* 50 l ; alloc. spéciales pour médecins, prêtres, policiers, livreurs ; *-21-12,* alloc. de base pour janvier et février : *- de 4 CV* 15 l, *5 à 10 CV* 20l, *11 CV et +* 25 l. **1957**-*10-1,* alloc. spéciale pour tout acheteur d'une voiture d'occasion. *-1-2,* alloc. de 30 à 50 l à tout acheteur d'une voiture neuve, suivant puissance fiscale. *-8-3,* le système d'inscription auprès d'un garagiste est remplacé, pour les vacances, par une organisation à base de tickets. *Avril-mai-juin :* approvisionnement redevenant progressivement normal. *-1-7* abolition du contingentement. **Évolution du prix de l'essence ordinaire. 1-1-1956** 64,20 AF (dont taxes 44,70) ; **31-12** 73,10 F (46,62). **1-1-58** 92,70 F (70,05).

Crise de 1973

• **Décisions des pays de l'OPEP. 1973**-*17-10,* à Koweït, les pays de l'OPEP décident de réduire de 5 % chaque mois les livraisons de brut à la plupart des pays consommateurs. USA, P.-Bas, Portugal, Rhodésie et Afr. du Sud sont frappés d'embargo total. *-5-11,* le % de départ est porté à 25 % pour les pays neutres. France, Espagne et G.-B. considérés comme « amis » recevront les mêmes quantités qu'en sept. *-19-11* la réduction supplémentaire de 5 % prévue pour déc. ne sera pas appliquée à l'Europe et au Japon. *-26-12* le % est ramené de 25 à 15 % pour les pays neutres. Japon et Belgique sont considérés comme amis. En fait, la réduction de la prod. ne dépassera pas 25 % par rapport à sept. 1973. Les Cies répartiront le pétrole disponible. Les autres prod. y compris l'Irak (qui s'était désolidarisé des mesures prises par l'OPEP) ont augmenté leur production.

• **Mesures prises par les pays consommateurs. Restriction de la circulation.** *All. féd.* (mesures levées 12-1-74), *Autriche* (1 j par semaine du 14-1-74 au 15-2-74), *Belgique* (2 dimanches sur 4 ; circulation libre à partir du 3-2-74), *Danemark, Italie, Japon, Luxembourg, Norvège* (interdiction de circuler le week-end, levée 31-1-74), *Pays-Bas* (mesures levées 12-1-74), *Suisse* (levées 12-1-74), *Israël* (1 j par semaine au choix). **Limitation de vitesse.** *Afr. du Sud, All. dém., All. féd., Autriche* (levée 15-3-74), *Belgique* (100 km/h sur tout le réseau ; à partir du 1-3-74 : 120 km/h sur autoroutes), *Bulgarie, Corée du S., Danemark, Finlande, France, G.-B., Grèce, Israël, Italie, Japon, Luxembourg, N.-Zélande, Philippines, Pologne, Portugal, Roumanie, Suisse, USA.* **Fermeture des pompes durant le week-end.** *Afr. du Sud, Belgique, Italie, Japon, Luxembourg, Norvège, Portugal, USA.* **Interdiction du stockage de carburant par les particuliers.** *Belgique, France, G.-B.* (à partir du 22-2-74, les particuliers peuvent acheter de l'essence en bidon), *Luxembourg, Norvège, Suisse.* **Rationnement. De l'essence :** *Afr. du Sud, Bulgarie* (45 l par mois), *Corée du S., USA* (dans certains États, les automobilistes ne sont autorisés à acheter de l'essence qu'un j sur 2), *G.-B.* (distribution de tickets, mais non-utilisation), *Norvège* (80 l par conducteur à partir du 25-1-74 ; non appliqué), *N.-Zélande, P.-Bas* (15 l par semaine, 30 l pour les étrangers, à partir du 8-1-74 ; levé le 29-1-74), *Roumanie* (40 l par mois), *Suède* (100 l pour 7 sem. à partir du 8-1-74 ; levé le 29-1-74), *Suisse* (étrangers ne peuvent plus acheter d'essence en Suisse). **Du fuel :** *All. féd., Danemark, Finlande, Japon, Luxembourg, USA.*

Baisse de la consommation des pays industrialisés en 1974 [à la suite de la récession, de la lutte contre le gaspillage et d'un hiver particulièrement doux (en %)]. USA, Japon, G.-B. 4, *France 5,* All. féd. 10, Pays-Bas 15, Belg. 17.

• **Mesures prises en France après le 1er choc pétrolier. 1974**-*29-10* loi interdisant la publicité sur les prod. pétroliers. **1975** *achats pétroliers* limités à 51 milliards ; chauffage des locaux baissé à 20 °C et 8°C s'ils sont inhabités pendant 48 h, rationnement par les prix du naphte et du fuel industriel ; adoption d'un nouveau plan charbonnier ; abaissement de la vitesse limite sur autoroute à 130 km/h. **1976** adoption de l'heure d'été pour économiser chaque année 300 000 t d'équivalent pétrole, soit 5 à 10 % de la consommation d'électricité destinée à l'éclairage. **1977** rationnement du fuel domestique accentué (pas + de 30 millions de t de mazout) ; consommations de gaz et d'électricité à usage industriel contrôlées ; vignette augmentée pour les véhicules dont la puissance fiscale est inférieure à la puissance réelle ; dépassements de vitesse sanctionnés (suspension de permis de conduire) ; voitures « économiques » pour les administrations. **1979** chauffage des locaux baissé à 19 °C ; limitation de vitesse renforcée. *-1-7* entrée en vigueur de l'encadrement du fuel-oil domestique. **1988** *avril,* suppression de la limitation de la publicité relative aux hydrocarbures liquides. Surtaxe portée de 600 à 3 800 F pour les voitures particulières de plus de 17 CV ; comptage individuel de chaleur obligatoire dans les logements collectifs ; création d'aides spécifiques à l'innovation dans le domaine des systèmes récupérateurs de chaleur, etc.

Transport de pétrole

Flotte pétrolière

• **Total mondial** (en millions de tdw). **1970 :** 132,1. **75 :** 255,8. **78 :** 332,5. **80 :** 327,9. **81 :** 324,7. **82 :** 320,2. **83 :** 303,7. **84 :** 283,2. **85 :** 269,7. **86 :** 246,7. **87 :** 241. **88 :** 239,4. **89 :** 243,5 (soit 2 923 bateaux) dont Liberia 56,1, Panamá 20,7, G.-B. 16,9, USA 16,5, Grèce 16,2, Japon 14,7, Norvège 11,3, Chypre 11,1, Bahamas 9,3, Iran 6, URSS 5,8, Singapour 4,6, Italie 4,4, Danemark 4,2, *France 3,9,* Brésil 3,6, Espagne 3,4, Inde 3, Arabie Saoudite 2,7, Malte 2,5, Chine 2,3, Corée du S. 1,6, Irak 1,4, Turquie 1,4, Libye 1,3, Australie 1,1, P.-Bas 1, Argentine 1, Taïwan 0,9, Portugal 0,9.

Méthaniers et transporteurs de GPL (flotte en service au 1-1-89). *Méthaniers* 65. *Transp. GPL* 152.

• **Commerce maritime** (en millions de t et, en %, part du pétrole). **1937/38 :** 490 (21,4). **60 :** 1 100 (49). **70 :** 2 605 (55,3). **73 :** 3 190 (57,7). **79 :** 3 755 (41). **82 :** 3 249 (40). **83 :** 3 090 (39,4). **84 :** 3 312 (37,6). **85 :** 3 293 (36,4). **86 :** 3 385 (37,3). **87 :** 3 457 (37). **88** (prov.) : 3 666.

Les routes du pétrole vers l'Ouest. De la mer Rouge au canal de Suez : fermée en 1967, elle n'a été rouverte qu'en juin 1975, après enlèvement des épaves et dégagement du chenal, mais seules les unités de - de 150 000 tpl peuvent l'emprunter. *Part du pétrole importé en Europe passant par Suez : 1956 :* 60 %, *88 :* 20 %, *an 2000 (prév.) :* 50 %. **Euphrate à Méditerranée par le désert de Syrie :** les oléoducs du Proche-Orient se sont multipliés depuis 1932 (capacité totale 90 millions de t). **Route du Cap :** en 1974, avant la réouverture de Suez, sur 773 millions de t de pétrole venant du Proche-Orient, 644 millions de t (83 %) passaient par Le Cap.

Le pétrole en France

Généralités

• **Organisation.** La loi de 1928 a confié à l'État le monopole de l'importation du pétrole afin d'assurer la sécurité d'approvisionnement. L'État l'a délégué aux Stés pétrolières aux conditions suivantes : 1) participation au ravitaillement national, contrôlée par la présentation d'un plan d'approvisionnement ; 2) fourniture prioritaire des services publics ; 3) constitution de réserves pour 3 mois de consommation ; 4) participation à l'exécution de contrats d'intérêt national pour l'acquisition de pétrole ou la fabrication de produits utiles à l'économie. Les licences d'importation délivrées sont valables 10 ans pour les imp. de pétrole brut, et 3 ans pour les produits finis. Rapport Schwartz : voir Quid 1980.

• **Perspectives. Plan « hydrocarbures français ».** Priorité aux recherches sur les franges des bassins sédimentaires jusqu'à 5 000/6 000 m, et en mer (Méditerranée sur environ 60 000 km², îles Kerguelen, St-Pierre-et-Miquelon, N.-Calédonie). Développement des huiles lourdes, schistes et pétrole de mers profondes (stations sous-marines automatisées). Récupération assistée (injection de gaz, vapeurs ou additifs chimiques) pour accroître de 15 % (soit 30 millions de t) le pétrole exploitable.

Perspectives de la politique pétrolière française. *Réduire la consommation* (économies d'énergie, recours accru au nucléaire). *Reconvertir l'appareil de raffinage* pour pouvoir extraire des bruts lourds davantage de produits légers de plus en plus demandés (essence pour transports, fuel-oil domestique). *Diversifier les approvisionnements* (Norvège, G.-B., URSS, Mexique). *Compenser les importations* par des ventes accrues dans les pays producteurs, ce qui suppose que la France s'approvisionne auprès de

Prix de vente (début janvier) de produits raffinés

	1973	1978	1980	1985 [4]	1986 [4]	1988 [4]	1989 [7]	1990
Essence [1]	112,00	219,00	306,00	514	449	480	540	494
dont droits et taxes	*80,35*	*132,57*	*182,57*	*330*	*339*	*359*	*375*	*368*
Supercarburant [1]	121,00	237,00	327,00	524	460	491	553	504
dont droits et taxes	*84,63*	*141,58*	*194,57*	*344*	*355*	*375*	*392*	*385*
Gasoil [1]	77,50	143,00	222,00	412	308	324	345	360
dont droits et taxes	*47,94*	*71,37*	*109,60*	*197*	*192*	*204*	*211*	*214*
Fuel-oil domestique [2]	29,20	80,60	141,20	292,50	186,1	185,4	193,2	234
dont droits et taxes	*6,39*	*14,27*	*35,63*	*81,2*	*66,6*	*70,3*	*70,9*	*77,3*
Fuel-oil lourd n° 2 ord. [3]	115,48	414-415	795	1 396	1 516 [5]	729 [6]	932 [8]	1 007
dont droits et taxes	*0,25*	*0,80*	*0,80*	*63,80* [5]	*297* [5]	*129* [6]	*132* [8]	*132*

Nota. – (1) Prix à la pompe à Paris, en F/hl TTC ; 1983-84, prix correspondant aux prix de reprise plafonds ; dep. 1985, prix moyens à la pompe France entière. (2) Prix à Paris en F/hl TTC pour livraison unitaire de 2 à 5 m³ ; 1983-84, prix plafond dep. 1985, prix moyens France entière. (3) Prix départ raffinerie ou point d'importation de cote nulle, en F/t, hors TVA. Depuis le 17-5-1976, les prix sont libres ; les prix indiqués dep. 1978 correspondent aux prix de barèmes déposés par la majorité des Stés pétrolières. (4) Fin déc. (5) Début janv. (6) 30 nov. (7) mai. (8) avril.

pays dont le développement ferait pour elle des clients importants (Nigeria, Chine, Algérie, URSS).

Bilan global

• **Bilan en tonnage** (millions de t, 1990.). *Entrées en raffineries :* 77,2 dont importations de brut 70,8, production de brut 3, d'autres produits à distiller 2,5, import. de charges 2,2, recyclage 0,1. *Production nette des raffineries :* 71,9 dont autoconsommations 4,7, pertes 0,5.

Produits raffinés. *Ressources totales :* 86,1 dont prod. nette 71,9, importations 26,5, retours de la pétrochimie 1,4, hydrocarbures extraits du gaz naturel 0,4, huiles régénérées 0,06 ; *variations de stocks en raffineries :* 0,002 ; *en distribution :* 0,4. **Consommation totale nette en France calculée :** 84,7. *Consommation observée :* 82,1.

• **Bilan financier. Facture pétrolière de la France** (en milliards de F) et, entre parenthèses, facture énergétique totale (solde des importations et des exportations). **1973 :** – 13,6 (– 16,6). **74 :** – 45. **75 :** – 36,9. **76 :** – 51,1. **77 :** – 52,4. **78 :** – 49 (– 62). **79 :** – 66,1. **80 :** – 108 (– 132,9). **81 :** – 128,7 (– 162). **82 :** – 140,1 (– 177,9). **83 :** – 131,7 (– 168,3). **84 :** – 145,4 (– 187). **85 :** – 137,3 (– 180,6). **86 :** – 57,7 (– 89,6). **87 :** – 62,7 (– 82,3). **88 :** – 49,8 (– 66,1). **89 :** – 66,1 (– 83,1). **90 :** – 72,5 (– 94) dont combustibles minéraux solides – 6,5, pétr. brut – 63, prod. raffinés – 15,9, gaz nat. – 16,5, électr. + 7,9.

• **Coût moyen du pétrole brut importé** (valeur moyenne du brut en F par t et, entre parenthèses, parité $/F). **1973 :** 120 (4,465). **74 :** 377 (4,812). **75 :** 381 (4,289). **76 :** 452 (4,779). **77 :** 491 (4,914). **78 :** 464 (4,512). **79 :** 580 (4,255). **80 :** 1 016 (4,221). **81 :** 1 460,3 (5,432). **82 :** 1 693,1 (6,578). **83 :** 1 742,9 (7,622). **84 :** 1 892,8 (8,740). **85 :** 1 837,7 (8,99). **86 :** 773,1 (6,93). **87 :** 799,3 (6,012). **88 :** 640,9 (5,959). **89 :** 828,5 (6,38) – janv. : 725,1 (6,25). **90 :** 896,7 (5,45).

En F 1972 par t. *1972 :* 115. *73 :* 108. *74 :* 305. *78 :* 260. *79 :* 293. *80 :* 452. *82 :* 595. *85 :* 518. *86 :* 212. *87 :* 213. *88 :* 166. *89 :* 207. *90 :* 218.

Commerce extérieur

• **Par quantités** (en millions de tonnes). **Importations. Pétrole brut** [1] : total *1973 :* 135. *80 :* 113,6. *81 :* 95,1. *82 :* 80,8. *83 :* 72,5. *84 :* 73,6. *85 :* 73,9. *86 :* 69,5. *87 :* 66,4. *88 :* 72,4. *89 :* 70,6. *90 :* 73,3 [dont Proche-Orient 31,6 (Arabie Saoudite 15,1, Iran 9, Irak 3, Émirats Arabes U. 1,5), Afrique noire 13,8 (Gabon/Congo 4,9, Nigeria 3,1), mer du Nord 10,2 (Norvège 5,8, G.-B. 4,7), Afr. du Nord 7,2 (Algérie 3, Libye 2,9,), URSS 6,2, Mexique 2,5, Venezuela 0,5, autres 1,3. **Produits raffinés :** *1973 :* 7,3. *80 :* 18,4 [1]. *81 :* 18,6 [1]. *82 :* 22,51 [1]. *83 :* 22,6. *84 :* 19,8. *85 :* 22,4. *86 :* 27,1. *87 :* 31,2. *88 :* 28,4. *89 :* 28,8. *90 :* 27,6.

Exportations (prod. raffinés). *Total : 1973 :* 13,4. *80 :* 16. *81 :* 16. *82 :* 12,2. *83 :* 11,2. *84 :* 11,2. *85 :* 12,5. *86 :* 12,5. *87 :* 10,7. *88 :* 11,6. *89 :* 10,8. *90 :* 13,3 [vers Europe 10 (dont Suisse 1,9, G.-B. 1,7, All. féd. 1,5, Italie 1,4, P.-Bas 1,2, Espagne 0,9, UEBL 0,7), Amérique 2, Afrique 0,6, Asie 0,5]. **Avitaillement** (navires et avions étrangers). *1973 :* 4,2. *80 :* 3,1. *85 :* 2,5. *88 :* 2,6. *89 :* 3,1. *90 :* 3,4.

Nota. – (1) Y compris produits intermédiaires à distiller. *Source :* DHYCA (pétrole brut), Douanes (produits raffinés).

• **Par montants** (milliards de F, 1990, prov.). *Imp. totales CAF :* 1 266,5 dont produits énergétiques CAF 120,2, (dont combustibles minéraux solides 7,3, gaz naturel 16,6, pétrole brut 61,3, produits pétroliers raffinés 31,9, électricité 2,3). *Exp. totales FAB :* 1 141,2 dont produits énergétiques FAB 26,1 (dont comb. min. solides 0,8 produits pétroliers raffinés 18,2, électricité 10,2).

Solde balance : total énergie CAF/FAB – 94,1 [dont pétrole brut – 61,3, gaz naturel – 16,5, prod. pétroliers raffinés (avitaill. inclus) – 9,7, comb. min. solides – 6,6. Imp. totales FAB 1 226,3, exp. totales FAB 1 176,2, solde général FAB/FAB – 50,1].

Consommation

• **Totale du marché intérieur** (millions de t). **73** 112. **78 :** 105. **79 :** 106. **80 :** 98,5. **81 :** 87,2. **83 :** 79,7. **84 :** 76,6. **86 :** 76,97. **87 :** 77,5. **88 :** 77,7. **89 :** 80,8. **90 :** 79,7 dont fuel-oil domestique 17,1, lourds 6,2 dont ind. et divers 5, supercarburant 18,2, gasoil 17,5, mat. 1res pétroch. (bases et fractions légères) 8, gaz de pétrole liquéfiés 2,8, bitumes 3, carburéacteurs 3,7, coke de pétrole 1,4, lubrifiants 0,9, fuel-oil léger 0,3 (en 1979), white-spirit 0,1, paraffine 0,07, cires 0,02, pétrole lampant 0,03, essences spéciales 0,04, essences aviation 0,03, gaz incondensables 0,2.

• **Principaux secteurs d'utilisation** (estim. en millions de t, 1990). Consommation totale 82,3 dont *industrie et divers* 21,1 ; *transports* 43 (routiers 35,5, maritimes 3,2, aériens et fluviaux 3,8, ferroviaires 0,39) ; *secteur domestique et tertiaire* 15,5 ; *agriculture* 2,8. *En % :* transports 52,2 ; domestique et tertiaire 18,8 ; industrie et divers 25,6 ; agriculture 3,4.

• **Distribution des carburants routiers. Points de vente.** Nombre total dont, entre parenthèses, sur autoroutes et, en italique, en grandes et moyennes surfaces. **1970 :** 45 900 (64) *470.* **75 :** 42 500 (140) *990.* **80 :** 40 400 (226) *1 290.* **85 :** 34 600 (276) *2 250.* **90 :** 25 700 (306) *3 750.*

Classement. Selon la propriété de la station (fin 1990). *Stations officielles :* 5 150 dont gérants libres 350, mandataires (ou salariés) 4 800 ; *propriétaires exploitants :* stations organiques 10 800 (dont commissionnaires 5 600, acheteurs fermes 5 200), stations libres 6 000 ; *grandes surfaces :* 3 750. **Selon le statut de l'exploitant** (fin 1989). *Gérants libres :* 350 ; *réseau intégré A5/A10 :* gérants mandataires ou salariés 5 100, commissionnaires 6 500 ; *acheteurs fermes :* 13 950 ; *grandes surfaces :* 3 100.

Réseau des autorisés spéciaux (fin 1990). 5 140 stations officielles et *10 780 organiques* dont : Total 1 320 *2 820,* Elf 900 *1 450,* Shell 650 *980,* Esso 560 *820,* BP 340 *440,* Mobil 460 *210,* Fina 240 *420,* Agip 70 *60,* Aral 20 *90.*

Débit moyen annuel (1987). 820 m³ [G.-B. (20 000 stations) 1 400, All. féd. (19 200) 1 670].

Record des ventes sur autoroutes (1981). *Station* Total de Phalempin : 2 400 000 litres par mois (tous carburants confondus).

Points de vente de carburant sans plomb. (Nombre et, entre parenthèses, ventes annuelles en m³). *1985 :* 80 (104 m³). *86 :* 90 (2 500). *87 :* 290 (17 000). *88 :* 1 200 (64 000). *90 :* 11 800 (3 405 000).

Nota. – La directive communautaire du 20-3-1985 impose, aux États membres, la mise à disposition des consommateurs d'au moins une qualité d'essence sans plomb, de manière obligatoire, à partir du 1-10-1989. Cette mesure devrait contribuer à supprimer, à terme, l'émission annuelle de 8 000 t de plomb dans l'atmosphère par les gaz d'échappement des véhicules. La présence du plomb dans l'essence interdit l'utilisation de certaines techniques de dépollution, comme le pot catalytique.

Parts de marché des A.5 / A.10

Sociétés	Essence et super	Gasoil	Fuel dom.	Fuel ind.
Total	13,35	15,38	10,84	20,30
Elf	12,01	12,33	7,66	19,14
Esso	8,84	7,71	3,03	9,93
Shell	8,09	5,99	0,86	8,63
BP.	6,64	5,86	5,97	9,01
Mobil	4,49	4,49	3,63	6,43
Fina	3,14	5,14	3,27	3,96
Agip + Aral	0,99	1,15	0,87	1,63
Total raffineurs	*57,55*	*58,05*	*36,13*	*79,03*
FFPI.	23,28	28,05	38,84	16,51
Divers	4,65	7,93	24,71	4,46
Grandes surfaces	14,52	5,97	0,32	–
Total tous A5	*42,45*	*41,95*	*63,87*	*20,97*
Total général	**100**	**100**	**100**	**100**

Prix

Depuis l'arrêté du 29-1-1985, les prix de vente de l'essence, du supercarburant et du gasoil sont librement déterminés à tous les stades, dans le cadre d'engagements de lutte contre l'inflation souscrits par autorisés spéciaux et grossistes. La « formule » mise en application en mai 1982 pour la détermination des prix de reprise demeure en vigueur pour le fuel-oil domestique ainsi que les autres éléments de la structure (marges de distribution, rémunération des stocks de réserve et fiscalité). L'écart de prix entre super et gasoil encourage le développement excessif des moteurs Diesel et oblige les compagnies à importer massivement du gasoil que les raffineries ne peuvent techniquement produire en quantité suffisante (le raffinage d'une tonne de brut donne une proportion presque invariable de produits raffinés). Peugeot (1er producteur de voitures Diesel) est soutenu discrètement par les transporteurs routiers (principaux consommateurs).

• **Supercarburant plombé** (prix de vente au 17-12-1990 en F/hl). 529 (au 2-4-91 : 527). *Prix hors taxes :* 133. *Taxes et redevances :* 396 dont taxe intérieure 310,7, taxe CNE 0,13, fonds de soutien hydrocarb. 0,9, IFP 1,35. *Total hors TVA* 313,1, *TVA* 82,98.

• **Taxation maximale et,** entre parenthèses, **minimale depuis 1932** (en %). *Essence* 76,5 (1959), 51,2 (1932) ; *super* dep. 1964 77,1 (1989), 52 (1983) ; *gasoil* 68 (1966-67), 38,9 (1950) ; *fuel-oil domestique* 38,9 (1990), 3 (1951) ; lourd n° 2 22,2 (1985), 3 (1951). **Taxation (part des droits et taxes dans les prix de vente, début 1991)** essence 75,7[1], super 76,1, gasoil 59,2, fuel domestique 33,3, fuel lourd n° 2 12,8.

Nota. – (1) 1989.

Production

• **Gisements.** Année de découverte, profondeur au sommet du réservoir en mètres, et, en italique, production cumulée de **pétrole,** en milliers de t fin 1990.

Esso Rep. Parentis (1954) 1 985 m *27 562.* Lugos (1956) 1 440 m *1 544.* Cazaux (1959) 2 200 m et Cazaux prof. (1961) 3 080 m *9 806.* Lavergne La Teste (1962) 3 190 m *1 626.* Donnemarie (1979) 2 535 m *306.* Chaunoy (1983) 2 162 m *4 385.* Champotran (1985) 2 385 m *153.*

Pétrorep. Coulommes (1958) 1 678 m *1 859.*

Shell française. St-Martin de Bossenay (1959) 1 400 m *1 197* (fin 1989). Hautefeuille *0,033* (fin 1989).

SNEA (P). Lacq supérieur (1949) 493 m *3 879.* Scheibenhard (1956) 390-740 m *96.* Châteaurenard (1958) 395 m *691* [1]. Chuelles (1961) 426 m *990* [1]. Courtenay (1964) 440 m *362* [1]. Pécorade (1974) 2 370 m *1 565.* Castera Lou (1976) 2 611 m *393.* Soudron (1976) 1 223-1 972 m *320.* Vic Bilh (1979) 1 900 m *2 845.* Lagrave (1984) 1 595 m *1 306.* Fontaine-au-Bron (1986) 1 630 m *261.* Vert-le-Grand (1986) 1 810-1 800 m *474.*

Totalex. Villeperdue (1982) 1 630 m. *3 414.* Montmirail Sancy-lès-Provins découvert en fév. 1990 prod. 25 m³/j.

Triton. Blandy (1984) 2 165 m *74*[1]. St-Germain (1984) 2 147 m *338*. Sivry (1984) 2 167 m *59*.

Nota. – **Gisement de Burosse :** à une trentaine de km de Pau (6 à 10 millions de t) ; pourrait produire 600 000 à 1 million de t/an (1 % de la consommation). (1) 1989.

• **Production de pétrole brut** (milliers de t, non compris groupes à capitaux français à l'étranger).

1954	505,2	1967	2 832,4	1980	1 415,4
1955	878,4	1968	2 687,7	1981	1 675,9
1956	1 263,6	1969	2 498,6	1982	1 629
1957	1 410,5	1970	2 308,9	1983	1 655
1958	1 386,3	1971	1 861,1	1984	2 064
1959	1 617,3	1972	1 483,6	1985	2 642
1960	1 976,5	1973	1 254	1986	2 948
1961	2 163,4	1974	1 079,6	1987	3 235
1962	2 370,2	1975	1 027,6	1988	3 355
1963	2 522,1	1976	1 057,3	1989	3 244
1964	2 845,3	1977	1 037,1	1990	3 024
1965	2 987,8	1978	1 112		
1966	2 931,9	1979	1 196,1		

Nota. – (1) Dont *Aquitaine :* ESSOREP (Parentis, Cazaux, Lugos) 553, SNEA (Lacq Supérieur, Lagrave, Pécorade, Vic-Bilh) 603 ; *Bassin parisien :* ESSOREP (Donnemarie, Champotran, Chaunoy) 780, PETROREP (Coulommes) 55, SHELL (St-Martin) 13, SNEA (Châteaurenard, Dommartin-Leltrée, Fontaine-au-Bron, St-Firmin, Chuelles, Soudron, Vert-le-Grand) 415, TOTALEX (Villeperdue) 541, TRITON (Sivry, St-Germain) 49 ; *autres régions :* 12.

• **Réserves** (1-1-1991). *Hydrocarbures liquides* (en millions de t) : pétrole brut 19,5 ; liquides de gaz nat. 3,8. *Gaz nat.* (en milliards de m^3) : gaz brut 52,8 ; gaz épuré 36,7.

Raffinage

• **Données globales** (millions de t). **Brut traité.** *1973 :* 135. *78 :* 117. *79 :* 127,6. *80 :* 114 [1]. *85 :* 76,9 [1]. *87 :* 69,6. *88 :* 74,9. *89 :* 74,4. *90 :* 75,3.

Production nette *(produits finis) 1973 :* 127,2. *78 :* 117,8. *85 :* 78. *88 :* 76,6, *89 :* 74,5. *90 :* 71,9.

• **Capacité de traitement** *(dist. atmosph., fin d'année, non compris Carling 1990)* 84,6 [1] [dont *Nord :* Flandres (CRD Total France) 6, Dunkerque (BP) 5,2 [2], Valenciennes (ELF) 3,3 [2] ; *Basse-Seine :* Gonfreville (CRD Total France) 9,3, Petit-Couronne (Shell) 7,9, Port-Jérôme (Esso) 6,8, Vernon (BP) 3,4 [2], Gravenchon (Mobil) 3,1 ; *Atlantique :* Donges (ELF) 9,9, Bordeaux (Esso) 2,9 [2], Ambès (ELF) 2,1 [3], Vern-sur-Seiche (ELF) 1,5 [2] ; *Méditerranée :* Berre (Shell) 6,3, La Mède (CRD Total) 6,7, Lavera (BP) 8,7, Fos-sur-Mer (Esso) 5, Frontignan (Mobil) 5,7 [2] ; *Est :* Hauconcourt (SRL) 5,1 [2], Herrlishem (SRS) 4,6 [2], Reichstett (CRR) 4 ; *Lyonnais :* Feyzin (ELF) 5,9 ; *région par. :* Gargenville (ELF) 6,5 [2], Grandpuits (ELF) 4,8].

Nota. – (1) Y compris condensats et produits intermédiaires à distiller (*1980 :* 4,3 Mt, *81 :* 7,3, *82 :* 7,1, *83 :* 6,2, *84 :* 5,4). (2) 1978. (3) 1973. (4) 1985.

Recherche

Forages (milliers de m forés). *1979 :* 112. *80 :* 161,1. *81 :* 255,4. *82 :* 207,9. *83 :* 238. *84 :* 280,6. *85 :* 438,6. *86 :* 339. *87 :* 226,1. *88 :* 194,8. *89 :* 144,7. *90 :* 149,5.

Stockage

Stockages (millions de m^3). **1981 :** 68,6 (dont pétrole brut 18,7), **85 :** 60,2 (15,1), **89 :** 52 [1], **90 :** 51,7[1,4] *dont : raffinage* (pétrole brut, prod. intermédiaires et produits finis) [2] **1981 :** 54,2, **85 :** 46,6, **89 :** 37,5 [1], **90 :** 36,5[1] ; *distribution* (prod. finis) [3] **1981 :** 14,4. **85 :** 13,6. **89 :** 14,5 [1]. **90 :** 15,1[1].

Nota. – (1) Non compris les stockages souterrains de May-sur-Orne (4 900 km^3). (2) n.c. les capacités de stockage de pétrole brut de la Fenouillère au départ du pipe Sud-Européen (2 260 000 m^3 début 1988). (3) Dépots civils actifs d'une capacité égale ou supérieure à 400 m^3 stockant des carburants et fuels, des produits spéciaux, lubrifiants et bitumes, à l'exclusion des gaz liquifiés. Les stockages du SSDH (La Ferté-Alais, Donges, Herbley, Châlons-sur-Marne, St-Baussant et St-Gervais) affectés à l'économie civile sont inclus depuis fin 1987. (4) Non compris les capacités de raffineries fermées non encore affectées.

Soutes maritimes. Total, entre parenthèses, françaises et, en italique, étrangères (millions de t). **1973 :** 5,5 (2,1) *3,4.* **83 :** 2,6 (1,2) *1,4.* **85 :** 2,5 (1,2) *1,3.* **88 :** 2,3 (0,8) *1,5.* **89 :** 2,4 (0,9) *1,5.* **90 :** 2,6 (0,9) 1,7.

Transports

• **Maritimes. Pétroliers et pétrominéraliers au long cours** (nombre de navires-citernes et entre parenthèses port en lourd global en millions de Tpl). *1973 :* 88 (10,3). *80 :* 66 (15,4). *83 :* 48 (11,1). *85 :* 24 (5,1). *88 :* 17 (3,6). *89 :* 14 (3,3). *90 :* 14 (3,2). **Dont pétroliers de + de 200 000 t** *1973 :* 24 (5,7). *80 :* 48 (13,2). *83 :* 31 (9,2). *85 :* 24 (5,1). *88 :* 10 (2,8). *90 :* 9 (2,5).

Tonnage transporté sous pavillon français (en millions de t/milles et entre parenthèses en % du total). *1973 :* 506,1 (51,4). *80 :* 619 (83,8). *83 :* 255,5 (82,5). *85 :* 150,7 (71,8). *88 :* 125,8 (54,1). *89 :* 118,4 (40,4). *90 :* 125,5 (35,1).

• **Pipelines** (quantités transportées en millions de t). **Pétrole brut :** Lavera-Fos-Strasbourg-Karlsruhe (1 796 km) (toutes liaisons comprises) *1978 :* 36,9. *82 :* 28,8. *85 :* 26,7. *88 :* 33,7. *89 :* 25. *90 :* 22,7. Le Havre-Grandpuits (260 km) *1978 :* 8. *82 :* 8,6. *85 :* 5,3. *88 :* 5,6. *89 :* 4,7. *90 :* 4,4. Parentis-Bec d'Ambès (171 km) *1978 :* 0,7. *82 :* 0,9. *85 :* 1. *86 :* 0,96. *88 :* 0,81. *89 :* 0,79. *90 :* 0,82. Antifer-Le Havre (27 km) *1978 :* 33,7. *82 :* 18,3. *85 :* 6,4. *88 :* 10,6. *89 :* 12,8. *90 :* 14. Folking-Carling (16 km) *1978 :* 0,8. *82 :* 0,6. *85 :* 0,5. *86 :* 0,6.

Produits finis. (en millions de t). Le Havre-Paris (complexe Trapil 1 340 km) *1978 :* 20. *89 :* 16,2. *90 :* 16,5; Méditerranée-Rhône (598 km) *1978 :* 6,5. *89 :* 7,5. *90 :* 7,4.

Problème actuel de l'énergie

• **Abondance d'énergie brute. Énergie solaire.** Le Soleil déverse sur Terre l'équivalent de 10 000 fois les besoins mondiaux d'aujourd'hui sous des formes diverses : mouvements de l'air et des eaux, métamorphoses chlorophylliennes de la lumière en matière végétale. **Chaleur du magma terrestre :** de quoi couvrir des milliers de fois les besoins présents de l'humanité.

• **Pénurie d'énergie utile.** Nous devons construire des chaînes de convertisseurs pour que cette énergie parvienne à l'utilisateur final (sous la forme demandée, thermique, mécanique, électrique) là et au moment où il en a besoin.

Vent. Hélice éolienne : doit capter des vents faibles pour éviter des arrêts trop prolongés et être robuste pour éviter des bourrasques. Sauf pour pomper de l'eau dans un puits, elle ne fournira jamais qu'une énergie d'appoint si on ne la couple pas à un accumulateur coûteux. Rapportés à l'énergie produite, le matériel et l'encombrement de l'espace apparaissent considérables si l'on veut disposer d'une production notable.

Rayonnement solaire. Le captage par des panneaux ou des miroirs exige de vastes espaces et des dispositifs de concentration et de stockage atteignant des coûts élevés (la domestication du rayonnement solaire ne peut progresser qu'au rythme général du progrès des techniques).

Énergie semi-concentrée. Hydro-électricité : l'énergie du Soleil, captée par l'eau des océans qui s'évapore dans l'atmosphère, est concentrée ensuite par le ruissellement des pluies au flanc des montagnes, formant des cours d'eau dont on peut exploiter la chute (il faut recourir à des barrages et des usines coûteux).

• **Utilisation mondiale des sources d'énergie nouvelles et renouvelables [milliards (10 ^{9}) de kWh]** actuelles et, entre parenthèses, prévisions pour l'an 2000 (*source :* ONU). Solaire 2-3 (2 000-5 000). Géothermique 55 (1 000-5 000). Éolienne 2 (1 000-5 000).. Marémotrice 0,4 (30-60). Des Vagues 0 (10). Thermique des mers 0 (1 000). *Biomasse* 550-700 (2 000-5 000). Bois de chauffage 10 000-12 000 (15 000-20 000). Charbon de bois 1 000 (2 000-5 000). Tourbe 20 (1 000). Animaux de trait 30 (en Inde) (1 000). Schistes bitumineux 15 (500). Sables asphaltiques 130 (1 000). Hydraulique 1 500 (3 000).

Nouvelles sources d'énergie

Ressources potentielles dans le monde

Solaire direct. Monde. *Puissance d'origine solaire* arrivant sur Terre 1,7 × 10 W ; reçue au-dessus de l'atmosphère terrestre 1,4 kW/m^2 ; au niveau du sol 1 kW/m^2. *Durée annuelle d'ensoleillement* 1 000 à 4 000 h/an. *Ensoleillement* (France) 1 750 à 3 000 h/an. Énergie annuelle reçue 700 000 TWh ; par m^2 de surface horizontale 1,1 à 1,9 kWh/m^2/an.

Géothermie. Puissance géothermique de la Terre 2,2 10 W. Flux géothermique 0,05 à 0,1 W/m^2. Gradient géothermique 3,3 °C/100 m. Gisement français (basse énergie ts 100 °C) 6 Mtep/an.

Énergie des mers. Puissance des marées 3. 10 W. Gisement mondial 100 à 300 GWe. Puissance installée en France (usine de la Rance) 250 MWe.

Énergie des vagues. Puissance par mètre de vague : golfe de Gascogne 30 kW/m ; côtes britanniques 50 kW/m.

Énergie thermique des mers. Gisement mondial 10 TWe.

Énergie éolienne

Généralités

• **Force du vent.** Du grec « Éole » (dieu du Vent). Puissance totale des courants atmosphériques : 100 milliards de gigawatts (millions de kW). Le vent est plus faible en zone polaire Nord et en zone intertropicale, et plus fort aux latitudes de + 55°. Globalement, il est plus abondant l'hiver en Europe occidentale. Il varie peu entre le jour et la nuit : entre 30 et 70 m de hauteur ; au-dessus de 70 m, il est plus fort la nuit ; au-dessous de 30 m, plus fort le jour. Son énergie cinétique peut être transformée en énergie mécanique ou électrique dans des machines éoliennes et aérogénérateurs, et servir à moudre le grain, pomper l'eau, produire de l'électricité. Pour obtenir 1 kW, le diamètre de l'éolienne sera de 2,5 à 4 m selon les sites. *Vitesse nécessaire* pour rendre l'énergie éolienne performante : 7 m/s. Une turbine industrielle de bon rendement brassant 1 000 m^2 de surface (diamètre 40 m) produira env. 1 000 kWh/m^2 par an soit au total 1 million de kWh. Une éolienne de 4,5 m de diamètre et de rendement médiocre, produisant 300 kWh/m^2 par an, fournirait 5 000 kWh (consomm. d'un foyer domestique 1 000 à 6 000 kWh par an).

• **Aérogénérateur.** Ensemble composé d'une éolienne et d'une dynamo ou d'un alternateur. Puissance de quelques W à plusieurs centaines de kW. Les petites installations, en raison de leurs coûts élevés, ne se justifient qu'en site isolé. Couplé à des panneaux photovoltaïques raccordés à une même batterie d'accumulateurs, l'aérogénérateur peut fournir de l'électricité à la mauvaise saison, au moment où les panneaux en fournissent moins. **Réalisations. États-Unis, Australie** et **N.-Zélande :** nombreuses fermes isolées équipées de petites installations.

• **Capteurs. Éoliennes à axe vertical.** *Machines à traînée* utilisent la viscosité de l'air ; volumineuses et chères. *Panémones* (du grec, tous les vents) tournant à tous les vents, ne demandant pas de dispositif d'orientation, rendement médiocre, transmettent le mouvement au sol.

Machines à axe horizontal. *Moulin hollandais* à 2 ou 4 pales se prêtant bien à la production d'électricité. *Moulin américain* multipales. *Pales :* en bois, alliages d'aluminium, résines ou plastiques armés ; soumises à l'érosion (sables, poussières, grêle, pluie), la corrosion (fumées, embruns), des efforts variables (poussée du vent, force centrifuge, moment gyroscopique) ; nombre : 2 le plus souvent, la puissance recueillie étant pratiquement la même pour les machines tripales ou bipales. On peut envisager, pour les très grandes machines, une pale unique équilibrée par un contrepoids.

• **Stockage de l'énergie.** Avec des batteries d'accumulateurs au plomb jusqu'à 10 kW. Au-delà, prix prohibitif (200 F le kW). Solution possible dans l'avenir : pile à combustible (hydrogène produit par électrolyse de l'eau).

• **Grandes éoliennes. Étranger. Algérie.** *Aérogénérateur* Andreau-Enfiels (1950-57), diamètre 24,4 m (100 kW), installé à Grand-Vent. **Allemagne.** *Studiengesellschaft Windkraft* (1959-61), 34 m (100 kW), Stötten (construit à Kaiser Wilhem-Krog, *Growian 1* 1982), diamètre 104 m, H. [1] 100 m, 2 pales (3 MW). *2* (1981) diam. 24 m, 1 pale (0,35 MW). *Voigth* (1981), diam. 52 m, H. 30 m, 2 pales, 0,265 MW. **Canada.** *Éolienne* à axe vertical de 108 m de haut, 3,8 MW (projet au Québec). Projet à axe vertical de 110 m, 4 MW à Cap-Chat en Gaspésie. **Danemark.** *Gedser Lykegaard Smidth* (1954-59), 24,4 m, H. 24 m (0,2 MW). *Tvind* (1975), H : 53 m (2 MW), 1 hélice (pales de 36 m). *Tvind* (1977), diam. 54 m, H. [1] 63 m, 3 pales (2 MW). *NIBEA & B* (1979), diam. 40 m, H. [1] 45 m, 3 pales (0,63 MW). **G.-B.** John Brown C° (1950-55) 15,6 m (0,1 MW), îles des Orcades. (1983), diam. 20 m, H. [1] 24 m, 3 pales (0,20 MW). **Irlande.** *AW 120 KFP 14* (Bellacorick 1982), diam. 18 m, H. 30 m, 2 pales (0,12 MW). *VW 55* (Pollaphuca, 1982), diam. 14 m, H. [1] 18 m, 3 pales (0,06 MW). *DAF Indal* (Milton Mowbray, 1982), diam. 11 m, H. [1] 10 m, 2 pales (0,05 MW). **Italie.** *Wenco* (1980), diam. 18 m, H. [1] 20 m, 2 pales (0,10 MW). *ENEL* (Santa Catarina, Sardaigne. 1981), diam. 13 m, 3 pales (0,07 MW). **P.-Bas.** Prototype de turbine, hauteur 37,5 m, diamètre du rotor 25 m, 0,3 MW à Petten. **Suède.** *WTS-75* (Nassuden, 1982), diam. 75 m, H. [1] 80 m, 2 pales (2 MW). *WTS-3* (*Maglarp*, 1982), diam. 78,2, H. 80 m, 220 t, 2 pales (3 MW). **URSS** près de Yalta (1931). *Éol.* 30 m (32 kW pendant 2 ans). **USA** *Mod 1* (Car. du N.), diam. 60 m, H. 41 m, 2 MW par vent de 45 km/h. *Mod 2*, hélice : diam. 90 m ; entraîne un alternateur de 2 500 kW. *Éol. bipale* de 53 m (1,25 MW) installée 1941 dans le Vermont : ne fonctionne que 1 030 h et fournit 360 000 kWh. *Éol. de 70 m* avec 2 pales de 100 m (Palm Springs), 1re d'un groupe de 50 moulins devant produire en 1990 env. 360 MWh. Des éoliennes de 18 m (0,02 MW) ont également fonctionné. *Mod 5B*, 3 200 kW, île de Oahu (Hawaii).

France. *Nogent-le-Roi* (E.-et-L.), aérogénérateur expérimental de 0,8 MW, hélice de 30,2 m, a fonctionné de 1958 à 1962. *St-Rémy-des-Landes* (Manche) aér. commercial de 132 kW, 21,2 m ; 1 MW, 35 m, a fonctionné de 1963 à 1964. *Ouessant*, aér. comm., 100 kW, 18 m, construite en 1980, abattue par le vent mais renforcée le 24-5-1984 ; doit être démontée en 1990. *Lastours* (près Narbonne), aér. comm., 8 machines de 0,01 MW, 7 m, couplé sur le réseau (12-9-84). *Ouessant* (été 1985) : aér. comm. 0,1 MW, 18 m. *Corbières* (fin 1986) : aér. prototype de 0,75 MW, 40 m. Recoumpatot, Glénan... : quelques machines de 0,005 à 0,01. *Dunkerque* 0,3 MW, *Port La Nouvelle* 0,225 MW.

Nota. – (1) Hauteur de l'axe de l'hélice.

• **Petites éoliennes.** Peuvent fournir une tension de 110 volts (en continu), une puissance d'env. 2 500 W et alimenter 30 lampes, appareils électroménagers, radio, TV, petits moteurs jusqu'à 1,4 ch, électrophones (coût : installation 23 000 F + 12 000 F pour convertisseur statique en c. alternatif). *Le Service des phares et balises* exploite 30 stations automatiques (50 d'ici peu) de faible puissance (24 à 300 W), et 9 stations gardées de moyenne et forte puissance (1,1 à 4 kW) fonctionnant à l'électricité éolienne.

Usages domestiques, sans chauffage : machine de 4 kW (9 m de diam., 140 000 F env.). *Desserte de points d'eau* avec débit journalier de 40 m³, machine 1 kW (5 m de diam., 40 000 F).

Prod. prévue 1990 : 0,4 à 0,5 million de tep.

• **Éoliennes de pompage. Petites** (pour abreuvoirs, irrigation ou besoins domestiques, de 6 à 15 pales) ; pompage jusqu'à 12 m ; débit 500 à 600 l/h ; diam. de la roue 1,75 m ; hauteur totale 6 m env. **Grandes** (pour irrigation de grandes surfaces, alimentation en eau de terrains de camping, etc.), pompage jusqu'à 150/170 m ; débit jusqu'à 25 000 l/h ; diam. 3,50 à 5 m ; démarrage par vents de 2 à 3 m/s. *Coût :* 3 000 à 6 000 F (pour une éolienne de pompage simple).

Projets. Moulins de 180 m de haut construits sur des îles artificielles. Éolienne avec ailes en fibre de verre de 60 m (un vent de 35 km/h suffira à la faire tourner à sa puissance maximale).

Statistiques

USA (+ de 80 % de la production mondiale) env. 2,2 milliards de kWh produits en 1989 ; Californie capacité 1 350 MW (Altamont Pass 6 900 turbines éol. : Tenachapi Pass 4 500 aérogénérateurs ; San Gorginio Pass 3 900 aérogén. approvisionne 300 000 foyers, représente 1 % de l'électricité consommée en Calif. **Danemark** 3 000 kWh en activité produisant 1,5 % de l'énergie consommée. Projet centrale (11 turbines) en mer à 1 ou 2 km de l'île Lolland. **G.-B.** capacité 6 MW.

Énergie éolienne en France

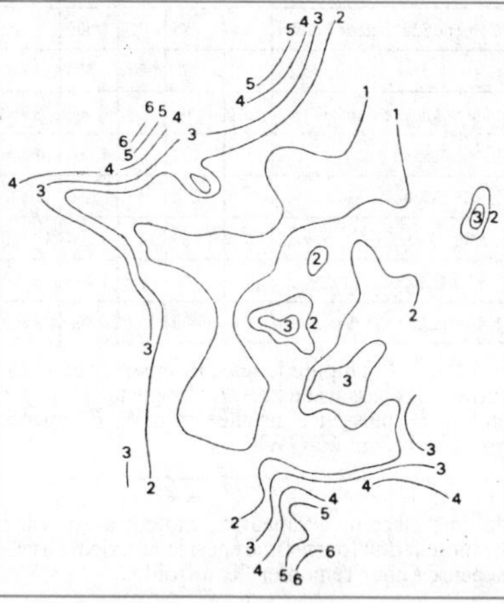

Énergie éolienne disponible par unité de surface (m²) et par an à une altitude de 40 m au-dessus du sol. Les lignes continues sont des courbes d'égale énergie (unité 1 000 kWh/m2). Régions les plus favorables : zones côtières. En plaine, l'énergie disponible est 3 à 4 fois plus faible. Les montagnes sont inutilisables en raison de la turbulence de l'air. On peut imaginer d'installer en France 2 000 éoliennes de 2 MW, qui fourniraient 10 % de la puissance transportée aujourd'hui sur le réseau.

Potentiel. Le long de l'Atlantique et de la Manche, dans le Roussillon et le bas cours du Rhône, de 1 500 à 3 000 kWh par m² d'hélice et par an, pour une production de 500 à 1 000 kWh/m².

Énergie géothermique

Généralités

• **Nom.** Du grec Ge (terre) et thermie (chaleur).

• **Conditions.** La température de la Terre augmente avec la profondeur d'environ 1 °C pour 30 m, variant suivant régions et structures géologiques. Cette variation s'appelle le gradient géothermique. A 2 000-3 000 m de profondeur, la température peut atteindre 50 à 350 °C (les nappes d'eau existant à cette profondeur atteignent aussi cette température). **Structures géologiques favorables :** bassins sédimentaires (couches continues), régions volcaniques (présence de magmas chauds à faible profondeur), régions plissées ou faillées (sources thermales, remontées d'eaux chaudes le long de plans de failles), régions de socle cristallin non fracturé (roches chaudes et sèches).

• **Exploitation.** En général (cas du Bassin parisien), on doit réaliser un *doublet* (2 forages : puisage et réinjection de l'eau utilisée pour rééquilibrer la nappe). L'eau chaude cède dans un échangeur ses calories à l'eau du réseau (on ne la fait pas passer dans le réseau car, trop salée, elle entraînerait la corrosion des tuyaux). La zone refroidie s'étend peu à peu. On doit écarter les puits pour pouvoir exploiter le gisement à température constante pendant 30 ans, ensuite la décroissance de la température est très progressive (2 °C tous les 5 ans). Le meilleur rendement est obtenu avec une utilisation en *cascades :* chauffage de logements, serres, piscicultures et enfin arrosage. Un doublet, qui pompe 200 m³/h d'eau à 75 °C, rejette après passage dans l'échangeur de l'eau à 35 °C et produit 8 000 thermies/h (env. 1 t équivalent pétrole), soit les besoins de base de 2 000 à 3 000 logements. *Coût d'un doublet :* env. 40 millions de F.

• **Haute énergie.** Températures (vapeur ou eau liquide sous pression) de 150 à 320 °C. **Réserves :** 300 000 MW dans le monde. Se développe dans des zones où les phénomènes de convection entraînent le réchauffement des aquifères superficiels. Par forage, on extrait de la vapeur sèche ou humide qui, en se détendant dans des turbines, peut produire de l'électricité. Sur les bons gisements, le coût du kWh géothermique est comparable au coût du kWh produit par des combustibles fossiles. La prospection est moins chère que la prospection pétrolière. Devrait fournir 300 000 000 MWh/an au début du XXIe s. **Puissance installée** *(1990) :* monde 5 827 MWe dont USA 2 770, Mexique 700, Philippines 891, Italie 545, Japon 215, N.-Zél. 283, URSS 11, Nicaragua 35, Salvador 95, Indonésie 142, Turquie 21, Kenya 45, Islande 45, Chine 21, Chili 15, Guatémala 2, Grèce 0, Éthiopie 5, Inde 5, *France (Antilles, 1990) 4.*

Production annuelle de chaleur (énergie finale en millions de tep en 1987). Japon 0,585, Islande 0,475, URSS 0,358, Hongrie 0,225, *France 0,200,* Chine 0,167, N.-Zél. 0,129, Roumanie 0,085, Italie 0,083, Turquie 0,036, USA 0,033, Suède 0,028. Monde 2,457.

• **Moyenne énergie.** 90 à 150 °C. Nappes profondes dans des régions à gradient normal ou faiblement anormal. Pour produire de l'électricité, on doit transférer la chaleur à un fluide à bas point d'ébullition qui sert d'intermédiaire (ammoniaque, fréon, isobutane) avec un rendement très faible, mais peut être utilisé pour le chauffage.

Localisation : *URSS. Chine. USA. France :* Alsace.

• **Basse énergie.** 50 à 90 °C. **Réserves :** 32 millions de kW dans le monde. Zones à gradient normal avec conditions géologiques favorables (porosité, perméabilité, épaisseur). **Utilisations :** eau chaude sanitaire, chauffage des logements, serres agricoles...

Localisation : *France* (20 % du sous-sol français). Bassin parisien : gisement correspondant à la formation du Dogger (profondeur 1 600 à 2 000 m, temp. 50 à 85 °C, eau saline ; pour 100 m³/h d'une eau que l'on refroidit de 50 °C, on obtient 5 milliards de calories par heure, env. 300 kW) ; Bassin aquitain : (prof. 1 300 à 2 000 m, temp. 50 à 60 °C et plus, eau douce). *Islande :* 70 % de la population chauffée par géothermie. *URSS, USA, Hongrie, Japon, N.-Zélande.*

• **Très basse énergie.** 10° à 50 °C. 20 à 1 000 m de profondeur. Coûts de forages réduits. Réinjection non obligatoire. Température insuffisante pour une utilisation directe en chauffage, nécessite des pompes à chaleur pour augmenter le niveau de température de l'énergie prélevée dans l'eau. Utilisation en serres, pisciculture, chauffage et bâtiments (habitation ou tertiaire).

Localisation. *France :* tous les bassins sédimentaires. De nombreuses réalisations de pompes à chaleur sur nappes peu profondes ont été réalisées (1re réalisation : pompe à chaleur de la Maison de la Radio à Paris, qui assure les besoins de chauffage et de climatisation depuis 1961).

• **Roches chaudes sèches.** Principe : fracturer les roches profondes et chaudes (200 °C à 3 000 m) pour créer un échangeur souterrain, en injectant sous pression de l'eau froide. On espère récupérer de la vapeur pour produire de l'électricité.

Localisation. La chaleur stockée sous les 135 000 000 km² de terres émergées dans une couche de granite de 1 000 m d'épaisseur (entre 4 500 et 5 000 m de profondeur) représenterait l'équivalent de 1 million de milliards de t de pétrole (1×10^{15}). *En France :* programme *Géothermie Profonde Généralisée :* études réalisées à Mayet de Montagne (Allier) et dans le Cézallier. Un Programme européen de recherche en cours à Soultz-sous-Forêt (Alsace) : un 1er forage à 2 000 m réalisé en 1987 ; un 2e forage, à 3 200 m, débutera en 1990 (France) : flux dépassant 10 mW (moy. européenne 64 mW) sur 50% du territoire (triangle sud de la Bretagne - Alsace - côte languedocienne) ; en Auvergne : 128 mW. *USA : prototype à Los Alamos* (N.-Mex.) : échangeur souterrain entre 4 000 et 4 800 m, 250 °C, puissance 35 000 kW thermiques, problèmes d'approvisionnement en eau. *G.-B. :* expérimentation en cours en Cornouailles. *All. féd. :* à Falkenberg et Urach. *Suède, Japon et URSS :* Hot Dry Rocks (HDR) en anglais.

• **Énergie des volcans.** Pas de technologie adaptée.

Géothermie en France

Extension des nappes (en km²). **Basse énergie** (température 50 à 90 °C). Bassin parisien 38 000, aquitain 20 000, Alsace 7 000, Limagne 1 000, Bresse-Jura 1 500, Rhône-Alpes 5 000, Languedoc-Roussillon 5 000. **Moyenne énergie** (90 à 150 °C), Alsace 550, Limagne 250. **Hte énergie** (puissance potentielle) : Antilles (200 MW).

Dans les zones favorables, la géothermie peut couvrir jusqu'à 90 % des besoins de chauffage nécessaires aux logements, le reste étant fourni par une énergie d'appoint. L'exploitation se fait sous couvert d'un permis (de type minier) qui donne l'exclusivité pour quelques km².

Sources thermales (50 °C et +) répertoriées en kW : Pyrénées 12 (60 prod. possible), Massif central 9 (50), Vosges 5 (20), Alpes 2 (5), Corse 2 (5).

Opérations en fonctionnement (fin 89). Env. 60 dont une cinquantaine de doublets dans le Bassin de Paris et une dizaine en Aquitaine. 1 doublet géothermique (1969) à Melun (S.-et-M.). Nouveaux projets à l'étude (chauffage/climatisation, pisciculture, etc.). Réalisations prévues pour les années 90. Entre 1982 et 1987, 48 opérations lancées dans 43 communes de la région parisienne pour alimenter l'équivalent de 180 000 logements (coût 5,5 milliards de F). Résultats décevants : dans certains puits, l'eau n'arrive pas à la surface, d'autres tarissent, pompes et tuyaux sont attaqués par l'eau regorgeant de sulfures et autres substances incrustantes. *Solutions :* inhibitions chimiques et méthodes de nettoyage adaptées. *Prod.* (1987, en tep) : 160 000 (soit 0,08 % de la cons. française d'énergie).

Énergie des mers

Énergie marémotrice

• **Conditions.** Pour qu'une usine marémotrice soit envisageable, il faut de fortes marées, des emplacements favorables pour sa construction et un réseau électrique dans l'arrière-pays assez puissant pour s'adapter aux fluctuations de l'énergie des marées.

• **Puissance des marées mondiales.** Env. 3 milliards de kW dont 1/3 perdu le long des côtes. Si l'on savait en utiliser 20 %, on obtiendrait 400 milliards de kWh.

• **France (réalisations et projets). Usine de la Rance** (Bretagne) : la + grande usine marémotrice du monde (distance entre les rives 750 m, bassin 544 km², amplitude moy. 8,17 m, max. des marées 13,50 m). *Conçue* en 1943, achevée le 26-11-66. *Coût* 420 millions de F. L'ouvrage comporte une usine de 24 groupes (chacun de 10 000 kW), une digue morte de 163 m sur 27 m de haut et un barrage mobile à vannes, permettant d'accélérer le remplissage ou le vidage de l'estuaire. *Volume d'eau turbinable :* 180 millions de m³. *Puissance totale :* 240 MW. *Énergie moyenne nette :* 544 GWh/an, obtenue en « turbinant » dans le sens bassin-mer (474,5 GWh), et mer-bassin (134). Bilan énergétique : une product. par turbinage de 650 GWh et une consommation par pompage de 100 GWh environ. Fonctionne 4 000 h/an en production et 1 200 h/an en pompe. **Projets Cacquot** *(baie du Mt St-Michel) :* amplitude 15 m, digue de 55 km par 30 à 40 m de fond pour isoler 2 bassins de 1 100 km², débit des vannes 500 000 m³/s, usine marémotrice de 30 à 40 TWh par an s'appuyant sur les îles Chausey. *Travaux* sur 10 ans. **Cotentin Ouest :** 2 bassins en atoll (sans contact avec la côte) utilisant un cycle « Belidor », situés au N des îles Chausey. Digues : 69 km. Bassins : 2 × 100 km ². Puissance installée : 1 440 MW (36 groupes de 40 MW). Énergie annuelle : 5 300 GWh. **Aber Wrac'h :** digue 200 m, bassin 1,1 km², puissance installée 4,2 MW, énergie annuelle 10 GWh. **G.-B. :** 2 projets : estuaire de la Mersey, Sevren.

Différence de niveaux marins

• **Conditions.** Certaines mers ayant leur niveau plus bas que le niveau moyen des océans, on pourrait créer une force hydro-électrique inépuisable en dirigeant vers leur bassin les eaux océaniques.

• **Sites favorables. Égypte** (dépression d'El-Qattara). **Israël** [un canal souterrain de 100 km de long et 5,5 m de diamètre reliant la Méditerranée à la mer Morte (dénivellation de 400 m) alimenterait une station de 600 MW, coût env. 1 milliard de $].

Énergie thermique des mers

• **Conditions.** 45 % de l'énergie rayonnée par le Soleil sur Terre tombe dans les mers tropicales. La différence de température (22-24 °C) entre les eaux de surface et les eaux de profondeur (– 6 °C à 1 000 m) pourrait mettre en mouvement un moteur thermique du type machine à vapeur ou moteur à explosion. Le moteur doit fournir une énergie supérieure à celle dépensée pour remonter l'eau froide.

Pays et sites	A	S	L	P	E
Angleterre : Severn	13,8	410	13	2 000	12 300
Argentine : Golfe de San José	14	700	7	9 600	21 600
Argentine : Rio Gallegos	7	180	3,1	620	1 400
Australie : Baie de Collier	6,2	550	6,5	1 500	3 300
Canada : Passamaquody (Fundy)	15	300	4,3	4 750	10 700
Canada : Cobequid (Fundy)	12,4	353	9,5	3 800	12 600
Canada : Shepody (Fundy)	10,1	217	7	1 550	4 530
Canada : Cumberland (Fundy)	10,5	140	4,5	1 085	3 420
Corée du Sud : Baie de Carolin	5,1	85	3,5	400	800
Corée du Sud : Baie de A'san	6,5	170	5	500	1 120
Inde : Golfe de Cambay	6,8	1 200	25	3 900	8 800
Inde : Baie de Kutch	5	170	6,4	600	1 600
URSS : Golfe de Mezen	6	270	4	680	1 500
URSS : Tugur	10	1 100	16	7 700	17 000
USA : Cobscook (Fundy)	14	100	6,5	1 400	3 100
USA-Alaska : Turnagain	7	1 400	16	4 800	10 800

Nota. – *A :* amplitude max. des marées en m. *S :* surface des bassins en km². *L :* longueur des digues en km. *P :* puissance installée en MW. *E :* énergie produite par an en GWh.

• **Systèmes de conversion.** 1°) **Cycle ouvert :** l'eau tiède est évaporée sous faible pression (3/100° d'atmosphère). La vapeur passe dans une enceinte à pression très faible et entraîne une turbine. *Avantage :* la vapeur donne de l'eau douce. *Inconvénient :* une partie de l'énergie assure le pompage dans les enceintes, il faut de très grandes turbines.

2°) **Cycle fermé :** nécessité d'avoir un fluide intermédiaire (ammoniaque). L'eau tiède s'évapore dans le serpentin d'un échangeur. La vapeur produite actionne une turbine. Le fluide se recondense dans un serpentin plongé dans de l'eau froide et repart à l'entrée. *Inconvénient :* il faut de très volumineux échangeurs.

• **Réalisations. Françaises.** Georges Claude (1870-1960) fit un essai à l'aide de tuyaux et de 8 turbines basse-pression, sur le cargo « Tunisie », pour fournir 2 MW pour fabriquer de la glace. 1940-1956 Abidjan, trou sans fond (centrale à terre devant produire 40 MW pour alimenter la ville). En 1978 l'IFREMER, ex-CNEXO, a commandé des études à la CGE et à Creusot-Loire pour un générateur de 3 000 kW en Polynésie, envisageant, si elles s'étaient révélées positives, de commander une centrale de 100 000 kW à Tahiti (100 millions de F env.). **Américaines.** *Tahiti* (études d'IFREMER dep. 1982 pour une centrale de 5 MW). La National Science Foundation finance l'étude de centrales thermiques flottantes sur les côtes méridionales de l'Amérique. *Hawaii* (50 kW, a fonctionné 3 mois en 1979). Expérience Otec I (sur un pétrolier au large de Hawaii, 1 MW, a marché 4 mois en 1979-80). Nansu (100 kW, marche dep. oct. 1981).

Énergie des vagues

• **Conditions. Systèmes.** 1°) *S. transformant l'énergie des vagues* en variations de pression ou d'équilibre hydrostatique. 2°) *S. convertissant le mouvement ondulatoire des vagues* en mouvement de rotation ou de bascule d'éléments mécaniques. **Puissance :** fonction de la hauteur et de la période de la vague (env. 50 à 80 kW par mètre linéaire de front de vague). **Coût :** env. 20 fois trop cher compte tenu du débit potentiel.

• **Réalisations.** 1°) **Batteurs ou canards de Stephen Salter.** Axe parallèle au front de la vague sur lequel on fixe une série de batteurs (arrondis vers l'arrière, effilés en bec de canard vers l'avant). Le bec est soulevé par la vague puis retombe. Un système interne de pompes utilise le mouvement pour comprimer un fluide qui actionne une turbine. Dep. 1977, une maquette au 1/10ᵉ est essayée sur le Loch Ness (amplitude des vagues 10 fois inférieure à celles de l'Atlantique) ; un axe de 50 cm de long porte 20 canards. Une station d'un km fournirait 45 mégawatts. *Inconvénients :* installation flottante demandant un axe très résistant, reconversion difficile de l'énergie. *Avantage :* bonne récupération de l'énergie. 2°) **Radeaux articulés de Sir Christopher Cockerell** (inventeur de l'hovercraft). Radeaux de 120 m de long faits de 2 panneaux articulés et d'une partie centrale contenant les unités productrices. La vague soulève et abaisse les parties mobiles, le mouvement est récupéré dans l'articulation par des pompes pour produire de l'énergie. Maquette au 1/10ᵉ expérimentée dans le Solent (entre Wight et la G.-B.), radeaux de 100 m de long et 50 m de large devant produire 1 à 2 MW. Des radeaux sur 25 à 30 km fourniraient 500 MW, soit la moitié d'une centrale nucléaire. 3°) **Rectificateur de l'équipe de Robert Russel.** Caisse ouverte sur le large et divisée en 2 compartiments superposés. La vague remplit le haut du réservoir, puis tombe dans la partie inférieure en actionnant une turbine. L'ensemble est construit au fond de la mer. 4°) **Colonne d'eau oscillante.** Caisson à clapet où la montée de l'eau poussée par la vague joue comme un piston et comprime une bulle d'air qui fait tourner un turbogénérateur. Principe des bouées lumineuses japonaises. Une réalisation à Norway (Norvège) dep. nov. 85, et 13 projets (dont Portugal 1 à 1,5 MW, Indonésie 1 à 1,5 MW, USA 2 MW). *Monaco :* la houle fait fonctionner la pompe qui alimente l'aquarium du musée océanographique.

Énergie solaire

Énergie reçue

• **Monde.** La Terre intercepte un deux-milliardième env. de l'énergie envoyée par le Soleil, soit l'équivalent thermique de 50 000 000 de tranches nucléaires de 1 000 MW, soit 10 000 fois les besoins mondiaux.

Par temps clair, la Terre reçoit une puissance solaire de 1 kW par m² de surface normale au rayonnement et par jour ; selon la latitude, 1 m² de surface horizontale reçoit par an une énergie thermique de 1 100 à 1 900 kWh par m² (Sahara 2 300). L'énergie solaire est diffuse, intermittente, propre, disponible.

• **France. Ensoleillement** (sur 8 760 h). *Régions les plus favorisées :* Côte d'Azur 2 882 h, Provence 2 856, Languedoc-Roussillon 2 742, Alpes du Sud 2 160, vallée du Rhône 2 072, Vendée 2 038. *Les plus défavorisées :* Nord 1 514 h, Alsace 1 750.

Conversion thermodynamique

Principe

Une surface exposée au soleil capte une partie du rayonnement, se réchauffe, et réfléchit une autre partie. Ex. : une surface noire idéale absorbe tout le rayonnement (ce qui explique qu'on la voit noire), une blanche réfléchit tout le spectre visible.

Système à basses températures (– de 150 °C)

• **Système Trombe-Michel (architecture bioclimatique).** Limite les déperditions (isolation, doubles fenêtres, espaces tampons au N., murs de végétation pour couper le vent, volets pour isoler du froid...) ; récupération des apports solaires par des baies vitrées et des serres orientées au S. ; accumulation de la chaleur en donnant une masse thermique importante à l'habitation (murs épais, masses d'eau chauffées pendant la journée) ; protection des surchauffes (pare-soleil, climatisation, ventilation de nuit, inertie). Peut être associé au système actif. La façade sud d'une maison peinte en noir (mur Trombe) est recouverte d'un vitrage isolant (verre double ou triple ou simple). Le mur de béton sert à la fois de surface absorbante et de stockage. L'air réchauffé circule entre les 2 parois et les pièces de la maison grâce à des orifices ménagés en haut et en bas du mur de béton. L'air froid de la face nord permet un système de climatisation (dans le cas de la ventilation de nuit, des ouvertures en façade nord).

• **Système actif.** Par capteurs plans inclinés à 45° constitués d'une paroi métallique absorbante (sombre), isolée d'un côté et recouverte d'un vitrage à quelques cm de l'autre ; collecteurs de rayonnements. Certains reçoivent les rayonnements directs et diffus et n'utilisent pas la concentration optique ; d'autres sont à concentration (rayonnements directs, qui restreignent les utilisations quand le rayonne-

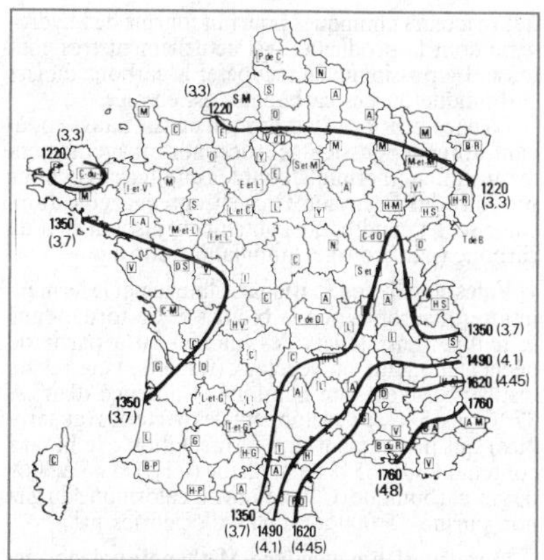

Valeur moyenne journalière, en joules par cm² du rayonnement solaire reçu sur un plan d'inclinaison égal à la latitude et orienté vers le sud. Ordres de grandeur résultant de valeurs calculées (entre parenthèses valeurs en kWh/m²).

ment diffus ets en grande proportion). Il y a des capteurs **à air** : l'énergie qu'il récupère est transmise directement à l'air et **à eau** : l'énergie est transmise à un circuit fermé d'eau en contact thermique avec la paroi.

• **Chauffe-eau solaire.** *Composants :* capteurs à eau (2 à 4 m² par logement selon besoins et région) ; meilleure orientation : plein sud à 10 ou 20° près ; inclinaison : 30 à 60° par rapport à l'horizontale. Ballon de stockage bien calorifugé, de 150 à 200 l selon besoins. Système d'appoint (électrique, gaz, fuel, charbon, etc.) pour les périodes de non-ensoleillement. Régulation.

Fonctionnement : l'eau se réchauffe dans les capteurs, arrive ensuite dans le ballon par pompe ou circulation naturelle. L'eau la plus froide du ballon repart se réchauffer dans le capteur, et ainsi de suite. *Économie d'énergie :* 50 à 70 % de l'énergie consommée par un chauffe-eau classique, selon régions et installations. *Prix :* pour une maison individuelle, avec un ballon de 200 l : 6 000 F.

• **Chauffage solaire.** *Composants :* capteurs à eau (inclinés généralement à 70° sur l'horizontale, placés en toiture, terrasse ou façade) ; réservoir de stockage de quelques m³ (reçoit l'eau chauffée par les capteurs) ; système de distribution de la chaleur à partir du réservoir, par un circuit d'eau (radiateurs et panneaux chauffants) ou d'air (soufflé dans les pièces par des ventilateurs) ; chauffage d'appoint, branché sur le chauffage solaire ou indépendant (ex. : radiateur électrique) à cause du déficit énergétique des mois d'hiver ; dispositif de régulation. *Surcoûts :* en France 30 000 à 50 000 F par logement. *Économies :* 30 à 60 % selon régions et systèmes.

Nombre de logements équipés. *1981 :* 60 000. *85* (prév.) : 600 000. *90* (prév.) : 2 000 000. **Unités vendues.** *1978 :* 3 100. *79 :* 7 600. *80 :* 11 500. *81 :* 12 500. *Production cumulée qui était prévue en 1985* (objectif) : 600 000.

• **Moteurs solaires.** *Pompage* de l'eau dans les régions ensoleillées et isolées. Les capteurs contiennent un liquide caloporteur (eau) qui collecte la chaleur, la transporte et la cède au butane ou au fréon en provoquant sa vaporisation. La pression obtenue actionne un convertisseur thermodynamique à expansion (moteur à turbine, à piston ou à vis). Le fluide détendu dans le convertisseur est ensuite liquéfié dans un condensateur et refroidi par l'eau pompée. Quelques unités en état de marche.

Réalisation israélienne (fonctionnant sans concentration optique, 0,15 MW). Sur la mer Morte (eau de surface 20 à 25 °C, du fond 80 à 90 °C). Principe : de l'eau fortement salée (densité forte) est retenue au fond d'un bassin peint en noir ou au fond de la mer, et recouverte d'eau douce qui joue le rôle d'une couverture qui laisse passer la chaleur. Les couches les plus profondes atteignent rapidement un point proche de l'ébullition et sont dirigées vers des échangeurs de chaleur qui alimentent les turbines.

Production de froid (climatisation ou conservation des aliments) par machine à absorption et capteurs performants.

• **Fours solaires. France. Meudon** (Hts-de-Seine) 1res expériences de 1946 à 1949. **Odeillo-Font Romeu** (P.-O.) achevé en 1968, partie d'un ensemble créé par le CNRS pour développer les recherches sur l'énergie solaire, réalisé par Félix Trombe (1906-85) et ses collaborateurs. Permet les traitements de matériaux réfractaires à hautes températures et les études de chocs thermiques sous haut flux thermique. *Puissance* 1 000 kW thermiques, température maximale au centre = 3 800 °C. Essentiellement composé d'1 grand miroir parabolique de 2 000 m² (9 500 glaces de 45 cm de côté) auquel font face 63 miroirs orienteurs de 45 m² chacun, disposés en quinconce sur une série de 8 terrasses. Le rayonnement solaire est d'abord reçu par les miroirs orienteurs mobiles (orientés en permanence en fonction de la position du Soleil) qui le renvoient sur le grand miroir parabolique fixe, lequel le concentre sur la zone focale d'utilisation. C'est l'appareil de ce type le plus puissant du monde. Exposition ouverte au public dep. juin 1984. **Montlouis** [(P.-O.) construit 1951-1952 et réhabilité en 1982. Puissance 45 kW].

Étranger. Odeillo (four de l'ETCA) 42 kW. **White Sands** (USA, US Army) 35 kW. **Sendai** (Japon, Univ. Tohoku) 40 kW. **Bouzareah** (Algérie, à l'origine Univ. Aix, Alger) 40 kW. **Rehovot** (Israël) 35 kW, 3 MW. **Tachkent** (URSS) (en construction, copie d'Odeillo) 1 000 kW. Systèmes à tour centrale, utilisés pour la recherche : **Albuquerque** (USA, Saudia) 5 MW.

• **Projets.** *Sirocco :* boucle thermodynamique comprenant une chaudière à gaz (t = 850 °C p = 4 bars) et une turbine de détente. *Boucle thermique* comprenant une chaudière à sable (1 000 °C) et un stockage chaud. *Four à chaux solaire* (fournissant du CO_2 pur). *Gazéification* solaire de biomasse. *Thermolyse* de l'eau (hydrogène). Récepteurs solaires, en particulier pour applications spatiales. *Traitements de minerais divers.* Les études de l'Institut de Science et de Génie des Matériaux et Procédés du CNRS portent essentiellement sur les transferts thermiques et le comportement des matériaux à haute température (ex. essais des éléments de la protection thermique de la navette spatiale européenne Hermès).

Systèmes à moyenne température
(100 à 300 °C)

• **Principe.** En concentrant le rayonnement solaire 10 à 50 fois, sur une ligne (capteurs à miroirs segmentés ou cylindres paraboliques) ou sur un point (paraboloïdes de révolution ou THEK donnant une meilleure concentration, mais nécessitant une mécanique d'orientation plus complexe), on obtient de hautes températures, alimentant la source chaude d'un cycle thermodynamique.

Capteurs Thek et Coss (CNRS et EDF). Capteurs à concentration qui permettent, à partir de miroirs paraboliques suivant la course du Soleil, en concentrant le rayonnement du Soleil, d'obtenir des températures de 150 °C et 300 °C. Cette puissance récupérée est suffisante pour produire de l'électricité. Les Thek s'utilisent seuls ou en plusieurs unités couplées. 4 sociétés françaises en fabriquent. *Applications : centrales électriques :* 100 à 1 000 kWh, adaptées à des communautés isolées dans des régions très ensoleillées.

• **Réalisation de centrales. France. Vignola** (Corse-du-S., 1982) ; puissance 100 kW, max. 500 kW ; coût : env. 15 millions de F. **St-Chamas** (B.-du-R.) expérimentale. **Thémis** (Thermo-hélio-électrique-mégawatt projet bis). Construite à 1 700 m d'alt. à Targasonne (Pyr.-Or.). Décidée 1979. Raccordée au réseau du 17-5-1983 à fin juin 1986. *Coût :* env. 230 millions de F financés par EDF 60 %, Commissariat à l'énergie solaire (COMES) puis Agence française pour la maîtrise de l'énergie (AFME) 23 %, région Languedoc-Roussillon et département 7 % ; issue du programme de recherche THEM (thermo-hélio-électrique-mégawatt) lancé en 1975-76 par le CNRS et l'EDF. Le projet THEM-1 (centrale à tour de 3,5 MW) avait été ramené à 2 MW. Les rayons du Soleil, réfléchis par 201 miroirs orientables (héliostats argentés, à faible rayon de courbure) de 53,7 m², soit 10 793 m² répartis sur 5 ha (il faut en moy. 3 ha/MW), sont concentrés sur une chaudière (cylindre creux tapissé de tubes) placée au sommet d'une tour de 101 m de hauteur. Ils y pénètrent par une ouverture d'env. 4 × 4 m et chauffent le fluide caloporteur composé de sels fondus (nitrate de potassium 53 %, nitrite de sodium 40 %, nitrate de sodium 7 %), qui entre dans la chaudière à 250 °C et en ressort à 450 °C en régime normal. Les sels donnent leurs calories à un générateur de vapeur d'eau (la vapeur en sort à 50 atmosphères et 430 °C, elle entraîne un turbo-alternateur). Durée du stockage : 5 h. *Prix de revient du kWh :* 10 F (contre 0,23 F pour le kWh nucléaire).

Italie. Eurelios (1981). A Adrano (Sicile). Construite par la CEE avec participation France (17 %), All. féd., Italie. *Coût :* 70 millions de F. *Puissance :* 1 MW. 112 petits héliostats de 23 m² et 70 grands de 52 m² soit 6 216 m². *Tour :* 55 m. Générateur de vapeur à 512 °C sous 64 bars eff. *Stockage :* 1/2 h d'ensoleillement. **USA. Centrale Solar One** (Barstow, Californie). En service. *Puissance :* 10 MW. 52 ha. 1 818 héliostats de 39,3 m² chacun soit 71 447 m². *Tour :* 80 m. Fluide caloporteur : eau et vapeur surchauffée. *Stockage :* 3 h. **Luz** (Calif.) *puissance :* 275 MW, 8 centrales sur 450 ha (dont Power farm sur 150 ha, 600 000 miroirs), miroirs cylindro-paraboliques concentrant l'énergie sur des tubes d'acier noirs enfermés sous vide dans une enveloppe de verre et chauffés par un fluide synthétique, gaz utilisé en complément. **Espagne. Centrale SSPS** (Tabernas, près d'Alméria, 1981). *Puissance :* 0,5 MW. 93 héliostats de 39,3 m² chacun soit 3 655 m². *Tour :* 43 m. *Fluide caloporteur :* sodium. *Stockage :* 2 h. **Centrale CESA 1** (Tabernas, 1983-84). *Puissance :* 1 MW. 273 héliostats de 36 m² chacun soit 9 828 m². *Tour :* 80 m. *Fluide caloporteur :* eau et vapeur surchauffée. *Stockage :* 3 h. **Japon. Centrale Nio** (1981). *Puissance :* 1 MW. 807 héliostats de 16 m² chacun soit 12 912 m². *Tour :* 69 m. *Fluide caloporteur :* eau et vapeur saturée. *Stockage :* 3 h. **URSS. Crimée** (projet 82). *Puissance :* 5 MW. 1 600 héliostats de 25 m² chacun soit 40 000 m². *Tour :* 80 m. *Fluide caloporteur :* eau et vapeur saturée. *Stockage :* 3 h.

Conversion photovoltaïque

• **Principe.** Les cellules solaires ou photopiles sont des composants électroniques à base de matériaux semi-conducteurs capables de convertir directement l'énergie lumineuse solaire en électricité (courant continu). La cellule, plate, aussi grande que possible, comprend, en épaisseur, 2 zones de caractéristiques électriques différentes. Celles-ci contiennent des atomes « dopants » dont la configuration atomique est très proche du matériau de départ. Ex. le phosphore avec un électron périphérique en plus et le bore avec un électron en moins sont les dopants du silicium. Ces 2 zones présentent entre elles une différence de potentiel de 0,6 volt environ. Quand la lumière éclaire la photopile, les grains d'énergie (photons) entrent en collision avec les atomes du matériau et engendrent un mouvement des charges électriques séparées par la différence de potentiel. Les charges sont collectées par des contacts et produisent dans un circuit extérieur un courant électrique d'environ 30 mA/cm².

• **Technique de fabrication. 1°). Silicium cristallin :** matériau le plus couramment utilisé, ultra-pur. *Mise en forme* en lingots et découpé en plaquettes (silicium cristallin) ou déposé en couche mince, à basse température, sur un substrat de verre, d'acier inoxydable ou un film polymère souple (silicium amorphe). La mise en forme des lingots cylindriques monocristallins (10 à 20 cm de diamètre) se fait par tirage à partir d'un germe (méthode Czochralski), et leur tronçonnage donne des plaquettes identiques à celles utilisées dans l'industrie des composants électroniques. Cette technique tend à être remplacée par un moulage de lingots parallélépipédiques à solidification rapide contrôlée. Les blocs de silicium multicristallin obtenus sont sciés en plaquettes fines avec une scie à fil. L'épaisseur des plaquettes de 10 cm × 10 cm est de 0,18 mm au lieu des 0,40 mm obtenus avec les scies circulaires à découpe interne. **2°). Fabrication des couches minces par décomposition de gaz silane (SiH_4) dans une chambre à vide :** technique plus récente permettant de déposer sur un substrat de verre (maximum 1 m²) un semi-conducteur en alliage de silicium amorphe (non cristallin) et d'hydrogène ; épaisseur de moins d'1 micromètre. Dans le procédé de fabrication des photopiles, les plaquettes ou les couches minces sont d'abord dopées puis les faces sont munies de contacts conducteurs assurant la collecte des charges électriques. Enfin, les cellules solaires individuelles sont connectées en série pour obtenir une tension convenable pour l'utilisation (5 à 20 volts) et encapsulées dans un module étanche à l'humidité, leur principal ennemi.

• **Caractéristiques.** *Rendements de conversion :* meilleures photopiles à base de silicium cristallin : + de 24 %. Cellules solaires produites à l'échelle industrielle : 12 à 17 %. Les photopiles au silicium amorphe ont un rendement inférieur mais leur coût est plus bas. *Autres matériaux étudiés :* couches minces de $CuInSe_2$, CdTe (rendement de 14 % en laboratoire), alliages III-V de type GaAs (rendement supérieur à 34 % obtenu en laboratoire sous concentration du flux lumineux). *Puissances délivrées par les modules* *photovoltaïques du commerce :* 10 à 50 watt-crête, moins avec certaines photopiles au silicium amorphe. En développement, modules de 100 Wc par centrale photovoltaïques. Le watt-crête (Wc) est la puissance nominale délivrée sous un bon ensoleillement de 1 kW/m² avec une température de cellule de 25 °C. Un générateur photovoltaïque de 1 kWc produit environ 1 000 kWh par an. *Durée de vie des modules photovoltaïques :* 15 à 20 ans.

Renseignements : – Minitel serveur 3615 AFME.

• **Utilisation.** *Prix de l'électricité photovoltaïque* 5 à 15 F/kWh. A ce prix, les générateurs autonomes photovoltaïques (modules photovoltaïques, accumulateur de stockage, régulateur de charge-décharge) sont déjà rentables en site isolé, hors des réseaux électriques interconnectés. *Exemples :* alimentation de relais hertziens pour station de télécommunications, signalisation maritime, routière, aérienne, radio-téléphonie, détecteurs (niveaux d'eau, intrusion...), mobilier urbain, pompage de l'eau, habitat isolé, électrification rurale. 4 500 habitations permanentes équipées en France et DOM/TOM ; des dizaines de milliers dans le monde ; puissance de 100 à 1 200 Wc. Les photopiles au silicium amorphe en couche mince sont utilisées pour des faibles puissances (10 mW à 100 W) : calculettes de poche, montres, éclairage de jardin, clôtures électriques, détecteurs, capteurs... *Production centralisée ou dispersée ("toits photovoltaïques") de courant alternatif par générateur photovoltaïque connecté au réseau* testée aux U.S.A., Japon, Italie, All. et Suisse. La principale application aux U.S.A. serait la production d'électricité en période de pointe (climatisation).

• **Avantages.** Compétitive et adaptée à l'utilisation locale en dehors des réseaux interconnectés pour couvrir des besoins de 10 kWh à 5 000 kWh par an. Pas de pollution, déchets, etc.

• **Consommation journalière.** Réfrigérateur 150 l (4W h/1/j) : 600 Wh/j ; télévision (50 W) 3 h/j : 150 Wh/j ; 4 points lumineux fluocompacts (18 W 3 h par j) : 220 Wh/j ; ventilateur (50 W 8 h par j) : 400 Wh/j. Total 1 370 Wh/j soit 500 kWh/an, besoins satisfaits par une installation photovoltaïque de 250 à 400 W crête dans les zones disposant de 1 300 kWh/m²/an. Coût (1990) 40 000 à 50 000 F le kW installé.

• **Inconvénients.** L'électricité photovoltaïque en production centralisée est encore chère comparée aux sources d'énergie conventionnelles.

• **Production industrielle. Production mondiale** (1990). *Photopiles au silicium cristallin :* 35 MWc. *Photopiles au silicium amorphe* (principalement application grand public) : 10 MWc. **France :** photopiles au silicium multicristallin, 1,5 MWc, au silicium amorphe : 0,5 MWc. 70 % de la production est exportée. Secteur en croissance : 25 % par an.

• **Centrales photovoltaïques de démonstration.** Installées par les producteurs d'énergie européens : *RWE* (All.) : 3 tranches de 300 kWc ; *ENEL* (Ital.) : centrale de 3,3 MWc en voie d'installation suivie d'une autre en 1995 ; plusieurs générateurs de 100 kWc opérationnels (ENEA) ; *UF* (Esp.) 1 MWc en développement. Les producteurs suisses prévoient 0,5 % d'électricité photovoltaïque dans leur bilan de 2000.

• **Projets. Solar Power Satellite.** *Hélio-centrale orbitale* (NASA). Projet basé en partie sur des technologies encore inexistantes. Satellite formé de 2 panneaux de 3 × 5 km portant des photopiles disposées en rangées. L'énergie sera transmise à la Terre par un pinceau d'ondes (longueur d'ondes 12,2 cm, fréquence 2,45 GHz). Les photopiles fourniront une tension continue de 20 000 volts à des amplitrons, canons à électrons générateurs d'oscillations.

Le terminal terrestre (*rectenna :* receiving antenna) sera une antenne de 10 km env. *Puissance :* 5 000 à 10 000 MW (consommation de New York). La station recevra l'énergie solaire, nuit et jour. *Coût de l'opération :* 60 milliards de $.

Projet Marshall. Mise sur orbite d'une structure d'aluminium de 23 km sur 4 ; *poids* 37 000 t ; équipée de cellules solaires au gallium ; *puissance* 5 GW retransmise au sol par ondes ultra courtes.

Projet Johnson. Structure de graphite de 21 km sur 5, en forme de galette ; *poids* 100 000 t, cellules de silicium, 1 ou 2 systèmes de transmission de 5 GW.

Chimie solaire

• **Photochimie.** Utilise l'énergie de rayonnement pour produire des réactions photochimiques : *synthèse ind. de molécule :* hexachlorocyclohexane, certains médicaments, caprolactame et polyamide 12 ; *réactions photochimiques pouvant donner naissance à des combustibles ou de l'électricité :* photoélectrolyse de l'eau, catalysée par des semiconducteurs ; *réactions photochimiques réversibles.*

• **Dessalement.** Grâce au principe de la serre, de la distillation ou des membranes.

Politique solaire française

But. *Production :* 1,3 à 1,5 million de tep en 1990. 30 000 maisons solaires devaient être construites en 1985. Actuellement, l'énergie solaire est compétitive pour les logements collectifs et les pavillons neufs. D'ici à l'an 2000, l'énergie solaire pourrait fournir en France 5 % de nos besoins énergétiques, soit 14 à 16 millions de tep, dont : *eau chaude sanitaire* 1,5 (5 000 000 de logements) ; *chauffage des bâtiments* 2 (1 500 000 log. ou équivalents pour le tertiaire) ; *chauffage industriel* 0,5 ; *électricité solaire* 0,25 ; *valorisation des déchets agricoles* 3 à 4 ; *valorisation énergétique du bois* 7 à 8.

Agence française pour la maîtrise de l'énergie

Statut. *Créée* par décret du 13-5-1982. Regroupe Agence pour les économies d'énergie (créée 1974), Commissariat à l'énergie solaire (créé 1978), Comité géothermique, Mission nationale pour la valorisation de la chaleur. *Pt* Jacques Bouvet. Établissement public à caractère industriel et commercial. Dépend des ministères de l'Industrie et de la Recherche. **Employés** (1988) : 400. **Budget** (1989). AFME 454 MF dont ministère de la Recherche 165 MF, ministère de l'Industrie 289 MF.

Objectifs. Remplacer certaines énergies par d'autres moins chères et d'origine nationale ; objectif annuel de 2,1 Mtep substituées ; *allègement balance des paiements :* 8 milliards de F.

Biomasse ou énergie verte

• **Principe.** L'énergie solaire captée en zone tempérée (0,5 à 1 %) se transforme en produits hydrocarbonés, sources de calories thermiques ou alimentaires.

Cultures énergétiques. 1°) Ligno-cellulosique [canne de Provence, taillis à courte rotation (10 000 ha, à 3 000 plants par ha, avec une rotation de 5 ans, permettent d'alimenter une centrale électrique de 35 MW), jacinthes d'eau, algues]. **2°) Sucres fermentescibles** (betteraves, canne à sucre, topinambours). **3°) Oléagineux,** fournissant des huiles végétales pouvant alimenter directement des brûleurs ou des moteurs.

• **Utilisation. Voie thermochimique. 1°) Combustion directe.** Bois et ses déchets, paille, autres sous-prod. de l'agriculture, ordures ménagères (papier, déchets de nourriture) brûlés dans des cheminées (10 à 20 % de rendement), chaudières à bois (70 %), cuisinières, installations industrielles (80 %). **2°) Pyrolyse ou carbonisation.** Toutes les matières végétales (charbon végétal). En chauffant le bois, on obtient un résidu solide (charbon de bois), un mélange gazeux combustible et un liquide (eau et goudrons). 100 kg de bois donnent env. 30 kg de charbon de bois. Production en France/an : 60 000 t. **3°) Gazéification** de déchets végétaux, agro-alim., ordures ménagères. Technique semblable à celle de la pyrolyse mais nécessitant plus de chaleur et d'air et donnant un gaz pauvre (mélange de monoxyde de carbone et d'hydrogène, 80 % de rendement). Combustion incomplète (900° à 1 500°). Le gaz peut être brûlé à la sortie du gazogène dans une chaudière modifiée (gaz de ville). *Utilisations :* moteur diesel (10 % de gazole, 90 % de gaz pauvre) ; moins bon rendement dans un moteur à essence ; électricité en site isolé. Prod. de méthanol (à partir du gaz obtenu par gazéification à l'oxygène) dans l'industrie et pour certains moteurs. Chauffage collectif (HLM à Belfort).

L'énergie solaire des centrales peut contribuer à la production de carburants (hydrogène, hydrazine, méthanol, éthanol, méthane, ammoniac). La décomposition de l'eau par cycle thermochimique dans des réacteurs chimiques pourrait fournir de l'hydrogène dont la production est actuellement très coûteuse. La possibilité de récupérer le carbone du gaz carbonique ou des carbonates est étudiée.

La gazéification à l'air produit un gaz pauvre pouvant, après dépoussiérage et dégoudronnage, alimenter un moteur thermique couplé à un alternateur pour produire de l'électricité. On peut, après gazéification, valoriser les cendres qui contiennent jusqu'à 80 % de carbone (par broyage, granulation, étuvage).

Une feuille artificielle capable de transformer la lumière en énergie électrochimique comme une véritable plante est étudiée aux USA. Se présentant sous forme de « sandwich » de verre, métal et caoutchouc, contenant de la chlorophylle, elle peut absorber du gaz carbonique et libérer de l'oxygène, fabriquer des composés organiques, de l'hydrogène, ou même produire directement de l'électricité.

• **Voies biochimiques. Biogaz.** Obtenu par la fermentation (anaérobies) de la biomasse. Se forme dans la nature (feux follets des marais) ou à partir de déchets animaux ou végétaux (fumiers, vinasses de distillerie). Nécessite humidité et absence d'air. A 37 °C ou 55 °C se développent des bactéries (anaérobies) qui provoquent une fermentation : le biogaz contenant 50 à 65 % de méthane (CH_4) et 35 à 50 % de gaz carbonique (CO_2). Pouvoir calorifique du gaz non purifié : 5 000 à 60 000 kilocalories/m³.

Fermentation méthanique. Méthanol ou alcool méthylique, issu du gaz naturel. Par reformage, le méthane réagit avec la vapeur d'eau et donne un mélange d'oxyde de carbone et d'hydrogène appelé gaz de synthèse ou gaz industriel. On comprime ce gaz en présence d'un catalyseur et l'on obtient du méthanol aqueux que l'on distille pour avoir du méthanol pur. Le gaz de synthèse peut aussi venir de charbon, lignite, hydrocarbures, tourbe, biomasse ligneuse, bois, déchets ; en effet, toute biomasse peut être gazéifiée mais il faut l'oxygéner. Rendement 50 %. *Prix de revient :* 1,10 à 1,40 F/l. 3 ateliers pilotes pour fabriquer du méthanol sont en construction à Clamecy, Attin et Soustons.

Alcools ou biocarburants. Carburant et alcool. Produits oxygénés (composés de carbone, hydrogène et oxygène) que l'on peut ajouter au super (les hydrocarbures ne comprennent que du carbone et de l'hydrogène). 3 voies possibles.

Alcool éthylique ou éthanol : à partir de biomasse riche en sucres ou en amidon (fruits, mélasses de canne à sucre, topinambours, sorgho, betteraves, céréales). *Pouvoir calorifique* env. 6 000 kilocalories. Sa production nécessite, comme celle du biogaz, l'intervention de levures (organismes vivants). Elle est plus simple à partir de végétaux sucrés qu'à partir de ceux qui contiennent de l'amidon. On peut aussi obtenir de l'éthanol à partir de bois transformés en sucres par voie acide (coûteux) ou enzymatique (stade expérimental). *Processus de méthanisation.* a) Dégradation des molécules organiques complexes (glucides, lipides, protides) en molécules simples (sucres, alcools, acides gras, acides aminés). b) Transformation des molécules simples de la phase précédente en acides organiques, en CO_2 et H_2S. Formation de méthane et de gaz carbonique. *Matériel de combustion.* L'installation comprend un fermenteur ou digesteur (cuve fermée et légèrement chauffée) et des gazomètres pour recueillir le gaz. *Utilisation :* dans tous les appareils à gaz, après adaptation des brûleurs ; carburant dans des moteurs (après épuration en H_2S et en CO_2) ; fabrication d'électricité. Après la fermentation, il faut séparer l'éthanol du substrat par distillation (coûteux en énergie). *Utilisation :* employé au Brésil (à base de canne à sucre) et aux USA (à base de maïs), pur et/ou mélangé à l'essence vendue aux automobilistes [(en France a été autorisé d'août à décembre 1987, et depuis juillet 1988, 8 pompes distribuent du super à base d'éthanol au même prix que le carburant classique (mêmes taxes que le gasoil)]. *Rendement en pouvoir calorifique* par rapport au matériau de base (biomasse) 65 %. *Prix de revient :* l'éthanol de synthèse est obtenu à partir de pétrole et l'éthanol agricole a un prix de revient élevé (alcool de vin 12 à 15 F/l, de betterave 3 F/l). *Production* (France) : + de 3 millions de tep/an.

Le butanol nécessite une bactérie spécifique. On utilise des jus sucrés (topinambours) ou des produits cellulosiques (papier, luzerne, betterave, p. de terre, sorgho, manioc, canne à sucre, bois, tiges et rafles de maïs, paille) qui, par fermentation acétonobutylique, donnent le mélange MBAE (Butanol, Acétone, Éthanol). 20 kg de topinambours donnent 1 kg de MBAE. *Utilisation :* associé au méthanol, forme un carburant de substitution (biocarburant). *Rendement :* 80 %. *Prix de revient :* 2,10 F/l.

• **Potentiel des sous-produits en France.** 8 millions de tep en 1990, 12 en 2000 par récupération des sous-produits de la forêt (forêt non exploitée : 15 millions de t de matière sèche par an ; industrie du bois : 9), de l'agriculture (paille de céréales : 21, maïs : 6), de l'élevage (fumier, lisier : 15), et des résidus urbains (ordures ménagères, boues des stations d'épuration, industries agroalim. : 8). Une partie des déchets végétaux doit servir à reconstituer l'humus ou à fournir des litières aux animaux.

• **Production.** *Production mondiale annuelle :* 200 milliards de t (72 milliards de tep, France 74 millions de tep). *1985 :* 5 Mtep ; *90 :* 8,5 à 12 Mtep.

Autres possibilités

• **Carburants gazeux. Propane, gaz de ville, acétylène, méthane, butane et gaz naturel.** *Coût du carburateur et des appareils :* 2 000 F. Env. 10 000 véhicules au gaz naturel circulent en France. *Inconvénients :* autonomie réduite (250 km), peu de postes de ravitaillement.

Hydrogène. *Avantages :* pouvoir calorifique 2,6 fois celui de l'essence (H_2 : 28,5 kcal/g ; essence : 11,2 kcal/g). Moteur propre : le produit de sa combustion est de l'eau, qui peut être retransformée en hydrogène par électrolyse. Pratiquement pas de vidange. *Inconvénient :* stockage d'un grand volume d'hydrogène dans le véhicule. *Danger :* il peut exploser, car il forme avec l'air des mélanges explosifs (lorsque son volume représente 4 à 74,2 % du mélange), l'hydrogène diffuse rapidement [en fait, une fuite d'essence dans un carburateur peut être aussi dangereuse qu'une fuite d'hydrogène, car il faut une concentration encore moindre (2 % au lieu de 4 %) pour que le mélange essence-air soit explosif].

Possibilités de stockage : 1° hydrogène gazeux comprimé à 200 atmosphères ; 2° hydrogène liquide à – 253 °C : cher et s'évapore (on perdrait 0,5 à 1 % de poids chaque jour) ; 3° stockage à température ambiante (1 ou 2 atm.) grâce aux hydrures, mais l'hydrure vanadium (VHA) est trop lourd et le lanthane-nickel ($LaNi_5H_{67}$) a trop peu d'hydrogène.

Bioconversion directe. On trouve des hydrocarbures de faible qualité dans divers végétaux : poires, pommes, carottes, tomates, etc. (1 kg de poires produit 0,9 mg d'éthylène/jour). Mais une algue unicellulaire cultivée à des fins expérimentales, la « Botryococcus braunii », fabrique des hydrocarbures localisés, sous forme de globules, sur sa paroi externe, faciles à extraire. *Rendement prévu :* 8 t d'hydrocarbures à l'hectare an/m³.

De nombreux produits utilisables pour l'industrie sont synthétisés par des végétaux ou micro-organismes, grâce à la photosynthèse, et en sont excrétés ou facilement extraits (glycérol, alginates, carraghénanes...). L'hydrogène peut être un combustible propre et facile à utiliser. Différents mécanismes des organismes photosynthétiques réalisent la séparation de l'eau en ses 2 constituants élémentaires, l'hydrogène et l'oxygène. On cherche à maîtriser ce processus et à sélectionner des végétaux (algues) pouvant fabriquer de l'hydrogène dans des conditions industrielles viables.

Avantages et inconvénients. Indice d'octane élevé (pas besoin d'ajouter du plomb). Pouvoir calorifique faible, mais aptitude à brûler des mélanges pauvres. Départs à froid difficiles. Reprises moins bonnes. Attirés par l'eau, méthanol et éthanol se séparent de l'essence s'il y a de l'humidité (nécessite un tiers solvant) ; nécessité d'une bonne isolation. Méthanol : importante corrosion (joints et robinets) des moteurs, toxique.

Procédés expérimentaux. Conversion directe des déchets cellulosiques en hydrogène par des micro-organismes (algues photosynthétiques, bactéries), ou en alcools par des levures qui dégraderaient la cellulose en glucose.

• **Fumées industrielles.** Générateur de vapeur, turbine de détente, condenseur ou récupérateur permettant de récupérer 60 % de l'énergie et de la transformer en énergie utilisable. Étudiées par Bertin et Cie (machine qui effectue ce transfert).

• **Piles à combustibles.** Générateurs qui transforment directement l'énergie chimique du combustible en électricité avec un rendement de 60 % (processus inverse de l'électrolyse). *Inconvénients :* performances massiques (par kg de pile) 10 fois plus faibles que celles des machines thermiques. Prix de revient élevé. Domaines d'applications restreints (missions spatiales de longue durée ; les piles utilisées sont à électrolyte acide et à électrodes de platine). Les piles à combustibles se corrodent après 2 ans et sont chères : le kW installé est 5 fois + cher que le kW des centrales thermiques (2 000 $ au lieu de 400).

• **Pile bactérienne.** Utilise la propriété qu'ont les microbes de « casser » les combustibles riches en électrons, les électrons ainsi libérés allant vers l'anode. Pour augmenter le rendement, Peter Bennetto, chimiste anglais, ajoute un médiateur qui améliore le transfert des électrons. Sinon la pile fonctionne comme toute pile à combustible.

Les « piles à combustibles microbiennes » construites à King's College contiennent 200 cm³ de culture microbienne et produisent, plusieurs mois si elles sont régulièrement nourries, un courant de 2 ampères.

Situation économique

Dans le monde

Définitions

• **Balances. 1°) Du commerce extérieur :** solde des exportations et des importations soumises aux statistiques ou au contrôle des douanes. **2°) Des paiements :** ensemble des recettes et des dépenses, des débits et des crédits couvrant toutes les opérations de commerce effectuées entre le pays et les autres pays, et entre les résidents de ce pays et les résidents des autres pays. *Principaux postes :* marchandises (c.-à-d. la balance du commerce extérieur) ; transports (affrètements, prix des billets de passage, etc.) ; revenus des capitaux ; revenus du travail (ex. : transfert de salaires de la main-d'œuvre étrangère en France ou française à l'étranger ; brevets, droits d'auteurs, etc.) ; intérêts des emprunts et des placements publics ; contributions versées aux organismes internationaux ; dons, collectes et secours ; investissements à l'étranger. **3°) De base :** rend compte de l'endettement extérieur du pays ; regroupe la balance des opérations courantes et la balance des mouvements de capitaux à long terme (investissements directs ou de portefeuille, crédits à long terme, prêts publics).

• **Cycle.** Période de fluctuations économiques où se succèdent croissance, prospérité, dépression. C. de **Juglar :** d'une dizaine d'années, crise brutale (touchant l'ensemble de l'économie), dépression, reprise. Caractéristique de la plupart des pays capitalistes du XIXe s. C. de **Kitchin :** env. 3 ans, ralentissement de l'économie, lié souvent aux variations de stocks. C. de **Kondratieff :** longue durée (jusqu'à 50 ans). 2 phases : croissance et hausse des prix puis baisse. Touche la quasi-totalité des branches et des pays.

• **Économie duale (ou à 2 vitesses).** Pays où coexistent des secteurs d'activité modernes et compétitifs, concurrentiels, et des secteurs déficitaires et dépassés.

• **Produit national. Brut (PNB) :** valeur des biens et services acquis par l'activité économique d'une année sans déduire les amortissements. En anglais : GNP *(Gross National Product).* **Net (PNN) :** égal au PNB moins les amortissements (qui ne représentent pas un gain pour une nation). *Le PNN aux prix de*

Commerce extérieur des principaux pays, en 1990 (en millions de dollars US)

Pays	*Imp.*	*Exp.*	*Pays*	*Imp.*	*Exp.*	*Pays*	*Imp.*	*Exp.*
Afghanistan [10]	765	466	Gambie [9]	127	40	N.-Calédon. [11]	766	675
Afr. du S.	17 075	18 969	Ghana [10]	907	1 014	N.-Zélande	9 489	9 435
Algérie [10]	7 396	8 164	Gibraltar [9]	231	85	Ouganda [10]	544	274
All. dém. [11]	17 778	17 334	G.-B.	224 938	185 976	Pakistan	7 356	5 522
All. féd.	342 586	398 446	Grèce	14 787	5 492	Panamá	1 489	321
Angola [9]	451	2 190	Groenland [11]	394	417	Papouasie [11]	1 335	1 281
Ant. néerl. [10]	1 404	1 133	Guadeloupe	1 650	118	Paraguay	695	1 163
Arabie S. [11]	21 153	28 369	Guatemala [11]	1 654	1 108	P.-Bas	126 195	131 839
Argentine [10]	4 204	9 579	Guyana [6]	248	167	Pérou [11]	1 839	3 562
Australie	38 843	39 539	Guyane fr.	697	85	Philippines [11]	10 732	7 747
Autriche	50 017	41 881	Haïti [10]	344	200	Pologne	8 160	13 627
Bahamas [11]	3 001	2 786	Honduras [10]	933	869	Polyn. fr. [11]	794	89
Bangladesh [11]	3 524	1 305	Hong Kong	82 496	82 160	Portugal	25 072	16 348
Barbade	705	209	Hongrie	8 764	9 707	Réunion	2 049	184
Belg.-Lux.	120 067	118 295	Inde	23 382	17 786	Roumanie	9 156	5 962
Bénin [5]	288	167	Indonésie	21 837	25 675	Rwanda [10]	369	101
Bermudes [10]	488	31	Irak [4]	6 636	9 785	Salvador (El)	902	412
Birmanie [11]	191	215	Iran [4]	18 296	20 247	Samoa am. [9]	346	288
Bolivie	715	900	Irlande	20 716	23 788	Samoa occ. [11]	67	12
Brésil [11]	18 281	34 392	Islande [11]	1 395	1 401	Sénégal [9]	1 023	606
Brunei [7]	656	1 797	Israël	15 104	11 576	Sierra Leone [11]	189	138
Bulgarie	12 893	13 347	Italie	180 105	168 680	Singapour	60 787	52 729
Burundi [11]	188	78	Jamaïque [11]	1 809	1 029	Somalie [9]	132	104
Burkina Faso [10]	489	182	Japon	234 806	286 948	Soudan [10]	1 060	509
Cameroun [10]	1 271	924	Jordanie [11]	2 119	926	Sri Lanka [11]	2 088	1 529
Canada	116,5	127	Kampuchéa [8]	101	10	Suède	54 568	57 435
Centrafr. [11]	150	134	Kenya	2 227	1 054	Suisse	69 869	63 884
Chili	7 272	8 580	Koweït	6 303	11 476	Surinam [9]	294	301
Chine	53 369	62 089	Laos [10]	162	81	Syrie [11]	2 097	3 006
Chypre [11]	2 281	793	Liban [5]	287	562	Tanzanie [10]	1 495	337
Colombie [11]	5 010	5 739	Liberia [9]	308	382	Tchad [10]	419	141
Congo [10]	544	751	Libye [10]	5 879	6 683	Tchéc.	13 106	11 882
Corée Rép.	68 771	64 933	Macao	1 534	1 694	Thaïlande	25 768	20 059
Costa Rica [11]	1 763	1 362	Madagascar [11]	340	312	Togo [10]	487	242
Côte-d'Ivoire [10]	2 100	2 792	Malaisie	16 542	21 125	Trinité-Tobago	1 222	2 049
Cuba [10]	7 579	5 518	Malawi	573	418	Tunisie [11]	4 378	2 933
Danemark	31 743	35 087	Mali [10]	493	260	Turquie [11]	15 799	11 627
Domin. [11]	1 964	924	Malte [11]	1 505	858	U.R.S.S.	120 867	104 640
Égypte [11]	7 434	2 565	Maroc [11]	5 492	3 308	Uruguay [11]	1 203	1 599
Équateur	1 862	2 722	Martinique	1 708	272	Vanuatu [10]	71	20
Espagne	87 694	55 640	Maurice (î.) [11]	1 326	987	Venezuela [11]	6 881	12 983
États-Unis	516,6	393,9	Mauritanie [11]	222	437	Vierges (îles) [1]	2 139	2 582
Éthiopie [10]	1 075	466	Mexique [11]	23 633	22 819	Viêt-nam [2]	1 853	23
Féroé (îles) [11]	346	345	Mozamb. [10]	715	103	Yémen	653	81
Fidji (îles) [11]	633	386	Nicaragua [9]	923	300	Youg. [10]	12 603	11 425
Finlande [11]	27 108	26 743	Niger [7]	345	209	Zaïre [11]	849	1 249
France	*233 140*	*209 958*	Nigeria [11]	3 419	8 138	Zambie [11]	873	1 347
Gabon [9]	732	1 288	Norvège	26 905	34 072	Zimbabwe [9]	1 043	1 420

Nota. – (1) 1978. (2) 1981. (3) 1982. (4) 1983. (5) 1984. (6) 1985. (7) 1986. (8) 1972. (9) 1987. (10) 1988. (11) 1989. *Source :* ONU.

Principales données économiques

	PIB			Dépenses de consommation finale (% du PIB) [3]		Formation brute de capital fixe (% du PIB) [3]		Balance extérieure (biens et services) (% du PIB) [3]	Épargne nationale nette (% du PIB) [3]
	Milliards de $ EU [1]		par hab. [1] en $ EU [2]	Privée	de l'État	total	machines, outillage		
	1989	1990	1989						
Allemagne	1 189,1	1 490,2	19 182	54,2	18,7	20,5	9,3	5,3	14,1
Australie	282,4	298,2	16 800	57,7	16,4	25,5	12,0 [a]	– 2,6	7,6
Autriche	126,5	159,1	16 603	55,5	18,1	24,0	10,2	0,5	13,7
Belgique	153,0	194,8	15 393	62,5	14,4	19,1	7,9 [a]	3,3	11,7
Canada	545,5	578,6	20 783	58,1	18,7	22,2	7,5	0,1	8,6
Danemark	106,2	130,9	20 685	52,8	25,1	18,2	8,0	3,5	8,3
Espagne	380,0	491,1	9 703	62,7	14,8	24,0	7,8 [b]	– 3,0	11,1
États-Unis	5 132,0	5 329,6	20 629	66,7	17,9	16,6	7,8	– 1,8	3,2
Finlande	115,5	139,3	23 270	51,7	19,8	27,6	10,9	– 1,9	10,8
France	*958,2*	*1 191,9*	*17 061*	*60,0*	*18,3*	*20,8*	*9,3*	*0,3*	*8,8*
Grèce	54,2	68,0	5 399	69,3	21,6	18,5	8,0	– 8,8	5,7
Irlande	33,9	42,8	9 644	56,5	15,4	18,4	9,9	9,6	9,9
Islande	5,2	5,7	20 516	59,5	19,0	18,7	5,1	2,9	5,2
Italie	865,8	089,1	15 051	61,7	16,8	20,2	10,6	– 0,1	8,5
Japon	2 818,9	2 891,0	22 896	56,7	9,3	32,1	11,7 [a]	1,5	20,0
Luxembourg	7,0	8,8	18 613	55,5	16,0	24,1	10,9	2,0	50,0
Norvège	90,9	110,8	21 498	50,4	20,9	27,2	9,0 [a]	4,1	8,9
N.-Zélande	41,7	44,1	12 503	61,2	16,4	21,0	10,5	– 1,7	9,0
Pays-Bas	223,7	276,9	15 063	59,3	15,3	21,8	10,6	4,0	13,4
Portugal	45,3	59,1	4 629	63,7	16,1	26,8	9,8 [c]	– 9,2	22,1
Roy.-Uni	837,5	978,4	14 642	63,8	19,4	19,6	9,4	– 3,7	4,5
Suède	189,4	230,2	22 303	51,9	26,2	21,0	9,7	0,6	7,3
Suisse	177,2	223,4	26 350	57,5	12,9	27,6	9,5	– 0,2	23,3
Turquie	79,1	107,9	1 432	66,2	11,6	22,8	11,7 [b]	– 0,5	18,4

Nota. – (1) Aux prix et taux de change courants.
(2) Aux prix courants ; conversion par taux de change courants.
(3) Aux prix courants. *Source :* OCDE.

marché fait apparaître les prix offerts aux acheteurs, comprend les impôts, et déduit les subventions ; *le P.N.N. au coût des facteurs* (de production) supprime amortissements et impôts, mais ajoute les subventions.

• **Production intérieure brute** (PIB). Valeurs ajoutées par chacun des secteurs de l'activité nat., + les droits et taxes à l'import. En France, ne comprend pas les gains de l'État.

Valeur ajoutée. Biens et services produits au cours d'une année par un secteur de l'activité nationale, moins la valeur des biens et services incorporés dans le processus de production (consommation intermédiaire).

Production industrielle. Valeur des produits ind. (sans agriculture ni services, et souvent sans l'industrie du bâtiment).

• **Autres indices. Consommation** d'énergie, d'acier, de carton ; **trafic** des voies navigables, maritimes, aériennes, nombre d'arrivées dans les ports, nombre de wagons chargés ; **billets** en circulation, **crédits** octroyés par la Banque nationale, **comptes** créditeurs des grandes banques, **indices de bourse.**

Balances commerciales des pays de l'OCDE

(en milliards de dollars)

	1987	1988	1989	1990	1991
Allemagne	70,2	79	78,5	95	95
Australie	– 0,5	– 1	– 3,7	–1,8	– 0,4
Autriche	– 4,9	– 4,9	– 5,3	– 5,6	– 6,2
Belg.-Lux.	0,8	1,9	1,8	2,7	1,7
Canada	9,1	8,8	5	3	3
Danemark	0,8	1,8	2,3	3,1	3,3
Espagne	– 12,8	– 18	– 24,1	– 29,9	–33,4
États-Unis	– 159,5	– 127,2	– 113,3	– 107	– 105
Finlande	1,4	1,1	–0,2	–0,4	0,4
France	*– 9,2*	*– 8,3*	*– 10,7*	*– 10*	*– 12*
Grèce	– 5,5	– 6,1	– 7,4	– 8,6	– 9,2
Irlande	2,6	3,1	3,2	3,8	4
Islande	0	0	0,1	0,2	n.c.
Italie	– 0,1	– 1,1	– 2	0	– 1
Japon	96,4	95	76,9	69	81
Norvège	– 0,8	– 0,1	3,5	5	6,2
Nlle-Zél.	0,5	2	0,9	1	1,3
Pays-Bas	5,1	8,5	7,9	9,1	10,8
Portugal	– 3,4	– 5,5	– 5,2	– 6,2	– 6,8
Roy.-Uni	– 17,9	– 36,9	– 37,9	– 31	– 25
Suède	4,5	7	6	5,9	5,1
Suisse	– 3,1	– 3,2	– 4,3	– 5,1	– 5,6
Turquie	– 3,2	– 1,8	– 4,2	– 5	– 4,8

☞ **Croissance du PIB** (en %). **États-Unis.** *1980 :* 0,2. *81 :* 1,9. *82 :* – 2,5. *83 :* 3,6. *84 :* 6,8. *85 :* 3,4. *86 :* 2,7. *88 :* 4,6. *89 :* 2,5. **Japon.** *1980 :* 4,3. *81 :* 3,7. *82 :* 3,1. *83 :* 3,2. *84 :* 5,1. *85 :* 4,9. *86 :* 2,5. *87 :* 4,6. *88 :* 5,7. *89 :* 4,9. **Pays de l'OCDE.** *1980 :* 1,5. *81 :* 0,2. *82 :* 0,7. *83 :* 1,6. *84 :* 2,5. *85 :* 2,4. *86 :* 2,7. *87 :* 2,7. *88 :* 3,9. *89 :* 3,5. **France** (hors administration). *1986 :* 2,4. *87 :* 2. *88 :* 3,7. *89 :* 4,1. *90 :* 2,7.

Commerce extérieur

Grands pays exportateurs

Part des 10 principaux pays exportateurs (% des export. mond.) **1875 :** G.-B. 21, *France 11,5,* All. 9, USA 7,8, Belg. 3,3, P.-Bas 3,2. **1923 :** G.-B. 13,1, USA 12,2, All. 9,6, *France 6,8,* Belg. 3,9, Italie 2,5, P.-Bas 2,2, Canada 2,1, Australie 2, Japon 1. **1938 :** USA 13,5, G.-B. 12,1, Japon 4,9, *France 3,9,* Canada 3,8, UEBL 3,2, P.-Bas 2,6, Italie 2,4, Australie 2,3. **1960 :** USA 15,8, All. féd. 8,9, G.-B. 7,7, *France 5,3,* URSS 4,4, Canada 3,3, Japon 3,1, P.-Bas 3,1, UEBL 3, Italie 2,9. **1970 :** USA 13,5, All. féd. 10,8, *France 6,6,* Japon 6,1, G.-B. 6,1, Canada 5,2, Italie 4,2, URSS 4,1, P.-Bas 3,7, UEBL 3,7. **1985 :** USA 10,8, All. féd. 9,5, Japon 9,2, *France 5,3,* G.-B. 5,2, Canada 4,6, URSS 4,5, Italie 4,1, P.-Bas 3,5, Belg.-Lux. 2,8. **1990 :** All. 12,1, USA 11,4, Japon 8,2, *France 6,2,* G.-B. 5,3.

Économie des pays de l'Est

• **Produit matériel net** (PNB – certains services). En 1990, il a baissé en moyenne de 11 %. *Baisse de la production :* Bulgarie, Pologne, Roumanie : + de 10 %. URSS, Tchéc., Hongrie : 3 à 5,5 %.

• **Dette nette totale, hors URSS** (en milliards de $). *1981 :* 80. *82 :* 75,3. *83 :* 65,9. *84 :* 60. *85 :* 70,8. *86 :* 83,9. *87 :* 99,6. *88 :* 97,2. **Par pays** et, entre parenthèses, **par habitant** (en millions de $, 1988). URSS 43,3 (152), Pologne 39,3 (1 034), All. dém. 20,2 (1 209), Hongrie 17,7 (1 669), Bulgarie 8 (888), Tchéc. 5,8 (371), Roumanie 3,6 (155).

• **Aide aux pays de l'Est.** Décidée depuis le sommet des 7 premiers pays industrialisés à Paris (juillet 1989) et confirmée par le « souper des 12 » (18-11-1989) qui a réuni à Paris les chefs d'État de la CEE [principales mesures : aide d'urgence à la Pologne et à la Hongrie (opération Phare), création d'une banque pour la modernisation des pays de l'Est].

Montant de l'opération Phare (en milliards de F). Pologne et, entre parenthèses, Hongrie. *Aides :* fonds de stabilisation du zloty 6,250, aide américaine 5,300 (0,571), alimentaire 3,401, investissement 3,202 (2,606), plan d'action communautaire 2,439 (2,439), réduction de dette 1,742, formation 0,327 (0,188), environnement 0,264 (0,320). *Crédits :* All. féd. 10,455 (3,485), rééchelonnement pour l'All. féd. 8,712, BEI 6,970 (6,970), France 3, BIRD 1,923, Italie 1,812, crédit-relais (6,250), divers (0,207), *total* 56 (23).

Aide accordée le 27-11-89. 6,2 milliards de $ (38,7 milliards de F) (le plan Marshall avait octroyé 65,4 milliards de $, soit 380 milliards de F).

Dons prévus pour 1990 (en millions de $). Total 1 224,2 dont budget CEE 335 (investissements, formation, protection de l'environnement, aide sociale). *Aides annoncées par pays :* USA 738 (90 % pour la Pologne), 200 (participation au fonds de stabilisation du zloty pol.). Corée du Sud 100 (Hongrie : programme de développement). Suisse 41,7 (aide technique, écon. et humanitaire). Japon 40 (aide technique, formation à la gestion). Finlande 21,2 (formation et protection de l'environ.). Suède 15,6 (form. et protection de l'env.). France 14,2 (formation, assistance technique). Danemark 14 (fonds industriel d'Eur. de l'Est). Norvège 10,2 (formation et aide à l'invest.). Belgique 10 n.c. Canada 8,5 (fonds pour entrepreneurs individuels). G.-B. 7,9 (Hongrie : formation, soutien scientifique). Autriche 1,5 (formation). P.-Bas 1,4 (Hongrie : aide à l'invest. agroalim.).

Nouveaux crédits multilatéraux (en millions de $, 1990-92). Prêts de la BEI garantis par la CEE 1 116,7 (prêts projets). Prêt CECA 223,3 (prêts pour invest. dans le charbon et l'acier).

Nouveaux crédits bilatéraux (en millions de $). Pour la Pologne et, entre parenthèses, la Hongrie. All. féd. 1 633,2 (544,3). France 609,4. Corée du Sud 450. Finlande (100). Autriche 77,3. Italie 37,1. Japon (35,2). Canada 17. *Totaux* 2 824 (679,5).

Nota. – Le *26-4-90,* la France adopte un plan d'urgence de 200 millions de F, ajoutés aux 120 millions prévus par la loi de finances 1990 (total de 320 millions de F). Selon la Commission européenne, le montant des besoins de l'Europe de l'Est (hors URSS) serait de 140 milliards de F de 1990 à 1992.

• **Dette des pays de l'Est** (en milliards de $). *Endettement net des pays d'Europe de l'Est* (URSS, Tchéc., Pologne, Hongrie, Roumanie, Bulgarie, Youg.) : *1989 :* 117, *90 :* 134 (dont imputables à la dévaluation du $ en 1990 : 8). *Réserves en devises fortes de*

Banque européenne pour la reconstruction et le développement de l'Europe de l'Est (BERD)

Membres fondateurs (42 au 29-5-1991).

40 pays : CEE (12 pays), AELE (6 : Autriche, Finlande, Islande, Norvège, Suède, Suisse), pays de l'Est (8 : All. dém., Bulgarie, Hongrie, Pologne, Roumanie, Tchéc., URSS, Yougoslavie), Australie, Canada, Chypre, Corée du S., Égypte, Israël, Japon, Liechtenstein, Malte, Maroc, Mexique, N.-Zélande, Turquie, USA ; *2 institutions communautaires :* Banque européenne d'investissement et Commission europ. **Origine.** Statuts adoptés le *10/11-3-1990* à Paris par 24 pays occidentaux industrialisés et 8 pays de l'Est, *29-5-1991* date d'entrée en fonctionnement. *Capital de départ :* 60 milliards de F. **Mission.** Aider la transition vers une économie concurrentielle et le développement du secteur privé. **Siège.** Londres. **Pt.** Jacques Attali (1-11-43) nommé pour 4 ans.

Échanges Est-Ouest. Balances commerciales et, entre parenthèses, balances des paiements courants (en milliards de $)

	1984	1985	1986	1987	1988	1989 [2]
All. dém. [1]	0,9 (0,9)	0,7 (1,1)	0,2 (0,6)	– 0,5 (0,9)	– 0,4 (– 0,6)	– 0,6 (– 0,7)
Bulgarie	– 0,8 (0,7)	– 1,2 (0)	– 1,5 (– 1,2)	– 1,6 (– 0,5)	– 1,7 (– 1,3)	– 1,5 (– 1,7)
Hongrie	– 0,1 (0,1)	– 0,3 (– 0,8)	– 0,6 (– 1,5)	– 0,3 (– 0,9)	0,1 (– 0,8)	– 0,2 (– 1,4)
Pologne	0,8 (– 0,7)	0,6 (– 0,5)	0,7 (– 0,6)	0,8 (– 0,4)	0,7 (– 0,6)	– 0,3 (– 1,9)
Roumanie	2,2 (1,5)	1,9 (0,9)	1,9 (1,4)	2,7 (2,1)	2,8 (3,8)	2,8 (3,7)
Tchécoslovaquie	0,8 (0,7)	0,4 (0,5)	0,4 (0,2)	0,1 (– 0,2)	0,1 (– 0,3)	0,4 (0)
Total	3,8 (3,2)	2,1 (1,2)	1,1 (– 1,1)	1,2 (1,1)	1,6 (0,2)	0,6 (– 2)
URSS	2,5 (6,7)	– 0,2 (0,6)	– 1,8 (0,9)	0,9 (7,8)	– 2,5 (3,1)	– 3 (– 3,2)
Total général	6,3 (9,9)	1,9 (1,8)	– 0,7 (– 0,2)	2,1 (8,8)	– 0,9 (3,3)	– 2,4 (– 5,2)

Nota. – (1) Transactions interallemandes exclues. (2) Estimations. *Source.* Commission économique pour l'Europe, Nations unies, avril 1990.

PNB et population en 1989

Pays ou territoire	Population [1]	PNB [2]	PNB par hab. [3]	Variation 1987-89 [4]	Part de l'agr. [4]
Afghanistan	–	–	–	–	–
Afrique du Sud	34 925	86,029	2 460	– 0,4	6
Albanie	3 204	–	–	–	–
Algérie	24 453	53,116	2 170	– 3,3	13
Allemagne dém.	16 691	–	–	–	–
Allemagne féd.	61 337	1 272,959	20 750	3,9	2
Andorre	50	–	–	–	–
Anglo-norm. (îles)	138	–	–	–	–
Angola	9 694	6,010	620	–	–
Antigua et Barbuda	79	–	–	–	6
Antilles néerland.	191	–	–	–	–
Arabie Saoudite	13 562	89,986	6 230	– 0,6	8
Argentine	31 883	68,780	2 160	– 6,1	14
Aruba	60	–	–	–	–
Australie	16 765	242,131	14 440	2,3	4
Autriche	7 598	131,899	17 360	3,8	4
Bahamas	248	2,820	11 370	– 0,8	–
Bahreïn	489	–	–	–	1
Bangladesh	111 590	19,913	180	– 0,4	44
Barbade	255	1,622	6 370	3,0	7
Belgique	9 886	162,026	16 390	4,3	2
Belize	184	0,294	1 600	2,4	19
Bénin	4 593	1 753	380	– 1,5	46
Bermudes	58	–	–	–	–
Bhoutan	1 403	–	–	–	5
Birmanie	40 796	–	–	–	–
Bolivie	7 110	4,301	600	1,0	24
Botswana	1 217	–	–	–	3
Brésil	147 294	375,146	2 550	– 1,0	9
Brunei	249	–	–	–	–
Bulgarie	9 001	20,860	2 320	– 0,9	–
Burkina Faso	8 776	2,716	310	2,1	32
Burundi	5 299	1,149	220	0,4	56
Cambodge	–	–	–	–	–
Cameroun	11 554	11,661	1 010	– 9,0	27
Canada	26 302	500,337	19 020	2,6	4
Cap-Vert	369	0,281	760	2,3	14
Centrafricaine (Rép.)	2 951	1,144	390	– 0,8	42
Chili	12 980	22,910	1 770	6,6	–
Chine	1 105 067	393,006	360	– 4,8	32
Chypre	694	4,892	7 050	5,7	7
Colombie	32 335	38,607	1 190	2,0	17
Comores	459	0,209	460	– 3,2	36
Congo	2 208	2,045	930	– 3,6	14
Corée du Nord	21 143	–	–	–	–
Corée du Sud	42 380	186,467	4 400	8,6	10
Costa Rica	2 735	4,898	1 790	1,6	18
Côte-d'Ivoire	11 713	9,305	790	– 6,5	46
Cuba	10 495	–	–	–	–
Danemark	5 132	105,263	20 510	0,7	5
Djibouti	410	–	–	–	–
Dominicaine (Rép.)	7 002	5,513	790	1,7	15
Dominique	82	–	–	–	31
Égypte	51 390	32,501	630	1,9	19
Émirats arabes unis	1 544	28,449	18 430	1,1	2
Équateur	10 329	10,774	1 040	5,4	15
Espagne	39 161	358,352	9 150	4,4	6
Éthiopie	48 861	5,953	120	– 0,8	43
Féroé (îles)	47	–	–	–	–
Fidji	743	1,218	1 640	3,3	24
Finlande	4 974	109,705	22 060	4,7	7
France	56 119	1 000,866	17 830	3,4	4
Gabon	1 105	3,060	2 770	4,0	11
Gambie	848	0,196	230	4,4	34
Ghana	14 425	5,503	380	2,9	50
Gibraltar	30	–	–	–	–
Grèce	10 039	53,626	5 340	3,1	16
Grenade	94	0,179	1 900	5,5	21
Groenland	56	–	–	–	–
Guadeloupe	340	–	–	–	–
Guam	133	–	–	–	–
Guatemala	8 946	8,205	920	1,0	–
Guinée	5 547	2,372	430	– 0,3	30
Guinée-Bissau	960	0,173	180	2,4	47
Guinée équatoriale	344	0,149	430	0,8	59
Guyana	800	0,248	310	– 2,5	25
Guyane française	95	–	–	–	–
Haïti	6 368	2,556	400	1,9	31
Honduras	4 981	4,495	900	0,3	21
Hong Kong	5 735	59,202	10 320	3,7	0
Hongrie	10 587	27,078	2 650	– 0,8	14
Inde	832 535	287,383	350	4,9	32
Indonésie	178 211	87,936	490	4,6	24
Irak	18 271	–	–	–	–
Iran	50 204	–	–	–	–
Irlande	3 537	30,054	8 500	2,7	10
Islande	252	5,351	21 240	– 3,6	–
Israël	4 525	44,131	9 750	– 0,4	–
Italie	57 537	871,955	15 150	3,5	4
Jamaïque	2 396	3,011	1 260	0,7	6
Japon	123 045	2 920,310	23 730	4,7	3
Jordanie	4 041	5,291	1 730	– 6,2	6
Kenya	23 277	8,785	380	1,6	31

Pays ou territoire	Population [1]	PNB [2]	PNB par hab. [3]	Variation 1987-89 [4]	Part de l'agr. [4]
Kiribati	69	0,048	700	2,3	30
Koweït	2 020	33,082	16 380	6,3	1
Laos	4 055	0,693	170	2,5	–
Lesotho	1 722	0,816	470	3,5	24
Liban	–	–	–	–	–
Liberia	2 475	–	–	–	–
Libye	4 395	–	–	–	–
Luxembourg	379	9,408	24 860	4,1	–
Macao	454	–	–	–	–
Madagascar	11 174	2,543	230	1,0	31
Malawi	8 230	1,475	180	1,1	35
Malaisie	17 340	37,005	2 130	6,8	–
Maldives	209	0,087	420	6,5	–
Mali	8 212	2,109	260	1,3	50
Malta	351	2,041	5 820	5,6	4
Man (île de)	63	–	–	–	–
Maroc	24 567	22,069	900	3,7	16
Martinique	336	–	–	–	–
Maurice (île)	1 062	2,068	1 950	4,8	13
Mauritanie	1 954	0,953	490	0,8	37
Mayotte	69	–	–	–	–
Mexique	85 440	170,053	1 990	0,4	9
Mongolie	2 128	–	–	–	–
Mozambique	15 357	1,193	80	3,0	64
Namibie	1 300	–	–	–	–
Népal	18 431	3,206	170	3,2	59
Nicaragua	3 740	–	–	–	–
Niger	7 479	2,195	290	– 2,2	35
Nigeria	113 665	28,314	250	1,1	31
Norvège	4 215	92,097	21 850	1,9	4
Nlle-Calédonie	160	–	–	–	–
Nlle-Zélande	3 343	39,437	11 800	1,5	10
Oman	1 486	7,756	5 220	– 4,0	–
Ouganda	16 772	4,254	250	3,3	72
Pacifique (îles)	169	–	–	–	–
Pakistan	109 950	40,134	370	2,9	27
Panamá	2 370	4,211	1 780	– 12,4	10
Papouasie-N.-Guinée	3 812	3,444	900	– 0,2	28
Paraguay	4 161	4,299	1 030	5,1	29
Pays-Bas	14 828	237,415	16 010	2,9	5
Pérou	21 142	23,009	1 090	– 11,2	8
Philippines	61 224	42,754	700	3,8	23
Pologne	38 061	66,974	1 760	1,9	–
Polynésie française	191	–	–	–	–
Porto Rico	3 348	20,118	6 010	–	2
Portugal	10 333	44,058	4 260	4,7	9
Qatar	431	–	–	–	–
Réunion	585	–	–	–	–
Roumanie	23 148	–	–	–	–
Royaume-Uni	57 270	834,166	14 570	3,2	2
Rwanda	6 893	2,157	310	– 8,1	37
Saint Kitts and Nevis	41	–	–	–	10
Sainte-Lucie	147	0,267	1 810	6,0	16
Saint-Vincent	114	–	–	–	20
Salomon (îles)	314	0,181	570	2,5	–
Salvador (El)	5 143	5,356	1 040	– 0,8	21
Samoa amér.	37	–	–	–	–
Samoa occid.	159	0,114	720	– 0,7	–
São Tomé et Príncipe	122	0,043	360	– 0,7	31
Sénégal	7 211	4,716	650	– 1,2	22
Seychelles	68	0,285	4 170	4,6	6
Sierra Leone	4 040	0,813	200	– 4,0	46
Singapour	2 684	28,058	10 450	9,0	0
Somalie	6 089	1,035	170	– 3,4	65
Sri Lanka	16 779	7,268	430	1,0	26
Soudan	24 423	–	–	–	36
Surinam	436	1,314	3 020	2,8	11
Swaziland	761	0,683	900	5,0	23
Suède	8 485	184,230	21 710	1,6	4
Suisse	6 541	197,984	30 270	3,2	–
Syrie	12 082	12,444	1 020	1,6	38
Tanzanie	25 627	3,079	120	0,1	66
Tchad	5 537	1,038	190	6,2	36
Tchécoslovaquie	15 641	–	–	–	–
Thaïlande	55 200	64,437	1 170	9,2	17
Togo	3 507	1,364	390	0,7	34
Tonga	98	0,089	910	– 0,3	41
Trinité-et-Tobago	1 261	4,000	3 160	– 7,3	3
Tunisie	7 988	10,089	1 260	0,0	13
Turquie	54 899	74,731	1 360	0,4	17
Uruguay	3 077	8,069	2 620	0,0	11
URSS	287 664	–	–	–	–
USA	248 243	5 237,707	21 100	2,8	2
Vanuatu	152	0,131	860	– 0,1	34
Venezuela	19 244	47,164	2 450	– 5,3	6
Vierges (Iles)	106	–	–	–	–
Viêt-nam	65 758	–	–	–	–
Yémen	11 207	7,203	640	–	–
Yougoslavie	23 707	59,080	2 490	– 1,6	14
Zaïre	34 442	8 841	260	– 2,2	30
Zambie	7 837	3,060	390	3,6	14
Zimbabwe	9 567	6,076	640	3,0	13

Nota. – (1) En milliers. (2) En milliards de $. (3) en $. (4) En %. *Source :* Banque mondiale.

l'ensemble des pays : 1989 : 32, *90 :* 23 (URSS : *89 :* 15, *90 :* 5). *Déficit global : 89 :* 5,4, *90 :* 6.

• **Échanges entre la France et l'Europe de l'Est. Solde** (en millions de F, 1989). *Produits agroalim.* 1 138,4. *Prod. industriels* 5 012,3 dont biens d'équipement prof. 440,3, pièces détachées, véhic. utilit. 170,1, produits élaborés 146,9, prod. chimiques 135,8, prod. intermédiaires 106,3, biens de consommation 86,2, métaux et prod. trav. mét. 83,3, auto. 60,9, biens d'équip. ménager 17,7, mat. 1res 9,4. Divers 48. *Total tous prod. :* 6 851,8 (taux de couverture 79,8 %).

Investissements internationaux

Principaux pays investisseurs (1990). G.-B. 20,024. Japon 18,04. *France* 16,3. États-Unis 15,8. Suède 9,5.

Investissements étrangers directs USA (1988). Part en % pour chaque pays et, entre parenthèses, total en milliards de $. G.-B. 31 (123). Japon 18 (71). P.-Bas 14 (56). Canada 8 (30). RFA 7 (27). *France 4 (17).* Autres 18. **Total des capitaux étrangers investis** (1988). 42,2 (Japon 15,1. G.-B. 13,3, P.-B. 3,8).

6,2 % des actions de sociétés américaines (1980 : 4,1 %), 12,9 % des créances, 1 % des terres agricoles appartiendraient à des étrangers.

Investissements japonais. Dans le monde (montant cumulé en milliards de $, année fiscale du 1-4 au 31-3). *1980 :* 36,5. *84 :* 73,5. *85 :* 83,6. *86 :* 105,9. *87 :* 139,3. *88 :* 186,3. *89 :* 253,8. *90 :* 281,6 (dont dans secteurs manufacturier 30 %, commercial, immobilier et banque 70 %). *En 1989 :* investissements directs 67 (invest. étrangers au Japon 2,8). *En 1990 :* 200 achats de compagnies étrangères (dont 131 américaines), total 18,04 milliards de $.

En France (1991). 1,3 (G.-B. 6,8, P.-Bas 2,7). Hors finance et commerce, 150 centres d'activité (usines, vignobles, centres de recherche) sont sous contrôle japonais. *Principales stés jap. implantées en France.* Sumitomo Rubber (Dunlop) 8 sites (3 250 emplois à terme). Sony 5 (2 400). Bridgestone (Firestone) 1 (1 500). Yamaha-MBK 1 (1 435). JVC 2 (770). Dai Nippon Ink 6 (650). Canon 4 (620). Toshiba 3 (580).

Économie française

Légende. – **FAB :** franco de port (sans les coûts d'assurance et de fret). **CAF :** coûts d'assurances et de fret.

Généralités

Rang dans le monde (1988). 1er vin, blé. 4e orge. 5e potasse, céréales. 7e maïs, uranium. 11e pomme de terre, porcins. 12e bois. 13e bovins.

Industrie (1989). Valeur ajoutée : 284 milliards de $ (USA 1 500, Japon 1 147, All. féd. 473, Italie 291). **Place de l'industrie dans l'écon. fr. :** 29,7 % (Jap. 40,7, All. féd. 39,8, It. 33,7, G.-B. 31, USA 29).

Investissements industriels. Croissance annuelle en %. *1986 :* 5,3. *87 :* 7,5. *88 :* 11. *89 :* 8,1. *90 :* 9. *Prévisions 91 :* entre 0 et 1.

Endettement des entreprises (en milliards de F). *1990 :* 178 (*86 :* 36). **Taux d'autofinancement.** *1986-88 :* 96 à 98 %, *90 :* 82 %.

Entreprises leaders. *Babolat VS* (Rhône) : maquettes (cordage, boyau naturel) 65 % du marché mondial. *Beal* (Isère) : cordes d'alpinisme 25. *Chicorée Leroux* (Nord) : chicorée torréfiée 38. *Eurecat* (Ardèche) : régénération catalyseurs 60. *Haemmerlin* (Bas-Rhin) : brouettes 7. *Lesaffre* (Nord) : levures de panification 30/40. *Rep* (Rhône) : presses à injecter le caoutchouc 25. *Sofamor* (P.-de-C.) : implants, instruments de chirurgie du rachis 20. *Somfy* (Haute-Savoie) : stores (motorisation, robotisation) 60. *Taraflex* (Rhône) : sols sportifs 10.

Commerce extérieur

• **Principaux fournisseurs de la France** (en %, 1988). *Minerai de fer :* Brésil 32, Australie 24, Canada 15, Mauritanie 10. *Bauxite :* Guinée 66, Grèce 15. *Min. de zinc :* Canada 26, Suède 16, Pérou 12. *Cuivre* (+ de 99 %) : Chili 37, Belg.-Lux. 32, Zambie 9. *Nickel et ferronickel : Mattes :* Nlle-Caléd. 99,6 ; *Ferronickel :* Nlle-Caléd. 62, Grèce 15, Rép. Domin. 9 ; *Nickel brut :* URSS 33, Afr. du S. 16, Norvège 12. *Phosphate brut :* Israël 25, USA 21, Maroc 18, Togo 9. *Coton :* URSS 41, USA 7, Côte-d'Ivoire 6. *Pâte à papier :* Suède 21, Can. 16, USA 15.

Autonomie de la France (1989). *Forte :* potasse. *Moyenne :* nickel, uranium, soufre, plomb, platine. *Faible :* bauxite, cuivre, zinc. *Nulle :* chrome, titane, manganèse, amiante, tungstène.

• **Par pays** (en milliards de F 1990). **Premiers clients** (exportations et, entre parenthèses, part en %). Allemagne féd. 196,8 (17,23). Italie 129,9 (11,37). G.-B. 108,1 (9,46). Belg.-Lux. 107,3 (9,39). Espagne 72,5 (6,34). USA 69,6 (6,09). Pays-Bas 64,4 (5,64). Suisse

Évolution 1971-1990 (FAB, en millions de F)

	Imp	Exp.	Balance	Taux de couverture
1971	109 540	115 251	+ 5 711	105,2
1972	126 360	133 387	+ 7 027	105,6
1973	155 832	162 462	+ 6 630	104,3
1974	239 611	222 741	− 16 870	93
1975	220 434	227 198	+ 6 764	103,1
1976	293 596	272 680	− 20 916	92,9
1977	330 862	319 412	−11 450	96,5
1978	354 862	357 053	+ 2 191	100,6
1979	440 294	426 742	− 13 552	96,9
1980	551 825	489 845	− 61 980	88,8
1981	635 186	575 796	− 59 390	90,7
1982	725 675	632 198	− 93 477	87,1
1983	766 298	722 695	− 43 603	94,3
1984	871 969	850 117	− 21 852	97,5
1985	930 961	906 029	− 24 932	97,4
1986	863 207	863 609	+ 402	100,1
1987	920 523	888 913	− 31 610	96,6
1988	1 030 466	997 649	− 32 817	96,8
1989	1 187 565	1 143 223	− 44 342	96,3
1990 *	1 226 494	1 176 184	− 50 310	95,9

48,2 (4,22). Japon 21,9 (1,92). Portugal 15 (1,32). Algérie 14,8 (1,29). Suède 13,6 (1,19). Canada 10,9 (0,96). Maroc 10,6 (0,93). Autriche 9,7 (0,85). Danemark 9,1 (0,8). Grèce 8,6 (0,75). Tunisie 8,5 (0,75). URSS 8,1 (0,71). Chine 7,7 (0,67). Arabie S. 7,1 (0,62). Corée du Sud 7,1 (0,62). Réunion 7 (0,62). Turquie 6,9 (0,61). Égypte 6,7 (0,59). Guadeloupe 6,5 (0,57). Hong Kong 6,3 (0,56). Singapour 6,2 (0,54). Yougoslavie 5,9 (0,51). Martinique 5,8 (0,5).

Premiers fournisseurs (importations et, entre parenthèses, part en %). Allemagne féd. 238,7 (18,84). Italie 146,5 (11,56). Belg.-Lux. 111,8 (8,82). USA 103,2 (8,15). G.-B. 91,8 (7,25). Pays-Bas 64,8 (5,11). Espagne 59,6 (4,71). Japon 50,9 (4,02). Suisse 31,6 (2,49). Suède 19,5 (1,54). *France 19,2 (1,52).* URSS 18,2 (1,44). Norvège 16,3 (1,29). Portugal 16,2 (1,28). Arabie Saoudite 15,6 (1,23). Chine 12 (0,95). Autriche 11,3 (0,89). Danemark 11,1 (0,88). Irlande 10,8 (0,86). Algérie 10,6 (0,83). Maroc 10,3 (0,81). Finlande 10,1 (0,8). Taiwan 10,1 (0,8). Brésil 9,5 (0,75). Canada 8,5 (0,67). Iran 7,8 (0,61). Corée du Sud 7,4 (0,58). Tunisie 5,3 (0,42). Singapour 5,2 (0,41). Yougoslavie 4,9 (0,39).

Premiers déficits CAF-FAB. Allem. féd. − 41,8. USA − 33,7. Japon − 28,9. *France métrop. − 19,2.* Italie − 16,6. Norvège − 11,4. URSS − 10,1. Arabie S. − 8,5. Irlande − 5,9. Suède − 5,9. Brésil − 5,6. Taiwan − 5,3. Belg.-Lux. − 4,5. Iran − 4,5. Chine − 4,4.

Premiers excédents CAF-FAB. Suisse + 16,6. G.-B. + 16,2. Espagne + 12,9. Réunion + 6,3. Guadeloupe + 5,9. Égypte + 5,4. Martinique + 4,6. Grèce + 4,3. Algérie + 4,2. Guyane fr. + 4. Tunisie + 3,3. Canada + 2,5. Hong Kong + 2,3. Andorre + 2,2. Turquie + 2,2.

• **Par produits** (en milliards de F, 1990). Premiers excédents CAF-FAB. Céréales + 31,7. Pièces, équip. véhic. + 22,4. Parfums, prod. d'entretien + 16,2. Vin + 13,6. Lait et prod. lait. + 13,1. Construction aéronautique + 12,6. Boissons, alcools, tabacs + 12,6. Electr., gaz, eau + 8,9. Matériel électrique + 8,7. Voitures particulières + 7,3. Prod. pharmaceutiques + 7,1. Sucre + 6,6. Autres prod. animaux + 5,3. Prod. à base de céréales + 4,3. Sidérurgiques + 3,8.

Premiers déficits CAF-FAB. Pétrole brut − 62,9. Mach. de bur. et mat. élect. − 28,4. Gaz naturel − 16,5. Prod. pétrol. raffin. − 16. Métaux non ferreux − 15,9. Prod. bonneterie − 11,9. Mat. élect. ménager − 10,7. Papier et carton − 10,1. Conserves − 9,6. Meubles − 8,7. Habillement − 8,5. Chaussures − 7,4. Mach.-outils à métaux − 6,9. Combus. min. sol. prod. − 6,6. Fruits trop., café, thé, cacao − 6,5. Corps gras aliment. − 6,5. Pâtes à papier − 5,9. Engrais − 5,7. Viandes et conserves − 5,3.

• **Coût des aides à l'exportation.** (en millions de F). *1975 :* 2 524. *76 :* 3 836. *77 :* 4 080. *78 :* 4 430. *79 :* 7 170. *80 :* 10 404. *81 :* 15 772. *82 :* 17 091. *83 :* 18 806. *86 :* 8 333. *87 :* 10 285. *88 :* 21 341. *89 :* 16 754.

• **Investissements français. Répartition selon les pays** (en %). Divers CEE 17,9, Amér. du Nord 16, Esp. 14,1, R.-Uni 13,8, Italie 12,2, All. 10,7, Eur. hors CEE 7,8, reste monde 7,5.

Total (en milliards de F). *1984 :* 18,6. *85 :* 20. *86 :* 36,2. *87 :* 52,3. *88 :* 76. *89 :* 107,6. *90 :* 141,5 [soit 3 fois + que les invest. étrangers en France (*90 :* 42,8, *89 :* 61)].

Part des investissements français dans quelques pays (en % du total des investissements étrangers dans le pays). USA 3,4, Japon 2, All. féd. 6,6, Italie 8, Espagne 10,5, G.-B. 3,4.

Commerce extérieur de la France par pays (en milliards de F, 1990)

	Importations CAF		Exportations FAB		Balance CAF-FAB
	Valeur	Part en %	Valeur	Part en %	
CEE	755,7	59,7	716,6	62,7	− 39,1
Belg.-Lux.	111,8	8,8	107,3	9,4	− 4,5
Pays-Bas	64,7	5,1	64,4	5,6	− 0,4
Allemagne	238,7	18,8	196,8	17,2	− 41,8
Italie	146,5	11,6	120,9	11,4	− 16,6
G.-B.	91,8	7,2	108,1	9,5	+ 16,2
Irlande	10,8	0,9	4,9	0,4	− 5,9
Danemark	11,1	0,9	9,1	0,8	− 2
Grèce	4,3	0,3	8,6	0,8	+ 4,2
Portugal	16,2	1,3	15	1,3	− 1,2
Espagne	59,6	4,7	72,5	6,32	+ 12,8
OCDE HORS CEE, dont :	268	21,2	203,2	17,8	− 64,8
AMERIQUE DU NORD	111,7	8,8	80,5	7	− 31,2
USA	103,2	8,1	69,6	6,1	− 33,7
Canada	8,5	0,7	10,9	1	+ 2,4
EUROPE OCCIDENTALE, dont :	99,4	7,9	95,2	8,3	− 4,2
Norvège	16,3	1,3	5	0,4	− 11,3
Suède	19,5	1,5	13,6	1,2	− 6
Finlande	10,1	0,8	5,7	0,5	− 4,3
Suisse	31,6	2,5	48,1	4,2	+ 16,6
Autriche	11,3	0,9	9,7	0,9	− 1,6
Yougoslavie	4,9	0,4	5,9	0,5	+ 0,9
AUTRES PAYS DE L'OCDE	56,8	4,5	27,4	2,4	− 29,4
Japon	50,9	4	21,9	1,9	− 28,9
Australie	4,8	0,4	4,7	0,4	− 0,09
Nouvelle-Zélande	1,1	0,1	0,7	0,1	− 0,3
ÉTRANGER HORS OCDE, dont :	219,7	17,3	222,2	19,5	+ 2,5
PAYS DEVELOPPES HORS OCDE	8,1	0,6	8,7	0,8	+ 0,6
Afrique du Sud	4,3	0,3	3	0,3	− 1,2
Israël	3,7	0,3	3,3	0,3	− 3,3
EUROPE DE L'EST	30,3	2,4	17,2	1,5	− 13,1
URSS	18,2	1,4	8,1	0,7	− 10,1
Pologne	3,4	0,3	2,2	0,2	− 1,2
Tchécoslovaquie	1,9	0,1	1,6	0,1	− 0,3
Hongrie	2,2	0,2	1,6	0,1	− 0,6
Roumanie	1,9	0,2	1,3	0,1	+ 0,9
Bulgarie	0,4	0	0,6	0,1	+ 0,2
PAYS DU MAGHREB	26,1	2,1	33,9	3	+ 7,8
Maroc	10,3	0,8	10,6	0,9	+ 0,3
Algérie	10,6	0,8	14,8	1,3	+ 4,2
Tunisie	5,2	0,4	8,5	0,7	+ 3,2
PAYS PÉTROLIERS DU MOYEN-ORIENT	28,7	2,3	18,8	1,6	− 9,8
Irak	2,2	0,2	2,9	0,3	+ 0,7
Iran	7,8	0,6	3,2	0,3	− 4,5
Arabie Saoudite	15,5	1,2	7,1	0,6	− 8,5
Koweït	0,6	0	0,7	0,1	+ 0,11
Qatar	0,1	0	0,6	0,1	+ 0,4
Émirats arabes unis	2,3	0,2	3,7	0,3	+ 1,3
Oman	0,05	0	0,6	0	+ 0,5

	Importations CAF		Exportations FAB		Balance CAF-FAB
	Valeur	Part en %	Valeur	Part en %	
NOUVEAUX PAYS INDUSTRIALISÉS	40,2	3,2	32,3	2,8	− 7,9
Mexique	3,9	0,3	3,9	0,3	− 0,05
Brésil	9,5	0,8	4	0,3	− 5,5
Singapour	5,2	0,4	6,2	0,5	+ 1
Corée du Sud	7,4	0,6	7,1	0,6	− 0,3
Taiwan	10,1	0,8	4,8	0,4	− 5,3
Hong Kong	4	0,3	6,3	0,6	+ 2,3
DOM-TOM	3,6	0,3	27,5	2,4	+ 2,4
Réunion	0,7	0,1	7	0,6	+ 6,3
Guadeloupe	0,6	0	6,5	0,6	+ 5,9
Martinique	1,2	0,1	5,7	0,5	+ 4,6
Guyane française	0,2	0	4,2	0,4	+ 4
Nouvelle-Calédonie et dépendances	0,8	0,1	2,1	0,2	+ 1,4
Polynésie française	58,5	0	1,6	0,1	+ 1,6
AUTRES PAYS DE LA ZONE FRANCAISE	16	1,3	16,1	1,4	+ 0,04
Mali	0,1	0	0,8	0,1	+ 0,6
Niger	1,1	0,1	0,6	0,1	− 0,5
Sénégal	1,4	0,1	2,6	0,2	+ 1,1
Côte-d'Ivoire	3	0,2	3,3	0,3	+ 0,3
Togo	0,1	0	0,9	0,1	+ 0,7
Cameroun	4,1	0,3	2,9	0,3	− 1,2
Gabon	5	0,4	2,1	0,2	− 2,9
Congo	0,9	0,1	1,4	0,1	+ 0,6
AUTRES PAYS	66,6	5,3	67,5	5,9	+ 0,9
Malte	0,4	0	0,8	0,1	+ 0,4
Libye	4,1	0,3	2	0,2	− 2,1
Égypte	1,3	0,1	6,7	0,6	+ 5,4
Liberia	0,4	0	1,7	0,1	+ 1,2
Nigeria	3,5	0,3	2,9	0,3	− 0,6
Zaïre	0,3	0	0,9	0,1	+ 0,6
Angola	2,8	0,2	0,8	0,1	− 2
Kenya	0,3	0	0,7	0,1	+ 0,4
Madagascar	0,6	0	1,1	0,1	+ 0,6
Maurice	1,5	0,1	1,3	0,1	− 0,2
Zambie	1	0,1	0,06	0	− 1
Colombie	1,1	0,1	1,1	0,1	− 0,08
Venezuela	1,3	0,1	1,6	0,1	+ 0,4
Pérou	0,7	0,1	0,2	0	− 0,4
Chili	3,5	0,3	1,4	0,1	− 2,1
Argentine	2,7	0,2	1,3	0,1	− 1,4
Liban	0,1	0	1	0,1	+ 0,8
Syrie	2,6	0,2	1,5	0,1	− 1,1
Pakistan	1,4	0,1	1,4	0,1	− 0,01
Inde	3,7	0,3	5,5	0,5	+ 1,8
Bangladesh	0,5	0	0,3	0	− 0,2
Thaïlande	4,2	0,3	4,1	0,4	− 0,09
Malaisie	3,5	0,3	1,5	0,1	− 1,9
Indonésie	2,9	0,2	2,8	0,2	− 0,1
Philippines	1,2	0,1	1,2	0,1	+ 0,01
Chine	12	0,9	7,6	0,7	− 4,3
Macao	0,9	0,1	0,04	0	− 0,9
DIVERS	23,4	1,8	0,2	0	− 23,2
TOTAL MONDE	1 266,8	100	1 142,2	100	− 124,6

Coût budgétaire des grands contrats (en millions de F courants).

	1981	1982	1983	1984	1985	1986	1987	1988	1989	1990	Total
Dotations Coface	110	640	1 200	1 000	0	2 800	8 500	10 000	12 000	9 000	43 250
Dotations Trésor	230	− 180	− 60	− 180	− 160	570	1 500	3 320	5 300	7 150	17 490
Dotations BFCE	4 410	5 090	5 590	5 530	4 470	1 990	2 200	1 850	3 950	2 500	37 580
Sous-total	4 750	5 550	6 730	4 350	4 310	5 360	12 200	15 170	21 250	18 650	98 320
Dotation GRE	970	520	1 070	1 000	1 000	1 000	1 465	1 120	750	375	9 270
Total	*5 720*	*6 070*	*7 800*	*5 350*	*5 310*	*6 360*	*13 665*	*16 290*	*22 000*	*19 025*	*107 590*

Acquisitions françaises en Amérique du Nord. Prix de cession (en milliards de $ au 16-3-90). Rorer (USA) (par Rhône-Poulenc [1]) 18. Norton (Saint-Gobain) 11. Cluett-Peabody (USA) (Bidermann [1]) 2,5. Federal Pioneer (Can.) (Schneider [1]) 1,4. Uniroyal-Goodrich (USA) (Michelin [2]) 8,6. Penwalt (USA) (Elf [2]) 5,2. Connaught (Can.) (Inst. Mérieux [2]) 4,9. GAF (USA) (Rhône Poulenc [2]) 2,8. Zenith (USA) (Bull [2]) 2,8. Burndy (USA) (Framatome [2]) 1,9. Grace (USA) (CFAO [2]) 1,8. Blackstone (USA) (Valéo [2]) 1,5. Fairchild Ind. (USA) (Matra [2]) 1,2. **Investissements en Espagne** (en millions de F). *1989 :* 8,65. *90 :* 24,13 (dont 12,15 drainés par les services financiers) ; industrie extractive et chimique 4,10, distrib.-restauration 1,62, ind. manufacturières 1,35, agroalimentaire 1,13, construction 0,9.

Nota.– (1) 1990. (2) 1989.

Répartition des investissements étrangers en Espagne (en %, 1990). *France 24,4,* P.-B. 21,1, G.-B. 8,3, All. féd. 6,7, Suisse 4,6, Italie 3,5, Benelux 3,1, USA 2,4, Japon 2, Portugal 1,1.

☞ **Aide de la France à la Chine.** *1991 :* la France a accordé à la Chine le plus gros protocole financier d'*assistance économique :* 2,14 milliards de F. La signature de ce protocole porte à près de 11,5 milliards de F le total de l'assistance française à la Chine sous la forme de financement public au developpement dep. 1985.

Au 30-6-90, sur env. 225, l'en-cours des créances françaises sur les 10 premiers pays débiteurs directement financés ou garantis par l'État (COFACE, CCCE et BFCE) s'élevait à 216.

☞ COFACE (Cie française d'assurance pour le commerce extérieur).

Commerce extérieur de la France par produits (en milliards de F, 1990)

	Importations CAF		Exportations FAB		Balance CAF FAB
	Valeur	Part en %	Valeur	Part en %	
Agriculture, sylviculture, pêche	**50,5**	**3,99**	**85**	**7,44**	**+ 34,5**
Fruits tropicaux, café, thé, cacao	7,1	0,56	0,6	0,05	- 6,5
Oléagineux tropicaux	0,2	0,02	0,05	0	- 0,2
Plantes textiles tropicales	1,1	0,09	0,69	0,01	- 1,1
Prod. agr. imp., divers	1,1	0,09	0,71	0,01	- 1
Céréales	1	0,08	32,7	2,87	+ 31,7
Fruits et légumes	15,5	1,22	12	1,05	- 3,5
Vins	2,1	0,16	15,7	1,37	+ 13,6
Prod. végétaux divers	7,4	0,59	8,3	0,73	+ 0,9
Laine en suint et divers	2,7	0,21	0,5	0,04	- 2,2
Autres produits animaux	3,4	0,27	8,8	0,77	+ 5,3
Prod. sylviculture et exploitation forest.	1,9	0,15	2,5	0,22	+ 0,6
Produits de la pêche	6,9	0,55	3,7	0,33	- 3,2
Industries agroalimentaires	**88,4**	**6,98**	**105**	**9,19**	**+ 16,5**
Cuirots et peaux brutes	1,4	0,11	2,5	0,22	+ 1,1
Viandes et leurs conserves	21,8	1,72	16,6	1,45	- 5,2
Lait et produits laitiers	6,5	0,51	19,6	1,71	+ 13,1
Conserves	14,6	1,15	5	0,44	- 9,6
Prod. à base de céréales	10,1	0,8	14,3	1,26	+ 4,3
Corps gras aliment.	9,1	0,72	2,6	0,23	- 6,5
Sucre	1,7	0,14	8,3	0,73	+ 6,6
Autres prod. alim.	10,9	0,86	11,1	0,97	+ 0,2
Boissons, alcools, tabacs	12,3	0,97	24,8	2,18	+ 12,6
Énergétiques	**120,3**	**9,5**	**27,3**	**2,39**	**- 93**
Combustibles minéraux solides, prod. de la cokéfaction	7,3	0,58	0,7	0,07	- 6,6
Pétrole brut	62,9	4,97	0,01	0	- 62,9
Gaz naturel	16,6	1,31	0,1	0,01	- 16,5
Prod. pétroliers raffinés	31,1	2,46	15	1,32	- 16
Électricité, gaz, eau	2,3	0,19	11,3	0,99	+ 9
Matières premières minérales	**9,1**	**0,72**	**1,7**	**0,15**	**- 7,4**
Minerai de fer	2,8	0,22	0,2	0,01	- 2,6
Minerais non ferreux	3,7	0,29	0,1	0,01	- 3,6
Minéraux divers	2,7	0,21	1,4	0,12	- 1,2
Biens d'équipement prof.	**298,1**	**23,54**	**273,4**	**23,93**	**- 24,8**
Machines agricoles	9,7	0,77	6,1	0,54	- 3,6
Machines-outils à métaux	11,4	0,9	4,4	0,39	- 7
Autres machines-outils	10,1	0,8	6,4	0,56	- 3,7
Équipement industriel	58,6	4,62	54,5	4,77	- 4
Mat. de manutention pour mines, sidérurgie, génie civil	18,6	1,47	20,7	1,82	+ 2,1
Matériel électrique	26,3	2,07	35	3,06	+ 8,7
Mach. de bureau et matériel électronique profess.	100,9	7,97	72,5	6,35	- 28,4
Construction navale	1,6	0,13	2,8	0,25	+ 1,2
Constr. aéronautique	34,7	2,74	47,3	4,14	+ 12,6
Instruments et mat. de précision	26,1	2,06	23,4	2,05	- 2,6
Électroménager, électronique grand public	**33,8**	**2,67**	**19,7**	**1,72**	**- 14,1**
Mat. électron. ménager	20,6	1,63	9,9	0,87	- 10,7
Équipement ménager	13,2	1,04	9,8	0,86	- 3,4
Métaux et prod. du travail des métaux	**125,9**	**9,94**	**117,3**	**10,27**	**- 8,6**
Prod. sidérurgiques	28,5	2,25	32,3	2,83	+ 3,8
Prod. de la 1re transf. de l'acier	12,4	0,98	14,2	1,24	+ 1,8
Métaux non ferreux	25,3	2	9,5	0,83	- 15,8
Demi-prod. non ferreux	23,7	1,87	27,1	2,38	- 3,5
Prod. de la fonderie	1,7	0,13	3,5	0,31	+ 1,9
Articles en métal	6,1	0,48	5,3	0,47	- 0,7
Constr. et menuiseries métall.	5	0,39	5,2	0,46	+ 0,3
Outillage quincaillerie	10,1	0,8	6,2	0,55	- 3,9
Autres prod. du travail des métaux	13,2	1,04	13,8	1,21	- 0,6
Demi-produits non métalliques	**191,8**	**15,46**	**171,6**	**15,02**	**- 24,2**
Mat. de constr. bruts	3,4	0,27	2,3	0,2	- 1,1
Mat. ouvrés, céramique	9,9	0,79	8,3	0,73	- 1,6
Prod. de l'ind. du verre	9,2	0,73	11,8	1,03	+ 2,6
Chimie minérale	7,6	0,6	9,1	0,81	+ 1,5
Engrais	7,6	0,6	1,9	0,17	- 5,6
Caoutchouc synth.	2,1	0,17	3,7	0,33	+ 1,6
Autres prod. de la chimie organ.	72,4	5,72	74,2	6,49	+ 1,7
Fils et fibres artifi. et synth.	5,1	0,4	1,5	0,13	- 3,6
Pâtes à papier	7,4	0,59	1,4	0,13	- 6
Papier et carton	32,3	2,55	22,2	1,94	- 10,1
Caoutchouc et mat. plast.	38,6	3,05	34,9	3,06	- 3,7
Équipement auto. des ménages	**75,2**	**5,94**	**80,8**	**7,07**	**+ 5,5**
Voitures particulières	71	5,61	78,4	6,86	+ 7,3
Motocycles, cycles, caravanes	4,2	0,33	2,4	0,21	- 1,8
Pièces détachées utilitaires de transport terrestre	**56,8**	**4,49**	**76,4**	**6,69**	**+ 19,6**
Véhicules utilitaires	20,1	1,59	16,5	1,45	- 3,6
Pièces et équip. de véhicules	36,3	2,87	58,7	5,14	+ 22,4
Mat. ferr. roulant. Autres mat. de transp. guidé	0,4	0,03	1,2	0,1	+ 0,7
Biens de consommation courante	**207,8**	**16,41**	**176,2**	**15,43**	**- 31,6**
Prod. pharmac.	10,3	0,81	17,3	1,52	+ 7
Parfumerie, produits d'entretien	5,1	0,4	21,3	1,87	+ 16,2
Autres prod. de la parachimie	24	1,89	20,1	1,76	- 3,9
Ouvrages textiles en filés	27,2	2,15	24,7	2,16	- 2,5
Prod. de la bonneterie	20,9	1,65	9	0,79	- 11,9
Articles d'habillement	26,9	2,12	18,4	1,61	- 8,5
Mat. textiles naturelles préparées	0,8	0,06	3,7	0,32	+ 2,9
Fils et filés	6,9	0,55	5	0,43	- 2
Cuirs et peaux	3,7	0,29	2,4	0,21	- 1,3
Articles en cuir	4,2	0,33	4,2	0,37	+ 0,03
Chaussures	12	0,95	4,6	0,41	- 7,3
Presse et prod. imprimerie et édition	14,7	1,16	10,5	0,92	- 4,3
Meubles	13,7	1,08	5	0,44	- 8,7
Prod. de la scierie	4,1	0,32	1,9	0,16	- 2,2
Autres prod. du travail mécan. du bois	5,8	0,45	4,8	0,42	- 0,9
Produits divers	27,5	2,17	23,4	2,05	- 4,1
Divers	**4,7**	**0,37**	**7,7**	**0,68**	**+ 3**
Total tous produits	**1 266,8**	**100**	**1 142,2**	**100**	**- 124,6**

Montant des créances françaises à l'étranger (en milliards de F)

Pays	En-cours [1]	Arriérés [2]	Rapports en %		
			A	B	C
Algérie	32,9	1,0	3	40	37
Égypte	27,6	11,9	43	47	14
Chine populaire	27,0	0,0	0	41	7
Brésil	32,7	2,9	9	21	7
URSS	17,7	0,3	2	23	9
Nigeria	18,5	7,5	41	20	16
Maroc	19,9	2,6	13	62	51
Corée du Sud	13,4	0,0	0	32	3
Indonésie	12,6	0,3	2	19	6
Pologne	14,2	10,8	76	19	9
Total	216,5	37,3	17	31	9

Nota. – (1) Coface-BFCE. (2) Coface. (A) Arriérés par rapport à l'en-cours Coface-BFCE. (B) En-cours français par rapport à l'en-cours du G.7 (Groupe des 7). (C) Exportations françaises par rapport aux export. du G.7. *Source :* Ministère de l'Économie et des Finances.

☞ Voir également tableau p. 1674 bc.

Aides de l'État aux entreprises

Aides à l'industrie en dépenses effectives. Crédits de fonctionnement (en milliards de F 1984). 58,6 dont *aides générales* 40,7 (dont aux entreprises en difficulté 16,43, à l'exportation 13,52, à l'investissement 5,32, à l'emploi 2,97, en vue d'objectifs particuliers 2,53) ; *aides sectorielles* 17,87 (dont aux charbonnages 6,82, à la construction navale 6, à la constr. aéronautique 2, à la filière électronique 1,52, au secteur papier 0,63, à la recherche pétrolière 0,31, aux ind. agricoles et alimentaires 0,27, à la machine-outil 0,17, économies et approvisionnement matières 1res 0,026, aux entreprises du bâtiment et des travaux publics 0,023, à l'industrie du bois 0,004).

Aides budgétaires aux entreprises (versement sans contrepartie du Trésor). *1986 :* 86,3 milliards de F (dont aides générales 41, sectorielles 45,3).

Entreprises créées dont, entre parenthèses, **reprises** (en %). *1980 :* 247 561 (28). *83 :* 202 128 (25). *85 :* 237 193 (22). *86 :* 259 038 (22). *87 :* 274 417 (22). *88 :* 278 991 (29). *89 :* 11 067. *90 :* 10 834.

Cessation. *1980:* 100 558. *81:* 222 453. *85:* 248 026. *86 :* 214 513. *87 :* 130 640. *88 :* 212 799. **Défaillances d'entreprises.** *1987:* 30 766. *88:* 35 052. *89 :* 40 042. *90 :* 19 372 (1er semestre).

☞ Sur les 2 461 000 entreprises enregistrées en janv. 87, un million, soit 42 % avaient été créées depuis 1981.

Réformes de la politique d'aide en 1982-83. Voir Quid 1991 p. 1686 c.

Secteurs de l'industrie

1988	Nombre d'entre-prises	Effectif (× 1 000)	Chiffre [1] d'aff. (HT)
Prod. de combustibles minéraux solides et cokéfaction	7	32,6	8,74
Prod. de pétrole et de gaz naturel	66	35,5	187,67
Prod. et distribution d'électricité	67	128,1	148,93
Distrib. de gaz	8	29,5	39,05
Distrib. d'eau et chauffage urbain	133	33,1	30,82
Extraction et prépa. min. de fer	3	1,5	0,72
Sidérurgie	32	60,7	72,23
1re transformation de l'acier	187	30,1	26,68
Extraction et préparation de minerais non ferreux	5	1,4	0,88
Métallurgie et 1re transforma-tion des métaux non ferreux	124	48,1	83,99
Prod. de minéraux divers	85	11,1	6,98
Prod. de mat. de constr. et céramique	1 895	112,9	85,22
Ind. du verre	253	49,6	31,73
Chimie minérale	119	27	40,49
Chimie organique	258	80,2	139,78
Parachimie	747	112,9	123,33
Ind. pharmaceutique	307	71,2	88,05
Fonderie	372	45,1	21,89
Travail des métaux	5 993	282,8	143,63
Fabric. de machines agricoles	361	23,7	17,34
Fabric. de machines-outils	561	38,4	20,82
Prod. d'équipement industriel	3 164	202,4	132,48
Fabric. de matériel de manutention, de mat. pour mines, sidérurgie, génie civil	521	50,5	38,57
De mach. de bureau et de mat. de traitement de l'informa.	136	55	68,69
De matériel électrique	1 166	186	116,46
Const. de matériel électronique professionnel	1 433	209,6	142,39
Ménager	57	15,3	15,83
Fabric. d'équipement ménager	113	43,8	25,13
Constr. d'automobiles et autres mat. de transp. terrestre	865	365,3	391,32
De mat. ferroviaire roulant	42	9	5,06
Constr. navale	115	9,6	4,36
Constr. aéronautique sauf ateliers ind. de l'aéron.	105	108,3	87,25
Fabric. d'instruments et matériels de précision	793	61,2	31,36
Ind. fils et fibres artif. et synth.	7	5,7	4,63
Prépa. des textiles naturels, fils, teintures et apprêts	629	53,2	33,37
Bonneterie	717	64,3	26,47
Industrie textile	1 083	79,5	47,28
Tannerie, mégisserie	163	6,5	4,61
Industrie du cuir	354	17,4	6,99
Industrie de la chaussure	422	48,6	19,69
Industrie de l'habillement	3 047	147,3	57,40
(P) Travail mécanique du bois (scierie exclue)	1 182	55,1	31,11
Industrie de l'ameublement	1 275	64,5	31,10
Industrie du papier et du carton	896	104,3	92,01
Imprimerie presse, édition	3 475	179,3	132,98
Industrie du caoutchouc	247	82,4	42,37
Transf. des matières plastiques	1 571	107,7	75,78
Industries diverses	1 221	68,9	36,40
Industrie y compris énergie	**36 382**	**3 656**	**3 020,06**
Industrie hors énergie	**36 101**	**3 397,3**	**2 604,86**

Nota. – Entreprises de 10 personnes ou plus. (1) En milliards de F. *Source :* SESSI, ministère de l'Industrie et de la Recherche.

Zones à régime préférentiel. *Instituées* dans le cadre de l'aménagement du territoire pour aider des régions économiquement défavorisées. **Bénéficiaires.** Entreprises s'y installant et y créant des emplois. **Avantages** (dep. 1982). *Prime d'aménagement du territoire (PAT),* attribuée sur des fonds d'État par la Délégation à l'aménagement du territoire (DATAR) : 35 000 à 50 000 F par emploi dans la limite de 17 à 25 % de l'inv. de l'entreprise ; *primes régionales à l'emploi (PRE)* et primes régionales à la création d'entreprises (PRCE) attribuées par les conseils régionaux et financées par les régions. *Avantages récents instaurés par certains présidents de régions :* prêts, avances, cautions, bonifications d'intérêt, exonération partielle de la taxe professionnelle (« zones franches »). Participation des régions aux apports en fonds propres : directe : Instituts de participation ; indirecte : Stés de développement régional (SDR).

Allégements aux contraintes douanières (dep. 1984). *Le Havre* (29-10-1984 ; « magasin franc » (suspension des droits et taxes pour les produits en transit international et en stockage, sociétés cautionnées auprès des Douanes par l'autorité portuaire) ; *Marseille* (21-3-85), même formule appliquée sur tout le port, transformations industrielles en franchise possibles dans certaines zones.

Création zone franche. *Industrielle :* à l'étude (Mulhouse-Ottwarsheim, St-Louis) ; *portuaire :* Pointe-à-Pitre/Jarry (Guadeloupe).

Investissements étrangers en France

• Montant global (en milliards de F). *1984 :* 19,3. *85 :* 19,9. *86 :* 19. *87 :* 27,8. *88 :* 42,9. *89 :* 61. *90 :* 42,8.

Nota. – Création d'emplois d'origine étrangère : *1986 :* 13 343. *87 :* 9 051. *88 :* 13 176 (pays europ. 8 996, USA, Canada 2 390, Japon 1 790).

Origine dans l'ind. Investissements bruts (en %, au 1-1-88). CEE 49,2 (All. féd. 19,7, G.-B. 10,9, Belg.-Lux. 8,9) ; USA 21,1 ; autres pays de l'Europe occ. 21,1 ; reste du monde 8,4.

• Part dans les entreprises. Au 1-1-88, les 2 548 entreprises fr. dans lesquelles la particip. étr. dépassait 20 % du cap. employaient 21,6 % des effectifs des entr. ind. (hors énergie) de + de 20 salariés et distribuaient 23,3 % de leurs salaires, représentaient 26,9 % du C.A. (H.T.) (613 milliards de F), 25,2 % de la valeur ajoutée (H.T.), 25,6 % des inv. (27 milliards de F), 29,9 % des exp.

Les entreprises à participation étrangère majoritaire employaient 18,7 % de l'effectif et distribuaient 20,6 % des salaires, représentaient 23,9 % des ventes, 22,4 % de la valeur ajoutée (H.T.), 22,9 % des inv., 27,3 % des exp.

Agriculture : les acquisitions depuis 10 ans sont évaluées à 45 000 hectares, c'est-à-dire 1 % du sol cultivable français.

• Investissements dans l'industrie. **Par secteurs.** Indice de pénétration selon le C.A. (H.T.) des entreprises à participation étrangère, au 1-1-1988. Machines de bureau et matériel de traitement de l'information 68,1, parachimie 52,5, pharmacie 48,5, matériel de manutention 44,3, chimie de base 40,9, instruments de précision 36,3, machinisme agricole 33,8, chaussure 33,2, machines-outils 30,8, matériel électronique professionnel 30, caoutchouc 29,4, métallurgie des non-ferreux 28,9, transformation des matières plastiques 28,1, équipement ménager 27, minéraux divers 26,9, équipement industriel 26,7, papier carton 26, matériaux de construction et céramique 24,9, constr. électrique 22,5, verre 17,2, automobile et autres matériels de transport terrestre 16,2, travail des métaux 15,6, imprimerie, presse, édition 15,3, constr. navale 13,5, textile 12,5, 1re transformation de l'acier 12,2, fonderie 10,7, travail mécanique du bois 8,4, ameublement 8,8, habillement 7,4, sidérurgie 6,2, cuir 5,9, constr. aéronautique 4,5, ind. diverses 11,9. *Moyenne :* 25,1.

Par régions. % du total des inv. réalisés par les stés à part. étrangère, au 1-1-88. Alsace 38,2, Picardie 31,2, Centre 29,4, Champagne-Ardenne 25,3, Bourgogne 27,4, Haute-Normandie 27,2, Provence-Côte-d'Azur 24,2, Ile-de-France 23,9, Lorraine 21,7, Aquitaine 19,2, Rhône-Alpes 18,4, Auvergne 16,3, Basse-Normandie 16,2, Nord 15,6, Franche-Comté 14,9, Limousin 14,9, Poitou-Charentes 14,8, Languedoc-Roussillon 14,6, Pays de la Loire 14,2, Midi-Pyrénées 13,5, Bretagne 9, Corse 5,6. *Moyenne* 21,6.

Planification

Généralités

• Origine. Décret du 3-1-1946 créant un Conseil du Plan et un Commissariat général (rattaché au Pt du Conseil puis au PM, et responsable de l'élaboration et du contrôle de l'exécution du Plan). Le Plan, dont la forme finale doit être approuvée par le Parlement, sert d'instrument d'orientation et de cadre des programmes d'investissements publics et privés.

• Commissaires au Plan. **1946** Jean Monnet (9-11-1888/16-03-1979) ; **1952** Étienne Hirsch (n. 24-1-1901) ; **1959** Pierre Massé (n. 13-1-1898) ; **1966** François-Xavier Ortoli (n. 16-2-1925) ; **1967** René Montjoie (1926-82) ; **1974** Jean Ripert (n. 23-2-1922) ; **1978** Michel Albert (n. 25-2-1930) ; **1981** Hubert Prévot (n. 2-10-1928) ; **1984** Henri Guillaume (n. 3-2-1943) ; **1987** Bertrand Fragonard (n. 26-4-1940) ; **1988** Pierre-Yves Cossé (n. 14-11-1934).

• 1er Plan *1947-1953* (Monnet). *But :* reconstituer les ind. de base et rejoindre, en 1949, le niveau atteint en 1929, donner à la France des moyens de production adéquats pour produire plus et au plus vite. *Exécution :* objectifs largement atteints.

• 2e Plan *1954-1957. But :* acroissement de la production, amélioration de la qualité des produits et de la rentabilité, en vue d'un régime d'échange plus libre. *Exécution :* satisfaisante, mais les équilibres économiques se dégradent en fin de période (guerre d'Algérie notamment).

• 3e Plan *1958-61*. Plan intérimaire les 2 dernières années (crise de 1958) ; mise à jour du 3e Plan en 1960 et 61 et préparation du Plan suivant. *But :* préparer le plein-emploi de la jeunesse atteignant l'âge du travail, et acheminer l'économie vers le Marché commun (concurrence plus large), avec une plus grande stabilité monétaire et un équilibre de la balance des paiements. *Exécution :* la plupart des objectifs ne sont pas atteints, en raison notamment des mesures d'assainissement prises lors du Plan intermédiaire.

• 4e Plan *1962-65. But :* expansion, modernisation, investissements, mais aussi répartition des fruits de la croissance, aménagement du territoire et action régionale au profit des catégories sociales déshéritées et des régions retardées. *Exécution :* prévisions assez bien réalisées, mais la surchauffe de l'économie conduit à un plan de stabilisation en 1963.

• 5e Plan *1966-70. But :* accroître la compétitivité pour préserver l'indépendance et l'expansion de l'économie.

• 6e Plan *1971-75. But :* croissance forte, compétitive et équilibrée avec priorité au développement industriel. *Exécution :* la plupart des objectifs ne sont pas atteints (choc pétrolier).

• 7e Plan *1976-80. But :* assurer les conditions économiques du plein-emploi, du progrès social et de la liberté de décision, améliorer la qualité de la vie, réduire les inégalités. Mieux répartir les responsabilités. *Exécution :* objectifs non réalisés, malgré une adaptation à mi-parcours.

• 8e Plan *1981-85.* N'a pas été soumis au Parlement. *But :* 7 priorités : 1°) favoriser la recherche. 2°) réduire la dépendance énergétique et en matières 1res. 3°)

Poids de l'effectif industriel dans chaque région (en milliers, 1987)

Sources : Annuaire INSEE, SESSI, ministère de l'Industrie et de la Recherche

Régions / Secteurs	Agri-culture	Industrie [1]	BGCA [2]	Tertiaire	Total	Régions / Secteurs	Agri-culture	Industrie [1]	BGCA [2]	Tertiaire	Total
Ile-de-France	11	921	256	3 163,7	4 351	Bretagne	19	177	55	528	779
Champagne-Ardenne	13	130	26	253	422	Poitou-Charentes	12	108	31	293	444
Picardie	18	173	30	304	525	Aquitaine	25	170	56	546	797
Haute-Normandie	7	175	39	337	558	Midi-Pyrénées	12	153	48	466	679
Centre	17	218	53	456	744	Limousin	4	51	13	139	208
Basse-Normandie	9	111	30	257	407	Rhône-Alpes	12	530	122	1 067	1 731
Bourgogne	10	141	31	308	490	Auvergne	4	111	24	238	377
Nord-Pas-de-Calais	11	341	71	685	1 108	Languedoc-Roussillon	21	80	39	378	518
Lorraine	6	220	45	424	695	Prov.-Alpes-Côte-d'Azur	22	190	93	904	1 209
Alsace	5	183	37	340	565	Corse	5	5	8	47	65,1
Franche-Comté	3	125	18	187	333						
Pays de la Loire	21	266	65	561	913	**Ensemble**	267	4 579	1 189	11 881	17 916

Nota. – (1) Y compris agroalimentaire. (2) Bâtiment et Génie civil.

développer une industrie concurrentielle et les technologies d'avenir. 4°) valoriser le potentiel agricole et alim. 5°) développer la formation. 6°) consolider la protection rurale. 7°) améliorer le cadre de vie.

Politique de la nouvelle majorité de 1981

• **Création d'un ministère du Plan et de l'Aménagement du territoire.** *Buts :* 1°) rendre au Plan un rôle moteur dans la conception et l'exécution de la pol. éco. et soc. à moyen terme, destinée à lutter contre la crise ; 2°) assurer la décentralisation de l'aménagement de l'espace, la croissance devant reposer principalement sur de nouvelles techniques de production et la valorisation de potentialités locales ; le rôle de l'État consiste à donner plus de libertés aux régions et aux collectivités locales, à soutenir les initiatives locales en assurant leur cohérence avec les choix nationaux, et à garantir la solidarité entre les collectivités territoriales. *Moyens :* le secr. d'État [Lionel Stoleru (Garrec dep. le 12-5-1988)] dispose de 2 administrations : le Commissariat gén. du Plan (CGP) et la Délégation à l'aménagement du territoire et à l'action rég. (DATAR) ; il propose les mesures concernant la coopération et la mutualité, préside plusieurs comités interministériels (développement et aménagement rural, aménagement du territoire, Conseil sup. de la coopération) ; Groupe central des villes nouv. rattaché au min. Dotations budgétaires (en 82, en millions de F) : crédits de paiement 1 871,6 (1 488,8 en 81), soit + 25,7 % ; autorisations de programme : 2 641,7 (1 713,7 en 81), soit + 54,1 %.

• **Principales orientations. Aménagement du territoire décentralisé.** *Buts :* 1°) supprimer les inégalités entre régions : faible revenu brut d'exploitation agric. dans l'Ouest ; chômage dans les bassins du Nord et de Lorraine, centres de constr. navale ; faiblesse démographique et manque de communications dans le S.-O. ; déclin de zones rurales fragiles (en montagne par ex.) ; 2°) à l'intérieur des régions, favoriser un développement équilibré par le soutien des initiatives locales (création de PME, mise en place de nouvelles filières de prod., valorisation des ressources locales). *Moyens :* 1°) participation active des régions (interlocuteurs privilégiés de l'État) à l'élaboration de la planification ; 2°) signature de contrats entre l'État et les régions, par ex. pour l'implantation des grands équipements d'intérêt national et le financement des actions nat. prioritaires.

Réhabilitation du Plan. *1°) Moyens renforcés :* crédits (en millions de F) *1982 :* 95,8 (+ 31,6 % par rapport à 1981) dont 47,2 pour le CGP (+ 49,4 %) ; *1986 :* 61,8 (dont 37,5), *1987 :* 59,9 (dont 35,5). *2°) Nouvelles méthodes :* concertation suivie avec les instances intéressées dès la préparation des options, à partir d'études détaillées. *3°) Rôle sélectif du Plan* lui permettant d'être une norme de référence pour tous : orientation des interventions publiques (cadre de réglementation et instance de coordination) et entraînement vis-à-vis des secteurs privés et des collectivités décentralisées (contrats avec les intéressés, diffusion des travaux du Plan).

Développement du secteur de l'économie sociale [concerne les mouvements associatifs, coopératifs et mutualistes (1 070 000 salariés, soit 6,1 % du total)]. *Buts et moyens :* modification du statut des coopératives et mutuelles pour permettre la participation des salariés à leur gestion, renforcement des moyens fin., pol. favorable de l'État (marchés publics, bonification des prêts, etc.), création d'organismes régionaux, création d'une délégation interministérielle à l'écon. sociale. Loi réformant la planification votée le 7-7-1982.

• **Plan intermédiaire pour 1982-83.** Approuvé par le Conseil des ministres du 14-10-81. *Buts :* stabiliser le chômage, puis le réduire (création de 4 à 500 000 emplois par an à partir de 83), recréer les conditions d'une croissance saine (+ 3 % prévus pour 82-83) par l'investissement, amorcer la rénovation de l'appareil productif, restaurer la solidarité (partage du travail et des revenus), établir un dialogue social efficace ; stratégie régionale définie pour chaque secteur. *Exécution :* les réformes de structures en grande partie réalisées, croissance mise en cause par l'environnement international.

• **9e Plan.** *1986-90. 1re loi de Plan 13-7-83* (stratégie économique et grandes actions) *2e 24-12-83 (moyens d'exécution).* **Buts.** *1) Assurer l'autorité de la France dans le monde :* maintenir l'ouverture des frontières, favoriser la concertation entre pays industrialisés, alléger la charge fin. du tiers monde et accroître l'effort pour son développement (aide publique de 0,7% du PNB en 1988), revivifier l'Europe, développer le dialogue culturel international, assurer l'indépendance nat. ; *2) pol. globale en faveur de l'emploi :* à long terme, reconstituer un potentiel de croissance le + élevé possible, compatible avec l'équilibre intérieur ; à plus court terme, économies d'énergie, grands travaux et soutien au logement ; aller vers les 35 h de façon sélective, décentralisée et contractuelle ; *3) assurer l'avenir des jeunes :* renouvellement profond du système éducatif ; *4) réduire les inégalités :* revalorisation des bas salaires, concertation avec les non-salariés, encouragement à l'épargne populaire, lutte contre l'inflation et réforme de la fiscalité (notamment agricole) ; *5) améliorer la qualité de la vie sociale :* rénovation des services collectifs, amélioration de la formation des travailleurs sociaux, modernisation des transports collectifs, meilleure gestion des villes ; *6) assurer l'équilibrage du territoire :* actions en faveur des régions de conversion industrielle (N.-E.), des TOM, du développement de l'O. et du S.-O., des activités tertiaires décentralisées, de la protection du patrimoine naturel.

Moyens. 1) En faveur de la décentralisation : poursuite du partage des compétences, financement amélioré, contrats de plan État-Régions... ; *2) modernisation de l'industrie et mutation de l'appareil productif :* action prioritaire en faveur de l'électronique, redressement des finances des entreprises... ; *3) développement de la formation, de la recherche et de l'innovation* (2,5 % du P.I.B. en 1985) ; *4) renouveau culturel :* promotion de la diversité des expressions.

Conditions. 1) Redressement des échanges extérieurs : équilibre commercial avant le début de 1985, taux d'indépendance énergétique porté à 50 % au min. avant 1990 (35 % en 1982) ; *2) rigueur dans l'emploi des ressources :* lutte contre l'inflation en agissant sur les mécanismes de formation des revenus, restauration de la capacité de financement des entreprises, mobilisation des banques au service de l'économie nat. (baisse des taux d'intérêt réels, fonds propres consacrés aux priorités du Plan, services accrus aux entreprises), gestion rigoureuse des fin. publiques (croissance des recettes et dépenses limitée, affectation prioritaire des ressources à l'exécution du Plan, aux dépenses militaires d'équipement, à la recherche-développement, à l'aide publique).

Programmes prioritaires d'exécution. (1er chiffre : dépenses ordinaires, 2e ch. : autorisations de programme, 1984-88, en millions de F). 1) Moderniser l'ind. grâce aux nouvelles technologies et à un effort d'épargne (3 871 / 16 009) ; 2) poursuivre la rénovation du système d'éducation et de formation des jeunes (70 135 / 21 102) ; 3) favoriser la recherche et l'innovation (3 342 / 60 963) ; 4) développer les ind. de communication (19 462 / 1 729) ; 5) réduire la dépendance énergétique (3 403 / 12 059) ; 6) agir pour l'emploi (34 980 / 1 298) ; 7) vendre mieux en France et à l'étranger (20 308 / 7 882) ; 8) assurer un environnement favorable à la famille et à la natalité (1 084 / 225) ; 9) réussir la décentralisation (2 357 / 18 686) ; 10) mieux vivre dans la ville (534 / 14 552) ; 11) moderniser et mieux gérer le système de santé (20 767/7 931) ; 12) améliorer la justice et la sécurité (3 562/4 299). *Total :* 183 805/166 735.

Contrats de plan État-régions. Dotations (en millions de F) : *1985 :* 9 350,2 ; *1986 :* 9 492,9 ; *1987 :* 9 379.

Lois de programmes. *2 : militaire* (8-4-87) : 474 milliards de F pour la modernisation ; *de la recherche :* 2,2 % du PIB en 1987 (1,85 % en 1980).

Objectifs de croissance : 2,6 % par an (soit 1 point de + que les autres pays de l'OCDE).

Crédits du Commissariat au Plan (en millions de F). *1983 :* 107,6. *84 :* 129,9 (+ 20,7 %). *86 :* 220. *87 :* 173. *88 :* 160. *89 :* 150.

• **10e Plan.** (1989-92) adopté en conseil des ministres le 24-1-89. **Buts.** *1) Stratégie de croissance :* compétitivité économique, maîtrise de l'inflation, progression de l'investissement de 100 % avant 1992 (soit 6 %), modernisation des entreprises, maintien du système de protection sociale, adaptation au grand marché et accroissement des responsabilités de l'État (maîtrise des finances publiques). *2) Ambition pour l'Europe.* Plus solidaire (niveau social et monétaire), affirmant son identité (civique et culturelle), valorisant et préservant ses ressources nationales (agriculture, environnement), tournée vers l'avenir (constructions scientifiques et techniques) et ses partenaires extérieurs.

Moyens. *1) Éducation-formation.* Accès en l'an 2000 : de 80 % d'une classe d'âge au niveau du bac. ; revalorisation de l'enseignement, apprentissage de 2 langues étrangères ; promotion du crédit-formation au rôle moteur de l'éducation permanente. *2) Compétitivité :* dépenses de recherche et de développement portées à 3 % du PIB. Perfectionnement du crédit d'impôt-recherche. Soutien à l'effort de productivité des PME, (crédits du min. de l'Industrie, renforcement du rôle de l'ANVAR, aide à l'exportation). *3) Solidarité.* Adaptation des régimes de retraite (maîtrise des charges, recul de l'âge effectif de la retraite en 2005), maîtrise des dépenses de santé, effort accru en faveur des familles ; prélèvement proportionnel sur tous les revenus. *4) Aménagement du territoire et vie quotidienne ;* programme d'infrastructures à finalité europ. (métropoles europ. au sein d'entités régionales). Soutien des zones connaissant des différences économiques ou sociales ; 55 milliards de F entre 1989 et 1993 versés par l'État pour les 4 orientations principales des contrats de plan (emploi, développement écon. et compétition des entreprises 8,8 ; formation, recherche et transformation des techniques 9,8 ; infrastructures de communication 24,1 ; actions de solidarité 12,2). *5) Service public :* plus grande efficacité de l'État, nouvelles priorités fiscales (retenue à la source de l'impôt sur le revenu) et priorités budgétaires.

Bilan. Présenté le 24-4-1991 par le secrétaire d'État au Plan. 1) Exécution à mi-parcours : satisfaisante. 2) Les priorités d'actions ont été résolument mises en œuvre par le Gouvernement. Les engagements financiers dans les contrats de Plan conclus avec les régions ont été tenus.

Plan de restructuration industrielle. Étudié en Cons. des ministres le 8-2-1984 et soumis aux partenaires sociaux. *But :* modernisation de l'ind. française. 1°) **Volet indust.** *Sidérurgie :* retour à l'équilibre, investiss. dans les unités compétitives, prudence afin d'éviter de nouvelles surcapacités. *Charbonnages :* concentration de l'exploitation sur les meilleurs gisements et redressement de la productivité poursuivis ; emploi : non-remplacement des départs en retraite et en préretraite, conversion avec l'aide de l'EDF. *Construction navale :* réduction dans la construction de navires de technologie avancée ; emploi : congés de conversion, suspension de l'embauche, préretraite à 55 ans et reclassement local. *Automobile :* soutien de l'inv. des 2 groupes (Peugeot, Renault) pour une sortie rapide de nouveaux modèles et l'amélioration de la productivité. *Ind. du téléphone :* développement poursuivi de produits nouveaux et politique + offensive d'exp. vers les pays développés. 2°) **Volet social.** *But :* permettre un reclassement réel et

Principaux résultats économiques

Sources : Comptes de la Nation, BFCE, ministère du Travail.

P.I.B. *1976 :* + 4,2. *77 :* + 3,2. *78 :* + 3,4. *79 :* + 3,2. *80 :* + 1,6. *81 :* + 1,2. *82 :* + 2,5. *83 :* 0,7. *84 :* 1,3. *85 :* 1,9. *86 :* + 2,5. *87 :* + 2,3. *88 :* + 4,2. *89 :* + 3,9. *90 :* + 2,8.

Chômeurs : *Janv. 76 :* 993 000, (4,4 % de la pop. active), *déc. 80 :* 1 451 000 (6,5 %), *janv. 81 :* 2 129 995, *mai 84 :* 2 295 900, *avril 86 :* 2 579 183 (10,3), *févr. 87 :* 2 654 500, *1988 :* 2 543 100, *1989 :* 2 508 600, *mai 90 :* 2 400 000, *mai 91 :* 2 688 900.

Formation brute de cap. fixe (*objectif :* + 6,7 % par an). *1976 :* 5,7. *77 :* – 0,4. *78 :* + 0,1. *79 :* + 0,8. *80 :* + 0,3. *81 :* – 0,5. *82 :* – 1,1. *83 :* – 2,9. *84 :* – 2. *85 :* + 1,6. *86 :* + 3. *87 :* + 2,4. *88 :* + 2,6. *89 :* + 6. *90 :* 3,4.

Inflation. *1976 :* + 9,8. *77 :* + 9. *78 :* + 8,8. *79 :* + 10,4. *80 :* + 13,1. *81 :* + 12,5. *82 :* + 11,9. *83 :* + 9,8. *84 :* + 7,4. *85 :* + 5,8. *86 :* + 2,1. *87 :* + 3,1. *88 :* + 3,1. *89 :* 3,6. *90 :* + 3,4.

Évolution des dépenses sociales. Montant en milliards de F 1989 et, entre parenthèses, **indice par rapport à 1980 (base 100).** *Budget social (1989) :* dépenses sociales de la Nation 1 669 (223), budget de l'État 1 213 (205). *Charges (1990) :* cotisations sociales 1 302 (254), masse salariale brute du public et du privé 2 435 (209). *Emploi (1989) :* produit intérieur brut 6 136 (219), coût de la politique de l'emploi 210 (311). *Formation (1990) :* 4 600 000 personnes en formation (159), coût de la formation prof. 57 (329). *Vieillesse (1990) :* population de 60 a. et + 19 millions de personnes (112), dépenses branche vieillesse de la Séc. soc. 680 (272). *Santé (1990) :* population 56 300 000 (105), dép. de santé 538 (272). *Soins (1990) :* salaire mensuel net du privé 9 100 F (207), dép. annuelles de santé par Fr. 9 537 F (259). *Logement (1990) :* mises en chantier de log. aidés 190 000 (68), aides publ. au log. 116 (223). *Famille (1990) :* 28 millions (0 à 19 ans) (91), dép. publiques pour la famille hors quotient familial 188,8 (247).

rapide des salariés dont les postes de travail sont supprimés. *Moyens : adaptation de mesures existantes :* préretraites, aides à la réduction du temps de travail (contrats de solidarité), aides à la réinsertion des salariés étrangers dans leurs pays d'origine, prime (45 000 à 50 000 F) pour les entreprises recrutant des licenciés de la sidérurgie, allocation temporaire dégressive pour les salariés acceptant un emploi avec rémunération inférieure à la précédente. *Congé de conversion* (sidérurgie, chantiers navals, charbonnages) : 2 ans max. de formation, avec rémunération semblable à celle des chômeurs en formation. 3°) **Volet économique.** *Moyens :* 1) *Aide à la création et au développement des entreprises :* mesures fiscales en faveur des intérêts d'emprunts personnels des créateurs d'entreprises, des dépenses de recherche et d'informatique ; dans les pôles de conversion : exonération de la taxe professionnelle et de l'impôt sur les stés favorisées, possibilité de tenir compte des reports déficitaires d'une entreprise reprise, incitation des fonds communs de placement à risque, reprise progressive du capital d'une entreprise par une partie de ses salariés ; livret d'épargne entreprise : complément de fonds propres alloué aux groupes ind. nat. pour localiser des projets ind. dans les pôles de conversion. 2) *Crédits supplémentaires :* 3e tranche de 4 milliards de F du Fonds spécial de grands travaux pour 1984 (loi votée au printemps 84), dotation spéciale de 3 milliards de F pour des projets ind. nouveaux. 3) *Renforcement des dispositifs locaux :* simplification, déconcentration et accélération des procédures d'aide publique ; renforcement des moyens d'action des préfets en matière d'action écon. et de reclassement ; assouplissement et dérogations pour faciliter l'implantation ou le développement des entreprises ; programmes contractuels de redéveloppement des bassins d'emploi : contribution des groupes ind. aux actions de conversion.

Pôles de conversion : Dunkerque-Calais (constr. navale), bassin minier du Nord-Pas-de-Calais et Valenciennois (sidérurgie), vallée de la Meuse (sidér. et métallurgie), bassin sidér. du N. de la Lorraine (sidér.) Sud-Lorraine, région de Caen (sidér. et travail des métaux), Le Creusot-Montceau-les-Mines-Chalon-sur-Saône (métall., mines, sidér.), b. de Montluçon (caoutchouc), b. de Roanne, Sud du dép. de la Loire (métall., sidér.), b. de Decazeville (sidér., métall.), b. d'Albi-Carmaux (métall.-charbon), b. de La Seyne et La Ciotat (constr. navale).

☞ Voir *Quid 1976* p. 1330, *1977* p. 1184, *1983* p. 1318.

Secteur public

Généralités

• **Définition de la nationalisation.** Acte qui transfère à la collectivité nationale la propriété d'entreprises privées. Ce transfert peut se faire de différentes manières. En 1945-46, on a surtout utilisé le transfert des actions au profit de l'État, la Sté étant maintenue avec l'État comme seul actionnaire ou actionnaire principal, et le patrimoine social restant dans les mains de la Sté (Banque de France, 4 grandes banques de dépôts, Cies d'assurances) ; le transfert direct des éléments corporels et incorporels, constituant l'entr., à des personnes morales nouvelles (EDF, GDF, CDF, Renault).

• **Structures juridiques.** *Établissement public industriel et commercial* (EDF, Charbonnages, RATP) ; *Sté d'économie mixte* (SNCF, Air France). *Sté dont l'État est le seul actionnaire.* Les entreprises publiques sont placées sous la tutelle ou l'autorité des pouvoirs publics (ainsi la Régie Renault n'a pas de conseil d'administration représentant les actionnaires qui sont l'État et les salariés ; le Pt et les directeurs généraux sont nommés par le Gouvernement). Le Gouv. peut leur imposer des servitudes économiques et l'on admet plus facilement que leur exploitation soit déficitaire.

Interventions avant 1981

1800 Banque de France (statut spécial). **1810** Régie des Tabacs. **1816** Caisse des Dépôts (statut spécial). **1877** prise de contrôle des Chemins de fer de l'Ouest (après faillite). **1880** Journaux officiels. **De 1918 à 1935.** *Pour gérer des biens allemands confisqués : entreprises publiques* (mines de Potasses d'Alsace, Office nat. ind. de l'Azote) ou *stés d'économie mixte* (mines de la Sarre et de Silésie, Pétroles de Roumanie, Cie Française des Pétroles qui reprend les intérêts allemands dans les pétroles d'Irak). *Pour aider au relèvement de l'économie :* organismes fin. : Crédit National 1919. Crédit Hôtelier 1923. Crédit agricole 1930. *Pour développer les infrastructures :* Cie nat. du Rhône 1921. Office du Niger 1932. *Pour lutter contre la crise de 1929 :* renflouement de la Cie gén. transatlantique, 1935 Air France. **Front populaire (1936-37).** Conseil de régence de la Banque de France remplacé par un conseil général presque totalement nommé par l'État (24-7) ; nationalisations d'industries de guerre (Hotchkiss, Sté des torpilles de St-Tropez...). *1937 (janvier),* participation majoritaire de l'État dans des Stés aéronautiques (Potez...) ; *31-8,* création de la SNCF (51 % des actions détenues par l'État). **Après la Libération. 1944** *sept.*, création de l'Agence France-Presse ; *13-12,* Houillères du Nord et du P.-de-C. **1945**-*16-1,* nationalisation de Renault ; *29-5,* Gnôme et Rhône ; *26-6,* Air France ; *2-12,* Banque de France et 4 banques de dépôts (Crédit Lyonnais, Sté Générale, Comptoir d'Escompte de Paris, Banque nat. pour le commerce et l'industrie). Création de la SNECMA. **1946**-*8-4,* création d'EDF et GDF ; nationalisation des principales Stés de production d'électricité, gaz ; *25-4,* de 34 Cies et 2 Mutuelles d'assurances ; *17-5,* des Charbonnages de France. **1965** création d'ELF-ERAP (pétrole), regroupé avec SNPA dans secteur public en *1980* (v. Quid 1983, p. 1321).

Nationalisations de 1981-82

Généralités

• **Historique. 1981** *8-7* P. Mauroy définit les grandes orientations du projet de nationalisation (prévu par le Programme commun de la Gauche du 26-6-72). *9-9* cotation des valeurs nat. suspendue en bourse ; *22-9* avis du conseil d'État sur le projet de loi. *23-9* projet de loi adopté en Cons. des ministres ; *30-9* reprise des cotations sauf sur Matra, Dassault, Usinor et Sacilor ; *7-10* rétrocession des filiales de Paribas et Suez supprimée par la commission parlementaire ; *8-10* accord sur la part de l'État dans Dassault Breguet ; l'Ass. nat. vote la nat. de la sidérurgie (333 v. contre 148) ; *9-10* OPA de Pargesa sur Paribas-Suisse ; *22-10* le Sénat repousse la nat. de la sidérurgie (164 v. contre 124) ; *26-10* l'Ass. nat. vote la loi de nationalisation (332 v. contre 134) ; *29-10* 2e vote de l'Ass. nat. pour la nat. de la sidérurgie ; *4-11* l'Ass. nat. adopte en 3e lecture la nat. de la sidérurgie (repoussée une 2e fois par le Sénat) ; *23-11* le Sénat rejette le texte sur les nat. (184 v. contre 109) ; *3-12* loi sur les nat. votée en 2e lecture par l'Ass. nat. (332 v. contre 157) ; *16-12* le Sénat juge la loi irrecevable (184 v. contre 128) ; *18-12* saisine du Conseil constitutionnel. **1982**-*16-1* le Conseil const. juge constitutionnels le principe et le programme des nat., mais déclare inconstitutionnels certains articles (modalités d'indemnisation, non-nationalisation des banques, mutualités ou coopératives...) ; *19-1* avis favorable du Conseil d'État sur le nouveau projet de loi ; *20-1* adoption par le Cons. des ministres ; *29-1* l'Ass. nat. adopte le projet de loi et rejette la motion de censure (154 v. pour) ; *4-2* le Sénat adopte une question préalable ; *5-2* adoption en 2e lecture par l'Ass. nat., 2e question préalable au Sénat, adoption définitive par l'Ass. nat. ; *11-2* loi jugée constitutionnelle par le Conseil const. ; *13-2* loi promulguée ; *17-3* nomination des nouveaux dirigeants. Elf Aquitaine nationalisé en 1981-82.

• **Indemnisation.** *Base :* meilleure moyenne mensuelle des cours de bourse entre le 1-10-1980 et le 30-3-1981, avec prise en compte de l'inflation dep. le 1-1-1981 et intégration des dividendes au titre de l'exercice 81 [projet précédent : cours de bourse moyen (pour moitié), actif net comptable et capitalisation des résultats (pour 1/4)]. *Modalités :* en échange des titres détenus, remise d'obligations indemnitaires garanties par l'État auprès des établissements financiers, émises par la Caisse nat. de l'Industrie (pour les Stés industrielles) et la Caisse nat. des Banques (pour banques et Cies fin.). *Délais pour l'échange :* titres cotés, jusqu'au 12-2-1983, non cotés, jusqu'au 30-6-83, au-delà, à la Caisse des dépôts et consignations. L'opération concernait 1 million de personnes, 200 millions de titres dont env. 80 % échangés avant début février 1983. Montant des obligations : 5 000 F, en complément 500 F ; pour le solde : soit paiement en espèces, soit versement en espèces en complément du solde pour obtenir une obligation de 500 F en +.

Portée

• **Secteur industriel (groupe).** CGE, St-Gobain, Péchiney-Ugine-Kuhlmann, Rhône-Poulenc, Thomson-Brandt.

Stés non concernées par la loi de nationalisation, mais nationalisées ou contrôlées par l'État (voir ci-dessus). **Usinor** (50 % acier Fr.) et **Sacilor** (30 % acier Fr.) ; **Matra** [secteur militaire, C.A. (1986) : 809 (est.) MF]. **Dassault-Breguet** (aéronautique, C.A. 1987 : 15 545 (est.) MF dont 68,55 % à l'export.) : **ITT France :** C.A. 1987 : 975 MF ; **Bull :** C.A. 1987 : 18 000 millions de F (1er constr. d'ordinateurs français) ; **Roussel-Uclaf :** C.A. 1987 : 9 683 MF (2e gr. français dans la parachimie).

• **Dotations en capital pour 1986.** Versées par l'État en tant qu'actionnaire (milliards de F.) : 11,48 dont sidérurgie (Sacilor et Usinor) 5,75, Chimie (CDF 0,7, FMC 0,15) 0,85, Renault 3, Bull 1, Thomson 0,4, SNIAS et SNECMA 0, Rhône-Poulenc 0, St-Gobain 0,15, CGCT (ex-ITT) 0,335, Péchiney 0.

Nota. – + Prêts participatifs : 4 ou 5 milliards. + Titres participatifs de certains groupes : 4 milliards.

Poids des groupes publics dans l'industrie

• **Secteur bancaire et financier. Banques.** 36 (banques dont les débits atteignent 1 million de F ou +) : Crédit du Nord, CCF, CIP, Sté lyonnaise de dépôts et de crédit ind., B. de Paris et des Pays-Bas, Sté nancéienne du crédit ind. Varin-Bernier, B. Worms, B Scalbert-Dupont, Crédit ind. d'Alsace et de Lorraine, Crédit ind. de l'Ouest, Sté marseillaise de crédit, B. de l'Indochine et de Suez, B. de l'Union européenne, Sté gén. alsacienne de Banque, B. Vernes et comm. de Bretagne, B. corporative du bâtiment et des trav. publics, Crédit ind. de Normandie, B. régionale de l'Ouest, B. de La Hénin, Union de banques à Paris, Sté bordelaise de crédit ind. et comm., Sté centrale de banque, Sté séquanaise de banque, B. régionale de l'Ain, B. Chaix, B. Tarneaud, B. ind. et mobilière privée, Sofinco La Hénin, Monod française de Banque, B. Odier Bungener Courvoisier, B. Laydernier. *En outre, 3 b., mutualistes, sans être nationalisées, auront un statut spécial :* B. féd. du crédit mutuel, B. centrale des coopératives et des mutuelles, B. française de crédit coopératif.

Compagnies financières. Cie fin. de Paris et des P.-Bas : 1er gr. fin. de France ; bilan total (1988, milliards de F) : 387,31 ; activités : bancaires et fin. (contrôle de B. de Paris et des P.-Bas, Crédit du Nord,

Contrôle des entreprises publiques

Tutelle ministérielle. 1) Sur les hommes. Nomination des administrateurs présidents et directeurs gén. par décret en Cons. des ministres (représentants de l'État désignés par les ministres concernés) ; instructions impératives de l'État aux Pts et représentants de l'État (le plus souvent générales, pour respecter l'autonomie de gestion) ; révocation possible : des Pts et représentants de l'État (sans avoir à être motivée par une faute), des autres représentants (pour faute grave), de tout le conseil (si dissensions graves). **2) Sur les actes.** Surveillance du ministère concerné et du min. de l'Éc. et des Finances : sur budgets, bilans et affectations de résultats, prises ou extensions de participations fin., rémunérations des Pts et dir. gén. ; parfois sur prix, emprunts, statuts et rémunérations des personnels, programmes d'inv. ; approbation pour les décisions stratégiques (ex. : restructurations) ; dans certains cas, commissaire du Gouv. désigné auprès de l'entreprise ; min. de l'Éc. et des Fin. représenté par des contrôleurs d'État (droits de veto, de visa...) ; contrôles de l'Inspection gén. des Fin. **Vérification par la Cour des comptes** (voir p. 690). Sur les comptes et la qualité de la gestion. Pouvoirs de contrôles sur place, de communication des documents ou des données informatiques, de convocation des responsables, d'enquête des services fiscaux auprès des tiers et de consultation des dossiers de travail des commissaires aux comptes. Procédure contradictoire. **Contrôle parlementaire.** Informations dues au Parlement : nomenclature des entreprises publiques avec divers renseignements, comptes et bilans (mais tardive, incomplète, sans données écon.) ; rapports de la Cour des comptes sur chaque entreprise, adressés aux parlementaires « spécialisés » ; documents et rapports du *Haut Conseil du secteur public* (créé 11-2-1982) où siègent 10 députés et sénateurs, 5 repr. des syndicats, 5 repr. de l'État et 5 personnalités cooptées (*Pt :* Maurice Blin, sénateur centriste des Ardennes). Pouvoirs d'investigations : demandes d'enquête à la Cour des comptes, contrôles directs (auditions, sur pièces et sur place pour les parlementaires spécialisés), missions d'information, commissions d'enquête (recueil des informations) ou de contrôle (examen des gestions), questions orales et écrites.

Secteur public en 1987	Effectifs en %	CA (H.T.) en %	Investissements en %
Minerais et métaux ferreux	71,3	77,2	76,8
Minerais et métaux non ferreux	60,9	69,1	89,7
Matériaux de construction	4,8	3,4	3,8
Chimie de base, fibres synth. ..	48,0	44,7	44,1
Parachimie, ind. pharmaceut. ..	14,6	14,9	16,9
Fonderie, trav. des métaux	6,3	7,3	8,1
Constr. mécanique	3,3	4,4	3,6
Constr. électr., électr. profession.	18,1	20,4	28,7
Équipement ménager	14,8	13,6	15,3
Auto et transp. terrestre	28,3	34,1	25,8
Constr. navale et aéron.	71,8	81,2	85,1
Ind. textile (habillement)	0,1	0,1	0,1
Caoutch., transf. mat. plast.	3,0	4,5	3,7
Ensemble. de l'ind. (hors énergie)	**15,7**	**21,8**	**27,4**

Nota. – *Au 1-1-1989,* l'État contrôlait directement 108 entreprises : 57 établissements publics (525 000 salariés) et 51 sociétés anonymes (337 000 salariés). S'y ajoutent les filiales et sous-filiales, soit 1 780 entreprises.

Source : SESSI – EAE.

Cie bancaire, banques à l'étranger, Stés d'assurances), participations ind. et commerciales (alimentation, bâtiment-TP, constr. mécan., hôtels-tourisme, imprimerie-papier-édition, magasins-commerces, mat. électrique, métallurgie, pétrole, prod. chim., Stés de services, H^te technologie, Stés de portefeuille), conseil et services ; effectif (Stés consolidées) : 27 500. **Cie fin. de Suez :** bilan (1988, milliards de F) : 408,28. 4 secteurs : banque-finance-assurances (B. de l'Indochine et de Suez, CIC, B. Vernes), holdings, industrie (St-Gobain-Pont-à-Mousson, Béghin-Say...), services-immobiliers-TP (Cie La Hénin, Sté lyonnaise des eaux, Bouygues...) ; valeur boursière du portefeuille (fin 1980, milliards de F) : 1,26 (val. françaises 43 %, USA-Canada 29,9 %), dont pétrole 25,5 %, mat. électrique 15,3, val. à revenu fixe 12,6.

☞ **Principales restructurations dans les groupes nationalisés en 1982-83.** Voir Quid 1986, p. 1412 ab.

• **Ouverture du capital des entreprises publiques.** Un décret du 4-4-1991 (J.O. du 5-4) a autorisé l'ouverture minoritaire du capital des entreprises publiques à des investisseurs privés, à 2 conditions : 1°) État restant majoritaire (soit au moins 50,1 % des droits de vote) ; 2°) opérations conclues dans un accord de coopération industrielle, commerciale ou financière. La loi du 4-4-90 avait déjà ouvert le capital de Renault, transformé en Sté anonyme, à hauteur de 25 % (opération d'échange de participations avec Volvo).

Bilan

• **Coût des nationalisations de 1981-82** (estim. avril 1983). 58 milliards de F, dont contribution à l'exploitation des entreprises publiques traditionnelles 25, à la couverture des charges de retraite des cheminots et mineurs 17,1, apport d'actionnaire, sous forme de concours en capital 12 (au bénéfice des entreprises nouvellement nationalisées 8,1), indemnisation des anciens actionnaires 3,3, prêts du FDES 1.

Coût théorique. 51,09 dont *banques et compagnies financières* 27,99 [(actions 26,31, obligations convertibles 1,78) dont banques cotées 9,92, banques non cotées 7,98 et Cies financières 10,20], *Stés industrielles.* 23,10 [dont Stés industrielles nat., le 11-2-1982, 18,52, et prises de participations (majoritaires : Matra, CGCT, LCT, Bull) 4,03 et minoritaires (Roussel Uclaf) 535].

Coût réel inférieur car toutes les actions n'ont pas été présentées à l'échange, notamment celles détenues par des investisseurs institutionnels du secteur public (5/6 000 MF). Rachat de CII-HB par la Cie des machines Bull : 150 millions de $ en devises.

L'échange des titres indemnitaires a été réalisé à près de 100 % au 31-12-1983.

• **Indemnisation des actionnaires des Stés cotées nationalisées.** Valeur assignée aux Stés nationalisées par la loi du 11-2-1982 (compte non tenu des obligations convertibles) : produit du montant de l'indemnité par action par le nombre d'actions au 31-12-81 (en millions de F). Entre parenthèses, montant de l'indemnité par action en F.

Sociétés industrielles : Rhône-Poulenc 2 749 (120,96), PUK 3 167 (124,25), St-Gobain 6 050 (174,61), CGE 3 487 (492,27), Thomson-Brandt 1 951 (306,94). *Cies financières :* Paribas 5 020 (303,35), Suez 4 010 (423,09). *Banques :* BNP 2 773 (339,72), Sté générale 3 790 (331,68), Crédit Lyonnais 1 841 (342,48), Crédit du Nord 520 (102,26), CCF 1 773 (253,88), CIC 921 (203,33), Lyonnaise de dépôts 505 (246,08), Nancéienne Varin-Bernier 359 (350,71), B. Worms 576 (229,10), Scalbert Dupont 250 (175,28), CIAL 551 (345,15). Crédit ind. de l'Ouest 291 (176,81), Marseillaise de crédit 634 (331,55), Sogenal 435 (402,11), B. Rothschild 412 (197,20), B. Hervet 394 (276,93), B. de Bretagne 150 (181,58), Crédit ind. de Normandie 72 (163,91), Bordelaise de CIC 38 (88,83), Sté centrale de banque 63 (100,51), Séquanaise de banque 165 (329,33). *Total 42 947.*

• **Résultats, 1981 à 1985, des entreprises publiques « traditionnelles » et nationalisées (depuis 1981)** en millions de F. Voir tableau ci-contre. *1981-86 :* 140 milliards de F de pertes. *1987 :* 7 milliards de bénéfices.

Résultats des entreprises publiques (en millions de F)

Résultats nets comptables, après concours à l'exploitation et contribution aux charges de retraites, et en retenant, pour les groupes, les périmètres de consolidation de l'Observatoire des entreprises nationales.

	1980	1981	1982	1983	1984	1985	1986
1. Entreprises publiques « traditionnelles »							
Charbon. de Fr.	+ 59	– 67	– 692	– 768	– 14	+ 69	– 134
EDF	+ 84	– 4 640	– 8 363	– 5 429	– 931	+ 1 012	+ 1 300
GDF	+ 49	– 950	– 2 560	– 2 384	– 3 020	+ 485	+ 1 500
SNCF	– 675	– 2 020	– 6 158	– 8 381	– 6 149	– 4 486	– 3 744
RATP (CGM)	– 360	– 453	– 753	– 511	– 290	– 227	– 389
Aérop. de Paris	+ 58	+ 28	+ 9	+ 19	+ 50	+ 164	+ 112
Air France	+ 10	– 378	– 792	+ 87	+ 533	+ 862	+ 576
Snias	+ 119	+ 159	+ 96	– 357	+ 402	+ 543	+ 303
Snecma	+ 57	– 65	– 45	– 38	+ 8	+ 98	– 67
Renault	+ 533	– 579	– 1 420	– 1 803	– 12 721	– 10 897	– 5 847
Orkem (ex. C.d.F.)	– 446	– 1 027	– 811	– 2 748	– 973	– 991	– 2 623
(EMC)	+ 29	– 281	– 971	– 218	– 87	+ 6	– 95
SNPE	+ 29	+ 68	+ 64	+ 50	+ 39	– 19	– 35
COGEMA	+ 159	– 277	– 173	+ 60	+ 154	+ 466	+ 356
SNEA	+ 5 817	+ 3 687	+ 3 527	+ 3 723	+ 6 493	+ 5 250	+ 4 279
Havas	+ 97	+ 111	+ 133	+ 152	+ 85	+ 23	+ 426
	+ 5 619	– 5 770	– 18 909	– 18 536	– 16 421	– 7 649	– 4 082
2. Entreprises nationalisées depuis 1981							
(CGE)	+ 404	+ 403	+ 450	+ 401	+ 591	+ 762	+ 900
Saint-Gobain	+ 909	+ 438	– 478	+ 250	+ 514	+ 752	+ 1 450
Thomson	+ 307	– 74	– 895	– 1 073	– 21	– 126	– 882
Bull	+ 180	– 449	– 1 351	– 625	– 489	+ 110	+ 271
Rhône-Poulenc	– 1 947	– 335	– 844	+ 98	+ 1 989	+ 2 312	+ 2 008
Péchiney	+ 608	– 2 506	– 4 600	– 463	+ 546	+ 732	– 451
Usinor-Sacilor [2]	– 3 237	– 7 074	– 8 227	– 10 859	– 15 442	– 8 687	– 12 739
CGCT	– 145	– 8	– 323	– 555	– 999	+ 387	– 300
SGE-SB	–	–	–	–	– 1 100	– 331	–
Thomson Télécom.	–	–	–	–	– 180	+ 967	–
ITT	–	–	–	–	– 110	–	–
Dassault	+ 312	+ 295	+ 322	+ 394	+ 432	+ 459	+ 293
Matra	+ 211	+ 160	+ 23	+ 34	+ 68	+ 46	+ 153
	– 2 398	– 9 150	– 15 923	– 11 807	– 14 201	– 2 758	– 9 297
ENSEMBLE	+ *3 221*	– *14 920*	– *34 832*	– *30 342*	– *30 622*	– *10 407*	– *13 379*

Nota. – Pour Sacilor et Usinor, les chiffres incluent des pertes exceptionnelles dues aux provisions pour congés de conversion et à la création des filiales communes Unimétal et Ascométal.

Dotations et résultats des groupes nationalisés industriels (en millions de F)

Entreprises	Reprises de dettes	Dotations en capital			Résultats		
		1988	1989	1990	1988	1989	1990
Elf Aquitaine					7 200	7 200	10 500
Bull		1 000	500	1 000	300	– 260	– 5 à – 7 000
EMC		40			240	260	(2)
Orkem		1 100			2 500	2 300	(1)
Péchiney			1 000		2 000	3 300	4 700
Renault	6 000			4 100	8 800	9 300	4 000
Rhône-Poulenc					3 400	4 100	1 900
Thomson			2 000		1 200	500	
Usinor-Sacilor	9 100		210		4 600	7 600	3 700
Aérospatiale		1 250			90	200	(2)
Snecma		1 650		500	– 250	85	50 à 100

Nota. – (1) Orkem a vu ses actifs repris par Elf et Total. (2) Résultats négatifs.

Résultats des entreprises publiques industrielles nets consolidés (Cogema, Snpe, Elf, Bull, EMC, Orkem, Péchiney, Renault, Rhône-Poulenc, Thomson, Usinor-Sacilor, Aérospatiale, Snecma, Cogecom). En milliards de F. *1982 :* – 15,4. *83 :* – 14,1. *84 :* – 20,1. *85 :* – 11,1. *86 :* – 13. *87 :* + 7,2. *88 :* + 29,9. *89 :* + 33,9. *90 :* + 11,8.

• **Ventilation des fonds propres du secteur public depuis 1988** (en milliards de F). 183,3 dont bénéfices réinvestis de 1988 à 1990 85,7, appels aux marchés des capitaux de 1988 à 1990 34,3, autres apports publics pour 1989 et 1990 28,4 (Banques, assureurs, Rhône-Poulenc), abandon des créances de l'État 21,1 (Renault 12, Usinor-Sacilor 9,1), dotation en capital de 1988 à 1990 13,8 (Bull, Thomson, Orkem, Aérospatiale, SNECMA).

☞ Coût pour le budget de l'État du secteur public (en milliards de F). *1980 :* 45,3. *81 :* 43,3. *82 :* 58,3. *83 :* 66,8. *84 :* 72. *85 :* 75,4 (loi de Finances initiales).

Bilan des sociétés privatisées (au 15-7-1990)

Nom	Date de privatisation	Capital [1]	Nombre d'actions		Prix de souscription de l'action	Cours au 15-7-88	Revenus pour l'État [1]	Actionnaires (nombre)
			Total	Offertes au public				
Saint-Gobain	2-11-1986	12	28 000 000	20 160 000	310 F	505 F	6,2	1 540 000
Paribas	19-1-1987	17,5	32 875 945	15 217 336	405 F	398,20 F	6,2	3 810 000
Sogénal	9-3-1987	1,45	5 665 617	5 099 056	125 F	103 F	0,6	850 000
Banque BTP	6-4-1987	0,4	2 962 305	1 030 305	130 F	116 F	0,1	1 030 000
TF1	16-4-1987 [2]	4,5 (3 vendus)	20 266 699	7 726 699	165 F	246,90 F	1,3	416 000
BIMP	20-4-1987	0,3	2 303 874	785 460	140 F	194 F	0,1	520 000
CCF	27-4-1987	4	38 371 328	16 291 858	107 F	117 F	1,7	1 650 000
CGCT	cédé 30-4-1987	0,5	–	–	–	–	0,5	–
CGE	11-5-1987	18	39 600 000	28 533 094	290 F	310,50 F	8,3	2 240 000
Havas	25-5-1987	5,8	5 244 049	2 187 243	500 F	695 F	1,1	730 000
Sté Générale	15-6-1987	21,5	43 583 077	22 396 319	407 F	345 F	9,1	2 299 000
Suez	10-1987	19	48 523 000	20 528 617	317 F	248 F	6,5	1 600 000
Matra	1-1988	2	9 003 716	3 737 875	110 F	198 F	0,4	285 000

Nota. – (1) En milliards de F. (2) Privatisée en partie.

Résultats consolidés des 15 premiers groupes

	C.A. 1990 (en milliards de francs)	Résultats nets (en millions de francs)				
		1990	1989	1988	1987	1986
ELF-AQUITAINE [3]	175	+ 10 500	+ 7 218	+ 7 205	+ 4 100	+ 4 279
RENAULT [3]	163	+ 1 210	+ 9 289	+ 8 834	+3 689	− 5 847
PSA	160	+ 9 300	+ 10 301	+ 8 848	+ 6 709	+ 3 590
ALCATEL-ALSTHOM	144	+ 5 130	+ 4 937	+ 2 158	+ 1 832	+1 159
TOTAL-CFP	128	+ 4 064	+ 2 206	+ 1 479	+ 1 456	− 471
USINOR-SACILOR	95	+ 3 700	+ 6 763	+ 4 391	− 5 828	− 12 375
RHÔNE-POULENC [3]	79	+1 900	+ 4 092	+ 3 457	+ 2 360	+ 2 008
PÉCHINEY [3]	77	+ 2 200 [2]	+ 3 542	+ 2 004	+ 729	− 450
THOMSON [3]	75 [1]	0 [1]	+ 497	+ 1 197	+ 1 063	+ 882
SAINT-GOBAIN	69	+ 3 350	+ 4 311	+ 5 061	+ 2 772	+ 1 450
MICHELIN	62	− 5 270	+ 2 449	+ 2 366	+ 2 434	+ 1 909
BSN	53	+ 3 090	+ 2 698	+ 2 189	+ 1 550	+ 1 081
SCHNEIDER	52	+ 930	+ 877	+ 559	+ 324	+ 314
BULL [3]	35	− 6 790	− 266	+ 303	+ 225	+ 271
AÉROSPATIALE [3]	33	+ 38	+ 129	− 63	+ 136	+ 302
TOTAL	1 400	+ 33 352	+ 59 043	+ 49 988	+ 23 551	− 1 898

Nota. – (1) : Estimation. (2) Hors plus-values exceptionnelles. (3) Groupes nationalisés. *Source* : l'Expansion 2/15-5-1991.

Débat

• **Raisons et objectifs des nationalisations** (donnés par la majorité de gauche en 1982). *Buts généraux :* mettre fin à la mainmise d'intérêts privés et internationaux devenus, par le jeu des concentrations, les véritables centres de décision économique, financier et politique, aux dépens de l'intérêt général et de l'indépendance nationale ; surmonter la crise et doter la France d'une économie puissante, équilibrée et en expansion par une politique de développement industriel et de croissance sociale.

Moyens et objectifs précis : 1°) *Dynamiser l'industrie :* pôles d'innovation technologique et investisseurs majeurs, les entr. nat. doivent être le moteur de l'économie interne (en stabilisant l'environnement écon. des PME et en valorisant un potentiel d'expansion souvent mal exploité), et être le fer de lance de la bataille écon. internationale et de la reconquête compétitive du marché national ; leur dynamisme sera assuré par le respect de leur autonomie de gestion (dans le cadre des grandes orientations définies par le Gouv. et approuvées par le Parlement). 2°) *Maîtriser le crédit :* les moyens fin. des banques (et des Cies d'assurances) doivent être orientés en priorité vers l'investissement productif et l'innovation indispensables à la réalisation des objectifs écon. 3°) *Affirmer la démocratie écon. :* en donnant aux salariés du secteur public un pouvoir concret de participation aux décisions sur l'organisation de leur travail, d'information sur les options stratégiques de leur entreprise, de gestion grâce à leurs représentants, et la possibilité de s'associer aux mutations du progrès technique, en favorisant la responsabilité individuelle et collective des travailleurs dans leur activité ; en assurant la participation des usagers.

☞ Principales raisons des nationalisations de 1936-37 et 1945-46 (outre des raisons conjoncturelles : ex. nationalisation de Renault pour faits de collaboration) souci de soustraire aux intérêts privés et aux lois du marché des activités et secteurs où existait une situation de quasi-monopole, correspondant à un service public de fait, nécessitant d'importants investissements souvent peu rentables : ex. production d'électricité, de charbon, transports ferroviaires et aériens.

• **Critiques de l'opposition. Sous l'angle économique et financier.** I-INCOHÉRENCE ENTRE MOYENS ET OBJECTIFS. *a) L'appropriation à 100 % des capitaux* 1° conduit à « renationaliser » une partie du cap. ouverte aux investisseurs privés (ex. : Sté Générale, BNP, AGF) ; 2e est coûteuse pour l'État, donc pour le contribuable (+ de 40 milliards de F pour l'indemnisation + 8 milliards de F/an pour la gestion) alors qu'une prise de contrôle majoritaire aurait permis d'atteindre les mêmes buts.

b) Critères contestables : 1°) choix des 5 groupes ind. alors que la pol. ind. n'est pas définie, que d'autres groupes sont aussi « stratégiques », que ces groupes produisent peu de biens de consommation et ne peuvent donc permettre la reconquête du marché intérieur ; 2°) les crédits distribués par les banques auraient été un meilleur critère de nat. que les dépôts (en outre, la fixation d'un seuil pour ceux-ci est arbitraire car leur montant varie d'un mois à l'autre) ; 3°) risques de double emploi liés au choix de 2 Cies fin. opérant dans un même domaine de spécialisation.

c) Le principe de l'autonomie des entreprises nat. contredit la volonté de maîtriser la restructuration de l'économie : 1°) les besoins de rentabilité sont peu conciliables avec la garantie de l'emploi (dans le passé, les Stés nat. ont supprimé beaucoup d'emplois) ; 2°) les entr. publiques ne permettent pas forcément de relancer la croissance : elles investissent peu par autofinancement et assèchent le marché fin. où elles bénéficient de privilèges par rapport aux Stés privées (la charge de leurs dettes est payée par les contribuables quand elle s'élève trop), la rentabilité de leurs inv. est de 50 % inf. à celle des Stés privées ; 3° la nat. de nouvelles banques se justifie peu, car celles-ci avaient su accepter les risques industriels et de financement à long terme et répondre aux besoins des PME, et ce n'était pas nécessaire pour maîtriser la monnaie (en raison du rôle décisif de la B. de France) ; elle ne réglera pas le problème majeur de la concurrence entre b. inscrites et b. mutualistes (les nouv. b. nat. font moins de crédit que le Crédit Agricole) ; 4°) la nat. va à l'encontre de la décentralisation.

II-RISQUES ET DANGERS DES NATIONALISATIONS. *a) Pour les PME :* confrontées à des entr. nat., en position de quasi-monopole ou largement dominantes dans la plupart des branches, qui peuvent leur imposer leurs conditions, elles seront défavorisées par rapport à celles-ci pour l'accès au crédit (en outre, celui-ci sera accordé selon des critères « sociaux » et non de rentabilité).

b) Pour la Bourse : la cote de la B. étant réduite de + de 1/5 (150 à 200 milliards de F au lieu de 240 fin 1980), le marché fin. ne pourra fournir aux Stés privées les ressources nécessaires ; l'épargne sera orientée vers la sécurité des placements au détriment du risque calculé des rendements variables.

c) Pour la position internat. de la France : l'écon. fr. risque de perdre personnels, partenaires, marchés, réseaux et filiales, avec comme conséquence l'effacement de Paris comme place fin. internat.

d) Pour les fin. publiques : au coût de l'indemnisation des actionnaires et de la charge des services des intérêts (v. ci-dessus), s'ajouteront le fin. des pertes d'exploitation de Stés structurellement déficitaires (Usinor, Sacilor), l'octroi de dotations en capital et la compensation de charges de service public imposées aux Stés par les futurs « contrats de plan ».

e) En général, la loi du marché étant assujettie à des impératifs non économiques, la rentabilité est sacrifiée à des considérations sociales et politiques, et l'impunité financière (quasi-absence du risque de faillite) et la lourdeur de l'organisation (de type administratif) rendent difficiles les adaptations qui exigent l'évolution économique (besoins du marché, conditions de production...).

Sous l'angle social. 1°) La loi n'étant qu'une 1re étape, le législateur doit se prononcer en ignorant quelles seront les structures des Stés nat. ; 2°) l'actionnariat salarié est supprimé ; 3°) les personnels ignorent si leurs droits acquis seront confirmés et si leur emploi ne sera pas menacé par les restructurations ; 4°) ni les non-syndiqués (nombreux dans les nouv. b. nat.) ni les cadres ne sont représentés au conseil d'administration.

Sous l'angle juridique et constitutionnel. Voir historique (décision du Cons. const.).

Privatisation sous le gouvernement de Jacques Chirac

• **Raisons avancées par le gouv.** Souci d'efficacité écon. : les règles de l'État sont incompatibles avec la nécessité de décisions rapides, de structures souples et de capacité d'adaptation aux événements dans un monde de plus en plus concurrentiel ; politisation trop fréquente des nominations des dirigeants ; interventionnisme de l'État ne tenant pas compte de la rentabilité des opérations imposées aux stés.

• **Procédure législative.** Projet de loi voté le 10-4-1986 [par 292 pour : 155 RPR, 131 UDF, 5 non-inscrits divers droite, E.-F. Dupont (FN, Paris). Contre (285) : 212 PS, 35 PC, 34 FN, 4 non-inscrits divers gauche]. Autorise le gouv. à fixer les conditions de la privatisation par ordonnance.

• **Quelques critiques et problèmes.** Opposition partielle du Pt Mitterrand. Refus annoncé (Cons. des min. du 9-4-86) de signer des « ordonnances portant sur le principe et les modalités de la privatisation d'entreprises nationalisées avant 1981, qui transgresseraient les règles d'évaluation admises lors du passage du secteur privé au secteur public, qui entraîneraient des mesures contraires à la démocratisation du secteur public ». Une des raisons est qu'« on ne peut acheter à l'État dans des conditions qui ne correspondraient pas aux conditions posées lorsqu'on a vendu à l'État » ; or, en 1945-46, « il n'y avait pas eu de règles d'évaluation ». En cas de refus du Pt de la Rép. de signer une ordonnance, le gouv. pourrait faire voter une loi selon la procédure d'urgence.

• **Gestion des privatisables pendant la période transitoire.** Nomination d'un Pt et constitution d'un nouveau conseil d'administration ; chargés de gérer la Sté et de préparer la mise en œuvre de la privatisation. Possibilité pour la Sté de choisir entre le maintien des règles de la loi de « démocratisation du secteur public », ou l'adoption des règles du droit commun des Stés. Maintien des règles de participation des salariés aux organes de gestion (si adoption du droit commun, par dérogation, 1/3 du conseil d'administration réservé aux représentants des salariés).

• **Sociétés concernées.** Banques et Cies d'assurances nat. en 1945 (BNP, Sté Générale, Crédit Lyonnais ; UAP, GAN, AGF), agence Havas, Sté nat. ELF-Aquitaine, Stés nat. en 1982 (Cies fin. Paribas et Suez ; groupes ind. CGE, St-Gobain, Péchiney, Rhône-Poulenc, Thomson, Bull, Matra, CGCT).

En outre, possibilité pour les autres Stés du secteur public de céder (par décret) une partie de leur capital (49 % au max.).

Groupes privatisables. Actionnaires principaux, chiffre d'affaires (CA) et, en italique, résultats nets 1985 en milliards de F, effectifs mondiaux (e), principales filiales et, entre parenthèses, % de participation. *Péchiney :* État 82 %, CA 35,9, *0,75*, 48 221 e ; Aluminium Péchiney (100), Cebal (97), Cegedur

(100), Comurhex (51), Trefimétaux (100). *Thomson S.A.* : État 100 %, CA 59, *0,4 à 0,5* (estim.), 110 851 e ; Thomson CSF (50,62). *Bull* : État 97 %, CA 16,1, *0,11,* 26 403 e ; CII Honeywell Bull (97). *CGCT* : État 100 %, CA 3, *- 0,2,* 7 030 e ; La Signalisation LCT Pouyet. *CGE* : État 100 %, CA 80 (estim.), *entre 0,75 et 0,8* (estim.), 155 000 e ; Alsthom-Atlantique (67), CGE Alsthom (99,9), CIT Alcatel (68), Thomson Télécommunications-Les Câbles de Lyon (75), Saft (79), Framatome (40). *Saint-Gobain* : État 100 %, CA 66,7 (estim.), *0,75* (estim.), 125 228 e ; Saint-Gobain Vitrage (100), Isover (100), Pont-à-Mousson S.A. (98,3), Sobea (98,3), Cellulose du Pain (69,8), Saint-Gobain Emballage (85), SEPR (84,8). *Rhône-Poulenc* : État 90,9 %, CA 56, 102, *2,311,* 80 120 e ; R.P. Chimie (100), Laboratoire Roger Bellon (58,90), Institut Mérieux (50,3), R.P. Sante (100), Specia (100), R.P. Agrochimie (100). *Elf-Aquitaine* : Erap 67 %, investisseurs institutionnels 10 %, public 23 %, CA 180,7, *5,3,* 73 800 e ; Sanofi (60,70), Atochem (100), Ceca (100). *Groupe Havas* : État 50,26 %, investisseurs institutionnels 33,3 % (dont CDC 9,96 ; UAP 4,58 ; AGF 3,81), personnel 0,41 %, CA 9,4, *0,022* (estim.), 14 250 e ; Eurocom (45), Havas tourisme (99,99), Compagnie européenne de publication (35), Canal Plus (25). *Avions Marcel Dassault* : État 51 %, CA 16,4 (estim.), *0,4317* (1984), 16 196 e ; Générale de Mécanique aéronautique (99,99), Dassault Systems (52), Sogitec (70). *Matra* : État 50,97 %, Sté Matra 4,41 %, CA 15 (estim.), *0,05* (estim.) ; Manhurin (79,76), Matra Harris semi-conducteurs (49,93), Jaeger (59,09), Solex (97,72), Matra transports (97,56).

Conditions de privatisation. *Délai* : 5 ans. *Modalités du transfert* : fixées dans un délai de 6 mois. *Principes d'action* : progressivité, transparence et recours au marché, formules variées adaptées aux conditions du marché et aux caractéristiques des Stés (achat, échange d'obligations de l'État, augmentation de capital...), garantie des intérêts nationaux, participation (actionnariat populaire et participation des salariés : 10 % des actions réservés en priorité et à des conditions préférentielles).

Évaluation des entreprises dénationalisables. Selon C. Cabana, min. délégué chargé de la Privatisation (mai 1986), l'évaluation devait se faire par « référence au marché » et « dans les mêmes termes » pour chaque Sté. Le prix de vente de chacune devait tenir compte, notamment, de tous les critères retenus par la loi de nationalisation de 1982 (valeur boursière, actif net, bénéfices) et de la « batterie de critères diversifiée » utilisée pour une introduction de titres sur le marché financier (capacité bénéficiaire à venir). Un « conseil de déontologie » (5 à 7 personnalités indépendantes n'appartenant pas à la fonction publique) devait donner son avis sur l'évaluation de chaque Sté et veiller au « respect des intérêts patrimoniaux de l'État ».

Montant total. Évaluation. Selon les Échos (en janvier 1986, en milliards de F) : 228,8 (Stés publiques sauf Stés de télévision et de services publics ; certaines ne figurant pas sur la liste des Stés dont la privatisation était prévue) dont Stés cotées 34,4, banques 56,6, assurances 37,1, Stés nationalisées (en 1982) 76,2 (dont Stés ind. 50,5, Cies fin. 25,7), entreprises diverses non cotées 24,5. *Selon d'autres sources,* de 150 à 250 milliards de F (seules Stés dont la privatisation est prévue).

Bilan des sociétés nationalisées (1981-85)

Aspects positifs. *Amélioration des résultats financiers* de 6 Stés ind. (CGE, St-Gobain, Péchiney, Rhône-Poulenc, Thomson et Bull) devenues bénéficiaires (env. 6 milliards de F en 1985) alors que plusieurs étaient déficitaires en 1981 (bénéfices en 1984 : 4 milliards de F) [1]. Les pertes des groupes sidérurgiques (Sacilor et Usinor) ont baissé de plus de 50 % de 1984 à 1986 (- 7 500 contre 15 440 millions de F). *Hausse des investissements* + 15 % de 1984 à 1985 (24 milliards de F) pour 11 groupes (St-Gobain, CGF, Thomson, Péchiney, Rhône-Poulenc, Bull, CGCT, Sacilor, Usinor, Matra, Dassault) ; hausse globale de 16,5 % de 1981 à 1985 pour 12 groupes (avec Renault) contre une baisse de 9 % dans l'ind. privée. *Succès en Bourse des titres émis* (titres participatifs, certificats d'inv.).

Nota. - (1) En outre, les bénéfices de Matra et de Dassault sont à peu près égaux à ceux de 1984.

Aspects négatifs ou critiqués. *Déficit cumulé* : pour les 12 groupes ind. 71 milliards de F en 4 ans. *Dette à + d'un an* (en milliards de F) pour les 8 groupes nationalisés en 1982 : *1980* 43,2, *1984* 88,2 (+ 104 %) ; pour les Stés nat. avant 1982 : *1980* 28,7, *1984* 63,7 (+ 122 %). *Dette totale pour l'ensemble du secteur ind. concurrentiel* (en milliards de F) : *1981* : 103, *1985* : + de 200. *Coût élevé pour l'État.* + de 45 milliards de F de dotations de capital de 1982 à 1985 (+ aides des min. de l'Économie, de la Recherche ou de l'Énergie et les prêts participatifs accordés à des conditions privilégiées par les banques nat.). *Réduction des effectifs* [9 % dans les Stés nat. du secteur concurrentiel de fin 1982 (805 000) à fin 1985 (735 000)] alors que les Stés nationalisées devaient être « le fer de lance de l'emploi ». *Thomson* : - 45 000 emplois entre 1982 et 88 ; sidérurgie : - 15 000 emplois de 1985 à 87 ; *Renault* : - 20 % des effectifs par an dep. 1985.

Autofinancement insuffisant. Selon E. Balladur, pour les Stés ind. (sans la sidérurgie), il a été inférieur de 25 % à celui du secteur privé comparable, de 1981 à 1985.

Bilan publié juin 1990 à la Cour des comptes. Nationalisation (en 1982), puis privatisation de 10 groupes industriels et financiers, se soldant pour l'État par « un résultat pratiquement équilibré ». *Résultats* (en milliards de F constants, 1988). Montant des investissements : 41,4 ; des recettes : 56,1 (solde : + 14,7), dont établissements financiers 15,23 (mais perte de 0,7 avec le secteur industriel, malgré un solde positif de 0,9 avec la CGE, et de 2 avec St-Gobain).

☞ **« Ni privatisation, ni nationalisation » (dit le Nini).** Doctrine lancée par François Mitterrand dans sa « Lettre à tous les Français », lors de la campagne présidentielle de 1988, et visant à mettre fin à toute initiative dans chaque sens. Le décret du 4-4-1991, autorisant les entreprises du secteur public à ouvrir leur capital à hauteur de 49,9 % à des partenaires étrangers, a ouvert une brèche dans ce dogme, dénoncé par la plupart des dirigeants des grands groupes publics comme un frein aux accords entre grands groupes français et étrangers.

Marchés publics

• **Définitions.** Contrat écrit passé obligatoirement entre administrations et org. publics et leurs fournisseurs pour leurs commandes de travaux, fournitures et serv. supérieurs à un certain montant (en *1990* : 300 000 F). *L'adjudication,* pendant longtemps la seule procédure de droit commun, est moins utilisée car elle ne permet pas la sélection des candidats selon plusieurs critères adaptés à l'objet du contrat (seul critère, le prix de la prestation).

• **Conditions.** La loi nº 91-3 du 3-1-1991 soumet à des mesures de publicité et, le cas échéant, de mise en concurrence, les concessions de travaux les plus importants passés par : les groupements de droit privé formés entre des collectivités publiques ; les organismes de droit privé créés en vue de satisfaire un besoin d'intérêt général autre qu'industriel ou commercial ; les organismes subventionnés à + de 50 % par les collectivités publiques, dont l'objet est de réaliser des équipements hospitaliers, sportifs scolaires, universitaires ou administratifs.

Nota. - La Commission centrale des marchés, créée en 1959, assure la concertation et la coordination écon. et fin. des administrations, traite tous les problèmes importants posés par les achats publics et contrôle les marchés de l'État.

• **Statistiques. Nombre de marchés et avenants et,** entre parenthèses, **montant** (en millions de F, en 1989). *État* 95 822 (158 429), *collectivités locales* 156 517 (81 340), *entreprises publiques* 76 670 (160 026). *Total* 329 009 (399 795).

Marchés passés par les services de l'État (% pour les nombres et, entre parenthèses, pour le montant, en millions de F, en 1989) : adjudications : 0,3 (480), appels d'offres ouverts ou restreints : 49,2 (31 365), marchés négociés : 45 (114 552), mode non déclaré : 5,4 (1 504).

Répartition des marchés de l'État par secteurs économiques. (en %, en 1989) : constructions électriques et électroniques 28,2, constructions aéronautiques et spatiales 30,7, bâtiment et génie civil 15,9, services marchands 15,2 autres 10.

Nota. - Les marchés publics recensés représentent env. 7,1 % du P.I.B.

Tiers monde

☞ **Tiers monde.** Expression inventée par Albert Sauvy (n. 1902) dans un article publié le 14-8-1954 dans l'*Observateur* et intitulé *Trois mondes, une planète.* « Nous parlons volontiers des deux mondes en présence, de leur guerre possible, de leur coexistence, etc., oubliant trop souvent qu'il en existe *un troisième,* le plus important et, en somme, le premier dans la chronologie. C'est l'ensemble de ceux que l'on appelle, en style Nations unies, les pays sous-développés. [...] Ce tiers monde, ignoré, exploité, méprisé comme le tiers état, veut, lui aussi, être quelque chose. »

Origine du sous-développement (explications)

Par les 4 cercles vicieux (travaux de François Perroux vers 1950-55). **1°) Taux :** de natalité, de mortalité et d'accroissement net de la population élevés, niveau des subsistances élémentaires faible ; l'abaissement de la mortalité augmentant, le taux d'accroissement s'élève et risque de diminuer le niveau des subsistances. **2°) L'industrialisation :** suppose un développement de l'agriculture pour fournir les matières premières locales et augmenter les rations des travailleurs ; pour équilibrer leur balance des paiements, certains pays sous-développés exportent leurs produits agricoles ; d'autres exportent un produit industriel (ex. : pétrole). Les investissements sont spécialisés, dominés par l'étranger et ne vont pas toujours dans l'agriculture. **3°) Le revenu national est bas :** il y a donc peu d'épargne à investir. Il faut alors recourir à l'impôt (mais la masse imposable est faible) ou à l'investissement étranger, mais celui-ci imposera ses exigences. **4°) L'économie est désarticulée :** la consomm. n'augmente pas systématiquement avec le plan monétaire. Cette structure l'expose à des blocages de développement ou de croissance.

Par un retard de croissance (travaux de W. Rostow vers 1960). Chaque pays passe par 5 phases successives : 1°) sociétés traditionnelles ; 2°) transition préparant le démarrage ; 3°) démarrage de l'économie ; 4°) marche vers la maturité ; 5°) ère de la consommation de masse. *Exemples* : phases 1 et 2 : Chine, Tchad, Mauritanie ; phase 3 : Brésil, Mexique, Algérie ; phase 4 : URSS (début), Japon (milieu), France (fin) ; phase 5 : USA. Chaque pays doit « suivre la filière ». Le sous-développement est donc un retard de développement. Les rapports entre pays riches et pauvres peuvent accélérer le développement en opérant des transferts de capitaux et de connaissances techniques.

Par l'échange inégal (1970, travaux de G. Myrdal et d'A. Emmanuel notamment). Depuis 1950, les échanges commerciaux progressent en valeur entre pays riches, mais diminuent entre pays riches et pauvres. Les pauvres vendent moins cher leurs produits ; les riches vendent plus cher les leurs. **Par des facteurs humains.** Mode de gouvernement (dictature, corruption généralisée, fuite des capitaux), analphabétisme, fuite des élites (peu soucieux de servir sur place leur pays), détournement de l'aide, investissements « somptuaires » ou inadaptés, modification des besoins (par mimétisme, en imitant les pays industriels) entraînant l'importation de produits coûteux.

Mesure du sous-développement

• **Critères.** On utilise habituellement comme « instruments de mesure » le PIB (produit intérieur brut), le taux de croissance et le PNB (produit national brut) par habitant. Mais beaucoup estiment que cette méthode ne convient pas pour les pays sous-développés car les statistiques manquent, l'autoconsommation, importante, est difficile à estimer, les coûts de développement ou les avantages des sociétés traditionnelles, comme l'environnement, ne sont pas pris en compte. On a proposé d'autres méthodes tenant compte de données négligées (patrimoine socioculturel, ressources telles que l'air et l'eau).

• Classement des pays. **PFR (pays à faible revenu).** Revenu moyen/hab. (1987) : env. 700 $. **PMA (pays les moins avancés).** Critères (retenus par l'ONU) : faible niveau du revenu par habitant (inf. à 330 $/hab.) ; contribution du secteur industriel au produit intérieur brut (PIB) de 10 % ou moins (pays en dévelop. env. 20 %) ; taux d'alphabétisation de 20 % ou moins. En 1990, env. 160 millions de personnes vivent au-dessous du seuil de pauvreté. *Liste :* Afghanistan, Bangladesh, Bénin, Bhoutan, Botswana, Burkina Faso, Burundi, Cap-Vert, Rép. Centrafricaine, Comores, Djibouti, Éthiopie, Gambie, Guinée, Guinée-Bissau, Guinée Équatoriale, Haïti, Laos, Lesotho, Malawi, Maldives, Mali, Népal, Niger, Ouganda, Rwanda, Samoa occident., São Tomé et Príncipe, Sierra Leone, Somalie, Soudan, Tanzanie, Tchad, Togo, Yémen. **PRITI/PRITS [(pays à revenu intermédiaire de la tranche inférieure ou supérieure)].** Revenu moyen par hab. (1987) : entre 700 et 1 300 $ ou + de 1 300 $. **PVD (pays en voie de développement).** A CROISSANCE TRÈS RAPIDE : *taux annuel de croissance du P.N.B. par habitant, en 1965-86 :* Botswana 8,8. Singapour 7,6. Corée du S. 6,7. Hong Kong 6,2. Lesotho 5,6. Jordanie 5,5. Chine 5,1. Yémen du S. 4,7. Indonésie 4,6. Brésil 4,3. Malaisie 4,3. Arabie Saoudite 4. Cameroun 3,9. Tunisie 3,8. Syrie 3,7. Congo 3,6. Paraguay 3,6. Équateur 3,5. Algérie 3,5. Égypte 3,1. Sri Lanka 2,9. Colombie 2,8. Turquie 2,7. Mexique 2,6. Rép. Dominicaine 2,5. Pakistan 2,4. Panamá 2,4. Birmanie 2,3. Kenya 1,9. Philippines 1,9.

NPI (Nouveaux pays industriels). Ayant connu une industrialisation et un développement économique accélérés au cours des dernières décennies) : Afrique du Sud, Argentine, Brésil, Corée, Grèce, Hong Kong, Israël, Portugal, Singapour, Yougoslavie.

Prévisions. Selon la Banque mondiale, le tiers monde pourrait retrouver la croissance d'ici à l'an 2000. *Pays du Sud :* + 2,9 % par an (+ 1,6 en moyenne de 1980 à 1990). *Amérique latine :* progression du PIB + 2 % par an (80-89 + 0,4). *Asie de l'Est :* 5,2 (6,2). *Afrique subsaharienne :* + 0,5 (– 1,2). Condition nécessaire, le maintien d'une croissance forte (+ 2,3 %) dans les pays développés.

• Écart entre nations riches et nations en voie de développement. *1770 :* 1,2 à 1. *1870 :* de 3 à 1, *1972 :* 10 à 1, *1979 :* 12 à 1. **En Amérique latine :** 5 % de la pop. disposent de 26,5 % à + de 30 % du revenu national, 50 % des terres agricoles appartenant à 4 % des propriétaires. **En Asie et Afrique :** 5 % de la pop. reçoivent près de 40 % du revenu national à Madagascar, 47 % au Gabon, 50 % au Zaïre.

Quelques données

Source : Banque mondiale.

• Agriculture. *Agriculteurs :* nombre élevé (env. 70 % de la population dans les pays à faible revenu). Faible productivité 50 à 93 %. *Chômage :* l'agriculture ne peut absorber le surplus de jeunes, et l'industrie pour sa compétitivité adopte les méthodes occidentales fondées plus sur l'emploi de machines que sur celui de main-d'œuvre. *Conditions climatiques.* Sécheresse dans le Sahel et en Éthiopie (1980-85).

Mauvaise utilisation des sols cultivables. Désertification, accaparement par une minorité de gros exploitants (ex. Brésil) ; les petits exploitants, souvent sous l'égide des multinationales étrangères, sont choisis pour produire des cultures pour l'exportation (café, cacao, soja, arachides, canne à sucre, manioc) que ne peut acheter la population locale à faible revenu. Les cultures locales vivrières sont laissées aux femmes qui assurent dans de mauvaises conditions env. 70 % du travail.

Acridiens (criquets). *Zones ravagées. 1987 :* Éthiopie, Soudan, Niger, Mali, Sahara. *1988 :* Sahel (2ᵉ cycle de reproduction des criquets pèlerins) ; Maghreb, puis nord du golfe de Guinée.

« Révolution verte » (dep. 1966-67). Utilisation des variétés à haut rendement notamment le riz IRS, développement de l'irrigation et de l'usage des engrais, innovations technologiques. En Inde, la « révolution verte », une politique de stockage et un système de distribution populaire assez efficace ont fait disparaître depuis 20 ans les disettes à grande échelle, et la prod. actuelle (156 millions de t de céréales en 1983-84) permet d'exporter du blé en URSS, du riz au Bangladesh. *Inconvénients :* a accru la dépendance des pays concernés vis-à-vis de l'extérieur (irrigation, achat de semences, engrais, herbicides, pesticides, tracteurs, non produits sur place) et leur endettement ; elle a fait naître un chômage rural, l'expérience ayant été faite sur les grandes surfaces des fermiers riches, afin d'obtenir la meilleure rentabilisation ; elle a accru la pollution.

• Alimentation. **Insuffisance alimentaire.** Si toutes les ressources alimentaires du monde étaient équitablement partagées, la population entière du globe pourrait satisfaire ses besoins en *calories* (un peu – de 2 500 calories par jour et par habitant avec des variations de climat, l'exigence étant moindre en pays très chaud qu'en pays plus tempéré) et en *protéines.*

Disposent de – de 1 200 calories par j et par hab. : 61 pays. *– de 2 200 cal./j :* Latino-Américains 13 %, Africains 25, Asiatiques 28. *Disponibilités en protéines :* par kg de poids, par personne et par j, pays développés 90 g, PVD 57 g. *Protéines animales :* N.-Zélande 72 g, Inde 6. *Statistiques* (1985). 800 millions d'h. souffraient de malnutrition. 500 étaient sous-alimentés et 500 étaient condamnés à mourir de faim d'ici à l'an 2000 si des mesures n'étaient pas prévues. En 2000, 64 pays, dont 29 en Afrique, seront incapables de nourrir leur population.

Enfants. Sur les 800 millions d'enfants des pays en voie de développement, plus des 2/3 seront frappés de maladies ou d'incapacités, dues à la malnutrition ou aggravées par elle. Le taux de mortalité infantile (+ de 1 pour 100 naissances) peut être de 3 à 10 fois plus élevé que celui des pays industrialisés du monde ; le taux de mortalité des enfants d'âge préscolaire de 30 à 50 fois. Selon l'UNICEF, 40 000 enfants meurent chaque jour de malnutrition et d'infections.

Plus de 300 millions d'enfants présentent tous les signes d'une croissance et d'un développement retardés et nombreux sont les handicapés mentaux. *Causes :* agriculture insuffisamment développée, ignorance des besoins nutritionnels, la meilleure nourriture (sur le plan nutritionnel) est souvent réservée aux hommes, alors que les jeunes enfants, les futures mères ou les nourrices en auraient le plus besoin. Chaque année 14 millions d'enfants du tiers monde meurent de malnutrition ou de maladies [dont : maladies diarrhéiques 5, infections respiratoires aiguës 2,9, rougeole 1,9, paludisme 1, tétanos 800 000, décès d'origines diverses 2,4 (dus au manque d'hygiène et au sevrage prématuré)].

Remèdes. Il faudrait réorienter 2 % de la production céréalière mondiale vers les pays les moins avancés pour éliminer la malnutrition. Le bétail des p. riches consomme à lui seul 1/3 de la prod. céréalière mondiale, soit autant que 2 milliards d'habitants du tiers monde.

10 % seulement des plantes servent à l'alimentation humaine. Or dans de nombreux pays (tiers monde en particulier), de nombreuses matières végétales locales pourraient être substituées aux importations de viande et de lait. Nestlé a ainsi mis au point du lait de soja à la place du lait de vache, des nouilles à base de riz au lieu de blé, de la farine pour enfants à base d'huile de palme et de soja, du lait en poudre à partir de noix de coco broyées, etc.

Nota. – Grâce au LLS [champignon produit en cultivant le petit-lait (le lactosérum) que jettent les fromagers] qui possède les 8 protéines nécessaires à la croissance cérébrale des nouveau-nés, 10 millions d'enfants pourraient être sauvés.

• Analphabétisme. Il y a 800 millions d'illettrés dans le monde. Le nombre d'adultes analphabètes augmente à cause de l'accroissement démographique. *Diplômés :* la majorité des diplômés formés à l'étranger y retournent faute de pouvoir exercer leur profession chez eux. Ceux qui sont formés sur place deviennent souvent des fonctionnaires. Le nombre de diplômés scientifiques est très faible. En 25 ans, 1 million de personnes hautement qualifiées ont quitté leur pays.

• APD (Aide publique au développement). Apports de ressources fournis aux pays en développement et aux institutions multilatérales par des organismes publics y compris les collectivités locales, ou par leurs organismes gestionnaires et qui répondent aux critères suivants : dispensés dans le but essentiel de favoriser le développement économique et l'amélioration du niveau de vie dans les pays en développement ; assortis de conditions favorables et comportant un élément de libéralité au moins égal à 25 % (taux d'actualisation de 10 %).

• Carences et maladies les plus courantes. **Anémie ferriprive.** 700 millions de personnes. FRÉQUENCE EN % : *Afrique :* 6 à 17 % des hommes (15 à 50 % des femmes sauf les Bantous du S.). *Amérique du Sud :* 5 à 15 (10 à 35). *Asie :* 10 (20 à 40 et + de 50 % des enfants). *Moyen-Orient :* 25 à 70 % des enfants et 20 à 25 % des femmes enceintes possédaient des taux d'hémoglobine insuffisants. **Anémies mégaloblastiques.** Habituellement dues à une insuffisance d'acide folique. **Béribéri.** Dû à la carence en vit. B. A presque disparu chez l'adulte, mais les enfants en souffrent encore dans certaines zones d'Asie. **Bilharziose. Goitre endémique et crétinisme.** Dus à l'insuffisance en iode ; dans certaines régions, 5 % des enfants en sont atteints. Env. 200 millions de victimes (régions subhimalayennes, montagneuses d'Am. latine, quelques parties d'Afrique). **Maladie du sommeil.** Due à la piqûre de la mouche tsé-tsé (le 1/3 de l'Afrique). **Paludisme.** 40 % de la population mondiale menacés, 80 à 120 millions de personnes touchées, surtout en Afrique, 1 à 2 millions de † (enfants notamment). **Pellagre.** Persiste pour femmes enceintes, enfants d'env. 12 à 18 mois et tuberculeux. Souvent associée à l'éthylisme dans les pays où l'aliment de base est le maïs. **Rachitisme.** Formes graves encore fréquentes dans certains pays, particulièrement au Moyen-Orient et en Afrique du Nord. **Scorbut.** Très rare, mais une hypovitaminose C bénigne et saisonnière se rencontre encore fréquemment. **Sida.** Voir p. 127. **Tuberculose.** 3 millions de morts par an en Afrique. **Xérophtalmie.** Carence de vitamine A courante au Brésil, Cambodge, Égypte, El Salvador, Haïti, Inde, Indonésie, Jordanie, Libye, Pakistan, Soudan, Sri Lanka, Syrie, Tanzanie et Viêt-nam. Chaque année, provoque la cécité chez des centaines de milliers d'enfants.

• Corruption et gabegie. En *Asie* et en *Afrique,* une grande partie de l'aide, recyclée et transférée à l'étranger par les élites, ne parvient jamais à ses destinataires. Au *Bangladesh,* moins de la moitié de l'aide alimentaire directe arrive aux populations et aucun des 12 grands projets financés par la CEE n'a atteint ses objectifs socio-économiques. Au *Pakistan,* les gains illégitimes dans l'exercice de fonctions publiques représenteraient 4 % du PNB. Aux *Philippines,* les capitaux en fuite ont représenté 80 % de l'encours de la dette de 1962 à 1986 ; Au *Mexique* et en *Argentine,* env. 50 % des emprunts des 15 dernières années. En *Afrique,* de 10 à 15 % des pots-de-vin prélevés à l'occasion des marchés publics sont versés directement sur des comptes bancaires, en Europe, ou ailleurs. En *Afrique équatoriale de l'Ouest,* une partie de développement n'a servi qu'à financer les dépenses courantes des administrations.

Actuellement, dans de nombreux pays, les dépenses prioritaires de développement représentent moins de 10 % du montant total du budget de l'État, les dépenses publiques + de 25 %. Selon les experts du PNUD (Programme des Nations Unies pour le Développement), les pays du tiers monde pourraient dégager + de 50 milliards de $ par an au profit du développement humain, dont 10 milliards par simple gel des dépenses militaires.

• Démographie. **Nombre d'habitants du tiers monde.** 4,8 milliards [3/4 de la pop. mondiale (dont 40 % ont – de 15 ans]. **Explosion démographique en Afrique.** Au taux actuel de croissance (3,3 % par an, Kenya 4 %), la population doublera en 22 ans. *En 2000,* on comptera 165 millions d'habitants de plus (entre 800 et 900 millions représentant 19 % de la population mondiale au lieu de 12 % aujourd'hui). *Au-delà de 2012,* elle doublerait une nouvelle fois, soit une population totale de près de 2 milliards (équivalent de la population mondiale en 1930). **Taux annuel moyen d'accroissement** (en %, moy. pondérée). 1960-70, entre parenthèses 1970-81, en italique 1985-2000 (prév.). *Pays à faible revenu :* + 2,3 (+ 1,9) *+ 1,9 ;* Chine et Inde + 2,3 (+ 1,7) *+ 1,5 ;* autres pays + 2,5 (+ 2,6) *+ 2,7 ; à revenu intermédiaire :* + 2,5 (+ 2,4) *+ 2,1 ; industriels à économie de marché :* + 1,1 (+ 0,7) *+ 0,4 ; à économie planifiée :* + 1,1 (+ 0,8) *+ 0,8.*

Taux brut de natalité des pays à faible revenu (moy. pondérée) : *1960 :* 42 ‰ (Chine et Inde 41 ‰, autres pays 48 ‰), *1985 :* 29 ‰ (Chine et Inde 24 ‰, autres pays 43 ‰) jusqu'à 54 ‰ ; **p. à revenu intermédiaire :** 43 ‰ à 32 ‰. La limitation des naissances a été programmée dans les pays représentant + de 70 % de la pop. du tiers monde. **Taux de fécondité et,** entre parenthèses, **nombre moyen d'enfants par femme.** Pays développés et, entre parenthèses, pays en voie de développement. *1950-55 :* 2,80 (6,12), *65-70 :* 2,41 (5,98), *80-85 :* 1,97 (4,06) ; Nigeria 7,10, Bangladesh 6,15, Pakistan 5,84, Iran 5,64, Égypte 4,82, Mexique 4,61, Philippines 4,41, Inde, Viêt-nam 4,30, Brésil 3,81.

Taux de mortalité. *1950 :* 40 ‰, *1980 :* 10,7 ‰, *2000 :* 7,3, *2020 :* 7,1. % de nouveau-nés survivant au-delà de 1 an : *1960 :* 84 ; *1981 :* 90.

Espérance de vie. 57,6 ans (p. industriels à économie de marché 76, à économie planifiée 72).

• **Désertification.** Menace + de 20 % des terres émergées, soit 30 à 40 millions de km² de zones arides ou semi-arides [chaque année dep. 1980, 0,3 % de sol arable (200 000 km²)]. *Causes :* la croissance démographique entraîne *surculture* (épuisement des terres et baisses des rendements), *surpâturage* (multiplication du bétail sur des surfaces qui diminuent, la végétation naturelle ne repousse plus), *déboisement* [le bois est utilisé comme combustible (chaque année le déboisement progresse de 11 à 24 millions d'ha. La replantation représente au maximum 4 millions d'ha. A ce rythme 40 % des forêts tropicales auront disparu en l'an 2000, toutes d'ici à 83 ans. Au Nigeria 250 000 ha sont perdus chaque année, en C.-d'Ivoire 400 000 (de 15 millions d'ha, la forêt est passée à 3 millions) ; aux Philippines et en Malaisie les basses forêts n'existeront plus à la fin du siècle)] ; *irrigation inappropriée* (absence de drainage qui stérilise les sols dont la teneur en sel augmente ; chaque année 200 000 à 300 000 ha perdus ainsi) ; seulement 8 millions d'ha irrigués en Afrique contre 133 millions en Asie ; *recul ou disparition de la jachère* d'où carence en humus et érosion. *Conséquences : écologiques :* inondations, sécheresse, érosion, sédimentation des réservoirs, disparition de milliers d'espèces de plantes et d'animaux, altération du cycle de l'eau et diminution de la capacité d'absorption du gaz carbonique par la végétation ; *économiques :* difficultés d'approvisionnement en papier et en bois de chauffage. D'ici à 20 ans les besoins en bois de chauffage dépasseront les disponibilités de 25 %.

• **Eau potable (problème de l'). Soif.** 1 250 millions de personnes, dont 700 millions d'enfants, ne disposent pas de suffisamment d'eau. 38 % seulement des hab. du tiers monde ont accès à l'eau potable (9 à 37 % suivant les pays au Sahel d'Afr. occ.).

Maladies associées à l'eau : microbes ingérés avec de l'eau contaminée et donnant fièvre typhoïde, gastro-entérite ou choléra ; mal. à transmission favorisées par une pénurie d'eau ou sa mauvaise qualité ; mal. causées par des parasites vivant dans l'eau et qui s'introduisent sous la peau (schistosomiase, draconculose) ; vecteurs de mal. se reproduisant dans l'eau : anophèle (paludisme), mouche (onchocercose ou cécité des rivières). *Malades* (1979, en millions) : gastro-entérite 400, schistosomiase 200, paludisme 160, cécité des rivières 30. 140 milliards de $ seraient nécessaires pour approvisionner le tiers monde en eau potable en 1990.

• **Échanges. Subordination.** Commerce essentiellement orienté vers l'étranger, au détriment des productions locales, et souvent aux mains des firmes étrangères et des multinationales (1/3 du commerce mondial est constitué d'un commerce intérieur aux multinationales). Les règles du commerce international, fixées par le GATT, favorisent presque exclusivement les pays riches. Les prix des produits industriels (que vendent les pays riches) et énergétiques ont augmenté tandis que les prix des exportations des produits primaires et des denrées alimentaires vendus par les PVD baissaient (sinon en valeur courante, du moins en valeur réelle, compte tenu de l'inflation). Le ralentissement de l'activité économique dans les pays riches (dû à la crise) a pesé sur les cours des matières premières vendues par les pays pauvres.

Taux de dépendance de certains pays à l'égard des exportations de matières premières (en %). Zambie 93,1. Côte-d'Ivoire 74,5. Colombie 72,2. Zaïre 67. Chili 61,2. Pérou 56,3. Malaisie 50,7.

Déficit des échanges. Les échanges commerciaux des PVD avec le reste du monde sont déficitaires de 20 à 25 %. Les quantités importées s'accroissent plus vite que les exportées, surtout depuis la récession mondiale des années 80 (les pays ind. à l'activité ralentie ont moins besoin de matières premières). Ne gagnant pas assez de devises, les PVD s'endettent.

Variations en % des termes de l'échange (indice des valeurs unitaires à l'exportation divisé par l'indice des valeurs unitaires à l'importation). **Ensemble des PVD dont,** entre parenthèses, **exportateurs de pétrole et,** en italique, **non pétroliers.** *Moyenne 1967-1976 :* + 4,1 (+ 11,4) *- 0,6. 1977 :* + 3,7 (+ 1) *+ 6,2. 1978 :* - 6,7 (- 9,7) *- 4,1. 1979 :* + 10,8 (+ 26,9) *- 1,6. 1980 :* + 15,2 (+ 40,4) *- 5,7. 1981 :* + 1,2 (+ 8,5) *- 5,5. 1982 :* - 1,7 (- 1,1) *- 2,2. 1983 :* - 2,1 (- 7,5) *+ 2,4. 1984 :* + 0,3 (+ 0,1) *+ 0,6.*

Évolution des PVD

1 : espérance de vie en années.
2 : nombre de décès pour 1 000 enfants de 1 à 4 ans.
3 : % d'alphabétisation

	1			**2**			**3**		
	60	70	89	60	70	85	60	70	85[2]
Ensemble	**44**	**51**	**65[5]**	**25**	**17**	**9**	**37**	**45**	**59[3]**
A faible revenu	*42*	*49*	*58[5]*	*27*	*19*	*9*	*27*	*36*	*55[3]*
Afghanistan	33	36	–	41	36	34[3]	8	10	12[3]
Bangladesh	43	44	51	24	23	18	22	–	33
Bolivie	42	45	54	40	34	20	39	40	74
Chine	41	52	70	26	14	2	–	–	69[3]
Égypte	46	49	63	23	20	11	26	40	44[3]
Éthiopie	43	47	48	42	33	38	–	6	62
Ghana	48	53	54	27	21	11	27	30	53
Inde	42	47	59	26	20	11	28	33	43
Indonésie	41	47	61	22	16	12	39	57	74
Kenya	46	51	59	21	18	16	20	30	59
Malawi	36	39	47	58	42	35	–	22	41
Niger	40	41	45	44	35	28	1	–	14
Pakistan	43	46	55	25	21	16	15	20	30
Rwanda	46	47	49	40	32	26	16	23	47
Soudan	38	41	50	40	32	18	13	15	32[3]
Sri Lanka	62	63	71	7	5	2	75	78	87
A rev. intermédiaire	*52*	*57*	*63[5]*	*20*	*14*	*8*	*52*	*65*	*78[3]*
Brésil	54	58	66	19	12	5	61	66	78
Chili	56	62	72	20	9	1	84	88	94
Colombie	53	58	69	11	5	3	63	73	88
Corée	53	59	70	8	3	2	71	78	91[3]
Côte-d'Ivoire	41	45	53	40	31	15	5	20	43
Cuba	63	69	76	2	3	0	–	–	96[3]
Grèce	68	71	77	3	1	1	81	84	92
Guatemala	46	52	63	10	11	5	32	47	55
Israël	71	71	76	2	1	0	84	84	90[3]
Jordanie	46	54	67	26	12	3	32	62	75
Maroc	46	50	61	36	26	10	14	21	33
Mexique	57	61	69	10	6	3	65	74	90
Papouasie	40	46	54	26	19	7	29	32	45
Pérou	47	53	62	37	20	11	61	72	85
Portugal	64	67	75	8	8	1	62	71	84
Thaïlande	52	58	66	13	7	3	68	79	91
Tunisie	48	54	66	36	20	8	16	24	44
Turquie	50	55	65	30	22	9	38	56	74
Exportateurs de pétrole à rev. élevé	*44*	*50*	*64[4]*	*42*	*25*	*5*	*10*	*20*	*32[3]*
Arabie Saoudite	43	48	64	47	30	4	3	15	51
Pays industriels OCDE	**69**	**71**	**76[4]**	**2**	**1**	**0**	**96**	**98**	**99[3]**

Nota. – (1) Sauf Grèce, Portugal, Turquie. (2) 1981 pour un certain nombre de pays. (3) 1983. *Source :* Banque mondiale et secrétariat de l'OCDE. (4) 1985. (5) 1988.

Importations des pays industriels venant des PVD (Chine et pays soc. d'Asie exclus, en % du total de leurs imp.). *1979 :* 26,6. *80 :* 29,2. *81 :* 29. *82 :* 26,5. *83 :* 24,8. *84 :* 24,5.

Produits manufacturés. En milliards de $ et, entre parenthèse, en % des imp. totales de prod. man. *1979 :* 60,5 (10,1). *80 :* 69,7 (10,3). *81 :* 75,5. (11,5). *82 :* 76,9 (12). *83 :* 86 (13,1). *84 :* 108,8 (14,5) [dont en % du total : USA 57,5, CEE 23,6, Japon 8].

Nota. – Les 10 premiers PVD fournisseurs (T'ai-wan, Corée du S., Hong Kong, Mexique, Brésil, Singapour, Chine, Malaisie, Yougoslavie, Philippines) représentaient 83 % du total en 1984.

Exportations des PVD (en % annuel). *1965-73 :* + 5,6 (dont p. à faible revenu + 3, p. à revenu intermédiaire imp. de pétrole + 6,8, exp. de pétrole + 5,3). *1973-80 :* + 2 (+ 5, + 6,9, – 2,5). *1980 :* – 2,8 (+ 5,3, + 8,3, – 15,2). *1981 :* – 2,7 (+ 7,3, + 9,9, – 20,9). *1982 :* + 4,4 (+ 6,2, + 4,4, + 3,8). *1983 :* + 5,6 (+ 3,7, + 7, + 3,7). *1984 :* + 8,6 (+ 11,1, + 8,9, + 7,3). *1985 :* + 1,4 (+ 2,9, + 1,2, – 2,2). *1986* (est.) : 3,6 (+ 9,5, + 2,9, + 2,7).

Exportations de produits manufacturés des pays industriels (en %). **Part des PVD.** *1979 :* OCDE 26,8, USA 39,6, Japon 48,7, CEE [1] 42,7. *84 :* OCDE 25,7, USA 35,8, Japon 40,6, CEE [1] 38,5.

Nota. – (1) Échanges intra-CEE exclus.

Exportations mondiales de certains produits agricoles (en % des exp. mondiales). **Part des PVD.** *1978-80 :* café 97, huile de palme 96, bananes 94, thé 77, huile d'arachide 74, sucre 63, coton 47, riz 46, tourteaux de soja 40, viandes bovines et bois 30.

Envois de fonds des travailleurs destinés aux PVD (milliards de $). *1970 :* 2,3. *73 :* 6,7. *80 :* 24. *81 :* 25,5. *82 :* 27,6.

Balance des paiements des PVD. *Paiements courants* (milliards de $) : *1970 :* – 12. *80 :* + 22,6. *81 : – 56,3. 82 :* – 99,6. *83 :* – 70,5. *84 :* – 43,9 (dont pays exp. de pétrole – 5,7, imp. de pétrole – 38,2 ; par région : Afr. – 10,9, Amér. – 5,5, Asie – 7,9, Eur. – 3,3, Moyen-Orient – 16,3).

• **Industrie. Industrialisation insuffisante et limitée.** Les *politiques fiscale et de protectionnisme des pays importateurs* peuvent décourager les exportations de produits manufacturés même compétitifs. Les conditions techniques et de commercialisation ne sont pas encore adaptées et augmentent le coût de l'industrialisation.

• **% de la pop. active travaillant dans l'industrie** (en 1980). P. à faible revenu 15, à r. intermédiaire 21. **Part dans le PIB** (en 1981, moy. pondérée) : p. à faible r. 34 %, à r. intermédiaire 38 % (p. industrialisés 36 % ; p. exp. de pétrole 40 %, à r. élevé 76 %).

Secteur tertiaire trop élevé par rapport au secteur secondaire. Pour l'ensemble des PVD 53 % du PIB (agric. 8 %, ind. 39 %). *Raisons :* fractionnement de la distribution, puissance des commerçants (contrôle du financement des transports et de la distribution des produits importés). *Manque de garanties pour les petits exploitants,* adaptation difficile des agr. à de nouvelles techniques agricoles, structures agraires existantes défavorables, coût élevé des transactions pour les petits exploitants familiaux (échanges de petites quantités).

• **Inflation.** Généralisée et élevée, elle s'est souvent accélérée ces dernières années. Voir à États.

☞ Selon l'UNICEF, les restrictions imposées par le remboursement de la dette auraient causé la mort de 500 000 enfants en 1988.

Rapports pays riches pays en développement

• **Nouvel ordre économique international. 1974**-*9-4/3-5* 6e session extraordinaire de l'Assemblée générale de l'ONU sur les matières 1res et le développement. Adoption par consensus d'une déclaration et d'un programme d'action concernant l'instauration d'un nouvel ordre économique international qui doit mettre fin au colonialisme économique. *-12-12* 29e session ordinaire de l'Assemblée gén. de l'ONU adopte la Charte des droits et devoirs économiques des États (A. Res. 3281/XXIX). Les principaux pays occidentaux se sont abstenus ou ont voté contre. **1977** les « 77 » pays en dev. réclament notamment : la restructuration du commerce intern. (par un mécanisme intern. de contrôle et la condamnation du protectionnisme), les flux d'aide à des conditions libérales, l'allégement généralisé de la dette, la réforme du système monétaire international, l'accélération de l'industrialisation des PVD, les transferts de technologie, les approvisionnements sûrs et bon marché en céréales vivrières, et l'élaboration d'un nouveau droit de la mer.

• **Différents projets. Fonds commun.** Pour stabiliser les cours, les « 77 » ont proposé la création d'un fonds commun de 3 milliards de $ (ultérieurement porté à 6) cofinancé par producteurs et consommateurs ; il aurait servi à financer l'acquisition de stocks régulateurs pour les matières premières les plus sensibles : 10 d'abord, puis 18. **Projet RIO (Reshaping the international order)** élaboré sous l'égide du Club de Rome : préconise l'établissement d'une trésorerie mondiale et d'impôts internationaux sur les matières premières pour combler l'écart entre pays riches et pauvres ; création d'une autorité mondiale en matière de denrées alimentaires, d'une agence du désarmement et d'une organisation internat. du commerce et du dévelop. Les pays dév. auraient dû consacrer 0,7 % de leur PNB à l'aide au tiers monde jusqu'en 1980 et 1 % au moins après (France, 1989 : 0,54 %). A partir de 1985, la moitié au moins de tous les transferts de technologie vers les pays démunis auraient dû se faire automatiquement. Voir aide au tiers monde, p. 1684.

Dialogue Nord-Sud

• **Sessions de la CNUCED** (Conférence sur le commerce et le développement des Nations unies) : **1964, 68, 70** (accord prévoyant l'octroi à tous les PVD d'avantages tarifaires sans réciprocité ni discrimination sur leurs exp. de prod. manuf. et semi-finis ; **72, 76.** Nairobi (3/28-5) : conférence précise le cadre des futures négociations pour les produits de base (accords par produit, fonds commun pour le financement d'un stock régulateur). Désaccord sur l'endettement des PVD ; **79** Manille (7-5/3-6) : accord sur la propriété industrielle, les pratiques commerciales restrictives, désaccord des pays industrialisés sur un rôle accru de la CNUCED et sur les questions monétaires ; **83** Belgrade (6-6/3-7) : mesures étudiées pour fournir aux PVD non producteurs de pétrole env. 70 milliards de $ dans les années à venir, échec. **87** Genève (9-7/3-8) : 7e CNUCED : souligne l'interdépendance des pays industrialisés et en développement. Accord sur la mise en place du fonds commun des produits de base ; **90** (Paris, sept.) : conférence sur les PMA.

• **Conférence Nord-Sud.** Conçue d'abord comme une réunion sur l'énergie (proposée par la France en oct. 1974), rassemblait à l'origine les représentants des pays producteurs de pétrole, les pays consommateurs et sous-développés (Brésil, Zaïre, Inde).

• **Conférence mondiale de l'emploi** **1976** (juin) : les « 77 » ont accepté la création du Fonds international d'aide aux travailleurs, proposé par le BIT, à condition qu'il soit financé uniquement par les pays riches.

• **Conférence sur la coopération économique internationale** (CCEI, élargissement de la CNUCED en déc. 75-juin 77). *4 commissions :* énergie, matières premières, développement, affaires financières. 1re réunion Paris (16/8-12-1975), 2e Paris (30-5/2-6-1977) réunit 8 pays développés et 19 PVD.

• **Tokyo Round** **1978-79** : négociations commerciales multilatérales mondiales : libéralisation des échanges commerciaux permettant notamment aux PVD de développer leurs export. vers les p. dév.

• **Assemblée gén. des Nations unies.** **1980** (26-8/15-9) (11e session extraordinaire) : nouvelle stratégie internat. de développement définie : les PVD doivent avoir une croissance de 7 % de 1980 à 1990 ; les pays dével. doivent augmenter l'aide publique au dév. pour atteindre et dépasser 0,7 % de leur P.N.B. **1986** (27-5/1-6) : session spéciale : plan quinquennal de redressement écon. pour l'Afrique.

• **Convention de Lomé.** Voir Index. 1re **1975** (28-2) (entrée en vigueur 1-4-76), 2e : **1979** (31-10) (entrée 1-1-81), 3e : **1984** (8-12), 4e : **1989** (15-12) (entrée 1-3-90 pour 10 ans), 66 membres. Signée entre la CEE et 68 pays d'Afrique, des Caraïbes et du Pacifique (ACP) [Angola, Antigua et Barbuda, Bahamas, Barbade, Belize, Bénin, Botswana, Burkina Faso, Burundi, Cameroun, Cap-Vert, Rep. Centrafricaine, Comores, Congo, Côte-d'Ivoire, Djibouti, Dominique, Éthiopie, Fidji, Gabon, Gambie, Ghana, Grenade, Guinée-Bissau, Guinée-Conakry, Guinée-Équatoriale, Guyane, Haïti, Jamaïque, Kenya, Kiribati, Lesotho, Liberia, Madagascar, Malawi, Mali, Maurice, Mauritanie, Mozambique, Niger, Nigeria, Ouganda, Papouasie-N.-Guinée, Rwanda, St Christopher and Nevis, St-Domingue, Ste-Lucie, St-Vincent et Grenadines, Salomon, Samoa occid., Sao Tomé et Principe, Sénégal, Seychelles, Sierra Leone, Somalie, Soudan, Suriname, Swaziland, Tanzanie, Tchad, Togo, Tonga, Trinité-et-Tobago, Tuvalu, Vanuatu, Zaïre, Zambie, Zimbabwe]. *Aide financière de la CEE :* 12 milliards d'écus (1 écu = 7 FF), renouvelée au terme des 5 premières années. 1,15 milliard d'écus seront consacrés aux opérations microéconomiques, 10,8 aux programmes éducatifs. 32 ACP sont sous le contrôle des institutions de Bretton-Woods. *Prêts spéciaux* (remboursables en 40 ans, avec taux d'intérêts de 1 %) : transformés en dons. *Crédit de la Banque européenne d'investissement* (BEI) : 1,2 milliard d'écus. Stabex, système de stabilisation des recettes à l'exportation des produits de base (une cinquantaine) : 1,5 milliard d'écus. Les ACP les moins pauvres ne seront plus tenus, à l'instar des plus démunis, de rembourser les transferts financiers du FED destinés à compenser les pertes d'une année sur l'autre. *Mécanisme de soutien à la production minière (Sysmin) :* 480 millions d'écus (contre 415). Produits couverts : bauxite, cobalt, cuivre, étain, fer, manganèse, phosphate, uranium. Des subventions seront accordées si les fonds du minerai concerné représentent 15 % des export. totales du pays (10 % pour les PMA), et si la baisse de production atteint 10 %.

Produits agricoles des ACP. 95 % des produits alimentaires vendus dans la CEE bénéficient de conditions privilégiées.

Produits manufacturés. Pratiquement tous peuvent entrer librement dans la CEE. Le contenu local peut être limité à 45 % de la valeur du produit exporté (60 % sous Lomé III) : *Rhum :* 172 000 hl pourront être fournis par an aux États membres (ex. G.-B.) sans droits de douane (*1994 et 95 :* 192 000, *1995 :* 212 000). *Sucre de canne :* la CEE s'engage à acheter 1,3 million de t à des prix garantis comparables à ceux consentis aux producteurs européens.

• **Conférence de l'ONU.** **1977** (29-8/9-9) Nairobi : désertification. **1978** (30-8/12-9) Buenos Aires : coopération technique. **1979** (20/31-8) Vienne : science et technique au service du développement. **1981** (10/21-8) Nairobi : énergies nouvelles et renouvelées. **1983** (1/14-9) Paris : PMA. **1984** (6-1/4-8) : population. **1985** (10/27-7) : droits de la femme. **1988** (juin) Caracas : gestion des déchets industriels. Vise à réglementer l'envoi massif de résidus vers les PVD (Afrique notamment).

• **Conférence internationale sur la coopération et le développement.** **1981** (22/23-10) : Cancún, Mexique. *Participants :* 22 pays développés ou VDP. Accord sur lancement de négociations globales.

• **Sommet de Versailles.** **1982** (6-7) (Paris) : dans le cadre des discussions générales de 7 principaux p. industrialisés. Accord sur le principe de l'accroissement des flux d'aide publique, amélioration des mécanismes financiers, action renforcée en direction des PMA. Le texte de résolution des « 77 » de mars 1982 est accepté sous réserve de 4 amendements dont 2 refusés par les « 77 ».

• **Sommets franco-africains.** **1982** (oct) : Kinshasa (Zaïre) : 19 États (absents : Algérie, Libye, Ghana, Guinée, Cameroun). Le Pt Mitterrand s'engage à consacrer 0,52 % du P.N.B. français en 1983 à l'assistance au tiers monde (1982 : 0,42 %). **1987** (déc) à Antibes, il invite les pays endettés à ne pas recourir à des solutions unilatérales qui risquent de les isoler.

1989 (mai) : Dakar : sommet de la francophonie. Le Pt Mitterrand annonce l'annulation des créances d'aide publique au développement pour les 35 pays les plus pauvres et les plus endettés de l'Afrique subsaharienne. Approuvée par le Parlement dans le cadre de la loi de finances pour 1990, représente un encours de 27 milliards de F (20 de principal, 7 d'intérêts). **1990 :** (juin) : La Baule : les prêts de la Caisse centrale de coopération écon. aux pays de revenu intermédiaire d'Afrique francophone (Congo, Cameroun, Côte-d'Ivoire, Gabon) bénéficieront désormais d'un taux max. de 5 % [allègement total pour 1990 de 250 millions de F (env. 1 350 millions de F pour l'ensemble de la durée de vie des prêts)].

• **Sommet sur la protection de l'atmosphère du Globe.** **1989** (1-3) La Haye : 12 pays industrialisés et 12 pays en développement.

• **Conférence ACP/CEE** [ministres des Aff. étrangères de la CEE et de 65 pays de l'ACP (Afrique, Caraïbes, Pacifique) signataires de la convention de Lomé + Angola et Mozambique]. *1re* **1983** (6-10) et *2e* **1984** (9/10-2) à Bruxelles : renouvellement de l'accord de coopération en vigueur. L'ACP estime que l'aide financière de la CEE devrait atteindre 55 milliards de F de 1985 à 1989 (soit + 50 % par rapport à la dernière période).

Plan Brady. Présenté le 10-3-1989 par Nicolas Brady, secr. américain au Trésor, approuvé en avril dans le cadre du FMI et de la Banque mondiale. Concerne 39 pays : 14 des 15 États du « Plan Baker » (la Colombie n'y figure plus) : Argentine, Bolivie, Brésil, C.-d'Ivoire, Équateur, Maroc, Mexique, Nigeria, Pérou, Philippines, Uruguay, Venezuela, Yougoslavie ; 8 pays latino-amér. : Costa Rica, Guyana, Honduras, Jamaïque, Nicaragua, Panamá, St-Domingue, Trinité-et-Tobago ; 8 africains francophones : Congo, Gabon, Guinée, Madagascar, Niger, Sénégal, Togo et Zaïre ; 6 anglophones dont Afr. du Sud ; 1 lusophone : Mozambique ; 2 pays de l'Est : Pologne et Roumanie ayant une dette (dont bancaire 330) extérieure de 650 milliards de $. Prévoit la réduction volontaire de dette, en se fondant sur : 1°) les ressources et la participation des institutions multilatérales ; 2°) diverses pressions morales et politiques sur les banques commerciales (d'où l'incertitude et la longueur des négociations). Déjà en partie appliquée avec la création en 1984-85 du marché « gris » (secondaire) sur lequel les banques échangent entre elles certaines de leurs créances moyennant une décote variable. *Situation en mai 1990 :* accord signé par le Mexique et ses créanciers le 4-2-1990 pour 47 milliards de $ de dette bancaire à moyen et long terme. Chacune des 530 banques du consortium pourra choisir entre : 1°) convertir la dette (avec décote de 35 %) en obligations à 30 ans (portant intérêt au taux du marché) ; 2°) convertir sans décote, en créance bancaire du même type mais à taux fixe réduit (6,25 % contre 10 % environ) ; 3°) accorder des prêts bancaires nouveaux à 15 ans, au taux du marché pour des montants correspondant à 25 % de leurs engagements antérieurs à moyen et long terme. Cet accord devant permettre au Mexique d'économiser 700 millions de $/an (soit 9 % du service de sa dette totale et 14 % du service de sa dette bancaire). L'échange de créances avec une décote de 35 % devrait réduire de 7 milliards l'encours de la dette bancaire. Mais pour constituer le fonds de garantie prévu par l'accord (soit 7,4 milliards), le Mexique a dû puiser 1 milliard de $ dans ses réserves et emprunter le reste auprès du FMI, de la Banque mondiale et de la Banque du Japon. Cette nouvelle dette, augmentée des intérêts, devra être remboursée. Pour les autres pays, Venezuela, Philippines, Maroc, Costa Rica, Côte-d'Ivoire, pas d'accord définitif signé.

Plan SELA (Système économique latino-américain). Adopté par ses 26 membres le 22-6-1990. *Objectifs :* réduction de la dette régionale, croissance de 5 à 6 % par an en ramenant les remboursements à 10 milliards de $ (40 actuellement) ; échangeant la principale dette bancaire contre des bons à long terme (remboursables sur 35 ans ou plus, d'une valeur réduite prenant en compte la cote de ces titres sur le marché secondaire), et en demandant une baisse des taux à 5 % (au lieu de 10).

Dialogue Sud-Sud

• **Mouvement des p. non alignés.** *Créé* 1961 (1/6-9) à Belgrade (1re conf. des chefs d'État et de gouv.). *Objectif :* préserver l'indépendance de ces p. par rapport aux 2 superpuissances (USA et URSS). *2e* au *4e* sommet voir p. 830.

5e : **1976** (16/19-8) Colombo, *6e* : **1979** (3/8-9) La Havane, *7e* : **1983** (7/12-3) New Delhi : déclaration sur l'autonomie collective des pays non alignés et autres PVD, et programme d'action pour la coopération économique ; projet d'une banque des PVD. *8e* : **1986** (1/7-9) Harare, *9e* : **1989** (1/7-9) Belgrade voir p. 830.

• **Conf. des min. des Aff. étrangères.** **1972,** Georgetown : élaboration d'un programme d'action pour la coopération économique entre PVD.

• **Sommet d'Alger.** **1973 :** les pays non alignés décident d'utiliser tous les moyens disponibles pour atteindre leurs objectifs économiques, y compris l'établissement d'un nouvel ordre économique international qui sera adopté par l'ONU. **1974 :** leur mouvement est peu à peu remplacé dans les discussions Nord-Sud par le Groupe des 77 (125 États membres en 1981).

• **Rencontres des ministres du groupe des 77** (*3e* : **1976,** Manille) **et Conférence sur la coopération économique entre PVD** : **1976** (13/22-9), Mexico.

Sommet arabo-africain. *1[o]* : **1977** (7/9-3) Le Caire : adoption d'une charge de la coopération afro-arabe et promesse d'une assistance financière à l'Afrique de 1,460 milliard de $.

• **Coopération Sud-Sud.** **1981** (mai) Caracas, Venezuela : échanges de vues sur le commerce entre PVD.

• **Consultations de New Delhi** (1980). Sur l'industrialisation (22/24-2-1982). Relance du dialogue Nord-Sud sur l'initiative d'Indira Gandhi (44 PVD).

Sommet du G 15 (groupe des 15). **1990** (1/3-6) Kuala Lumpur : Algérie, Argentine, Brésil, Égypte, Malaisie, Inde, Indonésie, Jamaïque, Mexique, Nigeria, Pérou, Yougoslavie, Sénégal, Venezuela, Zimbabwe.

• **11e et dernière session de la 3e Conférence des Nations unies sur le droit de la mer.** **1982** (8-3/30-4) Jamaïque : convention adoptée prévoyant une gestion internationale des ressources minérales des fonds marins. Vote positif de la France, négatif des USA, abstention de l'URSS.

• **TOES (The Other Economic Summit).** **1989** (15/16-7) *Paris* (à l'occasion de la réunion des 7 pays les plus riches) : 1er « sommet des 7 peuples les plus pauvres » : Amazonie, Bangladesh, Burkina Faso, Haïti, Mozambique, Philippines, Zaïre. Réclament une remise générale de la dette.

• **Accords internationaux en fonctionnement en 1988.** Date de l'accord et, entre parenthèses, mécanisme. **Existants :** *Étain* 6e accord 1981 (stock régulateur). *Sucre* 7e 1987 (quotas et stock complémentaire). *Cacao* 4e 1986 (stock régulateur), le stock a épuisé ses ressources (absence de la Côte-d'Ivoire et des USA). *Café* 4e 1983 (quotas) (absence de l'URSS). *Caoutchouc* 2e 1987 (stock régulateur), a commencé à opérer en 1982. *Jute* 1er 1982, pas de cl. économique. **Arrangements :** *Viandes* GATT 1980, pas de cl. économique. *Produits laitiers* GATT 1980 (prix minimal à l'exportation). *Blé* accord de 1971, convention d'aide alimentaire (11,9 millions de t de céréales livrées en 84-85). *Huile d'olive* 3e accord, pas de clause économique. *Fonds commun pour les produits de base* 1980, 1er guichet (stabilisation) = 400 millions de $, 2e guichet (orientation) = 350 millions de $ (ratifié, mais pas encore en vigueur).

Aide internationale au tiers monde

Organisation et formes de l'aide

Formes d'aides. *Multilatérale :* par l'intermédiaire d'organismes internationaux. *Bilatérale :* directe entre pays ; sous forme publique (prêts gouvernementaux, assistance technique) ou privée (investissements, crédits commerciaux...).

Position des pays industrialisés. 2 géants (URSS, Chine) n'attachent aux problèmes du tiers monde qu'un intérêt restreint, ayant par ailleurs chez eux beaucoup à faire. Les USA ont un tel potentiel économique interne qu'ils sont relativement peu concernés par les problèmes économiques extérieurs, sauf en ce qui concerne leurs propres intérêts, ou leur propre sécurité. Europe et Japon (pauvres en énergie et en mat. 1res du fait de l'exiguïté de leur territoire) sont nécessairement tournés vers l'extérieur.

Critiques de l'aide et stratégies de développement

Critiques de l'aide. 1°) **Elle est insuffisante** (voir plus haut). 2°) **Elle est mal distribuée.** Chaque pays donne ce qu'il veut, selon ses intérêts propres et non ceux du pays assisté. De sorte que chaque chef d'État du tiers monde doit quémander cette aide chaque année, sans aucune sécurité pour les années suivantes, et cela auprès de quelque 20 pays. 3°) **Elle est mal utilisée.** Des investissements somptuaires, des frais diplomatiques exagérés (pléthore de fonctionnaires en ville s'occupant de leur propre fonctionnement et ne se préoccupant pas des hommes de la brousse et de leur production) ; mais réformes de structure essentielles non réalisées. Le statut de la fonction publique, l'organisation des ministères, les méthodes d'enseignement, le statut médical, la justice, la force armée, trop souvent copiés sur l'ancien colonisateur, ne conviennent pas. Les hommes sont mal formés aux tâches du développement. 4°) **Les grandes organisations internationales sont peu efficaces.** A l'époque de leur création, le problème du sous-développement était mal connu. Leur structure qui les oblige à avoir des fonctionnaires de tous les pays les condamne à une certaine inefficacité. L'UNESCO reconnaît que, depuis qu'elle existe, le nombre d'illettrés va croissant, et la FAO admet que la faim augmente dans le monde.

Critiques des politiques de développement. Les PVD ont eu tort de rechercher des taux de croissance élevés selon les modèles propres aux pays développés, d'accorder trop d'importance à l'aide extérieure, enfin d'adopter un système d'économie mixte qui a combiné les inconvénients et non les avantages des systèmes capitaliste et socialiste.

Stratégies de développement

Internationalisation du développement. Certaines stratégies prévoient notamment : 1°) *De favoriser les groupements régionaux et continentaux :* aucun pays, par exemple en Afrique, à 3 ou 4 exceptions près, ne peut posséder sérieusement une aciérie, une raffinerie de pétrole ou une industrie mécanique, etc. dans des conditions normales et compétitives. 2°) *Des consortiums de développement* groupant les pays donateurs et disposant d'une autorité réelle. 3°) *Des banques continentales de développement* comme la Banque interaméricaine de développement (BID). 4°) *Des instituts continentaux de développement,* organes de recherche et d'études. 5°) *De favoriser l'industrialisation.* 6°) *De régulariser le commerce mondial.* 7°) *Des formes de développement du type communautaire.* 8°) *De « repenser » l'enseignement.* Seules de nouvelles techniques d'éducation qu'il faut inventer pourront agir en profondeur sur le comportement, l'esprit et la sensibilité d'hommes fermés sur eux-mêmes depuis des millénaires et dominés par le fatalisme et l'irrationnel. L'enseignement doit également revaloriser le travail manuel et agricole. La fuite des cerveaux (notamment des médecins) devrait être évitée (30 % des médecins du centre de l'Angleterre sont pakistanais et indiens ; il y a davantage de médecins dahoméens à Paris que dans tout le Bénin). 9°) *Une université internationale pour le développement.*

Adoption de nouveaux modèles de développement. Certains préconisent notamment : 1°) *De tenir compte* des besoins minimaux essentiels des plus pauvres, qui ne s'expriment pas dans la demande du marché, pour éliminer progressivement malnutrition, maladie, analphabétisme, absence d'hygiène, chômage et inégalités. 2°) *De réaliser* simultanément la croissance de la production et l'amélioration de la distribution, l'emploi devenant un objectif primordial et le capital étant réparti sur des secteurs étendus de l'économie grâce à des travaux publics (même si la productivité doit baisser) et non plus concentré sur un petit secteur moderne à haute productivité. 3°) *De transformer* les institutions politiques, économiques et sociales pour créer un ordre économique et social au niveau de vie modeste mais fondé sur l'égalitarisme. 4°) *De renforcer* la position des pays pauvres dans leurs rapports avec les pays riches.

Aide sur le plan mondial

• **Flux totaux nets** (en milliards de $). *1975 :* 83,3. *80 :* 119,1. *85 :* 78,7.

• **FMI (Crédits du Fonds monétaire intern.).** *De 1982 à 1985 :* 25 milliards de $. **Banque mondiale.** *De 1985 à 1990 :* 800 millions de $.

• **ONU.** Aides aux PVD prévues dans la charte de San Francisco. Env. 370 millions de $ par an.

• **Assistance directe. Programme ordinaire d'assistance technique (POAT) :** envoi d'experts, octroi de bourses, fonctionnaires OPEX (travaillant dans un service public). Crédits très limités. **(UNICEF) :** financé par des contributions volontaires. Aide sanitaire, formation d'éducateurs. Crédits très limités. **PNUD (programme des Nations unies pour le développement) :** *budget (1988-89) :* 376 millions de $ dont activités de développement 331, volontaires des N-U 10,7, achat matériel 3,5, relèvement du Sahel 2, coopération technique 0,681. Mis en œuvre par l'ONU ou des organisations spécialisées : OIT ; FAO ; UNESCO ; OMS ; FMI ; Programme alimentaire mondial (PAM) ; BIRD ; ONUDI (voir ces mots à l'Index).

Nota. – L'aide financière comprend dons, prêts (assortis de conditions financières plus ou moins avantageuses : délai de remboursement, taux d'intérêt, délai de franchise), investissements privés directs, crédits à l'exportation, assistance technique, aide alimentaire.

• **FIDAC (Fonds intern. de développement agricole).** *Constitué* 13-11-1977. *Pt :* M. Idriss Jazairy. Doté de 1 100 millions de $ (dont par les p. développés 620 ; l'OPEP 450 et PVD 30 (France env. 25 millions de $, aucun pays de l'Est n'a contribué sauf Roumanie et Yougoslavie). *Aides :* aides structurelles à des projets spécifiques concernant 110 millions d'habitants dans 90 PVD, production vivrière augmentée de 24 millions de TEP en denrées locales et déficit alimentaire diminué de 21 %.

• **Incitations à l'aide. CES Conseil écon. et social :** organisme d'études, contrôle les activités du PNUD et de la CNUCED. **Commissions économiques régionales de l'ONU FAO :** cherche à utiliser les surplus alimentaires pour le développement. En février 85, création d'un Fonds spécial d'aide à l'Afrique (budget prévu : 1 milliard de $). **GATT Accord général sur les tarifs douaniers et le commerce :** pour la réduction des droits de douane, la libéralisation du commerce international, la hausse des recettes d'exportation. **CNUCED :** organisation internationale des marchés, questions monétaires et problèmes de développement. Voir p. 1683c.

BIRD (Banque intern. pour la reconstruction et le développement). Voir p. 818.

AID (Association intern. de développement). Voir p. 818.

☞ Voir aussi Organisations internationales p. 816.

Aide sur le plan régional

• **Organismes de la CEE.** Politique d'aide aux pays associés : Afrique (1958), puis autres pays d'outre-mer (1963). **FED (Fonds europ. de développement). BEI (Banque europ. d'investissement) :** voir p. 827.

• **Organismes de l'OCDE. CAD (Comité d'aide au développement) :** institué en 1960, coordonne les actions des donneurs d'aide. Les pays membres du CAD sont à l'origine de 74,2 % de l'aide accordée aux PVD.

• **APD (Aide publique au développement).** Apports de capitaux visant à aider les programmes de développement nationaux, financés par le secteur public et assortis de conditions préférentielles comportant un don au moins égal à 25 %, par opposition aux prêts consentis aux conditions normales du marché.

• **Autres organismes financiers « régionaux ». Banque interaméricaine de développement** (en milliards de $) capital (1990) : 61 ; programme de prêts (1990-93) : 22,5. **Fonds africain de développement** (1973) (dont 15 m. non africains : All. féd., Suisse, Suède...). **Banque africaine de développement** (1963) : dep. 1982, participation de 25 pays non africains (dont la France) : 19,8 milliards de $. **Banque africaine de développement** avec la **Sté internationale financière de développement en Afrique (SIFIDA) :** prêts (aux taux du marché) aux secteurs privés et semi-privés qui investissent en Afrique. **Fonds d'investissement de l'OPAFP.** *Les pays communistes* apportent une aide importante.

Faim dans le monde

1986-*25-5 :* à l'appel de l'association Sport Aid, 20 millions de personnes, dans 75 pays, courent sur 10 km en signe de solidarité avec « l'Afrique qui a faim ». *26-5 :* plus de 3 millions d'Américains, main dans la main, forment une chaîne humaine de l'Atlantique au Pacifique, pendant 15 minutes, en faveur des pauvres aux États-Unis. *27-5 :* session spéciale de l'ONU consacrée aux problèmes de développement de l'Afrique.

Autres formes d'aide

• **Accords entre groupes de pays développés et en voie de développement.** Voir p. 1684.

• **Fonds de l'OPEP pour le développement international.** *Créé* 1976. L'aide multilatérale des pays de l'OPEP transite aussi par la *Banque islamique de développement,* la *Banque arabe pour le développement économique de l'Afrique (BADEA),* etc.

Montant et répartition de l'aide

Aide publique globale

Source : CAD

• **Aide publique** (en milliards de $ et, entre parenthèses : en % du P.N.B.). **CAD :** *1975 :* 13,8 *(0,36). 76 :* 13,9 *(0,33). 77 :* 15,7 *(0,31). 78 :* 19,9 *(0,32). 79 :* 22,8 *(0,35). 80 :* 27,3 *(0,38). 81 :* 25,5 *(0,35). 82 :* 27,7 *(0,38). 83 :* 27,6 *(0,36). 84 :* 28,7 *(0,36). 85 :* 29,4 *(0,35). 86 :* 29,9 *(0,35). 87 :* 41,5 *(0,35). 88 :* 47,6 *(0,35). 89 :* 46,5 *(0,33)* [dont Japon 8,9 (0,32), U.S.A. 7,6 (0,15), *France 5,1 (0,54),* All. féd. 4,9 (0,41), Italie 3,3 (0,39), G.-B. 2,5 (0,31), Canada 2,3 (0,44), P.-Bas 2 (0,94), Suède 1,8 (0,98), Australie 1 (0,37), Danemark 1 (1), Norvège 0,9 (1), Belgique 0,7 (0,47), Finlande 0,7 (0,63), Suisse 0,5 (0,30), Autriche 0,2 (0,23), N.-Zélande 0,08 (0,22), Irlande 0,05 (0,17)]. **OPEP :** *1986 :* 4,5 (0,95) [dont Arabie S. 3,5 (4,5). Koweït 0,71 (3). E.A.U. 0,07 (0,34). Irak – 0,04 (– 0,13). Qatar 0,03 (0,08). **CAEM :** *1983 :* 2,9 (0,17) [dont URSS 2,5 (0,19). All. dém. 0,2 (0,12). Autres pays de l'Est 0,3 (0,12)]. *1985 :* 3,5 (0,23). *1988 :* 4,7 (0,2) [dont URSS 4,2]. **Autres donneurs :** *1986 :* 0,3. **Total :** *1986 :* 39,2 (1,59).

Quelques précisions

• **Aide du CAD** (en millions de $ 1988). *A.P.D.* [1] 85 552 (56 % en 88) dont dons bilatéraux et assimilés 27 266 (30 % en 88), prêts bilatéraux 6 930 (8 % en 88), contributions aux organismes multilatéraux (ONU, C.E.E., IDA, banques régionales de développement) 12 483 (17 % en 88) ; *autres apports publics* 4 943 (6 %) dont bilatéraux 5 118 (6 %), multilatéraux – 175 ; *apports privés* 28 261 (33 %) dont investissements directs 25 113 (29 %), inv. de portefeuille bilatéraux – 3 018 (4 %), multilatéraux 1 399 (2 %), crédits à l'exportation – 1 269 (-1 %) ; dons des organismes privés bénévoles 4 234 (5 %). *Total* 85 552.

Apport total de ressources aux PVD en milliards de $. *1960-61 :* 34,83. *1970 :* 53,09. *1980 :* 93,88. *1981 :* 106,76. *1982 :* 96,09. *1983 :* 118,26. *1984 :* 92,25.

Apports nets de ressources vers les pays en développement
(en milliards de $)

	1980	1981	1982	1983	1984	1985	1986	1987	1988
Financement public du développement	45,6	45,6	44,3	42,4	47,7	49	56,1	62	67
Crédits à l'exportation	16,5	17,6	13,7	4,6	6,2	4	– 0,6	– 0,7	3
Apports privés	66,2	74,5	58,3	48,1	31,7	30,8	28,2	35,6	32,9

1985 : 78,7. *1986 :* 68,4. *1987 :* 65,7. *1988 :* 85,5 dont A.P.D. 48,1 [dont bilatérale 33 ; organismes multilatéraux 14,9] ; *dons des organismes privés bénévoles* 4,23 ; *apports à des conditions non libérales* 54 [1] [dont publics ou bénéficiant du soutien du secteur 20 (dont crédits privés à l'exp./CAD 5, crédits publics à l'exp./CAD 2,50, multilatéraux 7,50, autres apports publics et privés/CAD 3, autres donneurs 2) ; privés 29,7 (dont investissements directs 7,70, secteur bancaire 13,5 [2], prêts obligatoires 4,50)]. Financement public du développement [2] 54,8.

Nota. – (1) 1983. (2) Chiffre couvrant un important volume de dettes à court terme rééchelonnées.

• Aide des pays du CAD. **Apports totaux nets financiers aux PVD et aux agences multilatérales** (en millions de $ aux prix et taux de change courants. 1989 et, entre parenthèses, % du PNB). Allemagne 4 953 (0,41). Australie 1 017 (0,37). Autriche 282 (0,23). Belgique 716 (0,47). Canada 2 032 (0,44). Danemark 1 003 (1). États-Unis 7 664 (0,15). Finlande 705 (0,63). *France* + DOM/TOM 7 467 (0,78) ; sans DOM/TOM 5 140 (0,54). Irlande 49 (0,17). Italie 3 325 (0,39). Japon 8 958 (0,32). Norvège 919 (1,02). Nlle-Zél. 87 (0,22).Pays-Bas 2 094 (0,94). Royaume-Uni 2 588 (0,31).Suède 1 809 (0,98). Suisse 559 (0,30). Total 46 498 (0,33). *Source :* OCDE.

• Aide des pays de l'OPEP à des conditions libérales. **Versements nets** (en millions de $ et entre parenthèses en % du P.N.B. en 1985). *Pays arabes* 3 654 (2,55) dont Arabie Saoudite 2 629 (2,86), Koweït 770 (3,25), EAU 71 (0,29), Qatar 9 (– 0,18) ; autres pays 174 (0,15) dont Libye 149 (0,58), Algérie 52 (0,09). *Pays non arabes* – 52 (– 0,02) dont Nigeria 45 (0,06), Venezuela 32 (0,07), Iran – 129 (– 0,08). **Principaux bénéficiaires de l'aide bilatérale des pays arabes de l'OPEP** (en 1985, en millions de $). Syrie 746, Jordanie 407, Soudan 190, Bahreïn 98, Bangladesh 81, Yémen 60, autres pays arabes 39,5. Sénégal 33,5, Turquie 32,3, Djibouti 28,9, Algérie 27,9, Mauritanie 24,7, autres pays afr. non arabes 34,1. Amérique, Europe, Océanie 72,1. Non ventilé [1] 1 775.

Nota. – (1) Principalement dons et prêts du ministère des Finances saoudien dont la ventilation n'a pas été communiquée.

• Aide des pays du CAEM (URSS et Europe de l'Est). Représente 9,1 % de l'aide totale en 1988. Fournie en roubles non convertibles, remboursement plus rapide que pour les pays de l'OCDE.

Versements nets des pays du CAEM aux PVD et aux organismes multilatéraux en millions de $. (en milliards de $ et, entre parenthèses, en % du P.N.B.). *1975 :* 1 51 (0,14). *80 :* 2,7 (0,17). *84 :* 3,03 (0,21). *85 :* 3,52 (0,23). *86 :* 4,64. *87 :* 4,87. *88 :* 4,69 dont (87) aide bilatérale nette 4,85 (dont PVD membres du CAEM 3,52, autres pays communistes 0,54, autres PVD 0,46, bourses 0,33 ; contributions multilatérales 0,02).

Principaux bénéficiaires (en 1988, en millions de $). Viêt-nam 1 848. Cuba 853. Mongolie 726. Afghanistan 223. Cambodge 188. Laos 116. Corée du N. 63. **Viêt-nam.** *1955 :* 1er accord signé ; aide à la construction et à la fourniture de biens de consommation. *1981-85 :* plan quinquennal privilégiant centrales électriques, charbonnages, prospection de gaz et de pétrole, irrigation des terres agricoles. Les déficits commerciaux avec les pays du CAEM ont été convertis en prêts à long terme, remboursables sur 30 ans, avec un différé d'amortissement de 10 ans. Beaucoup de Vietnamiens sont formés dans les pays du CAEM, surtout en URSS **1989** *Aide de l'URSS* 1,6 milliard de $, pays d'Europe de l'Est : 190 000 000 $. **Cuba.** *1960-61 :* aide soviétique avec 2 prêts (raffinerie de pétrole et centrale électrique). *Jusqu'en 1975-76 :* crédits pour financer le déficit commercial entre les 2 pays, pour développer industries du sucre et du nickel, centrales électriques (notamment c. nucléaire de Cienfuegos) et production d'agrumes. *1980 :* aide sov. 0,5 milliard de $ par an (+ pays de l'Europe de l'Est : 0,18). L'URSS consent des bonifications sur les prix du sucre et parfois du nickel. *1984 :* aide sov. + de 3,6 milliards de $ et pétrole livré à un prix inférieur à celui du marché mondial. URSS ayant relevé ce prix tandis qu'il baissait sur le marché mondial, la bonification s'est réduite (*1981 :* 1,5 milliard de $, *83 :* 0,2, *84 :* 0,035). Cuba a pu revendre en devises fortes le pétrole sov. importé qu'elle n'a pas utilisé (revente 1984 : env. 0,55 milliard de $). *1988 :* contribution 0,66 milliard de $ (pays de l'Europe de l'Est : 0,19). Mongolie. *1980 :* aide sov. (env. 0,60 milliard de $ par an) (développement des industries extractives, de la métallurgie des non-ferreux et de l'agriculture, élevage surtout. *1988 :* 0,715. **Afghanistan.** *1954 :* 1er pays non communiste à recevoir un prêt de l'URSS. **Inde.** *1955 :* l'URSS finance les aciéries de Bhilai. *Période 1980-83 :* les versements nets de l'URSS représentent en moy. 1 % du montant total net reçu par l'Inde au titre de l'aide. *1984 :* l'aide est intervenue pour 40 % de la capacité de production d'acier, + de 30 % des installations d'extraction de pétrole, 40 % de la capacité de raffinage de pétrole, 80 % des équipements de la métallurgie, + de 50 % des équipements lourds des centrales et 10 % de la production d'électricité. *1985 :* nouvel accord. **Afrique subsaharienne.** Aide faible. *1980-83 :* en moy. 4 % de l'apport total.

• Aide fournie par les PVD. **Chine** (millions de $). *1983 :* – de 150. *84 :* 186. *85 :* 168. *86 :* 366. *88 :* 192. *Principaux bénéficiaires :* Kenya, Bangladesh, Zimbabwe, Cap-Vert. Prêts à long terme sans intérêt (dep. 1980). *Personnel d'assistance technique. 1981 :* 9 700. *82 :* 17 000. *85 :* 27 000.

Inde. (millions de $) *1983 :* 134 dont Bhoutan et Népal (près des 3/4), Viêt-nam, Tanzanie, Zambie. *1984 :* 103. *85 :* 135. *86 :* 128. *88 :* 134.

Yougoslavie. Prêts assortis de conditions libérales ou dons. *1982 :* 20 millions de $.

L'aide des PVD est fournie principalement sous forme d'assistance technique et de contributions à des organismes multilatéraux en particulier au PNUD et à quelques autres institutions des Nations unies ainsi qu'aux institutions financières régionales.

• Apports des organismes multilatéraux. Versements nets (prêts et dons en millions de $, 1989). BIRD 3 302 ; ONU 4 000 ; IDA 3 266 ; BID 1 292 ; Banques régionales 1 637 (86) ; CEE 2 805 ; FIDA 100 ; SFI 388. Institutions de l'OPEP et des pays arabes 241 (87). *Total* 19 601.

Pays bénéficiaires. Ressources totales reçues (en millions de $, 1989). *Europe* 341 *dont* Turquie 122, Portugal 79, Chypre 46, Yougoslavie 43. *Afrique* 18 123 *dont* Égypte 1 578, Kenya 967, Tanzanie 918, Soudan 760, Mozambique 759, Éthiopie 702. *Amérique* 5 596 *dont* Martinique 619, Salvador 446, Bolivie 432, Paraguay 300, Jamaïque 258, Honduras 256. *Asie* 14 951 *dont* Chine 2 227, Birmanie 1 874, Indonésie 1 830, Bangladesh 1 791, Israël 1 192, Pakistan 1 119. *Océanie* 1 309 dont Papouasie-N.-Guinée 334. *PVD non spécifiés* 7 651. *Total mondial* 49 970.

Principaux pays en développement dépendant de l'aide (Part de l'aide de toutes provenances, en valeur nette dans le PNB, en %, en 1982-83). Cap-Vert [1] 58,0. Guinée-Bissau [1] 40,8. Mauritanie 25,3. Tchad [1] 24,9. Somalie [1] 24,3. Gambie [1] 22,2. Mali [1] 21,0. Jordanie 20,1. Djibouti [1] 18,6. Burkina Faso [1] 17,8. Iles du Pacifique 16,1. Lesotho [1] 15,7. Niger [1] 15,5. Papouasie-N.-Guinée 14,1. Rép. Centrafr. [1] 13,9. Tanzanie [1] 13,7. Botswana [1] 13,6. Burundi [1] 12,9. Togo [1] 12,6. Sénégal 12,4. Yémen démocr. [1] 12,3. Liberia 11,9. Seychelles 11,5. Guyane 11,1. Bangladesh [1] 10,8. Soudan [1] 10,8. Rwanda [1] 10.

Nota. – (1) Indique les pays les moins avancés.

☞ Apports privés (en milliards de $). *1975 :* 37,8. *80 :* 60,9. *85 :* 29,7. *87 :* 18,7. *88 :* 28,2.

Aide française

☞ Aide bilatérale. Recouvre : la part des dons de l'État (budget de la coopération, affaires étrangères et recherche pour l'essentiel) dans l'aide publique ; la part des annulations de la dette des pays les plus pauvres (décidées aux sommets de Toronto et Dakar) qui représentent une aide de 2,2 milliards de F ; la part des prêts de l'État à travers les prêts du Trésor (3,57 millions de F) et les prêts bonifiés de la Caisse centrale de coopération économique (5 milliards de F) qui bénéficient en 1990 de concours accrus du FDES (2,5 milliards de F contre 1,9 milliard de F en 1989) et des concours financiers du budget de la coopération (500 millions de F) maintenus en F courants. **Aide multilatérale.** Recouvre la participation de la France : aux actions européennes de développement (4,5 milliards de F dont 2,45 pour le FED) ; au financement des banques et des organisations internationales dépendant de l'ONU (3 milliards de F) ; au financement, à hauteur de 1 milliard de F, de la dotation destinée à la facilité d'ajustement structurel du FMI afin d'apporter aux pays les plus pauvres et les plus endettés de nouveaux concours qui leur permettront de poursuivre leur politique d'ajustement et d'assainissement économique.

• Apports totaux. Valeur (en milliards de F et, entre parenthèses, en % du PNB). *1975 :* 16,9 (1,16). *76 :* 25,4 (1,53). *77 :* 25,6 (1,37). *78 :* 35,8 (1,67). *79 :* 36,9 (1,52). *80 :* 48,7 (1,77). *81 :* 62,3 (2,01) *82 :* 89,2 (2,51). *83 :* 71,1 (1,80). *84 :* 77,8 (1,82). *85 :* 79,7 dont *1°) APD* avec DOM-TOM 35,9 (sans DOM-TOM 24,8) dont : *bilatérale* 29,3 (sans DOM-TOM 15,8) [coopération technique et culturelle 13,6, aide aux investissements 8,5 (dons 3,2, prêts nets 5,3), soutien écon. et financier 7 (aide alim. 0,3, consolidation de dettes 1,3)], *multilatérale* 6,6. *2°) Autres apports du secteur public* 10,2 (sans DOM-TOM 7,7). *3°) Apports privés* 33,5 (crédits privés à l'exportation garantis 17,2, prêts et investissements 15,7, dons des organismes bénévoles 0,5).

• Aide publique au développement (en milliards de F). Aide totale (bilatérale + multilatérale) dont, entre parenthèses, bilatérale et, en italique, en % du PNB. *1980 :* 10 (7). *81 :* 14 (10,6) *0,45*. *82 :* 17,2 (12,5) *0,49*. *83 :* 19 (13,9) *0,48*. *84 :* 22,3 (16,9) *0,52*. *85 :* 24,8 (18,3) *0,54*. *86 :* 24,3 (17,7) *0,48*. *87 :* 27 (19,7) *0,51*. *88 :* 28,4 (20,9) *0,50*. *89 :* 31,7 (22,4) *0,54*. *90 :* 34,6 *0,54*. *91 :* 38,4 (0,56).

Aide publique aux PMA (en milliards de F et, entre parenthèses, en % du PNB). *1980 :* 2,4 (0,09). *81 :* 3,3 (0,11). *82 :* 4,3 (0,12). *83 :* 5,1 (0,19). *84 :* 6,6 (0,15). *85 :* 7,3 (0,16). *86 :* 6,7 (0,14). *87 :* 7,4 (0,14). *88 :* 8,2 (0,14). *89 :* 9,4 (0,15).

Répartition de l'aide bilatérale : dons et, entre parenthèses, **prêts** (en %, en 1989). *1983 :* 54,3 (18,9), *87 :* 43,7 (29,6), *90 :* 45,8 (27,3).

• Aide privée. *1985 :* 967 millions de F.

Contribution française aux différentes institutions internationales et aux projets multilatéraux de développement. (1989). En milliards de F et, entre parenthèses, part en % dans l'aide multilatérale. CEE 4, Budget général 1,8, FED 2,2 (47,6). Banque mondiale 2,2, AID 2, BIRD 0,2 (26,2). Institutions régionales 0,9, dont groupe AID 0,5 (10,7). FMI 0,5 (6). Nations unies 0,7, contributions obligatoires 0,3, bénévoles 0,4 (8,3). Divers 0,1 (1,2). *Total :* 8,4.

Part de l'Afrique dans l'aide française. 1985-86 : 65 %. *88 :* 70,3. *89 :* 68,2.

Coopération

• Crédits concourant à l'action extérieure (en milliards de F, 1990). *Budget général :* 48,3 dont dépenses civiles 47,2 (aff. étr. 11,8, agriculture et forêts 0,49, anciens combattants et victimes de guerre 0,49, coopération et développement 7,3, culture, communication, grands travaux et bicentenaire 0,11, écon. finances, budget 22,5, éducation nat. 1,3, équipement, logement, transports, mer 1,3, ind. et aménagement du territoire 0,25, Intérieur 0,095, recherche et technologie 2,3, Premier ministre 0,043, travail 0,012), défense 1. *Budget annexe :* 4,3 dont navigation aérienne 0,13, P et T et espace 4,2. *Comptes spéciaux du Trésor :* 14,8. *Total :* 67,5.

• Budget du min. de la Coopération (dotations initiales en millions de F). *1980 :* 3 015. *81 :* 4 709. *82 :* 4 898. *83 :* 5 477. *84 :* 6 448. *85 :* 6 203. *86 :* 6 447. *87 :* 5 889. *88 :* 6 566. *89 :* 6 978. *90 :* 7 313 dont dépenses ordinaires 5 594 [moyens et services 446,8, interventions 5 148 (crédits d'assistance technique 2 882, concours financiers 975, coopération militaire 876,8, associations de volontaires pour le développement 14,5, organisations non gouvernementales et actions de coopération décentralisées 8, établissements français à l'étranger 16)], dép. en capital 1 718. Autorisations de programme 1 982. *91 :* 7 900.

Détail du budget de l'assistance technique (en millions de F en 1990). 2 882 dont coopérants enseignants 1 226,4, c. techniques 888,4, aide au développement 231,9, bourses 258,2, assistance sur conventions 194,2, aide alimentaire 75, manif. commerciales et divers 7,9.

Effectif d'assistance technique (volontaires du progrès compris). *1985 :* 9 508, *86 :* 9 176, *87 :* 8 828, *88 :* 8 685, *89 :* 8 365 dont civils 7 151, volontaires du service nat. 728, du progrès 486.

Assistance technique. Postes rémunérés par la coopération (1985). 14 688 dont C.-d'Ivoire 3 092. Maroc 2 633. Algérie 1 444. Sénégal 1 014. Cameroun 611. Gabon 598. Tunisie 594. Asecna et Offermat 538. Madagascar 466. Djibouti 429. Congo 353. Niger 345. Centrafrique 338. Burkina Faso 316. Mauritanie 281. Mali 259. Togo 185. Zaïre 129. **Effectif** (prévisions 1985). Total 23 496 dont : enseignants des services français 4 891 ; ens. à la disposition des États 9 901 ; administration générale 1 051 ; économie et finances 247 ; travail et santé 1 340 ; agriculture, élevage et génie rural 616 ; énergie 204 ; construction, travaux publics et transports et télécommunications 1 549 ; armées 1 309 ; divers (dont police) 2 388.

Nota. – Ne sont pas compris : les militaires du contingent servant dans les établissements fr. à l'étranger ; les enseignants intégralement rémunérés par les États étrangers ; les ens. affectés dans les établ. fr. à l'étranger, à l'exception de l'Afrique.

Assistance technique militaire. Assistance mil. *1960-61 :* 3 000 cadres français. *71 :* 1 946. *75 :* 940. *80 :* 1 134. *82 :* 977. *84 :* 1 318. *85 :* 1 304. **Formation de stagiaires.** *1982 :* 1 771 officiers et sous-off. **Soutien logistique :** aide directe (fourniture gratuite de matériels militaires), services d'inspecteurs techniques.

• **Ministère des Affaires étrangères** (ex. Relations extérieures). (Dir. générale des Relations culturelles, scientifiques et techniques : DGRCST). **Budget** (en millions de F) : *1980 :* 1 218. *1981 :* 2 528. *1982 :* 2 959. *1983 :* 3 009. *1984 :* 3 286. *1985 :* 3 198. *1987 :* 3 661. *1988 :* 3 836. *1989 :* 3 898. **Coopérants** *(1990) :* 5 121 dont *Afrique du N. :* 1 693 dont Maroc 1 036, Tunisie 439, Algérie ; *au sud du Sahara :* 288 dont Éthiopie 72. *Amérique latine :* 650 dont Brésil 140, Mexique 93, Argentine 63, Colombie 60. *Du N. :* 287 dont USA 184, Québec 58. *Asie-Océanie :* 505 dont Inde 90. *Eur. de l'Ouest :* 1 020 dont Espagne 176, All. féd. 172, Turquie 145, Italie 102, G.-B. 89, Portugal 59. *Europe de l'Est :* 227 dont URSS 80. *Proche et Moy.-Orient :* 450 dont Égypte 119, Liban 79.

• **Volontaires du service national actif** (1990). 1 716 (dont *88 :* enseignants 863, coopérants techniques 865, divers 97). *Zones géographiques :* Europe de l'Ouest : 229, de l'Est : 51. Afr. du Nord : 198, au sud du Sahara : 179. Proche et Moyen-Orient : 226. Asie-Océanie : 239. Amér. du N. : 351, latine : 243.

Bourses accordées au titre de la coopération du min. des Affaires étrangères (1988) : 7 950 bourses d'études (dont Sciences fondamentales 1 979, Lettres et Sciences humaines 1 297, Sciences appliquées et Technologie 1 244), 5 850 bourses de stage, 4 990 bourses d'été.

Personnalités

☞ Voir aussi littérature, danse, musique, notices sur les grands journaux, politique (leaders de partis, ministres, etc.), prix Nobel. Acteurs et réalisateurs cités également à la section cinéma sont signalés par un astérisque (*).

Liste des abréviations				
Accordéoniste : Acc.	Cameraman : Cam.	Économiste : Éco.	Japon : Jap.	Psychanalyste : Psy.
Acteur : A	Canada : Ca.	Écosse : Éc.	Joaillier : Jo.	Publicité : Pu.
Administrateur Civil : Ad. c.	Chansonnier : Ch.	Éditeur : Éd.	Journaliste : J.	Radio : R.
Aéronautique : Aé.	Chanteur : C.	Égypte : Ég.	Magicien : Ma.	Réalisateur : Ré.
Affaires : Af.	Chorégraphe : Cho.	Enseignant : Ens.	Magistrat : Mag.	Reporter : Rep.
Afrique du Sud : Afr. S.	Cinéma : Cin.	Espagne : Es.	Mannequin : Man.	Restaurateur : Rest.
Allemagne : All.	Coiffeur : Coi.	Ethnologue : Et.	Médecin : Méd.	Roumanie : R.
Animateur : An.	Clown : Cl.	Explorateur : Expl.	Metteur en scène : M.	Scénariste : S.
Arabie Saoudite : Ar. Sa.	Collectionneur : Coll.	Fonctionnaire : Fonct.	Militaire : Mil.	Scientifique : Sc.
Architecte : Arch.	Commissaire Priseur : Cp	France : F.	Monégasque : Mon.	Sociologue : Soci.
Astrologue : Ast.	Compositeur : Cp.	Général : Gl.	Musicien : Mu.	Speaker : Sp.
Australie : Aus.	Conseil d'État : CdE	Ghana : Gh.	Non connu : n. c.	Sportif : Spo.
Auteur : Au.	Conservateur : Cons.	Grande-Bretagne : G.-B.	Norvège : Nor.	Suède : Suè.
Autriche : Aut.	Couturier : Cou.	Grèce : Gr.	Opérateur : Op.	Suisse : Su.
Aventurier : Avent.	Critique : Cr.	Guitariste : G.	Pays-Bas : P.-Bas.	Syndicaliste : Sy.
Avocat : Av.	Cuisinier : Cui.	Historien : Hist.	Peintre : Pe	Tchécoslovaquie : Tc.
Banquier : Bq.	Danemark : Dan.	Hongrie : Ho.	Pharmacien : Pharm.	Télévision : T.
Batteur : Bat.	Danseur : Da.	Humoriste : Hum.	Philosophe : Phi.	Théâtre : Th.
Belgique : Be.	Décorateur : Déc.	Ingénieur : Ing.	Photographe : Ph.	Théologien : Théol.
Brésil : Br.	Dessinateur : Des.	Ind. : Ind.	Pianiste : Pi.	Tunisie : Tun.
Burkina Faso : B.F.	Dialoguiste : Di.	Inspecteur des Finances : Insp. Fin.	Politicien : Po.	Turquie : Tu.
	Diplomate : Dip.	Inventeur : Inv.	Pologne : Pol.	Universitaire : Un.
	Directeur : Dir.	Irlande : Irl.	Présentateur : Pré.	U.R.S.S. : Ur.
	Dir. de la photo : Ph.	Italie : It.	Président : Prés.	U.S.A. : U.
	Distributeur : Dis.	Jamaïque : Jq.	Prêtre : Prêt.	Venezuela : V.
			Producteur : Pr.	Zoologiste : Zool.

☞ Toutes les personnalités sont françaises sauf indication contraire. Entre parenthèses, nom légal ou d'origine.

AARON, Claude (2-8-16) F., Af.
ABBA : Agnetta Ase Falkstog (5-4-1950) Björn Ulvaëus (25-4-1945) Anni-Frida Lyngstad (15-11-1945) Benny Andersson (16-12-1946) Suè., C.
ABBOT, Alain (1938) Acc. Bud (William) (1895-1974), U., A.
ABRAHAM, Claude (7-4-1931) Af.
ABRIAL, Patrick (1947) C.
ACQUART, André (22-11-22) Déc.
ADAM, Alfred (Roger), (1908-82) A. J.-François (1938/80) Ré.
ADAMO, Salvatore (31-10-43) Be., C.
ADAMS, Julie (Betty May Adams) (1926) U., A.
ADDAMS, Charles (1913-88) U., Des.
ADDAMS, Dawn (1930-85) G.-B., A.
ADER, Antoine (28-5-36) Cp.
ADISON, Fred (1908) Cp.
ADJANI *, Isabelle (27-6-55) A.
ADLER, Laure (n.c.) An., Éd. Philippe (1936) R.
ADLON *, Percy (1935) U., Ré.
ADORÉE, Renée (1898-1933) U., A.
AFFLELOU, Alain (1-1-48) Af.
AGACINSKI, Sophie (15-12-43) A. Pseudo : Jeanne de la Fonte.
AGEORGES, Pierre (1933-87) Méd.
AGNELLI, Giovanni (12-03-21) It., Af.
AGOSTINI, Philippe (11-8-10) Op., Ré.
AGOSTINO, Jean d' (1918) R., T.
AGUETTAND, Lucien (1901) Dé.
AHERNE, Brian (1904-86) G.-B., A.
AHRWEILLER, Hélène (Athènes, 29-8-26) Un.
AIGRAIN, Pierre (28-9-24) Sc.
AILEY, Alain (1931-89) U., Ch.
AIMABLE (A. Puchart) (1922) Acc.
AIMÉE *, Anouk (Nicole Dreyfus ; Mme A. Finney) (27-4-32) A.
AIMOS (Raymond Caudrier) (1889-1944) A.
AJAR, Émile (Romain Gary 1914-80) et non son neveu (5-2-42) Au.
ALAMO, Frank (J.-Fr. Grandin) (12-10-43) C.
ALBANY, Joe (1925/88) U., Pi.
ALBERT, Marcel (7-3-38) Af.
ALBERT, Michel (25-2-30) Af.
ALBICOCCO, J-Gabriel (15-2-36) Ré.
ALBY, Pierre (23-11-1921) Af.
ALCOVER, Pierre (1893-1957) A.
ALDA, Alan (28-1-36) U., A.
ALDRICH *, Robert (1918-83) U., Ré.
ALEKAN, Henri (1909) Op.
ALERME, André (1877-1960) A.
ALESSANDRI, J.-Pierre (8-7-42) T.
ALESSANDRINI, Goffrédo (1904) It., Ré.
ALEXANDRE (A. Raimon) (6-9-22) Coi. Jacqueline (1942) J., T. Philippe (14-3-32) J., R. Roland (1927-56) A.
ALEXANDROV *, Grigori (Mormonenko) (1903-83) Ur., Ré.
ALEXEIEFF, Alexandre (1901-82) Ré., Déc.
ALFA, Michèle (1915) A.
ALFONSI, Philippe (14-7-39) J., R.
ALIBERT (M. Allibert) (1889-1951) C.
AL JOLSON, (1886-1950) U., Ch.
ALLAIN, Jean-Philippe (n.c.) An.
ALLAIS, Maurice (31-5-11) Écon.
ALLASIO, Marisa (1937) It., A.
ALLÉGRET, Catherine (16-4-46) A. Marc * (1900-73) Ré. Yves * (1907-87) Ré.
ALLEN, Nancy (1957) U., A. Woody * (Allen Stewart Konigsberg) (1-12-35) U., A., Ré.
ALLEST (d'), Frédéric (1-9-40) Ing.
ALLIO, René (1924) Déc., Ré.
ALLIOT-MARIE, Michèle (10-9-46) Pol.
ALLISON, Luther (17-8-39) U., C.
ALLMAN BROTHERS BAND (Greg Allmon, 8-12-47) U., C.
ALLWRIGHT, Graeme (7-11-26) N.-Zél., A., Cp., C.
ALLYSON, June (Ella Geisman) (7-10-17) U., A.
ALMENDROS, Nestor (Es. 30-10-30) Op., Ph.
ALPERT, Herb (31-3-35) U., C.
ALRIC, Catherine (1954) A.
ALSOP, Joseph (1911-89) U., J.
ALTÉRY, Mathé (M.-T. Altare) (1933) F., C.
ALTMAN, Robert * (20-2-25) U., Ré.
AMADE, Louis (1915) Au. Préfet.
AMADOU, Jean (1-10-29) Ch.
AMAR, Paul (11-1-50) J.
AMARANDE (Marie-Louise de Chamarande) (31-8-39) A.
AMECHE, Don (Dominic Amichi) (31-5-10) U., A.
AMIDEI, Sergio (1904-81) It., S.
AMIDOU (1942) Alg., A.
AMINA, (n.c.) Tun., C.
AMINEL, Georges (n.c.) A.
AMONT, Marcel (Miramon) (1-4-29) C.
AMOUROUX, Henri (1-7-20) J.
ANCEL, Marc (1902-90) Mag.
ANCONINA, Richard (28-1-53) A.
ANDERSON, Harriet * (1932) Suè., A. Lindsay (17-4-23) G.-B., Ré.

Michaël (30-1-20) G.-B., Ré. William « Cat » (1961-81) U., Mu.
ANDERSSON *, Bibi (11-11-35) Suè., A.
ANDRADE, Joaquim Pedro de (1932-88) Br., Ré.
ANDRÉ, Nicole (n.c.) Pré.
ANDREANI, Henri (1872-1936) Ré.
ANDREOTA, Paul (11-12-17) Au.
ANDRESS, Ursula (19-3-36) Su., A.
ANDREU, Gaby (1923-72) A.
ANDREWS, Dana (1-1-12) U., A. Julie (Wells) (1-10-35) G.-B., A. Sisters, Patty (1918) Maxime (1916), Laverne (1913-67) U., C.
ANDREX (André Jaubert) (1907-89) A.
ANDRIEU, René (24-3-20) J.
ANÉMONE (Anne Bourguignon) (9-8-50) A.
ANGELI, Pier (Anna-Maria Pierangeli) (1932-71) It., A.
ANGELO, Jean (1875-1933) A.
ANGLADE, Catherine (2-11-20) A. Jean-Hughes (1956) A.
ANIMALS (The) : Eric Burdon (11-5-41) Alan Price (19-4-42) Chas Chandler, Hilton Valentine, John Steel, G.-B., C.
ANJUBAULT, Jacques (1918-88) J.
ANKA, Paul (Ca. 30-7-41) U., C.
ANNABELLA * (Suzanne Charpentier) (28-11-1909) A.
ANNAUD *, Jean-Jacques (1-10-43) Ré.
ANNEGARN, Dick (9-5-52) P.-Bas, C.
ANNENKOV, Georges (1891-1974) Ur., Ré., Cp.
ANN-MARGRET (Ollson) (Suè. 28-4-41) U., A.
ANNOUX, Jean-Claude (Bournizien) (1939) C.
ANT, Adam (Stuart Goddard) (3-11-54) U., C.
ANTHONY, Richard (R. Btesh) (13-1-38) C.
ANTOINE, André (1858-1943) M. Jacques (1924) Pr. T. (Pierre Muracciole) (4-6-44) C.
ANTONELLI, Laura (28-11-41) It., A.
ANTONIONI, Michelangelo * (29-9-12) It., Ré.
APERGHIS, Georges (23-12-45) Gr., Cp.
APPARECIDA, Maria d' (Marquès) (17-1-36) Br., C.
ARCHAMBAULT, Pierre (1912-88) J.
ARCY, Jean d' (1913-83) T.
ARDANT *, Fanny (1950) A.
ARDEN, Ève (Quedens) (1930-90) U., A.
ARDISSON, Thierry (6-1-49) An., T.
ARDITI, Pierre (1-12-1944) A.
ARESTRUP, Niels (1949) A.
ARKIN, Alan (26-3-34) U., A.
ARLETTY, (Léonie Bathiat) * (15-5-1898) A.
ARLISS, George (Andrews) (G.-B., 1868-1946) U., A.
ARMA, Paul (Imre Weisshaus) (1905-87) Cp.
ARMAND, Louis (1905-71) Ing.
ARMENDARIZ, Pedro (1912-63) Mex., A.
ARMONTEL, Roland (1904-80) A.
ARMSTRONG, Robert (Donald R. Smith) (1890-1973) U., A.
ARNAUD, André (1923) R. Marie-Hélène (1926-86) Mannequin. Michèle (Caré, Mme Patrick Lehideux) (1919) C., Pr. T.
ARNAULT, Bernard (5-3-49) Ing., Af.
ARNOLD, Edward (1890-1956) U., A.
ARNOUL, Françoise (Gautsch) (3-6-31) A.
ARNOULD, Sophie (1740-1802) A.
ARNOULD-PLESSY, Jeanne (1819-97) A.
ARNOUX, Robert (1899-1964) A.
ARON, Jean-Paul (1925-88) Au., Phi.
ARRAUZAU, Francine (1925-81) C.
ARRIEU, René (1924-82) A.
ARRIVE, Jean-Claude (n.c.) J., T.
ARSAN, Emmanuelle (Marayat Rollet-Andriane) (1938) A., Au.
ARTAUD, Antonin (1896-1948) Au.
ARTHUR, Jean (Gladys Greene) (1905-91) U., A.
ARTUR, José (20-5-27) R.
ASCARI, Alberto (1918-55).
ASHBY, Hal (1936-88) U., Ré.
ASHCROFT, Peggy (1907-91) G.-B., A.
ASHLEY, Laura (1925-85) G.-B., Cou.
ASHTON, Frederick (1905-88) G.-B., Da.
ASKAIN, Danièle (9-9-44) Pré.
ASLAN, Anna (1897-1988) R., Gérontologue.
ASLAN, Grégoire (dit Coco) (1908-81), A.
ASQUITH, Anthony * (1902-68) G.-B., Ré.
ASSA, Marc (31-1-41) Af.
ASSO, Raymond (1901-68) Au.
ASTAIRE *, Fred (Frederick Austerlitz) (1899-1987) U., A., Da.
ASTIER DE LA VIGERIE, Ém. d' (1900-69) J.
ASTLEY, Rick (6-2-66) G.-B., C.
ASTOR, Junie (1912-67) A. Mary (Lucille Lange-Hanke) (3-5-1906-87) U., A.
ASTORG, Bertrand (1914-88) Au.
ASTOUX, Andrée (1919-90) T.
ASTRUC *, Alexandre (13-7-23) Ré., T.
ATIF, Yilmaz (n.c.) Tu., Ré.
ATKINE, Féodor (n.c.) A.
ATTALI, Bernard (1-11-43) A. Jacques (1-11-43) Af., Po.
ATTENBOROUGH, Richard (29-8-23), G.-B., A.
AUBERJONOIS, René (1941) Ca., A.
AUBER, Brigitte (M.-Claire Cahen de Labzac) (1928) A.
AUBERT, André (n.c.) A. Jeanne (1901-88) C., A. Michel (1930) C., Cp.
AUBIN, Michel (n.c.) T.
AUBRET, Isabelle (Thérèse Coquerelle) (27-7-38) C.
AUBRY, Cécile (Anne-Josée Bénard) (3-8-28) A., M., Ré., T.
AUCLAIR, Marcelle (1899-1983) Michel (Wladimir Vujovic) (1922-88) A.
AUCLERES, Dominique (1898-1981) Au., J.
AUDIARD, Michel (1920-85) S. et Di., A.
AUDOUARD, Yvan (27-2-14) Di., Au.
AUDRAN, Stéphane (Colette Dacheville) (2-11-32) A.
AUDRET, Pascale (Auffray) (1936) A.
AUDRY, Colette (1906-90) Au., Po. Jacqueline (1908-77) Ré.
AUER, Misha (M. Ounskowsky) (1905-67) U., A.
AUFRAY, Hugues (Jean Auffray) (18-8-29) C.
AUGER, Claudine (8-6-42) A. Véronique (n.c.) J., T.
AUGIER, Sylvain (n.c.) An.
AUGUST, Billie (n.c.) U., Ré.
AULAGNON, Maryse (19-4-49) Po.
AULANT, François d' (5-1-31) Af.
AULAS, Jean-Michel (22-3-49) Af.
AULD, Georges (1920-90) U., Mu.
AUMAGE, Maurice (1939) Bq.
AUMONT, Jean-Pierre (Salomons) (5-1-11) A., Au. Michel (15-10-36) A.
AUQUE, Roger (11-1-56) J., R.
AUREL, Jean (6-11-25) Ré., S.
AURENCHE, Jean (1903) S., Di.
AURILLAC, Michel (11-7-28) Av., Pol.
AURIC, Georges (1899-1983) Cp.
AURIOL, Jean-Georges (J. Huyot) (1907-50) S., Cr.
AUSLANDER, Rose (1901-88) R., Au.
AUTANT-LARA *, Claude (5-8-03) Ré.
AUTEUIL *, Daniel (24-1-50) A.
AUTIN, Jean (1921-91) Insp. Fin.
AUTRY, Gene (29-9-07) U., A.
AVAKIAN, Aram (1927-87) U., Ré.
AVATI, Pupi (n.c.) It., Ré.
AVELINE, Claude (Avstine) (1901) Au., Pr. T.
AVERTY, Jean-Christophe (6-8-28) T.
AVERY, Tex (1908-80) U., Ré.
AVRIL, Claire (n.c.) Sp. Jane (1868-n.c.) Da. Rose (Michèle Masseyeff) (1920-73) C.
AVRON, Philippe (18-9-28) A.
AXELROD, Georges (9-6-22) U., Ré.
AYACHE, Alain (1-9-38) J.
AYRES, Lew (28-12-08) U., A.
AZAÏS, Paul (1903-74) A.
AZEMA *, Sabine (20-9-52) A.
AZNAVOUR, Charles (Varenagh Aznavourian) (22-5-24) A., C., Cp.
AZZARO, Loris (9-2-33) It., Cou.
AZZOLA, Marcel (1927) Acc.
BABENCO *, Hector (7-2-46) Br., Ré.
BAC, André (1905) Chef op.
BACALL *, Lauren (Betty Joan Perske) (16-9-24) U., A.
BACH (Ch.-Jos. Pasquier) (1882-1953) C.
BACHELET, Jean (1894-1977) Op. Pierre (25-5-44) C.
BACKUS, Jim (1913-89) U., A.
BACON, Lloyd (1890-1955) U., Ré.
BACRI, J.-Pierre (24-5-51) A.
BADEL, Pierre (14-6-28) Ré. T.
BADIE, Laurence (1934) A.
BADINTER, Robert (30-3-28) Av., Po.
BAËZ, Joan (9-1-41) U., C.
BAGOUET, Dominique (n.c.) Cho.
BAHRI, Rachid (5-1-49) C.
BAILEY, Pearl (1918-00) U., C.
BAKER, Carroll (28-5-31) U., A. Chet (1929-88) U., Mu. Joséphine (1906-75) U., A., C., Da. Lenny (n.c.) U., A. Stanley (1928-75) G.-B., A.
BAKY *, Josef von (1902-66) All., Ré.
BALACHOVA, Tania (1902-73) Rus., A.
BALANDRAUD, J-Louis (22-2-47) T.
BALARESQUE, Bertrand (4-12-29) Af.
BALASKO, Josiane (Balaskovic) (15-4-52) A.
BALAVOINE, Daniel (1952-86) C.
BALAZ, Béla (1884-1949) Ho., Au.
BALCON, Sir Michael (1896-1977) G.-B.
BALEINE, Philippe de (1921) J.
BALENCIAGA, Cristobal (1895-1972) Es., Cou.
BALIN, Mireille (1911-68) A.
BALKANY, Patrick (16-8-48) Pol. Robert de (4-8-31) AF.
BALL, Lucille (1911-89) U., A.
BALLE, Joseph (1-1-42) Af.
BALMAIN, Pierre (1914-82) Cou.
BALMER, Jean-François (18-4-46) A.
BALOUD, Alexandre (Alain Barthélemy) (21-11-40) J., R.
BALPÉTRÉ, Antoine (1898-1963) A.
BALTHY, Louise (1869-1925) C.
BALUTIN, Jacques (William Buenos) (1936) A.
BANANARAMA, Sara Dallin (17-12-60), Keren Woodward (2-4-61) G.-B., C.
BANCROFT, Anne (Anna-Maria Italiano) (17-9-31) U., A. George (1882-1956) U., A.
BANKHEAD, Tallulah (1902-65) U., A.
BANSARD, J-Pierre (15-5-40) Af.
BANTON, Trovis (1894) U., Cp.
BAPTISTE, Aîné (1761-1835) A. Cadet (1765-1839) A.
BAQUET, Maurice (26-5-11) A.
BARA, Theda (Theodosia Goodman) (1890-1955) U., A.
BARATIER, Jacques (1918) Ré.
BARAZER, Pierre (13-12-33) Af.
BARBARA (Monique Serf) (19-6-30) C.
BARBARO, Umberto (1902-59) It., Cr., S.
BARBEDIENNE, Joseph (19-5-41) Dir.
BARBELIVIEN, Didier (10-3-54) C.
BARBIER, Bruno (23-6-44) J. Christian (Espitalier) (3-9-39) R.
BARBUS (Les 4), J. Tritsh (1913) P. Jamet (1910), M. Quinton (1916) G. Thibault (1911) C., séparés en 1969.
BARCLAY, Eddie (Edouard Ruault) (21-6-21) Cp., Pr.
BARDEM *, Juan Ant. (2-6-22) Esp., Ré., S.
BARDIN, Jean (1927) Pr., Pré.
BARDOT *, Brigitte (28-9-34) A.
BARDY, Gérard (1940) J.
BARELLI, Aimé (1-5-17) Mus.
BARILLET, Pierre (24-8-23) Au.
BARKER, Lex (1919-73) U., A.
BARMA, Claude (3-11-18) M.
BARNARD, Chris (8-10-22) Afr. S. Méd.
BARNET *, Boris (1902-65) Ur., Ré.
BARNIER, Lucien (1918-79) R.
BARNOLE, François (1932) J.
BAROIN, Michel (1930-87) Af.
BARON, Boyron (1653-1729) A.
BARONCELLI, Jac. de (1881-1951) Ré.
BAROUH, Pierre (1934) C., Au., Ré.
BAROUX, Lucien (1888-1968) A.
BARRAT, Robert (1891-1970) R., J.
BARRAULT *, Jean-Louis (8-9-10) A., M. Marie-Christine (21-3-44) A.
BARRAY, Gérard (Baraillé) (1931) A.
BARREAU, J.-Claude (10-5-33) Prêtre, retour État laïc 1971, Au., Éduc., Nat.
BARRÈRE, Igor (7-12-31) T.
BARRET, Pierre (1936-88) Af.
BARRETO *, Lima (1906-82) Br., Ré.
BARRIER, Maurice (1934) A.
BARRIÈRE, Alain (Bellec) (18-11-35) C., Lucien (1923-90) Af.
BARRY, John (1933) U., Cp. Paul (1926) Af.
BARRYMORE, (Blythe) Ethel (1879-1959) John (1882-1942). Lionel (1878-1954) U., A.
BARSAC, Jacqueline (n.c.) T.
BARSACQ, André (1909-73) M. Léon (Russie 1906-69) Déc.
BARTET, Julia (Regnault (1854-1941) A., Th.
BARTHELMESS, Richard (1897-1963) U., A.
BARTHES, Pierre (1941) Af.
BARTHOLOMEW, Freddie (Frederick Llewellyn) (28-3-24) G.-B., A.
BARTÖK, Eva (Sjoke) (1926) Ho., A.
BARZOTTI, Claude (Francesco Barzotti) (23-7-53) Be., C.
BASEHART, Richard (1918-84) U., A.
BASHUNG, Alain (1-12-48) C.
BASINGER, Kim (8-12-53) U., A.
BASS, Saül (8-5-20) U., Des., Re.
BASSEY, Shirley (8-1-37) U., C.
BASTIA, Jean (1878-1940) Ch., J., Th. Pascal (11-9-08) Ch., Th.
BATAILLE, Nicolas (1926) A., M. Sylvie (Maklès) (1912) A.
BATCHEFF, Pierre (Piotr Bacer) (1901-32) A.
BATES, Alan (17-2-34) G.-B., A.
BATY, Gaston (1885-1952) M.
BAUCHARD, Philippe (15-12-24) J.
BAUDECROUX, Jean-Paul (11-3-46) R.
BAUDIS, Dominique (14-4-47) T., j., Po.
BAUDRIER, Jacqueline (Vibert, Mme Roger Perriard) (16-3-22) J.
BAUR *, Harry (1880-1943) A.
BAVA, Mario (1914-80) It., Ré.
BAVASTRO, Michel (28-12-06) Af.
BAXTER, Ann (1923-85) U., A. Bill (3-3-59) C. Jane (Feodora Forde) (1909) G.-B., A. Warner (1892-1951) U., A.
BAYE *, Nathalie (6-7-51) A.
BAYLET, Évelyne (14-6-13) J., A.
BAZIN, André (1918-58) Cr.
BEACH BOYS (The) : Brian (20-6-42), Carl, Dennis Wilson, Mike Love, (15-3-41) Al Jardine, C.
BEARDEN, Romare (1913-88) U., Des.
BÉART, Emmanuelle (1965) A.
BÉART, Guy (Guy Béhart) (16-7-30) C.
BEATLES (The) : John Lennon (1940-80), P. McCartney (18-6-42) Ringo Starr (Starkey) (7-7-40), George Harrisson (25-2-43) G.-B., C.
BEATTY, Robert (19-10-09) Ca., A. Warren (30-3-37) U., A.
BEAUCHAMPS, Annik (17-6-40) J.
BEAULIEU, François (1943) A.
BEAUMONT, Susan (Black) (1936) G.-B., A. Cte Jean de (13-1-04) Af.
BEAUNE, Michel († 1990) A.
BEAUREGARD, Georges de (1920-84) Pr.
BEAUVAIS, Robert (1911-82) R., Pr.
BEAUVILLAIN, Kléber (27-2-35) Af.
BEAUX, Gilberte (12-7-29) Af.
BEAUSONGE, Lucid (27-8-54) C.
BEBEAR, Claude (29-7-35) Af.
BÉCAUD, Gilbert (François Silly) (1-11-27) C.
BECK, Jef (24-6-44) G.-B., G. Julian (1925-85) U., M., A.
BECKER *, Jacques (1906-60) Ré.
BECKETT, Samuel (1906-89) Irl., Au.
BEDOS, Guy (15-6-34) A., Ch.
BEE GEES [Barry (1-9-46) Maurice (22-12-49), Robbin (22-12-49) GIBB] G.-B., C.
BEERY, Wallace (1886-1949) U., A.
BEFFA, Jean-Louis (11-8-41) Af.
BEGHIN, Ferdinand (21-1-02) Af.
BÉGUIN, J.-François (22-10-21) Af.
BEINEIX *, J.-Jacques (1946) Ré.
BÉJART, Maurice (Jean de Berger) (1-1-27) Cho.

BEKETCH, Serge de (12-12-46) J.
BEL, François (1936) Ré.
BELAFONTE, Harry (1-3-27) U., A., C.
BELHASSINE, Lofti (1948) Tun., Af.
BELIN, Jean (28-9-49) J., T.
BELL, Marie (Bellon-Downey, Mme J. Chevrier) (1900-85) A.
BELLANGER, Raoul (1935) Af.
BELLAY, Jérome (10-10-42) J.
BELLE, Marie-Paule (25-1-46) C.
BELLEMARE, Pierre (21-10-29) Pr.
BELLI, Agostina (A.M. Magnoni) (13-4-47) It., A.
BELLOCHIO, Marco (9-9-39) It., Ré.
BELLON, Loleh Marie-Laure (14-5-25) A. Pierre (24-1-30) Af. Yannick (Marie-Annick) (6-04-24) M.
BELLUS, Jean (n.c.) F., Des.
BELMONDO *, Jean-Paul (9-4-33) A.
BELMONT, Véra (1931) Ré.
BELVAUX, Lucas (14-11-61) A.
BENAMOU, Roger (30-5-27) Ré., T.
BENATAR, Pat (Patricia Andrzejweski) (10-1-53) U., C.
BENAZERAF, José (1922) Ré.
BENDAVID, Patrick (12-4-47) Af.
BENDIX, William (1906-64) U., A.
BENEDEK, Laszlo (Ho., 1907) U., Ré.
BENEDETTI, Carlo de (1934) It., Af.
BENEZRA, André (n.c.) J., R.
BENHAMOU, Pierre (10-4-39) Af.
BENICHOU, Jacques (12-5-22) Af.
BENNETT, Constance (1904-65) A. Joan (1910-90) U., A. Michael (1943-87) U., M., Cho.
BENNIGSEN, Alexandre (1918-88).
BENNY, Jack (Kubelsky) (1894-1974) U., A.
BENOÎT, Denise (1921-73) A., C.
BENOIT-LÉVY, Jean (1888-1959) Ré.
BENSON, George (22-3-43) U., C.
BÉRANGER, François (1937) C. Macha (1941) J., R.
BÉRARD, Christian (1902-49) Déc., Cp.
BÉRARD-QUELIN, Georges (1917-90) J.
BERCHOLZ, Joseph (Russie, 1898) Pr.
BERCOFF, André (12-2-40) J., T.
BERCOT, Pierre (1903-91) Af.
BERENSON, Marisa (15-2-48) U., A.
BÉRÈS, Pierre (18-6-13) Éd.
BERESFORD, Bruce (16-8-40) Aus, Ré.
BERETTA, Anne-Marie (24-9-37) Cou. Daniel (1946) C.
BERGÉ, Francine (21-7-38) A. Pierre (14-11-30) Af.
BERGEN, Candice (8-5-46) A.
BERGER, Helmut (Steinberger) (29-5-44) Autr., A. Jean-Marc (n.c.) Af. Michel (Hamburger) (28-11-47) C. Nicole (1937-67) A. Senta (1941) Autr., A.
BERGERAC, Jacques (26-5-27) A., Af.
BERGMAN, Ingmar * (14-7-18) Suè., Ré. Ingrid * (Mme Lars Schmidt) (1915-82) Suè., A.
BERGNER, Elisabeth (Ethel) (All., 1900) G.-B., A.
BÉRIMONT, Luc (André Leclercq) (1915-1983) Au., R.
BERIOT, Louis (31-7-39) T.
BERKELEY, Busby (1895-1976) U., Cho., Ré.
BERLANGA *, Luis Garcia (1921) Esp., Ré.
BERLIET, Paul (5-10-18) Af.
BERLIN, Irving (Israël Baline) (1888-1989) U., Cp.
BERLUSCONI, Silvio (29-9-36) It., Af., T.
BERNADAC, Christian (1-8-37) J., Lucienne (1905-73) Cp., Pr., Pré.
BERNARD, Armand (1893-1968) A. Aubert-Claude (1930) Ré. Jean (26-5-07) Méd. Jean-René (1-12-32) Insp. Fin. Joëlle (n.c.) A. Paul (1898-1958) A. Raymond (1891-1977) Ré.
BERNARD-DESCHAMPS, Dominique (1892-1966) Ré.
BERNARDET, Jean (n.c.) J. Jérôme (n.c.) J. Maurice (18-9-21) J.
BERNARDY, Guy-Jean (7-3-26) Af.
BERNEDE, Marianne (n.c.) J., R.
BERNERT, Philippe (1928-87) J.
BERNETT, Sam (n.c.) U., An., R.
BERNHARDT, Sarah (Rosalie Bernard) (1844-1923) A.
BERNHEIM, Antoine (4-9-24) Af.
BEROUD, Hervé (n.c.) J., R.
BERRI *, Claude (Langmann) (1-7-34) Ré. Robert (1912-89) A.
BERRIAU, Simone (Bossis) (1896-1984) A.
BERRY, Chuck (18-10-26) U., C. Jules (Paufichet) (1883-1951) A. Maddy (1887-1965) A. Richard (31-7-50) A.
BERTHEAU, Julien (19-6-10) A.
BERTHO, Jean (1928) Ch., An. T.
BERTHOMIEU, André (1906-60) Ré.
BERTIN, Pierre (1891-1984) A.
BERTINI, Francesca (1888) It., A.
BERTO, Juliet (1947-90) A. Ré.
BERTOLINO, Jean (n.c.) J.
BERTOLUCCI *, Bernardo (16-3-40) It., Ré.
BERTRAND, Jean-Pierre (n.c.) T. Paul (1915) Déc. Plastic (Roger Jouret) (24-2-58) Be., C.
BERTUCCELLI, J.-Louis (3-6-42) Ré.
BESANÇON, Julien (18-4-32) J.
BESCONT, Jean (1925-83) Ré., T.
BESNIER, Michel (18-9-28) Af.
BESSE, Georges [1927-86 (assassiné)] Af.
BESSON *, Luc (18-3-59) Ré.
BETTELHEIM, Bruno (1904-90) U., Psy.
BETTI, Laura (1-5-34) It., A.
BETTINA, (1925) Man.
BETTY, William (1791-1874) G.-B. A.
BEUNAT, Mario (1928) J.
BEUVE-MÉRY, Hubert (1902-89) J.
BEYDTS, Louis (1895-1953) Cp.
BEYSSON, Jean-Pierre (11-1-43) Af.
BEYTOUT, Jacqueline (20-2-18) J., Af.
BEZZINA, Jean-Michel (n.c.) J., R.
BIANCHETTI, Suzanne (1889-1936) A.
BIANCO, J.-Louis (12-1-43) Af.
BIASINI, Emile (31-7-22) Adc.
BIBI (Béatrice Adjorkor Anyankor) (9-1-57) Gh, C.
BICH, Marcel (baron) (29-7-14) Af.
BICKFORD, Charles (1889-1967) U., A.
BIDEAU, J.-Luc (1-10-40) Su., A.
BIDERMANN, Maurice (M. Zylberberg) (Bruxelles 4-4-35) Af.
BIETRI, Charles (1943) J.
BIGOT, Charles (29-7-32) Af.
BILALIAN, Daniel (10-4-47) J., T.
BILLECOCQ, Pierre (1921-87) Af.
BILLETDOUX, François (7-9-27) Au.
BILLY THE KID (William H. Bonnay) (1859-81) U., Avent.
BINGHAM, Barry (1906-88) U., Af.
BINOCHE, Juliette (9-3-64) A.
BIOTTEAU, Gérard (26-2-24) Af.
BIRAUD, Maurice (1922-82) A.
BIRKIN *, Jane (14-12-46) G.-B., A., C.
BISSET *, Jacqueline (13-9-44) G.-B., A.
BIZEAU, Eugène (1883-1989) Ch.
BIZET, Marie (1906) C.
BJÖRK, Anita (25-4-23) Suè., A.
BJÖRNSTRAND *, Gunnar (1909-86) Suè., A.
BLACK, Karen (Ziegler) (1-7-42) U., A.
BLADEN, Ronald (1921-88) U., Des.
BLAIN, Estella (Micheline Estellat) (1934-82) A. Gérard (23-10-30) A., Ré.
BLAIR, Betsy (Elisabeth Boger) (1923) U., A.
BLAKEY, Art (1919-90), Bat.
BLANC, Christian (17-5-42) Af. Émile (18-10-32) Af. Éric (1966) Hum. Gérard (8-12-47) C. Jean (n.c.-1988) Ch. Jean-Pierre (1942) Ré. Michel * (16-6-52) A., Ré.
BLANC-FRANCART, Patrice (19-5-42) J.
BLANCHAR, Dominique (1927) A. Pierre (1896-1963) A.
BLANCHARD, Gérard (7-2-53) C.
BLANCHE, Francis (1919-74) A., C.
BLANCHET, Henri (26-6-45) Af.
BLANCHOT, Maurice (1907) Au.
BLANCO, Carrero (20-12-73).
BLASETTI *, Alessandro (1900-87) It., Ré.
BLASI, Silvana (1931) It., C.
BLEUSTEIN-BLANCHET, Marcel (21-8-06) Pu.
BLIER, Bernard * (1916-89) A. Bertrand * (14-3-39) Ré.
BLIN, Roger (1907-84) A., M.
BLITZ, Gérard (1912-90) Af.
BLOCH, Jean-Jacques (19-6-19) J.
BLOCH-LAINÉ, Jean-Michel (28-4-36).
BLONDELL, Joan (1909-79) U., A.
BLONDIN, Antoine (11-3-22) Au.
BLONDO, Lucky (Gér. Blondiot) (23-7-44) C.
BLONDOT, François (4-7-42) Af.
BLOOM, Claire (Blume) (15-2-31) G.-B., A. Verna (7-8-39) U., A.
BLOT, Florence (n.c.) A.
BLUWAL, Marcel (26-5-25) M.
BLYTH, Ann (16-8-23) U., A.
BOARDMAN, Eleanor (1898) U., A.
BOBET, Louison (1925-83) Spo., Af.
BOCCARA, Frida (1940) C.
BOCK, Jerry (Jerrold Lewis) (23-11-28) U., Cp.
BOCUSE, Paul (11-2-26) Rest.
BODARD, Lucien (1914) J.
BODOIN, Jacques (1921) Ch., A.
BOESKY, Ivan (n.c.) U., A., Af.
BOETTICHER, Budd (1916) U., Ré.
BOFA, Gus (Gustave Blanchot) (1883-1968) Des.
BOGAËRT, Lucienne (1892-1983) A.
BOGARDE *, Dirk (Derek Van Den Bogaerde) (28-3-20) G.-B., A.
BOGART *, Humphrey (1899-1957) U., A.
BOGDANOFF, Igor et Grichka (1949) Pr. T.
BOGDANOVICH, Peter (30-7-39) U., Ré., Cr.
BOHAN, Marc (22-8-1926) Af.
BOHRINGER, Richard (16-1-41) A.
BOILEAU, Pierre (1907-89) Au.
BOILLOT, Jean (6-2-26) Af.
BOISROND, Michel (9-10-21) Ré.
BOISROUVRAY, Albina du (1942) Pr.
BOISSET *, Yves (14-3-39) Ré.
BOISSIEU, Michel de (18-11-17) Af.
BOISSONNAT, Jean (16-1-29) J.
BOITEL, Jeanne (1904-87) A.
BOITEUX, Marcel (9-5-22) Af.
BOIX-VIVES, Laurent (30-8-26) Af.
BOLAN, Marc (1947-77) G.-B., C.
BOLESLABSKY, Richard (1937) U. or. pol., Ré.
BOLLING, Claude (10-4-30) Cp., Pi.
BOLLORÉ, Michel (17-2-22) Michel (8-12-45) Vincent (1-4-52) Af.
BOLOGNINI *, Mauro (28-6-23) It., Ré.
BON REPOS, Bernadette de (17-1-51).
BONO, Ward (1904-60) U., A.
BONDARTCHOUK *, Sergueï (25-9-22) Ur., A., Ré.
BONDUELLE, Bruno (3-8-33) Af.
BONEY M. (Bobby Farell) (6-10-49) U., C.
BONGRAIN, J.-Noël (28-12-24) Af.
BONNAIRE *, Sandrine (31-5-67) A.
BONNARDOT, C.J. (1923-81) Ré.
BONNAY, Christiane (n.c.) Acc., Max (1957) Acc.
BONNET, Pierre (19-10-27) Af.
BONNIE, Parker (n.c.-1934) ; CLYDE, Barrow (n.c.-1934) U.
BONTE, Pierre (15-9-32) J.
BONTEMPELLI, Guy (1940) Cp., C.
BONVOISIN, Bernie (9-7-56) C.
BOONE, Pat (1-6-34) U., A., C. Richard (1916-81) U., A.
BOORMAN *, John (18-1-33) G.-B., Ré.
BOOTHE LUCE, Clare (1903-87) U., Au., Dip., J.
BORDERIE, Bernard (1924-78) M. Raymond (1897-1982) Pr.
BOREL (Ch. Clerc) (1879-1959) Cp. Jacques (9-4-27) Af.
BORELLI, Lyda (1884-1959) It., A.
BORGNINE, Ernst (24-1-17) U., A.
BORNICHE, Roger (7-6-19) Au.
BOROWCZYCK, Walerian (2-9-23) Pol., Ré.
BORTOLI, Georges (28-6-23) J.
BORVO, Pierrick (5-4-42) Ad., Civ.
BORY, Jean-Marc (17-3-30) Su., A.
BORZAGE *, Frank (1893-1961) U., Ré.
BORZEIX, Jean-Marie (1-8-41) J.
BOSC, Jean-Marie (1924-73) Des.
BOSE *, Lucia (28-1-31) It., A.
BOSSIS, Héléna (1919) A.
BOST, Pierre (1901-75) S.
BOSUSTOW, Stephen (1911) U., Ré.
BOTREL, Théodore (1868-1925) Cp.
BOTTON, Frédéric (n.c.) Mu.
BOUBLIL, Alain (22-7-47) Éc.
BOUCHER, Victor (1877-1942) A.
BOUCHERON, Alain (11-06-48) Jo.
BOUDET, Alain (14-3-28) Ré., T. Micheline (28-4-26) A.
BOUDRIOZ, Robert (1877-1949) Ré.
BOUFFÉ, Hugues (1800-88) A.
BOUGLIONE, Joseph (1904-87) Af.
BOUGRAIN-DUBOURG (17-8-48) Pr.
BOUILHET, Albert (31-8-29) Af.
BOUILLON, J.-Claude (27-12-41) A. Joseph (1907-84) (dit Jo) Mu.
BOUISE, Jean (1929-89) A.
BOUJENAH, Michel (Tun., 1952) A., Ch., Hum.
BOULET, J.-Claude (11-12-41) Af.
BOULEZ, Pierre (26-3-25) Mu.
BOULIN, Jacques (21-10-23) Af. Philippe (27-6-25) Af.
BOUQUET, Carole (1957) A. Michel * (6-11-25) A.
BOURDIER, Jean (6-6-31) J.
BOURDIN, Lise (1930) A., T.
BOURGEOIS, Gérard (1874-1944) Ré.
BOURGEOIS-PICHAT, Jean (1912-90) Ing.
BOURGES, Hervé (2-5-33) J., T.
BOURGINE, Raymond (1925-90) J.
BOURGOIN, Jean-Serge (1913) Pré. Marie (1781-1834) A.
BOURGOIS, Christian (21-9-33) Éd. J. Manuel (25-3-39) Éd.
BOURGUIGNON, Serge (3-9-29) Ré.
BOURIEZ, Philippe (11-8-33) Af.
BOURRAT, Patrick (20-9-52) An.
BOURRET, J.-Claude (17-7-41) J.
BOURSEILLER, Antoine (8-7-30) M.
BOURVIL * (André Raimbourg) (1917-70) A., C.
BOUSQUET, Jean (1932) Af.
BOUSSAC, Marcel (1889-1980) Af.
BOUTANG, Pierre-André (20-9-16) J.
BOUTEILLE, Romain (1937) A.
BOUTEILLER, Pierre (22-12-34) J.
BOUTET, Jacques (17-3-28) J. Michel (26-4-27) Af.
BOUTIN, René (1802-72) A.
BOUTRON, Pierre (1947) Ré.
BOUVARD, Philippe (6-12-29) J.
BOUYGUES, Francis (5-12-22) Af, Martin (3-5-52) Af.
BOUYSSONNIE, Jean-Pierre (12-9-20) Af.
BOUZINAC, Roger (28-7-20) J.
BOVY, Berthe (Liège 1887-1977) A.
BOW, Clara (1905-65) U., A.
BOWIE, David (Jones) (8-1-47) G.-B., C., Cp. A.
BOY, George (G. O'Dowd) (14-6-61) G.-B., C.
BOYD, Stephen (William Miller) (1928-77) G.-B., A. William (1898-1972) U., A.
BOYER *, Charles (1897-1978) A. Jacqueline (1941) A., C. Jean (1901-65) Ch., Au. Di., M. Lucienne (1901-83) C.
BOZON, Louis (25-6-34) An., R.
BOZZUFFI, Marcel (1929-88) A.
BRACH, Gérard (23-7-27) S.
BRANDO *, Marlon (3-4-24) U., A.
BRANT, Mike (Moshé Brant) (1947-75) C.
BRASSAÏ (Gyula Halász) (1899-1984) Ph.
BRASSENS, Georges (1921-81) C., Poète.
BRASSEUR *, Claude (Espinasse) (15-6-36) A. Pierre * (son père) (1905-72) A.
BRAUNBERGER, Pierre (1905-90) Pr.
BRAY, Yvonne de (1889-1954) A.
BRAZZI, Rossano (18-9-16) It., A.
BRECHT, Bertolt (1898-1956) All., Au., M.
BREEM, Danièle (n.c.) J., T.
BREFFORT, Alexandre (1901-71).
BREGOU, Christian (19-11-41) Af.
BREILLAT, Catherine (13-7-48) S., Au., R. M.-Hélène (2-6-47) A.
BREL, Jacques (1929-78) Be., C., Cp., Ré., A.
BRENAA, Hans (1911-88) Dan., Da.
BRENNAN, Walter (1894-1974) U., A.
BRENT, Georges (Nolan) (1904-79) U., A.
BRÈS, Pierrette (12-2-45) J.
BRESSON *, Robert (1907) Ré.
BRETAGNE, Yves de (29-4-38) Af.

BRÉTÉCHER, Claire (1943) Des.
BRETON, Jean (J.-P. Bretonnière) (1911) Ch. Jean (1936) R. Thierry (15-1-55) Af.
BRETONNEL, Jean (+ 1990) Spo.
BRETTY, Béatrice (Bolchesi) (1895-1982) A.
BREUGNOT, Pascale (n.c.) Ré.
BRÉVAL, Lucienne (Bertha Schilling) (1869-1935) Su., C.
BRIALY *, J.-Claude (30-3-33) A., Ré.
BRICE, Fanny (1891-1951) U., A., Ch.
BRIDGES, Jeff (4-12-49) U., A.
BRIGNAC, Guy de (17-4-33) A.
BRIGNEAU, François (Emmanuel Allot) (30-10-19) J.
BRIGNONE, Guido (1886) It., Ré.
BRILLIÉ, Michel (1-10-45) Dir.
BRINCOURT, André (8-11-20) J. Christian (1935) Rep.
BRINDEAU, Louis (1814-82) A.
BRINGUIER, J.-Claude (14-7-25) T.
BRION, Françoise (de Ribon, Mme J. Doniol-Valcroze) (29-6-34) A.
BRIQUET, Sacha (1931) A.
BRISSET, Marcel (n.c.) J., T.
BRISVILLE, J.-Claude (n.c.) Au.
BRITT, May (Maybritt Wilkens) (22-3-33) Suè., A.
BRIZZART, Philippe (n.c.) A.
BROCA *, Ph. de (15-3-33) Ré.
BROCHAND, Bernard (5-6-38) Af.
BROCHE, François (31-8-39) J., Au.
BROCHET, Anne (n.c.) A.
BROGLIE, P^{ce} Gabriel de (21-4-31) C. d'E.
BROHAN, Augustine (1824-93) A. Madeleine (1833-1900) A.
BROMBERGER, Hervé (11-11-18) Ré.
BRONNE, Carlo (1901-87) Be., J.
BRONSON *, Charles (Buchinsky) (3-11-20) U., A.
BROOK, Clive (Clifford Brook) (1891-1974) G.-B., A. Peter (21-3-25) G.-B., Ré., M.
BROOKS, Louise (1906-85) U., A. Mel (Melvyn Kaminsky) (28-6-26) U., Ré. Richard * (18-5-12) U., Ré.
BROOMHEAD, Laurent (1954) Pr.
BROSSEAU, Jean-Michel (1946) An.
BROSSET, Claude (1943) A. Colette (Mme Robert Dhéry) (1923) A.
BOSSOLETTE, Gilberte (27-12-05) J., Po.
BROVELLI, Claude (n.c.) J.
BROWN, Clarence * (1890-87) U., Ré. James (3-5-28) U., C. Johnny Mack (1904-74) U., A.
BROWNING, Ralph M. (7-8-25) Af. Tod (1882-1962) U., Ré.
BRU, Myriam (1932) A.
BRUANT, Aristide (1851-1925) Ch.
BRUCE, David (Marden Mc Broom) (1899) Ph. Nigel (1895-1954) G.-B., A.
BRUCH, Walter (1908-90) All., Ing.
BRUEL, Patrick (14-5-59) A., C.
BRUHN, Erik (1928-86) Dan., Da.
BRUKBERGER (Père) (10-4-07) Au., J., Ré.
BRULÉ, André (1879-1953) A. Claude (22-11-25) S.
BRUN, Alexandre (15-2-26) Af.
BRUNAUX, Olivia (1961)A.
BRUN-BUISSON, Francis (31-5-47) Af.
BRUNET, J.-Pierre (20-1-20) Af. Mira (1766-1853) A.
BRUNOT, André (1879-1973) A.
BRUNOY, Blanchette (Mme R. Maillot) (1918) A.
BRYNNER *, Yul (Taidje Khan) (Russie, 1915-85) U., A.
BUCHANAN, Jack (G.-B., 1891-1957) U., A.
BUCHHOLZ *, Horst (1933) All., A.
BUCHMAN, Sydney (1902-75) U., S., Pr.
BUCKWITZ, Harry (1904-87) All., M.
BUFFET, Eugénie (1866-1934) C.
BUJOLD, Geneviève (1-7-42) Ca., A.
BUÑUEL *, Luis (1900-83) Esp., Ré.
BURDON, Eric (1941) G.-B., Mu.
BUREL, Léonce-Henry (1892-1977) Op.
BURKE, Billie (1885-1970) U., A.
BURNHAM, James (1905-87) U., Po.
BURON, Nicole de (1929) Au., Ré.
BURR, Raymond (21-5-17) U., A.

BURSTYN, Ellen (Gillooly) (7-12-32) U., A.
BURTON *, Richard (Jenkins) (1925-84) G.-B., A.
BUSH, Kate (30-7-58) G.-B., C.
BUSHMAN, Francis X. (1883-1966) U., A.
BUSSIÈRES, Raymond (1907-82) A.
BUYLE, Évelyne (1951) A.
BYRNE, David (14-5-52) U., Cp., A.
CAAN, James (26-3-39) U., A.
CABU, (Jean Cabut) (1938) Des.
CABREL, Francis (23-11-53) C.
CACHAREL, Jean (Bousquet) (30-3-32) Af.
CACOUB, Olivier-Clément (14-04-20) Arch.
CACOYANNIS *, Michel (Michaelis Cacoghiannis) (1922) Gr., Ré.
CAGNEY *, James (1899-86) U., A. William (1906-88) U., A.
CAIAZZO, Bernard (15-1-54) Af.
CAINE, Michaël (Maurice Micklewhite) (14-3-33) G.-B., A.
CAIRE, Reda (Joseph Gandhour) (1905-63) Ég., C.
CALAMAI, Clara (1915) It., A.
CALAN, Pierre Cte de (18-7-11) Af.
CALE, J.-J. (5-12-38) U., C., G.
CALEF, Henri (20-7-10) Ré.
CALFAN, Nicole (4-3-47) A.
CALIXTE, Michel (15-7-29) Af.
CALLAS, Maria (Kalogeropoulos) (1923-78) Gr., Ch.
CALLOUD, Jacques (22-5-21) Af.
CALMETTES, André (1861-1942) Ré.
CALONI, Philippe (24-6-40) T.
CALVET, Corinne (Dibos) (30-4-25) A. Jacques (19-9-31) Af.
CALVI, Gérard (Grégoire Kretty) (1922) Cp.
CAMERINI *, Mario (1895-81) It., Ré.
CAMERON, Rod (Nathan Cox) (1910-83) Ca., A.
CAMOIN, René (1932) A.
CAMOLETTI, Marc (16-11-23) Au.
CAMPBELL, David (1952) Écosse, Ed.
CAMPION, Léo (24-3-05) Ch.
CAMUS *, Marcel (1912-82) Ré. Mario (20-4-35) Esp., Ré.
CANALE, Gianna Maria (1927) It., A.
CANDIDO, Maria (Simone Marius) (1929) C.
CANGIONI, Pierre (29-7-39) T.
CANIFF, Milton (1907-88) U., Des.
CANNAC, Yves (23-3-35) Af.
CANNON, Dyan (4-1-38) U., A.
CANTEGREIL, Henri (21-7-35) Af.
CANTINFLAS, Mario Moreno (1911) Mex., A.
CANTOR, Eddie (Edward Israël Iskowitz) (1892-1964) U., A.
CANUDO, Riciotto (1879-1923) It., Cr.
CAPELLANI, Albert (1870-1931) Ré.
CAPELOVICI, Jacques (1932) T.
CAPILLON, Bernard (15-10-29) Af.
CAPLAN, Jil (n.c.) C.
CAPRA *, Frank (Italie, 18-5-1897) U., Ré.
CAPRI, Agnès (Sophie-Rose Friedmann) (1915-76) C.
CAPRON, Jean-Pierre (19-9-43) Af.
CAPUTO, Gildo (1904-88) It., Af.
CAPUCINE, (Germaine Lefebvre) (1935-90) A.
CARADEC, Jean-Michel (1946-81) C.
CARAN D'ACHE (Emmanuel Poiré) (1858-1909) Des.
CARAX *, Leos (21-11-60) Ré.
CARBONNAUX, Norbert (1918) Ré.
CARDIFF, Jack (1914) Brit., Op., Ré.
CARDIN, Pierre (7-7-22) Cou.
CARDINAL, Pierre (15-4-24) Pr., Ré.
CARDINALE *, Claudia (15-4-39) It., A.
CARDOZE, Michel (n.c.) J.
CAREL, Roger (Blancherel) (1927) A.
CARETTE, Bruno (1956-89) J. Julien (1897-1966) A.
CAREY, Harry (Henry De Witt Carey II) (1878-1947) U., A. Joyce (Lawrence) (1898) G.-B., A.
CARIES, François (27-8-27) Af.
CARLE *, Gilles (31-7-29) Ca., Ré.
CARLÈS, Roméo (1897-1971) Ch.
CARLETTI, Louise (1922) A.
CARLI, Patricia (Rosetta Ardito) (1943) C.
CARLIER, Jean (Bassin) (24-5-22) J., Ré.

CARLO-RIM (J.-Richard) (1905-89) J., Ré.
CARLOS (Jean Dolto), (20-2-43) C., Pré., T. Roberto (1943) Bré., C.
CARMET, Jean (25-4-20) A.
CARNÉ *, Marcel (18-8-06) Ré.
CARNES, Kim (20-7-48) U., C.
CAROCIS, Patrick de (19-11-53) J.
CAROL *, Martine (Mourer) (1922-67) A.
CARON, Leslie (1-7-31) A., Da.
CAROUS, Léonard (1923) Af.
CARPENTER, John (1-1-48) U., Ré.
CARPENTIER, Gilbert (20-3-20) Pr. Maritie (1920) Pr.
CARRADINE, David (8-10-36) U., A., John (Richmond C.) (1906-88) U., A. Keith (8-8-50) U., A.
CARRÉ, Michel (1865-1945).
CARREL, Dany (Suzanne Chazelles du Chaxel) (20-9-36) A.
CARRÈRE, Christine (1930) A. Emmanuel (1957) Au., J. Jean-Paul (7-9-26).
CARREYROU, Gérard (20-2-42) J.
CARRIER, Henri (1925) Ré. Suzy (Suzanne Knubel) (13-11-22) A.
CARRIÈRE, Anne-Marie (Blanquart, Mme Ph. Brilman) (16-1-25) Ch. Jean (1925-89) Af. J.-Claude (19-9-31) S. Mathieu (2-8-50) All., A.
CARROLL, Madeleine (O'Carroll) (1906-87) G.-B., A.
CARROUGES, Michel (Louis Couturier) (1910-88) Au.
CARS, Jean des (1943) J.
CARSON, Jack (1910-63) U., A.
CARTIER, Raymond (1904-75) J.
CARTIER-BRESSON, Henri (22-8-08) Ph.
CARTON, Jean (1911-88) Des. Pauline (Biarez) (1884-1974) A.
CARVEN, Carmen (31-8-09) Cou.
CASADESUS, Gisèle (16-6-14) A.
CASAMAYOR (Serge Fuster) (1911-88) Mag., Au.
CASARÈS *, Maria (M. Quiroga) (Esp., 21-11-22) A.
CASERINI, Mario (1874-1920) It., Ré.
CASH, Johnny (26-2-32) U., C., Cp.
CASILE, Geneviève (Vaneufville, Mme Jean-Louis Babu) (15-8-37) A.
CASSAVETES, John (1929-89) U., Ré., A.
CASSEL *, J.-Pierre (Crochon) (27-10-32) A.
CASSIDY, Butch (Robert Le Roy Parker) (1866-1909) U., Avent.
CASSIGNOL, Ét.-Jean (17-9-30) Af.
CASSIN, René (1887-1976) Juriste.
CASSOT, Marc (1923) A.
CASTAIGNE, Paul (1916-88) Méd.
CASTANS, Raymond (1921) R.
CASTEL, Colette (1937) A. Jean (4-6-21) Af. Robert (1933) A.
CASTELBAJAC, J.-Charles de (28-11-49) Cou.
CASTELLANE, Boni de (1867-1932).
CASTELLANI *, Renato (4-9-13) It., Ré.
CASTELLI, Christiane (1923-90) Ch. Philippe (1925) A.
CASTELOT, André (Storms) (Be., 23-11-11) Hist. Jacques (1914-89) A.
CASTORIADIS, Cornélius (1922) Au., fonctionnaire international.
CATELAIN, Jaque (1897-1965) A.
CATHIARD, Daniel (27-4-44) Af.
CATON, pseudo. voir Bercoff.
CAU, Jean (20-10-25) J.
CAUBÈRE, Philippe (n.c.) A.
CAUNES, Georges de (1919) J., T.
CAURAT, Jacqueline (J. Hein, Ép. Jacques Mancier) (23-7-29) T.
CAUSSIMON, J.-Roger (1918-85) A., Au.
CAVADA, J.-Marie (24-2-40) J., T.
CAVALCANTI *, Alberto (1897-82), Br., Ré.
CAVALIER *, Alain (Fraissé) (14-9-31) Ré. J.-Louis (1945-87) Pr.
CAVANNA, François (1923) J., Au.
CAYATTE *, André (Marcel Truc) (1909-89) Ré.
CAZAL, Daniel (n.c.) J., T.
CAZALIS, Anne-Marie (1920-88) J.
CAZAVRE, Maurice (n.c.) J., R.
CAZENAVE, Jean (29-11-35) T.
CAZENEUVE, Jean (17-5-15) Um. Maurice (4-1-23) Au., R.

CAZES, Roger (1913-87) Rest.
CECCALDI, Daniel (25-7-27) A.
CECCHID'AMICO, Suso (1914) It., S.
CELENTANO, Adriano (6-1-38) It., C., A.
CÉLÉRIER DE SANOIS, Hubert (1924) Af. Marie-Th. (1906) T.
CÉLIS, Élyane (Delmas) (1914-62) C.
CELLI, Adolfo (1922-86) It., A.
CELLIER, Caroline (7-8-45) A.
CERMOLACE, Paul (1912-88) Po.
CERRUTI, Nino (1934) It., Cou.
CERVAL, Claude (1914-72) A.
CERVI *, Gino (1901-74) It., A.
CEYRAC, François (12-9-12) Af.
CHABANNES, Jacques (1900) Pr., T.
CHABOUIS, Daniel (5-8-43) Pr., T.
CHABRIER, Carole (n.c.) A.
CHABROL *, Claude (24-6-30) Ré., Pr.
CHADEAU, André (8-4-27) Af.
CHAHINE *, Youssef (1926) Ég., M. Ré.
CHAIZE, Jacques (15-4-50) Af.
CHAKIRIS, George (1934) U., A., Da.
CHALAIS, Franç. (Bauer) (15-12-19) T.
CHALANDON, Albin (11-6-20) Af., Po.
CHALONGES, Christian de (21-1-37) Ré.
CHAM, (Amédée de Noé) (1819-84) Des.
CHAMARAT, Georges (1901-82) A.
CHAMBERLAIN, Richard (31-3-35) U., A.
CHAMBOST, Édouard (1943) A.
CHAMFORT, Alain (Legovic) (2-3-49) C.
CHAMPI (Roger Champenois) (1900) Ch.
CHAMPION, Gower (1921-80) U., A., Da.
CHAMPMESLÉ, Marie (1642-98) A.
CHANCEL, Jacques (Joseph Crampes) (2-7-28) R.
CHANDLER, Jeff (Ira Grossel) (1918-61) U., A.
CHANDON DE BRIAILLES, Frédéric (23-8-27) Af.
CHANEL (Gabrielle Bonheur, dite Coco) (1883-1971) Cou.
CHANEY, Lon (1883-1930) U., A.
CHANTAL, Marcelle (1903-60) A.
CHAPATTE, Robert (14-10-22) J., T.
CHAPEL, Alain (1937-90) Rest. Jean-Pierre (n.c.) J.
CHAPIER, Henry (14-11-33) J.
CHAPLIN (Sir Charles, dit Charlie) * (G.-B., 1889-1977) U., Ré., A. Géraldine (31-7-44) G.-B., A., Da Sydney (1926) U., A.
CHAPMAN, Graham (1941-89) U., Ré.
CHAPUS, Jacques (1922) J., R.
CHARBY, Corinne (12-7-60) C.
CHARDEN, Éric (15-10-42) C., Cp.
CHARDON, Martine (1947) Pré. Paul (6-7-26) Notaire.
CHARENSOL, Georges (1899) Cr.
CHARETTE de la CONTRIE, Hervé de (30-7-38) Po. Patrice de (1949) Mag.
CHARISSE, Cyd (Tula Ellice Finklea) (8-3-24), U., A., Da.
CHARLEBOIS, Robert (25-6-44) Ca., C.
CHARLES, Ray (R. C. Robinson) (23-9-30) U., C.
CHARLES-ROUX, Edmonde (7-4-20) J., Au.
CHARLESON, Ian (1950-90) GB. A.
CHARLIER, Julien (10-11-27) Af.
CHARLOTS (Les) : Guy Fechner (1947) Gérard Philippelli (12-12-42) Gérard Rinaldi (17-2-43) Jean Sarus (11-5-45) A., C.
CHARON, Jacques (1920-75) A.
CHARPIN, Fernand (1887-1944) A.
CHARPINI, Jean (1901-87) A.
CHARPY, Pierre (1919-88) J., T.
CHARRIER, Jacques (1936) A., Pr.
CHARTIER Jean-Pierre (1919-78) J., Pr., Ré.
CHASE, Charley (Parrott) (1893-1940) U., A.
CHASSAGNE, Yvette (28-3-22) Af.
CHASTAGNOL, Alain (15-2-45) Ens., Po.
CHASTEL, André (1912-90) Au., Cr.
CHATEL, Fr. (de Chateleux) (1926-82) T. François († 1990) J.-Philippe (23-2-48) C.

CHATILIEZ, Étienne (n.c.) Ré.
CHATILLON, Dominique (15-01-28) Af.
CHATTARD, Jacques-Olivier (20-2-25) T.
CHATTERTON, Ruth (1893-1961) U., A.
CHATS SAUVAGES (Les) : (Dick Rivers) (1961).
CHAUMETTE, François (8-9-23) A.
CHAUSSADE, Pierre (3-7-13) Af.
CHAUSSETTES NOIRES (Les) Groupe Mu. (1960).
CHAUSSON, Joël (1951) Dir. Th.
CHAUVEAU, Zoé (28-3-59) A.
CHAUVET, Louis (1906-81) J.
CHAVAL (Yvan Le Loual) (1915-68) Des.
CHAVANCE, Louis (1907-79) S.
CHAVANE, François (5-4-10) Pr.
CHAVANON, Christian (1913) R.
CHAZAL Claire (n.c.) J., Pré. Robert (3-9-12) J.
CHAZOT, Jacques (27-9-28) Da., Cho., Au.
CHEBEL, Claude (1939) An., R.
CHECKER, Chubby (Ernest Evans) (10-3-41) U., C.
CHEDID, Louis (1-1-48) C.
CHEGARAY, Denis (n.c.) Ré. Jacques (15-2-17) Au.
CHELON, Georges (4-1-43) C.
CHELTON, Tsilla (n.c.) A.
CHENAL, Marthe (1881-1947) C. Pierre (Cohen) (1904-90) Ré.
CHENEZ, Bernard (1946) Des.
CHÉNIER, Clifton (1925-87) U., Acc., C.
CHENINE, Guy (n.c.) J., T.
CHENOT, Bernard (20-5-09) C. d'E., Min.
CHENU, Marie-Dominique (1895-1990) Théol.
CHEPITKO, Larissa (1938-79) Ur., Ré.
CHER, (Cherilyn Sarkisian) (1946) U., A.
CHÉREAU, Patrice (2-11-44) M.
CHÉRI, Rose (Cizos) (1824-61) A.
CHÉRYL, Karen (Isabelle Morizet) (19-7-55) C.
CHESNAIS, Patrick (18-3-47) A.
CHEVALIER, Alain (16-8-31) Af. Maurice (1888-1972) C., A.
CHEVIT, Maurice (31-10-23) A.
CHEVRIER, Jean (L. Dufayard) (1915-75) A.
CHEVRILLON, Olivier (28-1-29) J.
CHIAPPE, Jean-Fr. (30-11-31) Hist.
CHIARI, Walter (Annichiarico) (1924) It. A.
CHICOT, Étienne (n.c.) A.
CHIPPERFIELD, James († 1990) G.-B., Cirque.
CHOISEL, Fernand (16-4-29) J.
CHOLLET, Jean (1798-1892) A.
CHOMETTE, Henri (1896-1941) Ré.
CHOUPIN, Joseph (1928) T.
CHOURAQUI, André (11-8-17) Au. Élie (3-7-50) Ré.
CHOUREAU, Etchika (1923) A.
CHRÉTIEN, Henri (1879-1956) Inv.
CHRICHTON, Michael (1942) U., Ré.
CHRIS, Long (1943) Cp., C. Christ, Yvan (10-9-19) Au.
CHRISTENSEN *, Benj., (Bent) (1879-1959) Dan., Ré.
CHRISTIAN, Linda (Blanca Rosa Welter) (1928) U., A.
CHRISTIAN-JAQUE (Ch. Maudet) * (4-9-40) Ré.
CHRISTIE, Julie (14-4-40) G.-B., A.
CHRISTIN, Pierre-Marie (n.c.) J.
CHRISTINÉ, Henri (1867-1941) Cp.
CHRISTOPHE (D. Bevilacqua) (13-10-45) C. Françoise (3-2-23) A.
CHURCHILL, Sarah (1914-82) G.-B. A.
CHYTILOVA, Véra (1929) Tc., Ré.
CIAMPI Yves (1921-82) Ré.
CICCIOLINA, (Illona Staller M^me^Jef Koons) (1951) Ho., A., Po.
CICUREL, Michel (5-9-47) Fonct.
CIMINO, Michael (1943) U., Ré.
CINQUETTI, Gigliola (1947) It., C.
CITROËN, André (1878-1935) Af.
CLAIR *, René (Chomette) (1898-1981) Ré.
CLAIRE, Cyrielle (1955) A.
CLAIRON (Claire-Josèphe de La Tude) (1723-1803) A.
CLAPTON, Eric (30-3-45) G.-B., C., Cp.
CLARENDON (V. Gavoty).
CLARIOND, Aimé (1894-1960) A.
CLARK, Petula (15-11-32) G.-B., C.
CLARKE, Robert (9-1-22) J. Shirley (1925) U., Stanley (30-6-51) U., C.
CLASH (The) : Joe Strummer, Mick Jones (26-6-55) Paul Simonon, Nicky Headon, G.-B., Mu.
CLAUDE, Francis (Charles Saüt) (1905-89) A., C. Hervé (n.c.) J.
CLAUDEL, Paul (1868-1955) Au., Dip.
CLAUDIUS (Maurice Jouet) (1858-1932) A., C.
CLAVE, André (1916-81) T.
CLAVEAU, André (1915) C.
CLAVIER, Christian (6-5-52) A.
CLAY, Philippe (Mathevet) (7-3-27) C.
CLAYBURGH, Jill (30-4-44) U., A.
CLAYDERMAN, Richard (Philippe Pages) (28-12-53) Mu.
CLAYTON, Jack (1921) G.-B., Ré., Pr.
CLEGG, Johnny (7-6-53) G.-B., C.
CLEITMAN, René (22-5-40) R.
CLÉMENT, Andrée (Boyer) (1918-54) A. Aurore (12-10-45) A. René * (18-3-13) Ré.
CLEMENTI, Pierre (28-9-42) A.
CLERC, Christine (31-10-42) J. Julien (Paul-Alain Leclerc) (3-10-47) C. Michel (27-6-22) J.
CLERMONT, René (1921) A.
CLERMONT-TONNERRE, Antoine de (18-6-41) Af., Éd.
CLIFF, Jimmy (Jimmy Chambers) (30-7-44) G.-B., C., Cp.
CLIFT *, Montgomery (1920-66) U., A.
CLINE, Eddie (1892-1961) U., Ré.
CLIVE-WORMS, Nicholas (14-11-42) Af.
CLOCHE, Maurice (1907-90) Ré.
CLOËREC, René (31-5-11) Cp.
CLOQUET, Ghislain (1924-81) Op.
CLOS, Max (6-1-25) J.
CLOSE, Glenn (19-3-47) U., A.
CLOSETS, François de (25-12-33) J.
CLOSTERMANN, Pierre (28-2-21) Ing., Po.
CLOUZOT *, Henri-Georges (1907-77) Ré.
CLUZET, François (21-9-55) A.
COBB, Lee (Jacoby) (1911-76) U., A.
COBHAN, Billy (16-5-44) U., Bat., Cp.
COBURN, Charles (1877-1961) U., A. James (31-8-28) U., A.
COCCIANTE, Richard (20-2-46) C.
COCCINELLE (Jac.-Ch. Dufresnoy) (1931) A.
COCÉA, Alice (1897-1970) A.
COCHET, Jean-Laurent (28-1-35) A.
COCHRAN, Steve (Robert) (1917-65) U., A. Eddy (1938-60) U., C.
COCK, Robin (2-12-52) U., C.
COCKER, Joe (20-5-44), G.-B., C.
COCTEAU *, Jean (1889-1963) Au.
COËDEL, Lucien (1899-1947) A.
COFFINET, Anne-Marie (1936-84) A.
COGGIO, Roger (11-3-34) A., Ré.
COGONI, Michel (n.c.) R.
COHEN, Gérard (7-2-45) A. Léonard (21-9-34) Ca., C., Cp.
COHL, Émile (Courtet) (1857-1938) Ré.
COHN, Al (1926-88) U., Mu.
COHN-BENDIT, Daniel (4-4-45) Po.
COLBERT, Claudette (Colette Chauchoin) (Paris, 13-9-05) U., A.
COLDEFY, Jean-Marie (2-6-22) M.
COLETTE (Sidonie Gabrielle Colette) (1873-1954) Au.
COLLÆR, Paul (1891-89) Be., Music.
COLLANGE, Christiane (Mme Ferniot) (29-10-30) J.
COLLARO, Stéphane (20-5-43) J.
COLLINS, Joan (23-5-33) G.-B., A. Judy (1-5-39) U., C. Phil (30-1-51) G.-B., C.
COLLOMB, Bertrand (14-8-42) Af.
COLMAN, Ronald (1891-1958) U., A.
COLOMBO, Pia (1934-86) C., A.
COLOMÈS, Michel (14-1-38) J.
COLPI, Henri (5-7-21) Ré.
COLUCHE (Michel Colucchi) (1944-86) A., Ch.
COMENCINI *, Luigi (8-6-16) It., Ré.
COMMANDON, Jean (1877-1970) Ré.
COMININE, Philippe de pseudo. voir Bercoff.
COMMODORES (Lionel Ritchy) (7-7-64) C.
COMMUNARDS (Jimmy Sommerville) (22-6-61) G.-B., C.
COMPAGNIE CRÉOLE (Clémence) (n.c.) C.
COMPAGNONS DE LA CHANSON (Les) : G. Bourguignon (1919-70) J. Broussole (1921-84) J.-P. Calvet (12-3-25) M. Casset (Gaston) (1935) J. Frachon (1919), J.-L. Jaubert (1920) H. Lancelot (1923) F. (1924) et R. Mella (1926) G. Sabat (1926) C.
COMPANEEZ, Nina (26-8-37) Ré.
COMTE, Gilbert (29-11-32) J.
CONGAR, Yves (13-04-04) Prêt.
CONNERY *, Sean (Thomas Connery) (25-8-30) G.-B., A.
CONNORS, Mike (Krekor Ohanian) (15-8-25) U., A.
CONRAD, Robert (1-3-35) U., A. William (1920) U., A., Ré.
CONSIGNY, Anne (1964) A.
CONSO, Pierre (23-4-31) Af.
CONSTANTIN, Jean (1926) C. Michel (Constantin Hokhloff) (13-7-24) A.
CONSTANTINE *, Eddie (U., 29-10-17) A.
CONTAMINE *, Claude (29-8-29) Dip.
CONTAT, Louise (1760-1813) A.
CONTE, Arthur (31-3-20) Po., Au. Louise (1923) A. Richard (1914-75) U., A.
CONTET, Henri (8-5-04) Au.
CONWAY, Jack (1887-1957) U., Ré.
COOGAN, Jackie (1914-84) U., A.
COOK, Elisha Jr (26-12-06) U., A. Sam (1939-64) U., C.
COOPER, Alice (Vincent Furnier) (25-12-45) U., C. Gary * (1901-61) U., A. Jacky (15-9-21) U., A.
COPEAU, Jacques (1879-1949) M.
COPI, (Raul Damonte) (1939-87) A., Des.
COPIN, Noël (22-12-29) J.
COPPENS, Yves (9-8-34) Un.
COPPOLA *, Francis Ford (7-4-39) U., Ré.
COQUATRIX, Bruno (1910-79) Au., Cp.
COQUELIN, Constant (dit Aîné) (1841-1909) A. Ernest (dit Cadet) (1848-1909) A.
COQUET, James de (1898-1988) J.
CORBIER, François (17-10-44) Ch.
CORBUCCI, Sergio (+ 1990) It., Ré.
CORCHIA, Primo (1913, or. ital.) Acc.
CORDELIER, Pierre (9-7-18) R.
CORDIER, Marie-Agnès (n.c.). J.
CORDY, Annie (Cooreman, Mme Henri Bruno) (16-6-28) Be., C. Raymond (Cordiaux) (1898-1956) A.
COREA, Chick (12-6-41) U., C., Cp.
CORMAN, Roger (5-4-26) U., Ré.
CORNEAU *, Alain (7-8-43) Ré.
CORNELIUS *, Henry (1913-58) G.-B., Ré.
CORNELL, Katharine (1889-1874) U., A.
CORRÉ, Max (1912-91) J.
CORTEZ, Ricardo (Jacob Krantz) (1899-1977) U., or. aut., A.
CORTI, Axel (1933) Aut., Ré. José (Corticchiato) (1895-1984) Éd.
COSIMA, Renée (1926-81) A.
COSMA, Vladimir (R. 13-4-40) Cp.
COSMOS, Jean (Gaudrat) (1923) F., Au.
COSTA-GAVRAS * (Constantin Gavras) (13-2-33) or. gr., Ré.
COSTA, Mario (1910) It., M. Nikka (1972) U., C.
COSTA DE BEAUREGARD, Albert (1943-87) Af.
COSTAKIS, Georges (+ 1990) Gr., Coll.
COSTE-FLORET, Alfred (1911-90) Po.
COSTELLE, Daniel (1936) It., Pr., Ré.
COSTELLO, Elvis (Declan Mc Manus) (12-1-55) G.-B., C., Cp. Lou (Louis Crisillo) (1906-59) U., A.
COSTER, Claudine (Mme R. Manuel) (1939) A.
COSTNER *, Kevin (1955) U., Ré.
COT, Pierre (10-9-11) Ing.
COTTA, Michèle (15-6-37) J.
COTTAFAVI, Vittorio (1914) It., Ré.
COTTEN *, Joseph (15-5-05) U., A.
COTTENÇON, Fanny (11-5-57) A.
COUDERC, Philippe (21-1-32) J. Roger (1918-84) J., T.
COUÉ, Émile (1857-1926) Pharm.
COURCEL, Nicole (Andrieux) (21-10-30) A.
COURCHELLE, Gérard (5-6-1949) J.
COURNAND, André (1896-88) U., Méd.
COURNOT, Michel (1922) J., Di., Ré.
COURRÈGES, André (9-3-23) Cou.
COURRIÈRE, Yves (12-10-35) J.
COURTENAY, Tom (25-2-37) G.-B., A.
COURTIOUX, Marie-Christiane (n.c.) J., R.
COURTOIS, Jacques (5-4-28) Ch.
COUSTEAU, Jacques-Yves (11-6-10) Ré.
COUTARD, Raoul (16-9-24) Op.
COUTURE, Charlélie (Bertrand Couture) (26-2-56) C.
COVER, Francis (Convert) (1913-75) J., T.
COVERI, Enrico (n.c.-90) It., Cou.
COWARD, Noël (1899-1973) G.-B., Au., A., Ré.
COWL, Darry voir DARRY.
CRABBE, Larry « Buster » (Clarence Lindon Crabbe) (1907-83) U., A.
CRAHAY, Jules-François (1918-88) Cou.
CRAIG, James (Meador) (1912-85) U., A. Michaël (Gregson) (27-1-28) G.-B., A.
CRAIN, Jeanne (25-2-25) U., A.
CRAUCHET, Paul (1920) A.
CRAVENNE, Georges (24-1-14) J. Marcel (Cohen) (1908) Ré.
CRAWFORD, Broderick (1910-86) U., A. Joan * (Lucille Le Sueur) (1908-77) U., A.
CREAM (The) : Eric Clapton (30-3-45) Ginger Baker (1942) Jack Bruce (1940) G.-B., C.
CREEDENCE CLEARWATER REVIVAL : Tom Fogerty (1941) John Fogerty (1945) Stuart Cook (1945) Douglas Clifford (1945) U., C.
CRÉMER, Bruno (6-10-29) A.
CRÉMIEUX, Henri (1896-1980) A.
CRENNA, Richard (30-11-27) U., A.
CRESPEAU, Virginia (n.c.) Pré.
CRETON, Michel (1942) A.
CRÈVECŒUR, Jean de (1906-87) Gl.
CRICHTON *, Charles (1910) G.-B., Ré.
CRISTIANI, Hervé (8-11-47) C.
CROISILLE, Nicole (9-10-36) C.
CROMWELL, John (1887-1979) U., Ré.
CROMWELL, Richard (R. Radebaugh) (1910-60) U., A.
CROSBY, Bing (1901-77) U., A., C. David (14-8-41) U., C.
CROSS, Christopher (C. Geppert) (30-5-51) U., C.
CRUZE, James (1884-1942) U., Ré.
C.S.N. AND Y : David Crosby (14-8-41) Stephen Stills (30-1-45) Graham Nash (2-2-45) Neil Young (12-11-45) U., C., Cp.
CUBBADA, Marie-France (4-8-47) J.
CUGAT, Xavier (1900-90) Es., Mu.
CUKOR *, George (1899-83) U., Ré.
CULTURE CLUB : Boy George (14-6-61) G.-B., C.
CUMMINGS, Robert (1910-90) U., A.
CUNY, Alain (1908) A. Louis (1907-62) Ré.
CURE : Robert Smith (21-4-59) Simon Galley (1-6-60) Boris Williams (24-4-57) Lol (Lawrence Tolhurst) (3-3-59) Porl Thompson (8-11-57).
CURTEN, Hubert (30-10-24) Un., Min.
CURI, Izet (1950) It., Cou.
CURTIS, Tony (Bernie Schwartz) (3-6-25) U., A.
CURTIZ *, Michael (Mihaly Kertesz) (Ho., 1898-1962) Ré.
CUSHING, Peter (26-5-13) G.-B., A.
CUTUGNO, Toto (7-7-43) It., C.
CYBULSKI, Zbigniew (1927) Pol., A.
DABADIE, J.-Loup (27-9-38) S., Au.
DAC, Pierre (André Isaac) (1893-1975) A., J., Ch.
DACQ, Muriel (11-7-62) C.
DACQMINE, Jacques (30-11-24) A.
DAËMS, Marie (27-1-28) A.
DAGOVER *, Jil (Marta Maria Liletts) (1897-1980) All., A.
DAGUES, Claude (1923) Ré., T.

Dahl, Arlène (11-8-24) U., A.
Roald (1916-90) G.-B., Au.
Dahlbeck *, Eva (1920) Suè., A.
Daho, Étienne (14-1-56) C.
Dailey, Dan (1914-78) U., A.
Dalban, Robert (Gaston Barré) (1903-87) A.
D'Albray, Muse (1903) A., Au.
Dali, Salvador (1905-89) Es., Pe.
Dalida (Yol. Gigliotti) (Ég., 1933-87) C.
Dalio, Marcel (Israël Blauschild) (1899-1983) A.
Dalle, Béatrice (n.c.) A. François (18-3-18) Af.
Dalmès, Mony (Simone Etennemare, Mme C. Philippe) (1914) A.
Dalsace, Lucien (1893-1980) A.
Daltrey, Roger (1-3-44) G.-B., C.
Damia (M.-Louise Damiens) (1892-1978) C.
Damian, J.-Michel (8-9-47) J.
Damien, André (10-7-30) Av., Po.
Damita, Lili (Liliane Carré) (1901) All.-U., A.
Dana, Viola (Virginia Flugrath) (28-6-1897) U., A.
Dancourt (M.-Thérèse Le Noir de la Thorillière) (1663-1725) A.
Dandridge, Dorothy (1922-65) U., A.
Dandry, Évelyne (1939) A.
Danel, Pascal (28-3-44) C.
Dangas, Pierre (n.c.) J., R.
Dani (Danièle Graule) (1944) A., C.
Daniel, Jean (Bensaid) (21-7-20) J.
Daniderff, Léo (Niquet) (1878-1943) Cp.
Daniels, Bébé (Virginia Daniels) (1901-71) U., A.
Danno, Jacqueline (1935) C., A.
Danot, Serge (+ 1990) Des.
Daquin *, Louis (1908-80) Ré.
Darbois, Guy (n.c.) T. Roland (1922) Pr., T.
Darc *, Mireille (Aigroz 15-5-38) A.
Darcante, Jean (Albassier) (1910-90) A.
Darcey, Claude (n.c.) R.
Dardaud, Gabriel (1900) J.
Darel, Sophie (Mme B. Golay) (1-7-44).
Dargaud, Georges (1911-90) Éd.
Dargenton, Philippe (24-3-27) Af.
Darget, Chantal (1938-88) A. Claude (Chr. Savarit) (26-1-10) J.
Darmon, Gérard (29-2-48) A. Jacques (12-8-40) Af.
Darnal, J.-Cl. (24-6-29) C.
Darnell, Linda (Marretta Darnell) (1921-65) U., A.
Darras, Jean-Pierre (Dumontet) (26-11-27) A.
Darrieux *, Danièle (1-5-17) A.
Darroze, Patrick (n.c.) J., T.
Darry Cowl (André Darricau) (27-8-1925) A.
Dart, Raymond (1893-88) Australien, Méd.
Darty, Bernard (12-12-34) Af.
Darvi, Bella (Wégier) (1928-71) A.
Dary, René (Antoine Mary) (1905-74) A.
Dassary, André (Deyhérassary) (1912-87) A., C.
Dassault, Marcel (1892-1986) Af. Olivier (1-6-52) Af., Po. Serge (4-4-25) Af.
Dassier, J.-Claude (28-7-41) J.
Dassin, Joe (1938-80) U., C. Jules * (18-12-11) U., Ré.
Dasté, Jean (1904) A.
Dauberson, Dany (1922-79) C.
Daugny, Bertrand (5-1-25) Af.
Daum, Jacques (1910-87) Af.
Daumier, Honoré (1808-79) Des. Sophie (Mme Hugon) (24-11-34) A.
Dauphin, Claude (Legrand) (1903-78) A. Jean-Claude (Legrand) (16-3-48) A.
Dauriac, Christian (1-3-52) J.
Dautin, Yvan (6-5-45) C.
Dautresne, David (5-1-34) Bq.
Dautun, Bérangère (Gaubens) (10-5-39) A.
Daux, Georges (1899-1988) Archéologue.
Dauzier, Pierre (31-1-39) Af.
Davant, Sophie (n.c.) J.
Dave (Wouter Levenbach) (4-5-44) P.-Bas, C.
Daves *, Delmer (1904-77) U., Ré.
David, Jean-Louis (1935) Coi. Mario (1927) A.
David & Jonathan, David Marouani (13-9-69) Jonathan Bermudes (8-2-68).
David-Weill, Michel (23-11-32) Bq.
Davies, Marion (Marion Douras) (1897-1961) U., Da., A.
Davila, Jacques (1941) Ré.
Davin, Jacky (n.c.) J., R.
Davis *, Bette (Ruth Eliz. Davis) (1908-89) U., A. Miles (25-5-26) U., Mu. Sammy Jr. (1926-90) U., C.
Dax, Micheline (Mme J. Bodoin) (1926) A., C.
Day, Doris (Kappelhoff) (3-4-24) U., A., C. Josette (Mme Vassilopoulos) (1914-78) A. Laraine (Johnson) (13-10-20) U., A.
Daydé, Joël (1947) C. Liane (27-2-32) D.
Dazincourt (Joseph Albouy) (1747-1809) A.
Déa, Marie (Odette Deupès) (1919) A.
Dean *, James (Byron) (1931-55) U., A.
Dearden *, Basil (1911-71), G.-B., Ré.
Dearly, Max (1874-1942) A.
Debary, Jacques (25-11-14) A.
Debatisse, Michel (1-4-29) Af.
Debauche, Pierre (5-2-30) Th.
Debidour, Victor-Henry (1911-88) Au.
Debout, J.-Jacques (9-3-41) C., Cp.
Debre, Michel (15-1-12) Po. Ses fils : Bernard (30-9-44) chir., Po. J.-Louis (30-9-44) Mag, Po. Vincent (20-4-39) Af. Son frère : Olivier (15-4-20) Po.
Debucourt, Jean (Pelisse) (1894-1958) A.
Debureau, Jean-Bap. Gaspard (1796-1846) Mime.
Decae, Henri (1915-87) Op.
Decaris, Albert (1901-88) Des.
De Carlo *, Yvonne (Peggy Middleton) (1-9-24) C., A.
Decaux, Alain (23-7-25) Hist. J.-Claude (15-9-37) Pu.
Dechavanne, Christophe (n.c.) An., T.
Decoin *, Henri (1896-1969) Ré.
Deconinck, Bernard (20-6-19) Af.
Decoster, Édouard (4-12-19) Af.
Decout, Bob (n.c.) Ré.
Decrouy, Étienne (1898) Mime.
Dee, Sandra (Alexandra Zuck) (29-4-42) U., A.
Deed, André (Chapuis) (1884-1931) A.
Deep Purple, Ritchie Blackmore (14-4-45) Ian Gillan (19-8-45) G.-B., C.
Defforey, Jacques (7-7-25) Af.
De Filippo, Eduardo (1900-84) It., A., Ré.
Deflassieux, Jean (11-7-25) Bq.
Deforges, Régine (15-8-35) Éd., Au.
Degottex, Jean (1908-88) Des.
Degrenne, Guy (3-8-25) Af.
Deguelt, François (4-12-33) C.
Deguen, Daniel (9-1-28) Af.
Deharme, Lise (n.c.-1980) Au.
Dehecq, J.-François (1-1-40) Af.
Dehelly, Suzanne (1902-88) A.
Deiber, Paul-Émile (1925) A.
Déjazet, Virginie (1798-1875) A.
Dejean, J.-Luc (1921) Pr., T.
Déjouany, Guy (15-12-20) F., Af.
Delagrange, Christian (1953) C.
Delair, Suzy (Suzanne Delaire) (1917) A., C.
Delamare, Georges (1881-1975) J. Lise (1913) A.
Delannoy, Jean * (12-1-08) Ré. J.-Claude (1931) T. Léopold (1817-88) A. Marc (n.c.) J., T.
Delanoe, Pierre (Leroyer) (16-12-18) Au., R.
Delaporte, Pierre (30-7-28) Af.
Delaroche, Christine (Mme Guy Bontempelli), (1944) A.
Delassus, Chantal, (n.c.) J.
Delaunay, Louis (1826-1903) A.
De Laurentiis, Dino (8-8-19) It., Pr.
Delay, Jean (1907-87) Méd., Sc.
Delbard, Georges (20-5-06) Horticulteur.
Delbat, Germaine (1904-88) A.
Delcour, Gérard (8-8-46) Af.
Del Duca, Cino (1899-1967) It., J.
Delerue, Georges (12-3-25) Mu.
Delluc *, Louis (1890-1924) Ré.
Delmet, Paul (1862-1904) Cp.
Delmon, Pierre (1923-88) Af.
Delmont, Edouard (Autran) (1893-1955) A.
Delon *, Alain (8-11-35) A., Pr. Antony (28-9-64) A. Nathalie (Francine Canovas) (1-8-41) A.
Delorme *, Danièle (Girard, Mme Yves Robert) (9-10-26) A. Jean (25-10-02) Af.
Delort, J.-Jacques (20-9-35) Af.
Delouvrier, Paul (25-6-14) Insp. Fin.
Delpech, Michel (26-1-46) C.
Del Rio, Dolorès (Asunsolo-Martinez) (1905-84) Mex., A.
Del Ruth, Roy (1895-1961) U., Ré.
Delsaert, Marc (1954-88) Be., A.
Delubac, Jacqueline (1910) A.
Delvaux *, André (Delvigne) (21-3-26) Be., Ré.
Delyle, Lucienne (1917-62) C.
Demachy, Jean (16-5-25) J.
Demai, Michèle (Truchot) (1941) Sp.
Demal, Sami (1-1-48) Af.
Demazis, Orane (Marie-Louise Burgeat) (18-9-04) A.
Démeron, Pierre (13-3-32) J.
De Mille *, Cecil Blount (1881-1959) U., Ré., Pr.
Demongeot, Mylène (Mme M. Simenon) (29-9-36) A.
Demy *, Jacques (1931-90) Ré.
Deneuve *, Catherine (Dorléac) (22-10-43) A.
Deniau, J.-François (31-10-28) Insp. Fin., Min. Xavier (24-9-23) C. d'É., Po.
Deniaud, Yves (1901-59) A.
De Niro *, Robert (17-8-43) U., A.
Denis, Jean-Pierre (29-03-46) Ré.
Denis d'Inès (Octave Denis) (1884-1968) A.
Denis, Mère (Jeanne Le Calvé) (1893-1989) A.
Denisot, Michel (1945) J., T.
Denner, Charles (28-5-26) A.
Dennis, Sandy (27-4-37) U., A.
Denny, Reginald (Daymore) (1891-1967) U., A.
Denoyan, Gilbert (8-11-37) J.
Denver, John (J. Deutschendorf) (31-12-43) U., C.
Depardieu *, Gérard (27-12-48) A.
Depardon, R. (6-7-42) Ré.
Deray *, Jacques (Desrayaud) (19-2-29) Ré., Au.
Deréal, Colette (1927-88) A., C.
Derek, Bo (M.K. Collins) (10-12-55) U., A. John (Harris) (12-8-26) U., A., Ré.
Dern, Bruce (4-6-36) U., A.
De Robertis, Francesco (1902-59) U., Ré.
Derogy, Jacques (Weitzmann) (24-7-25) J., Au.
Derval, Tania (Mme P. Pitron) (1880-1966).
Derveloy, Christian (13-10-42) Af.
Dery, Michel (10-10-24) J.
Desailly, Jean (24-8-20) A.
De Santis *, Giuseppe (1917) It., Ré.
Desarthe, Gérard (n.c.) A.
Desazars de Montgailhard, William (2-6-33) Af.
Descamps, Eugène (+ 1990) Sy.
Descarpentries, Jean-Marie (11-1-36) Af.
Deschamps, Hubert (1923) A. Noël (1942) C.
Deschodt, Éric (30-3-37) J., Au.
Desclozeaux, J.-Pierre (1938) Des.
Descours, André (n.c.) Af. Jean-Louis (22-8-16) Af.
Descrières, Georges (Bergé) (15-4-30) A.
De Seta, Vittorio * (1923) It., Ré.
Desgeorges, J.-Pierre (23-7-30) Af.
Desgilberts, Guillaume (1594-1653) A.
Desgraupes, Pierre (18-12-18) J.
De Sica *, Vittorio (1901-74) or. it., Ré., Au., As.
Désiré, Amable (1823-73) A.
Desjardins, Thierry (1941-90) J.
Desjeunes, J.-Michel (1943-79) J.
Deslys, Gaby (Gabrielle Caire) (1881-1920) C.
Desmarets, Sophie (7-4-22) A.
Desny, Yvan (1922) A.
Desprès, Suzanne (Bonvalet) (1873-1951) A.
Desproges, Pierre (1939-88) A., Au.
Dessange, Jacques (5-12-25) Coi.
Destailles, Pierre (1909-90) A.
Destoop, Jacques (17-6-31) A.
Detmers, Maruschka (16-12-62) P.-Bas, A.
Devaivre, Jean (1912) Ré.
Devaquet, Alain (4-10-42) Un., Po.
Dève, Alain (n.c.) J., T.
Devère, Arthur (Be., 1893-1961) A.
Deville *, Michel (13-4-31) Ré.
Devillers, Renée (Mme J.-C. Hottinguer) (1903) A.
Devine, Georges-Alex. (1910) G.-B., A.
Devos, Raymond (9-11-22) Ch.
Dewaere *, Patrick (1947-82) A.
Dewavrin, Daniel (24-6-36) Af.
Dexter, John (n.c.-90) G.-B., M.
Dhéliat, Évelyne (1948) Sp.
Dhéran, Bernard (Poulain) (17-6-26) A.
Dherse, J.-Loup (17-1-33) Af.
Dhéry, Robert (Fourrey) (27-4-21) A., Ré.
Dhordain, Roland (29-4-24) R.
Diabate, Massa Makan (1939-88) Malien, Au.
Diamant-Berger, H. (1895-1972) M., Pr.
Diamond, Neil (24-4-41) U., C.
Diaz Alvarez, Juan-Antonio (1939) Es., Af.
Dibango, Manu (1933) C., Mu.
Dickinson, Angie (Pol., 30-9-31) U., A. Thorold (1903-84) G.-B., Ré.
Diddley, Bo (Ellas Mac Daniel) (30-12-28) U., C.
Didier, Arlette (Petitdidier) (1933) A.
Dieterle, William (1893-1972) U., Ré.
Dietrich, Gilbert de (17-11-25) Su., Af. Marlène * (Maria Magdalena von Losch) (All., 27-12-01) U., A., C.
Dieudonné, Albert (1889-1976) A. Hélène (1887-1980) A.
Dieuleveult, Philippe de (1952-disparu 1985) J., An.
Diligent, Robert (1924) Pr., T.
Diller, Barry (n.c.) U., Af.
Dillinger, John (1903-34) U.
Dinel, Robert (Roger Boudinelle) (1911) Ch.
Dingler, Cookie (17-10-47) C.
Dior, Christian (1905-57) Cou.
Diot, Richard (n.c.) J., T.
Dire Straits (Mark Knopfler) (12-8-49) G.-B., C.
Disney *, Walt (Elias) (1901-66) U., Ré.
Distel, Sacha (29-1-33) C., Cp.
Divine (Harris Glenn Milstead) (1946-88) U., A.
Diwo, François (1955) An., R. Jean (1914) J.
Dix, Richard (Ernst Brimmer) (1894-1949) U., A.
Dmytryk *, Edward (4-9-08) U., Ré.
Doat, Anne (16-9-36) A.
Doillon *, Jacques (15-3-44) Ré.
Doko, Toshiwo (1891-88) Jap., Af.
Doll, Dora (Dorothée Feinberg) (1922) A.
Dolto, Françoise (1909-88) Psych.
Dombasle, Arielle (27-4-55) A., Ré.
Domenech, Gabriel (1920-90) J.
Domino, Fats (26-2-28) U., Mu.
Dona, Alice (Donadel) (17-2-46) C. Jo (Donagemma) (24-8-24) Mu.
Donahue, Troy (Merle Johnson Jr) (27-1-36) U., A.

Donat, Robert (1905-58) G.-B., A.
Don Cherry (n.c.) U., Mu.
Donegan, Lonnie (1931) G.-B., G.
Donen *, Stanley (13-4-24) U., Ré.
Doniol-Valcroze *, Jacques (1920-89) Cr., Ré.
Donlevy, Brian (1899-1972) U., A.
Donnadieu, Bernard-Pierre (1939) F., A.
Donnedieu de vabres, Jean (9-3-18) CdE.
Donner, Clive (1920) G.-B., Ré.
Donohue, Jack (3-11-08) U., Ré.
Donot, Jacques (1914) J., T.
Donovan (Donovan Leitch) (10-5-46) G.-B., C.
Donskoï *, Mark (M. Semionovitch, Donskoï) (1897-1981) Ur., Ré.
Doors (The) : Jim Morrison (1943-71) Raymond Manzarek (12-2-35) Robert Krieger (1944) John Dens more (1943) U., C., Cp.
Doré, Christiane (20-3-42) J.
Dorfmann, Robert (1912) Pr.
Dorin, Françoise (23-1-28) A. Au. René (1891-1970) Ch.
Doris, Pierre (Tugot) (29-10-19) Ch.
Dorléac, Catherine (V. Deneuve).
Dorléac, Françoise (1942-67) A.
Dorothée (Frédérique Hoschédé) (14-7-53) C., Pré.
Dorothée Bis (Jacqueline Jacobson) (1930) Cou.
Dors, Diana (Fluck) (1931-84) G.-B., A.
Dorval, Marie (1798-1849) A.
Dorziat, Gabrielle (Mme M. de Zogheb née Sigrist) (1880-1979) A.
Douai, Jacques (Gaston Tanchon) (11-12-20) C.
Douce, Claude (1938) Af., Jacques (1925-82).
Doucet, Jacques (1853-1929) Cou.
Douchka (Bogidarka Esposito) (26-6-61) C.
Douglas, Gordon (1909), U., M. Kirk * (Demsky) (9-12-16) U., A. Melvyn (Hesselberg) (1901-81) U., A. Michaël (Demsky) (25-9-44) U., A. Paul (1907-59) U., A. Pierre (1941) J., T.
Dougnac, France (10-6-51) A.
Doumeng, J.-Bapt. (1919-87) Af.
Douroux, Lucien (16-8-33) Af.
Doutrelant, J.-Marie (1941-87) J.
Doux, Charles (14-4-38) Af.
Douy, Max (20-6-14) Déc.
Dovjenko *, Alek. (1894-1956) Ur., Ré.
Drach, Michel (1930-90) Ré.
Drancourt, Michel (9-5-28) Éc.
Dranem (Armand Ménard) (1869-1935) C. caf. conc.
Draper, Ruth (1889-1956) U., A.
Dressler, Marie (Leila Koerbir) (Ca., 1869-1935) U., A.
Dréville *, Jean (20-9-06) Ré.
Dreyer *, Carl Theodor (1889-1968) Dan., Ré.
Dreyfuss, Richard (29-10-47) U., A.
Drhey, Michel (1944) J.
Droit, Michel (23-1-23) J. Au.
Dromer, Jean (2-9-29) Bq.
Drot, J.-Marie (2-3-29) Pr., Ré.
Drouin, Dominique (1921) J.
Drouot, J.-Claude (Be. 1938) A.
Drucker, Jean (12-8-41) T., Af. Michel (12-9-42) J., T.
Dubas, Marie (1894-1972) A., C.
Dube, Lucky (n.c.) U., C.
Dubillard, Roland (2-12-23) Au., A.
Dubois, Jean-Pol (n.c.) A. Marie (Mme S. Rousseau) (12-1-37) A.
Dubos, René (1901-82) ing., inv.
Dubost, Paulette (8-10-11) A.
Dubout, Albert (1905-76) Des.
Dubrule, Paul (6-7-34) Af.
Duby, Georges (7-10-19) Hist. Jacques (7-5-22) A.
Duc, Hélène (1919) A.
Ducaux, Annie (10-9-08) A.
Duchaussoy, Michel (29-11-38) A.
Duchesnois (Raffin) (1777-1835) A.
Ducrest, Philippe (1928) Ré., T.
Ducrocq, Albert (9-7-21) Au.
Dudan, Pierre (1916-84) or. su., C.
Dudow *, Slatan (1903-63) All., Ré.
Duez, Sophie (6-10-62) A.
Duffy, Patrick (17-3-49) U., A.
Dufilho, Jacques (10-2-14) A.
Duforest, Jacqueline (25-5-26) T.
Dufort, Bertrand (27-1-39) Af.
Dufourcq, Norbert († 1990) Mu.
Dufournier, Pierre (14-8-32) Af.
Dufresne, Claude (9-8-20) R., T. Diane (30-9-44) Ca., C.
Dugazon (J.-H. Gourgaud) (1746-1809) A. Rose (1755-1821) A.
Duhamel, Alain (1940) J. Antoine (30-7-25) Cp. Marcel (1901-77) A. Olivier (2-5-50) Un. Patrice (12-12-45) J.
Dulac, Germaine (Sasset-Schneider) (1882-1942) Ré. Jacqueline (n.c.) C.
Duleu, Édouard (1909) Mu.
Dullin, Charles (1885-1949) M., A.
Duma, J.-Louis (2-2-38) Af.
Dumas, André (29-1-40) J. François (19-1-35) Af. Roland (23-8-22) Av.
Dumayet, Françoise (1923) Pr. Pierre (24-2-23) J.
Dumesnil, Jacques (Joly) (9-11-04) A. Marie-Françoise (Mlle Marchand, dite) (1711-1803) A.
Dumon, Bernard (16-7-35) Af.
Dumont, Charles (26-3-29) Au., Cp., C.
Dunaway *, Faye (14-1-41) U., A.
Duncan, Isadora (1878-1927) Da.
Dunne *, Irène (1898-1990) U., A.
Du Parc (La), Thérèse (1633-68) A.
Duperey, Anny (A. Legras, Mme Giraudeau) (28-6-47) A.
Dupeyron, Andrée (1902-88) Ac.
Dupont, Jacques (1921-88) Ré.
Dupont-Fauville, Antoine (15-11-27) Bq.
Duprez, Gilbert (1806-96) A. June (1918-84) G.-B., A.
Dupuy, Marie-Catherine (12-5-50) Pu.
Duquesne, Jacques (18-3-30) J., Au. Roger (1922) An.
Durand, Guillaume (29-9-52) J. Jean (1882-1946) Ré. J.-Claude (n.c.) A.
Durante, Jimmy (1893-1980) U., A., C.
Duras, Marguerite (H. Donnadieu) (4-4-14) S., Ré., Au.
Durbin, Deana (4-12-21) U., A., C.
Durning, Charles (28-2-33) U., A.
Du Roy, Albert (2-8-38) J., T.
Duryea, Dan (1907-68) U., A.
Duse, Eleonora (1858-1924) It., A.
Dussane, Béatrix (Coulond-Dussan) (1894-1969) A., T.
Dussolier, André (17-2-46) A.
Dutailly, Jacques (1927) A., Cp.
Duteil, Yves (24-7-49) C.
Duthu, Hervé (1952) J.
Dutilleul, Jean-François (2-3-47) Af.
Dutronc, Jacques (28-4-43) C., A.
Dutt *, Guru (1925-64) Ind., Ré.
Duval, Colette (1930-88) A. Daniel (1944) A., Ré.
Duvaleix, Christian (1923-79) A.
Duvall Robert (5-1-31) U., A. Shelley (7-7-49) U., A.
Duvallès, Fréd. (Coffinières) (1896-1971) A.
Duverney, Anne-Marie (1-7-22).
Duvivier *, Julien (1896-1967) Ré.
Dux, Pierre (Martin Vargas) (1908-90) A., M.
Dwan *, Allan (1885-1981) U., Ré.
Dylan, Bob (R. Zimmerman) (24-5-41) U., C.
Eagles : Don Henley (22-7-47) Glenn Frey (6-12-48) Bernie Leadon (19-7-47) Randy Meisner (8-3-46) U., C.
Earl Jones, James (1931) U., A.
Earth, Wind & Fire : Maurice White (19-12-41) Philip Bailey (8-5-51) U., C.
Eastwood *, Clint (31-5-30) U., A., Ré.
Eaubonne, Jean d' (Pistou) (1903-71) Déc.
Edeline, J.-Charles (22-2-23) Af.
Edgerton, Harold (1903-90) U., Ing.
Edgren, Gustaf (1895-1954) Suè., Ré.
Edwards, Blake (McEdwards) (26-7-22) U., Ré., S.
Eelsen, Pierre (12-7-33) Af.
Effel, Jean (1908-82) Des.
Efros, Anatoli (1927-87) Ur., A., Th.
Egal, Fabienne (n.c.) Pré.
Eggerth, Martha (1912) Ho., A., C.
Eine, Simon (8-8-36) A.
Eisenstein *, Sergueï (1898-1948) Ur., Ré.
Ekberg, Anita (29-9-31) Su., A.
Elam, Jack (13-11-16) U., A.
Eldridge, Florence (1902-88) U., A.
Elgozy, Georges (1909-89) Fonct.
Elina, Lise (1913) J., Pr., T.
Elkabbach, J.-Pierre (29-9-37) J.
Elleviou, Jean (1769-1842) A.
Elsa (E. Lunghini) (20-5-73) C.
Emer, Michel (1906-84) Cp.
Emilfork, Daniel (1924) A.
Emmanuelle (19-7-63) C.
Emmer, Luciano (1918) It., Ré.
Emmery, Arlette (n.c.) A.
Empain, Édouard-Jean (baron) (7-10-37) Be., Af.
Eno, Brian (15-5-48) G.-B., C., Cp.
Enrico *, Robert (13-4-31) Ré.
Entremont, Jacques (29-1-39) Af.
Épinoux, J.-Marc (1934) An.
Epstein, Jean (Pol. 1897-1953) Ré.
Ermler *, Fridrik (1898-1967) Ur., Ré.
Erté (1892-1990), Ur., Des.
Escande, J.-Paul (19-10-39) Af. Maurice (1892-1973) A.
Escaro, André (1928) Des.
Escoffier-Lambiotte, Claudine (16-7-23) J., Méd.
Escudero, Leny (5-11-32) Esp., C.
Eskenazi, Gérard (10-11-31) Af.
Esperandieu, Claude (n.c.) T.
Espinasse, Lucien (n.c.) J. R.
Esposito, Giani (1930-73) Be., A.
Essel, André (4-9-18) Af.
Estérel, Jacques (Charles Martin) (1919-74) C.
Estrangin, Louis (1914) Af., J.
Étaix *, Pierre (23-11-28) A., Ré.
Etchegaray, Claude (5-9-23) Af.
Etcheverry, Jésus (1911-88) Mu. Michel (16-9-19) A. Robert (1938) A.
Étienne, sœurs Louise (1925) et Odette (1928) C.
Eustache, Jean (1938-81) Ré.
Evans, Edith (1888-1976) G.-B., A. Gil (1912-88) Ca., Mu. Linda (Evenstad) (18-11-42) U., A.
Evein, Bernard (1929) Déc.
Evenou, Danièle (1943) A.
Everly Brothers : Donald (1-2-37) Phil (19-1-39) Isaac, U., C.
Evrard, Claude (n.c.) A.
Ewald Jean-Luc (7-5-26) Af.
Ewell, Tom (S. Yewell Tompkins) (29-4-09) U.., A.
Eyquem, Danielle (1948-87) J.
Eyser, Jacques (Eysermann) (29-8-12) A.
Fabbri, Jacques (Fabricotti) (1925) A.
Fabian *, Françoise (Becker, née Michèle Cortes de Leonce y Fabianera) (10-5-33) A.
Fabre, Corinne (7-3-51) Ad. C. Denise (5-9-42) Sp. T., R. Fernand (1899) A. Francis (1911-90) Af. Francisque (1899-1988) J. Robert (21-12-15) Pharm. Pierre (16-4-26) Af. Pharm. Saturnin (1883-1961) A.
Fabrega, Christine (n.c.) A.
Fabri *, Zoltán (1917) Ho., Ré.
Fabrice (François F. Simon-Bessy) (20-8-41) An., R.
Fabrizi, Aldo (1906-90) It., A. Ré.
Fainsilber, Samson (1904-83) A.
Fairbanks *, Douglas (Julius Ullman) (1883-1939) U., A. Douglas Jr (9-12-09) U., A.
Faithful, Marianne (29-12-46) G.-B., C., Ac.
Faivre, Abel (1867-1945) Des.
Faivre d'Acier, Bernard (12-7-44) Af.
Faizant, Jacques (30-10-18) Des.
Falcon, André (28-11-24) A. Marie (1812-97) A.
Falconetti, Gérard (1949-84) A. Renée (1892-1946) A.
Fallaci, Oriana (n.c.) It., A.
Falk, Peter (16-9-27) U., A.
Falque, Alain (1942) Af.
Fame, Georgie (Clive Powell) (1943) G.-B., C.
Fanck, Arnold (1889) All., Ré.
Fanon, Maurice (1929) Au., Cp., C.
Farell, Claude (Paula von Suchon) (1922) Aut., A.
Farge, Jean (1-8-28) Insp. Fin. Yves (15-5-39) Sc.
Fargueil, Anaïs (1819-96) A.
Farkas, J.-Pierre (1-1-33) R.
Farmer, Frances (1913-70) U., A. Mimsy (28-2-45) U., A. Mylène (12-9-61) C.
Farnsnorth, Philo. T. (1906-71) U., Inv.
Farran, Dominique (1948) An., R. Jean (9-9-20) J.
Farrel, Charles (1901-90) G.-B., A. Glenda (1904-71) U., A.
Farrow, John (1904-63) Aust., A. Mia (Maria de Lourdes Villiers Farrow) (9-2-45) U., A.
Fasquelle, J.-Claude (29-11-30) Ed.
Fassbinder *, Rainer-Werner (1946-82) All., A., Ré.
Fath, Jacques (1912-54) Cou.
Fatty (Roscoe Arbuckle) (1881-1933) U., A. Ré.
Fauche, Xavier (30-4-46) R., Au.
Faure, Edgar (1908-88) Pol. Maurice (2-2-20) Po. Renée (4-11-18) A. Roland (10-10-26) J., R.
Fauroux, Roger (21-11-26) Af.
Faurre, Pierre (15-1-42) Af.
Fauvet, Jacques (9-6-14) J.
Favalleli, Max (1905-89) J., Pr.
Favart (Justice Duronceray) (1727-72) C., A. Marie (P.-I. Pingot) (1833-1908) A.
Favier, Jean (2-4-32) Hist.
Favières, Maurice (1923) R.
Favre-Lebret, Robert (1904-87) J.
Fawcett, Farrah (2-2-47) U., A.
Faye, Alice (Leppert) (5-5-15) U., A.
Fechner, Christian (1944) A.
Fechter, Charles (1823-79) A.
Feher, Fridrich (1895) All., Ré. Imre * (1926) Ho., Ré.
Fejos, Paul (1898-1963) Ho., Ré.
Feldman, Marty (1933-82) G.-B., A.
Félix, Maria (1915) Mex., A. Cellerier (1807-1870) A.
Fellini *, Federico (20-1-20) It., Ré., A. Riccardo (1921-91) It., Ré. A.
Feng Youlan, (1895-1990) Chine, Phi.
Fenoyl, Vte Pierre de (1945-87) Ph.
Féral, Roger (Lazareff) (1904-64) T.
Férandez, Mauricio de (1859-1932) A.
Féraud, Louis (13-2-20) Cou.
Féraudy, Maurice de (1859-1932) A.
Ferjac, Anouk (A.-Marie Levain) (25-5-32) A.
Ferland, Jean-Pierre (1933) Ca., C.
Fermigier, André (1923-88), Au.
Fernandel (Fernand * Contandin) (1903-71) A. Frank (Contandin) (1939) C.
Fernandez *, Emilio (1904-86) Mex., Ré.
Ferniot, Jean (10-10-18) J. Au.
Ferrari, Enzo (1898-1988) It., Af.
Ferrat, Jean (Tenenbaum) (26-12-1930) C.
Ferré, Gianfranco (n.c.) It., Cou. Léo (24-8-16) Monaco, C., Cp.
Ferreol, Andréa (1947) A.
Ferrer, José (Ferrer y Centron) (8-1-12) U., A., Ré. Mel (25-8-17) U., A. Nino (Ferrari) (It., 15-8-34) C.
Ferreri *, Marco (11-5-28) It., Ré.
Ferrero, Anna-Maria (1924), It., A.
Ferry, Brian (26-9-45), G.-B., C. Catherine (1-7-53) C. Jacques (1913) Af. Jean (1906) S. Di.
Fescourt, Henri (Farcellin) (1880-1966) Ré.
Feuillade, Louis (1873-1925) Ré.
Feuillère *, Edwige (Mme Caroline Cunati) (29-10-07) A.
Feyder *, Jac. (Frédérix) (Be. 1885-1948) Ré.
Feydeau, Georges (1862-1921) Au.
Field, Sally (6-11-46) U., A.
Fields *, W.C. (William-Claude Dunkinfield) (1879-1946) U., A.
Fiess, Robert (16-8-37) J.
Fievet, Robert (1-4-08) Af.
Figueroa, Gabriel (1907) Mex., Op.

FILIPACCHI, Daniel (12-1-28) J., Éd.
FILLIOU, Robert (1926-88) Ph., Ar.
FINCH, Peter (Ingle-Finch) (1916-77) G.-B., A.
FINNEY, Albert (9-5-36) G.-B., A.
FIRINO-MARTELL, René (13-2-27) Af.
FIRMIN, J.-F. (Becquerelle) (1784-1859) A.
FISCHER, Eddie (10-8-28) U., A., C. Otto Wilhelm (1915) Aut., A. Terence (1904-80) G.-B., Ré. Carrie (1956) U., A.
FISHINGER, Oscar (1902) All., Ré.
FITZGERALD, Barry (William Shields) (1888-1961) Irl., A. Ella (25-4-18) U., C.
FITZPATRICK, Robert (1940) U., Af.
FIXOT, Bernard (6-10-43) Éd.
FLAHERTY *, Robert J. (1884-1951) U., Ré.
FLAMANT, Georges (1904-90) A.
FLAMMARION, Charles-Henri (27-7-48) Éd. Henri (1910-85) Éd.
FLANAGAN, Bud (Chaim Reuben Brodribb), (1896-1968) G.-B., A.
FLEETWOOD Mac (Mike Fleetwood) (24-6-42) G.-B., C.
FLEISCHER, Max (1889-1972) U., Ré., Pr. Richard * (8-12-16) U., Ré.
FLEMING, Rhonda (Marilyn Louis) (10-8-23) U., A. Victor * (1883-1949) U., Ré.
FLEURET, Maurice (1932-90) J.
FLEURY (Laute de F.) (1750-1822) A. Françoise (1932), A.
FLOIRAT, Sylvain (28-9-1899) Af.
FLON, Suzanne (28-1-1918) A.
FLORELLE, Odette (Rousseau) (1901-74) A.
FLOREY, Robert (1900-79) Ré.
FLORIOT, René (1902-75) Av.
FLORNOY, Bertrand (1910-80) Expl.
FLOTATS, José-Maria (1945) A.
FLYNN *, Errol (1904-59) U., A.
FOLDES, Peter (1924-77) Ré.
FOLGOAS, Georges (1927) Ré. T.
FOLLIOT, Yolande (12-12-52) A.
FOLON, J.-Michel (1-3-34) Des.
FOLSEY, Georges (1898-1988) U., Op.
FONDA, Henry * (1905-82) U., A. Jane * (21-12-37) U., A. Peter (23-2-40) U., A.
FONTAINE, André (30-3-21) J. Brigitte (1940) C. Jean-Pierre (29-3-23) Ing., Af. Joan (J. de Beauvoir de Havilland) (22-10-17) U., A.
FONTAN, Gabrielle Père-Castel (1880-1959) A.
FONTANEL, Geneviève (27-6-36) A.
FONTEYN, Margot (Margaret Hookham) (1919-90) G.-B., Da.
FORAIN, Louis-Henri (1852-1931) Des.
FORBES, Bryan (22-7-26) G.-B., Ré. Malcolm (1919-90) U., Af.
FORD, Aleksander * (24-11-08) Pol., Ré. Edmund Brisco (1902-88) G.-B., Généticien. Glenn (1-5-16) U., A. Harrison * (13-7-42) U., A. Henry (1863-1947) U., Af.
FORD II, Henry (1917-87) U., Af.
FORD *, John (O'Fearna) (1895-1973) U. or. irl., Ré.
FOREMAN, Carl (1914-84) U., M.
FORGEOT, Jean (10-10-15) Adm.
FORLANI, Remo (1927) J., R.
FORMAN *, Milos (18-2-32) Tc., Ré.
FORNASETTI, Piero (1914-88) It., Coul.
FORNERET, Xavier (1809-84).
FORNERI, J.-Marc (20-7-59) Af.
FORSYTHE, John (Freund) (29-1-18) U., A.
FORT, Marcel (29-5-19) An., R.
FORTUNY, Mariano (1871-1949) Es., Cou.
FORTUGÉ, Gabriel (Fortuné) (1887-1923) C.
FOSSE, Bob (1925-88) U., Ré.
FOSSEY, Brigitte (15-6-46) A.
FOSTER, Jodie (Alicia Christian Foster) (19-11-62) U., A. Paul (1936). Preston (1902-70) U., A.
FOUCAULT, J.-Pierre (23-11-47) T.
FOUCHET, Max-Pol (1913-80) Au.
FOUGERAT, J.-Jacques (14-3-37) Af.
FOUQUET, Thierry (1951) Th.
FOULQUIER, J.-Louis (24-6-43) An.
FOURCADE, Marie-Madeleine (1909-89) Résistante.
FOURNIER, Bernard (2-12-38) Af. Jacques (4-4-23) Af. Marcel (1914-85) Af. Pierre (1937-73) Des.
FOURTOU, J.-René (20-6-39) Af.
FOX, Edward (13-4-37) G.-B. A. James (19-5-39) G.-B., A. Samantha (15-4-66) G.-B., C.
FRACHON, Éric (2-10-26) Af.
FRAGSON, Harry (Léon Pot) (1869-1914) C.
FRAMPTON, Peter (22-4-50) G.-B., C.
FRANCE, Henri de (1911-86) Ing.
FRANCELL, Jacqueline (1908-62) A.
FRANCEN, Victor (1888-1978) Be., A.
FRANCÈS, Jack (24-2-14) Af. Philippe (18-2-40) Af.
FRANCIS *, Eve (Be. 1896-1980) A. Kay (Katherine Gibbs) (1903-68) U., A.
FRANÇOIS, Claude (1939-78) C. Frédéric (Franco Barracatto) (3-6-50) It., C. Jacqueline (Guillemautot) (1922) C. Jacques (16-5-20) A.
FRANÇOIS-PONCET, Henri (1-2-24) Af. Jean (8-2-28) Po. Michel (1-1-35) Bq.
FRANCOS, Ania (1939-88) It., An., J.
FRANJU *, Georges (1912-87) Ré.
FRANKENHEIMER, John (19-2-30) U., Ré.
FRANKEUR, Paul (1905-74) A.
FRATELLINI, Albert (1885-1961) Cl. Annie (Mme P. Étaix) (14-11-32), A. François (1879-1951) Cl. Gustave (1842-1902) Cl. Paul (1877-1940) Cl. Victor (1901) Cl.
FREARS, Stephen (20-6-41) G.-B., Ré.
FRÈCHES, José (25-6-50) Dir.
FREDA, Riccardo (Ég. 1909) It., Ré.
FREDERICK-LEMAITRE (1800-56) A.
FREED, Arthur (Grossman) (1894-1973) U., R.
FREEMAN, Bud (1906-91) Mu.
FREGOLI, Léopoldo (1867-1936) It., A.
FREGONESE, Hugo (1909-87) U., M.
FRÉHEL (Marguerite Boulc'h) (1891-1951) C.
FRÈRE, Albert (1926) Af.
FRÈREJEAN de CHAVAGNEUX, Éric (17-8-43) Af., Humbert (2-9-14) Af.
FRÈRES ENNEMIS (Les) : A. Gaillard (1927) T. Vrignault (1928) Ch.
FRÈRES JACQUES (Les) : André & Georges Bellec, Paul Tourenne, François Soubeyran (1944-80) C.
FRESNAY *, Pierre (Laudenbach) (1897-1974) A.
FRESSON, Bernard (27-5-31) A.
FREUND, Karl (1890-1969) All., Op.
FREY, Sami (S. Frei) (13-10-37) A.
FREYCHE, Michel (31-10-23) Af.
FREYD, Bernard (n.c.) A.
FREYRE, Gilberto (1900-87), Br., Au.
FRIANG, Brigitte (23-1-24) J.
FRIED, Erich (1921-88) Aut., An.
FRIEDKIN, William (29-8-39) U., Ré.
FRIEDMANN, Jacques (15-10-32) Af.
FRISCH, Karl von (1886-1982) Aut., zool.
FRISON-ROCHE, Roger (10-2-06) guide, Aut.
FRITSCH, Willy (1901-73) All., A.
FROEBE, Gert (G. Fröber) (1912-88) All., A.
FROEHLICH, Gustav (1902) All., A.
FROGERAIS, Jac.-Pierre (1893) Pr.
FRÖHLICH, Gustav (1902-87) All., A.
FROMENT, Raymond (1913) Pr.
FUGAIN, Michel (12-5-42) C.
FULLA, Pierre (1939) J.
FULLER, Loïe (1862-1928) U., Da. Samuel * (12-8-11) U., Ré.
FUNÈS *, Louis de (1914-83) A.
FURET, François (27-3-27) Univ.
FUSIER-GIR, Jeanne (1892-1973) A.
GAAL, Istvan (1933) Ho., Ré.
GABIN *, Jean (Moncorgé) (1904-76) A.
GABLE *, Clark (1901-60) U., A.
GABOR, Pal (1933-87) Ho., M. Zsa-Zsa (Sari Gabor) (6-2-19) Ho., A.
GABRIEL, Peter (13-2-50) G.-B., C., Cp.
GABRIELLO (André Galopet) (1896-1975) A. Suzanne (Galopet) (1932) A.
GABRIO *, Gabriel (1888-1946) A.
GAEL (Josselyne-Janine Blanœuil) (1917) A.
GAILLARD, Anne (Frey) (20-8-39) J. Jean-Michel (n.c.) T.
GAINSBOURG, Charlotte (21-7-71) A., C. Serge (Lucien Ginzburg) (1928-91) C., Ré., Cp.
GAIRARD, Jacques (26-8-39) Af.
GALABRU, Michel (27-10-24) A.
GALARD, Daisy de (4-11-29) Pr., T. Hector de (1912-90) J.
GALIL, Esther (28-5-45) Isr., C.
GALIPAUX, Félix (1860-1931) A.
GALL, France (Mme Michel Berger) (9-10-47) C.
GALLÉ, Bertrand de (8-3-44) Af.
GALLIA, Chantal (n.c.) Ch.
GALLIMARD, Claude (10-1-14) Éd. Gaston (1881-1975) Éd.
GALLOIS, Louis (26-1-44) Af. Pierre (29-6-11) Gl.
GALLONE, Carmine (1886-1973) I., Ré.
GALLUP, George (1901-84) U., Af.
GALWAY, James (8-12-39) G.-B., Mu.
GAME, Marion (1942) A.
GANCE *, Abel (1889-1981) Ré.
GANDOIS, Jean (7-5-30) Af.
GANSER, Gérard (1949) Af.
GANZ *, Bruno (22-3-41) Su., A.
GARAT, Henri (Garasou) (1902-59) A.
GARAUDY, Roger (17-7-13) Phi.
GARBO *, Greta (Gustafson) (1905-90) Suè., A.
GARCIA *, Nicole (22-4-46) A.
GARCIMORE (José Garcia Moreno) (n.c.) Esp., Ch.
GARCIN, Bruno (1949) A. Ginette (1930) A., Ch. Henri (Anton Albers) (1929) A.
GARDEL, Carlos (Charles Romuald Gardes) (1890-1935) Ch., Cp.
GARDEN, Mary (1877-1967) U., A.
GARDIN, Vladimir (1877-1965) Ur., Ré.
GARDNER *, Ava (Lucy Johnson) (1922-90) U., A.
GARETTO, Jean (20-2-32) It., R.
GARFIELD, John (Julius Garfinkle) (1913-52) U., A.
GARFUNKEL, Arthur (13-11-41) U., C.
GARLAND *, Judy (Frances Gumm) (1922-69) U., A., C.
GARMES, Lee (1898) U., Op.
GARNER, James (Baumgarner) (7-4-28) U., A.
GARNETT *, Tay (1893-1977) U., Ré.
GARNIER, Jacques (1941-89) Da. Simone (25-12-31) Pr., An.
GARON, Jessie (Bruno J. Garon Fumard) (1-8-62) C.
GAROUSTE, Gérard (10-3-46) P.
GARREL, Maurice (1923) A.
GARRICK, David (1717-79) G.-B., A.
GARRO, Frédérique (n.c.) J., T.
GARSON, Greer (Irl., 29-9-08) U., A.
GASNIER, Louis (1882-1962) Ré.
GASPARD-HUIT, Pierre (1917) M.
GASSMAN *, Vittorio (1-9-22) It., A.
GASTÉ, Loulou (1908) Au., Cp.
GASTINES, Brigitte de (22-03-44) A.
GASTONI, Lisa (1935) It., A.
GATTAZ, Yvon (17-6-25) Af.
GATTEGNO, Jean (6-6-35) Univ.
GATTI, Armand (Dante) (1924) Au.
GAUDEAU, Yvonne (1921-91) A.
GAUDIN, Thierry (15-5-40) Af.
GAUJOUR, Françoise (10-12-50) J.
GAULT et MILLAU : Gault Henri (Gaudichon) (4-11-29), Millau Christian (Dubois-Millot) (1-1-29) J.
GAULTIER, J.-Paul (24-4-52) Cou.
GAUMONT, Léon (1864-1946) Pr.
GAUTHIER, Jacqueline (1921-82) A.
GAUTIER, J-Jacques (1908-86) Au.
GAUTY, Lys (Alice Gauthier) (1908) C.
GAVARNI (Sulpice-Guillaume Chevalier) (1804-66) Des.
GAVIN, John (Jack Golenor) (8-4-32) U., A.
GAVOTY, Bernard (Clarendon) (1908-81) J., Pr., Cr., Mu.
GAYE, Marvin (1939-84) U., C., Cp.
GAYNOR, Gloria (7-9-49) U., C. Janet (1906-84) U., A. Mitzi (Francesca Mitzi von Gerber) (4-9-30) U., A.
GAZEAU, Michel (n.c.) J., T.
GAZZARA, Ben (28-8-30) U., A.
GÉBÉ (Georges Blondeau) (1934) Des.
GEFFROY, Florentin (1806-95) A.
GEISMAR, Alain (17-7-29) Univ.
GELDOF, Bob (5-10-54) Irl., C.
GÉLIN, Daniel * (19-5-21) A. Fiona (24-5-62) A. Manuel (31-7-58) A. Xavier (1946) A.
GÉLINAS, Isabelle (n.c.) A.
GÉMIER, Firmin (1869-1933) A., M.
GENCE, Denise (1924) A.
GENÈS, Henri (E. Châtenet) (20) C.
GENESIS, Peter GABRIEL (13-5-50) Phil COLLINS (31-1-51) G.-B., C.
GENEST, Jacques (18-8-24) Af.
GÉNIA, Claude (Génia Arnovtich, Mme J. Le Beau) (1916-79) A.
GÉNIAT, Marcelle (Martin) (1881-1959) A.
GÉNIN, René (1890-1967) A.
GENINA *, Aug (1892-1957) It., Ré.
GENSAC, Claude (1-3-27) A.
GENTY, Sylvie (n.c.) A.
GEOFFROY (1813-83) A.
GEORGE (Marg.-Jos. Weirner) (1787-1867) A. Yvonne (Y. de Knops) (1896-1930) Be., C.
GEORGIUS (G. Guilbourg) (1891-1969) Ch.
GÉRARD, Charles (1926) A. Danyel (Kerlakian) (7-3-39) C. Frédéric (n.c.) An., R.
GÉRAUD, André (Pertinax) (11-7-30) J.
GERBAUD, François (10-4-27) J.
GERBI, Alain (n.c.) Dir., R.
GERE, Richard (31-8-49) U., A.
GÉRET, Georges (1924) A.
GERMI *, Pietro (1914-74) It., Ré.
GERMOT, Jean-Pierre (3-6-28) Af.
GÉRÔME, Raymond (17-5-20) M.
GETTY, (Paul) (1892-1976) U. Af.
GIBB, Andy (1958-88) G.-B., C.
GIBSON, Mel (5-1-56) U., A.
GICQUEL, Roger (22-2-33) J.
GID, Raymond (1905) Des.
GIELGUD, John (14-4-04) G.-B., A.
GIESBERT, Franz-Olivier (18-1-49) J.
GIL, Ariane (n.c.) R. Gilberto (29-6-42) Bre., C.
GILBERT, Danièle (20-3-43) An. Éric (n.c.) J., T. Gil (Gilbert Morcou) (1913-88) A. John (Pringle) (1899-1936) U., A. Maggie (4-08-48) J., T.
GILDAS, Philippe (Leprêtre) (12-11-35) Pré., R., J.
GILL, André (Louis-Alexandre Gosset de Guines) (1840-85) Des.
GILLIAM, Terry (22-11-40) U., Ré. Terry (1929) G.-B., Ré., A.
GILLOIS, André (Maurice Diamant-Berger dit) (8-2-02) Au.
GILLOT-PETRÉ, Alain (1950) J.
GIOVANNI, José (22-6-23) Ré., Au.
GIR, François (Girard) (1920) Ré.
GIRARDOT, Annie * (Mme Salvatori) (25-10-31) A. Roland (21-9-26) Af.
GIRAUD, Claude (1936) A. Yvette (1922) C.
GIRAUDEAU *, Bernard (18-6-47) A.
GIRAUDET, Pierre (5-11-19) Af.
GIRAUDOUX, Jean (1882-1944) Au.
GIRAULT, Jean (1924-82) Ré.
GIRBAUD, Marithé (1942) François (1945) Cou.
GIROD, Francis (1944) Ré.
GIRODIAS, Maurice († 1990) Éd.
GIRON, Roger (1900-90) J.
GIROTTI, Massimo (1918) Ital., A.
GISCARD D'ESTAING, Anne-Aymone (10-4-33). François (17-9-26) Insp. fin. Jacques (8-2-29) C. des comptes. Olivier (30-12-27) Adm. Philippe (2-1-28) Ing. Valéry (2-2-26) ancien Pt de la Rép.
GISH * Lillian (de Guiche) (14-10-1896) U., A. Dorothy (de Guiche) (1898-1968) U., A.
GIUILY, Éric (10-2-52) Af.
GIVADINOVITCH, Bochko (27-6-27) Af.
GIVENCHY, Hubert de (20-2-27) Cou.
GLASER, Denise (1920-83) Pr.
GLEASON, Jackie (26-2-16) U., A.
GLENN, Pierre William (1943) Cam.
GLORY, Marie Thoully (1903) A.
GOBBI, Sergio (1938) M.
GODARD *, J.-Luc (3-12-30) Ré.
GODDARD *, Paulette (Marion Levy) (1911-90) U., A.
GODDET, Jacques (21-6-05) J.

GOLAY, Bernard (24-3-44) R.
GOLD, Émile Wandelmer (15-2-49) Bernard Mazauric (31-5-49) Lucien Crémades (18-6-51) Alain Lorca (17-2-55) Étienne Salvador (19-2-52) C.
GOLDMAN, J.-Jacques (11-10-51) C.
GOLDSMITH, Clio (16-6-57) G.-B., A. James Michael (26-2-33) G.-B., Fin., Presse.
GOLDWYN, Samuel (Goldfish) (Pol. 1882-1974) U., Pr.
GOLINO, Valeria (n.c.) A.
GOLMANN, Stéphane (1921-87) Cp.
GOMEZ, Alain (18-10-38) Af. Francine (12-10-32) Af.
GOODMAN, Benny (1909-86) U., Mu.
GORDINE, Sacha (1910-68) Pr.
GORDON, Max (1903-89) U. Ruth (Jones) (1896-1985) U., A.
GORETTA *, Claude (23-6-29) Su., Ré.
GORINI, Jean (1924-80) R.
GORSE, Georges (15-2-15) Po.
GOSCINNY, René (1926-77) S.
GOSHO, Heinesuke (1902) Jap., Ré.
GOTAINER, Richard (30-3-48) C.
GOTLIEB, Marcel (14-7-34) Des.
GOUDE, Jean-Paul (1940) Pu. Philippe (n.c.) J., T.
GOUDEAU, J.-Claude (5-6-35) J.
GOUJAT, Jacques (19-11-32) T.
GOUJON, Guy (1-7-21) J.
GOULD, Anny (1926) C. Eliott (Goldstein) (29-8-38) U., A. Florence (1895-1983).
GOULDING, Edmond (1891-1959) U., Ré.
GOULUE (La), Louise WEBER (1866-1929) A.
GOUTARD, Noël (22-12-31) Af.
GOUYOU-BEAUCHAMPS, Xavier (25-1-37) J., T.
GOUZE-RENAL, Christine, Madeleine Gouze (dite Mme Roger Hanin, 30-12-14) Pr.
GOYA, Chantal (Deguerre, Mme J.-J. Debout) (10-6-46) C. Mona (Simone Marchand) (1912-61) A.
GRABLE, Betty (1916-73) U., A.
GRAD, Geneviève (1944) A.
GRAETZ, Paul (1899-66) Aut., Pr.
GRAHAME, Gloria (Hallward) (1929-1981) U., A.
GRAMATICA, Emma (1875-1965) It., A.
GRAND, Bernard (1934) T.
GRANDVILLE, Jean (1803-47) Des.
GRANGER, Farley (1-7-25) U., A. Stewart (James Stewart) (6-5-13) U., A.
GRANGIER, Gilles (5-5-11) Ré., Cr.
GRANIER, Jeanne (n.c.).
GRANIER-DEFERRE *, Pierre (22-7-27) Ré.
GRANIER DE LILLIAC (27-10-19) Af.
GRANOFF, Katia (1895-1989).
GRANT, Cary * (Archibald Leach) (G.-B. 1904-86) U., A. Eddy (5-3-48) U., C. Marcha (n.c.) U., A.
GRAPPOTTE, François (21-4-36) Af.
GRASSET, Bernard (1881-1955) Éd.
GRASSOT (1804-60) A.
GRATEFUL DEAD (The), (Jerry Garcia 1-8-42). U., C.
GRAVEREAUX, Henry-G (1907-89) Des.
GRAVES, Peter (Aurness) (18-3-26) U., A.
GRAVEY, Fernand (Mertens) (1904-70) Be., A.
GRAY, Linda (12-9-40) U., A. Nadia (Keyner Kujnir-Herescu) (1923) Ro., A.
GRAYSON, Kathryn (Hedrick) (9-2-22) U., A.
GREBER, Charles (n.c.) Dir., T.
GRÉCO, Juliette (7-2-27) A., C.
GREENAWAY *, Peter (1942) U., Ré., S.
GREENE, Corne (1915-87) U., A.
GREENSTREET, Sydney (G.-B. 1879-1954) U., A.
GREENWOOD *, Joan (1921-87) G.-B., A.
GRÉGOIRE, Ménie (née Marie Laurentin) (15-8-19) R. Roger (1913-90) CdE.
GRÉGORY, Claude(Claude Zalta) (1923) Éd., J., R.
GREIF, Rodolphe (6-10-40) Af.
GRELLIER, Michèle (1938) A.
GRELLO, Jacques (Greslot) (1911-78) A., Ch.
GRÉMILLON *, Jean (1901-59) Ré.
GRENIER, Jean-Pierre (1914) A.
GRÈS (Alice Bardon ?) (1910) Cou.
GREVILLE, Edmond (1906-66) Ré.
GREY, Denise (Denise Edouardine Verthuy) (17-9-1896) A. Marina (Denikine, Mme J.-François Chiappe) (1920) T.
GRIERSON, John (1898) G.-B., Ré.
GRIFFE, Jacques (1917) Cou.
GRIFFITH *, David W. (Wark) (1875-1948) U., Ré.
GRIMAULT, Paul (23-3-05) Ré., Pr.
GRIMBLAT, Pierre (1926) Ré., R.
GRINSSON, Boris (Ur. 1907) Des.
GROCK (Adrien Wettach) (1880-1959) Su., Cl.
GROSPIERRE, Louis (1927) Ré.
GROSSIN, Paul (1901-90) Gl.
GROUCHY, Jean de (10-8-26) Sav.
GROULX, Enrico (1876-1949) It., Ré.
GRUMBACH, Philippe (25-6-24) J.
GRÜNDGENS, Gustav (1899-1963) All., A., Thé.
GRUNDIG, Max (1908-89) All., Af.
GUAZZONI, Enrico (1876-1949) It., Ré.
GUERARD, Michel (1933) Cuis.
GUERASSIMOV *, Sergueï (1896-1985) Ur., Ré.
GUÉRIN, André (1899-1988).
GUERRA *, Ruy (1931) Bré., Ré.
GUERRIER, Thierry (1959) J., R.
GUERS, Paul (Dutron) (1927) A.
GUESH, Patti (Patricia Porrasse) (19-3-46) C.
GUÉTARY, Georges (Lambros Worloou) (Alexandrie, Ég., 8-2-15) C.
GUETTA, Bernard (n.c.) J.
GUGGENHEIM, Peggy (1898-1979) U., Coll.
GUGUEN, J-Paul (22-4-40) J.
GUICHARD, Antoine (21-10-26) Af. Charles (1919) Af. Daniel (21-11-48) C. Pierre (1906-88) Af. Yves (13-4-34) Af.
GUICHENEY, Geneviève (13-5-47) J.
GUICHERD-CALIN, Michel (15-9-39) J., T.
GUIGNAND, André (17-1-23) Af.
GUILBERT, Yvette (1867-1944) C.
GUILHAUME, Philippe (30-5-42)Af.
GUILLAUD, J-Louis (5-3-29) T.
GUILLAUMIN, Claude (22-10-29) J.
GUILLEBAUD, J-Louis (21-7-44) J.
GUILLEMINAULT, Gilbert (1914-90) J.
GUILLERMAZ, Jacques (16-11-11) Au., J.
GUILLERMIN, John (1925) G.-B., M.
GUILLET, Raoul (1920) A.
GUINNESS *, Sir Alec (2-4-14) G.-B., A.
GUIOMAR, Julien (3-5-28) A.
GUIRAUD, François (10-12-21) Af.
GUISOL, Henri (Bonhomme) (1904) A.
GUITONNEAU, Raym (13-8-21) Af.
GUITRY, Lucien (1860-1925) A. Sacha * (1885-1957) Ré., A., Au.
GÜNEY *, Yilmaz (1937-84) Turq., Ré.
GUNZBURG, Alain de (19-1-25) U., Af. Pierre de (14-12-30) Af.
GURGAND, J-Michel (1936-88) J.
GUS, Bofa (Gustave Blanchet) (1883-1968) Des. Gustave d'Erlich (17-12-11) Des.
GUTHRIE, Woody (1912-67) U., C., Cp.
GUTMANN, Francis (4-10-30) Af.
GUY, Alice (1873-1968) Ré. Michel (1927-90) Po.
GUYBET, Henri (1943) A.
GWYNN, Nell (1650-87) G.-B., A.
HABERER, J-Yves (17-12-32) Bq.
HABIB, Ralph (1912-67) Ré.
HACKMANN, Gene (30-1-31) U., A.
HADING, Jane (J. Tréfouret) (1859-1934) A.
HAGEN, Nina (All. dém., 11-3-55) C.
HAGMAN, Larry (21-9-31) U., A.
HAKIM, Raymond (1909-80) Pr. Robert (1907) Pr.
HALEY, Bill (1927-81) U., C.
HALIMI, André (28-4-30) J. Gisèle (27-7-27) Av.
HALL, Davy et OATES, John : D. Hall (11-10-49) J. Oates (7-4-49) U., C.
HALL, Peter (22-11-30) G.-B., Ré.
HALLER, Bernard (Su. 5-12-33) A.
HALLEY DES FONTAINES, André (1910-1960) Pr.
HALLYDAY, David (D. Smet) (14-8-66) C. Johnny (J-Philippe Smet) (15-6-43) C., A.
HALNA DU FRETAY, Amaury (30-8-26) Af.
HAMAMSI, Galal Eddine el (1913-88) Ég., J.
HAMELIN, Daniel (23-12-42) R.
HAMER *, Robert (1911-63) G.-B., Ré.
HAMILL, Mark (25-9-51) U., A.
HAMILTON, David (15-4-33) G.-B., Ph. Denis (1918-88) G.-B., Prés. George (12-8-39) U., A. Hamish (1901-88) G.-B., Éd.
HAMINA, Mohamed Lokhdar (1934) Alg., Ré.
HAMMAN, Joe (1885-1974) A.
HAMMER, Armand (1898-1990) U., Af.
HAMMOND, John (1911-87) U., Pr.
HAMPTON, Christopher (26-1-46) G.-B., S.
HAN, René (15-5-30) T., Af.
HANCOCK, Herbie (14-4-40) U., C., Cp.
HANDKE, Peter (1942) All., Au.
HANIN *, Roger (Lévy) (20-10-25) A.
HANNEBELLE, Dominique (8-7-37) Af.
HANNOUN, Hervé (3-8-50) Af.
HANOUN, Marcel (26-10-29) Tun., Ré.
HARARI, Clément (Ég., 10-2-19) A. Roland (29-3-23) J.
HARBOU (von), Thea (1888-1954) All., S., Ré.
HARDING, Ann (Dorothy Gatley) (1901-81) U., A.
HARDWICKE, Cedric (1883-1964) G.-B., A.
HARDY, Françoise (Mme J. Dutronc), (17-1-44) C. Olivier (1892-1957) U., A.
HARLAN *, Veit (1899-1964) All., Ré.
HARLOW *, Jean (Harlean Carpentier) (1911-37) U., A.
HARMAN, Hugh (1903-82) U., Ré.
HARNOIS, Jean (12-3-23) Af., T.
HARPER, Jessica (1949) U., A.
HARRIS, André (1933) Pr., T. Emmylou (2-4-47) U., C. Julie (2-12-25) U., A. Richard (St John Garris) (1-10-33) G.-B., A.
HARRISSON, Georges (25-2-43) G.-B., C. Rex * (Reginald Carey) (1908-90) G.-B., A.
HARROLD, Kathryn (2-8-50) U., A.
HART, William (1870-1946) U., A.
HARTNELL, Norman (1901-79) G.-B., Cou.
HARVEY, Antony (1931) G.-B., Ré. Laurence (Larushka Mischa Skine) (Litua., 1927-73) G.-B., A. Lilian (1907-68) G.-B., A.
HASEGAWA, Kazuo (1908-84) Jap., A.
HASKIN, Byron (1899-1984) U., Ré.
HASSAN, J-Claude (11-11-54) Af.
HASSE *, Otto E. (1903-78) All., A.
HATHAWAY *, Henry (marquis H.-Leopold de Fiennes) (1898-1985) U., Ré.
HAUDEPIN, Sabine (19-10-55) A.
HAUSER, Gayelord (1895-1984) U., Méd.
HAVERS, Nigel (6-11-49) G.-B., A.
HAVILLAND, Olivia de (1-7-16) U., A.
HAWKINS, Jack (1910-73) G.-B., A.
HAWKS *, Howard (1896-1977) U., Ré.
HAWN, Goldie (21-11-45) U., A.
HAYAKAWA, Sessue (1889-1973) Jap., A.
HAYDEN, Sterling (John Hamilton) (1916-86) U., A.
HAYER, Nicolas (Lucien Nicolas) (1898-1978) Op.
HAYES, Helen (Brown) (1900-57) U., A. Isaac (6-8-38) U., C.
HAYTER, Stanley William (1902-88) G.-B., peintre.
HAYWARD, Susan (Edythe Marriner) (1917-75) U., A.
HAYWORTH *, Rita (Cansino) (1918-87) U., A.
HEAD, Murray (5-3-46) G.-B., C.
HEALEY, Donald (1899-1988) G.-B., Ing.
HÉBERLÉ, J.-Claude (3-2-35) J.
HÉBERTOT, Jacques (A. Daviel) (1886-1970) M.
HEBEY, Jean-Bernard (2-1-45)R.
HECHT, Ben (1893-1964) U., S. Bernard (1917) Ré., T.
HECHTER, Daniel (30-7-38) Af.
HEES, Muriel (5-11-47) J., T.
HEFLIN, Van (1910-71) U., A.
HEGANN, Yann (1946) An., R.
HEILBRONNER, François (17-3-36) insp. Fin.
HEINLEIN, Robert (1907-88) U., An.
HELD, J-Francis (9-7-30) J.
HÉLIAN, Jacques (1912-86) C. d'or.
HELLWIG, Klaus (n.c.) All., Pr.
HELM *, Brigitte (Gisèle Ève Schittenhelm) (1908) All., A.
HEMINGWAY, Margaux (19-2-55) U., Man.
HEMMINGS, David (18-11-41) G.-B., A.
HENDRICKS, Barbara (20-11-48) U., C.
HENDRIX, Jimmy (1942-70) U., Mu.
HENIE, Sonja (1913-1969) Norv., A.
HÉNIN, J-François (26-5-44) Af.
HENREID, Paul (It., 10-1-08) U., A.
HENRION, Marc (25-2-27) Af.
HENSON, Jim (1937-90) U., Ré.
HEPBURN, Audrey * (Hepburn-Ruston) (4-5-29) U., or. holl., A. Katharine * (8-11-07) U., A.
HER, Yves l' (1926-88) J.
HERGÉ (Georges Rémi, R.G.) (1907-83) Be., Des.
HERNANDEZ, Gérard (n.c.) A.
HERRAND, Marcel (1897-1953) A.
HERRMANN, Bernard (1911-75) U., Mu.
HERSANT, Robert (31-1-20) J.
HERSHEY, Barbara (2-5-48) U., A.
HERVET, Georges (5-6-24) Bq.
HERZOG, Philippe (12-4-40). Werner * (1942) All., Ré.
HESSLING, Catherine (1899-1980) A.
HESTON *, Charlton (4-10-24) U., A.
HIEGEL, Catherine (n.c.) A. Pierre (1913-80) R.
HIGELIN, Jacques (18-10-40) C.
HIGGINS, Colin (1941-88) U., M.
HILAIRE, Laurent (n.c.) Da.
HILBERT, Bernard (1924-88) J.
HILL, Benny (Alfred Hawthorne Hill) (21-1-25) G.-B., A. George Roy * (20-12-23) U., Ré. Terence (Mario Girotti) (29-3-39) It., A.
HILLER, Wendy (G.-B., 15-8-12) A.
HINES, Earl (1905-83) U., Pi.
HIRIGOYEN, Rudy (1919) C.
HIRSCH, Robert (26-7-25) A.
HITCHCOCK, Alfred * (G.-B. 1899-1980) U., Ré.
HOBSON, Valérie (4-4-17) G.-B., A.
HODEIR, André (22-1-21) Cp.
HODGES, Mike (29-7-32) U., Ré.
HOFFMAN, Abbie (1937-88) U., Soci. Dustin * (8-8-37) U., A., Kurt * (1912) All., Ré.
HOLDEN *, William (Beedle) (1918-81) U., A.
HOLLIDAY, Judy (Judith Tuvim) (1922-65) U., A.
HOLLOWAY, Nancy (1937) U., C. Stanley (1890) G.-B., A.
HOLLY, Buddy (Charles Hardin Holley) (1936-59) U., C.
HOLM, Celeste (29-4-19) U., A. Richard (1913-88) C.
HOLT, Jany (Vlàdescu Olt) (Ro., 1912) A.
HOLTZ, Gérard (8-12-46) J.
HOOKER, John Lee (22-8-17) U., C.
HOPE, Bob (Leslie Town Hope) (29-5-03) U., A.
HOPKIN, Mary (3-5-50) G.-B., C.
HOPKINS, Anthony (31-12-37) U., A. Myriam (1902-72) U., A.
HOPPER, Dennis (17-5-36) U., A., M.
HORBIGER, Paul (1894) Aut., A.
HORGUES, Maurice (1923) Ch.
HORNER, Yvette (1934) Acc.
HORNEZ, André (1905-89) Au.
HOROWICZ, Bronislaw (28-7-10) M.
HOROWITZ, Jules (3-10-21) Ing.
HOROWITZ, Vladimir (1894-1989) Pi.
HOSSEIN, Robert (Hosseinoff) (30-12-27) A., M., Ré.
HOUDIN, Robert voir ROBERT.
HOUDINI, Harry (Weiss Erich) (1874-1926) U., Ma.
HOURDIN, Georges (Jacques Batuaud) (3-1-1899) J.
HOUSSIN, Michel (5-7-21) Af.

Houston, Whitney (9-8-63) U., C.
Howard, Leslie (Stainer) (1893-1943) U., A. Trevor * (1916-88) G.-B., A.
Hoyos, Ladislas de (27-3-39) J.
Hubert (H. Wayaffe) (1938) R. Roger (1903-64) Op.
Huberty, Jean (n.c.-1989) T.
Hubley, John (1914-77) U., Ré.
Hudson, Hugh (1936) G.-B., Ré. Rock (Roy Scherer) (1924-85) U., A.
Huet, Jacqueline (1929-87) Sp.
Hughes, Howard (1905-76) U., Pr. Jean-Baptiste (1931) Déc. Ken (1922) G.-B., Ré.
Hulot, Nicolas (30-4-55) J., Pr.
Hunebelle *, André (1896-1985) Ré.
Hunt, Peter (1928) G.-B., M.
Hunter, Tab (Arthur Gelien), (11-7-31) U., A.
Huppert, Caroline (28-10-50) Ré. Élisabeth (20-6-48) Cin. Isabelle * (16-3-53) A. Jacqueline (30-9-44) A.
Hurt, John (22-1-40) U., A. William (20-3-50) U., A.
Hussenot, Olivier (1914-1980) A.
Huster, Francis (8-12-47) A.
Huston, Anjelica (1951) U., A. John * (1906-1987) U., Ré. Walter (1884-1950) U., A.
Hutin, Jean-Pierre (7-9-31) J.
Huttin, Fr-Régis (26-6-29) Af.
Hutton, Betty (Betty Jane Thornburg) (26-2-21) U., A., Ré. Lauren (17-11-43) U., A.
Hyacinthe (Duflost) (1814-87) A.
Ichac, Marcel (22-10-06) Ré.
Ichikawa *, Kon (20-11-15) Jap., Ré.
Iglesias, Julio (23-9-43) Esp., C.
Iglésis, Lazare (21-3-20) M.
Il était une fois : Joëlle Choupay-Morgensen (1953-82) Richard Dewitte, Serge Koolen C.
Illery, Pola (Paula Illescu) (1909) Ro., A.
Images : Mario Ramsamy (31-10-56) J-Louis Pujade (1-10-58) Frederic Locci (8-9-62) C.
Imamura *, Shôhei (15-9-26) Jap., Ré.
Iman, (1957) Somalie., Man.
Imbach, J.-Pierre (23-6-47) Pré.
Imbert, Claude (12-11-29) J.
Ince, Thomas Haper (1882-1924) U., Ré.
Indochine : Dimitri Bodianski (3-4-64), Dominik Nicholas (5-7-58), Nicola Sirkis (22-6-59), Stéphane Sirkis (22-6-59) C.
Ingram, James (16-2-52) U., C. Rex (1892-1950) U., Ré.
Inkijinoff, Valery (1895-1973) Ur., A.
Interlenghi, Franco (1931) It., A.
Ionesco, Eugène (26-11-12) Au.
Ireland, Jill (1936-90) G.-B., A. John (Ca., 30-1-14) U., A.
Iribe, Paul (1883-1935) Des.
Irons, Jeremy (19-9-48) G.-B., A.
Irving, Henry (John Heary Brodribb) (1838-1905) G.-B., A.
Isker, Abdel (11-12-20) Ré., T.
Isorni, Jacques (3-7-11) Av., Au.
Ito, Keito (n.c.) Jap., A.
Ivens *, Joris (1898-1989) P.-Bas, Ré.
Ivernel, Daniel (3-6-20) A.
Ivory, James (1928) U., Ré.
Izard, Christophe (30-5-37) A.
Jabor, Arnaldo (1940) Br., Ré.
Jackson, Glenda (9-5-36) G.-B., A. Janet (16-5-66) U., C. Joe (11-8-55) U., C., Cp. Michael (29-8-58) U., C.
Jacky (Jakubowicz) (1948) Pr. T.
Jacno, Marcel (1905-1989) Des.
Jacob, Irène (n.c.) A. Odile (1954) Af. Yvon (12-6-42) Af.
Jacobson *, Ulla (1929-82) Suè., A.
Jacquemart, Noël (1909-90) J.
Jacques (Les Frères) : André (1914) et Georges Bellec (1918) François Soubeyran (1919) Paul Tourenne (1923) C.
Jacquet Francillon, Jacques (1927-90) J.
Jade, Claude (8-10-48) A.
Jaeckin, Just (8-8-40) Au., Ré.
Jaffre, Philippe (2-3-45) Af.
Jagger, Mick (26-7-43) G.-B., C.
Jaigu, Yves (6-1-24) T., R.
Jaïro (Mario Pierotti) (19-6-53) Arg., C.
Jakubisko, Juraj (1938) Tc., Ré.
James, John (18-4-56) U., A.
Jamet, Dominique (16-2-36) J.
Jammes, Jean-Claude (4-11-36) Af.
Jammot, Armand (4-4-22) Pr.
Jamois, Marguerite (1901-64) A.
Jancsó *, Miklós (27-9-21) Ho., Ré.
Janes, Charles (1906-78) U., Cou.
Janin, François (1935) J., T.
Jannings *, Emil (Theodor Emil Janenz) (1884-1950) All., A.
Jannot, Véronique (1957) A.
Jansen, Pierre (28-2-30) Cp.
Janssen, Claude (1-10-30) Af.
Japrisot, Sébastien (J.-Baptiste Rossi) (1931) Ré.
Jaque-Catelain (1897-1964) A.
Jaques, Brigitte (1948) M.
Jarmusch, Jim (1953) U., Ré.
Jarre, J.-Michel (24-8-48) Mu. Maurice (13-9-1924, son père) Cp.
Jarreau, Al (12-3-40) U., C.
Jarrosson, André (14-11-30) Af.
Jasny, Vojtach (1925) Tc., Ré.
Jasset, Victorin (1862-1913) Ré.
Jaubert, Maurice (1900-40) Cp.
Jautini, Pierre (n.c.) A.
Jean, Gloria (Schoonover), (14-4-26) U., A.
Jean-Charles (2-12-22) Ch.
Jean-Jacques (Antier) (n.c.) A.
Jeanmaire, Zizi (Renée, Mme Roland Petit) (29-4-24) A., Da., C.
Jeanneney, J.-Marcel (13-11-10) Univ., Pol. Jean-Noël (2-4-42, son fils) J., R.
Jeanson, Henri (1900-70) S., Di.
Jefferson Airplane : Marty Balin (1943) Jack Casady (1944) Spencer Dryden (1943) Paul Kantner (n.c.) Jorma Kaukonen (1940) Grace Slick (1943) U., C.
Jenning, Humphrey (1907-50) G.-B., Ré.
Jérome, Alain (17-3-36) Pr. Cl. (Cl. Dhôtel) (21-12-47) C.
Jethro Tull : Ian Anderson (10-8-47) Martin Berre, John Evon, Barriemore Barlow, John Glascock (n.c.) G.-B., C.
Jessua, Alain (16-1-32) Ré.
Jett, Joan (22-9-58) U., Mu.
Jeunesse, Lucien (Jennes) (24-8-24) T.
Jewison, Norman (1926) U., M., T.
Jires, Jaromil (1935) Tc., Ré.
Joannon, Léo (1904-69) Ré.
Jobert *, Marlène (4-11-43) A.
Joel, Billy (9-5-49) U., C.
Joffé, Alex (18-11-18) Au., Ré. Arthur (20-9-53) Ré. Roland (17-11-45) G.-B. Ré.
Joffo, Francis (n.c.) Au., M.
Joffrin, Laurent (30-6-52) J.
John, Elton (Reginald Dwight) (25-3-47) G.-B., C., Cp.
Johnson, Ben (13-6-18) U., Ré. Celia (1908-82) G.-B., A. Nunnally (1897-1977) U., S., Ré., Pr. Van (25-8-16) U., A.
Jolivet, Anne (Mme Gilles Dreu) (1947) A. Marc (1951) Ch. Pierre (1952) Ch., Ré.
Jollès, Georges (29-1-38) Af.
Jolson, Al (Asa Yoelson) (Rus., 1886-1950) U., A.
Joly, Sylvie (18-10-34) A.
Jonasz, Michel (21-1-47) C.
Jones, Brian (1942-69) G.-B., C. Chuck (Charles-Martin Chuck) (1-9-12) U., Dés., Ré. Grace (19-5-52) U., C. Jennifer * (Phyllis Isley) (2-3-19) U., A. Paul (24-2-42) G.-B., C., A. Shirley (31-3-34) U., A. Tom (Thomas Jones Woodward) (7-6-40) G.-B., C.
Jonquart, Jimmy (3-9-40) J.
Joplin, Janis (1943-70) U., C.
Jordan, Frankie (1941) G.-B., C.
Josephsson, Erland (1923) Suè., A.
Jossot, Gustave-Henri (1866-1950) Des.
Jouanneau, Jacques (1926) A.
Jouanet, Marie-Pierre (n.c.) An., R.
Joubert, Jacqueline (Pierre, Mme Ph. Lagier) (29-3-21) An.
Joulin, Jean-Pierre (19-10-33) J.
Jourdan, Catherine (12-10-48) A. Louis * (Pierre Gendre) (16-6-19) A.
Jouve, Géraud (1901-91) J.
Jouven, Claude (10-3-40) Af.
Jouvet *, Louis (1887-1951) A., M.
Jouvin, Georges (1923) Mu.
Joyeux *, Odette (Mme Philippe Agostini) (5-12-14) A., S.
Jugert, Rudolph (1907-79) All., Ré.
Jugnot, Gérard (4-5-51) A., Ré.
Juillet, Pierre (22-7-21) Av. Pt.
Juin, Hubert (1926-87) Be., Au., J.
Julie (Julie Pietri) (1-5-57) An.
Julien, Pauline (1928) Ca., C.
Jullian, Marcel (31-1-22) Av., Éd.
July, Serge (27-12-42) J.
Jurgens *, Curd (1912-82) All., A.
Justice, James Robertson (1905-75) G.-B., A.
Jutra *, Claude (1930-87) Ca., C.
Juvet, Patrick (Su., 21-8-50) C.
Kaas, Patricia (5-12-66) C.
Kachyna, Karel (1-5-24) Tc., Ré.
Kadar, Jan (1918-79) Tch., Ré.
Kader, Cheb (1966) Maroc., C.
Kahn, Gilbert (28-3-38) Pr. J.-François (12-6-38) J.
Kahnweiler, Daniel Henry (1884-1979) All., Af. Gustav (1895-1989) All., Coll.
Kalatozov *, Mikhaïl (1903-73) Ur., Ré.
Kalfon, Jean-Pierre (1938) A.
Kalin, Twins (Harold, Herbie, 1939) U., C.
Kalsoum, Oum (1898-1975) Ég., C.
Kamenka, Alex. (1888-1969) Pr.
Kampf, Serge (1935) Af.
Kanin, Garson (24-11-12) U., S., Ré.
Kaplan, Nelly (11-4-36) M., Au..
Kapoor, Raj (1924-88) Indien, Ré.
Kapriski, Valérie (Cherès) (1962) A.
Karajan, Herbert von (1908-89) All. Chef d'Or.
Karim, Patricia (n.c.) A.
Karina *, Anna (Hanne Karin Bayer) (Dan. 22-9-40) A.
Karloff, Boris (William Pratt) (G.-B. 1887-1969) U., A.
Karmen, Roman (1906) Ur., Ré.
Karmitz, Marin (1938) Rou., Ré.
Karyo, Tchéky (1953) A.
Kashoggi, Adnan (n.c.) Ar. Sa., Af.
Kassav : Jocelyn Béroard (12-9-54) C.
Kast *, Pierre (1920-84) Ré.
Kaufmann, Boris (1906-80) Ur., Op.
Kautner *, Helmut (1908-80) All., Ré.
Kawabuko, Rei (1943) Jap., Cou.
Kawalerowicz *, Jerzy (1922) Pol., Ré.
Kay, Harold (Kyzanowski) (1926-90) R.
Kaye, Danny * (David Daniel Kaminsky) (1913-87) U., A.
Kazan *, Elia (Kazanjoglous) (7-9-09) U., Ré.
Keach, Stacy (1941) U., A.
Kean, Edmund (1787-1833) G.-B., A.
Keaton *, Buster (Joseph Francis) (1895-1966) U., A., Ré. Diane (Hall) (5-1-46) U., A.
Kedia, Guy (1935) J., R.
Kedrova, Lila (1918) A.
Keel, Howard (Leck), (1917) U., A.
Keeler, Ruby (Ca., 25-8-09) U., A.
Keïta, Salif (n.c.) Mali, C.
Keitel, Harvey (1947) U., A.
Kelber, Michel (1908) Op.
Keller, Marthe (28-1-45) A.
Kelly, Chantal (Bassignani) (8-4-50) C. Gene * (23-8-12) U., A., Ré., Da. Grace, Pcesse de Monaco (1929-82) U., A. Maurine (1945) A. Patrick (n.c.-90) U., Cou. Paul (1899-1956) U., A.
Kemoularia, Claude de (30-3-22) Dip.
Kendall, Kay (Justine McCarthy) (1926-59) G.-B., A.
Kennedy, Arthur (1914-90) U., A. Burt (1923) U., Ré.
Kenzo (Tanaka) (1939) Jap., Cou.
Kerchbron, Jean (24-6-24) Ré., M.
Kercheval, Ken (15-7-35) U., A.
Kerleroux, J.-Marie (1936) Des.
Kermadec, Liliane de (1928) Ré.
Kerr *, Deborah (Kerr-Trimmer) (Écosse, 30-9-21) G.-B., A.
Kersauson, Olivier de (20-7-44) An. T., R.
Ketty, Rina (Pichetto) (1911) It., C.
Khanh, Emmanuelle (Renée Nguyen) (12-9-37) Cou.
Kid Creole (August Darnell) (12-8-51) U., C.
Kidder, Margot (17-10-48) U., A.
Kiejman, Georges (12-8-32) Av.
Kiepura, Jan (1902-66) P., Ch.
Killian, Conrad (1898-1950) Af.
King, B.B. (Riley B. King) (16-9-25) U., C.
King, Charles Glen (1897-1988) U., Nutritionniste. Henri * (1896-1982) U., Ré.
Kinski *, Nastassja (Nakszynski) (24-1-61) All., A. Klaus (Nikolaus Nakszynski) (18-10-26) P. A.
Kinugasa *, Teinosuke (1896-1982) Jap., Ré.
Kirsanoff, Dimitri (1899-1957) Ré.
Kishi, Keiko (1932) Jap., A.
Kitt, Eartha (26-2-28) U., A., C.
Kjellin, Alf (1920-88) Sué., A.
Klein, Gérard (1942) R.
Klein-Rogge, Rudolf (1889-1955) All., A.
Kleiser, Rondal (20-7-46) U., Ré.
Kluge, Alexander (1932) All., Ré.
Knapp, Hubert (1924) S. T.
Knef *, Hildegard (Neff) (1925) All., A.
Kobayashi, Masaki (4-2-16) Jap., Op., Ré.
Koch (ou Cook), Marianne (1930) All., A.
Kochno, Boris (1904-90) Ur., Au.
Kohler, Pierre (n.c.) Ré.
Kojak (Telly Savalas) (21-1-25) U., A.
Koltès, Bern-Marie (1948-89) A.
Konk (Laurent Fabre) (1944) Des.
Kool and the Gang (Robert « Kool » Bell) (8-10-50).
Kooper, Al (1943) U., Mu., C.
Korber, Serge (1-2-36) Ré.
Korda, Sir Alexander (Sandar Laszlo Korda) (Ho., 1893-1956) G.-B., Pr., Ré. Zoltan (Ho., 1895-1961) U., Ré.
Korene, Vera (Koretzky) (1901) A.
Kosa, Ferenc (1937) Ho., Ré.
Koscina, Sylvana (Youg., 22-8-33) It., A.
Kosintsev *, Grigori (1905-73) Ur., Ré.
Kosma, Joseph (Ho., 1905-69) Cp.
Koster, Henry (Hermann Kosterlitz) (1905-88) U., Ré.
Koulechov, Lev (1899-1970) Ur., Ré.
Kramer, Stanley (29-9-13) U., Pr., Ré.
Krasker, Robert (1913) G.-B., Op.
Krauss, Alain (1943) J., R. Werner (1884-1959), All., A.
Krawczyk, Gérard (1953) Ré.
Kreicher, Roger (11-3-25) R.
Krief, Bernard (26-10-31) Af.
Kriegel, Annie (9-9-26) J.
Krier, Jacques (1927) Pr., T.
Kristel, Silvia (28-9-52) A.
Krivine, Alain (10-7-41) Pol. Emmanuel (7-5-47) Mu.
Kruger, Hardy * (1928) All., A. Jules (1891-1959) Op.
Krumbachova, Ester (1923) Tch., Ré.
Kubnick, Henri (1912) Au., Pr.
Kubrick *, Stanley (26-7-28) U., Ré.
Kümel *, Harry (1940) Be., Ré.
Kuramata, Shiro (1934-91) Jap., Déc.
Kurosawa *, Akira (23-3-10) Jap., Ré.
Kyo, Machiko (1924) Jap., A.
Laage, Barbara (Claire Colombat) (1925-88) A.
Labori, Fernand (1860-1917) Au.
Laborne, Daniel († 1990) Des.
Labourasse, Guy (1927) Ré., T.
La Bouillerie, Augustin de (11-2-36) Af.
Labourdette, Elina (1919) A.
Labourier, Dominique (1947) A.
Labro, Maurice (1911-87) M.
Labro, Philippe (27-8-36) J., Ré.
Labrousse, Ernest (1895-1988) Hist.
Labrusse, Bertrand (7-6-31) Af.
Lacan, Bernard (22-10-37) Af.
Lachens, Catherine (n.c.) A.
Lachmann, Henri (13-9-38) Af.
Lacombe, Alain (1948) J., Au. Georges (1902) Ré., T.
Lacroix, Christian (16-5-51) Styliste. Jean (1922) Ch., S.
Ladd, Alan (1913-64) U., A.

Ladreit De La Charriere, Marc (6-11-40) Af.

Laemmle, Carl (1867-1939) U., Pr.

Laffin, Dominique (1952-85) A.

Laffont, Patrice (1939) Pré. T. Robert (30-11-16) Éd.

Lafforgue, René-Louis (1928-67) Au., Cp.

Lafont, Bernadette (28-10-38) A. J.-Loup (1940) An. Pauline (1963-88) A. Pierre (1801-73) A.

Laforêt, Marie (Maïtena Doumenach) (5-10-39) A., C.

Laforet, Pierre (1927) Ré., T.

La Fournière, Xavier de (9-1-27) Af.

La Fressange, Inès de (11-8-57) 1,81 m, Man.

Lagarde, Jean (19-3-20).

Lagardère, Jacques (5-7-37) ing. J.-Luc (10-2-28) Af. (son père).

Lagayette, Philippe (16-5-43) Af.

La Genière, Renaud de (1925-90) Af.

Lagerfeld, Karl (1939) All., Cou.

La Grange, François de (1920-76) J.

Lagrange, Louise (1899-1979) A. Valérie (Danielle Charaudeau) (25-2-42) A.

Lahaye, J-Luc (23-12-55) C.

Lai, Francis (26-4-32) Cp.

Laine, Frankie (Lo Vecchio) (30-3-13) U., C.

Laing, Hugh (Hugh Skinner) (1911-88) G.-B., Da.

Lair, Chantal (n.c.) J., R.

Lajarrige, Bernard (de Laj.) (1912) A.

Lake, Veronica (Constance Ockleman) (1919-73) U., A.

Lalanne, Francis (8-8-58) C.

Lalique, Suzanne (1892-1989) Déc.

Lalou, Étienne (1918) J., Pr., Pré.

Lama, Serge (Chauvier) (11-2-43) C.

Lamarr, Hedy (Hedwig Kiesler) (Aut., 11-9-14) U., A.

Lamas, Fernando (1915-82) A.

Lambert *, Christophe (29-3-57) A.

Lambotte, Janine (1929) Be., J., T.

Lamorisse, Albert (1922-70) Ré.

Lamotte, Martin (1952) A.

Lamour *, Dorothy (Kaumeyer) (10-12-14) U., A. Philippe (1903) Av., J.

Lamoureux, Robert (4-1-20) A., Au.

Lampin, Georges (Rus., 1901-79) Ré.

Lancaster, Burt * (2-11-13), U., A.

Lancelot, Jacques (1938) Mu. Michel (1938-84) R.

Lanchester, Elsa (Elizabeth Sullivon), (28-10-02) G.-B., A.

Lanciaux, Concetta (1943) It., Af.

Landi, Michel (1932) Des.

Landis, Carole (Frances Lillian Ridste), (1919-48) U., A.

Landon, Michael (21-10-37) U., A.

Lang, Fritz * (Aut., 1890-1976) All., Ré. Georges (1947) An. Michel (1939) Ré.

Langaney, André (3-12-42) Au.

Langdon, Harry (1884-1944) U., A., Ré.

Lange, Élise (n.c.) A. Jessica (20-4-49) U., A.

Langeais, Cath. (M-Louise Sabbagh, née Terrasse) (9-8-23) An.

Langlois, Henri (1914-77) Dir.

Langlois-Glandier, Janine (16-5-39) T., Af.

Langlois-Meurinne, Christian (1-6-32) Af.

Lanier, Lucien (16-10-19) Préfet, Sén.

Lannes, Jean-Pierre (2-8-36) T.

Lanoux, Victor (18-6-36) A.

Lantier, Jack (André de Meyer) (9-1-30) C.

Lanvin *, Gérard (21-6-50) A.

Lanvin, Jeanne (1867-1946) Cou.

Lanza, Mario (Alfredo Cocozza) (Italie, 1921-59) U., C.

Lanzac, Roger (11-4-20) Pré. T.

Lanzi, Jean (1934) J.

Lanzmann, Claude (27-11-25) Au., Ré.

Lap (Jacques Laplaine) (1921-87) Des.

La Patellière, Denys de (8-3-21) Ré.

Lapautre, René (11-10-30) Af.

Lapidus, Olivier (1959) Cou.

Lapidus, Ted (23-6-29) Cou.

La Plante, Laura (1-11-04) U., A.

Lapointe, Bobby (1922-72) C.

Lara, Catherine (29-5-45) C.

Larcher, André (1904-90) J.

Larère, Xavier (12-6-33) C. d'É.

Laroche, Guy (1921-89) Cou.

La Rocque, Rod (Roderick la Rocque de la Rour) (1896-1969) U., A.

Larosière, Jacques de (12-11-29) Insp. Fin.

Larquey, Pierre (1884-1962) A.

Larriaga, Gilbert (1926) Pr. T.

Larrivoire, J.-Claude (n.c.) J.

Lartigue, Jacques-Henri (1894-1986) Ph.

Lassagne (1819-63) A.

Lassalle, Jacques (6-7-36) Au., M.

Lasso, Gloria (Esp. 1928) C.

Laszlo, Andy (1926) U., Pr.

La Taille, Emmanuel de (16-7-32) J. Renaud de (1934) J.

Lathière, Bernard (4-3-29) Af.

Latifah, Gueen (1971) U.,C.

Lattès, Robert (13-12-27) Af., Au. J-Claude (1941) Éd.

Lattuada *, Alberto (3-11-14) It., Ré.

Laudenbach, Roland (1921-91) Éd.

Lauder, Harry (1870-1950) G.-B., A.

Laughton *, Charles (1899-1962) G.-B., A.

Launois, André (25-5-33) Af.

Lauper, Cyndi (22-6-53) U., C.

Laure, Carole (1948) Ca., A., C. Odette (Dhommée) (1917) A.

Lauré, Maurice (14-11-17) Insp. Fin.

Laurel *, Stan (Jefferson) (1890-1965) U., A.

Laurens, André (7-12-34) J. Rose (4-3-53) C. Vic (Victor-Laurent Darpa) (1945) C.

Laurent, Hervé (n.c.) R. Rémy (1957-89) A. Jeanne (1903-90) Th.

Laurentiis (de), Dino Laurentin (Père) René (19-10-17) J. (1919) It., Pr.

Laurie, Piper (Rosetta Jacobs), (22-1-32) U., A.

Lautner *, Georges (24-1-26) Ré.

Lauzier, Gérard (1932) Ré., Hum.

Laval, J.-Claude (1951) Pré., R.

Lavalette, Bernard (de Fleury) (20-1-26) A., Ch.

Lavallière, Ève (1866-1929) A.

Lavanant, Dom. (24-3-44) A.

Lavandeyra, Eric de (1-3-48) Af.

Lavelli, Jorge (1931) M.

Lavil, Philippe (26-9-47) C.

Lavila, Patricia (La Villa, Mme D. Alexandre Winter) (1957) C.

Laville, Jean-André (1937) Des.

Lavilliers, Bernard (7-10-46) C.

Lavoie, Daniel (17-3-49) Ca., C.

Lavoine, Marc (6-8-62) C.

Lawford, Peter (1923-84) G.-B., A.

Lawrence, Lee (n.c.) U., C.

Laydu, Claude (Be., 1927) A., Pr.

Layne, Patti (31-1-58) Ca., C.

Lazareff, Hélène (Gordon) (1910-88) Jo. Pierre (1907-72) J., Pr., T.

Lazitch, Branko (n.c.) J.

Lazlo, Viktor (7-10-60) C.

Lazure, Gabrielle (28-4-57) Ca., A.

Lazurick, Francine (1909-90) J.

Lean *, David (25-3-08) G.-B., Ré.

Leander *, Zarah (1907-81) Suè., A.

Leandre, Charles (1862-1934) Des.

Lear, Amanda (n.c.) U., C., Pré. T.

Léaud, Jean-Pierre (5-5-44) A.

Lebacqz, Albert (29-7-24) J.

Lebail, Christine (1947) C.

Le Baillif, Pierre (1957-89) Th.

Le Bargy, Charles (1858-1936) A.

Le Barzic, Jean-Yves (11-6-47) Af.

Lebas, Renée (1917) A., C.

Leblanc, Hugues (1934) Af.

Le Boucher, Monette (n.c.) T.

Le Boulleur de Courlon, Yves (1917) Cou.

Lebovici, Gérard (1932-84) Pr.

Lebrun, Danielle (24-7-37) A.

Lecerf, Olivier (2-8-29) Af.

Le Chanois, Jean-Paul (Dreyfus) (1909-85) Ré.

Leclerc, André (1903) J., Pr. Édouard (20-11-26) Af., Dist. Évelyne (11-7-51) Pré. Félix (1914-88) Ca., C., Cp. Ginette (Geneviève Menu) (9-2-12) A. Marcel (14-8-21) J. Michel (1952) Af.

Lecoanet, Didier (1955) Cou.

Leconte *, Patrice (1947) Ré.

Lecoq, Yves (4-5-46) Imitateur.

Lecourtois, Daniel (1902-85) A.

Lecouvreur, Adrienne (1692-1730) A.

Ledoux, Fernand (24-1-1897) A. Jacques (1921-88) Be., Cons.

Ledroit, Henri (1946-88) C.

Ledru, Michel (13-2-35) Af.

Led Zeppelin : John Bonhem (1949) John Paul Jones (1946) Jimmy Page (9-1-44) Robert Plant (20-8-48) G.-B., C.

Lee, Belinda (1935-61) G.-B., A. Brenda (Tarpley) (1944) U., A., C. Bruce (1940-73) U., A. Christopher (Ch. Franck Carandini Lee) (27-5-22) U., A. Spike (n.c.) U., Ré.

Leeb, Michel (23-4-47) Ch.

Leenhardt, Arnaud (16-04-29) Af. Roger * (1903-85) Ré., Pr., Cr.

Lefaur, André (1879-1952) A.

Lefébure, Anne (n.c.) Sp.

Lefebvre, Jean (3-10-22) A. J.-Pierre (1942) Ca., Ré.

Lefèvre, Jean (8-3-22) Rep. René (1898-1991) A.

Le Floch-Prigent, Loïk (21-9-43) Af.

Le Forestier, Maxime (10-2-49) C., Cp.

Lefort, Bernard (29-7-22) Adm.

Legrand, Michel (24-2-32) Cp., C. Raymond (1908-74) Au. Cp. Renée (1935) Sp.

Legras, Jacques (n.c.) A.

Legris, Jacques (1919-88) Pr.

Legros, Fernand (1931-83) Coll.

Lehmann, Maurice (1895-1974) Mu.

Leigh, Janet (Jeanette Morrison) (6-7-27) U., A. Vivien * (Hartley) (1913-67) G.-B., A.

Leighton, Margareth (1922-76) G.-B., A.

Leisen, Mitchell (1898-1972) U., Ré.

Leitao de Barros, José (1896) Portug., Ré.

Lekain, Esther (1870-1960) A., C. Henri Louis Cain (1729-78) A.

Le Lay, Patrick (7-6-42) Af.

Le Lionnais, François (1901-84) Ing.

Lelong, Lucien (1889-1958) Cou.

Lelouch *, Claude (30-10-37) Ré.

Le Luron, Thierry (1952-86) A., Ch.

Lemaire, Francis (n.c.) Be., A. Georgette (15-2-43) C. Philippe (1927) A.

Lemarchand, Jacques (1908-44) J. François (19-1-48) Af.

Lemarque, Francis (Korb) (25-11-17) Mu., C.

Lemas, André (15-4-29) J., R.

Le Ménager, Yves (1926) Ré.

Lemercier, Valérie (n.c.) A.

Lemeret, Claudine (1937) Sp.

Lemmon, Jack (8-2-25) U., A.

Le Moal, René (12-12-34) J.

Lemoine, Annie (n.c.) J. Claude (21-4-32) T. François (13-6-43) J., Au.

Lemonnier, Meg (Marguerite Clark) (1908-88) U., A.

Lempereur, Albert (1902) Cou.

Lempicka, Lolita (n.c.) Cou.

Leni, Paul (1885-1929) All., Ré.

Lenica, Jan (1928) Pol., Ré.

Lennon, John (1940-80) G.-B., C.

Lennox, Annie (n.c.) G.-B., C.

Lenoir, Bernard (n.c.) J., R.

Lenorman, Gérard (9-2-45) C.

Lenôtre, Gaston (28-5-20) Pâtissier.

Leny, Jean-Claude (4-12-28) Af.

Léonard, Herbert (Hubert Loenhard) (25-2-47) C. Robert Z (1889-1968) U., Ré.

Leone *, Sergio (1929-89) It., Ré.

Léotard, François (26-3-42) Po. Philippe * (28-8-40, son frère) A.

Lepage, Serge (1936) Cou.

Le Pen, Jean-Marie (20-6-28) Po.

Lepers, Julien (1951) An., R.

Le Person, Paul (n.c.) A.

Le Poulain, Corinne (Mme Duchaussoy), (26-5-48) A. Jean (1924-88) A.

Leprettre, Raoul (1913-91) Af.

Leroy, Georges (Claude Topakian) (16-4-31) J. Mervyn (1900-87) U., Ré. Patrick (6-9-49) Af. Roland (4-5-26) J.

Leroy-Beaulieu, Philippine (n.c.) A.

Le Royer, Michel (1932) A.

Le Sache, Bernadette (n.c.) A.

Lesaffre, Roland (26-6-27) A.

Lesann, Joseph (n.c.) J., T.

Lescure, Emmanuel (20-11-29) Af. Pierre (1945) J.

Lesieur, Patricia (n.c.) Pré., T.

Lesne, Louis (29-8-22) Af.

Lesourne, Jacques (26-12-28) Au.

Lesser, Gilbert († 1990) U., Des.

Lessertisseur, Guy (1927) Ré.

Lester *, Richard (1932) G.-B., Ré.

Lesueur, François (1820-76) A.

Leterrier, François (1929) M.

Letertre, Jacques (30-10-56) Af.

Leulliot, J-Michel (1938) J.

Levaï, Ivan (1937) Pré., R., J.

Levasseur, André (18-8-27) Déc.

Léveillée, Claude (1932) Ca., C.

Level, Charles (1943) C.

Leven, Édouard (22-1-07) Af. Gustave (7-3-14, son frère) Af.

Lévêque, J.-Maxime (9-9-23) Bq.

Levesque, Marcel (1877-1962) A.

Lévesque, Raymond (1928) Ca., C., Cp.

Le Vigan *, Robert (Coquillaud) (1900-72) A.

Lévy, Catherine (24-2-47) J., T., Jean (9-11-32) Af., Maurice (7-7-22) Sc., Maurice (1942) Af., Pu., Raoul (Be. 1922-66) Pr., Raymond (28-6-27) Af.

Lévy-Lang, André (26-11-37) Bq.

Lewis, Jerry * (Joseph Levitch) (16-3-26) U., A., Ré., Jerry Lee (29-9-35) U., C. Mel († 1990) Mu.

Leymergie, William (4-2-47) J.

L'Herbier *, Marcel (1888-1979) Ré., T.

Lhermitte, Thierry (24-11-57) A.

Lhoste, Pierre (1913) J., R.

Lhote, Henri (1903-91) Et.

Lichine, Alexis (1914-89) Au., Rest.

Liebeneiner, Wolfgang (1905-87), All., A., M.

Lifar, Serge (1905-86) or. rus., Da.

Ligen, Pierre-Yves (30-11-37).

Ligier, Pierre (1797-1872) A.

Lignac, Gérard (18-1-28) J., Af.

Lignel, J.-Charles (21-11-42) Af.

Linder, Max (Gabriel Leuvielle) (1883-1925) A., Ré.

Lindfors, Viveca (29-12-20) Sué., A.

Lindtberg *, Léopold (1902-84) Su., Ré.

Lio (17-6-63) C.

Lion, Bernard (23-3-39) Ré., T., Margo (1904-89) A., Robert (28-7-34) Insp. Fin.

Lions, Jacques-Louis (2-5-28) Un.

Lipsik, Frank (1943) An., R.

Lisi, Virna (Pieralisi) (8-9-37) It., A.

Little Tich (Harry Relph), (1868-1928) G.-B., A.

Littleton, John (1930) U., C.

Litvak, Anatole (Rus., 1902-74) U., Ré.

Livio, Antoine (n.c.) Su., J., R., Au.

Lizzani *, Carlo (1917) It., Ré.

Lloyd, Frank (G.-B., 1886-1960) U., Ré., Harold * (1893-1971) U., A., Pr.

Loach, Kenneth (17-6-36) G.-B., Ré.

Lob, Jacques (Loeb) († 1990) Des.

Lockwood, Margareth (Margaret Day) (1916-90) G.-B., A.

Loeb, Caroline (5-10-55) C.

Loew, Marcus (1870-1927) U., Pr.

Loewy, Raymond (1893-1986) Ing.

Logan *, Joshua (1908-88) U., Ré.

Loiseau, Yves (6-4-43) J., R.

Lollobrigida *, Gina (4-7-27) It., A.

Lombard *, Carole (Jane Peters) (1908-42) U., A., Paul (17-2-27) Av.

Long, Marceau (22-4-26) Af.

Long-Chris (Christian Blondiour) (1943) C.

Lonsdale, Michael (24-5-31) A.

Lopez, Francis (1916) Cp., Pr., Trini (5-12-37) U., C.

Lord, Jack (n.c.) U., A.

Loren *, Sophia (Scicoloné) (20-9-34) It., A.

Lorentz, Francis (22-5-42) Af.

Lorenz, Konrad (1904-89) All., Physiologie, Paul (1904-90), Av.

Lorenzi, Stellio (1921-90) M., Ré.
Lorre, Peter (Laszlo Loewenstein) (1904-64) All., A.
Lorsac, Olivier (n.c.) R.
Lory, Sabrina (1956) T., C.
Losey *, Joseph (Walton Losey) (1909-84) U., Ré.
Lotar, Éli (1905-69) Op.
Louiguy (Louis Guglielmi) (Barcelone, 1916) Cp.
Louis, Pierre (Amourdedieu) (1917-87) Com., Roger (1925-82) J.
Louise, Anita (Fremault), (1915-70) U., A.
Louka, Paul (1936) Be., C.
Louki, Pierre (Varenne) (1926) C.
Loup, J.-Jacques (1936) Des.
Lourau, Georges (1898-1974) Pr.
Lourie, Eugène (1905) Déc. cin.
Loursais, Claude (Crautelle) (1919-88) Ré., T.
Loussier, Jacques (1934) Cp.
Louvier, Nicole (1933) C.
Love, Bessie (Juanita Horton) (1898-1986) U., A.
Loy *, Myrna (Williams) (1905) U., A.
Lualdi *, Antonella (6-7-31) It., A.
Lubin, Germaine (1890-79).
Lubitsch *, Ernst (All., 1892-1947) U., Ré.
Lucas, Alain (n.c.) J., T., George * (14-5-44) U., Ré., Patrick (6-3-39) Af.
Luccioni, Micheline (1930) A.
Luce, Clare Booth (1903-87) U., J., Dip.
Lucet, Élise (n.c.) J.
Luchaire, Corinne (1921-50) A.
Luchini, Fabrice (1948) A.
Lucot, René (1908) Ré., T.
Lugné-Poe (Aurélien-Marie) (1869-1940) A.
Lugosi, Bela (Blasko) (1882-1956) Ho., A.
Luguet, André (1892-1979) A.
Luka, Madeleine (1894-1989) Des.
Lukas, Paul (Pal Lukacs) (1891-1971) U., A.
Lulli, Folco (1912-70) It., A.
Lumet *, Sidney (25-6-24) U., Ré.
Lumière, Auguste (1862-1954) Inv., Ré., Jean (Anezin) (1905-79) C., Louis (1864-1948) Inv., Ré.
Lunts (The), Alfred (1893-1977) Lynn Fontanne (1887) U., A.
Lupasco, Stéphane (1900-88) Rou., Phi.
Lupino, Ida (4-2-18) G.-B., A.
Lupu-Pick (1880-1931) All. or. ro., Ré., A.
Lux, Guy (21-6-20) Pr., An., T.
Lynch, David (1946) U., Ré.
Lysès, Charlotte (1877-1956) A.
Lyssy *, Rolf (1936) Sui., Ré.
Mac Avoy, May (18-9-01) U., A.
Mac Callum, David (19-9-33) Écos., A.
Mac Carey *, Leo (1898-1969) U., Ré.
Mac Cartney, Paul (18-6-42) G.-B., C.
Mac Cay, Winsor (1869-1934) U., Des., Ré.
Mac Cormack, Mark (6-11-30) U., Af.
Mac Craken, James (1927-88) U., C.
Mac Crea, Joël (5-11-07) U., A.
Mac Donald *, Jeannette (1907-65) U., A., C.
Mac Dowall, Roddy (17-9-28) G.-B., A.
Mac Dowell, Malcolm (Taylor) (19-6-43) G.-B., A.
Mac Ghee, Howard (1918-87) U., Mu.
Mac Gillis, Kelly (1958) U., A.
Mac Graw, Alice (1938) U., A.
Mac Guire, Barry (1935) U., C., Dorothy (14-6-19) U., A.
Machaty, Gustave (1901-63) Tch., Ré.
Mackendrick, Alexander * (U., 1912) G.-B., Ré.
Mac Laglen, Andrew (1920) U., Ré., Victor (1886-1959) U., or. irl., A.
Mac Laine *, Shirley (Maclean Beaty) (24-4-34) U., A.
Mac Laren, Norman (1914-87) Ca., Ré.
Mac Laughlin, John (4-1-42) G.-B., G.
Mac Leod, Norman (1898-1964) U., Ré.

Mac Mahon, William (1908-88) Australien, Po.
Mac Murray, Fred (30-8-08) U., A.
Mac-Nab, Maurice (1856-89) Ch.
Mac Queen *, Steve (1930-80) U., A.
Mac Rae, Gordon (12-3-21) U., A.
Maccari, Ruggero (1919-1989) It., S.
Maccione, Aldo (1935) It., A.
Macé, Gabriel (n.c.-90) J.
Macias, Enrico (Gaston Ghrenassia) (Constantine 11-12-38) C.
Maciste (Bartolomeo Pagano) (1878-1947) It., A.
Mack, Walter (n.c.-90) U., Af.
Mader, Jean-Pierre (21-6-55) C.
Madonna (Blanche, Louise, Ciccone Neige), (16-8-58) U., C., A.
Maeght, Adrien (17-3-30) Éd., Aimé (1906-81) Coll., Mécène.
Maffei, Claire (1924) A.
Magdane, Roland (3-7-49) Hum.
Magnani *, Anna (1908-73) It., A.
Magni, Luigi (1928) It., Ré.
Magnier, Claude (1920) Au.
Magny, Colette (1926) C.
Magre, Judith (n.c.) A.
Mahal, Taj (1942) U., Mu., C.
Mahé, René (24-6-26) J., Af.
Mahler, Alma (Schindler) (n.c.-1964) Aut., Mu., Cp., Anna (1904-88) Sculpteur.
Mahuzier, Albert (1912-81) J.
Maillan, Jacqueline (11-1-23) A.
Mainbocher (1890-1974) U., Cou.
Mairesse, Valérie (8-6-55) A.
Maïs, Suzet (1907) A.
Maisonneuve, François de La (1934) J.
Maisonrouge, Jacques (20-9-24) Af.
Maistre, François (1925) A.
Maitenaz, Bernard (29-9-26) Af.
Majax, Gérard (1943) J., T.
Majrouh, Sayd Bahodine (1933-88) Afghan., Au.
Makavejev *, Dusan (1932) Youg., Ré.
Makk, Karoly (1925) Ho., Ré.
Malaurie, Jean (22-12-22) Univ.
Malavoy, Christophe (21-3-52) A.
Malclès, J.-Denis (15-5-12) Déc.
Malden, Karl (Mladen Sekulovitch) (22-3-14) U., A.
Malet, Laurent et Pierre (3-9-55) A. Philippe (5-2-25) Af.
Maleyran, Jacques (n.c.) R.
Malhuret, Claude (8-3-50) Méd., Po.
Malibran (Maria de la Felicidad García) (Esp., 1808-36) C.
Malidor, Lisette (n.c.) A.
Malinvaud, Edmond (25-4-23) Un.
Malkovich, John (9-12-54) U., A.
Malle *, Louis (30-10-32) Ré.
Mallory, Michel (1941) Cp., C.
Malone, Dorothy (Maloney) (30-1-25) U., A.
Malraux, André (1901-76) Au., Ré.
Mamère, Noël (25-12-48) Pré.
Mamoulian, Rouben (Russie, 1898-1987) U., M.
Mandell, Daniel (1895-1987) U., Pr., Cin.
Manès *, Gina (Blanche Moulin) (1893-89) A.
Manevy, Alain (9-3-30) J., R.
Manfredi, Nino (22-3-21) It., Ré.
Mangano *, Silvana (1930-89) It., A.
Manière, Jacques (1923-91) Res.
Manitas de Plata, (Ricardo Bellardo) (Sète 1921) G.
Mankiewicz *, J.-L. (11-2-09) U., Ré.
Mann, Anthony * (Anton Bundsmann) (1906-67) U., Ré. Daniel (1912) U., Ré. Delbert (1920) U., Ré.
Manni, Etore (1927-79) It., A.
Manoukian, Alain (19-2-46) Cou.
Mansfield, Jayne (Vera Jane Palmer) (1933-67) U., A.
Mansion, Yves (9-1-51) All., Af.
Manson, Héléna (1900) A. Jane (1-10-50) U., C.
Mantelet, Jean (1900-91) Af.
Manuel, Robert (7-9-16) A.
Mapplethorpe, Robert (1946-89) U., Ph.
Marais *, Jean (Villain-Marais) (12-12-13) A.
Marceau, Marcel (Mangel) (22-3-23) Mime. Sophie * (Maupu) (17-11-66) A.

Marcelle-Maurette (C^esse de Becdelièvre) (1892-1972) Au.
March, Fredrich (Frederick Mc Intyre Bickel) (1897-1975) U., A.
Marchal, Georges (Louis Lucot) (10-1-20) A.
Marchand, Claude (n.c.) R. Corinne (1931) A. Guy (22-5-37) A. Jean-Claude (n.c.) R.
Marchandise, Christian (1950) Af. Jacques (6-7-18) Af.
Marchat, Jean (1902-66) A.
Marcillac, Raymond (1917) J.
Marconi, Lana († 1990, or. roumaine) A.
Marcus, Claude (28-8-24) Pu. Claude (24-8-33) Expert, Po.
Mardel, Guy (1944) C.
Maréchal, Marcel (25-12-37) A.
Margaritis, Gilles (1912-65) Ré.
Margaritis, Hélène (n.c.-1977).
Margerie, Diane de (24-12-27) Au. Emmanuel de (25-12-24) Dipl. Pierre (20-5-22) Af., Roland (1899-1990) Dipl.
Margy, Lina (Marguerite Verdier) (1914-1973) C.
Mariano, Luis (Gonzalès) (1914-70) Esp., C.
Mariassy, Félix (1919-75) Ho., Ré.
Marielle, J.-Pierre (12-4-32) A.
Marie Séline, (Esselin) (1946) A.
Marin, Christian (1929) A. Jacques (1919) A.
Marischka *, Ernst (1893-1963) Aut., Ré.
Marjane, Léo (Gérard) (1918) Be., C.
Marken, Jane (Krab) (1895-1976) A.
Marker *, Chris (Bouche-Villeneuve) (29-7-21) Ré.
Markevitch, Igor (1912-83) Cp.
Marley, Bob (1945-81) Jq., C.
Marquand, Christian (1927) A.
Marque, Henri (9-12-26) J., T.
Marquet, Mary (1895-1979) A.
Mars, Betty (1945-89) C. Colette (Nicole Huot ; Mme Raymond Cassier) (1916) C. Mlle (Boutet) (1779-1847) A.
Marsac, Jean (Henri Delanglade) (1894-1976) A., Ch.
Marsh, Mae (1895-1968) U., A. Warne (1927-87) U., Mu.
Marshall, Garry (n.c.) U., M. George (1891-1975) U., M. Herbert (1890-1966) U., A. Mike (1944) A.
Marten, Félix (1919) A., C.
Marti, Claude (Su. 10-11-20) Pu.
Martin, Blaise (1764-1837) C.
Martin-Chauffier, Jean (1922-87) J.
Martin Circus : Bob Brault, Gérard Pisani, Patrick Diessch, Paul-Jean Borowski, J.-Fr. Leroy, C.
Martin, Dean (Dino Crocetti) (17-6-17) U., A., C. Émile (père) (1914-89) Mu. Hélène (10-12-28) C. Jacques (22-6-33) C., Pré., Au. Maryse (1905-84) A. Roger (8-4-15) Af.
Martinelli, Elsa (1935) It., A. Jean (1910-83) A.
Martinet, Gilles (8-8-16) J. Amb.
Martre, Henri (6-2-28) Af.
Marvin *, Lee (1924-87) U., A.
Marx Brothers * : Arthur (Harpo) (1893-1964) Julius (Groucho) (1895-1977) Léonard (Chico) (1891-1961) Herbert (Zeppo) (1901-79) Milton (Gummo) (1897-1977) U., A.
Mary, Renaud (1918) A.
Maryse (1940) An., R.
Mas, Jeanne (28-2-57) C.
Mascii, Jean (It. 5-7-26) Des.
Maserati, Ettore (1894-1990) Af.
Masina *, Giulietta (22-2-21) It., A.
Mason, Dave (n.c.) G.-B., Mu., G. James * (1909-84) G.-B., A. Marsha (4-3-42) A.
Massari, Lea (Anna-Maria Massatini) (30-6-33) It., A.
Massart, Olivier (1-9-44) M.
Massé, Pierre (1898-1987) Ht Fonct.
Massey, Raymond (1896-1983) Ca., A.
Massigli, René (1889-1988) Dip.
Massimi, Pierre (1935) A.
Masson, Jean (1899) J., Ré.
Massoulier, J.-Claude (1934) R.
Mastroianni *, Marcello (28-9-24) It., A.

Masure, Bruno (14-10-47) J., T.
Mata hari (Margareta Zelle) (1876-1917) P.-Bas, Da.
Mate, Rudolph (1898-1964) U., Ré.
Mathieu, Mireille (22-7-46) C.
Mathis, Johnny (30-9-35) U., C. Milly (Émilienne Tomasini) (1901-65) A.
Mathot, Léon (1896-1968) A., Ré.
Matras, Christian (1903-77) Op.
Matsuda, Yusaku (1948-89) Jap., A.
Matt, Bianco (M. Reilly) (20-2-60) G.-B., C.
Matthau, Walter (Matuschanskayasky) (1-10-20) U., A.
Mattoli, Mario (1898) Ital., Ré.
Mattson *, Arne (1919) Suè., Ré.
Mature, Victor (29-1-15) U., A.
Mauban, Maria (Versini) (1924) A.
Mauclair, Jacques (1919) A., M.
Mauduit, Jean (25-10-21) J.
Mauer, Michel (3-10-36) Af.
Maurel, Claude (2-7-29) R.
Maurey, Nicole (1925) A.
Mauriac, Jean (15-8-24) J.
Mauriat, Paul (1925) Mu., Cp.
Maurier, Claire (1929) A.
Maury-Laribière, Michel (1920-90) Af.
Maus, Bertrand (8-2-32) Su. Af.
Max, Édouard de (Ro., 1869-1924) A.
Max, Zappy (Max Doucet) (1921) An. R.
Max Dearly (Lucien-Max Rolland) (1874-1943) A.
Maxwell, Robert (Tchéc. 10-6-23) G.-B., Af., Po.
May, Joe (1880-1954) All., Ré. Mathilda (1966) A. Paul (1909-76) All., Ré.
Mayall, John (29-11-33) U., C., Mu.
Mayer, Louis B. (1885-1957) U., Pr.
Mayniel, Juliette (1936) A.
Mayo, Archie (1891-1968) U., Ré. Virginia (Jones) (30-11-20) U., A.
Mayol, Félix (1872-1941) C.
Mayoux, Jacques (18-7-24) Af.
Maysles, David (1933-87) U., Ré.
Mazursky, Paul (Irwin Mazursky) U., A., Ré.
McGegor, Chris († 1990) Afr. S., Cp.
Mead, Margaret (1901-78) U., Soc.
Meaulle Philippe (1944-90) Éd.
Medecin, Jacques (5-5-28) Po.
Medeiros, Elli (18-1-56) Uru, C.
Medvedkine, Alex. (1901-89) Ur., Ré.
Meerson, Harry (1910-91) Ph. Lazare (Rus., 1900-38) Déc.
Mehdi (El Glaoui) (1956) A.
Meier, Ulrike (n.c.) T.
Meilland, Marie-Louise (Paolino) (1921-87) Rosiériste.
Mekas, Jonas (1922) U., Ré.
Melba, Nellie (Helen Mitchell) (1861-1931) Austr., C.
Méliès, Georges (1861-1938) Ré.
Melville *, J.-P. (Grumbach) (1917-73) Ré.
Menegoz, Robert (1925) Ré.
Ménestrels (Les Trois) : G. Sandrini, J.-L. Fenoglio, R. De Ryekert.
Ménestriers (Les) : H. Agnel, M. Ar Dizzona, J.-N. Catrice, B. Pierrot, F., C.
Menez, Bernard (8-8-44) A.
Menier, Paulin (1822-98) A.
Menjou *, Adolphe (1890-1963) U., A.
Menzel, Jiri (1938) Tc., Ré.
Meo, Jean (26-4-27) Ing.
Mer, Francis (25-5-39) Af.
Mercadier, Marthe (1928) A.
Merceron-Vicat, Jacques (22-3-38) Af.
Mercier, Michèle (1-1-39) A.
Mercouri, Melina (18-10-25) Gr., A., C.
Mercure, Jean (P. Libermann) (27-3-09) A., M.
Meredith, Burgess (16-11-08) U., A.
Mérieux, Alain (10-7-38) Af.
Meriko, Maria (Bellan) (1920) A.
Méril, Macha (Marie-Mad. Gagarine) (3-9-40) A.
Merkès, Marcel (7-7-20) Ch.
Merle d'Aubigné, Robert (1900-89) Chir.
Merlin, Guy (1920) Af. Louis (1901-1976) Pr., R.

MÉRODE, Cléo de (1880-1966) A.
MERVAL, Paulette (Mme M. Merkès) (1928) A. lyr.
MÉRY, Michel (Raymond Meyer) (1916) Ch.
MESGUICH, Daniel (15-7-52) A., M. Félix (1871-1949) Op.
MESSEGUÉ, Maurice (1921).
MESSEMER *, Hannes (1924) All., A.
MESTRAL, Armand (1917) C., A.
MESTRE, Philippe (23-8-27) Préfet, Po.
MESZAROS, Marta (19-9-31) Ho., Ré.
MÉTAYER, Alex (19-3-30) Ch.
MEUNIER, Edmond (1916) Ch.
MEURISSE, Paul (1912-79) A.
MEUTHEY, Pierre (1930) R.
MEXANDEAU, Louis (6-6-31) Prof., Pol.
MEYER, Georges (21-9-30) Af. Jacques (1894-1987) R. Jean (1914-79) A. Michel (n.c.) J., R.
MEYNIER, Max (30-1-38) R.
MICHAEL, George (Giorgios Kyriacos Panyiotou) (25-6-63) G.-B., C.
MICHEL, André (1910-89) M., Ré. François (1940) Af. Nelly (n.c.) J., R. Serge (2-12-26) Af.
MICHELIN, François (3-7-26) Af.
MICHEYL, Mick (Paulette Michey) (8-2-22) C.
MICHU, Clément (1936) A.
MIDLER, Bette (1-12-45) U., C., A.
MIDY, Philippe (22-1-49) Af.
MIFUNE, Toshiro (1-1-20) Jap., A.
MIKAËL, Ludmilla (1947) A.
MIKHALKOV-KONTCHALOVSKI *, Andrei (Walter Matasschanskayasky) (1936) Ur., Ré.
MIKIO, Naruse (1905) Jap., Ré.
MILANOV, Zinka (1906-89) Yougo., Ch.
MILES, Budy (1946) U., Mu. bat. Sarah (31-12-41) G.-B., A. Vera (23-8-30) U., A.
MILESI, Gabriel (n.c.) Af., J.
MILESTONE, Lewis (Leiba Milstein) (Ur., 1895-1980) U., M.
MILIUS, John (1944) U., S., M.
MILLAND, Ray (Reginald Truscott-Jones) (1905-86) G.-B., A.
MILLER, Ann (12-4-23) U., Da., A. Claude * (20-2-42) Ré.
MILLS, John (22-2-08) G.-B., A.
MILOWANOFF, Sandra (1892-1957) (née Russie) A.
MILTON, Georges (Michaux) (1888-1970) A.
MIMICA, Vatroslav (1923) Youg., Ré.
MIMILE (Émile Coryn) (1914-89) Cl.
MINAZZOLI, Christiane (11-7-31) A.
MINC, Alain (15-4-49) Af.
MINEO, Sal (1939-76) U., A.
MINEUR, Jean (1902-85) Pr., M., Ré.
MINGUS, Charlie (1926-79) U., Mu.
MINNELLI, Liza (12-3-46) U., A., C. Vincente * (1913-86) U., Ré.
MIOU MIOU * (Sylvette Héry) (22-2-50) A.
MIRANDA, Carmen (Port., 1909-55) U., A. Isa (Ines Isabella Sanpietro) (1909-82) It., A.
MIRAT, Pierre (1924) A.
MIREILLE (M. Hartuch ; Mme Emmanuel Berl) (30-9-06) C., Cp.
MISRAKI, Paul (Misrachi) (Turq., 28-1-08) Cp.
MISSIAEN, Jean-Claude (1939) Ré.
MISSOFFE, François (13-10-19) Po. Hélène, sa femme (née de Mitry 15-6-27) Po.
MISTIGRI (Mme Ganne) (1935) A.
MISTINGUETT (Jeanne Bourgeois) (1873-1956) A., Da., C.
MITCHELL, Eddy (Claude Moine) (3-7-42) C.
MITCHELL, Thomas (1892-1962) U., A.
MITCHUM *, Robert (6-8-17) U., A.
MITHOIS, J.-Pierre (26-5-34) J., R., Au.
MITRANI, Michel (12-4-30) Ré.
MITRY, Jean (1907-88) (Jean Goetghe-luck) S., Cr.
MITTERRAND, François (26-10-16) Pt de la Rép. Frédéric (21-8-47) fils de Robert, Pro. Gilbert (4-2-49) fils du Pt, Ens. Henri (7-8-28) Univ. Jacques (21-7-18) Gl. Air, Af. Olivier (18-7-43) A., F. Robert (22-9-15) frère du Pt.
MIX, Tom (Thomas Edwin Mix) (1880-1940) U., A.
MIYAKE, Issey (1938) Jap., Cou.
MIYET, Bernard (16-12-46) R., Af.
MIZOGUCHI, Kenji * (1898-1956) Jap.
MNOUCHKINE, Alexandre (10-2-08) Pro. Ariane (1939) M.
MOATI, Serge (17-8-46) Ré.
MOCKY *, Jean-Pierre (J. Mokiejewski) (6-7-29) A., Ré., Pr.
MODOT *, Gaston (1887-1970) A.
MOGADOR (Céleste Vénard, dame Lionel de Bobreton, Ctesse de Chabrillan) (1824-1909) Da., Au.
MOGUY (L. Maguilevsky) (Rus., 1899-76) Ré.
MOINE, Michel (n.c.) A.
MOISAN, Roland (1907-87) Des.
MOLANDER, Gustav (Finl., 1888-1973) Suè., Ré.
MOLINARO, Édouard (13-5-28) Ré., A.
MOLINEUX, Edward (1891-1974) Irl., Cou.
MÔME MOINEAU (la) (Lucienne Garcia) (1905-68) C.
MONDY, Pierre (Cuq) (10-2-25) A.
MONFORT, Silvia (Mme Silvia Favre-Bertin) (1923-91) A.
MONICELLI *, Mario (16-5-15) It., Ré.
MONNET, Jean (1888-1979) Po.
MONNIER, Henri (1799-1877) Des.
MONNOT, Marguerite (1903-61) Cp.
MONOD, Jacques (1918-85) A., C. Jérôme (7-9-30) Af.
MONROE *, Marilyn (Norma Jean Baker) (1926-62) U., A.
MONROSE, Claude (1783-1843) A.
MONTAGNE, Rémy (1917-91) Po.
MONTAGNÉ, Gilbert (28-12-51) C. Guy (n.c.) R.
MONTANA, Claude (1949) Cou.
MONTAND *, Yves (Livi) (It. 13-10-21) C., A.
MONTARON, Georges (10-4-21) J.
MONTÉHUS (Gaston Brunschwig) (1872-1952) C., Cp.
MONTEL, Jean-Phil. (6-1-39) Af. Marie-Dominique (27-12-50) J., R.
MONTERO, Germaine (Heygel) (22-10-09) A.
MONTÈS, Lola (Eliza Gilbert) (1818-61) Irl., A.
MONTEZ, Maria (Maria de Sarto Silas) (1919-51) U., A.
MONTGOMERY, Bernard Law (1887-1976). Elizabeth (4-5-33) U., A. Robert (1904-81) U., A.
MONTIEL, Bernard (n.c.) An.
MONTUPET, Jean-Paul (24-12-47) Af.
MONTY, (Jacques Bullastin) (1943) C.
MOORE, Colleen (Kathleen Morrison) (1900-1988) U., A. Roger (14-10-27) G.-B., A.
MOOREHEAD, Agnes (1906-74) U., A.
MORACCHINI, Aude (n.c.) J., T.
MORDILLAT, Gérard (1949) Ré.
MORE, Kenneth (1914-82) G.-B., A.
MOREAU, Jeanne * (23-1-28) A., C. Jean-Luc (n.c.) M.
MOREL, Jacques (Houstrate) (29-5-22)
MORENI, Poppy (1947) It., Cou.
MORENO, Dario (Dario Druguet) (Turquie 1921-68) A., C. Marguerite (Monceau) (1871-1948) A. Roland (11-6-45) Af.
MORETTI *, Nanni (1953) It., Ré. Philippe (1944-87) Th.
MORGAN *, Michèle (Simone Roussel) (29-2-20) A.
MORI, Hanae (8-1-26) Jap., Cou.
MORIN, Christian (2-3-45) Mu., An. R, Pré. T.
MORIN-POSTEL, Christine (6-10-46) Af.
MORISSE, Lucien (1929-70) R.
MORLAY *, Gaby (Blanche Fumoleau) (1893-1964) A.
MORLEY, Robert (26-5-08) G.-B., A.
MORLHON, Camille de (1869-1952) A., Ré.
MORRICONE, Ennio (10-11-28) It., Cp.
MORRIS, Marry (1916-88) G.-B., A.
MORRISSON, Jim (1943-71) U., C., G. Van (31-8-39) G.-B., C., Mu.
MORRISSEY, Paul (1939) U., M.
MOSJOUKINE *, Ivan (1889-1939) Ur., A.
MOTTE, Claire (1937-86) Da.
MOUEZY-EON, André (1880) Au.
MOUGEOTTE, Étienne (1-3-40) J.
MOUILLE, Serge (1922-88) Designer.
MOULAERT, René (1901-65) Déc.
MOULINOT, J.-Paul (1912-89) A.
MOULIN-ROUSSEL, Philippe (1-11-31) Af.
MOULOUDJI, Marcel (16-9-22) A., Ch.
MOUNET, Paul (1847-1922) A.
MOUNET-SULLY, Jean (1841-1916) A.
MOUROUSI, Yves (20-7-42) Pré. T.
MOUSKOURI, Nana (Joanna) (13-10-34) Gr., C.
MOUSS (n.c.) A.
MOUSSA, Pierre (5-3-22) Af.
MOUSSEAU, Jacques (24-6-32) J.
MOUSSINAC, Léon (1890-1964) Cr.
MOUSTACHE (François Galépidès) (1929-87) Mu., C.
MOUSTAKI, Georges (Joseph Mustacchi) (3-5-34) Cp., C., A.
MUGLER, Thierry (1948) Cou.
MULLIEZ, Gérard (13-5-31) Af.
MULLIEZ, Gérard (1905-89) Af.
MULLIGAN *, Robert (23-8-25) U., Ré.
MUNDVILLER, Joseph Louis (1886) Op.
MUNGO, Jerry : Ray Dorset, Paul King, Colin Earl, Mike Cole, U., C.
MUNI, Paul (Muni Weisenfreund, dit) (1895-1967) U., A.
MUNK *, Andrzej (1921-61) Pol., Ré.
MURAT, Jean (1888-68) A. Jean-Louis (n.c.) C.
MURNAU *, Fried. Wil. (Plumpe) (1889-31) All., Ré.
MURPHY, Audie (1924-71) U., A. Eddie (4-3-61) U., A. George (4-7-02) U., A.
MURRAY, Mal (Marie Koening) (1885-1965) U., A. Sunny (1937) U., Bat.
MURZEAU, Robert (1909-90) A.
MUSIDORA * (Jeanne Roques) (1884-1957) A.
MUTI, Ornella (Francesca Romana Rivelli) (9-3-56) It., A.
MYLONAS, George (1899-1988) Gr., Archéologue.
MYRDAL, Gunnar (1899-1987) Suè., Économiste.
MYRIAM, Mary (Myriam Lopès) (8-5-57) C.
NAGY, Kate de (1909-73) Ho., A.
NANTEAU, Olivier (Rist) (1949).
NAOURI, J-Charles (1949) Af.
NARCY, J-Claude (16-1-38) J.
NARUSE *, Mikio (1905-69) Jap., Ré.
NASH, Clarence (1905-85) U., A. Graham (n.c.) U., C.
NAT, Lucien (1895-1972) A. Marie-José (Drach, née Benhalassa) (22-4-40) A.
NATANSON, Jacques (1901-75) Di.
NATHAN, J-Jacques (1920-87) Éd.
NAUDET, J-Bapt. (1743-1830) A.
NAVADIC, Jacques (1923) T.
NAY, Catherine (1-1-44) J.
NAZIMOVA *, Alla (Nazimoff) (Rus., 1879-1945) U., A.
NAZZARI, Amédéo (Buffa) (1907-79) It., A.
NEAGLE, Anna (Robertson) (20-10-04) G.-B., A.
NEAL, Patricia (20-1-26) U., A.
NEAME, Ronald (1911) G.-B., Ré.
NEGRI *, Pola (Appolonia Chalupiec) (Pol., 1894-1987) U., A.
NEGRONI, Jean (4-12-20) A.
NEGULESCO, Jean (26-2-1900) Ru., Ré.
NEIL, Diamond (24-1-41) U., C. Louis-Roland (1925) J., T.
NELSON, Ralph (1916-87) U., M. Rick (1940-85) U., C.
NEMEC, Jan (1936) Tc., Ré.
NERO, Franco (Sparomero) (It., 1942) U., A.
NÉROT, Edme (30-6-29) Af.
NERVAL, Michel (1945) Ré.
NETTER, Michel (1934) R.
NEUVILLE, Marie-Josée (Mme Herzog, n. Jos. de Neuville) (1938) C.
NEVELSON, Louise (1899-1988) U., Sculpteur.
NEVEUX, Georges (1900-82) Au., Pr.
NEWMAN *, Paul (26-1-25) U., A., Ré.
NEWTON, Robert (1905-56) G.-B., A.
NEWTON-JOHN, Olivia (26-9-48) G.-B.
NIAGARA : Muriel Laporte (24-1-63), Daniel Chenevez (12-6-56) C.
NICAUD, Philippe (27-6-26) A.
NICHOLS, Dridley (1895-1960) U., S., Ré.
NICHOLS, Mike (11-6-31) U., Ré.
NICHOLSON *, Jack (22-4-37) U., A.
NICO (Christa Paffgen) (1939-88) All., Man., C.
NICOLAS, Christophe (n.c.) An. Roger (1919-77) C., Au., Th.
NICOLETTA (Nicole Grisoni) (11-4-44) C.
NICOULAUD, Gilles (1942) Des.
NICOT, Claude (1925) A.
NIELSEN, Asta (1882-1972) Da., A. Claude (13-6-28) Ed., Sven (1901-76) Éd.
NIERMANS, Édouard (10-11-43) Ré.
NILSSON, Harry (15-6-42) U., A.
NIVEN *, David (1909-83) G.-B., A.
NOBEL, Chantal (1948) A.
NOCHER, Jean (n.c.) An. R.
NOËL, Bernard (1928-70) A. Denise (1922) A. Jacques (1924) Déc. Léon (1888-1987) Dip., Au. Magali (Guiffray) (27-6-32) A.
NOELLE, Paule (1942) A.
NOËL-NOËL * (Lucien Noël) (1897-1989) A., Ré.
NOGUERA, Louis (1910-84) C.
NOGUÈRES, Henri (1916-91) Av., Hist.
NOGUERO, José (1907) A.
NOHAIN, Dominique (Legrand) (8-7-25) A. Jean (J.-M. Legrand) (1900-81) Pr.
NOIRET, * Philippe (1-10-30) A.
NOLLIER, Claude (1923) A.
NOLTE, Nick (8-2-40) U., A.
NORA, Pierre (17-11-31) Hist. Simon (21-2-21) Insp. Fin.
NORMAN, Jessye (15-9-45) U., C.
NORMAND, Mabel (1894-1930) U., A.
NORO, Line (1900-85) A.
NORRIS, Chuck (1942) U., A.
NOUGARO, Claude (9-9-32) C.
NOUVEL, Jean (12-8-45) Arch.
NOVAK *, Kim (Marilyn) (13-2-33) U.
NOVARRO, Ramon (Samaniegos) (Mex., 1899-1968) U., A.
NUMA (Marc Beschefer) (1802-69) A.
OAKIE, Jack (Lewis Delaney Offield) (1903-78) U., A.
OATES, Warren (1928-82) U., A.
OBADIA, Alain (2-12-53) Af.
OBERON, Merle (Estelle O'Brien Thompson) (1911-79) Aust., A.
O'BRIEN, Edmund (1915-85) U., A. Margaret (15-1-37) U., A. Pat (1899-1983) U., A.
OCKRENT, Christine (25-4-44) R., T.
O'CONNEL, Arthur (1908-81) U., A.
O'CONNOR, Donald (28-8-25) U., A.
OFFREDO, Jean (14-9-44) J.
OGIER, Bulle (M.-F. Thielland) (9-8-39) A.
OGILVY, Daniel (23-6-11) G.-B., Pu.
OGOUZ, Philippe (1939) A.
O'HARA, Maureen (Fitz Simmons) (17-8-20) Irl., A.
OLAND, Warner (Suè., 1880-1938) U., A.
OLCHANSKI, Daniel (6-12-29) Af.
OLDFIELD, Mike (15-5-53) G.-B., Mu., Cp.
OLIVEIRA *, Manoel de (1908) Port., Ré.
OLIVER, Edna May (1883-1942) U., A. Michel (2-11-32) Rest. Raymond (1909-90), Rest. Pr. T.
OLIVIER *, Lord Laurence (1907-89) G.-B., A., Ré. (1911-88) U., Cp., Mu.
OLLIVIER, Éric (du Parc) (1927) Au.
OLMI *, Ermanno (24-7-31) It., Ré.
ONASSIS, Aristote (1906-75) Gr., Af. Cristina (1951-88).
ONDRA, Anny (Ondrakova) (1903-87) Tc., A.
O'NEAL, Ryan (20-4-41) U., A.
ONO Yoko (Jap., 18-2-33) U., C., Cp.
OPHULS, Marcel (Oppenheimer) (1927) Ré., Max * (Oppenheimer) (1902-57) Ré.
ORAISON, Marc (1914-79) Méd., Au.
ORBISON, Roy (1936-88) U., C.
ORCIVAL, François d' (1942) J.
ORMESSON, Antoine d' (1924) Ré. Henry (20-4-21), Insp. Fin. Jean d' (16-6-25) J., Au. Olivier (5-8-18), Pol.

ORNANO, Cte Michel d' (1924-91) Pol.
ORTIZ, Vidal (7-7-18) Af.
ORTOLI, Fr.-Xavier (16-2-25) Af.
OSHIMA *, Nagisa (31-3-32) Jap., Ré.
OSSO, Adolphe (1894-1961) Pr.
O'SULLIVAN, Maureen (17-5-11) Irl., A.
OSWALD, Marianne (Colin) (1903-85) A., Ch., Pr.
OTÉRO, dite la Belle (Caroline) (1868-1965) Es., C.
O'TOOLE *, Peter Seamus (2-8-32) G.-B., A.
OTTENHEIMER, Ghislaine (n.c.) Prés., J., T.
OUEDRAOGO, Idrissa (1954) B.F., Ré.
OUREVITCH, Jacques (n.c.) J.
OURY *, Gérard (Houry) (29-4-19) Tannenbaum A., Ré.
OUVRARD, Gaston (1890-1981) Cp., C.
OWEN-JONES, Lindsay (17-3-46) G.-B., Af.
OZERAY, Madeleine (1910-89) A.
OZU *, Yasujiro (1903-63) Jap., Ré.
PABST *, Georg W. (George Wilhelm) (Aut., 1885-1967) All., Ré.
PACHE, Bernard (13-10-34) Af.
PACINO *, Al (25-4-40) U., A.
PACÔME, Maria (1923) A.
PADO, Domin. (1922-89) J., Sén.
PAGAVA, Vera (1907-88) Ur., Pe.
PAGE, Geneviève (Bonjean) (Mme J.-C. Bujard) (13-12-27) A. Geraldine (1924-87) U., A. Louis (1905) Op. Michel (1945) C.
PAGÈS, Évelyne (25-2-42) J., R.
PAGEZY, Bernard (22-1-28) Af. Roger (20-11-30) Af.
PAGLIERO, Marcello (1903-80) It., A., Ré.
PAGNOL, Jacqueline (1926) A. Marcel * (1895-1974) Ré., Au.
PAINLEVÉ, Jean (1908-89) Ré.
PAKULA, Alan-J * (7-4-28) U., Ré.
PAL, Georges (Ho. 1908-80) U., M., Ré.
PALANCE *, Jack (Walter Palanvik) (18-2-19) U., A.
PALAU, Pierre (P.P. del Vidri) (1885-1966) A.
PALLEZ, Gabriel (2-5-25) Bq.
PALMA, Brian de (11-9-40) U., Ré.
PALMER, Lilli (Peiser) (Aut., 1914-86) All., A.
PAMPANINI, Silvana (1925) It., A.
PANAFIEU, Françoise de (n. Missoffe 12-12-48) Po. Véronique de (3-12-48) R.
PANCHO (Pancho Graelles) (1944) Ven, Des.
PANFILOV, Gleb (1934) Ur., Ré.
PANIGEL, Armand (15-10-20) Au., Pr., Ré., T.
PAOLI, Jacques (1924-90) J. François (n.c.) J., T. Stéphane (19-11-48) J., Pré., T.
PAPAS, Irène (Lekelou) (3-9-26) Gr., A.
PAQUI, Jean (Chr. Thonel d'Orgeix) (1921) A.
PAQUIN (Jeanne Becker) (1869-1936) Cou.
PARADIS, Vanessa (22-12-72) C., A.
PARADJANOV, Sergueï (Sarkis Paradjanian) (1924-90) Ur., Ré.
PARAYRE, J-Paul (5-7-37) Af.
PARÉDÈS, Jean (Victor Catégnac) (1918) A.
PARÉLY, Mila (9-10-17) A.
PARILLAUD, Anne (6-5-60) A.
PARIS, Simone (1919-86) A.
PARKER, Alan (14-2-44) G.-B., Ré. Eleanor (26-6-22) U., A.
PARLO, Dita (Grethe Kornstadt) (1906-71) All., A.
PAROLA, Danielle (Yvonne Canal) (1903) A.
PARRETI, GianCarlo (n.c.) Af.
PARRISH, Robert (1916) U., M.
PARRY, Gisèle (1921-?) A., Pr., T.
PARTON, Dolly (19-1-46) U., A.
PASCAL, Christine (29-11-53) A., Ré. Giselle (Mme Raymond Pellegrin) (1923) A., Jean-Cl. (Villeminot) (24-10-27) A., C.
PASCO, Isabelle (n.c.) A.
PASCUCCI, Bernard (n.c.) J.
PASOLINI *, Pier Paolo (1922-75) It., Au., Ré.
PASQUALI, Alfred (1898) A.
PASSER *, Yvan (1933) Tc., Ré.
PASTEUR, Joseph (Rocchesani) (19-10-21) J.
PASTORIUS, Jaco (1951-87) U., G.
PATACHOU (Mme Arthur Lesser née Henriette Ragon) (10-6-18) C.
PATHÉ, Charles (1863-1957) Ré.
PATOU, Jean (1880-1936) Cou.
PATRICIA (1950) C.
PATUREL, Dominique (3-4-31) A.
PAUGAM, Jacques (10-5-44) R., T.
PAUL, Bernard (1930-80) Ré. Robert-William (1869-1943) G.-B., Ré.
PAULIN, Guy (1945-90) Cou. Pierre (9-07-27) Arch.
PAULUS (J.-Paul Habans) (1845-1908) C.
PAULVÉ, André (1898-1982) Pr., Dis.
PAUTRAT, Daniel (1940) J.
PAUWELS, Louis (2-8-20) Au.
PAVAN, Marisa (Pierangeli) (1932) It., A.
PAVIOT, Paul (1926) Ré.
PAYE, Jean-Claude (26-8-34) Dip.
PAYNE, John (1912-89) U., A.
PÉBEREAU, Georges (20-7-31) Af., Michel (23-1-42) Af.
PÉCHIN, Pierre (10-2-47) Ch.
PECK *, Gregory (15-4-16) U., A.
PECKINPAH *, Sam (David Samuel Peckinpah) (1926-84) U., Ré.
PECQUEUR, Michel (18-8-31) Af.
PELAT, Roger-P. (n.c.-1989) Af.
PELÈGE, Michel (27-5-37) Af.
PELISSON, Gérard (9-2-32) Af.
PELLEGRIN, Raymond (Pellegrini) (1-1-25) A.
PELLERIN, Christian (31-5-44) Af.
PELLETIER, Alain (n.c.) T.
PENCHENIER, Georges (1919) J.
PENN *, Arthur (27-9-22) U., Ré.
PEPPARD, George (1-10-33) U., A.
PERAULT, Pierre (1929) Ca., Ré.
PERDRIEL, Claude (25-10-26) J.
PERDRIÈRE, Hélène (17-4-10) A.
PÈRE, Bernard (1939) J.
PEREIRA DOS SANTOS, Nelson (1938) Brés., Ré.
PÉRICARD, Michel (15-9-29) J., Pol.
PÉRIER, Étienne (1931) Be., Ré. François * (Pillu) (10-11-19) A. Fr. Xavier de (9-8-35) T.
PÉRIGOT, François (12-5-26) Af.
PÉRILHOU, Isabelle (1961) A.
PÉRINAL, Georges (1897-1965) Op.
PERKINS *, Anthony (4-4-32) U., A.
PERLET, Adrien (1795-1850) A.
PERNAUT, Jean-Pierre (n.c.) J., Pré.
PERRET, Léonce (1880-1935) A., Ré. Pierre (9-7-34) C.
PERRIN, Alain-Dominique (10-10-42) Af. Francis (10-10-47) A., Ré. Jacques (Simonet) (13-7-41) A. Marco (n.c.) A.
PERRINE, Valerie (3-9-44) U., A.
PERROT, Luce (1941) J., T.
PERRY, Réjane (n.c.) C.
PERTINAX, Voir GÉRAUD.
PETER, Solange (1-2-30) Ré., T.
PETIT, Pascale (1938) A.
PETRI, Elio (1929) It., Ré.
PETRIAT, J.-Louis (23-2-35), Af.
PETROVIC, Alexandre * (1929) Youg., M.
PEUGEOT, Bertrand (30-10-23) Af. Roland (20-3-26) Af.
PEYNET, Raymond (16-11-08) Des.
PEYRAC, Nicolas (J.-J. Tazarte) (6-10-49) C.
PEYRELEVADE, Jean (24-10-39) Af.
PEYRELON, Michel (10-10-36) A.
PEYSSON, Anne-Marie (J. Falloux) (24-7-35) Sp., T, R.
PFEIFFER, Michelle (29-4-57) U., A.
PHILIPE *, Gérard (1922-59) A.
PHILIPON, Charles (1906-62) Des.
PHILIPPE, Annie (1946) C. Claude-Jean (20-4-33) A., J., M.
PHILLIPS, Esther (1935-84) U., C.
PHIRI, Ray (n.c.) U., C.
PIA, Pascal (1902-79) J.
PIAF, Édith (Giovanna Gassion) (1915-63) C., A.
PIALAT *, Maurice (21-8-25) Ré.
PIAT, Jean (23-9-24) A.
PICARD, J.-Louis (14-11-36) Cp.
PICASSO, Paloma (1949) A.
PICCOLI *, Michel (27-12-25) A., Pr.
PICKETT, Wilson (18-3-41) U., C.
PICKFORD *, Mary (Gladys Smith) (1893-1979) U., A.
PIDGEON, Walter (1897-1984) U., A.
PIÉPLU, Claude (10-5-23) Pr.
PIEM (Pierre de Montvallon) (12-11-23) Des.
PIÉRAL (Pierre Aleyrangues) (1923) A.
PIERRE, abbé (Henri Grouès) (5-8-1912) Prê. Louis (Pierre Amourdedieu) (1917) J. Roger (30-8-23) A. Roselyne (29-7-35) Af.
PIERRE-BROSSOLETTE, Claude (5-3-28) Af.
PIERRY, Marguerite (1888-1963) A.
PIGAUT, Roger (1919-89) A.
PIGNOL, Jean (1924) Ré., T.
PILLS, Jacques (René Ducos) (1910-70) C.
PINATEL, Pierre (1929) Des.
PINEAU, Gilbert (1931) Ré., T.
PINEAU-VALENCIENNE, Didier (21-3-31) Af.
PINK FLOYD : Syd Barrett, Roger Waters (6-9-44) Rick Wright (28-1-43) Nick Mason, David Gilmour (6-3-46) G.-B., Mu.
PINOTEAU, Claude (25-5-25) Ré. Jack (1923) M.
PIRÈS, Gérard (1942) Ré.
PISIER, M.-France (10-5-44) A.
PITOËFF, Georges (1884-1939) A. Ludmilla (1895-1951) A. Sacha (1920-90) A.
PITOU, Ange-Louis (1767-1846) J., C.
PITTS *, Zasu (1900-63) U., A.
PIVOT, Bernard (5-5-35) J. Monique (5-1-37, sa femme) J.
PIZZI, Pier-Luigi (15-6-30) It., M.
PLANA, Georgette (1918) C.
PLANCHON, Roger (12-9-31) M.
PLANTU (Jean Plantureux) (23-3-51) Des.
PLASSARD, Jacques (2-9-24) Éc.
PLASSART, Hervé-Marie (n.c.) R.
PLATTERS : Tony Williams, David Lynch, Paul Robi, Herb Reed, Zola Taylor, U., C.
PLEASANCE, Donald (5-10-19) G.-B., A.
PLESCOFF, Georges (9-3-18) Bq.
PLOIX, Hélène (25-9-44) Af.
PLOQUIN, Raoul (30-5-00) Pr.
PLUMMER, Christopher (13-12-27) G.-B., A.
PLUNKETT, Patrice de (9-1-47) J., Au.
PODESTA *, Rossana (1934) It., A.
POINT, Mado (1898-1986) Rest.
POIRÉ, Alain (13-2-17) Pr.
POIRET, Jean (Poiré) (17-8-26) A., Ch. Paul (1879-1944) Cou.
POIRIER, Léon (1884-1968) Ré.
POISSON, Georges (27-11-24) Au.
POITIER, Sydney (20-2-24) U., A.
POIVRE, Annette (Paule Perron, Mme R. Bussières) (1917-88) A.
POIVRE D'ARVOR, Patrick (20-9-47) J., T.
POLAC, Michel (10-4-30) J., Ré.
POLAIRE (Émilie-M. Bouchaud) (1877-1939) C.
POLANSKI *, Roman (Pol. 18-8-33) Ré.
POLI, Joseph (14-4-22) J.
POLICE : Andy Summer (31-12-42) Gordon Summer (2-10-51) Steward Copeland (16-7-52) G.-B., C.
POLIGNAC, Ghislaine de (1918) Rel. publ.
POLIGNY, Serge de (1903-83) Ré.
POLIN (P.-P. Marsalès) (1863-1927) C.
POLLACK *, Sidney (1-7-34) U., Ré.
POLLET, Patrick (3-3-47) Af.
POLNAREFF, Michel (3-7-44) C., Cp.
PONCHARDIER, Dominique (1917-86) Au., Amb.
PONGE, Francis (1899-1988) Au.
PONNELLE, Jean-Pierre (1932-88) M., Déc., Cq.
PONS, Lily (1898-1976) U., A.
PONS-SEGUIN, Gérard (18-6-42) Af.
PONTECORVO, Gillo (1919) It., Ré.
PONTI, Carlo (11-12-13) It., Pr.
PONTY, Jean-Luc (29-9-42) Mu.
POP, Iggy (James Osterberg) (21-4-47) U., C., Cp.
POPECK (Jean Herbert, 18-5-36) Ch.
POPESCO, Elvire (Elvira Popescu, Ctesse Foy) (Ro. 10-5-1896) A.
POPOV, Oleg (1930) Ur., Cl.
POREL, Jacqueline (1918) A. Marc (1949-83) A.
PORIZKOVA, Paulina (1964) Tc, Man.
PORTE, Bernard (7-3-38) Af.
PORTER, Cole (1893-1964) U., Cp.
POSENER, Georges (1906-88) Hist.
POTIER (1774-1838) A.
POTTECHER, Frédéric (11-6-05) J., T.
POTTIER, Richard (Ernst Deutsch) (1906) M.
POUCTAL, Hervé (1859-1922) Ré.
POUDOVKINE *, Vsevolod (1893-1953) Ur., Ré.
POUJOULY, Georges (1940) A.
POULET, Manuel (18-5-21) Ré., Pr.
POULET-MATHIS, François (n.c.) J.
POURCEL, Frank (n.c.) Mu., Cp.
POUSSE, André (20-10-19) A.
POUTREL, J.-Jac. (13-4-34) Af.
POUZILHAC, Alain de (11-6-45) F., Pu.
POWELL, Dick (1904-63) U., A., Ré. Eleanor (1912-82) U., A. Jane (Suzanne Burce) (1-4-29) U., A. Michael * (1905-90) G.-B., Ré. William (1892-1984) U., A.
POWER, Romina (1951) It., C. Tyrone * (1914-58) U., A.
POZZA, Georges (8-1-35) Af.
PRADAL, Bruno (17-7-49) A.
PRADEL, Jacques (1947) An. R.
PRADIER, Henri (5-11-31) Af. Perrette (Chevau) (1938) A.
PRADINES, Roger (1925) Ré., T.
PRALON, Alain (12-11-39) A.
PRASTEAU, Jean (1921) Pr., T.
PRAT, Jean (1927-91) Ré., T.
PRATE, Alain (5-6-28) Insp. Fin.
PRÉBOIST, Paul (21-2-27) A.
PRÉJEAN, Albert (1893-1979) A. Patrick (1944) A.
PREMINGER *, Otto (Aut., 1906-86) U., Ré.
PRESLE *, Micheline (Chassagne) (22-8-22) A.
PRESLEY, Elvis (1935-77) U., C., A.
PRESTON, Robert (Meservy) (1919-87) U., A.
PRETENDERS : Hynde Chrissie (7-9-51) G.-B., C.
PRÉVERT, Jacques (1900-77) S., Di. Pierre * (1906-88) Ré.
PRÉVILLE (1721-1800) A.
PRÉVOST, Daniel (1939) A. Françoise (1930) A.
PRICE, Alan (1942) G.-B., C. Dennis (1915-73) G.-B., A. Vincent (27-5-1911) U., A.
PRIM, Suzy (1895-1991) A.
PRIMROSE, William (1903-82) G.-B., Mu.
PRINCE (Roger Nelson) (Skipper) (7-6-58) U., C. Dit RIGADIN (Charles Petit-Demange) (1872-1933) A.
PRINCIPAL, Victoria (Concettina Principale) (3-1-50) U., A.
PRINTEMPS, Yvonne (Wignolle, Mme Pierre Fresnay) (1894-1977) C., A.
PRIOURET, Roger (15-9-13) J.
PRISSET, Serge (1946) C.
PRITCHARD, John Sir (1921-89) G.-B., Chef d'orch.
PRIVAT, Jo (1919) Acc.
PRONTEAU (1919-84) Po.
PROPPER, François (3-1-28) Af.
PROSLIER, Jean-Marie (1928) A.
PROUTEAU, Gilbert (14-6-17) Au., Cin.
PROUVOST, Evelyne J. Af. Jean (1885-1978) Éd.
PROVOST, Jean (1798-1869) A.
PRYOR, Richard (1-12-40) U., A.
PUENZO *, Luis (24-2-49) Arg., Ré.
PUHL-DEMANGE, Marguerite (25-3-33) J., Af.
PUJOL, Annie (n.c.) Pré, T.
PULVER *, Liselotte (1929) All., A.
PURVIANCE, Edna (1894-1958) U., A.
PYRIEV *, Ivan (1901-68) Ur., Ré.
QUAID, Dennis (4-9-54) U., A.
QUANT, Mary (11-2-34) G.-B., Cou.
QUARTZ, Jakie (31-7-55) C.
QUAYLE, Anthony (1913-89) G.-B., A.
QUEEN, (Freddy Mercury) (Frederick Bulsara) (5-9-46) G.-B., C.

QUERMONNE, J.-Louis (3-11-27) Un.
QUIDET, Christian (10-12-32) J.
QUIN, Claude (1-5-32) Af. James (1693-1766) G.-B., A.
QUINE, Richard (1920) U., Ré.
QUINN, Anthony * (Mex. 21-4-15) U., A.
RAAB, Kurt (1942-88) All., A., Déc.
RABAL, Francesco (8-3-25) Esp., A.
RABANNE, Paco (Francisco Rabaneda Cuervo, 18-2-34) Es., Cou.
RACAMIER, Henry (25-6-12) Af.
RACHEL (Elisabeth Félix) (Su., 1821-58) A.
RACHOU, Nathalie (1957) Af.
RADVANYI *, Geza von (1907-86) Ho., Ré.
RAFT, George (Ranft) (1895-1980) U., A.
RAGON, Michel (24-6-24) Au.
RAGUENEAU, Philippe (19-11-17).
RAHARD, Renaud (n.c.) An.
RAIK, Étienne (1904) An.
RAIMBOURG, Lucien (1903-73) A.
RAIMU *, Jules (Muraire) (1883-1946) A.
RAINER, Luise (Aut., 12-1-10) U., A.
RAINS, Claude (1890-1967) U., A.
RAISNER (Trio d'harmonica) : Albert Raisner (30-9-25) Pr. T. ; André Dionnet (1924) ; Sirio Rossi (1923).
RAÏZMAN *, Youli (1903) Ur., Ré.
RAMACHANDRAN, Maruthur Gopala (1917-87) Ind., A., Po.
RAMBAUD, Yves (5-2-35) Af.
RAMOND, Philippe (18-10-31) T.
RAMOS DA SILVA, Fernando (1968-87) Br., A.
RAMPLING *, Charlotte (5-2-46) G.-B., A.
RANDALL, Tony (26-2-20) U., A.
RANK, lord Arthur (Joseph Arthur, Lord Rank) (1888-1972) G.-B., Pr.
RAPP, Bernard (1945) J., T.
RAPPENEAU, J.-Paul (8-4-32) Ré.
RAPPER, Irwing (1898) U., Ré.
RATHBONE, Basil (Afr. S., 1892-1967) U., A.
RAUCOURT (Josèphe Saucerotte) (1756-1815) A.
RAVANEL, Jean (2-5-20) C. d'État.
RAVAUD, René (11-4-20) Af.
RAVEL, Pierre (1814-85) A.
RAY, Charles (1891-1943) U., A. Johnny (1927-90) U., Ch. Man (1890-1976) U., Ph. Nicholas * (Kienzle) (1911-79) U., Ré. Satyajit * (2-5-21) Inde, Ré.
RAYMOND, Jean (n.c.) A., imit.
RAYNAUD, Fernand (1926-73) A., Ch.
RÉ, Michel de (Gallieni) (1925-79) A.
REAGAN, Ronald (6-2-11) U., A., Pol.
REBROFF, Ivan (1931) Ur., C., A., Cp.
REDDING, Otis (1941-67) U., C.
REDFERN, Charles Poynter (1853-1929) G.-B., Cou.
REDFORD *, Robert (18-8-37) U., A.
REDGRAVE, Michael * (1908-85) G.-B., A. Vanessa (30-1-37) G.-B., A.
REED, Sir Carol * (1906-76) G.-B., Ré. Donna (1921-86) U., A. Lou (2-3-43) U., C., G. Oliver (13-2-38) G.-B., A.
REEVE, Christopher (25-9-52) U., A.
REEVES, Steve (21-1-26) U., A.
REGGIANI *, Serge (2-5-22) A., C.
RÉGINE, (Mme Roger Choukroun née R. Sylberberg) (26-12-29) C., A.
RÉGNIER (1807-85) A.
REGO, Luis (n.c.) A.
RÉGY, Claude (1929) M.
REICHENBACH, François (3-7-21) Ré.
REISER, J.-Marc (1941-83) Des.
REISZ *, Karel (1926) G.-B., Ré.
RÉJANE (Gab. Réju) (1856-1920) A.
RELLYS (Henri Bourrely) (1905) A.
REMICK, Lee (14-12-35) U., A.
RÉMY, Albert (1915-67) A. Constant (1882-1957) A.
RENANT, Simone (G. Buigny) (1911) A.
RENARD, Benoît (n.c.) J., T. Colette (Mme R. Legrand née Raget) (1-11-24) C., A.
RENAUD (R. Séchan) (11-5-52) C. Line (Jacqueline Gasté née Enté) (2-7-28) A., C. Madeleine (Mme J.-L. Barrault) (21-2-1900) A.
RENAULT, Louis (1877-1944) Af.

RÉNIER, Yves (27-9-42) A.
RENNIE, Michael (1909-71) G.-B., A.
RENOIR, Claude (4-12-14) Op. Jean * (1894-1979) Ré. Pierre (1885-1952) A.
RENUCCI, Robin (11-7-56) A.
REPETTO, Rose (n.c.) Da.
RESNAIS *, Alain (1922) Ré.
RÉTORÉ, Guy (7-4-24) M.
REVEL, J.-François (J.-F. Ricard) (19-1-24) J.
REY, Fernando (Casado d'Arembilley) (20-9-17) Es., A.
REYBAZ, André (1922) A.
REYNAUD, Émile (1844-1918) Inv., Ré.
REYNOLDS, Burt (11-2-36) U., A. Debbie (Marie-Fr. R.) (1-4-32) U., A.
REYRE, Jean (1899-1989) Af.
REZA, Yasmina (1960) Au., M.
REZNIKOFF, Nathalie (1958) R.
RHEIMS, Maurice (4-1-1910) Com.-Priseur, Au.
RIBADEAU-DUMAS, Roger (1910-1982) Pr.
RIBAUD, André (Roger Fressoz) (30-10-21) J.
RIBEIRO, Catherine (22-9-41) C.
RIBES, Edouard Cte de (27-1-23) Af. Jean-Michel (15-12-46) Au., M., Ré.
RIBOUD, Antoine (24-12-18) Af. Jean (1919-85) Af.
RICARD, Paul (9-7-09) Af. Patrick (12-5-45) Af.
RICCI, Nina (1883-1970) It., Cou. Robert (1905-88) Af.
RICET-BARRIER (Maur.-Pierre Barrier) (1932) Cp.
RICH, Catherine (Renaudin) (18-6-38) A. Claude (8-2-29) A.
RICHARD, Cliff (Harry Webb) (14-10-40) G.-B., C. Gilbert (Hecquet) (1928) Pr., An. Guy (23-12-27) Af. Jean (18-4-21) A. J.-Louis (1927) Ré., A. M. Little (Richard Pennyman) (5-12-32) U., C. Pierre * (Defays) (16-8-34) A., M.
RICHARD-WILLM (P. Richard) (1895-1983) A.
RICHARDSON, Sir Ralph (1902-83) G.-B., A. Tony * (5-6-28) G.-B., A., Ré.
RICHEROT, Louis (1898-1988) J.
RICHIER, Pierre (4-5-26) Af.
RIEFENSTAHL *, Leni (1902) All., Ré., Ph.
RIEU DE PEY, Nicole (16-5-52) C.
RIGADIN (Charles Petitdemange) (1872) A.
RIGAUD, Francis (1920) Ré. Jacques (2-2-32) Af.
RIGAUX, Jean (10-2-09) Ch.
RIGNAC, Jean (1912) Ra.
RIGNAULT, Alexandre (1901-85) A.
RIHOIT, Catherine (1950) J.
RIM, Carlo (1905-89) J, Des.
RINGO (Guy Bayle) (11-5-44) C.
RIO JIM (William Hart) (1870-1946) U., A.
RIOU, Georges (19-6-20) T.
RIQUET, Michel (8-9-1898) Prêt.
RISI *, Dino (23-12-16) It., Ré.
RISPAL, Jacques (1923-86) A.
RITA MITSOUKO : Catherine Ringer (18-2-57) Fred Chichin (28-4-54) C.
RITT, Martin (1920-90) U., Ré.
RITTER, Thelma (1905-69) U., A.
RITZ Brothers, Al (1901-65) Jim (1903) Harry (1906) Joachim, U., A.
RIVA *, Emmanuelle (24-2-27) A.
RIVE (DE LA) (1747-1827) A.
RIVERS, Dick (Hervé Fornieri) (24-4-45) C. Fernand (1879-1960) Pr.
RIVETTE *, Jacques (1928) Ré.
RIVIÈRE, J.-Marie (1938) C., Cp.
ROANNE, André (1896-1959) A.
ROBARDS, Jason (22-7-22) U., A.
ROBBE-GRILLET, Alain (18-8-22) Au., Ré.
ROBERT *, Yves (19-6-20) A., Ré.
ROBERT-HOUDIN, Jean-Eugène (1805-71) prestidigitateur.
ROBERTS, Jean-Marc (3-5-54) Au.
ROBERTSON, Cliff (9-9-25) U., A. -JUSTICE, James (1905-75) Éc., A.
ROBESON, Paul (1898-1976) U., A.
ROBIN, Dany (14-4-27) A. Georges (1928) Af. Michel (n.c.) Su., A.

ROBINSON, Edward G. * (Emmanuel Goldenberg) (Roum., 1893-1973) U., A. Madeleine * (Svoboda) (5-11-17) A.
ROBSON, Dame Flora (1902-84) G.-B., A. Mark (1913-78) U., Ré.
ROBUCHON, Joël (7-4-45) Rest.
ROCARD, Pascale (29-8-60) A.
ROCCA, Robert (Canaveso) (1912) Ch., Pr.
ROCHA, Glauber * (1938-1981) Brés., M., Ré. Paulo * (1935) Port., Ré.
ROCHAL, Grigori (1899) Ur., Ré.
ROCHAS, Hélène (n.c.) Af.
ROCHE, Émile (1893-1990) J. Po. France (1921) J., Pr., T.
ROCHEFORT *, Jean (29-4-30) A.
RODGERS, Richard (1902-79) U., Cp.
RODIER, Jean-Pierre (4-5-47) Af.
RODRIGUEZ, Amalia (1920) Port., C.
ROGER, Gustave (1815-79) C.
ROGERS, Carl Ransom (1902-87) U., Psycho. Ginger * (Mac Math) (16-7-11) U., A. Roy (Leonard Slye) (5-11-12) U., A.
ROHMER, Bruno (30-1-41) Éd., Af. Éric * (Maurice Scherer) (21-3-20) Ré.
ROLAND, Gilbert (Luis Antonio de Alonso) (Mex., 11-12-05) U., A. Thierry (4-8-37) J.
ROLAND-BERNARD (Rouland Bernard dit) (27-3-27) J., Ré., T.
ROLLAN, Henri (1888-1967) A.
ROLLET, Claude (1938) A.
ROLLING STONES : Mike Jagger (26-7-43) Brian Jones (1942-69) Keith Richard (18-12-43) Mick Taylor (1948) Charlie Watts (2-6-41) Bill Wyman (24-10-36) RONNIE W00D (1-6-47) G.-B., C.
ROMAN, Ruth (22-12-44) U., A.
ROMANCE, Viviane (Pauline Ortmans) (4-7-12) A.
ROMANS, Pierre († 1990) M.
ROME, Sydney (17-3-46) U., A.
ROMM *, Mikhail (1901-71) Ur., Ré.
RONET *, Maurice (Robinet) (1927-83) A.
RONSTADT, Linda (15-7-46) U., C.
ROONEY, Mickey (Joe Yule) (23-9-22) U., A.
ROQUEMAUREL, Gérald de (27-3-46) Af.
ROQUEVERT, Noël (Bénévent) (1892-1973) A.
ROSA, Robert (16-5-34) Af.
ROSAY *, Françoise (de Bandy de Nalèche, Mme Feyder) (1881-1974) A.
ROSE, Liliane (n.c.) R.
ROSENBERG, Pierre (12-4-36) Insp. Musées Stewart (1928) U., Ré.
ROSI *, Francesco (15-11-22) It., Ré.
ROSIER, Michèle (1930) Cou.
ROSKO (Président) (Mike Pasternak) (1943) R.
ROSNAY, Arnaud de (9-3-46) Spo., Joël (12-6-37) Au. Stella de (1963) U., Spo.
ROSS, Diana (26-3-44) U., C., A. Herbert (13-5-27) U., A., Cho., Ré. Katharine (29-1-43) U., A.
ROSSELLINI, Isabella (1953) It., A. Roberto * (1906-77) It., Ré.
ROSSEN, Robert (1908-66) U., Ré.
ROSSI, Franco (1919) It., Ré. Laurent (1949) C. Maria (de Renzulli) (25-1-50) C. Tino (1907-83) C.
ROSSIDRAGO, Eleonora (Palmina Omiccioli) (1925) It., A.
ROSSIF, Frédéric (1922-90) Pr., T, Ré.
ROTA, Nino (1911-79) It., Cp.
ROTHA, Paul (1907) G.-B., Ré., Pr.
ROTHSCHILD, Alain de (1910-82) Af., David (15-12-42) Af., Edmond (30-9-26) Af., Elie (1917), Guy (21-5-09) Af., Marie-Hélène (Ep. de Guy) (1927) Mécène., Nadine (née LHOPITALIER 1932) Ep. d'Edmond. Philippe (1902-88) A., Au., M., Viticulteur., Philippine (1935).
ROTTEN, Johnny (Lydon) (31-1-56) G.-B., C.
ROUANET, Pierre (12-5-21) J.
ROUBAIX, François de (1939-75) Cp.
ROUCAS, Jean (Jean Avril) (1-2-52) An. R,T, Hum.

ROUBAUD, Pierre (28-5-31) J., T.
ROUCH *, Jean (1917) Ré.
ROUCHÉ, Jacques (1862-1957) M.
ROUD, Richard (1929-89) U., Au., Cr.
ROUER, Germaine (1897) A.
ROUFFIO, Jacques (14-8-28) Ré.
ROULAND, Jacques (1930) A., T. J.-Paul (28-5-28) A., Pr.
ROULEAU, Raymond (1904-81) Be., A., Ré.
ROULLIER, Daniel (4-11-35) Af.
ROUME, Jean (1923-88) J.
ROUQUIER, Georges (1909-89) Ré.
ROURKE, Mickey (1955) U., A.
ROUSSEL, Myriam (26-2-61) A. Thierry (1953) Af.
ROUSSELET, André (1-10-22) Af.
ROUSSELOT, Michel (10-7-31) Af.
ROUSSILLON, J.-Paul (1931) A., M.
ROUSSIN, André (1911-87) Au., A.
ROUSSOS, Demis (15-6-46) Gr, C.
ROUSTAN, Didier (1958) J.
ROUVEL, Catherine (Vitale) (31-8-39) A.
ROUVILLOIS, Philippe (29-1-35) Af.
ROUVRE, Cyrille de (19-12-45) Af.
ROUX, Ambroise (26-6-21) Af. Annette (4-8-42) Af. Bernard (15-8-34) Af. Bernard (5-6-35) Af. Michel (22-7-29) A.
ROVERATO, Jean-François (10-9-44) Af.
ROY, Maurice (21-11-29) J.
ROWLANDS, Gena (19-6-34) U., A.
ROYÈRE, Édouard de (26-6-32) Af.
ROZE, Jean (3-7-23) Af.
ROZSA, Miklos (18-4-07) Ho., Cp.
RUBIK, (1944) Ho., Sculp.
RUBIN, Claude (n.c.) An., T.
RUEGG, Rolf (4-11-41) Su., Af.
RUFUS (Jacques Narcy) (19-12-42) A.
RUGGIERI, Ève (1939) J.
RUSPOLI, Mario (1925-86) It., Ré.
RUSSEL, Léon (2-4-41) U., Mu., C.
RUSSELL, Jane (21-6-21) U., A.
RUSSELL, Kenneth * (1927) G.-B., Ré. Rosalind (1912-76) U., A.
RUTHERFORD, Margaret (1892-1972) G.-B., A.
RUTTMANN, Walter (1887-1941) All., Ré.
RYAN, Robert (1909-73) U., A.
RYDEL, Mark (1934) U., Ré.
RYKIEL, Sonia (25-5-30) Cou.
RYSEL, Ded (1903-75) C., A.
SABAS, André (20-11-30) J., T.
SABATIER, Patrick (12-11-51) An. William (1923) A.
SABBAGH, Pierre (18-7-18) J.
SABINE, Thierry (1947-86) Org. Ral.
SABLIER, Édouard (Chamard) (29-2-20) J.
SABLON, Germaine (1899-1985) C. Jean (25-3-06) C.
SABOURET, Yves (15-4-36) Insp. Fin.
SABRINA (S. Salerno) (15-3-68) It., C.
SABU, (Sabu Dastagir) (Ind. 1924-63) U., A.
SACRÉ, José (n.c.) An. R.
SADE (Hélène Folassade Adu) (16-1-59) G.-B., C.
SADOUN, Roland (9-8-23) Af.
SAGAR, Hemant (1957) Ind., Cou.
SAINDERICHIN, Gabrielle (1925) An.
SAINT, Eva-Marie (4-7-24) U., A.
SAINT-BRIS, Gonzague (26-1-48) J.
SAINT-CYR, Renée (M.-Louise Vittore, Mme C. Lautner) (16-11-07) A.
SAINT-DENIS, Michel (1897-1971) A.
SAINT-GEOURS, Frédéric (20-4-50) Af. Jean (24-4-25) son père, Af.
SAINT-GRANIER (J. Granier de Cassagnac) (1890-1976) A., Au., Ch.
SAINT LAURENT, Yves (1-8-36) Cou.
SAINT-PAUL, Gérard (25-6-41) J.
SAINVILLE (1805-54) A.
SAKIZ, Édouard (17-4-26) Af.
SALES, Claude (21-7-30) J.
SALINGER, Pierre (14-6-25) U., J.
SALLEBERT, Jacques (20-10-20) J.
SALLÉE, André (1920) R.
SALLENAVE, Danièle (1940) Au.
SALMON, André (n.c.) Au. Alain (1951-90) A. Robert (1918) J.
SALOMON, Georges (18-11-25) Af.
SALOU, Louis (Goulven) (1902-48) A.
SALVADOR, Henri (18-7-17) C., Cp.
SALVATORI, Renato (1933-88) It., A.

SALVIAC, Pierre (1946) J.
SAMARY, Jeanne (1857-90) A.
SAMIE, Catherine (3-2-33) A.
SAMSON, Joseph (1793-1871) A.
SANDA *, Dominique (Varaigne) (11-3-51) A.
SANDERS, Dirk (n.c.) Da. Georges (Rus., 1906-72) U., G.-B., A.
SANDOZ, Gérard (Gustave Stern) (1914-88) Pologne, J.
SANDRA (S. Lauer) (18-5-62) All., C.
SANDREL, Micheline (Michèle Bardel) (n.c.) J.
SANDRELLI, Stefania (5-11-46) It., A.
SANGLA, Raoul (1-9-30) Ré., T.
SANG-KU * et HUANG-SHA (1916), Chi., Ré.
SANNIER, Henri (7-9-47) J.
SANSON, Véronique (24-4-49) C., Cp.
SANTANA, Carlos (20-7-49) C.
SANTELLI, Claude (17-6-23) Pr., Au.
SANTI, Jacques (1939-88) A.
SANTINI, Pierre (9-8-38) A.
SANTONI, Joël (5-11-43) Ré.
SANTOS, Roberto (1928-87) Bré., M.
SAPHO (10-1-50) C.
SAPRITCH, Alice (1916-90) A.
SARANDON, Susan (Tomaling) (4-10-46) U., A.
SARAPO, Théo (Lamboukas) (1936-70) C., A.
SARCEY, Martine (28-9-28) A.
SARDOU, Fernand (1910-76) A. Jackie (Rollin) (7-4-19) A. Michel (26-1-47) C.
SARMENT, Jean (Bellemère) (1897-1976) Au.
SAROCCHI, Claude (2-11-32) Af.
SARRAUTE, Claude (Mme J.-F. REVEL) (24-7-27) J., Au.
SARRE, Claude-Alain (10-4-28) Af. Georges (26-11-35) Po.
SARTHOULET, Guy (n.c.) J.
SASSIER, Philippe (n.c.) J., T.
SASSY, Jean-Paul (22-12-25) M.
SAULNIER, Jacques (1928) Déc.
SAURA *, Carlos (1932) Esp., Ré.
SAUREL, Renée (1910-88) Cr.
SAURY, Maxime (1928) Cp., J.
SAUSSEY, Thierry (8-2-49) Af.
SAUTET *, Claude (23-2-24) Ré.
SAUTIER, René (16-2-23) Af.
SAUTTER, Rémy (15-4-45) Af., T.
SAUVAGE, Catherine (Janine Saunier) (1929) C. Léo (1913-88) Au., J.
SAUVAL, Catherine (n.c.) A., Th.
SAVAL, Dany (Salle ; Mme M. Drucker) (1942) A.
SAVARY, Alain (1919-88) Po. Jérôme (27-6-42) Au., A., M.
SCHAFFNER, Franklin (1920-89) U., Ré.
SCHATZBERG, Jerry (1927) U., M.
SHEEN, Martin (Ramon Estevez) (3-8-40) U., A.
SCHEIDER, Roy (10-11-35) U., A.
SCHELL, Maria * (15-1-26) Aut., A. Maximilien (8-12-30) Aut., A.
SCHERRER, J.-Louis (1935) Cou. Victor (7-3-43) Af.
SCHIAPARELLI, Elsa (1890-1973) It., Cou.
SCHINDLER, Paul (29-8-41) Af.
SCHLESINGER *, John (16-2-26) G.-B., Ré.
SCHLÖNDORFF *, Volker (31-3-39) All., Ré.
SCHMELCK, Robert (1915-90) Mag.
SCHMID, Daniel (1941) Su., Ré.
SCHNEIDER, Gilles (25-9-43) J. Magda (1908) Aut., A. Maria (1952) A. Romy * (Rosemarie Albach-Retty) (23-9-1938/82) Aut., A.
SCHOELLER, François (25-3-34) Af. Guy (11-07-15) Éd.
SCHOENDOERFFER *, Pierre (5-5-28) Ré., Au.
SCHORM, Evald (1931) Tc., Ré.
SCHRADER, Paul (22-7-46) U., Ré.
SCHROEDER, Barbet (1941) Lux., Ré.
SCHU, Bernard (1947) An., R.
SCHUFFTAN, Eugen (1893-77) All., Op.
SCHURR, Gérald (1915-89) Coll.
SCHWARTZENBERG, Léon (2-12-23) Méd. Roger-Gérard (17-4-43) Un., Po.
SCHWARZENEGGER, Arnold (Aut. 30-7-47) U., A.

SCHYGULLA *, Hanna (25-12-43) Pol., A.
SCITIVEAUX, Thierry de (n.c.) J.
SCOB, Édith (1937) A.
SCOFF, Alain (n.c.) J.
SCOFIELD, Paul (David S.) (21-1-22) G.-B., A.
SCOLA *, Ettore (10-5-31) It., Ré.
SCORSESE *, Martin (17-11-42) U., Ré.
SCOTT, George (18-10-27) U., A. Jack (1938) U., C. Randolf (Randolph Crane) (1901-1987) U., A. Ridley (1939) G.-B., Ré.
SCOTTO, Vincent (1876-1952) Cp.
SEATON, George (1911-79) U., Ré.
SÉBASTIEN, Patrick (Boutot) (14-11-53) Ch.
SEBERG, Jean (1938-79) U., A.
SÉDOUY, Alain de (15-11-29) J.
SEEFRIED, Irmgard (1919-88) Aut., C.
SEEGER, Pete (3-5-19) U., C.
SEGAL, George (13-1-34) U., A. Gilles (n.c.) A.
SEGOND-WEBER (1867-1941) A.
SEGUELA, Jacques (23-2-34) Pu.
SÉGUILLON, Pierre-Luc (13-9-40) J.
SEGUIN, Philippe (21-4-43) Po.
SEIGNER, Françoise (7-4-28) A. Louis (1903-91) A.
SEILLIÈRE, Ernest-Antoine (20-12-37) Af., S.
SELLER, Jacques (n.c.) M.
SELLERS, Catherine (1928) A. Peter (1925-80) G.-B., A.
SELLNER, Rudolf (1905-90) A., M.
SELZNICK, David (1902-65) U., Ré.
SEM (Georges Goussat) (1863-1934) Des.
SEMON, Larry (1889-1928) U., A.
SEMPÉ, J.-Jacques (17-8-32) Des.
SEN *, Mrinal (1923) Ind., Ré.
SENNEP (1894-1982) Des.
SENNETT, Mack (Michel Sinnot) (1880-1960) U., A., Ré.
SENNEVILLE, Paul de (30-7-33) Af.
SENNEY, Jean (1894-1982).
SERIEYX, Hervé (13-7-37) Af.
SÉRILLON, Claude (20-10-50) J.
SERNAS, Jacques (1925) A.
SERRAULT *, Michel (24-1-28) A.
SERRE, J.-Claude (1938) Des.
SERREAU, Coline (1947) Ré.
SERULLAZ, Maurice (19-1-14) Crit, Art.
SERVAIS, Jean (1910-76) Be., A. Raoul (1928) Be., Ré.
SERVAN-SCHREIBER, J.-Claude (11-4-18) J. J.-Jacques, voir Index. J.-Louis (31-10-37) J.
SERVIER, Jacques (9-2-22) Méd., Af.
SÉTY, Gérard (Plouviez) (13-12-22) A.
SETZER, Brian (10-4-59) U., C.
SEUL, Gérard (14-9-35) Af.
SÉVENO, Maurice (6-6-25) J.
SÉVERIN-MARS (1873-1921) A.
SÉVERINE (1949) C.
SEVILLA, Carmen (1930) Esp., A., Da.
SEVRAN, Pascal (1945) Au., T.
SEX PISTOLS (The) : Steve Jones, Paul Cook, Sid Vicious, Johnny Rotten (31-1-56) G.-B., C.
SEYDOUX FORNIER de CLAUSONNE, Jérôme (21-9-34) Af. Nicolas (16-7-39) Af.
SEYRIG, Delphine (1932-90) A.
SHADOWS : Hank Marvin (28-10-41) Bruce Welch, Ian Samwell, Terry Smart, G.-B., Mu.
SHANKAR, Ravi (7-4-20) Ind., Mu.
SHARIF, Omar (Michel Shalhouz) (10-4-32) Ég., A.
SHAW, Robert (1927-78) G.-B., A. Sandie (Sandra Goodrich) (1947) G.-B., C.
SHAYNE, Robert (R. Shaen Dawe) (1910) U., A.
SHEARER, Moira (King) (17-1-26) G.-B., A., Da. Norma (1900-83) U., A.
SHEEN, Martin (3-8-40) U., A.
SHEILA (Annie Chancel, div. de Guy Bayle) (16-8-46) C.
SHELLER, William (9-7-46) C.
SHEN CONGWEN (1903-88) Chinois, Au.
SHEPHERD, Cybill (18-2-50) U., A.
SHERIDAN, Ann (1915-67) U., A.
SHIELDS, Brooke (31-5-65) U., A.

SHIMKUS, Johanna (Ca., 1943) G.-B., A.
SHINDO *, Kaneto (1912) Jap., Ré.
SHUMAN, Mort (12-11-36) U., A., C.
SIBIRSKAÏA, Nadia (Jeanne Brunet) (1901-80) A.
SIDDONS, Sarah (1755-1831) G.-B., A.
SIDNEY, George (Sammy Greenfield) (1911) U., M. Sylvia (Sophia Kosow) (18-8-10) U., A.
SIEGEL, Don (1912) U., Ré. Maurice (1919-85) J., R.
SIGNORET, Gabriel (1872-1937) A. Simone * (Kaminker, Mme Yves Montand) (1921-85) A., Au.
SIGURD, Jacques (1920-88).
SILVER, Ron (7-2-46) U., A.
SILVY, Édouard (2-6-37) Af.
SIM (Simon Berryer) (21-7-26) A.
SIMAK, Clifford (1904-88) U., Au., J.
SIMARD, René (1963) et Nathalie (1972) C.
SIMMONS *, Jean (31-1-29) G.-B., A.
SIMON, Albert (1920) R. Michel * (Su., 1895-1975) A. Paul (13-10-41) U., C. Simone * (1911) A. Yves (3-5-44) C., Cp.
SIMONE (Mme F. Porché) (1877-1985) A. Nina (Eunice Waymon) (21-1-33) U., C.
SIMONET, Gilbert (9-5-32) Af. Paul (22-2-12) Af. Puck (13-3-28) Af.
SIMPLE MINDS (Jim Kerr) (9-7-59) G.-B., C.
SIMPLY RED (Mick Hucknall) (8-6-60) U., C.
SINATRA, Frank * (12-12-15) U., C., A. Nancy (12-12-40) U., C.
SINCLAIR, Anne (15-7-49) J.
SINÉ, Maurice (Sinet) (31-12-28) Des.
SINGHER, Martial (1904-90) C.
SINIGALIA, Annie (26-6-44) A.
SINOEL (Jean-Léonis Blès) (1868-1949) A.
SIODMAK, Curt (1902) All., Au. Robert (1900-73) U., Ré.
SIPRIOT, Pierre (16-1-21) J., Au.
SIRE, Gérard (1927-77) T.
SIRK *, Douglas (Detlef Sierck) (1900-87) U., Ré.
SIVEL, William (1908-82) (né en Grèce) Ing. son.
SJÖBERG *, Alf (1903-80) Suè., Ré.
SJÖMAN *, Vilgot (1924-80) Suè., Ré.
SJÖSTRÖM *, Victor (1879-1960) Suè., A., Ré.
SKELTON, Red (18-7-10) U., A.
SKOLIMOWSKI, Jerzy (5-5-38) Pol., Ré.
SMAÏN (n.c.) A.
SMALTO, Francesco (5-11-27), It., Cou.
SMITH, Dodic (1904-91) Au. Maggie (28-12-34) G.-B., A. Patti (31-12-46) U., C., Cp.
SÖDERBAUM, Kristina (Suè., 1912) All., A.
SŒUR SOURIRE (Jeanne Deckers) (1933-85) Be., C.
SOLDATI, Mario (1906) It., Au., Ré.
SOLEIL (Madame) Germaine (1913) Ast., Pré.
SOLIDOR, Suzy (Rocher) (1906-83) A., C.
SOLLEVILLE, Francesca (1932) C.
SOLNESS, Jacques (30-9-25) T.
SOLO, François (1933) Des.
SOLOGNE, Mad. (Vouillon) (27-10-12) A.
SOMOGY, Aimery (1897) Ed.
SONDERGAARD, Gale (15-2-1899) U., A.
SOPHIE (Arlette Hecquet) (1944) C.
SORAL, Agnès (8-6-60) A.
SORANO, Daniel (1920-62) A.
SORDI *, Alberto (15-6-20) It., A.
SOREL, Cécile (Seurre) (1873-1966) A. Jean (de Combaud) (1934) A.
SORMAN, Guy (10-3-44) Au., J.
SOTHA (Catherine Sigaux) (1944) A.
SOTHERN, Ann (Harriette Lake) (22-1-09) U., A.
SOUBIE, Roger (14-6-1898) Des.
SOUCHIER, Dominique (25-11-47) J., R.
SOUCHON, Alain (27-5-44) C.
SOULAS, Philippe (1934) Des.
SOUPLEX, Raymond (Guillermain) (1901-72) A., Ch.
SOURZA, Jeanne (1904-69) A.

SOUTTER *, Michel (2-6-32) Su., Ré.
SPAAK, Catherine (1942) A. Charles (Bel., 1903-75) S., Di.
SPACEK, Sissy (25-12-49) U., A.
SPADE, Henri (16-7-21) Au., M.
SPAGNA (16-12-59) It., C.
SPENCER, Bud (Carlo Pendersoli) (1929) It., A.
SPIEGEL, Sam (1903-85) U. (orig. pol.) Pr.
SPIELBERG *, Steven (18-12-47) U., Ré.
SPIERO, J.-Pierre (4-8-37) Ré., T.
SPIERS, Pierre (1917-80) Ch. d'orch.
SPINDLER, Bernard (3-5-39) J.
SPIRA, Françoise (1928-65) A.
SPOOK, Per (1939) Nor., Cou.
SPRINGSTEEN, Bruce (23-9-49) U., C., Cp.
STACK, Robert (Modini) (13-1-19) U., A.
STALLONE, Sylvester (Gardenzio) (6-7-46) U., A., Ré.
STAMP, Terence (22-7-39) G.-B., A.
STANCZACK, Wadeck (30-11-61) A.
STANTON, Harry Dean (14-7-26) A.
STANWYCK *, Barbara (Ruby Stevens) (1907-90)) U., A.
STAREWITCH Ladislas (Ur. 1882-1965) Ré.
STARK, Johnny (Roger Oscar Émile) (1924-89) Imprésario.
STARR, Ringo (Richard Starkey) (7-7-40) G.-B., C.
STAUDTE *, Wolfgang (1906-84) All., Ré.
STEEL, Anthony (21-5-20) G.-B., A.
STEELE, Tommy (Hicks) (17-12-36) G.-B., C.
STEENBURGER, Mary (1953) U., A.
STEIGER, Rod (14-4-25) U., A.
STEINER, Max (1888-1972) U., Mu.
STEINLEN, Théophile Alexandre (1859-1923) Des.
STEKLY, Karel (1903) Tc., Ré.
STELLA (Stella Zelcer) (12-12-50) C.
STEN, Anna (Sudakevich) (Rus., 3-12-08) U., A.
STÉPHANE, Roger (Worms) (19-8-19) Au., Pr.
STERN, Jacques (21-3-32) Af.
STERNBERG *, J. von (Autr., 1894-1969) U., Ré.
STEVENIN, J.-François (1944) A.
STEVENS, Cat (Steve Georgiou) (21-7-47) G.-B., C. George * (1904-75) U., Ré. Alexandra * (1939) Ca., A. James * (Maintland) (20-5-08) U., A. Rod (10-1-45) G.-B., C.
STEWART *, James (20-5-08) U. A.
STILL, Pierre (Letévé) (1914-†) Ch.
STILLER *, Mauritz (1883-1928) Fin., Ré., As.
STILLS, Stephen (30-1-45) U., C.
STING (Gordon Summer) (2-10-51) G.-B., C.
STIVELL, Alan (Alain Cochevelou) (6-1-44) Au., Cp., C.
STOCKWELL, Dean (5-3-36) U., A.
STONE (Annie Gautrot) (31-7-47) C. Isador-Feinstein (1908-89) U., J. Oliver (15-9-46) U., M.
STOPPA, Paolo (1906-88) It., A.
STORCK, Henri (1907) Be., Ré.
STRANGLERS (The) : Hugh Cornwell (28-8-49) Jean-Jacques Burnel (21-2-52) Dave Greenfield (29-3-49) Jet Black (26-8-38) G.-B., C.
STRASBERG, Susan (22-5-38) U., A.
STRAUB, Jean-Marie (1933) All., Ré.
STREEP *, Meryl (22-6-49) U., A.
STREHLER, Gorgio (n.c.) It., M.
STREISAND, Barbra (24-4-42) U., A., C.
STRICKER, Willy (10-7-42) Af.
STROHEIM *, Eric von (Autr., 1885-1957) U., Ré., A.
STROYBERG, Annette (1936) Dan., A.
STUCKENSCHMIDT, Hans (1901-88) All., Cr.
STURGES, John (3-1-11) U., M. Preston (Edmond P. Biden) (1898-1959) U., Ré.
SUARD, Pierre (9-11-34) Af.
SUCKSDORFF, Arne (1917) Suè., Ré.
SUFFERT, Georges (14-7-27) J., Au.
SULITZER, Paul-Loup (22-7-46) Af.
SULLAVAN, Margaret (Brooke) (1911-60) U., A.

SULLIVAN (1945) C. Barry (Patrick Barry) (29-8-12) U., A.
SUMAC, Ima (1927) Pérou, C.
SUMMER, Donna (Gaines) (31-12-48) U., C.
SUN RA (Sonny Blondt) (1925) U., Mu.
SUPERTRAMP (G.-B.) : R. Davies, R. Hodgson (21-3-50) J.A. Helliwell, D. Thomson, B.C. Benberg (1970) U.
SURFS (n.c.) C.
SUTHERLAND, Donald (17-7-35) Ca., A.
SUZA, Linda de (Téolinda Lança) (22-2-48) Port., C.
SWANSON *, Gloria (1899-1983) U., A.
SWEET, Blanche (18-6-1895) U., A.
SYDOW *, Max von (10-4-29) Suè., A.
SYLVA, Berthe (1886-1941) C.
SYLVESTRE, Anne (Beugras) (20-6-34) C.
SYLVIA, Gaby (Zigani) (1920-80) A.
SYLVIE (Louise Sylvain Mainguené) (1883-1970) A.
SZABO, Laslo (1938) Ho., Ré.
SZERYNG, Henryk (1909-88) Mex., Mu.
TABARIN, (1584-1633) Au, A.
TABOUIS, Geneviève (1892-1985) J.
TACCHELLA *, J.-Charles (23-9-25) Ré.
TACHAN, Henri (Tachjian) (2-9-39) C.
TAITTINGER, Claude (2-10-27) Af. Pierre-Christian (15-2-26) Po. Jean (25-1-23) Af.
TALASKA, Henri (24-11-45) Af.
TALLIER, Armand (1887-1958) A.
TALLON, Roger (1929) Ing.
TALMA, François-Joseph (1763-1826) A.
TALMADGE, Norma (1893-1957) U., A.
TAMIROFF, Akim (Ur., 1899-1972) U., A.
TANNER *, Alain (6-12-29) Su., Ré.
TAPIE, Bernard (26-1-45) Af.
TARBÈS, André Af. Monique (1937) A.
TARDIEU, Michel (17-8-35) J., T.
TARKOVSKI *, Andréï (1932-86) Ur., Ré.
TARLÉ, Antoine de (1939) Af., T.
TARTA, Alexandre (1-6-28) Ré., Pr., T.
TASCA, Catherine (13-12-41) Pol.
TASHLIN *, Frank (1913-72) U., Ré.
TASSENCOURT, Marcelle (28-5-14) M., T.
TASSO, Jean (n.c.) M.
TATE, Sharon (1943-69) G.-B., A.
TATI *, Jacques (Tatischeff) (1908-82) Ré., A.
TATLISÉS, Ibrahim (1952) Turc., C.
TATU, Michel (17-4-33) J.
TAUROG, Norman (1899-1981) U., M.
TAVERNIER *, Bertrand (25-4-41) Ré.
TAVERNOST, Nicolas de (28-8-50) T.
TAVIANI, Paolo (8-11-31) et Vittorio (20-9-29) It., Ré.
TAYLOR, Elizabeth * (27-2-32) G.-B., A. Robert (Spangler Arlington Brugh) (1911-69) U., A. Vince (14-7-39) G.-B., C.
TAZIEFF, Haroun (Varsovie, 11-5-14) Ing., Au., Cin., ancien Min.
TCHENG, Cheng (1899) Chine, Au.
TCHENKO, Katia (n.c.) A.
TCHERINA, Ludmilla (Monika Tchemerzine, Mme Raymond Roi) (1925) Da.
TCHERKASSOV, Nicolas (1903-66) Ur., A.
TCHERNIA, Pierre (Tcherniakovsky) (20-1-29) An., Ré. T.
TCHIAOURELLI *, Mikhaïl (1894) Ur., Ré.
TCHOUKRAI *, Grigori (1921) Ur., Ré.
TCHURUK, Serge (13-11-37) Af.
TEARLE, Conway (Frederick Levy) (1878-1938) U., A.
TÉCHINÉ *, André (13-3-43) Ré.
TEISSIER, Élisabeth (Mme Teissier du Gros) (n.c.) A., T.
TÉLÉPHONE : J.-L. Aubert (12-4-55) L. Bertignac (23-2-54) C. Marienneau (7-3-52) R. Kolinka (7-7-53) C.
TELL, Diane (24-12-57) Ca., C.
TEMPLE, Shirley (23-4-28) U., A.
TENDRON, René (8-3-34) J.
TENNBERG, J.-Marc (1918-73) Ch.
TÉNOT, Franck (31-10-25) J.
TERAYAMA, Shuji (1935-83) Jap., S., Ré.
TERRAIL, Claude (4-12-17) Rest.
TERRY, Ellen (1847-1928) G.-B., A.
TERRY INGRAM, Alice Taafe (1899-1987) U., A.
TERRY-THOMAS (Thomas Terry) (1911-90) G.-B., A.
TERZIAN, Alain (2-5-49) Pr.
TERZIEFF, Laurent (Tchemerzine) (27-6-35) A.
TESSIER, Valentine (1892-1981) A.
TESSON, Philippe (1-3-28) J.
TEULADE, René (17-6-31) Af.
TEXEL, Paul (n.c.) P.-Bas, C.
TEYNAC, Maurice (Garros) (1915) A.
TÉZENAS DU MONTCEL, Henri (8-1-43) Univ.
THALBERG, Irving (1899-1936) U., Pr.
THAMAR, Tilda (1921-89) Arg., A.
THEODORAKIS, Mikis (29-7-25) Gr., Cp.
THÉRÉSA (Emma Valandon) (1837-1913) C.
THÉRET, Max (6-1-13) Af.
THÉRON, André (1926) J., R., T.
THÉROND, Roger (24-10-24) J.
THÉVENET, René (5-5-26) Pr.
THÉVENIN, Raymond (1915-80) J.
THÉVENON, Patrick (1935-89) J.
THÉVENOT, Jean (1916-83) J.
THIBAUD, Anna (Marie-Louise Thibaudet) (1891-1936) C.
THIBAULT, J.-Marc (24-8-23) A.
THIBEAULT, Fabienne (17-6-52) Ca., C.
THIÉFAINE, Hubert-Félix (21-7-48) Cp., C.
THIELE *, Rolf (1918) All., Ré.
THIERS, Janine (n.c.) T.
THIL, Georges (1897-1984) Ré.
THIRARD, Armand (1899) Op.
THIRIET, Maurice (1906-72) Cp.
THIRIEZ, Gérard (25-10-18) Af.
THIRON (1830-91) A.
THOMAS, Guy (1-1-24) J. Pascal * (1945) Ré. René (13-1-29) Af. Robert (1930-89) Au.
THOMASS, Chantal (5-9-47) Cou.
THOME-PATENÔTRE, Jacqueline (13-2-06) Po.
THOMPSON, Danièle (3-1-42) S. J. Lee (1914) G.-B., Ré.
THORNDIKE, Sybil (1882-1976) G.-B., A.
THORPE, Richard (Rollo Smolt Thorpe) (1896) U., M.
THULIN *, Ingrid (27-1-29) Suè., A.
TIERNEY, Gene (1920-90) U., A.
TILLER *, Nadia (1929) Aut., A.
TILLEY, Testa (1864-1952) G.-B., Cl.
TIM (Louis Mitelberg) (29-1-19) Des.
TINBERGEN, Nikolaas (1907-88) G.-B., Ethologiste.
TIOMKIN, Dimitri (Ur. 1899-1979) U., Cp.
TISOT, Henri (1-6-37) A.
TISSIER, Jean (1896-1973) A.
TISSOT, Alice (1895-1971) A.
TITRE, Claude (1930-85) A.
TODD, Ann (24-1-09) G.-B., A. Michael (Avrom Godenberg) (1909-58) U., Pr. Olivier (19-6-29) J., Au. Richard (11-6-19) G.-B., A.
TOGNAZZI, Ugo (1922-90) It., A.
TOJA, Jacques (1-9-29) A.
TOLAND, Gregg (1904-47) U., Op.
TOMITA, Tamlyn, A.
TOMLINSON, David (1917) G.-B., A.
TONE, Franchot (1903-68) U., A.
TONIETTI, Anne (It., 1940) A.
TOPALOFF, Patrick (10-12-44) R., C.
TOPART, Jean (1927) A.
TOPOR, Roland (n.c.) Des., Au.
TORN, Rip (6-2-31) U., A.
TORNADE, Pierre (21-1-30) A.
TORNATORE, G. (1959) It., Ré.
TORR, Michèle (7-4-47) C.
TORRE NILSSON *, Leopoldo (1924-78) Ar., Ré.
TORRENT, André (27-7-45) Be., An.
TORRENTE (Rose Mett) (14-4-32) Cou.
TORRES, Raquel (1909-87) U., A.
TOSCAN DU PLANTIER, Daniel (7-4-41) Af.
TOSH, Peter (1944-87) Jam., C., Cp.
TOTO (Antonio de Curtis) (1898-1967) It., A.
TOUCHARD, Pierre-Aimé (1903-87).
TOULOUT, Jean (1887-1962) A.
TOURAINE, René (1928-88) Méd.
TOURÉ KUNDA (24-4-50) OUSMANE (19-11-55) SIXU (16-5-50) C.
TOURET, Michel (6-7-41) An., R.
TOURLET, Georges (n.c.) T.
TOURNEUR, Jacques * (1904-77) U., Ré. Maurice (Thomas) (1876-1961) A.
TOUTAIN, Roland (1905-77) A.
TOWNSEND, Peter (22-11-14) G.-B., Au.
TRABAND, Georges (n.c.) T.
TRABOULSI, Samir (n.c.) Libanais, Af.
TRACY *, Spencer (1900-67) U., A.
TRAMEL (Félicien Martel) (1880-1948) A.
TRAMIEL, Jack (1928) U., Af.
TRANCHANT, Jean (1904-72) Au., Cp.
TRAUBERG, Ilia * (1905-40) Ur., Ré., Léonid * (1902) Ur., Ré.
TRAUNER, Alexandre (Ho., 1906) Déc.
TRAVOLTA, John (18-2-54) U., A.
TRÉJAN, Guy (18-9-21) A.
TRELLUYER, Michel (4-2-34) T.
TRENET, Charles (18-5-13) C., A.
TRENKER, Luis († 1990) It.-All., Ré.
TRENT d'ARBY, Terence (15-3-62) U., C.
TRESSERRA, Philippe (1959-90) Da., Cho.
TREVOR, Claire (Wemlinger) (8-3-09) U., A.
TREZ (Alain Tredez) (2-2-26) Des.
TRIGANO, Gilbert (28-7-20) Af. Serge (1945) Af.
TRINTIGNANT, J.-Louis * (11-12-30) A. Maurice (30-10-17) Coureur Auto, Marie (21-1-62) A. Nadine (Marquand) (11-11-34) Ré.
TRNKA *, Jiri (1910-69) Tc., Ré.
TROELL *, Jan (1931) Suè., Ré.
TROTTA, Margarethe von (1943) All., Ré.
TRUFFAUT, François * (1932-84) Ré., Cr. Paul-Jacques (1931) J., R.
TRUMBO, Dalton (1905-76) U., Au., S.
TRUMP, Donald (1944) U., Af.
TSAREV, Mikhaïl (1904-87) Ur., A.
TUFFIER, Thierry (19-03-26) Ag. de Ch.
TUGENDHAT, Gilles (1-8-45) Af.
TURCAT, André (23-10-21) Pilote.
TURCKHEIM, Charlotte de (n.c.) A.
TURENNE, Henri de (19-11-21) J.
TURJMAN, J.-Claude (17-8-40) J.
TURNER, Joe (1907-90) U., Pi. Kathleen (19-6-54) U., A. Lana (Julia Turner) (8-2-20) U., A. Tina (Annie Mac Bullock) (26-11-38) U., C.
TURPIN, Raymond (1896-1988) Généticien.
TUSHINGHAM, Rita (14-3-40) G.-B., A.
TWIGGY (Lesliy Hornby) (19-9-49) U., C., Da.
TYLER, Bonnie (8-6-51) G.-B., C.
U2 (Paul Hewson) (10-5-60) G.-B., C.
UCICKY *, Gustav (1900-61) All., Ré.
UDERZO, Albert (25-4-27) Des.
ULLMAN *, Liv (Tōkyō, 16-12-38) Nor., A. Marc (n.c.) J.
ULMER, Edgard * (Autr., 1900-72) U., Ré. Georges (Jorgen) (Dan., 1919-89) C., Cp.
UNGARO, Emmanuel (13-2-33) Cou.
UNGERER, Tomi (28-11-31) Des.
USTINOV *, Peter (16-4-21) G.-B., A., Ré.
VACARDY, André (n.c.) A.
VADIM *, Roger (Plemiannikov) (26-1-28) Ré.
VAILLARD, Pierre-Jean (1918-88) A., Ch.
VAJDA, Ladislav (1905-65) Ho., M.
VAJOU, J.-Claude (16-3-29) Ra.
VALANDRAY, Charlotte (Anne Charlotte Pascal) (29-11-68) A.
VALARDY, André (Knoblauch) (Be., 17-5-38) A.
VALENTE, Caterina (1931) All., C.
VALENTIN le Désossé (1847-1907) Da.
VALENTINO *, Rudolph (Rodolfo Guglielmi di Valentina d'Antongnolla) (It., 1895-1926) U., A. (1932) It., Cou.
VALÈRE, Simone (Gondolf) (2-8-21) A.
VALÉRY, François (J.-Louis Mougeot) (4-8-54) C.
VALETTE, J.-Pierre (19-3-29) Af.
VALLI *, Alida (Altenburger, 1921) It., A.
VALLIER, Hélène (Poliakov-Boïdarov) (1932-88) A.
VALLIÈRES, Benno-Claude (1910-89) Af.
VALLONE *, Raf (1916) It., A.
VALMY, André (1919) A.
VALTON, Jean (1921-80) Ch.
VAN CLEEF, Lee (1925-89) U., A.
VAN DAM, José (25-8-40) Be., C., opéra.
VAN DAMME, Jean-Claude (n.c.) A.
VANDERLOVE, Anne (Van der Leeuwe) (P.-B., 1943) C.
VANDERSTEEN, Willy († 1990) Des.
VANECK, Pierre (P. Van Hecke) (15-4-31) A.
VANEL *, Charles (1892-1989) A.
VAN EYCK *, Peter (1913-69) U., A.
VANI, Paule (1945) R.
VAN LEE, Loïs (1905-82) J.
VANNIER, Élie (15-5-49) Af., J. Marion (24-4-50) Af.
VAN PARYS, Georges (1902-71) Cp.
VAN PEEBLE, Mario (n.c.) U., Ré.
VANZO, Alain (2-04-28) C.
VARANT, J.-Marc (18-2-33) Av.
VARDA *, Agnès (Belg., 30-5-28) Ré.
VAREN, Olga (Poliakov) (n.c.) A.
VARNA, Henri (1897-1969) Pr.
VARSANO, Daniel (1954-88) U., Pi.
VARTAN, Sylvie (15-8-44) C., Da.
VARTE, Rosy (22-11-27) A.
VASSILIEV, Anatoli (1943) Ur., Au., Th. Sergueï * (1895-1943) Ur., Ré.
VASSILIU, Pierre (23-10-37) C.
VATTIER, Robert (1906-82) A.
VAUCAIRE, Cora (Geneviève Colin) (1921) C.
VAUGHAN, Sarah (1924-90) U., C. Stevie Ray († 1990) U. G.
VAUGHN, Robert (22-11-32) U., A.
VAUJANY, Jean (1927) Af.
VEBEL, Christian (Schvaebel) (1915) Ch., J.
VEBER *, Francis (28-7-37) Ré.
VECCHIALI, Paul (1930) Ré.
VÉDRÈS, Nicole (1911-65) Ré.
VEGA, Claude (1930) A.
VEIDT *, Conrad (Weidt) (1893-1943) All., A.
VEIL, Antoine (28-7-26) Af.
VEILLE, Pierre (1951) An. R.
VEILTET, Pierre (2-10-43) J., Au.
VELEZ, Lupe (1909-44) Mex., A.
VELLE, Louis (29-5-26) Au., A.
VELOSO, Caetana (1943) Br., C.
VELTER, Robert (n.c.-91) Des.
VENET, Philippe (22-5-29) Cou.
VENTURA, Lino * (Borrini, It.) (1919-87) A. Ray (1908-79) Pr., Ch. d'orc.
VERA-ELLEN (Westmeyr Rohe) (1926-81) U., A.
VERCHUREN, André Verschuere (28-12-20) Accor.
VERDEIL, Guy (5-1-29) Af.
VERDIER, Jean-Paul (1947) C.
VERGER, Jean-Louis (n.c.) J., R.
VERGÈS, Jacques (1925), Avocat.
VERLEY, Bernard (1940) A.
VERMEERSCH, Michel (20-12-28) Af.
VERMOREL, Claude (18-7-06) S., R.
VERNAY, Alain (n.c.) J.
VERNES, Jean-Marc (3-7-22) Af.
VERNET, Claire (1945) A. Daniel (21-5-45) J.
VERNEUIL *, Henri (Achod Malakian) (15-10-20) Ré. Louis (Colin du Bocage) (1893-1952).
VERNIER, Pierre (Rayer) (25-5-31) A.
VERNIER-PALLIEZ, Bernard (2-3-18) Af., Amb.
VERNON, Anne (Éd. Vigneau) (1925) A. Howard (15-7-14) Su., A.
VERNY, Françoise (20-11-28) J, Af.
VÉRON, Émile (26-3-25) Af. Philippe (2-5-36) Af.
VERSOIS, Odile (Militza Tania Poliakov-Boïdarov, Ctesse François Pozzo di Borgo) (1930-80) A.
VERTOV *, Dziga (Dennis Kaufman) (1896-1954) Ur., Ré.
VÉRY, Pierre (1900-60) Au.
VESTRIS, Françoise (Gourgaud) (1743-1804) A.
VIAL, Guy (1925) R.
VIAN, Boris (1920-59) Au., Cp.
VIANSSON-PONTÉ, Pierre (1920-79) J.
VIARD, Roger (1919-89) Rest.
VICHNIAC, Roman († 1990) U., Ph.
VICTOR, Éliane (Decrais) (21-10-18) J.
VICTOR, Paul-Émile (28-6-07) J., Expl.
VIDA, Hélène (1938) J., T.
VIDAL, Gil (1931) A. Henri (1919-59) A.
VIDAL-NAQUET, Pierre (23-7-30) Hist.
VIDALIN, Robert (5-3-05) A.

Vidor, Charles (1900-59) U., Ré. King * (1894-1982) U., Ré.
Vienot, Marc (1-11-28) Insp. Fin.
Vierny, Sacha (1919) Op.
Vigneault, Gilles (27-10-28) Ca., Au., Cp., C.
Vigo *, Jean (Almereyda) (1905-34) Ré.
Village People (Ray Stephen) (n.c.) U., C.
Vilar, Antonio (1916) Port., A. Jean (1912-71) A., M.
Vilgrain, Jean-Louis (22-1-34) Af.
Villard, Hervé (24-7-46) C.
Villalonga, José-Luis de (1920) Esp., Au., A.
Villemejane, Bernard de (10-3-30) Af.
Villeneuve, Charles (19-7-41) J.
Villeret, Jacques (6-2-51) A.
Villers, Claude (Marx) (22-7-44) R. Robert (1921) R.
Villin, Philippe (23-10-54) Af.
Vincent, Céline (n.c.) R. Gene (Craddock) (1935-71) U., C. Jacques (7-11-23) Af. Jean (1926-87) J. Hélène (n.c.) A. J.-Pierre (26-8-42) A., M. Philippe (14-5-41) Af. Rose (Marie-Rose Jurgensen) (15-3-18) Au. Yves (1921) A.
Vinson, Eddie (Eddie Cleanhead) (1918-88) U., C.
Vionnet, Madeleine (1876-1975) Cou.
Virieu, François-Henri de (18-12-31) J.
Virlojeux, Henri (1924) A.
Visconti *, Luchino (L.V. de Modrone) (1906-76) It., Ré.
Viseur, Gus (1916-74) Be., Acc.
Visonneau, Patrick (n.c.) R.
Vissotski, Vladimir (1937-80) Ur., A., C.
Vital, J.-Jac. (Lévitan) (1913-77) Au., A., Pr.
Vitaly, Georges (Garkouchenko) (1917) M.
Vitez, Antoine (1930-90) M.
Vitold, Michel (Sayanoff) (Russie, 15-9-14) A.
Vitti *, Monica (M. Luisa Ceciarelli) (3-11-31) It., A.
Viviane (Blassel) (1944) An. R.
Vivier, Guy (Van Steenlandt) (1942, cr. Be.) Acc.
Vlady *, Marina (Poliakov-Boïdarov) (10-5-38) A.
Vogüé, Alain de (31-8-27) Af.
Voight, John (29-12-38) U., A.
Voisin, André (1923-91) Au.
Volker, Bernard (1942) J.
Volonte *, Gian Maria (9-4-33) It., A.
Voulzy, Laurent (18-12-48) C.
Voutsinas, Andréas (22-8-32) M.
Vozlinsky, Pierre (11-8-31) Mu.
Vreeswijk, Cornelis (1937-87) Suè., C.
Vuillemin, Philippe (1958) Des.
Wademant, Annette (1928) S.
Wagner, Robert (10-2-30) U., A.
Waits, Tom (7-12-49) U., C.
Wajda *, Andrzej (6-3-26) Pol., Ré.
Wakhevitch, Georges (Rus., 1907-84) Déc.
Walbrook, Anton (Adolf Walbrook) (Aut. 1900-67) G.-B., A.
Walken, Christopher (31-3-43) U., A.
Walker, Robert (1918-51) U., A.
Wall, Jean (1900-59) A.
Wallach, Eli (7-12-1915) U., A.
Wallis, Hal (14-9-1899) U., Pr.
Walsh *, Raoul (1892-1981) U., Ré.
Walter, Georges (26-3-21) Au., J.
Walters, Charles (1912-82) U., Ré.
Wanger, Walter (W. Feuchtwanger) (1894-1968) U., Ré.
Wang-Pin et Shui-Hua * (1916), Chi., Ré.
Wankel, Félix (1902-88) All., Ing.
Warden, Jack (18-9-20) U., A.
Warhol, Andy (Andrew Warhola) (1930-87) U., Peintre, Ré.
Warner, Eddie (All., 1917) Cp. Harry (1881-1958) U., Pr. dis. Jack L. (1892) U., Pr. dis.
Warwick, Dionne (12-12-41) U., C.
Waterston, Sam (15-11-40) U., A.
Watkins, Peter (1935) G.-B., M.
Watt, Harry (1906) G.-B., Ré.
Wayne *, John (Marion Michael Morrisson) (1907-1979) U., A.
Weawer, Sigourney (8-10-49) U., A.
Webb, Clifton (Webb Parmelee Hollenbeck) (1893-1966) U., A. Dominique (n.c.) Ma.
Weber, Jacques (23-8-49) A. Jean (1906) A.
Weidenmann *, Alfred (1916) All., Ré.
Weigel, Hélène (1900-71) All., A.
Weiller, Alain (11-6-36) J. Paul-Louis (29-9-1893) Af.
Weir *, Peter (21-4-44) Aust., Ré.
Weiss, Louise (1893-1983) Au., J. Peter (1912-82) All., Au., M.
Weissmuller, Johnny (1904-84) U., A.
Welch, Raquel (Tejada) (5-9-42) U., A.
Weld, Tuesday (27-8-43) U., A.
Welles *, Orson (1915-85) U., Ré., A.
Wellman *, William (1894-1975) U., Ré.
Wendel, Henri de (1913-82) Af.
Wenders *, Wim (14-8-45) All., Ré.
Werner, Oscar (1922-84) Autr., A.
Werther, Maurice (1920) J., T.
Wessely, Paula (1908) Aut., A.
West *, Mae (1892-1980) U., A.
Westwood, Vivienne (1941) G.-B., Cou.
Whale, James (1889-1957) G.-B., Ré.
Wheeler, René (1912) S., Ré.
White, Barry (12-9-44) U., C. Pearl * (1889-1938) U., A. Sam (1913-88) G.-B., Presse.
Whitman, Stuart (1926) U., A.
Who (The) : Peter Townsend (19-5-45) Roger Daltrey (1-3-44) John Entswhistle (9-10-44) Keith Moon (1947-78) G.-B., C., Cp.
Wicki, Bernard (1919) All., A., Ré.
Widerberg *, Bo (8-3-30) Suè., Ré.
Widmark *, Richard (26-12-14) U., A.
Wiehn, Pierre (1934) T.
Wiene, Robert (1881-1938) All., Ré.
Wiener, Élisabeth (23-11-46) A. Jean (1896-1982) Cp.
Wilde, Cornell (1915-89) U., A. Kim (18-11-60) G.-B., C.
Wilder, Billy * (Aut., 22-6-06) U., Ré. Gene (Jerome Silberman) (11-6-34) U., A.
Wilding, Michael (1912-79) G.-B., A.
Willar, Robert (1927) R.
Willem (Bernard Willem Holtrop) (1941) P.-Bas, Des.
Willette, Adolphe (1857-1926) Des.
William, Guy (Armando Catalano) (1924-89) U., A. John (1923) U., C.
Williams, Andy (3-12-30) U., C. Cynda (n.c.) U., A. Esther (8-8-23) U., A. Hank (1923-53) U., Mu. Roger (1894-1988) U., Nutritionniste.
Wilm, Pierre Richard (1896-1983) A.
Wilson, Georges (1921) A., Ré. Lambert (5-8-58) A. Lois (1895-1988) U., A. Robert (n.c.) A., M.
Winckler, Gustav (1926-79) Da., C.
Windsor, Marie (Emily Bertelson) (1922-86) U., A.
Winkler, Paul (1898) J.
Winston, Harry (n.c.) U., Jo.
Winter, Claude (Wintergerst) (18-2-31) A. David Alexander (1943) P.-Bas, C.
Winters, Shelley (Shirley Shrift) (18-8-22) U., A.
Wise *, Robert (10-9-14) U., Ré.
Wiseman, Frederick (1930) U., Rep., Ré.
Wisniak Nicole (24-7-51) (Mme Philippe Grumbach) J.
Wolinski, Georges (28-6-34) Des.
Wonder, Stevie (Stephen Judkins) (13-5-50) U., C.
Wood, Nathalie (Natasha Gurdin) (1938-81) U., A. Sam (1883-1949) U., Ré.
Woodruff, Robert Winship (1889-1985) Af.
Woodward, Joanne (27-2-31) U., A.
Worms, Gérard (1-8-36) Af.
Worth, Charles-Frederick (1826-95) G.-B., Cou.
Wouts, Bernard (22-3-40) Dir.
Wray, Fay (15-9-07) U., A.
Wright, Basil (1907-87) G.-B., Ré. Sewall (1890-1988) U., Généticien. Teresa (27-10-19) U., A.
Wybot, Roger (R. Warin) (13-10-12) Au., Ht fonctionnaire.
Wyler *, William (1902-81) U., Ré.
Wyman, Jane (Sarah Jane Fulks) (4-1-14) U., A.
Wysbar *, Frank (1899-1967) All., Ré.
Xanrof, Léon (Fourneau) (1867-1953) Au., Cp.
Yamamoto, Yohji (1945) Jap., Cou.
Yanagimachi, Mitsuo (n.c.) Jap., Ré.
Yanne *, Jean (Gouyé) (18-7-33) Fant., R., A., Ré.
Yd, Jean d' (1880-1964) A.
Yimou, Zhang (1950) Chine Ré.
Yonnel, Jean (Schachmann) (1891-1968) A.
York, Michael (27-3-42) U., A. Susannah (Yolande Fletcher) (9-1-41) G.-B., A.
Yoshimura, Kimisaburo (1911) Jap., Ré.
Young, Loretta (Gretchen Young) (1-6-12) U., or. all., A. Neil (12-11-45) Ca., C. Robert (22-2-07) U., A. Terence (1915) G.-B., Ré.
Youtkevitch *, Serg. (1904-85) Ur., Ré.
Zabel, Roger (22-12-51) J.
Zabou, (Isabelle Breitman) (30-10-59) A.
Zadora, Pia (4-5-56) U., C.
Zampa *, Luigi (1905-1991) It., Ré.
Zampi, Mario (1904-63) It., Ré.
Zanini, Marcel (1923) C.
Zanuck, Darryl (1902-79) U., Ré., Pr.
Zappa, Franck (21-12-40) Cp., Mu.
Zappy, Max (Max Doucet) (23-6-21) An., R., Ch.
Zaraï, Rika (Gozman) (Jérusalem 19-2-40) Isr., C.
Zardi, Dominique (1930) A.
Zavatta, Achille (6-5-15) A., Cl.
Zavattini, Cesare (1902-89) It., S.
Zecca, Ferdinand (1864-1947) Ré.
Zeffirelli, Franco (F.Z. Corsi) (12-2-23) It., Ré.
Zeman *, Karel (1910) Tc., Ré.
Zero Divide : B. Anfray (1958) B. Guay (1955) J. Vabre (1957) Totol (1957) Gr., C.
Zetterling, Mai (24-5-25) Suè., A., Ré.
Zidi *, Claude (25-7-34) Ré.
Zimmer, Bernard (1893-1964) S.
Zinnemann *, Fred (Aut., 29-4-07) U., Ré.
Ziqueira, Raul (1920-84) Cub., C.
Zitrone, Léon (Rus., 25-11-14) T.
Zouc (Isabelle von Allmen) (29-4-50) Su., A., C.
Zuber, Christian (19-2-30) Cin.
Zukor, Adolf (Ho., 1873-1976) U., Pr.
Zulawski, Andrzej (22-11-40) Pol., Ré.
Zurlini *, Valerio (1926-82) It., Ré.
Zviak, Charles (1922-89) Af.
Zz Top (Billy Gibbons) (16-12-49) U., C.

Yoga

Définition. Mot sanskrit signifiant *union* ; venant de la racine *yuj,* « réunir 2 animaux sous le même joug », afin de pouvoir les diriger vers le but fixé. Ce joug symbolise la manière d'« ajuster », par étapes progressives, le corps et la fonction psycho-mentale en vue d'atteindre la libération définitive de toute forme de souffrance (*moksha*).

Né en Inde avant l'ère chrétienne, le Yoga était enseignement pratique et philosophique transmis oralement d'un mode de vie transformé par la manière de voir *(darshana).* Des 6 darshana, ou systèmes philosophiques orthodoxes de la pensée indienne *(Sānkhya :* énumération, *Yoga, Nyāya :* logique, *Vaisheshika :* particularité, *Mimānsā :* discussion sur les rites, *Vedānta :* discussion sur le Veda) seuls, la Mimāmsā et le Vedānta sont purement d'origine théiste. **Principales approches du Yoga. Bhakti-Yoga :** voie de la dévotion, union de la personne avec sa divinité d'élection, s'adresse aux personnes ayant une foi intense ; **Karma-Yoga :** voie de l'action, perfection dans les actes par détachement du fruit de l'acte, s'adresse aux personnes d'action ; **Jnana-Yoga :** voie de la Connaissance, s'adresse aux personnes attirées vers le raisonnement intellectuel et la spéculation rationnelle. **Pratique du yoga en Occident.** S'appuie sur 2 textes : les *Yoga-Sūtra de Patanjali* englobant toutes les formes de Yoga ; l'enseignement qu'il transmet est aussi appelé Raja-Yoga ou yoga royal. Le *Hatha-Yoga Pradipika :* représentant les 2 aspects théorique et pratique du Yoga. La définition de l'état de Yoga comme l'arrêt des perturbations du mental, les causes de la dispersion du mental, le moyen pour supprimer son agitation incessante, la discipline (comprenant 8 membres) à observer lorsqu'on ne peut garder la stabilité de l'esprit, les effets (siddhi ou accomplissements) obtenus par l'application constante – effets qu'il faut se garder de rechercher pour eux-mêmes, sous peine de perdre de vue le but final et enfin *Kaivalya,* (le détachement suprême ou la libération) sont exposés en 4 chapitres.

Hatha-Yoga

Le plus recherché par les Occidentaux. Le *Hatha-Yoga Pradipika* reprend un enseignement ancien préconisant l'effort violent ou Yoga de la force. Il vise, grâce à une pratique progressive de différents moyens de purification du corps physique et de la fonction mentale, à l'union des 2 tendances opposées du souffle vital (mouvement ascendant et descendant). Moyens les plus courants : *āsana* (pour obtenir la stabilité et la légèreté physique), *prānāyama* [pour maintenir le Prānā (souffle vital) dans le corps, par le contrôle conscient de la respiration] et *mudra* (diriger le mental dans une direction donnée). Le *Yogin* (pratiquant de Yoga) devra aussi avoir une hygiène de vie et une alimentation équilibrée.

Hatha-Yoga, Yoga de Patanjali, mènent aussi au *Samādhi* ou « enstase » (état de méditation qui n'est pas une extase ; les sens de perception et le mental ont simplement inversé leur tendance ordinaire vers la dispersion). Le yogin n'est plus perturbé par le plaisir ou la douleur. Ayant maîtrisé ses sens, son esprit, son souffle, il atteint la perfection en Yoga. Une pratique incomplète, non adaptée et mal comprise peut causer des déséquilibres physiques et psychiques. **Renseignements.** *Féd. française de Hatha-yoga,* 50, rue Vaneau, 75007 Paris. *Féd. nat. des enseignants du Yoga,* 3, rue Aubriot, 75004 Paris. *Féd. inter-régionale de Hatha-yoga,* 36, rue du Fbg St-Honoré, 75008 Paris.

Sports et Jeux

Arts martiaux

Généralités

Les méthodes et moyens de combat en usage au Japon avant l'arrivée du commodore américain Perry en 1853 ont pratiquement disparu devant l'efficacité des armes occidentales. Quelques années plus tard, arcs, sabres, etc., ou méthodes à mains nues réapparaissaient après avoir changé de sens. Les *jitsu* (applications pratiques) devenaient des *do* (voies morales). En 1882, Jigoro Kano inventa le judo en faisant d'une méthode de combat une manière de vivre, et d'une manière de tuer « la défense du faible contre le fort ».

Les arts martiaux pratiqués aujourd'hui visent à aider le pratiquant à devenir plus généreux, plus ouvert aux autres et plus maître de lui. En dehors des armes « nobles » (arc, sabre, lance, poignard), ils utilisent des accessoires susceptibles d'être efficaces (faux, fléaux, et autres instruments agricoles).

Principaux arts martiaux

Aïkido. En japonais, *ai* union, *ki* énergie, *do* voie. **Principe :** art de combattre à mains nues avec armes ou contre armes. Principe : faire UN avec soi puis avec l'autre. **Créateur :** Moriheï Ueshiba (1881-1969). **Entraînement :** avec le couteau (tanto), sabre (ken), bâton (jo), sabre de bois (bokken). **Grade :** le dan. **Tenue :** keikogi et hakama, costume traditionnel des Japonais. **Technique :** étude de la chute considérée comme une technique de sauvegarde, recherche de l'énergie autre que la force musculaire, coordination du souffle et de l'exécution de la technique (kokyu). **Pratiquants** (1988) : France 50 000, monde 1 000 000.

Armes d'Okinawa. Au XVIIe s., les Japonais, en annexant l'île d'Okinawa, interdirent les armes connues. Les paysans découvrirent alors dans leurs outils de tous les jours des armes redoutables dont : *nunchaku :* fléau de 2 morceaux de bois ou de caoutchouc, cuir ou tissu de 30 à 60 cm ; *tonfa :* destiné à décortiquer le riz, manche en bois de chêne ou de teck carré (long. 40 à 60 cm, poids 0,8 à 1,2 kg) ; *sai :* trident ; *kama :* faucille ; *bo :* bâton d'1,80 m ; *nunti :* gaffe ; *sansetsukon :* fléau à 3 branches ; *eku :* rame ; *kue :* houe.

Bo-do et jo-do. *Définition :* bo = bâton long. 1,80 m ; jo = bâton court, 1,28 m, d'où escrime au bâton. Pratiqué généralement en costume par les kendoka et les aïkidoka.

Budo. Voie des arts martiaux et art d'arrêter les lances. Ensemble des arts martiaux se déclarant comme des *do* (voies vers un enrichissement de l'individu). *2 écoles « modernes »* (Europe) enseignent : Yoseikan budo créé par Hiroo Mochizuki et École française de budo créée par Jean-Paul Bindel. *Pratiquants* (France) : 4 000.

Iaïdo. Art de dégainer le sabre. Appelé jadis iaïjutsu. *Pratiquants* (France) : quelques centaines.

Kendo ou « voie du sabre ». **Origine :** *XVIe s.,* le maître Ito fonde l'école de sabre unique (Ito Ryu). *1955* 1re rencontre internationale (Japon-U.S.A.). *1970* 1er championnat du monde. **Arme :** *shinai:* sabre (env. 1,20 m, poids 500 g) en lamelles de bambou gainées de lanières de cuir [le kendoka frappe de « taille et d'estoc » (uchi et tsuki)]. *Contact :* au moment de frapper, le kendoka pousse le *kiaï* en hurlant le nom de la partie du corps visée (expiration profonde venant du ventre). *Aire :* 11 m sur 11. *Assaut :* 5'. *Prolongation :* 3', si aucun résultat n'a été obtenu. *Vainqueur :* celui qui a marqué les 2 premiers points (ou 2/1 ou 1/0) à l'issue du temps réglementaire ; *si prolongation,* un seul point suffit pour être vainqueur. **Équipement :** *kendogi* (veste en coton), *hakama* (large pantalon) pour dissimuler la position des pieds, donc les évolutions prévisibles, *men* (éléments rembourrés pour visage, cou et épaules), *kote* (moufles épaisses mains et avant-bras) ; *tare,* (hanches et bas-ventre) ; *do* (bambou recouvert de cuir laqué : tronc). **Pratiquants :** Japon 10 000 000, France 6 000. **Ch. de France :** *Hommes : 88* Labaye, *90, 91* Pruvost, *Dames : 88, 90* David, *91* Fournier *éq. excellence : 88* CEPESJA, *89* USML, *90* Maisons-Alfort, *91* CEPESJA. **Ch. d'Europe :** *89* Claude Pruvost (Fr.). *Éq. 90, 91* France.

18 ki. *Origine :* Corée. 18 techniques de boxe et d'escrime. **24 ki.** Idem, plus 6 techniques d'équitation.

Ko budo. Littéralement « vieux budo ». Techniques anciennes, généralement étudiées sous forme de *kata* (exercices préarrangés) et excluant toute forme de compétition. **Formes principales :** 1) *« agraire »,* voir Armes d'Okinawa. 2) *« guerrier » à mains nues* qui regroupe les écoles de ju jitsu (takenouchi ryu, yoshin ryu, kito ryu, tenjin shinyo ryu, sosuishitsu ryu, sekiguchi ryu, shibukawa ryu, kushin ryu, etc.) et d'aïki-jitsu (daito ryu, takeda ryu, oshiki uchi, etc.). Les techniques de ces écoles sont restées figées depuis des siècles et ont été transformées par certains maîtres. Ainsi, l'évolution des techniques du ju-jitsu a amené la création du judo et de l'aïki-jitsu celle de l'aïkido. 3) *« guerrier » avec armes* qui regroupe des écoles comme la Tenshin shoden katori shinto ryu (classée bien culturel national) où le maniement de diverses armes est enseigné simultanément : ken-jitsu (sabre), iai-jitsu (art de dégainer le sabre), bo-jitsu (bâton long), tanto-jitsu (poignard), naginata-jitsu (hallebarde), so-jitsu (lance). Certaines écoles sont spécialisées dans 1 ou 2 armes. L'évolution de ces techniques a entraîné la création du kendo et naginata do où la compétition est pratiquée.

Kyudo (ou « voie de l'arc »). Discipline traditionnelle, accompagnée, dans certains cas, de cérémonies religieuses et de fêtes, destinée à provoquer l'enrichissement intérieur de celui qui la pratique en lui procurant calme, sérénité et harmonie. **Arc :** asymétrique, haut. 2,20 m env. (la poignée étant à la limite du 1/3 moyen et du 1/3 inférieur afin de pouvoir utiliser l'arc à cheval), en bambou et bois, corde en chanvre (en tension, peut atteindre de 12 à 40 kg), carquois en écorce de cerisier (Epreuves jusqu'a 25 m, mais on tire généralement des flèches de 1 m, sur une cible placée à 20 m en paille ou à 28 m en papier). **Grades :** 10 *dan. Titres honorifiques :* Kyushi-Hanshi. **Pratiquants** (Japon) 500 000.

Nin-jitsu. Art du déplacement furtif. Les écoles étaient réservées aux ninja, qualifiés d'agents secrets ou de tueurs à gages. Les ninja étudiaient les techniques de combat à mains nues et avec armes, la pharmacopée, l'art du camouflage et l'hypnose, ce qui leur permettait de réaliser des exploits.

Qwan ki do. *Origine :* Viêt-nam, vers 1950. Forme plus spectaculaire du Karaté.

Silat. *Origine :* Indonésie.

Subyukchigi ou Subakchiki. Du Coréen, *subak* pastèque. Ressemble au tae kwon do. Utilise les mains plutôt que les pieds.

Sumo. Codifié vers la fin du XIVe s. Les sumotoris (lutteurs) dépassent souvent 150 kg. **Pratiquants** (Japon) : quelques centaines. **Grade :** suprême : yokozuna ou « grand champion » (Tanikaze : le plus célèbre, mort 1795 : 66 victoires consécutives en tournoi). **Idoles du Japon :** Kitanoumi, Wajima, Chiyonofuji (se retire en 1991), Konishiki, Yasokichi. Jesse Kuhaulua, n. 16-6-44, Hawaïen, a combattu sous le nom de Takamiyama. **Aire de combat :** dohyo, carré (surélevé) de 7,27 m de côté dans lequel s'inscrit un cercle de 4,55 m de diamètre. 4 houppes de couleur pendent au-dessous : blanche symbolise printemps, rouge été, bleue l'automne, noire hiver. Les sumotoris portent une sorte de tablier. Ils frappent dans leurs mains, lèvent ensuite les bras montrant qu'ils s'engagent à combattre avec sincérité et loyauté. Puis les 2 sumotoris qui se présentent exécutent un grand écart, le shiko, pour chasser les esprits malfaisants, jettent une poignée de sel au centre du cercle, s'accroupissent, face à face, pour le sonkyo (salut à l'adversaire). Les bras écartés, ils promettent aux dieux de combattre honnêtement (Chiri). 48 techniques avec variantes.

Tae kwon do (karaté coréen). Du coréen, *tae* pied, *kwon* poing et *do* voie. *Crée* vers 1955. On peut donner des coups de pied au-dessus de la ceinture et des coups de poing au buste, sauf à la gorge et à la figure. Les coups sont vraiment portés, on ne les contrôle pas. *1988* sport de démonstration aux J.O. *1992* sport olympique. Pratiquants env. 10 000 000 dans 60 pays.

Viet-vo-dao. *Origine :* Viêt-nam. *Crée* 1955 par Nguyen Loc. Combat à mains nues dans lequel on imite des animaux comme le tigre (balayages, sauts, projections, clés). **But :** recherche de l'harmonie et d'un homme vrai. Intègre des éléments du bouddhisme, du confucianisme et du taoïsme. France : Fédération française de karaté, tae kwon do et arts martiaux affinitaires.

Vo-viet-nam. *Origine : Viêt-nam.* introduit en France par maître Nguyên Duc Mô en 1957. 18 disciplines : combats à mains nues et avec armes traditionnelles (bâtons, sabres, lances, etc...). *Fédération internat. de Vo-viet-nam,* 18, rue Bichat, 75010 Paris.

☞ **Judo** et **karaté,** voir Index.

Athlétisme

1 Français sur 10 pratique un sport de manière régulière. Plus de la moitié des sportifs français ont moins de 18 ans. Sur 5 000 000 de pratiquants, il y a 1 000 000 de femmes.

Près de 15 000 000 de Français n'ont *jamais* pratiqué de sport.

Généralités

Définition. Sport comprenant un certain nombre d'épreuves (individuelles ou par équipes) de courses à pied, sauts, lancers d'engins et épreuves combinées, l'ensemble étant codifié.

Origine. Du grec *athlos* (combat). *L'Iliade* décrit les courses et les concours de saut organisés lors des funérailles de Patrocle. **VIIIe s. av. J.-C.** Les jeux Olympiques comprenaient 3 courses et le *pentathle* (5 disciplines) : courses, lancers de disque et javelot, saut en longueur et lutte. Le 1er record enregistré fut un saut en longueur d'environ 7,05 m, effectué aux J.O. de 656 av. J.-C. par un athlète de Sparte nommé Chionis. **1861** 1er club en Angleterre : Mincing Lane A.C. **1866** création de l'Amateur Athletic Club, en Angleterre. **1867** les Anglais organisent quelques compétitions à Boulogne. **1875** fondation à Paris du Club des coureurs (Blondel et Gerling). **1883** création du Racing-Club (devenu en 1885 Racing-Club de France). **1884** fondation du Stade français par des lycéens. **1885** 1re participation internationale d'athlètes français à Bruxelles. **1887** création de l'Union des Stés françaises de course à pied, devenue plus tard Union des Stés fr. de sports athlétiques, puis, en 1920, Fédération française d'athlétisme. **1888** 1ers championnats de France à la Croix-

Catelan (100 m, 400 m, 1 500 m, 110 m haies). **1896** 9 athlètes du Racing-Club de France participent aux 1ers J.O. modernes à Athènes. **1912**-*16-7* création de la Féd. internat. d'athlétisme amateur (F.I.A.A.). **1923** 1ers jeux universitaires internationaux à Paris. **1934** 1ers championnats d'Europe à Turin. **1965** 1re Coupe d'Europe des Nations à Stuttgart. **1973** 1re Coupe d'Europe des épreuves combinées (décathlon, pentathlon). **1977** 1re Coupe du Monde par équipes à Düsseldorf. **1981** 1re Coupe d'Europe de marathon à Agen. **1983** 1ers champ. du Monde à Helsinki (jusque-là les J.O. constituaient les champ. du monde).

Comparaisons des résultats dans le temps. Certaines *sont faussées* par divers éléments. Pour *les courses et les sauts :* utilisation de matériaux synthétiques pour pistes et aires d'élan (dep. 1967) remplaçant les anciennes cendrées. *Saut en hauteur :* remplacement de la fosse de sable par des matelas de mousse rehaussés permettant l'exécution du saut à réception dorsale dit « Fosbury » (inventé par l'Américain vainqueur des J.O. de 1968). *Saut à la perche :* mêmes matelas de réception et perche en fibre de verre ont permis un gain moyen d'environ 1 m depuis 1961. *Javelot :* les engins nouveaux (Held depuis 1953), meilleurs planeurs, ont permis de gagner 5 à 10 m ; dep. 1986, nouvelles normes.

Records de vitesse. *Hommes :* 44,912 km/h, Carl Lewis au 4 × 100 m J.O. de 1984. *Dames :* 36,500 km/h, Evelyn Ashford au 4 × 100 m J.O. de 1984.

Extraits des règlements

• Courses plates. **Courses de vitesse (sprint) :** disputées en couloirs (lignes blanches parallèles distantes de 1,22 m). *60 m* (en salle), *100 m* et *100 yards* sont disputés en ligne droite. Le *200 m* comporte un virage complet. Les lignes de départ sont décalées de façon à égaliser les distances d'un couloir à l'autre (aux U.S.A. on court parfois des 200 m en ligne droite).

Vitesse prolongée : *400 m,* couru sur un tour de piste et en couloirs. Les cales de départ *(starting-blocks)* ont été adoptées en 1928 pour les courses de vitesse jusqu'au 400 m.

Demi-fond et demi-fond prolongé : pour le *800 m,* les 100 premiers mètres seulement sont disputés en couloirs avec décalage. Courses classiques *1 500, 3 000 (dames), 5 000* et *10 000 m.* Autres courses reconnues : *1 000, 2 000, 3 000, heure* et *20 000 m.*

Marathon : course de *42,195 km* (distance séparant Windsor du stade White City à Londres, parcours des J.O. de 1908). Inspirée par la course légendaire de Philippidès, mort après 4 h de course (Marathon-Athènes : 40 km) pour avoir voulu annoncer aux Grecs leur victoire sur les Perses (490 av. J.-C.).

Relais : les coureurs d'une même équipe se transmettent un bâton cylindrique de 28-30 cm de long, 50 g min., 120-130 mm de circonférence (témoin) dans une zone de 20 m limitée par 2 lignes tracées sur le sol. La 1re est située 10 m avant le point de la distance à parcourir, la 2e 10 m après. *Relais messieurs :* 4 × 100 m, 4 × 200 m, 4 × 400 m, 4 × 800 m, 4 × 1 500 m ; *dames :* 4 × 100 m, 4 × 200 m, 4 × 400 m, 4 × 800 m. Le 4 × 100 m se court intégralement en couloirs. Le 4 × 200 m partiellement, les 2 premiers parcours sont disputés en couloirs et les 100 premiers m du 3e ; au 4 × 400 m, le 1er parcours et les 100 premiers m du 2e.

• Courses d'obstacles. **3 000 m steeple :** épreuve de demi-fond. Les coureurs ont à enjamber 28 fois une barrière de 0,914 m et 7 fois la rivière, de 3,66 m de large et 0,76 m de profondeur, située au pied d'une barrière (0,914 m) qui la précède. **Haies :** *110 m :* 10 haies de 1,06 m (espacées de 9,14 m, la 1re à 13,72 m du départ, la dernière à 14,02 m de l'arrivée), *100 m (dames) :* 10 de 0,84 m (espacées de 8,5 m, la 1ere à 13 m du départ, la dernière à 10,5 m de l'arrivée). *400 m : (messieurs) :* 10 de 0,91 m (espacées de 35 m, la 1re à 45 m du départ, la dernière à 40 m de l'arrivée) ; *400 m. dames :* 10 de 0,762 m (espacées de 35 m, la 1re à 45 m du départ, la dernière à 40 m de l'arrivée).

• Concours. **Sauts. Hauteur :** l'athlète doit franchir la plus grande hauteur possible en prenant impulsion d'une seule jambe. **Perche :** même principe mais en s'aidant d'une perche (matériau actuellement utilisé : fibre de verre) qu'il plante dans un butoir situé au pied de l'aire de réception. Pour ces 2 sauts verticaux, l'athlète est éliminé après avoir échoué par 3 fois consécutivement, quelle que soit la hauteur tentée. Il a le droit à 3 essais à chaque hauteur. **Longueur :** l'athlète doit franchir la plus grande distance possible en prenant appel sur une planche de 20 cm située au bord d'une fosse de réception ensablée où il se reçoit. **Triple saut :** même principe mais la planche d'appel se situe à 12 ou 13 m du sable et le saut consiste en un cloche-pied suivi de 2 foulées bondissantes. Pour ces 2 sauts longitudinaux, 6 essais maximum (dont les 3 premiers de « qualification », les 3 suivants n'étant accordés qu'aux 8 athlètes en tête).

• Lancers. **Poids :** sphère métallique de 7,260 kg minimum (messieurs), 4 kg (dames), lancée de l'épaule à une main, à partir d'un cercle cimenté de 2,135 m de diamètre. **Disque :** engin circulaire avec jante en métal pesant 2 kg minimum (messieurs), 1 kg (dames), lancé d'une seule main d'un cercle de 2,50 m de diamètre. **Marteau :** sphère métallique reliée à une poignée par un câble, l'ensemble pesant au minimum 7,260 kg et mesurant au maximum 1,22 m. On lance d'un cercle cimenté de 2,135 m de diamètre. Pour ces 3 lancers, l'athlète doit sortir du cercle par l'arrière, équilibré, après que l'engin a touché le sol. L'angle des secteurs de chute est de 40°. **Javelot :** engin métallique de 800 g minimum, (messieurs), 600 g (dames), lancé d'un couloir de 30 à 36,50 m de long sur 4 m de large terminé par un arc de cercle qu'on ne peut dépasser. Angle du secteur de chute : 29°. A la chute, l'engin doit toucher le sol par la pointe (tête) en premier. Dep. le 1-4-1986, nouveau javelot de 800 g, centre de gravité déplacé de 4 cm vers l'avant pour diminuer la portance (distance diminuée de 10 %).

• Épreuves combinées. **Décathlon :** (messieurs) : 10 épreuves disputées dans un ordre particulier en 2 j. successifs. 1er : 100 m, saut longueur, poids, s. hauteur et 400 m. 2e : 110 haies, disque, perche, javelot et 1 500 m. Chaque performance est cotée à une table internationale, le vainqueur étant celui qui totalise le plus de points à l'issue des 10 épreuves. **Heptathlon** (dames) (depuis 1981) : 7 épreuves disputées dans un certain ordre en 2 j. successifs. 1er : 100 m haies, hauteur, poids, 200 m. 2e : longueur, javelot, 800 m. Même principe de cotation que pour le décathlon.

Résultats

Records de France féminins

Juniors

100 m 11"25, O. Sidibé (ANSL Fréjus) 27-7-89. **200 m** 22"94, M.-C. Cazier (Stade Metz EC) 8-8-82. **400 m** 52"52, F. Ficher (CASG) 20-7-85. **800 m** 2'1"79, F. Giolitti (NUC) 29-6-85. **1 000 m** 2'37"2, V. Renties (AS Anzin) 19-8-79. **1 500 m** 4'10"38, F. Giolitti (Nice UC) 19-6-85. **3 000 m** 9'13"15, M.-P. Duros (US Quessoy) 15-7-86. **10 000 m** 35'16"2 V. Chauvel (EA Rennes) 8-6-88. **100 m haies** 13"07, M. Ewanjé-Épée (Montpellier UC) 22-7-86. **400 m haies** 57"84, C. Nelson (A.S.L. Cayenne) 15-7-90. **Hauteur** 1 m 95, M. Ewanjé-Épée (Montpellier UC) 4-9-83. **Longueur** 6,44 m, J. Curtet (AC Cannes) 31-05-73. **Poids** 15,81 m, V. Hanicque (AC Vélizy) 24-6-83. **Disque** 57,50 m, C. Beauvais (Racing CF) 18-8-83. **Javelot** 62,46 m, N. Schoellkopf (SR Obernai) 1-10-83. **4 × 100 m** 44"23, Équipe nationale : (F. Ropars, M. Simioneck, H. Declerck, O. Sidibé) 27-8-89. **4 × 400 m** 3'40"3, Équipe nationale : S. Malbranque (CA Cauchois), V. Bret (US Issoire), M. Desax (US Oyonnax), V. Brun (Sp. Thionville) 21-08-77. **4 × 100 m (club)** 46"17 (ASL Sport Guyanais) K. Rimbert, L. Joseph, Y. Govindin, A. Lafontaine 10-7-88. **Heptathlon** 5 867 pts, O. Lesage (CSM Clamart) 12/13-8-88. **Marche : 5 000 m** 22'39"25, N. Marchand (A.C. Neuville) 31-7-88.

Cadettes

100 m 11"38, M.-F. Loval (AA Pointe-à-Pitre) 20-8-81. **200 m** 23"80, F. Ficher (CASG Paris) 28-05-82. **400 m** 54"48, N. Thoumas (SU Agen) 4-6-79. **800 m** 2'05"1, V. Renties (AS Anzin) 16-05-76. **1 000 m** 2'47"12, F. Giolitti (Nice UC) 16-10-82. **1 500 m** 4'19"2, V. Renties (AS Anzin) 19-8-77. **30 mn** 8 276 m, F. Deconihout (US Dunkerque) 9-7-89. **100 m haies** 13"59, A. Simon (EA Chalon-sur-Saône) 12-7-87. **320 m haies** 45"57, I. Dherbecourt (Béthune) 9-7-89. **Hauteur** 1,87 m, M. Ewanjé-Épée (MUC) 22-8-81. **Longueur** 6,26 m, Claude Bouix (AC Annecy) 21-7-63 et C. Hérigault (US Créteil) 12-7-87. **Triple saut** 12,02 m, C. Cuadrado (Neuilly-Plaisance) 2-7-89. **Poids** 17,26 m, A. Brouzet (ASPTT Grenoble) 31-5-87. **Disque** 53,74 m, C. Beauvais (Racing CF) 20-6-82. **Javelot** 56,36 m, N. Teppe (V.A. Bressans) 3-6-89. **4 × 100 m** 46"88, V. Vidal, F. et C. Cuciz, A. Benezech (ES Viry-Châtillon) 8-6-81. **4 × 1 000 m** 12'00"38, V. Zimber, C. Bury, M. Rusch, E. Fey (Unitas Brumath) 08-07-79. **Heptathlon** 5 811 pts, N. Teppe (V.A. Bressans) 13/14-5-89. **Marche : 5 000 m** 24'36"75, V. Guilmain (E. Cenon-Naintré) 8-7-89.

Minimes

80 m 9"88, S. Richard (CSM Livry-Gargan) 17-6-89. **150 m** 18"08, C. Arron (A.S. Air France) 20-4-88. **500 m** 74"82, I. Dherbecourt (Béthune) 25-6-88. **1 200 m** 3'35"6, V. Renties (AS Anzin) 30-6-74. **30 mn** 7 977 m, L. Méphane (ES Viry) 17-3-85. **80 m haies** 11"71, M. Bernard (Grenoble UC) 26-6-82 et A. Simon (EA Chalon) 21-6-86. **250 m haies** 35"71 F. Mesplède (AC Auch) 24-6-89. **Hauteur** 1,77 m, B. Kaftandjian (USC Caen) 3-6-79 et S. Deveugle (US Valenciennes) 7-6-81. **Longueur** 6,02mM, N. Sellier (Médoc AC) 1-6-75. **Triple saut** 11,83 m S. Marrot (AC Auch) 23-6-89. **Poids** 15,24 m, M.A. N'Docko (ASPTT Strasbourg) 11-10-87. **Disque** 43,18 m, A. Teppe (VA Bressans) 19-6-83. **Javelot** 51,40 m, M. Fiafialoto (Ind. N.-Calédonie) 14-12-80. **4 × 80 m** 38"65 (A.S. Air France) 11-6-88. **Pentathlon** 3 431 pts, D. Crozet (Ste-Foy) 13/14-5-89. **Marche, 3 000 m** 14'37"4, V. Marande (USM Laval) 24-4-88.

Records de France masculins

Juniors

100 m 10"29, B. Marie-Rose (CA-Ouest) 30-06-84. **200 m** 20"62, B. Cherrier (AAJ Blois) 03-09-72. **400 m** 46"31, G. Bertould (Stade Rennes) 16-10-68. **800 m** 1'47"7, R. Sanchez (Revin AC) 04-07-71. **1 000 m** 2'20"6, D. Bouchard (VS Ozoir-la-Ferrière) 26-05-82. **1 500 m** 3'40"8, J. Boxberger (FC Sochaux) 04-07-68. **3 000 m** 7'58"4, C. Laventure (Stade Vanves) 29-6-83. **5 000 m** 13'58", K. Bouhaloufa (APJS Paris) 15-10-86. **10 000 m** 29'7"99, L. Saudrais (EA Rennes) 26-8-89. **110 m haies** 13"84, D. Philibert (US Créteil) 3-6-89. **400 m haies** 50"39, P. Maran (CC Fort-de-France) 18-7-86. **3 000 m steeple** 8"44"2, J.-L. Taif (Racing CF) 10-5-80. **Hauteur** 2,24 m, D. Detchenique (Dynamic Aulnay Club) 8-7-90. **Perche** 5,61 m, T. Vigneron (Racing CF) 30-09-79. **Longueur** 7,96 m, G. Ugolini (Stade Reims) 04-10-68. **Triple saut** 16,42 m, G. Sainte-Rose (ASCOIA Fort-de-France) 12-7-87. **Poids (6 kg)** 19,08 m, R. Gressier (AS Berck) 16-09-78. **(7,260 kg)** 17,67 m, R. Coquin (AA Pointe-à-Pitre) 21-09-75. **Disque** 56,26 m, P. Journoud (Toulouse UC) 23-7-83. **Marteau** 73,28 m F. Kuhn (AS Police Paris) 17-10-87. **Javelot** 70,10 m, L. Halagahu (A.S. Hihifo) 30-3-88. **4 × 100 m** 39"69, Équipe nationale : P. Thessard (ES Nantes AC), Patrick Barré (Neubourg AC), H. Panzo (IA Fort-de-France), Pascal Barré (Neubourg AC) 6-8-77. **4 × 400 m** 3'08"11, Équipe nationale : C. Zapata, D. Denys, C. Landre, C. Goris 18-7-87. **4 × 100 m (club)** 40"05, J. Chedeville, S. Adam, Patrick et Pascal Barré (Neubourg AC) 22-07-78. **Décathlon** 7 739 pts (11"23, 6,94 m, 13,28 m, 2,13 m, 50"89, 15"04, 41,84 m, 4,50 m, 70,38 m, 5'02"67), W. Motti (AC Cannes) 24/25-07-82. **Marche : 10 000 m** 42'47"4, D. Langlois 4-10-87. **Heure** 13,711 km, D. Langlois (CSC Noisy) 4-10-87.

Cadets

100 m 10"54, M. Genest (TA Rennes) 06-06-76. **200 m** 21"29, Pascal Barré (Neubourg AC) 11-07-76. **400 m** 47"45, T. Dejean (Clermont-Ferrand) 29-7-89. **800 m** 1'50"2, S. Benfares (ES Nanterre) 18-9-85. **1 000 m** 2'22"9, J. Hector (AS Montferrand) 27-7-85. **1 500 m** 3'49"21, R. Birembaux (St-Amand EC) 12-6-85. **3 000 m** 8'15"04, R. Birembaux (St-Amand EC) 26-6-85. **45 minutes** 13,901 km, S. Baulnier (EA Rennes) 22-10-86. **110 m haies** 13"39, Ph. Tourret (SC Aiguillon) 15-07-84. **320 m haies** 40"35, J.-J. Simon (St. Toulouse) 8-6-81. **1 500 m steeple** 4'10"79, J.-N. Pelissier (Nice UC) 09-07-82. **Hauteur** 2,19 m, W. Motti (AC Cannes) 21-8-81 et J. Vincent (ASCOIA Fort-de-Fr.) 21-3-86. **Perche** 5 ,40 m, G. Baudouin (Jura S.) 15-10-89. **Longueur** 7, 76 m, J. Plagnol, (E. Nîmes Athl.) 31-5-87. **Triple saut** 15,71 m, G. Sainte-Rose (ASCOIA Fort-de-Fr.) 26-7-86. **Poids** 19,10 m, L. Viudes (Stade Saint-Quentin) 30-06-73. **Disque** 53,50 m, J.-P. Barbe (ASPTT Lyon) 24-10-87. **Marteau** 74,76 m, L. Aletti (MJC Salon-de-Pr.) 16-4-88. **Javelot** 72,10 m, P. Beaudoin (ESR Colmar AC) 08-10-78. **4 × 100 m** 42"03, Pousse,

Ximenes, P. Chazot, G. Chazot (CA St-Étienne) 06-07-75. **4 × 1 000 m** 10'6"62, APJS Paris (Lacroix, Daverio, Pintard, Fernandez) 13-10-85. **Ennéathlon** 7 062 pts (11"24, 7,12 m, 17,15 m, 2,15 m, 14"54, 45,22 m, 3,80 m, 64,60 m, 5'10"64), W. Motti (AC Cannes) 27/28-06-81. **Marche : 5 000 m** 21'43"18, S. Lévêque (JS Angoulême) 6-7-88. **45 minutes** 10 000 m, F. Guest (USM Laval) 2-10-88.

Minimes

80 m 8"98, P. Théophile (Gosier AC) 30-3-85. **150 m** 16"56, D. Felten (ASC Strasbourg) 26-6-77. **500 m** 64"93, T. Dejean (St. Aurillac) 28-6-87. **1 200 m** 3'10"2, B. Rihet (AC Cannes) 30-6-79. **3 000 m** 8'49"3, A. Crepieux (AS Sin-Le-Noble) 23-9-89. **30 mn** 8 965 m, M. Khelil (EA Bourg-en-Bresse) 30-4-89. **100 m haies** 13"19, S. Gournay (AS Fontenay-Trésigny) 28-6-87. **250 m haies** 31"24, H. L'Hopitaux (Salbris Sports) 28-6-81. **Hauteur** 2,02 m, M. Droguet (EA Rennes) 28-6-87. **Perche** 4,71 m, G. Beaudouin (CLA Lons-le-Saunier) 10-10-87. **Longueur** 7,08 m, J. Plagnol (E. Nîmes A) 8-6-86. **Triple saut** 14,08 m, D. Herbault (AAE Épernon) 26-10-86. **Poids** 18,06 m, J. Carrière (AL Carhaix-Plouguer) 19-5-76. **Disque** 49,28 m, H. Yvrard (CS Bourgoin-Jallieu) 19-10-77. **Marteau** 71,70 m, L. Aletti (MJC Salon-de-Pr.) 12-10-86. **Javelot** 68,50 m, L. Mathieu (Jura Sud) 11-9-88. **4 × 80 m** 35"2, Neubourg AC (Adam, Lemesz, P. et P. Barré) 20-10-74. **Hexathlon** 3 431 pts, X. Coppieters (RC Roubaix) 18/19-6-89. **Marche** *30 min.* 6367 m, G. Masse (CM Roubaix) 4-10-87. *5 000 m* 23'23"5, S. Lévêque (JS Angoulême) 14-9-86.

Principales épreuves d'athlétisme

☞ *Légende.* – (a) Amérique. (b) Europe. (c) Afrique. (d) Océanie. (e) Asie. (1) USA (2) URSS (3) France. (4) G.-B. (5) P.-Bas. (6) All. féd. (7) All. dém. (8) Pologne. (9) Suède. (10) Suisse. (11) Italie. (12) Hongrie. (13) Yougoslavie. (14) Finlande. (15) Tchécoslovaquie. (16) Belgique. (17) Bulgarie. (18) Danemark. (19) Espagne. (20) Roumanie. (21) Autriche. (22) Grèce. (23) Portugal. (24) Jamaïque. (25) Brésil. (26) Maroc. (27) Irlande. (28) Australie. (29) Éthiopie. (30) Chine. (31) Nigeria. (32) Cuba. (33) Mexique. (34) Canada. (35) Norvège. (36) Kenya. (37) Somalie. (38) Djibouti. (39) Pologne.

Outre les épreuves citées ci-dessous, il faut énumérer les Jeux Olympiques modernes (créés 1896), les Jeux de l'Emp. britan. et du Commonwealth (1930), les Jeux Panaméricains (1951), Jeux Asiatiques (1951), Jeux Africains (1965) irréguliers, Jeux de l'Amérique centrale et des Caraïbes (1926), Jeux Bolivar (réservés dep. 1938 aux nations d'Am. du S. affranchies par lui), Jeux des îles de l'océan Indien (1979), Jeux Méditerranéens (1951), Maccabiades (Israël), Jeux Universitaires (1923), Championnats d'Amérique du S. (1919, irréguliers), Ch. Nordiques et Jeux Balkaniques, Ch. Militaires internationaux annuels, Spartakiades (1955). La plupart ont lieu tous les 4 ans.

Championnats du monde en plein air

Lieux : 1er *1983* (Helsinki). 2e *1987* Rome. 3e *1991* Tōkō.

• **Hommes. 100 m. 83** *1* C. Lewis[1] 10"07. *2* C. Smith[1] 10"21. *3* E. King[1] 10"24. **87** *1* Johnson[34] 9"83. **91** *1* Lewis[1] 9"86. *2* Burrell[1] 9"88. **200 m. 83** *1* C. Smith[1] 20"14. *2* E. Quow[1] 20"41. *3* P. Mennea[11] 20"51. **87** *1* Smith[1] 20"16. *2* Quénéhervé[3] 20"16. *3* Regis[4] 20"18. **400 m. 83** *1* B. Cameron[24] 45"05. *2* M. Franks[1] 45"22. *3* S. Nix[1] 45"24. **87** *1* Schoenlebe[7] 44"33. *2* Egbunike[31] 44"56. *3* Reynolds[1] 44"80. **800 m. 83** *1* Wulbeck[6] 1'43"65. *2* R. Druppers[5] 1'44"20. *3* J. Cruz[25] 1'44"27. **87** *1* Konchellah[36] 1'43"06. *2* Elliott[4] 1'43"41. *3* Barbosa[25] 1'43"76. **1 500 m. 83** *1* S. Cram[4] 3'41"59. *2* S. Scott[1] 3'41"87. *3* S. Aouita[26] 3'42"02. **87** *1* Bile[37] 3'36"80. *2* Gonzales[19] 3'38"03. *3* Spivey[1] 3'38"82. **5 000 m. 83** *1* E. Coghlan[27] 13'28"53. *2* W. Schildhauer[7] 13'30"20. *3* M. Vainio[14] 13'30"34. **87** *1* Aouita[26] 13'26"44. *2* Castro[23] 13'27"59. *3* Buckner[4] 13'27"74. **10 000 m. 83** *1* A. Cova[11] 28'01"04. *2* W. Schildhauer[7] 28'01"18. *3* H.J. Kunze[7] 28'01"26. **87** *1* Kipkoech[36] 27'38"63. *2* Panetta[11] 27'48"98. *3* Kunze[7] 27'50"37. **Marathon. 83** *1* R. de Castella[28] 2 h 10'03". *2* K. Balcha[29] 2 h 10'27". *3* W. Cierpinski[7] 2 h 10'37". **87** *1* Wakiihuru[36] 2 h 11'48". *2* Saleh[38] 2 h 12'30". *3* Bordin[11] 2 h 12'40". **3 000 m steeple. 83** *1* P. Ilg[6] 8'15"06. *2* B. Maminski[8] 8'17"03. *3* C. Reitz[4] 8'17"75. **87** *1* Panetta[11] 8'8"57. *2* Melzer[7] 8'10"32. *3* Van Dijck[5] 8'12"18.

110 m haies. 83 *1* G. Foster[1] 13"42. *2* A. Bryggare[14] 13"46. *3* W. Gault[1] 13"48. **87** *1* Foster[1] 13"21. *2* Ridgeon[4] 13"29. *3* Jackson[4] 13"38. **400 m haies. 83** *1* E. Moses[1] 47"50. *2* H. Schmid[6] 48"61. *3* A. Kharlov[2] 49"03. **87** *1* Moses[1] 47"46. *2* Harris[1] 47"48. *3* Schmid[6] 47"48.

Hauteur (en m). 83 *1* G. Avdeienko[2] 2,32. *2* T. Peacock[1] 2,32. *3* J. Zhu[30] 2,29. **87** *1* Sjoeberg[9] 2,38 m. *2* Paklin[2] et Avdeenko[2] 2,38. **Longueur (en m). 83** *1* C. Lewis[1] 8,55. *2* J. Grimes[1] 8,29. *3* M. Conley[1] 8,12. **87** *1* Lewis[1] 8,67. *2* Emmyan[2] 8,53. *3* Myricks[1] 8,33. **Perche (en m). 83** *1* S. Bubka[2] 5,70. *2* C. Volkov[2] 5,60. *3* A. Tarev[17] 5,60. **87** *1* Bubka[2] 5,85. *2* Vigneron[3] 5,80. *3* Gataulin[2] 5,80. **Triple saut (en m). 83** *1* Z. Hoffman[8] 17,42. *2* W. Banks[1] 17,18. *3* A. Agbebaku[31] 17,18. **87** *1* Markov[17] 17,92. *2* Conley[1] 17,67. *3* Sakirkin[2] 17,43. **Poids (en m). 83** *1* E. Sarul[8] 21,39. *2* U. Timmermann[7] 21,16. *3* R. Machura[15] 20,98. **87** *1* Guenthör[10] 22,23. *2* Andrei[11] 21,88. *3* Brenner[1] 21,75. **Disque (en m). 83** *1* I. Bugar[15] 67,72. *2* L. Delis[32] 57,36. *3* G. Valent[15] 66,08. **87** *1* Schult[7] 68,74. *2* Powell[1] 66,22. *3* Delis[32] 66,02. **Javelot (en m). 83** *1* D. Michel[7] 89,48. *2* T. Petranoff[1] 85,60. *3* D. Kula[2] 85,58. **87** *1* Raty[14] 83,54. *2* Evsukov[2]. *3* Zelezny[15]. **Marteau (en m). 83** *1* S. Litvinov[2] 82,68. *2* Y. Sedykh[2] 80,96. *3* Z. Kwasny[8] 79,42. **87** *1* Litvinov[2] 83,06. *2* Tamm[2] 80,84. *3* Haber[7] 80,76. **Décathlon (en points). 83** *1* D. Thompson[4] 8 666. *2* J. Hingsen[6] 8 561. *3* S. Wentz[6] 8 478. **87** *1* Voss[7] 8 680. *2* Wentz[6] 8 461. *3* Tarnovetsky[2] 8 375.

4 × 100 m. 83 *1* U.S.A. (E. King, W. Gault, C. Smith, C. Lewis) 37"86. *2* Italie (S. Tilli, C. Simionato, P.F. Pavoni, P. Mennea) 38"37. *3* U.R.S.S. (A. Prokofiev, N. Sidorov, V. Muraviev, V. Bryzgine) 38"41. **87** *1* USA (McRae, McNeil, Glance, Lewis) 37"90. *2* URSS (Evgeniev, Bryzgin, Murayev, Krylov) 38"02. *3* Jamaïque (Mair, Smith, Wright, Stewart) 38"41. **4 × 400 m.** 83 *1* U.R.S.S. (S. Lovatchev, A. Trochilo, N. Chernetsky, V. Markin) 3'00"79. *2* All. féd. (E. Skamrahl, J. Vaihinger, H. Schmid, H. Weber) 3'01"83. *3* G.-B. (A. Bennett, G. Cook, T. Bennett, P. Brown) 3'03"53. **87** *1* U.S.A. (Everett, Haley, Reynolds, McKay). 2'57"29. *2* G.-B. (Redmond, Akabusi, Black, Brown) 2'58"86. *3* Cuba (Penalver, Pavo, Martinez, Hernandez) 2'59"16. **20 km marche. 83** *1* E. Canto[33] 1 h 20'49". *2* J. Pribilinec[15] 1 h 20'59". *3* E. Yevsukov[2] 1 h 21'06". **87** *1* Damilano[11] 1 h 20'45". *2* Pribilinec[15] 1 h 21'7". *3* Marin[19] 1 h 21'24". **50 km. 83** *1* R. Weigel[7] 3 h 43'08". *2* J. Marin[19] 3 h 46'42". *3* S. Iung[2] 3 h 49'03". **87** *1* Gauder[7] 3 h 40'53". *2* Weigel[7] 3 h 41'30". *3* Ivanenko[2] 3 h 44'2".

• **Dames. 100 m. 83** *1* M. Goehr[7] 10"97. *2* M. Koch[7] 11"02. *3* D. Williams[34] 11"06. **87** *1* Gladisch[7] 10"90. *2* Dreschler[7] 11". *3* Ottey[24] 11"04. **200 m. 83** *1* M. Koch[7] 22"13. *2* M. Ottey[24] 22"19. *3* K. Cook[4] 22"37. **87** *1* Gladisch[7] 21"74. *2* Griffith[1] 21"96. *3* Ottey[24] 22"06. **400 m. 83** *1* J. Kratochvilova[15] 47"99. *2* T. Kocembova[15] 49"59. *3* M. Piningina[2] 49"19. **87** *1* Bryzgina[2] 49"38. *2* Mueller[7] 49"94. **90** *1* Pérec 49"13. **800 m. 83** *1* J. Kratochvilova[15] 1'54"68. *2* L. Gurina[2] 1'56"11. *3* E. Podkopaeva[2] 1'57"58. **87** *1r* Wodars[7] 1'55"26. *2* Wachtel[7] 1'55"32. *3* Gurina[2] 1'55"56. **1 500 m. 83** *1* M. Decker[1] 4'00"90. *2* Z. Zaitseva[2] 4'01"19. *3* E. Podkopaieva[2] 4'02"25. **87** *1* Samolenko 3'58"56. *2* Koerner[7] 3'58"67. *3* Gasser[10] 3'59"06. **3 000 m. 83** *1* M. Decker[1] 8'34"62. *2* B. Kraus[6] 8'35"11. *3* T. Kazankina[2] 8'35"13. **87** *1* Samolenko[2] 8'38"73. *2* Pulca[20] 8'39"45. *3* Bruns[7] 8'40"30. **10 000 m. 87** *1* Kristiansen[35] 31'5"85. *2* Zhupieva[2] 31'9"40. *3* Ullrich[7] 31'11"34. **Marathon. 83** *1* G. Waitz[35] 2 h 28'09". *2* M. Dickerson[1] 2 h 31'09". *3* R. Smekhnova[2] 2 h 31'13". **87** *1r* Mota[23] 2 h 25'17", *2* Ivanova[2] 2 h 32'38", *3* Villeton[3] 2 h 32'53". **100 m haies. 83** *1* B. Jahn[7] 12"35. *2* K. Knabe[7] 12"42. *3* Zagortcheva[17] 12"62. **87** *1* Zagorcheva[17] 12"34. *2* Uibel[7] 12"44. *3* Oschkenat[7] 12"46. **400 m haies. 83** *1* E. Fessenko[2] 54"14. *2* A. Ambrozene[2] 54"15. *3* E. Fiedler[7] 54"55. **87** *1* Busch[7] 53"62. *2* Flintoff-King[28] 54"19. *3* Ulrike[7] 54"31.

Hauteur (en m). 83 *1* T. Bykova[2] 2,01. *2* U. Meyfarth[6] 1,99. *3* I. Ritter[1] 1,95. **87** *1* Kostadinova[17] 2,09. *2* Bykova[2] 2,04. *3* Beyer[7] 1,99. **Longueur (en m). 83** *1* H. Daute[7] 7,27. *2* A. Cusmir[20] 7,15. *3* C. Lewis[1] 7,04. **87** *1* Joyner-Kersee[1] 7,36. *2* Belevskaya[2] 7,14. *3* Dreschler[7] 7,13. **Poids (en m). 83** *1* H. Fibingerova[15] 21,05. *2* H. Knorrscheidt[7] 20,70. *3* I. Slupianek[7] 20,56. **87** *1* Lisovskaia[2] 21,24. *2* Neimke[7] 21,21. *3* Mueller[7] 20,76. **Disque (en m). 83** *1* M. Opitz[7] 68,94. *2* G. Murachova[2] 67,44 m. *3* M. Petkova[17] 66,44. **87** *1* Hellmann[7] 71,62. *2* Gansky[7] 70,12. *3* Khristova[17] 68,82. **Javelot (en m). 83** *1* T. Liliak[14] 70,82. *2* F. Whitbread[4] 69,14. *3* A. Verouli[22] 65,72. **87** *1* Whitbread[4] 76,64. *2* Felke[7] 71,76. *3* Peters[6] 68,82. **Heptathlon (en points). 83** *1* R. Neubert[7] 6 714. *2* S. Paetz[7] 6 652. *3* A. Vater[7] 6 532. **87** *1* Joyner[1] 7 128. *2* Nikitina[2] 6 564. *3* Frederick[1] 6 502.

4 × 100 m. 83 *1* All. dém. (S. Gladisch, M. Koch, I. Auesswald, M. Goehr) 41"76. *2* G.-B. (J. Baptiste, K. Cook, B. Callender, S. Thomas) 42"71. *3* Jamaïque (L. Hodges, J. Pusey, J. Cuthbert, M. Ottey) 42"73. **87** *1* USA (Brown, Williams, Griffith, Marshall) 41"58. *2* All. dém. (Gladisch, Oschkenat, Behrendt, Goehr) 41"95. *3* U.R.S.S. (Silusar, Pomoschnikova, German, Antonova) 42"33. **4 × 400 m.** 83 *1* All. dém. (K. Walther, S. Busch, M. Koch, D. Rubsam) 3'19"*73*. *2* Tchécosl. (T. Kocembova, Z. Moravcikova, M. Matejkovicova, J. Kratochvilova) 3'20"32. *3* URSS (E. Korban, M. Ivanova, I. Baskakova, M. Piningina) 3'21"*16*. **87** *1* All. dém. (Neubauer, Emmelmann, Mueller, Busch) 3'18"63. *2* URSS (Turchenko, Butnik, Nazarova, Pinigina, Bryzgina) 3'19"50. *3* USA (Dixon, Howard, Bricco, Leatherwood) 3'21"04. **10 km marche. 87** *1* Strakhova[2] 44'12"04. *2* Saxby[28] 44'23". *3* Yan[30] 44'42".

Coupe du Monde

Créée 1977, tous les 2 ans jusqu'en 1981 ; tous les 4 ans ensuite. *Équipes :* USA, 2 premiers pays de la Coupe d'Europe des Nations, Amérique, Afrique, Asie, Océanie et « reste de l'Europe ».

Hommes. 1979 *1* USA 119 pts. *2* Europe 112. *3* All. dém. 108. **81** *1* Europe 147. *2* All. dém. 130. *3* USA 127. **85** *1* USA 123, *2* All. dém. 113, *3* URSS 111. **89** *1* USA 133, *2* Europe 127, *3* G.-B 119. **Dames. 1979** *1* All. dém. 105 pts. *2* URSS 97. *3* Europe 96. **81** *1* All. dém. 120,5. *2* Europe 110. *3* URSS 98. **85** *1* All. dém. 121, *2* URSS 105,5, *3* Europe 86. **89** *1* All. dém. 124, *2* URSS 106, *3* USA 94

Coupe d'Europe des Nations

Créée 1965, actuellement tous les 2 ans.

Hommes. 1965 *1* URSS *2* All. féd. *3* Pologne. **1967** *1* URSS *2* All. dém. *3* All. féd. **70** *1* All. dém. *2* URSS *3* All. féd. **1973** *1* URSS *2* All. dém. *3* All. féd. **75** *1* All. dém. *2* URSS *3* Pologne. **77** *1* All. dém. *2* All. féd. *3* URSS **79** *1* All. dém. *2* URSS *3* All. féd. **81** *1* All. dém. *2* URSS *3* G.-B. **83** *1* All. dém. *2* URSS *3* All. féd. **85** *1* URSS *2* All. dém. *3* All. féd. **87** *1* URSS *2* All. dém. *3* G.-B. **89** *1* G.-B. *2* All. dém. *3* URSS **91** *1* URSS, *2* G.-B., *3* All.

Dames. 1965 *1* URSS *2* All. dém. *3* Pologne. **67** *1* URSS *2* All. dém. *3* All. féd. **70** *1* All. dém. *2* All. féd. *3* URSS **73** *1* All. dém. *2* URSS *3* Bulgarie. **75** *1* All. dém. **77** *1* All. dém. *2* URSS *3* G.-B. **79** *1* All. dém. *2* URSS *3* Bulgarie. **81** *1* All. dém. *2* URSS *3* All. féd. **83** *1* All. dém. *2* URSS *3* Tchéc. **85** *1* URSS *2* All. dém. *3* G.-B. **87** *1* All. dém. **89** *1* All. dém. *2* URSS 3e G.-B. **91** *1* URSS, *2* All., *3* G.-B.

Championnats d'Europe en plein air

Créés en 1932, 1res épreuves en 1934. Tous les 4 ans. Alternent avec les J.O. Au moment de la création de la Coupe d'Europe, ont été placés les années impaires, puis replacés tous les 4 ans.

• **Hommes. 100 mètres. 58** Hary[6] 10"3. **62** Piquemal[3] 10"4. **66** Maniak[8] 10"5. **69** Borzov[2] 10"4. **71** Borzov[2] 10"3. **74** Borzov[2] 10"27. **78** Mennea[11] 10"27. **82** Emmelmann[7] 10"21. **86** Christie[4] 10"15. **90** Christie[4] 10" **200 m. 58** Germar[6] 21"2. **62** Jonsson[9] 20"7. **66** Bambuck[3] 20"9. **69** Clerc[10] 20"6. **71** Borzov[2] 20"3. **74** Mennea[11] 20"60. **78** Mennea[11] 20"16. **82** Prenzler[7] 20"46. **86** Krylov[2] 20"52. **90** Regis[4] 20"11 **400 m. 58** Wrighton[4] 46"3. **62** Brightwell[4] 45"9. **66** Gredzinski[8] 46". **69** Werner[8] 45"7. **71** Jenkins[4] 45"5. **74** Honz[6] 45"04. **78** Hofmeister[6] 45"73. **82** Weber[6] 44"72. **86** Black[4] 44"59. **90** Black[4] 45"08. **800 m. 58** Rawson[4] 1'47"8. **62** Matuchewski[7] 1'50"5. **66** Matuchewski[7] 1'45"9. **69** Fromm[7] 1'45"9. **71** Arzhanov[2] 1'45"6. **74** Susanj[13] 1'44"1. **78** Beyer[7] 1'43"80. **82** Ferner[6] 1'46"33. **86** Coe[4] 1'44"50. **90** McKean[4] 1'44"76. **1 500 m. 58** Hewson[4] 3'41"9. **62** Jazy[3] 3'40"9. **66** Tummler[6] 3'41"9. **69** Whetton[4] 3'39"4. **71** Arese[11]

Barème de cotation des épreuves sportives des concours d'entrée aux grandes écoles militaires pour les garçons et, en italique, pour les filles [1]

NOTE	80 m	100 m	600 m	1 000 m	Saut en hauteur (en m)		Lancer de poids (en m)		Grimper		Natation [2]	
									6 m	5 m		
20	*10"7*	11"6	*1'47"*	2'45"9	1,73	*1,40*	14,56	*9,96*	5"4	*5"4*	31"3	*40"4*
19	*10"9*	11"8	*1'49"2*	2'49"3	1,69	*1,36*	13,73	*9,39*	5"8	*5"8*	32"3	*41"7*
18	*11"1*	12"	*1'51"5*	2'52"9	1,64	*1,33*	12,95	*8,86*	6"2	*6"2*	33"4	*43"1*
17	*11"2*	12"2	*1'53"7*	2'56"6	1,60	*1,30*	12,21	*8,35*	6"6	*6"7*	34"4	*44"5*
16	*11"4*	12"4	*1'56"*	3'00"2	1,56	*1,26*	11,51	*7,88*	7"1	*7"2*	35"6	*45"9*
15	*11"6*	12"6	*1'58"3*	3'04"	1,52	*1,23*	10,86	*7,43*	7"7	*7"7*	36"7	*47"4*
14	*11"8*	12"8	*2'00"8*	3'07"9	1,48	*1,20*	10,24	*7,00*	8"2	*8"3*	37"9	*49"*
13	*12"*	13"	*2'03"3*	3'11"9	1,44	*1,17*	9,65	*6,60*	8"8	*8"9*	39"1	*50"5*
12	*12"2*	13"3	*2'05"8*	3'16"	1,40	*1,13*	9,10	*6,23*	9"5	*9"6*	40"4	*52"2*
11	*12"4*	13"5	*2'08"4*	3'20"1	1,36	*1,11*	8,58	*5,87*	10"2	*10"3*	41"7	*53"8*
10	*12"6*	13"7	*2'11"*	3'24"4	1,33	*1,08*	8,09	*5,54*	11"	*11"1*	43"1	*55"6*
9	*12"8*	13"9	*2'13"8*	3'28"8	1,30	*1,05*	7,63	*5,22*	11"8	*12"*	44"5	*57"4*
8	*13"*	14"2	*2'16"4*	3'33"2	1,26	*1,02*	7,20	*4,92*	12"7	*12"9*	45"9	*59"2*
7	*13"3*	14"4	*2'19"2*	3'37"8	1,23	*0,99*	6,79	*4,64*	13"6	*13"9*	47"	*1'01"1*
6	*13"5*	14"7	*2'22"1*	3'42"6	1,20	*0,97*	6,40	*4,38*	14"6	*14"9*	49"	*1'03"1*
5	*13"7*	14"9	*2'25"1*	3'47"3	1,17	*0,94*	6,03	*4,13*	15"7	*16"1*	50"5	*1'05"1*
4	*13"9*	15"2	*2'28"1*	3'52"1	1,13	*0,92*	5,69	*3,89*	16"8	*17"3*	52"2	*1'07"2*
3	*14"2*	15"4	*2'31"2*	3'57"1	1,11	*0,90*	5,37	*3,69*	6 m	*18"6*	53"8	*1'09"4*
2	*14"4*	15"7	*2'34"3*	4'02"3	1,08	*0,88*	5,06	*3,46*	5,5 m	*5 m*	55"6	*1'11"6*
1	*14"7*	16"	*2'37"5*	4'07"5	1,05	*0,86*	4,77	*3,26*	5 m	*4,5 m*	57"4	*1'13"9*

Nota. – (1) En cas de performance intermédiaire, arrondir systématiquement au nombre entier correspondant à la performance immédiatement inférieure et coté sur la table des barèmes. (2) 50 m nage libre.

3'38"4. **74** Justus [7] 3'40"6. **78** Ovett [4] 3'35"60. **82** Cram [4] 3'36"49. **86** Cram [4] 3'41"09. **90** Herold [7] 3'28"25. **5 000 m. 58** Kryzkowiak [8] 13'53"4. **62** Tulloh [4] 13'40"6. **66** Jazy [3] 13'42"8. **69** Stewart [4] 13'44"8. **71** Vaatainen [14] 13'32"6. **74** Foster [4] 13'17"2. **78** Ortis [11] 13'28"50. **82** Wessinghage [6] 13'28"90. **86** Buckner [4] 13'10"15. **90** Antibo [11] 13'22" **10 000 m. 58** Kryzkowiak [8] 28'56". **62** Bolotnikov [2] 28'54". **66** Haase[7] 28'26". **69** Haase [7] 28'41"6. **71** Vaatainen [14] 27'52"8. **74** Kuschman [7] 28'25"8. **78** Vaino [14] 27'31". **82** Cova [11] 27'41"03. **86** Mei [11] 27'56"79. **90** Antibo [11] 27'41"27. **Marathon. 58** Popov [2] 2 h 15'17". **62** Kilby [4] 2 h 23'18". **66** Hogan [4] 2 h 20'4". **69** Hill [4] 2 h 16'47". **71** Lismont [16] 2 h 13'9". **74** Thompson [4] 2 h 13'18". **78** Mosseiev [2] 2 h 11'57"5. **82** Nijboer [5] 2 h 15'16". **86** Bordin [11] 2 h 10'54". **90** Bordin [11] 2 h 14'02".

110 m haies. 58 Lauer (All.) 13"7. **62** Mikhailov [2] 13"8. **66** Ottoz [11] 13"7. **69** Ottoz [11] 13"5. **71** Siebeck [7] 14". **74** Drut [3] 13"40. **78** Munkelt [7] 13"54. **82** Munkelt [7] 13"41. **86** Caristan [3] 13"20. **90** Jackson [4] 13"18. **400 m haies. 58** Lituiev [2] 51"1. **62** Morale [11] 49"3. **66** Frinolli [11] 49"8. **69** Skomorokhov [2] 49"7. **71** Nallet [3] 49"2. **74** Pascoe [4] 48"82. **78** Schmidt [6] 48"51. **82** Schmidt [6] 47"48. **86** Schmid [6] 48"65. **90** Akabusi [4] 47"92. **3 000 m steeple. 58** Chromik [8] 8'38"2. **62** Roelants [16] 8'32"9. **66** Kudynski [2] 8'26"6. **69** Zelev [17] 8'25"2. **71** Villain [3] 8'25"2. **74** Malinowski [8] 8'15". **78** Malinowski [8] 8'15"10. **82** Ilg [6] 8'18"52. **86** Meltzer [7] 8'16"65. **90** Panetta [11] 8'12"66. **4 × 100 m. 58** All. 40"2. **62** All. 39"5. **66** France 39"4. **69** France 38"8. **71** Tchéc. 39"3. **74** France 38"69. **78** Pologne 38"58. **82** URSS 38"60. **86** U.R.S.S. 38"29. **90** France 37"79. **4 × 400 m. 58** G.-B. 3'7"9. **62** All. 3'5"8. **66** Pol. 3'4"5. **69** France 3'2"3. **71** All. féd. 3'2"9. **74** G.-B. 3'3"3. **78** All. féd. 3'02"00. **82** All. féd. 3'00"51. **86** G.-B. 2'59"84. **90** G.-B. 2'58"22.

Hauteur (en m). 58 Dahl [14] 2,12. **62** Brumel [2] 2,21. **66** Madubost [3] 2,12. **69** Gavrilov [2] 2,17. **71** Chapka [2] 2,20. **74** Toerring [18] 2,25. **78** Yatchenko [2] 2,30. **82** Moegenburg [6] 2,30. **86** Paklin [2] 2,34. **90** Topic [13] 2,34. **Perche (en m). 58** Landstrœm [14] 4,50. **62** Nikula [14] 4,80. **66** Nordwig [7] 5,10. **69** Nordwig [7] 5,30. **71** Nordwig [7] 5,35. **74** Kichkune [2] 5,35. **78** Trofimenko [2] 5,55. **82** Krupsky [2] 5,60. **86** Bubka [2] 5,85. **90** Gatauline [2] 5,85. **Longueur (en m). 58** Ter Ovanessian [2] 7,81. **62** Ter Ovanessian [2] 8,19. **66** Davies [4] 7,98. **69** Ter Ovanessian [2] 8,17. **71** Klauss [7] 7,92. **74** Podluzny [2] 8,12. **78** Rousseau [3] 8,18. **82** Dombrowski [7] 8,41. **86** Emmian [2] 8,41. **90** Haaf [6] 8,25. **Triple saut (en m). 58** Szmidt [8] 16,43. **62** Szmidt [8] 16,55. **66** Stoïkovski [17] 16,67. **69** Saneev [2] 17,34. **71** Drehmel [1] 17,16. **74** Saneev [2] 17,23. **78** Srejovic [13] 16,94. **82** Connor [4] 17,29. **86** Markov [17] 17,66. **90** Voloshin [2] 17,74. **Poids (en m). 58** Rowe [4] 17,76. **62** Varju [12] 19,02. **66** Varju [12] 19,43. **69** Hoffmann [7] 20,12. **71** Briesenick [7] 21,08. **74** Briesenick [7] 20,50. **78** Beyer [7] 21,08. **82** Beyer [7] 21,50. **86** Guenthoer [10] 22,82. **90** Timmermann [7] 21,32 **Disque (en m). 58** Piatkowski [8] 53,92. **62** Trusseniev [2] 57,11. **66** Thorith [7] 57,42. **69** Losch [7] 62,62. **71** Danek [15] 63,90. **74** Kahma [14] 63,62. **78** Schmidt [7] 66,82. **82** Bugar [15] 66,64. **86** Ubartas [2] 67,08. **90** Schult [7] 64,58. **Marteau (en m). 58** Rut [8] 64,68. **62** Szyvotski [2] 69,64. **66** Klim [2] 70,02. **69** Bondartchuk [2] 74,58. **71** Beyer [6] 72,36. **74** Spiridonov [2] 74,70. **78** Sedykh [2] 77,28. **82** Sedykh [2] 81,66. **86** Sedykh [2] 86,74. **90** Astapkovich [2] 84,14. **Javelot (en m). 58** Sildo [8] 80,18. **62** Lusis [2] 82,04. **66** Lusis [2] 84,48. **69** Lusis [2] 91,52. **71** Lusis [2] 90,68. **74** Siitonen [14] 89,58. **78** Wessing [6] 89,12. **82** Hohn [7] 91,34. **86** Tafelmeier [6] 84,76. **90** Backley [4] 87,30. **20 km marche. 58** Vickers [4] 1 h 33'09". **62** Matthews [4] 1 h 35'54". **66** Lindner [7] 1 h 29'25". **69** Nihill [4] 1 h 30'49". **71** Smaga [2] 1 h 2'22". **74** Golubnichy [2] 1 h 29'30". **78** Wieser [7] 1 h 23'11"5. **82** Marin [19] 1 h 23'43". **86** Pribilinec [15] 1 h 21'15". **90** Blazek [15] 1 h 22'05" **50 km marche. 58** Mazinkov [2] 4 h 17'15". **62** Pamich [11] 4 h 18'42". **66** Pamich [11] 4 h 18'42". **69** Hoehne [5] 4 h 13'32". **71** Soldatenko [2] 4 h 2'22". **74** Hoehne [7] 3 h 59"5. **78** Llopart [19] 3 h 53'29"9. **82** Salonen [14] 3 h 55'29". **86** Gauder [7] 3 h 40'55". **90** Perlov [2] 3h 54'36"

Décathlon (en points). 58 Kuznetzov [2] 7 865. **62** Kuznetzov [2] 8 206. **66** Von Moltke [6] 7 740. **69** Kirst [7] 8 401. **71** Kirst [7] 8 195. **74** Skowronek [8] 8 200. **78** Grebeniuk [2] 8 340. **82** Thompson [4] 8 743. **86** Thompson [4] 8 811. **90** Plaziat [3] 8574.

• **Dames. 100 mètres. 58** Young [2] 11"7. **62** Hyman [4] 11"3. **66** Klobukowska [8] 11"5. **69** Vogt [7] 11"6. **71** Stecher [7] 11"4. **74** Szewinzka [8] 11"01. **78** Goehr-Oelsner [7] 11"13. **82** Goehr [7] 11"1. **86** Goehr [7] 10"91. **90** Krabbe [7] 10"89. **200 m. 58** Janiszewska [8] 24"01. **62** Heine [7] 23"5. **66** Kirzenstein [8] 23"1. **69** Vogt [7] 23"2. **71** Stecher [7] 22"7. **74** Szewinska [8] 22"5. **78** Kondratieva [2] 22"52. **82** Woeckel [7] 22"04. **86** Dreschler [7] 21"71. **90** Krabbe [7] 21"45. **400 m. 58** Itkina [2] 53"7. **62** Itkina [2] 53"4. **66** Chmelkova [15] 52"9. **69** Duclos [3] 51"7. **71** Seidler [7] 52"1. **74** Salin [14] 50"1. **78** Koch [7] 48"94. **82** Koch [7] 48"15. **86** Koch [7] 48"22. **90** Breuer [7] 49"50. **800 m. 58** Yermolayeva [2] 2'06"3. **62** Kraan [5] 2'02"8. **66** Nikolic [12] 2'02"8. **69** Board [4] 2'01"4. **71** Nikolic [13] 2". **74** Tomova [17] 1'58"1. **78** Providokhina [2] 1'55"8. **82** Mineieva [2] 1'55"41. **86** Olizarenko [2] 1'57"15. **90** Wodars [7] 1'55"87. **1 500 m. 69** Jehlickova [15] 4'10"7. **71** Burneleit [7] 4'09"6. **74** Hoffmeister [7] 4'02". **78** Romanova [2] 3'59". **82** Dvirna [2] 3'57"8. **86** Agletdinova [2] 4'01"19. **90** Pajkic [13] 4'08"12. **3 000 m. 74** Holmen [14] 8'55"2. **78** Ulmasova [2] 8'33"2. **82** Ulmasova [2] 8'30"28. **86** Bondarenko [2] 8'33"99. **90** Murray [4] 8'43"06. **10 000 m. 86** Kristiansen [35] 30'23"25. **90** Romanova [2] 31'46"83. **80 m haies. 58** Bustrova [2] 10"9. **62** Ciepla [8] 10"6. **66** Balzer [7] 10"7. **100 m haies. 69** Balzer [7] 13"3. **71** Balzer [7] 12"9. **74** Erhardt [7] 12"7. **78** Klier [7] 12"62. **82** Kalek [8] 12"45. **86** Donkova [17] 12"38. **90** Éwanje-Épée [3] 12"79. **400 m haies. 78** Zelentsova [2] 45"89. **82** Skoglund [9] 54"58. **86** Stepanova [2] 53"32. **90** Ledovskaya [2] 53"62.

Hauteur (en m). 58 Balas [20] 1,77. **62** Balas [20] 1,83. **66** Tchenchik [2] 1,75. **69** Rezkova [15] 1,83. **71** Gusenbauer [21] 1,87. **74** Witschas [7] 1,95. **78** Simeoni [11] 2,01. **82** Meyfarth [6] 1,97. **86** Kostadinova [17] 2. **90** Henkel [2] 1,99. **Longueur (en m). 58** Jakobi [6] 6,14. **62** Chelkanova [2] 6,37. **66** Kirszenstein [8] 6,55. **69** Sarna [8] 6,49. **71** Mickler [6] 6,76. **74** Bruzsenyak [12] 6,65. **78** Bardauskene [2] 6,88. **82** Ionescu [20] 6,79. **86** Dreschler [7] 7,27. **90** Drechsler [7] 7,30. **Poids (en m). 58** Werner [6] 15,74. **62** Prfiess [2] 18,55. **66, 69, 71, 74** Chizova [2] 17,22, 20,43 m, 20,16, 20,78. **78** Splupianek 21,41. **82** Slupianek [7] 21,59. **86** Krieger [7] 21,10. **90** Kumbernuss [7] 20,38. **Disque (en m). 58** Press [2] 52,32. **62** Press [2] 56,91. **66** Spielberg [7] 57,76. **69** Danilova [2] 59,28. **71** Myelnik [2] 64,22. **74** Myelnik [2] 69. **78** Jahl [7] 66,98. **82** Christova [17] 68,34. **86** Sachse [7] 71,36. **90** Willuda [7] 68,46. **Javelot (en m). 58** Zatopkova [15] 56,02. **62** Ozolina [2] 54,93. **66** Luttge [7] 58,74. **69** Ranky [12] 56,76. **71** Jaworska [8] 61. **74** Fuchs [7] 67,22. **78** Fuchs [7] 69,16. **82** Verouli [22] 70,02. **86** Whitbread [4] 76,32. **90** Alfrantti [14] 67,68. **Pentathlon (en points). 58** Bystrova [2] 4 733. **62** Bystrova [2] 4 833. **66** Tikhomirova[2] 4 787. **69** Prokop [21] 5 030. **71** Rosendahl [6] 5 299. **74** Tkachenko [2] 4 776. **78** Papp [12] 4 655. **Heptathlon (en points). 82** Neubert [7] 6 622. **86** Behmer [7] 6 617 pts. **90** Braun [6] 6688.

4 × 100 m. 58 URSS 45"3. **62** Pologne 44"5. **66** Pologne 44"4. **69** All. dém. 43"6. **71** All. féd. 43"3. **74** All. dém. 42"5. **78** URSS 42"54. **82** All. dém. 42"19. **86** All. dém. 41"84. **90** All. dém. 41"68. **4 × 400 m. 69** G.-B. 3'30"8. **71** All. dém. 3'29"3. **74** All. dém. 3'25"2. **78** All. dém. 3'21"2. **82** All. dém. 3'19"04. **86** All. dém. 3'16"87. **90** All. dém. 3'21"02' **Marathon. 82** Mota [23] 2 h 36'04". **86** Mota [23] 2 h 28'38". **90** Mota [23] 2 h 31'27" **10 km marche. 86** Diaz [19] 46'9". **90** Sidoti [11] 44'.

Championnats de France en plein air

En France, les premières compétitions furent organisées vers 1880 par les élèves des lycées Condorcet et Rollin dans la salle des Pas-Perdus de la gare St-Lazare. Les Ch. de France masculins furent créés le 29-4-1888 (féminins 1918).

• **Hommes. 100 m 79** Lejoncour. **80** Panzo. **81, 82, 83** Richard. **84** Marie-Rose. **85, 86** Richard. **87, 88** Morinière. **89** Marie-Rose. **90, 91** Sangouma. **200 m 78, 79** Barré. **80** Arame. **81** Barré. **82** Lomba. **83, 84** Boussemart. **85** Richard. **86, 87** Marie-Rose. **88** Trouabal. **89** Quénehervé. **90, 91** Trouabal. **400 m 78, 79** Demarthon. **80** Dubois. **81** Bourdin. **82** Barré. **83** Canti. **84** Quentrec. **85** Canti. **86, 87** Quentrec. **88** Barré. **89, 90, 91** Noirot. **800 m 78, 79, 80** Milhau. **81** Dupont. **82** Marajo. **83, 84, 85** Dupont. **86** Diomar. **87** Collard. *88* Diomar. **89** Vialette. **90** Sillé. **91** Nkasamyampi. **1 500 m 78, 79** F. Gonzalez. **80** Bégouin. **81, 82** A. Gonzalez. **83** Dien. **84, 85, 86** Thiébaut. **87** Geoffroy. **88, 89, 90** Phélippeau. **91** Nunige. **5 000 m 79** Coux. **80** Legrand. **81** Bouster. **82** Boxberger. **83** Watrice. **84** F. Gonzalez. **85** Prianon. **86, 87, 88** Arpin. **89** Clouvel. **90** Prianon. **91** Béhar. **10 000 m 78** Bouster. **79** Coux. **80, 81** Bouster. **82, 83, 84** Legrand. **86** Prianon. **87** Legrand. **88** Pantel. **89** Bernard. **90** Arpin. **91** Istweire. **Marathon 78** Gomez. **79, 80** Bobes. **81** Chauvellier. **82** Faure. **83** Lazare. **84, 85** Joannès. **86** Lazare. **87** Padel. **88** Rachide. **89** Watrice. **110 m haies 78, 79** Raybois. **80** Drut. **81, 82** Hatil. **83, 84, 85, 86** Caristan. **87** Aubert. **88, 89, 90** Tourret. **91** Philibert. **400 m haies 79, 80** Chazot. **81, 82** Guillen. **83, 84** Brunel. **85** Gui. **86** Gonigam. **87** Vimbert. **88** Gui. **89** Niaré. **90** Diagana. **91** Dia Ba. **3 000 m steeple 78** Lemire. **79** Gauthier. **80, 81, 82, 83, 84, 85** Mahmoud. **86** Debacker. **87, 88** Pannier. **89** Mahmoud. **90, 91** Le Stum. **Hauteur 79** Agbo. **80** Tanon. **81** Bonnet. **82, 83, 84** Verzy. **85** Hernandez. **86** Verzy. **87** Gicquel. **88** Hernandez. **89** Vincent. **90** Gicquel. **91** Vincent. **Perche 78, 79** Houvion. **80** Vigneron. **81** Bellot. **82, 83, 84** Quinon. **85** Collet. **86** Vigneron. **87** Salbert. **88, 89** Collet. **90** Salbert. **91** Collet. **Longueur 79** Bohème. **80** Deroche. **81, 82** Pinabel. **83** Deroche. **84** Morinière. **85, 86, 87, 88, 89** Brige. **90** Rapnouil. **91** Lestage. **Triple saut 78** Stievenart. **79, 80** Valétudie. **81** Dorina. **82 83** Valétudie. **84, 85** René-Corail. **86, 87** Hélan. **88** Camara. **89** Hélan. **90** Camara. **91** Hélan. **Poids 78, 79** Viudes. **80** Beer. **81, 82** Viudes. **83** Djebaili. **84, 85, 86, 87, 88, 89, 90, 91** Viudes. **Disque 78, 79, 80, 81** Piette. **82, 83** Niare. **84** Coquin. **85** Niaré. **86** Sellé. **87** Avédissian. **88, 89, 90** Journoud. **91** Selle. **Marteau 79** Accambray. **80, 81, 82** Suriray. **83, 84, 85, 86, 87** Ciofani. **88, 89** Khun. **90, 91** Piolanti. **Javelot 78, 79** Lutui. **80** Leroy. **81, 82** Lutui. **83, 84** Lakafia. **85** Lécurieux. **86** Bertimon. **87, 88, 89, 90, 91** Lefèvre. **20 000 m marche 78, 79, 80, 81, 82, 83, 84** Lelièvre. **85** Lafleur. **86, 87, 88** Fesselier. **89, 90, 91** Toutain. **50 km marche 78** Guebey. **79, 80, 81, 82, 83** Lelièvre. **84** Guebey. **86** Neisse. **87** Terraz. **88** Toutain. **89** Piller. **100 km marche 81, 82** Lelièvre. **83** Labbé. **84** Lelièvre. **85** Laval. **86** Niesse. **87** Terraz. **88** Piller. **89** Toussaint. **Décathlon 78** Leroy. **79** Delaune. **80** Sommero. **81** Leroy. **82, 83** Claverie. **84** Sacco. **86** Blondel. **87, 88, 89** Plaziat. **90** Rapnouil. **91** Motti. **Pentathlon 86** Sacco. **Heptathlon 90** Plaziat.

• **Dames. 100 m 78, 79, 80** Réga. **81, 82, 83** Bacoul. **84** Loval. **85** Cazier. **86, 87, 88, 89, 90** Bily. **200 m 78, 79, 80** Réga. **81, 82, 83** Bacoul. **84** Gaschet. **85, 86, 87, 88** Cazier. **89** Singa. **90** Ficher. **400 m 79** Delachanal. **80, 81** Malbranque. **82** Champenois. **83, 84** Naigre. **85** Ficher. **86** Simon. **87** Ficher.

Records du Monde, d'Europe et de France. Hommes et Dames en plein air (au 28-8-91)

Épreuves	Monde		Europe		France	
Hommes						
100 m	9"86	Carl Lewis (USA 91).	9"92	Linford Christie (G.-B. 91)	10"02	Daniel Sangouma (COLU 90).
200 m	19"72	Pietro Mennea (Italie 79).	19"72	Pietro Mennea (Italie 79).	20"16	Gilles Quénéhervé (Racing CF 87).
400 m	43"29	Harry Reynolds (USA 88)	44"33	Thomas Schoenlebe (All. dém. 87).	45"07	Olivier Noirot (ASPTT B).
800 m	1'41"73	Sebastian Coe (G.-B. 81).	1'41"73	Sebastian Coe (G.-B. 81).	1'43"9	José Marajo (Stade fr. 79).
1 000 m	2'12"18	Sebastian Coe (G.-B. 81).	2'12"18	Sebastian Coe (G.-B. 81).	2'16"6	Philippe Collard (CSC Grand Croix 86).
1 500 m	3'29"46	Saïd Aouita (Maroc 85).	3'29"67	Steve Cram (G.-B. 85).	3'33"54	Hervé Phélippeau (APV 90).
Mile	3'46"32	Steve Cram (G.-B. 85).	3'46"32	Steve Cram (G.-B. 85).	3'50"98	José Marajo (Stade fr. 83).
2 000 m	4'50"81	Saïd Aouita (Maroc 87).	4'51"39	Steve Cram (G.-B. 85).	4'56"2	Michel Jazy (CAM 66).
3 000 m	7'29"45	Saïd Aouita (Maroc 89).	7'32"79	David Moorcroft (G.-B. 82).	7'37"74	Cyrille Laventure (ES Nanterre 90).
5 000 m	12'58"39	Saïd Aouita (Maroc 87).	13'00"41	David Moorcroft (G.-B. 82).	13'14"60	Pascal Thiébaut (ASPTT Nancy 87).
10 000 m	27'08"23	Arturo Barrios (Mex. 89).	27'13"81	Fernando Mamede (Port. 84).	27'31"16	Thierry Pantel (CMSA 90).
20 000 m	56'54"6	Arturo Barrios (Mex. 91).	57'18"4	Dionisio Castro (Port. 90).	58'18"4	Bertrand Itsweire (CMSA 90).
Heure	21,101 km	Arturo Barrios (Mex. 91).	20,944 km	Josephus Hermens (P.-Bas 76).	20,601 km	Bertrand Itsweire (CMSA 90).
25 000 m	1 h 13'55"8	Toshihiko Seko (Japon 81).	1 h 14'16"8	Pekka Paivarinta (Finl. 75).	1 h 16'03"8	Fernand Kolbeck (ASPTT Strabourg 73).
30 000 m	1 h 29'18"8	Toshihiko Seko (Japon 81).	1 h 31'30"4	Jim Alder (G.-B. 70).	1 h 33'28"9	Bernard Faure (ES Trélissac 83).
110 m haies	12"92	Roger Kingdom (USA 89).	13"08	Colin Jackson (G.-B. 90).	13"20	Stéphane Caristan (US Créteil 86).
400 m haies	47"02	Edwin Moses (USA 83).	47"48	Harald Schmid (All. féd. 82).	48"92	Stéphane Diagana (SA Franconville 90).
3 000 m steeple	8'05"35	Peter Koech (Kenya 89).	8'07"62	Joseph Mahmoud (Fr. 84).	8'07"62	Joseph Mahmoud (CMS Marignane 84).
Hauteur	2,44 m	Javier Sotomayor (Cuba 89)	2,42 m	Patrik Sjoeberg (Suède 87).	2,32 m	Frank Verzy (P.L. Pierre-Bénite 83).
Perche	6,09 m	Sergei Bubka (URSS 91).	6,09 m	Sergei Bubka (URSS 91).	5,91 m	Thierry Vigneron (Racing CF 84).
Longueur	8,90 m	Robert Beamon (USA 68).	8,86 m	Robert Emmian (URSS 87).	8,26 m	Jacques Rousseau (Racing CF 76).
Triple saut	17,97 m	Willie Banks (USA 85).	17,92 m	Christo Markov (Bulg. 87).	17,27 m	Serge Hélan (CA Montreuil 86).
Poids	23,12 m	Randy Barnes (USA 90).	23,06 m	Ulf Timmermann (All. dém. 88).	20,20 m	Yves Brouzet (Stade fr. 73).
Disque	74,08 m	Jürgen Schult (All. dém. 86).	74,08 m	Jürgen Schult (All. dém. 86).	63,02 m	Patrick Journoud (MJC Salon 88).
Marteau	86,74 m	Yuri Sedykh (URSS 86).	86,74 m	Yuri Sedykh (URSS 86).	78,50 m	Walter Ciofani (Racing CF 85).
Javelot	96,96 m	Seppo Raty (Finl. 91).	96,96 m	Seppo Raty (Finl. 91).	84,80 m	Pascal Lefèvre (ASPTT Grenoble 90).
Décathlon	8 847 pts	Daley Thompson (G.-B. 84).	8 847 pts	Daley Thompson (G.-B. 84).	8 574 pts	Christian Plaziat (PL Pierre-Bénite 90).
4 × 100 m	37"79	Éq. nat. de France (90), Morinière, Sangouma, Trouabal, Marie-Rose.	37"79	Éq. nat de France (90), Morinière, Sangouma, Trouabal, Marie-Rose.	37"79	Éq. nat. (90), Marie-Rose, Sangouma, Trouabal, Morinière.
4 × 200 m	1'19"38	Santa Monica Track Club (89) Lewis, Everett, Burrel, Heard.	1'21"10	Éq. nat. d'Italie (83), Tilli, Simionato, Bongiorni, Mennea.	1'21"30	Sél. fr. (87), Sangouma, Boussemart, Barré, Canti.
4 × 400 m	2'56"16	Éq. nat. des U.S.A. (68) Matthews, Freeman, James, Evans.	2'58"22	Éq. nat. de G.-B. (90). Akabusi, Sanders, Black, Régis.	3'00"65	Éq. nat. (72), Berthould, Velasquez, Kerbiriou, Carette.
4 × 800 m	7'03"89	Éq. nat. de G.-B. (82), Elliot, Cook, Cram, Coe.	7'03"89	Éq. nat. de G.-B. (82), Elliot, Cook, Cram, Coe.	7'13"6	Éq. nat. (79), Sanchez, Riquelme, Dupont, Milhau.
4 × 1 500 m	14'38"8	Éq. nat. d'All. féd. (77), Wessinghage, Hudak, Lederer, Fleschen.	14'38"8	Éq. nat. d'All. féd. (77), Wessinghage, Hudak, Lederer, Fleschen.	14'48"2	Éq. nat. (79), Begouin, Lequement, Philippe, Dien.
1 heure marche	15 547 m	Josef Pribilinec (Tchéc. 86).	15 547 m	Josef Pribilinec (Tchéc. 86).	15 094 m	Gérard Lelièvre (ALCL-GQ 84).
2 heures marche	28 165 m	José Martin (Esp. 79).	28 165 m	José Martin (Esp. 79).	28 108 m	Martial Fesselier (SMA Caen 90).
10 km marche	38'48"08	Josef Pribilinec (Tchéc. 86).				
20 km marche	1 h 18'40"	Ernesto Canto (Mex. 84).	1 h 19'13"3	Ronald Weigel (All. dém. 90).	1 h 21'43"1	Martial Fesselier (SMA Caen 91).
30 km marche	2 h 04'55"7	Guillaume Leblanc (Can. 90).	2 h 06'07"3	Maurizio Damiato (It. 85).	2 h 08'50"7	Martial Fesselier (SMA Caen 90).
Marathon	2 h 06'50"	Belayneh Dinsamo (Éthiopie 88).	2 h 07'12"	Carlos Lopes (Port. 85).	2 h 10'49"	Jacky Boxberger (FCS 85).
50 km marche	3 h 37'41"	Andrei Perlov (URSS 89).	3 h 37'41"	Andrei Perlov (URSS 89).	3 h 50'39"9	J.-M. Neff (ASPTT Mulhouse 88)
Dames						
100 m	10"49	Florence Griffith-Joyner (USA 88).	10"81	Marlies Göhr (All. dém. 83).	10"96	Marie-José Pérec (Stade fr. 91).
200 m	21"34	Florence Griffith-Joyner (USA 88).	21"71	Marita Koch (All. dém. 79) et Heike Dreschler (All. dém. 86).	22"26	Marie-José Pérec (Stade fr. 91).
400 m	47"60	Marita Koch (All. dém. 85).	47"60	Marita Koch (All. dém. 85).	49"13	Marie-José Pérec (Stade fr. 91).
800 m	1'53"28	Jarmila Kratochvilova (Tchéc. 83).	1'53"28	J. Kratochvilova (Tchéc. 83).	1'59"32	Florence Giolitti (ASPTT Nice 86).
1 000 m	2'30"67	Christine Wachtel (All. dém. 90).	2'30"67	Christine Wachtel (All. dém. 90).	2'36"66	Florence Giolitti (ASPTT Nice 86).
1 500 m	3'52"47	Tatiana Kazankina (URSS 80).	3'52"47	Tatiana Kazankina (URSS 80).	4'05"78	Florence Giolitti (ASPTT Nice 87).
Mile	4'15"61	Paula Ivan (Roum. 89).	4'15"61	Paula Ivan (Roum. 89).	4'28"72	Florence Giolitti (ASPTT Nice 86).
2 000 m	5'28"69	Maricia Puica (Roum. 86).	5'28"69	Maricia Puica (Roum. 86).	5'39"	Annette Sergent (ASU Lyon 86).
3 000 m	8'22"62	Tatiana Kazankina (URSS 84).	8'22"62	Tatiana Kazankina (URSS 84).	8'38"97	M.-Pierre Duros (LPA 89).
5 000 m	14'37"33	Ingrid Kristiansen (Norv. 86).	14'37"33	Ingrid Kristiansen (Norv. 86).	15'16"44	Annette Sergent (ASU Bron 90).
10 000 m	30'13"74	Ingrid Kristiansen (Norv. 86).	30'13"74	Ingrid Kristiansen (Norv. 86).	31'51"68	Annette Sergent (ASU Bron 90).
100 m haies	12"21	Yordanka Donkova (Bulg. 88).	12"21	Yordanka Donkova (Bulg. 88).	12"56	Monique Éwanjé-Épée (US Créteil 90).
400 m haies	52"94	Marina Stepanova (URSS 87).	52"94	Marina Stepanova (URSS 87).	54"93	Chantal Réga (ESME-US Deuil 82).
4 × 100 m	41"37	Éq. nat d'All. dém. (85), Gladisch, Auerswald, Reiger, Göhr.	41"37	Éq. nat d'All. dém. (85), Gladisch, Auerswald, Reiger, Göhr.	42"68	Éq. nat. (82), Bily, Cazier, Bacoul, Gaschet.
4 × 200 m	1'28"15	Éq. nat. d'All. dém. (80), Göhr, Müller, Wöckel, Koch.	1'28"15	Éq. nat. d'All. dém. (80), Göhr, Müller, Wöckel, Koch.	1'32"17	Sél. nat. (82), Bily, Gaschet, Réga, Naigre.
4 × 400 m	3'15"17	Éq. nat. d'U.R.S.S. (88), Ledovskaïa, Nazarova, Piniguina, Bryzguina	3'15"17	Éq. nat. d' U.R.S.S. (88), Ledovskaïa, Nazarova, Piniguina, Bryzguina.	3'25"16	Éq. nat. (90), Ficher, Dorsile, Elien, Pérec.
4 × 800 m	7'50"17	Éq. nat. d'U.R.S.S. (84), Olizarenko, Gurina, Borisova, Podyalovskaya.	7'50"17	Éq. nat. d'U.R.S.S. (84), Olizarenko, Gurina, Borisova, Podyalovskaya.	8'22"	Sélect. nat. (75), Jouvhomme, Rooms, Thomas, Dubois.
5 km marche	20'17"19	Kerry Saxby (Austr. 90).	20'7"52	Beate Anders (All. dém. 90).	22'26"5	Nathalie Marchand (Racing CF 90).
10 km marche	41'56"23	Nadyezhda Ryashina (URSS 90).	41'56"23	Nadyezhda Ryashkina (URSS 90).	47'16"08	Suzanne Griesbach (AS-Str. 87).
Hauteur	2,09 m	Stefka Kostadinova (Bulg. 87).	2,09 m	Stefka Kostadinova (Bulg. 87).	1,96 m	Maryse Éwanjé-Épée (M-UC 85).
Longueur	7,52 m	Galina Christiakova (URSS 88).	7,52 m	Galina Christiakova (URSS 88).	6,79 m	Nadine Fourcade (DAC Reims 85).
Triple saut	14,54 m	Li Lui Rong (Chine 90).		à établir	13,12 m	Sylvie Borda (US Créteil 90).
Poids	22,63 m	Natalia Lissovskaia (URSS 87).	22,63 m	Natalia Lissovskaia (URSS 87).	17,45 m	Simone Créantor (Stade fr. 84).
Disque	76,80 m	Gabriela Reinsch (All. dém. 88).	76,80 m	Gabriela Reinsch (All. dém. 88).	59,04 m	Patricia Katona (ASPTT-Paris 84).
Javelot	80 m	Petra Felke (All. dém. 88).	80 m	Petra Felke (All. dém. 88).	63,30 m	Nadine Schoellkopf-Auzeil (SR-O 88).
Heptathlon	7 291 pts	Jackie Joyner-Kersee (USA 88).	7 007 pts	Larissa Nikitina (URSS 89).	6 702 pts	Chantal Beaugeant (GSM Clamart 88).
Marathon	2 h 21'06"	Ingrid Kristiansen (Norv. 85).	2 h 21'06"	Ingrid Kristiansen (Norv. 85).	2 h 29'22"	Sylvie Bornet (Stade fr. 90).

88 Perec. **89** Ficher. **90** Elien. **91** Dorsile. **800 m 79. 80** Renties. **81, 82, 83** Thoumas. **84** Giolitti. **85. 86** Thoumas. **87, 88** Gourdet. **89** Thoumas. **90** Jaunin. **91** Giolitti. **1 500 m 78, 79, 80** Renties. **81** Roussel, **82** Rush. **83** Faÿs. **84, 85** Sergent. **86** Froget. **87, 88** Demilly. **89** Duros. **90** Fates, **91** Pongérard. **3 000 m 78** Debrouwer. **79** Loir. **80, 81** Debrouwer. **82** Bouchonneau-Pajot. **83, 84, 85** Sergent. **86** Bonnet. **87, 88** Duros. **89** Fates. **90** Sergent. **91** Duros. **10 000 m 88** Lelut. **89** Loiseau. **90** Murcia. **91** Clauvel; **Marathon 80** Audibert. **81** Navarro. **82** Langlacé. **83** Lévêque. **84** Langlacé. **87** Mihailovic. **88** Poirot, **89** Houdayer. **100 m haies 79** Elloy. **80** Lebeau. **81** Chardonnet. **82** Macchabey. **83** Chardonnet. **84, 85, 86** Elloy, **87** Colle. **88** Piquereau. **89, 90, 91** M. Éwanjé-Épée. **400 m haies 78** Lairloup. **79** Laval. **80, 81** Le Disses. **82** Réga. **83, 84** Le Disses, **85** Huart. **86** Beaugant. **87, 88** Huart. **89** Pérec, **90, 91** Cazier. **Hauteur 79** Dumon. **80** Prenveille. **81** Rougeron. **82, 83, 84, 85** Éwanjé-Épée. **86** Rougeron. **87** Beaugendre. **88** Éwanjé-Épée. **89** Beaugendre. **90** Lesage. **91** BrenKusova. **Longueur 79** Gacon. **80** Curtet. **81** Madkaud, **82** Nilusmas. **83** Legrand. **84** Bonnin. **85** Debois. **86, 87, 88** Fourcade. **89** Colle. **90** Aubert.

91 Leroy. Poids **78, 79, 80** Bertimon. **81** Créantor. **82, 83, 84** Bertimon. **85, 86, 87** Créantor. **88** Hanicque. **89** Bertimon, **90** Maurice. **91** Lefèbvre. Disque **78, 79** Despierre. **80** Raynaud. **81, 82** Accambray. **83, 84** Beauvais. **85** Dupont. **86, 87** Devaluez. **88** Hanicque. **89** Katona. **90** Teppe. **91** Duvaluez. Javelot **79** Van Thournout. **80** Bocle. **81, 82** Dupont. **83, 84** Schoellkopf. **85** Fiafialoto. **86** Giardino. **87, 88** Auzeil-Schoellkopf. **89** Bègue. **90, 91** Auzeil. 5 km marche **78** Delassaux. **79, 80** Vignat. **81, 82, 83, 84, 85, 86, 87, 88** Griesbach. **89, 90, 91** (10 km) Marchand. Heptathlon **78, 79, 80, 81, 82, 83** Picaut. **84, 85** Beaugeant. **86** Menissier. **87** Debois. **89, 90, 91** Lesage.

Ana Ekiden de Paris

Origine. Japon. Perpétue le souvenir des messagers qui allaient de ville en ville au XVIe s. **1917** 1re course de Kyōto à Tōkyō pour fêter le transfert de la capitale. Actuellement, env. 500 courses par an de nov. à mars.

A Paris. Course *créée* en 1990. 40,3 km de Versailles à la tour Eiffel en 6 relais. Equipes mixtes de 6 personnes. **1990** Portugal 1 h 59′4″.

Cross-Country

☞ *Légende.* – (1) G.-B. (2) Belgique. (3) Espagne. (4) Finlande. (5) France. (6) Maroc. (7) Tunisie. (8) Portugal. (9) Yougoslavie. (10) Irlande. (11) USA. (12) Éthiopie. (13) Italie. (14) Norvège. (15) Roumanie. (16) Kenya. (17) Djibouti. (18) URSS. (19) Luxembourg. (20) P.-B. (21) All. dém. (22) Japon. (23) Tanzanie. (24) Australie. (25) Pologne.

• Origine. Couru pour la 1re fois en 1877 à Roehampton (G.-B.). 1er cross-country international : France-Angleterre le 20-3-1898 à Ville-d'Avray. 1er championnat international : en Écosse le 28-3-1903. **Règles.** Parcours en terrain varié de 3 à 12 km. Se pratique surtout l'hiver.

• Championnat du monde. *Créé* 1977, faisant suite à l'« International » qui lui-même avait remplacé le « Cross des Nations » créé en 1903.

Hommes. **1946,47** Pujazon [5]. **48** Doms [2]. **49** Mimoun [5]. **50** Theys [2]. **51** Saunders [1]. **52** Mimoun [5]. **53** Mihalic [9]. **54** Mimoun [5]. **55** Sando [1]. **56** Mimoun [5]. **57** Sando [1]. **58** Eldon [1]. **59** Norris [1]. **60** Rhadi [6]. **61** Heatley [1]. **62** Roelants [2]. **63** Fowler [1]. **64** Arizmendi [2]. **65** Fayolle [5]. **66** El Ghazi [6]. **67** Roelants [2]. **68** Gammoudi [7]. **69** Roelants [2]. **70** Tagg [1]. **71** Bedford [1]. **72** Roelants [2]. **73** Paivarinta [4]. **74** De Beck [2]. **75** Stewart [1]. **76** Lopes [8]. **77** Shots [2]. **78** Treacy [10]. **79** Treacy [10]. **80, 81** Virgin [11]. **82** Kedir [12]. **83** Délebé [12]. **84, 85** Lopes [8]. **86, 87, 88, 89** N'Gugi [16]. **90,91** Skah [6]. **Par équipes. 78** Fr. **79, 80** G.-B. **81, 82, 83, 84, 85** Éthiopie. **86, 87, 88, 89, 90, 91** Kenya.

Dames. **1967** Brown [11]. **68** pas couru. **69** Brown [11]. **70** Pigni [13]. **71** Brown [11]. **72** Smith [1]. **73, 74** Pigni [13]. **75** Brown [11]. **76, 77** Valero [3]. **78, 79, 80, 81** Waitz [14]. **82** Puica [15]. **83** Waitz [14]. **84** Puica [15]. **85, 86** Budd [1]. **87** Sergent [5], **88** Kristiansen [14], **89** Sergent [5], **90, 91** Jennings [11]. **Par équipes. 67** G.-B. **68** pas couru. **69** USA. **70** P.-Bas. **71, 72, 73, 74** G.-B. **75** USA. **76, 77** URSS. **78** Roumanie. **79** USA. **80, 81, 82** URSS. **83, 84, 85** USA. **86** G.-B. **87** USA. **88, 89, 90** URSS. **91** Éthiopie et Kenya.

• Championnat de France (« National »).

Hommes. **1966** Jazy. **67** Tijou. **68** Wadoux. **69, 70, 71** Tijou. **72** Wadoux. **73** Tijou. **74** Rault. **75** Tijou. **76** Boxberger. **77** Tijou. **78** Coux. **79** Levisse. **80** Coux. **81** A. Gonzalez. **82** Watrice. **83** Boxberger. **84, 85, 86** Lévisse. **87, 88, 89** Arpin. **90** Pantel. **91** Le Stum.

Dames. **1975, 76, 77, 78, 79** Debrouwer. **80** Bouchonneau. **81** Debrouwer. **82** Lefeuvre. **83, 84** Debrouwer. **85, 86, 87, 88, 89** Sergent. **90** Fates. **91** Duros.

• Cent kilomètres de Millau. *Créés* en 1972. **1981** Gaudin 6 h 59′. **82** Bellocq 7 h 13′25″. **86, 87, 88, 89** Bellocq. **90** Bellocq 6 h 28′.

• Cross du Figaro. *Créé* par *Le Figaro* 1961. Ouvert à tous les athlètes masculins et féminins, licenciés ou non. Chaque année en décembre au bois de Boulogne, à Paris. En 1990 : 28 000 engagés (record : 35 849 en 1979).

Cross des « As ». **1961, 62, 63, 64** Michel Jazy. **65** Guy Texereau. **66** Jean Wadoux. **67** Noël Tijou. **68** Jean Wadoux. **69** Noël Tijou. **70, 71** Jean Wadoux. **72, 73** Noël Tijou. **74, 75, 76, 77** Jacky Boxberger. **78** Radhouane Bouster. **79, 80, 81** J. Boxberger. **82** Saïd Aouita. **83** Thierry Watrice. **84** Francis Gonzalez. **85, 86** Paul Arpin. **87** Pat Porter. **88** Mohamed Ezzher. **89, 90** Thierry Pantel.

• Vingt kilomètres de Paris. *Créés* 1979. Messieurs. **1981.** 20 000 participants (Bouster 57′*35)*. **82** Boxberger 57′47″. **83** Watrice 57′15″. **84** Levisse 57′22″. **85** Moore (pas de chronométrage officiel). **86** Salah [17] 57′19″. **87** Lambregts [20] 59′31″. **88** Levisse [5] 59′34″. **89** Pinto [8] 58′46″. **90** 25 000 p., Mouhgit [6] 59′15″. Dames. **90** Rembert [5] 1 h 10′48″.

• Paris-Versailles (17,7 km). Messieurs. **1976** Bouster [5]. **77** Carraby [5]. **78** Coux [5]. **79** Lopez [8]. **80** Goater [1]. **81** Spedding [1]. **82** Boxberger [5]. **83** Puttemans [2]. **84** Harrison [1]. **85** Milovsorov [1]. **86** Lévisse [5]. **87** Gonzalez [5]. **88, 89** Lévisse [5]. **90** Béhar [6] 55′50″.

Dames. **90** Faÿs [5] 1 h 3′14″.

Marathon

Championnats du monde. Hommes. **83** De Castella [24]. **87** Wakiihuri [16]. **Dames. 83** Waitz [14]. **87** Mota [8].

Coupe du Monde. *Créée* 1985. Tous les 2 ans. **Hommes. Ind. 85, 87** Salah [17]. **89** Metafaria [12]. **91** Tolstikov [18]. **Éq. 85** Djibouti. **87** Italie. **89** Éthiopie. **91** G.-B. **Dames. Ind. 85** Dorre [21]. **87** Ivanova [18]. **89** Marchiano [11]. **91** Mota [8]. **Éq. 85** Italie. **87, 89, 91** URSS.

Championnats d'Europe. Hommes. **78** Moiseiev [18]. **82** Nijboer [20]. **86** Bordin [13]. Dames. **82, 86** Mota [8].

Coupe d'Europe. Hommes. **Ind. 81** Magnani [13]. **83** Cierpinski [21]. **85** Heilmann [21]. **88** Kashapov [18]. 81 Italie. **83, 85** All. dém.. **88** URSS. Dames. **ind. 81** Ivanova [18]. **83** Gumerova [18]. **85, 88** Dörre [21]. **Éq. 88** URSS.

Championnats de France. Hommes. **80** Bobes. **81** Chauvelier. **82** Faure. **83** Lazare. **84, 85** Joannes. **86** Lazare. **87** Padel. **88** Rachide. **89** Watrice. **90** Chauvelier. Dames. **80** Audibert. **81** Navarro. **82** Langlacé. **83** Levesque. **84** Langlacé. **85** Levesque. **86** Bonnet. **87** Mihailovic. **88** Poirot. **89** Houdayer. **90** Rebello-Lelut.

Marathon de New York. *Créé* 1958. Hommes. **84. 85** Pizzolato [13]. **86** Poli [13]. **87** Hussein [16]. **88** Jones [1]. **89** Kangas [24]. **90** Wakiihuri [16] 2 h 12′39″. Dames. **84, 85, 86** Waitz [14]. **87** Welch [1]. **88** Waitz [14]. **89** Kristiansen [14]. **90** Panfil [25] 2 h 30′45″.

Marathon de Paris. *Créé* 1976. Hommes. **84** Salah [17]. **85** Boxberger [5]. **86** Salah [17]. **87** Mekonnen [12]. **88** Mathias [8]. **89, 90** Brace [1] 2 h 13′10″. **91** non disp. Dames. **84** Levesque [5]. **85** Hurst [2]. **86** Lelut [5]. **87** Cobos [3]. **88** Cunha [8]. **89** Kojima [22]. **90** Yamamoto [22] 2 h 35′11″. **91** non disp.

Quelques records

Plus grande distance en 24 h. *Homme :* 272,624 km, Jean-Gilles Boussiquet (Fr. 2/3-5-81). *Femme :* 202,3 km, Annie Van der Meer (P.-Bas) du 30-4 au 1-5-84.

Traversée des U.S.A. *Los Angeles-New York* (4 628 km), du 2-4 au 3-6 1972, 53 j 12 h 15 mn par John Lees. Don Shephard (Afr. S.) *New York-Los Angeles* (5 149 miles) 73 j 8 h 20 mn soit 43 miles par jour (en 1864). Pesant 83 kg au départ, il n'en pesait plus que 66 à l'arrivée. *San Francisco-New York,* 4 989 km, Franck Gianino en 46 j 8 h 36 mn du 1-9 au 17-10-1980.

Marche sans interruption. 667,46 km, Tom Benson (G.-B.) en 6 j 12 h 45′ du 29-4 au 5-5-1986.

Record des sélections (en équipe de France au 1-1-90). *Hommes :* Mimoun 85, Beer 72, Bernard 67, Husson 65, Allard 62, Colnard 61, Battista, Delecour, Lelièvre et Jazy 59, Macquet et Tijou 56. *Femmes :* Bertimon 67, Créantor 67, Telliez 49, Laborie-Guénard 47, Picaut 47, De Brouwer 45, Griesbach 42, Réga 41.

Marche

Figure aux jeux Olympiques depuis 1932 pour les épreuves de 20 et 50 km actuellement disputées.

• Règles. Sur parcours plat, piste (5 à 20 km), route (20 à 50 km). Il existe un 100 km et une épreuve spéciale (Paris-Colmar). *Distances :* 20, 30, 50, 100 km, 1 h et 2 h. Contact permanent avec le sol.

• Coupe du monde. *Créée* 1961. Tous les 2 ans. Messieurs. 20 km. **81** Canto [33]. **83** Pribilinec [15]. **85** Marin [3]. **87** Mercenario [33]. **89** Kostiukevitch [2]. 50 km. **81, 83** Gonzalez [33]. **85** Gauder [7]. **87** Weigel [7]. **89** Baker [28]. Équipes. **81** It. **83** URSS. **85** All. dém.. **87, 89** URSS.

Dames. 5 km en 81 puis 10 km. **81** Gustavsson [9]. **83, 85** Ju Xu [30]. **87** Krishtop [2]. **89** Anders [7]. Équipes. **81** URSS. **83, 85** Chine. **87, 89** URSS.

• Championnat de France. Voir ci-contre.

• Strasbourg-Paris. *Créé* 1926, devenu Paris-Colmar en 1980. 522,5 km. **1971, 72, 75** Josy Simon [19]. **77** Schouchens [2]. **78** Josy Simon [19]. **79** Roger Quemener [5]. **80, 81** Roger Pietquin [5]. **82** Adrien Pheulpin [5] 66 h 03′49″. **83** R. Quemener [5] 64 h 12′. **84** J.-C. Gouvenaux [5] 62 h 31′. **85** R. Quemener [5] 64 h 57′. **86** R. Quemener [5] 62 h 27′. **87** R. Quemener [5] 64 h 59′ (moy. 7,97 km/h). **88** R. Quemener [5] 66 h 17′ (moy. 7,83 km/h). **89** R. Quemener [5] 64 h 35′ (moy. 8,113 km/h). **90** Zbigniew Kapla [39] 64 h 36′ (moy. 8,088 km/h). **91** Z. Kapla [39] 64 h 51′57″ (moy. 8,05 km/h).

Quelques athlètes

Date de naissance et spécialité.

☞ *Légende.* – (1) USA. (2) All. dém. (3) Fr. (4) G.-B. (5) Italie. (6) P.-Bas. (7) URSS. (8) Cuba. (9) Taiwan. (10) Australie. (11) All. féd. (12) Japon. (13) Ouganda. (14) Canada. (15) Tchéc. (16) Jamaïque. (17) Pologne. (18) Irlande. (19) Suède. (20) Maroc. (21) Tanzanie. (22) Éthiopie. (23) Kenya. (24) Brésil. (25) Algérie. (26) Tunisie. (27) Finlande. (28) Hongrie. (29) Grèce. (30) N.-Zélande (31) Youg. (32) Roumanie. (33) Belgique. (34) Norvège. (35) Bulgarie. (36) Chine. (37) Haïti. (38) Mexique. (39) Suisse. (40) Nigeria. (41) Portugal. (42) Djibouti.

Courses

Vitesse + Haies (100 m, 200 m, 400 m, 110 m haies, 400 m haies)

ABRAHAMS Harold [4] 1899-1978 : 100 m. AKII-BUA John [13] 3-12-1949 : 400 m haies. ANDRÉ Georges (dit Géo André) [3] 1889-1943 : 110 m haies, 400 m haies. ANDRÉ Jacqueline [3] 29-8-46 : 100 m haies. ASHFORD Evelyn [1] 15-4-57 : 100 m, 200 m. ATTLESAY Dick [1] 10-5-29 : 110 m haies.

BABERS Alonzo [1] 31-10-61 : 400 m. BALLY Étienne [3] 17-4-23 : 100 m, 200 m. BALZER Karin [2] 5-6-38 : 80 et 100 m haies. BAMBUCK Roger [3] 22-11-45 : 100 m, 200 m. BEARD Percy [1] 26-1-08 : 110 m haies. BERRUTI Livio [5] 19-5-39 : 200 m. BESSON Colette [3] 7-4-46 : 400 m. BILY Laurence [3] 5-5-63 ; 60 m, sprint. BLANKERS-KOEN Fanny [6] 26-4-18 : 100 m, 200 m, 80 m haies. BORZOV Valeri [7] 20-10-49 : 100 m, 200 m. BRISCO-HOOKS Valerie [1] 6-7-60 : 200 m, 400 m. BUSCH Sabine [2] 21-11-62 : 400 m haies.

CALHOUN Lee [1] 23-2-33 : 110 m haies. CAPDEVIELLE Catherine [3] 2-9-38 : 100 m. CARISTAN Stéphane [3] 31-5-64 : 110 m haies. CARLOS John [1] 5-6-45 : 100 m, 200 m. CARR Henry [1] 27-11-42 : 200 m. CARR William Arthur [1] 24-10-09 : 400 m. CASANAS Alejandro [8] 29-1-54 : 110 m haies. CAWLEY Rex [1] 6-7-40 : 400 m haies. CAZIER M.-Christine [3] 23-8-63 : 200 m. CHARDEL Michel [3] 15-11-32 : 110 m haies. CHARDONNET Michèle [3] 27-10-56. CHI-CHENG [9] 15-3-44 : 200 m, 100 m haies. CHRISTIE Linford [4] 2-4-60 : 100 m, 200 m. COCHRAN ROY V. [1] 6-1-19 : 400 m haies. COOMAN Nelli [6] 6-6-64 : 60 m. CUTHBERT Betty [10] 20-4-38 : 100 m, 200 m, 80 m haies.

DAVENPORT Willie [1] 8-6-43 : 110 m haies. DAVIS Glenn [1] 12-9-34 : 400 m haies. DAVIS Harold [1] 5-1-21 : 100 m, 200 m. DAVIS Jack [1] 11-9-30 : 110 m haies. DAVIS Otis [1] 12-7-32 : 400 m. DELECOUR Jocelyn [3] 2-1-35 : 100 m. DE LOACH Joe [1] 5-6-67 : 200 m. DEMARTHON Francis [3] 8-8-50 : 400 m. DIAGANA Stéphane [3] : 400 m haies. DILLARD Harrison [1] 8-7-23 : 110 m haies, 100 m. DONKOVA Yordanka [35] 28-9-61 : 100 m. DRESCHLER Heike [2] 16-12-64 : 100 m, 200 m. DRUT Guy [3] 6-12-50 : 110 m haies. DUCLOS Nicole [3] 15-8-47 : 400 m. DURIEZ Marcel [3] 20-6-40 : 110 m haies.

EASTMAN Benjamin [1] 9-7-11 : 400 m. ECKERT Barbel (ép. Wöckel) [2] 21-3-55 : 100 m, 200 m. EGBUNIKE Innocent [40] 30-11-61 : 400 m. EHRHARDT Annelie [2] 18-6-50 : 100 m haies. ELLOY Laurence [3] 3-12-59 :

100 m haies. Evans Lee [1] 25-2-47 : 400 m. Everett Dany [1] 1-11-66 : 400 m. Ewanjé-Épée Monique [3] 11-7-67 : 100 m haies.

Fiasconaro Marcello [5] 19-7-49 : 400 m. Figuerola Enrique [8] 15-7-38 : 100 m. Floyd Stanley [1] 23-6-61 : 100 m. Foster Greg [1] 4-8-58 : haies.

Gladisch Silke [2] 1964 : 100 et 200 m. Goehr Marlies [(n. Oelsner) [2]] 21-3-58 : 100 m. Greene Charles [1] 21-3-45 : 100 m. Griffith-Joyner Florence [1] 21-12-59 : 100 m, 200 m, 4 × 100 m. Guenard Denise (née Laborie) [3] 13-1-34 : 80 m haies.

Hardin Glenn [1] 1-7-10 : 400 m haies. Hary Armin [11] 22-3-37 : 100 m. Hayes Robert (dit Bob) [1] 20-12-42 : 100 m. Hemery David [4] 18-7-44 : 400 m haies. Hill Thomas [1] 17-11-49 : 110 m haies. Hines Jim [1] 10-9-46 : 100 m. Hitomi Kinuye [1] 1-1-08 : 100 m. Hunty Shirley [10] 18-7-25 : 100 m, 80 m haies.

Jackson Colin [4] 18-2-67 : 100 m haies. Jenkins David [4] 25-5-52 : 400 m. Jerome Harry [14] 1940-83 : 100 m. Johnson Ben [14] 30-12-61 : 100 m. Jones Louis (Lou) [1] 15-1-32 : 400 m. Joye Prudent [3] 1915-81 : 400 m haies. Juantorena Alberto [8] 3-12-51 : 400 m.

Kaufmann Carl [11] 25-3-36 : 400 m. Kingdom Roger [1] 1962 : 100 m haies. Koch Marita [2] 18-2-57 : 100 m, 200 m, 400 m. Krabbe Katrin [2] 22-11-69 : 100 m, 200 m. Kraenzlein Alvin [1] 1876-1928 : 110 m haies. Kratochvilova Jarmila [15] 26-1-51 : 200 m, 400 m, 800 m.

Larrabee Mike [1] 2-12-33 : 400 m. Lauer Martin [11] 2-1-37 : 110 m haies. Leonard Silvio [8] 20-9-55 : 100 m, 200 m. Lewis Carl [1] 1-7-61 : 100 m, 200 m. Lewis Steve [1] 16-5-69 : 400 m. Lituyev Yuryi [7] 11-4-25 : 400 m haies. Long Maxey [1] 1878 : 400 m. Lunis Jacques [3] 27-5-23 : 400 m.

MacKay Antonio [1] : 400 m. MacKenley Herbert (dit Hurricane Herbert) [16] 10-7-22 : 400 m. McRae Lee [1] 23-1-66 : 100 m. Marie André-Jacques [3] 14-10-25 : 110 m haies. Marie-Rose Bruno [3] 20-5-65 : 200 m. Mennea Pietro [5] 28-6-52 : 100 m, 200 m. Metcalfe Ralph [1] 29-5-10 : 100 m, 200 m. Milburn Rodney [1] 20-3-50 : 110 m haies. Moore Charles [1] 12-8-29 : 400 m haies. Morale Salvatore [5] 4-11-38 : 400 m haies. Morinière Max [3], 16-2-64 : 100 m. Morrow Robert (Bobby) [1] 15-10-35 : 100 m, 200 m. Moses Edwin [1] 31-8-55 : 400 m haies. Mourlon André [3] 1903-70 : 100 m. Munkelt Thomas [2] 3-8-52 : 110 m haies. Myers Lou [1] 1858-99 : 100 m.

Nallet Jean-Claude [3] 15-3-47 : 400 m, 400 m haies. Nehemiah Reynaldo [3] 24-3-59 : 110 m haies. Noirot Monique [3] 10-10-41 : 400 m.

Ottey Merlene [16] 10-5-60 : 100 m, 200 m. Owens James-Cleveland (Jesse) [1] 1913-82 : 100 m, 200 m.

Paddock Charles [1] 1900-43 : 100 m. Pani Nicole (née Montandon) [3] 30-10-48 ; 200 m. Panzo Hermann [3] 8-2-58 : 100 m. Pascoe Alan [4] 11-10-47 : 400 m haies. Patton Melvin [1] 16-11-24 : 100 m, 200 m. Pérec M.-José [3] 9-5-68 : 100 m, 200 m. Piquemal Claude [3] 13-3-39 : 100 m, 200 m. Piquereau Anne [3] 15-6-64 : 100 m haies. Poirier Robert [3] 16-6-42 : 400 m haies. Quarrie Donald [16] 25-2-51 : 200 m. Quénéhervé Gilles [3] 17-5-66 : 200 m.

Rabsztyn Grazyna [17] 20-9-52 : 100 m haies. Radideau Marguerite [3] 2-3-07 : 100 m. Redmond Derek [4] 3-9-45 : 400 m. Réga Chantal [3] 7-8-55 : 100 m, 200 m, 100 m haies, 400 m haies. Reynolds Harry Butch [1] 8-7-64 : 400 m. Rhoden Georges [16] 13-12-26 : 400 m. Richard Antoine [3] 8-9-60 : 100 m. Richter Annegret [11] 13-10-50 : 100 m. Rossley Karin [2] 5-4-57 : 400 m haies. Rudolph Wilma [1] (dite la Gazelle noire) 23-6-40 : 100 m, 200 m.

Sanford James [1] 27-12-57 : 100 m. Sangouma Daniel [3] 7-2-65 : 4 × 100 m. Schmid Harald [11] 29-2-57 : 400 m haies. Schoenbele Thomas [2] 8-6-65 : 400 m. Schoebel Pierre [3] 24-12-42 : 110 m haies. Sempé Gabriel [3] 1-4-01 : 110 m haies. Seye Abdoulaye (dit Abdou) [3] 30-7-34 : 100 m, 200 m. Siebeck Franck [2] 17-8-49 : 110 m haies. Sime David [1] 25-7-36 : 100 m, 200 m. Smith Calvin [1] 8-1-61 : 100 m, 200 m. Smith John [1] 5-8-50 : 400 m. Smith Tommie [1] 12-6-44 : 100 m, 200 m, 400 m. Stanfield Andy [1] 29-12-27 : 100 m, 200 m. Stecher Renate [2] 12-5-50 : 100 m, 200 m. Stewart Roy [16] 18-3-65 : 100 m. Szewinska Irena (n. Kirszenstein) [17] 24-5-46 : 100 m, 200 m, 400 m.

Taylor Morgan F. [1] 17-4-03 : 400 m haies. Telliez Sylvianne [3] 30-10-42 : 100 m, 200 m. Thomson Earl [14] 1895-1971 : 110 m haies. Tisdall Robert [18] 16-5-05 : 400 m haies. Tolan Edward [1] 1908-67 : 100 m, 200 m. Towns Forest [1] 6-2-14 : 110 m haies. Trouabal J.-Charles [3] 20-5-65 : 200 m. Tyus Wyoma [1] 29-8-45 : 100 m. Valmy René [3] 24-12-21 : 100 m. Walasiewicz Stella [17] 1911-81 : 100 m, 200 m. Wefers Bernie [1] 1877 : 100 m, 200 m. Whitfield Melvyn [1] 11-10-24 : 400 m. Williams Archie [1] 01-05-15 : 400 m. Williams Steve [1] 13-11-53 : 100 m, 200 m. Wint Arthur [16] 29-5-20 : 400 m. Witherspoon Mark [1] 3-9-63 : 100 m. Wockel Bärbel [2] 21-3-55 : 200 m. Wykoff Franck [1] 29-10-09 : 100 m. Zagortcheva Ginka [35] 12-4-58 : 100 m haies.

Demi-fond/fond (800 m au marathon, 3 000 m steeple et cross)

Ameur Hamoud [3] 6-1-32 : steeple-cross. Andersson Arne [19] 27-10-17 : 1 500 m. Aouita Saïd [20] 2-11-60 : 1 500 m, 5 000 m. Arpin Paul [3] 20-2-60 : cross. Arzanov Evgueni [7] 22-4-48 : 800 m.

Bannister Roger [4] 23-3-29 : 1 500 m, mile. Barrios Arturo [38] 12-12-63 : 10 000 m. Bayi Filbert [21] 22-6-53 : steeple, 1 500 m. Beccali Luigi [5] 19-11-07 : 1 500 m. Bedford Dave [4] 30-12-49 : 10 000 m. Benoit Joan [1] 1957. Bernard Michel [3] 31-12-31 : 1 500 m, 5 000 m. Beyer Olaf [2] 4-8-57 : 800 m. Bikila Abebe [22] 1932-73 : marathon. Bott Mike [23] 1-6-49 : 800 m. Bolotnikov Piotr [7] 8-3-30 : 5 000 m, 10 000 m. Bordin Gelindo [5] 2-4-59 : marathon. Bouin Jean [3] 20-12-1888-1914 : 5 000 m, 10 000 m, heure, cross. Bouster Radhouane [3] 2-12-54 : 5 000 m, 10 000 m. Boutayeb Moulay Brahim [20] 15-8-67 : 10 000 m. Boxberger Jacky [3] 6-4-49 : 1 500 m. Bragina Lyudmila [7] 24-7-43 : 1 500 m, 3 000 m. Budd Zola [4] 26-5-66 : 1 500 m, 3 000 m, 5 000 m.

Chataway Christopher [4] 31-1-31 : 3 miles, 5 000 m. Cierpinski Waldemar [2] 3-8-50 : marathon. Clarke Ronald-William (dit Ron Clarke) [10] 21-2-37 : 5 000 m, 10 000 m. Coe Sebastian [4] 29-9-56 : 800 m, 1 500 m, mile. Cova Alberto [5] 1-12-58 : 5 000 m, 10 000 m. Cram Steve [4] 14-10-60 : 1 000 m, 1 500 m, mile. Cruz Joaquim [24] 12-3-63 : 800 m. Cunha Aurora [41] 1959 : cross, marathon. Cunningham Glenn [1] 4-8-09 : 800 m, 1 500 m.

Debele Bekele [22] 12-3-63 : cross. De Brouwer Joëlle [3] 18-10-50 : 3 000 m, cross. Decker Mary [1] 4-8-58 : 1 500 m, 3 000 m. Dinsamo Belayneh [22] 28-6-57 : marathon. Doubell Ralph [10] 1-2-45 : 800 m. Dubois Marie-Fr. [3] 25-3-48 : 800 m. Dupureur Maryvonne [3], 24-5-37 : 800 m. Duros M.-Pierre [3] 7-6-67 : 3 000 m, cross.

Elliot Herbert [10] 25-2-38 : 1 500 m. El Mabrouk Patrick [3,25] (Fr., Algérie) 30-10-28 : 1 500 m. El Ouafi Boughera [3] 1899-1960 : marathon. Ereng Paul [23] : 800 m.

Foster Brendan [4] 12-1-48 : 5 000 m, 10 000 m.

Gärderud Anders [19] 28-8-46 : 3 000 m steeple. Gammoudi Mohamed [26] 11-2-38 : 5 000 m, 10 000 m. George Walter [4] 1858-1943 : mile à heure. Giolitti Florence [3] 31-8-66 : 800 m, 1 500 m. Gonzalez Alexandre [3] 16-3-51 : 1 500 m, 5 000 m. Gonzalez Francis [3] 6-2-52 : 1 500 m. Griesbach Suzanne [3] 22-4-45 : marche. Guillemot Joseph [3] 1899-1975 : 5 000 m, 10 000 m.

Haase Jurgen [2] 19-1-45 : 10 000 m. Haegg Gunder [19] 31-12-18 : 1 500 m, 5 000 m. Hampson Tom [4] 1907-68 : 800 m. Hansenne Marcel [3] 24-1-17 : 800 m. Harbig Rudolf [11] 1913-44 : 800 m. Heino Viljo [27] 1-3-14 : 5 000 m, 10 000 m, fond. Hermens Jos [6] 8-1-1950 : heure, 20 km. Hill Albert [4] 1889-1969 : 800 m, 1 500 m. Hill Ronald (dit Ron) [4] 25-9-1938 : marathon. Iharos Sandor [28] 10-3-30 : 1 500 m, 3 000 m, 5 000 m, 10 000 m. Iso-Hollo Volmari [27] 1907-69 : 10 000 m, steeple. Ivan Paula [32] 20-7-63 : 1 500 m, 3 000 m. Jazy Michel [3] 13-6-36 : 1 500 m, mile, 2 000 m, 3 000 m, 5 000 m. Jipcho Benjamin [23] 1-3-43 : 3 000 m, steeple.

Kazankina Tatiana [7] 17-12-51 : 800 m, 1 500 m, 3 000 m. Kedir Mohammed [22] 18-9-54 : cross. Keino Kipchoge [23] 17-1-40 : 1 500 m, 3 000 m, 5 000 m, steeple. Koech Peter [23] 18-2-58 : 3 000 m steeple. Kolehmainen Hannes [27] 1889-1967 : marathon, 5 000 m, 10 000 m. Konchellah Billy [23] 20-10-61 : 800 m. Kratochvilova Jarmila [15] 26-1-51 : 400 m, 800 m. Kristiansen Ingrid [34] 21-3-56 : 3 000 m, 5 000 m, 10 000 m, marathon. Krzyszkowiak Zdzislaw [17] 3-8-29 : 3 000 m, 5 000 m, 10 000 m, 3 000 m steeple. Kusocinski Janusz [17] 1907-40 : 5 000 m, 10 000 m. Kuts Vladimir [7] 1927-75 : 5 000 m, 10 000 m.

Ladoumègue Jules [3] 1906-73 : 1 500 m. Lazare Alain [3] 23-3-52 : marathon. Lehtinen Lauri [27] 1908-74 : 5 000 m. Lelièvre Gérard [3] 13-11-51 : 20 km, 50 km marche. Lelut Maria [3] 29-1-56 : marathon. Levisse Pierre [3] 21-2-52 : marathon. Lopez Carlos [41] 18-2-47 : marathon. Louys Spiridon [29] 1872-1940 : marathon. Lovelock Jack [30] 1910-49 : 1 500 m.

Mac Kean Tom [4] 27-10-63 : 800 m. Maeki Taisto [27] 2-12-10 : 5 000 m, 10 000 m. Mahmoud Joseph [3] 13-12-55 : 3 000 m steeple. Malinowski Bronislaw [17] 1951-81 : steeple. Marajo José [3] 10-8-54 : 800 m. Martin Séraphin [3] 2-7-06 : 800 m, 1 000 m. Matuschewski Manfred [2] 2-9-39 : 800 m. Mekonnen Abebe [22] 5-1-63 : marathon. Melinte Doina [32] 27-12-56 : 800 m, 1 500 m. Meredith James [1] 1892-1947 : 800 m. Mimoun Alain [3] 1-1-21 : 5 000 m, 10 000 m, marathon, cross. Moorcroft David [4] 10-4-53 : 5 000 m. Mota Rosa [41] 29-6-58 : marathon. Ngugi John [23] 10-5-62 : cross. Nikolic Véra [31] 23-9-48 : 800 m. Norpoth Harald [11] 22-8-42 : 1 500 m, 5 000 m. Nurmi Paavo [27] 1897-1973 : 1 500 m à 10 000 m. Olizarenko Nadeja [7] 28-11-53 : 800 m. O'Sullivan Marcus [18] 22-12-61 : 1 500 m. Ovett Steve [4] 9-10-55 : 800 m, 1 500 m, mile.

Panetta Francesco [5] 10-1-63 : 3 000 et 10 000 m. Peltzer Otto [11] 1900-68 : 800 m, 1 000 m, 1 500 m. Pizzolato Orlando [5] 30-7-68 : marathon. Pirie Gordon [4] 10-2-31 : 3 000 m, 5 000 m. Puica Maricicia [32] 29-7-50 : 1 500 m, 3 000 m. Pujazon Raphaël [3] 12-2-18 : 3 000 m steeple, 5 000 m, cross. Puttemans Émile [33] 8-10-47 : 3 000 m, 5 000 m.

Ragueneau Gaston [3] 1881-1978 : cross. Reiff Gaston [33] 24-2-21 : 5 000 m. Ritola Ville [27] 1896-1982 : 5 000 m, 10 000 m, steeple. Rochard Roger [3] 20-4-13 : 5 000 m. Roelants Gaston [33] 5-2-37 : 3 000 m steeple-cross. Rono Henry [23] 12-2-52 : 3 000 m, 5 000 m, 10 000 m, steeple. Rono Peter [23] 31-7-67 : 1 500 m. Ryun James (dit Jim) [1] 29-4-47 : 800 m, 1 500 m. Salah Ahmed [42] : marathon. Salazar Alberto [1] 7-8-58 : marathon. Salminen Ilmari [27] 21-9-02 : 10 000 m. Seko Toshihiko [12] 15-7-56 : marathon. Sergent Annette [3] 17-11-62 : cross, 1 500 m, 3 000 m. Sheppard Melvin [1] 1883-1942 : 800 m, 1 500 m. Shorter Frank [1] 31-10-47 : 10 000 m, marathon. Shrubb Alfred [4] 1878-1954 : 5 000 m, 10 000 m, heure. Skah Khalid [20] 29-1-67 : cross. Snell Peter [30] 17-12-38 : 800 m, 1 500 m. Stewart Ian [4] 15-1-49 : 5 000 m. Strand Lennart [19] 13-6-21 : 1 500 m.

Texereau Guy [3] 14-5-35 : 3 000 m, steeple. Theato Michel [3] 1877 : marathon. Thoumas Nathalie [3] 30-4-62 : 800 m. Tijou Noël [3] 12-12-41 : 10 000 m, cross. Treacy John [18] 4-6-57 : cross, marathon.

Vaatainen Juha [27] 12-7-41 : 5 000 m, 10 000 m. Van Damme Ivo [33] 1954-76 : 800 m, 1 500 m. Villain J.-Paul [3] 1-11-46 : 3 000 m, steeple. Villeton Jocelyne [3] 17-9-54 : 10 000 m. Viren Lasse [27] 22-7-49 : 5 000 m, 10 000 m. Virgin Craig [1] 2-8-55 : 10 000 m, cross. Wachtel Christine [2] 6-1-65 : 800 m. Wadoux Jean [3] 29-1-42 : 1 500 m, 5 000 m. Waitz Grete [34] 1-10-53 : 3 000 m, marathon. Wakiihuri Douglas [23] : marathon. Walker John [30] 12-1-52 : 1 500 m. Wolde Mamo [22] 12-6-43 : 10 000 m, marathon. Wolhuter Rick [1] 23-12-48 : 800 m, 1 500 m. Wooderson Sydney [4] 30-8-14 : 800 m, 1 500 m, 5 000 m. Woodruff John [1] 5-7-15 : 800 m. Wootle Dave [1] 8-7-50 : 800 m. Yifter Miruts [22] 28-6-47 : 5 000 m, 10 000 m. Zatopek Emil [15] 19-2-22 : 5 000 m, 10 000 m, fond, marathon.

Sauts

Hauteur. Ackermann (née Witschas) Rose-Marie [2] 4-4-52. Albritton Dave [1] 13-4-13. Andonova Ludmila [35] 6-5-60. André Géo [3] 1889-1943. Balas Yolanda [32] 12-12-36. Barnay Ghislaine (ép. Bambuck) [3] 8-10-45. Beilschmidt Rolf [2] 8-8-53. Bonnet Franck [3] 3-10-54. Brumel Valeri [7] 14-4-42. Bykova Tamara [7] 21-12-58. Colchen Anne-Marie [3] 8-12-25. Damitio Georges [3] 20-5-24. Davis Walter [1] 5-1-31. Debourse Marie-Christine [3] 24-9-51. Dumas Charles [1] 12-2-37. Ewanjé-Épée Maryse [3] 4-9-64. Fosbury Dick [1] 6-3-47. Horine George [1] 3-2-1890. Johnson Cornelius [1] 21-8-13. Kostadinova Stefka [32] 25-3-65. Lewden Pierre [3] 1901-89. Madubost Jacques [3] 6-6-44. Matzdorf Pat [1] 26-12-49. Menard Claude [3] 1906-80. Meyfarth Ulrike [11] 4-5-56. Mögenburg Dietmar [11] 15-8-61. Ni Chih-Chin [36] 14-4-42. Osborn Harold [1] 1899-1975. Pakline Igor [7] 15-7-63. Poaniewa Paul [3] 8-11-53. Povarnitsin Victor [7] 15-7-62. Ritter Louise [1] 18-2-58. Sainte-Rose Robert [3] 5-7-43. Simeoni Sarah [5] 19-4-53. Sjöberg Patrick [19] 5-5-65. Sotomayor Javier [8] 13-10-67. Steers Lester [1] 16-6-17. Stones Dwight [1] 6-12-53. Thomas John [1] 3-3-41. Verzy Franck [3] 13-5-61. Wessig Gerd [2] 16-7-59. Wszola Jacek [17] 30-12-56. Yatchenko Vladimir [7] 12-1-59. Zhu Jianhua [36] 29-5-63.

Perche. Abada Patrick [3] 20-3-54. Bell Earl [1] 25-8-55. Bellot Jean-Michel [3] 16-12-53. Bragg Donald (dit Don) [1] 15-5-35. Bubka Sergei [7] 4-12-63. Collet Philippe [3] 13-12-63. D'Encausse Hervé [3] 27-9-43. Gatauline Rodion [7] 23-12-65. Gonder Fernand [3] 1883-1969. Gutowski Bob [1] 1935-60. Hansen Fred Morgan [1] 29-12-40. Hoff Charles [34] 1902. Houvion Philippe [3] 5-10-57. Isaksson Kjell [19] 28-2-48. Kozakiewicz Wladislav [17] 8-12-53. Meadows Earl [1] 29-6-13. Nordwig Wolfgang [2] 28-8-43. Olson Billy [1] 19-7-58. Pennel John [1] 25-6-40. Polyakov Vladimir [7] 17-4-60. Quinon Pierre [3] 20-2-62. Ramadier Pierre [3] 1902-83. Richards Bob [1] 20-2-26. Roberts Dave [1] 23-7-51. Salbert Ferenc [3] 5-8-60. Seagren Bob [1] 17-10-46. Sillon Victor [3] 23-12-27. Slusarski [17] 19-5-50. Tracanelli François [3] 4-2-51. Tully Mike [1] 21-10-56. Vigneron Thierry [3] 9-3-60. Volkov Konstantin [7] 28-2-60. Warmerdam Cornelius [1] 22-6-15.

Longueur. BARDAUSKIENE Vilma [7] 15-6-53. BEAMON Bob [1] 29-8-46. BOSTON Ralph [1] 9-5-39. BRIGE Norbert [3] 9-1-64. CATOR Sylvio [37] 1900-59. CHISTIAKOVA Galina [7] 26-7-62. CURTET Jacky [3] 9-5-55. CUSMIR Anisoara [32] 29-6-62. DAVIES Lynn [4] 20-5-42. DE HART Hubbard W. [1] 1903-75. DOMBROWSKI Lutz [2] 25-6-59. DRECHSLER Heike [2] 16-12-64. DUCAS Odette [3] 4-11-40. EMMIAN Robert [7] 16-2-65. EWRY Ray [1] 14-10-73. JOYNER-KERSEE Jackie [1] 3-3-62. HAMM Edward [1] 13-4-06. LEWIS Carl [1] 1-7-61. LONG Lutz [11] 1913-43. MYRRICKS Larry [1] 10-3-56. O'CONNOR Peter [18] 18-10-72. OWENS (V. course). PANI Jacques [3] 21-5-46. PAUL Robert [3] 20-4-09. PEACOCK Eulace [1] 27-8-14. PRINSTEIN Myer [1] 1878-1928. ROBINSON Arnie [1] 7-4-48. ROUSSEAU Jacques [3] 10-3-51. SIEGL-THON Sigrun [2] 19-10-54. STEELE Willie [1] 14-7-23. TER-OVANESSIAN Igor [7] 19-5-38. TOOMEY (née Bignal) Mary-Denise [4] 10-2-40. VOIGT Angela [2] 18-5-51.

Triple saut. AHEARNE Timothy [18] 1886-1968. BATTISTA Eric [3] 14-5-33. BANKS Willie [1] 11-3-56. CONLEY Mike [1] 5-10-62. DA SILVA Ferreira [24] 29-9-27. DE OLIVEIRA Joao Carlos [24] 28-5-54. DREHMEL Joerg [2] 3-5-45. EWRY Ray [1] 1874-1937. HELAN Serge [3] 24-2-64. HOFFMAN Zdzislaw [17] 27-8-59. LAMITIE Bernard [3] 27-6-46. MARKOV Khristo [35] 27-1-65. NAMBU Chuhei [12] 27-5-04. ODA Mikio [12] 30-3-05. OUDMAE Jaak [7] 3-9-54. PRUDENCIO Nelson [24] 4-4-44. SANEIEV Viktor [7] 3-10-45. SCHMIDT Josef [17] 28-3-35. TAJIMA Naoto [12] 15-8-12. TCHERBAKOV Leonid [7] 7-4-27.

Lancers

Poids. ALBRITTON Terry [1] 14-1-55. BARNES Randy [1] 16-6-66. BARYCHNIKOV Alexandre [7] 11-11-48. BEER Arnjolt [3] 19-6-46. BERTIMON Léone [3] 16-8-50. BEYER Udo [2] 9-8-55. BRIESENICK Hartmut [2] 17-3-49. BROUZET Yves [3] 5-9-48. CHIZHOVA Nadejda [7] 29-9-45. COLNARD Pierre [3] 18-2-29. FIBINGEROVA Helena [15] 13-7-49. FONVILLE Charles [1] 27-4-27. FUCHS James C. [1] 6-12-27. GUMMEL Margitta [2] 29-6-41. GÜNTHOR Werner [39] 1-6-61. KOMAR Wladyslaw [17] 11-4-40. LONG Dallas C. [1] 13-6-40. LOSOVSKAIA Natalya [7] 16-7-62. MATSON Randy [1] 5-3-45. NIEDER William (Bill) [1] 10-8-33. O'BRIEN Parry [1] 28-1-32. OLDFIELD Brian [1] 1-6-45. OSTERMEYER Micheline [3] 23-12-22. PRESS Tamara [7] 10-5-37. ROSE Ralph W. [1] 1884-1913. SLUPIANEK Ilona [2] 24-9-56. TCHIZHOVA Nadejda [7] 29-9-45. TIMMERMANN Ulf [2] 1-11-62. TORRANCE Jack [1] 1912-69. VELU Lucienne [3] 1902. WOODS George [1] 11-2-43. ZHU Jianhua [36] 29-5-63. ZYBINA Galina [7] 22-1-31.

Disque. ALARD Pierre [3] 17-9-37. BUGAR Imrich [15] 14-4-55. CONSOLINI Adolfo [5] 1917-69. DANEK Ludvik [15] 6-1-37. DUMBADZE Nina [7] 23-1-19. GORDIEN Fortune [1] 9-9-22. GUNTHOR Werner [39] 1-6-61. HOUSER Clarence [1] 25-9-01. INESS Sim [1] 9-7-30. JAHL Evelyne (née Schlaak) [2] 28-3-56. MANOLIU Lia [32] 25-4-32. MAUERMAYER Gisela [11] 24-11-13. MELNIK Faina [7] 9-6-45. MILDE Lothar [2] 8-1-34. NOEL Jules [3] 1903-40. OERTER Alfred [1] 19-9-36. PRESS Tamara [7] 10-5-37. PIETTE Frédéric [3] 22-9-46. SCHMIDT Wolfgang [2] 16-1-54. SCHULT Jurgen [2] 11-3-60. SHERIDAN Martin [1] 1918-81. SILVESTER Jay [1] 27-8-37. VELU Lucienne (V. poids). WILKINS Mac [1] 15-11-50. WINTER Paul [3] 6-2-06.

Marteau. ACAMBRAY Jacques [3] 23-5-50. BEYER Uwe [11] 14-5-45. BONDARTCHUK Anatoly [7] 30-5-40. CIOFANI Walter [3] 17-2-62. CONNOLLY Harold [1] 1-8-31. FLANAGAN John [1] 1868-1938. HEIN Karl [11] 11-6-08. HUSSON Guy [3] 2-3-31. KLIM Romuald [7] 25-5-33. KRIVONOSOV Mikhaïl [7] 1-5-29. LITVINOV Sergei [7] 23-1-58. MCGRATH Matthew [1] 1876-1941. O'CALLAGHAN Patrick [18] 15-9-05. RIEHM Karl-Heinz [11] 31-5-51. RYAN Patrick (Pat) [1] 1883-1964. SEDYKH Yuri [7] 11-5-55. ZSIVOTZKY Gyula [28] 25-2-37.

Javelot. DANIELSEN Egil [34] 9-11-33. DEMYS Michèle [3] 17-9-43. FELKE Petra [2] 30-7-59. FUCHS Ruth [2] 14-12-46. HANISCH Wolfgang [11] 6-3-51. HELD Frank [1] 25-10-27. JARVINEN Matti [27] 1909-85. KINNUNEN Jorma [27] 15-12-41. KULA Danius [7] 28-4-59. KULCSAR Gergely [28] 10-3-34. LEMMING Erik [19] 1880-1930. LILLAK Tina [27] 15-4-61. LUSIS Janis [7] 19-5-39. MACQUET Michel [3] 3-4-32. MICHEL Detlef [2] 13-10-55. MYYRAE Jonni [27] 1892-1964. NEMETH Miklos [28] 23-10-46. NEVALA Pauli Lauri [27] 30-11-40. NIKKANEN Yrjo [27] 31-12-14. OZOLINA Elvina [7] 10-8-39. PARAGI Ferenc [28] 21-8-53. PEDERSEN Terje [34] 9-2-43. PETRANOFF Tom [1] 8-4-58. RATY Seppo [27] 27-4-62. SCHMIDT Kathy [1] 29-12-53. SEDYKH Yuri [7] 11-6-55. SIDLO Janusz [17] 19-6-33. SIITONEN Hannu [27] 18-3-49. VOLLMERMANN Klaus [11] 31-3-46. ZATOPKOVA Dana [15] 19-9-22.

Épreuves combinées

Décathlon. Pentathlon. Heptathlon. AVILOV Nikolay [7] 6-8-48. BEAUGEANT Chantal [3] 16-2-61. BENDLIN Kurt [11] 22-5-43. CAMPBELL Milton [1] 9-9-33. DEBOURSE Marie-Christine [3] 24-9-51. GUENARD Denise [3] 13-1-34. HEINRICH Ignace [3] 31-7-25. HINGSEN Jürgen [11] 25-1-58. JENNER Bruce [1] 28-10-49. JOHNSON Rafer [1] 18-8-35. JOYNER-KERSEE Jackie [1] 3-3-62. KIRST Joachim [2] 29-5-47. KRATSCHMER Guido [11] 10-1-53. KUZNETSOV Vassili [7] 7-2-32. LE ROY Yves [3] 23-2-51. LESAGE Odile [3]. MATHIAS Bob [1] 17-11-30. MORRIS Glenn [1] 1912-74. NEUBERT Ramona [2] 26-7-58. OSBORN Harold (voir Saut en hauteur). PICAUT Florence [3] 25-10-52. PLAZIAT Christian [3] 28-10-63. POLLAK Burglinde [2] 10-6-51. THOMPSON Daley [4] 30-7-58. THORPE Jim [1] 1888-1953. TKATCHENKO Nadezhad [7] 19-9-48. TOOMEY William (dit Bill) [1] 10-1-39.

Athlètes pratiquant plusieurs disciplines

Vitesse et demi-fond. EASTMAN [1] 400 m, 800 m. FIASCONARO [5] 400 m, 800 m. HARBIG [11] 400 m, 800 m. JUANTORENA [8] 400 m, 800 m. MYERS [1] 100 m à 800 m. WHITFIELD [1] 400 m, 800 m. WINT [16] 400 m, 800 m. **Course et concours.** ANDRÉ [3] 110 m et 400 m haies, hauteur. HITOMI [12] 100 m, longueur. KRAENZLEIN [1] 110 m haies, longueur LEWIS [1] 100 m, 200 m, long. OWENS [1] 100 m, 200 m, long. SZEWINSKA [17] 100 m, 200 m, 400 m, longueur.

Marche

BAUTISTA Daniel [38] 4-8-52. DELERUE Henri [3] 14-11-39. GOLUBNICHY Vladimir [7] 2-6-36. GRIESBACH Suzanne [3] 22-4-45. HÖHNE Christoph [2] 12-2-41. KANNENBERG Bernd [11] 20-8-42. LELIÈVRE Gérard [3] 13-11-51. PAMICH Abdon [5] 3-10-33. SAXBY Kerry [10]. SMAGA Nikolay [7] 22-8-38.

Automobile (Sport)

Premières courses

1er concours *(sans classement).* 22-7-1894, en France : *Paris-Rouen,* 126 km, 13 véh. à pétrole, 2 à vapeur ; 1 à vapeur (de Dion) réalise le temps le plus court avec env. 17,78 km/h de moyenne (pas de chronométrage officiel pour la pause-déjeuner obligatoire à Mantes) ; le 1er prix fut néanmoins partagé entre Panhard et Peugeot. **1re course officiellement contrôlée.** *Paris-Bordeaux-Paris* du 11 au 13-6-1895, 1 178 km, 16 véh. à pétrole, 5 à vapeur, 1 électrique, vict. de Levassor en 22 h 25', moy. 24,4 km/h ; *Paris-Marseille-Paris* en 1896 ; *Paris-Dieppe* en 1897 ; *Paris-Madrid* en 1903, moy. 105 km/h [arrêtée à Bordeaux par ordre gouvernemental en raison des accidents causés : 15 corporels, 7 † (2 pilotes, 3 mécaniciens, 2 spectateurs)]. **Coupe Gordon Bennett.** Disputée en France (1900, Paris-Lyon par Orléans, 560 km, 19-01-02-05), Irlande (1903), Allemagne (1904). **1er Grand Prix de l'ACF** (Le Mans 1906). Ensuite, apparurent d'autres grands prix nationaux. **1re à traverser le Sahara.** 1925, Louise Delongette. **1re femme à remporter le rallye de Monte-Carlo.** 1936, Helle Nice.

1res victimes du sport automobile. *Officiellement* Émile Levassor en 1896 : projeté hors de sa voiture à la suite d'une collision avec un chien, il ne termina pas un Paris-Marseille-Paris et mourut 1 an plus tard des suites de ses blessures. *1er accident en pleine course :* Mis de Montaignac en 1897 dans le Paris-Dieppe : ayant voulu se découvrir pour saluer un concurrent qu'il allait dépasser, il l'accrocha et perdit le contrôle de son véhicule.

Quelques grands records

☞ Voir aussi p. 1718.

Vitesse record. 1 019,4 km/h, 4-10-1983, par Richard Noble sur Thrust II (turbine développant 8,5 t de poussée soit 34 000 ch). Le record (1 190,377 km/h, le 18-12-1979) par Stan Barrett n'a pas été homologué, le trajet n'ayant pas été effectué dans les 2 sens. **Sur anneau de vitesse :** 403,878 km/h [Hans Liebold (All. féd.) à Nasdo (Italie) le 5-5-1979 sur un tour de 12,64 km (1"52"67) avec un coupé expérimental Mercedes-Benz (C111-1V)]. **Sur circuit routier :** 262,461 km/h [Henri Pescarolo (Fr.) à Spa-Francorchamps (Belg.) 6-5-1973, tour de 14,10 km sur Matra Simca 670]. *En course :* 249,670 km/h [Pedro Rodriguez et Jackie Olivier à Spa-Francorchamps (Belg.) 9-5-1971, 1 001,10 km en 4 h 01'7" sur Porsche 917-K].

Plus grande accélération. 400 m en 5"63 (vitesse finale : 403,45 km/h) par Garlits en 1979.

Distance parcourue. 1933 mars-juill., en 133 j 17 h 37'38"34, à Montlhéry : 298 298 km à 93,452 km/h par une Citroën Rosalie par 7 pilotes. **1963** à Miramas : 300 000 km (du 10 juill. au 4 nov.) à 106,49 km/h par 7 pilotes se relayant sur une Ford Taunus 12M (7 ch, 4 cyl., traction avant, 4 vitesses).

Types d'épreuves

• **Épreuves disputées sur circuit.** Épreuves de vitesse et/ou d'endurance disputées sur circuits homologués fermés avec distance ou durée imposées. **Principaux circuits.** *Afr. du S. :* Kyalami. *All. féd. :* Hockenheim, Nürburgring. *Argentine :* Buenos Aires. *Autriche :* Zeltweg (Oesterreichring). *Belgique :* Spa-Francorchamps, Zolder. *Brésil :* Jacarapegua (Rio), Interlagos (São Paulo). *Canada :* Mosport, Montréal[1]. *Espagne :* Jamara, Fuengirola[1]. *États-Unis :* Daytona, Indianapolis, Long Beach[1], Riverside, Sebring, Watkins-Glen, Detroit[1], Las Vegas[1], Dallas[1]. *France :* Albi, Bugatti (Le Mans), Clermont-Ferrand[1] (Charade), Croix-en-Ternois, Dijon-Prénois, Folembray, Le Mans (circuit des 24 h)[1], Magny-Cours, Linas-Montlhéry, Nîmes-Ledenon, Nogaro, Pau[1], Paul-Ricard (Le Castellet), Rouen-les-Essarts[1]. *G.-B. :* Brands-Hatch, Donington Park, Mallory Park, Oulton Park, Silverstone, Snetterton, Thruxton. *Italie :* Enna-Pergusa, Imola, Misano, Monza, Mugello, Vallelunga. *Japon :* Fuji, Suzuka. *Monaco. P.-Bas :* Zandvoort. *Suède :* Anderstorp, Kinekulle-Ring, Knutstorp, Mantorp-Park. *Tchécosl. :* Brno[1].

Nota. – (1) Circuits non permanents.

• **Rallyes.** Épreuves de régularité et d'endurance avec épreuves de classement dans la plupart des cas, se déroulant totalement ou partiellement sur des routes ouvertes à la circulation normale (étroites, sinueuses, glissantes en hiver et rendues difficiles par le brouillard, la pluie ou la neige). Le parcours comprend des étapes spéciales disputées contre la montre sur des portions de routes où toute circulation est interdite. Entre 2 étapes spéciales, les pilotes suivent les itinéraires (secteurs de liaison) dans des conditions de circulation normale au milieu des usagers habituels. Ils doivent respecter le Code de la route et la moyenne imposée. Classement final établi en fonction des temps réalisés dans les secteurs chronométrés et des pénalisations encourues sur route. Le vainqueur est celui dont le total est le plus faible [Monte-Carlo, Safari, Acropole, 1 000 Lacs, San Remo, RAC, Bandama, Côte-d'Ivoire]. Safari et Bandama ne possèdent pas d'épreuves de classement, mais se déroulent selon un parcours à moyenne imposée pratiquement irréalisable (le classement s'effectue en fonction des pénalisations).

Catégories. Rallyes régionaux, fédéraux, nationaux et internationaux.

1er long rallye. Pékin-Paris (12 000 km), en 1907 ; organisé par le quotidien de Paris *Le Matin ;* 5 voitures ; départ le 10-6, arrivée du 1er (Prince It. Scipione Borghese sur une Itala) le 10-8. **Le plus long rallye.** Londres-Sydney, organisé par les Singapore Airlines (en tout 17 pays), parti de Covent Garden le 14-8-77, arrivé à Sydney le 28-9-77 après 13 107 km. Remporté par Andrew Cowan, Colin Malkin et Michael Broad (G.-B.) sur une Mercedes 280 E.

• **Courses de côtes.** Épreuves de vitesse disputées sur des portions de routes fermées et réservées aux voitures des groupes A à N, sport et formule libre (Ampus, Rossfeld, Mont-Dore, Montseny...). Ces compétitions sont inscrites au calendrier international (FIA) ou national.

Toutes ces épreuves sont réalisées, en France, sous la responsabilité de la Féd. fr. du sport automobile et des associations affiliées.

Catégories de voitures

Catégorie I. V. fabriquées en série destinées à la vente. **Groupe N.** V. de production (ex. Renault 11 turbo). Tourisme de grande série. Produites à 5 000 ex. min. en 12 mois consécutifs. Homologuées par la FISA en v. de tourisme (Groupe A). 4 places min. Changements autorisés répondant à des homologations précises (transmission, suspension, système électrique, freins, carrosserie, moteur et dispositifs de sécurité). **Groupe A.** 1987, remplace le groupe B, v. de tourisme (ex. Mercedes 190 2,3 l). Tourisme de grande production. Produites à 1 000 ex. min. en 12 mois consécutifs. 4 places min. 300 CV,

Attribution des points aux pilotes de F I. *1950-59 :* les premiers marquent 8, 6, 4, 3 et 2 pts, l'auteur du meilleur tour en course 1 pt. *1960 :* le 6e a 1 pt ; suppression du pt au meilleur tour. *1961-90 :* 9 pts au 1er. *1991 :* 10 pts au 1er, puis 6, 4, 3, 2, 1. On comptabilisera 14 résultats et non plus 11 sur les 16 courses (but : inciter les pilotes à terminer).

Mesures de protection. *1952* port du casque. *59* combinaison ignifugée. *69* coupe-circuit, arceau, extincteur. *70* réservoirs souples. *72* harnais. *75* air médical. *82* cellule de survie. *83* interdiction des jupes et imposition du fond plat. *85* crash-test frontal. *88* tests statiques latéraux ; recul du pédalier en arrière de l'axe des roues avant. *90* sac anti-pénétration pour le réservoir d'essence, augmentation des dimensions et test statique pour l'arceau de sécurité, crash-test statique latéral pour la protection avant. *91* limitation des dimensions des ailerons avant, emplacement imposé du réservoir d'essence entre l'habitacle et le moteur (plus de réservoirs latéraux), nouveaux tests statiques de résistance aux chocs latéraux, amélioration des protections pour toutes les canalisations.

620 kg et 1 000 cm³ à 1 400 kg et 5 000 cm³. Modifications selon homologations FISA (moteur, poids, transmission, suspension, roues, pneus, freins, direction, châssis, système électrique, dispositifs de sécurité). **Groupe B** (1982-87). V. de sport (ex. Peugeot 205 turbo 16). Grand tourisme de sport. Produites à 200 ex. min. en 12 mois consécutifs. 2 places min. 550 CV. Modifications comme pour groupe A ainsi que poids, roues et pneus. Le constructeur a aussi droit à *une évolution* (20 exemplaires plus performants par an). Le 3-5-1986, à la suite de nombreux accidents mortels en rallyes, le Pt de la FISA a décidé, pour le championnat 1987, de supprimer le groupe B et d'annuler la création du **groupe S** (prévu pour remplacer en 1988 le groupe B, 10 ex. voitures d'usines pour les pilotes vedettes, max. 300 CV).

Catégorie II. V. fabriquées à l'unité, uniquement destinées à la compétition. **Groupe C.** V. de sport prototype (ex. Porsche 962). GROUPE C1 : v. de compétition, construites pour courses en circuit fermé, toutes les modifications sont autorisées pour le moteur, max. 100 *l* de carburant, 850 kg. GROUPE C2 : mêmes règles que pour groupe c1, 700 kg, moins de carburant que pour les c1. **Groupe D.** V. de course de formule internationale. Monoplaces. FORMULE I : uniquement destinées aux courses de vitesse en circuit fermé. Monoplaces à 4 roues, non recouvertes. *Réglementation pour 1991 : carrosserie-châssis,* fond plat, largeur hors tout 215 cm, sol-aileron 100 cm, repose-tête obligatoire ; *moteur* atmosphérique (3 500 cm³-12 cyl. max.) ; *poids min.* 540 kg ; *réservoir* sans limitation ; *pneumatiques* largeur max. 18 pouces, diam. max. 26 pouces. FORMULE II : n'existe plus. FORMULE III : v. conçues pour la course de vitesse en circuit fermé. Min. 455 kg Max. 2 000 cm³. Max. 4 cylindres. Suralimentation interdite. FORMULE 3000 : créée 1984 (1er championnat en 85) pour remplacer la Formule II, v. conçues pour course de vitesse en circuit fermé, max. 3 000 cm³, 12 cylindres, 9 000 tours/minute (limiteur électronique sur chaque voiture). Env. 450 CV ; 540 kg min, pneus Avon. **Groupe E.** V. de course de formule libre (autres que celle des groupes N, A, B, C, D) ; règlement fixé par les organisateurs. Les *formules nationales* (ex. Formule Renault Turbo) appartiennent aux formules libres et ont une réglementation spéciale (ex. obligation d'utiliser un moteur ou des pièces d'une marque donnée).

Compétitions en circuits

Championnat du monde des conducteurs de Formule I

Créé 1950. Ouvert aux voitures de Formule I. 2 titres sont décernés en fin de saison : *Championnat du monde pilotes :* attribution des points pour les 6 premiers pilotes classés : 10, 6, 4, 3, 2, 1 points. On ne tient compte que des 14 meilleurs résultats de chacun. *Ch. du monde constructeurs :* attribution des points pour les 5 premiers classés : 10, 6, 5, 4, 1 points. Les points sont cumulables si un constructeur a 2 v. classées parmi les 6 premières.

Les *Grands Prix* sont disputés sur env. 305 km (sauf Monaco), la durée de l'épreuve ne pouvant excéder 2 h ; 8 à 16 épreuves autorisées par saison (16 en 1991). Les pilotes ont une super-licence (env. 50 dans le monde). En 1990, 35 pilotes de FI.

En 1990, 39 voitures inscrites (représentant 19 écuries, 9 marques de moteurs et 2 de pneumatiques). Lors de chaque course, 26 pilotes sont admis d'office aux qualifications au vu de leurs résultats de l'année précédente, 9 pilotes doivent subir les préqualifications afin de désigner les 4 meilleurs. Sur les 30 pilotes admis aux qualifications, les 26 premiers participent à la course. En 1990, 8 pilotes de F1 max. par pays.

• Champions. **1950** Giuseppe Farina (It.) [1]. **51** Juan Manuel Fangio (Arg.) [1]. **52, 53** Alberto Ascari (It.) [2]. **54, 55, 56, 57** Juan Manuel Fangio (Arg.) [3,4,2,3]. **58** Mike Hawthorn (G.-B.) [2]. **59, 60** Jack Brabham (Austr.) [5]. **61** Phil Hill (USA) [2]. **62** Graham Hill (G.-B.) [6]. **63** Jim Clark (G.-B.) [7]. **64** John Surtees (G.-B.) [2]. **65** Jim Clark (G.-B.) [7]. **66** Jack Brabham (Austr.) [8]. **67** Dennis Hulme (N.-Z.) [8]. **68** Graham Hill (G.-B.) [9]. **69** Jacky Stewart (G.-B.) [10]. **70** Jochen Rindt (Autr.) [9], à titre posthume. **71** Jacky Stewart (G.-B.) [11]. **72** E. Fittipaldi (Br.) [9]. **73** Jacky Stewart (G.-B.) [11]. **74** Emerson Fittipaldi (Br.) [12]. **75** Niki Lauda (Autr.) [2]. **76** James Hunt (G.-B.) [12]. **77** Niki Lauda (Autr.) [2]. **78** Mario Andretti (USA) [9]. **79** Jody Scheckter (Afr. du S.) [2]. **80** A. Jones (Austr.) [13]. **81** Nelson Piquet (Br.) [14]. **82** Keke Rosberg (Finl.) [13]. **83** Nelson Piquet (Br.) [15]. **84** N. Lauda (Autr.) [16]. **85, 86** A. Prost (Fr.) [16]. **87** N. Piquet (Br.) [17]. **88** A. Senna (Br.) [18]. **89** A. Prost (Fr.) [18]. **90** A. Senna (Br.) [18], *2e* A. Prost (Fr.) [2], *3e* G. Berger (Autr.) [18] et N. Piquet (Br.) [20].

Champions du monde. *Le plus jeune :* Emerson Fittipaldi le 10-9-1972 (25 ans 273 j). *Le plus vieux* Juan Manuel Fangio le 18-8-1957 (46 a 55 j).

Vainqueurs d'un Grand Prix. *Le plus jeune :* Bruce Leslie McLaren (G.-P. des USA, le 12-12-1959) 22 ans 104 j. *Le plus vieux :* Tazio Georgio Nuvolari (G.P. de France le 14-6-1946) 53 ans 240 j.

☞ *Légende.* – (1) Alfa-Romeo, (2) Ferrari, (3) Maserati, (4) Mercedes, (5) Cooper-Climax, (6) BRM, (7) Lotus Climax, (8) Brabham-Repco, (9) Lotus-Ford, (10) Matra-Ford, (11) Tyrrel-Ford, (12) McLaren-Ford, (13) Williams-Ford, (14) Brabham-Ford, (15) Brabham-BMW, (16) McLaren-TAG, (17) Williams-Honda, (18) McLaren-Honda. (19) Williams-Renault. (20) Benetton-Ford.

• Records. Des titres de champion du monde. Juan Manuel Fangio (5 titres dont 4 consécutifs), Jack Brabham, Jacky Stewart, Niki Lauda, Nelson Piquet et Alain Prost (3 titres).

Des victoires en Grand Prix (1950 au 13-7-1991). Prost 44, Senna 30, Stewart 27, Clark et Lauda 25, Fangio 24, Piquet 23, Mansell 19, Moss 16, Brabham, Fittipaldi et Hill 14, Ascari 13, Andretti, Reutemann et Jones 12, Hunt, Petterson et Scheckter 10.

Pilotes français. Prost 44, Arnoux 7, Laffite 6, Pironi 3, Depailler, Jabouille, Tambay et Trintignant 2, Beltoise et Cevert 1.

Par marques. Ferrari 103, McLaren 90, Lotus 79, Williams-Renault 47, Brabham 35, Tyrrell 23, BRM 17, Cooper 16, Renault 15, Alfa Romeo 10, Mercedes, Maserati , Vanwall et Matra 9, Ligier 8, Benetton 4, Wolf et March 3, Honda 2, Porsche, Eagle, Hesketh, Penske et Shadow 1.

De participations. Ricardo Patrese, 214 au 13-7-1991. Graham Hill, 176 Grands Prix (184 possibles) du 18-5-1958 au 26-1-1975. Jacques Laffite, 176 au 13-7-1986. Nelson Piquet, 195 au 13-7-1991.

• Circuits. *Le plus rapide :* Silverstone (G.-B.) ; rec. du tour : 258,803 km/h aux essais le 20-7-85, Keke Rosberg. *Le plus difficile :* Monaco, dans les rues et sur le port, avec 11 virages et plusieurs côtes sévères ; exige en moyenne 1 600 changements de vitesse.

• Publicité. Jusqu'en 1968, seules les publicités ayant un lien direct avec les sports auto. (pneumatiques, carburants, accessoires) étaient autorisées sur les voitures. Les 1res pub. extra-sportives sont apparues en 1968 sur la Lotus avec Gold Leaf.

Championnat du monde des constructeurs de Formule I

Créé 958. **58** Vanwall. **59, 60** Cooper-Climax. **61** Ferrari. **62** BRM. **63** Lotus-Climax. **64** Ferrari. **65** Lotus-Climax. **66, 67** Brabham-Repco. **68** Lotus-Ford. **69** Matra-Ford. **70** Lotus-Ford. **71** Tyrrell-Ford. **72, 73** Lotus-Ford. **74** McLaren-Ford. **75, 76, 77** Ferrari. **78** Lotus-Ford. **79** Ferrari. **80, 81** Williams-Ford. **82, 83** Ferrari. **84** McLaren-Porsche. **85** McLaren-TAG-Porsche. **86, 87** Williams-Honda. **88, 89, 90** McLaren-Honda.

Nota.– Record de victoires (au 1-1-1991). Ferrari 8, Lotus 7, McLaren 6, Williams 4.

Rétrospective

Vainqueurs et, entre parenthèses, voiture

☞ *Légende :* A : Alfa-Romeo. Ar : Arrows. ArBMW : Arrow-BMW. AF : Arrow-Ford. ATS.B : ATS-BMW. B : BRM. BDA : BMS-Dalara-Ford. BF : Benetton-Ford. Br : Brabham. BrA : Brabham-Alfa-Romeo. BrB : Brabham-BMW. BrF : Brabham-Ford. BJ : Brabham-Judd. BR : Brabham-Repco. C. : Cooper. CC : Copersucar Cosworth. Co : Colt. F : Ferrari. Fo : Ford. L : Lotus. LA : Larrousse Lamborghini. LF : Ligier-Ford. DJ : Dallara-Judd. LH : Lotus-Honda. LR : Ligier-Renault. LoC : Lola-Cosworth. LoF : Lotus-Ford. LoR : Lotus-Renault. LM : Ligier-Matra. M : Mercedes-Benz. Ma : Maserati. Mar : March. MaC : March-Cosworth. MaJ : March-Judd. Mat : Matra. ML : McLaren. MLH : McLaren Honda. MLP : McLaren-Porsche. O : Osella. OF : Onyx-Ford. P : Porsche. R : Renault. RH : RAM-Hart. S : Shadow. Su : Surtees. Sp : Spirit-Art. TAG : Techniques d'avant-garde. T : Talbot. TL : Talbot-Ligier. To : Toleman. Ty : Tyrell. TF : Tyrell-Ford. Van : Vanwall. W : Williams. Wo : Wolf. WH : Williams-Honda. WR : Williams-Renault.

Afrique du Sud. *Créé* 1932. Circuit de Kyalami (3,825 km). **62** G. Hill (Br). **63, 68** J. Clark (L). **69** J. Stewart (Mat). **70** J. Brabham (Br). **71** Andretti (L). **72** D. Hulme (ML). **73** J. Stewart (Ty). **74** C. Reutemann (Br). **75** J. Scheckter (Ty). **76, 77** N. Lauda (F). **78** R. Peterson (L). **79** Gilles Villeneuve (F). **80** R. Arnoux (R). **81** (épreuve non qualificative pour le Champ. du monde, disputée uniquement par les écuries Foca) C. Reutemann. **82** A. Prost (R). **83** R. Patrese. **84** N. Lauda (MLP). **85** N. Mansell (WH), *2* K. Rosberg (WH), *3* A. Prost (MLP). **Dep. 86** non disp.

Allemagne féd. *Créé* 1926. Actuel circuit d'Hockenheim (6,802 km, 45 tours soit 306,090 km). Record : 252,219 Km/h Mansell (1991). **60** J. Bonnier (P). **61** S. Moss (L). **62** G. Hill (B). **63, 64** J. Surtees (F). **65** J. Clark (L). **66** J. Brabham (BR). **67** D. Hulme (Br). **68** J. Stewart (Mat). **69** J. Ickx (BrF). **70** J. Rindt (L). **71** J. Stewart (Ty). **72** J. Ickx (F). **73** J. Stewart (Ty). **74** C. Regazzoni (F). **76** J. Hunt (ML). **77** N. Lauda (F). **78** M. Andretti (L). **79** A. Jones (W). **80** J. Laffite (LM), (LF). **81** N. Piquet (BrF). **82** P. Tambay (F). **83** R. Arnoux (F). **84** A. Prost (MLP). **85** M. Alboreto (F), **86, 87** N. Piquet (WH). **88, 89** A. Senna (MLH). **90** A. Senna (MLH). **91** N. Mansell (WR), *2* R. Patrese (WR), *3* J. Alesi (F).

Argentine. *Créé* 1953. Circuit de Buenos Aires (5,968 km). Record : 204,066 km/h Piquet (1981). **60** B. Mc Laren (C). **71** C. Amon (Mat) (hors championnat). **72** J. Stewart (Ty). **73** E. Fittipaldi (L). **74** D. Hulme (ML). **75** E. Fittipaldi (ML). **76** annulé. **77** J. Scheckter (Wo). **78** M. Andretti (L). **79** J. Laffite (LF). **80** A. Jones (W). **81** N. Piquet (B). **Dep. 82,** non disp.

Australie. *Créé* 1985. Circuit d'Adélaïde (3,779 km, 81 tours soit 306,099 km). Record : 174,009 km/h Mansell (1990). **85** K. Rosberg (WH). **86** A. Prost (MLP). **87** G. Berger (F). **88** A. Prost (MLH). **89** T. Boutsen (WR). **90** N. Piquet (BF), *2* N. Mansell (F), *3* A. Prost.

Autriche. *Créé* 1964. Circuit de l'Osterreichring (5,942 km). Record : 242,207 km/h Mansell (1987). **64** Bandini (F). **70** J. Ickx (E). **71** S. Siffert (BRM). **72** E. Fittipaldi (L). **73** R. Peterson (L). **74** C. Reutemann (Br). **75** V. Brambilla (March 751). **76** J. Watson (Penske). **77** A. Jones (S). **78** R. Peterson (L). **79** A. Jones (W). **80** J.-P. Jabouille (R). **81** J. Laffite (T). **82** E. De Angelis (LoF). **83** A. Prost (R). **84** N. Lauda (MLP). **85, 86** A. Prost (MLP). **87** N. Mansell (WH), 2e N. Piquet (WH), 3e T. Fabi (Fo). **Dep. 88,** non disp.

Belgique. *Créé* 1925. Circuit de Spa-Francorchamps (6,940 km, 44 tours soit 305,36 km). Record : 217,088 km/h Prost (1990). **50** Fangio (A). **51** Farina (A). **52, 53** Ascari (F). **54** Fangio (Ma). **55** Fangio (M). **56** Collins (F). **57** non disp.. **58** Brooks (V). **59** non disp.. **60** Brabham (C). **61** P. Hill (F). **62, 63, 64, 65** J. Clark (L). **66** J. Surtees (F). **67** Gurney (Eagle). **68** B. McLaren (ML). **69** annulé. **70** P. Rodriguez (B). **71** J. Stewart (T.-F.). **72** E. Fittipaldi (L). **73** J. Stewart (Ty). **74** E. Fittipaldi (ML). **75, 76** N. Lauda (F). **77** G. Nilsson (L). **78** M. Andretti (L). **79** J. Scheckter (F). **80** D. Pironi (LM). **81** C. Reutemann (W). **82** J. Watson (ML). **83** A. Prost (R). **84** M. Alboreto (F). **85** A. Senna (LoR). **86** N. Mansell (WH). **87** A. Prost (MLP). **88** A. Senna (MLH), **89** Senna (MLH). **90** Senna (MLH). **91** (Senna (MLH), *2* Berger (MLH). *3 Piquet (BF).*

Brésil. *Créé* 1972. 1982 et dep. 1990, cicuit d'Interlagos (São Paulo, 4,325 km), autres années : circuit de Jacarapegua (Rio, 5,031 km, 71 tours soit 307,075 km). Record : 194,871 km/h Berger (1990). **72** C. Reutemann (BrF). **73** E. Fittipaldi (ML). **74** E. Fittipaldi (L). **75** C. Pace (Br). **76** N. Lauda (F). **77, 78** C. Reutemann (F). **79** J. Laffite (LF). **80** R. Arnoux (R). **81** C. Reutemann (W). **82** A. Prost (R). **83** N. Piquet (Br). **84, 85** A. Prost (MLP). **86** N. Piquet (WH). **87** A. Prost (MLP). **88** A. Prost (MLH). **89** N. Mansell (F). **90** A. Prost (F). **91** A. Senna (MLH), *2* R. Patrese (WR), *3* G. Berger (MLH).

Canada. *Créé* 1961. Circuit Gilles-Villeneuve (Ile Notre-Dame à Montréal, 4,410 km, 70 tours soit 310,100 km). Record : 193,579 km/h Mansell (1991). **67** J. Brabham (Br). **68** D. Hulme (ML). **69** J. Ickx (BrF). **70** J. Ickx (F). **71** J. Stewart (T.-F.). **72** J. Stewart. **73** Revson (Yardley ML). **74** E. Fittipaldi (ML). **75** annulé. **76** J. Hunt (ML). **77** J. Scheckter (Wo). **78** G. Villeneuve (F). **79, 80** A. Jones (W). **81** J. Laffite (T). **82** N. Piquet (Br.BMW). **83** Arnoux (F). **84** Piquet (BrB). **85** M. Alboreto (F). **86** N. Mansell (WH). **87** non disp. **88** A. Senna (MLH). **89** T. Boutsen (WR). **90** A. Senna (MLH). **91** N. Piquet (BF), *2* S. Modena (TH), *3* R. Patrese (WR).

Espagne. *Créé* 1913. Circuit de Jerez-de-la-Frontera (4,218 km, 73 tours soit 307,914 km). Record : 179,674 km/h Patrese (1990). En 91 et 92, circuit de Montmelo à Barcelone (4,736 km). **68** G. Hill (L). **69** J. Stewart (Mat). **70** J. Stewart (March). **71** J. Stewart (Ty). **72, 73** E. Fittipaldi (L). **74** N. Lauda (F). **75** J. Mass (ML). **76** J. Hunt (ML). **77, 78** M. Andretti (L). **79** P. Depailler (LF). **80** A. Jones (W), ne compte pas pour le champ. **81** G. Villeneuve (F). **81** A. Jones (W), course Foca, ne compte pas pour le champ. **82, 83, 84, 85** non disp.. **86** A. Senna (LoR). **87** N. Mansell (WH). **88** A. Prost (MLH). **89** A. Senna (MLH). **90** A. Prost (F), *2* N. Mansell(F), *3* A. Nannini (BF).

États-Unis Est [(Watkins-Glen puis Detroit (1982-88) **et Phoenix** (dep. 1989)]. *Créé* 1960. Circuit dans la ville (3,720 km, 81 tours soit 301,384 km). Record : 154,394 km/h Alesi (1991). **60** Moss (L). **61** Ireland (L). **62** Clark (L). **63, 64, 65** G. Hill (Br). **66, 67** Clark (L). **68** J. Stewart (Mat). **69** J. Rindt (L Ford). **70** E. Fittipaldi (L). **71** F. Cevert (Ty-Ford). **72** J. Stewart (Ty). **73** R. Peterson (L). **74** C. Reutmann (Br). **75** N. Lauda (L). **76, 77** J. Hunt (ML). **78** C. Reutemann (F). **79** G. Villeneuve (F). **80** A. Jones (W). **81** remplacé par le G.P. de Detroit. **82** J. Watson (ML-C). **83** M. Alboreto (T-F). **84** N. Piquet (BrB). **85** K. Rosberg (WH). **86** A. Senna (LoR). **87** A. Senna (LH). **88** A. Senna (MLH). **89** A. Prost (MLH). **90** A. Senna (MLH). **91** A. Senna (MLH), *2* A. Prost (F), *3* N. Piquet (BF).

États-Unis Ouest (Long Beach). *Créé* 1976. **76** C. Regazzoni (F). **77** M. Andretti (L). **78** C. Reutemann (F). **79** G. Villeneuve (F). **80** N. Piquet (BrF). **81** A. Jones (W). **82** N. Lauda (ML). **83** J. Watson (ML). **Dep. 84,** non disp.. **États-Unis Ouest (Las Vegas).** *Créé* 1981. **81** A. Jones (W). **82** M. Alboreto (Ty). **Dep. 83,** non disp.. **États-Unis (Dallas). 84** K. Rosberg (WH), *2* R. Arnoux (F), *3* E. De Angelis (LR). **Dep. 85,** non disp..

Europe. *Créé* 1983. **83** N. Piquet (BrB). **84** A. Prost (MLP). **85** N. Mansell (WH), *2* A. Senna (LoR), *3* K. Rosberg (WH). **Dep. 86,** non disp..

France. *Créé* 1906. 1986-90 circuit Paul-Ricard (Le Castellet, 3,813 km, 80 tours soit 305,040 km). Record : 197,372 km/h Piquet (1987). 1991-95, à Magny-Cours (Nièvre, 4,271 km, 72 tours soit 307,512 km). **50** Fangio (A). **51** Fangio-Fagioli (A). **52** Ascari (F). **53** Hawthorn (F). **54** Fangio (M). **55** non disp. **56** Collins (F). **57** Fangio (Ma). **58** Hawthorn (F). **59** Brooks (F). **60** Brabham (C). **61** Baghetti (F). **62** D. Gurney (P). **63** J. Clark (L). **64** D. Gurney (B). **65** J. Clark (L). **66, 67** J. Brabham (BR). **68** J. Ickx (F). **69** J. Stewart (Mat). **70** J. Rindt (L). **71, 72** J. Stewart (Ty). **73, 74** R. Peterson (L). **75** N. Lauda (F). **76** J. Hunt (ML). **77, 78** M. Andretti (L). **79** J.-P. Jabouille (R). **80** A. Jones (W). **81** A. Prost (R). **82** R. Arnoux (R). **83** A. Prost (R). **84** N. Lauda (MLP). **85** N. Piquet (BrB), **86, 87** N. Mansell (WH). **88, 89** A. Prost (MLH). **90** A. Prost (F). **91** N. Mansell (WR), *2* A. Prost (F), *3*. A. Senna (MLH).

Nota. – Records de victoires : Louis Chiron, Juan Manuel Fangio et Alain Prost (4).

Grande-Bretagne. *Créé* 1926. Circuit de Silverstone (5,226 km, 59 tours soit 308,306 km). Record : 217,784 km/h Mansell (1991). **60** Brabham (C). **61** Von Trips (F). **62, 63, 64, 65** J. Clark (L). **66** J. Brabham (BR). **67** J. Clark (L-F). **68** J. Siffert (L). **69** J. Stewart (Mat). **70** J. Rindt (L). **71** J. Stewart (Ty). **72** E. Fittipaldi (L). **73** P. Revson (ML). **74** J. Scheckter (Ty). **75** E. Fittipaldi (ML). **76** N. Lauda (F). **77** J. Hunt (ML). **78** C. Reutemann (F). **79** C. Regazzoni (W). **80** A. Jones (W). **81** J. Watson (ML). **82** N. Lauda (ML-Fo). **83** A. Prost (R). **84** N. Lauda (MLP). **85** A. Prost (MLP), **86, 87** N. Mansell (WH). **88** A. Senna (MLH). **89** A. Prost (MLH). **90** A. Prost (F), **91** N. Mansell (WR), *2* G. Berger (MLH), *3* A. Prost (F).

Hongrie. *Créé* 1986 [Circuit du Hungaroring (Budapest, 3,968 km, 77 tours soit 305,536 km). Record : 174,082 km/h Berger (1990). 1er grand prix disputé dans un pays de l'Est]. **86, 87** N. Piquet (WH). **88** A. Senna (MLH). **89** N. Mansell (F). **90** T. Boutsen (WR), **91** A. Senna (MLH), *2* Mansell (WR).

Italie. *Créé* 1921. Circuit de Monza (Milan, 5,8 km, 53 tours soit 307,400 km). Record : 242,076 km/h Senna (1990). **60, 61** P. Hill (F). **62** G. Hill (B). **63** J. Clark (L). **64** J. Surtees (F). **65** J. Stewart (B). **66** L. Scarfiotti (F). **67** J. Surtees (Honda). **68** D. Hulme (ML). **69** J. Stewart (Mat-Ford). **70** C. Regazzoni (F). **71** P. Gethin (B). **72** E. Fittipaldi (L). **73, 74** R. Peterson (L). **75** C. Regazzoni (F). **76** R. Peterson (March). **77** M. Andretti (Lotus). **78** N. Lauda (B). **79** J. Sckeckter (F). **80** (disputé à Imola) N. Piquet (B). **81** A. Prost (R). **82** R. Arnoux (R). **83** N. Piquet (BrB). **84** N. Lauda (MLP). **85** A. Prost (MLP). **86, 87** N. Piquet (WH). **88** G. Berger (F). **89** A. Prost (MLH). **90** A. Senna (MLH), *2* A. Prost (F), *3* G. Berger (MLH).

Japon. Créé 1963. Circuit de Suzuka (Nagoya, 5,859 km, 53 tours soit 310,527 km)). Record : 214,410 km/h Berger (1990). **76** M. Andretti (L). **77** J. Hunt (ML). **78 à 86** non disp.. **87** G. Berger (F). **88** A. Senna (MLH). **89** A. Nannini (BF). **90** N. Piquet (BF), *2* Moreno (BF), *3* A. Suzuki (LA).

Mexique. *Créé* 1968. Circuit Rodriguez (Mexico, 4,421 km, 69 tours soit 305,049 km). Record : 204,156 km/h Prost (1990). Disputé jusqu'en 1970. Reprise en **86** G. Berger (BMW). **87** N. Mansell (WH). **88** A. Prost (MLH). **89** A. Senna (MLH). **90** A. Prost (F). **91** R. Patrese (WR), *2* N. Mansell (WR), *3* A. Senna (F).

Monaco. *Créé* 1929. Circuit dans la ville de Monte-Carlo (3,328 km, 78 tours soit 259,584 km). Record : 149,119 km/h Senna (1991). **50** Fangio (A). **51, 55** non disp. **56** Moss (Ma). **57** Fangio (Ma). **58** Trintignant (C). **59** Brabham (C). **60** Moss (L). **61** non disp. **62** McLaren (C). **63, 64, 65** G. Hill (B). **66** Stewart (B). **67** D. Hulme (Br). **68, 69** G. Hill (L). **70** J. Rindt (L). **71** J. Stewart (Ty). **72** J.-P. Beltoise (BRM). **73** J. Stewart (TF). **74** R. Peterson (L). **75, 76** N. Lauda (F). **77** J. Scheckter (Wo). **78** P. Depailler (Ty). **79** J. Scheckter (F). **80** C. Reutemann (W). **81** G. Villeneuve (F). **82** R. Patrese (BrF). **83** K. Rosberg (WF). **84, 85** A. Prost (MLP). **86** A. Prost (MLP). **87** A. Senna (LH). **88** A. Prost (MLH). **89, 90** A. Senna (MLH). **91** A. Senna (MLH), *2* N. Mansell (WR), *3* J. Alesi (F).

P.-Bas. *Créé* 1949. Circuit de Zandvoort (4,252 km). Record : 199,995 km/h Prost (1985). **60** non disp. **61** Von Trips (F). **62** G. Hill (B). **63, 64, 65** J. Clark (L). **66** J. Brabham (B). **67** J. Clark (L). **68, 69** J. Stewart (Mat-Ford). **70** J. Rindt (L). **71** J. Ickx (F). **73** J. Stewart (Ty). **74** N. Lauda (F). **75** J. Hunt (Hesketh). **76** J. Hunt (ML). **77** N. Lauda (F). **78** M. Andretti (L). **79** A. Jones (W). **80** N. Piquet (BrF). **81** A. Prost (R). **82** D. Pironi (F). **83** R. Arnoux (F). **84** A. Prost (ML). **85** N. Lauda (MLP), *2* A. Prost (MLP), 3 A. Senna (LoR). **Dep. 86,** non disp.

Portugal. *Créé* 1984. Circuit d'Estoril (4,350 km, 71 tours soit 308,850 km). Record : 199,985 km/h Patrese (1990). **84** A. Prost (MLP). **85** A. Senna (LoR). **86** N. Mansell (WH). **87** A. Prost (MLP). **88** A. Prost (MLH). **89** G. Berger (F). **90** N. Mansell (F), *2* A. Senna (MLH), *3* A. Prost (F).

Saint-Marin. *Créé* 1981. Autodrome Ferrari à Imola (5,040 km, 61 tours soit 307,440 km). Record : 209,044 km/h Prost (1989). **81** N. Piquet (BrF). **82** D. Pironi (F). **83** P. Tambay (F). **84** A. Prost (MLP). **85** E. De Angelis (LoR). **86** A. Prost (MLP). **87** N. Mansell (WH). **88, 89** A. Senna (MLH). **90** R. Patrese (WR). **91** A. Senna (MLH), *2* G. Berger (MLH), *3* J.-J. Letho (DJ).

Suisse. *Créé* 1950. **50** Farina (A). **51** Fangio (A). **52** Taruffi (F). **53** Ascari (F). **54** Fangio (M). **82** K. Rosberg (WF). **Dep. 83,** non disputé.

Nota. – Le grand prix de Suède n'est plus couru (voir Quid 1981, p. 1598).

☞ Voir la liste des principaux coureurs automobiles p. 1717

Championnat d'Europe de Formule II

Nota. – La F II a été créée en 1947 pour former les jeunes pilotes de F I.

Couru de 1967 à 1984. Réservé aux pilotes ne faisant pas partie de la liste de notoriété Grand Prix. Les épreuves sont disputées en 2 ou plusieurs manches et une finale en 2 manches comptant pour le résultat final, ou bien en une seule course. Attribution des points pour les 6 premiers : 9, 6, 4, 3, 2 et 1 pts. Les pilotes de notoriété peuvent participer aux épreuves de ce championnat sans pouvoir marquer de points. **Palmarès. 67** J. Ickx [1]. **68** J.-P. Beltoise [1]. **69** J. Servoz-Gavin [1]. **70** C. Regazzoni [2]. **71** R. Peterson [3]. **72** M. Hailwood [4]. **73** J.-P. Jarier [5]. **74** P. Depailler [5]. **75** J. Laffite [6]. **76** J.-P. Jabouille [7]. **77** R. Arnoux [8]. **78** B. Giacomelli [5]. **79** M. Surer [5]. **80** B. Henton §9. **81** G. Lees [10]. **82** C. Fabi [5]. **83** J. Palmer [10]. **84** 1er M. Thackwel [10], 2e Moreno [10], 3e M. Ferté [6]. **Dep. 84,** remplacé par la F 3 000.

☞ *Légende.* – (1) Matra, (2) Tecno, (3) March, (4) Surtees, (5) March-BMW, (6) Martini-BMW, (7) Elf-Renault, (8) Martini-Renault, (9) Toleman-Hart, (10) Ralt-Honda.

Championnat de Formule III, puis 3000

Nota. – La F III a été créée en 1950 pour former les jeunes pilotes de F I. En Formule 3 000, moteurs bridés par un limitateur électronique, max. 9 000 trs/min., env. 450 CV, max. 540 kg, pneus de marque Avon obligatoires (largeur 24,5).

Championnat d'Europe. *Créé* 1975. **75** L. Perkins (Austr.). **76** R. Patrese (It.). **77** P. Ghinzani (It.). **78** J. Lammers. **79** A. Prost. **80** M. Alboreto. **81** M. Baldi (March-Alfa-Romeo). **82** O. Larrauri (Euro-racing-Alfa-R.). **83** G. Martini (Ralt-Alfa), 2e J. Nielsen (Ralt-VW), 3e E. Pirro (Ralt-Alfa). **84** I. Capelli (It., Alfa-Romeo), 2e J. Dumfries (G.-B., Ralt VW). **Dep. 84,** remplacé par la F 3 000.

Championnat international de F 3000. *Créé* 1985. **85** Danner (All. féd., March). **86** Capelli (It., March), **87** Modena (It., March), **88** Moreno (Br., Reynard). **89** Alesi (Fr., Reynard).

Grand Prix de Monaco. *Créé* 1962. **62** P. Arundell [1]. **63** R. Attwood [2]. **64** J. Stewart [3]. **65** P. Revson [1]. **66** J.-P. Beltoise [4]. **67** H. Pescarolo [4]. **68** J.-P. Jaussaud [5]. **69** R. Peterson [5]. **70** T. Trimmer [6]. **71** D. Walker [1]. **72** P. Depailler [7]. **73** J. Laffite [8]. **74** T. Pryce [9]. **75** R. Zorzi [10]. **76** B. Giacomelli [9]. **77** D. Pironi [8]. **78** E. de Angelis [11]. **79** A. Prost [8]. **80** Baldi [13]. **81, 82** A. Ferté [13]. **83** M. Ferté [13]. **84** I. Capelli [13]. **86** Y. Dalmas [14]. **87** Artzet [15].

☞ *Légende.* – (1) Lotus, (2) Lola, (3) Cooper, (4) Matra, (5) Tecno, (6) Brabham, (7) Alpine, (8) Martini, (9) March, (10) GRD, (11) Chevron, (12) March-Alfa-Romeo, (13) Martini-Alfa-Romeo, (14) Martini VW. (15) Ralt-VW.

Championnat du monde des voitures de sport

Créé 1953. **1953-61** ch. du monde des voitures de sport, titre aux constructeurs. **1962-67** ch. international des constructeurs. **1968-71** ch. internat. des marques, réservé aux voitures de compétition et prototypes. **1972-81** ch. du monde des marques. **1981** introduction d'un ch. des conducteurs. **1982-85** ch. du monde d'endurance. **1986-88** devient ch. du monde des sport-prototypes. **1989** devient ch. du monde des voitures de sport.

Règlement. Dep. 1982, *voitures* des groupes *C1* (max. 750 kg pour les atmosphériques et 900 kg pour les autres moteurs, 510 l de carburant pour 1 000 km ou 2 550 pour 24 h), *C2* (min. 750 kg, 370 l pour 1 000 km, 1 815 l pour 24 h), *grand tourisme compétition* (min. 1 000 kg, 510 l pour 1 000 km et 2 250 l pour 24 h). **Epreuves.** *Sprint* (180 km avec un pilote, 360 avec 2), *1 000 km ou 24 h.* Seules les 1 000 km et les 24 h comptent pour le ch. du monde des marques. **Points.** *Constructeurs :* 20, 15, 12, 10, 8, 6, 4, 3, 2, 1. *Conducteurs : C1* (20, 15, 12, 10, 8, 6, 4, 3, 2, 1), *C2* (22, 17, 14, 12, 10, 8, 6, 5, 4, 3), *GTC* (23, 18, 15, 13, 11, 9, 7, 6, 5, 4).

En 1992, distance 500 km (sauf sur les 24 H du Mans), un type de moteur (3,5 l atmosphérique).

Résultats (marques). 1953, 54 (sport) Ferrari. **55** (sport) Mercedes. **56, 57, 58** (sport) Ferrari. **59** (sport) Aston-Martin. **60, 61** (sport) Ferrari. **62, 63** (GT) Ferrari. **64, 65** (sport) Ferrari. **66** (sport) Ford. **67** (sport) Ferrari. **68** (sport) Ford. **69, 70, 71** (sport)

Porsche. **72** (sport) Ferrari. **73, 74** (sport) Matra-Simca. **75** (sport) Alfa-Romeo. **76, 77, 78, 79** (gr. 5) Porsche. **80** (gr. 5) Lancia. **81, 82, 83, 84, 85** (gr. c) Porsche. **86** Brun-Motosport. **87, 88** Jaguar. **89, 90** Mercedes.

Résultats (pilotes). 81 Bob Garretson. **82, 83** Jacky Ickx. **84** Stefan Bellof. **85, 86** Hans Stück et Dereck Bell. **87** Raul Boesel. **88** Martin Brundle. **89, 90** Jean-Louis Schlesser.

Championnats de France

Formule I. 74 P. Depailler, 2e J.-P. Beltoise. **75** P. Depailler, 2e J. Laffite. **76** P. Depailler, 2e J. Laffite. **77** J. Laffite, 2e P. Depailler. **78** P. Depailler, 2e J. Laffite. **79** J. Laffite, 2e P. Depailler. **80** J. Laffite, 2e D. Pironi. **81** J. Laffite, 2e A. Prost. **82** D. Pironi, 2e A. Prost. **83** A. Prost. **84** A. Prost. **85** A. Prost. **86** A. Prost, 2e Laffite et Arnoux.

Formule II. 74 1er P. Depailler, 2e J. Laffite. **75** J. Laffite, 2e P. Tambay. **76** J.-P. Jabouille, 2e R. Arnoux. **77** R. Arnoux, 2e D. Pironi. **78** J.-P. Jarier, 2e P. Tambay. **79** P. Gaillard. **80** R. Dallest, 2e Gaillard. **81** R. Dallest. **82** P. Streiff, 2e Fabre. **83** P. Streiff, 2e P. Alliot. **84** M. Ferté, 2e P. Streiff. **85** M. Ferté.

Formule III. 1974 à 77 non attribué. **78** A. Prost et J.-L. Schlesser. **79** A. Prost. **80** A. Ferté. **81** P. Streiff. **82** Petit. **83** M. Ferté. **84** O. Grouillard. **85** P.-H. Raphanel. **86** Y. Dalmas. **87** J. Alesi. **88** E. Comas.

Voitures de production. 76 J.-P. Beltoise (BMW 3.0 CSi). **77** J.-P. Beltoise (BMW 530 iUS). **78** L. Guitteny (Ford Capri). **79** D. Snobeck (Ford Capri). **80** D. Snobeck (Ford Escort RS). **81** J.-P. Malcher (BMW 530 i). **82** R. Metge (Rover). **83** A. Cudini (Alfa-Romeo GTV 6). **84** D. Snobeck (Alfa-Romeo GTV 6). **85** Bousquet. **86** Lapeyre, 2e Beltoise.

Formule Renault. 68 M. Jean. **69** D. Dayan. **70** F. Lacarrau. **71** A. Cudini. **72** J. Laffite. **73** R. Arnoux. **74** D. Pironi. **75** C. Debias. **76** A. Prost. **77** J. Gouhier. **78** P. Alliot. **79** A. Ferté. **80** D. Morin. **81** P. Renault. **82** G. Lempereur. **83** J.P. Hoursourigaray. **84** Y. Dalmas. **85** Bernard. **86** Comas. **87, 88, 89** Panis.

Autres compétitions nationales. Championnat de France des rallyes, de la montagne, de rallycross, des circuits, des coéquipiers de rallyes, Coupe Renault 5 Elf, Champ. de Fr. d'autocross, Trophée des circuits Talbot-Shell, Coupe Talbot-Racing Team des rallyes, Coupe de l'avenir, Coupe Peugeot-Esso 104 ZS des rallyes, Trophée Leyland-Castrol, Trophée Opel des rallyes, Trophée Visa Citroën-Total des rallyes, Trophée Renault des rallyes, Renault Cross Elf.

Critériums nationaux

Des Circuits. De la Montagne. Des Rallyes. Féminin des Rallyes. De Formule Renault. Challenge des copilotes. *Réservés aux pilotes français possédant les licences 2e série (1 étoile), 3e (2 ét.), 4e (3 ét.).*

Les 24 Heures du Mans

Origine. Épreuve d'endurance *créée* le 26-5-1923. (en 1956, 75, 89 et 90 ne figura pas au programme du ch. du monde des voitures sport-prototypes.

Classements. *1°) général à la distance :* représentant le nombre de tours effectués avant la fin + la fraction du tour courue à la 24e heure, fin de l'épreuve, cette distance étant calculée d'après la vitesse moyenne réalisée sur ce dernier tour (qui doit être terminé par le concurrent). Le maximum de temps accordé pour ce dernier tour est de 4 fois le meilleur temps aux essais. Toute voiture arrivée après ce délai est éliminée. *2°) à l'indice au rendement énergétique :* calculé en fonction de la vitesse moyenne réalisée sur la distance parcourue en 24 h, du poids réel de la voiture réservoirs pleins, de la consommation réelle aux 100 km en carburant. *3°) à l'indice de performance :* supprimé en 1972 (voir Quid 1981).

Records. Nombre de partants minimum 18 (1930), **maximum :** 60 (1950-51-53-55). Maintenant fixé à 55 voitures. **Abandons maximum :** 40 sur 53 (1959), sur 55 (1966), sur 57 (1952-1954). **Victoires :** 6 par le Belge Jacky Ickx ; Porsche 12, Ferrari 9. *Distance max. :* 5 337,724 km (Helmut Marko et Gijs Van Lennep en 1971). *Vitesse, record :* 212,021 km/h (Ludwig-Winter-Barillo en 1986) ; *du tour :* 242,093 km/h (3'21"27, Alain Ferté en 1989) ; *aux essais :* 252,050 km/h (3'14"8, Hans Stück en 1985) ; *pure :* 405 km/h (Roger Dorchy en 1988).

Classement général

Année, constructeur, distance, pilotes, moyenne, nombre de partants et d'abandons.

1923 *Chenard et Walker* 2 209,536 km Lagache-Léonard 92,064 km/h (33 partants, 3 abandons). **24** *Bentley* 2 077,340 km J. Duff-Clément 86,555 km/h (40 p., 23 a.). **25** *La Lorraine* 2 233,982 km Courcelles-Rossignol 93,082 km/h (49 p., 33 a.). **26** *La Lorraine* 2 552,414 km Bloch-Rossignol 106,350 km/h (41 p., 28 a.). [1res tribunes ; le pilote devait effectuer seul les réparations]. **27** *Bentley* 2 369,807 km Benjafield-S.C.H. Davis 98,740 km/h (22 p., 15 a.). [Apparition de la 1re traction avant (Tracta de J.A. Grégoire) ; toutes pièces de rechange doivent être emportées à bord]. **28** *Bentley* 2 669,272 km Barnato-Rubin 111,219 km/h (33 p., 16 a.). [1re participation de constructeurs américains (Chrysler et Stutz)]. **29** *Bentley* 2 843,830 km Barnato-Hrs Birkin 118,492 km/h (25 p., 15 a.). [Circuit réduit à 16,340 km].

1930 *Bentley* 2 930,663 km Barnato-Kidston 122,111 km/h (18 p., 9 a.). [1re année où des femmes pilotent (Bugatti 1 496 cm^3, Mareuse et Siko)]. **31** *Alfa Romeo* 3 017,654 km Lord Howe-Hrs Birkin 125,735 km/h (26 p., 17 a.). [Déchappage des pneus de toutes les voitures Bugatti]. **32** *Alfa Romeo* 2 954,038 km Sommer-Chinetti 123,084 km/h (25 p., 16 a.). [Circuit de 13,492 km avec la route privée de l'A.C.O.]. **33** *Alfa Romeo* 3 144,038 km Nuvolari-Sommer 131,001 km/h (29 p., 14 a.). [Nuvolari bat Chinetti de 400 m]. **34** *Alfa Romeo* 2 886,938 km Chinetti-Etancelin 120,298 km/h (44 p., 21 a.). **35** *Lagonda* 3 006,797 km Hindmarsh-Fontes 125,283 km/h (58 p., 30 a.). **36** *Annulation* (grèves en France). **37** *Bugatti* 3 287,938 km Wimille-Benoist 136,997 km/h (48 p., 31 a.). **38** *Delahaye* 3 180,940 km Chaboud-Tremoulet 132,539 km/h (41 p., 27 a.). [Chaboud et Trémoulet gagnent avec une boîte de vitesses défaillante : il ne restait que la prise directe]. **39** *Bugatti* 3 354,760 km Wimille-Veyron 139,781 km/h (42 p., 22 a.). [Prime de 1 000 F à la voiture de tête à la fin de chaque heure de course].

1949 *Ferrari* 3 178,299 km Lord Selsdon-Chinetti 132,420 km/h (49 p., 30 a.). **1950** *Talbot* 3 465,120 km Louis Rosier, J.-L. Rosier 144,380 km/h (60 p., 32 a.). [L. Rosier gagne en conduisant 3 458 km, son fils assurant 27 km (2 tours)]. **51** *Jaguar* 3 611,193 km Walker-Whitehead 150,466 km/h (60 p., 30 a.). [Levegh, conduisant seul sa Talbot depuis le départ, casse son vilebrequin à un peu plus de 2 h de la fin (il avait 4 tours d'avance)]. **52** *Mercedes Benz* 3 733,800 km Lang-Riess 155,575 km/h (57 p., 40 a.). **53** *Jaguar* 4 088,064 km Rolt-Hamilton 170,336 km/h (60 p., 34 a.). [1ers freins à disques sur les Jaguar qui, grâce à eux, gagnent la course]. **54** *Ferrari* 4 061,150 km Gonzalès-Trintignant 169,215 km/h (57 p., 40 a.). [Battent Hamilton de 90"]. **55** *Jaguar* 4 135,380 km Hawthorn-Bueb 172,308 km/h (60 p., 39 a.). [3 Mercedes avec freins aérodynamiques. Hawthorn (Jaguar) double Macklin (Austin Healey), Malcolm gêné freine, se déporte, Levegh (Mercedes) l'accroche, s'envole et se retourne sur le talus. L'avant-train explose, la voiture prend feu. Levegh est tué ainsi que 82 spectateurs. Il y a des centaines de blessés. La course continue (pour éviter toute panique). Les Mercedes se retirent à la fin de la 9e h. en signe de deuil.] **56** *Jaguar* 4 034,929 km Flockhart-Sanderson 168,122 km/h (52 p., 39 a.). **57** *Jaguar* 4 397,108 km Flockhart-Bueb 183,217 km/h (54 p., 34 a.). [Record du tour à 203,015 km/h]. **58** *Ferrari* 4 101,926 km P. Hill-Gendebien 170,914 km/h (55 p., 35 a.). **59** *Aston Martin* 4 347,900 km Salvadori-Shelby 181-163 km/h (53 p., 40 a.).

1960 *Ferrari* 4 217,527 km Frère-Gendebien 175,730 km/h (55 p., 35 a.). **61** *Ferrari* 4 475,580 km Gendebien-P. Hill 186,527 km/h (55 p., 33 a.). **62** *Ferrari* 4 461,225 km Gendebien-P. Hill 185,469 km/h (55 p., 37 a.). [Dernière victoire d'une voiture à moteur avant. Admission de voitures expérimentales dites « prototypes »]. **63** *Ferrari* 4 561,170 km Scarfiotti-Bandini 190,071 km/h (49 p., 36 a.). [1re participation d'une voiture à turbine (Rover) (moy. : 173 km/h)]. **64** *Ferrari* 4 695,310 km Guichet-Vaccarella 195,638 km/h (55 p., 30 a.). **65** *Ferrari* 4 677,11 km Gregory-Rindt 194,880 km/h (51 p., 37 a.). [Défaite de toutes les voit. d'usine]. **66** *Ford* 4 843,090 km Amon-McLaren 201,196 km/h (55 p., 40 a.). **67** *Ford* 5 232,900 km D. Gurney-A.J. Foyt 218,038 km/h (54 p., 38 a.). **68** *Ford* 4 452,880 km P. Rodriguez-L. Bianchi 185,536 km/h (54 p., 36 a.). [Disputée en septembre. Aménagement du Virage Ford qui modifie un peu la distance, 13,469 km au tour]. **69** *Ford* 4 998,00 km J. Ickx-J. Oliver 208,250 km/h (45 p., 31 a.). [Après 3 h de lutte roue dans roue, la Ford d'Ickx-Oliver bat la Porsche de Hermann-Larrousse d'un souffle].

1970 *Porsche* 4 607,810 km Attwood-Hermann 191,992 km/h (51 p., 35 a.). 2e Larousse-Kauhsen (Porsche) 189,248 km/h. 3e Lins-Marko (Porsche) 187,616 km/h. [Nouveau type de départ : pilotes à bord des véhicules, moteurs arrêtés ; presque tout le parcours fermé par des glissières de sécurité]. **71** *Porsche* 5 335,313 km H. Marko-G. Van Lennep 222,304 km/h (55 p., 35 a.). 2e H. Muller-R. Attwood (Porsche) 221,181 km/h. 3e S. Posey-T. Adamowickz (Ferrari) 205,087 km/h. [Record du tour à 243,905 km/h (départ lancé style Indianapolis)]. **72** *Matra-Simca* 4 691,343 km H. Pescarolo-G. Hill 195,472 km/h. 2e Cevert-Ganley (Matra-Simca) 4 554,933 km. 3e Jost-Weber (Porsche) 4 428,904 km. [Nouveau tracé de Maison-Blanche. Tour : 13,640 km]. **73** *Matra-Simca* 4 853,945 km Pescarolo-Larousse 202,747 km/h. 2e Merzario-Pace (Ferrari) à 6 tours. 3e Jabouille-Jaussaud (Matra) à 24 tours. [Record du tour de 13,640 km en 3 h 39'6" à 223,607 km/h par François Cevert (Matra Simca 670 B)]. **74** *Matra-Simca* 4 606,571 km Pescarolo-Larousse 191,940 km/h (49 p., 19 a.). 2e Muller-Van Lennep (Turbo-Porsche) à 6 tours. 3e Jabouille-Migault (Matra-Simca) à 13 tours. **75** *Gulf-Mirage Ford* 4 597,577 km Ickx-Bell 191,482 km/h. 2e Chasseuil-Lafosse (Ligier-Ford) à 1 tour. 3e Jaussaud-Schuppan (Gulf Mirage-Ford) à 6 tours. [Admission des voitures Grand Tourisme de Série et des G.T. type Le Mans. Les voitures doivent effectuer 20 tours sans se ravitailler]. **76** *Porsche 936 turbo* 4 769,923 km Ickx-Van Lennep 198,746 km/h. 2e Lafosse-Migault (Mirage-Ford-Cosworth) à 11 tours. 3e De Cadenet-Craft (Lola-Ford) à 12 tours. [Catégories : course biplace, Productions Spéciales, Grand Tourisme, IMSA, NASCAR. Apparition de 2 nouvelles cat. type Le Mans : Grand Tourisme de Production et G.T. Prototypes, sans limitation de cylindrée]. **77** *Porsche 936 turbo* 4 671,630 km Barth-Haywood-Ickx 194,651 km/h. 2e Jarier-Schuppan (Mirage-Renault turbo) à 11 tours. 3e Ballot-Lena-Gregg (Porsche 935 turbo) à 27 tours (1er G.5). [Nouveau record du tour par Ickx à 226,494 km/h]. **78** *Renault Alpine A 442 B* 5 044,430 km Jaussaud-Pironi 210,188 km/h. 2e Wollek-Barth-Ickx (Porsche 936) à 5 tours. 3e Haywood-Gregg-Joest (Porsche 936) à 5 tours. [Nouveau record du tour par Jabouille à 228,923 km/h]. **79** *Porsche 935* 4 173,93 km Ludwig-Whittington 173,913 km/h. 2e Stommelen-Barbour-Newman (Porsche 935) à 7 tours. 3e Ferrier-Servanin (Porsche 935) à 14 tours.

1980 *Rondeau Cosworth* 4 608 km J.-P. Jaussaud, 2e pilote Jean Rondeau, 192 km/h (1er pilote constructeur à gagner dep. 1923). 2e Joest-Ickx (Porsche 908/80). 3e A. de Cadenet-F. Migault (de Cadenet). **81** *Porsche 936 turbo* 4 825 km J. Ickx. 2e pilote D. Bell 201 km/h. 2e Haran-Schlesser-Streiff (Rondeau). 3e Spice-Migault (Rondeau). [Course endeuillée par la mort d'un commissaire de l'ACO et du coureur Jean-Louis Lafosse]. **82** *Porsche 956* 4 899,686 km J. Ickx, D. Bell (204,129 km/h), nouveau record. 2e Mass-Schuppan (Porsche 956). 3e Haywood-Holbert-Barth (Porsche 956). **83** *Porsche 956* 5 047, 934 km Holbert Haywood-Vern Schuppan (210,330 km/h), 2e Ickx-Bell (Porsche 956). 3e Andretti-Alliot (Porsche 956). **84** *Porsche 956* 4 900,276 km Pescarolo-Ludwig. 2e Rondeau-J. Paul Jr (Porsche 956). 3e Hobbs-Streiff-Van der Merwe (Porsche 956). **85** *Porsche 956* 5 088,507 km Ludwig-Barilla-Winter (212,021 km/h). 2e Palmer-Weaver (Porsche 956 Canon). 3e Bell-Struck (Porsche 962 Rothmans). **86** *Porsche 962* 4 972,730 km Bell-Stück-Hobert (207,197 km/h), 2e Gouhier-Larrauri-Pareja (Porsche 962), 3e Follmer-Morton-Miller (Porsche 956). **87** *Porsche 962* 4 791,777 km Bell-Stück-Al Holbert (199,657 km/h), 2e Yver-Lassig-De Dryver (Porsche 962), 3e Raphanel-Courage-Regout (Porsche). **88** *Jaguar XJR 9 LM* 5 332 km Lammers-Wallace-Dumfries (221,665 km/h), 2e Stück-Bell-Ludwig (Porsche 962 C), 3e Winter-Dickens-Jelinski (Porsche 962 C). **89** *Sauber-Mercedes* 5265 km Mass-Reuter-Dickens (219,990 km/h), 2e Baldi-Acheson-Brancatelli (Sauber-Mercedes), 3e Wollek-Stuck (Porsche 962 C).

1990 *Jaguar XJR 12* 4 882,4 km Nielsen-Cobb-Brundle (204,036 km/h), 2e Wallace-Lammers-Konrad (Jaguar XJR 12), 3e Needell-Sears-Reid (Porsche 962 Alpha). **91** *Mazda 787 B* 4 923,2 km Weidler-Herbert-Gachot (205,33 km/h), *2* Jones-Boesel-Ferté (Jaguar XJR 12), *3* Fabi-Acheson-Wollek (Jaguar XJR 12).

Nota.– Record de victoires : Ickx 6, Bell 5, Gendebien et Pescarolo 4.

Classement à l'indice de rendement énergétique

1959 D.B. (Consten-Armagnac). **1960** Lotus (Wagstaff-Marsh). **61** Sunbeam (Harper-Procter). **62** Lotus (Hobbs-Gardner). **63** René Bonnet (Beltoise-Bobrowski). **64** Alpine (Delageneste-Morrogh). **65** Porsche (Koch-Fischhaber). **66** Alpine Renault (Cheinisse-Delageneste). **67** Ford (Gurney-Foyt). **68** Alpine Renault (Thérier-Tramont). **69** Ford G.T. 40 (Ickx-Oliver). **1970** Porsche 917 (Larousse-Kaushen). **71** Ferrari (Chinetti-Grossmann). **72** Ferrari (Andruet-Ballo Léna). **73** Porsche-Carrera (Keller-Kremer-Schickentanz). **74** Ferrari (Grandet-Bardini). **75** Supprimé. **76** Supprimé. **77** Chevron B 36 (Pignard-Henry-Dufrenne). **78** Porsche 936 (Wollek-Barth-Ickx). **79** Rondeau ITT Océanic NN 379 (Pescarolo-Beltoise). **1980** Rondeau ITT Océanic (J.P. Jaussaud-Rondeau). **81** Rondeau M. 379 (Haran-Schlesser-Streiff).

La **Targa-Florio** (Sicile 1906-1973), les **Mille Miglia** (Brescia-Rome-Brescia 1927-57) ne sont plus courues (voir Quid 1981, p. 1599).

Épreuves américaines

• **500 miles d'Indianapolis.** Indiana (U.S.A.). **Créée** 30-5-1911. *Longueur :* 804 km soit 200 tours. 33 voitures. **Moteurs admis :** de 2 650 cm^3, suralimentés, avec arbre à cames en tête, à 5 250 cm^3 non sural., sans arbre à cames en tête. Une voiture consomme 100 l aux 100 km d'un mélange spécial. Sur 52 courses (jusqu'en 1968), il y eut 58 coureurs tués. **Records :** de la piste (établi sur 4 tours chronométrés) : 360,298 km/h (Rick Mears en 1989) ; de la course : 274,720 km/h (2 h 55′42″48, Boby Rahal le 31-5-86) ; du tour en course : 344,170 km/h (Scott Brayton, le 24-5-1985), de qualification : 362,576 km/h (E. Fittipaldi en 1990). Le total des primes a atteint, en 1989, 5,7 millions de $.

Palmarès. **80** J. Rutherford (Chapparal-Cosworth). **81** B. Unser (Penske-Cosworth). **82** G. Johncock (Wildcat-Cosworth). **83** T. Sneva (March-Cosworth). **84** R. Mears (id.). **85** D. Sullivan (id.). **86** B. Rahal (id.). **87** Al Unser (id.). **88** R. Mears (Penske-Chevrolet). **89** E. Fittipaldi (id.). **90** A. Luyendyck (Lola Chevrolet). **91** R. Mears (Penske Chevrolet).

• **CANAM** (Challenge Canada-Amérique). **80** Tambay (Lola). **81** Brabham (Lola et VDS). **82** Al Unser Jr (Frisbee-Chevrolet). **83** J. Villeneuve (Frisbee-Chevrolet).

• **24 heures de Daytona.** *Créé* 1959. **86** Al Holbert, Al Unser et Derek Bell (E.-U.) (Porsche 962) ont parcouru 4 079 km (moy. 240,750 km/h). **87** Robinson-Al Unser-Bell (Porsche 962) 4 314 km (moy. 179,5 km/h). **88** Boesel-Nielsen-Brundle (Jaguar XJR-9) 4 191 km (moy. 173,6 km/h). **89** Wollek-Bell-John Andretti (Porsche 962 C) 3 558 km (moy. 147,40 km/h). **90** Jones-Lammers-Wallace (Jaguar XJR-12) 761 tours (moy. 181,162 km/h). **91** Pescarolo-Wollek (Porsche 962 C) 719 tours (moy. 171,652 km/h).

Nota. – Palmarès antérieur. Voir Quid 1982 p. 1715.

Rallyes

☞ *Légende.* – (1) Mercedes, (2) Panhard, (3) BMC-Cooper, (4) Citroën, (5) Porsche 911, (6) Alpine-Renault, (7) Lancia Fulvia, (8) Lancia Stratos, (9) Porsche Carrera, (10) Fiat 124 Abarth, (11) Renault 5 Turbo, (12) Opel Ascona, (13) Lancia Abarth Rally, (14) Audi Quattro, (15) Peugeot 205, (16) Lancia-Delta, (17) Ford Escort, (18) Datsun, (19) Fiat 131 Abarth, (20) Fiat 147 Alcool, (21) Talbot Sunbeam, (22) Peugeot 504, (23) Mitsubishi Lancer, (24) Mercedes 5.0 SLC, (25) Toyota, (26) Saab 96 V4, (27) Citroën DS 21, (28) BMW 2002, (29) Renault 11, (30) Golf GTI, (31) Saab 99, (32) Mazda, (33) Peugeot 404, (34) Ford Cortina GT, (35) Volvo PV 544, (36) Ford 20 M, (37) Datsun 1600, (38) Mitsubishi Colt, (39) Datsun 160 J, (40) Ford RS 1800, (41) Talbot Lotus, (42) Ferrari, (43) Osca, (44) Gordini, (45) Matra-Simca 650, (46) Ligier, (47) Ferrari 308 GTB, (48) Opel Manta 400, (49) Porsche, (50) Saab, (51) Ford Sierra Cosworth, (52) Nissan 200 SX, (53) Subaru RX, (54) Opel Kadett, (55) Lancia Delta Integrale, (56) Toyota-Celica, (57) BMW M3, (58) Mitsubishi Starion. (59) Mitsubishi Galant. (60) Mazda. (61) Renault GT Turbo. (62) Toyota Corolla. (63) BMW M3. (64) Renault 5 Turbo. (65) Subaru Legacy.

• **Championnat du monde des rallyes.** Ouvert aux voitures des groupes A, B (jusqu'en 1990), N. Longueur des épreuves : minimum de 2 000 km, dont au moins 1 000 km de parcours de liaison. 2 titres sont attribués en fin de saison : *Championnat du monde des rallyes pilotes.* Attribution des points : 20, 15, 12, 10, 8, 6, 4, 3, 2, et 1 points respectivement aux 10 premiers pilotes classés. En 1989, 10 épreuves pour les constructeurs et 13 pour les pilotes (en plus, Suède, N.-Zélande et Côte-d'Ivoire).

• **Championnat du monde des rallyes constructeurs.** Attribution des points : 10, 9, 8, 7, 6, 5, 4, 3, 2 et 1 pts respectivement aux 10 premières marques (au cas où une même marque aurait plusieurs voitures classées dans les 10 premières, seule la mieux placée marque des points), auxquels s'ajoutent 8, 7, 6, 5, 4, 3, 2 et 1 pts aux 10 premières voitures de chaque groupe à condition qu'elles figurent parmi les 10 premières du classement général.

• **Champions du monde (marques).** *Créé* 1968. **68** Ford G.-B., *2* Saab. **69** Ford Europe, *2* Porsche. **70** Porsche, *2* Alpine. **71** Alpine-Renault, *2* Saab. **72** Lancia, *2* Fiat. **73** Alpine, *2* Fiat. **74, 75** Lancia, *2* Fiat. **76** Lancia, *2* Opel. **77, 78** Fiat, *2* Ford. **79** Ford, *2* Datsun. **80** Fiat, *2* Ford. **81** Talbot, *2* Datsun. **82** Audi, *2* Opel. **83** Lancia, *2* Audi. **84** Audi, *2* Lancia. **85** Peugeot, *2* Audi. **86** Peugeot, *2* Lancia. **87** Lancia, *2* Audi. **88** Lancia, *2* Ford. **89** Lancia.

• **Coupe FIA des conducteurs de rallyes. 1977** Munari (It.). **78** Alen (Fin.). (Remplacée en 79 par le Ch. du monde des cond. de rallyes.)

• **Championnat du monde des conducteurs de rallyes.** *Créé* 1979. **79** Waldegaard (Fin.), *2* Mikkola (Fin.). **80** Röhrl (All. féd.), *2* Mikkola (Fin.). **81** Vatanen (Fin.), *2* Fréquelin (Fr.). **82** Röhrl (All. féd.), *2* Mouton (Fr.). **83** Mikkola (Fin.), *2* Röhrl (All. féd.). **84** Blomqvist (Suè.), *2* Mikkola (Fin.). **85** Salonen (Fin.), *2* S. Blomqvist (Suè.). **86** Kankkunen (Fin.), *2* Alen (Fin.). **87** Kankkunen (Fin.) *2* Biasion (It.). **88** Biasion (It.), *2* Alen (Fin.). **89** Sainz (Esp.), *2* Airikkala (Fin). **90** Sainz (Esp.), *2* Auriol (Fr.).

Palmarès des pilotes par victoires (de 1970 au 1-4-1984). Hannu Mikkola 17. Waldegaard 15. Röhrl 13. Alen 12. Blomqvist 10. Munari 8. Darniche et Thérier 7. Vatanen, Nicolas, Andersson et Mehta 5. Michèle Mouton et Makinen 4. Salonen et Andruet 3. Ragnotti et Kallstrom, Singh, Clark, Hermann, Warmbold et Lindbergh 2. Fréquelin, Deschazeaux, Pinto, Boyce, Henderson, Ballestrieri, Eklund, Toivonen, Bacchelli, Kullang, Hamalainen, Tony Fassina et Lampinen 1.

Nota. – Michèle Mouton (Fr.) est la seule femme à avoir remporté un rallye de championnat du monde (San Remo 1981, r. du Portugal, r. Acropole, et r. du Brésil 1982).

Palmarès des marques par victoires (depuis 1970). Lancia 26. Ford 22. Fiat 21. Audi 14. Alpine 12. Datsun 10. Saab 7. Porsche et Peugeot 5. Opel, Toyota et Renault 3. Mitsubishi, Mercedes et Talbot 2. BMW, Citroën et Jeep 1.

• **Rallye de Monte-Carlo.** *Créé* 1911. Comprend 3 parties : parcours de concentration, parcours de classement (1re sélection réelle), parcours commun, puis, pour les 60 équipages les mieux classés, le parcours final. **Records.** *De victoires :* Jean Trévaux 3, Sandro Munari, Walter Röhrl 4 ; *de victoires consécutives :* 3 Sandro Munari et Walter Röhrl. **70** Waldegaard-Helmer [5]. **71** Andersson-Stone [6]. **72** Munari-Mannucci [7]. **73** Andruet-Biche [6]. **74** Annulé (crise du pétrole). **75** Munari-Mannucci [8]. **76** Munari-Maiga [8]. **77** Munari-Manucci [8]. **78** Nicolas-Laverne [9]. **79** Darniche-Mahé [8]. **80** Röhrl-Geistdorfer [19]. **81** Ragnotti-Andrié [11]. **82, 83** Röhrl-Geistdorfer [13]. **84** Röhrl-Geistdorfer [14]. **85** Vatanen-Haaryman [15]. **86** Toivonen-Cresto [16]. **87** Biasion-Siviero [16]. **88** Saby-Fauchille [16]. **89** Biasion-Siviero [55]. **90** Auriol-Ocelli [55]. **91** Sainz-Moya [56], *2* Biasion-Siviero [55], *3* Delecour-Pauwels [51].

• **Rallye Acropole.** **68** Clark-Porter [17]. **69** Toivonen-Kolari [5]. **70** Thérier-Callewaert [6]. **71** Andersson-Hertz [6]. **72** Lindberg-Eisendle [10]. **73** Thérier-Delferrier [6]. **74** non disp. **75** Röhrl-Berger [12]. **76** Karlstrom-Andersson [18]. **77** Waldegaard-Thorszelius [17]. **78** Röhrl-Geistdorfer [19]. **79** Waldegaard-Thorszelius [17]. **80, 81** Vatanen-Richards [17]. **82** Mouton-Pons [14]. **83** Röhrl [16]. **84** Blomqvist-Cederberg [14]. **85** Salonen-Harjanne [15]. **86** Kankkunen-Piironen [15]. **87** Alen-Kivimaki [16]. **88** Biasion-Siviero [16]. **89** Biasion-Siviero [55]. **90** Sainz-Moya [56], *2* Kankkunen. Piironen [55], *3* Biasion-Siviero [55].

• **Rallye d'Australie.** *Créé* 1989. **89** Kankkunen-Pirronen [56]. **90** Kankkunen-Pironen [55], *2* Sainz-Moya [56], *3* Fiorio-Pirollo [55].

• **Rallye du Brésil.** **79** Alen-Kivimaki [19]. **80** Hees-Andre [20]. **81** Vatanen-Richards [17]. **82** Mouton-Pons [14], *2* Röhrl-Geistdorfer [12], *3* De Vitta-Muzio [17]. **Dep. 83,** non disp.

• **Rallye d'Argentine.** **80** Röhrl-Geistdorfer [19]. **81** Fréquelin-Todt [21]. **83** Mikkola-Hertz [14]. **84** Blomqvist-Cederberg [14]. **85** Salonen-Harjanne [15]. **86, 87** Biasion-Siviero [16]. **88** Recalde-Del Buono [16]. **89** Ericsson-Billstam [55]. **90** Biasion-Siviero [55], **91** Sainz-Moya [56] *2* Biasion-Siviero [55], *3* Auriol-Occell [55].

• **Rallye Côte-d'Ivoire (ex. Bandama).** **71** Neyret-Terramorsi [22]. **73** Hermann-Schuller [18]. **74** Makinen-Liddon [22]. **75** Consten-Flocon [22]. **76** Makinen-Liddon [22]. **77** Cowan-Syer [23]. **78** Nicolas-Gamet [22]. **79** Mikkola-Hertz [24]. **80** Waldegaard-Thorszelius [24]. **81** Salonen-Harjanne [18]. **82** Röhrl-Geistdorfer [12]. **83** Waldegaard-Thorszelius [25]. **84** Blomqvist-Cederberg [14]. **85** Kankkunen-Gallagher [25]. **86** Waldegaard-Gallagher [25]. **87** Eriksson-Diekmann [30]. **88** Ambrosino-Le Saux [52]. **89** Oreille-Thimonnier [61]. **90** Tauziac-Papin [59], *2* Stohl-Rohringer [14], *3* Oreille-Roissard [64].

• **Rallye des 1 000 Lacs (Finlande).** **68, 69, 70** Mikkola-Palm [17]. **71** Blomqvist-Hertz [26]. **72** Lampinen-Sohlberg [26]. **73** Makinen-Liddon [17]. **74** Mikkola-Davenport [17]. **75** Mikkola-Aho [25]. **76** Alen-Kivimaki [19]. **77** Hamalainen-Tiukkanen [17]. **78, 79, 80** Alen-Kivimaki [19]. **81** Vatanen-Richards [17]. **82, 83** Mikkola-Hertz [14]. **84** Vatanen [15]. **85, 86** Salonen-Harjanne [15]. **87** Alen-Kivimaki [16]. **88** Alen-Kivimaki [16]. **89** Ericsson-Billstam [59]. **90** Sainz-Moya [56], *2* Vatanen-Berglund [59], *3* Eriksson-Parmander [59].

• **Rallye de Nouvelle-Zélande.** **84** Blomqvist-Cederberg [14]. **85** Salonen-Harjanne [15]. **86** Kankkunen-Piironen [15]. **87** Wittmann-Pattermann [16]. **88** Haider-Hinterleitner [54]. **89** Carlsson-Carlsson [32]. **90** Sainz-Moya [56]. **91** Sainz-Moya [56], *2* Kankkunen-Pironen [55], *3* Auriol-Ocelli [55].

• **Rallye Olympus.** **86** Alen-Kivimaki [16]. **87** Kankkunen-Piironen [15]. **88** Biasion-Siviero [16], 2e Fioro-Pirollo [16], 3e Buffum-Bellefleur [14]. **Dep. 89** non disp.

• **Rallye du Portugal.** **68** Fall-Crellin [7]. **69** Romaozinho-Jocames [27]. **70** Lampinen-Davenport [7]. **71** Nicolas-Todt [6]. **72** Warmbold-Davenport [28]. **73** Thérier-Jaubert [6]. **74** Pinto-Bernacchini [10]. **75** Alen-Kivimaki [10]. **76** Munari-Maiga [8]. **77, 78** Alen-Kivimaki [19]. **79** Mikkola-Hertz [17]. **80** Röhrl-Geistdorfer [19]. **81** Alen-Kivimaki [19]. **82** Mouton-Arii [14]. **83, 84** Mikkola-Hertz [14]. **85** Salonen-Harjanne [15]. **86** Moutinho-Fortes [11]. **87** Alen-Kivimaki [16]. **88** Biasion-Cassina [16]. **89** Biasion-Siviero [55]. **90** Biasion-Siviero [55], *2* Auriol-Ocelli [55], *3* Kankkunen-Pironen [55].

• **Rallye d'Italie-San Remo.** **68** Toivonen-Tiukkanen [5]. **69** Kallstrom-Haggbom [7]. **70** Thérier-Callewaert [6]. **71** Andersson-Nash [6]. **72** Ballestrieri-Bernacchini [7]. **73** Thérier-Jaubert [6]. **74** Munari-Mannucci [8]. **75, 76** Waldegaard-Thorszelius [8]. **77** Andruet-Delferrier [19]. **78** Alen-Kivimaki [8]. **79** « Tony »-Mannini [8]. **80** Röhrl-Geistdorfer [19]. **81** Mouton-Pons [14]. **82** Blomqvist-Cederberg [14]. **83** Alen-Kivimaki [16]. **84** Vatanen-Harryman [15]. **85** Röhrl-Geistdorfer [14]. **86** Alen-Kivimaki [16]. **87, 88** Biasion-Siviero [16]. **89** Biasion-Siviero [55]. **90** Auriol-Ocelli [55], *2* Kankkunen-Pironen [55], *3* Sainz-Moya [56].

• **Rallye de Suède.** **68, 69, 70** Waldegaard-Helmer [5]. **71, 72, 73** Blomqvist-Hertz [26]. **74** non disputé. **75** Waldegaard-Thorszelius [8]. **76** Eklund-Cederberg §2[6]. **77** Blomqvist-Sylvan [31]. **78** Waldegaard-Thorszelius [17]. **79** Blomqvist-Cederberg [31]. **80** Kullang-Berglund [12]. **81** Mikkola-Hertz [14]. **82** Blomqvist-Cederberg [14]. **83** Mikkola-Hertz [14]. **84** Blomqvist-Cederberg [14]. **85** Vatanen-Harryman [15]. **86** Kankkunen-Piironen [15]. **87** Salonen-Harjanne [32]. **88** Allen-Kivimaki [16]. **89** Carlsson-Carlsson [32]. **90** non disp. **91** Eriksson-Parmander [59], *2* Jonsson-Backman [56], *3* Alen-Kivimaki [65].

• **Safari Rallye (Kenya).** *Créé* 1953. **63** Nowicki-Cliff [33]. **64** Hugues-Young [34]. **65** Singh-Singh [35]. **66, 67** Shankland-Rothwell [33]. **68** Nowicki-Cliff [33]. **69** Hillyar-Aird [36]. **70** Herrmann-Schuller [37]. **71** Herrmann-Schuller [18]. **72** Mikkola-Palm [17]. **73** Mehta-Drews [18]. **74** Singh-Doig [38]. **75** Andersson-Hertz [22]. **76** Singh-Doig [38]. **77** Waldegaard-Thorszelius [17]. **78** Nicolas-Lefebvre [22]. **79, 80** Mehta-Doughty [18], **81** Mehta-Doughty [39]. **82** Mehta-Doughty [39]. **83** Vatanen-Harryman [12]. **84** Waldegaard-Thors-zelius [25]. **85** Kankkunen-Gallagher [25]. **86** Waldegaard-Gallagher [25]. **87** Mikkola-Hertz [14]. **88** Biasion-Siviero [16]. **89** Biasion-Siviero [55]. **90** Waldegard-Gallagher [56].

92 Kankkunen-Piironen [55], *2* Ericsson-Billstam [56], *3* Recalde-Christie [55].

• **Lombard-RAC Rallye (Grande-Bretagne).** *Créé* 1927, reconnu dep. 1951. **1968** Lampinen-Davenport [50]. **69,70** Kallstrom-Haggbom[7]. **71** Blomqvist-Hertz [50]. **72** Clark-Mason [17]. **73, 74, 75** Makinen-Liddon [17]. **76** Clark-Pegg [17]. **77** Waldegaard-Thorszelius [17]. **78** Mikkola-Hertz [17]. **79** Mikkola-Hertz [40]. **80** Toivonen-White [40]. **81, 82** Mikkola-Hertz [14]. **83** Blomqvist-Cederberg [14]. **84** Vatanen-Harryman [15]. **85** Toivonen-Wilson [16]. **86** Salonen-Harjanne [15]. **87** Kankkunen-Piironen [16]. **88** Alen-Kivimaki [16]. **89** Airikkala-McNamee [59]. **90** Sainz-Moya [56], *2* Eriksson-Parmander [59], *3* Biasion-Siviero [55].

• **Tour de Corse-Rallye de France. 1970** Darniche-Demange [6]. **71** non disp. **72** Andruet-« Biche » [6]. **73** Nicolas-Vial [6]. **74** Andruet-« Biche » [8]. **75** Darniche-Mahé [8]. **76** Munari-Maiga [8]. **77, 78** Darniche-Mahé [19]. **79** Darniche-Mahé [8]. **80** Thérier-Vial [5]. **81** Darniche-Mahé [8]. **82** Ragnotti-Andrié [11]. **83, 84** Alen-Kivimaki [16]. **85** Ragnotti-Thimonier [11]. **86** Saby-Fauchille [15]. **87** Beguin-Lenne [28]. **88** Auriol-Occelli [51]. **89, 90** Auriol-Occelli [55]. **91** Sainz-Moya [56], *2* Auriol-Occelli [55], *3* Cunico-Evangelisti [51].

• **Championnat d'Europe des rallyes pour conducteurs. 1971** Zasada. **72** Pinto. **73** Munari. **74** Röhrl. **75** Verini. **76, 77** Darniche. **78** Carello. **79** Kleint. **80** Zanini. **81** Vudafieri. **82** Fassina. **83** Biasion. **84** Capone. **85** Cerrato. **86** Tabaton. **87** Cerrato. **88** Tabaton.

• **Championnat de France des Rallyes. 86, 87, 88** Didier Auriol-Bernard Occelli. **89,90** François Chatriot.

• **Tour de France.** *Créé* 1889. *Palmarès depuis 1951.* Pas de tour en 1955, 1965, 1966, 1967 et 1968.

1951 Pagnibon-Barraquet [42]. **52** Gignoux-Gignoux [42]. **53** Peron-Bertramier [43]. **54** Pollet-Gauthier [44]. **56** De Portago-Nelson [42]. **57, 58, 59** Gendebien-Bianchi [42]. **60, 61** Mairesse-Berger [42]. **62** Simon-Dupeyron [42]. **63** Guichet-Behra [42]. **64** Bianchi-Berger [42]. **69** Larrousse-Gelin [5]. **70** Beltoise-Todt [45]. **71** Larrousse-Rives [45]. **72** Andruet-« Biche » [42]. **73** Munari-Mannucci [8]. **74** Larrousse-Nicolas-Rives [46]. **75** Darniche-Mahé [8]. **76** Henry-Grobot [9]. **77** Darniche-Mahé [8]. **78** Mouton-Conconi [19]. **79, 80** Darniche-Mahé [8]. **81** Ragnotti-Andrié [11]. **82** Andruet-Bouchetal [47]. **83** Fréquelin-Fauchille [48]. **84, 85** Ragnotti-Thimonier [11]. **87** Annulé par défaut de sponsoring.

Courses de côtes

Championnat d'Europe de la montagne. *Créé* 1957. Réservé aux voitures des groupes 1 à 6. Parcours d'au moins 5 km, dénivellation minimale entre le départ et l'arrivée de 350 m.

Raids

Raid Alger-Le Cap. En 1970, la Renault 12 de Bernard et Claude Marreau et d'Yves Garin, partie du Cap le 5-12 à 14 h, arrivait à Alger le 15-12 à 21 h 14′ après 15 745 km de route à 63,170 km/h de moyenne (battant le record de 62,800 km/h détenu depuis 1958 par le colonel Henri Debrus, le C[dt] Robert Monnier et le Lt Robert Clausse).

Paris-Dakar. *Créé* 1978. **1979** 9 000 km, 160 engagés *toutes catégories confondues :* Neveu (Yamaha 500 XT), 2e Comte (Yamaha), 3e Vassard (Honda). **80** 200 participants, *moto* Neveu (Yamaha 500 XT) ; *auto :* Kotulinsky-Luffelman (VW) ; *camion :* Atouat-Boukrif-Kaoula (Sonacome). **81** 300 participants, *moto :* Auriol (BMW GS 800) ; *auto :* Metge-Giroux (Range Rover) ; *camion :* Villeste-Gabrelle-Voillereau (ALM Achar). **82** *moto :* Neveu (Honda 550 XR) ; *auto :* Marreau B.-Marreau C. (Renault 20 Turbo) ; *camion :* Groine-de-Saulieu-Malferiol (Mercedes-Benz V 1700). **83** *moto :* Auriol (BMW) ; *auto :* Ickx-Brasseur (Mercedes) ; *camion :* Groine-de Saulieu-Malferiol (Mercedes 1936 AK). **84** *moto :* Rahier (BMW) ; *auto :* Metge-Lemoyne (Porsche 911) ; *camion :* Lalleu-Durce (Mercedes). **85** *moto :* Rahier (BMW), *auto :* Zaniroli-Da Silva (Mitsubishi) ; *camion :* Capito-Capito (Mercedes). **86** 15 000 km, *moto :* Neveu (Honda) ; *auto* Metge-Lemoyne (Porsche 959) ; *camion :* Yismara-Minelli (Mercedes-Unimog). **87** 12 397 km dont 8 200 de spéciales, 21 étapes de 800 km max., engagés : 240 voitures, 160 motos, 61 camions ; *moto :* Neveu (Honda), *auto :* Vatanen-Giroux (Peugeot 205 T 16), *camion :* De Rooy (Daf-360). **88** 12 876 km dont 8 321 km de spéciales et 4 555 km de parcours de liaison, étapes de 800 km max. ; au départ (1/1) 603 partants dont 311 voitures, 183 motos et 109 camions ; 5/1 427 dont 232 v., 105 m., 90 c. ; à l'arrivée (22/1) 151 dont 87 v., 34 m., 30 c. ; le 18/1, la 405 de Vatanen ayant été volée est éliminée ; *moto :* Orioli (Honda), *auto :* Kankkunen-Piironen (Peugeot 205 T 16), *camion :* Loprais-Stachura-Ingmuck (Tatra). **89** 10 831 km (passe par Tunisie et Libye) ; départ, 472 véhicules dont 76 camions accompagnateurs, 241 voitures et 155 motos, pas de course camions ; *auto :* Vatanen-Berglund (Peugeot 405 turbo 16), *moto :* Lalay (Honda). **90** 11 416,5 km dont 7 863 de parcours sélectifs. Passe par Libye, Tchad, Niger, Mauritanie, Mali et Sénégal. Au départ, 258 autos, 136 motos, 96 camions ; à l'arrivée, 87 autos et camions et 46 motos. *Auto :* Vatanen-Berglund (Peugeot 405 T-16), *moto :* Orioli (Caviga), *camion :* Villa (Perlini). **91** 9 186 km dont 14 spéciales et 2 étapes de liaison (Libye, Niger, Mali, Mauritanie, Sénégal). *Auto :* Vatanen-Berglund (Citroën ZX), *moto :* Peterhansel (Yamaha), *camion :* de Saulieu (Perlini).

Nota. – Morts : *1979* 1 motard, *80* 3 journalistes italiens, *82* Ursula Zentsch (journaliste), Bert Ostehuis (motard), 1 enfant malien, *83* Jean-Noël Pineau (motard), *84* 1 spectatrice (Burkina Faso), *85* 1 enfant, *86* Yasu Kaneko (motard), Thierry Sabine, Daniel Balavoine, Nathaly Odent (journaliste), François-Xavier Bagnoud (pilote d'hélicoptère), Jean-Paul Le Fur (technicien radio), *87* Henri Mouren (voiture suiveuse), *88* Jean-Claude Huger (motard), 2 enfants et 1 femme, Kees Van Loevezijn et Patrick Canado (camion). *90* Kaj Salminen (journaliste). *91* Charles Cabane (pilote de camion).

Rallye des Pharaons. 87 *auto :* Vatanen (Peugeot 205 Grand Raid), *moto :* De Pietri (Cagiva). **88** *auto :* Vatanen-Berglund (Peugeot 405), *moto :* Rahier (Suzuki). **89** *auto :* Vatanen-Berglund (Peugeot 405), *moto :* De Petri (Cagiva). **90** *auto :* Auriol-Monnet (Lada), *moto :* De Petri (Yamaha).

Principaux raids

1893 *Panhard Levassor :* Hippolyte Panhard (23 ans), d'Ivry à Nice.

1907 *Pékin-Paris :* départ le 10-6. engagés P[ce] Scipion Borghèse (Itala), Charles Godard (Spyker), Georges Cornier (De Dion-Bouton), Victor Vollignon (De Dion-Bouton), Auguste Pons (Tricar Contal). 3 arrivent le 9-8 (vict.. Borghèse). **1908** *New York-Paris :* traverse U.S.A. (New York-San Francisco), Alaska, Sibérie, puis route Paris-Pékin (l'hiver en Alaska détourna la route par le Japon et Vladivostok), 6 équipages, départ le 12-2-1908 devant 25 000 personnes, 38 820 km à couvrir. **1920** *traversée du Sahara :* victoire de Fiat. 28 jours, Alger-Tamanrasset, 3 000 km, colonne de 70 h. **1920** *expédition Wanderwell :* 43 pays, 4 continents visités en 7 ans, arrivée à Paris d'Aloha Wanderwell le 5 août 1929. **1926** *1er tour du monde à moto :* Robert Sexé et Henry Andrieux, 25 000 km. **1927** *raid en Rolland-Pilain :* Paris-Saigon par G. Duverne. **1927** *raid du Ct Loiseau :* en Bugatti. **1920** *traversée du Sahara :* 17-12-1920, 6-3-1923. **1924-25** *Croisière noire :* v. index. **1931-32** *Croisière jaune :* v. index. **1934** *Croisière blanche :* traversée du Canada, 2 000 km.

1988 (12-7 au 2-9) *Paris-Pékin :* organisé par Alain Lafeuillade, 25 voitures, 18 200 km. **1991** *-1/27-9 Paris-Moscou-Pékin* via Berlin, Moscou, Beyneu, Tachkent, Kashi, Dun Hang : 15 150 km et 340 autos et camions en 5 catégories.

Écoles de pilotage françaises

Renault-Elf, Circuit Paul-Ricard, route nationale n° 8, 83330 Le Beausset. **Winfield,** Circuit Magny-Cours, 1, rue de Nièvre, 58470 Magny-Cours. **Le Mans,** Circuit Bugatti, A.C.O., Cedex 19 72040, Le Mans Cedex. **Montlhéry-Linas,** A.G.A.C.I. 212, boulevard Péreire, 75017 Paris. **Nogaro,** A.S.A. Armagnac-Bigorre, B.P. 24, place de l'Église, 32110 Nogaro, **Vetraz-Monthoux,** 74100 Annemasse. **La Châtre,** École de pilotage F. III, 36400 La Châtre. **Crédit mutuel Croix-en-Ternois,** B.P. 2, 62130 St-Pol-sur-Ternoise.

Quelques noms

☞ *Légende.* – (1) France. (2) It. (3) USA. (4) N.-Zél. (5) G.-B. (6) All. féd. (7) Autriche. (8) Belg. (9) Suède. (10) Australie. (11) Espagne. (12) Monaco. (13) Écosse. (14) Argentine. (15) Brésil. (16) Suisse. (17) Colombie. (18) P.-Bas. (19) Japon. (20) Hawaii. (21) Mexique. (22) Finlande. (23) Afr. du Sud. (24) Canada. (25) Kenya.

Pilotes de circuit

Nom, prénom, nationalité, date de naissance et éventuellement de décès

ALBORETO Michele [2] 23-12-56. ALESI Jean [1] 11-6-64. ALLIOT Philippe [1] 27-7-54. AMON Chris [4] 20-7-43. ANDRETTI Mario [3] 28-2-40. DE ANGELIS Elio [2] 1958-86, † aux essais. ARNOUX René [1] 4-7-48. ASCARI Alberto [2] 1918-55, † aux essais. ATTWOOD Richard [5] 4-4-40. BALDI Mauro [2] 31-1-54. BARILLA Paolo [2] 20-4-61. BEAUMONT Marie-Claude (Charmasson) [1] 17-9-41. BEHRA Jean [1] 1921-59. BELL Derek [5] 31-10-1941. BELLOF Stefan [6] 1957-85. BELTOISE Jean-Pierre [1] 26-4-37. BENOIST Robert [1] 1895-1944. BERGER Gerhard [7] 27-8-59. BERNARD Eric [1] 24-8-64. BIANCHI Lucien [8] 1934-69, † essais 24 H du Mans. BOESEL Raul [15] 4-12-57. BOILLOT Georges [1] 1885-1916. BONNIER Joakim [9] 1930-72, † au Mans. BORGUDD Slim [9] 25-11-46. BOUTSEN Thierry [8] 13-7-57. BRABHAM David [10]. BRABHAM Geoff [10] 20-5-52. BRABHAM Jack [10] 2-4-26. BRAMBILLA Vittorio [2] 11-11-37. BROOKS Tony [5] 25-2-32. BRUNDLE Martin [5] 1-6-59. CAFFI Alex [2] 18-3-64. CAMPARI Guiseppe [2] 1892-1933. CAMPOS Adrian [11] 11-6-60. CAPELLI Yvan [2] 24-5-63. CARACCIOLA Rudolf [6] 1901-59. CECCOTTO Johnny [2] 25-1-56. De CESARIS Andrea [2] 31-5-59. CEVERT François [1] 1944-73, † aux essais de Watkins Glen. CHEEVER Eddie [3] 10-1-58. CHINETTI Luigi [2]. CHIRON Louis [12] 1899-1979. CLARK Jim [13] 1936-68, † à Hockenheim. COLLINS Peter [5] 1931-58, † au Grand Prix d'Allemagne. COMAS Erik [1] 28-9-63. COURAGE Piers [5] 1942-70, † à Zandvoord.

DALMAS Yannick [1] 28-7-61. DALY Derek [5] 11-3-53. DANNER Christian [6] 4-4-58. DEPAILLER Patrick [1] 1944-80, † à Hockenheim. DONNELLY Martin [5] 26-3-64. DONOHUE Mark [3] 1937-75. DREYFUS René [1] 1905.

ELFORD Vic [5] 10-6-1935. ETANCELIN Philippe [1] 1896-1981. FABI Corrado [2] 12-4-61. FABI Teo [2] 9-3-55. FABRE Pascal [1] 8-1-60. FANGIO Juan Manuel [14] 24-6-11. FARINA Giuseppe (dit Nino) [2] 1906-66. FERTÉ Alain [1] 8-10-55. FERTÉ Michel [1]. FITTIPALDI Emerson [15] 12-12-1946. FITTIPALDI Wilson [15] 24-12-1943. FOITEK Gregor [16] 27-3-65. FOYT Anth. Joseph [3] 13-1-35. FRERE Paul [8] 30-1-17. GABBIANI Beppe [2] 2-1-57. GABELITCH Gary [3] 29-8-40. GACHOT Bertrand [1] 22-12-62. GENDEBIEN Olivier [8] 12-1-24. GETHIN Peter [5] 21-2-40. GHINZANI Pier-Carlo [2] 16-1-52. GIACOMELLI Bruno [2] 10-9-52. GIUNTI Ignacio [2] 1941-71, † à Buenos-Aires. GORDINI Amédée [1] 1899-1979. GRAFFENRIED Emmanuel (de) [16] 1919. GROUILLARD Olivier [1] 2-9-58. GUERRERO Roberto [17] 16-11-58. GUGELMIN Mauricio [15] 21-4-63. GURNEY Dan [3] 13-4-31. HAILWOOD Mike [5] 1940-81, † accident de la route. HAWTHORN Mike [5] 1929-59, † accident route. HENTON Brian [5] 19-9-46. HERBERT Johnny [5] 27-6-64. HESNAULT François [1] 30-12-56. HILL Graham [5] 1929-75, † accident d'avion. Détenait le record des grands prix disputés (176) [entre le 18-5-58 et le 26-1-75, seul champion du monde vainqueur aux 24 h et aux 500 miles d'Indianapolis]. HILL Phill [3] 20-4-27. HOBBS David [5] 9-6-39. HULME Dennis [4] 18-6-36. HUNT James [5] 29-8-47. ICKX Jacky [8] 1-1-45. JABOUILLE Jean-Pierre [1] 1-10-42. JARIER Jean-Pierre [1] 10-7-46. JAUSSAUD Jean-Pierre [1] 3-6-37. JENATZY Camille [8] 1868-1913. JOHANSSON Stefan [9] 8-9-56. JOHNCOCK Gordon [3] 5-8-36. JONES Alan [10] 2-11-46. JOST Renhold [6] 24-4-37.

LAFFITE Jacques [1] 21-11-43. LAMMERS Jan [18] 2-6-56. LANG Hermann [6] 1909-87. LARINI Nicola [2] 19-3-64. LARRAUDI Oscar [14] 19-8-54. LARROUSSE Gérard [1] 23-5-40. LAUDA Niki [7] 22-2-49. LEES Geoffrey [5] 1-5-51. LIGIER Guy [1] 12-7-30. MCLAREN Bruce [4] 1937-70, † accident à Goodwood. MAIRESSE Willy 1928-69. MANSELL Nigel [5] 8-8-54. MARTINI Pierluigi [2] 23-4-61. MASS Jochen [6] 30-9-46. MEARS Rick [3]. MERZARIO Arturo [2] 11-3-1943. MIGAULT François [1] 4-12-44. MODENA Stefano [2] 12-5-63. MORBIDELLI Gianni [2]. MORENO Roberto [15] 11-12-59. MOSS Pat [5]. MOSS Stirling [5] 17-9-29. MUSSO Luigi [2] 1924-58, † au G.P. de France. NAKAJIMA Satoru [19] 23-2-53. NANNINI Alessandro [2] 7-7-59. NAZZARO Felice [2] 1881-1940. NEVE Patrick [8] 13-11-49. NILSSON Gunnar [9] 1948-78. NUVOLARI Tazio [2] 1892-1953. OLIVER Jackie [5] 14-8-1942. ONGAIS Danny [20] 21-5-42.

PACE Carlos [15] 1944-77, † accident d'avion. PALETTI Ricardo [2] 1958-82. PALMER Jonathan [5] 7-11-56. PATRESE Ricardo [2] 17-4-54. PESCAROLO Henri [1] 25-9-42. PETERSON Ronnie [9] 1944-78, † suites accident à Monza. PILETTE Teddy [8] 26-7-42. PETTY Richard [3]. PIQUET Nelson [15] 17-8-52. PIRONI Didier [1] 1952-87, † accident de motonautisme. PIRRO Emmanuele [2] 12-1-62. PROST Alain [1] 24-2-55. [Premier grand prix disputé le 5-7-1981 sur le circuit de Dijon-Prenois. Au 28-7-1991, sur 179 grands prix disputés, 44 victoires dont Brésil 6 (82, 84, 85, 87, 88, 90), Monaco 4 (84, 85, 86, 88), France 5 (81, 83, 88, 89, 90), Autriche 3 (83, 85, 86), Saint-Marin 3 (84, 86, 88), G.-B. 4 (83, 85, 89, 90), Portugal 3 (84, 87, 88), Italie 3 (81, 85, 89), Hollande 2 (81, 84), Belgique 2 (83, 87), Australie 2 (86, 88), Afr. du S. 1 (82), All. 1 (84), Europe 1 (84), Mexique 2 (88, 90), Espagne 2 (88, 90), U.S.A. 1 (89).] PRYCE Tom [5] 1949-77, † à Kyalami.

REDMAN Brian [5] 9-3-1937. REGAZZONI Clay Gianclaudio [16] 5-9-1940. REUTEMANN Carlos [14] 12-4-1942. REVSON Peter [3] 1939-74, † à Kyalami. RINDT Jochen [7] 1942-70, † aux essais de Monza. RODRIGUEZ Pedro [21] 1940-71, † à Nuremberg. RONDEAU Jean [1] 1946-85. ROSBERG Keke [22] 6-12-48. ROSIER Louis [1] 1905-56. SCARFIOTTI Ludovico [2] 1933-68, † à Rossfeld. SCHECKTER Jody [23] 29-1-1950. SCHNEIDER Bernd [6] 20-7-64. SCHENKEN Tim [10] 26-9-1943. SCHLESSER J.-Louis [1] 12-9-52. SENNA DA SILVA Ayrton [15] 21-3-60. SERRA Chico [15] 3-2-57. SERVOZ-GAVIN Johnny [1] 18-2-42. SIFFERT Joseph [16] 1936-71, † à Brands-Hatch. SOMMER Raymond [1] 1906-50, † en course. STEWART Jackie [13] 11-6-1939, abandonne la comp. oct. 73. STOMMELEN Rolf [6] 11-7-1943. STREIFF Philippe [1] 25-6-55. STUCK Hans Joachim [6] 1-1-1951. SURER Marc [16] 1951-86. SURTEES John [5] 11-2-34. SUZUKI Aguri [19] 8-9-64. TAMBAY Patrick [1] 25-6-49. TARQUINI Gabriele [2] 2-3-62. THACKWELL Mike [4] 30-3-61. THIRION Gilberte [8] 1928. THOMAS René [1] 1886. TRAUTMANN Claudine [1] 28-11-31. TRINTIGNANT Maurice [1] 30-10-17. UNSER Al [3] 1939. UNSER Bobby [3] 20-2-34. VARZI Achille [2] 1904-48. VILLENEUVE Gilles [24] 1952-82, † à Zolder. WARWICK Derek [5] 27-8-54. WATSON John [5] 4-5-46. WILLIAMSON Roger [5] 1948-73, † à Zandvoort. WIMILLE Jean-Pierre [1] 1908-49, † en course. WINKELHOCK Manfred [6] 1952-85. WOLLEK Bob [1] 4-11-43.

Pilotes de rallye

AALTONEN Rauno [22]. AIRIKKALA Penti [22]. ALEN Markku [22] 15-2-51. ANDERSSON Ove [9] 3-1-38. ANDRUET Jean-Claude [1] 13-8-42. AURIOL Didier [1] 10-8-58. AURIOL Hubert [1] 1958. BEGUIN Bernard [1] 24-9-47. BETTEGA Attilio [2] 1953-85. BIASION Massimo [2] 7-1-58. BLOMQVIST Stig [9] 26-1-46. BROOKES Russel [5]. CARLSSON Erik [9]. CLARK Roger [5]. DARNICHE Bernard [1] 28-3-42. EKLUND Per [9] 26-6-46. FALL Tony [9]. FIORIO Alessandro [2] 1965. FREQUELIN Guy [1] 2-4-45. HKIRK Paddy [5]. KALLSTROM Harry [9]. KANKKUNEN Juha [22] 2-4-59. KLEINT Jochi [6]. KULLANG Anders [9] 23-9-43. LAMPINEN Simo [22]. MAKINEN Timo [22] 18-3-38. MEHTA Shekhar [25] 20-6-45. METGE René [1] 23-10-49. MIKKOLA Hannu [22] 24-5-42. MOSS-CARLSSON Pat [5]. MOUTON Michèle [1] 23-6-51. MUNARI Sandro [2] 27-3-40. NICOLAS Jean-Pierre [1] 22-1-45. PIOT Jean-François [1] 1945-80. POND Tony [5] 23-11-45. RAGNOTTI Jean [1] 29-8-45. ROHRL Walter [6] 7-3-47. SABY Bruno [1] 23-2-49. SAINZ Carlos [11] 12-4-62. SALONEN Timo [22] 8-10-51. SINGH Joginder [25] 9-2-32. THERIER Jean-Claude [1] 7-10-43. TOIVONEN Henri [22] 1956-86. TOIVONEN Pauli [22]. VATANEN Ari [22] 27-4-52. VERINI Maurizio [2] 1942. VINCENT Francis [1]. WALDEGAARD Bjorn [9] 12-11-43. WITTMANN Franz [7].

Aviron

Origine. Antiquité *l'Énéide* de Virgile donne la plus ancienne description d'une course d'aviron. **1716** 1re compétition des temps modernes en G.-B., sur la Tamise : la *Doggett's Coat and Badge.* **1818** 1er club d'amateurs en G.-B. **1834** 1res régates en France. **1890** f. de la Fédération fr. des Stés d'aviron. **1896** sport olympique, mais les vagues empêchent le déroulement des épreuves.

Types de bateaux

• **Bateaux de course (outriggers)** (pour eaux calmes). En bois ou polyester. Avirons supportés par des portants exter. métal. Sièges à coulisse. Armé en pointe (le rameur a 1 aviron), en couple (il en a 2 plus courts).

Outriggers en pointe. *Deux de pointe* (11 m), 30 à 35 kg : avec ou sans barreur. *Quatre de pointe* (13 m), 50 à 60 kg : avec ou sans barreur. *Huit de pointe* (18 m), 100 kg : toujours barré (racing eight). **Outriggers en couple.** Même poids que les outriggers en pointe sauf pour le *skiff* (embarcation à 1 rameur avec 2 avirons ; 7 à 8 m, 14 à 18 kg). *Deux de couple* (double sculls). *Quatre de couple* sans barreur. *Huit de couple* (pas de compétition officielle).

• **Ramaplan.** Entre la planche à voile et le skiff, avec un siège à coulisse et 2 avirons légers.

• **Yole** (en principe pour la mer ou eaux agitées). Construite à *clins* (lames de bois se chevauchant). Avirons supportés par des dames fixées sur le bord même du bateau. Les *yoles de mer* sont armées en pointe avec barreurs, à 2 rameurs (8,5 × 1 m ; 60 kg) ; 4 (10,5 × 1,05 m ; 90 kg) ; ou 8 (14,5 × 1,15 m ; 150 kg). Les bateaux de mer en couple s'appellent *canoës* [constr. à clins, long. max. : canoë simple (1 rameur) 7 m, double (2) 8 m].

Records

Records. Les diverses qualités d'un plan d'eau et les variations de la vitesse du vent rendent impossible l'établissement de performances absolues. *Records non homologués : vitesse* 22,01 km/h par le huit des U.S.A. (2 000 m en 5'27"14 à Lucerne le 17-6-1984) ; *cadence* 56 coups d'aviron à la mn par le huit japonais à Henley (1936) ; *course la plus longue :* tour du lac Léman (160 km) par équipes de 4 avec barreur ; le record de l'épreuve : équipe hollandaise LAGA Delf en 12 h 52' le 3-10-1982.

Meilleurs temps sur 2 000 m (hommes et en ital. dames). **Skiff** 6'48"08 P. Karppinen (Finl., 85), *7'39"83 C. Linse (All. dém., 84).* **Double scull** 6'12"48 Norv. (76), *6'58"80 All. dém. (85).* **Deux barré** 6'44"92 G.-B. (86). **Deux sans barreur** 6'32"63 All. dém. (82), *7'25"08 Roum. (85).* **Quatre barré** 6'5"21 All. dém. (84), *6'50"08 All. dém. (85).* **Quatre sans barreur** 5'53"65 All. dém. (76). **Quatre de couple** 5'45"97 All. dém. (83), *6'16"31 All. dém. (86).* **Huit** 5'27"14 USA (84), *6'14" All. dém. (85).*

Cadence des coups d'aviron par minute. Elle n'est pas significative de la qualité d'un équipage. Tout dépend de la longueur, de la vitesse et de la force du coup d'aviron.

Principales épreuves

☞ *Légende. - a :* skiff ; *b :* 2 de couple ; *c :* 2 sans barreur ; *d :* 2 avec barreur ; *e :* 4 sans barreur ; *f :* 4 avec barreur ; *g :* huit ; *h :* 4 de couple ; *i :* pair oar.

• **Jeux olympiques.** Voir p. 1801.

• **Championnats du monde. Hommes.** Créés 1962. Tous les 4 ans jusqu'en 1974. Annuels depuis, sauf année olympique. **79 :** *a :* Finlande ; *b :* Norvège ; *c, d, e, f, h :* All. dém. ; *g (avec barreur) :* All. dém. ; **81 :** *a :* All. féd. ; *b :* All. dém. ; *c :* URSS ; *d :* Italie ; *e :* URSS ; *f :* All. dém. ; *g :* URSS ; *h :* All. dém. **82 :** *a, h, f :* All. dém. ; *b, c :* Norvège ; *d :* Italie ; *e :* Suisse ; *g :* N.-Zél. **83 :** *a, h, e :* All. féd. ; *b, c, d :* All. dém. ; *f, g :* N.-Zél. **85 :** *a :* Finlande ; *b :* All. dém. ; *c, f, g :* URSS ; *d :* Italie ; *e :* All. féd. ; *h :* Canada. **86 :** *a, f :* All. dém. ; *b :* Italie ; *c, h :* URSS ; *d :* G.-B. ; *e :* USA ; *g :* Australie. **87 :** *a, e, f :* All. dém. ; *b :* Bulgarie ; *c :* G.-B. ; *d :* Italie ; *g :* USA ; *h :* URSS. **89 :** *a, c, e :* All. dém. ; *b :* Norvège ; *d :* It. ; *f :* Roumanie ; *g :* All. féd. ; *h :* P.-Bas. **90 :** *a, h :* URSS ; *b :* Autriche ; *c, f :* All. dém. ; *e :* Austr. ; *g :* All. féd.

Dames. *Créés* 1974. **79 :** *a :* Roumanie ; *b, c, h :* All. dém. ; *f, g (avec barreuse) :* URSS. **81 :** *a :* Roum. ; *b :* URSS ; *c :* All. dém. ; *f, g, h (avec barreuse) :* URSS. **82 :** *a, b, h, f, g :* URSS ; *c :* All. dém. **83 :** *a, b, c, f :* All. dém. ; *h, g :* URSS. **85 :** *a, b, f, h :* All. dém. ; *c :* Roum. ; *g :* URSS. **86 :** *a, b, h :* All. dém. ; *c :* Roum. ; *g :* URSS. **87 :** *a, b :* Bulgarie ; *c, f, g :* Roum. ; *h :* All. dém. **89 :** *a, g :* Roum. ; *b, c, e, h :* All. dém. **90 :** *a, b, h :* All. dém. ; *c :* All. féd. ; *e, g :* Roum.

Poids légers. Hommes. *Créés* 1973. **80 :** *a :* All. féd. ; *b :* It. ; *e :* Austr. ; *g :* G.-B. **81 :** *a :* USA ; *b :* It. ; **82 :** *a :* Autr. ; *b, e, g :* It. **83 :** *a :* Dan. ; *b :* It. ; *e, g :* Esp. **84 :** *a :* Dan. ; *b :* It. ; *e, g :* Esp. **85 :** *a :* It. ; *b :* Fr. ; *e :* All. féd. ; *g :* It. **86 :** *a :* Austr. ; *b :* G.-B. ; *e, g :* It. **87 :** *a :* Belg. ; *b, g :* It. ; *e :* All. féd. **89 :** *a :* P.-Bas ; *b :* Autriche ; *e, h :* All. féd. ; *g :* It. **90 :** *a :* P.-Bas ; *e :* All. féd. ; *g, h :* It. **Dames.** *Créés* 1984. **84 :** *a :* All. féd. ; *b :* Dan. ; *e :* All. féd. ; *g :* USA. **85 :** *a :* Austr. ; *b :* G.-B. ; *e :* All. féd. **86 :** *a :* Roum. ; *b, e :* USA. **87 :** *a :* Roum ; *b :* Can ; *e :* USA. **89 :** *a, b :* USA ; *e :* Chine. **90 :** *a, b :* Danemark ; *e :* Canada.

• **Championnats d'Europe.** *Créés* hommes 1893, femmes 1954. Devenus « championnats du monde » en 1974 (voir Quid 1981, résultats p. 1601).

• **Championnats de France. Hommes.** *Créés* 1892. *a :* **87** Moretto et Di Giovanni, **88** Body, **89** Gaté, **90** Leclerc. *b :* **87** Fornara-Barathay, **88, 89, 90** Di Giovanni-Donette. *c :* **87** Arel-Debessel, **88** Berest-Le Lain, **89** Lot-Ringo, **90** Lot-Le Lain. *d :* **87** Pons-Bahuaud, **88** Dumay-Servel, **89** Ravera-Godé/Siacobi, **90** Ravera-Godé/Fourf. *e :* **87** Chevalier-Orieux-Sedeau-Coulaud, **88** J.-C. et Ph. Rolland-Guerinot-Grenier, **89** Lecointe-Brunel-Crispon-Fauché, **90** Sanchez-Renault-Nous-Barré. *f :* **87** Berrest-Louvet-Le Lain-Perronneau, **88** A. et O. Pons-Bahuaud-Purier, **89** Rolland-Grenier-Guérinot-Rolland, **90** Hautbout-Lavarde-Ezartti-Zuretti. *g :* **87** Brunel-Crispon-Lecointe-Fauché-Joly-Bousquet-Lezy-Fourcroy, **88** Meautte-Andres-Lacasa-Perahia-Berthou-Schmit-Babule-Cavalieri, **89** Andres-Servel-Perahia-Schmit-P. et J.-Y. Berthou-Lacasa-Blondel, **90** Brunel-Crispon-Lecointe-Fauché-Biblosque-Joly-Bosquet-Lezy. *h :* **87** Girardot-Benhamou-Sallou-Guitel, **88** Martigue-Andrieux-Prévot-Porte, **89** O. et A. Pons-Purier-Bahuaud, **90** Laby-Laby-Rulliat-Portal.

Dames. *Créés* 1925. *a :* **87, 88, 89** Le Moal, **90** Peyrat. *b :* **87** Henry-Hourdel, **88** Lafon-Chabrier, **89** Chaussivert-Richard, **90** V. et A. Tollard. *c :* **87** Pascal-Dufour, **88** Berthou-Pichene, **89, 90** Heligon-Briero. *e :* **89** Veyssière-Barrière-Danjou-Villermnaud, **90** Sal-Rettien-Gossé-Chamberlain. *f :* **87** Troton-Chaussivert-Richard-Duval, **88** Veyssière-Villechenaud-Danjou-Reynauld, **90** A.S. Corbeil-Essonnes. *h :* **87** Lafon-Chabrier-Origoni-Reynaud, **88** Henry-Hourdel-Trotton-Bourdon, **89** Luzuy-Lange-Matthews-Sneedclard, **90** Luzuy-Matthews-Lumb-Lange.

• **Régates de Henley** (G.-B.) Sur 2 111 m. *Créées* 1839. Chaque année le 1er week-end de juillet.

• **Régates de Lucerne** (Suisse). *Créées* 1891. Les plus importantes régates. 2e dim. de juillet.

• **Course Oxford-Cambridge.** Disputée par 2 huit de pointe. *Créée* le 10-6-1829 à Henley, la course a lieu maintenant à Londres (entre Henley et Hambledon Lock sur la Tamise) sur 6 840 m (4 miles 1/4). Sur 137 courses courues, Cambridge en a gagné 69, Oxford 67, 1 match nul (1877). En 1912, les 2 bateaux ayant coulé, ils ont recommencé la course. **1986** Cambridge. **87, 88, 89, 90, 91** Oxford.

• **Course Harvard-Yale** (USA). *Créée* 1852. Disputée entre 2 huit sur 4 miles.

Badminton

Généralités

Origine. Dès l'Antiquité, il existait des jeux de volant en Chine, au Japon et chez les Incas ; le jeu indien du « poona » semble être l'ancêtre le plus proche du badminton. Pratiqué en Europe et en France au XVIIe s. **1873** 1re partie à Badminton House (G.-B.). **1877** 1res règles (Colonel Selby). **1893** création de la Féd. anglaise. **1899** All England Championships (compétition mondiale majeure jusqu'à 1977). **1934** Féd. internationale (I.B.F.) créée. **1902** introduction en France (Le Havre). **1978** création de la Féd. française (créée 1934, dissoute sous Vichy). **1988** sport de démonstration aux J.O. **1992** sport olympique.

Terrain. 13,40 × 6,10 m pour le double (13,40 × 5,18 simple) ; exclusivement joué en salle (haut. : 8 m min.). **Filet.** De 0,76 à 1,524 m du sol au centre, 1,55 m aux poteaux. **Volant.** 4,74 à 5,50 g portant 16 plumes naturelles de longueur égale (64 à 70 mm), les pointes formant un cercle (diam. 58 à 68 mm), base en liège recouverte de cuir (diam. 25 à 28 mm), bout arrondi. *V. synthétique :* mêmes spécifications, mais tolérance de 10 %. **Raquette.** Bois, métal ou synthétique, cordage boyaux ou synthétique, dimensions max. 68 × 23 cm pour l'ensemble, 29 cm pour la tête, 28 × 22 cm pour la partie cordée, poids (non réglementé) 80 à 120 g. **Règles.** Se joue en simple, double ou mixte. Partie (env. 1/2 h) en 2 ou 3 manches gagnantes de 15 points (dames 11). But du jeu : envoyer le volant au sol dans le camp de l'adversaire.

Seul le serveur peut marquer un point. En cas de faute, il perd le service. Le volant de *service* doit passer du premier coup. Pour servir, le joueur doit frapper le volant de bas en haut, en dessous du niveau de sa propre ceinture. Il n'a pas le droit de feinter pour tromper l'adversaire.

Pays pratiquant le plus. Indonésie, Malaisie, Japon, Suède, G.-B. (200 000 joueurs), Danemark, Chine, Corée du S. *En France* 540 clubs, env. 20 000 licenciés.

Principales épreuves

☞ *Légende.* – (1) Danemark. (2) Indonésie. (3) Chine. (4) Corée. (5) Japon. (6) G.-B. (7) Suède. (8) Suisse. (9) Pakistan. (10) N.-Zélande. (11) URSS (12) Canada. (13) Australie. (14) France. (15) USA (16) Singapour. (17) Inde. (18) Belgique. (19) All. féd. (20) Malaisie. (21) P.-Bas. (22) All. dep. 1991.

• **Championnats du monde.** *Créés* 1977. Tous les 2 ans dep. 1983. **Simple.** *Messieurs* **77** F. Delfs [1], **80** R. Hartono [2], **83** I. Sugirato [2], **85, 87, 89** Y. Yang [3], **91** J. Zhao [3]. *Dames* **77** L. Köppen [1], **80** W. Wiharjo [2], **83** Li Lingwei [3], **85, 87** Han Aiping [3], **89** Li Lingwei [3], **91** Juihong Tang [3]. **Double.** *Messieurs* **77** Tjun Tjun-Wahjudi [2], **80** Handinata-Chandra [2], **83** Fladberg-Helledie [1], **85** Park-Kim [4]. **87, 89** Li Yongbo-Tian Bingyi [3], **91** J. B. Park-M. S. Kim [4]. *Dames* **77** Toganoo-Uneo [5], **80** Perry-Webster [6], **83** Dixi-Ying [3], **85** Aiping-Lingwei [3]. **87, 89** Lin Ying-Guan Weizhen [3]. **91** W. Guam-Q. Nong [3]. *Mixte* **77** Skovgaard-Köppen [1], **80** Handinata-Wigoeno [2], **83** Kihlström [7]-Perry [6], **85** Park-Yoo [4], **87** Wang-Shi Fangjing, **89, 91** Park-Chung [4]. **Par équipes.** *Messieurs* (coupe Thomas, créée 1948) **49, 52, 55, 67** Malaisie. **58, 61, 64, 70, 73, 76, 79, 84** Indonésie. **82, 86, 88, 90** Chine. *Dames* (Coupe Uber, créée 1956) **57, 60, 63** U.S.A. **66, 69, 72, 78, 81** Japon. **75** Indonésie. **84, 86, 88, 90** Chine. *Mixte* (Coupe Sudirman, créée 1989). **89** Indonésie. **91** Corée.

• **Finale du Grand Prix. Simples.** *Messieurs* **83** Luan [3], **84** Frost [1], **85** Han [3], **86** Yang [3], **87** Xiong [3], **88** Zhang [3], **89** Xiong [3], **90** Kurniawan [2]. *Dames* **83** Li [3], **84** Han [3], **85, 86, 87** Li [3], **88** Han [3], **89** Tang [3], **90** Susanti [2]. **Double.** *Messieurs* **87** Li-Tian [3], **88, 89** Sidek-Sidek [20], **90** Hartono-Gunawan [2]. *Dames* **87, 88** Guan-Lin [3], **89, 90** Tandeau-Sulistianingsih [2]. *Mixte* **87** Karlsson-Bengtsson [7], **88** Wang-Shi [3], **89** Hartono-Fajrin [2], **90** Lund-Dupont [1].

• **Championnats d'Europe.** *Créés* 1968. Tous les 2 ans. **Simple.** *Messieurs* **80** F. Delfs [1], **82** Nierhoff [1], **84, 86** M. Frost [1], **88** D. Hall [6], **90** S. Baddeley [6]. *Dames* **80** L. Blumer [8], **82** L. Köppen [1], **84, 86** H. Troke [6], **88** K. Larsen [1], **90** P. Nedergaard [1]. **Double.** *Messieurs* **80** Karlsson-Nardin [7], **82** Karlsson-Kihlström [7], **84** Dew-Tredgett [6], **86** Fladberg-Helledie [1], **88** Nierhoff-Kjeldsen [1], **90** Svarrer-Paulsen [1]. *Dames* **80** Webster-Perry [6], **82** Gilks-Clark [6], **84** Chapman-Clark [6], **86** Clark-Gowers [6], **88, 90** D. Kjaer-N. Nielsen [1]. *Mixte* **80** Perry-Tredgett [6], **82, 84, 86** Gilks-Dew [6], **88** Clark [6]-Fladberg [1], **90** Holst-Mogesen[1]. **Équipes mixtes** **80** Danemark, **82, 84** G.-B., **86, 88, 90** Danemark.

• **Championnats de la Plume d'or.** *Créé* 1972. 8 pays membres en 87 : Autriche, Belgique, Espagne, France, Israël, Luxg., Portugal, Suisse. *Vainqueurs :* **72, 73** Tchéc. **74** Belgique. **75** annulé. **76** Suisse. **77, 78** Youg. **79, 80, 81** Belgique. **82** Autriche. **83** annulé. **84, 85, 86** Autriche. **87** Suisse, **88** non disp, **89, 90, 91** France.

• **National ou championnat de France. Simple.** *Messieurs* **81** Bertrand, **82** Pitte, **83** Bertrand, **84, 85, 86** Pitte, **87** Renault, **88** Jeanjean, **89, 90** Panel, **91** Thobois. *Dames* **81** Lechalupé, **82** Méniane, **83** Lechalupé, **84, 85, 86** Méniane, **87** Rios, **88** Mansuy, **89** Dimbour, **90, 91** Mol. **Double.** *Messieurs* **81** Farraggi-Truong, **82** Corbel-Lehouerou, **83** Bertrand-Tong, **84, 85** Jeanjean-Pitte, **86** Bertrand-Truong, **87, 88** Jeanjean-Pitte, **89** Pak-Jeanjean, **90, 91** Panel-Renault. *Dames* **81** Lechalupé-Bontemps, **82** Lechalupé-Méniane, **83** Lechalupé-Choël, **84** Méniane-Chaboussie, **85, 88** Méniane-Debienne, **87, 88** Brun-Pichard, **89** Mol-Delvingt, **90** Mol-Dimbour, **91** Mol-Delvingt. *Mixte* **81** Robert-Truong, **82, 83** Lechalupé-Bertrand, **84, 85, 86** Méniane-Bertrand, **87** Truong-Debienne, **88** Bertrand-Méniane, **89, 90** Jorssen-Dimbour, **91** Jeanjean-Delvingt. **Équipes** **82 à 86** Racing Club de France, **87** A.S. Évry, **88** Havre B.C. **89** R.C.F, **90** Issy-les-Moul.

• **Championnats internationaux de France.** *Créés* 1908. Tous les ans. **Simple.** *Messieurs* **81** Baddeley [6], **82** Zubair [9], **83, 84** Kumar [2], **85** Brodersen [1], **86** Harrisson [10], **87** Frederiksen [1], **88** Sugiarto [2], **89** Xiong [3], **90** Foo [20], **91** Dawson [12]. *Dames* **81** Beliassova [11], **82** Julien [12], **83, 84** Poulton [6], **85** M. Hennig [7], **86** McDonald [13], **87** Kim [4], **88** Hwang [4], **89** Li [3], **90** Hwang [4], **91** Piché [12]. **Double.** *Messieurs* **81** Baddeley-Good [6], **82** McDougall-Freitag [12], **83** Ganguli-Singh [17], **84** De Mulder-Van Herbruggen [17], **85** Brodersen-Thomsen [1], **86** Harrisson-Stewart [10], **87** Lee-Kim [4]. **88** Park-Sung [4], **89** Li-Tian [3], **90** Park-Kim [4], **91** Yap-Yap [20]. *Dames* **81** Beliassova-Pogosian [11], **82** Falardeau-Cloutier [12], **83** Frey-Hagemann [19], **84** Poulton [6]-Van Herbruggen [17], **85** Hennig-Johansson [7], **86** Méniane-Lechalupé [14], **87, 88** Hwang-Chung [4], **89** Sun-Zhou [3], **90** Wang-Chung [4], **91** Schmidt-Urben [22]. *Mixtes* **81** Tier-Fulton [6], **82** McDougall-Falardeau [12], **83** Kihlström [7]-Perry [6], **85** Lynge-Moies [1], **86** McDonald [13]-Robson [10], **87, 88** Park-Chung [4], **89** Wang-Shi [3], **90** Kim-Chung [4], **91** Keck-Seid [22].

• **Champions Français. Messieurs.** Bertrand, Jean-Claude (5-8-54). Guéguen, Joël (1941). Jeanjean, Christophe (2-7-63). Pitte, Benoît (28-3-59). Panel, Franck (15-4-68). Renault, Stéphane (1-3-68). Thobois, Etienne (20-9-67). Truong, Kiet. **Dames.** Debienne, Sylvie (13-12-62). Delvingt, Virginie (8-7-71). Dimbour, Sandra (13-6-70). Lechalupé, Catherine (1950). Mansuy, Élodie (9-7-68). Méniane, Anne (11-6-59). Mol, Christelle (3-1-72). Rios, Rosita (13-9-68). Sonnet, Corinne (18-6-65).

Étrangers. Messieurs. Baddeley, Steve [6] (1961). Darren, Hall [6] (25-10-65). Freeman, David [15] (1920). Hartono Kurniawan, Rudy [2] (18-8-48). Frost, Morten [1] (4-4-58). Guobao, Xiong [3] (17-11-62). Hall Daren, Wall [6] (25-10-65). Hoyer-Larsen, Poul-Erik [1] (2-9-65). Kim Moon, Soon [4] (29-12-63). Kops, Erland [1] (1937). Li, Yongbo [3] (18-9-62). Park, Joo-Bong [4] (5-12-64). Sugiarto, Icuk [2] (1962). Thomas George, Allan [6] (1881-1972). Tian, Bingyi [3] (30-7-63). Wong Peng, Soon [16] (1918). Yang, Yang [3] (2-2-63). Zhao, Jianhua [3] (21-4-65). **Dames.** Han, Aiping [3] (22-4-62). Hasham, Judith [15] (22-10-35). Kim Yun, Ja [4] (15-5-63). Larsen, Kirsten [1] (14-3-62). Li, Lingwei [3] (4-1-64). Myung, Hee Chung [4] (27-1-64). Nedergoard, Pernille [1] (5-12-67). Roger, Iris [15] (1931). Susanti, Susi [2] (11-2-71). Tang, Juihong [3] (14-2-69). Troke, Helen [6] (7-1-64). Ying, Lin [3] (10-10-63).

Ballon au poing

Origine. Antiquité « Phaeninda », mêmes règles que le jeu actuel. **2500 ans avant J.-C.** *les Incas jouent au ballon* (en caoutchouc ou en gomme). **Moyen Age** souvent joué en France. **1900** Ligue du Pas-de-Calais. **1911** Féd. des ballonnistes de la Somme. **1935** Féd. française des ballonnistes. **1972** Féd. française de ballon au poing.

Ballon. Origine, en peau de mouton renfermant de la bourre, du foin, du son ; on l'appelait esteuf, soule, choule. **XIXe s.** on introduisit dans la peau une vessie de porc ; puis une vessie de caoutchouc. **V. 1880,** on ramène de 8 à 6 le nombre de bandes de cuir ou de segments (chacun formé de 3 peaux de mouton assemblées). **1902** ballon de cuir de vache. **1932** ballon sans boutrole. Seniors 425 à 475 g (circonf. 60 à 65 cm) juniors et cadets 350 à 400 g (55 à 60 cm).

Terrain : largeur 12 m, long. 65 m entre les lignes de rapport. Au-delà le ballon ne peut être repris que de volée. 18 mètres séparent la ligne de tir de la corde pour les équipes « Excellence », sinon 15 m.

Équipe. 6 joueurs : 1 foncier (F) frappant la plupart des coups du 1er bond, 2 basses-volées (B.V.), 1 milieu de corde (M.C.), 2 cordeliers (C.). Selon leur valeur ; excellence A ou B, 1re A ou B, 2e ; leur âge : juniors (pas plus de 16 ans). Cadets (pas plus de 14 ans). Minimes (pas plus de 12 ans).

Partie. Le foncier joue le plus grand nombre de coups. La balle est frappée avec le poignet (on peut le protéger d'une bande d'étoffe ou de cuir). Lorsqu'un jeu commence, le foncier livre, au-delà de la corde, dans le camp adverse, qui renvoie le ballon : l'équipe qui commet une faute au cours des échanges donne 15 à l'adversaire. **Fautes.** Tout contact du ballon avec l'arrière du corps, toute réception passive (genre « amorti »). 5, 6 ou 7 jeux (chaque jeu se décomposant ainsi : 15, 30, 40, jeu). Lorsque les 2 équipes sont à égalité à 40 (« 40 à deux ») l'équipe qui marque prend un avantage, qu'elle peut perdre ensuite. **Chasses.** Quand le ballon n'est repris ni de volée, ni au 1er bond, à hauteur de l'endroit où le ballon a été arrêté (à l'intérieur des limites, avec l'une quelconque des parties « avant » du corps) on place un repère ; la chasse est une ligne imaginaire, parallèle à la corde et passant par le point d'arrêt de la balle ; elle remplace provisoirement la corde. Pour disputer une chasse, il faut changer de camp : si le ballon s'arrête au-delà de la chasse, il y a 15 pour le camp qui a livré ; sinon il y a 15 pour l'autre camp.

Épreuves. Championnats de France : disputés à Amiens (Ballodrome de la Hotoie), formule « coupe » par élimination directe. Excellence A, créé 1908. Equipe et foncier : **75** Hérissart, Denis. **76** non disputé. **77 à 83** Franvilliers, J. Debart. **84** Hérissart, J.-M. Godebert. **85** Franvilliers, J. Debart. **86** Bertrancourt, D. Gribeauval. **87, 88** Senlis-le-Sec, M. Maisse. Participent toutes les équipes d'Excellence et, dans chacune des catégories inférieures, 4 éq. dont 2 qualifiées par les épreuves du championnat de régularité et 2 sélectionnées en parties éliminatoires. Le 1er dimanche de sept., même lieu, coupes de régularité et poing d'or.

Poing d'Or. Trophée récompensant la meilleure livrée. **1904 :** 1er Souland 56,02 m. **1981 :** Jacques Debart 58,77 m. **1982 :** Didier Gribeauval 59,90 m. **1983 :** Henri Masset 55,90 m. **1984 :** Gérard Lequette 56,75 m. **1985 :** Alain Denis 57,08 m. **1986 :** Serge Dillocourt 50,56 m. **1987 :** Francis Dauthieux 47,56 m. **1988 :** Éric Bertoux 52,45 m.

Statistiques. *Sociétés en 1984 :* 38 (Somme 37, Pas-de-C. 1). *Licenciés* (86) : 980.

Base-ball

Généralités

Origine. Connu au XVIIIe s. **1846**-18-6 à Hoboken (New Jersey, U.S.A.) 1er match selon les règles du 23-9-1845 d'Alexander J. Cartwright (1820-92). **1988** sport de démonstration aux J.O. **1992** sport olympique.

Pratiqué dans 80 pays par 150 millions de licenciés. All. féd., Autriche, Belgique, Danemark, Espagne, Finlande, France, G.-B., Italie, P.-Bas, Pologne, Saint-Marin, Suède, Suisse, Tchéco., Youg. disputent leur championnat national et les ch. d'Europe et de Coupe d'Europe.

En France. Env. 30 000 pratiquants et 10 000 licenciés dans 190 clubs. Championnat dans chaque catégorie ; d'avril à juin puis en sept. Saison s'achève vers la fin oct. et reprend en mars. *Féd. Fr. de Base-Ball et Softball* 73, rue Curial 75019 Paris.

Règles du jeu. 2 équipes de 9 joueurs sous la direction d'un gérant ou manager. **Catégories.** *Minimes :* 8-12 ans ; *cadets :* 13-15 a. ; *juniors :* 16-18 a. ; *seniors :* 19 a. et +. Partie jouée en 9 manches et prolongation jusqu'à la victoire d'une équipe, une manche correspondant au passage des 2 équipes à l'attaque et à la défense. Pas de match nul. Une partie dure 2 h env. L'équipe dont c'est le tour envoie un à un sur le terrain ses 9 joueurs ou « batteurs ». Le 1er se place sur un des coins du « diamant » appelé « home-plate », qui est la base de départ et d'arrivée des batteurs. Il attend la balle que va lui envoyer du centre du « diamant » le lanceur de l'équipe adverse. 7 des coéquipiers du lanceur sont dispersés autour du carré sur toute la surface du jeu ; le 8e se place derrière le batteur, c'est l'« attrapeur », chargé d'attraper et de renvoyer à l'un de ses coéquipiers la balle lorsqu'elle est manquée par le batteur. Le batteur laisse passer la balle s'il pense qu'elle ne traversera pas la zone de « prises » délimitée par l'espace situé au-dessus du marbre et entre la ligne des genoux et des aisselles du frappeur, ou essaie de la renvoyer hors de portée de ses adversaires. S'il y parvient ou si le lanceur lui a envoyé 4 balles mauvaises, il tente de faire le tour complet du « diamant » pour marquer un point, mais il peut le faire en une seule fois ou en s'arrêtant successivement sur chaque base. Un coureur peut voler une base (sur inattention du lanceur, sur une balle passée par le receveur) lorsque la balle est en jeu. Dès qu'il a atteint la 1re base, il devient coureur, et l'un de ses coéquipiers lui succède comme batteur. Le batteur est éliminé s'il manque successivement 3 balles, si la balle qu'il a frappée est attrapée au vol par un de ses adversaires, si un joueur de l'équipe adverse le touche avec la balle avant qu'il ait atteint la première base, ou si la balle est déjà sur la base avant qu'il y soit parvenu. L'élimination de 3 joueurs de l'équipe battante inverse les rôles.

Terrain. Éventail de 100 à 150 m de côté comportant le *champ extérieur (outfield)* occupé par 3 joueurs et le *champ intérieur,* un carré de 27,43 m *(infield),* par 6 joueurs, où sont placés 3 bases et le « marbre ». Les côtés de ce carré forment les « sentiers » sur lesquels vont courir les joueurs de l'équipe offensive à l'issue de leur tour à la batte.

Équipement. *Balle* (liège et corde, recouverte de peau, 141 à 148 g, circonférence 23 cm, diam. 7,5 cm). Les défenseurs portent un *gant de cuir,* le batteur une *batte* (en bois ou en aluminium, long. 1,06 m, larg. 6,98 cm, diam. 7 cm). L'arbitre et l'attrapeur ont les visage, buste et jambes protégés.

Jet le plus long. *Homme* 135,88 m (Glen Gorbous, Canada, 1-8-1957), *femme* 90,2 m (Mildred Didrikson, USA, 25-7-1931). Lanceur le plus rapide. 162,3 km/h (Lynn Nolan Ryan, USA, le 20-8-74).

Principales épreuves

• Jeux Olympiques. **1984,** sport de démonstration. Japon b. U.S.A.

• Championnat du monde (*créé* 1938). **1965** Colombie. **69, 70, 71, 72** Cuba. **73** Cuba (FIBA), USA (FEMBA). **74** USA **76, 78, 80** Cuba. **82** Corée. **84, 86, 88** Cuba.

• Championnat d'Europe A (*créé* 1954). **54** Italie. **55** Espagne. **56 à 65** P.-Bas. **67** Belgique. **69 à 73** P.-Bas. **75 à 80** Italie. **81** P.-Bas. **83** Italie. **85, 87** P.-Bas. **89** Italie.

Nota. – 59, 61, 63, 66, 68, 70, 72, 74, 76, 78 non disputé.

• Championnat d'Europe B (*créé* 1984). **84** Saint-Marin. **86** All. féd.

• Coupe intercontinentale (*créée* 1973). **73** Japon. **75** USA **77** Corée du Sud. **79** Cuba. **81** USA **83, 85, 87, 89** Cuba.

• Coupe méditerranéenne (*créée* 1970). **70, 71** Picadero Barcelone. **72** Filomatic Barcelone. **73, 74** Bernazzoli Parme. **75** F.C. Barcelone. **76** Germal de Parme. N'est plus disputée depuis.

• Coupe d'Europe des Clubs (*créée* 1963). **80** Parme B.C. **81** Berchem Stars (Belg.). **82** Parme B.C. **83** Berchem Stars (Belg.). **84** Worldvision (Parme). **85** Bologne B.C. **86, 87, 88** Worldvision (Parme), **89** Ronson le Noir (Rimini). **90** Haarlem Nicols (P.-Bas). **91** Nettuno (Italie).

• Coupe latine (moins de 23 ans). Organisée en 1972 et 74. **72** Espagne. **74** Italie.

• Coupe du Nord (*créée* 1976). **76** P.-Bas. **78** Belg. **80-81** non disputée. **82** France-Belg. ex-aequo. **Dep. 83** non disputée.

• Championnat de France. **Divis I.** *Créée* en 1975. **75, 76, 77** P.U.C. **78, 79** Nice U.C. **80** P.U.C. **81** Nice Université Club. **82, 83, 84, 85, 86, 87, 88, 89, 90** P.U.C. **Divis. II** (créée en 1975). **76** Sarcelles. **77** Limeil. **78** Strasbourg. **79** Sarcelles. **80** Meyzieu. **81** Sarcelles. **82** B.C.F. **83** Pineuilh. **84** Meyrieu. **85** Sarcelles. **86** Nice Dynamics. **87** Thiais.

Basket-ball

Histoire

1891 *créé* au collège YMCA de Springfield (Massachusetts, USA) par James Naismith (professeur d'éducation physique d'origine canadienne, 1861-1939) pour remplacer les séances de gymnastique peu attrayantes l'hiver. S'inspire peut-être du jeu canadien, le *canard sur le rocher.* Répandu rapidement dans le monde grâce aux YMCA **1932**-*18-6* Féd. internat. de basket ball amateur créée. **1936** introduit aux J.O. messieurs et **1976** dames.

Règles

• Terrain. 28 m × 15 m. **Panneau.** Largeur 180 cm, haut. 120 cm, bord inférieur à 2,75 m du sol. **Panier.** Diamètre 45 cm, fixé à 3,05 m du sol. **Ballon.** Poids 600 à 650 g, circonférence 75 à 78 cm.

• Équipes. 2 de 5 joueurs sur le terrain. Chacune a 10 joueurs (12 pour les compétitions de plus de 5 jours) qui peuvent se remplacer à volonté. 2 arbitres dirigent le jeu, leur coup de sifflet rend la balle morte et arrête le jeu. Ils font comprendre leurs décisions par geste. Ils sont assistés d'un chronométreur, d'un marqueur et d'un opérateur des 30 secondes. Celui-ci fait fonctionner son signal chaque fois que l'équipe attaquante n'a pas tiré au panier 30 s après être entrée en possession de la balle.

• Partie. 2 mi-temps de 20 mn séparées par un intervalle de 10 mn. Chaque arrêt de jeu (ballon hors des limites du terrain, changement de joueur, temps mort, lancer franc, etc.) est décompté. Le manager peut demander 4 temps morts (2 par mi-temps) d'1 mn chacun pendant les ballons morts. En moyenne, une *mi-temps* dure de 35 à 40 mn. Une balle mise dans le panier compte 2 points sauf si le tir est tenté derrière la ligne semi-circulaire des 6,25 m (3 pts) et si c'est un lancer franc (1 pt). En cas de match nul, on joue des prolongations de 5 mm autant de fois qu'il est nécessaire pour obtenir un résultat positif. La FIB. A autorise les féd. nat. à jouer 2 mi-temps de 22 mn. ou 4 quart-temps de 12 mn.

• Règles. **Progression.** (*légende :* b. : ballon, p. : panier, l.f. : lancer franc, j. : joueur). Le b. peut être passé, lancé, frappé, roulé ou dribblé en le faisant rebondir au sol avec une seule main. Il est interdit de faire plus d'un pas avec le b. Après avoir terminé un dribble, le joueur ne doit pas en effectuer un second. Il est interdit pour l'équipe attaquante de revenir dans sa zone arrière (retour en zone) une fois qu'elle a franchi la ligne médiane. **Il est interdit** de frapper le b. avec le poing ; de donner un coup de pied dans le b. ; de rester plus de 3 sec. dans la zone réservée (la règle ne s'applique plus lorsque le b. est en l'air lors d'un tir au p. ou que les j. se disputent le b. au rebond) ; de mettre plus de 5 sec. pour remettre le b. en jeu (touche et l. f.) ; à une même éq. de garder le b. plus de 30 sec. sans tenter un tir.

Un j. attaquant qui se trouve dans la zone réservée ne doit pas toucher le b. lorsque celui-ci est sur sa trajectoire descendante au-dessus du niveau de l'anneau. Il ne doit pas toucher le p. adverse ou le panneau alors que le b. touche l'anneau lors d'un tir au p. *Pénalité :* aucun point n'est accordé et le b. est remis en jeu par les adversaires de l'extérieur du terrain du point de la ligne de touche le plus proche. **Un j. défenseur** ne doit pas toucher le b. lorsque celui-ci, lors d'un tir d'un adversaire, est sur sa trajectoire descendante et qu'il est au-dessus du niveau de l'anneau, lors d'un tir et jusqu'au moment où le b. touche l'anneau ou qu'il est visible qu'il ne le touchera pas. Ne doit pas toucher son propre p. ou le panneau, lorsque le b. touche l'anneau lors d'un tir au panier. *Pénalité :* le b. est mort à l'instant de la violation. Le tireur a droit à 1 point dans le cas d'un l. f. et à 2 ou 3 points dans le cas d'un tir en cours de jeu. Le b. est remis en jeu de l'extérieur du terrain, derrière la ligne de fond, comme si le lancer avait été réussi.

• Fautes. **Principales fautes personnelles** (contact avec un adversaire). *Obstruction,* action qui empêche la progression d'un j. Un j. en possession du b., qui essaie de dribbler entre 2 adversaires ou entre un opposant et une ligne de touche alors qu'il n'a pas « une chance raisonnable » de passer, commet une faute (passage en force). *Faute sur joueur tirant au p. ;* si le p. est réussi, l'arbitre accorde le p. et le tireur a 1 l. f. à tenter en plus ; s'il est manqué, 2 ou 3 l. f. sont accordés au j. lésé. Si un j. attaquant marque un p. et retombe sur un défenseur après son tir, le p. est accordé et une faute inscrite sur le compte de l'attaquant. *Faute multiple,* commise par 2 ou plusieurs j. au même moment sur le même adversaire. Une faute est inscrite sur le compte de chaque j. fautif mais ne donne droit qu'à 2 l. f. pour le j. lésé. *Double faute,* cas où 2 j. adverses commettent l'un sur l'autre une faute au même moment. Il n'y a pas de l. f. mais une remise en jeu par entre-deux « dans le cercle restrictif » plus proche ; une faute est inscrite sur le compte des 2 j. *Faute intentionnelle* (entre la faute normale et la faute disqualifiante qui est de caractère antisportif). Dès qu'une équipe a commis 7 fautes au cours d'une mi-temps, toutes les fautes personnelles suivantes sont sanctionnées par 1 l. f. et un 2ᵉ si le 1ᵉʳ est réussi. Tout j. qui commet une faute doit immédiatement lever le bras en se tournant vers la table de marque. En cas de faute intentionnelle après les 2 lancers francs, la balle revient à l'équipe qui a bénéficié des lancers francs au centre du terrain à la ligne médiane.

Fautes techniques. S'adresser à un officiel en termes incorrects ; employer un langage offensant ; agacer un adversaire ou gêner sa vision du jeu en agitant les mains devant ses yeux ; retarder le déroulement de la partie en empêchant la remise immédiate du ballon en jeu ; ne pas lever la main convenablement quand une faute est sifflée contre lui ; changer de numéro sans en avertir le marqueur et l'arbitre ; entrer sur le terrain en tant que remplaçant sans se présenter au marqueur et à l'arbitre. Pour l'entraîneur ou des remplaçants : entrer sur le terrain sans permission. Toutes les fautes techn. donnent droit à 2 l. f. (si la faute techn. est commise sur le terrain, la partie reprend normalement après le 2ᵉ l. f. ; si elle est commise par l'entraîneur, après le 2ᵉ l. f., la b. est remise en jeu depuis la ligne médiane par l'équipe qui a bénéficié de la faute). Pour une faute pers., le lanceur doit être celui sur lequel la faute a été commise ; pour une faute technique, les lancers sont tentés par un des membres de l'éq. bénéficiaire. Les l. sont tentés dep. la ligne des l. f. ; personne ne doit se trouver dans le cercle restrictif et dans la zone réservée au moment du lancer ; le tireur a 5 sec. pour tenter son shoot.

• Balle morte. Chaque fois qu'un officiel interrompt le jeu redevient vivante lorsqu'elle est frappée lors d'un entre-deux, quand elle est placée à la disposition du tireur de l. f. ou lorsqu'elle touche un j. sur le terrain après une remise en jeu. **Balle tenue :** lorsque 2 ou plusieurs adversaires la tiennent fermement d'1 ou des 2 mains. **Balle hors jeu :** quand elle touche un j. hors des limites, une personne, le sol ou un objet hors des limites du terrain ou les supports ou le dos des panneaux ; le b. est alors remis par l'arbitre à l'éq. adverse.

Panier réussi. *De la plus longue distance :* 28,17 m (Bruce Morris, USA, 8-2-1985). *Le plus de fois de suite :* 2 036 lancers francs (Ted Saint-Martin, USA, 25-6-77). **Record de points marqués par un joueur.** *Dans une partie :* Mats Wermelin (Suède) a marqué les 272 points (à 0) de son équipe (5-2-74, Stockholm). *En championnat de France :* Hervé Dubuisson 11 356 de 1974 à 91. *Dans sa carrière :* 1969 à 1989, Kareem Abdul-Jabbar 38 387 points dans le championnat (saison régulière) de la NBA (USA).

Taille des joueurs. *Le plus grand :* Suleiman Ali Nashnush (né 1943) 2,45 m (Libye). *La plus grande :* Ouliana Semenova 2,18 m, 127 kg (URSS).

Principales épreuves

☞ *Légende.* – (1). USA (2) URSS (3) Italie. (4) Mexique. (5) Yougoslavie. (6) Espagne. (7) France. (8) Tchécosl. (9) Israël. (10) Bulgarie. (11) Hongrie. (12) All. féd. (13) Suède. (14) Grèce. *Vainqueur et vaincu.*

• **Jeux olympiques.** Voir p. 1801.

Championnats masculins

Championnats du monde. *Créés* 1950. Tous les 4 ans. **50** Argentine, USA **54** USA, Brésil. **59** Brésil, USA **62** Annulés. **63** Brésil, Yougoslavie. **67** URSS, Youg. **70** Youg., Brésil. **74** URSS, Youg. **78** Youg., URSS **82** URSS, USA **86** USA, URSS. **90** Youg., URSS.

Championnats d'Europe. *Créés* 1935. Tous les 2 ans. **35** Lettonie-Esp. **37** Lituanie-Italie. **39** Lituanie-Lettonie. **46** Tchéc.-It. **47** URSS-Tchéc. **49** Égypte-France. **51** URSS-Tchéc. **53** URSS-Hongrie. **55** Hongrie-Tchéc. **57** URSS-Bulgarie. **59** URSS-Tchéc. **61** URSS-Youg. **63** URSS-Pol. **65** URSS-Youg. **67** URSS-Tchéc. **69, 71** URSS-Youg. **73** Youg.-Espagne. **75, 77** Youg.-URSS **79** URSS-Israël. **81** URSS-Youg. **83** Italie-Espagne. **85** URSS-Tchéc. **87** Grèce-URSS **89** Youg.-Grèce. **91** Youg.-It.

Coupe d'Europe des clubs champions. *Créée* 1957. **80** Real Madrid [6], Maccabi Tel-Aviv [9]. **81** Maccabi Tel-Aviv [9], Bologne [3]. **82** Cantu [3], Maccabi Tel-Aviv [9]. **83** Cantu [3], Milan [3]. **84** Rome [3], Barcelone [6]. **85** Zagreb [5], Real Madrid [6]. **86** Zagreb [5], Kaunas [2]. **87, 88** Milan [3], Maccabi Tel-Aviv [9]. **89** Split [5], Maccabi Tel-Aviv [9]. **90, 91** Split [5], Barcelone [6].

Coupe des coupes. *Créée* 1966. **80** Varese [3], Cantu [3]. **81** Cantu [3], Barcelone [6]. **82** Zagreb [5], Real Madrid [6]. **83** Pesaro [3], Villeurbanne [7]. **84** Real Madrid [6], Milan [3]. **85** Barcelone [6], Kaunas [2]. **86** Barcelone [6], Pesaro [3]. **87** Zagreb [5], Pesaro [3]. **88** Limoges [7], Badalone [6]. **89** Real Madrid [6], Caserte [3]. **90** Virtus Bologne [3], Real Madrid [6]. **91** Salonique [14], Saragosse [6].

Coupe d'Europe Radivoj Korac. *Créée* 1971. **80** Rieti [3], Zagreb [5]. **81** Juventud Badalone [6], Venise [3]. **82, 83** Limoges CSP [7], KK Sibenik [5]. **84** Orthez [7], Belgrade [10]. **85** Milan [3], Varèse [3]. **86** Rome [3], Caserte [3]. **87** Barcelone [6], Limoges [7]. **88** Real Madrid [6], K.K. Zagreb [5]. **89** Partizan Belgrade [5], Cantu [3]. **90** Barcelone [6], Pesaro [3]. **91** Cantu [3], Real Madrid [6].

Championnats de France. Division nationale 1. *Créés* 1949. **78, 79** Le Mans. **80** Tours. **81** Villeurbanne. **82** Le Mans. **83, 84, 85** Limoges. **86, 87** Orthez. **88, 89, 90** Limoges. **91** Antibes.

Coupe de France. *Créée* 1952-53. **53** Villeurbanne. **54, 55** Paris Université Club. **56** C.S.M. Auboue. **57** Villeurbanne. **58** Étoile de Mézières. **59** Étoile de Charleville. **60** A.S. Denain-Voltaire. **61** Lyon. **62, 63** Paris Univ. Club. **64** Le Mans. **65** Villeurbanne. **66** Nantes. **67** Villeurbanne. **68** Pas de coupe. **69, 70** Vichy. **71-81** non disp. **82** St-Brieuc. **83** Challans. **84** Denain. **85, 86** Hyères. **87** St-Quentin. **88** Esquennoy. **89** Nice BC. **90** CS Toulon. **91** Châlons-Champagne.

Coupe de la fédération. 1982, 83 CSP Limoges. **84** Villeurbanne. **85** CSP Limoges. **Dep. 85,** non disputée.

Tournoi des As. 1988 CSP Limoges. **89** Mulhouse BC. **90** Limoges. **91** Pau-Orthez.

Championnats féminins

Championnats du monde. *Créés* 1953. Tous les 4 ans. **53** USA-Chili. **57** USA-URSS. **59** URSS-Bulgarie. **64** URSS-Tchéc. **67** URSS-Corée du S. **71** URSS-Tchéc. **75** URSS-Japon. **79** USA-Corée du S. **83** URSS-USA. **87** USA-URSS. **90** USA-Youg.

Championnats d'Europe. *Créés* 1938. Tous les 2 ans. **38** Italie-Lituanie. **50** URSS-Hongrie. **52, 54** URSS-Tchéc. **56** URSS-Hongrie. **58** Bulgarie-URSS. **60** URSS-Bulg. **62** URSS-Tchéc. **64** URSS-Bulg. **66** URSS-Tchéc. **68** URSS-Youg. **70** URSS-France. **72** URSS-Bulg. **74, 76** URSS-Tchéc. **78** URSS-Youg. **80, 81** URSS-Pologne. **82** non disputés. **83, 85** URSS-Bulg. **87** URSS-Youg. **89** URSS-Tchéc.

Coupe d'Europe des clubs champions. *Créée* 1958. **80** Turin, Pernik [10]. **81** Riga [2], Belgrade [5]. **82** Riga [2], Mineur Pernik [10]. **83** Vicence [3], Düsseldorf [12]. **84** Sofia [10], Vicence [3]. **85** Vicence [3], Riga [2]. **86** Vicence [3], Düsseldorf [12]. **87, 88** Vicence [3], Novossibirsk [2]. **89** Tuzla [5], Vicence [3]. **90** Priolo [3], CSKA Moscou [2]. **91** Cesena [3], Arvika [13].

Coupe Ronchetti. *Créée* 1971. **80** Zagreb [5], Poldiv [10]. **81** Spartak Moscou [2], Zagreb [5]. **82** Spartak Moscou [2], Brno [8]. **83** Budapest [11], Spartak Moscou [2]. **84** Rome [3], Budapest [11]. **85** TSKA Moscou [2], Viterbe [3]. **86** Novossibirsk [2], Budapest [11]. **87** Riga [2], Milan [3]. **88** Kiev [2], Milan [3]. **89** CSKA Moscou [2], Milan [3]. **90** Parme [3], Tuzla [5]. **91** Milan [3], Come [3].

Championnats de France. Féminins division nationale 1. *Créés* 1951. **De 68 à 79** Clermont Université Club. **80** Stade français. **81** Clermont UC. **82** Asnières Sport. **83, 84, 85** Stade français. **86, 87** SF. Versailles. **88, 89, 90** BAC Mirande. **91** Challes-les-Eaux.

Coupe de France. 57, 58 AS Montferrand. **60** FC Lyon. Reprise sous le nom de **Coupe de printemps** (National I et meilleures équipes de National II). **82, 83** Stade français. **Coupe de printemps-Challenge Danielle Peter. 84** RCF Paris. **Coupe Danielle Peter. 85** Stade français. **86** Cavigal Nice. **87** AS Montferrand. **88** Challes. **89** St-Clermontois. **90** CSM Bourges.

Mini-basket

Règles du basket aménagées pour les moins de 12 ans. *Terrain* 26 × 14 ou moins si les proportions sont respectées. *Panneau :* 1,20 × 0,90. *Hauteur de l'anneau* 2,60 m. *Balle :* 73 cm de circonf., 500 g. *Temps de jeu :* 4 périodes de 10 mn ; les arrêts de jeu ne sont pas décomptés par le chronométreur ; changements de joueurs autorisés au moment des pauses, seulement au cours des 3 prem. périodes ; pas de temps mort, sauf pendant la dernière période (possibilité d'un arrêt d'1 mn à chacune des 2 équipes qui peuvent changer de joueurs). *Équipes :* 10 joueurs dont chacun doit jouer au moins 10 mn.

Quelques noms

☞ *Légende.* – (1) USA. (2) URSS. (3) Israël. (4) Espagne. (5) Youg. (6) Italie. (7) Tchécoslovaquie. (8) France. (9) Soudan. (10) Espagne. (11) Nigeria. (12) Brésil.

ABDUL-JABBAR Kareem [1], 16-4-47. ANTOINE Roger [8], 28-6-29. BALTZER Christian [8], 5-7-36. BARKLEY Charles Wade [1], 1963. BARRAIS André [8], 22-2-20. BARRY Rick [1], 28-3-44. BAYLOR Elgin [1], 16-9-34. BELOSTENNY Alexandre [2], 1959. BELOV Alexandre [2], 1951-78. BELOV Serguei [2], 23-1-44. BERKOWITZ Micky [3], 1954. BERTORELLE Louis [8], 5-8-32. BEUGNOT Éric [8], 22-3-55. BEUGNOT Jean-Paul [8], 25-6-31. BIRD Larry [1], 7-12-56. BIRIUKOV José [4], 3-3-63. BOEL Pierre [8], 4-7-11. BOGUES Tyrone [1], 9-1-65. BOL Manute [9], 16-10-62. BONATO Jean-Paul [8], 23-3-46. BRADENBER Wayne [4], 16-10-45. BRADLEY William (Bill) [1], 28-7-43. BRESSANT Pierre [8], 8-11-59. BRODY Tal [3], 30-8-43. BROOKS Michael [1], 1958. BRUNAMONTI Roberto [6], 14-4-58. BUFFIÈRE André [8], 12-11-22. BUSCATO Francisco [4], 21-4-40. BUSNEL Robert [8], 1914-91. BUTTER Franck [8], 14-9-63. CACHEMIRE Jacques [8], 27-2-47. CHAM Patrick [8], 18-5-59. CHAMBERLAIN Wilton [1], 21-8-36. CHAZALON Jackie [8], 24-3-45. CHOCAT René [8], 28-11-20. COHU Robert [8], 28-8-11. COLLET Vincent [8], 1964. COLLINS Don [1], 28-11-58. CORBALÁN Juan-Antonio [4], 3-8-54. COSIC Kresimir [5], 26-11-48. COUSY Robert [1], 9-8-28. CUMMINGS Kristen [1], 29-8-63. CURRY Denise [1], 22-8-59.

DACOURY Richard [8], 6-7-59. DALIPAGIC Drazen [5], 27-11-51. DANCY Ken [8], 1958. DANEU Ivo [5], 1937. DEGANIS Jean-Luc [8], 6-3-59. DEGROS Jean [8], 18-11-39. DEMORY Valéry [8], 13-9-63. DESSEMME Jacques [8], 19-9-25. DIVAC Vlad [5], 3-2-68. DORIGO Maxime [8], 27-9-36. DOUMERGUE Christelle [3], 28-11-63. DUBUISSON Hervé [8], 8-8-57. ERVING Julius [1], 22-2-50. EWING Pat [1], 5-8-62. FABRIKANT Wladimir [8], 10-4-17. FLOURET Jacques [8], 8-9-07. FREIMULLER Jacques [8], 31-8-29. FREZOT Émile [8], 11-11-16. FULKS Joseph [1], 26-10-21. GILLES Alain [8], 5-5-45. GOLA Tom [1], 13-1-33. GRANGE Henri [8], 14-9-34. GUIDOTTI Irène [8], 11-3-50. HAUDEGAND Roger [8], 20-2-32. HAVLICEK John [1], 8-4-40. HAYES Elvin [1], 17-11-45. HELL Henri [8], 26-4-11. HERSIN Jean-Louis [8], 10-10-62. HUFNAGEL Frédéric [8], 24-8-60. IVANOVIC Dusko [5], 1-9-57. JAMCHY Doron [3], 1961. JAUNAY Joë [8], 30-5-19. JOHNSON Earvin [1], 14-8-59. JORDAN Michael [1], 17-2-63. KABA Benkali [8], 17-2-59. KHOMITCHOUS Valdemaras [2], 1959. KICANOVIC Dragan [5], 17-8-54. KORAC Radivoj [5] 1938-69. KUKOC Toni [5], 1968. KURLAND Bob [1], 1925. LARROUQUIS Alain [8], 15-6-50. LE RAY Michel [8], 9-2-43. LESMAYOUX Henri [8], 19-12-13. LUCAS Jerry [1], 30-3-40.

MCADOO Robert [1], 25-9-51. MCHALE Kevin [1], 19-12-57. MALFOIS Catherine [8], 5-8-55. MALONE Karl [1], 24-7-63. MALONE Moses [1], 23-3-55. MARAVICH Pete [1] 22-6-48. MARCELLOT Maurice [8], 1-4-29. MARZORATI Pierluigi [6], 12-9-52. MAYEUR Bernard [8], 23-2-28. MENEGHIN Dino [6], 18-1-50. MIKAN George [1], 18-6-24. MILLER Cheryl [1]. MONCLAR Jacques [8], 2-4-57. MONCLAR Robert [8], 13-8-30. MORSE Bob [1], 4-1-51. MURPHY Edward [1], 18-12-66. OCCANSEY Hugues [8], 18-12-66. OLAJUWOM Hakeen [10], 21-1-62. OSTROWSKI Stéphane [8], 7-3-62. PASSEMARD Colette [8], 6-1-46. PERNICENI Jean [8], 5-4-30. PERRIER Jacques [8], 12-10-24. PETROVIC Drazen [5], 22-10-64. RAT Michel [8], 16-3-37. RIFFIOD Elisabeth [8], 20-7-47. RIVA Antonello [6], 1962. ROBERTSON Oscar [1], 24-11-38. ROLAND Étienne [8], 31-8-12. RUSSEL William (Bill) [1], 12-2-34. SABONIS Arvidas [2], 19-12-64. SALLOIS Maryse [8], 19-1-50. SAN EPIFANO Antonio [4], 1959. SANTANIELLO Odile [8], 21-12-66. SCHMIDT Oscar [11], 16-2-58. SEMENOVA Ouliana [2], 9-3-52. SÉNÉGAL Jean-Michel [8], 5-6-53. SIBILIO Antonio [4], 1958. SMITH Robert [1], 10-3-55. SPECKER Justy [8], 18-8-19. STAELENS Jean-Pierre [8], 15-6-45. SUKHARNOVA Olga [2], 14-2-55. TARAKANOV Serguei [2], 1958. THERON Henri [8], 18-1-31. THIOLON Pierre [8], 17-1-27. TONDEUR André [8], 9-12-1899. VACHERESSE André [8], 12-10-27. VESTRIS Georges [8], 8-6-59. VOLKOV Alexandre [2], 1964. WALTON William (Bill) [1], 5-11-52. WEST Jerry [1], 28-5-38. ZIDEK Jiri [7], 8-2-44.

Boules

Généralités

Origine. Connu dans l'Antiquité. **XVIIe s.** en G.-B. se pratiquait sur du gazon tondu, les « boulingrins » (de l'anglais *bowling-greens*). **Fin XIXe s. et début XXe s.** se répand en Provence avec le « Jeu provençal ». **1907** création de la Pétanque. **1910** 1er concours de pétanque à La Ciotat. **1922** création de l'Union des fédérations boulistes (boule lyonnaise). **1933** devient Féd. fr. de boules (FFB). **1962** Féd. fr. du sport-boules (FFSB).

Principes. Tous les jeux de boules suivent en gros les mêmes. Ils se jouent avec 2 équipes en individuel (1 contre 1), en doublettes (2 contre 2), en triplettes (3 contre 3) ou en quadrettes (4 contre 4).

Consiste à placer ses boules le plus près possible du but. L'adversaire essaie de placer les siennes plus près de ce but ou d'enlever en tirant celles qui le gênent. L'équipe qui a gagné le but le lance et joue la 1re boule. Puis l'équipe qui ne tient pas le point doit jouer jusqu'à ce qu'elle le reprenne ou le détruise. Si, en tirant, une équipe n'a plus de boules, son adversaire joue et essaie de placer d'autres points en pointant ou en tirant les boules qui le gênent. Il peut aussi tirer le but. Toutes les boules étant jouées, une équipe compte autant de points qu'elle a de boules plus proches du but que la meilleure de l'adversaire. Le jeu reprend dans l'autre sens et le but est lancé par l'équipe qui a marqué 1 ou plusieurs points.

But. Diam. de 35 à 37 mm, en bois non ferré, non coloré et non gravé ; sur entente des joueurs, un but coloré peut être utilisé.

Sport-Boules (la lyonnaise)

• **Généralités.** Se joue au cadre [partie du terrain (5 m) dans lequel le « but » doit obligatoirement s'arrêter]. **Terrain** 2,50 m à 4 m × 27,50 m. **Boules** diamètre min. 90 mm, max. 110 mm ; poids min. 700 g, max. 1 300 g. Pour les minimes, diamètre min. 88 mm, en métal cémenté, b. en bois, les b. cloutées sont interdites ; les b. employées sont métalliques (bronze ou acier avec possibilité de remplissage). Les b. en matières synthétiques peuvent être utilisées. La main doit être souple, décontractée. Le lancement doit se faire paume de la main tournée vers le sol, les doigts accolés (les autres méthodes manquent de précision), le bras doit effectuer un mouvement de balancier assez ample, sans être plié. **But** (diam. 37 mm) lancé de la limite des 12,50 m sur la raie dite pied de jeu, doit s'arrêter à l'intérieur du cadre de 5 m. Les boules lancées de la même limite peuvent déborder sur la zone de 2,50 m juste avant la ligne de fond. Elles ne sont annulées que si elles dépassent cette ligne située à 50 cm de l'extrémité du terrain. On joue alternativement d'un côté puis de l'autre.

Le pointeur lance sa boule vers le but en la faisant rouler sur le sol. Le tireur prend son élan avant de lancer sa boule en l'air en direction de la boule (ou du but) à chasser. Avant qu'il tire, on trace un arc de cercle de 50 cm de rayon devant la boule (ou le but) à chasser. Le coup est bon si la boule de tir tombe à l'intérieur de l'arc de cercle ou directement sur la boule à frapper.

Sortes d'épreuves. Tête-à-tête et doublette. Tête-à-tête ciblé. Doublette ciblée. Tir progressif en navette individuel ; en navette par équipe de 2 joueurs. Tir de précision individuel ; par équipe de 2 joueurs. Tir à cadence rapide individuel ; par équipe de 2.

Joueurs licenciés (France). 132 000 en 1988 (surtout Lyon, Sud-Est, Paris, Provence, Sud-Ouest).

• **Principales épreuves annuelles.** *Championnat de France* en quadrettes, doublettes. *Championnat d'Europe* en doublette. *Championnat du monde* (créé en 1947, tous les 2 ans en alternance dep. 1969 avec la coupe Prince-de-Monaco créée en 1954) en quadrette. *Tournoi mondial* cadets en quadrette. 3 rencontres *France-Italie* avec aller et retour. *Champions les plus réputés :* Umberto Granaglia (Italie), Cheviet (France).

• **Records.** *En doublette :* en 1 h, le 22-3-1987, Marcel Brun et Jacques Faresse ont tiré 503 boules et en ont touchées 501. *Individuel :* en 1 h, le 3-10-1986, M. Brun a tiré 383 boules et en a touchées 347.

Pétanque et Jeu provençal

Fédération fr. de pétanque et jeu provençal. *Créée* 1945. 12, cours Joseph-Thierry, Marseille. En 1990, 22 lignes et 105 comités départementaux dont 4 DOM (Guadeloupe, Guyane, Martinique, Réunion) et 4 TOM (Polynésie, Nelle-Calédonie, Mayotte, St-Pierre-et-Miquelon) groupant 491 045 licenciés (dont 53 023 femmes, 22 222 juniors, 20 790 cadets et 16 548 minimes). *Comités départementaux principaux :* Hte-Garonne 24 253, B.-du-Rh. 23 345, Hérault 17 557, A.-Mar. 14 287, Gard 14 093, répartis en 7 832 sociétés.

Fédération nationale de pétanque amateur et loisir (FNPAL). *Créée* 1969. Palais Rihour, 59 000 Lille. Non habilitée. 6 500 adhérents dans N.-Pas-de-C., Oise, Aisne, Seine-et-Marne, Gers et Somme.

Fédération internationale de pétanque (FIPJP). Membre de la Confédération mondiale Sport-Boules (CMSB) reconnue par le Comité international olympique (CIO) le 15-10-1986.

Pétanque

• **Généralités.** **Née** à La Ciotat vers 1910. **Nom** du provençal « pieds tanqués » (pieds joints et touchant le sol). **Terrains,** se joue sur tous, à une distance comprise entre 6 et 10 m. **Boules métalliques** (de 7,05 à 8 cm de diamètre, poids 650 g à 800 g). Vitesse : 20 à 30 km/h. **But ou cochonnet,** en bois (diam. 25 à 35 mm), lancé d'un cercle de 35 à 50 cm de diam. tracé sur le sol.

Record. En 54'18", en 1990, Christian Fazzino 991 boules frappées sur 1 000 livrées.

Licenciés. 650 000 dans 32 pays : Algérie, All. féd., Andorre, Australie, Belgique, Canada, Côte-d'Ivoire, Danemark, Djibouti, Espagne, États-Unis, Finlande, France, G.-B., Guinée, Hongrie, Italie, Japon, Luxembourg, Madagascar, Maroc, île Maurice, Mauritanie, Monaco, Norvège, P.-Bas, Sénégal, Singapour, Suède, Suisse, Thaïlande, Tunisie.

• **Championnats de France. Seniors** (*créés* 1946). **Triplettes. 85** Choupay-Dideau-Lopeze (S.-et-M.). **86** Arcolao-Zangarelli A. et Ch. (Alp.-Mar.). **87** Lebreton-Perez-Gimelli (Calvados). **88** Foyot-Lucchesi-Lapietra (Vaucluse). **89** Fazzino-Amblard-Voisin (Allier). **90** Daniel-Milcos-Tournay (Seine-St-Denis). **Juniors** (*créés* 1956). **85** Rocher-Germain-Ureau (Sarthe). **86** Remiatte D. et L.-Pontinha (Moselle). **87** Guillo-Guyonnet-Robin (Loire). **88** Barthélemy-Ferrazzola-Santiago (B.-du-Rh.). **89** Belhadj-Lopes-Roger (Essonne). **90** Moldt-Ribero-Scarzella (B.-du-Rh.). **Doublettes. 85** Châtelain-Rocher (Yv.). **86** Fragnoud-Kassi (Isère). **87** Lebreton-Perez (Calv.). **88** Camps-Lagarde (L.-et-G.). **89** Lozano-Chapeland (Rhône). **90** Loy-Lessage (Paris).

Cadets (*créés* 1962). **85** Doisel-Norgate-Payet (Réunion). **86** Delenclos-Dosne-Ramos (Hte-S.). **87** Deschatrettes-Vaillant-Ramaca (Indre). **88** Lesueur-Gancel-Compagne (Calv.). **89** Lacroix-Palmieri-Agarrat (Var). **90** Pasian-Gasc-Barraud (Hérault).

Minimes (*créés* 1984). **85** Pecot-Formentini-Cherkaoui (Var). **86** Lefort-Barre-Brichet (Ard.). **87** Cortes A. et L.-Enrique (Pyr.-Or.). **88** Romero-Erroux-Salle (Orne). **89** Bruyère-Begier-Hammon (Nord). **90** Demeillez-Freitas-Pardal (Essonne).

Tête-à-tête ou Individuel (*créés* 1966). **85** Lacaze (Vaucluse). **86** Coulomb (Var). **87** Rebatti (Val-d'O.). **88** Quintais (E.-et-L.). **89** Watier (Paris). **90** Fazzino (Allier).

Corporatifs (*créés* 1978). **85** Vernet-Triaire-Berta (Var). **86** Gers A. et F. Iliana (Ch.-Mar.). **87** Gers A. et F. Lanneau (Char.-Mar.). **88** Fargeix-Rocher-Leroy (Sarthe). **89** Lagarde-Sartor-Labeau (L.-et-G.). **90** Leroy-Rondineau-Olmos (L.-Atl.).

Féminins (*créés* 1977). **Doublettes. 80** Grimaldier-Martelsat (B.-du-R.). **81, 82, 83** Gros-Innocenti (Var). **84** Dubarry-Pere (Htes-Pyr.). **85** Carbillet-Rodriguez (S.-et-M.). **86** Sarda-Coros (Hérault). **87** Kouadri-Gelin (Rhône). **88** Zajac-Liégeois (Ard.). **89** Kouadri-Gelin (Rhône). **90** Ladenaise-Ferret (Indre).

• **Championnats du monde seniors. Messieurs** (*créés* 1959). **59, 61, 63** France. **64** Algérie. **65, 66** Suisse. **71** Espagne. **72** France. **73** Suisse. **74** France. **75** Italie. **76, 77** France. **78, 79** Italie. **80** Suisse (Camelique-Franzin-Savio). **81** Belgique (Hémon-A. Hémon-C. Bergh). **82** Monaco (Bandoli-Cornutello-Calpier). **83** Tunisie (Ferjani-Jabeur-H'Mida). **84** Maroc (Alaoui-Kouider-Safri). **85** France (Choupay-Bideau-Lopeze). **86** Tunisie (Jendoubi-Lakilit-Lakilit). **87** Maroc (Alaoui-Hammouchen-Safri). **88, 89** France (Choupay-Fazzino-Voisin). **90** Alaoui-Laouija-Moufid (Maroc). **Jeunes** (*créés* 1987). **87** France (Relle-Remiatte-Bonin-Marchand). **89** France (Dumanois-Ferrazzola-Barthélemy-Roigpons). **Dames** (*créés* 1988). **88, 90** Thaïlande (Somjitprasert-Meesup-Thamakord).

Jeu provençal

Généralités. Boules : les mêmes que pour la pétanque. **Terrain** de 25 m au minimum. **But** (cochonnet ou bouchon), lancé d'un cercle tracé sur le sol à une distance min. de 15 m, max. 21 m. S'il pointe, le joueur fait un pas dans la direction qu'il désire, à partir d'un cercle tracé sur le sol, puis il relève le pied sur lequel il a pris appui et joue en se tenant sur une jambe. S'il tire, il sort de son cercle, fait 3 pas et lance sa boule en plein élan lorsqu'il pose le pied à terre à la fin du 3e bond. **Pratique.** En particulier dans B.-du-Rh., Gard, Vaucluse, A.-de-Hte-Prov., Htes-Alpes, Alpes-Mar., Var, Hérault, Aude, Région parisienne, Centre, Nord, Midi-Pyr., Fr.-Comté.

Championnats de France. *Créés* 1946. **Triplette. 85** Bonifay-Mussi-Calvez (B.-du-Rh.). **86, 87, 88** Lafleur-Angelvin-Capelle (A.-Hte-Prov.). **89** Bremond-Serre-Guidoni (B.-du-Rh.). **90** Escallier-Gnebbano-Martin (Htes-A.). **Doublette. 85** Lanari-Abad (Ht-Rhin). **86** Ghebbano-Escalier (Htes-Alp.). **87** Quazzolo-Iglesias (Var). **88** Sansenacq-Cassagne (Hérault). **89** Roux-Lepra (B.-du-Rh.). **90** Ozchillers-Venturini (A.-Hte-Prov.).

Nota. – La *boule parisienne* se pratique dans une longue cuvette dont les bords conduisent la boule vers le but. La *boule de fort* (allongée à chaque extrémité), dans l'Ouest et sur les bords de la Loire.

Bowling

Généralités

Nom. De l'anglais *to bowl,* rouler, lancer.

Histoire. 5200 av. J.-C. découverte en 1895, à Nagada, en Égypte par Sir Flinders Petric dans la tombe d'un enfant, d'un jeu se composant de 9 petits vases en albâtre ou en brèche, de 3 cubes en marbre blanc et de 4 billes en porphyre. Ce serait le 1er jeu de quilles connu. *Grèce :* pratique d'un jeu consistant à ficher des bâtons en terre. *Rome :* on joue aux *boccie.* **IVe s.** en Allemagne, on joue avec des *kegels* (bâtons servant de quilles) et représentant des païens ; avec des pierres, on renverse les *kegels* et on assure ainsi le salut de son âme. **Moyen Âge** pénètre en France. **1623** des émigrants hollandais et allemands introduisent le jeu à 9 quilles *(ninepines)* à New York. Devient rapidement très populaire. **1841** interdit car assimilé à un jeu de hasard. Pour tourner la loi, invention du *tenpines* en ajoutant une 10e quille. **1895** *9-9* fondation de l'American Bowling Congress. **1945** introduit par les soldats américains en Europe. **1957** *21-1* fondation de la Fédération française des sports de quilles qui a une section bowling.

En France (1987). 11 430 licenciés, 117 centres rassemblant 1 300 pistes.

Bowling à 10 quilles

Règles

But. Renverser le max. de quilles avec une boule. **Piste.** En bois, plate, surface d'élan de 4,57 m, piste de 18,92 m, largeur 1,043 m à 1,066 m, de chaque côté rigole destinée à récupérer les boules mal dirigées, positions des quilles marquées sur le sol (en triangle). **Quilles.** 1,530 à 1,643 kg, hauteur 38,1 cm, numérotées de 1 à 10. Actuellement, des appareils permettent de replacer automatiquement les quilles et de renvoyer les boules. **Boules.** Circonférence 68,5 cm, poids 7,250 kg, diamètre 21,6 cm, surface lisse, 3 trous (pour le pouce, le majeur ou l'index et l'annulaire) pour saisir la boule. **Tenue.** Souliers à semelle tendre, soulier gauche à semelle de cuir et droit à bout de caoutchouc.

Partie. En 10 jeux. Chaque joueur lance 2 boules aux 9 premiers jeux sauf s'il réussit un *strike.* Au 10e jeu, celui qui réussit un *strike* lance 2 boules supplémentaires, et un *spare* 1 boule. Chaque quille abattue compte pour 1 point. Si les 10 quilles tombent à la 1re boule, c'est un *strike,* le joueur marque 10 points + la valeur des 2 prochaines boules (dans le meilleur des cas, si un joueur fait 12 strikes de suite, il obtient 300 points, score max.). S'il faut 2 coups pour faire tomber les 10 quilles, c'est un *spare,* le joueur marque 10 points + la valeur de la prochaine boule. On appelle *split* l'ensemble des quilles restées debout après le lancement de la 1re boule. **Bon score.** 120 pour débutant, 170 pour joueur de club. **Records mondiaux.** *Messieurs :* 899 pts en 3 parties (sur 900 possibles) soit 36 strikes, par Thomas Jordan (USA, n. 27-10-66) le 7-3-89. *Dames :* 864 pts par Jeanne Maiden (USA, n. 10-11-57) le 23-11-86.

Résultats

• **Ch. du monde. Messieurs.** *Créés* 1954, tous les 4 ans. *Ind.* **79** Ongtawco [1], **83** Marino [2], **87** Rolland [3]. *Masters.* **79** Bugden [4], **83** Cariello [5], **87** Pieters [6]. *Doubles.* **79** Australie, **83** Australie et G.-B., **87** Suède. *Équipes de 5.* **79** Austr., **83** Finlande, **87** Suède. *Éq. de 3.* **79** Malaysia, **83** Suède, **87** USA.

Dames. *Créés* 1963. *Ind.* **79** De La Rosa [1], **83** Sulkanen [7], **87** Piccini [8]. *Masters.* **79** De La Rosa [1], **83** Sulkanen [7], **87** Hagre [7]. *Doubles.* **79** Philippines, **83** Danemark, **87** USA. *Éq. de 5.* **79** USA, **83** Suède, **87** USA. *Éq. de 3.* **79** USA, **83** All. féd., **87** USA.

• **Ch. d'Europe.** *Créés* 1962, tous les 4 ans. **Messieurs.** *Ind.* **77** Pujol [3], **81** Maddaloni [8], **85** Rosenquist [7], **89** de Boer [11]. *Masters.* **77** Pujol [3], **81** Strom [9], **85** Rosenquist [7], **89** Strupf [12]. *Doubles.* **77** Norvège, **81** Suède, **85** Finlande, **89** Danemark. *Éq. de 5.* **77** France, **81** All. féd., **85** Finlande, **89** Suède. *Éq. de 3.* **77** Norvège, **81** P.-Bas, **85** Finlande, **89** Danemark.

Dames. *Ind.* **77** Hilokowski [10], **81** Andersell [7], **85** Marcuzzo [8], **89** Eriksson [7]. *Masters.* **81** Berndt [7], **85** Larsson [7], **89** Eriksson [7]. *Doubles.* **77** Finlande, **81** Belgique, **85** Suède, **89** Danemark. *Éq. de 5.* **77** All. féd., **81** P.-Bas, **85** France, **89** Danemark. *Éq. de 3.* **77** Norvège, **81** Belgique, **85** Finlande, **89** Suède.

☞ *Nota.* – (1) Philipp., (2) Colombie, (3) France, (4) G.-B., (5) USA, (6) Belg., (7) Suède, (8) Italie, (9) Norv., (10) Finl., (11) P.-Bas, (12) All. féd.

• **Ch. de France.** *Créés* 1959. **Messieurs.** *Ind.* **80** Megalophonos, **81** Reneau, **82** Cayez, **83, 84** Rolland, **85** Beghin, **86** Calonnec, **87** Elliott, **88** Pujol, **89** Augustin, **90** Arama. *Éq. de 5.* **79, 80** IFB Sharks Creil, **81** PEB Nogent, **82** Sharks Creil Valke, **83, 84** Sharks Creil Sorevi, **86** Sharks Creil, **88** BC 31 Toulouse.

Dames. *Ind.* **79** Levrut, **80** François, **81** Noyon, **82** Borie, **83** Crassat, **84** François, **85** Borie, **86** Mugnier, **87** Chevassus, **88** Benhamou, **89** Laville, **90** Taulegne. *Éq. de 4.* **79** AFB Lopez Sharkets, **81** AFB Sharkets Paris, **82** AFEB Nancy, **83** Sharks Sorevi, **84** Sharks Creil Sorevi, **86** Roller Team Paris, **88** BC Marseille.

• **Coupe de France. Messieurs.** *Créée* 1964, équipes de 5. **79, 80** BC Gennevilliers All Stars, **81** IBM Montpellier, **82** Sharks Creil Valke, **83** Sharks Creil Sorevi, **84** Strike Bowl de Boussy, **87** Sharks Creil, **89** AMF Nîmes.

Dames. *Créée* 1979, équipes de 4. **80** AFB Sharkets, **81** AFEB Nancy, **82** AFB Paris, **84** Sharks Creil Sorevi, ACE Annecy.

Bowling canadien à 5 quilles

Mêmes principes que le bowling à 10 quilles, mais quelques variantes.

Piste. 18,30 m de long sur 1,06 m de large. **Boule.** Caoutchouc durci, sans emplacement pour les doigts, 12,7 cm de diam., tenue entre le pouce et les doigts écartés, un espace devant subsister entre la paume et la boule. **Quilles.** En bois avec au plus grand diamètre un anneau de caoutchouc pour amortir le choc de la boule. Elles sont placées en V, celle de tête vaut 5 points, les 2 médianes 3 pts, les 2 arrière 2 pts. Strike et spare valent 15 points.

Boxe

Boxe anglaise

Origine. De l'anglais *to box,* combattre avec les poings. **1715-19** James Figg [(1675-1734), 1,83 m, 84 kg] se proclame champion du monde. **1743** Jack Broughton [(1704-1789), 1,80 m, 90 kg] élabore la 1re réglementation à poings nus. **1751**-8-4 Jack Slack bat Monsieur Petit (1er boxeur français connu). **1790**-29-9 match du siècle Daniel Mendoza [(1764-1836), 1,70 m, 72 kg], Richard Humphries. **1849**-7-2 Tom Hyer (1819-64) bat Yankee Sullivan. **1849** Mik Madden b. Bill Hoves (en 6 h 31, match le + long sans gants). **1860**-17-4 1er championnat du monde : Tom Sayers (Angl.), John C. Heenan (USA) à Farnborough. **1867** John Graham Chambers qualifie la boxe sous le patronage du marquis de Queensberry. **1892**-7-9 1er championnat selon les nouvelles règles. James Corbett bat John Sullivan à la 21e reprise. **1908**-6-12 Jack Johnson 1er champion lourd noir.

Généralités

Age limite. **France :** *amateurs* 16 ans révolus et autorisation des parents ; *professionnels* 21 a. révolus. **Étranger :** USA, Amér. du Sud, G.-B., Extrême-Orient *prof.* à 14 ou 18 a.

Catégories de poids. Aucun combat ne peut être autorisé entre 2 boxeurs si la différence de poids entre eux excède la différence de poids entre les limites max. et min. de la catégorie du boxeur le plus léger. **Boxe professionnelle :** mi-mouche 48,988 kg ; mouche 50,820 ; super-mouche 52,095 ; coq 53,525 ; super-coq 55,338 ; plume 57,152 ; super-plume 58,967 ; léger 61,237 ; super-léger 63,500 ; welter (mi-moyen) 66,678 ; super-welter (super-mi-moyen) 69,850 ; moyen 72,574 ; mi-lourd 79,378 ; lourd-léger 86,182 ; lourd WBA 79,378 ; WBC 86,182. **Amateurs :** mi-mouche 48 kg ; mouche 51 ; coq 54 ; plume 57 ; il n'y a pas de super-plume ; léger 60 ; super-léger 63 1/2 ; welter (mi-moyen) 67 ; super-welter (super-mi-moyen) 71 ; moyen 75 ; mi-lourd 81 ; lourd + de 81 kg ; super-lourd.

Coups autorisés. Ceux portés avec le poing fermé sur le devant et les côtés de la face et du corps au-dessus de la ceinture. *Direct :* de son point de départ au point d'impact : visage, cœur, estomac, etc. *Crochet* (en américain *cross* ou *jab*) : coup demi-circulaire frappant mâchoire, carotide, flancs ou creux de l'estomac. *Uppercut :* donné de bas en haut ; crochet vertical. *Swing :* décoché de côté par un mouvement en forme de demi-cercle avec un grand balancement du corps. *Jab :* considéré comme un gauche ; jadis, coup asséné de haut en bas, sur le haut de la poitrine, la base du cou, le nez ou en travers de la bouche. *Hook :* coup demi-circulaire horizontal. *Chop* ou *chopping-blow :* coup frappé à la façon d'un « coup de sabre au ventre ». *Contre :* coup qui, parti après l'attaque adverse, arrive avant celle-ci. A l'origine de la plupart des k.-o. *Esquive :* rotation du torse ou du corps qui permet d'éviter les coups adverses. *Remise :* coup de riposte immédiat à une attaque adverse. *Une-deux :* combinaison de 2 coups (gauche doublé du droit pour un droitier). *Clinch :* corps-à-corps. *Infighting :* combat de près.

Décisions. *Avant la limite :* knock-out lorsque l'un des deux adversaires reste au sol 10 secondes ; arrêt de l'arbitre ; disqualification ; abandon ; no contest. *Dans les limites :* déc. aux points ; match nul.

Délais de repos (en France). *Professionnel :* 6 j pleins de repos entre 2 combats. *Amateur :* 5 sauf pour les championnats nationaux et les J.O. où il peut faire jusqu'à 2 matches en 24 h. Toute *défaite avant la limite* entraîne un repos obligatoire d'1 mois ; 2 déf. 3 mois ; 3 déf. 1 an et un examen médical avant d'être autorisé à boxer de nouveau.

Durée (en France). Un combat de boxe est divisé en reprises (rounds de 2 ou 3 mn, séparés par un intervalle de 1 minute). AMATEURS : *cadets non surclassés :* 3 reprises de 2 mn ; *2e série :* 3 de 2 mn ou 3 de 3 mn ; *1re série :* 3 de 2 mn ou 3 de 3 mn ou 6 de 2 mn ; *série nationale et série internationale :* 3 de 3 mn ou 4 de 3 mn ou 6 de 2 mn. INDÉPENDANTS : 4 de 3 mn ou 6 de 2 mn ou 6 de 3 mn. PROFESSIONNELS : reprises par combat ainsi limitées : *3e série :* 6 reprises de 3 mn ou 8 de 3 mn si le boxeur a au moins 5 combats à son palmarès ; toutefois, pour rencontrer un 2e série internationale en 8 reprises, il devra avoir au moins 8 combats à son palmarès ; *2e série* et *2e série intern. :* 10 de 3 mn ; *1re série* 12 de 3 mn. Lors d'un match comptant pour l'attribution d'un titre, le nombre des reprises est fixé par la réglementation propre à cette compétition.

Équipement. GANTS. *Amateurs :* 8 onces (228 g) pour toutes catégories de poids. *Professionnels :* 5 onces (143 g) jusqu'à 60 kg ; 6 onces (171 g) au-delà. Les championnats sans gants de boxe se sont arrêtés en 1892. BANDAGES souples pour se protéger des fêlures ou fractures (pas obligatoire). COQUILLE obligatoire contre les coups bas.

Irrégularités. Frapper au-dessous de la ceinture ; frapper ou fouetter avec : gant ouvert, paume de la main, poignet, avant-bras, coude, tranchant ou côté extérieur de la main ; frapper en pivotant en arrière ; frapper un adversaire à terre ou qui est en train de se relever ; tenir l'adversaire ; passer les bras sous ceux de l'adversaire ; donner des coups de pied, des coups de tête ou d'épaule ; utiliser les genoux, lutter ou bousculer l'adversaire ; frapper volontairement sur les reins dans les corps-à-corps ; le dessus ou le derrière de la tête ou dans le dos de l'adversaire ; un adversaire engagé dans les cordes du ring ; se cacher dans ses gants en refusant le combat ; tenir d'une main la corde du ring pour frapper ou esquiver ; esquiver en abaissant la tête au-dessous du niveau de la ceinture de l'adversaire ; frapper en sautant ; parler en boxant.

Jugement. Rendu par un arbitre juge unique ou par 3 juges dont l'un fait fonction d'arbitre. Décisions sans appel sauf erreur dans le décompte des points. Aux J.O., 5 juges donnent la décision ; l'arbitre ne fait que diriger le combat.

Ring. Dimensions 4,90 m à 6,10 m au carré limité par 3 hauteurs de cordes.

Quelques records

Boxeurs devenus rapidement champions. *James J. Jeffries* est devenu champion du monde des poids lourds après seulement 12 combats. *Jeff Fenech* devint champion du monde des coqs à son 7e combat professionnel. *Saensar Muangsurin* au 3e combat.

Poids lourds. **Champion du monde. Le plus jeune :** *Mike Tyson* en 1986 à 20 ans 4 mois et 22 jours. **Le plus longtemps :** *Joe Louis* (Noir américain 1914-81) (ch. lourds 11 ans 8 mois et 7 j du 22-6-1937 au 1-3-1949). *Cassius Clay* (Noir américain) alias Mohammed Ali (n. 17-1-42 ; 1,90 m ; 98,5 kg) domina de 1964 à 1978. Déchu de son titre pour refus, le 28-4-1967, de servir au Viêt-nam, il le reprit le 30-10-74. Il fut battu le 15-2-78 par l'Américain Leon Spinks (n. 11-7-53), plus léger de 12 kg. **Invaincu :** *Rocky Marciano* est le seul champion du monde des lourds à n'avoir jamais été battu pendant sa carrière professionnelle (1947-56) et sur 49 combats gagnés, il en gagna 43 par knock-out. *Primo Carnera* (1906-67), 1,96 m, pesant 122 kg, sur 100 combats en gagna 86, en perdit 13, 1 match nul. Dans un championnat poids lourds, *Max Baer* envoya au tapis Primo Carnera 11 fois, en 1934.

Moyens. *Carlos Monzón* (Argentin n. 7-8-42 ; 1,83 m) domina les poids moyens de 1970 à 1977. Il disputa 102 combats pour 61 victoires par K.O., 28 aux points, 8 nuls, 1 sans décision, 3 défaites (la dernière le 9-10-64). Il s'est retiré invaincu ayant battu son successeur le Colombien Rodrigo Valdés 2 fois le 26-6-76 et le 30-7-77. **Le moins longtemps :** *Dave Sullivan,* 46 j, du 26-9 au 11-11-1898. **Le plus petit :** *Tommy Burns* en 1908, 1,70 m. **Le plus léger :** *Robert Prometheus Fitzsimmons,* 75 kg.

La plus grande différence de poids entre 2 adversaires dans un combat pour le championnat mondial : 39 kg. Carnera (122 kg), Loughran (83 kg).

Le plus long combat avec gants [110 rounds (7 h 19 mn)] eut lieu du 6 au 7-4-1893 à La N.-Orléans (USA). Il opposa Andy Bowen à Jack Burke. Pas de vainqueur. **Le plus court** eut lieu le 4-11-1947 à Minneapolis : Pat Browson fut mis K.O. à la 4e s en un coup de poing par Mike Collins.

Réalisa le plus de knock-out. *Archie Moore* (145).

Champions du monde morts de blessures reçues sur le ring : Benny Paret le 3-4-1962 après combat le 24-3 ; Davey Moore 25-3-1963 après combat le 21-3 [263 boxeurs (amateurs ou prof.) morts dans le monde des suites d'un combat, de 1945 au 25-5-1969.]

Trucages. *Carpentier* avoua dans ses Mémoires que son match contre Battling Siki, le 24-9-1922, était minutieusement réglé : le Noir, que Carpentier aurait pu mettre K.O. en 1 ou 2 rounds, devait « se coucher » au 5e round ; mais Carpentier se brisa la main droite et Siki en profita pour le mettre knock-out. *Marcel Cerdan,* lors d'un combat à New York en 1947 contre Harold Green, se blessa à la main droite ; le médecin de service (qui avait misé, mais on le sut plus tard, sur Green) lui fit une piqûre de Novocaïne truquée, donc à effet nul ; Cerdan gagna quand même.

☞ *Bob Fitzsimmons* (Anglais) a remporté *3 titres de champion du monde :* moyens (Jack Dempsey), lourds (J.J. Corbett 17-3-1897), lourds-légers (George Gardner 25-11-1903). *Henry Armstrong* (plumes, légers et welters). *Ray Sugar Robinson* (1920-89) regagna le titre de *champion du monde 4 fois. Sonny Liston* avait des poings larges de 38 cm. *Mario D'Agata* était sourd-muet ; *Henri Greb* borgne ; *Criqui,* blessé à la guerre, avait une mâchoire d'argent.

Principales épreuves

Championnats du monde [1]

☞ *Légende.* – (1) Sauf indication, les champions sont Américains. (2) France. (3) Irlande. (4) G.-B. (5) Canada. (6) Grèce. (7) Philipp. (8) Cuba. (9) Suisse. (10) Danemark. (11) Mex. (12) Panamá. (13) Niger. (14) Afr. du S. (15) Australie. (16) Italie. (17) Brésil. (18) Japon. (19) Argentine. (20) Thaïlande. (21) Corée du S. (22) Colombie. (23) All. féd. (24) Porto Rico. (25) Ghana. (26) Nicaragua. (27) Venezuela. (28) Autriche. (29) Espagne. (30) Yougoslavie. (31) Bahamas. (32) Ouganda. (33) Jamaïque. (34) P.-Bas. (35) Rép. dominicaine. (36) Norvège. (37) Indonésie. (38) Belgique. (39) Suède. (40) Trinité-et-Tobago. (41) îles Vierges. (42) Tunisie. (43) All. (44) Bulgarie. (45) Corée du S.

(a) New York State Athletic Commission. (b) World Boxing Association. (c) World Boxing Council. (d) National Boxing Association. (e) International Boxing Federation. (f) World Boxing Organization. (g) unifié.

Il n'y a pas d'organisation mondiale reconnue par tous dans le secteur professionnel : au niveau européen, l'*European Boxing* regroupe toutes les fédérations d'Europe occidentale ; au niveau mondial 3 groupements : la *World Boxing Association* (WBA fondée en 1962, ancienne National Boxing Association f. en 1920 ; contrôle la plus grande partie de la boxe de l'Am. du N. et du S. et de l'Extrême-Orient), le *World Boxing Council* [WBC, f. en févr. 1963, comprend la fédération européenne, la British Boxing Board of Control (BBBC), l'Union d'Am. latine et l'Oriental federation], la *New York State Athletic Commission* (NYAC) et la *World Boxing Organization* (WBO f. en 1988). Effort d'unification de la WBA et de la WBC : 2 titres de champion du monde poids moyen et poids welter.

Poids lourds [1] (toutes catég.). *Disputés* dep. 1882. **82** John L. Sullivan (1858-1918). **92** James J. Corbett (1866-1933). **97** Bob Fitzsimmons [4] (1862-1917). **99** James J. Jeffries (1875-1953). **1905** Marvin Hart (1876-1931). **06** Tommy Burns (1891-1955). **08** Jack Johnson (1878-1946, accident de voiture). **15** Jesse Willard (1881-1968). **19** Jack Dempsey (1895-1983, 1,86 m, 86 kg). **26** Gene Tunney (1898-1978). **28** (sans). **30** Max Schmeling [24] (n. 28-9-05). **32** Jack Sharkey (n. 6-10-02). **33** Primo Carnera [16] (1906-67). **34** Max Baer (1909-59). **35** James J. Braddock (1905-74). **37** Joe Louis Barrow (1914-81). **49** Ezzard Charles (1921-75). **51** Joe Walcott (3-1-1914). **52** Rocky Marciano (Rocco Francis Marchegiano, blanc, 1923-69, † accident d'avion). **56** Floyd Patterson (n. 1935). **59** Ingemar Johansson (n. 22-9-32, Suède). **60** Floyd Patterson (n. 4-1-35). **62** Sonny Liston (1932-71, assassiné). **64** Cassius Clay (n. 17-1-42). **70** Joe Frazier (n. 12-1-44). **73** George Foreman (n. 22-1-46). **74** Cassius Clay, alias Mohammed Ali [b,c]. **78** Leon Spinks [c] (n. 11-7-53), Ken Norton [c] (n. 9-8-45), Larry Holmes [c] (1949-73, 1,93 m, 98 kg). **79** Mohammed Ali [b,c], Larry Holmes [c], John Tate [b]. **80** John Tate [b], Larry Holmes [c], Mike Weaver [b]. **81** Larry Holmes [c], Mike Weaver [b,c]. **82** Larry Holmes [c], Michael Dokes [b]. **83** Larry Holmes [c], Michael Dokes [b], Gerrie Coetzee [14,b]. **84** Tim Witherspoon [c], Pinklon Thomas [c], Larry Holmes [e], Greg Page [e]. **85** Pinklon Thomas [c], Tony Tubbs [b], Michael Spinks [e]. **86** Tim Witherspoon [b], Trevor Berbick [5,c], James Smith [b], Mike Tyson [c], Michael Spinks [e]. **87** Mike Tyson [b,c,e], Tony Tucker [e]. **88** Myke Tyson [b,c,e]. **89** Myke Tyson [b,c,e], Francesco Damiani [f,16]. **90** James Douglas [b,c,e], Evander Holyfield [b,c,e], Myke Tyson [b,c,e], Ray Mercer [f]. **91** Myke Tyson [b,c,e], Evander Holyfield [b,c,e].

Lourds-légers [1]. *Disputés* dep. 1979. **1979** Marvin Camel. **80** Carlos de León. **82** Oswaldo Ocasio [6,b], Carlos de León [24,c], S.T. Gordon [c]. **83** S.T. Gordon [c], Oswaldo Ocasio [24,b], Carlos de León [24,c], Marvin Camel [e]. **84** Carlos de León [24,c], Oswaldo Ocasio [24,b], Lee Roy Murphy [e], Piet Crous [b]. **85** Dwight Muhammad Qawi [b], Bernard Benton [c], Lee Roy Murphy [e]. **86** Carlos de León [c], D.M. Qawi [b], Lee Roy Murphy [e], Evander Holyfield [b], Ricky Parkey [e]. **87** Evander Holyfield [b,e], Carlos de León [24,c], Ricky Parkey [e]. **88** Carlos de León [24,c], Evander Holyfield [b,c,e]. **89** Taoufik Belbouli [2,b], Carlos de León [24,c], Glenn McCrory [4,e], Robert Daniels [b], Richard Pultz [f]. **90** Carlos de León [24,c], Magne Havnaa [3,f], Massimiliano Duran [16,c], Jeff Lampkin [e]. **91** Bobby (z y z [b]). Anaclet Wamba [2,b].

Mi-lourds [1]. *Disputés* dep. 1903. **03** Jack Root puis George Gardner et Bob Fitzsimmons [4]. **05** Phil Jack O'Brien. **12** Jack Dillon. **16** Battling Levinski. **20** *Georges Carpentier* [2]. **22** *Battling Siki* [2]. **23** Mike Mc Tigue [3]. **25** Paul Berlenbach. **26** Jack Delaney. **27** Tommy Loughran. **30** Jimmy Slaterry. **32** Maxie Rosenbloom. **34** Bob Olin. **35** John Henry Lewis. **39** Melio Bettina puis Billy Conn. **41** Anton Christoforidis [6]. **46** Gus Lesnevich. **48** Freddie Mills [4]. **50** Joe Maxim. **52** Archie Moore. **62** Harold Johnson. **63** Willie Pastrano. **65** Jose Torres. **66** Dick Tiger [13]. **68** Bob Foster [b] (n. 1939). **75** John Conteh [4,c], Victor Galindez [19,b]. **77** Miguel Angel Cuello [19,c]. **78** Maté

Parlov [30,c]. **79** Mike Rossman [c]. **80** Marvin Johnson [b], Matthew S. Muhammad (ex. M. Franklin). **81** Eddie Mustafa Muhammad (ex. E. Gregory). **82** Dwight Braxton. **83-84** Michael Spinks [b,c]. **85** Michael Spinks [c], Slobodan Kacar [30,e], J.B. Williamson [c]. **86** Marvin Johnson [b], Dennis Andries [4,c], Bobby Czycz [e]. **87** Bobby Czycz [e], Thomas Hearns [c], Leslie Stewart [40,b], Virgil Hill [b], Charles Williams [e], Don Lalonde [5,c]. **88** Virgil Hill [b], Don Lalonde [5,c], Sugar Ray Leonard [c], Charles Williams [e]. **89** Dennis Andries [4,c], Jeff Harding [15,c], Charles Williams [e], Michael Moorer [f], Virgil Hill [b]. **90** Michael Moorer [f], Jeff Harding [15,c], Virgil Hill [b]. **91** Thomas Hearns [b]. Charles Williams [e].

Super-moyens [1]. **84** Murray Sutherland [4,e] Chong-Pal Park. **85, 86, 87** Chong-Pal-Park [21,b,e]. **88** Fulgencio Obeimejias [27,b], Sugar Ray Leonard [c], Graciano Rocchigiani [23,e], Thomas Hearns [f]. **89** In-Chul Baek [21,b], Sugar Ray Leonard [c]. **90** Lindell Holmes [e], Christophe Tiozzo [2,b], Thomas Hearns [f]. **90** Mauro Galvano [16,c]. **91** Pat Lawford [c], Victor Cordoba [12,b], Darin Van Horn [e].

Moyens [1]. *Disputés* dep. 1884. **84-90** Jack Dempsey. **91** Bob Fitzsimmons [4]. **1898** Tommy Ryan. **1907** Stanley Ketchel. **08** Billy Papke, puis Stanley Ketchel. **10** Billy Papke. **11** Johnny Thompson puis Billy Papke. **13** Frank Klaus puis George Chip. **14** Al Mac Coy. **17** Mike O'Dowd. **20** Johnny Wilson. **23** Harry Greb. **26** Tiger Flowers puis Mickey Walker. **31** Gorilla Jones. **32** *Marcel Thil* [2,a] (NBA et EBU tient jusqu'au 23-9-37), puis Ben Jeby (N. Y.). **33** Gorilla Jones [d], puis Lou Brouillard (N. Y.) et Vince Dundee [a]. **34** Teddy Yarosz [a]. **35** Babe Risko [a]. **36** Freddie Steele [a]. **37** Fred Apostoli [a]. **38** Al Hostack puis Solly Krieger [a]. **39** Ceferino Garcia [7] puis Al Hostack [a]. **40** Ken Overlin [a] puis Tony Zale (tenant jusqu'au 16-7-47). **41** Billy Soose [a]. **47** Rocky Graziano. **48** Tony Zale, *Marcel Cerdan* [2]. **49** Jake La Motta. **51** Ray Sugar Robinson [a], Randy Turpin [4], Ray Sugar Robinson [a]. **53** Carl Olson. **55** Ray Sugar Robinson [a]. **57** Gene Fullmer [d], puis Ray Sugar Robinson, Carmen Basilio. **58** Ray Sugar Robinson [a]. **59** Gene Fullmer [d], Ray Sugar Robinson [a]. **60** Gene Fullmer [d], Paul Pender [a]. **61** Gene Fullmer, Terry Downes [4,a]. **62** Gene Fullmer, Dick Tiger [13], Paul Pender [a]. **63** Dick Tiger, Joey Giardello. **65** Dick Tiger [13]. **66** Émile Griffith. **67** Nino Benvenuti [16] (n. 1938), Émile Griffith. **68** Nino Benvenuti. **70** Carlos Monzón [19,b,c] (n. 7-8-42). **77** Rodrigo Valdés [22,b,c]. **78, 79** Hugo Corro [19,b,c]. **80** Vito Antuofermo [16,b,c]. **81** Alan Minter [b,c]. **82** Marvin Hagler. **83** Marvin Hagler [b,c]. **84, 85, 86** Marvin Hagler [a,b,c]. **87** Ray Leonard [a,b,c], Frank Tate [e], Kalambay [16,b], Thomas Hearns [c]. **88** Frank Tate [e], Kalambay [16,b], Iran Barkeley [c], Michael Nunn [e]. **89** Michael Nunn [e], Roberto Duran [12,c], Doug De Witt [f], Mike McCallum [33,b]. **90** Mike McCallum [b], Nigel Benn [4], Julian Jackson [41,c], Chris Eubank [4, f]. **91** Mike McCallum [b], James Tonnery [e].

Super-welters [1]. *Disputés* dep. 1962. **63** Ralph Dupas puis Sandro Mazzinghi. **65** Nino Benvenuti [16]. **66** Kim Ki-Soo. **68** Sandro Mazzinghi. **69** Freddie Little. **70** Carmelo Bossi. **71** Koichi Wajima. **74** Oscar Alvarado. **77** Wilfredo Benitez [24,c], Eckhard Dagge [23,b], Rocky Mattioli [15,c], Eddie Gazo [26,b], Elisha Obeb [31,c]. **78** Rocky Mattioli [15,c]. **81** Ayub Kalule [32,b]. **82** Wilfredo Benitez [24,c]. **83** Roberto Durán [12,b], Thomas Hearns [c]. **84** Thomas Hearns, Mark Medal, Mike McCallum [4], Carlos Santos [24]. **85** Mike McCallum [b], Thomas Hearns [c], Carlos Santos [e]. **86** Thomas Hearns [c], Mike McCallum [33,b], Duane Thomas [c], Buster Drayton [e]. **87** Buster Drayton [e], Mike McCallum [33,b], Matthew Hilton [5,e], Gianfranco Rosi [16,c], Julian Jackson [41,b]. **88** Don Curry [c], Robert Hines [e], Julian Jackson [41,b]. **89** Darrin van Horn [e], René Jacquot [2,c], John Mugabi [32,c], Gianfranco Rosi [16,e], Julian Jackson [41,b], John David Jackson [f], Terry Norris [c]. **90** Gianfranco Rosi [16,e]. **91** Terry Norris [c], Gilbert Délé [2,b], Gianfranco Rosi [16, e].

Welters [1]. *Disputés* dep. 1888. **88** Paddy Duffy. **92** Billy Smith. **94** Tommy Ryan [4]. **96** Kid Mac Coy. **97** Billy Smith. **1900** Jim Ferns puis Matty Matthews. **01** Matty Matthews puis Ferns et Joe Walcott. **04** Joe Walcott puis Dixie Kid. **06** Billy « Honey » Mellody. **07** Mike « Twin » Sullivan. **15** Ted « Kid » Lewis [4]. **19** Jack Britton. **22** Mickey Walker. **26** Pete Latzo. **27** Joe Dundee. **29** Jackie Fields. **30** Young Jack Thompson puis Tommy Freeman. **31** Young J. Thompson puis Lou Brouillard. **32** Jackie Fields. **33** Young Corbett III puis Jimmy Mc Larnin. **34** Barney Ross puis Jimmy Mc Larnin. **35** Barney Ross. **38** Henry Armstrong. **40** Fritzie Zivic. **41** Fred « Red » Cochrane. **46** Marty Servo, Ray Robinson. **47** Ray Robinson. **51** Ray Robinson, Johnny Bratton [d], Kid Gavilan [8]. **54** Johnny Saxton. **55** Tony De Marco, Carmen Basilio. **56** Carmen Basilio, Johnny Saxton, Carmen Basilio. **57** Carmen Basilio. **58** Virgil Akins, Don Jordan. **59** Don Jordan. **60** Benny Paret [8]. **61** Emile Griffith, Benny Paret [8]. **62** Benny Paret [8], Emile Griffith (n. 1938). **63** Luis Rodriguez [8], Emile Griffith. **64** Emile Griffith. **66** Curtis Cokes. **69** José Napoles [11]. **70** Billy Backus. **71** José Napoles [11] (n. 13-4-40). **75** Carlos Palomino [11,c], José Pipino Cuevas [11,b]. **79** Masashi Kudo [18,c]. **80** Ayub Kalule [32,b], Maurice Hope [4,c]. **81** Thomas Hearns [6], Sugar Ray Leonard. **82** Sugar Ray Leonard. **83** Donald Curry [b], Milton Mc Crory [c]. **84** Milton Mc Crory [c], Donald Curry [b]. **85** Donald Curry [b,c]. **86** Lloyd Honeyghan [4,b,c,e]. **87** Mark Breland [b], Lloyd Honeyghan [4,c,e], Marlon Starling [b], Jorge Vaca [11,e]. **88** Lloyd Honeyghan [4,e], Simon Brown [33,e], Marlon Starling [b], Tomas Molinares [22,b]. **89** Mark Breland [b], Marlon Starling [c], Genaro León [11,f], Simon Brown [e]. **90** Mark Breland [b], Aaron Davis [b], Maurice Blocker [c], Manning Galloway [f], Meldrick Taylor [b]. **91** Simon Brown [c,e], Manning Galloway [f], Meldrick Taylor [b].

Super-légers [1]. *Disputés* dep. 1922. **80** Antonio Cervantes [22,c]. **80** Saoul Mamby [33,b]. **81** Aaron Pryor [b]. **82** S. Mamby [33,b]. **83** Aaron Pryor [b], Leroy Haley [c], Bruce Curry [c]. **84** Johnny Bumphus, Bill Costello, Gene Hatcher, Aaron Pryor [b]. **85** Ubaldo Sacco [19,b], Lonnie Smith [c], Aaron Pryor [e]. **86** Patrizio Oliva [16,b], Tsuyoshi Hamada [18,c], Gary Hinton [e], René Arredondo [11,c], Joe Manley [e]. **87** Patrizio Oliva [16,b], Tsuyoshi Hamada [18,c], Terry Marsh [4,e], Juan Martin Coggi [19,b], Ray Mayweather [c]. **88** Ray Mayweather [c], J. McGuirt [e], Meldrick Taylor [e], Juan Martin Coggi [19]. **89** Hector Camacho [24,f], Meldrick Taylor [e], J. Cesar Chávez [11,c], Martin Coggi [19,b], Livingston Bramble [b]. **90** Hector Camacho [24,f], J. Cesar Chávez [11,c,e], J. Martin Coggi [19,b], Loreta Gaza [b]. **91** Greg Haugen [f], J.-C. Chávez [11,c,e], Hector Camacho [24,f], Edwin Rosario [24,b].

Légers [1]. *Disputés* dep. 1886. **1886** Jack Mc Auliffe [3]. **96** George Kid Lavigne. **99** Franck Erné [9]. **1902** Joe Gans. **08** Battling Nelson [10]. **10** Ad. Wolgast. **12** Willie Ritchie. **14** Freddie Welsh [4]. **17** Benny Leonard. **25** Jimmy Goodrich, Rocky Kansas. **26** Sammy Mandell. **30** Al Singer puis Tony Canzoneri. **33** Barney Ross. **35** Tony Cansoneri. **36** Lou Ambers. **38** Henry Armstrong. **39** Lou Ambers. **40** Lew Jenkins. **41** Sammy Angott [d]. **43** Bob Montgomery [a], Beau Jack [a]. **44** Bob Montgomery [a], Juan Zurita [11,d]. **45** Ike Williams [d]. **47** Ike Williams [d]. **51** James Carter. **52** Lauro Salas [11], James Carter. **53** James Carter. **54** Paddy De Marco, James Carter. **55** James Carter, Bud Smith. **56** Bud Smith, Joe Brown. **57** Joe Brown. **62** Carlos Ortiz. **65** Ismael Laguna [12], Carlos Ortiz. **68** Carlos-Teo Cruz. **69** Mando Ramos. **70** Ismael Laguna [12], Ken Buchanan [4]. **72** Roberto Durán [12,b]. **74** Ishimatsu Suzuki [18,c]. **76** Estebán de Jesús [24,c]. **78** Roberto Durán [12,b,c]. **79** Jim Watt [4,c]. **80** Ernesto España [27,b]. **81** James Hilmer Kenty. **82** Alexis Arguello [26,c]. **83** Ray Mancini [b], Edwin Rosario [24,c]. **84** Charlie Choo Brown, Edwin Rosario [24,c], Harry Arroyo, Livingston Bramble [b], José Luis Rámirez [11]. **85** Harry Arroyo [e], Livingstone Bramble [b], Hector Camacho [24,c], Jimmy Paul [e]. **86** Edwin Rosario [24,b], Hector Camacho [24,c], Livingstone Bramble [b], Jimmy Paul [e], Gregg Haugen [e]. **87** Edwin Rosario [24,b], Vinnie Pazienza [e], José Luis Rámirez [11,c], J. Cesar Chávez [11,b], Greg Haugen [e]. **88** José Luis Rámirez [11,c], J. Cesar Chávez [11,b,c], Greg Haugen [e]. **89** Pernell Whitaker [e,c], Edwin Rosario [24,b], Amancio Castro [22,f], Mauricio Accves [11,f]. **90** Pernell Whitaker [e,c,b], Dingaan Thobela [14,f]. **91** Anthony Jones [g].

Super-plume [1]. *Disputés* dep. 1921. **1921** Johnny Dundee. **23** Jack Bernstein, puis Johnny Dundee. **24** Steve Kid Sullivan. **25** Mike Ballerino, puis Tod Morgan. **29** Benny Bass. **31** Kid Chocolate [8]. **33** Frankie Klick. **59** Harold Gomes. **60** Flash Elorde. **67** Yoshiaki Numata [18] puis Hiroshi Koboyashi [18]. **71** Alfredo Marcano. **72** Ben Villaflor [7]. **73** Kuniaki Shibata puis Ben Villaflor [7]. **77** Alfredo Escalera [24,c], Samuel Serrano [24,b], Alexis Arguello [26,c]. **79, 80** Samuel Serrano [24,c]. **80** Alexis Arguello [26,b]. **81** Yatsutsune Uehara [18,b]. **82** Rafael Limón, Cornelius Boza-Edwards, Roland Navarette. **83** Roger Mayweather [b], Hector Camacho [24,c]. **84** Rocky Lockridge [b], Julio Cesar Chávez. **85** Rocky Lockridge [b], Wilfredo Gómez [24,b], Julio C. Chávez [11,c], Lester Ellis [e], Barry Michael [15,e]. **86** Julio C. Chávez [11,c], Alfredo Layne [12,b], Brian Mitchell [14,b], B. Michael [15,e]. **87** Julio Cesar Chávez [11,c], B. Mitchell [14,b], B. Michael [15,e], Rocky Lockridge [e]. **88** B. Mitchell [14,b], R. Lockridge [e], Azumah Nelson [25,c], Tony Lopez [e]. **89** Tony Lopez [e], Brian Mitchell [14,b], Azumah Nelson [25,c], Juan Molina [24,e], Kamel Bouali [42,f]. **90** Juan Molina [24,e], Brian Mitchell [14,b]. **91** Azumah Nelson [25,c]. Tony Lopez [e].

Plume [1]. *Disputés* dep. 1889. **1889** Ike O'Neil Weir. **90** Billy Murphy puis Young Griffo. **91** George Dixon. **96** Frankie Erné [9]. **97** George Dixon [5] puis Solly Smith. **98** Dave Sullivan [3] puis George Dixon. **1900** Terry Mac Govern. **01** Abe Attel puis Young Corbett. **04** Abe Attel. **12** Johnny Kilbane. **23** *Eugène Criqui* [2], Johnny Dundee. **25** Louis Kid Kaplan. **27** Benny Bass. **28** Tony Canzoneri puis *André Routis* [2]. **29** Battling Battalino. **32** Tommy Paul, puis Kid Chocolate [8] (N.Y.). **33** Freddie Miller, puis Kid Chocolate. **34** Freddie Miller. **36** Petey Sarron [a] puis Mike Belletoise. **37** Babbie Arizmendi, Henry Armstrong. **38** Joe Archibald [a]. **40** Harry Jeffra [a], Petey Scalzo [d]. **41** Joe Archibald [a], Charly Wright [a], Ritchie Lemos [d], Jack Wilson [d]. **42** Willy Pep [a]. **43** Jackie Callura [d], Phil Terranova [d]. **44** Sal Bartolo. **46** Willie Pep. **48** Sandy Saddler. **49** Willie Pep. **50** Sandy Saddler. **57** Hogan Kid Bassey [13]. **59** Davey Moore. **63** Sugar Ramos [8]. **75** Alexis Arguello [26,b], David Kotey [25,c]. **77** Danny Lopez [c], Rafael Ortega [12,b], Cecilio Lastra [29,b]. **78, 79, 80** Eusebio Pedroza [12,b]. **80** Salvador Sánchez [11,c]. **81** Eusebio Pedroza [12,b]. **82** Juan Laporte [c]. **83** Eusebio Pedroza [12,b], Juan Laporte [c]. **84** Min-Keun Oh, Wilfredo Gómez [24,c], Eusebio Pedroza [12,b], Azumah Nelson [4]. **85** Eusebio Pedroza [12,b], Min-Keun Oh [e], Barry Mc Guigan [4,b], Azumah Nelson [25,c], Kee Young Chung [21,e]. **86** Barry Mc Guigan [4,b], Kee Young Chung [21,e], Steve Cruz [b], Azumah Nelson [25,c], Antonio Rivera [24,e]. **87** Azumah Nelson [25,e], Antonio Esparragoza [27,b], Antonio Rivera [24,e]. **88** Calvin Grove [e], Jeff Fenech [15,e], Antonio Esparragoza [27,b], Jorge Paez [11,e], **89** Jeff Fenech [15,e], Antonio Esparragoza [27,b], Jorge Paez [11,e], Maurizio Stecca [16,f], Louis Espinoza [f]. **90** Jorge Paez [11,e], Antonio Esparrogoza [27,b], Marcos Villanasa [11,c], Maurizio Stecca [16,f]. **91** Park Young-Kyun [21,b], Troy Dorsey [e].

Super-coq [1]. *Disputés* dep. 1976. **1976** Rigoberto Riasco, puis Royal Kobayashi, Dom Yum Kyun. **77** Dom Yum Kyun [21,c], Soo Hwang Hong [21,b], Ricardo Cardona [22,b]. **78** Wilfredo Gómez [24,c]. **79, 80** Ricardo Cardona [22,b]. **80** Wilfredo Gómez [24,c]. **81** Sergio Palma [b]. **82** Wilfredo Gómez [24,c]. **83** Aldo Cruz [35,b], Bobby Berna [7]. **84** Loris Stecco [16], Seung-In Suh, Victor Callejas [b], Jaime Garza [c], Juan Meja. **85** Kim-Ji-Won [21,e], Victor Calejas [24,b], Guadalupe Pintor [11,c], Juan Meza [c], Guadalupe Pintor [c]. **86** Samath Payakaroon [20,c], Kim-ji-Won [21,e]. **87** Louis Espinoza [c], Jeff Fenech [15,c], Sung-Hoon-Lee [21,e], Julio Gervacio [35,b]. **88** Daniel Zaragoza [11,c], Juan José Estrada [11,b], José Sanabria [27,e]. **89** Fabrice Bénichou [2,e], José Estrada [11,b], Kenny Mitchell [f], Daniel Zaragoza [11,c], Valerio Nati [16,f]. **90** Welcome Ncita [14,e], Orlando Fernández [24,f], Luis Mendoza [22,b], Pedro Decima [19,c]. **91** Hatanaka [18,c], Luis Mendoza [22,b].

Coq [1]. *Disputés* dep. 1856. **1887** Tommy Kelly. **90** George Dixon. **92** Billy Plimmer. **94** Jim Barry. **99** Terry Mc Govern. **1901** Harry Harris. **02** Harry Forbes. **03** Frankie Neil, Joe Bowker [1]. **05** Jimmy Walsh. **10** Johnny Coulon. **14** Kid Williams [10]. **17** Peter Herman. **20** Joe Lynch. **21** Peter Herman puis Johnny Buff. **22** Joe Linch. **24** Abe Goldstein puis Cannonball Martin. **25** Phil Rosenberg. **27** Charles Bud Taylor. **28** Bushy Graham (N.Y.). **29** Al Brown [12]. **34** Sixto Escobar [d]. **35** Lou Salica [d], Sixto Escobar [d], Baltazar San Schilli. **36** Tony Marino, Sixto Escobar. **37** Harry Jeffra. **40** Lou Salica. **42** Manuel Ortiz [11]. **47** Harold Dade, Manuel Ortiz [11]. **50** Vic Toweel [14]. **52** Jimmy Carruthers. **53** Jimmy Carruthers [15]. **54** *Robert Cohen* [2]. **56** Mario D'Agata [16]. **57** *Alphonse Halimi* [2]. **59** Joe Becerra [11]. **61** Eder Jofre [17]. **65** Masahiko Fighting Harada [18]. **68** Lionel Rose. **69** Rubén Olivares. **70** Jesús Chucho Castillo. **71** Rubén Olivares. **72** Rafael Herrera, Enrique Pinder. **73** Romero Anaya, Arnold Taylor. **74** Rodolfo Martinez, Soo Hawn Hong [21,b]. **75** Carlos Zarate [11,c], Alfonso Zamora [11,b]. **77, 78** Carlos Zarate. **79, 80** Jorge Luján [12,b]. **80** Jeff Chandler, José Guadalupe Pintor [11,c]. **81** Julian Solis [11,b]. **82** José Guadalupe Pintor [11,c]. **83** Jeff Chandler [b], Alberto Davila [c]. **84** Richard Sandoval [b], Alberto Davila [c]. **85** Richard Sandoval [b], Miguel Lora [22,c], Jeff Fenech [15,e]. **86** José Canizales [b], Bernado Pinango [27,b], Miguel Lora [22,c], Jeff Fenech [15,e]. **87** Chang-Yung-Park [21,b], Miguel Lora [22,c], Kelvin Seabrooks [e], Wilfredo Vasquez [24,b]. **88** Kelvin Seabrooks [e], Wilfredo Vasquez [24,b], Miguel Lora [22,c], Raúl Perez [11,c], Moon Sung-Kil [21,b], Orlando Canizales [e]. **89** Orlando Canizales [e], Israel Contera [27,f], Khaokor Galaxy [20,b], Moon Sung-Kil [21,b], Raúl Perez [11,c], Lusito Espinoza [7,b]. **90** Orlando Canizales [e], Raúl Perez [11,c]. **91** Duke McKenzie [4,f].

Mouche [1]. *Disputés* dep. 1916. **1916** Jimmy Wilde [4]. **23** Pancho Villa. **25** Fidel La Barba. **27** Corporal Issy Schwartz, Albert Frenchie Belanger [d]. **28** Frankie Genaro [d]. **29** *Émile Pladner* [2,b], Frankie

Genaro [d]. **30** Midget Wolgast. **31** *Young Perez* [2,b], Victor Young Perez (IBU). **32** Jacky Brown [4,d]. **35** Benny Lynch [4,d], Small Montana [a]. **37** Benny Lynch [4]. **38** Peter Kane [4]. **43** Jacky Paterson [4]. **47** Rinty Monaghan [3]. **50** Terry Allen [4], Dado Marino. **52** Yoshio Shirai [18]. **54** Pascual Perez [19]. **60** Pone Kingpetch [20]. **62** Masahiko Harada [18,d]. **63** Pone Kingpetch [20], Hiroyuki Ebihara [18]. **64** Pone Kingpetch [20]. **65** Salvatore Burruni [16]. **66** Horacio Accavallo [d], Walter McGowan. **67** Chartchai Chionoi [20]. **69** Efren Torres. **70** Erbito Salavaria. **73** Venice Borkorsor [c], Rafael Herrera [11,c], Chartchai Chionoi [20,b], Betulio González [27,c]. **74** Chartchai Chionoi [20,b], Betulio González [27,c], Shoji Oguma [18,c], Susumu Hanagata [18,b]. **75** Miguel Canto [11,c], Erbito Salavarria, Miguel Canto. **76** Alfonso López, Miguel Canto [11,c], Gustavo Espadas [11,b]. **77** Gustavo Espadas [11,b], Miguel Canto [11,c]. **78** Gustavo Espadas [11,b], Miguel Canto [11,c], Betulio González [27,c], Miguel Canto [11,c]. **79** Betulio González [27,c], Miguel Canto [11,c], Chang Hee Park, Chang Hee Park, Luis Ibarra, Chang Hee Park. **80** Kim Thae Shik [21,b], Chang Hee Park, Shoji Oguma [18,c], Tae Shik Kim [21,b], Shoji Oguma [18,c], Peter Mathebula. **81** Shoji Oguma [18,c], Santos Laciar, Antonio Avelar, Luis Ibarra, Antonio Avelar, Juan Herrera. **82** Prudencio Cardona, Santos Laciar [19,b], Freddie Castillo, Santos Laciar [19,b], Eleoncio Mercedes. **83** Santos Laciar [19,b], Charli Magri, Frank Cedeno [7,c], Soo-Chun Kwon [21,c]. **84** Koji Kobayashi [18], Santos Laciar [b], Soo-Chun Kwon [21,c], Gabriel Bernal [11,c], Sot Chitalada [20,c]. **85** Soo-Chun Kwon [21,e], Sot Chitalada [20,c], Santos Laciar [6], Hilario Zapata [12,b], Chong Kwan Chung [21,e]. **86** Bi-Won Chung [21,e], Hilario Zapata [12,b], Sot Chitalada [20,c], Hee Sup-Shin [21,e]. **87** Fidel Bassa [22,b], Sot Chitalada [20,c], Dodie Penalosa [7,e], Chang-Ho-Choi [21,e]. **88** Rolando Bohol [7,e], Kim Yong-Kang [21,c], Fidel Bassa [22,b], Duke McKenzie [4,e]. **89** Fidel Bassa [22,b], Sot Chilada [20,c], Duke McKenzie [4,e], Kim Yong-Kan [21,c], Elvis Álvarez [22,f], Dave McAuley [4,e]. **90** Sot Chilada [20,c], Dave McAuley [4,e], Yol-Woo [21,b], Yukito Tamakuma [18,b], Isidro Perez [11,f]. **91** Muangchai Kihikassem [20,c], Kim Yong-Kang [45,b].

Mi-mouche [1]. *Disputés* dep. 1975. **1975** Franco Udella [c], Jaime Ríos [b], Luis Esteba [27,c]. **76** Jaime Rios [c], L. Esteba [c], Juan José Guzmán, L. Esteba [c], Yoko Gushiken [18,b], L. Esteba. **77** Yoko Gushiken [18,b], L. Esteba. **78** Yoko Gushiken, Freddy Castillo [11,c], Yoko Gushiken [18,b], Netrnoi Vorasing [20,c], Kim San Jun, Yoko Gushiken [18,b]. **79** Kim Sung Jun, Yoko Gushiken [18,b]. **80** Shigeo Nakajima, Yoko Gushiken [18,b], Hilario Zapata. **81** Pedro Flores, Hilario Zapata, Kim Hwan-Jin, Katsuo Tokashiki. **82** Amado Ursua, K. Tokashiki, Tadashi Tomori, K. Tokashiki, Hilario Zapata. **83** K. Tokashiki [18,b], Lupe Madera [11,b], Chang Jung Koo [21,c], Doddie Penalosa [7,e]. **84** Chang Jung-Koo [21,c], Francisco Quiroz [35,b], Doddie Penalosa [7,e]. **85** Joey Olivo [b], Chang-Jung-Koo [21,c], Dodie Penalosa [7,e], Myung-Woo Yuh [21,b]. **86** Myung-Woo Yuh [21,b], Chang Jung-Koo [21,c], Choi-Jun-Hwan [21,e]. **87** Jum-Hwan [21,e], Yuh-Myung-Woo [21,b], Chang-Jung-Koo [21,c], Choi-Jum-Hwan [21,e]. **88** Tacy Macalos [7,e], Yuh-Myung-Woo [21,b], Germán Torres [11,c]. **89** Humberto Gonzáles [11,c], M. Macalos [7,e], José de Jesús [24,f], Muancgchai Kittikasem [20,e], Yol-Woo-Lee [21,c], Yuh Myung-Woo [21,b]. **90** Humberto Gonzáles [11,c], Michael Carbajal [e], José de Jesús [24,f]. **91** Humberto Gonzáles [11,c].

Super-mouche [1]. *Disputés* dep. 1980. **80** Rafael Orono. **81** Chul Ho Kun. **82** Jiro Watanabe [18]. **83** Jiro Watanabe [18,b], Payao Pooltarat [20,c], Joo-Do Chun. **84** Jiro Watanabe [18], Joo-Do Chun, Payao Pooltarat, Kaosai Galaxy. **85** Joo-Do Chun [e], Kaosai Galaxy [20,b], Jiro Watanabe [18,e], Ellyas Pascal [e]. **86** Cesar Polanco [35,e], Kaosai Galaxy [20,b], Gilberto Roman [11,c], Ellyas Pascal [37,e]. **87** Santos Laciar [19,c], Gilberto Román [11,c], K. Galaxy [20,b], Chang-Tae-Il [21,e], Sugar Baby Rojas [22,c], Ellyas Pical [37,e]. **88** K. Galaxy [20,b], Gilberto Román [11,c], Ellyas Pical [37,e]. **89** José Ruiz [24,f]. **90** Khasasai Galaxy [20,b], Ellyas Pical [37,e], Gilberto Roman [11,c], Nana Konadu [25,c], Juan Polo [22,e], Moon Sung-Kil [20,c], Robert Quiroga [e]. **91** Khasai Galaxy [20,b], Moon Sung-Kil [20,c].

Paille [1]. **1987** Iroki Ioka [18,c], Kuyung Yon-Lee [21,e]. **88** Leo Gomez [27,b], Nata Katwanchaï [20,c], Samuth Sithnarvelpol [20,e]. **89** Kim Bong-Jun [21,b], Nico Thomas [37,e], Napa Katwanchaï [20,c], S. Sithnarvelpol [20,e], Choip Jeum-Hwan [21,c], Eric Chávez [7,e], Hideyuki Ohashi [18]. **90** Ricardo López [11,c], Farlan Lookmingkwan [20,e], Rafael Torres [35,f]. **91** Ricardo López [11,c], Farlan Lookmingkwan [20,e].

Championnats professionnels

Europe

Poids lourds. **84** Steffen Tangstad [36]. **85** Bruno [4]. **87** Evangelista [29], Eklund [39]. **88** Damiani [16]. **89** Damiani [16], Williams [4]. **90** Jean Chanet [2], Lennox Lewis [4]. **Lourds-Légers.** **87** Sammy Reeson [4]. **89** Angelo Rottoli [16]. **89, 90** Anaclet Wamba [2]. **Mi-lourds.** **84, 85, 86** Alex Blanchard [34]. **87** Tom Collins [4]. **88** Jan Lefeber [34]. **89** Eric Nicoletta [2]. **90** E. Nicoletta [2], Tom Collins [4]. **91** Gracciano Rocchigiani [43]. **Super-moyens.** **90** Mauro Galvano [16]. **91** James Cook [4]. **Moyens.** **84** Tony Sibson [4]. **85** Kalule [10]. **86** Herol Graham [4]. **87** Pierre Joly. **88** Christophe Tiozzo. **89** Dell'Aquila [16]. **90** Patrizio Kalembay [16]. **Super-welters.** **85, 86** Saïd Skouma [2]. **86** Chris Pyatt [4]. **88** R. Jacquot [2]. **89** Edip Secovic [28], Giuseppe Leto [16]. **89, 90** Gilbert Delé [2]. **91** Freddy Skouma [2], Mourad Touati [34]. **Welters.** **84** Gianfranco Rosi [16]. **85** Honeyghan [4]. **86** José Varela [23]. **87** Redondo [29], Martelli [16]. **88** Martelli [16]. **89** La Rocca [16]. **90** Antoine Fernandez [2], Kirkland Laing [4], Patrizio Oliva [16]. **Super-légers.** **84** Patrizio Oliva [16]. **85** Marsh [4]. **86** vacant. **87, 88** Thomas N'Kalankete [2]. **89** Efrem Calamati [16]. **90** Pat Barret [4]. **Légers.** **84, 85** René Weller [2]. **86, 87, 88** Gert Bo Jacobsen [10]. **88** Weller [23], Policarpo Diaz [29]. **89, 90** Policarpo Diaz [29]. **91** Antonio Renzo [16]. **Super-plume.** **84** Pat Cowdell [4]. **86** Jean-Marc Renard [38]. **87** Salvatore Curcetti [16]. **88** Piero Morello [16], Racheed Lawal [10]. **89** Racheed Lawal [10]. **89, 90, 91** Daniel Londas [2]. **Plume.** **84** Barry McGuiguan [4]. **86** Jim McDonnell [4]. **87** Valerio Nati [16], S. Curcetti [16], Jean-Marc Renard [38]. **88** Jean-Marc Renard [38]. **89, 90** Paul Hodkinson [4]. **91** Fabrice Benichou [2]. **Coq.** **84, 85** Ciro De Leva [16]. **86** Ciro De Leva [16], A. Montero [2]. **87** Montero [2], L. Gomis [2]. **88** F. Bénichou [2], Vincenzo Belcastro [16]. **89** Belcastro [16]. **90** Duke McKenzie [4], Thierry Jacob [2]. **Mouche.** **84, 85** Charlie Magri [4]. **86, 87** Duke McKenzie [4]. **88** vacant. **89** Eyup Can [10]. **90** Pat Clinton [4]. **91** Salvatore Fanni [16].

France

Poids lourds. **78, 79, 80, 81** Lucien Rodriguez. **85** Dominique Nato. **86** Balbouli. **87** Damien Marignan. **88, 89** Jean Chanet. **90** Vacant. **91** Jean Weis. **Lourds-légers** (*créés* 1987). **87** Babouli. **89** vacant. **90** Akim Tafer. **Mi-lourds.** **78, 79, 80, 81** Hocine Tafer. **83, 84, 85, 86** Richard Caramanolis. **87** Rufino Angulo. **88** Richard Caramanolis. **89** Nicoletta. **90** Christophe Gérard. **91** Fabrice Tiozzo. **Super-moyens.** **90** Étienne Obertan. **Moyens.** **78, 79** Gratien Tonna. **80, 81** Jacques Chinon. **83** Pierre-Frank Winterstein. **85, 86, 87** Pierre Joly. **88** André Mongelema. **89** Frédéric Sellier. **90, 91** Bertin M'Bayo. **Welters.** **84** Jean-Marie Touati. **85** Brahim Messaoudi. **86, 87** J.-M. Touati. **88** Cuvillier. **89** Bicchieray. **90** Charles Baou. **Super-welters.** **84** Germain Le Maître. **85** Saïd Skouma. **86** Yvon Segor. **87** René Jacquot. **88, 89** Gilbert Delé. **90** Jean-Claude Fontana. **91** Martin Camara. **Super-légers.** **77** Claude Lormeau. **79** vacant. **80** Jo Kimpuani. **84, 85, 86** Tex N'Kalankete. **87** Rabbi. **88** Madjoub. **89** Leclercq. **90** Jean-Pierre Scigliano. **91** Karim Rabbi. **Légers.** **78, 79, 80** Didier Kowalski. **83, 84, 85** Frédéric Geoffroy. **86** Alain Simoes. **87, 88** Maillot. **89** A. Simoes. **90** Angel Mona. **91** Jean-Baptiste Mendy. **Super-plume.** **78** René Martin, Georges Cotin puis Maurice Apeang, **79, 80** Charles Jurietti. **81** Francis Bailleul. **83, 84** Michel Siracusa. **85, 86** Daniel Londas. **89** vacant. **90** Jacobin Yoma. **91** Areski Bakir. **Plume.** **78** Michel Lefebvre. **79** Gérard Jacob. **80** Laurent Grimbert. **81** Guy Caudron. **82, 83** Kamel Djadda. **84, 85** Farid Gallouze. **86** Marc Amand. **87** Bruno Jacob. **88** Farid Benredjeb. **89, 90, 91** Guy Bellehigue. **Coq.** **79, 80** Guy Caudron, **81** Jean-Jacques Souris. **85** vacant. **86** Louis Gomis. **87** Thierry Jacob. **88, 89** Alain Limarola. **90** Lionel Jean. **Mouche.** **79, 80** vacant. **81** Dominique Piedeleu. **83** Antoine Montero. **85** Limarola. **86** vacant. **87** Limarola. **89, 90** vacant.

Championnats amateurs

Nota. – (1) USA, (2) Cuba, (3) URSS, (4) Canada, (5) Youg., (6) All. dém., (7) Roumanie, (8) Uruguay, (9) Nigeria, (10) Porto Rico, (11) Corée du S., (12) Pologne, (13) Kenya, (14) Bulgarie, (15) It., (16) Hongrie, (17) P.-Bas, (18) Irlande, (19) Roumanie, (20) Suède, (21) All. dep. 91, (22) France.

Jeux olympiques. Voir p. 1801.

Monde. *Créés* 1974. Tous les 4 ans. **Poids super-lourds.** **82, 83** Biggs [1], **86** Stevenson [2], **89** Balado [2], **91** non disp. **Lourds.** **74, 78** Stevenson [2], **82** Lagubkin [3], **83** De Witt [4], **86, 89** Savon [2], **91** Gordeau [17]. **Mi-lourds.** **74** Parlov [5], **78** Soria [2], **82, 83, 86** Romero [2], **89** Maske [6], **91** Gottfrois [22]. **Moyens.** **74** Riskiyev [3], **78** Gomez [2], **82, 83** Comas [2], **86** Allen [1], **89** Kurnyavka [3], **91** Germany [22]. **Super-mi-moyens.** **74** Garbey [2], **78** Savchenko [3], **82** Koshkin [3], **83** O'Sullivan [4], **86** Espinosa [2], **89** Akopkokhyan [3], **91** Teyssen [17]. **Mi-moyens.** **74** Correa [2], **78** Rachov [3], **82, 83** Breland [1], **86** Gould [1], **89** Vastag [7], **91** Panza [22]. **Super-légers.** **74** Kalule [8], **78** Lvov [3], **82, 83** Garcia [2], **86** Shishov 3, **89** Ruzhnikov [3], **91** Pennachio [22]. **Légers.** **74** Solomin [3], **78** Davison [9], **82** Herrera [2], **83** Whitaker [1], **86** Horta [2], **89** Gonzalez [2], **91** Soncourt [22]. **Plume.** **74** Davis [1], **78** Herrera [2], **82, 83** Horta [2], **86** Banks [1], **89** Khamatov [3], **91** Skalecki [22]. **Coq.** **74** Gomez [10], **78** Horta [2], **82, 83** Favors [1], **86** Sung-Kil [11], **89** Carrion [2], **91** Dobaria [22]. **Mouche.** **74** Rodriguez [2], **78** Srednicki [12], **82** Alexandrov [3], **83** McCrory [1], **86** Reyes [2], **89** Arbachakov [3], **91** non disp. **Mi-mouche.** **74** Hernandez [2], **78** Muchoki [13], **82** Mustafov [14], **83** Saiz [2], **86** Torres [2], **89** Griffin [1], **91** non disp.

Europe. Tous les 2 ans. **Super-lourds.** **83** Damiati [15], **85** Somodi [16], **87, 89** Kadden [6], **91** Beloussov [3]. **Lourds.** **83, 85** Jagubkin [3], **87, 89, 91** Van der Lidje [17]. **Mi-lourds.** **83** Kochanovski [3], **85** Shanovasov [3], **87** Vaulin [3], **89** Lange [6], **91** Michalczewski [21]. **Moyens.** **83** Melnik [3], **85, 87, 89** Maske [6], **91** Ottke [21]. **Super-mi-moyens.** **83** Laptev [3]. **85** Tirum [6], **87** Richter [6], **89, 91** Akopokhian [3]. **Mi-moyens.** **83** Galkin [3], **85** Akopokhian [3], **87** Shishov [14], **89** Menheret [6], **91** Welin [20]. **Super-légers.** **83** Shishov [3], **85** Melmert [6], **87** Abaddjev [14], **89** Ruznikov [3], **91** Tziu [3]. **Légers.** **83, 85** Tchuprenski [14], **87** Nazarov [3], **89** Tsziu [3], **91** Nistor [19]. **Plume.** **83** Nurkasov [3], **85** Hatchatrian [3], **87** Razarian [3], **89** Kirkorov [14], **91** Griffin [18]. **Coq.** **83** Alexandrov [3], **85** Sinric [5], **87** Hritov [14], **89, 91** Todorov [14]. **Mouche.** **83** Lessov [14], **85** Berg [6], **87** Teurs [6], **89** Arbachakov [3], **91** Kovacs [16]. **Mi-mouche.** **83** Mustafov [14], **85** Bveitbart [6], **87** Munchian [3], **89** Hristov [14], **91** Marinov [14].

France. Super-lourds. **86** Tumataaroa, **87** Avac, **88** Debah, **89** Salles, **90** Kingbo, **91** Salles. **Lourds.** **85** Chanet, **86** Gitton; **87, 88** Tafer, **89** Delord, **90, 91** Mendy. **Mi-lourds.** **85** Macrez, **86** Le Champion, **87** Mugerin, **88** Khalid, **89** Ouedraogo, **90** Aouissi, **91** Zouglech. **Super moyens.** **91** Boudouani. **Moyens.** **85** Tiozzo, **86, 87** Maimoun, **88** Tiozzo, **89** Grasso, **90** Hope, **91** Girard. **Super-mi-moyens.** **85** Dèle, **86, 87** Boudouani, **88, 89** Claudot, **90** Cherefi, **91** Gomis. **Mi-moyens.** **85, 86** Boudouani, **87** Hattab, **88** Boudouani, **89** Vaste, **90** Bennagem, **91** Meunier. **Super-légers.** **85** Lavouiray, **86** Vaste, **87** Samalingue, **88** Proto, **89, 90** Rahilou, **91** Cazeaux. **Légers.** **85** Duarte, **86** Samalingue, **87** Merle, **88** Scigliano, **89** Yoma, **90** Cheklal, **91** Wartelle. **Plume.** **85** Tormos, **86, 87, 88** Murin, **89, 90** Lifa, **91** Lorcy. **Coq.** **85** T. Jacob, **86** H. Jacob, **87, 88** Augustin, **89** Vivish, **90** Wartelle, **91** Medjkoune. **Mouche.** **85** Jacob, **86** Leclercq, **87** Savarino, **88, 89, 90** Desavoye, **91** Sahour. **Mi-mouche.** **85** Guillo, **86** Desavoye, **87** Guillo, **88** Wartelle, **89, 90** Guillo, **91** Guerault.

Champions du monde français [1]

Mouche. Émile Pladner (n. 1906), ch. du 2-3 au 18-4-1929 (47 j). Young Perez (Victor) (1911-42) 1931-32. **Coq.** Robert Cohen (n. 1930) 1954 et 56. Alphonse Halimi (n. 1932) 1957 et 60. **Plume.** Eugène Criqui (1893-1977) 2-6-1923. André Routis (n. 1900) 1928-29. **Moyens.** Marcel Thil (n. 1904) 1932 et 37. Édouard Tenet (n. 1907) 1937. Marcel Cerdan (22-7-1916/27-10-49) 1948-49 ; sur 108 combats professionnels entre 1936 et 49, il ne fut battu que 4 fois. **Super-moyen.** Christophe Tiozzo (n. 1-6-63) 1990 (WBC). **Mi-lourds.** Georges Carpentier (1894-1975) 1920-22. Battling Siki (Louis Phal) (n. 1897) 1922. **Super-welters WBC.** René Jacquot (n. 28-7-1961), ch. du 11-2 au 8-7-1989. Gilbert Delé (n. 1-1-1961) 1991 (WBA). **Super-coq IBF.** Fabrice Bénichou, 1989. **Lourd-léger WBA.** Taoufik Belbouli, 1989.

Nota. – (1) Champions du monde de l'International Boxing Union (sauf indication contraire).

Boxe française

Généralités

Histoire. **1820** née dans le faubourg parisien de la Courtille, elle s'appelait alors la *« savate »,* ou le *« chausson »* lorsqu'il s'agissait d'enseignement militaire. **V. 1830** après avoir étudié la boxe anglaise à Londres, Lecour ajoute la technique des poings à celle des pieds et crée la boxe française. **1832** nom donné par Charles Lecour. **1877** Joseph Charlemont (1939-1914) publie le 1er livre technique de boxe française. V. **1900** elle est enseignée dans l'armée, les écoles et sociétés sportives, devient le sport national des Français. **1899** combat historique de Charlemont (qui l'emporta) contre l'Anglais Jerry Driscoll, champion de boxe anglaise. V. **1940** sous l'effet de la concurrence de la boxe anglaise professionnelle, la boxe fr. décline. **1965** renouveau. **1973** *9-12* création de la Féd. nat. de boxe française. **1976** devient la *Fédération fr. de boxe française-savate et disciplines assimilées* (25, bd des Italiens, 75002 Paris). **1985** *23-3* création de la *Féd. internat. de boxe fr.-savate.*

Pays pratiquants. Belgique, Cameroun, Canada, Espagne, États-Unis, France, Inde, Italie, Japon, Liban, Maroc, Maurice, Pays-Bas, Réunion, Sénégal, Suède, Tunisie, URSS, Yougoslavie. **Pratiquants célèbres.** Alexandre Dumas, Eugène Sue, Théophile Gautier, Honoré Daumier, Courteline, Georges Carpentier, Hemingway, etc.

Licenciés et clubs. *1975 :* 3 000 l. (120 c.). *78 :* 6 000 (300). *81 :* 14 000 (400). *85 :* 21 000 (590). *86 :* 21 955 (596). *91 :* 22 000 (573).

Règles

• **Généralités. Définition.** Sport de combat utilisant les pieds et le devant des poings pour donner des coups. **Enceinte** (ring). Carré de 4,90 m min. à 6 m max. de côté. Plancher recouvert de feutre et entouré de trois rangs de cordes placés à 40, 80 et 130 cm du sol. **Équipement.** *Gants :* en cuir, de 6 (171 g) à 12 (342 g) onces selon les catégories, à manchettes protégeant poignet et avant-bras sur env. 10 cm. *Bandage des mains :* autorisé. *Chaussures :* en cuir, tige et empeigne souple montant jusqu'à la cheville, sans œillets, lacées de façon que le nœud soit derrière le pied. *Tenue intégrale :* fuseau d'une pièce, sans manches, couvrant le buste et les jambes. *Protections :* protège-dents, coquille, jambières, casque, protège-poitrine (pour les femmes). *Pesée :* obligatoire.

• **Pratiquants.** Appelés *tireur* et *tireuse*. Répartis en **catégories** selon l'âge et le poids. **Âges :** poussins 10-11 ans, benjamins (es) 12-13, minimes 14-15, cadets (tes) 16-17, juniors 18-20, seniors 21-34, vétérans + de 34. **Poids** (en kg). *Seniors messieurs et dames* mouche 48-51 inclus ; coq 51-54 ; plume 54-57 ; super-plume 57-60 ; léger 60-63 ; super-léger 63-66 ; mi-moyen 66-70 ; super-mi-moyen 70-74 ; moyen 74-79 ; mi-lourd 79-85 ; lourd + de 85. Répartis aussi en **grades** selon les progrès techniques et la valeur en compétition. **Degrés techniques.** *1er degré :* gant bleu ; *2e :* vert ; *3e :* rouge ; *4e :* blanc ; *5e :* jaune ; *6e :* gant argent technique 1er degré ; *7e :* GAT 2e degré ; *8e :* GAT 3e degré. **Valeur combative.** *1er degré :* gant de bronze ; *2e :* gant argent compétition 1er degré ; *3e :* GAC 2e ; *4e :* GAC 3e ; *5e :* GAC 4e ; *6e :* GAC 5e. *Grades honorifiques :* gant vermeil et g. d'or. Indiqués par un bracelet de 2 cm de large de couleur, cousu autour du gant droit.

• **Classement.** En séries, selon résultats en compétition. **Messieurs :** *4 séries :* 3e série (assaut), 2e (combat 2e série), 1re et série nationale (combat). **Dames :** *4 séries :* 3e, 2e (assaut), 1re et série nationale (assaut et combat avec protections ; protège-tibias et casque obligatoires).

• **Technique. Coups de pieds :** *3 principes :* fouetté, jeté-direct et balancé ; *6 catégories :* fouetté, revers fouetté, chassé, revers balancé, revers groupé, coup de pied bas. **Coups de poing :** *2 principes :* jeté-direct et balancé ; *4 catégories :* direct, crochet, uppercut, swing. **Interdictions :** coups donnés à la nuque, à l'arrière et au-dessus de la tête, au triangle génital, au dos, et pour les femmes à la poitrine. Au début du combat, on se place en *garde.*

• **Rencontres.** 3 sortes selon le niveau technique. *Assaut,* jugé sur technique et précision des coups portés. *Combat 2e série,* ajoute à l'assaut une énergie suffisante pour que les coups soient portés avec efficacité (port du casque et des jambières obligatoire). Hors-combat possible, noté de 0 à 6 pour la technique et le style, et de 0 à 4 pour la combativité et l'efficacité. *Combat 1re série et série nationale ;* port du casque et des jambières interdit, même critère de jugement, mais une seule note de 0 à 10. *Duo,* évolution à 2 (hommes, dames, mixte), basé sur la coopération technique. Se déroulent en 2, 3, 4 ou 5 reprises de 1 mn 30 ou 2 mn séparées par un *arrêt* de 1 mn. Exemples : seniors hommes : 5 reprises de 2 mn en série nationale et rencontres internat. 1 mn 30 championnats de France ; dames : 4 r. de 1 mn 30 en championnat de France. **Décisions.** Victoire par hors combat ou « aux points », match nul ou non-combat, arrêt de l'arbitre, abandon, disqualification.

Résultats

• **Coupe du Monde.** *Créée* 1989. **Coq 89** Balog [5]. **Super-plume 89** Farina [1]. **Super-légers 89** Fourrier [1]. **Mi-moyens 89** Eguzkiza [3]. **Moyens 89** Hoost [4]. **Mi-lourds 89** Simmons [6].

• **Championnats d'Europe.** *Créés* 1970. **Coq 86** non disputé. **88** Sabatier [1]. **90** Dobaria [1]. **Plume 86** Peltier [1]. **88, 90** Skalecki [1]. **Super-légers 86** Leduigou [1]. **88, 90** Fourrier [1]. **Légers 86, 88** Sylla [1]. **90** Soncourt [1]. **Moyens 86** Ducros [1]. **88** Hoost [4]. **90** Postel [1]. **Mi-moyens 86** Hyppolyte [1]. **88, 90** Panza [1]. **Super-mi-moyens 86** Noccentini [2]. **88** May [1]. **90** Umek [7]. **Super-plume 86** Mercadier [1]. **88** Benghafour [1]. **90** Farina [1]. **Lourds 86** Brunet [1]. **88, 90** Gordeau [4]. **Mi-lourds 86, 88** Holland [4]. **90** Gottfrois [1]. **91** non disp.

Nota. – (1) France. (2) Italie. (3) Espagne. (4) P.-Bas. (5) Hongrie. (6) USA. (7) Belgique.

• **Championnats de France. Messieurs.** *Créés* 1965. **Coq 82** Guillard. **83** Oulieu. **84** Mezière. **85** Borg. **86** Borel. **87** Djadda. **88** Saïdani. **89** Tremel. **90, 91** Dobaria. **Plume 82** Benketache. **83** Abella. **84** Djadda. **85, 86** Abella. **87** Angielzik. **88, 89, 90, 91** Skalecki. **Super-plume 82** Marie. **83** Benghafour. **84** Mezaache. **85, 86, 87** Benghafour. **88** Dreinaza. **89** Farina. **90** Chouaref. **91** Farina. **Légers 82** Sylla. **83** Mouth. **84, 85, 86, 87, 88** Sylla. **89** Soncourt. **90** Nisole. **91** Soncourt. **Super-légers 82, 83, 84** Dakhlaoui. **85, 86** Leduigou. **87** Dakhlaoui. **88** Fourrier. **89** Pennacchio. **90** Fourrier. **91** Pennachio. **Mi-moyens 82** Santoncini. **83** Favre. **84** Santoncini. **85, 86** Malis. **87, 88, 89** Panza. **90** Benard. **91** Le Bellour. **Super-mi-moyens 82, 83, 84** Paturel. **85, 86** May. **87** Ortega. **88** May. **89** Félicie-Dellan. **90** Bentayeb. **91** May. **Moyens 82** Tardits. **83** Ducros. **84, 85, 86, 87, 88** Postel. **89** Ducros. **90, 91** Germany. **Mi-lourds 82, 83, 84, 85, 86, 87, 88** Mazoué. **89** Deviveiros. **90, 91** Gottfrois. **Lourds 82** Chebab. **83** non disp. **84, 85, 86** Bangui. **87** Gabriel. **88** Farcy. **89** Duquesnoy. **90** Lefort. **91** Delors.

Dames. *Créés* 1982. **Mi-légères 85** Vernet, **87, 88** Le Louer. **89, 90** non disp. **91** Le Louer. **Mouches 85** Pelletier. **87** Skalecki. **88** Perrotel. **89** Le Louer. **90** Skalecki. **91** Ducros. **Coq 85** Quaglino. **87** Suire. **88** Joseph. **89** Skalecki. **90** Perrotel. **91** Joseph. **Plume 85** Zephir. **88** Gueusguin. **89, 90** Joseph. **91** Suire. **Super-plume 85** Plano. **88** Zephir. **89, 90** Gueusguin. **91** Detant. **Légères. 89** Henin. **90, 91** Geiger. **Super-légères 89** Braun. **90** non disp. **91** Braun.

Canne et bâton

• **Canne de combat.** Sport pratiqué avec une tige de châtaignier de 95 cm de long, poids 120 à 125 g, sous forme d'assauts de 3 reprises de 2 mn, 4 de 2 mn (finales hommes), 3 de 2 mn (finales femmes) ; le gagnant est celui qui a réussi le plus grand nombre de touches. *Coups principaux :* brisé, croisé tête, croisé jambe, latéral croisé, latéral extérieur, enlevé. *Protections obligatoires :* masque avec bourrelets spéciaux, gants avec manchette renforcée, tunique et pantalon matelassés. **Licenciés en France** (1988). 1 500. **Clubs** (1988). 110.

Championnat de France. Hommes : 81-82 M. Boréanaz. **83** Rozier. **84** Marra. **85** Filipowski. **86** M. Debille. **87** B. Dubreuil. **88** M. Debille. **89** Dubreuil. **90** Aguesse **91** Dubreuil. **Dames : 85, 86, 87** Lebrun, **88, 90, 91** Delclos.

• **Bâton français.** Même maniements. Pratiqué à 2 mains, avec un bâton en châtaignier d'1,35 m de long tenu à une extrémité. Pas de compétitions, uniquement entraînement et démonstration.

• **Comité national de canne et bâton,** 25, bd des Italiens, 75002 Paris.

Canoë-kayak

Histoire

Origine. Canoë : Indiens du Canada qui l'utilisaient comme moyen de transport ; creusé dans un tronc, puis fait en écorce de bouleau et en résine ; position à genoux ; mû par 1 ou 2 équipiers armés d'une pagaie simple. **Kayak :** Esquimaux du Groenland, d'Alaska et du Labrador qui l'utilisaient pour la chasse et la pêche ; armature en os de renne et en bois recouverte de peau de phoque ; ponté, muni d'une jupe imperméable serrée à la taille, ce qui permet de chavirer et de se rétablir *(esquimautage) ;* position assise ; mû par 1 équipier armé d'une pagaie double. En eaux vives, depuis qu'ils sont construits en résine, les canoës esquimautent aussi.

• **1865** introduits en Europe par l'Écossais John MacGregor († 1891). **1924**-*19/20-1 Internationale Representantschaft für Kanusport.* **1946**-*9-6* devient la *Féd. internat. de canoë.* **1931**-*21-7 Féd. française.*

Disciplines

☞ *Légende.* – C : canoë, K : kayak ; le chiffre indique le nombre d'équipiers. Dames en K seulement.

Course en ligne

Course. Parcours d'une certaine distance, en opposition directe avec les autres concurrents, le plus rapidement possible. En eau calme. Pour le sprint (500 et 1 000 m), 9 couloirs délimités par des bouées. Pour le fond (10 000 m), boucle de 2 000 m env.

Bateaux (long. max. en cm, en ital. larg. min. en cm, entre parenthèses poids min. en kg). **K1** 520 *51* (12), **K2** 650 *55* (18), **K4** 1 100 *60* (30), **C1** 520 *75* (16), **C2** 650 *75* (20), **C4** 650 *85* (35).

Épreuves. J.O. *500 m :* messieurs (C1, C2, K1, K2), dames (K1, K2, K4). *1 000 m :* messieurs (C1, C2, K1, K2, K4). *Pas de fond.* **Ch. du monde.** *500 m :* messieurs (C1, C2, C4, K1, K2, K4), dames (K1, K2, K4). *1 000 m :* messieurs (C1, C2, C4, K1, K2, K4). *5 000 m :* dames (K1,K2). *10 000 m :* messieurs (C1, C2, K1, K2, K4). *Résultats :* en temps.

Records. J. O. *1980,* lors du 1 000 m, K 4 soviétique, 250 premiers m à 21,15 km/h. *1988,* K 4 hongrois, 1 000 m en 3'0"20 soit 19,98 km/h.

Slalom

Course. Parcours avec le minimum de pénalités et dans le temps le plus court, contre la montre, en eaux plus ou moins agitées suivant le niveau de la compétition. Distance de 600 m max. comportant 25 portes max. (voir vocabulaire). Durée 3 à 4 mn. Se court en 2 manches : seule la meilleure est retenue pour le classement final. **Bateaux** (long. min. en cm, en ital. larg. min. en cm, entre parenthèses poids min. en kg). **K1** 400 *60* (9), **C1** 400 *70* (10), **C2** 458 *80* (15). Casque et gilet de sauvetage obligatoires. Bateaux rendus insubmersibles et munis de poignées à la poupe et à la proue pour la sécurité.

Épreuves. J.O. Introduit à Munich en 1972, puis supprimé et réintroduit à Barcelone en 1992 ; dans les 2 cas, 4 épreuves ind. *Messieurs :* K1, C1, C2, *dames :* K1. **Ch. du monde.** Épreuves individuelles et par équipes de 3 bateaux. *Messieurs :* K1, C1, C2. *Dames :* K1. *Mixte :* C2 (supprimé). *Résultats :* en points = temps de parcours en secondes + pénalisations (5 ou 50 points).

Descente

Course. Appelée *course en rivière sportive.* Parcours, contre la montre, d'une portion de rivière mouvementée (eau vive) en descendant le courant. Une manche de 3 à 5 km. Dure environ 20 mn. **Bateaux** (long. max. en cm, en ital. larg. min. en cm, entre parenthèses poids min. en kg). **K1** 450 *60* (10), **C1** 430 *70* (11), **C2** 500 *80* (18). Casque et gilet de sauvetage obligatoires. Bateaux insubmersibles munis de poignées à la proue et à la poupe pour la sécurité.

Épreuves. J.O. Pas de descente. **Ch. du monde.** Épreuves individuelles et par équipes de 3 bateaux. *Messieurs :* K1, C1, C2. *Dames :* K1. *Résultats :* en temps.

Kayak-polo

Sport collectif de ballon en kayak. 2 équipes de 5 joueurs doivent marquer des buts en poussant la balle avec leur pagaie ou leurs mains. *Plan d'eau* (en extérieur ou en piscine) de 20 m sur 40 m. *Buts* constitués par un cadre de 1 m de côté à travers lequel le ballon doit passer. *Kayak :* 2,50 à 3 m de long, 50 à 60 cm de large, min. 10 kg. *Ballon* de football en matière synthétique. 2 mi-temps de 5 mn. *Casque* et *gilet* de sauvetage obligatoires et pagaies de sécurité. *Entraînement* en piscine l'hiver quand l'eau des rivières est très froide.

Disciplines diverses

Canotage. Randonnée nautique : canoë ou kayak. Sur rivières de classes I à III, fleuves, canaux et lacs. **Activités d'eau vive :** sur rivières de classes III et IV tourisme sportif, et V et VI haute rivière et saut de chutes. **Kayak de mer :** randonnée le long des côtes ou traversée. Bateau de 5 m à étrave relevée, équipé de caissons étanches, lignes de vie, pagaies de rechange. **Kayak de vague ou surf sur les vagues :** bateau de 2 à 2,50 m, muni d'ailerons. Mêmes figures que celles des surfers. **Expéditions.**

☞ **Classification des rivières.** *I* eau courante, *II* eau vive, *III et IV* haute rivière, *V* rivière extrême (pour audacieux et entraînés), *VI* à la limite des possibilités humaines et matérielles.

Vocabulaire

Appel. Manœuvre provoquant le déplacement latéral du bateau vers le point où la pagaie appuie dans l'eau. **Appui.** Appui d'une face de la pagaie sur la surface de l'eau. **Arrêt contre-courant.** Arrêt dans une zone de contre-courant afin de faire demi-tour vers l'amont. **Bac.** Partir d'un point situé sur une rive en vue d'en atteindre un autre sur l'autre rive, situé à la même hauteur. **Contre-courant.** Courant en sens inverse du fil principal de l'eau et situé derrière un obstacle. **Dénager.** Aller en arrière. **Écart.** Manœuvre provoquant le déplacement latéral du bateau qui se trouve chassé par le travail de la pagaie contre son franc-bord (ou tout près de celui-ci). **Esquimauter.** Après chavirage, ne pas quitter son bateau et le rétablir en position de navigation par mouvements synchronisés du corps et de la pagaie. **Gîter.** Incliner son bateau dans le sens latéral. **Jupe ou jupette.** Toile plastifiée fixée autour de la taille et sur le bateau pour assurer l'étanchéité. **Porte (en slalom).** Plan figuré par 2 perches suspendues au-dessus de l'eau par une potence attachée à une girafe ou à un câble allant d'une rive à l'autre. Si les 2 perches sont annelées vert et blanc, la porte doit être passée en descendant le courant ; rouge et blanc, passée en remontant le courant. Chaque porte montre un numéro dans le sens du passage qui indique l'ordre dans lequel les portes doivent être passées. La position du bateau pénétrant dans la porte est au gré du concurrent (par la poupe ou la proue). **Propulser.** Aller de l'avant. **Reprise de courant.** Quitter une zone de contre-courant pour regagner le courant principal en faisant un demi-tour vers l'aval.

Résultats

☞ *Légende.* – (1) URSS. (2) All. dém. (3) G.-B. (4) N.-Zél. (5) Australie. (6) All. féd. (7) Hongrie. (8) USA. (9) France. (10) Roumanie. (11) Norvège. (12) Tchécosl. (13) Suède. (14) Youg. (15) Canada. (16) Danemark. (17) Bulgarie. (18) Italie. (19) All.

• **Jeux olympiques.** Voir p. 1801.

Championnats du monde

En ligne (tous les ans, sauf lors des J.O.) dep. 1938. *Slalom* dep. 1949 (tous les 2 ans) et *descente de rivière* dep. 1959 (tous les 2 ans, années impaires). Seniors des 2 sexes sans limitation inférieure d'âge.

• **Course en ligne. Messieurs. Sur 500 m. K 1. 81, 82, 83** Parfenovitch [1]. **85** Stahle [2]. **86** West [3]. **87** McDonald [4]. **89** Hunter [5]. **90** Kalesnik [1]. **K 2. 81, 82** Parfenovitch-Superata [1]. **83** Fischer-Wohllebe [2]. **85** Ferguson-Mc Donald [4]. **86** Scholl-Pfrang [6]. **87** Csipes-Fidel [7]. **89** Bluhm-Gutsche [2]. **90** Kalesnik-Tischenkon [1]. **K 4. 81, 82** URSS. **83, 85, 86** All. dém. **87, 89, 90** URSS. **C 1. 81, 82** Heukrodt [2]. **83** Olaru [10]. **85, 86, 87** Heukrodt [2]. **89, 90** Slivinskiy [1]. **C 2. 81** Foltan-Vaskuti [7]. **82, 83** Ljubek-Nisovic [14]. **85, 86** Sarusi-Vaskuti [7]. **87** Libik-Smith [15]. **89, 90** Juravskiy-Reneyskiy [1]. **C 4. 89. 90** URSS.

Sur 1 000 m. K 1. 81, 82, 83 Helm [2]. **85** Csipes [7]. **86** West [3]. **87** Barton [8]. **89** Gyulay [7]. **90** Holmann [11]. **K 2. 81, 82** Parfenovitch-Superata [1]. **83** Fischer-Wohllebe [2]. **85** Boccara-Boucherit [9]. **86** Stoain-Velea [10]. **87** Ferguson-Mc Donald [4]. **89, 90** Bluhm-Gutsche [2]. **K 4. 81** All. dém. **82** Suède. **83** Roumanie. **85** Suède. **86, 87, 89, 90** Hongrie. **C 1. 81** Papki [2]. **82** Schmidt [2]. **83** Baresa [1]. **85** Klementiev [1]. **86** Marencu [10]. **87** Heukrodt [2]. **89, 90** Klementiev [1]. **C 2. 81, 83** Patzaichin-Simionov [10]. **82** Kis-Jaldu [7]. **85** Heukrodt-Schuck [2]. **86** Kis-Vaskuti [7]. **87** Gurin-Weshko [1]. **89** Frederiksen-Nielson [16]. **90** Papke-Spelly [2]. **C 4. 89, 90** URSS. **91** Bringard. **C 2. 91** Charbonnier-Saliou.

Sur 10 000 m. K 1. 81 Ramussen [11]. **82** Janic [10]. **83** Ramussen [11]. **85** Barton [8]. **86** Csipes [7]. **87** Barton [8]. **89** Szabo [12]. **90** Boccara [9]. **K 2. 81** Asipkovitch-Romanovski [1]. **82** Lefoulon-Bregeon [9]. **83** Jackson-Williams [3]. **85** Berger-Edholm [13]. **86** Kulcsar-Gindl [7]. **87** Boccara-Boucherit [9]. **89** Abraham-Hodosi [7]. **90** Lawlwer-Bourne [3]. **K 4. 81, 82, 83** URSS. **85** Hongrie. **86, 87, 89, 90** URSS. **C 1. 81, 82** Wichmann [7]. **83, 85** Vrolovec [12]. **86** Macarencu [10]. **87** Heukrodt [2]. **89** Klementiev [1]. **90** Bohacs [7]. **C 2. 81, 82** Patzaichin-Simionov [10]. **83** Buday-Vaskuti [7]. **85** Ljubek-Nisovic [14]. **86** Kis-Vaskuti [7]. **87** Gurin-Weshko [1]. **89, 90** Frederiksen-Nielson [16].

Dames. Sur 500 m. K 1. 81, 82, 83, 85 Fischer [2]. **86** Gesheva [17]. **87** Schmidt [2]. **89** Borchert [2]. **90** Idem [18]. **K 2. 81** Kuhn-Fischer [2]. **82** Fischer-Streussel [2]. **83, 85** Kuhn-Fischer [2]. **86** Povazsan-Meszaros [7]. **87** Schmidt-Notnagel. **89** Notnagel-Singer [2]. **90** Von Seck-Portwich [2]. **K 4. 81, 82, 83, 85** All. dém. **86** Hongrie. **87, 89, 90** All. dém.

Sur 5 000 m. K 1. 89, 90 Borchert [2]. **K 2. 89** Bunke-Portwich [2]. **90** Portwich-Von Seck [2].

• **Slalom. Messieurs. K 1. 81, 83, 85** Fox [3]. **87** Prijon [9]. **89** Fox [3]. **91** Pearce [3]. **K 1 équipes. 81, 83** G.-B. **85** All. féd. **87** G.-B. **89** Youg. **91** Fr. **C 1. 81, 83** Lugbill [8]. **85** Hearn [8]. **87, 89** Lugbill [8]. **91** Lang [19]. **C 1 équipes. 81, 83, 85, 87, 89, 91** USA. **C 2. 81** Garvis-Garvis [8]. **83** Haller-Haller [8]. **85** Kuppers-Klein [6]. **87** Calori-Calori [9]. **89** Hemmer-Loose [6]. **91** Adisson-Forgues [9]. **C 2 équipes. 81** G.-B. **83, 85** Tchéc. **87, 89, 91** France. **Dames. K 1. 81** Deppe [6]. **83** Scharmann [3]. **85** Messelhausser [6]. **87** Scharmann [3]. **89** Jerusalmi [9]. **91** Micheler [19]. **K 1. équipes. 81, 87** All. féd. **83, 85, 89, 91** France. **Mixtes. C 2. 81** G.-B. **83** Youg. **85** Tchéc. **87, 89** France.

• **Descente de rivière. Messieurs. K 1. 81** Benezit [9]. **83, 85** Previde [18]. **87** Goetchy [9]. **89** Previde [18]. **91** Gickler [19]. **K 1 équipes. 81, 87, 89** France. **83, 85** All. féd. **91** It. **C 1. 81, 83, 85, 87** Zok [9]. **89** Jelenc [14]. **91** Lynkovic [14]. **C 1 équipes. 81, 83, 85, 89** France. **87** All. féd. **91** Youg. **C 2. 81** Hayne-Jacquet [9]. **83** Madore-Lieupart [9]. **85, 87** Durand-Ponchon [9]. **89** Masle-Grobisa [14]. **91** Archambault-Caslin [9]. **C 2 équipes. 81, 83, 85** France. **87, 89** All. féd. **91** All. **Dames. K 1. 81** Gardette [9]. **83** Stupp [6]. **85** Wahl [6]. **87** Gardette [9]. **89** Kleinhenz [9]. **91** Wahl [6]. **K 1 équipes. 81, 83, 85** All. féd. **87, 89, 91** France.

Championnats de France

En ligne dep. 1934, *slalom* dep. 1946, *rivière sportive* dep. 1955.

• **Course en ligne. Messieurs. Sur 500 m. K 1. 86, 87** Lasak. **88** Boccara. **89** Lubac. **90** Aubertin. **91** Lasak. **K 2. 87** Petitbout-Berruyer. **C 1. 86** Hoyer. **87, 88, 89** Boivin. **90, 91** Sylvoz. **C 2. 87** Bettin-Ruiz.

Sur 1 000 m. K 1. 86 Legras. **87** Petitbout. **88** Boccara. **89** Lubac. **90** Boucherit. **91** Brégeon. **K 2. 86** Bergeron-Vavasseur. **87** Petitbout-Berruyer. **88** Loridan-Henri. **K 4. 86** ACBB. **87** Vavasseur-Legras-Berton-Duhec. **88** Beuvry ANPA. **C 1. 86** Hoyer. **87** Boivin. **88, 89** Hoyer. **90** Sylvoz. **91** Hoyer. **C 2. 86** Hoyer-Hoyer. **87** Bettin-Ruiz. **88** Pernet-Etchenagucia.

Sur 10 000 m. K 1. 86 Boucherit. **90** Boccara. **K 2. 86** Boucherit-Hanot. **87** Lasak-Gentil. **K 4. 86** Nevers. **87** Loyau-Guerton-Gentil-Bourdellat. **C 1. 86** Renaud. **90** Hoyer. **C 2. 86** Hoyer-Hoyer. **87** Beffin-Ruiz.

Dames. Sur 500 m. K 1. 86 Verpy. **87** Vandamme. **88** Basson. **89** Bayle. **90** Goetschy. **K 2. 86, 87** Cuvilly-Vandamme. **88** Mathevon-Laurent. **K 4. 86** Boulogne SM. **87** Grosjean-Laurent-Basson-Verpy. **88** Mathevon-Laurent-Carre-Grosjean.

Sur 3 000 m. K 2. 86 Cuvilly-Vandamme. **87** Grosjean-Jules. **88** Crispon-Jules. **Sur 5 000 m. K 1. 90** Jules. **91** Brégeon.

• **Slalom. Messieurs. K 1. 86** Prigent. **87** Régnier. **88** Latimier. **89** Curinier. **90** Fondeviolle. **91** Brissaud. **C 1. 86** Sennelier. **87, 88, 89** Avril. **90** Delamarre. **91** Avril. **C 2. 86** Saïdi-Delrey. **87, 88** Saïdi-Daval. **89** Daille-Lelièvre. **90, 91** Adisson-Forgues. **Dames. K 1. 86** Boixel. **87** Jerusalmi. **88** Loubie. **89, 90, 91** Jerusalmi. **Mixtes. C 2. 88** Houlier-Sénéchal. **89** Beloin-Delandes. **90** Gilles-Gaillot.

• **Descente de rivière. Messieurs. K 1. 86** Benezit. **87** Masson. **88** Goetschy. **89** Vitali. **90** Graille. **91** Masson. **C 1. 86, 87** Zok. **88** Benamrouche. **89** Bataille. **90** Masson. **91** Rowvel. **C 2. 86** Bernard-Rigaut. **87** Durand-Ponchon. **88** Alaphilippe-Puyfouilhoux. **89** Andrieux-Babin. **90** Alaphilippe-Puyfouilhout. **91** Fraysse-Ross. **Dames. K 1. 86** Menetrey. **87** Bringard. **88** Kleinhenz. **89** Bringard. **90** Kleinhenz.

Quelques noms

Messieurs. Barton Greg [8] (1960). Benezit Claude [9] (2-9-55). Bettin Joël [9] (14-12-66). Boccara Philippe [9] (6-7-59). Boucherit Pascal [9] (7-8-59). Boudehen Jean [9] (1939-82). Brégeon Bernard [9] (6-7-62). Calori Jacques [9] (1-4-59). Calori Pierre [9] (1-4-59). Dransart Georges [9] (12-5-24). Durand Jean-François [9] (23-7-59). Eberhardt Henri [8] (1910-75). Ferguson Ian [4] (20-7-52). Fox Richard [3]. Fredrikson Gert [13] (21-11-19). Fredrikson Gert [2] (6-10-56). Goetschy Antoine [9] (27-1-63). Helm Rüdiger [2] (6-10-56). Hoyer Didier [9] (3-2-61). Lasak Olivier [9] (28-3-67). Lebas Alain [9] (10-11-53). Lobanov Your [1] (29-9-52). Lubac Pierre [9] (17-2-68). Parfenovich Vladimir [1] (2-12-58). Patzaichin Ivan [10] (26-11-49). Petitbout Christophe [9] (21-12-67). Ponchon Jean-Luc [9] (2-7-57). Previde-Massara Marco [18]. Renaud Philippe [9] (23-11-62). Sylvoz Pascal [9]. Vavasseur Didier [9] (7-2-61). Verger Luc [9] (28-5-52). Zok Gilles [9] (25-5-54).

Dames. Arnaud Sylvie [9] (14-5-62). Basson Béatrice [9] (29-6-58). Bringard Aurore [9]. Cuvilly Sylvie [9] (10-1-65). Fischer Birgit [2] (25-2-62). Gardette Dominique [9] (10-6-54). Grange Marie-Françoise [9] (9-6-61). Jerusalmi Myriam [9] (24-10-61). Kleinhenz Sabine [9] (8-6-62). Le Cann Marie-Pierre [9] (13-3-62). Pinaïeva Ludmilla [1] (14-1-36). Schmidt Birgit [2] (25-2-62). Vandamme Virginie [9] (19-10-66). Wahl Karin [6].

Char à voile

Généralités

• **Sur glace.** Pratiqué aux P.-Bas, puis aux USA au XIXe s. 1er dessin d'un bateau sur patins connu en 1768. Carcasse de bateau, avec mât orientable, glissant sur patins, voilure 7 m², 140 kg, vitesse 140 km/h. Le plus grand fut l'Icicle (21 m de long, *voilure* 99 m², en 1870). *Record* 230 km/h : John Buckstaff en 1938 aux USA (vitesse possible avec vent de 115 km/h). Peu pratiqué en France.

• **Sur sable.** Origine chinoise et égyptienne. **1595** connu sur les plages de la mer du Nord. **1898** *1ers chars à voile sportifs* construits en Belgique, à La Panne, par les frères Dumont et en **1905** en France par Cazin et Blériot. **1909** *1res compétitions.* **1913** internationale à Berck, puis Hardelot, 43 pilotes dont Blériot et son « Aéroplage ». **1967** *1er raid international* (Sahara : Colomb-Béchar-Nouakchott, 2 500 km, 24 pilotes). **1969** *1re croisière des oasis* Laghouat-El Goléa via Ghardaïa (500 km) ; 12 chars, 24 pilotes ; vainqueurs : Collinet-Flament (France). **1972** Zouerate-Dakar (1 500 km) en solitaire (Christian Nau, n. 27-9-1944, à bord du Saint-Louis). **1976** volcan de la Fournaise (Réunion) par C. Nau. **1977** raid aux îles Kerguelen (C. Nau). **1983** open intern. Tunisie Speed Sail (21-28 oct.) Y. Boussenart (B.) ; raid au Groenland (C. Nau). **1985** traversée de la vallée de la Mort (USA), 170 km en 4 j, tout terrain, à la voile (60 %), en pédalant (20 %), à pied (10 %) et en escaladant (10 %) par C. Nau (*alt.* : de + de 1 000 m à – 86 m, temp. 47° à l'ombre).

Catégories de chars. Selon la surface de la voilure. *Classe I* (17,60 m²), *II* (11,30 m²). *C. III*, pour les compétitions, 7,35 m², 100 kg, 100 km/h, 20 000 F. *C. IV* (6,5 m²), 60 kg, 90 km/h, 20 000 F. *C. V*, pouvant être construite par un amateur, active, 5 m², 40 kg, 70 km/h, 5 000 à 12 000 F. *C. VII* (speed sail, landboard ou planche à roulettes) planche à voile sur pneus, direction par déplacement latéral du corps et voile de planche à voile, env. 2 500 F. **Conditions.** Sable ferme, vent de force 3 à 7. **Records.** *Vitesse France* Christian Nau (107 km/h, Le Touquet, 22-3-81), *monde* Nord Embroden (142,240 km/h, 15-4-76) ; *distance* Octor-Robin-Morel (1 281 km en 24 h, 1983) ; *classe VII* Jacques Sotty (77,888 km/h sur 50 m, 1988), Jean-Christophe Villedieu (85,55 km/h sur 50 m, 1989). **Courses.** Sur circuit. 6 manches de 20 à 30′.

Pratique

• **Athlètes olympiques. 1988.** *Hommes :* Renaud, Bettin, Hoyer, Sylvoz, Lazak, Brégeon, Boccara, Boucherit, Vavasseur, Petitbout, Lubac, Legras. *Dames :* Basson, Cuvilly, Leroux, Vandamme. **Licen-**

ciés. *1978* : 12 659. *81* : 23 500. *84* : 34 300. *85* : 43 000. *86* : 44 000.

• Principaux sites. **Course en ligne :** Marne, bassin de dérivation de Vaires/Marne (Val-de-M.), Seine, bassin de dérivation de Mantes (autour de Paris et en aval), Loire (retenue de Roanne), Allier (retenue de Vichy), Mulhouse, Nevers, Bretagne (ret. de Mur-de-Bretagne), Choisy-le-Roi (bassin nation.), Tours, Boulogne-sur-Mer (ret. du bass. à flots).

Slaloms et descente en course ou tourisme : *débit naturel :* Rouvre (Normandie), Scorff et Elle (Bretagne), Cousin et Serein (Morvan), Hte-Seine et Armançon (Champagne), Petit et Grand Morin, boucles de la Marne (près de Paris), Ardèche, Tarn, Var, les Gaves, les Nives, Allier moyen et bas, Loire, Garonne et, l'été, rivières alpines (Durance, Severaisse, Guil, Ubaye-Dranse, Guisanne, Bonne, Arve, Giffre, Buech), riv. cévenoles (Hérault, Vis, Luech, Gardons, Cèze) et provençales (Aigues, Ouvèze, Roanne, Loup). Torrents corses (au printemps).

Débits assurés par lachures EDF ou par délestage accidentel : Cure et Chalaux (Morvan), haut Allier, Vézère, Rhue, haute Dordogne (Massif central), Neste d'Aure (Pyrénées), Roya, Bréda, Isère, Verdon (Alpes), Orne (Normandie).

Tourisme de randonnée et découverte : Loire, courants landais, Loue, Doubs, Dordogne, Lot, Célé, Baïse, Gartempe, Aveyron, Allier, Tarn, Ardèche, Rhône (avant Lyon), Garonne (à partir de Carbonne), etc.

• Fédérations. *Internationale de sand et land yachting* (fondée 1962) ; *française de char à voile* (f. 1964 ; en 1989, 65 clubs et 2 300 licenciés) ; *Speed sail* (rattachée en 1979 à la FFCV).

Nota. – **Train à voile.** Christian Nau et J.-Luc Wibaux (n. 17-6-1958) ont réalisé en mars 1987 la traversée du Sahara mauritanien (652 km) à bord de 3 wagonnets à voile sur la voie ferrée des trains minéraliers et, en nov. 1988 sur celle des Andes boliviennes (274 km) à bord d'un wagonnet à 2 voiles. En 1989, Nau traverse la Sierra Nevada dans un double wagonnet à 4 voiles avec des cinéastes.

Résultats sur sable

Champions du monde en titre. Tous les 4 ans, sauf classe VII. Messieurs. Classe II. **80** P. Demuysère (B.), **81** Ameele (B.). III. **75** Houtseager (Belg.). **80, 81, 87** Lambert (Fr.). IV. **80** S. Mason (G.-B.), **81** Shakleton (G.-B.). V. **80** McCullough (Irl.), **81** White (G.-B.), **87** Krischer (Fr.). VII. **83** Boussemard (Belg.), **84** Peckes (Belg.), **85** Gambier (Belg.), **86** annulé, **87** Six (Fr.), **88** Isambourg (Fr.). Dames : **75-80** M.-P. Passet (Fr.), **81** V. Ellis (G.-B.), **87** Touati (Fr.).

Champions d'Europe en titre. *Créés* 1963. Messieurs. Classe I. **1973, 74** Bertrand Defland. Dep. 74, non disp. II. **73** Jean-Jacques Sensey. **74, 75, 77** John Healey (G.-B.). **78** J. Lowe (USA). **79** Gasneele (B.). **81** Ameele (B.). III. **68** Demuysere (Belg.). **69** Houillez (Fr.). **71** Grassy (All. féd.). **72** Houtseager (Belg.). **73, 74** M. Morel (Fr.). **75** A. Houtsaeger (B.). **77** R. Bellanger (Fr.). **75** N. Embroden (USA). **79, 80, 81, 82, 83** B. Lambert (Fr.). **84** Eickstaëdt (All. féd.). **85** B. Lambert (Fr.), **86** Eickstaëdt (All. féd.). **87, 88** Lambert (Fr.). IV. **78** A. Descamps (Fr.). **79** S. Mason (G.-B.). **81** Schakelton (G.-B.). V. **81, 82** White (G.-B.). **83** Normand (Fr.). **84, 85** Krischer (Fr.). **86** White (G.-B.) **87, 88** Krischer (Fr.). VII. **81** Spriet (Fr.). **82** Boussemard (Belg.). **83, 84** Six (Fr.). **85** Isambourg (Fr.). **86** annulé. **87** Six (Fr.). **88** Isambourg (Fr.). Dames : V. **73.** Dominique Sommier. **75** M.-P. Passet. **78, 79, 81** B. Ellis (G.-B.). **83** G. Wulf (All. féd.). **86** Thompson (G.-B.). **87, 88** Touati (Fr.). VII. **88** Six (Fr.). **89** Isambourg (Fr.). **90** Coppens (Belg.).

Champions de France. *Créés* 1959. Messieurs. Classe I. III. **74, 75** R. Bellenger. **76** B. Lambert. **77** J.-L. Collinet. **78, 79, 80, 81, 82, 83, 84, 85, 86, 87** B. Lambert. **88** Octor. **89** Malfoy. IV. **78** P. Giret. **79** D. Lemaître. **80, 81** J.-P. Ville. V. **83** M. Garrel. **84** Krischer. **85** Vaillant. **86** Defresne. **87, 88** Krischer. **89** Saint-Venant. **90** Isambourg. VII. **81, 82** Spriet. **83, 84** Six. **85, 86** Isambourg. **87** annulé. Dames : **74** V. Ribaud. **75** D. Sommier. **76** M.-P. Passet. **77** C. Collinet. **78** M.-P. Passet. **79** C. Collinet. V. **83** P. Cautin-Bouvier. **84** M.-P. Passet David. **85, 86, 87, 88** C. Touati. **89** Saint-Venant. VII. **86** Campion. **88** annulé. **89, 90** Isambourg.

Coupe du monde. Classe VII. Messieurs. **90** Isambourg. Dames. **90** Isambourg.

Coupe d'Europe. Classe VII. Messieurs. **91** Coppens (Belg.).

Courses internationales. 250 km aux 6 h de Berck, 3 h de Hardelot, rallye Wissant-Calais, *Internationale « jeunes »* rallye Wissant-Calais. Courses en circuit (env. 15, 30, 40, 50 km selon la vitesse du vent). Pour championnats de France et d'Europe, possibilité d'éliminer la plus mauvaise course.

Chasse

Modes de chasse

Chasse à tir

• Modes. Devant soi, en battue, à l'approche, à l'affût, au gabion (utilisation de formes autorisée).

• Fusils. **Calibre :** théoriquement le calibre 1 serait celui d'une arme tirant une balle de 489,5 g (ancienne livre de plomb). Le 12 est le cal. d'une arme tirant des balles d'un diamètre calculé tel qu'on puisse faire 12 projectiles semblables dans 1 livre de plomb. **Longueur :** *canon :* 70 cm en général (au-delà de 75 cm la portée n'augmente plus avec la longueur). *Chambre :* 65 à 70 mm. **Portée :** *max. normale* (distance à laquelle les plombs retombent au sol) *plomb n° 1* 350 m, *2* 330, *4* 280, *6* 240, *7* 220, *8* 200 ; *balle* 1 200-1 500 m, *b. de carabine rayée* 2 000 à 4 000 m.

Si les plombs s'agglutinent, la portée max. augmente accidentellement. Les ballettes brisent les grands os à 120 m et pénètrent les chairs à 250 m. Les plombs *n° 0* à 75 et 125 m, *n° 2* à 65 et 110 m, *n° 4* à 55 et 95 m, *n° 6* à 50 et 85 m, *n° 8* à 45 et 75 m. Portée utile très inférieure.

Vitesse (plomb ou balle de fusil à canon lisse). A la sortie du canon, 370 m/s (vitesse moyenne). Il faut 1/10 de s pour atteindre un gibier à 40 m (le perdreau a pu se déplacer de 2 m, le lièvre de 1 m). Compte tenu du temps de réaction du chasseur, il faut tirer de 2 à 4 m devant (parfois 7 m et + sur perdreau par grand vent).

Beaucoup de munitions de chasse (à plombs) actuelles donnent, à 2,50 m de la bouche du canon, une vitesse de 380 à 400 m/s, souvent néfaste pour un bon groupement, sinon une force de pénétration accrue. Phénomène dû à la qualité des poudres et des amorçages, la bourre à jupe. Beaucoup de Stés reviennent pour la chasse à des bourres grasses (feutre graissé ou mixtes : liège paraffiné + feutre) (moindre recul, gerbes plus larges avec une bonne répartition des plombs).

Nota. – En 1985, 700 à 750 millions de cartouches ont été tirées dont 400 en France pour la chasse.

• Quelques dates. **1818** *fusil à piston* (le chien frappe sur une capsule fulminante pour assurer la mise à feu). **1845** *f. à percussion centrale* (utilisant la cartouche à amorçage central de Pottet). **1848** *f. à percussion centrale sans chien extérieur.* **1870** *Greener* (G.-B.) commercialise le *choke* (rétrécissement de la bouche du canon améliorant la portée et régularisant la dispersion des plombs). **1871** *Murcott* (G.-B.) dépose le brevet *hammerless* (système perfectionné de percussion sans chien extérieur). *Éjecteurs automatiques* (inventés en G.-B.). **1880** *f. automatique* (inventé par les frères Clair de St-Étienne, système abandonné depuis). **1897** *Darne* (France) : à canon fixe, la culasse coulisse automatiquement. **1910** *Browning* (USA) : automatique moderne.

• Marques renommées. **Belgique :** *Lebeau-Couraly et Francotte.* **G.-B. :** *Holland-Holland* (fondée en 1825), *Purdey* (1814) et *Boss* fabriquent à eux trois 220 à 250 fusils par an, 1ers prix : fusil 180 000 F, paire 600 000 F. *Browning* 17 000 à 18 000 F. **France :** *Gastinne-Renette* (fondée 1812) : chiffre d'aff. 15 M. de F pour 900 armes vendues. *Granger* (St-Étienne) : seul fabricant français de fusils à platines (130 000 à 150 000 F). **Italie :** *Piotti, Fabbri, Rizzini, Cosmi* (seul automatique à canon basculant existant), *Dezensani, Abbiatico, Salvinelli* fabriquent à l'unité comme en G.-B.

Nota. – **Tir à balle sur gros gibier.** On utilise de plus en plus des carabines à canon rayé ou des doubles express à monoprojectile (balle), vitesse moyenne 600 m/s pour des calibres compris le plus souvent entre 7 mm et 9,3 mm.

☞ Le 27-2-1989, la cour d'appel de Paris a estimé que l'arc est un instrument de chasse interdit dans la réglementation actuelle.

Chasse sous terre ou déterrage

Pratiquée autour d'un terrier avec des pioches, bêches, fourches, pelles, sondes et barres à mine.

Animaux chassés : renard, blaireau, ragondins, etc. On introduit un seul chien (un 2e empêcherait le 1er de reculer dans le cas d'une charge) qui fixera l'animal à l'accul à l'extrémité d'une galerie. Puis, en se guidant sur les aboiements, on creuse de manière à déboucher sur la croupe du chien. *Durée :* 1 h 30 à 3 h et +. **Nombre d'équipages en France :** 80, avec des meutes de 2 à 6 chiens (en général fox-terriers, parfois teckels). **Association des déterreurs :** 19, rue Legendre, 75017 Paris.

Fauconnerie et autourserie

On distingue *haute volerie* (oiseaux de haut-vol : gerfaut, faucon sacre, faucon pèlerin) et *basse volerie* (autour, épervier).

Oiseaux. En France, les rapaces sont protégés depuis 1972, et un arrêté du 17-4-1981 fixe la liste des oiseaux protégés, dont destruction, capture, naturalisation, transport, vente, achat, etc. sont interdits, en application de la loi du 10-7-1976 sur la protection de la nature. Un arrêté du 30-1-1985 a fixé les conditions d'autorisation de désairage d'épervier et d'autour des palombes. Un arrêté du 30-7-1981 réglemente l'utilisation des rapaces pour la chasse au vol.

Associations. **Association nationale des fauconniers et autoursiers français.** 20, bd Clos Montplaisir, 84120 Montfavet. **Groupement des fauconniers et autoursiers du Sud-Ouest.** Rocher des Aigles, Rocamadour, 46500 Gramat. **Club de chasse au vol d'Aquitaine.** 41, l'Orée du Bois, 33138 Lanton.

Pratiquants (1987). 250 à 300 en France.

Vénerie

• Animaux chassés. **Cerf :** durée 2 h 30 à + de 5 h ; au dernier moment, quand l'animal arrêté fait face aux chiens pour tenir « les abois », il est servi à l'arme blanche ou à l'arme à feu, puis il est dépecé ; les abats, recouverts de la peau de l'animal, sont donnés aux chiens (c'est la curée). En compagnie du piqueur, le maître d'équipage remet à une personne qu'il veut honorer le pied antérieur droit de l'animal (ce sont les « honneurs »). **Sanglier :** durée 5 à 6 h. **Chevreuil :** plusieurs heures. **Renard :** 2 h env. : à la curée les honneurs sont rendus avec la queue et parfois le masque. **Lièvre :** plusieurs h, 15 à 20 km parcourus. Chasse à pied difficile : l'animal repasse plusieurs fois sur sa trace puis s'en écarte d'un bond de 4 m, court sur le goudron qui ne retient pas son odeur, se laisse porter par le courant d'une rivière ou retient son odeur, caché dans une ornière (la « rase »).

Nota. – L'association ROC propose de remplacer la chasse à courre par le *drag* (chasse dans laquelle l'animal est un leurre).

• Bouton de vénerie. Louis XIV le 1er adopta une tenue de vénerie (bleue à parements cramoisis) gardant le bouton de livrée de sa maison (bois recouvert d'étoffe rouge, brodé d'une fleur de lys d'or). Au XVIIIe s., la Vénerie royale porta un bouton d'or « à cul de panier » ou « mille points » ; sous Louis XVI : bouton « au cerf », en or estampé monté sur bois. Peu à peu les équipages eurent leurs boutons personnels. Le plus ancien serait celui du Cte de Poter chassant à Chantilly (fin XVIIIe s.).

• Chiens. **Nombre par meute et races principales.** GRANDE VÉNERIE : *Cerf* 50 à 100 chiens (min. 30 par chasse) ; Anglo-Français tricolores, Poitevins, Anglo-Français blanc et noir. *Sanglier* 70 à 80 (min. 30 par chasse) ; Anglo-Français tricolores ou fox-hounds. *Chevreuil* env. 40 (min. 20 par chasse) ; Poitevins, Français noir et blanc, Français tricolores, plus rarement les Billy. PETITE VÉNERIE : *Lièvre* 20 à 25 (12 à 15 par chasse) ; Beagles, Beagles-harriers, Harriers, Petits griffons et Anglo-Français de petite vénerie.

Taille des chiens. *De cerf, chevreuil ou sanglier :* 60 à 72 cm ; *de lièvre :* 45 à 56 cm. **Saisons.** Un chien peut faire 6 ou 7 saisons au chevreuil, un peu moins au cerf, beaucoup moins au sanglier. Un chien fait en moyenne 40 à 50 km par chasse. **Nourriture.** 1 fois par j (pour 100 chiens, on compte env. 500 kg de viande impropre à la consommation humaine par semaine et 600 kg de céréales par mois).

• Participants. Au moins 10 000 personnes à cheval, env. 6 000 boutons [*le b. d'équipage* est habilité à faire acte de chasse (port de la trompe, du fouet et éventuellement de la dague), d'après les ordres du maître d'équipage et du piqueux, se distingue de loin par la tenue, de couleur différente selon les équipages], 50 000 suiveurs, 400 salariés ; 15 000 chiens ; 8 000 chevaux utilisés régulièrement ou occasionnellement. Plus d'un million de personnes suivent épisodiquement les chasses à titre gracieux en auto, moto, vélo ou à pied.

• **Équipages français** (1989-90). Cerf 34, sanglier 17, chevreuil 80, renard 82 (animal de vénerie dep. 1979), lièvre à pied 120. *Grande Vénerie* (se pratiquant à cheval) : cerf, chevreuil, vautrait (sanglier), renard, loup. *Petite Vénerie* (se pratiquant en général à pied, au pas de gymnastique, sur 15 à 20 km) : lièvre. *Meute la plus ancienne :* équipage Champchevrier (1815).

PRISES. *Équipage de cerf* (10 000 à 15 000 ha) env. 30 pour 50 sorties par saison. *Chevreuil* (5 000 ha) env. 12 pour 45 sorties. *Lièvres :* 1 fois sur 3 pour les meilleurs équipages. Est. 1989-90 : 800 cerfs, 450 chevreuils, 400 sangliers, 300 renards, 600 lièvres.

Budget annuel d'un équipage : 300 000 à 400 000 F (location du territoire, salaire du piqueur, homme d'écurie, garde, entretien de 3 ou 4 chevaux). *Cheval* 5 000 à 20 000 F à l'achat, + entretien 550 à 600 F par mois (parfois 1 000 F). *Tenue :* bottes sur mesure 3 500 F (en caoutchouc sur mesure 500 F), culotte sur mesure 600 F (300 F en confection), redingote 3 500 F. Un bouton (membre d'un équipage) dépensera de 5 000 à 10 000 F par an selon les frais engagés par l'équipage et le nombre d'adhérents.

• **Régions.** *Cerf :* Ile-de-France, Normandie, Centre. *Chevreuil :* Pays de la Loire, Poitou, Aquitaine. *Sanglier :* Centre, Auvergne. *Lièvre :* Pays de la Loire, Centre, Normandie et Ile-de-France. Env. 300 chasses par semaine de début octobre à fin mars.

Se pratique en France sur env. 1 250 000 ha de forêts et plaines dont massifs domaniaux (adjugés par l'ONF) 470 000, forêts privées 200 000, plaines et boqueteaux 100 000 (renards, lièvres).

• **Société de vénerie.** Regroupe 7 000 veneurs. **Association française des équipages de vénerie :** 350 maîtres d'équipage, 22, rue de Penthièvre, 75008 Paris.

Trompes

Origine. V. 1680 la « trompe de chasse » remplaça cors, cornets, huchets, etc. Un chaudronnier parisien aurait, dit-on, trouvé le moyen d'enrouler sur lui-même un long tube de cuivre mince et cônique (en y coulant du plomb fondu). Sous Louis XIV, trompe de 2,27 m enroulée à 1 tour 1/2, sonnant en « ut mineur ». **V. 1705** la Dampierre 4,545 m à 1 tour 1/2. **1729,** la Dauphine 4,545 m à 2 tours 1/2, sonnant en « ré ». **V. 1818** la d'Orléans 4,545 m à 3 tours 1/2 en « ré » (diam. 35 cm, la plus courante aujourd'hui). **Dep. le XIXe s.,** autres trompes, Maricourt, enroulée à 6 ou 8 tours, en « ré ». Autres enroulements, serrés : Lorraine, Étron.

Airs de chasse. Les 1ers (dus à Philidor l'aîné) remontent à 1705, les fanfares à 1723 (1ers dues au Mis de Dampierre). **Fanfares.** Environ 1 000 répondent aux normes du ton Vénerie.

Féd. internationale des Trompes de France. 4, rue du Gal-Foy, 75008 Paris. *Pt :* Cte Gérard de La Rochefoucauld. *Créée* 1928 par Gaston de Marolles. Regroupe 3 000 sonneurs (150 Stés françaises et étrangères).

R.O.C. (Rassemblement des opposants à la chasse). Association nationale pour la défense des droits des non-chasseurs et le respect de la nature, propose la création de refuges (où la chasse serait interdite et diverses restrictions), BP 261, 02106 St-Quentin Cedex. Pt : Professeur Th. Monod.

Gibier

On appelle **gibier** l'ensemble des espèces non domestiques qui, par nature ou par tradition, sont chassables. Ainsi, chiens, chats, pigeons voyageurs et certains animaux non domestiques comme taupes, souris, grenouilles, etc. ne sont pas des gibiers.

Animaux chassables

Arrêté ministériel du 26-6-1987 (J. O. du 20-9-1987). L'article R. 224-7 du Code rural permet cependant aux préfets d'interdire la chasse de certaines espèces pour permettre la reconstitution du peuplement.

• **Mammifères.** 23 espèces. Belette [1]. Blaireau. Chamois ou Isard. Cerf élaphe. Cerf sika. Chevreuil. Chien viverrin. Daim. Fouine. Hermine [1]. Lièvre brun. L. variable. Lapin de garenne. Marmotte. Mouflon. Martre [1]. Putois [1]. Renard. Rat musqué. Ragondin. Raton-laveur. Sanglier. Vison d'Amérique.

Nota. – (1) Peuvent être tués, mais non transportés ou naturalisés. La naturalisation de la fouine est très réglementée.

• **Oiseaux.** 65 espèces. Alouette des champs. Barge à queue noire. B. rousse. Bécasse des bois. Bécasseau maubèche. Bécassine des marais. B. sourde. Caille des blés. Canard chipeau. C. colvert. C. pilet. C. souchet. C. siffleur. Chevalier aboyeur. C. arlequin. C. combattant. C. gambette. Colin de Californie. C. de Virginie. Courlis cendré. C. corlieu. Eider à duvet. Faisans de chasse. Foulque macroule. Fuligule milouin. F. milouinan. F. morillon. Garrot à œil d'or. Gélinotte des bois. Grive draine. G. musicienne. G. mauvis. G. litorne. Harelde de Miquelon. Huîtrier-pie. Lagopède alpin. Macreuse brune. M. noire. Merle noir. Nette rousse. Oie cendrée. O. des moissons. O. rieuse. Perdrix bartavelle. P. grise. P. rouge. Pigeon biset. P. colombin. P. ramier. Poule d'eau. Pluvier argenté. P. doré. Râle d'eau. Sarcelle d'été. S. d'hiver. Tétras-lyre (coq maillé). Tétras urogalle (Grand coq maillé). Tourterelle des bois. T. turque. Vanneau huppé.

Oiseaux dont le tir peut être autorisé en période d'ouverture de la chasse (art. R. 227-27 du Code rural). Corbeau freux. Corneille noire. Étourneau sansonnet. Geai des chênes. Pie bavarde.

Nota. – Le commerce de tous ces oiseaux est interdit, sauf pour 6 espèces (colvert, étourneau, faisan, perdrix grise et rouge, pigeon ramier).

Animaux protégés en France

Arrêté du 17-4-1981 (J.O. du 19-5-) (art. R. 211-1 et ss. du Code rural), modifié.

• **Mammifères. Sont interdits** (sur le territoire national et en tout temps) : destruction, mutilation, capture ou enlèvement, naturalisation des mammifères de ces espèces non domestiques (vivants ou morts), transport, colportage, utilisation, mise en vente, vente ou achat. *Chiroptères :* chauve-souris. *Insectivores :* desman des Pyrénées, hérisson d'Europe, h. d'Algérie, musaraigne aquatique. *Rongeurs :* écureuil, castor. *Carnivores :* genette, loutre, vison, ours, chat sauvage, lynx d'Europe. *Ongulés :* bouquetin. *Pinnipèdes :* veau marin, phoque gris, phoque moine.

Sont interdits [sur tout le territoire national et en tout temps (art. R. 211-1 et ss. du Code rural)] : mutilation, naturalisation des mammifères de ces espèces non domestiques (vivants ou morts), transport, colportage, utilisation, mise en vente, vente ou achat des spécimens détruits, capturés ou enlevés sur tout le territoire national. *Carnivores :* martre, fouine (mais celui qui la capture peut la naturaliser pour son usage personnel), belette, hermine, putois.

Nota. – Un arrêté du 15-5-1986 modifié fixe la liste en Guyane, et des arrêtés du 17-2-1989, en Guadeloupe, Martinique et Réunion.

• **Oiseaux. Sont interdits** sur tout le territoire et en tout temps : destruction ou enlèvement des œufs et des nids, destruction, mutilation, capture ou enlèvement, naturalisation des oiseaux d'espèces non domestiques suivantes ou, qu'ils soient vivants ou morts, leur transport, leur colportage, leur utilisation, leur mise en vente, leur vente ou leur achat : *Gaviiformes :* plongeons et grèbes. *Procellariiformes :* puffins, fulmars, pétrels. *Pélécaniformes :* fous de Bassan, cormorans. *Ciconiiformes :* hérons, butors, aigrettes, blongios ; cigogne blanche, cigogne noire, ibis falcinelle, spatule blanche, flamant rose. *Ansériformes :* cygnes, oies des neiges, bernaches, tadornes, fuligule nyroca, harles, érismature à tête blanche. *Falconiformes :* accipitridés, falconidés, pandionidés, vulturidés. *Gruiformes :* grue cendrée, marouette, râle des genêts, outardes. *Charadriiformes :* chevalier guignette, bécasseaux (sauf bécasseau maubèche), échasse blanche, avocette, œdicnème criard, glaréoles, courvite. *Lariformes :* labbes, goélands (sauf l'argenté), mouettes (sauf la rieuse), sternes, guifettes. *Alciformes :* petit pingouin, guillemots, mergule nain, macareux moine. *Columbiformes :* ganga cata. *Cuculiformes :* coucous. *Strigiformes :* rapaces nocturnes. *Caprimulgiformes :* engoulevents. *Apodiformes :* martinets. *Coraciiformes :* martin pêcheur, guêpier d'Europe, rollier d'Europe, huppe fasciée. *Piciformes :* pics, torcol familier. *Passériformes :* alouette calandrelle, calandre, cochevis huppé, alouette lulu, hausse-col, hirondelles, pipits, bergeronnettes, pies grièches, jaseur boréal, cincle plongeur, troglodyte mignon, accenteurs, traquets, merle de roche, merle bleu, rouge-queue, rouge-gorge, rossignol philomèle, gorge bleue, merle à plastron, fauvettes, pouillots, hypolaïs, rousserolles et phragmites, locustelles, cisticole des joncs, roitelets, gobe mouches, mésange à moustaches, mésanges, sittelles, tichodrome, grimpereaux, becs croisés, gros bec, verdier, pinsons, tarin, chardonneret, sizerins et linottes, serin cini, venturon montagnard, bouvreuil, bruant proyer, bruant jaune, bruant fou, bruant zizi, moineau friquet, moineau soulcie, niverolle, loriot jaune, casse-noix, crave à bec rouge, chocard à bec jaune, grand corbeau.

Sont interdits (arrêté du 20-12-1983) : l'exportation sous tous régimes douaniers (à l'exception du transit de frontière à frontière sans rupture de charge et du régime de perfectionnement actif) : colportage, mise en vente, vente, achat des spécimens vivants ou morts détruits, capturés ou enlevés sur tout le territoire national, de toutes espèces d'oiseaux non domestiques considérées comme gibier dont la chasse est autorisée (sauf canard colvert, étourneau sansonnet, faisans de chasse, perdrix grise, rouge et pigeon ramier).

Nota. – L'arrêté du 15-5-1986 fixe la liste des oiseaux protégés en Guyane et les arrêtés du 17-2-1989 en Guadeloupe, Martinique et Réunion.

Animaux nuisibles

• Leur destruction est prévue par les art. R. 227-5 du Code rural. Le ministre chargé de la chasse, après avis du CNCFS, établit une liste d'animaux susceptibles d'être classés nuisibles dans les départements. Chaque année, les préfets déterminent les espèces nuisibles localement (après constatation des dégâts ou pour les prévenir), les périodes, formalités et lieux de destruction à tir. *Méthodes autorisées :* toxiques, déterrage, tir, piégeage et oiseaux de chasse en vol. Les préfets peuvent aussi autoriser des battues administratives organisées par le lieutenant de louveterie.

• **Animaux susceptibles d'être classés nuisibles** (arrêté du 30-9-1988, J.O. du 2-10-1988). **Mammifères :** belette, chien viverrin, fouine, lapin de garenne, martre, putois, ragondin, rat musqué, raton laveur, renard, sanglier et vison d'Amérique. **Oiseaux :** corbeau freux, corneille noire, étourneau sansonnet, geai des chênes, pie bavarde, pigeon ramier.

Principaux animaux de la faune sauvage

Alouette des champs. *Poids* 30 g. *Couvée* 6 à 8 œufs (mai à fin juin. 15 j).

Bécasse. *Poids* 300 à 400 g. *Long.* 35 cm. *Accouplement* févr.-mars. *Couvée* 3 à 5 œufs (20 à 23 j). *Nourriture* vers de terre, larves, petits mollusques. *Vient* du Nord de l'Europe début oct., reste env. 6 sem., repart vers le Sud ou l'Ouest (Bretagne) fin nov. Revient en févr.-mars. A la chute du jour, les mâles volent dans les bois en poussant des cris doux, ils *croulent.* En mars, à la croule, mâles et femelles se cherchent. Dep. le 28-2-1980 interdiction définitive de la chasse à la croule. Le tir à la passée est aussi interdit. Des bécasses à bec court ont été signalées assez souvent, ces dernières années (action des pesticides ? mutation ? sous-espèce naissante ?).

Blaireau. *Long.* 90 cm (dont queue 15 cm). *Poids max.* 20 kg. *Rut* janv. à mars. *Implantation de l'œuf* différée 10 mois. *Gestation* proprement dite 2 mois. *Mise bas* fév. *Portée* 2 à 7. *Nourriture* omnivore (racines, fruits, mulots, vers, larves). *Terrier* en terrain boisé, 3 chambres (maire, fosse, accul).

Bouquetin. *Poids* 75 à 110 kg. *Long.* 1,40 à 1,50 m. *Taille* au garrot 65 à 85 cm. *Rut* déc.-janv. *Mise bas* 1 à 2 (mai-juin). Animal protégé. Vit dans les Alpes.

Caille des blés. *Poids* 120-150 g. *Long.* 17 cm. *Vol* court (100 m) à 1 ou 2 m du sol. La nuit en migration, plus de 500 km. *Couvée* 6 à 12 œufs (16 à 21 j). Les petits se dispersent dès 5 semaines.

Canards de surface. Plongent peu ou pas. Plumage plus vif chez le mâle. Bande de couleur *(miroir)* nettement tranchée sur l'aile. S'envolent en bondissant hors de l'eau, sans courir à la surface (sauf le canard siffleur). Nagent la queue hors de l'eau. *Nourriture* surtout végétale. **Principales espèces nichant en France : colvert** [poids 800 à 1 400 g, ponte fin févr. à avril, 10 à 15 œufs (28 j), 2e ponte en mai-juin si la 1re nichée est détruite, petit de 8 semaines sachant voler *(halbran),* mâle *(malard),* femelle *(bourre),* arrive oct. à déc., repart févr.-mars, nourriture (surtout la nuit, graines, plantes aquatiques ou terrestres : céréales, glands, graines, insectes, mollusques, vermisseaux), attiré par plans d'eau peu profonds (30 cm)] ; *sarcelle d'été* (s'envole vers l'Afrique à la fin de l'été, mâle sourcil blanc) ; *d'hiver* (ne nichant pratiquement pas en France, mâle : sourcil vert) ; *chipeau* (surtout en Camargue et Dombes, arrive nov., repart févr.) ; *souchet* (bec en forme de spatule) ; *nette rousse* (Camargue, mâle : tête rousse gonflée, bec rouge ; femelle : tête bicolore, joues blanches) ; *pilet* (mâle : tache blanche au cou, queue d'hirondelle ; femelle : queue pointue ; migrateur printemps-automne) ; *tadorne* de Belon (protégé en France) ; *siffleur ou vingeon* (régions côtières, mâle tête rousse à bande frontale dorée, arrive isolé ou en bande dès oct., repart en mars).

Canards plongeurs ou **fuligules** (de *fuligula* : suie). Plongent et nagent sous l'eau pour chercher leur nourriture, surtout animale (larves, crustacés, mollusques) sauf pour le milouin. S'envolent en courant à la surface de l'eau. Corps trapu. Pattes très en arrière du corps. Tête enfoncée dans les épaules. Palmures très larges. **Principales espèces :** *garrot à œil d'or* (tête mordorée, passage printemps-automne) ; *fuligule milouin* (mâle : tête rousse et dos moucheté, arrive en oct., repart en mars) ; *morillon* (mâle : huppe plaquée sur la nuque, ventre blanc, arrive en oct.) ; *macreuse* (*noire*, mâle : dessus du bec orange, caroncule, envol au ras de l'eau sur 30 m ; *brune*, mâle : bec supérieur orangé, virgule blanche sur l'œil, régions côtières) ; *nyroca* (tête et cou rouge, peu abondant) ; *eider à duvet* (canard édredon ou à duvet, tête noire avec raie blanche, arrive en oct. dans les baies).

Cerf élaphe. *Poids* 100 à 270 kg. *Rut* 20 j fin sept.-mi-oct. *Gestation* 8 mois. *Portée* 1, rarement 2. La femelle met bas à partir de 2 ou 3 ans jusqu'à 12 ou 13 ans. *Faon* jusqu'à 6 mois, *hère* jusqu'à 1 an, *daguet* (2 a., 2 dagues), *2e tête* (3 a., 4 cors et plus), *3e tête* (4 a., 6 cors et plus), *4e tête* (5 a., 8 cors et plus), *10 cors jeunement* (6 a., 10 cors et plus), *10 cors* (7 a., 12 cors), *vieux 10 cors, vieux cerf, grand vieux cerf*. *Bois* tombent de fin févr. à avril et repoussent en 4 ou 5 mois (de 3 à 8 kg en Europe). Le trophée peut valoir jusqu'à 25 000 et même 50 000 F. *Nourriture* en forêt (7 à 12 kg par j d'herbe, bourgeons, feuilles, tiges d'arbustes et d'arbrisseaux, glands, faînes, châtaignes), prairies et champs (céréales). Le *mâle* brame ; ceux de plus de 2 ans vivent seuls ou par petits groupes (sauf à la période du rut). Les *biches* vivent en groupes (hardes) avec les jeunes. Les cerfs Sika, d'Écosse rouge ou d'Espagne, sont plus petits et vivent essentiellement dans les élevages.

Chamois (isard dans les Pyrénées). *Poids* chamois 25 à 40 kg (Carpates 60), isard 30-35. *Long.* 1,25 à 1,40 m. *Taille* au garrot 70 à 85 cm. *Cornes* étui noir poussant sur des chevilles osseuses, ne tombent pas, plus grêles et moins recourbées chez la femelle, poussent fortement jusqu'à 4 ans. *Polygame. Rut* nov. *Gestation* 25 sem. env. *Portée* 1 chevreau, rarement 2 (mai-juin). *Mâle* bouc. *Femelle* chèvre. *Jeune* faon ou chevreau. *Vit* entre 800 et 2 500 m d'alt. en hardes conduites par des femelles, atteignant parfois 50 têtes en nov.

Chat sauvage (chat forestier). *Poids* jusqu'à 8 kg. *Accouplement* mi-janv.-fin fév. *Mise bas* avril-mai (1 à 6 petits). *Nourriture* surtout petits rongeurs. *Rare* en dehors du quart N.-E. de la France. Protégé.

Chevaliers. Oiseau migrateur limicole (recherchant vase et terrain marécageux), bec droit ou légèrement relevé, un peu plus long que la tête, pattes rouges [*ch. gambette* (mer et marais), *arlequin* (eau douce)], vertes [*ch. aboyeur* (mer et marais), *cul-blanc* (eau douce), *guignette* (eau douce), *sylvain* (eau douce)], jaunes [*gambette jeune* (mer et marais), *ch. combattant* (mer)].

Chevreuil. *Poids* 15 à 30 kg. *Bois* tombent fin oct.-début nov., sont repoussés fin janv. et restent en velours (couverts de peaux) jusqu'à mi-avril. *Rut* juill.-août. *Gestation* 9 mois et demi. *Portée* 1re 1 petit, les suivantes 2, rarement 1 ou 3. *Petit* faon, puis à 6 mois, chevrillard, *Mâle* brocard à 1 an. *Femelle* chevrette. Elle peut avoir son 1er petit à 2 ans. *Nourriture* herbe, céréales, bourgeons, feuilles d'arbrisseaux, fruits forestiers, ronces, lierre. *Miroir* (ou rose) tache postérieure en forme de rein ou de haricot (mâle) ou de cœur (femelle). Rusé, se défend au change, voie très légère. Se multiplie en France grâce au plan de chasse.

Coq de bruyère (grand tétras). *Poids* 2 à 5 kg. *Long.* 70-90 cm. *Polygame. Parades nuptiales* fin avril début juin (4 semaines) ; à l'aurore, le mâle, d'abord perché sur une branche, puis à terre, émet des cris en devenant sourd et aveugle quelques secondes. En Europe centrale, on le chasse en profitant de ces instants pour s'approcher de lui (pratique interdite en France). *Couvée* 6 à 9 œufs (25-29 jours). *Vit* entre 500 et 1 800 m d'alt. dans les forêts (Vosges, Jura, Pyrénées). *Nourriture* baies, jeunes herbes, graines, bourgeons et aiguilles de résineux l'hiver. Chasse interdite en Lorraine, Alsace, Fr.-Comté, Rh.-Alpes.

Corbeau freux. 46 cm, aile repliée 28/34, poids 360 à 670 g. Omnivore. Livrée noire avec reflets métalliques. Zône grisâtre dénudée autour du bec chez l'adulte. Les couples s'unissent pour toute leur vie, nichent en colonie (10 à quelques centaines) dans la moitié nord de la France. Grands dortoirs en fin d'automne. L'hiver, peut se rencontrer dans toute la Fr. *Ponte* 3 à 7 œufs, *incubation* 16 à 18 j.

Courlis cendré. *Hauteur* 55 cm. Seul grand échassier dont le tir est permis.

Daim. *Poids* 65 kg. *Hauteur* au garrot 1 m. *Rut* oct.-nov. *Mise bas* 1 ou 2 (fin juill.). *Bois* du mâle jusqu'à 7 kg. *Femelle* daine. *Jeune* faon. En France, presque uniquement en élevage.

Élan. *Poids* 400 kg. *Taille* 2,50 m au garrot. *Rut* sept. *Bois* chute déc. à févr., refaits en juill. *Vit* en forêt marécageuse (Russie, Pologne, Pays du N.).

Faisan commun. *Nom.* Oiseau de Phase, fleuve se jetant dans la mer Noire d'où il est originaire. *Poids* coq 1,5 kg, poule 1 kg. *Reproduction* parade mars à mai. *Couvée* 10 à 16 œufs (23 à 25 j) ; si le 1er nid est détruit, la poule peut recoqueter (5 à 8 œufs). *Vit* 10 ans. Le jeune *faisandeau* prend le plumage adulte à 5 mois, on dit qu'il est *maillé*. *Nourriture* jeune (insectes, larves, œufs de fourmis, vermisseaux, etc.), adulte (surtout graines, fruits, châtaignes, glands, herbes).

Faisan vénéré. Origine Mongolie. *1838* rapporté en G.-B. par Reewes. *Poids* 1 à 2 kg. Exclusivement forestier. *Coq* queue jusqu'à 2 m.

Gélinotte. *Poids* 350 à 450 g. *Long.* 35 cm. *Formation des couples* oct.-nov. *Couvée* 7 à 12 œufs (3 sem.).

Grives. *Pontes* 2 ou 3 par an. *Couvée* 4 à 6 œufs (14 à 16 j). *Espèces en France : draine* (taille d'une tourterelle, dessous de l'aile blanc, grosses taches sur le ventre), *musicienne* (poitrine et flancs avec de petites taches), *mauvis* (dessous des ailes et flancs roux, flancs rayés plus que tachetés), *litorne* ou *tia-tia* (dos châtain, tête et croupion gris-bleu, taches des flancs en V). *Nourriture* baies, fruits (raisin), genièvre, cornouiller...

Grouse (lagopède d'Écosse). *Poids* jusqu'à 200 à 250 g max. *Taille* 60 à 70 cm. *Vit* dans les tourbières *(moors)* à bruyère et airelles (l'été), en plaine (l'automne). Pas acclimatée en France.

Grue cendrée. *Taille* 1,40 m, *envergure* + de 2 m. Cri caractéristique : en coup de trompette dont l'onomatopée est à l'origine du nom de l'espèce. Protégée.

Lagopède des Alpes (perdrix des neiges, ou tétras blanc ou jalabre). *Poids* 400 à 500 g. *Long.* 35 cm. *Monogame. Appariement* printemps. *Ponte* fin mai, 5 à 9 œufs (22-24 j). *Vit* à plus de 2 000 m (Alpes, Pyrénées). *Densité* très faible. Gris l'été, plumage blanc l'hiver.

Lapin de garenne. *Poids* 1 à 2 kg. *Gestation* 30 j. *Portées* 4 à 8 par an, de 4 à 10 petits ; la lapine met bas généralement dans une *rabouillère* (galerie à une seule issue). Les jeunes peuvent se reproduire à leur tour à partir de 6 mois. L'espèce a été décimée à partir de 1952, presque partout, par la myxomatose (transmise par des piqûres de puces et de moustiques, elle sévit surtout l'été). *Vit* 10 ans cantonné sur env. 350 ha. *Nourriture* végétale variée.

Lièvre brun. *Poids* 2 à 5 kg. *Longueur* 55 cm. *Rut (bouquinage)* dès janv. (polygame). La femelle peut être fécondée à nouveau avant d'avoir mis bas. *Gestation* 41 j. *Portées* 2 à 5 par an de 2 à 5 petits. *Naissance* févr. à sept. *Mâle* bouquin. *Femelle* hase. *Vit* 7 à 8 a. *Nourriture* végétale variée. *Petit* levraut. *Voie* légère. Ruse : souvent à l'eau et sur les routes. *Vitesse de pointe* 60 km/h.

Lièvre variable ou blanchon. *Poids* 2,5 kg. Bouquinage dès fin février (le lièvre ne s'accouple pas ; il est polygame). *Portées* 2, de 2 à 4 petits. *Naissance* de mai à septembre. *Pelage* gris cendré (été), blanc (hiver), extrémité des oreilles noires. *Vit* à plus de 1 500 m dans les Alpes.

Loup. *Poids* 35 à 45 kg. *Long.* 1,50 m (queue 40 cm). *Taille* au garrot 75 à 80 cm. *Gestation* 9 sem. (4 à 6 *louveteaux*, qui de 1 à 2 ans sont *louvarts*). A disparu progressivement d'Europe occid. sauf quelques dizaines de têtes en Espagne et en Italie (Abruzzes, Apennin). Les *Louvetiers* (remontent au XIIIe s.). *1814* devenus lieutenants de louveterie, organisent leur destruction, *1882* instituent une prime de 40 à 200 F par animal tué. *Loups tués : 1823* 2 131, *1883* 1 300, *1890* 46, *1897* 189 (surtout Hte-Vienne et Charente), *1910* – de 50, *1923* disparition dans l'Est, *1939* dans le Centre-Ouest (1923-39 : 23 observations connues). *Domaines :* Lozère, Limousin, Angoumois, Haute-Marne, Hte-Saône. Quelques loups signalés en France durant les hivers rigoureux (authenticité douteuse). Dernier tué le 27-12-1987 à Fontan (Alpes-Mar.).

Loutre. *Poids* 7 à 11 kg. *Gestation* 12 sem. *Mise bas* mars (3 ou 4 petits). *Terrier (catiche)* au bord de l'eau. *Nourriture* poisson, grenouilles, rats, oiseaux d'eau. Présente dans les départements côtiers atlantiques, aux confins du Limousin et de l'Auvergne. Rare. Protégée en France. Réintroduite en Suisse et en All. féd.

Lynx. *Taille* au garrot 60 cm (N. de l'Europe) et 50 cm (Espagne, Portugal). *Rut* fin février à début avril. *Gestation* 9 à 10 sem. (2 à 5 petits). *Territoire de chasse* de 7 000 à 50 000 ha (Tchécosl.). Présent dans le Jura, les Pyrénées (rare). Réintroduction en cours dans les Vosges en 1983 et en 1987 (6 venant de Tchécosl.). En 1988, 5 à 6 connus. Protégé.

Marmotte. *Poids* 4 kg, jusqu'à 8 kg pour les vieux mâles. Europe : *accouplement* en mai. *Vit* en famille autour de profonds terriers, passe la mauvaise saison (octobre à avril) en léthargie entrecoupée de courts réveils (1 j par mois pour uriner) ; commune entre 1 500 et 2 500 m dans les Alpes (acclimatation réussie dans les Pyrénées). *Nourriture* herbe. Trapue, pelage gris-roux, queue fournie, incisives supérieures souvent découvertes. Se dresse constamment sur ses pattes pour surveiller ; dès qu'elle entend un bruit suspect, elle lance un sifflement aigu pour avertir ses congénères (quand elle reconnaît un aigle, son sifflement est différent et toute la communauté se réfugie sous terre). Vue très fine. *Territoire :* quelques centaines de mètres autour de son refuge. *Gestation :* 33/34 j. *Portée :* 4 ou 5.

Martre. 500 à 1 600 g. *Accouplement :* de juin à août. *Implantation de l'œuf différée :* 8 mois. *Gestation proprement dite :* 2 mois. *Mise bas :* mars à mai (2 à 7 petits). *Nourriture :* petits rongeurs (écureuils), oiseaux forestiers et leurs œufs, fruits, insectes. Commune dans est de la Fr., plus rare à l'ouest, absente sur le littoral méditerranéen et en Corse.

Merle noir. *Poids* env. 90 g. *Ponte* 2 ou 3 par an en avril-mai et juin. *Couvée* 3 à 6 œufs (12 à 14 j). Le merle à plastron, qui vit en altitude, est protégé.

Mouflon de Corse. *Poids* 25 à 30 kg. *Hauteur* au garrot 70 cm. *Cornes* jusqu'à 85 cm. Ne tombent pas. *Polygame. Rut* nov.-déc. *Naissance* 1 jeune, rarement 2, le plus souvent de mars à mai. *Vit* en harde (Sardaigne, Corse et zones montagneuses de moyenne altitude dans les Alpes, le Puy-de-Dôme, le s. du Massif central et les Pyrénées-Orientales).

Oie sauvage. *Envergure* 1,40 à 1,60 m. *Poids* 5 kg. *Couvée* 5 à 8 œufs (4 sem.). Revient l'hiver (vol triangulaire) en grand nombre si l'hiver est rigoureux. *Nourriture* herbivore. *Plusieurs variétés* (toutes chassables) : o. rieuse (tache blanche au front, pattes orange, barres noires irrégulières sur le ventre), o. des moissons (bec noir et jaune orange, plumes plus sombres), o. cendrée (bec orange, pattes roses, plumes claires, bord de l'aile gris pâle).

Outarde barbue. *Envergure* 1,70 à 2,20 m. *Poids* 4 à 10 kg. Vivant jusqu'au XIXe s. dans les plaines de Champagne et du Poitou ; subsiste uniquement dans quelques régions d'Espagne centrale, et d'Europe centrale et orientale. Protégée en France.

Outarde canepetière (petite outarde). Migratrice. Dans le Midi sept. à nov. Repasse mars-avril. Protégée en France.

Perdrix bartavelle. Ressemble à la perdrix rouge *Vit* entre 1 000 et 3 000 m d'alt. En régression.

Perdrix grise. *Poids* 350 g. *Appariement* févr.-mars. *Ponte* avril-mai. *Couvée* 15 à 22 œufs (23 j). *Mâle* coq ou bourdon. *Femelle* poule ou chanterelle [les petites plumes de l'épaule ont des stries claires transversales (mâle : 1 strie longitudinale)]. *Jeune* pouillard. *Vit* 8 à 10 a. *Nourriture* jeune (insectes, petites proies animales), ensuite s'ajoutent graines et verdure. **En France.** *Aires de répartition :* historique 355 000 km², actuelle 347 000. Densité « normale » 40,6 %, inférieur de 50 % à la normale 33,5 %, de 20 % 25,9. *Couples* 923 500 en 1980. *Reproduction :* pour 100 couples, en moyenne 12,5 œufs par nid, mais comme beaucoup de nids sont détruits, on aura après l'hiver de 160 à 300 perdrix dans l'hypothèse où on ne les chasse pas. *Perdrix d'élevage :* 4 à 6 millions sont lâchées par an. Pour 100 p. lâchées en août, 37 sont encore en vie en novembre si elles n'ont pas été chassées, sinon 14 (23 ayant été tuées par les chasseurs). En août suivant, si elles n'ont pas été chassées, 2 % semblent survivre. *En 1974,* 5 millions de perdrix avaient été tuées (500 000 auraient été lâchées en août). Depuis, le nombre est en régression.

Perdrix rouge. *Poids* 400 à 500 g. *Femelle* très difficile à distinguer. *Appariement* janv.-mars. *Couvée* 8 à 15 œufs jaunâtres piquetés de brun roux (23 j). *Vit* dans le sud de la France et en Espagne.

Pigeon ramier (palombe). *Poids* 450 à 600 g. *Couvées* 2 ou 3/an, mars à août, de 2 œufs couvés par les 2 sexes (15 à 17 j). *Nourriture* graines, fruits (glands), feuilles. *Migrateur. Passage des palombes* à certains cols des Pyrénées (oct.-nov.) ou du Massif central (lors du retour en févr.-mars).

Palombière : abri à terre ou perché sur un arbre (jusqu'à 5 chasseurs). En partent des fils avec lesquels les chasseurs provoquent des battements d'ailes de palombes vivantes (attachées dans les arbres alentour). Ces battements incitent les vols de palombes sauvages qui passent à venir se poser. Dans certains cols pyrénéens, on s'ingénie à rabattre leur vol en les faisant passer sous un filet. En 1986, env. 2 % ont été capturées par les chasseurs.

Poule d'eau. *Poids* 250 à 300 g. *Accouplement* avril-mai. *Couvée* 5 à 10 œufs (22 j).

Râle des genêts. *Couvée* 6 à 10 œufs (21 j). *Vient* d'Afrique début mai, reste jusqu'à fin sept.-oct. Rarissime en France. Protégé.

Renard. *Poids* 5 à 9 kg. *Longueur* 85 à 120 cm (dont 30 à 40 cm de queue), *hauteur* du garrot 30 cm. *Accouplement* janvier à mars. *Gestation* 8 sem. *Portée* 2 à 8. *Mise bas* fin mars à mai. *Vit* 12 à 15 a. Occupe souvent les terriers de blaireaux ou de lapins. *Omnivore* (fruits, racines, levrauts, batraciens, campagnols, volailles). *Voie* très forte mais légère (disparaît vite : s'il prend 15 min d'avance sur les chiens, ceux-ci se perdent et ne peuvent plus rien sentir). Commun dans toute la France. Pose de pièges réglementée. La *« chasse à courre sur drag »* (parcours d'obstacles avec chevaux et chiens effectué à la suite d'un homme traînant une peau de renard à distance) est pratiquée en Angleterre et en Irlande.

Renne. *Poids* jusqu'à 110 kg. *Taille* au garrot 1,20 m. *Bois* (dans les 2 sexes) envergure jusqu'à 1,50 m ; 1 andouiller aplati vers le bas (1 au-dessus palmé jusqu'à 30 pointes). *Rut* juill. à oct. *Vit* en troupeau, plateaux au-dessus de 1 000 m en Scandinavie.

Sanglier. *Poids* 1 an : 25 à 40 kg ; 2 a. : 50-70 ; 3 a. : 80-100 ; 4 a. : 100-120. *Accouplement* oct.-janv. *Gestation* 4 m. *Portée* 1 ou 2 par an de 3 à 10. *Femelle* laie commence à produire v. 18 mois. *Jeunes* marcassins en livrée (blond-roux rayé de noir), à 6 m. *bête rousse* sans rayures, 1 an *bête de compagnie* (noir ou gris), 2 a. et demi *ragot,* 3-4 a. *tiers-an,* 2-3-4 *quartenier,* 4 à 5 *vieux-sanglier, grand sanglier, grand vieux-sanglier* ou *solitaire.* Vers 1 an, les *défenses* (canines inférieures) commencent à poindre, elles s'aiguisent en se frottant contre les canines supérieures *(grès).* Défenses et grès sont appelés *crocs* chez la femelle. Laies et mâles (jusqu'à 2 ans) vivent en compagnies (jusqu'à 20). *Vit* 25 à 30 ans. *Nourriture* omnivore [racines et tubercules (pommes de t.), herbe, céréales, fruits (glands, châtaignes), lapereaux, souris, vers, charognes].

Sarcelles. *Poids* 310 g. *Envergure* 59 à 63 cm. (Voir canards de surface.)

Tétras-lyre (petit coq de bruyère). *Poids* 1 000 à 2 500 g. *Long.* 60 à 65 cm. *Queue* en forme de lyre chez le mâle. *Polygame. Parades nuptiales* à terre, mi-avril à mi-mai (surtout). *Couvée* 6 à 9 œufs (24-28 j). *Vit* entre 1 400 et 2 500 m d'alt. dans les zones de lisière ou de clairière (Alpes du N. et du S.). *Nourriture* baies, jeunes herbes, pousses et bruyère, graines, insectes, vermisseaux.

Tourterelle des bois. Migrateur proche du pigeon (hiver en Afrique, été en Europe). *Couvées* 2 de 2 œufs (mai et juill.).

Jusqu'en 1920, la capture s'effectuait au filet, puis au fusil, et enfin au pylône (mirador en bois). 3 400 pylônes recensés (prix de location : 4 500 à 12 000 F pour la saison). En France, on aurait abattu env. 1,3 million de tourterelles en 1974, 600 000 en 1984. En 1985, chasse uniquement tolérée en Gironde. Le 7-12-1984, le Conseil d'État a cassé les arrêtés ministériels du 24-4-1982 d'Huguette Bouchardeau, min. de l'Environnement, autorisant, dans certaines conditions, pour 1983 et les années suivantes, la chasse à la tourterelle dans l'arrond. de Lesparre (Gironde) et 12 communes de l'arrond. de Bordeaux, au moment du retour de ces oiseaux vers leur lieu de nidification (généralement en mai). Ces arrêtés étaient en contradiction avec la Directive européenne sur la conservation des oiseaux sauvages de 1979. En 1986, tolérance interdite. Le 8-4-1987, la France comparut devant la cour de Luxembourg pour non-application de la directive européenne sur les oiseaux.

Actuellement, on en rencontre en France, mais en moins fortes densités qu'autrefois à cause du déchaumage des terres à blé et de la disparition des haies qui ne favorisent pas son cantonnement.

Accroissement, essentiellement en milieu urbain, de la tourterelle turque originaire d'Asie mineure.

• **Accroissement moyen annuel par femelle** Assez stable chez le grand gibier : cerf de 0,5 à 0,6, chevreuil 0,6 à 0,8, chamois 0,2 à 0,3. Varie selon les conditions météorologiques chez d'autres espèces : sanglier 1 à 4, faisan 2 à 5, lapin 3 à 10, lièvre 2 à 5, perdrix grise 1 à 8, perdrix rouge 1 à 6, canard colvert 2 à 6, etc., de mauvaises conditions aggravant la mortalité des jeunes ou diminuant les ressources alimentaires.

• **Densité de gibier. Grand gibier.** Les densités supportables sont plus fortes dans les forêts feuillues, régulièrement exploitées (nombreuses coupes pour la régénération de la forêt), entrecoupées de clairières ou à contour irrégulier, que dans les forêts résineuses, et particulièrement celles traitées en futaie régulière, ou dans les autres grands massifs insuffisamment exploités. Les densités supportables varient pour chaque espèce, en fonction du sol, de l'essence, du traitement de la forêt, de l'âge des peuplements. Pour 100 ha, cerf : de 0,5 à 5, chevreuil : 3 à 30, chamois : 4 à 15, Mouflon : 1 à 10.

Petit gibier. Les densités dépendent du milieu (type d'agriculture, sol, climat, etc.). Peuvent atteindre en France pour 100 ha : perdrix grise jusqu'à 30 couples, perdrix rouge 20 couples, faisan 50 poules, lièvre 50.

• **Proportion de mâles et de femelles.** Généralement proche de 1 sur 1 à la naissance. Pour les polygames (ex. faisans), une chasse sélective des mâles peut être tolérée dans des limites raisonnables, lorsque l'on souhaite un accroissement rapide de la population. Chez certaines espèces, un des deux sexes peut être plus sensible aux facteurs de mortalité naturelle, ce qui explique les décalages observés.

• **Vitesse moyenne.** En mètres/sec. Bécasse 10-12, caille 10-17, colvert 20-25, faisan 14, lapin 12, lièvre 12, perdreau 13-15, sarcelle 30.

Organisation

• **Au niveau national.** Dépend du *Ministre chargé de la chasse.* Il est assisté par le *Conseil national de la chasse et de la faune sauvage* (CNCFS) créé par décret du 27-4-1972 (art. R 221-1 à 221-7 du Code rural), dont l'avis est consultatif.

• **Au niveau départemental.** La chasse fait partie des attributions des *préfets* assistés pour les décisions techniques des directions départementales de l'agr. et de la forêt. Chacun est assisté d'un *conseil départemental de la chasse et de la faune sauvage* créé par décret du 7-3-1986, art. R 221-27 à 221-37 du Code rural (à Paris, le conseil assiste le préfet de police). Les conseils formulent des avis sur les projets d'arrêtés fixant les périodes d'ouverture de la chasse dont la compétence relève des préfets dep. le décret du 14-3-1986 (art. 224-3 du Code rural).

• **Autres organismes. Office national de la chasse.** *Créé* par décret du 27-4-1972 (art. L 221.1, R 221.8 à 221.23 du Code rural). Établissement public administratif sous tutelle du ministre chargé de l'Environnement. *Missions :* maintenir et améliorer le capital cynégétique, effectuer des recherches, enseignements et réalisations en faveur de la faune sauvage, participer à la police de la chasse, indemniser les dégâts du grand gibier, organiser l'examen du permis de chasser, coordonner l'activité des féd. départementales de chasseurs. Financé par les redevances perçues lors de la validition annuelle du permis de chasser et des licences de chasse des étrangers.

Fédérations départementales des chasseurs. (art. L 221-2 à 221-7 du Code rural). *Créées* 1941. Soumises au contrôle de l'Administration. Établissements privés collaborant à une mission de service public. Regroupent tous les chasseurs du département ayant acquitté leur cotisation et tous les détenteurs d'un droit de chasse ayant adhéré volontairement. Doivent réprimer le braconnage, aménager des réserves, protéger la reproduction du gibier. Les Pts sont nommés pour 3 ans par le min., sur proposition du conseil d'administration. Une Union nationale (UNFDC) les rassemble.

Associations communales de chasse agréées (ACCA). *Créées* par la loi Verdeille du 10-7-1964, qui ne s'applique pas aux départements du Bas-Rhin, Haut-Rhin et Moselle. Englobent les droits de chasse sur les territoires de la commune situés à + de 150 m des maisons, inférieurs à une certaine superficie (20 ha au min. pour plaine et bois ; 100 ha en montagne ; 3 ha pour les marais non asséchés) et non clos. Ces minimums sont, dans certains des départements où une ACCA doit exister dans chaque commune, doublés ou triplés. Les droits de chasse leur sont dévolus, même contre le gré des propriétaires (gratuitement si le propriétaire ne tirait aucun revenu de la chasse, sinon contre indemnité).

Il ne peut y avoir qu'une ACCA par commune. Elle doit mettre en réserve au moins 1/10 de son territoire. Sont membres de droit de l'ACCA à leur demande, lorsqu'ils ont un permis de chasser validé : les apporteurs de droits de chasse (si, ne chassant pas, ils ne sont pas titulaires d'un permis, ils ne paient aucune cotisation) qu'ils aient fait leur apport volontairement ou non, leurs conjoint, ascendants et descendants directs, quel que soit leur nombre, les fermiers ou métayers cultivant une parcelle donnant lieu à leur apport à l'ACCA, les personnes domiciliées dans la commune ou y ayant une résidence pour laquelle elles sont inscrites depuis au moins 4 ans au rôle des Contributions directes.

A l'exception des apporteurs de droits de chasse non chasseurs considérés comme « membres de droit », les adhérents de l'ACCA paient une cotisation selon la catégorie à laquelle ils appartiennent. L'ACCA doit, en outre, accueillir 10 % min. de chasseurs étrangers à la commune (ils paient une cotisation + élevée). Les ACCA bénéficient par rapport aux autres associations de chasse de nombreux avantages (ex. : aide financière de l'Office nat. de la chasse).

Sociétés communales de chasse. Associations loi de 1901. Les chasseurs d'une commune y adhèrent et peuvent chasser sur son territoire.

Groupement d'intérêts cynégétiques (GIC). Associations loi de 1901 regroupant des détenteurs de droits de chasse (Stés communales, ACCA, privés) et destinées à mieux gérer de vastes territoires. Gestion commune, mais chacun continue à ne chasser que chez lui. 10 % des chasseurs.

Groupement national pour la promotion du tir cynégétique et sportif. Association nationale composée des représentants élus des chasseurs, des tireurs, des négociants et fabricants en armes et munitions.

Législation

Droit de chasse

• **Appartenance.** Au propriétaire de la terre. Celui-ci peut céder son droit à un autre (même sans bail).

Fermier et métayer peuvent chasser personnellement sur le fonds loué. Ce droit ne peut être cédé. S'ils ne le désirent pas, ils doivent le dire au bailleur par lettre recommandée avec accusé de réception avant le 1er janvier précédant chaque campagne de chasse. La renonciation doit être renouvelée chaque année.

Il leur est absolument interdit de chasser le « gibier d'élevage », nourri, gardé, protégé, et dont la reproduction est favorisée. Le propriétaire (ou son locataire) peut réglementer, dans une certaine mesure, l'exercice du droit de chasser du fermier (nombre des j de chasse, espèce, sexe ou nombre des pièces de gibier en vue de sa protection et de l'amélioration de la chasse) dans la mesure où il s'impose les mêmes restrictions ; le fermier doit respecter ces restrictions sauf décision contraire du tribunal paritaire (si elles étaient jugées excessives).

Même s'il exerce son droit de chasser, le fermier peut demander au bailleur ou au détenteur du droit de chasse (dans le cas où la responsabilité de ce dernier se trouverait engagée) réparation des dommages causés par le gibier.

Cas particuliers. *Moselle, Bas-Rhin et Ht-Rhin :* le droit de chasse, régi par la loi du 7-2-1881, est administré par la commune pour le compte des propriétaires. Le droit de chasser du fermier ou du métayer n'est pas prévu dans la loi. Pour chaque territoire communal, la chasse est, par voie d'adjudication publique, louée pour 9 ans. Le propriétaire d'un territoire de 25 ha au moins d'un seul tenant (5 ha pour les lacs et les étangs) peut conserver son droit de chasse mais, dans de nombreux cas, il doit alors en payer la valeur à la commune. Les parcelles inférieures à 25 ha sont réunies en lots de 200 ha au moins, mis en location par la commune.

☞ *Il est interdit de chasser :* 1) là où l'on ne possède pas le droit de chasser (dans les communes où existe une A.C.C.A., le chasseur doit se renseigner pour savoir où il peut aller) ; 2) dans les localités, sur les routes et chemins publics et voies de chemins de fer. *Il est interdit de tirer :* 1) en direction des habitations à portée de fusil ; 2) sur les terres portant des récoltes, sauf consentement du propriétaire de celles-ci.

Appartenance du gibier. Un chasseur devient le propriétaire du gibier qu'il a tué. Si le gibier tiré va mourir sur le terrain d'autrui, il peut aller le ramasser mais devra abandonner son fusil et son chien. Le gibier trouvé mort appartient à celui qui l'a trouvé si le chasseur ne le recherche plus. Le gibier *mortellement blessé* appartient au chasseur qui l'a blessé, même si un autre chasseur achève l'animal (à condition que le chasseur ayant blessé l'animal le poursuive) ; *légèrement blessé* (gibier pouvant s'échapper) appartient à celui qui l'attrape et l'achève.

Un gibier pris par un chien devient immédiatement la propriété du maître du chien.

• **Plan de chasse.** *1963* créé pour limiter les prélèvements de grands animaux en voie de disparition. Facultatif. *1979* obligatoire pour le cerf, le chevreuil, le daim et le mouflon. *1985* loi montagne permet d'en instaurer un pour le chamois. *1988* 30-12 loi permettant d'en créer pour d'autres espèces (faisans, lièvres, perdrix, sangliers, etc...). *1989* 31-7 arrêté ministériel : plan obligatoire pour chamois et isard. Le nombre d'animaux des espèces concernées pouvant être prélevés sur un territoire de chasse est fixé chaque année avant l'ouverture par le préfet, sur avis d'une commission comprenant des chasseurs, des forestiers et des agriculteurs. Les détenteurs de droits de chasse reçoivent autant de dispositifs de marquages ou de bracelets que d'animaux auxquels ils ont droit. Un bracelet doit être fixé sur l'animal pris, avant tout transport. A la fermeture, chaque détenteur doit rendre compte de l'exécution de son plan de chasse. La surface pour les attributions de grand gibier varie selon la densité des animaux dans le massif considéré, les possibilités nourricières de ce massif, les risques de dégâts aux cultures environnantes ou aux plantations, l'objectif poursuivi (favoriser une espèce ou la contenir). En 1990, pour le grand gibier, les titulaires d'un plan de chasse ont dû payer (taxe encaissée par l'O.N.C. et destinée à indemniser les agriculteurs ayant subi des dégâts causés par le grand gibier ou les sangliers) : cerf 285 F, daim 142 F, mouflon 98 F et chevreuil 50 F.

Époques de chasse

• **Chasse à courre, à cor et à cri.** Chaque année du 15 sept. au 31 mars, (la **vénerie sous terre** ferme le 15 janv.).

• **Chasse à tir et au vol. Ouverture.** L'article R. 224-4 du Code rural fixe pour toute la France un cadre dans lequel doivent s'inscrire les périodes d'ouverture (varie selon les régions, à cause du climat, et les espèces, à cause des données biologiques). Chaque préfet fixe les périodes d'ouverture pour son département à l'intérieur de ce cadre (art. R. 224-3 du Code rural). Pour le **gibier d'eau,** la date est fixée par le ministre et elle peut être anticipée par rapport à l'ouverture générale (actuellement, dans env. 40 départements, elle ouvre entre le 16 juill. et début sept.). La CEE souhaite qu'elle ouvre lorsque tous les oiseaux sont volants. Quand la chasse au gibier d'eau est seule ouverte, on ne peut chasser que sur les fleuves, rivières, canaux, réservoirs, étangs, lacs et marais non asséchés, et sur le domaine public maritime dans les départements côtiers. Il est interdit de tirer sur les terrains momentanément inondés ou sur un simple ruisseau, et de tirer du gibier d'eau posé en plaine ou volant au-dessus d'elle. Le chasseur doit tirer au-dessus de la nappe d'eau. **Générale.** En général, entre le 1er et le 4e dimanche de septembre. Souvent la chasse au faisan, à la perdrix et au lièvre est retardée ; celle au chevreuil et au cerf, autrement qu'à l'approche, n'ouvre fréquemment qu'un mois plus tard.

Fermeture générale. De la mi-janvier à la fin février selon les départements. Après la période d'ouverture générale, quand elle se termine avant la fin fév., on peut encore dans de nombreux départements chasser le gibier d'eau (colvert jusqu'au 15 fév., d'autres espèces jusqu'a fin fév., sur la zone de chasse maritime, les fleuves, canaux, réservoirs, étangs, lacs et marais non asséchés), la bécasse et autres gibiers de passage (grive, palombe) dans certaines conditions, des espèces classées nuisibles (ex. : sanglier, lapin).

• **Heures de chasse.** La chasse de nuit est interdite (quand l'œil humain ne peut plus discerner les objets ; Bas-Rhin, Haut-Rhin et Moselle, la nuit s'achève et commence 1 h avant et 1 h après l'heure légale du lever et du coucher du soleil).

• **Temps de neige.** Il est interdit de chasser. Le préfet peut toutefois autoriser par temps de neige la chasse au gibier d'eau, l'application du plan de chasse légal, la vénerie, la chasse au sanglier, au lapin, au renard et au pigeon ramier.

Infractions de chasse

• **Permis. Défaut du port :** amende de 30 à 250 F. **Permis non valable pour le temps et le lieu où l'on chasse :** 3 000 à 6 000 F.

• **Chasse sur le terrain d'autrui.** 3 000 à 6 000 F d'amende. S'il touche une maison habitée ou servant à l'habitation et s'il est entouré d'une clôture continue faisant obstacle à toute communication, amende de 180 F à 15 000 F et emprisonnement de 6 j à 3 mois. *Délit commis la nuit* : 360 F à 15 000 F, empris. 3 mois à 2 ans, sans préjudice de plus fortes peines prévues par le Code pénal. Poursuite d'office exercée par le ministère public sur plainte de la partie intéressée quand l'infraction est commise dans un terrain clos attenant à une habitation ou sur des terres non encore dépouillées de leurs fruits.

• **Chasse en temps prohibé ou dans les réserves de chasse.** Amende de 3 000 à 6 000 F et emprisonnement de 10 j à 1 mois : pour ceux qui seront détenteurs, ou trouvés munis, hors de leur domicile, de *filets, engins ou autres instruments de chasse prohibés* par le Code rural et les textes réglementaires ; en un temps de chasse prohibée, auront mis en vente, vendu, acheté ou colporté du gibier ; auront, en toute saison, mis en vente, vendu, acheté, transporté ou colporté, ou même acheté sciemment du gibier tué à l'aide d'engins ou instruments prohibés ; auront employé des drogues ou appâts de nature à enivrer le gibier ou à le détruire ; auront chassé avec appeaux, appelants (dérogation pour la chasse aux oiseaux d'eau) ou chanterelles.

Ces peines pourront être doublées en cas de chasse pendant la nuit sur les terrains d'autrui avec des instruments et moyens prohibés, ou si les chasseurs étaient munis d'une arme apparente ou cachée. Les amendes prononcées pour un acte de chasse effectué dans un lieu, un temps ou au moyen d'engins prohibés subiront une majoration de 50 % au profit du Fonds de garantie. Les peines *seront toujours portées au maximum* lorsque les délits auront été commis par les gardes champêtres, techniciens et agents de l'État et de l'office nat. des forêts, chargés des forêts, et les gardes-chasse maritimes.

• **Peines complémentaires.** Confiscation des filets, engins et autres instruments de chasse, des avions, automobiles ou autres véhicules utilisés pour le délit. Destruction des instruments de chasse prohibés, confiscation des armes *(sauf dans le cas où l'infraction aurait été commise par un individu muni d'un permis de chasser dans le temps où la chasse est autorisée).* Si les armes, filets (sauf dérogation comme pour la chasse au pigeon-ramier dans les Pyrénées), engins, instruments de chasse ou moyens de transport n'ont pas été saisis, le délinquant peut être condamné à les représenter ou à en payer la valeur. Le permis de chasser peut être suspendu par l'autorité judiciaire en cas d'homicide involontaire ou de coups et blessures involontaires survenus à l'occasion d'une action de chasse ou de destruction d'animaux nuisibles. Les tribunaux peuvent priver l'auteur de l'infraction du droit de conserver ou d'obtenir un permis de chasser pour au max. 5 ans en cas de condamnation pour une infraction de chasse, ou pour homicide involontaire, ou pour coups et blessures involontaires survenus à l'occasion d'une action de chasse ou de destruction d'animaux nuisibles. En cas de condamnation pour l'une des infractions de chasse, et lorsque l'infraction aura été commise avec un véhicule à moteur, les tribunaux peuvent suspendre le permis de conduire des auteurs de l'infraction, qu'ils soient ou non conducteurs du véhicule, pour au max. 3 ans.

Permis de chasser

• **Formalités. Examen du permis** (créé par la loi du 14-5-1975, existe dep. 1976). *Age minimal :* 15 ans au 31-3 de l'année de l'examen, mais on ne peut faire valider son permis qu'à partir de 16 ans (on ne peut donc chasser avant cet âge). *Inscription :* remplir imprimé et y apposer les timbres fiscaux acquittant le montant du droit d'examen (50 F) (mairies ; pour Paris, Préfecture de police), l'adresser au préfet de son domicile avant le 31-3 de l'année de l'examen, en joignant : fiche individuelle d'état civil, 2 enveloppes timbrées, attestation de participation à un stage de formation pratique (art. R. 223-3 du Code rural). Si la demande concerne un mineur, elle est formulée par le père, la mère ou le tuteur. *Examen :* pour y prendre part, il faut présenter à l'entrée de la salle d'examen une attestation de participation à un stage de formation pratique (validité 2 ans). Les candidats refusés (env. 25 %) ne peuvent se représenter que l'année suivante. S'il manque un point, et que l'on a correctement répondu à toutes les questions éliminatoires, admission à la session complémentaire suivante de l'année en cours. Pour les Français de l'étranger, session spéciale prévue.

Permis. Délivré individuellement et à titre permanent à la préfecture du domicile (à Paris, Préfecture de police). Fournir certificat de réussite à l'examen, pièce d'identité, justification de domicile et 2 photos d'identité, déclaration au sujet des causes d'incapacité ou d'interdiction pouvant faire obstacle à la délivrance du permis de chasser ; régler un droit de timbre de 122 F.

Visa. Le chasseur doit faire viser et valider annuellement son permis (1er juillet-30 juin) à la mairie de la commune où il est domicilié, réside, est propriétaire foncier ou possède un droit de chasser (à Paris, Préfecture de police). *Présenter :* permis de chasser, attestation d'assurance chasse (pour les mineurs de 16 à 18 ans, autorisation des parents ou tuteur), récépissé de la Fédération départementale des chasseurs du département de validation constatant le versement de la cotisation statutaire pour la campagne de chasse considérée, déclaration au sujet des causes d'incapacité ou d'interdiction pouvant faire obstacle au visa du permis de chasser.

Validation (campagne 1991-92). A la perception (à Paris, à la régie de recettes de la Préf. de police). Validation départementale 209 F, nationale 780 F, redevance cynégétique nationale « gibier d'eau » en complément, permettant la chasse au gibier d'eau pendant la période précédant l'ouverture générale, de la chasse maritime en tout temps d'ouverture 55 F, red. complémentaire permettant le passage de la red. départ. en red. nationale 571 F. Pour une 2e ou une 3e validation départ. demandée simultanément avec la 1re, le timbre au profit de l'État et la taxe communale (48 + 22) seront acquittés 1 seule fois.

• **Incapacités et interdictions.** *Visa non accordé :* – de 16 ans ; mineurs non émancipés de + de 16 ans (demande par leur père, mère ou tuteur) ; majeurs en tutelle, non autorisés à chasser par le juge des tutelles (au tribunal d'instance) ; personnes privées du droit de port d'armes ou qui n'ont pas exécuté les condamnations prononcées contre elles pour infractions de chasse ; condamnés interdits de séjour, atteints d'une affection médicale ou d'une infirmité rendant dangereuse la pratique de la chasse ; alcooliques dangereux ; personnes venant de subir certaines condamnations (art. 223-20 du Code rural). Les condamnés pour infraction de chasse ou pour homicide involontaire ou pour coups et blessures involontaires survenus à l'occasion d'une action de chasse ou de destruction d'animaux nuisibles peuvent être privés, par les tribunaux, du droit de conserver ou d'obtenir un permis de chasser durant 5 ans au max. Obligation dans ce cas de repasser l'examen.

Statistiques

• **Dans le monde. Nombre de chasseurs.** (1989, en milliers). *France 1 721,* Italie 1 500, Espagne 1 050, G.-B. 800, Grèce 300, All. féd. 265, Danemark 170, Portugal 150, Irlande 120, P.-Bas 36, Belgique 28,5, Luxembourg 2,6. **% de chasseurs par rapport à la population.** *France 3,2,* Espagne 2,8, Italie 2,6, Suède 2,6, G.-B. 2, Autriche 1,2, All. féd. 0,4. Belg. 0,3.

• **En France. Nombre de chasseurs** (milliers de permis validés). *1960 :* 1 726. *75 :* 2 210. *80 :* 2 064. *85 :* 1 865. *86 :* 1 830. *87 :* 1 786. *88 :* 1 750. *89 :* 1 721.

Caractéristiques (1985). *Source :* enquête du Comité national d'Information chasse-nature. *Catégorie socio-professionnelle :* agriculteurs 18,3, ouvriers 19,7, retraités 15,8, commerçants et artisans 9,6, cadres moyens 13,1, employés 13,9, professions libérales, cadres supérieurs et industriels 7,2, divers 2,4. *Statut :* propriétaires 52,3, locataires 24,7, actionnaires 15,9, invités 8,6, permissionnaires 6,1. *Régime juridique :* chasse communale 72, privée 15,5, domaniale 3,3, sans réponse 9,2. *Type de permis :* p. départemental 90, national 10. *Gibier préféré :* de bois 62, plaine 53,3, de passage 42,8, d'eau 13, grand gibier 16,7. *Territoire :* plaine 76,5, bois 72,7, zone humide 10,4. *Mode de chasse :* au chien d'arrêt devant soi 61,7, à la billebaude (rencontre) 26,3, en battue 24,6, aux chiens courants 8,5, à la hutte 5,1, en barque 3,3, divers 6,9. *Fréquence de chasse :* env. 1 fois/sem. 47,6, 2 fois/sem. 31,1, + de 2 fois/sem. 13,8, env. 1 fois/mois 4,3, env. tous les 15 j 1,9, autres (semaines bloquées, etc.) 1.

• **Fusils de chasse** (équipement des ménages en %). **Par catégories :** agriculteur 53 ; artisan, commerçant, industriel 29 ; ouvrier 18 ; cadre sup., prof. libérale 17 ; employé 15 ; inactif 14 ; cadre moyen 12. *Ensemble 18.* **Par régions :** Aquitaine, Limousin 34 ; Midi-Pyrénées 31 ; Centre, Poitou-Charentes 27 ; Languedoc-Roussillon, Auvergne 25 ; Picardie 23 ; Provence-Côte d'Azur, Corse 22 ; Basse-Normandie 21 ; Rhône-Alpes 20 ; Champagne-Ardennes 19 ; Bourgogne 18 ; Haute-Normandie, Pays de la Loire, Franche-Comté 17 ; Bretagne 14 ; Nord 12 ; Lorraine 11 ; Ile-de-France 9 ; Alsace 6. *France 18.*

• **Accidents.** Année, nombre d'accidents, tués, blessés. *1976 :* 234 a., 63 t., 183 bl. *80 :* 125 a., 29 t., 96 bl. *81 :* 107 a., 25 t., 79 bl. *82 :* 99 a., 30 t., 67 bl. *83 :* 111 a., 33 t., 75 bl. *84 :* 108 a., 28 t., 78 bl. *85 :* 95 a., 26 t., 67 bl. *87 :* 64 a., 17 t., 47 bl.

Collisions véhicules et grands animaux. Heure des collisions : 54 % entre 5 h et 8 h, et 17 h et 21 h (heure solaire). **Animaux tués :** *1985 :* 3 578 dont chevreuils 2 857 (79,8 %), sangliers 389 (10,9), cerfs 308 (8,6), chamois 2, cerfs sika 2, mouflons 2. *1986 :* 4 500 grands animaux tués.

Dégâts causés par le grand gibier. *Dossiers déposés* auprès de l'Office national de la chasse et des Féd. : (1988). 22 762. *Paiements effectués* (en milliers de F) : 70 582 dont indemnisations 63 028, frais d'exp. 6 459, frais de secrét. 1 093. *Départ. les plus touchés :* Hte-Marne, Marne, Aisne, Côte-d'Or, Yvelines.

Nombre de dossiers et entre parenthèses, **remboursements en millions de F.** *1980 :* 17 596 (36,6), *85 :* 21 223 (63,7), *86 :* 23 447 (70,9), *87 :* 21 499 (65,6), *88 :* 22 762 (70,6).

• **Économie globale de la chasse.** 11,7 milliards de F (1986), 27 500 emplois, 13 000 équivalents emplois bénévoles.

Dépenses annuelles et emplois liés à la chasse (en millions de F, 1986). **Dépenses réglementaires :** *891*, droit d'inscription + timbre fiscal 7,7, validations annuelles du permis 599 (dont État et communes 60, ONC 301, Féd. dép. des chasseurs 238), assurances 252. *Emplois du secteur :* 3 400. **Liées à l'acquisition d'un droit de chasse :** *1 600* (dont sociétaires *416* , sociétaires + actionnaires *448* , actionnaires *480* , locataires *256*). *Emplois du secteur* (éleveurs de gibier, gardes-chasse, divers) : 5 500. **Équipement :** *2 017*. Armurerie 125 000 fusils (*563*), 24 000 carabines (*120*), 405 millions de cartouches (*445*), 2,4 millions de balles (*34*), entretien des armes (*241*), petit matériel (*165*). *Emplois du sous-secteur* 7 200 (dont fabricants d'armes et de munitions 5 750, distribution 1 450). Équipements spécialisés *68* (dont 100 000 cartouchières, 50 000 gibecières, 25 000 couteaux, 12 000 jumelles, 5 000 lunettes de tir, 15 000 appelants-formes) (110 emplois). Vêtements de chasse *387* (dont 275 000 pièces de vêtements, 420 000 paires de bottes, 216 000 paires de chaussures). **Liées aux chiens** (En moyenne, 1,59 chien par chasseur) : *4 370* (dont dépenses de nourriture *3 132* , de soins *477* , d'acquisition *765*). *Emplois du secteur* 8 250. **Exercice de la chasse :** *2 710.* Déplacement moyen par an 806 km (*1 740*), véhicule spécialisé (*210*), hôtellerie (*82*), convivialité (*680*). *Emplois* non significatifs. Voyage de chasse à l'étranger *15. Emplois :* env. 50. **Information et souvenirs :** *199* (dont presse *80*, livres *25*, souvenirs de chasse *87*, cotisations à des associations spécialisées *7*). *Emplois du secteur :* env. 1 000. **Vénerie :** *70. Emplois.* 1 300.

Source : J.-M. Pinet, *l'Économie de la chasse.*

• **Chasse payante.** Prix par jour et par fusil (exemples). *En battues* (12 à 15 fusils) : tableau jusqu'à 150 pièces : 1 200 F à 1500 F ; *devant soi :* chasseur seul 450 F. *Chasse à la bécasse :* 1 chasseur seul 440 F, 2 et + 270 F. *Au sanglier* (en parc, 15 à 16 fusils ; 5 à 6 traques jour) : 1 500 F.

• **Safaris et shikars.** Organisées avec des guides en Afrique (safaris) ou en Inde (shikars). Le tireur paye une taxe d'abattage (exemple en F suivant les pays : éléphant 17 000 en Rép. centrafricaine, 20 000 au Cameroun, élan de Derby 100 000, panthère 100 000, buffle 1 200 en Rép. centr.), n'a droit qu'à un nombre limité d'animaux (souvent une seule pièce pour le gros gibier). En Bulgarie, taxe proportionnelle au nombre d'oiseaux tirés ; ours 25 000 à 200 000. Au Tchad (francs CFA), panthère 250 000, éléphant et lion 200 000.

• **Prix du gibier vivant** (en francs T.T.C., transport gratuit, 1990-91). Gibier de repeuplement. Lièvres d'Europe centrale (repris sauvage) ; couple : *déc.* 1 490, *janv.* 1 670 ; trio : *déc.* 2 900, *janv.* 3 270. Lièvres d'Espagne (repris sauvages) ; couple : *déc.* 1 350, *janv.* 1 500, *févr.* 1 550 ; hase supplémentaire : *déc.* 1 000, *janv.* 1 000, *févr.* 1 000. Lièvres de France (élevage) ; couple : *déc.* 1 200, *janv.* 1 350 ; trio : *déc.* 2 100, *janv.* 2 300. Faisans de France (élevage) pièce *nov.* 70, *déc.* 70, *janv.* 75, *févr.* 80, *mars* 85. Faisans d'Europe centrale (repris sauvages) pièce *déc.* 90, *janv.* 95, *févr.* 100, *mars* 105. Perdrix rouges ou grises (élevage) couple *nov.* 170, *déc.* 170, *janv.* 180, *févr.* 200, *mars* 215. Lapins de garenne croisés (élevage) trio 370. Lapins de garenne purs (de reprise) trio 520.

Jeune gibier (50 % de femelles min., pièce). Levraut 400, lapereau 80, faisandeau 36, perdreau rouge ou gris 38, canard colvert 40.

Gros gibier (couple). Chevreuil 7 500, cerf élaphe 13 500, daim 3 800, mouflon 5 500, bison de Pologne 26 500.

☞ *Source :* France-Gibier. (Importe des pays de l'Est, d'Espagne et du Danemark).

• **Prix de vente du gibier mort au MIN de Rungis** (1982). **A plume** (F/pièce). *Perdreau* français 39,07, importé 30,17. *Faisan* coq 35,46 (importé 28,85) ; poule 30,14 (imp. 25,61). *Perdrix* 27,57. *Canard* sauvage 23,83. **A poil** (F/kg). *Chevreuil* 39,35. *Lièvre* 32,44 (imp. frais 25,26, congelé 13,98). *Daim* 26,23. *Sanglier* petit 25,52, gros 26,32. *Lapin* 18,57 (importé frais 18,36, congelé 10,17).

• **Prélèvement possible par les chasseurs.** Pour 100 animaux vivant à l'ouverture sur un territoire, s'ils désirent en retrouver autant l'année suivante. Cerfs 20, chamois et isards 12, chevreuils 20 à 25, faisans communs 50 (laisser un coq pour 3 ou 4 poules), lièvres 50, perdrix grises 40, perdrix rouges 50, sangliers 50.

• **Tableau de chasse annuel français** (est. 1989, en milliers). 40 000 dont cerfs 10, chamois-isards 6, chevreuils 120, daims 0,25, mouflons 0,75, sangliers 70, lapins 6 300, pigeons, palombes et tourterelles env. 6 000, lièvres 1 600, faisans env. 6 000, perdrix 3 300, canards 2 000, grives 13 000, bécasses 1 300, cailles 64.

• **Importations françaises de gibier vivant.** Nombre de pièces, 1988-89). *Lièvres* 49 064 (dont Hongrie 23 997, Tchécoslovaquie 13 860, Pologne 5 655, Roumanie 2 318, Espagne 3 054, Danemark 180). *Faisans* 34 239 [1] (dont Pologne 23 321 [1], Tchéc. 6 100 [1], Hongrie 4 818 [1]). *Perdrix* 10 450 [1] (du Dan.). *Gros gibier* 118 [1] (dont Dan. 100 [1], Hongrie 15 [1], Belgique 3 [1]).

Nota. – (1) 1985-86.

Montant (en milliers de F, 1985-86). 21 916 dont Hongrie 11 273 (lièvres 18 895), Tchéc. 7 190 (l. 6 746), Pologne 3 452 (l. 2 721).

Origine (1989-90). Hongrie 13 793, Tchécoslovaquie 13 063, Pologne 4 230, Espagne 1 200.

Grands fusils

Lord Grey tua, en 59 ans, près d'un million de pièces, jusqu'à 880 faisans ou 420 grouses en une journée. **Le marquis de Ripon** (Angl. 1852-1923) 556 000 oiseaux ; 245 000 pièces en 55 ans. **Le maharadjah Dhuleep Singh,** 780 perdreaux dans la journée. **Le Cte Clary** (France 1876-1923), 316 160 pièces dont *oiseaux* (y compris oiseaux volant au ras du sol) : faisans 112 543, perdreaux 60 216, oiseaux des marais et de mer 16 876, corbeaux 14 904, grouses 5 881, canards et sarcelles 4 701, alouettes 3 399, rapaces 2 255, pies 2 025, geais 1 913, cailles 1 615, grives 1 574, tourterelles 1 546, bécassines 673, bécasses 618, râles 195, oies sauvages 7, pintades 6, dindons sauvages 4, paons 2, cygne 1, aigle 1 ; *autres :* lapins 48 555, lièvres 16 402, chevreuils 438, cerfs, biches 242, sangliers 156, chats sauvages 122, renards 39, daims 2, loups 2, renne 1. Divers 16 987.

☞ *En Autriche,* chez le Cte Trautmannsdorf, 7 fusils tuèrent en 1 jour (sept. 1887) 1 cerf, 205 lapins, 209 faisans, 1 018 lièvres, 1 612 perdreaux, soit au total 3 045 pièces. *En Nouvelle-Zélande* (où 100 000 cerfs sont tués par an), 2 fusils peuvent tuer 100 cerfs par j. en les traquant en hélicoptère.

Cyclisme

Bicyclette

Origine. 1813 invention de la 1re machine ayant 2 roues en ligne par le baron Drais von Sauerbronn (All., 1785-1851) : *draisienne* propulsée par les jambes s'appuyant alternativement sur le sol. **1861** *pédale* adaptée à la roue avant d'une draisienne par Pierre Michaux (1813-83), invention revendiquée par le Français Galloux (1837). **1866** *1er brevet* de vélocipède à pédale, déposé à Washington par le Français Pierre Lallement. **1868** *1er club cycliste :* Véloces club de Rouen, Paris, Toulouse. *-31-5* **1re course** de vélocipède (2 km) : parc de St-Cloud à Paris ; *vainqueur :* James Moore (Anglais, 1847-1935). **1869** 1er Paris-Rouen. **1880** l'Anglais Starley lance une bicyclette à roue arrière motrice grâce à une *chaîne.* **1881** *1er Championnat de France. Union vélocipédique de France créée.* **1887** l'Écossais John Boyd Dunlop, vétérinaire à Belfast (1840-1921), invente *pneumatique* et valve. **1890** Robertson en G.-B. et Michelin en France le rendent démontable. **1900**-*14-4 Union cycliste internat créée.* **1905** dérailleur de Paul de Vivie [vulgarisé par l'industriel Lucien Juy (1899-1976)]. **1940** l'UVF devient la Fédération fr. de cyclisme. **1983** pédale de sécurité dans laquelle s'encastre la chaussure.

Vélo de course. *Poids* 8,5 à 11 kg (7 pour les records sur piste), en général 36 rayons (Anquetil s'est servi de roues à 24 r.). *Boyaux* 100 à 300 g, gonflés à l'hélium lors de tentatives contre les records. *Braquet* 47 et 51 dents (pédalier), 14 à 18 (roue arrière). *Développement* de 47 × 18 (5,37 m) à 51 × 14 (7,78 m), parfois 56 × 14 (8,74) dans le Bordeaux-Paris. *Diamètre roue* 68 cm.

Développement (D) ou **braquet :** distance parcourue lorsque la pédale a fait un tour complet :

$$D = R \times \frac{P}{p}.$$

R : circonférence de la roue, P : nombre de dents au pédalier, p : au pignon arrière. Ex. : un 51 × 15 (51 dents au plateau, 15 au pignon arrière) a un dév. de 7,26 m :

$$\frac{P\ 51}{p\ 15} \text{ soit } 3,4 \times P\ 2,136 = 7,26\ \mu.$$

En 1979, création d'une bicyclette aérodynamique, « vélo profil ». Permet à 45/50 km/h une réduction de 50 % (soit 100 watts) de la résistance offerte par la machine seule. Utilisation en 1980 dans des épreuves officielles (contre la montre). Dep. 1984, roues lenticulaires, braquets jusqu'à 40 × 23 (Tour de France) et 54 × 12 (contre la montre).

Cadence idéale du grimpeur escaladant une rampe : 48 à 55 tours de pédale/minute.

Vitesse (records en km/h). 79,47, Ralph Therrio (USA)1977. *Sur tricycle aérodyn.* 87,60, Jan Russel et Butch Stanton (USA). *Vélo caréné.* 105,386 Californie, Fred Markham 11-5-1986. *Derrière une voiture de course.* 245,077, John Howard 20-7-1985 à Bonneville (USA) ; record de France : 204,778 à Fribourg (All. féd.), 12-7-1962. José Meiffret (Fr., 1913-83).

Pistes. Composées de 2 lignes droites plates et de 2 virages relevés à 35° au minimum. *Largeur* 5 à 8 m ; *long.* 200 à 500 m. *Pistes en cendrée :* pistes d'athlétisme utilisées par les cyclistes qui ne peuvent, par sécurité, les emprunter fréquemment. *Vélodromes à ciel ouvert* (environ 80 en France) : pistes en ciment ou bois ; de 250 à 500 m. *Vélodromes couverts,* les *« Vel d'Hiv » :* 2 en France : Grenoble 210 m, piste en bois ; le *Palais Omnisports de Paris-Bercy* qui remplace depuis 1984 le P. des Sports de Paris démoli en 1959, 250 m.

Casque rigide. Obligatoire dep. le 1-1-1991 pour toutes compétitions, sauf professionnelles.

Épreuves sur piste

Types d'épreuves sur piste

Course de vitesse. *Sprint* sur 1 000 m (en réalité sur les 200 derniers m, seuls officiellement chronométrés). Les sprinters cherchent à s'abriter derrière l'adversaire le plus longtemps possible pour surgir dans les derniers mètres. Par calcul, ils se livrent à des séances de *surplace* pour contraindre l'adversaire à démarrer le premier. *Champions professionnels les plus titrés :* Koiji Nakano (sprinter japonais), Jeff Scherens (Belge) (7 fois champion du monde de 1932 à 1947), Antonio Maspes (Ital.) (7 fois de 1955 à 1964), Thorwald Ellegaard (Danois) (6 fois de 1901 à 1911), Piet Moeskops (Holl.) (5 f. de 1921 à 1926), Lucien Michard (Fr.) (4 fois de 1927 à 1930). *Champion amateur :* Daniel Morelon (Fr.) (7 f. champion du monde amateur de 1966 à 1975 et champion olympique en 1968 et 1972).

Élimination. Épreuve individuelle. Selon la longueur de la piste, tous les 1, 2 ou 3 tours, le coureur passant le dernier la ligne d'arrivée est éliminé et doit s'arrêter. La victoire se joue entre les 2 derniers coureurs restant en piste.

Course aux points. Lors de sprints disputés à des distances fixées à l'avance (3 à 50 km selon la catégorie), on attribue des points au 1er. Victoire à l'équipe ou au coureur ayant marqué le plus de points.

Handicap. Départs à des distances différentes de la ligne de départ selon la valeur des coureurs pour égaliser les chances. Le plus fort part de la ligne de départ et essaie de rattraper ses adversaires.

Omnium. Individuel ou par équipes en plusieurs manches (2 à 5). Chacune est une épreuve différente choisie parmi les spécialités de la piste.

Course poursuite. Individuelle ou par équipes. L'un des coureurs ou l'une des équipes se place au milieu de la ligne droite de l'arrivée, l'autre coureur ou l'autre équipe se place au milieu de la ligne droite opposée. L'enjeu consiste pour chacun à rejoindre l'autre, ou tout au moins à réduire l'intervalle qui l'en sépare. *Distance habituelle :* amateurs seniors 4 km, juniors 3 km ; professionnels 5 km ; femmes 3 km.

Course de demi-fond. Derrière des motos équipées d'un rouleau réglable à distance pour faire varier la vitesse limite susceptible d'être atteinte par le coureur (appelé *stayer*). La roue avant de la bicyclette est plus petite, sa fourche est retournée vers l'avant. *Stayers Français connus :* Georges Sérès (1884-1951), Grassin, Paillard, Lacquehay, Lambolay, Lesueur, Raynaud, tous champions du monde. Après 1945, l'Espagnol Timoner fut 6 fois champion du monde.

> **Bol d'or**
>
> Épreuve (disparue) courue sur 24 h. Régulièrement remportée jusqu'en 1914 par Léon Georget (qui parcourait jusqu'à 914 km en 24 h). On désigne actuellement par « Bol d'or » toute épreuve d'endurance (quel que soit le sport).

Course à l'américaine. Par équipes de 2 se relayant à volonté. *Distance habituelle :* 25 à 100 km. Les **Six Jours** pouvant être considérés comme une américaine de 144 h (les plus anciens à New York 1899, à Boston 1901, Philadelphie 1902, Pittsburgh 1908) sont régulièrement organisés. *Allemagne* : 7. [Berlin (dep. 1909), Brême (1910), Cologne (1928), Dortmund (1926), Francfort (1911), Munich (1933), Munster (1950)]. *Belgique :* 3. [Anvers (1934), Bruxelles (1912), Gand (1922)]. *France :* Paris [de 1913 à 1958, et depuis 1984 (record 4 467,580 km Goulet [13]-Fogler [17] sur les Français Dupré-Lapize en 1913, jamais amélioré même avec les équipes à 3 hommes)], Lille (1960), Marseille (1928, 30, 32, 33), Nice (1928), Toulouse (1906) et à Grenoble dep. le 25-1-1971 (actuellement, chaque j est limité à 3 ou 4 h de course). Pays-Bas : 2. [Groningen (1970), Rotterdam (1936)]. *Italie : 1.* [Milan (1927)]. *Suisse :* 1 [Zurich (1954)].

Nota. – En Anglais, *Madison Race,* car née au Madison Square Garden de New York.

Principales épreuves sur piste

☞ *Légende.* – (1) Fr. (2) Belg. (3) P.-Bas. (4) Suisse. (5) G.-B. (6) Ital. (7) All. féd. (8) Esp. (9) Lux. (10) Dan. (11) Port. (12) Suède. (13) Australie. (14) Japon. (15) URSS (16) All. dém. (17) USA (18) Tchécoslovaquie. (19) Irlande. (20) Colombie. (21) Pologne. (22) Écosse. (23) Norvège. (24) Autriche. (25) Liechtenstein. (26) Canada. (27) N. Zélande.

Professionnels

• **Championnat du monde. Vitesse.** *Créé* 1895. **78, 79, 80, 81, 82, 83, 84, 85, 86** Nakano [14]. **87** Tawara [14]. **88** Pate [13]. **89** Golinelli [6]. **90** Hubner [16]. **Poursuite sur 5 km.** *Créé* 1939. **78** Braun [7]. **79** Oosterbosch [3]. **80** Doyle [5]. **81, 82** Bondue [1]. **83** Bishop [13]. **84, 85** Oersted [10]. **86** Doyle [5]. **87** Oersted [10]. **88** Piasecki [21]. **89** Sturgess [5]. **90** Ekimov [15] **Sprint.** *Créé* 1980. **80, 81** Clark [13]. **82** Singleton [26]. **83** Freuler [4]. **84** Dill-Bundi [4]. **85** Freuler [4]. **86** Vaarten [2]. **87** Honda [14]. **88, 89** Golinelli [6]. **90 Hubner** [16]. **Course aux points.** *Créé* 1980. **80** Fourne [2]. **81, 82, 83, 84, 85, 86, 87** Freuler [4]. **88** Wyder [4]. **89** Freuler [4]. **90** Biondi [1]. **Demi-fond.** *Créé* 1895. **78** Peffgen [7]. **79** Venix [2]. **80** Peffgen [7]. **81** Kos [3]. **82** Venix [3]. **83** Vicini [6]. **84** Schutz [7]. **85, 86** Vicini [6]. **87** Huerzler [4]. **88** Clarck [13]. **89** Renosto [6]. **90** Brugna [6].

• **Championnat de France. Poursuite 5 km. 78** Bossis. **79, 80** Hosotte. **81, 82, 85, 86** Bondue. **87** Colotti. **88** Marie. **Vitesse. 78, 79** Daniel. **80** Morelon. **81, 82** Castaing. **84** Duclos-Lassalle. **85** Cahard. **86, 87, 88** Da Rocha. **89** Magné. **Demi-fond. 78** Dupontreue. Ne figure plus depuis 1979. **Course aux points. 88** Biondi. **89** Magnien.

• **Six jours de Grenoble. 77** Moser [6]-Pijnen [3]. **78** Sercu [2]-Thurau [7]. **79** Moser [6]-Pijnen [3]. **80** Thevenet [1]-Clark [13]. **81** Sercu [2]-Freuler [4]. **82** Vallet [1]-Frank [10]. **83** Gisiger [4]-Clerc [1]. **84** Vallet [1]-Frank [10]. **85** Tourne [2]-De Wilde [2]. **86** Moser [6]-Doyle [5]. **87** Vallet [1]-Mottet [1]. **88** Mottet [1]-Hermann [25]. **89** Clark [13]-Duclos-Lassalle [1]. **90** Fignon [1]-Biondi [1].

• **Six jours de Paris. 84** Vallet [1]-Frank [10]. **85** Tourné-De Wilde [2]. **86** Vallet [1]-Clark [13]. **87** non disp. **88** Clark [13]-Doyle [5]. **89** Mottet [1]-De Wilde [2].

Amateurs

• **Championnats du monde. Vitesse. Hommes** (*créé* 1893). **78** Tkac [18]. **79** Hesslich [16]. **81, 82** Kopilov [115]. **83, 85** Hesslich [16]. **86** Huebner [16]. **87** Hesslich [16]. **89,90** Huck [16]. **Dames** (*créé* 1958). **78, 79** Tsareva [15]. **80** Novarra-Rebert [17]. **81** Ochowitz [17]. **82, 83, 84** Paraskevin [17]. **85** Nicoloso [1]. **86** Rothenburger [116]. **87, 89** Salumiae [15], **90** Young-Paraskevin [15]

Poursuite. Hommes (*créé* 1946). **4 km. 78** Macha [16]. **79** Makarov [15]. **81, 82** Macha [16]. **83** Koupovets [15]. **85, 86** Ekimov [15]. **87** Umaras [15]. **89** Ekimov [15]. **90** Berz in [15]. **Dames** (*créé* 1958). **3 km. 78, 79** Van Oostan [3]. **80, 81** Kibardina [15]. **82** Twigg [17]. **83** Carpenter [17]. **84, 85** Twigg [17]. **86** Longo [1]. **87** Twigg [17]. **88, 89** Longo [1]. **90** Van Moorsel [3] **Olympique hommes** *(par équipes)* (*créé* 1962). **78, 79, 81** All. dém. **82** U.R.S.S. **83** All. féd. **85** Ital. **86** Tchécosl. **87** U.R.S.S. **89** All. dém. **90** URSS.

Demi-fond (*créé* 1893). **Hommes. 78** Podlesch [77]. **79** Pronk [3]. **80** Mineboo [3]. **81** Pronk [3]. **82** Mineboo [3]. **83** Podlesch [7]. **84** de Nijs [3]. **85** Dotti [6]. **87** Gentili [6]. **88** Colamartino [6]. **89** Konigshoffer [24]. **90** Koenig shofer [24].

Kilomètre (*créé* 1966). **Hommes. 78, 79, 81** Thoms [7]. **82** Schmidtke [7]. **83** Kopilov [15]. **85** Glucklich [16]. **86** Malchow [16]. **87** Vinnicombe [13]. **89** Glucklich [16]. **90** Kiritchenko [15].

Tandem (*créé* 1966). **Hommes. 78** Vackar [18]-Mazal [18]. **79** Cahard [1]-Dépine [1]. **80, 81, 82** Kucirek [18]-Martinek [18]. **83** Vernet-Dépine [1]. **84** Greil-Weber [7]. **85, 86** Rehounek [18]-Voboril [18]. **87, 88, 89** Colas-Magne [1]. **90** Capitano-Paris [6].

Individuels par points. *Créé* 1976. **Hommes. 50 km. 78** De Jonckhare [6]. **79** Slama [18]. **80** Sutton [13]. **81** Haueisen [16]. **82** Pohl [16]. **83** Marcussen [10]. **85** Penc [18]. **86** Frost [10]. **87** Ganecy [15]. **89** Satybaldiev [15]. **90** Mc Glede [24]. **Dames. 30 km. 88** Hodge [5]. **89** Longo [1]. **90** Holliday [22].

Nota. – 1980, 1984, 1988. Certaines épreuves n'ont pas eu lieu en raison des J.O.

Records du monde sur piste

☞ *Légende.* – (40) Milan (Vigorelli). (41) Rome (Vél. Olymp.). (42) Wuppertal-Elberfeld. (43) Montlhéry (piste de vitesse, n'est plus utilisée). (44) Mexico (Centre Sportif Olymp.). (45) Erevan. (46) Irkoutsk. (47) Zurich-Oerlikon (Hallenstadion). (48) Bruxelles (P. des Sports). (49) Paris (Vél. d'Hiv.). (50) Anvers (Sport palais-Merksem). (51) St-Étienne. (52) Berlin-Est (Hal). (53) Avec multiplication de 54 × 15 soit 7,69 m de développement, Anquetil avait parcouru, le 27-9-67, 47,493 km, mais son record n'avait pas été homologué, car il avait refusé le contrôle antidopage. (54) Bassano del Grappa. (55) Brno. (56) Copenhague (Ordrup). (57) Moscou. (58) Tbilissi. (59) Leicester. (60) Munich. (61) Vienne. (62) St-Sébastien. (63) Montréal. (64) Rotterdam. (65) La Paz. (66) Medelin. (67) Colorado Springs. (68) Grenoble. (69) Séoul. (70) Stuttgart. (71) Paris-Bercy. (72) Bordeaux.

En plein air

• **Records masculins professionnels. Départ arrêté sans entraîneur. 1 km** 1'5"100 Efrain (Col.) [65] (1986). **5 km** 5'44"700 G. Braun (All.) [65] (12-1-86). **10 km** 11'39"720 F. Moser (It.) [44] (19-1-84). **20 km** 23'21"592 F. Moser (It.) [44] (23-1-84). **100 km** 2 h 14'2"51 Ritter (Dan.) [44] (1971). **1 heure** 51,15135 km F. Moser (It.) [44] (23-1-84) à 2 260 m et 49,801 93 (5-10-86) au niveau de la mer.

Nota. – En 1893, *Henri Desgrange,* établit le 1er record en 35,325 km, avec un vélo de piste de 13 kg 500. 1968, *Ole Ritter* (48,653 km) : 7 kg 110, développement 7 m 69 (54 × 15), manivelles 175 mm, roues à 28 rayons. 1972, *Eddy Merckx :* 5 kg 900, pneus de 90 et 110, dévelop. 7 m 93 (52 × 14), manivelles de 175 mm, roue avant à 28 rayons, arrière à 32. 1984, *Francesco Moser :* 7,4 kg, développement 8,17 m (57 × 15), cadre plongeant, roues à flasques en résine, sans rayons.

Lancé sans entraîneur. 200 m 10"567 (1986) et **1 km** 58"269 (1986) Efrain (Col.) [65]. **500 m** 26"776 (1989) P. Boyer (Fr.) [65].

Arrêté avec entraîneur moto. 100 km 1 h 10'27"42 et **1 heure** 85 067 m : Renato Renosto (It.) (1988).

• **Records masculins amateurs. Arrêté sans entraîneur. 1 km** 1'02"091 M. Malchow (All. dém.) [44] (28-8-86). **4 km** 4'31"160 Umaras (U.R.S.S.) [69]. 18-9-87. **5 km** 5'50"680 H.-H. Oersted [44] (31-10-79). **10 km** 11'54"906 Oersted [44] (31-10-79). **20 km** 24'35"630 **et 1 heure** (en altitude) 48,200 km Oersted (Dan.) [44] (1979). **100 km** 2 h 11'21"43 B. Meister (Sui.) [47] (17-7-86).

Lancé sans entraîneur. 200 m 10"118 M.Hübner (All. dém.) (27-8-86). **500 m** 26"993 O'Reilly (USA) [65] (23-11-85). **1 000 m** 58"510 id. [44] (23-11-85).

Arrêté avec entraîneur. 50 km 35'21"108 (6-5-87), **100 km** 1 h 10'50"940 (6-5-87) et **1 heure** 84 710 m (6-5-87). A. Romanov (URSS).

• **Records féminins amateurs. Arrêté sans entraîneur. 1 km** 1'14"249 E. Saloumiae (URSS) (17-5-84). **3 km** 3'38"190 J. Longo (Fr.) (5-10-89) [44]. **5 km** 6'14"130 J. Longo (Fr.) [44] (27-9-89). **10 km** 12'59"435 (1989) [44], **20 km** 25'59"883 (1989) [44] **et 1 heure** 46 352 m en altitude (1-10-89) [44], 43 587 m au niveau de la mer (30-9-86) J. Longo (Fr.). **100 km** 2 h 28'26" 259 F. Galli (It.) (26-10-87).

Lancé sans entraîneur. 200 m 11"383 I. Gautheron (Fr.) [65] (1986). **500 m** 30"496 E. Saloumiae (URSS) (24-4-88). **1 km** 1'10"463 id. [45] (15-5-84).

Nota. – Les records du monde ne sont pas nécessairement les meilleures performances. Ils doivent en effet être réussis dans des tentatives officielles. Les performances enregistrées dans toutes les autres compétitions, y compris les championnats du monde, ne sont pas prises en considération.

Sur piste couverte

• **Records masculins professionnels. Départ arrêté sans entraîneur. 1 km** 1'04"147. Pate (Austr.) (1989). **5 km** 5'39"316 V. Ekimov (URSS) [57] (1990). **10 km** 11'50"36 (13-5-88), **20 km** 24'12"28 (16-10-87) et **1 heure** 50 359 m (21-5-88) F. Moser (It.).

Lancé sans entraîneur. 200 m 10"099 Adamachvili (U.R.S.S.) (1990) [57]. **500 m** 27"451 Pate (Austr.) (1989). **1 000 m** 1'01"23 P. Sercu (B) [50] (3-2-67).

Arrêté avec entraîneur moto. 100 km 1 h 10'14"363 et **1 heure** F. Rompelberg (P.-Bas) (30-6-86).

• **Records masculins amateurs. Départ arrêté sans entraîneur. 1 km** 1'02"823 Vinnicourbe (Austr.) (1989). **4 km** 4'28"900 Ekimov (URSS) [57] (1986). **5 km** 5'43"514 (1987) [57]. **10 km** 11'31"96 (1989). **20 km** 23'14"553 (1989) **et 1 heure** 49,672 km (1986) V. Ekimov (URSS) [57] . **100 km** 2 h 11'20"478 Loupalenko (URSS) (1989).

Lancé sans entraîneur. 200 m 10"123 (1987) [57] Kouche (URSS). **500 m** 26"649 (1988) et **1 km** 58"364 A. Kiritchenko (URSS) (28-5-88).

Avec entraîneur. 50 km 32'56"746, **100 km** 1 h 05'58"031 et **1 heure** 91 131 m A. Romanov (URSS) (21-2-87).

• **Records féminins amateurs. Départ arrêté sans entraîneur. 1 km** 1'11"976 I. Nicoloso (Fr.) [72] (18-11-90). **3 km** 3'43"490 (1986). **5 km** 6'22"713 (1986) [68]. **10 km** 12'54"260 (1989) [71]. **20 km** 26'58"152 (1986) [68] **et 1 heure** 45 016 m (1989) [57] J. Longo (Fr.). **100 km** 2 h 31'30"430 M. Havik (P.-B.) [64] (19-9-83).

Lancé sans entraîneur. 200 m 11"148 Enioukhina (URSS) (1990) [57]. **500 m** 29"655 (1987) [57] et **1 km** 1'5"232 (1987) [57] E. Saloumiae (URSS).

☞ Voir également :
- l'origine de la bicyclette, p. 1733.
- la liste des principaux coureurs cyclistes, p. 1737.

Épreuves sur route

☞ Voir Jeux olympiques, p. 1801.
Légende : voir p. 1734 a.

Professionnels

Coupe du monde individuelle

Créée 1989. 12 épreuves : Milan-San Remo, Tour de Lombardie, Paris-Roubaix, Paris-Tours, Tour des Flandres, Liège-Bastogne-Liège, Amstel Gold Race (P.-Bas), Gd Prix de la Libération (P.-Bas), San Sebastian (Esp.), Ch. de Zurich, Wincanton Classic (G.-B.), Gd Prix des Amériques (Can.). Les 20 premiers de chaque épreuve marquent de 25 à 1 point. **89.** *Ind.* Kelly [19], 2e Rominger [4], 3e Sorensen [10] ; *par équipes* PDM (P.-Bas), 2e Helvetia (Suisse), 3e Histor Sigma (Belgique). **90.** 13 épreuves (en plus, finale de la Coupe). *Ind.* Bugno [3], *2* Dhaenens [2], *3* Kelly [19] ; *par éq.* PDM, *2* Helvetia , *3* Panasonic. **91.** 13 épreuves (finale au G.P. des nations).

Tour de France

• **Généralités.** **Créé** 1903 par Henri Desgrange, directeur du journal *l'Auto,* (1865-1940) sur une idée de Geo Lefèvre : 6 étapes (2 428 km), 60 participants, 21 arrivants. Les uns concourent pour le classement général, les autres participent aux étapes de leur choix. En 1904, 6 étapes (2 248 km), 88 participants, 27 arrivants ; les 4 premiers, dont Garin, sont disqualifiés ainsi que 8 autres concurrents ; l'épreuve a donné lieu à des incidents et à un attentat. En 1911, Duboc est victime d'un empoisonnement (attentat qui ne sera pas démasqué). En 1975, 1er transbordement en avion (Clermont-Ferrand-Nice). Le 7-7-1982, lors de l'étape Orchies-Fontaine-au-Pire, la course est arrêtée à Denain par des manifestants d'Usinor. En 1988, suppression du prologue (créé 1967). **Départ de l'étranger. 1954** Amsterdam, **1958** Bruxelles, **1965** Cologne, **1973** La Haye, **1975** Charleroi, **1978** Leiden (P.-Bas), **1987** Berlin, **1989** Luxembourg, **1992** Saint-Sébastien. **Équipes. 1903-29** de marque, **1930-61** nationales, **1962-66** de marque, **1967-68** nationales, **dep. 1969** de marque. **Longueur.** *Tour le plus long :* 5 745 km (1926), *les plus courts :* 2 428 km (1903), 2 388 km (1904). **Étapes.** De 6 (1903) à 31 (1937). *La plus longue :* 488 km (Les Sables-d'Ol.-Bayonne, 1919). **Participants** . *Le plus :* 210 (1986), *le moins :* 60 (1903, 1905 et 1934). **Arrivants.** *le plus* 151 (1988) , *le moins* 11 (1919).

• **Vainqueurs depuis l'origine.** **1903** Garin [1] en 94 h 33 mn, 2e Pothier [1] en 97 h 22 mn. **04** Cornet [1]. **05** Trousselier [1]. **06** Pottier [1]. **07, 08** Petit-Breton [1]. **09** Faber [9]. **10** Lapize [1]. **11** Garrigou [1]. **12** Defraye [2]. **13, 14** Thys [2]. **19** Lambot [2]. **20** Thys [2]. **21** Scieur [2]. **22** Lambot [2]. **23** H. Pélissier [1]. **24, 25** Bottecchia [6]. **26** Buysse [2]. **27, 28** Franz [9]. **29** Dewaele [2]. **30** Leducq [1]. **31** Magne [1]. **32** Leducq [1]. **33** Speicher [1]. **34** Magne [1]. **35** R. Maès [2]. **36** S. Maès [2]. **37** Lapébie [1]. **38** Bartali [6]. **39** S. Maès [2]. **47** Robic [1]. **48** Bartali [6]. **49** Coppi [6]. **50** Kubler [4]. **51** Koblet [4]. **52** Coppi [6]. **53, 54, 55** Bobet [1]. **56** Walkowiak [1]. **57** Anquetil [1]. **58** Gaul [9]. **59** Bahamontès [8]. **60** Nencini [6]. **61, 62, 63, 64** Anquetil [1]. **65** Gimondi [6]. **66** Aimar [1]. **67** Pingeon [1]. **68** Jan Janssen [3]. **69** 1er Merckx [2] (24 ans), 2e Pingeon [1] à 17'54". **70** 1er Merckx [2], 2e Zoetemelk [3] à 12'41", 3e Petterson [5]. **71** 1er Merckx [2], en 96 h 45'14", 2e Zoetemelk [3] à 9'51"1, 3e Van Impe [2]. **72** 1er Merckx [2] en 108 h 17'18", 2e Gimondi [6] à 10'41", 3e Poulidor [1] à 11'34". **73** 1er Ocaña [8] en 122 h 25'34", 2e Thévenet [1] à 15'51", 3e Fuente [8]. **74** 1er Merckx [2] en 116 h 16'58", 2e Poulidor à 8'4", 3e Carril [8]. **75** 1er Thévenet [1] en 114 h 35'31", 2e Merckx [2] à 2'47", 3e Van Impe [2] à 5'1". **76** 1er Van Impe [2] en 116 h 22'23", 2e Zoetemelk [3] à 4'14", 3e Poulidor [1] à 12'08". **77** 1er Thévenet [1] en 115 h 38'30", 2e Kuiper à 48", 3e Van Impe [2] à 3'32". **78** 1er Hinault [1] en 108 h 18', 2e Zoetemelk [3] à 3'56", 3e Agostinho [11] à 6'54". **79** 1er Hinault [1] en 103 h 6'50", 2e Zoetemelk [3] à 3'7", 3e Agostinho [11] à 26'53", **80** 1er Zoetemelk [3] en 109 h 19'14", 2e Kuiper [3] à 6'55", 3e Martin [1] à 7'56". **81** 1er Hinault [1] en 96 h 19'38", 2e Van Impe [2] à 14'34", 3e Alban [1] à 17'4". **82** 1er Hinault en 92 h 8'46", 2e Zoetemelk à 6'21", 3e Van de Velde à 8'59" **83** 1er Fignon en 105 h 7'52", 2e Arroyo à 4'04", 3e Winnen à 4'09". **84** 1er Fignon en 112 h 3'40", 2e Hinault à 10'32", 3e LeMond à 11'45". **85** 1er Hinault, 2e LeMond à 1'42", 3e Roche à 4'29". **86** 1er LeMond, 2e Hinault à 3'10", 3e Zimmermann à 10'54". **87** 1er Roche [19] en 115 h 27'42", 2e Delgado [8] à 40", 3e Bernard [1] à 2'13". **88** 1er Delgado [8] en 84 h 27'53", 2e Rooks [3] à 7'13", 3e Parra [20] à 9'58". **89** 1er LeMond [12] en 87 h 38'35", 2e Fignon [1] à 8", 3e Delgado [8] à 3'34". **90** 1er LeMond [12] en 90 h 43" 20, 2e Chiapucci à 2'16", 3e Breukink à 2'29". **91** [3 940 km, 22 étapes, 2 transports (avion : St-Herblain-Pau 17-7 ; TGV : Mâcon-Melun 28-7), 22 équipes, 198 coureurs]. 1er Indurain [8] en 101 h 1'20", 2e Bugno [6] à 3'36", 3e Chiapucci [6] à 5'56".

Jacques Anquetil. (8-1-1934 à Mont-St-Aignan-18-11-1987). De 1951 à 69, il a gagné *9 fois* le Grand Prix des Nations (53, 54, 55, 56, 57, 58, 61, 65, 66), *5* Tour de France (57, 61, 62, 63, 64) et Paris-Nice (57, 61, 63, 65, 66), *4* Critérium national (61, 63, 65, 67), et Critérium des As (59, 60, 63, 65), *3* Champ. de poursuite pro. (55, 56, 57), *2* 4 j. de Dunkerque (58, 59), Tour d'Italie (60, 64) et Dauphiné libéré (63, 65), *1* Champ. de Fr. amateur sur route (52), Tour de Catalogne (57), T. d'Espagne (63), Liège-Bastogne-Liège (66), Bordeaux-Paris (65), Gand-Wevelgem (64), T. de Sardaigne (66), T. des Pays basques (69) et record du monde de l'heure (56).

Eddy Merckx. (17-6-1945 à Meensel-Kiezegem, Belgique). Gagne 525 courses et toutes les classiques, sauf Paris-Tours (devenu Tours-Versailles) et Bordeaux-Paris. Il a gagné *7 fois* Milan-San Remo (66, 67, 69, 71, 72, 75, 76) et le Super Prestige (69 à 75), *5* Tour de France (69, 70, 71, 72, 74 ; record de victoires d'étape 34 et de port de maillot jaune 96 j.), Tour d'Italie (68, 70, 72, 73, 74) et Liège-Bastogne-Liège (69, 71, 72, 73, 75), *4* champion. du monde sur route (amateur 64 et prof. 67, 71, 74) et Tour de Sardaigne (68, 71, 73, 75), *3 fois* Paris-Nice (69, 70, 71), Paris-Roubaix (68, 70, 73) et la Flèche wallonne (67, 70, 72), *2* Tour de Belgique (70, 71), T. de Lombardie (71, 72), Het Volk (71, 73) T. des Flandres (69, 75), *1* Tour d'Espagne (73), T. de Suisse (74) et Paris-Bruxelles (73), et record de l'heure (72).

Bernard Hinault. (14-11-1954 à Yffiniac). Professionnel en 1975. *Principaux succès* : **1975 :** t. de la Sarthe, Ch. de France de poursuite. **76 :** t. d'Indre-et-Loire, t. de l'Aude, Paris-Camembert, tour du Limousin, ch. de France de poursuite. **77 :** Gand-Welvegem, Liège-Bastogne-Liège, Grand Prix des Nations, Critérium du Dauphiné, T. du Limousin. **78 :** Champ. de France, t. d'Espagne, t. de France, Critérium Nat., Grand Prix des Nations. **79 :** Flèche wallonne, Critérium du Dauphiné, t. de France, Gd Prix des Nations, t. de Lombardie, lauréat du Trophée Super-Prestige, T. de l'Oise, Circuit de l'Indre. **80 :** Ch. du monde, t. d'Italie, t. de Romandie, Liège-Bastogne-Liège, lauréat du Trophée Super-Prestige. **81 :** Amstel Gold Race, Paris-Roubaix, Critérium du Dauphiné, t. de France, lauréat du Trophée Super-Prestige, Critérium Internat. de la route. **82 :** t. de Corse, t. d'Armor, t. d'Italie, t. du Luxembourg, t. de France, Gd Prix des Nations, Critérium des as. **83 :** Flèche wallonne, T. d'Espagne. **84 :** Gd Prix des Nations, t. de Lombardie, 4 J. de Dunkerque. **85 :** t. d'Italie, t. de France. **86 :** t. du Colorado (Coors Classic).

Age. *Les plus âgés :* Firmin Lambot (36 ans et 4 mois en 1922). Henri Pélissier (34 ans et 5 mois en 1923). Gino Bartali (34 ans en 1948), seul coureur qui ait gagné le Tour à 10 ans d'intervalle, *Le plus jeune :* Henri Cornet (19 ans et 354 j en 1904). Sur 51 vainqueurs en 1975, 17 avaient 30 ans ou plus ; 24 de 25 à 29 ; 10 de 20 à 24.

Ayant gagné. 5 fois le tour : Anquetil (1957, 61, 62, 63, 64), Merckx (1969, 70, 71, 72, 74). Hinault (1978, 79, 81, 82, 85). **3 fois :** Thys (1913, 14, 20), Bobet (1953, 54, 55), LeMond (1986, 89, 90), Longo (87, 88, 89).

5 coureurs ont gagné la même année les tours d'Italie et de France : Coppi, Anquetil, Merckx, Hinault, Roche. Seul Hinault a gagné la même année les tours d'Italie et de France et le Grand Prix des Nations (contre la montre). **Ayant porté le maillot jaune durant tout le tour.** Bottecchia (1924), Franz (1928), Maès (1935), Anquetil (1961), J. Longo (1988). **1re place de bout en bout.** Garin (1903), Trousselier (1905), Garrigou (1911), Thys (1914), avant la création du Maillot jaune le 19-7-1919 (de la couleur du journal *l'Auto,* organisateur jusqu'en 1939 ; Eugène Christophe, 1885-1970, fut le 1er à le porter). **Ne l'ont jamais porté** . Robic (1947) et Janssen (1968).

Moyenne horaire. *La plus faible :* 23,958 km/h (Bottecchia 1924) ; *la plus forte :* 38,909 km/h (Delgado 1988).

Nationalité. Sur 78 épreuves en 1991 : 36 victoires françaises, 18 belges, 8 ital., 4 luxemb., 4 espagnoles, 2 suisses, 2 hollandaises, 3 américaines, 1 irlandaise.

• **Seconds. 6 fois,** Zoetemelk [3] (1970, 71, 76, 78, 79, 82). **3 fois :** Garrigou [1] (1907, 09, 13) ; Poulidor [1] (1964, 65, 74). **Écarts entre le 1er et le 2e :** *Le plus grand* 2 h 49' en 1903 ; *les plus petits :* 8" en 1989 (Le Mond-Fignon), 38" en 1968 (Janssen-Van Springel), 40" en 1987 (Roche-Delgado), 48" en 1977 (Thévenet-Kuiper), 55" en 1964 (Anquetil-Poulidor).

• **Grand prix de la montagne.** *Créé* 1933. **Meilleurs grimpeurs.** 1933 Vincente Trueba [8]. **34** René Vietto [1]. **35** Félicien Vervaecke [2]. **36** Julian Berrendero [8]. **37** Vervaecke [2]. **38** Gino Bartali [6]. **39** Sylvère Maes [2]. **47** Pierre Brambilla [6]. **48** G. Bartali [6]. **49** Fausto Coppi [6]. **50** Louison Bobet [1]. **51** Raphaël Geminiani [1]. **52** F. Coppi [6]. **53** Jésus Lorono [8]. **54** Federico Bahamontes [8]. **55, 56** Charly Gaul [9]. **57** Gastone Nencini [6]. **58, 59** F. Bahamontes [8]. **60, 61** Imerio Massignan [6]. **62, 63, 64** F. Bahamontes [8]. **65, 66, 67** Julio Jiménez [8]. **68** Aurelio Gonzáles [8]. **69, 70** Eddy Merckx [2]. **71, 72** Lucien Van Impe [2]. **73** Pedro Torres . **74** Domingo Perurena [8]. **75** L. Van Impe [2]. **76** G. Bellini [6]. **77** L. Van Impe [2]. **78** M. Martinez [1]. **79** G. Battaglin [6]. **80** R. Martin [1]. **81** L. Van Impe [2]. **82** B. Vallet [1]. **83** L. Van Impe [2]. **84** R. Millar [5]. **85** L. Herrera. **86** B. Hinault. **87** L. Herrera. **88** S. Rooks. **89** G.-J. Theunisse [3]. **90** Thierry Claveyrolat [1]. **91** Claudio Chiapucci [6]. Sur 77 épreuves, Federico Bahamontes et Lucien Van Impe 6 fois *roi de la montagne,* Julio Jimenez 3 fois. Pour l'Espagne 15 victoires, Belgique 11, Italie 10, France 8, Colombie, Hollande 2, G.-B. 1, Lux. 1.

Tour de France, dames

Créé 1984. **1984** Marianne Martin [17]. **85** Maria Canins [6], *2* Longo [1], *3* Odin [1]. **86** Canins [6], *2* Longo [1], Thompson. **87** Longo [1] en 27 h 33'36", *2* Canins [6] à 2'52", 3e Enznauer [7] à 12'14". **88** Longo [1] en 22 h 41'38". *2* Canins [6] à 1'20", *3* Hepple [13] à 13'4". **89** *Longo [1] en 21 h 59'38"*, *2* Canins [6] à 8'44". *3* Thompson [12] à 12'24". **90** remplacé par le **Tour de la CEE.** Marsal[1].

Championnat du monde sur route

Créé 1927. **1971** (Mendrisio) Merckx [2]. **72** (Gap) Basso [6]. **73** (Barcelone) Gimondi [6]. **74** (Montréal) Merckx [2]. **75** (Yvoïr) Kuiper [3]. **76** (Ostuni) Maertens [2]. **77** (San Cristóbal). Moser [6]. **78** (Nürburgring) Gerrie Knetemann [3]. **79** (Valkenburg) Jan Raas [3]. **80** (Sallanches) Bernard Hinault [1]. **81** (Prague) Freddy Maertens [2]. **82** (Goodwood) Giuseppe Saronni [6]. **83** (St-Gall) Greg LeMond [17]. **84** (Barcelone) Claude Criquelion [2]. **85** (Montello) Joop Zoetemelk [3]. **86** (Colorado Springs) Argentin [6]. **87** (Villach) Roche [19]. **88** (Renaix) Fondriest [6]. **89** (Chambéry) LeMond [17]. **90** (Utsunomina) Dahenens [4].

Championnats de France sur route

Créés 1907. **70** Gutty, **71** Hezard, **72** Berland, **73** Thévenet, **74** Talbourdet, **75** Ovion, **76** Sibille, **77** Tinazzi, **78** Hinault, **79** Berland, **80** Villemiane, **81** Beucherie, **82** Clère, **83** Gomez, **84** Fignon, **85** Leclercq, **86** Y. Madiot, **87** M. Madiot, **88, 89** Caritoux, **90** Louviot.

Tour de l'Avenir

Créé 1961 par Jacques Goddet et Félix Lévitan ; réservé aux amateurs, couru par équipes nationales. 1961-80 open, dep. 1981 amateurs. Devenu le **Tour de la communauté européenne** en 1987. *Durée :* 15 j. Parcours plus court que celui du Tour de France.

Vainqueurs. 61 De Rosso [6]. **62** Gómez del Moral [8]. **63** Zimmermann [1]. **64** Gimondi [6]. **65** Díaz [8]. **66** Denti [6]. **67** Robini [1]. **68** Boulard [1]. **69** Zoetemelk [3]. **70** non disp. **71** Régis Ovion [1]. **72** Fedor Den Hertog [4]. **73** Giambattista Baronchelli [6]. **74** Henrique Martinez [8]. **75** non disp. **76** Sven Nilsson [12]. **77** Eddy Schepers [2]. **78, 79** Sergei Soukhoroutchenkov. **80** Alfonso Florez [20]. **81** Pascal Simon [1]. **82** Greg LeMond [17]. **83** Olaf Ludwig [16]. **84** Charly Mottet [1]. **85** Martin Ramirez [20]. **86** Miguel Indurian [8]. **87** Marc Madiot [1]. **88** Laurent Fignon [1]. **89** Pascal Lino [1]. **90** Johan Bruyneel [2]. **91** non disp.

Autres grandes épreuves

Épreuves par étapes

Tour d'Italie (Giro). *Créé* 1909. **70** Merckx [2]. **71** Petterson [12]. **72, 73, 74** Merckx [2]. **75** Bertoglio [6]. **76** Gimondi [6]. **77** Pollentier [2]. **78** De Muynck [2]. **79** Saronni [6]. **80** Hinault [1]. **81** Battaglin [6]. **82** Hinault [1]. **83** Saronni [6]. **84** Moser [6]. **85** Hinault [1]. **86** Visentini [6]. **87** Roche [19]. **88** Hampsten [17]. **89** Fignon [1]. **90** Bugno [6]. **91** Chiccioli[6]. *Record* 37,488 km/h (Nencini 1957).

Tour d'Espagne (Vuelta). *Créé* 1935. **70** Ocaña [8]. **71** Bracke [2]. **72** Fuente [8]. **73** Merckx [2]. **74** Fuente [8]. **75** Tamames [8]. **76** Pesarrodona [8]. **77** Maertens [2]. **78** Hinault [1]. **79** Zoetemelk [3]. **80** Ruperez [6]. **81** Battaglin [6]. **82** Lejarreta [8]. **83** Hinault [1]. **84** Caritoux. **85** Delgado [8]. **86** Pino [8]. **87** Herrera [20]. **88** Kelly [19]. **89** Delgado [8]. **90** Marco [6]. **91** Mauri [8]. *Record* 2 921 km à 39,843 km/h (Pingeon 1969).

Tour de Belgique. *Créé* 1908. **70, 71** Merckx [2]. **72** Swerts [2]. **73** Mortensen [10]. **74** Swerts [2] (record : 39,535 km/h). **75** Maertens [2]. **76** Pollentier [2]. **77** Planckaert [2]. **78** Dierickx [2]. **79** Willems [2]. **80** Knetemann [3]. **81** Wijnands [3]. **82** annulé. **86** Emonds [2]. **88** Maassen [3]. **89** Yates [5]. **90** Maassen [3].

Tour de Suisse. *Créé* 1933. **69** Adorni [6]. **70** Poggiali [6] (*record :* 1 634 km à 37,228 km/h). **71** Pintens [2]. **72** Pfenninger [4]. **73** Fuente [8]. **74** Merckx [2]. **75** De Vlaeminck [2]. **76** Kuiper [3]. **77** Pollentier [2]. **78** Wellens [2]. **79** Wesemael [2]. **80** Beccia [6]. **81** Breu **82** Saronni [6]. **83** Kelly [19]. **84** Zimmermann [4]. **85** Anderson [13]. **86, 87** Hampsten [12]. **88** Wechselberger [24]. **89** Breu [4]. **90** Kelly [19]. **91** Roosen [2].

Paris-Nice. *Créé* 1933. **69, 70, 71** Merckx [2]. **72, 73** Poulidor [1]. **74, 75** Zoetemelk [3]. **76** Laurent [1]. **77** Maertens [2]. **78** Knetemann [3]. **79** Zoetemelk [3]. **80** Duclos-Lassalle [1]. **81** Roche [19]. **82 à 88** Kelly [19]. **89, 90** Indurain [8]. **91** Rominger [4].

Critérium du Dauphiné libéré. *Créé* 1947. **70** Ocaña [8]. **71** Merckx [2]. **72, 73** Ocaña [8]. **74** Santy [1]. **75, 76** Thévenet [1]. **77** Hinault [1]. **78** Pollentier [2]. **79** Hinault [1]. **80** Van de Velde [1]. **81** Hinault [1]. **82** Laurent [1]. **83** Simon [1]. **84** Ramirez [20]. **85** Anderson [13]. **86** Zimmermann [4]. **87** Mottet [1]. **88** Herrera [16]. **89** Mottet [1]. **90** Millar [5]. **91** Herrera [20].

Midi-Libre. *Créé* 1949. **70** Ricci [1]. **71** Merckx [2]. **72** Guimard [1]. **73** Poulidor [1]. **74** Danguillaume [1]. **75** Moser [6]. **76** Meslet [1]. **77** Panizza [6]. **78** Bertolotto [6]. **79** Saronni [6]. **80, 81, 82, 83** Bernaudeau [1]. **84** Garde [1]. **85** Contini [6]. **86** Criquielion [2]. **87** P. Esnault [1]. **88** Criquielion [2]. **89** Simon [1]. **90** Rué [1]. **91** Duclos-Lassale [1].

Autres courses. **Quatre Jours de Dunkerque.** *Créés* 1955. **83** Van Vliet [2]. **84** Hinault [1]. **85** Vandenbroucke [2]. **86** De Wolf [2]. **87** Frison [2]. **88** Poisson [1]. **89** Mottet [1]. **90** Roche [19]. **91** Mottet [1]. **Tour de Luxembourg. 82** Hinault [1]. **83** Didier [9]. **84** Lavaine [1]. **85** Teun Van Vliet [3]. **86** Rooks [3]. **87** Lilholt [10]. **88** Pelier [1]. **89** Cornelise [3]. **90** Lavaine [1]. **91** Theunisse [3]. **Tour de Romandie (Suisse). 81** Prim [12]. **82** Wilmann [23]. **83, 84** Roche [19]. **85** Muller [4]. **86** Criquielion [2]. **87** Roche [19]. **88** Veldscholten [3]. **89** Anderson [13]. **90** Mottet [1]. **91** Rominger [4]. **Tour de Catalogne. 80** Van de Velde [3]. **81** Rupierez [8]. **82** Fernández [8]. **83** Recio [8]. **84** Kelly [19]. **85** Millar [22]. **86** Kelly [19]. **87** Pino [8]. **88** Indurain [8]. **89** Lejaretta [8]. **90** Cubino [8].

Épreuves en lignes

Amstel Gold Race. *Créé* 1966. **66** Stablinski [1]. **67** Den Hartog [3] (*record* : 43,711 km/h). **68** Steevens [3]. **69** Reybrouck [2]. **70** Pintens [2]. **71** Verbeeck [2]. **72** Planckaert [2]. **73** Merckx [2]. **74** Knetemann [3]. **75** Merckx [2]. **76** Maertens [2]. **77, 78, 79, 80** Raas [3]. **81** Hinault [1]. **82** Raas [3]. **83** Anderson [13]. **84** Hanegraaf [3]. **85** Knetenann [3]. **86** Rooks [3]. **87** Zoetemelk [7]. **88** Nijdam [3]. **89** Van Lancker [2]. **90** Van der Poel [3]. **91** Maassen [3].

Paris-Brest-Paris. Couru en **1891** (Terront, 1 200 km à 16,814 km/h), **1901** (Garin, 22,995), **1911** (Georget, 23,893), **1921** (Mottiat [2], 21,771), **1931** (Opperman [13], 24,121), **1948** (Hendrickx [2], 28,405), **1951** (Diot, 1 182 km à 30,362 km/h).

Paris-Roubaix. *Créé* 1896. **70** Merckx [2]. **71** Rosiers [2]. **72** De Vlaeminck [2]. **73** Merckx [2]. **74, 75** De Vlaeminck [2]. **76** De Meyer [2]. **77** De Vlaeminck [2]. **78, 79, 80** Moser [6]. **81** Hinault [1]. **82** Raas [3]. **83** Kuiper [3]. **84** Kelly [19]. **85** Madiot [1]. **86** Kelly [19]. **87** Vanderaerden [2]. **88** De Mol [2]. **89** Wampers [2]. **90** Planckaert [2]. **91** Madiot [1]. *Record* 45,129 km/h (Post 1964).

Paris-Tours, *créé* 1896, devenu Blois-Chaville en 1974 (Grand Prix d'Automne), puis Créteil-Chaville en 1985, et de nouveau Paris-Tours en 1988. **70** Tschan [7]. **71** Van Linden [2]. **72** Van Tyghem [2]. **73** Van Linden [2]. **74** Karstens [2], déclassé pour dopage, 1eR Moser [6]. **75** Maertens [2]. **76** De Witte [2]. **77** Zoetemelk [3]. **78** Raas [3]. **79** Zoetemelk [3]. **80** Willems [2]. **81** Raas [3]. **82** Vandenbroucke [2]. **83** Peeters [2]. **84** Kelly [19]. **85** Peeters [2]. **86** Anderson [13]. **87** Van der Poel [3]. **88** Pieters [3]. **89** Nijdam [3]. **90** Sorensen [13]. *Parcours* 234 à 347 km. *Record* 45,029 km/h (Karstens 1965).

Paris-Bruxelles. *Créé* 1893. **73** Merckx [2]. **74** Demeyer [2]. **75** Maertens [2] (*record* : 46,988 km/h). **76** Gimondi [6]. **77** Peeters [2]. **78** Raas [3]. **79** Peeters [3]. **80** Gavazzi [6]. **81** De Vlaeminck [2]. **82** Hanegraaf [3]. **83** Prim [12]. **84** Vanderaerden [2]. **85** Van der Poel [3]. **86** Bontempi [6]. **87** Arras [2]. **88** Golz [7]. **89** Nijdam [3]. **90** Ballerini [6].

Tour des Flandres. *Créé* 1913. **70** Leman [2]. **71** Dolman [1]. **72, 73** Leman [2]. **74** Bal [3]. **75** Merckx [2]. **76** Planckaert [2]. **77** De Vlaeminck [2]. **78** Godefroot [2]. **79** Raas [3]. **80** Pollentier [2]. **81** Kuiper [3]. **82** Maertens [2]. **83** Raas [3]. **84** Lammerts [3]. **85** Vanderaerden [2]. **86** Van der Poel [3]. **87** Criquielion [2]. **88** Plankaert [2]. **89** Van Hooydonck [2]. **90** Argentin [6]. **91** Van Hooydonck [2]. *Record* 268 km à 43,225 km/h (Dolman 1971).

Flèche wallonne. *Créée* 1936. **70** Merckx [2]. **71** De Vlaeminck [2]. **72** Merckx [2]. **73** Dierickx [2]. **74** Verbeeck [2]. **75** Dierickx [2]. **76** Zoetemelk [3]. **77** Moser [6]. **78** Laurent [1]. **79** Hinault [1]. **80** Saronni [6]. **81** Willems [2]. **82** Beccia [6]. **83** Hinault [1]. **84** Andersen [10] (*record :* 39,538 km/h). **85** Criquielion [2]. **86** Fignon [1]. **87** Leclercq [1]. **88** Golz [7]. **89** Criquielion [2]. **90, 91** Argentin [6].

Grand prix de Francfort. *Créé* 1962. **62** Desmet [2]. **63** Junkermann [7]. **64** Roman [2]. **65** Stablinski [1]. **66** Hoban [5]. **67** Van Rijckegham [2]. **68** Beugels [3]. **69** Pintens [2]. **70** Altig [7]. **71** Merckx [2]. **72** Bellone [1]. **73** Pintens [2]. **74** Godefroot [2]. **75** Schuiten [3]. **76** Maertens 2. **77** Knetemann [3] (*record :* 41,996 km/h). **78** Braun [7]. **79** Willems [2]. **80** Baronchelli [6]. **81** Jos Jacobs. **82, 83** Peeters [2]. **84, 85** Anderson [13]. **86** Wampers [2]. **87** Lauritzen [23]. **88** Dernies [2]. **89** Wampers [2].

Milan-San-Remo. *Créé* 1907. **70** Dancelli [6]. **71, 72** Merckx [2]. **73** De Vlaeminck [2]. **74** Gimondi [6]. **75, 76** Merckx [2]. **77** Raas [3]. **78, 79** De Vlaeminck [2]. **80** Gavazzi [6]. **81** De Wolf [2]. **82** Gomez [1]. **83** Saronni [6]. **84** Moser [6]. **85** Kuiper [3]. **86** Kelly [19]. **87** Maechler [4]. **88, 89** Fignon [1]. **90** Bugno [6]. **91** Chiapucci [6]. *Record* 288 km à 44,805 km/h (Merckx 1967).

Liège-Bastogne-Liège. *Créé* 1892. **70** De Vlaeminck [2]. **71, 72, 73** Merckx [2]. **74** Pintens [2]. **75** Merckx [2]. **76** Bruyère [2]. **77** Hinault [1]. **78** Bruyère [2]. **79** Thurau [7]. **80** Hinault [1]. **81** Fuchs [4]. **82** Contini [6]. **83** Rooks [3]. **84** Kelly [19]. **85, 86, 87** Argentin [6]. **88** Van der Poel [3]. **89** Kelly [19]. **90** Van Lancker [2]. **91** Argentin [6]. *Record* 236 km à 37,869 km/h (Merckx 1973).

Tour de Lombardie. *Créé* 1905. **70** Bitossi [6]. **71, 72** Merckx [2]. **73** Merckx [2] déclassé, Gimondi [6]. **74** De Vlaeminck [2]. **75** Moser [6]. **76** De Vlaeminck [2]. **77** Baronchelli [6]. **78** Moser [6]. **79,** Hinault [1]. **80** De Wolf [2]. **81** Kuiper [3]. **82** Saronni [6]. **83** Kelly [19]. **84** Hinault [1]. **85** Kelly [19] (*record :* 255 km à 41,208 km/h). **86** Baronchelli [6]. **87** Argentin [6]. **88** Mottet [1]. **89** Rominger [4]. **90** Delion [1].

Boucles de la Seine [1]. *Créées* 1945. **70** Genet. **71** Moneyron. **72** Annulé. **73** Mintkiewicz. *Record* 41,211 km/h (Anastasi 1964). **Dep. 1974** non disp.

Championnat de France sur route [1]. *Créé* 1907. **61** Poulidor. **62, 63, 64** Stablinski. **65** Anglade. **66** Theillière. **67** Letort (déclassé). **68** Aimar. **69** Delisle. **70** Gutty (déclassé). **71** Hézard (déclassé). **72** Berland. **73** Thévenet. **74** Talbourdet. **75** Ovion. **76** Sibille. **77** Tinazzi. **78** Hinault. **79** Berland. **80** Villemiane. **81** Beucherie. **82** Clère. **83** Gomez. **84** Fignon. **85** Leclercq. **86** Y. Madiot. **87** M. Madiot. **88, 89** Caritoux. **90** Louviot. **91** De Las Cuevas.

Nota. – (1) Tous Français.

Critérium international [1] (avant 1981 : Critérium national). *Créé* 1932. **69** Bellone. **70** Chappe. **71, 72** Poulidor. **73** Danguillaume. **74** Thévenet. **75** Esclassan. **76** Béon. **77** Chassang. **78** Hinault. **79** Zoetemelk [2]. **80** Laurent. **81** Hinault. **82** Fignon. **83, 84** Kelly [3]. **85** Roche [3]. **86** Zimmerman [4]. **87** Kelly [3]. **88** Breukink [2]. **89** Indurain [8]. **90** Fignon. **91** Roche [3]. *Record* 38,840 km/h (Chassang 1977).

Nota. – (1) Tous Français sauf : (2) P.-Bas. (3) Irlande. (4) Suisse.

Gênes-Nice (voir Quid 1982 p. 1731).

Épreuves contre la montre

Gd Prix des Nations. *Créé* 1932, couru sur 140 km jusqu'en 1955. **67, 68** Gimondi [6] (*record :* 47,518 km/h). **69, 70** Van Springel [2]. **71** Ocaña [8]. **72** Swerts [2]. **73** Merckx [2]. **74, 75** Schuiten [3]. **76** Maertens [2]. **77, 78, 79,** Hinault [1]. **80** Vandenbroucke [2]. **81** Gisiger [4]. **82** Hinault [1]. **83** Gisiger [4]. **84** Hinault [1]. **85** Mottet [1]. **86** Kelly [19]. **87, 88** Mottet [1]. **89** Fignon [1]. **90** Wegmuller [5].

Nota. – Anquetil [1] a gagné 9 fois, de 1953 à 58, et en 61, 65, 66.

Grands Prix de Lugano, de Belgique, de Forli, voir Quid 1981, p. 1615 c.

Trophée Baracchi (avant amateur, relais). *Créé* 1949. **70** G. et T. Petterson [12]. **71** Ocaña [8]-Mortensen [10]. **72** Merckx [2]-Swerts [2]. **73** Gimondi [6]-Rodriguez (Colombie). **74** Moser [6]-Schuiten [3]. **75** Moser [6]-Baronchelli [1]. **76** Maertens [2]-Pollentier [2]. **77** Barone [6]-Johansson [12]. **78** Schuiten [3]-Knudssen [23]. **79** Moser [6]-Saronni [6]. **80** Vandenbroucke [2]-De Wolf [2]. **81** Gisiger [4]-Demierre [4]. **82** Gisiger [4]-Visentini [6]. **83** Gisiger-Contini [6]. **84** Moser [6]-Hinault [1]. **85** Moser [6]-Oersted [10]. **86** Saronni [6]-Piasecki [21]. **87** Leali [6]-Ghirotto [6]. **88** Piasecki-Lang [21]. **89** Fignon-Marie [1]. **90** Golz [1]-Cordes [7].

Épreuves derrière entraîneurs

Bordeaux-Paris. *Créé* 1891. **70** Van Springel [2]. **71, 72** non disp. **73** Mattioda [1]. **74** Van Springel [2] et Delépine [1] (2 vainqueurs, Van Springel ayant parcouru davantage de km à la suite d'une erreur de parcours). **75** Van Springel [2]. **76** Godefroot [2]. **77, 78** Van Springel [2]. **79** Chalmel [12] (*record :* 584,5 km à 47,061 km/h). **80, 81** Van Springel [2]. **82** Tinazzi [1]. **83** Duclos-Lassalle [1]. **84** Linard [1]. **85** Maertens [2]. **86** Glaus [4]. **87** Vallet [1]. **88** Rault [1]. **89, 90, 91** non disp. *Parcours* 551 à 620 km.

Classique des Alpes. *créée* 1991. remplace Bordeaux-Paris. **91** Mottet [1].

Amateurs

• **Championnat du monde sur route.** *Créé* 1921. Annuel sauf années olympiques. **Hommes. 81** Vedernikov [17]. **82** Drogan [16]. **83** Raab [16]. **85** Piasecki [21]. **86** Ampler [16]. **87** Vivien [1]. **89** Halpuczok [21]. **90** Gualdi [3]. Dames. *Créé* 1958. **80** Heiden [17]. **81** Enzenauer [7]. **82** Jones [5]. **83** Berglund [12]. **85, 86, 87, 89** Longo [1]. **90** Marsal [1].

Par équipes (contre la montre). Hommes. *Créé* 1962. **100 Km. 79, 81** All. dém. **82** P.-Bas. **83, 85** URSS **86** P.-Bas. **87** Italie. **89** All. dém. **90** URSS. Dames. *Créé* 1987. **50 Km. 87** URSS **88** Italie. **89** URSS. **90** P.-Bas.

• **Championnat de France sur route. Hommes. 81** Dalibard. **82** Biondi. **83** Bernard. **84-85** Amardeilh. **86** Carlin. **87** Guazzini. **88** Bodin. **89** Dubois. **90** Mozelle. **91** Davy. Dames. **81, 82, 83, 86, 87, 88, 89** Longo. **90** Marsal. **91** Clignet.

• Course de la Paix (course amateurs). Organisée par les pays de l'Est. *Créée* 1948. **81** Zagreddinov. **82** Ludwig [16]. **83** Boden [16]. **84** Soukhoroutchenkov [17]. **85** Piasecki [21]. **86** Ludwig [16]. **87, 88, 89** Ampler [16]. **90** Svorada [18].

Cyclo-cross

Généralités

Abréviation de cross-country cyclo-pédestre : course à bicyclette et à pied à travers la campagne sur un parcours constitué de routes, bois, labours, prairies, déclivités, descentes rapides mais non dangereuses. *Courses au temps :* seniors professionnels 1 h, amateurs 50 min. ; juniors 40 min. *Période des courses :* novembre à mars. *1902* 1er championnat de France. *1924* 1er critérium international qui devient en *1950* championnat du monde.

Épreuves

Légende. Voir p. 1734a.

• **Championnats du monde. 1° 1950 à 1966 :** *une seule épreuve open.* **50** Jean Robic [1]. **51, 52, 53** Roger Rondeaux [1]. **54, 55, 56, 57, 58** André Dufraisse [1]. **59** Renato Longo [6]. **60, 61** Rolf Wolfshohl [7]. **62** R. Longo [6]. **63** R. Wolfshohl [7]. **64, 65** R. Longo [6]. **66** Éric De Vlaeminck [2]. **2° Depuis 1967 :** Amateurs : **67** Michel Pelchat [1]. **68** Roger De Vlaeminck [2]. **69** René Declercq [2]. **70, 71** Robert Vermeire [2]. **72** N. de Deckere [2]. **73** Klauss Thaler [7]. **74, 75** R. Vermeire [2]. **76** Thaler [7]. **77** Vermeire [2]. **78** Liboton [2]. **79** Ditano Vito [6]. **80** Fritz Saladin [4]. **81, 82** Milos Fisera [18]. **83, 84** Radomir Simunek [18], **85** Mike Klug [7], **86** Vito di Tano [6], **87** Kluge [7], **88** Camerda [18]. **89** Glajza [18]. **90** Busser [4]. **91** Frischknecht [4]. **Amateurs par équipes.** *Créé 1979.* **79** Pologne, **80** Suisse, **81** It., **82, 83, 84** Tchéc., **85** Suisse, **86** Belgique, **87** Tchéc., **88** Suisse, **89** Tchéc., **90** Suisse.

Professionnels **67** R. Longo [6]. **68, 69, 70, 71, 72, 73** Éric De Vlaeminck [2]. **74** Van Damme [2]. **75** Roger De Vlaeminck [2]. **76** Albert Zweifel [4]. **77, 78, 79** Zweifel [4]. **80** Roland Liboton [2]. **81** J. Stamsnijder [3]. **82, 83, 84** Roland Liboton [2]. **85** Klaus-Peter Thaler [7]. **86** Zweifel [4]. **87** Thaler [7]. **88** Richard [4]. **89** De Bie [2]. **90** Baars [3]. **91** Simunek [18].

• **Championnats de France. Professionnels : 86** M. Gayant. **87** Y. Madiot. **88** C. Lavainne. **89** D. Arnould. **90** C. Lavainne. **91** B. Lebras. **Amateurs : 86** R. Bleuze. **87** L. Cailleau. **88, 89** B. Lebras. **90** A. Daniel.

B.M.X.-bicross

Origine. **V. 1970** sur côte Ouest des USA **1979** introduit en France. **1981** *8-3* création de l'Ass. fr. de bicrossing (59, fbg Saint-Nicolas, 21200 Beaune. **1987** 12 000 licenciés et 400 clubs). **1989** géré par la Féd. fr. de cyclisme.

Règles. Catégories. Une par année d'âge. *Experts :* 7 à 25 ans et +, *juniors :* 6 ans et – à 25 ans et +, *filles :* 7 ans et – à 25 ans et +, *cruisers :* 12/13 ans à 40 ans et +, *semi-professionnels :* Superclasse 20 et 24 pouces. **Motocross à vélo.** *Bicross :* roues de 20 pouces. Moto de cross sans moteur. *Cruiser :* bicross avec roues de 24 pouces. **Équipement.** Casque, tenue de cross, gants, baskets. **Piste.** 250 à 400 m. Départ et arrivée distincts. 5 à 8 obstacles. Largeur 10 m au départ, se rétrécissant jusqu'à 6 m. Départ d'une butte, à 8 coureurs (lâcher d'une grille). Sprint de moins de 1 mn. 3 manches qualificatives, puis 1/4, 1/2 et finales selon le nombre d'engagés par catégorie.

Championnat du monde. 1986 Italie, **87** Bordeaux, **88** Belgique, **89** São Paulo, **90** Espagne, **91** Norvège.

Championnat de France. *National* pour Superclasses (6 épreuves) ; *régional* pour experts, filles et cruisers (6 épreuves régionales, 2 demi-finales, une finale nationale) ; *départemental* ou au niveau de la ligue pour juniors (6 épreuves, 2 demi-finales, une finale nationale). *Épreuves :* env. 400 par an avec les courses promotionnelles, dont le Bicross Indoor de Bercy, Supertour Bicross et Bicrossland. Depuis 1988, championnat de France par équipe.

Nota. – B.M.X. = *bicycle motocross.*

Cyclotourisme

Quelques dates. 1891 : Alcide Bouzigues effectue Paris-Lannemezan (975 km) en 8 j. **1896 :** 1er raid officiel de 200 km, Rome-Naples, par 9 Italiens. **1898**-*16-1 :* Vito Pardo crée à Rome l'Audax italiano, organisateur des 1ers brevets audax de 200 km (de *audax :* audacieux ; désigne les cyclistes capables d'effectuer 200 km entre lever et coucher du soleil). **1904** Henri Desgrange, directeur de l'Auto et promoteur du Tour de France, fonde les Audax français.

Randonnée cycliste. Activité sportive de plein air sans esprit de compétition où seule compte la lutte avec soi-même pour acquérir l'endurance à l'effort prolongé. Le cyclotouriste peut arriver, par des brevets d'entraînement organisés par la Féd. franç. de cyclot. (8, rue Jean-Marie-Jégo, 75013 Paris), à parcourir d'une seule traite de très longues distances (jusqu'à 1 200 km). Un randonneur parcourt en moyenne 4 000 à 8 000 km par an.

Parmi les *activités les plus caractéristiques :* Provence (Pâques), Concentration nationale de Pentecôte, Semaine fédérale de cyclotourisme (août), Concentration nationale du souvenir à Rethondes (11 novembre), Paris-Brest-Paris (2 600 participants en 1987), Diagonales de France et randonnées Mer-Montagne, brevet Cyclo-Montagnard français, brevet des Provinces françaises, brevet de Cyclotourisme national, séjours à l'étranger.

Adeptes en France. Membres 1 100 000, clubs 2 700.

Conseils pratiques. *Selle* réglée afin que la jambe tendue mais sans raideur puisse poser son talon déchaussé sur la pédale. *Guidon,* type randonneur, hauteur sensiblement identique à celle de la selle. Distance entre selle et guidon égale à celle de l'avant-bras du cycliste, la main ouverte, le coude appuyé sur le bec de selle, le bout des doigts arrivant à l'axe du guidon. *Manivelles* 16,5 cm pour un entrejambe de moins de 80 cm et 17 cm au-dessus. Ainsi le cycliste aura la poitrine bien dégagée (respiration), le buste incliné à environ 45°. *Pédalage,* cadence moyenne 70 tours/minute (non sur la pointe du pied). *Roues,* montées de pneus. *Développement,* 2 ou 3 plateaux à l'avant (pédalier) et 4 ou 5 dentures à l'arrière (roue libre) ; développement principal de 5 m. env. soit : 44 × 17, ou 46 × 19, ou 48 × 20 ; on pourra ainsi avoir : 48 × 46 × 30 (ou 28) à l'avant et 15 × 17 × 19 × 21 (ou 22) × 23 (ou 26) à l'arrière.

Quelques noms

☞ *Légende.* – Tous Français, sauf (1) All. féd. (2) Espagne. (3) Italie. (4) Belgique. (5) Suisse. (6) Luxembourg. (7) P.-Bas. (8) Suède. (9) G.-B. (10) Portugal. (11) URSS (12) USA (13) Danemark. (14) Australie. (15) Japon. (16) Colombie. (17) Irlande. (18) Canada. (19) All. dém. (20) Mexique. (21) Norvège.

Adorni Vittorio [3] 14-11-37. Aerts Jean [4] 8-9-1907. Agostinho Joaquim [10] 1942-84. Aimar Louis 5-1-11. Aimar Lucien 28-4-41. Alban Robert 9-2-52. Alcala-Callegos Raul [20] 3-5-64. Altig Rudi [1] 18-3-37. Ampler Uwe [13] 11-8-64. Andersen Kim [13] 20-2-58. Anderson Philip [14] 20-3-58. Anglade Henri 9-7-33. Anquetil Jacques 1934-87. Archambaud Maurice 1906-55. Argentin Moreno [3] 17-12-60. Aucouturier Hippolyte 1876-1944. Arnaud Dominique 19-5-55. Bagot Jean-Claude 9-3-58. Bahamontes Federico [2] 9-6-28. Baldini Ercole [3] 26-1-33. Balmamion Franco [3] 11-1-40. Baronchelli Giambattista [3] 6-9-53. Bartali Gino [3] 17-7-14. Barteau Vincent 18-3-62. Basso Marino [3] 1-6-45. Bauer Steve [18] 12-6-59. Beghetto Giuseppe [3] 8-10-39. Bellenger Jacques 25-12-27. Bernaudeau Jean-René 8-7-56. Bernard Jean-François 2-5-62. Bevilacqua Antonio [3] 1918-72. Binda Alfredo [3] 1902-86. Bitossi Franco [3] 1-9-40. Blanchonnet Armand 1903-68. Bobet Jean 22-2-30. Bobet Louison 1925-1983. Bondue Alain 8-4-59. Bontempi Guido [3] 12-1-60. Bottechia Ottavio [3] 1894-1927. Bouvatier Philippe 12-6-64. Bracke Ferdinand [4] 25-5-39. Braun Gregor [1] 31-12-55. Breu Beat [5] 23-10-57. Breukink Eric [7] 1-4-64. Bruyneel Johan [4] 23-8-64. Bugno Gianni [3] 14-2-64. Burton Beryl [9] 12-5-37. Buysse Lucien [4] 1892-1980.

Canins Maria [3] 4-6-49. Caput Louis 1921-85. Caritoux Éric 18-8-60. Carlesi Guido [3] 6-11-36. Carrara Émile 11-1-25. Castaing Francis 22-4-59. Cerami Joseph (Pino) [3] 28-4-22. Chaillot Louis 2-3-14. Chapatte Robert 14-10-22. Chiappucci Claudio [3] 28-2-63. Chioccioli Franco [3] 25-8-59. Christophe Eugène 1885-1970. Civry (de) Frédéric 1861-93. Clark Danny [14] 30-8-51. Claveyrolat Thierry 31-3-59. Clere Régis 15-8-56. Cloarec Yvon 13-5-60. Colas Fabrice 21-7-64. Colotti J.-Claude 1-7-61. Coppi Fausto [3] 1919-1960. Cornillet Bruno 8-2-63. Criquielion Claude [4] 11-1-57. Daems Émile [4] 4-4-38. Dancelli Michele [3] 8-5-42. Danguillaume Jean-Pierre 14-12-46. Danneels Gustave [4] 1913-76. Darrigade André 24-4-29. Debaets Gérard [4] 1899-1959. De Bie Danny [4] 23-1-60. Debruyne Alfred [4] 21-10-30. De Las Cuevas Armand 26-6-68. Delgado Pedro [2] 14-4-60. Delion Gilles 5-8-66. Delisle Raymond 11-3-43. De Mol Dirk [4] 4-11-59. Dernies Michel [4] 6-1-61. De Roo Joop [4] 5-8-37. Derycke Germain [4] 1929-78. Desgrange Henri 1865-1940. De Vlaeminck Éric [4] 23-3-45. De Vlaeminck Roger [4] 24-8-47. De Wilde Étienne [4] 23-3-58. De Wolf Alfons [4] 22-6-56. Dhaenens Rudy [4] 10-4-61. Dill-Bundi Robert [5] 18-11-58. Doyle Tony [9] 5-5-58. Duclos-Lassalle Gilbert 25-8-54.

Egg Oscar [5] 1890-1961. Ekimov Vlatcheslav [11] 4-2-66. Esclassan Jacques 3-9-48. Faber François [6] 1887-1915. Faggin Leandro [3] 1933-70. Fignon Laurent 12-8-60. Florez Alfonso [16] 5-11-52. Fondriest Maurizio [3] 15-1-65. Fore Noël [4] 23-12-32. Forestier Jean 7-10-30. Fornara Pasqua [3] 29-3-25. Frank Gert [13] 15-3-56. Frantz Nicolas [6] 1899-1985. Freuler Urs [5] 6-11-56. Friol Émile 1881-1916. Gambillon Geneviève 30-6-54. Garin Maurice 1871-1957. Garrigou Gustave 1884-1963. Gaul Charly [6] 8-12-32. Gautheron Isabelle 3-12-63. Gauthier Bernard 22-9-24. Gayant Martial 16-11-62. Geminiani Raphaël 12-6-25. Gerardin Louis 1912-82. Gimondi Felice [3] 29-9-42. Giovanetti Marco [3] 4-4-62. Girardengo Constante [3] 1893-1978. Godefroot Walter [4] 2-7-43. Golz Rolf [1] 30-9-62. Graczyk Jean 26-5-33. Grosskost Charly 5-3-44. Guerra Leargo [3] 1902-63. Guimard Cyrille 20-1-47.

Hampsten Andrew [12] 7-4-62. Harris Reginald [9] 31-3-20. Hassenforder Roger 23-7-30. Hermans Mathieu [7] 9-1-63. Herrera Luis [16] 4-5-61. Hesslich Lutz [19] 17-1-59. Hinault Bernard 14-11-54. Hoste Franck [4] 29-8-55. Idée Émile 19-7-20. Impanis Raymond [4] 19-10-25. Indurain Miguel [2] 16-7-64. Jalabert Laurent 30-11-68. Janssen Jan [7] 19-5-40. Jimenez Julio [2] 28-10-34. Kaers Karel [4] 1914-72. Kelly Sean [17] 24-5-56. Kint Marcel [4] 20-9-14. Kiritchenco Alexandre [11] 1967. Knetemann Gerrie [7] 6-3-51. Koblet Hugo [5] 1925-1964 (acc. de voit.). Kubler Ferdinand [5] 24-7-19. Kuiper Hennie [7] 3-2-49. Lambot Firmin [4] 1886-1964. Lapébie Guy 28-11-16. Lapébie Roger 16-1-11. Lapize Octave 1887-1917. Laurent Michel 10-8-53. Lauritzen Dag-Otto [21] 12-9-56. Lavainne Christophe 22-12-63. Lazarides Apo 16-10-25. Leblanc Luc 4-8-66. Leclercq J.-Claude 27-7-62. Leducq André 1904-80. Lejaretta Marino [2] 11-5-57 Lemond Greg [12] 26-6-60. Liboton Roland [4] 6-3-57. Linart Victor [4] 1889-1977. Lino Pascal 13-8-66. Longo Jeannie 31-10-58. Louviot Philippe 14-3-64. Ludwig Olof [19] 13-4-60.

Maassen Frans [7] 27-1-65. Madiot Marc 16-5-59. Madiot Yvon 21-6-62. Maechler Erich [5] 24-8-60. Maertens Freddy [4] 13-2-52. Maes Romain [4] 1913-83. Maes Sylvère [4] 1909.66. Magne Antonin 1904-83. Magné Frédéric 5-2-69. Magni Fiorenzo [3] 7-12-20. Mahé François 2-9-30. Marco Giovanetti [3] 4-4-62. Marie Thierry 25-6-63. Marsal Catherine 20-1-71. Martin Raymond 22-5-49. Maspes Antonio [3] 14-1-32. Mauri Melchior [2] 8-4-66. Maye Paul 1913-87. Merckx Eddy [4] 17-6-45. Michard Lucien 1903-85. Millar Robert [9] 13-9-58. Moore James [9] 1849-1935. Morelle Frank 13-8-64. Morelon Daniel 24-7-44. Moser Francesco [6] 19-6-51. Motta Gianni [3] 12-3-43. Mottet Charly 16-12-62. Nakano Koichi [15] 14-11-55. Nencini Gastone [3] 1930-80. Nicoloso Isabelle 13-2-61. Nijdam Jell [7] 16-8-63. Ocana Luis [2] 9-6-45. Ockers Constant (dit Stan) [4] 1920-55. Oersted Hans-Erik [13] 13-12-54. Oosterbosch Bert [7] 1957-89. Ovion Régis 3-3-49. Parra Fabio [16] 22-11-59. Peeters Ludo [2] 9-8-53. Pélissier Charles 1903-59. Pélissier Francis 1894-1959. Pélissier Henri 1889-1935. Pensec Ronan 10-7-63. Petit-Breton, Mazan Lucien dit, 1883-1917. Pieters Peter [7] 2-2-62. Pingeon Roger 28-8-40. Pino Alvaro [2] 17-8-56. Planckaert Eddy [4] 23-9-58. Plattner Oscar [5] 17-5-22. Poblet Miguel [2] 18-3-28. Poisson Pascal 29-6-58. Post Peter [7] 12-11-33. Poulidor Raymond 15-4-36.

Raas Jan [7] 8-11-52. Rault Jean-François 8-6-58. Rebry Gaston [4] 1905-53. Richard Pascal [5] 16-3-64. Ritter Ole [13] 29-8-41. Rivière Roger 1936-76. Robic Jean 1921-80. Roche Stephen [17] 28-11-59. Rolland Antonin 3-9-24. Rominger Toni [5] 27-3-61. Ronsse Georges [4] 1906-69. Rooks Steven [7] 7-8-60. Rousseau Michel 5-2-36. Rué Gérard 7-7-65. Salumiae Erika [11] 1962. Saronni Giuseppe [3] 22-9-57. Scheerens Joseph 1909-86. Schotte Albéric (dit Brik) [4] 7-9-19. Schuiten Roy [7] 16-12-50. Schulte Guerrit [7] 7-1-1916. Sercu Patrick [4] 27-6-44. Simon Pascal 27-9-56. Simpson Tom [9] 1937-67. Soukoroutchenkov Sergei [11] 10-8-56. Speicher Georges 1907-78. Stablinski Jean 21-5-32. Sterckx Ernest [4] 1922-75. Suter Henri [5] 1899-1978. Teisseire Lucien 11-12-19. Terront Charles 1857-1932. Theunisse Gert-Jan [7] 14-1-63. Thévenet Bernard 10-1-48. Thurau Dietrich [1] 9-11-54. Thys Philippe [4] 1890-1971. Trentin Pierre 15-5-44. Trousselier Louis 1881-1939. Vallet Bernard 18-1-54. Van der Aerden Eric [4] 11-2-62. Van Der Poel Adri [7] 17-6-59. Van Est Whilhem [7] 25-3-23. Van Impe Lucien [4] 20-10-46. Van Looy Rik [4] 20-12-33. Van Poppel J.-Paul [7] 30-9-62. Van Springel Herman [4] 14-8-43. Van Steenbergen Rik [4] 9-9-24. Van Vliet Arie [7] 1916. Verschuren Adolf [4] 10-7-22. Vietto René 1914-88. Visentini Roberto [6] 2-6-1957. Walkowiak Roger 2-3-27. Wampers J.-Marie [4] 7-4-59. Winnen Peter [7] 5-9-57. Wolfshohl Rolf 27-12-38. Yates Sean [9] 18-5-60. Zaaf Abdelkader 1919-86. Zimmerman Urs [5] 29-1-59. Zoetemelk Joop [7] 3-12-46.

Escrime

Généralités

• **Histoire. Origine.** Antiquité (Chine, Assyrie, Égypte, Inde, Israël, Grèce, Perse, Rome, Japon), et durant tout le Moyen Age. **Des origines au XIXe s.** le but est de tuer (guerre, tournoi, duel). **XVe s.** apparition de l'escrime moderne en Espagne. **XVIe s.** parution de nombreux traités en Italie et en France. **V. 1780** La Boessière invente le masque. **1896** sport inscrit aux J.O. **1906** *20-12* f. de la Fédération des salles d'armes et sociétés d'escrime de France qui deviendra la FFE **1913** *29-11* f. de la Fédération internationale d'escrime. **1931** expérimentation du 1er appareil de contrôle électrique.

• **Langue.** Officielle, *le français,* quel que soit le pays de l'épreuve et la nationalité des juges.

• **Terrain.** piste où se déroule le combat. **Largeur :** 1,80 à 2 m. **Longueur :** 14 m plus dégagement.

• **Armes.** Peuvent être d'*estoc* (touche portée avec la pointe de la lame), de *taille* (avec le tranchant de la lame) ou de *contre-taille* (avec le dos de la lame).

Fleuret. Arme d'estoc, long. max. 1,10 m dont 90 cm pour la lame, poids max. 500 g. *Surface valable :* devant, du sommet du col aux plis de l'aine ;

dans le dos, du col au sommet des hanches, tête, bras et épaules sont exclus. Touche doit être portée avec la pointe. Dep. 1955, arbitrage électrique, le coup porté sur une surface non valable allume une lampe blanche, sur une surface valable une lampe rouge ou verte.

Épée. Arme d'estoc, long. max. 1,10 m dont 90 cm pour la lame, poids max. 770 g. *Surface valable :* tout le corps y compris masque et chaussures. *Touche* doit être portée avec la pointe de l'arme. *Arbitrage* électrique allumant une lampe verte ou rouge si la touche est valable.

Sabre. Arme d'estoc, de taille et de contre-taille, long. max. 1,05 m dont 88 cm pour la lame, poids max. 500 g. *Surface valable :* le haut du corps au-dessus de la ceinture, masque et bras compris, devant et derrière. Touche peut être portée avec pointe, tranchant et dos de la lame. Arbitrage électrique allumant une lampe verte ou rouge.

• **Équipement.** Doit protéger l'escrimeur. Tout blanc. Veste avec col, pantalon s'arrêtant au genou, mi-bas, chaussures, cuirasse de protection sous la veste (pour les femmes, protège-poitrine), un gant dont la manchette doit recouvrir la moitié de l'avant-bras. En cas d'arbitrage électrique, une cuirasse métallique recouvre la veste sauf à l'épée. Sur le visage, masque formé d'un treillis dont les mailles ont au max. 2,1 mm et les fils 1 mm de diam. avant étamage.

• **Durée des assauts.** Aux 3 armes : matches en 5 touches, durée 6 mn en poules, ou 2 manches de 5 touches et éventuellement une belle en élimination directe.

Positions. Dans chacune des *4 lignes* (dedans, dessus, dessous, dehors), il peut y avoir *2 positions* suivant que la main qui porte l'arme se trouve en pronation (paume en dessous) ou bien en supination (paume en dessus).

Principales épreuves

• **Jeux olympiques.** voir p. 1801.

☞ *Légende.* – (1) URSS (2) Hongrie. (3) Suède. (4) Italie. (5) France. (6) Roumanie. (7) All. féd. (8) Suisse. (9) Suède. (10) Pologne. (12) Chine. (13) Bulgarie. (14) Suisse. (15) Espagne. (16) Cuba. (17) All. dep. 1991.

Championnats du Monde

Créés 1937. Tous les ans, sauf années ol.

• **Fleuret. Hommes. Ind.** **81** Smirnov [1] ; **82, 83** Romankov [1] ; **85** Numa [4] ; **86** Borella [4] ; **87** Gey [5] ; **89** Koch [7] ; **90** Omnès [5] ; **91** Weissenborn[17]. **Par éq. : 81, 82** URSS ; **83** All. féd. ; **85, 86** Italie ; **87** All. féd. **89** URSS ; **90** It ; **91** Cuba. **Dames. Ind. : 81** Hanisch [7] ; **82** Giliazova [1] ; **83** Vaccaroni [4] ; **85** Hanisch [7] ; **86** Fichtel [7] ; **87** Tufan [6] ; **89** Velitchko [1] ; **90** Fichtel [7] ; **91** Trillini [4]. **Par éq. : 81** URSS ; **82, 83** Italie ; **84, 85** All. féd. ; **86** URSS ; **87** Hongrie ; **89** All. féd. ; **90, 91** It.

• **Épée. Hommes. Ind. : 81** Szekely [2] ; **82** Pap [2] ; **83** Bormann [7] ; **85** Boisse [5] ; **86** Riboud [5] ; **87** Fischer [7] ; **89** Pereira [15] ; **90** Gerull [7] ; **91** Chouvalov [1]. **Par éq. : 81** U.R.S.S. ; **82, 83** *France ;* **85, 86** All. féd. ; **87** U.R.S.S. ; **89, 90** It ; **91** URSS. **Dames. Ind. : 89** Straub [14] ; **90** Chappe [16] ; **91** Horvath [2]. **Par éq. : 89** Hongrie ; **90** All. féd ; **91** Hongrie.

• **Sabre. Hommes. Ind. : 81** Wodke [10] ; **82** Krovopouskov [1] ; **83** Etropolski [13] ; **85** Nebald [2] ; **86** Mindirgassov [1] ; **87** Lamour [5] ; **89** Kirienko [1] ; **90** Nebald [2] ; **91** Kirienko [1]. **Par éq. : 81, 82** Hongrie ; **83, 85, 86, 87, 89, 90** URSS ; **91** Hongrie.

Nota. – **Coupe des Nations.** Classement effectué à l'issue d'un ch. du monde sur les finalistes aux 4 armes pour désigner la meilleure nation. **Tournoi des 7 nations.** En All. féd., 7 meilleures équipes nat. selon le classement des ch. du monde de l'année précédente.

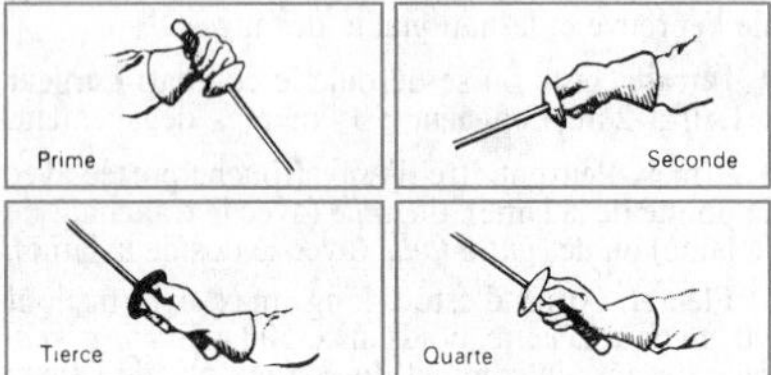

Autres épreuves

Ch. d'Europe. *Créés* 1921. Jusqu'en 1935, servaient de ch. du monde. Reprise en 1981. Tous les ans. **Coupe du monde.** *Créée* 1972. Prend en compte 5 à 7 tournois selon les armes. Sert à désigner le meilleur tireur de l'année. **Masters.** *Créés* 1986. Réunit les 8 premiers de la coupe du monde. **Coupe d'Europe des clubs champions.** *Créée* 1965. **Ch. du monde des moins de 20 ans.** *Créés* 1950. **Coupe du monde des moins de 20 ans.**

Grands tournois. Fleuret. *Masculin :* Challenge Martini (Paris), Coupe Giovannini (Bologne, puis Venise), Ch. Rommel (Paris), Côme, Budapest, Rome. *Féminin :* Ch. Martini (Turin), Tournoi de Goeppingen, T. de Minsk, Ch. Jeanty (Paris), T. de Côme, T. de Budapest, T. de Leipzig. **Épée.** *Masculine :* Coupe Spreafico, puis Carrocio dep. 77 (Legano), Ch. Monal (Paris), Coupe de Heidenheim, T. de Berne, Ch. Martel (Poitiers) ; Montréal, Londres, Arnheim. *Féminine :* St-Maur, Kattowice, Ipswich, Tauberbishosein, Hongrie, Legano. **Sabre**. Trophée Luxardo, Ch. Finski, Coupe Hungaria, T. de Hanovre, Nancy, Moscou, Sofia.

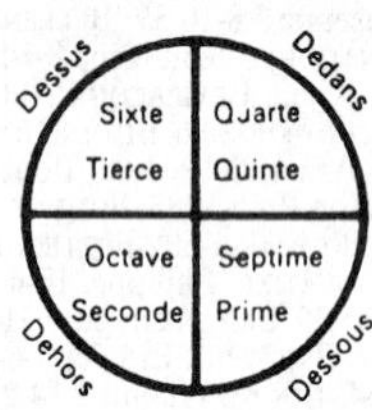

Championnats de France

• **Fleuret. Homme. Ind.** (*Créés* 1896) : **80** Flament ; **81** Pietruszka ; **82** Omnès ; **83** Pietruszka ; **84, 85** Omnès ; **86** Conscience ; **87** Omnès ; **88** Laurie ; **89, 90** Lhotellier ; **91** Omnès. **Par éq. : 80** C.E. Melun ; **81** C.E. Charenton ; **82, 83** Racing Club de France ; **84, 85** C.E. Melun ; **86, 87** R.C.F. **88, 89** C.E. Melun ; **90** Tour d'Auvergne ; **91 R.C.F.**

Dames. Ind. (*Créés* 1921) : **80** Trinquet ; **81** Begard ; **82** Brouquier ; **83** Begard : **84, 85, 86** Modaine ; **87** Brouquier. **88, 89** Modaine, **90** Spennato, **91** Meygret. **Par éq. : 80, 81, 82** O.G.C. Nice ; **83, 84** Racing C.F. ; **85** St-Maur. **86, 87** R.C.F. **88** O.G.C. Nice ; **89** Le Chesnay. **90** R.C.F.

• **Épée. Hommes. Ind.** (*Créés* 1896) : **80** Riboud ; **81** Picot ; **82** Riboud ; **83, 84** Boisse ; **85** Srecki ; **86** Lenglet ; **87** Boisse ; **88** Riboud ; **89** Lenglet ; **90** Srecki ; **91** Boisse. **Par éq. : 80** Masque de fer Lyon ; **81, 82** Racing Club de France ; **83** M.D.F. Lyon ; **84** R.C.F. ; **85** St-Maur ; **87** St-Gratien ; **88** St-Maur ; **89** St-Gratien ; **90** Levallois ; **91** St-Gratien.

Dames. Ind. (*Créés* 1986) : **86** Bénon ; **87** Thénault ; **88** Bénon ; **89** Delemer ; **90** Moressée ; **91** Hauterville.

• **Sabre. Hommes. Ind.** (*Créés* 1900) : **80, 81, 82, 83, 84, 85** Lamour ; **86** Granger-Veyron ; **87, 88, 89** Lamour ; **90** Ducheix ; **91** Lamour. **Par éq. : 80, 81, 82** La Française ; **83** Tarbes ; **84, 85** R.C.F. ; **86, 87, 88** US Métro ; **89, 90, 91** R.C.F.

Quelques noms

☞ *Légende.* – Tous Français sauf indication. (1) URSS (2) Italie. (3) Pologne. (4) Hongrie. (5) All. féd. (6) Suède. (7) Cuba. (8) Suisse. (9) Bulgarie. (10)All. dep. 1991.

BÉGARD Isabelle 7-7-60. BEHR Mathias [5] 1-4-55. BELOVA-NOVIKOVA Elena [1] 28-7-47. BENON Brigitte 1963. BOISSE Philippe 18-3-55. BONNIN Philippe 30-1-55. BORELLA Andrea [2] 23-6-61. BORMANN Elmar [5] 18-1-57. BRODIN Jacques 22-12-46. BROUQUIER Véronique 28-5-57. BUJDOSO Imre [4] 1959. CERIONI Stefano [2] 1964. CERVI Frederico [2] 1961. CHEVCHENKO Dimitri [1] 13-11-67. CIPRESSA Andrea [2] 16-12-63. CONSCIENCE Philippe 27-1-61. DAL ZOTTO Fabio [2] 17-7-57. DELPLA Frédéric 9-11-46. DELRIEU Philippe 10-8-59. DUCHEIX Franck 11-4-62. DUCRET Roger 1888-1962. ETROPOLSKI Vassili [9] 18-3-59. FEKETE Christine 7-3-58. FICHTEL Anja [5] 7-8-68. FLAMENT Didier 4-1-51. FONST Ramon [7] 1883-1959. FUCHS Jenö [4] 1882-1954. FUNKENHAUSER Zita [5] 1966. GARDAS Hubert 17-4-57. GAUDIN Brigitte 15-4-58. GAUDIN Lucien 1886-1934. GEREVITCH Aladar [4] 16-3-10. GEY Mathias [5] 7-7-60. GOROKHOVA Galina [4] 31-8-38. GROC Patrick 6-9-60. GUICHOT Pierre 12-2-63. HANISCH Cornelia [5] 12-5-52. HARMENBERG Johann [6] 8-9-54. HEIN Harald [5] 19-4-50. HENRY J.-Michel 14-12-63. HERBSTER Claude 28-3-46. HOCINE Youssef 7-8-65. JOLYOT Pascal 26-6-58. KARPATI Rudolf [4] 17-7-20. KROVOPOUSKOV Viktor [1] 29-9-48. KULCSAR Gyözö [4] 18-10-40. LAMOUR Jean-François 2-2-56. LECLERC Franck 1963. LENGLET Olivier 20-2-60. LHOTELLIER Patrice 8-6-66. MAGNAN Jean-Claude 4-6-41. MAYER Hélène [5] 1910-53. MANGIAROTTI Edoardo [2] 7-4-19. MINDIRGASSOV Sergueï [1] 1960. MODAINE Laurence 28-12-64. MONTANO Aldo [2] 23-11-10. MUZIO Christine 10-5-51. NADI Nedo [2] 1894-1952. NAZLIMOV Vladimir [1] 1-11-45. NEBALD György [4] 1957. NOEL Christian 13-5-45. NUMA Mauro [2] 18-11-61. OMNÈS Philippe 6-8-60. ORIOLA Christian (d') 3-10-28. PARAMAROV Serge [1] 16-9-45. PAWLOWSKI Gerzy [3] 25-10-32. PÉCHEUX Michel 1911-85. PESZA Tibor [4] 15-11-35. PICOT Patrick 22-9-51. PUCCINI Alessandro [2] 8-8-68. PUSCH Alexandre [5] 15-5-55. QUIVRIN Patrick 1952. REVENU Daniel 5-12-42. RIBOUD Philippe 9-4-57. REJTÖ-UJLAKI Ildiko [4] 11-5-37. ROMANKOV Alexandre [1] 7-11-53. SALESSE Michel 3-1-55. SCHWARZENBERGER Ildiko [4] 9-9-51. SCHACHERER-ELEK Ilona [4] 17-5-07. SCHRECK Uli [10] 11-3-61. SIDOROVA Valentina [1] 4-5-54. SMIRNOV Valeri [1] 1954-82. SRECKI Eric 2-7-64. STANKOVITCH [1] Vassili 25-4-46. STRAUB Anja [8] 1968. SZABO Bence [4] 1959. TRINQUET Pascale 11-8-58. TRINQUET Véronique 15-6-56. VACCARONI Dorina [2] 24-9-63. WEIDNER Thorsten [10] 29-12-67.

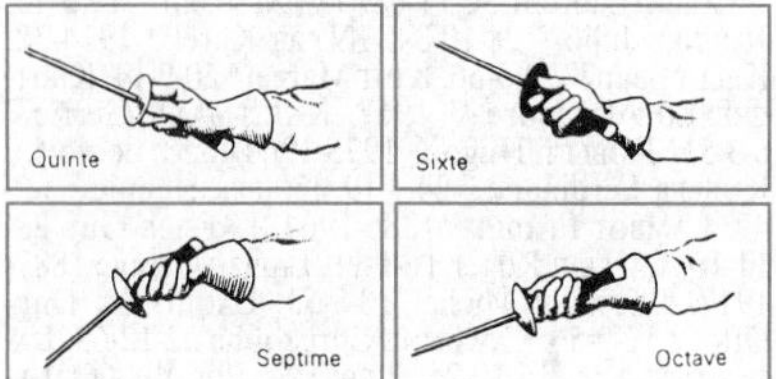

Football

Quelques dates

Origine. Antiquité, nombreux jeux de balle connus. **XIXe s.,** le football, sous sa forme actuelle, apparaît dans les « public schools » anglaises (Cheltenham, Rugby, Eton, Harrow, etc.). Peu à peu 2 types de jeu émergent. L'un, très brutal, sera à l'origine du rugby. L'autre, codifié par les étudiants de Cambridge (1848). **1863**-*26-10* Football Association fondée, s'en inspire pour ses propres lois sous le nom de *simplest play* (le jeu le plus simple). **1872** 1er club français : Le Havre Athletic Club. **1894** 1er champ. de France entre les 6 clubs parisiens. **1904**-*21-5* Féd. intern. de football créée. **1906** 1re rencontre France-Angl. au parc des Princes (15-0 pour l'Angl.). **1919**-*7-4* Féd. franç. de football créée. **1965**-*22-5* 1re retransmission télévisée en Fr. d'un match de foot [(Lille b. Bordeaux 5-2 (Coupe de Fr.)]

Principales règles

• **Généralités. Terrain.** *Longueur* 90 à 120 m ; *largeur* 45 à 90 m ; *surface de but* 5,50 m de chaque côté du but, *de réparation* 16,50 m. *But :* hauteur 2,44 m, largeur 7,32 m. **Ballon.** Circonférence 68 à 71 cm, 396 à 453 g. **Joueurs.** 2 équipes de 11 dont 1 gardien de but. **2 juges de touche** assistent le directeur de jeu : ils aident l'**arbitre** en lui signalant à l'aide d'un drapeau les sorties en touche, l'équipe à laquelle revient le droit de tirer un corner, les hors-jeu.

• **Partie.** 2 mi-temps de 45 mn (40 mn pour les cadets) séparées par un arrêt de 5 mn au plus. Prolongations possibles sur décision de l'arbitre.

Coup d'envoi. Choix du côté tiré au sort par l'arbitre, en présence des 2 capitaines, avec une pièce de monnaie. Au moment du coup d'envoi, les joueurs n'engageant pas devront se trouver à 9,15 m du ballon. Le jeu reprend ainsi après chaque but. Après la mi-temps, les joueurs changent de côté.

• **Fautes et sanctions. Hors-jeu.** Un joueur est hors-jeu si, au moment où il reçoit la passe d'un coéquipier, il est plus proche de la ligne adverse que l'avant-dernier défenseur, sauf : s'il est sur la même ligne

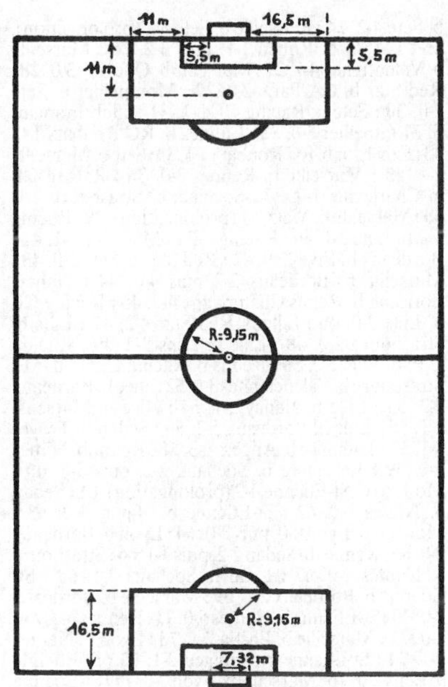

que ce défenseur, si le joueur est dans sa propre moitié de terrain, si le ballon a été touché ou joué en dernier lieu par un adversaire, s'il reçoit directement le ballon sur un coup de pied de but, un coup de pied de coin, une rentrée de touche. *Sanctions :* pour toute infraction, un coup franc indirect sera accordé à l'équipe adverse à l'endroit où la faute a été commise. En cas de hors-jeu : équivalent d'un coup franc tiré à l'endroit où le joueur a été signalé hors jeu. Pour une faute grave, commise par un défenseur dans sa surface de réparation, ballon en jeu.

Quelques fautes ou incorrections. Coup de pied à un adversaire ; croc-en-jambe ; charge volontairement dangereuse sur l'adversaire ; tenir un adversaire par le maillot ou par le bras ; toucher la balle de la main (si le joueur touche la balle de la main dans ses 16 m, il y a penalty).

Coup franc. *Direct :* le but peut être marqué directement dans le camp adverse. *Indirect :* passe intermédiaire obligatoire avant le tir au but, depuis la ligne des 16,50 m.

Corner. Coup de pied de coin accordé à l'équipe attaquante dont une tentative a été dégagée hors des limites du terrain (côté but) par un joueur de l'équipe défendante.

Penalty. Sanction pour une faute grave commise à l'intérieur de la *surface de réparation* (le point de penalty est à 11 m de la ligne de but).

Rentrée en touche. À la main par un joueur de l'équipe opposée à celle dont fait partie le joueur ayant touché le ballon en dernier lieu.

• **Tactiques. WM :** créée vers 1930 en G.-B. par Johny Hunter et mis en pratique par H. Capman. 3 joueurs à l'arrière (2 arr. latéraux, 1 central), 2 demis, 5 à l'avant (A l'origine : 1-2-3-5 : priorité aux attaquants). **4-2-4** mise au point par les Hongrois en 1953. 4 arrières, 2 demis, 4 avants. **1-4-2-3 :** adoptée dep. 1960. 1 *libero* ou *couvreur,* libre de ses mouvements mais destiné à renforcer la défense, 4 arrières, 2 demis, 3 avants. **4-3-3 :** évolution récente. 4 arrières dont 1 *stoppeur,* 3 milieux de terrain, 3 avants. Progressivement la notion d'attaquants et de défenseurs disparaît pour celle de possession ou de perte du ballon, (permettant l'attaque, mais imposant la défense du but par tous les joueurs). **4-4-2** le milieu de terrain est renforcé. Un joueur du milieu se joint aux 2 attaquants en cas de besoin.

Quelques chiffres

Arbitres. Tout candidat doit avoir au moins 18 ans et 50 ans au plus (sauf interrégionaux 45 ans). *Effectifs* (1-1-84) : 19 717 dont (82) 7 internationaux, 72 fédéraux, 120 interrégionaux, 2 170 de ligues, 16 603 de districts, 145 féminins.

Associations affiliées à la Féd. franç. de football : 22 608 en 84-85.

Licenciés. Nombre dont, entre parenthèses, professionnels (1981). U.R.S.S. 4 505 000 (pas de prof.). All. féd. 3 611 431 (1 000). *France* 1 800 000 en 1990. G.-B. 1 505 000 (5 000). Pays-Bas 964 215 (850). Italie 833 564 (4 609). Au total, (en 1984) environ 35 millions de joueurs dans le monde dont 70 % en Europe.

☞ **Football féminin.** Reconnu par la Féd. fr. de football le 29-3-1970. 1er championnat de France en 1974. 1985 : 26 558 licenciées, 1 100 clubs. *Ch. de France. 87* V.G.A. St-Maur b. Sochaux 3-0.

Principales épreuves internationales

Légende. – Af. : Afrique. Alg. : Algérie. All. : Allemagne. Am. C. : Amérique centrale. Arg. : Argentine. Austr. : Australie. Aut. : Autriche. Belg. : Belgique. Br. : Brésil. Bul. : Bulgarie. Col. : Colombie. Dk : Danemark. Ei. : Eire. Esp. : Espagne. Fr. : France. Gr. : Grèce. Hong. : Hongrie. Isl. : Islande. It. : Italie. Nor. : Norvège. Por. : Portugal. Rou. : Roumanie. Su. : Suède. Tché. : Tchécoslovaquie. Ur. : Uruguay. Youg. : Yougoslavie. Pol. : Pologne.

• **Jeux olympiques.** Voir p. 1801.

• **Coupe du monde.** *Créée* 1928, disputée pour la 1re fois en 1930. Tous les 4 ans. Vainqueurs et vaincus. Finale (en italique) et demi-finales. Depuis 1974 finale et match pour la 3e place. Résultats et lieu du match. **30** *Ur.-Arg. (4-2).* Arg.-USA (6-1). Ur.-Youg. (6-1) ; tous les 3 à Montevideo. **34** *It.-Tché. (2-1 Rome).* Tché.-All. (3-1 Rome). It.-Aut. (1-0 Milan). **38** *It.-Hong. (4-2 Paris).* Hong.-Su. (5-1 Paris). It.-Br. (2-1 Marseille). **50** *Ur.-Br. (2-1 Rio).* Br.-Su. (7-1 Rio). Ur.-Esp. (2-2 São Paulo). Br.-Esp. (6-1 Rio). Ur.-Su. (3-2- São Paulo). Su.-Esp. (3-1 São Paulo). **54** *All.-Hong. (3-2 Berne).* All.-Aut. (6-1 Bâle). Hong.-Ur. (4-2 Lausanne). **58** *Br.-Su. (5-2 Stockholm).* Br.-Fr. (5-2 Stockholm). Su.-All. (3-1 Göteborg). (France 3e en battant l'Allemagne 6-3). **62** *Br.-Tché. (3-1 Santiago).* Br.-Chili (4-2 Santiago). Tché.-Youg. (3-1 Vina del Mar). **66** *G.-B.-All. (4-2 Wembley).* G.-B.-Por. (2-1 Wembley). All.-URSS (2-1 Liverpool). **70** *Br.-Ital. (4-1 Mexico).* Br.-Ur. (3-1 Guadalajara). It.-All. féd. (4-3 Mexico, après prolongation). **74** *All. féd.-P.-Bas (2-1 Munich).* Pologne-Br. (1-0 Munich). **78** *Argentine-P.-Bas (3-1 Buenos Aires).* Brésil-Italie (2-1 Buenos Aires). **82** *Italie-All. féd. (3-1 Madrid).* Pologne-France (3-2 Alicante). **86** *Argentine-All. féd.* (3-2 Mexico). Fr.-Belg. (4-2 Puebla). **90.** *All. féd.-Argentine* (1-0 Rome). Italie-Angl. (2-1 Bari). **94** aux U.S.A. **98** candidatures : France, Suisse, Maroc, Brésil, Portugal. **2002** candidatures : Japon, Chine, Corée du S., Arabie S.

D'avril 1988 à nov. 89, 312 matches disputés par 102 équipes nat. (au total 732 buts) destinés à désigner les 22 qualifiés + Argentine (tenant du titre) et Italie (pays organisateur). *1989-7-12* tirage au sort des 6 groupes des 4 nations participant à la phase finale. *Groupe A :* Italie, Tchéc., Autriche, USA, *Gr. B :* Argentine, URSS, Roumanie, Cameroun, *G. C :* Brésil, Suède, Écosse, Costa Rica. *Gr. D :* All. féd., Youg., Colombie, Émirats arabes unis. *Gr. E :* Belgique, Espagne, Uruguay, Corée du S., *Gr. F :* Angleterre, P.-Bas, Eire, Égypte. Dans chaque groupe, chacun affronte les 3 autres équipes. Pour les départager, on tient compte : 1) des points acquis (victoire 2, nul 1, défaite 0), 2) de la différence entre les buts marqués et encaissés, 3) du nombre de buts marqués, 4) du résultat de la rencontre directe entre les exaequo, 5) du tirage au sort. Les 2 premiers de chaque groupe et les 4 meilleurs 3e sont qualifiés pour les 8e de finale. Ensuite, élimination directe (avec si besoin, prolongations et tirs au but). Au total, 48 matches sous la surveillance de 36 arbitres. 36 stades neufs ou rénovés soit 582 730 places (79 000 pour celui de Rome). *Budget* (millions de $) : 8 000 ; recettes : souvenirs 1 300, contrats de construction 4 400, dépenses touristiques 300, droits TV 71, mascotte 40, billets 163. Après la finale, la pelouse du stade romain devait être découpée en 306 000 morceaux vendus 300 F pièce. *Téléspectateurs :* 2,6 milliards.

Meilleurs buteurs de chaque coupe du monde. J. Fontaine (Fr.) : *13 buts* (1958). Kocsis (Hong.) : *11* (1954). G. Muller (All.) : *10* (1970)et *4* (1974). Eusebio (Port.) : *9* (1966). Stabile (Arg., 1930), Leonidas (Brés., 1938), Adémir (Brés., 1950) : *8.* Lato (Pol.) : 7 (1974). Kempes (Arg., 1978), Rossi (It., 1982), Lineker (G.-B., 1986), Schillaci (It., 1990) : *6.* Jerkovic (Youg.) : *5* (1962). Schiavo (It., 1934), Nejedly (Tch., 1934), Conen (All., 1934) : *4.*

• **Championnat d'Europe des Nations.** *Créé* 1958. Les 2 premières épreuves (1960 et 1964) se sont appelées Coupe d'Europe des Nations. **60** URSS b. Youg. 2-1. **64** Esp. b. URSS 2-1. **68** It. b. Youg. 2-0. **72** All. féd. b. URSS 3-0. **76** Tchéc. b. All. féd. 2-2 (5-4 aux pénalties). **80** All. féd. b. Belg. 2-1. **84** Fr. b. Esp. 2-0. **88** P.-B. b. URSS 2-0.

• **Coupe d'Europe des Clubs champions (C1).** *Créée* 1955. **80** Nottingham F. b. Hambourg 1-0. **81** F.C. Liverpool b. Real Madrid 1-0. **82** Aston Villa b. Bayern M. 1-0. **83** Hambourg b. Juventus 1-0. **84** Liverpool b. A.S. Rome 4-3. **85** Juventus b. Liverpool 1-0. **86** Steaua Bucarest b. F.C. Barcelone 0-0 (2-0 aux pénalties). **87** F.C. Porto b. Bayern M. 2-1. **88** P.S.V. Eindhoven b. Benfica 0-0 (6-5 aux pénalties). **89** Milan A.C. b. Steaua Bucarest 4-0. **90** Milan A.C. b. Benfica 1-0. **91** Etoile de Belgrade b. Olympique de Marseille 0-0 (5-3 aux pénalties).

• **Coupe d'Europe des Clubs vainqueurs de coupe (C2).** *Créée* 1960. Réservée aux clubs ayant remporté la coupe de leurs pays respectifs. **80** Valence b. Arsenal 5-4 (pen.) ; **81** Dynamo Tbilissi b. Carl Zeiss Iéna 2-1 ; **82** F.C. Barcelone b. Standard Liège 2-1 ; **83** Aberdeen b. Real Madrid 2-1. **84** Juventus Turin b. F.C. Porto 2-1. **85** Everton b. Rapid Vienne 3-1. **86** Dynamo Kiev b. Atletico Madrid 3-0. **87** Ajax Amsterdam b. Lokomotiv Leipzig 1-0. **88** F.C. Malines b. Ajax Amsterdam 1-0. **89** Barcelone b. Sampdoria Gênes 2-0. **90** Sampdoria Gênes b. Anderlecht 2-0. **91** Manchester b. Barcelone 2-1.

• **Coupe de l'UEFA (C3).** Issue de la coupe des villes de foires. *Créée* 1955. Réservée aux clubs ayant

---

• **Football américain.** *Né* à Harvard en 1872. Dérivé du rugby traditionnel. **2 équipes** (attaque et défense) de 11 joueurs (sur le terrain) casqués et protégés par un équipement spécial (10 kg). **Terrain.** 91,5 × 45 m, divisé en tranches de 9,15 m. **Balle.** Ovale (long. 28 cm, circonf. 55 cm), se joue au pied lors du coup de pied d'engagement *(kick off),* du coup de pied au but *(field goal)* et du coup de pied de transformation. Dans les autres phases de jeu, elle est le plus souvent portée à la main (passes, courses). N'importe quel joueur peut plaquer un adversaire, même si celui-ci n'a pas le ballon. **Partie.** 4 fois 12 mn. L'équipe à l'attaque doit progresser de 9,15 m min. en 4 mises en jeu, sinon la balle passe à l'équipe adverse. On marque un essai (6 points, *touchdown*) lorsque la balle est portée dans la zone d'en-but adverse ; on procède à une transformation au pied (1 pt) ou à la main (2 pts). Les fautes signalées par des drapeaux jaunes sont pénalisées par du recul de terrain. **Nombre de blessés par an**. *Dans les 20 000 équipes de lycées :* 1 000 000 ; *dans les 900 équipes universitaires :* 70 000. En 1905, chez les professionnels, il y avait eu 18 morts et 159 blessés.

• **Flag football.** Forme adoucie, sans contacts, sans équipement, suit des règles similaires.

Champion des U.S.A. (super bowl, *créé* 1967). *1988* Redskins (Washington) bat Broncos (Denver) 42-10. *89* 49ers San Francisco bat Bengals (Cincinnati) 20-16. *90* 49 [ers] San Francisco bat Broncos (Denver) 55-10. *91* New York Giants bat Buffalo Bills 20-19.

Europe. *1985* European football league créée. *Coupe d'Europe des clubs champions* (Eurobowl), annuelle. *Championnat d'Europe des nations,* équipes nationales, tous les deux ans (89 G.-B.).

France. *1983* Féd. française de Football amér. créée. *1990* env. 5 000 licenciés, 80 clubs. *Championnat de France* en deux divisions : 1er Casque d'Or, créée 1982 (**82** Spartacus Paris, **83** Anges bleus de Joinville, **84** Jets de Paris, **85, 86, 87** Castors Paris, **88, 89, 90, 91** Argonautes d'Aix), 2e Casque d'Argent. Championnat de France de Flag Football.

• **Football australien.** *Codifié* 1868. **Terrain.** De forme ovale. **Ballon.** Analogue à celui du rugby. **Équipes** 18 joueurs, plus 2 remplaçants. 15 joueurs occupent sur le terrain des positions définies et marquent directement un adversaire. Les 3 autres (un roover et 2 followers) représentent les éléments mobiles. Lorsque le ballon passe dans le goal post, il y a *behind* (1 point). Si l'équipe attaquante réussit à faire passer la balle entre les 2 poteaux verticaux (sans barre transversale), il y a *goal* (6 points).

• **Football gaélique.** *Réglementé* en 1884. **Terrain** .170 × 90 m. **Équipes.** 15 joueurs. 2 *mi-temps* de 30 mn. Tous les coups sont permis. On marque des points en faisant pénétrer le ballon dans un but de 6,40 m de large sur 2,40 m de haut, ou en le faisant passer au-dessus.

terminé aux premières places du championnat, immédiatement derrière le champion national et le vainqueur de la coupe nationale. **80** Francfort b. Moenchengladbach 3-2 puis 1-0 ; **81** Ipswich b. A.Z. 67 3-0 puis 2-4 ; **82** I.F.K. Göteborg b. Hambourg 1-0 puis 3-0 ; **83** Anderlecht b. Benfica 1-0 puis 1-1. **84** Tottenham b. Anderlecht 1-1 puis 1-1 (4-3 aux pénalties). **85** Real Madrid b. Videoton 3-0 puis 0-1. **86** Real Madrid b. F.C. Cologne 5-1 puis 0-2. **87** I.F.K. Göteborg b. Dundee United 1-1 puis 1-0. **88** Bayer Leverkusen b. Espanol Barcelone 3-0 puis 0-3 (3-2 aux pénalties). **89** Naples b. Stuttgart 2-1 puis 3-3. **90** Juventus b. Fiorentina 3-1 puis 0-0. **91** Inter Milan b. Roma 2-0 puis 0-1.

• **Matches internationaux français. 80-81** Fr. b. Chypre 7-0 [1]. Fr. b. Eire 2-0 [1]. P.-Bas b. Fr. 1-0 [1]. All. féd. b. Fr. 4-1. Fr. b. Belg. 3-2 [1]. Brésil b. Fr. 3-1. Esp. b. Fr. 1-0. **81-82** Belg. b. Fr. 2-0 [1]. Eire b. Fr. 3-2 [1]. Fr. b. P.-Bas 2-0 [1]. Fr. b. Chypre 4-0 [1]. Fr. b. Italie 2-0. Fr. b. Irlande Nord 4-0. Pérou b. Fr. 1-0. Fr. et Bulg. 0-0. P. de Galles b. Fr. 1-0. Angleterre b. Fr. 3-1 [1]. Fr. b. Koweït 4-1 [1]. Fr. et Tchéc. 1-1 [1]. Fr. b. Aut. 1-0 [1]. Fr. b. Irl. N. 4-1 [1]. All. féd. b. Fr. 5-4 [1]. Pol. b. Fr. 3-2 [1]. **82-83** Pol. b. Fr. 4-0. Fr. b. Hong. 1-0. Fr. b. P.-Bas 2-1. Fr. b. Port. 3-0. Fr. et URSS 1-1. Fr. b. Youg. 4-0. Fr. et Belg. 1-1. **83-84** Dan. b. Fr. 3-1. Fr. et Esp. 1-1. Youg. et Fr. 0-0. Fr. b. Angl. 2-0. Fr. b. Autr. 1-0. Fr. b. All. féd. 1-0. Fr. b. Écosse 2-0. Fr. b. Dan. 1-0 [2]. Fr. b. Belg. 5-0 [2]. Fr. b. Youg. 3-2 [2]. Fr. b. Port. 3-2 [2]. Fr. b. Esp. 2-0 2. **84-85** Fr. b. Lux. 4-0 [1]. Fr. b. Bulg. 1-0 [1]. Fr. b. All. dém. 2-0 [1]. Youg. et Fr. 0-0 [1]. Bulg. b. Fr. 2-1 [1]. **85-86** Fr. b. Urug. 2-0. All. dém. b. Fr. 2-0 [1]. Fr. b. Lux. 6-0 [1]. Fr. b. Youg. 2-0 [1]. Fr. et Irl. du N. 0-0. Fr. b. Arg. 2-0. Fr. b. Can. 1-0 [1]. Fr. et U.R.S.S. 1-1 [1]. Fr. b. Hongr. 3-0 [1]. Fr. b. It. 2-0 [1]. Fr. b. Brésil 1-1 [1]. All. féd. b. Fr. 2-0 [1]. Fr. b. Belg. 4-2 [1]. **86-87** Suisse b. Fr. 2-0. Isl. et Fr. 0-0. U.R.S.S. b. Fr. 2-0. All. dém. et Fr. 0-0. Fr. b. Isl. 2-0. Norv. b. Fr. 2-0. **87-88** Fr. et Norv. 1-1. Fr. b. Suisse 2-1. Fr. b. Esp. 2-0. Fr. et Irl. 0-0. **88-89** Fr. et Tchéc. 1-1 [1]. Fr. b. Norv. 1-0 [1]. Chypre et Fr. 1-1 [1]. Youg. b. Fr. 3-2 [1]. Eire et Fr. 0-0 [1]. Écosse b. Fr. 2-0 [1]. Fr. et Youg. 0-0 [1]. Fr. et Norvège 1-1 [1]. Fr. b. Écosse 3-0 [1]. Fr. b. Chype 2-0 [1]. **90** Fr. b. Islande 2-1 [3]. Fr. b. Tchéc. 2-1 [3]. Fr. b. Albanie 1-0 [3]. **91** Fr. b. Espagne 3-1 [3]. Fr. b. Albanie 5-0 [3].

Nota. – (1) Coupe du monde. (2) Coupe d'Europe des Nations. (3) Champ d'Europe des Nations.

• **Championnat du monde des clubs.** *Créé* 1960. Opposait par matches aller et retour le club champion d'Europe au champion d'Amér. du S. N'est plus organisé dep. 1973. N'était pas officiel.

Catastrophes

1964-23-5. *Lima (Pérou)* : 320 †, 1 000 blessés. Rencontre de qualification pour les J.O. opposant Pérou-Argentine ; un but refusé au Pérou qui lui permettait d'égaliser déclenche une émeute. Un incendie se déclare à même le stade.

1967-17-9. *Kayseri (Turquie)* : 40 † (dont 27 à coups de couteau), 600 bl. Échauffourées entre supporters de Kayseri et de Siwas pour un but contesté.

1968-23-6. *Buenos Aires (Arg.)* : 80 †, 150 bl. Match River-Plate-Boca Juniors, les supporters du 1er club allument des feux de joie, le public croit à un incendie, panique aux portes, dont l'une est bloquée par les tourniquets d'entrée.

1969-25-6. *Kirikhala (Turquie)* : 10 †, 102 bl. Bagarres et coups de feu lors d'un match. **25-12,** *Bukavu (Zaïre)* : 27 †, 52 bl. Les portes du stade s'ouvrent après l'arrivée du Pt Mobutu. La foule s'engouffre. Nombreux spectateurs piétinés.

1971-2-1. *Glasgow (G.-B.)* : 66 †, 108 bl. Match du derby de Glasgow, Celtic contre Rangers, un but de dernière minute amène une partie du public qui quittait le stade à remonter dans les tribunes, se heurtant aux partants. Bousculade.

1974-11-2. *Le Caire (Égypte)* : 48 †, 47 bl. 80 000 personnes veulent assister au match équipe caïrote-Dukla Prague dans le stade Zamalek (capacité 40 000). Une grille de bas de tribune s'effondre sous la poussée.

1982-21-10. *Moscou (U.R.S.S.)* : stade Loujniki 340 †, bousculade, demi-finale de la coupe de l'U.E.F.A.

1985-11-5. *Bradford (G.-B.)* : 53 †, 18 disparus, 200 bl. Incendie dans les tribunes, match championnat d'Angl. de division 3, Bradford/Lincoln. **29-5,** *Bruxelles, (Belg.),* stade du Heysel : 39 † (26 Italiens, 4 Belges, 2 Français et 1 Anglais, 6 non identifiés), 600 bl., finale de la coupe d'Europe Juventus de Turin-Liverpool. Des supporters anglais écrasent des Italiens contre le mur des tribunes, nombreux tués par étouffement. *20-6* l'Union europ. des ass. de football suspend la participation des clubs anglais aux compétitions europ. pour une durée indéterminée.

1988-12-3. *Kathmandou (Népal)* : orage de grêle, panique. 72 †, 27 bl. **21-5,** *Wembley (G.-B.)* : 1 †, 90 bl., pendant le match Angl.-Écosse.

1989-15-4. *Sheffield (G.-B.)* : 95 †, 170 bl., bousculade lors de la demi-finale de la coupe.

Principales épreuves nationales

Championnat de France

Saison 1991-92. 1re division : 20 équipes soit 18 matches (19 A., 19 R.). Le classement se fait aux points : victoire 3 points (à partir de juillet 88), nul 1 point, défaite 0 point. Le vainqueur joue la Coupe d'Europe des clubs champions ; les 2e et 3e la Coupe de l'UEFA Les 2 derniers descendent en 2e division, le 17e joue un match de barrage pour descendre ou non.

Clubs de 1re division 1991-92 : Auxerre, Caen, Cannes, Lens, Le Havre, Lille, Lyon, Marseille, Metz, Monaco, Montpellier-Hérault, Nancy, Nantes, Nimes, Paris-St-Germain, Rennes, St-Étienne, Sochaux, Toulon, Toulouse.

Vainqueurs du champ. de France professionnel (1re div.) dep. sa création (1933). **33** Lille. **34** Sète. **35** Sochaux. **36** R.C. Paris. **37** Marseille. **38** Sochaux. **39** Sète. **40** Rouen (Nord), Nice (Sud-Est), Bordeaux (Sud-Ouest). **41** Red Star (Nord), Marseille (Sud). **42** Reims (Nord), Sète (Sud). **43** Lens (N), Toulouse (S). **44** Artois-Lens. **45** Rouen (N), Lyon (S). **46** Lille. **47** Roubaix-Tourcoing. **48** Marseille. **49** Reims. **50** Bordeaux. **51** Nice. **52** Nice. **53** Reims. **54** Lille. **55** Reims. **56** Nice. **57** St-Étienne. **58** Reims. **59** Nice. **60** Reims. **61** Monaco. **62** Reims. **63** Monaco. **64** St-Étienne. **65,66** Nantes. **67,68,69,70** St-Étienne. **71,72** Marseille. **73** Nantes. **74,75,76** St-Étienne. **77** Nantes. **78** Monaco. **79** Strasbourg. **80** Nantes. **81** St-Étienne. **82** A.S. Monaco. **83** F.C. Nantes. **84-85** Bordeaux. **86** Paris-St-Germain. **87** Bordeaux. **88** Monaco. **89,90,91** Marseille.

Meilleurs buteurs du championnat de France (nombre de buts marqués). **70** H. Revelli (St-Étienne) 28 ; **71** Skoblar (Marseille) 44 ; **72** id. 30 ; **73** id. 26 ; **74** Bianchi (Reims) 43 ; **75** Onnis (Monaco) 30 ; **76** Bianchi (Reims) 30 ; **77** Bianchi (P.-St-Germain) 28 ; **78** id. 37 ; **79** id. 27 ; **80** Onnis (Monaco), Kostedde (Laval) 21 ; **81** Onnis (Tours) 24 ; **82** id. 29 ; **83** Halilhodzic (Nantes) 27 ; **84** Garande (Auxerre) ; Onnis (Toulon) 21 ; **85** Halilhodzic (Nantes) 28 ; **86** Bocande (Metz) 23 ; **87** Zenier (Metz) 18 ; **88** Papin (Marseille) 19. **89** id. 22 ; **90** id. 30. **91** id. 23.

Coupe de France

• **Généralités. Finale jouée** la 1re fois le 5.5.1918 sur le terrain (aujourd'hui disparu) de la *Légion St-Michel,* rue Olivier-de-Serres, devant 2 000 spectateurs. Depuis, elle a eu sa finale (en général à Colombes ou au Parc des Princes).

Affluence maximale (dep. le début) 61 722 spectateurs (1950 Colombes). **Minimale** (depuis 1945) 24 910 (1963 rejouée au Parc des Princes). En 1986, au Parc des Princes, pour finale Bordeaux-Marseille, 45 429 (recette 4 505 062 F).

• **Vainqueurs.** *5 fois :* Marceau Sommerlinck (arrière-gauche ou demi-gauche) (1946-47-48-53-55 avec Lille), Bathenay (74, 75, 77, 82, 83) ; *4 fois :* Baratte (46-47-48-53), Bereta (68-70-74-76), Boyer (19-24-26-27), Dupuis (36-39-40-45), Nicolas (21-22-23-28), Revelli Hervé (68-70-75-77).

Villes souvent victorieuses. Paris 17 fois, Red Star *5* (1921, 22, 23, 28, 42). Racing (1936, 39, 40, 45, 49) ; **Paris-St-G.** *2* (82, 83), C.A.S.G. *2,* Olympique *1,* C.A.P. *1,* Club Français *1 ;* **Marseille** *11* (1924, 26, 27, 35, 38, 43, 69, 72, 76, 89, 90) ; **St-Étienne** *6* (1962, 68, 70, 74, 75, 77) ; **Lille** *5* (1946, 47, 48, 53, 55) ; **Lyon** *3* (1964, 67, 73).

Vainqueurs et vaincus de la Coupe de France dep. sa création. **1918 :** Ol. de Pantin b. FC Lyon 3-0. **19 :** CASG b. Ol. de Paris 3-2 (prolongation). **20 :** CA Paris b. Le Havre 2-1. **21 :** Red Star b. Ol. de Paris 2-1. **22 :** Red Star b. Rennes 2-0. **23 :** Red Star b. Sète 4-2. **24 :** Marseille b. Sète 3-2 (prolongation). **25 :** CASG b. Rouen 1-1, puis 3-2. **26 :** Marseille b. Valentigney 4-1. **27 :** Marseille b. Quevilly 3-0. **28 :** Red Star b. CA Paris 2-0. **29 :** Montpellier b. Sète 2-0. **30 :** Sète b. Racing CF 3-1. **31 :** Club Français b. Montpellier 3-0. **32 :** Cannes b. RC Roubaix 1-0. **33 :** Excelsior b. RC Roubaix 3-1. **34 :** Sète b. Marseille 2-1. **35 :** Marseille b. Rennes 3-0. **36 :** Racing CP b. Charleville 1-0. **37 :** Sochaux b. Strasbourg 2-1. **38 :** Marseille b. Metz 2-1 (prolongation). **39 :** Racing CP b. Lille 3-1. **40 :** Racing CP b. Marseille 2-1. **41 :** Bordeaux b. Fives 2-0. **42 :** Red Star b. Sète 2-0. **43 :** Marseille b. Bordeaux 2-2 puis 4-0. **44 :** Nancy-Lorraine b. Reims Champagne 4-0. **45 :** Racing CP b. Lille 3-0. **46 :** Lille b. Red Star 4-2. **47 :** Lille b. Strasbourg 2-0. **48 :** Lille b. Lens 3-2. **49 :** Racing C.P. b. Lille 5-2. **50 :** Reims b. Racing C.P. 2-0. **51 :** Strasbourg b. Valenciennes 3-0. **52 :** Nice b. Bordeaux 5-3. **53 :** Lille b. Nancy 2-1. **54 :** Nice b. Marseille 2-1. **55 :** Lille b. Bordeaux 5-2. **56 :** Sedan b. Troyes 3-1. **57 :** Toulouse b. Angers 6-3. **58 :** Reims b. Nîmes 3-1. **59 :** Le Havre b. Sochaux 2-2, puis 3-0. **60 :** Monaco b. St-Étienne 4-2 (prolongation). **61 :** Sedan b. Nîmes 3-1. **62 :** St-Étienne b. Nancy 1-0. **63 :** Monaco b. Lyon 0-0, puis 2-0. **64 :** Lyon b. Bordeaux 2-0. **65 :** Rennes b. Sedan 2-2, puis 3-1. **66 :** Strasbourg b. Nantes 1-0. **67 :** Lyon b. Sochaux 3-1. **68 :** St-Étienne b. Bordeaux 2-1. **69 :** Marseille b. Bordeaux 2-0. **70 :** St-Étienne b. Nantes 5-0. **71 :** Rennes b. Lyon 1-0. **72 :** Marseille b. Bastia 2-1. **73 :** Lyon b. Nantes 2-1. **74 :** St-Étienne b. Monaco 2-1. **75 :** St-Étienne b. Lens 2-0. **76 :** Marseille b. Lyon 2-0. **77 :** St-Étienne b. Reims 2-1. **78 :** Nancy b. Nice 1-0. **79 :** Nantes b. Auxerre 4-1 (prolongation). **80 :** Monaco b. Orléans 3-1. **81 :** RC Bastia b. St-Étienne 2-1. **82 :** Paris-S.-G. b. St-Étienne 2-2, puis tirs au but 6-5. **83 :** Paris-S.-G. b. Nantes 3-2. **84 :** FC Metz b. Monaco 2-0 (prolongation). **85 :** Monaco b. Paris-S.-G. 1-0. **86 :** Bordeaux b. Marseille 2-1 (prolongation). **87 :** Bordeaux b. Marseille 2-0. **88** Metz b. Sochaux 1-1 (5 tirs au but à 4). **89 :** Marseille b. Monaco 4-3. **90 :** Montpellier b. Racing Paris I 2-1 (prolongation). **91 :** Monaco b. Marseille 1-0.

• **Clubs de 2e division ou de catégories inférieures ayant atteint les quarts de finale. 1970** Limoges, Paris-Neuilly. **71** Blois, Monaco, Dunkerque. **72** Avignon, Lens. **73** Avignon. **74** Paris-S.-G. **75** aucun. **76** Angers. **77** Lorient. **78** aucun. **79** Gueugnon, Auxerre, Angoulême, Avignon. **79-80** Orléans, Montpellier, P.-Football-Club, Auxerre. **80-81** Montpellier, Martigues. **81-82** Toulon. **82-83** Guingamp, Racing Paris 1. **83-84** Mulhouse, Cannes. **84-85** St-Étienne. **86-87** Alès, Reims. **87-88** Sochaux, Quimper, Reims, Châtellerault. **88-89** Orléans, Rennes, Mulhouse, Beauvais. **89-90** Avignon.

Compétitions régionales

Chacune des 22 ligues rég. métropol. (102 districts) ainsi que les 9 ligues d'outre-mer organisent leurs propres compétitions, dont la répartition par division s'étend sur un certain nombre de catégories hiérarchiques (champ. de ligues, de districts, aux échelons seniors, juniors, cadets...).

Quelques noms

Joueurs français

☞ *Légende.* – (1) St-Tropez. (2) St-Étienne. (3) Nantes. (4) Monaco. (5) Racing Club de France. (6) Marseille. (7) Angers. (8) Reims. (9) P.S.-G. (10) Lille. (11) Levallois. (12) Bordeaux. (13) Stade fr. (14) Strasbourg. (15) Nice. (16) Quevilly. (17) Rouen. (18) Red Star. (19) Nîmes. (20) Lyon. (21) Valenciennes. (22) Cannes. (23) Sochaux. (24) Rennes. (25) Roubaix. (26) Nancy. (27) Racing. (28) Troyes. (29) Paris. (29) Brest. (30) Le Havre. (31) A.S.F. (32) Metz. (33) Avignon. (34) Montpellier. (35) Guingamp. (36) Real Madrid. (37) Besançon. (38) Mulhouse. (39) Lens. (40) Barcelone. (41) Amiens. (42) Bastia. (43) Aix. (44) La Garenne-Colombes. (45) Toulouse. (46) Auxerre. (47) Genève. (48) Matra-Racing. (49) Toulon. (50) Bruges. (51) Ajaccio

ALCAZAR Joseph, 1911 [1]. ALPSTEG René, 3-12-20 [2]. AMISSE Loïc, 9-8-54 [3]. AMOROS Manuel 1-2-62 [4]. ANATOL Manuel, 8-5-03 [5]. ARTELESA Marcel, 2-7-38 [6]. ASTON Fred, 16-5-12 [7]. AUBOUR Marcel, 17-6-40 [8]. AYACHE William 10-1-61 [6,3]. BARATELLI Dominique, 26-10-47 [9]. BARATTE Jean, 1923-86 [10]. BARD Henri, 1892-1951 [27]. BARONCHELLI Bruno, 13-1-57 [3]. BARREAU Gaston, 1883-1958 [11]. BATHENAY Dominique, 13-2-54 [9]. BATS Joël, 4-1-57 [23,46,9]. BATTEUX Albert, 2-7-19 [8]. BATTISTON Patrick, 12-3-57 [32,2,12,4].

Bellone Bruno, 14-3-62 [4,22,34]. Ben Barek Larbi, 16-6-17 [13]. Berdoll Marc, 6-4-53 [6]. Bergeroo Philippe, 13-1-54 [45]. Bereta Georges, 15-5-46 [6,2]. Bernard Pierre, 27-1-32 [2]. Bertrand-Demanes Jean-Paul, 23-5-52 [3]. Bibard Michel, 30-11-58. Bigot Jules, 22-10-15 [10]. Bihel René, 2-9-16-† [14]. Blanc Laurent, 19-11-65 [34]. Blanchet Bernard, 1-12-43 [3]. Bongiorni Émile, 1921-49 [5]. Bonifaci Antoine, 4-9-31 [15]. Bonnardel Philippe, 28-7-1899 [16]. Bonnel Joseph, 4-1-39 [6]. Bosquier Bernard, 19-6-42 [49,23,2,6]. Bossis Maxime, 26-6-55 [3,48]. Bourbotte François, 24-2-13 [10]. Boyer Jean, 2-2-01 [6]. Bravo Daniel, 9-2-63 [4,15]. Budzinski Robert, 21-5-40 [3]. Canthelou Jacques, 1904 [17]. Cantona Eric, 24-5-66 [46,6,34]. Carnus Georges, 13-8-42 [2,6]. Casoni Bernard, 4-9-61 [22,49,48,6]. Castaneda Jean, 20-3-57 [2]. Chantrel Augustin, 1907 [18]. Chardar André, 1906 [19]. Chayrigues Pierre, 1892-1965 [18]. Chiesa Serge, 25-12-50 [20]. Chorda André, 20-1-38 [15]. Cisowski Thadée, 16-2-27 [21]. Colonna Dominique, 4-9-28 [8]. Combin Nestor, 29-12-40 [18]. Cottenet Maurice, 11-2-1895 [22]. Couriol Alain, 24-10-58 [9]. Courtois Roger, 1912-72 [23]. Cuissard Antoine, 19-7-24 [24]. Dalger Christian, 18-12-49 [4]. Darui Julien, 1916-87 [25]. Dauphin Robert [13]. Deladerière Léon, 26-6-27 [26]. Delfour Edmond, 1-11-07 [27]. Delmer Célestin, 15-2-07 [18]. Devaquez Jules, 1899-1971 [6]. Diagne Raoul, 10-11-10 [5]. Di Lorto Laurent, 1909-89 [23]. Di Nallo Fleury, 1943 [20]. Djorkaeff Jean, 27-10-39 [6]. Domergue Marcel [18] 16-11-1901. Douis Yvon, 16-5-35 [4]. Dropsy Dominique, 9-12-51 [21,14,12]. Dubly Raymond, 5-11-1893 [25]. Ducret Jean, 1887 [13]. Ecale J.Paul, 6-3-38 [6,51,25,22]. Ettori Jean-Luc, 29-7-55 [4].

Fargeon Philippe 24-6-64 [12]. Farison Gérard, 5-3-44. Fernandez Luis, 2-10-59 [9,48,22]. Ferreri Jean-Marc 26-12-62 [46,12]. Ferrier René, 7-12-36 [2]. Flamion Pierre, 13-12-24 [28]. Floch Louis, 1947 [29]. Fontaine Just, 18-8-33 [8]. Gallay Maurice 1901 [6]. Gamblin Lucien, 1890-1972 [18]. Gemmrich Albert, 13-2-55 [12]. Genghini Bernard, 18-1-58 [6,47,2,23,12]. Gianessi Lazare, 9-11-25 [4]. Giresse Alain, 2-9-52 [12,6]. Glovacki Léon, 19-2-28 [8]. Gondet Philippe, 17-5-42 [3]. Goujon Yvon, 21-1-37 [17]. Grégoire Jean, 20-7-22 [13]. Grillon André, 1-11-21 [13]. Grumellon Jean, 1-6-23 [30]. Guillou Jean-Marc, 20-12-45 [15]. Hanot Gabriel, 1889-1968 [31]. Hausser Gérard, 18-3-39 [33]. Heisserer Oscar, 18-7-14 [27]. Herbet Yves, 17-8-45 [33]. Herbin Robert, 30-3-39 [2]. Hidalgo Michel, 22-3-33 [4]. Hon Louis, 11-9-24 [13]. Huard Gaétan, 12-1-61 [39,6,12]. Huck Jean-Noël, 20-12-48 [15]. Hugues François, 14-8-1896 [24]. Huguet Guy, 1923 [15]. Janvion Gérard, 21-8-53 [2]. Jonquet Robert, 3-5-25 [8]. Jordan Gusti, 21-2-09 [27]. Kaelbel Raymond, 31-1-32 [8]. Kargu (Kargulewiecz) Édouard, 16-12-25 [12]. Kaucsar Joseph, 20-9-04 [34]. Kéruzoré Raymond, 17-6-48 [35]. Kopa (Kopaszewski) Raymond, 13-10-31 [7,8,36]. Koranyi Désiré, 1914-81. Korb Pierre, 1908 [23]. Lacombe Bernard, 15-8-1952 [12]. Lamia Langiller Marcel, 2-6-08 [2]. Larios J.-François, 27-8-56 [42,36,20,15,34]. Larqué Jean-Michel, 8-9-47 [2]. Laurent Lucien, 30-12-06 [37]. Lech Georges, 2-6-45 [8]. Lerond André, 6-12-30 [13]. Leroux Yvon, 19-4-60 [29,4,3,6]. Liberati Ernest, 22-3-08 [21]. Lieb Jean [38]. Llense René, 1913 [2]. Lopez Christian, 15-3-53 [2]. Loubet Charly, 26-1-46 [6]. Louis Xerxès, 21-10-26 [39].

Maes Eugène, 1890-1945 [18]. Marcel Jean-Jacques, 13-6-31 [5]. Marche Roger, 5-3-24 [8]. Martini Bruno, 25-1-62 [46]. Maryan Synakowski, 1936 [13]. Mattler Étienne, 1905-86 [23]. Mesnier Paul [27]. Mezy Michel, 15-8-48 [14]. Michel Henri, 28-10-47 [3]. Muller Lucien, 3-9-34 [8,40]. Mura Eric, 23-1-63 [6,14]. Nicolas Jean, 1914 [17]. Nicolas Paul, 1899-1959 [41]. Novi Jacky, 18-7-47 [14]. Olmeta Pascal, 4-7-61 [42,49,48,6]. Pardo Bernard, 19-12-60 [10,29,2,49,12,6]. Papi Claude, 1949-83 [42]. Papin Jean-Pierre, 5-11-63 [21,50,6]. Passi Gérald, 21-1-64 [45]. Pavillard Henri, 1905 [13]. Péan Éric, 10-9-63 [10,12]. Pécout Éric, 17-2-56 [3,4,32,14]. Penverne Armand, 26-11-26 [8]. Petit Jean [4]. Piantoni Roger, 26-12-31 [8]. Platini Michel [n. 21-6-1955 à Jœuf (M.-et-M.). *Clubs :* AS Jœuf (1966-72), AS Nancy-Lorraine (1972-79), AS Saint-Étienne (1979-82), Juventus de Turin (1982-87). 648 matches professionnels, 348 buts. 72 sélections en équipe de France (27-3-76 au 29-4-87) 41 buts (record). Champion d'Europe 1984, Coupe des clubs ch. 1985, Coupe des Coupes 1984. Ch. de France 1981, Coupe de France 1978. Ch. d'Italie 1984, 1986, Coupe d'Italie 1983. Coupe intercontinentale des nations 1985, des clubs 1985, Super-Coupe européenne 1984. *Distinctions :* ballon d'or du meilleur joueur européen en 1983, 1984 et 1985]. Prouff Jean, 12-9-19 [43]. Quittet Claude, 12-3-41 [15]. Remetter François, 8-8-28 [14]. Repellini Pierre, 27-10-50 [2]. Revelli Hervé, 5-5-46 [15,2]. Revelli Patrick, 22-6-51 [23]. Rey André, 22-1-48 [32]. Rigal Jean, 12-12-1890 [44]. Rio Patrice, 15-8-48 [3]. Rio Roger, 13-2-13 [17]. Rocheteau Dominique, 14-1-55 [2,9,45]. Rodzik Bruno, 29-5-35 [8]. Rostagni Jean-Paul, 14-1-48 [15]. Rouyer Olivier, 1-12-55 [26]. Salva Marcel, 1-10-22 [27]. Sarramagna Christian, 29-12-51 [2]. Sauzée Franck, 28-10-65 [6]. Simon Jacques, 20-3-41 [17]. Sinibaldi Pierre 29-2-24 [8]. Six Didier, 21-8-54 [39,23,24,25] (en 1987, émigré au Galatasaray-Istanbul). Soler Gérard, 29-3-54 [12,45]. Stopyra Yannick, 9-1-61 [23,24,45,12]. Strappe André, 23-2-28 [42]. Synaeghel Christian, 28-1-51 [2]. Thépot Alex, 1906-89 [18]. Tigana Jean, 23-6-55 [49,20,12]. Touré José, 24-4-61 [3,12]. Trésor Marius, 15-1-50 [6,12]. Tusseau Thierry, 19-1-58 [3,12,48]. Ujlaki Joseph, 10-8-29 [27]. Vaast Ernest, 28-10-22 [18]. Vandooren Jules, 1908-84 [8]. Veinante Émile, 12-6-07 [27]. Vercruysse Philippe 28-1-62 [39,12,6]. Verriest Georges, 15-7-09 [25]. Vignal René, 12-8-26 [27]. Villaplane Alex, 1905 [5]. Vincent Jean, 29-11-30 [8]. Wallet Urbain, 1901 [41]. Wendling Jean, 29-4-34 [8]. Wisnieski Maryan, 1-2-37 [23]. Xuereb Daniel, 22-5-59 [20,39,9]. Zenier Bernard 21-8-57 [12,6,32].

Joueurs étrangers

☞ *Légende.* – (1) Suisse. (2) Brésil. (3) Portugal. (4) Hongrie. (5) Uruguay. (6) Italie. (7) Belgique. (8) Argentine. (9) G.-B. (10) Youg. (11) All. féd. (12) Suède. (13) Irlande du N. (14) Tchéc. (15) URSS (16) Bulgarie. (17) Hongrie. (18) Mexique. (19) P. de Galles. (20) Hollande. (21) Pologne. (22) Esp. (23) Autr. (24) Écosse. (25) Angleterre. (26) Mali. (27) Danemark. (28) Pérou. (29) Chine. (30) Ghāna. (31) Colombie. (32) Sénégal. (33) Cameroun.

Abegglen André [1], 1909-44. Ademir François [2], 8-11-22. Aguas José [3], 1935. Albert Florian [4], 15-9-41. Alberto Carlos [2], 17-7-47. Allofs Klaus [11], 8-10-57. Altafini José [2], 27-8-38. Altobelli Alessandro [6], 28-11-55. Amalfi Yeso [2], 6-12-25. Amancio Amara Varelos [22], 17-10-39. Amaral Joan [2], 21-12-54. Amarildo Tavares de Silveira [2], 29-6-39. Anastasi Pietro [6], 7-4-48. Andrade José Léandro [5], 1898-1954. Andreolo Michele [6], 1912. Anoul Léopold [7], 19-8-22. Antenen Charles [1], 3-11-29. Antognoni Giancarlo [6], 1-4-54. Ardiles Osvaldo [8], 3-8-52. Armfield Jimmy [9], 21-9-35. Augusto José [3], 13-4-37. Ball Alan [9], 12-5-45. Banks Gordon [9], 30-12-37. Baresi Franco [6], 8-5-60. Barnes John [9], 7-11-65. Beara Vladimir [10], 1928. Beckenbauer Franz, surnom : "Kaiser Franz" [11], 11-9-45. Belanov Igor [15], 20-4-60. Bell Joseph-Antoine [33], 8-10-54. Benetti Romeo [6], 20-10-45. Bergmark Orvar [12], 16-11-30. Bergomi Giuseppe [6], 22-12-63. Best George [13], 22-5-46. Bettega Roberto [6], 27-12-50. Bican Josef [14], 1913. Bickel Fred [1], 2-5-18. Blanchflower Danny [13], 10-2-26. Blankenburg Horst [11], 10-7-47. Blokhine Oleg [15], 5-11-52. Bocande Jules [32], 25-11-58. Bojkov Stephan [16], 1924. Boniek Zbigniew [21], 3-3-56. Boniperti Gian Piero [6], 4-7-28. Bozsik Josef [17], 1925-78. Braine Raymond [7], 1907-61. Brehme Andreas [11], 9-11-60. Breitner Paul [11], 5-9-51. Briegel Hans-Peter [11], 11-10-55. Buchwald Guido [11], 24-1-61. Butragueno Emilio [22], 22-7-63. Cabrini Antonio [6], 8-10-57. Capelle Jean [7], 26-10-13. Carbajal Antonio [18], 7-6-29. Carter Raich Horatio [9], 21-12-13. Causio Franco [6], 1-2-49. Ceulemans Jan [7], 28-2-57. Charles John [19], 27-12-31. Charlton Bobby [9], 11-10-37. Charlton Jacky [9], 8-5-35. Chesternev Albert [15], 13-8-41. Chislenko Igor [15], 8-9-39. Chumpitaz Hector [28], 12-4-43. Coppens Henri [7], 29-4-30. Corso Mario [6], 25-8-41. Cruijff Johan [20], 25-4-47. Cubilla Luis [5], 28-3-40. Curkovic Ivan [10], 15-3-44. Czibor Zoltan [17], 1929. Dahleb Mustapha [31], 13-1-52. Dalglish Kenny [24], 4-3-51. Dassaev Rinat [15], 13-6-57. Dean Bill « Dixie » [9], 1907. Deyna Kazimierz [21], 1947-89. Didi Waldyr Pereira [2], 8-10-28. Dirceu José [2], 15-6-52. Di Stefano Alfredo [8], 4-7-26. Dominguez Jorge [8], 7-3-59. Dunai Antal [17], 21-3-43. Durkovic Vladimir [10], 6-11-38. Edstroem Ralph [12], 7-10-52. Eusebio (Ferreira Da Silva) [3], 25-1-43.

Facchetti Giacinto [6], 18-7-42. Fazekas Laszio [17], 15-10-47. Fillol Ubaldo [8], 21-7-50. Finney Tom [9], 5-4-22. Forster Karl-Heinz [11], 25-7-58. Francescoli Enzo [5], 12-11-61. Francis Trevor [9], 19-4-54. Gadocha Robert [21], 10-1-46. Garrincha Manoel [2], 1936-83. Gento Francisco [22], 21-10-33. Gerson (De Oliveira Nunes) dit [2], 11-1-41. Gilmar dos Santos Neves [2], 22-8-30. Graziani Francesco [6], 16-12-52. Gren Gunnar [12], 31-10-20. Gullit Ruud [20], 1-9-62. Gustavsson Bengt [12], 13-1-28. Halilhodzic Vahid [10], 15-10-52. Hamrin Kurt [12], 19-11-34. Hanappi Gerhard [23], 16-2-29. Hapgood Eddie [9], 1909-73. Happel Ernst [23], 29-11-25. Hidegkuti Sandor [17], 3-3-22. Hoddle Glen [9], 27-10-57. Hurst Geoff [9], 8-12-41. Jairzinho (Ventura Filho Jaïr dit) [2], 25-12-44. Jekov Petar [16], 10-10-44. Keegan Kevin [25], 14-2-51. Keita Salif [26], 6-12-46. Keizer Piet [20], 14-6-43. Kempès Mario [8], 15-7-54. Khidiatuline Vaguiz [15], 3-2-59. Kocsis Sandor [17], 1929-79. Koeman Ronald [20], 21-3-63. Kolev Yvan [16], 1932. Krankl Hans [23], 14-2-53. Kubala Lazlo [17], 1-6-27. Landrup Michael [27], 1964. Law Denis [24], 24-2-40. Lawton Tommy [25], 6-10-19. Leao Emerson [2], 11-7-49. Léonidas da Silva [2], 11-11-10. Liddell William [24], 10-1-22. Liebrich Werner [11], 1927. Liedholm Nils [12], 8-10-22. Lineker Gary [25], 30-11-60. Littbarski Pierre [11], 16-4-60. Lofthouse Nat [9], 27-8-25. Lubanski Wlodzimierz [21], 28-2-47. Luque Leopoldo [8], 3-5-49.

Magnusson Roger [12], 20-3-45. Maier Josef « Sepp » [11], 28-2-44. Maradona Diego [8], 30-10-60, arrêté en avril 91 pour détention de cocaïne. Maldini Paolo [6], 26-6-68. Masopust Josef [14], 9-2-31. Matthaus Lothar [11], 21-3-63. Matthews Stanley [9], 1-2-15. Mazurkiewicz Ladislav [5], 14-2-45. Mazzola Alessandro, dit Sandro [6], 8-11-42. Mazzola Valentino [6], 1919-49. Meazza Giuseppe [6], 23-8-10. Mees Victor [7], 26-1-27. Meredith William [19], 1875-1958. Mikhailitchenko Alexei [15], 30-3-63. Moore Robert, dit Bobby [9], 12-4-41. Muller Gerhard, dit Gerd [11], 3-11-45. Neeskens Johann [20], 15-9-51. Nejedli Ildrich [14], 1909. Netto Igor [15], 1930. Netzer Günther [11], 14-9-44. Nordahl Gunnar [12], 19-10-21. Nordqvist Bjorn [12], 6-10-42. Novak Ladislav [14], 1931. Nyers Étienne [17], 23-3-24. Ocwirk Ernst [23], 7-3-26. Overath Wolfgang [11], 29-9-43. Passarella Daniel [8], 25-5-53. Pelé (Edson Arantès do Nascimento) [2], 23-10-40, marque 1281 buts dans sa carrière. Pelé (Abedi Ayew) [30], 5-11-62. Pfaff J-Marie [7], 4-12-52. Piola Silvio [6], 29-9-13. Pirri José [22], 11-3-45. Planicka Frantisek [14], 1904. Puskas Ferenc [17], 2-4-27. Rahn Helmut [11], 16-8-29. Rats Vassili [15], 25-3-61. Reinaldo José [2], 11-1-57. Rep Johnny [20], 25-11-51. Ressenbrinck Bob [20], 3-7-47. Rijkaard Frank [20], 30-9-62. Riva Luigi [6], 7-11-44. Rivelino Roberto [2], 1-1-46. Rivera Gianni [6], 18-8-43. Rocha Pedro Virgilio [5], 3-12-42. Rossi Paolo [6], 23-9-56. Rummenigge Karl-Heinz [11], 25-9-55. Salnikov Sergueï [15], 1925. Sanchez-Marquez Hugo [22], 11-7-58. Santos Djalma [2], 1929. Santos Nilton [2], 1926. Sarosi Georg [17], 15-8-13. Schiaffino Juan Alberto [5], 28-7-25. Schnellinger Karl Heinz [11], 31-3-39. Schumacher Harald [11], 6-4-54. Schuster Bernd [11], 22-12-59. Seeler Uwe [11], 5-11-36. Shilton Peter [9], 18-9-49. Simonsen Allan [27], 15-12-52. Sindelar Mathias [23], 1903-39. Sivori Omar [8], 2-10-35. Skoblar Joszip [10], 11-3-41. Socrates [2], 19-2-54. Sotil Hugo [28], 10-5-47. Stabile Guillermo [8], 1906. Suarez Luis [22], 2-5-35. Susic Safet [10], 14-4-55. Svensson Karl [12], 11-11-25. Swift Frank [9], 1915-58. Tardelli Marco [6], 24-9-54. Tostao (Eduardo Gonçalvès de Andrade dit) [2], 21-1-47. Valderrama Carlos [31], 2-9-61. Van Basten Marco [20], 31-10-64. Van Himst Paul [7], 2-10-43. Vava (Edvaldo Isidio Neto) [2], 20-11-34. Vercauteren Frank [7], 28-10-56. Vogts Berti [11], 30-12-46. Voller Rudi [11], 13-4-60. Vukas Bernard [10], 1927. Waddle Chris [9]. Walter Fritz [11], 31-10-1920. Wright Billy [9], 6-2-24. Yachine Lev [15], 1929-90. Yuxin Xie [29], 1-12-68. Zagalo Mario [2], 1932. Zamora Ricardo [22], 21-1-01. Zavarov Alexandre [15], 26-4-61. Zico (Arthur Coïmbra) dit [2], 3-3-53. Zito Miranda José Ely [2], 8-8-32. Zoff Dino [6], 28-2-42.

Golf

Généralités

Origine. **XIIIe s.** né en Écosse. **1744** 1er Club de golfeurs. Honourable Company of Edinburgh Golfers (cap., l'écrivain Sir Walter Scott). **1850** se répand en Europe et aux États-Unis. **1856** fondation à Pau du plus ancien club européen hors d'Écosse. **1900 et 1904** sport olympique. **1912** création de l'Union des golfs de France. **1932** devient Féd. française de golf.

Balle. Blanche ou de couleur. *Anglaise :* diam. 41,2 mm, 45,9 g. *Amér. :* 42,7 mm, 45,9 g. 384 alvéoles. Peut atteindre 250 km/h au départ d'un drive ; balles angl. et amér. sont utilisées en France. La balle américaine est obligatoire en compétition.

Clubs. Cannes servant à lancer la balle. Quel que soit le matériau utilisé, ils se divisent en *bois* [numérotés de 1 (le *driver* qui sert aux départs, a une face d'attaque verticale et porte à 190-210 m) à 7] et en *fers* [numérotés de 1 à 10 plus le *sand wedge* (pour les bunkers)]. Les clubs portant un petit numéro sont les plus fermés ; ils s'ouvrent de manière régulière à mesure que leur numéro augmente. On ne peut utiliser plus de 14 clubs.

Définitions. **Divot :** morceau de gazon enlevé par la canne en même temps que la balle. **Drive :** coup de longue distance joué du départ. **Par :** chaque trou doit être joué dans un nombre idéal de coups déterminé, appelé « par ». Pour un trou long de 228 m max., le « par » est de 3. Il est de 4 jusqu'à 434 m et, au-dessus, de 5. *Trou réussi* en 3 coups de moins que le « par » : *albatros ;* en 2 : *eagle ;* en 1 : *birdie.* **Parcours :** comprend 18 trous (5,8 à 6,3 km), de 10 cm de diamètre, espacés de 100 à 500 m répartis sur une surface de 30 à 60 ha. *Green :* terrain de 150 à 500 m² spécialement aménagé autour du trou. *Fairway :* parcours tondu situé entre le départ et le green. *Rough :* terrain bordant le fairway où la végétation est à l'état naturel. *Bunker :* obstacle contenant du sable, généralement placé autour du green. *Practice :* terrain réservé à l'entraînement et à l'initiation. **Putting :** action de faire rouler la balle vers le trou (10 cm de diam.) sur le green avec la canne appelée « putter ». **Tee :** petite cheville de bois ou de plastique enfoncée dans le sol par le joueur pour surélever la balle au départ.

Formes. **Medal play :** on additionne tous les coups joués pour parvenir à boucler le parcours. Toutes les grandes épreuves se disputent suivant cette formule, surtout chez les professionnels. **Match play :** oppose 2 joueurs ou 2 équipes par élimination directe ; chaque trou compte séparément, et le joueur de l'équipe qui gagne le plus grand nombre de trous sur un parcours l'emporte. **Foursome :** 2 joueurs par équipes jouent chacun 1 coup sur 2 avec la même balle. Peut être joué en match play ou en medal play. **Fourball :** dérivé du foursome, chacun des 4 joueurs disposant de sa balle, et le meilleur score de l'équipe entrant en ligne de compte pour chaque trou. **Greensome** *(ou greensome-foursome) :* 2 joueurs par équipe jouant chacun 1 balle au départ. La meilleure balle est choisie et les compétiteurs jouent ensuite 1 coup sur 2. – Les professionnels jouent sans handicap *(scratch).*

Classement. Chaque joueur amateur est *classé* de – 2 (joueur idéal) à 24. En *medal-play,* on retranche du score final le handicap de chaque joueur pour effectuer le classement. En *match play,* on répartit les 3/4 de la différence entre les handicaps des 2 joueurs en présence sur les trous les plus difficiles (ex. : si un joueur classé 2 rencontre un joueur classé 10, ce dernier bénéficiera de 1 point d'avance à chaque départ des 6 trous les plus difficiles du parcours).

Frais. *Équipement :* chaussures cloutées 250 F, gants env. 100 F, série de clubs (3 bois, 9 fers) 3 000 à 10 000 F, sac 350 à 1 000 F, chariot 380 à 800 F. *Droits d'inscription* à un club. *Golfs privés :* voir p. 1249. *Publics de la région parisienne :* abonnement annuel « multigolfs » 4 500 F, semainier 2 000 F (couple 3 000 F). Green fee : semaine 65 F, week-end 117 F.

Règles. ORIGINE : code établi par le Royal and Ancient Club of St Andrews (club écossais fondé en 1754). Il s'agit, à partir d'une base de départ, de mettre la balle dans les trous (en général 18), avec le moins de coups possible. Le parcours dure env. 3 h pour 5,8 à 6,3 km. Une balle doit être jouée où elle se trouve. On ne peut pas déplacer les obstacles adhérant au sol (pierres, arbrisseau, racine, etc.). Une balle qui sort du jeu doit être remise à l'endroit où celle-ci était précédemment jouée. Elle entraîne alors une pénalité. Le joueur qui ne trouve pas sa balle après 5 mn de recherches doit rejouer une nouvelle balle, tout en tenant compte des coups joués avec la balle perdue. On joue toujours en premier lieu la balle la plus éloignée du trou.

Ace ou trou réussi en un coup. *De la plus longue distance :* 408 m (Robert Mitera, 7-10-1965, U.S.A.). *Le plus grand nombre pour un joueur :* 68 de 1967 à 1985 (Harry Lee Bonner, U.S.A.). 16 joueurs ont réalisé à la suite 2 trous en 1 coup. Un *drive* de 471 m (par Michael Hoke Austin le 25-9-1974).

Golfeurs. **Nombre** (et entre parenthèses nombre de parcours, au 1-1-89). All. féd. 138 993 (310), Australie 936 000 (1 553), Autriche 14 350 (51), Belgique 22 000 (49), Canada 2 700 000 (1 619), Danemark 41 000 (66), Espagne 57 120 (117), U.S.A. 24 700 000 (13 738), G.-B. 2 200 000 (2 386), *France 181 147 (378),* Italie 35 150 (109), Japon 13 000 000 (1 700), P.-Bas 47 000 (56), Portugal 4 500 (25), Suède 294 000 (245), Suisse 18 000 (39).

Nota. – Au 1-1-91, en France, 200 000 joueurs et 181 147 licenciés.

Parcours en France. *1982 :* 140, *86 :* 155, *89 :* 249, *90 :* 305, *91.* 378 (dont 80 publics), *99 (est.) :* 671. *De 1987 à 89,* ouverture de 105 parcours, *90 :* 73. **Prix d'un 18 trous :** 5 à 30 millions de F.

Nota. –5-10-1990 inauguration du golf national de St-Quentin en Yvelines [45 trous dont un parcours de championnat (*Albatros*), un 18 trous (*l'Aigle*) et un 9 trous d'initiation (*l'Oiselet*).

Swin

Origine. Le *chôle* joué avec des crosses et le *mail* avec des boules et des maillets. Inventé par M. de Vilmorin, avant 1939. Repris par son fils Laurent. *1985 avril* discipline associée de la fédération de golf. **Règles.** Les mêmes qu'au golf. **Terrain.** Plus restreint, ne nécessitant pas de tonte parfaite. *Canne* tête triangulaire permettant 3 types de frappe (soulever la balle, lui faire prendre une faible hauteur, la faire rouler). Même mouvement (swing). **Balle.** Souple en mousse pesant 42 g. **Trous.** Indiqués par des drapeaux, diam. 30 cm. **Clubs** (1989). 70. **Renseignements.** Swin, BP 18, 13 520 Maussane-les-Alpilles.

Principales épreuves

☞ *Légende.* – (1) Australie. (2) Afr. du S. (3) Argentine. (4) Canada. (5) G.-B. (6) Japon. (7) N.-Zélande. (8) USA (9) Italie. (10) France. (11) Brésil. (12) Espagne. (13) Suède. (14) Zimbabwe. (15) Irlande. (16) Écosse. (17) Suisse. (18) Allemagne féd. (19) Belgique. (20) Chine. (21) Afr. du S. (22) T'aiwan. (23) Colombie. (24) Suède. (25) Mexique.

Tournois amateurs

• Championnat du monde (tous les 2 ans). Hommes *Eisenhower Trophy* (*créé* 1958). **76** G.-B. **78, 80, 82** USA **84** Japon. **86** Canada. **88** G.-B. **90** Suède. Dames (créé 1964). *Espiritu Santo Trophy.* **76** USA. **78** Austr. **80, 82, 84** USA. **86** Espagne. **88, 90** USA.

• Championnat d'Europe. Hommes (*créé* 1959). **59, 61** Suède. **63** Angleterre. **65, 67** Irlande. **69, 71, 73** Angl. **75, 77** Écosse. **79, 81** Angl. **83** Irlande. **85** Écosse. **87** Irlande. **89** Angl. **90** Italie. **91** Angl. **Individuels** (*créé* 1986). **86** Haglund [13]. **88** Ecob [1]. Dames (*créé* 1967). **67** Angl. **69** *France.* **71, 73** Angl. **75** *France.* **77** Angl. **79** Irlande. **81** Suède. **83** Irlande. **85** Angl. **87** Suède. **89** France. **91** Angl. **Individuels. 86** Koch [18]. **88** Descamps [19]. **90** Koch [18]. **91** S. Bourson [10].

• France. International (*créé* 1904, tous les 2 ans dep. 86). Hommes **76 et 77** T. Planchin [10]. **78** G. Levenson [2]. **79** A. Godillot [10]. **80** A. Gresham [4]. **81, 82** F. Illouz [10]. **83, 84** A. Godillot [10]. **85, 86** R. Taher. **87** F. Lindgren [24]. **89** G. Shemano [8]. Dames (*créé* 1909) **76** C. Maestre [12]. **77** A.M. Palli [10]. **78** C. Mourgue d'Algue [10]. **79** M. Figueras [12]. **80** M.L. De Lorenzi [10]. **81** C. Mourgue d'Algue [10]. **82** M.-L. De Lorenzi-Taya [10]. **83** R. Lautens [17]. **84** L. Chen [20]. **85, 86** M. Campomanes. **87** S. Louapre [10]. **88** C. Mourgue d'Algue [10]. **89** E. Orley [17]. **90** K. Mourgue d'Algue. **91** C. Mourgue d'Algue. Jeunes gens **76** G. Tunner [6]. **77** Brand [16]. **78** G. Knuttson [13]. **79** A. Webster [16]. **80** A. Oldcorn [5]. **81** A. Stubbs [5]. **82** non disp. **83, 85** S. Bottomley [5]. **86** Y. Beamontes. **87** A. Hare [5]. **90** J. Dahlstrom. J. filles International Coupe Esmond **76** De Lorenzi [10]. Montgomery [13]. **77** Montgomery [13]. **78** De Lorenzi [10]. **79** Bromet [10]. **80** Lautens [17]. **81** Decercq [10]. **82** Soules [10]. **83** E. Dahllof [13]. **84** C. Soules. **85** P. Johnson. **86** E. Tamarit. **87** S. Croce. **88** S. Chapcott. **89** S. Mendiburu [10]. **90** E. Knuth [12]. **91** S. Mendiburu [10].

National, *créé* 1923. Hommes **76** G. Leven. **77** P. Ploujoux. **78, 79, 80** A. Godillot. **81** T. Planchin. **82** A. Godillot. **83** L. Lassalle. **84** Y. Houssin. **85** J.-F. Remesy. **86** J. Van de Velde. **87** G. Brizay. **88** Barquez. **89** Cevaer. **90** Vignal. **91** Cupillard. Dames. *Créé* 1923. **76** A.M. Palli. **77** A. Lanrezac. **78** N. Jeanson. **79** M.-C. Ubald-Bocquet. **80** E. Berthet. **81** C. Soulès. **82** E. Berthet. **83** M.L. de Lorenzi-Taya. **84, 85** C. Soulès. **86** M.-L. de Lorenzi. **87** S. Louapre. **88** Marty. **89** Bourtayre. **90** D. Bourson.

Tournois professionnels

• 1°) Les Majors (4 grands tournois). U.S. Masters (*créé* 1934, se déroule à Augusta, Géorgie, U.S.A. ; 72 trous medal-play). Messieurs : **80** S. Ballesteros [12]. **81** T. Watson [8]. **82** C. Stadler [8]. **83** S. Ballesteros [12]. **84** B. Crenshaw [8]. **85** B. Langer [18]. **86** J. Nicklaus [8]. **87** L. Mize [8]. **88** S. Lyle [16]. **89, 90** N. Faldo [5]. **91** I. Woosnan [5].

Open américain. Messieurs. (*créé* 1895 ; 72 trous, medal-play ou 18 trous, play-off) : **80** J. Nicklaus [8]. **81** D. Graham [1]. **82** T. Watson [8]. **83** L. Nelson [8]. **84** F. Zoeller [8]. **85** A. North [8]. **86** R. Floyd [8]. **87** S. Simpson [8]. **88, 89** C. Strange [8]. **90** H. Irwin [8]. **Dames.** *Créé* 1946. **80** A. Alcott [8]. **81** P. Bradley [8]. **82** J. Alex [8]. **83** J. Stephenson [1]. **84** H. Stracy [8]. **85** K. Baker [8]. **86** J. Geddes [8] **87** L. Davies [5]. **88** L. Neumann [13]. **89, 90** B. King [8].

Open britannique. Messieurs. (*créé* 1860 ; dep. 1972, 72 trous, medal-play). **80** T. Watson [8]. **81** R. Rogers [8]. **82, 83** T. Watson [8]. **84** S. Ballesteros [12]. **85** S. Lyle [16]. **86** G. Norman [1]. **87** N. Faldo [5]. **88** S. Ballesteros [12]. **89.** Calcavecchia [8]. **90** N. Faldo [5]. Dames. *Créé* 1976. **80, 81 D. Massey** [8]. **82** M. Figueras-Dotti [12]. **83** non disp. **84** A. Okamoto [6]. **85** B. King [8]. **86** L. Davies [5]. **87** A. Nicholas [5]. **88** C. Dibnah [1]. **89** J. Geddes [8]. **90** H. Alfredsson [24]. **91** Ian Baker-Finch [1].

Championnat de l'Association des professionnels américains (U.S.-P.G.A. Tour). Messieurs. (*créé* 1916 ; 72 trous, medal-play) : **80** J. Nicklaus [8]. **81** L. Nelson [8]. **82** R. Floyd [8]. **83** H. Sutton [8]. **84** L. Trevino [8]. **85** H. Green [8]. **86** B. Tway [8]. **87** L. Nelson [8]. **88** J. Sluman [8]. **89** P. Stewart [8]. **90** W. Grady [1]. Dames. (U.S.-L.P.G.A.). *Créé* 1955. **80** S. Little [8]. **81** D. Caproni [8]. **82** J. Stephenson [8]. **83, 84** P. Sheehan [8]. **85** N. Lopez [8]. **86** P. Bradley [8]. **87** J. Geddes [8]. **88** S. Turner [8]. **89** N. Lopez [8].

• 2°) Les épreuves par équipes. World Cup (Coupe du monde). *Créée* 1953. De 1953 à 66, s'appelle *Canada Cup.* 72 trous, medal-play. Se dispute par équipes nationales de 2 joueurs. **80** Canada. **81** non disp. **82** Espagne. **83** USA. **84** Espagne. **85** Canada. **86** non disp. **87** Pays de Galles. **88** USA. **89** Australie. **90** All.

Ryder cup. Messieurs. *Créée* 1927. Tous les 2 ans, alternativement en Europe et en Amérique. Dep. 1979, 28 matches dont 16 doubles et 2 simples. **79, 81, 83** USA. **85, 87** Europe. **89** égalité. Se déroulera en 91 et 95 aux U.S.A. en 93 et 97 en Espagne. Dames (Solheim cup.). *Créée* 1990. **90** USA.

• 3°) Les championnats du monde. Messieurs. *Créés* 1990 par Mark Mc Cormack. Dames. *Créés* 1980 par Mc Cormack. Se disputent aux USA. Dep. 87, 16 meilleurs joueuses. **89** B. King [8]. **90** (en France) C. Gerring [8].

• 4°) Le Tour européen. Trophée Lancôme (Golf de St-Nom-la-Bretèche, France ; *créé* dep. 1970 ; 72 trous, medal-play). **80** L. Trevino [8]. **81, 82** D. Graham [1]. **83** S. Ballesteros [12]. **84** S. Lyle [16]. **85** N. Price [2]. **86** S. Ballesteros [12] et B. Langer [18] ex aequo. **87** I. Woosnam [5]. **88** S. Ballesteros [12]. **89** Romero [3]. **90** J.-M. Olazabal [12].

Open d'Allemagne (*créé* 1911 ; 72 trous, medal-play). **80** M. Mc Nulty [2]. **81, 82** B. Langer [18]. **83** C. Pavin [8]. **84** W. Grady [1]. **85, 86** B. Langer [18]. **87** M. Mc Nulty [2]. **88** S. Ballesteros [12]. **89** B. Langer [18]. **90** M. Mc Nulty [14].

Open d'Espagne (*créé* 1945 ; 72 trous, medal-play). **80** E. Polland [5]. **81** S. Ballesteros [12]. **82** S. Torrance [16]. **83** S. Lyle [16]. **84** B. Langer [18]. **85** S. Ballesteros [12]. **87** N. Faldo [5]. **88** M. James [5]. **89** B. Langer [18]. **90** R. Davis [1]. **91** E. Romero [3].

Open de France. Messieurs (*créé* 1906 ; 72 trous, medal-play). **80** G. Norman [1]. **81** S. Lyle [5]. **82** S. Ballesteros [12]. **83** N. Faldo [5]. **84** B. Langer [18]. **85, 86** S. Ballesteros [12]. **87** J. Rivero [12]. **88, 89** N. Faldo [5]. **90** P. Walton [15]. Dames (*créé* 1987). **87** L. Neumann [13]. **88** M.-L. de Lorenzi-Taya [10]. **89** Strudwick [5]. **91** Romero [3].

Open de Hollande (*créé* 1912 ; 72 trous, medal-play). **80** S. Ballesteros [12]. **81** H. Henning [2]. **82** P. Way [5]. **83** K. Brown [16]. **84** B. Langer [18]. **85** G. Marsh [1]. **86** S. Ballesteros [12]. **87** G. Brand Jr [16]. **89** J.-M. Olazabal [12]. **90** S. Mc Allister [16]. **91** P. Stewart [8].

Open d'Italie (*créé* 1925 ; 72 trous, medal-play). **80** M. Manelli [9]. **81** J.M. Canizares [12]. **82** M. James [5]. **83** B. Langer [18]. **84** S. Lyle [16]. **85** M. Pinero [12]. **86** D. Feherty [15]. **87** S. Torrance [5]. **88** G. Norman [1]. **90** R. Boxall [5].

Open du Portugal (*créé* 1953). **80, 81** non disputé. **82, 83** S. Torrance [16]. **84** T. Johnstone. **85** W. Humphreys. **86** M. Mac Nulty [2]. **87** R. Lee [5]. **88** M. Harwood [5]. **89** I. Woosnan [5]. **90** M. Mc Lean [5]. **91** Richardson [5].

Open de Scandinavie (*créé* 1973). **81** S. Ballesteros [12]. **82** B. Byman [8]. **83** S. Torrance [16]. **84** I. Woosnam [5]. **85** I. Baker-Finch [1]. **86** G. Turner [7]. **87** Brand [5]. **88** S. Ballesteros [12]. **89** Rafferty [15]. **90** C. Stadler [8].

Open de Suisse (*créé* 1923 ; 72 trous, medal-play). **80** N. Price [14]. **81** M. Pinero [12]. **82** I. Woosnam [5]. **83** N. Faldo [5]. **84** J. Anderson [4]. **85** C. Stadler [8]. **86** J.-M. Olazabal. **87** A. Forsbrand. **88** C. Moody [5]. **89** R. Rafferty [15].

Sun Alliance (*créé* 1980-81). **81** N. Faldo [5]. **82** T. Jacklin [5]. **83** S. Ballesteros [12].

Open de Madrid (72 trous, medal-play). **80** S. Ballesteros [12]. **81** M. Pinero [12]. **82** S. Ballesteros [12]. **83** S. Lyle [16]. **84, 86** H. Clark [16]. **87** I. Woosnam [5]. **88** D. Cooper [5]. **89** S. Ballesteros [12].

Hennessy Ladies Cup (*créée* 1985). Femmes uniquement. **85** J. Stephenson [1]. **86** K. Leadbetter [8]. **87** K. Douglas [5]. **88, 89** M.-L. de Lorenzi-Taya [10]. **90** T. Johnson [5]. **91** H. Alfredsson [13].

France

Championnat de France professionnel (*créé* en 1973) (*challenge P.E. Guyot*). **74, 75, 76, 77** Jean Garaïalde. **78** Michel Damiano. **79** Bonardi. **80** Garaïalde. **81** P. Léglise. **82** J. Garaïalde. **83** Ducoulombier. **85** J. Garaïalde. **86** M. Tapia. **87** Lamaison. **88** Besanceney. **89** G. Watine. **90** C. Hoffstetter.

Grand prix de L'APGF (*créé* 1946). **77** P. Cotton [10]. **78** M. Tapia [10]. **79** J. Garaïalde [10]. **80** M. Damiano [10]. **81** M. Tapia [10]. **82** J. Garaïalde [10]. **83** Ducoulombier. **84** B. Pascassio. **85** M.A. Farry. **86** O. Léglise. **87** Watine. **88** T. Levet. **89** G. Watine. **90** J.-L. Schneider.

Omnium national (*créé* 1913). **77** Pascassio. **78** P. Cotton. **79** J.P. Charpenel. **80** P. Léglise. **81** P. Cotton. **82** G. Watine. **83** non disp. **86** E. Dussart. **87** J. Garaïalde. **88** P. Palli. **90** T. Levet.

Quelques noms

☞ Voir légende p. 1742.

Aaron Tommy [8] 1937. Archer George [8] 1939. Baiocchi Hugh [2] 1946. Ballesteros Severiano [12] 9-4-57. Barber Jerry [8] 1916. Barnes Brian [5]. Bean [8]. Bembridge Maurice [8] 1945. Bevione Franco [9] 1926. Bolt Tommy 1918. Bonallack Michaël 1935. Boros Julius [8] 1920. Bradley Pat [8] 24-3-51. Brewer Gay [8] 1932. Burke Jack 1923. Burkemo Walter [8] 1919. Burns Gorge [8] 1949. Carlian Michel [10]. Carr Joseph [15] 1922. Casper William Earl [8] 24-6-31. Charles Robert [7] 1936. Chung Chen Tze [22]. Claes Joncke. Cole Boby [3] 1948. Collenot Chantal [10] 1951. Coody Charles [8] 1937. Cotton Henry [5] 1907-87. Cotton Patrick [10] 1953. Crenshaw Ben [8] 1952. Cros Claudine [10] 24-10-40. Cros Patrick [10] 12-10-43. Davies Laura [5] 5-10-63. Dassu Baldovino [10] 1953. Demaret James Newton [8] 1910. Dussart Emmanuel [10] 17-2-64. Faldo Nick [5] 18-7-57. Farry Marc-Antoine [10] 3-7-59. Faukner Max [5] 1916. Finsterwald Dow [8] 1929. Fleck Jack [8] 1922. Floyd Raymond [8] 2-9-42. Ford Doug [8] 1922. Furgol Ed [8] 1917. Gaham Lou [8] 1938. Gancedo José [12] 31-3-38. Garaïalde Jean [10] 2-10-34. Geiberger Al [8] 1937. Gilles Viny [8] 1943. Goalby Bob [8] 1931. Godillot Alexis [10] 1943. Gonzales Jaime [14]. Grady Wayne [1] 26-7-57. Graham David [1]. Green Hubert [8] 1946. Guldahl Ralph [8] 1912. Hagen Walter [8] 1892-1969. Hamon Claude [10] 1921. Harbert Melvin R. [8] 1915. Harper Chandler [8] 1914. Hayes Dale [3] 1952. Heard Johnny [8] 1947. Heathcoat-Amory Lady [5] 1901. Hebert Jay [8] 1923. Hebert Lionel [8] 1920. Hogan Ben [8] 13-8-12. Huggett Brian [5] 1936. Irwin Hale [8] 1945. Jacklin Antony [5] 7-7-44. Januari Don [8] 1929. Jones Robert [8] 1902-71. Keiser Herman [8] 1915. King Betsy [8]. Kite Tom [8] 9-12-49.

Lacoste Catherine [10] 27-6-45. Lagarde Roger [10] 1934. Lamaze Henri (de) [10] 2-8-18. Langer Bernhard [18] 27-8-57. Leadbetter Kelly [8] 1958. Lema Anthony David [5] 1934-66. Littler Gene [8] 1930. Locke Arthur d'Arcy [5] 1917-87. Lopez Nancy [8] 6-1-57. Lorenzi-Taya (de) Marie-Laure [10] 21-1-61. Lyle Alexander dit Sandy [5] 9-2-58. Mangrum Lloy [8] 1914. Massy Arnaud [1] 1877-1950. Maura Ivan [12]. Mendiburu Sandrine [10] 15-10-72. Middlecoff Cary [8] 6-1-21. Miller Johnny [8] 29-4-47. Mize Larry [8]. Moerman Jacques 31-3-27. Moody Orville 1934. Morris Tom junior [5] 1851-75. Morris Tom senior [5] 1821-1908. Mourgue d'Algue Cecilia [10] 4-8-46. Mourgue d'Algue Gaëtan [10] 1-6-39. Nagle Kelvin [1] 1920. Nelson Byron [8] 4-2-12. Nelson Larry [8] 1948. Nichols Bobby [8] 1936. Nicklaus Jack [8] 21-1-40. Norman Gregory John, dit Greg [1] 10-2-55. North Andy 9-3-50. Olazabal José Maria [12] 5-2-66. Oosterhuis Peter [5] 3-5-48. Ouimet Francis de Sales [8] 1893-1967. Owen Simon [7] 1950. Palli Anne-Marie [10] 18-4-55. Palmer Arnold [8] 10-9-29. Pascassio Bernard [10] 23-5-47. Pendaries Marc [10] 26-6-66. Picard Henry [8] 1906. Planchin Tim [10] 23-5-59. Player Gary [2] 1-11-35. Ploujoux Philippe [10] 20-2-55. Polland Eddie [5] 1947. Rafferty Ronan [15]. Rankin Judy [8] 18-2-45. Regard Frédéric [10] 12-8-60. Rosburg Bob [8] 1926. Saint-Sauveur Segard Lally [10] 4-4-21. Sarazen Gene [8] 27-2-02. Simpson Scott [8] 17-9-55. Smith Horton [8]. Snead Sam [8] 27-5-12. Sota Ramon [12] 1939. Stephenson Jane [1]. Stockton David [8] 1942. Strange Curtis [8] 20-1-55. Swaelens Donald [8] 1935-75. Tapia Michel [10] 7-3-53. Taylor Reginald [2] 1928. Thomson Peter [5] 23-8-39. Trevino Lee [8] 1-12-39. Underwood Hall [8] 1945. Vagliano André 1896-1971. Van de Velde Jean [10]. Varangot Brigitte [10] 1-5-40. Venturi Ken [8] 1931. Vicenzo (de) Roberto [3] 14-4-23. Wadkins Jerry Lonston [8] 1961. Wall Art [8] 1923. Watine Gery [10] 8-8-53. Watson Thomas [8] 4-9-49. Weiskopf Tom [8] 9-11-42. Whitworth Kathy [8] 27-9-39. Wood Craig [8] 1901-68. Woosnam Ian [5] 2-3-58. Zoeller Fuzzy 11-11-51.

Classement mondial (24-4-91). *1* Woosnam, *2* Olazabal *3* Faldo, *4* Norman, *5* Stewart, *6* Azinger, *7* Langer, *8* Strange, *9* McNulty, *10* Wadkins, *11* Kite, *12* Irwin, *13* Ballesteros, *14* Mize, *15* Ozaki.

Gymnastique

Gymnastique artistique

Généralités

• **Nom.** Du grec *gumnos,* nu, car les athlètes s'exerçaient nus. Ne pas confondre la gymnastique (discipline de compétition) et l'éducation physique.

• **Histoire.** Pratiquée dans l'Antiquité (Chine, Inde, Égypte, Grèce, Rome) pour la santé et comme entraînement militaire. **Moyen Age,** abandonnée sous la pression de l'Église, sauf par la noblesse et les saltimbanques. **XVIe-XVIIIe s.** de nombreux auteurs (Mercurialis, Rabelais, Luther, Montaigne, Rousseau, Mme de Genlis) insistent sur son importance. **XIXe s.** renouveau avec les écoles *allemande* [Johann Jahn (1778-1852) et Johann GutsMuths (1759-1839)], *suisse* [Jean-Henri Pestalozzi (1746-1827) et Phocion-Heinrich Clias (1782-1854)], *suédoise* [Per-Henrik Ling (1776-1839)], *anglaise* [Thomas Arnold (1795-1842)], *tchèque* [Myrolsav Tyrs (1832-84) et Hindrich Fügner (1822-65)], *française* [Francisco Amoros (1770-1848), Georges Demény (1850-1917) et Georges Hébert (1875-1957)]. **1873** *28-9* fondation de la Fédération française. **1881** *23-7* la Féd. internat. créée. **1896** inscrit au J.O. (hommes uniquement et **1928** pour les femmes).

• **Règles. Agrès.** *Masculins :* cheval d'arçons (L 1,60 m, l 35 cm, h des arçons 12 cm, h totale 1,20 m), barres parallèles (h 1,75 m, L 3,50 m), barre fixe (h 2,55 à 2,75 m, L 2,40 m, diam. 28 mm), anneaux (accrochés à un portique de 5,50 m de h et 2,80 à 2,90 m de l, anneaux de 18 cm de diam. accrochés par des sangles et des câbles). *Féminins :* barres asymétriques (h 2,30 et 1,50 m, L 2,40 m, écartement 90 à 140 cm), poutre (L 5 m, 110 à 13 cm, h 1,20 m). *Mixtes :* saut de cheval (h 1,35 m pour les hommes et 1,20 m pour les femmes, L 1,60 m, l 35 cm, utilisé en long pour h. et en large pour f., tremplin et piste d'élan), exercices au sol (sur un praticable de 12 m sur 12 m, accompagnement musical pour f.). **Concours** (J.O. et ch. du monde). *1 :* titre par équipe ; exercices libres et imposés ; classements par équipe, individuel qui désigne les participants au concours 2, et individuel par engins qui désigne les participants au concours 3. *2 :* titre individuel ; finale des 36 meilleurs gymnastes ; exercices libres. *3 :* titres par agrès (6 pour les hommes et 4 pour les femmes) ; finale aux engins ; exercices libres. **Code de pointage.** Publié tous les 4 ans par la F.I.G. Notes de 0 à 10 points.

• **Quelques chiffres. Monde.** *1991* 101 fédérations affiliées à la F.I.G., 10 300 000 H. et 19 200 000 F. **France. Clubs.** *1875 :* 10. *1923 :* 1 300. *53 :* 981 ; *87 :* 1 325. **Licences.** *1900 :* 66 600. *30 :* 50 000. *50 :* 47 000. *60 :* 50 000. *70 :* 85 000. *80 :* 103 000. *90 :* 146 480.

Principales épreuves

☞ *Légende.* – (1) Japon. (2) URSS (3) USA (4) Hongrie. (5) All. dém. (6) All. féd. (7) Roumanie. (8) Chine. (9) Tchécoslovaquie. (10) Bulgarie. (11) It. (12) Suisse. (13) All.

• **Jeux olympiques.** Voir p. 1801.

• **Championnats du monde.** *Créés* 1902. Tous les 2 ans, années impaires, mêmes règles que pour les J.O. **Hommes. Équipes. 74, 78** Japon. **79, 81** URSS. **83** Chine. **85, 87, 89** URSS. **C.G. individuels. 74** Kasamatsu [1]. **78** Andrianov [2]. **79** Ditiatine [2]. **81** Korolev [2]. **83** Bilozerchev [2]. **85** Korolev [2]. **87** Bilozerchev [2]. **89** Korobchinski [2]. **Sol. 74** Kasamatsu [1]. **78, 79** Thomas [3]. **81** Korolev [2]. **83, 85** Tong Fei [8]. **87** Yun [8]. **89** Korobchinski [2]. **Arçons. 74, 78, 79** Magyar [4]. **81** Nikolay [5]. **83** Bilozerchev [2]. **85** Moguilny [2]. **87** Bilozerchev [2] et Borkai [4]. **89** Moguilny [2]. **Anneaux. 74** Andrianov [2] et Grecu [7]. **78** Andrianov [2]. **79, 81** Ditiatine [2]. **83** Bilozerchev [2]. **85** Li Ning [8] et Korolev [2]. **87** Korolev [2]. **89** Aguilar [6]. **Saut. 74** Kasamatsu [1]. **78** Shimizu [1]. **79** Ditiatine [2]. **81** Hemman [5]. **83** Akopian [2]. **85** Korolev [2]. **87** Yun [8] et Kroll [5]. **89** Behrend [6]. **Barres parallèles. 74, 78** Kenmotsu [1]. **79** Conner [3]. **81** Gushiken [1] et Diatine [2]. **83** Artemov [2] et Yun [8]. **85** Kroll [5] et Moguilny [2]. **87, 89** Artemov [2]. **Barres fixes. 74** Gienger [6]. **78** Kasamatsu [1]. **79** Thomas [3]. **81** Tkatchev [2]. **83** Bilozerchev [2]. **85** Tong Fei [8]. **87** Bilozerchev [2]. **89** Li [8].

Dames. Équipes. 74, 78 URSS. **79** Roumanie. **81, 83, 85** URSS. **87** Roumanie. **89** URSS. **C. G. individuels. 74** Touritcheva [2]. **78** Mukhina [2]. **79** Kim [2]. **81** Bitcherova [2]. **83** Yurchenko [2]. **85** Schouchounova [2] et Omelianchik [2]. **87** Dobre [7]. **89** Boginskaïa [2]. **Saut. 74** Korbut [2]. **78** Kim [2]. **79** Turner [7]. **81** Gnauck [5]. **83** Stoyanova [10]. **85, 87** Schouchounova [2]. **89** Dudnik [2]. **Barres asymétriques. 74** Zinke [5] ; **78** Frederick [3]. **79** Ma Yanhong [8] et Gnauck [5]. **81, 83** Gnauck [5]. **85** Fahnrich [5]. **87** Silivas [7]. **89** Fan [8] et Silvias [7]. **Poutre. 74** Touritcheva [2]. **78** Comaneci [7]. **79** Cerna [9]. **81** Gnauck [5]. **83** Mostepanova [2]. **85** Silvias [7]. **87** Dobre [7]. **89** Silvias [7]. **Sol. 74** Touritcheva [2]. **78** Kim [2] et Mu Khina [2]. **79** Eberle [7]. **81** Ilyenko [2]. **83** Szabo [7]. **85** Omelianchik [2]. **87** Schouchounova [2]. **89** Silvias [7] et Boginskaïa [2].

• **Coupe du monde.** *Créée* 1975. Tous les 4 ans dep. 1982, 2 ans depuis 1990, épreuve individuelle sur invitation, 3 concurrents par pays. **Hommes. C.G. individuels. 75, 77** Andrianov [2]. **78, 79** Ditiatine [2]. **80** Makuts [2]. **82** Li Ning [8]. **86** Korolev [2] et Li Ning [8]. **90** Belenki : [2]. **Sol. 75** Kajiyama [1]. **77** Andrianov [2]. **78** Bruckner [5]. **79** Kasamatsu [1]. **80** Bruckner [5]. **82, 86** Li Ning [8]. **90** Scherbo [2]. **Arçons. 75** Magyar [4]. **77** Markelov [2]. **78** Magyar [4]. **79** Conner [3]. **80** Bruckner [5]. **82, 86** Li Ning [8] et Mogilnyi [2]. **90** Li [8]. **Anneaux. 75** Tsukahara [1]. **77** Andrianov [2]. **78, 79** Ditiatine [2]. **80** Huang Yubin [8]. **82** Li Ning [8]. **86** Korolev [2]. **90** Belen [2]. **Saut. 75** Shamugia [2]. **77** Markelov [2]. **78** Shimizu [1]. **79** Barthel [5]. **80** Bruckner [5]. **82** Lin Ning [8]. **86** Korolev [2], Kroll [5] et Tippelt [5]. **90** Scherbo [2]. **Barres parallèles. 75, 77** Andrianov [2]. **78** Azarian [2]. **79** Kenmatsu [1]. **80** Li Yuejiu [8]. **82** Korolev [2]. **86** Korolev [2]. Mogilnyi [2] et Xu Zhiqiang [8]. **90** Belenki [2]. **Barres fixes. 75** Tsukahara [1]. **77** Markelov [2]. **78, 79** Gienger [6]. **80** Makuts [2]. **82** Tong Fei [8] et Li Ning [8]. **86** Korolev [2]. **90** Belenki [2].

Dames. C. G. individuels. 75 Touritcheva [2]. **77. 78** Filatova [2]. **79, 80** Zakharova [2]. **82** Bitcherova [2]. **86** Schouchounova [2]. **90** Boginskiaia [2]. **Saut. 75** Touritcheva [2]. **77, 78** Shaposhnikova [2]. **79** Comaneci [7]. **80** Zakharova [2]. **82** Yurchenko [2]. **86** Schouchounova [2]. **90** Onodi [4]. **Barres asymétriques. 75** Touritcheva [2]. **77** Moukhina [2]. **78, 79** Kraker [5]. **80, 82** Gnauck [5]. **86** Schouchounova [2]. **90** Lisenko [2]. **Poutre. 75** Touritcheva [2]. **77** Moukhina [2]. **78** Cerna [9]. **79** Eberle [7]. **80** Naimoushina [2]. **82** Yurchenko [2]. **86** Omeliantchik [2]. **90** Yang [8]. **Sol. 75** Touritcheva [2]. **77, 78** Filatova [2]. **79** Comaneci [7]. **80** Gnauck [5]. **82** Bicherova [2]. **86** Schouchounova [2] et Voinea [2]. **90** Boginskaia [2].

• **Championnats d'Europe.** Tous les 2 ans. 3 concurrents par pays. Compétitions individuelles. Exercices libres seulement. **Hommes.** *Créés* 1955. **C. G. individuels. 75** Andrianov [2]. **77** Markelov [2]. **79** Deltchev [10]. **81** Tkatchev [2]. **83, 85** Bilozerchev [2]. **87** Liukine [2]. **89** Korobchinsky [2]. **90** Moguilny [2]. **Sol. 75** Andrianov [2]. **77** Tkatchev [2]. **79** Deltchev [10]. **81** Korolev [2]. **83** Petkov [10]. **85** Bilozerchev [2]. **87** Liukine [2]. **89** Korobchinsky [2]. **90** Scherbo [2]. **Arçons. 75, 77** Magyar [4]. **79** Ditiatine [2]. **81, 83** Guczoghy [4]. **85** Bilozerchev [2]. **87** Liukine [2]. **89, 90** Moguilny [2]. **Anneaux. 75** Grecu [7]. **77** Markelov [2]. **79** Ditiatine [2]. **81** Korolev [2]. **83** Petkov [2]. **85** Bilozerchev [2]. **87** Moguilny [2] ; **89** Behrendt [5]. **90** Chechi [11]. **Saut. 75** Andrianov [2]. **77** Tabak [9]. **79, 81** Makuts [2]. **83** Bilozerchev [2]. **85** Kroll [5]. **87** Korolev [2]. **89** Moguilny [2]. **90** Scherbo [2]. **Barres parallèles. 75** Andrianov [2]. **77** Tikhonov [2]. **79, 81** Makuts [2]. **83** Korolev [2]. **85** Bilozerchev [2]. **87** Liukine [2]. **89** Hristozov [10]. **90** Giubellini [12] et Moguilny [2]. **Barre fixe. 75** Gienger [6]. **77** Delchev [10]. **79, 81** Tkatchev [2]. **83** Bilozerchev [2]. **85** Bilozerchev [2] et Borkai [4]. **87** Liukine [2]. **89** Wecker [5]. **90** Scherbo [2].

Dames. *Créés* 1957. **C. G. individuels. 75, 77, 79** Comaneci [7]. **81** Gnauk [5]. **83** Bitcherova [2]. **85** Schouchounova [2]. **87** Silvias [7]. **89, 90** Boginskaïa [2]. **Saut. 75** Comaneci [7]. **77** Kim [2]. **79** Comaneci [7]. **81** Grigoras [7]. **83** Bitcherova [2]. **85, 87** Schouchounova [2]. **89, 90** Boginskaïa [2]. **Barres asymétriques. 75** Comaneci [7]. **77, 79** Moukhina [2]. **81** Gnauck [5]. **83** Szabo [7]. **85** Schouchounova [2] et Gnauk [5]. **87** Silvias [7]. **89** Onodi [4]. **90** Boginskaïa [2] et Pasca [7]. **Poutre. 75** Comaneci [7]. **77** Moukhina [2]. **79** Shaposhnikova [2]. **81** Gnauck [5] ; **83** Agache [7]. **85** Omelianchik [2]. **87**

Silvias [7]. **89** Potorac [7] et Dounik [2]. **90** Boginskaïa [2]. **Sol. 75** Kim [2]. **77** Moukhina [2]. **79** Comaneci [7]. **81** Gnauck [7]. **83** Bitcherova [2]. **85** Schouchounova [2]. **87** Silvias [7]. **89** Boginskaïa [2] et Silvias [7]. **90** Boginskaïa [2].

• **Championnats de France individuels. Hommes. C. G. individuels. 1977** H. Boerio. **78, 79** M. Boutard. **80** W. Moy. **81** M. Boutard. **82** L. Barbieri. **83, 84** J.-L. Cairon. **85, 86** Barbieri. **87** Cairon. **88, 89** S. Cauterman. **90** P. Casimir. **91** J.-C. Legros. **Par appareil. Cheval d'arçons. 77, 78, 79** M. Boutard. **80** Boutard, Cairon. **81, 83, 84** J. Def. **85** J.L. Cairon. **86** Barbieri. **87** Mattioni. **88** Cauterman. **89, 90, 91** Casimir. **Anneaux. 77** H. Boerio. **78, 79, 80, 81** W. Moy. **83** L. Barbieri. **84** Cairon. **85** Barbieri. **86** Marcus. **87, 88** Richard. **89** Marcus. **90** Richard. **91** Soullijaert. **Sol. 78** Moy. **79** Barbieri. **80** Vatuone. **81** L. Barbieri. **83, 84** Ph. Vatuone. **85, 86** Barbieri. **87** Mahmoudi. **88** Nivon. **89** Casimir. **90** J.-C. Legros. **91** S. Geria. **Saut de cheval. 77** H. Boerio. **78, 79** Marc Touchais. **80** Cairon. **81, 83** Ph. Vatuone. **84** Barbieri. **86** Mattioni. **87** Cairon. **88** Guelzec. **89** Casimir et Chevalier. **90, 91** J.-C. Legros. **Barres parallèles. 77, 78, 79, 80** M. Boutard. **81** G. Jamet. **83** L. Barbieri et J.-L. Cairon. **84** Vatuone. **85** C. Carmona. **86** Machetto. **87** Mattioni. **88** Carmona. **89, 90** Casimir. **91** Richard. **Barre fixe. 77** H. Boerio. **78** Moy. **79** Suty. **80** Moy. **81** L. Barbieri. **83** J.-L. Cairon et Ph. Vatuone. **84** Suty. **85** S. Machetto. **86** Barbieri. **87** Mattioni. **88** Petit. **89, 90, 91** Chevalier.

Dames. C. G. individuels. 77 Audin. **78** Pidoux. **79, 80** Fiandrino. **81, 82, 83, 84** C. Ragazzacci. **85** V. Guillemot. **86, 87, 88** Boucher. **89, 90, 91** K. Mermet. **Par appareil. Saut de cheval. 77** Audin. **78** Audin et Pidoux. **79, 81** V. Sanguinetti. **80** Tudesco. **83** C. Ragazzacci. **84** Laborderie. **85, 86, 87** Degret. **88, 89, 90** Mermet. **91** K. Boucher. **Barres asymétriques. 77** Bolotti. **78** Pidoux, Fiandrino, Sanguinetti, Hervé. **80** Sanguinetti, Fiandrino. **81** V. Fiandrino. **83** V. Guillemot. **84** Ragazzacci. **85** Guillemot. **86** Giroux. **87** Romano. **88** Mermet. **89, 90** Rolland. **91** K. Mermet. **Poutre. 77, 78** Audin. **79** Fiandrino. **80** Hervé. **81** V. Grandjean. **83** C. Ragazzacci. **84** Laborderie. **85** Robert. **86** Bauduin. **87** Boucher. **88** Mermet. **89** Noël. **90** Mermet. **91** Machado et Rolland. **Sol. 77** Audin. **78** Hervé, Fiandrino. **80** Hervé. **81** C. Ragazzacci. **83, 84, 85** F. Laborderie. **86, 87** Boucher. **88** Romano. **89** Micheli. **90, 91** Colson.

Quelques noms

Légende. – (1) URSS (2) Espagne. (3) All. dém. (4) Italie. (5) Tchécoslovaquie. (6) Yougoslavie. (7) Roumanie. (8) USA (9) Canada. (10) All. féd. (11) Japon. (12) Hongrie. (13) Chine. (14) Finlande. (15) Autriche. (16) Suisse. (17) Pologne. (18) Bulgarie.

• **Étrangers.** ANDRIANOV Nikolai [1] 14-10-52. ARTEMOV Vladimir [1] 7-12-64. AZARIAN Édouard [1] 1-12-59. BEHRENDT Holger [3] 29-1-64. BILOZERCHEV Dimitri [1] 22-12-66. BITCHEROVA Olga [1] 26-10-66. BLUME Joachim [2] 1933-59. BOGINSKAÏA Svetlana [1] 9-2-73. BONTAS Cristina [7] 5-12-73. BOUCHARD Franck [3] 1962. BRAGILIA Alberto [4] 1883-1954. BRUCKNER Roland [3] 14-12-55. CASLAVSKA Vera [5] 3-5-42. CERAR Miroslav [6] 28-10-39. CERNA Vera 17-5-63. CHACKLINE Boris [1] 27-1-32. CHUNYANG Li [13] 2-268. COMANECI Nadia [7] 12-11-61 (1976 : 15 ans, 1,53 m, 41 kg, + jeune ch. olymp.). CONNER Bart [8] 28-3-58. DAGGET Tim [8] 22-5-62. DELASSALLE Philippe [9] 18-7-58. DIAMIDOV Sergei [1] 9-7-43. DITIATINE Alexandre [1] 7-8-57. DOBRE Aurélia [7] 23-10-71. DUDNIK Olessia [7] 16-11-72. DUNAVSKA Adriana [18] 21-4-70. EBERLE Emilia [7] 4-3-64. ENDO Yukio [11] 3-10-50. EYSER George [8] 1871. FEI Tong [13] 25-3-61. FILATOVA Maria [1] 19-7-61. FRÉDÉRICK Marcia [8] 4-1-63. FREY Konrad [10] 1909-74. GAYLORD Mitch [8] 5-3-63. GEIGER Jurgen [10] 19-5-59. GHERMAN Marius [7] 14-7-67. GIENGER Eberhard [10] 25-7-51. GNAUCK Maxi [3] 10-10-64. GOODWIN Michelle [8] 3-4-66. GOTO Kiyoshi [11] 20-10-55. GRABOLLE Régina [3] 18-5-65. GRECU Danut [7] 26-9-50. GRIGORAS Christina [7] 1966. GROZDOVA Stevtlana [1] 24-1-59. GUCZOGHY Gyorgy [12] 3-3-62. GUSHIKEN Koji [11] 12-11-56. HARTUNG Jim [8] 6-7-60. HEIDA Anton [8] 1878. HEMMAN Ralf Peter [3] 8-12-58. HOFFMANN Lutz [3] 30-1-59. HOFFMANN Ulf [3] 8-9-61. HOMNA Fumio [11] 30-1-48. HRISTOZOV Kalofer [18] 19-3-69. HUANG Yubin [13] 1958. HUHTANEN Veikko [14] 1919-76. ILIENKO Nathalia [1] 26-3-66. JANZ Karin [3] 17-2-52. JING Li [13] 23-2-70. JOHNSON Kathy [8] 3-9-59. KAJITANI Nobuyoki [11] 3-5-55. KAJIYAMA Hiroshi [11] 3-6-53. KATO Sawao [11] 11-10-46. KASAMATSU Shigeru [11] 16-7-47. KELETI Agnès [12] 9-6-21. KENMOTSU Eiso [11] 13-2-48. KIM Nelly [1] 29-7-57. KIM Tatiana [1] 28-7-68. KORBUT Olga [1] 16-5-55. KOROBCHINSKY Igor [1] 16-8-69. KOROLEV Yuri [1] 28-8-62. KRAKER Steffi [3] 21-4-60. KROLL Sylvio [3] 29-4-65. LABAKOVA Jana [5] 26-1-66. LATYNINA Larissa [1] 27-12-34. LENHARDT Julius [15] 1875-1962. LI Ning [3] 8-9-63. LIUKINE Valeri [1] 17-12-66. LI XIAOPING [13] 19-9-62. LI Yeyuiu [13] 19-11-57. MACK Eugène [16] 1907-78. MA Yanhong [13] 1964. MAGYAR Zoltan [12] 13-12-53. MAKUTS Bogdan [1] 4-4-60. MC NAMARA Julianne [8] 10-11-65. MENICHELLI Franco [4] 3-8-41. MIEZ Georges [16] 21-9-07. MILLS Phoebe [8] 2-11-72. MISNIK Alla [1] 1966. MOGUILNY Valentin [1]. MOUKHINA Elena [1] 1-6-60. NAIMUSCHIKA Elena [1] 19-11-64. NAKAYAMA Akinori [11] 1-3-43. NING Li [13] 8-9-63. NIKOLAY Jurgen [3] 13-12-56. NIKOLAY Michael [3] 13-12-56 (jumeau de Jurgen). ONO Takashi [11] 26-7-31. PALASSOU Roy [8] 5-6-63. RETTON Mary-Lou [8] 24-1-58. RIGBY Cathy [8] 12-12-52. RUHN Mélita [7] 19-4-65. SCHWARZMANN Alfred [10] 23-3-12. SCHUMANN Carl [10] 1869-1946. SENFF Birgit [3] 3-12-65. SILVIAS Daniela [7] 9-5-70. SHAPOSHNIKOVA Natalia [1] 24-6-61. SHIMIZU Junichi [11] 29-7-53. SHOUSHOUNOVA Elena [1] 1969. SILVIAS Daniela [7] 9-5-70. SILIVAS Daniela [7] 9-4-70. STADLER Joseph [16] 6-2-19. STUKELY Léon [6] 1898. SZABO Ecaterina [7] 1963. SZAJNA Andrezej [17] 30-9-49. TABAK Jiri [5] 8-8-65. TALAVERA Tracy [8] 1-9-66. THOMAS Kurt [8] 29-3-56. TITOV Yuri [1] 27-11-35 TKATCHEV Alexandre [1] 4-11-57. TONEVA Krassimira [18] 23-6-65. TONG Fei [13] 25-3-61. TOPALOVA Silvia [18] 7-3-64. TOURITCHEVA Liudmilia [1] 7-10-52. TSCHUKARIN Viktor [1] 9-11-21. TSUKAHARA Mitsuo [11] 22-12-47. TURNER Dumitruta [7] 12-2-64. UNGUREANU Theodora [7] 13-11-60. VORONINE Mikhail [1] 26-3-45. WIDMAR Peter [8] 6-3-61. WU Jiani [13] 23-4-66. YANHONG Ma [13] 21-3-64. YONGYANG Chen [13] 23-4-66. YUN Lou [13] 23-6-64. YURCHENKO Natalia [1] 26-1-65. ZAKHAROVA Stella [1] 12-7-63. ZEMANOVA Radka [5] 5-12-63. ZHIQUIANG Xu [13] 4-3-63. ZHU Zeng [13] 1962. ZUCHOLD Erika [3] 19-3-47.

• **Français.** BARBIERI Laurent 30-10-60. BERNARD Sophie 27-7-68. BOERIO Henri 13-6-52. BOQUEL Yves 10-3-55. BOUCHER Karine 28-7-72. BOUTARD Michel 21-4-56. BOUTET Patrick 14-12-51. BURETTE Maurice 20-5-16. CADOT Marie Laurence 7-7-68. CAIRON Jean-Luc 14-2-62. CAUTERMAN Stéphane 26-12-68. COTTEL Stéphanie 17-2-72. COULON-SICOT Danièle 1935. DECOUX Bernard 9-9-56. DEUZA Christian 9-1-44. DOT Raymond 20-12-26. FARJAT Bernard 7-9-45. FIANDRINO Valérie 26-10-62. GIROUX Carole 27-1-68. GUIFFROY Christian 21-1-47. GUILLEMOT Véronique 13-2-67. HERMANT Pascal 11-5-57. JAMET Gilles 31-3-59. KOLOKO Éric 1-11-50. LALU Marcel 1882. LEMOINE Alexandra. LETOURNEUR Evelyne 13-9-47. MAGAKIAN Arthur 11-11-25. MARTINEZ Raymond 18-8-57. MERMET Karine 12-7-74. MICHELI Valérie 19-3-68. MOY Willi 13-6-56. PELLERIN Cécile 8-12-67. RAGAZZACCI Corinne 27-1-69. RAMAMONJISOA Colombe 3-1-67. SAHUC Chrystelle 9-2-75. SANDRAS Gustave 1872-1954. SANGUINETTI Véronique 16-4-64. SEGGIARO Chantal 4-4-56. SUTY Joël 4-7-60. TORRES Marco 1888. VATUONE Philippe 13-4-62. WEINGAND André.

Gymnastique rythmique et sportive (G.R.S.)

Généralités

• **Histoire. Tendances.** 1°) *esthétique et expression du mouvement,* François Delsarte (1811-71, Fr.), théories diffusées principalement aux USA par Geneviève Stebbins et Hedwig Kallemeyer, (Allemandes) ; 2°) *gymnastique scientifique, hygiénique et esthétique* de Besse Mesendiek, (Allem.), adepte du Suédois Ling et du Danois Muller ; 3°) *gymnastique rythmique* du Fr. Jacques Dalcroze (1865-1950) et de Rudolf Bobe et Heinrich Medau (All.) ; 4°) *écoles de danse* d'Isadora Duncan (1878-1929), Rudolf Von Laban et Marie Wigmann. *En France,* Irène Popard (1894-1950), adepte de l'École Duncan, l'associera aux méthodes Dalcroze et Demeny pour fonder « une Gymnastique Harmonique ». **V. 1950** se développe en Europe de l'Est. **1984** inscrite au J.O.

• **Principes.** Féminine, se pratique à mains libres ou avec de petits engins, l'acrobatie y est interdite, s'accompagne de musique. **Ballon.** Caoutchouc ou plastique souple. Diam. 18 à 20 cm. Poids 400 g min. **Cerceau.** Bois ou plastique, diam. intérieur 80 à 90 cm, 300 g min. **Corde.** Chanvre, longueur proportionnée à la taille de la gymnaste. **Massues.** Bois, 150 g min. pour chaque massue. **Ruban.** Baguette en bois, bambou, plastique, fibre de verre. Diam. 1 cm max., longueur 50 à 60 cm y compris l'anneau de fixation du ruban (35 g min., 6 m min.).

Principales épreuves

Légende. – (1) Japon. (2) URSS. (3) USA. (4) Hongrie. (5) All. dém. (6) All. féd. (7) Roumanie. (8) Chine. (9) Tchécoslovaquie. (10) Bulgarie. (11) Chine pop.

• **Jeux olympiques.** Voir p. 1801.

• **Championnats du monde.** *Créés* 1963. **Équipes. 1967** URSS. **69, 71** Bulgarie. **73** URSS. **75** Italie. **77, 79** URSS. **81, 83, 85, 87, 88** Bulgarie. **C.G. individuels. 63** Szavinkova [2]. **65** Micechova [9]. **67** Karpoukhina [2]. **69, 71** Gigova [10]. **73** Shugurova [2] et Gigova [10]. **75** Rischer [6]. **77, 79** Deriugina [2]. **81** Ralenkova [10]. **83, 85** Gueorguiva [10]. **87** Panova [10]. **88** Anguelova [10]. **Sols mains libres. 63** Szavinkova [2]. **65** Kravtchenko [2]. **67** Sereda [2]. **69** Guigova [10]. **71** épreuve supprimée. **Exercices avec engins. 63** Szavinkova [2]. **65** Micechova [9]. **67** épreuve supprimée. **Cerceau. 67, 69, 71, 73** Gigova [10]. **75** Hiraguschi [1] et Rischer [6]. **77** Shugurova [2]. **79** non disp.. **81** Ignatova [10]. **83** Ralenkova [10]. **85** non disp. **87** Panova [10] ; **88** Dimitrova [10]. **Corde. 67** Sitniaska [9]. **69** Shugurova [2]. **71** Gigova [10]. **73, 75** non disp. **77** Shugurova [2]. **79** Guiourova [2]. **81** Ignatova [10]. **83** non disp. **85** Gueorguieva [10]. **87** Panova [10]. **88** Anguelova [10]. **Ballon. 69** Shugurova [2]. **71** J.S. Duck [11]. **73** Shugurova [2]. **75** Rosenberg [6]. **77** Shugurova [2]. **79** Gabashvili [2]. **81** non disp. **83** Beloglazova [2] et Ignatova [10]. **85** Ignatova [10] et Gueorguieva [10]. **87** non disp. **Ruban. 71** Nazmutdinova [2]. **73** Shugurova [2]. **75** Rischer [6]. **77** Deriugina [2]. **79** Tomas [2]. **81** Devina [2]. **83** Gueorguiva [10] et Beloglazova [2]. **85** Panova [10] et Beloglazova [2]. **87** Panova [10]. **88** Anguelova [10]. **Massues. 73** Shugurova [2]. **75** Rosenberg [6]. **77** non disp. **79** Bosanka [9]. **81** Ralenkova [10]. **83** Gueorguiva [10] et Ignatova [10]. **85** Ignatova [10] et Gueorguieva [10]. **87** Panova [10]. **88** Anguelova [10].

• **Championnats d'Europe.** *Créés* 1978. **Équipes. 78, 80** Bulgarie. **82** URSS. **86, 88, 90** Bulg. **C.G. individuels. 78** Shugurova [2]. **80** Raeva [10]. **82** Ralenkova [10] et Kutkaite [2]. **84** Ralenkova [10] et Beloglazova [10]. **86** Panova [10] et Ignatova [10]. **88** Timotchenko [2]. Dunauska [10] et Koleva [10]. **89** Timochenko [2]. **90** Timochenko [2] et Baitcheva [2]. **Cerceau. 78** non disp. **80** Raeva [10]. **82** Ralenkova [10]. **84** Ralenkova [10] et Ignatova [10]. **86** non disp. **89** Skaldina [2]. **90** non disp. **Corde. 78** Shugurova [2]. **80** Raeva [10]. **82** Ralenkova [10] ; **84, 86** non disp. **89** Dunavska [10]. **90** non disp. **Ballon. 78** Deriugina [2]. **80, 82** non disp. **84** Ralenkova [10]. **86** non disp. **89** Timochenko [2]. **90** non disp. **Ruban. 78** Shugurova [2]. **80** Ignatova [10]. **82** Kutkaite [2]. **89** Timochenko [2]. **90** non disp. **Massues. 78** non disp. **80** Raeva [10]. **82** Kutkaite [2]. **84** Ralenkova [10] et Gueorguiva [10]. **Dep. 86** non disp.

• **Coupe du monde.** *Créée* 1983. Tous les 4 ans. **Équipes 1983** URSS. **86** Bulgarie. **90** URSS. **C.G. individuels. 83, 86** Ignatova [10]. **90** Skaldina [2]. **Cerceau. 83** Ignatova [10]. **90** Skaldina [2]. **Ballon. 83** Ralenkova [10]. **86** Ignatova [10]. **90** Skaldina [2]. **Ruban. 83** Kutkaite [2]. **86** Panova [10]. **90** Marinova [10]. **Massues. 83** Ralenkova [10]. **86** Ignatova [10]. **Corde. 83** non disp. **86** Ignatova [10]. **90** Skaldina [2].

• **Championnats de France.** *Créés* 1968. **Individuel. 85** A. Walle. **87** Walle, Serre et Cottel. **88** Cottel. **89** Retuerto. **90** Cottel. **91** Sahuc. **Corde. 85** Walle. **87** Serre. **88, 89, 90** Cottel. **91** Staels. **Ruban. 85** Walle. **87, 88, 89, 90** Cottel. **91** Moreno. **Massues. 85** B. Augst. **87** Serre. **88, 89** Sahuc. **90** Croix. **91** Staels. **Ballon. 85** Walle. **88** Sahuc. **89, 90** Cottel. **91** Sahuc. **Cerceau. 87, 88** Cottel. **89** Sahuc. **90** Barazon. **91** Sahuc.

Autres gymnastiques

Aerobic

Histoire. Méthode développée par le Dr Kenneth H. Cooper dans *L'Aerobic* (1968), *Le Nouvel Aerobic* (1970) et *Aerobic pour les femmes* (1972). S'adresse aux aviateurs, puis à tout le monde. *1978* J. Sorensen crée l'aerobic-danse. *1981* Jane Fonda crée le workout. *1981* introduit en France.

Définition. Gymnastique rapide aux mouvements enchaînés sur une musique disco activant la respiration et l'oxygénation des tissus. Exercices physiques classiques et exercices destinés à fortifier cœur et poumons.

Tai-chi chuan

Définition. Prononcer *taï-ki.* Le *chi* est l'énergie vitale. Au départ, art martial, puis gymnastique qui se développe en Chine et USA (voir p. 151.) Série de séquences (ou suites) de mouvements circulaires (pour économiser l'énergie), très doux, très lents, coordonnés et continus, synchronisés avec la respiration et avec la pensée consciente. Le but est de contrôler l'énergie du corps. Il existe 8 séquences codifiées groupant 175 mouvements.

Fédération française de Tai-chi chuan. 24, rue de Babylone, 75007 Paris.

Haltérophilie

Généralités

Origine. *Grèce antique,* les athlètes s'exterminent en tenant dans chaque main une massue de plomb appelée *Halteria* (balancier). *Jusqu'au XIXe s.,* reste du domaine des hercules de foire. *A la fin du XIXe s.,* 1er classement mondial amateur à Londres en 1891. *1896* création de l'Haltér. Club de France. *1914* de la Fédération fr. des poids et haltères. *1920* de la Fédération internationale.

Mouvements. *Arraché :* la barre est élevée à bout de bras, d'un seul temps, au-dessus de la tête. *Épaulé-jeté :* la barre est élevée à hauteur de l'épaule, puis projetée à bout de bras au-dessus de la tête.

Pour que l'arbitre donne le signal « à terre », le concurrent doit avoir les pieds sur la même ligne et conserver une immobilité complète. Chaque concurrent a 3 essais par mouvement pour arriver à son maximum. La progression entre chaque exercice ne doit pas être inférieure à 2,5 kg entre chacun des 3 essais par mouvement. L'addition des meilleures performances dans chaque mouvement constitue le total olympique. Records du monde et nationaux ne sont homologués que lorsqu'ils sont battus de 500 g au minimum. Un 4e essai hors compétition est accordé pour une tentative de record. 3 arbitres jugent la compétition qui se déroule sur un plateau en bois de 4 × 4 m (si l'athlète en sort, ses performances sont considérées comme nulles).

Les athlètes s'enduisent les mains de *magnésie* pour améliorer la « serre » de la barre et éviter la transpiration. La *ceinture en cuir* (max. 12 cm de largeur) qui consolide la région lombaire est réglementaire. Les *poignets de force* sont tolérés. *Barre :* 1,31 m minimum entre les disques, longueur totale 2,20 m, diamètre 28 mm.

Principaux résultats

☞ *Légende.* – (1) URSS. (2) France. (3) USA. (4) Finlande. (5) All. féd. (6) Japon. (7) Belgique. (8) Cuba. (9) Iran. (10) Bulgarie. (11) Suisse. (12) Corée du N. (13) Pologne. (14) Tchécoslovaquie. (15) Autriche. (16) Hongrie. (17) Chine. (18) All. dém. (19) Roumanie. (20) Égypte. (21) G.-B. (22) Hongrie. (23) Italie. (24) Turquie. (25) Espagne. (26) Grèce. (27) Corée du S. (28) Portugal. (29) Colombie.

Quelques exploits

Sur le dos (le poids étant sur des tréteaux), record de « porter » sur les épaules : homme 2 844 kg en 1957 (Paul Anderson, Américain, n. 1932, 165 kg) ; femme 1 616 kg en 1895 (Joséphine Blatt, Américaine, 1869-1923).

Puissance. Paul Anderson (U.S.A., n. 17-10-1932, 165 kg), le 15-6-1955 : *développé couché* 284 kg, *flexion des jambes barre à la nuque* 544,32 kg, *soulevé de terre à 2 mains* 371,95 kg, *total* 1 200,27 kg. Hermann Goerner (All., 1891-1956), à Leipzig, le 20-7-1920, *soulevé de terre à une main* 333 kg, le 29-10-1920, *à deux mains* 360 kg. *Levée d'un poids mort à 2 mains :* homme 371 kg (Paul Anderson) ; femme 178,9 (Jan Suffolk Todd, Amér., en 1975 ; avant, Jeanne de Vesley, Fr., 177 kg le 14-10-1926) ; *à une main* 335 kg (H. Gorner).

Championnats masculins

Jeux olympiques. Voir p. 1801.

Monde. *Créés* 1891. Annuels sauf années olympiques. **52 kg : 89, 90** Ivanov [10]. **56 kg : 89** Suleimanov [1]. **90** Lui Shoubin [17]. **60 kg : 89** Suleymanoglu [24]. **90** Peshalov [10]. **67,5 kg : 89** Militossian [1]. **90** Kim Myong-Nam [12]. **75 kg : 89** Orazdurdiev [1]. **90** Kassapu [1]. **82,5 kg : 89** Kunev [10]. **90** Orazdourdiev [1]. **90 kg : 89, 90** Khrapatiy [1]. **100 kg : 89** Stefanov [10]. **90** Vlad [19]. **110 kg : 89, 90** Botev [10]. **+ de 110 kg :** Kurlovitch [1]. **90** Taranenko [1]. **Équipe : 89** Bulgarie. **90** URSS.

Europe. *Créés* 1969. **52 kg : 89, 90** Ivanov [10]. **91** Ciharean [19]. **56 kg : 89** Suleimanov [10]. **90** Marinov [10]. **91** Suleymanoglu [24]. **60 kg : 89** Suleymanoglu [24]. **90** Czanka [19]. **91** Peszalou [10]. **67,5 kg : 89** Militossian [1]. **90, 91** Iotov [10]. **75 kg : 89** Orazdourdiev [1]. **90** Kuznietsov [1]. **91** Socaci [19]. **82,5 kg : 89** Kunev [10]. **90, 91** Orazdourdiev [1]. **90 kg : 89, 90** Kharpatiy [1]. **91** Chakarov [10]. **100 kg : 89** Stefanov [10]. **90** Kopitov [1]. **91** Sadikov [1]. **110 kg : 89, 90** Botev [10]. **+ de 110 kg : 89, 90** Kurlovitch [1]. **Équipe : 89** Bulgarie. **90, 91** URSS.

France. *Créés* 1901. **52 kg : 89, 90, 91** Gasparik. **56 kg : 89** Fombertasse. **90, 91** Balp. **60 kg : 89** Gondran. **90** Fombertasse. **91** Arnou. **67,5 kg : 89, 90, 91** Elyabouri. **75 kg : 89** Sageder. **90, 91** Aubouy. **82,5 kg : 89, 90, 91** Plançon. **90 kg : 89, 90, 91** Graillot. **100 kg : 89, 90** Tournefier. **91** Kretz. **110 kg : 89** Kretz. **+ de 110 kg : 84-89** non disp. **90** Roland. **91** Baron.

Championnats féminins

Monde. *Créés* 1987. **44 kg : 87** Jun [17]. **88, 89** Fen [17]. **90** Wu [17]. **48 kg : 87, 88, 89** Xiaoyu [17]. **90** Cai [17]. **52 kg : 87** Zangqun [17]. **88, 89** Liping [17]. **90** Liao [17]. **56 kg : 87** Aihong [17]. **88** Na [17]. **89** Liwei [17]. **90** Wu [17]. **60 kg : 87** Xinling [17]. **88** Yang [17]. **89** Na [17]. **90** Christoforidou [26]. **67,5 kg : 87** Lijuan [17]. **88, 89** Qiusiang [17]. **90** Wang [17]. **75 kg : 87, 88** Hongling [17]. **89, 90** Trendafilova [10]. **82,5 kg : 87** Marshall [3]. **88** Yanxia [17]. **89** Hongling [17]. **90** Urutia [29]. **+ de 82,5 kg : 87, 88, 89** Changmei [17]. **90** Lya [17].

Europe. 44 kg : 88 Sforza [23]. **89** non disp. **90** Foldi [16]. **48 kg : 88** Duarte [28]. **89** Sotoca [25]. **90** Romano [25]. **91** Rifatova [10]. **52 kg : 88** Hougton [21]. **89, 90** Stoeva [10]. **91** Georgieva [10]. **56 kg : 88** Fawteath [21]. **89** Georgieva [10]. **90, 91** Yankova [10]. **60 kg : 88, 91** Christoforidou [26]. **89** non disp. **67,5 kg : 88** Valkhana [10]. **88** non disp. **89** Trendafilova [10]. **91** Rose [21]. **75 kg : 88** Trendafilova [10]. **89** non disp. **90** Takacs [16]. **91** Trendafilova [10]. **82,5 kg : 88** Takacs [16]. **89** non disp. **90** Oakes [21]. **91** Leppaluoto [4]. **+ de 82,5 kg : 88** Maleshkova [10]. **89** non disp. **90** Ilieva [10]. **Éq. : 88, 90** Bulg. **89** non disp.

France. 44 kg : 88, 90 Martin-Bouko. **91** Mayot. **48 kg : 88** non affecté. **90** Begot. **91** Yu Hing. **52 kg : 88** Victorni. **90** Busset. **91** Reymond. **56 kg : 88** Busset. **90** Cuenne. **91** Genna. **60 kg : 88** Boiron. **90** Roche. **91** Hage. **67,5 kg : 90** Dubois. **91** Roche. **75, 82,5 et + de 82,5 kg : 88 et 90** non aff. **+ 5 kg : 91** Hanicque.

Records d'haltérophilie (messieurs, au 11-7-91, en kg)

Épreuves		Monde		France	
52 kg	arraché	120	S. Marinov (Bulg., 88)	97,5	J.-N. Miette (85)
	épaulé-jeté	155	I. Ivanov (Bulg., 89)	118	J.-N. Miette (85)
	Total	272,5	I. Ivanov (Bulg., 89)	212,5	J.-N. Miette (85)
56 kg	a.	134,5	S. Liu (Chi., 89)	110,5	B. Lebrun (81)
	é.-j.	171	N. Terziiski (Bulg., 87)	143	L. Fombertasse (90)
	T.	300	N. Shalamanov (Bulg., 84)	252,5	B. Lebrun (80)
60 kg	a.	152,5	N. Suleimanoglu (Turq., 88)	120,5	B. Maier (84)
	é.-j.	190	N. Suleimanoglu (Turq., 88)	155,5	J.-C. Chavigny (82)
	T.	342,5	N. Suleimanoglu (Turq., 88)	272,5	J.-C. Chavigny (81)
67,5 kg	a.	160	I. Militosian (URSS., 89)	150	D. Senet (81)
	é.-j.	200,5	M. Petrov (Bulg., 87)	175	D. Senet (79)
	T.	355	M. Petrov (Bulg., 87)	322,5	D. Senet (80)
75 kg	a.	170	A. Guentchev (Bulg., 87)	150	D. Senet (81)
	é.-j.	215,5	A. Varbanov (Bulg., 87)	180,5	N. Lasorsa (84)
	T.	382,5	A. Varbanov (Bulg., 88)	322,5	D. Senet (81)
82,5 kg	a.	183	A. Zlatev (Bulg., 86)	152,5	D. Leroux (81)
	é.-j.	225	A. Zlatev (Bulg., 86)	188,5	P. Senet (82)
	T.	405	Y. Vardanian (U.R.S.S., 84)	337,5	P. Senet (85)
90 kg	a.	195,5	B. Blagoev (Bulg., 83)	156,5	H. Lagarrigue (84)
	é.-j.	235	A. Khrapaty (U.R.S.S., 88)	192,5	P. Gourrier (70)
	T.	422,5	V. Solodov (U.R.S.S., 84)	342,5	F. Tournefier (87)
100 kg	a.	200,5	N. Vlad (Roum., 86)	170,5	F. Tournefier (88)
	é.-j.	242,5	A. Popov (U.R.S.S., 88)	220,5	F. Tournefier (90)
	T.	440	Y. Zakharevitch (U.R.S.S., 83)	385	F. Tournefier (88)
110 kg	a.	210	Y. Zakharevitch (U.R.S.S., 88)	163	F. Tournefier (88)
	é.-j.	250,5	Y. Zakharevitch (U.R.S.S. 88)	215,5	P. Gourrier (81)
	T.	455	Y. Zakharevitch (U.R.S.S., 88)	372,5	P. Gourrier (76)
+ 110 kg	a.	216	A. Krastev (Bulg., 87)	158	J. Oliger (86)
	é.-j.	266	L. Taranenko (U.R.S.S., 88)	203	G. Koller (82)
	T.	475	L. Taranenko (U.R.S.S., 88)	357,5	J.-F. Hiller (82)

Nota. – Pour être homologués, les records doivent être établis au J.O., ch. du monde ou d'Europe.

Quelques noms

ALEXEIEV Vassili [1] n. 7-1-42 (ancien bûcheron ; 1,87 m, 145 kg, tour de poitrine 150 cm, de cuisse 80 cm, de biceps 55 cm), 1970-77 bat 80 records du monde. ANDERSON Paul [3] 17-10-32. BASZANOWSKI Waldemar [13] 15-8-35. BEDNARSKI Robert [3] 1944. BLAGOEV Blagoi [10] 4-12-56. CADINE Ernest [2] 1893-1978. CASSIAU Daniel [2] 21-2-61. CHUN BYNNG-KWAN [27]. DAME Jean [2] 1897-1970. DAVIS John [3] 1921-81. DEBUF Jean [2] 31-5-24. DECOTTIGNIES Edmond [2] 1893-1963. DUBE Joe [3] 15-2-44. DUVERGER René [2] 1911-83. ELLIOT Launceston [21] 1874-1930. ELTOUNY Khadr [20] 1915-56. FERRARI Henri [2] 1912-75. FÖLDI Imre [16] 8-5-38. FOMBERTASSE Laurent [2]. FOULETIER Jean-Paul [2] 1-7-39. FRANÇOIS Roger [2] 1900-49. FULLA Pierre [2] 19-5-38. GANCE Henri [2] 17-3-1888. GERBER Roger [2] 28-12-33. GOURRIER Pierre [2] 2-3-47. GUIDIKOV Borislav [10]. HERBAUX Raymond [2] 22-10-19. HE Zhnoquiang [17]. HOSTIN Louis [2] 21-4-08. JABOTINSKI Leonid [1] 28-1-38. KANGASNIEMI Kaarlo [4] 4-2-41. KANGASNIEMI Kauko [4] 18-11-42. KHRAPATI Anatoli [1]. KHRISTOV Valentin [10] 15-3-56. KONO Thomy [3] 27-6-30. KRASTEV Anton [10]. KRETZ Jean-Marie [2] 20-1-58. KUNZ Joachim [18]. KURLOVITCH Alexander [1]. LAHDENRANTA Kaveli [4] 20-3-42. LARGET Charles [2] 20-1-58. LEVECQ Roger [2] 24-8-35. MAIER Bruno [2] 14-7-61. MAIER Rolf [3] 16-12-36. MANG Rudolf [5] 17-6-50. MARINOV Sevladin [10]. MIYAKE Yoshinobu [6] 24-11-39. NAMDJOU Mahamoud [9] 22-9-18. OBERBURGER Norbert [23] 1-12-60. PATERNI Marcel [2] 22-9-36. PISSARENKO Anatoli [1] 22-9-36. REDING Serge [7] 1941-75. RIGERT David [1] 12-3-47. RIGOULOT Charles [2] 1903-62 [(fut l'un des premiers haltérophiles très connus. 1,73 m, 103 kg, cou 47 cm, poitrine 1,32 m, ceinture 97 cm, bras 47 cm, av.-bras 39 cm, cuisse 70 cm, mollet 47 cm). Bat 56 records du monde (sur 11 mouvements) en amateurs de 1920 à 25, et en professionnels de 1925 à 32. Meilleures performances : amateur : arraché du bras droit 101 kg (22-2-1925), à 2 bras 126,5 kg (28-6-1925), épaulé et jeté à 2 bras 161,5 kg (28-6-1925) ; professionnel : arraché du bras droit 116 kg (14-4-1930), du bras gauche 100,5 kg (1-2-1929), à 2 bras 143 kg (4-5-1931), épaulé et jeté à 2 bras 182,5 kg (1-2-1929). Champion olympique à 21 ans, on l'appela à l'époque « l'homme le plus fort du monde ». Il se blessa et fut ensuite une grande vedette de catch]. RUSEV Yanko [10] 1-12-58. SCHEMANSKI Norbert [3] 30-5-24. SENET Daniel [2] 26-6-53. SHALAMANOV (devenu SULEIMANOGLU) Naim [10], puis [24] 23-11-67. STEINBACH Josef [15] 1879-1937. SUVIGNY Raymond [2] 1903-45. TALTS Jan [1] 1-8-43. TARANENKO Leonid [1] 13-6-56. TERME Aimé [2] 25-9-45. TOURNEFIER Francis [2] 28-2-64. URRUTIA Roberto [8] 7-12-56. VARBANOV Alexander [10]. VARDANIAN Youri [1] 13-6-56. VINCENT François [2] 10-4-36. VLAD Nicu [19] 1-11-63. VLASSOV Yuri [1] 5-12-35. VOROBJIEV Arkadij [1] 3-10-24.

WEAVER Paul n.c. WU Shude [17] 18-9-59. ZAKHAREVITCH Youri [1]. ZLATEV Asen [10] 23-5-60. ZDRAZILA Hans [14] 3-10-41.

Handball

Généralités

Nom. De l'allemand, *hand* main et de *ball.* Se prononce donc *handbal* (consonance germanique) et non pas *handbol* (consonance anglaise).

Histoire. Origine. *Hazena* tchèque, *handbold* danois et *balle au but* allemande. **1919** l'Allemand Karl Schellenz adapte la balle au but (à laquelle jouent les femmes) pour les hommes et crée le handball à 11. **V. 1919** pour des raisons climatiques, dans les pays scandinaves apparaît le handball à 7 en salle. **1925** apparaît en France (Alsace et Franche-Comté) dans les clubs ouvriers. **1928**-*4-8* Fédération internat. de handball amateur créée. **1936** aux J.O. (messieurs, à 11). **1941** *juill.* Féd. française de handball (FFHB) créée. **1959** disparition du handball à 11.

Règles (handball à 7). **Terrain :** 40 m sur 20 m. *Buts :* h. 2 m, l. 3 m. **Ballon :** messieurs : circonférence 58 à 60 cm, 425 à 475 g ; dames : 54 à 56 cm, 325 à 475 g. **équipes** 2 de 7 joueurs dont 1 gardien et 5 remplaçants. 2 *mi-temps* de 30 min avec une pause de 10 min (seniors). Consiste à marquer le plus de buts possibles en envoyant à la main le ballon dans le but adverse. Pour jouer, il ne faut pas faire plus de 3 pas avec le ballon, le toucher avec la jambe ou le pied, sinon : coup franc. Un *attaquant* qui pénètre dans la *surface de but* reçoit un coup franc : s'il marque, le but est annulé. Mais il peut sauter au-dessus de la surface de but à condition de relâcher la balle avant de reprendre contact avec le sol. Le *gardien* peut arrêter la balle avec les pieds. Il peut jouer dans le champ, hors de sa surface de but, mais devient alors un joueur comme les autres. Il y a 2 *arbitres* pour un match.

Principales épreuves

☞ *Légende.* – (1) Tchécoslovaquie. (2) Suède. (3) Roumanie. (4) All. dém. (5) All. féd. (6) Hongrie. (7) Yougoslavie. (8) URSS. (9) Danemark. (10) Pologne. (11) Islande. (12) Suisse. (13) Espagne. (14) Autriche.

Jeux olympiques. Voir p. 1801.

Championnats du monde

Masculins. 1er championnat 1938 Berlin puis création officielle en 1952. Tous les 4 ans. **38** 1. All. ; 2. Autriche ; 3. Suède. **54** 1. Suède ; 2. All. féd. ; 3. Tchéc. **58** 1. Suède ; 2. Tchéc. ; 3. All. unifiée. **61** 1. Roum. ; 2. Tchéc. ; 3. Suède. **64** 1. Roum. ; 2. Suède ; 3. Tchéc. **67** 1. Tchéc. ; 2. Dan. ; 3. Roum. **70** 1. Roum. ; 2. All. dém. ; 3. Youg. **74** 1. Roum. ; 2. All. dém. ; 3. Youg. **78** 1. All. féd. ; 2. URSS ; 3. All. dém. **82** 1. URSS ; 2. Youg. ; 3. Pol. **86** 1. Youg. ; 2. Hongrie ; 3. All. dém. **90** 1. Suède ; 2. URSS ; 3 Youg.

Féminins. *Créés* 1957. **57** 1. Tchéc. ; 2. Hong. ; 3. Youg. **62** 1. Roum. ; 2. Dan. ; 3. Tchéc. **65** 1. Hong. ; 2. Youg. ; 3. All. féd. **71** 1. All. dém. ; 2. Youg. ; 3. Hong. **73** 1. Youg. ; 2. Roum. ; 3. URSS. **75** 1. All. dém. ; 2. URSS ; 3. Hong. **78** 1. All. dém. ; 2. URSS ; 3. Hongrie. **82** 1. URSS ; 2. Hong. ; 3. Youg. **86** 1. URSS ; 2. Tchéc. ; 3. Norvège. **90** 1. URSS ; 2. Youg ; 3. All (ex. RDA).

Coupe de la Fédération internationale

Créée 1982.

Messieurs. 82 Vfl Gummersbach [5]. **83** Il Saporozhye [8]. **84** TV Grosswallstadt [5]. **85** Minaur Baia Mare [3]. **86** Raba Vasas Etö Györ [6]. **87** Granitas Kaunas [8]. **88** Minaur Baia Mare [3]. **89** Düsseldorf [5]. **90** Kuban Krasnodar [8].

Dames. 82 IHK Tresnjevka Zagreb [7]. **83** Automobilist Baku [8]. **84** Chimistul Vilcea [3]. **85** ASK Vorwärts Frankfurt/Oder [4]. **86** SC Leipzig [4]. **87** Budocnost Titograd [7]. **88** Egle Vilnius [8]. **89** Chimistul Vilcea [3]. **90** ASK Vorwärts Frankfurt [4].

Coupes d'Europe masculines

Coupe des champions. *Créée* 1957 sur l'initiative de la FFHB. **80** T.V. Grosswallstadt [5] b. Valur Reykjavik [11] 21-12. **81** S.C. Magdebourg [4] b. K.S. Ljubljana [7] 19-18. **82** Honved SC Budapest [6] b. TSV St-Omar St-Gall [12] 24-18. **83** C.S.K.A. Moscou [8] b. VFL Gummersbach [5] 14-13. **84** Dukla Prague [1] b. Metaloplastika Sabac [7] 21-17. **85** Metaloplastika Sabac [7] b. Athletico Madrid [13] 30-20. **86** Metaloplastika Sabac [7] b. Wybrzeze Gdansk [10] 30-23. **87** SKA Minsk [8]. **88** CSKA Moscou [8]. **89** SKA Minsk [8]. **90** SKA Minsk [8].

Coupe des vainqueurs de coupes. *Créée* 1975. **80** Calipsa Alicante [13] b. VFL Gummersbach [5] 36-33. **81** TUS Nettestatt [5] b. S.C. Empor-Rostock [4] 33-32. **82** Empor Rostock [4] b. Dukla Prague [1]. **83** SKA Minsk [8] b. Dinamo Bucarest [3]. **84** F.C. Barcelone [13] b. Sloga Doboj [7] 24-21. **85** FC Barcelone [13] b. CSKA Moscou [8] 27-20. **86** Grosswalstadt [5] b. FC Barcelone [13] 21-19. **87** CSKA Moscou [8]. **88** SKA Minsk [8]. **89** Tusem Essen [5]. **90** Santander [13].

Coupes d'Europe féminines

Coupe des champions. *Créée* 1961. **85** Spartak Kiev [8] b. R. Belgrade [7]. **86** Spartak Kiev [8] b. Stünta Bacau [3]. **87, 88** Spartak Kiev [8]. **89, 90** Hypobank Sudestadt [14].

Coupe des vainqueurs de coupes. *Créée* 1976. **85** Buducnost Titograd [7] b. Druzslevnik Iopolnik [1]. **86** R. Belgrade [7] b. Engelskirchen [5]. **87, 88** Kuban Krasnodar [8]. **89** Stiinta Bacau [3]. **90** Rostov [8].

Championnats de France

Masculins. A 11 : *créés* en 1941-42 avec 2 zones, Nord et Sud ; **à 7 :** *créé* en 1952-53, championnat unique (3 divisions). Dep. 1984-85, le championnat de France div. nationale I est constitué d'une poule unique de 10 clubs. Le club terminant 1er du classement est déclaré champion de France.

Résultats (Division nationale I). **78, 79, 80** Stella Sports St-Maur. **81, 82** USM Gagny. **83** US Ivry. **84** SMUC. **85, 86, 87** USM Gagny. **88** Nîmes. **89** Créteil. **90, 91** Nîmes.

Féminins. 85 USM Gagny. **86** Issy. **87** USM Gagny. **88** ES Besançon. **89, 90** Metz.

Coupes de France

Messieurs. *Créée* 1957. En 1977 et de 1979 à 84, appelée **Challenge de France. 80** RC Strasbourg. **81** ESM Gonfreville-l'Orcher. **82** US Ivry. **83, 84, 85, 86** USAM Nîmes. **87** USM Gagny. **88** non disp. **89** US Créteil. **90** Girondins de Bordeaux.

Dames. 80, 81 PUC. **82** Bordeaux E. C. **83** U.S. Dunkerque. **84** PTT Strasbourg. **85** USM Gagny. **86, 87** Stade Français-Issy-les-Moulineaux. **88** non disp. **90** Metz.

Quelques noms

☞ *Légende.* – (1) Roumanie. (2) Tchéc. (3) France. (4) All. féd. (5) URSS. (6) Yougoslavie.

AGGOUNE Rachid [3] 24-9-49. ALBA Pierre [3] 3-2-48. ANPILOGOV Alexandre [5] 18-1-54. BOUAOULI Hacène [3] 29-5-63. BIRTALAN [1] 28-4-44. BOULLE Patrick [3] 20-4-57. BOUTINAUD Véronique [3] 17-5-64. BRUNET Jean-Jacques [3] 1943. BUCCHEIT Raoul [3] 26-4-50. CAILLEAUX Éric [3] 4-5-58. CARITE Jean-Pierre 12-11-45. CHANNEN Guy [3] 15-12-52. CHASTANIER Maurice [3] 1931-82. CHENKO Michail [5] 19-5-50.

DEBUREAU Philippe [3] 25-4-60. DECKARM [4] 1953. DEROT Gilles [3] 10-5-63. DESCHAMPS Dominique [3] 18-4-58. DESROSES Philippe [3] 28-11-57. DRUAIS Jean-Luc [3] 1947. ESPARRE Claude [2] 30-10-60. ETCHEVERRY Jean-Pierre [3] 1939. FERIGNAC Jean [3] 27-9-36. FLEURY Joël [3] 19-5-19. GAFFET Bernard [3] 5-4-59. GALLANT Claude [3] 1945. GARDENT Philippe [3] 15-3-64. GATU [5] 20-4-44. GAUDION Marcel [3] 12-1-24. GEOFFROY Jean-Michel [3] 29-9-55. GERMAIN Jean-Michel [3] 1945. GOUPY Jean [3] 24-1-1934. GRUIA Georghe [1] 1940. HAGER Daniel [3] 27-8-63. HOFMANN [4] n.c. HOULET Fr.-Xavier [3] 8-7-69. ILJIN Vassili [5] 8-1-49. ISAKOVIC Mile [6] 17-1-58. LAGARRIGUE Sylvie [3] 13-4-60. LAPLAGNE Jean-Paul [3] 8-8-44. LATHOUD Denis [3] 13-1-66. LEGRAND Jean-Louis [3] 10-2-49. LELARGE Christian [3] 1947.

MAHE Pascal [3] 15-12-63. MARES Vojteck [2] 1936. MARTIN Carole [3] 18-1-55. MEDARD Philippe [3] 10-6-59. MEYER Gilles [3] 22-3-53. MONTHUREL Gaël [3] 22-1-66. MUNIER Laurent [3] 30-9-66. NITA André [3] 5-9-49. NOUET Sylvain [3] 24-5-56. PEREZ Frédéric [3] 19-7-61. PERREUX Thierry [3] 4-3-63. PLUEN Jacques [3] 1929. PORTES Alain [3] 31-10-61. PORTES Maurice [3] 1938. QUINTIN Éric [3] 22-1-67. RICHARD Michel [3] 5-10-45. RICHARD René [3] 6-11-42. RICHARDSON Jackson [3] 14-9-69. RIGNAC Bernard [3] 4-6-50. ROCHEPIERRE Michel [3] 6-9-21. SAGNA Claude [3] 21-3-31. SELLENET André [3] 25-5-40. SELLENET Bernard [3] 29-3-49. SERINET Jean-Michel [3] 23-3-56. SILVESTRO Jean-Louis [3] 24-9-39. TAILLEFER Jacques [3] 13-6-46. TCHERNYSHEV Jewgeni [5] 22-2-47. THIEBAUT J.-Luc [3] 29-12-60. TRIJOULET Dominique [3] 1951. TRISTANT Denis [3] 23-1-64. TURTSCHINA Sinaida [5] 17-5-46. VOLLE Frédéric [3] 4-2-62. WALTKE Dieter [4] 1954. ZHUK [5] n.c.

Handisport

Histoire. V. 1945 à l'hôpital de Stoke Mandeville (G.-B.), le Pr Ludwig Guttmann utilise le sport comme thérapeutique des blessés de la colonne vertébrale. **1951** 1ers jeux de Stoke Mandeville pour handicapés en fauteuil roulant. **1954** Philipe Berthe crée l'Amicale sportive des mutilés de France (ASMF). **1960** 1ers J.O. pour handicapés à Rome. **1960** fondation du Conseil internat. de sport pour hand. **1963** fondation de la Féd. sportive des hand. physiques de France qui devient en **1968** la Féd. fr. de sport pour hand. physiques (FFSHP). **1967** f. de la Féd. internat. de sport pour hand. **1970** 1ers jeux mondiaux pour hand. à St-Étienne. **1972** fondation de la Féd. fr. omnisport des hand. physiques (FFOHP), non reconnue par le Ministère. **1975** fondation de la FFSHP. **1976** *17-12* réunification des 2 féd. françaises pour créer la Féd. Fr. Handisport.

Sports pratiqués. Athlétisme en fauteuil roulant et debout. **Ball-trap** en fauteuil roulant et debout. **Basket-ball** en fauteuil roulant. **Boules** en fauteuil roulant et debout. **Biathlon. Canoë k. Cyclisme** solo pour hand. physiques, tandem pour hand. visuels. **Équitation. Escrime** en fauteuil roulant. **Football. Goal-ball. Haltérophilie** (développé, couché). **Judo. Natation. Plongée. Randonnée. Ski nautique. Ski** alpin et nordique. **Tennis de table** en fauteuil roulant et debout. **Tir** à la cible. **Tir à l'arc. Sports nautiques. Volley-ball** debout. **Tennis. Torball. Sports aériens. Yoga.**

Classifications. Sportifs en fauteuil roulant (paraplégiques, tétraplégiques et assimilés poliomyélitiques), aveugles et mal-voyants, amputés, infirmes moteurs cérébraux, handicapés divers.

Hippisme et Sports équestres

Chevaux

Noms

Foal (*laiton* en français). Jeune cheval jusqu'au 1er janvier de l'année qui suit celle de sa naissance. **Weanling.** Nom du foal après le sevrage (vers 6 mois) jusqu'au 1er janvier de l'année suivante. **Yearling** (antenais en français). Jeune cheval du 1er janv. au 31 déc. de l'année qui suit celle de sa naissance. **Poulain, pouliche.** Jeune cheval ou jument jusqu'au 1er janv. de sa 4e année. **Poulinière.** Jument en carrière de reproducteur au haras. **Poulinière suitée.** Jument suivie de son foal. **Hongre.** Cheval castré. **Inbred** (consanguin en français). Cheval dont le père et la mère possèdent un ancêtre commun plus ou moins rapproché. Ex. : un cheval est « inbred 2 × 3 sur » tel étalon ou telle poulinière quand celui-ci ou celle-ci figure dans son ascendance, à la fois, à la 2e génération par son père, et à la 3e génération par sa mère.

Races

Pur-sang *(anciennement pur-sang anglais).* Cheval issu d'un père et d'une mère, eux-mêmes de pur sang. Cette race a été constituée par le croisement d'étalons orientaux avec des juments anglaises d'origines diverses. Les pur-sang descendent de 3 chefs de race appelés *Byerley Turk* (né 1689), *Darley Arabian* (né 1705), *Godolphin Arabian* (né 1724), par leurs descendants en ligne mâle : *Hérod* (né 1758), *Matchem* (né 1748), *Éclipse* [n. 1764, le jour d'une éclipse de soleil (remporta 27 courses sur 27) ; sa descendance, qui comporte 36 gagnants de l'Arc de Triomphe (Hérod 7, Matchem 2) est aujourd'hui la plus nombreuse].

Les produits ainsi obtenus montrèrent des qualités si remarquables pour la course que les Anglais enregistrèrent leurs naissances sur un livre spécial ; le *General Stud-Book* (1er volume publié en 1808), puis le Stud-Book fut fermé : n'y furent plus inscrits que les produits issus de parents eux-mêmes inscrits. Les autres pays où des pur-sang anglais avaient été importés ouvrirent eux-mêmes des Stud-Books [1er Stud-Book français (créé 1833) publié en 1838 par le ministère de l'Agriculture].

Anglo-arabe. *Origine :* croisements de juments de pur sang anglais avec des étalons de race arabe, pratiqués à partir de 1740 par le gd-duc Christian IV des Deux Ponts, pour produire des chevaux de chasse à courre. Le vétérinaire E. Gayot (directeur du Haras du Pin, puis dir. gal des Haras) est considéré comme le « père » de l'anglo-arabe en France. Les chevaux turc *Aslan* (ramené d'Égypte par Bonaparte) et arabe *Massoud* (importé par M. de Portes sous Louis XVIII) servirent 3 juments de pur sang anglais *Selim Mare, Comus Mare* et *Daer.* Avec *Prisme* (1890-1917), on estima que les caractéristiques de la race étaient fixées.

Les 1ers sujets, obtenus par croisement direct entre les races arabe et pur sang, furent inscrits dans le registre (ou Stud-Book) des anglo-arabes institué en 1833. Des intercroisements s'étant effectués entre pur-sang, arabes et anglo-arabes, la teneur en sang arabe des produits varia de 1 à 100 % et, en 1914, l'Administration des haras décida de qualifier *« anglo-arabe »* le cheval possédant au moins 25 % de sang ar. et n'ayant, dans 6 de ses ascendants directs, que des pur-sang, des ar. ou des « demi-sang anglo-ar. ». Les anglo-ar. nés dep. 1977 et ayant moins de 25 % de sang ar. sont appelés *anglo-ar. de complément. Taille :* 1,58 m à 1,66 m env.

Selle français. Descendant des anciennes races de service françaises (la plus importante était fixée en Normandie), améliorées par des croisements avec des races plus affinées (pur-sang, trotteur français, arabe et anglo-arabe) pour aboutir à un cheval de selle appelé autrefois *demi-sang vendéen, charolais, normand, angevin, charentais,* etc. Les selle français sont sélectionnés sur la course (AQPS) ou sur le saut d'obstacle.

La Normandie était réputée pour ses chevaux. Dès 1663, des étalons *Barbes* furent importés par Colbert afin d'améliorer la race locale et de fournir des chevaux de selle pour l'armée. Puis ce furent des importations d'étalons danois en vue de la production du *carrossier.* L'Administration des haras systématisa l'amélioration par des reproducteurs anglais de demi-sang et de pur-sang. Les premiers géniteurs employés furent des *norfolks* qui, au fur et à mesure des progrès de la race, furent remplacés par des anglo-normands. En 1898, fut créée la Sté du cheval de guerre, qui fusionna ensuite avec la Sté hippique française. L'emploi du pur-sang dans la production du cheval de selle fut consacré et défini par la formule « du sang sous la masse ». L'appellation actuelle « selle français » regroupe tous les anciens demi-sang d'origines connues.

☞ *AQPS (autre que pur sang) :* chevaux de selle français particulièrement sélectionnés pour les courses (plates et obstacles). Obtenus par des croisements répétés de juments de selle français avec des étalons pur sang. Sigle utilisé dans le programme des courses par opposition aux courses ouvertes à tous les chevaux ou réservées aux pur-sang.

Trotteur français. Nom donné autrefois en France aux chevaux participant aux courses au trot. Appelé longtemps *demi-sang trotteur,* le trotteur fr. apparut en Normandie au milieu du XIXe s. à partir de chevaux anglo-normands croisés à l'origine avec des pur-sang anglais (procurant la vitesse et l'influx nerveux) et des norfolks anglais (améliorant le mécanisme du trot) puis, plus tard, avec des trotteurs américains. De 1907 (1re publication par Louis Cauchois, directeur de *La France chevaline*) à 1937 (fermeture), les chevaux sont inscrits au Stud-Book lorsqu'ils ont réalisé une performance.

Arabe. Plus ancienne race de chevaux de selle. Issue de la péninsule arabique. Se répand dans les pays conquis par les musulmans. À l'origine, cheval de guerre, sobre et résistant, vivant avec la tribu. Pendant des siècles il améliora les chevaux élevés en Europe en vue de la guerre ou de la selle. Au XVIIIe s., à l'origine du pur-sang anglais. Au XXe s., cheval de courses, ch. de sport et, plus récemment, ch. de raid équestre d'endurance et ch. de « show ». Très développé en Amérique où il est utilisé dans toutes ces spécialités. Après un recul en France après la guerre de 1939-45, s'est développé ces 10 dernières années. En 1990, 938 juments et 269 étalons livrés à la reproduction.

Races reconnues en France et inscrites sur un livre généalogique (stud-book). *Chevaux de sang :* arabe (AR), pur-sang (PS), anglo-arabe (AA), trotteur français (TF), cheval de selle français (SF), Camargue. *Chevaux lourds :* ardennais, ardennais du Nord, auxois, boulonnais, breton, cob, comtois, percheron, poitevin. *Poneys :* Connemara, Dartmoor, fjord de Norvège, français de selle, Haflinger, Highland, islandais, landais, de Merens, New-Forest, Pottock, Shetland, Welsh. Espèce asine : âne du Poitou. Races étrangères de ch. de selle : Barbe, Lusitanien, Lipizzan.

Appellations. *Ch. de sang :* celle de leur race. *Ch. lourds :* trait ou cob. *Poneys :* poneys. *Ch. n'appartenant à aucune race :* ch. de selle (CS), d'origine inconnue (OI) ou étrangère (OE).

Le SIRE (Système d'identification répertoriant les équidés, créé 26-7-1976) répertorie tout cheval de sang né en France dep. 1974, tout poney dep. 1975 et tout cheval de trait dep. 1988.

Élevage

Sur 90 421 juments saillies en 1990, 32,97 % sont génératrices de chevaux de trait, 58,31% de ch. de sang et 8,72% de poneys et de races étrangères reconnues.

Pur-sang (1990). Sur 3 150 élevages, 15 regroupent au moins *21* poulinières, 206 de *6 à 20* et 2 929 de *5* ou –. Régions : Normandie, Anjou, S.-O. (Pau).

Trotteur français (1990). Sur 8 219 éleveurs, 30 regroupent au moins *21* poulinières, 199 de *9 à 20,* 3 119 de *2 à 8* et 4 871 de *1 seule* jument. Régions : surtout Normandie et O.

Produits nés en France (est. 1989) : pur-sang 3 923, trotteurs français 10 387, arabes 591, anglo-arabes et de complément 1 555, selle français 8 342, Camargue 218, chevaux de selle 2 372, poneys 3 552.

Haras nationaux. 1665 organisés par Colbert : mise en dépôt chez des particuliers des étalons achetés par l'État pour « servir à l'amélioration de la production chevaline ». Haras royal fondé à Montfort-L'Amaury (Yvelines). **1714-28** création du H. du Pin (Orne) remplaçant le « H. de Normandie » ; avec celui de Pompadour (Corrèze) fondé en 1761, constituent le « H. du Roi » ; création ensuite du H. de Rosières (Lorraine) incorporé à l'Administration des h. en 1764. **1790** suppr. de l'Administration des h. **1806** rétablie. **Sous Louis XVIII,** Le Pin devient École des H. et dépôts d'étalons. **Sous Napoléon III,** disparaissent ; l'armée manquera de chevaux pendant la g. de 1870. **1874** loi Bocher rétablissant les h. pour « faciliter la reproduction du cheval en coordonnant les efforts des éleveurs, en permettant les saillies de leurs juments, et en les aidant par l'attribution de secours en argent. » Dirigés par des inspecteurs (actuellement contrôleurs) [min. de l'Agr.]. Les divers établ. (dépôts d'étalons) dirigés par des ingénieurs du Génie rural et des Eaux et Forêts (dep. 1982) ou des ingénieurs en agronomie forment des « circonscriptions » dans les grandes régions d'élevage (23 en 1989). **1961** remplacement du Conseil sup. des haras (1874) par un *Conseil sup. de l'élevage.* **1991** création du *Conseil sup. du Cheval.* Lors de la reproduction (mars-juil.) les 1 485 (752 sang et 733 trait) étalons nationaux (de l'État) sont répartis dans les *stations de monte* de chaque circonscription (320 en 1990, y compris les dépôts d'étalons eux-mêmes).

Prix

• **Achats. Conditions.** Un cheval de course peut être acheté directement chez l'éleveur ou le propriétaire ou par l'intermédiaire d'un marchand ou d'un courtier : 1° *à l'amiable ;* 2° pour les chevaux de course, *à l'issue d'une course à réclamer :* les chevaux y ayant participé peuvent être acquis par soumission écrite. Il y a env. une course à réclamer en lever de rideau de chaque réunion de courses dans la rég. parisienne. Les chevaux participants coûtent en général de 15 000 à 300 000 F ; on y fait parfois d'excellentes affaires ; 3° *aux enchères publiques :* marchés les plus importants de yearlings : Deauville fin août [*en 89,* 408 sujets vendus (546 présentés), prix moyen atteint 322 426 F, prix record 6 500 000 F], octobre (168) et l'Arc de Triomphe (oct. à St-Cloud). Dep. 1989, ventes de chevaux de 2 ans interdites (preéntraînés).

Prix moyens [lors des ventes de « sélection » (où sont offerts les produits les plus prestigieux) et des ventes normales]. **Aux enchères de Deauville (en milliers de F).** *1975 :* 51 (prix record 610). *80 :* 133 (1 800). *81 :*176 (1 950). *82 :* 202 (3 700). *83 :* 199 (4 600). *84 :* 238 (7 600). *85 :* 287 (9 000). *87 :* 265 (6 000). *88 :* 269,93 (2 600). *89 :* 325,75 (6 500). *90 :* 285,83 (6 500).

Quelques records. RECORD MONDIAL 85 000 000 F (au Kentucky en 1983 pour un yearling) ; EUROPÉEN 4 000 000 £ (Londres, 1983). *Sea Bird,* après avoir gagné plus de 3 millions, fut loué comme étalon 7,5 millions pour les 5 premières années de monte. Mort en 1973, il rapporta + de 10 millions à son propriétaire. *Lyphard* et *Caro,* vendus, en 1977, 24 645 000 F et 18 000 000 de F.

CHEVAUX SYNDIQUÉS (mis en copropriété) comme étalon. **1970** *Nijinsky,* gagnant de la triple couronne anglaise (2 000 guinées, Derby, St-Léger) pour 30 000 000 de F. **72-73** *Secrétariat* (meilleur cheval américain) 30 000 000 de F. **75** *What a Pleasure* 36 000 000 de F. **77** *Seattle Slew* 60 000 000 de F. **79** *Spectacular Bird* 120 000 000 de F. **81** *Storm Bird* 180 000 000 de F. **83** *Shareef Dancer* 336 000 000 de F. *Shergar,* syndiqué en 1981 pour 336 000 000 de F, a été kidnappé en févr. 1983 ; les ravisseurs réclamèrent 24 millions de F de rançon (ils en obtinrent 14,5 en avril). Jamais retrouvé, probablement mort.

MEILLEURS ÉTALONS (1990) (selon gains en course en France de leurs produits, en milliers de F) : St-Cyrien 8 335 (Fr.), Rainbow Quest 7 515 (USA), Fabulous Dancer 6 693 (Fr.), No Pass no Sale 5 409 (Jap).

• **Frais d'entretien et d'entraînement.** Pur-sang à Chantilly et Maisons-Laffitte : env. 10 000 F par mois (province 6 500 F) ; moins s'il s'agit d'un trotteur. Un yearling courant au plus tôt vers 24 mois revient à 80 000 F en frais d'entraînement avant de pénétrer sur une piste.

• **Saillie** (en F). Cheval de trait 300, étalon de selle ou anglo-arabe 500 à 2 000, très bon étalon + de 10 000, étalon pur-sang 1 000 à 200 000 (en G.-B., 100 000 guinées, ex. : Sadler's Wells 1,5 million de F). Un étalon saillit normalement env. 40 juments par saison de monte. **Record :** *Ourasi* (1990) 90 000 F (trotteur). *Northern Dancer* (1961) a eu 634 foals dont 295 vendus comme yearlings pour 183 758 632 $. En 1965, ses saillies valaient 15 000 $, en 1985 1 million de $.

Records

• **Performances. Saut. Hauteur** 2,47 m Huaso ex-Faithfull (15 ans) (Cap. Alberto Larraguibel Morales, Chilien, 5-2-1949) [*1906* 2,35 m Conspirateur (Cap. Grousse). *1912* (17-8) 2,35 m Biskra (F. de Juge Montespieu) et Montjoie III (René Ricard). *1933* (10-4) 2,38 m Vol au vent (Lt Christian de Castries, futur Gal. *1938* (27-10) 2,44 m Ossopo (Cap. Antonio Guttierez, Ital.)]. *France* 2,41 m Tancarville (Michel Parrot), 21-10-73. **Longueur** 8,40 m Something (André Ferreira), 26-4-75.

• **Vitesse** (en km/h). **Moyenne :** pas 6 à 8, trot 10 à 48, galop 15 à 62. **Records.** *Départ lancé* (sur piste en liège abritée du vent) 1 000 m : galop 53″6, trot 1′14″ (Watt). *Randonnée :* 100 km 4 h 21′ (1902, le Norvégien Smith Krelland). *Courses d'obstacles :* 52/53 km/h. *En plat :* 65 km/h sur 1 000 m, 57 km/h sur 3 000 m. *Trot attelé :* 1′10″ au km dans une course de 1 mile (1 609 m). *Longchamp :* 55″50 Adraan le 11-5-80 dans le prix de St-Georges. *Deauville :* 1′22″90 Helen Street le 26-8-84 dans le prix du Calvados. *Chantilly :* 2′5″90 Lypharita le 16-6-85 dans le prix de Diane-Hermès.

• **Endurance.** Voiture légère attelée, 302,81 km en 24 h (en 1901).

Quelques chiffres en France

• **Centres équestres enseignant l'équitation.** En 1990, 597 associations loi 1901 et 871 établissements prof. (écoles élémentaires d'équitation et maîtres de manège) et 390 poney-clubs. Est. 66 886 chevaux et poneys. 401 905 cavaliers dont 172 876 titulaires de la carte DNSE (17 721 ont une licence de compétition).

• **Chevaux** (1986). 286 616 env. dont chevaux de sang 163 817 (chevaux de course, de selle, poneys), chevaux lourds 103 907 (races de trait), 18 892 (ânes, baudets, mulets). (1990) env. 300 000.

• **Commerce** (1989, nombre et, entre parenthèses, valeur en milliers de F). *Importations :* pur-sang 567 (126 318). Trotteurs 30 (1 713). Chevaux de selle 1 433 (16 079). Poneys 216 (1 771). *Exportations :* pur-sang 356 (86 282). Trotteurs : 274 (n.c.). Chevaux de selle 809 (n.c.). Poneys 212 (n.c.).

• **Courses.** *Concurrents (1989) :* galop 11 763, trot 13 064. *Épreuves (1988) :* galop 6 469, trot 9 228.

Sommes distribuées (prix et allocations, en millions de F en 1989) : courses plates 472, à obstacles 206, au trot 612. *Prime aux éleveurs (1989, total courses : plat + obstacles + trot)* : 131. *Sociétés de courses (1989)* : 266 ; *réunions* : 2 169.

• **Financement du « secteur cheval » en France. Pari mutuel.** Prélèvement légal sur les sommes engagées par les parieurs (28,38 % en 1989), autofinancement de l'institution des courses et profit à l'État et aux collectivités locales ainsi qu'au secteur cheval dans son ensemble via l'Administration des haras nationaux. Sur une mise de 100 F en 1989, 71,62 F reviennent aux parieurs gagnants, 16,55 à l'État, 10,41 à l'Institution des courses, 1,42 à l'Administration des haras pour l'encouragement à l'élevage et au commerce, le développement de l'équitation (dotation des compétitions équestres et implantation de centres hippiques) et le fonctionnement des dépôts d'étalons nationaux. **1989 :** 35 304 428 300 F joués dont prélevés 10 021 042 550 F (dont 5 845 809 499 F au bénéfice de l'État hors secteur cheval).

• **Emplois relevant du secteur cheval** (1989). Env. 70 000 dont élevage 20 000, ind. hippophagique 20 000, stés de courses 11 000, entraînement 7 800, établissements équestres 7 000, vétérinaires 1 200, Administration des haras nationaux 1 094, maréchaux-ferrants 780, négociants 600, jockeys et divers 200, organismes administratifs d'élevage-commerce et utilisations 150.

Sports équestres

• **Origine.** VIe **s. avant J.-C.,** en Asie centrale, on emploie selle, mors et étriers. **Moyen Age,** en Europe, joutes sportives et tournois. **XVIe s.,** 1res académies d'art équestre en Italie. **XVIIe s.,** création de l'École française d'équitation par Pluvinel, écuyer de Louis XIII ; Robichon de la Guérinière, « père de l'équitation française », publie l'« École de cavalerie » en 1733 à Paris. **XIXe s.,** apparition du jumping. **1900,** concours de dressage aux J.O.

• **Disciplines. 1°). Saut d'obstacles.** *Parcours où l'aptitude à l'obstacle est le facteur déterminant.* Jugés au barème A avec ou sans chrono ; 2 barrages au max. *Parcours où la puissance du cheval est le facteur déterminant.* Au barème A sans chrono, barrages successifs. *Parcours où la vitesse et la maniabilité sont les facteurs déterminants.* Au barème A (4 points par obstacle renversé) ; ou C (fautes décomptées en seconde). *Épreuves à caractère particulier.* Règles ou barèmes spéciaux (puissance, parcours de chasse, épreuve à l'américaine, relais...).

2°). **Concours complet.** 3 compétitions. *Dressage :* sur carrière de dimensions olympiques. But : prouver le calme, la mise en main, la soumission du cheval, l'aptitude du cavalier à le manier. *Parcours de fond :* cross-country de tracé sinueux sur terrain accidenté. Chutes et refus pénalisés. Vitesse imposée. *Épreuves d'obstacles :* concours hippique normal.

3°). **Dressage.** Destiné à développer les aptitudes naturelles du cheval, la franchise du pas, le soutenu du trot, la légèreté, la régularité des allures ; le soutien de la main, l'engagement de l'arrière-main. En France, les concours nationaux comprennent les reprises les plus difficiles.

4°). **Disciplines non olympiques.** Voltige, attelage, raids d'endurance, horse ball, polo...
Voltige : 410 voltigeurs licenciés ont disputé 41 épreuves. *Attelage :* 280 meneurs licenciés se sont produits dans 29 concours. *Horse ball :* 294 équipes de joueurs ont disputé 980 matchs. *Polo :*101 joueurs ont disputé 27 tournois. *Endurance :* 1 551 partants dans 321 épreuves officielles.

• **Attelage.** Commission fédérale d'attelage (25, rue de Tolbiac, 75013 Paris). Association française d'attelage. Créée 1973. 1 000 membres. Concours complet d'attelage à 1, 2 et 4 chevaux ou poneys ; rallyes de tourisme attelé ; examens de guide.

Ride and run. *Créé* vers 1970 aux USA. **1987**-*11-10* à Maisons-Laffitte, 1re course en France (50 km). Consiste pour 2 concurrents et 1 cheval à chevaucher et à courir alternativement pour parcourir le plus rapidement possible 50 à 80 km en se relayant au min. 6 fois.

Trait-tract (*banei-keiba* en japonais). Courses de chevaux lourds, type percheron, qui tirent des traîneaux lestés de 600 à 800 kg.

Principales épreuves

• **Jeux olympiques.** Voir p. 1801.

☞ *Légende.* – (1) Espagne. (2) All. féd. (3) Italie. (4) France. (5) G.-B. (6) Canada. (7) Argentine. (8) USA. (9) URSS. (10) Suisse. (11) Danemark. (12) Autriche. (13) P.-Bas. (14) N. Zél. (15) Hongrie. (16) Finlande.

Coupe du monde-Volvo

Saut d'obstacles. *Créée* 1979. **79** Simon [12], **80** Homfeld [8]. **81** Matz [8]. **82** Smith [8]. **83** Dello Joio [8]. **84** Deslauriers [6]. **85** Homfeld [8]. **86** Burr-Leneham [8]. **87** Burdsall [8]. **88, 89** Millar [6]. **90, 91** Whitaker [5].

Dressage. *Créée* 1985. **85, 86** Jensen [11]. **87-88** Stückelberger [10]. **89** Otto-Crépin [4]. **90** Rothenberger [2]. **91** Kyrklund [16].

Coupe des Nations

(Coupe Gucci dep. 1989). *Créée* 1947. **80** France. **81, 82** All. féd. **83** G.-B. **84** All. féd. **85, 86** G.-B. **87, 88** France. **89** G.-B. **90** All. féd. **91** G.-B.

Championnats du monde

Saut d'obstacles. Messieurs. Ind. *Créé* 1953. **53** Goyoaga [1]. **54, 55** Winkler [2]. **56, 60** d'Inzeo [3]. **66** d'Oriola [4]. **70** Broome [5]. **74** Steenken [2]. **Mixte 78** Wiltfang [2]. **82** Koof [2]. **86** Greenhough [6]. **90** Navet [4]. **Dames. Ind.** *Créé* 1965. **65** Coakes [5]. **70, 74** Lefèbvre-Tissot [4]. Dep. non disputé : concours mixte. **Équipe. 78** G.-B. **82** France. **86** USA. **90** France.

Concours complet. *Créé* 1966. **Ind. 66** Moratorio [7]. **70** Gordon-Watson [5]. **74, 78** Davidson [8]. **82** Green [5]. **86** Leng [5]. **90** Tait [14]. **Équipe. 66** Irlande. **70** G.-B. **74** USA. **78** Canada. **82, 86** G.-B. **90** N.-Zél.

Dressage. *Créé* 1966. **Ind. 66** Neckermann [2]. **70** Petouchkova [9]. **74** Klimke [2]. **78** Stückelberger [10]. **82** Klimke [2]. **86** Grethe-Jensen [11] **90** Uphoff [2]. **Équipe. 66** All. féd. **70** URSS. **74, 78, 82, 86, 90** All. féd.

Voltige. Messieurs. 86 Otto [2]. **90** Lehner [2]. **Dames. 86, 90** Bernhard [2]. **Équipe. 86** All. féd. **90** Suisse.

Attelage à 4. *Créé* 1972. Tous les 2 ans. **Ind. 72** Dubey [10]. **74** Fülöp [15]. **76** Abonyi [15]. **78, 80** Bardos [15]. **82** Velstra [13]. **84** Juhasz [15]. **86** Velstra [13]. **88** Chardon [13]. **90** Aarts [4]. **Par éq. 72, 74** G.-B. **76, 78** Hongrie. **80** G.-B. **82** P.-Bas. **84** Hongrie. **86, 88, 90** P.-Bas. **A 2.** *Créé* 1983. **Ind. 83** Gregory [5]. **85** Meinecke [2]. **87** Kecskerneti [15]. **89** Hochgeschorz [6]. **Par éq. 83** P.-Bas. **85** Suisse. **87** All. féd. **89** Hongrie.

Endurance. Ind. 86 Schuler. **90** Hart [8]. **Équipe. 86** USA. **90** G.-B.

Polo. 80 à 87 The Falcon.

Championnats d'Europe

Saut d'obstacles. *Créé* 1957. Tous les 2 ans. **Ind. 79** Wiltfang [2]. **81, 83, 85** Schockemöhle [2]. **87** Durand [4]. **89** Whitaker [5]. **91** Navet [4]. **Dep. 1974,** suppression de l'épreuve féminine. **Équipe. 79** G.-B. **81** All. féd. **83** Suisse. **85, 87, 89** G.-B.

Concours complet. *Créé* 1953. **Ind. 79** Hagensen [11]. **81** Schmutz [10]. **83** Bayliss [5]. **85, 87, 89** Holgate-Leng [5]. **Équipe. 79** Irlande. **81** G.-B. **83** Suède. **85, 87, 89** G.-B.

Dressage. *Créé* 1963. **Ind. 79** Theurer [12]. **81** Schulten-Baumer [2]. **83** Jensen [11]. **85** Klimke [2]. **87** Otto-Crépin [4]. **89** Uphoff [2]. **Équipe. 1965-89** All. féd.

Endurance. Ind. 89 Mercier [4]. **Équipe. 89** France.

Championnats de France

Dressage. *« Seniors ». Créé* 1954. **80, 81** Margit Otto-Crepin. **82, 83, 84, 85** Dominique D'Esmé. **86** Philippe Limousin. **87** D. D'Esmé. **88, 89** Margit Otto-Crepin. **90** Marina Van den Berghe.

« Juniors ». Créé 1972. **80. 81** Pascaline Bayard. **82, 83** D. Brieussel. **84** France Le Comte. **85** M. Léonardi. **86** Fauconnier. **89, 90** Florence Lenzini.

Concours complet. *« Seniors ». Créé* 1949. **80** Thierry Lacour. **81** J.-Y. Touzaint. **82** T. Lacour. **83, 84** Pascal Morvillers. **85, 86, 87** M.-C. Duroy. **88** Jean Teulère. **89** Pierre Michelet. **90** Jean Teulère.

« Jeunes cav. ». **83** Christophe Pic. **84** Nicolas Dugué. **85** Jean-Lou Bigot. **89** Francine Boes. **90** Xavier Labaisse.

« Juniors ». Créé 1967. **80** Gaël Sebillau. **81, 82** L. Joubert. **83** Valérie Darmoise. **84** Jean-Lou Bigot. **85** Christophe Certain. **89** Rodolphe Scherer. **90** Rodolphe Sarrazin.

Saut d'obstacles. *Créé* 1950. *Cavaliers.* **80** Frédéric Cottier. **81** L. Elias. **82** Pierre Durand. **83** Michel Robert. **84** Gilles de Balanda. **85** Michel Robert. **86** P. Durand. **87** Hervé Godignon. **88** Roger-Yves Bost. **89** Hervé Godignon. **90** Édouard Couperie.

Cavalières. **79, 80, 81** Catherine Bonnefous. **83** Renée Pierre. **84** Sophie Poilvet. **85** Sophie Tramoni. **86** Adeline Wirth. **87** Sophie Pelissier. **88** Roche. **89** Crystel Chrétien. **90** Catherine Pinon.

« Jeunes cav. ». **83** Roger-Yves Bost. **84** Ph. Rozier. **85** Patrice Delaveau. **90** Martin.

« Juniors ». **80** Patrice Delaveau. **81, 82** P. Delaveau. **83** Pascale Wittmer. **85** Eugénie Legrand. **89** Cédric Angot. **90** Jauffray Favier.

« 2e catégorie ». **83** Yannick Patron. **84** C. Roguet.**85** T. Touzaint. **86** Berenhole. **89** Duvinage. **90** Troussier.

Attelage à 4 chevaux. 89, 90 Gérard Saint-Beuve.

Voltige. *Hommes.* **89** Arnaud Thuilier. *Dames.* **89** Flora Giorgio. **90** Sophie Larmoyer.

Raids d'endurance. 89, 90 Jack Begaud.

Critériums nationaux

« Seniors ». 83 *Concours complet.* J.-J. Gimaret. *Dressage.* D. d'Esmé. **84** *C. c.* Nicolas Dugué. *Dr.* D. d'Esmé. **85** *C. c.* Antoine Karcher. *Dr.* D. d'Esmé. **89** *C. c.* Jean Teulère. *S. d'obstacles* Olivier Desutter. **90** *C. c.* Alain Lhuissier. *S. d'ob.* Patrick Martin.

« Juniors ». Créé 1960. **79** Thierry Chambaud. **80** Gérard Taillefer. **81** *S d'ob.* F. Coudène. **82** *C.c.* O. Guelin. *Dr.* G. Bouvier. **83** *S. d'ob.* Philippe Barbot. *C. c.* Éric Chaumont. *Dr.* Marc-Antoine Meunier. **84** *S. d'ob.* Ivan Lakatos. *C. c.* Emmanuelle Wurtz. *Dr.* G. Mathieu. **85** *S. d'ob.* Isabelle Bion. *C. c.* Sébastien Auneau. *Dr.* Alban Tissot. **89** *Dr.* Cyril Porteil. *C. c.* Rodolphe Scherer. *S. d'ob.* J.-Baptiste Trocmet. **90** *C. c.* Gaël Marionneau. *Dr.* Vanessa Zinsius. *S. d'ob.* Christine Molant.

« Cadets ». *S. d'ob.* **83** Franck Sollacaro. **84** Jill Coulombez. **85** Jérôme Gachinard.

Audi Masters

Créé 1981. *But :* découvrir le meilleur « maître-cavalier » en saut d'obstacles français de l'année. En 1988, 10 concurrents qui s'affrontent dans un barème A, puis les « sans faute » participent à un barrage chronométré qui désigne le maître. **82** P. Caron, **83, 84, 85** F. Cottier, **86** M. Robert, **87** H. Bourdy, **88** P. Durand, **1989** supprimé.

Losanges d'or Renault

Créés 1989. Succèdent à l'Audi Masters. *But :* Épreuve en 3 étapes (vitesse, puissance, épreuve grand prix). Consacre, parmi les 10 meilleurs cavaliers français d'obstacles, celui qui aura su se constituer l'écurie (3 chevaux) la plus performante et se sera montré le meilleur pilote et le meilleur préparateur. **89** E. Navet, **90** H. Godignon.

Quelques noms

☞ *Légende.* – (1) G.-B. (2) Italie. (3) URSS. (4) Espagne. (5) France. (6) Suisse. (7) Irlande. (8) Portugal. (9) USA. (10) Australie. (11) Canada. (12) Argentine. (13) Pologne. (14) Brésil. (15) All. féd. (16) N.-Zélande.

ALLHUSEN Derek Swithin [1] 1914. ANDERSON John Brinker [1] 1930. ANGIONI Stefano [2] 1939. ANNE, Princesse d'Angleterre [1] 1950. ASRATYAN Rudolph [3] 1941. AVEYRO Luis Jaime, duc d' [4] 1942. BACKHOUSE Ann Sophia [1] 1940. BAILLIE John David Storrie [1] 1948. BALANDA Gilles (de) [5] 29-5-50. BENTEJAC Dominique [5] 6-8-44. BEST Greg [9] 1964. BLICKENSTORFER Arthur [6] 1935. BOHORQUES Y PEREZ DE GUZMAN José de S4 1935. BOST Roger-Yves [5] 20-10-65. BOURDY Hubert [5] 5-3-57. BRENNAN Thomas [7] 1940. BROOME David S1 1-5-1940. CALLADO Henrique [8] 1920. CAMPION Edward [7] 1937. CAPRILLI Frederico [2] 1868-1907. CARON Patrick [5] 12-6-50. CASTELLINI Gualtiero [2] 1940. CHABROL Jérôme [5] 3-7-31. CHAPOT Frank Davis [9] 1932. CHAPOT Mary Wendy [9] 1944. CHEVALIER Bernard [5] 4-10-12. COAKES Marion (MOULD) [1] 1947. COBCROFT Brien William [10] 1934. COCHENET Michel [5] 1927. COTTIER Frédéric [5] 5-2-54. DAVIDSON Bruce [9] 13-12-49. DAWES Alison Selena [1] 1944. DAY Jim [11] 2-7-46. DEEV Pavel [3] 1942. DELIA Carlos [12]

1923. D'ESMÉ Dominique [5] 26-12-45. D'INZEO Piero [2] 4-3-23. D'INZEO Raimondo [2] 8-2-25. DURAND Pierre [5] 15-12-31. DURAND Pierre [5] 16-2-55. DUROY Marie-Christine [5] 27-3-57. DURSTON-SMITH Tom [1] 1944. FAIT M. [16] 1961. FARGIS Joe [9]. FLAMENT Dominique [5] 1946. FLETCHER Graham [1] 1951. FREEMAN Kevin [9] 1941.

GENESTE Bernard [5] 1934. GODIGNON Hervé [5] 1962. GORDON-WATSON Mary Diana [1] 1948. GREENOUGH Gail [11] 1960. GUYON Jean-Jacques [5] 21-12-32. HILL Albert Edwin [1] 1927. HOFFMAN Carol Isabelle [9] 1942. HOMFELD Conrad [9] 25-12-51. HOUSSIN Marc [5] 28-6-40. JONQUÈRES D'ORIOLA Pierre [5] 1-2-20. JOUSSEAUME André [5] 1894-1961. KLIMKE Reiner [15] 14-1-36. KOECHLIN-SMYTHE Patricia Rosemary [1] 1928. KOWALCZYK Jan [13] 1941. KUSNER Kathryn Hallowell [9] 1940. LEFEBVRE J. voir Tissot-Lefebvre [5]. LEFRANT Guy [5] 1923. LE GO Jack [5] 1931. LE ROLLAND [5] 15-5-43. LE ROY Jehan [5] 1923. LESAGE Xavier [5] 25-10-1885. LINSENHOF Liselotte n.c. LITHGOW William [1] 1920. LLEWELLYN Henry Morton [1]. MANCINELLI Graziano [2] 18-2-37. MEADE Richard [1] 4-12-38. MILLAR Ian [1] 1945. MOORE Ann Elisabeth [1] 1950. MORATORIO Carlos [12] 1932. MORGAN Lawrence Robert [10] 1915. NAVET Éric [5] 9-5-59. OLIVER Alan [1] 1932. OTTO-CREPIN Margit [5] 9-2-45. PAGE Michaël Owen [9] 1938. PARKER Bridgett [1] 1939. PAROT Hubert [5] 23-5-36. PESSOA Nelson [14] 16-12-35. PHILIPPS Mark Anthony [1] 1948. ROBERT Michel [5] 24-12-48. ROBESON Peter David [1] 1929. ROZIER Marcel [5] 22-3-1936. ROZIER Philippe [5] 5-2-63. SAINT-MARTIN Yves [5] 1941, se retire en 1987 après 15 cravaches d'or et 3 300 victoires. SCHOCKEMÖHLE Alvin [15] 29-5-37. SCHOCKEMÖHLE Paul [15] 14-5-45. SHAPIROT Neal [9] 1945. SMITH Mélanie [9]. SMITH Robert Harvey [1] 1939. STEENKEN Hartwig [15] 1941. STEINKRAUS William Clarke [9] 1925. STEVENS Stewart [1] 1950. TEULÈRE Jean [5] 24-2-54. TISSOT-LEFEBVRE Janou [5] 14-5-1945. TODD Mark [16]. UPHOFF Nicole [15] 1968. WELDON Frank [1] 1913. WHITACKER John [1]. WILLCOX Sheila [1] 1936. WILTFANG Gerd [15] 1946. WINKLER Hans Gunter [15] 24-7-26. WOFFARD James Cunningham junior [9] 1944. WUCHERPHENNIG Elisabeth Ann [1] 1937.

Écuyers français célèbres

Gal WATTEL (à Saumur : 1919-29). François BAUCHER (1805-73). Gal Alexis François L'HOTTE (à Saumur : 1864-70). C^el LESAGE (de 1935 à 39). James FILLIS. C^dt DUTHIL. C^dt de MONTJOUX (Saumur : 1903-06). Gal DECARPENTRY. C^el DANLOUX (Saumur : 1929-33). Cap. de SAINT-PHALLE. C^el de SAINT-ANDRÉ (Saumur : 1964-72). L^t-C^el MARGOT (Saumur : 1945-58). C^el Patrice LAIR (Saumur 1958-64).

Courses de chevaux

Quelques dates

Angleterre

1603 1res courses. Jacques Ier († 1625) édifie les 1ers hippodromes gazonnés, dont Newmarket. *Prix :* sonnettes d'or et d'argent ; le vainqueur est nommé *Gagneur de cloche.* **1660** Charles II († 1675) réglemente le calendrier, conditions d'âge et poids de monte. **1709** J. Weatherby commence à publier les résultats dans les *Racing calendars.* **1711** courses *Plates d'York :* le prix de la course consiste en une pièce d'orfèvrerie (piece of plate). **1751** Jockey-Club fondé. **1801** le colonel St-Léger crée à Doncaster la course portant son nom, le plus vieux « classique » du monde (2 miles = 3 200 m pour chevaux de 3 ans). Lord Derby aménage un hippodrome sur les landes d'Epsom, où il fonde les Oaks (1,5 mile pour pouliches) et le Derby (1,4 furlongs mile, pour chevaux de 3 ans), couru pour la 1re fois en 1830. **1801** Gold Cup (2,5 miles pour chevaux de 4 ans et au-dessus) fondée sur terrain d'Ascot qui appartient à la famille royale. **1809** 1res Mille et Deux Mille Guinées à Newmarket.

France

• **Historique. V. 1370** courses données à l'occasion des foires ou fêtes locales à Semur-en-Auxois. **Sous Louis XIV** courses avec paris importants ; on courait sur toutes distances, parfois jusqu'à 60 km. **1776** *nov.* courses dans la plaine des Sablons. **1788** *1re course officielle :* Prix du Plateau du Roi (3 000 ou 4 000 m), réservée aux juments fr. et étrangères. **Sous la Révolution** au Champ-de-Mars, courses antiques (à pied, à cheval, en char). **1805** courses départementales (Orne, Corrèze, Seine, Morbihan, C.-du-Nord, H.-Pyr.) pour chevaux entiers et juments nés en Fr. (4 000 m), couronnées par un Grand Prix disputé à Paris (Limoges fut un des 1ers centres de courses de chevaux, plus tard les C.-du-N.). **1819** Prix Royal créé. **1823** Prix du Dauphin et de l'Hippodrome du Pin créés. **1830** *4-3, 1er steeple-chase* à Jouy. **1832** Houel organise une *course au trot* monté (gagné en 2 min 32 s au km). **1833** *11-11* fondation, sous le patronage des ducs d'Orléans et de Nemours, de la *Sté d'encouragement pour l'amélioration des races de chevaux en France,* et du *Jockey Club.* Le duc d'Aumale loue à long terme les pelouses de Chantilly. **1835** 1res courses de haies. Un peu plus tard, on aménage des hippodromes spécial. à La Croix-de-Berny, Craon, Dieppe, Pau, etc. **1836** Prix du Jockey Club créé. Normandie : épreuves de sélection au trot pour animaux de service. **1837** Prix du Cadran. **1840** Poule d'Essai. **1841** Poule des produits. **1843** Prix de Diane. **1857** 1re Sté de trot importante créée à Caen. *-17-4* inauguration de Longchamp pour courses plates. **1863** Grand Prix de Paris. *Sté des steeple-chases* créée (1er Pt : le P^ce Murat entouré du Cte de Juigné et de MM. de Montgomery et de La Haye Jousselin). Hippodrome à Vincennes, sur le plateau de Gravelle. **1864** *Sté pour l'amélioration du cheval fr. de 1/2 sang,* fondée par le Mis de Croix. Hippodrome de Deauville. **1866** *Sté sportive d'encouragement* fondée par Eugène Adam et Maurice Papin. *-16-5* arrêté (dit maréchal Vaillant, min. de l'Agriculture) délègue aux 3 stés mères (plat, obstacle, trot) le pouvoir d'édicter la réglementation technique des courses sur tout le territoire. **1873** Hippodrome d'Auteuil. **1882** *Sté de sport de France* créée par Cte Greffulhe. **1891** *2-6* loi interdisant aux stés de courses de faire des bénéfices et les soumettant au contrôle de l'État, en contrepartie leur accorde le monopole de l'organisation des courses publiques et des paris sur les hippodromes. Seules les épreuves ayant pour but exclusif l'amélioration de la race chevaline seront autorisées ; création du Pari Mutuel sur l'hippodrome.

1920 *Prix de l'Arc de Triomphe* créé. **1921** les courses de Deauville, fondées 1864 par le duc de Morny, passent sous l'obédience de la Sté d'encour. **1930** *16-4* loi étendant les dispositions de la loi du 2-6-1891 au Pari mutuel urbain. **1935** 1ers sweepstakes en Fr. (Grand Prix de Paris et Prix de l'Arc de Triomphe). **1945** internationalisation des principales épreuves françaises de sélection de la race pure. **1984** Darie Boutboul, 1re femme à gagner le tiercé.

• **Sociétés mères. Plat :** *Sté d'encouragement pour l'amélioration des races de chevaux en France* (fondée 1833). **Obstacle :** *Sté des steeple-chases de France* (fondée 1863), 46 place Abel Gance, 92655 Boulogne Cedex. **Trot :** *Sté d'encouragement à l'élevage du cheval français,* 7, rue d'Astorg, 75008 Paris. **UPG** (Union pour le galop) : créée 1990, réunit les 4 sociétés parisiennes plat et obstacles.

Sortes de courses

• **Plat (galop).** La distance à couvrir dans une course est la même pour tous les concurrents, la notion essentielle étant le poids. En raison des différences de développement physique dues à l'âge, les plus âgés portent des surcharges, appelées le *poids pour âge.* Ex. : un 4 ans portera, selon l'époque de l'année et selon les distances, 8, 10 ou 15 livres de plus qu'un 3 ans. En octobre, sur 1 600 m, lorsque les 2 ans rencontrent leurs aînés, la différence de poids pour âge entre un 2 ans et un 4 ans est de 22 livres.

Courses classiques. Les chevaux de même âge portent le même poids (les femelles portant 3 livres de moins que les mâles). **Courses à conditions.** Les chevaux sont ou non qualifiés, selon qu'ils ont ou non remporté tel ou tel prix, ou telle ou telle somme d'argent [gains de l'année et (ou) de l'année précédente]. En outre, le poids augmente en fonction des victoires ou des sommes gagnées antérieurement selon les conditions de la course (ex. : un cheval ayant gagné 100 000 F dans sa carrière portera 3 kg de plus que les autres ; s'il a gagné 300 000 F, 5 kg, etc.) ; ceux qui n'ont pas remporté de prix ou gagné la somme fixée par les conditions de la course peuvent bénéficier de décharges. *Handicaps :* le handicapeur attribue des poids dans le but d'égaliser les chances de gagner de chaque concurrent.

• **Obstacles.** *Haies :* en gén. passées dans la foulée, la barre étant à 0,50 m et la haie proprement dite dépassant de 0,50 m, on « brosse » au-dessus de la barre au travers de la haie. *Rivière :* à Auteuil,

Courses de groupe. Classées par un accord international en fonction de leur importance dans le circuit de sélection, sans tenir compte des allocations. En 1991, France 107, G.-B. 106, Italie 38, All. 36, Irlande 34. Il en existe aussi aux USA et en Australie.

Courses particulières. Certaines épreuves comportent des conditions particulières, par ex. montes réservées à une catégorie déterminée de cavaliers (apprentis, militaires, gentlemen, cavalières) ou de chevaux (ch. de l'armée).

Réclamers. Tous les concurrents sont à vendre aux enchères pour un montant min. dit « taux de réclamation ». Les enchères sont déposées après la course, et les chevaux déclarés acquis aux plus offrants. Le supplément éventuel de l'offre par rapport au taux de réclamation va à la Sté organisatrice.

Prix de courses, ou « encouragements ». *Prix de courses :* attribué aux propriétaires des 4 premiers (plat) ou 5 premiers (trot et obstacles) de chaque épreuve. Allocation au vainqueur de 20 000 F pour une petite course de province, et de 5 000 000 de F pour l'Arc de Triomphe.

Prime « aux propriétaires » : supplément de 35 à 40 % suivant les stés, accordé en plat aux propr. de chevaux nés et élevés en France en cas de victoire ou place. Cette mesure a été supprimée en obstacles et n'a pas lieu d'exister pour le trot où seuls sont admis en France les « nés et élevés ». *Prime aux éleveurs :* versée dans certaines épreuves, par le Fonds commun aux éleveurs des chevaux nés et élevés en France qui obtiennent une victoire ou une place. Montant selon épreuves : 10 à 25 % de l'allocation perçue par le propr. S'applique au galop, quelle que soit la nationalité de l'éleveur. Joue également pour certaines grandes épreuves à l'étranger.

Indemnités diverses versées aux propr. : indemnité pour transport des chevaux vers hippodromes, indemnités pour chevaux non classés (500 F à Auteuil), indemnités d'abattage en courses (20 000 F à Auteuil), etc.

6 m de largeur (haie 1,50 m, eau 4,50 m et 1 m de hauteur).

Steeple-chases : de 3 000 m : au min. 8 obstacles, dont 4 différents, choisis parmi : banquette, barrière fixe, barrière fixe avec brook, bull finch, double barrière, douve, mur en pierre, mur en terre, open ditch, oxer ou rivière. *Courses de haies* de 2 500 m : 7 haies au moins, à l'exclusion de tout autre obstacle. Au-delà, un obstacle en plus par allongement de 300 m. *Cross-country :* les chevaux quittent un moment la piste permanente pour une piste provisoire à travers champs comportant aussi des obstacles.

• **Trot. Courses classiques :** réservées aux meilleurs, tous les concurrents partent à distance égale ; *parcours les plus utilisés :* 2 250 m, 2 600 m, 2 800 m. Dans les courses avec départ à l'autostart, départ sur 1 ou 2 lignes selon le nombre.

Prix de série : des reculs gradués de 25 m en 25 m sont imposés aux chevaux ayant gagné, dans leur carrière, le plus d'argent. En général, les 5 ans « rendent » 25 m aux 4 ans, et 50 m aux 3 ans (Uranie ou Amazone rendirent 100 m. Ozo et Buffet II, 75 m). Les *rendements en fonction de l'âge* varient selon la distance de la course et l'époque.

• **Handicaps.** Le handicapeur répartit les chevaux engagés sur des distances diverses, de 12 en 13 m, à son gré. Certains chevaux partiront à 2 600 m, pour égaliser les chances des concurrents, d'autres à 2 612, 2 625, 2 637, 2 650 m.

En général, on court sur les *obstacles* en janvier, en février (à Pau), de mars à juil., un ou deux dimanches en été, puis de fin octobre à la mi-déc., et en *plat* du début mars au 30 nov. Un galopeur peut participer à des courses de plat et d'obstacles dans une même saison.

Les *chevaux de trot* courent de 2 à 9 ou 10 ans, atteignant leur plénitude vers la 5e année ; les *ch. de galop,* de 2 à 4 ans.

Quelques définitions

Canter. Galop d'allure réduite d'un cheval à l'entraînement, ou se rendant au départ sur la piste. **Champ.** Lot de chevaux disputant une course.

Dead-heat. Chevaux classés ex aequo lorsque le juge à l'arrivée n'a pu les départager. **Départ.** *Trot :* donné aux élastiques tendus en travers de la piste, au signal « partez » on lâche les élastiques ; parfois, donné à l'*autostart :* les chevaux sont rangés derrière les ailes déployées d'une automobile qui, au poteau de départ, démarre à 120 km/h et replie ses ailes d'acier. *Plat :* les chevaux sont rangés dans des stalles de départ qui s'ouvrent toutes ensemble, ou derrière des élastiques qui sont lâchés sur l'ordre du starter. *Obstacles :* le *starting gate* (ensemble d'élastiques) se lève instantanément, sur un déclic du starter. **Distances à l'arrivée.** Intervalles séparant les chevaux. Mesures utilisées : nez, courte tête, tête, courte encolure, encolure, demi-long., 3/4 de long., 1 long. (de cheval, soit env. 2 m), 1 long. et demie, 2, 2 et demie, 3, 4, 5, 6, 8, 10, 15 et loin (pour tout intervalle supérieur).

Flyer. De « to fly » : voler. Cheval affectionnant les courtes distances (1 000 à 1 400 m).

Jockey. *Plat,* poids de 46 à 54 kg pour 1,55 m ; *d'obstacles,* jusqu'à 60 kg pour 1,60 à 1,70 m. **Poids.** Poids du jockey, pesé avec selle, tapis de selle et collier de chasse. Serviette numérotée, œillères, cravache, bride dont font partie muserolle, alliance et martingale, ne sont pas pesées. Pour parfaire le poids qu'il doit porter, le jockey ajoute dans les poches d'un tapis, placé sous la selle, des feuilles de plomb en quantité suffisante ou utilise une selle plus ou moins lourde. N'a pas le droit de parier ni d'accepter de l'argent, comme présent, d'une personne autre que celle qui l'emploie. Sauf s'il est également entraîneur, il ne peut être propriétaire ni en totalité, ni en partie, et sa femme ne peut pas l'être non plus.

Jockey Club. Cercle fondé en France en 1834. Pour y être admis, il fallait être membre de la Sté d'encouragement. En 1840, cette règle fut inversée. Encore maintenant, un certain nombre des membres du Comité de la Sté d'encouragement sont pris parmi les membres du cercle. En Angl., le J.C. assure l'organisation des courses plates (comme la Sté d'encouragement en Fr.), mais il a confié son secrétariat à une société (Weatherby and Sons). Voir Index.

Juge au départ ou starter. Donne le départ. S'il décide que le départ est non valable, il lève son drapeau ; le porte-drapeau placé sur la piste à 200 m env. après le départ répète ce geste ; il le maintient levé. Les jockeys doivent alors arrêter leurs chevaux et revenir directement se placer sous les ordres du juge. Celui-ci peut décider qu'un cheval refusant d'entrer dans sa stalle ne prend pas part à la course.

Lads. Chargés de l'entretien et de l'entraînement des chevaux.

Pari particulier. Course disputée entre 2 chevaux par convention spéciale entre leurs propriétaires. Assez fréquent au XIXᵉ s. Un des derniers et des plus célèbres opposa, le 19-5-1924 à St-Cloud, Épinard à Sir Gallahad (qui, recevant 5 kg de son adversaire, le battit d'une courte encolure).

Poule de produits. Épreuve disputée par des chevaux de 3 ans pour laquelle les engagements se font quand le cheval est yearling ; avant 1966, c'était avant la naissance du cheval. *9 courses :* Prix Greffulhe, Hocquart, Noailles, Poule d'essai des poulains, Poule d'essai des pouliches, Prix de Lupin, du Jockey Club, de Diane et Prix St-Alary.

Walk-over. Quand un seul cheval prend part à l'épreuve par suite du retrait de ses adversaires. Pour être considéré comme vainqueur, il doit effectuer le parcours et remplir les conditions de la course et celles exigées par le code des courses.

Courses plates en France

Généralités

• **Réunions** (1989). 4 341 courses plates dont 1 283 organisées sur les hippodromes des stés de courses parisiennes : St-Cloud (329), Maisons-Laffitte (247), Évry (284), Longchamp (244), Deauville (105), Chantilly (46), Vichy Sport de France (28), et 3 058 courses sur les 199 hipp. de province (Corse incluse).

• **Chevaux. Ayant gagné le plus (en F). Carrière complète.** *Allez France* (1970 par Sea Bird) 6 254 156 (75). *All Along* (1979 par Targowice) 16 855 476 (83). *Triptych* (1982 par Riverman) 16 920 617 (88). **Dans une même année depuis 1949. Galop 4 ans et au-dessus.** *Triptych* 8 052 844 (87). *Carroll House* 5 000 000 (89). *Dahlia* 2 877 694 (74). *Sagace* 2 840 000 (84). *Gold River* 2 682 000 (81). **Trot.** *Ourasi* (au 28-1-89) 17 959 895. *Idéal du Gazeau* 1 637 000 (81). *Jorky* 1 532 000 (80). **3 ans.** *Le Glorieux* 9 346 107 (87). *Trempolino* 8 604 200 (87). *Saumarez* 6 742 250 (90). *Sassafras* 3 277 866 (70). *Youth* 3 108 510 (76). *Sea Bird* 3 012 652 (65). *Dahlia* 2 925 920 (73). **Femelles.** *Miesque* 7 527 756 (87). *Three Troikas* 2 920 000 (79).

Ayant gagné le plus en 1990 (plat). 2 ans. *Hector Protector,* gagnant de 3 groupe I (Morny, Salamandre, Grand Critérium) 3 147 000 F. *Hello Pink.* 1ᵉʳ Piaget, 2 032 000 F. **3 ans.** *Saumarez,* Grand Prix de Paris, Arc de Triomphe, 6 742 250 F. *Épervier Bleu,* 1ᵉʳ Lupin, Greffulhe, Niel, 4 509 350 F. **4 ans et +.** *In the Wings,* Grand Prix de St-Cloud, Breeders Cup (USA), 2 667 750 F. *Creator,* 1ᵉʳ Harcourt, Ganay, 1 443 500 F.

• **Éleveurs (meilleurs de plat). Primes** (en milliers de F). **70** Bᵒⁿ G. de Rothschild 156. **71** Bᵒⁿ F. Dupré et Mᵐᵉ 456. **72** Bᵒⁿ G. de Rothschild 326. **73** id. 398. **74** Marcel Boussac 525. **75** W. Stora 370. **76** Dayton Ltd 668. **77** id. 1 061. **78** J. et P. Wertheimer 865. **79** A. Pfaff 857. **80** A. Head 700. **81** J. et Suc. P. Wertheimer 1 291. **82** SA Aga Khan 1 144. **83** Dayton Ltd 873. **84** id. 873. **85** A. Head et Sté Aland 636. **86** id. 1 063. **87** SA Aga Khan 1 099. **88** J.-L. Lagardère 754 325. **89** S. Niarchos 845 387. **90** J.-L. Lagardère 1 212, Wertheimer J. et frères 921, S. Niarchos 631, A. Head et Sté Aland 626.

• **Entraîneurs de plat** (meilleurs gains, en millions de F). 70 F. Mathet (1908-83) 6,8. **71** id. 7,4. **72** G. Watson 6,8. **73** F. Mathet 8,6. **74** A. Penna 8,3. **75** A. Head 7,3. **76** F. Boutin 8,4. **77** F. Mathet 10,8. **78** F. Boutin 9,1. **79** id. 13,2. **80** id. 10,1. **81** id. 11,1. **82** F. Mathet 13,3. **83** F. Boutin 13,8. **84** id. 16,6. **85** P.L. Biancone 18,4. **86** Mᵐᵉ C. Head 17,8. **87** A. Fabre 19,9. **88** id. 22,8. **89** id. 30,6. **90** A. Fabre 23,9, F. Boutin 21,6, E. Lellouch 17,6, Mᵐᵉ C. Head 15,9.

Meilleurs entraîneurs de plat en 1990 (nombre de victoires). J.-C. Rouget 152, G. Henrot 136, H.-A. Pantall 116, A. Fabre 106.

• **Jockeys de plat. Classement d'après leurs victoires. 70** F. Head 117. **71** id. 132. **72** id. 103. **73** Y. Saint-Martin 117. **74** id. 121. **75** id. 125. **76** id. 109. **77** P. Paquet 108. **78** A. Gibert 116. **79** P. Paquet 116. **80** F. Head 122. **81** Y. Saint-Martin 125. **82** F. Head 137. **83** Y. Saint-Martin 125. **84** F. Head 134. **85** C. Asmussen 148. **86** id. 119. **87** G.-W. Moore 102. **88** C. Asmussen 200. **89** id. 147. **90** id. 140.

• **Propriétaires. Classement d'après les gains** (en millions de F). Nombre de victoires. **70** A. Plesch 3,9 (24). **71** Mᵐᵉ F. Dupré 4,1 (39). **72** Mᵐᵉ P. Wertheimer 4,9 (44). **73** D. Wildenstein 8 (87). **74** id. 9,3 (74). **75** S. Wertheimer 7,3 (61). **76** D. Wildenstein 6,1 (42). **77** id. 5,7 (47). **78** J. Wertheimer 7. **79** SA Aga Khan 6,1 (97). **81** id. 6,9. **82** id. 8,6 (77). **83** S. Niarchos 9,6. **84** id. 11,6. **85** D. Wildenstein 12,9. **86** SA Aga Khan 8,7 (65). **87** id. 9,4 (52). **88** Mˡˢᵉ de Moratalla 7,1 (67). **89** Cheik Al Maktoum 15,8 (61). **90** Cheik Al Maktoum 15,6, D. Wildenstein 13,3, K. Abdullah 8,3, Mac Nall 7,9.

D'après le nombre de victoires. 82 Aga Khan 77, Mˡˢᵉ de Moratalla 61, S. Niarchos 58. **83** S. Niarchos 76, Mˡˢᵉ de Moratalla 63, S. Khalifa 62. **84** Aga Khan 83, S. Niarchos 71, S. Khalifa 49. **85** S. Niarchos 74, J. Bedel 65, SA Aga Khan 57. **86** S. Niarchos 73, Aga Khan 61, J. Bedel 53. **87** Aga Khan 52. **88** Mˡˢᵉ de Moratalla 67. **89** Cheik Al Maktoum 61, Mˡˢᵉ de Moratalla 52, J.-C. Seroul 52, S. Niarchos 40, SA Aga Khan 38. **90** Cheik Al Maktoum 56, Mˡˢᵉ de Moratalla 55, G. Gour 51, D. Wildenstein 48, J. Bedel 47.

Principales épreuves

☞ *Légende.* – C : Chantilly ; D : Deauville ; F : courses réservées aux femelles ; L : Longchamp ; M : Marseille ; ML : Maisons-Laffitte ; SC : St-Cloud ; V : Vincennes ; Vic. : Vichy. Distance en m et allocations au premier en 1991 (en F).

• **Galop. Courses pour 2 ans.** Gd Critérium (L 1 600) 1 200 000. P. Morny (D 1 200) 1 000 000. P. de la Salamandre (L 1 400) 500 000. P. Marcel Boussac (L 1 600) 800 000. Critérium de St-Cloud (SC 2 000) 500 000. **2 ans et au-dessus.** P. de la Forêt (L 1 400) 500 000. P. de l'Abbaye de Longchamp (L 1 000) 700 000. **3 ans.** P. du Jockey Club. *Créé* 1836 (C 2 400) 2 500 000. P. Vermeille (L 2 400) 1 000 000. P. Lupin (L 2 100) 400 000. Gd P. de Paris (L 2 000) 1 500 000. P. Saint-Alary (L 2 000) 400 000. Poule d'essai des Poulains (L 1 600) 1 000 000. Des Pouliches (L 1 600) 1 000 000. P. Greffulhe (L 2 100) 250 000. P.P. Hocquart (L 2 400) 300 000. P. Noailles (L 2 200) 250 000. P. Eugène Adam (SC 2 000) 400 000. P. de Malleret (L 2 000) 300 000. P. Guillaume d'Ornano (D 2 000) 300 000. P. de Flore (SC 2 100) 200 000. P. Pénélope (SC 2 100) 200 000.

3 ans et au-dessus. P. de l'Arc de Triomphe (L 2 400) 5 000 000. Gd P. de Saint-Cloud (SC 2 400) 1 500 000. P. du Conseil de Paris (L 2 400) 300 000. P. Royal Oak (L 3 100) 400 000. Gd P. de Deauville (D 2 700) 500 000. P. Jean de Chaudenay (SC 2 400) 300 000. P. Jacques Le Marois (D 1 600) 1 000 000. P. du Moulin de Longchamp (L 1 600) 900 000. Gd P. de Marseille (M 2 000) 300 000. P. Maurice de Nieul (SC 2 500) 400 000. P. Kergorlay (D 3 000) 250 000. P. Messidor (ML 1 600) 200 000. Gd P. de Vichy (Vic. 2 400) 250 000. Coupe de Maisons-Laffitte (ML 2 000) 200 000. P. de Royallieu (L 2 500) 300 000. P. Quincey (D 1 600) 200 000. P. Fille de l'Air (SC 2 100) 200 000. P. de Pomone (D 2 700) 250 000.

4 ans et au-dessus. P. Ganay (L 2 100) 500 000. P. du Cadran (L 4 000) 500 000. P. Dollar (L 1 950) 300 000. P. d'Harcourt (L 2 000) 250 000. P. Gontaut-Biron (D 2 000) 200 000. P. Gladiateur (L 4 000) 220 000. P. Foy (L 2 400) 200 000. P. d'Ispahan (L 1 850) 450 000.

• **Courses au trot. Pour 4 à 10 ans.** P. d'Amérique (V 2 600) 2 000 000. P. Cornulier (V 2 600) 1 000 000. P. de Paris (V 3 150) 1 000 000. P. de France (V 2 250) 1 000 000. **4 à 6 ans.** P. des Centaures (V 2 250) 600 000. P. de Sélection (V 2 250) 600 000. **5 ans.** Critérium des 5 ans (V 3 000) 700 000. P. de Normandie (V 3 000) 700 000. **4 ans.** Critérium des 4 ans (V 2 800) 800 000. P. du Pt de la Rép. (V 2 800) 800 000. **3 à 5 ans.** P. de l'Étoile (V 2 275) 600 000. P. des Élites (V 2 275) 600 000. **3 ans.** Critérium des 3 ans (V 2 600) 750 000. P. de Vincennes (V 2 600) 750 000.

Rétrospectives

☞ *Légende.* – Année. Cheval vainqueur. Propriétaire et cote (rapport entre les probabilités de perdre et celles de gagner qu'offre un cheval).

Grand Prix de Paris (plat)

Origine. Pour poulains entiers et pouliches de 3 ans. Poids 56 kg. 31-5-1863. (le poulain anglais « The Ranger », vainqueur, gagna 100 000 F.) 1ʳᵉ grande épreuve internationale fondée par la Sté d'encouragement, confrontant ainsi sur une plus longue distance les chevaux qui se sont distingués dans les épreuves classiques du printemps et les stayers. **Jour.** Dernier dimanche de juin à Longchamp. *Distance.* 2 000 m dep. 1987. **Prix.** 1 500 000 F en 1990. 110 épreuves disputées ont été remportées par 85 produits français, 20 britanniques, 1 italien, 3 amér., 1 hongrois. Palmarès : 100 poulains, 10 pouliches.

Gagnants depuis 1970. 70 Roll of Honour (Earl A. Scheib) 73/10. **71** Rheffic (Mᵐᵉ F. Dupré) 14/10. **72** Pleben (Bᵒⁿ de Rédé) 6/1. **73** Tennyson (F.W. Burmann) 4/1. **74** Sagaro (G.A. Oldham) 47/10. **75** Matahawk (Mᵐᵉ É. Stern) 14/1. **76** Exceller (N.B. Hunt) 4/10. **77** Funny Hobby (Mᵐᵉ Th. Carally) 18/1. **78** Galiani (A. Ben Lassin) 97/1. **79** Soleil Noir (Bᵒⁿ G. de Rothschild) 8/10. **80** Valiant Heart (H. Michel) 18/1. **81** Glint of Gold (P. Melon). **82** Le Nain jaune (Bᵒⁿ G. de Rothschild). **83** Yawa (E. Holdings). **84** At Talaq (H. Al Maktoum). **85** Sumayr (SA Aga Khan). **86** Swink. **87** Risk Me (L.H. Norris). **88** Fijar Tango (M. Fustock). **89** Dance Hall (Summa Stable). **90** Saumarez (B. McNail). **91** Subotica (T. Jarnet).

Records. Spectateurs : 166 654 en 1926 dont pesage 34 445, pavillon 12 552, pelouse 119 657. **Concurrents,** le plus : 26 (1949), le moins : 5 (1864). **Engagements :** 914 (1969). **Temps** *le plus rapide sur 3 000 m :* Phil Drake, 1955 (3'8" 2/5 soit à 54,4 km/h) ; *3 100 m :* Dhaudevi, 1968 (3'18" 60/100). **Cote :** 125/1 (Reine Lumière 1925). **Dotation :** Tennyson, 1973, 1 098 200 F. **Victoires :** *Écuries :* Blanc 7 vict., Édouard ou Guy de Rothschild 6, Bᵒⁿ A. de Shickler, Dupré 4, Delamarre, Volterra-St-Alary 3. *Entraîneurs :* Mathet 7, Bonaventure 4, Carver, Watson 3, Pollet 2. *Jockeys* (depuis 1918) : F. Palmer 4 (1950-52-54-55), Poincelet 3 (1957-58-63), Garcia 2 (1956-61), St-Martin 3 (1965-66-76), Flavien 2 (1959-61), Head 2 (1968-69). *Propriétaires ayant gagné 2 années consécutives :* duc de Castries (1884, 85), Edmond Blanc (1891, 92 ; 1895, 96 ; 1903, 04), Bᵒⁿ A. de Shickler (1893, 94), Mᵐᵉ Léon Volterra (1955, 56), F. Dupré (1965, 66).

Gladiateur († 1876) qui, en 1865, gagna en Angl. le Derby d'Epsom, les Deux Mille Guinées et le St-Léger et, en France, le Gd Prix de Paris, a sa statue à Longchamp.

Prix de l'Arc de Triomphe (plat)

Origine. Couru pour la 1ʳᵉ fois en 1920. **Jour.** 1ᵉʳ dimanche d'oct. à Longchamp. **Distance.** 2 400 m.

Pour chevaux entiers et juments de 3 ans et au-dessus. **Prix** (1990). 5 000 000 de F.

Gagnants depuis 1970. 70 Sassafras (A. Plesch) 19/1. **71** Mill Reef (P. Mellon) 7/10. **72** San San (Ctesse Bathyany) 18/1. **73** Rheingold (R.K. Zeisel) 8/1. **74** Allez France (D. Wildenstein) 15/10. **75** Star Appeal (W. Zeitelhack) 111/1. **76** Ivanjica (J. Wertheimer) 9/1. **77** et **78** Alleged (R. Sangster). **79** Three Troïkas (Mme A. Head) 10/1. **80** Detroit (R. Sangster). **81** Gold River (J. Wertheimer). **82** Akiyda (Aga Khan). **83** All Along (D. Wildenstein). **84** Sagace (D. Wildenstein). **85** Rainbow Quest (A. Clore). **86** Dancing Brave (K. Abdullah). **87** Trempolino (P. de Moussac). **88** Tony Bin (Gaucci del Bono). **89** Carroll House (A. Balzarini). **90** Saumarez (G. Mossé).

Records. Allocation *au 1er*. 5 000 000 (dep. 1988). **Engagements :** 156 (1955). **Partants :** 30 (1967). **Vitesse :** 2′26″30 Trempolino (1987). **Rapport :** 111/1 (Star Appeal en 75). **Enjeux :** 171 321 520 (1982).

6 concurrents l'ont emporté 2 fois : Ksar (1921, 22), Motrico (1930, 32), Corrida (1936, 37), Tantième (1950, 51), Ribot (1955, 56), Alleged (1977, 78). *11 pouliches ont gagné :* Pearl Cap (1931), Samos (1935), Corrida (1936, 37), Nikellora (1945), Coronation (1949), La Sorellina (1953), San San (1972), Allez France (1974), Ivanjica (1976), Gold River (1981), Akiyda (1982). *13 concurrents étrangers* ont battu les français : **G.-B. 20** Comrade, **75** Star Appeal, **Irl. 23** Parth, **48** Migoli, **58** Ballymoss, **73** Rheingold. **Italie. 29** Orthello, **33** Crapon, **55-56** Ribot, **61** Molvedo, **69** Levmoss, **71** Mille Reef, **76** Ivanjica, **77-78** Alleged.

1 propriétaire a gagné 6 fois : M. Boussac (en 1936, 37, 42, 44, 46 et 49). *Entraîneurs ayant gagné 4 fois :* Semblat, Mathet, A. Head. *Jockeys ayant gagné 4 fois :* Doyasbere, F. Head, Saint-Martin, Eddery. *3 fois :* Semblat, Elliot, Camici-Poincelet, Piggott. *Premiers favoris* ont triomphé 23 fois en 60 épreuves.

Prix de Diane

Origine. Couru depuis 1843. **Jour.** Dimanche après le Jockey Club, en juin, à Chantilly. **Distance.** 2 100 m. **Prix.** 1 400 000 F.

Gagnants depuis 1968. 68 Roselière (Mme Bridgland) 138/10. **69** Crepellana (M. Boussac) 91/10. **70** Sweet Mimosa (S. Mc Grath) 23/1. **71** Pistol Packer (Mme A. Head) 4/1. **72** Rescousse (Bon de Redé) 27/2. **73** Allez France (D. Wildenstein) 12/10. **74** Highclere (S.M. Reine Elisabeth II) 47/10. **75** non couru. **76** Pawneese (D. Wildenstein) 7/2. **77** Madelia (D. Wildenstein) 5/4. **78** Reine de Saba (J. Wertheimer) 3/10. **79** Dunette (Mme Harry A. Love) 10/6. **80** Mrs Penny (E.N. Kronfeld) 5/10. **81** Madam Gay (Kelleway) 11/2. **82** Harbour (Aland) 12/10. **83** Escaline (Mme John Fellows) 11/1. **84** Northern Trick (S. Niarchos). **85** Lypharita (L.T. Al Swaidi). **86** Lacovia (G.-A. Oldham). **87** Indian Skimmer (A. Maktoum). **88** Restless Kara (J.-L. Lagardère). **89** Lady in Silver (A. Karim). **90** Rapha (P^ce A. Faisal). **91** Caerlina (E. Legrix).

Nota. – En 1974, record de gains 1 029 050 F.

Prix du Jockey Club (plat)

Origine. Couru depuis 1836. Ou Derby français. **Jour.** 1er dimanche de juin à Chantilly. **Distance.** 2 400 m. Poulains et pouliches de 3 ans. **Prix.** 2 500 000 F.

Gagnants depuis 1970. 70 Sassafras (A. Plesch) 22/10. **71** Rheffic (Mme F. Dupré) 21/2. **72** Hard to beat (J. Kashiyama) 36/10. **73** Roi Lear (Mme P. Wertheimer) 11/2. **74** Caracolero (Mme M.-F. Berger) 42/1. **75** Val de l'Orne (J. Wertheimer) 5/2. **76** Youth (N.B. Hunt) 4/1. **77** Crystal Palace (Bon G. de Rothschild) 6/4. **78** Acamas (M. Boussac) 3/1. **79** Topville (SA Aga Khan) 3/10. **80** Policeman (F.E. Tinsley) 3/1. **81** Bikala (Ouaky) 20/10. **82** Assert (R. Sangster) 22/10. **83** Caerleon (R. Sangster) 7/4. **84** Darshaan (Aga Khan). **85** Mouktar (Aga Khan). **86** Bering (G.-W. Moore). **87** Natroun (Aga Khan). **88** Hours After (Mme de Moratalla). **89** Old Vic (S. Cauthen). **90** Sanglamore (K. Abdullah). **91** Suave Dancer (H. Chalhoub).

Records. Propriétaires *ayant gagné plusieurs fois :* M. Boussac 11 ; Cte F. de Lagrange 8 ; A. Lupin 6 ; E. Blanc, Bon A. de Shickler 5 ; Lord Seymour, H. Delamare, A. Aumont, SA Aga Khan 4 ; E. Martinez de Hoz 3. *Ayant gagné consécutivement :* Lord Seymour (1836-37-38), Bon A. de Schickler (1892-93), H. Delamare (1866-67), A. Lupin (1850-51), Cte F. de Lagrange (1858-59 ; 1878-79 ; 1881-82), Duc de Castries (1883-84), W.K. Vanderbilt (1908-09), M. Boussac (1938-39 ; 1944-45) SA Aga Khan (1984-85). **Entraîneurs** *ayant compté le plus grand nombre de succès depuis 1900 :* Ch. Stern 6 victoires, F. Mathet, F. Carter 5. **Jockeys** *ayant compté le plus grand nombre de succès dep. 1900 :* G. Stern, Y. St-Martin 6, C. Elliot, Ch. Semblat, F. Head 4. *Nombre de partants le plus élevé :* 28 en 1942. *Gain record* 1 348 950 F en 1974.

Prix d'Amérique (trot attelé)

Origine. Fondé le 1-2-1920. **De 1920 à 1928,** tous les concurrents partaient de 2 500 m. **1929** 1er rendement de distance de 50 m, appliqué à *Uranie.* **1930** distance de 2 600 m, désormais classique. **1960 et années suivantes :** recul de 25 m pour tout gagnant du P. d'Amérique à Vincennes ; de 50 m pour tout cheval ayant gagné plusieurs fois l'épreuve. **1965** suppression des rendements de distance. **1985** épreuve de trot, distance de 2 650 m. Couru à Vincennes le dernier dimanche de janvier. Chevaux de 4 à 10 ans. *Montant* (91) 3 500 000 F.

Gagnants depuis 1970. 70 Toscan (P. de Montesson). **71,72** Tidalium Pelo (Roger Lemarié). **73** Dart Hanover (écurie Fläkt). **74** Delmonica Hanover (D. Miller). **75,76,77** Bellino II (M. Macheret). **78** Grandpré (P.D. Allaire). **79** High Echelon (P. de Senneville). **80** Eléazar (A. Weisweiller). **81** Idéal du Gazeau (P.J. Morin). **82** Hymour (J.P. Dubois). **83** Idéal du Gazeau (P.J. Morin). **84** Lurabo (M. Macheret). **85** Lutin d'Isigny (M.G. Cornière). **86, 87, 88** Ourasi (R. Ostheimer). **89** Queila Gédé (R. Baudron). **90** Ourasi (R. Ostheimer) en 1′ 15″ 2/10 (record). **91** Ténor de Bauné (J.-B. Bossuet).

Records. Propriétaires *ayant gagné plusieurs fois :* H. Levesque 5 ; Cte Orsi Mangelli, M. Macheret, R. Ostheimer 4 ; F. Vanackère, H. Céran-Maillard 3 ; Mme Vanlandeghem, S. Karle, L. Olry-Roederer, J. Cabrol, A.V. Bulot, D. Palazzoli, R. Massue, R. Lemarié, P.J. Morin.

Jockeys *lauréats :* J.R. Gougeon 8 (66, 68, 75, 76, 77, 86, 87, 88), A. Finn 6 (1924, 35, 37, 38, 39, 51), V. Capovilla 3 (26, 27, 28), Ch. Mills 3 (34, 56, 57), R. Céran-Maillard 3 (45, 46, 55), J. Fromming 3 (64, 65, 74), Th. Monsieur 2 (20, 21), Th. Vanlandeghem (30, 33), O. Dieffenbacher 3 (31, 32), J. Riaud 2 (58, 59), J. Mary 2 (71, 72), J.P. Dubois 2 (79, 82), E. Lefèvre 2 (81, 83), M. M. Gougeon 3 (70, 84, 90).

Chevaux gagnants. 4 fois : Ourasi (1986, 87, 88, 90). **3 fois :** Uranie (1926, 27, 28), Roquépine (1966, 67, 68), Bellino II (1975, 76, 77), *14 ont gagné 2 fois.* **Ayant gagné la même année le P. de Cornulier** *(monté, 2 600 m)* **et le P. d'Amérique** *(attelé, 2 600 m) :* Venutar (1949), Masina (1961), Tidalium Pelo (1972), Bellino II (1975-76) ; **les trois grands internationaux** *(créés en 1956, au trot attelé) :* Gélinotte (1956, 57), Jamin (1959), Bélino II (1976). **Vitesse :** Ourasi (mâle, 10 ans) 1′15″ 2/10 (1990).

Courses d'obstacles en France

☞ *Légende.* – A : Auteuil. E : Enghien. Distance en m et allocations au premier en 1991 (en F).

Steeple-chases

Courses pour 5 ans et plus. Gd Steeple-ch. de Paris (A 5 800) 1000 500. P. du Pt de la Rép. (A 4 700) 500 000. P. La Haye Jousselin (A 5 500) 600 000. P. Montgomery (A 4 700) 500 000. P. Georges Courtois (A 4 400) 450 000. P. Murat (A 4 400) 500 000. P. Hennessy (A 4 300) 280 000. P. Ingré (A 4 400) 350 000. P. R. Clermont-Tonnerre (A 4 300) 300 000. P. Troytown (A 4 400) 340 000. P. des Drags (A 4 300) 240 000. P. Lutteur III (A 4 300) 280 000. **4 ans et plus.** Gd Steeple-ch. d'Enghien (E 5 000) 450 000. **4 ans.** P. Maurice Gillois (Gd Steeple-ch. des 4 ans) (A 4 400) 500 000. P. Ferdinand Dufaure (A 4 100) 450 000. P. Jean Stern (A 4 100) 380 000. P. James Hennessy (A 3 500) 230 000. P. Duc d'Anjou (A 3 500) 280 000. P. Triquerville (A 4 100) 230 000. P. Fleuret (A 4 100) 280 000. P. Morgex (A 4 100) 260 000. **3 ans.** P. Congress (A 3 500) 240 000.

Courses de haies

Courses pour 5 ans et plus. Gde C. de H. d'Auteuil (A 5 100) 400 000. P. Maréchal Vaillant (A 4 100) 180 000. P. J. Granel (A 4 100) 220 000. P. de la Croix Dauphine (A 3 600) 230 000. P. Juigné (A 3 600) 250 000. P. L. Rambaud (A 4 100) 320 000. P. Hypothèse (A 3 900) 300 000. P. A. Masséna (A 4 100) 180 000. P. Mortemart (A 4 300) 200 000. P. P^ce d'Écouen (A 4 100) 220 000. **4 ans et plus.** Gd Prix d'Automne (A 4 100) 350 000. G. C. de H. de Printemps (A 4 100) 350 000. P. Léon Olry-Roederer (A 4 300) 400 000. P. Chakhansoor (A 3 600) 240 000. P. Léopold d'Orsetti (Gde C. de haies d'Enghien 3 800) 250 000. **4 ans.** P.R. du Vivier-Gde C. de haies des 4 ans (A 4 100) 500 000. P. Gérald de Rochefort (A 3 900) 320 000. P. G. de Pracomtal (A 3 900) 280 000. P. Alain de Goulaine (A 3 600) 180 000. P. Amadou (A 3 900) 360 000. P. J. d'Indy (A 3 600) 200 000. P. C. de Tredern (A 3 600) 220 000. P. M. Antony (A 3 600) 200 000. **Course de haies d'été des 4 ans** P. A. du Breil (A 3 900) 300 000. **3 ans.** P. Cambacérès (G. C. de haies des 3 ans) (A 3 600) 350 000. P. G. de Talhouet Roy (A 3 600) 300 000. P. Fifrelet (A 3 600) 270 000. P. Wild Monarch (A 3 000) * 150 000. P. Wild Monarch (A 3 000) ** 150 000. P. Finot (A 3 500) * 150 000. P. Finot (A 3 500) ** 150 000.

Nota. – * poulains, ** pouliches.

Grand Steeple-chase de Paris

Origine. Couru dep. 1901. A lieu mi-juin à Auteuil. Chevaux de 5 ans et plus. **Distance.** 6 500 m jusqu'en 1980, dep. 81 : 5 800 m. **Montant** (91) 1 000 000 de F. **Gagnants** propriétaire et cote. **70** Huron (M. B. Larrousé) 11/10. **71** Pot d'Or (M. R. Weill) 14/10. **72** Morgex (Mme M. Marie) 82/10. **73** Giquin (Mme M.F. Berger) 7/1. **74** Chic Type (M.G. Murray) 41/4. **75** Air Landais (Mme M.-C. Frolich) 45/2. **76** Piomarès (M.J. Kaida) 11/1. **77** Corps à Corps (Bon Thierry Zuylen de Nyevelt). **78** Mon Filleul (M. J.C. Weill) 76/10. **79** Chinco (M.G. Campanella) 13/2. **80** Fondeur (Albert Bézard) 26/10. **81** Isopani (M.P. David) 8/1. **82** Metatero (G. Margogne) 5/1. **83** Jasmin II (M. Thibault) 5/2. **84** Brodi Dancer (Mme C. Diallo) 96/10. **85** Sir Gain (Mme L. Belotti) 8/10. **86** Otage du Perche (M. Lamotte d'Argy) 82/10. **87** Oteuil SF (Mme R. Saulais) 6/4. **88, 89, 90** Katko (P. de Montesson). **91** The Fellow (M^ise de Moratalla).

Statistiques

Propriétaires. Classement selon les gains (en F). **90** M^ise de Moratalla 4 716 375, W. Nikolic 4 377 812, J.-C. Evain 3 575 437.

Éleveurs (meilleurs). Primes (en F). **90** B. Cyprès 437 687, B. Le Gentil 322 087, M. et J.-M. Mercier 312 362.

Jockeys. 90 Ch. Pieux 66 victoires.

Entraîneurs (meilleurs). Gains (en F). **90** J.-P. Gallorini 17 584 872, J. Ortet 7 195 750, B. Secly 6 122 187.

Chevaux (ayant gagné le plus dans l'année) (en F). **90** Ucello II 1 998 750, The Fellow 1 742 500, Rose or No 1 677 500, Katko 1 625 000.

Quelques hippodromes de province

266 Stés ont fonctionné en 1989 [2 169 réunions (Paris 469, province 1 700]. Amiens (Somme) [1]. Angers (M.-et-L.) [2]. Argentan (Orne) [2]. Avignon (Vaucl.) [3]. Bordeaux (Gironde) [2]. Caen (Calv.) [5]. Cagnes (A.-M.) [2]. Carpentras (Vaucl.) [1]. Cavaillon (Vaucl.) [6]. Clairefontaine-Deauville (Calv.) [3]. Compiègne (Oise) [3]. Craon (May.) [3]. Dax (Landes) [2]. Dieppe (S.-Mar.) [3]. Divonne-les-Bains (Ain) [2]. Durtal (M.-et-L.) [3]. Feurs (Loire) [3]. Fontainebleau (S.-et-M.) [3]. Hyères (Var) [2]. La Capelle (Aisne) [2]. Le Croisé-Laroche (Nord) [2]. Le Lyon d'Angers [3]. Le Touquet (P.-de-C.) [3]. Limoges (Hte-V.) [12]. Lyon (Rhône) [2]. Marseille (B.-du-Rh.) [2]. Mont-de-Marsan (Landes) [2]. Nancy (M.-et-M.) [2]. Nantes (L.-Atl.) [3]. Nort-sur-Erdre (L.-Atl.) [2]. Pau (Pyr.-Atl.) [11]. Pompadour (Corrèze) [10]. Pornichet-La Baule (L.-Atl.) [2]. Rambouillet (Yv.) [3]. Reims (Marne) [7]. Rouen (S.-Mar.) [2]. Royan-La Palmyre (Ch.-Mar.) [2]. Saint-Malo (I.-et-V.) [3]. Strasbourg (B.-Rh.) [2]. Tarbes (H.-Pyr.) [9]. Toulouse (H.-Gar.) [2]. Verrie-Saumur (M.-et-L.) [2]. Vichy (Allier) [3].

Principales spécialités. P : Plat. O : Obstacles. T : Trot. E : Centre d'entraînement.

Nota. – (1) P.T. (2) P.O.T.E. (3) P.O.T. (4) P.O. (5) T. (6) P.T.E. (7) T. (8) P. (9) O. (10) P.O.E. (11) O.E. (12) T.E.

Courses de chevaux à l'étranger

☞ *Légende.* – (1) Principales courses plates. (2) Juments. F : course réservée aux juments.

• Allemagne [1]. **Baden-Baden.** *Grosser Preis von Baden,* 3 ans et +, 2 400 m, 250 000 DM. **Cologne.** *Preis von Europa,* 3 ans et +, 2 400 m, 260 000 DM. **Dortmund.** *Deutsches St Leger,* 3 ans, 2 800 m, 120 000 DM. **Düsseldorf.** *Grosser Preis von Berlin,* 3 ans et +, 2 400 m, 200 000 DM. **Gelsenkirchen.** *Aral-Pokal,* 3 ans et +, 2 400 m, 120 000 DM. **Hambourg.** *Deutsches Derby* (1869), 3 ans, 2 400 m, 205 000 DM. **Mulheim.** *Preis der Diana,* 3 ans (Femelles), 2 200 m, 120 000 DM.

• Australie [1]. **Sydney.** *AJC Derby* (1861) 3 ans, 2 400 m, *AJC Doncaster Handicap* (1866) 3 ans et +, 1 600 m, *Sydney Cup* (1866) 3 ans et +, 3 200 m, *AJC Epsom Handicap* (1868) 3 ans et +, 1 600 m. **Melbourne.** *Caulfield Cup* (1879) 3 ans et +, 2 400 m, *Melbourne Cup* (1851) 3 ans et +, 3 200 m. *Victoria Derby* (1855) 3 ans, 2 500 m.

• États-Unis [1]. **Aqueduct.** *Wood Memorial,* 3 ans, 1 800 m, 500 000 $. **Belmont.** *Belmont Stakes* (1867), 3 ans, 2 400 m, 350 000 $. *Coaching Club American Oaks,* F 3 ans, 2 400 m, 250 000 $. *Woodward,* 3 ans et +, 1 800 m, 500 000 $. *Man O'War,* 3 ans et +, 2 200 m, 500 000 $. *Jockey Club Gold Cup,* 3 ans et +, 2 400 m, 1 000 000 de $. **Churchill Dows.** *Kentucky Derby* (1875), 3 ans, 2 000 m, 350 000 $. **Hialeah.** *Flamingo,* 3 a., 1 800 m, 250 000. **Pimlico.** *Preakness Stakes* (1873), 3 ans, 1 900 m, 350 000 $. **Santa Anita.** *SA Derby,* 3 ans, 1 800 m, 500 000 $. **Woodbine.** *Rothman International,* 3 ans et +, 2 400 m, 750 000 $.

Nota. – 9 chevaux ont remporté aux USA la Triple Couronne en gagnant le Kentucky Derby, le Preakness Stakes et le Belmont Stakes. En trot attelé, Lutin d'Isigny (Fr.) est champion du monde depuis 1984 et a remporté en 1985 la Challenger Cup.

• Grande-Bretagne. PRINCIPALES COURSES PLATES. **Ascot Heath.** *King George VI et Queen Elizabeth Diamond Stakes* (1951), 3 ans et +, 2 400 m, 300 000 £. **Doncaster.** *St Leger Stakes* (1776), 3 ans, 2 800 m, 130 000 £.

Epsom (Derby d', f. 1780 par le 12e comte de Derby) 3 ans, 2 400 m, 600 000 £. **1er** mercredi de juin Derby Diomed (à Sir Charles Bunbury). 1er cheval français gagnant Gladiateur (1865), 2e Pearl Diver, au Bon de Waldner (1948). *Records :* 56,42 km/h (2 413 m en 2″33′8) par Mahmoud (à l'Aga Khan) qui gagna à 100 contre 8 en *1936.* 2″33′9 Reference Point en 1987. **Résultats depuis 1940. 1940** Pont l'Évêque [1]. **41** Owen Tudor [1]. **42** Walting Street [1]. **43** Straight Deal [1]. **44** Ocean Swell [1]. **45** Dante [1]. **46** Airbone [1]. **47** Pearl Diver [2]. **48** My Love [2]. **49** Nimbus [1]. **50** Galcador [2]. **51** Arctic Prince [1]. **52** Tulyar [3]. **53** Pinza [1]. **54** Never Say Die [1]. **55** Phil Drake [2]. **56** Lavandin [2]. **57** Crepello [1]. **58** Hard Ridden [3]. **59** Parthia [1]. **60** St Paddy [1]. **61** Psidium [1]. **62** Larkspur [3]. **63** Relko [2]. **64** Santa Claus [3]. **65** Sea Bird II [2]. **66** Charlottown [1]. **67** Royal Palace [1]. **68** Sir Ivor [3]. **69** Blakeney [1]. **70** Nijinsky [4]. **71** Mille Reef [4]. **72** Roberto [4]. **73** Morston [1]. **74** Snow Knight [1]. **75** Grundy [1]. **76** Empery [4]. **77** The Minstrel [1]. **78** Shirley. Heights [1]. **79** Troy [3]. **80** Henbit [1]. **81** Shergar [5]. **82** Golden Fleece [4]. **83** Teenoso. **84** Secreto. **85** Slip Anchor. **86** Shahrastani [4]. **87** Reference Point. **88** Kahgasi [4]. **89** Nashwan. **90** Quest for Fame.

Goodwood. *Sussex Stakes,* 3 ans et +, 1 600 m, 150 000 £. **Newmarket.** *2 000 Guineas Stakes* (1809), 3 ans, 1 600 m, 110 000 £. *1 000 Guineas Stakes* (1814), 3 ans, 1 600 m, 110 000 £. **Royal Ascot.** *Gold Cup* (1807), 3 ans et +, env. 4 000 m, 1 Coupe de 750 £ + 110 000 £. *Juddmont International,* 3 ans et +, 2 000 m, 200 000 £.

Nota. – Pays de naissance du cheval : (1) G.-B. (2) Fr. (3) Irl. (4) USA. (5) Pakistan.

PRINCIPALE COURSE D'OBSTACLES. **Liverpool.** *Grand National* (Steeple-chase 7 200 m). 80 000 £. Couru depuis 1837. Début avril, réservé aux chevaux de 7 ans et +, 7 220 m, 30 obstacles dont le Beecher's Book (record 9′20″2 en 1935). Le 1er cheval français gagnant fut Lutteur III à James Hennessy (1909). Il y eut 66 partants en 1929. En 1911, un seul concurrent sur 26 termina la course ; en 1951, 3 sur 36 firent la course sans chute. Le Beecher's book, l'obstacle le plus redoutable, mesure 1,60 m, côté enlever, 2,40 m en hauteur, côté réception, et 4 m en largeur, fossé compris. **1940** Bogskar. **41 à 45** non couru. **46** Lovely Cottage. **47** Caughoo. **48** Sheila's Cottage [2]. **49** Russian Hero. **50** Freebooter. **51** Nickel Coin [1]. **52** Teal. **53** Early Mist. **54** Royal Tan. **55** Quare Times. **56** E.S.B. **57** Sundew. **58** Mr What. **59** Oxo. **60** Merryman II. **61** Nicolaus Silver. **62** Kilmore. **63** Ayala. **64** Team Spirit. **65** Jay Trump. **66** Anglo. **67** Foinavon. **68** Red Alligator. **69** Highland Wedding. **70** Gay Trip. **71** Specify. **72** Well to do. **73, 74** Red Rum. **75** L'Escargot. **76** Rag Trade. **77** Red Rum. **78** Lucius. **79** Rubstic. **80** Ben Nevis. **81** Aldaniti. **82** Grittar. **83** Corbières. **84** Hallo Dandy. **85** Last Suspect. **86** West Tip. **87** Maori Venture. **88** Rhyme « N » Reason. **89** Little Polveir. **90** Mr. Frisk. **91** Seagram.

AUTRES COURSES. **Cheltenham.** *The Waterford Crystal Champion Hurdle Challenge Trophy,* c. de h., 60 000 £. *The Queen Mother Champion Steeple-Chase,* s.-c., 35 000 £. *The Sun Alliance,* s.-c., 35 000 £. *The Tote Cheltenham Gold Cup Steeple-Chase,* s.-c., 85 000 £.

Kempton. *King George VI,* s.-c., 40 000 £.

• Irlande [1]. **Curragh.** *The Irish 1 000 Guineas* (1922), F 3 ans, 1 600 m, 200 000 £ au moins. *The Irish 2 000 Guineas* (1921), 3 ans, 1 600 m, 220 000 £ au moins. *The Irish Derby,* créé en 1866, 3 ans, 2 400 m, 600 000 £. *The Irish Oaks* (1895), F 3 ans, 2 400 m, 200 000 £. *The Irish St Leger* (1916), 3 ans, 2 800 m, 160 000 £ au moins.

• Italie [1]. **Derby Italiano** (1884). 3 ans, 2 400 m, 250 millions de lires. **Gran Premio d'Italia.** 3 ans, 2 400 m, 170 millions de lires. **Gran Premio del Jockey Club** (1921). 3 ans et +, 2 400 m, 250 millions de lires. **Gran Premio di Milano** (1924). 3 ans et +, 2 400 m, 250 millions de lires. **Oaks d'Italia.** 3 ans (femelles), 2 200 m, 170 millions de lires. **Premio del Presidente della Republica.** 3 ans et +, 2 000 m, 110 millions de lires. **Premio Roma.** 3 ans et +, 2 800 m, 170 millions de lires.

Hockey sur gazon

Généralités

Nom. Mot anglais signifiant *crosse.* Viendrait de l'ancien français *hocquet,* bâton crochu, houlette de berger.

Histoire. **Antiquité.** Jeu de crosse connus. **Perse.** On joue au *tchangon* à pied ou à cheval. **Moyen Age.** On joue en G.-B. et France. **Vers 1880** codification en G.-B. **1908** inscrit aux J.O. (messieurs seulement). **1920** *13-11* Féd. fr. de hockey créée. **1924** *7-1* Féd. internat. créée.

Hockey en plein air

Règles

Équipes. 2 de 11 joueurs ou joueuses (et 3 remplaçants). **Équipement.** *Balle :* en plastique, de différentes couleurs, 156 à 163 g, 22,4 à 23,5 cm de circonférence. *Crosse ou stick :* surface plate sur le côté gauche, 340 à 790 g, dimension telle qu'elle pourra passer dans un anneau de 5,10 cm de diam. *Tenue :* chemise, short, bas, chaussures à crampons. Jupe obligatoire pour les femmes. Les gardiens peuvent porter plastron, guêtres, sabots, gants, casque, masque, protège-coudes.

Terrain. 91,40 m *(ligne de côté)* × 55 m *(ligne de but).* Partagé en 2 par la *ligne du centre.* A 22,90 m des lignes de but, *lignes des 22,90 m.* 2 *buts* de 3,66 m de large, 2,14 m de haut, 1,20 m de profondeur à la base et 91 cm au sommet. Munis de filets et d'une planche de but de 46 cm de haut pour arrêter la balle. Devant chaque but, demi-cercle de 14,63 m de rayon appelé *cercle d'envoi.*

Jeu. 2 périodes de 35 minutes séparées par un repos de 5 à 10 min. Mise en jeu au centre du terrain, passe en retrait à un partenaire. Un but est marqué lorsque la balle franchit les poteaux verticaux et horizontaux du but, et si elle a été frappée par un joueur attaquant avec sa crosse à l'intérieur du cercle d'envoi.

Chaque joueur doit avoir sa crosse en main. La balle ne peut être stoppée intentionnellement par une partie quelconque du corps. Il est défendu de tenir la crosse d'un adversaire, de l'attaquer par la gauche, à moins de jouer la balle. Le gardien de but est autorisé à jouer la balle avec son corps uniquement dans sa zone. *2 corners :* le grand (déviation involontaire du défenseur dans ses 22 m) et le petit (faute volontaire dans ses 22 m ou involontaire dans la zone). L'obstruction est interdite. Les actions brutales sont sanctionnées. Toute faute volontaire d'un défenseur dans le cercle et toute faute involontaire sur tir au but est sanctionnée par un penalty-stroke tiré à 6,40 m du centre du but. Pour ne pas être hors jeu, l'attaquant doit se trouver avant la ligne des 22 m adverse, sinon avoir la balle devant lui ou en contrôle, ou avoir 2 adversaires entre lui et la ligne de but adverse. Toute faute non sanctionnée par un penalty, petit corner ou grand corner, est sanctionnée par un coup franc.

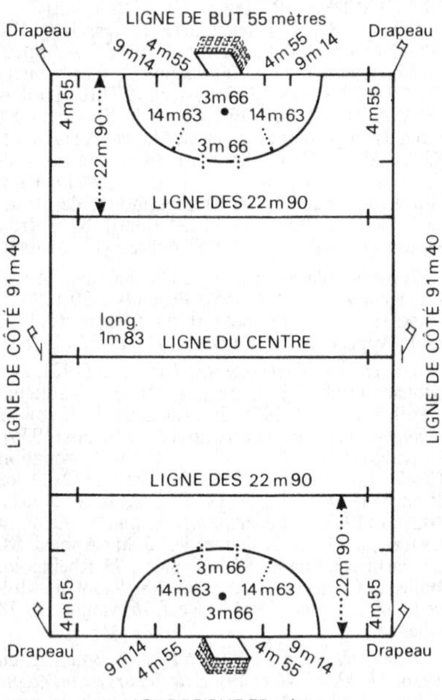

Résultats

☞ *Légende.* (1) Espagne, (2) All. féd., (3) G.-B., (4) P.-Bas, (5) URSS.

• Jeux olympiques. Voir p. 1801.

• Coupe du monde. Messieurs. *Créée* 1971. **71** Pakistan, **73** P.-Bas, **75** Inde, **78, 82** Pakistan, **86** Australie, **90** P.-Bas. Dames (Trophée Josselin de Jong). *Créé* 1974. **74** P.-Bas, **76** All. féd., **78** P.-Bas, **81** All. féd., **83, 86, 90** P.-Bas.

• Championnats d'Europe. Tous les 4 ans. Messieurs. *Créés* 1970. **70** All. féd., **74** Espagne, **78** All. féd., **83, 87** P.-Bas. Dames. *Créés* 1984. **84, 87** P.-Bas.

• Coupe d'Europe. Messieurs. *Créée* 1970. **70** All. féd., **74** Espagne, **78** All. féd., **83, 87** P.-Bas, **91** All. Dames. *Créée* 1975. **75** Berlin, **77, 81** All. féd., **84, 87** P.-Bas, **91** Angleterre.

• Coupe d'Europe des clubs champions. Messieurs. *Créée* 1969. **69, 70** Club Egara Tarrasa [1], **71, 72, 73, 74, 75** Francfort [2], **76, 77, 78** Southgate [3], **79, 81** H.C. Klein Zwitserland [4], **80** Slough H.C. [3], **81** Klein Zwitserland [4], **82, 83** Alma Ata [5], **84** Frankental [2], **85** Atletico Tarrasa [1], **86** Kampong Utrecht [4], **87** Bloemendaal [4], **88, 89, 90, 91** Uhlenhorst Mülheim [2].

Dames. *Créée* 1974. **74** Harvestchuder Hambourg [2], **75, 76, 77, 78, 79, 80, 81, 82** A.H.B.C. Amsterdam [4], **83** H.G.C. La Haye [4], **84, 85, 86, 87** H.G.C. Wassenaar [4], **88, 89, 90** Amsterdam [4], **91** H.G.G. La Haye [4].

• Coupe des vainqueurs de coupes. Messieurs. **90** Hounslow [3].

• Coupe intercontinentale. Messieurs (Trophée Air Marshall Nur Khan). *Créée* 1977. **77** Pologne, **81** URSS, **85** Espagne, **89** P.-Bas. Dames. *Créée* 1983. **83** Irlande, **85** URSS, **89** Corée du S.

• Championnat de France. Messieurs. *Créé* 1899. **80** F. C. Lyon, **81, 82** Amiens S.C., **83** Racing Club de France, **84** Lille H.C., **85** R.C.F., **86, 87, 88, 89** Amiens S.C., **90, 91** R.C.F. Dames. *Créé* 1923. **80, 81, 82** Stade français, **83** Amiens S.C., **84, 85, 86, 87, 88, 89, 90** Stade fr.

• Coupe de France. Messieurs. *Créée* 1933. **79 à 83** non attribuée. **84** Amiens S.C., **85** Lille H.C., **86** C.A. Montrouge, **87** Lille H.C., **88** Amiens S.C., **89** Racing C.F., **90** Lille H.C.

• Joueurs français internationaux ayant le plus de sélections. Messieurs : Bruno Delavenne 149, Stéphane Mordac 128, Patrick Burtschell 125, Christophe Delavenne 116, Franck Chirez 110, Christian Barrière 110, Martin Catonnet 106, Georges Liagre 103, Gilles Verrier 98, Alain Tetard 89, Claude Windal 89. Dames : Blandine Delavenne 111, Anne-B. Bussehaert 102, Sophie Etchepare 89, Sophie Clobet 86, Marie-Ange Pratel 83, Carole Teffri 83, Letitia Dontiraux 55, Mary-Line Hatté 55, Sophie Lejossée 52.

Hockey en salle

Règles

Apparu vers 1950 pour pouvoir jouer en hiver. Règles fixées le 3-2-1952 par les Allemands, Danois et Autrichiens.

Terrain. 36 à 44 m × 18 à 22 m. Sur les longueurs, planche de 10 cm sur 10 cm légèrement inclinée pour renvoyer la balle. Séparé en 2 par la ligne médiane. *Buts :* 3 m de large, 2 m de haut avec filets. En face de chacun, cercle d'envoi de 9 m de rayon.

Équipement. Balle et crosse, voir h. en plein air. Tenue idem : pas de chaussures à crampons.

Jeu. 2 périodes de 20 min séparées par un repos de 5 à 10 min. Règles à peu près semblables à celles du h. en plein air ; shoot interdit ; pas de hors-jeu.

Résultats

• **Coupe d'Europe. Messieurs.** *Créée* 1974. **74, 76, 80, 84, 88, 90** All. féd. **Dames.** *Créée* 1975. **75, 77, 81, 85, 88, 90** All. féd.

• **Ch. de France. Messieurs.** *Créé* 1968. **68** F.C. Lyon. **69** Lyon O.U. **70, 71** Lille H.C. **72** Lyon O.U. **73** Stade Fr. **74** Lille H.C. **75** Stade Fr. **76** Cambrai H.C. **77** C.A. Montrouge. **78** Stade Fr. **79** Lille H.C. **80** F.C. Lyon. **81** Lille H.C. **82, 83** Amiens S.C. **84** R.C.F. **85** Lille H.C. **86, 87, 88, 89** Amiens S.C. **90** C.A. Montrouge. **91** Amiens S.C.

Dames. *Créé* 1972. **72** S.A. Mérignac. **73** Stade Fr. **74, 75** F.C. Lyon. **76, 77, 78** La Baumette d'Angers. **79, 80** Stade Français. **81** La Baumette d'Angers. **82** Amiens S.C. **83** St-Malo. **84, 85** Amiens S.C. **86** Stade Français. **87, 88** Amiens S.C. **89** Stade Français. **90, 91** Amiens S.C.

Hockey sur roulettes (rink hockey ou roller hockey)

Origine. V. 1880 créé en G.-B. **1913** 1res règles. **1992** sport de démonstration aux J.O.

Règles. Patinoire : 17 à 20 m × 34 à 40 m, entourée d'une barrière de 20 cm de haut. 2 *buts* de 1,55 m de large, 1,05 m de haut et 91 cm de prof. Devant les buts, lignes des 60 cm, et à 5,50 m, ligne délimitant le rectangle de la zone de pénalty. Au milieu du terrain, ligne médiane divisée en 2 par le point centre. **Joueurs :** 2 équipes de 5 patineurs dont un gardien de but et 5 remplaçants. Ils portent des *patins* à roulettes et des *crosses* (max. 540 g, 91 à 1,14 m de long, 5 cm de diam.). Protège-genoux autorisés pour tous, de plus, le gardien peut avoir casque, masque et gants. **Balle :** 165 g, circonférence 23 cm. **Jeu :** 2 périodes de 20 min séparées par une pause de 3 min. Il faut marquer des buts en maniant la balle avec la crosse ; on peut arrêter la balle avec tout le corps sauf avec les mains.

Championnats du monde. Groupe A. Messieurs. *Créés* 1936. Tous les 2 ans. Dep. 89, années impaires. **80** Espagne, **82** Portugal, **84** Argentine, **86, 88** Italie, **89** Espagne.

Championnats d'Europe. Messieurs. *Créés* 1926. **81, 83, 85** Espagne, **87** Portugal, **90** Italie. **Dames.** *Créés* 1989. **89** P.-Bas.

Championnats de France. 1982 La Roche-s-Yon. **91** St-Omer.

Record. Durée : 108 h (Eckard, Australie, 1913). **Vitesse :** 70 km/h.

Hockey sur glace

Généralités

Origines. *Pour certains Européens,* dérivé du jeu de « la crosse » (XIIIe s.) d'origine française, transformé par les Hollandais en « Ken Jaegen » ; *pour les Nord-Américains,* dérivé du *bandy,* inventé par les Indiens Hurons sur le lac Ontario ; *pour les Anglo-Saxons,* dérivés du *shinney* (anglais), du *shinty* (écossais) ou du *hurley* (irlandais). **1855** 1re ligue de hockey sur glace à Kingston (Ontario). **1894** 1er club fr. Hockey club de Paris. **1908** Ligue internationale créée. **1942** Fédération fr. créée.

Joueurs. USA 2 300 000, Canada 2 000 000 dont 90 000 licenciés au Québec. URSS 650 000, Tchéc. 120 000 licenciés, *France 11 000 licenciés.*

Patinoire. 26 à 31 m sur 56 à 61 m. *Buts :* haut. 1,22 m, largeur 1,83 m. **Match.** 3 périodes de 20 min, déduction faite des arrêts de jeu. Jugé par 1 arbitre, 2 juges de lignes et 1 chronométreur. **Équipe.** 20 joueurs au max., mais chaque équipe n'en a que 6 à la fois sur la glace : 1 gardien de but, 2 arrières et 3 avants qui peuvent se faire remplacer à n'importe quel moment. Changement à peu près toutes les 1 ou 2 min, de préférence à l'occasion d'un arrêt de jeu. Le *joueur le plus rapide* (l'Américain Bobby Hull, n. 1939) a atteint 44,7 km/h.

Équipement. *Crosse :* 135 cm (maximum du talon au bout du manche et 37 cm max. du talon au bout de la lame). *Palet* (ou *puck* ou *rondelle*) : caoutchouc vulcanisé, 170 g, disque de 2,54 cm d'épaisseur et de 7,62 cm de diamètre ; peut atteindre 190 km/h. *Masque :* sur le gardien de but, *casque* obligatoire pour tous les joueurs. *Protection faciale* obligatoire en France jusqu'aux juniors. *Coût :* équipement hockeyeur 700 à 2 500 F, gardien de but 6 000 à 7 500 F.

Jeu. De sa zone de défense, l'équipe A peut pratiquer la passe en avant jusqu'à la ligne rouge sans encourir de faute. Si un joueur se trouve au-delà de la ligne rouge quand il reçoit le palet qui vient de sa zone de défense, il est *hors jeu.* Dans la *zone neutre,* passes autorisées sans tenir compte de la ligne rouge. Dans la *zone d'attaque,* le palet doit pénétrer le premier. Si un joueur se trouve dans cette zone avant de recevoir le palet, il est hors jeu. *Dégagement interdit :* l'arbitre ne siffle cette faute que lorsque l'équipe à la défense touche le palet la première. Tout *shoot* (lancer) doit être effectué après la ligne rouge, sinon le shoot est considéré comme un dégagement interdit, sauf si le palet passe dans la zone de but.

Les arbitres arrêtent le jeu quand il y a : hors-jeu de ligne rouge, bleue ; dégagement interdit ; faute de jeu quand un joueur retient le palet dans sa main ou quand le gardien de but le retient plus de 3 s ; quand le palet coincé par exemple entre 2 joueurs est injouable ou en dehors des limites.

Pénalités. *Mineure :* le fautif va en prison pour 2 min et son équipe joue à 5 contre 6. Si elle encaisse un but, la pénalité s'arrête aussitôt. *Majeure :* le joueur est exclu pour 5 min. *De méconduite :* dure 10 min et souvent s'ajoute à la pénalité majeure. Pendant 5 min, l'équipe du fautif joue à 5, et, pendant les 10 min suivantes, à 6 sans que le joueur puni puisse entrer sur la glace. Quand l'arbitre siffle une pénalité, il en fait connaître les raisons.

Épreuves

Jeux olympiques. Voir p. 1801.

Championnat du monde A. *Créé* 1920. **1920, 24, 28, 30, 31, 32** Canada. **33** USA **34, 35** Canada. **36** G.-B. **37, 38, 39** Can. **47** Tchéc. **48** Can. **49** Tchéc. **50, 51, 52** Can. **53** Suède. **54** URSS **55** Can. **56** URSS **57** Suède. **58, 59** Can. **60** USA **61** Can. **62** Suède. **63, 64, 65, 66, 67, 69, 70, 71.** URSS **72** Tchéc. **73, 74, 75** URSS **76, 77** Tchéc. **78, 79** URSS **80** USA **81, 82, 83, 84** URSS **85** Tchéc. **86** URSS **87** Suède. **88, 89, 90, 91** URSS.

Championnats d'Europe. Messieurs *Créés* 1910. Tous les ans, sauf années olympiques (dep. 1980). **81, 82, 83, 85, 86, 87, 89, 90** URSS **Dames. 91** Finlande.

Coupe Stanley. *Créée* 1893 (équipes américaines et canadiennes). **1970** Boston Bruins. **71** Can. de Montréal. **72** Boston Bruins. **73** Can. de Montréal. **74, 75** Philadelphia Flyers. **76, 79** Can. de Montréal. **80, 83** New York Islanders. **84, 85** Edmonton Oilers. **86** Can. de Montréal. **87, 88** Edmonton Oilers. **89** Calgary Flames. **90** Edmonton Oilers.

Championnat de France. *Créé* 1904. *Organisation : Nat. A :* 1re phase, oct. à déc., 10 équipes dont 6 se qualifient ; 2e phase, janv., poule finale (play-off) avec 6 équipes. *Nat. B :* 2 poules géographiques de 8, *2e série* ou *Nat. C :* environ 50 clubs. **Résultats.** *Nat. A :* **77, 78** Gap. **79** Chamonix. **80** Tours. **81, 82** Grenoble. **83** St-Gervais. **84** Megève. **85, 86,** St-Gervais. **87, 88** Mont-Blanc. **89** Français volants. **90** Rouen. **91** Grenoble. *Nat. B :* **77** Tours ; **78** Français volants. **79** Caen. **80** Lyon. **81** Épinal. **82** Amiens. **83** Caen. **84** Français-volants. *Nat. C :* **82** Français volants. **83** Viry-Châtillon. **84** Nice. **85** Amiens.

Meilleurs joueurs

Canadiens professionnels. HULL Bobby (1939), ORR Bobby, HOWE Gordie (31-3-28), HODGE Ken, ESPOSITO Phil (2-2-42), BELIVEAU Jean (31-8-31), LAFLEUR Guy (1950), PERREAULT Gil, LAPOINTE Guy (18-3-48). Ils jouent dans des formations canadiennes ou amér. (les plus célèbres : Montréal, Boston Bruins, New York Islanders, Chicago-Black-Hawks, Los Angeles King, Philadelphia Flyers et la N[lle] Ligue professionnelle « Mondial »). **France.** BOZON Philippe, CRETTENAND Yves (1965), DIJAN Jean-Marc (1966), GURICKA Ivan (n. 1943), LANG Paul (n. 1944), LE BLOND Bernard (n. 1957), MARIC Daniel (1960), REY Philippe (n. 1954), VASSIEUX Jean (n. 1950), TREILLE Philippe (n. 1958), VILLE Christophe (n. 1963).

Judo

Généralités

Nom. Donné par Jigoro Kano à la méthode enseignée par lui au Kodokan (école pour l'étude de la Voie). Prononcer *djioudo.* Du japonais *ju* (souplesse, non-résistance) et *do* (chemin, voie). *Judoka :* celui qui pratique le judo. *Judogi :* son costume.

Histoire. Origine. *Ju-jitsu* (*jitsu* technique). Les *samouraïs* (guerriers japonais) ont, du XIIIe au XIXe s., créé et amélioré des techniques de combat à mains nues destinées à leur assurer la victoire en cas de perte de leurs armes. **1877** un universitaire japonais, Jigoro Kano (1860-1938) commence recherches et entraînement, et crée sa propre méthode, le *judo.* **1882** *févr.* Kano fonde son école, le *Kodokan* à Tōkyō. **1889** visite et démonstrations de Kano en France. **1935** création à Paris du 1er dojo par Mikinosuke Kawaishi (1889-1969), venu enseigner le judo. Il invente les ceintures de différentes couleurs. **1947** *5-12* création de la Féd. française de judo et ju-jitsu. **1952** Féd. internat. de judo créée. **1964** sport de démonstration aux J.O. **1988** j. féminin sport de démonst. aux J.O.

Pratiquants. Japon : 3 000 000 (actifs). *France 800 000* [(actifs) 460 000 licenciés (dont 35 000 ceintures noires) dont 21 % femmes (plus 2 800 licenciés de kendo)]. All. féd. 150 000. Italie 40 000. G.-B. 38 000. Belg. 35 000. URSS. 25 000. Espagne 25 000. All. dém. 18 000. Tchéc. 15 000. Suède 14 000. Suisse 10 000. Autriche 8 000. Youg. 7 000. Danemark 4 000. Hongrie 4 000. Pologne 3 000. Norvège 3 000. Bulgarie 2 000. Israël 2 000. Irlande 2 000.

Règles

Principe. S'allier à la force contraire pour la dominer. Si une personne de force 10 pousse un adversaire de force 7, ce dernier sera renversé. Mais si l'homme de force 7 cède à la poussée en gardant son équilibre, il fera perdre sa stabilité au plus fort. Les forces, au lieu de se soustraire, s'ajoutent.

Dojo (salle d'entraînement). Se compose de vestiaires, de douches et de *tatami* (tapis sur lequel se déroule le combat, bâche tendue et recouvrant une couche de feutre, kapok ou paille de riz, il doit être ferme sous les pieds et souple en profondeur pour amortir les chutes).

Surface de compétition. 14 × 14 m min., 16 × 16 m max. Recouverte de tatami en général verts. Le centre forme la *surface de combat* (9 × 9 m min., 10 × 10 m max.), autour se trouve la *zone de danger* (bande de 1 m de couleur rouge) et à l'extérieur la *surface de sécurité* (2,50 à 3 m).

Judogi. En coton blanc ou écru. *Veste :* en tissu lourd, avec revers capitonnés, elle recouvre la moitié des cuisses, les manches recouvrent la moitié des avant-bras. *Pantalon :* en tissu léger, recouvre la moitié des mollets. *Ceinture :* en tissu, env. 2,50 m de long, 4 à 5 cm de large, doit faire 2 fois le tour de la taille et être nouée par un nœud plat, sa couleur indique le grade. Les femmes portent en plus sous la veste un tee-shirt blanc. On combat pieds nus.

Entraînement. Apprentissage *position de départ* (verticale, pieds écartés) ; *saisies* (par le col de la veste) ; *déséquilibres* (8 directions : avant, avant droit, latéral droit, arrière droit, arrière gauche, latéral gauche, avant gauche) ; *chutes* (*ukemi* : avant, latérale, arrière) ; *techniques de progression* adaptées à chaque niveau (projection, contrôle, étranglement, luxation) ; *projections* (30 techniques), *immobilisations* (11 variantes), *étranglements* (7 var.), *luxations* (6 var.).

Kata (formes), exercices stylisés illustrant les techniques du judo. Les prises se déroulent toujours dans le même ordre. Il faut les savoir par cœur et atteindre la perfection des mouvements.

Il se termine par les *randori* ou combats libres sans vainqueur et sans limite de temps.

Grades. Valident la progression de l'enseignement. Marqués par la couleur de la ceinture (différente en Europe et au Japon). Il existe 6 *kyu* (élèves) et 12 *dan* (degrés). **Ceinture.** *Blanche* : 6e kyu, débutant, durée env. 2 mois. *Jaune* : 5e kyu, 3 mois. *Orange* : 4e kyu, 5 mois. *Verte* : 3e kyu, 6 mois. *Bleue* : 2e kyu, 8 mois. *Marron* : 1er kyu. Ceintures blanches à marron attribuées par les professeurs de clubs.

Noire : 1er, 2e, 3e, 4e et 5e dan. *Noire ou rouge et blanche* : 5e, 6e et 7e. *Noire ou rouge* : 8e, 9e, 10e et 11e. *Blanche large* : 12e (seul J. Kano obtint le 12e dan et à titre posthume). La ceinture noire et ses dan sont accordés par le Comité national des grades qui préside aux examens. Pour présenter la ceinture noire 1er dan, il faut avoir 15 ans révolus et 1 an de ceinture marron, 2e dan : 17 ans et 6 mois de 1er dan, 3e dan : 19 ans, 1 a. de 2e d., 4e dan : 22 ans, 18 mois de 3e d., 5e dan : 26 ans et 2 a. de 4e d. L'examen comprend 3 épreuves : technique, kata et compétition. Pour le 6e dan, il faut avoir 35 ans révolus, être 5e dan depuis 10 ans min. et avoir obtenu le 4e dan en compétition ; la commission examine le dossier, puis fait passer un examen technique. Les degrés supérieurs ne sont pas portés en France.

On peut obtenir des grades sans compétition. Conditions : 25 ans révolus, 2 ans de ceinture marron pour le 1er dan, 3 dans le 1er pour le 2e, 4 dans le 2e pour le 3e, 5 dans le 3e pour le 4e, 7 dans le 4e pour le 5e. On passe un examen de progression, de kata et de randori.

Combat de compétition. Le combat a lieu *debout* avec projections *(nage-waza)* et déséquilibres *(ikuzushi, tsukuri, kake)* et *au sol (ne-waza)* avec contrôles *(katame-waza)*, immobilisations *(osae komi)*, clés et étranglements *(shime)*.

Le combat commence par le salut debout (à 4 m l'un de l'autre). Les 2 combattants essaient de se projeter, s'immobiliser ou de contraindre l'autre à l'abandon. Il dure de 2 à 5 min selon les catégories.

Lorsqu'un combattant porte une projection techniquement réussie et que l'adversaire est tombé nettement sur le dos avec force et vitesse, ou si l'un des 2 combattants tient 30 s l'autre au sol en immobilisation ou porte une strangulation ou une clé, l'arbitre annonce *ippon*, et met fin au combat. Si un combattant porte un mouvement presque parfait, mais qui n'a pas complètement mis l'adversaire sur le dos, l'arbitre annoncera *waza-ari* (avantage). 2 *waza-ari* valent *ippon*. S'il n'y a pas eu d'*ippon* (point) à la fin du temps réglementaire, le vainqueur est celui qui a marqué le plus d'avantages techniques (*yuko* : avantage, ou *koka* : petit avantage). Si aucun n'a marqué d'avantages, les juges désignent le vainqueur en levant un drapeau. Il n'y a possibilité de match nul *(hiki-wake)* qu'au cours d'une compétition par équipes. Si un judoka veut abandonner *(kiken)* quand il subit une immobilisation, une clé ou un étranglement, il doit frapper avec sa main ou son pied plusieurs fois son corps, celui de son adversaire ou le tapis.

Termes de l'arbitre. Pour diriger le combat : *Hajime* commencez. *Matte* arrêtez. *Sono-mama* ne bougez plus. *Yoshi* continuez. *Toketa* plus d'immobilisation. *Hanteï* décision. *Sore madé* terminé. *Yosei-gashi* vainqueur par décision. *Hiki-waké* match nul. **Pour annoncer la valeur technique :** *Koka. Yuko. Waza-ari* avantage. *Awazaté-ippon. Sogo-gashi. Osaekomi* immobilisation. **Pour annoncer les pénalités :** *Shido* (en valeur Koka). *Chui* (Yuko). *Keïkoku* (waza-ari). *Hansoku-maké* (ippon).

Catégories de poids. Hommes : super-légers : moins de 60 kg. Mi-légers : 60 à 65. Légers : 65 à 71. Mi-moyens : 71 à 78. Moyens : 78 à 86. Mi-lourds : 86 à 95. Lourds : + de 95. Il existe également un championnat « toutes catégories ». **Dames :** super-légères : moins de 48 kg. Mi-légères : 48 à 52. Légères : 52 à 56. Mi-moyennes 56 à 61. Moyennes : 61 à 66. Mi-lourdes : 66 à 72. Lourdes : + de 72 kg. Plus un championnat « toutes catégories ».

Principales épreuves

☞ *Légende.* – (1) Japon. (2) P.-Bas. (3) France. (4) URSS. (5) All. féd. (6) All. dém. (7) G.-B. (8) Espagne. (9) Youg. (10) Pologne. (11) Hongrie. (12) Autriche. (13) Italie. (14) Suisse. (15) Belgique. (16) Roumanie. (17) Australie. (18) Bulgarie. (19) Corée du S. (20) USA. (21) Venezuela. (22) Roumanie. (23) Chine. (24) Tchécoslovaquie. (25) Finlande. (26) Cuba. (27) All. dep. 1991.

• **Jeux olympiques.** Voir p. 1801.

• **Masters.** *Créés* 1988 pour remplacer l'épreuve toutes catégories supprimée aux J.O. **88** Vachon [3].

• **Championnats du monde. Messieurs.** *Créés* 1956. Tous les 2 ans. *1956-61* disputés toutes catégories, *1965* 4 cat., *1967-75* 6 cat., *dep. 1979* 8 cat. *1963* et *1977,* non disp. **Toutes catégories. 56** Natsui [1]. **58** Sone [1]. **61** Geesink [2]. **65** Inokuma [1]. **67** Matsunaga [1]. **69, 71** Shinomaki [1]. **73** Ninomiya [1]. **75** Uemura [1]. **79** Endo [1]. **81** Yamashita [1]. **83** Saïto [1]. **85** Masaki [1]. **87, 89, 91** Ogawa [1]. **Par catégories. Super-légers. 79** Rey [3]. **81** Moriwaki [1]. **83** Tletseri [4]. **85** Hosokawa [1]. **87** Kim [19]. **89** Totikashvili [4]. **91** Hoshino [1]. **Mi-légers. 79** Solodouchine [4]. **81** Kashiwasaki [1]. **83** Solodouchine [4]. **85** Sokolov [4]. **87** Yamamoto [1]. **89** Becanovic [9]. **91** Quellmalz [27]. **Légers. 65** Matsuda [1]. **67** Sigioka [1]. **69** Sonoda [1]. **71** Kawaguchi [1]. **73, 75** Minami [1]. **79** Katzuki [1]. **81** Park [19]. **83** Nakanishi [1]. **85** Ahn [19]. **87** Swain [20]. **89, 91** Koga [1]. **Mi-moyens. 67, 69** Minatoya [1]. **71** Tsuzawa [1]. **73** Nomura [1]. **75** Nevzorov [4]. **79** Fujii [1]. **81** Adams [7]. **83, 85** Hikage [1]. **87** Okada [1]. **89** Byung-ji [19]. **91** Lascau [27]. **Moyens. 65** Okano [1]. **67** Maruki [1]. **69** Sonoda [1]. **71, 73, 75** Fujii [1]. **79** Ultsch [6]. **81** Tchoullouyan [3]. **83** Ultsch [6]. **85** Seisenbacher [12]. **87, 89** Canu [3]. **91** Okada [1]. **Mi-lourds. 67** N. Sato [1]. **69, 71** Sasahara [1]. **73** Sato [1]. **75** Rougé [3]. **79, 81** Khubuluri [4]. **83** Preschel [6]. **85, 87** Sugai [1]. **89** Kourtinadze [4]. **91** Traineau [3]. **Lourds. 65** Geesink [2]. **67** Ruska [2]. **69** Suma [1]. **71** Ruska [2]. **73** Takagi [1]. **75** Endo [1]. **79, 81, 83** Yamashita [1]. **85** Cho [19]. **87** Veritchev [4]. **89** Ogawa [1]. **91** Kossorotov.

Dames. *Créés* 1980. 8 catégories. **Toutes catégories. 80, 82, 84, 86** Berghmans [15]. **87** Gao [23]. **89** Rodriguez [26]. **91** Zhuang Yiadyann [23]. **Super-légères. 80** Bridge [7]. **82, 84, 86, 89** Briggs [7]. **87** Li [23]. **91** Novak [3]. **Mi-légères. 80** Hrovat [12]. **82** Doye [7]. **84** Yamagushi [1]. **86** Brun [3]. **87, 89** Rendle [7]. **91** Giungi [13]. **Légères. 80** Winklbauer [12]. **82** Rodriguez [3]. **84** Burns [20]. **86** Hugues [7]. **87, 89** Arnaud [3]. **91** Blasco [8]. **Mi-moyennes. 80** Staps [2]. **82** Rottier [3]. **84** Hernandez [21]. **86, 87** Bell [7]. **89** Fleury [3]. **91** Eickhoff [27]. **Moyennes. 80** Simon [12]. **82, 84, 86** Deydier [3]. **87** Schreiber [5]. **89, 91** Pierantozzi [13]. **Mi-lourdes. 80** Triadou [3]. **82** Classen [5]. **84** Berghmans [15]. **86** De Kok [2]. **87** Tanabe [1]. **89** Berghmans [15]. **91** Kim Mi-Jung [19]. **Lourdes. 80** De Cal [13]. **82** Lupino [3]. **84** Motta [13]. **86, 87, 89** Gao [23]. **91** Moon Ji Yoon [19].

• **Championnats d'Europe. Messieurs.** *Créés* 1951. *1951-55* classement par dan, *1957-61* par dan et poids, *dep. 1962* par poids. **Toutes catégories. 80** Van de Wall [15]. **81** Reszko [10]. **82** Tiurin [4]. **83, 84** Parisi [3]. **85** Van der Groeben [5]. **86** Stohr [6]. **87** Veritchev [4]. **88** Gordon [7]. **89** Salonen [25]. **90** Tolnai [11]. **91** Bereznitski [4]. **Légers. 80** Vlad [16]. **81** Lehmann [6]. **82** Gamba [13]. **83** Melillo [3]. **84, 85** Namgalaurin [4]. **86** Haftos [11]. **87** Blach [10]. **88** Ruiz [8]. **89** Korhonen [25]. **90** Schumacher [5]. **91** Dott [27]. **Super-légers. 77** Pogorelov [4]. **78, 79, 80** Mariani [13]. **81** Dziemianiuk [10]. **82, 83, 84, 85** Tletseri [4]. **86** Csak [11]. **87** Roux [3]. **88, 89** Totikachvilli [4]. **90, 91** Pradayrol [3]. **Mi-légers. 80** Reissmann [6]. **81** Nicolae [16]. **82** Reissmann [6]. **83** Rey [3]. **84** Alexandre [3]. **85** Serban [22]. **86** Sokolov [4]. **87** Hansen [3]. **88, 89, 90** Carabetta [3]. **91** Born [14]. **Moyens. 80** Iatskevitch [4]. **81** Bodaveli [4]. **82** Iatskevitch [4]. **83, 84, 85** Pesniak [4]. **86** Seisenbacher [12]. **87, 88, 89** Canu [3]. **90** Legien [10]. **91** Lobenstein [27]. **Mi-moyens. 80** Adams [7]. **81** Petrov [18]. **82** Fratica [16]. **83, 84, 85** Adams [7]. **86** Wieneke [5]. **87, 88, 89, 90** Varaev [4]. **91** Wurth [2]. **Mi-lourds. 72** Parisi [3]. **73** Rougé [3]. **74** Zuvela [9]. **75** Lorenz [6]. **76** Khouboulouri [4]. **77, 78** Lorenz [6]. **79** Khouboulouri [4]. **80** Rougé [3]. **81** Vachon [3]. **82** Kostenberger [12]. **83** Divisenko [4]. **84** Neureuther [5]. **85, 86** Van de Walle [15]. **87** Kurtanidze [4]. **88** Sosna [24]. **89** Koustanidze [4]. **90** Traineau [3]. **91** Meyer [2]. **Lourds. 80** Tivrin [4]. **81** Veritchev [4]. **82** Stohr [6]. **83** Biktachev [4]. **84** Von der Groeben [5]. **85** Veritchev [4]. **86** Wilhem [2]. **87** Cioc [22]. **88** Veritchev [4]. **89** Kubacki [10]. **90** Kosorotov [4]. **91** Sthoer [27]. **Équipes** (en nov. ch. d'Europe des Nations). *Créés* 1951. **80** France. **81** non disp. **82** France. **83** URSS. **84** France. **85** URSS. **86** France. **87** URSS. **88** France. **89, 90** URSS.

Dames. *Créés* 1975. 8 catégories. **Toutes catégories. 80, 81** Classen [55]. **82** Simon [12]. **83** Berghmans [15]. **84** Lupino [3]. **85** Van Unen [2]. **86** De Kok [2]. **87, 88** Berghmans [15]. **89** Seriese [2]. **90, 91** Van der Lee [2]. **Super-légères. 75** Briggs [7]. **76** Hrovat [12]. **77** Hillesheim [5]. **78** Briggs [7]. **79** Bouthemy [3]. **80** Briggs [7]. **81** Fridrich [5]. **82, 83, 84** Briggs [7]. **85** Colignon [3]. **86, 87** Briggs [7]. **88** Gal [3]. **89, 90, 91** Nowak [3]. **Mi-légères. 80** Montagutti [13]. **81, 82** Hrovat [12]. **83** Doyle [7]. **84** Hrovat [12]. **85** Doger [3]. **86, 87** Brun [3]. **88** Giungi [13]. **89** Ronkainen [25]. **90** Rendle [7]. **91** Gal [2]. **Légères. 80, 81** Winklbauer [12]. **82** Rodriguez [3]. **83** Winklbauer [12]. **84** Bell [7]. **85, 86** Rodriguez [3]. **87, 88, 89, 90** Arnaud [3]. **91** Blasco [8]. **Mi-moyennes. 80** Di Toma [13]. **81** Hughes [7]. **82** Reiter [12]. **83** Hughes [7]. **84** Rottier [3]. **85** Olechnowicz [10]. **86** Bell [7]. **87** Olechnowicz [10]. **88** Bell [7]. **89** Fleury [3]. **90** Gomez [8]. **91** Nagy [11]. **Moyennes. 80** Pierre [3]. **81** Mil [15]. **82** Simon [12]. **83** Di Toma [13]. **84, 85, 86** Deydier [3]. **87** Han [2]. **88** Schreiber [5]. **89** Pierantozzi [13]. **90** Schreiber [5]. **91** Beauruelle [3]. **Mi-lourdes. 80, 81, 82** Triadou [3]. **83** Berghmans [15]. **84** Classen [5]. **85** Berghmans [15]. **86, 87** De Kok [2]. **88, 89** Berghmans [15]. **90** Krueger [5]. **91** Meignan [3]. **Lourdes. 80, 81** De Cal [13]. **82** Van Unen [2]. **83** Motta [13]. **84** Van Unen [2]. **85** Bradshaw [7]. **86** Maksymow [10]. **87** Paque [3]. **88, 89** Seriese [2]. **90** Cicot [3]. **91** Maksymov [10]. **Équipes** (ch. d'Europe des Nations). **85, 86, 87** France. **88** G.-B. **89** France. **90** Belgique.

• **Coupe d'Europe des clubs champions.** *Créée* 1974. **80** J.C. Maisons-Alfort. **81** Wolffburg. **82** J.C. Villiers-le-Bel. **83, 84** J.-C. Russelsheim [5]. **85, 86, 87** US. Orléans. **88** Racing Club de France. **89, 90** US Orléans.

• **Championnats de France. Messieurs.** *Créés* 1943. **Toutes catégories. 80, 81, 82** Vachon. **83** Parisi. **84** Berthet. **85, 86** Vachon. **90** Levrel. **Super-légers. 80** Rey. **81** Maurel. **82** Rincourt. **83** Lebaupin. **84** Douet. **85, 86** Roux. **87** Le Sonn. **88, 89** Pradayrol. **90** Moreau. **91** A. Carbetta. **Mi-légers. 80** Hansen. **81, 82, 83** Rey. **84, 85** Alexandre. **86** Hansen. **87** Giallurachis. **88** Carabetta. **89** Boirie. **90** Nechar. **91** B. Carbetta. **Légers. 80** Véret. **81** Danielli. **82** Dyot. **83** Melillo. **84** Dyot. **85** Guillaume. **86, 87** Melillo. **88** Caytan. **89** Bozo. **90** Melillo. **91** Taurines. **Mi-moyens. 80, 81, 82** Novak. **83** Menu. **84, 85, 86** Novak. **87** Berthet. **88** Tayot. **89** Berthet. **90** Amoussou. **91** Libert. **Moyens. 80** Tripet. **81** Tchoullouyan. **82** Sanchis. **83** Canu. **84, 85** Fournier. **86, 87** Canu. **88** Perrier. **89** Canu. **90** Tayot. **91** Geymond. **Mi-lourds. 80** Rougé. **81, 82, 83, 84** Vachon. **85** Jalladon. **86, 87, 88** Vachon. **89** Fournier. **90** Demarche. **91** Fournier. **Lourds. 80, 81** Del Colombo. **82, 83** Parisi. **84** Del Colombo. **85** Bessé. **86** Vachon. **87** Del Colombo. **88** Bessé. **89** Del Colombo. **90** Bessé. **91** Douillet. **Par équipes. 80, 81, 82, 83** J.C. Villiers-le-Bel. **84** US Orléans. **85** Racing Club de France. **86** JCVB. **87, 88** A.C. Boulogne-Billancourt. **89** USO. **90** Maisons-Alfort. **91** RCF.

Dames. *Créés* 1974. **Toutes catégories. 80** Deydier. **81** Rodriguez. **82** Deydier. **83** Vigneron. **84** Deydier. **85** Vigneron. **86** Deydier. **88** Cicot. **89** Meignan. **90** Rey. **Super-légères. 80** Bechepay. **81** Lecoq. **82** Colignon. **83** Boffin. **84** Baudry. **85** Lebbhi. **86** Boffin. **87, 88** Dupond. **89** Boffin. **90** Dupond. **91** Nowak. **Mi-légères. 80** Poutre. **81, 82, 83** Doger. **84** Brun. **85** Doger. **86** Brun. **87** Toumani. **88** Brun. **89** Beina. **90** Toumani. **91** Boffin. **Légères. 80** Trucios. **81, 82** Rodriguez. **83** Arnaud. **84, 85, 86** Rodriguez. **87, 88** Arnaud. **89** Fackeure. **90** Arnaud. **91** Lost. **Mi-moyennes. 80** Deydier. **81, 82, 83** Rottier. **84** Bardin. **85** Rottier. **86, 87** Géraud. **88** Rottier. **89, 90** Fleury. **91** Philippe. **Moyennes. 80** Pierre. **81** Barlemond. **82** Dekarz. **83, 84** Deydier. **85** Lionnet. **86** Deydier. **87** Lionnet. **88, 89** Lecat. **90, 91** Beauruelle. **Mi-lourdes. 80, 81, 82** Triadou. **83** Vigneron. **84** Cicot. **85** Lupino. **86** Meignan. **87** Batailler. **88, 89, 90, 91** Meignan. **Lourdes. 80** Fouillet. **81** Vigneron. **82** Loore. **83, 84** Lupino. **85** Carlus. **86, 87, 88** Paque. **89** Lupino. **90, 91** Cicot. **Par équipes.** *Créé* 1991. **91** Orléans.

• **Tournois internationaux** à l'initiative de chaque pays organisateur avec les meilleurs judokas mondiaux sans titre officiel en jeu (ex. : Paris et Tbilissi en févr. en URSS).

Quelques noms

Messieurs. Neil ADAMS [7] (27-9-58). KEUN-BYOUNG AHN [19] (22-2-62). Marc ALEXANDRE [3] (31-10-59). Guy AUFFRAY [3] (8-2-45). Jean-Michel BERTHET [3] (27-2-60). Rémi BERTHET [3] (31-10-47). André BOURREAU [3] (3-12-34). Jean-Claude BRONDANI [3] (2-2-44). Fabien CANU [3] (23-4-60). Bruno CARABETTA [3] (27-7-66). Vladimir CHESTAKOV [4] (30-1-61). CHOCHOSVILI [4]. Jean-Paul COCHE [3] (25-7-47). Laurent DEL CO-

LOMBO [3] (27-4-59). Serge DYOT [3] (21-1-60). Henri COURTINE [3] (11-5-30). François FOURNIER [3] (10-2-61). Shozo FUJII [1] (12-5-50). Anton GEESINK [2] (6-4-34). Jean-Louis GEYMOND [3] (28-2-66). Lionel GROSSAIN [3] (12-2-38). Jean-Pierre HANSEN [3] (3-12-57). Jean de HERDT [3] (1923). Takao KAWAGUCHI [1] (13-7-50). Masahito KIMURA [1] (1917). Witali KUZNETZOV [4] (16-2-41). Jacques LEBERRE [3] (21-9-37). Waldemar LEGIEN [10] (23-8-63). Marc MEILING [5] (22-3-62). Richard MELILLO [3] (24-6-59). MIFUNE [1] (1885-1965). Hiroshi MINATOYA [1] (17-10-43). Jean-Jacques MOUNIER [3] (12-6-49). Shokichi NATSUI [1] (1926). Gunther NEUREUTHER [5] (6-8-55). Michel NOVAK [6] (30-6-62). Naoga OGAWA [1] (1968). Bernard PARISET [3] (12-2-29). Angelo PARISI [3] (3-1-53). Arnaud PERRIER [3] (2-1-62). Philippe PRADAYROL [3] (16-6-66). Thierry REY [3] (1-6-59). Jean-Luc ROUGÉ [3] (30-5-49). Patrick ROUX [3] (29-4-62). Wilhem RUSKA [2] (29-8-40). Hitoshi SAITO [1] (1961). Fumio SASAHARA [1] (28-3-45). Noboyuki SATO [1] (12-1-44). Peter SEISENBACHER [12] (26-3-60). Yoshinori SHIGEMATSU [1] (8-2-51). Masatoshi SHINOMAKI [1] (20-9-43). Youri SOKOLOV [4] (23-2-61). Koji SONE [1] (1929). Pascal TAYOT [3] (15-3-65). Bernard TCHOULLOUYAN [3] (12-4-53). Stéphane TRAINEAU [3] (16-9-66). Hizashi TSUZAWA [1] (8-6-49). Christian VACHON [3] (29-12-58). Pierre VACHON [3] (29-6-60). Roger VACHON [3] (29-8-57). Alexandre VAN DER GROEBEN [5] (5-10-55). Robert VAN DE WALLE [15] (20-5-54). Grigory VERITCHEV [4] (4-4-57). Patrick VIAL [3] (24-12-46). Laurent VILLIERS [3] (20-1-49). Franck WIENECKE [5] (31-2-62). YAMASHIKI [1] (1924). Yasuhiro YAMASHITA [1] (1-6-57).

Dames. Christine ARNAUD [3] (5-2-63). Ingrid BERGHMANS [15] (24-8-61). Karen BRIGGS [7]. Dominique BRUN [3] (7-5-64). Irène DE KOK [2]. Brigitte DEYDIER [3] (12-11-58). Catherine FLEURY [3] (18-6-66). Sengliang GAO [23]. Cécile GÉRAUD [3] (13-2-68). Édith HROVAT [12]. Natalina LUPINO [3] (13-6-63). Laetitia MEIGNAN [3] (25-6-60). Cécile NOWAK [3] (22-4-67). Isabelle PAQUE [3] (8-5-64). Béatrice RODRIGUEZ [3] (19-10-59). Martine ROTTIER [3] (12-6-55). Angelica SERIESE [2]. Jocelyne TRIADOU [3] (31-5-54).

Karaté

Généralités

Origine. *Karaté* signifie : main *(té)*, vide *(kara)*. **V. 1600** apparut l'Okinawa-Te, méthode où les membres sont employés comme de véritables armes dans l'île d'Okinawa, sous occupation japonaise. **V. 1920** le maître Gichin Funakoshi l'introduit au Japon et fonde sa méthode, le *Shotokan ;* d'autres styles de base sont nés depuis : le *Goju-Ryu* et le *Shito-Ryu* (association jap. créée 1948), *Wado-Ryu, Kyokushinkai*. **1957** *1re école fr.* créée à Paris.

Caractère. Utilisation rationnelle des armes naturelles du corps (poings, coudes, tranchant de la main, etc.). But : mise hors de combat de l'adversaire dans le minimum de temps. Coups donnés avec poings et pieds en attaques circulaires ou directes tenant compte des principes d'équilibre et de dynamique du corps ; puissance d'impact obtenue par l'utilisation simultanée de différentes parties du corps suivie d'une tension de ces parties au moment du choc. L'efficacité n'est atteinte que par un long entraînement (sur sac ou cibles). Le *kiaï,* cri impressionnant pour le néophyte, correspond à l'expiration profonde au moment de l'attaque ou du blocage.

Règles. Attaques contrôlées en fonction de la violence des mouvements pratiqués. *Durée des combats :* en moy. 3 et 5 min pleines ; les adversaires portent une ceinture de couleur en dehors de leur grade normal (arbitrage : rouge et blanc). **Pratiquants.** *Monde :* 15 000 000 env. *France :* + de 200 000 licenciés.

Principales épreuves

☞ *Légende.* – (1) Espagne. (2) Finlande. (3) All. féd. (4) Japon. (5) Suède. (6) G.-B. (7) Suisse. (8) P.-Bas. (9) USA. (10) France. (11) Italie. (12) Brésil. (13) Belgique. (14) Norvège. (15) Yougoslavie. (16) Écosse. (17) Danemark. (18) Turquie.

• Championnats du monde. Hommes. *Créés* 1970. Par catégories. Super-légers : **80** Abad [1]. **82** Vayrynen [2]. **84** Betzien [3]. **86** Nakano [4]. **88** Shaher [3]. **90** Ronning [14]. Légers : **80** Maeda [4]. **82** Suzuki [4]. **84** Malave [5]. **86** Kondo [4]. **88** Stephens [6]. **90** Azumi [4]. Mi-moyens : **80** Gonzales [1]. **82** Nishimura [4]. **84** Collins [6]. **86, 88** Masci [10]. **90** Alagas. Moyens : **80** Sadao [4]. **82** Gomez [7]. **84** Stelling [8]. **86** Leeuwin [8]. **88** Hayashi [4]. **90** Tamaru [4]. Mi-lourds : **80** Hill [9]. **82, 84** Mac Kay [6]. **86** Tapol [10]. **88** Josepa [8]. **90** Egea [1]. Lourds : **80** Montana [10]. **82** Thompson [6]. **84** Atkinson [6]. **86** Charles [6]. **88** Pinda [10]. **90** Pyrée [10]. Toutes catégories : **80** Ricciardi [11]. **82** Muraze [4]. **84** Pinda [10]. **86** Dagfelt [5]. **88** Egea [1]. **90** Tramontini [10]. **Par équipes. 82, 84, 86, 88** G.-B. **90** It.

Dames. *Créés* 1980. Légères : **82, 84** Berger [10]. **86** Kauri [2]. **88, 90** Hasama [4]. Moyennes : **82** Yamakawa [4]. **84** Konishi [4]. **86** Varelius [4]. **88** Kimura [4]. **90** Amghar [10]. Lourdes : **82, 84, 86, 88** Van Mourik [8]. **90** Belhriti [10]. **Par équipes. 90** Japon.

• Championnats d'Europe. Hommes. Par catégories. Super-légers : **81** Castellvi [1]. **82** Marques [7]. **83** Stephens [6]. **84** D'Agostino [11]. **85** Ronning [14]. **86** Gomez [1]. **87** Fairclough [6]. **88** Ronning [14]. **89** Dovy [10]. **90** Keil [5]. **91** Gomez [1]. Légers : **78, 83** Coulter [6]. **79, 81** Di Luca [11]. **80** Arsenal [1]. **82** Cebolla [1]. **84** Timonen [2]. **85** Abad Cebolla [1]. **86** Malave [5]. **87** Timonen [2]. **88** Muffato [11]. **89** Lupo [10]. **90** Muffato [11]. **91** Stephens [6]. Mi-moyens : **80** Gonzales [1]. **81** Masci [10]. **82** Aguado [1]. **83** Kaunisinaki [2]. **84** Rodriguez [1]. **85** Mossel [8]. **86** Thomas [6]. **87** Degli-Abatti [11]. **88** Otto [6]. **89, 90** Pellicer [10]. **91** Alagas [18]. Moyens : **80** Poley [8]. **81** Martinez, Amillo [1]. **82** Amillo [1]. **83** Merino [1]. **84** Leewin. **85** Martinez [1]. **86** Serfati [10]. **87** Hallman [5]. **88** Gibson [16]. **89** Lentini [11]. **90** Dietl [3]. **91** Blanco [1]. Mi-lourds : **80, 82, 84** Pettinella [10]. **81** Mossel [8]. **83** Pirttiosa [2]. **85, 86** Egea [1]. **87** MacKay [16]. **88, 89, 90** Egea [1]. **91** Etienne [6]. Lourds : **80** Carbilla. **81, 83** Ruggiero [10]. **82** Atkinson [6]. **84** Charles [6]. **85** Zazo [1]. **86** Usenagic [15]. **87** Pinda [10]. **88, 89, 90** Pyrée [10]. **91** Roddie [16]. Toutes catégories : **80, 84** Ruggiero [10]. **81, 82** Charles [6]. **83** Egea [1]. **85** Pinda [10]. **86** Torres [1]. **87** Moreau [10]. **88** Daggfeldt [17]. **89** Josepa [8]. **90** Sailsman [6]. **91** Otto [6]. **Par équipes. 86** Espagne. **87, 88** Écosse. **89** Suède. **90** G.-B. **91** Espagne.

Dames. Légères : **82** Fillios [10]. **83** Raye [6]. **84** Berger [10]. **85** Girardet [10]. **86** Berger [10]. **87** Laine [2]. **88** Girardet [10]. **89** Sneff [8]. **90** Di Cesare [11]. **91** Laine [2]. Moyennes : **82, 83, 84, 85** Morris [6]. **86, 87** Samuels [6]. **88** Dutreip [1]. **89** Samuels [6]. **90** Hahn [3]. **91** Mc Cord [16]. Lourdes : **82** Joffroy [10]. **83, 84, 85, 86, 87, 88** Van Mourik [8]. **89, 90, 91** Belhriti [10]. **Par équipes. 1978, 79** P.-Bas. **80, 81** France. **82** P.-Bas. **83** G.-B. **84** Italie. **85** G.-B. **86, 87** Italie. **88, 89** Finlande. **90** G.-B. **91** France.

• Coupe d'Europe des clubs. **86** Arguelles (Esp.). Devient **championnat d'Europe des clubs. 87** SIK (France). **88** Mabuni (Esp.).

• Championnats de France. Hommes. Super-légers : **82, 83** Khatiri. **84, 85** Vallé. **86, 87** Khatiri. **88, 89** Dovy. **90** Khatiri. **91** Dovy. Légers : **80** Saidane. **81, 82, 83** Goffin. **84** Dorville. **85, 86** Goffin. **87** Dorville. **88** Goffin. **89, 90** Lupo. **91** Gallo. Mi-moyens : **80, 81** Bilicky. **82** Gérard. **83** Sigliano. **84** Signat. **85** Serfati. **86, 87** Gérard. **88** Masci. **89** Pellicer. **90** Goffin. **91** Benjamin. Moyens : **80** Luconi. **81** Moreau. **82, 83** Serfati. **84** Moreau. **85, 86** Serfati. **87** Giacinti. **88** Serfati. **89** Messasaoudi. **90** Giacinti. **91** Chantron. Mi-lourds : **80** Tapol. **81** Pyrée. **82, 83, 84** Petinella. **85** Tapol. **86** Pinar. **87** Allifax. **88** Petinella. **89** Lacoste. **90** Pina. **91** Cherdieu. Lourds : **80** Micholet, **81, 82** Ruggiero. **83, 84** Pyrée. **85** Ruggiero. **86** Pyrée. **87** Pinda. **88** Pyrée. **89** Tomao. **90** Pyrée. **91** Lehetet. Toutes catégories : **71, 72, 73** Valéra. **74** Mami. **75** Valéra. **76** Pivert. **77** Montama. **78** Pivert. **79** Montama. **80, 81, 82, 83, 84, 85** Ruggiero. **86** Masci. **87, 88** Pinda. **89** Tramontini. **90** Serfati. **91** Ihlé. **Par équipes. 79** Savigny-s.-Orge. **80** Marseille. **81** Clouange. **82, 84** CKF. **83, 85** SIK Paris. **86** Épinay. **87, 88, 89, 90** SIK 1 Paris. **91** IKE Lyon.

Dames. *Créés* 1981. Légères : **81, 82, 83** Berger. **84** Thouze. **85** Depolier. **86, 87** Girardet. **88, 89** Masurier. **90** Carraz. **91** Terrine. Moyennes : **81, 82, 83, 84, 85** Sarkis. **86** Morel. **87** Daubé. **88** Sarkis. **89, 90, 91.** Amghar. Lourdes : **81, 82** Joffroy. **83** Martinez. **84** Le Calvez. **85** Macquet. **86** Bruno. **87** Giraudet. **88** Lutin. **89, 90** Belhriti. **91** Legros. Équipes : **87, 88** Samouraï 1 lyonnais. **89** UJ Marseille. **90** MKC Cambrai. **91** Zanchin Bordeaux.

Championnats de France. Karaté « contact ». Protection de la face et des extrémités (gants de boxe et chaussures spéciales). *Créés* 1980. Super-légers : **80** A. Desjardin. **81** Touatoui. **84, 85** Vallé. **88** Touatoui. Légers : **80** Parisi. **81** Dole. **84** Dorville. **85** Gofin. **88** Hemet. Mi-moyens : **80** Gérard. **81** Jacquet. **84** Signat. **85** Daniel Serfati. **88** Prando. Moyens : **80** Gauze. **81** Guillot. **84** Moreau. **85** Serge Serfati. **88** Delville. Mi-lourds : **80** Tapol. **81** Reeber. **84** Pettinella. **85** Papol. **88** Carré. **Lourds : 80** Tirolien. **81** Serisier. **84** Pyrée. **85** Ruggiero. **88** Degas. Super-lourds : **80** Lombardo. **81** Tirolien. **84, 85** Ruggiero. **88** Prystupa.

Quelques noms

• Fondateur du karaté. Gichin FUNAKOSHI (1869-1957). Grands maîtres japonais. OYAMA, OSHIMA, KASE, MURAKAMI, NANBU, SUZUKI, MOCHIZUKI, AMADA, GOYEN, YAMAGUSHI (1909).

• Grands champions. FITFINS et HIGGINS (Brit.), LEMMENS (Belg.), REEBERG et KOTZEBUE (Holl.), OZAKA et HAYAKAWA (Jap.), STEVENS, BLANKS et EVANS (USA). Étrangers. José-Manuel EGEA [1] (1864). H. KANAZAWA [4] (1936). Luis Tazaki WATANABE [12] (1946). Gogen YAMAGUSHI [4] (1967). Gus VAN MOURIK [8]. Français. Catherine BELRHITI (10-8-62). Patrice BELRHITI (25-5-62). Sophie BERGER (18-9-60). Marc de LUCA, Francis DIDIER (1949). Catherine GIRARDET (16-3-64). Joseph GOFFIN (11-9-53). Gilbert GRUSS (1942). Didier LUPO (7-1-65). Jean-Luc MAMI (1941). Thierry MASCI (22-7-59). Maryse MAZURIER (25-2-64). Didier MOREAU (24-1-62). Jean-Luc MONTAMA. Roger PASCHY (1944). Bruno PELLICER (8-8-60). Francis PETITDEMANGE (1941). Claude PETTINELLA (22-3-60). Emmanuel PINDA (7-6-61). Marc PYRÉE (2-2-60). Patrice RUGGIERO (22-11-55). Laurent SAIDANE. Nicole SARKIS (10-9-55). Guy SAUVIN (1942). Serge SERFATI (26-12-1955). Alain SETROUK (1941). Jacques TAPOL (19-5-55). Dominique VALÉRA (10-2-43). Rudolph VALLE (4-8-60).

Lutte

Luttes gréco-romaine et libre

Généralités

Nom. Du latin *luctari.* L'appellation *gréco-romaine* est impropre car elle est d'origine française. On devrait plutôt parler de lutte à main plate. Appelée *l. classique* ou *l. française* à l'étranger.

Histoire. **Origine.** De tout temps, les hommes ont lutté pour assurer leur survie. **708 av. J.-C.** lutte introduite aux 18e J.O. Victoire d'Euribate de Sparte. **V. 1845** renaissance en France grâce à Exbrayat, un ancien grognard de l'Empire, qui tient une baraque foraine, institue la règle de ne pas porter de prises au-dessous de la ceinture et interdit prises et torsions douloureuses. **1912** fondation de la Féd. internat. de lutte amateur. **1913** *25-4* Féd. française créée. **1978** règlements fr. pour lutte féminine.

Règles. **Définition :** combat au corps à corps de 2 lutteurs. **But :** déséquilibrer l'adversaire et lui faire toucher le sol des 2 épaules. **2 styles :** *s. gréco-romain* (seules les prises entre la tête et la ceinture sont permises, prises et torsions douloureuses sont interdites) et *s. libre* (les prises de jambes sont permises). **Tapis :** circulaire de 9 m de diam. **Tenue :** maillot à bretelles rouge ou bleu, chaussures montant sur la cheville. **Durée du combat :** période de 5 min en temps réel. **Catégories :** poids max. 48 kg, 52, 57, 62, 68, 74, 82, 90, 100 et 130. **Victoire** acquise par *tombé* (omoplates au sol), *supériorité technique* (15 points de différence), ces deux types de victoires arrêtant le match ; *aux points* (meilleur total des points attribués), *par disqualification* (après 3 avertissements à l'adversaire). Les points sont attribués au cours du combat par un juge, qui note de 1 à 5 les actions et les prises accomplies par chaque lutteur. Si à la fin de la durée de l'assaut aucun lutteur n'est tombé, la décision est donnée aux points au lutteur en ayant obtenu le plus grand nombre ; il n'existe plus de match nul. En cas d'égalité, une prolongation immédiate est ordonnée jusqu'au 1er point ou jusqu'à la disqualification. Des points de classement sont attribués après chaque décision ; ils servent à départager 2 ou plusieurs concurrents éliminés dans un même tour dans un tournoi ou un championnat (est éliminé tout lutteur ayant eu 2 défaites).

Principales épreuves

☞ *Légende.* – (1) Bulg. (2) All. dém. (3) Roum. (4) Hongrie. (5) URSS. (6) Youg. (7) Finl. (8) Tchéc. (9) Jap. (10) USA. (11) All. féd. (12) Suède. (13) Pol. (14) Turquie. (15) Corée du N. (16) Turquie. (17) Cuba. (18) Norvège. (19) France. (20) Italie. (21) Corée du S. (22) Iran. (23) Chine. (24) All. dep. 1991.

• Jeux olympiques. Voir p. 1801.

Championnats du monde

• **Lutte gréco-romaine** (*créés* 1950). **Par nations** (nombre de points). **70** URSS 43. Bulg. 28. Youg. 22. **71** Bulg. 46. URSS 39,50. Hongrie 23. **73** URSS 47. Pol. 35. Bulg. 29. **74** URSS 55. Bulg. 36. Pol. 23. **75** URSS 56. Bulg. 34. **77** URSS 37. Bulg. 30. Roum. 25. **79** URSS 43. Hongrie 30. Bulg. 27. **81** URSS 49. Hongrie 23. Finlande 21.

Individuels. 48 kg : 81 Uchkempirov [5]. **82** Kazaraschvili. **83** Tsenov [1]. **85** Alakherdiv [5]. **86, 87** Allakhverdlev [5]. **89, 90** Kouchesenko [5]. **52 : 81** Blaguidze [5]. **82, 83** Pazajan. **85** Roenningen [18]. **86** Dudiaev [5]. **87** Roque [17]. **89, 90** Ignatenko [5]. **57 : 81** Passarelli [11]. **82** Michalik [13]. **83** Eto [9]. **85** Balov [1]. **86** Ivanov [1]. **87** Mourier [19]. **89** Ivanov [1]. **90** Yildiz [11]. **62 : 81** Toth [4]. **82** Swierad [13]. **83** Lahtinen [7]. **85** Vanguelov [1]. **86** Madszidov [5]. **87** Vanguelov [1]. **89** Msjidou [5]. **90** Oliveras [1+]. **68 : 81, 82** Ermilov [5]. **83** Sipilä [7]. **85** Negrisan [3]. **86** Dzusulfalakjan [5]. **87** Abaev [5]. **89** Passarelli [2]. **90** Dougouchilev [5]. **74 : 81** Kudriavzev [5]. **82** Rusu [3]. **83, 85, 86** Mamiasjvili [5]. **87** Salomaki [7]. **89** Tourlukhanov [5]. **90** Iskamdarian [5]. **82 : 81** Korban [5]. **82, 83** Abrazava [5]. **85** Daras [13]. **86** Komarony [4] et Daras [13]. **87** Komarony [4]. **89** Komaromi [4]. **90** Farcas [4]. **90 : 81** Kaniguine [5]. **82** Andersson [12]. **83** Kaniguine [5]. **85** Mouk [10]. **86** Manina [13]. **87** Popov [5]. **89, 90** Bullmann [2]. **100 : 81** Saladze [5]. **82** Wroclawski [13]. **83, 85** Dimitrov [5]. **86** Gaspar [4]. **87** Guedekhaouri [5]. **89** Himmel [11]. **90** Demiaschkievish [5]. **130 : 81** Memisevic [6]. **82** Dinev [1]. **83** Artushin [5]. **85** Rostoroski [5]. **86** Johansson [12]. **87** Rostoroski [5]. **89, 90** Karelin [5].

• **Lutte libre** (*créés* 1949). **Par nations** (nombre de points). **70** URSS 40. USA 32. Iran 27,5. **71** URSS 42,50. Bulg. 31. Iran 31. **73** URSS 55. Iran 28. Bulg. 28. **74** URSS 52. Bulg. 29,5. Turquie 25. **75** URSS 43. Bulg. 31. **77** URSS 46. Bulg. 23. All. féd. 19. **79** URSS 50. USA 35. RDA 21. **81** URSS 42. Bulg. 33. USA 28. **82** URSS 55. USA 28. Bulg. 25.

Individuels. 48 kg : 81, 82 Kornilaev [5]. **83** Hwan [15]. **85** Uljamin [5]. **86, 87** Li Jae Sik [15]. **89** Jong-Shin [21]. **90** Martinez [17]. **52 : 81** Asakura [9]. **82** Reich [2]. **83, 85** Jordanov [1]. **86** Kim Yong Sik [15]. **87, 89** Jordanov [1]. **90** Torkan [22]. **57 : 81, 82, 83, 85, 86, 87** Belogasov [5]. **89** Sik-Kim [15]. **90** Puerto [17]. **62 : 81** Chterev [1]. **82** Belogasov [5]. **83, 85** Aleksjev [5]. **86** Isaev [5]. **87, 89, 90** Smith [10]. **68 : 81** Absaïdov [5]. **82** Kharachura [5]. **83, 85, 86, 87** Fadzaev [5]. **89** Boudayeu [5]. **90** Fadzaev [5]. **74 : 81** Knups [11]. **82** Kemp [10]. **83** Shultz [10]. **85, 86** Cascaret [17]. **87** Varaev [5]. **89** Monday [10]. **90** Sofiyadi [1]. **82 : 81** Cambell [10]. **82, 83** Dzgoev [5]. **85** Shultz [10]. **86** Modoszian [5]. **87** Shultz [10]. **89** Jabraylov [5]. **90** Rohyna [8]. **90 : 81** Oganisian [5]. **82** Neupert [2]. **83** Neniev [5]. **85** Sherr [10]. **86, 87, 89, 90** Khardacev [5]. **100 : 81** Gehrke [2]. **82** Mate [5]. **83** Kadartsev [5]. **85** Erdene [5]. **86, 87** Khadartsev [5]. **89** Atavov [5]. **90** Khabelov [5]. **130 : 81, 82, 83** Khasimikov [5]. **85** Gobedchivili [5]. **86** Baumgartner [10]. **87** Khadartsev [5]. **89** Soleimani [22]. **90** Gobegichvili [5].

Dames (*créés* 1987). **44 kg : 90** Yashimura [9]. **47 : 90** Pedersen [12]. **50 : 87** Halvorsen [18]. **90, 91** Poupon [19]. **53 : 87, 90** Van Gucht [19]. **57 : 87** Dourthe [19]. **90** Hoie [18]. **61 : 90, 91** Siffert [19]. **65 : 87** Herlin [19]. **90** Wu Mei Ling [23]. **70 : 87** Jean [19]. **90** Iwama [9]. **75 : 87** Rossignol [19]. **90** Urano [9].

Championnats d'Europe

• **Lutte gréco-romaine** (*créés* 1925). **Par nations** (nombre de points). **76** URSS. **77** URSS. **78** URSS. **79** URSS. **80** URSS 49. Bulg. 38. Roumanie 25. **81** URSS 47. Bulg. 33. Pologne 26. **82** URSS 48. Bulg. 33. Roumanie 25. **83** URSS 44. Bulg. 41. Hongrie 36. **85** URSS 55. Roumanie 32. Pologne 32. **85** URSS 53, Bulgarie 42, Roumanie 25.

Individuels. 48 kg : 81 Andonov [1]. **82** Anikine [5]. **83** Tzenov [1]. **84** Alaxsjeverdijiev [5]. **85** Tzenov [1]. **86** Samitaev [5]. **87** Maenza [20]. **88** Ronningen [18]. **89** Scherer [11]. **90** Souvourov [5]. **91** Farago [4]. **52 : 81, 82** Pachayan [5]. **83** Racz [4]. **84** Tasetdinov [5]. **85** Kierpacz [13]. **86** Dioudaev [5]. **87** Kalashnikov [5]. **88** Ignatenko [5]. **89** Rizvanovic [6]. **90** Ronningen [18]. **91** Tzenov [1]. **57 : 81** Passarelli [11]. **82** Balov [1]. **83** Ivanov [1]. **84** Fatkulin [5]. **85** Arutjunjan [5]. **86** Kalemulin [5]. **87** Pehkonen [7]. **88** Chestakov [5]. **89** Pehkonen [7]. **90** Mourier [19]. **91** Ignatenko [5]. **62 : 81** Swierad [13]. **82** Nassiboulov [5]. **83** Vanguelov [1]. **84, 85** Madsjidov [5]. **86** Sipos [4]. **87** Atanasov [1]. **88** Bodi [4]. **89** Wolny [13]. **90** Atmakin [5]. **91** Atmakine [5]. **68 : 81** Rusu [3]. **82, 83** Ermilov [5]. **84, 85** Prohudin [5]. **86** Dzulfakian [5]. **87** Abajev [5]. **88, 89** Repka [4]. **90** Dougoutchiev [5]. **91** Madzhidov [5]. **74 : 81, 83** Kocsis [4]. **82** Supron [13]. **84** Tallroth [12]. **85** Rusu [3]. **86** Memiasvilli [5]. **87** Turlyhanov [5]. **88** Detziev [5]. **89** Tenev [1]. **90** Kornbaek [12], **91** Ichandarian [5]. **82 : 81** Korban [5]. **82** Janimov [5]. **83, 84** Apkhazava [5]. **85** Batalov [5]. **86** Kamaromi [4]. **87** Nasevitch [5]. **88, 89** Mamiasvili [5]. **90** Zander [11], **91** Farkas [5]. **90 : 81** Anderson [12]. **82, 83** Kanyguine [5]. **84** Kontjev [1]. **85** Kanyguine [5]. **86** Komshev [1]. **87** Popov [5]. **88** Iordanov [1]. **89** Popov [5]. **90, 91** Potapov [5]. **100 : 81** Inkov [5]. **82, 83** Dimitrov [1]. **84** Gaspar [4]. **85** Fodorenko [5]. **86** Tertei [6]. **87** Wasilew [1]. **88** Fodorenko [5]. **89** Wronski [13]. **90** Fedorenko [5]. **91** Demiashkevich [5]. **130 : 81** Guewowski [1]. **82, 83** Dinev [1]. **84** Tomov [1]. **85** Rostoroski [5]. **86** Dinov [1]. **87** Rostoroski [5]. **88, 89, 90, 91** Karelin [5].

• **Lutte libre** (*créés* 1929). **Par nations** (nombre de points). **73** URSS 55. Bulg. 39. Turquie 26. **74** URSS Bulg. Roum. **75** URSS 48. Bulg. 39. All. dém. 28. **76** URSS 49. Bulg. 34. **77** URSS 55. Bulg. 37. **78** Bulg. **79** Roum. 41. URSS 40. Bulg. 29,5. **80** URSS 54. Bulg. 49. Pologne 23,5. **82** URSS 51. Bulg. 40. Hongrie 32. **83** Bulg. 46. URSS 40. Hongrie 24. **84** URSS 55, Bulgarie 36. **85** URSS 55. Bulg. 35. All. dém. 33. **86** URSS 54, Bulg. 39, All. dém. 22.

Individuels. 48 kg : 81 Mehmedov [1]. **82** Biro [4]. **83** Mehmedov [1]. **84** Kornilaiev [5]. **85** Gogolev [5]. **86** Dorzou [5]. **87** Nedkov [1]. **88** Gogolev [5]. **89** Medzlumine [5]. **90** Rasovan [3]. **91** Heugabel [24]. **52 : 81** Reich [2]. **82, 83** Jordanov [1]. **84** Trstena [6]. **85** Jordanov [1]. **86** Dimitrov [1]. **87, 88, 89** Jordanov [1]. **90** Trstena [6]. **91** Togusov [5]. **57 : 81, 83** Ivanov [1]. **82, 84** Beloglazov [5]. **85** Stefan [1]. **86** Calchev [1]. **87, 88** Beloglazov [5]. **89** Ak [16]. **90** Paulou [1]. **91** Oumakhanov [5]. **62 : 81** Ibrahimov [5]. **82, 83, 84** Szterev [1]. **85** Remus [2]. **86, 87** Isaev [5]. **88** Sarkisian [5]. **89** Kambarou [1]. **90** Lyding [11]. **91** Kaplan [14]. **68 : 81** Dukov [1]. **82** Budaev [5]. **83** Penev [1]. **84, 85** Fadzaev [5]. **86** Magamedov [5]. **87, 88** Fadzaev [5]. **89** Kasabov [1]. **90** Seker [14]. **91** Schwabenland [24]. **74 : 81** Korajev [5]. **82** Knops [11]. **83** Sejdi [6]. **84** Magamadov [5]. **85** Polamarev [5],. **86, 87, 88** Varaev [5]. **89, 90** Gadzichanov 5. **91** Leipold [24]. **82 : 81** Kolojev [5]. **82, 84** Kamberov [1]. **83** Karabaçak [16]. **85** Varobiev [5]. **86, 87** Nanev [1]. **88** Vorobiev [5]. **89** Lohuna [8]. **90** Gstauttner [2]. **91** Jabrailov [5]. **90 : 81** Neupert [2]. **82** Ginov [5]. **83** Naniev [5]. **84** Javloiev [5]. **85** Tibilov [5]. **86** Oganisian [5]. **87, 88** Khadartsev [5]. **89, 90** Kasibekov [5]. **91** Kharbartsev [5]. **100 : 81** Magomedov [5]. **82** Hutaba [5]. **83, 84** Magomedov [5]. **85** Khabelov [5]. **86** Caraduchev [1]. **87, 88** Khabelov [5]. **89, 90** Sabeev [5]. **91** Kayali [14]. **130 : 81** Hasimikov [5]. **82** Andiev [5]. **83** Balla [3]. **84** Sandurski [13]. **85** Gobedjichvili [5]. **86** Schroeder [2]. **87** Tourmanidze [5]. **88** Khadartsev [5]. **89** Barbut [1]. **90, 91** Schroeder [2].

Dames (*créés* 1988). **1988. 40 kg** : Delvaux [19]. **47 :** Cheurfi [19]. **50 :** Poupon [19]. **53 :** Vangucht [19]. **57 :** Sagon [19]. **61 :** Firreret [19]. **65 :** Kleden [18]. **70 :** Jean [19]. **75 :** Rossignol [19].

Championnats de France

• **Lutte gréco-romaine. Hommes** (*créés* 1919). **48 kg : 81** Lebourg. **82, 83** Mas. **84, 85, 86, 87, 88, 89, 90** Ganachaud. **91** Almeida. **52 : 80** Chambellan. **81** Cipolla. **82, 83, 84, 85, 86** Robert. **87** Belguidoum. **88** Pineau. **89** Robert. **90, 91** Belguidoum. **57 : 80, 81, 82, 83** Mourier. **84** Mercader M. **85, 86** Mourier. **87** Robert. **88, 89** Cardey. **90** Robert. **91** Ghilmanou. **62 : 80** Mercader J.-P. **81, 82, 83** Jalabert. **84, 85, 86** Naboulet. **87, 88, 89** Mourier. **90, 91** Mokkedem. **68 : 80** Lacase. **81** Zwada. **82** Mercader. **83** Abrial. **84** Mercader J.P. **85, 86, 87, 88** Jalabert. **89, 90, 91** Yalouz. **74 : 80** Lassuye. **81** Lacaze. **82** Vidal. **83** Cenci. **84** Vidal. **85, 86, 87** Mischler. **88** Parent. **89** Jasko. **90** Riemer. **91** Eldadad. **82 : 80, 81** Marx. **82** Bouchoule. **83** Lassuye. **84** Bouchoule. **85, 86** Meiss. **87** Dedieu. **88, 89, 90, 91** Mischler. **90 : 80** Bouchoule. **81** Biscioni. **82** Marx. **83** Court. **84** Marx. **85** Court. **86** Marx. **87** Meiss. **88** Merckel. **89** Welzer. **90, 91** Meiss. **100 : 80, 81** Belmer. **82** Court. **83** Belmer. **84** Kolahi. **85** Belmer. **86, 87** Manhart. **88, 89** Deforest-Biscioni. **90** Kolahi. **91** Welzer. **130 : 80, 81** Bourgoin. **82, 83** Berma. **84, 85** Lasvaud. **86, 87** Belmer. **88, 89, 90** Yung. **91** Dabrowski.

• **Lutte libre** (*créés* 1919). **Hommes. 48 kg : 80** Faucher. **81** Bourdin. **82** Mimoun. **83** Fradin. **84** Ganachaud. **85** Eyermann. **86** Seco. **87** Bahuet. **88, 89, 90** Ganachaud. **91** Ismali. **52 : 80** Favy. **81** Dlimi. **82** Andrieu. **83** Mas. **84** Chirain. **85, 86** Bourdin. **87, 88, 89** Mas. **90** Benheridja. **91** Bahuet. **57 : 80, 81** Mercader J.. **82** Lobrutto. **83** Mercader J. **84, 85, 86** Lobrutto. **87, 88** Mercader J. **89, 90** Bourdin. **91** Benméridja. **62 : 80, 81** Chelmowski. **82, 83** Santoro. **84** Shatteman. **85** Curi. **86** Arjomandi. **87, 88, 89, 90** Berger. **91** Carp. **68 : 80** Nicolas. **81, 82, 83** Brulon. **84** Vidal. **85, 86, 87** Santoro. **88, 89, 90** Chazeix. **91** Santoro. **74 : 80** Mathis. **81** Legendre. **82, 83, 84** Legrand. **85** Gourdin. **86** Brulon. **87, 88** Beudet. **89** Brulon. **90, 91** Beudet. **82 : 80** Mege. **81, 82, 83** Stanciu. **84, 85** Mege. **86** Legrand. **87** Andanson. **88, 89, 90, 91** Legrand. **90 : 80** Stanciu. **81** Kolahi. **82** Andanson. **83** Kolahi. **84** Marx. **85, 86, 87, 88, 89, 90** Stanciu. **91** Rombouts. **100 : 80** Grangier. **81** Vonau. **82** Deronzier. **83, 84** Bouchoule. **85, 86, 87, 88, 89, 90** Kolahi. **91** Oganessian. **130 : 80** Diliégro. **81** Collin. **82** Murat. **83** Vonau. **84** Martinez. **85, 86** Colliard. **87** Weber. **88** Jung. **89** Bergin. **90** Yung. **91** Gaieb.

Dames. 44 kg : 86 Delvaux. **87** Pomart. **88, 89** Delvaux. **47 : 86** Dumont. **87** Philibert. **88, 89** Cheurfi. **52, puis 50 : 86** Vangucht. **87, 88, 89** Poupon. **53 : 86** non disp. **87, 88, 89** Vangucht. **56, puis 57 : 86** Maret. **87, 88** Dourthe. **89** Sagon. **60, puis 61 : 86, 87** Sagon. **88** Siffert. **89** Bricard. **65 : 86** Legleut. **87** Herlin. **88** Stenier. **89** Blind. **70 : 86, 87, 88, 89** Jean. **+ de 70 : 86, 87, 88** Rossignol. **89** Rade.

Quelques noms

Étrangers. ABILOV Ismaël [1] 9-6-51. ABSAIDOV Saipulla [5] 14-7-55. ABUSHEV Magomedgasan [5] 10-11-59. ANDERSSON Frank [12] 9-5-56. ANDERSSON Lief [12] 13-10-49. ANDIEV Soslan [5] 21-4-52. BALBOSHIN Nikolaï [5] 8-6-49. BELOGLAZOV Sergeï [5] 16-9-56. BERCEANU Gheorghe [3] 28-12-49. DIETRICH Wilfried [11]. FADZAEV Arsen [5]. HACKENSCHMIDT Georges-Karl [5] 1877-1968. JOHANSSON Ivar [12] 1903-79. KARELINE Alexandre [5]. KHABELOV Leri [5]. KHADARSEV Aslan [5] 1972-90. KOCSIS Ferenc [4] 8-7-53. KOLTCHINSKY Alexandr [5] 20-2-55. KOZMA Istvan [4] 1939-70. MADJIDOV Kamandar [5]. MAMIACHVILI Mikhaïl [5] 1963. MEDVED Alexandr [5] 16-9-37. OGANESJAN Sanasar [5] 5-2-60. PETERSON John Allan [10] 22-10-48. RESANTSEV Valeri [5] 8-10-46. RONNINGEN Jon [18]. RUSU Stefan [3] 2-2-56. SMIT John [10] 1965. TEDIASHVILI Levan [5] 15-3-48. TOMOV Alexander [1] 3-4-49. USHKEMPIROV Zaksylik [5] 6-5-51. WATANABE Osamu [9] 21-10-40. WEHLING Heinz-Helmut [2] 8-9-50. WESTERGREN Carl [12] 1895-1958.

Français. ABRIAL Franck 18-3-64. ANDANSON Christophe 12-7-57. AURINE René 1916-80. BALLERY Georges 18-7-37. BALLERY Michel 5-4-52. BIELLE Roger 26-8-28. BLIND Emmanuelle 23-5-70. BOUAZZAT Béchir 1908-44. BOUCHOULE André 23-5-48. BRULON Eric 2-9-60. CHAMBELLAN Jean-Pierre 7-10-58. COURT Jean-François 1-9-57. DEGLANE Henri 1902-75. DELVAUX Valérie 4-1-67. DOURTHE Isabelle 24-1-63. EMELIN Daniel 25-2-55. GOURDIN Jean-Marc 27-3-60. GRANGIER Michel 2-4-48. HERLIN Brigitte 9-8-66. JALABERT Gilles 27-9-58. KOUYOS Charles 10-2-28. LACAZE Lionel 24-3-55. LEGRAND Alcide 17-2-62. LO BRUTTO Diego 26-8-53. MERCADER Jean-Pierre 18-3-55. MERCADER Michel 18-9-57. MISCHLER Martial 6-7-64. MOURIER Patrice 11-4-62. PACÔME Charles 1902-78. POILVÉ Émile 1903-63. POUPON Martine 20-1-65. ROBERT Serge 2-5-63. ROBIN Daniel 31-5-43. ROSSIGNOL Patricia 25-10-56. SAGON Jocelyne 7-6-60. SANTORO Gérard 16-10-61. SCHIERMEYER Pierre 27-9-38. TOULOTTE Théodule 21-12-50. VAN GUCHT Sylvie 30-11-62. YALOUZ Ghani 1968. ZOETE André 30-8-31.

Autres luttes

Catch. De *catch as catch can* attrape comme tu peux. *Origine :* États-Unis. En France, considéré davantage comme un spectacle que comme un sport. Toutes les prises même douloureuses sont permises, sauf quelques exceptions.

Lutte bretonne ou **gouren**. Pratiquée en Bretagne, Cornouaille britannique et Écosse. *Tenue :* pieds nus, culotte courte, chemise en toile à manches courtes serrée par une ceinture. *Victoire (lamm) :* acquise par le lutteur qui projette son adversaire sur le dos en restant lui-même debout. Combat en 7 min. Surtout à base de crocs-en-jambe.

Sambo. *Mot :* du russe *samozashchita* (auto-défense) et des initiales de *bez oruzhiya* (sans armes). *Origine :* URSS, synthèse des meilleures techniques de luttes folkloriques pour créer une méthode d'entraînement de l'armée. *1966* reconnu comme 3e style de lutte par la FILA. *Tenue :* maillot sans bretelle, veste en toile à épaulettes saillantes fermée par une ceinture, l'ensemble étant rouge ou bleu ; chaussures de lutte. *Combat :* 2 périodes de 3 min séparées par 1 min de pause. On peut saisir tout le corps y compris la veste, employer les prises de lutte gréco-romaine et libre ainsi que les prises douloureuses aux bras et jambes, et les immobilisations. *Victoire :* acquise en renversant son adversaire sur le dos tout en restant debout, en le faisant abandonner sur prise douloureuse ou aux points. *Compétitions :* ch. du monde, d'Europe et de France.

Sumo. Voir Arts martiaux.

Turquie. 2 formes de luttes : l'une sèche *(karakuçak)*, l'autre à l'huile *(yagli guresh)*. *Tenue :* culotte en cuir souple allant jusqu'en dessous du genou. Dans le yagli, le corps et la culotte sont enduits d'huile. *Combat :* attaques permises sur tout le corps, combat à terre ou debout. Lutteurs répartis en 2 groupes, dès qu'un lutteur est éliminé, le vainqueur s'oppose au vainqueur d'un autre combat jusqu'à la finale. *Victoire* à celui qui réussit à mettre le « ventre » de son adversaire face au soleil ou à faire 3 pas en le portant.

Montagne

☞ **Les sports de montagne** recouvrent plusieurs activités complémentaires et imbriquées : l'*alpinisme* qui consiste à gravir des parois rocheuses et à progresser dans des terrains escarpés, glaciaires ou enneigés ; la *randonnée de haute montagne* sur ou hors sentiers à l'exception des terrains de l'alpinisme ; le *ski alpinisme* ou *de montagne* qui se pratique en dehors du domaine sécurisé des stations ; l'*escalade sportive* en sites naturels aménagés ou sur des structures artificielles d'escalade (SAE). Dep. 1988, des compétitions de difficulté et de vitesse sont organisées selon un règlement international mis au point par l'Union internationale des associations d'alpinisme. On estime à plusieurs centaines de kilomètres la longueur des voies actuellement équipées dans les falaises ; les *expéditions lointaines* qui demandent des capacités d'accoutumance à l'altitude et de résistance.

L'alpinisme ne figure pas au programe des J.O. Cependant, en 1992, une épreuve d'escalade sportive sera organisée à Chambéry en prélude aux J.O. d'Albertville.

Guides et clubs

Guides (loi Mazeaud). **Classes.** 3. Accompagnateur de moyenne montagne ; aspirant guide ; guide de haute montagne. **Diplômés.** Env. 4 000 en France. **Formation.** Par l'ENSA (Chamonix), *1989,* création du brevet d'État d'escalade.

Quelques dates. 1823 1re Cie de guides à Chamonix. **1857** Club alpin italien et C.A. suisse. **1865** Sté Ramond (club de montagne) au pied du cirque de Gavarnie (Pyrénées). **1866** Club jurassien. **1869** Clubs alpins allemand et autrichien. **1872** Club des Vosges. **1873** Club des Carpates (Hongrie). **1874** Club alpin français et Sté alpine de Cracovie. **1919** Groupe de Hte montagne créé par l'élite des grimpeurs français. **1932** Union internat. des associations d'alpinisme.

Acclimatement. Durée nécessaire pour un adulte : – de 3 000 m : quelques j ; 4 000 à 5 000 m : 2 semaines ; + de 5 000 m : plusieurs semaines. Un alpiniste très bien acclimaté peut séjourner quelques j à + de 8 000 m, quelques h au sommet de l'Everest (8 848 m, pression réduite au tiers de la normale), alors qu'un homme placé brutalement dans des conditions semblables (caisson, dépressurisation d'un avion) perd connaissance et meurt rapidement. Une montée trop rapide peut entraîner un œdème pulmonaire ou cérébral pouvant être mortel.

Modifications physiologiques. La diminution de la pression d'oxygène dans l'air inspiré en altitude est compensée, à *court terme,* par l'augmentation des rythmes cardiaque et respiratoire, à *long terme,* par une redistribution sanguine, augmentation considérable du nombre de globules rouges permettant le transport d'oxygène par le sang, des modifications intracellulaires mal connues permettant aux cellules de s'adapter, etc. *Au-delà de 5 500 m env.,* la compensation ne permet plus la survie permanente : on observe progressivement une perte de poids avec fonte musculaire, disparition de l'appétit, insomnies, maux de tête, nausées, œdème pulmonaire ou cérébral, perte de conscience. Le sang des hommes et des animaux vivant en haute altitude (Bolivie, Pérou, Tibet : plus de 5 000 m dans certaines régions) est plus riche en globules rouges que celui des hommes de la plaine. On observe un accroissement apparent du nombre des globules rouges dès le début d'une ascension en haute montagne, par hémoconcentration. L'augmentation réelle est beaucoup plus lente et demande plusieurs semaines.

Accidents

• **Catégories.** *Les plus nombreux* (touchant les néophytes) résultent d'imprudences, de la non-observation des règles de sécurité (erreur d'orientation, manque d'équipement, méconnaissances des techniques de protection, mépris des prévisions météo) ; *quelques-uns* concernent des alpinistes confirmés, engagés dans des ascensions difficiles.

• **Statistiques.** *France.* (tués) *1980-83 :* 170. *1978 :* 93. *1979 :* 119. *1980 :* 153. *1981 :* 122. *1982 :* 104 dont en alpinisme 48, ski alpin 40, randonnée alpine 16. *1983 :* 117. *1987 :* 145. *1988 :* 171. *1989 :* 185. *1990 (au 1-5) :* 58.

Répartition (alpinisme) : plus de 80 % par beau temps ; 82 % en juil.-août-sept. (dont juillet-août 71 %), 55 % en neige et glace, 32 % en rochers, 13 % terrain mixte. Env. 56 % des accidents et des morts sont dus aux chutes, glissades (dévissage). On compte à peu près autant d'accidents en montée qu'en descente (souvent plus facile).

Avalanches

• **Types.** *De neige récente :* se produisent pendant la chute de neige ou peu après, dès que la pente ne peut contenir la neige accumulée. Neige de faible cohésion, peut être à caractère de plaque friable, de neige poudreuse avec aérosol, ou de coulée si la superficie et l'épaisseur restent modestes ; *de plaque avec de la neige plus ancienne :* la transformation des cristaux, qui se détruisent partiellement et se compactent (effet du poids ou du vent), rend la strate solide et forme une plaque instable, qu'une surcharge peut mettre en mouvement (cas de la plaque à vent, principale cause des accidents) ; *de fonte (neige très humide ou mouillée) :* lors d'un redoux avec pluie, et au printemps, la neige gorgée d'eau s'alourdit au point de se décrocher.

• **Protection. Permanente.** *Défense passive :* par déviation (tunnel ou galerie, toit-tremplin, étraves, tournes et digues de déviation), freinage ou dissipation d'énergie (coins, tas freineurs, murs d'arrêt en fin de course). *Défense active :* retenue (râteliers, claies, croisillons, filets, pieux, palissades, terrasses ou banquettes), modification des lieux de dépôt de la neige (barrières à vent, panneaux virevents orientables, toits-buses) ou de la surface du sol (reboisement). **Temporaire.** *Déclenchements préventifs :* au pied par skieurs expérimentés ; à l'explosif lancé à la main (charges de 2,5 kg) ou largué par hélicoptère, transporté par câbles (CATEX), tiré par lanceur (avalancheur, avec projectile flèche, explosif liquide autostérilisable), par explosion d'un mélange d'oxygène et de propane (GAZEX).

Prévision. Bulletin journalier de risque du 15 déc. au 30 avr. par départements. Drapeau à damiers noir et jaune dans les stations en cas de risque.

• **Ensevelis.** *Accidents en France : 1975 :* 11 morts, *76 :* 41, *77 :* 29, *78 :* 32, *79 :* 22, *80 :* 32, *81 :* 57, *82 :* 28, *83 :* 36, *84 :* 28, *85 :* 45, *86 :* 40, *87 :* 24, *88 :* 24, *89 :* 17, *90 :* 22, *91 (au 1-5) :* 39.

Chances de survie des ensevelis : à moins de 2 m pendant *1/2 h :* chances importantes, *1 h :* 40 %, *2 h :* 20 %. A plus de 3 m, *1 h :* 20 %, *2 h :* 0 %.

Recherche des ensevelis. *Sonde métallique :* de 4 m par éléments de 1 m. 20 hommes bien entraînés sondent rapidement un ha (60 % de chances de retrouver l'enseveli) en 4 h et minutieusement (100 % de chances de le retrouver) en 20 h pour une profondeur d'ensevelissement de 2 m (85 % des ensevelis le sont à moins de 2 m). *Chien :* met 1/2 h à 1 h pour chercher sur un ha. *Appareils de recherche de victimes en avalanche (ARVA) :* émetteur-récepteur (fréquences 457 kHz) efficace pour localiser la victime, dimensions 12 × 8 × 2 cm, poids 300 g, portée de 30 à 60 m ; répondeur passif, languette ou carte répondeuse, nécessitant système émetteur et récepteur encombrant (5 kg dont antenne).

Personnel spécialisé diplômé. *Artificiers déclencheurs d'avalanches* 1 850 ; *observateurs nivo-météorol.* 950 ; *servants de l'engin avalancheur* 120 ; *responsables chargés de la sécurité* 190 ; *équipes cynophiles* (maîtres-chiens et chiens) 135.

Formation par l'ANENA (15, rue Ernest-Calvat, 38000 Grenoble).

Ascensions célèbres

Europe

Vers 1280. *Canigou* (2 786 m) par le roi d'Aragon Pierre III. **1336.** *Mont Ventoux* (1 912 m) par Pétrarque (It.). **1492.** *Mont Aiguille* (*Mons inaccessibilis,* 2 097 m) par un gentilhomme lorrain, Antoine de Ville, seigneur de Domjulien, chef des « écheleurs » de l'armée de Charles VIII, avec l'écheleur Renaud Jubié, 4 prêtres et plusieurs chasseurs de chamois. Vers la même époque, Léonard de Vinci aurait gravi le *Monboso ;* un professeur de l'univ. de Zurich, Conrad Gesner, le *Mont-Pilatus* (2 132 m).

1760. *Brévent* (2 526 m) par Horace Bénédict de Saussure (prof. de philosophie, physicien et minéralogiste, 1740-1799). Il promet ensuite une prime pour l'ascension du mont Blanc à partir duquel il espère découvrir le secret de la formation géologique des Alpes. **1786** *8-8 mont Blanc ;* après plusieurs recherches d'itinéraires, Jacques Balmat (1762-1834, cultivateur et cristallier), 1er guide de haute montagne, et le Dr Michel Paccard. **1787** *3-8 mont Blanc* par Horace Benedict de Saussure (1740-99) avec 19 personnes (payant chacune 5 louis). **Après 1800** ascension tentée régulièrement. Actuellement le mont Blanc est escaladé chaque été par 2 000 à 3 000 alpinistes (la plupart sans guide) (le 15-8-79, 300 personnes ont atteint la cime). Par beau temps, la montée ne présente pas de difficultés techniques. Le grimpeur doit être entraîné à la marche et habitué à l'usage des crampons. Le mauvais temps arrive parfois rapidement (vent de 150 km/h, température de – 40 °C, brouillard et neige effaçant les traces). *Record de vitesse :* août 1987, Laurent Smaghe en 6 h 47 min. *En 1922,* Morand a escaladé le dôme final sur une moto (il s'était fait déposer au refuge du Goûter par hélicoptère). *La plus jeune conquérante* Christel Bochatay avait 8 ans. *9-4-1980. Le plus grand exploit :* Mitsumeri Shigi [7], 34 ans, ascension en solitaire du Freney (4 807 m). *Grand Pic du Midi d'Ossau* (2 885 m) par un berger inconnu.

1811 *Jungfrau* (4 158 m) par 4 Suisses. **1820** *20-8* accident de la caravane conduite par le Dr Hamel. **1828** *mont Pelvoux,* pointe Durand (3 932 m) : A. A. Durand, officier géographe, Jacques-Étienne Mathéoud, Alexis Liotard (ils escaladent probablement aussi la pointe Puiseux, 3 946 m). **1829** *Finsteraarhorn* (4 275 m), point culminant de l'Oberland, par 4 Suisses. **1839** *aiguille centrale d'Arves :* frères Magnin, chasseurs de chamois de Valloire (Savoie). **1842** *pic d'Aneto* (3 404 m), point culminant des Pyrénées : 6 personnes. **1855** *mont Rose* (Pointe Dufour, 4 633 m) : 9 Anglais et guides. **1858** *Dom des « Mischabel »* (4 545 m) : 4 pers., Angl. et guides suisses. *Eiger* (3 974 m) : 3 pers. **1859** *Alestschorn* (4 195 m) : Tuckett, Angl. et 3 guides. **1860** *Grand Paradis* (4 061 m) : 2 Angl., 2 guides français. **1861** *Weisshorn* (4 505 m) : Tyndall et 2 guides sui. **1862** *Dent Blanche* (4 357 m) : 4 Angl. et guides. **1864** *Barre des Écrins* (4 101 m) : Whymper et 4 pers. **1865** *Grandes Jorasses,* Pointe Whymper (4 184 m) : Whymper et 2 guides sui. *Aiguille Verte* (4 121 m) : Whymper et 2 guides sui. *Cervin* (4 478 m) : caravane Whymper, 7 pers. dont 4 avec le guide Michel Croz meurent à la descente. **1868** *Grandes Jorasses,* Pointe Walker (4 208 m) : Walker et 3 pers. *Elbrouz* (5 642 m) : D.W. Freshfields (angl.). *Kasbek* (5 043 m) : D.W. Freshfields. **1877** *la Meije* (Grand Pic, 3 983 m) par 3 Français, les guides Pierre Gaspard et son fils conduisant Boileau de Castelnau. **1878** *Grand Dru* (3 754 m) : 2 Angl. et 2 guides sui. *Petit Dru* (3 733 m) : 3 guides chamoniards. **1881** *Grépon* (3 484 m) : Mummery, Burgener (guide suisse) et Venetz (porteur) ; naissance de l'alpinisme sportif qui se passe des objectifs scientifiques ou d'exploration. *Chimborazo* (6 272 m) : Whymper. **1882** *aiguille du Géant* (4 013 m) : Ital. et Angl. ; emplois de broches de fer scellées. **1889** *les Grands Charmoz* (3 456 m) : 6 personnes. **Fin du XIXe s.** presque tous les grands sommets alpins sont gravis : la technique s'améliore (pitons, mousquetons, étriers).

1911 *Grépon,* versant Mer de Glace : G.W. Young et le guide Joseph Knubel. **1912 et 1913** *la Meije,* face S. ; *Écrins,* paroi N.-O. ; arête de *Coste Rouge* à l'Aile froide (cordée Mayer-Dibona). **1927** *aiguille du Plan* face N. (Armand Charlet). **1931 à 1939** ascension de parois difficiles, en particulier les faces nord. **1931** *Cervin* (frères Schmid de Munich). **1933** *Cima Grande di Lavaredo* face N. (2 999 m) en 3 j (3 Italiens). **1934** *la Meije* face S. du Grand Pic (Pierre Allain et Raymond Leininger, 2 Parisiens fondateurs de l'école de Fontainebleau). **1935** *Grandes Jorasses* (All. Meier et Peters) face N. dans la tempête. **1935** (P. Allain et R. Leininger) face N. *Drus.* **1936** face N.-O. *l'Aile Froide* (cordée Gervasutti-Devies). **1937** *Piz Badile,* face N.-E. (5 It. conduits par Cassin dont 2 morts d'épuisement à la descente). **1938** *Râteau* face N. (cordée Madier-Fourastier). **1938** *4-8 Grandes Jorasses* (4 208 m), face N., éperon Walker : 3 It. (Cassin, Esposito, Tizzoni). *Eiger,* face N. : All. Heckmair et Vorg ; Autr. Harrer et Kasparek. **1951** *Grand Capucin du Tacul* (700 m verticaux ou surplombant) ; Walter Bonatti. **1952** *Drus,* face O. : 4 Français. **1955** *août Drus,* pilier S.-O. : en solitaire,

Walter Bonatti. **1959** *22-7 Cervin,* face N. : solitaire par Dieter Machart. **1961** *Eiger,* face N. en hiver : équipe austro-all. **1962** *Cervin,* face N. en hiver : Hilti von Allmen et Paul Etter. **1985** *26-7, en 24 h* et **1987** *12/13-3, en 40 h 54 min* Christophe Profit enchaîne *Grandes Jorasses, Eiger* et *Cervin.* **1986** *17-3* Jean-Marc Boivin enchaîne en 17 h aidé, d'une aile delta, 4 faces nord (Aiguille verte, Droites, Courtes et Grandes Jorasses). **1988** *5-8 Chamonix-mont Blanc-Chamonix* Laurent Smagghebat en 5 h 29'30". **1989** *9/10-2 mont Blanc,* versant italien en 19 h, Christophe Profit. **1989** *Chamonix-Zermatt* à skis en 19 h 11" Denis Pivot. **1990** *20-7 Chamonix-mont blanc-Chamonix,* Pierre-André Gobet record en 5 h 10'14".

Nota. – L'alpinisme se pratiquait autrefois surtout en été. Les difficultés de l'alpinisme hivernal sont le froid (– 20°C ou – 30°C en Europe), la brièveté des jours et l'enneigement des parois.

Autres continents

Hauteur des sommets en mètres et 1re ascension.

• Afrique. **5 895 Kibo (Kilimandjaro)** *1887* H. Meyer (All.). **5 199 Kenya** *1899* McKinder (Angl.). **5 119 Ruwenzori** *1906* Duc des Abruzzes (It.).

• Amérique. **6 768 Huascaran** *1932* E. Kinzl, E. Schneider, etc. **6 959 Aconcagua** *1897* Zurbriggen (Sui.). *1954* face sud, Berardini et éq. fr. **6 550 Tupungato** *1897* M. Zurbriggen (Sui.). **6 194 McKinley** *1913* H. Stuck (Amér.). **5 542 Popocatepetl** *1591* D. de Ordas (Esp.). **3 441 Fitz Roy** *1952* G. Magnone, L. Terray (Fr.).

• Asie. **8 848 Everest. Bilan.** *Tentatives.* 162 entre 1873 et nov. 1989 dont 65 succès (versant népalais 58, chinois 13), 97 échecs (v. nép. 44, chin. 53).

Conquêtes : 283 par 253 différents montagnards dont Népal 42 (63 victoires) Japon 28 (33 v.), USA 28 (29 v.), Chine 16, Inde 13 (14 v.), All. féd. 13, URSS 11, Corée du S. 10, *France 9* (Pierre Mazeaud, Jean Afannassieff et Nicolas Jaeger, le 15-10-1978 ; Jean-Pierre Frachen, Gérard Vionnet, Jean-Marc Boivin et Michel Metzger (ss. oxyg.), le 26-9-1988 ; Marc Batard le même jour, mais indépendamment, en « solo » et ss. oxyg. et Serge Koenig le 8-10-1988), Espagne 9, Suisse 9, G.-B. 8, Autriche 7, Pologne 7, Youg. 7 (8 v.), Italie 6 (7 v.) Australie 6, Norvège 6, Bulgarie 5, Canada 4, Tchécosl. 3, Nlle-Zél. 3, Mexique 2 et P.-Bas 1.

Ont réussi 6 fois : 1 Sherpa nép. (Ang Rita, n. 1947, en 1983, 84, 85, 87, 88, 90, sans oxygène) ; *5 fois :* 1 Sherpa nép. (Sungdare, † accidentellement mais pas en cours d'exp., en oct. 1989) ; *4 fois :* Sherpa nép. (Phu Dorje) ; *3 fois :* 2 Jap. (Noburo Yamada et Yasuo Kate) et 3 Sherpas nép. (Per Temba, Ang Phurba et Pema Dorje) ; *2 fois :* Sherpa indien (Ngawang Gombu), 4 Sherpas nép. (Ang Phu, Ang Dorje, Sonam Tshering et le Tamang nép. Shyambhu), un Jap. (Takashi Ozaki), l'Italien Reinhold Messner et le Youg. Stipe Bozic.

Femmes ayant réussi : 9 : *1975,* 16-5 Junko Tabei (Jap.), *1975,* 26-5 Phuntong (Tibéto-Chin.), *1978,* 16-10, Wanda Rutkiewicz (Pol.), *1979,* 2-10 Hannelore Schmatz (All. féd.) mourut en bivouaquant à la descente, à 8 400 m, *1984,* 23-5 Bachendra Pal (Ind.), *1986,* 10-5 Sharen Wood (Canada), *1988,* 2-10 Stancy Allison ety Peggy-Joan Luce (USA), *1988,* 14-10 Lydia Bradley (Nlle-Zél.), *1990,* 5-10 Christine Janin (1re Fr.). Toutes par le vers. nép. sauf Phuntong.

Plus jeune : Zébulon Roche (Fr.) 17 ans (1990).

Victimes à fin nov. 1989 : 102 (73 sur le vers. nép. et 29 sur le vers. chin.).

• Historique. **Avant 1950 :** tentatives par le versant tibétain, le Népal étant fermé aux étrangers. 1ers : *1873* (gén. brit. C.G. Bruce). *1921* C.K. Howard-Bury atteignit le col Nord (6 985 m), 1 mort. *1922* usage de bouteilles d'oxygène [(expédition brit. dirigée par C.G. Bruce ; Somervell atteint 8 170 m et G.I. Finch 8 325 m) ; 7 sherpas tués par avalanche]. *1924* exp. dirigée par C.G. Bruce (*4-6* E.F. Norton atteint 8 572 m ; G.L. Mallory et A. Irvine atteignent peut-être le sommet mais disparaissent). *1933* exp. Ruttledge (Brit.) ; W. Harris et F. Smythe arrêtés à 8 573 m. *1934* 1re tentative en solitaire : W. Wilson disparaît. *1936* Ruttledge (abandonne au col Nord). *1938* exp. Tilman (Brit.) : échec. *1947* 2e solitaire : E. Deman (Canad., disparaît). **Entre 1950 et 53 :** 1res tentatives du côté népalais : 4 échecs : *1950* Ch. Houston et W. Tilman. *1951* K. Becker-Larsen (Danois), solitaire parti du Népal, contourne le massif en franchissant le col de Nang-pa, atteint le col Nord et gagne Darjeeling. *1952 (printemps)* exp. suisse de E. Whyss-Dunant, avec Norkay Tenzing chef sherpa ; atteint 8 500 m (record du côté nép.), doit rebrousser chemin ; *(automne)* exp. suisse avec G. Chevalley. **1re réussite** (versant népalais). *1953 :* exp. brit. dirigée par le col. John Hunt (n. 26-6-1910 ; sera anobli), par la cascade de glace du Khumbu jusqu'au col Sud (8 000 m), puis l'escalade de l'arête S.E. (appelée depuis « la voie normale ») ; sommet atteint le 29-5 par Edmund Hillary (n. 20-7-1919) et le sherpa Norgay Tensing (1914-86, né au Népal, vécut à Darjeeling en Inde), victoire coïncidant avec le couronnement d'Élisabeth II. **2e.** *1956 :* exp. suisse, versant nép., par le col Sud ; 2 cordées au sommet : *23-5* J. Marment et E. Schmied, *24-5* R. Reist et H.V. Gunten, tous Suisses. **3e :** *printemps 1963,* versant nép. Plus forte expédition jamais entreprise : USA : 19 montagnards, 47 sherpas, 900 porteurs.

1re réussite versant tibétain : *printemps 1960,* 3 Chinois au sommet : Wang Fou Chou, Chou Ying Hua et sherpa tib. Gompa. Pas de détails publiés. **1re réussite par arête Ouest :** *22-5* T. Hornbein, W. Unsoeld et une cordée **via col Sud :** *1-5* J. Whittaker et Ngawang Gombu. *22-5* B. Bishop et J. Arstad. **1re traversée de l'arête O. au versant S.-E.** (appelée voie normale via col Sud) : *24-9-1975* Doug Scott et Dougal Haston (G.-B.). **1re victoire sans oxygène :** *8-5-1978* par Reinhold Messner (n. 17-9-44) et Peter Habeler (n. 22-7-42), par col Sud, vers. nép. **1re réussite hivernale :** *17-2-1980* Lesek Cichy (n. 1950) et Krzystof Wielicki (n. 1949) par col Sud (– 30° à – 60 °C, vent 150 km/h). **1re par la face nord :** *3-5-1980* Yasuo Kato (n. 1949). **1re réussite en solitaire :** *20-8-1980* Reinhold Messner. **1re par la face sud-ouest du Hidden Peak :** *2-5-1982* Valeri Khomitov, Vladimir Pytchkov et Youri Golodov. **1re réussite en solitaire et en moins de 24 h :** *27-9-1988* Marc Batard en 22 h 24'.

Karakorum ou Karakoram (massif), *1909,* exploration par le duc des Abruzzes. **Pic K2** (ou Mt Godwin Austen ou Chogo Ri en tibétain), le plus haut sommet du Karakorum, *31-7-1954* Compagnoni et Lacedelli après 4 tentatives (It.,), assaut 70 j. **8 586 Kangchenjunga,** *25-5-1955* Brown et Band (G.-B.), après 6 tentatives. Assaut 47 j. **8 516 Lhotse,** *18-5-1956* Luchsinger et Reiss (Suisse), assaut 45 j. **8 463 Makalu I,** *15-5-1955* Franco et éq. fr., assaut 47 j. **8 201 Cho Oyu,** *19-10-1954* Tichy (Autr.) et Pasang (Nép.), assaut 31 j. **8 172,** *13-5-1960* éq. austro-népalo-sui., assaut 52 j. **8 163 Manaslu,** *9-5-1956* (Japonais). Après 4 tentatives, assaut 50 j. **8 126 Nanga Parbat,** *3-7-1953* Hermann Buhl (Autr.) en solitaire, sans oxygène et sans équipement spécial. Après 10 tentatives, assaut 42 j. Env. 30 personnes moururent dans différentes tentatives. *1980 14-7* Hans Egel (All.) versant O., fait les derniers m en solitaire. **8 091 Annapurna I,** *3-6-1950* les Français : Maurice Herzog (n. 15-1-19), Louis Lachenal (1921-55), 1er 8 000 m conquis, assaut 18 j. *1980,* Yves Morin descendant à ski du sommet de l'Annapurna mourut suspendu à une corde fixe dans un passage délicat. **8 068 Gasherbrum I** ou **Hidden Peak,** *5-7-1958* (Amér.), assaut 36 j. *7-7-1956* Moravec (Autr.), assaut 46 j. **8 047 Broad Peak,** *9-6-1957* H. Buhl (Autr.), assaut 28 j. **8 013 Xixa Pangma** ou **Gosainthan,** *2-5-1964* (Chine), assaut 47 j. **7 816 Nanda Devi,** *1936* Tilman (Angl.). **7 710 Jannu** ou **Khumbakarnu,** *1962* Lionel Terray et équipiers français.

☞ Quelques records. **Montagne la plus haute encore inviolée.** Zemu Gap Peak (7 780 m) dans l'Himalaya, 31e sommet du monde. **Paroi la plus abrupte.** Face N.-E. du Half Dome, Yosemite (Californie, USA) 975 m de large sur 670 m de haut, ne s'écarte jamais de + de 14° de la verticale. Escaladée pour la 1re fois en 5 j par Royal Robbins, Jerry Galwas et Mike Sherrik, en juillet 1957. **Vitesse.** Marc Batard parcourut en une nuit 3 grands itinéraires dans l'envers du Mt-Blanc : la Major, la Sentinelle rouge et la Brenva. **Endurance.** Jacques Sangnier (46 ans) a franchi en courant 24 cols entre 2 000 et 3 200 m de l'Arc alpin en 20 étapes. Il a parcouru 580 km sur une dénivellation totale dépassant 24 000 m.

Quelques noms

☞ *Légende.* – (1) Fr. (2) Ital. (3) Autr. (4) All. féd. (5) USA. (6) N.-Zél. (7) Japon. (8) G.-B. (9) Suisse. (10) Pologne (11) Youg.

Alpinistes actifs. Jean AFANASSIEF [1] (1953). Yves ASTIER [1]. Louis AUDOUBERT [1]. Marc BATARD [1]. Pierre BEGHIN [1]. Patrick BERAULT [1]. Walter CECCHINEL [1]. Tomo CESEN [11]. David CHAMBRE [1]. Patrick CORDIER [1]. Jean COUDRAY [1], François DAMILANO [1]. Catherine DESTIVELLE [1]. Éric ESCOFFIER [1]. Michel FAUQUET [1]. Christine JANIN [1]. Ernest LORETAN. Reinhold MEISSNER [2] (17-9-44) ; en 1986, le 1er à avoir gravi les 14 sommets de l'Himalaya de plus de 8 000 m. Michel PIOLA [1]. Claude et Yves REMY [1]. Yannick SEIGNEUR. Jean-Baptiste TRIBOUT [1].

Les grands noms de l'alpinisme. Pierre ALLAIN [1] (n.c.). Jean-Marc BOIVIN [1] (1951-90). Walter BONATTI [2] (n. 22-6-1930). Chris BONINGTON [8] (n.c.). Hermann BUHL (1924-57) [4]. Riccardo CASSIN [2] (1909). Armand CHARLET [1] (1900-75). Emilio COMICI (1901-40) [2]. Jean COUZY [1] (1923-58). René DESMAISON [1] (1932). Hans DÜLFER (1893-1915) [5]. Jean FRANCO [1] (1917-72). Giusto GERVASUTTI [1] (1909-46). Peter HABELER [4]. John HARLIN [6] (1935-66). Anderl HECKMAIR (1906) [5]. Toni HIEBELER [5] (1927). Nicolas JAEGER [1] (1946-80). Yasuo KATO [7] (1949-82). Jerzy KUKUCZKA [10] (en 1987, égale le record de Messner, † 1989). Louis LACHENAL [1] (1921-55). Franc LOCHMATTER † (n.c.) [9]. George LEIGH MALLORY [8] (1886-1924). Albert Frédérick MUMMERY [8] (1855-96). Robert PARAGOT [1]. Georges PAYOT [1]. Giovanni BASTITA PIAZ [2] (1879-1948). Y. POLLET-VILLARD [1] (1929-81). Paul PREUSS [9] (1889-1913). Gaston REBUFFAT [1] (1921-85). Alan ROUSE [8] († 1986). RYAN [8]. Douglas SCOTT [8]. Lionel TERRAY [1] (1921-65). Willo WELZENBACH †. Edward WHYMPER [8] (1840-1911).

Motocyclisme

☞ Voir Motocyclette à l'Index.

Généralités

• Fédération française de motocyclisme. 74, avenue Parmentier, 75011 Paris. *Licenciés* (87) : 31 995.

• Marques célèbres. *Entre les 2 guerres,* marques britanniques : Sunbeam, Matchless A.J.S. (7 R. de 350 cc), Vélocette, Norton (500 cc « Manx »). *Après la guerre,* marques italiennes : Guzzi (250 cc, 350 cc), Gilera (500 cc), Meccanica Verghera (38 titres de champion du monde des constructeurs). *Depuis 1961 :* japonaises : Honda, Yamaha, Suzuki, Kawasaki.

• Records. **Vitesse. A l'heure.** 512,733 km/h de moyenne départ lancé (meilleur essai : 513,165 km/h) à Bonneville Salt Flats (Utah, USA) par Donald A. Vesco (USA, n. 8-4-39) le 28-8-1978 sur sa Lightning Bolt carénée de 6,4 m de long propulsée par 2 moteurs de 1 016 cc Kawasaki.

1 km lancé. En 13"90 (258,99 km/h) par Coluche (Fr., 1944-86), le 29-9-85 sur Yamaha 750 cc. **1 km départ arrêté.** En 16"68 (215,83 km/h) par Henk Vink (P.-Bas, n. 24-7-39), le 24-7-77 sur une Kawasaki 4 cylindres 984 cc à compresseur. **100 km départ arrêté.** En 25"44'74 (203,04 km/h) par Mike Hailwood (2-2-1964) sur MV-Augusta 500 cc. **1 000 km.** 205,933 km/h par les It. Mandracci, Patrignani, Trabalzini, le 30-10-1969 sur Guzzi. **Parcours.** 50 000 km en 19 j à 109,4 km/h par des officiers français sur une Yacco Gnome-et-Rhône à Montlhéry, du 19 juin au 8-7-1939. **Course.** G. Meier (All. féd.) BMW 215,6 km/h en 1934. **Saut.** Record 84, 30 m par Alain Prieur (Fr.) le 9-10-88 à Grenoble.

Plus longue distance sur circuit. 4 060 km (moy. 169,200 km/h) par les Français Jean-Claude Chemarin et Gérard Debrock les 17 et 18-8-74 sur une Honda 4 cylindres 860 cm³. **Endurance sur terrain de cross.** 61 h 54'47" par Alain Fieuw (Belg.) du 20 au 22-6-86 sur Yamaha TT 250 ; **tout terrain en double** (relais toutes les heures) : 100 h 58'12", les Français Joël Conductier (n. 29-3-59) et Philippe Hutin (n. 1955), 2 600 km sur Kawasaki 600 KLR (circuit de Beauvoisin, Gard) du 13 au 16-6-86.

Épreuves

• Origine. **1897** 1re course Paris-Dieppe. **1907**-*28-5* séries des Auto-cycle Union Tourist Trophy (île de Man, G.-B.). **1920** 1er Grand Prix en France.

• Types. **Courses. De côte.** Sur route. Les concurrents partent isolément toutes les minutes. Championnat de la montagne 50 à 125 cm³, 126 à 250 cm³, 251 à 500 cm³, 501 à 1 300 cm³, side-cars jusqu'à 500 cm³. **Sur glace.** Avec pneus équipés de longs clous, carburant alcool ou méthanol. **De vitesse.** Sur circuit fermé à revêtement dur et continu.

Enduro. Épreuve d'endurance et de régularité en terrain varié sur des sentiers forestiers ou des chemins de terre non carrossables. Comme le rallye : moyenne exigée et épreuves de vitesse.

Grass-track. Sur piste ovale, gazonnée. Les concurrents (4 ou 6) disputent plusieurs manches au nombre de tours limité.

Moto-ball. Dérivé du football, pratiqué sur des motos d'une cylindrée inférieure à 250 cm³. Se déroule en 4 périodes de 25-20-20-25 min. Équipe de 5 joueurs : 3 avants, 1 arrière, 1 gardien de but (1 ou 2 remplaçants devant être prévus).

Moto-cross. Sur une piste fermée et très accidentée avec de fortes dénivellations et variations de pentes.

Rallye (ou circuit de régularité). Sur route libre et non gardée, au kilométrage bien déterminé et aux horaires rigoureusement minutés. Comporte fréquemment une course de côte ou de vitesse pure pour départager les ex aequo.

Speedway. Sur piste ovale assez courte. Sol en cendrée, sable, terre, etc., pratiquement plat. 4 ou 6 pilotes lâchés ensemble tournent sur l'ovale en grand dérapage contrôlé. Motos : 500 cm³ monocylindriques dépourvues de boîte de vitesses.

Trial. Parcours de 80 à 120 km (souvent une boucle, à parcourir 2 ou 3 fois) parsemés d'obstacles naturels. Une moyenne de 20 km/h est imposée. En arrivant à une *zone contrôlée* (ou *non-stop*), le pilote va reconnaître le terrain à pied. *Pénalisations* (points) : pied posé au sol : 1 ; poser 2 fois le pied : 2 ; plusieurs touchés des pieds : 3 ; chute ou arrêt dans le non-stop avec les 2 pieds au sol : 5 ; par minute de retard à l'arrivée : 0,1. En cas d'ex aequo, on tient compte du plus grand nombre de non-stop réussis sans faute et, au besoin, des non-stop exécutés avec un pied au sol ou plusieurs touchés des pieds au sol.

Quelques résultats

☞ *Légende.* – (1) Espagne. (2) P.-Bas. (3) All. féd. (4) Suède. (5) G.-B. (6) Finlande. (7) Italie. (8) Suisse. (9) Canada. (10) Venezuela. (11) Australie. (12) USA. (13) Belgique. (14) URSS. (15) France. (16) Japon. (17) Afr. du S. (18) Brésil. (19) Autr. (20) N.-Zélande. (21) Irlande.

A : Amstrong. Ap : Aprillia. B : Bultaco. Be : Beta. C : Cobas. Ca : Caviga. D : Derbi. F : Fantic. G : Garelli. H : Honda. I : Italjet. K : Kawasaki. Kr : Kreidler. Krau : Krauser. M : Minarelli. Mo : Motobécane. Mon : Montessa. Mor : Morbidelli. O : Ossa. P : Pernod. Po : Portal. S : Suzuki. St : Stock exp. Y : Yamaha. Z : Zundapp.

• **Bol d'Or.** *Créé* 1922, abandonné de 61 à 68, repris en 69. Course de vitesse toutes catégories, qui dure 24 h. **Lieux : 22** Vaujours (près de Livry-Gargan), **23 à 26** St-Germain (C. des Loges), **27** Fontainebleau, **28 à 39** St-Germain (C. de la ville), **47 à 51** St-Germain, **52 à 60, 69-70** Montlhéry, **dep. 71** Le Mans, puis Le Castellet. **Palmarès : 80** P.-E. Samin [15], F. Gross [15] (S) 3 515,5 km, 147,797 km/h. **81** D. Sarron [15], J.-C. Jaubert [15] (H) 3 544,1 km, 147,555 km/h. **82** J. Lafond [15], H. Guilleux [15], P. Igoa [15] (K) 3 637 km, 151,75 km/h. **83** R. Roche [15], G. Bertin [15], D. Sarron [15] (H) 3 607,6 km, 150,693 km/h. **84** J.-P. Oudin [15], P. de Radiguès [13] (S), moy. 126,313 km/h. **85** Coudray-Igoa-Vieira [15] (H), moy. 153,622 km/h. **86** D. Sarron-Bolle-Battistini [15] (H), moy. 157,690 km/h. **87** D. Sarron-Battistini-Mattioli [15] (H), moy. 160,396 km/h. **88** Sarron-Vieira-Bouheben [15] (H) moy. 156,148 km/h. **89** Vieira [15]-Matioli [15]-Burnett [5] (H), moy. 150,659 km/h. **90** Vieira [15]-Mattioli [15]-Mertens [13] (H), moy. 143,883 km/h ; 2ᵉ Crine-Bolle-Battistini [15] (K) ; 3ᵉ Morillas-Delcamp-Lavieille [15] (K) ; carambolage : 2 †, 4 bl.

• **24 h du Mans.** *Créées* 1978. Classement à la distance. **80** Fontan-Moineau [15] (H), 3 192,72 km, 133,039 km/h. **81** Huguet-Chemarin (K), 3 300,11 km, 137,504 km/h. **82** Samin-Pernet (S), 3 239 km, 135,29 km/h. **83** Cornu-Coudray-Pellandini (K 1 000 J), 3 057 km, 127,37 km/h. **84** Van der Mark-Brand [2] (S), 3 277,397 km, 136,558 km/h. **85** Bertin [15]-Millet [15]-Guichon [15] (S), 137,976 km/h. **86** Coudray-Igoa-Vieira [15] (H), 132,493 km/h. **87** Sarron-Battistini-Mattioli [15] (H), 130,201 km/h. **88** Vieira-Bouheben-Mattioli [15] (H), 131,610 km/h. **89** Vieira [15]-Mattioli [15]-Burnett [5] (H). **90** Vieira [15]-Mattioli [15]-Mertens [13] (H), **91** Monneret [15]-Bonhuil [15]-Nicotte [15] (H), 2ᵉ Crine [15]-Morisson [5]-Moore [12] (K), 3ᵉ Vieira [15]-Duhamel [9]-Battistini [15] (K).

• **Paris-Dakar.** Voir Automobile.

• **Tour de France.** *Créé* mai 1973. **80** Husson (H) 34 h 37'34". **81** Chevelle (K) 34 h 22'59". Pas organisé depuis 1982.

• **Championnats du monde.** *Créés* 1949. Grands Prix : épreuves disputées à l'échelon mondial, regroupant les catégories 50 (dep. 1962), 80, 125, 250, 500 + side-car 500. Attribution des points pour les 10 premiers de chaque course : 15, 12, 10, 8, 6, 5, 4, 3, 2, 1. Total portant sur les points obtenus dans un certain nombre de Grands Prix (en général, la moitié des épreuves plus une). Parallèlement, *champ. du monde des constructeurs* (même formule), sans tenir compte des pilotes.

Modifications du règlement technique. 1949 interdictions de tout système d'alimentation forcée de type compresseur, d'utiliser un autre carburant que celui vendu dans le commerce. *1958* interdiction des carénages intégraux. *1970* interdiction (pour les 125 et 250 cc) d'utiliser des moteurs de plus de 2 cylindres et des boîtes de vitesses de plus de 6 rapports.

50 cm³ (*Créés* 1962), **puis 80 cm³ dep. 84. 80** E. Lazzarini [7] (Kr). **81** R. Tormo [1] (B). **82** S. Dörflinger [8] (MBA). **83** Dörflinger [8] (Kr). **84** Dörflinger [8] (Z). **85** Dörflinger [8] (Krau). **86, 87, 88** Martinez [1] (D). **89** Herreros [1] (D). **Dep. 90** non disp.

125 cm³. *Créés* 1949. **80** P. Bianchi [7] (MBA). **81** A. Nieto [1] (M). **82, 83, 84** A. Nieto [1] (G). **85** F. Gresini (G). **86** Cadalora [7] (G). **87** Gresini [7] (G). **88** Martinez [1] (D). **89** Criville [1] (C). **90** Capirossi [7] (H).

250 cm³. *Créés* 1949. **80, 81** Mang [3] (K). **82** J.-L. Tournadre [15] (Y). **83** C. Lavado [10] (Y). **84** C. Sarron [15] (Y). **85** F. Spencer [12] (H). **86** C. Lavado [10] (Y). **87** A. Mang [3] (H). **88, 89** Pons [1] (H). **90** Kocinski [12] (Y).

350 cm³. *Créés* 1949. **80** J. Ekerold [17] (Y). **81, 82** A. Mang [3] (K). Catégorie supprimée en 83.

500 cm³. *Créés* 1949. **80** K. Roberts [12] (Y). **81** M. Lucchinelli [7] (S). **82** F. Uncini [7] (S). **83** F. Spencer [12] (H). **84** Lawson [12] (Y). **85** F. Spencer [12] (H). **86** Lawson [12] (Y). **87** Gardner [11] (H). **88** Lawson [12] (Y). **89** Lawson [12] (H). **90** Rainey [12] (Y).

F 1. 80, 81 Crosby [20] (S.). **82, 83, 84, 85, 86** Dunlop [21] (H). **87** Ferrari [7] (Y). **88** Fogarty [5] (H). **89** non disputé.

Side-cars. *Créés* 1949. **80** Taylor [3]-Johnsson [4] (Y). **81** Biland-Waltisperg [8] (Y). **82** W. Schwärzel/Huber [3] (Y). **83** Biland-Waltisperg [8] (Y). **85** Schwarzel-Buck [3] (Y). **84, 86** Streuer-Schnieders [2] (Y). **87, 88, 89** Webster-Hewitt [5] (Krau). **90** Michel [15]-Birchall [5] (Krau).

750 cm³ (prix FIM). *Créés* 1977. Pas de ch. dep. 1980.

Endurance. *Créés* 1980. **80** Fontan-Moineau [15] (H). **81** Roche-Lafond [15] (H). **82** Chemarin [15]-Cornu [8] (K). **83** Moineau [15]-Hubin [13] (S). **84** Igoa-Coudray [15] (H). **85, 86** Igoa-Coudray-Vieira [15] (H). **87, 88** Moineau-Le Bihan-Crine (S). **89** Vieira-Mattioli-Burnett (H).

Moto-cross. 500 cm³. *Créés* 1957. **80, 81** A. Malherbe [13] (H). **82** B. Lackey [12] (S). **83** H. Carlqvist [6] (Y). **84** A. Malherbe [13] (H). **85, 86** Thorpe [5] (H). **87** Jobé [2] (H). **88** E. Geboers [13] (H). **89** Thorpe [5]. **90** Geboers [13] (H). **250 cm³.** *Créés* 1962. **80** Jobe [13] (S). **81** N. Hudson [5] (Y). **82** D. Laporte [12] (Y). **83** G. Jobe [13] (S). **84, 85** H. Kinigadner [19] (KTM). **86** J. Vimond [15] (H). **87** E. Gebœrs [13] (H). **88, 89** Bayle [15] (H). **90** Puzar [7] (S). **125 cm³.** *Créés* 1975. **80, 81** Everts [13] (S). **82, 83** E. Geboers [13] (S). **84** M. Rinaldi [7] (S). **85** Vehkonen [6] (Ca). **86** Strijbos [2] (Ca). **87, 88** Van den Berk [2] (Y). **89** Parker [16] (KTM). **90** Schmit [12] (S). **Side-cars.** *Créés* 1980. **80** Böhler-Müller. **81** Van Heugten-Kiggen. **82, 83** Bollhalder-Büsser. **84, 85, 86, 87** Bächtold-Fuss. **88, 89** Huesser-Huesser.

Trial. *Créés* 1975. **80** U. Karlson [4] (Mon). **81** G. Burgat [15] (SWM). **82, 83, 84** E. Lejeune [13] (H). **85, 86** T. Michaud [15] (F). **87** J. Tarres [1] (Be). **88** Michaud [15] (F). **89, 90** Tarres [1] (Be).

• **Championnats de France.** *Créés* 1960.

Vitesse. Internationaux 750 cm³. 80 P. Pons (Y), **81** M. Fontan (Y) (plus de catégorie 750). **500. 82** Fontan (Y). **83** L.L. Maisto (S). **84** Moineau (O). **85** C. Sarron (Y). **86** Roche. **87** C. Sarron (Y). **88** R. Nicotte. **89** B. Gitton. **90** Lecointe. **250. 80** T. Espié (Y). **81** J.-F. Balde (K). **82** Bolle (Y). **83** C. Sarron (Y). **84** C. Sarron (Y). **85, 86** J.-F. Baldé (P). **87** D. Sarron (H). **88** B. Bonhuil. **89**. A. Morillas. **90** Jeandat (H). **125. 80** G. Bertin (Mo). **81** J. Bolle (Mo). **82** Selini. **83, 84, 85, 86, 87, 89** J.C. Selini (MBA). **90** Ciffréo (H). **80. 83** Ph. Linarès (K). **87** JM Veulay. **85, 87** Bordes (SCRAB). **50. 80** J. Hutteau (ABF). **81, 82** P. Kambourian (St). **Side-cars 80** Y. Trolliet-D. Vernet (Y). **81** A. Michel-M. Burckart (Y). **82** Burckart-Tergella. **83** A. Michel-C. Ronchaud (Y). **84, 85, 86, 87** Michel-Fresc (Krau). **88** Golemba/Robert-Baillon. **89** Millet-Debroux. **90** Millet-Debroux. **Production. 86** Delcamp (S). **87** Vieira (H). **88** Crine (S). **89** Vieira (H). **90** Mounier (Y).

Nationaux 750. 80 A. Magro (Y). **81** P. Bissiana (Y) (plus de cat. 750). **500. 80** pas de champion. **82** Meyer (S). **83** C. Titone (S). **84** D. Dalet. **85, 86, 87** C. Sarron (Y). **88** C. Arciero. **89** P. Ramassamy. **90** Dia. **250. 80** J.-L. Albera (Y). **81** B. Piaton (K). **82** Calatayud (A). **83** J. Onda (Y). **84** G. Olla (Y)-C. Couturier (A). **85** Baldé et Mattioli (Y). **86** Mattioli (Y). **87** Ruggia. **88** D. Bordeaux. **89** A. Dua. **90** A. Morillas. **125. 80** F. Michel (MBA). **81** R. Gaillard (Mor). **82** Lagrive (MBA). **83** E. Quartararo (MBA). **84** Ph. Jault (Mor). **85** Payraudeau (MBA). **86** Daudier. **80. 83** Th. Bonpais. **84** F. Raoul. **85** Selini (MBA). **86, 87** Bordes. **88** J. Jeandat. **89** O. Prion. **90** Ciffréo (Mor). **50. 80** J.-M. Van Pé (K). **81** P. Linares (SWM). **82** Vanzetto (Mor). **Sides-car 80** P. Thomas-J.-M. Fresc (Y), **81** D. Lacour-P. Marais (Y). **82** Gomez-Guilbaud (Y). **83** Nigrowsky-Bigot (Y). **84** Bouzigue-Gamba (Y). **85, 86, 87** Michel-Fresc (Kr). **88** Lacour-Marais. **89** Lacour-Carrière. **90** Hériot-Hésiot.

Moto-cross. Internationaux 500 cm³. 80, 81 J.-J. Bruno (S). **82** Boniface (H). **83** P. Fura (HVA). **84** J.-P. Mingels (Y). **85** J.-J. Bruno (K). **86** Y. Gervaise. **87** C. Vimond. **88** Vimond (Y). **89** J. Vimond [10]. **250. 80** J.-M. Baron (Po). **81** P. Fura (HVA). **82** Vimond (Y). **83** Y. Kervella (KTM). **84** J. Vimond (Y). **85** J. Vimond (Y). **86** Gervaise (KTM). **87** Vimond (H). **88, 89** Kiervella (H). **125. 80, 81** J. Vimond (Y). **83** P. Perrier (Y). **84** J.-L. Fouchet (Y). **85** C. Vimond (H). **86** P. Perrier (H). **87, 88** J.-M. Bayle (H). **89** Y. Demaria (Y). **Side-cars**

Trial. Internationaux 81 G. Burgat (SVM). **82** Burgat (F). **83** Th. Michaud (I). **84** P. Berlatier (I). **85, 86, 87, 88, 89** T. Michaud (SWM). **90** Berlatier (Be). **Nationaux 80** G. Burgat (SWM). **81** T. Michaud (SWM). **82** Couturier (F). **83** Ph. Berlatier (I). **84, 86, 87, 88** T. Michaud (SWM). **89, 90** Pradier (Ap).

Enduro. Internationaux plus de 125 cm³. 80 P. Drobecq (HVA). **81** J. Queirel (KTM). **82** Moralès (HVA). **83, 84, 85** G. Lalay (H). **Moins de 125. 80** Y. Cadoret (F). **81** G. Lalay (SWM). **82** G. Lalay (M). **83, 84** F. Crespo (H) **85** P. Poyard (Ap). **Dep. 1986,** nouvelles catégories : *scratch :* Moralès. *125 :* Chabanette. *250 :* Moralès. *500 :* Hansel.

• **Enduro du Touquet.** *Créé 1974.* **82, 83, 84, 85, 86** Van der Ven [2] (KTM). **87** Persson [4] (Y). **88, 89, 90** Geboers [13] (H). **90** non disp.

• **ISD 1980** (France). *Argent* D. Delavault, G. Francru. **1981** (Italie). *Or* G. Francru, Y. Kervella, P. Povard ; *argent* F. Debussy, C. Linder. **1982** (Tchéc.). *Or* F. Guérand ; *argent* D. Chabanette, Th. Charbonnier, J.-P. Charles ; *bronze* G. Albaret, D. Lacroix. **1983** (Angl.). *Or* Gilles Lalay, M. Morales ; *argent* P. Poyard, Th. Magnaldi, M. Roche ; *bronze* D. Chabanette, Th. Castan, Th. Viardot, D. Tirard, Ph. Vellas, J.F. Canier, D. Comte, D. Simon, Th. Charbonnier, J.P. Charles, G. Albaret. **1984** (Hollande). *Or* Gilles Lalay ; *argent* G. Albaret, E. Berthet-Rayne, A. Boissonnade, T. Castan, J.-P. Charles, F. Guérand, M. Morales, S. Peterhansel, P. Poyard, D. Tirard, T. Viardot ; *bronze* T. Charbonnier, J.-P. Raymond, M. Roche.

Quelques noms

AGOSTINI, Giacomo (It., 11-6-42). BALDÉ, Jean-François (Fr., 20-11-50). BAYLE, J.-Michel (Fr., 1-4-69). BERTIN, Guy (Fr., 1954). BURGAT, Gilles (Fr., 1961). CALDORA, Luca (It., 17-5-63). CHEMARIN, Jean-Claude (Fr., 6-5-52). FONTAN, Marc (Fr., 26-10-56). GARDNER, Wayne (USA, 11-10-59). GOBERS, Eric (Belg., 5-8-62). HAILWOOD, Mike (G.-B., 1940-81). IGOA, Patrick (Fr., 1959). KOCINSKI, John (USA, 20-3-68). LALAY, Gilles (Fr., 21-3-62). LAWSON, Eddie (USA, 3-11-58). MALHERBE, André (Belgique, 1957). MAMOLA, Randy (USA, 10-11-59). MANG, Anton (All. féd., 29-9-49). MARTINEZ, Jorge (Esp.). MATTIOLI, J.-Michel (Fr., 20-12-59). MICHAUD, Thierry (Fr., 11-9-63). MILLER, Samuel Hamilton (G.-B., 11-11-35). MORALES, Marc (Fr., 12-3-58). NEVEU, Cyril (Fr., 20-9-56). NIETO, Angel Roldan (Esp., 25-1-47). ORIOLI, Eddy (Fr., 5-12-62). PARNELL, Keith (G.-B., 1936). PONS, Patrick (Fr., 1952-80). PONS Sito (Esp., 9-11-60). RAINEY, Wayne (USA 23-10-60). READ, Phil (G.-B., 1-3-39). REDMAN, James A. (Rh., 8-11-31). ROBERT, Joël (B., 23-10-43). ROBERTS, Kenny (USA, 31-12-51). ROUGERIE, Michel (Fr., 1950-81). RUGGIA, J.-Philippe (Fr., 20-10-65). SARRON, Christian (Fr., 27-3-55). SARRON, Dominique (Fr., 27-8-59). SHEENE, Barry (G.-B., 11-9-50). SMITH, Jeffrey Vincent (G.-B., 14-10-34). SPENCER, Freddie (USA, 20-12-61), STRIJBOS, Dave (P.-Bas, 8-11-67). SPENCER, Freddie

(U.S.A., 20-12-61), Thorpe, David (G.-B., 29-10-62), Van der Ven, Kees (P.-B.), Veira, Alex (Fr., 14-12-56), Vesco, Don (U.S.A., 8-4-39). Vimond, Jacky (Fr., 18-7-61).

Motonautisme

Généralités

Source : Union internationale motonautique.

• **Origine.** **1887** Gottlieb Daimler fit la 1re démonstration de bateau à moteur à essence. **V. 1889** création de l'Hélice Club de France. **1903** 1re course en pleine mer (Calais-Douvres) et premier championnat international. **1908** création de l'Association internationale de yachting automobile. **1922** création de la Féd. fr. de motonautisme.

• **Bateaux.** 2 catégories : *en-bord* (moteur fixé à l'intérieur de la coque) et *hors-bord* (moteur fixé sur le tableau arrière, la partie mécanique et l'hélice étant immergée).

Séries internationales. En-bord course (ex-racers). Caréné : coque, moteur et carburant libres. **R1** (moins de 1 000 cm³), **R2** (1 000 à 1 500), **R3** (1 500 à 2 000), **R4** (2 000 à 2 500), **R5** (2 500 à 5 000), **R6** (5 000 à 7 000), **Roo** (+ de 7 000).

En-bord sport. Caréné ; coque libre. **S1** (long. 4,25 m, larg. 1,40 m, moins de 1 000 cm³), **S2** (4,50, 1,50, 1 000 à 1 500), **S3** (4,50, 1,50, 1 500 à 2 000), **S4** (5, 1,50, 2 000 à 2 500), **S5** (5,25, 1,55, 2 500 à 5 000), **S6** (6, 1,60, 5 000 à 7 000), **Soo** (6,25, 1,70, + de 7 000).

Hors-bord course. Caréné ; coque, moteur et carburant libres. **OJ** (moins de 175 cm³), **OA** (175 à 250), **OB** (250 à 350), **OC** (350 à 500), **OD** (500 à 700), **OE** (700 à 850), **OF** (850 à 1 000), **OI** (1 000 à 1 500), **ON** (1 500 à 2 000), **Ooo** (+ de 2 000).

Hors-bord sport. Caréné ; coque libre. **SJ** (long. 3 m, larg. 1,10, haut. 0,30, moins de 175 cm³), **SA** (3,50, 1,30, 0,30, 175 à 250), **SB** (3,50, 1,30, 0,35, 250 à 350), **SC** (3,75, 1,30, 0,30, 350 à 500), **SD** (4, 1,35, 0,40, 500 à 700), **SE** (4,25, 1,40, 0,40, 700 à 850), **SF** (4,25, 1,40, 0,45, 850 à 1 000), **SI** (4,50, 1,50, 0,45, 1 000 à 1 500), **SN** (4,50, 1,50, 0,45, 1 500 à 2 000), **SZ** (5, 1,50, 0,45, + de 2 000).

Pneumatique hors-bord. P3 long. 3,70, larg. 1,60, 65 kg, max. 550 cm³). **P4** (4,20, 1,70, 75, 551 à 750).

Courses

• **Courses principales. Off shore.** *Championnats du monde :* Trophée Sam Griffith (créé 1967, devient en 1976 les champ. du monde). *Championnats d'Europe* (classes 1 et 2, créés 1964, classe 3). *Gd Prix Allemagne fédérale. Championnats continentaux :* épreuves Dauphin d'or (créé 1965, chaque année en août), *Viareggio-Bastia-Viareggio* (créé 1964, Italie, juillet), *Cowes-Torquay* (créé 1962, G.-B., août), *Naples-Messine* (créé 1975, It., juillet).

En circuit. *Coupe d'Europe. Coupe du monde. Championnat continental d'endurance. Championnats du monde. Trophée Buysse* (créé 1961). *Trophée Boucquey* (créé 1977). *6 heures de Paris* (1er dimanche d'octobre). *Harmsworth Cup* (créé 1903). *Coupe d'Europe, Grand Prix des Nations. Canon Trophy. Record de vitesse en pleine mer. 24 h de Rouen* (créés 1962, 1er mai). *6 h d'Avignon.*

• **Course la plus longue.** Marathon off shore de Londres à Monte-Carlo qui se courut sur 2 947 milles (4 742 km) en 14 étapes du 10 au 25-6-1972. *Vainqueurs* Mike Bellamy, Eddie Charter et Jim Brooks en 71 h 35′56″ (moyenne 66,240 km/h) sur un canot anglais H.T.S.

• **Championnat du monde. 1990. Classe O : 250** P. Konig [2], **350** T. Trombetta [8], **500** J. Jordanov [26], **700** P. Krage [2], **OSY 400** C. Knape [2]. **Classe S** : **550** S. Pennanen [6], **750** Roggiero [8], **850** Horntvedt [13]. **Classe T** : **400** F. Sunsdal [23], **550** Cavalloni [8], **750** M. Betancor [27], **850** G. Bonandrini [8]. **Classe F** : **1, 3, 500, 850** L. Strom [11]. **Offshore classe : II** N. Holmes [7], **cl. III** 1 1 N. Holmes [7], **cl, III 1,3 l** Hagglund [6].

• **Championnats d'Europe. 1990. Classe O : 250** Marszalek [20], **350** L. Volenter [21], **500** L. Volenter [21], **700** T. Steineder [15], **OSY 400** A. Chessman [7]. **Classe S** : **550** S. Pennanen [6], **750** Roggiero [8], **850** D. Giggins [7]. **Classe T : 400** N Tibblis [11], **750** A. Moors [7], **850** M. Betancor [27], **Classe F : 500** L. Volenter [21], **850** D. Giggins [7]. **Offshore : Classe I A.** Spelta [8], **II** Uglan [23], **III 1 l** Grimaldi [8], **III 1,3 l** P. Little [7], **III 21** P. Lister [7], **III 4 l** Corti [8], **III 6 l** Marino [8].

• **Courses pour bateaux de plaisance. Trophée Mario Agusta.** *Créé* 1973. Attribué au motonaute qui a parcouru, dans l'année, avec le même bateau, le plus grand nombre de milles marins en un ou plusieurs déplacements, en mer ou sur rivière. *Vainqueurs.* **1973** G. Supparo [8] ; **74** Ervin Pales [12] ; **75** Jiri Fiala [12] ; **76** Jozef Medvecki [12] ; **78** Nihil [12] ; **79** J. Medvecki [12] ; **80** F. Szekeres ; **83, 84, 85** J. Medvecki [12] ; **86, 87** A. Medvecka.

Trophée croisière Sanz Pinal. *Créé* 1973. Attribué au motonaute ayant parcouru la plus longue distance lors d'une croisière individuelle de 30 j. max. *Vainqueurs.* **1973** Jan Rudolph Van Bennekum [13] ; **74** I.J. van Haren [13] ; **75** Giovanni Supparo [8] ; **76** Carl-August Aweh [2] ; **77, 78** Nihil [12] ; **79** A.M. Westerhout [12] ; **80** I. Schuster ; **83** J. Horyna ; **84** J. Chmelar [12] ; **85, 86, 87** J. Horyna.

Records du monde de vitesse

Vitesse en km/h, année, canot et pilote.

• **Propulsion classique. 149,35** *1928 :* Miss America VII Gar Wood [1]. **158,80** *30 :* Miss England II Henry Segrave [1]. **166,51** *31 :* Miss England II Kaye Don [2]. **177,38** *32 :* Miss America IX Gar Wood [1]. **192,68** Miss England III Kaye Don [2]. **200,90** Miss America X Gar Wood [2]. **208,40** *37 :* Blue Bird Malcolm Campbell [2]. **210,68** *38.* **228,10** *39 :* Blue Bird II Malcolm Campbell [22]. **258,01** *50 :* Slo-Mo-Shun IV Stan S. Sayres [21]. **287,26** *52.* **296,95** *57 :* Miss Supertest II A.C. Asbury [3]. **302,14** Hawaii-Kaï III Jack Regas [21]. **314,35. 322,54** *62 :* Miss U.S. 1 (Staudach/Merlin) Ray Duby [1].

Par réaction (fusées-jets). 325,61 *1955 :* Blue Bird Donald Campbell [2]. **348,02. 363,12** *56.* **384,74** *57.* **400,18** *58.* **418,98** *59 :* Blue Bird III Donald Campbell [2]. **444,72** *64 :* Blue Bird IV Donald Campbell [2]. **459** *67 :* Hustler Lee Taylor [1]. **464,45** *77.* **511,18** *78 :* Hydroplane Westinghouse Ken Warby [10] **514,389.**

Par hélice aérienne. 120,53 *1923 :* Marcel Besson *Canivet* [4]. **137,87** *24 :* Hydroglisseur Farman *J. Fischer* [4]. **155,87** *51 :* Centro Spar Venturi [5]. Classe périmée.

Par diesel. *Vitesse* **218,26,** *1985 :* Carlo Bonomi [8]. *Fond* **157,84,** *1986 :* C. Bonomi [8]. *1 heure* **151,53,** *1986 :* C. Bonomi [8]. *2 heures* **144,46,** *1978 :* F. Buzzi [8].

• **Hors-bord de course classe 0I. 210,90** *1966 :* Starflite 4 (Mc Donald) Gerry Walin.

• **F 3 000 S. 196,65** *1990 :* B. Wik.

Nota. – Le 4 janvier 1967, D. Campbell, avant de se tuer, avait atteint 515 km/h.

Légende. – (1) URSS. (2) All. féd. (3) France. (4) USA. (5) Suisse. (6) Finlande. (7) G.-B. (8) Italie. (9) Argentine. (10) Australie. (11) Suède. (12) Tchécoslovaquie. (13) P.-Bas. (14) Brésil. (15) Autriche. (16) Japon. (17) All. dém. (18) Belgique. (19) Yougoslavie. (20) Pologne. (21) Hongrie. (22) Danemark. (23) Norvège. (24) Chine. (25) Norvège. (26) Bulgarie. (27) Espagne.

Natation

Origine. Pratiquée de tout temps. **1603** au Japon, obligatoire dans les écoles. **Fin XVIIIe s.** à la mode en G.-B. **1837** 1res courses en Angleterre. **1858-*9-2*** *compétitions internationales à Melbourne (Australie).* **1896** admise aux 1ers J.O. **1899** 1er championnat de France. **1908** création de la Fédération intern. de nat. amateur, **1920** de la Fédération fr. de nat. et de sauvetage.

Principales épreuves

☞ *Légende.* – (1) USA. (2) Austr. (3) Fr. (4) Suède. (5) It. (6) P.-Bas. (7) All. féd. (8) All. dém. (9) Afr. du S. (10) Hongrie. (11) URSS. (12) Écosse. (13) Japon. (14) G.-B. (15) Canada. (16) Finl. (17) Tchéc. (18) Danemark. (19) Allemagne (avant 1945 et depuis 1990). (20) Belgique. (21) Yougosl. (22) Brésil. (23) Bulgarie. (24) Roumanie. (25) Pologne. (26) Espagne. (27) Chine. (28) Surinam.

• **Jeux olympiques.** Voir page 1801.

Championnats du monde

(*Créés* 1973, tous les 4 ans)

• **Hommes. Nage libre. 50 m : 86** Jager [1] 22″16. **100 m : 73** Montgomery [1] 51″708. **75** Coan [1] 51″25. **78** Mc Cagg [1] 50″24. **82** Woithe [8] 50″18. **86** Biondi [1] 48″94. **91** Biondi [1] 49″18. **200 m : 73** Montgomery [1] 1′53″02. **75** Shaw [1] 1′51″04. **78** Forrester [1] 1′51″02. **82** Gross [7] 1′49″84. **86** Gross [7] 1′47″92. **91** Lamberti [5] 1′47″27. **400 m : 73** De Mont [1] 3′58″18. **75** Shaw [1] 3′54″88. **78** Salnikov [11] 3′51″94. **82** Salnikov [11] 3′51″30. **86** Henkel [7] 3′50″5. **91** Hoffmann [19] 3′48″04. **1 500 m : 73** Holland [1] 15′31″859. **75** Shaw [1] 15′28″92. **78** Salnikov [11] 15′3″99. **82** Salnikov [11] 15′1″77. **86** Henkel [7] 15′5″31. **91** Hoffmann [19] 14′50″36. **25 km : 91** Hundeby [1] 5h 1′45″78.

Dos. 100 m : 73 Matthes [8] 57′477. **75** Matthes [8] 58′15. **78** Jackson [1] 56″36. **82** Richter [8] 55″95. **86** Polianski [11] 55″58. **91** Rousse [1] 55′23. **200 m : 73** Matthes [8] 2′1″87. **75** Verreszto [10] 2′5″05. **78** Vassallo [1] 2′2″16. **82** Carey [1] 2′0″82. **86** Polianski [11] 1′58″78. **91** Lopez-Zubero [26] 1′59″52.

Brasse. 100 m : 73 Hencken [7] 1′4″23. **75** Wilkie [14] 1′4″26. **78** Kusch [7] 1′3″56. **82** Lundquist [1] 1′2″75. **86** Davis [15] 1′2″71. **91** Rozza [10] 1′1″45. **200 m : 73** Wilkie [14] 2′19″28. **75** Wilkie [14] 2′18″23. **78** Nevid [1] 2′18″37. **82** Davis [15] 2′14″77. **86** Szabo [10] 2′14″27. **91** Barrowman [1] 2′11″23.

Papillon. 100 m : 73 Bobertson [15] 55″69. **75** Jagenburg [1] 55″63. **78** Bottom [1] 54″30. **82** Gribble [1] 53″88. **86** Moralès [1] 53″54. **91** Nesty [28] 53″29. **200 m : 73** Backaus [1] 2′3″32. **75** Forrester [1] 2′1″95. **78** Bruner [1] 1′59″38. **82** Gross [7] 1′58″95. **86** Gross [7] 1′56″53. **91** Stewart [1] 1′55″69.

4 nages. 200 m : 73 Larsson [4] 2′8″36. **75** Hargitay [10] 2′7″72. **78** Smith [15] 2′3″65. **82** Sidorenko [11] 2′3″30. **86** Darnyi [10] 2′1″57. **91** Darnyi [10] 1′59″36. **400 m : 73** Hargitay [10] 4′31″11. **75** Hargitay [10] 4′32″57. **78** Vassallo [1] 4′20″05. **82** Prado [22] 4′19″78. **86** Darnyi [10] 4′18″98. **91** Darnyi [10] 4′12″36.

Relais. Nage libre. 4 × 100 m : 73 USA 3′27″18. **75** USA 3′24″85. **78** USA 3′19″74. **82** USA 3′19″26. **86** USA 3′19″89. **91** USA 3′17″15. **4 × 200 m : 73** USA 7′33″22. **75** All. féd. 7′39″44. **78** USA 7′20″82. **82** USA [1] 7′21″09. **86** All. dém. 7′15″91. **91 All.** 7′13″50. **4 nages. 4 × 100 m : 73** U.S.A. 3′49″49. **75** USA 3′49″. **78** USA 3′44″63. **82** U.S.A. 3′40″84. **86** USA 3′41″25. **91** USA 3′39″66.

• **Dames. Nage libre. 50 m : 86** Costache [24] 25″28. **91** Zhuang [26] 25″47. **100 m : 73** Ender [8] 57″542. **75** Ender [8] 56″50. **78** Krause [8] 55″68. **82** Meineke [8] 55″79. **86** Otto [8] 55″5. **91** Haislett [1] 55″17. **200 m : 73** Rothammer [1] 2′4″99. **75** Babashoff [1] 2′2″50. **78** Woodhead [1] 1′58″53. **82.** Verstappen [6] 1′59″53. **86** Fredrich [8] 1′58″26. **91** Lewis [2] 2′0″48. **400 m : 73** Greenwood [1] 4′20″28. **75** Babashoff [1] 4′16″87. **78** Wickham [2] 4′06″28. **82** Schmidt [8] 4′8″98. **86** Friedrich [8] 4′7″45. **91** Evans [1] 4′8″63. **800 m : 73** Galligaris [5] 8′52″973. **75** Turrall [2] 8′44″75. **78** Wickham [2] 8′24″94. **82** Linehan [1] 8′29″48. **86** Strauss [8] 8′28″24. **91** Evans [1] 8′24″05. **25 km : 91** Taylor-Smith [2] 5h 21′5″53.

Dos. 100 m : 73 Richter [8] 1′05″427. **75** Richter [8] 1′3″30. **78** Jezek [1] 1′2″55. **82** Otto [8] 1′1″30. **86** Mitchell [1] 1′1″74. **91** Egerszegi [10] 1′1″78. **200 m : 73** Belote [1] 2′20″52. **75** Treiber [8] 2′15″46. **78** Jezek [1] 2′11″93. **82** Sirch [8] 2′9″91. **86** Sirch [8] 2′11″37. **91** Egerszegi [10] 2′9″15.

Brasse. 100 m : 73 Vogel [1] 1′13″748. **75** Anke [1] 1′12″73. **78** Bogdanova [11] 1′10″31. **82** U. Geweniger [8] 1′9″14. **86** Gerasch [8] 1′8″11. **91** Frame [2] 1′8″81. **200 m : 73** Vogel [8] 2′40″01. **75** Anke [8] 2′37″25. **78** Kachushite [11] 2′31″42. **82** Varganova [11] 2′28″82. **86** Hoerner [8] 2′27″40. **91** Volkova [11] 2′29″53.

Papillon. 100 m : 73 Ender [8] 1′2″531. **75** Ender [8] 1′1″24. **78** Pennington [1] 1′0″20. **82** Meagher [1] 59″41. **86** Gressler [8] 59″51. **91** Hong [27] 59″68. **200 m : 73** Kother [8] 2′13″76. **75** Kother [8] 2′13″82. **78** Caulkins [1] 2′9″87. **82** Geissler [8] 2′8″66. **86** Meagher [1] 2′8″41. **91** Sanders [1] 2′9″24.

4 nages. 200 m : 73 Hubner [8] 2′20″51. **75** Heddy [1] 2′19″80. **78** Caulkins [1] 2′14″07. **82** Schneider [8] 2′11″79. **86** Otto [8] 2′15″56. **91** Lin Li [27] 2′13″40. **400 m : 73** Wegner [8] 4′57″51. **75** Tauber [8] 4′52″76. **78** Caulkins [1] 4′40″83. **82** Prado [22] 4′19″78. **86** Nord [8] 4′43″75. **91** Lin Li [27] 4′41″45.

Relais nage libre. 4 × 100 m : 73 All. dém. 3′52″35. **75** All. dém. 3′49″37. **78** USA 3′43″43. **82** All. dém. 3′43″97. **86** All. dém. 3′40″57. **91** USA 3′43″26. **4 × 200 m : 86** All. dém. 7′59″33. **91** All. 8′2″56.

Relais 4 nages. 4 × 100 m : 73 All. dém. 4′16″84. **75** All. dém. 4′14″74. **78** USA 4′8″21. **82** All. dém. 4′5″88. **86** All. dém. 4′4″82. **91** USA 4′6″51.

Championnats d'Europe

(*Créés* 1889, interrompus de 1904 à 1925, repris en 1926, tous les 2 ans)

• **Hommes. Nage libre. 50 m : 87** Woithe [8] 22″66. **89** Tkatchenko [11] 22″64. **100 m : 81** Johansson [4] 50″55. **83** Johansson [4] 50″20. **85** Caron [3] 50″20. **87** Lodziewski [8] 49″79. **89** Lamberti [5] 49″24. **200 m : 81** Kopliakov [11] 1′51″23. **83** Gross [7] 1′47″87. **85** Gross [7] 1′47″95. **87** Holmertz [4] 1′48″44. **89** Lamberti [5] 1′46″69. **400 m : 81** Petric [21] 3′51″63. **83** Salnikov [11] 3′49″80. **85** Dassler [8] 3′51″52. **87** Dassler [8] 3′48″95. **89** Wojdat [25] 3′47″78. **1 500 m : 81** Salnikov [11] 15′9″17. **83** Salnikov [11] 15′8″84. **85** Dassler [8] 15′8″56. **87** Henkel [7] 15′2″33. **89** Hoffmann [8] 15′1″52.

Dos. 100 m : 81 Wladar [10] 56″72. **83** Richter [8] 56″10. **85** Polianski [11] 55″24. **87** Zabolotov [11] 56″06. **89** Lopez-Zubero [26] 56″44. **200 m : 81** Wladar [10] 2′0″10. **83** Zabolotov [11] 2′1″. **85** Polianski [11] 1′58″50. **87** Zabolotov [11] 1′59″35. **89** Battistelli [5] 1′59″96.

Brasse. 100 m : 81 Kis [11] 1′03″44. **83** Julpa [11] 1′3″32. **85** Moorhouse [14] 1′2″99. **87** Moorhouse [14] 1′2″13. **89** Moorhouse [14] 1′01″71. **200 m : 81** Julpa [11] 2′16″15. **83** Moorhouse [14] 2′17″49. **85** Volkov [11] 2′19″53. **87** Szabo [10] 2′13″87. **89** Gillingham [14] 2′12″40.

Papillon. 100 m : 81 Markowski [11] 54″39. **83** Gross [7] 54″. **85** Gross [7] 54′02. **87** Jameson [14] 53″62. **89** Szukala [25] 54″47. **200 m : 81** Gross [7] 1′59″19. **83** Gross [7] 1′57″05. **85** Gross [7] 1′56″65. **87** Gross [7] 1′57″59. **89** Darnyi [10] 1′58″87. **91** Esposito.

4 nages. 200 m : 81 Sidorenko [11] 2′3″41. **83** Franceschi [5] 2′2″48. **85** Darnyi [10] 2′3″23. **87** Darnyi [10] 2′0″56. **89** Darnyi [10] 2′01″03. **400 m : 81** Fessenko [11] 4′22″77. **83** Franceschi [5] 4′20″41. **85** Darnyi [10] 4′20″70. **87** Darnyi [10] 4′15″42. **89** Darnyi [10] 4′15″25.

Relais 4 nages. 4 × 100 m : 81 URSS 3′44″23. **83** URSS 3′43″79. **85** All. féd. 3′43″59. **87** URSS 3′41″51. **89** URSS 3′41″44. **Nage libre. 4 × 100 m : 81** URSS 3′21″48. **83** URSS 3′20″88. **85** All. féd. 3′22″18. **87** All. dém. 3′19″17. **89** All. féd. 3′19″68. **4 × 200 m : 81** URSS 7′23″41. **83** All. féd. 7′20″40. **85** All. féd. 7′19″23. **87** All. féd. 7′13″10. **89** It. 7′15″39.

• **Dames. Nage libre. 50 m : 87** Costache [24] 25″50. **89** Plewinski [3] 25″63. **100 m : 81** Metschuck [8] 55″74. **83** Meineke [8] 55″18. **85** Friedrich [8] 55″71. **87** Otto [8] 55″38. **89** Meissner [8] 55″38. **200 m : 81** Schmidt [8] 2′00″27. **83** Meineke [8] 1′59″45. **85** Friedrich [8] 1′59″55. **87** Friedrich [8] 1′58″24. **89** Stellmach [8] 1′58″93. **400 m : 81** Diers [8] 4′08″58. **83** Strauss [8] 4′8″07. **85** Strauss [8] 4′9″22. **87** Friedrich [8] 4′06″39. **89** Mœhring [8] 4′5″84. **800 m : 81** Schmidt [8] 8′32″79. **83** Strauss [8] 8′32″12. **85** Strauss [8] 8′32″45. **87** Mœhring [8] 8′19″53. **89** Mœhring [8] 8′23″99.

Dos. 100 m : 81 Kleber [8] 1′02″81. **83** Kleber [8] 1′01″71. **85** Weigang [8] 1′2″16. **87** Otto [8] 1′1″86. **89** Otto [8] 1′1″86. **200 m : 81** Polit [8] 2′12″55. **83** Sirch [8] 2′12″05. **85** Sirch [8] 2′10″89. **87** Sirch [8] 2′10″20. **89** Hase [8] 2′12″46.

Brasse. 100 m : 81 Geweniger [8] 1′08″60. **83** Geweniger [8] 1′08″51. **85** Gerasch [8] 1′08″62. **87** Hoerner [8] 1′07″91. **89** Bœrnicke [8] 1′9″55. **200 m : 81** Geweniger [8] 2′32″41. **83** Geweniger [8] 2′30″64. **85** Bogomilova [23] 2′28″57. **87** Hoerner [8] 2′27″49. **89** Bœrnicke [8] 2′27″77.

Papillon. 100 m : 81 Geweniger [8] 1′00″40. **83** Geissler [8] 1′00″31. **85** Grebler [8] 59″46. **87** Otto [8] 59″52. **89** Plewinski [3] 59″08. **200 m : 81** Geissler [8] 2′08″50. **83** Polit [8] 2′07″82. **85** Alex [8] 2′11″78. **87** Nord [8] 2′8″85. **89** Nord [8] 2′9″33.

4 nages. 200 m : 81 Geweniger [8] 2′12″64. **83** Geweniger [8] 2′13″07. **85** Nord [8] 2′16″07. **87** Sirch [8] 2′15″04. **89** Hunger [8] 2′13″26. **400 m : 81** Schneider [8] 4′39″30. **83** Nord [8] 4′39″95. **85** Nord [8] 4′47″08. **87** Lung [24] 4′40″21. **89** Hunger [8] 4′41″82.

Relais 4 nages. 4 × 100 m : 81 All. dém. 4′09″72. **83** All. dém. 4′05″79. **85** All. dém. 4′06″93. **87** All. dém. 4′4″05. **89** All. dém. 4′7″40. **Nage libre. 4 × 100 m : 81** All. dém. 3′44″37. **83** All. dém. 3′44″72. **85** All. dém. 3′44″48. **87** All. dém. 3′42″58. **89** All. dém. 3′42″46. **4 × 200 m : 87** All. dém. 7′55″47. **89** All. dém. 7′58″54.

Coupe d'Europe

(*Créée* 1969, annuelle dep. 79)

• **Hommes. 69** All. dém. **71** URSS. **73** All. dém., **75, 76, 79, 80, 81, 82, 83** URSS. **84** All. dém. **85, 86, 89** All. féd.

• **Dames. 69, 71, 73, 75** All. dém. **76** URSS. **79, 80, 81, 82, 83, 84, 85, 86, 89** All. dém.

Records de natation au 20-8-91

	RECORDS DU MONDE		RECORDS D'EUROPE		RECORDS DE FRANCE	
HOMMES						
Nage libre						
50 m	21″81	Tom Jager (90) [1]	22″47	Jorg Woithe (87) [3]	22″74	Stephan Caron (91)
100 m	48″42	Matt Biondi (88) [1]	49″18	Stephan Caron (91)	49″18	Stephan Caron (91)
200 m	1′46″69	Giorgio Lamberti (89) [5]	1′46″69	Giorgio Lamberti (89) [5]	1′49″19	Stephan Caron (88)
400 m	3′46″95	Uwe Dassler (88) [3]	3′46″95	Uwe Dassler (88) [3]	3′52″12	Christophe Marchand (90)
800 m	7′50″64	Vladimir Salnikov (86) [2]	7′50″64	Vladimir Salnikov (86) [2]	8′09″01	Christophe Bordeau (89)
1 500 m	14′50″36	Jorg Hoffman (91) [6]	14′50″36	Jorg Hoffmann (91) [6]	15′21″45	Franck Iacono (88)
Brasse						
100 m	1′01″45	Norbert Rozsa (91) [7]	1′01″45	Norbert Rozsa (91) [7]	1′02″91	Cédric Pénicaud (90)
200 m	2′11″23	Mike Barrowman (91) [1]	2′12″03	Norbert Rozsa (91) [7]	2′14″56	Cédric Pénicaud (91)
Dos						
100 m	54″51	David Berkoff (88) [1]	55″	Igor Polianski (88) [2]	56″16	Franck Schott (91)
200 m	1′58″14	Igor Polianski (86) [2]	1′58″14	Igor Polianski (85) [2]	2′01″75	Frédéric Delcourt (84)
Papillon						
100 m	52″84	Pablo Morales (86) [1]	53″08	Michael Gross (84) [9]	54″15	Bruno Gutzeit (89)
200 m	1′51″69	M. Stewart (91) [1]	1′48″17	Giorgio Lamberti (89) [5]	1′58″98	Franck Esposito (91)
4 nages						
200 m	1′59″36	T. Darnyi (91) [7]	1′59″36	T. Darnyi (91) [7]	2′02″70	Frédéric Lefèvre (90)
400 m	4′12″36	T. Darnyi (89) [7]	4′12″36	T. Darnyi (91) [7]	4′23″27	Frédéric Lefèvre (90)
Relais N. libre						
4 × 100 m	3′16″53	Jacobs, Dalbey, Jager, Biondi (88) [1]	3′18″33	Prigoda, Bachkatov, Evseev, Tkashenko (88) [2]	3′19″73	Éq. nat. (89)
					3′25″26	R.C.F. (89)
4 × 200 m	7′12″51	Dalbey, Cetlinski, Gjertsen, Biondi (88) [1]	7′13″10	Gross, Sitt, Henkel, Farhner (87) [9]	7′23″03	Éq. nat. : Caron, Pou, Fougeroud, Neuville (88)
					7′31″33	R.C.F. (90)
Relais 4 nages						
4 × 100 m	3′36″93	Berkoff, Schroeder, Biondi, Jacobs (88) [1]	3′39″96	Éq. nat. d'U.R.S.S. (88)	3′43″09	Éq. nat. (89)
					3′47″47	D. Toulouse OEC (89)
DAMES						
Nage libre						
50 m	24″98	Yang Wenyi (88) [8]	25″28	Tamara Costache (86) [10]	25″50	Catherine Plewinski (91)
100 m	54″73	Kristin Otto (86) [3]	54″73	Kristin Otto (86) [3]	55″11	Catherine Plewinski (89)
200 m	1′57″55	Heike Friedrich (86) [3]	1′57″55	Heike Friedrich (86) [3]	2′00″34	Catherine Plewinski (91)
400 m	4′03″85	Janet Evans (88) [1]	4′05″84	Anke Mœhring (89) [3]	4′12″76	Cécile Prunier (88)
800 m	8′16″22	Janet Evans (89) [1]	8′19″53	Anke Moehring (87) [3]	8′39″20	Cécile Prunier (88)
1 500 m	15′52″10	Janet Evans (88) [1]	16′13″55	Astrid Strauss (84) [3]	16′36″28	Karyn Faure (89)
Brasse						
100 m	1′07″91	Silke Hoerner (87) [3]	1′07″91	Silke Hoerner (87) [3]	1′10″14	Pascaline Louvrier (87)
200 m	2′26″71	Silke Hoerner (88) [3]	2′26″71	Silke Hoerner (88) [3]	2′32″69	Audrey Guérit (90)
Dos						
100 m	1′00″59	Ina Kleber (84) [3]	1′00″59	Ina Kleber (84) [3]	1′04″88	Michèle Ricaud (80)
200 m	2′08″60	Betsy Mitchell (86) [1]	2′09″15	Egerszegi Krisztin (91) [7]	2′16″81	Christine Magnier (88)
Papillon						
100 m	57″93	Mary Meagher (81) [1]	59″	Kristin Otto (88) [3]	59″08	Catherine Plewinski (89)
200 m	2′05″96	Mary Meagher (81) [1]	2′07″82	Cornelia Polit (83) [3]	2′13″94	Cécile Jeanson (90)
4 nages						
200 m	2′11″73	Ute Geweniger (81) [3]	2′11″73	Ute Geweniger (81) [3]	2′18″48	Laurence Bensimon (89)
400 m	4′36″10	Petra Schneider (82) [3]	4′36″10	Petra Schneider (82) [3]	4′49″96	Catherine Magnier (88)
Relais N. libre						
4 × 100 m	3′40″57	Otto, Stellmach, Bofinger, Seick (86) [3]	3′40″57	Otto, Stellmach, Bofinger, Seick (86) [3]	3′47″04	Éq. nat. (89)
					3′55″29	D. Toulouse (90)
4 × 200 m	7′55″47	Stellmach, Strauss, Moehring, Friedrich (87) [3]	7′55″47	Stellmach, Strauss, Moehring, Friedrich (87) [3]	8′12″60	Éq. nat. : Plewinski, Prunier, Dechartre, Jardin (87)
					8′27″49	TOEC (91)
Relais 4 nages						
4 × 100 m	4′03″69	Kleber, Guerasch, Guessier, Meineke (84) [3]	4′03″69	Kleber, Geweniger, Geissler, Meinecke (84) [3]	4′12″89	Éq. nat. : Guillou, Louvrier, Plewinski, Delord (87)
					4′22″51	D. Toulouse OEC (91)

Nota. – (1) USA. (2) URSS. (3) All. dém. (4) G.-B. (5) Italie. (6) Allemagne. (7) Hongrie. (8) Chine. (9) All. féd. (10) Roumanie.
Depuis 1957, la Féd. internat. ne reconnaît que les records obtenus dans une piscine de 50 m et de 55 yards ; depuis 1969, que dans une piscine de 50 mètres.

Championnats de France

(*Créés* 1899)

• **Hommes nage libre. 100 m : 85** Bataille 52″36. **86** Caron 51″24. **87** Caron 51″53. **88** Caron 50″09. **89** Caron 50″90. **90** Caron 50″68. **91** Caron 49″18. **200 m : 85** Pou 1′53″67. **86** Caron 1′51″41. **87** Neuville 1′52″20. **88** Depickère 1′51″05. **89** Kalfayan 1′51″70. **90** Bordeau 1′51″07. **91** Caron 1′49″19. **400 m : 85** Diederichs 4′00″68. **86** Iacono 3′56″87. **87** Iacono 3′59″51. **88** Iacono 3′55″14. **89** Journet 3′55″12. **90** Marchand 3′53″77. **91** Bordeau 3′56″77. **800 m : 86** Faure 8′50″58. **1 500 m : 85** Diederichs 15′52″27. **86** Iacono 15′38″9. **87** Cardineau 15′34″70. **88** Iacono 15′21″45. **89** Marchand 15′39″67. **90** Marchand 15′37″80.

Dos. 100 m : 85 Delcourt 58″04. **86** Delcourt 58″04. **87** Schott 58″73. **88** Boucher 58″27. **89** Schott 56″32. **90** Schott 58″13. **91** Schott 57″63. **200 m : 85** Delcourt 2′05″62. **86** Delcourt 2′5″30. **87** Schott 2′7″54. **88** Holderbach 2′4″28. **89** Holderbach 2′5″02. **90** Holderbach 2′3″62. **91** Holderbach 2′4″23

Brasse. 100 m : 85 Boucher 1′05″99. **86** Pata 1′5″77. **87** Deneuville 1′4″97. **88** Pénicaud 1′4″48. **89** Pénicaud 1′3″65. **90** Pénicaud 1′3″46. **200 m : 85** Pata 2′22″03. **86** Pata 2′22″10. **87** Leblanc 2′19″60. **88** Pénicaud 2′17″43. **89** Pénicaud 2′16″63. **90** Pénicaud 2′15″56. **91** Pénicaud 2′14″5.

Papillon. 100 m : 85 Rosenblatt 57″26. **86** Depickere 55″21. **87** Gutzeit 55″85. **88** Depickère 54″88. **89** Gutzeit 55″02. **90** Gutzeit 55″51. **91** Gutzeit 54″77. **200 m : 85** Moine 2′06″43. **86** Bordeau 2′2″98. **87** Bordeau 2′2″60. **88** Bordeau 2′1″14. **89** Bordeau 2′2″94. **90** Esposito 2′1″26. **91** Esposito 2′1″28.

4 nages. 200 m : 85 Granger 2′07″75. **86** Gutzeit 2′5″89. **87** Gutzeit 2′5″52. **88** Bordeau 2′33″99. **89** Lefèvre 2′4″35. **90** Lefèvre 2′2″70. **91** Marchand 2′5″51. **400 m : 85** Bordeau 4′33″03. **86** Bordeau 4′29″02. **87** Bordeau 4′28″4. **88** Bordeau 4′23″75. **89** Lefèvre 4′28″. **90** Bordeau 4′23″31. **91** Bordeau 4′28″03.

Relais. Nage libre : 4 × 100 m : 85 C.N. Marseille 3′31″84. **86** C.N. Marseille 3′32″76. **87** Toulouse O.E.C. 3′30″73. **88** R.C.F. 3′26″42. **89** R.C.F. 3′26″93. **90** R.C.F. 3′26″26. **91** RCF 3′25″02. **4 × 200 m : 85** C.N. Marseille 7′47″02. **86** Toulouse O.E.C. 7′45″53. **87** Toulouse O.E.C. 7′41″60. **88** Toulouse O.E.C. 7′35″45. **89** R.C.F. 7′33″62. **90** R.C.F. 7′31″33. **91** 7′38″36. **4 nages : 4 × 100 m : 85** Toulouse OEC «A» 3′56″19. **86** Toulouse O.E.C. 3′55″72. **87** Racing C.F. 3′51″07. **88** Racing C.F. 3′48″48. **89** Toulouse OEC 3′47″47. **90** R.C.F. 3′50″24. **91** RCFA 3′51″18.

Interclubs. 85-86 D. Toulouse O.E.C. **87, 89** Natation 66 Canet. **91** Racing C.F.

• **Dames. Nage libre. 100 m : 85** Lacombe 57″23. **86** Kamoun 57″48. **87** Kamoun 57″27. **88** Plewinski 57″56. **89** Plewinsky 57″61. **90** Dechatre 57″92. **91**

Kamoun 58'13". 200 m : **85** Jardin 2'04"12. **86** Prunier 2'3"64. **87** Prunier 2'3"77. **88** Prunier 2'0"76. **89** Prunier 2'2"25. **90** Prunier 2'2"60. **91** Giraudon 2'4"44. 400 m : **85** Prunier 4'19"30. **86** Prunier 4'18"38. **87** Prunier 4'15"78. **88** Prunier 4'12"76. **89** Prunier 4'16"36. **90** Prunier 4'16"87. **91** 4'22"15. 800 m : **85** Faure 8'51"89. **86** Faure 8'50"58. **87** Faure 8'46"3. **88** Prunier 8'39"20. **89** Faure 8'43"99. **90** Faure 8'46"94.

Dos. 100 m : **85** Jardin 1'05"92. **86** Jardin 1'6"43. **87** Guillou 1'05"59. **88** Guillou 1'5"01. **89** Guillou 1'5"84. **90** Guillou 1'16"13. **91** Marcineau 1'5"82. 200 m : **85** Jardin 2'19"04. **86** Magnier 2'18"46. **87** Guillou 2'18"81. **88** Magnier 2'18"08. **89** Guillou 2'20"56. **90** Guillou 2'19"88. **91** Marcineau 2'19"0.

Brasse. 100 m : **85** Manfredi 1'16"17. **86** Louvrier 1'11"11. **87** Louvrier 1'10"87. **88** Bojaryn 1'13"60. **89** Louvrier 1'12"86. **90** Guerit 1'12"62. **91** Louvrier 1'13"36. 200 m : **85** Vetter 2'44"20. **86** Louvrier 2'36"59. **87** Louvrier 2'33"53. **88** Bojaryn 2'36"17. **89** Bojaryn 2'34"94. **90** Guerit 2'33"33. **91** Guerit 2'32"85.

Papillon. 100 m : **85** Plewinski 1'02"76. **86** Plewinski 1'2"67. **87** Plewinski 1'1"32. **88** Plewinski 1'0"92. **89** Plewinski 1'1"03. **90** Jeanson 1'1"32. **91** Jeanson 1'2"42. 200 m : **85** Plewinski 2'18"58. **86** Supiot 2'18"22. **87** Supiot 2'18"60. **88** Supiot 2'15"63. **89** Jeanson 2'14"96. **90** Jeanson 2'13"94. **91** Jeanson 2'15"91.

4 nages. 200 m : **85** Bensimon 2'22"31, **86** Louvrier 2'20"58. **87** Louvrier 2'19"16. **88** Wirth 2'21"57. **89** Bensimon 2'18"92. **90** St.-Cyr 2'20"49. **91** Delord 2'21"14. 400 m : **85** Magnier 4'58"81. **86** Magnier 4'52"94. **87** Magnier 4'53"91. **88** Magnier 4'50"29. **89** Magnier 4'56"51. **90** St-Cyr 4'55"81. **91** Wirth 4'57"92.

Relais. Nage libre : 4 × 100 m : **85** C.S. Clichy 4'01"76. **86** C.S. Clichy 4'1"23. **87** C.S. Clichy 3'55"86. **88** Clichy 92 3'55"87. **89** Clichy 92 3'56"68. **90** Clichy 92 3'55"81. **91** Toulouse 3'52"66. 4 × 200 m : **85** Natation 66 8'44"47. **86** C.S. Clichy 8'2"97. **87** C.S. Clichy 8'32"46. **88** Clichy 92 8'31"92. **89** Nat 66 Canet 8'36"76. **90** Clichy 92 8'29"33. **91** Toulouse 8'27"49. 4 nages : 4 × 100 m : **85** Mulhouse ON 4'36"44. **86** S.N. Charleville 4'27"67. **87** C.S. Clichy 4'25"31. **88** Clichy 92 4'25"62. **89** Charleville-M. 4'29"13. **90** C.N. Marseille 4'22"96. **91** Toulouse A 4'25"86.

Interclubs. **85** Natation 66. **86, 87** C.S. Clichy. **88** Natation 66. **89** Clichy 92. **91** D. Toulouse O.E.C.

Quelques noms

ANDRACA Pierre[3] 25-9-58. ANKE Hannelore[8] 8-12-57. ARVIDSSON Par[4] 27-2-60. BABASHOFF Shirley[1] 31-1-57. BARON Bengt[4] 6-3-62. BAUMANN Alex[15] 21-4-64. BENSIMON Laurence[3] 24-1-63. BERGER Guylaine[3] 12-4-56. BERJEAU Jean-Paul[3] 21-6-53. BERLIOUX Monique[3] 12-11-23. BIONDI Matt[1] 6-10-65. BOITEUX Jean[3] 20-6-33. BORDEAU Christophe[3] 3-8-68. BORG Arne[4] 1901-87. BORIOS Olivier[3] 23-6-59. BOTTOM Joë[1] 18-4-55. BOUTTEVILLE Yvan[3] 27-4-62. BOZON Gilbert[3] 19-3-35. BRIGHITA Emith[6] 15-4-55. BRUNER Mike[1] 23-7-56. BURTON Michaël[1] 3-6-47. BUTTET Serge[3] 14-12-54. CALLIGARIS Novella[5] 27-12-54. CARON Christine[3] 10-7-48. CARON Stephan[3] 17-1-66. CAULKINS Tracy[1] 11-1-63. CHRISTOPHE Robert S3 22-2-38. CLUG Patricia[3] 17-10-60. COMBET Bernard[3] 21-9-53. COSTACHE Tamara[24]. CRAPP Lorraine[2] 17-10-38.

DARNYI Tamas[10]. DELCOURT Frédéric[3] 14-2-64. DEN OUDEN Willie[6] 27-9-14. DEPICKERE Ludovic[3] 29-7-69. DE VARONA Donna[1] 26-4-47. DEVITT John[2] 4-2-37. DIERS Ines[8] 2-11-63. DUPREZ Bénédicte[3] 8-8-51. ÉCUYER René[3] 4-9-56. ENDER Kornelia[8] 25-10-58. EVANS Janet[1] 28-8-71. FALANDRY Sophie[3] 14-9-61. FASSNACHT Hans[7] 28-11-50. FERGUSON Kathy[1] 17-7-48. FORRESTER Bill[1] 18-12-57. FRASER Dawn[2] 4-9-37. FROST Héda[3] 15-9-36. FURNISS Bruce[1] 27-5-57. FURNISS Steve S1 12-12-52. GAINES Ambrose[1] 17-2-59. GEISSLER Ines[8] 16-2-63. GEWENIGER Ute[8] 24-2-64. GOODELL Brian[1] 2-4-59. GOODHEW Junean[14] 27-5-57. GOTTVALLES Alain[3] 22-3-42. GOULD Shane[2] 23-11-56. GROSS Michael[7] 17-6-64. GUERIT Audrey[3] 1-3-76. GUTZEIT Bruno[3] 2-3-66. GYAMARTI Andrea[10] 15-5-54. HALL Gary[1] 7-8-51. HARGITAY Andras[10] 17-3-56. HENCKEN John[1] 29-5-54. HERMINE Muriel[3] 3-9-63. HOFFMANN Jorg[17] 29-1-70. HOLDERBACH David[3] 19-2-71. HVEGER Raghnild[18] 10-12-20. IACONO Franck[3] 14-6-66. JAGGER Tom[1]. JANY Alex[3] 5-1-29. JARDIN Véronique S3 15-9-66. JEZEK Linda[1] 10-3-60. JOURNET Laurent[3] 5-2-70.

KACHUSHITE Lina[11] 1-1-63. KAHANAMOKU Duke[1] 1890-1968. KALININA Irina[11] 8-2-59. KAMOUN Sophie[3] 8-6-67. KONRADS John[2] 21-5-42. KOPLIAKOV Serge[11] 23-1-59. KOTHER-GABRIEL Rosemarie[8] 27-2-56. KRAUSE Barbara[8] 7-7-59. LACOMBE Laurence[3] 1-8-69. LACOUR Sandra[3] 5-6-67. LAMBERTI Giorgio[5] 28-1-69. LAZZARO Marc[3] 10-1-55. LEAMY Robin[1] 1961. LEFEVRE Frédéric[3] 23-4-70. LE NOACH Sylvie[3] 2-7-55. LINEHAM Kim[1] 1962. LOUGANIS Greg[1] 29-1-60. LOUVRIER Pascaline[3] 28-9-71. LUYCE Francis[3] 13-2-47. MADISON Helen[1] 1913-70. MANDONNAUD Claude[3] 2-4-50. MATTHES Roland[8] 17-11-50. MEAGHER Mary T[1] 1964. MENU Roger Philippe[3] 30-6-48. METSCHUCK Caren[8] 27-9-63. MEYER Deborah[1] 14-8-52. MITCHELL Betsy[1] 15-1-66. MONTGOMERY Jim[1] 24-1-55. MOORHOUSE Adrian[14]. MORKEN Gabriel[7] 1959. MOSCONI Alain[3] 9-9-49. MUIR Karen[9] 16-9-52. NABER John[1] 20-1-56. NAKACHE Alfred[3] 1915. NOEL Fabien[3] 5-1-59. OTTO Kristin[8] 7-2-66. PATA Thierry[3] 12-2-65. PAULUS William[1] 1961. PÉNICAUD Cédric[3]. PLEWINSKI Catherine[3] 12-7-68. POIROT Catherine[3] 9-4-63. POLIANSKI Igor[11]. POLLACK Andréa[8] 8-5-61. PROZUMENCHIKOVA Galina[11] 26-11-48. PRUNIER Cécile[3] 28-8-69.

REINISCH Rica[3] 6-4-65. RICHTER Ulrike[8] 17-6-52. ROSE Murray[2] 6-1-39. ROUSSEAU Michel[3] 8-6-49. SALNIKOV Vladimir[11] 21-5-60. SAVIN Xavier[3] 15-6-60. SCHNEIDER Petra[8] 11-1-63. SCHOLLANDER Donald[1] 4-3-46. SCHULER Karine[3] 29-11-69. SHAW Tim[1] 8-11-57. SIDORENKO Alexander[11] 27-5-60, asthmatique. SKINNER Jonty[9] 1954. SPITZ Mark[1] 10-2-50. STEPHAN Véronique[3] 28-9-63. STERKEL Gill[1] 27-5-61. SUSINI Annick (de)[3] 17-5-60. TANAKA Satoko[13] 1942. TARIS Jean[3] 1909-77. TAUBER Ulrike[8] 16-6-58. TESTUZ Sylvie[3] 4-6-59. THUMER Petra[8] 29-1-61. TREIBER Birgit[8] 26-2-60. VALLEREY Georges[3] 1927-54. VASSALLO Jesse[1] 9-8-61. VASSEUR Paul[3] 10-10-1884. VERRASZTO Zoltan[10] 15-3-56. VIAL Anne[3] 5-9-63. WEISSMULLER John[1] 2-6-03/21-1-84 (Tarzan). WICKHAM Tracey[2] 24-11-62. WILKIE David[12] 8-3-54. WILLIAMS Peter[9] 20-6-68. WOITHE Jorg[8] 11-4-63. WOJDAT Artur[25] 20-5-68. WOODHEAD Cynthia[1] 7-2-64. XU Yanemi[27] 1971. YAMANAKA Tsuyoshi[13] 18-1-39. ZINS Lucien[3] 14-9-22.

Marathon

• Organisation. La Fédération mondiale professionnelle de natation « Marathon » (*créée* en 1963) (Dennis Matuch c/o Swimming World, P.O. Box 45 457 Los Angeles Californie 90 045 U.S.A.) attribue chaque année, depuis 1964, les titres de champions du monde de marathons professionnels (Messieurs et Dames) par un classement aux points sur une série d'épreuves. **Quatre formes :** *en circuit* (ovales ou triangulaires) ; *en traversée d'un bras de mer, d'un estuaire ou d'un lac ; en descente de rivière ; en bordure de côte.* Distances entre 16 et 60 km.

Avant 1964, certains marathons étaient considérés comme des champ. mondiaux : le *Canadian National* (dont la distance et le montant des prix ont souvent varié), le tour de l'île d'*Atlantic City* et *Capri-Naples.*

• Principaux marathons et, entre crochets, meilleurs résultats. *Lac St-Jean* (Québec) 33 km [John Kinsella, U.S.A., 7 h 13'35" en 1978] ; *lac Michigan* (26 km) en circuit ; *Capri à Naples* 30 km [Ahmed Youssef, Égypte, 7 h 14'42" en 1975] ; *Mar del Plata* (Argentine) 37 km en mer ; *Caire* 32 km (Nil) ; *Santa Fé* (Argentine) 62 km dans le Parana ; *Atlantic City* (U.S.A.) 37 km en mer autour de l'île [James Barry, U.S.A., 7 h 18'38" en 1979].

Marathons amateurs : lac Windermare (Angleterre) 16 km. **Longs parcours individuels (« raids ») en traversée de détroit ou de lac :** Gibraltar 14 km [José Da Freitas, Portugal, 3 h 4"15'] ; détroit de San Pedro (de Los Angeles à l'île Catalina) 30 km [Penny Dean, U.S.A., 7 h 15'55"]. **Raids réussis par un seul nageur :** canal de Panama (80 km) en 34 h 15' par l'Indien Mihir Sin en 1966 ; Bahamas-Floride (142 km) en 27 h 28' par l'Américaine Diana Nyad en 1980.

• Records sur 24 h en bassin de 50 m. *Hommes :* Evan Bazzy (Austr.) 96,7 km en 1987 ; Bertrand Malègue (Fr.) 87,528 km en 1980. *Femmes :* Irène Van der Laan (P.-Bas) 80, 825 km en 1982.

☞ *En 1984,* Bernard Bougroin et Patrick Benoit (Fr.) ont descendu le Mississippi, 1 700 km, en 23 j.

Nota. – Les courants (en rivière et en mer) peuvent allonger ou raccourcir les parcours ; une température trop basse ou trop haute gêne les nageurs.

• Champions du monde. Hommes. **1964, 65** Abd El Latif Abou Heif (Égypte). **66** Guilio Travaglio (It.). **67** Horatio Iglesias (Arg.). **68** Abd El Latif Abou Heif (Égypte). **69** Horatio Iglesias (Arg.). **70** John Schans (Holl.). **71, 72, 73** Horatio Iglesias (Arg.). **74** John Kinsella (U.S.A.). **75** Claudio Plitt (Arg.). **76, 77, 78, 79** John Kinsella (U.S.A.). **80, 81** Paul Asmuth (U.S.A.). Femmes. **63** Marty Sinn (U.S.A.). **64 à 68** Judith de Nijs-Van Berkel (All.). **69** Patti Thompson (Can.). **70** Judith de Nijs-Van Berkel (All.). **71, 72** Shadia El Rageb (Égypte). **73** Corrie Dixon (Holl.). **74** Diana Nyad (U.S.A.). **75** Angela Marchetti (Arg.). **76** Cynthia Nicholas (Can.). **77, 78** Lorren Passfield (Can.). **79** Penny Dean (U.S.A.). **80, 81** Christine Cossette (Can.).

Traversée de la Manche

Environ 6 000 tentatives par env. 4 200 personnes (dont 399 : 269 H, 130 F de 44 pays couronnées de succès) ont eu lieu dep. 1875. La traversée (32 km) s'effectue généralement entre le cap Gris-Nez (France) et Douvres (G.-B.). Le sens France-G.-B. est le plus facile, mais le sens G.-B.-France est le plus « fréquenté ». C'est le « raid » de natation le plus prisé en raison des difficultés rencontrées (eau froide, mer agitée d'une manière imprévisible, brouillards impromptus, passages fréquents de navires, nappes d'huile, goémon). Les conditions varient et aucune tentative ne peut être comparée à une autre. Les nageurs se couvrent de lanoline (les nageurs rapides se servent de vaseline ou d'huile d'olive).

• 1res traversées connues. *Masculines. Sens Angleterre-France* (en 1815 un Italien, Jean-Marie Saletti, soldat de Napoléon, prisonnier des Anglais, se serait évadé d'Angl. à la nage). *1er, 1875* (24/25-8) capitaine Mathew Webb (Anglais, 1848-83, en 21 h 45' de Douvres à Calais. Plusieurs fois déporté par les vagues, il parcourut env. 61 km. Webb mourut en tentant de traverser le Niagara (il est enterré à plus de 11 km des chutes, à l'endroit où son corps fut retrouvé). *2e, 6-9-1911* Thomas Burgess (n. en G.-B., habitant en France dep. 1889) en 22 h 35' après 20 tentatives ; entre-temps 70 tentatives avaient échoué. *3e, 1923* Henry Sullivan (U.S.A.) en 26 h 50' (la plus longue). *Sens France-Angl. 1er, 1923* (12-8) Enrico Tiraboshi (It., habitant l'Argentine) en 16 h 33'.

1re traversée féminine. 1926 (6-8) *sens France-Angl.* Gertrude Ederlé (n. 23-10-06, U.S.A.) en 14 h 39'. *Sens Angl.-France. 1951* (11-9), Florence Chadwick (n. 1918, USA) 16 h 19'.

1er aller et retour non-stop. 20/22-9-1961. Antonio Abertondo (n. 1919, Argentine) en 43 h 10' ; il avait, au début de sa carrière, descendu le Mississippi sur 419 km. Ted Erikson (U.S.A.) en sept. 1965 en 30 h 3' ; Kevin Murphy (G.-B.) en 1970 en 35 h 10' ; Jon Erikson (U.S.A., fils de Ted) en 30 h en 1975. *1re femme. 1977* (sept.) Cynthia Nicholas (Can., 19 ans) en 19 h 55'. *Triple traversée* en *1987* Philip Rush (N.-Z.) en 28 h 21' (A-F 7 h 55', F-A 8 h 15', A-F 12 h 11'). *1re traversée en papillon* Vicki Keith (Can.) en 23 h 33' en 1989.

• Records. **Vitesse. Aller Fr.-Angl. :** *Homme :* Richard Davey (G.-B.) 8 h 5' (1988). *Femme :* Alison Streeter (G.-B.) 8 h 48' (1988). **Angl.-France :** *Femme :* Penny Lee Dean (U.S.A.) 7 h 40' (1978). *Homme :* Philip Rush (N.-Z.) 7 h 55' (1987). **Aller et retour.** Le meilleur : *Femme :* Irene Van Der Laan (P.-Bas) en 18 h 15' (1983). *Homme :* Philip Rush (N.-Zél.) 16 h 10' (1987).

Le plus grand nombre de traversées. *Homme :* 31 (Michael Read, G.-B.). *Femme :* 19 (Cynthia Nicholas, Canada). **Les plus jeunes.** *Garçon :* Thomas Gregory (G.-B., 11 ans et 11 mois) 11 h 54' (Fr.-Angl., 1988). *Fille :* Samantha Druce (12 a. 119 j) 15 h 27' (1983, Angl.-Fr.). **Aller et retour.** Jon Erikson (15 a., U.S.A.), 30 h 0' (1975, fils de Ted Erikson). **Les plus âgés.** *Homme :* Clifford Batt (67 a. et 240 j, Austr.) 18 h 37' (1987). *Femme :* Stella Taylor (45 a. 350 j, U.S.A.) 18 h 15' (1975, Angl.-Fr.).

• Traversées diverses (Manche). S.-marine : Fred Baldasare (n. 1924, U.S.A.) 67 km en 18 h 1' *(1962).* Alimenté par une bouteille d'air comprimé chargée tous les 3/4 d'h. **Voiture-amphibie :** Jacob Baulig et Wilhelm Pickel (All. féd.) 7 h 30' *(29-5-1935).* **Hydrosphère** (ballon avec enveloppe en caoutchouc et des hélices) : Charles Flourens (cap Gris-Nez-Douvres) en 13 h 47', le *28-10-1934.* **Gilet de sauvetage :** Capitaine Paul Boyton (cap Gris-Nez à Sud Foreland) 23 h 30', le *29-5-1875.* **Ski nautique :** Alain Crompton (aller et retour Douvres-Calais) en 3 h le *15-8-1955.* **Matelas pneumatique :** Clarence N. Mason, 6 h, le *1-9-1936.* **Aviron :** 6 officiers (Douvres à Boulogne, *1845*) en 6 h ; Rev. S. Swann (Douvres à France, *12-9-1911*) en 3 h 50' ; Georges Adam, 70 ans (Boulogne à Folkestone, *1950*) en 6 h (en 1905 il l'avait réalisée en 7 h 45').

Piscines

Bassin de compétition. *Longueur :* 50 m, *largeur :* 21 m min., 8 *couloirs* de 2,50 m chacun (plus 50 cm de chaque côté), délimités par des cordes soutenues par des flotteurs d'une couleur distincte, pour les 5 premiers et 5 derniers mètres, du reste des flotteurs. Au fond de la piscine, et à chaque couloir, une ligne guide les concurrents. *Profondeur : min.* 1,80 m (pour J.O. et champ. du monde). A 5 m de chaque virage, une corde est tendue au-dessus de la piscine pour orienter les nageurs de dos. A 15 m de la ligne de départ, est suspendue une corde qui doit tomber – en cas de faux départ – pour arrêter les nageurs.

Plots de départ antidérapants (50 × 50 cm, avec un angle d'inclinaison vers le bassin ne dépassant pas 10°), placés de 50 cm minimum à 75 cm maximum au-dessus de l'eau. Pour les départs de dos, les nageurs prennent appui sur des poignées placées entre 30 cm et 60 cm au-dessus du niveau de l'eau.

Nombre. En France, env. 200 000 piscines familiales, 800 d'hôtels, 900 de collectivités non publiques. *Au 1-1-83. Piscines publiques* 3 496, dont couvertes 749, tous temps 559, mixtes 199, de plein air 1 989. Fin 1979. *Bassins* 4 775 dont couverts ou tous temps 1 793, de plein air 2 982. Env. 30 noyades d'enfants en bas âge par an.

Quelques chiffres (1989). En France, les piscines ont 50 à 60 m² en moy. Prix : 100 000 à 140 000 F selon le matériau [le béton est plus cher que le polyester ou le liner (poche de PVC souple)]. 800 constructeurs. Utilisation : 4 à 5 mois par an en plein air. Coût de fonctionnement : mise en eau 500 F, renouvellement de l'eau 150 F, électricité 200 F. Coût d'entretien : traitement chimique 2 000 F par saison, ou traitement par électrolyse 8 000 à 9 000 F à l'achat plus l'électricité chaque année, aspirateur automatique 5 000 à 15 000 F. Chauffage de l'eau : (N. de la France) : 5 000 à 10 000 F/an.

Plongeon

Record officieux (volontaire). 75 m (*du pont George Washington,* New York) le 11-2-68 par Jeffrey Kramer (24 ans). Le 10-7-21, un cascadeur nommé Terry saute *d'un avion* dans l'Ohio River à Louisville (Kentucky) ; altitude estimée 94,50 m. *A Acapulco* (Mexique), des professionnels plongent de 36 m de haut dans une eau profonde de 3,66 m. *A Villers-le-Lac* (Doubs), 53,90 m par Olivier Favre (Suisse), le 30-8-1987.

Sortes. Il existe plus de 100 plongeons différents. Départ d'un tremplin (1 à 3 m) ou d'une plate-forme de haut vol (5 à 10 m). Répartis en 6 groupes : plongeons avant, arrière, renversé, retourné, tire-bouchon, en équilibre. Chacun peut être exécuté groupé, carpé ou droit.

Jeux olympiques. Voir p. 1801.

Championnats du monde. *Créés* 1973. Hommes. Tremplin : **82, 86** Louganis [1]. 1 m : **91** Jongegans [6]. 3 m : **91** Ferguson [1]. Haut vol : **78, 82, 86** Louganis [1]. **91** Shuwei [27]. Dames. Tremplin : **82** Meyer [1]. **86** Gao Min [27], 1 m : **91** Gao Min [27], 3 m : **91** Gao Min [27]. Haut vol : **82** Wyland [1]. **86** Chen Li [27]. **91** Fu Mingxia [27].

Championnats d'Europe. *Créés* 1927. Hommes. Tremplin : **81** A. Portnov [11]. **83** Georgiev [23]. **85** Drozjin [11]. **87, 89** Killat [7]. Haut vol : **81, 83** D. Ambartsumyan [11]. **85** Knuths [8]. **87, 89** Chogovadze [11]. Dames. Tremplin : **81** Z. Tsurulnikova [11]. **83** Baldus [8]. **85** Tsurulnikova [11]. **87** Jongejans [6]. **89** Babkova [11]. Haut vol : **81** K. Zipperling [8]. **83** Lobankina [11]. **85** Stasvlevitch [11]. **87** Miroshina [11]. **89** Wetzig [8].

Championnats de France. *Créés* 1907. Hommes. Tremplin : **80, 81** A. Bahon. **82** R. Lecornu. **83, 84, 86** A. Bahon. **87, 88, 91** Nalliod. **89, 90** Duvernay. Haut vol : **80** A. Banon. **81** R. Lecornu. **82** P. Lematayer. **83** R. Lecornu. **86** Bouriat. **87** Pierre. **88, 89, 91** Bouriat. **90** Pierre. Dames. Tremplin : **80, 81** I. Arene. **82, 83, 84, 86, 87, 88** C. Izacard. **89, 90** Laemlé. **91** Danaux. Haut vol : **80, 81, 82** C. Renaux. **83, 84** N. Moisdon. **85, 86, 87, 88, 91** Jaillardon. **89, 90** Laemlé.

Natation synchronisée

Origine. Australie vers 1912, se développe aux USA après 1920, en France en 1947. Sport féminin : exécution de figures séparées (ayant chacune un coefficient de difficulté) et enchaînées. Compétitions à une nageuse (soli), à 2 (duo), en équipe (max. 8).

Jeux olympiques. Voir p. 1801.

Championnats du monde (créés en 1978). Solo : **82** T. Ruiz (USA). **86** Waldo (Can.), **91** Fréchette (Can.). Duo : **78, 82, 86** Canada. **91** USA. Équipes : **82, 86** Canada. **91** USA.

Championnats d'Europe (créés en 1974). Solo : **81, 83, 85** C. Wilson (G.-B.). **87** M. Hermine (Fr.). **89** Falasinidi (URSS). Duo : **81, 83** G.-B.. **85** Worisch-Edinger (Austr.). **87** Hermine-Schuler (Fr.). **89** Schuler-Aeschbacher (Fr.). Équipes : **81, 83** G.-B.. **85, 87, 89** Fr.

Championnats de France (créés en 1950). Solo : **85, 86, 87, 88** M. Hermine. **89** (open) Schuler (Fr.). **90** Schuler. **91** Capron. **91** Dyroen (USA open). Duo : **85** Hermine-Moisson. **86** Reed-Long (USA). **87** Hermine-Moisson. **88** Hermine-Schuler. **89** (open) Capron-Aeschbacher (Fr.). **91** (open) Dyroen-Dudduth (USA). Équipes : **85** All. féd. **86** USA. **87** USA (open). **88** RCF. **89** (open) RCF. **90** RCF. **91** USA (open).

Parachutisme

Généralités

• Origine. Des parasols auraient été utilisés en Chine par des acrobates, avant notre ère. **1495** projet de parachute de L. de Vinci. **1783** *26-12* expérience de Louis-Sébastien Lenormand à Montpellier (avec 2 parasols). **1797** *22-10* (1er Brumaire an VI) André-Jacques Garnerin (1769-1823) saute d'un ballon (à 680 m) avec un engin de son invention (brevet du 11-10-1802) au-dessus de la plaine Monceau à Paris. **1815** *27-9* 1er saut féminin par Élisa Garnerin, nièce d'André-Jacques, d'un ballon (env. 3 500 m) devant le roi de Prusse (2e saut : 24-3-1816, elle prend le titre d'*aéroporiste* et fait plus de 40 descentes de 1815 à 1836). **1912** *1/10-3* 1ers sauts d'un avion par le capitaine Albert Berry, à St-Louis (USA). **1918** *19-8* le Français Pégoud est le 1er pilote seul à bord à abandonner son appareil. **1919** *28-4* 1re descente « à ouverture retardée » : Leslie Irving ; *juin* certaines escadrilles de l'aviation allemande ont des parachutes de sauvetage. **1930** développement du *parachutisme militaire* en URSS (1er saut de groupe le 18-8-33). **1938** 1re descente en chute libre de plus de 10 000 m [Jean Niland ou James Williams (Fr.)]. **1946** le *parachutisme civil* se développe en URSS et en France. **1955** 1re éjection à vitesse supersonique (Smith, USA).

• Pratiquants en France (1990). Licenciés, 28 132 dont 22 % de femmes. 496 287 sauts effectués.

• Conditions (en France). *Saut d'avion.* Avoir 15 ans révolus (examen médical spécifique pour les 15-16 ans, présenter au médecin habilité un test de Risser, un cliché de la charnière lombo-sacrée et un cliché main-poignet), avoir l'autorisation parentale pour les mineurs, un certificat médical de non-contre-indication à la pratique du parachutisme sportif délivré par un médecin habilité par la FFP, être titulaire d'une licence fédérale et d'une assurance délivrée par les associations agréées par la FFP. *Parachute ascensionnel et parapente.* Age min. 12 ans, mêmes conditions sauf examen médical spécifique.

Lieux. 50 centres-écoles en Métropole et Outre-Mer sous l'égide de la Féd. fr. de parachutisme (35, rue St-Georges, 75009 Paris).

Techniques. Parachute-sport 9 à 15 kg 2 voilures (plus suspentes) et sac-harnais. *Catégories :* voilures hémisphériques, à tuyères, et voilures type « aile ». *Équipements :* dorsal-ventral ou tout dans le dos.

Vitesse. Un corps humain en position horizontale atteint, après une chute d'env. 500 m, 190 km/h (stabilisation de la vitesse), en position verticale (plus de 300 km/h). Après 12 sec. de chute libre, la vitesse se stabilise, pesanteur et résistance de l'air s'équilibrent. Les parachutes modernes peuvent avoir une vitesse de descente verticale d'env. 2 m/sec. et une vitesse horizontale de 10 à 15 m/sec.

Altitude max. de saut. Env. 4 500 m sans inhalateur d'oxygène (12 000 m avec). Au-delà, un équipement pressurisé est indispensable.

En chute libre. Les parachutistes peuvent faire des évolutions comparables à celles des nageurs, par ex. se rejoindre. La figure record du monde a réuni 144 parachutistes.

Parachute ouvert. Par l'hypersustentation relevant de l'écoulement de l'air sur la partie supérieure (extrados) de la voilure de profil « aile », en modifiant sa forme avec des commandes de manœuvre, on peut faire varier sa vitesse et se diriger. Les parachutes de type « aile » permettent de « planer » sur de grandes distances.

Ascensionnel. Décollage sous parachute tracté par un véhicule à moteur, automobile, bateau ou treuil, la descente s'effectue dès la fin de la traction.

• Parapente. Né en 1978 au sein du parachutisme sportif. Voilures rectangulaires de type « aile » permettant des décollages à partir de pentes moyennes ou fortes. Les parachutistes l'utilisent pour s'entraîner à la précision d'atterrissage sur des cibles aménagées. Ne nécessite ni avion, ni pliage, ni formation préalable à la chute libre. (Voir vol libre).

• Accident. En 1988 : 0,3 mortel pour 1 000 licenciés. ou 1 accident mortel pour 52 500 sauts.

Compétitions

Disciplines officielles

Précision d'atterrissage. Saut exécuté à partir de 1 000 m ; il faut venir toucher un plot de 5 cm de diamètre au centre d'une cible de graviers ou sable. Le « carreau », soit 0,00 cm, est la performance optimale. Les distances sont mesurées électroniquement jusqu'à 16 cm. **Épreuves.** *Individuelle :* un seul concurrent saute à chaque passage de l'avion, chaque concurrent choisit son point de départ de l'avion ; *par équipe :* 4 concurrents sautent au même passage. Afin d'éviter des arrivées simultanées sur la cible, les équipiers conviennent d'ouvrir leur parachute à des altitudes différentes et évoluent en cours de descente pour se présenter à l'atterrissage avec un décalage de 10 à 20 sec. La performance de l'équipe est le total des distances des équipiers.

Voltige individuelle. Série de rotations horizontales et verticales à effectuer dans le minimum de temps, tout en respectant une assiette du corps et les axes de référence (sinon pénalités données en secondes et fractions de secondes). Le chuteur doit exécuter : un tour horizontal dans un sens et en sens inverse, puis un saut périlleux arrière (ensemble à enchaîner 2 fois de suite). Les grands champions effectuent les 6 figures (à env. 240 km/h) en – de 7 sec. [Record du monde : Eric Lauer (Fr.) 5 sec. 56/100e)].

Vol relatif. Discipline d'équipe consistant à réaliser en chute libre, à 4 ou 8 parachutistes, une *séquence* de figures imposées ou tirées au sort. L'équipe doit exécuter toutes les figures dans l'ordre prescrit et peut éventuellement recommencer la séquence autant de fois qu'elle le peut. Toute figure réussie accorde 1 point jusqu'au temps limite de 35 secondes en équipe à 4, ou 50 sec. en équipe à 8. Hauteurs de sauts : 3 000 m et 4 000 m. Au-delà du temps limite, les équipiers se séparent pour ouvrir leur parachute en toute sécurité.

Voile contact. Pratiqué à partir de 2 000 à 2 500 m, permet d'effectuer des vols de groupe, parachute ouvert, en s'accrochant par les mains ou les pieds à la voilure d'un partenaire. Seules les « ailes volantes » sont utilisables. **Épreuves** *séquence à 4* (enchaînement imposé ou tiré au sort de figures à exécuter le max. de fois dans la limite de 4 minutes) ; *rotations à 4* (saut à 2 000 m, réalisation d'une superposition de voilures à 4, puis l'équipier du dessus se détache pour rejoindre la base de la formation ; chaque figure à 4 marque 1 point jusqu'à la limite de 3 minutes) ; *vitesse à 8* (saut, à 2 500 m, de 8 équipiers qui doivent réaliser dans le minimum de temps une formation à 8 et la tenir 20 secondes dans la limite de 4 minutes).

Résultats

• Championnats du monde organisés par la F.A.I. 1951 : 1er ch. en précision d'atterrissage. Tous les 2 ans. *Années impaires :* vol relatif ; *années paires :* précision d'atterrissage/voltige individuelle et voile contact. Équipes dep. 1954, dames dep. 1956.

Précision d'atterrissage. Hommes. **80** Boidin [1]. **82** Wiesner [4]. **84** Skouropat [2]. **86** Valiounas [4]. **88** non attribué. **90** Mirt [8]. Dames. **80** Cox [3]. **82** Stearns [5]. **84** Yu [6]. **86** Stearns [5]. **88** Olser [3]. **90** Vinogradova [2].

Voltige. Hommes. **80** Oumachev [2]. **82** Fernandez [5]. **84** Oumachev [2]. **86. 88** Eilenstein [4]. **90** Bernachot [7]. Dames. **80** Chvatch-ko [2]. **82** Walkhoff [4]. **84** Harzbecker [4]. **86** Vares [5]. **88** Gartner [4]. **90** Lepezina [2].

Combiné. Hommes. 80 Oumachev[2]. **82** Wiesner[4]. **84** Eilenstein[4]. **86** Pavlata[2]. **88** non attribué. **90** Razomazov[2]. **Dames. 80** Walkhoff[4]. **82** Kortcheva[2]. **84** Harzbecker[4]. **86** Vares[5]. **88** Gartner[4]. **90** Bar[4].

Nota. – (1) Belgique. (2) URSS. (3) Canada. (4) All. dém. (5) USA. (6) Chine. (7) France. (8) Youg.

Vol relatif. À 4. 75 USA. **77, 79** Canada. **81** USA. **83** Suisse. **85** USA. **87, 89** France. **A 8. 75, 77, 79, 81, 83, 85, 87, 89** USA.

Voile contact. Séquence à 4. 86, 88, 90 France. **Rotation à 4. 86, 88** Chine. **90** USA. **Vitesse à 8. 86** France. **88** USA. **90** Autriche.

• **Championnats de France.** *Créés* 1953, tous les 2 ans jusqu'en 1961, annuels depuis.

Précision d'atterrissage. Hommes. 85 Dermine. **86** Marsal. **87** Bernachot. **88** Lubbé. **89** Lauer. **90** Bernachot. **Dames. 85** Le Roy. **86** De Pury. **87** Trouillet. **88** Desrat. **89** Trouillet. **90** Carjuzaa..

Voltige. Hommes. 85 Dermine. **86, 87, 88, 89** Bernachot. **90** Lubbé. **Dames. 85** De Pury. **86** Suteau. **87** Carjuzaa. **88** Peter. **89** Sterbik. **90** Glanard.

Combiné. Hommes. 85 Dermine. **86, 87, 88, 89, 90** Bernachot. **Dames. 85, 86** De Pury. **87** Carjuzaa. **88** Desrat. **89** Sterbik. **90** Carjuzaa.

Vol relatif. À 4. 85, 86, 87 Bergerac Coca-Cola. **88** PUC. **89, 90** PUC/TAG/Nice. **A 8. 85** Paris-Parachutes de France. **86** EIS (Fontainebleau)/Bergerac Coca-Cola. **87** Paris (Baron Informatique)/Télé 7 Jours. **88** PUC, **89, 90** PUC.

Voile contact. Séquence à 4. 86 PUC I. **87** CERP Languedoc-Méditerranée. **88** ASUL (Lyon). **89** EIS (Fontainebleau). **90** Gap Tallard. **Rotation à 4. 85** PUC/Parachutes de France. **86, 87** PUC I. **88** Chartres. **Vitesse à 8. 85** PUC/Caen. **86, 87** PUC. **88** ASUL (Lyon). **89** Gap Tallard. **90** Gap/Angers.

• **Champions du monde français. Hommes.** LARD Pierre (7-6-24). TRÈVES Gérard (4-6-62). ARMAING Jean-Claude (6-10-46). BERNACHOT Franck (16-5-62). DERMINE Jean (15-5-50). BESSETTE Françis. BONNET Jean-Bernard. GRANGEON Gérard. LUBBÉ Christian. LAUER Eric. MARSAL Jean-Charles. BAAL Jacques. SEIGNER Olivier. BUNKER Jérôme. FRADET Eric. MAHUT Franck. SCHORNO Philippe. BOUBAULT Roger. CASTELLA Patrick. FERRER Vincent. GANDIN Serge. GIRARDIN Patrice. SEURIN Jean-Marc. SUERIN Patrick. VOINOT Christian. DEBROISE Alain. GAU Thierry. GUILBERT Guillaume.

Dames. LAROCHE-MACHAVOINE Monique (29-8-29). PREMAT-VIOLIN Micheline (8-12-31). GALLIMARD-PELLETIER Monique. BAULEZ Marie-France (16-12-43). BLANCHARD Jeanine. BINET Arlette. LAFFITE Danièle. STAUB Brigitte.

Records

Records du monde officiels. *Grande formation voile-contact :* 36 parachutistes superposés (15-5-1988, Lyon-Bron, France). *Voile-contact 8 vitesses :* 43"29 (1986, Gatton, Australie). *Vol relatif équipe à 4 :* 19 points réalisés sur un saut par Bunker, Fradet, Mahut, Schorno (Fr.) (28-7-1989, Lapalisse, Fr.). *Voile-contact séquence à 4 :* 12 points réalisés sur un saut par Castella, Gau, Girardin, Picaud (Fr.) (31-7-1989, Vichy, Fr.). *Grande formation vol relatif dames :* 80 parachutistes dont 23 françaises (6-7-1990, Niort, Fr.). *Voltige individuelle :* Eric Lauer, 5"56 sur un saut (28-7-1990, Altenstadt, All. féd.).

Records d'altitude. *Officieux :* 31 151 m par le capitaine américain Joseph W. Kittinger (32 ans), le 16-8-1960. Il sauta d'un ballon et atterrit 13'8" plus tard après une chute libre de 25 617 m (4'38"). *Officiel :* 25 808 m, le 7-6-1960, par le Russe Pyotr Dolgev. *En apnée :* 11 000 m, en sept. 1988, par le Français Jean-Bernard Bonnet.

Record de chute libre. 24 540 m par le Russe E. Andreyev, le 1-11-1962. *Records féminins :* 14 800 m par la Russe E. Fomitcheva, le 26-10-1977 ; 12 080 m par la Française Colette Duval le 23-5-1956. *Vitesse :* 539 km/h Bruno Gouvy (Fr., 1989).

Record classe G2C (précision d'atterrissage avec ouverture immédiate à 2 000 m). Le 11-12-1967 par les Français Gilbert Pupin, Édouard-D. Beaussant et Jean-Pierre Pauzat.

Plus grande chute sans parachute. 6 705 m en janvier 1942 : le lieutenant russe Chissov atterrit sur le bord neigeux d'un ravin et ne fut que blessé. Le 23-3-1944, Nicolas Stephen, aviateur de la R.A.F., tombe de 5 490 m, chute amortie par un sapin et une couche de neige.

Plus grand nombre de sauts. Env. 14 650, Roch Charmet (Fr.) en févr. 1989.

Base-jump

Vient de **base** : (**b** : *building*, **a** : *antenna* antenne, cheminée, **s** : *span* pont, téléphérique, **e** : *earth* falaises, barrage) et **jump** saut.

Saut en chute libre avec parachute plié que l'on ouvre le plus tard possible. *V. 1980* pratiqué aux U.S.A., puis interdit car trop dangereux. *1990* introduit en France. Se pratique à partir de ponts, falaises ou montagnes.

Records de patinage de vitesse (15-7-91)

Épreuves	Records du monde		Records de France	
Messieurs				
500	36"41	Bakhalov (URSS 88)	38"19	Nicouleau (88)
1 000	1'12"58	I. Zhelezovski (URSS 89)	1'16"32	H. Van Helden (88)
1 500	1'52"06	André Hoffmann (All. dém. 89)	1'55"61	H. Van Helden (88)
3 000	3'57"52	Johann Olav Koss (Norv. 90)	4'08"11	H. Van Helden (84)
5 000	6'41"73	J.O. Koss (Norv. 91)	6'57"69	H. Van Helden (88)
10 000	13'45"54	J.O. Koss (Norv. 91)	14'34"84	H. Van Helden (88)
Combiné court	145,945 pts	I. Zhelezovski (URSS 89)	155,305 pts	Nicouleau (88)
Combiné long	160,454 pts	G. Kemkers (P.-B. 90)	165,385 pts	H. Van Helden (88)
Dames				
500	39"10	Bonnie Blair (USA 88)	42"49	M.-F. Van Helden (88)
1 000	1'17"65	C. Rothenburger (All. dém. 88)	1'26"84	Dumont (89)
1 500	1'59"30	K. Kania-Enke (All. dém. 86)	2'11"01	S. Dumont (87)
3 000	4'10"	Gunda Kleeman (All. 90)	4'32"34	M.-F. Van Helden (88)
5 000	7'14"13	Y. Van Gennip (P.-B. 88)	8'00"40	S. Dumont (88)
10 000	15'25"25	Y. Van Gennip (P.-B. 88)		
Combiné court	159,435 pts	Bonnie Blair (USA 89)	174,500 pts	M.-F. Van Helden (86)
Combiné long	172,018 pts	Adeberg (All. 90)	186,577 pts	M.-F. Van Helden (88)

Nota. – La *Course des onze villes* en Hollande (200 km) n'a eu lieu que 12 fois, de 1909 à 1963, et en 1985, car il faut une glace assez épaisse et pas de neige. En 1912, il y avait 60 patineurs ; en 1963, 10 000 ; en 1985, 16 000 (la course est ouverte à tous). Le record fut battu en 1985, en 6 h 46 mn 47 s, par Eefert von Bentem. Il y a des courses similaires en Suède et en Norvège.

Patinage

☞ Hockey sur glace, voir p 1753.

Généralités

Origine. Très ancienne. **XIIe s.** on patinait sur des os en Scandinavie. **V. 1600** patins en métal. **XVIIIe s.** 1res courses de patinage de vitesse en Hollande. **1842** Skating Club d'Edimbourg (le plus ancien club créé). **1876** *1re patinoire artificielle :* Glaciarium de Chelsea (Londres, G.-B.). **1882** invention à Vienne de l'axel par Axel Paulsen. **1892** Union internationale de patinage créée. **1909** inv. du salchow par Ulrich Salchow. **1910** de la boucle par Werner Rittberger. **1913** du lutz par Alois Lutz. **1925** 1re double boucle par Karl Schafer. **1928** 1er double salchow par Gillis Grafstroem et Montgomery Wilson. **1942** Féd. française créée. **1944** 1er double lutz par Richard Button. **1945** double axel par Richard Button. **1952** 1er triple saut (boucle) en compétition par Richard Button. **1962** triple lutz par Donald Jackson à Prague. **1978** 1er triple axel par Vern Taylor. **1986** 1er quadruple saut par Jozef Sabovcik.

Patinage artistique. Épreuves avec *figures imposées* (6 tirées au sort parmi 41, chacune devant être exécutée 3 fois sur chaque pied, sans pause), *figures libres* (durée dames 4 mn, et messieurs et couples 4 mn 30) et un *libre-imposé.*

Axel : le patineur se tourne en avant pour sauter, exécute l'axel et retombe en arrière. *Autres sauts :* en sautant en arrière. Pour les différencier, regarder : pied de départ et pied d'arrivée, position de la carre du patin. *Salchow :* départ dedans arrière, retombée dehors arrière sur le pied contraire à celui du départ. *Boucle* (ou *rittberger*) : départ dehors arrière, arrivée dehors arrière sur le pied de départ. *Lutz :* départ dehors arrière avec piqué de la pointe du pied libre tourné en contre-rotation de la courbe d'impulsion, arrivée dehors arrière sur le pied qui a piqué. *Flip :* départ dedans arrière piqué, retombée en dehors arrière sur le pied qui pique. *Toe loop* (ou boucle piquée) : départ dehors arrière, aidé d'un piqué, dans le sens de rotation de l'impulsion initiale, retombée en dehors arrière sur le pied d'élan. *Total des sauts possibles* (avec doubles et triples sauts) : 22.

Danse sur glace. En couple, sans saut porté, avec danses imposées, libres et de création ; même genre de calcul que pour patinage artistique.

Patinage de vitesse. PRINCIPALES ÉPREUVES. *Hommes* 500 m, 1 000 m, 1 500 m, 3 000 m, 5 000 m, 10 000 m, combiné (4 épreuves, sauf aux J.O. où il y a 5 médailles en jeu pour les hommes et 4 pour les dames). *Dames* 500 m, 1 000 m, 1 500 m, 3 000 m, combiné 4 épreuves et sprint pour h. et d. sur 500-1 000 m (2 fois). **Sur courte piste.** Créé 1980.

Quelques chiffres en France. Licenciés *(1987) :* 26 964 ; **clubs** : 212. **Patinoires** (1983) : 120 ; 21 dans la région parisienne. *Dimensions max. :* 61 m × 31 m (Paris : Pailleron 56 × 26, Molitor 52 × 22, Montparnasse 56 × 26, Eaubonne 58 × 28, Boulogne 60 × 30).

Principales épreuves

Jeux olympiques. Voir p. 1801.

☞ *Légende.* – Nationalités. (1) USA. (2) Autriche. (3) Tchéc. (4) Suède. (5) URSS. (6) All. dém. (7) Canada. (8) P.-Bas. (9) G.-B. (10) Norvège. (11) France. (12) Hongrie. (13) Suisse. (14) All. féd. (15) Japon. (16) Corée du S. (17) All. dep. 1991.

Patinage artistique

• **Championnats du monde.** *Créés* 1896. **Messieurs. 85** Alexandre Fadeiev[5]. **86** Brian Boitano[1]. **87** Brian Orser[7]. **88** Brian Boitano[1]. **89, 90, 91** Kurt Browning[7]. **Dames.** *Créé* 1906. **85** Katarina Witt[6]. **86** Debie Thomas[1]. **87, 88** Katarina Witt[6]. **89** Midotori Ito[15]. **90** Jill Trenary[1]. **91** Kristi Yamaguchi[1]. **Couples.** *Créé* 1908. **85** Elena Valova-Oleg Vassiliev[5]. **86, 87** Gordeiva-Grinkov[5]. **88** Valova-Vassiliev[5]. **89, 90** Gordeiva-Grinkov[5]. **91** Mishukuteniok-Dmitriev[5]. **Danse.** *Créé* 1950. **85, 86, 87, 88** Natalia Bestemianova-Andrei Bukin[5]. **89, 90** Marina Klimova-Sergueï Ponomarenko[5]. **91** Isabelle et Paul Duchesnay[11]

• **Championnats d'Europe. Messieurs.** *Créés* 1892. **85, 86** Sabovchik[5]. **87, 88, 89** Fadeev[5]. **90, 91** Petrenko[5]. **Dames.** *Créés* 1930. **85, 86, 87, 88** Witt[6]. **89** Leistner[14]. **90** Grossmann[6]. **91** Bonaly[11]. **Couples. 85, 86** Valova-Vassiliev[5]. **87** Selezneva-Makarov[5]. **88** Gordeieva-Grinkov[5]. **89** Selezneva-Makarov[5]. **90** Gordeieva-Grinkov[5]. **91** Mitchkovtienko-Dimitriev[5]. **Danse. 85, 86, 87, 88** Bestemianova-Bukin[5]. **89, 90, 91** Klimova-Ponomarenko[5].

• **Championnats de France. Messieurs.** *Créés* 1908. **85** F. Fedronic. **86** L. Depouilly. **87** P. Roncoli. **88** F. Lipka. **89, 90** E. Millot. **Dames.** *Créés* 1909. **85 à 88** A. Gosselin. **89, 90** S. Bonaly. **Couples. 85, 86** Vaquero-Manaud. **87** Mauger-Vandenberghe. **88, 89** non décerné. **Danse. 86** Paliard-Courtois. **87** I. et P. Duchesnay. **88** Yvon-Paluel. **89, 90** I. et P. Duchesnay.

Patinage de vitesse

• **Championnats du monde. All round** (combiné). **Messieurs. 85, 86** Vergeer [8]. **87** Guljajev [5]. **88** Flaim [1]. **89** Visser [8]. **90, 91** Koss [10]. **Dames. 85** Schöne [6]. **86, 87, 88** Enke-Kania [6]. **89** Moser [6]. **90** Boermer [6]. **91** Kleemann [17].

Sprint. Messieurs. 85, 86 Jelezovski [5]. **87** Kuroiwa [15]. **88** Jansen [1]. **89** Jelezovski [5]. **90** Bae [16]. **91** Shelesovski [5]. **Dames. 85** Rothenberger [6]. **86, 87** Enke-Kania [6]. **88** Rothenberger [6]. **89** Blair [1]. **90** Hauck [6]. **91** Garbrecht [17].

Piste courte (Short track). *Créés* 1978, reconnu officiellement en 1981. **Messieurs. 85** Kawai [15]. **86** Ishihara [15]. **87** Daigneault [7] et Kawai [15]. **88** Van der Velde [8]. **89** Daignault [7]. **90** Lee [16]. **Éq. 91** Japon. **Dames. 85** Shishii [15]. **86** Blair [1]. **87** Shishii [15]. **88, 89, 90** Daigle [7]. **Éq. 91** Canada.

• **Championnats d'Europe. All round. Messieurs. 85, 86** Vergeer [8]. **87** Guliaiev [5]. **88** Gustafson [4]. **89** Visser [8]. **90** Veldkamp [8]. **91** Koss [10]. **Dames. 86, 87** Schoene, **88** Ehring [6], **89, 90, 91** Kleeman [6].

• **Championnats de France. All round. Messieurs. 85 à 88** H. Van Helden. **89** T. Fagot. **90** H. Van Helden. **91** Lamberton. **Dames. 85, 86** M.-F. Vivès-van Helden. **87, 88, 89** Dumont. **90** M.-F. Van Helden. **91** Busson

Sprint. Messieurs. 85 Vernier. **86** Nicouleau. **87** Vernier. **88** Parayre. **89** Lamberton. **90** Vernier. **91** Lamberton. **Dames. 85** M.-F. Vivès-van Helden. **86** Dumont. **87** V. Lautier. **88** Broisse. **89, 90, 91** Busson.

Short track. Messieurs. 80 M. Bella. **81** M. Bella et E. Michon. **82, 83, 85** M. Bella. **84** Bella et Drave. **86, 87** Michon. **88, 89, 90** Bella. **Dames. 80** C. Doreau. **81** V. Delsignore. **82** Y. Geggroy et Ribaut. **83, 84** Leblond. **85, 86, 87** Dumont. **88** Barriza. **89, 90** Leyssieux.

Quelques noms

Patinage artistique. BELOUSOVA Ludmila [5] 22-11-35. BESTEMIANOVA Natalia [5] 6-1-60. BIELLMANN Denise [13] 11-12-62. BOITANO Brian [1] 22-10-63. BONALY Surya [11] 15-12-74. BOWMAN Christophe [1] 30-3-67. BROWNING Kurt [7] 18-6-66. BURKIN Andrei [5] 10-6-57. BUTTON Dick [1] 18-7-29. CALMAT Alain [11] 31-8-40. COUSINS Robin [9] 17-8-57. CURRY John [9] 9-9-49. DEAN Christopher [9] 27-7-58. DU BIEF Jacqueline [11] 4-12-30. DUCHESNAY Isabelle [11] 18-12-63. DUCHESNAY Paul [11] 31-7-61. FADEEV Alexandre [5] 4-1-64. FLEMING Peggy [1] 27-7-48. GILETTI Alain [11] 11-9-39. GORDEIVA Ekaterina [5] 22-5-71. GORSHKOV Alexandre [5] 8-10-46. GOSSELIN Agnès [11] 21-11-67. GRAFSTRÖM Gillis [4] 1893-1938. GRINKOV Sergueï [5] 4-2-67. HAMILL Dorothy [1] 26-7-56. HAMILTON Scott [1] 28-8-58. HASSLER Nicole [11] 6-1-41. HEISS Carol [1] 20-1-40. HENIE Sonja [10] 1912-69. HOFFMANN Ian s6 26-10-55. ITO Midori [15] 13-8-69. JENKINS David [1] 29-6-36. JULIN Alexandre [5] 20-7-63. KLIMOVA Marina [5] 22-7-66. KOVALEV Vladimir [5] 2-2-53. LYNN Janet [1] 6-3-56. MC KELLEN [1] 26-9-53. MEDERIC Axel [11] 29-5-70. NEPELA Ondrej [3] 1951-89. ORSER Brian [7] 1961. OULANOV Alexei [5] 4-11-47. PACHOMOVA Ludmila [5] 1946-86. PERA Patrick [11] 17-1-49. PETRENKO Viktor [5] (27-6-69). POETZSCH Anette [6] 3-9-60. PONOMARENKO Serguei [5] 6-10-66. PROTOPOPOV Oleg [5] 16-7-32. RIGOULOT Dany [11] 1944. RODNINA Irina [5] 12-9-49. SALCHOW Ulrich [4] 1877-1949. SEYFERT Gabrielle [6] 1948. SIMOND J.-Christophe [11] 29-4-60. THOMAS Debie s1 1967. TORVILL Jayne [9] 7-10-57. TRENARY Jill [1] (1-8-68). USSOVA Maia [5] 22-5-64. WITT Katarina [6] 3-12-65. YAMAGUCHI Kristi [1] (12-7-71). ZAITSEV Alexandre [5] 16-6-52.

Patinage de vitesse. BELLA Marc [11]. BLAIR Bonnie [1] 1964. BOUCHER Gaétan [7] 10-5-58. BURKA Sylvia [7]. DUMONT Stéphanie [11] 5-2-68. ENKE-KANIA Karin [6] 20-6-61. FAGOT Thierry [11] 1969. GRANATH Johan [4]. GUSTAFSON Thomas [4] 28-12-59. HEIDEN Beith [2] 1959. HEIDEN Eric [1] 14-6-58, devient cycliste. IVANGINE Martine [11] 1947. KOUPRIANOFF André [11] 1938. LUCAS Françoise [11] 15-3-39. MAIER Fred Anton [10] 1943. RONNING Frode [10]. ROTHENBURGER Christa [6] 1960. SADCHIKOVA Liubov [5] 1951. SHOENE EHRIG Petra [6]. SKOBLIKOVA Lydia [5] 8-3-39. THUNBERG Clas 1893-1973. TOURNE Richard [11] 1951. VAN GENNIP Yvonne [8] 1965. VAN HELDEN Hans [11] 1948. VERKERK Cornelius [8] 1941. VIVES-VAN HELDEN Marie-France [11] 30-9-59. VORONINA Inge [5] 1936-66. YOUNG Sheila [1] 14-10-50.

Paume

• **Origine.** Au début, on renvoyait la balle avec le creux de la main. Remonte à l'Antiquité. **Moyen Age :** se développe. *France :* jeu national, après avoir été surtout pratiqué sur les chantiers des cathédrales et dans les monastères. **1292** à Paris 13 paumiers ou fabricants de pelote. **XVIe s.** 250 salles de courte paume. François Ier fut un brillant champion. **1592** ordonnance royale en 24 articles (1res règles). **Sous Henri IV** 500 jeux. Très populaire : devient le lieu d'enjeux et de débauche. **Sous Louis XIV** mal vu par l'Église, puis interdit par le roi, se trouve réservé à la noblesse, donne naissance au billard. **XVIIe s.** la vogue décline ; en Europe (notamment Angleterre et Écosse) il prend le nom de tennis. **Fin du XIXe s.** on l'adapte en Angleterre au gazon en plein air et on l'appelle *lawn-tennis* (les lignes extérieures représentent à peu près les murs du jeu de paume qui se joue en salle spécialement agencée et sous un toit d'env. 10 m de haut).

• **Longue paume.** Aujourd'hui pratiquée essentiellement en Picardie (nombreuses Stés dans la Somme et Oise), à Paris (jardin du Luxembourg). Le rebot basque et la balle au tambourin à Montpellier en descendent. *Terrain :* en plein air, 60 m min. × 11 à 14 m, pas de filet mais une tresse de 2 mm d'épaisseur posée sur le sol (2 tresses formant une zone neutre pour le 1/1 et le 2/2). Balle en liège de 16 à 20 g. Raquette à petit tamis et long manche. Les parties se jouent en *enlevée* [en simple, double ou équipes de 4, la tresse centrale *(corde)* ou la zone neutre tient lieu de filet. En 5 jeux, constitués de quinzes, formule reprise par le tennis] ou en *terrée* [à 6 contre 6 et en 7 jeux, la corde n'intervient que pour le service, le *tir,* la balle pouvant être ensuite renvoyée à terre]. Le tir est placé contre le vent pour un meilleur équilibre entre les 2 camps. Quand la balle n'est pas renvoyée à la volée ou au 1er bond, on marque une *chasse* à la hauteur où la balle est arrêtée après le 2e bond : le point est acquis lorsque les joueurs ayant changé de côté disputent à nouveau ce coup en envoyant la balle au-delà du niveau de la chasse, ou dans la défensive, en l'empêchant de l'atteindre.

Championnats de France. *Créés* 1892. **90.** *Hommes :* 1/1 Laurent Delporte, 2/2 Péronne, 4/4 et 6/6 Rosières. *Dames :* 1/1 Céline Debeauvais, 2/2 Quiry, 6/6 Quiry-Montdidier.

• **Courte paume.** En anglais, *court tennis.* Ancêtre du *lawn-tennis.* Dans un espace couvert ou découvert de 28,50 à 30 m de long × 9,30 à 9,80 m de large et 10 m env. de haut. Carreau (sol) en dalles de pierre. Terrain séparé au milieu par un filet (haut. 0,92 m au centre, 1,50 m aux bouts). *Raquettes* asymétriques, un peu plus petites que les raquettes modernes de tennis. *Balles* (65 à 70 g) en chiffon recouvertes de drap. *Points et sets* comptés comme au tennis, mais une balle de paume non touchée avant son 2e rebond sur le carreau met le point en suspens. C'est une *chasse* mise en jeu ultérieurement selon des modalités particulières ; elle entraîne le changement de service bien que le jeu ne soit pas terminé ; l'absence de chasse permet de garder le service plusieurs jeux d'affilée. Les rebonds sur les murs sont libres et jouent un rôle important, surtout entre le 1er et le 2e rebond sur le carreau. Des *ouverts* formant *galerie* sous les toits sont tendus de filets pour arrêter la course de la balle qui, en y pénétrant, ou bien fait chasse ou bien fait point gagnant (galerie du « dedans », « derrière » galerie côté « devers », grille). *Jeux :* France (Paris, 74 *ter,* rue Lauriston, et Mérignac, Gironde), il reste 22 jeux inutilisés ; G.-B. une vingtaine ; USA 7 et Australie 4. *Adeptes* G.-B. 2 000, USA 1 500, Australie 2 000, *France 80.*

Championnats du monde. Messieurs. Simples. 1928-54 Pierre Etchebaster (Fr.). **55-57** James Dear (G.-B.). **57-59** Albert Johnson (G.-B.). **56-69** Northrup Knox (USA). **69-72** G. H. Pete Bostwick (USA). **72-75** Jimmy Bostwick (USA). **76-81** Howard Angus (G.-B.). **81-87** Chris Ronaldson (G.-B.) **dep. 87** Wayne Davies (Aus.).

Dames. Simples. *Créés* 1985. **85, 87** Judy Clarke (Austr.). **89** Penny Fellows (G.-B.). **Doubles.** *Créés* 1985. **85** Judy Clarke et Annie Link (Austr.). **87** Lesley Ronaldson et Katrina Allen (G.-B.). **89** Alex Warren-Piper et Melissa Briggs (G.-B.).

Coupe Bathurst. *Créée* 1899. 4 matches de simple et 1 de double. Amateurs. Tous les 4 ans. *Dep. 1899* vict. de la G.-B. devant U.S.A., Fr., Austr. **Grand prix de Paris Marcel Dupont.** *Créé* 1976. Tournoi international open, réservé aux 20 meilleurs joueurs mondiaux.

Championnat de France amateur (Raquette d'or). *Créé* 1901. **1976-85** B. Sarlangue. **Amateur** 2e SÉRIE (Raq. d'argent). *Créé* 1901. **1976-82** P. Sarlangue. **83** D. Newman. **84** A. Hahn. **Coupe Gould Eddy** (Ch. de France, double open). *Créé* 1904. **1987** Lovel (G.-B.) et Mears (Austr.). **Ch. de France open.** *Créé* 1976. **1981** B. Sarlangue. **82** D. Grozdanovitch. **83** P. Sarlangue. **Depuis 84** non disp.

Pêche

Classification des eaux

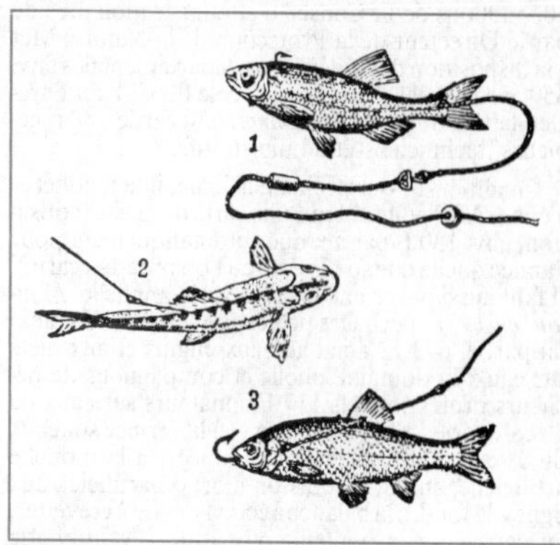

Pêche au vif (en ferrage du poisson) : 1 sur le côté. 2 sur le dos. 3 par la nageoire dorsale et l'ouïe.

Loi sur la pêche du 29-6-84, entrée en vigueur le 1-1-86. S'applique à tous les cours d'eau, canaux, ruisseaux et aux plans d'eau avec lesquels ils communiquent, même de façon discontinue.

Classement. Biologique : *1re catégorie* eaux peuplées de salmonidés (truites, saumons, ombles, ombres, etc.) déterminée par arrêté ministériel, *2e catégorie* autres eaux peuplées de blancs (gardons, rotengles, brèmes, chevesnes, carpes, tanches, etc.) et de carnassiers (brochets, perches, etc.). **Administratif :** *domaine public* [cours d'eau et canaux navigables ou flottables, et ceux rayés de la nomenclature des voies navigables ou flottables (mais maintenus dans le domaine public), ainsi que certains lacs où le droit de pêche appartient à l'État], et *domaine privé* (cours d'eau et plans d'eau non domaniaux) où le droit de pêche appartient au propriétaire riverain.

Pêcheurs

Nombre en France. 1 pêcheur pour 12 ou 13 hab. (USA 1 pour 7, Belg. 1 p. 60, Italie 1 p. 200, All. féd. 1 p. 700).

En 1990 : 1 875 031 pêcheurs à la ligne, y compris les pêcheurs amateurs aux engins et aux filets, et 962 pêcheurs professionnels ont acquitté la taxe piscicole. Mais il y a en fait env. 3 400 000 pêcheurs dont 1 900 000 acquittent la taxe piscicole chaque année, 1 000 000 sont exonérés (conjoints, enfants, etc.) et 500 000 pratiquent dans les eaux closes ou sur certains plans d'eau où la loi ne s'applique pas. Ils disposent d'env. 500 000 km de rivières dont 4 680 km de canaux, 11 800 km de cours d'eau navigables ou rayés de la nomenclature, plus de 250 000 km de cours d'eau non domaniaux et plus de 250 000 ha de lacs, retenues et étangs privés dont 30 000 ha du domaine public. Ce qui fait pour chacun en moy. 70 m de berge et 500 m² de lac ou d'étang, et 2 kg de poisson par saison.

Chiffre d'affaires de la pêche à la ligne. Env. 11 milliards de F. **Budget du pêcheur en 1989.** Env. 4 000 F par an.

Manières de pêcher. Au coup. La plus courante. Canne de 3 à 10 m et flotteur servant à suivre le mouvement de la ligne. Un coup de poignet assure la prise du poisson. **Pêche à l'anglaise.** Canne de 3 à 4 m munie d'anneaux et équipée d'un moulinet. Permet de pêcher en se trouvant à 20 ou 30 m du bord. Permet de capturer de plus gros poissons (carpes) sur des fils fins. **Pêche au lancer.** Canne courte (env. 2 m) équipée d'un moulinet. L'appât est un leurre métallique ou en bois. Exige plus de déplacements de la rive aux lieux de la prise finale. **Pêche à la mouche.** En principe pour truite, saumon et ombre commun. Canne souple d'env. 2 m et ligne lourde.

Réglementation

Pêche à la ligne en eau douce

En France, pêche gérée par les 4 200 *Associations agréées de pêche et de pisciculture* (AAPP.) groupées en *Fédérations départementales* et en une *Union nationale des Fédérations départementales des AAPP* (17, rue Bergère, 75009 Paris).

Nota. – Il existe 92 fédérations départementales (la féd. de Paris-Petite couronne regroupe Paris, Hts-de-Seine, Seine-St-Denis et Val-de-M).

• **Conseil supérieur de la pêche (CSP).** Établissement public national à caractère administratif. Sous la tutelle du min. de l'Environnement. *Budget :* env. 200 millions de F. Conseil d'administration présidé par le Directeur de la Protection de la Nature. Met à la disposition des fédérations départementales env. 650 gardes-pêche (formés à l'école du CSP au Paraclet dans la Somme). *Personnel :* 650 gardes, 80 ingénieurs, techniciens et administratifs.

• **Conditions.** Pour pêcher à la ligne, il faut adhérer à une AAPP pour obtenir une carte de pêche (cotisation, env. 150 F par an, due automatiquement pour l'année quelle que soit la date où l'on prend sa carte). Il faut aussi payer une taxe piscicole annuelle. *Montant en 1991 :* pêcheurs professionnels à temps plein ou partiel 643 F, amateurs aux engins et aux filets sur eaux du domaine public et compagnons de pêcheurs professionnels 117 F, amateurs sur eaux de 1re catégorie 117 F, aux lignes et à la vermée sur eaux de 2e cat. 37 F, pêcheurs au lancer, à la mouche artificielle, au vif, au poisson mort ou artificiel, aux lignes de fond, à la balance à écrevisses ou à crevettes, au carrelet, à la bouteille ou carafe à vairons, de grenouilles 117 F. *Pêcheurs appartenant à plusieurs catégories* assujettis pour le seul montant de la taxe au taux le plus élevé. *Suppléments :* 66 F pour la truite de mer. 469 F pour saumons, avec 4 bagues pour les amateurs ; 50 F par bague, pour professionnels (le pêcheur de saumons doit être muni d'un carnet de pêche nominatif). 164 F pour civelle avec tamis d'un diamètre et d'une profondeur inf. à 50 cm, 898 F si les dimensions du tamis sont supérieures.

Cartes, timbres et bagues sont délivrés par les AAPP et leurs dépositaires, souvent des négociants en articles de pêche.

Nota. – Titulaires de la carte d'économiquement faible, grands invalides de guerre ou du travail, titulaires d'une pension de 85 % et au-dessus, conjoints de membres ayant acquitté la taxe, mineurs jusqu'à 16 ans et appelés pendant leur service national, sont dispensés de la taxe piscicole (s'ils ne pêchent qu'avec une seule ligne équipée de 2 hameçons simples au plus, pêche au lancer exceptée) et d'acheter le timbre supplément saumon ou truite de mer. Ils peuvent pêcher dans les eaux du domaine public et les lacs où le droit de pêche appartient à l'État et dans les eaux du domaine des particuliers (avec la permission de ceux-ci).

• **Autorisation de pêcher.** Nécessaire si l'on n'est pas détenteur du droit de pêche. Le droit de pêche appartient à l'État dans cours d'eau et lacs domaniaux (navigables ou non, canalisés ou non), les lacs de retenues des barrages hydroélectriques construits et exploités par EDF, les lacs du domaine privé de l'État, ou à des particuliers (cours d'eau et plans d'eau non domaniaux). Les propriétaires riverains sont en même temps propriétaires du lit, mais pas de l'eau ni du poisson qui s'y trouve. Ces eaux sont classées en 2 catégories piscicoles (voir plus haut).

• **Possibilités.** Tout pêcheur, membre d'une AAPP, remplissant les conditions ci-dessus, peut pêcher dans tous les lots détenus par son AAPP (loués à l'État ou à des particuliers), sur les lots loués à l'État [pratique de la pêche avec lignes (max. 4 en 2e cat. et 1 en 1re cat.), et balances (6 au max.)].

On peut pêcher gratuitement dans toutes les eaux où le droit de pêche appartient à l'État avec une ligne (pêche banale), quel que soit le siège de l'AAPP où l'on a réglé la taxe piscicole et indépendamment des droits individuels ou collectifs qu'on peut détenir. *Conditions :* a) de la rive ou en marchant dans l'eau dans les cours d'eau du domaine public classés en 1re catégorie piscicole ; b) de la rive ou en marchant dans l'eau ou en bateau, dans les cours d'eau domaniaux classés en 2e cat. pisc., ainsi que dans les plans d'eau, quelle que soit leur cat. ; c) de la rive seulement, pour le saumon (sauf sur certains parcours).

Le pêcheur peut pêcher sur cours d'eau et plans d'eau non domaniaux, partout où, à titre personnel, il possède un droit de pêche en qualité de riverain, et partout où le propr. riverain lui accorde à titre personnel le droit de pratiquer la pêche chez lui (4 lignes max. en 2e cat. et 1 en 1re). Dans le domaine des particuliers (réseau non domanial) de 1re cat., une seule ligne.

• **Dates d'ouverture.** Fixées par décret, mais ces périodes peuvent être raccourcies par les préfets.

Eaux de 1re catégorie. *Entre le 1er samedi de mars et le 1er dimanche d'oct. :* Alpes-de-Hte-Pr., Htes-Alpes, Alpes-Mar., B.-du-Rh., Drôme, Isère, Savoie, Hte-Savoie, Var et Ain. *Entre le 3e sam. de mars et le 1er dim. d'oct. :* Aisne, Ardennes, Aube, Doubs, Eure, Essonne, Hts-de-Seine, Jura, Marne, Hte-M., M.-et-M., Meuse, Moselle, Nord, Oise, Paris, Pas-de-Calais, Hte-Saône, Seine-Maritime, Seine-et-Marne, Seine-Saint-Denis, Somme, Bas-Rhin, Haut-Rhin, Vosges, Belfort, Val-d'Oise, Val-de-Marne et Yvelines. *Entre le 3e* sam. de mars et le 3e dim. de sept. : Côte-d'Or, Nièvre, Rhône, S.-et-L. et Yonne. *Entre le 1er sam. de mars et le 3e dim. de sept. :* autres départements.

Eaux de 2e catégorie. Autorisée toute l'année (sauf aux engins et filets : fermée entre 3e dim. d'avril et 2e sam. de juin).

Ouvertures spéciales. *Brochet :* 1er/31-1, 1er samedi d'avril/31-12. *Anguille d'avalaison :* 1er-1/15-2, 1er-10/31-12. *Corégone :* 1er-1/15-11. *Esturgeon :* 1er-1/31-5. *Truites autres que la truite de mer, l'omble ou saumon de fontaine, l'omble chevalier, le cristivomer :* en 2e cat., ne peut être pratiquée que pendant la période d'ouverture fixée pour les eaux de 1re cat. du département où l'on pêche. Dep. 1990, la truite arc-en-ciel se pêche toute l'année dans les rivières de 2e cat. *Civelle (alevin d'anguille ayant environ 7 cm de longueur) :* eaux 2e cat. : 1er-11/15-3, voire jusqu'au 15-4 sur décision du ministre chargé de la pêche en eau douce. *Ombre commun :* du 3e samedi de mai au 31-12 dans 1re cat. classés comme cours d'eau principalement peuplés d'ombres communs ou, en l'absence de classement, jusqu'à la fin du temps d'ouverture de 1re cat. applicable dans le département où l'on pêche. Seule l'Ain, en aval du barrage de Convert, a été classée principalement peuplée d'ombres communs. Pour les eaux de 2e cat., ouverte du 3e samedi de mai à la fin de l'année. *Écrevisse autre que l'écrevisse américaine :* 10 j max. à partir du 14-7 ou du 15-8. *Grenouille verte et rousse :* période d'ouverture de 1re cat. dans les eaux de 1re cat. ou de 2e cat. dans les eaux de 2e cat. (sauf pendant 2 mois, fixés par le préfet et correspondant à l'époque de reproduction). *Saumon et truite de mer :* fixées annuellement par le ministre de l'Environnement.

Heures. Autorisée dep. 1/2 h avant le lever du soleil jusqu'à 1/2 h après son coucher.

• **Taille min. du poisson.** Certains ne peuvent être pêchés et doivent être rejetés à l'eau si leur longueur est inférieure à 1,80 m : esturgeon ; 0,70 : huchon ; 0,50 : saumon ; 0,45 : brochet ; 0,40 : sandre ; 0,35 : truite de mer, cristivomer ; 0,30 : aloses, ombre commun, corégone ; 0,25 : lamproies marine et fluviatile ; 0,23 : truites (sauf truite de mer, omble ou saumon de fontaine, omble chevalier), black-bass ; 0,20 : mulet ; 0,09 : écrevisses sauf écrevisse américaine.

Longueur mesurée du bout du museau à l'extrémité de la queue [écrevisses de la pointe de la tête (pinces et antennes non comprises) à l'extrémité de la queue déployée]. Pas de longueur minimale pour les autres poissons. Dans les eaux des régions montagneuses ou à sol pauvre en chaux, désignés par arrêté, les truites et saumons de fontaine peuvent, exceptionnellement, être pêchés à partir de 18 cm. 2 autres tailles réglementaires possibles sont fixées par le préfet : 20 et 25 cm. Se renseigner sur place.

• **Nombre de captures.** Limitées pour les salmonidés (surtout le saumon et truite de mer).

• **Lieux de pêche interdits.** Vannages, échelles à poissons, 50 m en aval des ouvrages établis sur les eaux où le droit de pêche appartient à l'État, 50 m en amont et en aval des ouvrages établis sur les cours d'eau classés à saumon.

• **Commercialisation du poisson.** Interdite aux pêcheurs amateurs. Amende de 1 000 à 10 000 F.

• **Renseignements.** *Conseil supérieur de la Pêche,* 134, av. Malakoff, 75016 Paris. *Union nationale des Féd. départementales de pêche et de pisciculture de France,* 17, rue Bergère, 75009 Paris. *Féd. française de pêche au coup,* 25, route de Brissac, 49610 Murs-Érigné. Pêche au coup en eau douce, organise les compétitions. *Féd. fr. des pêcheurs sportifs mouche,* 5, rue Jules-Verne, BP 49, 69741 Genas Cedex.

Principaux poissons d'eau douce pêchés en France

On rencontre en France environ 70 espèces de poissons d'eau douce.

Taille et poids maximaux habituels (il est impossible d'indiquer avec certitude des records de prise mondiaux ou même français). Période de reproduction :

Ablette : 12 à 16 cm (25 g), mai-juin. *Alose (grande) :* 50 cm (3 kg), avril-mai. *Alose finte* [1] *:* 35 cm (1 kg), mai-juin. *Alose du Rhône* [2] *:* 40 cm (2 kg), mai-juin. *Anguille* [3] *:* 1,5 m (4 kg), févr. à juill. *Apron :* 10 à 15 cm, févr. à avr. *Athérine* [5] *:* 8-9 cm, printemps. *Barbeau commun :* 70 cm (+ de 10 kg), mai à juill. *Barbeau méridional :* 30 cm max. *Black-bass :* 50 cm (3 kg 1/2), mai à juill. *Blageon ou suiffe :* 15 à 18 cm (50 g), printemps. *Bouvière :* 8 cm, avril-mai. *Brème :* 70 cm (5 kg), avril-mai. *Brème bordelière :* moins de 22 cm. *Brochet* [4] *:* 1 m (10 kg), févr.-mars. *Cagnette ou blennie :* 10 à 14 cm, été. *Carassin :* 25 à 30 cm, juin. *Carpe* [6] *:* 1 m et + (25 à 30 kg), mai à août. *Chabot :* 11 cm, mars-avril (pêche interdite). *Chevesne :* 60 cm (6 kg), mai-juin. *Corégone :* 30 à 50 cm (1 à 3 kg). *Cristovomer. Écrevisse américaine* [7] *:* 14 cm, ponte oct. à déc., éclosion mai-juin. *Écrevisse à pieds blancs :* 12 à 13 cm, *id. Écr. à pieds rouges* [2] *:* 16 à 18 cm, *id. Éperlan* [14] *:* 30 cm, janv. à avril. *Épinoche :* 6 à 8 cm, mars à mai. *Esturgeon* [9] *:* 2,2 m (100 kg). *Féra :* 30 à 50 cm, février. *Flet* [10] *:* 45 cm, printemps. *Gambusia :* 4 à 6 cm, toute l'année. *Gardon :* 25 cm (+ de 750 g), mai-juin. *Goujon :* 15 à 18 cm, avr. à juill. *Gravenche :* 15 à 35 cm, déc.-janv. *Grémille :* 15 à 18 cm, avril. *Hotu :* 15 à 45 cm et + (2 kg), mars à mai. *Huchon :* 0,8 à 1,6 m (10 kg), mars-avril. *Ide :* 50 cm (4 kg), avril-mai. *Lamproie de Planer :* 25 cm. *Lamproie fluviale* [12] *:* 25 à 60 cm, mai-juin. *Lamproie marine* [11] *:* 1 m (2 kg), mai-juin. *Loche de rivière :* 8 à 10 cm, avril-mai. *Loche d'étang :* 30 cm, avril à juin. *Loche franche :* 10 à 21 cm, avril-mai. *Lotte :* 30 cm à 1 m (500 g et +), janv. *Muge cabot* [3] *:* 60 cm (3 kg), automne-hiver. *Muge capiton (mulet)* [3] *:* 40 cm (2 kg), automne-hiver. *Omble chevalier :* 50 cm (2 kg), déc. *Ombre :* 40 cm (1 à 2 kg), printemps. *Perche :* 15 à 50 cm (3 kg), mi-mars à juin. *Perche soleil :* 100 à 150 g, mai-juin. *Poisson-chat :* 40 cm (500 g) mai-juin. *Rotengle :* 36 cm (0,5 kg), mai à juin. *Sandre :* 1,20 m (+ de 10 kg), avril. *Saumon :* 1,50 m (17 kg), nov. à janv. *Saumon de fontaine :* 40 cm (2 kg), nov. *Silure glane :* 4 m (200 kg), mai-juin. *Soffie :* 25 cm (150 g), avril-mai. *Spirlin :* 15 cm, mai-juin. *Tanche :* 60 cm (+ de 3 kg), mai à juill. *Truite arc-en-ciel :* 60 cm et + (5 kg). *Truite fario :* + de 50 cm (18 cm riv. mont., 23 cm autres eaux) (500 g à 3 kg), oct. à janv. ; peut atteindre 8 à 10 kg dans certains lacs. *Vairon :* 9 cm, mai-juin. *Vandoise :* 25 à 30 cm (1,2 kg), mars à mai.

Nota. – (1) Vit en mer, se reproduit en eau douce (France : Loire, Garonne, Adour). (2) Vit en Méditerranée, se reproduit en eau douce. (3) Pond en mer près des Bermudes ; les larves dérivent vers les embouchures des fleuves et, transformées en civelles puis en anguilles, remontent les rivières. (4) Prise de 1,80 m signalée. (5) Pond en eau douce. (6) Vit env. 30 ans. (7) Rare. (8) Très rare (Alpes, Morvan, Vosges). (9) Vit en mer, se reproduit en eau douce (France : Gironde et Garonne, parfois Bas-Rhin, Rhône et Adour) ; ses œufs donnent le caviar. (10) Monté en eau douce en juillet, regagne la mer en octobre ; se nourrit normalement et se reproduit en eau salée. (11) Vit en mer, se reproduit en eau douce (France : Loire, Adour, Garonne, Rhône). (12) Reste plus longtemps en eau douce. (13) Pond en mer, vit en eau douce. (14) Vit en mer, pond aux emb. des fleuves.

Pêche de loisir en mer

Conditions. Possible toute l'année, de jour et de nuit, le long des côtes, mais il faut se conformer aux instructions concernant les zones militaires, portuaires ou insalubres et aux dispositions réglementaires visant la conservation des fonds (ex. taille min. du poisson pêché). Il est interdit de vendre les prises.

Pêche à pied. Sans formalité, on peut pêcher à la ligne tenue à la main, ramasser à la main des crustacés et des coquillages, pêcher avec des lignes de fond (possibilité d'interdiction si la sécurité l'exige). Pour la pêche avec filets et autres engins réglementaires, sauf épuisette, panier, casier, haveneau de plage dont l'emploi n'est subordonné à aucune formalité, une autorisation préalable de l'autorité maritime locale est nécessaire en mer du Nord, Manche et Atlantique. En Méditerranée, une déclaration suffit.

Pêche en bateau. *Engins autorisés :* lignes gréées pour l'ensemble d'un max. de 12 hameçons, 2 palangres munies chacune de 30 hameçons au max., 2 casiers à crustacés, 1 foene, 1 épuisette ou salabre. Toutefois sont autorisés : en mer du Nord, Manche et Atlantique : un trémail de 50 m. de long max., sauf dans estuaires et eaux salées des fleuves et rivières affluant à la mer ; en Méditerranée : une grappette à dents destinée à la capture de coquillages.

Pêche sous-marine. **Législation.** Age min. : 16 ans. **Déclaration.** Obligatoire et gratuite [l'envoyer au Quartier des Affaires maritimes d'une ville côtière et conserver le récépissé de déclaration (les membres d'une fédération d'associations de pêcheurs sous-marins reconnue par le min. chargé de la Marine marchande en sont dispensés)]. Permet de pêcher 1 an sur tout le littoral de la France continentale ou de la Corse. **Assurance :** responsabilité civile obligatoire. **Prescriptions.** Ne pas utiliser d'appareil permettant de respirer en plongée, de fusil à gaz comprimé autrement que par la force de l'utilisateur, des foyers lumineux ; ne pas détenir en même temps, sur le navire, scaphandre autonome et engins de pêche sous-marine ; ne pas chasser entre coucher et lever du soleil, à moins de 150 m des navires ou des embarcations de pêche ainsi que des filets signalés par des balisages ; ne pas prendre le poisson capturé dans d'autres engins de pêche ; ne pas vendre les prises. Utiliser une foene ou un fusil pour capturer les crustacés ; tenir un fusil chargé hors de l'eau. *Pêcheurs sous-marins non déclarés :* risquent une contravention de 20 à 150 F.

Poissons chassés en France. Mérou, dené, raie, turbot, loup, dorade, sar, liche, bonite, ombrine, mostelle, congre, corb ou loup de roche, rouget, mulet, murène (dont la morsure venimeuse peut être dangereuse pour le pêcheur). **En Méditerranée.** Dans l'ordre des profondeurs (petits à grands fonds). *Blade :* à proximité des sars, dans les failles sombres. *Girelle :* toujours isolée. *Serran :* brun rouge. *Rouquier :* vit sous les roches. *Rouget :* sur les fonds sablonneux. *Rascasse :* dans la pierraille ; appelée chapon lorsqu'elle est grosse et rouge. *Saupe :* par groupes. *Poulpe :* près des côtes ou dans les récifs et épaves. *Congre :* caché pendant le jour. *Sar :* dans les trous, entassements rocheux ; appelé mouraguette en Provence. *Daurade :* isolée, au ras des algues, clairières ensoleillées. *Corb :* vit en colonies peu nombreuses, dans les failles ou sous les roches profondes. *Mulet :* se cache dans les trous (ragues). *Loup :* solitaire ou en bandes à la saison du frai, capture facile. *Mérou :* tête très volumineuse. *Denti :* rarement rencontré. *Liche :* peut atteindre 40 kg.

Renseignements. *Fédération française des pêcheurs en mer,* 8, rue de la Constellation, 40600 Biscarosse-Plage.

Pelote basque

Généralités

• Origine. Descend de l'ancien jeu de paume français. Mentionnée pour la 1re fois au XVe s. S'est développée à partir du XVIIIe s. et surtout au XIXe s. avec l'invention du *chistera* d'osier et châtaignier (inventé en 1857 par Gaintchiki Harotcha). Pratiquée aujourd'hui en Amérique, Espagne et France (notamment dans le Sud-Ouest).

• Aires de jeu. **Fronton place libre :** très répandu au Pays Basque, en plein air, mur de 10,50 m de haut, aire de jeu en ciment et terre battue de 35 à 100 m de long et 16 m de large. **Fronton mur à gauche :** en général couvert, comprend 3 murs (devant, à gauche et au fond), env. 10 m de haut, aire de jeu de 10 m de large et 36 m de long pour le fronton court et 54 m pour le fronton long ou *jaï alaï* (jeu allègre). **Trinquet :** couvert, aire de jeu de 9,30 m sur 28,50 m, 10 m de haut ; on joue sur les 4 murs, nombreuses chicanes (chilo, pan coupé, tambour, filet) rendant le jeu spectaculaire.

• Balle *(pelote).* Noyau en filaments de caoutchouc spécial (para) tendus et serrés fortement, entouré de fils de laine et recouvert d'une enveloppe de cuir simple ou double (peau de chèvre) découpée en forme de 8. *Vitesse :* 302 km/h, José Ramon Areitio le 3-8-1979 à Newport (U.S.A.).

• Spécialités. **Main nue.** *Pelote française :* fronton place libre ou trinquet, 1 ou 2 joueurs par équipe, pelote (62 mm de diam., 90 g) ; *espagnole :* fronton mur à gauche, 1 ou 2 joueurs, pelote (65 mm, 105 g). Le *pelotari* se sert uniquement de sa main pour frapper la pelote.

Chistera. En France. Fronton place libre de 80 m de long, on renvoie la balle avec le *chistera* (gant cuir terminé par panier en osier, 63 à 68 cm de long, 500 à 600 g) dont la courbure forme une poche qui facilite la réception et le blocage de la pelote (66 mm, 128 g, cuir), équipes de 3 joueurs.

Cesta punta. Se joue sur un jaï alaï avec un grand chistera et des pelotes spéciales (64 mm, 125 g, parchemin), équipe de 2 ou 1 joueur (pour le pari).

Joko garbi (jeu pur). Surtout pratiqué en France. Fronton place libre d'au moins 50 m de long. Gant plus petit que le chistera (58 cm de long, osier, 350 à 400 g), sa courbure moins appuyée permet de renvoyer la balle (65 mm, 120 g, cuir) dès réception et rend le jeu très rapide. Équipes de 3 joueurs (2 si l'on joue mur à gauche).

Rebot. Le plus ancien des jeux de pelote. Place libre de 90 à 100 m divisée en 2 rectangles inégaux. Même gant que pour le joko garbi. Pelote (72 mm, 130 g, cuir). 2 équipes de 5 joueurs. Jeu direct comme le tennis. Partie en 13 jeux comptés 15, 30, 40 et jeu.

Pasaka. Très ancien, probablement issu de la courte paume. En trinquet avec un filet médian (1,20 m de haut). Pelote (90 mm, 245 g, cuir). Équipes de 2 joueurs. Jeu direct, le gant permet de renvoyer la pelote par un coup glissé instantané. Même compte des points qu'au rebot.

Pala. Uniquement en France. On frappe la pelote avec la *pala,* sorte de battoir en bois de 10 cm de large et 50 cm de long. Place libre. Pelote (60 mm, 100 g, cuir). Équipes de 2 joueurs.

Pala corta. Fronton mur à gauche. Pala plus courte et plus légère. Pelote (60 mm, 90 g, cuir). Équipes de 2 joueurs.

Paleta. Pelote de cuir. Origine esp. Trinquet ou fronton mur à gauche. Paleta 12,5 cm de large, 50 cm de long. Pelote (40 mm, 52 g, cuir). Équipes de 2 joueurs. **Pelote gomme.** Paleta 70 cm de large et 50 de long. Pelotes : internationale (*balin* ou *argentine,* 30 mm, 35 g, caoutchouc, creuse), espagnole (35 mm, 45 g, caoutchouc, pleine). Équipes de 2 joueurs.

Xare. Trinquet. Raquette 16 cm de large et 55 de long, munie d'un filet de corde (le *xare*) non tendu. Pelote (55 mm, 80 g, cuir). Équipes de 2 joueurs.

Frontenis. Très répandu au Mexique. Fronton mur à gauche court. Raquette ressemblant à une raquette de tennis (poids 400 à 500 g, 22 cm de large, 70 cm de long). Pelote (25 mm, 45 g, caoutchouc, creuse). Équipes de 2 joueurs.

Résultats

• Championnats du monde. Tous les 4 ans dep. 1952, en Europe ou en Amérique. *Participants :* Argentine, Brésil, Chili, Espagne, France, Mexique, Philippines, Uruguay, U.S.A., Italie, Venezuela. **86** (Vitoria, Esp.) *fronton mur à gauche main nue : ind.* Iribarren (Esp.), *éq.* Fr. ; *trinquet : paleta gomme* Argentine, *raquette argentine* Fr., *main nue par éq.* Fr., *paleta cuir* Esp. ; *cesta punta* Fr. **90** (La Havane, Cuba) *trinquet : main nue : ind.* Mexique, *main nue par éq.* Fr., *xare* (raquette argentine) Fr., *paleta pelote de gomme pleine (dames)* Fr., *paleta pelote de cuir* Argentine, *paleta pelote de gomme creuse* Arg. ; *fronton mur à gauche (36 m) : main nue 2 à 2, ind., pala corta, paleta pelote de cuir et cesta punta* Esp. ; *fronton mur à gauche (30 m) : frontenis* Esp., *frontenis (dames)* Mex., *paleta pelote de gomme creuse* Mex.

• Championnats de France. **Place libre (1990).** *Rebot seniors* Hasparren, *interligues* Villefranque. *Joko garbi seniors* Hasparren, *interligues* St-Étienne de Baigorry. *Chistera seniors* Bidart, *interligues* Bidart. *Main nue seniors* Villefranque. *Grosse pala seniors* Aviron Bayonnais, *interligues* (89) U.S. Dax. *Paleta pelote gomme* St-Pee Union Club. *Paleta pelote cuir* Endayarrak.

Trinquet (1991). *Paleta pelote gomme pleine* Luzean. *P.P.G. creuse* C.O. bayonnais. *P.P.G. féminine* A. bayonnais. *Xare* St-Jean-de-Luz. *Main nue par équipes* Biarritz *et ind.* Mendionde. *P.P. cuir* Hendaye.

Fronton mur à gauche (1991) 36 m. *Pala corta* Biarritz A. Club. *Joko garbi seniors* Hasparren, *interligues* Salies-de-Béarn. *Cesta punta* Biarritz A.C. *Paleta pelote de cuir* (90) A. Bayonnais.

Quelques noms

AGUER J.-B. AGUIRE. APESTEGUY Joseph *dit* Chiquito de Cambo (1881-1955). ARBILLAGA. ARCE Amédée. BEHESKA. BICHENDARITZ. CHATELAIN. DONGAITZ Léon (1886). DURRUTY Étienne. ETCHART. FAGOAGA. HARAMBILLET Jean-Baptiste (1917). HARAN GARMENDIA. LADUCHE Joseph. LEMOINE Jean. SAINT-MARTIN Prosper. UNHASSOBISCAY. URRUTY Jean (19-10-13). ZUGASTI.

Plaisance

Bateaux

Statistiques

• Grandes flottes de plaisance. (1988) USA 14 742 700, Canada 2 302 430, Suède 1 138 000, *France 713 000,* Norv. 660 000 (1987), G.-B. 568 050, All. féd. 834 979, Finl. 604 300, Italie 574 350, P.-Bas 403 350, Japon 212 115 (1987), Suisse 110 000.

☞ Flotte française (31-8-1990). 755 263 navires immatriculés, dont 523 172 à moteurs et 232 091 voiliers. 549 320 navires de moins de 2 tx et 205 943 de plus de 2 tx. *Répartition* (31-8-1990). Marseille 321 320, Rennes 154 859, Le Havre 113 583, Bordeaux 102 269, Nantes 73 750. Env. 60 000 b. non immatriculés naviguent sur les voies intérieures, ou aux formalités non remplies (dont 1 400 petites embarcations), ou à moyen de propulsion indéterminé.

Immatriculations. *80 :* 34 302. *81 :* 30 551. *85 :* 21 337. *87 :* 20 779. *88 :* 22 978, *89 :* 21 075, *90 :* 21 700 (dont Marseille 10 296, Rennes 3 773, Le Havre 3 173, Bordeaux 2 731, Nantes 2 027).

Matériaux (en % navires immatriculés du 1-10-88 au 30-9-89). Plastique 70,4 ; pneumatique 24,5 ; bois 3,3 ; métal 1,3 ; contreplaqué 0,5. **Moteurs** (en %). Types. Hors-bord 67,5, fixe 25,3 ; relevable 2,9 ; turbine 4,3. **Puissance.** – de 10 ch 33,8 ; 10 à 50 : 27,3 ; 50 à 100 : 16,2 ; 100 à 150 : 8,1 ; 150 et + 14,6.

Professions des plaisanciers (immatriculations 1989, en %). Cadres moyens, petits patrons, représentants 27. Employés, ouvriers, petits agr. 25,3. Prof. lib., cadres sup., grands et moyens patrons, grands agr. 19,5. Divers (étudiants, non actifs, sociétés, associations) 28,2.

Navires assurés. Voiliers 65,5 %, n. à moteur 57,1 %.

Principaux quartiers d'immatriculations pour l'ensemble de la flotte (navires immatriculés au 31-8-1990). Toulon 85 044, Nice 60 509, Marseille 51 373, Sète 49 289, Arcachon 29 267, St-Malo 27 739, Port-Vendres 27 500, St-Nazaire 27 286, Rouen 26 001, Caen 25 094.

• Accidents et événements en mer. **Accidents survenus à des bateaux de plaisance dans les 3 zones CROSS** (Centres régionaux opérationnels de surveillance et de sauvetage) (France, du 1-10-89 au 30-9-1990). **Nombre d'événements.** 2 273. [En 1988, 2334 dont planches à voile 406, pannes et avaries diverses 771, fausses alertes 371, échouements-heurts 321, chavirements 176, aides aux éq. inexpérimentés 177, engins de plage (sauf pl. à voile) 531, voies d'eau, envahissements par l'eau 53, pannes de carburant 86, aides aux blessés 45, démâtages 46, incendies, explosions 57, immobilisations engins de pêche 32, hommes à la mer 33, plongées 105, disparitions inexpliquées 25, abordages 15, accidents personnes isolées 5, ski nautique 3]. **Nombre d'accidentés.** Personnes assistées ou sauvées 5 701, sauvées seules 1224 dont blessées 90, décédées 43, disparues 17.

Nota. – Les accidents de baignade survenus près des plages étant exclus.

Bilan de la Société nationale de sauvetage en mer. *Personnes secourues : 89 :* 9 871. *90 :* 9 501 (dont véliplanchistes *89 :* 2 661, *90 :* 2 270). *Bateaux assistés : 90 :* 2 660. *Personnes sauvées : 89 :* 753. *90 :* 663.

Types

Navigation (selon dimensions, construction et armement, près des côtes ou petites traversées). Titre de nav. délimitant les zones de nav. autorisées et la catégorie de nav. attribuée aux embarcations lors de leur approbation par la Commission nat. de sécurité de la nav. de plaisance. Le matériel de sécurité doit correspondre alors à la catégorie indiquée sur le titre de navigation.

• **Bateaux à moteur non habitables. Dinghy** (canot pour moteurs hors-bord, jusqu'à 6,50 m environ : 20 000 à 80 000 F (sans moteur).

Runabout (canot à moteur Z drive ou en ligne, jusqu'à 9 m environ, 230 à 3 000 kg). 220 000 F (avec moteur).

• **Bateaux à moteur habitables. Day cruiser** (5 à 11 m environ, 300 à 5 000 kg) : 40 000 à 250 000 F avec moteur.

Cabin cruiser (moteur à transmission en Z – Z drive – ou en ligne droite – moteur in board à essence ou diesel ; 5 à 9 m : 500 à 2 400 kg) : 60 000 à 350 000 F. Habitabilité réelle à partir de 7 à 8 m.

Vedettes et yachts. De 400 000 à 6 000 000 de F et plus. A partir de 10 m et de 4 000 kg.

Yachts les plus chers du monde. Nom, propriétaire, entre parenthèses longueur en m, en italique prix en millions de F. *Abdul Aziz* : Fahd d'Arabie (159 m) 350/450 MF. *Atlantis* : Stavros Niarchos (113) 120/150. *Nabila* : Donald Trump (87) 100/200. *Britannia* : Amirauté britannique (Famille royale) (125) 70/120. *New Horizon L* : Prince Léon de Lignac (59) 70. *My Gaël III* : Gérald Ronson (67) 70.

• **Bateaux à voile.** Voir p. 1791.

Puissance et fiscalité

• **Calcul de la puissance administrative.** *Moteur à essence* : P = 0,00015 × N × D ² × L × 30. *Moteur diesel* : même opération par 0,7 (N : nombre de cylindres. D : alésage en cm. L : course piston en cm). Droits payables à réception du rôle émis par la douane.

• **Droits annuels** (par CV) pour les moteurs de navires de plaisance ou de sport de + de 5 CV : *6 à 8 CV* : 40,70 F ; *9 à 10 CV* : 50,60 F ; *11 à 20 CV* : 101,20 F ; *21 à 25 CV* : 112,20 F ; *26 à 50 CV* : 127,60 F ; *51 à 99 CV* : 140,80 F ; *100 et +* : taxe spéciale de 220 F.

Abattement pour vétusté, pour coque et moteur. Il est calculé en tenant compte uniquement de l'âge de la coque : pour bateaux de 10 à 20 ans 25 %, de 20 à 25 ans 50 %, de + de 25, 75 %.

Permis de conduire

• **Nombre de permis délivrés.** *Total au 31-8-90* : 899 419 ; *du 1-10-89 au 30-9-90* : 49 959.

• **Permis en mer. Obligatoire** dep. le 15-3-1966 pour tous les bateaux à moteur et véhicules nautiques à moteur (jets, scooters de mer, etc.) dont la puissance réelle max. totale est supérieure à 7,36 kW (10 CV) et pour les voiliers à moteur auxiliaire lorsque le quotient S/PX (L - B) + 1,5 est inférieur à 10 (S : surface de la voilure en m², non compris voiles d'étai et spinnaker. P : puissance réelle du ou des moteurs en CV. L : longueur à la flottaison. B : bau maximal, 1,5 constante de correction). Donne uniquement le droit de piloter à titre d'agrément. Le permis n'est pas exigé des étrangers lorsqu'ils naviguent en transit sur leur bateau. Pour commander un b. de plaisance à titre lucratif, la qualification de capitaine professionnel est exigée. **Types.** *Permis A* : conduite d'un navire ne s'éloignant pas à plus de 5 milles de la côte ou d'un véhicule nautique à moteur ne s'éloignant pas à plus d'un mille de la côte. *B* : conduite en toutes zones d'un navire de – de 25 tjb. *C* : conduite en toutes zones de tout navire de plaisance.

Conditions requises. *Age* : min. 17 ans et demi. *Aptitudes physiques* : acuité visuelle 6/10 d'un œil et 4/10 de l'autre ou 5/10 de chaque œil [verres correcteurs admis sous réserve de verre organique, d'un système d'attache des lunettes et d'une 2e paire de lunettes de rechange à bord ; lentilles précornéennes admises sous réserve du port de verres protecteurs neutres sur les lentilles (engins découverts) et d'une paire de verres correcteurs de rechange à bord]. Le permis ne peut être délivré aux borgnes que 1 an seulement après la perte de l'œil sous réserve que l'œil sain ait un minimum de 8/10 avec ou sans correction. Sens chromatique satisfaisant (reconnaissance des couleurs). Acuité auditive : voix chuchotée perçue à 0,50 m de chaque oreille, voix haute à 5 m (prothèse auditive tolérée). Membres supérieurs pouvant assurer de façon satisfaisante des fonctions de préhension nécessaires au pilotage. En cas de prothèse, elle doit être reconnue satisfaisante et les systèmes de commande du moteur et de la barre doivent avoir été modifiés en fonction. Intégrité des 2 membres inférieurs ou de l'un des membres et appareillage mécanique satisfaisant de l'autre, sinon présenter un examen et, en cas de succès, être accompagné d'une personne sans infirmité (ne possèdant pas forcément le permis). Bon état de santé.

Examen. Epreuves pratiques et théoriques (écrites ou orales). Permis C se passe en mer. **Pièces à fournir.** Demande sur papier libre précisant la catégorie du permis demandé et portant un timbre fiscal de 95 F, 2 photos d'identité, timbre fiscal de 240 F, fiche d'état civil ou photocopie d'une pièce d'identité officielle et récente, certificat d'aptitude physique de moins de 3 mois, photocopie du permis de conduire en eaux intérieures si le candidat en est titulaire. **S'adresser :** au chef du Bureau de la Navigation de plaisance, ministère délégué à la Mer, 3, place de Fontenoy, 75007 Paris ; au quartier des Affaires maritimes ; dans un centre de préparation à l'examen du permis de conduire en mer.

Réglementation

Tout navire doit être immatriculé auprès d'un quartier des affaires maritimes. Les navires de +de 2 tjb doivent en plus être francisés par les services des douanes.

• **Immatriculation.** Obligatoire pour voiliers de 2 à 25 tjb et bateaux à moteur de moins de 10 CV et d'une jauge de –de 800 kg. Indiquer sur la proue en lettres claires sur fond foncé (ou inversement), nom du bateau et lieu d'immatriculation. Le no doit être porté à l'avant d'un navire à moteur.

• **Catégories de navigation.** *1re cat.* toutes navigations, *2e* à moins de 200 milles d'un abri, *3e* 60 milles, *4e* 20 milles, *5e* 5 milles, *6e* 2 milles. Le certificat de construction indique la cat. max. autorisée pour l'embarcation. La cat. effectivement autorisée est fonction de l'armement de l'embarcation constaté lors de la visite de sécurité des affaires maritimes. Elle est portée sur le titre de navigation.

• **Armement.** *A moins de 5 milles des côtes (permis A)* avoir à bord ancre ou grappin, 2 avirons, 1 chaumard avant pour amarrage, 2 feux de signalisation (en cas de sortie nocturne), lampe torche étanche (même de jour). *Navigation au grand large (permis B et C)* : bouée, brassières de sauvetage, harnais de sécurité, extincteur, pompe à bras, seau de 10 l, ancre, gaffe, avirons. 20 m de filin, écope, ancre flottante, jeu de voiles complet, baromètre, thermomètre, sonde à main, signaux fumigènes, pavillon national, pavillons N et C.

Ports de plaisance en France

Situation juridique

Depuis le 1-1-1984, et en vertu des lois de décentralisation des 7-1- et 22-7-1983, les communes ont une compétence de droit commun pour créer, aménager et exploiter les ports maritimes affectés exclusivement à la plaisance. 228 ports de plaisance existant à cette date ont été ainsi «mis à disposition» gratuite. Les départements ont compétence sur les installations de plaisance existantes dans les ports de commerce et de pêche dont ils ont la charge dep. le 1-1-1984 (304 ports décentralisés). L'État conserve sa compétence sur les équipements de plaisance des ports autonomes et des ports d'intérêt national. Communes, départements et État peuvent concéder l'établissement et l'exploitation des ouvrages et installations portuaires à des personnes publiques ou privées.

Mais, pour garantir l'affectation au service public portuaire, il ne peut être établi sur les dépendances mises à disposition que des ouvrages, bâtiments ou équipements ayant un rapport avec l'exploitation des ports ou de nature à contribuer à l'animation et au développement de ceux-ci. En l'absence de schémas de mise en valeur de la mer, les créations et extensions de ports sont décidées sur demande de la collectivité, par le préfet, après avis du Conseil régional.

Pour la police des ports de plaisance, les autorités décentralisées ont compétence pour prendre des règlements particuliers, qui doivent être compatibles avec le règlement général de police qui relève de l'État, et pour veiller à leur exécution.

La disposition de longue durée de places à quai peut être donnée contre un versement destiné à financer le 1er établissement du port. Un certain nombre de places doivent être réservées aux plaisanciers de passage, et dans certains cas, aux usagers (pêcheurs professionnels, associations sportives, etc.).

Le public piétonnier a librement accès à tous les ports de plaisance.

Statistiques

• **Nombre de ports** (au 1-7-1991). 228 concédés. Postes d'accostage disponibles sur le littoral français : env. 120 000 places. *Jusqu'en 1960,* il y avait très peu de ports de plaisance : les navires s'abritaient dans les ports de pêche. *1965* : 20 000 places pour 25 000 bateaux.

Nota. – Sur l'Atlantique, 6 ports de pl. ont été financés avec capitaux privés, dont 2 en Gironde et 1 en Loire-Atlantique ; un 7e est en construction dans le Calvados. Sur la Méditerranée, 30 ports financés par le privé.

• **Grands ports de plaisance** (nombre de places en 1981). Marseille Vieux-Port 3 200 [1] ; La Rochelle 2 700 ; Port-Camargue 1 971 ; Arcachon 1 773 ; Cannes Marina 1 769 ; Bandol 1 543 ; Marseille Friout 1 500 ; St-Raphaël 1 500 ; Antibes 1 422 ; Cap d'Agde 1 344 ; La Napoule 1 340 ; Marseille Pointe Rouge 1 200 ; Hyères 1 350 [1] ; Marines-de-Cogolin 1 150 ; Port-Grimaud 1 100 ; La Grande-Motte 1 100 ; Saint-Cyprien 1 063 ; Saint-Laurent-du-Var 1 055 ; Cap-Breton-Hossegor-Seignosse 950 ; Oranville 870 ; Pornic 860 ; La Baule 840 ; Cavalaire 830 ; Bormes-les-Mimosas 820 ; Courseulles 810 ; Port-Deauville 800 ; Golfe-Juan 1550 [1] ; Vallauris 790 ; Beaulieu-sur-Mer 780 ; Sainte-Maxime 760 ; Saint-Tropez 760 ; Cannes-Vieux Port 760 ; La Trinité-sur-Mer 750 ; Le Canet 720 ; Palavas-les-Flots 720 ; La Ciotat 690 ; Saint-Valéry-en-Caux 660 ; Cannes-Pierre Canto 650 ; Le Havre 640 ; Ouistreham 630 ; Toulon 2 367 [1].

Nota. – (1) 1991.

• **Prix. Location annuelle d'un emplacement.** *En 1990* : 2 000 à 24 000 F pour un 10 m.

Amodiation de poste à quai de longue durée (concession pour durée déterminée). *1990* : 80 000 à 250 000 F pour un 10 m, plus 2 000 à 12 000 de charges ann.

Tourisme fluvial en France

Conditions de navigation

• **Dimensions admises pour les bateaux. Voies navigables de la Manche à la Méditerranée, du Nord et de l'Est.** *Longueur* : 38,50 m. *Largeur* : 5 m. *Tirant d'eau* : 1,80 m (canal du Nivernais 30, 1,20), *d'air* : 3,50 m (mât à rabattre le cas échéant) ; souterrain de Pouilly-en-Auxois, canal de Bourgogne 3,10 m ; canal du Nivernais 2,70 m. **Canal du Midi.** 30m. × 5,50 m. *T. d'eau* : 1,60 m, *d'air* dans l'axe : 3 m ; sur les bords : 2 m. **Canal latéral à la Garonne.** *Longueur* : 38,50 m. *Largeur* : 5,80 m. *Tirant d'eau* : 1,80 m, *T. d'air* : dans l'axe du bateau 3,50 m, sur les bords 2,50 m. **C. reliant Manche/océan Atlantique entre St-Malo et Nantes.** 25,80 × 4,50 m, *T. d'eau* : 1,20 m, *d'air* : 2,50 m. **C. Nantes à Brest en Finistère** (de Carhaix à Châteaulin). 26 m. × 4,60 m. *T. d'eau* : 1,50 m, *d'air* : 3,50 m. **Maine, Mayenne, Oudon, Sarthe.** 30 m × 5 m. *T. d'eau* : 1,40 m (Maine : 1,60 m), *d'air* : 3 à 4 m suivant sections.

• **Arrêts et restrictions de navigation.** *En cas de sécheresse prolongée* (tirant d'eau réduit ou interruption totale) ; *en période de crue* (forte pluviosité, fonte des neiges) ou *de glace* (surtout dans le Nord et l'Est) ; *pendant les périodes de « chômages »*. Le programme des travaux nécessitant la fermeture de certaines voies ou sections de voies navigables est établi au début de chaque année. Se renseigner auprès des services locaux de navigation ou au ministère chargé des Transports.

Conseil supérieur de la navigation de plaisance et des sports nautiques. 19, rue La Boétie, 75 008 Paris. *Crée par décret du 31-3-1967, réformé en 1984 et 87.*

• **Horaires de fonctionnement des écluses.** *1er oct. au 30 nov.* : 7 h-18 h. *1er déc. au 31 janv.* : 7 h 30-17 h 30. *Février* : 7 h-18 h. *Mars* : 7 h-19 h. *1er avril au 30 sept.* : 6 h 30-19 h 30. *Sur la Seine* de Port-à-l'Anglais (V.-de-M.) à Cléon (S.-M.) : toute l'année de 7 à 19 h, entre Rouen et la limite de la mer (confluent de la Risle), navig. de plaisance interdite la nuit. *Sur le Rhône* à l'aval de Lyon, toute l'année de 5 h à 21 h. *Sur le canal du Midi, le c. de Bourgogne,* horaires selon les saisons. *Fonctionnement ininterrompu sur l'ensemble du réseau* : Noël, Pâques, 11 nov., 1er mai et 14 juillet ; Pentecôte, 1er nov., 1er janv. sur certaines voies.

• **Vitesse de marche des bateaux à propulsion mécanique.** Règlements particuliers. En général : fleuves et rivières : 10 à 25 km/h ; canaux et dérivations de rivières canalisées : 6 à 10 km/h ; Rhône : 35 km/h ; Basse-Seine : 18 km/h [du pont périphérique aval (point km 8,79) au point km 233] et 12 km/h [du point km 233 au pont Jeanne-d'Arc à Rouen (pt km 242,4)].

Plans d'eau en France

• **Surface totale.** *187 710 ha (1 877 km²)* aménagés ou aménageables pour la navigation de plaisance, dont Aquitaine 61 784, Rhône-Alpes 38 396, Languedoc 23 250, Pays de la Loire 10 453, Provence-Côte d'Azur 8 349, Auvergne 6 123, Midi-Pyrénées 5 245, Région parisienne 4 856, Limousin 4 705, Champagne 4 345, Bretagne 4 240, Fr.-Comté 3 430, Bourgogne 2 874, Lorraine 2 579, Alsace 2 438, Centre 2 000, Nord 791, Hte-Normandie 671, Basse-Normandie 581, Picardie 390, Poitou-Charente 210.

• **Principaux plans d'eau** (1985, superficie en ha et, entre par., nº du département). Lac Léman (partie française) 23 900. Étang de Berre 15 530 (13). Étang de Salses et de Leucate 6 000 (66). Bassin de Thau 4 500 (34). Lac du Bourget 4 462 (73). Étang de Bages et de Signan 3 800 (11). Plan d'eau sur la Loire 3 750 (49). Biscarosse 3 600 (40). Sanguinet 3 600 (40). Lac d'Hourtin et Carcans 3 400 (33). Retenue de Serre-Ponçon 2 835 (05). Lac d'Annecy 2 813 (74). Lacanau 2 620 (33). Plan d'eau sur la Loire 2 500 (49). Lac de St-Cassien 2 500 (83). Lac de la forêt d'Orient 2 300 (10). Usine de la Rance 2 200 (35). Rhône vif 2 000 (30). Barrage de Vouglans 1 700 (39). Étang de Layrolles 1 300 (11). Bort-les-Orgues 1 280 (15). Pareloup 1 200 (12). Barrage de Salagou 1 100 (34). Sarrans 1 000 (15). Lac de Vassivière 976 (23). Grandval 880 (15). Retenue de Castillon 880 (04). Stock 750 (54). L'Aigle 725 (15). Gondrexange 670 (54). Soustons 670 (40). Mt-Cenis 668 (73). Barrage de Monteynard 657 (38). Chambon-Eguzon 620 (36). Der-Champaubert aux Bois 617 (51).

Réglementation en eaux intérieures

Immatriculation. Obligatoire pour bateaux affectés au transport de marchandises dont le port en lourd est supérieur à 20 t métriques et pour ceux dont le déplacement est supérieur à 10 m³.

Inscription en plaisance. Obligatoire pour bateaux avec moteur d'une puissance supérieur à 10 CV et dont le déplacement est de – de 10 m³.

Permis de navigation. Délivré après une visite effectuée par un délégué de la Commission de surveillance aux bateaux (au déplacement de + de 10 m³) qui souhaitent naviguer sur les voies d'eaux intérieures.

Jaugeage. Doit déterminer le déplacement max. admissible d'un bateau et les déplacements à des plans de flottaison donnés. Le jaugeage des bateaux destinés au transport de marchandises peut permettre de déterminer le poids de la cargaison d'après l'enfoncement.

Permis de conduire. Obligatoire pour bateaux et engins avec moteur de + de 7,36 KW ou 10 CV. Les titulaires du permis A, B, ou C pour la conduite en mer ne passent que les épreuves théoriques. Le permis n'est pas exigé des étrangers soumis à la réglementation de leur pays lorsqu'ils naviguent sur leur bateau. Délivré par les services de la navigation fluviale. Age minimum : 17 ans et demi. *Pièces à fournir :* demande sur papier libre (dossier au bureau de la Navigation de la Seine, 2, quai de Grenelle, 75732 Paris Cedex 15, ou auprès d'un bateau-école, contenant un imprimé de demande et un pour le certificat médical), certificat physique établi.

Certificat de capacité. Délivré après un examen (épreuve théoriques et pratiques) aux professionnels de la voie d'eau (mariniers, pilotes de bateaux à passagers, etc.).

Quelques précisions

Avis de partance. Recommandés (à remplir dans tous les ports) ; transmis par les capitaineries au CROSS (Centre régional opérationnel de surveillance et de sauvetage) de la région. Avertir une personne de ses projets (horaires, description du navire, escales, etc.) et la prévenir de son arrivée.

Balisage. **Marques. Latérales.** *A bâbord :* marques rouges cylindriques, voyant cylindrique rouge, feu rouge rythmé (laissées à bâbord). *A tribord :* vertes, coniques, voyant conique vert, feu vert rythmé (laisées à tribord). **Cardinales.** *On passe au Nord :* noire en haut et jaune en bas, voyant formé de 2 cônes noirs superposés, pointe en haut, feu blanc scintillant continu. *A l'Est :* noires en haut et en bas, bande jaune au milieu, voyant formé de 2 cônes noirs superposés par la base, feu blanc à 3 scintillements. *Au Sud :* jaune en haut et noire en bas, voyant formé de 2 cônes noirs superposés, pointes en bas, feu blanc à 6 scintillements suivis d'un éclat long. *A l'Ouest :* jaunes en haut et en bas, bande noire au milieu, voyant formé de 2 cônes noirs opposés par le sommet, feu blanc à 9 scintillements. *Marques de danger isolé :* ne pas naviguer autour des marques rouge et noire, voyant formé de deux sphères noires superposées, feu blanc deux éclats. *D'eaux saines :* on peut naviguer tout autour des marques à bandes verticales rouge et blanche, voyant formé d'une sphère rouge, feu blanc isophase à occultation, ou à éclats longs, qui indiquent le milieu d'un chenal ou l'approche d'une embouchure. *Marques spéciales :* jaune, feu jaune, voyant jaune en forme de « X », signification variable indiquée sur les cartes marines, les arrêtés préfectoraux affichés sur les plages ou tout autre règlement (ex. : balisage de plages, pêche interdite, câbles téléphoniques, canalisations, etc.).

Brassières de sauvetage. Doivent être portées constamment même sur un dériveur pour un maximum de sécurité.

Chavirage. Ne pas tenter de regagner la rive à la nage. Les embarcations de – de 5 m sont munies de réserves de flottabilité qui maintiennent le navire à flot et permettent de s'accrocher en attendant les secours. Rester groupés, pour être plus facilement repérés par les sauveteurs.

Démarrage. Toujours ouvrir le compartiment moteur avant le démarrage. Si vous possédez un ventilateur de cale, actionnez-le au moins pendant 5 mn avant le démarrage. Si de l'essence est répendue à bord, nettoyez-la soigneusement ; un peu d'essence dans les fonds suffit à créer une atmosphère explosive.

Harnais de sécurité. A porter sur les voiliers de croisière. Un équipier tombé à la mer par mauvais temps n'est que rarement récupéré.

Ligne de mouillage. Obligatoire pour toutes les embarcations. Permet d'éviter de dériver vers le large en cas de panne de moteur, manque de vent, etc.

Météo (prévisions). Bulletins diffusés 2 fois par j par France Inter ; transistors possédant la « bande marine » : bulletins des stations côtières P.T.T. ; consulter aussi les bulletins affichés en divers endroits (capitaineries des ports, clubs, etc.) ; téléphoner à certains serv. locaux de la météo. nat. (en particulier les aérodromes).

Naufrage. Sur des sujets en excellente santé, d'un âge moyen, vêtus normalement, plongés dans une eau très calme, il y a 50 % de probabilité de perte de connaissance, et donc vraisemblablement de noyade au bout de : 30 mn dans de l'eau à 5 degrés ; 1 h à 10° ; 2 h 30 à 3 h à 17°. Ces délais peuvent être réduits car tout effort physique effectué dans l'eau froide provoque un épuisement rapide. Aussi doit-on rester accroché à son bateau, et le port d'un gilet de sauvetage maintenant la tête hors de l'eau est-il indispensable. Une *combinaison de plongée* réduit la déperdition calorique : elle permet de multiplier par 3 ou 4 la durée du séjour dans l'eau avant la perte de connaissance.

Pêche en mer. Autorisée pour les plaisanciers ayant un titre de navigation avec un nombre limité d'engins pour des poissons de taille réglementaire [12 hameçons, 2 palangres, 2 casiers, 1 foene, 1 épuisette ou salabre, un trémail de 50 m max. (en mer du N., Manche, Atlantique), une grapette à dents (en Méditerranée)]. Il est interdit de pêcher dans les ports et de vendre le produit de sa pêche.

Personnes à bord (nombre). Ne doit pas être supérieur à celui indiqué sur la plaque apposée par le constructeur.

Plongeurs sous-marins. Ils signalent leur présence au moyen de la lettre « A » du Code international des signaux (pavillon blanc et bleu) ou par un pavillon rouge avec une diagonale blanche ou une croix de St-André blanche. Passez avec précaution à 100 m au moins du signal.

Priorité. Les bateaux à moteur doivent laisser la priorité sauf dans les chenaux des ports. Les planches à voile considérées comme engins de plage ne bénéficient d'aucune priorité.

Sécurité des baigneurs. Zones de protection, souvent balisées par des bouées sur une bande littorale de 300 m de large. Des chenaux traversiers (d'environ 25 m de large) interdits aux baigneurs peuvent permettre à des activités nautiques d'accéder au rivage (motonautisme, ski nautique, planche à voile, etc.).

Signaux de détresse (fusées, feux à main). Leur emploi injustifié constitue une infraction. Tout navire percevant un signal de détresse doit porter assistance immédiate.

Ski nautique. Il faut 2 personnes obligatoirement à bord, l'une se consacrant à la conduite. Interdit dans les zones de baignade où la vitesse est limitée. Chenaux de départ réservés aux skieurs.

Vitesse maximale. 5 nœuds à moins de 300 m du bord effectif des eaux et 10 nœuds dans certaines rades (St-Tropez, Cannes). Limitations prévues par arrêté des Affaires maritimes dans des zones particulières.

Planche à voile

Généralités

Origine. **1950** en Californie des régates de planches. **1958** réinventée par l'Anglais Peter Chilvers. **1964** l'Américain Newman Darby monte une voile sur un surf. **1968** *27-3* les Américains Jim Drake et Hoyle Schweitzer déposent la marque de *Windsurfer* (planche de surf munie d'une dérive et d'un wishbone). **1970** introduite en France. **1974** fondation de l'Association française des windsurfers. **1974** 1ers championnats du monde. **1984** introduction aux J.O. (uniquement régate monotype Winglider). **1988** introduction aux J.O. en division II sur monotype Lechner fourni.

Description. Chavirable mais insubmersible. Se dirige en maintenant et en orientant la voile par un arceau, bôme en arc de cercle appelé « wishbone ». L'arceau est lâché. La voile touche l'eau et elle immobilise l'engin comme une ancre flottante. On doit naviguer au-delà de 300 m et en deçà de la bande de 1 mille de la côte.

Caractéristiques. STANDARD, *long.* 3,65 m ; *larg.* 0,65 m ; *tirant* 0,60 m ; *voile* 5,4 m² ; *mât* 4,2 m en époxy ; *wishbone* en alu. ; *cardan* en teck-inox ; *poids* 29 kg ; *construction* en polyéthylène polyuréthane. JUNIOR, *long.* 3,65 m ; *larg.* 0,65m ; *tirant* 0,60 m ; *voile* 4 m² ; *mât* 3,6 m en alu. ; *wishbone* en alu. ; *cardan* en plastique ; poids 22 kg ; *construction* en polyéthylène polyuréthane. **Vitesse.** peut atteindre 15 nœuds par des vents de force 5. **Coût** 4 000 à 9 000 F. *Fun-board :* planche de 2,40 à 2,70 m, spécialisation vitesse, saut des vagues.

Ventes en France (en milliers). **1981 :** 110. **82 :** 120. **83 :** 95. **84 :** 80. **85 :** 75. **86 :** 70. **87 :** 65. **88 et 89 :** 60.

Pratiquants. *France (83)* 450 000 pour 300 000 planches.

Réglementation. Pas de permis. Obligation de respecter les couloirs réservés, sinon, dans la bande des 300 m réservés aux baigneurs, vitesse de 5 nœuds max. (9 km/h). Ne pas s'éloigner à plus d'un mille (sauf dérogation pour compétition par ex. et à condition de ne pas être seul). La planche à tribord a priorité sur celle à babord. Celle au vent doit laisser passer celle sous le vent. En cas de dérive, le sauvetage en mer demande 500 F.

Accidents. **1985** 82 morts ou disparus. **86** 92.

Arnaud de Rosnay (1946-84). **1979** *août* traverse le détroit de Behring (96 km). **1980** *13-8* en 12 j îles Marquises, atoll d'Athé près de Tahiti. **1982** *juill.* record de la traversée de la Manche en 1 h 4 mn. **1983** *janv.* des Caraïbes à Puerto Rico. *12-11* traverse aller et retour le détroit de Gibraltar. **1984** *janv.* relie Floride à Cuba par mer très forte (160 km ; 7 h). *31-7* Japon au cap Sakhaline (43 km, 3 h). *21-11* disparaît en voulant traverser le détroit de Formose (entre Chine et T'ai-wan, soit env. 160 km). Le vent (60 km/h) était bien orienté. Il avait emporté 2 boîtes de boisson à l'orange, un miroir de détresse, un sifflet, du colorant, mais ni balise Argos, ni rations de survie.

Principales épreuves

• **Compétitions. Régates :** monotype (matériel identique pour tous) ou open (toutes marques, avec jauge précise). **Fun board :** slaloms, course racing, vagues (sauts et surf) ou longue distance.

• **Records. Distance sans escale :** 518,56 km de la Martinique aux Grenadines par Yann Roussel (Fr.). Record (controversé) de Arnaud de Rosnay de Nuku-Hiva (Marquises) 31-8-1980 à Ahé le 11-9, 600 miles à 2,33 nœuds, durant 257 h. Christian Marty de Dakar (12-12-81) ; à Kourou (Guyanne) (18-1-82), 2 400 miles (4 950 km) en 37 j 16 h 25 mn. Sergio Ferrero (It.), des Caraïbes (6-6-82), Barbade (30-6-82, 24 j). **Vitesse :** 79,469 km/h (42,91 nœuds) Pascal Maka (Fr.) 27-2-1990 Stes-Maries-de-la-Mer. 72,46 km/h (39,45 nœuds) Brigitte Gimenez (Fr.) le 29-10-1989, Stes-Maries. *Officieux :* 54,3 km/h (29,31 nœuds) Olivier Augé 1984. Michael Pucher (Autr.) 59,92 km/h (32,35 nœuds) 17-4-1985 à Port-St-Louis-du-Rhône (vent force 9).

• **Traversée. 1985** *(16/6-23/7)* : 1er (New York-Cap Lizard-Brest) (planche de 8,20 m sur 1,90 m, 800 kg, 9,44 m × 18,78 m, 2 voiles) par Frédéric Beauchêne et Thierry Caroni. **86** *(23-1/17-2)* : Stéphane Peyron et Alain Pichavant, Dakar-Guadeloupe, planche tandem (long. 9,20 m, larg. 11,20 m, 400 kg, 2 voiles). **87** *(10-6/26-7) (46 j 2 h) :* Stéphane Peyron, en solitaire, New York-La Rochelle (6 500 km), planche de 7 m. *(12 et 13-5) :* Frédéric Beauchêne, Douvres-Calais 1 h 35 mn, Nice-Calvi 13 h 30 mn, et Tanger-Tarifa (Espagne) 1 h 40 mn. **88** *(29-7/23-8) :* Stéphane Peyron atteint le pôle Nord magnétique après 650 km.

• **Championnats de planches à voile. Du monde.** Hommes. *Lourds.* **81** Vanggaard [8]. **82, 83, 84** Guillerot [1]. **85** Davidson [2]. **86** Bringdal [4]. **87** Kendler [5]. **88** de Pedrini [6]. **89** Pelteau [1]. *Plumes.* **81** Van den Bergh [8]. **82, 83, 84** Nagy [1]. **85** Piegelin [1]. **86** Nagy [1]. **87** Quintin [1]. **88** Piegelin [1]. **89-90** Quintin [1]. Dames. **81** Berner [8]. **82** Maus [1]. **83, 84** Graveline [1]. **85** Salles [1]. **86, 87** Hogen [3]. **88** Capart [1]. **89** Seigne [1]. **90** Way [2].

D'Europe. Hommes. *Lourds.* **82** Guillerot [1]. **83** Chaudoy [1]. **86** Bringdal [4]. **87** Muzellec [1]. **88** Aballea [1]. **89** Ruelland [1]. *Plumes.* **82** Calvet [1]. **83** Nagy [1]. **84, 85** Calvet [1]. **86** Nagy [1]. **87** non validé. **88** Kelbert [1]. **89** Van den Abeel [7]. **90** Quintin [1]. Dames. **82** Graveline [1]. **83, 84** Salles [1]. **86** Hogen [3]. **88** Capart [1]. **89** Jorunn [3]. **90** Quintin [1].

Nota. – (1) France. (2) G.-B. (3) Norvège. (4) Suède. (5) Autr. (6) It. (7) Belg. (8) P.-Bas. (9) Canada. (10) USA.

De France. Hommes. *Lourds.* **84** Piegelin. **85** Querrien. **86** Nin. **87** Colmas. **88** Aballea. **89** Pelleau. *Plumes.* **84** Nagy. **85** Piegelin. **86** Quintin. **87** Cadre. **88** Chevigny. **89** Ruelland. **90** Belot. Dames. **84, 85** Maus. **86** Capart. **87, 88** Grasset. **89** Capart. **90** François.

Planche à voile sur 4 roues (speed-sail)

Planche de 1,55 m de long, sur articulations sensibles au déplacement latéral du poids du corps, avec roues gonflables (diam. 38 cm), mât ultra-léger (long. 3,50 m) et voilure de 5,20 m. Démontable (tient dans un coffre de voiture). 50 à 90 km/h. **Fonctionnement.** Comme le wind-surf, mais au lieu de passer devant la voile pour tourner, on ne se sert que de ses bras et du déplacement de son propre poids. **Prix** *(1985).* 2 500 à 4 000 F. **Licenciés.** 3 500 en France.

Championnats de France. *81 :* Marcq. **D'Europe.** *81 :* Spriet (Fr.). *83 :* Ph. Sik.

• **Coupe de funboard. Du monde.** *Créée* 1983. 5 épreuves [slalom, vagues (saut et surf), course racing disputées au Japon, USA, P.-B., Fr., All. féd.]. Hommes. **83, 84, 85, 86, 87** Naish [10]. **88, 89, 90** Dunkerbeck [8]. Dames. **84, 85, 86** Lelièvre [1], **87** Graveline [9]. **88, 89** Lelièvre [1]. **90** Dunkerbeck [8].

Ch. de France. Hommes. **87** Terütehau. **88** Belbeoc'h. **89** Pendel. Dames. **87** Lelièvre. **88** Salles. **89** Salles.

☞ *Aux Stes-Maries-de-la-Mer,* un canal creusé 1988 (1,3 km × 25 m) sert à établir des records.
A Bercy (Paris), mise en place pour funboard d'un bassin de 80 × 30 m, env. 1 m de prof., 26 ventilateurs produisant des vagues.

Plongée, exploration sous-marines

Généralités

• **Origine. V. 1860** 1er appareil de plongée réalisé par les Français Rouquayrol et Denayrouze. **1935** le commandant Yves Le Prieur et Jean Painlevé créent le 1er club de plongée sous-marine (d'abord Club des scaphandres et de la vie sous l'eau, puis Club des sous-l'eau). **1948** 8 clubs, 718 plongeurs. **1955** *17-6* naissance de la Fédération française d'études et de sports sous-marins (FFESSM) par fusion de la fédération créée en 1948 par le Pt Borelli et de la Féd. fr. des activités sous-marines créée par le Dr Clerc. **1959** Cdt Jacques-Yves Cousteau fonde la Confédération mondiale des activités subaquatiques (en 1990, 83 pays et 4 500 000 plongeurs). **1990** 1 600 clubs et 123 142 licenciés à la FFESSM. 3 500 moniteurs.

• **Principaux parcs nationaux sous-marins.** *États-Unis, Espagne* (îles Médas), *Italie* (Punta Tresino-Calabre, îles d'Ustica et de Montecristo), *France* [Réserves Cerbère-Banyuls (Pyr.-Or.) ; Scandola Corse ; Port-Cros ; lac de St-Cassien (Montauroux, Var) ; parc nat. de Carry-le-Rouet (B.-du-Rh.)].

• **Techniques.** Plongée en « apnée » (pêcheurs de perles ou d'éponges) ; *XVIe s. :* cloches à plongée ; *XIXe s. :* scaphandre à casque (air fourni par une pompe en surface), développement du travail en caisson et découverte des problèmes de la vie en atmosphère comprimée (décompression) ; *1930 :* scaphandres autonomes (bouteilles sur le dos) ; *1960-62 :* plongée à saturation [capitaine Bond (Amér.) et le Cdt Cousteau (Fr., 11-6-1910)] ; depuis, développement des « maisons sous la mer », puis « sur la mer » (le plongeur vit en pression dans un grand caisson sur un bateau ; la tourelle de plongée ou sous-marin porte-plongeurs, toujours en pression, peut être immergée à la prof. de travail, puis être ramenée à bord et joue le rôle d'un ascenseur).

• **Accidents de plongée.** *Ivresse des profondeurs (narcose) :* peut apparaître dès 30 m et varie selon les individus. Manifestations : euphorie, altération des facultés de raisonnement et de coordination. Souvent confondue avec le *coup d'oxygène* (descente rapide). *Décompression :* en cas de remontée trop brutale ou accidentelle, le processus d'élimination du gaz diluant (azote, hélium, hydrogène) dissous est perturbé ; les bulles de gaz inertes telles que l'azote libérées dans l'organisme provoquent des troubles assez graves ; aussi doit-on remonter par paliers. Des tables de plongée indiquent les paliers à effectuer en fonction de la profondeur atteinte et du temps passé sous l'eau dans des conditions normales. Les paliers (de 3 m en 3 m) peuvent atteindre de longues durées. La vitesse de remontée ne doit pas dépasser 10 m/mn en plongée autonome. Des travailleurs sous-marins, en plongée à saturation, mettent 21 j de décompression pour une plongée à 450 m avec respiration de mélange oxygène-hélium ou oxygène-hydrogène-hélium.

• **Conséquences.** Signes bénins (vertiges) disparus en une semaine, paralysies majeures (paraplégies et tétraplégies) régressent lentement (plusieurs années, avec hospitalisation supérieure à un an).

• **Chasse au « trésor ».** Si l'on découvre des *biens culturels maritimes* [gisements, épaves ou vestiges présentant un intérêt préhistorique, archéologique ou historique situés dans le domaine public maritime ou au fond de la mer dans la zone contiguë (entre 12 et 24 miles)], on doit les laisser en place et prévenir dans les 48 h la direction des Affaires maritimes. Si le propriétaire n'est pas retrouvé dans les 3 ans, le bien appartient à l'État (le découvreur reçevra une récompense). Pour faire des fouilles, il faut une autorisation administrative. Amendes prévues pour les contrevenants.

• **Photo sous-marine.** Sous l'eau, il est difficile de photographier au-delà de 6 m (maximum 10 m) sans lumière artificielle. Jaune, orange et rouge sont absorbés par l'eau à partir de 10 m. Au-delà de 20 m, seuls subsistent le bleu et le vert. On retrouve les couleurs du spectre en employant la lumière artificielle (projecteur, etc.). Chaque année, Festival mondial de l'image sous-marine à Antibes, Festival internat. du film maritime et d'exploration de Toulon (dep. 1955), Okeanos à Montpellier (dep. 1989), championnats du monde et de France, Trophée Jacques Dumas (dep. 1987).

Ch. du monde. 90 France (Di Meglio et Debatty).

• **Quelques profondeurs (en m).** *Corail* noble (Méditerranée) : 35 et +. *Algues* (limites) : Océan 50, Méditerranée 100. Plateau continental (limite) : 200. *Temp.* voisine de 13° (Médit.) : 300. *Pénétration solaire* (noir absolu) : 495. *Pêche* (commerciale) : 500. *Radiations vertes* (au luxmètre) : 500, *bleues :* 1 000. *Cellules vég.* (Adriatique) : 1 200. *Poisson* (Careproctur Amblystomopsis) : 7 200. *Animaux divers :* 10 190. *Bathyscaphe* Trieste, 23-1-1960 (fosse Challenger) : 10 916 ± 50 m ; Piccard (Suisse) et Walsh (USA) ; Archimède (fosse Kouriles, Japon) : 9 552 m (Marine France-CNRS).

Code de communication en plongée

Signaux internationaux. *1* Tout va bien. *2* Remonte ! ou je remonte. *3* Descends ! ou je descends. *4* J'ai ouvert ma réserve. *5* Je n'arrive pas à ouvrir ma réserve, ouvre-moi ma réserve ! *6* Ça ne va pas normalement ! *7* Détresse – j'ai besoin d'aide ! (signal de surface). *8* J'ai ouvert ma réserve. *Nuit. 9a* Loin de l'interlocuteur : tout va bien. *9b* Près de l'interlocuteur : tout va bien. *10* Quelque chose ne va pas. *11* Je suis essoufflé ! *12* Rapprochez-vous de moi, regroupez-vous !

Chaque signal donné doit obligatoirement être suivi d'une réponse signal 1 apportant sans équivoque la preuve de sa parfaite compréhension. Les signaux 4, 5 et 7 commandent l'aide *immédiate* du plongeur qui les aperçoit.

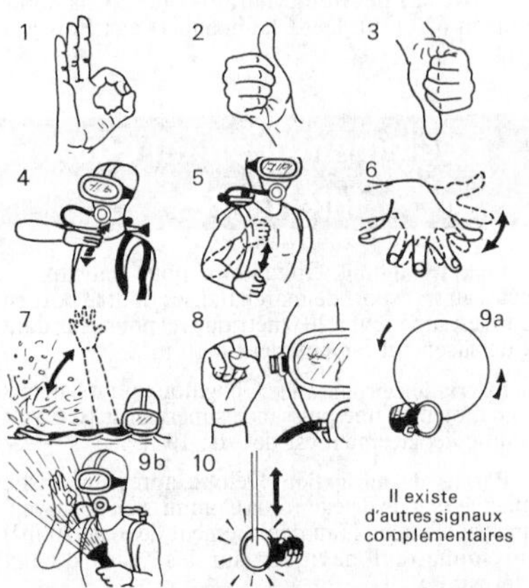

Records de plongée

La Confédération mondiale des activités subaquatiques ne reconnaît pas ces records afin d'éviter que des tentatives trop risquées ne se multiplient.

• **Durée.** *Sans appareil respiratoire :* 6'40" (Michel Bader, Fr., 1991). *Avec :* Pierre Passot 236 h, Fr., en piscine, au Salon nautique de Paris, 1983.

• **Profondeur. Sans appareil respiratoire.** *Volume variable* (descente avec gueuse lestée, remontée grâce à un ballon) : *homme :* 112 m, le 2-11-1989, au large de Cuba, Francisco Ferrera (Cuba), *dame :* 107 m, le 3-10-1989, au large de l'île d'Elbe, Angela Bandini (It.) ; *constant* (pas de lest ni d'aide à la remontée) : *homme :* 69 m, F. Ferrera (Cuba), *dame :* 47 m, A.

Bandini (It.). **Avec tourelle de plongée.** En saturation, 6 plongeurs COMEX et Marine nationale (dont Jacques Verpeaux et Gérard Vial), ont séjourné 20 mn à – 501 m (record du monde), le 20-10-77 (opération « Janus IV ») avec mélange oxygène-hélium (Héliox).

• **Expérience de plongée fictive en caisson.** **1980** 3 Américains sont restés 24 h sous une pression de 66 atmosphères (prof. fict. 650 m). L'expérience a commencé le 6-3-80, la décompression le 15-3, et s'est achevée vers le 30-3. **1981** 2 Américains descendent à – 686 m (plongée simulée). **1983** du 30-5 au 9-7 : record simulation avec plongée en eau. Expérimentation *ENTEX IX :* Ohrel et Raude ont vécu 42 j en caisson, dont 20 j au-delà de 450 m et 2 j à 610 m, avec plongée en eau de 2 h à 450 m (6 j), 520 m (1 j), 570 m (1 j), 613 m (2 j) ; décompression de 23 j. **1986** du 22-11 au 18-12, *Hydra VI* au centre Hyperbare de la COMEX à Marseille, 8 plongeurs travaillent en eau jusqu'à 560 m, en saturation un mélange oxygène-hélium-hydrogène. **1988** *Hydra VIII,* 6 plongeurs, 28-2-1988, travaux à – 520 m pendant 5 j, avec intervention à 431 m. **1989** du 9-10 au 21-12, *Hydra IX,* le plongeur vit 73 j (dont 2 à 300 m, 23 à 225 m, 23 à 200 m) en saturation dans le centre Hyperbare Comex (mélange oxygène-hélium-hydrogène). **1990** 6-5, 3 plongeurs vivant dep. le 30-4 dans une habitation pressurisée sont sortis pendant 4 h 11 minaprès avoir quitté le compartiment humide du Sous-marin d'Assistance à Grande Autonomie (SAGA).

• **Immersion en grotte sous-marine.** En sept. 1970, les Italiens Lamberto Ferri-Ricchi et Carlo Dernini ont parcouru 470 m dans la galerie Cala Gonone, dans le golfe d'Orossi, sur la côte est de la Sardaigne, et ont couvert 1 080 m en grotte.

Plongée professionnelle

Législation. Décret du 29-3-1990. Arrêtés du 28-1-1991 (formation), du 28-3-1991 (surveillance médicale) et de juin 1991 (équipements). Catégories de travailleurs hyperbares : scaphandriers A et B, hyperbaristes C et D. **Classes 1 :** jusqu'à 40 m, **2 :** 60 m en autonome et narguilé à l'air, **3 :** plus de 60 m avec narguilé, bulle de plongée, tourelle et sous-marin.

Durée. En 8 h un homme peut travailler 5 à 6 h entre 40 et 150 m, 2 à 4 h entre 150 et 300 m, le restant des 8 h étant consacré à la décompression.

Saturation. Plongée avec séjour sous pression supérieur à 24 h. *Durée de séjour dans l'eau :* au max. 6 h par 24 h. *Totale autorisée :* 3 à 4 semaines décompression comprise (séjour en saturation).

Il est plus avantageux de maintenir les plongeurs sous pression, puisqu'ils n'auront à se soumettre qu'à une seule séance de décompression finale. Des plongeurs remontent sur le navire de surface après chaque séance de travail au fond, mais passent directement d'une tourelle ou d'un sous-marin porte-plongeurs pressurisés dans un caisson-vie où ils séjournent à une pression équivalente à la profondeur de travail.

Organisations. *Institut nat. de la plongée prof.* et *Bureau de Normalisation des Activités aquatiques et hyperbares (B.N.A.A.H.).* Port de la Pointe-Rouge, 13008 Marseille. *Syndicat nat. des entrepreneurs de travaux immergés (SNETI),* 16, rue Marie-Curie, 27780 La Garenne-sur-Eure. *Synd. prof. des activités sub-aquat. (SPAS)* BP 38, 66190 Collioure.

Travailleurs sous-marins (1988). G.-B. 1 900, *France 6 000* (91), Danemark 600, Norvège 500, Espagne 500, P.-Bas 500, Italie 350, All. féd. 260, Suède 200, Belgique 100, Finlande 50.

Nage avec palmes

Histoire. *1933* Corlieu met au point des « propulseurs de sauvetage » et en *1936* des palmes de plongée. *V. 1960* 1res compétitions en URSS, France et Italie. *1970* apparition de la monopalme.

Palme. En forme de queue de dauphin. H. 58 à 62 cm, L. 70 à 76 cm.

Compétitions. *Eau libre :* mer, lacs, rivières : messieurs 8 km, dames 5. *Piscine :* en apnée (50 m), nage libre (100, 200, 400, 800 et 1 500 m, 1 mille marin ; pas plus de 15 m en apnée par longueur de bassin), en immersion scaphandre (100, 400 et 800 m ; le nageur pousse devant lui une bouteille d'air comprimé de 1, 3 ou 7 l selon la distance).

Pêcheurs de perles. *Aux Touamotou,* le plongeur effectue env. 40 plongées par j (dont parfois 12 de suite), de 30 à 40 m de prof., ramène env. 150 à 200 coquillages. *Au Japon,* env. 30 000 pêcheuses de perles (de 11 à 60 ans, les *amas*) plongent entre 6 et 30 m (sauf depuis peu ; utilisent lunettes ou masque facial). Récoltent surtout coquillages, algues comestibles. Les femmes sont supérieures aux hommes grâce à leur couche plus épaisse de graisse sous-cutanée. Les hommes manœuvrent les embarcations.

Records du monde (au 1-5-1991, messieurs et dames). **Apnée.** Q. R. Liu (Chine) 14″ 99, Y. Zheng (Chine) 17″ 19. **Nage libre.** *100 m :* S. Akhapov (URSS) 36″ 49, X. Y. Fu (Chine) 41″ 78. *200 m :* K. Koudriaev (URSS) 1′ 24″ 71, O. Travnihova (URSS) 1′ 33″ 95. *400 m :* K. Koudriavev (URSS) 3′ 6″ 97, O. Travnihova (URSS) 3′ 25″ 86. *800 m :* SD. Akhapov (URSS) 6′ 33″ 10, I. Turina (URSS) 7′ 14″ 11. *1 500 m :* M. Yakovlev (URSS) 12′ 45″, I. Turina (URSS) 13′ 55″ 56. *1 850 m :* M. Yakovlev (URSS) 16′ 4″ 70, S. Uspenskaïa (URSS) 17′ 32″ 49. **Immersion scaphandre.** *100 m :* Q. R. Lin (Chine) 33″ 80, S. Y. Zheng (Chine) 37″ 92. *400 m :* M. Yakolev (URSS) 2′ 57″ 27, H. X. Li (Chine) 3′ 14″ 35. *800 m :* A. Semenov (URSS) 6′ 13″ 88, S. Frolova (URSS) 6′ 57″ 22. **Relais.** *4* × 100 m : URSS 2′ 30″ 19, URSS 2′ 54″ 30. *4* × 200 m : URSS 5′ 50″ 13, Chine 6′ 32″ 57.

Pêche sous-marine

☞ Voir **Plaisance** p. 1767.

Associations. **Fédération française d'études et sports sous-marins,** *délégation parisienne* : 9, av. du Dr Cley, 75020 Paris ; *siège* : 24, quai Rive-Neuve, 13007 Marseille. **Syndicat nat. des moniteurs de plongée,** 1, avenue des Marronniers, 93400 Saint-Ouen. **Confédération mondiale des activités subaquatiques,** 47, rue du Commerce, 75015 Paris. **Association nat. des moniteurs de plongée (guides de la mer),** 62, a. des Pins-du-Cap, 06600 Antibes. **Féd. sportive et gymnique du Travail (FSGT),** 14, rue Sandicci, 93508 Pantin cedex.

Polo

Généralités

Origine. **Xe s. av. J.-C.** dans l'épopée persane de Firdusi appelée *Shah-name,* porte le nom de *Shaugan.* Joué pour le bon plaisir du sultan Mahmud de Ghazni. Importé en Inde par Subuktigin (père de Mahmud de Ghazni). Découvert par les planteurs de thé anglais et les officiers de cavalerie dans le N.-O. de l'Inde. **1869** 1er match en G.-B. joué par le 10e hussards stationné à Hounslow près de Londres. **1880** joué en France à Dieppe. **1892** création du Polo de Bagatelle. Très populaire en Argentine, Angl., Amérique du S. et aux Indes. **V. 1900** introduit en Argentine et aux U.S.A. **1921**-*15-12* Féd. Fr. des polos de France créée.

Règles. **Pelouse** gazonnée de 145 × 275 m. **Équipes :** 2, généralement de 4 cavaliers, portant chacun un maillet en bambou à manche flexible (long. 1,30 m) tenu de la main droite. *Contrôle :* 1 ou 2 arbitres à cheval ; un juge-arbitre de chaise hors du terrain, sa décision est déterminante en cas de désaccord entre les 2 arbitres ; 2 juges de but derrière chaque but. L'arbitre lance une balle de bois (8,5 cm de diam., 120 à 130 g) entre les 2 équipes alignées côte à côte. Celle qui place la balle dans le but adverse (2 poteaux de 3 m d'un écartement de 7,50 m) marque un point. *Partie* en 4 à 8 périodes *(chukkas* ou *chukkers)* de 7 mn + 30 s si la balle est encore en jeu, intervalles de 3 mn. **Paddock Polo :** à 2 éq. de 3 joueurs sur terrain plus petit. **Qualités requises :** bon cavalier, assiette, mains souples, courage, self-contrôle, esprit d'équipe, réflexes rapides. Pas de contre-indications d'âge. Peu de femmes y jouent.

Renseignements. *Union des polos de France,* Bagatelle, Bois de Boulogne, 75016 Paris. *En 1990* en France, 25 clubs et 400 licenciés.

Épreuves

Championnat du monde. *Créé* 1987. **87** Argentine. **89** U.S.A.

Championnat du polo de Paris. **Open cup** offerte au polo de Paris en juin 1884 par le Hurlingham Club. **1987** *Santa Barbara* [J. Couturie, W. Meeker, R. Rueda, S. Belisha]. **88** *Chivas Regal* [E. Carmignac (cap.), O. Annunziata, V. Antoniade, S. Arraya]. **89** *Centauros* [P. Kukurutz, M. Gotti, A. P. Heguy, Y. Guillemin].

Championnat mondial de polo de Deauville. *Créé* 1895 par le duc de Gramont. **Coupe d'or** *créée* 1950 par François André. **1987** *The Falcons* [A. Ebeid (cap.), C. Gracida, E. Trotz, T. Ebeid]. **88** *Kennelot Stables* [H. Kwiatkowski (cap.), G. Donozo, E. Trotz, G. Milford-Haven]. **89** *Diamonds D* [P. d'Angieri, P. Falabella, A. Díaz-Alberdi, P. Withers].

Championnat de France. **1987** *Polo club des Yvelines* [Y. Guillemin, M. Gontier, Guy et Gaétan Charloux]. **88** *Chateaupers* [H. de Pourtalès (cap.), H. Perodo, S. Macaire, R. Sirven]. **89** *La Moinerie Saint-Arnoult.* [G. Charloux (cap.), E. Bourhis, S. Maïdana, C. Charloux].

Meilleurs joueurs mondiaux. Guillermo Gracida (Mex.), Carlos Gracida (Mex.), Gonzalo Pierez (Arg.), Alfonso Pierez (Arg.), Ernesto Trotz (Arg.), Marcos Heguy (Arg.). Horacito Heguy (Arg.), Gonzalo Heguy (Arg.), Eduardo Heguy (Arg.), Christian Laprida (Arg.) Stéphane Macaire (Fr.), Lionel Macaire (Fr.), Howard Hipwood (G.-B.), Julian Hipwood (G.-B.), Benjamin Araya (Arg.), Alejandro Díaz Alberdi (Arg.), Pete Merlos (Arg.).

Rugby à XIII

Généralités

Nom. En France, jusqu'en 1941 et dep. 1988 : *Rugby à XIII* ; de 1943 à 88 : *Jeu à XIII.*

Histoire. **1883-90** voir Rugby à XV. **V. 1890** dissensions en G.-B. entre clubs du Nord qui souhaitent rembourser à leur joueurs le manque à gagner dû aux entrainements et aux matches et ceux du Sud qui défendent l'amateurisme pur. **1895**-*20-9* 20 clubs se retirent de la *Rugby Union* et forment la *Northern Rugby Union* qui refuse le professionnalisme, mais accepte le remboursement des frais. **1897** adoption de la mêlée pour la remise en jeu. **1906** pour rendre le jeu plus rapide, suppression de 2 avants. **1908** suppression de la mêlée ouverte, remplacée par le tenu. **1922** la *Northern Rugby Union* devient la *Rugby Football League.* **1933** contacts des Anglais avec des journalistes français et Jean Galia, ancien joueur à XV disqualifié par la Féd. Fr. de Rugby pour professionnalisme. *-31-12* match exhibition au stade Pershing à Paris devant 20 000 spectateurs. **1934**-*5-3* début de la tournée en G.-B. des *pionniers* (16 joueurs recrutés par Jean Galia et exclus de la FFR). *-6-4 Ligue Fr. de Rugby à XIII* fondée. **1941**-*19-12* dissolution par le min. de l'Éducation nat. pour professionnalisme. **1943**-*2-10* le gouvernement d'Alger rétablit le *Jeu à XIII.* **1947**-*22-2* la Ligue devient la *Féd. Fr. de Jeu à XIII* (30, rue de l'Échiquier, 75010 Paris).

Terrain. 100 m × 68 m max. *En-but* 6 à 11 m. **Ballon.** Ovale, gonflé à l'air, en cuir ou autre matière approuvée, 410 g, long. 28 cm, petit périmètre 59 cm, grand 74 cm. **Joueurs.** Maillots numérotés de 1 à 13 pour une identification plus aisée. Bas. Chaussures à crampons. Certaines protections sont autorisées. **Jeu.** 2 mi-temps de 40 min plus les arrêts de jeu, coupées par une pause de 5 min.

Règles. **Principe.** 2 équipes de 13 joueurs essaient de marquer essais et pénalités sur l'équipe adverse. **Tenu :** quand le joueur, porteur de la balle, est plaqué. Le plaqué talonne la balle pour le coéquipier qui fait office de relanceur derrière lui. Adversaire et partenaire doivent se trouver à 5 m du tenu. Au 6e tenu joué par une même équipe, il y a un tenu dit de transition. **Touché :** si la balle sort directement (sans toucher le terrain de jeu), il y a mêlée à 10 m, face au point de sortie en touche. **Mêlée :** formation 3, 2, 1 obligatoire. La ligne du hors-jeu se situe derrière les pieds du dernier joueur de la mêlée. **Pénalité :** peut se jouer pour soi, en but, ou en coup de pied de volée. Dans ce cas, si la balle sort directement en touche, l'équipe bénéficie du tap-penalty (2e phase de la pénalité). Posé au sol à 10 m face au point de sortie, le ballon est jouable dans n'importe quelle direction. **Hors-jeu :** tout joueur placé devant un partenaire qui joue le ballon est hors jeu, il l'est également s'il ne respecte pas certaines distances de reprise du jeu. **En avant :** ballon joué avec les mains prenant la direction du ballon mort adverse (passe ou maladresse). **Envoi et renvoi :** le ballon doit généralement passer 10 m et toucher le terrain de jeu.

Décompte des points. Essai 4 pts ; but 2 (transformation ou pénalité) ; drop-goal 1.

Licenciés (1985). Australie 500 000, G.-B. 140 000, N.-Zélande 80 000, N.-Guinée 35 000, *France 25 000.*

Principales épreuves

Goodwin Trophy. Série de 3 tests avec l'Australie. **1951** France 2 victoires, 1 défaite. **1955** Fr. 2 vict., 1 déf. **1960** Fr. 1 vict., 1 match nul, 1 déf. **1964** Fr. 3 déf. N'est plus disputé dep. 64.

Coupe du monde. *Créée* 1953 entre France, G.-B., Australie, N.-Zélande. **1953** (en France) : *1* G.-B., *2* Fr., *3* Aus., *4* N.-Z. **57** (Australie) : Aus., G.-B., N.-Z., Fr. **60** (G.-B.) : G.-B., Aus., N.-Z., Fr. **68** (Aus. et N.-Z.) : Aus., Fr., G.-B. N.-Z. **70** (G.-B.) : G.-B., Aus., Fr., N.-Z. **72** (France) : G.-B., Aus., Fr., N.-Z. **1975** remplacée par le **championnat du monde.** Joué en matches aller et retour entre 5 nations (Australie, Angleterre, France, Nelle-Zélande, Galles). **75 :** Aus., Angl., Galles, N.-Z., Fr. **77 :** Aus., G.-B., N.-Z., Fr. **1978-84 :** remplacé par des tournées. **1985-88 :** à nouveau disputé sur 4 ans en N.-Z. ; Aus.-N.-Z. 25-12.

Compétition internationale France A. **80-81** Fr. b. N.-Zélande 6 à 5 ; N.-Z. b. Fr. 11 à 3 ; Fr. b. Galles 23 à 5 ; Fr. b. G.-B. 5 à 1. **81-82** G.-B. b. Fr. 37 à 0. **82-83** Fr. b. G.-B. 19 à 4 ; Australie b. Fr. 15 à 4 et 23 à 9 ; G.-B. b. Fr. 20 à 5 et 17 à 5. **83-84** G.-B. b. Fr. 10 à 0 ; G.-B. b. Fr. 12 à 0. **84-85** G.-B. b Fr. 5 à 4 ; Fr. b. G.-B. 24 à 16. **85-86** N.-Z. b. Fr. 22 à 0 ; N.-Z. b. Fr. 22 à 0 ; G.-B. b. Fr. 24 à 10 ; Fr. et G.-B. 10 à 10. **86-87** Austr. b. Fr. 44 à 2 ; Austr. b. Fr. 52 à 0 ; G.-B. b. Fr. 52 à 4 ; G.-B. b. Fr. 20 à 10. **87-88** Fr. b. N.-Guinée 21 à 4 ; G.-B. b. Fr. 28 à 14 ; G.-B. b. Fr. 30 à 12. **88-89** G.-B. b. Fr. 20 à 10 ; G.-B. b. Fr. 30 à 8. **89-90** N.-Z. b. Fr. 16 à 14 ; N.-Zél. b. Fr. 34 à 0 ; G.-B. b. Fr. 8 à 4 ; Fr. b. G.-B. 25 à 18. **90-91** Austr. b. Fr. 60-4 et 20-4 ; G.-B. b. Fr. 45-10 et 60-4 ; N.-Z. b. Fr. 60-6 et 32-10.

Tournoi européen. *Créé* 1934, devient en **1950** *Challenge Jean-Gallia.* **1950** Angl., **51, 52** France, **53** autres nationalités, **54** Angl., **56** autres nationalités, **70, 7(** Angl., **77** Fr., **78, 79, 80** Angl., **81** Fr. **Dep. 81,** non disp.

Coupe de France (coupe Lord Derby). *Créée* 1935. **85** XIII Catalan-Limoux 24/7. **86** US Le Pontet-St-Estève 35/10. **87** St-Estève-XIII Catalan 20/10. **88** US Le Pontet-St-Estève 5/2. **89** Avignon-US Le Pontet 12/11. **90** Carcassonne-St-Estève 22/8. **91** St Gaudens b. Pia 30/4.

Championnat de France (trophée Max-Rousie). créé 1935. **85** XIII Catalan-US Le Pontet 26/6. **86** US Le Pontet-XIII Catalan 19/6. **87** XIII Catalan-US US Le Pontet 11/3. **88** Le Pontet-XIII Catalan 14/2. **89** St-Estève-US Le Pontet 23/4. **90** St-Estève-Carcassonne 24/23. **91** St-Gaudens b. Villeneuve 10/8.

Joueurs

Aillières Georges [1], 3-12-34. Atoï Lauta [5]. Barthe Jean [1] 22-7-32. Beetson Arthur [2] 21-1-45. Benausse Gilbert [1], 21-1-32. Bernabé Thierry [1]. Bescos Marcel [1] 28-6-37. Bevan Brian [2] 24-4-24. Bourrel Freddy [1]. Bourret Jean-Marc [1], 19-5-57. Bradshaw Tommy [3], 11-12-21. Brousse Élie [1], 28-8-21. Butignol Thierry [1], 7-12-60. Cabestany Didier [1], 13-5-69. Chantal Max [1]. Churchill Clive [2]. Clar Jean-Pierre [1], 27-2-42. Cootes John [2]. 1941. Cros Jean-Pierre [1], 10-6-41. Delaunay Guy [1], 24-9-60. De Nadai Francis [1]. 19-4-47. Divet Daniel [1], 11-12-66. Drumond Dess [3]. Dumas Gilles [1], 14-12-62. Edwards Shaum [3]. Entat Patrick [1], 18-9-64. Fox Neil [3] 4-5-39. Fraisse David [1], 20-12-68. Fulton Robert [2] 1-9-47. Gallia Jean [1], 1905-49. Garry Jack [2]. Gasnier Reginald [2], 3-5-41. Gee Kenn [3]. Goodway Andy [3]. Grahan Mark [4], 29-9-55. Gregory Andy [3]. Greseque Yvan [1], 20-7-53. Hanley Ellery [3]. Hermet Didier [1], 19-12-49. Iro Kevin [4]. Jimenez Antoine [1] 9-5-29. Kila Tony [5]. Laforgue Guy [1] 13-4-58. Leuluai James [4]. Macalli Christian [1], 21-8-58. Maïque Michel [1] 13-7-48. Mantoulan Claude [1], 1936-83. Meninga Mal [2]. Merquey Jacques [1], 26-9-29. Millward Roger [3] 16-9-47. Molinier Jacques [1], 29-1-67. Molinier Michel [1] 28-5-47. Montgaillard Pierre [1]. Murphy Alex [3] 22-4-39. Numapo Bal [5]. Offiah Martin [3]. Pierce Wayne [2]. Pons Cyrille [1], 28-11-63. Ponsinet Edouard [1], 18-11-23. Price Ray [2]. Puig Aubert [1] (il a réussi un coup de pied de 62 m et a le record français des points marqués), 24-3-25. Rabot Jean-Luc [1], 3-10-60. Raper John [2] 12-4-39. Ratier Hugues [1] 4-1-60. Roosebrook Joël [1], 1-5-54. Rousié Max [1], 1912-59. Rysman Gus. [3] 21-3-11. Schofield Garry [3]. Sorensen Kurt [4]. Sterling Peter [2]. Sullivan Jim [3] 1903-77. Valentine Dave [3]. Valero Thierry [1]. Verdes Daniel [1], 10-5-62. Vergniol Eric [1], 10-4-68. Wally Lewis [2]. Ward Kevin [3]. West Graeme [4]. Zalduendo Charles [1] 17-8-52.

Nota. – (1) Français. (2) Australien. (3) Britannique. (4) N.-Zélandais. (5) Papouasie-N.-Guinée.

Rugby à XV

Généralités

Nom. Collège de Rugby (Warwickshire, Grande-Bretagne) où il a été inventé.

Histoire. **Origines.** Jeux pratiqués en Grèce *(épiscyre, phénindre, aporrhaxis, uranie),* à Rome *(harpastum),* au Moyen Âge *(calcio* en Italie, *soule* en France et en G.-B.) et dans les temps modernes (*football* en G.-B.). **1823** *nov.* William Webb Ellis (1807-72), élève à la *public school* de Rugby, commet une infraction aux règles du football (il s'empare de la balle à la main) et créé un nouveau jeu. **1841** officialisation de cette nouvelle règle. **1843** 1er club en G.-B. (Guy's Hospital). **1846**-*7-9* adoption des 1res règles écrites par les élèves de Rugby. **1863**-*26-10* 7 clubs fondent la *Football Association. -8-12* les partisans des règles de Rugby la quittent. **1871** la *Rugby Football Union* (fondée le 26-1) adopte le 24-6 les 59 lois du jeu. *-7-3* 1er match internat. Écosse-Angl. à Édimbourg (1-0). **1872** au Havre, de jeunes Anglais le pratiquent. **1879** terrain fixé à 100 m × 68,57 m. **1875** on passe de 20 à 15 joueurs. **1887** l'Union des Stés Françaises des Sports Athlétiques fondée le 27-1 réunit surtout rugby et athlétisme. **1890** 1er championnat scolaire en France. *-29-11* commission de football fondée au sein de l'USFSA. **1892** 1er championnat de Fr. limitée aux équipes parisiennes. *-18-4* 1er match international : Rosslyn Park (Angl.) b. Stade Fr. (21-0). **1893** 1re tournée fr. en Angl. **1906** rencontres annuelles conclues avec Angl., **1908** Galles, **1909** Irlande, **1910** Écosse. **1920**-*11-10* le Rugby se sépare de l'USFSA et fonde la *Féd. française de R.* **1931**-*24-1* 14 clubs démissionnent de la FFR et fondent l'*Union fr. de R. amateur* (UFRA). **1931**-*13-2* les 4 Unions brit. décident de rompre avec la FFR à cause d'abus constatés. **1933** lancement du R. à XIII en France. **1939**-*24-6* supression du ch. de France, rétabli 1942. **1968** 1er grand chelem de la France dans le Tournoi des Cinq nations.

Organisation du rugby. **International Rugby Football Board** (appelé habituellement *l'International Board*), *fondée* le 5-12-1887, groupait à l'origine les Home Unions (Angl., Écosse, P. de Galles, Irlande), l'Angl. assurant la représentation des Unions du Commonwealth (Afr. du S., Australie, N.-Zélande). Depuis leur autonomie, celles-ci ont leur représentation propre. En 1978, la France a été admise. Chacun des 8 pays est représenté par 2 membres. Édicte les règles du jeu, veille au respect de l'amateurisme, juge les litiges entre pays et agence le calendrier des tournées. **Conférence des 5 Nations,** (4 Home Unions et la Fédération fr. de rugby) *créée* 1971, traite des questions concernant le Tournoi des 5 Nations. **Féd. internat. de rugby amateur (FIRA),** *fondée* 2-1-1934, placée sous la direction de la France, à la charge d'une partie du rugby international. **Féd. française de rugby,** *fondée* 11-10-1920. 7, cité d'Antin, 75009 Paris.

Joueurs (en milliers et, entre parenthèses, nombre de clubs). Angl. 300 (1 702), Japon 180 (3 000), *France 231 (1 773),* N.-Zél. 170 (1 000), USA 45 (1 000), Galles 40 (578), Écosse 25 (250), Argentine 21 (198), Italie 15,2 (265), Roumanie 13,4 (197), Fidji 11 (600), Australie 10 (250), Canada 10 (192), Irl. 10 (210), Tonga 2,3 (70), Zimbabwe 1 (30).

Règles

• Principe. 2 équipes de 15 joueurs doivent marquer le plus de points possible en portant, passant ou bottant le ballon. **Terrain.** Max. 100 m × 68,57 m, min. 96 m × 66 m. *Barre horizontale du but* à 3 m du sol ; *montants* distants de 5,65 m, hauteur min. 3,5 m. **Ballon.** Ovale, formé de 4 panneaux de cuir ou autres matériaux, long. 28 à 30 cm, grand périmètre 76 à 79 cm, petit p. 58 à 62 cm, poids 400 à 440 g.

• Joueurs. Vêtus de maillots, shorts, bas et chaussures à crampons. Maillots numérotés de 1 à 15 selon la fonction. *Arrière :* 15 ; *trois-quarts* (de gauche à droite) : 11, 12, 13, 14 ; *demi-d'ouverture :* 10 ; *demi de mêlée :* 9 ; *avants* (formation 3, 2, 3) : 3e ligne (de gauche à droite) 6, 8, 7, 2e ligne 4 et 5, 1re ligne 1, 2 et 3 ; *avants* (formation 3, 4, 1) : 3e ligne 8, 2e ligne (de gauche à droite) 6, 4, 5, 7, 1re ligne 1, 2 et 3.

• Jeu. 2 mi-temps de 40 min plus les arrêts de jeu, pause de 5 min. Marquer des *essais* en portant le ballon au-delà de la ligne de but adverse et marquer des *buts* par-dessus la barre transversale. *Transformation de l'essai en but :* après l'essai, coup de pied placé ou tombé, accordé sur une ligne parallèle à la ligne de but, en face du point où l'essai a été marqué. *Drop-goal marqué* lorsque, en cours de jeu, un joueur bien placé « botte » le ballon qu'il tenait en main après l'avoir laissé rebondir, et le fait passer entre les poteaux, au-dessus de la barre transversale. *Arrêt de volée :* reconnu lorsqu'un joueur qui se trouve derrière la ligne des 22 mètres bloque le ballon, botté par un joueur adverse, en gardant les 2 pieds au sol. Le joueur doit valider son geste en criant « marque ». Cette action ne rapporte pas de points, mais fait bénéficier son auteur de l'initiative d'un nouveau départ du jeu.

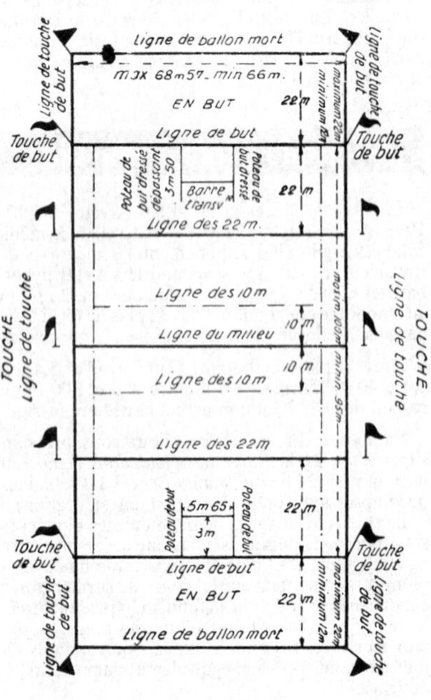

• Points. *1 essai* 4 points ; *1 transformation* 2 ; *1 but* (sur pénalité ou en drop-goal) 3. *Record des points* marqués en 1 saison par des joueurs : Robin Williams en 1974-75 (P. de Galles) : 597 pts ; Sam Doble en 1971-72 (G.-B.) : 581.

• Mêlée. **Ordonnée.** Dans chaque équipe, le talonneur et les 2 piliers se prennent par les épaules, puis entrent en contact, épaule contre épaule, avec les 3 joueurs adverses. Ils doivent être fermement liés entre eux, le talonneur encerclant avec ses bras le corps de ses piliers au-dessous des aisselles et chaque pilier encerclant de la même manière avec son bras le corps du talonneur. Tous les autres joueurs de la mêlée (les 2 deuxième-ligne et les 3 troisième-ligne) doivent être liés au moins avec un bras et une main au corps du partenaire. En position de poussée, les joueurs de 1re ligne ont les 2 pieds au sol, les positions des têtes doivent être alternées entre les joueurs de chaque camp, le pilier gauche de chaque équipe ayant la tête en dehors de la mêlée. Avant d'introduire le ballon en mêlée, celle-ci doit être stable et axée par rapport au terrain. Là, le demi de mêlée de l'équipe non fautive lance le ballon sous le « dôme » ainsi formé le ballon peut être ainsi ratissé par le talonneur ou gagné à la poussée par l'un des 2 camps. Sur ces mêlées ordonnées, les demis de mêlée peuvent suivre la progression du ballon dans le camp où celui-ci se trouve.

Maul, spontanée ou mêlée ouverte. Mêmes règles qu'en mêlée ordonnée, mais aucun joueur n'a le droit de suivre le ballon dans le camp adverse. On peut regrouper ces 3 appellations car, actuellement, un joueur au sol ne doit plus participer au jeu.

• **Touche.** Reconnue quand le ballon a franchi les limites latérales du terrain. Les joueurs se placent sur 2 rangs, perpendiculairement aux côtés du terrain, au point de sortie de la balle si celle-ci a été bottée des 22 m ou si elle a rebondi dans le champ de jeu avant de sortir ; dans le cas contraire, la touche est jouée au point de départ du ballon. Les joueurs qui participent à la touche n'ont pas le droit de franchir la ligne de remise de jeu qui sépare les 2 alignements, tant que le ballon n'a pas touché un joueur ou le sol.

La touche est limitée en profondeur par les 2 lignes parallèles situées à 5 et 15 m. L'équipe qui fait la remise en jeu détermine le nombre de joueurs qui vont y participer. La touche n'est pas terminée tant que le ballon n'a pas touché un joueur ou le sol. Tous les joueurs qui ne participent pas à la touche doivent se tenir au moins à 10 m en arrière de la ligne de jeu qui sépare les 2 alignements. Ils doivent rester à 10 m tant que la touche n'est pas terminée, sauf pour une remise en jeu au-delà du verrouilleur. En ce cas, ils peuvent s'élancer dès que le ballon quitte les mains du lanceur.

• **Fautes et sanctions. En-avant.** Quand un joueur propulse le ballon avec la main ou le bras en direction de la ligne de ballon mort. Toutefois, il n'y a pas d'en-avant quand un joueur contrôle mal un b. et le rattrape avant qu'il ait touché le sol ou un autre joueur. *Sanctions. 1) en-avant involontaire :* mêlée au point de faute avec introduction par l'équipe adverse. *2) volontaire :* coup de pied de pénalité.

Tenu. Quand le porteur du b., immobilisé au sol par un ou plusieurs adversaires, ne lâche pas immédiatement le b. *Sanction :* coup de pied de pénalité au point de faute.

Hors-jeu. Un joueur, placé en avant du b. joué par un partenaire, ne doit pas faire acte de jeu. Le hors-jeu peut se produire dans le *jeu courant, lors d'une mêlée spontanée ou d'un maul et lors d'une touche.* Un joueur hors jeu peut être remis en jeu. *Par sa propre action :* il doit dans le jeu courant se replier derrière le joueur de son équipe qui a botté ou passé le b. le dernier ; lors d'une mêlée spontanée ou d'un maul, tout joueur hors jeu ne peut être remis en jeu. L'arbitre doit laisser l'avantage à l'équipe qui possède le ballon. S'il n'y a pas gain de terrain ou avantage : coup de pied de pénalité. Etre hors jeu quand un partenaire a le ballon ne sert à rien. *Par l'action d'un adversaire* (à condition de n'être pas à moins de 10 m de celui-ci) *porteur du b. :* dès qu'il a parcouru 5 m ou lorsqu'il botte ou passe le b. Lorsque le joueur hors jeu est à moins de 10 m de l'adversaire, il doit se retirer à plus de 10 m. *Sanction :* coup de pied de pénalité.

Obstruction. Il est interdit d'empêcher un adversaire d'aller vers le b. Un joueur porteur du b. ne peut pas charger au travers de ses partenaires faisant écran. *Sanction :* coup de pied de pénalité.

Jeu déloyal, incorrection. Il est défendu de frapper un adversaire, de plaquer prématurément, à retardement ou de manière dangereuse. *Sanction :* coup de pied de pénalité (si la faute a lieu sur un joueur qui a botté le b., l'équipe non fautive peut choisir entre une pénalité au point de faute ou de chute) ; essai de pénalisation ; exclusion du fautif en cas de récidive.

Faute technique ou faute vénielle. *En touche :* implique un coup de pied de pénalité situé sur la ligne des 15 m ; si une touche n'est pas droite l'équipe adverse peut soit demander à la refaire, soit demander une mêlée ; dans ce cas le ballon change de main. *En mêlée :* mauvaise introduction, pied levé du N° 2 : sanctionné par un coup franc. Tout le reste par un coup de pied de pénalité.

Coup de pied de pénalité. Tapé directement vers le but adverse. Il peut être exécuté placé (ballon posé au sol), tombé (drop-goal) ou de volée. Tous les joueurs de l'équipe du botteur doivent se trouver derrière le ballon. Dès que la faute est sifflée par l'arbitre, les joueurs de l'équipe sanctionnée doivent courir sans délai pour se replier à 10 m du point de faute. Si l'équipe fautive commet une infraction pendant que la pénalité est jouée, une nouvelle pénalité sera accordée 10 m en avant (jusqu'à la limite de 5 m de la ligne de but). Si l'infraction est commise par l'équipe du botteur, une mêlée avec introduction adverse sera ordonnée au point où la pénalité avait été accordée. **Coup franc ou pénalité différentielle (depuis 1977).** Ne peut être tapé directement en direction du but adverse. Le joueur qui joue le coup franc peut donner un long coup de pied à suivre ou en touche, ou un petit coup de pied et reprendre le b. lui-même pour le passer à un partenaire qui pourra tenter un drop-goal.

Emblèmes des équipes les plus célèbres. *France :* coq, *Galles :* 3 plumes d'autruche et non le poireau qui est l'emblème du pays de Galles, *Écosse :* chardon, *Angleterre :* rose, *Irlande :* trèfle, *All-Blacks :* N.-Zél., fougère argentée, *Springboks :* Afr. du S., sorte d'antilope, *Wallabies :* Australie, kangourou.

Terrains les plus célèbres. *Arms Park :* Cardiff, P. de Galles. *Eden Park :* Auckland, N.-Zélande. *Ellis Park :* Johannesburg, Afr. du S. *Lansdowne Road :* Dublin, Irl. *Murrayfield :* Édimbourg, Écosse. *Parc des princes* et *Colombes :* Paris. *Twickenham :* Londres.

Coupe du monde

Messieurs. *Créée* 1987. Idée du journaliste australien David Lord. Tous les 4 ans. **1987.** 16 nations invitées (Angl., Argentine, Australie, Canada, Écosse, France, Fidji, Galles, Irlande, Italie, Japon, N.-Zél., Roumanie, Tonga, U.S.A., Zimbabwe). S'est déroulée du 22-5 au 20-6 en Australie et N.-Zél.. Phase éliminatoire de 4 poules de 4 nations pour qualifier les deux 1ers de chaque groupe, quarts de finale et finale. N.-Zél. bat Fr. 29-9. **1991** (oct.-nov.) en France et G.-B. 37 nations participantes dont 16 jouent la phase finale. 32 matches se dérouleront en G.-B., 8 en France.

Dames. *Crée* en 1991. **91** USA.

Tournoi des Cinq Nations

De 1883 à 1910, ne concerne que les 4 Unions britanniques. Dep. 1910, sont admis : France (F), Angleterre (An.), Pays de Galles (G), Écosse (E) et Irlande du S. (Ir). Pas de tournoi de 1915 à 1919 et de 1932 à 1946. *Classement :* d'après les points obtenus à l'issue des 4 matches. 1 victoire = 2 pts ; 1 nul = 1 pt ; 1 défaite = 0 pt. Une équipe qui remporte les 4 matches réalise le Grand Chelem. Celle des 4 nations britanniques qui est victorieuse des 3 autres remporte la Triple Couronne.

Résultats généraux depuis 1910

10 A 7, G 6, E 4, Ir 3, F 0.
11 G 8, Ir 6, A 4, F 2, E 0.
12 A 6, Ir 6, E 4, G 4, F 0
13 A 8, G 6, E 4, Ir 2, F 0.
14 A 8, G 6, Ir 4, E 0, F 0.
20 A 6, E 6, G 6, F 2, Ir 0.
21 A 8, F 4, G 4, E 2, Ir 2.
22 G 7, A 5, E 4, Ir 2, F 2.
23 A 8, E 6, Ir 2, G 2, F 2.
24 A 8, E 4, Ir 4, G 2, F 2.
25 E 8, A 5, Ir 5, G 2, F 0.
26 Ir 6, E 6, G 5, A 3, F 0.
27 E 6, Ir 6, A 4, G 2, F 2.
28 A 8, Ir 6, E 2, G 2, F 2.
29 E 6, Ir 5, G 5, A 4, F 0.
30 A 5, Ir 4, G 4, F 4, E 3.
31 G 7, E 4, Ir 4, F 4, A 1.
47 G 6, A 6, Ir 4, F 4, E 0.
48 Ir 8, F 4, E 4, G 3, A 1.
49 Ir 6, A 4, F 4, E 4, G 2.
50 G 8, E 4, Ir 3, F 3, A 2.
51 Ir 7, F 6, G 3, E 2, A 2.
52 G 8, A 6, Ir 4, F 2, E 0.
53 A 7, G 6, Ir 5, F 2, E 0.
54 A 6, F 6, G 6, Ir 2, E 0.
55 F 6, G 6, E 4, A 3, Ir 1.
56 G 6, A 4, F 4, Ir 4, E 2.
57 A 8, Ir 4, E 4, G 4, F 0.
58 A 6, G 5, F 4, E 3, Ir 2.
59 F 5, Ir 4, A 4, G 4, E 3.
60 F 7, A 7, G 4, E 2 Ir. O.
61 F 7, G 4, E 4, A 3, Ir 2.
62 F 6, E 5, A 4, G 4, Ir 1.
63 A 7, F 4, E 4, Ir 3, G 2.
64 E 6, G 6, F 3, A 3, Ir 2.
65 G 6, F 5, Ir 5, A 3, E 1.
66 G 6, F 5, E 5, I 3, A 1.
67 F 6, A 4, E 4, Ir 4, G 2.
68 F 8, Ir 5, A 4, G 3, E 0.
69 G 7, Ir 6, A 4, E 2, F 1.
70 F 6, G 6, Ir 4, E 2, A 2.
71 G 8, F 4, Ir 3, A 3, E 2.
72 Tournoi inachevé.
73 G, F, E, Ir, A 4 [1].
74 Ir 5, E 4, F 4, G 4, A 3.
75 G 6, E 4, F 4, Ir 4, A 2.
76 G 8, F 6, E 4, Ir 2, A 0.
77 F 8 [2], G 6, A 4, E 2, Ir 0.
78 G 8, F 6, A 4, Ir 2, E 0.
79 G 6, F 5, Ir 4, A 3, E 2.
80 A 8, G 4, Ir 4, E 2, F 2.
81 F 8, A 4, G 4, E 4, Ir 0.
82 Ir 6, A 5, E 5, G 2, F 2.
83 F 6, Ir 6, G 5, E 2, A 1.
84 E 8, F 6, G 4, A 2, Ir 0.
85 Ir 7, F 6, G 4, A 3, E 0.
86 F 6, E 6, G 4, A 4, Ir 0.
87 F 8, Ir 4, E 4, G 2, A 2.
88 F 6, G 6, A 4, Ir 2, E 2.
89 Fr. 6, E 5, A 5, Ir 2, G 2.
90 E 8, A 6, F 4, Ir 2, G 0.
91 A 8, F 6, E4 ,Ir 1, G1.

Nota. – (1) 1re fois que toutes les équipes ont terminé à égalité. (2) La France a gagné sans encaisser un seul essai et en gardant la même équipe.

• **Grands chelems** (4 victoires sur 4 matches joués). **1908** [1] G. **09** [1] G. **11** G. **13** An. **14** An. **21** An. **23** An. **24** An. **25** E. **28** An. **48** Ir. **50** G. **52** G. **57** An. **68** Fr. **71** G. **76** G. **77** Fr. **78** G. **80** An. **81** Fr. **84** E. **87** Fr. **90** E. **91** An.

Nota. – (1) Avant l'ouverture officielle du Tournoi des 5 Nations.

Résultats particuliers depuis 1950

• **France-Angleterre.** **50** Fr. 6-3. **51** Fr. 11-3. **52** An. 6-3. **53** An. 11-0. **54** Fr. 11-3. **55** Fr. 16-9. **56** Fr. 14-9. **57** An. 9-5. **58** An. 14-0. **59** Match nul 3-3. **60** M. nul 3-3. **61** M. nul 5-5. **62** Fr. 13-0. **63** An. 6-5. **64** An. 6-3. **65** An. 9-6. **66** Fr. 13-0. **67** Fr. 16-12. **68** Fr. 14-9. **69** An. 22-8. **70** Fr. 35-13. **71** M. nul 14-14. **72** Fr. 37-12. **73** An. 14-6. **74** M. nul 12-12. **75** Fr. 27-20. **76** Fr. 30-9. **77** Fr. 4-3. **78** Fr. 15-6. **79** An. 7-6. **80** An. 17-13. **81** Fr. 16-12. **82** An. 27-15. **83** Fr. 19-15. **84** Fr. 32-18. **85** M. nul 9-9. **86** Fr. 29-10. **87** Fr. 19-15. **88** Fr. 10-9. **89** An. 11-0. **90** An. 26-7. **91** An. 21-19

• **France-Écosse.** **50** E. 8-5. **51** Fr. 14-12. **52** Fr. 13-11. **53** Fr. 11-5. **54** Fr. 3-0. **55** Fr. 15-0. **56** E. 12-0. **57** E. 6-0. **58** E. 11-9. **59** Fr. 9-0. **60** Fr. 13-11. **61** Fr. 11-0. **62** Fr. 11-3. **63** E. 11-6. **64** E. 10-0. **65** Fr. 16-8. **66** M. nul 3-3. **67** E. 9-8. **68** Fr. 8-6. **69** E. 6-3. **70** Fr. 11-9. **71** Fr. 13-8. **72** E. 20-9. **73** Fr. 16-13. **74** E. 19-6. **75** Fr. 10-9. **76** Fr. 13-6. **77** Fr. 23-3. **78** Fr. 19-16. **79** Fr. 21-17. **80** E. 22-14. **81** Fr. 16-9. **82** E. 16-7. **83** Fr. 19-15. **84** E. 21-12. **85** Fr. 11-3. **86** E. 18-17. **87** Fr. 28-22. **88** E. 23-12. **89** Fr. 19-3. **90** E. 21-0. **91** Fr. 15-9.

• **France-Pays de Galles.** **50** G. 21-0. **51** Fr. 8-3. **52** G. 9-5. **53** G. 6-3. **54** G. 19-13. **55** G. 16-11. **56** G. 5-3. **57** G. 19-13. **58** Fr. 16-6. **59** Fr. 11-3. **60** Fr. 16-8. **61** Fr. 8-6. **62** G. 3-0. **63** Fr. 5-3. **64** M. nul 11-11. **65** Fr. 22-13. **66** G. 9-8. **67** Fr. 20-14. **68** Fr. 14-9. **69** M. nul 8-8. **70** G. 11-6. **71** G. 9-5. **72** G. 20-6. **73** Fr. 12-3. **74** M. nul 16-16. **75** G. 25-10. **76** G. 19-13. **77** Fr. 16-9. **78** G. 16-7. **79** Fr. 14-13. **80** G. 18-9. **81** Fr. 19-15. **82** G. 22-12. **83** Fr. 16-9. **84** Fr. 21-16. **85** Fr. 14-3. **86** Fr. 23-15. **87** Fr. 16-9. **88** Fr. 10-9. **89** Fr. 31-12. **90** Fr. 29-19. **91** Fr. 36-3.

• **France-Irlande.** **50** M. nul 3-3. **51** Ir. 9-8. **52** Ir. 11-8. **53** Ir. 16-3. **54** Fr. 8-0. **55** Fr. 5-3. **56** Fr. 14-8. **57** Ir. 11-6. **58** Fr. 11-6. **59** Ir. 9-5. **60** Fr. 23-6. **61** Fr. 15-3. **62** Fr. 11-0. **63** Fr. 24-5. **64** Fr. 27-6. **65** M. nul 3-3. **66** Fr. 11-6. **67** Fr. 11-6. **68** Fr. 16-6. **69** Ir. 17-9. **70** Fr. 8-0. **71** M. nul 9-9. **72** Ir. 24-14. **73** Ir. 6-4. **74** Fr. 9-6. **75** Ir. 25-6. **76** Fr. 26-3. **77** Fr. 15-6. **78** Fr. 10-9. **79** M. nul 9-9. **80** Fr. 19-18. **81** Fr. 19-13. **82** Fr. 22-9. **83** Ir. 22-16. **84** Fr. 25-12. **85** M. nul 15-15. **86** Fr. 29-9. **87** Fr. 19-13. **88** Fr. 25-6. **89** Fr. 26-21. **90** Fr. 31-12. **91** Fr. 21-13.

• **Soit par nations : France-Angleterre** (dep. 1906) : 66 matches joués (dont 7 nuls). Ang. 35 vict. Fr. 24. **France-Écosse** (dep. 1910) : 61 m. joués (dont 2 nuls). Fr. 30 vict. E. 29. **France-Pays de Galles** (dep. 1908) : 66 m. joués (dont 3 nuls). G. 37 vict. Fr. 26. **France-Irlande** (dep. 1909) : 65 m. joués (dont 5 nuls). Fr. 35 vict. Ir. 25.

Autres matches internationaux de la France

Test-matches

Un test-match est une rencontre entre une équipe en tournée et celle du pays où a lieu la tournée.

Avec les All-Blacks (N.-Zélande). **1906** N.-Z. 38-8. **25** N.-Z. 30-6. **46** N.-Z. 14-9. **54** Fr. 3-0. **61** N.-Z. 13-6 ; 5-3 ; 32-3. **64** N.-Z. 12-3. **67** N.-Z. 21-15. **68** N.-Z. 12-9 ; 9-3 ; 19-12. **73** Fr. 13-6. **77** Fr. 18-13 ; N.-Z. 15-3. **79** N.-Z. 23-9 ; Fr. 24-19. **81** N.-Z. 13-9 ; 18-6. **84** N.-Z. 10-9 ; 31-18. **86** N.-Z. 18-9 ; 19-7. Fr. 16-3. **87** N.-Z. 29.9 [1]. **89** N.-Z. 25-17 ; N.-Z. 34-20. **90** N.-Z. 24-3 ; N.-Z. 30-12.

Avec les Wallabies (Australie). **1928** Aus. 11-8. **48** Fr. 13-6. **58** Fr. 19-0. **61** Fr. 15-8. **67** Fr. 20-14. **68** Aus. 11-10. **71** Aus. 13-11 ; Fr. 18-9. **72** Match nul 14-14 ; Fr. 16-15. **76** Fr. 18-15 ; Fr. 34-6. **81** Aus. 17-15 ; 24-14. **83** Fr. 15-6 ; 15-15. **86** Aus. 27-14. **87** Fr. 30-24 [1]. **89** Aus. 32-15 ; Fr. 25-19. **90** Aus. 21-9 ; 48-31 ; Fr. 28-19.

Avec les Springboks (Afr. du S.). **1913** Af.-S. 38-5. **52** Af.-S. 25-3. **58** Match nul 3-3 ; Fr. 9-5. **61** Match nul 0-0. **64** Fr. 8-6. **67** Af.-S. 26-3 ; 16-3 ; Fr. 19-14 ; Match nul 6-6. **68** Af.-S. 12-9 ; Af.-S. 16-11. **71** Af.-S. 22-9 ; Match nul 8-8. **74** Af.-S. 13-4 ; 10-8. **75** Af.-S. 38-25 ; 33-18. **80** Af.-S. 37-15.

Avec les Pumas (Argentine). **1949** Fr. 5-0 ; 12-3. **54** Fr. 22-8 ; 30-3. **60** Fr. 37-3 ; 12-3 ; 29-6. **74** Fr. 20-15 ; 31-27. **75** Fr. 29-6 ; 36-21. **77** Fr. 26-3 ; Match nul 18-18. **82** Fr. 25-12 ; Fr. 13-6. **85** Arg. 24-16 ; Fr. 23-15. **86** Arg. 15-13 ; Fr. 22-9. **88** Fr. 18-15. Arg. 18-6. Fr. 29-9. Fr. 28-18.

Autres matches avec...

Allemagne. **1927** Fr. 30-5 ; All. 17-16. **28** Fr. 14-3. **29** Fr. 24-0. **30** Fr. 31-0. **31** Fr. 34-0. **32** Fr. 20-4.

33 Fr. 38-17. **34** Fr. 13-9. **35** Fr. 18-3. **36** Fr. 19-14 ; Fr. 6-3. **37** Fr. 27-6. **38** All. 3-0 ; Fr. 8-5. **82** Fr. 53-15. **Angleterre. 1947** An. 6-3. **48** Fr. 15-0. **49** An. 8-3. **Écosse. 1947** Fr. 8-3. **48** É. 9-8. **49** É. 8-0. **87** m. nul 20-20 [1]. **Fidji. 1964** Fr. 21-3. **87** Fr. 31-16 [1]. **Galles. 1945** G. 8-0. **46** Fr. 12-0. **47** G. 3-0. **48** Fr. 11-3. **49** Fr. 5-3. **G.-B. 1940** G.-B. 36-3. **45** Fr. B. Army Rugby Union 21-9 ; Empire brit. 27-6 ; Galles 8-0. **46** Fr. b. British Empire Services 10-0. **Irlande. 1946** Fr. 4-3. **47** Fr. 12-8. **48** I. 13-6. **49** Fr. 16-9. **Italie.** La France est toujours gagnante. **1937** 43-5. **52** 17-8. **53** 22-8. **54** 39-12. **55** 24-0. **56** 16-3. **57** 38-6. **58** 11-3. **59** 22-0. **60** 26-0. **61** 17-0. **62** 6-3. **63** 14-12. **64** 12-3. **65** 21-0. **66** 21-0. **67** 60-13. **Japon. 1973** Fr. 30-18. **Maoris. 1926** M. 12-3. **Roumanie. 1924** Fr. 61-3. **38** Fr. 11-8. **57** Fr. 18-15 ; Fr. 39-0. **60** R. 11-5. **61** Match nul 5-5. **62** R. 3-0. **63** Match nul 6-6. **64** Fr. 9-6. **65** Fr. 8-3. **66** Fr. 9-3. **67** Fr. 11-3. **68** R. 15-14. **69** Fr. 14-9. **70** Fr. 14-3. **71** Fr. 31-12. **72** Fr. 15-6. **73** Fr. 7-6. **74** R. 15-10. **75** Fr. 36-12. **76** R. 15-12. **77** Fr. 9-6. **78** Fr. 9-6. **79** Fr. 30-12. **80** R. 15-0. **81** Fr. 17-9. **82** R. 13-9. **83** Fr. 26-15. **84** Fr. 18-3. **86** Fr. 25-13, 20-3. **87** Fr. 55-12 [1] ; 49-3. **88** Fr. 16-12. **91** Fr. 33-21. **Tchécoslovaquie. 1956** Fr. 28-3. **68** Fr. 19-6. **USA. 1920** Fr. 14-5. **24** U. 17-3. **76** Fr. 33-14. **91** Fr. 41-9. **Zimbabwe. 1987** Fr. 70-12 [1].

Nota. – (1) Coupe du monde.

Championnat de France

Organisation. *1er tour :* 80 clubs en 16 poules de 5, 2 qualifiés par poule. *2e tour :* 32 clubs en 4 poules de 8. Les 32 forment le groupe A qualifié pour les 8e de finales directement. Les 48 autres clubs formeront le groupe B en 6 poules de 8 qualifiant pour les 16e de finales 5 équipes par poule et les 2 meilleurs 6e. Les 8 derniers descendent en 2e division dont les 8 premiers montent automatiquement en 1re division.

Le vainqueur du championnat de France reçoit le *bouclier de Brennus,* dû sans doute à Charles Brennus (1859-1943), maître graveur et Pt d'honneur de la Fédération française de rugby.

1re division. *Créée* 1892. 1892 Racing Club de Fr. **93, 94, 95** Stade français. **96** Olympique. **97, 98** SF. **99** Stade bordelais. **1900** RCF. **01** S. bordelais **02** RCF. **03** SF. **04, 05, 06, 07** S. bordelais UC. **08** S.F. **09** S. bordelais. **10** FC Lyon. **11** S. bordelais UC. **12** S. Toulousain. **13** Aviron bayonnais. **14** AS Perpignan. **16** S. Toulousain. **17** S. Nantais UC. **18** RCF. **19, 20** Stadoceste tarbais. **21** US Perpignan. **22, 23, 24** S. Toulousain. **25** US Perpignan. **26, 27** S. Toulousain. **28** Section paloise. **29** US Quilian. **30** SU Agen. **31** RC Toulon. **32, 33** Lyon OU. **34** Aviron bayonnais. **35** Biarritz olympique. **36** RC Narbonne. **37** CS Vienne. **38** USA Perpignan. **39** Biarritz olympique. **43** Aviron bayonnais. **44** USA Perpignan. **45** SU Agen. **46** Section paloise. **47** S. toulousain. **48** FC Lourdes. **49, 50** Castres olympique. **51** US Carmaux. **52, 53** FC Lourdes. **54** FC Grenoble. **55** USA Perpignan. **56, 57, 58** FC Lourdes. **59** RCF. **60** FC Lourdes. **61** AS Béziers. **62** SU Agen. **63** S. Montois. **64** Section paloise. **65, 66** SU Agen. **67** Montauban. **68** Lourdes (désigné au bénéfice des essais). **69** Bègles. **70** La Voulte-Montferrand 3-0. **71** Béziers-Toulon 15-9. **72** Béziers-Brive 9-0. **73** Tarbes-Dax 18-12. **74** Béziers-Narbonne 16-14. **75** Béziers-Brive 13-12. **76** Agen-Béziers 13-10. **77** Béziers-Perpignan 12-4. **78** Béziers-Montferrand 31-9. **79** Narbonne-Bagnères 10-0. **80** Béziers-Stade toulousain 10-6. **81** Béziers-Bagnères 23-13. **82** Agen-Bayonne 18-9. **83** Béziers-Nice 14-6. **84** Béziers-Agen 21-21 (3-1 aux tirs aux buts). **85** Toulouse-Toulon 36-22 (après prol.). **86** Toulouse-Agen 16-6. **87** Toulon-Racing 15-12. **88** Agen-Tarbes 9-3. **89** Toulouse-Toulon 18-12. **90** Racing-Agen 22-12. **91** règles-Toulouse 19-10.

Autres épreuves

Coupe de France. *Créée* 1906, supprimée en 1951. A été rejouée en 1984 (Toulouse-Lourdes 6-0) et 1986 (Béziers-Aurillac 18-6).

Challenge du Manoir. *Créé* 1931. **1932** Agen. **33** Lyon OU. **34** Toulon et Stade toulousain ex æquo. **35** USA Perpignan. **36** Aviron bayonnais. **37** Biarritz. **38** Montferrand. **39** Pau. **53** Lourdes. **54** Lourdes. **55** USA Perpignan. **56** Lourdes. **57** Dax. **58** Mazamet. **59** Dax. **60-61-62** Mont-de-Marsan. **63** Agen. **64** Béziers. **65** Cognac. **66-67** Lourdes. **68** Narbonne. **69** Dax. **70** Toulon. **71** Dax. **72** Béziers. **73-74** Narbonne. **75** Béziers. **76** Montferrand. **77** Béziers. **78-79** Narbonne. **80** Bayonne. **81** Lourdes. **82** Dax. **83** Agen. **84** Narbonne. **85** Nice. **86** Montferrand. **87** Grenoble. **88** Toulouse. **89, 90, 91** Narbonne.

Nota. – 5 équipes ont réalisé le doublé Championnat et Challenge du Manoir la même année : Béziers (72, 75, 77), Lourdes (53, 56), Perpignan (55), Lyon (33) et Narbonne (79).

Autres épreuves. *Ch. de l'Espérance* (SC Tulle), *ch. Béguère* (FC Lourdais), *ch. Cadenat* (AS Béziers). *Coupe de l'Avenir* créée 1942. *Coupe Frantz-Reichel* créée 1931. *Coupe René-Crabos* créée 1950.

Grands joueurs

Français

Aguirre Jean-Michel 2-11-51. Albaladejo Pierre 13-2-33. Andrieu Marc 19-9-59. Astre Richard 28-8-48. Averous Jean-Luc 22-10-54. Azarete Jean-Louis 8-5-45.

Barrau Max 26-11-50. Barthe Jean 1932. Basquet Guy 13-7-21. Bastiat Jean-Pierre 11-4-49. Belascain Christian 1-11-53. Benesis René 29-8-44. Berbizier Pierre 17-6-58. Bergougnan Yves 8-5-24. Berot Philippe 29-1-65. Bertranne Roland 6-12-49. Bianchi Jérôme 4-4-55. Biemouret Paul 11-4-43. Bilbao Louis 14-9-56. Blanco Serge 31-8-58. Boniface André 14-8-34. Boniface Guy 1937-68. Bonneval Éric 19-11-63. Bouquet Jacques 3-6-33. Bourgarel Roger 21-4-47. Bustaffa Daniel 11-1-56.

Cabanier Jean-Michel 13-5-36. Cabrol Henri 11-2-47. Camberabero Didier 9-1-61. Camberabero Guy 17-5-36. Camberabero Lilian 15-7-37. Cantoni Jacques 11-5-48. Carminatti Alain 17-8-66. Carrère Christian 27-7-43. Carrère Jean 5-4-30. Cecillon Marc 30-1-59. Celaya Michel 27-7-30. Cester Élie 27-7-42. Champ Éric 8-6-62. Charvet Denis 12-5-62. Cholley Gérard 6-6-45. Codorniou Didier 13-2-58. Condom Jean 15-8-60. Crabos René 1899-1964. Crauste Michel 6-7-34. Cremaschi Michel 26-4-56.

Danos Pierre 4-6-29. Darrouy Christian 13-1-37. Dauga Benoît 8-5-42. Dauger Jean 12-11-19. Dedieu Paul 8-5-35. De Gregorio Jean 9-12-35. Desclaux Joseph 1-2-12. Dintrans Philippe 29-1-57. Domenech Amédée 3-5-33. Dospital Pierre 15-5-50. Dourthe Claude 20-11-48. Dubroca Daniel 25-4-54. Dufau Gérard 27-8-24. Du Manoir Yves 1904-28. Dupuy Jean 25-5-34.

Erbani Dominique 16-8-56. Estève Alain 15-9-46. Estève Patrick 14-2-59. Fabre Michel 11-9-56. Fouroux Jacques 24-7-47. Gachassin Jean 23-12-41. Gallion Jérôme 4-4-55. Garuet Jean-Pierre 15-6-53. Gourdon Jean-François 8-9-54. Gruarin Arnaldo dit Aldo 5-2-38. Haget Francis 1-10-49. Herrero André 28-1-38. Herrero Bernard 19-9-57. Imbernon Jean-François 17-10-51. Iracabal Jean 6-7-41. Jaureguy Adolphe 1898-1977. Joinel Jean-Luc 21-8-53.

Labazuy Antoine 9-2-29. Lacaze Claude 5-3-40. Lacroix Pierre 23-1-35. Lafond Jean-Baptiste 29-12-61. Lagisquet Patrice 4-9-62. Laporte Guy 15-12-52. Lasserre Jean-Claude 12-5-38. Lasserre Michel 21-1-40. Lasserre René 1895-1965. Le Droff Jean 22-6-39. Lescarboura J.-Patrick 19-1-61. Lira Maurice 1941-86. Lorieux Alain 26-3-56. Lux Jean-Pierre 9-1-46.

Martine Roger 3-1-30. Maso Joseph 27-12-44. Mesnel Franck 30-6-61. Mias Lucien 28-9-30. Moga Alban 1923-83. Moncla François 1-4-32. Noves Guy 5-2-54. Ondarts Pascal 1-4-56. Orso Jean-Charles 6-1-58. Paco Alain 1-5-52. Palmié Michel 1-12-51. Paparemborde Robert 8-7-48. Pique Jean 17-9-35. Prat Jean 1-8-23. Prat Maurice 17-9-28. Rancoule Henri 6-2-23. Rives Jean-Pierre 31-12-52. Rodriguez Laurent 25-6-60. Romeu Jean-Pierre 15-4-48. Roques Alfred 17-2-25. Rousié Max 1912-59. Sangalli François 8-9-52. Sella Philippe 14-2-62. Serrière Patrick 7-7-60. Skrela Jean-Claude 1-10-49. Spanghero Claude 16-6-48. Spanghero Walter 21-12-43.

Thiers Pierre 16-4-14. Trillo Jean 27-10-44. Vannier Michel 1931-91. Vaquerin Armand 21-2-51. Vigier Robert 1926-86. Villepreux Pierre 5-7-43. Viviès Bernard 3-9-53. Yachvili Michel 25-7-46.

Étrangers

☞ *Légende.* – (1) Angleterre. (2) Écosse. (3) Pays de Galles. (4) Irlande. (5) Australie. (6) N.-Zélande. (7) Afrique du Sud. (8) Italie. (9) Argentine.

Andrew Rob [1] 18-2-63. Batty Grant [6] 1951. Beaumont Bill [1] 1952. Bennett Phil [3] 24-10-48. Botha Naas [7] 27-2-58. Brand Gerry [7] 8-10-1906. Bruce Doug [6] 1947. Butterfield Jeff [1] 9-8-29.

Campbell-Lamerton M.J. [2] 1933. Campese David [5] 21-10-62. Carmichael Alexander [2] 2-2-44. Catchpole Kenneth William [5] 21-6-39. Caulton Ralph Walter [6] 1937. Chisholm D.H. [2] 1937. Claassen Johan [7] 23-9-1929. Clarke Donald Barry [6] 10-11-33. Clarke Jan James [6] 1932. Cobner J.J. [3] 1948. Cook Albert E [6]. 1901-77. Craven Daniel [7] 1909.

Dalton Andy [6] 1951. Davies Jonathan [3] 24-10-62. Davies Mervyn [3] 9-12-46. Davies T.G.R. [3] 1946. Dawes John [3] 29-9-40. Dawson A. Ronnie [4] 1933. Deans Colin [2] 1955. De Villiers David Jacobas [7] 10-7-40. De Villiers Henry Oswald [7] 10-3-45. Dick Malcolm John [6] 1941. Donaldson Mark [6] 1955. Duckham David [1] 28-6-46. Du Preez Frederick Christoffel [7] 28-11-35. Edwards Gareth [3] 12-7-47. Ellis Hendrick Jakobis [7] 1941. Engelbrecht Jan Pieter 10-11-38. Evans Eric [1] 1-2-21.

Farr-Jones Nicholas [5] 18-4-62. Faulkner Charly [3] 1943. Fenwick Steve [3] 1952. Fox Grant [6] 8-6-62. Frame John [2] 1946. Gallagher John [6] 29-1-64. Gibson Mike [4] 3-12-42. Going Sidney [6] 19-8-43. Gould Arthur [3] 1864-1919. Graham David John [6] 1936. Gravell Raymond [3] 12-9-51. Gray Kenneth Francis [6] 1938. Greyling Pieter Johannes [7] 16-5-42. Haeden Andy [6] 29-9-50. Hare Williams [1] 29-11-52. Hastings Gavin [2] 3-1-62. Hawthorne Philip [5] 24-10-43. Henderson Noël J. [4] 1933. Herewini Farlane Alexander [6] 1938. Hiller Robert [1] 1942. Hopwood Douglas [7] 1935. Horton Nigel [1] 1948.

Ifwersen Karl D. [6] 1893-1967. Irvine Andy [2] 16-9-51. Jarden Ronald A. [6] 1929-77. John Barry [3] 6-1-45. Jones Cliff [3] 1913. Jones Kenneth [3] 30-12-21. Jones Michael [6] 8-4-65. Jones Peter [6] 13-9-36. Kavanagh J. Ronnie [4] 1932. Keane Maurice I. [4] 1949. Kennedy Kenneth [4] 10-5-42. Kiernan Michael [4] 17-1-61. Kiernan Tom [4] 7-1-49. Kirk David [6] 5-10-60. Kirkpatrick Ian [6] 24-5-46. Kirwan John [6] 12-2-64. Knight Lawrie [6] 1949. Kyle John Wilson dit [4] 10-2-26.

Laidlaw Christopher Robert [6] 1944. Laidlaw Frank [2] 1940. Larter Peter [1] 1944. Loane Mark [5]. Lochore Brian [6] 3-9-40. Lynagh Michael [5] 25-10 63.

Mc Bride William [4] 6-6-40. McGann Barry John 1948. Mc Harg Alistair [2] 1944. McLauchlan Ian [2] 1943. McLean Paul 1953. Mc Loughlin Ray 24-8-39. Marais Johannes [7] 21-9-41. Marques David [1] 9-12-32. Martin Allan 1948. Meads Colin Earl [6] 3-6-36. Mexted Murray [6] 1953. Millar Sydney [4] 1935. Molloy Mick [4] 1943. Morkel Gerhard [7] 1888-1959. Mourie Graham [6] 8-9-52. Mulcahy William 1935. Mullen Karl [5] 1926. Muller Hennie 1922-77. Murphy Noel A. [4] 1937. Myburgh Johannes Lodewikus [7] 24-8-36.

Nathan Waka [6] 1940. Neary Tony [1] 1949. Nel Philip [7] 17-6-02. Nepia George [6] 1905-86. Nicholls Gwynn [3] 1875. Nicholls Mark [6] 1901-72. Norster Robert [3] 1957. O'Driscoll John [4] 26-11-53. O'Reilly Anthony [4] 7-5-36. Pask Alun [3] 1939. Pedlow A. Cecil [4] 1934. Porta Hugo [9] 11-9-51. Poulton-Palmer Ronald [1] 1889-1915. Price Brian [3] 1937. Price Graham [3] 24-11-51.

Quinnell Derek [3] 1950. Robertson Bruce [6] 1952. Rutherford John [2] 4-10-55. Scotland Kenneth [2] 1936. Seeling Charles [6] 14-5-1883. Slattery Fergus [4] 12-2-49. Smith Ian [2] 1903. Smith Johnny [6] 1922-74. Squire Jeff [3] 1952. Stagg Peter [3] 1941. Stephen Rees [3] 1922. Stewart Alian James 1942. Stoop Adrian Dura [1] 27-3-1883.

Tanner Haydn [3] 1917. Telfer Jim [2] 1941. Thorburn Paul [3] 24-11-62. Thornett John [5] 30-3-35. Tremain Kelwin [6] 1938. Trew Bily [3] 1880.

Underwood Rosy [1] 19-6-63. Van Wyk Christian [7] 5-11-23. Visagie Petrts [7] 16-4-43. Wakefield William [1] 1898-1983. Wallace William [6] 2-8-1878. Watkins Stuart [3] 1941. Weston Mike [1] 1938. Wheel Geoff [3] 1952. Whineray Wilson James [6] 1935. Williams Bryan [6] 3-10-50. Williams John P.R. [3] 2-3-49. Windsor Bobby [3] 1948. Winterbottom Peter [1] 31-5-60. Wooller Wilfred [3] 1912. Young Dennis 1930. Zani Francisco [8] 24-10-38.

Ski

Généralités

Origine

On a trouvé en Suède un ski dans un marais datant d'env. 3000 av. J.-C. (ski de Hoting conservé à

Stockholm). **1853** diffusion du ski en Autriche et Allemagne. **1855** en N.-Zélande ; le lieutenant Windham introduit en France des skis de Norvège ; il est suivi par Henri Duhamel, le docteur Pilet à Colmar, le docteur Étienne Payot à Chamonix (1897). **1867** 1er grand concours de ski à Christiania (Nor.). **1880** apparition du *ski en forme de taille de guêpe* qui permet virages et conduite (inventé par le Norvégien Sondre Nordheim). **1888** Fidtjof Nanssen (1861-1930) traverse à skis le Groenland. **1889** *1er brevet pour des fixations de ski.* **1895** essais du commandant Windham au Lautaret. **1896** *1er club de ski français* (Ski club des Alpes). **1897** *12-2 1re expérience de ski alpin en France,* lieut. Widman (28e bat. des chasseurs alpins) : ascension (en 7 h) et descente (en 1 h 30) du Mt-Guillaume (Htes-Alpes). **1900** introduction du ski dans les troupes alpines à Briançon. **1902** 1res courses, descentes libres à Davos. **1903** à Adelboden. **1904** la garde suisse du St-Gothard adopte les skis. Création de l'École normale de ski par le min. de la Guerre. **1907** *1er concours international de ski en France,* organisé par le Club alpin fr., à Montgenèvre, participation exclusive de militaires. **1911**-*7-1* Arnold Lunn organise le « Challenge Roberts of Kandahar » à Montana. **1922** 1re école de ski à St Anton (méthode de l'Arlberg). 1er slalom moderne à Mürren. **1924** *1ers J.O. d'hiver* à Chamonix (ski nordique uniquement) ; Féd. intern. (F.I.S.) et Féd. française de ski créées. **1927** école de ski de St-Moritz. **1931** 1ers ch. du monde à Mürren (Suisse) organisés par Lunn qui fait reconnaître les disciplines alpines par la FIS **1936** J.O. à Garmisch-Partenkirchen, introduction des disciplines alpines.

Ski alpin

● **Origine. 1896** 1res règles quand Mathias Zdarsky (Autr. 1856-1940) codifie la technique. L'Autr. Hannes Schneider (1890-1955) fixe ensuite les données de l'école de l'*Arlberg* [*christiania, stem-christiania* (du verbe *stemmen :* appuyer)]. **1938** Paul Gignoux et Émile Allais fixent la méthode de l'*École française,* fondée sur le *virage parallèle* (né v. 1930), grâce à l'Autrichien Toni Seelos. **1957** Jean Vuarnet et Joubert parlent de *vissage-angulation* (mécanisme de pivotement) et utilisent les principes de pénétration dans l'air en proposant une position de recherche de vitesse dite de l'*œuf.* Viennent ensuite *christiania léger, virage christiania-slalom (1960).* Puis, *virages évasion* et *G T* (1976). Actuellement, *virages Performances* et *G T E* faisant appel aux effets directionnels : dérapé, glissé ou coupé (1988).

● **Épreuves. Types. Descente.** Épreuve de ski alpin créée le 7-1-1911 par Sir Arnold Lunn à Montana. Le skieur doit franchir des portes (chaque montant est constitué par 2 piquets reliés par un rectangle de 0,75 m de large × 1 m de haut, bleu (hommes) ou alterné bleu et rouge (dames). *Piste :* larg. min. 30 m, dénivellation 800 à 1 000 m (messieurs), 500 à 700 m (dames), pour championnats du monde, coupe du Monde-F.I.S., coupe d'Europe.

Slalom. *1er* à Mürren (Suisse) janvier 1922. *Départ:* à discrétion du comité de course (pour la coupe du monde, 1 coureur en course). *Piste :* dénivellation 180 à 220 m (dames 120 à 180 m), 1/4 de la piste doit présenter une dénivellation supérieure à 30 %. *Portes :* pour les messieurs 55 à 75, dames 40 à 60 (largeur : 4 à 6 m, piquets hauts de 1,80 m au-dessus de la neige avec 3 à 4 cm de diamètre). Le skieur doit franchir toutes les portes sous peine de disqualification. Courses en 2 manches, sur 2 parcours différents. Classement par addition des temps des 2 manches. Le skieur peut reconnaître le parcours avant la course en montant ou en descendant, mais sans emprunter le tracé.

Slalom géant. *1950*-13-3apparaît aux champ. du monde à Aspen (U.S.A.). *1976* se court en 2 manches comme le spécial. *Portes :* 2 piquets reliés par un rectangle de couleur de 75 × 50 cm). Nombre : 12 à 15, large : 4 à 8 m. **Slalom parallèle,** 2 skieurs luttent simultanément sur 2 parcours similaires et changent de parcours pour la 2e manche, une « belle » pouvant éventuellement être disputée). Le 1er eut lieu à Aspen le 6-12-1968. **Super-géant** (G1, créé 1982, 1er course 1987) en 1 manche, casque obligatoire. *Piste :* terrain vallonné, dénivelé *messieurs* 500 à 650 m, *dames* 350 à 500 m, largeur min. 30 m, largeur des portes de 6 à 12 m.

Combiné alpin. *Pour J.O. et les championnats du monde :* épreuves de descente, slalom spécial et slalom géant ; *pour épreuves classiques* (Lauberhorn, Hahnenkamm, Kandahar, etc.). descente et slalom spécial. On additionne les points correspondant aux résultats des différentes épreuves ; calculés selon les barèmes de la FIS en partant du temps effectué par le vainqueur de chaque épreuve (chiffre zéro). Les 1 100 de seconde et les secondes qui le séparent de ses suivants sont transformés en points pour chacun d'eux et affectés d'un coefficient, calculé d'après la durée de la course et les différences de temps. Le vainqueur est celui qui a le plus faible total de points.

Grande classique. En dehors des J. O., des championnats du monde et de la coupe du monde, chaque nation peut en organiser une chaque année, reconnue par la FIS et comptant pour la coupe du monde. Organisateurs : *Autriche* Badgastein, Schruns ou Kitzbühel, *Canada* à Mt-Ste-Anne ou Vancouver, *États-Unis* Aspen, Vail ou Waterville, *France* Val-d'Isère, Megève, St-Gervais, Chamonix, Morzine, Courchevel, *Italie* Cortina, Madonna di Campiglio, Sportinia ou Val Gardena, *Suisse* Laax, St-Moritz, Wengen ou Grindelwald, *Tchécoslovaquie* Vysoké Tatry.

Kandahar. Un ancien officier de l'armée des Indes, Lord Roberts of Kandahar (1832-1914), dota la 1re course de descente, l'Arlberg-Kandahar (aujourd'hui Kandahar), organisée le 6-1-1911 à Montana (auj. Crans-Montana). K. de diamant attribué aux skieurs classés 5 fois dans les 3 premiers de la descente, du slalom ou du combiné (ou 4 fois si le palmarès comporte une victoire au combiné). James Couttet, François Bonlieu, Marysette Agnel et Karl Schranz ont remporté 2 fois le K de diamant.

● **Enseignement. Épreuves de progression enfants. Flocon :** *1.* Chasse-neige glissé. *2.* Parcours de type nordique facile. *3.* Trace directe face à la pente. **1re étoile :** *1.* Trace directe en traversée simple. *2.* Pas tournants à la sortie d'une trace directe sur pente faible. *3.* Enchaînement de 7 ou 8 virages élémentaires sur un tracé coulé. **2e étoile :** *1.* Dérapage en biais contrôlé sur pente moyenne. *2.* Pas tournants vers l'amont. *3.* Descente technique sur pente moyenne en virages parallèles de base imposés par 4 à 5 piquets. Enchaînement terminé en ski libre. Note inférieure à 9, éliminatoire pour la descente. **3e étoile :** *1.* Slalom chronométré. Ouverture 20″ environ. Dénivelé 40 à 50 m, longueur 100 m. Trace simple. La note 0 correspond à un temps double de celui de l'ouvreur, 20 au temps de l'ouvreur. *2.* Trace directe 3e degré terminée par un dérapage frein. Descente technique en virages skis parallèles. Pente moyenne, virages imposés par 4 à 5 piquets et de rayons moyens. Enchaînement terminé ski libre (virages courts ou godille). Une note inférieure à 9 est éliminatoire.

Épreuves de performance. Chamois de France (créé par Charles Diebold, 1897-1987) : *slalom.* Tracé 300 à 350 m. Dénivelé 150 à 200 m. Portes en fonction du profil du terrain. Temps de base min. 30″. % autorisé en + du temps de base : or 5, vermeil 15, argent 25, bronze 50, cabri 70. **Flèche :** *slalom géant.* Tracé 700 à 800 m. Dén. 200 à 250 m. Ptes 25 à 35. T. de b. 45″. % aut. : or 5, v. 15, a. 25, b. 50, fléchette 70. **Fusée :** *descente.* Tr. 800 à 1 000 m. Dén. 200 à 300 m. Ptes 15 à 20. T. de b. 40″ à 60″. % aut. : or 5, v. 10, a. 15, b. 30. **Vitesse de pointe.** Tr. 300 à 500 m. Dén. 150 à 250 m. Ptes pentes max. 40 %. Suivant le mode de chronométrage, vitesse appréciée instantanément sur 10 ou 100 m. **Ski** or, argent, bronze, réussir des performances dans 3 spécialités parmi : *chamois, flèche, fusée, lièvre, aiglon.*

● **Règles.** Le skieur en aval a la priorité sur le skieur amont. Le stationnement est prohibé dans goulets, passages étroits, sous talus ou bosses.

Ski nordique

● **Épreuves** (types). **Biathlon.** Comprend une course de fond (cross-country à ski) entrecoupée de 2 ou 4 séances de 5 tirs à la carabine. On ajoute au temps de la course 1 minute de pénalisation ou 1 tour de pénalisation (circuit de 150 m par tir manqué). *Types d'épreuves. Hommes :* 20 km individuel (4 tirs), 10 km (2 tirs), 20 km par équipes (4 tirs), relais 4 × 7,5 km. *Dames :* 15 km ind. (4 tirs), 7,5 km ind. (2 tirs).

Combiné nordique. Comprend une épreuve de saut (70 m) et une de fond (15 km). Les points acquis dans l'épreuve de saut donnent l'ordre et le handicap de départ pour l'épreuve de fond. Comprend aussi une épreuve de relais (saut 70 m, fond 3 × 10 km) et une épreuve de sprint (saut 70 m, fond 15 km, par équipes de 2).

Courses de fond. L'altitude ne peut dépasser 1 800 m et les dénivellations ne peuvent être excessives. Les concurrents partent toutes les 30 s et suivent un parcours délimité en luttant contre la montre. Pour les relais, tous les concurrents du 1er relais partent ensemble. Le classement s'effectue *aux temps.* Skis légers, étroits, sans carres, de conception moderne (fibre de verre et de carbone ; structure nid d'abeille). Le pied, moulé dans une chaussure souple et peu montante, est fixé uniquement par l'avant. Dep. 1985, 2 techniques : *classique :* pas alternatif, skis traditionnels fartés pour la retenue ; *libre :* pas de patineur, skis plus courts fartés pour la glisse et chaussures montantes.

Course de Vasa (89 km, Suède), commémore la piste suivie en 1520 par les Dalécarliens pour rejoindre le roi Gustav Vasa afin de lui demander de combattre les Danois et de rétablir l'indépendance de la Suède. *Créée* 1922. Réunit 12 000 concurrents. *Record :* 3 h 48′55″. En 1978, gagnée pour la 1re fois par un Fr. : J.-P. Pierrat. **Marcia Longa** (70 km, Italie, 7 500 concurrents).

Traversée du Vercors (53 km, France) 2 000 concurrents par équipes de 2. **Foulée blanche** (3 courses : 7,20 et 42 km, de Méandre à Autrans, Isère). En *91,* sur 42 km : 1er Olaf Candau. Env. 15 000 participants. **Transjurassienne** (76 km, Lamoura-Mouthe). *91* Balland (Fr.) 3 h 5′57″.

Marathon. 602,640 km en 45 h 45 mn : Chip Bennet (USA) les 18/19-4-1984.

Marathon des neiges. Env. 300 km. *90* Toussuire en 8 h 32′38″.

● **Raids.** L'un des plus connus (ski de randonnée) est celui de la « Haute Route » qui relie en plusieurs journées Chamonix à Zermatt (Suisse).

● **Piste de fond.** Préparée avec des engins spécifiques, elle doit être aménagée de façon la plus naturelle possible, avec des parties vallonnées, des montées et des descentes variées. La longueur, les dénivelés et les montées totales cumulées varient suivant les catégories d'âge et le sexe des concurrents.

Progression enfants. Flocon fond : *1.* Marche, changement de direction en terrain plat, avec passages imposés et poussée simultanée. *2.* Trace directe 1er degré. *3.* Chasse-neige glissé. **1re étoile fond :** *1.* Marche glissée. *2.* Changements de direction entre quelques piquets sur pente faible, sans l'aide de bâtons. *3.* Trace directe 2e degré avec passage de creux et bosses, terminée par un chasse-neige. **2e étoile fond :** *1.* Petit circuit avec enchaînement, pas glissé, poussée simultanée, pas de un et changement de direction. *2.* 4 virages chasse-neige, enchaînés par deux changements de direction en pas tournants aval. *3.* Descente en trace directe en traversée. **3e étoile fond :** *1.* Petit circuit, enchaînements techniques, pas de un et deux, passage creux et bosses, changement de direction. *2.* Passage imposé de 4-6 portes en virage élémentaire. *3.* Pass. imp. en pas tournants, avec accélération et relance du mouvement (4 portes).

Progression adultes. Trace de France. Bronze. Marche glissée. Trace directe 1er degré. Poussée simultanée. Changement de direction. Chasse-neige glissé. Montée en escalier. **Argent.** Pas glissé. Poussée simultanée. Trace directe 2e degré. Descente en traversée. Changement de direction : pas tournant, virage chasse-neige. Montée en ciseaux. Pas de patineur. **Or.** Pas alternatif en terrain plat, en montée. Pas de un, pas de deux. Passages creux et bosses. Descente 3e degré. Pas tournants. Dérapage. Virage élémentaire. Pas de patineur.

Épreuves de performance. Le Lièvre de France. *Hommes :* 2 boucles de 2,5 km (5 km). *Enfants* (de 15 ans) et *dames :* 2,5 km. *% autorisé en plus du temps de base.* Or 5, V. 15, A. 25, B. 50, Levrault 70, Blanchot 100.

Nota. – Dep. le 9-1-1985, pour faire du ski de fond en France, il faut être muni d'un badge annuel (adulte 150 F, enfant 75 F), hebdomadaire (100, 30), journalier (25, 15) en 1981, destiné à financer l'aménagement des pistes. En 1986-87, rapporte 39 706 354 F.

Ski de saut

● **Piste de saut.** Aménagée artificiellement. Comprend piste d'élan, tremplin, piste de réception et de dégagement (doit être homologuée par la FIS).

Types de tremplins. *Petits tremplins d'entraînement et d'exhibition :* permettant des sauts de 40-50-60 m. *Tremplins de 90 m-120 m :* officiels pour Coupe du Monde, J.O. et Ch. du Monde. *Géants de vol à skis :* permettant des sauts de 180 m et plus (record du monde (89) 195 m (tr. de Planika, Youg. : Kulm, Autr. : Obersdorf, Allem.). La FIS a limité les sauts à 10 % au-delà du point critique, limitant tous les records à 132 m.

● **Épreuves.** Réservées aux hommes. Se disputent aux tremplins de 70 et 90 m. Un jury de 5 juges cote les sauts en fonction de leur longueur, et du style. On retient les 2 meilleurs sauts de chaque concurrent.

• **Enseignement. Aiglon.** Saut à skis sur un tremplin permettant de réaliser des sauts de base de 20 m environ. Réussir au moins 2 sauts sans chute sur les 3 autorisés. *% en moins du saut de base.* Or 10, A. 25, B. 50. On doit être équilibré à la réception et jusqu'à l'entrée de l'aire de dégagement (plat d'arrêt). Poser ou toucher la neige avec 1 main ou 2 mains est considéré comme une chute et ne permet pas l'homologation de la distance (1 chute au virage d'arrêt n'entre pas en ligne de compte). L'usage des bâtons est proscrit.

Skiathlon

(triathlon des neiges)

Créé 1985 par Jean-Loup Courtier. Ski alpin (10 000 m de descente), ski de fond (10 km) et course à pied (8 km).

Résultats

☞ *Légende.* – (1) All. (2) All. féd. (3) All. dém. (4) Autr. (5) Bulg. (6) Can. (7) Esp. (8) Finl. (9) Fr. (10) It. (11) Liech. (12) Norv. (13) Pol. (14) Austr. (15) St-Marin. (16) Suède. (17) Suisse. (18) Tchéc. (19) URSS (20) USA (21) Youg. (22) Lux. (23) Australie.

• **Jeux olympiques** : Voir p. 1801

Championnats du monde

Créés **1931. 1950** tous les 4 ans (2 ans après les J.O.). **1985** tous les 2 ans (années avant et après les J.O.). **1987** Super-géant.

Ski alpin

• **Messieurs. Descente. 48** Oreiller [9]. **50, 52** Colo [10]. **54** Pravda [4]. **56, 58** Sailer [4]. **60** Vuarnet [9]. **62** Schranz [4]. **64** Zimmermann [4]. **66, 68** Killy [9]. **70, 72** Russi [17]. **74** Zwilling [4]. **76** Klammer [4]. **78** Walcher [4]. **82** Weirather [4]. **85** Zurbriggen [17]. **87** Mueller [17]. **89** Tauscher [2]. **91** Heinzer [17], 2e Runggaldiern [10], 3e Maher [17].

Slalom spécial. 48 Reinalter [17]. **50** Schneider G. [17]. **52** Schneider O. [4]. **54** Eriksen [12]. **56** Sailer [4]. **58** Rieder [4]. **60** Hinterseer [4]. **62** Bozon [9]. **64** Stiegler [4]. **66** Senoner [10]. **68** Killy [9]. **70** Augert [9]. **72** Fernandez-Ochoa [7]. **74** Thoeni [10]. **76** Gros [10]. **78, 82** Stenmark [16]. **85** Nilsson [16]. **87** Woerndl [2]. **89** Nierlich [4]. **91** Girardelli [22], 2e Stangassinger [4], 3e Furuseth [12].

Slalom géant. 50 Colo [10]. **52, 54** Eriksen [12]. **56, 58** Sailer [4]. **60** Staub [17]. **62** Zimmermann [4]. **64** Bonlieu [9]. **66** Périllat [9]. **68** Killy [9]. **70** Schranz [4]. **72, 74** Thoeni [10]. **76** Hemmi [17]. **78** Stenmark [16]. **82** Mahre S2[0]. **85** Wasmeier [2]. **87** Zurbriggen [17]. **89** Nierlich [4]. **91** Nierlich [4], 2e Kaelin [17], 3e Wallner [16].

Combiné alpin. 48 Oreiller S9. **54** Eriksen S1[2]. **56, 58** Sailer [4]. **60** Périllat S9. **62** Schranz [4]. **64** Leither [1]. **66, 68** Killy [9]. **70** Kidd [20]. **72** Thoeni sl[0]. **74** Klammer [4]. **76** Thoeni [10]. **78** Wenzel [11]. **82** Vion [9]. **85** Zurbriggen [17]. **87, 89** Girardelli [22]. **91** Eberharter [4], 2e Ghedina [10], 3e Mader [4].

Super-géant. 87. Zurbriggen [17]. **89** Hangel [17]. **91** Eberharter [4], 2e Aamodt [12], 3e Piccard [9].

• **Dames. Descente. 48** Schlunegger [17]. **50, 52** Jochum [4]. **54** Schöpfer [17]. **56** Berthod [17]. **58** Wheeler [6]. **60** Biebl [1]. **62, 64** Haas [4]. **66** Schinegger [4] : a rendu sa médaille à M. Goitschel [9] en 1988. **68** Pall [4]. **70** Zryd [17]. **72** Nadig [17]. **74** Proell [17]. **76** Mittermaier [2]. **78** Moser-Proell [4]. **82** Sorensen [6]. **85** Figini [17]. **87** Walliser [17]. **89** Walliser [17]. **91** Kronberger [4], 2e Bouvier [9], 3e Gladishiva [19].

Slalom spécial. 48 Frazer [20]. **50** Rom [4]. **52** Lawrence-Mead [20]. **54** Klecker S4. **56** Colliard [17]. **58** Björnbakken [12]. **60** Heggtveit [6]. **62** Jahn [4]. **64** Goitschel [9]. **66** Famose [9]. **68** Goitschel [9]. **70** Lafforgue §9. **72** Cochran [20]. **74** Wenzel [11]. **76** Mittermaier [2]. **78** Soelkner [4]. **82** Hess [17]. **85** Pelen [9]. **87** Hess [17]. **89** Svet [21]. **91** Schneider [17], 2e Bokal [21], 3e Slavenmojer [4].

Slalom géant. 50 Rom [4]. **52** Lawrence-Mead [20]. **54** Schmith [9]. **56** Reichert [1]. **58** Wheeler [6]. **60** Ruegg [17]. **62** Jahn [4]. **64, 66** Goitschel [9]. **68** Greene [6]. **70** Clifford [6]. **72** Nadig [17]. **74** Serrat [9]. **76** Kreiner [6]. **78** Epple [2]. **82** Hess [17]. **85** Roffe [20]. **87, 89** Schneider [17]. **91** Wiberg [11], 2e Maier [4], 3e Haecher [1].

Combiné alpin. 48 Beiser [4]. **54** Schöpfer [17]. **56** Berthod [17]. **58** Dänzer [17]. **60** Heggtveit [6]. **62, 64, 66** Goitschel [9]. **68** Greene [6]. **70** Jacot [9]. **72** Proell [4]. **74** Serrat [9]. **76** Mittermaier [2]. **78** Moser-Proell [4]. **82, 85, 87** Hess [17]. **89** McKinney [20]. **91** Bournissen [17], 2e Stoeckl [4], 3e Schneider [17].

Super-géant. 87 Walliser [17]. **89** Maier [4]. **91** Maier [4], 2e Merle [9], 3e Wachter [4].

Ski nordique

• **Messieurs. 15-18 km. 29** Saarinen [8]. **30** Rustadstuen [12]. **31** Gröttumsbraaten [12]. **33** Englund [16]. **34** Nurmela [8]. **35** Karppinen [8]. **37** Bergendahl [12]. **38** Pitkänen [8]. **39** Kurikkala [8]. **50** Astrom [16]. **54, 58** Hakulinen [8]. **62** Roennlund S1[6]. **66** Eggen [12]. **70** Aslund [12]. **74** Myrmo [12]. **78** Luszczek [13]. **82** Braa [12]. **85** Haerkonen [8]. **87** Albarello [10]. **89** Style classique : Kirvesniemi [8], s. libre : Svan [16].

10 km. 91 Langli [12]. **15 km libre. 91** Daehlie [12].

30 km. 78 Saveliev [19]. **82** Ericksson [16]. **85** Svan [16]. **87** Wassberg [16]. **30 km classique. 89** Smirnov [19]. **91** Svan [16].

50 km. 50 Eriksson [16]. **54** Kuzin [19]. **58, 62** Jernberg [16]. **66** Eggen [12]. **70** Oikarainen [8]. **74** Crimmer [3]. **78** Lundbaeck [16]. **82** Wassberg [16]. **85** Svan [16]. **87** De Zolt [10]. **89** Svan [16]. **91** Mogren [16].

Relais 4 × 10 km. 78 Suède. **82** URSS **85** Norvège. **87, 89** Suède. **91** Norvège.

Saut (grand tremplin 90 m). 62 Recknagel [2]. **66** Wvijola [12]. **70** Napalkov [19]. **74** Aschenbach [3]. **78** Raisanen [8]. **82** Nykaenen [8]. **85** Bergerud [12]. **87** Felder [4]. **89** Puikkonen [8]. **91** Kuttin [4].

Saut (120 m). 91 Petek [21].

Saut (tremplin 70 m). 50 Bjornstad [12]. **54** Pietikainen [8]. **58** Karkinen [8]. **62** Engen [12]. **66** Wirkola [12]. **70** Napalkov [19]. **74** Aschenbach [3]. **78** Buse [3]. **82** Kogler [4]. **85** Weissflog [4]. **87** Parma [18]. **89** Weissflog [3].

Saut (équipe). 82 Norv. **85, 87** Finl. **89, 91** Autriche.

Biathlon. 10 km. *Créé* 1974. **74** Suutarinen [8]. **75** Kruglov [19]. **77** Tikhonov [19]. **78, 79, 81** Ulrich [3]. **82, 83** Kvalfoss [12]. **85** Roetsch [3], **86** Medvetzev [19]. **87** Roetsch [3]. **89** Luck [3]. **90, 91** Kirchner [3].

Biathlon. 20 km. *Créé* 1958. **Ind. 58** Wiklund [16]. **59** Melanin [19]. **61** Huuskonen [8]. **62, 63** Melanin [19]. **65** Jordet [12]. **66** Istad [12]. **67** Muratov [19]. **69, 70** Tikhonov [19]. **71** Speer [3]. **73** Tikhonov [19]. **74** Suutarinen [8]. **75, 77** Ikola [8]. **78** Lirhus [12]. **79** Siebert [3]. **81** Ikola [8]. **82, 83** Ulrich [3]. **85** Kaschkarov [19]. **86** Medvetsev [19]. **87** Roetsch [3]. **89** Kvalfoss [12]. **90** Medvestev [19]. **91** Kirchner [1]. **Par éq. 89** URSS. **90** All. dém. **91** It.

Relais. 3 × 10 km. 91 Autr. **4 × 7,5 km. 66, 67** Norv. **69, 70, 71, 73, 74** U.R.S.S. **75** Finl. **77** U.R.S.S. **78, 79, 81, 82** All. dém. **83, 85, 86** U.R.S.S. **87, 89** All. dém. **90** Italie. **91** All.

Combiné. 50 Hasu [8]. **54** Sternersen [12]. **58** Korhonen [8]. **62** Larsen [12]. **66** Kaelin [13]. **70** Rygl [18]. **74** Legiersky [13]. **78** Winkler [3]. **82** Sandberg [12]. **85** Weinbuch [2]. **87** Loekken [12]. **89** Elden [12]. **91** Lundberg [12].

Combiné par équipe. 82 All. dém. **85, 87** All. féd. **89** Norvège. **91** Autr.

• **Dames. 5 km. 62** Koltchina [19]. **66** Boyarskikh [19]. **70, 74** Kulakova [19]. **78** Takalo [8]. **82** Aunli [12]. **85** Boe [12]. **87** Matikainen [8]. **Dep. 89** supprimé.

5 km classique. 91 Dybendah [12].

10 km. 62, 66 Koltchina [19]. **70** Oljunina [19]. **74** Kulakova [19]. **78** Amosova [19]. **82** Aunli [12]. **85** Boe [12]. **87** Jahren [12]. **89** style classique : Kirvesniemi [8].

10 km libre. 89, 91 Vialbe [19].

15 km classique. *Créé* 1989. **89** Matikainen [8]. **91** Vialbe [19].

20 km. 78 Amosova [19]. **82** Smetanina [19]. **85** Nykkelmo [12]. **87** Westin [16]. **Dep. 89 30 km. 89** Vialbe [19]. **91** Egorova [19].

Relais 3 × 5 km. 54, 58, 62, 66 URSS. **4 × 5 km. 70, 74** URSS. **78** Finlande. **82** Norvège. **85, 87** URSS. **89** Finlande. **91** URSS.

Biathlon. 5 km. *Créé* 1984. **84** Chernyshova [19]. **85** Grönlid [12]. **86** Parve [19]. **87** Golovina [19]. **88** Schaar [2]. **Puis 7,5 km. 89, 90** Evelbakk [12]. **91** Nykkelmo [12].

Biathlon. Ind. 10 km. *Créé* 1984. **84** Chernyshova [19]. **85** Parve [19]. **86** Korpela [16]. **87** Grölind [12]. **88** Elvebakk [12]. **Puis 15 km. 89** Schaaf [2]. **90** Davydova [19]. **91** Schaaf [1]. **Par éq. 15 km. 89, 90, 91** URSS.

Biathlon. Relais. 3 × 5 km. 84, 86, 87, 88, 89 U.R.S.S. **Puis 3 × 7,5 km. 90, 91** URSS.

Coupe du monde

Créée le 11-8-1966, 1re en 1967. Classement aux points. Super-géant *créé* 1986.

Ski alpin

• **Classement général. Messieurs. 67, 68** Killy [9]. **69, 70** Schranz [4]. **71, 72, 73** Thoeni [10]. **74** Gros [10]. **75** Thoeni [10]. **76, 77, 78** Stenmark [16]. **79** Luescher [17]. **80** Wenzel [11]. **81, 82, 83** Mahre [20]. **84** Zurbriggen [17]. **85, 86** Girardelli [22]. **87, 88** Zurbriggen [17]. **89** Girardelli [22]. **90** Zurbriggen [17]. **91** Girardelli [22], 2e Tomba [10], 3e Nierlich [4].

Dames. 67, 68 Greene [6]. **69** Gabl [4]. **70** Jacot [9]. **71 à 75** Moser-Proell [4]. **76** Mittermaier [2]. **77** Morerod [17]. **78** Wenzel [11]. **79** Moser-Proell [4]. **80** Wenzel [11]. **81** Nadig [17]. **82** Hess [17]. **83** Mc Kinney [20]. **84** Hess [17]. **85** Figini [17]. **86, 87** Walliser [17]. **88** Figini [17]. **89** Schneider [17]. **90** Kronberger [4]. **91** Kronberger [4], 2e Ginther [4], 3e Bournissen [17].

• **Classement par disciplines. Messieurs. Descente : 67** Killy [9]. **68** Nenning [4]. **69, 70** Schranz [4]. **71, 72** Russi [17]. **73, 74** Collombin [17]. **75 à 78** Klammer [4]. **79, 80** Mueller [17]. **81** Weirather [4]. **82** Podborski [6]. **83** Klammer [4]. **84** Raeber [17]. **85** Hoeflehner [4]. **86** Wirnsberger [4]. **87, 88** Zurbriggen [17]. **89** Girardelli [22]. **90** Hœflehner [4]. **91** Heinzer [17].

Slalom spécial. 67 Killy [9]. **68** Giovanoli [17]. **69** Augert [9]. **70** Russel [9]. **71, 72** Augert [9]. **73, 74** Thoeni [10]. **75 à 81** Stenmark [16]. **82** Mahre [20]. **83** Stenmark [16]. **84, 85** Girardelli [22]. **86** Petrovic [21]. **87** Krizaj [21]. **88** Tomba [10]. **89, 90** Bittner [2]. **91** Girardelli [22].

Slalom géant. 67, 68 Killy [9]. **69** Schranz [4]. **70** Thoeni [10]. **71** Russel [9]. **72** Thoeni [10]. **73** Hinterseer [4]. **74** Gros [10]. **75, 76** Stenmark [16]. **77** Hemmi [17]. **78 à 81** Stenmark [16]. **82, 83** Mahre [20]. **84, 85** Girardelli [22]. **86** Gaspoz [17]. **87** Zurbriggen [17]. **88** Tomba [10]. **89, 90** Furuseth [12]. **91** Tomba [10].

Combiné. 75 Thoeni [10]. **76** Tresch [17]. **77** Ferstl [3]. **78** non couru. **79** Lüscher [17]. **80 à 83** Mahre [20]. **84, 85** Wenzel [11]. **86** Wassmeier [2]. **88** (pas de classement officiel) Strolz (plus de pts). **89, 90** non disp. **91** Girardelli [22].

Super-géant. 86 Wassmeier [2]. **87, 88, 89, 90** Zurbriggen [17]. **91** Heinzer [17].

Dames. Descente : 67 Goitschel [9]. **68** Mir [9] et Pall [4]. **69** Drexel [4]. **70** Mir [9]. **71 à 75** Moser-Proell [4]. **76, 77** Totschnig [4]. **78, 79** Moser-Proell [4]. **80, 81** Nadig [17]. **82** Gros-Gaudenier [9]. **83** de Agostini [17]. **84** Walliser [17]. **85** Figini [17]. **86** Walliser [17]. **87, 88, 89** Figini [17]. **90** Gutensohn-Knopf [2]. **91** Bournissen [17].

Slalom spécial. 67, 68 Goitschel [9]. **69** Gabl [4]. **70, 71, 72** Lafforgue [9]. **73** Emonet [9]. **74** Zechmeister [2]. **75** Morerod [17]. **76** Mittermaier [2]. **77** Morerod [17]. **78** Wenzel [11]. **79** Sackl [4]. **80** Pelen [9]. **81 à 83** Hess [17]. **84** Mc Kinney [20]. **85** Figini [17]. **86** Steiner [4]. **87** Schmidhauser [17]. **88** Steiner [4]. **89, 90** Schneider [17]. **91** Kronberger [4].

Slalom géant. 67, 68 Green [6]. **69** Cochran [20]. **70** Jacot [9] et Macchi [9]. **71, 72** Moser-Proell [4]. **73** Kaserer S4. **74** Wenzel [11]. **75** Moser-Proell [4]. **76 à 78** Morerod [17]. **79** Kinshofer [2]. **80** Wenzel [11]. **81** Mc Kinney [20]. **82** Epple [2]. **83** Mc Kinney [20]. **84** Hess [17]. **85** Kiehl [2]. **86, 87** Schneider [17]. **88** Svet [21]. **89** Schneider [17]. **90** Wachter [4]. **91** Schneider [17].

Combiné. 75 Moser-Proell [4]. **76** Mittermaier [2]. **77** Wenzel [11]. **79** Moser-Proell [4]. **80** Wenzel [11]. **81** Nadig [17]. **82** Epple [2]. **83** Wenzel [11]. **85** Oertli [17]. **86, 87** Walliser [17]. **88** (comme les Messieurs) Steiner [4]. **89, 90** non disp. **91** Kronberger [4].

Super-géant. 86 Kiehl [2]. **87** Walliser [17]. **88** Figini [17]. **89, 90, 91** Merle [9].

Ski nordique

• **Ski de fond.** Créé 1982. **Messieurs. 82** Koch [20]. **83** Zavialov [19]. **84 à 86** Svan [16]. **87** Mogren [16]. **88, 89** Svan [16]. **90** Ulvang [12]. **91** Smirnov [19]. **Dames. 82** Aunli [12]. **83** Hamalainen [8]. **86 à 88** Matikainen [8]. **89** Vialbe [19]. **90** Lazutina [19]. **91** Vialbe [19].

• **Saut à skis. 80** Neuper [14]. **81, 82** Kogler [14]. **83, 86** Nykaenen 8. **87** Opaas [12]. **88** Nykaenen [8]. **89** Bokloev [16]. **90** Nikkola [8]. **91** Felder [4].

• **Combiné. 86** Weinbuch [2]. **87** Loekken [12]. **88** Sulzenbacher [4]. **89** Bredesen [12]. **90** Sulzenbacher [4]. **91** Lundberg [12].

• **Biathlon. Messieurs. 77** Tikhonov [19]. **78** Ulrich [3]. **79** Siebert [3]. **80 à 82** Ulrich [3]. **83** Angerer [2]. **84, 85** Roetsch [3]. **86** Schmisch [4]. **87** Roetsch [3]. **89** Kvalfoss [12]2. **90, 91** Tchepikov [19]. **Dames. 88** Elvebakk [12]. **89** Golovina [19]. **90** Adamichkova [19]. **91** Davidova [19].

Coupe d'Europe

Ski alpin

Créée 1972.

Messieurs. 1972 Pegorari [10]. **73** Radici [10]. **74** Witt-Dorring [4]. **75** Amplatz [10]. **76** Conforfola [10]. **77**

Popangelov [5]. **78** David [4]. **79** Halsnes [12]. **80** Kerschbaumer [10]. **81** Riedelsperger [4]. **82** Strolz [4]. **83** Johnson [20]. **84** Koelbichler [4]. **85** Genolet [17]. **86** Nierlich [4].

Dames. **1972** Serrat [9]. **73** Couttet [9]. **74** Matous [15]. **75** Kuzmanoga [18]. **76** Hauser [4]. **77** Konzett [11]. **78** Loike [4]. **79** Dahlum [12]. **80** Gfrerer [4]. **81** Haight [6]. **82** Stolz [2]. **83** Gruenigen [17]. **84** Wachter [4]. **85** Buder [4]. **86** Bournissen [17].

Championnats de France

Ski alpin

• Messieurs. **Slalom spécial. 77** Hardy. **78** Navillod. **79** Mougel. **80** Canac. **81** Fontaine. **82** Tavernier. **83, 84** Bouvet. **85** Gaidet. **86** Bouvet. **87** Pieri. **88** Bouvet. **89** Simond. **90** Bianchi. **91** Schmidt, 2e Garcia, 3e Piccard.

Slalom géant. 77 Navillod. **78** Vion. **79** Hardy. **80** Morisset. **81** Lamotte. **82** Perez-Villanueva (Esp.) et Hirt (All. féd.). **83 à 85** Tavernier. **86** Gaidet. **87, 88** Tavernier. **89** Noviant. **90** Duvillard. **91** Feutrier, 2e Dimier, 3e Alphand.

Descente. 77 Pellat-Finet. **78** Muffat. **79** Raber. **80** Pugnat. **81** Vion. **82** Verneret. **83** Vuilliet. **84** Vion. **85** Alphand. **86** Rey. **87** Alphand. **88** Duvillard. **89, 90** Alphand. **91** Cretier, 2e Pley, 3e Rey.

Super-géant. 87 Piccard. **88** Alphand. **89** Crétier. **90** Noviant. **91** Saioni, 2e Pretot, 3e Paget.

Combiné. 87, 88 Alphand. **89** Schiele.

• Dames. **Slalom spécial. 77** Emonet. **78** Serrat. **79, 80, 81, 82, 83** Pelen. **84** Guignard. **85, 86** Pelen. **87** M. Mogore-Tlalka. **88** P. Chauvet. **89** Filliol. **90** Filliol. **91** Masnada, 2e Filliol, 3e Chauvet.

Slalom géant. 77, 78 79 Serrat. **80** Pelen. **81** Serrat. **82** Barbier. **83** Serrat. **84** Barbier. **85** Merle. **86** Pelen. **87** Merle. **88, 89** Quittet. **90** Chedal. **91** Masnada, 2e Guignard, 3e Chauvet.

Descente. 77 Non disp. **78** Serrat. **79** Attia. **80** Waldmeier. **81, 82** Gros-Gaudenier. **83** Waldemeier. **84** Gros-Gaudenier. **85** Emonet. **86** Quittet. **87** Merle. **88** Filliol. **89** Bouvier. **90** Chedal. **91** Cavagnoud, 2e Masnada, 3e Gatel.

Super-géant. 88, 89 Quittet. **90** Merle. **91** Masnada, 2e Mandrillon, 3e Schulé.

Combiné. 87 Merle. **88** Quittet. **89** Cavagnoud. **91** Masnada.

Ski nordique

• Messieurs. **10 km. 91** Rémy. **15 km. 77 à 82** Pierrat. **83** Durand-Poudret. **84** D. Locatelli. **85** Jaussaud. **86** Locatelli. **87** Pierrat. **88** Thomas. **89** Rémy. **90** Balland. **91** Azambre.

30 km. 77 à 82 Pierrat. **83** Henriet. **84** Locatelli. **85** Jaussaud. **86** Poirot. **87** Pierrat. **88** Remy. **89, 90** Pierrat. **91** Rémy.

50 km. 77 Pierrat. **78** Blondeau. **79 à 82** Pierrat. **83** Henriet. **84** Locatelli. **85** Locatelli et Pierrat (ex æquo). **86** Grandclément. **87** Pierrat. **88** Balland. **89** Locatelli. **90** Pierrat.

Relais 4 × 10 km. 77 Vosges (Thierry, Reichenbach, Mougel, Pierrat). **79, 80** Jura (Gindre, Vandel, Blondeau, Letoublond). **81** Vosges (Thierry, Reichenbach, Badonnel, Pierrat). **82** Vosges (Badonnel, Poirot, Reichenbach, Pierrat). **84, 85** Dauphiné (Rousset, Durand-Poudret, Bonthoux, Locatelli). **86** Dauphiné (Saillet, Bonthoux, Bulle, Locatelli). **87** Vosges (Bonthoux, Azambre, Bulle, Locatelli). **88** Jura (Reymond, Ferreux, Balland, Tinguely). **89** Vosges (Humber, Rémy, Guy, Pierrat). **90** Jura I (Ferreux, G. et H. Balland, Grandclément). **91** Vosges.

Saut grand tremplin (90 m). **81** Guillaume. **84** F. Trèves. **85** Colin (70 m). **85** Colin. **86** Berger. **87** Girard. **89** Mollard. **90** non disp. **91** Arpin.

Combiné. 88 Guillaume. **89** Guy. **90** non disp. **91** Repellin.

• Dames. **5 km. 90, 91** Mancini. **10 km. 77, 78** Subot. **79, 80** Dabudyck. **81 à 84** Subot. **85** Galland. **86** Frasse-Sombet. **87, 88** Mancini. **89** Giry. **90** Mancini. **91** Villeneuve. **15 km. 91** Mancini.

20 km. 81, 82, 83 Subot. **84** Gindre. **85** Galland. **86, 87** Claude. **88, 89, 90** (30 km) Mancini.

Relais. 3 × 5 km. 77 Mt-Blanc (Tavernier, d'Halloin, Dabudyck). **79, 80** Mt-Blanc (Faure-Bonvin, Massillier, Dabudyck). **81** Dauphiné (Bernard, Devaux, Subot). **82** Mt-Blanc (Missillier, Robert, Dabudyck). **83** Dauphiné. **84** Mt-Blanc (Missillier, Ruel, Dabudyck). **85** Vosges I (Claudel, Claude, Didier-Laurent). **86** Jura (Gindre, Frasse-Sombet, Mancini). **87** Alpes de Provence (Grenier, Briand, Claret). **88** Jura (Gindre, Galland, Mancini). **89** Dauphiné (Villeneuve, Giry, Doussière). **4 × 5 km. 90** Dauphiné I (Doussière, Villeneuve, Giry, Geymond). **91** Dauphiné.

• Biathlon. Messieurs. **10 km. 85** Epp. **86, 87** Mougel. **88** Claudon. **89, 90** Flandin. **15 km. 90** Flandin. **20 km. 85** Epp. **86, 87, 88** Claudon, **89** Gerbier, **90** Laurent. Relais **3 × 7,5 km. 85, 87** Vosges. **89** Savoie. Dames. **7,5 km. 85, 87, 88, 89, 90** Claudel. **10 km. 88, 89, 90** Claudel.

☞ **Jeux olympiques d'hiver.** Voir p. 1795.

Stations de sports d'hiver

En France

Station la plus basse. St-Maurice/Moselle (Vosges) 550 m. Les plus hautes. Tignes 2 100, La Plagne 2 100, Val-Thorens 2 050, Montgenèvre 1 850, Avoriaz 1 800, Isola 1 800. La plus longue descente sur piste balisée. Alpe-d'Huez : piste du glacier de Sarenne (16 km).

Capacité d'accueil (1986, entre par. no du département). Chamonix (74) 37 150. Megève (74) 30 000. Courchevel (73) 32 430. Les Deux-Alpes (38) 20 080. Morzine-Avoriaz (74) 21 985. La Clusaz (74) 15 000. Orcières-Merlettes (05) 16 165. Alpe-d'Huez (38) 21 000. Tignes (73) 25 165. Val-d'Isère (73) 15 400. Font-Romeu (66) 19 000. Les Rousses (39) 16 000. Le Mont-Dore (63) 9 465. La Plagne (73) 24 690. Serre-Chevalier (05) 29 700. St-Gervais (74) 25 735.

Équipement 1991 (stations adhérant à l'Association des maires de stations françaises de sports d'hiver). *Légende :* altitude en m (station point bas et plus haute remontée), nombre de pistes de + de 300 m de dénivelée, km de pistes de fond, nombre de remontées.

Les Agudes (H.-G.) 1 500-2 200 m, 16 p., 9 ts. *Allos-le-Seignus* (A.-H.-P.) 1 400-2 425 m, 20 p., 25 km, 12 ts. *Alpe-d'Huez* (I.) 1 450-3 350 m, 104 p., 40 km, 87 ts. *Alpe du Grand-Serre* (I.) 1 400-2 200 m, 32 p., 20 km. *Les Angles* (P.-O.) 1 600-2 400 m, 24 p., 19 ts. *Les Arcs-Bourg-St-Maurice* (S.) 1 600-3 225 m, 101 p., 15 km, 79 ts. *Arèches-Beaufort* (S.) 1 080-2 100 m, 20 p., 43 km, 12 ts. *Auris-en-Oisans* (I.) 1 600-2 175 m, 19 p., 15 km, 14 ts. *Auron* (A.-M.) 1 600-2 450 m, 44 p., 4 km, 27 ts. *Aussois* (S.) 1 500-2 750 m, 20 p., 10 km, 11 ts. *Autrans* (I.) 1 050-1 670 m, 16 p., 160 km, 15 ts. *Avoriaz* (H.-S.) 1 750-2 460 m, 35 p., 40 km, 70 p. *Ax-les-Thermes* (A.) 720-2 400 m, 24 p., 17 ts. *Barèges* (H.-P.) 1 250-2 340 m, 28 p., 31 km, 25 ts. *Bellecombe* (S.) 1 150-2 030 m, 30 p., 8 km, 17 ts. *Bessans* (S.) 1 740-2 200 m, 4 p., 80 km, 4 ts. *Beuil-les-Launes* (A.-M.) 1 400-2 000 m, 16 p., 50 km, 8 ts. *Le Bonhomme* (V.) 830-1 235 m, 11 p., 83 km, 10 ts. *Bonneval-sur-Arc* (S.) 1 800-3 000 m, 21 p., 10 ts. *La Bresse* (V.) 900-1 350 m, 38 p., 41 km, 30 ts. *Briançon* (H.-A.) 1 200-2 800 m, 21 p., 9 ts. *Les Carroz* (H.-S.) 1 140-2 480 m, 34 p., 64 km, 17 ts. *Cauterets-Lys* (H.-P.) 1 000-2 350 m, 23 p., 25 km, 18 ts. *Chamonix* (H.-S.) 1 035-3 840 m, 55 p., 40 km, 43 ts. *Chamrousse* (I.) 1 650-2 255 m, 35 p., 55 km, 26 ts. *La Chapelle-d'Abondance* (H.-S.) 1 000-1 800 m, 14 p., 35 km, 12 ts. *Châtel* (H.-S.) 1 200-2 200 m, 47 p., 30 km, 47 ts. *La Clusaz* (H.-S.) 1 100-2 600 m, 75 p., 41 km, 56 ts. *Le Collet-d'Allevard* (I.) 1 450-2 100 m, 24 p., 12 km, 13 ts. *La Colmiane-Valdeblore* (A.-M.) 1 420-1 800 m, 21 p., 11 ts. *Combloux* (H.-S.) 900-2 600 m, 19 p., 15 km, 21 ts. *Les Contamines* (H.-S.) 1 165-2 500 m, 34 p., 25 km, 25 ts. *Le Corbier* (S.) 1 500-2 260 m, 14 p., 25 km, 23 ts. *Courchevel* (S.) 1 100-2 700 m, 92 p., 50 km, 67 ts. *Crest-Voland* (S.) 1 150-1 650 m, 26 p., 7 km, 17 ts. *Les Deux-Alpes* (I.) 1 650-3 600 m, 75 p., 20 km, 63 ts. *Flaine* (H.-S.) 1 575-2 500 m, 46 p., 10 km, 31 ts. *Flumet* (S.) 1 000-2 030 m, 20 p., 25 km, 11 ts. *Font-Romeu* (P.-O.) 1 550-2 200 m, 29 p., 43 km, 28 ts. *La Foux-d'Allos* (A.-H.-P.) 1 800-2 600 m, 38 p., 2 km, 22 ts. *Gérardmer* (V.) 770-1 150 m, 19 p., 38 km, 23 ts. *Les Gets* (H.-S.) 1 170-2 002 m, 61 p., 25 km, 53 ts. *Gourette* (P.-A.) 1 400-2 400 m, 37 p., 26 ts. *Le Grand-Bornand* (H.-S.) 1 000-2 100 m, 42 p., 50 km, 40 ts. *Gresse-en-Vercors* (I.) 1 205-1 800 m, 20 p., 68 km, 16 ts. *Les Houches* (H.-S.) 1 010-1 900 m, 19 p., 35 km, 15 ts. *Isola 2 000* (A.-M.) 1 800-2 610 m, 44 p., 5 km, 23 ts. *Lans-en-Vercors* (I.) 1 020-1 880 m, 5 km, 19 p., 90 km, 16 ts. *Luz-Ardiden* (H.-P.) 710-2 450 m, 32 p., 19 ts. *Méandre* (I.) 1 000-1 600 m, 17 p., 90 km, 10 ts. *Megève* (H.-S.) 1 115-2 350 m, 61 p., 65 km, 44 ts. *Les Menuires* (S.) 1 800-2 850 m, 62 p., 26 km, 54 ts. *Méribel* (S.) 1 450-2 910 m, 65 p., 33 km, 44 ts. *Métabief* (D.) 880-1 430 m, 30 p., 250 km, 30 ts. *Mijoux-Lelex* (Ain) 900-1 680 m, 26 p., 180 km, 34 ts. *Montgenèvre* (H.-A.) 1 860-2 680 m, 39 p., 25 km, 24 ts. *La Mongie* (H.-P.) 1 800-2 500 m, 34 p., 30 ts. *Le Mont-Dore* (P.-de-D.) 1 000-1 850 m, 26 p., 30 km, 21 ts. *Morillon* (H.-S.) 700-2 200 m, 13 p., 70 km, 8 ts. *Morzine-Avoriaz* (H.-S.) 1 000-2 460 m, 33 p., 60 km, 26 ts. *La Norma* (S.) 1 350-2 750 m, 25 p., 6 km, 18 ts. *Orcières-Merlettes* (H.-A.) 1 450-2 650 m, 46 p., 25 km, 29 ts. *Les Orres* (H.-A.) 1 550-2 770 m, 34 p., 40 km, 23 ts. *Peisey-Nancroix* (S.) 1 300-2 400 m, 23 p., 43 km, 15 ts. *Peyragudes* (H.-P.) 1 500-2 000 m, 31 p., 16 ts. *Piau-Engaly* (H.-P.) 1 850-2 500 m, 35 p., 10 km, 21 ts. *La Plagne* (S.) 1 250-3 250 m, 112 p., 89 km, 105 ts. *Pralognan-la-Vanoise* (S.) 1 410-2 360 m, 20 p., 25 km, 14 ts. *Pra-Loup* (A.-H.-P.) 1 500-2 500 m, 28 p., 10 km, 32 ts. *Praz-de-Lys/Sommand* (H.-S.) 650-1 800 m, 43 p., 82 km, 21 ts. *Praz-sur-Arly* (H.-S.) 1 035-1 900 m, 20 p., 25 km, 14 ts. *Puy-St-Vincent* (H.-A.) 1 400-2 700 m, 25 p., 15 km, 15 ts. *Pyrénées 2000* (P.-O.) 1 500-2 000 m, 10 p., 9 ts. *Risoul* (H.-A.) 1 850-2 570 m, 43 p., 30 km, 18 ts. *La Rosière* (S.) 1 100-2 400 m, 35 p., 14 km, 17 ts. *Les Rousses* (J.) 1 100-1 680 m, 43 p., 220 km, 39 ts. *Saint-François Longchamp* (S.) 1 350-2 550 m, 32 p., 17 ts. *Saint-Gervais* (H.-S.) 500-2 350 m, 38 p., 38 km, 38 ts. *Saint-Lary-Soulan* (H.-P.) 830-2 450 m, 41 p., 15 km, 32 ts. *Saint-Maurice-sur-Moselle* (V.) 550-1 250 m, 11 p., 50 km, 8 ts. *Saint-Pierre-de-Chartreuse* (I.) 900-1 800 m, 19 p., 50 km, 14 ts. *Les Saisies* (S.) 1 600-1 950 m, 21 p., 90 km, 24 ts. *Samoëns* (H.-S.) 720-2 480 m, 30 p., 70 km, 46 ts. *Le Sauze* (A.-H.-P.) 1 400-2 440 m, 35 p., 15 km, 24 ts. *Les 7-Laux* (I.) 1 350-2 400 m, 54 p., 30 km, 35 ts. *Serre-Chevalier* (H.-A.) 1 350-2 800 m, 94 p., 45 km, 67 ts. *Superbagnères-Luchon* (H.-G.) 630-2 260 m, 23 p., 30 km, 17 ts. *Superbesse* (P.-de-D.) 1 050-1 850 m, 27 p., 95 km, 21 ts. *Superdévoluy* (H.-A.) 1 455-2 510 m, 67 p., 44 km, 33 ts. *Superlioran* (C.) 1 160-1 850 m, 40 p., 25 km, 24 ts. *Thollon-les-Memises* (H.-S.) 950-1 960 m, 14 p., 50 km, 18 ts. *Tignes* (S.) 1 550-3 650 m, 61 p., 16 km, 52 ts. *La Toussuire* (S.) 1 450-2 400 m, 26 p., 25 km, 18 ts. *Valberg* (A.-M.) 1 650-2 025 m, 48 p., 10 km, 21 ts. *Val-Cenis* (H.-S.) 1 400-2 800 m, 31 p., 10 km, 23 ts. *Val-Fréjus* (S.) 1 500-2 730 m, 17 p., 5 km, 13 ts. *Val-d'Isère* (S.) 1 850-3 550 m, 67 p., 15 km, 50 ts. *Valloire* (S.) 1 430-2 600 m, 51 p., 30 km, 20 ts. *Valmeinier* (S.) 1 500-2 575 m, 34 p., 25 km, 12 ts. *Valmorel* (S.) 1 400-2 550 m, 51 p., 20 km, 29 ts. *Val-Thorens* (S.) 2 300-3 300 m, 55 p., 3 km, 36 ts. *Vars* (H.-A.) 1 650-2 750 m, 61 p., 36 km, 33 ts. *Ventron* (V.) 630-1 200 m, 10 p., 15 km, 8 ts. *Villars-de-Lans* (I.) 1 050-2 170 m, 37 p., 150 km, 38 ts.

Nota. – A. : Ariège. A.-H.-P. : Alpes de Hte-Provence. A.-M. : Alpes-Mar. C. : Cantal. D. : Doubs. H.-A. : Htes-Alpes. H.-G. : Hte-Garonne. H.-P. : Htes-Pyrénées. H.-R. : Haut-Rhin. H.-S. : Hte-Savoie. I. : Isère. J. : Jura. P.-A. : Pyrénées-Atlantiques. P.-de-D. : Puy-de-Dôme. P.-O. : Pyrénées-Orientales. S. : Savoie. V. : Vosges.

En Europe

Légende : nom de la station en italique, altitude en m entre parenthèses, pistes balisées en km.

Allemagne. *Berchtesgaden* (530-1 800) 28,5. *Garmisch-Partenkirchen* (708-2 964) 60. Autriche. *Badgastein* (1 083-2 246) 70. *Igls* (900-2 247) 14. *Innsbruck* (579-2 343). *Kitzbühel* (800-2 000) 90. *St Anton* (1 304-2 811) 70. *Zell am See* (757-2 000) 60. Italie. *Cervinia-Breuil* (2 050-3 500). *Cortina* (1 224-3 243) 100. *Courmayeur* (1 224-3 456). *Ortisei* (1 236-2 450). Suisse. *Anzère* (1 500-2 420) 30. *Arosa* (1 750-2 639) 65. *Crans-sur-Sierre* (1 500-3 000) 150. *Davos* (1 560-2 844) 303. *Gstaad* (1 100-3 000). *Montana-Vermala* (1 500-3 000) 50. *St-Cergue* (1 050-1 680) 12. *Saint-Moritz* (1 856-3 303) 380. *Verbier* (1 500-3 023) 100. *Villars* (1 300-2 200) 50. *Zermatt* (1 620-3 500) 120.

Divers

• Accidents. Ski. *1985-86 :* 18 000 (pour 6 500 000 skieurs, soit 0,03 %). 40 % d'entorses. 50 % de collisions. *Morts* (1986-87) : 24 dont 21 randonneurs.

Remontées mécaniques. *29-8-1961 :* un avion à réaction coupe le câble de la télécabine de la vallée Blanche, 6 †, 25 personnes bloquées des h au-dessus du vide. *18-3-62 :* rupture du bras reliant la benne au câble à la Clusaz, le j de la mise en marche, 35 blessés. *25-12-65 :* une benne s'ouvre au Puy-de-Sancy, 6 †, 12 blessés. *13-7-72 :* Betten-Bettmerald

(Suisse) : 13 †. *25-10-72 :* 2 bennes se heurtent en cours d'essai aux Deux-Alpes, 9 †. *11-3-76 :* Cavalese (It.), rupture d'un câble porteur : 42 †. *27-12-86 :* Les Orres (Htes-A.) chute de 2 cabines, 36 bl., rupture tête de pylône. *1-3-87 :* Luz-Ardiden (Htes-Pyr.) rupture massif d'ancrage en béton d'un pylône d'arrivée, 5 †, 41 bl. *6-3-87 :* Rochejean (Doubs) rupture d'un câble, 2 bl. *11-3-87 :* Piau-Engaly (Htes-Pyr.) 5 bl. *9-1-88 :* Val-d'Isère (Sav.) 1 †, 3 bl., engin de damage percute pylône. *13-1-89 :* Vaujany (Isère) 8 †, chute cabine en cours d'essais. *1-6-1990 :* Tiflis (Géorgie) 15 †, 45 bl., rupture câble.

• **Canon à neige.** Groupe de motopompes et de ventilateur ou de compresseur d'air. La neige est obtenue par la pulvérisation de l'eau qui se cristallise au contact de l'air à – 3 °C. Rendement en fonction de la température, de l'hygrométrie, et du système utilisé : en une heure, couche de 10 cm d'épaisseur sur 100 m^2 pour – 2 °C ; 300 m^2 pour – 10 °C. *Coût (1989) :* 70 000 F. *Nombre (1989) :* 694.

• **Domaine skiable** (km^2) et, entre parenthèses, **enneigement par an** (j). U.S.A. 9 500 (100), *France 1 950 (170),* Italie 1 350 (150), Autriche 1 050 (160), Suisse 950 (160), All. féd. 450 (160), Canada n.c. (180).

En 1990, dans les Alpes françaises, 41 000 pistes (soit 120 000 km).

Pistes. Les + longues. *12,230 km :* Weissfluhjoch-Küblis à Davos (Suisse). *20,9 km* (hors piste) : de l'aiguille du Midi à Chamonix, vallée Blanche. **Descente. La + raide.** Pierre Tardivel en 1990, face N. des Courtes (Chamonix).

• **Fart.** Produit pour recouvrir ou imprégner la semelle du ski pour qu'il glisse mieux.

• **Professions du ski en France.** 220 écoles du ski français, 50 centres de collectivités, 11 000 moniteurs dont 850 monitrices d'enfants, 500 moniteurs guides et 150 entraîneurs, 14 500 employés aux pistes et aux remontées mécaniques.

• **Randonnée.** En 63 j (9/3-11/5-1986), le docteur Jean-Louis Étienne (n. 1947) va seul mais avec assistance radio et avion à skis de l'île de Ward Hunt au pôle Nord (750 km) en traînant un traîneau de 50 kg.

• **Records. Saut.** *194 m :* Piotr Fijas (Pol.) le 14-3-87 à Planica (Youg.). *110 m :* Tiina Lehtola (Finl.) le 29-3-1981 à Ruka (Finl.).

Vitesse. Moyenne en course. Egon Schopf (Autr.) 1948 sur la Marmolada (Italie) à 96,264 km/h. Léo Lacroix (Fr.) 1966 à Courchevel à 98,820 km/h. J.-C. Killy (Fr.) 1966 à Portillo à 101,448 km/h.

Aux J.O. de 1968, J.-C. Killy (Fr.) atteignit 86,79 km/h et Olga Pall (Autr.) 77,08 km/h.

• **Remontées (France). Nombre.** *1945 :* 50. *60 :* 400. *70 :* 1 809. *80 :* 3 270. *85 :* 3 672. *86 :* 3 724. *87 :* 3 818. *88 :* 3934. *89 :* 4 015. *90 (est.) :* 4 080.

Caractéristiques du parc France (1990). *Composition :* 3 001 téléskis, 774 télésièges, 145 télécabines, 64 téléphériques (dont 8 double monocâbles), 18 funiculaires, 4 chemins de fer à crémaillère et 9 engins divers. *Répartition géographique (en %, 1990) :* Savoie 30, Hte-Savoie 22, Alpes du S. 17, Isère-Drôme-Ardèche 14, Pyrénées 10, Jura 2,6, Massif central 2,4, Vosges 2, divers 0,2. *Utilisation :* 3 060 km de remontées (790 km de dénivelée totale), débit 3 200 000 personnes/h, ont été parcourus par 7 000 000 skieurs (dont 1 000 000 étrangers) ayant fait 45 000 000 journées de ski et effectué 580 000 000 passages. *90 :* 53 100 000, *91 :* 103 700 000. *Emploi :* 3 500 permanents et 11 000 saisonniers. *CA :* *90* 2,15 millions de F, *91* 3,5.

Coût de construction (en millions de F, 1990) téléski 0,5 à 2, télésiège 6 à 10, télécabine 20 à 45, funiculaire 65 à 100 ; engin de damage 0,3 à 1,1.

• **Ski Joering.** Origine scandinave. Le skieur se fait traîner par un cheval au moyen de 2 rênes reliées entre elles par une pièce de toile très résistante pour ne pas être aveuglé par la neige soulevée par les sabots (en Laponie : *tolking*). *Record derrière un avion :* 175,788 km/h (Reto Pitsch à St-Moritz), 1956.

• **Ventes** (paires, en milliers, 1987-88). **Skis :** Rossignol (Fr. *créés* 1911) 1 500 (90), Atomic (Autr.) 750, Elan (Youg.) 580, Head (Autr.) 580, Dynastar (Fr.) 500, Fisher (Autr.) 460, Blizzard (Autr.) 440, Kastle (Autr.) 300, KZ (U.S.A.) 280, Dynamic (Fr.) 255 ; *par pays :* Japon 1 200, U.S.A. 1 150, All. féd. 730, France 520, Autriche 440, It. 420, Canada 420, Suisse 390, Suède 190, Youg. 150. **Chaussures :** Nordica (It.) 2 000, Salomon (Fr.) 1 600, Raichle (Suisse) 650, Alpina (Youg.) 400, Rossignol 400 (Fr., 90), Dachstein (Autr.) 360, Koflach (Autr.) 330, Caber (It.) 280, Lange (It.) 250, Dynafit (Autr.) 180, Trappeur (Fr.) 180.

• **Skieurs. Allemagne fédérale :** 4 500 000 skieurs (60 000 vont en France, 560 000 en Autriche et 250 000 en Suisse). **Belgique :** 100 000 (en France, 55 000). **France :** *83-84 :* 6 000 000 ; *85-86 :* 5 000 000 (dont ski de fond 2 500 000 en 86) ; *88 :* 5 millions ; *89 :* 6 millions ; (*adhérents de la Féd. fr. : 1924 :* 5 167 ; *1938-39 :* 48 922 ; *1950-51 :* 57 376 ; *1960-61 :* 188 448 ; *1971-72 :* 639 075 ; *1980-81 :* 590 867 ; *86 :* 890 000 (dont 310 000 femmes) ; *87 :* 1 040 000 ; *88 :* 760 000. **G.-B. :** 150 000 (75 000 en Autriche, 25 000 en Suisse, 30 000 en France). **Japon :** 10 000 000. **Monde :** 60 000 000 (s. alpin 75 %, de fond 25 %).

% de départ aux sports d'hiver par rapport à la population du pays. Suisse 42,4 ; Autriche 36 ; All. féd. 10,1 ; *France 9,2 ;* U.S.A. 5,6 ; Japon 5,2 ; Canada 5,2 ; Italie 5,1.

Kilomètre lancé

• **Piste** d'env. 1 500 m. Pente forte (77 % à La Clusaz). **Skis** de 2,40 m assez lourds. On ne calcule la vitesse que sur une portion de la distance. **Records du monde.** *223,741 km/h :* Michaël Prüfer (Monaco) 16-4-88 aux Arcs (France). *214,413 km/h :* Tarja Mulari (Finl.) 16-4-88 aux Arcs. **Records de France.** *222,85 km/h :* Pascal Burdin 4-4-91 à Vars. *211,143 km/h :* Jacqueline Blanc 16-4-88 aux Arcs. **Unijambiste.** *185,567 km/h :* Patrick Knaff (Fr.) 16-4-88 aux Arcs.

• **Championnat du monde. Hommes : 1980-85** Weber (Autr.), **86** Leppala (Finl.). **90** Goitschel (Fr.). **Dames : 86** Culver (U.S.A.). **89** annulé. **90** Kulven (U.S.A.). **France. 89. Hommes :** Goitschel. **Dames :** Isnard.

• **Coupe du monde. Hommes. 91** Prufer (Fr.). **Dames 91** Malari (Finl.).

Ski artistique

• **Origine. V. 1920** l'All. Fritz Rauel adapte au ski les figures du patinage. **1929** il publie « Nouvelles Possibilités du ski ». **V. 1960** lancé par les Suisses Roger Staub et Art Furrer, l'Allemand Hermann Gollner et le Norvégien Stein Eriksen. **1970** 1re compétition. **1979** reconnu par la Féd. internationale. **1988** sport de démonstration aux J.O. **1992** sport olympique.

• **Disciplines. Saut** (tremplin, pente de 67°, propulse à env. 12 m de haut, puis sauts périlleux et vrilles). **Bosses** (descente d'une piste de 250 m très pentue et bosselée). **Ballet** (figures sautées, glissées et gymniques sur thème musical et pente faible de 11 à 16°).

• **Résultats.** *Légende.* (1) France. (2) Canada. (3) Finlande. (4) USA. (5) It. (6) Suède. (7) All. féd. (8) Suisse. (9) URSS.

Coupe du monde. *Créée* 1980. **Messieurs. Saut. 86** Méda [1]. **87, 89** Rozon [2]. **90** Bacquin [1]. **Bosses. 86, 87** Kellokumpu [3]. **89** Carmichael [4]. **90** Grospiron [1]. **Ballet. 87** Reitberger. **90** Franco [5]. **Combiné. 87** Laboureix [1]. **89** Simboli [2]. **90** Laboureix [1]. **Final. 89** Carmichael [4].

Dames. Saut. 86 Hernskog [6]. **87, 89, 90** Reichart [7]. **Bosses. 87, 89** Monod [1]. **90** Weinbrecht [4]. **Ballet. 87** Rossi [1]. **90** Kissling [8]. **Combiné. 87, 89, 90** Kissling [8]. **Final. 89** Monod [1].

Championnats du monde. *Créés* 1986. **Messieurs. Saut. 86, 89** Langlois [2]. **91** Laroche [2]. **Bosses. 86** Berthon [1]. **89, 91** Grospiron [1]. **Ballet. 86** Schabl [7]. **89** Reitberger [7]. **91** Spina [4]. **Combiné. 86** Laroche [2]. **89** Simboli [2]. **91** Shupelstov [9].

Dames. Saut. 86 Quintana [4]. **89** Lombard [1]. **91** Sementchuk [9]. **Bosses. 86** Tiampo [4]. **89** Monod [1]. **91** Weinbrecht [4]. **Ballet. 86, 89** Bucher [4]. **91** Breen [4]. **Combiné. 86** Kissling [8]. **89** Palenik [4]. **91** Schmid [8].

Championnats de France. Messieurs. Saut. 89, 90 Bacquin. **Bosses. 88** Grospiron. **89** Bertrand. **90** Gilg. **Ballet. 88** Bouvarel. **89** Gilg. **90** Becker. **Combiné. 88** Bouvarel.

Dames. Saut. 90 Gilg. **Bosses. 88** Monod. **89** Gaspar. **90** Collomb-Clerc. **Ballet. 88** Rossi. **89, 90** Fechoz. **Combiné. 88** Granier. **89** Lombard. **90** Cattelin.

Quelques noms

Ski alpin

ALLAIS Émile (25-2-12) [9]. ANZI Stefano (22-5-49) [10]. ARPIN Michel (29-12-35) [9]. ATTIA Caroline (4-7-60) [9]. AUGERT Jean-Noël (17-8-49) [9].

BACHLEDA Andrej (21-1-47) [13]. BIEBL Heidi (17-2-41) [2]. BITTNER Armin (28-11-64) [2]. BONLIEU François (1937-73) [9]. BONNET Honoré (1919) [9]. BOURNISSEN Chantal (6-4-67) [17]. BOUVIER Nathalie (31-9-69) [9]. BOZON Charles (1932-64) [9]. BOZON Michel (1950-70) [9].

CHAUVET Patricia (11-5-67) [2]. COCHRAN Barbara (4-1-50) [20]. COLLOMBIN Roland (1951) [17]. COLO Zeno (30-6-20) [10]. COUTTET James (18-7-21) [9]. COUTTET Lucienne (27-11-26) [9]. CRANZ Christl (1-7-14) [1].

DE AGOSTINI Doris (28-4-58) [17]. DEBERNARD Danielle (21-7-54) [9]. DUVILLARD Adrien (7-11-34) [9]. DUVILLARD Henri (23-12-47) [9].

ÉMONET Patricia (22-7-56) [9]. ERICKSEN Stein (11-12-28) [12]. FAMOSE Annie (16-6-44) [9]. FERNÁNDEZ-OCHOA Blanca (22-4-63) [7]. FERSTL Sepp (6-4-54) [2]. FIGINI Michela (7-4-66) [17]. FROMMELT Willi (18-11-52) [11]. FURUSETH Ole-Christian (7-1-67) [12].

GABL Gertrud (1946) [4]. GIORDANI Claudia (27-10-55) [10]. GIRARDELLI Marc (18-7-63) [22]. GOITSCHEL Christine (9-6-44) [9]. GOITSCHEL Marielle (28-9-45) [9]. GOOD Ernst (14-1-50) [17]. GREENE Nancy (11-5-43) [6]. GROS Piero (30-10-54) [10]. GROSFILLEY Bernard (3-8-49) [9]. GROS-GAUDENIER Marie-Cécile (18-6-60) [9]. GUIGNARD Christelle (27-9-62) [9].

HAAS Christl (1943) [4]. HEIDEGGER Klaus (19-8-57) [4]. HEINZER Franz (11-4-62) [17]. HEMMI Heini (17-1-49) [17]. HESS Erica (6-3-62) [17]. HOEFLEHNER Helmut (24-11-59) [4].

JACOT Michèle (5-1-52) [9]. JAUFFRET Louis (21-2-43) [9]. JOHNSON Bill (30-9-60) [20]. KASERER Monica (11-5-52) [4]. KIDD Bill (1940) [20]. KIEHL Marina (12-1-65) [2]. KILLY Jean-Claude (30-8-43) [9]. KINSHOFER Christa (24-1-61) [2]. KLAMMER Franz (3-12-53) [4]. KREINER Kathy (4-5-57) [6]. KRONBERGER Petra (21-2-69) [4]. LACROIX Léo (26-11-37) [9]. LAFFORGUE Britt (5-11-48) [9]. LAFFORGUE Ingrid (5-11-48) [9]. LEDUC Thérèse (4-1-34) [9].

MACCHI Françoise (12-7-51) [9]. MACCOY Penny (1945) [20]. MACKINNEY Steve (1953) [20]. MAC KINNEY Tamara (16-10-62) [20]. MAHRE Phil et Steve (10-5-57) [20]. MAIER Ulirike (22-10-67) [4]. MAUDUIT Georges (3-12-40) [9]. MERLE Carole (24-1-64) [9]. MILNE Malcolm (1949) [14]. MIR Isabelle (2-3-49) [9]. MITTERMAIER Rosi (5-8-50) [2]. MOREROD Louise-Maria (16-4-56) [17]. MOSER-PROELL Anne-Marie (27-3-53) [4]. MULLER Peter (6-10-57) [17].

NADIG Marie-Thérèse (8-3-54) [17]. NAGEL Judy (1951) [20]. NELSON Cindy (19-8-55) [20]. NIERLICH Rudolph (1966-91) [4]. NONES Franco (1-2-41) [10]. ÖRTI Brigitte (10-6-62) [17]. ORCEL Bernard (2-4-45) [9]. OREILLER Henri (1925-62) [9]. PATTERSON (n.c.) [20]. PELEN Perrine (3-7-60) [9]. PERCY Karen (10-10-66) [6]. PERILLAT Guy (24-2-40) [9]. PERILLAT Jocelyne (3-5-55) [9]. PICCARD Franck (19-9-64) [9]. PLANK Herbert (3-9-54) [10]. PLE Christophe [9]. QUITTET Catherine (22-1-64) [9].

REY Jean-François [9]. ROSSAT-MIGNOT Roger (24-9-46) [9]. ROUVIER Jacqueline (26-10-49) [9]. RUSSEL Patrick (22-12-46) [9]. RUSSI Bernard (20-8-48) [17].

SAILER Anton (19-11-35) [4]. SCHNEIDER Vreni [17] (26-11-64). SCHRANZ Karl (18-11-38) [4]. SEELOS Toni (4-11-11) [4]. SERRAT Fabienne (5-7-56) [9]. SKAARDAL Atle (17-2-66). STEINER Rosita (14-6-63) [4]. STENMARK Ingemar (18-3-56) [16]. STEURER Florence (1-11-49) [9]. SVET Mateja (16-8-68) [21].

TAUSCHER Hansjorg (1967) [2]. THOENI Gustavo (28-2-51) [10]. TOMBA Alberto [10] (19-12-64). TOTSCHNIG Brigitte (30-8-54) [4]. TRESCH Walter (4-5-48) [17]. TYLDUM Paul (28-2-42) [12].

VEDENINE Viatcheslav (1941) [19]. VEICH Michaël (1956) [2]. VION Michel (22-10-59) [9]. VUARNET Jean (18-1-33) [9]. WACHTER Anita (12-2-67) [4]. WASMEIR Markus (9-9-63) [2]. WALCHER Josef Seep (8-12-54) [11]. WALLISER Maria (27-5-65) [17]. WENZEL Andreas (18-3-58) [11]. WENZEL Hanny (14-12-54) [11]. WERNER Wallace Bud (1935) [20]. WIBERG Pernilla (15-10-70) [16]. WOLF Sigrid (14-2-64) [4]. ZIMMERMANN Egon (8-2-39) [4]. ZURBRIGGEN Pirmin (4-2-63) [17].

Ski nordique

ARBEZ Victor (17-5-34) [9]. AUNLI-KVELLO Berit (9-6-56) [12]. BELOUSSOV Vladimir (4-7-46) [19]. BIRGER Ruud [12] (23-8-11). CARARRA Benoît (7-3-26) [9]. CLAUDEL Véronique (22-12-66) [9]. EGGEN Gjermund (5-6-41) [12]. ENGAN Thorleif [12]. GRIMMER Gerhardt [3] (6-4-52). GUSTAFSON Tomas (28-12-59) [16]. GUSTAFSON Toini (17-1-38) [8]. HAMALAINEN Maria-Lisa (10-8-55) [8]. HAUG Thorleif (1907) [8]. JERNBERG Sixten (6-2-39) [16]. KAKULINEN Veikko (4-1-25) [8]. KARLSON Niels (25-6-17) [16]. KOCH Bill [20] (7-6-55). KULAKOVA Galina (29-4-42) [19]. LUNDSTROEM Martin (30-5-18) [16]. MAENTYRANTA Eero (20-11-37) [8]. MATHIEUX Dominique (3-5-53) [9]. MATIKAINEN Marjo (1965) [8]. MOUGEL Yvon (25-5-55) [9]. NONES Franco (1-2-41) [10]. NYKAENEN Marti [8] (17-7-63). PIERRAT Jean-Paul

(3-7-52) [9]. POIROT Gilbert (21-9-44) [9]. PROKOUROROV Alexeï (25-3-64) [19]. RASKA Jiri (4-2-41) [18]. ROETSCH Franz Peter (1964) [3]. ROMAND Paul (25-9-30) [9]. RUUD Asbjörn (6-10-19) [12]. RUUD Sigmund (30-12-07) [12]. SMETANINA Raisa (29-2-52) [19]. SVAN Gunde (12-1-62) [16]. TIKHONOV Alexandre (2-1-47) [19]. TIKHONOVA (13-6-64) [19]. ULLRICH Frank [3] (24-1-58). VEDENINE Viatcheslav (1-10-41) [19]. VENTSENE Vida [19] (28-5-61). WASSBERG Thomas (23-3-56) [16]. WEHLING Ulrich (8-7-52) [3]. WEISSFLOG Jens [4]. ZIMIATOV Nikolaï (28-6-55) [19].

Ski nautique

Généralités

Sources : Fédération française de ski nautique, 16, rue Clément-Marot, 75008 Paris. *Union mondiale de ski nautique,* 70, av. des Alpes, Montreux (Suisse).

• **Quelques dates. 1921** *1ers essais* individuels puis collectifs sur le lac d'Annecy par une section de chasseurs alpins. Développements sur la Côte d'Azur (Juan-les-Pins). **1946** Union mondiale de ski n. créée. **1947** Féd. française de ski n. créée.

• **Pratiquants.** Plusieurs dizaines de millions dans le monde. France, 250 000 (dont 10 500 licenciés).

• **Matériel. Ski.** *Tourisme,* 180 cm, 3,5 kg ; *saut.* 180 cm mais plus larges ; *figures,* 90 à 115 cm de long. ; *slalom,* dit *mono,* 150 à 180 cm. La largeur ne doit pas dépasser 30 % de la longueur.

Traction. *Bateau* (5 à 6,10 m ; large 1,80 à 2,50 m, *hors-bord,* puissance 50 à 150 CV ou *in-bord,* puiss. 100 à 250 CV), doit être muni d'un mât central où se fixe la *corde* de longueur variable suivant les disciplines. *Le palonnier* recouvert de caoutchouc antidérapant est relié à la corde de traction.

• **Réglementation.** 2 personnes à bord (conducteur et personne surveillant le skieur). Couloirs spéciaux sinon max. 5 nœuds dans les 300 m réservés aux baigneurs.

Disciplines

• **Figures.** Cotées suivant difficulté. Le concurrent doit en passer un max. au cours de 2 passages de 20 sec. Effectuées sur 1 ou 2 skis sans dérives. **Records du monde.** *Homme :* Aymeric Benet (Fr.) 10 980 pts (4-9-89). *Dame :* Ana-Maria Carrasco (Venezuela) 8 350 (14-9-84), [France : Odile Flubacker 6 740 (24-7-83)].

• **Saut.** *Tremplin :* larg. 3,70 à 4,30 m, long. hors de l'eau 6,4 à 6,7 m, sous l'eau 1 m. **Records du monde.** *Hommes :* Samy Duvall (USA) 62,5 m en 1988 m (Fr. Pierre Carmin, 56,40 m le 7-9-1986). *Dames :* Deena Brush (USA) 47,5 m en 1988 (Fr. Chantal Sommer, 37,40 m).

• **Slalom.** *Jalonné* par 6 bouées disposées en quinconce, 3 de part et d'autre d'un chenal de 2,3 m de largeur. *Largeur totale* du parcours : 23 m. *Longueur :* 259 m. *Distance entre 2 bouées d'un même côté :* 82 m. *Vitesse* (H : 49 à 58 km/h, D : 43 à 55 km/h) augmente de 3 km/h à chaque parcours réussi, jusqu'à la vitesse max., la *corde* (21 à 11 m) est ensuite réduite progressivement jusqu'à ce que le skieur tombe ou ne contourne pas de façon réglementaire la bouée en question. *Est vainqueur* celui qui a contourné correctement le plus grand nombre de bouées. **Records du monde.** *Hommes :* Andy Mapple (G.-B.). et Bob La Point (USA) 5 bouées à 10,75 m (Fr. Pierre Carmin 5 à 11,25 m). *Dames :* Jennifer Leachman (USA) 5 bouées à 11,25 m (Fr. : Chantal Sommer, 2 à 12 m).

• **Ski pieds nus** (*barefoot*). On part sur 1 ski en prenant appui sur l'eau avec le pied libre, puis on quitte l'autre ski. Vitesse min. 50 à 60 km/h pour que l'eau soit suffisamment dure sous les pieds. Un canot automobile ou un hors-bord de 100 CV min. est indispensable. **Épreuves.** Distance à parcourir ou durée déterminée (chutes tolérées) slalom, figures et sauts.

Records

• **Vitesse maximale.** *Homme :* 239,59 km/h, Grant Torranus (Austr.) en 1984. *Dame :* 178,81 km/h, Donna Patterson Brice (U.S.A.) le 21-8-77.

• **Record de distance à ski nautique.** 2 126 km Steve Fontaine (USA, 24/26-10-88).

Principales épreuves

☞ *Légende.* – (1) Italie. (2) USA. (3) Venezuela. (4) G.-B. (5) Belgique. (6) All. féd. (7) France. (8) URSS. (9) Suède. (10) Israël. (11) Canada. (12) P.-Bas. (13) Autriche. (14) Australie.

• **Championnats du monde.** *Créés* 1949. Tous les 2 ans. **Hommes. Slalom : 75** Zucchi [1]. **77, 79** Lapoint [2]. **81** Mapple [4]. **83, 85, 87** Lapoint [2]. **89** Mapple [4]. **Saut : 75** Grimditch [2]. **77** Suyderhoud [3]. **79, 81** Hazelwood [4]. **83** Duvall [2]. **85** Carrington [14]. **87** Duvall [2]. **89** Carrington [14]. **Figures : 75, 77** Suarez [3]. **79** Martin [7]. **81, 83** Pickos [2]. **85, 87** Martin [7]. **89** Benet [7]. **Combiné : 75** Suarez [3]. **77** Hazelwood [4]. **79** McClintock [11]. **81, 83, 85, 87** Duvall [2]. **89** Martin [7].

Dames. Slalom : 75 Liz Allen Shetter [3]. **77, 81** Todd [2]. **79** Messner [11]. **81-83** Todd [2]. **85** Duvall [2]. **87, 89** Laskoff [2]. **Saut : 75** Liz Allen Shetter [3]. **77** Giddens [3]. **79** Todd [2]. **81** Carasco [3]. **83** Tood [2]. **85, 87** Brush [2]. **89** Mapple [2]. **Figures : 75, 77** Carasco [3]. **79** Roumjantzeva [8]. **81** Brush [2]. **83** Ponomareva [8]. **85** McClintock [11]. **87** Roumjantzeva [8]. **89** Larsen [2]. **Combiné : 75** Liz Allen Shetter [3]. **77, 79** Todd [2]. **81** K. Roberge [2]. **83** Carasco [3]. **85** Neville [14]. **87** Brush [2]. **89** Mapple [2]. **Équipe.** *Créés* 1957. **1957-89** U.S.A.

• **Championnats d'Europe.** *Créés* 1947. Tous les ans. **Hommes. Slalom : 78** Detelder [3]. **79** Zucchi [1]. **80** Hazelwood [4]. **81** Kjellander [6]. **82** Mapple [4]. **83, 84** Kjellander [9]. **85** Martin [7]. **86** Hazelwood [4]. **87** Carmin [7]. **88** Mapple [4]. **89, 90** Battleday [4]. **Saut : 78, 79** Ganzi [1]. **80, 81, 82, 83, 84** Hazelwood [4]. **85** Oberleitner [13]. **86** Hazelwood [4]. **87** Alessi [1]. **88** Carmin [7]. **89, 90** Alessi [1]. **Figures : 78, 79, 80, 81, 82** Martin [7]. **83** Battleday [4]. **84, 85** Martin [7]. **86** Carmin [7]. **87** Martin [7]. **88** Alessi [1]. **89** Martin [7]. **90** Benet [7]. **Combiné : 78, 79, 80, 81, 82, 83** Hazelwood [4]. **84, 85** Martin [7]. **86** Hazelwood [4]. **87, 88, 89, 90** Alessi [1].

Dames. Slalom : 78 Carlman [4]. **79** Morse [4]. **80, 81** Amade-Escot [7]. **82** Kjellander [9]. **83** Sommer S7. **84, 85** Kjellander [9]. **86, 87** Morse [4]. **88** Kjellander [9]. **89, 90** Roumjantzeva [8]. **Saut : 78, 79, 80** Van Dijk [12]. **81** Morse [4]. **82** Hulme [4]. **83, 84** Morse [4]. **85** Robert [4]. **86, 87, 88, 89** Morse [4]. **90** Grebe [15]. **Figures : 78** Poters [2]. **79, 80, 81, 82** Roumjantzeva [8]. **83** Seigneur [7]. **84** Ponomareva [8]. **85** Roumjantzeva [8]. **86** Seigneur [7]. **87** Ameljanchik [8]. **88, 89** Roumjantzeva [8]. **90** Amelyanchyk [8]. **Combiné : 78, 79** Carlman [4]. **80** Van Dijk [12]. **81, 82** Roumjantzeva [8]. **83** Carlman [4]. **84** Ponomareva [8]. **85** Kjellander [9]. **86** Roberts [4]. **87** Roumjantzeva [8]. **88** Kjellander [9]. **89** Roumjantzeva [8]. **90** Roberts [4].

Classement par nation. 78, 79, 80, 82, 83, 84, 85, 86 G.-B., **87** URSS, **90** France.

• **Championnat de France. Hommes. Slalom : 80** J.-M. Jamin. **81** R. Henry. **82** Pierre Carmin. **83** Henry. **84** P. Martin. **85** Carmin. **86** P. Martin. **87, 88** Henry. **89, 90** Carmin. **Saut : 80** G. Cambrey. **81, 82** P. Carmin. **83** Perez. **84** P. Martin. **85, 86** Carmin. **87** Verrue. **88** Carmin. **90** Perez. **Figures : 80, 81, 82** T. Benet. **83, 84, 85, 86** P. Martin. **87** Benet. **88** Seigneur. **89** Martin. **90** Benet. **Combiné : 80, 81, 82** P. Carmin. **83** Legall. **84, 85, 86** P. Martin. **87** Carmin. **88** Cambray. **89** Martin. **90** Carmin.

Dames. Slalom : 80, 81 Amade. **82** Sommer. **84** Seigneur. **85, 86** Detelder. **87** Ballestro. **88, 89, 90** Seigneur. **Saut : 80, 81, 82, 83, 84** Sommer. **85, 86, 87** Seigneur. **88** Escolano. **90** Chapiron. **Figures : 80** Sommer. **81** M.-P. Seigneur. **82** Besombes. **83, 84** Flubacker. **85** Besombes. **86, 87** Savin. **88** Besombes. **89** Savin. **90** Seigneur. **Combiné : 80** Amade. **81** Seigneur. **82, 83, 84** Sommer. **85, 86, 87** Seigneur. **88** Paillard. **89** Seigneur. **90** Savin.

Quelques noms

France. Ch. AMADE. Aymeric BENET (1972). Gilles CAMBRAY. Pierre CARMIN (8-2-61). Dany DUFLOT. Pascale GAUTIER. Hervé HENRY. Jean-Michel JAMIN. Philippe LOGUT. Patrice MARTIN (24-5-64). Sylvie MAURIAL. Jean-Marie MULLER. Jean-Yves PARPETTE. Frédérique SAVIN (21-2-71). Marie-Pierre SEIGNEUR (27-12-64). Christian SOMMER. Jacques TILLMENT. Maxime VAZEILLE. **Monde.** Deena BRUSH [2]. Maria Victoria CARASCO [3]. Sammy DUVALL [2]. Wayne GRIMDITCH [2]. Mike HAZELWOOD [4] (14-4-58). Allan KEMPTON [2]. Kris LAPOINT [2]. Lucky LOWE. Alfredo MENDOZA [3]. Corry PICKOS [2]. SHAKEFORD [2]. Liz ALLAN-SHETTER [2] (12-7-47). Chuk STEARNS [2]. Carlos SUAREZ [3]. Mike SUYDERHOUD [2]. Janette STEEWARD WOOD [4]. Willa WORTHGTON [2]. Roby ZUCCHI [1].

Spéléologie

Lieux explorés

☞ *Légende :* (1) France. (2) Autriche. (3) Espagne. (4) Italie. (5) Mexique. (6) Suisse. (7) Pologne. (8) Youg. (9) Iran. (10) URSS. (11) Maroc. (12) Liban. (13) USA. (14) G.-B. (15) P. de Galles. (16) Papouasie. (17) Cuba. (18) Tchécosl. (19) Grèce. (20) Venezuela. (21) Guatemala. (22) Pérou. (23) Malaysia. (24) Algérie. (25) Oman. (26) Belize. (27) Turquie. (28) Irlande. (29) Australie. (30) Chine.

• **Gouffres les plus importants au monde** (en m, 1-6-1990). Réseau Jean-Bernard (Hte-Savoie [1]) – 1 608, Vjačeslav Pantjukhina (Bzybskij [10]) – 1 508, Lamprechtsofen (Salzburg [2]) – 1494, sistema del Trave (Asturies [3]) – 1 441, Laminakoateak (Navarre [3]) - 1 408, Snežnaja (Abkhazie [10]) – 1 368, sistema Huautla (Oaxaca [5]) – 1 353, réseau de la Pierre-Saint-Martin ([13]) – 1 342, Boj-Bulok [10]-1 310, réseau Fromagère-Berger (Isère [1]) – 1 271, Platteneck-Bergerhöhle-Cosa Nostra Loch (Salzbourg [4]) – 1 245, V. V. Iljukhina (Arabika [10]) – 1 240, Sistema Cuicateca (Oaxaca [5]) – 1 242, abisso Ulivifer (Toscane [4]) – 1 230, Schwersystem (Salzbourg [2]) – 1 219, Complesso Corchia-Fighiera (Toscane [4]) – 1 215, gouffre Mirolda (Hte-Savoie [1]) – 1 211, brezno Velike Raspoke (Slovénie [8]) – 1 198, sistema Arañonera (Huesca [3]) – 1 185, Dachstein-Mammuthöhle (Autr. [2]) – 1 180, Jubilaümsschacht (Salzbourg [2]) – 1 173, sima 56 de Andara (Cantabrique [3]) – 1 169, anou Ifflis (Djurdjura [24]) – 1 159, gouffre du Bracas de Thurugne nº 6 (Pyr.-Atl. [1]) – 1 157, Vive Le Donne (Lombardie [4]) -1 156, sistema Badalona (Huesca [3]) – 1 149, sistema del Xitu (Asturies [3]) – 1 148, Axemati (Puebla [5]) – 1 130, Arabikskaja (Arabika [10]) – 1 110, Schneeloch (Salzburg [2]) – 1 101, sistema G.E.S.M. (Malaga [3]) – 1 098, Jägerbrunntrogsystem (Salzbourg [2]) – 1 078, sistema Ocotempa (Puebla [5]) – 1 063, pozo della Neve (Molise [4]) – 1 050 m, torca de Urriello (Cantabrique [3]) – 1 022, Siebenhengste-Hohganthöhlensystem (Berne [6]) – 1 020 m, Herbsthöle [2] – 1 020 m, système de la Coume d'Hyouernède (Hte-Gar. [1]) – 1 004.

Cavités d'au moins 40 km de longueur (longueur en km ; au 1-6-1990). Mammoth Cave System (Kentucky [13]) 560, Optimističeskaja (Ukraine [10]) 178, Hölloch (Schwyz [6]) 133,050, Jewel Cave (Dakota du S. [13]) 123,771, Siebenhengste-Hohganthöhlensystem (Bern [6]) 110 env., Ozernaja (Ukraine [10]) 107,300, système de la Coume d'Hyouernède (Hte-Gar. [1]) 90,496, sistema de Ojo Guareña (Burgos [3]) 89,071, Leschugilla Cave (New Mexico [13]) 82, 703, Wind Cave (Dakota du S. [13]) 82,074, Zoluška (Ukraine [10]) 82, gua Air Jernih (Sarawak [23]) 75, sistema Purificación (Tamaulipas [5]) 72,309, Fisher Ridge Cave System (Kentucky [10]) 71,5, Friars Hole Cave System (Virginie occ. [10]) 68,824, Easegill Cave System (Cumbria-Lancashire [14]) 63,6, Organ Cave System (Virginie occ. [13]) 60,51, Hirlatzhöhle (Autr. [2]) 57, Mamo kananda (S.H.P. [16]) 54,8, système de la Dent de Crolles (Isère [1]) 54,094, red del Silencio (Cantabria [3]) 53, sistema Huautla (Oaxaca [5]) 52,111, réseau de la Pierre-St-Martin [1,3] 51,2, Kap-Kutan/Promežutočnaja (Uzbekskaja [10]) 54, Raucherkarhöhle (Autr. [2]) 48,033, réseau de l'Alpe (Isère/Sav. [1]) 46,173, Crevice Cave (Missouri [13]) 45,385, complesso Corchia-Fighiera (Toscane [4]) 45, Cumberland Caverns (Tennessee [13]) 44,444, ogof Ffynnon Ddu (Galles du S. [14]) 43, Eisriesenwelt (Salzbourg [2]) 42, Bol'šaja Orešnaja (Russie [10]) 42.

Grandes cavités non calcaires. *Granite, gneiss :* Greenhorn Cave (Californie [13]) – 152 m, T.S.O.D. Cave (New York [13]) 3 977 m. *Grès, quartzite :* sima Aonda (Bolívar [20]) – 362 m, cova del Serret del Vent (Barcelone [3]) 4 273 m. *Gypse :* rhar Dahredj (Guelma [22]) 21 820 m, Optimističeskaja (Ukraine) 17 800 m. *Lave, basalte :* Leviathani Cave (Kibwezi, Kenya) – 408 m et 12 400 m. *Sel :* mearat Malham (Israël) – 135 m et 5 447 m. *Glace :* Paradise Ice Cave (Washington [13]) 24 140 m. 16 093 m et Moulin de la Mer de Glace (Hte-Savoie) - 115 m. *Schiste-micaschiste :* voragine del Cervo Volante (Piémont [4]) - 148 m et gruta dos Ecos (Goiás, Brésil) 1 380 m.

Puits naturels d'au moins 200 m (au 31-12-86). Höllenhöhle [2] 450, Minye [16] 417, Provatina [19] 389, sótano del Barro [5] 364, Stierwascherschacht [2] 351, sima Aonda [20] 350, Mavro Skiadi [19] 341, sótano de las Golondrinas [5] 333, sótano de Tomasa Kiahua [5] 330, Aphanize-ko lezia [1] 328, puits Lépineux [1,] 320, Nare [16] 310, pozzo Mandini S4 310, nita Xonga [5] 310, pozo Vicente Alegre [3] 309, Altes Murmeltier [2]

307, pozo La Jayada [3] 306, Pot II [1] 302, gouffre Touya de Liet [1] 302, pozo Juhué [3] 302, abisso Enrico Revel [4] 299, Gebihe [30] 209.

Cavités les plus élevées (altitude en m). Grotte de Rakhiot Pic (Nanga Parbat, Cachemire) 6 645. Cueva de Saco [22] 4 800. Cueva de Sanson Machay [22] 4 500. Cueva de Pachacayo [22] 4 500. Cuevas de Laurichoca [22] 4 400. Rangkulškaja [10] 4 400 (– 350), Cueva de Taypunta [22] 4 000. Sima de Milpu [22] (– 407) 3 992. Cueva de Chirimachay [22] 3 720. Ghar Parau [9] (– 751) 3 100. Aven de la Cascade du Marboré [1] 3 050. Aven de la Mortice [1] 2 950 à 3 010. Gr. du Mont-Cenis (Alpes [1]) 2 680. Rotloch 6 2 560. Abisso Gaché (Alpes [4]) 2 525. Drachenloch [6] 2 427. Aven du Triglav [8] 2 426. Gouffre S.C. 3 (entrée sup. de la Pierre-St-Martin) 2 093.

Grands vides souterrains. *Selon la surface projetée (en milliers de m²)* : Sarawak chamber (lubang Nasib Bagus [23]) 162,7, torca del Carlista [3] 76,6, Majlis al Jinn [25] 58, Belize chamber (actun Tun Kul [26]) 50, salle de la Verna (Pierre-St-Martin [1]) 45,3. *Selon le volume (en milliers de m³)* : doline de Luse [16] 60, uvala d'Ora [16] 29, puits-doline de Minye [16] 26, sima mayor de Sarisariñama [20] 18, sótano del Barro [5] 15.

Plus grande salle connue. Lubang Nasib Bagus [23] (700 × 300 m et 70 m de haut). Déc. 1980. **Plus importante résurgence.** Dumanli [27], débit moyen 50 m³/s (min. 25 m³/s) ; actuellement, noyée sous 120 m d'eau (lac de barrage). **Plus célèbre fontaine intermittente.** Fontestorbes (Ariège), période env. 1 h. **Plus grandes stalactites.** Nerja, près de Malaga [3], 59 m de haut. *Indépendante la plus longue* : 11,60 m, Poll an Jonain [28].

• Grands systèmes hydrologiques. **Les plus longs** (en km) : Homat Bürnü düdenleri, Yedi Miyarlar [27] 75. Gouffre de la Belette, fontaine de Vaucluse [1] 46. Skocjanske jame, Il Timavo [8,4] 40.

Les plus grandes percées hydrologiques (en m). Napra-Mchista [10] 2 345 m., V.V. Iljukhina, Reproa [10] 2 308, Snežnaja, Khipsta [10] 2 070, gouffre du Pourtet, Bentia (Pierre-St-Martin) [1] 1 662, Ural'skaja, Mačaj [10] 1 800, Lamprechtsofen [2] 1 600.

• Plongées souterraines (en m). **Plus profonds siphons :** nacimiento del Rio Mante [5] – 264, fontaine de Vaucluse [1] (Vaucluse) – 200 (sondée à 308 m), fontaine supérieure de Tourne [1] (Ardèche) – 140, résurgence de la Touvre [1] (Char.) – 125. **Plus longs siphons :** Chips hole [13] (Floride) 3 333, doux de Coly [1] (Dordogne) 3 125, siphon n° 2 de Cocklebiddy Cave [29] (Nullarbor Plain) 2 550, émergence sous-marine de Port-Miou [1] (B.-du-Rh.) 2 210. **Plus longues cavités noyées :** Sullivan Cheryl Sinte [13] (Floride) 12 500, Cathedral Falmouth Cave System [13] (Floride) 10 229, Lucayan Caverns (Bahamas) 9 184, Peacock Springs Cave System [13] (Floride) 6 507.

En France. Cavernes 30 000 dans le calcaire (400 à 500 dans granit, grès et autres).

Spéléologues

• Les plus connus. **All. féd.** D. Gebauer, J. Hasenmayer. **Autriche.** Hanke (1840-91), Lindner (XIXe s.), Marinitsch, Müller, Schmidl (XIXe s.), G. Stummer, H. Trimmel. **Belgique.** Y. Quinif, P. d'Ursel. **Brésil.** Collet, Haim, Le Bret, Martin (1932-86), Slavec. **Canada.** D. Ford, S. Worthington. **Espagne.** A. Eraso, C. Puch. **France.** D. André, Y. Aucant, Louis Balsan (1903-88), André Bourgin (1904-68), Norbert Casteret (1897-1987), C. Chabert, Pierre Chevalier (1905), P. Courbon, J.-C. Dobrilla, M. Douat, Ph. Drouin, P. Dubois, M. Duchêne, J.-L. Fantoli, Eugène Fournier (1871-1941), J.-C. Frachon, Bernard Gèze (1913), Henri Guérin (1901-81), René Jeannel (1879-1965), Robert de Joly (1887-1968), R. Laurent, Guy de Lavaur (1903-86), F. Le Guen, B. Lismonde, R. Maire, J.-P. Mairetet (1941-88), G. Marbach, Edouard-Alfred Martel (1859-1938), C. Mouret, Jean Noir (1917-58), F. Poggia, S. Puisais, J. Rodet, J. Sautereau de Chaffe, Jean Susse (1905-82), Félix Trombe (1906-85), Albert Vandel (1894-1980). **G.-B.** A. C. Waltham. **Italie.** G. Badino, L. V. Bertarelli (1859-1926), E. Boegan (1875-1939), P. Forti. **Liban.** Anavy, Karkabi. **Mexique.** Lazcano. **Pérou.** Garcia Rosell. **Pologne.** Mikuszevski, Pulina. **Roumanie.** I. Giurgiu, E. Racovitza (1868-1947). **Suède.** R. Sjoberg, L. Tell. **Suisse.** V. Aellen, M. Audetat, A. Bögli, P. Strinati. **Turquie.** Aktar, Ayge. **URSS.** Dubljanskij, V. Klimchouk, V. Kisseljov. **USA.** Brucker, H. C. Hovey (1833-1914), Palmer, Raines, Sprouse, Watson. **Venezuela.** Urbani.

☞ **Canyonning. V. 1980** introduit en France. Descente de canyons en combinaison étanche (nage, marche, escalade).

• Séjours de longue durée. **Sous terre.** *Le plus long : Milutin Veljkovic* (Youg., né 1935) : 463 j (24-6-1969 au 30-9-1970) grotte des monts Svrljig (Youg.). *Michel Siffre* (Fr., n. 1939) 62 j (16-7 au 17-9-1962) gouffre de Scarasson entre Tende et Limone (Italie), 205 j (14-2 au 5-9-1972 dans MidnightCave (Texas). *Maurizio Montalbini* (It.) 210 j (1987) grotte du Vent Fracassi, près d'Ancône. *Véronique Le Guen* (Fr, †1990) 111 j (10-8 au 29-11-1988) aven du Valat-Nègre (Aveyron) à 82 m sous terre.

• Union intern. de spéléologie (UIS). *Pt* : Pr Hubert Trimmel (Autr.), *vice-prés.* : Julia James (Austr.), Gérard Duclaux (Fr.) ; *secr. gén.* : Camille Ek (Belg.). Rassemble 52 pays. **Féd. française de spéléologie.** 130, rue St-Maur, 75011 Paris. 570 clubs, 7 693 adhérents.

Tauromachie

Corrida

• Origine. **Début du Moyen Age** 2 sortes de combat en Espagne : chasse aux taureaux, sans règle, ni rituel ; le combat à cheval, pratiqué par les nobles organisant entre eux des joutes équestres pendant lesquelles ils attaquent le taureau à la lance. **Fin du XIIIe s.** les 2 types fusionnent quand la noblesse organise les fêtes publiques de taureaux à l'occasion de solennités importantes. **XVIIe s.** apogée du combat équestre ; les cavaliers emploient le *rejon* (sorte de javelot en bois flexible) et vont, au galop, au devant du taureau au lieu de l'attendre. **XVIIIe s.** la noblesse se désintéresse de l'arène pour plaire à Philippe V formé à Versailles : les toreros à pied commencent à jouer un rôle important (surtout en Aragon, Navarre). En Andalousie, les hommes du peuple se servent d'abord du *rejon* abandonné par les nobles ; puis, d'anciens bouviers introduisent la *garrocha* (ancêtre de la pique actuelle). Ils se font aider par des toreros à pied qui exécutent les manœuvres. **1853** *août* 1re corrida en France, à Bayonne, devant Napoléon III. **1904**-*24-7* dernier combat de fauves (dans une cage, tigre contre taureau) aux arènes de St-Sébastien. **1951**-*24-4* loi indiquant que la corrida est légale en France dans les villes de « tradition ininterrompue » pendant plus de 10 ans (29 communes).

• Pays pratiquants. *Sous sa forme habituelle :* surtout en Espagne, Amérique latine et France. *Rejoneo :* divertissement aristocratique des 1ers temps équestres où le combat du taureau est assuré par un cavalier *(rejoneador).* Pratiqué au Portugal et en Espagne (surtout depuis 1969).

• Saison. **Espagne** (mars à oct. inclus). *Feria de Séville* (après Pâques). *Gde Semaine de Madrid* ou *Feria de la San Isidro* (mai, en 91, 26 corridas). *Pampelune, Feria del Toro* (début juill.). *Valence* (fin juill.). *Málaga* (début août). *Victoria* (début août). *Bilbao* (sem. suivant le 15 août). *Linares* (fin août). *Albacete, Salamanque, Valladolid, Barcelone* (sept.). *Saragosse* (oct.). **Nombre : 87 :** 466 c. et 1 219 n. **88 :** 464 c. et 1 214 n. **89 :** 467 c et 1 211 n. **90 :** 541 c. et 499 n.

France (mars à début oct.). *En 1990 :* 178 spectacles taurins (Nîmes 26, Dax 9, Floirac 5, Mont-de-Marsan 6, Vic-Fezensac 4, Béziers 6, Arles 13, Bayonne 9, Palavas 5, Aire 3) dont 63 corridas, 3 corridas mixte, 69 novilladas avec picadors, 1 novillada mixte, 10 festivals.

• Arènes. **1707** arènes en bois et démontables. Séville, a. de l'Arsenal. **1749** construction d'arènes permanentes en maçonnerie (vieille plaza de Madrid, démolie en 1874). **1761** a. de Séville. **1764** a. de Saragosse. **1785** a. de Ronda. **1796** a. d'Aranjuez.

Principales arènes. Mexique. Mexico (la Monumentale, plaza Deportes) 48 000 places ; El Toreo 26 000. **Espagne.** On compte plus de 400 arènes, dont 40 de plus de 10 000 places. Madrid 23 000. Barcelone 20 000. Pampelune 19 000. Murcie 18 000. Valence 17 000. Alicante 15 000. Grenade 14 000. Saragosse 13 000. Séville 13 000. La 1re arène permanente fut celle de Madrid (1749). **France.** Nîmes, amphithéâtre (Gard) 20 000. Béziers (Hér.) 14 000. Arles (B.-du-R.) 12 000. Fréjus 12 000. Bayonne (P.-Atl.) 11 000. Dax (Landes) 8 000. Mont-de-Marsan (Landes) 8 000. Vic-Fezensac (Gers) 6 000.

• Déroulement des corridas (course de taureaux). 3 parties précédées du *paseo* (défilé). **1. Les picadores.** Entrée du taureau. Passes de cape (en percale et soie rose et jaune) pour juger le taureau. Les picadores réduisent la puissance du taureau. **2. Les banderilles.** Bâtonnets ronds (long. 70 cm), ornés de papier de couleur découpé et munis d'un crochet de 4 cm en forme de harpon, qui se clouent par paires sur le haut du garrot du taureau. Posées par les peones (éventuellement le matador). *B. courtes* (l. 25 à 30 cm) : réservées à la pose en *al quiebro. B. de feu :* une amorce de fulminate met le feu à des pièces d'artillerie disposées le long des hampes, provoquant la déflagration (ne sont plus posées). *« Veuves » :* band. de couleur noire aux harpons plus longs que la normale, sont un signe de honte pour le taureau qui a refusé les piques. **3. La faena de muleta et mise à mort.** Passes de muleta (morceau de flanelle rouge monté sur un bâton de 50 cm) du matador avant la mise à mort. **Mise à mort.** En général, la course en comprend 6. Interdite en France, sauf dans les villes qui peuvent se réclamer d'une tradition tauromachique vieille d'au moins 50 ans (loi de 1952) : pratiquement toutes les villes au sud d'une ligne allant de Bordeaux à Fréjus, plus Vichy. Au Portugal, depuis un décret de 1928 : les taureaux sont achevés au mousqueton dans le toril, en dehors du public.

• Personnes présentes. **Torero :** tout homme présent dans l'arène (*toreador,* employé en France, n'est utilisé que par les profanes). **Alguazil :** vêtu de noir à la mode du règne de Philippe II, précède les combattants dans le défilé *(paseo)* ; chargé de la police de la piste ; donne au préposé du toril la clé qu'il reçoit à la volée du président de la course, et transmet les ordres de ce dernier aux toreros pendant le combat.

Matador : principal acteur ; il tue les taureaux. Son costume pèse jusqu'à 10 kg et coûte parfois jusqu'à 27 000 F. Un matador fait parfois plus de 110 courses par an (El Cordobès en 1970 : 121). Les plus célèbres gagnent de 100 000 à 500 000 F par course, mais doivent payer leur *cuadrilla* (équipe de 2 picadors et 3 banderilleros). L'*alternative* est une consécration officielle donnée sur la plaza de Madrid (ou confirmée si la cérémonie a déjà eu lieu en province). Le *novillero* devient alors *matador de toros.*

Picador : monté sur un cheval protégé, pique les taureaux. **Banderillero :** pose les banderilles. **Novillero :** torero débutant, combat les novillos (jeunes taureaux de 3 ans). **Rejoneador :** torée et tue à cheval (son cheval n'est pas protégé).

Présidence. Revient, en Espagne, au gouverneur civil qui délègue son autorité ; en France, à une notabilité que l'on veut honorer ou à un aficionado notoire. Quand il accorde l'*oreille du taureau* à un matador, il élève un *mouchoir blanc.* Le *mouchoir vert* ordonne le remplacement d'un animal défectueux (boiterie, défaut de vue, cornes abîmées) ; le *rouge* ordonne de poser les band. noires ; le *vert* accorde un tour d'honneur à la dépouille d'un animal particulièrement brave. Un timbalier et 2 clairons, face à la présidence, surveillent les gestes de celle-ci et sonnent les changements de phases du combat.

☞ En 1988, il y avait 131 matadors d'alternative, 122 novilleros et 52 rejoneadores espagnols + 1 536 toreros subalternes et 429 toreros étrangers.

En 1989 : 130 matadors ont toréé en Europe dont 113 espagnols, 9 portugais, 5 français, 1 colombien, 1 équatorien, 1 vénézuélien.

• Quelques termes. **Brega :** travail des subalternes (peons). **Brindis :** offrande de la mort du taureau par le matador à une personne de l'assistance ou à toute l'arène. **Citar :** citer, appeler le taureau pour provoquer sa charge. **Faena :** travail du matador. **Lidia :** combat. **Parar :** attendre de sang-froid ladite charge. **Pelea :** combat du taureau et plus particulièrement à la pique. **Quite :** action de détourner le taureau du cheval et de secourir un camarade en danger. **Recoger :** recueillir, retenir l'animal en fin de passe pour enchaîner la passe suivante. **Suerte :** chance mais aussi les multiples épisodes du combat : banderilles, piques, mises à mort. **Templar :** accorder le mouvement du leurre en parfait synchronisme avec la vitesse de charge de son adversaire.

• Taureaux. Élevés dans la *ganaderia.* La caste dominante en Espagne et Portugal a été créée par le comte de Vistahermosa en Andalousie fin XVIIIe s.

Age. *A 3 ans,* novillo ; 325 kg min., peut combattre dans les petites courses *(novilladas)* avec toreros débutants. *A 4 ans, toro de lidia ;* il sait se servir de ses cornes. Un taureau combattu dans les arènes de

1re catégorie doit peser au moins 460 kg et avoir 4 ans (on dit « cinq herbes »). Les *toros de bandera* à la bravoure exceptionnelle, sont surnommés *t. à oreilles* » car leurs oreilles sont souvent données en récompense à ceux qui les ont tués. On en voit 25 à 40 par an.

Taureaux d'aujourd'hui. La fièvre aphteuse, la consanguinité excessive, la raréfaction de l'étendue du territoire qui leur était réservé et l'excès d'aliments composés mis à leur disposition qui les dispense de rechercher leur nourriture ont diminué leur résistance physique. Plus jeunes, manquant de puissance pour renverser la masse constituée par le picador et sa monture protégée par un lourd caparaçon, ils ne supportent guère plus de 2 ou 3 piques, desquelles ils sortent souvent ébranlés. A la fin du XIXe s., où l'on combattait des bêtes de 5 et 6 ans, où les chevaux n'étaient pas protégés, il en allait autrement.

Nombre de taureaux tués (en Espagne, France et Portugal) : de 7 000 à 7 500 taureaux ou novillos par an dans les corridas régulières, et 4 000 novillos environ dans les courses sans picadores réservées aux aspirants-matadors.

Prix. *Le lot de 6 taureaux :* de 140 000 à 220 000 F et +. *Les plus réputés :* les Miura (élevage créé en 1842) et les Victorino Martin (450 000 à 750 000 F).

Taureaux célèbres. *Almendrito,* le 22-8-1876, prit 43 piques. *Libertado,* le 23-12-1864, prit 36 p. et tua 6 chevaux. *Gordito,* le 26-7-1869, prit 30 p. et tua 21 chevaux. *Caramelo* 8 ans le 17-6-1867, prit 27 p. et blessa grièvement le picador Gallardo et le matador José Ponce. *Azuleio,* le 24-6-1857, prit 23 p., tua 9 chev., fut gracié et survécut. *Civilon* lécha la main de son éleveur et fut gracié (1936). *Bravio* provoqua la panique du matador Saleri. *Jaqueton* fut gracié mais dut être achevé en piste car il avait un poumon perforé et des lésions importantes à la nuque. *Pamado* franchit 14 fois la barrière et provoqua la déroute du matador Lagartijo. *Granizo* la sauta 22 fois à Madrid et tenta de la resauter à 6 reprises. *Cucharrero* que Lagartijo mit une demi-heure à tuer.

Taureaux meurtriers. *Perdigon* tua El Espartero (27-5-1894). *Bailador* José Gomez « Gallito » (16-5-1920). *Pocapena* Granero (7-5-1922). *Islero* Manolete (28-8-1947). *Cuchareto* José Falcon (1-8-1974). *Avispado* Francisco Rivera Paquirri (25-9-1984). *Burleo* El Yiyo (30-8-1985).

• Matadors célèbres. **En activité,** en 1990 (année de naissance et de début d'activité) : *Curro Romero* (n. 1935), revenu en 1980 après une retraite de 7 ans, blessé le 30-5-80 par un taur. de 530 kg. *Rafael de Paula* (n. 1940). *Palomo Linares* (n. 1947). *Manolo Cortès* (n. 1948). *Curro Vazquez* (n. 1951). *Julio Robles* (n. 1952,1972 gravement blessé, août 90 reprise improbable). *José Luis Manzanares* (n. 1953, 1972). *José Luis Galloso* (n. 1953). *El Nimeño II* (Christian Montcouquiol, n. 10-3-54, 1977, gravement blessé, 10-9-89, reprise improbable). *José Antonio Campuzano* (n. 1954). *Tomas Campuzano* (n. 1957). *Juan Antonio Ruiz. Espartaco* (n. 1958). *Victor Mendes* (n. 1958, 1981). *José Ortega Cano* (n. 1958). *Luis Francisco Espla* (n. 1958, 1976). *Emilio Munoz* (n. 1962). *Emilio Oliva* (n. 1963). *José Miguel Arroyo Joselito* (n. 1969). *Roberto Dominguez* (1972). *Manili* (1976). *Patrick Varin* (1979). *Richard Milian* (1981). *Rafi Camino* (1986, novillero). *Mike Litri* (1987). *Niño de la Taurina* (1988). *Julio II Aparicio* (1989). *Denis Loré* (1990). *Jesulin de Ubrique* (1990). *Paco Ojeda* (1955-88, reprend en 91). *Fernando Camara* (1990). *Enrique Pons* (1990). *Bernard Marsella* (1990). *Antonio Manuel Punta* (1991). *Pareja Obregon* (1991).

Morts ou retirés *Joselito* (1895-1920), tué par un taureau ; *Jean Belmonte Garcia* (1892-1962) ; *Manolete* (1917-47), tué par un taureau ; *Domingo Ortega* (1906-88) ; *Carlos Arruza,* Mexicain (1920-66, dans un acc. de voiture) ; *Cesar Giron,* Vénéz. (1933-71, dans un acc. de voiture) ; *José Mata* (1940-1971) ; *José Falcon* (1944-74), tués par un taureau ; *Bienvenida* (Antonio Mejias, 1922-75) ; *Luis Miguel Dominguin* (1926) ; *Litri* (Miguel Baez, 1930) ; *Manolo Vazquez* (1930) ; *Julio Aparicio* (1932) ; *Antonio Ordonez* (1932) ; *Pèdres* (1932) ; *Jaime Ostos* (1933) ; *Chamaco* (Antonio Borrero, 1935) ; *El Cordobes* (Manuel Benitez, 1936) ; *Paco Camino* (1940) ; *Diego Puerta* (1941) ; *Paquirri* (Francisco Rivera) tué 1984 ; *Francisco Ruiz Miguel* (1950-89) ; *El Viti* (1958). *Chenel Albaladejo Antonete* (1934) ; *Angel Teruel* (1950) ; *El Yiyo* (José Cubero, 1964-85) tué par un taureau ; *El Niño de la Capea* (1953-88) ; *Damasco Gonzalez* (n. 1948, se retire en 1990).

Records. *Lagartijo* (1841-1900) a tué 4 867 taureaux. *Bienvenida* a toréé 32 ans (1942-74). *Belmonte* pendant 26 saisons (1909-37), a fait 3 000 mises à mort et a été encorné 50 fois. *Dominguin* aurait tué 2 900 taureaux. *Guerrita* (en 1895) en tua 18 en 1 journée dans 3 villes différentes. *Luis Freg* (Mex. 1888-1934) a été blessé 80 fois, a reçu 4 extrêmes-onctions, est mort noyé.

• Rejoneadores célèbres. **En activité :** *Angel* (1926) et *Rafael Peralta, Alvaro Domecq Romero, José Samuel « Lupi », Manuel Vidrié, Joao Moura* (1959). **Retirés :** *Antonio Cañero ; Alvaro Domecq Diaz* (1940) ; *Conchita Cintron* (Péruvienne née au Chili 9-8-22).

• Classement des toreros (nombre de corridas et, entre parenthèses, nombre d'oreilles, 1990) : *Espartaco* 107 (167), *Victor Mendes* 70 (50), *Roberto Dominguez* 100 (90), *Fernando Lozano* 67 (59), *Ortega Cano* 65 (75), *Julio Robles* 62 (61), *Litri* 60 (72), *Ruiz Miguel* 59 (46), *Joselito* 66 (81), *Manzanares* 52 (32), *Tomas Campuzano* 50 (54).

☞ *Bibliogr. : Histoire de la corrida en France* (Auguste Lafront). *Dictionnaire tauromachique* (Paul Casanova et Pierre Dupuy). *Pour ou contre la corrida, la Passion taurine, les Démons intérieurs et les Échelles de la mort, le Costume de lumières* (Roger Dumont).

Course landaise

Origine. Très ancienne, 1er témoignage 1547. **Régions.** Béarn, Gers, Landes.

Principe. Pratiquée avec les taureaux jusqu'en 1900 env. puis avec des vaches landaises issues d'élevages espagnols, portugais et camarguais auxquelles, en 1905, on plaça des tampons dans les cornes. *Arène :* en forme de fer à cheval. Chaque cuadrilla (appartenant au ganadero) est composée de 7 toreros : 1 *sauteur* (élément très attractif), 1 ou 2 *entraîneurs* (1 entraînant la vache dans le terrain adéquat et l'y maintenant jusqu'à ce que l'écarteur soit en mesure de provoquer et d'écarter l'animal ; le second attirant l'attention de la bête avec un mouchoir, afin d'éviter son retour inopiné), 1 *teneur de corde* (ou *cordier* qui doit prévoir la charge de la vache et ce que va réaliser l'écarteur ; en fonction d'un écart qui sera fait « en dedans » ou à « l'extérieur », il doit doser l'appel de la corde, indispensable pour le bon déroulement de la suerte ; il doit être prêt à intervenir si l'écarteur est en difficulté) ; plusieurs *écarteurs* (en pantalon blanc, avec un drap de couleur enroulé plusieurs fois autour de leur taille, chemise blanche, gilet de velours et boléro aux épaulettes avec broderie d'or et d'argent, souliers de cuir à tige montante). Un jury pointe les écarts.

Principales suertes. *Écart à l'extérieur :* l'écarteur, les bras levés, au centre de la piste, provoque la charge de la vache par des sifflets et des cris. Lorsque l'animal n'est plus qu'à quelques mètres, il saute, prend appui sur un pied, pivote dans un minimum de terrain et exécute son écart, pieds réunis sur la pointe, en infléchissant le corps afin d'éviter d'être bousculé par l'animal. *La feinte :* l'écarteur amorce un mouvement du buste du côté opposé où il va tourner. Quand la vache parvient à sa hauteur, il rectifie son mouvement et pivote en esquivant uniquement par la cambrure des reins. *La feinte tourniquet :* tour complet du torero sur lui-même au moment où s'élance la bête, se termine de la même façon que la feinte simple. *Sauts à pieds joints, périlleux, saut de l'ange.*

Vedettes de la course landaise. Jean-Claude Ley, Darracq II, Bergez, Ramuntchito, Henri Duplat (sauteur, tué lors d'une fête), Michel Agruna, Ribeiro, Michel Dubos, Lafitte, Marc-Henri, Alain Nogues. Champion de France des écarteurs : Didier Laplace (1984), Didier Bordes (1985), Jean-Pierre Rachou (1986, 87, 88), Didier Goueyte (1989 et 90).

En 1982 : au Vieux-Boucau (Landes), Duvaquier (19 ans) a été paralysé à vie. *Le 27-7-1987* Bernard Huguet a été tué à Montfort-en-Chalosse.

Principaux éleveurs de vaches landaises. Deyris, Descazeaux, Labat, Larrouture, Latapy, Lines, Maigret, Pussacq.

Course camarguaise

Origine. **1402** *27-3* Le roi Louis II d'Anjou fait combattre en Arles un lion contre un taureau dans la cour de l'archevêché. **V. 1445** jeux de foire dans lesquels on doit terrasser le taureau. **V. 1500** les valets de ferme organisent des courses de taureaux dans des arènes fermées par des charrettes et autres matériels d'exploitation. **V. 1900** apparition de règles.

Nom. S'appelle successivement *course libre, course à la cocarde* puis *course camarguaise.*

Règles. **Taureau.** De 3 à 15 ans. Effectue plusieurs courses par an. Il n'y a pas de mise à mort. En général, dans une course, 6 taureaux courent chacun 15 mn max. pour défendre leurs *attributs* (cocarde, ruban rouge de 2 cm env. placé au centre du front, 2 glands ou pompons de laine blanche fixés à la base des cornes par un élastique) fixés à leurs cornes par une *ficelle* dite de *fouet* faisant 5 à 6 tours autour de chacune. **Razeteur.** Doit ravir les attributs du taureau dans l'ordre cité ci-dessus en faisant un *razet* (arc de cercle qui le mène devant l'animal) et avec un *crochet* (muni de 4 barres d'acier de 10 cm env. reliées entre elles et se terminant par 4 dents d'1 cm). Ensuite, il se met à l'abri. Tenue blanche (chemisette, pantalon et tennis). **Tourneur.** Assiste le razeteur. Doit essayer de placer le taureau dans la meilleure position possible pour que le razet réussisse. **Présidence.** Annonceur et assistant qui dirigent la course.

Éleveurs *(Manadiers). Manades anciennes :* Combet-Granon, Pouly, Raynaud, Baroncelly, Papinaud, Saurel, Lescot, Viret ; *actuelles :* Lafont, Laurent, Blatière, Fabre-Mailhan, Guillierme, Saumade, Espelly, Chauvet, Ribaud, Raynaud, Languedoc, Cuille, Janin, Lebret, Pastre, Chapelle, Lapeyre.

Taureaux célèbres. *Morts ou retirés* : Lou Pare, Lou Prouvenço, Lou Bandot, Le Sanglier (manade Combet-Granon, a un monument au Cailar dans le Gard), Le Clairon (Combet-Granon, à Beaucaire dans le Gard, statue), Sarraie, Gandar, Vovo (H. Aubanel, aux Stes-Maries-de-la-Mer, tête naturalisée), Régisseur, Cosaque, Tigre, Loustic, Vergezois, Rami, Charlot, Goya (Laurent, à Beaucaire, statue), Segren, Ventadour, Rousset, Pascalet (statue à Lunel), Caleu, Samouraï, Saint-Hilaire, Ourrias. **1991** : Filou, Barraie, Gazian, Banco, Sangar, Président, Jaguar, David, Vidocq, Galant, Galisson, Tavan.

Razeteurs célèbres. *Morts ou retirés :* Robert, Heraud dit le Pissarel, Laplanche, Rey, Fidani, Soler, Pascal, San Juan, Falomir, César, Marchand, Canto, Barbeyrac, Volle, Castro, Dumas, G. Rado, P. Meneghini, Pellegrin, J. Siméon, J. Jouanet. **1991 :** Chomel, Ferrand, L. Mezy, F. Durand, O. Arnaud, T. Felix, D. Messeguer.

Régions. Gard, Bouches-du-Rhône, Hérault. **Arènes.** Nîmes, Arles, Lunel, Beaucaire, Châteaurenard, Mouries. Le Grau-du-Roi, Marsillargues.

Compétitions. *Trophée taurin* du Midi-Libre-Le-Provençal (3 catégories : excellence, honneur, avenir) se déroule sur toute la saison et sur toutes les courses. *Trophées Pescalune, des Maraîchers, Palme d'or, San Juan, Trident d'Or, des Olives vertes,* se déroulent sur quelques courses pendant la saison. *Cocarde d'Or* (sur une journée). A la fin de la saison, le Trophée taurin est décerné au meilleur taureau (le *Biou d'or).*

☞ *Fédération française de la course camarguaise,* 8, rue Tedenat, 30000 Nîmes.

Tennis

Généralités

Histoire

Origine. Dérivé du jeu de paume. Nom : du vieux français *tenetz,* utilisé par les joueurs de paume lors du service. En anglais, paume se dit *tennis* et tennis *lawn-tennis.* **1874** *23-2* le major anglais Walter Clopton Wingfield dépose un brevet *sphairistike* qui se joue sur herbe, sur terrain en forme de sablier (rétréci à la hauteur du filet) avec des raquettes et des balles en caoutchouc ; pour la marque on compte de 15 en 15 comme à la paume. **1877** change de nom pour *lawn-tennis.* **1877** *9/16-7* 1er tournoi disputé à Wimbledon. **1877** 1er club français créé à Paris, le Decimal club. **1878** Lawn tennis club de Dinard créé. **1913** *1-3* Fédération Internationale de L.-t. créée. **1920** *1-11* Féd. française de L.-t. créée (devient en **1976** Féd. française du tennis en raison de la loi du 31-12-75 sur l'emploi du français). **1967** *5-10* la Féd. anglaise abolit la distinction amateurs et professionnels : tournoi *open.* **1968** *30-1* la F.I.L.T. vote en faveur des open. **1968** *24-4* 1er tournoi open à Bornemouth (G.-B.) ; *mai* Roland-Garros devient open. **1988** réinscrit aux J.O. (était inscrit en 1896).

Règles

• **Terrain.** Appelé *court* [en anglais enclos de l'ancien français *court* (ancienne forme de cour)]. 35 à 42 m sur 17,5 à 21 m. *Surface de jeu :* en simple, 23,77 × 8,23 m double, 23,77 × 10,97 m (s'ajoutent les 2 couloirs de 1,37 m). *Lignes :* médiane, de service, de fond, de côté, tracées sur le sol pour délimiter les zones de jeu. *Surfaces :* gazon naturel ou synthétique, terre battue, ciment, asphalte enrobé, bois, béton, matières synthétiques. *Filet :* longueur en simple 10,6 m, double 12,8 m ; hauteur 1,07 m sur les côtés et 0,91 m au centre ; suspendu entre 2 poteaux par câble recouvert d'une bande de tissu blanc ; retenu au centre par une sangle blanche.

• **Raquette.** A l'origine, latte de frêne, cordée avec des boyaux de mouton ou bœuf (idée de Babolat, lyonnais, fabricant de cordes à musique). Vers 1950, en métal. *Longueur :* senior 66 à 81,28 cm, junior 62 à 65,9 cm, cadet 58 à 61,9, mini moins de 57,9. *Largeur :* 31,75 cm. *Poids :* de 12,50 onces (340,19 g, très léger, femmes) à 14,25 onces (403,98 g, très lourd, hommes). *Matériaux :* bois (frêne à 90 %, hêtre pour raidir, noyer pour habillage, érable pour nervosité sous forme de lattes encollées), alliages métalliques (duralumin), fibre de verre (entièrement ou avec un cadre en bois), carbone, raramide, boron, kelvar. *Cordage :* boyaux naturels (mouton ou bœuf, il faut 2 intestins pour une garniture) ou synthétiques (nylon) ; grosseur appelée jauge : *7,5* (115 à 120-100 mm), *8* (120 à 125-100 mm), *8,5* (125 à 130-100 mm), *9* (130 à 140-100 mm) ; tension : boyau naturel 22 à 26 kg, nylon 18 à 22 kg (champions 30 à 40).

• **Balle.** Noyau de caoutchouc dans lequel est injecté de l'air comprimé (0,98 kg/cm²) ou un produit chimique, revêtement en feutre (en 1924 a remplacé la flanelle cousue). *Diamètre :* 6,35 à 6,67 cm. *Poids :* 56,7 à 58,5 g. *Rebond :* 1,346 à 1,473 m, quand la balle tombe d'une hauteur de 2,54 m sur du béton. *Couleur :* jaune (70 % du marché français, 98 % américain), blanche (20 %), et orange (10 %, non reconnue par la FIT).

• **Tenue.** A dominante blanche, chaussures en caoutchouc sans talon, chaussettes, chemise, short ou jupette.

• **Jeu. But.** 2 joueurs en simple ou 4 en double se tenant de chaque côté du filet essaient de faire passer la balle de l'autre côté, dans les limites du court, de façon que l'adversaire ne puisse la renvoyer. **Épreuves.** Simple messieurs, simple dames, double messieurs, double dames, double mixte.

Durée. Pas de limite. Un match se compose de 5 ou 3 manches (ou *set*) pour les seniors-messieurs et 3 pour les seniors-dames et les autres catégories d'âge. La partie se termine quand l'un des joueurs a remporté 3 manches sur 5 (ou 2 sur les 3). Le jeu doit être continu du 1er service à la fin du match. Toutefois, un arrêt de 25 s. entre chaque échange et 1 min. 25 s. à chaque changement de côté est prévu ainsi qu'un repos de 10 min. après la 3e manche pour les messieurs (2e pour les dames). L'arbitre peut arrêter la partie.

Officiels de l'arbitrage. 1 juge-arbitre, des arbitres de chaise assistés de juges de lignes, de fautes de pied et de filet.

Service. Le 1er qui lance la balle est le *serveur*, son adversaire le *relanceur*. Le serveur placé derrière la ligne de fond et entre la marque centrale et la ligne de côté entame le jeu en envoyant la balle par-dessus le filet dans le carré de service opposé. Il sert alternativement derrière la moitié droite et la moitié gauche du court, en commençant à droite dans chaque jeu. Pour le service, la balle doit être jetée en l'air et frappée de la raquette avant qu'elle n'ait touché le sol. Pendant qu'il sert, le joueur ne peut changer de position. La balle de service doit passer au-dessus du filet et toucher le sol en diagonale dans le carré de service opposé y compris les lignes déterminant le cours. Si la balle est mauvaise ou si le serveur enfreint une règle, une 2e balle de service lui est accordée. S'il y a faute à nouveau, le serveur perd le point. Lorsque la balle servie touche le filet et tombe cependant dans le carré de service, elle est *let* et elle est à remettre. Elle est également *let* si elle a été servie avant que le relanceur soit prêt. Le relanceur, de son côté, doit attendre le rebond de la balle pour la relancer. Au jeu suivant le service passe au relanceur.

Décompte des points. Les points sont comptés en jeux (*game* en anglais) et manches. Le 1er point marque 15, le 2e 30, le 3e 40. Le 4e donne le jeu, sauf si les 2 joueurs ont 3 chacun et sont à égalité. Dans ce cas, le point suivant marqué par un joueur lui donne l'avantage. S'il marque à nouveau un point, il s'adjuge le jeu. Sinon l'avantage est détruit (égalité) et la partie continue jusqu'à ce qu'un joueur réussisse 2 points successifs. Le 1er joueur (ou la 1re équipe) gagnant 6 jeux remporte le set. Si les adversaires sont à égalité à 5-5, la partie se poursuit jusqu'à ce que l'écart soit de 2 jeux (sauf matches où le tie break est appliqué).

Tie break (en anglais « brise l'égalité » ; en français « jeu décisif »). Système conventionnel de fin de set utilisé dans les tournois quand le score atteint 6 partout dans un set à l'exception du set décisif. On remporte le tie break avec 7 points à la condition que l'un des adversaires ait 2 points d'avance.

Perte du point. Un point est perdu : lorsque le joueur ne renvoie pas la balle par-dessus le filet avant qu'elle ait touché 2 fois le sol ; s'il la renvoie de telle façon qu'elle retombe en dehors des limites du court ou si elle touche un objet en dehors du terrain ; s'il envoie la balle dans le filet ; s'il frappe la balle 2 fois ; s'il touche le filet avec son corps ou sa raquette avant que la balle n'ait rebondi une 2e fois de l'autre côté du filet ; s'il gêne volontairement les mouvements de son adversaire. Un retour est bon si la balle rebondit dans le court adverse après avoir touché le filet.

Changement de côté. A la fin du 1er et du 3e jeu et ainsi alternativement jusqu'à la fin du set. Un changement de côté à l'issue d'un set n'a lieu que si le nombre total des jeux de cette manche est impair. Sinon le changement s'effectue après le 1er jeu.

Double. *L'équipe devant servir* au 1er jeu (a, b) décide quel joueur servira (a). La paire adverse (x, y) décide de même pour le 2e jeu (x). Le joueur de la 1re équipe, qui n'a pas servi au 1er jeu (b), le fera au 3e et ainsi de suite. Le même ordre sera gardé durant chaque manche. *La paire recevant* dans le 1er jeu (x, y) décide qui, de x ou de y, recevra le 1er (x). Ce joueur reçoit tous les 1ers services des jeux impairs. De même la paire devant recevoir dans le 2e jeu (a, b) décide quel joueur (b) recevra le 1er service des jeux pairs. Dans chaque jeu les partenaires reçoivent alternativement. *Lors d'un tie break,* chaque paire sert alternativement et n'importe quel joueur de chaque paire peut recevoir.

• **Quelques termes. Ace :** balle de service que le relanceur peut toucher, mais ne peut relancer dans les limites du court. Réussir un *ace* permet de gagner un point avec une balle de service. **Amorti :** revers, volée ou coup droit dont le geste est amorti au moment de l'impact avec la balle, destiné à « déposer » la balle à proximité immédiate du filet. **Avantage :** lorsqu'au cours du jeu, les 2 adversaires sont à égalité de points, à 40 partout, le point suivant donne l'avantage à l'un des joueurs. **Balle coupée ou chopée :** frappée de haut en bas, ce qui lui imprime un mouvement de rotation d'avant en arrière. **Balle let :** au service, on la remet au 1er ou 2e service, du moment que la balle était tombée bonne (après avoir touché le filet), dans le carré de service ; en toute circonstance, si la balle est bonne, rejouer ; on dit let pour interrompre le jeu si l'on n'est pas prêt. Balle let à remettre si le joueur gêné dans l'exécution de son coup par quelque chose ne dépendant pas de son contrôle. **Balle liftée ou brossée :** frappée de bas en haut, ce qui lui imprime un mouvement de rotation d'arrière en avant. Le lift accélère le mouvement de la balle vers le sol après le rebond. **Break :** prendre le service de l'adversaire sans perdre le sien, d'où un avantage de 2 jeux. **Coup droit :** exécuté du fond du court après que la balle a bondi une fois par terre et sur le côté droit du joueur (pour un gaucher, effectué sur le côté gauche). **Demi-volée :** jouer dès que la balle touche le sol. **Drive :** balle longue exécutée après un rebond. **Jeu blanc :** gagné sans que l'adversaire ait marqué un point. **Jouer petit bras :** joueur sur le point de gagner brusquement saisi par le trac. **Lob :** coup droit, revers, volée ou demi-volée destiné à faire passer la balle au-dessus de l'adversaire monté au filet. **Out** (dehors en anglais) : balle sortie des limites. **Passing-shot :** coup droit, revers, volée ou demi-volée destiné à passer le joueur monté au filet ou, pour le moins, le gêner au maximum dans l'exécution de sa volée. **Revers :** coup exécuté du fond du court après le rebond de la balle et sur la gauche du joueur (pour un gaucher, le revers est effectué à droite). **Scratch :** sanction à l'égard d'un joueur qui ne s'est pas présenté en temps voulu, il est déclaré battu et son adversaire vainqueur par *walk-over* (forfait). **Slice :** effet de balle coupée au service.

Tennis en France

Clubs. 1950 1 410. **60** 1 056. **70** 1 607. **80** 4 822. **85** 9 000. **90** 10 206. *Principaux clubs et nombre de licenciés :* R.C.F. (Paris) : 3 901, Cacel Nice (Côte d'Azur) : 2 646, A.S. Meudonnaise (Hts-de-S.) : 2 124, A.S. Bois de Boulogne (Paris) : 1 956, U.S. Maisons-Laffitte (Yvelines) : 2 062.

Courts. 1962 3 050. **70** 5 492. **80** 15 000. **85** 21 500. **90** 33 947.

Joueurs. *Licenciés :* **1950** 53 347. **60** 71 019. **65** 105 882. **70** 167 110. **75** 311 382. **80** 801 204. **85** 1 324 000. **88** 1 365 000. **90** 1 360 000. **91** 1 364 000.

Classement 1re série (1990) : 25 joueuses, 32 joueurs. *Total des classés toutes séries (1990) : 237 500* dont 63 000 joueuses, 174 500 joueurs.

Ventes en France. *Raquettes : 1984 :* 1 190 000 (dont en %, taille : standard 35, moyen tamis 50, grand tamis 15 ; matériaux : raquette bois + fibre 42, métal 38, autres composites 20), *85 :* 1 200 000. *Balles :* 1 700 000 douzaines. *Chaussures : 1985 :* 3 500 000 paires. **Commerce** (en millions de F). *Export. :* raquettes 91, balles 6,7. *Import. :* raquettes 228, balles 100.

Quelques records

• **Champions les plus jeunes.** *Professionnelles :* Kathy Rinaldi (24-3-67) en 1981 à 14 ans et 4 mois ; Andrea Jaeger (n. 1965) en 1980 à 14 a. et 8 mois. *Wimbledon :* Charlotte Dod (1871-1960) en 1887 à 15 a. et 285 j. Boris Becker en 1985 à 17 a. et 227 j. Richard Dennis Ralston (U.S.A., n. 1942) remporta le double messieurs avec Rafael Osuna (mexicain, 1938-69) en 1960 à 17 a. et 341 j. *Roland-Garros :* Ken Rosewall en 1953 à 18 a. et 7 m. C. Truman en 1959 à 18 a. et 5 m. Bjorn Borg en 1977 à 18 a. Mats Willander en 1982 à 17 a. et 288 j. Michael Chang, en 1989 à 17 a. et 109 j. Steffi Graf, en 1987, à 17 a., 11 m. et 23 j. Arantxa Sanchez, en 1989 à 17 a. et 6 m. Monica Seles, en 1990 à 16 a. et 189 j.

• **Matches les plus longs. Simple messieurs. Match.** *126 jeux :* R. Taylor (G.-B.) b. W. Gasiorek (Pol.) 27-29, 31-29, 6-4, à Varsovie en 1966. **Set.** *70 jeux :* John Brown (Austr.) b. Bill Brown (U.S.A.) 36-34, 6-1, à Kansas-City en 1960. *116 h 24 mn* du 22 au 27-5-83 entre Mark Humes et Chris Long (USA).

Simple dames. Match. *62 jeux :* Kathy Blake (USA) b. Elena Subirats (Mex.) 12-10, 6-8, 14-12, à Locust Valley en 1966. **Set.** *36 jeux :* Billie Jean Moffitt-King (USA) b. Christine Truman (G.-B.) 6-4, 19-17. Wigthman cup, Cleveland, en 1963.

Double messieurs. Match. *147 jeux :* Dick Leach et Donald Dell (USA) b. Len Schloss et Tom Mozur 3-6, 49-47, 22-20, à Newport 67. **Set.** *96 jeux :* D. Leach-D. Dell (USA) b. L. Schloss-T. Mozur (USA) 3-6, 49-47, 22-20 (Newport 1960).

Double dames. Match. *81 jeux :* Nancy Richey et Carole Graebner (USA) b. Justina Bricka et Carol Hanks (USA) 31-33, 6-1, 6-4, à Orange en 1964. **Set.** *64 jeux :* N. Richey-C. Graebner (USA) b. J. Bricka-C. Hancks (USA) 31-33, 6-1, 6-4 (South Orange 1964).

Double mixte. Match. *71 jeux :* Bill Talbert et Margaret du Pont (USA) b. Bob Falkenburg et Gertrude Moran (USA) 27-25, 5-7, 6-1. **Set.** *52 jeux :* M. du Pont-B. Talbert (USA)-G. Moran-R. Falkenburg (USA) 27-25, 5-7, 6-1 (Forest Hills 1948).

Une partie en simple a duré 30 h 30 min. les 10 et 11 mai 1975 à Beltsville (Maryland, USA).

• **Tie breaks les plus longs.** *26 points à 24* à Wimbledon le 1-7-1985 en double ; *21 à 19* double des championnats d'Égypte en mars 83 ; *20 à 18, 3e set :* B. Borg (Suède) B. Lall (Inde) 6-3, 6-4, 9-8 (Wimbledon 1973) ; *19 à 17 2e set :* Mark Cox (G.-B.) R. Emerson (Austr.) 4-6, 7-6, 7-6 (Dallas 1971).

• **Points les plus longs.** Cari Hagey et Colette Kavanagh (11 ans), 51 min. 30 s (en 1977). La rencontre dura 3 h 35 mn. Entre Mlles Ricard et Marot (3e point des tie breaks, balle renvoyée 989 fois au-dessus du filet) 1 h 19 min. le 28-3-1981 à Roland-Garros.

• **Victoires (séries les plus longues).** Margaret Court a remporté 24 tournois du Grand Chelem de 1960 à 73. Sur terre battue, Chris Evert a remporté 118 victoires consécutives et 23 tournois dep. le 12-8-1973.

• **Service le plus rapide.** 269 km/h : Boris Becker (All. féd.) le 27-10-1985.

• **Jeu le plus long dans un tournoi officiel seniors.** 31 mn avec 37 égalités entre Anthony Fawcett (Rhodésien) et Keith Glass (G.-B.) le 26-5-75 aux championnats du Surrey (G.-B.).

Principales épreuves

☞ **Légende des nationalités. Individuel :** (1) Australie. (2) France. (3) Angleterre. (4) Espagne. (5) USA. (6) Tchéc. (7) Youg. (8) Roumanie. (9) Afr. du S. (10) Égypte. (11) Brésil. (12) Hongrie. (13) Suède. (14) Italie. (15) URSS. (16) N.-Zélande. (17) Chili. (18) Mexique. (19) Pays-Bas. (20) All. féd. (21) Paraguay. (22) Argentine. (23) Japon. (24) Rhodésie. (25) Inde. (26) Uruguay. (27) Autriche. (28) Suisse. (29) Danemark. (30) Équateur. (31) Belgique. (32) Pologne. (33) Colombie. (34) Irlande. (35) Bulgarie. (36) Pérou. (37) Israël. (38) Canada. (39) Haïti. (40) Venezuela. (41) Porto Rico. (42) Iran.

Par équipe : All : Allemagne féd. AS : Afr. du Sud. At : Autriche. Au : Australie. Be : Belgique. Ch : Chili. E : Espagne. F : France. G : Grande-Bretagne. In : Inde. It : Italie. Ja : Japon. Me : Mexique. P : Pays-Bas. Rou : Roumanie. S : Suède. Tch : Tchécoslovaquie. U : USA. Ur : URSS.

Circuit professionnel

Grand Prix. Messieurs. 70 Richey. **71** Smith. **72, 73** Nastase. **74, 75** Vilas. **76** Ramirez. **77** Vilas. **78** Connors. **79, 80** McEnroe. **81** Lendl. **82** Connors. **83** Wilander. **84** McEnroe. **85, 86, 87** Lendl. **88** Wilander. **89** Lendl.

Dames. 77, 78, 79 Evert. **80** Mandlikova. **81, 82, 83, 84, 85, 86** Navratilova. **87, 88, 89** Graf.

☞ **Messieurs.** Dep. 1990, le Grand Prix est remplacé par l'ATP Tour (Association du Tennis Professionnel qui réunit joueurs et organisateurs) qui organise les tournois. Cependant, la FIT continue de contrôler les 4 tournois du Grand Chelem, la Coupe Davis et la Coupe du Grand Chelem.

Dames. L'association des joueuses (Women's Tennis Association) n'a pas fait sécession. Le circuit est régi par le Conseil professionnel (représentants de la WTA, de la FIT et des organisateurs). Les tournois du Grand Chelem font partie du circuit.

Coupe du Grand Chelem. *Créée* 1990 par la FIT pour équilibrer l'influence de l'ATP sur le tennis. Qualification sur les résultats obtenus dans les 4 tournois majeurs de l'année. 16 meilleurs joueurs. **1990** (Munich) Sampras b. Gilbert.

Champion du monde de la FIT. Vainqueur désigné par un jury de 3 personnes (anciens champions). **Messieurs. 78, 79, 80** Borg. **81** McEnroe. **82** Connors. **83, 84** McEnroe. **85, 86, 87** Lendl. **88** Wilander. **89** Becker. **90** Lendl.

Dames. 78 Evert. **79** Navratilova. **80, 81** Evert-Lloyd. **82, 83, 84, 85, 86** Navratilova. **87, 88, 89, 90** Graf.

Jeux olympiques

1896 à 1924 inscrit au programme. **1984** sport de démonstration. **1988** réinscrit.

Résultats. Voir p. 1811.

Coupe Davis

Fondée par l'Américain Dwight Filley Davis (1879-1945) et jouée pour la 1re fois en 1900. Équipes masculines. Annuelle. Jusqu'en 1971, le tenant de la Coupe ne jouait qu'un match ultime (le Challenge Round), où il mettait son trophée en jeu sur son terrain contre le gagnant des éliminatoires. Depuis 1972, le tenant de la Coupe participe à la compétition depuis ses débuts au même titre que les autres nations. La finale se compose de 4 simples croisés et 1 double.

Résultats. 1900 U-G 5-0. **02** U-G 3-2. **03** G-U 4-1. **04** G-Be 5-0. **05** G-U 5-0. **06** G-U 5-0. **07** Au-G 3-2. **08** Au-U 3-2. **09** Au-U 5-0. **11** Au-U 5-0. **12** G-Au 3-2. **13** U-G 3-2. **14** Au-U 3-2. **19** Au-G 4-1. **20** U-Au 5-0. **21** U-Ja 5-0. **22** U-Au 4-1. **23** U-Au 4-1. **24** U-Au 5-0. **25** U-F 5-0. **26** U-F 4-1. **27** F-U 3-2. **28** F-U 4-1. **29** F-U 3-2. **30** F-U 4-1. **31** F-G 3-2. **32** F-U 3-2. **33** G-F 3-2. **34** G-U 4-1. **35** G-U 5-0. **36** G-Au 3-2. **37** U-G 4-1. **38** U-Au 3-2. **39** Au-U 3-2. **46** U-Au 5-0. **47** U-Au 4-1. **48** U-Au 5-0. **49** U-Au 4-1. **50** Au-U 4-1. **51** Au-U 3-2. **52** Au-U 4-1. **53** Au-U 3-2. **54** U-Au 3-2. **55** Au-U 5-0. **56** Au-U 5-0. **57** Au-U 3-2. **58** U-Au 3-2. **59** Au-U 3-2. **60** Au-It 4-1. **61** Au-It 5-0. **62** Au-Me 5-0. **63** U-Au 3-2. **64** Au-U 3-2. **65** Au-E 4-1. **66** Au-In 4-1. **67** Au-E 4-1. **68** U-Au 4-1. **69** U-Rou 5-0. **70** U-All 5-0. **71** U-Rou 3-2. **72** U-Rou 3-2. **73** Au-U 5-0. **74** A.S.-In, forf. **75** S-Tch 4-1. **76** It-Ch 4-1. **77** Au-It 3-1. **78** U-G 4-1. **79** U-It 5-0. **80** Tch-It 4-1. **81** U-Arg. 3-1. **82** U-France 4-1. **83** A-S 3-2. **84** S-U 4-1. **85** S-All 3-2. **86** Au-S 3-2. **87** S-In 5-0. **88** All-S 4-1. **89** All-S 3-2. **90** U-Au 3-2.

Simple le plus long. *86 jeux :* A. Ashe C. Kuhnke 6-8, 10-12, 9-7, 13-11, 6-4 (Cleveland 1970). **Double le plus long.** *122 jeux :* A. Smith-Erik Van Dilen-Patricio Cornejo-Jaime Fillol 7-9, 37-39, 8-6, 6-1, 6-3 (Little Rock 1973).

Coupe de la Fédération internationale

Fondée par la Féd. Internat. de Lawn-tennis à l'occasion de son 50e anniversaire et jouée pour la 1re fois en 1963. Équipes féminines. Annuelle. Se dispute sur 1 semaine et dans la même ville. La finale se compose de 2 simples et 1 double.

Résultats. 1963 U-Au 2-1. **64** Au-U 2-1. **65** Au-U 2-1. **66** U-All 3-0. **67** U-G 2-1. **68** Au-P 3-0. **69** U-Au 2-1. **70** Au-All 3-0. **71** Au-G 3-0. **72** AS-G 2-1. **73** Au-AS 3-0. **74** Au-U 2-1. **75** Tch-Au 3-0. **76** U-Au 2-1. **77** U-Au 2-1. **78** U-Au 2-1. **79** U-Au 3-0. **80** U-Au 3-0. **81** U-G 3-0. **82** U-All 3-0. **83** Tch-All 2-1. **84** Tch-At 2-1. **85** Tch-U 2-1. **86** U-Tch 3-0. **87** All-U 2-1. **88** Tch-Ur 3-2. **89** Tch-Ur 2-1. **90** USA-URSS 2-1.

Tournois du Grand Chelem

Grand Chelem. Formule empruntée au bridge, joueur ayant remporté, dans la même saison, les 4 grands tournois internationaux (Fr., G.-B., USA, Australie). Utilisée la 1re fois en 1933 par John Kieran dans le *New York Times* à propos de Jack Crawford qui ne le remporta pas (échoua à Forest Hills).

Joueurs l'ayant réalisé. *Messieurs : 1938* Budge, *1962* (amateur) et *1969* (professionnel) Laver. *Dames : 1953* Connolly, *1970* Court, *1984* Navratilova, *1988* Graf.

Internationaux de Grande-Bretagne (Wimbledon)

Simple messieurs (*créé* 1877). **46** Petra[2]/Brown[5]. **47** Kramer[5]/Brown[5]. **48** Falkenburg[5]/Bromwich[1]. **49** Schroeder[5]/Drobny[10]. **50** Patty[5]/Sedgman[1]. **51** Savitt[5]/McGregor[1]. **52** Sedgman[1]/Drobny[10]. **53** Seixas[5]/Nielsen[29]. **54** Drobny[10]/Rosewall[1]. **55** Trabert[5]/Nielsen[29]. **56** Hoad[1]/Rosewall[1]. **57** Hoad[1]/A. J. Cooper[1]. **58** A. J. Cooper[1]/Fraser[1]. **59** Olmedo[5]/Laver[1]. **60** Fraser[1]/Laver[1]. **61** Laver[1]/McKinley[5]. **62** Laver[1]/Mulligan[1]. **63** McKinley[5]/Stolle[1]. **64, 65** Emerson[1]/Stolle[1]. **66** Santana[4]/Ralston[5]. **67** Newcombe[1]/Bungert[20]. **68** Laver[1]/Roche[1]. **69** Laver[1]/Newcombe[1]. **70** Newcombe[1]/Rosewall[1]. **71** Newcombe[1]/Smith[5]. **72** Smith[5]/Nastase[8]. **73** Kodes[6]/Metreveli[15]. **74** Connors[5]/Rosewall[1]. **75** Ashe[5]/Connors[5]. **76** Borg[13]/Nastase[8]. **77, 78** Borg[13]/Connors[5]. **79** Borg[13]/Tanner[5]. **80** Borg[12]/McEnroe[5]. **81** McEnroe[5]/Borg[13]. **82** Connors[5]/McEnroe[5]. **83** McEnroe[5]/Lewis[16]. **84** McEnroe[5]/Connors[5]. **85** Becker[20]/Curren[5]. **86** Becker[20]/Lendl[6]. **87** Cash[1]/Lendl[6]. **88** Edberg[13]/Becker[20]. **89** Becker[20]/Edberg[13]. **90** Edberg[13]/Becker[20]. **91** Stich[20]/Becker[20].

Simple dames. (*créé* 1884). **46** Betz[5]/Brough[5]. **47** Osborne[5]/Hart[5]. **48** Brough[5]/Hart[5]. **49, 50** Brough[5]/du Pont. **51** Hart[5]/Fry[5]. **52** Connolly[5]/Brough[5]. **53** Connolly[5]/Hart[5]. **54** Connolly[5]/Brough[5]. **55** Brough[5]/Fleitz. **56** Fry[5]/Buxton[3]. **57** Gibson[5]/Hard. **58** Gibson[5]/Mortimer[3]. **59** Bueno[11]/Hard[5]. **60** Bueno[11]/Reynolds[9]. **61** Mortimer[3]/Truman[3]. **62** Susman[5]/Sukova[6]. **63** Smith-Court[1]/Moffitt[5]. **64** Bueno[11]/Smith-Court[1]. **65** Smith-Court[1]/Bueno[11]. **66** King[5]/Bueno[11]. **67** King[5]/Jones[3]. **68** King[5]/Tegart[1]. **69** Jones[3]/King[5]. **70** Smith-Court[1]/King[5]. **71** Goolagong[1]/Smith-Court[1]. **72** King[5]/Goolagong[1]. **73** King[5]/Evert[5]. **74** Evert[5]/Morozova[15]. **75** King[5]/Cawley[1]. **76** Evert[5]/Cawley[1]. **77** Wader[3]/Stove[19]. **78, 79** Navratilova[8]/Evert[5]. **80** Goolagong[1]/Evert[5]. **81** Evert[5]/Mandlikova[6]. **82** Navratilova[5]/Evert-Lloyd[5]. **83** Navratilova[5]/Jaeger[5]. **84, 85** Navratilova[5]/Evert-Lloyd[5]. **86** Navratilova[5]/Mandlikova[6]. **87** Navratilova[5]/Graf[20]. **88, 89** Graf[20]/Navratilova[5]. **90** Navratilova[5]/Garrison[5]. **91** Graf[20]/Sabatini[22].

Double messieurs (*créé* 1879). **46** Brown[5]-Kramer[5]. **47** Falkenburg[5]-Kramer[5]. **48** Bromwich[1]-Sedgman[1]. **49** Gonzales[5]-Parker[5]. **50** Bromwich[1]-Quist[1]. **51, 52** McGregor[1]-Sedgman[1] **53** Hoad[1]-Rosewall[1]. **54** Hartwing[1]-Rose[1]. **55** Hartwig[1]-Hoad[1]. **56** Hoad[1]-Rosewall[1]. **57** Mulloy[5]-Patty[5]. **58** Davidson[15]-Schmidt[5]. **59** Emerson[1]-Fraser[1]. **60** Osuna[1]-Ralston[5]. **61** Emerson[1]-Fraser[1]. **62** Hewitt[1]-Stolle[1]. **63** Osuna[18]-Palafox[18]. **64** Hewitt[1]-Stolle[1]. **65** Newcombe[1]-Roche[1]. **66** Fletcher[3]-Newcombe[1]. **67** Hewitt[1]-McMillan[1]. **68, 69** Roche[1]-Newcombe[1]. **70** Newcombe[1]-Roche[1]/Rosewall[1]-Stolle[5]. **71** Laver[1]-Emerson[1]/Ashe[5]-Ralston[5]. **72** Hewitt[9]-McMillan[9]/Smith[5]-Van Dillen[2]. **73** Connors[5]-Nastase[8]/Cooper[1]-Fraser[2]. **74** Newcombe[1]-Roche[1]/Lutz[5]-Smith[5]. **75** Gerulaitis[5]-Mayer[5]/Dowdeswell[24]-Stone[1]. **76** Gottefried[5]-Ramirez[18]/Case[1]-Masters[1]. **77** Case[1]-Masters[1]/Alexander[1]-Dent[1]. **78** McMillan[9]-Hewitt[9]/McEnroe[5]-Fleming[5]. **79** McEnroe[5]-Fleming[5]/Gottfried[5]-Ramirez[18]. **80** McNamee[1]-McNamara[1]/Lutz[5]-Smith[5]. **81** Fleming[5]-McEnroe[5]/Lutz[5]-Smith[5]. **82** McNamara[1]-McNamee[1]/Fleming[5]-McEnroe[5]. **83** Fleming[5]-McEnroe[5]/Tim et Tom Gullikson[5]. **84** Fleming[5]-McEnroe[5]/Cash[1]-McNamee[1]. **85** Gunthardt[13]-Taroczy[12]/Cash[1]-Fitzgerald[1]. **86** Nyström[13]-Wilander[13]/Donnelly[5]-Fleming[5]. **87** Flach[5]-Seguso[5]/Casal[4]-Sanchez[4]. **88** Flach[5]-Seguso[5]/Fitzgerald[1]-Jarryd[13]. **89** Jarryd[13]-Fitzgerald[1]/Leach[5]-Pugh[5]. **90** Leach[5]-Pugh[5]/Aldrich[9]-Visser[9]. **91** Fitzgerald[1]-Jarryd[13]/Fraser[22]-Lavalle[18].

Double dames (*créé* 1899, challenge round de 1899 à 1912). **46** Brough[5]-Osborne[5]. **47** Hart[5]-Tood[5]. **48, 49, 50** du Pont[5]-Brough[5]. **51, 52, 53** Fry[5]-Hart[5]. **54** Brough[5]-du Pont[5]. **55** Shilcock-Mortimer[3]. **56** Buxton[3]-Gibson[5]. **57** Gibson[5]-Hard[5]. **58** Gibson[5]-Bueno[11]. **59** Arth-Hard[5]. **60** Bueno[11]-Hard[5]. **61** Hantze[5]-Moffitt[5]. **62** Susman[5]-Moffitt[5]. **63** Bueno[11]-Hard[5]. **64** Smith-Court[1]-Turner[1]. **65** Bueno[11]-Moffitt[5]. **66** Bueno[11]-Richey[5]. **67, 68** Casals[5]-King[5]. **69** Smith-Court[1]-Tegart[1]. **70, 71** Casals[5]-King[5]. **72** King[5]-Stove[19]/Dalton[1]-Durr[2]. **73** King[5]-Casals[5]/Durr[2]-Stove[19]. **74** Goolagong[1]-Michel[5]/Gourlay[1]-Krantzcke[1]. **75** Kyomura[5]-Sawamatsu[23]/Durr[2]-Stove[1]. **76** Evert[5]-Navratilova[6]/King[5]-Stove[19]. **77** Cawley[1]-Russel[5]/Stove[9]-Navratilova[6]. **78** Reid[1]-Turnbull[1]/Jausovec[7]-Ruzici[8]. **79** King[5]-Navratilova[6]/Stove[19]-Turnbull[1]. **80** Jordan[5]-Smith[5]/Casals[5]-Turnbull[1]. **81** Navratilova[6]-Shriver[5]/Jordan[5]-Smith[5]. **82** Navratilova[5]-Shriver[5]/Joran[5]-Smith[5]. **83** Navratilova[5]-Shriver[5]/Casals[5]-Turnbull[1]. **84** Navratilova-Shriver[5]/Jordan[5]-Smith[5]. **85** Jordan[5]-Smylie[1]/Navratilova[5]/Shriver[5]. **86** Navratilova[5]-Schriver[5]/Mandlikova[6]-Turnbull[5]. **87** Kohde-Kilsh[20]-Sukova[6]/Negelsen[29]-Smylie[1]. **88** Graf[20]-Sabatini[22]/Zvereva[15]-Savchenko[15]. **89** Novotna[6]-Sukova[6]/Savchenko[15]-Zvereva[15]. **90** Novotna[6]-Sukova[6]/Smylie[1]-Jordan[5]. **91** Savchenko[15]-Zvereva[15]/Fernandez[5]-Novotna[6].

Double mixte (*créé* 1900. Challenge Round de 1900 à 1912). **46** Brown[5]-Brough[5]. **47, 48** Bromwich[5]-Brough[5]. **49** Sturgess[2]-Summers[5]. **50** Sturgess[2]-Brough[5]. **51, 52** Sedgman[1]-Hart[5]. **53, 54, 55** Seixas[5]-Hart[5]. **56** Seixas[5]-Fry[5]. **57** Hard[5]-Rose[1]. **58** Howe[1]-Coghlan. **59, 60** Laver[1]-Hard[1]. **61** Stolle[1]-Turner[1]. **62** Fraser[1]-du Pont[5]. **63** Fletcher[1]-Smith-Court[1]. **64** Stolle[1]-Turner[1]. **65, 66** Fletcher[3]-Smith-Court[1]. **67** Davidson[13]-King[1]. **68** Fletcher[3]-Smith-Court[1]. **69** Stolle[1]-Jones[2]. **70** Nastase[8]-Casals[1]. **71** Davidson[1]-King[5]. **72** Nastase[8]-Casals[1]. **73, 74** Davidson[1]-King[5]. **75** Riessen[5]-Court[1]. **76** Roche[1]-Durr[2]/Stockton[5]-Casals[2]. **77** Hewitt[9]-Stevens[9]/McMillan[9]-Stove[9]. **78** Stove[9]-McMillan[9]/King[5]-Ruffels[1]. **79** Stevens[9]-Hewit[9]/Stove[9]-McMillan[9]. **80** Austin[5]-Austin[5]/Edmonsson[1]-Fromholtz[1]. **81** McMillan[9]-Stove[9]/Austin[5]-Austin[5]. **82** Smith[5]-Curren[9]/Turnbull[1]-Lloyd[3]. **83** Lloyd[3]-Turnbull[1]/Denton[5]-King[5]. **84** Lloyd[3]-Turnbull[1]/Jordan[5]-Denton[5]. **85** McNamee[1]-Navratilova[5]/Fitzgerald[1]-Smylie[1]. **86** Jordan[5]-Flash[5]/Navratilova[5]-Gunthardt[28]. **87** Durie[3]-Bates[3]/Provis[1]-McNamee[1]. **88** Stewart[5]-Garrison[5]/Cahill[1]-Provis[1]. **89** Pugh[5]-Novotna[6]/Kratzmann[1]-Byrne[1]. **90** Leach[5]-Garrison[5]/Pugh[5]-Novotna[6]. **91** Fitzgerald[1]-Smylie[1]/Pugh[5]-Novotna[6].

Internationaux de France (Roland-Garros)

Créés 1891 et réservés aux joueurs résidant en France ; se déroulent au Stade Français. *1925* s'ouvrent à tous les amateurs et prennent le nom d'Internationaux. *1928* inauguration du Stade Roland-Garros (aviateur, 1888-1918, membre du Stade Fr.).

Simple juniors jeunes gens (*créé* 1947). **47** Brichant/Roberts[3]. **48** Nielsen[5]/Brichant. **49** Molinari[2]/Maillet[2]. **50** Dubuisson[2]/Pillet[2]. **51** Richardson/Mezzi[31]. **52** Rosewall[1]/Grinda[2]. **53**

Grinda [2]/Andries. **54** Emerson [1]/Grinda [2]. **55** Gimeno [4]/Belkhodja. **56** Belkhodja/Laver [1]. **57** Arilla [4]/Renavand [2]. **58** Bucholz [5]/Bresson. **59** Buding [2]/Mandarino [11]. **60** Buding [20]/Gisbert [4]. **61** Newcombe [1]/Contet [2]. **62** Newcombe [1]/Koch [11]. **63** Kalogeropoulos/Koch [11]. **64** Richey [5]/Goven [2]. **65** Battrick [2]/Goven [2]. **66** Korotkoff [15]/Guerrero [4]. **67** Proisy [2]/Tavares [11]. **68** Dent [1]/Alexander [1]. **69** Munoz [4]/Thamin [2]. **70** Herrera/Thamin [2]. **71** Barazutti [14]/Warboys [3]. **72** Mottram [3]/Pinner [20]. **73** Pecci [21]/Slozill. **74** Casa/Marten. **75** Roger-Vasselin [1]/Elter [20]. **76** Gunthardt [28]/Clerk [22]. **77** McEnroe [5]/Kelly [1]. **78** Lendl [6]/Hjertqvist [13]. **79** Kirshnan [25]/Testerman [5]. **80** Leconte [2]/Tous [4]. **81** Wilander [13]/Brown [5]. **82** Benhabiles [2]/Courteau [2]. **83** Edberg [13]/Février [2]. **84** Carlsson [13]/Kratzman [1]. **85** Izaga [36]/Muster [27]. **86** Perrez-Roldan [22]/Grenier [2]. **87** Perrez-Roldan [22]/Stoltenberg [1]. **88** Pereira [41]/Larson [13]. **89** Santoro [2]/Palmer [5]. **90** Gaudenzi [14]/Enqvist [13]. **91** Enqvist [13]/Martinelle [13].

Simple juniors jeunes filles (*créé* 1953). **53** Brunon [2]/de Chambure [2]. **54** de Chambure [2]/Monnot. **55** Redl/Baumgarten. **56** Launay [2]/Lieffrig [2]. **57** Buding [29]/Seghers [2]. **58** Gordigiani [14]/Galtier [2]. **59** Cross/Rucquoy [31]. **60** Durr [2]/Rucquois [31]. **61** Ebbern [1]/Courteix [2]. **62** Dening [1]/Ebbern [1]. **63** Salfati [2]/Van Zyll [9]. **64** Seghers [2]/Subirats [18]. **65** Emanuel [9]/Subirats [18]. **66** de Roubin [2]/Cristiani [2]. **67** Moleswerth [3]/Montano [18]. **68** Hunt [1]/Izopajtyse [15]. **69** Sawamatsu [23]/Cassaigne [2]. **70** Burton [3]/Tomanova [6]. **71** Granatourova [15]/Guedy [2]. **72** Tomanova [6]/Jausovec [7]. **73** Jausovec [7]/Marsikova [6]. **74** Simionescu [8]/Barker [3]. **75** Marsikova [6]/Mottram [3]. **76** Tyler [3]/Zoni [14]. **77** Smith [5]/H. Strachonova [6]. **78** Mandlikova [6]/Rotschild [5]. **79** Sandin [13]/Piatek [20]. **80** Horvath [5]/Henry [5]. **81** Gadusek [5]/Sukova [6]. **82** Maleeva [35]/Barg [5]. **83** Paradis [2]/Spence [5]. **84** Sabattini [22]/Maleeva [35]. **85** Garrone [14]/Van Rensburg [9]. **86** Tarabini [22]/Provis [1]. **87** Zvereva [15]/Pospisilova [6]. **88** Halard [2]/Farley [5]. **89** Capriati [5]/Sviglerova [6]. **90** M. Maleeva [35]/Ignatieva [15]. **91** Smashonova [15]/Gorrochategui [22].

Simple messieurs (*créé* 1891). **46** Bernard [2]/Drobny [10]. **47** Asboth [12]/Sturgess [9]. **48** Parker [5]/Drobny [10]. **49** Parker [5]/Patty [5]. **50** Patty [5]/Drobny [10]. **51** Drobny [10]/Sturgess [9]. **52** Drobny [10]/Sedgman [1]. **53** Rosewall [1]/Seixas [5]. **54** Trabert [5]/Larsen [5]. **55** Trabert [5]/Davidson [13]. **56** Hoad [1]/Davidson [13]. **57** Davidson [13]/Flam [5]. **58** Rose [1]/Ayala [17]. **59** Pietrangeli [14]/Vermaak [9]. **60** Pietrangeli [14]/Ayala [17]. **61** Santana [4]/Pietrangeli [14]. **62** Laver [1]/Emerson [1]. **63** Emerson [1]/Darmon [2]. **64** Santana [4]/Pietrangeli [14]. **65** Stolle [1]/Roche [1]. **66** Roche [1]/Gulyas [12]. **67** Emerson [1]/Roche [1]. **68** Rosewall [1]/Laver [1]. **69** Laver [1]/Rosewall [1]. **70** Kodes [6]/Franulovic [7]. **71** Kodes [6]/Nastase [8]. **72** Gimeno [4]/Proisy [2]. **73** Nastase [8]/Pilic [7]. **74** Borg [13]/Orantes [4]. **75** Borg [13]/Vilas [22]. **76** Panatta [14]/Solomon [5]. **77** Vilas [2]/Gottfried [5]. **78** Borg [13]/Vilas [22]. **79** Borg [13]/Pecci [21]. **80** Borg [13]/Gerulaitis [5]. **81** Borg [13]/Lendl [6]. **82** Wilander [13]/Vilas [22]. **83** Noah [2]/Wilander [13]. **84** Lendl [6]/McEnroe [5]. **85** Wilander [13]/Lendl [6]. **86** Lendl [6]/Pernfors [13]. **87** Lendl [6]/Wilander [13]. **88** Wilander [13]/Leconte [2]. **89** Chang [5]/Edberg [13]. **90** Gomez [30]/Agassi [5]. **91** Courier [5]/Agassi [5].

Simple dames (*créé* 1897). **46** Osborne [5]/Betz [5]. **47** Todd [5]/Hart [5]. **48** Landry [2]/Fry [5]. **49** Osborne-DuPont [5]/Adamson [2]. **50** Hart [5]/Todd [5]. **51** Fry [5]/Hart [5]. **52** Hart [5]/Fry [5]. **53** Conolly [5]/Hart [5]. **54** Conolly [5]/Bucaille [2]. **55** Mortimer [3]/Knode [5]. **56** Gibson [5]/Mortimer [3]. **57** Bloomer [3]/Knode [5]. **58** Kormoczi [12]/Bloomer [3]. **59** Truman [3]/Kormoczi [12]. **60** Hard [5]/Ramirez [18]. **61** Haydon [3]/Ramirez [18]. **62** Smith-Court [1]/Turner [1]. **63** Turner [1]/Haydon-Jones [3]. **64** Smith-Court [1]/Bueno [11]. **65** Turner [1]/Smith-Court [1]. **66** Jones [3]/Richey [5]. **67** Durr [2]/Turner [1]. **68** Richey [5]/Jones [3]. **69** Smith-Court [1]/Haydon-Jones [3]. **70** Smith-Court [1]/Nielsen [5]. **71** Goolagong [1]/Gourlay [1]. **72** King [5]/Goolagong [1]. **73** Smith-Court [1]/Evert-Lloyd [5]. **74** Evert-Lloyd [5]/Morozova [15]. **75** Evert-Lloyd [5]/Navratilova [6]. **76** Barker [3]/Tomanova [6]. **77** Jausovec [7]/Mihai [8]. **78** Ruzici [8]/Jausovec [7]. **79** Evert-Lloyd [5]/Turnbull [1]. **80** Evert-Lloyd [5]/Ruzici [8]. **81** Mandlikova [6]/Hanika [20]. **82** Navratilova [5]/Jaeger [5]. **83** Evert-Lloyd [5]/Jausovec [7]. **84** Navratilova [5]/Evert-Lloyd [5]. **85, 86** Evert-Lloyd [5]/Navratilova [5]. **87** Graf [20]/Navratilova [5]. **88** Graf [20]/Zvereva [15] **89** Sanchez [4]/Graf [20]. **90** Seles [7]/Graf [20]. **91** Seles [7]/Sanchez [4].

Double messieurs (*créé* 1891). **46** Bernard [2]-Pétra [2]. **47** Fannin-Sturgess [9]. **48** Bergelin [14]-Drobny [10]. **49** Gonzalès [5]-F.A. Parker [5]. **50** Talbert [5]-Trabert [5]. **51, 52** McGregor [1]-Sedgman [1]. **53** Hoad [1]-Rosewall [1]. **54, 55** Seixas [5]-Trabert [5]. **56** Candy [1]-Perry [1]. **57** Anderson [1]-Cooper [1]. **58** Cooper [1]-Fraser [1]. **59** Pietrangeli [14]-Sirola [14]. **60** Emerson [1]-Fraser [1]. **61** Emerson [1]-Laver [1]. **62** Emerson [1]-Fraser [1]. **63** Emerson [1]-Santana [4]. **64** Emerson [1]-Fletcher [1]. **65** Emerson [1]-Stolle [1]. **66** Graebner [5]-Ralston [5]. **67** Newcombe [1]-Roche [1]. **68** Rosewall [1]-Stolle [1]/Laver [1]-Emerson [1]. **69** Newcombe [1]-Roche [1]/Emerson [1]-Laver [1]. **70** Nastase [8]-Tiriac [8]/Ashe [5]-Parasell [5]. **71** Ashe [5]-Riessen [5]/Fairley [5]-MacMillan [9]. **72** Hewitt [9]-McMillan [9]/Cornejo [17]-Fillol [17]. **73** Newcombe [1]-Okker [19]/Connors [5]-Nastase [8]. **74** Crealy [1]-Parun [16]/Smith [5]-Lutz [5]. **75** Gottfried [5]-Ramirez [18]/Alexander [1]-Dent [1]. **76** McNair [5]-Stewart [5]/Ramirez [18]-Gottfried [5]. **77** Gottfried [5]-Ramirez [8]/Fibak [32]-Kodes [6]. **78** Pfister [5]-Mayer [5]/Higueras [4]-Orantes [4]. **79** G. et S. Mayer [5]/Case [1]-Dent [1]. **80** Amaya [5]-Pfister [5]/Gottfried [5]-Ramirez [18]. **81** Gunthardt [28]-Taroczy [12]/Moor [5]-Teltscher [5]. **82** Stewart [5]-Taygan [5]/Gildermeister [17]-Prajoux [17]. **83** Jarryd [13]-Simonsson [13]/Stewart [5]-Edmondson [1]. **84** Leconte [2]-Noah [2]/Slozil [6]-Smid [6]. **85** Edmondson [1]-Warwick [1]/Glickstein [37]-Simonsson [13]. **86** Smid [6]-Fitzgerald [1]/Edberg [13]-Jarryd [13]. **87** Seguso [5]-Jarryd [13]/Forget [2]- Noah [2]. **88** Gomez [30]-E. Sanchez [4]/Fitzgerald [1]-Jarryd [13]. **89** Grabb [5]-McEnroe [5]/Bahrami [43]-Winogradsky [2]. **90** Sanchez [4]-Casal [4]/Ivanisevic [7]-Korda [6]. **91** Jarryd [13]-Fitzgerald [1]/Leach [5]-Pugh [5].

Doubles dames (*créé* 1907). **46, 47** Brought [5]-Osborne [5]. **48** Hart [5]-Todd. **49** DuPont [5]-Brought [5]. **50, 51, 52, 53** Hart [5]-Fry [5]. **54** Connolly [5]-Hopman [1]. **55** Fleitz [9]-Hard [5]. **56** Gibson [5]-Buxton [3]. **57** Bloomer [3]-Hard [5]. **58** Ramirez [18]-Reyes [18]. **59** Reynolds [9]-Schuurman [9]. **60** Bueno [1]-Hard [5]. **61** Reynolds [9]-Schuurman [9]. **62** Price-Reynolds [9]-Schuurman [9]. **63** Jones [3]-Schuurman [9]. **64, 65** Smith-Court [1]-Turner [1]. **66** Smith-Court [1]-Tegart [1]. **67** Durr [2]-Sherriff. **68** Durr [1]-Jones [3]. **69** Durr [2]-Jones [3]/Smith-Court [1]-Richey [5]. **70** F. Durr [2]-Chanfreau [2]/King [5]-Casals [5]. **71** Chanfreau [2]-F. Durr [2]/Gourlay [1]-Harris [1]. **72** King [5]-Stove [19]/Shaw [3]-Truman [3]. **73** Smith-Court [1]-Wade [3]/Durr [2]-Stove [19]. **74** Evert [5]-Morozova [15]/Chanfreau [2]-Ebbinghaus [20]. **75** Evert [5]-Navratilova [6]/Anthony [6]-Morozova [15]. **76** Lovera [2]-Bonicelli [26]/Harter [5]-Masthoff [20]. **77** Teeguarden [5]-Marsikova [6]/Fox [1]-Gourlay [5]. **78** Jausovec [7]-Ruzici [8]/Bowrey [5]-Lovera [2]. **79** Stove [19]-Turnbull [1]/Durr [2]-Wade [3]. **80** Jordan [5]-Smith [5]/Madruga [22]-Villagran [22]. **81** Harford [9]-Fairbank [9]/Reynolds [5]-Smith [5]. **82** Navratilova-Smith [5]/Casals [4]-Turnbull [1]. **83** Fairbank [9]-Reynolds [5]/Jordan [5]-Smith [5]. **84** Navratilova [5]-Shriver [5]/Kohde [20]-Mandlikova [6]. **85** Navratilova [5]-Shriver [5]/Kohde-Kilsch [20]-Sukova [6]. **86** Navratilova [5]-Temesvari [12]/Graf [20]-Sabatini [22]. **87** Shriver [5]-Navratilova [5]/Graf [20]-Sabatini [22]. **88** Navratilova [5]-Shriver [5]/Kohde-Kilsch [20]-Sukova [6]. **89** Savchenko [15]-Zvereva [15]/Sabatini [22]-Graf [20]. **90** Novotna [6]-Sukova [6]/Savchenko [15]-Zvereva [15]. **91** Fernandez [5]-Novotna [6]/Paz [22]-Sabatini [22].

Double mixte (*créé* 1902). 46 Betz [5]-Patty [5]. **47** Summers-Sturgess [9]. **48** Todd [5]-Drobny [7]. **49** Summers-Sturgess [9]. **50** Scofield-Morea. **51, 52** Hart [5]-Sedgman [1]. **53** Hart [5]-Seixas [5]. **54** Conolly [5]-Hoad. **55** Hard [5]-Forbes. **56** Long-Ayala [17]. **57** Puzejova-Javorsky. **58** Bloomer [3]-Pietrangeli [14]. **59** Ramirez [18]-Knight [3]. **60** Bueno [5]-Howe [1]. **61** Hard [5]-Laver [1]. **62** Schuurman [9]-Howe [1] **63, 64, 65** Smith-Court [1]-Fletcher [3]. **66** Van Zyl [5]-MacMillan [9]. **67** King [5]-Davidson [13]. **68** Durr [2]-Barclay [2]. **69** Smith-Court [1]-Riessen [5]/Durr [2]-Barclay [2]. **70** King [5]-Hewitt [9]/Durr [2]-Barclay [2]. **71** Durr [2]-Barclay [2]/Shaw [3]-M. Lejus [15]. **72** Goolagong [1]-Warwick [27]/Durr [2]-Barclay [2]. **73** Durr [2]-Barclay [2]/Stove [19]-Dominguez [2]. **74** Navratilova [6]-Molina [22]/Darmon [2]-Lara [18]. **75** Bonicelli [24]-Koch [11]/Teagarden [5]-Fillol [17]. **76** Kloss-Warwick [27]/Boshoff [9]-Dowdeswell [24]. **77** Carillo-McEnroe [5]/Mihai [8]-Molina [22]. **78** Tomanova [6]-Slozil [6]/Ruzici [8]-Dominguez [2]. **79** Turnbull [1]-Hewitt [9]/Tiriac [8]-Ruzici [8]. **80** Smith [5]-Martin [5]/Tomanova [6]-Birner [6]. **81** Jaeger [5]-Arias [5]/Stove [18]-McNair [5]. **82** Turnbull [1]-Lloyd [3]/Monteiro [11]-Motta [11]. **83** Jordan [5]-Teltscher [5]/Allen-Strode [5]. **84** Smith [5]-Stockton [5]/Minter [1]-Warder [1]. **85** Navratilova [5]-Gunthardt [28]/Smith [5]-Gonzalez [21]. **86** Jordan [5]-Flach [5]/Fairbanks [9]-Edmonson [1]. **87** Shriver [5]-Sanchez [4]/MacNeil [5]-Stewart [5]. **88** MacNeil [5]-Lozano [18]/Schultz-Schapers [19]. **89** Bollegraf [19]-Nijssen [19]/Sanchez [4]-De La Pena [22]. **90** Sanchez [4]-Lozano [18]/Provis [1]-Visser [9]. **91** Sukova [6]-Suk [6]/Vis [19]-Haarhuis [19].

Internationaux des États-Unis (Flushing Meadow)

Simple messieurs (*créé* 1881). **75** Orantes [4]/Connors [5]. **76** Connors [5]/Borg [13]. **77** Vilas [22]/Connors [5]. **78** Connors [5]/Borg [13]. **79** McEnroe [5]/Gerulaitis [5]. **80, 81** McEnroe [5]/Borg [13]. **82, 83** Connors [5]/Lendl [6]. **84** McEnroe [5]/Lendl [6]. **85** Lendl [6]/McEnroe [5]. **86** Lendl [6]/Mecir [6]. **87** Lendl [6]/Wilander [13]. **88** Wilander [13]/Lendl [6]. **89** Becker [20]/Lendl [6]. **90** Sampras [5]/Agassi [5].

Simple dames (*créé* 1887). **75, 76** Evert [5]/Cawley [1]. **77** Evert [5]/Turnbull [1]. **78** Evert [5]/Shriver [5]. **79** Austin [5]/Evert [5]. **80** Evert [5]/Mandlikova [6]. **81** Austin [5]/Navratilova [6]. **82** Evert-Lloyd [5]/Mandlikova [6]. **83, 84** Navratilova [5]/Evert-Lloyd [5]. **85** Mandlikova [6]/Navratilova [5]. **86** Navratilova [5]/Sukova [6]. **87** Navratilova [5]/Graf [20]. **88** Graf [20]/Sabatini [22]. **89** Graf [20]/Navratilova [5]. **90** Sabatini [22]/Graf [20].

Double messieurs (*créé* 1881). **75** Connors [5]-Nastase [8]. **76** Okker [19]-Riessen [5]. **77** Hewitt [9]-McMillan [9]. **78** Smith [5]/Lutz [5]. **79** Fleming [5]-McEnroe [5]/Lutz [5]-Smith [5]. **80** Lutz [5]-Smith [5]/Fleming [5]-McEnroe [5]. **81** Fleming [5]-McEnroe [5]/Gunthardt [28]-McNamara [1]. **82** Curren [9]-Denton [5]/Amaya [5]-Pfister [5]. **83** Flemming [5]-McEnroe [5]/Buehning [5]-Winitsky. **84** Fitzgerald [1]-Smid [6]/Jarryd [13]-Edberg [13]. **85** Flach [5]-Seguso [5]/Noah [2]-Leconte [2]. **86** Gomez [30]-Zivojinovic [7]/Nystroem [13]-Wilander [13]. **87** Edberg [13]-Jarryd [13]/Flach [5]-Seguso [5]. **88** Casal-Sanchez [4]/Leach [5]-Pugh [5]. **89** McEnroe [5]-Woodforde [1]/Flach [5]-Seguso [5]. **90** Aldrich [9]-Visser [9]/Annacone [5]-Wheaton [5].

Double dames (*créé* 1890) **75** Court [1]-Wade [3]. **76** Boshoff-Kloss. **77** Navratilova [6]-Stove [19]. **78** King [5]-Navratilova [6]. **79** Stove [19]-Turnbull [1]/King [5]-Navratilova [6]. **80** King [5]-Navratilova [6]/Schriver [5]-Stove [19]. **81** Jordan [5]-Smith [5]/Casals-Turnbull [1]. **82** Casals [5]-Turnbull [1]/Potter-Walsh [5]. **83** Navratilova [6]-Shrider [5]/Fairbank [9]-Reynolds [5]. **84** Navratilova [5]-Shriver [5]/Hobbs [3]-Turnbull [1]. **85** Kohde [20]-Sukova [6]/Navratilova [5]-Shriver [5]. **86** Navratilova [5]-Shriver [5]/Mandlikova [6]-Turnbull [1]. **87** Navratilova [5]Shriver [5]/Jordan [5]-Smylie [1]. **88** Fernandez [5]-White [5]/Fendick [5]-Hetherington [39]. **89** Mandlikova [1]-Navratilova [5]/Shriver [5]-Fernandez [5]. **90** Fernandez [5]-Navratilova [5]/Novotna [1]-Sukova [1].

Double mixte (*créé* 1892). **75** Stockton [5]-Casals [5]. **76** King [5]-Dent [5]. **77** Stove [19]-McMillan [9]. **78** Stove [19]-McMillan [9]/King [5]-Ruffels [5]. **79** Hewitt [1]-Stevens [9]/McMillan [9]-Stove [19]. **80** Turnbull [1]-Reissen [1]/Stove [19]-McMillan [9]. **81** Smith [5]-Curren [5]/Russel [5]-Denton [5]. **82** Smith [5]-Curren [5]/Taygan [5]-Potter [5]. **83** Fitzgerald [1]-Sayers [1]/Taygan [5]-Potter [5]. **84** Maleeva [35]-Gullikson [5]/Sayers [1]-Fitzgerald [1]. **85** Navratilova [5]-Gunthardt [28]/Smylie [1]-Fitzgerald [1]. **86** Regi [14]-Casal [4]/Navratilova [5]/Fleming [5]. **87** Navratilova [5]-Sanchez [4]/Nagelsen [5]-Annacone [5]. **88** Novotna [6]-Pugh [5]/Smylie [1]-McEnroe [5]. **89** White [5]-Cannon [5]/McGrath [5]-Leach [5]. **90** Smylie [1]-Woodbridge [1]/Zvereva [15]-Pugh [5].

Internationaux d'Australie (Flinders Park)

Simple messieurs (*créé* 1905). **75** Newcombe [1]-Connors [5]. **76** Edmonson/Newcombe [1]. **77 janv.** Tanner [3]/Vilas [22]. **77 déc.** Gerulaitis [5]/Lloyd [3]. **78** Vilas [22]/Marks [1]. **79** Vilas [22]/Sadri [1]. **80** Teacher [5]/Warwick [1]. **81, 82** Kriek [9]/Denton [5]. **83** Wilander [13]/Lendl [6]. **84** Wilander [13]/Curren S5. **85** Edberg [13]/Wilander [13]. **86** non disp. **87** Edberg [13]/Cash [1]. **88** Wilander [1s3]/Cash [1]. **89** Lendl [6]/Mecir [6]. **90** Lendl [6]/Edberg [13]. **91** Becker [21]/Lendl [6].

Simple dames (*créé* 1923). **76** Cawley [1]/Tomanova [6]. **77** *janv.* Reid [1]/Fromholtz [1]. **77** *déc.* E. Cawley [1]/H. Cawley [1]. **78** O'Neil [1]/Nagelson [1]. **79** Jordan [5]/Wolch [5]. **80** Mandlikova [6]/Turnbull [1]. **81** Navratilova [5]/Evert. **82** Evert-Lloyd [5]/Navratilova [5]. **83** Navratilova [5]/Jordan [5]. **84** Evert-Lloyd [5]/Sukova [6]. **85** Navratilova [5]/Evert-Lloyd [5]. **86** non disp. **87** Mandlikova [6]/Navratilova [5]. **88** Graf [20]/Evert [5]. **89** Graf [20]/Sukova [6]. **90** Graf [20]/Fernandez [5]. **91** Seles [7]/Novotna [6].

Double messieurs (*créé* 1905). **75** Alexander [1]-Dent [1]. **76** Newcombe [1]-Roche [1]. **77** *janv.* Ashe [5]-Roche [1]. **77** *déc.* Ruffels [1]-Stone [1]. **78** Fibak [32]-Warwick [1]. **79** McNamara [1]-McNamee [1]. **80** Edmonson [1]-Warwick [1]. **81** Edmonson [1]-Warwick [1]/Pfister [5]-Sadri [1]. **82** Alexander [1]-Fitzgerald [1]/Andrews-Sadri [1]. **83** Edmondson [1]-McNamee [1]/Stewart [5]-Denton [5]. **84** Stewart [5]-Edmondson [1]/Nyström [13]-Wilander [13]. **85** Annacone [5]-Van Rensberg [9]/Edmondson [1]-Warwick [1]. **86** non disp. **87** Edberg [13]-Jarryd [13]/Warder-Doohan [1]. **88** Leach [5]-Pugh [5]/Bates [3]-Lundgren [13]. **89** Leach [5]-Pugh [5]/Cahil [1]-Kratzmann [1]. **90** Aldrich [9]-Visser [9]/Connel -Michibata [38]. **91** Davis [5]-Pate [5]/Mc Enroe [5]-Wheaton [5].

Double dames (*créé* 1922). **75** Goolagong [1]-Michel [5]. **76** Cawley [1]/Gourlay [1]. **77** *janv.* Fromholtz [1]/Gourlay [1]. **77** *déc.* finale non disputée. **78** Tomanava [6]-Nagelsen [1]. **79** Chaloner [1]-Evert [5]. **80** Nagelsen [1]-Navratilova [5]. **81** Smith [5]-Jordan [5]/Navratilova [5]-Shriver [5]. **82** Shriver [5]-Navratilova [5]/Kohde [20]-Pfaff [20]. **83** Navratilova [5]-Shriver [5]/Hobbs [3]-Turnbull [1]. **84** Navratilova [5]-Shriver [5]/Kohde [20]-Sukova [6]. **85** Navratilova [5]-Shriver [5]/Kohde [20]-Sukova [6]. **86** non disp. **87** Navratilova-Shriver [5]/McNeil [5]-Garrison [5]. **88** Navratilova [5]-Shriver [5]/Evert [5]-Turnbull [1]. **89** Navratilova [5]-Shrier [5]/Fendick [5]-Hetherington [38]. **90** Novotna [6]-Sukova [6]/Fendick [5]-Fernandez [5]. **91** Fendick [5] -Fernandez [5]/Novotna [6]-Fernandez [41].

Double mixte (*créé* 1922). **1969-86** non disp. **87** Stewart [5]-Garrison [5]/Castle-Hobbs [3]. **88** Pugh [5]-Novotna [6]/Gullison [5]-Navratilova [5]. **89** Pugh [5]-Novotna [6]/Stewart [5]-Garrison [5]. **90** Pugh [5]-Zvereva [15]/Leach [5]-Garrison [5]. **91** Bates [3] -Duric [3]/Davis [5]-White [5].

Tournoi des Masters

Créé 1970. Annuel. Ouvert aux 8 joueurs en tête du classement des grands prix de l'année. 1990 : devient le Ch. de l'ATP Tour.

Simple messieurs. **70** Smith. **71, 72, 73** Nastase. **74** Vilas. **75** Nastase. **76** Orantes. **77** Connors. **78** McEnroe. **79, 80** Borg. **81** Lendl. **82** Lendl/McEnroe. **83, 84** McEnroe/Lendl. **85, 86** Lendl/Becker. **87** Lendl/Wilander. **88** Becker/Lendl. **89** Edberg/Becker. **90** Agassi/Edberg.

Double messieurs. **85, 86** Edberg-Jarryd. **87** Mecir-Smid. **88** Leach-Pugh. **89** Grabb-McEnroe. **90** Forget-Hlasek.

Simple dames. **77, 78** Evert. **79** Navratilova. **80** T. Austin. **81** Evert. **82** Navratilova. **83** Mandlikova. **84 à 86** Navratilova. **87** Graf. **88** Sabatini. **89** Graf. **90** Seles.

Open de Paris (Bercy)

Créé 1986.

Simple messieurs. **86** Becker/Casal. **87** Mayotte/Gilbert. **88** Mansdorf/Gilbert. **89** Becker/Edberg. **90** Edberg/Becker.

Double messieurs. **86** Fleming-McEnroe. **87** Hlasek-Mezzadri. **88** Annacone-Fitzgerald/Grabb-Rennsburg. **90** Davis-Pate/Cahill-Kratzmann.

Championnats de France nationaux

Simple messieurs (*créé* 1951). **70** Chanfreau. **71,72,73,74** Jauffret. **75** Goven. **76** Proisy. **77** Jauffret. **78** Caujolle. **79,80** Noah. **81** Noah/Tulasne. **82** Noah/Leconte. **83, 84** Tulasne/Portes. **85** Forget/Dadillon. **86** Benhabilès/Van den Daele. **87** Champion/Fleurian. **88** Forget/Winogradsky. **89** Winogradsky/Soulès. **90** Soulès/Grenier.

Simple dames (*créé* 1951). **69,70,71,72** Chanfreau. **73** Fuchs. **74,75** Chanfreau. **76** Simon. **77** Rual. **78** Simon. **79** Lovera. **80** Simon. **81** Lovera/Thibault. **82** Tanvier/Vernhes. **83** Herreman/Suire. **84** Herreman/Demongeot. **85** Tauziat/Paradis. **86** Herreman/Niox-Château. **87** Suire/Dechaume. **88** Laval/Quentrec. **89** Demongeot/Herreman. **90** Tanvier/Testud.

Double messieurs (*créé* 1950.). **70** Barclay-Contet. **71** Finale non disputée. **72-73** Dominguez-Proisy. **74** Beust-Contet. **75** Goven-Deblicker. **76,77** Beust-Contet. **78** Bedel-Noah. **79, 80** Noah-Portes. **81** Bedel-Roger-Vasselin. **82** Leconte-Moretton. **83** Brunet-Fritz. **84** Forget-Courteau/Piacentile-Benhabilès. **85** Potier-Vanier/Champion-Winogradsky. **86** Benhabilès-Fleurian/Courteau-Delaitre. **87** Champion-Fleurian/ Lesage-Piacentile. **88** Delaitre-Grenier/Courteau-Pioline. **89** Leconte-Winogradsky/Pham-Piacentile. **90** Gilbert-Grenier/Boetsch-Courteau.

Double dames (*créé* 1951). **70** Chanfreau-Durr. **71** Chanfreau-Fuchs. **72** Chanfreau-Darmon. **73** Darmon-Fuchs. **74** Chanfreau-Darmon. **75, 76, 77, 78, 79, 80** Darmon-Lovera. **81** Beillan-Thibault. **82** Duxin-Glinel. **83** Calleja-Lovera. **84** Amiach-Herreman/Thibault-Phan Thanh. **85** Herreman-Amiach/Paradis-Suire. **86** Demongeot-Tauziat/Amiach-Suire. **87** Paradis-Phan Thanh/ Amiach-Herreman. **88** Suire-Tanvier/Dechaume-Herreman. **89** Suire-Demongeot/Herreman-Paradis. **90** Etchemendy-Herreman/Ballet-Romand.

Double mixte (*créé* 1951). **70** Dürr-Barclay/Chanfreau-Beust. **71** Lieffrig-Contet/Chanfreau-Joly. **72** Fuchs-N'Godrella/Darmon-Chanfreau. **73** Fuchs-N'Godrella/Guédy-Dominguez. **74** Guédy-Dominguez/Fuchs-N'Godrella. **75** Darmon-Chanfreau/Sheriff-Dominguez. **76** Lovera-Beust/Darmon-Chanfreau. **77** Guédy-Dominguez/Darmon-Haillet. **78** Lovera-Beust/Guédy-Dominguez. **79** Lovera-Beust/Darmon-Paul. **80** Beillan-Dominguez/Darmon-Hagelauer. **81** Lovera-Naegelen/Suire-Pham. **82** Tanvier-Noah/Amiach-Haillet. **83** Suire-Pham/Thibault-Toulon. **84** Amiach-Forget/Etchemendy-Bernelle. **85** Paradis-Février/C. et J. Vanier. **86** Suire-Pham/Etchemendy-Piacentile. **87** Suire-Pham/Etchemendy-Winogradsky. **88** Stenger-Delaitre/Suire-Pham. **89** Demongeot-Delaitre/Romand-Pech. **90** Suire-Delaitre/Housset-Dadillon.

Simple jeunes gens (*créé* 1945). **60** Barclay. **61** Contet. **62** Beust. **63** Grozdanovitch. **64, 65, 66** Goven. **67** Proisy. **68** Bernasconi. **69** Lovera. **70** Caujolle. **71** Borfiga. **72** Haillet. **73** Gauvain. **74** Roger-Vasselin. **75** Casa. **76** Moretton. **77** Noah. **78** Chiche. **79-80** Potier. **81** Courteau. **82** Hamonet. **83** Février. **84** Champion. **85** Delaitre. **86** Gilbert. **87** Pedros. **88** Raoux. **89** Guardiole. **90** Gauthier.

Simple jeunes filles (*créé* 1946). **60** Durr. **61** Salfati. **62** Langanay. **63** Spinoza. **64** Venturino. **65** de Roubin. **66** Cazaux. **67** Montlibert. **68** Sarrazin. **69** Brochard. **70** Fuchs. **71** Guedy. **72** Beillan. **73-74** Simon. **75** Dupuy. **76** Jodin. **77** Bureau. **78-79** Franch. **80** Amiach. **81** Gardette. **82** Bonnet. **83** Phan-Than. **84** Damas. **85** Calmette. **86** Niox-Château. **87** Laval. **88** Villani. **89** Testud. **90** Fusai.

Joueurs

Classement des meilleurs joueurs

La plupart des fédérations établissent un classement national. Sur le plan international, certains journalistes spécialisés établissent des classements officieux.

• **Champions du monde.** Titre décerné par la Féd. intern. depuis 1978. **Messieurs. 78, 79, 80** Borg [13]. **81, 82, 83, 84** McEnroe [5]. **85, 86, 87** Lendl [6]. **88** Wilander [13]. **89** Lendl [6]. **Dames. 78** Evert [5]. **79** Navratilova [5]. **80, 81** Evert [5]. **82, 83, 84, 85, 86** Navratilova [5]. **87, 88, 89** Graf [20]. **Juniors.** *Garçons :* **78** Lendl [6]. **79** Viver [38]. **80** Tulasne [2]. **81** Cash [1]. **82** Forget [2]. **83** Edberg [13]. **84** Kratzmann [1]. **85** Pistolesi [14]. **86** Sanchez [4]. *Filles :* **78** Mandlikova [6]. **79** Piatek [5]. **80** Mascarin [5]. **81** Garrison [5]. **82** Rush [5]. **83** Paradis [2]. **84** Sabatini [22]. **85** Garrone [14]. **86** Tarabini [22].

Le titre de champion du monde avait été décerné en juin 1914 à Tony Wilding (N.-Zél.) après sa victoire sur André Gobert.

• **Classement ATP** (au 10-8-1991). Créé en 1973. **Messieurs.** *1* Becker [20], *2* Edberg [13], *3* Stich [20], *4* Lendl [6], *5* Courier [5], *6* Agassi [5], *7* Forget [2], *8* Bruguera [4], *9* Sampras [5], *10* Gustafsson [13], *11* Novacek [6], *12* Wheaton [5], *13* Sanchez [4], *14* Cherkasov [15], *15* McEnroe [5].

Classement WITA (joueuses professionnelles) **au** *10-8*-**1991.** *1* Seles [7], *2* Graf [20], *3* Sabatini [22], *4* Sanchez [4], *5* Navratilova [5], *6* Fernandez [5], *7* Martinez [4], *8* Novotna [6], *9* M. Maleeva [35], *10* Capriati [5], *11* Garrison [5], *12* K. Maleeva [35], *13* Meskhi [15], *14* Tauziat [2], *15* Sukova [6].

Classement français 1991. Messieurs. *1* Forget, *2* Leconte, *3* Noah, *4* Fleurian, *5* Santoro, *6* Champion, *7* Raoux, *8* Benhabilès, *9 Pioline, 10* Delaitre. **Dames.** *1* Tauziat, *2* Halard, *3* Herreman, *4* Quentrec, *5* Demongeot, *6* Dechaume, *7* Tanvier, *8* Mothes, *9* Guérée, *10* Van Lottum.

Quelques noms

Abdesselam Robert [2] (27-1-20). Agassi André [5] (29-4-70). Agenor Ronald [40] (13-11-64). Aguilera Juan [4] (22-3-62). Alexander John [1] (4-7-51). Amaya Victor [5] (2-7-54). Amiach Sophie [2] (10-11-63). Amritraj Vijay [25] (14-12-53). Annacone Paul [5] (20-3-63). Arias Jimmy [5] (16-8-64). Asboth Jozsef [12] (18-9-27). Ashe Arthur [5] (10-7-43). Austin Tracy [5] (12-12-62). Barazzutti Corrado [14] (19-2-53). Barclay Jean-Claude [2] (30-12-42). Barker Sue [3] (19-4-56). Barthès Pierre [2] (13-9-41). Bassett Carling [39] (1968). Becker Boris [20] (22-11-67). Bedel Dominique [2] (20-2-57). Benhabilès Tarik [2] (5-2-65). Berger Jay [5] (26-10-66). Bernard Marcel [2] (18-5-14). Betz Pauline [5] (6-8-19). Beust Patrice [2] (3-9-1944). Borg Björn [13] (6-6-56). Borotra Jean [2] (13-8-98). Boussus Christian [2] (5-3-08). Brookes Norman [1] (1877-1968). Brough Althéa [5] (11-3-23). Brugnon Jacques [2] (1895-1978). Bruguera Sergi [4] (16-1-71). Budge Donald [5] (13-6-15). Bueno Maria Esther [5] (11-10-39). Cahill Darren [1] (2-10-65). Calleja M.-Christine [2] (14-1-64). Capriati Jennifer [5] (28-3-76). Carlsson Kent [13] (3-1-68). Casal Sergio [4]. Casals Rosemary [5] (16-9-48). Cash Pat [1] (27-5-65). Caujolle Jean-François [2] (31-3-53). Cawley-Goolagong Evonne [1] (31-7-51). Champion Thierry [2] (13-8-66). Chang Michael [5] (22-2-72). Chanfreau Jean-Baptiste [2] (17-1-47). Cherkasov Andrei [15] (4-7-70). Chesnokov Andreï [15] (2-2-1966). Clerc José Luis [22] (16-8-58). Cochet Henri [2] (1901-87). Connolly Maureen [5] (1934-69). Connors Jimmy [5] (2-9-52). Contet Daniel [2] (3-11-43). Cooper Ashley [1] (15-9-36). Courier Jim [5] (17-8-70). Court Margaret [1] (16-7-42). Courteau Loïc [2] (6-1-64). Cramm Gottfried Von [20] (1909-76). Crawford John [1] (22-3-08). Curren Kevin [5] (2-3-58). Darmon Pierre [2] (14-1-34). Darmon Rosa Maria [18] (23-3-39 née Reyes). Darsonval Henri [2] (20-6-91). Deblicker Éric [2] (17-4-52). Decugis Max [2] (1882-1978). Delaitre Olivier [2] (1-6-67). Demongeot Isabelle [2] (11-3-66). Dent Phil [1] (14-2-50). Destremau Bernard [2] (11-2-17). Dibbs Eddie [5] (23-2-51). Dod Charlotte [3] (1871-1960). Doherty Reginald [3] (1874-1910) et Lawrence [3] (1876-1919). Dominguez Patrice [2] (12-1-50). Drobny Jaroslav [7] (12-10-21). Drysdale Cliff [9] (26-5-41). Durr Françoise [2] (25-12-42).

Edberg Stefan [13] (19-1-66). Edmondson Mark [1] (28-6-54). Emerson Roy [1] (3-11-36). Evert-Lloyd Chris [5] (21-12-54). Fairbank Rosalyn [9] (2-11-60). Fernandez Marie-Jo [5] (19-8-71). Fibak Wojtek [32] (30-8-52). Fillol Jaime [17] (3-6-46). Fitzgerald John [1] (28-12-60). Flach Ken [5] (24-5-63). Fleming Peter [5] (21-1-55). Fleurian J-Philippe [2] (11-9-65). Fontang Frédéric [2] (18-3-70). Forget Guy [2] (4-1-65). Franulovic Zeljko [7] (13-6-47). Frazer Neale [1] (3-10-33). Fritz Bernard [2] (5-10-53). Fromberg Richard [1] (28-4-70). Fromholt Dianne [1] (10-8-56). Fry Shirley [5] (30-6-27). Garrison Zina [5] (16-11-63). Gentien Antoine [2] (1906-69). Gérulatis Vitas [5] (26-7-54). Gibson Althea [5] (25-8-27). Gilbert Brad [5] (9-8-61). Gildemeister Hans [17] (9-2-56). Giméno Andres [4] (3-8-37). Gobert André [2] (1890-1951). Gomez Andres [30] (27-2-60). Gonzalès Ricardo dit Pancho [5] (9-5-28). Goolagong Evonne [1] (31-7-51). Goré Arthur [3] (1868-1928). Gottfried Brian [5] (27-1-52). Goven Georges [2] (26-4-48). Graf Stephanie dite Steffi [20] (14-6-69). Grinda Jean-Noël [2] (5-10-36). Gustafsson Magnus [13] (3-1-67). Haillet Robert [2] (26-9-31). Halard Julie [2] (10-9-70). Hanika Sylvia [20] (30-11-59). Hard Darlene [5] (6-1-36). Hart Doris [5] (20-6-25). Heldman Julie [5] (8-12-45). Herreman Nathalie [2] (28-3-66). Hewitt Bob [1] (12-1-40). Higueras Jose [4] (1-3-53). Hlasek Jakob [28] (12-11-64). Hoad Lewis [1] (23-11-34). Hopman Harry [1] (1906-85). Hunt Lesley [1] (29-5-50). Ivanisevic Goran [7] (13-9-71). Jacobs Helen [5] (6-8-08). Jaeger Andrea [5] (4-6-65). Jaite Martin [22] (9-10-64). Jarryd Anders [13] (13-7-61). Jauffret François [2] (9-2-42). Jausovec Mïma [7] (20-7-56). Johnston William [5] (1894-1946). Jones Ann [3] (17-10-38). King Billie Jean [5] (22-11-43). Kodès Jan [6] (1-3-46). Kohde-Kilsch Claudia [20] (11-12-63). Kramer Jack [5] (1-8-21). Krickstein Aaron [5] (2-8-67). Kriek Johan [5] (5-4-58). Krishnan Ramesh [25] (5-6-61).

Lacoste Jean-René [2] (2-7-04). Lambert-Chambers Dorotha [3] (1878-1960). Laver Rodney dit Rod [1] (9-8-38). Leconte Henri [2] (4-7-63). Lendl Yvan [6] (7-3-60). Lenglen Suzanne [2] (1899-1938). Lovera Gail [1] (3-4-45). Lutz Bob [5] (29-8-47). McEnroe John [5] (16-2-59). McEnroe Patrick [5] (1-7-66). McLoughlin Maurice [5] (1890-1957). McNamee Paul [1] (12-11-54). McNeil Lori [5] (18-12-63). Maleeva Magdalena [35] (1-4-75). Maleeva Manuela [35] (14-2-67). Mancini Alberto [22] (20-5-69). Mandlikova Hana [1] (19-2-62). Mansdorf Amos [37] (20-10-65). Marble Alice [5] (28-9-13). Martinez Conchita [4] (16-4-72). Masur Wally [1] (13-5-63). Mathieu Simone [2] (1908-80). Maurer Andreas [20] (8-3-58). Mayotte Tim [5] (3-8-60). Mecir Miloslav [6] (19-5-64). Molinari Jean-Claude [2] (28-4-31). Morozova Olga [15] (22-2-49). Muster Thomas [27] (2-10-67). Nastase Ilie [8] (19-7-46). Navratilova Martina [5] (18-10-56). Newcombe John [1] (23-5-44). Noah Yannick [2] (18-5-60). Novacek Karel [6] (30-3-65). Novotna Jana [6] (2-10-68). Nystrom Joakim [13] (10-2-63). Okker Tom [19] (22-2-44). Orantès Manuel [4] (6-2-49). Osborne Margaret [5] (épouse du Pont) (4-4-18).

Panatta Adriano [14] (9-7-50). Paradis Pascale [2] (24-4-66). Parker Frank [5] (31-1-16). Patty Budge [5] (11-2-24). Pecci Victor [21] (15-10-55). Pelizza Henri [2] (21-3-20). Pelizza Pierre [2] (1917-74). Perez-Roldan Guillermo [22] (20-10-69). Pernfors Mikael [13] (16-7-63). Perry Fred [3] (18-5-09). Pétra Yvon [2] (1916-84). Pham Thierry [2] (28-6-62). Pietrangeli Nicola [14] (11-9-33). Pilet Gérard [2] (15-9-33). Pilic Nicola [7]

(27-8-39). PIOLINE Cedric [2] (15-6-69). PORTES Pascal [2] (8-5-59). PROIC Goran [7] (4-5-64). PROISY Patrick [2] (10-9-49). PROVIS Nicole [1] (22-9-69). RAOUX Guillaume [2] (14-2-70). RALSTON Dennis [5] (27-7-42). RAMIREZ Raul [18] (10-6-53). RÉMY Paul [12] (17-2-23). RENEBERG Richey [5] (5-10-65). RENSHAW Ernest [3] (1861-99) et William [3] (1861-1904). RICHARDS Renée [5] (19-8-34). RICHEY Cliff [5] (31-12-46). RICHEY Nancy [5] (23-8-42). RIGGS Robert [5] (25-2-18). RINALDI Cathy [5] (24-3-67). ROCHE Tony [1] (17-5-45). ROGER-VASSELIN Christophe [2] (8-7-57). ROSE Mervyn [1] (23-1-30). ROSEWALL Ken [1] (2-11-34). RUZICI Virginia [8] (31-1-55). RYAN Elizabeth [5] (1892-1979). SABATINI Gabriella [22] (16-5-70). SAMPRAS Pete [5] (12-8-71). SANCHEZ Arantxa [4] (18-12-71). SANCHEZ Emilio [4] (29-5-65). SANCHEZ Javier [4] (1-2-68). SANTANA Manuel [4] (10-5-38). SANTORO Fabrice [2] (7-12-72). SEDGMAN Frank [1] (29-10-27). SÉGURA Pancho [30] (20-6-21). SEIXAX Victor [5] (30-8-23). SELES Monica [7] (2-12-73). SHRIVER Pamela [5] (4-7-62). SIMON Brigitte [2] (1-11-56). SKOFF Horst [27] (22-8-68). SMID Tomas [6] (20-5-56). SMITH Stan [5] (14-12-46). SOLOMON Harold [5] (17-9-52). STEEB Carl-Uwe [20] (1-9-67). STICH Michael [20] (18-10-68). STOLLE Frederick [1] (8-10-38). STÖVE Betty [19] (24-6-45). SUKOVA Helena [6] (23-2-65). SUNDSTROM Henrik [13] (29-2-64). SVENSSON Jonas [13] (21-10-66). TANNER Roscoe [5] (15-10-51). TANVIER Catherine [2] (28-5-65). TAROCZY Balazs [12] (9-5-54). TAUZIAT Nathalie [2] (17-10-67). TELTSCHER Eliot [13] (15-3-59). TILDEN William [5] (1893-1953). TIRIAC Ion [8] (9-5-39). TRABERT Tony [5] (16-8-30). TULASNE Thierry [2] (12-7-63). TURNBULL Wendy [1] (26-11-52). ULRICH Torben [29] (4-10-28). VANJER Corinne [2] (20-9-63). VANJER Jérôme [2] (2-11-57). VAN RYN John [5] (30-6-06). VILAS Guillermo [22] (17-8-52). VINES Ellsworth [5] (29-9-11). VOLKOV Alexander [15] (3-3-67). WADE Virginia [3] (10-7-45). WESTPHAL Michael [20] (1965-91). WHEATON David [5] (2-6-69). WILANDER Mats [13] (22-8-64). WILKINSON Tim [5]. WILLS Helen [5] (6-10-1905). WINOGRADSKY Eric [2] (22-4-66). WOODFORDE Mark [1] (23-9-65). ZVEREVA Natalia [15] (16-4-71).

Nota. – On appela Borotra, Brugnon, Cochet, Lacoste : les Mousquetaires.

Tennis de table

Généralités

Origine. **Vers 1880** apparaît en Angleterre (raquette de volant, ballon en liège ou en caoutchouc). **1897** 1ers championnats nationaux en Hongrie. **1899** connu sous le nom de *Gossima.* **1900** appelé *ping-pong* (du bruit produit sur la raquette du genre tambourin), nom déposé v. 1891 par John Jacques de Croydon, utilisé par la maison anglaise Hamley et breveté par la maison américaine Parker frères (raquette recouverte d'une couche de caoutchouc grené, balle en celluloïd). Après une certaine vogue, le jeu disparut. **1921** 1er championnat d'Angleterre. Tennis de table (nom donné pour en finir avec les récriminations des propriétaires du mot ping-pong). **1924** raquette en caoutchouc à picots due à l'Anglais Goode. **1926** Féd. internat. créée. **1927** Féd. française créée. **1988** inscrit aux J.O.

Licenciés. Chine 5 000 000, URSS 3 000 000, All. féd. 580 000, Indonésie 385 000, Japon 300 000, G.-B. 220 000 (Angleterre 200 000, Galles 10 000, Irlande 5 000, Écosse 3 000, Jersey-Guernesey 700), Tchécoslovaquie 110 000, All. dém. 105 000, *France (1991) 125 674* (dont 15 928 femmes ; env. 1 000 000 de pratiquants).

Règles

Terrain. *Salle :* de 12 × 6 m à 14 × 7 m pour les championnats internationaux. *Sol :* parquet en bois dur, non glissant, non blanc et non réfléchissant. **Table.** 274 × 152,5 cm à 76 cm du sol. En bois dur, recouverte de laque cellulosique mate et vert foncé. Au bord, ligne blanche de 2 cm de large. **Filet.** Vert, bande blanche en haut. Partie supérieure à 15,25 cm (autrefois 17,50 cm) au-dessus de la surface de jeu avec bordure blanche de 15 mm max. et extrémités attachées à un support vertical extérieur à 15,25 cm du bord de la table. **Balle.** Blanche ou jaune, sphérique en celluloïd ou matière plastique. *Poids* 2,5 g. *Diamètre* 38 mm ; *la plus rapide :* 170 km/h (selon M. Sklorz) ; 96 km/h pour le Chinois Chuang Tsé-Tourng. **Raquette.** Forme, poids et dimension variables. Couleur : foncée. Recouverte d'une couche de caoutchouc naturel ou synthétique à picots ou de 2 couches continues superposées ou « sandwich » (caoutchouc cellulaire à l'intérieur et naturel ou synthétique à picots à l'extérieur). Les picots sont tournés vers l'extérieur *(soft)* ou vers le caoutchouc cellulaire *(back side).*

Partie. A 2 ou 4 joueurs. *Manche :* gagnée par le joueur ou la paire atteignant le 1er 21 points, à moins que les 2 camps n'arrivent chacun à 20 pts. Le vainqueur sera celui marquant le 1er 2 points de + que l'adversaire. *Partie :* au meilleur des 3 ou 5 manches. Le jeu doit se poursuivre sans interruption, mais le joueur (ou la paire) peut demander entre chaque manche un repos de 2 mn.

Points. Marqués par un joueur quand : son adversaire ne réussit pas un service correct ; ne réussit pas un retour correct ; frappe la balle en dehors de son tour, en doubles ; touche la surface de jeu de sa main libre pendant un échange ; un vêtement ou un objet porté par son adversaire vient en contact avec la balle avant que celle-ci ait dépassé la ligne de fond ou les lignes latérales sans avoir touché la surface de jeu (« obstruction ») ; son adversaire (ou ce qu'il porte) touche le filet ou ses supports, ou s'il déplace la surface de jeu pendant que la balle est en jeu.

Règle d'accélération. La durée d'une manche étant fixée à 15 mn, à l'expiration de ce délai, ou à tout autre moment auparavant, à la demande unanime des joueurs concernés, l'arbitre arrête le jeu qui doit se poursuivre selon la règle d'accélération. Le *serveur* est alors contraint de marquer le point en 13 coups, service compris ; s'il n'y parvient pas, son adversaire gagne le point. Le service change après chaque point et la manche se poursuit jusqu'à 21 pts (avec écart normal de 2 pts).

Quand l'expiration du délai de 15 mn se produit en cours d'échange, le service sera au dernier serveur. Si elle se produit lorsque la balle n'est plus en jeu, le service sera au dernier relanceur. Les retours sont comptés à haute voix au moment de la frappe du relanceur, par un officiel autre que l'arbitre. Après 13 retours corrects, le point va au camp du relanceur.

Changement de service. En simple et double, chaque fois qu'un total de 5 points a été marqué. *Service en double :* le joueur servant le 1er d'une paire (1a) sert en direction du joueur qui servira le 1er de l'autre équipe (2a) ; 2a sert ensuite à 1b, le partenaire de 1a ; 1b sert en direction du 4e joueur, 2b, et 2b sert vers 1a.

A partir de 20 partout ou suivant la règle d'accélération, l'ordre de service est inchangé mais chaque joueur ne sert qu'une seule fois à son tour jusqu'à la fin de la manche. Le joueur, ou la paire servant en 1er dans une manche, reçoit en 1er dans la suivante. Dans chaque manche de double, l'ordre initial de réception est opposé à celui de l'ordre précédent, mais la paire au service choisit toujours son serveur. Dans la dernière manche d'un double, la paire à la réception change l'ordre de réception dès qu'une paire atteint 10 points. Toute erreur au service ou à la réception doit être corrigée lorsqu'elle est remarquée. Tous les points marqués restent acquis.

Balle à remettre. Échange à l'occasion duquel aucun point n'est marqué. Cela se produit quand : sur le service la balle touche le filet ou ses supports ; un service se fait alors que le receveur ou son partenaire n'est pas prêt ; un joueur ne réussit pas un retour correct à la suite d'un incident échappant à sa responsabilité, par exemple par la faute d'un spectateur ou à cause d'un bruit soudain ; la balle se brise en cours d'échange ; un échange est interrompu pour redresser une erreur dans l'ordre de jeu ou de camp lors du passage à la règle d'accélération ; une balle ou une personne étrangère au jeu pénètre dans l'aire de jeu.

Épreuves

☞ *Légende.* – (1) Autriche. (2) Chine. (3) G.-B. (4) Hongrie. (5) Japon. (6) Tchéc. (7) Suède. (8) USA (9) Roumanie. (10) URSS (11) Corée du Nord. (12) France. (13) Yougoslavie. (14) P.-B. (15) All. féd. (16) Corée du S. (17) Bulgarie. (18) Pologne.

Jeux olympiques. Voir page 1801.

Championnats du monde

Créés 1957. Années impaires.

• **Équipes. Messieurs** *(Coupe Swaithling créée* 1926 en mémoire de Lady Swaithling, mère du Pt fondateur de la Féd. intern.). Hongrie 13 fois, Chine 7, Tchécoslovaquie 6, Japon 6, Autriche 1, USA 1, G.-B. 1, Suède 1. **1955, 56, 57, 59** Japon ; **61, 63, 65** Chine ; **67, 69** Japon ; **71, 73** Suède ; **75, 77** Chine ; **79** Hongrie ; **81, 83, 85, 87** Chine ; **89, 91** Suède.

Dames *(Coupe Marcel Corbillon créée* 1934, en mémoire du donateur, Pt de la Féd. française 1933-34). Japon 7 fois, Roumanie 5, Chine 7, Tchéc. 3, All. féd. 3, USA 2, G.-B. 2, Corée du Sud 1. **1955, 56** Roumanie ; **57, 59, 61, 63** Japon ; **65** Chine ; **67** Japon ; **69** URSS ; **71** Chine ; **73** Corée du S. **75, 77, 79, 81, 83, 85, 87, 89** Chine ; **91** Corée.

• **Individuels. Simple messieurs. 1927** Jacobi [4]. **28** Mechlovits [4]. **29** Perry [3]. **30** Barna [4]. **31** Szabados [4]. **32, 33, 34, 35** Barna [4]. **36** Kolar [6]. **37** Bergmann [3]. **38** Vana [6]. **39** Bergmann [3]. **49** Leach [3]. **50** Bergmann [3]. **51** Leach [3]. **52** Satoh [5]. **53** Sido [4]. **54** Ogimura [5]. **55** Tanaka [5]. **56** Ogimura [5]. **57** Tanaka [5]. **59** Jung Kuo-tuan [2]. **61, 63, 65** Chuang Tse-toung [2]. **67** Hasegawa [5]. **69** Ito [2]. **71** Bengtsson [7]. **73** Hsi En Ting [2]. **75** Jonyer [4]. **77** Kohno [5]. **78, 79** Ono [5]. **81, 83** Guo Yuehua [2]. **85, 87** Jiang Jialiang [2]. **89** Waldner [7]. **91** Persson [7].

Simple dames. Hongrie 10 fois, Roumanie 6, Japon 6, Chine 5, Tchécoslovaquie 3, Autriche 2, USA 1, Corée du Nord 2. **1927, 28, 29, 30, 31** M. Mednyanszky [4]. **32, 33** Sipos [4]. **34, 35** M. Kettnerova [6]. **36** R.H. Aarons [8]. **37** titre vacant. **38** G. Pritzy [1]. **39** V. Depetrisova [6]. **47, 48, 49** G. Farkas [4]. **50, 51, 52, 53, 54, 55** A. Rozeanu [9]. **56** T. Okawa [5]. **57** F. Eguchi [5]. **59** K. Matsuzaki [5]. **61** Chiu Chung-hui [2]. **63** K. Matsuzaki [5]. **65** N. Fukazu [5]. **67** S. Morisawa [5]. **69** T. Kowada [5]. **71** Lin Hui Ching [2]. **73** Hu Yu Lan [2]. **75** Young Sun Kim [11]. **77** Pak Yung Sun [11]. **79** Ge Xinai [2]. **81** Tong Ling [2]. **83, 85** Cao Yanhua [2]. **87** He Zhili [2]. **89** Qiao Hong [2]. **91** Deng Yaping [2].

• **Double. Messieurs. 77** Liang Koliang-Li Zhenshi [2]. **78** Surbeck-Stipancic [13]. **81** Li Zhenshi-Cai Zhenhua [2]. **83** Surbek-Kalinic [13]. **85** Appelgren-Carlsson [7]. **87** Longcan-Qingguang [2]. **89** Rosskopf-Fetzner [15]. **91** Karlsson-Von Scheele [7].

Dames. 79 Zhang Li-Zhang Deying [2]. **81** Zhang Deying-Cao Yanhua [2]. **83** Jian Ping-Dai Lili [2]. **85** Dai Lili [2]-Geng Lijuan [2]. **87** Jung Hwa-Young Ja [11]. **89** Qiao Hong-Deng Yaping [2]. **91** Chen Zihe-Gao Jun [2].

Mixte. 77 Secrétin-Bergeret [12]. **79** Liang Geliang-Ge Xinai [2]. **81** Xie Saike [4]-Huang Junkun [2]. **83** Yanhua [2]-Xialian [2]. **85** Cai Zhenhua [2]-Cao Yanhua [2]. **87** Hui Jun-Geng Lijuan [2]. **89** Yoo Nam-Kyu-Hyun Jung-Hwa [16]. **91** Wang Tao-Lin Wei [2].

Coupe du monde

• **Individuels. Messieurs.** *Créée* 1980, organisée par la FITT, annuelle. **80** Yueha [2]. **81** Klampar [4]. **82** Yueha [2]. **83** Appelgren [7]. **84** Jialiang [2]. **85** Xinhau [2]. **86** Longcan [2]. **87** Yi [2]. **88** Grubba [18]. **89** Wenge [2]. **90** Waldner [7].

• **Double.** *Créée* 1990, tous les 2 ans. **Messieurs. 90** Yoo-Kim [16]. **Dames. 90** Huyn-Hwa [16].

• **Équipes.** *Créée* 1990, tous les 2 ans. **Messieurs. 90** Suède. **Dames. 90** Chine.

Coupe des nations

Créée 1991. Annuelle, réservée aux 8 meilleures formations européennes. **91** All.

Championnats d'Europe

Créés 1957. Années paires.

• **Équipes. Messieurs. 58, 60** Hongrie. **62** Youg. **64, 66, 68, 70, 72, 74** Suède. **76** Youg. **78** Hongrie. **80** Suède. **82** Hongrie. **84** France. **86, 88, 90** Suède. **Dames. 58** G.-B. **60** Hongrie. **62** All. **64** G.-B. **66** Hongrie. **68** All. **70** URSS **72** Hongrie. **74, 76** URSS **78** Hongrie. **80** URSS **82** Hongrie. **84** URSS **86** Hongrie. **88** URSS **90** Hongrie.

• **Individuels. Messieurs. 58, 60** Berczik [4]. **62** Alser [7]. **64, 66** Johansson [7]. **68** Surbek [10]. **70, 72** Bengtsson [7]. **74** Orlowski [6]. **76** Secrétin [12]. **78** Gergely [4]. **80** Hilton [3]. **82** Appelgreen [7]. **84** Bengtsson [7]. **86** Persson [7]. **88, 90** Appelgreen [7]. **Dames. 58, 60** Koczian [4]. **62** Simon [15]. **64** Foldi-Koczian [4]. **66** Alexandru [9]. **68** Vostova [6]. **70, 72** Rudnova [10]. **74** Magos [4]. **76** Hammersley [3]. **78** Magos [4]. **80** Popova [10]. **82** Vriesekoop [14]. **84** Popova [10]. **86** Batorfi [5]. **88** Bulatova [10]. **90** Guergueltcheva [17].

• **Double. Messieurs. 58** Stipek-Vyhnanovsky [6]. **60** Sido-Berczik [4]. **62** Markovic-Teran [13]. **64** Miko-Starrek [13]. **66** Alser-Johansson [7]. **68** Stipancic-Vecko [13]. **70** Stipancic-Surbek [10]. **72** Jonyer-Rosas [4]. **74**

Jonyer-Klampar [4]. **76** Bengtsson-Johansson [7]. **78** Orlowski [6]-Gergely [4]. **80** Secrétin-Birocheau [12]. **82** Surbek-Kalinic. **84** Surbek-Kalinic [13]. **86** Waldner-Lindh [7]. **88** Appelgreen-Waldner [7]. **90** Lupulescu-Primorac [13].

Dames. 58 Rozeann-Zeller [9]. **60** Rozeann-Alexandru [9]. **62, 64** Rowe-Shannon [3]. **66** Koczian-Junk [4]. **68** Luzova-Karlikova [10]. **70** Rudnova-Grinberg [10]. **72, 74** Magos-Lotaller [4]. **76** Hammersley-Howard [3]. **78** Alexandru-Mihut [9]. **80** Popova-Antonian [10]. **82** Bulatova-Kovalenko [10]. **84** Popova-Antonian [10]. **86** Bulatova-Kovtan [10]. **88** Batorfi-Urban [4]. **90** Batorfi-Wirth [4].

Mixte. 84 Secrétin [12]-Popova [10]. **86** Pansky-Hrachova [6]. **88** Lupulescu-Fazlic [13]. **90** Gatien-Wang [12].

Coupe d'Europe des clubs champions

80 Vasutas Budapest [4]. **81** Spartacus Budapest [4]. **82, 83** Reutlingen [15]. **84** Simex Julich [15]. **85** AZS Gdansk [18]. **86** ATSV Sarrebruck [15]. **87, 88,** Zugbrucke Grenzau [15]. **89** Borussia Düsseldorf [15]. **90** Levallois UTT [12]. **91** Borussia Düsseldorf [15].

Championnats de France

Créés 1928.

• **Simple. Messieurs. 77, 78, 79, 80, 81, 82** Secrétin. **83, 84, 85** Renversé. **86** Secrétin. **87** Renversé. **88, 89** Gatien. **90** Mommessin. **91** Gatien.

Dames. 77 Bergeret. **78** Thiriet. **79, 80** Daviaud. **81** Germain. **82** Daviaud. **83** Bergeret. **84** Abgrall. **85** Germain. **86** Thiriet. **87** Daviaud. **88** Coubat. **89, 90, 91** Wang.

• **Double. Messieurs. 77** Secrétin-Vinitzki. **78, 79** Birocheau-Canor. **80** Martin-Hoffstetter. **81** Parietti-Renversé. **82** Birocheau-Constant. **83** Renversé-Parietti. **84** Secrétin-Gernot. **85, 86** Secrétin-Farout. **87, 88** Gatien-Birocheau. **89** Mommessin-Secrétin. **90, 91** Marmurek-Chila.

Dames. 77 Donne-Germain. **78, 79** Daviaud-Germain. **80, 81** Thiriet-Grillet. **82** Bergeret-Lecler. **83** Germain-Thiriet. **84, 85** Daviaud-Monteux. **86, 87** Thiriet-Germain. **88, 89** Wang-Thiriet. **90** Coubat-Yquel. **91** Wang-Thisiet.

Mixte. 77 Purkhart-Bergeret. **78, 79, 80** Secrétin-Bergeret. **81, 82** Martin-Thiriet. **83** Birocheau-Monteux. **84** Parietti-Daviaud. **85** Farout-Germain. **86, 87** Martin-Thiriet. **88, 89** Gatien-Wang. **90** Eloi-Derrien. **91** Marmurek-Coubat.

• **Équipes. Hommes. 86, 87** Trinité. **88, 89, 90, 91** Levallois. **Dames. 87, 88** Kremlin-Bicêtre. **89, 90, 91** A.C.B.B.

Quelques noms

ABGRALL Béatrice [12] (10-5-61). AMOURETTI Guy [12] (27-2-25). APPELGREEN Mikael [7] (15-10-61). BARNA Victor [3] (1911-72). BAROUH Marcel [12] (16-1-34). BENGTSSON Stellan [7] (26-7-52). BEOLET Huguette [12] (13-12-19). BERGERET Claude [12] (19-10-54). BERGMANN Richard [3]. BIROCHEAU Patrick [12] (23-9-55). BULATOVA ,Fliura [10] (7-9-63). CAO YANHUA [2]. CHUANG TSE-TOUNG [2] (n.c.). CONSTANT Jean-Denis [12] (1956). DAI LILI [2]. COUBAT Emmannuelle [12] (1-4-70). DAVIAUD Nadine [12] (31-7-60). DOUGLAS Desmond [3] (20-7-55). GATIEN J.-Philippe [12] (16-10-68). GERMAIN Patricia [12]. GUO Yue-hua [2]. HAGUENAUER Michel [12] (22-1-16). HAMMERSLEY Jill [3]. KALINIC [13]. LEACH Johnny [3] (n.c.). LECLER Yvelyne [12] (15-6-51). LINDH Erik [7] (24-5-64). MARTIN Christian [12] (1959). MATHIEU Christiane [12] (14-4-34) (Watel). MOMMESSIN Didier [12] (26-8-67). NEMES Olga [15] (1968). OGIMURA Ichiro [5] (n.c.). ORLOWSKI Milan [6]. PERSSON Jorgen [7]. POPOVA Valentina [10]. PURKART Vincent [12] (25-6-36). RENVERSÉ Patrick [12] (1-11-59). RIOUAL Martine (Le Bras) [12] (28-2-45). SECRÉTIN Jacques [12] (18-3-49). SURBEK Dragutin [13] (8-8-46). THIRIET Brigitte [12] (11-8-56). TONG Ling [2]. VRIESEKOOP Bettina [14] (13-8-61). WALDNER Jan-Ove [7] (30-10-65). WANG Xiao-Ming [12] (14-6-63). WEBER Jean-Paul [12] (12-7-48). XIALIAN [2]. YUEHUA [2].

Tir à la cible

☞ *Légende.* (1) URSS. (2) Chine. (3) France. (4) Hongrie. (5) Danemark. (6) Bulgarie. (7) All. (8) Italie. (9) Youg.

Généralités

Origine. 1466 1re Sté de tir à Lucerne (Suisse). **XVIe s.** apparition en France des Stés de tir. **V. 1860** 1res Stés de tir en Suisse. **1886** la France crée l'Union des Stés de tir. **1896** admis aux 1ers J.O. **1897** 1ers championnats du monde (à Lyon). **1907** l'Union internationale de tir créée.

Licenciés en France. 1968 25 000. **75** 55 000. **80** 95 000. **86** 135 000. **89** 127 578.

Pistolet

• **Armes. Pistolet automatique.** Arme de poing munie d'un système de répétition comprenant un magasin, un ensemble à glissière (culasse), un mécanisme (leviers et ressorts) mis en action par la main et par une partie de l'énergie libérée par la cartouche. Certains ont un canon fixe, d'autres un canon à court recul (utilisé pour la plupart des armes dont le canon mesure plus de 10 cm). *Percussion :* 1) soit le percuteur est propulsé par un ressort, un ergot commandé par la détente libère le percuteur ; 2) soit le percuteur est inerte ; un marteau (chien) frappe le percuteur en l'envoyant brutalement en avant. Le percuteur vient toujours frapper une amorce enflammant la poudre contenue dans la cartouche. *Détente :* à double action quand elle permet de percuter plusieurs fois de suite sans réarmer ; à simple action quand le mécanisme de percussion doit être armé manuellement. *Canon :* longueur de 4 à 20 cm. *Chargeur :* contient 7 à 15 cartouches (7 pour le P.A. Colt 45, 15 pour le MAB P 15). *Calibre :* nombreux, du 22 LR au 44 Magnum.

Revolver (to revolve : tourner). Arme de poing dont l'approvisionnement se fait par un barillet (magasin rotatif). Les revolvers sont à simple ou à double action. Calibres : du 22 LR au 45 Long Colt.

Épreuves. Pistolet. P 10 M. P. à air comprimé. *Cible* à 10 m. *Tir* 60 plombs en 2 h 15. **P. vitesse olympique. P. 22 Short.** *Cible* 5 pivotantes à 25 m. *Tir* 60 coups en 2 séries chacune de 30 (chacune décomposée en 2 séries de 5 coups tirés en 8″, 2 séries de 5 coups tirés en 6″, 2 séries de 5 coups tirés en 4″). **P. Standard. P. 22 LR.** *Cible* 25 m. *Tir* 60 coups : 20 coups, 4 fois 5 balles en 150″ ; 20 c., 4 fois 5 b. en 20″ ; 20 c., 4 fois 5 b. en 10″. **P. Sport.** P., revolver de gros calibre (22 LR pour Dames et Juniors). *Cible* fixe et pivotante à 25 m. *Tir* 30 coups « visé » en 6 séries de 5 balles en 6″. 30 « duels » en 6 séries de 5 (3 s pour chaque balle, la cible pivotante s'effaçant durant 7 s entre chaque coup). **P. libre. P. à 1 coup 22 LR.** *Cible* 50 m dont le ⌀ central a un diamètre de 50 mm. *Tir* 15 coups d'essai et 60 balles en 2 h 30, en 6 séries de 10 coups.

• **Résultats. Champ. du monde. 90. Hommes. P. libre :** *ind.* Koprinkov (Bulg.), *ég.* Hongrie. **P. 10 m :** *ind.* Tobar (Col.), *éq.* URSS **Dames. P 10 m :** ind. Sekaric (Youg.), *éq* URSS.

Championnats d'Europe. 1991. Hommes. Combiné 22. *Juniors :* ind. Gouedo [3], éq. Tchéc. **P. sport gros calibre :** ind. Ignatuk [1], éq. URSS. **P. libre 50 m.** *Juniors* ind. Lykacyk [1], éq. Pol. ; *seniors* ind. Melentev [1], éq. URSS. **Vitesse olympique.** *Juniors* ind. Chaushev [6], éq. All. ; *seniors :* ind. Schumann [7], éq. Pologne. **P. standard.** *Seniors :* ind. Pijanov [1], éq. URSS. **Dames. Combiné 22.** *Juniors* ind. Peschier [8], éq. Italie. **Combiné 22-25 m :** ind. Serra-Tosio [3] éq. France.

Championnats de France. 1990. Hommes. Vitesse olympique Raybaut, **cible à 10 m** Wolbert, **combiné** Dudde, **Standard** Kesel, **libre** Kesel, **libre 50 m** Cola. **Dames. Cible à 10 m et combiné** Serra-Tosion.

Carabine

• **Épreuves C. 60 balles « couché » ou match anglais :** C. libre de petit calibre (22 LR). *Cible* à 50 m (⌀ 10 = 12 mm). Durée 1 h 30.

C. Libre (3 positions) 3 × 40 : C. libre de petit calibre (22 LR). *Cible* 50 m (⌀ 10 = 12 mm). *Tir* 5 h 15, 120 coups (40 « couché » 1 h 30 ; 40 « debout » 2 h ; 40 « genou » 1 h 45). **C. Libre (3 positions) 3 × 20** (réservée aux Dames et Juniors) : *arme et cible* idem ci-dessus. *Tir* 2 h 30, 60 coups (20 « couché », 20 « debout », 20 « genou »). **C. 300 M (libre et standard) :** C. libre gros calibre : *cible* 300 m. *Tir* 120 coups en 5 h 15 : 40 c. « couché » 1 h 30, 40 c. « debout » 2 h, 40 c. « genou » 1 h 15. **C. standard gros calibre :** *cible* 300 m. *Tir* 60 coups en 2 h 30 : 20 c. « couché », 20 c. « debout », 20 c. « genou ». **C. 10 M (debout) :** C. à air comprimé. *Cible* 10 m. *Tir* 60 plombs en 2 h 15 maximum.

• **Résultats. Championnat du monde. 90. Hommes. C. 10 m.** *ind.* Riederer (All. féd.), *éq.* All. féd. **C. mobile** *ind.* Kurzer (All. féd.), *éq.* Chine. **Dames. C. 10 m** ind. Joo (Hong.), *éq.* USA.

Dames. C. standard. 60 balles couché : *ind.* Florian (Hongr.), *éq.* Youg. **120 balles, 3 positions :** *ind.* Letcheva (Bulg.), *éq.* Bulg. **C. à air comprimé :** *ind.* Letcheva (Bulg.), *éq.* Finlande.

Championnats d'Europe. 1991. Hommes. 60 balles couché juniors : ind. Duvier [5], éq. Danemark ; *seniors :* ind. Christensen [5], éq. Danemark. **3 × 40** *juniors :* ind. Pletickosic [9], éq. Yougoslavie ; *seniors :* ind. Maksimovik [9], éq. Yougoslavie. **Dames. 60 balles couchés.** *Juniors :* ind. Ivosev [9], éq. Yougoslavie ; *dames :* ind. Letcheva [6], éq. Bulgarie. **3 × 20.** *Juniors :* ind. Matova [6], éq. Bulgarie ; *dames :* ind. Ivosev [9], éq. Yougoslavie.

Championnats de France. Hommes. C. 60 balles couché : 89 Klinckmaillie, **90** Goberville. **3 × 40 : 89, 90** Amat. **Dames. C. 3 × 20 : 89, 90** Dutartre. **C. couché : 90** Esnault. **Cible 10 m. Hommes. 89** Badiou. **Dames. 89** Decheme. **Vitesse olympique. Hommes 89.** Kovacs.

Cible mobile à 10 m

Nota. – Dep. 1989, cible mobile à 10 m (avant dite *sanglier courant*).

• **Épreuves.** La cible parcourt un trajet rectiligne de 10 m, face au tireur, de droite à gauche et de gauche à droite alternativement, en 2 vitesses : lente (VL) 5″ ; rapide (VR) 2,5″. Elle doit être tirée à chaque passage. On ne peut épauler avant son apparition.

Discipline. 50 m. *Trajet cible* 10 m. *Carabine* 22 LR, alimentation coup par coup et lunette de visée obligatoire. *Tir* 1re série : 30 coups en VL, 2e : 30 en VR. **« Vitesse mixte ».** *Distance* 50 m. *Trajet cible* 10 m. *Car.* 22 LR, alimentation coup par coup et lunette de visée obligatoire. *Tir* le tireur ne connaît pas la vitesse de passage (lente ou rapide) : 1re série : 20 coups ; 2e : 20 (10 coups VL et 10 coups VR. Ordre de succession non connu. Pas plus de 5 coups successifs dans la même vitesse). **Olympique 10 M.** *Distance* 10 m. *Trajet cible* 2 m. *Car.* à air comprimé 4,5 mm et lunette de visée obligatoire. *Tir* 1re série : 30 coups en VL ; 2e : 30 en VR. **De chasse armes d'épaule et de poing.** *1° Ar. à canon lisse :* fusil de chasse calibre 12 ou 16, pas de lunette de visée. *Distance* 35 m. *Trajet cible* 10 m. *Tir* 10 coups en VL + 10 en VR (même ordre que Discipline Mixte). *2° Ar. à canon rayé :* carabine chasse – calibre min. 6 mm. *Distance* 50 m. *Tir* 1re série : 20 coups vitesse mixte. *C. Ar. de point :* pistolet ou revolver de gros calibre. *Distance* 35 m. *Tir* 1re série : 20 coups vitesse « mixte ».

• **Résultats. Ch. du monde. 83** Dedov [1] et Kadenatsi [1]. **84** Li [2]. **86** Luzov [1]. **87** Tricoire [3]. **89** Solti [4].

Ch. d'Europe. Ind. 85 Reczeli [4]. **87** Tricoire [3]. **89** Avramenko [1]. **90** Heiestad [5]. **Éq. 85** Hongrie. **87** Tchéc. **89** URSS. **90** Hongrie.

Ch. de France. 83 Gasquet. **84** Tricoire. **85** Abihssira. **86, 87, 88** Tricoire. **89** Chartron. **90** Abihssira.

Tir aux armes de chasse

Fosse

• **Description.** Équipées d'appareils de lancement pouvant distribuer des plateaux sous des angles différents. Le tireur ignore l'appareil qui va envoyer le plateau. Selon la fosse, les vitesses de retombée sont variables. *Tireurs placés* à 15 m de la fosse. **Plateaux.** 11 cm de diam., 25 à 28,5 mm de hauteur, 100 à 110 g. **Arme.** Fusil de chasse, calibre 12 max., cartouches 70 mm (2,3/4 pouces), charge 32 g, diamètre max. des plombs 2,5 mm.

• **Types d'épreuves. Fosse olympique.** *Appareils de lancement* 15 (5 groupes de 3). Chaque groupe peut lancer des plateaux sous 3 angles différents. *Longueur de lancement* plan horizontal : 75 m (+ ou - 5 m) ; hauteur à 10 m de l'appareil : 1,50 m à 3,50 m, la trajectoire ne devant pas dévier de plus de 45°. *Nombre de plateaux* : 200, la compétition se déroulant par groupes de 6 tireurs en séries de 25 plateaux. Le tireur peut tirer 1 ou 2 cartouches sur chaque plateau.

Fosse universelle. *Ap. de lanc.* 5. *Longueur du lancement* sous tous les angles de direction et de hauteur : 70 m (+ ou - 5 m). *Hauteur* à 10 m de l'appareil : 1,50 à 3,50 m. Les appareils peuvent modifier puissance de projection, orientation et hauteur de la trajectoire des plateaux (qui ne doit pas s'écarter de plus de 20°). Nombre de plateaux : 200 en séries de 25. **Fosse américaine.** *Ap. de lanc.* 1. *Plateaux* 100 (séries de 10).

• Résultats. **Championnats du monde. Fosse olympique** *Créés* 1970. **Messieurs. Ind. : 70** Carrega [1] 197/200. **71** Carrega [1] 198/200. **73** Andrushkim [3] 196/200. **74** Carrega [1] 199/200. **75** Primrose [4] 197/200. **77** Azkire [6] 197/200. **78** Valduvi [6] 198/200. **79** Carrega [1] 194/200. **81** A. Asanov [3] 197/200. **82** Giovannetti [2] et Valduvi [6] 197/200. **83** Primrose [4] 188/200. **85, 86** Bednarik [11]. **87** Benelli [2]. **Équipe : 74** France 578/600. **75** USA 388/400. **77** Italie 575/600. **78** USA 580/600. **79** Italie 568/600. **81** URSS 572/600. **82** Italie 587/600. **85, 86, 87** Italie. **90** France. **Dames. Ind. 85** Li Chuan [12]. **86** Gao [12]. **87** Yin Weiping [12]. **Équipe. 85** Chine. **86** URSS. **87** Chine.

Championnats d'Europe. Fosse olympique. *Créés* 1967. **Messieurs. Individuels : 67** Cassiano [2]. **68** Carrega [1]. **69** Baud [1]. **70** Alipov [3]. **71** Bassagni [2]. **72** Smelczynski [7]. **73** Valduvi [6]. **74** Azkue [6]. **75** Carneroli [2]. **76** Smelczynski [7]. **77** Asanov [3]. **78, 79** Hoppe [1] 194/200. **80** Ochotski [3]. **81** Blondeau [1]. **82** Cioni [2] 199/200. **83** Numella [9] 199/200. **84** Sancho-Navarro [6] 199/200. **85** Jacobson [10] 148. **86** Cioni [2] 218/225. **87** Dammer [8] 217. **88** Pera [2]. **89** Venturini [2] 222. **90** Chebanov [3]. **91** Pouzol [1] 195. **Équipe : 67** Suède. **68** France. **69** Italie. **70** URSS. **71** Italie. **72** Espagne. **73** France. **74, 75** Italie. **76** France. **77** URSS. **78** Italie. **79** URSS. **80** URSS. **81** URSS 584/600. **82** URSS 584/600. **83** Italie 436/450. **84** Esp. 441/450. **85** Ital. 438. **86** Ital. 434/450. **87** Ital. **88** URSS. **89** Ital. 441/450. **91** Fr. 758. **Dames. Ind. : 90** Schishirina [3]. **91** Toledo [16].

Championnats de Fr. Fosse olympique. *Créés* 1884. **Messieurs. Ind. : 1966** Minois. **67** Candelo. **68** Carrega. **69** Baud. **70, 71** Carrega. **72** Baud. **73** Guigues. **74** Blondeau. **75, 76** Carrega. **77** Roccia. **78** Blondeau. **79** Carrega. **80** Moine. **81** Demarle. **82** Blein 194/200. **83** Carrega 196/200. **84** Carrega 199/200. **85** Guelpa 197/200. **86** Blein 196/200. **87, 88** Gerin. **89** Gros. **90** Mannoni. **Dames. Ind. : 90** Bernard.

• Nombre record en 1 h. Joseph Wheater avec 5 fusils et 7 chargeurs 1 308 le 21-9-1957. En 42'22"5, il en avait touché 1 000. **Proportion.** 299 sur 300 A. V. Lumniczar (Hongrois, en 1933). 100 sur 100 (record de France, G. S. Blanc, 1955).

Record du monde de tir à la fosse olympique sur 24 h. Le 14/15-6-1986, Armand Chateauneuf (n. 1936) casse 8 091 plateaux sur 9 012 avec 10 842 cartouches (2 044 plateaux de plus que l'ancien record). *Moyenne de réussite* : 89,72 %.

• Quelques noms. Jean-Jacques BAUD [1] 1947. Pierre CANDELO [1] 9-4-1934. Michel CARREGA [1] 1933. Paul COLAS [1] 1880. Pierre COQUELIN DE LISLE [1] 1900. Michèle DELAVIE [1] 8-9-1944. Ho JUN-LI [13] 1946. Jacques MAZOYER [1] 1910. Elie PENOT [1] 1950. Michel PRÉVOST [1] 7-8-1925. Angeloao SCALZONE [2] 1931. Ragnar SKANAKER [14] 1934. Hubert VOILQUIN [1] 1923. Konrad WIRNHIER [15] 1927. John WRITER [5] 1944.

Nota. - (1) France. (2) Italie. (3) URSS. (4) Canada. (5) USA. (6) Esp. (7) Pol. (8) All. dém. (9) Finl. (10) Dan. (11) Tchéc. (12) Chine. (13) Corée du Nord. (14) Suède. (15) All. féd. (16) Port.

Parcours de chasse

• Description. Stand équipé d'un nombre d'appareils projecteurs de plateaux suffisant pour que les tireurs puissent tirer dans les mêmes conditions qu'à la chasse au gibier naturel : devant soi, rasants et montants, en battue, traversards et demi-traversards, en plaine ou au bois, gênés ou non par les arbres ou des massifs d'arbustes. *Position debout, fusil désépaulé* jusqu'à l'apparition du ou des plateaux. *Pas de tir* délimités par des carrés de 0,91 m de côté ou des cercles de 1 m de diamètre. Tir par groupe de 6 tireurs en séries de 25 plateaux, simples, doublés simultanés et doublés dits au coup de fusil dans lesquels le 2e plateau n'est envoyé qu'au coup de fusil tiré sur le 1er plateau. Discipline gérée par la Féd. fr. du ball-trap, 10, rue de Lisbonne, 75008 Paris.

• Résultats. **Championnats du monde. Seniors : 81** J.C. Meng, **82** M. Polet (Belg.). **83** Manjot (Fr.). **84** Cowler (G.-B). **85** Simpson (G.-B.). **86** Delaroche (Fr.). **87** Smith (G.-B.). **88** Bidwell (G.-B.). *Équipes :* **83, 84, 85** G.-B. **86** Fr. **87** G.-B. déclassée, 2e Fr. **88** Fr. **Juniors : 81** C. de Lorenzi, **82** Dodd (G.-B.). **83** Dopp (G.-B.). **84, 85** Foster (G.-B.). **86** Whitelock (G.-B.). **87** Papworth (G.-B.). **Dames : 81** C. Meng, V. Mary, **82-83** Hillyer (G.-B.). **84** Ch. en Afr. du S. nombreux forfaits dont la France. **85** Battut (Fr.). **86** Hillyer (G.-B.). **87** Eyre (G.-B.). **88** Hillyer (G.-B.).

Championnats d'Europe. Seniors : 81 M. Riboulet, **82** D. Lawton. **83** Come (Fr.). **84** Smith (G.-B.). **85** J.-M. Cloquemin (Fr.). **86** Simpson (G.-B.). **87** Smith (G.-B.) *Équipes :* **83-84** G.-B. **85** Fr. **86** G.-B. **Juniors : 81** C. de Lorenzi, **82** Y. Brottier (Fr.). **83** De Lattre (Belg.). **84** Foster (G.-B.). **85** Cloquemin (Fr.). **86** Whitelock (G.-B.). **Dames : 81** C. Meng, **82** M. Roux (Fr.). **83** Hillyer (G.-B.). **84, 85** Pfister (All. féd.). **86** Eyre (G.-B.).

Championnats de France. 84 *Seniors* Riboulet. *Juniors* Meng. *Dames* de Lorenzi.

Skeet

Skeet olympique

• Description. Parcours comprenant 2 baraques de lancement, l'une haute (PULL), l'autre basse (MARK), distantes de 40 m env. Des baraques partent des plateaux aux trajectoires bien définies et constantes. Les tireurs se déplacent sur 7 postes de tir équidistants placés sur un demi-cercle. Les fosses de lancement se trouvent à chaque extrémité du diamètre. Un 8e poste se trouve au centre du diamètre du demi-cercle. On tire des plateaux PULL ou MARK ou des doubles simultanés PULL/MARK ou MARK/PULL. Le tireur ne peut épauler qu'à l'apparition du plateau. **Armes et munitions.** Fusil de chasse, calibre 12 max., cartouche 70 mm, charge 32 g, diam. max. des plombs 2 mm. Une seule cartouche par plateau lancé à partir de 2 fosses (une haute, une basse) situées à droite et à gauche d'un terrain en arc de cercle (rayon 19,20 m, base 36,80 m se trouvant à 5,49 m du centre), chaque concurrent occupant successivement 8 positions fixes. Tir par groupes de 6 tireurs en séries de 25 plateaux par tireur (13 lancers simples et 6 doubles).

• Résultats. **Championnats du monde** (créés 1970). Tous les ans sauf années olympiques. **Individ. : Messieurs. 72** Tzaranov [1]. **73** Andreev [1]. **74** Gawlikowski [2]. **75** Tzaranov [1]. **77** Seiffert [3]. **78** Brunetti [7]. **79** Justesen [3]. **81** Annaisvili [1]. **82** Carlisle [9]. **83** Dryke [9]. **85** Hochwald [10]. **86** Dryke [9]. **87** Monakov [1]. **89** Giovannangelo [7]. **90** Berelli [7]. **Dames 85** Carlisle [9]. **86** Demina [1]. **89** Zhang [11]. **Équipes : Messieurs. 72, 73, 74** URSS. **75** All. dém. **77** USA. **78** Italie. **79** USA. **81** Italie. **82, 83, 85** USA. **86** Italie. **87** URSS. **89** Italie. **90** Tchéc. **Dames 85, 86, 87, 89** Chine.

Championnats d'Europe. Messieurs. Individuels : 69 Penot [4]. **70** Socharski [2]. **71** Karlson [5]. **72** Andreev [1]. **73** Zhengti [1]. **74** Petitpied [4]. **75** Ramussen [3]. **76** Avalos [6]. **77** Aliev [1]. **78** Garagnani [7]. **79** Rossetti [4]. **80** Panacek [8]. **81** Zhgenty [1]. **82** Rossetti [4] et Penot [4]. **83** Horwald [10]. **84** Hala [8]. **85** Thorwaldsson [5]. **86** Giardin [7]. **87** Tcerkasov [1]. **88** Delac [4]. **89** Durbesson [4]. **90** Rossetti [7]. **Équipes : 69** URSS. **70** All. féd. **71** Espagne. **72, 73, 74** URSS. **75** Suède. **76** Danemark. **77, 78** URSS. **79** P.-Bas. **80, 81** URSS. **82** Tchéc. **83, 84, 85** URSS. **86** Ital. **87** URSS. **88** Tchéc. **89** P.-Bas. **90** Finlande. **Dames. Ind. 89** Wilczynska [2]. **90** Dlomina [1]. **Éq. 89** Pol. **90** URSS.

Nota. - (1) URSS. (2) Pologne. (3) Danemark. (4) France. (5) Suède. (6) Espagne. (7) Italie. (8) Tchéc. (9) USA. (10) All. dém. (11) Chine.

Championnats de France (individuels). Messieurs. 1966 Cassagrande. **67, 68** A. Plante. **69, 70** Penot. **71** J.-P. Roncari. **72, 73, 74** Penot. **75** Otet. **76** Mangin. **77** Petitpied et B. Rossetti. **78** Simon. **79** Penot. **80** Rossetti. **81** Petitpied. **82-83** Rossetti. **84** Petitpied. **85** Rocheteau. **86** Rossetti. **87, 88** Tyssier. **89** Durbesson. **90** Faucheux. **Dames. 90** Elot.

Skeet de chasse. Description. 20 plateaux se limitent aux postes 2, 3, 4, 5 et 6. Chaque planche de 20 plateaux se tire d'abord en 10 simples (position de départ épaulée ou non, au choix du tireur). Puis, aux mêmes postes en 5 tirs doubles. Au coup de fusil, le 2e plateau ne part que lorsque le 1er coup a été tiré. Trajectoire moins tendue que pour le skeet olympique. Discipline abandonnée par la F.F.T.

Autres tirs à la cible

• Bench Rest Shooting. **Tir de précision sur appui.** Tireur assis à une table ou banc de tir. Arme reposée sur des sacs de sable ou un support spécial. On doit grouper les impacts sur le plus petit espace possible de la cible (quelques mm). Armes d'épaule, de haute précision, lunette télescopique de fort grossissement. Cibles à 100, 200 et exceptionnellement 300 m.

Championnats de France. 85. Carabine lourde 100 m Serain, 200 m Octo. C. légère 100 m Cauvain, 200 m Grosse.

• Poudre noire. Armes anciennes d'époque ou répliques se chargeant à la poudre noire.

Arme de poing. *Cible fixe.* 13 coups en 1/2 heure à distance de 25 m. Cible U.I.T. pistolet. Seuls les 10 meilleurs impacts sont retenus. Armes : pistolet à silex ou à percussion (épreuves Cominazzo et Kuchenreuter) et revolvers à percussion (épreuves Colt et Mariette). **D'épaule.** *Cible fixe.* Fusil ou carabine à canon lisse ou rayé se chargeant par la bouche peuvent être réglementaires, civiles, à percussion, à silex ou à mèche suivant les épreuves. 13 coups dont seuls les 10 meilleurs retenus. ÉPREUVES : *Miquelet* fusil réglementaire à silex, canon lisse, position « debout », 50 m. *Maximilien* f. ou carabine à silex, canon rayé, position « couché », 100 m. *Minie* f. réglementaire à percussion, canon rayé, 100 m. *Whitworth* f. ou car. à percussion, 100 m. *Walkyrie* f. ou car. à percussion, 100 m, épreuve féminine. *Tanegashima* mousquet à mèche lisse, 50 m. *Vetterli* arme libre (mèche, silex ou percussion) 50 m. *Cible mobile* fosse simplifiée, en 20 plateaux, fusil à silex (épreuve Manton), à percussion (épr. Lorenzoni).

Championnats de France. 89. *Miquelet : arme d'origine* Rossero, *réplique* Boussinot. *Maximilien : O.* Guichardot, *R.* Bernard. *Minie : O.* Ropars, *R.* Rousseau. *Whitworth : O.* Galero, *R.* Schneider. *Cominazzo : O.* Degert, *R.* Gimenez. *Kuchenreuter : O.* Journet, *R.* Regnier. *Colt :* Journet. *Walkyrie : O.* Galero, *R.* Pietri. *Mariette : R.* Becker. *Tamegashima :* Bernard. *Vetterli : O.* Ropars, *R.* Huchelman. *Hizadai :* Bernard. *Manton : O.* Berthasson, *R.* Aguilla. *Lorenzoni : O.* Briole, *R.* Bouvet.

DBS CUP Compétition internationale. 82. *Miquelet :* Musar. *Vettali :* Blumenauer. *Minie :* Ropars. *Cominazzo :* Bambach. *Kuchenreuter :* Bucher. *Colt :* Deparis. *Par équipe :* France.

• Silhouettes métalliques. Position libre mais les tireurs sont le plus souvent couchés ou assis. *Arme* pistolet ou revolver de gros calibre à canon long. *Tir* 40 coups [10 à 50 m sur 10 cibles de « poulet » (chiken). 10 à 100 m sur 10 « sanglier » (javelina). 10 à 150 m sur 10 « dindon » (turkey). 10 à 200 m sur 10 « mouflon » (ram)]. Le projectile doit renverser la cible. Position debout.

Championnats de France. 86 *Position libre. Pistolet production :* G. Bernard. *Revolver :* M. Vincent. *Unlimited :* M. Boulanger.

• Arbalète. *A. 10 M :* poids max. 6 kg. *Trait* ⌀ e 4,5 mm. *Tir* 40 coups. *Cible* ⌀ du 10 : 1 mm. *B. 30 M :* poids max. 10 kg. *Trait* ⌀ 6 mm. *Tir* 60 coups (30 « debout », 30 « genou »).

• Résultats. **Championnats de France. 85 Seniors** Amat. **Par équipes** Racing club de France. **Dames** Dutartre. **86 Hommes** Bessy. **Dames** Muris.

Jeux olympiques. Voir p. 1801.

Tir à l'arc

Généralités

• Quelques dates. **825** l'évêque de Soissons crée les Cies de tir à l'arc françaises. Perdent leur importance militaire avec l'apparition de l'arquebuse. Dissoutes à la Révolution, elles réapparurent sous l'Empire. **1898** Féd. fr. créée. **1928** Féd. fr. de tir à l'arc créée. **1931** Féd. int. de tir à l'arc créée à Lodz (Pologne). **1972** reconnu discipline olympique.

• Statistiques. **En France.** *Pays d'arc :* Oise, Aisne, Somme, Marne, Nord, Est de Paris. *Tireurs :* 100 000. *Licenciés :* 35 000. *(non licenciés appartenant aux clubs :* 10 000, *pratiquant hors de toute organisation :* 60 000). *Clubs :* 1 500 (+ de 160 dans la région paris., dans 27 ligues). *Compétition :* 1 000 par an.

Matériel

Tir sur cibles : puissance de propulsion de l'arc 7 à 25 kg, hauteur de 1,5 à 1,8 m. **De chasse :** puissance 16 à 32 kg, hauteur 1,2 à 1,5 m. **De loisir :** puissance hommes 13,5 kg, femmes 11 kg. **Enfants :** puissance 2 à 7 kg, hauteur 1 m à 1,25 m. *Pour choisir son arc :* connaître son *allonge :* le bras à l'horizontale dans l'alignement des épaules, la main verticale le pouce en dessus, mesurer sur le bras en partant de la base du cou jusqu'à la 1re phalange du pouce en partant du poignet.

Nota. – En termes techniques, puissance en livres anglaises et haut. en pouces.

Arcs utilisés en France. Bois, fibre de verre et carbone-céramique. *Débutants,* force de 16 à 20 livres, précision jusqu'à 30 m. *Adolescents et j. filles* 25 à 40 livres, précision jusqu'à 70 m ; h. 36 à 50 livres env. permettant le tir aux distances olympiques. *Taille :* 1,55 à 1,75 m. *Prix d'un arc :* 600 à 7 000 F. Carquois 70 à 500 F. Corde dacron (résistant) 25 F, kevlar (+ rapide) 40 F. *Flèches* (coupées sur mesure) 20 à 60 F. *Flèche carbone* 40 à 100 F.

Stabilisateurs (tiges et poids de différentes longueurs posés par l'archer suivant la sensation recherchée). Absorbent et retardent les vibrations parasites transmises à la poignée par les branches, au lâcher de la corde. *Prix :* 60 à 1 000 F. *Viseur :* 55 à 1 000.

Disciplines

Disciplines internationales

• **Tir FITA** (Féd. Internat. de Tir à l'Arc). Discipline olympique. Sur terrain plat. Blasons divisés en 10 zones de 5 couleurs différentes, chiffrées de 1 à 10. 36 flèches à chaque distance par volées de 3. *Hommes :* 90 et 70 m sur cible de 1,22 m de diam, puis 50 et 30 m sur cible 0,80 m. *Femmes :* 70 et 60 m sur cible 1,22 m, puis 50 et 30 m sur cible 0,80 m. Total 144 flèches. Max. de 1 440 points. CONCOURS (2 fois 144 flèches) en 1 ou 2 jours, parfois 4 pour grandes compétitions : J. Ol., Champ. du Monde. Dep. 1986. Compétition en 2 phases : *éliminatoire* ouverte à tous les engagés, seuls les 24 meilleurs scores seront retenus sur un FITA classique ; *finale* avec élimination progressive et remise des compteurs à zéro à chaque étape, jusqu'à la finale. Les archers tireront 36 flèches à chaque stade de la compétition [9 par distance (90, 70, 50 et 30 m chez les hommes et 70, 60, 50 et 30 m chez les femmes)]. 1/8e de finales : 24 archers (ordre de tir : 90, 70, 50, 30 m), 1/4e : 18 (30, 50, 70, 90 m), 1/2e : 12 (90, 70, 50, 30 m), finale : 8 (30, 50, 70, 90 m).

Tir par équipe. *1/2 finales :* 12 meilleures équipes de 3 tireurs (corde de tir : 90, 70, 50, 30 m), *finale :* 8 équipes (corde de tir : 30, 50, 70, 90 m).

• **Tir en salle.** Pratiqué dep. 1972, essentiellement l'hiver (gymnase ou hall fermé). *Tirs :* 2 fois 30 flèches, au choix de l'organisateur, à 25 ou 18 m, par volées de 3 flèches. Dep. 1990, organisation de phases finales, tableau par élimination directe (duels sur 15 flèches, les 16 premiers accèdent aux finales). *Cibles :* identiques à celles du FITA, mais 60 cm de diam pour les arcs classiques et le tir à 25 m et 40 cm pour les arcs à poulies. 2 phases : par distance et phase finale sur 15 flèches.

• **Tir en campagne.** Pas olympique. Parcours complet (24 implantations de cibles) établi sur un terrain varié. Emprunté par des pelotons comprenant en moy. 4 archers (hommes et femmes). La moitié du parcours (12 cibles) est dit *parcours aux distances connues* (distances affichées à chaque poste de tir), l'autre *parcours aux distances inconnues* (distance à évaluer par les archers). Selon la taille du blason, la distance à apprécier se situe entre 5 et 60 m. Blasons, comportant 5 cercles concentriques, noir, gris et blanc, ayant 80, 60, 40 et 20 cm selon les distances. Chaque archer tire 3 flèches par étape du parcours (total : 72). Une compétition internationale se déroule sur 2 j. : 1er parcours complet avec distances inconnues ; 2e avec distances connues. 3 catégories donnant lieu à classements : *tir libre* ou *tir avec viseur,* (équipement similaire au tir FITA) et *tir sans viseur* ou *bare-bow,* (arc nu sans dispositif de visée), arcs à poulies ou compound.

Disciplines nationales

Beursault. Se pratique seulement en France (surtout dans les régions du « Pays d'arc » : Picardie et région parisienne), sur 2 buttes de tir, face à face, à 50 m, placées entre 2 rangées d'arbres. Tir effectué alternativement d'une butte à l'autre. *Cible* 45 cm de diam. *Partie* en 40 flèches par tireur, chaque flèche fichée à l'intérieur de la cible compte pour un *honneur ;* au centre de ce diamètre, un cercle noir de 20 mm permet de mesurer les coups les plus près, du centre de la flèche au centre du cercle noir, à l'aide du « palmer d'archer », au 1/20 de mm. *Classement* sur le nombre de flèches en cibles (honneurs), les points servant à départager les ex aequo.

Records (au 12-8-1991)

	Monde		France	
	H	D	H	D
Grand total (max. 1 440 pts)	Esheev [4] 1 352	Lee [9] 1 370	S. Flute 1 324	C. Pellen 1 305
90/70 m (max. 360)	Esheev [4] 330	Kim [9] 345	G. Donis 334	C. Pellen 322
70/60 m (max. 360)	Yamamoto [15] 344	Kim [9] 347	T. Venant 338	N. Hibon 334
50 m (max. 360)	Mc Kinney [5] 345	Lee [9] 337	T. Venant 333	L. Maupin 326
30 m (max. 360)	Matsushita [15] 357	Edens [12] 357	O. Rouillard 356	S. Bonal 350
Par équipes (max. 4 320)	Zabrodsky, Shikarev, Esheev (U.R.S.S.) 3 963	Kim, Wang, Park (Corée) 4 025	Felipe, Heck, Weis 3 886	Hibon, Pellen, Giet 3 853

Fédéral. Tir sur des cibles de couleur (comme pour le FITA) distances 50 et 30 m. 72 flèches. Score max. 720 points.

Tir de Chasse. Sur des blasons animaliers placés à des distances de 5 à 40 m. La partie centrale de l'animal est appelée « *zone tuée* » et la partie extérieure « *zone blessée* ».

Disciplines de loisir

Tir clout ou **tir au drapeau.** Allie tir à très longue distance et tir de précision. Série de 30 flèches, tirées à 165 m pour les h. et 115 m pour les femmes. 2 volées de 3 flèches, non prises en compte, sont accordées pour estimation avant le début du tir. Le blason clout est circulaire (d. 15 m), divisé en 5 zones de 1,5 m de largeur. Le centre (marqué par un drapeau de couleur vive, le clout) est au max. 80 cm de long. et 30 cm de large doit être fixé à une hampe de bois blanc, plantée verticalement dans le sol. La valeur des flèches qui ne se piquent pas dans la terre sera déterminée par la position de la pointe. Celles qui se piquent dans le clout sont comptées 5.

Archerie-Golf. Archers et golfeurs s'affrontent sur un parcours de golf. Ils doivent approcher du *green* en un min. de coups : l'un avec son arc et sa flèche, l'autre avec son club et sa balle. Sur le *green,* l'archer fait tomber 1 balle de 15 cm en équilibre sur un trépier, le golfeur envoie sa balle dans un trou de même dimension.

Ski-Arc « Biathlon ». Pratiqué dans Alpes et Pyrénées. Connu au Canada. Parcours de ski de fond et tir en campagne. Sur circuit d'env. 15 km, des postes de tir sont répartis. Chronomètrage et résultats de tir s'additionnent.

Records et résultats

☞ *Légende.* – (1) Belg. (2) Fr. (3) Pol. (4) URSS. (5) USA (6) Italie. (7) Suède. (8) All. féd. (9) Corée du S. (10) Finl. (11) Autriche. (12) G.-B. (13) Suisse. (14) Can. (15) Japon. (16) Chine. (17) P.-B.

• **Records de distance. Arc à la main :** 1 126,19 m par Alan Webster [12] le 2-10-1982. **Au pied :** 1 854,40 m par Harry Drake [5] le 24-10-1971. [889,43 m par le sultan Selim III (1761-1808) en 1798.]

Tir olympique

• **Jeux olympiques.** Voir page 1801.

Championnats du monde. *Créés* 1931. Tous les 2 ans. **Hommes : 81** Laasonen [10]. **83, 85** Mc Kinney [5]. **87** Esheev [4]. **89** Zabrodsky [4], 2e Hallard [12], 3e Poikolainen [10]. **Dames : 81** Butuzova [4]. **83** Hokim [9]. **85** Soldatova [4]. **87** Xaigjun [16]. **89** S.N. Kim [9], 2e K.W. Kim [9], 3e Parker [5]. **Par équipes : Hommes : 81, 83** USA. **85** Corée du S. **87** All. féd. **89** URSS., USA., Corée du S. **Dames : 81** URSS. **83** Corée du S. **85, 87** URSS. **89** Corée du S., Suède, URSS.

Championnats d'Europe. *Créés* 1968. **Hommes : 80** Vervinck [1] 1 239 pts. **82** Yeseev [4] 1 274. **83** Esheev [4] 1 168. **85** Leontiev [4] 1 172. **86** Poikolainen [10] 1 224. **87** Prokoplu [4] 1 164. **88** Leontiev [4] 317. **90** Zabrodsky [4] 335. **Par équipes : 80** Suède 3 678. **82** Belgique 3 752. **83** URSS 3 477. **85** URSS 3 477. **86** URSS 3 608. **87** URSS 3 470. **88** URSS 960. **90** URSS 984. **Dames : 80** Butuzova [4] 1 234. **82** Butuzova [4] 1 281. **83** Butuzova [4] 1 164. **85** Marfel [4] 1 160. **86** Arzhanikova [4] 1 260. **87** Arzhanikova [4] 1 150. **88** Arzhanikovan [4] 311. **90** Nasaridze [4] 330. **Par équipes : 80** URSS 3 680. **82** URSS 3 737. **83** URSS 3 451. **85** URSS 3 417. **86** URSS 3 727. **87** URSS 3 425. **88** URSS 943. **90** URSS 987.

Championnats de France. *Créés* 1957. **Hommes : 81** G. Douis 1 232. **82** Venant 1 245. **83** Schneider 1 114. **84** Venant 1 251. **85** Loyen 1 263. **86** Baron 1 265. **87** Loyen 1280. **88** Douis 1 249. **89** Heck 1 299. **90** Felipe 322, 2e Franclet 321, 3e Maillard 321. **Dames : 81** Frey 1 207. **82** Gastoué 1 219. **83** Bazin 1 170. **84** Bazin 1 257. **85** Musy 1 235. **86** Bazin 1 271. **87** Pellen 1272. **88** Maillet 1 200. **89** Maupin 1 261. **90** Gabillard 312, 2e Bonal 310, 3e Douarte 308.

Tir en salle

Championnats du monde. *Créés* 1991. **Arc à poulie, 15 flèches. Hommes. 91** Asay [5]. **Dames. 91** Panico [6]. **Arc olympique, 15 flèches. Hommes. 91** Flûte [2]. **Dames. 91** Valejeva [4].

Championnats d'Europe. *Créés* 1983. Tous les 2 ans. **Hommes : 83** Esheev [4] 1 168. **85** Leontiev [4]. **87** Prokopiv [4]. **89** Verstegen [17]. **Par équipes : 83, 85, 87, 89,** URSS. **Dames : 83** Butuzova [4]. **85** Marfel [1]. **87** Arzhannikova [4]. **89** Valeeva [4]. **Par équipes : 83, 85, 87, 89** URSS.

Championnats de France. *Créés* 1973. **Hommes : 83** Schneider 1 149. **84** Loyen 1 156. **85** Loyen 1 154. **86** Venant 1 155. **87** Colmaire 1 148. **88** Franclet 1 163. **89** Felipe 1 159. **90** Weis 1 154. **91** Flûte (classique), Schneider (a. à poulies). **Dames : 83** M.L. Turazzi 1 092. **84** Turazzi 1 105. **85** Sochard 1 099. **86** Marest 1 122. **87** Bazin 1 128. **88** Pellen 1 124. **89** Pellen 1 134. **90** Denovillers 1 120. **91** Hibon (cl.), Dufour (a. à p.). **Par équipes** (*créés* 1980) : **Hommes. 83** Clermont-Ferrand 4 729. **84** Clermont-Ferrand 4 283. **85** Arcachon 4 691. **86** Nîmes 4 782. **87** Arcachon 4 799. **88** Clermont-Ferrand 4 675, **89** Clermont-Ferrand. **90** Montfermeil 3 473, 2e Clermont-Ferrand 3 702, 3e Pau 3 679. **Dames. 90** St-Étienne 3 504, 2e Thourette 3 480, 3e Clermont-Ferrand 3 464.

Tir en campagne

Championnats du monde. *Créés* 1969. Tous les 2 ans. **Hommes. Ch. 90. Tir libre. Hommes :** Barrs [5] 97. **Dames :** Ferriou [2] 88. **Arc nu. Hommes :** Palmer [7] 78. **Dames :** Visconti [2] 86. **A. à poulies. Hommes :** Ulmer [5] 101. **Dames :** Shepherd [12] 91.

Championnats d'Europe. *Créés* 1971. **82** et **86.** Les ch. du monde sont aussi ch. d'Europe. **Hommes : 80** Bjerendal [7] 947. **84** Bjerendal [7] 963. **Dames : 80** Jussila [10] 856. **84** Goodal [12] 869.

Championnats de France. *Créés* 1969. Tous les ans. **Hommes : 81** Rebeyrotte 916. **82** O. Bont 927. **83** Pain 899. **90** Laury. **91** Boistard. *Sans viseur :* **84** Legrand 1 411. **85** Legrand. **86** Legrand. **87** Thieffine. **88** Nicou 741. **89** Maranzana 839. **90** Maranzana. *Avec viseur :* **84** Nayrolle 1 666. **85** Pain 914. **86** Baron 972. **87** Colmaire. **88** Simon 951. **89** Colmaire 954. *Arc nu :* **90** Maranzana. **91** Legrand. *A. à poulies :* **90** Blin. **91** Guyon. **Dames : 81** Schraen 841. **82** Schraen 760. **83** Curtil 779. **90, 91** Pellen. *Sans viseur :* **84** Dardenne 1 187. **85** Visconti 650. **86** Visconti 737. **87** Visconti 701. **88** Visconti 775. **89** Visconti 728. **90** Adnet. *Avec viseur :* **84** Drach 1 542. **85** Curtil 838. **86** Curtil 871. **87** Pellen. **88** Pellen 881. **89** Pellen 894. **90** Pellen. *Arc nu :* **90** Adnet. **91** Visconti. *A. à poulies :* **90** Fabre. **91** Dardenne.

Trampoline

Généralités

Origine. 2 trapézistes (les « Due Trampoline ») auraient eu l'idée d'utiliser l'élasticité du filet de protection pour terminer leur exhibition par des sauts acrobatiques. **1934** Georges Nissen et Larry Griswold reprennent le principe. Sera utilisé principalement par l'Armée pour l'entraînement des pilotes d'avion et parachutistes. **1948** USA 1ers championnats nationaux (officiels 1955) **1955** importation en Europe du matériel made in USA. **1964** Féd. intern. créée. **1965** Féd. française des sports au Trampoline de compétition. **1985** Féd. fr. de tir et de sports acrobatiques.

Normes des trampolines de compétitions (janv. 1991). *Toiles :* bandes tissées cousues : longueur 428 cm, largeur 214 cm, larg. des bandes en tension 0,6 cm. *Cadre :* 505 × 291 cm. *Suspension :* à 1,15 m du sol ; 120 ressorts ; ressorts et cadre doivent être recouverts par des protections absorbant les chocs. A chaque extrémité, banquettes de sécurité recouvertes de tapis de réception, minimum 300 × 200 × 20 cm. *Hauteur libre des salles de compétitions :* 8 m à partir du sol. Les adultes s'élèvent à 7,80 m au cours des chandelles d'élan. *Sécurité :* sauter au moins avec 4 pareurs autour du trampoline. Aucun obstacle à moins de 5 m des extrémités et 2 m sur les côtés.

Mouvements principaux. Sauts verticaux (groupés, carpés...) ; positions de base : assis-à genoux-ventre-dos, vrilles élémentaires et combinaisons des positions de base ; saltos simples, doubles, triples, quadruples... ; saltos avec vrilles : combinaisons de saltos et de vrilles.

Quelques termes. **Adolph ou Ady :** salto avant et 3 vrilles 1/2. **Back :** salto arrière. **Ball out :** salto avant depuis le dos. **Barani :** salto avant avec 1/2 vrille. **Chandelle :** saut corps vertical, membres supérieurs au-dessus de la tête, membres inférieurs tendus et réunis. **Cody :** salto arrière depuis le ventre. **Front :** salto avant. **Full :** salto avec vrille (vrille-rotation 360° autour de l'axe longitudinal). **Double full :** 1 salto avec 2 vrilles. **Fliffis :** double salto avec vrille. **Half :** demi-vrille. **In :** 1/2 vrille (indique la figure réalisée dans le 1er salto). **Out :** indique que la figure désignée est réalisée dans le dernier salto. **Pull over :** salto arrière parti du dos. **Randolf ou randy :** salto avant avec 2 1/2 vrilles. **Rudolf ou rudy :** salto avant avec 1 vrille 1/2. **« Tison »** ou **« Full Full Full » :** *créé* par Richard Tison. Réalisé par Lionel Pioline, saut le plus difficile : 1,80 pt. Triple salto arrière avec 1 vrille dans chaque salto. **Triffis :** salto avant avec 1 1/2 vrille ; triple salto avec vrille.

Épreuves

Programme. Comprend des compétitions individuelles, synchronisées (2 H., 2 F.) et par équipes (4 compétiteurs). Chacun réalise un exercice imposé et un libre (composés de 10 sauts différents) pour les épreuves qualificatives. Les 10 meilleurs sont qualifiés en finale où ils effectuent un 2e exercice libre. Exercices notés en exécution (coefficient 3) et en difficulté, appréciée selon la quantité de saltos et de vrilles réalisée. Les meilleurs sauteurs mondiaux obtiennent 13 pts en difficulté. Record : Igor Gelimbatovski 14,20 pts (1986).

Championnats du monde. *Créés* 1964. **Hommes :** *Individuels.* **64** Millmann [1]. **65** Irwin [1]. **66** Miller [1]. **67, 68** Jacobs [1]. **70** Miller [1]. **72** Luxon [2]. **74, 76** Tison [3]. **78** Janes [4]. **80** Matthew [2]. **82** Furrer [2]. **84, 86** Pioline [3]. **88** Krasnoschapka [4]. **90** Moskalenko [4]. *Éq.* **86** All. féd. **90** URSS. *Synchronisés.* **65** Irvin-Smith [1]. **66** Miller-Jacobs [1]. **67** Riehler-Treiter [5]. **68** Forster-Budenberg [5], **70** Waters-Smith [2], **72** Luxon-Hughes [2]. **74** Nealy-Cartledge [1]. **76** Janes-Jakovenko [4]. **78** Janes-Zhadoev [4]. **80** Matthews-Furrer [2]. **82** Calderon-Ranson [1]. **84, 86, 88** Bogatchev-Krashnoshapka [4]. **Dames.** *Individuelles.* **64 à 68** Wills [1]. **70** Ransom [1]. **72, 74** Nicholson [1]. **76** Levina [4]. **78** Anisimova [4]. **80, 82** Keller [6]. **84** Shotton [2]. **86** Lushina [4]. **88** Rossoudan [4]. **90** Merkulova [4], *Éq.* **86, 90** URSS. *Synchronisées.* **66, 67** Wills-Smith [1]. **68** Czech-Jarosch [5]. **70** Liebenberg-Odendal [9]. **72** Stieg-Grant [1]. **74** Scheile-Wenzel [5]. **76** Levina-Starikova [4]. **78** Luxon-Schiele [5]. **80** Bahr-Kruswicki [5]. **82** De Ruiter-Van Diermen [10]. **84** Shotton-Mc Donald [2]. **86** Lushina-Merkulova [4]. **88** Kolomiets-Rossoudan [4].

Coupe du monde des champions. *Créée* 1981. **Hommes : 81** Furron [2]. **83** Pelle [5]. **84, 85** Pioline [3]. **87** Skoczylas [7]. **90** Moskalenko [4]. **Dames : 81** Scheile [5]. **83** Holmes [2]. **84, 85** Shotton [2], **87** Holmes [2]. **90** Lushina [4] et Holmes [2]. **Par équipes : 81** All. féd. **83** All. féd. **84** G.-B.

Championnat d'Europe. **Hommes :** *ind.* **85** Krasnoschapka [4], **86** Poliarush [4], **87** Krasnoschapka [4]. *synchro* **85** Nestrelai-Galimbartovski [4], **87** Bogachev-Krasnoschapka [4]. *éq.* **85, 86, 87** URSS. **Dames :** *ind.* **85** Holmes [2], **86** Robert [3], **87** Kolomiev [4]. *synchro* **85** Bahr-Kruswicki [5], **87** Merkulova-Luchina [4] *éq.* **85** URSS., **86** Pologne., **87** URSS.

Championnats de France. **Hommes. Ind. 80, 81** Pioline. **82** Foulard. **83, 84, 85, 86** Pioline. **87** Barthod. **88, 89** Schwertz. **90** Barthod. **91** Guérard. **Synchro. 89** Barthod-Schwertz. **90** Guérard-Martin. **91** Guérard-Schwertz. **Dames. Ind. 80, 81, 82, 83** Conte. **84** Leroy. **85, 86, 87** Treil. **88** Leroy, **89** Guidicelli. **90, 91** Treil. **Synchro. 89** Guidicelli-Treil. **90** Moreno-Besseige. **91** Moreno-Trouche.

Quelques noms en France

Bataillon Jean-Michel (1-4-55). Bataillon (née Richer) Véronique (22-12-55). Barthod Hubert (12-2-65). Cola Daniel (27-2-62). Conte Nadine (24-7-63). Lebris Gilles (14-5-55). Leroy Nathalie (28-9-67). Manfray Laurent (18-9-63). Péan Daniel (14-6-63). Pioline Lionel (10-8-65). Schwertz Fabrice (25-4-70). Sogny Gilles (25-4-64). Tison Richard (17-8-56). Treil Nathalie (7-6-65).

Autres disciplines

• Acrosport. Main à main acrobatique. Réalisé en musique sur un praticable de 12 m sur 12 m. Les compétiteurs effectuent des porters, des figures acrobatiques, seuls ou avec partenaire(s), des passages chorégraphiques. *Équipes :* couple féminin, masculin, mixte ; trio féminin, 4 hommes. *Pays pratiquants :* URSS, Bulgarie, Chine, Japon, Corée, G.-B.

Championnats de France. Messieurs. Duo. 89 Billard-Lelogeais, **90** Voyeux-Hommais. **Dames. Duo 89** Richard-Weingand, **90** Guérin-Avisse. **Trio. 89** Blavet-Cordier-Debernardy, **90** Boulon-Debernardy-Cordier.

• Double mini-trampoline. *Créé* 1974. Longueur 285 cm, largeur 72 cm, hauteur 43 à 60 cm. Réalisation de sauts acrobatiques avec 2 ou 3 contacts maximum avec la toile ; le dernier saut se terminant au sol sur un tapis de réception.

Championnats du monde. Messieurs. 76 Merriott [1], **78** Ransom [1], **80** Lotz [11], **82, 84, 86** Austine [12], **88** Wareham [12]. **Dames 76, 78** Hennessy [1], **80** Fairchid [1], **82** Tough [13], **84** Dreier [5], **86** Lehmann [5], **88** Jensen [12].

• Tumbling. Acrobatie au sol sur piste élastique : longueur 2 500 cm à 2 700 cm, largeur 150 cm. Vient de l'anglais « to tumble » (faire des culbutes). Caractérisé par l'enchaînement, à rythme rapide, d'éléments acrobatiques en rotation avant, arrière ou latérale, avec ou sans appui des mains au sol. Exercices de souplesse, d'équilibre ou roulades, sont interdits. *Exercice le plus difficile :* double salto arrière avec 3 vrilles (Steve Elliot, USA, ch. du monde en 1982). *Pays pratiquants :* USA, URSS, Chine, *France,* Pologne, Bulgarie, Tchéc.

Championnats du monde. Messieurs. *Ind.* **65** Schmitz [1]. **66** Fortier [1]. **76, 78** Bertz [1]. **80** Eckberg [1]. **82, 84** Elliott [1]. **86** Hardy [1]. **88, 90** Eouzan [3]. **Éq. 86** USA. **88, 90** France. **Dames. Ind. 65, 66** Wills [1]. **76,** Long [1]. **78** Quattrochi [1]. **80** Contour [1]. **82, 84, 86** Hollembeak [1]. **88** Cunningham [1]. **90** Robert [3]. **Éq. 86, 88, 90** France.

Coupe du monde. *Créée* 1981. **Hommes. 87** Eouzan [3]. **90** Akachine [4]. **Dames. 87** Jagneux [3]. **90** Robert [3].

Championnats d'Europe. *Créés* 1985. **89. Hommes. Ind.** Eouzan [3]. **Éq.** Pologne. **Dames. Ind.** Robert [3]. **Éq.** France.

Championnats de France. Hommes. 85, Semmola, **86, 87,** Eouzan, **88** Semola, **89, 90** Eouzan, **91** Salcines. **Dames. 85, 86, 87** Jagueux, **88** Legentil, **89, 90, 91** Robert.

Nota. – (1) U.S.A. (2) G.-B. (3) France. (4) U.R.S.S. (5) All. féd. (6) Suisse. (7) Pologne. (8) Chine. (9) Autriche. (10) P.-Bas. (11) Afr. du S. (12) Australie. (13) Canada.

Voile

Généralités

• Origine. **Yacht** (de *jac'hts,* chasseurs) : inventé par les Néerl. de Frise au XVIIe s. **1res régates.** *Angleterre* en **1662** (sur la Tamise) ; **1775** (sans règles) ; **1812** à Cowes (île de Wight) avec des petits paquebots particuliers et équipages professionnels. *France,* en mer (20-7-**1840,** Le Havre), en rivière (**1842** sur la Seine). **1er club de voile.** Cork Harbour Water Club, G.-B. (1820) ; *France :* Le Havre (1840).

• Organisation. Sport amateur faisant partie du programme olympique dep. 1900. Pas de statut professionnel. Env. 80 féd. nationales adhèrent à l'International Yacht Racing Union (IYRU).

En France. *Féd. française de voile* (FFV), 55, av. Kléber, 75784 Paris Cedex 16 : *Clubs* 1 382. *Écoles de voile* 200. *Licenciés* (1990) 180 000. *Pratiquants* env. 1 000 000.

Records

• Vitesse. **1er Record officiel :** 16,5 nœuds (30,6 km/h), Schooner *Rainbow* (1898) 36,04. **Actuellement :** 66,78 km/h, Prao *Crossbow II* (17-11-1980).

Records actuels. Catégories. A (10 à 13,94 m²) : 23 nœuds (42,6 km/h), Ben Wynne (G.-B.), catamaran à hydrofoils « Mayfly », oct. 1977. **B (13,94 à 21,84 m²) :** 23,8 nœuds (44,08 km/h), Alan Gragono (G.-B.), catamaran à hydrofoils, type Tornado, octobre 1980. **C (21,84 à 27,88 m²) :** 24,4 nœuds (45,19 km/h), Sam Bradheld (U.S.A.), prototype à hydrofoils « NF2 » en 1977.

• Traversée la plus rapide de l'Atlantique Nord. Les records sur une traversée ne sont pas très significatifs pour les spécialistes, car ils dépendent des conditions atmosphériques.

Record commercial (13/26-2-1903). 12 j 6 h (moy. 10,54 no., soit 19,52 km/h), Philadelphie (USA) à Cherbourg : *La Rochejaquelein* (trois mâts nantais transportant du charbon, long. 85 m, 2 200 tonneaux, 29 h. d'équipage, cap. Ernest Durand).

Record de l'Atlantique. [U.S.A. (Phare d'Ambrose, New York)-G.-B. (Cap Lizard), 3 087 miles]. **Équipage. 1866** 1re officielle goélette *Henrietta* 13 j 21 h. **1905** Charly Barr et 50 h d'équipage (USA), goélette *Atlantic* (57 m) : 12 j 4 h 1'7" (moy. 10,4 nœuds). **1980** Éric Tabarly (Fr.) trimaran *Paul Ricard :* 10 j 5 h 14'20" (moy. 12,29 n.). **1981** Marc Pajot (Fr.) catamaran *Elf Aquitaine :* 9 j 10 h 6'34" (moy. 13,05 n.). **1984** Patrick Morvan (France), catamaran *Jet Services III :* 8 j 16 h 36'. **1986** Loïc Caradec et Philippe Facque (Fr.), catamaran *Royale :* 7 j 21 h 5'. **1987 (12 au 21-6)** Philippe Poupon (France), trimaran *Fleury-Michon :* 7 j 12 h 50' (moy. 15,8 n). **1988 (24 au 31-5)** Serge Madec et 6 équipiers, catamaran *Jet Services V :* 7 j 6 h 30' (moy. 16,9 n). **1990 (3-6)** Serge Madec et 4 éq. *Jet Services V* en 6 j 13 h 3'52 (moy 19,5 n.).

En solitaire. 11 j 11 h 46'36" : Bruno Peyron (catamaran *Ericsson*) 1987. 9 j 21 h 42' : Florence Arthaud (trimaran *Pierre Ier*). (2-7 au 2-8-90).

• New York-San Francisco par le cap Horn. **1854** Clipper *Flying Cloud* 89 j 8 h. **1989** Warren Luhrs (U.S.A.), sloop *Thursday's Child* 13 836 miles en 80 j 19 h. **1989** Kolesnikovs (Canada); trimaran *Great America* en 76 j.

• Tour du monde à la voile. **Par équipage :** 133 j (1975-76), *Great-Britain* (ketch brit. 24 m). **En solitaire :** 169 j (1975-76), *Manureva* (Alain Colas). 129 j 19 h 17 mn 8 s (1986-87), *Kriter-Brut-de-Brut* (Philippe Monnet). 125 j 19 h 32'33" (1988-89), *Un autre regard* (Olivier de Kersauson). 109 j 8 h 48' (1989-90) *Ecureuil d'Aquitaine* (Titouan Lamazou).

• Traversée Afrique-Amérique **(4 000 milles) la plus rapide en solitaire** (1971) : 22 j 8 h, *Gipsy Moth V* (Sir Francis Chichester).

• Vitesses maximales pour voiliers courants. *Dériveurs de compétition* (F.D. ou 505) : env. 18 n. (33,33 km/h) ; *planches à voile :* env. 8 n. (14,81 km/h) ; *voiliers habitables :* env. 12 n. (22 km/h) ; *multicoques :* 20 n. et + (37 km/h).

Depuis 1970 ont été mises en place 2 bases de vitesse (Weymouth, G.-B., et Hawaii, U.S.A.) pour les tentatives officielles de record de vitesse pure. Dep. sept. 1981, une base de vitesse est installée à Brest. Il y a aussi une base aux Stes-Maries-de-la-Mer.

Quelques définitions

• **Abattée** changement de cap d'un bateau. **Adonner** le vent adonne lorsqu'il tourne favorablement à la marche du navire. **Affaler** amener une voile. **Allure** orientation du bateau par rapport au vent. 5 allures :

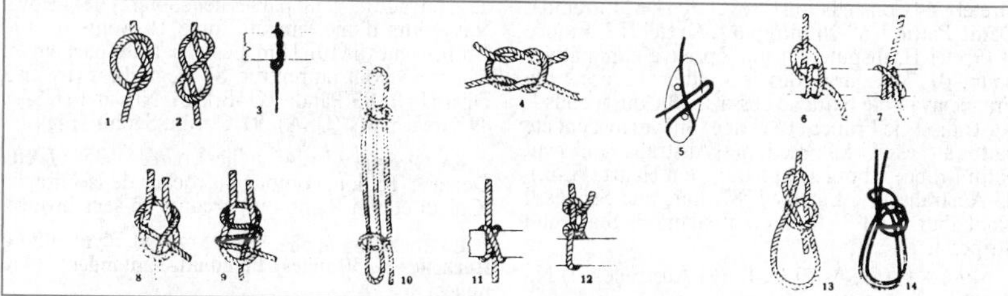

Différentes sortes de nœuds : 1 demi-nœud, 2 nœud d'arrêt, 3 nœud de bois, 4 nœud plat, 5 nœud d'ancre, 6 nœud de bonnette, 7 cabestan avec 1 tour mort supplémentaire, 8 nœud d'écoute, 9 nœud d'écoute double, 10 nœud de jambe de chien, 11 demi-clef à capeler ou cabestan, 12 deux demi-clefs, 13 nœud de chaise, 14 nœud de chaise double.

le plus près, en remontant contre le v. ; *v. de travers* (v. dans la voile à 45°) ; *largue,* avec v. portants (3/4 arrière par exemple) ; *grand largue ; v. arrière,* venant de l'arrière. **Amener** faire descendre ou abaisser une voile ou une vergue. **Amer** se dit de tout objet fixe et visible permettant aux navigateurs de reconnaître la côte. **Amure** point situé aux coins inférieurs d'une voile. La voile est fixée de manière rigide au pont du navire par ce point. Un voilier est tribord amures ou bâbord amures selon qu'il reçoit le vent par tribord ou par bâbord. **Ardent** voilier ayant tendance à lofer plutôt qu'à garder son cap. **Apparaux de mouillage** matériel utilisé lors du mouillage. **Artimon** mât arrière.

• **Bâbord** côté gauche du navire quand on regarde de l'arrière vers l'avant (tribord, côté droit du navire). **Barres de flèches** entretoises latérales placées sur le mât et écartant les haubans. **Bau** pièce de l'armature transversale de la coque (*maître bau :* la plus large). **Bôme** pièce en métal ou en bois maintenant la base de la grand voile. **Border une voile** tendre la partie inférieure de celle-ci. **Brasse** mesure donnant la profondeur de l'eau : 1,83 m. **Cabestan** treuil vertical placé sur le pont d'un navire utilisé pour diverses manœuvres. **Capeler** fixer la boucle d'une amarre ou d'un cordage. **Mettre à la cape** par gros temps, réduire la voilure, diminuer la vitesse. **Caréner** nettoyer, réparer, peindre les œuvres vives d'un navire. **Choquer** laisser mollir un cordage. **Contre-bordier** navire faisant une route parallèle à un autre, mais dans le sens opposé. **Dérive** aileron vertical escamotable qui supplée l'absence de quille. Déviation de la route suivie par le navire. **Dériveur** petit voilier sans quille avec dérive rentrante. **Drosse** câbles qui transmettent les mouvements de la barre à l'axe du gouvernail. **Duc-d'albe** poteaux de bois permettant au navire de s'amarrer.

• **Cordages** toutes amarres, filins, etc. *Ajut :* mettre 2 c. bout à bout pour en former un plus long. *Balancine :* cordage soutenant l'extrémité d'un tangon. *Bout :* morceau de c. *Draille :* c. le long duquel peut glisser une voile. *Drisse :* c. servant à hisser pavillon, voile, vergue ou corne. *Écoute :* c. permettant de tendre ou de fixer la partie inférieure d'une voile sous le vent. *Filin :* c. ou câble d'acier. *Ralingue :* c. fixé tout autour d'une voile afin de la rendre plus résistante à l'action du vent de face et à la traction des manœuvres.

• **Écoutille** ouverture carrée située au milieu du pont et fermée par des panneaux de bois ou de métal. **Écubier** ouverture par laquelle passe la chaîne de l'ancre. **Embraquer** raidir un cordage. **Empanner** faire passer la bôme d'un bord à l'autre au vent arrière. **Empenneler** mouiller ensemble 2 ancres d'inégale grosseur. **Espars** longue pièce de bois employée comme mât, beaupré, vergue... **Étarque** voile complètement hissée. **Faseyer** voile recevant mal le vent, pas assez tendue, battant légèrement. **Foc** voile d'évolution triangulaire. **Franc-bord** sur la coque, distance entre le niveau de l'eau et le pont. **Genois** grand foc. **Gite** inclinaison sur bâbord ou tribord sous l'action du vent, de la houle, ou par un manque de stabilité du navire. **Gréement** ensemble des cordages, des manœuvres et des poulies indispensables aux mâts et aux vergues d'un voilier. **Jusant** courant de marée descendante. **Ketch** voilier à mâts.

• **Largue** vent de travers. **Grand largue** vent de 3/4 arrière. **Lofer** gouverner un voilier de façon que celui-ci se rapproche « au plus près » de la direction d'où vient le vent (lof : côté du vent). *Virer lof pour lof,* c'est virer de bord avec vent arrière. **Louvoyer** courir successivement des bordées tribord amures et bâbord amures en virant de bord vent devant. **Marnage** différence de niveau entre la haute et la basse mer. **Œuvres vives** parties de la coque en dessous de la ligne de flottaison. **Priorité** au bateau le plus lent ; sous la même amure, pr. au bateau naviguant sous le vent ; sous une amure différente, pr. à celui qui est tribord amure (les voiliers sont prioritaires sur les bateaux à moteur).

• **Ridoir** appareil permettant de tendre un cordage, une chaîne... **Ris** partie d'une voile dans le sens de sa largeur. **Roof** partie habitable qui dépasse du pont. **Roulis** oscillation d'un bateau dans le sens de sa largeur. **Safran** partie immergée du gouvernail. **Skipper** chef de bord. **Spinnaker** voile triangulaire. Sert au vent arrière. **Tangage** oscillation d'un navire dans le sens de sa longueur. **Tangon** tube servant à écarter le coin au vent du spinnaker. **Tirant d'eau** distance entre la ligne de flottaison du navire et le dessous de sa quille. **Tourmentin** petit foc de mauvais temps, très robuste. **Trapèze** comprend un câble d'acier, un crochet et une ceinture. Destiné à l'équipier d'un dériveur pour lui permettre de se mettre en rappel très à l'extérieur du bord.

• **Varangue** pièce triangulaire de la charpente de coque. **Vent debout** un voilier est vent debout quand son avant se trouve dans la direction d'où souffle le vent. Il vire de bord vent debout quand son étrave passe de l'allure du plus près tribord amures au plus près bâbord amures ou inversement. **Virer** haler une chaîne ou un cordage au moyen d'un cabestan. **Winch** tambour à engrenages permettant de démultiplier l'effort.

☞ **Records de survie. En radeau.** *Poon Lim*[12], 1942. Naufragé, dérive sur l'Atlantique central 130 j. **En canot pneumatique.** *Alain Bombard (n. 27.10.1924),* 1952. 27 ans, sur l'*Hérétique,* 4,6 m avec une petite voile de canoë. Sans eau ni vivres ; Monaco-Tanger avec un compagnon. Las Palmas-La Barbade seul en 64 j et 12 heures. **En radeau de sauvetage,** après le naufrage du sloop *Auralyn,* Maurice et Maralyn Bailey, 117 j.

Dans un canot de survie. Steve Callahan (USA), participe à la mini-transat de 1981, fait naufrage et dérive 76 j jusqu'aux Antilles.

Bateaux

Types de voiliers

• Selon l'habitabilité. **Voiliers non habitables.** Navigation de jour et sur plan d'eau abrité[1]. Poids 50 à 1 000 kg. **Dériveurs légers :** 2 à 8 m (4 500 à 40 000 F). **Quillards :** 5 m à 9,50 m (5 000 à 100 000 F). **Multicoques de compétition :** 4 à 8 m (10 000 à 60 000 F). **Planches à voile :** 2 700 à 15 000 F.

Nota. – (1) Navig. interdite aux – de 2 tonneaux à plus de 5 milles des côtes pour les + de 300 kg, à plus de 2 milles pour les – de 300 kg.

Voiliers habitables. V. ayant une cabine pouvant abriter 2 personnes min. **Dériveurs :** 11,70 à 15 m (400 à 6 500 kg ; 15 000 à 400 000 F) ; navigation (5 zones définies par l'Administration et dépendant de leurs taille et armement de sécurité) de la sortie de jour et de la petite croisière côtière à la semi-hauturière. **Quillards :** 5 à 30 m (400 à 25 000 kg ; 50 000 à 1 500 000 F) ; toute navigation.

• Selon la coque. **Monocoques** (1 seule coque). **Multicoques :** 4 à 26 m (400 à 7 000 kg ; 20 000 à 4 000 000 F) ; 2 coques pontées *(catamaran),* 3 coques *(trimarans),* trimarans à 1 seul flotteur situé sous le vent de la coque principale *(prao).*

• Selon le gréement. **Cat boat :** 1 mât, 1 voile. **Sloop :** 1 mât, gd-voile, foc. **Cotre :** 1 mât, grand-voile, foc, ou foc et clinfoc et trinquette. **Ketch :** grand mât, artimon en avant de la barre, grand-voile, foc trinquette, artimon, 1 voile d'étai. **Schooner ou goélette :** 2 mâts, le plus grand étai en arrière. **Yawl :** grand mât, tape-cul derrière la barre, gd-voile, foc trinquette, tape-cul, 1 voile d'étai.

Le plus grand yacht privé fut le *Savarona* (4 600 t, 124 m de long, 170 h. d'équipage). Terminé en 1931 à Hambourg pour Mrs. Emily Roebling Cadwalader. Il coûta 4 millions de dollars. Il fut revendu en 1938 au gouvernement turc. Les frais d'équipage s'élevaient chaque année à 500 000 $.

Le plus grand yacht à voile est le *Sea Cloud* (ex-Hussar) : 106 m, 4 mâts, voilure de 30 voiles de 3 160 m² ; construit en 1930 à Kiel pour l'épouse du milliardaire américain Edward Hutton, il a été réaménagé en yacht de croisière en 1978-79 à Hambourg : 40 cabines pour 80 passagers. (A 1 mât, ce fut le *Reliance* 43,84 m de long, voilure 1 501 m².)

La plus grande voile : voile parachute spinnaker du *Ranger* de Vanderbilt (1937) : 1 672 m².

• Selon la jauge sportive. 1) **Jauge monotype.** Construits à partir d'un plan de base dessiné par un architecte, donnant des caractéristiques invariables : longueur, largeur, poids, plan de voilure, plan de formes, etc. Tous les bateaux d'un même type sont dits des monotypes et appartiennent à une classe, par ex. : classe des 420, 470, 505, Vaurien, F.D., etc. Il y a plusieurs classes avec une appellation donnée par l'IYRU : *C. olympiques :* Finn, 470, F.D., Star, Soling, Tornado, planche à voile (dep. 1984), Europe (dériveur solitaire, à partir de 1992). *C. internationales Quillards :* Dragon, E. 22, H. Boat, Tempest, 5,50 m. *Dériveurs :* Contender, Enterprise, Europe, Fireball, Flying Junior, 420, Yole OK, Optimist, 14 Pieds, Cadet, 505, Laser, Lightning, Snipe, Vaurien. *Multicoques :* Dart, classe A, classe C.

2) **Jauge** (ou rating). En *course-croisière,* pour permettre à des bateaux aux caractéristiques différentes de pouvoir courir entre eux, on a défini une formule mathématique qui tient compte des principaux facteurs de vitesse ou de ralentissement du voilier : longueur à la flottaison, largeur, franc-bord, tirant d'eau, surface de voilure, déplacement, etc. Cette formule donne une longueur, exprimée en pieds : la *jauge* ou *rating.* Pour comparer 2 bateaux on détermine à partir du rating (R) le temps nécessaire au bateau pour parcourir un mille marin ; c'est le *Basic speed figure.*

On l'obtient par la formule $\text{B.S.F.} = \frac{5\,143}{\sqrt{R} + 3{,}5}$ secondes par mille. Pour calculer le **temps compensé,** on détermine la longueur de la course en traçant une route moyenne, puis connaissant le BSF, le temps nécessaire pour parcourir cette distance théorique. Seul système actuel de jauge universel, *IOR* (International Offshore Rule) est établi par l'ORC (Offshore Rating Council) rattaché à l'IYRU Il remplace les anciennes jauges (j. RORC, CCA, CGL, JOG, etc.). Cependant, on utilise encore la formule de jauge internat. J.I., en particulier pour les voiliers 12 m J.I. utilisés pour la Coupe de l'America.

Classes de la jauge IOR I : bateaux de 33 à 70 pieds de rating. II : 29 à – de 33. III : 25,5 à – 29. IV : 23 à – 25,5. V : 21 à – 23. VI : 19,5 à – 21. VII : 17,5 à – 19,5. VIII : 16,5 à – 17,5.

En France les bateaux sont jaugés par la FFV et courent régulièrement en Manche, Atlantique et Méditerranée dans des épreuves nat. et internat.

3) **Cas particuliers.** *Croiseurs à handicap :* voiliers qui se placent entre les voiliers de régate pure et de haute mer ; il existe des séries trop nombreuses et pas assez étoffées pour que les courses se disputent entre bateaux d'une même série. La FFV et, depuis 1972, certaines autres fédérations europ. ont mis en place des tableaux de temps rendus de croiseurs côtiers qui utilisent un handicap pour permettre à des bateaux disparates de courir entre eux.

Principales courses

Régates (courses en circuit)

De l'italien *regata :* défi. Épreuves en circuit fermé, généralement triangulaires, sur un parcours abrité d'env. 10, 12 milles marins. *Régates de classes :* réservées à des bateaux de même classe, *interclasses :* bateaux de différentes cl. groupés à l'intérieur de tables des temps rendus par famille en D1, D2, D3, D4, D5.

Principales régates

Jeux olympiques (voir p. 1801). Tous les 4 ans sur les classes ol. 7 manches sur 10 j.

Championnats du monde et championnats d'Europe. Classes internationales de l'IYRU, 7 manches.

Championnats nationaux. En France 2 catégories : *A) Ch. de France par spécialités (Solitaire ou Double) et par catégories d'âge (Minime, Junior, Senior, Cadet, Féminin).* La FFV se réservant le droit de désigner les classes de bateaux pour ces catégories. *B) Ch. nationaux* que peut organiser chaque classe nationale retenue par la FFV.

Semaines internationales. *France :* Coupe int. ski-yachting (Cannes, février). *S.* int. de la Méditerranée (Marseille, Pâques). *S.* olympique de voile à Hyères (fin avril). *S.* de La Rochelle (Pentecôte). *Allemagne féd. : S.* de Kiel. *Angleterre : S.* de Weymouth. *S.* de Cowes (en août). *Canada :* Cork à Kingston (août). *Italie : S.* de Gênes (mars). Pour le classement de la Coupe du monde de Voile (annuel pour les 7 cl. olympiques), on tient compte des principales grandes sem. int., des champ. du monde et des jeux. Pour le classement européen (Eurolymp), on tient compte des grandes sem. eur. et des ch. d'Eur.

America's Cup (Coupe America)

Origine. **1851**-*22-8* le 1er club de voile américain, le New York Yacht Club (NYYC), envoie le schooner *America* en Angleterre participer à une nouvelle course autour de l'île de Wight pour une coupe offerte par le Royal Yacht Squadron. Il bat largement les 15 yachts anglais, remportant le trophée qui porte son nom. **1929** adoption de la classe J de la jauge universelle (23,16 m de long. max.). **1956** pour diminuer les coûts de construction, nouvelle jauge dite 12 m J. I. (env. 20 m de long), mais la règle de 1887 n'est pas abrogée. **1987** Michael Fay (banquier néo-zél.) défie les Américains avec un monocoque de 90 pieds (37 m), 27,43 m à la flottaison, 7,92 m de large, 6,40 m de tirant d'eau et un mât. S'appuyant sur *l'Acte de Donation de la Coupe (Deed of Gift)* du 24-10-1887 par Georges G. Schuyler, dernier survivant du syndicat de la goélette *America,* qui stipule que les bateaux doivent mesurer 45 à 90 pieds à la flottaison, la cour suprême de New York déclare, le 25-11-1987, que le San Diego Yacht Club doit relever le défi.

Conditions. A l'origine, un seul challenger dont le défi est accepté par le défenseur (détenteur de la coupe). Actuellement, on organise des éliminatoires.

En 1986-87, 13 *challengers* ont demandé à relever le défi [USA 6, G.-B. 1, France 2 (French Kiss, Challenge France), Canada 1, Italie 2, N.-Zélande 1]. Chacun a rencontré tous les autres 3 fois au cours du Robin Round, permettant de sélectionner les 4 meilleurs qui ont disputé les demi-finales, le 1er étant opposé au 4e et le 2e au 3e sur 7 régates (victoire au 1er ayant remporté 4 manches). Les 2 finalistes se sont rencontrés sur 7 régates (victoire au 1er ayant remporté 4 manches) et le vainqueur a reçu la coupe Louis Vuitton et le droit d'affronter le défenseur. Les 6 défenseurs avaient le droit de relever le défi au meilleur de 9 régates.

En 1987, la coupe a été organisée par le Yacht Club de Perth, en Australie, à Freemantle. Chaque régate a été disputée sur un parcours de 24,5 milles (44,6 km) entre 3 bouées, couvert normalement en 3 et 4 h. Les concurrents ont effectué une remontée contre le vent, un retour vent arrière, un triangle complet (une remontée et 2 bords de largue), une remontée, un vent arrière et une remontée.

En sept. 1988, course au large de San Diego (Californie). 1re régate : remontée de 20 milles contre le vent, puis retour vent arrière. 2e : triangle olympique de 13 milles de côté. En cas d'égalité, on se serait départagé sur le parcours de la 1re régate. Le 25-3-89, le juge de New York disqualifia le vainqueur (Stars and Stripes) pour « viol de l'esprit du règlement » (bateau trop moderne). Le 19-9-89, la cour d'appel de New York rendit la coupe aux Américains, jugement confirmé le 26-4-90. Prochaine rencontre, janv. à mai 1992, à San Diego.

Bateaux. A partir de 1992, la *Class America* remplace les 12 m J. I. Long. 23 m, larg. 5,5 m, déplacement min. 1,6 t, haut du mât 32,5 m, grand-voile 300 m², spi 450 m², tirant d'eau 4 m, vitesse (10 nœuds de vent) 9,5 n. 15 équipiers. 10-1-1992, début des éliminatoires (coupe Louis Vuitton, 10 concurrents).

Résultats. Vainqueur (défenseur), et vaincu (challenger). **1870** Magic [1], Cambria [2]. **71** Columbia et Sapho [1], Livonia [2]. **76** Madeleine [1], Countess of Dufferin [2]. **81** Mischief [1], Atlanta [2]. **85** Puritain [1], Genesta [2]. **86** Mayflower [1], Galatea [2]. **87** Volunteer [1], Thistle [2]. **93** Vigilant [1], Valkyrie II [2]. **95** Defender [1], Valkyrie III [2]. **99** Columbia [1], Shamrock [2]. **1901** Columbia [1], Shamrock II [2]. **03** Reliance [1], Shamrock III [2]. **20** Resolute [1], Shamrock IV [2]. **Classe J. 1930** Enterprise [1], Shamrock V [2]. **34** Rainbow [1], Endeavour [2]. **37** Ranger [1], Endeavour II [2]. **12 mètres J. I. 1958** Columbia [1], Sceptre [2]. **62** Weatherly [1], Gretel [3]. **64** Constellation [1], Sovereign [2]. **67** Intrepid [1], Dame Pattie [3]. **68-70** Intrepid [1], Gretel II [2]. France et Gretel II, disputèrent une épreuve éliminatoire pour 70). **74** Courageous [1], Southern Cross [3] ; le France avait été battu aux essais. **78** Courageous [1], Australia [3] ; le France et Sverige (Suède) avaient été battus aux essais. **80** Freedom [1], Australia [3] qui avait battu France III qui avait battu Lion Heart (G.-B.). **83** Australia II [3], Liberty [1]. **87** Stars and Stripes [1], Kookaburra III [3]. **88** New Zealand [4]. Stars and Stripes [1].

Nota. – (1) USA (2) G.-B. (3) Australie. (4) N.-Zélande.

Courses libres

Appelées aussi courses open. Pour voiliers n'étant pas conçus en fonction de la jauge IOR : liberté totale de conception (apparition de multicoques ou de monocoques géants) ; classement en temps réel (il n'y a plus de coefficients correcteurs ou de handicaps). Pas de sélection des skippers.

Légende. – (1) G.-B. (2) Canada. (3) France. (4) Pologne. (5) Afr. du S. (6) USA (7) Australie. (8) Argentine. (9) Jersey. (10) Allemagne puis All. féd. (11) Mexique. (12) Espagne. (13) Chine. (14) P.-Bas. (15) Suisse.

Courses en haute mer

Différentes des régates : les voiliers relient un port à un autre.

Courses côtières

En général, parcours de 10 à 40 milles. Participent : petits voiliers habitables de + de 300 kg avec cabine de 2 couchettes fixes, divisés en 3 classes H1, H2 et H3 ; bateaux jauge C (jauge cabin) capables de naviguer assez loin des côtes et la nuit ; bateaux jauge RORC, classe 4 et bateaux jauge JOG. Parcours de 120 milles pour les courses du championnat de France (classes 1 à 8).

Courses au large (principales)

Légende. – (1) Jauge IOR (2) Jauge CCA (3) Tous les ans. (4) Tous les 2 ans. (5) Tous les 3 ans.

Admiral's Cup [4]. *Créée* 1957. Années impaires, en août. Considérée comme un championnat du monde de course en haute mer. Chaque nation engage 3 bateaux (monocoques de jauge 10 R de 11,5 à 16 m. En 1991, chaque équipe nat. devait avoir 3 bateaux avec 3 ratings imposés : 50 pieds, 45 pieds ou *two tonners,* 40 pieds ou *one tonner.*) participant à la *Channel Race* (235 milles), au *Fastnet* (650 milles) et à 3 régates dans le *Solent* (bras de mer entre l'île de Wight et la côte anglaise) pendant la Semaine de Cowes. **Vainqueurs 1971** G.-B. **73** All. féd. **75, 77** G.-B. **79** Australie. **81** G.-B. **83, 85** All. féd. **87** Nlle-Zélande. **89** G.-B. **91** France.

Bermudes [2,4] (630 milles). *Créée* 1906. En juin. Newport (Rhode Island, USA), – Bermudes. Navigation constamment au large. **Buenos Aires-Rio de Janeiro** [1,5] (1 200 milles). **Californie-Honolulu** [1] (2 500 milles). Irrégulièrement. **Channel Race** [1,3] (235 milles). **Cowes-Dinard** [1,3] (180 milles).

Course de l'Europe Open UAP de la CEE. *Créée* 1985. Tous les 2 ans. **1985,** 8 étapes de Kiel à Porto-Corvo. **Classe 1 :** 1er Ph. Jeantot [3] *(Crédit agricole).* **C. 2 :** 1er T. Bullimore [1] *(Apricot).* **C. 3 :** 1er L. Peyron [3] *(Lada-Poch).* **1987,** 8 étapes de La Haye à San Remo, 3 500 milles, 14 bateaux. Multicoques de plus de 15 m. **2 classes** (18,28 à 22,95 m et 15 à 18,28 m). **1 :** 1er D. Gilard [3]. *(Jet Services V).* **2 :** 1er T. Caroni *(Grundig).* **1989,** 6 étapes de Hambourg à Toulon. **1 :** 1er Serge Madec *(Jet Services V),* **2 :** 1er Jean Maurel *(Aquitaine III).* **1991,** Lorient, Torquay (G.-B.), Dun Laoghaire (Ir.), Lisbonne, Barcelone, Marseille, Gênes. **2 classes :** multicoques (60 pieds, 3 479 milles), monocoques (70 pieds, 2 639 milles), en équipages, 11 participants. *Multicoques :* L. Bourgnon *(RMO) Monocoques :* A Gabbay *(Safilo).*

Fastnet [1,4] (650 milles). *Créée* 1925. En août tous les 2 a. les années impaires. 2 régates de 30 milles et 2 épreuves de haute mer (*Channel Race,* de Cherbourg à Wight au large de Brighton ; *Fastnet,* 605 milles de Plymouth à Plymouth en tournant autour du Fastnet en Irlande). **Vainqueurs. 1977** 1er Imp (USA). **79** 57 concurrents + 249 voiliers-spectateurs ; 19 morts, 23 voiliers coulés, 136 personnes sauvées de la noyade (surtout par les hélicoptères de la Royal Navy) lors d'une tempête force 10, vents de 100 km/h, vagues de 10 à 15 m. Les 57 bateaux participant à l'épreuve ont pu rentrer. **81** Regardless (Irl.). **83** Diva (Fr.). **85** Panda (G.-B.). **87** Nirvana (USA). **89** Great news (USA). **91** Corum-Saphir (Fr.).

La Giraglia [1,3] (240 milles). *Créée* 1958. L'été. Départ : Toulon, contour du rocher de la Giraglia (Corse) et San Remo ou parcours en sens inverse.

La Rochelle-Bénodet [1,2] (205 milles). **Plymouth-La Rochelle** [1,4] (350 milles). **Plymouth-Santander** [1,4] (440 milles).

Tour de France à la voile. *Créé* 1978 par Bernard Decré. En 1990, devient le **Championnat de France open de course au large.** Dure un mois. (1 800 milles) entre Dunkerque et Menton. 24 étapes au large (en Manche 8, Atlantique 8, Méditerranée 8) et 6 triangles olymp. 35 bateaux identiques (*Sélection* des chantiers Jeanneau, long. 11,35 m, 3 cabines, 8 couchettes 70 m² de voiles), 8 ou 10 marins (total 640 Kg) par bateau et par étape (chaque équipage a 21 membres). Les bateaux sont loués à des villes ou régions dont ils portent le nom (promotion). **82** Marseille, **85** Côtes-du-Nord, **87, 88** Sète. **89** non disp. **90** Wasquehal.

Santander-Belle-Ile [1,4] (235 milles). **Sydney-Hobart** [1,3] (650 milles). En déc. Australie : départ de Sydney, côte de la N.-Galles-du-S., traversée du détroit de Bass, côte de Tasmanie, rivière Derwent jusqu'à Hobart.

Tons Cup. **Championnats du monde IOR.** *Créés* 1898. On fait courir en haute mer en temps réel des bateaux de course ayant un même coefficient de jauge ou rating. *Épreuves principales :* Quarter Ton Cup (18 pieds). Half Ton Cup (21,7). One Ton Cup (27,5). Mini Ton Cup (dep. 1976) et Micro Ton Cup en 1977. **Palmarès. 1/4 Ton Cup : 81** Lacy don Protis (Fr.), Bruno Trouble ; **82** Quartermaster (Austr.), Graham Mones ; **89** Businello (It.). **1/2 Ton Cup : 81** Kingone (Fr.), Jérôme Langlois ; **82** Atalanti (Grèce), Andreanis ; **83** Elf 2 (Fr.) Ph. Briand ; **89** Pointet (Fr.). **3/4 Ton Cup : 81** Soldier Blue (Dan.), Jbj Andersen ; **82** Lille Du (Dan.), Anderson ; **89** Costopoulos (Grèce). **One Ton Cup : 81, 82** annulées. **84** Ph. Briand (Fr.), Passion 2. **87** Lofteroed (Norv.), Fram X. **89** Finzi (It.). **Two Ton Cup : 81, 82** annulées. **Mini : 81** Gullisara (Italie), Tiziano Nava. **84** Treves (It.), Ligule. **89** Baudo (It.).

Courses dans l'Atlantique

• Course transatlantique en solitaire. **Ostar.** *Créée* 1960. 3 000 milles. Tous les 4 ans. De Plymouth (G.-B.) à Newport (USA). Longueur des voiliers limitée à 18,30 m.

Prix de la Transat. Pen-Duick Trophy : attribué au skipper du 1er bateau ayant une flottaison supérieure à 14,02 m (commémore le Pen-Duick IV d'Alain Colas devenu *Manureva*). **Gipsy Moth Trophy :** au skipper du 1er bateau arrivé ayant une flottaison entre 8,50 m et 14,02 m (en souvenir du Gipsy Moth III de Chichester). **Jester Trophy** (nom du seul bateau qui ait couru toutes les transat.) : au skipper du 1er bateau arrivé à Newport ayant une flottaison de – de 8,50 m.

Résultats. 1960. 5 participants. **1er** Sir Francis Chichester [1] *Gipsy Moth III* 40 j 12 h 30′. **2e** Blondie Hasler [1] *Jester* 48 j 12 h 0′. **3e** Davis Lewis [2] *Cardinal Vertue* 55 j 0 h 5′. **4e** Valentine Howells [1] *Eira* 62 j 5 h 5′. **1964** 1er Éric Tabarly [3] *Pen-Duick III* 27 j 3 h 56′. **2e** Sir Francis Chichester [1] *Gypsy Moth III* 29 j 23 h 57′. **3e** Val Howells [1] *Akka* 32 j 18 h 8′ **4e** Alec Rose [1] *Lively Lady* 36 j 17 h 30′. **1968. 1er** Geoffrey Williams [1] *Sir Thomas Lipton* 25 j 20 h 33′. **2e** Bruce Dalling [5] *Voortrekker* 26 j 13 h 42′. **3e** Tom Follet [6] *Cheers* 27 j 0 h 13′. **4e** Leslie Williams [1] *Spirit of Cutty Sark* 29 j 10 h 17′. **1972. 1er** Alain Colas *Pen-Duick IV* 20 j 13 h 15′. **2e** Jean-Yves Terlain [3] *Vendredi 13* 21 j 5 h 14′. **3e** Jean-Marie Vidal [3] *Cap 33* 24 j 5 h 40′. **4e** Brian Cooke [1] *British Steel* 24 j 19 h 28′. **1976. 1er** Éric Tabarly [3] (*Pen-Duick VI :* hors-tout 22,50 m ; largeur 3,40 m ; lest 17 t ; grand mât 27 m, artimon 18 m ; voilure 260 m², vent arrière 700 m²) 23 j 20 h 12′. **2e** Michaël Birch [2] (*The Third Turtle,* trimaran de 9,75 m) 24 j 21 h 43′, vainqueur du Jester Trophy et du classement en temps corrigé. **3e** Kazimierz Jaworski [4] (*Spaniel,* monocoque de 11,58 m) 25 j 0 h 40′, 2e du Jester Trophy. **4e** Alain Colas [3] (*Club Méditerranée :* monocoque ; hors-tout 72,18 m ; largeur 9,60 m ; tirant d'eau 5,60 m ; déplacement 260 t ; lest 80 t ; 4 mâts, h 32,50 m ; voilure 1 000 m²) 24 j 3 h 40′ + 58 h de pénalisation pour aide (à St-John, Terre-Neuve). **1980.** 110 qualifiés. **1er** Philipp Weld, 66 ans (*Moxie :* trimaran, long.

15,25 m ; 4,5 t ; 100 m² de voilures au près) 17 j 3 h 12′ (record). 2e Nick Keig, 44 a. (*Three Legs of Mann III* : trimaran, long. 16,5 m ; 5 t ; 140 m² de toile) 18 j 6 h 4′. 3e Philippe Steggall (*Jean's Foster* : trimaran, long. 11,8 m) 18 j 6 h 45′, 1er du Gipsy Moth Trophy. 4e Michaël (*Olympus Photo* : trimaran, long. 15,20 m ; 3,175 t) 18 j 7 h 15′. **1984.** Env. 70 sont arrivés. 1er Yves Fauconnier (*Umupro Jardin V* 16 j 06 h 25′). 2e Philippe Poupon (*Fleury Michon VI* 16 j 11 h 51′). 3e Marc Pajot (*Elf Aquitaine* 16 j 12 h 48′). 4e Éric Tabarly (*Paul Ricard* 16 j 14 h 21′). **1988.** 97 participants. 1er Ph. Poupon (*Fleury-Michon IX* 10 j 9 h 15′9″). 2e Moussy (*Laiterie Mont-St-Michel* 11 j 4 h 35′). 3e Loïc Peyron (*Lada Poch II* 11 j 9 h 2′).

• **Course transatlantique en double.** *Créée* 1979. **1979** : Lorient-Bermudes-Lorient, 6 000 milles. 1er Eugène Riguidel et Gilles Gahinet : *V.S.D.* 34 j 6 h 32′. 2e Tabarly et Pajot : *Paul Ricard* à 5′42″. 3e Michael Birch et Jean-Marie Vidal : *Télé-7 jours* à 7 h 28′13″. **1983** : 1er Pierre Follenfant-J.-F. Fountaine, *Charente Maritime* (Fr.), 22 j 9 h. 2e E. Riguidel-J.-F. Le Menec, *William Saurin* (Fr.), 22 j 10 h 40′3e Patrick Morvan-J. Le Cam, *Jet Service II* (Fr.), 22 j 11 h 55′. 1 décès : Didier Bestin disparu en mer le 09-06. **1987** : Lorient-St-Pierre-et-M.-Lorient (4 380 milles), monocoques : *Formule I* (60 pieds ou 18,30 m et +), *II* (– de 60 pieds), 11 participants. *F I* : 1er Christian Fehlmann, *Malboro* 19 j 8 h 0′ 33″. 2e Eric Tabarly, *Côte-d'Or* 19 j 10 h 32′ 50″. 3e Mallé, *Macif* 23 j 10 h 51′ 22″. *F II* : 1er Alain Gabbay, *Le Monde de la Mer* 23 j 11 h 42′ 54″. 2e Dhallenne, *Challenge-Grundig* 23 j 13 h 48′ 16″. 3e André Viant-Vanek, *Dépêche-Mode* 23 j 15 h 6′ 15 ″. **1989** : Lorient-St-Barthélemy-Lorient, 6 810 miles. Monocoques IOR M 1 (+ de 18,28 m) et M 2 (18,28 m ou –), monocoques open M 3 (15 à 18,28 m) et multicoques F 1 (18,28 à 22,85 m) et F 2 (15,24 à 18,28 m) ; les monocoques open font l'aller direct, les 4 IOR et les 13 multicoques doivent passer par le canal du Faïal (entre les Açores). Régate autour de St-Barthélemy. Retour à Lorient. 1er Bruno Peyron et J. Vincent, *Charal*, en 23 j 13 h 39′ 14″.

Mini-transat. *Créée* 1977 par l'Anglais Bob Salmon. **1983** reprise par l'association *Voile 6,50* créée par le journaliste Jean-Luc Garnier. Monocoques, 6,50 m max., 1 ou 2 navigateurs. 3 600 milles. Tous les 2 ans. **1985** 1er Yves Parlier *(Aquitaine)*. **87** Concarneau-Ténériffe-Fort-de-France, 1er Gilles Chiorri *(EXA)*. **89** même parcours, 1er Philippe Vicariot (*Tom Pouce*).

Route du rhum. *Créée* le 10-2-1977 par Michel Etevenon et *l'Équipe*. Transat française en solitaire. Tous les 4 ans. Open (ouverte à tous les voiliers de 35 à 85 pieds, 10,668 à 25,908 m ; à partir du 1-1-87 à ceux de 22,91 m). *Distance* : 3 592 milles ou 7 200 km (St-Malo-Pointe-à-Pitre). Jauge : aucune limitation. **1978** 1er Michael Birch *Olympus Photo* en 23 j 6 h 59′. 2e Malinovsky à 98″ *Kriter V* en 23 j 7 h 1′ 13″. 3e Phil Weld *Rogue Wave* en 567 h 51′ 32″. **1982** 1er Marc Pajot *Elf-Aquitaine* en 18 j 1 h 39′. 2e Bruno Peyron *Jaz* à 12 h 7′. 3e M. Birch *Vital* en 445 h 45′ 6″. **1986** 1er Philippe Poupon *Fleury-Michon* en 14 j 15 h 57′ 15″. 2e Bruno Peyron *Ericsson* en 15 j 21 h 7′. 3e Lionel Pean *Hitachi* en 16 j 11 h 9′. **1990** 1re Florence Arthaud *Pierre Ier* en 14 j 10 h 10′ 28″, 2e Philippe Poupon *Fleury-Michon* à 8 h 26′ 3″, 3e Laurent Bourgnon *RMO* à 8 h 37′ 53″.

Course du Figaro (ex course de l'Aurore). *Créée* 1970 par Eugène Dautriche. Course en solitaire du Figaro-Trophée l'Aurore dep. 1980. Tous les ans en août, 4 étapes (1 500 milles) (France-Angl. ou Irlande-Esp. et retour vers France). Voiliers half-toners (21,7 pieds de jauge, env. 9 m de long). Monocoques. *Vainqueurs* : **1970** Joan de Kat. **71** Michel Malinovsky. **72** Jean-Marie Vidal. **73** Gilles Lebaud. **74** Eugène Riguidel. **75-76** Guy Cornou. **77** Gilles Gahinet. **78** Gilles Lebaud. **79** Patrick Eliès. **80** Gilles Gahinet. **81** Sylvain Rosier. **83** Lionel Péan. **84** C. Cudennec. **85** Philippe Poupon. **86** Christophe Auguin. **87** Jean-Marie Vidal. **88** Laurent Bourgnon. **89** Alain Gautier. **90** Laurent Cordelle.

La Baule-Dakar (ou course des Amaldies). *Créée* 1981. **81.** 1er Marc Pajot : *Elf-Aquitaine*. **83.** 1er Pierre Follenfant : *Charente-Maritime*. **87.** 13 multicoques, long. max. 22,80 m, 2 équipiers, 3 300 milles. 1er L. Peyron : *Lada-Poch*, 2e B. Peyron : *Ericsson*, 3e Maurel : *Elf-Aquitaine*.

La Rochelle-La Nouvelle-Orléans. *Créée* 1982. **82.** 1er Pierre Follenfant : *Charente-Maritime* en 586 h 5′. 2e Marc Pajot : *Elf-Aquitaine* en 667 h 21′. 3e Delage : *Lestra Sports* en 669 h 51′.

Monaco-New York. 1985. 1er Michael Birch [2] : *Formule-Tag*. 2e Boucher [3] : *Ker-Cadelac*. 3e Patrick Morvan [3] : *Jet Services*.

MultiFigaro-Givenchy. *Créée* 1986. Réservée aux multicoques Formule 40 (12,18 m de long soit 40 pieds, 90 m² de voiles, moins de 1 800 kg) qui courent des grands prix internationaux (France, Belgique, G.-B., Espagne, Suisse, Italie, Monaco). **86** Alain Gautier et Bertrand de Broc, *Optique-Beaumont*.

Transat des Alizés. *Créée* 1981 par Guy Plantier. Amateurs sur monocoques de série. Classes : 11-12, 12-14, 14-17 m, croisière (possibilité d'utiliser le moteur). Parcours de concentration Pornichet-Casablanca ou Hyères-Casablanca, puis Casablanca-Pointe-à-Pitre. **87** Juno (Italie). **91** Départ de Lorient et La Ciotat. Concentration à Puerto Sherry (près de Cadix). La 1ere étape ne compte pas pour le classement, mais est obligatoire. Puis, départ pour Pointe-à-Pitre. 1re Aerius *(Lévrier des mers)*. [José Goncalves (paraplégique) et Yann Natier arrivent 14e sur 54].

Routes pour traverser l'Atlantique Nord (Distances sur Plymouth-New York)

Orthodromie. *2 810 milles (5 224 km)*. Arc de grand cercle : le plus court chemin pour aller d'un point à un autre sur la sphère terrestre. 20 à 25 % de vents debout d'une force moyenne de 4 Beaufort. Passage au nord du courant du Gulf Stream (défavorable) à l'arrivée sur Terre-Neuve, courant du Labrador. Traversée à l'arrivée de zones d'icebergs et des brumes de Terre-Neuve, fait passer entre la côte et l'île de Sable. Route la plus courte, la plus rapide, la plus dure et la plus inconfortable, il faut sans cesse recalculer le cap à suivre.

Loxodromie. *2 920 milles (5 407 km)*. Route suivie par un bateau qui se déplace sur la sphère terrestre en conservant un angle de route constant avec les méridiens. Vents contraires, gros temps. Navigation dans le courant contraire du Gulf Stream à l'arrivée. Un peu moins de vents debout que sur l'orthodromie, moins de risque d'icebergs à l'atterrissage. Chemin plus long que sur l'orthodromie, courants contraires à l'arrivée.

Route d'Hasler. *3 130 milles (5 796 km)*. *Avantages* : sur une bonne partie du parcours vents favorables. *Inconvénients* : route plus longue que l'orthodromie. Atterrissage avec des vents forts contraires. Traversée d'une zone d'icebergs, brumes, froid.

Route des Açores. *3 520 milles (6 537 km)*. Peu de gros temps, peu de vents contraires, navigation confortable (très peu de bords à tirer). Longueur plus importante, risque de calme.

Route des Alizés. *4 200 milles (7 778 km)*. Petit temps, pas de vent debout ou très peu, pas de gros temps, du soleil et des brises portantes. Pratiquement aucune chance de victoire.

Courses dans le Pacifique

Course transpacifique en solitaire. *Créée* 1969. Gagnant : Éric Tabarly [3], San Francisco-Tokyo en 39 j 15 h 44′ (15-3/25-4) (record) sur *Pen-Duick V*.

Hong Kong-Manille. 600 milles.

Sydney-Hobart. Créée 1945. 650 milles.

Courses autour du monde

Courses autour du monde en solitaire. Golden Globe, devenu **BOC Challenge en 1982. 1968** : sans escale, contre la montre. 1er Robin Knox Johnston (G.-B.) en 313 j *Swahili*, seul arrivé des 9 concurrents. Bernard Moitessier avait abandonné et poursuivi un tour du monde et demi. Donald Crowhurst était mort en mer. **1982-83** : 4 étapes ; 17 concurrents. 1er Philippe Jeantot *Crédit Agricole II* 159 j 2 h 26 mn. Monocoques de 17 m max. **1986-87** : départ 30-8-86, 25 bateaux (50 000 km), 4 étapes avec escales : Newport, Le Cap, Sydney, Newport (13 156 km, 12 787 km, 14 453 km, 9 821 Km). Classe I long 18,28 m monocoques ; II long 15,24 m. 1er Philippe Jeantot *Crédit Agricole III* 134 j 5 h 23 mn (arrivé 7-5-87). **1990** : départ 15-9 de Newport. 3 escales : Le Cap, Sydney, Punta del Este. 27 000 milles (43 000 km). 24 participants 1er Christophe Auguin *Groupe-Sceta* 120 j 22 h 36′.

Vendée-Globe Challenge. *Créé* 1989. En solitaire. 23 605 milles, soit env. 138 j. Départ des Sables d'Olonne le 26-11-89, Canaries, Cap de Bonne Espérance, sud de la N.-Zélande, Cap Horn, Recife, Sables d'Olonne (soit le tour de l'Antarctique). Pas d'escale, pas d'assistance. Monocoques de 18,28 m max. (60 pieds). 13 participants au départ. 1er Titouan Lamazou, *Écureuil-d'Aquitaine*, 109 j 8 h 48′ 50″ (24 911 milles, moy. 9,49 nœuds), 2e Loïc Peyron, *Lada-Poch*, 110 j 1 h 18′, 3e Jean-Luc Van den Heede, *36.15 Met*, 112 j 1 h 14′.

• **Course autour du monde par équipage** (Whitbread). *Créée* 1973 par les Anglais. Tous les 4 ans. **1973-74** (avril) 1er *Sayula II* [11]. **1975-76** 1er *Great Britain II* [1], a battu sur les 2 étapes Londres-Sydney-Londres le record du clipper *Patriarche* (67 j contre 69 j). **1977-78** 1er *Flyer* [13]. **1981-82** 1er *Flyer* (P.-B.) C. Van Rietschoten, 2e *Charles Heidsiek III* (Fr.) A Gabbay, 3e *Kriter IX* (Fr.) A. Viant. Éric Tabarly a participé sur *Pen-Duick VI* aux 2 dernières étapes de la course, mais n'a pas été classé, le lest de sa quille étant en uranium appauvri. **1986** 1er *L'Esprit d'Équipe* (Fr.) L. Péan. **1989-90** départ 2-9-89 de Southampton. 24 participants. 32 932 milles (60 990 km) en 6 étapes : Southampton, Punta del Este (Uruguay), Freemantle (Australie), Auckland (N.-Z.), Punta del Este, Fort Lauderdale (Floride), Angleterre. Bateaux de 24 à 25 m de long. 1er *Steinlager*, P. Blake (N.-Z.), 128 j 9 h 40′, 2e *Fisher-and-Paykel*, G. Dalton (N.-Z.), 3e *Merit*, P. Fehlmann (Suisse), 130 j 10 h 10′.

Traversées célèbres

Atlantique

D'ouest en est. 1er avec un équipier : Webb [6] ; 1856 ; sur une baleinière. 2es Hudson [6] et Fitch [6] avec une chienne ; sur canot ponté de 7,9 m, 3 mâts, 8 voiles en trapèze et 3 focs ; de New York à Deal en 35 j. **1er en solitaire** : Alfred Johnson [2] pêcheur de Shake Harbor (N.-Écosse) ; 1876 ; de Shake Harbor à Abercastel (P. de Galles) en 46 j ; sur le *Centennial*, doris sans quille de 6,1 × 1,8 m, ponté, lesté de gueuses, 1 mât, 4 voiles. **1ers à la rame** : George Harbo et Frank Samuelson partis 7-6-1896 de New York, arrivent aux îles Scilly 55 j après et remontent la Seine jusqu'à Paris (moyenne de 56 milles/j).

D'est en ouest. 1er seul par le sud : Alain Gerbault [3] (1893-16-12-1941 à Timor, ingénieur et tennisman) ; 1923 départ de Cannes ; de Gibraltar (15-5) à New York (15-9) en 101 j ; sur *Fire Crest*, cotre français, construit en 1892, 11 × 2,6 m, 3 500 kg de plomb sous quille et 300 kg de lest intérieur. **1er seul par le nord** : R.D. Graham [1], capitaine ; 1934 ; de Bantry à St-Jean-de-Terre-Neuve en 24,5 j, puis navigation solitaire dans les eaux du Labrador, Bermudes et retour ; sur *Emmanuel*, cotre de 9,15 × 2,58 m. **Seul au moteur** : Marin-Marie [3] ; du 23-7 au 10-8-1936 ; de New York aux îles Chausey en 18 j 16 h ; sur *Arielle*, 13 × 3,45 m, quille en fonte de 2 500 kg, 5 000 l de gasoil, moteur diesel 50 CV, vitesse 8 nœuds, gouvernail automatique. Type de traversée très rare car les voiliers pourvus d'un moteur auxiliaire ne peuvent charger, en sus des vivres et de l'eau nécessaires, que peu de combustible. La précédente traversée avait été effectuée par Newman et son fils de 16 ans.

Expéditions de Thor Heyerdahl

Expédition du Kon-Tiki (1948). Liaison Pérou-Polynésie, avec 6 équipiers, pour prouver que les Indiens péruviens auraient pu aller peupler les îles polynésiennes du Pacifique Sud (les prédécesseurs des Incas et les ancêtres de certains Polynésiens actuels ayant adoré le même dieu solaire, *Kon-Tiki*). *Durée* : 101 j. *Distance* : 8 000 km.

Traversée de l'Atlantique avec un équipage à bord d'un radeau (en tiges de papyrus liées par des cordes sans un seul clou, sans armature, réalisé par des artisans du lac Tchad sur le modèle des bateaux égyptiens figurant sur les bas-reliefs des sépultures). *But* : prouver que les anciens Égyptiens auraient pu découvrir l'Amérique 2 500 ans avant Christophe Colomb, 2 000 ans avant les Vikings. *1re tentative* (1969) : le *Râ I*, après plus de 5 000 km, se retrouvait, par suite de manœuvres, et de chargement, en situation critique à 900 km à l'est de l'île de la Barbade (Antilles) à 250 km du s.-est de la Martinique. *2e tentative* (1970) : le *Râ II* atteignit la Barbade en 57 j après 6 270 km, en se laissant entraîner par le courant et les alizés.

Expédition du Tigris (1977-78). Navigation sur l'océan Indien à partir de l'Irak pour voir jusqu'où ont pu aller les Sumériens (300 à 2000 av. J.-C.). Bateau en panneaux de roseaux cueillis en Irak d'après un procédé ancestral (long. 18 m, larg. 6 m, haut. 3 m, mât 10 m). Équipage international (11 membres).

Pacifique

D'est en ouest. 1er en solitaire : Bernard Gilboy [6] ; 1882-83 ; de San Francisco aux parages de l'Australie, sans escale (6 500 milles, 164 j) ; recueilli à court de vivres ; sur *Pacific,* goélette de 6 m.

D'ouest en est. 1ers en solitaire : Fred Rebell, Letton ; 1931-33 ; charpentier ; 45 ans au départ ; de Sydney (Australie) à Los Angeles (U.S.A.) en 372 j ; sur *Elain,* dériveur à clin, 6 × 2,15 m, non ponté, sans moteur. Alain Gerbault [3] ; 1932 ; sur *Alain-Gerbault,* sloop marconi norvégien de 10,45 × 3,2 m, tirant d'eau 1,9 m, quille de 4 t en plomb, pas de moteur.

Tours du monde

• **En solitaire sans moteur. Joshua Slocum** [6] (Canadien naturalisé) ; 1895-98 ; 51 ans au départ ; de Yarmouth à Newport par le cap Horn et le cap de Bonne-Espérance ; sur *Spray,* cotre puis yawl de 11,20 × 4,32 m, tirant d'eau 1,27 m. **Harry Pidgeon** [6] ; 2 tours 1921-25 et 1932-37 ; *Islander,* seabird de 10,50 × 2,20 m, tirant d'eau 1,50 m. **Alain Gerbault** [3] de Cannes (25-4-23) [par New York (15-9), avec escale à Gilbraltar du 15-5 au 6-6), revient passer 8 mois à Paris, revient à New York, fait réparer son bateau 2 mois et demi, repart de New York le1-11-24, passera par Panama, Tahiti, N.-Hébrides, Le Cap] au Havre (31-7-29) ; *Firecrest,* cotre franç. 11 × 2,60 m, tirant d'eau 1,8 m. Vito-Dumas [8] ; 1942-43 ; *Legh II,* ketch de 9,7 × 3,3 fim, tirant d'eau 1,7 m. **Al Petersen** [6] ; 1948-52 ; ouvrier métallurgiste ; par Panamá et la mer Rouge ; cotre de 10,05 m. John Guzzwel [1] ; 1956-58 ; 25 ans au départ (le plus jeune circum navigateur) ; sur *Trekka,* yawl de 6,25 m (le plus petit bateau ayant fait le tour du monde). **Peter Iangwald** [6] (Norv. naturalisé) ; 1959-64 ; sur *Dorothéa,* cotre de 9,45 m. **Sir Francis Chichester** [1] ; du 27-8-66 au 28-5-67 ; *Gypsy Moth IV,* en bois moulé, poids 10,5 t, long. 16,46 m, larg. max. 3,30 m, voilure 102,90 m². **Chay Blyth** [1] ; 1970-71 ; *British Steel,* ketch de 18 m ; sans escale d'E. en O. 292 j. **Alain Colas** [3] ; 1973-74 (169 j) ; *Manureva, ex-Pen-Duick,* trimaran, long. hors-tout 21,24 m, long. 20,12 m, tirant d'eau 0,80 m. **David Scott Cowper** [1] ; 1979 ; 225 j. **Henryk Jaskula** [4] ; voilier en bois de 14 m. **Yves Pestel** [3], 1979-80 ; voilier le plus petit engagé dans cette course (9 m) ; parti le 5-7-79, chavire en juin 1980 après avoir doublé le cap Horn le long des côtes argentines. **Philippe Jeantot,** 1982-83, *Crédit agricole,* 159 j. **Dodge Morgan** [6], 1986, *American-Promise,* 145 j 22 h 22'. **Philippe Monnet** [3], 10-12-86/19-4-87, *Kriter-Brut-de-Brut,* 129 j 19 h 19' 10". **Olivier de Kersauson,** 1988-89, *Un autre regard,* 125 j 19 h 32'33".

Avec moteur. Edward Miles [6] ; 1928-32 ; d'O. en E. par la mer Rouge et Panamá, très rare ; *Sturdy et Sturdy II,* 11,20 × 3,30 m ; tirant d'eau 1,45 m, moteur diesel 20 CV. **Louis Bernicot** [3] ; 1936-38 ; 52 ans au départ ; par Magellan et Le Cap ; *Anahita* 12,50 × 3,50 m, tirant d'eau 1,70 m, petit moteur. **Alfred Petersen** [6] ; 1948-52 ; *Stornoway,* cotre Colin Archer, long. 10,05 m, petit moteur. **A. Hayter** [1] ; 1950-55 ; colonel ; par la mer Rouge, contre la mousson, Panamá ; yawl à corne de 9,75 m. **Marcel Bardiaux** [3] ; 1950-58 ; sur les *Quatre-Vents,* sloop marconi de 9,38 × 2,70 m, tirant d'eau 1,45 m, moteur 5-7 CV. **Jean Gau** [6] (Français naturalisé) ; 1953-57 ; 51 ans au départ ; ketch de 11 × 3 m, tirant d'eau 1,40 m, moteur 20 CV. **Ed Allcard** [1] ; 1961-63 ; par cap Horn.

• **Avec compagnon momentané. Sans moteur : Jacques-Yves Le Tourmelin** [3] ; 1949-52 ; 28 ans au départ ; un équipier jusqu'à Papeete, ensuite seul ; *Kurun,* cotre norv. de 10 × 3,55 m, tirant d'eau 1,60 m. **Tom Steele** [6] ; *Adios,* ketch.

Avec moteur : Tom Murnan [6] ; 1947-52 ; 51 ans au départ ; sa femme avec lui par moments ; *Seven Seals II,* yawl en acier 9,15 m, 2 moteurs de 25 CV.

• **Couples. Sans moteur. Joseph Merlot** [3] ; 1950-56 ; ingénieur ; avec sa femme et un enfant né en route ; sur un bateau de régates de 6 m de jauge ; par Panamá et Le Cap.

Quelques grandes premières

1er solitaire certain, J.M. Crenston [6] ; 1849 ; de New Bedford à San Francisco par le cap Horn ; 13 000 milles en 226 j ; *Toccra,* cotre de 12,30 m. **1re traversée de l'Atlantique à l'aviron,** Harbo et Samuelson [6] ; 1896. **En solitaire en bateau à rames,** John Fairfax [1] ; 20-1 au 19-7-1969 ; 5 600 km des Canaries à la Floride. **En kayak,** Romer [10] ; 1928 ; du cap Vincent (Portugal) aux Canaries puis à St-Thomas (Antilles), perdu ensuite sur la route de New York ; *Deutsches Sport,* kayak en toile de 6 × 0,95 m avec petite voilure de ketch 5 m². **Par une femme seule.** Ann Davidson [1] ; 1952-53 ; écrivain, 38 ans ; de Plymouth (G.-B.) à New York par Casablanca, Las Palmas, Dominique, Miami, New York ; sur *Felicity Ann,* sloop marconi de 7 × 2,15 m, tirant d'eau 1,40 m. **En pirogue.** Hannes Lindemann [10] ; 1955-56 ; de Las Palmas à Ste-Croix (Antilles) ; sur *Liberia,* pirogue primitive en bois de 7,5 m. **1er raid seul avec un enfant.** Blanco [11] et sa fille de 8 ans ; 1931 ; de Barcelone à Tahiti par Panamá ; sur *Evalu,* goélette de 11,25 × 3,35 m, avec moteur. **1re liaison en solitaire de l'Atl. au Pacifique par le Nord.** Willy de Roos ; 1977 ; sur *Williwaw,* ketch en acier de 13 m. En août 1980, Gérard d'Aboville, sur le canot *Captain Cook,* établit un nouveau record de traversée de l'Atlantique à la rame sur le parcours cap Cod (USA) - Brest (Fr.) en 72 j.

Quelques noms

Arthaud Florence (28-10-57) Fr. Bardiaux Marcel (1910) Fr. Bertrand John (1959) USA. Birch Michael (1933) Can. Blyth Chay (1940) Écosse. Bombard Alain (27-10-24) Fr. Bouet Marc (1952) Fr. Buffet Marcel (14-5-22) Fr. Cadot Albert (1901-72) Fr. Caradec Loïc (1948, disparu 1986) Fr. Cheret Bertrand (23-5-37) Fr. Chichester Francis (1901-72) G.-B. Colas Alain (1943, disparu 1978) Fr. Conner Denis (16-9-42) USA. Delfour Pierre (1934) Fr. Elvstrom Paul (1930) Dan. Fauroux Jacques (1945) Fr. Fauroux Marie-Claude (1931) Fr. Fogh (1939) Dan. Follenfant Pierre, Fr. Gabbay Alain (1959) Fr. Gahinet Gilles (1949-84) Fr. Gerbault Alain (1893-1941) Fr. Gilard Daniel (1949-87) Fr. Gliksman Alain (19-9-32) Fr. Haegeli Patrick (1945) Fr. Heriot Virginie (1889) Fr. Heyerdahl Thor (1915) Norv. Jeantot Philippe (8-5-52) Fr. Kersauson Olivier de (20-7-44) Fr. Kuwheide Willy (1938) All. Lacombe Jean (1919) Fr. Lebrun Jacques (20-9-10) Fr. Le Tourmelin Yves (2-7-20) Fr. Loizeau Éric (3-10-49) Fr. Madec Serge (1956) Fr. Malinovsky Michel (10-3-42) Fr. Mankin Valentin (1941) URSS. Maury Serge (24-7-46) Fr. Melges Harry (1931) USA. Morvan Patrick Fr. Musto K. (1928) (G.-B.). Noverraz Louis (1902) Suisse. Pajot Marc (21-9-53) Fr. Pajot Yves (20-4-52) Fr. Parisis Jean-Claude (1948) Fr. Pattison Rodney (1942) (G.-B.). Péan Lionel (1957) Fr. Peyron Loïc (1-12-59) Fr. Poupon Philippe (1954) Fr. Riguidel Eugène (24-11-40) Fr. Slocum Joshua (1844-1909) USA. Tabarly Éric (24-7-31) Fr. Turner Ted (1935) U.S.A. Viant André (1920) Fr. Vidal Jean-Marie (1945) Fr. Weld Phil (1914) U.S.A.

Vol à voile

Généralités

Origine. 1856 1er vol en planeur, Jean-Marie Le Brix (Fr.), près de Douarnenez. **1891-96** Otto Lillienthal (All.) réalise plus de 2 000 vols. **1922** 1er vol d'une heure, Martens (All.). **1922** Alexis Maneyrol (Fr.) vole 3 h et demie. **1923** 1er vol de 50 km, Schulz (All.). **1925** 1er vol de 10 h, Masseaux (Fr.). **1934** 1er vol de 300 km, Ludwig Hofmann (All.). **1952** record de durée en monoplace 56 h 15", Charles Atger (Fr.).

Principes. Utilise les courants ascendants de l'atmosphère : *thermiques* (dus à l'échauffement du sol par le soleil, altitude accessible 2 000 à 3 500 m, 8 000 à 10 000 m en cas d'orage) ; *dynamiques* (dus à la déflection du vent vers le haut par la présence d'un relief, altit. accessible 100 à 200 m au-dessus du sommet du relief), ascendances thermiques et dynamiques peuvent se combiner ; *ondulatoires* (dans certaines conditions, une ondulation entretenue se forme sous le vent des reliefs ; altit. accessible 10 000 à 15 000 m).

Planeurs. En plastique ou métaux, fibre de carbone ou de verre, bois. *Poids :* 200 à 600 kg. *Envergure* 15 à 24 m. *Places* 1 à 3. *Vitesses* utilisables : 70 à 280 km/h.

Records. Altitude : 14 938 m Robert Harris (U.S.A.) le 17-2-86. **Distance** *en aller et retour :* 1 646,48 km T.L. Knauff (USA) le 25-4-83. **Vitesse** *sur triangle de 100 km :* 195,3 km/h I. Renner (Austr.) le 14-12-82. *750 km :* 188,407 km/h H.W. Grosse (All. féd.) le 8-1-85. *1 000 km :* 145,328 km/h H.W. Grosse (USA) le 3-1-79.

Statistiques. France, *pratiquants* 12 000. *Planeurs* 1 450. *Clubs* 143.

Résultats

☞ *Légende.* – (1) France. (2) Danemark. (3) Italie. (4) Finlande. (5) G.-B. (6) Australie. (7) Suède. (8) P.-Bas. (9) USA (10) All. féd. (11) Pologne. (12) Tchéc.

• **Championnats du monde.** *Créés* 1937. Tous les 2 ans. **Messieurs. Standard : 81** Schroeder [1]. **83** Oye [2]. **85** Brigliadori [3]. **87** Kunttinen [4]. **89** Aboulin [1]. **Libre : 81** Lee [5]. **83, 85, 87** Renner [6]. **89** Lopitaux [1]. **Course : 81** Ax [7]. **83** Musters [8] et Striedieck [9]. **85** Jacobs [9]. **87** Spreckley [5]. **89** Gantenbrink [10].

• **Championnats d'Europe. Messieurs. Standard : 84** Lopitaux [1]. **86** Gantenbrink [10]. **88, 90** Trziak [11]. **Libre : 84** Lherm [1]. **86, 88** Holigans [10]. **90** Eberhard [8]. **Course : 84** Delylle [1]. **86** Pare [8]. **88** Lherm [1]. **90** Chenevoy. **Club : 90** Dedera [12].

Dames. Standard : 85 Moroko [1]. **Course : 85** Weinrich [10].

• **Championnats de France.** *Créés* 1966. **Messieurs. Standard : 81** Reculé. **82** Schroeder. **84** Lopitaux. **86** Aboulin. **87** Chenevoy. **88** Hauss. **89** Caillard. **90** Aboulin. **Course : 81** Mercier. **82** Henry. **84** Gerbaux. **86** Schroeder. **87** Lopitaux. **88** Lherm. **89** non disp. **90** Gerbaux. **Club : 89** Chenevoy. **90** Aboulin.

Nota. – 83, 85 non disputés.

Vol libre

Deltaplane

• **Origine.** *1948* l'Américain Francis Melvin Rogallo, travaillant pour la NASA, fabrique des prototypes d'ailes en forme de delta. *1964* Bill Moyes et *1969* Bill Bennett les mettent au point. **Matériel :** structure en aluminium haubanné, voile en dacron (surface env. 15 m², long. 3 m, enverg. 10 m). Le pilote est suspendu sous l'appareil à l'aide d'un harnais. Décollage : tracté derrière voiture ou U.L.M., en montagne en courant pour prendre son envol. **Pratiquants (libéristes) monde :** 150 000 (*France* 24 000, 540 clubs dont 100 écoles). **Coût :** 8 000 à 15 000 F.

Nota. - (1) Autriche. (2) N.-Zélande. (3) Australie. (4) All. féd. (5) USA. (6) Brésil. (7) G.-B. (8) Irlande. (9) Norvège. (10) France. (11) Tchéc.

• **Championnats du monde. Messieurs** *créés* 1976. **Ind. 76** *Classe I* Steinbach [1], *II* Dolore [2], *III* Battle [3]. **79** *I* Guggenmos [4], *II* Miller [5]. **81** *I* Lopes [6], *II* Bird [2]. **83** Moyes [3]. **85** Pendry [7]. **88** Duncan [3]. **89, 90** Whittal [7], **91** Suchanek [11]. **Par éq. 76** Autriche, **79** Fr., **81** G.-B., **83** Australie, **85** G.-B., **88** Australie, **89, 90, 91** G.-B.

Nota.- En 1987, des ch. du monde **Féminins : ind.** Leden [7], **éq.** G.-B.

• **Championnats d'Europe.** *Créés* 1980. *Classe I :* **80-81** Gérard Thévenot [10]. **82** A. Hughes [7]. *II :* **80-81** Mike de Glanville [10]. **82** Hart [1]. *par équipes :* **82** G.-B. Suisse, Norvège. **84** G.-B., All. féd., Autriche. **86** Pendry [7].

• **Ch. de France. 80** M. de Glanville. **81** K. Kohmstedt. **82** G. Thévenot. **83** *nationale A* G. Thévenot, *B* R. Rothmuller. **84** *A* M. de Glanville, *B* P. Gérard. **85** *A* Desbrandes, *B* Desbrandes. **86** *A* G. Thevenot, *B* R. Repelin. **87** G. Thévenot. **88** A. Chauvet. **89** P. Gérard. **90** A. Palmarini.

• **Records. Distance en ligne droite.** *Aile rigide, messieurs :* 223,70 km, William Reynolds [5] (27-6-88) ; *flexible, messieurs :* 462,604 km, Paul Christopherson [5] (3-5-89), *dames :* 263,627 km, Katherine Yardley [5] (13-7-89).

Distance à but fixé. *A. flexible, messieurs :* 348,7 km, Larry Tudor [5] (30-1-88), *dames :* 201,123 km, Liavan Mallin [8] (6-7-89).

Distance aller et retour. *A. flexible, messieurs :* 310,302 km, Geoffrey Loyns [7] et Larry Tudor [5] (26-6-88), *dames :* 131,96 km, Tover Buas-Hansen [9] (6-7-89).

Distance en triangle. *A. flexible, messieurs :* 161 km, Drew Cooper [3] (10-6-89), *dames :* 101 km, Jenney Canderton [3] (22-1-90).

Gain d'altitude. *A. rigide, messieurs :* 3 820 m, Rainer Scholl [4] (5-8-85) ; *a. flexible, messieurs :*

4 343,4 m, Larry Tudor [5] (4-8-85), *dames* : 3 657 m, Tover Buas-Hansen [9] (6-7-89).

• **Accidents mortels. En France :** De 1975 à janv. 1979 : 511 (20 †). *1980* : 10. *81* : 6. *82* : 8. *83* : 7. *84* : 7. *85* : 5. *86* : 4. *87* : 4. *88* : 10.

Parapente

Origine. 1978-*27-6* 1er vol à Mieussy, sur la pente du Perthuiset (Hte-Savoie), par Jean-Claude Betemps, Gérard Bosson et André Bohn. **1986** se développe. *Pratiquants en France* (1990) env. 12 000 licenciés.

Matériel. Parachute rectangulaire, type aile. Équipement : env. 6 kg, tient dans un sac à dos. Consiste à évoluer en parachute, voilure ouverte, après un décollage voile déployée à partir d'un site de montagne, ou en plaine avec des vols tractés.

Record. *Distance* : 150 km en Namibie par Xavier Remond (1991).

Championnats d'Europe. *Créés* 1988. **88** *ind.* Maret (Suisse), *éq.* Suisse.

Championnats de France. *Créés* 1987. **87** Gali, **88** Barboux, **89** Claret-Tournier, **90** Remond.

☞ **Féd. française de vol libre,** 4, rue de la Suisse, 06000 Nice. *Créée* 1974. *Licenciés* (1990) : 23 405.

Volley-ball

Généralités

Origine. 1895 imaginé par William G. Morgan (U.S.A.), exporté grâce à l'YMCA. **1913** figure aux 1ers jeux Orientaux de Manille. **1917** introduit en France par les troupes amér. **1929** 1er tournoi internat. à Cuba. **1936** création de la Féd. fr. de V.-B. **1947** création de la Féd. intern. de V.-B. à Paris. **1964** Jeux Olympiques.

Terrain. 18 m × 9. *Poteaux* distants de 10 à 11 m. *Filet* : 9,50 × 1 m de large ; partie supérieure à 2,43 m (h. seniors et juniors), 2,24 m (d. seniors et juniors). **Ballon :** 270 g (+ou -10 g) ; circ. 66 cm (+ ou -1 cm). **Équipes :** 12 joueurs dont 6 sur terrain. **Partie :** gagnée par l'équipe qui remporte 3 sets. En cas d'égalité de sets (2-2), le set décisif (5e) est joué en *tie-break* selon le système de la marque continue. Set gagné par l'équipe qui marque la 1re 15 points avec un écart de 2 points. En cas d'égalité à 14/14, le jeu continue jusqu'à ce qu'un écart de 2 points soit atteint (16-14, 17-15). Après une égalité 16-16, l'équipe qui marque le 17e point gagne le set avec seulement un point d'écart. Quand une équipe fait une faute de service, ne renvoie pas le ballon ou commet une autre faute, l'adversaire gagne l'échange de jeu (rallye) : si elle sert, elle marque un point et continue à servir. Si elle reçoit le service, elle gagne le droit de service, sans marquer de point (changement de service). Dans le set décisif, un point si l'équipe au service gagne un échange, elle marque un point et continue à servir, si c'est l'équipe en réception celle-ci gagne le droit au service et marque un point.

Principe. Tenter de faire tomber le ballon sur le sol adverse ou faire commettre une faute à l'adversaire (ex. : toucher le filet, franchir la ligne médiane, toucher le ballon et l'envoyer rebondir à l'extérieur du terrain). Dans ces cas, il y a perte du service si l'on était en possession du service ou gain du point pour l'adversaire si celui-ci avait le service sauf dans le 5e set. Le nombre de touches dans une équipe est limité à 3 (le contre ne compte pas comme une passe), il est interdit de tenir le ballon.

Licenciés. Dans le monde (principalement URSS, Chine et Japon), + de 140 000 000 de joueurs licenciés (80 % des joueurs sont des universitaires).

En France : 92 941, sport totalement amateur, 1 790 clubs affiliés (mai 91).

Principales épreuves

☞ *Légende.* – (1) URSS. (2) Roumanie. (3) Pologne. (4) Tchécoslovaquie. (5) Bulgarie. (6) Hongrie. (7) All. dém. (8) Italie. (9) All. féd. (10) France. (11) P.-Bas. (12) USA. (13) Youg.

Jeux olympiques (voir p. 1801).

Championnats du monde. Messieurs. *Créés* 1949. Tous les 4 ans. **1949, 52** URSS. **56** Tchécoslovaquie. **60, 62** URSS. **66** Tchéc. **70** All. dém. **74** Pologne. **78, 82** URSS. **86** USA. **90** It. **Dames.** *Créés* 1949. **49, 52, 56, 60** URSS. **62, 67** Japon. **70** URSS. **74** Japon. **78** Cuba. **82, 86** Chine. **90** All.

Championnats d'Europe. Tous les 2 ans. **Messieurs.** *Créés* 1948. **1963** Roumanie. **1967, 71, 75, 77, 79, 81, 83, 85, 87** U.R.S.S. **89** Italie. **91** URSS. **Dames.** *Créés* 1949. **1949, 51** URSS. **55** Tchéc. **58-79** URSS. **81** Bulgarie. **83** All. dém. **85** URSS. **87** All. dém. **89** URSS.

Coupe du monde. Tous les 4 ans. **Messieurs.** *Créée* 1965. **1965** URSS. **69** All. dém. **77, 81** URSS. **85** USA. **89** Cuba. **Dames.** *Créée* 1973. **1973** URSS. **77** Japon. **81, 85** Chine. **89** Cuba.

Coupe du printemps. Championnat de l'Europe occidentale. **Messieurs.** *Créée* 1962. **80, 81, 82** Grèce. **83** P.-Bas. **84** Esp. **85** France. **86, 87** All. féd. **88** Suède. **89** Finlande. **90** Grèce. **91** Pologne. **Dames.** *Créée* 1968. **79, 80** All. féd. **81** P.-Bas. **82** France. **83, 84** All. féd. **85, 86** France. **87, 88** All. féd. **89** Grèce. **90** Turquie.

Coupe d'Europe des clubs champions. Messieurs. *Créée* 1960. **80** Klippan Torino [2]. **81** Dynamo de Bucarest [2]. **82, 83** CSKA Moscou [1]. **84, 85** Santal Parme [8]. **86, 87, 88, 89** CSKA Moscou [1]. **90** Modène [2]. **91** CSKA Moscou [1]. **Dames.** *Créée* 1961. **80** Étoile Rouge de Prague [4]. **81, 82, 83** Ouralotchka Sverdslovsk [1]. **84** CSK Sofia [5]. **85** Alma Ata [1]. **86** CSK Moscou [1]. **87** Ouralotchka Sverdlovsk [1]. **88** Ravenne [8]. **89, 90** Ouralotchka Sverdslovsk [1]. **91** Zagreb [13].

Coupe d'Europe des vainqueurs de coupe. *Créée* 1973. **Messieurs. 80** Panini Modena [8]. **81** Ch. Bratislava [4]. **82, 83** Automobilist Leningrad [1]. **84** Turin [8]. **85** Dynamo de Moscou [1]. **86** Panini Modène [8]. **87** Tartarini Bologne [8]. **88** Palma Pallavolo [8], **89, 90** Maxicorno Parme [8]. **91** Gabeca Montichiari [8]. **Dames. 80, 81** Vasas Budapest [6]. **82** CSK Sofia [5]. **83** Medine Odessa [1]. **84, 85** Dynamo de Berlin [7]. **86** Ouralotchka Sverdlovsk [1]. **87** Kommunal Minsk [1]. **88** CSKA Moscou [1]. **89, 90, 91** Alma Ata [1].

Coupe confédérale. *Créée* 1981. **Messieurs. 81** AS Cannes [10]. **82** Starlift Voorburg [11]. **83, 84, 85** Panini Modena [8]. **86** Falconara [8]. **87** Enermix Milan [8]. **88, 89** Automobilist Leningrad [1]. **90** Mœrs [9]. **91** Trévise [8]. **Dames. 81** SV Lohhof. **82** USC Munster [9]. **83** SGJDZ Feuerbach [9]. **84** Victoria Bari [8]. **85** Victoria Augsbourg [9]. **86** Nelsen [8]. **87** Modène [8]. **88** Ancône [8]. **89** Cuccine [8]. **90, 91** Orbita [8].

Championnat de France de Nationale I. Messieurs. *Créé* 1938. **79, 80** Asnières-Sport. **81, 82, 83** Cannes. **84** Asnières. **85** Grenoble. **86** Cannes. **87, 88, 89** Fréjus. **90, 91** Cannes. **Dames.** *Créé* 1941. **79, 80** ASSU Lyon. **81, 82, 83, 84, 85, 86** Clamart. **87, 88, 89, 90, 91** RC France.

Coupe des As (coupe de France). Messieurs. *Créée* 1984. **84** Asnières, **85** Cannes, **86, 87** Fréjus, **88** Sète, **89** Fréjus, **90** Bordeaux, **91** Fréjus. **Dames.** *Créée* 1986. **86, 87** Clamart, **88, 89, 90** Fréjus, **91** Riom.

Quelques noms

Nota. – Tous français sauf indications.

ARROYO Fred 1937. BARONNET Didier 1947. BLAIN Philippe 20-5-60. BOILOT Évelyne 1959. BOULAY Brigitte 1952. BOUVIER Éric 5-1-61. BOUZIN-MORANA Marie-Christine. CLAIDAT Catherine 1966. COMTE Michel 1943. DANIEL Éric 30-4-57. DEVOS Lionel 1960. DUJARDIN François 1-2-23. FABIANI Alain 14-9-58. FAURE Stéphane 11-1-57. FOLCHERIS Janine. GENSON Michel 1947. DI GIANTOMMASO Guy 1953. GRANDVORKA Séverin 1947. JURKOVITZ Jean-Marc 20-4-63. KIRALY Karch [12] 1960. KONDRA Vladimir [1] 16-11-50. LEBLEU M.-Christine 1959. LESAGE Brigitte 1964. MAZZON Hervé 12-6-59. MENEAU Christophe 31-1-68. DE MENIAS Janine 1932. MIGUET Jean-Loup 1956. POWERS Pat [12] 1958. PRAWERMAN Anabelle 1963. QUISTORFF Agnès 1963. RAGUIN-BOUVIER Dominique 1952. ROSSARD Olivier 31-8-65. ROUSSELIN Marc 1951. SAVIN Alexandre [1] 1957. SPINOSI Françoise 1929. TILLIE Laurent 1-2-63. ZAITSEV Vlatcheslav [1] 1952.

Water-polo

Généralités

• **Origine. 1869** né en G.-B. **V. 1870** 1re codification. **1895** pratiqué en France. **1900** inscrit aux J.O.

• **Règles.** 2 *équipes* de 13 joueurs, dont 7 dans l'eau et 6 remplaçants. *But* 3 m de large, haut. 90 cm au-dessus de l'eau si 1,50 m de prof. ou plus et 2,40 m au-dessus du fond du bassin si prof. de moins de 1,50 m. *Ballon* 400 à 450 g. *Bassin* : 8 à 20 m de large, 20 à 30 m de long, 1 à 1,80 m de profondeur. Pour les dames, max. 25 m de long sur 17 m de large. *Matches* en 4 périodes de 9′ de jeu effectif séparées par un intervalle de 2′.

• **Résultats. Championnats du monde. Hommes.** *Créés* 1973. **73** Hongrie. **75** URSS. **78** Italie. **82** URSS. **86, 91** Yougoslavie. **Dames.** *Créés* 1986 **86** Australie. **91** P.-Bas.

Coupe du monde (ou coupe FINA). *Créée* 1979. **Hommes : 79** Hongrie. **81** URSS ; **82, 83** All. féd. **86, 87** Youg. **Dames : 79** USA. **80** P.-Bas. **81** Canada. **82-87** non disp. ; **88, 89, 91** P.-Bas.

Championnats d'Europe. Hommes. *Créés* 1926. **77** Hongrie. **81** All. féd. **83, 85, 87** URSS. **89** All. féd. **Dames. 85, 87, 89** Pays-Bas.

Coupe d'Europe des clubs champions. *Créée* 1987. **Messieurs. 89** CSKA. Moscou. **Dames. 87** P.-Bas.

Championnats de France. Hommes. 1973-91 CN Marseille. **Dames.** *Créés 1984* : **84-85** RCF. **86, 87, 88** Dauphins de Créteil, **89** Marseille, **91** Créteil.

Statistiques françaises

Licences sportives et nombres de clubs

(Nombre de licences en 1990 et, entre parenthèses, de clubs en 1987)

Fédérations olympiques. Athlétisme 129 515 (clubs 1 690). Aviron 38 963 (271). Badminton 22 000 (n.c.). Base-ball 10 446 (151). Basket-ball 345 353 (4 574). Boxe 13 000 (554). Canoë-kayak 39 100 (747). Cyclisme 89 200 (2 281). Équitation 239 909 (1 385). Escrime 31 710 (740). Football 1 860 949 (22 829). Gymnastique 146 476 (1 234). Haltérophilie 22 525 (732). Handball 179 840 (2 537). Hockey 9 587 (128). Judo 456 431 (4 950). Lutte 9 178 (246). Natation 142 818 (1 231). Pentathlon 200 (7). Ski 550 500 (n. c.). Sports glace 26 300 (212). Tennis 1 363 000 (9 487). Tennis de table 127 000 (4 765). Tir 127 578 (2 118). Tir à l'arc 35 372 (1 333). Voile 180 000 (1 415). Volley 97 152 (1 675).

Non olympiques. Aikido 39 500 (542). Automobile 50 200 (220). Balle au tambourin 1 621 (36). Ballon au poing 915 (37). Ball-trap 12 810 (456). Boxe américaine 8 000. Boxe française 20 353 (587). Char à voile 3 700 (47). Courses d'orientation 53 000 (190). Football américain 4 500. Golf 181 447 (432). Javelot sur cible 2 815 (101). Jeu à XIII 30 300 (306). Joutes 3 300 (74). Karaté 175 000 (n. c.). Longue paume 1 604 (45). Motocyclisme 32 414 (1 085). Motonautisme 3 996 (87). Parachutisme 28 000 (370). Patinage à roulettes 19 100 (273). Paume 610 (19). Pelote basque 14 000 (260). Rugby 243 500 (1 775). Sambo 7 003. Ski nautique 13 600 (198). Squash 26 000 (248). Surf 4 773 (85). Trampoline 8 964 (75). Triathlon 10 172 (278). Twirling bâton 9 538 (549).

Para-sportives et loisirs. Aéromodélisme 16 114 (423). Aéronautique 50 650 (537). Aérostation 630. Billard 17 060 (421). Boules 127 000 (3 381). Cyclotourisme 105 100. Danse sportive 37 893. Étude sport sous-marin 117 000 (1 372). Montagne 124 230 (2 033). Pêche au coup 6 754 (495). Pêcheurs sportifs 1 250 (48). Pêcheurs en mer 12 166 (181). Pétanque 496 100 (7 801). Planeur-ULM 5 300 (201). Quilles 19 800 (300). Raquet-ball 450. Randonnée 255 252 (687). Sauvetage en mer (secourisme) 11 800 (202). Spéléologie 7 535 (553). Vol à voile 20 000 (159). Vol libre 23 405 (320).

Multisports. FFEPM 135 070 (2 418). FFEP PGV 313 263. FSCF 194 726 (2 161). FSGT 286 519 (3 873). FFST 26 500. Léo Lagrange 90 000. Police française 25 000. Retraite sportive 15 100. Sport rural 75 136 (1 165). UFOLEP 436 200 (12 189). USFEN 24 982.

Handicapés. Handisport 11 023 (272). Sport adapté 16 364 (386). Sourds de France 2 465 (61).

Scolaires et universitaires. FNSU 74 583 (552). UGSEL 657 558 (3 134). UNSS 800 171 (8 694). USEP 895 054 (15 102).

Total. 12 837 140 dont féd. ol. 6 294 102, non ol. 1 010 835, para-sportives et loisirs 1 450 889, multisports 1 622 496, handicapés 29 852, scolaires et univ. 2 427 366.

Sports divers

• **Aérobic.** Voir Gymnastique.

• **Aéroglisseur léger.** Amphibie à coussin d'air. Propulsion aérienne (hélices carénées). Hauteur de franchissement d'obstacles abrupts, sans ralentissement, 20 cm. Montée de rampes de 60 %. 1 à 4 personnes. *Poids* 100 à 300 kg. *Vitesse* 60 à 140 km/h. *Prix :* manufacturé, 35 000 à 70 000 F ; construction amateur 7 000 à 20 000 F. *Classement F 3 :* - de 250 cm³. *F 2 :* - de 500 cm³. *F 1 :* illimitée. *S :* 1 moteur de cylindrée quelconque, 1 ventilateur de diam. max. 0,80 m. *Utilisations :* sport, tourisme, secours ou travail. Cours d'eau non navigables, marais, terrains mouvants.

Compétitions. *Championnats du monde :* 1 manche tous les 2 ans dans un des pays membre de la World Hovercraft Federation. *Ch. d'Europe :* 1 manche dans chaque pays adhérent de l'European Hovercraft Federation. *Ch. de France :* 5 manches de 4 courses par formule ; *d'Europe :* 3 de 4 courses par formule. Sur circuit amphibie, 50 % eau, 50 % terre, de 2,5 km en 5 à 7 tours.

• **Bandy.** Origine écossaise *(shinty)*, joué en Angl. à la fin du XIXᵉ s., et en Irlande *(ice hurling)*. Sur glace avec crosse, il a donné naissance au hockey sur glace. Populaire en Scandinavie et Pologne. *Terrain* 90 à 110 × 45 à 65 m en plein air ; 45 à 61 m × 26 à 30 m sur patinoire. *Buts* long. 3,5 m, haut. 2,1 m. *Balle* 58 à 62 g, diam. 6 cm.

• **Billard français. Origine.** Variété de croquet pratiqué sur le sol avec des arceaux. En G.-B., It., France et Esp., règles semblables (boules en bois de 10 cm de diam., manipulées par un bâton en bois recourbé appelé *ball-yard* en G.-B., *velorto* en Esp., *biglia* en It. et *bilhard* en France). Peu à peu on joue sur une table en conservant les mêmes règles. **1469** 1ᵉʳ billard construit en France pour Louis XI (8 pieds de long, 4 de large, poids 618 livres, dalle en pierre recouverte de 4 aulnes de drap d'Elbeuf). **1550-1630** développement en Fr. **1588** 1ᵉʳ traité. **1634** *16-5* 1ʳᵉ utilisation du mot *académie* pour salle de billard. **1636** Richelieu crée pour la noblesse l'Académie royale, rue du Temple, on y enseigne le billard. **XVIIᵉ s.** les médecins de Louis XIV lui conseillent le billard pour faciliter la digestion. **Jusqu'au XVIIIᵉ s.** les femmes jouent autant que les hommes. **1790** parties jouées en 30 points (et non plus 16). **1823** Mingaud invente la rondelle de cuir au bout de la queue ce qui permet de nouveaux coups. **1835** adoption des bandes de caoutchouc et de l'ardoise. **1850** jeu à 3 billes en France. **1873** 1ᵉʳ championnat du monde professionnel, vict. du Français Garnier. **1903** *mars* Féd. fr. de billard créée. **1928** Union mondiale de billard créée.

Billard français de match (surface de jeu). 3,10 × 1,70 m ; **de ½ match :** 1,53 × 2,80 m. *Billes* (autrefois en ivoire, maintenant en matière synthétique sauf pour b. artistique) : 61 à 61,5 mm de diamètre.

Nombre de billards en France. *1812 :* 550, *1840 :* 1 100, *1930 :* 4 000, *1989 :* env. 2 050. **Licenciés.** Japon 1 500 000, France 17 500 (90-91).

Modes de jeu. *Partie libre :* caramboler les 2 autres billes pour que le point compte et faire la série la plus longue. *Bande :* toucher une bande avant de faire le point. *Trois bandes :* en toucher 3. *Jeux de cadre :* billard divisé par des tracés faits sur le tapis soit à 47 cm des bandes, soit à 71 cm. *Disciplines : 47/1* (à un coup) où il n'est pas possible de faire plus de 1 point dans 1 carré sans sortir 1 des 2 autres billes de ce cadre. *47/2* (sortir 1 bille du carré après 2 points réussis dans le cadre). *71/2* idem. *Pentathlon :* réunit 47/1, 71/2, la libre ; bande et 3 bandes. *Billard artistique :* réussir des coups imposés formant des figures spectaculaires. **Fautes :** faire sauter une ou plusieurs billes hors du billard ; toucher une bille avec un objet quelconque ; jouer avant que les billes ne soient immobiles ; jouer sans toucher le sol au moins avec un pied ; faire sur la bande des points de repère ; queuter (il y a *queutage* lorsque le procédé est encore en contact avec la bille du joueur, quand celle-ci rencontre soit la 2ᵉ bille, soit une bande).

Épreuves. *Championnats du monde :* dep. 1918 (cadre 45/2), 1929 (cadre 71/2) ; *d'Europe :* dep. 1926 (45/2) ; *de France :* 1925 (libre), 1924 (45/2), 1924 (71/2). *Coupe du monde :* (3 bandes) dep. 1986.

• **Billard Snooker.** *Créé* 1875 par des officiers anglais de l'armée des Indes. *1927* championnats du monde. 3,84 × 2,60 m. Comprend 6 blouses (ou poches), 1 à chaque coin et 1 au milieu de chacune des 2 grandes bandes. Selon les coups réussis, le joueur marque 2 ou 3 points. *But :* blouser avec une queue et une boule blanche 21 autres boules (15 rouges, 1 noire, 1 bleue, 1 jaune, 1 verte, 1 rose, 1 brune) dans 6 poches disposées aux 4 coins de la table et au milieu des 2 principales bandes latérales. *Champion du monde :* **87, 88, 89** Steve Davis, **90** Stephen Henry.

• **Billard américain.** 2,72 × 1,50 m. 15 billes numérotées et une bille blanche. Plusieurs règles du jeu.

8 pool. *Créé* par Barie Denton. 2,13 × 1,21 m. 16 billes (1 blanche, 1 noire, 7 rouges, 7 jaunes). La blanche est remise en jeu en cours de partie.

• **Bird sail** (voile oiseau). Brevet déposé en 1980. Voile convexe, formée de morceaux de tissu en forme de trapèze cousus ensemble, munie de 2 fenêtres transparentes, tendue sur une armature en tube. 3 tubes en forme de triangle et reliés à l'armature permettent de se diriger. Grâce à cette voile, on peut se déplacer sur l'eau avec une planche munie d'une dérive, sur terre avec des patins à roulettes, sur neige avec des skis ou sur glace avec des patins. La voile étant libre, le corps sert de mât.

• **Billes.** Fabriquées par l'usine Blacons de Crest (Drôme), en terre, sauf le *calot* (plus gros, servant de cible) en pierre.

Jeu du triangle. *Terrain* 5 m × 2 m plat, en terre, sans obstacles, délimité par cordelette. A l'extrémité du périmètre et à 80 cm env. du bord, on trace un triangle de 45 cm de côté délimité par un élastique. On y place 15 billes en terre de 16 mm de diam. *La bille* des joueurs a 17 mm max. et une couleur différente de celles se trouvant dans le triangle. On la tient entre le pouce et l'index, le dos de la main touche terre. Se joue en simple ou en doublette.

Ring. Plateau de bois circulaire de 1,90 m de diam. placé à 10 cm du sol, recouvert de 2 à 3 mm de sable fin et sec. On place au centre du ring 49 billes en terre de 16 mm de diam. serrées en forme de cercle. Équipes de 2, 3 ou 4 joueurs. Les joueurs sont assis face à face sur des chaises numérotées. Un joueur éliminé sort du champ et laisse sa chaise vide. Chacun a une bille de tir de 19 mm de diam. max.

Championnats du monde. Tous les 2 ans. **86, 88** France.

Licenciés. USA 200 000. G.-B. 50 000. *France 2 000* (dont 160 femmes) surtout dans le Sud-Est.

Meilleurs joueurs. J.-P. Benoît, R. Garnodier, M. Guichard, L. Sourbier, L. Lacombe, J.-P. Picard.

• **Bobsleigh.** *Créé* 1888, en Suisse, par un Anglais, Wilson Smith. A l'origine véhicule forestier. De l'anglais *to bob* (secouer) et *sleigh* (traîneau). **Pistes** A Cervinia, Cortina, Igls, Koenigsee (1ʳᵉ piste à réfrigération artificielle construite au monde), Lake Placid Winterberg, La Plagne (1991), St-Moritz, Sinaia, Oberhof. *Féd. internat.* créée 1923 (langue officielle, le français).

Compétition. Sur 4 patins de 70 cm, largeur des patins 8 mm bob à 2, 12 mm bob à 4 (pour le diriger) et des freins en râteau pour limiter la vitesse : frein arrière à main (interdit dans les virages) ; il est interdit de freiner en cours de compétition sous peine d'élimination ; *longueur* 3,80 m à 4 pl. et 2,70 à 2, *largeur* 0,67 m entre les patins ; *poids max.* avec équipiers : 385 kg à 2 et 630 kg à 4. *Les bobbeurs* ont des casques et ne doivent pas porter de lest sur eux. *Épreuves* en 4 manches : concurrents répartis par tirage au sort. Départ donné lancé.

Disciplines. Bob sur route : neige damée ou gelée, bob presque toujours surélevé, patins de 12 à 16 mm. *Routes à bob en France* Macot-La Plagne (Savoie), Thones (Hte-Sav.), Briançon (Htes-Al.). **Sur piste :** en glace vive, sol, parois et murs, virages relevés jusqu'à 90°, long. 1 200 à 1 500 m, rayon des virages tel qu'il sera impossible d'excéder plus de 3 s une force centrifuge de 4 g, dénivellation de 110 m, 6 virages au min., 4 courbes et 1 labyrinthe.

Principales épreuves. JEUX OLYMPIQUES voir p. 1804. CHAMPIONNATS DU MONDE. **Boblet (ou bob à 2)** *créé* 1931 : **77, 78, 79** Suisse. **81** All. dém.. **82, 83** Suisse. **85, 86** All. dém.. **87** Suisse. **89** All. dém. **90** Suisse. **91** All. **Bob à 4** *créé* 1924 : **77, 78** All. dém. **79** All. féd. **81** All. dém. **82, 83** Suisse. **85** All. dém. **86, 87, 89, 90** Suisse. **91** All.

COUPE DU MONDE. *Créée* 1984. **85** Fischer [1]. **86** Fasser [2]. **87** Roy [3]. **88** Appelt [4]. **89** Weder [2]. **90** Poikans [5]. **91** Appelt [4].

Nota.- (1) All. féd., (2) Suisse, (3) USA, (4) Autriche, (5) URSS.

CHAMPIONNATS D'EUROPE. **Bob à 4 : 86** Suisse. **Bob à 2 : 86, 87, 88** All. dém. **89** Suisse. D'EUROPE sur piste naturelle *créé* 1981 à Thonesmanigod (Hte-Savoie) par le Français Jacques Christaud. **Bob à 2 : 89** France. **Bob à 4 : 89** Italie.

CHAMP. D'EUROPE SUR ROUTE (piste naturelle). **Bob à 2 : 81** Fr. **82** Suisse. **83** It. **84** Suisse. **85** Autr. **86, 87** It. **88** Autr. **89, 90** Suisse. **Bob à 4 : 81** Fr. **82** Suisse. **83, 84, 85** It. **86** Fr. **87, 88** It. **89, 90** Autr. **91** Suisse.

CHAMP. DE FRANCE SUR ROUTE. **Piste naturelle.** *Bob à 2 :* **85, 86, 87, 88** Thones. **89** non disp. (pas de neige). *Bob à 4 :* **85** Thones, **86** Voiron, **87** La Plagne, **88** Thones. **89** non disp. (pas de neige). **90** La Plagne A. **Piste olympique.** *Bob à 2 :* **87, 88** Voiron. **89** La Plagne. **90** Flacher-Klinnik.

Quelques noms. Eugenio MONTI (n. 23-1-1928, It.). Jean d'AULAN (Fr.). Gérard CHRISTAUD (Fr.). Jacques CHRISTAUD (Fr.). Erich SCHAERER (Suisse). Jean-Yves BARRACHIN. Wolfang HOPPE (All. dém., 14-11-57). Edward EAGAN (U.S.A., 1898-1967). Meinhardt NEHMER (All. dém., 13-7-41). Bernhardt GERMESHAUSEN (All. dém., 21-8-51).

• **Boomerang. Origine.** Australie, Égypte, Europe. *1969* Association de boomerang d'Australie créée. *1971* 1ᵉʳˢ championnats d'Australie. Engin de chasse ou de jeu. **Pratiquants.** Quelques centaines de milliers dans le monde (en *France 60 000*). **Épreuves.** Distance, endurance, durée de vol, plus grande distance atteinte avant retour au lanceur, précision de retour, séries de rattrapages à la main, combinés. *Tournois* chaque année en Australie, USA, Europe. **Records du monde.** *Durée de vol : avec retour rapproché :* Tony Slater (G.-B.), 1 mn 23 s ; *distance :* Christian Jabet (Fr.) 149 m (15-4-1989) ; *rattrapages consécutifs à la main :* Stéphane Marguerite (Fr.) 801 (26-11-1989).

La Pérouse-Boomerang-club de France, 6 rue des États-Généraux, 78000 Versailles. **France-Boomerang Association,** B. P. 62, 91002 Evry Cedex.

• **Broomball on ice** (ou balai-ballon sur glace). Joué sur glace avec les mêmes règles que le hockey sur glace ; sans patins et avec un balai à la place de la crosse et une balle à la place du palet.

• **Caber.** Consiste à lancer le plus loin possible un tronc d'arbre ou une poutre de plus de 4 m de long (caber). On le porte comme un drapeau, puis on le lance, le bout le plus fin servant de pivot lors de la chute et marquant la distance franchie. 3 essais. Surtout pratiqué en Écosse.

• **Cerf-volant. Origine** (env. 2000 av. J.-C.) : Chine. Permet d'entrer en contact avec les dieux. Passe au Japon, Corée, Indonésie, Inde, Arabie, Europe. **1749** l'Écossais Alexander Wilson mesure avec eux la température de l'atmosphère. **1752** Benjamin Franklin étudie la foudre et crée le paratonnerre. **1888** Alexander Batut prend les 1ʳᵉˢ photos aériennes. **1907** Union des cerfs-volantistes de France créée. **1990** 1ᵉʳ ch. de France de cerf-volant pilotable (figures imposées, libres et ballet). **Matériaux :** autrefois bambou et papier. Actuellement, aluminium, carbone, Kevlar, Mylar, fibre de verre, graphite, toile de spinaker. **Catégories :** plat ou à dièdre (losange, carré, rond) ; cellulaire composé de plusieurs éléments ou cellules (box, poly, tétraèdre) ; sans armature de type parapente (parafoil, stratoscope) ; pilotable à 2 ou 4 fils ; pouvant atteindre plus de 120 km/h ; trains de cerfs-volants (spécialité d'Extrême-Orient). **Pratique** (1990) : plus de 10 000 en France. **Ventes** (1990) : 160 000 en France dont un tiers pilotables. **Records :** *Altitude* (non homologué) : 11 554 m par Steven Flack, USA. *Durée* 180 h 17' du 21 au 29 août 1982, USA. *Longueur* 1 043 m. *Puissance* 331 kg de traction. *Surface* 553 m². *Vitesse* 184 km/h. *Train en fil* 2 233 cerfs-volants, *pilotable* 253 c.-v.

Féd. fr. de cerf-volant, *créée* 1986, 52, rue Galilée, 75008 Paris. **Féd. internat. de cerf-volant,** *créée* 1989 avril. **Cerf-volant-club de France,** *créé* 1977, B.P. 186, 75623 Paris Cedex 14 (475 m. au 8-4-1991).

• **Courses de lévriers** *(greyhound racing).* **Épreuves. Chiens** en général 6 (max. 8) *par course.* Casaque de couleur numérotée (n° 1 à la corde). Vitesse d'un lévrier 60 km/h (plus lent pour l'afghan). **Courses :** en ligne ou avec handicap-distance (1 m = 1/8 de seconde), en plat et quelquefois en obstacles. Boîtes de départ s'ouvrant automatiquement au passage du chariot supportant le leurre (en forme de lièvre ; le chariot glisse sur un rail ou est entraîné par un câble. **Distances** 200 à 1 000 m (whippets 250 à 1 250 m, greyhounds 400 à 600 m). **Pistes** *(cynodromes) :* ligne droite, en U, en anneau ou en « escargot ».

En France. *1ʳᵉ course* organisée par Eugène Chapus à Bagatelle le 28-11-1879. Un cynodrome fixe a existé à Courbevoie de 1933 à 1951. En 1982, 17 Stés ont tenu 280 réunions avec pari mutuel dont une partie sur les cynodromes fixes de Carnoux, Octeville, Normanville, Maulevrier, Mont-de-Marsan, Lyon, Cabourg. *Propriétaires* (14 Stés autorisées à faire courir) 495 ; *chiens* (possédant leur « certificat d'aptitude ») 414 greyhounds, 731 whippets, 81 afghans, 11 galgos. *Pari mutuel,* autorisé sur le cynodrome uniquement, gagnant et jumelé. *Enjeux* 1982 montant 9 135 750 F ; même prélèvement que pour les courses de chevaux.

Nota. – Ne pas confondre avec le *coursing,* sorte de chasse à courre avec lièvre et lévriers.

• Courses de traîneaux à chiens. **Origine.** *Fin XIXe s.,* devient un sport en Amérique du N. **Pays pratiquants.** Canada, Norvège, USA (Alaska), Suisse, All. féd., *France,* Italie, Autriche, Suède, Finlande. **Chiens.** Husky de Sibérie, Groenlandais, Malamute, Samoyède, races locales. **Vitesse :** 30 à 40 km/h. **Épreuves.** *Traîneau :* portant un homme (appelé *musher*), tiré par 3 à 14 chiens. *Pulka scandinave :* ski de fond derrière 1 à 3 chiens attelés à une *pulka* (petite luge). Distances sprint 6 à 18 km, moyennes et longues 50 à 100 km par jour.

Principales courses. *La Pesse* (Jura), 150 km en 3 étapes. *Iditarod ou route du sérum* (Alaska, d'Anchorage à Nome), créée 1973 par Joe Redington, 1 800 km, annuelle, rappelle l'épidémie de diphtérie de 1925 pendant laquelle des traîneaux se relayèrent pour apporter des vaccins. *Alpirod,* créée 1988, 1 000 km en 11 étapes à travers Autriche, All. féd. Suisse, France, Italie. *Trophée performance,* créé 1986, en oct.-nov. dans une ville de l'O. (Caen, Nantes, Rouen...), hors neige.

Nota. – Au printemps 1988, Jean-Louis Etienne (Fr.), Goeff Sommers (G.-B.), Will Steger (USA), Keizo Funatsu (Jap.), Victor Boyarski (URSS) et Bernard Prud'homme (Fr.), avec 32 chiens de traîneau, ont traversé le Groenland du sud (Narssarssuaq, départ le 18-4) au nord (79° N-60° O, arrivée le 16-6) soit 6 300 km.

Fédération française *de pulka et traîneau à chiens :* Les Cabanelles, Route de Mende-Valflaunes, 34270 St-Mathieu de Treviers. Env. 30 clubs. Réservée aux chiens nordiques de race pure. *Des sports de traîneau et de ski-pulka,* Le Buchin, 01800 Villieu. Env. 30 clubs.

• Course d'orientation. **Origine.** *1850* Suède. **Règles.** Course individuelle en terrain varié, sur un parcours matérialisé par des postes que le concurrent doit découvrir dans un ordre imposé, par des cheminements de son choix, en se servant d'une carte. Peut se pratiquer à pied, à cheval ou à vélo tout terrain en été et à ski de fond en hiver. **Fédération française de course d'orientation** (300 000 pratiquants), B.P. 220, 75967 Paris Cedex 20. **Pratique.** 36 pays. **Compétition.** 450 manifestations annuelles.

• **Cricket. Nom.** Anglais qui viendrait de l'ancien français *criquet,* bâton planté en terre et servant de but. **Histoire.** *1550* se développe en Angleterre. *1709 (29-6)* 1er match inter-comtés entre Kent et Surrey à Dartford Brent. *1744* le London Cricket Club rédige les 1res règles. *1787* Marylebone Cricket Club (MCC) créé. *1788, 1835, 1884, 1947* et *1980* (révisions des règles). *1900* inscrit aux J.O. de Paris. **Pratique.** Angleterre, sport national, Commonwealth (Australie, N.-Zélande, Antilles anglaises, Inde, Pakistan), Afr. du Sud et N.-Calédonie. *France,* un terrain (Standard Athletic Club, Meudon-la-Forêt).

Règles. *Terrain :* pelouse ovale d'env. 75 m de rayon au centre de laquelle se trouve la zone de jeu (20 ×3,66 m), à chaque extrémité 2 guichets (3 piquets de 81,5 cm de haut répartis sur 22,8 cm de large et surmontés de 2 pièces de bois de 11 cm qui tombent sous les chocs). *Joueurs :* 2 équipes de 11. Chemise blanche ou crème, pantalon de flanelle, casquette à visière (si besoin), gants pour le batteur et le gardien, protège-jambes, ceinture protectrice, souliers à crampons. *Balle :* très dure, en cuir rouge, avec coutures, circonférence 23 cm, poids 172 g. *Batte :* en bois de saule, poignée de caoutchouc, long. 96,5 cm, larg. de la pelle 10,8 cm, poids 1,028 kg. *Durée du match :* selon le niveau de 1 à 5 j, à raison de 6 h par j, coupées par des pauses pour les repas (tous les joueurs doivent en général passer 2 fois à la frappe). *Jeu :* victoire à l'équipe ayant marqué le plus de courses (*runs* aller-retour) de batteur d'un guichet (but) à l'autre tandis que la balle est en jeu. Le batteur est éliminé quand le guichet est abattu ou quand la balle est reprise en l'air par un joueur de l'équipe adverse.

Épreuves principales. Messieurs. *G.-B. :* ch. d'Angleterre (County championship), Gilette Cup/Nat. West Bank Trophy, John Player League/Refuge Assurance League, Benson and Hedges Cup, *Afr. du S. :* Currie Cup, *Australie :* Scheffield Shield, *Antilles :* Shell Shield, *N.-Zélande :* Plunket Shield/Shell Trophy, *Inde :* Ranji Trophy. *Coupe du monde. Test-matches :* rencontres internationales entre Angleterre, Australie, Antilles, Inde, Pakistan, N.-Zélande, Sri Lanka. **Dames.** *Coupe du monde.*

• Croquet. **Origine** anglaise, dérivé du *jeu de mail* français. Le jeu consiste à faire passer des boules de bois sous des arceaux avec des maillets. Maximum de joueurs : 8. *Roquer :* se dit du joueur qui en poussant sa boule en touche une autre. Il peut alors jouer une 2e fois en *croquant* (en plaçant la boule roquée contre la sienne sur laquelle il pose son pied pour la bloquer).

Nota. – Ne pas confondre avec le *croquet association* qui se joue dans les pays anglo-saxons. Même principe, mais terrain (32 m × 25,6 m) et règles différents.

• Curling. **Origine.** *1510 1er club* formé à Kilsyth (Écosse). *1924* J.O. de Chamonix, sport de démonstration. *1924 Féd. française de curling créée. 1988 et 92* sport de démonstration aux J.O. **Règles :** se joue sur glace avec des pierres (appelées *stones*) rondes et concaves sur le haut et le bas (19,86 kg), munies de poignées démontables, venant de l'île d'Ailsa Craig (Écosse). Pour polir la glace, on utilise des *brosses* en Europe, des *balais* au Canada et aux USA. *Cible ou maison :* cercle de 1,83 m de rayon à 38,43 m du lanceur, formé de 3 cercles concentriques et du centre appelé *tee.* **Équipes.** 2 de 4 joueurs lançant chacun 2 pierres alternativement par *end* ou manche. *Partie* en 10 ends.

Épreuves. Coupe Strathcona : *créée* 1903, se joue entre Écosse et Canada ; vainqueurs : Can. en 1903, 09, 12, 23, 38, 57, 65 ; Éc. : 1921, 48, 50. **Championnats du Monde,** *créés* 1959, *Scotch Cup* (sponsor : Scotch Whisky Association), *dep. 1968 : Silver Broom* (sponsor : Air Canada, puis dep. 1988 Hexagon). HOMMES. **80** Can. **81** Suisse. **82, 83** Can. **84** Norv. **85, 86, 87** Can. **88** Norv. **89, 90** Can. **91** Écosse. JUNIORS : **82** Suède. **83** Can. **84** USA. **85** Can. **86, 87** Éc. **88** Can. **91** Écosse. DAMES : **82** Dan. **83** Suisse. **84, 85** Can. **86** Écosse. **87, 88** All. féd. **89** Can. **90, 91** Norvège. **Championnats d'Europe** HOMMES : **82, 83, 85** Suisse. **86** All. **87** Suisse. **88, 89** Écosse. **90** Suède. DAMES : **82** Suisse. **83** Suède. **85** All. **86** Suisse. **87** All. féd. **88** Suède. **89** All. féd. **90** Norvège. **De France** (dep. 1925) HOMMES : **80** Bischeim (Als.). **81** Megève. **82** Belfort. **83** Strasbourg. **84, 85, 86, 87, 88, 89, 90** Megève. DAMES : **84, 85** Mont-d'Arbois, **86, 87, 88, 89, 90** Megève.

Eisschiessen. Forme de curling joué en Allemagne, Autriche, Italie (Tyrol S.), Suisse, Tchéc., Youg. ; *disque* de bois cerclé de fer, 5 à 6 kg, poignée (haut. totale max. 35 cm dont poignée 15 à 20 cm, corps 6 à 13 cm, diam. 27 à 29 cm).

Jam Can Curling. Variante canadienne. Se joue avec des pots de confiture remplis de ciment.

• Cycle-ball. Se joue en salle (équipes de 2) ou en plein air (éq. de 6). **Balle** (diam. 16 à 18 cm) doit être dirigée vers le but par les roues. Seul le gardien de but peut la toucher avec les mains. Populaire en Allemagne, Autriche, Suisse, Tchécoslovaquie.

• Deck-tennis. **Terrain.** *Simples* 3 à 4,60 m × 9,10 à 12,20 m, *doubles* 4,3 à 4,6 m × 8,5 à 10,4 m. **Principes :** lancer un anneau de caoutchouc de 18 cm de diamètre au-dessus d'un filet tendu à 1,52 m du sol, sans le heurter. Le joueur qui attrape l'anneau doit le relancer sans changer de main et sans bouger les pieds. Un joueur perd un point quand l'anneau touche le sol dans les limites de son propre camp. Une ligne tracée à 90 cm du filet délimite une *zone neutre* dans laquelle l'anneau ne peut pas tomber. On compte les points comme au tennis (d'où son nom d'*anno-tennis*).

• Échasses. En patois landais, appelées *tchanques* et formées de la jambe (*escasse* d'où le mot) et de l'étrier (*ampaleyre* ou *paouse pé*). **Histoire.** *1891* Sylvain Dornon va de Paris à Moscou (2 945 km) en 58 j (moy. journalière 50 km). 1re course Bordeaux-Biarritz et retour, 498 km en 6 j et 8 h. *1976* Paris-Bruxelles par 2 Landais de Seignosse. *1980* Joe Bowen de Los Angeles au Kentucky 4 840 km du 20-2 au 26-7. *1981* John Russel (U.S.A.), fait 31 pas sur des échasses de 12 m de haut, pesant chacune 18 kg. *1984* Vieux-Boucau/Sète, 520 km en 12 j, Serge Bélestin et Vincent Graciette. Bordeaux/Paris 560 km en 8 j, Patrick Larrieu. *Record de l'heure* seul en piste, Serge Bélestin : 13,93 km. *1985* Bordeaux/Genève 720 km en 11 j, Patrick Larrieu. **Échasses** en bois (haut. 0,60 à 1,30 m) fixées aux jambes par des lanières de cuir. **Échassiers** (France) 480 répartis dans 27 groupes landais, dont 180 sont licenciés course. **Compétitions.** *Catégories :* seniors 8 à 12 km ; juniors 6 à 10 km ; cadets 2 à 5 km ; féminines 6 à 10 km ; courses de relais (chaque équipe comprend 5 concurrents qui couvrent 1 km chacun) ; marathon (42 km). Souvent dans les Landes (finale à Dax en sept.). **Marathon de la Grande Lande.** *Créé* 1971, 42 km. *1985* Vincent Graciette (12,413 km/h).

• Faustball. *Terrain :* 50 × 20 m, séparé par une corde tendue à 2 m du sol. *Équipes* 2 de 5 joueurs. *Ballon :* circonférence 65 à 71 cm, 300 à 350 g, frappé du poing. Le ballon peut rebondir 3 fois et être touché à 3 reprises par 3 équipiers différents avant d'être renvoyé sans toucher la corde. Il ne peut tomber dans une *zone neutre,* délimitée par une ligne tracée à 3 m de la corde centrale. Un point par faute de l'adversaire. *Partie :* 2 fois 15′.

• Footbag. Football joué avec une petite balle de cuir remplie de billes en plastique.

• Frisbee. **Origine.** *1871* William Russel Frisbie († 1903) fonde à Bridgeport (Connecticut) une usine de gâteaux, la *Frisbie Pie Company. 1946* l'Américain Walter Morrisson ayant vu des étudiants et des militaires jouer avec des moules à tartes de la *Frisbie* met au point un disque volant en bakélite, le *Pluto platter. 1955* la Sté californienne Wham'o lui achète les droits de son moule et crée en *1967* l'*International Frisbee Association. 1967* 1er championnat du monde à Passadena. *1977* création de l'*Association française de frisbee,* qui devient en *1982 Fédération,* 1, av. F.-Mauriac, 94000 Créteil).

Disque. En polyéthylène moulé. Poids, diam. et profil variant selon lancer et jeu. Le poids du bord d'attaque est plus lourd que la surface portante et le rapport diam./poids étudié pour donner un max. d'aérodynamisme. Fabriqués par la Wham'o. **Différents lancés :** back-hand ou revers, side-arm ou coup droit (les 2 lancers les plus utilisés), overhand, Thumber ; reprise : 1, 2 mains, derrière le dos, la tête, en nail delay. **Compétitions.** *Individuelles :* distance, précision, temps maximal en l'air, lancer-course-reprise, disc-golf, figures libres, discathlon. *Par équipes :* guts, double-disc-court, Ultimate (joué 25 min. à 7 contre 7, consiste à rattraper le disque dans la zone de but adverse. Terrain 110 m × 37 comprend 1 zone de jeu de 55 m, et 2 zones de but de 25 m. La progression sur le terrain se fait par passes, le lanceur ne devant pas marcher avec le disque, l'équipe adverse devant intercepter les passes. Les contacts sont interdits et il n'y a pas d'arbitre. Les fautes sont annoncées par les joueurs).

Statistiques. *Joueurs :* + de 8 000 000 [dont licenciés 3 000 000 (dont France 1 500)]. *Équipes d'Ultimate :* 1 000 (France : 200 licenciés, env. 12 clubs).

Records. Du monde. *Distance* 190,07 m, Sam Ferrans (U.S.A., 1988), *temps max. en l'air* 16,72 s, Don Cain (U.S.A.), *lancer-course-reprise* 92,64 m, Hiroshi Oshima (Japon), *précision* 21/28 Tom Kennedy (U.S.A.) et Langdon Mead (G.-B.). **D'Europe.** *D.* 166,42 m Morten Sandorff (Dan.), *TMA* 14,07 s Mangus Nordin (Suède), *LCR* 79,82 m Nigel Thompson (G.-B.), *P.* 21/28 Langdon Mead (G.-B.). **De France.** *D.* 131,27 m Michel Maisonnave (1990), 90,95 m Anne-Sophie Devos (1990). *TMA* 11″78 Joël Jouet (1990), 7″05 A.-S. Devos (1990), *LCR* 65,40 m M. Maisonnave (1989), *P.* 15/28 Fabrice Lemenon (1988).

Ch. de France d'Ultimate. 86, 88, 89 Hot Frisbee Club Paris. **87, 90** Sun Frisbee Club Créteil.

• Funsaki. *Origine* Asie du S.-E. *Balle* en cuir de forme allongée. *En solitaire,* sert à se détendre ou à se muscler. *A 2 ou 4,* on peut y jouer avec les règles du volley ou du tennis et un filet de badminton.

• Halfcourt. **Origine.** Australie. **Terrain.** 18 × 9 m. Revêtement : Halfkit de Sommer ou tous matériaux excepté gazon, bois et terre battue ; surface de jeu (12,62 × 6,40 m) d'une couleur différente. Filet à 78,5 cm de haut au centre et 82,5 cm aux poteaux. *Poteaux* séparés de 7 m. *Zones neutres* 2 de 3,75 m² de chaque côté du filet. *Ligne de service* à 75 cm de la ligne de fond de court. **Raquette** 50 cm de long, 16 cordes verticales et 17 horizontales, tension 11 kg. **Balle** 63 mm, 36 à 37 g.

Règles particulières. Dans la zone « 1 », où l'angle d'attaque est le meilleur, le serveur bénéficie d'une balle de service ; dans la zone « 2 » de 2 balles (angle d'attaque plus fermé). Il sert avec un pied au sol, derrière la ligne de service. *Matches* en 2 sets gagnants de 8 jeux avec tie-breaker à 8 jeux partout. Chaque jeu comprend 4 points avec écart de 2 points francs. Pour remporter le jeu il faut gagner 4 points. S'il y a 3 points partout, le receveur choisit de quel côté il va recevoir le prochain service (à droite ou à gauche). Le joueur qui gagne le point remporte le jeu. Le décompte numérique sera utilisé tout au long du jeu.

En France. Pratiquants (1990) : 50 000. **Terrains :** 1 200. **Clubs :** 120.

Championnats de France *créé* 1984. MESSIEURS, **simples : 84** Brunet, **85** Mateo, **86** Mouflet, **87, 88, 89, 90** Mateo ; **doubles : 85, 86** Brumelot-Marest, **87** Mateo-Mouflet, **88** Brumelot-Marest, **89** Mateo-Marest, **90** Brumelot-Marest. DAMES, simples : 84 Camerlo, **85** Klein, **86, 87, 88, 89** Mateo, **90** Catella.

Fédération française de halfcourt. Parc des Sports, 91650 Breuillet.

• **Hockey subaquatique.** *Créé* v. 1950 par l'Anglais Alan Blake pour entraîner des plongeurs sportifs. Se joue, en apnée, au fond d'une piscine (22 à 25 m × 12 à 15 m, 2 à 4 m de prof.). 2 équipes de 10 joueurs dont 6 dans l'eau et 4 remplaçants équipés d'un masque, de palmes, d'un tuba, d'un bonnet noir ou blanc, d'une crosse de la couleur du bonnet (250 à 340 mm de long) et d'un gant. Il faut marquer des buts en envoyant un palet en plomb (1,5 kg) dans le but adverse grâce à la crosse. Manches en 33 min. divisés en 2 périodes de 15 min. avec une mi-temps de 3 min.

• **Horse ball.** Jeu de balle à cheval. Femmes et jeunes sur poneys. Inspiré du pato argentin. Codifié 1978 en France par Jean-Paul Depons. *Terrain* (65 m × 25 m), 2 buts à 3,5 m de haut et 1 m de diam. *Équipes* 2 de 6 joueurs (4 sur le terrain en même temps) à cheval, casque, genouillères. *Partie :* 2 périodes de 10 mn, mi-temps de 3 mn. *Balle* de football junior munie de 6 anses en cuir. Après ramassage au sol, passes, touches et remises en jeu comme au rugby. Tir au but après 3 passes entre 3 joueurs. *Pratiquants* France, env. 1 000, Belgique, Portugal, Italie, G.-B., All.

Pato. Origine. XVIIe **s.** en Argentine, les gauchos jouaient avec un canard mort *(pato)* enveloppé dans un sac de cuir en guise de ballon. Tous les coups étaient permis. **1796** l'Église excommunie les joueurs et refuse d'enterrer les morts au jeu. **1953** sport national. *Balle* en cuir munie de 6 poignées. *But :* Filet vertical à 2,70 m du sol.

• **Hydrospeed.** *Créé* 1978 par Claude Puch. *Luge* en polyéthylène, long. 95 cm, larg. 65 cm, haut. 30 cm. Bulbe frontal avec étrave, 2 poignées à l'intérieur pour le tenir, 2 flotteurs latéraux qui enserrent le bassin du nageur, coque de catamaran remplie de mousse expansée. Le nageur allongé sur l'hydrospeed porte palmes, combinaison, genouillères, gants, chaussons, casque. Pratiquants (1991) env. 5 000 en Europe.

• **Jeu de balle au tambourin. Origine.** Jeu de paume. *1955* les Français, influencés par la découverte du jeu italien, abandonnent le système du jeu des chasses pour lui substituer un règlement dit « jeu ouvert ». *1988* Féd. intern. créée. *1990* jeu en salle : 2 équipes de 3 joueurs.

Tambourin. Cercle de 28 cm tendu d'une peau en nylon et muni d'une poignée en cuir. **Battoir** pour la mise en jeu (batterie), cercle de 18 cm de diam., muni d'un manche (0,70 à 1 m).**Balle.** Caoutchouc (diam. 61 mm, 75 g).

Terrain (80 m × 18 m). Divisé en 2 camps par une ligne médiane appelée « basse ». *Équipes* 2 de 5 joueurs dont 2 devant (cordiers), 1 au milieu (tiers), 2 au fond. *Règles.* Envoyer la balle dans le camp de l'adversaire sans que celui-ci puisse la renvoyer. Toute balle jouée à la volée ou au premier bond tombant dans la limite du camp adverse est comptée comme bonne. Points comptés de 15 en 15 jusqu'à 45 et le jeu. Il y a avantage (à 45-45). *Partie* en 16 jeux. Tous les 3 jeux, les équipes changent de camp et mettent en jeu [(battent) toujours du même côté du terrain].

Pratiquants. France. *Licenciés :* env. 1 500 (+ scolaires USEP/UNSS/UFOLEP) répartis dans 35 clubs env., et env. 1 000 (loisirs) ; surtout en Hérault, Var, Charente, B.-du-R., Nord-Pas-de-Calais, Aveyron, à St Marin, en Suisse, Italie, USA, Argentine, All. féd., Écosse, Brésil.

Épreuves. *Championnats de France. Coupe de France. Matches internat.* (dont Fr.-Italie). Équipes réparties en 9 séries. *Éq. de 1re série :* Cournonsec, Balaruc-les-Bains, Cournonterral, Gignac, Vendémian, Pignan, St-Georges ; *séries inférieures :* Bessan, Cazouls d'Hérault, Grabels, La Rochelle, Lavérune, Le Causse, Les Pennes-Mirabeau, Mèze, Montarnaud, Montpellier, Pignan, Sète, Valenciennes, Vendémian, Usclas. *Match international féminin (1er) :* It.-Fr. le 1-9-1985 à Cavrasto (It.).

Féd. française du jeu de balle au tambourin (FFJBT), B.P. 5526, 34071 Montpellier Cedex 3.

• **Jogging.** Course à petite vitesse. Quand la gorge commence à brûler, quand le rythme respiratoire s'élève, on manque d'oxygène, il faut ralentir. **Records :** l'Irlandais Tom MacGraith parcourut New York-San Francisco, 4 901 km, en 53 j 7 mn (92,5 km/j). En 1980, Jacques Martin, ingénieur français, rallia Alger à Zinder, 3 300 km dont la traversée du Sahara en 50 j (66 km/j).

• **Joggling** (course en jonglant). *Record :* 42,2 km en 3 h 57 mn 35 s, en jonglant sans interruption avec 3 balles, par Michel Lauzière (Canada), le 30-5-1982.

• **Karting. Origine.** *V. 1950* des militaires américains sur une base aérienne reçoivent par erreur une livraison de tondeuses à gazon et fabriquent un *go-kart* avec des moyens de fortune (tubes de chauffage central, roues de queues d'avions, moteur de tondeuse à gazon). *V. 1960* introduction en France. Des pilotes chevronnés (Prost, Arnoux, Bousquet, Cheever, Alesi, etc.) ont commencé par le karting.

Formules. Débutant : moteur admission par jupe de piston, 100 cm³, pneus étroits, gomme dure, pneus pluie interdits. **Nationales :** *1* (moteurs 100 cm³, admission par clapets), *2* (100 cm³, par valve rotative), *3 ou 125 série* (125 cm³, refroidissement par air, monocylindre, issus de la série, châssis munis de freins à disques sur les roues avant). **Internationales :** *sans boîte de vitesse* (formules A et K 135) ; *avec* [*C* (125 cm³, mono ou bi-cylindre expérimentaux, pneus, châssis libres), *E 250* ou *super kart* (engin carrossé)]. **Kart cross :** *sans suspension* (type Honda FL 250 à variateur, 250 cm³ ou 350 cm³) ou *avec suspensions* et moteurs boîte de vitesses (type Funy Kart ou Bob Karik Kart, 125 cm³). **Prix :** châssis (tubulaire sans suspension ni différentiel, transmission par chaîne) 7 000 F, moteur 6 000 F.

Épreuves. CHAMPIONNATS DU MONDE. *Créés* 1964 : **80** de Bruyn (P.-B.) ; **81, 82** Wilson (It.) ; **83** Hines (G.-B.) ; **84** Haase (It.) ; **85** Petersen (Dan.) ; **86** Rivas (Br.) ; **87** Simoni (It.). **88, 89** Wilson (It.) *super 100 :* Collard (Fr.). **90** *F K* Magnussen (DK), *F A* Munkholm (DK).

CHAMPIONNATS D'EUROPE. *Créés* 1963 : **1963** France ; **64 à 66** Italie ; **67** France ; **68 à 71** All. féd. ; **73 à 76** Italie ; **77** All. féd. ; **78** G.-B. ; **79** Suisse ; **80** Autr. ; **82** G.-B ; **84** Italie ; **85** Bott (Dan.) ; **86** Muller (Fr.) ; **87** Zanardi (It.) ; **88** Gemmo (It.). CHAMPIONNATS DE FRANCE. *Créés* 1960 : **National I. 80** Leret, **81** Raphanel, **82** Estre, **83** Lompech, **84** Baral, **85** Aiello, **86** Touroute, **87** Coubard, **88** Vassort, **89** Pettinari, **90** Coubard. Comporte 12 catégories.

Statistiques (France). 10 000 licenciés, 280 clubs, 17 ligues régionales, 90 pistes permanentes et env. 200 circuits occasionnels. 400 épreuves par an.

• **Korfbal. Origine.** Du hollandais *korf,* panier. *1902* développé à Amsterdam par Nico Broekhuysen. *1920* et *28* sport de démonstration aux J.O. *1933 (11-6)* Fédération internat. créée.

Principes. Mixité, coopération, non-violence. **Terrain** 20 × 40 m en salle, 30 × 60 m plein air, divisé en 2 zones. **Ballon** n° 5 de football (425 à 475 g). **Match** 2 fois 30 mn. *Équipe :* 2 de 8 joueurs (4 femmes et 4 hommes). *Partie :* dans chaque éq. 2 F et 2 H débutent en attaque, 2 H et 2 F en défense. Tous les 2 buts, les joueurs changent de zone et de fonction. Il est interdit de courir ou de dribbler avec la balle, ou de la toucher au pied. L'attaquant doit se libérer de son opposant (de même sexe) avant de tirer au but (panier accroché à un poteau à 3,50 m du sol). Le tir en position couverte est interdit : « couvert » signifie que le défenseur est au max. à une longueur de bras de son adversaire, plus près du panier que lui et qu'il tente effectivement de bloquer la balle. On marque un point par panier réussi.

Épreuves. *Ch. du monde :* 1978, 1984, 1987, 1991. *Jeux mondiaux :* 1985 et 1989. *Coupe d'Europe :* annuelle dep. 1987. *Pratique :* dans 27 pays. *Dep. 1980* se développe en France au sein de l'UFOLEP, 3, rue Récamier, 75007 Paris ; 415 licenciés en 21 associations.

• **Lacrosse. Découvert** par Jacques Cartier (pratiqué par les Indiens d'Amér. du Nord).

Règles. 2 équipes de 7, 10 ou 12 joueurs, doivent faire pénétrer une balle (circonf. 19,7 à 20,3 cm, 135 à 150 g) lancée à l'aide d'une crosse (de 0,91 m à 1,83 m de long), à laquelle est fixé un filet de 17 cm à 30 cm de large, dans un but carré (1,83 m de côté et 2,10 m de prof.). *Partie :* hommes en 4 périodes de 15 à 20 mn ; femmes en 2 mi-temps de 25 mn. *Pratique :* USA, G.-B., Hong Kong, Australie, Canada, Tchécoslovaquie, Inde, Japon.

• **Luge. Origine.** 1re piste de luge construite à Davos. *1883* 1re compétition internationale. *1957* Fédération intern. de luge fondée. *1964* Sport olympique. *1980* 40 licenciés en France. Piste artificielle non réfrigérée à Villard-de-Lans (J. O. de 68). **Luge de course** (max. 24 kg dirigée par les pieds et 2 courroies ou poignées tenues par le pilote), pistes de 1 000 à 1 500 m avec au moins une douzaine de tournants (le coureur est couché sur le dos). *Catégories* sur piste et sur route (dep. 1980 ; piste des Plans à St-Gervais). *Record de vitesse :* 137,4 km/h, Asle Strand [7] le 1-5-82.

Jeux olympiques. Voir p. 1801.

Épreuves. Championnats du monde. *Créés* 1955. *Monoplace Hommes* **81** Sergej Danilin [3]. **83** Miroslav Zajonc [4]. **85** Michael Walter [1]. **87** Markus Prock [6]. **89** Georg Hackl [5]. **90** Prock [6]. **91** Huber [2]. *Dames* **81** Milita Sollman [1]. **83, 85** Steffi Martin [1]. **87** Carstin Schmidt [1]. **89** Susi Erdmann [1]. **90** Antipova [3]. **91** Ederman [8]. *Biplace Hommes* **81** B. et U. Hann [1]. **83, 85, 87** J. Hoffmann-J. Pietzach [1]. **89** S. Krausse-J. Behrendt [1]. **90** Raffl-Hubert [2]. **91** Krausse-Berendt [8]. **D'Europe.** *Créés* 1914 (hommes), 1928 (femmes). *Monoplace Hommes* **86** Danilin [3]. **88** Hackl [5]. **90** Mueller [1]. *Dames* **86** Schmidt [1]. **88** Oberhoffner [1]. **90** Erdmann [1]. *Biplace Hommes* **86** Belausov-Beljakov [3]. **88** Schwab-Staubinger [5]. **90** Raffi-Huber [2].

Quelques champions : Otrun ENDERLEIN [1], Paul HILDEGARTNER [2], Thomas KÖHLER [1], (25-6-40), Jens MÜLLER [1] (1965), Hans RINN [1] (19-3-53), Manfred SCHMIDT [6], Margit SCHUMANN [1] (14-9-52), Milita SOLLMANN [1], Steffi WALTER [1] (17-9-62), Anton WINKLER.

Nota. – (1) All. dém. (2) Italie. (3) URSS. (4) Canada. (5) All. féd. (6) Autriche. (7) Suède. (8) All. dep. 1990.

Motoneige. Raid 2e Haricana (Canada) 1991, *équipes :* 32 de 3 motos.

• **Mountain bike.** Voir V.T.T. (vélo tout terrain).

• **Patinage aquatique.** Imaginé vers 1900.

• **Patins à roulettes. Origine.** *V. 1760* inventé par John Joseph Merlin. *1828* le Français Garcin dépose un brevet pour des patins. *1863* l'Américain Plimpton invente les patins à 4 roues montées sur 2 essieux mobiles. *1884* 1ers patins avec roulements à billes produits industriellement. Devient un sport. *1910* se développe grâce aux championnats. *1924* Féd. internat. de patinage à roulettes créée.

Spécialités officielles. Artistique, vitesse et rink-hockey (voir p. 1753) ; autres variantes : disco, grande randonnée, marathon, roller derby (1935 inventé à Chicago, connu en France sous le nom de roller-catch), saut d'obstacles avec tremplin, patinage acrobatique sur piste de skateboard, slalom, etc.

Patinage artistique. Championnats du monde. *Créés* 1947. **Messieurs. 80, 81, 82** Butzke [1], **83** Helme [2], **84, 85** Biserni [3], **86** Tolomini [3], **87, 88, 89** Guerra [3]. **Dames. 80, 81** Ernest [2], **82, 83, 84** Bruppacher [2], **85, 86, 87** Sartori [3], **88, 89** Del Vinaccio [3]. **Couples. 80, 81, 82** Price-Kneisley [4], **83, 84, 85, 86** Arishita-Jerue [4], **87, 88** Trevisani-Mezzadri [3], **89** DeMotte-Armstrong [4]. **Danse. 80** Carels-Achenbach [2], **81, 82** Howard-Smith [4], **83, 84** Golub-Famiano [4], **85** Hass-Steudte [2], **86** Myers-Danks [4], Ferando-Walsh [4], **88** Wulf-Mitzlaff [2], **89** Goody-Viola 4.

Nota. – (1) All. dém., (2) All. féd., (3) It., (4) USA.

Champions de France. 1977, 78, 79, 80. Pascal Eberlin et Françoise Léonard. **81, 82** P. Eberlin et L. Vieille Mecet.

Patinage de vitesse. Sur piste de 200 à 400 m ou circuits routiers, sol lisse mais non glissant, distances de 0,4 à 20 km. **Records. Monde** et entre parenthèses **France.** HOMMES. *Sur route : 300 m* Antoniel (It.) 24″997 (F. Peyron 25″489), *500 m* Sarto (It.) 40″910 (T. Penot 47″21), *5 000 m* De Persio (It.) 7′32″462 (S. Nacibide 8′26″230). *Sur piste : 300 m* Galliazzo (It.) 25″248 (Peyron 26″567), *500 m* de Persio (It.) 41″233 (F. Peyron 45″199), *5 000 m* Giupponi (It.) 7′34″888 (F. Peyron 7′57″7). *100 km* (le 31-8-1985, Philippe Le Corvec, en 3 h 41 mn 48 s 75). FEMMES. *Sur route : 300 m* Canafoglia (It.) 26″794 (S. Gravouil 29″449), *5 000 m* Monteverde (It.) 8′17″ (S. Gravouil 9′20″7). *Sur piste : 300 m* De Cesaris (It.) 26″986 (Gravouil 28″449), *500 m* De Cesaris (It.) 44″404 (Ledoux 50″117), *5 000 m* Canafoglia (It.) 7′48″508 (Ledoux 8′48″13). **Championnats du monde.** *Créés* 1937. **88** *Messieurs : 500 m* Galliazzo (It.), *1 500 m :* Sarto (It.), *5 000 m :* Galliazzo (It.). *Dames. 500 m et 1 500 m :* Canafoglia (It.), *5 000 m :* Lucchese (It.). **Ch. d'Europe.** *Créés* 1935-36. **Ch. de France.** *Créés* 1910 (sur piste), 1933 (sur route).

Grande randonnée. *Du 15-6 au 25-8-1985,* B. Boyer, F. Lemoine, J.-P. Le Boedec, G. Rossignol ont fait le tour de France (3 681 km) en 45 étapes de 80 à 155 km. *Du 5-7 au 6-9-86,* B. Boyer, J.-P. Le Boedec, G. Rossignol, V. Blévin et C. Ratinet ont couvert 4 524 km d'Olympie (Grèce) à St-Brieuc (France). Jean-Pascal Jubault, Antoine de Givenchy et Philippe Le Corvec ont parcouru l'Amérique d'est en ouest (1983), du nord au sud (1984), l'Alaska (1985), le Brésil (1987).

Paris sur roulettes. *Créé* 1981 (1 500 participants). Le 27-4-1986, 15 km (bois de Boulogne), 15 000 participants.

Hockey sur roulette. Voir Hockey.

Roller-skate. *Origine :* USA, roues en polyuréthane, souvent associées à une chaussure type basket. *Pratique : 1979,* 28 millions d'Américains l'utilisaient comme moyen de transport. **Pistes** 6 000. 300 000 paires vendues chaque mois aux USA. *Prix* 500 à 1 000 F (France).

• Peloc. Entre le badminton et la chistera. 2 arcs lanceurs courbes et un volant à plumes.

• Pentathlon moderne. **Nom.** Du grec, *penta* cinq et *athlon* combat. *708 av. J.-C. pentathle* inscrit au J.O. (saut en longueur, lancer du disque et du javelot, course, lutte). *1912* sur proposition de Pierre de Coubertin, inscrit aux J.O. modernes. *1948* Union internat. du pentathlon moderne créée (1955 Union internat. du P. M. et du biathlon).

Règles. Individuel (seniors et juniors hommes, seniors et juniors dames) et par équipes (3 hommes) 5 épreuves dans un ordre donné sur 4 ou 5 j. Classement d'après les points obtenus dans chaque discipline. Pour chacune, norme de 1 000 points (sauf équitation : 1 100). **Équitation :** concours hippique de 600 m avec 15 obstacles dont un double et un triple, cheval tiré au sort, à parcourir en 1 mn 43 s. **Escrime :** poule unique à l'épée en une touche. **Tir au pistolet :** 22 long rifle, à 25 m sur silhouettes mobiles de 1,60 m de haut apparaissant 3 s toutes les 7 s, 4 séries de 5 balles. **Natation :** H. 300 m nage libre à parcourir en 3 mn 54 s, D. 200 m en 2 mn 40 s. **Cross country :** sur terrain varié, en une seule boucle, départ toutes les 30 s, seniors H. 4 km, juniors H. 3 km, D. 2 km, temps min. H. 14 mn 15 s, D. 7 mn 40 s.

Épreuves. Championnats du Monde. **Seniors,** tous les ans (sauf années olympiques). *Créés* 1949. *Ind. :* **81** Pyciak-Peciak [1], **82** Masala [2], **83** Starostin [3], **85** Miszer [4], **86** Massullo [2], **87** Bouzou [9], **89** Fabian [4], **90** Tiberti [2]. *Éq. :* **81** Pologne, **82, 83, 85** URSS, **86** It., **87, 89** Hongr., **90** URSS. *Relais par éq. : créé* 1989, **89** Hongrie. **Juniors.** *Créés* 1965. *Ind. :* **81** Starostin [3], **82** Khorishlo [3], **83** Fabian [4], **84** Shvarts [3], **85** Jagorasvili [3], **86** Guilly [9], **87** Garasimovitch [3]. **88** Katon [4], **89** Zenovka [3], **90** Katona [4]. *Éq. :* **81, 82** URSS, **83** Hongr., **84, 85** URSS, **86** Hongr., **87, 88, 89** URSS. **Féminins.** *Créés* 1981. *Ind. :* **81** Ahlgren [5], **82** Norman [6], **83** Chornobrywy [7], **84** Jakovleva [3], **85** Kotowska [1], **86, 87** Kisseleva [3], **88** Idzi [1], **89** Norwood [10], **90** Fjellerup [11]. *Éq. :* **81, 82, 83** G.-B., **84** URSS, **85** Pol., **86** Fr., **87** URSS, **88, 89, 90,** Pol.

D'Europe. Seniors. *Ind.* **87** Demeter [4], **89** Jagorashvili [3], **91** Madaras [4]. *Éq.* **87** Tchéc., **91** Hongrie. **Féminins.** *Créés* 1989. *Ind.* **89** Idzi [1], **91** Dolgatcheva [3]. *Éq.* **89** Pologne, **91** URSS.

De France. *Créés* 1920. **Seniors. 84, 85** Boube. **86, 87** P. Four. **88** Guyomarch. **89, 90** Ruer. **91** Clercq. **Juniors. 84** Guyomarch. **85** Clergeau. **86** Morato. **87, 88** Clergeau. **Féminins. 84, 85, 86, 87, 88.** Moressée. **89** Delemer. **90** Moressée.

Quelques noms. Andras Balczo [4] (16-8-38). Didier Boube [9] (13-2-57). Joël Bouzou [9] (30-10-55). Alain Cortes [9] (7-7-52). Caroline Delemer [9] (11-3-65). Paul Four [9] (13-2-56). Bruno Genard [9] (22-2-61). Jean-Pierre Giudicelli [9] (20-2-43). Raoul Guegen [9] (20-6-47). Lucien Guiguet [9] (26-9-42). Franck Guilly [9] (24-1-67). Nathalie Hugenschmitt [9] (9-7-66). Lars Hall [5] (30-4-27). Pavel Lednev [3] (25-3-43). P. Masala [2]. Sophie Moressée [9] (3-4-62). Igor Novikov [3] (19-10-29). Boris Onischenko [3] (19-9-37). Janusz Peciak-Pyciak [1] (9-2-49). Christophe Ruer [9] (3-7-65). Anatoli Starostin [3] (18-1-60). Sven Thofelt [5] (19-5-04).

Nota. – (1) Pologne. (2) Italie. (3) U.R.S.S. (4) Hongrie. (5) Suède. (6) G.-B. (7) Canada. (8) Bulgarie. (9) France. (10) U.S.A. (11) Danemark.

• Platform-tennis. **Créé.** 1928 aux USA par James Cogswell et Fessenden Blanchard. **Terrain.** En bois sur pilotis (pour pouvoir ôter la neige) de 9,14 × 18,28 m. Surface indifférente sauf gazon et terre battue. **Grillage** De 3,65 m de haut très tendu pour renvoyer la balle. **Filet** à 86 cm de haut. **Raquette.** Bois, métal ou fibre, courte et ovale, tamis plein percé de trous et cerclé de métal, parfois attachée au poignet par une dragonne. **Balle** mousse, diam. 6,35 cm, 75 g. **Règles** des points comme au tennis, service avec une seule balle au-dessus de la tête, smash un peu différent, balle pouvant rebondir sur le grillage.

En France (1987). Env. 100 terrains et 650 licenciés. *Joueur n° 1 français :* **1980** B. Chartier, **81, 82** F. Lescuyer, **83, 84, 85** F. Lescuyer et B. Mallet, **86, 87** F. Lescuyer. **Championnat de France : 1981, 82** F. Lescuyer, **83** B. Mallet, **84, 85, 86** F. Lescuyer.

• Quille. **Origine.** Connu dans l'Antiquité, très populaire au Moyen Age. **Quilles :** actuellement plus de 100 variétés de 20 cm à 1 m de haut. 3 à 12 quilles par jeu ; en général 9, notamment dans les *2 jeux intern.* (Asphalte et Schere) ou 10 (bowling), et *5 jeux fédérés français* (q. de 9, q. de 8, q. de 6, q. de St-Galles, q. au maillet). **Projectile :** galet, bâton ou le plus souvent boule de bois (en gaïac de St-Domingue, vera du Venezuela, quebracho d'Argentine...) ou de plastique de 10 à 27 cm de diamètre (poids 0,66 à 11,6 kg). Certaines sont pleines, d'autres ont 1 ou plusieurs trous pour les doigts. **Terrain :** 4 à 30 m. **Féd. fr. des sports de quilles,** 18 rue Dufour, 80 000 Amiens.

• Racquet ball. **Histoire.** *1950* Créé aux USA sous le nom de paddle-racquet par Joe Sobek. *1970* nom actuel. *1982* introduit en France. *1983* f. de la Féd. française (1 000 licenciés en 1986). **Règles.** *Terrain :* court fermé par 4 murs de 12,20 m de long, 6,10 m de large et 6,10 m de haut. On utilise 6 surfaces (murs, sol, plafond). *Raquette :* petit manche, grand tamis. *Balle :* 5,7 cm de diam., pression 2 kg, bleue. Vitesse env. 250 km/h. *Partie :* 2 sets en 15 pts gagnants.

Championnats du monde. *Créées* 1982. **Messieurs. 82** Andrews (USA), **84** Harvey (Can.), **86** Inoue (USA), **88** Roberts (USA), **90** Inoue (USA). **Dames. 82** Baxter (USA), **84** Dee (USA), **86** Baxter (USA), **88, 90,** Stupp (Can.).

Championnats de France. Messieurs, simples : 85 Ospital, **86** Incaby, **87, 88, 89** Ospital, **90** Lecomte ; **doubles : 85** Ospital-Deleurme, **86** Etcheveste-Idiart, **87** Ospital-Incaby, **88, 89** Idiart-Etcheverte, **90** Lecomte-Etcheverte. **Dames, simples : 85** Idiart, **86** Novion, **87** Lassalle, **88, 89, 90** Novion ; **doubles : 86, 87, 88, 89** Gastambide-Lassale, **90** Novion-Idiart.

Fédération française des associations de racquetball, 26 ter, rue Nicolaï, 75012 Paris.

• Raft ou rafting. **Origine.** De l'anglais *raft* radeau. Signifie aussi *Radeaux associatifs de fleuves et torrents. XIXe s.* lors de la conquête de l'Ouest aux USA, on utilise des radeaux. *1944* Débarquement : les Américains utilisent des radeaux pneumatiques. *1945* rentrés aux U.S.A., ils ont l'idée de les utiliser pour descendre rivières ou torrents de montagne. **Méthode.** 6 passagers dont le *rafter* qui guide et les équipiers qui aident en pagayant. Les chocs sont amortis par les boudins. **Épreuves :** essais libres, essais chronométrés, épreuve sur 25 km.

• Saut à l'élastique (benji). A partir d'un pont, d'un viaduc, d'un monument, accroché par un élastique. Introduit en France par Alan-John Hacklet (N.-Zélande) en 1986. Interdit le 20-7-1989 après 3 accidents mortels.

• Saut de barils. Sur glace. **Origine** hollandaise. **Pratiqué** aux U.S.A., Canada et en Europe. Au moment du saut, le patineur peut atteindre 65 km/h (au décollage) et 80 km/h (en l'air). **Record :** Yvon Jolin (Canada) a sauté 18 barils accolés soit 8,96 m de long le 11-4-1980.

• Scooter des mers (jet-ski). Long. 2 m, 30 à 50 ch., env. 60 km/h, conduit debout ou assis.

• Skate-bike. 3 roues. Pour avancer, on tire sur 2 câbles qui l'actionnent.

• Skate-board (ou roll-surf, planche à roulettes). Né en Californie en 1962 avec Mickey Munoz et Phil Edwards. Les surfeurs le pratiquaient quand l'absence de vagues leur interdisait le surf sur l'eau (équilibre identique). **Planche :** bois lamellé (7 plis), recouverte de "grip" antidérapant. Jusque vers 1985, fibre de verre et aluminium. *Roues :* uréthane ou polyuréthane, avec roulements à billes, largeur 20 à 40 mm, diam. 47 à 65 mm. *Essieux (trucks) :* embase métallique (aluminium et magnésium). *Protections :* casque, genouillères, coudières, protège-poignets.

Compétitions. Disciplines reconnues par la Féd. fr. de surf et skate : rampes, mini-rampes, street (modules disposés sur une surface plate reconstituant les obstacles de la rue), slalom (géant, spécial, parallèle), freestyle (figures techniques sur fond musical).

Championnats de France. *Créés* 1977. **90** *rampe :* Yohanni Lucas, *street :* Jérémie Dadin, *freestyle :* Denis Terras, *slalom :* Dieter Fleischer.

Fédération fr. B.P. 28, Plage Nord, 40150 Hossegor. (1990) *Licenciés : 3 500. Pratiquants :* env. 350 000. *Clubs :* 250.

Skate-parcs. Equipements en bois (rampes, minirampes, modules de street) sur une surface plane bitumée. *Principaux parcs :* Toulouse, Lyon, Paris, région parisienne, Pau, Rennes. Parc en béton à Izon (Gironde). Les skate-parcs en béton de Paris ont été détruits au début des années 80 (La Villette, Béton Hurlant).

Records. Vitesse : 115,53 km/h, Richard Brown (U.S.A.) le 17-6-1979. **Saut en hauteur :** 1,67 m, Trevor Baxter (G.-B.) le 14-9-1982 ; **en longueur :** 5,18 m (17 tonneaux) Tony Alva (U.S.A.) le 25-9-1977. **Endurance :** 28 h 3', Christian Rosset (Suisse) les 1/2-12-1984.

Wind skating. Origine Californie. **Skate** ou patins à roulettes et voile montée sur un cadre en aluminium que l'on peut maintenir à la main si l'on est sur patins ou fixer avec un pivot sur le skate.

☞ Il y a eu des skates à moteur (30 km/h).

• Skeleton. **Origine.** *1884-85* construction à St-Moritz en Suisse du *Cresta Run* (de St-Moritz à Celerina en passant par le hameau de Cresta, 1 212 m, 157 m de dénivelé). *1887* St-Moritz Tobogganing Club créé. *1928 et 48* participe aux J.O. **Luge :** le coureur est à plat ventre sur un siège à glissières. Il peut freiner et se diriger avec des souliers griffus ou en bougeant. Env. 140 km/h. **Cresta Run :** 2 parties : *Grand National* dep. 1885, 1 212,25 m dep. le haut de la piste, dénivellation 157 m, record (87) Franco Gansser (Suisse) 50"91 ; *coupe Curzon* dep. 1910, 890,20 m (dep. lieu nommé Junction), 101,2 m, record (91) C. Bertschinger 41"45.

• Ski-bob. Vélo muni de 2 skis de 10 à 12 cm de large dont l'un mobile à l'avant. Petits skis (50 cm) aux pieds. **Origine.** *1951 28-1* 1re épreuve, à Kefersfelden (Bavière, All. féd.). *1954 30-1* 1er championnat d'All. féd. *1961 14-1* Féd. internat. de ski-bob (FISB) créée. Populaire en Autr. et Allemagne. **Record.** 166,40 km/h [Erich Brenter (Autr.) à Cervinia (It.) en 1964]. **Championnats du monde.** *Créés* 1967. **Coupe du monde.** *Créée* 1978. **Championnats d'Europe.** *Créés* 1963.

• Skidoo. « Moto » des neiges ; atteint 30 km/h.

• Snoboard. Skate-board sur neige.

• Snowsurf. Surf sur neige.

• Softball. **Histoire.** *1887* inventé par George Hancock (USA), appelé *kitten-ball* ou *mush-ball. 1926* nommé *softball* par Walter Hakanson. **Règles.** Version du base-ball se jouant en intérieur. Moins violent. 2 équipes de 9. *Balle* (177 à 198 g, diam. 9,5 cm) doit être jetée par le bas.

Championnats du monde. Messieurs. *Créés* 1966. **66, 68** USA. **72** Canada, **76** égalité USA, Canada et N.-Zélande, **80** USA, **84** N.-Zélande, **88** USA. **Dames.** *Créés* 1965. **65** Australie, **70** Japon, **74, 78** USA, **82** N.-Zélande, **86** USA.

Championnat féminin. Europe (*créé* 1979). **79 à 84** P.-B. **86, 87** It., **88** P.-B. **Europe des Clubs** (créé 1978). **78** Terrasvogel (P.-B.). **79** HHC Haarlem (P.-B.). **80, 81** Terrasvogel (P.-B.). **82** Bloemendaal (P.-B.). **83, 84, 85, 86** Terrasvogel (P.-B.). **France 77** St-Germain. **78** N.U.C. **79, 80, 81** Woody's Nice. **82, 83** FEJP Meyzieu. **84** Woody's Nice. **85** P.U.C. **86** Dynamics Nice. **87** PUC. **88, 89** Nice.

• Squash. Mot anglais signifiant s'écraser. **Origine.** Serait né en *1815* à Harrow (G.-B.) où les élèves lançaient des balles contre les murs du vestiaire, ou en *1830* quand 2 gentlemen en prison pour dettes réinventèrent le jeu de rackets. *1925* réapparaît à Rowakali (Pakistan). *1981-17-1* Féd. française de squash raquettes. *1988* devenue F.F. de squash. **Court.** Pièce close de 9,75 m sur 6,40 m et hauteur illimitée. Limite de jeu supérieure : mur frontal à 4,57 m du sol ; arrière à 2,13 m ; m. latéraux : ligne rejoignant limites frontale et arrière. Mur frontal : ligne de service à 1,78 m, inférieure de jeu à 0,48 m. **2 joueurs. Raquette.** 68,5 cm, 230 g env. tamis 19,5 cm de large, prix 200 à 1 000 F. **Balle.** 40,5 mm de diam., 28,349 g. **Match.** Au meilleur de 5 jeux. Il faut avoir le service pour marquer un point. Le 1er arrivé à 9 gagne le jeu. Si le score est de 8-8, celui qui n'a pas le service décide si le jeu se termine en 9 ou 10. Le score peut donc être 9-8, 10-8, 10-9. *Durée d'une partie :* 3/4 d'h (correspond à la dépense énergétique faite en 2 h de tennis, 4 h de golf ou 8 km de course à pied) ; au niveau mondial 1 h. **Pratiquants.** *Joueurs :* env. 17 000 000 de joueurs en 1991 dont G.-B. 3 600 000, U.S.A., All. féd. 1 800 000, Australie 1 000 000, Égypte, *France 220 000* (dont en 1990 23 000 licenciés, 1 150 courts), Suède 120 000, Pakistan 60 000 (18 000 licenciés, 600 courts).

Épreuves. Championnats du monde Open. *Créés* 1976. **Messieurs. Ind. 76, 77, 79, 80** Hunt, **81, 82, 83, 84, 85** Jahangir Khan, **86** Ross Norman, **87** Jansher Khan, **88** Jahangir Khan, **89, 90, 91** Jansher Khan. **Éq. 75** G.-B., **77** Pakistan, **79** G.-B., **81, 83, 85, 86, 87** Pak. **89** Austr. **Dames. Ind. 76, 79** McKay, **81** Thorne, **83** Cardwell, **85, 87** Devoy, **89** M. Le Moignan, **90** Devoy. **Éq. dames 79** G.-B., **81, 83** Australie, **85, 87, 89, 90** G.-B.

Amateurs. *Créés* 1967. **Messieurs. Ind. 67, 69, 71** Hunt, **73** Nancarrow, **75** Shawcross, **77** Ahmed, **79** Jahangir Khan, **81** Bowditch, **83, 85** Jahangir Khan. **Éq. 67, 69, 71, 73** Australie, **75** G.-B., **77** Pak., **79** G.-B., **81, 83, 85, 87** Pakistan, **89** Australie. **Dep. 1987,** compétition par éq. uniquement.

Championnats d'Europe par équipes. Messieurs. 73 à 91 G.-B., sauf **80** et **83** Suède. **Dames. 78 à 91** G.-B.

Championnats de France. Messieurs, *créés* 1975. **75** Grozdanovitch. **76** Quennouelle. **77, 78, 79** Grozdanovitch. **80** Baulac. **81, 82** Clauss. **83, 84** Chautard. **85** Claudel. **86, 87** Flynn. **88, 89, 90, 91** Elstob. **Équipes. 85** St-Cloud. **86** Front de Seine. **87, 88, 89** Carnaux-Tours, **90, 91** St-Cloud. **Dames,** *créés* 1978. **78** Millet. **79** Guilbaud. **80, 81, 82** Teuilières. **83** Amigorena. **84** Lebossé. **85** Amigorena. **86** Castets. **87** Lebossé. **88, 89, 90, 91** Castets. **Équipes. 85, 86, 87** Biarritz. **88** Stade français. **89, 90** Lorient.

Joueurs célèbres. Gamal *Awad* (Égypte, n. 8-9-1955). John *Barrington* (G.-B., n. 1940). Éric *Claudel* (Fr., 20-12-65). Stuart *Davenport* (N.-Z., 21-9-62). Susan *Devoy* (N.-Z., n. 1964). Chris *Dittmar* (Austr., 16-1-64). John *Elstob* (Fr., n. 1961). Denis *Grozdanovitch* (Fr.). Geoffrey *Hunt* (Austr., n. 11-4-1947). Famille *Khan* (Pakistan) dep. 1950. *Jahangisit,* dit Jahangir Khan (n. 10-12-1963) champion actuel. *Roshan* (son père) ch. du monde en 1955. *Hashim* (n. 1915) et *Azam* (ses cousins) ch. du m. en 1951 et 56. Jansher *Khan* (Pakistan, n. 15-6-69, sans lien de parenté). Heather *Mckay* (Austr., n. 31-7-1941). Rodney *Martin* (Austr., 17-10-65). Ross *Norman* (N.-Z., n. 7-1-1959).

• **Surf. Origine.** Iles Hawaii, Pacifique : selon la légende, épreuve réservée aux postulants au trône. ***1778*** Signalé par Cook aux îles Sandwich. ***1808*** plus ancienne planche connue (env. 5 m et 100 kg). ***Début XIXe s.***, colonisation de Hawaii par les Américains ; sous la pression des missionnaires calvinistes, le surf, pratiqué presque nu, disparaît. ***1900*** réapparaît à Hawaii (Duke Kahanamoku en fait, voir Natation), puis se répand en Californie (1915), Australie et dans le monde (après 1945, avec le développement des matières plastiques). ***1936*** en France, des Biarrots (Georges Hennebute, Henri Hiriart et les frères Villalonga) essaient une planche à Miramar. ***1945*** nouvel essai de Paul Priéto, Jacques Rott et Birac. ***1959*** 1er club français (Waikiki surf club). ***1964*** Féd. française de surf et skate créée.

Planche en général mousse de plastique (6 kg, l. 1,75 à 2,10 m, largeur 0,5 m). **Pratique :** partout où des vagues déferlent en rouleaux réguliers (ex. : côte basque (vagues de 0,5 à 4 m de haut). Le surfer, après avoir gagné le large allongé sur sa planche en se propulsant avec les bras, utilise la pente de la vague déferlante et, debout, regagne le rivage en évoluant le + longtemps possible. En se perfectionnant, on arrive à évoluer au point de déferlement de la vague, ce qui permet la plus grande vitesse d'exécution des virages et des figures. *Pratique :* Tahiti, Hawaii, Californie, Australie, Nouvelle-Zélande, Afr. du Sud, Pérou, Japon, Brésil, G.-B., Espagne, Maroc, *France (env. 20 000* pratiquants dont 5 000 licenciés).

Épreuves. CHAMPIONNATS DU MONDE. *Amateurs. Créés* 1964. *Messieurs.* **80** Scott [1], **82** Curren [2], **84** Farnsworth [2], **86** Sainsbury [1], **88** Gouveia [3], **90** Tahutini [5]. *Dames.* **80** Swarzstein [2], **82** Gill [1], **84** Aragon [2], **86** Nixon [1], **88** Menczer [1], **90** Newman [1]. *Professionnels. Créés* 1976. *Messieurs.* **80, 81, 82,** Richards [1], **83, 84** Caroll [1], **85, 86** Curren [1], **87** Hardman [1], **88** Lynch [1], **89, 90** Potter [4], **91** Curren [1]. *Dames.* **80, 81** Oberg [6], **82** Beacham [2], **83** Mearig [2], **84, 85, 86** Zamba [2], **87** Botha [7], **88** Zamba [2], **89** Botha [7].

CHAMPIONNATS D'EUROPE. *Créés* 1970. *Messieurs.* **81** Semmens [4], **83** Russel [4], **85** Fernandez [5], **87** Sanford [5], **89** Poupinel [5]. *Équipes.* **85, 87, 90** France.

Nota. – (1) Australie, (2) USA, (3) Brésil, (4) G.-B., (5) France, (6) Hawaii, (7) Afr. du Sud.

CHAMPIONNATS DE FRANCE. *Créés* 1965. *Messieurs.* **80, 81** Sansoube, **82** Barland, **83** Harehoe et Graciet, **84** David, **85, 86** Harehoe, **87** Sanford, **88** Saint-Jean, **89** Harehoe, **90** Piter.

☞ **Body Board :** inventé par le Californien Tom Morey. Planche de 1,30 m sur laquelle on s'allonge. **Body surfing :** consiste à se faire ramener par la vague déferlante sans aucun accessoire. Pratiqué dans le golfe de Gascogne. **Planking :** avec une petite planche en contre-plaqué recourbée, existe depuis 1930, peu pratiqué. **Skimboard :** consiste à glisser le plus loin possible sur la dernière vague près du rivage. **Skurf :** tiré par un bateau à moteur sur une planche (1,50 × 0,5 m, 4,7 kg), pieds calés dans 2 sangles. **Wave-ski :** planche de 5 à 12 kg, 2 m env., insubmersible. Assis sur un siège, ceinturé, pieds bloqués dans des fixations, on avance avec une pagaie.

• **Tchouk-ball. Nom :** tchöck : bruit du ballon glissant sur le filet. Mis au point par le Dr Hermann Brandt (n. 1897, Suisse) en 1970. **Terrain :** 40 × 20 m. **Ballon** (54 à 60 cm, 325 à 475 g) : lancé sur un cadre de renvoi métallique (1 × 1 m) incliné et posé au sol, au centre duquel est tendu un filet élastique. Rebondit symétriquement, sans toucher le cadre, en miroir. **Équipes :** 2 de 12 joueurs dont 9 sur le terrain, jouent alternativement, la balle étant récupérée, après rebond sur le cadre avant qu'elle ne touche le sol, par l'éq. adverse de celle qui a tiré. **But du jeu :** faire rebondir la balle dans un secteur inoccupé par l'adversaire, de telle façon qu'elle ne soit pas récupérée (+ 1 pt). *Partie :* 3 tiers-temps de 12′ (dames) ou 15′ (messieurs). **Pratiquants** (milliers) : Taiwan 20, G.-B. 8, *France 8,* Suisse 5, Japon 4, All. 2, Corée du S. 2, Argentine 2, Tunisie-Maroc 2, Autriche 1, Pologne 1, Belgique 1.

Championnats du monde. *Créés* 1984. **84, 87, 90** Taiwan. **Féd. fr.** *Créée* 27-2-1971. 25, rue de l'Yser, 67000 Strasbourg.

• **Tobogganing.** De tout temps, on a glissé sur la neige. Les Romains utilisaient leurs boucliers (transport ou divertissement). Dans les Alpes, on pratiquait la *ramasse* (sur des peaux de bœuf ou des traîneaux grossiers). **Toboggan.** De l'algonquin *tobaakum,* traîneau à l'avant recourbé des Indiens micmacs (Canada), formé de plusieurs planches de bois recourbées à un bout. Sans patins, il glisse à même le sol. Long. 2 m ; larg. 0,50 m ; sur les côtés, 2 rampes pour se tenir. S'il transporte une personne, celle-ci est couchée sur le côté et dirige à l'arrière avec le pied et en soulevant l'avant ou en déplaçant son corps. S'il en transporte plusieurs, toutes sont assises sauf une couchée pour diriger. **Spécialités :** voir *bobsleigh, luge, skeleton.*

• **Triathlon. Nom. Origine.** *Pentathlé* Grèce ancienne (5 combats, en grec *athlon,* disque, javelot, saut en longueur, course et lutte). **Histoire.** *V. 1900* à Joinville-le-Pont (canotage, cyclisme, course) et à Poissy (natation, cyclisme, course). *1975 mai* à Fiesta Island (Californie) 1er triathlon (natation 800 m, cyclisme 8 km, course 8 km). *1982* introd. en France (Nice). *1989* 1-4 Union internat. de T. créée. **Règles.** Ordre des épreuves immuable, pas de décompte de temps entre les épreuves. **Distances :** *sprint* natation 0,750 km, cyclisme 20 km, course 5 km ; *olympique* 1,5 km, 40 km, 10 km ; *moyenne* 2,5 km, 80 km, 20 km ; *longue* 3,5 km, 120 km, 30 km ; *Ironman* 3,8 km, 180 km, 42,195 km ; *promotion* 0,5 km, 20 km, 5 km.

Résultats. Triathlon de Hawaii ou Ironman. *Créé* 1977 par John Collins. Natation 3,8 km en mer, cyclisme 180 km, course 42,195 km. De 1978 à 80, disputé dans l'île de Oahu, dep. 81 dans celle de Kona. **Messieurs. 78** Haller [1], **79** Warren [1], **80** Scott [1], **81** Howard [1], **82 fév.** Tinley [1], **oct. 83, 84** Scott [1], **85** Tinley [1], **86, 87** Scott [1], **88** Molina [1], **89** Allen [1]. **Dames. 79** Lemaire [1], **80** Beck [1], **81** Sweeney [1], **82 fév.** Mc Cartney [1], **oct.** Leach [1], **83, 84** Puntous [2], **85** Ernst [1], **86** Newby-Fraser [9], **87** Baker [3], **88, 89** Newby-Fraser [9].

Épreuves. TRIATHLON DE NICE. *Créé* 1982. Natation 3,2 km puis 4 km dep. 88, cyclisme 120 km, course 32 km. *Messieurs :* **82, 83, 84, 85, 86** Allen [1], **87** Wells [3], **88** Barel [4], **89, 90, 91** Allen [1]. *Dames :* **82** Brooks [1], **83** Buchanan [1], **84** Cannon [1], **85** Baker [3], **86** Buchanan [1], **87** Hanssen [1], **88** Baker [3], **89, 90, 91** Newby-Fraser [9].

TRIATHLON INTERNAT. DE PARIS. *Créé* 1986. **Dist. olympique.** Natation 1,5 km dans la Seine, cyclisme 40 km vers Versailles, course 10 km. *Messieurs :* **86** Lecrique [5], **87** Blondell [6], **88, 89** Barel [4], **90** Lessing [7]. *Dames :* **87** Coope [7], **88** Baker [3], **89** Coope [7], **90** Mouthon.

DÉFI MONDIAL DE L'ENDURANCE. Natation 11,4 km, cyclisme 540 km, course 42,195 km. **91** Erhart [12].

CHAMPIONNATS DU MONDE. *Créés* 1989. **Dis. ol.** *Messieurs.* **89** Allen [1], **90** Welsh [10]. *Dames.* **89** Baker [3], **90** Montgomery [2]. **Par éq.** *Messieurs.* **90** Australie. *Dames.* **90** USA.

CHAMPIONNATS D'EUROPE. **Dis. ol.** *Messieurs.* **Ind. 85, 86, 87, 88** Barel [4], **89** Cordier [5], **90** Harmblock [6]. **Éq. 87** France, **89** P.-Bas, **90** Belg. *Dames.* **Ind. 85** Baker [3], **86** Paulus [6], **87** Coope [7], **88** Springman [7], **89** Mortier [5], **90** Sijbesma [4]. **Éq. 87** G.-B., **89, 90** All. féd.

Moy. dis. *Messieurs.* **Ind. 85** Zijerveld [4], **87** Cook [7], **88** Barel [4], **89** non disp., **90** Blondel [6]. **Éq. 87** G.-B., **90** P.-Bas. *Dames.* **Ind. 85** Paulus [6], **87, 88, 89** Coope [7], **90** Mouthon [5]. **Éq. 87** G.-B., **90** France.

Longue dis. *Messieurs.* **85** Stam [4], **86** Tinley [1], **87** Keonders [4], **88** non disp., **89** Keonders [4]. *Dames.* **84** Springman [7], **85** Baker [3], **86** Springman [7], **87, 89** Coope [7].

Nota. – (1) USA. (2) Canada. (3) N.-Z. (4) P.-Bas. (5) France. (6) Belg. (7) G.-B. (8) All. féd. (9) Zimbabwe. (10) Australie. (11) Finlande. (12) Autriche.

Grands stades

Nombre de places

São Paulo (Brésil) Maracana	165 000
Rio de Janeiro, (Brés.) Gd Maracana	155 000
Pyongyang (Corée du N.) Rungnado	150 000
Glasgow (G.-B.)	150 000
Belo Horizonte (Brésil) Magalhaes Pinto	125 000
São Paulo (Brésil) Morumbi	120 000
Lisbonne (Portugal) Da Liz	120 000
Jakarta (Indonésie) Senayan	120 000
Madrid (Espagne)	120 000
Londres (G.-B.) Wembley	120 000
Ann Arbor (Michigan, USA)	120 000
Fortaleza (Brésil) Castelão	119 000
Recife (Brésil) Arruado	115 000
Mexico (Mexique) Azteca	115 000
Barcelone (Espagne) Nou Camp	115 000
Bucarest (Roum.)	110 000
Pasadena (Calif., USA)	107 000
Philadelphie (Pens., USA)	105 000
Los Angeles (Calif., USA)	105 000
Berlin (All) Stade olymp.	105 000
Moscou (URSS) Stade Lénine	102 000
Le Caire (Égypte) Nasser	100 000
Calcutta (Inde) Eden Garden	100 000
Calicut (Inde) Corporation	100 000
Téhéran (Iran) Azadi	100 000
Belgrade (Youg.) Red Star	100 000
Kiev (URSS) Central	100 000
Leipzig (All.)	100 000
Melbourne (Australie) Stade olymp.	100 000
Varsovie (Pologne)	100 000
Rome, (Italie) stade olymp.	100 000

☞ **A Paris** (porte d'Auteuil), le *parc des Princes* est un stade ouvert de 49 329 places, réalisé à partir de structures géantes constituées par les plus grands porte-à-faux précontraints au monde. La construction d'un grand stade est prévue à Melun-Sénart pour 1998 (coût env. 3 milliards de F). **A Prague**, le *stade des Sokols,* « aire de démonstration de masses », peut accueillir jusqu'à 240 000 spectateurs. 30 000 gymnastes peuvent s'y produire ensemble.

☞ **Stade couvert le plus grand.** Astrodrome de Houston : 66 000 places pour un match de boxe, 45 000 à 150 000 places pour base-ball ou football.

CH. DE FRANCE. **Dis. ol.** *Messieurs* **86** Millet, **87** Methion, **88** Girard, **89, 90, 91** Methion ; *dames* **87** Malherbe, **88** Muguet, **89** Rouchon, **90, 91** Mouthon. *Moy. dis. Messieurs* **86** Methion, **87** Lecrique, **88** Cauchois, **89, 90** Lecrique ; *dames* **88** Poncelet, **89** Meignin, **90** Rouchon. *Longue dis. Messieurs* **88** Cordier, **89, 90** Plantin ; *dames* **88** Malherbe, **89** Breuil, **90** Damiani.

Fédération française de triathlon, *créée* 1989, remplace le **Conadet** (Comité nat. pour le développement du tr., *créé* 1984), 50, bd de Strasbourg, 75010 Paris.

• **Twirling Baton.** De l'anglais, *to twirl,* faire tourner rapidement son poignet, et par extension faire tourner un bâton. Au départ, majorettes portant bottes et shako animent des fêtes. Devient de plus en plus sportif (gymnastique, danse, maniement du bâton) et s'ouvre aux hommes et aux femmes, en individuel ou en équipe. *Fédération française de twirling baton :* 10, rue Gambetta, 93406 St-Ouen Cedex.

• **Vol musculaire. XVe s.** (Voir p.1552)

• **VTT (Mountain bike).** Vélo tout terrain, à gros pneus crantés, freins à tambour et 12 à 18 vitesses.

Records d'endurance

Course de grand raid. A Newton (Afr. du Sud), 248 km en 14 h 6′ en 1934.

Cyclisme. *Sur piste :* 125 h (Assandrao Halyalkar, 22 ans, Bombay, 1953). *Sur bicyclette montée sur rouleaux :* Belgique, 223 h. *Hors piste :* 187 h 28′ (Vivekananda Selva Kumar Anandan, Sri Lanka, 2 au 10-5-1979), sans interruption autour du parc de Vihara Maha Devia à Colombo.

Danse. 5 148 h 28′30″ du 29-8-1930 au 1-4-1931, Mike Ritof et Edith Boudreaux, USA ; les danseurs devaient faire des pas de 25 cm et ne pouvaient fermer les yeux plus de 15 s.

Equilibrisme. 6 mois sur fil tendu à 30 m au-dessus du sol (Henry's à St-Étienne, 1973).

Marche sur les mains. 1 400 km, Johann Hurlingen (Autriche).

Rétablissements à 2 mains. 78 à la barre fixe (l'Anglais A. Lewis en 1913) ; **à 1 main :** 27 par l'Américaine Lillian Leitzel (dans les années 30).

Soif et déshydratation. La soif se manifeste à partir d'une perte de 1 à 1,5 l d'eau ; le liquide extra-cellulaire diminue de volume en même temps que sa concentration, notamment en sodium, augmente. Par pression osmotique, l'espace extra-cellulaire « pompe » l'eau des cellules.

La déshydratation s'accompagne de troubles psychiques bénins (pour 3 à 4 litres de perte hydrique) ou graves (à partir de 5 l, on peut délirer et avoir des hallucinations). Les muqueuses se dessèchent. On ne peut plus saliver. La tension baisse, la température augmente. Le coma précède la mort qui survient à partir de 6 à 10 l de déshydratation.

Stylisme. Frank Perkins occupa 399 j du 1-6-1975 au 4-7-1976 une cahute de 2,43 m sur 2,43 m au sommet d'un poteau télégraphique (USA). Saint Siméon Stylite (521-597) a vécu les 45 dernières années de sa vie sur une colonne de 20 m de haut, large de 1,5 m, près d'Antioche (Syrie).

Survie en mer. *Radeau* 130 j sur un radeau (23-11-1942/5-5-1943) : le steward brit. Poon Lim après que son bateau eut été coulé dans l'Atlantique. Alain Bombard (n. 27-10-24), sur l'*Hérétique*, (4,6 m avec une petite voile de canoë), sans eau ni vivres ; Monaco-Tanger avec un compagnon, puis Las Palmas-la Barbade seul en 64,5 j en 1952.

Tractions. 6 006 en 4 h (Charles Lunster, 16 ans, USA, le 7-10-1965).

Jeux Olympiques

Généralités

• **Origine. Avant J.-C. 884** date probable de la création de l'*Ekecheiria* (trêve) par Iphitos, roi d'Élide, Lycurgue de Sparte et Cléosthène de Pisa. On trouve des jeux analogues décrits dans *l'Iliade* : le chant XXIII dit comment Achille les a organisés devant le bûcher sur lequel va brûler le corps de Patrocle, afin d'apaiser et de réjouir l'âme du mort. *L'Iliade* décrit les 4 types d'épreuves qui, sous des modes divers, sont toujours disputées : course athlétique, pugilat, lancers et course hippique. Héraklès aurait institué les Jeux d'Olympie et, après avoir vaincu à la course, aurait consacré à Zeus, son père, un site consacré primitivement à Kronos. **776** 1re Olympiade historique. **724** à l'épreuve du stade s'ajoute celle du double stade ou diaulique (384,54 m). **720** création de la course longue ou dolique. **708** pour la 1re fois, figurent le pentathlon et la lutte. **688** pour la 1re fois, figure le pugilat. **680** course de chars à 4 chevaux (quadrige). **576** les colonies grecques participent aux Jeux. A partir de **572**, la Grèce entière se rassemble régulièrement à Olympie chaque fois que 99 mois lunaires sont révolus depuis la dernière Olympiade. Le calcul se basait aussi sur un calendrier de 8 ans calculé sur la concordance des mois solaires et lunaires. La date était fixée plusieurs mois à l'avance par les hellanodikès, magistrats suprêmes des Jeux. 3 spondophores choisis parmi les notables de la cité allaient en porter la nouvelle. N'importe qui, sauf les femmes mariées, pouvait y assister, mais pour y participer, il fallait être Grec. Les cités suspendaient toute action guerrière pendant la trêve olympique. **520** la course en armes apparaît. **468** la durée des Jeux est portée à 5 j. **72** 1re victoire d'un Romain, Gaios (Caius), en course. **68** les courses de chevaux montés disparaissent du programme. **Apr. J.-C. 369** l'Arménien Barasdates, roi d'Arménie, de 374 à 378, dernier vainqueur (pugilat) dont le nom nous soit parvenu. **393** les jeux d'Olympie, comme tous les *ludi* romains et les autres jeux grecs (cérémonies rituelles païennes) sont interdits par l'empereur Théodose Ier, sous l'influence de saint Ambroise, évêque de Milan, qui les jugeait impies. **522** et **551** les tremblements de terre détruisent ce qui reste d'Olympie. **1829** l'expédition de Morée dont fait partie le Français Abel Blouet découvre, sous 3 à 6 m de sable, l'emplacement du temple de Zeus et les 3 fragments de métopes qui sont au Louvre (*1875* fouilles systématiques de l'Allemand Ernst Curtius). **1859** tentative de rénovation des Jeux sous l'égide d'un riche Grec d'origine roumaine, Zappas. **1870** 2e tentative, plusieurs attractions non sportives. **1875 et 89** tentatives. **1892**-*25-11* en Sorbonne : Pierre Frédy, baron de Coubertin (1863-1937), annonce que sur une base conforme aux conditions de la vie moderne, il pense au rétablissement des jeux Olympiques. **1894**-*23-6* un congrès international, réuni à Paris, vote à l'unanimité le rétablissement des Jeux et la constitution d'un Comité international. **1896** 1ers Jeux de l'Olympiade à Athènes. **1924** 1ers Jeux d'hiver à Chamonix. **1948** les Jeux d'hiver s'ouvrent largement au ski alpin. **1986**-*14-10* le CIO décide de décaler, à partir de 1994, les Jeux d'hiver qui auront lieu tous les 4 ans en alternance avec les Jeux de l'Olympiade. **1991**-*1-1* réunification des comités olympiques all.

Spectateurs. Jeux de l'Olympiade et, entre parenthèses, **Jeux d'hiver. 1896** Athènes n.c. **1900** Paris n.c. **04** St-Louis n.c. **08** Londres env. 300 000 s. **12** Stockholm 327 288 s. **20** Anvers 349 689 s. **24** Paris 592 958 s. (*Chamonix* 32 862 s., 10 044 b.v.). **28** Amsterdam 357 425 s. (*St-Moritz* 29 832 b.v.). **32** Los Angeles 1 247 580 v. (*Lake Placid* 80 000 v., 78 310 b.v.). **36** Berlin 3 769 892 v. (*Garmisch* 234 529 v., 543 155 b.v.). **48** Londres n.c. (*St-Moritz* 59 037 b.v.). **52** Helsinki 1 376 512 s. (*Oslo* 541 407 s.p., 533 413 b.v.). **56** Melbourne 1 341 483 b.v. (*Cortina* 157 731 b.v.). **60** Rome 1 463 091 b.v. (*Squaw Valley* 249 653 b.v.). **64** Tokyo 1 975 723 v. (*Innsbruck* 1 073 000 v., 479 684 b.v.). **68** Mexico n.c. (*Grenoble* 337 731 b.v.). **72** Munich 3 116 092 b.v., 505 827 b.v. (*Sapporo* 621 232 b.v.). **76** Montréal 2 488 448 b.v. et b.d. (*Innsbruck* env. 1 400 000 s., 732 726 b.v.). **80** Moscou 5 466 321 b.v. et b.d. (*Lake Placid* 433 320 b.v.). **84** Los Angeles 5 797 923 s., 5 775 000 b.v. et b.d. (*Sarajevo* 646 000 s., 433 784 b.v.). **88** Séoul n. c. (*Calgary* 1 338 199 s., 1 812 780 b.v.).

Nota. – n.c. non connu. *s.* spectateurs. *v.* visiteurs. *b.v.* billets vendus. *s.p.* spectateurs payants. *b.i.* billets imprimés. *b.d.* billets distribués.

• **Principe.** Le mouvement olympique doit : promouvoir le développement des qualités physiques et morales qui sont les bases du sport ; éduquer par le sport la jeunesse, dans un esprit de meilleure compréhension mutuelle et d'amitié contribuant ainsi à construire un monde meilleur et plus pacifique ; faire connaître universellement les principes olympiques suscitant ainsi la bonne volonté internationale ; convier les athlètes du monde aux J. O. qui comprennent les Jeux de l'Olympiade et les J. O. d'hiver. Les J. O. ont lieu tous les 4 ans. Le terme « Olympiade » désigne la période de 4 ans qui débute avec les Jeux de l'Olympiade et se termine avec l'ouverture des Jeux de l'Olympiade suivante. Olympiades et J. O. se comptent à partir de 1896 même si, à la date d'une Olympiade, les Jeux n'ont pu avoir lieu.

• **Devise.** Proposée par Pierre de Coubertin : *Citius, altius, fortius* (en latin : plus vite, plus haut, plus fort). Inventée entre 1890 et 1900 par un dominicain français, le Père Henri Didon (1840-1900). **Emblème des Jeux.** Anneaux olympiques entrelacés (inaugurés sur le drapeau olympique au XXe anniversaire du CIO en 1914) symbolisant l'union des 5 continents, la primauté de l'esprit mondial sur les nationalismes (5 couleurs : bleu, jaune, noir, vert, rouge).

• **Serment olympique.** « Au nom de tous les concurrents, je promets que nous prendrons part à ces J. O. en respectant et suivant les règles qui les régissent, dans un esprit de sportivité, pour la gloire du sport et l'honneur de nos équipes. (Charte olympique 1991).

• **Flamme.** Proposition de Théodore Lewald adoptée par le CIO en 1934. 1er parcours organisé en 1952 aux Jeux d'Oslo.

• **Organismes. Comité international olympique (CIO) :** dirige le mouvement olympique. Aucune discrimination n'y est admise à l'égard d'un pays ou d'une personne pour des raisons raciales, de sexe, religieuses ou politiques. *États membres en 1991 :* 165 (réunification de l'All. et du Yémen, Afr. du S. réintégrée conditionnellement dep. mars 1991). **Présidents.** *1894* Demetrius Vikelas (Gr.), *1896* Pierre de Coubertin (Fr.), *1925-42* Henri de Baillet-Latour (Belg.), *1946* J.-Sigfrid Edstroem (Suède), *1952* Avery Brundage (USA, 1887-1975), *1972* Lord Killanin (Irl.), n. 30-7-1914, *1980* Juan Antonio Samaranch (Esp., n. 17-7-1920).

Comité national olympique et sportif français (CNOSF). *Créé* le 23-2-1972 par la fusion du *Comité national des sports* (CNS, créé 1908, rassemblant les fédérations sportives franç.) et du *Comité olympique français* (COF, créé 1911, au sein du CNS, représente la France au CIO).

Représenté dans chaque région par un Comité régional olympique et sportif (CROS) et dans chaque département par un Comité départemental olympique et sportif (CDOS). 80 *fédérations :* 27 olympiques, 34 nationales, 14 affinitaires et 5 scolaires et universitaires. *Pt :* Nelson Paillou. 28, rue d'Anjou, 75008 Paris.

• **Dopage.** Une liste de substances interdites est établie par le CIO + procédure pour la sélection des athlètes à contrôler, la prise des échantillons et leur analyse. Lors des J.O., des contrôles sont effectués en principe sur les 4 premiers athlètes, plus un certain nombre par tirage au sort. Les échantillons d'urine sont analysés par un laboratoire accrédité par le CIO. *Principale méthode :* chromatographie en phase gazeuse/spectrométrie de masse, couplée avec un ordinateur qui permet d'analyser 2 000-2 500 échantillons prélevés pendant les J.O. En cas de contrôle positif, une 2e analyse est effectuée en présence des intéressés sur un 2e échantillon gardé en réserve. Si la 1re analyse est confirmée par la 2e, la commission médicale du CIO propose une sanction à la

Médailles gagnées par la France

J.O. d'hiver		Or	Argent	Bronze
1924	Chamonix	–	–	1
1928	St-Moritz	1	–	–
1932	Lake Placid	1	–	–
1936	Garmisch	–	–	1
1948	St-Moritz	2	1	1
1952	Oslo	–	–	1
1956	Cortina d'Amp.	–	–	–
1960	Squaw Valley	1	–	2
1964	Innsbruck	3	4	–
1968	Grenoble	4	3	2
1972	Sapporo	–	1	2
1976	Innsbruck	–	1	1
1980	Lake Placid	–	–	1
1984	Sarajevo	–	1	2
1988	Calgary	1	–	1

J.O. de l'Olympiade		Or	Argent	Bronze
1896	Athènes	5	3	2
1900	Paris	19	27	23
1904 [1]	Saint Louis	–	–	–
1908	Londres	5	5	9
1912	Stockholm	7	4	3
1920	Anvers	9	22	11
1924	Paris	14	14	11
1928	Amsterdam	6	10	5
1932	Los Angeles	10	5	4
1936	Berlin	7	6	6
1948	Londres	10	6	16
1952	Helsinki	6	7	5
1956	Melbourne	4	4	6
1960	Rome	–	2	3
1964	Tōkyō	1	8	6
1968	Mexico	7	3	5
1972	Munich	2	4	7
1976	Montréal	2	3	4
1980	Moscou	6	5	3
1984	Los Angeles	5	7	16
1988	Séoul	6	4	6

Nota. – (1) Aucun Français participant.

Jeux paralympiques pour handicapés physiques et visuels

Organisation. *Créés* en 1960 à Rome sur proposition de sir Ludwig Guttmann. Réservés aux handicapés physiques ou visuels (amputés, aveugles, infirmes moteurs, cérébraux ou en fauteuil roulant, ou tout autre handicap).

Ils ont lieu tous les 4 ans dans le pays organisateur des J.O. pour sportifs valides, sauf en 1968 (en raison d'impératifs médicaux dus à l'altitude de Mexico) et 1980 (Moscou n'ayant pas pu les organiser dans le contexte du moment).

Sports paralympiques. Athlétisme. Basket-ball. Biathlon. Cyclisme tandem. Cyclisme solo. Escrime. Goal-ball. Haltérophilie. Judo. Natation. Ski alpin, nordique. Tennis. Tennis de table. Tir à l'arc. Tir à la cible. Volley-ball.

Rétrospective. 1960 Rome (ville organisatrice) 300 participants (15 pays) ; **64** Tōkyō 400 (22) ; **68** Tel-Aviv 750 (29) ; **72** Heidelberg (All. féd.) 1 000 (39) ; **76** Toronto 1 200 (40) ; **80** Arnhem (P.-Bas) 1 800 (42) ; **84** New York 2 000 (50), et Stoke Mandeville (G.-B.) 1 400 (40) ; **88** Innsbruck (Autriche) et Séoul (Corée, 67 pays représentés) [résultats de la France : *Innsbruck* 15 méd. dont 5 or ; *Séoul* (été) 141 m. dont 45 or, 44 argent, 52 bronze].

Palmarès été + hiver (1896-1988)

Nations	Total des médailles	Or	Argent	Bronze
USA	1 870	777	597	496
URSS	1 409	471	392	546
Allemagne	1 130	367	385	378
All. (1896 à 1964)	371	108	140	123
All. dém. (dep. 1968)	517	192	164	161
All. féd. (dep. 1968)	212	67	81	94
G.-B.	585	174	212	199
Suède	518	164	158	196
France	*505*	*155*	*169*	*181*
Italie	405	154	129	122
Finlande	390	130	119	141
Hongrie	370	122	111	137
Norvège	272	91	94	88
Japon	252	87	82	84
Suisse	240	64	94	82
Australie	231	73	69	89
Canada	217	51	73	93
Roumanie	203	56	64	83
Pologne	202	45	60	97
Pays-Bas	197	58	63	76
Autriche	171	44	63	63
Tchécoslovaquie	165	47	57	61
Bulgarie	153	38	61	54
Danemark	148	31	61	56
Belgique	130	36	48	46
Yougoslavie	87	26	32	29
Corée du Sud	69	19	21	29
Grèce	67	15	26	26
Chine	60	20	19	21
Cuba	59	23	21	15
N.-Zélande	54	25	6	23
Afr. du Sud	53	16	16	21
Turquie	47	24	13	10
Argentine	46	13	19	14
Mexique	39	9	12	18
Brésil	36	7	7	20
Kenya	31	11	9	10
Iran	30	4	11	15
Espagne	27	5	12	10
Jamaïque	22	4	10	8
Estonie	21	6	6	9
Égypte	18	6	6	6
Irlande	16	4	5	7
Inde	14	8	3	3
Liechtenstein	14	3	4	7
Corée du Nord	13	2	4	6
Portugal	13	2	4	7
Mongolie	11	0	5	6
Éthiopie	10	5	1	4
Pakistan	9	3	3	3
Uruguay	9	2	1	6
Venezuela	8	1	2	5
Chili	7	0	5	2
Trinité	7	1	2	4
Maroc	6	3	1	2
Philippines	6	0	2	4
Colombie	5	0	2	3
Luxembourg	5	3	2	0
Nigeria	5	0	1	4
Ouganda	5	1	2	2
Tunisie	5	1	3	1
Porto Rico	4	0	1	3
Ghana	3	0	1	2
Lettonie	3	0	2	1
Pérou	3	1	2	0
T'ai-wan	3	0	1	2
Thaïlande	3	0	1	2
Algérie	2	0	0	2
Bahamas	2	1	0	1
Cameroun	2	0	1	1
Haïti	2	0	1	1
Islande	2	0	1	1
Panamá	2	0	0	2
Tanzanie	2	0	2	0
Antilles néerl.	1	0	1	0
Bermudes	1	0	0	1
Chili	1	0	1	0
Costa Rica	1	0	1	0
Côte-d'Ivoire	1	0	1	0
Djibouti	1	0	0	1
Rép. Dominicaine	1	0	0	1
Guyana	1	0	0	1
Iles Vierges	1	0	1	0
Indonésie	1	0	1	0
Irak	1	0	0	1
Liban	1	0	1	0
Monaco	1	0	0	1
Niger	1	0	0	1
Sénégal	1	0	1	0
Singapour	1	0	1	0
Sri Lanka	1	1	0	0
Surinam	1	1	0	0
Syrie	1	0	1	0
Zambie	1	0	0	1
Zimbabwe	1	1	0	0

commission exécutive du CIO, qui prend la décision finale.

• **Tricheries.** *Exemple :* 1976, un athlète soviétique du pentathlon moderne a été exclu des Jeux pour avoir truqué le système électrique de son fleuret.

☞ 1972 l'Américain Rick Demont est privé de sa médaille d'or pour le 400 m nage libre (il avait absorbé de l'éphédrine). Les cyclistes hollandais de l'épreuve du 100 km contre la montre sont déclassés de la 3e place (Van Den Hoek avait absorbé de la coramine). **1976** 2 haltérophiles bulgares et un polonais disqualifiés. **1984** 11 cas de contrôle positif, dont 2 concernant des médaillés.

Statistiques

• **Jeux de Los Angeles (1984).** *Organisation.* Pour la 1re fois confiée à une association privée à but non lucratif : le *LAOOC (Los Angeles Olympic Organizing Committee)* créé 1978. *Budget* (en millions de $) : *initial :* 368 dont sponsors 116, droits TV 105, billets 92, divers 55 ; *prévu en 1984 :* 476,25 ; *effectif :* 412,59 dont droits TV 286,76, billets revenu brut 155,86 (revenu net 139,83). **Jeux de Séoul (1988).** *Bilan* (en millions de $) : recettes 850,7, dépenses 729 ; bénéfices 121,7.

Indices d'écoute (1 % = 394 000 téléspectateurs, + les moins de 16 ans qui ne sont pas comptabilisés). *J.O. à Moscou :* après-midi 3,7 %, avant-soirée 3,6, soirée 1,4. *Match France-All. féd.* en demi-finale de Coupe du monde de football 70. *Coupes d'Europe de football* 30 à 40. *Finale Noah-Wilander à Roland-Garros* 28. *Match du Tournoi des Cinq Nations* 17 à 20. *J.O. de Los Angeles,* 2 milliards et demi de téléspectateurs (épreuves reprises dans 146 pays, en direct ou en différé).

☞ **Droits de Télévision** (en millions de $ USA = CBS, NBC et ABC). *Source :* CIO **Jeux de l'Olympiade. 1960 :** 1,1 dont USA 0,3, Europe 0,6. **64 :** 1,5 dont Japon 1,5. **68 :** 9,7 dont USA 4,5, Europe 1. **72 :** 17,8 dont USA 13,5, Europe 1,7. **76 :** 34,8 dont USA 25, Europe 4,5. **80 :** 87,9 dont USA 72, Europe 5,6. **84 :** 286 dont USA (ABC) 225, Europe 19,5. **88 :** 402 dont USA (NBC) 300, Japon (NHK) 52, Europe (Eurovision) 28, Australie (Network) 6,8, Am. latine (OTI) 3, 15 pays d'Asie (Asia Broadcasting Union) 1,5, Hong Kong (Asia TV) 0,9. **92 :** 570 dont USA (NBC) 401, Europe 90. **Jeux d'hiver. 1960 :** 0,05 dont USA 0,05. **64 :** 0,9 dont USA 0,6, Europe 0,3. **68 :** 2,6 dont USA 2, Europe 0,5. **72 :** 8,4 dont USA 6,4, Europe 1,2. **76 :** 11,6 dont USA 10, Europe 0,8. **80 :** 20,7 dont USA 15,5, Europe 2,6. **84 :** 102,6 dont USA 91,5, Europe 4,1. **88 :** 324 dont USA (ABC) 309, Europe (Eurovision) 5,7. **92** (est.) : 380 dont USA (CBS) 243, Europe (Eurovision) 18, Canada (CBC) 10, Australie (Nine Network) 8,5, Japon (NHK) 9. **94** (est.) : 430 dont USA (CBS) 300, Europe 24.

Jeux Olympiques d'hiver

• **1988. Sports inscrits.** (M : messieurs, D : dames) *Ski alpin :* descente M-D, slalom géant M-D, slalom M-D, super-géant M-D, combiné M-D. *Ski de fond :* M 15, 30 et 50 km, relais 4 × 10 km ; D 5, 10 et 20 km, relais 4 × 5 km. *Saut :* M ; individuel 70 et 90 m ; par équipe 90 m. *Combiné nordique :* M ; indiv. saut 70 m et 15 km de ski de fond ; par équipe saut 70 m et relais 3× 10 km. *Biathlon :* M ; indiv. 10 km, 20 km, par éq. relais 4 × 7,5 km. *Bobsleigh :* M ; à 2 et à 4. *Luge :* M monoplace et biplace ; D monoplace *Hockey :* M. *Patinage de vitesse :* M 500, 1 000, 1 500, 5 000 et 10 000 m ; D 500, 1 000, 1 500, 3 000, 5 000 (1re fois en 88). *Patinage artistique :* (% de la note) indiv. (figures imposées 30, programme court 20, programme long ou patinage libre 50), couples (programme court 30, libre 70), danse (imposée 30, sur rythme imposé 20, libre 50).

• **Sports de démonstration.** *Curling :* M, D. *Patinage de vitesse sur courte piste :* indiv., M-D 500, 1 000, 1 500, 3 000 m ; relais M 5 000 m, D 3 000 m. *Ski acrobatique :* M-D ; bosses, ballet, saut. **Sports d'exhibition en 1988.** *Ski par des handicapés :* slalom géant pour amputés au-dessus du genoux, ski de fond pour aveugles 5 km.

• **Sports disparus.** Curling, curling allemand par équipes, courses de traîneaux à chiens, patrouilles militaires, skeleton.

• **Rétrospective.** Année, ville organisatrice, participants, nations représentées. **1924** Chamonix (Fr.) 294 (16). **28** St-Moritz (Sui.) 464 (25). **32** Lake Placid (USA) 242 (17). **36** Garmisch-Partenkirchen (All.) 669 (28). **48** St-Moritz (Sui.) 878 (28). **52** Oslo (Norv.) 694 (30). **56** Cortina d'Ampezzo (It.) 820 (32). **60** Squaw Valley (USA) 666 (30). **64** Innsbruck (Autr.) 933 (36). **68** Grenoble (Fr.) 1 293 (37). **72** Sapporo (Jap.) 1 128 (35). **76** Innsbruck (Autr.) (défection de Denver, USA) 1 261 (37). **80** Lake Placid (USA) 1 283 (37). **84** Sarajevo (Youg.) 1 490 (49). **88** Calgary (Canada). 1 759 (57).

• **1992 (8-23 fév.) Albertville** (Fr.). *Budget :* 4 milliards de F. *Sites retenus* Albertville (ouverture, clôture, patinage, anneau de vitesse), Val-d'Isère (ski alpin messieurs sauf slalom spécial), Les Ménuires (slalom spécial messieurs), Méribel (ski alpin dames, hockey), Les Saisies (ski nordique, biathlon), Courchevel (saut, entraînement hockey, combiné nordique), La Plagne (bobsleigh, luge), Tignes (ski artistique), Les Arcs (ski de vitesse), Pralognan (curling), Brides-les-Bains, (village olympique), Moutiers (radio-TV). La Léchère (presse). **94** Lillehammer (Norv). **98** Nagano (Japon).

Jeux de l'Olympiade

Sports (1988). Inscrits. Athlétisme, aviron, basket-ball, boxe, canoë-kayak, cyclisme, escrime, football, gymnast., haltér., handball, hockey s. gazon, judo, lutte, natation, pentathlon moderne, sports équestres, tir, tir à l'arc, volley-ball, water-polo, yachting, tennis et tennis de table, base-ball, judo féminin et taekwondo, sports de démonstration, d'exhibition et bowling, badminton et course en fauteuils roulants. En 1992, inscription du base-ball et du badminton comme sports officiels et d'épreuves de judo féminin, 10 km marche féminin, dériveur monoplace féminin et slalom en canoë. Depuis 1984, 2 sports réservés aux femmes : gymnastique rythmique et sportive, natation synchronisée. **Sport supprimé puis revenu.** Tennis (1896-1924, revenu 1988). **Sports disparus.** Paume, polo à cheval, rugby, canot à moteur, criquet, croquet, golf, lacrosse, raquette, roque, boxe française, football américain, gymnastique suédoise, real tennis, pelote basque, vol à voile. **Concours d'art :** architecture (1912-48), sculpture (1912-48), reliefs et médailles (1928-48), peinture (1912-48), littérature et musique (1912-48).

Rétrospective. Année, ville organisatrice, nombre de participants et de nations représentés : **1896** Athènes 295 (13) [1]. **1900** Paris 1 077 (21) [1]. **04** St Louis 554 (12) [1]. **08** Londres 2 034 (22) [1]. **12** Stockholm 2 504 (28) [1]. **16** Berlin : annulés. **20** Anvers 2 591 (29) [1]. **24** Paris 3 075 (44) [1]. **28** Amsterdam 2 971 (46) [1]. **32** Los Angeles 1 331 (38) [1]. **36** Berlin 3 980 (49) [2]. **40** Helsinki : annulés. **44** Londres : annulés. **48** Londres 4 062 (58) [1]. **52** Helsinki 5 867 (69) [1]. **56** Melbourne 3 342 (67) [2] ; Stockholm (29). **60** Rome 5 396 (84) [3]. **64** Tōkyō 5 586 (94) [3]. **68** Mexico 6 626 (113) [1]. **72** Munich 7 894 (122) [3]. **76** Montréal 6 189 (88). **80** Moscou 5 923 (81) [3]. **84** Los Angeles 7 055 (140). **88** Séoul 9 417 (160). **92** Barcelone. **96** Atlanta.

Nota. – Vainqueurs officieux. (1) USA. (2) Allemagne. (3) URSS.

Exclusion ou boycott. 1920 All. et Autriche exclus. **1924** All. exclue. **1948** All. et Japon exclus. **1956** Espagne, Suisse et Pays-Bas boycottent pour protester contre l'intervention soviétique à Budapest, Égypte à cause de Suez et Chine à cause de Taiwan. La Suisse est revenue sur sa décision, mais pour des raisons techniques n'a pas pu participer. Liban et Irak n'ont pas participé, à cause de l'attitude de l'Australie envers le Moyen-Orient. **1968** All. féd. et All. dém. concourent séparément. **1976** la plupart des pays africains membres du CIO boycottent pour dénoncer la participation de la N.-Zélande (accusée de collaborer avec l'Afrique du Sud qui est exclue du CIO dep. 1970). Guyane et Irak se retirent par solidarité, et Taiwan pour des raisons politiques (ne veut pas être appelé rép. de Chine). (5 pays sont partis après que leurs athlètes ont participé à quelques compétitions et 21 sans avoir laissé leurs athlètes concourir). **1980** 63 États boycottent (dont les USA) pour protester contre l'invasion soviétique en Afghanistan. **1984** 18 États boycottent (Afghanistan, Albanie, All. dém. Angola, Bolivie, Bulgarie, Corée du N., Cuba, Éthiopie, Hongrie, Iran, Laos, Mongolie, Pologne, Tchécosl., URSS, Viêt-nam, Yémen du S.) car la sécurité des athlètes n'est pas assurée. **1988** Invitations faites par le CIO (et non plus comme avant par le comité d'organisation). Déclinent l'invitation : Cuba, Éthiopie, Nicaragua, Corée du N. Ne répondent pas : Albanie, Seychelles. Madagascar ne participe pas car souhaitait que les Jeux soient organisés par les 2 Corées. L'Afr. du Sud n'est pas invitée car dep. 1970 elle n'a pas de Comité national olympique.

Participation française. **1976** 182 athlètes, **80** 143, **84** 252, **88** 286.

Résultats des Jeux d'hiver

☞ *Légende.* (1) Afrique du Sud. (2) Allemagne dém. (2a) Allemagne. (3) Allemagne féd. (4) Argentine. (5) Australie. (6) Autriche. (7) Belgique. (8) Brésil. (9) Bulgarie. (10) Canada. (11) Corée du Nord. (12) Corée du Sud. (13) Cuba. (14) Danemark. (15) Égypte. (16) Eire. (17) Espagne. (18) Estonie. (19) Éthiopie. (20) Finlande. (21) France. (22) G.-B. (23) Grèce. (24) Hongrie. (25) Inde. (26) Iran. (27) Irlande. (28) Italie. (29) Jamaïque. (30) Japon. (31) Kenya. (32) Liechtenstein. (33) Luxembourg. (34) Mexique. (35) Mongolie. (36) Norvège. (37) N.-Zélande. (38) Ouganda. (39) Pakistan. (40) P.-Bas. (41) Pérou. (42) Pologne. (43) Portugal. (44) Roumanie. (45) Suède. (46) Suisse. (47) Tanzanie. (48) Tchécoslovaquie. (49) Thaïlande. (50) Trinité-et-Tobago. (51) Tunisie. (52) Turquie. (53) Ukraine. (54) URSS. (55) USA. (56) Venezuela. (57) Yougoslavie. (58) Guyane. (59) Bermudes. (60) Liban. (61) Chine. (62) T'ai-wan. (63) Colombie. (64) C.-d'Iv. (65) Maroc. (66) Islande. (67) Zambie. (68) Nigeria. (69) Porto-Rico. (70) Cameroun. (71) Alg. (72) Syrie. (73) Sénégal. (74) Djibouti. (75) Philippines. (76) Surinam. (77) Costa Rica. (78) Chili. (79) Iles Vierges. (80) Antilles néerlandaises. (81) Brunei. (82) Jordanie. (83) Malaysia.

Ski alpin

• **Messieurs.** **Descente.** **48** *Oreiller* [21] *2'55"*. **52** Colo [28] 2'30"8. **56** Sailer [6] 2'52"2. **60** *Vuarnet* [21] *2'6"*. **64** Zimmermann E. [6] 2'18"6. **68** *Killy* [21] *1'59"85.* **72** Russi [46] 1'51"43. **76** Klammer [6] 1'45"73, Russi [46] 1'46"6, Plank [28] 1'46"59. **80** Stock [6] 1'45"50, Wirnsberger [6] 1'46"12, Podborski [10] 1'46"62. **84** Johnson [55] 1'45"59, Mueller [46] 1'45"86, Steiner [6] 1'45"95. **88** Zurbriggen [46] 1'59"63, Mueller [46] 2'0"14, *Piccard* [21] *2'1"24.*

Slalom spécial. **48** Reinalter [46] 2'10"3. **52** Schneider [6] 2'. **56** Sailer [6] 3'14"7- **60** Hinterseer [6] 2'8"9. **64** Stiegeer [6] 2'11"13. **68** *Killy* [21] *1'39"73.* **72** Fernández-Ochoa [17] 1'49"27. **76** Gros [28] 2'3"29, G. Thoeni [28] 2'3"73, Frommelt [32] 2'4"28. **80** Stenmark [45] 1'44"26, Mahre [55] 1'44"76, Luthy [46] 1'45"06. Appelé **slalom** dep. 84.

Slalom. **84** P. Mahre [55] 1'39"41, S. Mahre [55] 1'39"62, *Bouvet* [21] *1'40"20.* **88** Tomba [28] 1'39"47, Woerndl [3] 1'39"53, Frommelt [32] 1'39"84.

Slalom géant. **52** Eriksen [36] 2'25". **56** Sailer [6] 3'0"1. **60** Staub [46] 1'48"3. **64** *Bonlieu* [21] *1'46"71.* **68** *Killy* [21] *3'29"28.* **72** G. Thoeni [28] 3'9"62. **76** Hemmi [46] 3'26"97, Good [46] 3'27"17, Stenmark [45] 3'27"41. **80** Stenmark [45] 2'40"74, Wenzel [32] 2'41"49, Enn [6] 2'42"51. **84** Julen [46] 2'41"18, Franko [57] 2'41"41, Wenzel [32] 2'41"75. **88** Tomba [28] 2'6"37, Strolz [6] 2'7"41, Zurbriggen [46] 2'8"39.

Super-géant. **88** *Piccard* [21] *1'39"66,* Mayer [6] 1'40"96, Eriksson [45] 1'41"08.

Combiné. **88** Strolz [6] 36,55 pts, Gstrein [6] 43,45 pts, Accola [46] 48,24 pts.

☞ **Épreuve supprimée.** **Combiné descente-slalom.** **36** Pfnur [2a] 4'51"8 + 2'26"6. **48** *Oreiller* [21] *2'55" + 2'22"3.*

• **Dames.** **Descente.** **48** Schlunegger [46] 2'28"3. **52** Jochum-Beiser [6] 1'47"1. **56** Berthod [46] 1'40"7. **60** Biebl [3] 1'37"6. **64** Haas [6] 1'55"39. **68** O. Pall [6] 1'40"87. **72** M.-T. Nadig [46] 1'36"68. **76** R. Mittermaier [3] 1'46"16, B. Totschnig [6] 1'46"48, Nelson [55] 1'47"50. **80** Moser-Proell [6] 1'37"52, Wenzel [32] 1'38"22, Nadig [46] 1'38"36. **84** Figini [46] 1'13"36, Walliser [46] 1'13"41, Charvatova [48] 1'13"53. **88** Kiehl [3] 1'25"86, Oertli [46] 1'26"61, Percy [10] 1'26"62.

Slalom spécial. **48** Fraser [55] 1'57"2. **52** Lawrence-Mead [55] 2'10"6. **56** Colliard [46] 1'52"3. **60** Heggveit [10] 1'49"6. **64** *C. Goitschel* [21] *1'29"86.* **68** *M. Goitschel* [21] *1'25"86.* **72** B. Cochran [55] 1'31"24. **76** R. Mittermaier [3] 1'30"54, C. Giordani [28] 1'30"87, H. Wenzel [32] 1'32"20. **80** Wenzel [32] 1'25"09, Kinshofer [3] 1'26"50, Hess [46] 1'27"89. Appelé **slalom** dep. 84.

Slalom. **84** Magoni [28] 1'36"47, *Pelen* [21] *1'37"38,* Konzett [32] 1'37"50. **88** Schneider [46] 1'36"69, Svet [57] 1'38"37, Kinshofer-Guetlein [3] 1'38"40.

Palmarès des J.O. de l'Olympiade (été)

Nations	1972				1976				1980				1984				1988			
	O	A	B	T	O	A	B	T	O	A	B	T	O	A	B	T	O	A	B	T
Algérie													0	0	2	*2*				
Allemagne dém.	20	23	23	*66*	40	25	25	*90*	47	37	41	*125*					37	35	30	*102*
Allemagne féd.	13	11	16	*40*	10	12	17	*39*					17	19	23	*59*	11	14	15	*40*
Antilles néerl.																	0	1	0	*1*
Argentine	0	1	0	*1*													0	1	1	*2*
Australie	8	7	2	*17*	0	1	4	*5*	2	2	5	*9*	4	8	12	*24*	3	6	5	*14*
Autriche	0	1	2	*3*	0	0	1	*1*	1	2	1	*4*	1	1	1	*3*	1	0	0	*1*
Belgique	0	2	0	*2*	0	3	3	*6*	1	0	0	*1*	1	1	2	*4*	0	0	2	*2*
Bermudes					0	0	1	*1*												
Brésil	0	0	2	*2*	0	0	2	*2*	2	0	2	*4*	1	5	2	*8*	1	2	3	*6*
Bulgarie	6	10	5	*21*	6	9	7	*22*	8	16	16	*40*					10	12	13	*35*
Cameroun													0	0	1	*1*				
Canada	0	2	3	*5*	0	5	6	*11*					10	18	16	*44*	3	2	5	*10*
Chili																	0	1	0	*1*
Chine													15	8	9	*32*	5	11	12	*28*
Colombie	0	1	2	*3*									0	1	0	*1*	0	0	1	*1*
Corée du Nord	1	1	3	*5*	1	1	0	*2*	0	3	2	*5*								
Corée du Sud	0	1	0	*1*	1	1	4	*6*					6	6	7	*19*	12	10	11	*33*
Costa Rica																	0	1	0	*1*
Côte-d'Ivoire													0	1	0	*1*				
Cuba	3	1	4	*8*	6	4	3	*13*	8	7	5	*20*								
Danemark	1	0	0	*1*	1	0	2	*3*	2	1	2	*5*	0	3	3	*6*	2	1	1	*4*
Djibouti																	0	0	1	*1*
Égypte													0	1	0	*1*				
Espagne	0	0	1	*1*	0	2	0	*2*	1	3	2	*6*	1	2	2	*5*	1	1	2	*4*
Éthiopie	0	0	2	*2*					2	0	2	*4*								
Finlande	3	1	4	*8*	4	2	0	*6*	3	1	4	*8*	4	3	6	*13*	1	1	2	*4*
France	*2*	*4*	*7*	*13*	*2*	*3*	*4*	*9*	*6*	*5*	*3*	*14*	*5*	*7*	*16*	*28*	*6*	*4*	*6*	*16*
G.-B.	4	5	9	*18*	3	5	5	*13*	5	7	9	*21*	5	10	22	*37*	5	10	9	*24*
Ghana	0	0	1	*1*																
Grèce	0	2	0	*2*					1	0	2	*3*	0	1	1	*2*	0	0	1	*1*
Guyana									0	0	1	*1*								
Hongrie	6	13	16	*35*	4	5	13	*22*	7	10	15	*32*					11	6	6	*23*
Iles Vierges																	0	1	0	*1*
Inde	0	0	1	*1*					1	0	0	*1*								
Indonésie																	0	1	0	*1*
Iran	0	2	1	*3*	0	1	1	*2*									0	1	0	*1*
Irlande									0	1	1	*2*	0	1	0	*1*				
Islande													0	0	1	*1*				
Italie	5	3	10	*18*	2	7	4	*13*	8	3	4	*15*	14	6	12	*32*	6	4	4	*14*
Jamaïque	0	0	1	*1*	1	1	0	*2*	0	0	3	*3*	0	1	2	*3*	0	2	0	*2*
Japon	13	8	8	*29*	9	6	10	*25*					10	8	14	*32*	3	6	5	*14*
Kenya	2	3	4	*9*									1	0	1	*2*	5	2	2	*9*
Liban	0	1	0	*1*					0	0	1	*1*								
Maroc													2	0	0	*2*	1	0	2	*3*
Mexique	0	1	0	*1*	1	0	1	*2*	0	1	3	*4*	2	3	1	*6*	0	0	2	*2*
Mongolie	0	1	0	*1*	0	1	0	*1*	0	2	2	*4*					0	0	1	*1*
Niger	0	0	1	*1*																
Nigeria	0	0	1	*1*									0	1	1	*2*				
Norvège	2	1	1	*4*	1	1	0	*2*					0	1	2	*3*	2	3	0	*5*
N.-Zélande	1	1	1	*3*	2	1	1	*4*					8	1	2	*11*	3	2	8	*13*
Ouganda	1	1	0	*2*					0	1	0	*1*								
Pakistan	0	1	0	*1*	0	0	1	*1*					1	0	0	*1*	0	0	1	*1*
Pays-Bas	3	1	1	*5*	0	2	3	*5*	0	1	2	*3*	5	2	6	*13*	2	2	5	*9*
Pérou													0	1	0	*1*	0	1	0	*1*
Philippines																	0	0	1	*1*
Pologne	7	5	9	*21*	7	6	13	*26*	3	14	15	*32*					2	5	9	*16*
Porto Rico					0	0	1	*1*					0	1	1	*2*				
Portugal					0	2	0	*2*					1	0	2	*3*	1	0	0	*1*
Rép. Dominicaine													0	0	1	*1*				
Roumanie	3	6	7	*16*	4	9	14	*27*	6	6	13	*25*	20	16	17	*53*	7	11	6	*24*
Sénégal																	0	1	0	*1*
Suède	4	6	6	*16*	4	1	0	*5*	3	3	6	*12*	2	11	6	*19*	0	4	7	*11*
Suisse	0	3	0	*3*	1	1	2	*4*	2	0	0	*2*	0	4	4	*8*	0	2	2	*4*
Surinam																	1	0	0	*1*
Syrie													0	1	0	*1*				
T'ai-wan													0	0	1	*1*				
Tanzanie									0	2	0	*2*								
Tchécoslovaquie	2	4	2	*8*	2	2	4	*8*	2	3	9	*14*					3	3	2	*8*
Thaïlande					0	0	1	*1*					0	1	0	*1*	0	0	1	*1*
Trinité					1	0	0	*1*												
Tunisie	0	1	0	*1*																
Turquie	0	1	0	*1*									0	0	3	*3*	1	1	0	*2*
URSS	50	27	22	*99*	49	41	35	*125*	80	69	46	*195*					55	31	46	*132*
USA	33	31	30	*94*	34	35	25	*94*					83	61	30	*174*	36	31	27	*94*
Venezuela					0	1	0	*1*	0	1	0	*1*	0	0	3	*3*				
Yougoslavie	2	1	2	*5*	2	3	3	*8*	2	3	4	*9*	7	4	7	*18*	3	4	5	*12*
Zambie													0	0	1	*1*				
Zimbabwe									1	0	0	*1*								

Palmarès des J.O. d'hiver

Nations	1972				1976				1980				1984				1988			
	O	A	B	T	O	A	B	T	O	A	B	T	O	A	B	T	O	A	B	T
Allemagne dém.	4	3	7	*14*	7	5	7	*19*	9	7	7	*23*	9	9	6	*24*	9	10	6	*25*
Allemagne féd.	3	1	1	*5*	2	5	3	*10*	0	2	3	*5*	2	1	1	*4*	2	4	2	*8*
Autriche	4	3	2	*0*	2	2	2	*6*	3	2	2	*7*	0	0	1	*1*	3	5	2	*10*
Bulgarie	1	0	0	*1*					0	0	1	*1*								
Canada	0	1	0	*1*	1	1	1	*3*	0	1	1	*2*	2	1	1	*4*	0	2	3	*5*
Espagne	1	0	0	*1*																
Finlande	0	4	1	*5*	2	4	1	*7*	1	5	3	*9*	4	3	6	*13*	4	1	2	*7*
France	*0*	*1*	*2*	*3*	*0*	*1*	*1*	*2*	*0*	*0*	*1*	*1*	*0*	*1*	*2*	*3*	*1*	*0*	*1*	*2*
G.-B.					1	0	0	*1*	1	0	0	*1*	1	0	0	*1*				
Hongrie									0	1	0	*1*								
Italie	2	2	1	*5*	1	2	1	*4*	0	2	0	*2*	2	0	0	*2*	2	1	2	*5*
Japon	1	1	1	*3*					0	1	0	*1*	0	1	0	*1*	0	0	1	*1*
Liechtenstein	1	2	2	*5*	0	0	2	*2*	2	2	0	*4*	0	0	2	*2*	0	0	1	*1*
Norvège	2	5	5	*12*	3	3	1	*7*	1	3	6	*10*	3	2	4	*9*	0	3	2	*5*
Pays-Bas					1	2	3	*6*	1	2	1	*4*					3	2	2	*7*
Pologne	1	0	0	*1*																
Suède	1	1	2	*4*	0	0	2	*2*	3	0	1	*4*	4	2	2	*8*	4	0	2	*6*
Suisse	4	3	3	*10*	1	3	1	*5*	1	1	3	*5*	2	2	1	*5*	5	5	5	*15*
Tchécoslovaquie	1	0	2	*3*	0	1	0	*1*	0	0	1	*1*	0	2	4	*6*	0	1	2	*3*
URSS	8	5	3	*16*	13	6	8	*27*	10	6	6	*22*	6	10	9	*25*	11	9	9	*29*
USA	3	2	3	*8*	3	3	4	*10*	6	4	2	*12*	4	4	0	*8*	2	1	3	*6*
Yougoslavie													0	1	0	*1*	0	1	2	*3*

Nota. – Le CIO ne reconnaît pas les tableaux de médailles.

Slalom géant. 52 Lawrence-Mead [55] 2'6"8. **56** Reichert [3] 1'56"5. **60** Ruegg [46] 1'39"9. **64** *M. Goitschel* [21] *1'52"24.* **68** N. Greene [10] 1'51"97. **72** M.-T. Nadig [46] 1'29"90. **76** K. Kreiner [10] 1'29"13, R. Mittermaier [3] 1'29"25, *D. Debernard* [21] *1'29"95.* **80** Wenzel [32] 2'41"66, Epple [3] 2'42"12, *Pelen* [21] *2'42"41.* **84** Armstrong [55] 2'20"98, Cooper [55] 2'21"38, *Pelen* [21] *2'21"40.* **88** Schneider [46] 2'6"49, Kinshofer-Guetlein [3] 2'7"42, Walliser [46] 2'7"72.

Super géant. 88 Wolf [6] 1'19"03, Figini [46] 1'20"03, Percy [10] 1'20"29.

Combiné. 88 Wachter [6] 29,25 pts, Oertli [46] 29,48 pts, Walliser [46] 51,28 pts.

☞ Épreuve supprimée. **Combiné descente-slalom. 36** Cranz [2a] 5'32"4 + 94"12. **48** Beiser [6] 2'29"1 + 130"5.

Ski nordique

• Messieurs. **15 kilomètres (18 km jusqu'en 1952). 24** Haug [36] 1 h 14'31". **28** Groettumsbraaten [36] 1 h 37'1". **32** Utterstroem [45] 1 h 23'7". **36** Larsson [45] 1 h 14'38". **48** Lundstroem [45] 1 h 13'50". **52** Brenden [36] 1 h 1'34". **56** Brenden [36] 49'39". **60** Brusveen [36] 51'55"5. **64** Maentyranta [20] 50'54"1. **68** Groenningen [36] 47'54"2. **72** Lundback [45] 45'28"24. **76** Bajukov [54] 43'58"47, Belaiev [54] 44'1"10, Koivisto [20] 44'19"25. **80** Wassberg [45] 41'57"63, Mieto [20] 41'57"64, Aunli [36] 42'28"62. **84** Anders Swan [45] 41'25"6, Karvonen [20] 41'34"9, Kirvesniemi [20] 41'45"6. **88** Deviatiarov [54] 41'18"9, Mikkelsplass [36] 41'33"4, Smirnov [54] 41'48"5.

30 kilomètres. 56 Hakulinen [20] 1 h 44'6". **60** Jernberg [45] 1 h 51'3"9. **64** Maentyranta [20] 1 h 30'50"7. **68** Nones [28] 1 h 35'39"2. **72** Vedenine [53] 1 h 36'31"15. **76** Saveliev [53] 1 h 30'29"38, Koch [55] 1 h 30'57"84, Garanine [54] 1 h 31'9"29. **80** Zimiatov [54] 1 h 27'2"80, Rochev [54] 1 h 27'34"22, Lebanov [9] 1 h 28'03"87. **84** Zimiatov [54] 1 h 28'56"3, Zavialov [54] 1 h 29'23"3, Swan [45] 1 h 29'35"7. **88** Prokourorov [54] 1 h 24'26"3, Smirnov [54] 1 h 24'35"1, Ulvang [36] 1 h 25'11"6.

50 kilomètres. 24 Haug [36] 3 h 44'32". **28** Hedlund [45] 4 h 52'3". **32** Saarinen [20] 4 h 28'. **36** Vicklund [45] 3 h 30'11". **48** Karlsson [45] 3 h 47'48". **52** Hakulinen [20] 3 h 33'33". **56** Jernberg [45] 2 h 50'27". **60** Haemaelaeinen [20] 2 h 59'6"3. **64** Jernberg [45] 2 h 43'52"6. **68** Ellefsaeter [36] 2 h 28'45"8. **72** Tyldum [36] 2 h 43'14"75. **76** Formo [36] 2 h 37'30"5, Klause [2] 2 h 38'13"21, Soedergren [45] 2 h 39'39"21. **80** Zimiatov [54] 2 h 27'24"60, Mieto [20] 2 h 30'20"52, Zavjalov [54] 2 h 30'51"52. **84** Wassberg [45] 2 h 15'55"8, Swan [45] 2 h 16'00"7, Karvonen [20] 2 h 17'04"7. **88** Svan [45] 2 h 4'39"9, De Zolt [28] 2 h 5'36"4, Gruenenfelder [46] 2 h 6'1"9.

4 × 10 km. 36 Finl. 2 h 41'33". **48** Suède 2 h 32'8". **52** Finl. 2 h 20'16". **56** U.R.S.S. 2 h 15'30". **60** Finl. 2 h 18'45"6. **64** Suède 2 h 18'34"6. **68** Norv. 2 h 8'33"5. **72** U.R.S.S. 2 h 4'47"94. **76** Finl. 2 h 7'59"72, Norv. 2 h 9'58"36, U.R.S.S. 2 h 10'51"46. **80** U.R.S.S. 1 h 57'3"46, Norv. 1 h 58'45"77, Finl. 2 h 0"18. **84** Suède 1 h 55'06"30, U.R.S.S. 1 h 55'16"50, Finl. 1 h 56'31"40. **88** Suède 1 h 43'58"6, U.R.S.S. 1 h 44'11"34, Tchécoslovaquie 1 h 45'22"7.

Saut. 70 m. 64 Kankkonen [20]. **68** Raska [48]. **72** Kasaya [30]. **76** Aschenbach [2], Danneberg [2], Schnabl [6]. **80** Innauer [6], Deckert [2], Yagi [30]. **84** Weissflog [2], Nykanen [20], Puikkonen [20]. **88** Nykanen [20], Ploc [48], Malec [48].

Saut. 90 m. 24 Thams [36]. **28** Andersen [36]. **32, 36** Ruud [36]. **48** Hugsted [36]. **52** Bergmann [36]. **56** Hyvarinen [20]. **60** (80 m) Recknagel [2]. **64** (80 m) Engan [36]. **68** Beloussov [54]. **72** Fortuna [42]. **76** Schnabel [6], Innauer [6], Glass [2]. **80** Tormanen [20], Neuper [6], Puikkonen [20]. **84** Nykanen [20], Weissflog [2], Ploc [48]. **88** Nykanen [20], Johnsen [36], Debelak [57]. **Par équipes. 88** Finlande, Yougoslavie, Norvège.

Combiné nordique. Saut et fond. 24 Haug [36]. **28, 32** Groettumsbraaten [36]. **36** Hagen [36]. **48** Hasu [20]. **52** Slattvik [36]. **56** Sternesen [36]. **60** Thoma [3]. **64** Knutsen [36]. **68** Keller [3]. **72** Wehling [2]. **76** Wehling [2], Hettich [3], Winkler [2]. **80** Wehling [2], Karjalainen [20], Winkler [2]. **84** Sandberg [36], Karjalainen [20], Ylipulli [20]. **88** Kempf [46], Sulzenbacher [6], Levandi [54]. **Par équipes. 88** All. féd., Suisse, Autriche.

• Dames. **5 kilomètres. 64** Boyarskich [54] 17'50"5. **68** Gustafsson [45] 16'45"2. **72** Kulakova [54] 17'0"5. **76** Takalo [20] 15'48"69, Smetanina [54] 15'49"76, Kulakova [54] 16'7"33. **80** Smetanina [54] 15'06"92, Riihivuori [20] 15'11"96, Jeriova [48] 15'23"44. **84** Haemaelainen [20] 17'04", Aunli [36] 17'14"1, Jeriova [48] 17'18"3. **88** Matikainen [20] 15'4"4, Thikonova [54] 15'5"53, Ventsene [54] 15'11"1.

10 kilomètres. 52 Wideman [20] 41'40". **56** Kosyryeva [54] 38'11". **60** Gusakova [54] 39'46"6. **64** Boyarskich [54] 40'24"3. **68** Gustaffsson [45] 36'46"5. **72** Kulakova [54] 34'17"82. **76** Smetanina [54] 30'13"41, Takalo [20] 30'14"28, Kulakova [54] 30'38"61. **80** Petzold [5] 30'31"54, Riihivuori [20] 30'35"05, Takalo [20] 30'45"25. **84** Haemaelainen [20] 31'44"2, Smetanina [54] 32'02"9, Pettersen [36] 32'12"7. **88** Ventsene [54] 30'8"3, Smetanina [54] 30'17", Matikainen [20] 30'20"5.

20 kilomètres. 84 Haemaelainen [20] 1 h 01'45", Smetanina [54] 1 h 02'26"7, Jahren [36] 1 h 03'13"6. **88** Tikhonova [54] 55'53"6, Reztsova [54] 56'12"8, Smetanina [54] 57'22"1.

4 × 5 km (3 × 5 km jusqu'en 72). 56 Finl. 1 h 9'1". **60** Suède 1 h 4'21". **64** U.R.S.S. 59'20"2. **68** Norv. 57'30". **72** U.R.S.S. 48'46"15. **76** U.R.S.S. 1 h 7'49"75, Finl. 1 h 8'36"57, All. dém. 1 h 9'57"95. **80** All. dém. 1 h 2'11"10, U.R.S.S. 1 h 3'18"30, Norv. 1 h 4'13"50. **84** Norv. 1 h 6'49"70, Tchéc. 1 h 7'34"70, Finl. 1 h 7'36"70. **88** U.R.S.S. 59'51"1, Norvège 1 h 1'33", Finlande 1 h 1'53"8.

Biathlon

10 kilomètres. **80** Ulrich [2] 32'10"69, Alikin [54] 32'53"10, Aljabiev [54] 33'09"16. **84** Kvalfoss [36] 30'53"8, Angerer [3] 31'02"4, Jacob [2] 31'10"5. **88** Roetsch [2] 25'8"1, Medvedtsev [54] 25'23"7, Tchepikov [54] 25'29"4.

20 kilomètres. **60** Lestander [45] 1 h 33'21"6. **64** Melanjin [54] 1 h 20'26"8. **68** Solberg [36] 1 h 13'45"9. **72** Solberg [36] 1 h 13'55"5. **76** Kruglov [54] 1 h 14'12"16, Ikola [20] 1 h 15'54"10, Elijarov [54] 1 h 16'5"57. **80** Aliabiev [54] 1 h 8'16"31, Ullrich [2] 1 h 8'27"79, Rosch [2] 1 h 11'11"73. **84** Angerer [3] 1 h 11'52"7, Roetsch [2] 1 h 13'21"4, Kvalfoss [36] 1 h 14'02"4. **88** Roetsch [2] 56'33"3, Medvedtsev [54] 56'54"62, Passler [28] 57'10"12.

Relais 4 × 7,5 kilomètres. **68** URSS 2 h 13'2"4. **72** URSS 1 h 51'44"9. **76** URSS 1 h 57'55"64, Finl. 2 h 1'45"58, All. dém. 2 h 4'8"61. **80** URSS 1 h 34'3"27, All. dém. 1 h 34'56"99, All. féd. 1 h 37'30"26. **84** URSS 1 h 38'51"7, Norv. 1 h 39'03"9, All. féd. 1 h 39'05"1. **88** URSS 1 h 22'30", All. féd. 1 h 23'37"4, Italie 1 h 23'51"5.

Patinage artistique

• Messieurs. **08** Salchow [45]. **20, 24, 28** Grafstroem [45]. **32, 36** Schaefer [6]. **48, 52** Button [55]. **56** H. Jenkins [55]. **60** D. Jenkins [55]. **64** Schnelldorfer [3]. **68** Schwarz [6]. **72** Nepela [48]. **76** Curry [32], Kovalev [54], Cranston [10]. **80** Cousins [32], Hoffman [2], Tickner [55]. **84** Hamilton [55], Orser [10], Sabovtchik [48]. **88** Boitano [55], Orser [10], Petrenko [54].

• Dames. **08** Syers [22]. **20** Julin-Mauroy [45]. **24** Planck-Szabo [6]. **28, 32, 36** Henie [36]. **48** Scott [10]. **52** Altwegg [22]. **56** Albright [55]. **60** Heiss [55]. **64** Dijkstra [40]. **68** Fleming [55]. **72** B. Schuba [6]. **76** D. Hamill [55], Leuw [40], Errath [2]. **80** Poetzsch [2], Fratianne [55], Lurz [3]. **84** Witt [2], Sumners [55], Ivanova [54]. **88** Witt [2], Manley [10], Thomas [55].

• Couples. **08** Hubler-Burger [2a]. **20** L. Jakobsson-W. Jakobsson [20]. **24** Engelman-Berger [6]. **28** *A.* Joly-P. Brunet [21]. **32** A. Brunet-P. Brunet [21]. **36** Heber-Baier [2a]. **48** Lannoy-Baugniet [7]. **52** R. Falk-P. Falk [3]. **56** Schwarz-Oppelt [6]. **60** Wagner-Paul [10]. **64, 68** Beloussova-Protopopov [54]. **72** Rodnina-Ulanov [54]. **76** Rodnina-Zaitsev [54], Kermer-Oesterreich [2], Gross-Kagelmann [2]. **80** Rodnina-Zaitsev [54], Cherkasova-Shakrai [54], Mager-Bewersdorff [2]. **84** Valova-Vassiliev [54], Carruthers-Carruthers [55], Selezneva-Makorov [54]. **88** Gordeeva-Grinkov [54], Velova-Vassiliev [54], Watson-Oppegard [55].

• Danse. **76** Pakhomova-Gorskhov [54], Moiseeva-Minenkov [54], O'Connor-Millns [55]. **80** Linichuk-Karponosov [53], Regoczy-Sallay [24], Moiseeva-Minenkov [54]. **84** Torvill-Dean [22], Bestemianova-Bukin [54], Klimova-Ponomarenko [54]. **88** Bestemianova-Bukin [54], Klimova-Ponomarenko [54], Wilson-McCall [10].

☞ Épreuve supprimée. **Figures spéciales.** 08 Panin [54].

Patinage de vitesse

• Messieurs. **500 m. 24** Jewtraw [55] 44". **28** Thunberg [20] et Evensen [36] 43"4. **32** Shea [55] 43"4. **36** Ballangrud [36] 43"4. **48** Helgesen [36] 43"1. **52** Henry [55] 43"2. **56** Grichine [54] 40"2. **60** Grichine [54] 40"2. **64** McDermott [55] 40"1. **68** Keller [3] 40"3. **72** Keller [3] 39"44. **76** Kulikov [58] 39"17, Muratov [53] 39"25, Immerfall [55] 39"54. **80** Heiden [55] 38"03, Kulikov [53] 38"37, De Ber [40] 38"48. **84** Fokitchev [54] 38"19, Kitazawa [30] 38"30, Boucher [10] 38"39. **88** Mey [2] 36"45, Ykema [40] 36"76, Kuroiwa [30] 36"77.

1 000 m. 76 Mueller [55] 1'19"32, Didriksen [36] 1'20"45, Muratov [53] 1'20"57. **80** Heiden [55] 1'15"18, Boucher [10] 1'16"68, Lobanov [53], Roenning [36] 1'16"91. **84** Bouher [10] 1'15"80, Khlebnikov [54] 1'16"63, Engelstad [36] 1'16"75. **88** Gouliaev [54] 1'13"03, Mey [2] 1'13"11, Gelezovsky [54] 1'13"09.

1 500 m. 24 Thunberg [20] 2'20"8. **28** Thunberg [20] 2'21"1. **32** Shea [55] 2'57"5. **36** Mathisen [36] 2'19"2. **48** Farstad [36] 2'17"6. **52** Andersen [36] 2'20"4. **56** Grichine [54] et Mikhailov [54] 2'8"6. **60** Aas [36] et Grichine [54] 2'10"4. **64** Antson [54] 2'10"3. **68** Verkerk [40] 2'3"4. **72** Schenk [40] 2'2"96. **76** Storholt [36] 1'59"38, Konadkov [54] 1'59"97, Van Helden [40] 2'0"87. **80** Heiden [55] 1'55"44, Stenshjemmet [36] 1'56"81, Andersen [36] 1'56"92. **84** Boucher [10] 1'58"36, Khlebnikov [54] 1'58"83, Bogiev [54] 1'58"89. **88** Hoffmann [2] 1'52"06, Flaim [55] 1'52"12, Hadschieff [6] 1'52"31.

5 000 m. 24 Thunberg [20] 8'39". **28** Ballangrud [36] 8'50"5. **32** Jaffee [55] 9'40"8. **36** Ballangrud [36] 8'19"6. **48** Liaklew [36] 8'29"4. **52** Andersen [36] 8'10"6. **56** Chilkov [53] 7'48"7. **60** Kositchkine [53] 7'51"3. **64** Johannesen [36] 7'38"4. **68** Maier [36] 7'22"4. **72** Schenk [40] 7'23"61. **76** Stensen [36] 7'24"48, Kleine [40] 7'26"47, Van Helden [40] 7'26"54. **80** Heiden [55] 7'02"29, Stenshjemmet [36] 7'3"28, Oxholm [36] 7'5"59. **84** Gustafson [45] 7'12"28, Malkov [54] 7'12"30, Schoefisch [2] 7'17"49. **88** Gustafson [45] 6'44"63, Visser [40] 6'44"98, Kemkers [40] 6'45"92.

10 000 m. 24 Skutnabb [20] 18'4"8. **28** Interrompue et annulée. **32** Jaffee [55] 19'13"6. **36** Ballangrud [36] 17'24"3. **48** Seyffarth [45] 17'26"3. **52** Andersen [36] 16'45"8. **56** Ericsson [45] 16'35"9. **60** Johannesen [36] 15'46"6. **64** Nilsson [45] 15'50"1. **68** Hoeglin [45] 15'23"6. **72** Schenk [40] 15'1"35. **76** Kleine [40] 14'50"59, Stensen [36] 14'53"30, Van Helden [40] 15'2"20. **80** Heiden [55] 14'28"13, Kleine [40] 14'36"03, Oxholm [36] 14'36"60. **84** Malkov [54] 14'39"90, Gustafson [45] 14'39"95, Schoefisch [2] 14'46"91. **88** Gustafson [45] 13'48"20, Hadschieff [6] 13'56"11, Visser [40] 14'05"55.

☞ Épreuve supprimée. **Combiné 4 courses. 24** Thunberg [20].

• Dames. **500 m. 60** Haase [2] 45"9. **64** Skoblikova [53] 45". **68** Titova [54] 46"1. **72** A. Henning [55] 43"33. **76** S. Young [55] 42"76, C. Priestner [10] 43"12, T. Averina [53] 43"17. **80** Enke [2] 41"78, Poulos-Mueller [55] 42"26, Petrusheva [54] 42"42. **84** Rothenburger [2] 41"02, Enke [2] 41"28, Chive [54] 41"50. **88** Blair [55] 39"10, Rothenburger [2] 39"12, Kania-Enke [2] 39"24.

1 000 m. 60 Guseva [54] 1'34"1. **64** Skoblikova [54] 1'33"2. **68** Geijssen [40] 1'32"6. **72** M. Pflug [3] 1'31"40. **76** Averina [54] 1'28"43, Poulos [55] 1'28"57, S. Young [55] 1'29"14. **80** Petrusheva [53] 1'24"10, Poulos-Mueller [55] 1'25"41, Albrecht [2] 1'26"46. **84** Enke [2] 1'21"61, Schoene [2] 1'22"83, Petrousseva [54] 1'23"21. **88** Rothenburger [2] 1'17"65, Kania-Enke [2] 1'17"70, Blair [55] 1'18"31.

1 500 m. 60 Skoblikova [54] 2'25"2. **64** Skoblikova [54] 2'22"6. **68** Mustonen [20] 2'22"4. **72** D. Holum [55] 2'20"85. **76** Stepanskaya [53] 2'16"58, S. Young [55] 2'17"60, Averina [40] 2'17"96. **80** Borckink [40] 2'10"95, Visser [40] 2'12"35, Becker [2] 2'12"38. **84** Enke [2] 2'03"42, Schoene [2] 2'05"29, Petrousseva [54] 2'05"78. **88** Van Gennip [40] 2'0"64, Kania-Enke [2] 2'0"82, Ehrig [2] 2'1"49.

3 000 m. 60 Skoblikova [54] 5'14"3. **64** Skoblikova [54] 5'14"9. **68** Schut [40] 4'56"2. **72** C. Baas-Kaiser [40] 4'52"14. **76** Averina [54] 4'45"19, Mitscherlich [2] 4'45"23, Korsmo [36] 4'45"24. **80** Jensen [36] 4'32"13, Becker [2] 4'32"79, Heiden [55] 4'33"77. **84** Schoene [2] 4'24"79, Enke [2] 4'26"33, Schoenbrunn [2] 4'33"13. **88** Van Gennip [40] 4'11"94, Ehrig [2] 4'12"09, Zange [2] 4'16"92.

5 000 m. 88 Van Gennip [40] 7'14"13, Ehrig [2] 7'17"12, Zange [2] 7'21"61.

Bobsleigh

Bob à deux. **32** USA 8'14"74. **36** USA 5'29"29. **48** Suisse 5'29"2. **52** All. féd. 5'24"54. **56** Italie 5'30"14. **60** non disputé. **64** G.-B. 4'21"90. **68** Italie 4'41"54. **72** All. féd. 4'57"7. **76** All. dém. II 3'44"42, All. féd. I 3'44"99, Suisse I 3'45"70. **80**

Suisse II 4′9″36, All. dém. II 4′10″93, All. dém. I 4′11″08. **84** All. dém. II 3′25″56, All. dém. I 3′26″04, U.R.S.S. II 3′26″16. **88** U.R.S.S. 3′53″48, All. dém. I 3′54″19, All. dém. II 3′54″64.

Bob à quatre. **24** Suisse 5′45″54. **28** USA 3′20″50. **32** USA 7′53″68. **36** Suisse 5′19″85. **48** USA 5′20″10. **52** All. féd. 5′07″84. **56** Suisse 5′10″44. **60** non disputé. **64** Canada 4′14″46. **68** Italie 2′17″39. **72** Suisse 4′43″70. **76** All. dém. 3′40″43, Suisse 3′40″89, All. féd. 3′41″37. **80** All. dém. I 3′59″92, Suisse I 4′0″87, All. dém. II 4′0″97. **84** All. dém. I 3′20″22, All. dém. II 3′20″78, Suisse I 3′21″39. **88** Suisse 3′47″51, All. dém. 3′47″58, U.R.S.S. 3′48″26.

Luge

• Messieurs. **Monoplace. 64** Koehler [2] 3′26″77. **68** Schmid [6] 2′52″48. **72** Scheidel [2] 3′27″58. **76** Guenther [2] 3′27″688, Fendt [3] 3′28″196, Rinn [2] 3′28″574. **80** Glass [2] 2′54″796, Hildgartner [28] 2′55″372, Winkler [3] 2′56″545. **84** Hildgartner [28] 3′4″258, Danilin [54] 3′4″962, Doudin [54] 3′5″012. **88** Muller [2] 3′5″548, Hackl [3] 3′5″916, Kartchenko [54] 3′6″274.

Biplace. 64 Autr. 1′41″62. **68** All. dém. 1′35″85. **72** ex æquo All. dém. et It. 1′28″35, All. dém. 1′29″16. **76** Rinn-Hahn [2] 1′25″604, Brandner-Schwarm [3] 1′25″889, Schmidt-Schachner [6] 1′25″919. **80** Rinn-Hahn [2] 1′19″331, Gschnitzer-Brunner [28] 1′19″606, Fluckinger-Schrott [6] 1′19″795. **84** Stangassinger-Wembacher [3] 1′23″620, Belooussov-Belyakov [54] 1′23″660, Hoffmann-Pietzsch [2] 1′23″887. **88** Hoffmann-Pietzsch [2] 1′31″940, Krausse-Behrendt [2] 1′32″039, Schwab-Staudinger [2] 1′32″274.

• Dames. **Monoplace. 64** Enderlein [2] 3′24″67. **68** Lechner [28] 2′28″66. **72** A.M. Muller [2] 2′59″18. **76** Schumann [2] 2′50″621, Ruehrold [2] 2′50″846, Demleitner [3] 2′51″056. **80** Zozulia [53] 2′36″537, Sollmann [2] 2′37″657, Amantova [53] 2′37″817. **84** Martin [2] 2′46″570, Schmidt [2] 2′46″873, Weiss [2] 2′47″248. **88** Walter [2] 3′3″973, Oberhoffner [2] 3′4″105, Schmidt [2] 3′4″181.

Hockey

• Messieurs. **20, 24, 28, 32** Canada. **36** G.B. **48, 52** Canada. **56** URSS. **60** USA. **64, 68, 72, 76** URSS. **80** USA, URSS, Suède. **84** URSS, Tchéc., Suède. **88** U.R.S.S., Finlande, Suède.

Skeleton

• Messieurs. **28** Heaton [55] 3′1″8. **48** Bibbia [28] 5′23″2.

Sports de démonstration 1988

• Ski acrobatique. Messieurs. **Sauts.** Bozon [10], Meda [21], Langlois [10]. **Bosses.** Hansson [45], Engelsen Eide [36], Grospiron [21]. **Ballets.** Reitberger [3], Spina [55], Kristiansen [36]. Dames. **Sauts.** Palenik [55], Reichant [3], Hernskog [45]. **Bosses.** Mittemayer [3], Monod [21], Kissling [46]. **Ballets.** Rossi [21], Bucher [21], Kissling [46].

• Patinage de vitesse sur courte piste. **Messieurs. 500 m.** O'Reilly [22], Vincent [10], Ishihara [30]. **1 000 m.** Kim [12], Grenier [10], Fagone [28]. **1 500 m.** O'Reilly [22], Daignault [10], Bella [21]. **3 000 m.** Lee [12], Veldhoven 40, Daignault [10]. **Relais.** P.-B., Italie, Canada. Dames. **500 m.** Velzeboer [40], Donatelli [10], Li [61]. **1 000 m.** Li [61], Daigle [10], Velzeboer [40]. **1 500 m.** Daigle [10], Velzeboer [40], Li [61]. **3 000 m.** Shishii [30], Daigle [10], Candido [28]. **Relais.** Italie, Japon, Canada.

Curling. **Messieurs.** Norvège, Suisse, Canada. **Dames.** Canada, Suède, Norvège.

Résultats des J.O. de l'Olympiade (été)

Légende : voir p. 1803.

Athlétisme

• Messieurs. **100 m. 96** Burke [55] 12″. **00** Jarvis [55] 11″. **04** Hahn [55] 11″. **08** Walker [1] 10″8. **12** Craig [55] 10″8. **20** Paddock [55] 10″8. **24** Abrahams [22] 10″6. **28** Williams [10] 10″8. **32** Tolan [55] 10″3. **36** Owens [55] 10″3. **48** Dillard [55] 10″3. **52** Remigino [55] 10″4. **56** Morrow [55] 10″5. **60** Hary [2a] 10″2. **64** Hayes [55] 10″. **68** Hines [55] 9″95. **72** Borzov [54] 10″14. **76** Crawford [50] 10″06, Quarrie [29] 10″08, Borzov [54] 10″14. **80** Wells [22] 10″25, Leonard [13] 10″25, Petrov [9] 10″39. **84** Lewis [55] 9″99, Graddy [55] 10″19, Johnson [10] 10″22. **88** Lewis [55] 9″92, Christie [22] 9″97, Smith [55] 9″99.

200 m. 00 Tewkesbury [55] 22″2. **04** Hahn [55] 21″6. **08** Kerr [10] 22″6. **12** Graig [55] 21″7. **20** Woodring [55] 22″. **24** Scholz [55] 21″6. **28** Williams [10] 21″8. **32** Tolan [55] 21″2. **36** Owens [55] 20″7. **48** Patton [55] 21″1. **52** Stanfield [55] 20″7. **56** Morrow [55] 20″6. **60** Berruti [28] 20″5. **64** Carr [55] 20″3. **68** Smith [55] 19″8. **72** Borzov [54] 20″. **76** Quarrie [29] 20″23, Hampton [55] 20″29, Evans [55] 20″43. **80** Mennea [28] 20″19, Wells [22] 20″21, Quarrie [29] 20″29. **84** Lewis [55] 19″80, Baptiste [55] 19″96, Jefferson [55] 20″26. **88** Deloach [55] 19″75, Lewis [55] 19″79, Silva [8] 20″04.

400 m. 96 Burke [55] 54″2. **00** Long [55] 49″4. **04** Hillman [55] 49″2. **08** Halswell [22] 50″. **12** Reidpath [55] 48″2. **20** Rudd [1] 49″6. **24** Liddell [22] 47″6. **28** Barbutti [55] 47″8. **32** Carr [55] 46″2. **36** Williams [55] 46″5. **48** Wint [29] 46″2. **52** Rhoden [29] 45″9. **56** Jenkins [55] 46″7. **60** O. Davis [55] 44″9. **64** Larrabee [55] 45″1. **68** Evans [55] 43″8. **72** Matthews [55] 44″66. **76** Juantorena [13] 44″26, Newhouse [55] 44″40, Frazier [55] 44″95. **80** Markin [54] 44″60, Mitchell [5] 44″84, Schaffer [2] 44″87. **84** Babers [55] 44″27, Tiacoh [64] 44″54, McKay [55] 44″71. **88** S. Lewis [55] 43″87, Reynolds [55] 43″93, Everett [55] 44″09.

800 m. 96 Flack [5] 2′11″. **00** Tysoe [22] 2′1″2. **04** Lightbody [55] 1′56″. **08** Sheppard [55] 1′52″8. **12** Meredith [55] 1′51″9. **20** Hill [22] 1′53″4. **24** Lowe [22] 1′52″4. **28** Lowe [22] 1′51″8. **32** Hampson [22] 1′49″7. **36** Woodruff [55] 1′52″9. **48** Whitfield [55] 1′49″2. **52** Whitfield [55] 1′49″2. **56** Courtney [55] 1′47″7. **60** Snell [37] 1′46″3. **64** Snell [37] 1′45″1. **68** Doubell [5] 1′44″3. **72** Wottle [55] 1′45″9. **76** Juantorena [13] 1′43″50, Van Damm [7] 1′43″86, Wohlhuter [55] 1′44″12. **80** Ovett [22] 1′45″4, Coe [22] 1′45″9, Kirov [54] 1′46″. **84** Cruz [8] 1′43″, Coe [22] 1′43″64, Jones [55] 1′43″83. **88** Ereng [31] 1′43″45, Cruz [8] 1′43″90, Aouita [65] 1′44″06.

1 500 m. 96 Flack [5] 4′33″2. **00** Bennett [22] 4′6″2. **04** Lightbody [55] 4′5″4. **08** Sheppard [55] 4′3″4. **12** Jackson [22] 3′56″8. **20** Hill [22] 4′1″8. **24** Nurmi [20] 3″53″6. **28** Larva [20] 3′53″2. **32** Beccali [28] 3′51″2. **36** Lovelock [37] 3′47″8. **48** Eriksson [45] 3′49″8. **52** Barthel [33] 3′45″1. **56** Delany [27] 3′41″2. **60** Elliot [5] 3′35″6. **64** Snell [37] 3′38″1. **68** Keino [31] 3′34″9. **72** Vasala [20] 3′36″3. **76** Walker [37] 3′39″17, Van Damme [7] 3′39″27, Wellmann [3] 3′39″33. **80** Coe [22] 3′38″4, Straub [2] 3′38″8, Ovett [22] 3′39″. **84** Coe [22] 3′32″53, Cram [22] 3′33″40, Abascal [17] 3′34″30. **88** Rono [31] 3′35″96, Elliot [22] 3′36″15, Herold [2] 3′36″21.

5 000 m. 12 Kolehmainen [20] 14′36″6. **20** *Guillemot* [21] *14′55″6*. **24** Nurmi [20] 14′31″2. **28** Ritola [20] 14′38″. **32** Lehtinen [20] 14′30″. **36** Hockert [20] 14′22″2. **48** Reiff [7] 14′17″6. **52** Zatopek [48] 14′6″6. **56** Kuts [54] 13′39″6. **60** Halberg [37] 13′43″4. **64** Schul [55] 13′48″8. **68** Gammoudi [51] 14′5″. **72** Viren [20] 13′26″4. **76** Viren [20] 13′24″76, Quax [37] 13′25″16, Hildenbrand [3] 13′25″38. **80** Yifter [19] 13′21″, Nyambui [47] 13′21″6, Maaninka [20] 13′22″. **84** Aouita [65] 13′5″59, Ryffel [46] 13′7″54, Leitao [43] 13′9″20. **88** Ngugi [31] 13′11″70, Baumann [3] 13′15″52, Kunze [2] 13′15″73.

10 000 m. 12 Kolehmainen [20] 31′20″8. **20** Nurmi [20] 31′45″8. **24** Ritola [20] 30′23″2. **28** Nurmi [20] 30′18″8. **32** Kusocinski [42] 30′11″4. **36** Salminen [20] 30′15″4. **48** Zatopek [48] 29′59″6. **52** Zatopek [48] 29′17″. **56** Kuts [54] 28′45″6. **60** Bolotnikov [54] 28′32″2. **64** Mills [55] 28′24″4. **68** Temu [31] 29′27″4. **72** Viren [20] 27′38″4. **76** Viren [20] 27′40″38, Lopes [43] 27′45″17, Foster [22] 27′54″92. **80** Yifter [19] 27′42″7, Maaninka [20] 27′44″3, Kedir [19] 27′44″7. **84** Cova [28] 27′47″54, McLeod [22] 28′06″22, Musyoki [31] 28′6″46. **88** Boutaib [65] 27′21″46, Antibo [28] 27′23″55, Kimeli [31] 27′25″16.

110 m haies. 96 Curtis [55] 17″6. **00** Kraenzlein [55] 15″4. **04** Schule [55] 16″. **08** Smithson [55] 15″. **12** Kelly [55] 15″1. **20** Thompson [10] 14″8. **24** Kinsey [55] 15″. **28** Atkinson [1] 14″8. **32** Saling [55] 14″6. **36** Towns [55] 14″2. **48** Porter [55] 13″9. **52** Dillard [55] 13″7. **56** Calhoun [55] 13″5. **60** Calhoun [55] 13″8. **64** Jones [55] 13″6. **68** Davenport [55] 13″3. **72** Milburn [55] 13″24. **76** *Drut* [21] *13″30*, Casanas [13] 13″33, Davenport [55] 13″38. **80** Munkelt [2] 13″39, Casanas [13] 13″40, Puchkov [54] 13″44. **84** Kingdom [55] 13″20, Foster [55] 13″23, Bryggare [20] 13″40. **88** Kingdom [55] 12″98, Jackson [22] 13″28, Cambell [55] 13″38.

400 m haies. 00 Tewkesbury [55] 57″6. **04** Hillman [55] 53″. **08** Bacon [55] 55″. **12** non disputé. **20** Loomis [55] 54″. **24** Morgan-Taylor [55] 52″6. **28** Burghley [27] 53″4. **32** Tisdall [27] 51″7. **36** Hardin [55] 52″4. **48** Cochran [55] 51″1. **52** Moore [55] 50″8. **56** Davis G. [55] 50″1. **60** Davis G. [55] 49″3. **64** Cawley [55] 49″6. **68** Hemery [22] 48″12. **72** Akii-Bua [38] 47″82. **76** Moses [55] 47″64, Shine [55] 48″69, Gavrilenko [54] 49″45. **80** Beck [2] 48″70, Arkhipenko [54] 48″86, Oakes [27] 49″11. **84** Moses [55] 47″75, Harris [55] 48″13, Schmid [3] 48″19. **88** Philipps [55] 47″19, Dia Ba [73] 47″23, Moses [55] 47″56.

3 000 m steeple. 00 Orton (1) [55] 7′34″4. **04** Lightbody (1) [55] 7′39″6. **08** Russel (2) [22] 10′47″8. **12** non disputé. **20** Hodge [22] 10′0″4. **24** Ritola [20] 9′33″6. **28** Loukola [20] 9′21″8. **32** Iso-Hollo (3) [20] 10′33″4. **36** Iso-Hollo [20] 9′3″8. **48** Sjostrand [45] 9′4″6. **52** Ashenfelter [55] 8′45″4. **56** Brasher [22] 8′41″2. **60** Krzyszkowiak [42] 8′34″2. **64** Roelants [7] 8′30″8. **68** Biwott [31] 8′51″. **72** Keino [31] 8′23″6. **76** Gaerderud [45] 8′08″3, Malinovski [42] 8′09″11, Baumgartl [2] 8′10″36. **80** Malinovski [42] 8′9″7, Bayi [47] 8′12″5, Tura [19] 8′13″6. **84** Korir [31] 8′11″80, *Mahmoud* [21] *8′13″31*, Diemer [55] 8′14″06. **88** Kariuki [31] 8′05″51, Koech [31] 8′06″79, Rowland [22] 8′07″96.

Nota. – (1) Sur 2 500 m. (2) Sur 3 200. (3) Par erreur, les concurrents du 3 000 m steeple couvrirent un tour de plus.

Saut en hauteur. 96 Clark [55] 1 m 81. **00** Baxter [55] 1 m 90. **04** Jones [55] 1 m 80. **08** Porter [55] 1 m 905. **12** Richard [55] 1 m 93. **20** Landon [55] 1 m 935. **24** Osborn [55] 1 m 98. **28** King [55] 1 m 94. **32** McNaughton [10] 1 m 97. **36** Johnson [55] 2 m 03. **48** Winter [5] 1 m 98. **52** Davis [55] 2 m 04. **56** Dumas [55] 2 m 12. **60** Chavlakadze [54] 2 m 16. **64** Brumel [54] 2 m 18. **68** Fosbury [55] 2 m 24. **72** Tarmak [54] 2 m 23. **76** Wszola [42] 2 m 25, Joy [10] 2 m 23. Stones [55] 2 m 21. **80** Wessig [2] 2 m 36, Wzsola [42] 2 m 31, Freitmuth [2] 2 m 31. **84** Mœgenburg [3] 2 m 35, Sjœberg [45] 2 m 33, Jlanhua [61] 2 m 31. **88** Avdeenko [54] 2 m 38, Conway [55] 2 m 36, Povarnitsyne [54] 2 m 36.

Saut en longueur. 96 Clark [55] 6 m 35. **00** Kraenzlein [55] 7 m 18. **04** Prinstein [55] 7 m 34. **08** Irons [55] 7 m 48. **12** Gutterson [55] 7 m 60. **20** Petterson [45] 7 m 15. **24** Hubbard (de Hart) [55] 7 m 44. **28** Hamm [55] 7 m 73. **32** Gordon [55] 7 m 64. **36** Owens [55] 8 m 06. **48** Steele [55] 7 m 82. **52** Biffle [55] 7 m 57. **56** Bell [55] 7 m 83. **60** Boston [55] 8 m 12. **64** Davies [22] 8 m 07. **68** Beamon [55] 8 m 90. **72** Williams [55] 8 m 24. **76** Robinson [55] 8 m 35, Williams [55] 8 m 11, Wartenberg [2] 8 m 02. **80** Dombrowski [2] 8 m 54, Paschek [2] 8 m 21, Podluzny [54] 8 m 18. **84** Lewis [55] 8 m 54, Honey [5] 8 m 24, Evangelisti [28] 8 m 24. **88** Lewis [55] 8 m 72, Powell [55] 8 m 49, Myricks [55] 8 m 27.

Saut à la perche. 96 Hoyt [55] 3 m 30. **00** Baxter [55] 3 m 30. **04** Dvorak [55] 3 m 50. **08** Cooke [55] 3 m 71, Gilbert [55] 3 m 71. **12** Babcock [55] 3 m 95. **20** Foss [55] 4 m 09. **24** Barnes [55] 3 m 95. **28** Carr [55] 4 m 20. **32** Miller [55] 4 m 31. **36** Meadows [55] 4 m 35. **48** Smith [55] 4 m 30. **52** Richards [55] 4 m 55. **56** Richards [55] 4 m 56. **60** Bragg [55] 4 m 70. **64** Hansen [55] 5 m 10. **68** Seagren [55] 5 m 40. **72** Nordwig [2] 5 m 50. **76** Slusarski [42] 5 m 50, Kalliomaeki [20] 5 m 50, Roberts [55] 5 m 50. **80** Koziakiewicz [42] 5 m 78, Volkov [54] 5 m 65. **84** *Quinon* [21] *5 m 75*, Tully [55] 5 m 65, *Vigneron* [21] *5 m 60*. **88** Bubka [54] 5 m 90, Gataoulline [54] 5 m 85, Egorov [54] 5 m 80.

Triple saut. 96 Connolly [55] 13 m 71. **00** Prinstein [55] 14 m 47. **04** Prinstein [55] 14 m 35. **08** Ahearne [22] 14 m 92. **12** Lindblom [45] 14 m 76. **20** Tuulos [20] 14 m 50. **24** Winter [5] 15 m 525. **28** Oda [30] 15 m 21. **32** Nambu [30] 15 m 72. **36** Tajima [30] 16 m. **48** Ahman [45] 15 m 40. **52** Da Silva [8] 16 m 22. **56** Da Silva [8] 16 m 35. **60** Schmidt [42] 16 m 81. **64** Schmidt [42] 16 m 85. **68** Saneiev [54] 17 m 39. **72** Saneiev [54] 17 m 35. **76** Saneiev [54] 17 m 29, Butts [55] 17 m 18, De Oliveria [8] 16 m 90. **80** Uudmae [54] 17 m 35, Saneiev [54] 17 m 24, De Oliveira [8] 17 m 22. **84** Joyner [55] 17 m 26, Conley [55] 17 m 18, Connor [22] 16 m 87. **88** Markov [9] 17 m 61, Lapchine [54], 17 m 52, Kovalenko 17 m 42.

Poids. 96 Garrett [55] 11 m 22. **00** Sheldon [55] 14 m 10. **04** Rose [55] 14 m 81. **08** Rose [55] 14 m 21. **12** McDonald [55] 15 m 34. **20** Pothola [20] 14 m 81. **24** Houser [55] 14 m 99. **28** Huck [55] 15 m 87. **32** Sexton [55] 16 m. **36** Woellke [2a] 16 m 20. **48** Thompson [55] 17 m 12. **52** O'Brien [55] 17 m 41. **56** O'Brien [55] 18 m 57. **60** Nieder [55] 19 m 68. **64** Long [55] 20 m 33. **68** Matson [55] 20 m 54. **72** Komar [42] 21 m 18. **76** Beyer [2] 21 m 05, Mironov [54] 21 m 03, Barychnykov [54] 21 m. **80** Kiseliev [54] 21 m 35, Barychnykov [54] 21 m 08, Beyer [2] 21 m 06. **84** Andrei [28] 21 m 26, Carter [55] 21 m 09, Laut [55] 20 m 97. **88** Timmermann [2] 22 m 47, Barnes [55] 22 m 39, Günthör [46] 21 m 99.

Disque. 96 Garret [55] 29 m 15. **00** Bauer [24] 36 m 04. **04** Sheridan [55] 39 m 28. **08** Sheridan [55] 40 m 89.

12 Taipale [20] 45 m 21. **20** Niklander [20] 44 m 685. **24** Houser [55] 46 m 15. **28** Houser [55] 47 m 32. **32** Anderson [55] 49 m 49. **36** Carpentier [55] 50 m 48. **48** Consolini [28] 52 m 78. **52** Iness [55] 55 m 03. **56** Oerter [55] 56 m 36. **60** Oerter [55] 59 m 18. **64** Oerter [55] 61 m. **68** Oerter [55] 64 m 78. **72** Danek [48] 64 m 40. **76** McWilkins [55] 67 m 50, Schmid [2] 66 m 22, Powell [55] 65 m 70. **80** Rachupkin [54] 66 m 64, Bugar [48] 66 m 38, Delis [13] 66 m 32. **84** Danneberg [3] 66 m 60, Wilkins [55] 66 m 30, Powell [55] 65 m 46. **88** Schult [2] 68 m 82, Oubartas [54] 67 m 48, Danneberg [3] 67 m 38.

Javelot. 08 Lemming [45] 54 m 835. **12** Lemming [45] 60 m 64. **20** Myyra [20] 65 m 78. **24** Myyra [20] 62 m 96. **28** Lundqvis [45] 66 m 60. **32** Jarvinen [20] 72 m 71. **36** Stoeck [2a] 71 m 84. **48** Rautayaara [20] 69 m 77. **52** Young [55] 73 m 78. **56** Danielsen [36] 85 m 71. **60** Tzybulenko [54] 84 m 64. **64** Nevala [20] 82 m 66. **68** Lusis [54] 90 m 10. **72** Wolfermann [3] 90 m 48. **76** Nemeth [24] 94 m 58, Siitonen [20] 87 m 92, Megelea [44] 87 m 16. **80** Kula [54] 91 m 20, Makarov [54] 89 m 64, Hanisch [2] 86 m 72. **84** Haerkœnen [20] 86 m 76, Ottley [22] 85 m 74, Eldebrink [45] 83 m 72. **88** Korjus [20] 84 m 28, Zelezny [48] 84 m 12, Raty [20] 83 m 26.

Marteau. 00 Flanagan [55] 49 m 73. **04** Flanagan [55] 51 m 23. **06** non disputé. **08** Flanagan [55] 51 m 92. **12** McGrath [55] 54 m 74. **20** Ryan [55] 52 m 875. **24** Tootell [55] 53 m 295. **28** O'Callaghan [16] 51 m 39. **32** O'Callaghan [16] 53 m 92. **36** Hein [2a] 56 m 49. **48** Nemeth [24] 56 m 07. **52** Csemarrk [24] 60 m 34. **56** Connolly [55] 63 m 19. **60** Rudenkov [54] 67 m 10. **64** Klim [54] 69 m 74. **68** Zsivotsky [24] 73 m 36. **72** Bondartchuk [54] 75 m 50. **76** Sedyh [54] 77 m 52, Spiridonov [54] 76 m 08, Bondartchuk [54] 75 m 48. **80** Sedykh [54] 81 m 80, Litvinov [54] 80 m 64, Tamm [54] 78 m 96. **84** Tiainen [20] 78 m 08, Riehm [3] 77 m 98, Ploghaus [3] 76 m 68. **88** Litvinov [54] 84 m 80, Sedykh 54 83 m 76, Tamm [54] 81 m 16.

Décathlon. 04 Kiely [55]. **12** Thorpe [55]. **20** Loevland [36]. **24** Osborn [55]. **28** Yrjola [20]. **32** Baush [55]. **36** Morris [55]. **48, 52** Mathias [55]. **56** Campbell [55]. **60** Johnson [55]. **64** Holdord [2a]. **68** Toomey [55]. **72** Avilov [54]. **76** Jenner [55], Kratschmer [3], Avilov [54]. **80** Thompson [22], Kutsenko [54], Zhelanov [54]. **84** Thompson [22], Hingsen [3], Wentz [3]. **88** Schenk [2], Voss [2], Steen [10].

Marathon. 96 Louys [23] 2 h 58'50". **00** *Theato* [21] *2 h 59'45"*. **04** Hicks [55] 3 h 28'53". **08** Hayes [55] 2 h 55'18"4. **12** McArthur [1] 2 h 36'54"8. **20** Kolehmainen [20] 2 h 32'35"8. **24** Stenroos [20] 2 h 41'22"6. **28** *El Ouafi* [21] *2 h 32'57"*. **32** Zabala [4] 2 h 31'36". **36** Son [30] 2 h 29'19"2. **48** Cabrera [4] 2 h 34'51"6. **52** Zatopek [48] 2 h 23'3"2. **56** *Mimoun* [21] *2 h 25'*. **60** Abebe [19] 2 h 15'16"2. **64** Abebe [19] 2 h 12'11"2. **68** Wolde [19] 2 h 20'26"4. **72** Shorter [55] 2 h 12'19"8. **76** Cierpinski [2] 2 h 09'55", Shorter [55] 2 h 10'45"8, Lismont [7] 2 h 11'12"6. **80** Cierpinski [2] 2 h 11'3", Nijboer [40] 2 h 11'20", Dzhumanazarova [54] 2 h 11'35". **84** Lopes [43] 2 h 09'21", Treacy [27] 2 h 09'56", Spedding [22] 2 h 09'58". **88** Bordin [28] 2 h 10'32", Wakiichuri [31] 2 h 10'47", Salah [74] 2 h 10'59".

4 × 100 m. 12 G.-B. 42"4. **20** U.S.A. 42"2. **24** U.S.A. 41". **28** U.S.A. 41". **32** U.S.A. 40". **36** U.S.A. 39"8. **48** U.S.A. 40"6. **52** U.S.A. 40"1. **56** U.S.A. 39"5. **60** All. féd. 39"5. **64** U.S.A. 39". **68** U.S.A. 38"2. **72** U.S.A. 38"19. **76** U.S.A. 38"33, All. dém. 38"66, URSS 38"78. **80** URSS 38"26, Pol. 38"33, *Fr. 38"53*. **84** U.S.A. 37"83, Jamaïque 38"62, Can. 38"70. **88** U.R.S.S. 38"19, G.-B. 38"28, *France 38"40*.

4 × 400 m. 08 U.S.A. 3'29"4. **12** U.S.A. 3'16"6. **20** G.-B. 3'22"2. **24** U.S.A. 3'16". **28** U.S.A. 3'14"2. **32** U.S.A. 3'8"2. **36** G.-B. 3'9". **48** U.S.A. 3'10"4. **52** Jamaïque 3'3"9. **56** U.S.A. 3'4"8. **60** U.S.A. 3'2"2. **64** U.S.A. 3'0"7. **68** U.S.A. 2'56"1. **72** Kenya 2'59"8. **76** U.S.A. 2'58"65, Pol. 3'1"43, All. féd. 3'1"98. **80** URSS 3'1"1, All. dém. 3'1"3, It. 3'4"3. **84** U.S.A. 2'57"91, G.-B. 2'59"13, Nigeria 2'59"32. **88** U.S.A. 2'56"16, Jamaïque 3'0"3, All. féd. 3'0"56.

20 km marche. 56 Spirin [54] 1 h 31'27"4. **60** Golubnichniy [54] 1 h 34'7"2. **64** Matthews [22] 1 h 29'34". **68** Golubnichniy [54] 1 h 33'58"4. **72** Frenkel [2] 1 h 26'42"4. **76** Bautista [34] 1 h 24'40"6, Reimann [2] 1 h 25'13"8, Frenkel [2] 1 h 25'29"3. **80** Damilano [28] 1 h 23'35"5, Pochinchuk [54] 1 h 24'45"4, Wieser [2] 1 h 25'58"2. **84** Canto [34] 1 h 23'13", Gonzalès [34] 1 h 23'20", Damilano [28] 1 h 23'26". **88** Pribilinec [48] 1 h 19'57", Weigel [2] 1 h 20'0", Damilano [28] 1 h 20'14".

50 km marche. 32 Green [22] 4 h 50'10". **36** Whitlock [22] 4 h 30'41"4. **48** Ljunggren [45] 4 h 41'52". **52** Dordoni [28] 4 h 28'7"8. **56** Read [37] 4 h 30'42"8. **60** Thompson [22] 4 h 25'30". **64** Pamich [28] 4 h 11'12"4. **68** Hoehne [2] 4 h 20'13"6. **72** Kannenberg [3] 3 h 56'11"6. **76** non disputé. **80** Gauder [2] 3 h 49'24", Llopart [17] 3 h 51'25", Ulvchenko [54] 3 h 56'32". **84** Gonzalez [34] 3 h 47'26", Gustafsson [45] 3 h 53'19", Belluci [28] 3 h 53'45". **88** Ivanenko [54] 3 h 38'29", Weigel [2] 3 h 38'56", Gauder 3 h 39'45".

Hauteur sans élan. 00 Ewry [55] 1 m 65. **04** Ewry [55] 1 m 60. **08** Ewry [55] 1 m 575. **12** Adams [55] 1 m 63. **Longueur sans élan. 00** Ewry [55] 3 m 21. **04** Ewry [55] 3 m 476. **08** Ewry [55] 3 m 335. **12** Tsiklitiras [23] 3 m 37. **Triple saut sans élan. 00** Ewry [55] 10 m 58. **04** Ewry [55] 10 m 54.

Poids des 2 mains. 12 Rose [55] 27 m 70. **Poids de 56 livres. 04** Desmarteau [10] 10 m 46. **12** non disputé. **20** Mc Donald [55] 11 m 265. **Disque à l'antique. 08** Sheridan [55] 38 m. **Disque des 2 mains. 12** Taipale [20] 82 m 86. **Javelot style libre. 08** Lemming [45] 54 m 45. **Javelot des 2 mains. 12** Saaristo [20] 109 m 42.

Triathlon. 04 Emmerich [55]. **Pentathlon. 12** Thorpe [55]. **20** Lehtonen [20]. **24** Lehtonen [20].

☞ **Épreuves supprimées. 60 m. 00** Kraenzlein [55] 7". **04** Hahn [55] 7". **5 miles. 08** Voigt [22] 25'11"2. **Cross country individuel. 12** (8 000 m) Kolehmainen [20] 45'11"6. **20** (8 000 m) Nurmi [20] 27'15". **24** (10 000 m) Nurmi [20] 32'54"8. **3 000 m (par équipes). 12** U.S.A. **20** U.S.A. **24** Finl. **3 miles (par équipes). 08** G.-B. **5 000 m (par équipes). 00** G.-B./Austr. **Cross country (par équipes). 04** New York A.C. **06-08** non disputé. **12** (8 000 m) Suède. **20** (10 000 m) Finl. **24** (10 000 m) Finl. **200 m haies. 00** Kraenzlein [55] 25"4. **04** Hillman [55] 24"6. **4 000 m steeple. 00** Rimmer [22] 12'58"4. **3 000 m marche. 20** Frigerio [28] 13'14"2. **3 500 m marche. 08** Larner [22] 14'55". **1 000 m marche. 12** Goulding [10] 46'28"4. **20** Frigerio [28] 48'6"2. **24** Frigerio [28] 47'49". **28-36** non disputé. **48** Mikaelsson [45] 45'13"2. **52** Mikaelsson [45] 45'2"8. **10 miles marche. 08** Larner [22] 1 h 15'57"4.

• Dames. **100 m. 28** Robinson [55] 12"2. **32** Walasiewicz [42] 11"9. **36** Stephens [55] 11"5. **48** Blankers-Koen [40] 11"9. **52** Jackson [5] 11"5. **56** Cuthbert [5] 11"5. **60** Rudolph [55] 11". **64** Tyus [55] 11"4. **68** Tyus [55] 11". **72** Stecher [2] 11"07. **76** Richter [3] 11"08, Stecher [2] 11"13, Helten [3] 11"17. **80** Kondratieva [54] 11"06, Goehr [2] 11"07, Auerswald [2] 11"14. **84** Ashford [55] 10"97, Brown [55] 11"13, Ottey-Page [29] 11"16. **88** Griffith-Joyner [55] 10"54, Ashford [55] 10"83, Drechsler [2] 10"85.

200 m. 48 Blankers-Koen [40] 24"4. **52** Jackson [5] 23"7. **56** Cuthbert [5] 23"4. **60** Rudolph [55] 24". **64** McGuire [55] 23". **68** Swezinska-Kirszenstein [42] 22"5. **72** Stecher [2] 22"4. **76** Eckert [2] 22"37, Richter [3] 22"39, Stecher [2] 22"47. **80** Wockel [2] 22"03, Bochina [54] 22"19, Ottey [29] 22"20. **84** Brisco-Hooks [55] 21"81, Griffith [55] 22"04, Ottey-Page [29] 22"09. **88** Griffith-Joyner [55] 21"34, Jackson [29] 21"72, Drechsler [2] 21"95.

400 m. 64 Cuthbert [5] 52". **68** *C. Besson* [21] *52"*. **72** Zehrt [2] 51"08. **76** Szewinska [42] 49"29, Brehmer [2] 50"51, Streidt [2] 50"55. **80** Koch [2] 48"88, Kratochvukiva [48] 49"46, Lathan [2] 49"66. **84** Brisco-Hooks [55] 48"83, Cheeseborough [55] 49"05, Cook [22] 49"02. **88** Bryzguina [54] 48"65, Müller [2] 49"45, Nazarova [54] 49"90.

800 m. 28 Radke [2a] 2'16"8. **32-56** non disputé. **60** Chevcova [54] 2'4"3. **64** Packer [22] 2'1"1. **68** Manning [55] 2'0"9. **72** Falck [3] 1'58"55. **76** Kazankina [54] 1'54"94, Chtereva [9] 1'55"42, Zinn [2] 1'55"60. **80** Olizarenko [54] 1'53"42, Minieva [54] 1'54"9, Providokhina [54] 1'55"5. **84** Melinte [44] 1'57"60, Gallagher [55] 1'58"63, Lovin [44] 1'58"83. **88** Wodars [2] 1'56"10, Wachtel [2] 1'56"64, Gallagher [55] 1'56"91.

1 500 m. 72 Bragina [54] 4'1"04. **76** Kazankina [54] 4'5"48, Hofmeister [2] 4'6"02, Klapezinski [2] 4'6"09. **80** Kazankina [54] 3'56"6, Wartenberg [2] 3'57"8, Olizarenko [54] 3'59"6. **84** Dorio [28] 4'3"76, Melinte [44] 4'3"76, Puica [44] 4'4"15. **88** Ivan [44] 3'53"96, Baikauskaite [54] 4'0"24, Samolenko [54] 4'0"3.

3 000 m. 84 Puica [44] 8'35"96, Sly [22] 8'39"47, Williams [10] 8'42"14. **88** Sumolenko [54] 8'26"53, Ivan [44] 8'27"15, Murray [82] 8'29"02.

10 000 m. 88 Bondarenko [54] 31'05"21, Mc Colgan [22] 31'08"44, Joupieva [54] 31'19"82.

100 m haies. 72 Ehrhardt [2] 12"59. **76** Schaller [2] 12"77, Anisimova [54] 12"78, Lebedeva [54] 12"80. **80** Komisova [54] 12"56, Klie [2] 12"63, Langer [42] 12"65. **84** Fitzgerald-Brown [55] 12"84, Strong [22] 12"88, Turner [55] 13"06. **88** Donkova [9] 12"38, Siebert [2] 12" 61, Zakiewicz [3] 12"75.

400 m haies. 84 El Moutawakil [65] 54"61, Brown [55] 55"20, Cojocaru [44] 55"41. **88** Flintoff-King [5] 53"17, Ledovskaia [54] 53"18, Fiedler [2] 53"63.

Saut en hauteur. 28 Catherwood [10] 1 m 59. **32** Shiley [55] 1 m 657. **36** Csak [24] 1 m 60. **48** Coachman [55] 1 m 68. **52** Brand [1] 1 m 67. **56** McDaniel [55] 1 m 76. **60** Balas [44] 1 m 85. **64** Balas [44] 1 m 90. **68** Rezkova [48] 1 m 82. **72** Meyfarth [3] 1 m 92. **76** Ackermann [2] 1 m 93, Simeoni [28] 1 m 91, Blagoeva [9] 1 m 91. **80** Simeoni [28] 1 m 97, Kielan [42] 1 m 94, Kirst [2] 1 m 94. **84** Meyfarth [3] 2 m 02, Simeoni [28] 2 m, Huntley [55] 1 m 97. **88** Ritter [55] 2 m 03, Kostadinova [9] 2 m 01, Bykova [54] 1 m 99.

Saut en longueur. 48 Gyarmati [24] 5 m 69. **52** Williams [37] 6 m 24. **56** Kresinska [42] 6 m 35. **60** Krepkina [54] 6 m 37. **64** Rand [22] 6 m 76. **68** Viscopoleanu [44] 6 m 82. **72** Rosendahl [3] 6 m 78. **76** Voigt [2] 6m 72, McMillan [55] 6 m 66, Alfeiva [54] 6 m 60. **80** Kolpakova [54] 7 m 06, Wujak [2] 7 m 04, Skachko [54] 7 m 01. **84** Cusmir-Stanciu [44] 6 m 96, Ionescu [44] 6 m 81, Hearnshaw [22] 6 m 80. **88** Joyner-Kersee [55] 7 m 40, Drechsler [2] 7 m 22, Tchistiakova [54] 7 m 11.

Poids. 48 *Ostermeyer* [21] *13 m 75*. **52** Zybina [54] 15 m 28. **56** Tychekevitsch [54] 16 m 59. **60** T. Press [54] 17 m 32. **64** T. Press [54] 18 m 14. **68** Gummel [2] 19 m 61. **72** Chizhova [54] 21 m 03. **76** Christova [9] 21 m 16, Chizhova [54] 20 m 96, Fibingerova [54] 20 m 67. **80** Slupianek [2] 22 m 41, Krachvskaya [54] 21 m 42, Pufe [2] 21 m 20. **84** Losch [3] 20 m 48, Loghin [44] 20 m 47, Martin [5] 19 m 19. **88** Lisovskaia [54] 22 m 24, Neimke [2] 21 m 07, Li [61] 21 m 06.

Disque. 28 Konopacka [42] 39 m 62. **32** Copeland [55] 40 m 58. **36** Mauermayer [2a] 47 m 63. **48** *Ostermeyer* [21] *41 m 92*. **52** Romashkova [54] 51 m 42. **56** Fikotova [48] 53 m 69. **60** Ponomaryeva [54] 55 m 10. **64** T. Press [54] 57 m 27. **68** Manoliu [44] 58 m 28. **72** Melnik [54] 66 m 52. **76** Schlaak [2] 69 m, Vergova [9] 67 m 30, Hinzmann [2] 66 m 84. **80** Jahl [2] 69 m 96, Petkova [9] 67 m 90, Lesovaya [54] 67 m 40. **84** Stalman [40] 65 m 36, Deniz [55] 64 m 86, Craciunescu [44] 63 m 64. **88** Hellmann [2] 72 m 30, Gansky [2] 71 m 88, Hristova [9] 69 m 74.

Javelot. 32 Didrikson [55] 43 m 68. **36** Fleischer [2a] 45 m 18. **48** Bauma [6] 45 m 57. **52** Zatopkova [48] 50 m 47. **56** Yaunzeme [54] 53 m 86. **60** Ozolina [54] 55 m 98. **64** Penes [44] 60 m 54. **68** Nemeth [24] 60 m 36. **72** Fuchs [2] 63 m 88. **76** Fuchs [2] 65 m 94, Becker [3] 64 m 70, Schmidt [55] 63 m 96. **80** Colon [13] 68 m 40, Gunba [54] 67 m 76, Hommola [2] 66 m 56. **84** Sanderson [22] 69 m 56, Lillak [20] 69 m, Whitbread [22] 67 m 14. **88** Felke [2] 74 m 68, Whitbread [22] 70 m 32, Koch [2] 67 m 30.

4 × 100 m. 28 Canada 48"4. **32** USA 46"9. **36** USA 46"9. **48** P.-Bas 47"5. **52** USA 45"9. **56** Austr. 44"5. **60** USA 44"5. **64** Pol. 43"6. **68** USA 42"8. **72** All. féd. 42"81. **76** All. dém. 42"55, All. féd. 42"59, URSS 43"09. **80** All. dém. 41"60, URSS 42"10, G.-B. 42"43. **84** USA 41"65, Can. 42"77, G.-B. 43"11. **88** USA 41"98, All. dém. 42"09, URSS 42"75.

4 × 400 m. 72 All. dém. 3'23". **76** All. dém. 3'19"23, USA 3'22"81, URSS 3'24"24. **80** URSS 3'20"02, All. dém. 3'20"04, G.-B. 3'27"05. **84** USA 3'18"29, Can. 3'21"21, All. féd. 3'22"98. **88** URSS 3'15"18, USA 3'15"51, All. dém. 3'18"29.

Heptathlon. 84 Nunn [5], Joyner [55], Everts [3].

Marathon. 84 Benoit [55] 2 h 24'52", Waitz [36] 2 h 26'18", Mota [43] 2 h 26'57". **88** Mota [43] 2 h 25'40", Martin [5] 2 h 25'53", Dörre [2] 2 h 26'21".

☞ **Épreuves supprimées. 80 m haies. 32** Didriksen [55] 11"7. **36** Valla [28] 11"7. **48** Blankers-Koen [40] 11"2. **52** Strickland [5] 10"9. **56** Strickland [5] 10"7. **60** Press [54] 10"8. Balzer [2] 10"5. **68** Caird [5] 10"3. **Pentathlon. 64** I. Press [54]. **68** Becker [3]. **72** Peters [22]. **76** Siegl-Thon [2], Laser [2], Pollack [2]. **80** Tkachenko [54], Rukavishnikova [54], Kuragina [54].

Aviron

• Messieurs. **Skiff. 00** *Barrelet* [21] *7'35"6*. **04** Greer [55] 10'8"4. **08** Blackstaffe [22] 9'26". **12** Kinnear [22] 7'47"6. **20** Kelly [55] 7'35". **24** Beresford [22] 7'49"2. **28** Pearce [5] 7'11". **32** Pearce [5] 7'44"4. **36** Schafer [2a] 8'21"5. **48** Wood [5] 7'24"4. **52** Tyukalov [54] 8'12"8. **56** Ivanov [54] 8'2"5. **60** Ivanov [54] 7'13"96. **64** Ivanov [54] 8'22"51. **68** Wienese [40] 7'47"80. **72** Malishev [54] 7'10"12. **76** Karppinen [20] 7'29"03, Kolbe [3] 7'31"67, Dreifke [2] 7'38"03. **80** Karppinen [20] 7'9"61, Yakusha [54] 7'11"66, Kersten [2] 7'14"88. **84** Karppinen [20] 7'0"24, Kolbe [3] 7'2"10, Mills [10] 7'10"38. **88** Lange [2] 6'49"86, Kolbe [3] 6'54"77, Verdonk [37] 6'58"66.

Double-scull. 04 USA 10'3"2. **20** USA 7'9". **24** USA 6'34". **28** USA 6'41"04. **32** USA 7'17"40. **36** G-B 7'20"80. **48** G-B 6'51"30. **52** Argent. 7'32"20. **56** URSS 7'24". **60** Tchéc. 6'47"50. **64** URSS 7'10"66. **68** URSS 6'51"82. **72** URSS 7'01"77. **76** F. Hansen-A. Hansen [36] 7'13"20, Baillieu-Hart [22] 7'15"26, Schmied-Bertow [2] 7'17"45. **80** Dreifke-Kroeppelien [2] 6'24"33, Stanulov-Pancic [57] 6'26"34, Vochoska-Pecka [48] 6'29"07. **84** Enquist-Lewis [55] 6'36"87, Crois-Deloof [7] 6'38"19, Stanulov-Pancic [57]

6'39"59. **88** Florijn-Rienks [40] 6'21"13, Schwerzmann-Bodenmann [46] 6'22"59, Martchenko-Iakoucha [54] 6'22"87.

Deux sans barreur. 04 USA 10'57". **08** G-B 9'41". **24** Holl. 8'19"4. **28** All. 7'6"4. **32** G-B 8'. **36** All. 8'16"1. **48** G-B 7'21"1. **52** USA 8'20"7. **56** USA 7'55"4. **60** URSS 7'02"1. **64** Canada 7'32"94. **68** All. dém. 7'26"56. **72** All. dém. 6'53"16. **76** J. Landvoigt-B., Landvoigt [2] 7'23"31, Coffey-Staines [55] 7'26"73, Van Roye-Strauss [3] 7'30"03. **80** Landvoigt frères [2] 6'48"01, Pimenov frères [54] 6'50"50, Carmichaël-Wiggin [22] 6'51"47. **84** Toma-Iosub [44] 6'45"39, Lasurtegui-Climent [17] 6'48"47, Woestmann-Moellenkamp [36] 6'51"81. **88** Holmes-Redgrave [22] 6'36"84, Neagu-Dobre [44] 6'38"06, Presern-Mujkic [57] 6'41"01.

Deux avec barreur. 00 P.-Bas 7'34"2. **20** It. 7'56". **24** Suisse 8'39". **28** Suisse 7'42"6. **32** USA 8'25"8. **36** All. 8'36"9. **48** Dan. 8'0"5. **52** *Fr.* 8'28"6. **56** USA 8'26"1. **60** All. 7'29"14. **64** USA 8'21"23. **68** It. 8'4"81. **72** All. dém. 7'17"25. **76** Jaehrling-Ulrich [2] 7'58"99, Bekhterev-Shurkalov [54] 8'1"82, O. Svojanosky-P. Svojanosky [48] 8'3"28. **80** Jaehrling-Ulrich [2] 7'2"54, Pereverzev-Kryuchkin [54] 7'3"35, Celent-Mrduljas [57] 7'4"92. **84** Abbagnale Frères [28] 7'5"99, Tomoiaga-Popescu [44] 7'11"21, Espeseth-Still [55] 7'12"81. **88** C. et G. Abbagnale-Di Capua [28] 6'58"79, Streit-Kirchhoff-Rensch [2] 7'0"63, Holmes-Redgrave-Sweeney [22] 7'1"95.

Quatre de couple. 76 All. dém. 6'18"65, URSS 6'19"89, Tchéc. 6'21"77. **80** All. dém. 5'49"81, URSS 5'51"47, Bulg. 5'52"38. **84** All. féd. 5'57"55, Austr. 5'57"98, Canada 5'59"07. **88** Italie 5'53"37, Norv. 5'55"08, All. dém. 5'56"13.

Quatre sans barreur. 04 USA 9'05"8. **08** G-B 8'34". **24** G-B 7'8"6. **28** G-B 6'36". **32** G-B 6'58"2. **36** All. 7'1"8. **48** It. 6'39". **52** Youg. 7'16". **56** Canada 7'8"8. **60** USA 6'26"26. **64** Dan. 6'59"30. **68** All. dém. 6'39"18. **72** All. dém. 6'24"27. **76** All. dém. 6'37"42, Norv. 6'41"22, URSS 6'42"52. **80** All. dém. 6'8"17, URSS 6'11"81, G-B 6'16"58. **84** N.-Z. 6'3"48, USA 6'6"10, Dan. 6'7"72. **88** All. dém. 6'03"11, U.S.A. 6'5"53, All. féd. 6'6"22.

Quatre avec barreur. 00 All. 5'59". **12** All. 6'59"04. **20** Suisse 6'54". **24** Suisse 7'18"4. **28** It. 6'47"8. **32** All. 7'19". **36** All. 7'16"02. **48** USA 6'50"3. **52** Tchéc. 7'33"4. **56** It. 7'19"4. **60** All. 6'39"12. **64** All. 7'00"44. **68** N.-Z. 6'45"62. **72** All. féd. 6'31"85. **76** URSS 6'40"22, All. dém. 6'42"70, All. féd. 6'46"96. **80** All. dém. 6'14"51, URSS 6'19"05, Pol. 6'22"52. **84** G.-B. 6'18"64, USA 6'20"28, N.-Z. 6'23"68. **88** All. dém. 6'10"74, Roum. 6'13"58, N.-Zél. 6'15"78.

Huit. 00 USA 6'9"8. **04** USA 7'50". **08** G-B 7'52". **12** G-B 6'15". **20** USA 6'2"6. **24** USA 6'33"4. **28** USA 6'3"2. **32** USA 6'37"6. **36** USA 6'25"4. **48** USA 5'56"7. **52** USA 6'25"9. **56** USA 6'35"2. **60** All. 5'57"18. **64** USA 6'18"23. **68** All. féd. 6'07". **72** N-Zél. 6'08"94. **76** All. dém. 5'58"29, G-B 6'0"82, N-Zél. 6'3"51. **80** All. dém. 5'49"05, G-B 5'51"92, URSS 5'52"66. **84** Canada 5'41"32, USA 5'41"74, Austr. 5'43"40. **88** All. féd. 5'46"05, U.R.S.S. 5'48"01, U.S.A. 5'48"26.

☞ Épreuve supprimée. **Quatre de pointe barré. 12** Dan. 7'47".

• Dames. **Skiff. 76** Scheiblich [2] 4'5"56, Lind [55] 4'6"21, Antonova [54] 4'10"24. **80** Toma [44] 3'40"69, Makhina [54] 3'41"65, Schroeter [2] 3'43"54. **84** Racila [44] 3'40"68, Geer [55] 3'43"89, Haesebrouck [7] 3'45"72. **88** Behrendt [2] 7'47"19, Marden [55] 7'50"28, Gueorguieva [9] 7'53"65.

Double-scull. 76 Otsetova-Yordanova [9] 3'44"36, Jahn-Boesler [2] 3'47"86, Kaminskaite-Ramoshkene [54] 3'49"93. **80** Popova-Khloptseva [54] 3'16"27, Westphal-Linse [2] 3'17"63, Homeghi-Rosca Racila [44] 3'18"91. **84** Oleniuc-Popescu [44] 3'26"75, N. et G. Hellemans [40] 3'29"13, S. et D. Laumann [10] 3'29"82. **88** Peter-Schroeter [2] 7'0"48, Lipa-Cogeanu [44] 7'04"36, Ninova-Madina [9] 7'06"03.

Deux sans barreuse. 76 Kelbecheva-Grouicheva [9] 4'1"22, Noack-Dahne [2] 4'1"64, Eckbauer Einoder 4'2"35. **80** Klier-Steindorf [2] 3'30"49, Koscianska-Dluzewska [42] 3'30"95, Kubatova-Barbulova [9] 3'32"39. **84** Arba-Horvat [44] 3'32"60, Craig-Smith [10] 3'36"06, Becker-Volkner [3] 3'40"50. **88** Arba-Homeghi [44] 7'28"13, Stoyanov-Berberova [9] 7'31"95, Payne-Hannen [37] 7'35"68.

Quatre barré. 76 All. dém. 3'45"08, Bulg. 3'48"24, URSS 3'49"38. **80** All. dém. 3'19"27, Bulg. 3'20"75, URSS 3'20"92. **84** Roum. 3'19"30, Canada 3'21"55, Austr. 3'23"29. **88** All. dém. 6'56"0, Chine 6'58"78, Roum. 7'01"13.

Quatre de couple avec barreuse. 76 All. dém. 3'29"99, URSS 3'32"49, Roum. 3'32"76. **80** All. dém. 3'15"32, URSS 3'15"73, Bulg. 3'16"10. **84** Roum. 3'14"11, USA 3'15"57, Dan. 3'16"02. **88** All. dém. 6'21"06, U.R.S.S. 6'23"47, Roum. 6'23"81.

Huit. 76 All. dém. 3'33"32, URSS 3'36"17, USA 3'38"68. **80** All. dém. 3'3"32, URSS 3'4"29, Roum. 3'5"63. **84** USA 2'59"80, Roum. 3'0"87, P.-Bas 3'2"92. **88** All. dém. 6'15"17, Roum. 6'17"44, Chine 6'21"83.

Basket-ball

• Messieurs. **36, 48, 52, 56, 60, 64, 68** USA. **72** URSS. **76** USA, Youg., URSS. **80** Youg., It., URSS. **84** USA, Esp., Youg. **88** URSS, Youg., U.S.A.

• Dames. **76** URSS, USA, Bulg. **80** URSS, Bulg., Youg. **84** USA, Corée du S., Chine. **88** USA, Youg., URSS.

Boxe

Mi-mouches (moins de 48 kg). **68** Rodriguez [56]. **72** Gedo [24]. **76** Hernandez [13], Uk Li [11], Pooltarat [49] et Maldonado [69]. **80** Sabirov [54], Ramos [13], Hjuseinov [9], Byong Uk [11]. **84** Gonzalez [55], Todisco [28], Mwila [67]. **88** Hristov [9], Carbajal [55], Serantes [75].

Mouches. **04** Finnegan [55]. **20** Genara [55]. **24** La Barba [55]. **28** Kocsis [24]. **32** Enekes [24]. **36** Kaiser [2a]. **48** Perez [4]. **52** Brooks [55]. **56** Spinks [22]. **60** Torok [24]. **64** Atzori [28]. **68** Delgado [34]. **72** Kostadinov [9]. **76** Randolph [55], Duvalon [13], Torosyan [54], Blazynski [42]. **80** Lessov [9], Mirochnichenko [54], Varadi [24], Russel [27]. **84** McCrory [55], Redzepovski [57], Can [52]. **88** Kim [12], Tews [2], Gonzales [34].

Coqs. **04** Kirk [55]. **08** Thomas [22]. **20** Walker [1]. **24** Smith [1]. **28** Tamagnini [28]. **32** Gwynne [10]. **36** Sergo [22]. **48** Csik [24]. **52** Hamalainen [20]. **56** Behrendt [2]. **60** Grigoryev [54]. **64** Sakurai [30]. **68** Sokolov [54]. **72** Martinez [13]. **76** Jo Gu [11]. Mooney [55], Cowdel [22], Rybakov [54]. **80** Hernandez [13], Pinango [56], Antony [58], Cipere [44]. **84** Stecca [28], Lopez [34], Walters [10]. **88** McKinney [55], Hristov [9], Julio Rocha [63].

Plumes. **04** Kirk [55]. **08** Gunn [22]. **20** *Fritsch* [21]. **24** Fields [55]. **28** Van Klaveren [40]. **32** Robledo [4]. **56** Casanovas [4]. **48** Formenti [28]. **52** Zachara [48]. **56** Safronov [54]. **60** Musso [28]. **64** Stepaschkin [54]. **68** Roldan [34]. **72** Kousnetsov [54]. **76** Herrera [13], Nowakowski [2], Kosedowski [42], Paredes [34]. **80** Fink [2], Horta [13], Ribakov [54], Kosedovski [42]. **84** Taylor [55], Konyegwachie [68], Peraza [56]. **88** Parisi [28], Dumitrescu [44], Lee [12].

Légers. **04** Spanger [55]. **08** Grace [22]. **20** Mosberg [55]. **24** Nielsen [14]. **28** Orlandi [28]. **32** Stevens [1]. **36** Harangi [24]. **48** Dreyer [1]. **52** Bolognesi [28]. **56** McTaggart [22]. **60** Pazdzior [42]. **64** Grudzien [42]. **68** Harris [55]. **72** Szczepanski [42]. **76** H. Davis [55], S. Cutov [44], Solomin [54], Rusevski [57]. **80** Herrera [13], Demanienko [54], Nowakowski [2], Adach [42]. **84** Whitaker [55], Ortiz [69], Ebanga [70]. **88** Zuelow [2], Cramne [45], Enkhbat [35].

Super-légers. **52** Adkins [55]. **56** Engibarian [54]. **60** Nemecek [48]. **64** Kulej [42]. **68** Kulej [42]. **72** Seales [55]. **76** Léonard [55], Aldama [13], Kolev [9], Szczerba [42]. **80** Oliva [28], Konakbaev [54], Aguilar [13], Willis [22]. **84** Page [55], Umponmaha [49], Puzovic [57]. **88** Janovski [54], Cheney [5], Gies [3].

Welters (mi-moyens). **04** Young [55]. **20** Schneider [10]. **24** Delarge [7]. **28** Morgan [37]. **32** Flynn [55]. **36** Suvio [20]. **48** Torma [48]. **52** Chychia [42]. **56** Linca [44]. **60** Benvenuti [28]. **64** Kasprzyk [42]. **68** Wolke [2]. **72** Correa [13]. **76** Bachfeld [2], Gammaro [56], Stricek [3], Zilbermann [44]. **80** Aldama [13], Mugabi [38], Kruger [2], Szczerda [42]. **84** Breland [55], An [12], Nyman [20]. **88** Wangila [31], *Boudouani* [21], Gould [55].

Super-welters (super mi-moyens). **52** Papp [24]. **56** Papp [24]. **60** McLure [55]. **64** Lagutin [54]. **68** Lagutin [54]. **72** Kottysch [3]. **76** Rybicki [42], Kacar [57], Garbey [13], Savchenko [54]. **80** Martinez [13], Kochkin [2], Kastner [48], Franek [48]. **84** Tate [55], O'Sullivan [10], Zielonka [3]. **88** Park [12], Jones [55], Woodhall [22].

Moyens. **04** Mayer [55]. **08** Douglas [22]. **20** Mallin [22]. **24** Mallin [22]. **28** Toscani [28]. **32** Barth [55]. **36** *Despeaux* [21]. **48** Papp [24]. **52** Patterson [55]. **56** Chatkov [54]. **60** Crook [55]. **64** Popenchenko [54]. **68** Finnegan [22]. **72** Lemechev [54]. **76** M. Spinks [55], Riskiev [54], Nastac [44], Martinez [13]. **80** Gomez [13], Savchenko [54], Silaghi [44], Rybicki [28]. **84** Shin [12], Hill [55], Zaoui [71]. **88** Maske [2], Marcus [10], Sande [31].

Mi-lourds. **20** Eagan [55]. **24** Mitchell [22]. **28** Avendano [4]. **32** Carstens [1]. **36** *Michelot* [21]. **48** Hunter [1]. **52** Lee [55]. **56** Boyd [55]. **60** Clay [55]. **64** Pinto [28]. **68** Pozniak [54]. **72** Parlov [57]. **76** L. Spinks [55], Soria [13], Gortat [42], Dafinoiu [44]. **80** Kacar [57], Skrzecz [42], Bauch [2], Rojas [13]. **84** Josipovic [57], Barry [37], Moussa [71]. **88** Maynard [55], Chanavazov [54], Skaro [57].

Lourds. **84** Biggs [55], Damiani [28], Wells [22]. **88** Mercer [55], Baik [12], Vanderlijde [40].

Super-lourds. **04** Berger [55]. **08** Oldman [22]. **20** Rawson [22]. **24** Von Porat [36]. **28** Jurado [4]. **32** Lovell [4]. **36** Runge [2a]. **48** Iglesias [4]. **52** Sanders [55]. **56** Rademacher [55]. **60** De Piccoli [28]. **64** Frazier [55]. **68** Foreman [55]. **72** Stevenson [13]. **76** Stevenson [13], M. Simon [44], Tate [55], Hill [59]. **80** Stevenson [13], Zaev [54], Leval [24], Fanghanel [2]. **84** Tillman [55], Dewit [10], Van Derlijde [40]. **88** Lewis [10], Bowe [55], Mirochnitchenko [54].

Canoë-kayak

Nota. – Une seule discipline : course en ligne.

• Messieurs. **Canoë monoplace. 500 m. 76** Rogov [54] 1'59"23, Wood [10] 1'59"58, Ljubek [57] 1'59"60. **80** Postrekhin [54] 1'53"37, Lubenov [9] 1'53"49, Heukrodt [2] 1'54"38. **84** Cain [10] 1'57"01, Jakobsen [14] 1'58"45, Olaru [44] 1'59"86. **88** Henkrodt [2] 1'56"42, Slivinskii [54] 1'57"26, Marinov [9] 1'57"27.

Canoë biplace. 500 m. 76 Petrenko-Vinogradov [54] 1'45"81, Gronowicz-Opara [42] 1'47"77, Buday-Frey [24] 1'48"35. **80** Foltan-Vaskutti [24] 1'43"39, Patzaichin-Capusta [44] 1'44"12, Ananiev-Likov [9] 1'44"83. **84** Ljubek-Nisovic [57] 1'43"67, Potzaichin-Simionov [44] 1'45"68, Miguez-Suarez [17] 1'47"71. **88** Reneiski-Jouravski [54] 1'41"77, Dopierala-Lbik [42] 1'43"61, *Renaud-Bettin* [21] *1'43"81.*

Canoë monoplace. 1 000 m. 36 Amyot [10] 5'32"1. **48** Holecek [48] 5'42". **52** Holecek [48] 4'56"3. **56** Rotman [44] 5'5"3. **60** Parti [24] 4'33"93. **64** Eschert [2] 4'35"14. **68** Tatai [24] 4'36"14. **72** Patzaichin [44] 4'8"94. **76** Ljubek [57] 4'9"51, Urchenko [54] 4'12"57, Wichmann [24] 4'14"11. **80** Lubenov [9] 4'12"38, Postrekhin [54] 4'13"53, Leue [2] 4'15"02. **84** Eicke [3] 4'6"32, Cain [10] 4'8"67, Jakobsen [14] 4'9"51. **88** Klementiev [54] 4'12"78, Schmidt [2] 4'15"83, Boukhalkov [9] 4'18"94.

Canoë biplace. 1 000 m. 36 Tchéc. 4'50"1. **48** Tchéc. 5'7"1. **52** Dan. 4'38"3. **56** Roum. 4'47"4. **60** URSS 4'17"94. **64** URSS 4'4"64. **68** Patzalchin-Covaliov [44] 4'7"18. **72** Chessuynas-Lobanov [54] 3'52"60. **76** Petrenko-Vinogradov [54] 3'52"76, Danielov-Simionov [44] 3'54"28, Budai-Frey [24] 3'55"66. **80** Patzaichin-Simionov [44] 3'47"65, Heukrodt-Madeja [2] 3'49"93, Yurchenko-Lobanov [54] 3'51"28. **84** Potzaichin-Simionov [44] 3'40"60, Ljubek-Nisovic [57] 3'41"56, *Hoyer-Renaud* [21] 3'48"01. **88** Reneiski-Jouravski [54] 3'48"36, Heukrodt-Spelly [2] 3'51"44, Dopierala-Lbik [42] 3'54"33.

Kayak monoplace. 500 m. 76 Diba [44] 1'46"41, Sztanity [24] 1'46"95, Helm [2] 1'48"30. **80** Parfenovich [55] 1'43"43, Sumegi [5] 1'44"12, Diba [44] 1'44"90. **84** Ferguson [37] 1'47"34, Moberg [45] 1'48"13, *Bregeon* [21] 1'48"41. **88** Gyulay [24] 1'44"82, Stähle [2] 1'46"38, MacDonald [37] 1'46"46.

Kayak biplace. 500 m. 76 Mattern-Olbricht [2] 1'35"87, Nagorny-Romanovsky [54] 1'36"81, Serghei-Malihin [44] 1'37"43. **80** Parfenovich-Chukhrai [54] 1'32"38, Menendez-Del Riego [17] 1'33"65, Helm-Olbricht [2] 1'34". **84** Ferguson-Mac Donald [37] 1'34"21, Bengtsson-Moberg [45] 1'35"26, Fisher-Morris [10] 1'35"41. **88** Ferguson-MacDonald [37] 1'33"98, Nagaev-Denissov [54] 1'34"15, Abraham-Csipes [24] 1'34"32.

Kayak monoplace. 1 000 m. 36 Hradetzky [6] 4'22"9. **48** Fredriksson [45] 4'33"2. **52** Fredriksson [45] 4'7"9. **56** Fredriksson [45] 4'12"8. **60** Hansen [14] 3'53". **64** Pettersson [45] 3'57"13. **68** Hesz [24] 4'2"63. **72** Shaparenko [54] 3'48"06. **76** Helm [2] 3'48"20, Csapo [24] 3'48"84, Diba [44] 3'49"65. **80** Helm [2] 3'48"77, *Lebas* [21] *3'50"20*, Birladeanu [44] 3'50"49. **84** Thompson [37] 3'45"73, Janic [57] 3'46"88, Barton [55] 3'47"38. **88** Barton [55] 3'55"27, Davies [5] 3'55"28, Wohllebe [2] 3'5"55.

Kayak biplace. 1 000 m. 36 Autr. 4'3"8. **48** Suè. 4'7"3. **52** Finl. 3'51"1. **56** All. féd. 3'49"6. **60** Suè. 3'34"73. **64** Suè. 3'38"54. **68** URSS 3'37"54. **72** URSS 3'31"23. **76** Nagorny-Romanovski [54] 3'29"1, Mattern-Olbricht [2] 3'29"33, Bako-Szabo [24] 3'30"36. **80** Parfenovich-Chukhrai [54] 3'26"72, Szabo-Joos [24] 3'28"49, Misione-Menendez [17] 3'28"66. **84** Fisher-Morris [10] 3'24"22, *Bregeon-Lefoulon* [21] *3'25"97*, Kelly-Kenny [5] 3'26"80. **88** Barton-Bellingham [55] 3'32"42, Ferguson-Mac Donald [37] 3'32"73, Foster-Graham [5] 3'33"76.

Kayak à quatre. 1 000 m. 64 URSS 3'14"67. 68 Norv. 3'14"38. 72 URSS 3'14"02. 76 URSS 3'8"69, Esp. 3'8"95, All. dém. 3'10"76. 80 All. dém. 3'13"76, Roum. 3'15"35, Bulg. 3'15"46. 84 N.-Zél. 3'2"28, Suède 3'2"81, *Fr. 3'3"94.* 88 Hongr. 3'0"20, URSS 3'01"4, All. dém. 3'2"37.

☞ **Épreuves supprimées. Canoë monoplace.** 10 000 m. 48 Capek [48] 1 h 2'5"2. 52 Havens [55] 57'41"1. 56 Rottman [44] 56'41". **Canoë biplace. 10 000 m.** 36 Tchéc. 50'33"5. 48 USA 55'55"4. 52 *Fr. 54'8"3.* 56 URSS 54'2"4. **Kayak monoplace. 10 000 m.** 36 Krebs [2a] 46'1"6. 48 Fredriksson [45] 50'47"7. 52 Strömberg [20] 47'22"8. 56 Fredriksson [45] 47'43"4. **Kayak biplace. 10 000 m.** 36 All. 41'45". 48 Suè. 46'9"4. 52 Finl. 44'21"3. 56 Hong. 43'37". **Kayak monoplace (Relais 4 × 500 m).** 60 All. 7'39"4. **Slalom : canoë monoplace.** 72 Eiben [2] 315,84 ; **canoë biplace.** 72 Hofmann-Amend [2] 310,68 ; **kayak monoplace.** 72 Horn [2] 268,56 ; **kayak pliant : monoplace 10 000 m.** 36 Hradetzky [6] 50'1"2 ; **biplace 10 000 m.** 36 Johansson-Bladström [45] 45'48"9.

• Dames. **Kayak monoplace 500 m.** 48 Hoff [14] 2'31"9. 52 Saimo [20] 2'18"4. 56 Dementjeva [54] 2'18"9. 60 Seredina [54] 2'8"08. 64 Khvedosink [54] 2'12"87. 68 Pinaeva [54] 2'11"09. 72 Ryabchinskaya [54] 2'3"17. 76 Zirzow [2] 2'1"05, Korshunova [54] 2'3"07, Rajnai [24] 2'5"01. 80 Fischer [2] 1'57"96, Ghecheva [9] 1'59"48, Melnikova [54] 1'59"66. 84 Andersson [45] 1'58"72, Schuttpelz [3] 1'59"93, Derckx [40] 2'0"11. 88 Guecheva [9] 1'55"19, Schmidt [2] 1'55"31, Dylewska [42] 1'57"38.

Kayak biplace. 500 m. 60 URSS 1'54"76. 64 All. féd. 1'56"95. 68 All. féd. 1'56"44. 72 URSS 1'53"50. 76 Gopova-Kreft [54] 1'51"15, Pfeffer-Rajnai [24] 1'51"69, Koster-Zirzow [2] 1'51"81. 80 Genauss-Bischof [2] 1'43"88, Alexeyeva-Trofimova [54] 1'46"91, Rakusz-Zakarias [2] 1'47"95. 84 Andersson-Olsson [45] 1'45"25, Barre-Holloway [10] 1'47"13, Idem-Schuttpelz [3] 1'47"32. 88 Schmidt-Nothnagel [2] 1'43"46, Guecheva-Paliiska [9] 1'44"06, Derckx-Cox [40] 1'46"0.

Kayak à quatre. 500 m. 84 Roum. 1'38"34, Suède 1'38"87, Can. 1'39"40. 88 All. dém. 1'40"78, Hongr. 1'41"88, Bulg. 1'42"63.

☞ Épreuve supprimée. **Slalom. Kayak monoplace.** 72 Bahmann [3] 364,50.

Cricket

1900 G.-B.

Croquet

1900 1 balle *Aumoitte* [21]. **2 balles** *Waydelick* [21]. **Doubles** *Fr.* **04 Roque** Jacobus [55].

Cyclisme

• Messieurs. **Vitesse (1 000 m).** 96 *Masson* [21]. 00 *Taillandier* [21]. 08 (épreuve annulée). 20 Peeters [40]. 24 *Michard* [21]. 28 *Beaufrand* [21]. 32 Van Egmond [40]. 36 Merkens [2a]. 48 Ghella [28]. 52 Sacchi [28]. 56 *Rousseau* [21]. 60 Gaiardoni [28]. 64 Pettenella [28]. 68 *Morelon* [21]. 72 *Morelon* [21]. 76 Tkac [48], *Morelon* [21], Geschke [2]. 80 Hesslich [2]. *Cahard* [21], Kopylov [54]. 84 Gorski [55], Vails [55], Sakamoto [30]. 88 Hesslich [2], Kovche [54], Neiwand [5].

Kilomètre c. la montre. Sur piste départ arrêté. 96 *Masson* [21] 24". 28 Hansen [14] 1'14"2. 32 Gray [5] 1'13". 36 Van Vliet [40] 1'12". 48 *Dupont* [21] *1'13"5.* 52 Mockridge [5] 1'11"1. 56 Faggin [28] 1'9"8. 60 Gaiardoni [28] 1'7"27. 64 Sercu [7] 1'9"59. 68 *Trentin* [21] *1'3"91.* 72 Fredborg [14] 1'6"44. 76 Grunke [2] 1'5"92, Vaarten [7] 1'7"51, Fredborg [14] 1'7"61. 80 Thoms [2] 1'2"955, Panvilov [54] 1'4"845, Weller [29] 1'5"241. 84 Schmidtke [3] 1'6"104, Harnett [10] 1'6"436, *Colas* [21] *1'6"649.* 88 Kiritchenko [54] 1'4"499, Vinnicombe [5] 1'4"784, Lechner [3] 1'5"114. (La vitesse contre la montre a été disputée en 1896 sur 333,33 m ; depuis 1928 sur 1 000 m.)

Poursuite par équipes (4 000 m). 08 G-B 2'18"6. 20 It. 5'20". 24 It. 5'15". 28 It. 5'1"8. 32 It. 4'53". 36 *Fr. 4'45".* 48 *Fr. 4'57"8.* 52 It. 4'46"1. 56 It. 4'37"4. 60 It. 4'30"90. 64 All. 4'35"67. 68 Dan. 4'22"44. 72 All. féd. 4'22"14. 76 All. féd. 4'21"06, URSS, G-B. 80 URSS 4'15"68, All. dém. 4'19"68. Tchéc. ab. des It. 84 Austr. 4'25"99, USA 4'29"85, All. féd. 4'25"60. 88 URSS 4'13"31, All. dém. 4'14"09, Austr. 4'16"02. (La poursuite a été disputée en 1900 sur 1 500 m et en 1908 sur 1 810,47 m ; depuis 1920 sur 4 km.)

Poursuite individuelle (4 000 m). 64 Daler [48] 5'4"75. 68 *Rebillard* [21] *4'41"71.* 72 Knudsen [36] 4'45"74. 76 Braun [3] 4'47"61, Ponsteen [40] 4'49"72, Huschke [2] 4'52"71. 80 Dill-Bundi [46] 4'35"66, *Bondue* [21] *4'42"96*, Orsted [14] 4'36"54. 84 Hegg [55] 4'39"35, Golz [3] 4'43"83, Nitz [55] 4'44"03. 88 Umaras [54] 4'32"0, Woods [5] 4'35"0, Dittert [2] 4'34"17.

Course aux points. 84 Ilegems [7], Messerschmidt [3], Youshimatz [34]. 88 Frost [14], Peelen [40], Ganeev [54].

Course sur route (individuelle). 96 Konstantinidis [23] 3 h 23'31" (87 km). 12 Lewis [1] 10 h 42'39" (320 km). 20 Stenquist [45] 4 h 40'1"8 (175 km). 24 *Blanchonnet* [21] *(188 km) 6 h 20'48".* 28 Hansen [14] 4 h 47'18" (168 km). 32 Pavesi [28] 2 h 28'05"6 (100 km). 36 *Charpentier* [21] *(100 km) 2 h 33'5".* 48 *Beyaert* [21] *(194,6 km) 5 h 18'12"6.* 52 Noyelle [7] 5 h 6'3"4 (190,4 km). 56 Baldini [28] 5 h 21'17" (187,7 km). 60 Kapitonov [54] 4 h 20'37" (175,3 km). 64 Zanin [28] 4 h 39'51"63 (194,8 km). 68 Vianelli [28] 4 h 41'25"24 (196,2 km). 72 Kuiper [40] 4 h 14'37" (182,4 km). 76 Johansson [45] 4 h 46'52", Martinelli [28] 4 h 47'23", Nowicki [42] 4 h 47'23" (175 km). 80 Soukhorouchenkov [54] 4 h 48'28", Lang [42] 4 h 51'26", Barinov [54] 4 h 51'26" (189 km). 84 Grewal [55] 4 h 59'57", Bauer [10] 4 h 59'57", Lauritzen [36] 5 h 18". 88 Ludwig [2], Gröne [3], Henn [3].

100 km sur route (par équipes) contre la montre. 12 Suè. (320 km) 44 h 35'33"06. 20 *Fr. (175 km) 19 h 16'43"02.* 24 *Fr. (188 km) 19 h 30'14".* 28 Dan. (168 km) 15 h 09'14". 32 It. (100 km) 7 h 27'15"02. 36 *Fr. (100 km) 7 h 39'16"02.* 48 Belg. (194,6 km) 15 h 58'17"04. 52 Belg. (190,4 km) 15 h 20'46"06. 56 *Fr. (187,7 km) 16 h 10'36".* 60 It. (100 km) 2 h 14'33"53. 64 P-Bas (109,89 km) 2 h 26'31"19. 68 P-B (104 km) 2 h 07'49"6. 72 (100 km) URSS 2 h 11'17"8, Pol. 2 h 11'47"5, P-Bas 2 h 12'27"1. 76 (100 km) URSS 2 h 8'53", Pol. 2 h 9'13", Dan. 2 h 12'20". 80 (101 km) URSS 2 h 1'21"74, All. dém. 2 h 2'53"2, Tchéc. 2 h 2'53"9. 84 Italie 1 h 58'28", Suisse 2 h 2'38", USA 2 h 2'46". 88 All. dém. 1 h 57'47, Pol. 1 h 57'54, Suède 1 h 59'47.

☞ Épreuves supprimées. **1 tour (603,4 m).** 08 Johnson [22] 51'2". **5 000 m.** 08 Jones [22] 8'36"2. **10 000 m.** 96 *Masson* [21] *17'54"2.* 04 Schlee [55] 13'08"2. **20 000 m.** 08 Kingsbury [22] 34'13"6. **50 000 m.** 20 George [7] 1 h 16'43"2. 24 Wilems [40] 1 h 18'24". **100 km.** 96 *Flameng* [21] *3 h 08'19"2.* 08 Bartlett [22] 2 h 41'48"6. **12 heures.** 1896 Schmal [6] 314 997 m. **Tandem 2 000 m.** 08 *Fr.* 20 G-B. 24 *Fr.* 28 P-Bas. 32 *Fr.* 36 All. 48 It. 52 Austr. 56 Austr. 60 It. 64 It. 68 *Fr.* 72 URSS.

• Dames. **Course sur route.** 84 Carpenter-Phinney [55] 2 h 11'14", Twigg [55] 2 h 11'14", Schumacher [3] 2 h 11'14". 88 Knol [40], Nichaus [3], Zilporitee [54].

Vitesse. 88 Saloumiae [54], Rothenburger [2], Paraskevin-Young [55].

Équitation

• Dressage. **Individuel.** 12 Bonde [45]. 20 Lundblad [45]. 24 Von Linder [45]. 28 Von Langen [2a]. 32 *Lesage* [21]. 36 Pollay [2a]. 48 Moser [46]. 52, 56 St Cyr [45]. 60 Filatov [54]. 64 Chammartin [46]. 68 Kizimov [54]. 72 Lisenhoff [3]. 76 Stueckelberger [46], Boldt [3], Klimke [3]. 80 Theurer [6], Kovchov [54], Ugriumov [54]. 84 Klimke [3], Jensen [14], Hofer [46]. 88 Uphoff [3], *Otto-Crepin* [21], Stückelberger [46].

Par équipes. 28 All. 32 *Fr.* 36 All. 48 *Fr.* 52, 56 Suè. 64, 68 All. féd. 72 URSS. 76 All. féd., Suisse, USA. 80 URSS, Bulg., Roum. 84 All. féd., Suisse, Suède. 88 All. féd., Suisse, Can.

• Concours complet. **Individuel.** 12 Nordlander [45]. 20 Morner [45]. 24 Van Zyip [40]. 28 Pahud de Mortanges [40]. 32 Pahud de Mortanges [40]. 36 Stubbendorf [2a]. 48 *Chevalier* [21]. 52 Von Blixen-Finecke [45]. 56 Kastenman [45]. 60 Morgan [5]. 64 Checcoli [28]. 68 *Guyon* [21]. 72 Meade [22]. 76 Coffin [55], Plumb [55], Schultz [3]. 80 Roman [28], Blinov [54], Salnikov [54]. 84 Todd [37], Stives [55], Holgate [22]. 88 Todd [37], Stark [22], Leng [22].

Par équipes. 12, 20 Suè. 24, 28 P-Bas. 32 USA. 36 All. 48 USA. 52 Suè. 56 G-B. 60 Austr. 64 It. 68, 72 G-B. 76 USA, All. féd, Austr. 80 URSS, It., Mex. 84 USA, G.-B., All. féd. 88 All. féd., G.-B., N.-Zél.

• Sauts d'obstacles. **Individuel.** 00 Haegeman [7]. 12 *Cariou* [21]. 20 Lequio [28]. 24 Gemuseus [46]. 28 Ventura [48]. 32 Nishi [30]. 36 Hasse [45]. 48 Mariles Cortes [34]. 52 *Jonquères d'Oriola* [21]. 56 Winkler [3]. 60 R. d'Inzeo [28]. 64 *P. Jonquères d'Oriola* [21]. 68 Steinkraus [55]. 72 Mancinelli [28]. 76 Schockemöhle [3], Vaillancourt [10], Mathy [7]. 80 Kowalczyk [42], Korolkov [54], Perez Heras [34]. 84 Fargis [55], Homfled [55], Robbiani [46]. 88 *Durand* [21], Best [55], Huck [3].

Par équipes. 12, 20, 24 Suè. 28 Esp. 32 (non disputé). 36 All. 48 Mex. 52 G-B. 56, 60, 64 All. féd. 68 Can. 72 All. féd. 76 *Fr.*, All. féd., Belg. 80 URSS, Pol., Mex. 84 USA, G.-B., All. féd. 88 All. féd., U.S.A., *Fr.*

☞ Épreuves supprimées. **Manège indiv.** 20 Bonckaet [7]. **Par équipes.** 20 Belg. **S. en long.** 00 Van Langendonck [7] 6,10 m. **Haut.** 00 *Gardère* [21] 1,85 m.

Escrime

• Messieurs. **Fleuret individuel.** 96 *Gravelotte* [21]. 00 *Coste* [21]. 04 Fonst [13]. 12, 20 Nadi N. [28]. 24 *Ducret* [21]. 28 *Gaudin* [21]. 32 Marzi [28]. 36 Gaudini [28]. 48 *Buhan* [21]. 52, 56 *D'Oriola* [21]. 60 Zdanovitch [54]. 64 Franke [42]. 68 Drimba [44]. 72 Woyda [42]. 76 Dal Zotto [28], Romankov [54], *Talvard* [21]. 80 Smirnov [54], *Jolyot* [21], Romankov [54]. 84 Numa [28], Behr [3], Cerioni [28]. 88 Cerioni [28], Wagner [2], Romankov [54].

Fleuret par équipes. 04 Cuba. 20 It. 24 *Fr.* 28 It. 32 *Fr.* 36 It. 48, 52 *Fr.* 56 It. 60, 64 URSS. 68 *Fr.* 72 Pol. 76 All. féd., It., *Fr.* 80 *Fr.*, URSS, Pol. 84 It., All. féd., *Fr.* 88 URSS, All. féd., Hong.

Épée individuel. 00, 04 Fonst [13]. 08 *Alibert* [21]. 12 Anspach [7]. 20 *Massard* [21]. 24 Delporte [7]. 28 *Gaudin* [21]. 32 Cornaggia-Medici [28]. 36 Riccardi [28]. 48 Cantone [28]. 52 Mangiarotti [28]. 56 Pavesi [28]. 60 Delfino [28]. 64 Kriss [54]. 68 Kulcsar [24]. 72 Fenyvesi [24]. 76 Pusch [3], Hehn [3], Kulcsar [24]. 80 Harmenberg [45], Kolczonay [24], *Riboud* [21]. 84 *Boisse* [21], Vaggo [45], *Riboud* [21]. 88 Schmitt [3], *Riboud* [21], Chouvalov [54].

Épée par équipes. 08 *Fr.* 12 Belg. 20 It. 24 *Fr.* 28 It. 32 *Fr.* 36 It. 48 *Fr.* 52, 56, 60 It. 64, 68, 72 Hongr. 76 Suè., All. féd., Suisse. 80 *Fr.*, Pol., URSS. 84 *Fr.*, All. féd., It. 88 *Fr.*, All. féd., URSS.

Sabre individuel. 96 Georgiadis [23]. 00 *De la Falaise* [21]. 04 Diaz [13]. 08 Fuchs [24]. 12 Fuchs [24]. 20 Nadi N. [28]. 24 Posta [24]. 28 Tersztyansky [24]. 32 Piller [24]. 36 Kabos [24]. 48 Gerevitch [24]. 52 Kovacs [24]. 56, 60 Karpati [24]. 64 Pezsa [24]. 68 Pawlowski [42]. 72 Sidiak [54]. 76 Krovopuskov [54], Nazlymov [54], Sidiak [54]. 80 Krovopuskov [54], Burtsev [54], Gedovari [54]. 84 *Lamour* [21], Marin [28], Westbrook [55]. 88 *Lamour* [21], Olech [42], Scalzo [28].

Sabre par équipes. 08, 12 Hong. 20, 24 It. 28, 32, 36, 48, 52, 56, 60 Hongr. 64, 68 URSS. 72 It. 76 URSS, It., Roumanie. 80 URSS, It., Hongr. 84 It., *Fr.*, Roum. 88 Hongr., URSS, It.

☞ Épreuves supprimées. **Masters fleuret 96** Pyrgos [23], **00** Mérignac [21] ; **épée 00** Ayat [21]. **Amateurs et masters épée 00** Ayat [21]. **Masters sabre 00** Conte [28]. **Stick individuel 04** Van Zo Post [55].

• Dames. **Fleuret individuel.** 24 Osiier [14]. 28 Mayer [2a]. 32 Preiss [6]. 36, 48 Elek [24]. 52 Camber [28]. 56 Sheen [22]. 60 Schmid [2]. 64 Rejto [24]. 68 Novikova [54]. 72 Ragno-Lonzi [28]. 76 Schwarczenberger [24], Collino [28], Belova [54]. 80 *Trinquet* [21], Maros [24], Wyzosanska [24]. 84 Jujie [61], Hanisch [3], Vaccaroni [28]. 88 Fichtel [3], Bau [3], Funkenhauser [3].

Fleuret par équipes. 60 URSS. 64 Hongrie. 68, 72 URSS. 76 URSS. *Fr.*, Hongr. 80 *Fr.*, URSS, Hongr. 84 All. féd., Roum., *Fr.* 88 All. féd., It., Hongr.

Football

00 G-B. 04 Canada. 08, 12 G-B. 20 Belg. 24, 28 Uruguay. 36 It. 48 Suè. 52 Hongr. 56 URSS. 60 Youg. 64, 68 Hongr. 72 Pol. 76 All. dém., Pol., URSS. 80 Tchéc., All. dém. URSS. 84 *Fr.*, Brésil, Youg. 88 URSS, Brésil, All. féd.

Golf

• Messieurs. 00 Sands [55]. 04 Lyon [10]. **Dames.** 00 Abbott [55]. **Équipes.** 04 USA.

Gymnastique

• Messieurs. **Concours général individuel.** 00 *Sandras* [21]. 04 Lenhart [6]. 08, 12 Braglia [28]. 20 Zampori [28].

24 Stukelj [57]. **28** Miez [46]. **32** Neri [28]. **36** Schwarzmann [2a]. **48** Huhtanen [20]. **52, 56** Tchoukarine [54]. **60** Shaklin [54]. **64** Endo [30]. **68, 72** Kato [30]. **76** Andrianov [54], Kato [30], Tsukahara [30]. **80** Ditiatin [54], Andrianov [54], Deltchev [9]. **84** Gushiken [30], Vidmar [55], Li Ning [61]. **88** Artemov [54], Lioukine [54], Bilozertchev [54].

Par équipes. 04 USA. **08** Suè. **12, 20, 24** It. **28** Suis. **32** It. **36** All. **48** Finl. **52, 56** URSS. **60, 64, 68, 72** Japon. **76** Japon, URSS, All. dém. **80** URSS, All. dém. Hongr. **84** USA, Chine, Japon. **88** URSS, All. dém., Japon.

Anneaux. 96 Mitropoulos [23]. **04** Glass [55]. **24** Martino [28]. **28** Stukelj [57]. **32** Gulak [55]. **36** Hudec [48]. **48** Frey [46]. **52** Shaguinian [54]. **56, 60** Azarian [54]. **64** Hayata [30]. **68, 72** Nakayama [30]. **76** Andrianov [54], Ditiatin [54], Grecu [44]. **80** Ditiatin [54], Tkatchev [54], Tabak [48]. **84** Koji Gushiken [30], Li Ning [61], Gaylord [55]. **88** Behrendt [2] et Bilozertchev [54], Tippelt [2].

Barre fixe. 96 Weigartner [2a]. **04** Heida [55] et Henning [55]. **24** Stukelj [57]. **28** Miez [46]. **32** Bixler [55]. **36** Saarvala [20]. **48** Stalder [46]. **52** Gunthard [46]. **56, 60** Ono [30]. **64** Shakhlin [54]. **68** Nakayama [30] et Voronine [54]. **72** Tsukahara [30]. **76** Tsukahara [30], Kenmotsu [30], *Boerio* [21], Gienger [3]. **80** Deltchev [9], Ditiatin [54], Andrianov [54]. **84** Shinji Morisue [30], Tong Fei [61], Koji Gushiken [30]. **88** Artemov [54] et Lioukine [54], Behrendt [2].

Barres parallèles. 96 Flatow [2a]. **04** Eyser [55]. **24** Guttinger [46]. **28** Vacha [48]. **32** Neri [28]. **36** Frey [2a]. **48** Reusch [46]. **52** Eugster [46]. **56** Tchoukarine [54]. **60** Shakhlin [54]. **64** Endo [30]. **68** Nakayama [30]. **72** Kato [30]. **76** Kato [30], Andrianov [54], Tsukahara [30]. **80** Tkatchev [54], Ditiatin [54], Buckner [2]. **84** Conner [55], Kajtani [30], Gaylor [55]. **88** Artemov [54], Lioukine [54], Tippelt [2].

Cheval d'arçon. 96 Zutter [46]. **04** Heida [55]. **24** Wilhelm [46]. **28** Hanggi [46]. **32** Pelle [24]. **36** Frey [2a]. **48** Aaltonen [20], Huhtanen et Savolainen [20]. **52** Tchoukarine [54]. **56** Shakhlin [54]. **60** Shakhlin [54] et Ekman [20]. **64, 68** Cerar [57]. **72** Klimenko [54]. **76** Magyar [24], Kenmotsu [30], Andrianov [54] et Nikolay [2]. **80** Magyar [24], Ditiatin [54], Nicolaï [2]. **84** Li Ning [61], Vidmar [55], Daggett [55]. **88** Ex aequo : Gueraskov [9], Borkai [24] et Bilozertchev [54].

Exercices au sol. 32 Pelle [24]. **36** Miez [46]. **48** Pataki [24]. **52** Thoresson [45]. **56** Mouratov [54]. **60** Aihara [30]. **64** Menichelli [28]. **68** Kato [30]. **72** Andrianov [54]. **76** Andrianov [54], Martchenko [54], Kormann [55]. **80** Bruckner [2], Andrianov [54], Ditiatin [54]. **84** Li Ning [61], Tou Yun [61], Koji Sotomura [30]. **88** Kharikov [54], Artemov [54], Lou [61].

Saut de cheval, en longueur. 96 Schuman [2a]. **04** Heida [55] et Eyser [55]. **24** Kriz [55]. **28** Mack [46]. **32** Guglielmetti [28]. **36** Scharzmann [2a]. **48** Aaltonen [20]. **52** Tchoukarine [54]. **56** Mouratov [54] et Bantz [3]. **60** Shakhlin [54] et Ono [30]. **64** Yamashita [30]. **68** Voronine [54]. **72** Koeste [2]. **76** Andrianov [54], Tsukahara [30], Kajiyama [30]. **80** Andrianov [54], Ditiatin [54], Bruckner [2]. **84** Lou Yun [61], Li Ning [61], Koji Gushiken [30]. **88** Lou [61], Kroll [2], Park [12].

☞ **Épreuves supprimées. Saut de cheval en largeur. 24** *Seguin* [21]. **Massues. 04** Hennig [55]. **32** Roth [55]. **Combiné : 4 épreuves 04** Heida [55] ; **9 épreuves 04** Spinnler [46]. **Montée à la corde. 96** Andriakopoulos [23]. **04** Eyser [55]. **24** Supcik [48]. **32** Bass [55]. **Culbute. 32** Wolfe [55]. **Barres parallèles (équipes). 96** All. **Barre fixe (équipes). 96** All. **Exercices libres et appareils (équipes). 12** Nor. **Système suédois (équipes). 12** Suè.

• Dames. **Concours individuel. 52** Gorokhovsjaia [54]. **56, 60** Latynina [54]. **64, 68** Caslavska [48]. **72** Touritcheva [54]. **76** Comaneci [44], Kim [54], Touritcheva [54]. **80** Davidova [54], Gnauck [2] et Comaneci [44]. **84** Retton [55], Szabo [44], Pauca [44]. **88** Chouchounova [54], Silivas [44], Boguinskaia [54].

Par équipes. 28 P-Bas. **36** All. **48** Tchéc. **52, 56, 60, 64, 68, 72** URSS. **76** URSS, Roum., All. dém. **80** URSS, Roum., All. dém. **84** Roum., USA, Chine. **88** URSS, Roum., All. dém.

Poutre. 52 Bochtcharova [54]. **56** Keleti [24]. **60** Bosakova [48]. **64** Caslavska [48]. **68** Kuchinskaya [54]. **72** Korbut [54]. **76** Comaneci [44], Korbut [54], Ungureanu [44]. **80** Comaneci [44], Davidova [54], Chapochnikova [54]. **84** Szabo [44], Pauca [44], Johnson [55]. **88** Silivas [44], Chouchounova [46], Potorac [44].

Barres asymétriques. 52 Korondi [24]. **56** Keleti [24]. **60, 64** Astakhova [54]. **68** Caslavska [48]. **72** Janz [2]. **76** Comaneci [44], Ungureanu [44], Egervari [24]. **80** Gnauck [2], Éberle [44], Kraker [2], Filatova [54] et Ruhn [44]. **84** Ma [61], McNamara [55], Retton [55]. **88** Silivas [44], Kersten [2], Chouchounova [54].

Saut de cheval. 52 Kalinchouk [54]. **56** Latynina [54]. **60** Nikolaeva [54]. **64, 68** Caslavska [48]. **72** Janz [2]. **76** Kim [54], Touritcheva [54] et Dombeck [2]. **80** Chapochnikova [54], Kraker [2], Ruhn [44]. **84** Szabo [44], Retton [55], Agache [44]. **88** Boguinskaia [54], Potorac [44], Silivas [44].

Exercices au sol. 52 Keleti [24]. **56** Keleti [24] et Latynina [54]. **60, 64** Latynina [54]. **68** Petrik [54] et Caslavska [48]. **72** Korbut [54]. **76** Kim [54], Touritcheva [48], Comaneci [44]. **80** Kim [54] et Comaneci [44], Chapochnikova [54] et Gnauck [2]. **84** Szabo [44], McNamara [55], Retton [55]. **88** Silivas [44], Boguinskaia [54], Doudeva [9].

Rythmique (G.R.S.). 84 Fung [10], Staiculescu [44], Weber [3]. **88** Lobatch [54], Dounavska [9], Timochenko [54].

☞ Épreuve supprimée. **Exercices par équipes avec appareil portable. 52** Suè. **56** Hongr.

Haltérophilie

Mouches. **72** Smalcerz [42] 337,5 kg. **76** Voronine [54] 242,5 kg, Kozsegi [24] 237,5 kg, Nassiri [26] 235 kg. **80** Osmolaliev [54] 245 kg, Chon [11] 245 kg, Gyong Si [11] 245 kg. **84** Guoquiang Zeng [61] 235 kg, Peishun Zhou [61] 235 kg, Karushito Manabe [30] 232,5 kg. **88** Marinov [9] 270 kg, Chun [12] 260 kg, Z. He [61] 257,5 kg.

Coqs. **48** De Pietro [55] 307,5 kg. **52** Oudodov [54] 315 kg. **56** Vinci [55] 342,5 kg. **60** Vinci [55] 345 kg. **64** Vakhonine [54] 357,5 kg. **68** Nassiri [26] 367,5 kg. **72** Foeldi [24] 377,5 kg. **76** Nourikian [9] 262,5 kg, Cziura [42] 252,5 kg, Ando [30] 250 kg. **80** Nunez [13] 275 kg, Sarkissian [54] 270 kg, Denbonczyk [42] 265 kg. **84** Shude Wu [61] 267,5 kg, Runming Lai [61] 265 kg, Masahiro Kotaka [30] 252,5. **88** Mirzoian [54] 292,5 kg, Y. He [61] 287,5 kg, Liu [61] 267,5 kg.

Plumes. **20** De Haes [7] 220 kg. **24** Gabetti (1) [28] 402,5 kg. **28** Andrysek [6] 287,5 kg. **32** *Suvigny* [21] *287,5 kg*. **36** Terlazzo [55] 312,5 kg. **48** Fayard [15] 332,5 kg. **52** Tchimiskian [54] 337,5 kg. **56** Berger [55] 352,5 kg. **60** Minaev [54] 372,5 kg. **61** Miyake [30] 397,5 kg. **68** Miyake [30] 392,5 kg. **72** Nourikian [9] 402,5 kg. **76** Kolesnikov [54] 285 kg, Todorov [9] 280 kg, Hirai [30] 275 kg. **80** Mazine [54] 290 kg, Dimitrov [9] 287 kg, Seweryn [42] 282,5 kg. **84** Weiquiang Chen [61] 282,5 kg, Radu [44] 280 kg, Wen-Yee Tsai [62] 272,5 kg. **88** Suleymanoglu [52] 342,5 kg, Topourov [9] 312,5 kg, Ye [61] 287,5 kg.

Légers. **20** Neyland [18] 257,5 kg. **24** *Decottignies* [21] *440 kg*. **28** Haas [6] 322,5 kg. **32** *Duverger* [21] 325 kg. **36** Mesbah [15] 342,5 kg et Fein [6] 342,5 kg. **48** Shams [15] et Fein [6] 360 kg. **52** Kono [55] 362,5 kg. **56** Rybak [54] 380 kg. **60** Bushuev [54] 397,5 kg. **64** Baszanowski [42] 432,5 kg. **68** Baszanowski [42] 437,5 kg. **72** Kirzinov [54] 460 kg. **76** Kaczmarek [42] 307,5 kg, Korol [54] 305 kg, *Senet* [21] *300 kg*. **80** Roussev [9] 342,5 kg, Kunz [2] 335 kg, Pachov [9] 325 kg. **84** Jing Yuan [61] 320 kg, Socaci [44] 312,5 kg, Gronman [20] 312,5 kg. **88** Kunz [2] 340 kg, Militossian [54] 337,5 kg, Li [61] 325 kg.

Moyens. **20** *Gance* [21] *245 kg*. **24** Galimberti [28] 492,5 kg. **28** *Roger* [21] *335 kg*. **32** Ismayr [2a] 345 kg. **36** El Touni [15] 387,5 kg. **48** Spellman [55] 390 kg. **52** George P. [55] 400 kg. **56** Bogdanovski [54] 420 kg. **60** Kourynov [54] 437,5 kg. **64** Zdrazila [48] 445 kg. **68** Kourentsov [54] 475 kg. **72** Bikov [9] 485 kg. **76** Mitkov [9] 335 kg, Militosyan [54] 330 kg, Wenzel [2] 327,5 kg. **80** Zlatev [9] 360 kg, Pervyi [54] 357,5 kg, Kolev [9] 345 kg. **84** Radschinsky [3] 340 kg, Demers [10] 335 kg, Cioroslan [44] 332,5. **88** Guidikov [9] 375 kg, Steinhoefel [2] 360 kg, Varbanov [9] 357,5 kg.

Mi-lourds. **20** *Cadine* [21] *290 kg*. **24** *Rigoulot* [21] *502,5 kg*. **28** Nosseir [15] 355 kg. **32** *Hostin* [21] *365 kg*. **36** *Hostin* [21] *372,5 kg*. **48** Stanczyk [55] 417,5 kg. **52** Lomakin [54] 417,5 kg. **56** Kono [55] 447,5 kg. **60** Palinski [42] 442,5 kg. **64** Plyukfeider [54] 475 kg. **68** Selistky [54] 485 kg. **72** Jenssen [36] 507,5 kg. **76** Shary [54] 365 kg, Blagoev [9] 362,5 kg, Stoichev [9] 360 kg. **80** Vardanian [54] 400 kg, Blagoev [9] 372,5 kg, Poliacik [48] 367,5 kg. **84** Becheru [44] 355 kg, Kabbas [5] 342,5 kg, Isaoka [30] 340. **88** Arsamakov [54] 377,5 kg, Messzi [24] 370 kg, Lee [12] 367,5 kg.

Lourds-légers. **52** Schemansky [55] 445 kg. **56** Vorobiev [54] 462,5 kg. **60** Vorobiev [54] 472,5 kg. **64** Golovanov [54] 487,5 kg. **68** Kangasniemi [20] 517,5 kg. **72** Nikolov [9] 525 kg. **76** Rigert [54] 382,5 kg, James [55] 362,5 kg, Chopov [9] 360 kg. **80** Baczako [24] 377,5 kg, Alexandrov [9] 375 kg, Mantek [2] 370 kg. **84** Vlad [44] 392,5 kg, Petre [44] 360 kg, Mercer [22] 352,5 kg. **88** Khrapatyi [54] 412,5 kg, Moukhamediarov [54] 400 kg, Zawada [42] 400 kg.

100 kg. **80** Zaremba [48] 395 kg, Nikitin [54] 392,5 kg, Fernandez [13] 385 kg. **84** Misler [3] 385 kg, Gropa [44] 382,5 kg, Niemi [20] 367,5 kg. **88** Kouznetsov [54] 425 kg, Vlad [44] 402,5 kg, Immesberger [3] 395 kg.

Lourds. **72** Talts [54] 580 kg. **76** Khristov [9] 400 kg, Zaitsev [34] 385 kg, Semerdjiev [9] 385 kg. **80** Tarenko [54] 422,5 kg, Khristov [9] 405 kg, Szakai [24] 390 kg. **84** Oberburger [28] 390 kg, Tasnadi [44] 380 kg, Carlton [55] 377,5. **88** Zakharevitch [54] 455 kg, Jacso [24] 427,5 kg, Weller [2] 425 kg.

Super-lourds. **96 1 main** Elliot [22] 71 kg, **2 mains** Jensen [14] 111,5 kg. **04 2 mains** Kakousis [23] 111,7 kg, **toutes catégories** Osthoff [55]. **20** Bottino [28] 270 kg. **24** Tonani [28] 517,5 kg. **28** Strassberger [20] 372,5 kg. **32** Skobla [48] 380 kg. **36** Manger [2a] 410 kg. **48** Davis [55] 452,5 kg. **52** Davis [55] 460 kg. **56** Anderson [55] 500 kg, Salvetti [4] 500 kg. **60** Vlassov [54] 537,5 kg. **64** Zhabotinsky [54] 572,5 kg. **68** Zhabotinsky [54] 572,5 kg. **72** Alexeiev [54] 640 kg. **76** Alexeiev [54] 440 kg, Bonk [2] 405 kg, Losch [2] 387,5 kg. **80** Rakhmanov [54] 440 kg, Heuser [2] 410 kg, Rutkowski [42] 407,5 kg. **84** Lukin [5] 412,5 kg, Martinez [55] 410 kg, Nerlinger [3] 397,5 kg. **88** Kourlovitch [54] 462,5 kg, Nerlinger [3] 430 kg, Zawieja [3] 415 kg.

Nota. – (1) Outre les trois mouvements classiques : arraché, développé et jeté à deux bras, il y avait l'arraché et le jeté à un bras. Les vainqueurs auraient réussi les totaux suivants aux trois mouvements classiques : Gabetti : 260 kg ; Decottignies : 277,5 kg ; Galimberti : 320 kg ; Rigoulot : 322,5 kg ; Tanani : 342,5 kg. (2) Un seul mouvement.

Handball

• Messieurs. **36** All. **72** Youg. **76** URSS, Roum., Pol. **80** All. dém., URSS, Roum. **84** Youg., All. féd., Roum. **88** URSS, Corée du S., Youg.

• Dames. **76** URSS, All. dém., Hongr. **80** URSS, Youg., All. dém. **84** Youg., Corée du S., Chine. **88** Corée du S., Norv., URSS.

Hockey sur gazon

• Messieurs. **08** Angl. **20** G-B. **28, 32, 36, 48, 52, 56** Inde. **60** Pakistan. **64** Inde. **68** Pakistan. **72** All. féd. **76** N.-Zél., Austr., Pakistan. **80** Inde, Esp., URSS. **84** Pakistan, All. féd., G.-B. **88** G.-B., All. féd., P.-Bas.

• Dames. **80** Zimbabwe, Tchéc., URSS. **84.** P.-Bas, All. féd., USA. **88** Austr., Corée du S., P.-Bas.

Judo

Super-légers. **80** *Rey* [21], Rodriguez [13], Emizh [54] et Kincses [24]. **84** Hosokawa [30], Kim [12], Eckersley [22], Lidie [55]. **88** Kim [12], Asano [55], Hosokawa [30] et Totikachvili [54].

Mi-légers. **80** Solodukhin [54], Damdin [35], Nedkov [9] et Pawlowski [42]. **84** Matsuoka [30], Hwang [12], *Alexandre* [21], Reiter [6]. **88** Lee [12], Pawlowski [42], *Carabetta* [21] et Yamamoto [30].

Légers. **64** Nakatani [30]. **72** Kawaguchi [30]. **76** Rodriguez [13], Chang [12], Tunczik [24] et Mariani [28]. **80** Gamba [28], Adams [22], Lehmann [2] et Davaadaiai [35]. **84** Byeong-Reun [12], Gamba [28], Onmura [8], Brown [22]. **88** *Alexandre* [21], Loll [2], Swain [55] et Tenadze [54].

Mi-moyens. **72** Nomura [30]. **76** Nevzorov [54], Kuramoto [30], *Vial* [21] et Talaj [42]. **80** Khabareli [54], Ferrer [13], *Tchoullouyan* [21] et Heinke [2]. **84** Wieneke [3], Adams [22], *Nowak* [21] et Fratica [44]. **88** Legien [42], Wieneke [3], Brechot [2] et Varaev [54].

Moyens. **64** Okano [30]. **72** Sekine [30]. **76** Sonoda [30], Dvoinikov [54], Obadov [57], Park [12]. **80** Roethlisberger [46], Aszcuy [13], Ultsch [2], Iatskevitch [54]. **84** Seisenbacher [6], Berland [55], Nose [30] et Carmona [8]. **88** Seisenbacher [6], Chestakov [54], Spijkers [40] et Osako [30].

Mi-lourds. **72** Chochosvili [54]. **76** Ninomiya [30], Kharshiladze [54], Roethlisberger [46] et Starbrook [22]. **80** Van de Walle [7], Khubuliri [54], Lorenz [2] et Numan [40]. **84** Ha [12], Vieira [8], Fridriksson [66] et Neureuther [3]. **88** Miguel [6], Meiling [3], Van de Walle [7] et Stewart [22].

Lourds. **64** Inokuma [30]. **72** Ruska [40]. **76** Novikov [54], Neureuther [3], Coage [55] et Endo [30]. **80** *Parisi* [21], Zaprianov [9], Kovacevic [57] et Kocman [48]. **84** Saito [30], *Parisi* [21], Cho [12] et Berger [10]. **88** Saito [30], Stoehr [2], Cho [12] et Veritchev [54].

Toutes catégories. **64** Geesink [40]. **72** Ruska [40]. **76** Uemura [30], Remfry [22], Chochishvili [54] et Cho [12]. **80** Lorenz [2], *Parisi* [21], Ozsvar [24] et Mapp [22]. **84** Yamashita [30], Rawshan [15], Cioc [44] et Schnabel [3]. **88** Cat. supprimée.

Lacrosse

04 Canada. 08 Canada.

Lutte libre

Jusqu'à 48 kg. **04** Curry [55]. **72** Dmitriev [54]. **76** Issaev [9], Dmitriev [54], Kudo [30]. **80** Pollio [28], Jang [11], Kornilaev [54]. **84** Weaver [55], Irie [30], Gab-Do Son [12]. **88** Kobayashi [30], Tzonov [9], Karamtchakov [54].

Jusqu'à 52 kg. **04** Menhert [55]. **48** Viitala [20]. **52** Gemici [52]. **56** Tsakalamannidze [54]. **60** Bilek [52]. **64** Yoshida [30]. **68** Nakata [30]. **72** Kato [30]. **76** Takada [30], Ivanov [54], Jeon [12]. **80** Beloglazov [54], Stecyk [42], Selimov [9]. **84** Tristena [57], Jong-Hyu Kim [12], Takada [30]. **88** Sato [30], Trstena [9], Togouzov [54].

Jusqu'à 57 kg. **04** Niflot [55]. **08** Mehnert [55]. **24** Pihlajamaki [20]. **28** Makinen [20]. **32** Pearce [55]. **36** Zombori [24]. **48** Akar [52]. **52** Ishii [30]. **56** Dagistanli [52]. **60** McCann [55]. **64, 68** Uetake [30]. **72** Yanagida [30]. **76** Umin [54], Bruchert [2], Arai [30]. **80** Beloglazov [54], Li [12], Ouinbold [35]. **84** Tomiyama [30], Davis [55], Eui-Kon-Kim [12]. **88** Beloglazov [54], Mohammadian [26], Noh [12].

Jusqu'à 62 kg. **04** Bradshaw [55]. **08** Dole [55]. **20** Ackerly [55]. **24** Reed [55]. **28** Morrisson [55]. **32** Pihlajamaki K. [20]. **36** Pihlajamaki K. [20]. **48** Bilge [52]. **52** Sit [52]. **56** Sasahara [30]. **60** Dagistanli [52]. **64** Watabane [30]. **68** Kanedo [30]. **72** Abdulbekov [54]. **76** Yang [12], Oidov [35], G. Davis [55]. **80** Abuchev [54], Doukov [9], Hadjiioannidis [23]. **84** Lewis [55], Akaishi [30], Jeug-Keun Lee [12]. **88** Smith [55], Sarkissian [54], Chterev [9].

Jusqu'à 68 kg. **04** Roehm [55]. **08** Relwyskow [22]. **20** Antilla [20]. **24** Vis [55]. **28** Kapp [18]. **32** *Pacome* [21]. **36** Karpati [24]. **48** Atik [52]. **52** Anderberg [45]. **56** Habibi [26]. **60** Wilson [55]. **64** Dimov [9]. **68** Ardabili [26]. **72** Gable [55]. **76** Pinigin [54], Keaser [55], Sugawara [30]. **80** Absaidov [54], Yankov [9], Sejdi [57]. **84** In-Tak-You [12], Rein [55], Rauhala [20]. **88** Fadzaev [54], Park [12], Carr [55].

Jusqu'à 74 kg. **04** Erickson [55]. **24** Gehri [46]. **28** Haavisto [20]. **32** Van Bebber [55]. **36** Lewis [55]. **48** Dogu [52]. **52** Smith [55]. **56** Ikeda [30]. **60** Blubaugh [55]. **64** Ogan [52]. **68** Atalay [52]. **72** Wells [55]. **76** Date [30], Barzegar [26], Dziedzic [55]. **80** Angelov [9], Davaajav [35], Karabin [48]. **84** Schultz [55], Knosp [3], Sejdi [57]. **88** Monday [55], Varaev [54], Sofiadi [9].

Jusqu'à 82 kg. **08** Bacon [22]. **20** Leino [20]. **24** Hagmann [46]. **28** Kyburz [46]. **32** Johansson [45]. **36** *Poilvé* [21]. **48** Brand [55]. **52** Tsimakouridze [54]. **56** Stanchev [9]. **60** Gungor [52]. **64** Gardjev [9]. **68** Gurevitch [54]. **72** Tediashvili [54]. **76** J. Peterson [55], Novojoilov [54], Seger [3]. **80** Abilov [9], Aratsilov [54], Kovacs [24]. **84** Schultz [55], Nagashima [30], Rinke [10]. **88** Han [12], Gencalp [52], Lohyna [48].

Jusqu'à 90 kg. **20** Larsson [45]. **24** Spellman [55]. **28** Sjostedt [45]. **32** Mehringer [55]. **36** Fridell [45]. **48** Wittenberg [55]. **52** Palm [45]. **56** Takhti [26]. **60** Atli [52]. **64** Medved [54]. **68** Ayik [52]. **72** B. Peterson [55]. **76** Tediashvilli [54], B. Peterson [55], Morcov [44]. **80** Oganesyan [54], Neupert [2], Cichon [42]. **84** Banach [55], Ohta [30], Loban [22]. **88** Khardartsev [54], Ota [30], Kim [12].

Jusqu'à 100 kg. **72** Yarigin [54]. **76** Yarygin [54], Hellickson [55], Kostov [9]. **80** Mate [54], Tchervenkov [9], Strnisko [8]. **84** Banach [55], Atiyeh [72], Puscasu [44]. **88** Puscasu [44], Khabelov [54], Scherr [55].

Plus de 100 kg. **04** Hansen [55]. **08** O'Kelly [22]. **20** Roth [46]. **24** Steele [55]. **28, 32** Richthoff [45]. **36** Palusalu [18]. **48** Bobis [24]. **52** Mekokichvill [54]. **56** Kaplan [52]. **60** Dietrich [3]. **64** Ivanitsky [54]. **68, 72** Medved [54]. **76** Andiev [54], Balla [24], Simon [44]. **80** Andiev [54], Balla [24], Sandurski [42]. **84** Baumgartner [55], Molle [10], Taskin [52]. **88** Gobedjichvili [54], Baumgartner [55], Schroeder [2].

Lutte gréco-romaine

Jusqu'à 48 kg. **72** Berceanu [44]. **76** Shumakov [54], Berceanu [44], Anghelov [9]. **80** Uchkenplirov [54], Alexandru [44], Seres [24]. **84** Maenza [28], Sherer [3], Saito [30]. **88** Maenza [28], Glab [42], Tzenov [9].

Jusqu'à 52 kg. **48** Lombardi [28]. **52** Gourevitch [54]. **56** Soloviev [54]. **60** Pirvulescu [44]. **64** Hanahara [30]. **68, 72** Kirov [9]. **76** Konstantinov [54], Ginga [44], Hirayama [30]. **80** Blagidze [54], Racz [24], Miadenov [9]. **84** Miyahara [30], Aceves [34], Dae-Du Bang [12]. **88** Ronningen [36], Miyahara [30], Lee [12].

Jusqu'à 57 kg. **24** Putsepp [18]. **28** Leutcht [2a]. **32** Brendel [2a]. **36** Lorincz [24]. **48** Pettersen [45]. **52** Hodos [24]. **56** Vyroupaiev [54]. **60** Karavaev [54]. **64** Ighiguchi [30]. **68** Varga [24]. **72** Kazakov [54]. **76** Ukkola [20], Frgic [58], Mustafin [54]. **80** Serikov [54], Lipien [42], Ljungbeck [45]. **84** Passarelli [3], Masaki Eto [30], Holidis [23]. **88** Sike [24], Balov [9], Holidis [23].

Jusqu'à 62 kg. **12** Koskelo [20]. **20** Friman [20]. **24** Anttila [20]. **28** Vali [18]. **32** Gozzi [28]. **36** Erkan [52]. **48** Oktav [52]. **52** Pounkine [54]. **56** Makinen [20]. **60** Sille [52]. **64** Polyak [24]. **68** Rurua [54]. **72** Markov [9]. **76** K. Lipien [42], Davidian [54], Reczi [24]. **80** Mijiakis [23], Toth [24], Kramorenko [54]. **84** Weon-Kee Kim [12], Johansson [45], Dietsche [46]. **88** Madjdov [54], Vanguelov [9], An [12].

Jusqu'à 68 kg. **08** Porro [28]. **12, 20** Vare [20]. **24** Friman [20]. **28** Keresztes [24]. **32** Malmberg [45]. **36** Koskela [20]. **48** Freij [45]. **52** Safine [54]. **56** Lehtonen [20]. **60** Koridze [54]. **64** Ayvaz [52]. **68** Munemura [30]. **72** Khishamutdinov [54]. **76** Nalbadian [54], Rusu [44], Wehling [2]. **80** Rusu [44], Suppron [42], Skiold [45]. **84** Lisjak [57], Sipila [20], Martinez [55]. **88** Djoulfalakian [54], Kim [12], Sipila [20].

Jusqu'à 74 kg. **32** Johansson [45]. **36** Svedberg [45]. **48** Andersson [45]. **52** Szilvasi [24]. **56, 60** Bayrak [52]. **64** Koletsov [54]. **68** Vesper [2]. **72** Macha [52]. **76** Bykov [54], Macha [52], Helbing [3]. **80** Kocsis [24], Bikov [54], Huhtala [20]. **84** Salomaki [20], Tallroth [45], Rusu [44]. **88** Kim [12], Tourlykhanov [54], Tracz [42].

Jusqu'à 82 kg. **08** Martensson [45]. **12** Johansson C. [45]. **20** Westergren [45]. **24** Westerlund [20]. **28, 32** Kokkinen [20]. **36** Johansson [45]. **48, 52** Gronberg [45]. **56** Kartosia [54]. **60** Dobrev [9]. **64** Simic [58]. **68** Metz [2]. **72** Hegedus [24]. **76** Petkovic [57], Tchebokcharov [54], Kolev [9]. **80** Korban [54], Dolgowicz [42], Pavlov [9]. **84** Draica [44], Thanopoulos [23], Claeson [45]. **88** Mamiachvili [54], Komaromi [24], Kim [12].

Jusqu'à 90 kg. **08** Weckmann [20]. **12** Ahlgren [45] et Bohling [20]. **20** C. Johansson [45]. **24** Westergren [45]. **28** Moustafa [15]. **32** Svensson [45]. **36** Cadier [45]. **48** Nilsson [45]. **52** Grondahl [20]. **56** Nikolaev [54]. **60** Kis [52]. **64, 68** Radev [9]. **72** Retzansev [54]. **76** Rezantsev [54], Ivanov [9], Kwiecinski [42]. **80** Novenyi [24], Kanygin [54], Dicu [44]. **84** Fraser [55], Matei [44], Anderson [45]. **88** Komchev [9], Koskela [20], Popov [54].

Jusqu'à 100 kg. **72** Martinescu [44]. **76** Balbochine [54], Goranov [9], Skrzylewski [42]. **80** Raikov [9], Bierla [42], Andrei [44]. **84** Andrei [44], Gibson [55], Tertelje [57]. **88** Wronski [42], Himmel [3], Koslowski [55].

Plus de 100 kg. **96** Schumann [20]. **08** Weisz [24]. **12** Saarela [20]. **20** Lindfors [20]. **24** *Deglane* [21]. **28** Svensson [45]. **32** Westergren [45]. **36** Palusalu [18]. **48** Kirecci [52]. **52** Kotkas [54]. **56** Parfenov [54]. **60** Bogdan [54]. **64, 68** Kozma [24]. **72** Roschin [54]. **76** Kolchinski [24], Tomov [9], Codreanu [24]. **80** Kolchinski [54], Tomov [9], Bchara [60]. **84** Blatnick [55], Memisevic [57], Dolispchi [44]. **88** Kareline [54], Guerovski [9], Johansson [45].

Motonautisme

08 open *Thubron* [21], **8 m** Thornycroft-Redwood [22], **moins de 60 pieds** Thornycroft-Redwood [22].

Natation

• Messieurs. **50 m nage libre. 88** Biondi [55] 22"14, Jager [55] 22"36, Prigoda [54] 22"71.

100 m nage libre. 96 Hajos [24] 1'22"2. **04** Halmay [24] 1'2"8. **08** Daniels [55] 1'5"6. **12** Kahanamoku [55] 1'3"4. **20** Kahanamoku [55] 1'00"4. **24** Weissmuller [55] 59". **28** Weissmuller [55] 58"6. **32** Miyazaki [30] 58"2. **36** Csik [24] 57"6. **48** Ris [55] 57"3. **52** Scholes [55] 57"4. **56** Henricks [5] 55"4. **60** Devitt [5] 55"2. **64** Schollander [55] 53"4. **68** Wenden [5] 52"2. **72** Spitz [55] 51"22. **76** Montgomery [55] 49"99, J. Babashoff [55] 50"81, Nocke [3] 51"31. **80** Woithe [2] 50"40, Holmertz [45] 50"91, Johansson [45] 51"29. **84** Gaines [55] 49"80, Stockwell [5] 50"24, Johansson [45] 50"31. **88** Biondi [55] 48"63, Jacobs [55] 49"8, *Caron* [21] 49"62.

200 m nage libre. 00 (220 yards) Lane [5] 2'25"2. **04 (id.)** Daniels [55] 2'44"2. **68** Wenden [5] 1'55"2. **72** Spitz [55] 1'52"78. **76** Furniss [55] 1'50"29, Naber [55] 1'50"50, Montgomery [55] 1'50"58. **80** Kopliakov [54] 1'49"81, Krylov [54] 1'50"76, Brewer [5] 1'51"60. **84** Gross [3] 1'47"44, Heath [55] 1'49"10, Fahrner [3] 1'49"69. **88** Armstrong [5] 1'47"25, Holmertz [45] 1'47"89, Biondi [55] 1'47"99.

400 m nage libre. 96 (500 m) Neuman [6] 8'12"6. **04 (440 yards)** Daniels [55] 6'16"2. **08** Taylor [22] 5'36"8. **12** Hodgson [10] 5'24"4. **20** Ross [55] 5'26"8. **24** Weissmuller [55] 5'4"2. **28** Zorilla [4] 5'1"6. **32** Crabbe [55] 4'48"4. **36** Medica [55] 4'44"5. **48** Smith [55] 4'41". **52** *Boiteux* [21] *4'30"7*. **56** Rose [5] 4'27"3. **60** Rose [5] 4'18"3. **64** Schollander [55] 4'12"2. **68** Burton [55] 4'9". **72** Demont (déclassé) [55] 4'0"26. **76** Goodell [55] 3'51"93, Shaw [55] 3'52"54, Raskatov [54] 3'55"76. **80** Salnikov [54] 3'51"31, Krylov [54] 3'53"24, Stukolkin [54] 3'53"95. **84** Di Carlo [55] 3'51"23, Nykkanen [55] 3'51"49, Lemberg [5] 3'51"79. **88** Dassler [2] 3'46"95, Armstrong [5] 3'47"15, Wojdat [42] 3'47"34.

1 500 m nage libre. 96 (1 200 m) Hajos [24] 18'22"2. **00 (1 000 m)** Jarvis [22] 13'40"2. **04 (1 mile)** Rausch [2a] 27'18"2. **08** Taylor [22] 22'48"4. **12** Hodgson [10] 22'. **20** Ross [55] 22'23"2. **24** Charlton [5] 20'6"8. **28** Borg [45] 19'51"8. **32** Kitamura [30] 19'12"4. **36** Terada [30] 19'13"7. **48** McLane [55] 19'18"5. **52** Konno [55] 18'30"3. **56** Rose [5] 17'58"9. **60** Konrads [5] 17'19"6. **64** Windle [5] 17'1"7. **68** Burton [55] 16'38"9. **72** Burton [55] 15'52"58. **76** Goodell [55] 15'2"40, Hackett [55] 15'3"91, Holland [5] 15'4"66. **80** Salnikov [54] 14'58"27, Chaev [54] 15'14"30, Metzker [5] 15'14"49. **84** O'Brien [55] 15'5"20, Di Carlo [55] 15'10"59, Pfeiffer [3] 15'12"11. **88** Salnikov [54] 15'0"40, Pfeiffer [3] 15'2"69, Dassler [2] 15'6"15.

100 m dos. 04 (100 yards) Brack [2a] 1'16"8. **08** Bieberstein [2a] 1'24"6. **12** Hebner [55] 1'21"2. **20** Kealoha [55] 1'15"2. **24** Kealoha [55] 1'13"2. **28** Kojac [55] 1'8"2. **32** Kiyokawa [30] 1'8"6. **36** Kiefer [55] 1'5"9. **48** Stack [55] 1'6"4. **52** Oyakawa [55] 1'5"4. **56** Theile [5] 1'2"2. **60** Theile [5] 1'1"9. **68** Matthes [2] 58"7. **72** Matthes [2] 56"58. **76** Naber [55] 55"49, Rocca [55] 56"34, Matthes [2] 57"22. **80** Baron [45] 56"53, Kuznetsov [54] 56"99, Dolgov [54] 57"63. **84** Carey [55] 55"79, Wilson [55] 56"35, West [10] 56"49. **88** Suzuki [30] 55"5, Berkoff [55] 55"18, Polianski [54] 55"20.

200 m dos. 00 Hoppenberg [2a] 2'47". **64** Graef [55] 2'10"3. **68** Matthes [2] 2'9"6. **72** Matthes [2] 2'2"82. **76** Naber [55] 1'59"19, Rocca [55] 2'0"55, Harrigan [55] 2'1"35. **80** Wladar [24] 2'1"93, Verraszto [24] 2'2"40, Kerry [5] 2'3"14. **84** Carey [55] 2'0"23, *Delcourt* [21] *2'1"75*, Henning [10] 2'2"37. **88** Polianski [54] 1'59"37, Baltrusch [2] 1'59"60, Kingsman [37] 2'0"48.

100 m brasse. 68 Mac Kenzie [55] 1'7"7. **72** Taguchi [30] 1'4"94. **76** Hencken [55] 1'3"11, Wilkie [22] 1'3"43, Ivozaytis [54] 1'4"23. **80** Goodhen [22] 1'3"34, Miskarov [54] 1'3"82, Evans [5] 1'3"96. **84** Lundquist [55] 1'1"65, Davis [10] 1'1"99, Evans [5] 1'2"97. **88** Moorhouse [22] 1'2"4, Guttler [24] 1'2"5, Volkov [54] 1'2"20.

200 m brasse. 08 Holman [22] 3'9"2. **12** Bathe [2a] 3'1"8. **20** Malmroth [45] 3'4"4. **24** Skelton [55] 2'56"6. **28** Tsuruta [30] 2'48"8. **32** Tsuruta [30] 2'45"4. **36** Hamuro [30] 2'41"5. **48** Verdeur [55] 2'39"3. **52** Davies [5] 2'34"4. **56** Furukawa [30] 2'34"7. **60** Mulliken [55] 2'37"4. **64** O'Brien [5] 2'27"8. **68** Munoz [34] 2'28"7. **72** Hencken [55] 2'21"55. **76** Wilkie [22] 2'15"11, Hencken [55] 2'17"26, Colella [55] 2'19"20. **80** Julpa [54] 2'15"85, Vermes [24] 2'16"93, Miskarov [54] 2'17"28. **84** Davis [10] 2'13"34, Beringer [5] 2'15"79, Dagon [46] 2'17"41. **88** Szabo [24] 2'13"52, Gillingham [22] 2'14"12, Lopez [17] 2'15"21.

100 m papillon. 68 Russell [55] 55"9. **72** Spitz [55] 54"27. **76** Vogel [55] 54"35, Bottom [55] 54"50, Hall [55] 54"56. **80** Arvidsson [45] 54"92, Pyttel [2] 54"94, Lopez-Zubero [17] 55"13. **84** Gross [3] 53"08, Moralès [55] 53"23, Buchanan [5] 53"85. **88** Nesty [76] 53", Biondi 53"1, Jameson [2] 53"30.

200 m papillon. 56 Yorzyk [55] 2'19"3. **60** Troy [55] 2'12"8. **64** Berry [5] 2'6"6. **68** Robie [55] 2'8"7. **72** Spitz [55] 2'0"7. **76** Brunner [55] 1'59"23, Gregg [55] 1'59"54, Forrester [55] 1'59"96. **80** Fesenko [54] 1'59"76, Hubble [22] 2'1"20, Pyttel [2] 2'1"39. **84** Sieben [5] 1'57"04, Gross [3] 1'57"40, Vidal Castro [56] 1'57"51. **88** Gross [3] 1'56"94, Nielsen [14] 1'58"24, Mosse [37] 1'58"28.

200 m quatre nages. 68 Hickcox [55] 2'12". **72** Larsson [45] 2'7"17. **84** Baumann [10] 2'1"42. **88** Darnyi [24] 2'0"17, Kühl [2] 2'1"61, Iarochtchouk [54] 2'2"40.

400 m quatre nages. 64 Roth [55] 4'45"4. **68** Hickcox [55] 4'48"4. **72** Larsson [45] 4'31"98. **76** Strachan [55] 4'23"68, McKee [55] 4'26"90, Smirnov [54] 4'26"90. **80** Sidorenko [55] 4'22"89, Fesenko [55] 4'23"43, Verraszto [24] 4'24"24. **84** Baumann [10] 4'17"41, Prado [8] 4'18"45, Woodhouse [5] 4'20"50. **88** Darnyi [24] 4'14"75.

4 × 100 m nage libre. 64 USA 3'33"2. **68** USA 3'31"7. **72** USA 3'26"4. **84** USA 3'19"03. **88** USA 3'16"53, URSS 3'18"33, All. dém. 3'19"82.

4 × 200 m nage libre. 08 G-B 10'55"6. **12** Austr. 10'11"6. **20** USA 10'4"4. **24** USA 9'53"4. **28** USA 9'36"2. **32** Japon 8'58"4. **36** Japon 8'51"5. **48** USA 8'46". **52** USA 8'31"1. **56** Austr. 8'23"6. **60** USA 8'10"2. **64** USA 7'52"1. **68** USA 7'52"3. **72** USA 7'35"78. **76** USA 7'23"22, URSS 7'27"97, G-B 7'32"11. **80** URSS 7'23"50, All. dém. 7'28"60, Brésil 7'29"30. **84** USA 7'15"69, All. féd. 7'15"73, G.-B. 7'24"78. **88** USA 7'12"51, All. dém. 7'13"68, All. féd. 7'14"35.

4 × 100 m 4 nages. 60 USA 4'5"4. **64** USA 3'58"4. **68** USA 3'54"9. **72** USA 3'48"16. **76** USA 3'42"22, Canada 3'45"94, All. féd. 3'47"29. **80** Austr. 3'45"70, URSS 3'45"92, G-B 3'47"71. **84** USA 3'39"30, Canada 3'43"23, Austr. 3'43"25. **88** U.S.A. 3'36"93, Canada 3'39"28, URSS 3'39"96.

Plongeons du tremplin. 08 Zurner [2a]. **12** Gunther [2a]. **20** Kuehn [55]. **24** White [55]. **28** Desjardins [55]. **32** Galitzen [55]. **36** Degener [55]. **48** Harlan [55]. **52** Browning [55]. **56** Clothworthy [55]. **60** Tobian [55]. **64** Sitzberger [55]. **68** Wrightson [55]. **72** Vasin [54]. **76** Boggs [55], Cagnotto [28], Kosenkov [54]. **80** Portnov [54], Giron [34], Cagnotto [28]. **84** Louganis [55], Tan [61], Merriott [55]. **88** Louganis [55], Tan [61], Li [61].

Plongeons de haut-vol. 04 Sheldon [55]. **08** Johansson [45]. **12** Aderz [45]. **20** Pinkston [55]. **24** White [55]. **28** Desjardins [55]. **32** Smith H. [55]. **36** Wayne [55]. **48, 52** Lee S. [55]. **56** Capilla [34]. **60, 64** Webster [55]. **68** Dibiasi [28]. **72** Dibiasi [28]. **76** Dibiasi [28], Louganis [55], Aleynik [54]. **80** Hoffmann [2], Aleinik [54], Ambartsumian [54]. **84** Louganis [55], Kimball [55], Li [61]. **88** Louganis [55], Xiong [61], Mena [34].

Water-polo. 00 G-B. **04** USA. **08, 12, 20** G-B. **24** *Fr.* **28** All. **32, 36** Hongr. **48** It. **52, 56** Hongr. **60** It. **64** Hongr. **68** Youg. **72** URSS. **76** Hongr., It., P-Bas. **80** URSS, Youg., Hongr. **84** Youg., USA, All. féd. **88** Youg., USA, URSS.

☞ **Épreuves supprimées. 50 yards nage libre. 04** Halmay [24]. **100 m nage libre pour marins. 96** Matokinis [23]. **800 m nage libre. 04** Rausch [2a]. **4 000 m nage libre. 00** Jarvis [22]. **400 m brasse. 04** Zacharias [2a]. **12** Bathe [2a]. **20** Malmroth [45]. **200 m par équipes. 00** All. **4 × 50 yards nage libre. 04** USA. **Obstacle. 00** Lane [5]. **Nage sous l'eau. 00** *Vendeville* [21]. **Plongeon pour la distance. 04** Dickey [55]. **Plongeon simple. 12** Adlerz [45]. **20** Wallman [45]. **24** Eve [5].

• **Dames. 50 m nage libre. 88** Otto [2] 25"49, Yang [61] 25"64, Meissner [2] 25"71.

100 m nage libre. 12 Durack [5] 1'22"2. **20** Bleibtrey [55] 1'13"6. **24** Lackie [55] 1'12"4. **28** Osipovitch [55] 1'11". **32** Madison [55] 1'6"8. **36** Mastenbroek [24] 1'5"9. **48** Andersen [14] 1'6"3. **52** Szoke [24] 1'6"8. **56** Fraser [5] 1'2". **60** Fraser [5] 1'1"2. **64** Fraser [5] 59"5. **68** Henne [55] 1'. **72** Neilson [55] 58'59. **76** Ender [2] 55"65, Priemer [2] 56"49, Brigitha [40] 56"65. **80** Krause [2] 54"79, Metschuck [2] 55"16, Diers [2] 55"65. **84** Steinseifer [55] 55"92, Hogshead [55] 55"92, Verstappen [40] 56"08. **88** Otto [2] 54"93, Zhuang [61] 55"47, *Plewinski* [21] 55"49.

200 m nage libre. 68 Meyer [55] 2'10"5. **72** Gould [5] 2'3"56. **76** Ender [2] 1'59"26, S. Babashoff [55] 2'1"22, Brigitha [40] 2'1"40. **80** Krause [2] 1'58"33, Diers [2] 1'59"64, Schmidt [2] 2'1"44. **84** Wayte [55] 1'59"23, Woodhead [55] 1'59"50, Verstappen [40] 1'59"69. **88** Friedrich [2] 1'57"65, Poll [77] 1'58"67, Stellmach [2] 1'59"1.

400 m nage libre. 20 Bleibtrey [55] 4'34". **24** Norelius [55] 6'2"2. **28** Norelius [55] 5'42"8. **32** Madison [55] 5'28"5. **36** Mastenbroek [40] 5'26"4. **48** Curtis [55] 5'17"8. **52** Gyenge [24] 5'12"1. **56** Crapp [5] 4'54"6. **60** Von Saltza [55] 4'50"6. **64** Duenkel [55] 4'43"3. **68** Meyer [55] 4'31"8. **72** Gould [5] 4'19"04. **76** Thumer [2] 4'9"89, S. Babashoff [55] 4'10"46, B. Smith [10] 4'14"60. **80** Diers [2] 4'8"76, Schneider [2] 4'9"16, Schmidt [2] 4'10"86. **84** Cohen [55] 4'7"10, Hardcastle [22] 4'10"27, Croft [22] 4'11"49. **88** Evans [55] 4'3"85, Friedrich [2] 4'5"94, Möhring [2] 4'6"62.

800 m nage libre. 68 Meyer [55] 9'24". **72** Rothhammer [55] 8'53"68. **76** Thumer [2] 8'37"14, S. Babashoff [55] 8'37"59, Weinberg [55] 8'42"60. **80** Ford [5] 8'28"90, Diers [2] 8'32"55, Dahne [2] 8'33"48. **84** Cohen [55] 8'24"95, Richardson [55] 8'30"73, Hardcastle [22] 8'32"60. **88** Evans [55] 8'20"20, Strauss [2] 8'22"9, McDonald 8'22"93.

100 m papillon. 56 Mann [55] 1'11". **60** Schuler [55] 1'9"5. **64** Stouder [55] 1'4"7. **68** Mac Clements [5] 1'5"5. **72** Aoki [30] 1'3"34. **76** Ender [2] 1'0"13, Pollack [2] 1'0"98, Boglioli [55] 1'1"17. **80** Metschuck [2] 1'0"42, Pollack [2] 1'0"90, Knacke [2] 1'1"44. **84** Meagher [55] 59"26, Johnson [55] 1'0"19, Seick [3] 1'1"36. **88** Otto [2] 59"0, Weigang [2] 59"45, Qian [61] 59"52.

200 m papillon. 68 Kok [40] 2'24"7. **72** Moe [55] 2'15"57. **76** Pollak [2] 2'11"41, Tauber [2] 2'12"50, Gabriel [2] 2'12"86. **80** Geissier 2'10"44, Schoenrock [2] 2'10"45, Ford [5] 2'11"66. **84** Meagher [55] 2'6"90, Phillips [5] 2'10"56, Beyermann [3] 2'11"91. **88** Nord [2] 2'9"51, Weigang [2] 2'9"91, Meagher [55] 2'10"80.

100 m dos. 24 Bauer [55] 1'23"2. **28** Braun [40] 1'22". **32** Holm [55] 1'19"4. **36** Senff [40] 1'18"9. **48** Harup [14] 1'14"4. **52** Harrison [1] 1'14"3. **56** Grinham [22] 1'12"9. **60** Burke [55] 1'9"3. **64** Ferguson [55] 1'7"7. **68** Hall [55] 1'6"2. **72** Belote [55] 1'5"78. **76** Richter [2] 1'1"83, Treiber [2] 1'3"41, Garapick [10] 1'3"71. **80** Reinisch [2] 1'0"86, Kleber [2] 1'2"07, Riedel [2] 1'2"64. **84** Andrews [55] 1'2"55, Mitchell [55] 1'2"63, De Rover [40] 1'2"91. **88** Otto [2] 1'0"89, Egerszegi [24] 1'1"56, Sirch [2] 1'1"57.

200 m dos. 68 P. Watson [55] 2'24"8. **72** Belote [55] 2'19"19. **76** Richter [2] 2'13"43, Treiber [2] 2'14"97, Garapick [10] 2'15"60. **80** Reinisch [2] 2'11"77, Polit [2] 2'13"75, Treiber [2] 2'14"14. **84** De Rover [40] 2'12"38, White [55] 2'13"04, Patrascolu [44] 2'13"29. **88** Egerszegi [24] 2'9"29, Zimmermann [2] 2'10"61, Sirch [2] 2'11"45.

100 m brasse. 68 Bjedov [58] 1'15"8. **72** Carr [55] 1'13"58. **76** Anke [2] 1'11"16, Rusanova [54] 1'13"04, Koshevaia [54] 1'13"30. **80** Geweniger [2] 1'10"22, Vasilkova [54] 1'10"41, Nielson [14] 1'11"16. **84** Van Staveren [40] 1'9"88, Ottenbrite [10] 1'10"69, *Poirot* [21] 1'10"70. **88** Dangalakova [9] 1'7"95, Frenkevan [9] 1'8"74, Hörner [2] 1'8"83.

200 m brasse. 24 Morton [22] 3'33"2. **28** Schrader [2a] 3'12"6. **32** Dennis [5] 3'6"3. **36** Maehata [30] 3'03"3. **48** Van Vliet [40] 2'57"2. **52** Szekely [24] 2'51"7. **56** Happe [2a] 2'53"1. **60** Lonsborough [22] 2'49"5. **64** Prozumenchikova [54] 2'46"4. **68** Wichman [55] 2'44"4. **72** Whitfield [5] 2'41"71. **76** Koshevaia [54] 2'33"35, Iurchenia [54] 2'36"08, Rusanova [54] 2'36"32. **80** Kachuschite [54] 2'29"54, Varganova [54] 2'29"61, Bogdanova [54] 2'32"39. **84** Ottenbrite [10] 2'30"38, Rapp [55] 2'31"15, Lempereur [7] 2'31"40. **88** Hörner [2] 2'26"71, Huang [61] 2'27"49, Frenkevan [9] 2'28"34.

200 m quatre nages. 68 Kolb [55] 2'24"7. **72** Gould [5] 2'23"7. **84** Caulkins [55] 2'12"64. **88** Hunger [2] 2'12"59, Dendeberova [54] 2'13"31, Lung [44] 2'14"85.

400 m quatre nages. 64 De Varona [55] 5'18"7. **68** Kolb [55] 5'8"5. **72** Neall [5] 5'2"97. **76** Tauber [2] 4'42"77, Gibson [10] 4'48"10, B. Smith [10] 4'50"48. **80** Schneider [22] 4'36"29, Davies [22] 4'46"83, Czopek [42] 4'48"17. **84** Caulkins [55] 4'39"24, Landells [5] 4'48"30, Zindler [3] 4'48"57. **88** Evans [55] 4'37"76, Lung [44] 4'39"46, Hunger [2] 4'39"76.

4 × 100 m nage libre. 12 G-B 5'52"8. **20** USA 5'11"6. **24** USA 4'58"8. **28** USA 4'47"6. **32** USA 4'38". **36** P.-B. 4'36". **48** USA 4'29"2. **52** Hongr. 4'24"4. **56** Austr. 4'17"1. **60** USA 4'8"9. **64** USA 4'3"8. **68** USA 4'2"5. **72** USA 3'55"19. **76** USA 3'44"82, All. dém. 3'45"50, Canada 3'48"81. **80** All. dém. 3'42"71, Suè. 3'48"93, P.-B. 3'49"51. **84** USA 3'43"43, P.-B. 3'44"40, All. féd. 3'45"56. **88** All. dém. 3'40"63, P.-B. 3'43"39, USA 3'44"25.

4 × 100 m 4 nages. 60 USA 4'41"1. **64** USA 4'33"9. **68** USA 4'28"3. **72** USA 4'20"7. **76** All. dém. 4'7"95, USA 4'14"55, Canada 4'15"22. **80** All. dém. 4'6"67, G-B 4'12"24, URSS 4'13"61. **84** USA 4'08"34, All. féd. 4'11"97, Canada 4'12"98. **88** All. dém. 4'3"74, USA 4'7"90, Canada 4'10"49.

Plongeons du tremplin. 20 Riggin [55]. **24** Becker [55]. **28** Meany [55]. **32** Coleman [55]. **36** Gestring [55]. **48** Draves [55]. **52, 56** McCormick [55]. **60, 64** Kramer [2]. **68** Gossick [55]. **72** King [55]. **76** Chandler [55], Kohler [2], Potter [55]. **80** Kalinina [54], Proeber [2], Guthke [2]. **84** Bernier [10], McCormick [55], Seufert [55]. **88** Gao [61], Li [61], McCormick [55].

Plongeons de haut-vol. 12 Johansson G. [45]. **20** Fryland Clausen [14]. **24** Smith [55]. **28** Pinkston [55]. **32, 36** Hill-Poynton [55]. **48** Draves [55]. **52, 56** McCormick [55]. **60** Kramer [2]. **64** Busch [55]. **68** Duchkova [58]. **72** Knape [45]. **76** Vaytsekhovskaia [54], Knape [45], Wilson [55]. **80** Jaschke [2], Emirzyan [54], Tsotadze [54]. **84** Zhou [61], Mitchell [55], Wyland [55]. **88** Xu [61], Mitchell [55], Williams [55].

Natation synchronisée. Solo. 84 Ruiz [55], Waldo [10], Motoyoshi [30]. **88** Waldo [10], Ruiz-Conforto [55], Kotani [30]. **Duo. 84** Costie-Ruiz [55], Hambrook-Kryczka [10], Kimura-Motoyoshi [30].

Paume

08 Jay Gould [55].

Pentathlon moderne

Nota. – Messieurs uniquement.

• **Individuel. 12** Liliehook [45]. **20** Dyrssen [45]. **24** Lindman [45]. **28** Thofelt [45]. **32** Oxenstierna [45]. **36** Handrick [2a]. **48** Grut [45]. **52, 56** Hall [45]. **60** Nemeth [24]. **64** Török [24]. **68** Ferm [45]. **72** Balczo [24]. **76** Pyciak-Peciak [42], Lednev [54], Bartu [48]. **80** Starostin [54], Szombathelyi [24], Lednev [54]. **84** Masala [28], Rasmusson [45], Massulo [28]. **88** Martinek [24], Massulo [28], Iagorachvili [54].

• **Par équipes. 52** Hongr. **56** URSS. **60** Hongr. **64** URSS. **68** Hongr. **72** URSS. **76** G-B, Tchéc., Hongr. **80** URSS, Hongr., Suè. **84** Italie, USA, *Fr.* **88** Hongr., Italie, G.-B.

Polo

1900 G-B. **08** G-B. **20** G-B. **24** Arg. **36** Arg.

Rackets

08 simples G-B, **doubles** G-B.

Rugby

1900 *Fr.* **08** Austr. **20** USA b. *Fr.* **24** USA b. *Fr.*

Tennis

Hommes

• **Plein air. Simple. 96** Boland [27]. **00** Doherty [22]. **04** Wright [55]. **08** Ritchie [22]. **12** Winslow [1]. **20** Raymond [1]. **24** Richards [55]. **84** Edberg [45], Maciel [34]. **88** Mecir [48], Mayotte [55], Edberg [45] et Gilbert [55]. **Double. 96** Irlande. **00** G-B. **04** USA. **08** G-B. **12** Afr. du Sud. **20** G-B. **24** USA. **88** Flach-Seguso [55], Sanchez-Casal [17], Mecir-Srejber [48] et Edberg-Jarryd [45]. **Double mixte. 00** G-B. **12** All. **20** *Fr.* **24** USA.

• **Courts couverts. Simple. 08** Gore [22]. **12** *Gobert* [21]. **Double. 08** G-B. **12** *Fr.* **Double mixte. 12** G-B.

Dames

• **Plein air. Simple. 00** Cooper [22]. **08** Chambers [22]. **12** *Broquedis* [21]. **20** *Lenglen* [21]. **24** Wills [55]. **84** Graf [3], Goles [57]. **88** Graf [3], Sabatini [4], Garrison [55] et Maleeva [9]. **Double. 20** G-B. **24** U.S.A. **88** Shriver-Garrison [55], Novotna-Sukova [48], Smylie-Turnbull [5] et Graf-Kohde-Kilsch [3].

• **Courts couverts. Simple. 08** Eastlake [22]. **12** Hannam [22].

Tennis de table

• **Messieurs. Simple. 88** Yoo [12], Kim [12], Lindh [45]. **Double. 88** Chen-Wei [61], Lupulesku-Primorac [57], Ahn-Yoo [12].

• **Dames. Simple. 88** Chen [61], Li [61], Jiao [61]. **Double. 88** Hyun-Yang [12], Chen-Jiao [61], Fazlic-Perkucin [57].

Tir

• **Messieurs. Carabine air comprimé 10 m. 84** *Heberlé* [21], Kronthaler [6], Dagger [22]. **88** Maksimovic [57], *Berthelot* [21], Riedercr [3].

Carabine petit calibre (3 positions). 52 Kongshaug [36]. **56** Bogdanov [54]. **60** Shamburkin [54]. **64** Wigger [55]. **68** Klingner [3]. **72** Writer [55]. **76** Bassham [55], M. Murdock [55], Seibold [3]. **80** Vlassov [54], Hartstein [2], Johansson [45]. **84** Cooper [22], Nipkow [46], Allan [22]. **88** Cooper [22], Allan [22], Ivanov [54].

Carabine petit calibre (position couchée). 08 Garnell [22]. **12** Hird [55]. **20** Nuesslein [55]. **24** *Coquelin de Lisle* [21]. **32** Ronnmark [45]. **36** Rogeberg [36]. **48** Cook [55]. **52** Sarbu [44]. **56** Ouellette [10]. **60** Kohnke [3]. **64** Hammerl [24]. **68** Kurka [48]. **72** Li [11]. **76** Smieszek [3], Lind [3], Lushchikov [54]. **80** Varga [24], Heilfort [2], Zapianov [9]. **84** Etzel [55], *Bury* [21], Sullivan [22]. **88** Varga [48], Cha [12], Zahonyi [24].

Fosse olympique. 00 *De Barbarin* [21]. **08** Ewing [10]. **12** Graham [55]. **20** Arie [55]. **24** Halasy [24]. **52** Genereux [10]. **56** Rossini [28]. **60** Dumitrescu [44]. **64** Mattarelli [28]. **68** Braithwaite [22]. **72** Scalzone [28]. **76** Haldeman [55], Silva-Marques [45], Baldi [28]. **80** Giovannetti [28], Iambulatov [54], Damme [2]. **84** Giovannetti [28], Boza [41], Carlisle [55]. **88** Monakov [54], Bednarik [48], Peeters [7].

Pistolet de tir rapide. 96 Phrangudis [23]. **00** *Larrouy* [21]. **08** Van Asbrock [7]. **12** Lane [55]. **20** Paraense [8]. **24** Bailey [55]. **32** Morigi [28]. **36** Van Oyen [2a]. **48, 52**

Takacs[24]. **56** Petrescu[44]. **60** McMillan[55]. **64** Linnosvuo[20]. **68, 72** Zapedzki[42]. **76** Klaar[2], Wiefel[2], Ferraris[28]. **80** Ion[44], Wiefel[2], Pétritsch[6]. **84** Kamachi[30], Ion[44], Bies[20]. **88** Kouzmine[54], Schumann[2], Kovacs[24].

Pistolet libre (50 m). 96 Paine[55]. **00** Roederer[46]. **12** Lane[55]. **36** Ullman[45]. **48** Vasquez[41]. **52** Benner[55]. **56** Linnosvuo[20]. **60** Gustchin[54]. **64** Markhanen[20]. **68** Kosykh[54]. **72** Skanaker[45]. **76** Potteck[2], Vollmar[2], Dollinger[6]. **80** Melentev[54], Vollmar[2], Diakov[9]. **84** Haifeng Xu[61], Skanaker[45], Yifu Wang[61]. **88** Babü[44], Skanaker[45], Bassinski.[54]

Pistolet à air comprimé. 88 Kiriakov[9], Buljung[55], Xu[61].

Skeet. 68 Petrov[54]. **72** Wirnhier[3]. **76** Panacek[48], Swinkels[40], Gawlikowski[42]. **80** Rasmussen[14], Carlsson[45], Castrillo[13]. **84** Dryke[55], Rasmussen[14], Scribani-Rossi[28]. **88** Wegner[2], De Iruarrizaga[78], Guardiola[17].

Cible courante. 00 *Debray*[21]. **72** Zhelezniak[54]. **76** Gazov[54], Kedyarov[54], Grezkiewicz[42]. **80** Sokolov[54], Pfeffer[2], Gasov[54]. **84** Yuwei Li[61], Bellingrodt[63], Shiping Huang[61]. **88** Heiestad[36], Huang[61], Avramenko[54].

Fusil libre. 96 Karasevdas[23]. **08** Millner[22]. **Équipes. 08** Nor. **12** Suè. **20, 24** USA. **3 positions. 96** Orphanidis[23]. **08** Helgerud[36]. **12** *Colas*[21]. **20, 24** Fisher[55]. **48** Grunig[46]. **52** Bogdanov[54]. **56** Borissov[54]. **60** Hammerer[6]. **64, 68** Anderson[55]. **72** Wigger[55].

Fusil militaire. 300 m, 3 positions. 00 Kellenberger[46]. **12** Prokopp[24]. **300 m debout. 00** Madsen[14]. **20** Osburn[55]. **300 m à genoux. 00** Staheli[46]. **300 m couché. 00** *Paroche*[21]. **20** Olsen[36]. **600 m couché. 20** Johansson[45]. **600 m n'importe quelle position. 20** *Colas*[21]. **Équipes. 00** Suisse. **08** USA. **12** USA. **20** Dan., USA.

Petit calibre. 08 Fleming[22] et Styles[22]. **12** Carlberg[45].

Carabine miniature. Équipes. 08 G-B. **12** Suè. et G-B. **20** USA.

Cerf courant. 1 projectile, individuel. 08, 12 Swahn[45]. **20** Olsen[36]. **24** Boles[55]. **1 projectile, équipes. 08, 12** Suè. **20, 24** Nor. **2 projectiles, ind. 08** Winans[55]. **12** Lundeberg[45]. **20, 24** Lilloe-Olsen[36]. **2 projectiles, éq. 20** Nor. **24** G-B. **1 et 2 projectiles. 52** Larsen[36]. **56** Romanenko[54].

Pigeons. Argile, équipes. 08 G-B. **12, 20, 24** USA. **Vivants. 00** Lunden[7].

☞ Épreuves supprimées. **Revolver militaire. Équipes 00** Suisse. **08** USA. **12** Suè. et USA. **20** USA.

• Dames. **Pistolet de tir sportif. 84** Thom[10], Fox[55], Dench[5]. **88** Saloukvadze[54], Hasegawa[30], Sekaric[57].

Pistolet à air comprimé. 88 Sekaric[57], Saloukvadze[54], Dobrantcheva[54].

Carabine air comprimé 10 m. 84 Spurgin[55], Gufler[28], Wu[61]. **88** Chilova[54], Sperber[3], Maloukhina[54].

Carabine petit calibre. 84 Xiaoxuan[61], Holmer[3], Jewell[55]. **88** Sperber[3], Letcheva[9], Tcherkassova[54].

Tir à l'arc

• Messieurs. **Individuel. 72** Williams[55]. **76** Pace[55], Michinaga[30], Ferrari[28]. **80** Poikolainen[20], Isachenko[54], Ferrari[28]. **84** Pace[55], McKiney[55], Yamamoto[30]. **88** Barrs[55], Park[12], Echeev[54].

Par équipes. 88 Corée du S., USA, G.-B.

☞ Épreuves supprimées. **Cordon doré : 50 m 00** *Herouin*[21] ; **33 m 00** Van Innis[7]. **Au chapelet : 50 m 00** *Mougin*[21] ; **33 m 00** Van Innis[7]. **Sur la perche : à la herse 00** *Foulon*[21] ; **à la pyramide 00** *Grumiaux*[21]. **Double york round. 04** Bryant[55]. **Double american round. 04** Bryant[55]. **Team round. 04** USA. **York round. 08** Dod[22]. **Style continental. 50 m 08** *Grisot*[21]. **Cible-oiseau fixe. 20** Van Moer[7]. **Grand oiseau. 20** Cloetens[7]. **Libre-oiseau mobile : 28 m 20** Van Innis[7] ; **33 m 20** Van Innis[7] ; **50 m 20** *Brulé*[21] ; **équipes 28 m** P-B. ; **33 m** Belg. ; **50 m** Belg.

• Dames. **72** Wilber[55]. **76** Ryon[55], Kovpan[54], Rustamova[54]. **80** Losaberidze[54], Butuzova[54], Meriluoto[20]. **84** Seo Hyang-Soon[12], Hi Lingjuan[61], Kim Jin-Ho[12]. **88** Kim[12], Wang[12], Yun[12].

Par équipes. 88 Corée du S., Indonésie, USA.

☞ Épreuves supprimées. **Petite distance. 04** Howell[55]. **Grande distance. 04** Howell[55]. **50 et 60 yards. 08** Newall[22]. **Par équipes. 04** USA.

☞ **Sport divers.** Voir également p. 1796 et suivantes.

• **Yoga. Origine.** Shiatsu : massage. Do-in : automassage (pression du doigt). **But.** Détendre, défatiguer, améliorer ou guérir diverses affections (digestives, rhumatologiques, nerveuses, etc.), rééquilibrer l'individu dans son ensemble. *Principes :* ouvrir le corps à la libre circulation de l'énergie interne (le Ki des Japonais, le Chi des Chinois, le Prana des yogis, le Pneuma des Grecs anciens). En détendant, en étirant, en assouplissant le corps, surtout en pressant les *tsubos* ou points situés sur les méridiens d'acupuncture et correspondant à des fonctions et à des organes.

Par des pressions exercées dans un ordre donné, avec une intensité variable, en rythme avec la respiration du « receveur » et selon ses réactions, on débloque cette énergie et, suivant le mode d'action, on tonifie ou on disperse.

Renseignements. Groupe d'études des techniques traditionnelles, 20, rue Guynemer, 94120 Fontenay-sous-Bois.

Tir à la corde

1900 Suè. **04** USA. **08** G-B. **12** Suè. **20** G-B.

Volley-ball

• Messieurs. **64, 68** URSS. **72** Jap. **76** Pol., URSS, Cuba. **80** URSS, Bulg., Roum. **84** USA, Brésil, Italie. **88** USA, URSS, Arg.

• Dames. **64** Jap. **68, 72** URSS. **76** URSS, Jap., Corée du N. **80** URSS, All. dém., Bulg. **84** Chine, USA, Japon. **88** URSS, Pérou, Chine.

Yachting

☞ **(Les catégories de bateaux admis varient d'une olympiade à l'autre.)**

1900 : *6 m (2 t) :* Suisse « Lerina » à H. de Pourtalès ; *8 m (3 t) : France « Ollé » à Exshaw ; 10 m :* Allemagne « Aschenbrodel » à Wiesner ; *plus de 10 m : France « Esterel ».* **08 :** *6 m, 7 m, 8 m, 12 m :* G-B. **12 :** *6 m : Fr. 8 m :* Norv. *10 m :* Suè. *12 m :* Norv. **1920 :** *6 m :* Belg. (type anc.). *6 m :* Norv. (type nouv.). *6 m 50 :* P-Bas (type n.). *7 m :* G-B (type anc.). *8 m :* Norv. (type anc.). *30 m :* Suè. *40 m :* Suè. **24 :** *6 m :* Norv. *8 m :* Norv. **28 :** *6 m :* Norv. **32 :** *6 m :* Suè. *8 m :* USA. *« Star » :* USA. **36 :** *6 m :* G-B. *8 m :* It. *« Star » :* All. **48 :** *6 m :* USA. *« Dragon » :* USA. *« Star » :* USA. *« Swallow » :* G-B. *« Firefey » :* Elvstrom[14]. **52 :** *5 m 50 :* USA. *6 m :* Norv. *« Dragon » :* Norv. *« Star » :* It. *« Racer » :* Elvstrom[14]. **56 :** *5 m 50 :* Suè. (« Rush V »). *« Finn » :* Elvstrom[14]. *« Sharpie » :* N-Z. (« Jost »). *« Star » :* USA (« Kathleen »). *« Dragon » :* Suè. (« Slaghoken II »). **60 :** *« Finn » :* Elvstrom[14]. *« Flying Dutchman » :* Norv. *« Star » :* URSS. *« Dragons » :* Grèce. *5 m 50 :* J.L. : USA. **64 :** *« Finn » :* Kuhweide[3]. *« Flying Dutchman » :* N-Z. *« Star » :* Bahamas. *« Dragon » :* Dan. *5 m 50 :* Australie. **68 :** *« Finn » :* Mankin[54]. *« Flying Dutchman » :* Pattisson-Smith[22]. *« Star » :* North[55]. *« Dragon » :* Friedrich[55]. *« 5,50 m » :* Sundelin[45]. **72 :** *« Finn » : Maury*[21]. *« Flying Dutchman » :* Pattisson[22]. *« Star » :* Forbes[5]. *« Tempest » :* Mankin[54]. *« Soling » :* Melges[55]. *« Dragon » :* Cuneo[5]. **76 :** *« Finn » :* Schumann[2], Balashov[54], Bertrand[5]. *« Flying Dutchman » :* J. Diesch-E. Diesch[3], Pattisson-Houghton[22], Conrad-Rickert[8]. *« Tornado » :* White-Osborn[22], McFaull-Rothwell[55], Spengler-Schmall[3]. *« Tempest » :* Albrechtsson-Hansson[45], Mankin-Akimenko[54], Conner-Findlay[55]. *« 470 » :* Huebner-Bode[3], Gorostegui-Millet[17], Brown-Ruff[5]. *« Soling » :* Jensen-Hansen-Bandolowski[14], Kolius-Hoepfner-Glascow[55], Below-Engelhardt-Zachries[2]. **80 :** *« Finn » :* Rechardt[20], Mayrhofer[6], Balachov[54]. *« Flying Dutchman » :* Abascal, Noguer[17], Wilkins, Wilkinson[27], S. Detre, Z. Detre[24]. *« Tornado » :* Welter, Bjorstroem[8], Due, Kjergrad[14], Marstrom, Ragnarsson[45]. *« Star » :* Mankin, Muzichenko[54], Raudaschl, Ferstl[6], Georla, Praboni[28]. *« 470 » :* Soares, Penido[8], Borowski, Swensson[2], Lindgren, Tallberg[20]. *« Soling » :* Jensen-Bandolowski-Hansen[14], A. et B. Budnikov-Polayakov[54], Boudouris-Gavrilis-Rapanakis[23]. **84 :** *« Windglider » :* Van den Berg[40], Steele[55], Kendall[37]. *« Finn » :* Coutts[37], Bertrand[55], Neilson[10]. *« 470 » :* Doreste-Molina[17], Benjamin-Steinfeld[55], Peponnet-Pillot[21]. *« Flying Dutchman » :* McKee-Buchan[55], McLaughlin-Bastet[10], Richards-Allam[22]. *« Star » :* Buchan-Erickson[55], Griese-Marcour[3], Gorla-Peraboni[28]. *« Soling » :* Haines-Trevelyan-Davis[55], Grael-Adler-Senfft[8], Foch-Kerr-Calder[10]. *« Tornado » :* Sellers-Timms[37], Smyth-Glaser[55], Cairns-Anderson[5]. **88 :** *« Finn » :* Doreste[17], Holmberg[79], Cutler[37]. *« 470 » : Peponnet-Pillot*[21], Tyniste-Tyniste[54], Shadden-McKee[55]. *« Flying Dutchman » :* Bojsen Moller-Gronborg[14], Pollen-Bjorkum[36], McLaughlin-Millen[10]. *« Star » :* Mc Intyre-Vaile[22], Reynolds-Haenel[55], Grael-Falcao[8]. *« Soling » :* Schümann-Flach-Jaekel[2], Kostecki-Baylis-Billingham[55], Bank-Mathiasen-Secher[14]. *« Tornado » : Le Deroff-Henard*[21], Timms-Sellers[37], Grael-Freitas[8]. *« Planche à voile » :* Kendall[37], Boersma[80], Gebhardt[55].

☞ Épreuves supprimées. **Classes.** 5 tonneaux, 5-1 t., 1-2 t., 2-3 t., 3-10 t., 10-20 t., open. **Mètres.** 5,5, 6, 6 (classification de 1907), 6,5, 7, 8, 8 (cl. 1907), 10, 10 (cl. 1907), 10, 10 (cl. 1907), 10 (cl. 1919), 12, 12 (cl. 1907), 12 (cl. 1919). **Mètres carrés.** 12, 30, 40. **Hirondelle. Dragon. Tempête.**

Sports de démonstration 1988

• Baseball. **Messieurs.** USA, Japon, Porto Rico.

• Taekwondo. **Messieurs.** *50 kg :* Kwon[12], Moreno[55], Torroella[34]. *54 kg :* Ha[12], Garcia[17], Darraj[81]. *58 kg :* Ji[12], Sanabria[17], Danesh[27]. *64 kg :* Chang[12], Yagiz[52], Kamal[82]. *70 kg :* Park[12], Sanchez[17], Jurado[34]. *76 kg :* Chung[12], D'Oriano[28], Wu[62]. *83 kg :* Lee[12], Hussein[15], Woznicki[3]. *+ de 83 kg :* Kim[55], J.-S. Kim[12], Alvarez[17].

Dames. *43 kg :* Chin[62], Lee[12], Marathamuthu[83]. *47 kg :* Choo[12], Naranjo[17], Pai[62]. *51 kg :* Chen[61], Holloway[55], Lopez[17]. *55 kg :* Christensen[14], Tan[52], Dolls[17]. *60 kg :* Hee[55], Schwartz[14], Van Duren[40]. *65 kg :* Limas[55], Kim[12], Bistuer[17]. *70 kg :* Kim[12], De Jongh[40], Navaz[17]. *+ de 70 kg :* Love[55], Jang[12], Franssen[10].

• Judo. **Dames.** *48 kg :* Li[61], Esaki[30], Reardon[5]. *52 kg :* Rendle[22], *Brun*[21], Giungi[28]. *56 kg :* Williams[5], Liu[61], *Arnaud*[21]. 61 kg : Bell[22], Roethke[55], Mochida[30]. *66 kg :* Saaki[30], *Deydier*[21], Hartl[6]. *72 kg :* Berghmans[7], Bae[12], Classen[3]. *+ de 72 kg :* Seriese[40], Gao[61], Sigmund[3].

Épreuves d'athlétisme pour handicapés 1988

• Messieurs. **1 500 m fauteuil roulant.** *Badid*[21] 3'33"51, Van Winkel[7] 3'33"61, Blanchette[55] 3'34"37.

• Dames. **800 m en fauteuil roulant.** Hedrick[55] 2'11"49, Hansen[14] 2'18"29, Cable-Brooks[55] 2'18"68.

Jeux olympiques 1992

Hiver (Albertville, 8-23 février). 13 sites répartis sur 7 vallées : *Les Arcs* (ski de vitesse), *Courchevel* (saut et combiné nordique), *Les Ménuires* (ski alpin messieurs, slalom spécial), *Méribel* (ski alpin dames, hockey sur glace), *La Plagne* (bobsleigh, luge), *Pralognan* (curling), *Les Saisies* (biathlon, ski de fond), *Tignes* (ski artistique), *Val d'Isère* (ski alpin messieurs sauf slalom spécial).

Flamme : allumée à Olympie, arrivée le 14-12 à Roissy par avion, à Albertville le 8-2 après un parcours de 5 000 km dans les 22 régions (5 000 relayeurs, vitesse 10 km/h).

Budget prévu : 3,95 milliards de F.

Participants attendus : 2 000.

Été (Barcelone, 25 juillet-9 août). *23-6* arrivée à Empuries de la flamme olympique en bateau, traversera les 17 communautés autonomes de l'Espagne (arrivée à Barcelone 24-7).

Défense nationale

Les guerres

Généralités

☞ La *polémologie* est la science de la guerre, l'*irénologie* celle de la paix.

• **Armées (importance). Guerre de Cent Ans**, les grandes batailles (Crécy, Azincourt) se livraient entre quelques milliers de combattants, la France ayant alors un peu moins de 20 millions d'h. **Louis XIV** pour 23 millions d'h. env. avait 300 000 soldats. **Napoléon** pour 25 millions d'h. en eut jusqu'à plus de 1 million. **En 1914**, pour 40 millions d'h. la France eut plus de 4 millions de mobilisés. **En 1941**, *l'Angleterre* a eu env. 23 millions de mobilisés. **En 1985**, l'armée la plus importante est celle de la Chine (4 360 000 h., plus 90 à 115 millions d'h. en forces paramilitaires et milices armées).

• **Coût des guerres. Humain** : d'après l'Organisation mondiale de la santé (1962), plus de 3,6 milliards de vies humaines dep. 3 570 av. J.-C. (premiers pharaons 3 300 av. J.-C.). De siècle en siècle, les pertes sont devenues plus lourdes : *XVIIIe s.* 5 millions et demi de victimes (avec la généralisation du service militaire, les guerres de la Révolution et l'Empire marquent un tournant : 3,5 millions de † en 22 ans. *XIXe s.* 16. *2e Guerre mondiale* + de 60. *Dep. 1945*, une centaine de conflits ont causé env. 21 millions de morts (38 000 par mois).

Financier : *guerres de la Révolution et de l'Empire. 1793 à 1815 :* l'Angleterre perdit près de 23 milliards de francs-or (d'après Crosnier de Varigny). *1802 à 1813 :* la France dépensa 5 milliards de F-or. *Sécession (1861-65)* : a coûté 25 milliards de F-or. *1870 :* pour la France 13 à 15 milliards de F-or. *Russie/Japon (1905) :* 6 milliards de F-or pour la Russie. *1914-18 :* 15 000 milliards de F-or. *1939-45 :* coût mondial : 1 500 milliards de $ (530 pour les USA), pour la France 40 000 milliards de F.

• **Droit de la guerre. Définition.** Les belligérants sont tenus de respecter les principes du droit des gens tels qu'ils résultent des usages établis entre nations civilisées, des lois de l'humanité et des exigences de la conscience publique.

Codifications. Avant 1914 : Paris (1856) déclaration interdit la guerre de course. **Genève (1864)** convention sur la protection des blessés. **St-Pétersbourg (1868)** déclaration interdit certaines armes, déclare contraire aux lois de l'humanité l'emploi d'armes qui aggraverait inutilement les souffrances des hommes mis hors de combat ou rendant leur mort inévitable. **Bruxelles (1874)** déclaration sur la conception du combattant régulier, interdit l'emploi de poison ou d'armes empoisonnées. **La Haye (1899)** conférence, 26 États. 2 conventions et 3 déclarations remplacées mais non abrogées par de nouveaux textes. **(1907)** 2e confér., 44 États. **Entre 1919 et 1939 :** plusieurs conférences, en particulier en matière maritime, mais n'aboutirent pas, ou les textes adoptés ne furent pas ratifiés. **Genève (1925)** protocole adopté interdisant en temps de guerre l'emploi des gaz asphyxiants, toxiques ou similaires et des moyens bactériologiques. **1929** *conventions relatives aux blessés, malades, prisonniers de guerre.* **Londres (1936)** protocole déterminant les conditions dans lesquelles le recours à la force est possible contre les navires de commerce. **Genève (1949)** conférence aboutit à la révision des 3 conventions préexistantes relatives au sort des blessés, des malades et des prisonniers de guerre dans la g. sur terre et sur mer ; *une convention spéciale sur la protection des personnes civiles* en temps de guerre fut également adoptée. **Convention sur la protection des biens culturels (1954)** en cas de conflit armé adoptée sous les auspices de l'UNESCO : **Genève (10-4-1972)** convention sur « l'interdiction de la mise au point, de la fabrication et du stockage des armes bactériologiques (biologues) ou des toxines et sur leur destruction ».

Conflits depuis 1945

☞ Voir détails à chaque pays.

• **Conflits interétatiques.** *Algérie-Maroc :* 1963. *Chine-Taiwan :* 1950, Quemoy-Matsu. *Chine-Tibet :* 1950-51. *Chine-URSS :* 1969, Oussouri. *Chine-Viêt-nam :* 1979, 50 000. *Corée :* 1950-53. *Grande-Bretagne-Argentine :* 1982, Falkland. *Grèce-Turquie :* 1974, Chypre. *Guatemala-Honduras :* 1954, opération CIA. *Inde-Chine :* 1959, Ladakh ; 1962, Assam. *Inde-Pakistan :* 1947-49 ; 1965 ; 1971-72, Bangladesh, 600 000 †. *Indonésie-Malaysia :* 1963, Sarawak, Bornéo. *Indonésie-Timor oriental :* 1976, annexion par l'Indonésie. *Iran-Irak :* 1980-88, 1 000 000 †. *Israël-Liban :* 1982-88. *Israélo-arabe :* 1948-49 ; 1967 ; 1973. *Israélo-égyptien :* 1956. *Pays-Bas-Indonésie :* 1960-62, Irian. *Salvador-Honduras :* 1969. *Somalie-Éthiopie :* 1977-78. *Syrie-Liban :* 1976, occupation. *Viêt-nam :* 1965-73, intervention massive des États-Unis. *Viêt-nam-Chine :* 1979. *Viêt-nam-Kampuchea :* 1978. *Yémen du Nord-Yémen du Sud :* 1979. *Guerre du Golfe :* 1990-91. 29 nations engagées contre l'Irak.

• **Interventions ponctuelles.** *Angola :* sud-africaine, zaïroise et surtout cubaine, 1975-76 ; sud-afric., 1980-88. *Cambodge :* américaine, 1970. *Centre-Afrique :* française, 1979. *Chypre :* turque, 1974. *Cuba :* Playa Girón, 1961. *Djibouti :* française, 1976-77. *Égypte :* Suez, franco-anglaise, 1956. *Éthiopie :* cubaine, 1977. *Gabon :* française, 1964. *Golfe persique :* navale occidentale, 1986/87. *Grenade :* américaine, 1983. *Hongrie :* Budapest, soviétique, 1956. *Jordanie :* forces royales contre l'OLP, 1970. *Liban :* américaine, 1958. *Libye :* raid aérien américain, 1985. *Mauritanie :* française, 1961. *Ouganda, Kenya, Tanzanie :* britannique, 1964. *Ouganda :* tanzanienne, 1979. *Panamá :* américaine, 1989. *Portugal :* Goa, possession portugaise, indienne, 1961. *Saint-Domingue :* américaine, 1965. *Sénégambie :* Gambie, sénégalaise, 1980. *Sri Lanka :* indienne contre les Tamouls, 1987-... *Tchécoslovaquie :* Prague, soviétique, 1968. *Tchad :* française, 1968-91 (à 3 reprises) ; libyenne, 1980 à 87. *Tunisie :* Bizerte, française, 1961. *Zaïre :* belge, 1961 et 64 ; Shaba, marocaine et française, 1977 ; Kolwezi, française, 1978.

• **Mouvements de libération pour l'indépendance, dirigés contre une domination ou une occupation étrangère.** *Afghanistan :* 1979-89 contre l'occupation soviétique. *Algérie :* 1954-62 contre la France. *Angola :* 1961-74, Portugal. *Cambodge :* Kampuchéa, 1979-..., un régime mis en place par le Viêt-nam. *Cameroun :* 1957-60, France. *Chypre :* 1955-59, G.-B. *Guinée-Bissau :* 1963-74, Portugal. *Indonésie :* 1946-49, Pays-Bas. *Kenya :* insurrection mau-mau, 1952-54, G.-B. *Laos :* Pathet Lao 1946-54, France. *Malaisie :* 1948-57, G.-B. *Maroc :* troubles, 1953-56, France. *Mozambique :* 1964-74, Portugal. *Namibie :* 1970-..., Afr. du Sud. *Palestine :* mouvement sioniste 1945-48, G.-B. ; 1965-..., Israël surtout à partir de 1967. *Rhodésie/Zimbabwe :* 1972-79, domination blanche rhodésienne. *Sahara occidental :* 1975-..., Maroc. *Timor occidental :* 1974-..., Indonésie, 100 000 †. *Tunisie :* troubles, 1952-56, France. *Viêt-nam :* guerre d'Indochine, 1946-54, France. *Yémen du Sud :* 1963-67, G.-B. *Zaïre (alors belge) :* troubles au Congo, 1958-60.

• **Conflits à caractère sécessionniste ou pour obtenir l'autonomie dans le cadre d'États constitués.** *Birmanie :* Karens, Kachins, 1948. *Espagne :* Basques, 1975-81. *Éthiopie :* Érythrée, 1961 ; Ogaden, 1974-88. *Inde :* Hyderabad 1948, résistance à l'incorporation à l'Inde ; Nagas 1965-72 ; Sikhs, 1983-88. *Irak :* Kurdes, 1961-70 et 1974-75, 1979. *Iran :* Azerbaïdjan et république kurde de Mahabad, 1946 ; Kurdes, 1978. *Nigeria :* Biafra, 1967-70, 1 000 000 †. *Pakistan :* Baloutches, 1973-77. *Philippines :* Musulmans, 1977. *Sri Lanka :* Tamouls, 1984-88. *Sud-Moluques (archipel d'Indonésie) :* 1950-52. *Soudan :* Sud-Soudan, 1966-72. 1982, 500 000 †. *Tibet :* Chine, 1955-59, 87. *Turquie :* Kurdes, 1984. *URSS :* Azerbaïdjan, Georgie, 1989. *Yougoslavie :* Kossovo, 1987. *Zaïre :* Katanga, 1960-64.

Guerres civiles pour un changement de régime. *Afghanistan :* 1978-79, reprise en 1988-89, 1 000 000 †. *Angola :* Unita, 1976-..., aide de l'Afr. du Sud puis des USA, 500 000 †. *Argentine :* 1973-77, 15 000 † (+ 10 000 disparus). *Bolivie :* 1967. *Brésil :* 1967-70. *Burundi :* 1972. *Cambodge :* 1960-66 ; 1965-75, 2 000 000 †. *Chili :* 1973, répression militaire. *Chine :* 1945-49. *Chypre :* 1963-64, intervention ONU. *Colombie :* 1953, état chronique. *Cuba :* 1956-59. *Grèce :* 1947-49. *Guatemala :* 1961-68, 80-..., 20 000 †. *Indonésie :* 1965. *Iran :* 1978-79. *Irlande du Nord :* catholique, 1968-... *Laos :* 1960-75. *Liban :* 1975-..., état chronique. *Malaysia :* sporadique, 1958 à 82. *Mozambique :* Renamo, 1980-..., aide Afr. du Sud. *Nicaragua :* 1972-79 et 80. *Oman :* Dhofar, 1968-76 avec intervention britannique, iranienne et jordan. *Pérou :* 1965 et 82. *Philippines :* Huks, 1949-52 ; (Nouvelle Armée Popul.) 1980, 88. *Ruanda :* 1962-63. *Salvador :* 1976-.... *Sumatra :* 1957-58, insurrection contre centralisme. *Tchad :* 1968-82. *Thaïlande :* sporadique jusqu'en 1983. *Turquie :* 1979-80, 3 000 †. *Uruguay :* 1965-73. *Venezuela :* 1962-67. *Sud Viêt-nam :* 1957-64, 1973-75. *Yémen :* Nord, 1962-67, avec intervention égypt.

Guerres françaises

Contre nations étrangères

☞ **Années de guerre en France. XIVe s. :** 43 (guerre civile 5, extérieure 13, territoire français 25) ; **XVe :** 71 (c. 13, e. 15, t. 43) ; **XVIe :** 85 (c. 33, e. 44, t. 8) ; **XVIIe :** 69 (c. 17, e. 52) ; **XVIIIe :** 58 (c. 7, e. 51) ; **XIXe :** 84 (e. 19, c. 1, coloniales 64) ; **XXe :** 39 (e. 10, col. 29).

• **Guerre de Cent Ans (1328-1453).** *Effectifs* maximaux 10 000 ; proportion : chevaliers 15 %, fantassins lourds 45, archers 40. *Pertes à chaque rencontre* env. 20 % des hommes à pied chez le vaincu. 1 ou 2 % de chevaliers (on fait surtout des prisonniers pour avoir des rançons). *Pertes durant 1 siècle :* 20 000 †.

• **Guerres d'Italie (1498-1559).** *Armées* de 20 000 à 25 000 h. dont mercenaires 15 000 à 18 000. Après 1534 : effectifs français 42 000 fantassins, 4 200 cavaliers. *Pertes* à chaque bataille (moyenne) 2 à 8 % chez le vainqueur, 20 chez le vaincu (l'infanterie enfoncée est sabrée par les cavaliers). *Pour 60 ans de combats :* 80 000 †. Pertes élevées chez les chefs (8 généraux sur 10 meurent au combat).

• **Guerre de Trente Ans (1618-48).** *Effectifs :* français 20 à 25 000 h. (dont 1/4 de cavaliers) ; suédois 18 000 h. (dont 10 000 cav.). *Pertes* moy. : vaincu 30 à 40 % ; vainqueur 10 à 12 %. Total : Français 20 000 ; Allemands 50 000 ; Espagnols 60 000.

• **Guerres de Louis XIV (1667-1713).** Essentiellement guerres de siège. Garnisons de 3 000 à 8 000 h. ; assiégeants 10 000 à 12 000 h. Capitulation d'usage après 10 % de pertes chez l'assiégé. **G. de Dévolution** (1667-68). *Eff. :* fr. 60 000 ; esp. 12 000. *Pertes :* quelques centaines. **G. de Hollande** (1672-78). *Eff.* 120 000 en 3 armées. *Pertes* moyennes par bataille 10 à 15 %. Évaluation globale 20 000. **G. de la Ligue d'Augsbourg** (1689-97). *Eff.* 150 000 dont 25 % de cavaliers (artillerie 2 %, génie 5 %). *Pertes* 10 % par bataille ; globales env. 60 000 h. **G. de Succession d'Espagne** (1701-13). *Eff.* 300 000 dont infanterie 260 régiments, cavalerie 100 rég. Constitution de lignes fortifiées (pertes moy. lors d'une percée :

vainqueur 10 %, vaincu 30 à 40 %). Moy. d'effectifs engagés par bataille : 60 000 h. (cavaliers 1/3). *Pertes globales* 100 000 à 120 000 h.

• **Guerres de Louis XV. G. de Succession d'Autriche (1745-48).** *Eff.* 100 000 h. *Pertes* 30 000 h. **G. de Sept Ans (1756-63).** *Effectifs :* Prusse 200 000, France 150 000 en Europe + 20 000 outre-mer, Autriche 150 000, Russie 100 000, Angleterre 40 000 marins, 554 000 †.

• **Guerres de la Révolution et de l'Empire. Pertes françaises.** Il y aurait eu, sur 2 800 000 appelés et 5 600 000 appelables de 1792 à 1815, 150 000 † naturelles hors service, 850 000 † à la guerre, 550 000 disparus réels ou présumés, en tout 1 550 000 † dont 1 400 000 sous les armes et 1 250 000 h. épargnés et survivants (sauf les morts naturelles des non-retraités). Les pertes fr. réelles se répartiraient ainsi : 800 000 sous le Consulat et l'Empire, 600 000 sous la Révolution. La plupart des morts étaient des typhiques ou des blessés contractant le typhus dans les hôpitaux (1 blessé sur 4 entrant à l'hôpital en réchappait). Le nombre de tués au combat proprement dit était de 2 % (Austerlitz) à 8,5 % (Waterloo).

Grande Armée de Napoléon. Comprenait d'importants contingents alliés (50 000 Allemands, Dalmates et Italiens sur 300 000 h. en 1809 en Espagne ; 1/3 d'étr. à Wagram ; en Russie 230 000 étr. sur 428 000 h. ; en 1813, 40 000 étr. sur 215 000 h.). *Effectifs des coalisés :* Autriche 260 000 h., Russie 225 000, Prusse 80 000, Esp. : indéterminé (guérilleros), Angleterre 60 000. Total (1815) : 630 000.

• **Conquête de l'Algérie (1830).** Selon Bodart 10 000 †, dont 411 off. ; Martin et Foley 2 600 †.

• **Guerres du IIe Empire. Guerre de Crimée (1854-55).** *Eff., morts (dont de maladie) : Russie* 500 000 h. [total morts 100 000 (dont de maladie 60 000)]. *France* 310 000 h. [93 615 † (73 375)]. *Turquie* 230 000 h. [35 000 † (n.c.)]. *G.-B.* 98 000 h. [22 182 † (17 580)]. *Sardaigne* 21 000 h. [2 194 † (2 166)].

Guerre d'Italie (1859). *Effectifs :* Français 150 000 (17 000 †), Sardes 50 000 (2 000 †), Autrichiens 130 000 (23 000 †).

Guerres de Chine, Cochinchine et Mexique (1861-67). 65 000 h. tués et blessés dont au Mexique (effectifs terre 38 492) : 1 627 † au feu, 4 735 † de maladie, 292 † divers (marine : pertes par maladie env. 2 000 h).

Guerre franco-allemande de 1870. Français. *Eff.* 2 000 000 d'h. (dont troupes engagées 935 760), 156 000 † (dont 17 000 en captivité, 61 000 morts de maladie ou d'épuisement), 145 000 blessés. 20 000 morts de sièges (Paris, Strasbourg, Belfort). Surmortalité due aux conditions de vie : 800 000. **Allemands.** *Eff. :* 1 494 000 h., 44 000 †, 127 000 blessés.

• **Guerres coloniales du XIXe s.** *Pertes* françaises 112 000 † (selon B. Ourlanis), 8 287 † de 1871 à 1908 selon Bodard (sans compter 5 736 † à Madagascar en 1895 et env. 7 000 † au Tonkin en 1882-85).

• **Guerres de 1914-18 et de 1939-45.** Voir Histoire de France, p. 638 et 645. **Guerre d'Indochine** (1946-54), **de Corée** (1950-53). **Opérations en Tunisie** (1952-57), **au Maroc** (1953-58), **en Algérie** (1954-62).

Actions françaises récentes. Suez : participation au dégagement du canal (1974 : 9 bâtiments, 75 : 2 bât., 78 : 2 bât.). **Djibouti** (févr. 1976, avril-nov. 1977). **Mayotte** (1977-78). **Zaïre :** transport d'un détachement marocain (mai-juin 1978). **Kolwezi. Liban** (dans le cadre de l'ONU, dep. mars 1978), opérations *Hippocampe* (transport FINUL 1978), *Olifant* (soutien maritime prolongé, 1981-e.c.), *Anabase* (sept. 1982 marine), *Épaulard* (août-sept. 1982, force multinationale d'interpostion), *Diodon* (force multinationale de sécurité 1982-89), *Mirmillon* (1984, marine nat.), *casques blancs* (1984-86). **Tchad :** *Tacaud* (1978-80), *Manta* (1983-84), *Épervier* (1986-e.c.). **Mauritanie :** *Lamentin* (appui aérien 1977), *Nouadhibou* (1979-80). **Rép. Centrafricaine** *Barracuda* (1979-81), *Cyprin* (1981). **Nouvelles-Hébrides :** *Saintonge* (1980). **Tunisie :** *Scorpion* (Gafsa, 1980). **Togo :** (1986). **Golfe arabo-persique :** *Prométhée* (1987-88), pression sur l'Iran, escorte pétroliers, déminage du Golfe, *Artimon* (août 1990-91), contrôle aéronaval d'embargo, *Daguet* (sept. 1990-mai 1991), intervention aéroterrestre dans le cadre de l'Opération Desert Storm pour libération du Koweït ; participation 15 000 h. **Comores :** *Oside* (déc. 1989). **Gabon :** mai 1990.

Interventions à caractère humanitaire : *Cambodge* (1979-80). *Ouganda* (1980).

Nota. – e.c. = en cours.

Guerres civiles

France

• **Guerres de Religion (1560-98).** *Pertes des huguenots et alliés allemands :* militaires env. 5 000, civils env. 1 200, chiffres contestés, voir Histoire de France, p. 609 (Wassy 42 †). *Des catholiques* env. 10 000.

• **Guerres des Camisards et de Succ. d'Espagne (1701-13). Cévenols 7 000, huguenots dans l'armée angl. env. 5 000, cath. 1 200.**

• **Révolution (1792-99). Guerre de Vendée** + de 600 000 †, dont soldats républicains 18 000, soldats chouans 80 000, civils exécutés 210 000, † de froid et de faim env. 300 000, dont plus de 100 000 enfants. **Paris** (archives détruites 1910). 30 000 dont Suisses (10-8-92) 786 ; massacres de Sept. 92 : 1 395 (+ 1 700 à Meaux, Reims, Caen, Versailles...). **Lyon** 5 000 dont mitraillés 1 700. **Émigration** 12 000 dont Quiberon 1 500 (fusillés 700), armée de Condé 5 000. **Pendant la Terreur** (avril 93 à juill. 94) 2 596 guillotinés à Paris, 12 000 tués dans toute la France.

• **Terreur blanche (1814).** *Tués* mamelouks de Marseille 45 ; attentats individuels, exécutions éval. 35.

• **Trois Glorieuses (juil. 1830).** *Tués* 250.

• **Journées de juin (1848).** *Tués* troupes 1 600 ; insurgés 3 000.

• **Nuit du 4-Décembre (1851).** *Tués* 215 manif.

• **Commune de Paris (mai 1871).** *Versaillais* 880 ; *insurgés* env. 20 000 (16 000 tués pendant les batailles de rues, 3 500 exécutés après la reprise de Paris) ; certains ont parlé de 100 000 tués.

• **6 février 1934.** *Tués* civils 14, milit. 1, *blessés* hospitalisés civils 236, milit. 70, gardiens de la paix 22.

• **Épuration (1944-45).** Voir Index.

• **Mai 1968.** 3 (la mortalité habituelle a été en baisse : circulation automobile en baisse).

Guerres civiles étrangères

Chine. Révolte des Tai-Ping (1851-64) 20-30 millions de † (+ de 100 000 lors du sac de Nankin par les tr. gouv., du 19 au 21-7-64). **G. de Sécession américaine** (1861-65). 617 000 †. *Nordistes* mobilisés 2 213 363, 364 511 †. *Sudistes* 600 000 à 1 500 000 mobilisés, 133 821 †. **G. de la Révolution russe** (1917-20) 3 000 000 de †, dont réfugiés morts de froid le long du Transsibérien 1 100 000. **G. d'Espagne** [1936-39 (d'après Hugh Thomas)] : 410 000 † dont combattants 285 000, civ. 125 000.

Batailles

Angleterre (juil.-oct. 1940). *Pertes* anglaises 29 360 †, 41 096 blessés, 915 chasseurs détruits ; all. 1 733 avions détruits. **Austerlitz** (1805). *Forces* fr. 73 200 ; ennemies 85 400. *Pertes* austro-russes 27 000 h. tués, blessés ou prisonniers. *Pertes* fr. 9 000 h. (dont 1 300 tués). **Azincourt** (24-10-1415). *Forces* angl. (vict.) 1 000 chev., 6 000 archers ; env. 6 000 coutiliers (13 chev., 100 fant. †) ; fr. 25 000 (8 000 †, dont prisonniers égorgés 1 700).

Berezina (28-11-1812). *Forces* fr. (combattants 40 000 ; non-combattants ?), env. 25 000 † ou disparus. **Bir Hakeim** (27-5/11-6-1942). *Pertes* germano-ital. 50 chars ; fr. (814 disparus, 127 †), sortie réussie par 2 500 h. **Borodino** (7-9-1812). *Forces* fr. 133 000 h. ; russes 120 000 h. *Pertes* fr. 30 000 ; r. 44 000. **Bouvines** (27-7-1214). *Forces* fr. 22 000 ; impériales 24 000 (1 200 †).

Cannes (216 av. J.-C.). Romains (72 000 † et 10 000 prisonniers sur 86 000 h.), battus par 40 000 Carthaginois (dont 25 000 auxiliaires ibères et gaulois). **Crécy** (1346). *Forces* angl. 3 900 chevaliers, 11 000 archers angl., 5 000 coutiliers gallois (vict.) ; fr. 12 000 chevaliers, 6 000 archers génois, 20 000 miliciens [11 princes, 1 542 chevaliers, 30 000 soldats (? †)].

Diên Biên Phu. *Côté français,* effectifs 10 871 (au 13-3-54) + renfort envoyé 4 277 (du 13-3- au 7-5-54) ; pertes du 21-11-53 au 12-3-54 : 151 †, 29 disparus, 4 436 blessés ; du 13-3 au 5-5-54 : 1 142 †, 1 606 disparus et 1 037 blessés. *Viêt-minh,* effectifs 104 000 h. ; pertes 7 890 †, 15 000 blessés ; ravitaillement par 75 000 coolies. **Dunkerque** (26-5/3-6-1940). Rembarquement de 198 315 Anglais, 140 000 Fr. et Belges. *Pertes des marines* angl. et fr. 6 destroyers, 9 torpilleurs, 2 c.-torpilleurs, 88 navires. *Pertes anglaises* 68 111 h., 2 472 canons, 63 879 véhicules ; *françaises* env. 120 000 h.

El-Alamein (1942). *Forces* angl. 195 000 (vict.) ; germano-ital. 104 000 (1 500 †, 30 000 pris., 548 chars, 600 avions détruits). **Eylau** (1807). *Forces* fr. 75 000 h. ; ennemies 76 000. Victimes 40 000.

Fontenoy (1745). *Forces* anglaises 20 000 h. *Pertes* angl. 9 000 ; fr. 6 000. **Friedland** (14-9-1807). *Forces* fr. 80 000 (début), 80 000 (fin) ; russes 60 000. *Pertes* fr. (vict.) 800, 5 000 blessés ; russes 20 000.

Guadalcanal (1942-43). *Forces* américaines 23 000 (vict.) ; japonaises 20 000 (9 000 †).

Hastings (14-10-1066). *Forces* normandes (vict.) 9 000 ; saxonnes 10 000 (4 000 †).

Iéna (1806). *Forces* françaises 60 000 (vict.) ; allemandes 80 000 (20 000 †, 30 000 pris.). **Isly** (1844). *Forces* fr. 10 500 h., 16 canons ; arabes 10 000 cavaliers (?). **Ivry** (14-3-1590). *Forces* cath. 19 000 (500 †) ; prot. (vict.). **Iwo Jima** (1945). *Forces* américaines 70 000 (vict.) ; 25 000 † ; japonaises 23 000 (22 000 †).

Jutland (31-5-1916). *Anglais* 151 nav., 16 nav. coulés, 6 097 †, 674 b., 177 prisonniers (11,6 % des effectifs). *Allemands* 101 nav., 11 coulés, 2 545 †, 507 b. (6,8 %).

Koursk et Oryol (5-7 au 23-8-1943). *Forces* russes 130 000, 3 600 chars, 3 130 avions, 20 000 canons et mortiers ; allemandes 2 700 chars.

Leipzig (1813). *Forces* fr. et alliées 195 000 h., ennemies 365 000. *Pertes* fr. 73 000 ; ennemies 54 000. **Lépante** (7-10-1571) flotte turque écrasée par Esp. Vénitiens et troupes du pape 30 000 †. **Leyte** (22/27-10-1944). La + grande bataille aéronavale de la g. 1939-45. *Forces* amér. (vict.) 166 nav. dont 6 cuirassés, 18 porte-avions (6 nav. coulés), 1 280 avions ; jap. 65 nav. (5 cuirassés, 4 p.-avions, 10 croiseurs coulés, 26 nav. coulés), 716 avions.

Malplaquet (11-9-1709). *Forces* anglo-holl. (vict.) 24 000 ; fr. 12 000. **Marathon** (490). *Forces* grecques 11 000, perses 72 000 (60 000 fantassins, 12 000 cavaliers). *Pertes* grecques 200 ; perses 6 400. **Marengo** (14-6-1800). *Forces* fr. (vict.) 7 000 ; autr. 14 000. **Marignan** (13/14-9-1515). *Forces* fr. 6 000 ; suisses 12 000. **Midway.** *Pertes américaines :* 1 porte-avions, 1 torpilleur, 150 avions, 307 † ou blessés ; *japonaises :* 4 porte-avions sur 7 engagés, 1 croiseur sur 11 cuirassés et 15 croiseurs engagés, 253 avions et 3 500 † ou bl. **Monte Cassino** (3 batailles, 1944). *Forces* anglo-polonaises 300 000 (115 000 †) ; allemandes 60 000 (20 000 †) ; françaises 15 000 (6 577). **Normandie** (débarquement 6-6-1944). *Forces alliées* 90 000 (Américains, Brit., Canadiens et 177 Fr.) dans les forces d'assaut (5 divisions débarquées par mer, 4 aéroportées) ; 200 000 (39 divisions) dans les jours suivants. 9 000 navires dont 138 gros navires de guerre, 221 petits, 1 000 dragueurs, 4 000 péniches ; 3 200 avions (174 escadres). 50 000 *Allemands* (dont 50 % de volontaires étrangers) entre Seine et Mt-St-Michel ; 300 000 dans les jours suivants. *Pertes* amér. 3 400 morts et disparus, 3 180 blessés ; angl. env. 3 000, canadiennes 946 (dont 335 morts), allemandes entre 4 000 et 9 000. *Pertes totales* alliées 30-40 000, allemandes 150 000 (70 000 prisonniers).

Okinawa (1945). *Forces* américaines 500 000 (vict.), 17 000 † ; jap. 80 000 (75 000 †).

Pavie (1525). *Forces* fr. 26 000. *Pertes* fr. (tués et prisonniers) 10 000. **Pearl Harbor** (1941-7-12). *Forces japonaises* 6 porte-avions (400 avions), 2 cuirassés rapides, 2 croiseurs lourds, 16 torpilleurs, 1 train d'escadre de 11 bâtiments, 3 sous-marins éclaireurs et 5 sous-marins de poche. *Pertes américaines :* 8 cuirassés hors de combat, 3 croiseurs et 1 navire atelier avariés, 188 avions détruits ; *jap. :* minimes. **Poitiers** (19-9-1356). *Forces* angl. (vict.) 6 000 ; fr. 20 500 (2 500 †).

Rocroy (19-5-1643). *Forces* fr. (vict.) 23 000 (2 000 †) ; espagnoles 27 000 (7 500 †).

Sadowa (3-7-1866). *Forces* prussiennes (vict.) 278 000 (1 935 †, 7 000 b.) ; autr. 271 000 (13 000 †, 18 000 b., 13 000 pris.). **Salamine** (480 av. J.-C.), *pertes perses* 800 navires, *grecques* 310 nav. **Sébastopol** (1855). *Forces* anglo-franco-turques. 220 000. *Pertes* russes 50 000 ; fr. 30 000 † (11 000 de maladie). **Solferino** (1859). *Forces* franco-sardes 133 000 ; autrichiennes 150 000. *Morts* fr. 17 000, autr. 22 000. **Somme** (1-7 au 19-11-1916) 1 030 000 † (dont 614 000 Anglais et Français). **Stalingrad** (1943). *Forces* all. 250 000 h., 740 chars, 7 500 canons, 1 200 avions ; soviétiques 187 000 h., 7 900 canons et mortiers, 360 tanks, 300 avions. *Pertes* allemandes 147 200 †, soviétiques 46 700 †. Prisonniers 91 000 Allemands.

Toulon. Sabordage de la flotte française (27-11-

42). 5 sous-marins s'échappent (*Vénus* se saborde en mer, *Iris* va à Barcelone ; *Casabianca, Marsouin, Glorieux* vont en AFN). 3 cuirassés, 7 croiseurs, 15 contre-torpilleurs, 14 torpilleurs, 12 sous-marins (+ de 230 000 t) coulés soit 31 % de la flotte française. Ont échappé à la destruction (saisis par les Italiens sur cale sèche) : 3 contre-torpilleurs, 2 torpilleurs, 17 patrouilleurs, 4 sous-marins, 7 remorqueurs, 4 pétroliers (25 000 t).

Valmy (20-9-1792). *Forces* fr. (vict.) 59 000 (300 †) ; prussiennes 35 000 (200 †) ; retraite négociée. **Verdun** (1916). *Pertes* fr. 362 000 tués et blessés ; allemandes 336 000.

Wagram (1809). *Forces* fr. 170 000 h. et 488 canons plus Armée d'Italie. *Pertes* ennemies 40 000 ; fr. 32 000. **Waterloo** (1815). *Forces* fr. 72 000 h. ; ennemies 120 000 h. (dont angl. 67 000, prussiennes 53 000). *Pertes* fr. 32 000, angl. 15 000, pruss. 7 000.

Sièges

Légende : * résistance victorieuse.

• **Av. J.-C. Troie** (XIIe s.). 9 ans. Priam, roi de Troie (Hector, son fils), assiégé par Grecs (Agamemnon). **Jérusalem** (587). 5 mois. Hébreux du royaume de Juda assiégés par Nabuchodonosor. **Carthage** (147-146). 1 an. Hasdrubal assiégé par Scipion Émilien.

• **Apr. J.-C. Alexandrie** (639-40). 1 an. Grecs byzantins assiégés par Arabes (Amrou). **Pavie** (774). 6 mois. Didier, roi des Lombards, assiégé par Charlemagne. **Jérusalem** (1099). 1 an. Musulmans assiégés par Godefroi de Bouillon. **Milan** (1160-62). 2 ans. Gibelins assiégés par Frédéric Barberousse. **St-Jean-d'Acre** (1189-91). 2 ans. Musulmans assiégés par Richard Cœur de Lion. **Château-Gaillard** (1203-04). 8 mois. Anglais assiégés par Philippe Auguste. **Calais** (1346-47). 11 mois. Eustache de St-Pierre assiégé par Édouard III d'Angleterre. **Liège** (1408). 15 j. **Avignon** (1410-11) Rodrigue de Lana, cousin du pape Benoît XIII, assiégé par Fr., vicomte de Joyeuse : 17 mois. **Orléans** * (1428-29). 540 j. Français assiégés par Anglais (délivrance par Jeanne d'Arc). **Constantinople** (1453). 53 j. Byzantins par Mahomet II. **Beauvais** * (1472). 60 j. Assiégés par Charles le Téméraire (épisode de Jeanne Hachette). **Grenade** (1492). 1 an. Boabdil assiégé par Gonzalve de Cordoue (Esp.).

Rhodes (1522). 6 mois. Chevaliers de l'Hôpital assiégés par Soliman (Turc). **Rome** (1527). 30 j. Clément VII par le Connétable de Bourbon. **Metz** * (1552). 70 j. Duc de Guise par Charles Quint. **Paris** * (1589). 120 j. Duc de Nemours par Henri IV.

La Rochelle (1627). 2 ans. Guiton par Richelieu. **Lérida** (1647). 25 j. Gregorio Britto par Condé. **Vienne** * (1683). 60 j. Starhemberg par Mustapha. **Mayence** (1793). 120 j. Aubert Dubayet et Kléber par Kalckreuth. **Toulon** (1793). 24 j. Anglais par Bonaparte. **Mantoue** (1796-97). 171 j. Autrichiens (Wurmser) par Bonaparte. **St-Jean-d'Acre** * (1799). 60 j. Phélippeaux par Bonaparte.

Saragosse (1808). 61 j. Palafox par France. **Dantzig** (1813). 11 mois. Gal Rapp (Fr.) par Alliés. **Missolonghi** (1824-26). 360 j. Grecs révoltés (avec Byron) assiégés par Turcs. **Anvers** (1831). 1 mois. Gal Chassé (Holl.) assiégé par Mal Gérard (France). **Constantine** (1837). 305 j. Arabes assiégés par Mal Clauzel, puis Gal Damrémont. **Venise** (1848-49). 1 an. Révoltés italiens (Manin, Ulloa) assiégés par Autr. **Sébastopol** (1854-55). 330 j. Totleben (Russie) assiégé par Pélissier (Fr.). **Lucknow** * (1857). 85 j. Anglais assiégés par Cipayes révoltés. **Duppel** (Schleswig) (1864). 63 j. Danois assiégés par Prussiens. **Strasbourg** (1870). 48 j. Gal Ulrich et préfet Valentin (Fr.) par Prussiens (Gal Werder). **Paris** (1870-71). 133 j. Gal Trochu par Prussiens. **Belfort** * (1870-71). 75 j. Colonel Denfert-Rochereau par Prussiens. **Khartoum** (1874-75). 286 j. Gal Gordon (Angl.) par Soudanais révoltés.

Port-Arthur (1904-05). 10 mois. Russes (Stoessel) par Japonais (Nogi). **Maubeuge** (1914). 10 j. Gal Fournier (Fr.) par von Zwehl (All.). **Fort de Vaux** (1916). 3 mois. Cdt Raynal (Fr.) par Kronprinz (All.). **Leningrad** * (1941-44). 27 m. Gal Popov et commissaire Jdanov (Russie) par von Leeb (All.). **Tobrouk** * (1941). 8 mois. Anglais par Italo-Allemands (2e siège avec assaut juin 1942). **Stalingrad** (1942-43). Voir ci-dessus Batailles (2 sièges : 1o Russes par Allemands, 28-9/23-11-1942 ; 2o Allemands par Russes, 30-11-42/2-2-43). **Berlin** (14-4 au 2-5-1945), assiégé par 3 500 000 Russes, 7 750 tanks, 11 000 avions.

Bombardements

Quelques grands raids aériens

Nombres de tués

• **Raids allemands (1940-44). Sur la Hollande. 1940-**
15-5 Rotterdam 930 †. **Sur l'Angleterre.** Au total, les bombardements allemands (avions, V1, V2) ont fait 60 227 † de **1940 à 45** (dont 14 281 en 1940). *Raids célèbres :* **1940**-*14/15-9* Coventry 380 †. **1941**-*10-5* Londres 1 436.

• **Raids alliés (1941-45). Sur la France. De 1941 à 1944,** les raids alliés firent au total 67 078 †, 75 000 bl. *Raids célèbres :* **1942**-*3-3-* Paris (usine Renault) 623 † ; **1943**-*4-4* id. 403 ; *-16/23-9* Nantes 712 et 800 ; *-sept.* Paris 105. **1944**-*avril* Lyon 600, St-Étienne 870 ; *-20-4* Paris (gare de la Chapelle) 642, 2 000 blessés ; *-27-5* Marseille 1 979.

Sur l'Allemagne. Les Alliés lancèrent 2 500 000 t de bombes sur All. (50 %) et territoires occupés. Ils perdirent 160 000 h. (G.-B. 80 000, USA 80 000) et 40 000 appareils (G.-B. 22 000, USA 18 000). Les All. eurent 61 villes détruites, 400 000 †, plus de 7 millions de sans-abri. *Raids célèbres :* **1943**-*25-7* Hambourg 50 000 †. **1944**-*11-9* Darmstadt 12 300. **1945**-*3-2* Berlin 25 000 ; *-13/14-2* Dresde 135 000 (773 avions angl. et 1 350 av. amér.).

Sur le Japon. *Raids célèbres :* **1945**-*9/10-3* Tōkyō 83 893 †. *-6-8* Hiroshima et *-9-8* Nagasaki, bombardements atomiques, voir p. 1819c.

• **Raids américains au Viêt-nam.** *Raids célèbres :* **1972**-*18/29-12* Hanoi 40 000 t de bombes, 2 000 †.

Armes et matériels

Armes anciennes

Armes blanches

Épée. *200 av. J.-C. glaive romain* (en fer) court, à 2 tranchants (emprunté aux Espagnols). *500-800 apr. J.-C. estramaçon* des Francs : arme de défense, poignard aigu dans une gaine en bois. *600-1500 apr. J.-C. cimeterre* arabe, sabre de cavalerie léger, courbé à 1 tranchant. *800-1500 épée lourde* de cavalerie (souvent remplacée par la hache ou la masse d'armes), 1 seul tranchant. *A partir de 1200 arme des cottereaux :* poignards des ribauds, c.-à-d. des mercenaires à pied. *Après le XVe s. épée de gentilhomme,* légère, elle sert plutôt d'insigne de la noblesse ; utilisée en salle d'armes ou en duel plus qu'au combat. *Après 1642 baïonnette,* épée courte, utilisée comme dague ou poignard et pouvant s'adapter au fusil, le transformant en pique (originaire de Bayonne qui a revendiqué l'appellation en laissant authentifier ses armoiries en 1696). *Après 1680 sabre de cavalerie* imité du badelaire ou couteau de Turquie (ancien cimeterre), utilisé comme arme de corps à corps par les cavaliers (1 seul tranchant, légèrement courbé). *Après 1915 poignard de tranchée* pour le combat rapproché d'infanterie (il fait encore partie de l'armement des commandos).

Lance. *V. 250 av. J.-C.-400 apr. J.-C. javelot* romain : lancé ; chaque légionnaire en a 2 (long. 110 cm, emprunté aux Germains). *500-800 apr. J.-C. angon* des Francs : javelot terminé par une fleur de lis (2 crochets à g. et à d. de la tête). *IXe-XVe s. lance* de chevalier (long. jusqu'à 5,50 m). *1450-1703 pique* de l'infanterie (long. 3,50 m) utilisée pour arrêter la cavalerie ; remplacée à partir de 1642 par fusil + *baïonnette* (long. 2,10 m). *Après 1530 lance pessade* ou *esponton* (pique de commandement ; écrit « anspessade » au XVIIe s.) : ancienne lance de chevalier coupée à 90 cm de long. et utilisée comme insigne par les nobles (anciens cavaliers) servant comme officiers d'infanterie. *1801-1914 lance de cavalerie* en bois de frêne (long. 5 m), supprimée 1871, réutilisée 1889. *1914* dernière charge de lanciers en France (*1939* en Pologne).

Armes de trait

Arc. *V. 2600 av. J.-C.* en Akkad (Mésopotamie) : avec flèches en tête de bronze, tirées du haut d'un char de combat. *V. 2000 av. J.-C.* Espagne et Europe occ., avec flèches à tête de cuivre (commandos des « Campaniformes ») ; un bracelet de pierre passé sur l'avant-bras gauche permet une tension maximale de l'arc (bois d'if). *500 av.-400 apr. J.-C.* archers orientaux : les Mèdes (archers à pied) ont un arc long (1,50 à 2 m) ; les Parthes (cavaliers) un arc court. Ni les Grecs ni les Romains n'ont d'archers (le soldat léger grec, peltaste, a une fronde). *Après 800 apr. J.-C.,* les « sergents » des armées carolingiennes et féodales utilisent à la guerre l'arc des chasseurs aux côtés des chevaliers. *XIe-XIIe s.* archers communiers ; milices locales (entraînées au tir à l'arc et rejoignant l'armée royale ; service d'ost).

Arbalète. Apparue aux *XIIIe-XVe s. :* arc mécanique, pesant env. 20 kg et tirant appuyé sur une fourche plantée en terre ; le projectile d'arbalète, le « carreau », pèse 400 g (en fer). On emploie surtout des arbalétriers mercenaires : Génois, Gascons, Brabançons. Une compagnie combat à Bouvines (1214) ; Charles V crée un corps de 200, puis 800 arbalétriers chargés de la défense de Paris et commandés par un grand maître. Après les défaites de la guerre de Cent Ans, dues à la supériorité des archers communaux anglais, Charles V voulut revenir à la pratique de l'arc : les villes durent entretenir un corps de francs-archers à côté de leurs francs-arbalétriers. Louis XI supprima ces corps urbains (de faible valeur militaire) : son armée comptait en moy. 2 archers pour 1 arbalétrier. En G.-B. les archers des communes se maintiennent jusque v. 1450. *Disparition* des armes de trait *en 1450-1500* (artillerie).

Engins balistiques

Baliste (inventée par Archimède, IVe s. av. J.-C.). Arbalète géante (l'arc a de 3 à 5 m de long, les cordes de 2 m à 4 m) ; on tend les cordes avec un treuil et on charge la baliste avec des flèches faites de troncs d'arbres, souvent enflammées ; peut également jeter des projectiles ; portée 185 m.

Catapulte (inventée par les Syriens, 450 av. J.-C.). Force utilisée : élasticité des cordes (souvent faites avec des cheveux humains). Poutre de 3 à 6 m de long (style) terminée par un réceptacle en forme de cuillère, le cuilleron, pivote sur un axe horizontal. Des cordes entortillées devraient la maintenir en position verticale, mais on la tire en arrière par un système de treuil jusqu'à la coucher presque horizontalement et on pose un projectile (pierre, matériau enflammé, métal) sur le cuilleron. En actionnant le déclic (crochet de fer retenant le style au treuil), on relâche brusquement les cordes, et le style en se redressant va frapper un butoir ; le projectile jaillit sous le choc (portée 100 à 200 m). **Dérivés médiévaux** (XIIe-XVIe s.). *Mangonneau :* actionné par des nerfs de bœuf de forte élasticité ; portée 300 à 400 m. *Bricole* (mangonneau sans butoir) : le projectile (souvent un barillet chargé de poudre) est projeté par la force centrifuge, le cuilleron étant remplacé par 2 crochets munis de cordes faiblement nouées.

Armes biologiques et chimiques

Définition

Agent de guerre chimique. Toute substance chimique – gazeuse, liquide ou solide – qui pourrait être employée en raison de ses effets toxiques directs sur l'homme, les animaux et les plantes.

Cette définition exclut les substances chimiques actuellement employées à des fins militaires (explosifs, fumigènes, substances incendiaires, voir p. 1816) dont l'action principale est physique : éléments vulnérants, brûlures, suffocation, aveuglement.

Agents de guerre biologique. Organismes vivants, de quelque nature que ce soit, ou des matières tirées de ces organismes, dont on veut se servir pour causer la maladie ou la mort de l'homme, des animaux ou des plantes, et dont les effets dépendent de leur pouvoir de se multiplier dans la personne, l'animal ou la plante attaqués.

Tous les processus biologiques dépendent de réactions chimiques ou physico-chimiques, et tel agent aujourd'hui considéré comme agent biologique pourrait demain, en raison des progrès de la connaissance, être traité comme corps chimique (en cas de toxines produites par des organismes).

Armes biologiques

• **Histoire. Utilisées depuis l'Antiquité.** Infection de puits ou lancement par-dessus les fortifications de cadavres de victimes de maladies infectieuses (à

Caffa, en Crimée, en 1346, les Tartares utilisaient des cadavres de pestiférés). En 1763, en Amérique, le colonel britannique Bouquet déclencha une épidémie de variole dans plusieurs tribus indiennes de l'Ohio et de la Pennsylvanie en distribuant quelques couvertures contaminées. De 1940 à 1941, le Japon épandait sur 11 villes de Chine des suspensions de peste à l'aide de bombes à fragmentation ou en porcelaine. Les japonais lâchaient des puces infestées et du riz destiné à attirer les rats. En 1981, les USA ont accusé les Vietnamiens d'utiliser au Cambodge et au Laos des mycotoxines tricothécènes (produites par l'URSS) ; en 1987, des spécialistes ont conclu à des excréments d'abeille.

• Sortes. **Micro-organismes :** *bactéries, virus, rickettsies ; fungi,* champignons, rouilles, moisissures dont certains peuvent être pathogènes pour l'homme ; *protozoaires* (par exemple : amibes ou agents du paludisme). **Produits chimiques :** toxines ; élaborées par certains micro-organismes et hautement toxiques ; faciles à produire et peu coûteuses.

• Effets. Les maladies les plus à craindre en cas de g. biologique correspondent à des agents très résistants, qui peuvent être véhiculés par eau, poussières ou animaux, en conservant un pouvoir pathogène élevé. Ex. : charbon, peste, morve, mélyoïdose, tularémie, fièvre de Malte, choléra. *Virus :* fièvre jaune, psittacose, dengue ou grippe. *Rickettsies :* fièvres particulières ou typhus. *Toxiques :* toxine botulique (intoxications alimentaires). Évolution redoutée avec le génie génétique : greffe de gènes de toxines nouvelles sur des bactéries. **Résultats actuels** incertains : les germes peuvent disparaître rapidement ou provoquer une épidémie incontrôlée. On redoute plus l'utilisation terroriste que militaire. Leur délai d'action étant d'au moins quelques j, elles sont inaptes à un emploi militaire tactique.

• Protection. Vaccination préventive selon renseignements sur capacités adverses. Pour l'opération Daguet, les soldats français étaient vaccinés contre une dizaine de maladies (certaines pour prophylaxie endémique).

• Accidents. Il y en aurait eu 2 en URSS à Sverdlovsk, en 1963 (*Bacillus anthracis*, 300 † ?) et en avril 1979 (agent V.21 1 000 †).

> D'après la *convention de Genève du 10-4-1972* (voir p. 1813a), les signataires s'engagent à détruire ou convertir à des fins pacifiques, dans les 9 mois, tous les produits ou moyens concernés en leur possession. Recherches et développements restaient autorisés : seule la « mise au point à des fins hostiles » était interdite. 113 pays l'ont ratifiée (pas la Chine). La France ne s'y est officiellement ralliée qu'en 1984. L'absence d'organisme de contrôle international, la difficulté à distinguer travaux militaires et civils lui ôtent beaucoup de crédibilité.

Armes chimiques

• Histoire. **Avant 1900.** *Flèches empoisonnées* par du curare (Amazonie) ou par des toxines comme la batracyotoxine de grenouille (à Hawaii), de l'acotinine (flèches des Maures en Espagne en 1483). *Puits empoisonnés :* ex. avec de l'ergot de seigle (VIe s. av. J.-C. Assyriens, IVe s. Perses) ; des racines d'ellébore (600 av. J.-C., Solon). *Fumée asphyxiante :* ex. *425 av. J.-C.* le Gal athénien Démosthène, assiégeant Sphactérie, utilise des fumées puantes (poix, plumes) pour obliger les 292 Spartiates survivants à se rendre ; *IVe s. av. J.-C.* en Inde, fumée contenant des alcaloïdes ou des toxines (comme l'abrine des graines de réglisse) ; *1456,* les défenseurs de Belgrade attaquent les Turcs avec un nuage de fumées arsenicales.

A partir du VIIe s., les Byzantins utilisent le *feu grégeois* dont la formule a été perdue après leur massacre par les Turcs en 1453. Leurs fantassins sont équipés de lance-flammes portatifs, qui leur permettent de remporter de nombreuses victoires et que l'on assimile au « napalm » moderne (Byzance a utilisé les puits de pétrole de la mer Noire ou de la mer Caspienne). *XVIe s. :* les Indiens d'Am. du N. utilisent des fagots enduits de graisse de poisson.

Gaz modernes. 1915 emploi de gaz chimiques. *-3-1* 1re attaque all., à Bolimav (Pologne), obus de mortier chargés de composés bromés lacrymogènes. *-22-4* 1re grande attaque, sur le front de l'Ouest, à Ypres (ypérite) à 17 h (180 t de chlore lâchées par 6 000 bouteilles d'acier sur un front de 6 km), le nuage surprend les Français non protégés, et les Allemands équipés de masques de fortune ouvrent une brèche de 6 km. Mais le commandement allemand n'ayant pas prévu l'ampleur du résultat, n'avait pas rassemblé de réserves suffisantes pour exploiter le succès initial et le sort de la guerre n'en fut pas modifié (5 000 † et 15 000 h. gazés). *-23-4* nouvelle attaque de chlore accompagnée de tir d'obus lacrymogènes (5 000 † canadiens). **1915-18** au total 125 000 t de produits chimiques toxiques employées. 25 % des munitions d'artillerie française sont chargés à l'ypérite. 1 300 000 gazés, 970 000 † dont 180 000 sur le front oriental. **1925** par l'Espagne au Maroc. **1931** utilisation par le Japon (Mandchourie). **1936** par l'Italie (épandages aériens d'ypérite en Éthiopie, 15 000 †). **1939-45** pas d'utilisation d'armes chimiques (crainte des représailles, prédominance de la guerre de mouvement). **1941** (oct.) par les Japonais contre les Chinois à Ichang (?). **1942** neurotoxiques organophosphorés (découverts par I.G. Farben en 1937) produits mais non utilisés (en 1945 stocks : 20-30 000 t de tabun et sarin). **1950** Grèce (g. civile). Malaisie (par G.-B.). **1951-52** Corée. **1963-67** Yémen (utilisé par Égypte). **1961-70** Viêt-nam (défoliants, agent « orange »). **1970** Angola (jusqu'en 1972). Rhodésie. **1978** Cambodge (par Viêt-nam). Namibie (par Afr. du S.). **1979-86** Afghanistan (par Russes). **1980** Érythrée (par Éthiopie). **1983-87** utilisé par l'Iran (contre Irak) puis par l'Irak (contre Iran). Par Birmanie (contre rebelles shan). **1984** Nicaragua. **1985** Angola (par Cuba). **1987** Tchad (par Libye). **1988** *mars* Kurdistan irakien (par Irak).

• Législation. **Conférence de La Haye (1899 à 1907)** [les puissances contractantes sont d'accord pour s'abstenir d'employer des projectiles dont le but unique est de répandre des gaz asphyxiants ou délétères ; des juristes neutres ont pu ainsi estimer que l'Allemagne n'avait pas violé la Convention de 1899 en recourant aux nappes de chlore en avril 1915 puisqu'elles ne faisaient pas appel à des munitions]. **Traité de Washington (1922).** Il n'est pas entré en vigueur, la France ne l'ayant pas ratifié en raison de clauses relatives à la guerre sous-marine. **Protocole de Genève (17-6-1925).** Il rejette l'emploi de « tous gaz asphyxiants, ou de tous autres gaz, liquides, substances ou matériels analogues » mais n'en interdit ni la production, ni la possession. Il n'a pas été ratifié par certains pays (ratification des USA en 1975). La plupart des États (la France en particulier) se sont réservé le droit d'utiliser les toxiques chimiques si un adversaire éventuel les utilisait en premier contre eux. **Conférence de Paris (7 au 11-1-1989).** 149 pays s'engagent à ne pas recourir aux armes chimiques. 19 pays absents. **Sommet Bush-Gorbatchev Washington (31-5/3-6-1990)** réduction de leurs stocks à 20 %, soit 5 000 t. Dès la conclusion d'une convention internationale en discussion à Genève, entre 40 pays, les stocks restants seront ramenés à 2 % du niveau actuel, soit 500 t.

• Stocks d'armement. **URSS** 500 000 à 600 000 t utilisables par une force autonome de 120 000 soldats (120 généraux) ; manœuvres en ambiance NBC (nucléaire, biologique, chimique). **USA** 40 000 à 300 000 t. *Spécialistes* 4 000. En 1969, les USA avaient renoncé aux fabrications, mis en sommeil le « Chemical Corps » et détruit des stocks. La découverte des matériels soviétiques adaptés à la g. chimique pris par les Israéliens lors de la g. du Kippour en 1973, l'emploi à partir de 1976 de produits toxiques soviétiques en Asie, l'incident inexpliqué en 1979 dans une usine de produits chimiques à Sverdlovsk provoquant une grave épidémie d'anthrax mortels, la confirmation des réalisations et de la doctrine soviétiques ont incité les USA à reprendre les fabrications depuis le 8-2-1983. **Irak** ce qui reste, après le conflit de 1991, des nombreuses installations de recherche et de production doit être détruit sous contrôle de l'ONU. **Iran** 1res productions en 1983-84, fabrication de gaz moutarde, phosgène et gaz neurotoxique dès 1987-88.

• Types. **En 1915-18** les toxiques utilisés étaient surtout des produits suffocants, provoquant une inflammation rapide des voies respiratoires déclenchant un œdème pulmonaire (tels le phosgène ou certains produits chlorés), ou bien les diverses ypérites (ou « gaz moutarde ») ou la lewisite, produits vésicants qui brûlaient les yeux, la peau, les poumons. Les combattants qui ne succombaient pas ne guérissaient que lentement et les plus atteints ont gardé des séquelles toute leur vie.

Depuis 1935, des produits encore plus toxiques ont été découverts qui inhibent la transmission de l'influx nerveux, et qui, à des doses infimes, entraînent en définitive l'arrêt de la respiration et du cœur. Ces neurotoxiques [Tabun (1939), Sarin (1943), Soman (1944), VX (1953)] pénètrent par la voie respiratoire ou par simple contact sur la peau ; une microgoutte suffit ; ils bloquent l'action de la cholinestérase (enzyme régulant l'acétylcholine responsable des contractions musculaires) ; l'excès d'acétylcholine provoque la mort par destruction du système nerveux ; *symptômes :* maux de tête violents, contraction des pupilles, convulsions musculaires, arrêts respiratoires, coma (composés organophosphorés, voisins de certains insecticides).

• Autres agents. *Armes chimiques binaires :* munitions contenant 2 réactifs séparément inoffensifs qui se mélangent pendant le vol et libèrent à l'explosion un produit toxique : m. « binaires neurotoxiques » produisant des gaz innervants. Chacun des 2 produits peut être stocké sans danger et ne peut tomber sous le coup d'une interdiction internationale. Les bombardements classiques sur les stocks ne risquent pas de provoquer leur explosion et l'émission de gaz nocifs. *Agents incapacitants :* rendent l'individu incapable de réagir, mais ne sont mortels qu'à très haute dose ; peuvent être des incapacitants psychiques (benzilates par exemple), ou provoquer des troubles de la vue, des vomissements, une hypotension, une paralysie temporaire ou des convulsions. *Agents irritants :* à très faible dose, peuvent provoquer larmoiement, toux, éternuement ; ils ne provoquent des dégâts dans l'organisme qu'à des doses très importantes. Pour le « CB » (chlorobenzilidène-malonitrite), utilisé par les forces de l'ordre, de telles concentrations ne peuvent se produire à l'air libre. *Herbicides défoliants :* peuvent être dangereux par eux-mêmes, ou par des impuretés qu'ils contiennent, s'ils sont absorbés dans l'eau ou les aliments. Ainsi, l'« agent orange » herbicide 2, 4, 5-T (défoliant utilisé par les Am. au Viêt-nam) entre 1961 et 1975 : 24 000 t déversées, soit 170 kg de dioxine sur + de 1,7 million d'hectares. Autres herbicides utilisés : agents blanc et bleu. Auraient provoqué de nombreux cancers [estomac et lymphome (cancer du système lymphatique)]. *Agents sanguins :* absorbés par les voies respiratoires. Empêchent la cytochrome-oxydase (enzyme du sang) de reconstituer la molécule de base utilisée comme source d'énergie par les cellules. Principal symptôme : augmentation rapide du rythme respiratoire. Mort en 15 minutes. Le zyklon B, utilisé par les Allemands dans les chambres à gaz, en est une variante.

Principaux agressifs chimiques

Noms et symboles	Type	Effet	Toxicité
Phosgène (CG)	V, S	M	T2
Diphogène (DP)	V, S	M	T2
Acide cyanhydrique (AC ou HCN) Chlorure de cyanogène (CK)	G, Sg	M	T2
Gaz moutarde (H) Ypérite	GVé	I, M	T2
Lewisite (L, HL, avec H)	L, Vé	I, M	T2
Tabun (GA)	A/V, N	M	T3
Sarin (GB)	V, N	M	T3
Soman (GD)	V, N	M	T4
VX (VX)	L/A/V, N	M	T4
CN (CN)	G, La	I	T1
CS (CS)	G, La	I	T1

Légende : A : aérosol. G : gaz. I : incapacitant. L : liquide. La : lacrymogène. M : mortel. N : neurotoxique. S : suffocant. Sg : agent sanguin. T1 : toxicité très faible. T2 : moyenne. T3 : forte. T4 : extrême. V : vapeur. Vé : vésicant.

• Protection. *Masques* munis de cartouches filtrantes dont les filtres en papier et en charbon arrêtent les aérosols et abaissent d'un facteur 100 000 environ la concentration de vapeurs toxiques. *Tenues en caoutchouc butyle, survêtements* composés de plusieurs couches de tissus (certaines étant constituées de tissu carboné) afin d'arrêter les gouttes de toxiques et de filtrer l'air qui atteint la peau ; mais la gêne causée par ces tenues diminue le rendement au combat et accroît la fatigue. Une décontamination très soigneuse des matériels souillés par les toxiques doit être faite. En complément de la tenue de protection, les soldats bien équipés disposent de produits d'automédication (ampoules autoinjectables notamment) contre les principaux agents, à utiliser immédiatement en cas de symptôme de contamination. La réaction est souvent trop tardive.

Persistances. 10 °C (temps pluvieux, vent modéré), 15 °C (temps ensoleillé, absence de vent, enneigement). *Sarin :* 15 min à 1 h – 15 min à 4 h – 1 à 2 j. *V.X. :* 1 à 12 h – 3 à 21 j – 1 à 6 sem. *Acide :* quelques min – id. – 1 à 4 h. *Cyanogène :* quelques min – id. – 15 min à 4 h. *Ypérite :* 12 à 48 h – 2 à 7 j – 2 à 8 sem.

☞ Quelques accidents. **1968 :** USA : près de Dugway, un avion d'expérimentation pulvérise par erreur du gaz VX, 6 000 moutons †. **1969 :** Belgique : fuite de 1 ou 2 barils d'ypérite (20 000 auraient été immergés par les Anglais au large des côtes en 1950) ; phoques et poissons tués, quelques pêcheurs et enfants (plages) brûlés. **1972 :** USA (à Fort Greely, Alaska) : 50 rennes tués par du sarin (200 cartouches entreposées sur le lac gelé en 1966, englouties lors de la fonte). **1979 :** près de Hambourg (All. féd.) 1 enfant tué par du tabun (stock de cartouches).

Armes à faisceaux de particules et lasers

• Armes à faisceaux de particules (électrons, protons ou particules neutres). **Recherches.** USA [programmes « Chair Heritage » (pour les particules chargées) et « White Horse » (particules neutres)] et en URSS.

Avantages escomptés. Très efficaces contre les missiles (rapidement destructibles par les particules) ; pourraient fonctionner dans l'atmosphère par tous les temps (alors que le laser est arrêté par les nuages) ; il n'existe pas actuellement de contre-mesures ; ils ne seraient pas soumis à des contraintes mécaniques d'accélération (cas des missiles antimissiles), leur temps de réponse serait très bref, ils ne provoqueraient pas d'effets thermiques ni de rayonnements nucléaires parasites, leurs essais n'enfreignent pas les accords soviéto-américains d'interdiction des essais nucléaires et SALT.

Principaux problèmes à résoudre. Réalisation de *générateurs électriques* produisant en 1 milliseconde des courants électriques très intenses et puissants, de *canons d'électrons* envoyant dans les faisceaux de particules pulsées de haute énergie dans l'atmosphère ou l'espace, d'*accélérateurs accélérant* les ions d'un plasma chaud ou des électrons.

• Lasers à haute puissance. Délivrent par impulsion une énergie min. de 30 kilojoules ou une puissance de sortie moyenne de 20 kilowatts (1 watt : 1 j/sec.). **Avantages.** Capacité de tir de 1 000 coups par sec. (l. chimique), précision (pourrait viser 1 pièce de 1 F à 500 km) ; il pourrait détruire des satellites ou des avions volant à + de 3 000 m. Mais la destruction des missiles, et surtout des ogives, serait plus difficile ; celles-ci étant protégées par un bouclier thermique très résistant. Ces tirs pourraient s'effectuer de satellites, car le vide spatial, contrairement à la couche atmosphérique, n'entraînerait pas de divergence et entraînerait peu de perte de puissance. **Effets.** *Thermiques directs :* la chaleur du faisceau cause la liquéfaction, la vaporisation ou la pyrolyse (décomposition chim.) de la cible ; *mécaniques indirectes :* sous la chaleur du faisceau et la pression créée par le faisceau formé à la surface, le métal s'évapore, s'écarte de la surface et engendre en sens inverse une onde de choc qui brise l'enveloppe de la cible ; *ionisation :* causée par les rayons X (émis par le plasma quand il absorbe le rayon laser), elle peut détraquer ou détruire les circuits électroniques ; *combinés, mécaniques et thermiques :* une série d'impulsions répétées peut déformer la cible (qui en outre s'échauffe) ; *effets biologiques :* quelques joules/cm² (au lieu de 700 pour percer la carlingue d'un avion) aveuglent un pilote.

Recherches. USA *programme Triad de la DARPA :* laser chimique hydrogène-fluor (puissance 5,5 mégawatts) ; laser de 400 kW monté sur un Boeing KC-135. En 1983, un laser au dioxyde de carbone utilisé en vol a détruit 5 missiles Sidewinder volant à 3 500 km/h. *Programme de l'U.S. Navy :* laser deutérium-fluor (MIRACL, 2,2 mégawatts). Le 23-2-1989, un MICL Mid-Infrared Chemical Laser a intercepté et détruit pour la 1re fois un missile antiaérien Vandal. Mais la même année, un laser MIRACL a mis plusieurs secondes pour détruire au sol le 2e étage du missile amér. Titan II (les lasers opérationnels devront être 50 fois plus puissants). **G.-B.** depuis 1986, marine équipée de lasers à usage défensif, capables d'aveugler les senseurs et les capteurs des avions adverses (le faisceau créé par le laser porte à 1 600 m). **France** programme de recherche LATEX (laser associé à une tourelle expérimentale) capable d'aveugler les senseurs optroniques des hélicoptères de combat et des chars. Puissance de 50 kW fournie par source chimique (deutérium-fluor). **Europe** projet Euclid (coopération technologique militaire) lancé en 1988. **URSS** laser à iode. Autres lasers envisagés. *L. excimère* (émission dans l'ultraviolet). *L. à électrons libres :* capable d'émettre des X à l'infrarouge, étudié en France à Orsay (lab. LURE). *L. à rayons X :* photons donnant un très fort rayonnement, production conventionnelle (décharge électrique, autre rayon laser) ; nucléaire (énergie issue de l'explosion) ou s'il est utilisé à des fins militaires ; études aux USA (Lab. Lawrence Livermore), en URSS (Inst. Lebedev), France (Lab. de spectroscopie atom. d'Orsay) ; pourraient être utilisés d'un satellite (qui ne fonctionnerait qu'une fois mais pourrait détruire plusieurs dizaines de cibles).

Principaux problèmes. *Mise au point d'optiques* capables de supporter des énergies énormes (mais le laser X n'en aurait pas besoin) ; *développement de plates-formes de pointage et d'alimentation* en énergie de ces armes (pour certains, ce problème serait impossible à résoudre à bord des systèmes spatiaux, car des tonnages considérables de produits chimiques seraient nécessaires) ; *atténuation de ces faisceaux de lumière* lors de leur passage dans l'atmosphère ; *lutte contre les contre-mesures possibles :* on pourrait recouvrir les missiles de quelques mm de carbone phénolique (vaporisée par le rayon laser, cette couche produirait un plasma protecteur quelques instants), polir leur surface (l'énergie serait en grande partie renvoyée comme par un miroir), les faire tourner sur eux-mêmes, les envoyer avec des leurres attaquer les batteries spatiales [les optiques étant fragiles, une intensité très faible (du milliardième de celle nécessaire contre les missiles) pourrait les endommager].

☞ Les lasers à basse puissance sont déjà utilisés pour visée, guidage, détection et contre-mesures. Voir aussi p. 1832a.

Nota. – Selon la NASA, la mise au point d'un système ASAT (Anti-Satellite System) complet à rayon laser coûterait 50 milliards de $, et celle d'un système spatial complet de missiles antimissiles balistiques ABM 500 milliards de $. Actuellement les USA consacrent env. 2 milliards de $ par an aux technologies ABM.

Armes nucléaires et thermonucléaires

☞ Une explosion nucléaire de 1 *kilotonne* dégage autant d'énergie que l'explosion de 1 000 t de trinitrotoluène (TNT). Un avion armé d'une bombe de 100 kt dispose d'une énergie équivalant à celle que transportaient, en 1944, 20 000 bombardiers. Pendant la guerre de 1939-45, la totalité des explosifs utilisés par les 2 camps représentait environ 2 mt [mégatonnes (soit 2 000 k/t)] de TNT.

Différents types

• Armes à fission (bombes atomiques ou bombes A). Utilisent la fission d'atomes lourds tels que l'uranium 235 ou le plutonium 239 qui se « cassent » en deux « produits de fission », en dégageant une quantité importante d'énergie. **Énergie.** 0,05 kt à plusieurs dizaines de kilotonnes. A moins de 30 km d'alt., l'effet de souffle dû à l'onde de choc correspond à 50 % de l'én. dissipée, les effets thermiques à 35 %, et les rayonn. nucléaires à 15 %.

• Armes thermonucléaires (bombes à hydrogène ou bombes H). Utilisent la fusion de 2 atomes d'hydrogène lourd (deutérium 2H ou tritium 3H) ou de deutérium et de lithium. Cette fusion ne peut avoir lieu qu'à des dizaines de millions de degrés, et seule l'explosion d'une bombe à fission est capable, dans l'état des connaissances actuelles, de « chauffer » suffisamment l'hydrogène pour amorcer la réaction thermonucléaire. On envisage une bombe à fission amorcée par un laser. **Énergie** de quelques kilotonnes à quelques dizaines de mégatonnes. **Bombe thermonucléaire expérimentée la plus puissante : URSS** *(31-10-61)* 57 à 90 Mt (?) : son onde de choc fit 3 fois le tour de la Terre (1er t. en 36 h 27 min).

Bombe à neutrons [dite à rayonnement renforcé, appelée aussi **A.N.SKT** (ou bombe neutronique ou Mininuke)]. Due à l'Américain Samuel Cohen. Bombe miniaturisée à fusion thermonucléaire conçue de façon telle que la proportion des différents effets est modifiée au profit du rayonnement neutronique, le souffle et l'effet thermique étant minimisés. *Effets :* le rayonnement neutronique traverse, sans causer de dégâts matériels, les blindages les plus épais et tue les êtres vivants par ionisation de leurs tissus, paralyse en 5 min, entraînant mort en quelques j ou semaines. Il est en revanche arrêté rapidement par la terre, le sable, le béton... C'est donc par excellence une arme de défense nucléaire tactique susceptible de frapper des concentrations de forces blindées sans causer trop de dégâts à l'environnement : chaleur, déflagration et retombées radioactives sont de 10 à 100 fois inférieures à celles des armes thermonucléaires classiques de même puissance. Elle peut aussi servir en défense ABM. Des tirs de « proximité » dirigés contre la tête de rentrée d'une fusée adverse peuvent la rendre inopérante en déréglant l'électronique d'amorçage de sa charge.

Nota. – En 1981, le Pt Reagan a décidé la construction et le stockage de la bombe à n. La France, très en pointe dans ce domaine, est en mesure de produire la b. à n., mais aucune décision n'a été prise (expériences en cours : Mururoa).

Bombe RRR (à radiations résiduelles réduites). Projet. Provoquerait des dégâts matériels importants, avec un taux de radiations atomiques très faible (destruction sans contamination).

Bombe gamma ou bombe à retardement. Étudiée par Samuel Cohen, créateur de la bombe à neutrons. Elle aurait des retombées radioactives mortelles 24 h après son explosion (prévue dans l'espace aérien au-dessus des villes). Les hab. de la cité attaquée disposent de 24 h pour fuir.

Effets des explosions nucléaires

• Effet thermique. L'énergie dégagée lors de l'expl. élève la température de plusieurs millions de degrés (dans une expl. classique les temp. ne dépassent guère 5 000 °C). En moins d'un millionième de seconde, l'arme rayonne d'énormes quantités d'énergie, surtout sous forme de rayons X qui sont absorbés, en quelques mètres, par l'atmosphère environnante. Une « boule de feu » (masse d'air et de résidus gazeux) plus brillante que le soleil se forme, se dilate et se refroidit en quelques secondes, rayonnant son énergie notamment sous forme de lumière visible et d'infrarouges, créant ainsi un *flux thermique* élevé capable de provoquer à grande distance des brûlures des yeux ou de la peau et d'allumer de nombreux incendies. Les brûlures du 1er degré de la peau nue résultent d'absorption de quantités de chaleur d'env. 2 à 4 calories/cm² et celles du 2e degré de 5 à 9 cal./cm². L'effet lumineux intense peut provoquer des éblouissements prolongés.

• Effet de choc. La dilatation de l'air porté à très haute température crée une *onde de choc* (front de surpression), suivie d'un vent violent ; la surpression écrase les structures rigides telles que les immeubles. Le vent balaye tout sur son passage et transforme en projectiles meurtriers tous les objets rencontrés. A la surpression de 0,35 bar, qui correspond au risque de rupture des tympans, la vitesse maximale du vent atteint 250 km/h, et, à la surpression de 2 bars pour laquelle on constate des lésions pulmonaires, elle dépasse 1 000 km/h (dans les tempêtes les plus violentes, le vent ne dépasse guère 200 km/h).

• Effet radioactif. La fission se traduit par l'émission d'un *flux important de neutrons.* Des *rayonnements gamma* sont émis lors de l'absorption des neutrons par l'azote de l'air. Un individu proche du lieu de l'explosion sera irradié par ces rayonnements nucléaires et par les rayonnements gamma émis par les produits de fission qui s'élèvent dans le nuage en forme de champignon. Cette irradiation cessera au bout de quelques secondes lorsque le nuage se sera suffisamment élevé dans l'atmosphère.

Effets physiologiques des rayonnements ionisants (neutrons, rayons X ou gamma) à *faible dose* (moins de 100 *rems* [1]). Modifications sanguines, irritation des muqueuses de la gorge et du système digestif et élévation de la température ; *moyenne* (100 à 250 rems) : atteinte des tissus producteurs des globules blancs et rouges qui peut entraîner la mort au bout de quelques semaines ; *forte* (250 à 600 rems) : attaque des systèmes gastro-intestinal et nerveux, entraînant paralysie et mort plus rapide. Le % de leucémies, qui apparaissent 10 à 20 ans après l'irradiation, est plus important chez les irradiés ayant reçu plus de 200 rems que dans une population normale (et d'autant plus que la dose est élevée).

Nota. – (1) *Rem :* mesure la dose de rayonnement absorbée par l'homme [égal à la dose reçue, en rad, multipliée par un facteur de qualité (10 pour les particules α et 1 pour γ, X et β)].

Retombées radioactives : les produits de fission radioactifs sont aspirés dans le nuage par les courants ascendants dus à l'élévation de température. Si la boule de feu n'a pas touché le sol et s'il n'y a pas de fortes pluies immédiatement après l'explosion, ces *poussières* légères resteront très longtemps en suspension dans l'atmosphère et les retombées radioactives seront étalées dans le temps et l'espace, donc négligeables.

Par contre, si la boule de feu touche le sol (explosion basse), les matériaux rencontrés se vaporisent, les poussières de condensation relativement lourdes, rendues radioactives, entraînent les produits de fission sous forme d'une retombée beaucoup plus rapide dont les dimensions dépendent de la puissance de la bombe, de l'altitude de l'explosion, des conditions atmosphériques (vitesse et direction des vents aux diverses altitudes auxquelles s'élève le nuage).

Lors d'une explosion expérimentale de 15 Mt au sol, à Bikini, suivie de pluies violentes, un séjour de 4 j dans une zone de 300 km env. aurait été mortel. En zone de retombées, l'irradiation par les rayonnements gamma (émis par les produits radioactifs déposés sur le sol) est la plus dangereuse. L'intensité décroît d'un facteur 10 environ, chaque fois que le temps est multiplié par 7. (Par exemple, en un lieu où le débit de dose est de 1 000 rems/heure une heure après l'explosion, il ne sera plus que de 100 r/h 7 heures après, 10 r/h 2 j après et 1 r/h 2 semaines plus tard.)

L'absorption par voies respiratoires ou digestives de produits radioactifs, les brûlures de la peau causées par des rayonnements bêta lorsque des produits de fission séjournent longtemps sur la peau nue présentent un risque moins important.

• **Impulsion électromagnétique** (IEM ; en anglais EMP : Electromagnetic Pulse). Rayons gamma et neutrons issus de l'explosion interréagissent selon la puissance avec l'atmosphère dans une « région source » large de + de 2 000 km et épaisse au centre d'env. 60 km. Les molécules de l'atmosphère y sont ionisées [1] et les électrons qu'elles éjectent sont déviés par le champ magnétique terrestre ; de ce fait ils subissent une accélération et émettent un rayonnement : impulsion électromagnétique dans des fréquences de 10 kHz à 100 MHz. Le flash électromagnétique se propage dans toutes les directions et « arrose » la surface de la Terre sur une zone de 4 000 km de diamètre ; cette impulsion conserve une grande partie de son énergie initiale ; induit dans tout conducteur ou circuit des courants assez intenses et détériore les installations électriques ; elle peut toucher installations terrestres, bâtiments en mer, avions (directement ou par réflexion), satellites, même très éloignés (par un « rebond » de l'onde sur le sol), missiles balistiques au-dessus de l'atmosphère.

Nota. – (1) Ionisation : rupture de l'équilibre électrique d'un atome, généralement par arrachement d'un électron qui produit un ion positif (atome touché) et un ion négatif (élec. arraché).

Conséquences possibles *(exemples). 1) Explosion* d'une bombe lancée d'un sous-marin, au-dessus de l'Atlantique à 500 km des côtes américaines et à 50 km de haut : elle provoque la destruction ou le dérèglement de tous les systèmes électriques et électroniques, et de leur fonctionnement, entraînant la paralysie économique du pays (moyens de transport, usines, ordinateurs et banques de données... rendus inutilisables) et d'une partie de l'Europe occ. *2) Explosion de 2 bombes de quelques dizaines de kt, l'une au-dessus du plateau d'Albion (missiles de la force de frappe), l'autre au-dessus de Taverny (QG du haut commandement) :* aucun des silos ne serait détruit, mais toute riposte serait impossible avec des installations non durcies (non protégées contre l'IMP), les communications entre l'état-major et les bases opérationnelles étant coupées (même si l'ordre de mise à feu des fusées parvenait à temps, l'électronique de guidage des missiles étant déréglée lors de leur passage à travers la zone encadrée par l'explosion, la trajectoire des missiles serait perturbée). *3) Attaque de divisions blindées* ennemies, *tirant une salve d'obus nucléaires de faible puissance :* toutes les mines antichars (magnétiques et commandées à distance) explosent d'elles-mêmes et nos chars sont inutilisables (la destruction de leurs équipements électroniques les immobilise, les pannes de liaisons radio empêchent la mise à feu de leurs missiles). C'est pourquoi les études et travaux de « durcissement » sont poussés, depuis plusieurs années, sur les installations vitales (voir ci-contre : protection).

Effets d'une explosion selon sa puissance et la distance	1 kt	10 kt	100 kt	1 Mt	10 Mt
	km	km	km	km	km
Brûlure [1] 1er degré	1,1	3,1	8,5	22,5	50
2e degré	0,8	2,4	6,5	17,5	40
Inflammation de bois, papier	0,3	1	2,5	8	16
Réception à découvert [2] de 100 rems	1,1	1,6	2,1	2,9	3,85
200 rems	0,95	1,3	1,75	2,4	3,4
Destruction d'immeubles	0,35	0,8	2	4	9,5
Dégâts très sérieux aux immeubles	0,55	1,2	2,6	5,6	13
Hauteur au-dessous de laquelle une explosion est contaminante	0,05	0,15	0,4	0,9	2,1

Nota. – (1) Par temps clair et sur peau nue. (2) Due au rayonnement initial qui est un facteur important dans le cas d'explosion de faible puissance, mais devient négligeable devant le souffle et l'effet thermique dans le cas d'explosion de forte puissance.

Effets d'une guerre atomique

Guerre nucléaire totale d'une puissance de 10 000 mégatonnes. Soit environ la moitié du stock actuel d'armes nucléaires éclatant à 90 % en Europe, Asie et Amérique du Nord et à 10 % en Afrique, Amérique latine et Océanie. **Effets à court terme :** ferait 1 150 000 000 de morts et 1 100 000 000 de blessés. 1 habitant du monde sur 2 serait frappé. Toute l'infrastructure (eau, énergie, hôpitaux...) serait touchée ou détruite. L'incendie serait partout. Les survivants seraient saisis de panique ou frappés de prostration. Les secouristes, « s'il en restait », ne pourraient s'approcher d'eux à cause des radiations. Les possibilités d'assurer des soins aux survivants seraient pratiquement nulles. La désorganisation consécutive à l'explosion rendrait aléatoire un système de surveillance et de décontamination. Hiver nucléaire, voir ci-dessous **Effets à long terme** (sur des décennies) : *démembrement des structures socio-économiques* [arrêt des transports, des communications, difficultés d'approvisionnement en eau (il faudrait de 10 à 20 l d'eau par jour pour les brûlés et au minimum 4 l pour éviter la déshydratation des survivants) *et en nourriture* (graves problèmes pour les pays en voie de développement qui dépendent des importations de céréales)]. *Contamination de l'ensemble des eaux* [par des matières radioactives et des virus et bactéries qui se développent (destruction des stations d'épuration, amoncellement des déchets)] *et des aliments solides* par des micro-organismes pathogènes (impossibilité de réfrigérer). *Éclosion de multiples épidémies* favorisée par la putréfaction de millions de cadavres (prolifération d'insectes plus résistants que l'homme aux radiations). *Transformation des terres arables en jachère* par le feu et la radioactivité résiduelle. *Désertification à terme* des terres rendues, par l'explosion, impropres à la culture et à l'élevage, entraînant une famine générale et une malnutrition au cours des années suivantes.

Guerre limitée à des objectifs militaires situés en Europe centrale. *Comportant l'emploi d'armes tactiques,* d'une puissance totale de 20 mégatonnes, env. 9 000 000 de morts et blessés graves (dont env. 8 000 000 de civils) et autant de blessés légers.

Explosion d'une bombe atomique de 1 mégatonne au-dessus de Paris. Ferait env. 2 000 000 de victimes et autant de blessés.

☞ L'explosion accidentelle d'une seule bombe déborderait les ressources sanitaires françaises.

L'hiver nucléaire

En cas de conflit atomique important, les explosions (et incendies consécutifs) entraîneraient 1 milliard de tonnes de poussière et des fumées toxiques dans la stratosphère (au-delà de 12 000 m) qui y demeureraient des semaines, sinon des mois. A cette altitude, l'air est raréfié, il ne pleut jamais et les particules redescendraient très lentement. Il en résulterait une baisse de température. Sur les côtes, les différences de température entre l'intérieur et le large (où la mer se refroidit moins vite) provoqueraient des ouragans et des pluies diluviennes sur 100 km de profondeur. Ce refroidissement survenant au printemps ou en été affecterait les plantes qui ne pourraient plus effectuer la photosynthèse transformant le gaz carbonique en composés organiques. Les animaux seraient privés de nourriture. La couche d'ozone qui nous protège des rayons ultraviolets pouvant être détruite par endroits sous l'effet des oxydes d'azote propulsés dans la stratosphère, au retour du beau temps, la terre serait alors atteinte par les ultraviolets qui diminueraient la productivité des récoltes, endommageraient le plancton marin, supprimeraient le système immunitaire des mammifères, brûleraient la peau et rendraient aveugle. *L'hémisphère Sud* pourrait aussi être atteint par le froid si la multiplicité des explosions modifiait les grands mouvements de l'atmosphère qui portent les nuages vers les pôles.

Conséquences. *Si la puissance totale des explosions atomiques était de 5 000 Mt,* 10 400 explosions (bombe de 0,1 à 10 Mt) (dont en surface 57 %, sur des villes ou centres industriels 20 %) : *température après 20 j* – 24 °C, *80 j* – 3 °C, *200 j* – 6 °C. 500 millions de morts du fait des explosions, 2,5 milliards de faim. Puissance de 1 000 Mt, 2 250 explosions (bombe de 0,2 à 1 Mt) (dont en surface 50 %, sur villes ou centres ind. 25 %) : *température après 20 j* 7 °C, *80 j* 12 °C, *200 j* normale.

Protection

• **Contre l'onde de choc et le souffle.** Renforcement des caves pour permettre de supporter le poids des décombres. Abris profondément enterrés.

• **Contre le flux thermique.** Un écran léger suffit jusqu'à 20 à 30 cal/cm². Sinon il est difficile d'empêcher des incendies.

• **Contre les rayonnements nucléaires.** Obstacle (minimum en cm) : plomb 4 ; acier 6 ; béton 19 ; terre 28 ; eau 40 ; bois 75 (souhaitable : béton 65 ; terre 90).

• **Contre les retombées.** Une cave divise la dose reçue par 100 (par rapport à ce que recevrait l'individu en plein air au même endroit) ; le problème est de permettre une vie correcte dans ces abris pendant 2 à 15 j suivant la retombée. *Principes de constructions :* multiplication des obstacles (les rayons se déplaçant dans tous les sens et s'affaiblissant à chaque rebond) ; renforcement des plafonds (contre l'ébranlement des sols et les risques d'effondrement) ; aménagement d'une double issue (avec sas) et de prise d'air (avec filtre à sable et filtre à gaz) ; *éclairage optimal :* bougies (car faible consommation d'oxygène) ; *réserves de vivres :* pour 15 j env. (prévoir pharmacie, w.-c. chimique).

• **Contre les irradiations extérieures.** Masque contre les poussières radioactives, bouteille d'oxygène (autonomie 4 h), détecteur de radiations, combinaison plastique.

• **Contre l'IEM 1°)** *Absence d'effets sous l'eau :* les sous-marins nucléaires seraient donc invulnérables. 2°) *Durcissement :* permet de réduire ou de supprimer la vulnérabilité des matériels. Moyen le plus courant : « cage de Faraday », faite d'un grillage conducteur ; si elle est isolée du sol et dépourvue d'ouverture, elle protégera tout ce qu'elle renferme ; gaine de « blindage » pour les câbles. *Moyen futur :* fibres optiques, « durcies » par nature car en silice pure, et transmission de messages non électriques.

☞ **Renseignements.** Centre scientifique et technique du bâtiment, 4, av. du Recteur-Poincaré, 75016 Paris. Des abris pour 6 personnes sont proposés à 100 000 F et + (30 000 en kit).

• **Population disposant d'abris antiatomiques. Israël :** 100 % de la population. **Suède :** 70 (programme commencé depuis 1945). **Suisse :** 77 (programme commencé en 1947, dépense moyenne annuelle de 1 milliard de FF : 193 000 abris creusés sous les Alpes). **Chine :** 70 (souterrains, creusés à la pioche, grâce à une main-d'œuvre illimitée). **URSS :** 69. **USA :** 50 (les 2 protègent en priorité les installations militaires et les cadres scientifiques et techniques ; l'évacuation rapide des populations urbaines est prévue). **Danemark :** 52. **Norvège :** 42. **All. féd. :** 40. **Belgique :** pas de programme d'abris ni de plans d'évacuation. **France :** (proche de 0) 300 abris privés répertoriés et 600 abris militaires.

Pays constructeurs d'armes nucléaires

Nombre de pays constructeurs

☞ *7 pays ont construit des armes nucléaires :* USA (60 000 têtes nucléaires fabriquées dep. 1945, de 71 types différents pour 116 types d'armements nu-

Un pays qui veut la bombe atomique. Peut : 1°) construire une installation d'enrichissement de l'uranium naturel pour obtenir l'uranium 235, nécessaire à la confection de la bombe (il faut 21 kg d'uranium 235 enrichi à 80 % pour faire une bombe). 2°) S'il possède des centrales nucléaires civiles, ou des réacteurs de recherche, se doter d'un atelier de retraitement pour extraire des déchets de plutonium 239 (5 kg de plutonium 239 enrichi à 80 % suffisent pour une bombe).

Dep. 1950, 4 500 kg d'uranium enrichi de qualité militaire, soit de quoi fabriquer 225 bombes A du type de celle de Hiroshima, ont disparu des USA.

cléaires ; en 1987, ils en fabriquaient 5 par jour), URSS, France, G.-B., Chine, Inde, Israël, plus peut-être l'Afr. du S. qui aurait fait exploser une bombe le 22-10-1979 dans l'océan Antarctique, mais n'a pas reconnu le fait.

30 pays pourraient en fabriquer à partir de plutonium venant de déchets de réacteurs de centrales nucléaires travaillant actuellement à des tâches pacifiques dont All. féd., Argentine, Australie, Autriche, Belgique, Brésil, Canada, Chili, Égypte, Espagne, Hongrie, Italie, Japon, Pakistan (pour faire pression sur Israël en 1974, le président Ali Bhutto avait entrepris de construire une bombe « islamique »), Pays-Bas, Pologne, Suède, Suisse, Tchécoslovaquie, Yougoslavie.

Avec l'aide financière des États arabes (notamment Libye et Ar. Saoudite), en 1976, la France avait accepté de construire au Pakistan une usine de retraitement du plutonium, puis elle renonça sous la pression des États-Unis.

Explosions réalisées

Premiers essais (aériens et souterrains). *USA :* a. 1945, s. 1951. *URSS :* a. 1949, s. 1961. *G.-B. :* a. 1952, s. 1962. *France :* a. 1960, s. 1961. *Chine :* a. 1954, s. 1969. *Inde :* s. 1974.

Premières bombes à fission (A) réalisées. USA : 16-7-1945 à Alamogordo (Nouveau-Mexique), bombe au plutonium fatman (gros type). **URSS :** 29-8-49 à Semipalatinsk. **G.-B. :** 3-10-52 (près de la côte O. de l'Australie). **France :** 13-2-60 à Reggane [Algérie (dopée : 4-10-66)]. **Chine :** 15-10-64 (dopée : 9-5-66). **Inde :** 18-5-74, au plutonium, sous terre.

Premières bombes à fusion (b. à hydrogène) réalisées. USA : 31-10-52 (65 t à Bikini). **URSS :** 12-8-53. **G.-B. :** 15-5-57 (au large des îles Christmas, Pacifique). **Chine :** 17-6-67. **France :** 24-8-68 (Fangataufa, Polynésie) à 1 200 km au S.E. de Papeete et 25 000 km de Paris, suspendue par un ballon stationnaire à 600 m du sol, puissance 2 Mt.

☞ **Coût d'un tir français.** *1er tir en puits 15-6-1975 :* 100 millions de F. Actuellement 20 à 70 selon les mesures à faire. Il faut un puits de 650 m pour une explosion de 8 kt, 1 500 m pour 1 Mt.

Lieu des essais

Chine. Région du Lob-Nor au Sinkiang.

États-Unis. Nevada (à 100 km de Las Vegas, – de 500 km de Los Angeles, avec 15 000 000 d'hab. dans un rayon de 500 km) *16-7-1945* (1er essai) à *1963* (1953 : aurait tué des milliers de moutons et provoqué de nombreux cas de cancer et leucémie) ; **îles du Pacifique :** *Bikini* 1946 à 1958 [après 20 ans, la radioactivité était retombée à 2 microrœntgens (– du dixième de la radioactivité moyenne des USA)] : des habitants sont revenus sur l'île en 1975 ; **Christmas** et **Johnston** (1962-63), **Eniwetok** (1969), **Amchitka** (1971) en Alaska [à 2 000 m de profondeur (expérience Cannikin pour la mise au point du missile Spartan qui provoqua des secousses équivalentes à un séisme de degré 7, échelle de Richter)].

France. Sahara (base de Reggane) : *de 1960 à 66 :* 4 essais aériens et 13 souterrains à In Ecker. *13-2-60 :* 1re bombe atomique. *16-2-66 :* 17e mise au point d'une bombe au plutonium de 60 kt. **Polynésie** (atolls de Mururoa et de Fangataufa à 1 200 km de Tahiti, 4 750 de la N.-Zélande, 6 900 de Sydney (Australie), 6 720 de Santiago (Chili), 6 600 de Lima (Pérou), avec 2 300 hab. dans un rayon de 500 km. Essais aériens *du 2-7 au 4-10-66 :* bombes, à 600 m d'alt., puissance 300 kt. Objectif : mettre en place les 2e et 3e générations de la force de frappe (missiles du plateau d'Albion et sous-marins nucléaires). *Du 5-6 au 2-7-67 :* 3 tirs à faible puissance mettant au point « l'allumette » de la future bombe « H » française. *Du 7-7 au 8-9-68 :* 5 tirs, bombe « H » de 2, puis 1 mégatonne. *Du 15-5 au 6-8-70* (campagne prévue pour 1969 annulée pour des raisons budgétaires) : 8 essais de bombe « H ». *Du 5-6 au 13-8-71 :* 5 expériences de la bombe « tactique » de 15 kt, bombe « dopée » de 500 kt, nouvelles bombes « H » de 1 mégatonne. *Du 25-6 au 29-7-72 :* 3 essais de faible puissance mettant au point le détonateur de la bombe « H ». *Du 21-7 au 28-8-73 :* 5 essais de faible puissance. *Du 16-6 au 25-8-74 :* 7 essais (dont 2 de forte puissance). *Dep. 1975.* 4 essais souterrains (*1975 à 1981* dans la partie émergée sous l'anneau corallien ; *dep. 1981,* sous le lagon, pour éloigner des flancs de l'atoll les tirs puissants et augmenter la surface disponible, donc la capacité du champ de tir).

Les tirs aériens ont entraîné les protestations de pays d'Amér. du Sud (Pérou, Équateur, Chili), du Japon, de l'Australie et de la N.-Zél. *Australie* et *N.-Zél.* ont demandé le 9-5-73 à la *Cour internat. de La Haye* d'interdire à la France de poursuivre ses essais, qui portent atteinte à la loi internat. et à la charte de l'ONU et violent les droits des pays concernés (droits de liberté de navigation, de survol, d'exploitation des océans). La Fr. ne reconnaît pas la compétence de la Cour dans ce domaine (en 1966, la Fr. avait reconnu la juridiction obligatoire de la Cour, mais en excluant « les différends concernant des activités se rapportant à la Déf. nat. »).

G.-B. Australie, Nevada (USA).

URSS. Sibérie, Kazakhstan (il y a 1 210 000 hab. dans un rayon de 500 km), Oural, Russie d'Europe, Nlle-Zemble. Le 14-9-1954, l'URSS a lancé à 500 m d'alt. une bombe atomique dans le sud de l'Oural au cours d'un exercice militaire auquel participaient des troupes.

L'Appel de Stockholm. Lancé début 1950 par le Congrès mondial des partisans de la paix contre la décision des USA de construire la bombe à hydrogène, et soutenu par les communistes, il recueillit 273 000 000 de signatures dont 115 000 000 en URSS. **Le moratoire.** Convention entre URSS et USA, a été rompu unilatéralement par les USA, le 22-3-1986 (*tirs 1986 :* USA 13) et le 12-3-1987 par l'URSS (*1987 :* URSS 13, USA 13).

Essais du 16-7-1945 au 5-8-1963 et du 6-8-1963 au 31-12-1990

Pays	1945/63		1963/90		Total a + s
	a [1]	s [2]	a [1]	s [2]	
USA	217	114	0	598	*929*
URSS	183	2	0	464	*649*
G.-B. [3]	21	2	0	20	*43*
France	*4*	*4*	*41*	*134*	*183*
Chine	–	–	23	13	*36*
Inde	–	–	0	1	*1*
Total	*425*	*122*	*64*	*1 230*	*1 841*

Nota. – (1) Aérien. (2) Souterrain. (3) Plus une douzaine fin 1991 pour miniaturiser et durcir les futures charges embarquées sur SNLE Nouvelle Génération.

Traités

PTBT (Partial Test Ban Treaty, Traité d'interdiction partielle des essais). Interdisant aux signataires les essais atmosphériques dans l'espace et sous l'eau. Signé 5-8-1963 à Moscou, entré en vigueur 10-10-1983 (au 1-1-1989 : 117 États y ont adhéré dont : USA, URSS, G.-B. mais ni la France, ni l'Inde, ni la Chine). Plus tard, Chine et France ont renoncé unilatéralement aux essais dans l'atmosphère.

TTBT (Threshold Test Ban Treaty, Traité du seuil). Signé 3-7-1974 par USA et URSS, limite à 150 Kt la puissance des essais souterrains. Non ratifié par le Congrès amér.

PNET (Peaceful Nuclear Explosions Treaty, Traité sur les explosions nucléaires à des fins pacifiques). Signé 28-5-1976, applique les limites du TTBT aux explosions de recherches. Non encore ratifié car USA et URSS ne sont pas d'accord sur le système de mesures. L'URSS évalue l'intensité avec la méthode sismique, les USA avec le système Cortex. Le 17-8-1988, des experts soviétiques ont assisté à un essai américain dans le Nevada.

Incidents

• **Accidents américains. 1957**-*22-5 :* bombe H de 19 t (puissance 9 mégatonnes) tombe accidentellement d'un B 26 près d'Albuquerque (Nouveau-Mexique, USA), 1 vache est tuée ; seule la charge non nucléaire explose, creusant un cratère de plus de 7 m de diamètre et 4 m de profondeur. Une légère contamination radioactive est relevée. **1961**-*24-1 :* accident d'un chasseur-bombardier en Caroline du N. (transportant 2 b. de 24 mégatonnes ; 6 des 7 manœuvres de mise à feu s'effectuent spontanément). **1965** *5-12* chasseur-bombardier (Skyhawk A4), transporté par porte-avions, Ticonderoga, perdu avec son pilote et une bombe H, à 130 km des Ryūkyū (Japon), gît par 4 900 m de fond. **1966**-*17-1 :* un bombardier américain entre en collision avec son avion ravitailleur au-dessus de *Palomares* (Espagne), *une des 4 bombes manquantes sera retrouvée* après 80 j de recherches à 770 m de prof. dans la mer. Les 3 autres ont explosé chimiquement (sans réaction nucléaire), d'où contamination au sol par du plutonium qui a nécessité des opérations difficiles et longues de décontamination. **1968**-*21-1 :* un B 52 du SAC (Strategic Air Command) en mission d'alerte, chargé de 4 bombes H, s'écrase au Groenland. **1980**-*19-9 :* un missile Titan II, à Damascus (Arkansas), explose (fuite de carburant), 1 †, 22 bl. L'ogive nucléaire de 9 mégatonnes est projetée à 200 m du silo. **1981** un F4-E tombe accidentellement du porte-avions *Ticonderaga* avec une bombe H à 100 km des Ryūkyū.

• **Fausses alertes atomiques. États-Unis.** 3 ont été détectées dans un délai de 2 ou 3 min, évitant tout risque nucléaire. **1979**-*9-11,* entre 2 h 59 et 3 h 05, les écrans radars montrent des échos pouvant correspondre à des fusées russes franchissant l'océan Glacial Arctique vers les USA. Les équipages des bombardiers stratégiques B-52 et FB-11 mettent en marche leurs réacteurs, et les servants des missiles en silos sont placés en état d'alerte renforcée ; mais aucune manœuvre ultérieure n'est cependant décidée. Selon le plan préétabli, le Pt des USA devait être prévenu à 3 h 06 (soit 7 min après l'alerte) et la riposte nucléaire devait être déclenchée entre 3 h 14 et 3 h 19 (15-20 min après l'alerte). **1980**-*3 et 6-6,* 2 nouvelles alertes : défaillance d'un petit circuit imprimé de la taille d'une pièce de monnaie et d'une valeur inférieure à 100 $. **France.** V. 1962, un Mirage IV porteur de sa bombe nucléaire décolle d'Orange (Vaucluse), l'ordre d'interrompre sa mission avant son envol ne lui étant pas parvenu à temps lors d'un exercice d'alerte.

Bombardements nucléaires

• **Hiroshima (6 août 1945 à 8 h 15, heure locale).** Japon [bombe : long. 3,50 m, largeur 0,75 m, pesant 4 500 kg dont 20 kg d'uranium 235, surnommée Little Boy, lancée de 9 500 m d'alt. par le B 29, baptisé *Enola Gay* du nom de sa mère par le pilote, le colonel Paul Tibbetts, explose à 500 m d'alt. Puissance 20 kt., on a parlé de 130 000 † sur le coup et dans les trois mois suivants, 200 000 au total jusqu'en 1950, et de 243 271 au 8-8-1984. 63 000 maisons détruites sur 90 000. L'officier bombardier, le major Ferebee, aurait déclenché le dispositif]. Hiroshima (420 000 h., 7e ville du Japon en 1945) abritait 40 000 soldats, offrait une facilité de dégagement rapide pour l'avion largueur et une concentration de population donnant toutes les « chances » d'un grand nombre de morts, propre à terrifier le J. et à obtenir sa capitulation. Au centre de l'explosion, la température fut de 300 000 °C. Au sol, 600 m plus bas, elle fut, un instant, de 3 000 °C. Tout brûla dans un rayon de 2 000 m. Jusqu'à 1 200 m la plupart des victimes moururent ; au-delà, la peau, les muscles protégèrent poumons, foie, intestins, cerveau, et le % des morts par brûlures diminua. Les radiations furent mortelles jusqu'à 900 m, gravement délabrantes jusqu'à 2 700 m, sensibles au-delà (aujourd'hui encore, les cas de leucémies sont plus fréquents à Hiroshima, même chez les habitants éloignés de l'épicentre). Vers 1950, on rassembla au « Peace Memorial Park » 1 074 morts identifiés et les ossements épars de dizaines de milliers d'autres. Nombre d'entrées au musée (1982) 1 284 696.

• **Nagasaki (9 août 1945 à 11 h, heure locale).** Japon (même puissance, surnommée Fatman) 70 000 † sur le coup et les mois suivants (140 000 au total jusqu'en 1950).

Nota. – 350 000 survivants victimes de maux dus à l'effet différé des radiations, brûlures, du choc, de blessures et infirmités diverses ; entre 1965 et 1971, leucémie 7 fois + fréquente que la normale, cancers 4 fois + pour les h. frappés dans un rayon de 1,5 km du point zéro.

Aéronefs

Avions anciens

Guerre de 1914-18

• **France. Chasseurs :** *Morane Saulnier* (1914), *Spad VII* (1916) et *XIII* (1917), moteurs Hispano-Suiza de 200 ch, vit. 230 km/h, plaf. 6 500 m, durée de montée (à 2 200 m) 5mn 10, auton. 2 h, armement 2 mitr. Vickers ; 8 500 exemplaires. **Reconnaissance :** *Salmson 2* (1917), vit. 185 km/h, plaf. 6 500 m, auton. 3 h. **Bombardiers :** *Breguet-Michelin* (1915), *Breguet 14* (1917), moteurs 1 Renault de 300 ch, vit. 170 km/h, plaf. 5 800 m, auton. 3 h. ; 1 600 ex.

• G.-B. **Chasseur :** *Bristol* (1917). **Bombardier :** *quadrimoteur Handley Page* (1918) (b. stratégique).

• Allemagne. **Chasseurs :** *Fokker E III* (1915) et *D-VII* (1918). **Bombardier :** *Gothar G* (1918). **Dirigeable :** *Zeppelin* (1915), d'abord bombardier puis reconnaissance navale (mer du Nord).

Guerre de 1939-45

• Allemagne. **Chasseur :** *Messerschmitt Bf-109 E* (1935), vit. 550 km/h, auton. 660 km, plaf. 10 500 m, arm. 2 canons 20 mm, 2 mitr. *109 E-3* monoplan, monoplace, 1 moteur Daimler-Benz de 1 150 CV, env. 10,50 m, long. 8,60 m, haut. 2,70 m, poids vide 1,2 t, en charge 2,75 t, 2 mitr. et 2 canons de 20 mm. **Destroyer :** *Messerschmitt 110 Zerstorer* monoplan, biplace, escorteur à long rayon d'action, 2 moteurs Daimler-Benz de 1 100 CV, env. 17 m, long. 13 m, haut. 3,90 m, poids en charge 7,5 t, arm. 5 mitr. et 2 canons de 20 mm, vit. 540 km/h, vit. ascensionnelle 8'5 pour grimper à 5 000 m, rayon d'action de 960 à 1 200 km, fabriqué par Messerschmitt. **Avions à réaction :** *Messerschmitt 262* surclassait tous les appareils alliés de chasse ou de bombardement (auton. 80 km, vit. max. 900 km/h). Mis au point en mai 1943, sorti en série vers oct. 1944 (retard dû à un refus inexpliqué de Hitler). **Bombardiers :** *Dornier 17* (1940), vit. 515 km/h, auton. 2 300 km, plafond 7 500 m, arm. 4 000 kg de bombes, 6 mitr. 7,9 mm (2 avant, 1 dorsale, 1 ventrale, 2 latérales), monoplan, 4 h. d'équipage, bombardier (conçu d'abord pour la Lufthansa), 2 moteur Bramo de 1 000 CV, env. 19 m, long. 17,50 m, haut. 5,20 m, poids vide 5,9 t, en charge de 9 à 10 t (de 500 à 1 000 kg de bombes) ; pour la bataille d'Angleterre, 2 mitr. furent ajoutées et parfois 1 canon de 20 mm, de 1 100 à 2 800 km, fabriqué par Dornier. *Heinkel 111* (1936), vit. 405 km/h, auton. 2 060 km, plaf. 8 500 m, arm. 5 mitr., 1 canon de 20 mm, 2 495 kg de bombes : vaincu dans la bataille d'Angl., utilisé après 1941 comme bombardier de nuit, monoplan, 5 ou 6 h. d'équipage, bombardier (surtout efficace la nuit) 2 moteurs Jumo de 1 200 CV, env. 24 m, long. 18 m, haut. 4,50 m, poids vide 7 t, en charge de 12,5 t à 13,2 t (de 1 000 à 2 000 kg de bombes), auton. de 1 100 à 2 300 km, fabriqué par Heinkel. **Bombardier en piqué :** *Junkers 87 B Stuka* (1938), vit. 385 km/h, auton. 595 km, arm. 3 mitr., 500 kg de bombes, monoplan, biplace, bombardier en piqué, 1 moteur Jumo de 1 150 CV, env. 15 m, long. 12 m, haut. 4,25 m, poids vide 3 t, en charge 4,8 t (1 bombe de 500 kg sous le fuselage ou de 225 kg même place, + 4 de 50 kg sous les ailes), auton. de 490 à 1 300 km, fabriqué par Junkers. *88* monoplan, 4 h. d'équipage, bombardier moyen et en piqué, à vitesse de chasseur, 2 moteurs Jumo de 1 200 CV, env. 19 m, long. 15 m, haut. 5 m, poids en charge 13,5 t (de 2 000 à 2 500 kg de bombes), arm. 3 mitr., vit. 450 km/h, auton. 2 300 km, fabriqué par Junkers. *Junkers 88 A* (1939), vit. 450 km/h, auton. 1 000 km, plaf. 8 000 m, arm. 5 mitr. : bataille d'Angl. automne 1940. **Reconnaissance :** *Focke-Wulf 200 C Condor*, vit. 360 km/h, auton. 3 550 km, plaf. 5 800 m, arm. 1 canon de 20 mm, 5 mitr.

• États-Unis. **Chasseurs :** *Lightning* (1941), double fuselage, vit. 666 km/h, auton. 805 km, plaf. 11 890 m, arm. 1 can. 20 mm, 4 mitr. ; *Mustang* (1942), vit. 784 km/h, auton. 1 530 km, plaf. 12 770 m, arm. 8 mitr., 907 kg de bombes ; *Thunderbolt* (1943), vit. 689 km/h, auton. 764 km, plaf. 12 800, arm. 8 mitr. **Bombardiers :** *Forteresse volante* (Boeing B-17 F, 1934), vit. 510 km/h, auton. 3 860 km, plaf. 11 155 m, arm. 13 mitr., 7 983 kg de bombes. *Superforteresse* (Boeing B 29A, 1943), vit. 575 km/h, auton. 5 230 km, plaf. 9 710 m, arm. 1 canon de 20 mm, 12 mitr., 9 072 kg de bombes.

• France. **Bombardier :** *Bloch 210 BN 4/BN 5* bimoteur monoplan à aile basse (1933) surnommé le « cercueil volant » (défectuosité des moteurs, pilotes habitués aux biplans). **Chasseurs :** *Dewoitine D 520* (1939), vit. 500 km/h, autonomie 1 000 km, plafond 11 000 m, armement 1 canon de 20, 4 mitrailleuses de 7,5 (36 en service mai 1940 ; 114 victimes aériennes) ; remis en service en 1942 par l'Axe (600 unités en 1944). **Reconnaissance :** *Potez 63* (1938), vit. 425 km/h, auton. 1 500 km, plaf. 8 500 m, arm. 8 mitrailleuses 7,5.

• G.-B. **Chasseurs :** *Spitfire* (1938), vit. 587 km/h, auton. 630 km (max. 721, Spitfire XIV), plaf. 9 800 m, arm. 8 mitr. *Browning* 303 mm, monoplan, monoplace, 1 moteur Rolls-Royce Merlin de 1 030 CV, env. 12 m, long. 9,80 m, haut. 3,90 m, poids vide 2,5 t, en charge 3,1 t, auton. 600 km, fabriqué par Supermarine (Vickers-Armstrong). *Hurricane* (1937), vit. 521 km/h, auton. 740 km, plaf. 10 425 m, arm. 8 mitr. *Browning* 303 mm, monoplan, monoplace, 1 moteur Rolls-Royce Merlin de 1 030 CV, env. 13,70 m, long. 10,35 m, haut. 4,95 m, poids vide 2,3 t, en charge 3,2 t, auton. de 900 à 1 000 km, fabriqué par Hawker. **Bombardiers :** *Mosquito*

Principaux avions et hélicoptères utilisés récemment dans les armées françaises	Vitesse max. en km/h ou en Mach [15]	Rayon d'action (h ou km)	Distance décollage en m	Poids total en charge (en kg)	Plafond en m
Interception					
Mirage III E[1] monoplace I réac.	Mach 2,2	(3 h)	750	12 700	15 650
Mirage F I	Mach 2,2	(3 h 45)	600	15 000	20 000
Mirage 2 000 [18]	Mach 2,2	7 500 km	405	10 900	18 000
Attaque au sol					
Mirage III BE (Int. et att. au sol)	Mach 2,15	(3 h)	700	13 000	15 650
Jaguar (Int. et att. au sol)	Mach 1,5	4 200	600	15 500	15 000
Mirage V	Mach 2,2	4 000	750	13 500	20 000
Reconnaissance					
Mirage III R et RD [5]	Mach 2,2	2 170	780	13 500	20 000
Bombardement atomique strat.					
Mirage IV A [6]	Mach 2	5 500	2 000	33 800	16 800
Ravitaillement en vol					
KC 135 F Stratotank	Mach 0,9	6 400	2 400	136 800	15 850
Transport lourd					
D.C. 8 F	935	11 500	3 000	147 000	12 000
Hercules C 130 AH		1 850			
Hercules C 130 H30					
Transport moyen et liaison					
Caravelle III	805	3 060	1 800	46 000	12 000
Transall C 160 [17]	510	5 500	750	51 000	9 150
MS 760 Paris	650	1 400	750	3 400	7 600
MH 1 521 Broussard	270	1 200	200	2 700	6 000
Mystère 20	860	3 500	1 000	13 000	12 800
Avions embarqués [8]					
Étendard IV [9] (attaque au sol)	Mach 1	3 000	700	10 000	15 000
Alizé (BR. 1050) [10] (lutte ASM)	460	(5 h)	600	8 200	6 000
Super Étendard [9] (attaque au sol)	Mach 0,9	(3 h)	700	11 500	15 000
Crusader (chasse)	Mach 1,5	(3 h 30)	700	13 800	20 000
Patrouilleurs maritimes					
Breguet 1 150 Atlantic [11]	650	(12h/18h)	1 500	23 000	10 000
Atlantic nouvelle génération [2]	650	(13/19)	1 500	25 000	10 000
Gardian 20 G	650/700	8/10	1 300	15 200	
Hélicoptères					
Alouette 2 [7] SE 3130 Artouste (polyv.)	175	375		1 600	11 000
Alouette 2 [7] SA 318C Astazou (polyv.)	180	640		1 650	11 000
Alouette III [7] (polyvalent)	220	450		2 250	11 000
SA 330 Puma [12]	274	600		6 400	5 600
SA 325 Super Puma [19]	281	1 300		9 000	
SA 321 (Super Frelon) [13]	275	(4 h)		13 000	3 150
WG 13 Lynx [14]	270	(1 h 25)		1 600	6 700
SA 341 Gazelle 16 (antichar)	310	720		1 800	5 000
AS 350 Ecureuil 2 (polyvalent)	250	710		2 500	
SA 365 Dauphin 2 (polyvalent) [3]	300	900		4 250	
Ecole-Entraînement					
Alpha Jet 4	Mach 0,86	(4 h 30)		8 000	

Nota. – **(1)** Intercepteur tous temps. **(2)** Industrialisation lancée pour 42 unités. Équipements modernisés dans l'esprit « AWAC ». **(3)** 100 exportés pour les Coast Guards US. **(4)** 335 exportés dont 175 pour l'All. féd. **(5)** Reconnaissance tactique. **(6)** peut emporter la bombe atomique française ou 6 bombes de 400 kg freinées. **(7)** *Al. 2 :* liaison ; armement : 1 mitrailleuse 7,5 mm ; *Al. 3 :* appui antichars ; missiles AS2. **(8)** Avions de l'aéronavale équipant les porte-avions. **(9)** Intercepteur et attaque tous temps. 85 livrés entre 1978 et 1983, 71 à la France pour ses porte-avions *Foch* et *Clemenceau*. **(10)** Lutte anti-sous-marine (ASM). **(11)** Surveillance maritime et lutte anti-sous-marine ASM. **(12)** Transport et appui ; armement : canon 20 mm. **(13)** En version lutte anti-sous-marine (ASM). **(14)** Lutte anti-sous-marine et anti-vedette. **(15)** Rapport de la vitesse d'un mobile à celle du son dans l'atmosphère où il se déplace. Cette unité n'est pas une véritable unité de vitesse car la vitesse du son est proportionnelle à la racine carrée de la température absolue. **(16)** Armement : 4 à 6 missiles Hot ou canons de 20 mm ou roquettes, 1 248 unités livrées au 1-1-91. **(17)** Transall 1re et, entre parenthèses, 2e génération (13-3-1981). *Volume utile* 140 m³ (140) ; *distance maximale franchissable (convoyage) directe* 5 500 km (7 400), *avec ravitaillement* (9 500) ; *capacité d'emport sur 1 500 km* 15 t (15), *sur 4 500 (avec ravitaillement)* 6 t (11,5), *sur 6 000 (avec ravitaillement)* (8,5) ; *vitesse de croisière* 500 km/h (500) ; distances de décollage 700 m (700). **(18)** *Mirage Delta 2 000 :* monoréacteur (M 53) voilure Delta, équipé de 2 canons et de missiles air-air (Matra) : Super 530 D (tir à moyenne distance), le Magic (combat aérien) [1res livraisons juin 1983, avec des radars d'une génération intermédiaire et une poussée de 9 000 kg. Livraisons définitives (avec radars Thomson-CSF à effet Doppler, capables de distinguer les échos fixes des échos mobiles, en éliminant les 1ers sur le scope, permettant l'interception d'avions ennemis volant à vitesse élevée à très basse altitude ; peut être ravitaillé en vol. Est à 12 000 m à 2 400 km/h en 2 min. 30 sec., se pose à 250 km/h, poids à vide 7 500 kg (16 000 au max). **Prév. :** 400 exemplaires. En 1986, radar Antilope III, permettant la pénétration à très basse altitude (en épousant le relief du sol)]. 3 versions : défense aérienne, biplace, nucléaire, tactique. 1er vol le 10-3-78. En 91, 400 construits (France, Inde, Égypte, Grèce, Abū Dhabī, Pérou) ; version 2 000-5 avec radar RDY amélioré, capacité d'emport accrue (9 points missiles ou réservoirs sup.) visionique complétée (tête haute, moyenne et basse). **(19)** Transport opérationnel (24 commandos) et appui logistique (entre 4,2 et 4,5 t de charge utile). *Commandes 1987-90 :* 30 ex. Coût unitaire : 60 millions de F. *1991-95 :* 20 ex. Coût unitaire : 80 millions de F. Radar Orchidée décèle l'adversaire dans un espace de 100 km de profondeur sur 80 de large.

(1943), vit. 610 km/h, auton. 2 000 km, plaf. 10 000 m, arm. 4 c. de 20 mm, 4 mitr. ; *Lancaster* (1942), vit. 462 km/h, auton. 1 658 km, plaf. 7 315, arm. 9 979 kg de bombes.

• Japon. **Chasseur :** *Zero* (1939), vit. 545 km/h, auton. 2 380 km, plaf. 11 050, arm. 2 can. 20 mm, 2 mitr., 500 kg de bombes. **Torpilleur :** *Kate* (Nakajima B5 N2, 1937), vit. 380 km/h, auton. 1 990, plaf. 8 260 m, arm. 1 mitr. 800 kg de torpilles. **Avions-suicides.** Utilisés du 25-10-1944 au 15-8-1945, ils auraient effectué 2 257 sorties, 936 seraient rentrés à leur base et 1 321 auraient été perdus au combat. 34 navires américains furent coulés (dont 3 porte-avions d'escorte, 13 torpilleurs, 1 destroyer d'escorte) et 288 furent endommagés.

• URSS. **Chasseur :** *Yak* (1940), vit. 610 km/h, auton. 830 km, plaf. 11 000, arm. 1 can. 20 mm, 2 mitr. **Chasseur de chars :** *Stormovik* (1943), vit. 360 km/h, auton. 725 km, plaf. 10 000 m, arm. 4 mitr. **Bombardiers :** *Iliouchine IL 4* (1940), vit. 445 km/h, auton. 2 600 km, plaf. 10 000 m, arm. 3 mitr., 1 995 kg de bombes : bombardier moyen et lance-torpilles de marine, *Petliakov Pe 8* (1940), vit. 444 km/h, auton. 3 700 km, plaf. 7 900 m, arm. 6 mitr. 3 900 kg de bombes : bombardier lourd stratégique.

Avions récents

• Europe. **EFA** (European Fighter Aircraft) avion de combat, concurrent du Rafale français. *Fabrication :* Eurofighter (British Aerospace, Messerschmitt-Bolkow-Blohm, Aeritalia et CASA) ; *construction du réacteur EJ 200 :* Eurojet (Rolls-Royce, MTU, Fiat-aviazione, Sener). *Coût du programme (prév.) :* 175 milliards de F. *Participation au coût du développement :* All. féd. 33 %, G.-B. 33 %, Italie 21 %, Espagne 13 %. *1res livraisons :* 1997. *Production prévue :* 800 [programme remis en cause (coût plus élevé que prévu)].

• France. Voir tableau p 1820.

Avions à l'étude. Mirage III *Nouvelle génération :* cellule du Mirage III, réacteur du Mirage F1, commandes électriques du Mirage 2 000, entrées d'air du Mirage 4 000. Vitesse, auton., capacité de charge et maniabilité supérieurs à ceux du Mirage III précédent ; rival du Tigershark U.S. (Northrop) ; 1er vol du prototype le 21-12-82. **Cessna C 425 :** avion d'école et d'entraînement, biturbopropulseur, construit par Reims-Aviation, vit. 460 km/h ; auton. 2 600 km ; plafond 9 000 m (avec 1 moteur en panne 5 800 m). Destiné à remplacer les vieux avions écoles Dassault Flamand et DC3, il est en concurrence avec le brésilien Xingu. **Le Baroudeur** (avion ultraléger motorisé) : pèse 135 kg, se monte en 45 mn, moteur de 43 ch, vole à 80 km/h, auton. 3 h, permet d'emporter une roquette antipersonnel et antichar. Indétectable par radar. **Super Mirage 4 000 :** monomoteur biréacteur, env. 20 t (sans armement) vitesse Mach 2,4 (?). 1er vol le 9-3-1979, coût : + de 300 millions de F. [Il correspond au type d'avion réclamé pour 1985 par le Gal Grigaut le 6-4-1975 et nommé avion Grigaut ou ACF : plafond 20 000 m, portée du radar 100 km, rapport poussée poids élevé (permettant d'embarquer un radar d'un volume suffisant)].

Rafale (avion de combat tactique, ACT) : 1er vol le 4-7-1986. Opérationnel en 1996. 460 vols sous forme de démonstrateur. *Coût minimal du programme (est. 88) :* 117,4 milliards de F (il faudrait vendre de 400 à 500 avions pour amortir les investissements). *Est. 89 :* 150 à 200. Programme étalé sur 20 ans. *Exportations prévues :* 800 à 1 200 ex. entre 1996 et 2015. *Caractéristiques Rafale A* et, entre parenthèses, *Rafale B :* 2 moteurs General Electric F. 404 GE 4 000 avec poussée PC de 7 250 kgp (Snecma M88 avec poussée PC de 7 500 kgp), envergure 11,18 m (10,72), longueur 15,79 m (14,98), surface alaire 47 m^2 (44), hauteur au sol 5,18 m (5,10), poids à vide 9,5 t (8,6), masse au décollage 20 t (20,3), masse carburant interne 7,56 t (7), vitesse max. à 35 000 pieds Mach 2 (Mach 2), vitesse ascensionnelle 325 m/s (325), distance de décollage 400 m (400), franchissable 1 800 km (1 800). Rayon d'action de 10 % supérieur au Mirage IV. Moins aisément détectable par les radars. Utilise des pistes plus courtes. *Armement :* 4 missiles air-air Micra, 2 bombes guidées par laser, 2 missiles air-air Majic II. Possibilité d'un missile air-sol à longue portée (ASLP) (portée 1 000 à 1 200 km). Pourrait remplacer le Mirage IV pour des missions nucléaires à longue distance. Version marine (avion de combat marine ACM) opérationnelle en 1998.

• G.-B. **Harrier AV8 :** à décollage et atterrissage courts : poids max. au décollage vertical 8,2 t (d. court ; 11,5 t). Vitesse max. 1 180 km/h, 2,3 t d'armes.

• USA. **Bombardiers. B 58 (General Dynamic) « Hustler » :** vitesse max. à 13 400 m : 2 118 km/h, plafond 18 300 m. **B 52 (Boeing) « Stratofortress »** (1952) : long. 47,85 m, env. 56,3 m, vitesse max. 1 014 km/h, poids max. 229 t, plafond 16 764 m, auton. 16 000 km, arm. 2 canons de 20 mm, 2 missiles, 30 t de bombes. **B-1B** (1er vol : 23-12-1974) : long. 44,7 m, env. 41,7 m, poids 216,4 t, vit. max. Mach 2,2, auton. 9 815 km, 56 t de bombes. **A 7 A Corsair :** bombardier léger embarqué. + de 1 046 km/h, distance franchissable en convoyage 4 500 km, poids total 14 750 kg (*A 7 B* version évoluée, *A 7* biplace, *A 7 D* terrestre). **ATA** (Advanced Tactical Aircraft) : pour la marine américaine, à l'étude. **ATB** : voir Stealth p. 1821b.

Chasseurs. F-104 Starfighter : envergure 6,70 m, longueur 16,70 m, poids 13 t, vit. max. Mach 2,2, auton. 2 100 km. Ch. intercepteur polyvalent. **F 4 C (Mac Donnel « Phantom ») :** 1961, vit. Mach 2,4, auton. 2 600 km, plafond 21 000 m, poids max. 24,7 t. **F 5 A, F 5 B (Northrop) « Freedom Fighter » :** 1965, vit. Mach 1,4, auton. max. 3 000 km, avec charge 600 km. **F 105 (Republic) « Thunderchief » :** vit. Mach 2,25 à 11 000 m, auton. avec max. de carburant 3 330 km. **F III A :** chasseur bombardier à envergure variable, vit. max. Mach 2,5 à 12 000 m, dist. franchissable en convoyage 5 300 km, plafond 18 000 m, poids 35 t. **F 14** « Tomcat » : de Grumman (pour la marine). **F 15 :** 1er vol 2-2-1974 (pour l'U.S. Air Force). **F 16 (General Dynamics) :** Ch. rapide d'intervention et de pénétration, env. 9,14 m, long. 14,32 m, propulseur F 100 (Pratt et Whitney), poussée et post-combustion 11 340 kg, poids max. 7 938 kg, arm. 1 canon 30 mm, vit. max. en altitude Mach 2. **F-17 (Northrop) :** Cobra 1er vol 9-6-1984, préfigure le F-18. **ATF** (Advanced Tactical Fighter) : à l'étude.

A 10 Thunderbolt. Biréacteur monoplace antichars 4 000 km ; peut décoller en – de 600 m ; 7 t d'armement, canon 30 mm tirant 4 000 coups (min. 680 km vitesse de combat), en uranium-titane, non radioactif, mais très dense et fusant à l'impact, perce tout blindage actuel.

Reconnaissance. SR 71 : en titane ; 3 000 km/h ; alt. 30 000 m. **TR 1** (Lockheed) : 700 km/h ; alt. 21 000 m.

Transport. AC5 Lockheed : 350 t ; 11 000 km, avec 32 t de charge jusqu'à 6 400 km. **C5B Galaxy :** 4 200 km/h, 240 soldats, ravitaillement en vol.

Himat (Rockwell). « Highly Manœuvrable Aircraft Technology » (Technique de pointe en matière d'appareils à haute manœuvrabilité). A effectué son 1er vol lâché à 13 500 m d'alt. par un B 52, et piloté à distance ; la structure comporte 28 % de fibres de carbone et la flexibilité est contrôlée.

Stealth Aircraft (« Avion qui se dérobe » ou *« avion furtif »*). Formes particulières, matériaux et revêtements spéciaux absorbant les ondes radar (matériaux anéchoïdes), dispositifs de réduction du rayonnement thermique (signature infrarouge), et appareils de contre-mesures électroniques, réacteurs à double flux. **SR-71 Blackbird :** avion-espion de Lockheed construit à 32 ex. en 1966, retiré du service en févr. 1990 (dernier vol 6-3-90) pour cause d'économies. *Coût :* 250 à 350 millions de $/an. *Plafond :* 30 000 m (Californie - côte Est) à 3 380 km/h en 68 mn 32 s ; atteint 3 530 km/h en ligne droite en 1978. Il ralliait en 12 h les U.S.A. au Proche-Orient et prenait en 1 h des photos sur 258 000 km^2. N'a jamais été abattu. **F 117A** (Lockheed) : avion de reconnaissance bombardement (2 turboréacteurs de 5,6 t de poussée), monoplace, envergure 13,2 m, long. 19,8 m, haut. 3,8, surface alaire 239 m^2, masse à vide 9 t, au décollage 24, structure et carcasse en matériaux composites absorbant les ondes radar Fibaloy et Filcoat, fibre de carbone près des points chauds (réduction signature infrarouge). Géométrie particulière (facettes reliées par des dièdres, qui dévient les échos radar et enveloppent ses armes) qui lui interdit de voler en supersonique ; vitesse 1 100 km/h, rayon d'action 650 km : difficile à piloter car peu stable (plusieurs accidents signalés), malgré des commandes de vol électriques à quadruple circuit. 1er vol 1981, mis au point de 1981 à 84. Entré en service en oct. 1983. 59 ex. commandés, dont 56 livrés. *Coût total :* 6,5 milliards de $, soit environ 110 millions par appareil dont 65 % en études et développement. **F 2 :** employé en mission de combat pour la 1re fois en déc. 1989 lors de l'opération « Juste Cause » au Panamá (6 exemplaires) (2 écrasés : 21-6-1982 et 11-7-86). **ATB (Advanced Technology Bomber) :** bombardier B 2 de Northrop (origine 1947, projet YB-49, 1ers essais en 1987, 1er vol 17-7-1989), aile volante 180 t, long. 20 m, haut. 5,2 m, env. 52 m., poids à vide 70 t, 4 turboréacteurs, de 8,6 t de poussée unitaire, dérivés du F-110, charge mil. de 22,5 t, rayon d'action 10 000 km ; il aurait une « signature radar » comparable à celle d'un moineau. Coût : 530 millions de $. Produit à 132 ex. pour l'U.S. Air Force (coût : 70 milliards de $ sur 10 ans). Ces avions opèrent isolés et de nuit, d'où des missions très spécifiques (renseignement, brouillage, bombardements préliminaires...).

☞ Surface Equivalente Radar (SER) : caractérise la portée de détection possible par un radar de puissance donnée) : bombardier à réaction des années 50 : 0,11 à 16 m^2 ; B 47 de face : 0,5 ; de flanc : 250 ; mouette : 0,01 ; F 19 (avion Stealth) : 0,001 ; mouche : 0,00001.

• URSS. **Aircraft Chasseurs : Mig-21 :** intercepteur, env. 7,60 m, long. 15,75 m, poids max. 8,5 t, vit. Mach 2, auton. max. 1 200 km. **Mig-25 :** intercepteur (Foxbat A), enverg. 14,7 m, long. 20,2 m, poids max. au décollage 29 t, vit. Mach 2,8, auton. 2 700 km, plafond 24 385 m (seuls les F 15 Eagles amér. ont un plafond aussi élevé, mais leurs réacteurs fonctionnent mal à très haute altitude). Considéré comme

Radar

• **Avions radars. Boeing 707 E-3A [AWACS :** Airborne Warning and Control System (système de contrôle et d'alerte aéroporté)] : USA ; 4 réacteurs ; auton. 11 h (22 h avec ravitaillement en vol, alt. de croisière 9 000 m, vitesse de croisière 519-667 km/h, équipage 17, long. 46,6 m. Surmonté d'un rotodôme où est installé le radar système IFF (identification ami ou ennemi, tour complet en 6 sec.) qui peut émettre selon 5 modes différents et changer de mode 32 fois au cours d'une révolution (le volume surveillé peut être découpé en 32 tranches) ; à env. 280 km, permet de détecter des cibles évoluant à basse altitude et, dans un rayon de 580 km, des cibles volant à plus haute altitude ; équipé, en outre, d'un radar de détection maritime. *Coût à l'unité :* 180 millions de $. Équipe l'armée de l'air US (34 commandés et l'OTAN 18 commandés). La France en a commandé 3 le 26-2-1987 (livrables 1990-91) et un 4e le 20-8-1987. **E-2C « Hawkeye » (œil de faucon) Grumman :** USA ; 2 turbopropulseurs ; autonomie 6 h, alt. de croisière 9 000 m, vit. de croisière 500 km/h, équipage 5, long. 17,6 m. Radar (sur rotodôme) pouvant détecter et poursuivre automatiquement + de 600 cibles (grâce à sa centrale de calcul) ; peut diriger simultanément 40 intercepteurs vers autant de cibles. Spécialisé pour la détection des cibles à faible vitesse (navires). Peut décoller de petites pistes et être catapulté de certains porte-avions. Équipe la marine US (70) et l'armée de l'air israélienne (4) ; équipera les armées de l'air japonaise (7 commandes) et égyptienne. On peut citer encore l'*EC 135* (Boeing), l'*Iliouchine 76* (nom OTAN *Mainstay*), le *Nimrod AEW*, l'*Atlantic* et l'*Atlantic nouvelle génération* (ANG) (Breguet), les 3 derniers étant plus orientés vers (ou dérivés de) la patrouille maritime avec des tâches analogues.

• **Modes de radar** *PDNES (Pulse Doppler Non Elevation Scan)* suit la cible (à basse altitude) « en azimut » (sans mesure d'altitude). *PDES (Pulse Doppler Elevation Scan)* situe la cible en altitude. *BTH (Beyond The Horizon)* la suit au-delà de l'horizon (fréquences transhorizon). *« Maritime »* sert pour navires (leur vitesse étant faible, le Doppler est remplacé par des impulsions très courtes). *« Passif »* sert à dépister et localiser d'autres radars (le radar « écoute »).

☞ *Un avion volant à 300 m de haut* ne sera repéré par les radars terrestres qu'à 60 km, c.-à-d. moins de 5 mn avant son passage, s'il vole à 1 000 km/h (on pourra découvrir son identité à temps pour déclencher la riposte appropriée) ; *pour un radar volant à 9 000 m,* l'horizon radar est au-delà de 400 km.

Drones

UAV ou RPV (Unmanned Aerial Vehicle ou Remotely Piloted Vehicle). Avions sans pilote. Discrets, d'une grande autonomie, bon marché, ils sont de plus en plus précieux pour certaines tâches : recueil d'informations multiformes, désignation d'objectifs lointains, guidage terminal munitions, leurrage, relais. Ils transmettent leurs données, ou images, au sol par liaisons automatiques. **Programmes. USA :** *Condor, HIMAT,* (Highly Manœuvrable Aircraft Technology), *CLGP* (Canon Laser Guided Projectiles) ; **France :** *CL* 289 ; (Canada) et *Brevel* ; **G.-B. :** *Phoenix et Sprite.*

le meilleur avion militaire du monde. Les Russes l'utilisent comme avion de reconnaissance (Foxbat B et D, vit. : Mach 3,2) entre 25 000 et 30 000 m d'alt. (équivalent de l'amér. SR 71 Blackbird). **Mig-29, surnommé « Fulcrum » par l'OTAN :** env : 12 m, long. hors tout : 18,3 m, surface alaire : 43,5 m², propulsion : 2 X R-33 D double flux, poussée sans PC (kN) : 49, poussée avec PC (kN) : 81, masse à vide (kg) : 10 000, carburant interne 3 900 kg, charge au décollage 15 200 kg, vitesse max. 2,3 Mach, auton. 370 km. Décollage sur 300 m et atterrissage sur 600 m. Vit. ascensionnelle : 330 m/s. Éjection possible du pilote à 100 m en vol horizontal sous un angle de 90° et vitesse 0, sur le dos à 200 m, canon 30 mm, 150 obus et 6 missiles de combat antiaérien (2 R 85 « Alamo » : long. 5 m, portée 50 km ; 4 R 60 « Aphid » : plus petits missiles air-air de combat très rapproché du monde, précis entre 500 et 4 000 m). **Mig-31 :** biréacteur, 45 t max. au décollage, vit. 2 600 km/h, 4 missiles forte portée (110 km) ou 8 plus petits.

Bombardiers. M-4 Myasishchev : lourd, env. 48 m, long. 46 m, poids max. 115 t, Mach 1. **Su-7B Sukhoi :** ch. bombardier, env. 12,50 m, long. 15,50 m, poids max. 13 t, Mach 1,7. **Tupolev. Tu-6 :** 945 km/h, auton. max. 6 406 km. **Tu-16** (1952) : env. 32,92 m, long. 34,8 m, poids max. 72 t, vit. max. 992 km/h, auton. 5 760 km. **Tu-20 :** env. 51 m, long. 54 m, poids max. 155 t, 800 km/h, auton. max. 12 500 km. **Tu-22 :** env. 27,7 m, long. 40,53 m, poids 84 t, vit. max. Mach 1,4, auton. 2 250 km. **Tu-26 :** (Backfire B) : env. 33,5 m, long. 40,23 m, poids max. 122,5 t, vit. + de Mach 2, rayon d'action 8 900 km. **Tu-95** (1954) : env. 51,1 m, long. 49,5 m, poids 154 000 kg, vit. max. 870 km/h, auton. 12 550 km. **Blackjack :** env. 42,7 m, long. 55 m, poids max. 263,1 t, vit. max. Mach 2,3, rayon 14 000 km sans ravitaillement (7 200 selon experts occ.). Peut transporter missiles AS 15, portée 1 200 km.

Hélicoptères

☞ Voir tableau p. 1820.

• Généralités. **Moteur à piston. R 4** de l'ingénieur russe naturalisé amér. Igor Sikorsky (1889-1972), moteur de 180 ch (à piston). 1 rotor principal de 11.58 m de diam., une hélice anti-couple, vit. 121 km/h, alt. 2 438 m ; autonomie 322 km. Utilisé par l'armée américaine, posant des problèmes de transmission des rotors, lourds et encombrants.

Turbine. 1re utilisation 1955 sur Alouette II, (modèle franc.-suéd.) avec turbine. Artouste II, placé près des pales (triples, de 9,70 m de diam.), vitesse 185 km/h, plafond 11 036 m, autonomie 365 km.

Emploi des pales stratifiées. Jusqu'en 1971, les pales étaient métalliques (sensibles aux effets d'entailles et à la corrosion), durée de vie limitée (2 000 h), difficile à réaliser (profils). En 1971, le Gazelle SA 341 (Aérospatiale-Westland) fut équipé de pales en fibres de verre imprégnées de résines époxydes. D'autres modèles ont adopté fibres de carbone, ou tissus de verre (ex. Bölkow en RFA, Boeing Vertol aux USA). Leur durée est pratiquement illimitée ; elles résistent à l'impact d'un obus de 20 mm, permettent une économie de 400 à 600 kg, et un accroissement de 10 % de la vitesse de croisière ; peuvent recevoir un dispositif de dégivrage incorporé.

• Hélicoptères de combat. **France. Orchidée :** projet d'hélice de surveillance du champ de bataille (radar, télématique), abandonné avant la guerre du Golfe.

URSS. Mi-24 (Hina) (1973) 4 : 2 turbines ; peut emporter 128 roquettes de 57 millimètres, 4 bombes de 250 kg, 4 missiles antichars AT-2 Swatter ou AT-6 Spiral ou une mitrailleuse de 12,7 mm à 4 tubes rotatifs (type Gatling ; cadence 4 200 coups/minute) 330 à 360 km/h, autonomie env. 300 km. **Mi-28 Havoc** *(1987),* canon 23 mm. **Kamov Hokum** (1983-87) 345 t, 350 km/h, autonomie 250 km.

USA. Yal 64 (1981), 16 missiles antichars Welfire et 1 canon de 30 mm (950 obus), Coût : 3 millions de $ l'ex. 537 commandes. **Bell AH-I Huey Cobra** (1965), 3 t, capacité d'emport 1,5 t, 227 km/h, autonomie 507 km. **AH-64 A Apache** (1984), 5 t, capacité d'emport 3 t, 293 km/h, autonomie 689 km, canon 30 mm, 16 missiles antichars, 515 livrés de 1984 à 1989 ; en 1992-93 : version améliorée : 571 prévus. **LHX** (hélic. léger expérimental 1991-94), 3,6 à 3,85 t.

Europe. Hél. de combat franco-allemand **Eurocopter, Tigre** ; programme lancé en déc. 87. masse à vide : 3,3 t, en charge 5,3 à 5,8 t ; coût unitaire : env. 54 millions de F, 2 turbo de 1 300 ch, 260 km/h en charge, 80 % de matériau composite, technique de furtivité. Financement (en %) : Français 35, Italiens 35, Allemands de l'Ouest 25 (réduits à 21), Néerlandais 5 ; nbre prévu : France 215, All. 212. 2 versions. *Eurocopter HAC* [Hél. Antichars (PAH en allemand)] : missiles AC-3G et Hot-2 et 3 puis Tigrat antichars ; missiles Mistral ou Stinger air-air en défense contre avions ; viseur au-dessus du mât du rotor, en service en 1998. Coût unitaire : 61 millions de F, commandes Fr. 140, All. 212. *Eurocopter HAP* (Hél. d'Appui-Protection) : canon axial de 30 mm, missiles Mistral/Stinger, antichars Hot, paniers lance-roquettes ; pour protéger le HAC-PAH ou en chasse contre appareils intrus ; appui-feu ; accessoirement lutte antichars, commandés Fr. 75. **Eurocopter NH 90 :** projet d'hélico. de manœuvre et transport logistique (succession des PUMA) ; 9 t, 300 km/h ; coût 25 milliards de F pour 160 appareils.En service en 1995.

• Hybrides. *V-22 Osprey (U.S.A.)* (origine 1958 Bell XV-3, 1979 Bell XV-15) : convertible à rotors basculants. Décollage vertical et vol horiz. sup. à 500 km/h. *VZ-2 « Vertol 76 »* (1958).

• Forces armées. **USA** 10 000 hélicoptères ; **URSS** 7 000 dont env. 1 500 h. Hip et Hind antichars. **France** 840 hélicoptères (dont 620 utilisés par l'ALAT, voir p. 1846b) ; pour la lutte antichars, un régiment d'hél. représente le tir instantané de 120 missiles (m. Hot, tiré par des Alouette III et Gazelle) ; les Puma de 2 rég. d'hél. peuvent transporter 1 000 combattants à 100 km en 2 rotations.

Accidents en France

Appareils de l'armée de l'air qui se sont écrasés au sol. *1982 :* 12 ; *85 :* 15 ; *86 :* 11 (10 †) ; *87 :* 19 (12 †) ; *88 (1-1 au 20-7) :* 16. **Taux d'accidents d'avions de combat sur 10 000 h de vol.** *1973 :* 1,34 ; *87 :* 0,92. **Coût d'un accident :** appareil équipé 200 millions de F, pilote tué (compte tenu de sa formation) 5,5 millions de F.

Blindés

Blindés anciens

Origine. Créés par le colonel Jean-Baptiste Estienne (1860-1936), surnommé le « père des chars ». Le principe était de monter des tubes de canons de 75 mm français sur des tracteurs américains à chenilles (inventés par Benjamin Holt en 1906), afin de pouvoir les amener en 1re ligne. Les 2 premiers (ingénieur Eugène Brillé) furent fabriqués au Creusot, en 1915. Simultanément, l'armée anglaise créa en secret, à partir de 1915, le gros véhicule blindé à chenilles (Mark I), sous l'impulsion de Winston Churchill. Les chars anglais entrèrent en action le 15-9-1916 à Flers-Courcelette. Le nom de tank (réservoir) vient des inscriptions qui se trouvaient sur les caisses d'emballage, pour tromper l'ennemi.

1re Guerre mondiale

• Allemagne. **Char d'assaut AV, 1917-18.** Équip. 18 h. Masse 30 t. Long. 8 m. Larg. 3,20 m. Haut. 3,50 m. 1 canon 57 mm, 6 mitr. Vit. 9 km/h. Autonomie 80 km.

• G.-B. **Tank Mark I, 1916.** 8 hommes. Masse 28 t. Long. 9,20 m. Larg. 4,20 m. Haut. 2,34 m. Arm. 2 canons de 6 pouces. 4 mitr. Hotchkiss. Vit. max. 6 km/h. Auton. 40 km. Véhicule blindé avec chenilles de tracteur agricole (il existait dep. 1908 des camions blindés à roues).

• France. **Char casemate (Schneider, 1916-17).** Équipage 6-7 h. Long. 5,97 m. Larg. 3,28 m. Arm. 1 obusier 75 mm, masse 13 t, moteur 55 CV dans une casemate latérale, 2 mitr. Hotchkiss. Vit. max. 8 km/h. Auton. 40 km. Fabriqué en 400 ex. dont 268 améliorés après l'échec du Chemin des Dames (26-4-17), notamment blindage renforcé, risques d'incendie réduits. **Saint-Chamond.** Canon dans l'axe du véhicule, masse 23 t, moteur 85 CV. **Char léger Renault FT 17 (1918).** 2 h. Masse 7,4 t. Long. 5 m. Larg. 1,71 m. Haut. 2,13 m. Tourelle centrale à révol. totale. Arm. 1 canon 37 mm. Vit. 8 km/h (moteur arrière). Auton. 35 km. Possède un périscope. 1er blindé utilisé en masse (300 le 18-7-18 à Villers-Cotterêts).

2e Guerre mondiale

• Allemagne. **Panzer II.** 3 h. Masse 9,5 t. Canon 20 mm. Blindage 30 mm. **Panzer III** (1939-43). 5 h. Masse 22 t. Long. 5,41 m. Larg. 2,92 m. Haut. 2,90 m. Blindage 30 mm. Arm. 1 canon 50 mm, puis 75 mm, 1 mitr. Vit. 20-40 km/h. Auton. 175-260 km. Équipement radio. 5 650 ex. Campagne de France. **Tigre** (1942-45) ou **Panzer VI.** 5 h. Masse 57 t. Canon 75 mm. Blindage 50 mm. Auton. 200 km. Long. 8,46 m. Larg. 3,73 m. Arm. 1 canon 88 mm, 2 mitr., 6 lance-grenades. Vit. 20-40 km/h. Auton. 65-120 km. **Tigre II (Tigre Royal, 1944-45).** Équip. 5 h. Masse 68 t (le plus lourd blindé opérationnel de la 2e G. mondiale). Long. 10,28 m. Larg. 3,75 m. Blindage 120 mm. Arm. 1 canon 88 mm, 2 mitr., transperce un blindage de 20 cm à 1 000 m. Vit. 40 km/h. Auton. 120-170 km. Construit à 485 ex. **Panther** ou **Panzer V (1943).** 5 h. Masse 44,8 t. Long. 8,86 m. Larg. 3,27 m. Arm. 1 canon 75 mm. 2 mitr. Vit. 25/45 km/h. Auton. 100 km en campagne, 200 sur route. Construit à 5 805 ex. **Panther chasseur de chars (1943).** Pas de tourelles, combat en embuscade (appelé par les Fr. « 88 automoteur »). 5 h. Masse 45,5 t. Long. 10,10 m. Larg. 3,27 m. Arm. 1 canon 88 mm. 1 mitr. Vit. 25/45 km/h. Auton. 80 km. Construit à 384 ex.

• France. **Hotchkiss H 39.** 2 h. Masse 12 t. Arm. 1 canon 37 mm, 1 mitr. Blindage 40 mm (tourelle 45). Moteur 120 ch. Vit. 36 km/h. Auton. 150 km. **Somua S35.** Masse 20 t. Vit. 40 km/h. Auton. 130-260 km. Arm. 1 canon 47 mm, 1 mitr. Série 500 ex. **Renault B1 bis.** 4 h. Masse 31,5 t. Long. 6,98 m. Larg. 2,49 m. Haut. 2,79 m. Vit. 30 km/h. Auton. 210 km. Arm. 1 canon 75 mm, 1 canon 47 mm, 2 mitr. Modèle du M3 amér. et Churchill anglais. **Renault M 1935.** 2 h. Masse 10 t. Long. 4 m. Larg. 1,85 m. Haut. 2,10 m. Arm. 1 canon 37 mm, 1 mitr. Vit. 20 km/h. Auton. 80-140 km. Série 2 000 ex. (élément principal de l'armée blindée franç. 1940).

• Grande-Bretagne. **Mark II Matilda (1939-42).** 4 h. Masse 27 t. Long. 5,61 m. Larg. 2,59 m. Arm. 1 canon de 40 ou 45, 1 mitr. Vit. 25 km/h. Auton. 130 km. Construit à 2 987 ex. A résisté aux armes antichars all. en mai 1940 (blindage 78 mm). **Mark VI Crusader (1941).** 5 h. Masse 20 t. Long. 6 m. Larg. 2,77 m. Arm. 1 canon de 65. Vit. 45 km/h. Auton. 820 km. Construit à 5 300 ex. Conçu pour faire des raids sur les arrières ennemis en Libye. Grande maniabilité. **Mark III Valentine (1941-43).** 3 h. Masse 16,3 t. Long. 5,40 m. Larg. 2,63 m. Arm. 1 canon de 40/45 ou 65 ou 1 lance-grenades. Vit. 25 km/h. Auton. 145 km. Construit à 8 275 ex. **Mark VIII Cromwell (1943-45).** 5 h. Masse 28 t. Long. 6,35 m. Larg. 2,90 m. Arm. 1 canon de 75 mm, 2 mitr. 1 lance-grenades. Vit. 60 km/h. Auton. 130/280 km. Très maniable. Construit en gde série. Un modèle équipé d'un mortier de 95 mm., détruisant les Tigres all. Utilisé encore en Corée en 1951.

• URSS. **T34 (1940)** (meilleur char du monde, selon le Gal all. Guderian). 4 h. Masse 32 t. Long. 6,58 m. Larg. 3 m. Hauteur 2,44 m. Blindage (70 mm à l'avant, 45 sur les côtés, allemand respect. 40 et 14). Arm. 1 canon 76,2 mm, perfore les blindages all. à 1 500/2 000 m, 2 mitr. Vit. max. 50 km/h. Auton. : supérieure à tout autre char grâce à des réservoirs amovibles. En 1940, 115 T34 construits ; après 1943 10 000 annuels. **T 34/85.** Masse 36 t, canon 85 mm. **K.V.1 (Klimenti Vorochilov, 1940).** 5 h. Masse 47 t. Long. 6,70 m. Larg. 32,5 m. Arm. 1 canon 76 mm, 3 mitr. Vit. 40 km/h. Auton. 200/335 km. Blindage 75 mm, résistant aux armes antichars (les All. devait le combattre avec des canons de D.C.A., tirant horizontalement). Construit en grande série. **Blindé de chasse SU 85 (1943).** Chassis de T 34, canon de 85 mm (appelé en 1944 « artillerie autotractée »). En 1945 canon de 100 mm. Réservoirs de 613 l à l'extérieur du blindage. Auton. 300 km.

• USA. **Sherman (1942-45).** 5 h. Masse 33 t. Long. 5,86 m. Larg. 2,94 m. Arm. 1 canon 75 mm, 3 mitr., 1 lance-grenades. Vit. 50 km/h. Auton. 195 km. Construit à 49 000 ex. **Half-track (1941-45)** (semi-chenillé). 13 h., masse 7,7 t, long. 6,16 m, larg. 2,22 m, armement 1 mitr., 1 pistolet mitr., vit. 70/90 km/h, autonomie 290/345 km. **Patton (1950).** 4 h., masse 44 t, long. 8,51 m, larg. 3,51 m, haut. 3,33 m, armement 1 canon 90 mm, 3 mitr., vit. 60 km/h, auton. 160 km. Construit en grande série.

Blindés en service

• Allemagne féd. **Léopard.** Char de bataille, *mise en service* 1966, *masse totale* 40 t, *vit.* 65 km/h, *arm.* 1 canon 105 mm, 2 mitrailleuses de 7,62 mm, *rayon d'action* 390 km. **Léopard II AV.** Char de bataille, *masse* 58 t, *vit.* 68 km/h (55 km en tout terrain), *arm.* 1 canon 120 mm et 2 mitrailleuses, blindage quasi invulnérable. Version A3 : *masse totale* 42,4 t, *vit.* 70 km/h, 1 canon de 200 mm, 1 de 105 mm. **Flakpanzer Guépard.** Char antiaérien, *mise en service* 1977, *vit.* 65 km/h, *arm.* 2 canons reliés à 1 radar et 1 ordinateur. Peut repérer un avion à 16 km et l'identifier. Salves de 40 projectiles.

• France. **Char AMX 30.** Char de bataille armé pour la lutte antichars. *Équipage :* 1 chef de char, 1 tireur,

1 radio-chargeur, 1 pilote. *Masse* 36 t. *Longueur* hors tout, canon vers l'avant 9,50 m, vers l'arrière 8,90 m. *Largeur* hors tout 3,10 m. *Hauteur* au toit de tourelle 2,30 m, hors tout 2,85 m. *Arm. :* 1 canon 105 mm, armé d'une munition antichars à obus flèche capable de percer tous les blindages actuellement connus ; vitesse 1 500 m/s (charge creuse : 1 000), portée utile 1 800 m (charge creuse : 1 300). 1 mitr. coaxiale 12,7 mm (ou canon 20 mm), 1 mitr. 7,62 N sur tourelleau, 4 pots lance-fumigènes. *Vit.* sur route 65 km/h, *moy.* tous terrains 40 km/h. *Auton.* au combat (OTAN) 16 h. Peut gravir une rampe à 60 % et franchir un fossé à bords francs de 2,90 m. Utilisé comme engin antiaérien (contre avions volant bas) dans le « système Roland ». Modifié en AMX 30 B2. **Char AMX Leclerc.** 1 400 prévus pour l'armée de terre française. Masse : 50-53 t. *Long. :* 6,60 m. *Larg. :* 2,30 m. *Haut. :* 2,30 m. *Équipage :* 3 hommes. *Volume :* 37,5 m³. Protection contre charges creuses de gros calibre, obus à énergie cinétique. *Moteur :* hyperbar 1 500 ch. *Arm. :* canon de 120 mm à chargement automatique, conduite de tir multisenseur ; (IR thermique et télémétrie à laser avec transfert vidéo aux postes de tir), tir en marche, jour et nuit.

Engin blindé léger à roues AMX 10 RC. De reconnaissance apte au combat antichars. *Équip. :* 1 chef de char, 1 tireur, 1 radio-chargeur, 1 pilote. *Masse* 15 t. *Arm. :* 1 canon 105 mm, 1 mitr. 7,62 mm (30) jumelée au canon. *Vit.* sur route 75 à 80 km/h. *Auton.* 800 km sur route, 18 h de combat. *Dévers max.* 30 %. 1res livraisons en 77 (remplace l'ancien EBR, engin blindé de reconnaissance). **Engin blindé léger AMX 10 P.** De manœuvre et d'appui, amphibie et aérotransportable. *Équip. :* 1 pilote, 1 tireur et un groupe de combat de 9 hommes. *Masse* 14 t. *Arm. :* 1 canon automatique de 20 mm, 1 mitr. de 7,62 mm (30) jumelée au canon. *Vitesse* sur route 65 km/h. *Dévers max.* 30 %.

Canon automoteur de 155 GCT.

AML 90. Combat antichars et aérotransport. *Équipage :* 3 h. *Masse* 5,5 t. *Arm. :* canon de 90 mm F 1 ; 1 mitr. de 7,62 mm (30). *Distance pratique de tir* 1 500 m. *Vit.* 90 km/h.

VAB (véhicules de l'avant blindés). Plusieurs versions : transport de troupes (12 h.), Hot, mortier, PS, sanitaire, échelon. 4 roues sans pression, tout terrain, amphibie, aérotransportable. *Vit.* 92 km/h. *Arm.* mitr. de 7,62 mm.

• G.-B. **Centurion.** Char de bat., *mise en service* 1953, *masse* 56,9 t, *vit. max.* 35 km/h, *arm.* 1 canon 84 mm, 2 mitr., 12 lance-grenades, *rayon* 105 km, dernier char lourd équipé d'un moteur à essence. **Chieftain.** Char de bat., *mise en service* 1967, *masse* 54, *vit.* 48 km/h (30 en tout terrain), *arm.* 1 canon 120 mm, 3 mitr., 18 lance-fumigènes, *action* 390 km. **Challenger.** Char de bat. 430 en service.

• Israël. **Merkava, Chariot.** Char de bat. Touché à l'avant, il peut être remis en état en quelques h. L'équipage (4 h) pénètre par l'arrière, ce qui permet un dessin particulier de la tourelle la rendant quasi invulnérable. 56 t, blindages parallèles.

• Japon. **STB 1.** Char de bat., *masse* 38 t, 740 ch, *vit.* 60 km/h, (30 en tout terrain), *arm.* 1 canon 105 mm, 2 mitr. **Modèle 90.** *Coût.* 55 millions de F. Sera construit à - de 250 ex.

• Suède. **S.** Char de bat., *masse* 37 t, 570 ch, *vit.* 50 km/h (35 en tout terrain), *arm.* 1 canon 105 mm, 2 ou 3 mitr.

• Suisse. **PZ 68.** Char de bat., *masse* 39 t, 660 ch, *vit.* 60 km/h (30 en tout terrain), *arm.* 1 canon 105 mm, 2 mitr.

• URSS. **T54 et 55.** Chars de bat., *mise en service* 1947 et 1961, *masse* 36,5 t, *vit.* 38 km/h, *arm.* 1 canon 100 mm et 2 mitr. SGMT ou PKT.

T62. Char de bat., *mise en service* 1965, *masse* 38/40 t, *vit.* 50 km/h, *arm.* 1 canon 115 mm et 1 mitr. de 7,62 mm. **T72.** Char de bat., *mise en service* 1976, *masse* 40 t, 1 000 ch, *vit.* 70/80 km/h, *auton.* 500 km, *arm.* 1 canon 120 mm (rayé sur la 1re partie), obus flèche, syst. de conduite de tirs par calculateur + télém. laser, 1 mitr. de 7,62 mm. Équip. 3 h., blindages parallèles. **T80.** Char lourd de bat., *masse* 40 t, *vit.* 42 km/h, *arm.* 1 canon 122 mm et 2 mitr. de 12,7 mm. *Dep. 1980,* équipé d'un blindage « millefeuilles », qui le protège contre les missiles Hot, Milan et Tow (blindage également adapté aux T 64 et T 72) ; les chars all. Léopard II, armés d'un canon de 120 mm, peuvent percer les millefeuilles.

• USA. **M1 A1 Abrams.** *Masse* 60 t. *Vit.* 70 km/h, *blindage* composite, *canon* 120 avec conduite de tir sophistiquée.

XM1 Chrysler. Char de bat., *mise en service* en 1981, *masse* 53,4 t, 1 500 ch, *vit.* 72 km/h, blindage spécial, *arm.* 1 canon 105 mm (rayé), obus flèche, calculateur + télém. laser, 2 mitr.

Mini-chasseur de chars télécommandé. *Fire Ant (Fourmi canon, USA).* Engin à 4 roues motrices, muni d'une charge creuse. Repère et détruit un blindé en mouvement jusqu'à 500 m. En 1945, les All. utilisaient un minichar sur chenilles, le Goliath, commandé par fil et bourré d'explosifs.

Blindage. Développements en cours sur blindage "réactif" (explosif en sandwich déviant le jet des charges creuses) ou plus prometteur, verre type Pyrex en sandwich (résistance, rétractation rapide, allègement).

Bombes classiques

☞ Bombes nucléaires, voir p. 1 817 b.

Généralités

• Destination. **Antipersonnel.** *A souffle* (de 20 à 50 kg). *A fragmentation* (éclats tombant dans un rayon de 100 m ou grenades explosant). *A billes* (1966) 400 g. Chacune éjecte 300 billes en acier, pénétrant dans les chairs en zigzag. 640 larguées par une seule « bombe mère ». *A fléchettes* de 5 cm de long, tournant sur elles-mêmes en pénétrant dans les corps. *Mine araignée* 500 g ; larguée par avion et munie de lanières de 6 m de long, qui accroissent la zone de contact. *Au napalm* (savon à base d'acide oléique 65 %, gras 30 %, napténique 5 % + essence incendiaire) ; 2 types : à brûlage rapide (absorbant tout l'oxygène alentour, le personnel asphyxié) ; lent (pour détruire les installations). **Antimatériel.** *Explosives* à souffle. *Incendiaires* à pénétration. *Bombes torpilles* guidées. *B. planantes* avec ailettes modifiables par électroaimants commandés par radio (ex. b. américaine BAT).

• Bombe conventionnelle la plus lourde. *Grand Slam,* lâchée le 14-5-1945 sur le viaduc de Bielefeld (All.), 9 975 kg, long 7,74 m ; en 1949, b. expérimentée aux USA : 19 050 kg.

Bombes les plus lourdes utilisées au Viêt-nam par les USA 4,5 t (pour ouvrir dans la jungle des aires d'atterrissage pour hélicoptère).

• Quantité d'explosifs utilisée pour 1 ennemi tué (en kg) : *2e G. mondiale* 1 100 ; *g. de Corée* 5 600 ; *g. du Viêt-nam* 17 000.

• Bombe à aérosol, ou b. à détonation gazeuse. Contient un réservoir d'hydrocarbure très détonnant (oxyde d'éthylène ou méthane) qui se vaporise lors de l'explosion de l'enveloppe, le mélange aérosol-air est alors mis à feu avec un retard permettant l'expansion optimale du nuage aérosol : onde de choc surpuissante et combustion de l'oxygène (asphyxie) dans une zone accrue. Ex. : CBU (Cluster Bomb Unit) utilisée au Viêt-nam. FAE (Fuel Air Explosive) utilisée avec des effets terrifiants dans le Golfe en 1991.

Missiles et bombes à effets spéciaux de la 2e Guerre mondiale

• Allemagne. Bombe de 1 000 kg à ailettes annulaires (1939). Missiles guidés (opérationnels en août 1943 dans les unités du Kampfgruppe 100) : FX (PC 1400) : avec ailes fixes cruciformes et déflecteurs de guidage, commandé par radio par l'avion lanceur, pour perforer les blindages ; H S 293 : avion miniature propulsé par fusée, utilisé lors du débarquement de Salerne en sept. 43 (croiseur *HMS Penelope* coulé, cuirassé *HMS Warspite* et croiseur *USS Savannah* endommagés) et de la reddition de la flotte italienne (cuirassé *Roma* coulé).

Vergeltungswaffe 1 (V1). Arme de représailles n° 1. « Bombe volante » *(flying bomb).* Lancée par des rampes de 45 m de long. A réaction sans pilote, lancé dans la direction voulue, en ligne droite, gouvernail bloqué. Stabilisée par des gyroscopes. *Long. :* 7,5 m. *Envergure :* 5,2 m. *Poids :* 3 t, dont 500 kg d'explosifs. *Portée :* 250 km. *Vit. :* 500 km/h. *Alt. de vol :* 800 m. *Précision :* rayon de 8 km. *Nombre lancé :* du 13-6-1944 au 29-3-1945, 18 000 dont 7 840 sur l'Angl. (4 260 furent détruits en vol ; à la fin 90 % étaient interceptés) et 3 000 sur Anvers.

V2 [appelée « fusée » *(rocket)* par les Anglais]. Engin sol-sol supersonique (vitesse 5 000 km/h ; décelé par les radars, mais trop rapide pour être intercepté). Précurseur des engins stratégiques modernes (inventeur : von Braun). *Long. :* 13 m, *diam. :* 1,70 m, *poids :* 13 t, *puissance :* 600 000 CV, *alt. :* 50 km (1 mn après le départ), *portée :* 350 km, *charge explosive :* 1 t. Seule parade possible : bombardement des bases de départ. *Nombre lancé :* du 8-8-1944 au 29-3-1945, 3 000 (sur l'Angl. 1 250, Anvers 1 750). *V2 le plus meurtrier,* tombé sur le cinéma Rex à Anvers le 28-11-1944 (567 †).

• États-Unis. **B-17** remplis d'explosifs (9 000 kg) et dirigés par radio (le pilote évacuait l'avion après le décollage) par des avions dirigeurs.

• G.-B. **Bombes légères** (1,8 t), contre les agglomérations (« Block buster » : éventreur d'immeubles) ; utilisées par paire (1942). **« Spinning drum »** (fût tournoyant) contre les barrages protégés par des filets antitorpilles : suspendue à demi hors de l'avion peu avant l'attaque, mise en rotation à grande vitesse par un moteur auxiliaire ; larguée à 18 m, ricochait à la surface de l'eau, franchissait les filets en ralentissant, coulait au contact du barrage et explosait en profondeur grâce à une amorce hydrostatique. **« Earthquake »** (tremblement de terre), avec explosif puissant contre les ouvrages massifs (viaducs, hangars de sous-marins) : 4 ailettes, 10 t ; explosait sous terre. **« Disney » :** b. de 2 t, avec fusée mise en service à basse altitude (vitesse finale : 720 m/s).

• Japon. **Yokosuka MXY7,** missile piloté, pour les attaques suicides ; transporté par bombardier jusqu'à 80 km de l'objectif ; vitesse finale en piqué de 1 000 km/h, 1 200 kg d'explosifs à l'avant.

Bombes et engins divers

M-36 : bombe incendiaire contenant 182 bombes-filles. **BLU-31 :** mine de 705 livres, s'enterrant à l'arrivée au sol. **RAVEPAT II :** bombe de 2 500 livres, parachutée, renfermant du propane et explosant au contact des arbres (servait en particulier à détruire la jungle au Viêt-nam). **« Dent de Dragon » :** arme antipersonnel, largable à des milliers d'exemplaires par un seul avion. **Bombe orange :** 1 kg ; explose en se fragmentant. **Mine à fragmentation :** explose quand on marche dessus, et blesse plus qu'elle ne tue. Voir aussi missiles p. 1 826.

• Nombreux dispositifs. Avec dispositifs électroniques (ex. mine larguée).

• Détecteurs acoustiques et sismiques. Largués d'avion, ils se fichent dans le sol en restant reliés à un petit émetteur qui demeure accroché aux arbres. Lorsqu'un camion ennemi roule à proximité, le détecteur détermine vitesse et direction, les transmet par radio aux chasseurs bombardiers (les capteurs décèlent les objets en mouvement et les émissions électromagnétiques).

Canons

Canons anciens

Les premiers canons apparurent vers 1250 en Afrique du Nord.

Bombardes (1338). Tubes en fer lançant des carreaux d'arbalètes, des balles de plomb ou de fer rougi au feu. Pour les gros calibres, projectiles de pierre. Affût fixe puis mobile (sur roues). Poids maximal du projectile 200 kg. *En 1453,* les Turcs utilisèrent pour le siège de Constantinople une bombarde de 1 066 mm de calibre envoyant un boulet de pierre de 544 kg. *Au XVIe s.,* le « tsar Puschka » conservé au Kremlin (calibre 920 mm, fût 5,18 m), poids 40 t.

Pièce à flasques (v. 1480). En fer : affût sur roues ; le tube oscille sur les flasques (supports en bois) et on change son inclinaison à l'aide d'un coin en bois placé sous la culasse. On tirait env. 30 coups par j, à cause de l'échauffement des pièces.

Les « six calibres » (1605). En bronze, montés sur roues ; tubes pivotant sur affût, chargés par la bouche. Cadence de tir : 8 coups/h. Après 40 coups, arrêt de 1 h pour refroidir. *Canon :* boulet en fer de 33 livres (long. du tube 3,30 m). *Couleuvrines :* grande 16 livres (long. du tube 5 m) ; bâtarde 7,5 livres (long. du tube 3,30 m) ; moy. 2,5 livres. *Faucon :* 1 l. *Fauconneau :* 0,75 l. Sous Vauban (1655), les 2 plus petits calibres sont abandonnés et les projectiles sont de 33, 24, 16, 12, 8 et 4 livres.

Mortiers (XVe s.). Engins à tir courbé (tube court) utilisés pendant les sièges. 4 calibres 8, 10, 12, 14 pouces (portée 2 à 4 km). *En 1857* (G.-B.) et *1914-18* (USA), on construisit 2 mortiers de 920 mm de calibre (ils ne furent pas utilisés).

Canons Gribeauval (1765). Pièces attelées, avec caissons, vis de pointage, tubes rayés, bronze ; cartouches à boulets et à obus (1 à 2 coups par min. et par pièce) ; boîtes à mitraille (2,5 à 5 coups). Calibres de 12, 8 et 4 livres ; obusiers de 15 ; matériel de siège : canons de 24, 12 et 8 ; obusier de 20.

Canons chargés par la culasse (1866). *Modèle prussien,* utilisant l'obus (cadence de tir *par minute :* 2 coups pour les obus, 3 pour les boîtes à mitraille). Acier moulé. *Canons à balles* (1870), appelés aussi mitrailleuses. 10 tubes soudés (fer). 300 balles/min. *Canons de Bange* (1877), chargés par la culasse. Acier fondu, affût en tête d'acier. 2 ou 3 coups/mn (affût fixe, accusant le recul).

Canon Rimailho (155 R) portée 10 000 m, projectile 40 kg.

Canons à frein (1895). Calibre classique 75 mm français (Schneider). Portée 6,5 km. Utilisé pour la 1re fois en Chine en 1900 ; en 1942 à Bir Hakeim (à shrapnell de 302 balles de plomb)) le 77 Krupp (allemand) lui était inférieur. Tube coulissant sur l'affût (grâce à un berceau), pivotant horizontalement et verticalement (pivot avant), revenant automatiquement en position.

Canons à flèches ouvrantes (1911). Système italien. Permet des changements de direction de (60°).

Canons de la 1re G. mondiale. Voir p. 638.

Super canons

Grosse Bertha. Les Allemands avaient donné à leurs obusiers de marine de 420 mm, qui détruisirent en août 1914 les forts de Liège, le prénom de Mme Krupp ; les Fr. l'ont donné par extension aux canons longs qui ont bombardé Paris en 1918, et que les All. appelaient officiellement « Ferngeschütz » et parfois « Pariser Kanonen » (ou « Paris-Geschütz ») ou le Long Henri. *Installé* à 120 km de Paris, sur le mont Joie, à Crépy-en-Laonnais (Aisne). *Fabriqué* par Krupp. *Canon :* 34 m de long, poids 140 t, (750 t avec affût et accessoires), 380 mm de diamètre, avait à l'intérieur un 2e tube de 210 mm, à rayures hélicoïdales (le projectile devait effectuer 100 rotations avant de sortir, ce qui provoquait une usure importante : chaque tube ne pouvait tirer que 65 coups). *Projectile :* 104 kg de calibre de 210 passait progressivement à 235 pour tenir compte de l'usure du canon (vitesse initiale 1 600 m/s, finale env. 680 m/s, trajet de 3 mn) ; alt. 19 000 m à 25 s, 39 000 m à 90 s (apogée) ; portée maximale : 120 km. La distance semblait si prodigieuse à l'époque, que l'on crut d'abord à un bombardement aérien, puis à une avance éclair des Allemands jusqu'à 45 km de Paris. Entre le 23-3 et le 12-8-1918, Paris reçut 367 projectiles ; le 1er tomba le 23-3-1918 à 7 h 20 devant le n° 6 du quai de la Seine ; le 2e à 7 h 40 devant la gare de l'Est ; le 27-3 (vendredi saint), un obus atteignit l'église St-Gervais (75 †, 90 blessés). Le dernier coup fut tiré sur Paris le 9-8-1918 à 14 h. Au total, 256 tués.

Canon Krupp Dora. *Calibre :* 800 mm. *Long. :* 32,5 m. *Masse :* 1 465 t. *Projectile :* 7 t. *Portée :* 47 km. Utilisé par les All. à Sébastopol en 1942.

Nota. – Canons des cuirassés 380 : obus 950 kg, *406 US :* obus > 1 t, *canons du Yamato :* 470.

HARP (High Altitude Research Project). Projet de Gerald Bull (Canadien 1928, assassiné 22-3-1990) financé par l'armée amér. 3 construits et expérimentés à la Barbade. 1°. 1962 : long : 20 m, calibre : 416 mm, atteint 75 km. 2°. long : 53 m, calibre : 424 mm, obus de 186 kg lancé verticalement (à 1 850 m/s) à 143 km d'altitude. Double canon U.S. (2 × 419 mm ; long. 36,50 m, 150 t), a lancé (à 1 800 m/s) un obus de 84 kg à 180 km d'alt. le 19-11-66.

Canon irakien. le 10-4-90, 8 tubes de 1 m de diam. officiellement destinés à l'industrie pétrochimique irak. sont saisis en G.-B. En avril et mai, d'autres saisies de pièces détachées sont opérées (All., Grèce, Italie, Suisse, Turquie). Gerald Bull (spécialiste canadien mystérieusement assassiné le 23-3-90 à Bruxelles) s'apprêtait, a-t-on dit, à en construire un en Irak [calibre 1 000 mm, long : 50 à 160 m, masse (avec environnement) 4 500 t, enterré, obus de 2 t lancé à 1 900 m/s, portée : plusieurs centaines de km]. Autres hypothèses : il aurait utilisé un obus propulsé (combinaison obus-missile) ou fabriqué un canon avec des champs relais pour augmenter la pression.

☞ Études sur l'augmentation de vitesse initiale (1 500 m/s max. actuellement) permise par certaines techniques : obus propulsé, accélération électrique (4 000 m/s), hydrogène comprimé (4 500 m/s sur proj. légers). Pourraient rajeunir le canon.

Canons récents

• **France. Canon léger de 105 mm.** Tracté. *Missions :* appui direct et indirect, tir antichar, missions aéroportées. *Portée max. :* 15 km. *Durée de mise en batterie :* moins de 60 s ; *de la sortie de batterie :* moins de 30 s. *Masse :* 1 200 kg.

Obusier 105 HM2. Tracté. *Mission :* appui feu. *Portée max. :* 15 km. **155 BF 50.** id. *Portée max. :* 18 km. *Masse :* 8 t.

Mortier de 120 mm RT 61. *Portée :* 13 km. 18 coups/mn. *Masse :* 580 kg.

Canon de 155 : -tracté modèle F1. Appui feu des divisions d'infanterie. *Bouche à feu* de 40 calibres, service de pièce assisté hydrauliquement. *Champs de pointage :* – 5°, + 66° en site, 27° gauche, 38° droite en gisement. *Équipe :* 1 chef de pièce, 1 conducteur du véhicule tracteur, 1 pointeur-tireur, 2 artificiers et 3 chargeurs. *Masse totale :* 10,65 t. *Portée :* 24 à 32 km selon munition. *Cadence de tir* très rapide : 3 coups en 18 sec. (durée limitée) ; soutenue : 6 coups/mn. *Capacité de déplacement autonome* à vitesse faible : 8 km/h max. Peut être tracté par tout camion de type 6 × 6 (puissance min. : 250 CV). Automoteur. **AUF-1 :** destiné aux régiments d'artillerie des divisions blindées. Monté en tourelle sur châssis d'AMX 30. *Portée :* 24 à 32 km selon munition. *Capacité d'emport :* 42 coups complets. *Cadence de tir :* en alimentation automatique, 6 coups en 45 sec., 12 en 2 mn. *Protection* N.B.C. (tourelle étanche), projectiles légers. *Armement secondaire :* mitrailleuse de 12,7. *Équipage :* 1 chef de pièce, 1 pointeur, 1 artificier-chargeur, 1 pilote. *Masse :* 43 t. *Vitesse max. :* 60 km/h. *Champ de tir* en direction : 360°. **- GCT :** sur châssis AMX 30. *Mission :* appui feu. 8 coups/mn. Portée max. : 23,5 km. *Masse* 41 t. **- F3 :** sur châssis AMX 13. *Mission :* appui feu. *Cadence de tir :* 4 coups/mn. *Portée max. :* 20 km. *Masse :* 17 t.

Canon antiaérien bitube de 30 mm. Sur châssis AMX 30. *Cadence :* 650 coups/mn. *Portée pratique :* 3 km.

Canon électrique. A l'étude. L'un : *long :* 1 m, *projectile :* quelques dizaines de g, *vit. :* 4 200 m/s ; l'autre : *long :* 100 m, *obus* 3,5, *vit. :* 4 000 m/s.

• **G.-B. M 107.** 175 mm, autotracté. *Portée max. :* 32,7 km. *Rythme de tir :* 4 obus/mn.

• **URSS. M 1974.** *Calibre :* 122 mm. *Portée max. :* 21,9 km, autotracté. 5 obus/mn (max.). **S-23.** 180 mm. *Portée max. :* 43,8 km, tracté. 1 obus/mn. **M-46.** 130 mm. *Portée max. :* 27,15 km, tracté. 6 à 7 obus/mn. **D-30.** 122 mm. *Portée max. :* 21,9 km, tracté. 6 à 7 obus/mn.

☞ **Munitions.** De tous types (classiques, chimiques, nucléaires) et de plus en plus « intelligentes » ; ex. : *M 712 copperhead* avec guidage terminal sur cible illuminée laser par un tiers la voyant (aéronef, fantassin...).

Fusils, grenades, mitrailleuses

Fusils

Fusils anciens

• **Premières armes à feu portatives (1500-1640).** Dérivent du canon léger, la couleuvrine, dont le poids est réduit à 22 kg, v. 1500. Appelé *canon à main* ou **haquebute,** il est utilisé sur les remparts, comme arme individuelle ; le feu est mis à la main. **Arquebuse à mèche :** poids 15 à 20 kg ; maniée par un arquebusier qui tire en appuyant l'arme sur une fourche, le fourquin ; le feu est donné par une mèche allumée au début de la bataille. *Platine à mèche* (espagnol 1525) : une clef permet d'amener la mèche sur le « bassinet » où est tassée la poudre ; cadence de tir : 1 coup/mn. **Arquebuse à rouet : V. 1550 :** le rouet est un frottoir en forme de roulette qui agit sur un silex placé près du bassinet ; une gerbe d'étincelles jaillit et enflamme la poudre ; poids 6 kg, long. 1,30 m ; peut être utilisée sans fourche d'appui. Les soldats qui l'utilisent sont nommés *fusiliers,* d'après l'italien *fugile,* « silex ». C'est de leur nom que viendra, au siècle suivant, le nom de *fusil,* désignant l'arme à feu elle-même. **Carabine** (v. 1600) : arquebuse à canon rayé tirant plus juste et pouvant percer les armures [arme des carabins ou bandits de Calabre]. **Pistole :** carabine de cavalier dont le canon a 40 cm de long. **Mousquet** (v. 1630) : arme d'infanterie à rouet, plus lourde et plus puissante que la carabine et nécessitant l'emploi du fourquin ; poids 7 kg ; projectiles de 30 g lancés à 230 m ; long. 1,50 m. Les 1ers mousquetaires étaient des tireurs répartis dans les compagnies de piquiers (1 mousquetaire pour 2 piquiers). Louis XIII créa la 1re compagnie de mousquetaires (tous gentilshommes), qui lui servaient de gardes du corps. **Cartouche** (v. 1640, Suède) : la poudre et la balle sont introduites simultanément dans le canon du mousquet. Cadence de tir 2 coups/mn.

• **Fusil à pierre (XVIIIe s.).** Le rouet des mousquets et des arquebuses est remplacé par le chien qui percute la pierre au lieu de la frotter. Cadence de tir 2-3 coups/mn. Mais les ratés sont nombreux. *Fusil à bretelle* (1671) : destiné aux grenadiers, qui doivent avoir les mains libres pour lancer les grenades. On peut y adapter une baïonnette à manche de bois s'enfonçant dans le canon. *Baïonnette à douille* (1689) : s'adapte au fusil sans toucher le canon permettant de tirer avec la baïonnette. *Modèle 1777 :* le silex « pyromaque » est taillé dans les ateliers royaux ; les ratés sont réduits à 1 coup sur 12 ; nombre de pierres : 1 pour 20 coups (mais 1 bonne pierre peut fournir 50 coups). *Fusil à percussion* (1827) : la pierre est remplacée par une capsule chimique « fulminante » à base de chlorate de potasse, qui enflamme la cartouche quand elle est percutée par le chien.

• **Fusil à aiguille.**

Fusils récents

Dreyse. Fusil à aiguille créé 1845 par Johann von Dreyse (All. 1787-1867) ; en 1836 le perfectionne avec le chargement par la culasse.

Chassepot (1866). Inventé en 1857 par Antoine Chassepot (1833-1905), adopté le 30-8-1866. Chargement par la culasse, la cartouche (en carton) contient la capsule fulminante qui est percutée par une aiguille. *Cadence* de tir : 7-8 coups/mn. *Calibre :* 11 mm (le 1er fusil moderne). *Portée :* utile 1 200 m. Cartouches en papier combustibles de 31 g (14 % inutilisables).

Fusil Gras. Chassepot transformé (1866) par le capitaine (plus tard Gal) Gras (1837-1901), hausse 1 650 m. (1866) puis 1 800 m. (1874).

Carabine Winchester (1866). Américaine. Inventée par Oliver Winchester (1810-80). *Portée* max. 2 500 m ; utile 200 m ; pratique 100 m. Semi-automatique. Principe moteur : emprunt des gaz sur le parcours de la balle dans le canon. 20 coups/mn. *Long.* 0,90 m. *Canon* 0,45 m. *Poids* 2,350 kg. *Calibre* 7,62 mm. *Cartouches* 6 chargeurs de 15 cartouches.

Fusil dit Lebel (1886-1893). *Portée utile 2 400 m ;* pratique 400 m ; utile (hausse) 2 400 m ; max. 4 300 m. *Long.* 1,32 m, avec baïonnette 1,83 m. *Poids* 4,240 kg. *Cal.* 8 mm.

Carabine de cavalerie (1890). Lebel allégé. 3 cartouches.

Fusil allemand « Mauser » modèle 98 (de Paul Mauser 1838-1914). *Portée* utile 2 000 m ; pratique 400 m ; max. 4 000 m. 8 à 10 coups/mn. *Long.* 1,11 m. *Canon* 60 cm. *Calibre* 7,92 mm. *Cartouches* 5, avec chargeur. Inspira directement le Springfield 1903.

Fusil anglais mod. 1907. *Portée* pratique 400 m ; utile 600 m ; max. 3 200 m. A répétition : 8 à 10 coups/mn. *Long.* 1,10 m, avec baïonnette 1,50 m. *Canon* 0,645 m. *Poids* 4 kg. *Calibre* 7,62 mm.

Mousqueton modèle 1916. *Portée* pratique 400 m ; utile 2 000 m. Arme à répétition. 8 à 10 coups/mn. *Long.* 0,945 m. *Canon* 0,453 m. *Poids* 3,25 kg. *Calibre* 8 mm. *Cartouche* 8 mm.

Fusil italien « Terni » modèle 1918. *Portée* utile 2 000 m ; pratique 400 m. A répétition : 8 à 10 coups/mn. *Long.* 1,28 m. *Calibre* 6,5 mm.

Fusil 1936 7,5. *Portée* tactique 200 m, pratique 400 m ; utile 1 200 m ; max. 3 200. A répétition,

Cadence de tir. *Sous Louis XIII,* arquebusiers : un coup de feu par minute. *Empire :* 3, mais après 5 mn de tir à cette cadence, il fallait laisser refroidir le canon de l'arme.

Le soldat de Louis XIV emportait avec lui 12 cartouches, celui de Louis XVI 36, celui de Napoléon 100.

Portée des armes (en m), entre parenthèses date. *Javelot* 25. *Fronde* 80. *Traits à poudre* (v. 1350) 100 à 115. *Arc* (v. 1500) 80 à 100. *Arbalète* (v. 1500) 100 à 110. *Arquebuse* (v. 1504) 150. *Mousquet* (v. 1550) 180. *Pistolet* (v. 1562) 50. *Fusil* (1640-1857) 250. *Deligne* (1857) 600. *Chassepot* (1867) 1 200. *Gras* (1874) 1 800. *Lebel* (1886) 3 000. *Daudeteau* (1905) 4 000.

magasin 5 cartouches. 8 à 10 coups/mn. *Long.* 1,02 m, avec baïonnette 1,32 m. *Canon* 0,58. *Poids* 3,750 kg avec baïonnette. *Calibre* 7,5 mm. *Cartouche* 1929 C.

Fusil semi-automatique M1 de 7,62 (Garrant). Tir tendu jusqu'à 600 m. *Puissance de perforation :* 6 mm d'acier à 450 m ; 12 mm d'acier à 90 m (balle p M2). *Flèche* 1,20 m à 600 m. *Portée* max. (balle M2) 4 000 m. Semi-automatique. 24 coups/mn. *Long.* 1,107 m, avec baïonnette 1,50 m. *Poids* 4,313 kg.

Fusil semi-automatique M.A.S. 7,5. *Portée* pratique 400 m ; utile 1 200 m (avec lunette) max. *Précision* excellente. *Chargeur* 10 cartouches. *Vitesse* pratique de tir 30 coups/mn. *Long.* 1,02 m, avec baïonnette 1,305 m. *Poids* 3,9 kg. *Calibre* 7,5 mm. *Cartouche* 1929 C.

Fusil d'assaut FAMAS 5,56 (semi-automatique MAS 5,56 F1, surnommé « le clairon » à cause de sa forme). Équipe l'armée fr., dep. 5-12-1979. *Calibre* 5,56 mm. *Long.* 760 mm (canon 488 mm). *Poids* 3,55 kg. *Vit. initiale* 950 m/s. *Cadence* 1 000 coups/mn. Peut tirer au coup par coup ou par rafales avec limiteur de rafales à 3 coups. *Portée* env. 300 m. Tire des grenades antichars à 75 m et antipersonnel à 300 m. *Prix :* 4 000 F avec accessoires et rechange.

Fusil-mitrailleur, pistolet-mitrailleur

• Fusil-mitrailleur. Inventé 1902 par Madsen (All.). Modèles de Berthier et Hotchkiss avant 1914. F.M. de Chauchat (Fr.) en 1915 ; utilisé par les tr. françaises, puis amér. (1917). Actuellement arme à tir automatique, approvisionnée par des boîtes à grande capacité ou une bande souple ; 7-12 kg, 500 coups/mn. Porté et servi par un seul homme, accompagné d'un pourvoyeur aux munitions.

• Pistolet-mitrailleur. Arme légère à tir autom., employant des balles de pistolet. Inventé par Villa-Perosa (It.) en 1915. Modèle de *Bergmann* utilisé par les Allemands en 17 (400 coups/mn). En 1939, seuls les All. en étaient équipés. En 1942, modèles angl. et amér. (Lanchester et Stenn). 1949, PM français (MAT 49). 1952 *Uzi* [Israélien ; inventé par Uziel Gal (n. 1923)]. *Kalachnikof :* inventé par Mikhaïl Kalachnikov. AK 47 modèle 1941. AKM modèle 1959. *Calibre* 7,62 mm. *Mitraillette à laser :* 900 coups/mn, chargeur de 177 balles, 1 laser couplé.

Grenades

XVe-XVIIe s. Lancée au moyen d'une grande cuillère (poudre à canon dans un globe de fer creux ; on allume une mèche avant de lancer). *1667* les grenadiers forment des corps spéciaux, utilisés au cours de sièges ; munis d'une grenadière en cuivre, contenant de 12 à 15 grenades, ils lancent leurs explosifs dans les tranchées ennemies.

XVIIIe-XIXe s. Abandon de la grenade comme arme. Les grenadiers sont des soldats d'élite armés comme les autres mais de haute taille (de 1730 à 1846, et de nouveau sous le IIe Empire, ils portent le « bonnet à poil »).

Depuis 1904. Réutilisée par les Russes et les Japonais au siège de Port-Arthur. *Guerres mondiales :* grenades à main défensives et offensives. Explosif utilisé 1915-20 : TNT. 1920-43 : poudre. Depuis 1943 : de nouveau TNT. *Guerre de Corée :* grenades à fragmentation ; grenades chimiques : projettent de la fumée, des gaz asphyxiants ; grenades VB (à fusil) : s'adaptent au fusil de guerre et sont projetées à 100-200 mètres environ.

Mitrailleuses

Armes automatiques à tir continu quand on garde le doigt appuyé sur la détente.

Mitrailleuses à main et à canons multiples. On les actionnait avec une manivelle (d'où leur surnom de « moulins à café »). Inventeur : l'officier belge Fafschamps (v. 1830). *Types les plus répandus au XIXe s. : Gattling* (américaine) à canons tournants (v. 1860) : 1 200 coups/minute ; *Reffye* (Fr.), appelée « canon à balles » de 125 à 150 projectiles de 13 mm par minute ; *Feld* (bavaroise) : 24 canons (1870) à tir plus rapide que la reffye, tint les Français en échec à Coulommiers le 9-11-1870.

Automatique à 1 canon. *Utilisant l'énergie du recul :* type *Maxim* (Sir Hiram Stevens Maxim, né en Amér., 1840-1916, naturalisé Anglais), 1883. Inconvénient : impossibilité de refroidir le canon sans manchon à eau. *Fonctionnant par emprunt de gaz ;* type *Hotchkiss* (notamment le fusil-mitrailleur) la mitr. américaine Colt et la St-Étienne française (1907), de 8 mm, utilisée pendant la g. de 1914-18, conjointement au f.-m. CSRG créé 1915. Pendant la g. de 1939-45, les Fr. ont utilisé, à partir de 1942, la mitr. amér. *Browning* de 50 kg, de 7,62 mm de calibre, et la mitr. légère de 20 kg, renforçant les f.-m. dans les compagnies de voltigeurs.

Arme automatique transformable. Créée 1952. En changeant canon et affût, on peut l'utiliser comme fusil-mitrailleur, mitraillette légère ou mitraillette lourde ; culasse éclipsable ; alimentation par bande métallique souple (version f.-m. : 50 cartouches ; mitr. : 250) ; calibres 7,5 et 7,62.

Missiles

Généralités

Définition. **Missiles.** Projectiles dotés d'un système de propulsion autonome, asservis à un système de guidage sur tout ou partie de leur trajectoire. **Roquettes.** Projectiles orientés mécaniquement au départ, mus par un système de propulsion autonome pendant la phase initiale de leur trajectoire, et soumis ensuite aux seules lois de la balistique extérieure.

Durée de vol d'un missile stratégique. Ayant une portée de 13 000 km : phase propulsée 3 mn, balistique 30 mn, de rentrée 140 s. *Vitesse en fin de propulsion :* 7 100 m/s (25 000 km/h) atteinte hors atmosphère.

Précision. **1962 :** *Titan* 1 000 m ; **1963 :** *SS 8* 9 000 ; **1965 :** *Minuteman II* 550 ; *SS 9* 1 000 ; **1973 :** *SS 11* 600 ; **1976 :** *SS 17, 18, 19* 500 ; **1978 :** *SS 20* 300 à 500 ; *Minuteman III* 200 ; **1985 :** *MX* 100 à 200 (les SS sont russes, les autres américains).

Quelques termes

AAM (Air to Air Missile). Missile air-air.

ABM (Anti-Ballistic Missile). **USA. Spartan,** fusée liée au PAR (Perimeter Acquisition Radar), 17 m de long, charge 2 à 3 mégatonnes, intervient à 700 km de distance, et entre 200 et 300 km d'altitude. L'explosion crée un flux de rayons X qui détruit le missile. **Sprint** fusée (9 m de long, charge de 1 mégatonne), liée au MSR (Missile Site Radar), n'entre en action que si le missile ennemi a franchi l'échelon défensif des Spartan (portée 50 km, intervient entre 1 500 m et 30 000 m d'alt.). 2 sites sur 12 prévus ont été installés, l'un autour de la base de Minutemen à Grand Forks (Dakota du N.), l'autre autour de celle de Malmstrom (Montana) ; coût 10,300 milliards de $: env. 76 milliards de F. En 1976, ce réseau ABM a été démonté. **Patriot**, dérivé d'un missile antiaérien modifié en antimissile. Batteries transportables. Vit. Mach 3. Utilisé avec succès contre les Scud irakiens en 1991.

URSS. Galosh, portée + de 350 km, mise en place à partir de 1964, 64 ogives nucléaires, 64 rampes de lancement réparties en 1976, en 4 sites autour de Moscou. Comprenait encore, en juillet 1985, 32 silos dotés chacun d'une charge de 2 à 4 mégatonnes. Système considéré comme peu efficace (vitesse initiale limitée, faible accélération latérale et effet « fratricide » que provoquerait la 1re explosion). Système en cours de modernisation : au « centre du dispositif », de missiles SH-11 endo-atmosphériques et à la périphérie de missiles SH-04 exo-atmosphériques (portée 700 km), la charge pourrait être réduite à quelques dizaines de kt. **Tallin** (région ouest) serait destiné à la protection contre les seules attaques aériennes et ne serait pas efficace contre les fusées balistiques. Les Soviétiques auraient, en outre, transformé des missiles sol-air classiques, officiellement destinés à la défense antiaérienne (comme le SA-10 ou le nouveau SA-X-12), en ABM.

ALCM (Air Launched Cruise Missile).

ASAT (Anti Satellite System). Système antisatellite aux USA. Voir p. 1 829a.

ACCP (missile antichar à courte portée). Conçu par l'Aérospatiale. *Portée :* + de 600 m, utilisable contre tous blindages modernes, capable de perforer 900 mm d'acier. Livré à partir de 1989. *Poids :* poste de tir 4 kg et munitions 11. Arme individuelle permettant le tir à l'épaule, utilisable en milieu urbain et en espace clos. Peut être utilisé la nuit avec un intensificateur de lumière.

AGM (Air Ground Missile). Missile air-sol.

AMSA (Advanced Manned Strategic Aircraft). Bombardier supersonique conçu pour voler à basse altitude, avec des bombes nucléaires et des missiles SRAM. Projet abandonné par les Américains.

ASMP. Missile air-sol moyenne portée. Cruise missile (voir ci-dessous) de portée réduite (2 à 400 km) naviguant sur programme et non sur relief. Charge classique ou nucléaire tactique.

BMD (Ballistic Missile Defense System). Système de défense contre les missiles balistiques. **BMEWS (Ballistic Missile Early Warning System).** Système d'alerte avancé contre les missiles balistiques.

Cruise Missile (missile de croisière). **USA. Caractéristiques.** Engin propulsé par statoréacteur ou turboréacteur. **Tomahawk.** *Long.* 6,33 m, *diamètre* 50 cm, peut être tiré d'avion (ALCM, Air Launched Cruise Missiles avec statoréacteur (poids 1,45 t), de véhicules terrestres (GLCM, Ground Launched Cruise Missiles) avec turboréacteur (poids 2 t) ou d'un navire de surface ou sous-marin (SLCM) avec turboréacteur. *Portée* 2 500 km. *Vit.* 700 à 900 km/h, altitude de vol 15 à 80 m. *Charges* nucléaires de 200 kt ou de 100 kg d'explosifs classiques. *Précision au but* (env. 10 m), *pouvoir de pénétration* (5 m dans le béton, 10 à 50 m dans le sol) permettent d'atteindre un silo contenant des missiles stratégiques. *Guidage automatique* vers l'objectif réalisé par 2 systèmes : 1° *navigation inertielle par plate-forme gyroscopique classique ;* 2° *Tercom* (Terrain Contour Matching) permettant de se recaler régulièrement sur des repères géographiques fixes. Ce 2e système [rendu nécessaire par la dérive propre du système inertiel (qui est sensible sur une longue distance effectuée à faible vitesse), et par les modifications inattendues des conditions atmosphériques (turbulences)] effectue la comparaison entre la mesure du profil du terrain survolé par radar embarqué et la carte stockée en mémoire (relevée antérieurement par satellite). Sur 2 500 km, le recalage par Tercom peut être effectué de 5 à 10 fois et peut permettre des changements brutaux et imprévisibles de trajectoires. Mais, une fois lancé, le missile ne peut plus être rappelé. Intérêt d'une propulsion par réacteur : faible consommation (portée élevée sous un faible volume).

Détection. Difficile, car sa surface est faible et il se déplace de 20 à 60 m d'alt. en épousant le relief et en pouvant contourner les zones présumées bien défendues. Plus vulnérable en phase finale, surtout avec un système de détection et de défense adapté (avion radar type Awacs pour la détection, avions d'interception SAMP et SACP pour la défense). Pour se défendre contre ce type de missile, l'URSS devrait établir un dispositif coûteux (450 milliards de F) qui ne serait étanche que de 70 à 80 % (le missile garde l'avantage du nombre qui provoque une saturation des systèmes de défense).

Production. Missile AGM-86 P. *Mise en service :* début 16-12-82 : 16 bombardiers B-52 G munis chacun de 12 missiles (192 au total). *Coût :* + de 8,5 milliards de $ pour le programme actuel (500 000 $ pour chaque missile, coût du développement non compris). **A l'étude : AGM-86 C** (missile n° 1586) ; meilleure performance ; système de navigation passif (sans émission), grâce aux informations données par les 18 satellites du système NAVSTAR GPS (opérationnel en 1987) ; version supersonique (phase finale) ; **missiles à longue portée utilisant la technologie « Stealth ».** (Voir p. 1821b)

URSS. Missile de croisière lancé du bombardier Backfire, a été essayé au début de 1979.

FOBS (Fractional Orbital Bombardment System). Satellite qui, après une révolution partielle autour de la Terre, est guidé sur l'objectif. Ex. : programme soviétique d'une bombe nucléaire lancée par le missile SS-9 et placée sur une orbite terrestre à environ 160 km d'altitude (derniers essais le 8-8-1971). Violerait le traité sur l'espace de 1967.

ICBM (Intercontinental Ballistic Missile). Engin balistique à portée intercontinentale. Portée 6 000 à 13 000 km. Expérimenté depuis 1951. **Atlas, Titan I, Titan II** [1965 ; 54 en service devraient être remplacés par des fusées propulsées par un combustible solide moins dangereux (explosion d'un missile à Searcy en 1965 et Damascus le 22-9-1980)]. **Minuteman** [450 Min. II en service (1964) ; 550 Min. III (1975)]. **Missile MX** à 3 étages : *coût du programme* 36 milliards de $, *1er vol* 17-6-1983 (*déploiement* prévu entre 1985 et 89). *Caractéristiques :* 21,6 m de long ; 2,4 m de diam. ; 90 t ; portée 13 000 km ; charge 3,6 t de charge nucléaire (10 ogives de 335 kilotonnes chacune). *Emplacement :* dispersé pour échapper aux satellites espions [4 600 silos, par groupe de 23 autour de 200 aires de déplacement ; chaque missile est placé sur un camion spécial (55 m de long, 3 m de large, 3 m de haut ; poids : 300 t ; vitesse : 32/48 km/h)]. *Précision des tirs :* 100 à 200 m. *Durée* (déploiement, lancement) : 30 mn.

R. Reagan, en nov. 82, a envisagé la formule du « groupement serré » : 100 MX enterrés dans des silos espacés de 550-600 m (sur 72 km²), près de la base aérienne de Warren (S.-E. du Wyoming), disposés en un triangle orienté vers le N. ; chaque silo serait renforcé pour résister à des pressions de 5 000 « psi » (livres par pouce carré).

Arguments pour : il faudrait de nombreuses fusées ennemies et celles-ci se gêneraient et se détruiraient en partie à cause des radiations et débris causés par la 1re explosion. *Arguments contre :* les MX pourraient être neutralisés par une attaque de blocage : explosion au-dessus de l'atmosphère de charges de 5 à 10 mégatonnes toutes les minutes pendant 15 à 60 mn ; l'impulsion électromagnétique produite brouillerait les communications et les systèmes électroniques ;

Principaux missiles postérieurs à 1970 (sauf si courants ou modernisés)

Missiles (origine) Type/année mise en service	Portée en km	Poids en kg	Vitesse m/s ou Mach	Charge [26]
I Balistiques stratégiques[1], [2]				
CSS-2 (Chine), IRBM/71 [3, 4]	2 700	3 500		2 Mt
CSS-3 (Chine), ICBM/79 [3, 4]	6 800	91 000		2 Mt
CSSX-4 (Chine), ICBM/84 [3, 4]	10 000			5 Mt
SSBS S-3 (Fr.), IRBM/80	3 430	25 765	5 000	1 Mt
MSBS M-4 (Fr.), IRBM-MIRV/86 [3, 4]	5 300	35 000	5 000	6 × 150 Kt
MSBS M-20 (Fr.), IRBM/77 [3, 4]	3 150	20 013	5 000	1 Mt
SS-11 (URSS), ICBM/73 [3, 4]	10 400	48 000		1 Mt
SS-13 (URSS), ICBM/73 [3, 4]	9 400	33 000		750 Kt
SS-17 (URSS), ICBM/79 [3, 4]	10 000	65 000		4 × 750 Kt
SS-18 (URSS), ICBM/79 [3, 4]	11 000	220 000		10 × 750 Kt
SS-20 (URSS), IRBM/77 [3, 4]	5 000	41 000		3 × 150 Kt
SSX-19 (URSS), ICBM/79 [3, 4]	10 190	80 000		6 × 550 Kt
SSX-20 (URSS) [3, 4]	4 630	13 000		Nuc
SSX-24 (URSS), ICBM/87 [3, 4]	10 000	90 000		10 × 550 Kt
SSX-25 (URSS), ICBM/85 [3, 4]	10 500	55 000		750 Kt
SS-N-6 (URSS), SLBM/70 [3, 4]	3 000	19 000		2 × 500 Kt
SS-N-8 (URSS), SLBM/73 [3, 4]	9 000	40 000		800 Kt
SS-N-20 (URSS), SLBM/82 [3, 4]	8 300			9 × 100 Kt
SS-NX-17 (URSS), SLBM/79 [3, 4]	4 400			1 Mt
SS-NX-18 (URSS), SLBM/79 [3, 4]	7 000	111 000	7 000	7 × 200 Kt
SS-N-23 (URSS), SLBM/86 [3, 4]	8 300			10 × 100 Kt
Minuteman III (USA), ICBM/79 [3, 4]	12 800	34 500	6 500	3 × 335 Kt
M-X (USA), ICBM/86 [3, 4, 5]	13 000	90 000	7 500	10 × 500 Kt
Polaris A3 (USA) (G.-B.), SLBM/67 [3, 4]	4 600	13 600	4 500	3 × 200 Kt
Poseidon (USA), SLBM/71 [3, 4]	4 600	29 485	5 500	14 × 100 Kt
Trident I (USA), SLBM/79 [3, 4]	7 500	32 000	7 000	8 × 100 Kt
Trident II (USA), SLBM/90 [3, 4, 5]	12 000	54 000	7 000	8 × 475 Kt
CSSN3 (Chine), SLBM/85 [3, 4]	3 000	13 800		2 Mt
Midgetman (USA), SICBM/92 [3, 4, 5]	11 000	16 800		500 Kt
II Sol-sol préstratégique				
Pluton (Fr.), SRBM/74 [3, 4]	15 120	2 423	3 500	15 ou 25 Kt
Frog 7 (URSS), SRBM/67	70	2 300		Nuc ou 450 Kg
Scud C (URSS), MRBM [3]	725			Nuc ou Cl
SS-21 (URSS), SRBM/78 [3, 4]	120	3 000		10 à 100 Kt
Swatter (URSS), SRBM/78 [3]	2,5	27	150	
Lance (USA), SRBM/76 [3, 4]	70-120	1 300	Mach 3	1 à 100 Kt
Pershing II (USA), IRBM/83 [3, 4]	1 800			10 à 400 Kt
Cruise Missile (USA), GLCM/83 [3, 6]	2 500	1 775	Mach 0,8	0,2 à 150 Kt
SS23 (URSS), SRBM/80 [3, 4]	500			100 Kt
HADES (Fr.), MRBM/93 [3, 4]	480			10 à 25 Kt
III Antichars				
Tow (USA) [24, 9]	3,5	24,5	200	Creuse
Hellfire (USA) [8, 17]	7	46		Creuse
Eryx (Fr.), ACCP [9, 24]	0,6	11	275	3,6 Kg
Hot (Fr., RFA), ACCP [9, 24]	0,75 - 4	23	250	6,5 Kg
Milan (Fr.), ACCP [9, 24]	2	12	210	Cr
AT5/6/7 (URSS), 77 [9]	1 à 8	8 à 18	150 à 300	Cr
AT8 (URSS), 87 [25]	4	25	500	Cr
SADARM (USA), MLRS/91 [22]				6 TGW
SS12 (Fr.), ACCP/67 [24]	6	76	150	
IV Sol-air (SA) [7]				
Mistral (Fr.), SATCP/88 [8]	6	17,5	Mach 2,6	3 Kg
Roland (Fr.-All. féd.), SACP/74 [8]	16	63	Mach 1,6	6 à 9 Kg
Crotale/Shahine (Fr.), SACP/78 [9, 8]	8,5/11	80	Mach 2,5	14 Kg
SA-8 (URSS), SACP/75 [10]	6	170	Mach 2	40 Kg
Hawk (USA), SAMP/59 mod. [11]	35	600	Mach 2,8	Cl
Tartar (USA), SAMP/59 mod. [11]	5-30	680	Mach 2	Cl
Stinger (USA), SATCP/83 [8]	5	15,6		Cl

Missiles (origine) Type/année mise en service	Portée en km	Poids en kg	Vitesse m/s ou Mach	Charge [26]
Aster (Fr.), SAMP/Proj. [12, 13, 14]	40		Mach 4	
Standard Missile (SM2) (USA), /77 [11, 12]	60	1 350	Mach 3	
SAAM (Fr.), Proj. [12, 13, 14]	10			
SA10 (URSS), SALP/80	100	1 500	Mach 6	forte
SA12 (URSS), SALP	80		Mach 3	150 Kg
SA13 (URSS), SACP	10	55	Mach 2	4 Kg
Patriot (USA), ABM/75 [11, 12]	LP [27]		Mach 3	
Sea Sparrow, (int.), SAAM [11]	25	200		
AEGIS (USA), Saam/82 [12, 13, 15]	20		Mach 3	
V Air-sol (AS) (ou AL Air Launched) (ou AM Air Mer)				
ASMP (Fr.), ALCM/86 [16]	100-300	840	Mach 3	45 Kt
Kormoran (All. féd.)	37	160		
AS-30 (Fr.) [17]	10-12	520	Mach 2	250 Kg
AS-37 (Fr.-G.-B.) Martel [18]	60			Cl
Maverick (USA), Antichars [19]	25	250		50 Kg
SRAM 2 (USA), Antisol-air 89 [6]	222	1 000		170 Kt
AGM-86 B (USA), ALCM/82 [6]	2 500	1 400	Mach 0,8	200 Kt
AS6 (URSS), ALCM/77 [6]	300		Mach 3	350 à 1 Mt
AS 15 (URSS), ALCM/84 [6]	1 600		Mach 0,6	250 Kt
AM39 (Fr.), Antinavires [21]	70		Mach 1	
HARM (USA), Antiradars [18]	25	361	élevée	66 Kg
Apache (int.), MLRS/Proj. [22]	80	1 200		50 TGW
ALCM (USA) [6]	2 500	1 500	Mach 0,8	200 Kt
VI Air-air (AA ou AAM) AS(M)R [Advanced short (mean) Range]				
Matra R 530 (Fr.) [8, 11]	30	195		30 Kg
Matra super 530 (Fr.) [11]	30-35	250	Mach 4,5	30 Kg
Matra 550 Magic (Fr.), 85 [8]	7	90	Mach 2,5	Cl
Shafir (Israël) [8]	4,6	93	Mach 2,7	11 Kg
AA-6 (URSS) 75 [8]	35	460	Mach 4,5	
AA-7 (URSS) [11, 8]	28	275	Mach 3	30 Kg
AA-8 Aaphid (URSS) [8]	7	55	Mach 3	6 Kg
Side Winder (USA), 60 à 90 [8]	5	87	Mach 2,5	Cl
Mica (Fr.), Proj., 95 [8, 13]	50	110	élevée	
ASRAAM (Eur.), Récent [12, 8]		65	Mach 3	
AA9 (URSS), Récent [12, 13]	100	450		
AA10 (URSS), Récent [11, 8]	8 à 30	180		
AMRAAM (USA + Eur.), 90 [12, 13]		150	Mach 3	
Phœnix Mk9R (USA), 74 [11, 13]	150	454	Mach 3	
VII Mer-mer (ou terr.-mer)				
ANS (Fr.-All. féd.), prév. 94 [21]	200	650	Mach 2 à 3	
Exocet-MM 38/40 (Fr.), 75/79 [21]	40 à 70	656/850	Mach 1	Cl
Gabriel (Israël) Mk 2 et 3 [21, 11]	36	540	Mach 0,7	150 Kg
Otomat (Italie-Fr.) [21]	180	730	Mach 0,9	210 Kg
SS-N-12 (URSS), SLCM/75 [6]	550		Mach 2	1 000 Kg
Silkworm (Chine)	90	3 000	Mach 0,9	
SSN19 (URSS), SLCM/80 [6, 18]	550			500 Kt
SSN22 (URSS), SLCM/81 [6, 18]	100			200 Kt
SSN21 (URSS), SLCM/87 [6]	3 000			200 Kt
SSNX24 (URSS), SLCM/89				
VIII A changement de milieu				
Harpoon (USA) [21]	90	660		Cl
Tomahawk (USA), SLCM/84 [6]	2 500	1 443	Mach 0,8	5 à 150 Kt
Exocet SM39-40 (Fr.) [21]	40 à 70	850	Mach 1	Cl
Milas (Fr.), ASM/Proj. [23]	55	800		Torpille
Malafon (Fr.), ASM/65 [23]	15	1 415	200	Cl

Nota. – **(1)** Missile balistique : voir séquence de vol au § Guerre des étoiles p. 1 831 c. **(2)** Abréviation : les 2 premières lettres caractérisent portée ou milieu de lancement : IC (Intercontinental), IR (Intermediate Range), SL (Surface ou Submarine Launched) ; les 2 dernières la trajectoire : BM (Ballistic Missile). **(3)** Guidage inertiel : la position initiale et celle de la cible sont fournies avant lancement au calculateur de l'engin ; 3 accéléromètres, disposés sur une plate-forme stabilisée par des gyroscopes, mesurent les accélérations dans les 3 dimensions ; par double intégration on remonte à la vitesse puis au déplacement ; le missile entretient lui-même sa position et son pilotage pour atteindre la cible. **(4)** Les têtes larguées terminent leur vol en trajectoire balistique assortie éventuellement de manœuvres terminales (pénétration des défenses). **(5)** Recalage stellaire : l'imprécision d'un missile balistique est fonction : de l'erreur sur la position de départ (lanceur mobile), de l'erreur angulaire de calage des axes de la centrale inertielle, des imperfections des accéléromètres ; les 2 dernières croissent avec la portée et le temps de vol. Les engins les plus modernes ont donc des moyens de recalage astraux (ou satellites) permettant de corriger les erreurs. **(6)** Ground (Air, Sea) Launched Cruise Missile [GCAS)LCM]. Voir § Cruise Missile. Vol basse altitude programmé pour déjouer les défenses adverses en épousant le terrain avec recalages TERCOM (on n'est pas sûr que les missiles soviétiques de la même catégorie l'aient) ; très grande précision : ECP, 20 m. **(7)** Généralités. Abréviations : SA pour sol-air ; les autres lettres caractérisent portée [(T) C/M/LP : (très) courte/moy./longue p.], ou mission [A(B)M Anti (Ballistic) Missile]. Les systèmes missiles suffisamment performants pour les missions antimissiles (détection, vitesse, agilité) sont aptes aux missions sol-air. **(8)** IR : guidage infrarouge passif (pas d'émission) sur le rayonnement thermique émis par la cible désignée (moteurs, échappements, réacteurs...) ; autodirecteurs simples compacts et précis ; convient aux missiles légers ; est cependant facilement leurrable (fumigènes..) ; souvent complété par un autre senseur sur les missiles plus lourds. **(9)** CLOS (Command to Line Of Sight) : le tireur vise et poursuit la cible ; l'autodirecteur du missile maintient ce dernier sur l'axe de visée matérialisé par un faisceau (radar, laser, infrarouge, optique TV...). Convient aux missiles légers ; souvent complété par un guidage terminal (IR par ex.) pour augmenter la précision. **(10)** Télécommande du pilotage du missile à partir d'une écartométrie missile-but, élaborée par le radar de poursuite du tireur. C'est un moyen lourd et peu précis. Est réemployé pour des corrections de trajectoires en 1re phase (inertielle) de vol avant acquisition de la cible par le missile. **(11)** TIR (Target Illumination Radar) : très efficace ; le tireur poursuit la cible et « illumine » celle-ci avec un émetteur radar en onde continue puissant. La cible devient un « point brillant » pour l'autodirecteur radar (passif) du missile. Employé sur plusieurs SAMP ou LP performants, parfois assorti d'autres senseurs et d'une loi de navigation proportionnelle [$\theta' = A\,Z'$ vitesse angulaire d'évolution du missile proportionnelle à la vitesse angulaire de l'axe missile but ; en pratique le missile cesse dévoluer ($\theta' = O$) lorsque la direction du but se stabilise ($Z' = O$), c.-à-d. quand il a trouvé la route de collision idéale qui évite les évolutions inutiles]. Cela nécessite un autodirecteur performant (antenne à 2 degrés de libertés avec mesures d'écartométrie et de vitesses angulaires) peu compatible avec les missiles légers (encombrement, coût...). **(12)** Guidage initial inertiel, avec corrections en vol issues du radar tireur. **(13)** Autoguidage radar actif (émission-missile). **(14)** Aster SAAM et SAMP constitueront 1 famille du même missile. **(15)** Même missile que le SM2. **(16)** Cruise Missile sans recalage TERCOM (voir § Cruise Missile). **(17)** Guidage par illumination laser. Le tireur assure la visée laser et lance ; puis peut dégager si poursuite autolaser (Fire and Forget, indispensable pour avion). **(18)** Vise les stations radar adverses par guidage passif large bande sur leurs émissions. **(19)** Guidage multisenseur [8, 17, 20]. **(20)** Guidage TV (désignation de la cible sur image retransmise par autodirecteur missile. **(21)** Exocet ou analogue. Vol rasant très basse altitude (Sea Skimming). 1re phase : vol inertiel, 2e : démasquage radar (le plus tardif possible, fonction précision éléments initiaux), recherche dans secteur programmé, 3e : attaque. L'Exocet AM39 a coulé le *Sheffield* (guerre des Malouines), et gravement endommagé l'USS *Stark* (erreur pilote irakien pendant conflit avec Iran). L'ANS sera un dérivé de l'Exocet à longue portée supersonique (recalage en vol). **(22)** MLRS (Multi Launched Rocket System) missile larguant des sous-munitions aptes à un autoguidage terminal, soit autonome (après recherche sous parachute ?), soit sur illumination externe (laser ou autre). TGW (Terminal Guidance Warhead) : sous-munitions intelligentes. **(23)** Missile lancé sur éléments sonar larguant une torpille à autodirecteur sonar actif ; MALAFON ; Missile ancien + torpille L5 ; MILAS : missile dérivé de l'OTOMAT + torpille ultra-véloce Murène. **(24)** Filoguidé (9). **(25)** Radiocommandé. **(26)** Charge : Nucléaire Nuc ou en Kt ; classique Cl. ou en kg ; Creuse Cr ou en kg ; TGW voir (22). **(27)** Longue portée.

en outre, envoi possible d'ogives qui se ficheraient dans le sol avant d'exploser.

Contre-projet : remplacer silos et camions par de petits sous-marins au large des côtes américaines (système SUM Shallow Underwater Mobile).

IRBM (Intermediate Range Ballistic Missile). Portée de 2 400 à 6 400 km.

LRBM (Long Range Ballistic Missile). Missile balistique à longue portée.

MARV (Manœuvrable Re-entry Vehicle). Missile à ogives multiples capable de changer de trajectoire en phase de rentrée pour éviter une interception.

MIRV (Multiple Independently Targeted Re-entry Vehicles). Missile à ogives multiples guidées vers plusieurs objectifs ennemis parfois éloignés de plusieurs centaines de km. Ex. : **Minuteman-3** portant 3 têtes nucléaires de 170 à 200 kilos. **Poseidon** portant jusqu'à 14 têtes nucléaires. **Polaris A-3. Trident. M4 Français** 6 têtes.

MOL (Mobil Orbit Laboratory). Projet américain abandonné d'un satellite armé.

MRBM (Medium Range Ballistic Missile). Missile balistique de moyenne portée : 1 800 à 2 500 km environ.

MRV (Multiple Re-entry Vehicle). Engin à têtes nucléaires multiples sans guidage indépendant.

MSBS. **Mer-Sol Balistique Stratégique.** Lancée par sous-marin.

Ogive (tête nucléaire, charge nucléaire). Partie de toute munition (missile ou autre), contenant l'élément destructeur nucléaire (voir MRV, MIRV, MARV).

PGM (Precision Guided Munitions). 3 générations : 1°) **Guidage manuel :** le plus souvent filoguidés tels *SS 11* et *Entac* (France), *Cobra* (All. féd.), *Snappet* et *Sagger* (URSS) ; 2°) **Semi-automatique :** visée manuelle sur la cible, le missile disposant d'un correcteur automatique de trajectoire tel que *Hot, Milan* et *Roland I* (France et All. féd.), *Tow* et *Dragon* (USA) ; 3°) **Automatique :** *engins sol-air* à moyenne et haute altitude tels que *Hawk, Standard Missile* et *Nike Hercules* (USA), *SAM 2, 3, 6, 8* (URSS) ; *air-sol* tels que *Maverick* (USA) ; *mer-mer* tels que *Exocet* et *MM 38* (France), *Otomat* (France et Italie), *Condor, Harpoon* (USA), *Gabriel* (Israël), *Martel* (G.-B.), famille SS-N (URSS) ; *air-air* tels que *Sparrow* (USA) : si on est dans le domaine de tir (portée et secteur), le missile « accroche » sa cible et se guide indépendamment. 75 % atteignent leur cible. Pendant la g. d'oct. 1973 (Israël-Pays arabes), 58 missiles Maverick, lancés par l'aviation isr., ont détruit 52 chars (coût du missile – de 10 000 $, coût du char T 62 env. 500 000 $). Au cours des essais du *Harpoon,* 19 tirs sur 21 ont porté au but à env. 100 km. Un missile mer-mer *Condor* de 200 000 $ peut couler un croiseur de 100 000 000 $. Les munitions, livrées en conteneurs ou tubes scellés, sont légères et se stockent facilement.

Perfectionnements en cours : « marquage de la cible » sur un écran de télévision placé dans le lanceur du missile, reconnaissance de la cible et guidage grâce à un œil de télévision placé dans la tête du missile et couplé avec un autodirecteur à corrélation optique ; guidage multisenseur par rayons laser, radar, infrarouge et producteur d'images incorporé (aucune contre-mesure efficace envisagée contre ce guidage). Les Jaguars français seront équipés de missiles *ATLIS* (autopointeur, télévision et laser d'illumination au sol) AS 30, très précis. *Missile Polyphème (Aérospatiale/MBB)* équipé d'une mini-caméra TV par l'intermédiaire d'une fibre optique qu'il déroule lui-même, transmettant en temps réel les images de la zone survolée, et reçoit les ordres de guidage envoyés par le pilote qui voit sur un écran ce que voit la tête du missile. Le pilote du missile, installé dans la tête de l'engin peut identifier sa cible et tirer à coup sûr.

Types étudiés : missile antichar, antihélicoptère et antiaérien pouvant être tiré d'un sous-marin en pleine vitesse et en plongée profonde (encapsulé dans un conteneur étanche et résistant aux fortes pressions). Éjecté jusqu'à la surface où il libère le missile. Le guidage sous l'eau et dans l'air utilise la même fibre optique.

Distribution de sous-munitions. Système « Assault Breaker » (briseur d'assaut) pourrait distribuer des centaines (voire des milliers) de sous-munitions sophistiquées. **MW-1** (opérationnel en 1983 dans la Luftwaffe), sorte de « panier », long. 5 m, poids 5 t, placé sous le ventre du chasseur bombardier Tornado, peut avec ses 224 tubes d'éjection larguer 4 500 sous-munitions (mines, bombes antipistes). **Skeet** (USA) place dans des obus de 155 mm des cônes de missile, ou à bord de distributeurs **Lads** (Low Altitude Dispenser) qui équiperont les F 16 et pourront manœuvrer seuls au-dessus de l'objectif avant de larguer les sous-munitions qui se dirigent seules vers les compartiments moteur peu protégés des blindés. **Sardam** se pose sur le dessus de la coupole des chars. **Eram** (Extended Range-Anti-Armor Munition) est largué par parachute (voir bombes p. 1823 b). **Apache** (arme propulsée à charge éjectable).

Vecteur. CAM-40, dérivé du Pershing-2. MLRS (Multiple Launch Rocket System), coproduit par USA, France, All. féd. et G.-B., entré en service en 1983, peut lancer 12 missiles sol-sol porteurs de sous-munitions en moins d'une minute. **T-16** (Martin Marrieti).

Nota. – La destruction d'une division soviétique (soit 400 blindés et 2 500 camions + artillerie et moyens antiaériens) nécessiterait 2 200 missions avec des avions équipés de bombes classiques de 250 kg, 330 avec le système MW-1, 50 à 60 avec le système Skeet, 20 à 30 avec les bombes nucléaires de 10 kt. Ces systèmes pourraient fonctionner avec le Pave-Mover, radar pouvant « suivre » les véhicules circulant dans une zone de 100 km de côté avec une capacité « d'acquisition » (c.-à-d. repérage) de 4 500 cibles en même temps. Certains doutent de l'efficacité de ces armes sophistiquées ; des contre-mesures, parfois très simples, permettent de les leurrer (ex. du missile antichar à infrarouges Maverick dont l'ordinateur est désorienté par des feux au sol ; le missile filoguidé TOW s'est révélé inefficace contre le char T-72 soviétique).

Conséquences possibles sur la physionomie de la guerre terrestre : décimés par les PGM utilisés massivement, les chars pourraient perdre leur rôle d'instrument de percée et redevenir l'arme d'accompagnement de l'infanterie. La guerre deviendrait plus statique et exigerait une augmentation importante du nombre de fantassins.

RPV. Voir drones p. 1 821c.

SAM (Surface to Air Missile). Missile ou engin sol-air. SCAD (Subsonic Cruise Armed Decey). Leurre aérien subsonique antimissile. SIAM (Self Initiating Antiaircraft Munition). Projet américain de missile qui choisit ses objectifs et se lance tout seul. SLBM (Sea Launched Ballistic Missile). Missile balistique mer-sol lancé d'un sous-marin. SLCM (Submarine Launched Cruise Missile). Missile de croisière lancé de sous-marins. SRBM (Short Range Ballistic Missile). Missile balistique de courte portée. Moins de 800 km. SRAM (Short Range Attack Missile). Missile à courte portée tiré d'un avion.

SS (Sol Sol). Désigne les missiles soviétiques. **SSBS.** Missile balistique sol-sol. **SSM (Surface to Surface Missile).** Missile sol-sol. **SSN.** Missiles lancés de sous-marins soviétiques.

ULMS (Undersea Long Range Missile System). Missile balistique stratégique installé à bord d'un sous-marin et ayant une portée plus longue qu'auparavant.

VRBM (Variable Range Ballistic Missile). Missile balistique à portée variable.

WS 120. Système envisagé pour remplacer les Minutemen. Il aurait une plus grande sécurité.

TACMS (Tactical Missile System). Disperse sur la cible ou la zone visée un millier de sous-munitions antipersonnel ou antichars. *Portée* 100 km. Voir aussi PGM.

Détection des missiles

On peut détecter : 1) Le missile lui-même qui renvoie vers le radar émetteur les impulsions qui l'ont frappé. 2) La colonne de gaz ionisés échappée des moteurs-fusées lors du lancement ; cette colonne se comporte comme une antenne émettrice (on peut également détecter ces gaz à l'aide d'un radar). Ses impulsions, en traversant les gaz, donnent un écho modulé qui est capté au retour.

Difficultés à surmonter. *Le choix des fréquences,* qui dépend des dimensions de la cible à détecter et des conditions de propagation ; puissance face à des cibles de faible surface.

Radar classique : émet sur des fréquences de plusieurs centaines de mégahertz pour pouvoir traverser une partie de l'ionosphère (qui commence vers 60 km). Vise directement un missile lorsqu'il est encore à 200/300 km d'altitude (au cours de son vol balistique, l'ogive d'un missile intercontinental s'élève jusqu'à 1 000 km). *Radar transhorizon :* émet sur des fréquences plus basses, entre 1 et 5 mégahertz. Fait appel à des ondes réfléchies par l'ionosphère et doit détecter l'engin avant qu'il ne s'élève au-dessus de celle-ci.

Système de satellites (1er en 1972) équipés de détecteurs à infrarouge. Signale la phase propulsée des missiles et l'axe de lancement.
Satellites chargés de détruire les satellites et missiles ennemis (IDS).

☞ Voir tableau p. 1 829.

Navires

Navires anciens

Navires à rames

Antiquité. *Galère phénicienne :* 1 rang de rameurs (av. 700 av. J.-C.) ; 2 r. (700-500 av. J.-C.) ; 3 r. (trirème ; apr. 500 av. J.-C.), 170 rames, long. 40 m, larg. 2,5 m. *Trirème athénienne :* éperon pour l'attaque, archers, engins lançant des matériaux enflammés. *Liburne romaine* (146 av. J.-C.) : galère légère avec voile carrée comme propulsion secondaire. *Dromon byzantin* (VIe s. apr. J.-C.) : birème rapide avec lance-flammes jetant du feu grégeois.

Moyen Age. *Drakkar des Normands* (VIIe-XIIIe s.) : barque à quille, non portée, 15 rameurs à chaque bord ; long. 24 m, larg. 3,20 m. *Dragon anglais* (Xe s.) : long 45 m, larg. 9 m. Plus lourd que le drakkar, il l'élimine sur la mer du Nord. *Galère méditerranéenne* (Turquie, Venise, Espagne, France jusqu'en 1748) : 2 rangées de rameurs (navires turcs : rameurs chrétiens ; navires chrétiens : galériens de droit commun), long 46,65 m, larg. 5,83 m. Voile d'appoint triangulaire (latine). Armement : catapultes jusqu'au XVe s., puis canon tirant uniquement vers l'avant. *Galère baltique* (Suède, Russie, XVIIIe s.) : artillerie tirant par le travers.

Navires à voile

• **Avant le XVIIIe siècle. Trois-mâts** (Angleterre, XVe s.). Tonnage ordinaire 400 tonneaux (1 000 pour le *Jesus of the Tower* en 1420). Armement : canon en fer, archers, arbalètes.

Caraque à château. Plusieurs ponts, petits canons latéraux sur les ponts, gros canons dans les « châteaux » (*Le Régent,* 1495, a 225 canons).

Vaisseaux (XVIe s.). Les canons sont placés plus bas dans des sabords ouverts sur les flancs (pour détruire la coque des navires ennemis). Ex. : *Great Michael,* anglais : long. 70 m, larg. 17 m, 300 marins, 120 canonniers, 1 000 soldats (1 500 tx).

Galion (XVIIe s.). 610 tx, long. 45 m, larg. 11 m, 3-4 mâts, 3 ponts, artillerie de moyen calibre mais de longue portée (14 demi-couleuvrines). L'Armada espagnole (1588) comportait 24 galions de combat, la flotte anglaise 30, plus rapides.

• **Aux XVIIIe et XIXe siècles.** Angleterre 1/3 de la flotte européenne. France et Hollande ensemble 1/3. Autres pays européens 1/3. Adoption de la barre à roue (pour sa grande maniabilité).

Vaisseaux. De 1re ligne. 3 ponts, 100 canons, 2 700 tx (appelés aussi de 100). **De 2e ligne.** 2 ponts, 74 canons, 1 800 tx (vaisseaux de 74).

Frégates (1757). 1 pont, 32 à 44 canons, 1 200 tx.

Grosses frégates de 60 canons. Long. 53 m, larg. 13,90 m, équipage 500 h., plus rapides que les vaisseaux à 3 ponts.

Corvettes. Petites frégates de 20 canons ou moins.

Vaisseaux de haut bord (1790-1840). 120 canons dont 26 de 203 mm. Record : 2 vaisseaux français, *Souverain* (1819) et *Friedland* (1840) 5 000 tx ; long. 64 m, larg. 18 m, 3 ponts. Dernier trois ponts à voile : le *Valmy,* français (1847).

Navires à vapeur

Les premiers. Le *Sphinx :* propulsion roues à aubes. *Agamemnon* (anglais, 1850) : 91 canons, 3 ponts (en bois, à voilure, propulsion auxiliaire à hélice).

Navires cuirassés en bois avec plaques de fer. *Dévastation, Lave, Tonnante :* batteries flottantes françaises, vitesse 3 nœuds, remorqués par frégates à roues. La *Gloire* (français, 1859) : en bois avec blindage de 120 mm ; déplacement 6 430 t, 36 canons de 30 mm dont 34 dans les batteries sur les côtés.

La *Couronne,* coque en fer. En 1861, mise en service du *Warrior* (G.-B.). En 1863, 5 cuirassés français. En 1865, 15 cuirassés français à hélice, 1re flotte du monde. 1ers cuirassés avec canons sur tourelles pivotantes (suppression des batteries sur les côtés) : *Merrimak* et *Monitor* [américains (guerre de Sécession 1861-62) : le *Monitor* (900 t. ; 52 m. de long), coulé le 9-3-1862 au large du cap Hatteras (Caroline du N.) par le cuirassé sudiste *Virginia,* a été repéré par 64 m de fond en 1973 ; a été renfloué].

Cuirassés en acier. Prototype le *Redoutable* (français, 1876) : voilure auxiliaire ; déplacement 10 800 tx, 4 canons de 340, 4 de 274, blindage 380 mm.

Predreadnought. Prototype *Majestic* (anglais), 4 canons de 305, nombreux canons de 152.

Superdreadnought. 24 000 à 30 000 t à partir de 1911 : allemand *Kaiser* 24 325 tx ; américain *Oklahoma* 27 000 ; japonais *Fuso* (1914) 30 600 t ; français *Bretagne* (1912), 10 canons de 340 dans l'axe.

Croiseurs cuirassés. Prototype : américain *California,* plus léger et plus rapide, 4 canons de 203, 16 de 152. Le *Waldeck-Rousseau* (1908), 14 220 t, long. 158,90 m, larg. 21,50 m, 869 h., 23 off.

Navires à turbines (à mazout). A partir de 1903 (croiseur anglais *Amethyst) : Dreadnought,* nom donné à des supercuirassés, d'après leur prototype le *Dreadnought* (l'Invulnérable, anglais, 1905) : vitesse 21 nœuds, turbines de 23 000 chevaux, artillerie monocalibre (305 mm) en tourelles.

Navires à tourelles superposées. *South Carolina* (américain, 1904) 16 000 t.

Croiseurs de bataille. Adoptent la grosse artillerie monocalibre en tourelles, mais allègent le blindage pour la vitesse (23 nœuds contre 21 au *Dreadnought).*

Torpilleurs et contre-torpilleurs. *De 1875 à 1891* (nommés avisos-torpilleurs, tonnage 300-400 tx), machine au charbon, équipés de 2, 3 ou 4 tubes lance-torpilles, vitesse moy. 23 nœuds. Nombre en 1884 : Russie 115, France 50, Hollande 22, G.-B. 19, Italie 18, Autriche 17. *Après 1891, torpilleurs à turbines :* vitesse min. 30 nœuds. Prototypes : *Durandal* (français, 1899) 308 t ; nommés contre-torpilleurs. *Casque* et *Bouclier* (français, 1912) : 34 et 35 nœuds (nommés torpilleurs d'escadre).

Sous-marins

Les premiers. **1775** *Turtle* (la Tortue) de David Bushnell (Américain) : en bois. Le pilote, seul à bord, faisait tourner une manivelle actionnant une hélice à l'avant, fixée sur un axe horizontal. Afin de plonger, il ouvrait les « ballasts » avec une pédale à pied. Pour remonter, il évacuait avec une pompe à main. Avec le *Turtle,* le sergent Eysa Lie attaqua, devant le fleuve Delaware le 25-12-1777, le *Maidstone,* déposa près du navire anglais une mine mais trop loin pour l'endommager. **1797** *Nautilus* proposé au Directoire le 13-12 par Robert Fulton, ingénieur américain (1765-1815). En fer avec des revêtements de cuivre, long. 6,50 m, propulsion par hélice à l'arrière actionnée à la main, équipage 3 hommes, armement un « torpedo » remorqué (baril contenant 100 kg de poudre) : on fixait la charge sous la coque ennemie avec des chevilles et l'explosion était déclenchée de loin par câble. Le 15-4-1800, le *Nautilus* fut mis en chantier chez les frères Périer, à Paris, au pied de Chaillot. Le 10-8-1801, il ne put s'approcher, dans la baie de Camaret, d'un bâtiment anglais, les Anglais ayant été prévenus. Fulton regagna l'Amérique, puis en mai 1804, proposa son sous-marin en Angleterre ; une expérience eut lieu : le 16-10-1805, à Deal, le brick *Dorothea* fut coupé en 2 par un electrictorpedo que le sous-marin avait réussi à fixer à la coque. **1864** le *Hunley* conçu par Horace Hunley avec McClintock et Watson : 9 m de long, propulsé par une hélice, actionné par un arbre de couche à vilebrequins que 8 hommes faisaient tourner, pouvait demeurer en plongée 30 mn. A la suite d'un remous causé par un bateau proche, il coula (9 † dont Horace Hunley). Le 17-2-1864, renfloué, il attaqua *l'Housatonic,* une frégate à vapeur nordiste, mais coincé dans la brèche qu'il avait ouverte dans la coque, il recula.

Moteur en plongée à accumulateurs électriques : *Gymnote* [français, mis à l'eau le 24-9-1888, désarmé le 13-9-1907 ; conçu par Henri Dupuy de Lôme (1816-85) et Gustave Zédé (1825-91), tué par une explosion de poudre dans son laboratoire] 31 tx, long. 17,20 m, diamètre 1,80 m, moteur 51 CV, vitesse 8 nœuds en surface, 4,27 en immersion ; peut demeurer 4 h en plongée avec 5 hommes ; *Gustave-Zédé* (français, 1891, lancé le 1-6-1893 ; construit sur des plans de Gaston Romazotti, appelé la *Sirène* et débaptisé après la mort de G. Zédé) 266 tx, long. 48,5 m, moteur (1889) 750 CV, vitesse 9,2 nœuds en 1891, 12,7 en 1905 ; *Narval* conçu le 21-10-1899 par Maxime Laubeuf, navigue en surface avec une machine à vapeur, avec chaudière chauffée au pétrole, moteur électrique avec accumulateurs étant réservé à la plongée : long. 34 m, larg. 3,75 m, 202 t en plongée, 117 t seulement en surface, vitesse : 12 nœuds en surface, 8 en plongée.

Propulsion électrique (générateur au mazout) : série des *Naïades* (français, 1906), 68 tx.

Navires contemporains

Légende. – Type, longueur, largeur, tirant d'eau (Te), puissance en ch, vitesse et autonomie en nautiques (A). *Sources:* Flottes de combat (H. Le Masson) et divers.

Cuirassés

☞ En 1939, il y avait 56 cuirassés en service dans le monde, 60 étant en construction (23 ont été achevés). Pendant la g. de 1939-45, 22 ont été coulés (dont 15 par des avions).

Les plus grands du monde. **Japonais :** *Musashi* coulé 25-10-1944. *Yamato* coulé 7-4-1945 (72 809 t, 263 m de long.).

Américains de 1945 ou de la classe IOWA (*Iowa, New Jersey, Missouri, Wisconsin,* réarmés). 55 710 t : 270 m × 33 m, 9 canons de 406 mm (portée 37 km), 4 lanceurs de Subroc pour la défense anti-sous-marine aidés de 4 hélicoptères LAMPS, 4 lanceurs quadritubes de missiles mer-mer « Harpoon » (portée + de 100 km) et 4 rampes de lancement pour 32 missiles de croisière Tomahawk pour attaques terrestres et maritimes (portée 2 400 km). Pont d'envol portant 12 avions V/STOL AV-8B Harrier 2 (décollage vertical). Le 19-4-1989, explosion à bord du cuirassé *Iowa* (tourelle de 40 mm) 47 †. **Allemands :** *Bismarck* coulé 27-5-1941 (50 153 t, par le croiseur anglais *Pce-de-Galles,* retrouvé 1989 à 950 km de Brest à 4 600 m de fond). *Tirpitz* coulé 12-11-1944 (50 153 t). **Français :** *Richelieu* (47 500 t). *Jean-Bart* lancé 6-8-1940 (35 000 t, 244 × 33,10 m, 30 n), était armé de 8 pièces de 380 mm, de 15 de 152 et de 24 de 100 antiaér.

Porte-avions (quelques types)

Historique. **1910**-*14-11* 1er décollage du pont d'un navire. Eugène Ely avec un biplan Curtiss, du croiseur américain *Birmingham* dont la plage avant avait été dotée d'une plate-forme (24,6 × 7 m), inclinée de 5° vers l'étrave et surélevée d'un peu plus de 10 m. Le 18-1-1911, il appontait avec le même avion, sur la plage arrière du cuirassé *Pennsylvania.* **1914**-*8-5* 1er décollage du *Foudre,* 1er navire français capable de mettre en œuvre des hydravions à flotteurs munis aussi de roulettes. **1917.** 1er p.-a. l'*Argus* (anglais), ancien navire de commerce italien en construction en G.-B. 1914, réquisitionné (14 450 tx) et équipé d'un pont continu. **1923** 4 p.-a. anglais, 1 amér., 1 japonais. **1928** Navires de ligne tranformés en porte-avions : *Lexington* (USA, 43 000 t), *Kagu* (Japon, 41 000 t), *Béarn* (Fr.). **1939** 25 p.-a. en service dans le monde, et 25 en construction ou en projet. **1945** 57 p.-a. de combat, 72 p.-a. d'escorte avaient été construits. 30 avaient été perdus (dont tous les japonais), les USA en avaient encore 110 (dont 70 d'escorte). *Guerre du Pacifique. 1941:* Japon 9 p.-a., USA 7 ; **1942 :** USA 4, Japon 3.

USA. *Enterprise* (1er p.-a. nucléaire, USA 1961) : 85 350 t. 333,75 × 78,4 m. Te 11,9 m. 280 000 ch. 33 n. Aut. 140 000 naut. à 30 n. 440 officiers, 5 700 h. Coût 440 millions de $ (2 200 millions de F), le double d'un p.-a. classique de cette dimension. *Chester Nimitz* (2e p.-a. nucléaire, USA, 1976) : le plus grand nav. de guerre du monde : 96 351 t, 327 m de long. Cœur prévu pour durer 13 ans en parcourant de 800 000 à 1 000 000 de milles nautiques. Il sera suivi du *Dwight D. Eisenhower* (mêmes caractéristiques). *Constellation* (p.-a. lourd, USA, 1961) : 78 700 t. 302 × 76,8 m. Te 11,5 m. 260 000 ch. 33 n. Aut. 8 000 naut. à 20 n. Équipage 4 100 h. (dont 450 off.).

France. *Béarn* cuirassé inachevé transformé, déclassé 1939, *Lafayette, Bois-Belleau, Arromanches* (1943 ex-*Colossus* britannique, cédé à la France en 1945, retiré du service en 1974) 14 000 tonneaux, 211,15 × 24,5 m, 46 000 ch., 23,5 nœuds, autonomie 12 000 milles nautiques à 14 nœuds, *Clemenceau* (1961) et *Foch* (p.-a. d'attaque légers, 1963) : 32 780 t. p.c. 265 × 51,2 m. Te 7,5 m. 120 000 ch. 32 n. Aut. 7 500 naut. à 18 n. 65 off., 332 off.-mar., 831 h. *Futur p.-a. nucléaire (Charles-de-Gaulle) :* 40 avions : sur cale 2e trim. 1988 ; entrée en service 1998 (36 000 t, 83 000 ch., longueur 238 m, largeur 31,5 m. Pont d'envol 261,5 × 62 m, surface 11 800 m²). Appontage : piste 195 m, longueur des brins de pont 34 m. Catapultes : course motrice 75,08 m. Hauteur 75 m. Vitesse 28 nœuds (53 km/h). Équipage 1 850 marins et pilotes. Emporterait 35 à 40 appareils. Hangar : 138 × 29 m (4 000 m²). Coût : 20 milliards de F.

URSS. *Kiev* (1er p.-a. soviétique, 1976) : 44 000 t, 275 m de long, 30 n. Armé de SS-N-12 à longue portée lancés par 4 rampes doubles à l'avant. Env. 25 hélicoptères et 25 ADAV/ADAC. *Minsk, Kharkov et Novorossisk* (sov., 1981). Auraient les mêmes caractéristiques. Déclarés aux Turcs comme « croiseurs anti-sous-marins » pour emprunter le détroit (la convention de Montreux de 1936, qui garantit la liberté de circulation dans les détroits en temps de paix, interdit le passage de tout porte-avions jaugeant + de 10 000 t). 3 nouveaux porte-avions (+ de 65 000 t) prévus avant l'an 2000 : *Tbilissi* (ex-*Leonid-Brejnev*), *Riga* (achevé 1993) et *Uliyanovsk* (vers l'an 2000) de 75 000 t. Toujours pour tourner la convention, ils ont été appelés croiseurs porte-aéronefs tactiques.

Nota. – Un porte-avions de poche est mis au point en G.-B. : déplacement 7 080 t ; longueur 133 m ; emporte 8 chasseurs à décollage vertical Harrier ou 8 gros hélicoptères anti-sous-m. ; équipage 385 h ; rayon d'action (à 16 n.) 4 500 milles nautiques.

Frégates lance-engins

France. *Suffren* (1967) : 6 090 t. p.c. 157,6 × 15,5 m. 72 500 ch. 34 n. 23 off., 143 off.-mar., 189 h. Missiles Masurca puis SM1, Malafon et plus tard MM 38 Exocet. Radar, Senit (système d'exploitation navale des informations tactiques), dérivé du Naval Tactical Data System américain (NTDS).

Tourville (1974) : 5 745 t.p.c. 152,7 × 15,3 m. 54 400 ch. 31 n. 250 off., 90 off.-mar., 188 h. Lutte anti-sous-marine. 5 radars, 2 sonars, 2 hélico. WG 13 Lynx, missiles Malafon, mer-mer 38 et Crotale.

USA. *William Bainbridge* (nucléaire, 1962) : 8 000 t. 171,90 × 17,57 m. 120 000 ch. Autonomie 180 000 nautiques à 34 n.

Croiseurs

France. *Colbert* (cr. lance-missiles, 1959) : 11 300 t.p.c., 180,8 × 19,7 m. Te 7,6 m. 86 000 ch. 31,5 n. Aut. 4 000 à 25 n. Armement refondu (1970-72) ; missiles Masurca et plus tard MM 38 Exocet. 2 tourelles de 100 AA. 6 affûts doubles de 57 AA. 24 off., 188 off.-mar., 348 h. Désarmé mai 1991.

URSS. *Kirov I* (cr. lourd nucléaire lance-missiles). 24 000 t. 248 × 28 m. 150 000 ch. 20 SS-N-19 (32 mis.), 12 SAN-6 (96 mis.) et 2 SAN-4 (40 mis.).

USA. *Long Beach* (cr. lourd nucléaire, 1961) : 18 500 t. 219,75 × 22,25 m. Te 7,90 m. 80 000 ch. Aut. 140 000 naut. à 20 n. 770 off., 979 h. *Mississippi* (cr. nucléaire, 1976) : 11 000 t.p.c. 117,3 × 18,5 m. 100 000 ch. plus de 30 n. : 2 rampes doubles (1 à l'av., 1 à l'ar.) lance-missiles.

Corvettes et avisos

France. *Georges-Leygues* (corvette, déc. 1979) : 3 800 t. 139 × 14 m. Te 5 m. 42 000 ch. 29,75 n. 19 off., 109 off.-mar., 114 h. 1 tourelle 100 mm, 4 missiles MM38 Exocet, SACP Crotale, 2 catapultes pour torpilles L5, 2 canons de 20. 2 hélic. WG13 Lynx, 2 sonars, 4 radars. *D'Estienne-d'Orves* (aviso, 1975) : 1 170 t. 80 × 10,3 m. Te 3 m. 1 142 ch. 24 n. 4 off., 29 off.-mar., 31 h. 1 tourelle 100 mm, 2 canons de 20, 1 lance-roquettes de 375, 4 MM38 Exocet, 4 lance-torpilles L3 et L5.

Navires à effet de surface (NES)

Définition. Aéroglisseurs dont le confinement du coussin d'air est assuré par des quilles latérales minces qui permettent d'atteindre un tonnage de plusieurs milliers de t. *Vitesse* 70 à 100 nœuds (185 km/h). Peu vulnérable aux torpilles et mines.

USA. NES de 3 000 t, vitesse 80 nœuds. Pourrait remplacer frégates et escorteurs dans la lutte contre les sous-marins.

Sous-marins (quelques types)

Légende. SNA : sous-marin nucléaire d'attaque (chasseur de bâtiments et sous-marins). SNLE : sous-marin nucléaire lanceur d'engins (dissuation).

• France. **SNLE :** *Redoutable* (1971) : 7 500/9 000 t. 128,70 × 10,60 m. Te 10 m. Réacteur à uranium enrichi et à eau naturelle sous pression. Plongée : + de 200 m. 20 000 ch. 20 n. en plongée, 16 en surface. 16 MBSS (M4 : portée 3 500 à 6 000 km selon nombre de têtes lancées à 20 m d'immersion). 2 équipages de 135 h. (15 off., 78 off.-mar., 42 quartiers-maîtres et matelots) se relayant à l'issue de chaque

Satellites militaires

• **Satellites divers. D'observation et d'alerte avancée :** orbite géostationnaire pour l'observation générale permanente, elliptique basse pour la haute résolution (durée de vie : quelques mois) destinés à prévenir toute attaque surprise et à détecter (grâce aux rayons gamma) les essais nucléaires même souterrains, ils contrôlent aussi l'application des traités de limitation des armements stratégiques (réseau amér. Midas 1960). *Discoverer* (1959) *Samos-2* lancé par les USA le 31-1-1961 aurait couvert en un mois toute l'URSS et repéré tous les silos de missiles. Il permit de découvrir que les Russes n'avaient que 14 fusées intercontinentales (alors qu'ils avaient parlé de 250). En oct. 1962, *Cosmos-10*, satellite russe, a révélé à l'URSS l'importance de la préparation militaire amér. en Floride et celle-ci l'a incitée à un repli dans l'affaire de Cuba. En 1972 Génération « Big Birds » (long 15 m., masse 12 t.), perception des détails de 30 cm. En 1976, série des « K.H. 12 » (Key Hole) (trous de serrure) permettent de voir des détails de 10 cm à 130 km d'alt. (satellite sov. : 50 cm). Le 2-12-88, satellite *Lacrosse* (long. 18 m.), de type K.H., lancé par navette Atlantis. *France :* réseau *Helios* (1er lancement prévu 1994) ; 3 ou 4 satellites (à 400 km distingueraient au sol des détails de 1 m, mais pas efficaces par temps couvert, durée de vie : 3 ans) + stations de réception. Coût : 10 milliards de F. *Espace :* 8 % de la recherche mil. fr. (2,5 milliards de F sur 31). **De communication. avancée :** en orbite géostationnaire à 35 000 km d'alt., sauf satellite data système (SDS) permettant les communications polaires, placé sur orbite elliptique (alt. entre 500 et 40 000 km) : permettent des liaisons sûres entre états-majors et unités éloignées. Système français de télécommunications spatiales *Syracuse.* **De navigation :** permettent aux navires de faire le point au large par tous les temps. Le système Navstar sur orbite à 2 000 km remplace progressivement le système Transit avec une précision considérablement accrue (5 à 50 m selon codes fournis modifiables en cas de conflit). **Météorologiques :** travaillent avec les engins espions. **D'écoutes électroniques. Radars de surveillance des océans.**

• **S. de surveillance du champ de bataille.** Origine 1939-45. *Slar (Side looking airbone radar) :* radars à antenne latérale. APQ 69 (antenne 15 m.), remplacés par les *Sar (Synthetic aperture radar).* **Programmes récents :** Joint Stars *(Joint Surveillance target attack radar system),* américain. Composante aérienne : Boeing E 8 A (dérivé du B 707), autonomie 8 h., plafond 12 km, portée 300 km. Astor (Airborne stand off radar), britannique. 2 types : Mti (détection des objectifs mobiles) permettant la surveillance basse altitude de 1 500 à 3 000 m., portée 150 km.

• **Satellites d'intervention.** Pourraient intercepter ou détruire des satellites placés en orbite basse et même ultérieurement en orbite géostationnaire (36 000 km d'altitude).

USA : ont expérimenté (1962-66) des fusées Thor (supposant l'utilisation d'une charge nucléaire, contraire au droit spatial établi en 1967), puis en 1984 l'avion de combat F-15 lançant un missile miniature le MHV [*Maneuvering Homing Vehicle* (cylindre de 10 kg, long. 5,43 m, vitesse 12 km/s, porte à 1 450 km, guidé par un télescope à infrarouge et un gyroscope-laser) ; comprenant un missile de pénétration à courte portée (SRAM) situé dans la queue de l'appareil, un propulseur ALTAIR et un véhicule d'attaque antisatellites conçu pour détruire le satellite ennemi].

URSS : a réussi plusieurs interceptions depuis 1968. Intercepteur antisatellites SIS, dit satellite tueur, poids 2 t, long. 6 m. Lancé par la fusée F-1, il parcourt 2 révolutions orbitales, avant de se placer sur la même orbite que la cible, (vers laquelle le guide un système de radars ou de détecteurs à infrarouges) et la détruit (charges à billes).

Nota. Il n'existe pas de satellite tout temps en dehors des Rorsat (Radar océan reconnaissance satellite) : les satellites sont menacés par l'IEM (impulsion électromagnétique) engendrée par une explosion nucléaire en haute altitude. Les stations au sol sont vulnérables.

☞ D'après un traité ratifié en 1967 par USA, URSS et de nombreux pays de l'ONU, les signataires s'engagent « à ne mettre en orbite autour de la Terre aucun objet porteur d'armes nucléaires ou de tout autre type d'armes de destruction massive ».

Les USA ont consacré 50 milliards de $ à leurs activités militaires dans l'espace de 1958 à 1983. 75 % des satellites américains et russes sont militaires.

☞ Voir aussi p. 1827c.

patrouille de 73 j. Un médecin-chirurgien et 2 infirmiers anesthésistes, 1 table d'opération - équipement de soins dentaires, radio générale et dentaire - une salle d'isolés. « Quart » assuré par tiers d'équipage 8 h de service par homme et par 24 h. En dehors, entretien du matériel et des équipements, loisirs et repos. En mission : assure la dissuasion en position de tir, en préservant une discrétion totale (plongée permanente sauf nécessité absolue, écoute et réception radio en plongée, aucune émission).

SNA : *Rubis* (1983) : 2 380/2 670 t ; long. 72,1 m ; larg. 7,60 m ; 25 n. en plongée (46 km/h) ; équipage 66 h. (dont 8 officiers) ; *le plus petit SNA du monde. Améthyste* (1988, opérationnel en 1991) : 2 600 t en plongée, équipage 70 h., peut emporter 4 types d'armes (dont le SM 39 Exocet lancé en plongée sur indications amies), nouveau système de navigation et de combat informatisé.

Sous-marins classiques : *Agosta* (s.-m. d'attaque, 1976) : 1 400/1 725 t. 67,8 × 6,8 m. 3 000 ch. 20 n. en plongée. Aut. 8 000 naut. 7 off., 43 off.-marins et marins. *Daphné* (1964) : 870/1 040 t. 57,7 × 6,7 m. Te 4,70 m. 1 600 ch. 16 n. en plongée. 6 off., 39 h. *Narval* (1957) : 1 635/1 910 t. 78 × 7,8 m. 18 n. en plongée. 7 off., 56 h.

• URSS. **SNLE :** *Delta 3 :* 13 250 t, 155 m, 16 SS-N-18. *Typhoon* (1980) : 170 × 24 m, 20 000 t en surface, 29 000 t en plongée ; a 2 coques séparées par un coussin d'air, 20 missiles SSN-20 munis de 12 ogives chacun (portée 6 500 km) ; *le + gros du monde.* En service 6.

SNA : *Alpha* (1980) : 80 m de long, 3 700 t, peut plonger à 800 m (94 km/h), coque en titane ; *le plus rapide du monde. Oscar* (1981) : 150 × 18 m, 14 000 t, 20 missiles de croisière SS-N-19 (portée 500 km). *Uniform* (1982) petit s.-m. nucléaire. *Mike* (1983) : expérimental. Long. 120 m, coque en titane, 7 800 t/surface, 9 700 t/plongée, vit. 36 nœuds, 95 h., plonge à 700 m, missiles SS N21 (portée 3 000 km). *Mir 1 et 2* (1988) pouvant descendre à 6 000 m, coque en acier coulé, poids 18,5 t.

• USA. **SNLE. :** [1er s.-m. : *Nautilus* (passa le 3-8-1958 sous la calotte glaciaire du pôle N., retiré du service en 1985), transformé en musée]. *Alabama :* 170 m, équipage 164 h., 24 missiles Trident. *La Fayette* (SSBN, 1963) : 6 650 t. 126 × 10 m. Te 9 m. 15 000 ch. 20 n. en plongée. 16 Polaris A2 ou A3 lancées à 30 m d'immersion (seront renforcées par des Poseidon). *Sewer 2* s.-m. nucléaire, long. 20 m, équipage 5 h. **SNA :** *Sturgeon* (1967) : 3 836 t. 89 × 9,6 m. Te 8,8 m. 20 000 ch. 30 nœuds en plongée. Aut. 100 000 naut. **Classiques :** *Ohio :* 16 764 t en surface, 18 750 t en plongée, 24 missiles avec chacun 8 ogives, portée 7 500 km.

Détection et défense

• **Détection des sous-marins.** Le s.-m. classique à propulsion diesel-électrique doit, pendant 15 à 30 % du temps, être en immersion périscopique pour recharger ses batteries, le s.-m. nucléaire devant seulement faire le point astronomique au périscope pour régler le système de navigation par inertie. Un s.-m. se détecte au sonar (ultrason qui se réfléchit sur un obstacle) et à l'hydrophone (instrument d'écoute passive). Chaque s.-m. a son bruit caractéristique. La marine américaine a installé un système de détection mobile à base de bouées et consacre en permanence 250 bâtiments de surface, 100 s.-m. et 7 500 avions ou hélic. (soit 1/3 du tonnage de sa flotte de combat) servis par 85 000 h. (soit 1/10 de ses effectifs) à la lutte anti-s.m. Les sons enregistrés par des micros aboutissent à un centre de contrôle à Norfolk (Virginie).

• **Défense contre les sous-marins.** L'adversaire principal d'un SNLE est le s.-m. nucléaire d'attaque qui plonge aussi profondément et a aussi un rayon d'action pratiquement illimité avec une « vitesse silencieuse » plus élevée. Il peut s'embusquer à la sortie des bases de départ des s.-m. stratégiques ou se charger de la police des eaux côtières de façon à en interdire l'approche aux unités lance-engins. Les USA ont 55 sous-marins nucléaires d'attaque en service et 26 en construction (classe Los Angeles) ; l'URSS 75 ; la G.-B. 8 en service, 3 en construction, 1 en projet ; la *France* en a 5 en service, 3 en programme.

Défense anti-s.-m. (ASM) française. S'articule autour de ses frégates, corvettes et escorteurs ASM, de son aviation de patrouille maritime (basée à terre et embarquée), de ses 19 s.-m. à propulsion classique (de 650 à 1 200 t) ; plus tard s'articulera autour de ses s.-m. d'attaque nucléaires ;

Nota. - Les torpilles actuelles seront inopérantes contre les s.-m. nucléaires qui dépasseront 40 nœuds et plongeront au-dessous de 600 m.

• **Leurres contre les missiles.** Fabrication de faux échos nuages de paillettes, voleurs de fenêtre de poursuite (superposition d'un écho plus fort synchronisé puis progressivement retardé et/ou modulé)... Les missiles récents sont munis de système antileurrage.

Mines

Déminage

• **Dragueur** (navire de quelques centaines de t). Il quadrille la zone dangereuse à l'aide de dragues. Certaines, mécaniques, sectionnent l'*orin* (câble maintenant une mine entre 2 eaux) ; d'autres, magnétiques, détruisent à distance les mines à influence qui reposent sur le fond de l'eau, en recréant le champ magnétique d'un navire par des câbles électriques ; d'autres, acoustiques, émettent les mêmes fréquences qu'un bâtiment en surface ou en plongée.

Ce système est imparfait pour les mines à composantes dépressionnaires (la houle provoquée par un navire peut déclencher l'explosion) et certaines mines (ex. : orin) possédant des dispositifs antidrague.

• **Chasseurs de mines.** Type Circé (coque en bois stratifié et collé ; moteur à bruit étouffé). Type Eridan. Détectent les mines par leurs échos, avec un sonar rétractable installé sous la coque, et « interprètent » la forme géométrique de l'ombre à l'aide d'un sonar indépendant. Des *plongeurs démineurs* disposent ensuite une charge explosive sur la mine. Cette tâche peut être confiée à un *poisson autopropulsé (Pap)* qui dépose la charge à proximité de la mine (si l'eau n'est pas trouble, pour que la caméra de télévision fixée sur le Pap puisse repérer l'objet détecté au sonar).

Déminage en France. *De 1945 à 1980,* on a retiré du sol 13 000 000 de mines, 23 000 000 d'obus et d'engins divers, 600 000 bombes (tonnage global 125 000 t de munitions). 589 démineurs sont morts en service commandé. Sur les côtes françaises Allemands ou Anglais ont mouillé 400 000 mines pendant la guerre de 1939-45. La plupart des mines ont été détruites de 1945 à 1955, mais on en retrouve encore environ une soixantaine par an.

Dépenses militaires

Données globales

• **Dépenses mondiales.** En milliards de $. *1976 :* 355,7. *80 :* 567. *85 :* 865,4. *86 :* 900 (dont recherches 70 à 80). *89 :* 950. *90 :*950 dont USA 298 (5,6 % du PNB) ; URSS 270 ; CEE 152 [dont G.-B. 35 (4), *France 32 (3,7),* All. féd. 28, Italie 15,7] ; Japon 30 ; Chine 150.

Total des livraisons d'armes, de 1986 à 1990 (en milliards de $ 1985). 165,2 dont URSS 60,8, USA 53,8, *France 13,8,* G.-B. 7,8, Chine 7,7, All. féd. 4,7, Tchéc. 2,4,

• **Exportations mondiales** (en milliards de $). *1984 :* 50,1. *1986 :* 34,7. *1988 :* 34 dont URSS 12,8, USA 9,4, *France 2,9,* Chine 2, G.-B. 1,6, All. féd. 1,5. *1989 :* 32 (dont en % : URSS 37, USA 34, *Fr. 8,5,* G.-B. 4, Chine 2,5) dont 29,3 au tiers monde (61,4 en 1982) [dont en % : Ar. Saoudite 14,6, Irak 14,1 (- 43,4 % depuis 1982)]. *1990 :* USA 8,74, URSS 6,4, *France 1,8,* G.-B. 1,2, All. féd. 0,96.

Principaux acheteurs (en milliards de $). *1988 :* Iran 3,4, Irak 2,4, Corée du Nord 2,2, Arabie S. 2,1, Japon 1,8. *1990 :* Arabie S. 2,55 (21 %), Inde 1,54 (13 %).

• **Budgets. USA** (en milliards de $). *1980 :* 140,7. *85 :* 286,8. *88 :* 267,8. *89 :* 299,5. *90 :* 301,6. 9 programmes d'armements majeurs annulés, 10 amputés ou étalés dans le temps ; 4e année de diminution des budgets mil. 91 : 306,9 [Départ. Énergie atomique

Dépenses militaires dans le monde en 1989.
Budget en millions de $, entre parenthèses, en % du P.N.B. [11]

OTAN		Rang
All. féd. (2,8)	27 460	6
Belgique (2,5)	2 580	29
Canada (2)	9 480	12
Danemark (2,1)	1 922	34
Espagne (2,1)	6 910	16
France (3,7)	*28 580*	*4*
Grèce (6,8)	3 170	26
Italie (2,4)	16 690	7
Luxemb. (1)	80	97
Norvège (3,2)	2 970	27
Pays-Bas (2,9)	6 688	18
Portugal (3,9)	1 250	50
Royaume-Uni (4)	31 630	3
Turquie (3,9)	2 100	33
U.S.A. (5,8)	294 900	1
Pacte de Varsovie		
All. dém. (5)	11 860	10
Bulgarie (4,4)	2 334	32
Hongrie (2,8)	768	58
Pologne (1,8)	682	59
Roumanie (1,9)	788	57
Tchécosl. (3,7)	2 940	28
Autres		
Albanie (-)	167	82
Autriche (1,1)	1 410	44
Finlande (1,9)	1 620	37
Irlande (1,4)	375	66
Suède (2,4)	4 460	22
Suisse (1,6)	3 190	24
Youg. (2,9)	1 210	51
Moyen-Orient		
Arabie S. (19,8)	14 690	8
Bahreïn (10,7)	185	81
Chypre (1,4)	155	83
Égypte (4,5)	6 810	17
Ém. arabes (5,4)	1 470	42
Iran (-),[3]	8 609	14
Irak (23) [2]	12 870	9
Israël (9,2)	6 020	21
Jordanie (11)	441	66
Koweït (6,5) [3]	1 540	40
Liban (-) [1]	154	84
Oman (15,8)	1 360	48
Yémen (arabe) (7,2) [2]	566	62
Yémen (dém.) (18,5) [2]	220	80
Syrie (9,2)	2 490	30
Asie du Sud		
Afghanistan [7]	287	73
Bangladesh (1,6)	289	72
Inde (3,3)	8 940	13
Népal (2,2)	39	111
Pakistan (6,7)	2 470	31
Sri Lanka (2,9)	223	79
Extrême-Orient		
Birmanie (-)	334	71
Brunei (-) [2]	229	77
Corée N. (8,8)	4 154	23
Corée S. (4,6)	9 886	11
Hong Kong (0,4) [5]	204	
Indonésie (2)	1 593	39
Japon (1) [1]	28 122	5
Malaisie (8,8)	1 384	47
Mongolie (11,7) [2]	268	74
Philippines (1,7)	1 280	49
Singapour (5,1) [4]	1 490	41
Taiwan (6)	8 180	15
Thaïlande (3,2)	1 801	36

Océanie		Rang
Australie (1,9)	6 170	20
Fidji (0,7)	21	122
N.-Zélande (1,9)	819	54
Afrique		
Afrique S. (4,2)	3 190	24
Algérie (1,9)	854	53
Angola (21,5) [5]	819	54
Bénin (-) [2]	38	113
Botswana (1,9)	46	107
Burkina Faso (2,8) [5]	51	105
Burundi (2,6) [5]	32	116
Cameroun (2,1)	144	88
Congo (3,6) [7]	696	
Côte-d'Ivoire (1,2) [9]	24	94
Éthiopie (13,6) [6]	472	65
Gabon (4,5) [2]	154	84
Ghana (0,6)	43	109
Ile Maurice (0,3) [7]	34	
Kenya (2,6) [5]	219	
Liberia (-) [2]	28	118
Libye (7,4) [2]	1 390	46
Madagascar (1,3) [5]	37	114
Malawi (1,6) [10]	22	121
Mali (3,3) [5]	61	101
Mauritanie (-) [2]	398	
Maroc (4,3)	1 207	52
Mozambique (-)	116	91
Niger (0,8) [4]	17	125
Nigeria (1,1)	253	75
Ouganda (0,8) [4]	41	110
Rép. Centrafr. (1,7) [5]	19	124
Rwanda (1,7)	37	114
Sénégal (2) [3]	106	92
Sierra Leone (0,5) [8]	5	130
Somalie (3)	11	128
Soudan (2)	200	56
Tanzanie (5,2) [8]	79	223
Tchad (-)	57	104
Togo (3,2) [9]	30	117
Tunisie (4,9)	482	64
Zaïre (1,2) [5]	106	47
Zambie (3,2) [5]	127	90
Zimbabwe (7,9)	363	70
Amérique centrale		
Costa Rica (0,4)	57	103
Cuba (11,3) [1]	1 830	35
El Salvador (3,5)	224	78
Guatemala (2,6) [1]	87	96
Haïti (-)		
Honduras (8,4) [2]	138	89
Jamaïque (0,8) [6]	25	120
Mexique (0,5)	670	60
Nicaragua (28,3) [2]	1 420	43
Panamá (2,7) [5]	105	93
Rép. Dom. (0,8) [5]	77	99
Trinidad et Tobago (2,6) [5]	984	
Amérique du Sud		
Argentine (3) [2]	1 600	38
Bolivie (3,9) [2]	87	95
Brésil (1,2) [2]	1 410	44
Chili (6,5)	646	61
Colombie (2,6)	374	69
Équateur (1,5)	232	76
Guyane (7) [9]	65	100
Paraguay (1,3)	61	101
Pérou (3)	544	63
Uruguay (2,1) [9]	150	87
Venezuela (1,4)	407	67

Nota. – (1) Estimation 1990. (2) Estimation 1988. (3) 1989-90. (4) Estimation 1988-1989. (5) 1987. (6) Estimation 1987-1988. (7) 1985. (8) 1985-1986. (9) 1986. (10) 1986-87. (11) 90. Le % du P.I.B. correspond à la dernière année indiquée.

11,1, I.D.S. 4,4 (contre 3,8 en 1989, soit une augmentation de 20 %)]. Maintien programme bombardier furtif (commande de 5 exemplaires). Suppression de programmes importants tels que avion A 12, chasseur ATF mais renforcement B2 (bombardier furtif) et IDS ; développement d'un super Patriot. *Plan 1992-1997. Réduction des crédits militaires* : Pentagone favorable à 2 % par an (Congrès 4 à 5 %), soit sur la période une perte de 12 % de son budget (180 milliards de $). *Diminution des effectifs* : 25 % sur la même période.

Europe. Lancement projet *Euclid* (European Cooperation for Long Term in Defence) avec un budget de 850 MF pour 1991 (études et développement).

• **URSS.** *1989* : 250 milliards de $. En 1990 (en milliards de roubles). 70,98, dont acquisitions d'armement 31,04, salaires, dépenses opérationnelles et d'entretien 19,32, recherche et développement 13,15, construction 3,72, pensions 2,44, autres 1,31. *Selon le SIPRI (Institut international de la recherche pour la paix de Stockholm)*, les statistiques soviétiques ne sont pas crédibles, mais les experts américains surestiment le montant de ces dépenses [ils évaluent le coût du potentiel soviétique (équipements, hommes) aux prix américains qui sont plus élevés, et calculent l'évolution des dépenses en tenant compte des progrès « qualitatifs » des équipements, alors que ce critère n'est pas utilisé lorsqu'il s'agit des dépenses militaires de l'OTAN].

• **France. Production totale d'armements.** En milliards de F dont, entre parenthèses, % des exportations. *1970* : 14,3 (19 %). *75* : 25,8 (32). *80* : 58,7 (40). *85* : 104,5 (42). *86* : 108 (40).

• **G.-B.** *1990* : 204 milliards de F. Projet de réductions des dépenses de 165 milliards de F sur 10 ans.

☞ Le plus gros marchand d'armes privé du monde serait l'Américain Sam Cummings (n. 1927) ; sa Sté Interarms aurait un CA de 100 à 150 millions de $ par an. L'URSS construirait pour elle 1 300 avions de combat par an, 3 000 chars, les USA 650 chars, 275 av. de combat.

• **Chiffre d'affaires armement** [dont, entre parenthèses, électronique de défense (en milliards de F)]. Deutsche Aerospace 37 (11). British Aerospace 37 (11). Thomson-CSF 33 (33). GEC/Plessey/Ferranti 24 (20). Aérospatiale 15 (8). Finmeccanica 11 (5). Siemens/Plessey 7 (7). Matra/Fairchild 7 (7).

Quelques prix

Ordre de grandeur (v. 1984-89) : chaque matériel peut comporter des équipements variés ; certaines contraintes politiques peuvent agir sur les prix.

• **En milliers de F. Armes.** Fusil MAS 36 [3] 0,9. Fusil Famas [1] 1,5. Pistolet 9 mm [3] 1,5. Pistolet mitrailleur (modèle 49) [3] 2,4. Lance-roquettes antichar [3] 4,2. Fusil semi-automatique MAS 49-56 [3] 5,79. Mitrailleuse [3] 10. LRAC 89 17.

Véhicules. France : Jeep [3] 40, char AMX-13 [1] 11 000, AMX-30 [3] 4 600, AMX-30 B-2 12 000, Leclerc 30 000, AMX VTT 3 800, véhicule de l'avant blindé [3] 900, obusier automouvant [3] 1 400. **G.-B.** : char Chieftain [3] 2 400. **USA** : char M-60 A1 [3] 2 600, M 60 A3 [3] 3 100, MXI [3] 4 500. **All. féd.** : char Léopard [3] 4 000, Léopard II [3] 4 500.

• **En millions de F. Hélicoptères.** Alouette II [3] 0,80. SA 341 Gazelle [3] 1. Super Frelon [3] 22. Alpha-Jet 2,7. Cobra (USA) [3] 5,6. Super Puma 60/80. Écureuil AS355-M2 20/25.

Avions. USA : Northrop F-5 [3] 7. Skyhawk A-4 [3] 11,6. F-5E Tiger II [3] 11. F-16 [3] 30. Phantom F-4E [3] 20. Hercules C-130H [3] 21. Viking S-34 [3] 40. Bombardier B 11 [3] 56. Stealth 700. **France** : Mirage V 36,8. SA 330 Puma 19. Jaguar [3] 20. Atlantic (lutte anti-sous-mar.) [3] 31. Mirage IV [3] 33. Super Étendard 40. Mirage III E *1973* : 13,5, *1981* : 40 ; Mirage F 1 *1982* : 56, *1985* : 123 ; Mirage 2000 : 135, 153 à 166 (88) ; Mirage 4000 (écarté du budget à cause de son prix) env. 200 ; Rafale (prév.) : 500.

Navires. *Aviso* A 69 : 270 (22 [2]). *Frégates* ASM 900 (40 [2]). *Frégate* légère (l. 114 m, déplace 2 560 t, 12 900 CV, vitesse 25 nœuds, auton. 12 000 km à 8 nœuds, 60 h.) 900. *Porte-avions* nucléaire 36 000 t 8 000 (sans les avions). *Sous-marin* Agosta 380 (22 [2]) ; nucléaire d'attaque 1 200. *Vedette* avec armes 70.

Nota. – Le grand carénage avec l'échange du réacteur d'un sous-marin d'attaque à propulsion nucléaire coûte 160 000 000 F.

Bombes et missiles. USA : Atlas avec tête H de 3 Mt [3] 265. Bombe de 250 kt [3] 6 ; de 5 500 kt [3] 7. Dragon [3] 0,03. Harpoon [3] 2. Hawk [3] 10. Minuteman III (sans tête nucl.) [3] 22. Minuteman en silo [3] 32. MX 850. Nike Hercules [3] 13. Pershing (miss. : lanceur + assoc. équip.) [3] 12. Pershing II 56. Polaris A3 (sans tête nucl.) [3] 10. Polaris avec tête H d'1 Mt [3] 70. Poséidon C3 (sans tête nucl.) [3] 24. Sea Sparrow [3] 0,500. Titan III [3] 11. Titan I (avec silo et tête H de 4 Mt) [3] 228. Trident I 133 ; II 350. Tow [3] 0,03. **France** : AS 30 [3] 0,03. Crotale 0,05. Exocet SM 39 5 [4]. Hadis 70 [4]. Masurca 0,6. Milan 0,03 [4]. Missile M4 462 [4]. Navale 0,008. Roland (+ véhicule 27) 0,4.

Unités. Division d'infanterie de marine 500 (450 [2]). Parachutiste 560 (870 [2]). Infanterie 600 (290 [2]). Inf. sur VAB 1 200 (300 [2]). Blindée 2 200 (370 [2]). Escadron de 45 Mirages F1 4 400 (410 [2]).

Coût annuel du maintien sur pied d'un régiment de char : 324,8, mécanisé 235,2, d'une escadre de Jaguar 1 130 (dont 100 pour carburant et entretien).

Nota. – (1) En 1979. (2) Entre parenthèses fonctionnement (RCS compris). (3) En 1980. (4) En 1986. *Avion de chasse américain* (1940-45) : 53 000 $. *Bombardier* (1940-45) : 218 000 $; (1972) : 30 millions de $; (1980) B-1 : 90 millions de $.

☞ Un amiral américain a calculé que chaque ennemi tué revenait en moy., sous Jules César il y a 2 000 ans, à 75 cents ; sous Napoléon Bonaparte en 1800 : $ 3 000 ; USA 1917-18 : $ 21 000 ; 1941-45 : $ 200 000.

Politique de défense Est-Ouest

• **Équilibre de la terreur.** Appelé MAD (mutual assured destruction) par les Américains, il a dominé les relations Est-Ouest durant les années 50. URSS et USA pouvaient anéantir les villes de l'adversaire sans pouvoir atteindre sa force de frappe. En cas d'attaque, l'agresseur n'aurait pu éviter les représailles immédiates. **Plan américain « Charioteer »** (déc. 1947) : lancements prévus : 133 bombes A sur 70 villes soviétiques (dont 8 sur Moscou et 7 sur Leningrad) pendant 30 j ; après 200 autres bombes A, 250 000 t d'explosifs classiques pendant 2 ans. **Plan « Trojan »** (mai 1949) : 1re phase de 2 semaines contre 30 villes soviétiques. 2e contre 40 autres villes pendant 15 j.

• **Riposte graduée.** A partir de 1957, l'équilibre de la terreur se détériore en faveur des Soviétiques, mais dès 1960, Robert McNamara (n. 1916), secr. à la Défense des États-Unis du Pt Kennedy, rétablit l'équilibre. En 1962, il préconise le remplacement de la riposte massive par une *riposte graduée (flexible response).* Cette nouvelle politique impose la recherche de la supériorité à tous les niveaux, la multiplication des procédures de sauvegarde pour éviter toute méprise, des forces conventionnelles (l'OTAN doit disposer de 30 divisions) et nucléaires (tactiques et stratégiques), l'arrêt de la prolifération et de la dissémination nucléaires. Ainsi s'instaure, à partir de 1962, *l'équilibre de la prudence,* USA et URSS possédant des engins intercontinentaux capables d'atteindre avec précision la force de frappe adverse enterrée dans des silos. A la suite de l'accord de Genève (20-6-1963), un *télex crypté spécial dit « téléphone rouge »* assure une communication permanente entre Russes et Américains afin d'éviter le déclenchement d'une guerre nucléaire par accident. A permis de régler plusieurs alertes dues à des défaillances de radar ou d'ordinateur. Sert également en période de crise internationale : juin 1967 (guerre des 6 jours), déc. 1971 (g. indopakistanaise), automne 1973 (g. du Kippour), déc. 1979 (invasion de l'Afghanistan), déc. 1983 (raids aériens amér. au Liban).

Motifs de prudence. 1°) Les accords de Moscou (26-5-1972) ont limité à une seule ville la protection par système ABM, ce qui laisse aux autres villes la valeur d'otages. 2°) L'efficacité du système antimissiles balistiques (ABM) est contestée. L'attaquant peut le saturer avec des leurres ou brouiller les radars, ou les déjouer en partie avec la bombe « partiellement orbitale », l'ICBM à tir tendu, etc. 3°) Les silos de Minuteman peuvent résister à une bombe d'une mégatonne explosant à 400/500 m, ou au MIRV qui fractionne les charges utiles. L'objectif des engins intercontinentaux doit être modifié en permanence en fonction du type et de l'évolution de la crise. Un nouveau système *(command data buffer system)* permet au commandement américain d'effectuer ce changement en 36 mn. 4°) Le moyen le plus sûr de pénétrer chez l'ennemi resterait le vol en rase-mottes d'un bombardier ou d'un missile à moins de 300 m au-dessus du sol ; il faudrait beaucoup de radars pour repérer ce vol sur un vaste territoire (le « préavis » ne dépasse pas 35 km, ou 1 mn de vol) et les meilleures fusées antiaériennes sont peu efficaces dans de telles conditions. D'où l'intérêt accordé aux missiles de croisière. 5°) Un délai minimal d'env. 2 mn est nécessaire entre 2 lancements de missiles par un sous-marin alors qu'un seul tir suffit à le faire repérer.

• **Stratégie défensive de l'avant.** En 1977, les experts américains estimaient que la riposte graduée était dangereuse et périmée. Face à un adversaire dont le corps de bataille est équipé d'armes nucléaires, il est vain d'espérer pouvoir faire face avec des moyens classiques et de ne faire appel à l'arme nucléaire tactique que lorsque ceux-ci s'avèrent insuffisants. On risque de ne pas réagir assez vite et d'être acculé à l'échange stratégique que la riposte graduée voulait justement éviter. Ils préconisaient une stratégie défensive de l'avant basée sur l'emploi quasi immédiat d'armes nucléaires tactiques (900 unités dotées de 4 à 8 missiles de 1 kt d'une portée d'env. 100 km) et de missiles antiaériens (1 unité Roland tous les 75 km, 6 batteries Hawk tous les 100 km) et antichars formant un barrage sur les concentrations ennemies repérées par 2 250 unités d'acquisition d'objectifs, chacune de 30 hommes env. Ce système aurait coûté moins de la moitié que celui des forces alliées actuelles. Il aurait compris 895 000 hommes dont 373 000 d'active contre 782 000 en 1980.

De leur côté, les Soviétiques n'écartaient plus systématiquement un conflit nucléaire. Des travaux étaient entrepris permettant de mettre à l'abri des retombées nucléaires env. 60 millions d'hab., 35 000 installations mil. auraient été fortifiées. Simultanément, l'URSS allait accroître sa capacité offensive. Elle étudia un bombardier à long rayon d'action, une quinzaine de missiles ; et plaça sur orbite, avant 1988, des lasers capables d'attaquer les satellites amér. et plus tard des objectifs terrestres. Elle dota 3 divisions stationnées en All. dém. de 1 000 chars T72 ultra-modernes [seul le Léopard II allemand, encore à l'état de prototype, pouvait leur être opposé], fabriqua des SS-20 et installa en Europe centrale des Mig 23 à flèche variable.

Le « parapluie » américain

En raison de l'engagement des USA au sein de l'OTAN, le rôle de dissuasion de l'appareil militaire américain est en partie destiné à protéger l'Europe occidentale contre l'URSS (voir aussi forces en Europe, p. 1892).

MAC, commandement militaire des ponts aériens (base de Fort Scot, Illinois). En dépendent 93 000 personnes sur 350 bases dans 33 pays.

SAC *(Strategic air command),* commandement stratégique aérien (Omaha, Nebraska), 30 % des 400 bombardiers et avions-citernes tenus en alerte au sol 24 h sur 24, et 1 054 missiles intercontinentaux (1 000 Minutemen, 54 Titan 2) répartis aux USA peuvent être lancés à tout instant (s'y ajouteront 200 MX).

1re division d'infanterie (base de Fort Riley, Kansas). Les 2/3 de son équipement lourd et sa 3e brigade stationnent en All. féd. 12 000 h. à Fort Riley peuvent gagner l'Europe en 96 h au plus.

Flotte américaine de l'Atlantique et flotte de l'OTAN (commandement suprême à Norfolk, Virginie) (voir p. 1835 ab).

Force spéciale interarmes d'intervention rapide (FIR). Constituée par des unités des 3 armes. *Composition en 1982 : armée de Terre :* 1 division aéroportée, 1 d. héliportée d'assaut, 1 brigade de cavalerie aéroportée, 1 d. d'infanterie mécanisée, des unités de commandos et des forces autres que classiques ; *corps des Marines :* 1 à 2 unités amphibies de Marines (UAM) [1] ; *armée de l'Air :* 4 à 11 escadres tactiques et forces de soutien, 2 escadrons de bombardiers stratégiques (Force de protection stratégique) ; *Marine :* 3 groupes de porte-avions d'escadre, 1 de navires de surface, 5 escadrons de l'Aéronavale.

But : dissuader une agression soviétique et protéger les intérêts des USA dans le golfe Persique ; renforcement des bases U.S. dans la région et utilisation de bases prêtées par des pays alliés : Ras Banas (Égypte), Diego Garcia (G.-B.), Lajes (Portugal), Oman, Mombasa (Kenya), Mogadiscio et Berbera (Somalie) ; poursuite des manœuvres spécifiques annuelles aux USA, sur place (Bright Star). Dep. le 1-1-1983, le chef de la FIR dirige un commandement unifié de cette région.

Nota. – (1) UAM : 1 division de Marines renforcée et une escadre aérienne du corps des Marines (égale à 2 escadres tactiques de l'armée de l'Air).

• **Stratégie de défense conventionnelle.** Élaborée aux USA dep. 1982 (sénateur Nunn, gén. Rogers, Cdt en chef des forces de l'OTAN, nouveau manuel de combat de l'armée de terre : « FM 100-5 »). *Principes :* les progrès technologiques [guerre électronique, munitions guidées (PGM : Precision guided munitions)] permettent d'enrayer une offensive classique et de contre-attaquer localement, sans recourir à l'armement nucléaire. Les Soviétiques auraient le 1er j un avantage d'env. 5 contre 1 ; après 3 j de combats et l'arrivée de renforts, 10 contre 1. L'OTAN devrait détruire ces renforts avant qu'ils atteignent la zone de combats, c.-à-d. 30 à 800 km derrière la zone de front (concentrations de troupes, dépôts, centre de commandement et de communication, bases aériennes). Ses chasseurs bombardiers seraient en nombre insuffisant, rapidement décimés par la défense antiaérienne. Ses armes tactiques (américaines) en Europe ne dépassent pas 30 km. Les PGM permettraient avec des systèmes convent. de suppléer ces défaillances. *Inconvénients : coût élevé :* 10 milliards de $ (nouveaux programmes d'armement). Crainte de voir les « groupements opérationnels de manœuvre » (nouvelles divisions soviétiques), pénétrant dans les lignes alliées dès le début du conflit, paralyser le dispositif électronique nécessaire. L'OTAN devrait donc les prévenir par une stratégie offensive ; l'URSS pourrait également se doter de telles armes.

• **Nouvelle stratégie de défense du Pt Reagan.** Annoncée en juillet 1982, elle reconnaît que les USA ont cessé de se suffire à eux-mêmes (ils dépendent du pétrole étranger et des importations de 69 minéraux stratégiques sur 72).

1°) *Stratégie politico-diplomatique globale* avec participation accrue du Japon (surveillance spatiale et électronique du N.-O. du Pacifique, défense d'une zone de 1 000 milles au large de ses côtes, puis surveillance de la route du golfe Persique), des pays de l'OTAN (Afr. et golfe Persique). 2°) *Meilleur fonctionnement de l'économie internationale :* réduction des obstacles aux échanges commerciaux, accord sur les procédures de règlement des différends. 3°) *Information détaillée* sur la politique des USA et ses buts. 4°) *Stratégie militaire* fondée : a) sur la modernisation des forces nucléaires stratégiques : priorité à « un système de commandement et de contrôle susceptible de survivre à l'attaque ennemie », modernisation des forces de bombardement ; mise en service du B-1B et bombardiers à technologie avancée ou de type *Stealth* (voir p. 1821b), renforcement de la flotte de sous-marins stratégiques (au moins un Trident construit par an ; munis de missiles balistiques Lockheed D-5 plus efficaces), intégration du système MX dans les forces opérationnelles (voir p. 1825c) ; b) développement des forces classiques : priorité à l'amélioration des capacités de déploiement des forces de l'avant et d'intervention rapide, puis amélioration du commandement tactique et des systèmes de contrôle et de communication, de la capacité à mener une guerre prolongée (stocks, production industrielle), de la mobilité sur les théâtres d'opération extérieurs (avion C-7) ; c) renforcement des systèmes de défense (des centres de contrôle et de communication, de l'espace aérien...), notamment contre des vols de reconnaissance et des raids avant-coureurs d'une éventuelle attaque ; importance du programme antimissiles : systèmes à énergie dirigée (voir p. 1832a), techniques d'interception des missiles à diverses phases de leur vol (système multicouches).

La guerre des étoiles

Programme américain

Le 23-3-1983, le Pt Reagan annonça « qu'il prescrivait des études intensives et complètes pour définir un programme à long terme de recherche et de développement, afin de commencer la réalisation de notre objectif ultime, l'élimination de la menace que constituent les missiles stratégiques ». La NSSD 6-83 *(National Security Study Directive)* qui a suivi ordonnait d'examiner la faisabilité d'une défense contre les missiles balistiques (BMD : *Balistic Missile Defense*). Des études furent menées par l'*Heritage Foundation,* le *Panel Fletcher* (du nom de son Pt, ancien directeur de la NASA), le groupe de *Fred Hoffmann,* directeur de *Pan Heuristics.* Le groupe Hoffmann concluait qu'on arriverait probablement à réaliser un système permettant de protéger les objectifs militaires, sans pour autant empêcher les « dommages catastrophiques » causés par les quelques missiles de l'agresseur qui auraient pu passer. Pour le *Panel Fletcher,* le système défensif situé dans l'espace était très vulnérable.

Les rapports des groupes d'étude furent déposés en octobre 1983. Le Pt Reagan (directive : NSSD 119) a prescrit un programme de recherche *Strategic Defense Initiative* (IDS : Initiative de défense stratégique), couvrant tous les domaines nécessaires, en particulier les technologies des énergies dirigées (lasers, faisceaux de particules, etc.) et les technologies propres aux énergies cinétiques (les projectiles). *Coût des recherches :* 26 milliards de dollars répartis de 1985 à 1989. *Patron du projet :* général Abrahamson (démissionne le 31-1-89), mais le Congrès à majorité démocrate a déjà fait des coupes dans le budget. *1988 :* budget 3,9 milliards de $ (1,8 de moins que prévu) ; coûts de la 1re phase réduits de 115 à 69. *1989 :* budget (0,8 de moins que prévu). *1990 :* 5,6 (1 de moins).

Défenses envisageables selon les phases de la trajectoire d'un missile (les chiffres donnés sont des ordres de grandeur pour un missile intercontinental). **1re phase (propulsée) :** durée 150 à 200 s pour un engin à 3 étages. Le missile quitte le sol sous l'impulsion de son 1er étage de propulsion, il s'élève quasi verticalement. Au cours de cette phase, la chaleur des gaz éjectés provoque un rayonnement infrarouge aisément détectable. Il est vulnérable par sa propulsion en action (explosion en cas d'impact) et par son guidage sensible aux pertubations. La destruction ayant lieu au-dessus du territoire adverse, les débris et les matières radioactives retombent chez l'ennemi éventuel. Mais la défense doit réagir vite et risque d'être submergée par le tir simultané de centaines de missiles. – Le 1er étage se détache à 20 km d'altitude, le 2e à 80, le 3e à 200.

2e phase (d'espacement) : durée 10 mn, le missile continue de monter à une vitesse de 6 000 m/s. Il libère, peu après la combustion du dernier étage, un véhicule spatial doté de petits propulseurs et auquel sont arrimées les ogives nucléaires. Les propulseurs (systèmes d'espacement) placent l'une après l'autre chacune des ogives sur des trajectoires différentes correspondant aux objectifs visés. – En même temps, le véhicule éjecte une centaine de leurres, fausses ogives (ballonnets de mylar), aérosols masquant la chaleur émise par les corps, nuages de paillettes métalliques saturant les ondes radars. Ogives et leurres atteignent leur apogée à 1 200 / 1 500 km d'*altitude.*

3e phase : ogives (et leurres) : manœuvres éventuelles au cours de la descente pour tromper les défenses. – Au-dessous de 500 km d'alt., les leurres plus légers sont arrêtés et détruits par les 1res couches de l'atmosphère ; seules les ogives et les leurres pénétrants, s'il y en a, foncent vers leurs objectifs.

4e phase : rentrée des ogives dans la haute atmosphère (à env. 100 km), une minute environ avant l'impact. La rentrée crée une onde de choc et un échauffement considérable qui ionise l'air. Un sillage ionisé qui réfléchit les ondes radar suit l'ogive. A 50 km d'altitude, moins de 30 s avant l'impact, l'ogive scintille sous l'effet du frottement avec les couches de plus en plus denses de l'atmosphère. On peut utiliser contre elle des missiles classiques à guidage infrarouge (chaque silo est protégé par plusieurs dizaines de lanceurs contenant de nombreux missiles Swarmjet à très grande vitesse dans un rayon de 100 kilomètres), des canons crachant des nuages de *shrapnells,* des armes à énergie dirigée (rayonnement ou faisceaux de particules chargées) qui perturbent l'électronique des missiles assaillants.

Armes envisagées

• **DEW (Direct Energy Weapons ou Beams Weapons).** *Avantage :* vitesse de la lumière d'où quasi-instantanéité de la riposte dès la détection, à des distances considérables, soit à partir de l'espace (ce qui est nécessaire pour les faisceaux de particules et les lasers X), soit à partir du sol avec des miroirs relais expédiés en orbite. *Inconvénients :* prix élevé et réalisation opérationnelle plus lointaine. **Lasers.** *Avantages :* le faisceau émis se propage à 300 000 km/s (soit 30 000 fois plus vite que le plus rapide des missiles). Ses rayons ont une très faible divergence angulaire et peuvent toucher et endommager des cibles très éloignées par effet thermique (s'ils restent pointés un certain temps au même endroit) ou par choc énergétique, mais il faut un maximum de puissance en un minimum de temps.

Types utilisables à des fins défensives. *1°) Lasers chimiques* (hydrogène, fluor) : émettant dans l'infrarouge (à 2,7 microns). Ils seraient basés à env. 1 000 km d'alt. Une plate-forme de tir dans l'espace nécessiterait pour être opérationnelle en permanence 60 000 t de combustible à bord. *2°) Lasers « excimers »* (pour *« excited dimers » :* les éléments excités étant des molécules doubles) émettant dans l'ultraviolet (à 0,3 micron). Ils seraient installés sur la Terre. Leurs faisceaux seraient renvoyés par des miroirs relais de 30 m de diamètre placés en orbite géostationnaire à 36 000 km d'alt. puis par des miroirs de pointage de 5 m de diamètre. Miroirs difficiles à réaliser et à satelliser, laser capable d'émettre à la puissance de 400 MW ; compte tenu des déperditions d'énergie en cours de trajet, difficiles à développer. *3°) Lasers à électrons libres* (pouvant être modulés en fréquence, émettant de l'ultraviolet au proche infrarouge) : mêmes difficultés, modèles actuels peu puissants. *4°) Lasers X :* émettant dans des longueurs d'onde ultra-courtes (env. 1 nanomètre). L'effet laser serait obtenu à partir de l'explosion d'une charge nucléaire. Les rayons X seraient dirigés vers leur cible au moyen de longs tubes orientables. L'ensemble (laser, plus charge nucléaire, plus tube) serait mis en orbite au dernier moment, au moyen d'un missile lancé d'un sous-marin.

☞ Il faudrait, pour couvrir toute la Terre de façon permanente, 500 satellites armés de lasers (en raison de leur mouvement relatif par rapport à la Terre, 95 % des satellites en orbite sont à un instant donné inutilisables pour enrayer une agression sans préavis).

• **Armes à faisceau de particules.** Conçues sur le modèle des accélérateurs de particules : des atomes d'hydrogène ionisés négativement (apport d'un électron surnuméraire) seraient accélérés par un champ électrique. A la sortie de l'accélérateur, un filtre éliminerait les électrons supplémentaires, le faisceau éjecté ne comprendrait alors que des particules neutres, qui ne seraient pas déviées par le champ magnétique terrestre. Ces armes seraient placées en orbite dans l'espace. *Difficultés :* il faut miniaturiser les accélérateurs (il faudrait actuellement satelliser plus de 3 000 t) et leur fournir depuis la Terre ou sur place des quantités d'énergie considérables.

• **Armes à énergie cinétique (KEW : Kinetic Energy Weapons).** *Principe :* envoi d'un projectile non nucléaire sur la cible : un impact direct d'un objet se déplaçant à 5 ou 10 km/s sur une cible progressant à la même vitesse suffit pour détruire celle-ci. Le projectile, transporté par un missile, est guidé depuis la Terre vers un point virtuel d'interception puis se dirige de lui-même sur la cible, grâce à un autodirecteur sensible au rayonnement infrarouge émis par celle-ci. Procédé utilisable pendant la 4e phase (rentrée de la cible) mais pas dans la 1re, à moins que le projectile ne parte d'une base située dans l'espace (sinon sa vitesse ne lui permettrait pas de rejoindre le projectile). **ERIS (Exoatmospheric Reentry Vehicle Interceptor Subsystem)** de Lockheed. A longue portée destiné à l'interception à mi-course par impact, après discrimination des leurres. Découle du système militaire HOE (Homing Overlay Experiment), testé avec succès après trois échecs en juin 1984, lorsqu'une ogive Minuteman II fut interceptée au-dessus du Pacifique par une fusée lancée depuis l'île de Kwajalein. Pèse moins d'une tonne et coûte env. un million de $ pièce. Il semble que la discrimination ogive-leurre ne sera pas possible avant 1995. **HEDI (High Endoatmospheric Defense Interceptor)** de McDonnell Douglas. Intercepteur hypersonique (plus de Mach 14) détruisant le corps de rentrée par impact ou avec une tête à fragmentation non nucléaire. Lockheed dit pouvoir déployer en 10 ans un système ALPS (Accidental Launch Protection System) de 100 intercepteurs ERIS, compatible avec le traité de 1972, pour 3,5 milliards de $. Une combinaison de 70 ERIS et 30 HEDI (toujours dans les limites du traité) donnerait une expérience opérationnelle de l'interception à mi-course et de la défense terminale. La SDIO estime que 500 HEDI assureraient la protection d'une centaine d'installations sensibles (centres de commandement, de contrôle et de communications).

• **Armes nucléaires.** *ABM (Anti Ballistic Missiles) :* elles peuvent ne pas frapper la cible mais seulement exploser à proximité. Voir p. 1824b.

Contre-défense

• **ASAT (armes antisatellites).** Voir p. 1827c et 1829ab.

• **Diminution du temps de combustion.** Pour réduire le temps pendant lequel le missile peut être repéré par des détecteurs d'infrarouges ou poursuivi par des autodirecteurs se guidant sur les émissions d'infrarouges. Un missile qui parviendrait à se débarrasser de ses 3 étages avant de sortir de l'atmosphère échapperait aux missiles à énergie cinétique (qui n'auraient pas le temps de le rejoindre avant l'arrêt de l'émission) et aurait des chances de se soustraire aux lasers et aux armes à faisceaux de particules.

• **Déguisement de la flamme de combustion.** En ajoutant des produits aux propergols de la fusée, on peut allonger la flamme, la raccourcir, la rendre asymétrique ou la faire varier périodiquement, ce qui rend problématique tout pointage contre elle.

• **Autres moyens.** Renfort de la structure du missile pour le rendre moins vulnérable aux rayonnements ; revêtement réfléchissant, giration du missile sur lui-même, le laser devra rester pointé plus longtemps pour avoir de l'effet (sauf les lasers X, voir p. 1832a, contre lesquels aucune protection n'est efficace), jonction de faux missiles, afin d'égarer les systèmes de détection.

☞ **Conclusion.** 1°) L'interception du missile au cours de la 1re phase reposerait : a) sur des systèmes d'armes très coûteux et techniquement très difficiles à réaliser ; b) sur la possibilité de triompher de contre-mesures relativement peu onéreuses. 2°) L'interception en cours, phases suivantes, est aussi difficile, car les ogives étant séparées, le nombre des cibles est multiplié par le nombre d'ogives (une dizaine), sans compter les leurres.

Modifications successives du projet IDS adoptées par le Pentagone

Raisons économiques : diminution des crédits de la défense, et risque d'empiètement de l'IDS sur les autres programmes [I.D.S. en millions de $ *1987 :* 3,7 (le gouvernement avait demandé 5,4), *88 :* 3,8] ; *stratégiques :* remise en cause par l'IDS du traité ABM, avec le risque de nouveaux programmes mil. sov. et d'un réinvestissement amér. *Conséquences :* nombre de roquettes d'interception embarquées dans l'espace sur 300 stations de combat réduit de 3 000 à 1 500 (dans une version plus petite). Senseurs de moindre qualité et précision, opérant uniquement du sol. Or un système essentiellement terrestre ne peut s'attaquer aux fusées sov. dans leur phase de lancement (3 mn après la mise à feu), pendant laquelle elles sont vulnérables, avant de libérer les têtes nucléaires et les leurres. Le projet initial de l'IDS, souvent jugé irréaliste, visait un bouclier étanche pour protéger en priorité le territoire américain contre une frappe massive soviétique. Les Scuds irakiens ont montré que la menace pouvait être ailleurs. On s'oriente donc désormais vers « une protection contre les frappes limitées et quelle qu'en soit l'origine » avec des systèmes susceptibles d'intervenir partout.

Rapport des forces

Dans le monde

Charges nucléaires

Nombre global

• **Nombre global d'ogives. URSS** *1952 :* 6, *1955 :* 340, *1960 :* 2 200, *1984 :* 16 000 dont 8 000 *syst. strat.* (couverts par les SALT) [missiles balistiques 7 700 dont ICBM 5 300, SLBM 2 400 ; avions 300 dont Tu-95 210, Mya-4 90]. *Autres catégories* 8 000.

USA 1947 (juillet) : 13, **48 :** 50. **50 :** 290. **51 :** 400. **53 :** 1 000. **55 :** 2 000. **60 :** 20 000. **67 :** 32 000. **84 :** 24 000 dont 13 748 *systèmes stratégiques* couverts par les SALT (sur missiles 8 655 dont ICBM 2 355, SLBM 6 300 ; avions B-52 5 093), 14 500 d'autres cat.

Les stocks destinés aux 2 000 bombardiers des années 50 et des milliers d'autres charges destinées à divers usages (engins atomiques antiaériens par ex.) ont été détruits. Le programme en cours (multiplication des missiles de croisière, fabrication de la bombe à neutrons) devrait inverser cette évolution, mais le nombre des armes tactiques amér. continue à baisser (1 000 sur 7 000 retirées en 1981, 1 000 à 2 000 sans doute retirées au fur et à mesure de l'arrivée des Pershing et des missiles de croisière).

France. 930 dont syst. stratégiques 692 [en mer 592, à terre 100 (100 SX remplaçant les engins du plateau d'Albion)], syst. tactiques 238 (à terre 185, en mer 53).

Lanceurs (vecteurs)

Missiles intercontinentaux (nombre global)

	USA		URSS	
	ICBM	SLBM	ICBM	SLBM
1960	18	32	35	—
1965	854	496	270	120
1975	1 054	656	1 618	711
1980	1 054	656	1 398	1 028
1984	1 037	592	1 398	981
1987	1 000	640	1 418	967
1991	1 000	608	1 334	914

☞ Les fusées portent plusieurs ogives.

Les USA ont privilégié les sous-marins, moins vulnérables à une attaque préventive (mobiles et cachés au fond des océans), l'URSS les missiles en silos, donc une capacité antiforce (avec des ogives puissantes et très précises) destinée à détruire en 1er les silos adverses avec une grande probabilité de succès.

Nombre de vecteurs stratégiques lors de la crise de Cuba (oct. 1962). URSS 225 (dont 75 ICBM imprécis et peu sûrs, pas de SLBM), **USA** 2 438 (dont 294 ICBM, 144 SLBM Polaris interc., 2 000 bombardiers).

Nombre par types (1988-89)

• **ICBM** (fusées intercontinentales, portée de 6 500 à 12 000 km, basées au sol).

URSS. 1 451, dont : 400 *SS-11 Sego* (1 à 3 ogives, 100 kt à 1 Mt), 60 *SS-13 Savage* (1 og., 750 kt), 138 *SS-17* (1 à 4 og., 750 kt à 5 Mt), 308 *SS-18* (1 à 10 og., 500 kt à 20 Mt), ont remplacé les *SS-9 Scarp*. 350 *SS-19* (1 à 6 og., 500 kt à 5 Mt), 305 524, 165 *SS-25* (1 og., 550 kt). *SS-17, 18* et *19* sont en partie des MIRV (voir Index). *SS 18 modèle 5* (10 charges de 750 kt, 11 000 km déployés en 1990). En outre l'URSS possède 553 I/MRBM (portée 2 000 à 5 000 km) dont 72 *SS-4 Sandal* (1 Mt), 509 *SS-20* (150 kt à 1,5 Mt).

USA. 1 000, dont : 450 *Minuteman II* (1 og., 1,2 Mt), 500 *Min. III* (3 og., MIRV, 170 à 335 kt), 50*MX* (6 og., MIRV). En outre, les U.S.A. possèdent dep. fin 1983 9 I/MRBM (165 *Pershing II,* portée 1 800 km) et 123 missiles de croisière (2 500 km).

• **SLBM** (fusées sous-marines, portée 1 000 à 9 000 km). **URSS** 942 dont : 36 *SS-N-5 Sark* (1 400 km, 1 og., 1 Mt), 240 *SS-N-6 Serb* (2 400 à 3 000 km, 1 à 2 og., 200 kt à 1 Mt, certaines sont des MIRV), 286 *SN-8* (8 000 à 9 000 km, 1 og., 800 kt à 1 Mt), 12 *SS-N-17* (3 900 km, 1 og., 1 Mt), 224 *SS-N-18* (6 500 à 8 000 km, 1 à 7 og., 200 à 250 kt, MIRV) qui remplacent les *SS-N-8,* 80 *SS-N-20* (8 300 km, 6 à 9 og. MIRV), 80 *SS-N-23* (8 300 km).

USA. 608 dont : 224 *Poseidon C 3* (4 000 km, 10 og., 40 kt, MIRV) ; 384 *Trident C 4* (7 400 km, 8 og., 100 kt, MIRV).

France. 80 SLBM M4 (MIRV à 6 têtes de 150 kt, portée 3 500 à 6 000 km). La force nucléaire française est indépendante.

G.-B. 64 *Polaris A* / (4 600 km, 3 og., 200 kt). Les 4 SNLE (équipés de 64 Polaris) sont en coordination avec les forces nucléaires stratégiques américaines.

Forces en présence (1990)

	Arsenaux actuels 1		Plafonds START 1990
	USA	URSS	
Total des lanceurs	1 930	2 487	1 600
Total des charges nucléaires dont missiles terrestres	9 685	10 966	6 000
ICBM lourds	0	308	154
Bombardiers équipés de missiles de croisière (ALCM)	172	90	150 et 210
Charges sur ICBM et SLBM	7 826	10 181	4 900
Charges sur ICBM lourds	0	3 080	1 540
Charges sur ICBM mobiles	0		1 100
Missiles de croisière embarqués à bord de navires (SLCM)	357	100	880

Nota. – Les chiffres tiennent compte des règles de décompte START qui excluent certains lanceurs.

• **Bombardiers stratégiques. A long rayon d'action :** USA 324 *(B-52, G.-B. 52H, B-1B),* URSS 195 (175 *Tu-95 Bear, 20 Tu-160 Blackjack).* **A moyen rayon :** USA 62 *(FB-111A),* URSS 435 (140 *Tu-16 Badger,* 120 *Tu-22 Blinder,* 175 *Tu-26*).

En Europe

Sommet de l'Alliance Atlantique 5/6-7-1990

OTAN		Pacte de Varsovie	
USA	2 163 200	URSS	5 096 000
Turquie	635 300	Pologne	406 000
All. féd. [1]	488 700	Tchécoslovaquie.	197 000
France [2]	*456 900*	Roumanie	179 500
Italie	386 000	All. dém. [3]	172 000
G.-B.	316 700	Bulgarie	157 800
Espagne	309 500	Hongrie	99 000
Grèce	214 000		
P.-Bas	102 200		
Belgique	88 300		
Canada	84 600		
Portugal	73 900		
Norvège	35 800		
Danemark	29 300		
Luxembourg.	800		
Total	*5 385 200*	*Total*	*6 307 300*

Nota. – (1) Forces étrangères en All. féd. : 400 392 dont USA 245 000, G.-B. 66 192, France 50 000, Belgique 26 600, Canada 7 100, P.-Bas 5 500. (2) Dep. 1966 la France ne fait plus partie du commandement intégré de l'OTAN. (3) Forces soviétiques en All. dém. 380 000.

Forces en présence en Europe centrale
Conférence d'Ottawa, février 1990

	Terre					Air		
Pays	Effectifs	Chars de combat	Blindés	Artillerie	Hélicoptères	Effectifs	Avions de combat	Hélicoptères
OTAN	**2 399 000**	**22 635**	**33 618**	**11 803**	**2 544**	**629 750**	**3 997**	**131**
All. féd.	340 000	5 005	5 572	1 272	640	106 000	507	0
Belgique	67 800	334	1 787	198	59	19 900	126	0
Canada	23 500	114	1 205	324	0	24 200	151	131
Danemark	17 000	210	530	390	0	6 900	89	0
Espagne	210 000	838	2 565	684	0	36 000	217	0
France	*292 000*	*1 340*	*4 235*	*774*	*610*	*94 100*	*598*	*0*
G.-B.	155 500	1 290	3 637	550	313	91 450	570	0
Grèce	160 000	1 941	2 463	1 384	170	28 000	330	0
Italie	265 000	1 720	4 766	1 248	226	73 000	390	0
Luxembourg	800	0	0	0	0	0	0	0
Novège	19 000	117	250	405	0	9 100	83	0
P.-Bas	63 700	913	1 916	480	93	18 200	189	0
Portugal	44 000	86	232	147	0	15 200	99	0
Turquie	528 000	3 727	3 300	2 167	333	67 400	366	0
USA	225 000	5 000	940	1 500	0	40 300	264	0
Pacte de Varsovie	**2 402 000**	**71 240**	**78 625**	**39 776**	**2 050**	**725 000**	**6 461** + 2 225 chasseurs	**335**
All. dém.	120 000	3 140	5 350	1 260	0	37 100	335	100
Bulgarie	81 900	2 200	1 915	830	0	26 800	193	65
Hongrie	68 000	1 435	1 560	866	0	23 000	101	40
Pologne	217 000	3 330	4 150	2 090	0	105 000	565	80
Roumanie	171 000	3 200	3 500	1 130	0	34 000	295	0
Tchécosl.	148 600	4 585	3 650	2 100	0	51 100	377	50
URSS	1 596 000	53 500	58 500	31 500	2 050	448 000	4 595 + 2 225 chasseurs	0

Forces euronucléaires

• **Définition. Forces eurastratégiques :** forces de moyenne portée prévues pour le théâtre européen (Europe occidentale et Turquie, Russie du S. et de l'O.). *Rôle :* dissuasion (comme les missiles nucléaires stratégiques intercontinentaux), tandis que les forces nucléaires tactiques visent surtout à la destruction des forces militaires sur les champs de bataille. **Forces nucléaires tactiques :** portée de moins de 5 500 km (limite des accords SALT).

• **Classification. FNI (Forces nucléaires à portée intermédiaire) (ou INF : Intermediate Range Nuclear Forces) :** Portée 150 à 5 500 km. Comprennent **LRINF (Long Range Intermediate Nuclear Forces) :** 1 000 à 5 500 km : 80 *SLBM M4* (Fr.), 18 *IRBM S3* (Albion, Fr.), 88 *SLCM* (USA), 64 *Polaris* (G.-B.), 6 *SSN5* (URSS), les *Cruise* missiles terrestres, *Pershing II, SS 20* et 4*SS* sont éliminés (traité FNI) et **SRINF (Short Range Intermediate Nuclear Forces) :** 150 à 1 000 km. 40 *Pluton* (Fr.), 123 *Lance* (USA), 783 *Scuds A et B* (URSS), 1 184 *SS 21 Frog* (URSS) ; *Pershing I* et *SS 23* éliminés (traité FNI). **SNF (Short Range Nuclear Forces) :** moins de 150 km. Missiles et roquettes à courte portée *Lance* et *Honest-John* (USA), *Frog* et *SS 21* (URSS) ; pièces d'artillerie à double et triple capacité, obusiers, canons et mortiers ; missiles sol-air à capacité nucléaire (Nike-Hercule américains, certains SA 2 et SA 5 soviétiques) et les mines de démolition. **Vecteurs aériens :** assimilables aux LRINF (bombardiers *Badger, Blinder* et *Fencer* soviétiques, *F-111* et aviation embarquée américaine de la VIe Flotte) ou aux SRINF, chasseurs-bombardiers à capacité nucléaire et à court rayon d'action (*Flogger, Fitter* et *Fishbed* du Pacte de Varsovie et *F-4, F-104, F-16, Jaguar* et *Tornado* de l'OTAN).

• **OTAN. Programme décidé le 12-12-1979.** *But :* rétablir l'équilibre face à l'URSS qui (au 1-1-1983) allait disposer de plus de 600 missiles basés au sol à moyenne portée dont 380 SS-4 et SS-5 et 243 SS-20, et de 600 bombardiers à moyen rayon d'action (dont 80 Backfire). Les Backfire partis de l'Ukraine du S. ont sous leur feu toute l'Europe de Gibraltar à l'Islande, les SS-20 partis de l'Oural toute l'Europe sauf la péninsule Ibérique. A cette date, les forces de l'OTAN (en y incluant la force française de dissuasion) disposaient seulement des 18 missiles du plateau d'Albion, d'une centaine de bombardiers et des 130 missiles des sous-marins britanniques et français. Aucune de ces armes ne valait les SS-20 (voir p. 1826), ni les Backfire. En 1982, le Gal Rogers, commandant des forces alliées en Europe, estimait qu'il fallait 2 000 missiles Pershing-2 et Cruise pour aveugler les défenses soviétiques qui comportent 5 000 radars placés en « site avancé » d'alerte et d'intervention (en code EW/CG1), et près de 12 000 missiles sol-air (SAM). Les missiles de croisière américains (basés dans la plaine du Pô et en Angleterre) ne pouvaient dépasser une ligne lac Onega-Moscou-Stalingrad ; les Pershing 2 (basés en Westphalie-Palatinat), une ligne Leningrad-Odessa. **Moyens prévus.** Installation (de 1983 à 1993) de 572 euromissiles dont 108 Pershing-2 (long. 11 m, 1 ogive de 150 kt, portée 1 700 km en 15 mn, précision 20 à 40 m) et 464 miss. de croisière américains (voir p. 1825c). *Lieux :* All. féd. 96, G.-B. 160, Italie 112, Belgique 48, Pays-Bas 48. Malgré les obstacles techniques et politiques (opposition d'une partie de l'opinion dans les pays concernés), les 1ers euromissiles sont arrivés en Europe en 1983 : 1ers Pershing-2 en G.-B. le 14-11, All. féd. le 23-11 (le Bundestag avait approuvé l'implantation des euromissiles le 22-11).

• **Position.** Pour l'URSS, les SS-20 n'étaient qu'une modernisation des SS-4 et SS-5 déployés (en 1961) pour faire pièce aux « systèmes avancés » dont disposaient déjà les USA en Europe, et qui ne changeraient rien à l'équilibre existant. Par contre, les euromissiles introduisaient une différence « de nature », car ils pouvaient atteindre son territoire, et de par leur grande précision, des moyens nucléaires « centraux » pour lesquels un équilibre avait été instauré par les accords SALT. Liés à l'arme neutronique, ces euromissiles allaient remettre en cause le dispositif de bataille soviétique, y compris sa supériorité dans le domaine des forces classiques. Aussi, dès l'arrivée des 1ers euromissiles, l'URSS avait-elle interrompu le 23-11-1983 les négociations eurostratégiques de Genève (voir p. 1836b).

Stocks nucléaires OTAN en Europe

En 1954, l'OTAN a décidé d'introduire des armes nucléaires tactiques en Europe pour compenser la supériorité soviétique en forces classiques et montrer que l'OTAN pourrait utiliser des armes nucléaires dès le début d'un conflit. Elles établissaient un lien entre les forces classiques et les systèmes nucléaires à portée intermédiaire, alors représentés par les *Thor* et *Jupiter* déployés en G.-B., Italie et Turquie.

De 1963 à 1966, le nombre d'ogives stockées ou déployées par l'OTAN est passé de 3 500 à 7 000 environ. Les USA exercent sur elles un contrôle absolu et décident de leur emploi (système de la double clé).

Le 27-10-1983, l'OTAN annonce (en + des 1 000 précédemment retirées) la suppression de 1 400 armes nucléaires tactiques en Europe dans les 5 à 6 années à venir, dont les systèmes sont dépassés ou inadaptés (ADM déployés le long de la frontière allemande, Nike-Hercules dont le remplacement par des missiles Patriot à charge classique est en cours, Honest-John déployés depuis le début des années 50).

Stock (début 1986), USA : 5 500 ogives nucléaires tactiques en Europe déployées sur environ 150 sites, ou stockées dans environ 40 dépôts, essentiellement en Allemagne fédérale, dont 1 950 bombes pour avions (bombes B-28, B-43, B-57 et B-61) ; 280 ogives de 144 *Pershing 1A* (têtes W-50) ; 54 de 54 *Pershing* II ; 100 de 80 *GLCM ;* 700 de 100 *Lance (têtes W-70) ;* 100 de 24 *Honest-John* (têtes W-31) ; 500 de 200 *Nike-Hercule* 5 (têtes W-31) ; 900 *obus d'artillerie nucléaire* de 203 mm (têtes W-33 et W-79) ; 730 de 155 mm (têtes W-48) ; 330 *mines de démolition* ADM (têtes W-45 et W-54).

Forces conventionnelles en Europe

Situation en novembre 1990 et évolution jusqu'à mi-1994 [2]

	Chars	Véhicules blindés	Pièces d'artillerie	Avions	Hélicoptères
Situation fin 1990					
OTAN (groupe Ouest)	26 600	34 500	21 200	6 100	1 650
Pacte de Varsovie (groupe Est)	32 500	44 500	31 700	10 400	3 600
dont URSS janv. 89 [1]	41 580	45 000	50 275	5 955	2 200
nov. 90 [1]	21 000	32 300	18 000	8 500	3 200
Plafond par alliance	20 000	30 000	20 000	6 800	2 000
dont URSS	13 300	20 000	13 700	5 150	1 500
France	1 306	3 820	1 292	800	342
Réduction à opérer (destructions)					
OTAN	6 600	4 500	1 200	–	–
dont France	52	305	38	–	–
Pacte de Varsovie	12 500	14 500	11 700	3 600	1 600
dont URSS janv. 89 [1]	28 280	25 000	36 575	805	700
nov. 90 [1]	7 700	12 300	4 300	3 350	1 700

Nota. – (1) L'URSS a replié en masse chars, blindés et artillerie dans les mois précédant la signature, ce qui diminue d'autant sa quote-part de matériel à détruire. L'Ouest considère cet artifice comme une entorse au traité (discussions en cours). (2) Les effectifs en hommes et les marines n'entrent pas, pour le moment, dans le traité.

Source : traité FCE (voir p 1836a, contrôle des armements au-delà de l'Oural).

Pacte de Varsovie : 4 500 têtes nucléaires tactiques en Europe de l'Est, déployées ou entreposées en Allemagne démocratique, Pologne, Tchécoslovaquie et partie européenne de l'URSS dont avions : 2 545, avions tactiques, 316 Tu-16, 139 Tu-22 ; missiles sol-sol : SS-*20* 396, SS-*4* 224, SS-*12* 120, SS-*22* 100, Scud *B* 570, SS-*23* 48, Frog 620, SS-*21* 120, SS-C-*1 B* 100 ; des pièces d'artillerie à double ou triple capacité : canons tractés ou automouvants de 152 et 203, mortiers de 240.

• **Situation.** *En 1988.* **OTAN :** 108 Pershing II, 464 Cruise missiles + 100 missiles à courte portée, 1 100 canons nucléaires, 700 avions à capacité nucléaire. *Missiles de croisière :* voir p. 1825c. **URSS** Dispose de 1 300 ogives opérationnelles sur missiles intermédiaires (+ 700 missiles à courte portée, 900 canons nucléaires, 3 000 armes à capacité nucléaire). Elle fabrique par an env. 50 à 60 missiles SS-20 et 30 Backfire. *Missiles SS-20* (long. 12 m, portée 4 500 km), mis en ligne depuis 1977, missiles mobiles de précision transportant 3 têtes nucléaires de 150 à 500 kt. Chaque lanceur mobile de SS-20 dispose d'un missile de recharge pouvant intervenir en 2e frappe. Tous les pays d'Europe occidentale sont sous la menace permanente de plusieurs centaines de ces missiles pouvant détruire + de 1 500 objectifs (voir ci-dessus). En outre, 90 env. visent l'Asie.

Stock de têtes nucléaires américaines [1]

	1981	1988	1992
Missile sol-sol, LRINF	293	100	0
Missile sol-sol, SRINF	198	0	0
Missile sol-sol, SNF	692	692	692
Missile anti-aérien, SAM	686	100	0
Mine nucléaire de démolition	373	0	0
Grenade anti-sous-marine	192	192	192

Nota. – (1) Les stocks soviétiques sont estimés similaires. *Sources : Sipri Year Book 1988,* et prévisions de réduction décidées par la conférence de l'OTAN de Montebello, en 1983, analysées par le GRIP dans ses *Notes et documents* de décembre 1988. Traité INF.

Forces classiques

• **Dispositif américain. En Europe** (1989). 326 000 h. (2 divisions blindées, 2 div. mécanisées, 2 brigades d'infanterie, 30 escadrons d'appui et de reconnaissance, 2 escadrons de défense aérienne tactique, 2 escadrons de transport tactique et la VIe flotte en Méditerranée).

Europe du Nord et centrale. Stationnés en G.-B., All. féd., Belgique, à Berlin et aux P.-Bas. 50 % env. de l'aviation de combat américaine en Europe (264 avions) est en G.-B. *Dépôts d'armes nucléaires* (avions B-52, F-111, missiles de croisière GLMC et missiles balistiques Pershing) en G.-B., P.-Bas, Belgique et Allemagne.

Europe du Sud. Plusieurs bases autour de la Méditerranée où croise depuis 1945 la VIe flotte avec 2 ou 3 porte-avions et 27 navires d'escorte (20 000 h.) d'un total de 500 000 t. *L'Espagne* a mis la base de Rota à la disposition de la marine amér. et accueille env. 4 900 h. de l'armée de l'air amér. (avions de combat F-16 et F-4 Phantom). *L'Italie* accueille à Gaeta, Naples (Q.G.), Signonella et La Maddalena les éléments de la VIe flotte, et a accepté l'implantation de missiles de croisière (GLMC) à tête nucléaire à Comiso (15 000 soldats et aviateurs américains en Italie env.). *La Grèce* abrite env. 3 300 soldats et aviateurs américains. *En Turquie,* env. 5 000 h.

• **Évolutions prévues** (1991). La signature du traité *FCE* (réduction des Forces Conventionnelles en Europe), l'adoption du *MDCS* (Mesures De Confiance et de Sécurité), la ratification du traité « *2 + 4* » (règlement définitif concernant l'Allemagne) et surtout l'évolution politique en Europe de l'Est ont entraîné *la dissolution officielle du Pacte de Varsovie* le 31-3-1991. La menace d'attaque frontale diminue, le préavis augmente (retrait soviétique) et les principales craintes portent sur le risque d'instabilité. Privé de raison d'être sous sa forme actuelle, confronté aux perspectives de retrait américain (325 000 à 80 000 h d'ici à 1995), l'OTAN révise ses missions et ses structures : *disparition du « mille-feuilles »* (déploiement en profondeur sur l'ex-frontière de RFA de contingents nationaux ; *remplacement* par un ensemble de forces organisées sur une base multinationale [*force principale* de 16 divisions (300 000 h) soit 7 corps d'armées dont 6 multinationaux (sous commandement amér., all., belge, néerlandais), et 1 all.] ; création d'une *FRR (Force de Réaction Rapide)* de 70 000 h sous commandement brit. [4 divisions dont en All. 2 brit. (moitié de l'ex-BAOR : British Army of the Rhine), 1 d. aéroportée multinationale, et en Europe du Sud 1 italienne] ; création d'une *Force d'action immédiate* (5 000 h) calquée sur l'actuelle FMA (Force Mobile Alliée) qui serait le 1er élément

Principales bases de l'OTAN

Dans les pays de l'OTAN. Ces bases sont surtout américaines : **Grande-Bretagne.** Holy Loch (Écosse), point d'appui des sous-marins Polaris. **Grèce.** Effectifs américains évacués à la suite des événements de Chypre (août 74), retour au sein de l'OTAN (oct. 80). **Groenland.** 2 bases américaines dont Thulé (système d'alerte-radar). **Islande.** N'a pas d'armée nationale. 3 300 Américains assurent sa défense. **Italie.** Vérone (infanterie et aviation), Pise (base logistique), Sigonella (Sicile) (marine). La Maddalena (Sardaigne) (marine), Naples (marine). **Turquie.** Depuis l'affaire de l'U 2, contraint d'atterrir en Union soviétique en 1969, les 27 bases américaines en Turquie sont sous contrôle légal de l'état-major turc. La plupart sont prêtées par « accord verbal ». De plus, les U.S.A. disposent de 26 bases de communication et de surveillance des missiles. Les Turcs en ont pris le contrôle direct en août 74, après les événements de Chypre.

Dans les pays de la zone OTAN qui ne sont pas membres de l'Alliance atlantique. Depuis l'expulsion des Américains de Libye en 1970 et la perte de Malte en 1971. **Chypre.** Depuis 1960, un accord prévoit l'utilisation des ports de l'île par la Royal Navy. La G.-B. y entretient également une base jouissant de l'extraterritorialité. **Espagne.** L'accord de 1953 a été renouvelé en 1976 pour 5 ans et en 1988 pour 8 ans. Les bases amér. [Saragosse, Torrejón, Morón et Rota (sous-marins Polaris)] sont théoriquement sous commandement esp. **Maroc.** 3 bases de télécom. américaines en vertu d'un « informal agreement ».

Réductions américaines prévues (1991). *Bases aériennes à évacuer :* Kemble et Upper Heyford (G.-B.) ; Estaca de Vases (Esp.) ; Samsur (Turquie) ; Comiso et Decimomanu (Ita.) ; Hellenikon (Grèce) ; Oldendorf (All.). *Réductions d'effectifs :* Botburg, Sprangdahlem et Ahlhorn (All.).

d'intervention. La posture de l'Alliance ne serait pas purement défensive comme actuellement, mais comporterait l'intervention sur des foyers de tension en zone OTAN, et peut-être au-delà. L'ensemble reste sous commandement amér. La France, qui souhaiterait mettre en place une défense plus européenne dérivée de l'UEO, ne participe pas à ce dispositif.

☞ Le retrait de 100 000 soldats américains d'Europe coûterait 5 milliards de $ et permettrait une économie annuelle de 600 millions de $. Mais s'ils devaient revenir, leur réinstallation coûterait 53 milliards de $.

• **Évolution des marines de guerre** (en milliers de t et en nombre d'unités sauf navires amphibies, auxiliaires et logistiques) : **1960** USA 3 793 (1 316), URSS 1 192 (1 070), G.-B. 791 (470), *France 336* (236) ; **1970** USA 4 120 (1 001), URSS 1 749 (1 135), G.-B. 604 (255), *France 268* (193) ; **1980** USA 2 230 (324), URSS 2 555 (1 311), G.-B. 405,2 (167), *France 256,2* (132) ; **1986** USA 2 751,1 (391), URSS 2 844 (1 542), G.-B. 364,8 (160), *France 236 (*109) ; *1989 :* USA 3 208, URSS 2 585, G.-B. 336, *France 229.*

• **Pacte de Varsovie (avant 1991).** Dans la zone couverte par l'OTAN, l'activité des forces navales soviétiques se concentrait sur les mers périphériques de l'Europe et au nord de l'Atlantique. En *Méditerranée,* l'*Eskadra* stationnée en permanence comprenait

Forces navales (1991)

	Baltique		Méditeranée Mer Noire		Atlantique		Autres zones	
	OTAN	PACTE	OTAN	PACTE	OTAN	PACTE	OTAN	PACTE
Forces navales								
Sous-marins [1]	24	42	53	25	107	106	43	81
Porte-avions	–	–	4	1	9	2	7	2
Navires de combat/croiseurs	–	5	3	7	24	16	24	15
Destroyers frégates	3	55	95	53	214	42	80	52
Amphibies [2]	–	58	31	17	36	15	35	21
Aéronavale [3]								
Bombardiers	–	35	–	94	–	69	–	71
Chasseurs	72	177	13	–	417	30	331	93
Défense aérienne/chasse	–	–	–	–	212	–	162	–
Avions anti-sous-marins [3]	–	15	64	25	392	78	172	69
Hélicoptères anti-sous-marins	–	57	150	91	449	68	184	89

Nota. – (1) A l'exclusion des sous-marins pour d'autres missions. (2) Uniquement navires amphibies au-dessus d'un emport total de 1 000 t en déplacement, et de longueur globale de 60 m. (3) Les totaux incluent les avions des unités de conversion opérationnelle et ceux d'entraînement de même type de ceux des escadrilles du front.

Principales marines (au 1-10-1989)

Bâtiments de combat	USA	URSS	G.-B.	France	Japon	All. Féd.	Inde	Italie
SNLE	32	63	4	6	–	–	–	–
Porte-avions et porte-aéronefs à pont continu	15	4	3	2	–	–	2	–
Autres navires de surface [1]	248 (222)	1 005 (133)	106 (48)	84 (18)	94 (39)	109 (14)	78 (18)	67 (22)
SNA	97	133[2]	16	4	–	–	–	–
Sous-marins classiques	3	138[3]	10	12	15	24	17	10
Nombre total	395	1 343	139	108	109	133	97	77
Tonnage	2 978 795	2 837 105	359 475	250 380	196 730	83 040	154 350	108 050
Amphibies :								
Nombre total	71	78	9	8	6	–	10	2
Tonnage	710 570	158 560	44 340	19 240	10 400	–	10 400	10 000
Soutien logistique :								
Nombre total	62	115	19	11	2	34	3	2
Tonnage	716 640	496 280	180 900	55 530	13 200	77 500	20 320	8 400
Total général :								
Navires	528	1 536	167	127	117	167	110	81
Tonnage	4 406 000	3 492 000	584 715	325 150	220 370	160 450	185 070	126 450
OBSERVATIONS :								
Aéronefs embarquables	1 250	132	54	72	–	–	–	–

Nota. – (1) Les chiffres entre parenthèses indiquent le nombre de bâtiments d'un tonnage ⩾ 2 000 tonnes. (2) Y compris les SNA lance-missiles aérodynamiques. (3) Y compris les sous-marins lance-missiles balistiques ou aérodynamiques.

en moyenne 50 unités. La *mer du Nord* était menacée par les forces navales du Pacte de Varsovie stationnées dans la Baltique et par les unités soviétiques de la mer Arctique. Les forces navales, très mobiles, pouvaient être très vite déplacées.

Effectifs : 3 porte-avions (dont le *Kiev,* 1er p.-a. soviétique), 25 croiseurs, 51 destroyers, 500 frégates, corvettes et escorteurs de lutte anti-sous-marine, 197 sous-marins nucléaires (dont 151 d'attaque).

La flotte soviétique est plus nombreuse, mais les s.-m. soviét. sont, dans l'ensemble, inférieurs aux s.-m. amér. et anglais ; la flotte souffre de plusieurs faiblesses : soutien logistique insuffisant, aviation embarquée embryonnaire, entraînements médiocres, personnels de qualification insuffisante, commandement manquant d'initiative (double hiérarchie politique et militaire), possibilités d'action réduites pour des raisons géographiques : *l'URSS ne dispose que d'un seul accès permanent aux mers libres,* Mourmansk, dont l'accès à l'Atlantique est parsemé d'îles contrôlées par les Américains. Les autres ports de l'Arctique sont bloqués par les glaces plusieurs mois par an. Les ports de la Baltique sont contrôlés par le Sund, le Kattegat et le Skagerrak ; ceux de la mer Noire par le Bosphore et les Dardanelles ; ceux des mers d'Okhotsk et du Japon par les Kouriles et le détroit de Corée. En avril 1979, l'URSS a envoyé pour la 1re fois un porte-avions, le Minsk (40 000 t, avions à décollage et atterrissage courts, hélicoptères), dans l'océan Indien où elle maintient dep. fin 1978 une flotte de 24 bâtiments de g. Mais celle-ci a été contrée par le renforcement de la base amér. de Diego-Garcia, au potentiel supérieur à tout ce que la marine soviétique possède dans les mers du Sud.

☞ **Économie de guerre.** L'URSS est indépendante pour l'énergie, les USA importent 10 % de la leur, la CEE 55 %. Elle importe 10 % de ses matières minérales (les USA 25 %, la CEE 60 %) et 10 % de ses prod. agricoles (USA 0 %, CEE 20 %).

• **Personnel militaire.** Nombre en milliers (dont officiers). USA 571,3 (68,9), URSS [1] 431 (57), G.-B. 70,6 (9,9), *France 68,6 (4,3),* Japon 45,2 (6,8). Italie 36,7 (5,3), All. féd. 36 (4,6). **% d'appelés :** URSS [1] 70, Italie 64,5, All. féd. 30, *France* [2] 26,8.

Nota. – (1) Estimations. (2) Au 1-1-1985.

Contrôle des armements

• 1957-*2-10 :* **plan Rapacki** (min. des Affaires étr. polonais) sur l'interdiction de la production et des dépôts d'armes nucléaires dans les 2 Allemagne, est rejeté par l'OTAN. **1959**-*1-12 :* démilitarisation et dénucléarisation de l'Antarctique, qui n'était ni militarisé ni nucléarisé. **1963**-*5-8 :* tr. de Moscou : arrêt des essais nucléaires non souterrains (la France et la Chine ne signent pas). **1967**-*27-1:* interdiction d'envoi de charges nucléaires dans l'espace cosmique (celui-ci étant peu défini, l'accord peut aisément être tourné). *-14-2 :* dénucléarisation de l'Amérique du Sud.

• 1968-*11-7 :* **traité de non-prolifération** *des armes nucléaires,* entré en vigueur en 1970 pour 25 ans (1995) : interdit aux détenteurs de l'arme nucléaire de fournir des armes nucléaires ou des renseignements aux autres États, et à ceux-ci de produire ou d'acquérir ces armes. Près de 100 pays sont membres du tr. 40 restent aujourd'hui en dehors ; *27 pays ont refusé de signer :* Afrique du S., Albanie, Algérie, Arabie Saoudite, Argentine, Birmanie, Brésil, Chili, Chine, Cuba, Émirats arabes unis, Espagne, *France,* (s'engageait à l'époque dans son progr. nucléaire), Guinée, Guinée Équatoriale, Guyana, Inde, Israël, Malawi, Mauritanie, Niger, Ouganda, Pakistan, Portugal, Qatar, Tanzanie, Zambie. *13 pays l'ont signé, mais ne l'ont toujours pas ratifié :* Égypte, Indonésie, Turquie, Suisse, Colombie, Barbade, Panamá, Trinité-et-Tobago, les deux Yémen, Koweït, Singapour, Sri Lanka. La France a souscrit au traité en 1991, mais avait décidé, dès 1976, de l'appliquer sans le signer.

Principaux reproches faits au traité. 1) Il n'est pas universel. 2) Il interdit seulement la possession d'armes nucléaires entièrement fabriquées [tout travail préparatoire à la fabrication (jusqu'à 5 minutes de l'achèvement définitif) reste autorisé]. 3) Il n'apporte aucune contrepartie aux États déclarés non nucléaires (contrepartie proposée, mais non adoptée : limiter aux signataires la fourniture de matériel nucléaire « civil »). Ainsi les non-signataires sont tentés de refuser définitivement une concession unilatérale ; interdiction de l'utilisation militaire des fonds marins (les silos sous-marins, habités ou automatiques, sont bannis, mais le sous-marin à l'affût plusieurs mois sur le fond est toléré).

• 1976-*sept. :* interdiction de transformer l'environnement pour des fins militaires (g. météorologique ou géophysique).

• **Conversations SALT I (Strategic Arms Limitation Talks).** **1969**-*7-11* ouverture à Helsinki. **1972**-*26-5* signature à Moscou, par Brejnev et Nixon, des 1ers accords SALT, limitant les armements antimissiles (ABM), et de l'accord intérimaire limitant les armements offensifs. USA et URSS s'engagent à : ne pas entreprendre à partir du 1-7 la construction de nouvelles rampes de lancement (ICBM) ; limiter le nombre de lanceurs balistiques installés sur sous-marins (SLBM), et des s.-m. lanceurs de missiles balistiques modernes, au nombre de ceux qui sont opérationnels ou en cours de construction à la signature de l'accord (USA 710 et 44, URSS 950 et 62) ; traiter des moyens nationaux de vérification employés par chaque partie qui s'engage à ne pas prendre délibérément des mesures de dissimulation qui empêcheraient cette vérification par les moyens techniques nationaux de l'autre partie. Les satellites de reconnaissance permettent à chaque signataire de s'assurer que l'autre respecte l'accord.

Cette convention provisoire devait rester en vigueur 5 ans, à moins d'accord sur des mesures plus complètes concernant la limitation des armes stratégiques offensives. Elle a été prorogée depuis novembre 1977 dans l'attente de la signature de l'accord SALT II.

Ces accords ne touchent ni les IRBM (qui ne peuvent, par ex., de l'URSS, atteindre les USA, mais continuent à menacer l'ensemble de l'Europe occidentale), ni les bombardiers. Ils ne s'appliquent qu'à des armements à peu près contrôlables par satellites : les fusées fixes ou mobiles pourront donc porter autant d'ogives atomiques que le permet le progrès technique. La modernisation et le remplacement des missiles balistiques offensifs stratégiques et des lanceurs mentionnés dans l'accord sont autorisés ; ainsi, l'accord risque de stimuler la course à l'amélioration des performances et l'emploi d'ogives à têtes multiples, ce qui aboutirait non pas à une limitation, mais à une multiplication des engins offensifs.

1973-*22-6 :* accord USA-URSS sur la prévention de la g. nucléaire. **1974**-*3-7 :* accord USA-URSS sur la limitation des expériences nucléaires souterraines à partir du 31-3-76 (interdiction d'expériences de + de 150 kilotonnes). *-24-11 :* accord de Vladivostok ; limite pour 10 ans à 2 400 le nombre des missiles et des bombardiers porteurs d'ogives nucléaires, à 1 320 le nombre des fusées à têtes multiples.

• **SALT II.** **1975**-*31-1 :* reprise des négociations (les accords *SALT I* prenant fin le 3-10-77). **1979**-*18-6 :* signature à Vienne de l'accord SALT II entre Brejnev et Carter. *Limitations quantitatives :* 2 250 lanceurs d'armes nucléaires au max. d'ici à la fin 1981 (2 400 après 6 mois) (en 1979 : USA 2 058, URSS 2 500) ; ces lanceurs ne peuvent pas comprendre plus de 1 320 engins terrestres ou sous-marins à têtes multiples (MIRV) et d'avions porteurs de missiles de croisière (cruise) d'une portée sup. à 600 km ; parmi ceux-ci pas plus de 1 200 MIRV terrestres CICBM (820 au max.), sous-marins (SLBM) ou aériens (ASBM). *Qualitatives :* pas plus d'un nouveau missile intercontinental terrestre (ICBM) pour chaque partie d'ici à 1985 ; limitation des charges de chaque missile à têtes multiples : ICBM 10, SLBM 14, ASBM 10 ; nombre max. de missiles de croisière (portée sup. à 600 km) emportés par un avion : 20 pour les B 52 actuels, 28 en moyenne ; pas de construction de nouveaux silos pour missiles lourds (plus gros que le SS-19 soviétique) (308 en 1979). **Documents annexes.** Protocole (valable jusqu'au 31-12-81) : interdit tout essai en vol et mise en place de missile terrestre mobile et de missile intercontinental ASBM, la mise en place de missiles de croisière basés à terre et sur mer (portée sup. à 600 km). *Engagement soviétique pour le bombardier Backfire :* 30 ex. au max. par an, pas de performances améliorées. *Vérification :* par les « moyens techniques nationaux », auxquels il ne doit pas être fait obstacle ; certains essais de missiles doivent être signalés à l'avance... *Déclaration commune de principe* prévue pour la négociation SALT III (nouvelles limitations et réductions).

Réactions européennes. *Les États eur., notamment la R.F.A., sont inquiets :* 1° des clauses limitant les transferts de technologie (les USA affirment en revanche que ces clauses n'interdisent pas la livraison d'armes toutes fabriquées à des puissances alliées). 2° de la non-limitation des missiles nucléaires soviétiques SS-20, et des bombardiers sov. Backfire, qui ne sont pas capables de menacer le territoire amér., mais sont suffisants pour anéantir l'Europe [le désarmement en zone européenne (appelée « zone grise ») doit faire l'objet de nouvelles négociations USA-URSS, nommées SALT III]. Beaucoup estiment que les USA ont sacrifié la sécurité européenne à celle de leur territoire. *Réponse du gouv. amér. :* « Les bases avancées amér. en Europe ne font pas non plus l'objet de limitations ; les Européens n'ont pas à craindre une attaque par SS-20 et Backfire tant que des troupes amér. restent en Europe. » *Objections amér.* 5 points importants ont été omis : 1) Le Backfire n'a pas été considéré comme un avion stratégique, ce qu'il est en réalité. Dep. le N.-E. de la Sibérie, il peut atteindre New York. 2) Le lancement à froid à partir des silos n'a pas été interdit (s'il est adopté en URSS, chaque silo pourrait lancer des séries d'engins, amenés à leur point de départ par un système dit « de barillet »). 3) Aucun plafond n'a été fixé pour les fusées SLBM, et l'URSS peut remplacer ses engins actuels par des MIRV dotées de 14 têtes indépendamment guidables. 4) Les missiles sol-air ne sont pas limités (l'URSS peut neutraliser les engins offensifs amér.). 5) Les moyens de protection civile ne sont pas limités, l'URSS peut limiter les représailles amér. en protégeant ses villes. 6) L'U.R.S.S. a développé 2 nouveaux missiles au lieu de 1 (le SS-X-*24,* et le SS-*25*).

Application. En *août 1979,* Zbigniew Brzezinski propose de doter l'Europe de fusées Pershing II. *-9-10 :* la *Pravda* dénonce cette offre comme un sabotage de SALT II. *-9-11 :* approbation de SALT II par la commission des aff. étr. du Sénat amér. (mais le vote définitif est renvoyé à cause des affaires d'Afghanistan). SALT II n'ayant pas été ratifié, la modernisation des armes stratégiques se poursuit selon les dispositions de SALT I. Mais, dans la pratique, aucune des 2 parties ne semble avoir remis en cause d'une façon irréversible les dispositions de SALT II ; elles ont réduit le nombre des SLBM en service (sans doute temporairement) tout en préparant la mise en service de nouveaux types de sous-marins. En mai 1986, les USA ont dit « ne plus être liés » par les accords en décidant la mise en service d'un nouveau bombardier B-52 équipé de missiles de croisière, sans compenser par une réduction dans un autre domaine cette augmentation de leur arsenal.

• SALT III. **Projet.** Les événements d'Afghanistan ont repoussé les conversations qui auraient dû être engagées dès 1980 (la France, qui avait été invitée à participer, avait notifié son refus dès janvier 1980 ; la G.-B. avait accepté). Les conversations auraient porté sur de nouvelles limitations [engins inter-continentaux, engins tactiques stockés en zone stratégique (« zone grise »), comprenant notamment l'Europe].

• Accord américano-sov. sur la prévention des activités militaires dangereuses (AMD). **1989** (12-6) s'applique aux mouvements d'éléments militaires de l'une des 2 parties intervenant à proximité du territoire de l'autre ou, dans le cas d'espaces internationaux, d'une zone où évoluent les forces de ce dernier.

• Négociations sur la réduction des forces en Europe (MBFR : Mutual and Balanced Force Reduction). **Conférence sur la Sécurité et la Coopération en Europe (CSCE). 1972** *mai* sommet américano-soviétique, accord sur la nécessité de négociations MBFR, consistant en conversations multilatérales sur la réduction des forces, parallèlement à celles de la CSCE qui devaient se tenir à Helsinki et Vienne.

Accords d'Helsinki. 1973-*8-6*, les *34 États* qui participaient à des consultations sur la sécurité europ. à Helsinki décident de tenir une Conférence sur la sécurité et la coopération en Europe (CSCE). *-3-7* 1re phase commence. **1975**-*30-1* 2e p. reprend (juillet) accord. **1977**-*4-10 à* **1978**-*8-3* les États examinent à Belgrade les résultats pratiques des recommandations de la Conférence d'Helsinki. Les Occidentaux ont mis en évidence les infractions de l'URSS et de certains pays de l'Est. **1980**-*11-11* à **1983**-*9-9 2e conf.* à Madrid sur l'application des accords d'Helsinki ; rappel du non-respect des clauses de l'acte final d'Helsinki par certains des signataires et de la nécessité de promouvoir le désarmement ; convocation d'une conf. sur le dés. en Europe [Stockholm (Suède)] en 1984, 2 réunions [Ottawa (Canada) 1985, Berne (Suisse) 1986] sur les Droits de l'Homme, accord sur la nécessité de lier la sécurité en Europe à celle de toute la Méditerranée [Venise (Italie) 1984].

Négociations MBFR. 1973-*30-10* réunion des délégués des pays concernés à Vienne. **Projets initiaux.** *Pacte de Varsovie :* réduction en 3 étapes des forces étrangères et nationales des 11 pays disposant de troupes dans la zone de réduction. 1er étape : réduction des effectifs de 20 000 h pour chacun des pays et d'une quantité correspondante d'armements et d'équipements militaires. 2e et 3e étapes : négociations tendant à réduire successivement forces et armements de tous les pays concernés de 5 % en 1976 à 10 % en 1977. *OTAN :* réduction en 2 étapes. 1re : r. de 20 000 h d'unités amér. non spécifiées et 68 000 d'unités de chars soviét. désignées. 2° : réduction incluant les forces des autres participants et devant ramener l'ensemble des forces terrestres dans la zone à 700 000 h. Autour de ces 2 propositions s'articulent les difficiles négociations qui s'échelonnent sur 15 ans et s'achèvent sans résultat concret à Vienne début 1989. Le chapitre militaire du document de clôture de Vienne prévoit l'ouverture d'une négociation sur les forces conventionnelles en Europe (FCE).

☞ Le 7-12-88, Gorbatchev annonce à l'ONU la réduction unilatérale des forces du pacte de Varsovie. Pour l'URSS, le budget de la défense serait réduit de 14,2 %, et l'ensemble des forces de 500 000 h. : 240 000 face à l'Europe, 200 000 face à l'est, 60 000 face au sud. En Europe, les réductions concerneront 10 000 chars, 8 500 systèmes d'artillerie et 800 avions d'attaques au sol. Réduction des forces sov., All. dém., Tchécoslovaquie, Pologne et Hongrie : 50 000 h., 5 400 chars, 260 avions, 24 lanceurs tactiques. Le 27-1-89, Tchécoslovaquie et Bulgarie décident de réduire leurs forces en 1989-90 [Tchéc. : 12 000 h., 850 chars, 165 véh. blindés et 51 avions de combat (budget 1989 diminué de 12 %) ; Bulgarie : 10 000 h., 200 chars, 200 systèmes d'artillerie et 20 avions (budget 1989 réduit de 12 %)].

• FCE (négociations sur la réduction des forces conventionnelles en Europe) (CFE : Conventional Force in Europe). Poussée par l'évolution politique en Europe centrale et par une situation économique qui se dégrade, l'URSS va faire des concessions majeures. **1989**-*6-3* ouverture des négociations à Vienne. **1990**-*19-11* sommet de CSCE à Paris au cours duquel est signé le **traité CFE,** 1er traité de désarmement conventionnel dep. la 2e Guerre mondiale. *Zone d'application :* zone ATTU (Atlantic To Ural) *n° 1* soit Europe de l'Atlantique à l'Oural (divisée en sous-zone), *n° 3* ou centrale (Benelux, RFA, RDA, Pologne, Tchéc., Hongrie), *n° 2* (France, G.-B., Italie, Ouest de l'URSS) ; les autres pays complètent la zone 1 ATTU (Esp., Portugal, URSS jusqu'à l'Oural). USA et URSS ne sont concernés que pour les forces se trouvant dans ce périmètre. On ne parle plus d'alliances (OTAN, Pacte de Varsovie) mais de groupes, pour éviter les références à l'ex-pacte de Varsovie et réduire la notion de blocs antagonistes. *Plafond et réductions d'armements :* voir tableau « Forces conventionnelles en Europe ». Le traité est fondé sur l'équilibre global des armements dans la zone ATTU, complété par des équilibres partiels dans les sous-zones. Cela implique globalement la destruction de 100 000 engins blindés. Les discussions se poursuivent sur les effectifs, sauf pour l'Allemagne qui consent à limiter les siens à 370 000 h. Le groupe de l'Ouest est le grand bénéficiaire : 90 % des matériels excédentaires à détruire sont à l'Est. *Principe de suffisance :* aucun pays ne pourra posséder à lui seul plus du tiers du potentiel global de la zone ATTU pour chaque catégorie de matériel (sauf aéronefs 37 % sur insistance de l'URSS). *Calendrier d'application :* 35 % des réductions dans les 16 mois, 60 % après 28 mois, totalité à 40 mois *Contrôle :* systématique sur éléments désignés et droit de visite à l'improviste. *Problèmes d'application :* des retards importants à l'Est ont amené les USA à geler certains retraits. L'OTAN accuse l'URSS d'avoir triché en retranchant précipitamment au-delà de l'Oural près de 50 % de son potentiel en Europe (voir tableau), ce qui diminue d'autant ses obligations de réductions par rapport aux chiffres ayant servi de base à la négociation. De même l'URSS a décrété troupes de marine (hors du traité) affectées à la défense côtière des unités dont ce n'était pas la vocation initiale.

• Négociations eurostratégiques de Genève sur les « forces nucléaires de portée intermédiaire (FNI) » (portée 1 000 km et +) entreposées en Europe. **Origine. Affaire de Suez. 1956** *octobre,* Boulganine déclare : « Que diriez-vous si, à l'aide de mes fusées, je bombardais Londres et Paris ? » **1957** *août,* Khrouchtchev affirme que l'URSS détient des armes balistiques à grande portée. *Octobre,* Eisenhower fait déployer en Europe une artillerie nucléaire et des missiles de croisière rudimentaires, les « Matador » et « Mace ». **1958** les Soviétiques commencent à installer leurs 1ers engins à moyenne portée (SS-4 et SS-5). Les USA mettent en place 105 fusées « Thor » et « Jupiter » en G.-B., Italie et Turquie. **1962** *octobre,* crise de Cuba. *-26-10,* Khrouchtchev propose aux USA de retirer d'Europe « Thor » et « Jupiter » ; en échange, l'U.R.S.S. renoncerait à installer une quarantaine de SS-4 et SS-5 à Cuba. Kennedy accepte. Les USA diront aux alliés européens que « Thor » et « Jupiter » sont démodés et qu'il faut les remplacer par des armes plus modernes, transportées par les sous-marins « Polaris ». Les Européens ignorant le marchandage (révélé plus tard) ne se rendent pas compte qu'en croyant gagner, ils perdent au change. En effet, en cas de conflit armé, « Thor » et « Jupiter » eussent été les 1ers objectifs des fusées soviétiques ; et les spécialistes américains servant les missiles, les 1res victimes de la guerre. L'URSS aurait dû prendre le risque d'engager les hostilités. Avec le retrait des « Thor » et des « Jupiter », si l'URSS attaque un des pays de l'OTAN (ex. : Italie ou Turquie), ce serait aux sous-marins américains de riposter avec un « Polaris » en usant, les premiers, d'engins balistiques à charge nucléaire. **1963** « Thor » et « Jupiter » sont démantelés et regagnent l'Amérique. Les Soviétiques déploient des centaines de SS-4 et SS-5 face à l'Europe de l'Ouest (par moments plus de 600), qui demeure durant 20 ans sous leur menace sans disposer de parade ni de moyen de riposte équivalent. **1965** songeant à remplacer SS-4 et SS-5, l'URSS étudie un missile à longue portée (SS-16) qui serait mobile et soustrait au tir des fusées amér.

1972-*26-5* accords signés à Moscou, prohibant les missiles mobiles, l'URSS utilise le SS-16 (en lui enlevant un étage de propulsion) comme missile (mobile) à moyenne portée. L'OTAN appellera cet engin le **SS-20.** Essayé en 1974 et 75, il sera déployé fin 1976. L'OTAN s'était accommodée des SS-4 et des SS-5, difficiles à mettre en œuvre et précises à 2 km près ; pour compenser cette imprécision, elles devaient donc utiliser des charges importantes (1 à 3 mégatonnes). Si 400 (sur 600) SS-4 et SS-5 avaient été utilisés contre l'Europe de l'Ouest, l'explosion de 600 à 700 mégatonnes aurait provoqué des retombées radioactives mortelles sur toute l'Europe de l'Est et presque au-delà de Moscou (la Terre tournant d'ouest en est, les pays de l'Est auraient subi autant de dommages, sinon plus, que ceux de l'OTAN). Militairement redoutables, SS-4 et SS-5 apparaissaient donc politiquement inutilisables. Les SS-20, par contre, étaient plus inquiétantes : 10 fois plus précises, leur charge nucléaire pouvait être moindre (0,15 à 0,5 mégatonne) ; une seule salve de 150 lanceurs SS-20 pouvait détruire, à coup sûr, les 200 ou 300 objectifs militaires nécessaires à la survie des forces alliées. Cependant, le total de ces explosions (60 à 70 mégatonnes) explosant à l'ouest du Rideau de fer aurait encore pu menacer les forces soviétiques d'une forte retombée radioactive. **1977** déploiement des SS-20 en URSS **1978** déploiement des SS-21 (portée 120-150 km), puis des SS-22 (portée 1 000 km) et SS-23 (portée 500 km), avec une précision de 30 m, des charges explosives de faible énergie, nucléaire ou classique (puisque l'on n'a plus à compenser leur imprécision en spéculant sur des destructions étendues). L'URSS pourrait ainsi neutraliser les forces classiques de l'OTAN en ne prenant pour cibles que les installations militaires. **1979** *janv.* sommet de la Guadeloupe, avec les Pts Carter (USA), Giscard d'Estaing (France), et les 1ers ministres Callaghan (G.-B.) et Schmidt (All.). Carter propose d'installer en Europe de nouvelles armes américaines d'intervention à distance (allant à l'encontre d'une politique de désengagement nucléaire progressif remontant à la présidence Kennedy). Giscard d'Estaing et Schmidt insistent pour que tout en se préparant à installer ces engins, on négocie et on s'engage à renoncer à leur implantation en Europe, si l'URSS retire ses SS-20. Cette *double décision (dual track)* sera à l'origine de *l'option zéro.* Décision de déployer en Europe des moyens nucléaires de « théâtre à longue portée ». *-12-12* « double décision » de l'OTAN qui prévoit le déploiement en Europe de 108 lanceurs de Pershing-2 et de 464 missiles de croisière lancés du sol (GLCM) et propose à l'URSS de commencer des négociations. **1980**-*3-1* refus officiel de l'URSS de négociation tant que l'OTAN n'aura pas renoncé à sa décision du 12-12. **1981**-*1-7* bien que l'URSS ait envahi l'Afghānistān, Schmidt se rend à Moscou et réussit à convaincre Brejnev de reprendre la discussion. Sans doute a-t-il démontré les avantages que l'URSS retirerait de l'« option zéro » : pas d'euromissiles, ni russes ni américains. *Oct. et nov.* la campagne soviétique contre l'implantation des euromissiles américains mobilise les foules. Des dizaines, voire des centaines de milliers de manifestants défilent dans les principales villes de l'Ouest européen (bien que les fusées soient à l'Est et les pacifistes à l'Ouest, comme le dira Mitterrand, cette opposition incite les pays alliés à insister sur le terme de leur « double décision » et à réclamer la négociation). *-18-11* Reagan lance son « option zéro » : les USA sont prêts à annuler le déploiement des Pershing-2 et missiles de croisière si les Sov. démantèlent leurs missiles SS-20, SS-4 et SS-5.

Période des négociations (1981 à 1983). *30-11 :* ouverture des négociations sur les forces nucléaires intermédiaires (FNI). **1982**-*16-3* Brejnev annonce un gel unilatéral des SS-20. *21-12* Andropov annonce que l'URSS est prête « à ne conserver en Europe que le même nombre de missiles que l'Angleterre et la France » et de ramener les SS-20 à 162 si Pershing et missiles de croisière ne sont pas installés (100 autres SS-20 seraient déployés en Asie) ; SS-4 et 5 seraient démantelés. **1983**-*20-1* Mitterrand au Bundestag à Bonn soutient le déploiement des missiles américains. *-27-5* l'URSS annonce qu'elle prendra une série de « contre-mesures » en cas de déploiement américain. *-23-11* après l'arrivée des 1ers Pershing-I en G.-B. (14-11) et l'approbation (22-11) en All. féd. par le Bundestag de l'implantation d'euromissiles, l'URSS interrompt les négociations (aucune date de reprise fixée). *Arsenal de l'époque :* V. Quid 1990 p. 1757 c.

État des négociations. 1984-*2-11 :* Reagan et Tchernenko annoncent une reprise du dialogue soviéto-amér. sur les armements. **1985**-*7-1 :* Gromyko et Schultz conviennent à Genève d'une reprise des pourparlers sur les 3 volets des armements (spatiaux, stratégiques et à moyenne portée), le tout examiné « en interdépendance ». *12-3 :* ouverture à Genève de ces conversations (négociation SNST : Nuclear and Space Talks). *7-4 :* peu après l'accession de Gorbatchev à la tête du parti, Moscou annonce la suspension des contre-mesures annoncées en 1983 et un moratoire sur le déploiement des SS-20. *14-4 :* Gorbatchev propose dans une option double zéro d'éliminer les fusées INF (moyenne portée) et SRINF (courte portée). *Début octobre :* visite en France de Gorbatchev qui accepte de traiter le dossier des euromissiles indépendamment des autres volets du désarmement. **1986**-*15-1 :* Gorbatchev accepte de ne pas prendre en compte les forces nucléaires française et britannique dans un accord sur les euromissiles, à condition que ces forces ne soient pas accrues ou modernisées. *11/12-10 :* à Reykjavik, Gorbatchev laisse de côté la modernisation des forces française et britannique et se rallie à l'option zéro de Reagan, mais un lien est établi à nouveau entre tous les volets du désarmement. Le refus de Reagan de renoncer à son projet de défense spatiale bloque les discussions sur euromissiles et armes stratégiques. **1987**-*28-2 :* Gorbatchev supprime le lien entre euromissiles et autres dossiers du désarmement. Cette proposition arrange les finances américaines, car la protection de l'Europe coûte cher. L'Europe concernée n'est pas consultée, car les armes en question ne lui appartiennent pas. Les uns se réjouissent de voir amorcé le désarmement nucléaire, d'autres parlent d'un « Munich européen » et d'une Europe pratiquement désarmée. Gorbatchev offre de supprimer 1 435 ogives de SS-4 et SS-20 en échange de 316 têtes de Pershing II et « cruise » ; 750 ogives de fusées à courte portée contre 72 de Pershing I *(option « double zéro »).* Manfred Wörner, ministre allemand de la Défense, fait remarquer que l'All. féd. serait à la merci des 1 200 ogives de fusées soviétiques à très courte portée. *Juillet :* Gorbatchev propose l'*« option zéro globale » :* il demande parallèlement à l'élimination des euromissiles et des missiles asiatiques de portée intermédiaire un accord pour limiter le nombre des avions et navires à capacité nucléaire dans la zone du Pacifique. *-18-9 :* « accord de principe » Schultz-Chevarnadze à Washington : sur l'élimination des forces nucléaires intermédiaires et sur les procédures de vérification des essais nucléaires, notamment par un échange de tests. *-24-11 :* à Genève, Schultz-Chevarnadze mettent au point le texte du futur traité INF, qui prévoit pour la 1re fois la destruction de toute une catégorie d'armes et de nombreuses inspections sur place. *-8-12 : à Washington, Reagan et Gorbatchev signent le traité INF :* les missiles d'une portée de 500 à 5 500 km devront être détruits dans les 3 ans [*côté américain :* 9 sites opérationnels (Europe) : 3 Pershing II, 6 missiles de croisière ; 31 de construction, réparation, dépôts, terrains d'essai et d'instruction (USA et Europe)] ; (*côté soviétique :* 79 sites opérationnels : *SS-20* 48, *SS-4* 13, *SS-11* 11, *SS-23* 7 ; 54 de construction, réparation, dépôts, terrains d'essai et d'instruction ; missiles 1 846, lanceurs 845). **1988**-*25-2 :* l'URSS commence à retirer ses missiles nucléaires d'All. dém. et de Tchéc. *-27-5 :* le Sénat américain ratifie le traité INF. *-1-6 :* à Moscou, Reagan et Gorbatchev échangent les instruments de ratification du traité INF. *1-7 :* délégation de 70 Soviétiques aux USA pour inspecter bases de missiles interm. *-1-8 :* 4 SS-12 détruites (devant secrétaire américain de la Déf.). *-28-8 :* 3 SS-20 détruites. *-1-9 :* 9 Pershing II retirés d'All. *8-9 :* 2 missiles Pershing détruits. *-9-9 :* 2 missiles de croisière amér. quittent la G.-B. *-19-10 :* 1er missile Cruise détruit (devant 11 obs. soviétiques). *-30-12 :* l'URSS aurait déjà détruit 600 missiles. **1989** *-13-5 :* URSS annonce qu'elle ne détruira pas ses SS-23, si l'OTAN modernise ses missiles Lance.

Critique de l'« option zéro ». Elle assimile un armement moderne à très hautes performances, le Pershing II, à un armement soviét. dépassé, le SS-20.

Le SS-20 soviétique. C'est un assemblage des 2 étages du SS-16 (conçu au milieu des années 60, le SS-16 était une arme à longue portée, mobile et donc proscrite par l'accord conclu à la suite des SALT 1), avec une précision d'environ 300 à 250 m, lançant 3 ogives (de 50 à 150 sinon 500 kilotonnes).

Pershing II et missiles de croisière américains. Ils ont été étudiés au début des années 1970 et déployés en Europe alors qu'ils étaient encore en cours d'expérimentation (1984). Leurs très hautes performances les rendent opérationnels encore une vingtaine d'années tandis que les SS-20 achèvent leur carrière. A cette valeur technique s'ajoute un intérêt politique : un adversaire qui attaquerait devrait détruire préventivement cet armement (afin d'éviter des représailles ultérieures), le personnel américain le mettant en œuvre. Or cela serait très risqué.

☞ Une autre « option zéro » concernant les armements balistiques à courte portée (150 à 1 000 km) aurait été favorable à l'Europe : renoncer aux armes de cette catégorie [Lance et Pershing 1 A (env. 200 lanceurs), étudiés à la fin des années 50], périmées (utilisation difficile en raison des dommages collatéraux que causerait la détonation de leurs ogives) contre l'abandon par les Sov. de leurs équivalents SS-21 et SS-23, eux, performants.

• **Négociations stratégiques de Genève. (START : Strategic Arms Reduction Talks).** Menées parallèlement aux nég. eurostratégiques (voir p. 1836b) en juin 1982. Reprises le 3-2-83, suite aux euromissiles, suspendues le 8-12-83 par Andropov, de nouveau reprises en mars 1985. **Propositions des USA** Plafond pour les ogives (réduction de 30 % dans chaque camp, soit de 7 500 à 5 000 dont 50 % sur des missiles basés à terre) et les lanceurs (850 au max. contre 1 572 aux USA et 2 348 en URSS). **De l'URSS** Réduction de 25 %, avec 1 800 charges au max. ; gel de toute prod. d'armes nouvelles. **1986** – *7/10-12* rencontre de Reykjavik : accord Gorbatchev-Reagan : limitation à 1 600 des vecteurs stratégiques et à 6 000 de leurs charges totales.

1987-*8-5 :* projet américain de réduire de 50 % les armes stratégiques (récusé par l'URSS, car il ignore la prévention de la course aux armements dans l'espace et la sauvegarde du traité ABM sur les antimissiles). Il fixe un plafond global de 1 600 vecteurs (bombardiers lourds et missiles, y compris ceux lancés à partir de sous-marins) et de 6 000 ogives. Aucune des 2 parties ne pourra disposer de plus de 4 800 ogives de missiles balistiques, de plus de 3 300 ogives de missiles balistiques intercontinentaux basés à terre (ICBM) et de plus de 1 650 ogives d'ICBM lourds, parmi lesquels les Américains rangent les SS-18 soviétiques. Délai de mise en application : 7 ans, et inspection sur place en cas de soupçons. *– 7/10-12* sommet de Washington : limitation à 154 des missiles intercontinentaux terrestres lourds et à 1 540 du nombre des ogives ; plafonnement à 4 900 des charges placées sur les IBCM ou les SLMB ; accord sur la diminution corrélative de la capacité d'emport des ICBM et des SLBM soviétiques de 50 %. Les 6 000 charges établies à Reykjavik sont celles emportées par les missiles balistiques, les missiles de croisière aéroportés (1 charge), et les bombardiers (1 charge, mais en fait jusqu'à 20 armes atomiques, bombes ou missiles nucléaires à courte portée SRAM). **1988**-*5-6* les USA souhaitent surtout réduire l'arsenal des missiles basés à terre (ICBM), l'URSS le nombre des engins américains basés en mer et dans l'air. En octobre 1987, Gorbatchev consent à réduire les ogives à bord d'ICBM à 3 000 à condition qu'ils s'inscrivent dans une limite globale des 4 800 proposée par les USA pour l'ensemble des armes balistiques, y compris les sous-marins. Au sommet de Washington, accord sur 4 900 tandis que l'URSS, qui a déjà accepté de réduire de moitié son parc d'ICBM lourds (les 318 SS-18, sans équivalent amér.), admet aussi une réduction de 50 % de la capacité d'emport global de son arsenal. Depuis, discussions sur missiles de croisière basés en mer (SLCM), car l'URSS réclamait leur prise en compte, le contrôle des missiles balistiques mobiles, auxquels se sont rangés les USA en mai 1988, après avoir toujours prôné leur interdiction. Au sommet de Moscou, 2 accords : 1°) sur les essais de missiles balistiques qui devront être notifiés 24 h à l'avance ; 2°) les modalités techniques d'expériences nucléaires communes. *-24-8 :* négociation sur la validité du traité ABM. Les USA estiment que le radar sov. de Krasnoïarsk viole le traité. En étant orienté vers le nord-est, il peut dépister d'éventuels missiles amér. L'URSS estime que les USA ont implicitement reconnu un lien entre le traité ABM et le traité START (dont elle se sert pour dénoncer l'IDS). *-27-10 :* l'URSS annonce avoir cédé le radar à l'Académie des sciences soviét. pour être utilisé à des fins pacifiques. **1989** *août* l'URSS renonce à l'inclusion des armes nucléaires françaises et britanniques. *-22/23-9* entretiens américano-sov. à Jackson Hole (Wyoming) : l'URSS déclare démanteler le radar de Krasnoïarsk et confirme ne plus lier la conclusion d'un accord sur les armes stratégiques à l'abandon de l'IDS [conditions de l'accord : concerne l'ensemble des systèmes offensifs stratégiques d'une portée supérieure à 5 500 km (bombardiers stratégiques, missiles balistiques intercontinentaux, missiles lancés à partir de sous-marins et leurs ogives) ; prévoit une réduction de 50 % des arsenaux (plafond autorisé de 1 600 vecteurs, avec des sous-plafonds de 4 900 ogives de missiles balistiques et de 1 540 têtes nucléaires réparties sur 154 missiles balistiques lourds]. **1990** *– 16/19-6* accord à Moscou sur les missiles de croisière, sauf ceux embarqués à bord des navires (concession sov., mais une déclaration ultérieure devrait limiter leur nombre à 880 de chaque côté), mais comprenant ceux lancés d'avion, d'une portée de plus de 600 km (concession amér.). **1991**-*31-7 :* accord signé à Moscou.

☞ **Le président Reagan accusait l'URSS d'avoir violé.** 1°) *Le traité de 1972 sur les armements antimissiles (ABM)* en construisant à Krasnoïarsk, en Sibérie, un type de radar interdit par ce traité, amorce d'un 2e réseau de protection antimissiles. Or le traité ABM n'en autorise qu'un seul dans chaque pays : autour de Moscou pour l'URSS, autour d'une base de missiles stratégiques pour les États-Unis (mais Washington n'a finalement pas fait usage de cette possibilité). 2°) *Le 2e accord SALT de 1979 (SALT II)* (non ratifié par les USA ; mais Reagan accuse l'URSS de l'avoir violé en essayant un 2e type de missile balistique intercontinental, le SSX-25, alors qu'ils avaient déjà expérimenté le SSX-24, SALT II n'autorisant chaque puissance à expérimenter qu'un seul type nouveau de missile. 3°) *Le traité de 1963 sur les essais nucléaires souterrains,* en procédant à des explosions qui ont projeté des débris radioactifs au-delà du territoire soviétique.

L'URSS accusait les USA d'avoir violé. 1°) *Le traité ABM* avec leur initiative de défense stratégique. Le réseau de radars fixes *pave paws* est utilisé à des fins interdites par le texte de 1972. 2°) *SALT II* en installant des missiles de croisière en Europe, armes considérées comme « stratégiques » par l'URSS, puisqu'elles peuvent atteindre son territoire. 3°) *Le traité de 1974 sur la limitation des essais souterrains d'armes nucléaires,* la puissance des essais souterrains étant supérieure à celle admise par le document. 4°) *Le traité de Genève de 1925* interdisant l'emploi des armes chimiques, lors de la guerre du Viêt-nam. 5°) *L'acte final de la conf. d'Helsinki* (1975) en tentant de remettre en question les réalités existant en Europe et en entravant la coopér. commerciale et économique normale dans cette partie du monde.

Forces militaires

• **Effectifs** (1989-1990). *Allemagne :* Terre 340 700, Air 106 000, Mer 36 000, Réserves 852 000 ; *Belgique :* T. 67 800, A. 19 900, M. 4 700, R. 411 500 ; *France :* T. 292 500, A. 94 100, M. 65 500, R. 353 000 ; *G.-B. :* T. 155 500, A. 91 450, M. 64 650, R. 325 000 ; *Italie :* T. 265 000, A. 73 000, M. 52 000, R. 584 000 ; *P.-Bas :* T. 63 700, A. 18 100, M. 16 900, R. 158 400 ; *Suède :* T. 44 500, A. 8 000, M. 12 000, R. 709 000 ; *URSS :* T. 1 900 000, A. 444 000, M. 458 000, R. 5 560 000 ; *USA :* T. 766 500, A. 606 800, M. 583 800, R. 1 068 900.

☞ *Légende :* Forces totales (dont T : terre ; M : marine ; A : air), forces paramilitaires (PM), réservistes et potentiel mobilisable (h. 18 à 45 ans) en 1989-90. *Sources :* Institut international d'études stratégiques de Londres et ministères.

• **Afghānistān** 58 000 (T 50 000, A 8 000). PM 52 000.

• **Afrique du Sud** Réorganisation et forte décroissance du budget de défense (3 800 millions de $), suite au processus de normalisation en Namibie et Angola. 90 000 dont 41 000 appelés (T 64 000, M 9 000, A 12 000, forces spéciales et div. 5 000 + forces paramil. 90 000). **Terre.** 2 divisions composées de : 1 brigade cuirassée, 1 brig. mécanisée, 4 brig. motorisées et 1 spéciale + 1 brig. para., unité transmission, unité génie, 1 brig. artillerie ; 250 chars Oliphant (Centurion modifié) ; 1 850 véhic. blindés, 54 batteries Crotale, 54 bat. Tigercat + SAM 7 pris. **Air.** 4 escadrons d'attaque, 2 esc. d'interception/reconnaissance, 4 + 3 esc. de soutien transport, 1 esc. de guerre électronique, 2 esc. de patrouille maritime. Aéronefs : 22 Cheetah, 30 Mirages F1 A et CZ, 100 Impala, 7 C 130 Hercules, 9 Transall, 82 Puma, 72 Alouettes III. **Mer.** 3 sous-marins Daphné, 13 patrouilleurs, 8 dragueurs, 2 ravitailleurs.

• **Albanie** 48 000 (T 35 000, M 2 000, A 11 000). PM 12 000. Réserv. 155 000. *Serv. mil. :* 24 mois (36 marine et aviation).

• **Algérie** 125 500 (T 107 000, M 6 500, A 12 000). PM 23 000. Réserv. 150 000. *Serv. mil. :* 18 mois ; 70 000 conscrits. **Terre.** 900 chars (T 34/ 54/ 55/ 62/ 72) ; 1 775 véhic. blindés, 700 pièces art. **Marine.** 4 sous-marins, 3 frégates ASM, 25 patrouilleurs (14 avec Styx). **Air.** 266 avions de combat, surtout sov. : 1 escadron de bombardement léger, 9 d'interception, 5 de chasseurs d'attaque au sol, 2 de lutte antiguérilla, 1 de reconnaissance, 1 de transport, 9 escadrons d'hélic.

• **Allemagne fédérale** (RFA). 500 000 (dont 7 200 réservistes en exercice) [T 350 000 (5 900), M 40 000 (600), A 110 000 (800), réservistes 367 000)]. PM 20 000. *Serv. mil. :* 12 mois. *Objecteurs de conscience 1987 :* 63 000, *88 :* 77 000, *89 :* 77 400, *90 :* 75 000. *Recrutement :* baisse de natalité ; besoins de l'armée 215 000 h. *Budget militaire :* 4 % du PNB en 1990. **Terre.** 3 corps d'armée articulés en 12 div. (6 blindées, 4 d'infanterie blindée, 1 de montagne, 1 aéroportée), 1 corps d'armée art. en 2 div. en All. de l'Est comprenant 32 brigades mécanisées, 1 d'inf. de montagne, 3 aéroportées, 1 franco-all. **Matériels.** *Chars :* 2 125 Léopard 2 (120 mm), 1 250 L. 1 (105 mm).

Effectifs (comparaisons)

• **Total.** URSS 4 258 000. Chine 3 030 000. USA 2 124 500. Inde 1 262 000. Allemagne 469 000. *France 461 250.* Italie 389 600. G.-B. 306 000. Espagne 274 500. Japon 249 000.

Air. USA 579 900. Chine 470 000. URSS 448 000. Inde 110 000. Allemagne 111 000. *France 93 100.* G.-B. 89 600. Italie 79 600. Japon 46 400. Espagne 33 700.

Marine. USA 583 900. URSS 437 000. Chine 260 000. *France 65 300.* G.-B. 63 500. Inde 52 000. Italie 50 000. Japon 42 000. Allemagne 40 000. Espagne 34 000.

Terre. Chine 2 300 000. URSS 1 596 000. Inde 1 100 000. USA 766 400. Allemagne 308 000. *France 288 550.* Italie 260 000. Espagne 201 400. G.-B. 159 000. Japon 152 000.

• **Effectifs des formations militaires. Nombre d'hommes** et, entre parenthèses, **nombre de chars. All. féd.** Division blindée 17 000 (300) ; mécanisée 17 500 (250) ; aéroportée 8 000 à 9 000. Brigade bl. 4 500 (110) ; méc. 5 000 (54). **Chine.** D. bl. 9 200 (270) ; méc. 12 700 (30) ; aér. 9 000. B. bl. 1 200 (90) ; méc. 2 000. **Égypte.** D. bl. 11 000 (300) ; méc. 12 000 (190). B. bl. 3 500 (96) ; méc. 3 500 (36). **G.-B.** D. bl. 8 500 (148). **Inde.** D. bl. 15 000 (200) ; méc. 17 500 (250). B. bl. 6 000 (150) ; méc. 4 500. **Israël.** B. bl. 3 500 (80 à 100) ; méc. 3 500 (36 à 40). **URSS.** D. bl. 11 000 (335) ; méc. 14 000 (266) ; aér. 7 000. B. bl. 1 300 (95) ; méc. 2 300 (40). **USA.** D. bl. 18 300 (324) ; méc. 18 500 (216) ; aér. 16 800. B. bl. 4 500 (108) ; méc. 4 800 (54).

Nota. – Effectif d'une division : *OTAN :* 16 000 (infanterie), 17 500 (blindée), 13 000 (aéroportée) ; *Pacte de Varsovie :* 10 000 (infanterie), 9 000 (blindée), 7 000 (aéroportée).

• **Chars,** entre parenthèses **armes antichar,** et en italique **artillerie (1991).** URSS 53 300 (23 150) *42 000 ;* USA 15 440 (24 919) *5 725 ;* All. féd. 5 045 (2 778) *1 475 ; France 1 340* (2 817) *776 ;* G.-B. 1 330 (1 150) *700.*

Véhic. blindés : 3 840 dont 2 863 Marder (combat) et 977 de transport. *Chasseurs de char :* 432 lance-missiles Jaguar (Hot, Tow), 123 canons (90 mm). *Lance-missile antichar :* 1 564 Milan. *Véhicules :* 1 795 de transp. de troupes (M-113, TPZ-1). 410 blindés de reconnaissance Luchs. *Chars antiaériens :* 370 à canon Guepard. *Poseurs de ponts :* 105 Bider. 140 *engins blindés du génie,* 30 *véhic. de franchissement et de pontage amphibies. Chars dépanneurs :* 194, *mortiers* (120 mm) 500. *Obusiers automoteurs 155 mm :* 839 ; de campagne *105 mm :* 34. *Lance-missiles : multiples* 154 Mars, 26 Lance. *Hélicoptères :* 96 Al. II et Bo-105, 186 UH-ID et CH-53, 155 Bo-105 antichars.

Éléments organiques : 1°) *de division :* reconnaissance blindée, artillerie missiles, art. de campagne, unités de repérage, génie, défense antiaérienne, aviation légère de l'armée de terre, transmissions, service de santé, soutien logistique. 2°) *de corps d'armée :* chars, art. missiles, art. de campagne, génie, défense antiaér., unités prévôtales, aviation légère de transport de l'armée de terre, transmissions. **Unités de soutien logistique de corps d'armée :** réparation, ravitaillement, transports, service de santé. *Effectifs en temps de paix :* + de 50 000 h. (env. 3 divisions). **Armée territoriale :** 4 commandements terr. (Kiel, Mönchengladbach, Mannheim, Potsdam) ; 8 commandem. de district mil. ; 5 brigades de défense du territoire (unités de matériel de mobilisation) + 1 brig. franco-allem. ; 4 commandem. des services terr. de soutien. En outre, unités de mobilisation, telles que : bataillons de chasseurs, compagnies de couverture, bat. de génie, prévôtaux, unités de soutien logistique.

Marine. 6 destroyers. 8 frégates. 5 corvettes. 40 vedettes rapides. 53 dragueurs et chasseurs de mines, bateaux à drague à solénoïde, bâtiments de transport de mines. 24 sous-marins. 5 bâtiments-bases. 8 ravitailleurs. 8 navires-citernes. 2 ravitailleurs munitions. 5 remorqueurs. 1 navire-école. 105 chasseurs-bombardiers/avions de reconnaissance. 19 avions ASM et patrouilleurs de haute mer. 19 hélicoptères embarqués, 22 hél. SAR. 18 avions de liaison.

Air. 222 Tornado (204 EDS, 18 ECR) (10 escadrons). 152 F-4F Phantom II. (8 esc.) 72 RF-4E Phantom II (4 esc.). 166 Alpha-Jet. (7 esc.). 86 C-160 Transall (4 esc.). 64 DO-28, 110 Uh-1D. 36 batteries Hawk. 36 batteries Patriot. 4 Boeing 707. 7 Hansa Jet FB 320 ECM. 3 VFW 614. 7 Challenger CL 601, 8 Antonov 29. Les USA avaient imposé l'achat de 800 Starfighter (Lockheed), 205 ont été perdus en 14 ans (100 pilotes tués) ; ils sont remplacés peu à peu par des Tornado (165, en 1988) [chasseurs-bombardiers à équipement électronique, fabriqués conjointement par All. (Messerschmitt), G.-B., Italie].

☞ Ex-RDA : 173 100 (T 120 000, A 37 000, M 16 000). Voir Quid 1991, p. 1897 c.

Selon accord Kohl-Gorbatchev (17-7-1990), prévoyant la réunification, les forces armées de l'Allemagne réunifiée seraient dans 3 ou 4 ans de 370 000 h. (au lieu de 700 000 h. R.F.A. + RDA). Troupes soviétiques quitteront la RDA (troupes amér., britan. et franç. pouvant jusque-là rester à Berlin). Dispositif de l'OTAN ne sera pas étendu à l'ex.-RDA L'All. pourra y déployer env. 120 000 h. non intégrés à l'OTAN. De son côté, la France prévoit de retirer 50 000 h. d'Allemagne et les U.S.A. ne laisseront qu'1/3 de leurs effectifs (soit 70 000 à 100 000 h.) ; les Anglais retireraient 25 000 à 33 000 h. Les armes nucléaires tactiques, obus et missiles sol-sol seraient sans doute éliminées.

• **Arabie Saoudite.** 65 500 (T 40 000, M 9 500, A 18 000). PM 56 000 (garde nationale) + 15 000 res. *Serv. mil. :* conscription. **Terre.** 550 chars (AMX 30, M 60), 1 600 véhic. blindés, 450 canons, missiles 30 C SS2 (sol-sol), Tow, Hot, Dragon, Stinger. **Air.** 226 avions de combat ; 3 escadrons de chasseurs-bombardiers ; 3 d'interception ; 3 de transport ; 42 hélic. ; 45 avions d'entraînement. **Marine** 8 frégates, 12 patrouilleurs (9 lance-missiles).

• **Argentine.** 75 000 (T 40 000, M 25 000, A 15 000). PM 18 000. Réserv. 377 000. *Serv. mil. :* terre 6 à 12 mois, air 1 an, marine 14 mois. **Terre.** 410 chars, 540 véhic. blindés, 450 pièces d'art. **Marine.** 4 sous-marins, 1 porte-avions, 6 destroyers, 14 patrouilleurs dont 2 lance-missiles. 7 frégates. **Air.** 173 avions de combat (dont 9 Cessna), 68 chasseurs (Mirage), 18 d'appui, 71 anti-insurrection, 1 patrouille maritime, 7 bombardiers (Canberra).

• **Australie.** 69 600 (T 31 300, M 15 700, A 22 600). Réserv. 28 300. *Serv. mil. :* volontaire. **Terre.** 22 bataillons d'infanterie, 1 rég. de chars (103 Léopard), 3 rég. de reconnaissance (M 113 A1), 2 de forces spéciales, 6 d'artillerie, 1 de défense aérienne, 1 d'aviation, 1 d'hélic. de combat, 2 de transmissions, 1 de transport, 4 esc. mécanisés, 10 de génie. **Marine.** 6 sous-marins classe Obéron, 3 destroyers (avec miss. Ikara ASW, Phalanx, Standard), 4 frégates (miss. Harpon, SSM, Standard, Phalanx), 3 escorteurs, 2 chasseurs de mines, 15 patrouilleurs classe Freemantle, 5 patrouilleurs classe Attack, 6 engins de débarquement, 1 nav. amphibie, 2 pétroliers, 1 nav. ravitailleur, 1 nav. d'entraînement. **Air.** 148 avions de combat ; *escadrilles :* 3 esc. d'hélic. (1 ASM, 1 EW, 1 soutien), 3 d'intercepteurs (F 18 Hornet), 2 de reconnaissance maritime (P3C), 3 de transport stratég. (B 707 et C 130H), 5 de transp. tactique (CC 08, Caribou), 1 de transp. spécial (Falcon 900).

• **Autriche.** 50 000 (T 45 000, A 5 000). Réserv. 195 000. *Serv. mil. :* 6 mois + 60 j. de périodes en 10 ans. **Terre.** 1 division mécan. de 3 brigades, 8 brigades d'infanterie, 30 régiments d'infanterie. **Air.** 53 avions de combat (dont 29 chasseurs bombardiers), 3 escadrons multirôles, 7 escadrons d'hélicoptères, 3 bataillons de défense aérienne.

• **Bahrein.** 6 000. 54 chars, 20 canons, 12 avions de combat, 12 hélic., 2 corvettes, 4 lance-missiles.

• **Bangladesh.** 103 000 (T 90 000, M 7 500, A 6 000). Réserv. 30 000. PM 55 000. **Terre.** 90 chars, 180 pièces d'art. **Air.** 30 av. de combat, 2 escadrons de chasse, 1 d'interception, 1 de transport, 27 hélic. **Mer.** 4 frégates, 45 patrouilleurs [dont 4 lance-missiles CSS-N-2 (HY-2) SSM].

• **Belgique.** 88 236 (T 55 080, M 4 376, A 14 437), env. 7 103 : (Service médical 4 016), réserve 332 000 dont 28 000 miliciens. Composition des effectifs : 1/3 cadres, 1/3 volontaires, 1/3 conscrits. Gendarmes : 15 427 officiers et sous-officiers en service et élèves. *Serv. mil. :* soldats et candidats sous-off. de réserve : en Belg. 12 mois, en All. féd. 10 mois (réduction progressive à 8 mois en 1993) ; aspirants off. de réserve : 13 mois. **Terre.** *Forces d'intervention* (5 brig. d'infanterie blindée, 1 blindée, troupes de reconnaissance) ; *force de l'intérieur* (1 div. instruction, 1 mobilisation, 1 logistique, 1 rég. para-commando, unités de défense du territoire). 320 chars type Léopard, 600 véhicules blindés légers. 934 véhicules blindés de transport infanterie AIFV et M-113, 90 aéronefs antichars, reconnaissance, soutien, 410 lance-missiles Milan. Bataillons de missiles sol-air Hawk (36) et de fusées sol-sol Lance (4). **Marine.** 4 frégates, 30 dragueurs et chasseurs de mines océaniques, côtiers et de petits fonds, 2 navires de soutien et de commandement, 2 nav. de recherche océanique. **Air.** 144 av. de combat : 72 chasseurs bombardiers F-16 et 18 Mirage 5 BA, 36 chasseurs F-16, 18 appareils de reconnaissance Mirage 5BR. Av. de transport : 12 C-130 (Hercules), 2 Boeing 727, 3 HS 748 (en vente). Av. de communications : 5 Merlin IIIA, 2 Falcons 20. Hélic. : 5 Sea-King. Av. école : 28 SIAI Marchetti SF 260 M et 31 Alpha Jet, missiles sol-air Nike-Hercules. MS : service médical : 4 hôp. mil. (Belg.), 2 (All. féd.).

☞ L'État-Major opère une restructuration sur 5 ans des forces armées (« plan Charlier ») ; diminution des effectifs (20 %, terre principalement), économie de 5 milliards de F de fonctionnement sans réduction des investissements (22,5 milliards), ni du potentiel mobilisable en temps de guerre.

• **Birmanie.** 230 000 (T 212 000, M 9 000, A 9 000). PM 73 000. *Serv. mil. :* volontaire. **Terre.** 26 chars, 40 véhic. blindés, 350 canons. **Mer.** 2 corvettes, 37 patrouilleurs. **Air.** 2 escadrons antiguérilla, 3 de transport, 4 d'hélic.

• **Bolivie.** 28 000 (T 20 000, M 3 800, A 4 000). *Serv. mil. :* 12 mois, sélection.

• **Brésil.** 324 000 (T 223 200, M 50 500, A 50 700). PM 243 000. *Serv. mil. :* 1 an, pouvant être allongé de 6 mois. **Terre.** 8 divisions (1 brigade de cavalerie blindée, 3 br. d'inf. blindées, 4 br. de cavalerie mécanisée, 12 br. d'inf. motorisée), 1 br. parachutiste, 1 brig. d'inf. de « jungle », 28 groupements d'art. **Marine.** 6 sous-marins, 1 porte-avions, 6 destroyers, 11 frégates, 24 patrouilleurs dont 6 fluviaux, 36 hélic. **Air.** 302 avions de combat : 18 chasseurs (Mirage 3), 66 avions d'appui, 48 anti-insurrection, 23 de reconnaissance.

• **Bulgarie.** 129 000 (T 97 000, M 10 000, A 22 000). PM 18 000. Milice populaire 150 000. Réserv. 472 500. *Serv. mil. :* 2 ans (marine : 3 ans).

• **Cambodge.** 111 800 (T 55 500, M 1 000, A 800) Retrait des troupes vietnamiennes depuis septembre 89 ; des groupes de résistance se sont formés : Kampuchéa démocratique (env. 40 000 h) ; Sereikra (3 000 h) ; Armée nationale sihanoukienne. *Serv. mil :* conscription, 5 ans.

• **Canada.** 87 300. Forces militaires unifiées (env. T 35 750, M 13 760, A 35 870). Réserv. 29 980. *Serv. mil. :* volontaire. **Terre.** *En Europe :* 1 groupe-brigade mécanisé (2 bataillons d'inf., 1 rég. blindé, 1 d'artillerie, 1 esc. d'hélic. CH136 Kiowa). *Au Canada :* 2 groupes-brigades (chacun 3 bataillons d'inf., 1 rég. de blindés légers, 1 d'artillerie, 1 du génie, 1 esc. d'hélic.), 1 force d'opérations spéciales (1 rég. aéroporté, 1 bataillon d'inf., 1 rég. de blindés légers, 1 d'artillerie). Chars : 114 Léopards C-1 et 1 750 véhic. blindés polyvalents. Troupes au service de l'ONU à Chypre 575 et divers 602. **Air.** *En Europe :* 2 escadrons de CF18, 4 esc. tactiques CF5/CF18, 2 esc. entraînement de CF5/CF18 ; 6 esc. de transport C130 Hercules, CC137 Boeing 707 et CC115 Buffalo, CC109 Cosmopolitan, CC138 Twin-Otter, DASH-8 et Challenger ; 4 esc. CP140 Aurora (patrouille maritime), 3 esc. d'hélicoptères CH124 Sea King ; 6 esc. d'hélic. CH 118 Iroquois, CH 139 Jet Ranger, CH135 Twin, Huey, CH136 Kiowa. **Marine.** 19 frégates, 4 destroyers, 3 sous-marins, 3 bâtiments de soutien, 1 bât. de plongée.

• **Chili.** 95 800 (30 800 conscrits) (T 54 000, M 29 000, A 12 800). PM 27 000. Réserv. 100 000. *Serv. mil. :* 2 ans. **Terre.** 388 chars, 520 véhic. blindés, 150 pièces d'art., 14 avions de transport, 30 hélic. **Marine.** 4 sous-marins, 1 croiseur, 8 destroyers, 2 frégates, 11 patrouilleurs dont 4 missiles Gabriel. **Air.** 107 avions de combat, 2 escadrons de chasse et d'appui, 1 de reconnaissance, 2 anti-insurrection, 1 de transport, 5 bat. de défense antiaér., 16 hélic.

• **Chine.** 3 030 000 (T 2 300 000, M 260 000, A 470 000). Réserv. 1 200 000. PM variable 12 millions. *Serv. mil. :* conscript. sélective : 3 ans (terre), 4 ans (air, marine). **Forces stratégiques.** *ICBM :* 2 DF-5 (portée 13 000 km, 5 MT), 6 DF-4 (7 000 km, 3 MT). *IRBM :* 60 DF-3 (portée 2 700 km, 2 MT). 1 SS BN porteur de 12 missiles nucléaires CSN3, portée de 2 800 à 3 000 km (1 autre en constr.). Pour être « dissuasive » vis-à-vis de l'URSS, la Ch. doit avoir une capacité de frappe en second (s.-m. nucl. lanceurs d'engins) en mesure d'atteindre des centres vitaux très éloignés ; sur ce plan, le rapport des forces est de 100 contre 1 en faveur de l'URSS. **Terre.** 10 000 chars, 2 800 véhicules de transport de troupes blindés, 14 500 pièces d'artillerie tractées, 15 000 de D.C.A. **Marine.** 3 s.-m. nucléaires classe Han, 1 s.-m. Golf missile, 3 s.-m. Improved Ming, 93 s.-m., 19 destroyers, 13 escorteurs, 420 patrouilleurs, 128 art. auto-motrices. **Marine.** 93 s.-m. dont 4 Han à propulsion nucléaire avec missiles de croisière, 1 Romeo modifié avec 6 missiles C 801 (genre Exocet), 55 destroyers, 37 frégates, 900 patrouilleurs. **Air.** 5 000 avions de combat dont 470 bombardiers, 500 av. d'appui, 4 000 chasseurs, 600 transport, 400 hélic.

• Colombie. 136 000 (T 115 000, M 14 000, A 7 000). PM 80 000. Réserv. 116 900. *Serv. mil.* : 1 an ou 2 ans selon le service. **Terre.** 12 chars légers, 202 véhic. blindés, 50 pièces d'art. **Marine.** 2 sous-marins, 15 patrouilleurs, 4 frégates. **Air.** 68 avions de combat, 2 esc. antiguérilla, 2 de chasse, 1 de reconnaissance, 1 avion de transport, 23 hélic.

• Corée du Nord. 1 111 000 (T 1 000 000, M 41 000, A 70 000). PM 200 000, sécurité et garde-frontière. Réserve 5 000 000. *Serv. mil.* : 5 à 8 ans (terre et mer), 3 à 4 ans (air). **Terre.** 25 divisions infanterie, 31 divisions d'infanterie motorisée, 15 brigades blindées, 4 brigades d'inf. indépendantes, **Marine.** 29 sous-marins (sov. et chinois), 3 frégates, 364 patrouilleurs. **Air.** 716 avions de combat (80 bombardiers, 330 d'appui, 396 chasseurs, 300 hélic., 280 transport).

• Corée du Sud. 750 000 (T 650 000, M 60 000, A 40 000). PM 3 500 000. Réserv. 4 500 000 (dont 60 000 Marines). *Serv. mil.* : 30 à 36 mois. **Terre.** 2 divisions mécanisées, 19 d'inf., 2 brigades artil. antiaér., 2 de SAM, 2 bat. de SSM. **Marine.** 9 destroyers, 25 frégates, 81 patrouilleurs, 9 dragueurs de mines. **Air.** 473 avions de combat, 18 escadrons de chasseurs, 1 de reconnaissance, 4 de défense aérienne, 34 avions de transport, 210 avions d'entraînement, 26 hélic.

• Côte-d'Ivoire. 7 750 (T 6 000, M 800, A 950). PM 7 800. G.P. et milice 2 600. Gendarmerie 4 400. Réserv. 12 000. *Serv. mil.* : conscription, 6 mois. **Terre.** 5 AMX 13, 7 Sagaie, 16 AML, 16 M3, 13 VAB. **Mer.** 4 patrouilleurs. **Air.** 6 avions de combat Alpha Jet, 1 esc. de 7 hélic., 14 aéronefs div.

• Cuba. 180 500 (T 145 000, M 13 500, A 22 000). PM 19 000, Sécurité et garde-frontière. *Milice pop.* 1 300 000. Réserv. 130 000. *Serv. mil.* : 3 ans. **Terre.** 1 160 chars (T 54/ 55/ 62), 550 véhic. blindés, artillerie de 76 à 152 mm, 1 608 canons antiaér. **Marine.** 3 sous-marins, 3 frégates, 56 patrouilleurs dont 18 Osa 2 (Styx). **Air.** 185 avions de combat, 8 escadrons de chasseurs, 5 d'appui, 102 hélico.

• Danemark. 38 802 (T 21 526, M 7 052, A 9 123). Réserv. 72 700 dont Home Guard 70 000. *Serv. mil.* : 9-12 mois. **Terre.** 5 brigades mécanisées, 3 brigades d'infanterie, 5 légères, 499 chars, 1 unité d'aviation (12 Ecureuils, 14 Hughes 500). **Marine.** 4 sous-marins, 3 corvettes, 10 vedettes lance-missiles, 27 patrouilleurs, 6 poseurs de mines, 9 antimines. **Air.** 5 esc. de chasseurs, 1 de reconnaissance, 63 F16, 43 F/RF 35, 8 batteries SAM (Hawk), 8 hélicoptères S61, 6 transports (3 C130 et 3 Gulfstream).

• Dominicaine (République). 22 800 (T 15 000, M 4 000, A 3 800). PM 1 000. *Serv. mil.* : volontaire.

• Égypte. 450 000 (T 320 000, M 20 000, A 30 000). PM 379 000. Réserv. 623 000. *Serv. mil.* : 3 ans, 1 sélection. **Terre.** 3 200 chars (T 54/ 55/ 62, M60), 3 200 véhic. blindés, 2 000 pièces art., 4 Frog, 9 Scud, missiles antichars et sol-air. **Marine.** 10 sous-marins (soviétiques), 4 frégates, 1 destroyer, 39 patrouilleurs (sov.), 9 antimines (sov.), 3 amphibies, 17 hélico. **Air.** 109 a. d'appui, 272 chasse, 20 reconnaissance, 25 transport, 15 esc. hélic., missiles.

• El Salvador. 44 600 (T 40 000, M 2 200, A 2 400). PM 24 000. *Serv. mil.* : 2 ans, conscript. sélective.

• Émirats arabes unis. 44 000, 131 chars, 155 pièces d'artillerie et lance-roquettes, 91 avions de combat, 19 hélic., 28 patrouilleurs (6 lance-missiles).

• Équateur. 57 800 (T 50 000, M 4 800, A 3 000). PM 200. *Serv. mil.* : 1 an, sélection (pour la plupart, volontaires).

• Espagne. 274 000 (T 201 400, M 34 000, A 33 700). PM 119 700. Réserv. : 2 400 000. *Serv. mil.* : 12 mois. **Terre.** 1 838 chars de combat (316 AMX 30, 375 M 47, 164 M 48) ; reconnaissance : 340 BMR-VEC ; 1 877 véhic. blindés-troupes ; 2 250 pièces art. (dont 714 tractées, 168 automotrices, 117 côtières, 1 200 mortiers) ; missiles : 4 Nike, 24 Hawk, 13 Roland, 13 Skyguard, 422 Milan, 28 Hot ; 183 hélic.

Marine. 14 frégates, 4 destroyers, 8 sous-marins [4 de type Daphné (Fr.) 900 t], 1 porte-avions, 12 antimines, 60 patrouilleurs, 5 navires amphibies, 49 hélico., 2 esc. de Harrier (chasse, appui). *Infanterie de marine* : 7 500 h, 35 chars, 27 véhic. amphibies, 30 pièces d'art., missiles Tow et Dragon.

Air. *Commandement aérien de combat* : 8 escadrons de chasseurs (Mirage, Harrier, F4 C) ; 2 esc. d'appui avec F5A, F5B, RF 5A, 1 esc. de patrouille marit.

• États-Unis. Voir USA.

• Éthiopie (avant issue rébellion). 315 800 (T 313 000, M 1 800, A 4 000). PM 169 000. Réserv. Tous citoyens de 18 à 50 ans. *Serv. mil.* : conscription, 30 mois. **Terre.** 22 divisions d'inf., dont 3 motorisées, 8 brig. de commandos para., 37 bataillons d'artillerie. **Marine.** 2 frégates, 8 vedettes lance-missiles, 6 lance-torpilles, 7 de patrouille, 6 péniches de débarquement. **Air.** 143 avions de combat, 8 escadrons de chasseurs d'attaque au sol, 1 de transport, 64 hélic.

• Finlande. 31 000 (T 27 800, M 1 400, A 1 800) et 11 200 personnels civils. *Réserv.* 700 000 (50 000 rappelés par an). *Service militaire* : 8 à 9,5 à 11 mois ; 5 incorporations en 2 ans. **Terre.** 7 régions, 23 districts, 7 brigades d'infanterie, 1 brigade blindée. *Artillerie côtière* : 2 régiments, 3 bataillons. *Anti-aérienne* : 3 rég. avec missiles SA 7, 14 et SA 3. *Transmissions* : 1 rég., 2 bataillons. *Génie* : 1 rég., 2 bat. **Mer.** Bases : Upinniemi (Helsinki) ; Turku. 4 flottilles : 38 bâtiments dont 4 vedettes lance-missiles classe Helsinki : (missiles RBS 15) ; 4 vedettes lance-missiles classe Tuima. **Air.** 3 escadrilles, 60 avions de combat DRAKEN et MIG 21 bis. 63 appareils d'entraînement HAWK. *Gardes-frontières* : 4 400 (relevant du ministère de l'Intérieur, rattachés aux Armées en cas de conflit). *Participation ONU* : 1 900 personnes.

• France. 461 250 dont 10 250 au niveau central (ministère, é.-majors nationaux) (T 288 550, M 65 300, A 93 100). PM gendarmerie 87 400. Réserv. 353 000. Voir p. 1842a.

• Ghana. 12 200 (T 10 000, M 1 400, A 800). PM 5 000. *Serv. mil.* : volontaire.

• Grande-Bretagne. 306 000 dont 16 100 femmes (T 152 900, M 63 500, A 69 600). Réserv. 340 100. Volontaires 7 300. *Serv. mil.* : volontaire. **Forces stratégiques.** 4 SSBN de la classe Resolution (8 400 t) avec chacun 16 missiles Polaris A-3 équipés chacun de 6 ogives de 150 kt. Station du Ballistic Missile Early Warning System (BMEWS) à Fylingdales. **Terre.** *Organisation* : 13 rég. blindés ; 5 rég. blindés ; de reconnaissance ; 50 bataillons d'infant. (équivalent à un régiment français) dont 3 bat. de para., 5 de Gurkhas, 1 rég. « Sas » (actions spéciales, recherche de renseignements) ; 1 d'artill. nucléaire (missiles Lance), 18 d'artill. classique, 13 du génie, 3 de missiles sol-air, 4 d'aviation de l'armée. *Stationnement (1985)* : *G.-B.* (UKMF) 1 brig. d'infanterie et 1 groupe de support logiciel. *Irlande du N.* 2 RG brig. d'infanterie et 1 escadron du génie, un nombre variable d'unités d'infanterie. *All. féd. BAOR* (British Army of the Rhine) 53 000 h., 1 QG de corps d'armée, 3 div. comprenant 8 brig. blindées, 1 d'artill. ; *Berlin* 3 bat. d'infant., 1 esc. blindé. *Hong Kong* 8 200 h., 4 bat. d'infanterie. *Chypre* 3 523 h., 1 bat. d'inf. avec les forces de l'ONU, 1 bat. d'inf. renforcé et 1 escadron de reconnaissance blindé (stationnés dans les bases anglaises d'Akrotiri et de Dhekellia). *Gibraltar* 700 h., 1 bat. d'inf. *Belize (Honduras britannique)* 1 500 h., 1 bat. d'inf. *Matériels* : 1 200 chars moyens (900 Chieftain, 300 Challenger), 271 ch. légers (Scorpion), véh. de combat blindés (290 Scimitar), Scout cars (1 070 Ferret, 200 Fox). Véh. blindés de transport du personnel (2 338 FV 432, 60 FV-Saracen, 500 Spartan). 445 canons-obusiers (306 de 105 mm, 196 de 155, 36 de 175, 16 de 203). Canons sans recul Carl Gustav. Engins antichars Milan, Swingfire. SAM : Blowpipe, 120 Rapier. 319 hélicoptères (40 Scout, 9 Alouette II, 159 Gazelle, 110 Lynx). **Air.** Env. 553 avions de combat, 11 escadrons assaut (Tornado GR-1, S-2A/B Buccaneer), 5 appui rapproché (Harrier), 9 interception (Tornado, Phantom FG1/FGR2), 2 reconnaissance (Jaguar, Tornado), 1 alerte aérienne avancée (Shackleton), 4 surveillance maritime (Nimrod), 3 ravitaillement en vol (Victor K-2), 1 transport stratégique (VC 10), 4 transport tactique, 2 de communications, 1 entraînement, 5 escadrons d'hélicoptères. **Marine.** *Effectifs* 64 800 dont 3 100 femmes. *Bâtiments en service* : dont *flotte de combat* : 16 sous-marins nucléaires, 27 s.m. diesels, 3 porte-aéronefs, 1 croiseur porte-hélico., 13 destroyers lance-missiles, 35 frégates, 38 chasseurs et dragueurs de mines, 1 bat. de soutien mine, 40 patrouilleurs. *Soutien logistique et divers* : 35 dont ravitailleurs. **Aéronavale.** 3 escadrons d'attaque, avec 16 Sea Harrier, 7 escadrons d'hélic. anti-s.-marins, 3 esc. commando équipés de Sea King.

• Grèce 160 000 (T 116 000, M 19 500, A 25 000). PM 30 000. Réserv. 400 000. *Serv. mil.* : 15 à 23 mois. **Terre.** (100 000 appelés). 1 armée, 4 corps d'armée, 1 division blindée, 1 div. mécanisée, 10 div. d'infanterie, 5 brigades blindées, 2 brig. d'inf. mécanisées, 1 brig. légère, 5 régiments indépendants. **Marine.** 2 frégates, 17 destroyers, 10 sous-marins, 14 bât. lance-missiles, 6 torpilleurs, 17 navires de patrouilles côtières, 90 engins amphibie, 16 dragueurs de mines, 40 nav. auxiliaires, 14 hélicoptères, 10 divers. **Air.** (14 000 appelés). 495 avions de combat, 150 avions d'entraînement, 50 av. de transport, 40 hélicoptères, 30 missiles antiaériens, autres 70.

• Guatemala. 43 300 (T 41 000, M 1 000, A 1 300). PM Milice territoriale : 600 000. Réserv. 35 000. *Serv. mil.* : conscript., 30 mois.

• Guinée. 9 700 (T 8 500, M 100, A 400). PM 9 600. *Serv. mil* : volontaire.

• Haïti. 7 400 (T 7 000, M 250, A 150). *Serv. mil.* : volontaire.

• Honduras. 18 200 (T 15 000, M 1 100, A 2 100). PM 5 000. *Serv. mil.* : conscript., 24 mois.

• Hongrie. 80 000 (T 60 000, A 20 000). PM 16 000. *Milice populaire* 60 000. Réserv. 127 000. *Serv. mil.* : 12 mois. **Terre.** 1 345 chars, 1 720 véhic. de combat, 1 000 pièces d'art. **Air.** 110 avions de combat, 23 transport, 39 hélic. de combat, 83 transport.

• Inde. 1 262 000 (T 1 100 000, M 52 000, A 110 000). PM 250 000. Réserv. 300 000. **Terre.** 250 chars, 1 250 véhic. blindés, 5 000 pièces d'art. **Marine.** 19 sous-marins, 2 p.-avions, 5 destroyers, 20 frégates, 17 patrouilleurs dont 14 lance-missiles. Dep. le 5-1-88, 1 sous-marin nucléaire loué par l'U.R.S.S. **Air.** 833 avions de combat : 1 escadron de bombardiers (10 Canberra), 26 d'appui, 22 d'interception (100 Gnat), 3 de reconnaissance, 13 de transport.

• Indonésie. 285 000 (T 215 000, M 43 000, A 25 000). PM 130 000. Réserv. 800 000. *Serv. mil.* : sélectif, conscription, 2 ans. **Terre.** 1 brigade cavalerie blindée, 3 infanterie, 3 aéroportées, 2 régiments d'artillerie, 1 d'artillerie antiaérienne, 2 bataillons du génie. **Marine.** 2 sous-marins, 17 frégates, 2 vedettes lance-torpilles, 4 vedettes lance-missiles, 23 patrouilleurs, 29 bâtiments (2 de guerre des mines, 2 de commandement et soutien, 15 amphibies). **Air.** 70 avions de combat, 8 escadrons (2 de chasseurs d'attaque au sol, 1 d'interception, 1 de liaison, 1 reconnaissance maritime, 3 d'hélic.), 63 avions de transport, 94 avions d'entraînement.

• Irak (chiffres antérieurs à la guerre). 1 000 000 (T 955 000, M 5 000, A 40 000). PM 4 800. Armée du peuple : 850 000. *Serv. mil.* : 21 à 24 mois. **Terre.** 50 divisions (7 blindées, 42 inf., 4 de la garde républicaine), (20 brig. de forces spéciales). Engins blindés 4 000, chars 4 700. *Missiles* : Frog-7 (70 km de portée), 36 Scud-B (300 km), Al-Hussein (600 km), Al-Abbas (900 km, expérimenté), Condor II (900 km, en mise au point), Fahd (250-300 km, projet), Al-Abid (n.c, expérimenté), Tammouz (2 000 km, mise au point), **Marine.** 14 vedettes (8 lance-missiles, 6 lance-torpilles), 8 dragueurs de mines, 8 patrouilleurs. **Air.** 805 avions de combat, 34 escadrons (2 de bombardiers, 13 de chasseurs d'attaque, 16 d'interception, 2 de transport, 1 de reconnaissance), 160 hélic., 326 avions d'entraînement, missiles SAM.

• Iran. 504 000 (T 350 000, M 14 500, A 35 000). PM 500 000. Réserv. 350 000. *Serv. mil.* : 24 à 30 mois. **Terre.** 12 divisions (4 mécanisées, 7 inf., 1 forces spéciales, 1 spéciale), 12 bat. de SAM Hawk, 1 commandement de l'aviation de l'armée. Gardes révolutionnaires : 150 000 h., 500 chars lourds, 800 canons. Missiles : Frog-7 (70 km de portée), Scud-B Oak SA7 (300 km), Oghab (40 km), Iran-130 (120 km). **Marine.** 3 destroyers, 5 frégates, 29 patrouilleurs, 3 dragueurs de mines, 7 amphibies. **Air.** 121 avions de combat dont 70 utilisables, 11 hélicoptères armés, 31 escadrons [(8 de chasseurs d'attaque au sol, 1 de chasse, 1 de reconnaissance, 1 de ravitaillement en vol, 5 de transport, 5 de SAM (Rapier et Tigercat)], 74 hélic., 81 avions d'entraînement.

• Irlande. 13 146 (T 11 310, M 846, A 990). Réserve 15 932. *Serv. mil.* : volontaire.

• Israël. 141 000 (110 000 conscrits, 504 000 mobilisables dont 100 000 en 24 h) (T 104 000, M 9 000, A 28 000). PM 6 000. Réserv. 504 000. *Serv. mil.* : hommes 36 mois, femmes 2 ans. **Terre.** 3 divisions blindées, 4 288 chars, 1 500 pièces d'art, 5 brigades inf./territ./mécanisées, 5 brig. aéroportées/parachutistes. Missiles : Lance (110 km de portée), Jéricho I (500 km), Jéricho II (1 450 km, expérimenté). **Marine.** 3 sous-marins, 63 patrouilleurs (missiles Gabriel-Harpoon), 12 péniches de débarquement. **Air.** 553 avions de combat, 20 escadrons (16 d'interception, 4 de chasseurs d'attaque au sol), 14 avions de reconnaissance, 57 avions de transport, 126 d'entraînement et de liaison, 200 hélic. (77 armés), 17 batteries Hawk.

• Italie. 389 600 (T 260 000, M 50 000, A 79 600). PM 111 400 (carabiniers). *Serv. mil.* : 12 mois.

Réserv. 584 000. **Terre** 1 553 chars (313 M 47, 300 M60 A, 920 Léopard), 4 584 véhic. blindés troupes, 1 955 pièces d'art. (970 tractées, 283 automotrices + divers) ; missiles : 6 Lance, 432 Tow, 1 000 Milan, 126 Hawk, 154 Stinger ; 356 hélic. **Marine.** 1 porte-avions, 2 croiseurs, 4 destroyers, 23 frégates, 17 patrouilleurs, 98 hélic. **Air.** 82 Tornado, 156 F 104, 15 AMX, 104 G 91, 85 M 339, 18 Atlantic, 10 C 130, 91 hélic.

• Japon. 249 000 (T 156 000, M 42 000, A 46 400). Réserve 48 400. **Terre.** 1 225 chars (type 61 et 74), 550 véhic. blindés, 900 pièces d'art., 50 missiles sol-sol, 200 sol-air Hawk, 50 hélic., 380 avions de transport. **Marine.** 6 destroyers (SM1, Asroc, Harpoon/2), 58 frégates dont 23 porte-hélic. (Seaking, Asroc), 14 patrouilleurs, 14 sous-marins. **Air.** 387 avions de combat dont 207 chasseurs, 78 d'appui, 56 de transport, 10 E2C, 180 sol-air Nike et Patriot.

Nota. – La Constitution interdisant au Japon de posséder des forces armées, ses troupes sont appelées « forces d'autodéfense ». Plan d'équipement à 5 ans (1986-1990) prévoit l'acquisition de 246 chars, 590 aéronefs et bâtiments divers (70 000 t). *Budget de la Défense* (en milliards de F) : (entre parenthèses France) *1980* : 42 (112). *1987* : 148 (206).

• Jordanie. 85 250 (T 74 000, M 250, A 11 000). PM 6 500, Milice civile 15 000. Réserv. 35 000. *Serv. mil.* : volontaire ; milice : conscription, 2 ans. **Terre.** 4 divisions (2 blindées, 2 mécanisées), 1 brigade garde royale indépendante, 1 de forces spéciales, 1 brig. d'artillerie. 1 134 chars lourds, 247 canons. **Air.** 104 avions de combat, 6 escadrons (4 de chasseurs d'attaque au sol, 2 d'interception), 8 avions de transport, 58 hélic. (24 armés).

• Kenya. 23 600 (T 19 000, M 1 100, A 3 500). PM 4 000. *Serv. mil.* : volontaire.

• Koweït. 20 300 (T 16 000, M 2 100, A 2 200). *Serv. mil.* : 2 ans (étud. univers. 1 an).

• Laos. 55 100 (T 52 500, M 600, A 2 000). *Serv. mil.* : conscription, 18 mois.

• Libye. 85 000 (T 55 000, M 8 000, A 22 000). *Serv. mil.* : conscript., 2 à 4 ans. Milice populaire 40 000. **Terre.** 2 000 chars (T54, A72), 1 850 véhic. blindés, 1 100 pièces d'art., missiles Frog, Scud, Crotale. **Air.** 113 avions de combat, 21 escadrons (9 d'interception, 7 d'appui, 1 de lutte antiguérilla, 1 de reconnaissance, 2 de transport), 74 hélic., 1 bombardier. 2 bat. déf. aérienne (HAWK ; *Gecko*). **Marine.** 6 sous-marins, 3 frégates, 54 patrouilleurs.

• Luxembourg. 800. PM 500 gendarmes. **Terre :** 1 bataillon d'infanterie légère.

• Madagascar. 23 700 (T 13 000, M 900, A 1 300). PM 8 500 (gendarmerie et police maritime).

• Malaysia. 129 500 (T 105 000 (5 div.), M 12 500, A 12 000). Armée territoriale 41 000. PM 18 000. Réserv. 46 600. **Terre.** 9 brigades d'infanterie. **Marine.** 37 patrouilleurs, 4 frégates, 3 bât. de soutien. **Air.** 67 avions de combat.

• Maroc. 192 500 (T 150 000, M 7 000, A 13 500). PM 40 000. *Serv. mil.* : 18 mois. **Terre.** 334 chars, 1 054 véhic. blindés, 300 canons. **Air.** 93 avions de combat, 6 escadrons (3 chasseurs d'attaque au sol, 2 de lutte antiguérilla, 1 d'interception), 98 hélic.

• Mexique. 148 500 réguliers + 300 000 réservistes (T 105 500, M 35 000, A 8 000). **Terre.** 1 brigade motorisée, 1 aéroportée, 2 brig. d'inf., 3 rég. blindés. **Air.** 113 avions de combat, 9 escadrons de lutte antiguérilla, 1 d'interception, 32 avions de transport, 8 hélic. **Marine.** 3 destroyers, 93 patrouilleurs.

• Mongolie. 21 500 (T 21 000, A 500). PM 15 000. Réserv. 200 000. *Serv. mil.* : conscription, 2 à 3 ans.

• Nicaragua. 63 500 (T ≃ 57 000, M 3 500, A 3 000). PM 2 000. Milice ≃ 120 500. *Serv. mil.* : conscription, 2 ans.

• Nigeria. 94 500 (T 80 000, M 5 000, A 9 500).

• Norvège. Env. 39 500 (T 22 000, M 8 000, A 9 500). Potentiel mobilisable : 320 000. *Serv. mil.* : 12-15 mois. **Terre.** Norv. du Nord : 1 brigade de 2 bat. d'infanterie, 1 bat. de blindés, 1 d'artillerie, 1 de défense antiaérienne et 2 de gardes-frontières. Norv. du Sud : 2 bat. d'infanterie, 1 compagnie de blindés, 1 d'artillerie et 1 de défense antiaérienne. *Principaux matériels* : Chars Léopard I, M 48 A5, chasseurs de chars NM 116, véhic. blindés NM 135 et M 113, art. de 155 et 105, missiles AARBS 70, antichars Tow. **Marine.** 11 sous-marins, 5 frégates, 2 corvettes, 38 vedettes lance-missiles, 8 chasseurs ou dragueurs de mines, 5 chalands de débarq., 6 garde-côtes et 30 forteresses côtières. **Air.** 5 escadrilles d'avions de chasse (61 F-16 et 20 F-5A), 6 avions de patrouille marit. Orion, 6 de transport C 130 et 2 Twin Otter, 17 Saab, 33 hélic. (18 Bell 412, 9 Sea King, 6 Lynx).

• N.-Zélande. 11 500 (T 5 100, M 2 500, A 3 800). Réserv. territoriales 6 000 (T 5 300, M 500, A 200). **Terre.** 2 bataillons d'infanterie, 1 escadron de reconnaissance armé, 1 d'artillerie de campagne, 1 escadron « spécial Air Service », 1 escadron génie, 1 groupe de soutien. **Marine.** 4 frégates Leander, 1 ravitailleur, 14 patrouilleurs. **Air.** 21 avions de combat, 16 av. de transport, 38 av. d'instruction, 7 escadrons [support offensif aér., reconnaissance maritime, transport, instruction, 14 hélic. (air), 7 hélic. (mar.)].

• Oman. 29 500. 69 chars, 147 canons, 57 avions de combat, 12 patrouilleurs (4 lance-missiles).

• Ouganda. Env. 7 000 (différents groupes du Mouv. fédéral démocratique).

• Pākistān. + de 500 000 (T 460 000, M 15 000, A 26 000). PM nat. 125 000,-frontières 60 000,-côtes 2 000, Rangers 20 000. Réserv. 513 000. *Serv. mil.* : volontaire. **Terre.** 9 corps d'armée, 19 divisions (2 blindées, 17 infanterie), 24 brig. indépendantes (5 blindées, 9 d'inf., 9 d'art., 2 de défense aér.). Missiles : HAFT I (80 km de portée), HAFT II (300 km). **Marine.** 9 sous-marins (4 classe Daphné, 2 Agosta, 3 de poche), 2 croiseurs, 10 frégates (2 Leander, 4 Brooke, 4 Garcia), 6 destroyers, 8 vedettes lance-missiles, 13 patrouilleurs, 4 hydroptères, 2 pétroliers-ravitailleurs, 3 dragueurs de mines. **Aéronavale.** 4 Breguet Atlantic, 4 Alouette, 6 Sea King, 3 Fokker F 27, 2 Cessna. **Air.** 400 avions de combat, 27 escadrons (8 d'attaque au sol, 1 de reconnaissance, 11 d'interception, 2 de transport, 1 de recherche et sauvetage hél., 2 d'hél., 2 d'instruction), 20 avions de transport, 24 hélic.

• Paraguay. 16 000 (T 12 500, M 2 500, A 1 000). PM 8 000. *Serv. mil.* : 18 mois à 22 mois. Réserv. 36 300.

• Pays-Bas. 102 600 (T 63 000, M 16 500, A 18 200). PM 8 450. Réserv. 155 700. *Serv. mil.* : terre 14 à 16 mois, aviation et marine 14 à 17 mois. **Terre.** 1 913 chars Léopard, 2 945 véhic. blindés, 849 pièces d'art., 7 Lance, 64 hélic. **Marine.** 6 sous-marins, 10 frégates lance-missiles, 4 destroyers, 3 patrouilleurs, 26 dragueurs de mines ; 13 P3 Orion, 22 Lynx. **Air.** 37 NF5 (appui tactique), 174 F16, 14 F27, batteries Hawk et Patriot.

• Pérou. 120 000 (T 80 000, M 25 000, A 15 000). PM 42 000. *Serv. mil.* : 2 ans, sélectif. **Terre.** 2 div. blindées, 1 de cavalerie, 8 d'infanterie et mécanisées, 1 de jungle, 2 bat. d'artillerie et 3 du génie, 1 div. de para-commandos, 69 hélic., 11 av. d'observation. **Marine.** 11 sous-marins, 2 croiseurs, 8 destroyers, 6 vedettes lance-missiles, 4 frégates. **Air.** 119 avions de combat, 22 escadrons (3 de bombardiers légers, 3 d'attaque au sol, 3 d'interception, 1 de lutte antiguérilla hél., 1 de reconnaissance photo, 7 de transport, 3 d'hélicoptères, 4 d'entraînement), 63 avions de transport, 70 hélic.

• Philippines. 108 500 (T 68 000, M 25 000, A 15 500). PM 45 000. Réserv. 128 000. **Terre.** 41 chars légers, 370 véhic. blindés. **Marine.** 2 frégates, 51 patrouilleurs dont 8 hte mer. **Air.** 26 avions de combat, 71 hélic.

• Pologne. 305 000 (T 199 500, M 19 500, A 86 000). PM 71 000. *Police* 108 500. Réserv. 505 000. *Serv. mil.* : 18 mois (3 ans marine et spécialistes). **Terre.** 9 divisions mécanisées, 4 bases techniques, 1 brig. de para., 1 de défense civile, 3 d'art., 3 rég. d'art. antichars (missiles Sagger et Snapper), 3 unités missiles sol-sol (Scud), 1 unité missile sol-air. **Marine.** 3 sous-marins (type Kilo et Foxtrot), 1 destroyer Kashin, 12 vedettes lance-missiles (SSM Styx), 9 patrouilleurs, 23 dragueurs de mines, 19 nav. transport de mines, 38 av. de combat (dont 6 av.-école et de combat). **Air.** 511 av. de combat, 36 esc. (10 de chasseurs bombardiers, 16 chasseurs, 3 reconnaissance, 7 liaison), 29 hélic. d'attaque.

• Portugal. 59 000 (T 38 000, M 12 000, A 9 000). PM 36 000. *Serv. mil.* : 12 mois (prév. 4 mois en 1993). **Terre.** 1 brig. forces spéc., 1 brig. mixte indép., 3 d'inf. 4 régions milit. 2 groupes commandements indép. (Açores et Madère) ; autres unités de support. **Marine.** 3 sous-marins, 3 frégates, 4 avisos, 10 corvettes, 14 patrouilleurs, 3 bât. de débarquement, 5 bât. de soutien, 3 bataillons de fusiliers marins. **Air.** 39 Corsair A7, 20 Fiat G91, 6 P3P patrouille marit., 5 C130 de transport, divers av. de liaison et entraînement, 10 SA 316 Puma, 20 Alouette.

• Qatar. 15 000 (dont 75 % de non-nationaux sous contrat, les Qatari occupant les postes de haut commandement) (T 10 400, A 2 600, M 2 000). Pas de serv. mil. **Terre.** 1 brig. d'infanterie, 5 régiments (3 d'art., 1 de chars, 1 mécanisé), 1 bataillon de forces spéc., 1 rég. de garde royale ; 24 AMX 30, 18 canons AMX, 155 F3, 160 VAB. **Marine.** 3 vedettes lance-missiles, 6 patrouilleurs, 4 batteries côtières MM 40. **Air.** 13 av. de combat F1, 6 Alphajet, 12 Gazelle, 12 hélic. lourds SAR et Commando.

• Roumanie. 163 000 (T 126 000, M 9 000, A 28 000). PM 35 000. Réserv. 203 000. *Serv. mil.* : terre, air 12 mois, marine 24 mois. **Terre.** 2 800 chars de combat (1 060 T 34), 2 600 véhic. blindés div., 3 800 pièces d'art., 32 Frog, 18 Scud, 160 SA 6. **Marine.** 1 destroyer (SAN 7 Styx), 4 frégates, 165 patrouilleurs et vedettes dont 6 OSA, 4 hélic. MI. **Air.** 350 avions de combat, 6 escadrons de chasseurs d'attaque au sol, 15 d'interception, 1 de reconnaissance, 41 avions de transport, 120 hélic.

• Sénégal. 9 700 (T 8 500, M 700, A 500). PM 6 800. *Serv. mil.* : conscript. sélect., 2 ans.

• Singapour. 55 500 (T 45 000, M 4 500, A 6 000). PM 50 000. Réserv. 170 000. *Serv. mil.* : conscription, 24 à 30 mois.

• Somalie. 64 500 (T 60 000, M 2 000, A 2 500). PM 29 500. *Serv. mil.* : conscription, 18 mois.

• Soudan. 75 500 (T 68 000, M 1 800, A 6 000). PM 3 000. *Serv. mil.* : volontaire.

• Sri Lanka. 65 100 (T 50 000, M 5 500, A 7 000). **PM** 26 000. Réserv. 25 000.

• Suède. 39 600 (T 24 000, M 7 600, A 8 000). Réserv. 725 000. Garde civique 125 000. *Serv. mil.* : 5 à 15 mois. **Terre.** 4 brigades blindées, 21 d'infanterie, 2 mécanisées, 110 bataillons indép., 23 districts de défense locale. Chars : Centurion et type « S ». **Marine.** 12 sous-marins, 12 bât. de missiles, 4 torpilleurs, 16 patrouilleurs, 16 vedettes, 9 dragueurs de mines, 28 bataillons d'artill. côtière, 24 hélic. **Air.** 11 escadrons de chasseurs, 5,5 d'assaut, 3 de reconnaissance, 1 de transport et 1 hélic.

• Suisse. 1 100 000 mobilisables en 48 h ; *armée :* 625 000 ; *protection civile :* 475 000 (pour la défense du territoire national exclusivement). *Serv. mil.* : obligatoire entre 20 et 50 ans en plusieurs périodes, 55 ans pour les officiers (1 an au total pour les soldats). **Terre.** 4 corps d'armée dont 1 corps alpin, 17 brigades non endivisionnées et 6 zones territoriales. *Chars :* 150 Centurion, 150 chars 61, 390 chars 68 + 130 chars Léopard 2 (prév. 380 fin 1993), 1 350 véhicules blindés, 370 obusiers blindés, canons (artillerie 900, DCA 1 600, antichars 900), 2 700 armes antichars filoguidées, 20 000 tubes roquettes. **Air.** 18 esc. de 285 avions de combat, 96 hélicoptères (Alouette II + III), soit : 134 chasseurs-bombardiers (dont 103 chasseurs couv. aér. Tiger F.5E/F Hunter MK 58 + TMK 68), 30 intercepteurs (Mirage III S), 18 a. de reconnaissance (Mirage RS) + 3 hélicoptères « Super Puma », 1 compagnie para., 1 brigade de défense aérienne équipée de missiles Bloodhound et Rapier.

• Syrie. 404 000 (T 300 000, M 6 000, A 40 000). PM 25 000. Réserv. 400 000. *Serv. mil.* : 30 mois. **Terre.** 4 000 chars (T54 à T72), 3 900 véhic. blindés, 2 500 pièces art., 18 Frog, 18 SS 21, 18 Scud, SSC. **Marine.** 3 sous-marins Romeo, 2 frégates Petya 2, 20 patrouilleurs. **Air.** 558 avions de combat, 11 escadrons de chasseurs d'attaque au sol (Mig 17, Mig 23), 18 d'interception (Mig 21). 100 hélic.

• Taïwan. 370 000 (T 270 000, M 30 000, A 70 000). *Serv. mil.* : 2 ans. **Terre.** 1 360 chars M41, 1 200 véhic. blindés, forte art., missile Gabriel sol-air, 36 Nike, 100 Hawk. **Marine.** 24 destroyers, 10 frégates, 37 patrouilleurs, 26 amphibies. **Air.** 504 av. de combat dont 14 esc. chasse et appui, 1 esc. reconnaissance, 8 esc. transport.

• Tanzanie. 46 800 (T 45 000, M 800, A 1 000). PM 201 400. Réserv. 10 000. *Serv. mil.* : 2 ans.

• Tchécoslovaquie. 198 200 (T 125 700, A 44 800). PM 131 000. Réserv. 295 000. *Serv. mil.* : 18 mois. **Terre.** 4 000 chars dont 815 T72, 5 800 véhic. blindés d'hiv., 3 700 pièces art., 74 missiles sol-sol dont 30 Scud. **Air.** 312 av. (appui 115, chasse 120, transport 56), 135 hélic.

• Thaïlande. 283 000 (T 190 000, M 50 000, A 43 000). PM 85 500. Réserv. 500 000. *Serv. mil.* : 2 ans. **Terre.** 530 chars, 930 véhic. blindés, 400 pièces art. **Marine.** 5 frégates (1 avec SAM Seacat), 52 patrouilleurs, 7 bâtiments de guerre des mines. **Air.** 158 avions de combat, 3 esc. chasse et appui, 8 de lutte antiguérilla, 3 de transport, 40 hélic.

• Tunisie. 38 000 (T 30 000, M 4 500, A 3 500). PM 13 500. *Serv. mil.* : 1 an. **Terre.** 2 brig. mécanisées, 1 défense aér., 1 régiment blindé de reconnaissance, 1 brigade saharienne, 1 de para-commandos, 3 rég. art., 1 du génie. **Marine.** 1 frégate, 6 vedettes lance-missiles. **Air.** 31 avions de combat, 43 hélic.

Prélèvement fiscal supplémentaire sur les bons anonymes. *Institué* par la loi de Finances pour 1982. *Montant :* 1,50 % pour 1982 et 1983 et 2 % à partir de 1984. *Bons concernés :* d'épargne des P.T.T., de caisse de Crédit mutuel, du Crédit foncier, émis par les sociétés régionales de financement de la Caisse nat. de l'énergie, de caisse émis par les banques, ainsi que les autres bons qui peuvent être souscrits de façon anonyme (p. ex. b. de capitalisation). *Conditions d'application :* quand le détenteur s'abstient de révéler son identité et son domicile fiscal lors d'un paiement d'intérêts ou d'un remboursement (anonymat fiscal). *Modalités d'imposition :* prélèvement [effectué par l'établissement payeur sur le montant nominal (intérêts exclus)] dû autant de fois que le 1er janvier d'une année est inclus dans la période comprise entre la date d'émission du bon (entre le 1-1-1982 en cas d'émission antérieure) et celle du remboursement effectif (et non celle de l'échéance du bon) ; si la période de détention est inférieure à 1 an et ne comprend aucun 1er janvier, prélèvement calculé au prorata de la durée du bon. *Bons de capitalisation :* prélèvement à la date du remboursement (à l'échéance normale ou par anticipation).

• **Bons de capitalisation.** Titres au porteur pouvant être cédés à des tiers sans formalité. *Montant* min. 5 000 F ; pas de plafond. *L'intérêt* (qui ne s'applique qu'au capital versé – les frais) s'ajoute chaque année au capital et porte à son tour intérêt ; taux minimal garanti 7 à 8 % (avec parfois participation aux bénéfices liés au produit des souscriptions des Stés : 1 à 2 %). *Régime fiscal :* impôt sur le revenu : si le bénéficiaire révèle son domicile fiscal et son identité 45 % (– de 2 a.), 25 % (2 à 4 a.), 15 % (4 à 6 a.), si anonymat 50 % dans tous les cas ; exonération si + de 6 a. Taxe de 4,8 %. *Durée :* 10 à 30 ans ; s'ils sont remboursés par anticipation, leur valeur de rachat est assortie d'une pénalisation (en cas de remboursement au cours des 5 premières années, le rendement net ne peut dépasser celui des b. du Trésor à 5 ans soumis au prélèvement obligatoire).

• **Certificats de dépôts.** Émis par les établissements de crédit, habilités à recevoir du public des fonds à – de 2 ans, et tenus de constituer un montant min. de réserves sur leurs exigibilités, certains sont négociables sur le marché monétaire et revêtent la forme de billets au porteur ou de billets à ordre. *Échéance :* 3 mois à 7 ans. *Montant unitaire min. :* 5 millions de F. *Intérêts :* taux fixe.

Statistiques (fin 1989, en milliards de F). *Encours des titres de créance négociables. Bons du Trésor* 512 (45 % de l'ensemble des titres du marché monétaire). *Certificats de dépôts* 435 (30,5 % de l'ensemble), dont BNP 45,4 au 12-1-1990, Crédit Lyonnais 41,7. 330 émetteurs, 11 représentant à eux seuls 50 % de l'encours global. 17 % de l'encours global de ces titres sont libellés en devises, dollars ou Ecu (valeur 80,6 milliards de F). *Billets de Trésorerie* 132. [105 entreprises émettrices (EDF 9, Fiat-France et Peugeot Finance Holding 5,5, etc.)].

Comptes

• **Comptes sur livret. Des Banques :** intérêt nominal brut 4,5 %. *Montant :* 100 F min. ou multiples de 100 F. *Régime fiscal :* prélèvement libératoire (46 %) ou IRPP. **Des Caisses d'épargne :** *livret A,* montant max. 90 000 F[1] (la capitalisation des intérêts nouveaux est hors plafond), intérêts 4,5 % exonérés d'impôts ; *livret B,* montant illimité, *intérêts* 4,5 %, prélèvement libératoire (47 %) ou IRPP. **Du Crédit mutuel :** *montant* max. 80 000 F, liquidité totale, *intérêts* 4,5 % exonérés d'impôts.

Taux d'intérêt du livret A par rapport à l'inflation. *1966 :* + 0,2 % *67 :* – 0,3 *74 :* – 8,95 *75 :* – 2,1 *76 :* – 3,4 *77 :* – 2,5 *78 :* – 3,2 *79 :* – 5,4 *80 :* – 6,25 *81 :* 5,75 *82 :* 1,11 *83 :* – 1,13 *84 :* + 0,50 *85 :* + 1,46 *86 :* + 2,82 *87 :* + 1,36 *88 :* + 1,4.

Entre le 31-12-1970 et la fin 1983, quelqu'un ayant déposé 1 000 F et laissé les intérêts perçus se capitaliser sur son livret se serait retrouvé avec 2 250 F (soit 659 F en F constants de 1970) représentant une perte de 33 % en pouvoir d'achat.

• **Compte pour le développement industriel** (Codevi). *Créé* 8-7-1983. *Conditions :* seul un contribuable ou son conjoint peut être titulaire d'un Codevi. *Dépôt :* max. 15 000 F par compte. Versements ou retraits possibles à tout moment. *Rémunération :* 4,5 % net d'impôt.

• **Livret d'épargne-entreprise.** *Créé* 9-7-1984. **Conditions :** ouverture du livret accordée aux personnes physiques fiscalement domiciliées en France (1 livret par foyer fiscal). *Modalité :* rythme et montant des versements libres, dépôt max. de 200 000 F, intérêts capitalisés non compris pour une période d'ép. de 2 à 5 ans. *Rémunération :* 3 % + prime, égale à 30 % des intérêts acquis si un prêt est refusé à la fin de la phase d'ép. *Souscription :* banques, Cr. agricole, Cr. mutuel, Banques populaires, Caisse d'ép.

• **Comptes à terme.** *Rémunération : jusqu'à 500 000 F :* de 1 à 3 mois 4,5 %, + de 3 mois libre ; *plus de 500 000 F :* de 1 à 3 mois 4,7388 %, + de 3 mois libre. *Intérêts* payables à terme échu ou éventuellement annuellement à terme échu pour les bons de + de 1 an. *Déblocage* avant l'échéance prévue : l'intérêt n'est plus le taux initial, mais un taux calculé en fonction du taux initial et de la durée effective du placement. **Régime fiscal :** prélèvement libératoire de 47 %.

Épargne-logement

• **Caractères communs aux comptes et aux plans d'épargne-logement.** Nul ne peut être titulaire de plusieurs comptes ou de plusieurs plans. Les intérêts versés sont exonérés d'impôts. Les prêts épargne-logement peuvent financer l'acquisition, la construction, l'extension ou la réparation d'un logement servant d'habitation principale ; pour une résidence secondaire le bénéficiaire ne doit pas en même temps avoir un prêt épargne-logement pour sa résidence principale. Le montant des prêts et leurs durées (min. 2 ans, max. 15 ans) sont fixés de telle sorte que les intérêts à payer par l'emprunteur (hors frais financiers et de gestion) soient fonction des intérêts qu'il a acquis en tant que déposant. La somme des intérêts acquis est décomptée au jour de la demande de prêt ; un coefficient de 1,5 % s'il s'agit d'un compte, ou 2,5 % en cas d'un plan, est appliqué afin de déterminer la somme des intérêts du prêt. Il peut être fait état des intérêts acquis par la personne qui sollicite un prêt, si son compte a été ouvert dep. + de 18 mois, ou si son plan est arrivé à échéance ; ainsi que, éventuellement, des intérêts qui ont été inscrits sur un compte (même ouvert dep. – de 18 mois) ou sur un plan (arrivé à échéance) ouverts au nom du conjoint de cette personne, des ascendants, descendants, frères, sœurs, oncles, neveux, tantes ou nièces de cette personne ou de son conjoint.

Les prêts d'épargne-logement ne peuvent être assortis d'aucun crédit d'anticipation. Un remboursement anticipé est toujours possible. Le taux d'intérêt versé par l'emprunteur est égal au taux versé au déposant, majoré des frais de gestion et des frais financiers calculés sur le montant initial du prêt. Banques et caisses d'épargne consentent des prêts complémentaires aux prêts d'épargne-logement.

• **Compte d'épargne-logement** (durée minimale 18 mois). **Période d'épargne.** *Dépôt :* montant initial 750 F, maximum 100 000 F. *Rémunération (exonérée d'impôt) :* taux d'intérêt 2,75 % ; prime d'épargne 1,25 %, plafond 7 500 F. *Retrait à vue possible.* **Période de prêt :** coefficient multiplicateur 1,5 ; montant max. 150 000 F, durée max. 15 ans. *Taux d'intérêt du prêt :* 4,25 %.

• **Plan d'épargne-logement** (durée 5 ans). **Intérêts** (exonérés d'impôt). *Ouverts à partir du 1-1-1981 :* 9 %, 5 % versés par les banques et 4 % par l'État, dont la prime reste plafonnée à 10 000 F. Le capital maximal peut atteindre 300 000 F mais la durée d'immobilisation est portée à 5 ans. *Ouverts entre le 15-6-1983 et le 15-8-1984 :* 10 %. La prime de l'État reste plafonnée à 10 000 F, capital maximal 300 000 F ; *ouverts à partir du 16-8-1984 :* 9 % ; *du 1-7-1985 :* 7,5 % ; *du 15-5-1986 :* 6 %.

Prêts. Lorsque le plan est venu à terme, on peut obtenir un prêt principal pour financer l'acquisition, la construction ou des travaux d'amélioration d'une résidence principale ou d'une résidence secondaire. *Taux d'intérêt annuel :* 6,32 % + frais d'assurance pour les plans souscrits à compter du 16-5-1986. *Montant max. :* 400 000 F. *Durée d'amortissement :* 2 à 15 ans. Le titulaire d'un plan peut bénéficier de la cession de droits à prêts acquis par un membre de sa famille ou de celle de son conjoint, sur un plan venu à terme ou sur un livret d'ép.-log. ouvert depuis au moins 12 mois. Le prêt principal d'ép.-log. peut être complété par un prêt complémentaire.

Statistiques (1989). *Nombres : De plans :* 9 766 066, *De comptes :* 7 319 590. *Montant des dépôts sur comptes :* tous réseaux confondus (milliards de F) : 568,5 (+ 8,57 %). Dépôts sur plans : 448,1 (+ 9,08 %) ; sur comptes : 120,4 (+ 6,71 %). *Total des prêts accordés :* 63,03 milliards F. *Montant moyen d'un prêt :* 90 870 F.

Hypothèques

• **Formules. Par l'entremise d'un notaire :** *Durée* de 2 à 4 ans. *Rendement* 15 % env. avant impôt (9,3 après). *Prélèvement libératoire* de 38 % + 1 % de contribution sociale. *Remboursement du capital* généralement en une seule fois, à l'échéance du prêt ; les intérêts sont versés par trimestre, semestre ou par an. Faire assortir le prêt d'une garantie de bonne fin pour éviter de perdre sa mise en cas de défaillance du débiteur. **D'une banque spéciale :** comptes à terme avec affectation hypothécaire de la SOBI (Sté de banque et d'investissements monégasques).

• **Renseignements.** Pour savoir si un immeuble est hypothéqué, il faut demander, à la Conservation des hypothèques, une copie ou un extrait du registre des inscriptions et du fichier immobilier. Certains biens d'une valeur inférieure à 50 000 F peuvent être constitués en *bien de famille insaisissable.* [Ils ne peuvent être hypothéqués et ne peuvent être vendus qu'avec l'accord des 2 époux (si le propriétaire du bien est marié), ou avec l'autorisation du conseil de famille (si le pr. a des enfants mineurs).]

Rentes viagères

• **Définition.** Contrat par lequel une personne (le *débirentier*) s'engage à verser à une autre personne (le *crédirentier*) une certaine somme d'argent *(arrérages),* périodiquement (tous les ans, tous les semestres, etc.) pendant la durée fixée au contrat. La rente est *temporaire* si les versements sont limités dans le temps (10 ans, 20, 30, etc.) (ex. : rente attribuée à des orphelins mineurs) ; *viagère* s'ils cessent au décès du ou des crédirentiers.

Types de rentes. *1) secteur public :* constituées auprès de la Caisse nationale de prévoyance, des caisses autonomes mutualistes et des compagnies d'assurances ; *2) privé :* constituées entre particuliers.

• **Formes. Rente viagère. Immédiate :** le capital constit. de la rente est versé en une seule fois, les arrérages en sont servis sans délais. **Différée :** les arrérages sont versés quand le rentier a atteint un certain âge, fixé par le contrat. **A capital aliéné** *(immédiate* ou *différée) :* aucun remboursement de capital n'est prévu au décès du rentier ou de l'assuré. *Rentes versées :* exemple pour rente viagère immédiate avec participation aux résultats, *sur une tête :* si l'on veut obtenir 1 F de rente, il faut à *50 ans* verser un capital de 16,181 F, *60 :* 13,626, *70 :* 10,350, *80 :* 7,110. Si l'on a versé un capital de 100 F, on obtiendra *sur 2 têtes* à *60 :* 6,42, *70 :* 8,07, *80 :* 11,33. **A capital réservé** *(immédiate* ou *différée) :* le capital constitutif de la rente est remboursé sans intérêt au décès de l'assuré. **Réversible** *(immédiate* ou *différée) :* au décès du rentier, la rente sera servie à son conjoint (ou à toute autre personne désignée) en totalité ou en partie (1/2, 1/3, 3/4) jusqu'au décès de celui-ci. **Réductible :** le contrat est souscrit sur 2 têtes. Les arrérages sont versés en totalité tant que les crédirentiers sont en vie et réduits dans une certaine proportion, fixée par le contrat, lors du décès de l'un d'eux.

• **Fiscalité. IRPP :** le crédirentier ne déclare avec ses revenus qu'une fraction de la rente déterminée par son âge à l'entrée en jouissance de la rente : à *– de 50 ans :* 70 %, *50 à 59 :* 50 %, *60 à 69 :* 40 %, *après 69 :* 30 %.

• **Majorations. Légales :** votées chaque année dans le cadre de la loi de Finances. Soumises à la prescription de 5 ans. Acquises de plein droit aux *rentes du secteur privé* non indexées (sauf r. constituées moyennant l'aliénation de valeurs mobilières ou de droits incorporels autres qu'un fonds de commerce) et *aux r. du secteur public* constituées avant le 1-1-1979 ; pour celles constituées à partir du 1-1-1979, cela dépend des ressources (pour les majorations de 1989, plafond de ressources brutes de 1987 : pour une personne seule 78 847 F, un ménage 147 837 F). **Judiciaires :** possibles pour les rentes du secteur privé. *Rentes non indexées :* le crédirentier peut obtenir une majoration plus élevée que la majoration légale. Il doit faire la preuve en justice qu'en raison des circonstances économiques, le bien vendu a acquis une plus-value supérieure à celle de la majoration légale. *Rentes indexées :* révisables, lorsque les circonstances écon. bouleversent, malgré l'indice, l'équilibre que les parties avaient entendu maintenir (ex. : soit que l'indice ait été défectueux, soit que la rente ne soit

96 912, All. féd. 94 980, Danemark 80 747, France 62 085, G.-B. 56 979, Espagne 43 865, Irlande 35 827, Grèce 25 102, Portugal 20 735. Taux d'épargne net (en % du PIB, 1987). Japon 18,4, All. féd. 11,1, Italie 11, *France 7,7*, Canada 6,6, G.-B. 6. **Épargne des ménages** en % du revenu disponible brut des ménages *France 1978 : 20, 88 :* 12,3. *90 :* 13. Comparaisons : Italie 22,8 [1], Grèce 17,4, Japon 15,2 [1], All. féd. 13,5 [2], Belgique 12,2, Espagne 8,2, G.-B. 8 [2], USA 4,5 [2], P.-Bas 3.

Nota. – (1) 1988. (2) 1990.

Caisse d'épargne

Réseaux. **Caisse d'épargne et de prévoyance (CEP)** (en 1990). *1ère fondée :* Paris 1818. *Nombre :* 186. *Agences permanentes* 4 322, *non permanentes* 1 517, *guichets automatiques bancaires* 2 323, *salariés* 35 000, *clients* 28 millions.

Dépôts (en milliards de F, intérêts capitalisés compris, au 31-12-1991). Sur 41 millions de comptes et livrets : 872,3 dont compte-chèques 37,4, livrets A 419,9, B 33,7, LEP 32, CODEVI 15,4, épargne-logement 98,6, PEP financier 19,3, bons d'épargne 76,7, bons de caisse, comptes à terme, bons des sociétés financières et certificats de dépôt 9,2, emprunts obligataires 30, Sicav et FCP 86,8, assurance-vie et bons de capitalisation 12,1, PEP assurance 1,2.

Crédits (en milliards de F, au 31-12-1991). 425 d'encours distribués dont 250 au bilan des Caisses d'épargne. Particuliers 163, collectivités locales 237 (prêts Minjoz 175), clientèles professionnelles 19, divers (associations, etc.) 6.

Données financières en milliards de F au 31-12-1991). Bilan 892,6, fonds propres 47,8.

☞ A partir de 1992, le réseau Ecureuil comprendra le *CENCEP* (Centre national des Caisses d'Epargne et de Prévoyance), chef de réseau et agent financier, *30 caisses d'épargne,* établissements de crédits régionaux. *une organisation financière centrale* à partir de 2 Stés financières [Sté **Centrale de Trésorerie des CEP** (CDC 65 % ; Réseau Ecureuil 35 %) : tenues de comptes, compensation, monétique, opérations internationales. **Sté Centrale d'Emission et de Crédit des CEP** (Réseau Ecureuil 65 % ; CDC 35 %) : émissions, marché interne des capitaux, crédits, participations des filiales spécialisées].

Caisse nationale d'épargne (CNE). Met à la disposition de sa clientèle les 18 000 *bureaux* des PTT ; les préposés des PTT peuvent servir d'intermédiaires entre clients et bureaux de poste pour les opérations d'épargne.

Plan d'épargne populaire (PEP). Formule de placement-retraite qui remplace le PER (Plan d'épargne retraite) depuis le 1-1-1990. On peut souscrire un PEP auprès d'un établissement financier (banque, caisse de crédit ou d'épargne, poste, etc.) ou d'une Cie d'assurance. *Durée :* 10 ans mais peut être résilié au bout de 8 ans, ou clos par le décès du souscripteur. Si les fonds sont retirés avant 8 ans, la prime d'épargne n'est pas versée, les intérêts sont soumis à l'impôt, et le prélèvement libératoire est de 37 % si la durée du plan est inférieure à 4 ans, 17 % si elle est de 4 ans ou + (pas de pénalités en cas de fin des droits aux allocations de chômage, redressement ou liquidation judiciaire pour un non-salarié ou survenance d'une invalidité). *Modalités :* versements libres. Total plafonné à 600 000 F par plan (1 200 000 pour un ménage dont chaque conjoint a souscrit un plan). *Avantage fiscal :* exonération des intérêts produits et capitalisés chaque année par les versements, mais ceux-ci ne donnent droit ni à une déduction du revenu imposable, ni à une réduction d'impôt. *Avantage financier :* versement chaque année d'une prime d'épargne égale au 1/4 des versements et plafonnée à 1 500 F/an. Elle est réservée aux contribuables non assujettis à l'impôt ou dont l'impôt est trop faible pour être recouvré. Les modalités et taux de rénumération ou de versements et les frais varient selon les établissements financiers (exemples : Caisse d'Epargne 8 %, Banque populaire de Lyon 10%). Certains PEP sont exonérés de pénalités en cas de retrait anticipé. **Collecte du PEP** (en milliards de F) **et,** entre parenthèses, **nombre de plans** (fin 1990). Crédit Agricole 21,8 (1 400 000), Caisses d'Epargne 20 (1 100 000), Sté Générale 3 (450 000), La Poste 2,4 (201 000), Crédit Mutuel 2 (258 000), Banques Populaires 1,9 (150 000), BNP 1,5 (331 000), Crédit du Nord 1 (85 000). Total (mars 1991) : 105 milliards de F investis dans 6 millions de PEP.

Taux pratiqués sur le marché interbancaire [1]

(% l'an)	Pensions contre effets privés sous dossier							
	Jour le jour		1 mois		3 mois		6 mois	
	max.	min.	max.	min.	max.	min.	max.	min.
1973	12	7 1/8	12 1/8	7 3/8	12	7 1/2	12	7 3/4
1974	15	11 1/2	15 1/4	11 3/8	15	11 1/4	15	11
1975	12	6	11 7/8	6 1/4	11 5/8	6 1/2	11 1/2	6 3/4
1976	12 1/16	6	11 3/8	5 7/8	11 3/8	6	11 1/2	6 1/8
1977	10 1/4	8 1/8	10 3/8	8 1/8	10 1/2	8 3/16	10 5/8	8 7/16
1978	10 1/2	6 1/2	10 7/8	6 3/8	10 15/16	6 1/2	10 15/16	6 1/2
1979	12 3/8	6	12 1/2	6 7/16	13 1/8	6 1/2	13 1/8	6 1/2
1980	13 1/2	10 1/2	13 5/8	10 1/2	14 1/4	10 7/8	14 3/8	11 3/8
1981	20	10 1/2	20	10 3/4	20	11 1/4	18 1/4	12
1982	18	12 3/4	17 5/8	12 5/8	17	12 1/2	15 7/8	12 1/2
1983	12 15/16	11 3/4	13 1/4	12	13 1/4	12 1/8	13	11 3/4
1984	12 7/8	10 1/2	12 1/2	10 1/4	12 5/8	10 1/4	12 3/4	10 1/8
1985	11 1/4	8 3/4	10 7/8	8 3/4	10 7/8	8 3/4	10 7/8	8 3/4
1986	9 1/4	7	9 1/8	7	9 1/8	7	9 1/8	6 7/8
1987	9 3/4	6 11/16	9 3/16	7 1/2	9 3/16	7 15/16	9 5/16	7 7/8

Nota. – (1) *1914/18 :* 5 %. *3-1-1939 :* 2 %. *17-3-1941 :* 1,75 %. *20-1-1945 :* 1,625 %

Crédit Mutuel

Organisation. Confédération nat. et Caisse centrale, au niveau national. Fédérations et caisses fédérales (20 en 1985). 3 000 caisses locales et 1 350 bureaux.

Statistiques. *Clients :* 5 000 000 dont 4 000 000 de sociétaires. *Dépôts* 138 milliards de F (au 31-12-1985) dont 67 % de comptes sur livret (mêmes conditions que les livrets de Caisses d'épargne). *Crédits* 80,3 milliards de F dont 28 % aux personnes de droit moral et 72 % aux sociétaires.

Crédit municipal

Origine. 1ers monts de piété (1462 Pérouse, 1577 Avignon (domaine pontifical), 1696 Marseille, 1777 Paris, créés pour lutter contre l'usure. En 1918, ils prirent le nom de Caisse de Crédit Municipal. Statut. Etablissements de crédit (loi bancaire 1984) publics locaux ayant des liens privilégiés avec les communes. Organisation. 21 caisses autonomes, 70 agences, fédérées dans le « Réseau du Griffon » regroupées dans la Conférence permanente des caisses de Crédit municipal et l'Union centrale des CCM. Activité. Services bancaires, crédits personnels, prêts sur gages corporels dont elles ont le monopole depuis 1796, prêts sociaux, prêts aux fonctionnaires. Statistique (au 31-12-1989). *Clients :* 1 000 000. *Encours clientèle :* 13,6 milliards de F. *Dépôts :* 3,056 milliards de F.

Placements d'argent

Taux d'épargne des ménages et investissement-logement et, entre parenthèses, taux d'épargne financière. 1978 : 20,4 (7,9) 12,5. **80 :** 17,6 (5,1) 12,5. **85 :** 14 (4,8) 9,2. **86 :** 13,2 (3,8) 9,4. **87 :** 11,5 (2,1) 9,4. **88 :** 12,2 (2,5) 9,7. **89 :** 12,4 (2,4) 10.

Revenus des placements mobiliers et immobiliers (en %) en 1980-88 et, entre parenthèses, en 1970-80.

Compositions du patrimoine financier des ménages (en % du total)

	1980	1985	1989
Liquidités :	60	50,5	40,0
dont Billets et dépôts à vue	17	14,5	11,5
Livrets	23,5	22	16
Epargne contractuelle	4,5	4,5	5,5
Titres :	24	34	43,5
dont Actions et autres participations	12,5	19	29
Obligations	9,5	7	4
SICAV	2	8	10,5
Produits d'assurances	7	8,5	11,5
Autres	9	7	5
Total	100	100	100

Rentabilité réelle compte tenu de l'inflation : 3,5 (0,5). Actions françaises : 16. Obligations : 8,52 (1,47). Logements de rapport : 2,40 (3,13). Plans d'épargne-logement : 1,76. Livrets d'épargne : – 0,05 %. Comptes d'épargne-logement : – 1,05. Terres agricoles louées : – 4,74 (2,44).

Epargne des particuliers (en milliards de F en 1988). Epargne disponible 2 461, dont dépôts à vue 490. Epargne liquide rémunérée : livrets ordinaires 224, livrets A ou Bleu 806, livrets d'épargne populaire 64, Codevi 80, comptes d'épargne-logement 11.

Bons

• Bons de caisse. *Durée :* max. 5 ans. *Intérêts : jusqu'à 500 000 F :* de 1 à 3 mois 4,5 %, + de 3 mois libre, *plus de 500 000 F :* de 1 à 3 mois 4,7388 %, + de 3 mois libre.
• Bons d'épargne de la Caisse nationale de Crédit agricole émis au pair. *Montant :* 1 000 ou 10 000 F. *Durée :* 5 ans. *Taux :* libre versé à l'échéance (7,5 % dep. 1-1-1989). *Remboursement anticipé :* possible à l'expiration du 3e mois après la souscription. *Régime fiscal :* prélèvement libératoire forfaitaire 47 % (52 % si bon anonyme) sauf option pour IRPP. Si souscription anonyme : prélèvement fiscal suppl. (2 % du nominal par 1er janvier inclus dans la période de détention des bons). Nouveaux bons (mêmes caractéristiques fiscales) : 5 000 ou 10 000 F et de 6 ou 7 ans.
• Bons d'épargne des banques. *Montant :* minimum 1 000 F. *Durée :* 3 mois à 5 ans, anonymes ou nominatifs. *Taux :* libre suivant durée et montant. *Régime fiscal :* des valeurs à revenu fixe.
• Bons d'épargne de La Poste. *1 catégorie.* Bons à intérêt progressif émis au pair à 1 000 F, 5 000 F et 10 000 F. *Durée :* 5 ans, avec possibilité de demander le remboursement au bout de 3 mois après l'émission. *Valeurs de remboursement :* calculées suivant un barème trimestriel. *Taux actuariels bruts,* (dep. le 1-7-1986) : 7,50 % à l'échéance *de 5 ans,* taux intermédiaires : *1 an :* 4,50 %, *2 ans :* 5 %, *3 ans :* 5,50 %, *4 ans :* 6,50 %. *Régime fiscal : pour les intérêts :* prélèvement forfaitaire de 35 ou 50 % sauf option pour l'IRPP ; *pour le capital :* si bon anonyme, prélèvement annuel complémentaire sur la valeur nominale de 2 %. En cas d'option prélèvement pour les intérêts, 1 % perçu au profit de la CNAF, 1 % au profit de la CNAVTS et 1,1 % au titre de la CSG.
• Bons des Caisses d'épargne émis au pair. **Durée :** 1 à 5 ans. *Intérêt :* progressif, taux de rendement actuariel brut jusqu'à 7,5 %. *Régime fiscal :* prélèvement forfaitaire (45 ou 50 %) ou assujettissement des intérêts à l'impôt sur le revenu.
• Bons du Trésor. *1 catégorie.* A intérêt progressif émis au pair à 1 000 F, 5 000 F et 10 000 F. *Durée :* 5 ans, avec possibilité de demander le remboursement au bout de 3 mois après l'émission. *Taux actuariels bruts* (en %) dep. le 1-7-1986 : 9 à l'échéance de 5 ans, taux intermédiaires, bons émis au pair à *1 a. :* 4,5, *2 a. :* 5, *3 a. :* 5,5, *4 a. :* 6,5, *5 a. :* 7,5. *Régime fiscal : pour les intérêts,* prélèvement forfaitaire (45 ou 50 %) ou assujettissement des intérêts à l'impôt sur le revenu ; *pour le capital,* option : justification d'identité et du domicile fiscal ou prélèvement annuel sur valeur nominale de 2 %. En cas d'option prélèvement pour les intérêts, 1 % perçu au profit de la CNAF.

bureaux de poste de 30 pays étrangers ou TOM, sur présentation d'une carte de garantie. Aucune avance de fonds au départ. Débités après utilisation. Gratuits.

• **Statistiques des chèques postaux** (au 31-12-1990). *Nombre de comptes :* 8 792 000 ; *montant des avoirs moyens journaliers* sur les comptes des particuliers : 142,4 milliards de F ; *opérations effectuées* (en 1990), *nombre en millions :* 906 (crédit 463, débit 443), *montant* (en milliards de F) : 18 465 (crédit 9 454, débit 9 011). *Nombre de cartes : cartes 24/24 :* 1 650 000, *cartes bleues de la poste :* 1 470 000.

☞ Les fonds en dépôt sont gérés et utilisés par le Trésor public, qui verse à l'Exploitant Autonome de droit public La Poste un intérêt calculé sur la moyenne arithmétique des avoirs de comptes chèques postaux des particuliers et collectivités privées (en %). *En 1990 :* 3 %.

Crédit

Généralités

Crédit gratuit. *Loi du 24-1-1984 :* les crédits consentis pour 3 mois et + ne peuvent être proposés qu'à l'intérieur des magasins. *Les vendeurs doivent afficher :* prix avec crédit gratuit, prix pour paiement au comptant ou le montant de la réduction accordée, durée de l'opération et période de crédit. *Ils doivent remettre une offre préalable et l'on a 15 j pour signer.* Après signature, l'offre devient contrat de crédit. On a, alors, 7 j pour *se rétracter* [ce délai *peut expirer :* le 3e j (si l'on exige la livraison immédiate de l'achat et si elle intervient dans les 3 j suivant l'acceptation, c'est-à-dire la signature de l'offre), ou le j de la livraison (si elle intervient entre le 4e et le 7e j suivant la signature)]. *Paiement comptant :* on doit bénéficier d'une réduction ; ex. : 410 F pour un produit ou un service de 5 000 F payable en 10 mensualités de 500 F avec un crédit gratuit.

Crédit à court terme (de quelques j à 2 ans). Ex. : *crédit de courrier* (48 h), *facilité de caisse* (ex. : fin de mois), *crédit de campagne* ou découvert de durée variable. Accordé par les banques. **A moyen terme** (de 2 à 7 ans au maximum). Permet de financer équipement industriel ou agricole, habitat, exportations. Accordé par les banques, avec ou sans le concours d'organismes tels que Crédit foncier de France, Crédit national, BFCE et le crédit d'équipement des PME, généralement mobilisable sur le marché monétaire. **A long terme** (+ de 7 ans). Permet de financer construction immobilière, création ou extension des entreprises industrielles, des exportations. Accordé directement par banques et Crédit foncier, Crédit national, et le crédit d'équipement des PME.

Nota. – Nouveau régime (1983) : durée : 8-15 ans ; montant max. : 20 millions de F par entreprise pour financer au max. 70 % de l'investissement H.T. et le fonds de roulement ; taux : fixes (11,25 % au 20-5-1984) ou variables (en fonction de l'évolution du taux de base bancaire ; 10,85 % au 10-7-1985).

Différentes avances possibles. A découvert, sur garanties, sur documents, sur caution et aval ; formules spéciales de crédit aux particuliers ; prêts personnels ou immobiliers ; crédit-bail (leasing).

Statistiques (France)

Volume d'endettement des ménages (en milliards de F.). *Source :* Banque de France. *1981 :* 28,6 *82 :* 38,6 *83 :* 38,6 *84 :* 44,2 *85 :* 53,4 *86 :* 81,7 *87 :* 118,5 *88 (juin) :* 135,3.

Répartition de l'utilisation (en milliards de F.). *1987 :* 32,4 trésorerie, 26,4 habitat. *88 :* 13,9 trésorerie, 16,4 habitat. 34,5 % des ménages sont endettés au titre de l'immobilier ; 31,3 % bénéficient d'un crédit de trésorerie, 12,4 % à la fois d'un crédit immobilier et d'un crédit de trésorerie.

☞ 113 commissions de surendettement ont été mises en place le 1-3-1990 en application de la loi du 31-12-1989. Au 1-1-91, elles avaient reçu env. 100 000 dossiers. **Ménages endettés** (en %). *1984 :* 39 *86 :* 45,6 *88 :* 50 *89 :* 53 % dont 11 % auraient du mal à rembourser. *90 :* 50,6. 1 ménage sur 100 serait surendetté.

☞ **Statistiques mondiales.** *Taux d'endettement total (88).* USA 24 %, All. féd. 15,4 %, G.-B. 13 %, *France 7 %.*

L'appareil du crédit (au 31-12-1988, en %). *Ressources :* banques 48,97, banques mutualistes ou coopératives 28,25, caisses d'épargne 17,21, stés financières 3,97, institutions financières spécialisées 1,36. *Crédit :* banques 49,37, mutualistes ou coopératives 20,85, institutions financières spécialisées 17,45, stés financières 7,83, caisses d'épargne 4,20, Crédit municipal 0,30. (*Source :* Commission bancaire).

Formes particulières

Billets de trésorerie. *Créés* en déc. 1985. Émis au pair, sans prime de remboursement par les entreprises (hors établ. de crédit), qui ont + de 2 ans d'existence : stés par actions qui peuvent faire appel public à l'épargne, entreprises du secteur public ayant des capitaux propres de + de 1,5 MF, GIE et stés en nom collectif composées de stés par actions. Stipulés au porteur. *Montant unitaire :* 5 millions de F. *Durée :* 10 j à 2 ans ; ils sont négociables et donnent lieu à un marché réglementé par le Comité de la réglementation bancaire.

Toute entreprise qui émet des billets de trésorerie doit avoir obtenu d'un ou plusieurs établ. de crédit l'engagement qu'un concours lui sera consenti si la situation du marché ne lui permettait pas de procéder à leur renouvellement. Le montant de l'engagement de substitution est au moins égal à 95 % de l'encours des billets de trésorerie en circulation. Dans les 4 mois suivant le 1er semestre de l'exercice, l'entreprise émettrice doit publier un rapport sur chiffre d'affaires et résultat afférents au semestre écoulé, et une situation semestrielle de trésorerie.

Crédit à la consommation. *Coût :* élevé en raison des charges administratives (constitution des dossiers, recouvrement, multiples échéances) portant sur de faibles montants. Depuis le 1-7-90, taux maximum 24,4 %.

Crédit revolving. Réserve d'argent mise à la disposition du client qui y puise selon ses besoins. Les intérêts courent seulement lorsqu'il est utilisé ; ils couvrent la somme effectivement empruntée jusqu'à remboursement, dont le rythme est laissé à la discrétion du client (sous réserve d'une mensualité minimale). *Coût :* 14,50 à 16,90 %.

Crédit social. Prêts des caisses de crédit municipal. *Prêt sur gage corporel* (bijoux, argenterie, objets d'art ou autres) : contrat généralement de 6 mois renouvelables ou prorogeables. La vente du gage peut être demandée par l'emprunteur 3 mois après le jour de dépôt. Lorsque le prêt n'est ni remboursé ni renouvelé à l'échéance, le gage est vendu aux enchères, le surplus ou boni allant à l'emprunteur. *Prêts sociaux :* les caisses distribuent les prêts sociaux consentis par les villes où elles sont implantées.

Mof : multi-option financing facility (facilité à options multiples). Crédit revolving accordé par plusieurs banques à une entreprise généralement pour 5 ans, prolongeable à 7 ans. Lorsque l'entreprise tire sur son crédit, celui-ci se reconstitue au fur et à mesure des remboursements. En cas de besoins de liquidités, l'entreprise peut demander aux banques impliquées de lui prêter de l'argent à des taux prévus au moment de la signature en F, dollars, marks, sterling, Ecu, etc. Les marges sont fixées à l'avance par rapport à des taux de référence : *Libor* (London Interest Bank Offered Rate) pour des emprunts en devises, *Pibor* (Paris Interest Bank Offered Rate) pour le F. *Ex. :* au début de février 88, une Mof de 1,5 milliard de F Havas a obtenu pour ses tirages en devises et en F : + 1,8 %.

Prêts personnels sur traitement. Aux agents des secteurs public et para-public. Taux d'intérêt fixés librement par les caisses.

Prêts entre particuliers. Prêt hypothécaire (avec ou sans notaire) : taux d'intérêt déterminé librement entre prêteur et emprunteur dans les limites des taux usuraires.

Prêts à une entreprise. Par un dirigeant ou un associé. Intérêt librement débattu, mais ne peut être en pratique supérieur de 2 % au taux des avances sur titres de la Banque de France.

Prêts participatifs. Introduits en France par la loi du 13-7-1978. Peuvent être accordés par les banques, les institutions fin. bancaires et non bancaires, ou l'État. En cas de liquidation de l'entreprise, les créanciers ordinaires touchent un intérêt fixe et une participation variable, mais avant les actionnaires. L'emprunteur peut déduire les intérêts fixes et l'intéressement, sans plafonnement.

Taux d'intérêt

Taux réel d'intérêt. Formule rapide de calcul pour courtes durées et crédits remboursés par mensualités constantes.

$$\text{Intérêt réel (i)} = \frac{24 \times F}{c\,(n + 1)}$$

i = taux d'intérêt réel ; c = capital prêté ; n = nombre de mensualités ; F = montant des agios = n × montant de chaque mensualité

Exemple : pour un crédit de 400 F sur 4 mois à 5 %, le montant des agios est de 20 F et le taux

$$i = \frac{24 \times 20}{400\,(4 + 1)} = 24\,\%.$$

Taux réel maximal légal. Taux, publié au début de chaque semestre au J.O., que les banques et les établ. financiers pour des ventes à tempérament ou de crédits immobiliers ne peuvent dépasser. Il est égal au double du taux de rendement des obligations émises au cours du semestre précédent **1982** 1er sem. 35,38. **83** 1er 32,74, 2e 30,02. **84** 1er 28,94, 2e 27,78. **85** 1er 25,38, 2e **86** 1er 23,52, 2e 18,28. **87** 1er 18,28. **88** 1er 20,54, 2e 18,78. **89** 1er 17,96. *Dep. le 1-7-1986,* des perceptions forfaitaires non comprises dans ce taux (et qui existaient entre 1966 et 1979) ont été appliquées aux ventes à crédit inférieures à 6 000 F (en 1986) et à 35 000 F (en 1987), et depuis le 31-1-1988 aux prêts permanents ou amortissables d'un montant inf. à 10 000 F (120 F), et sup. ou égal à 10 000 F (240 F).

Taux d'intérêt dans le monde au 25-1-1990

en %	Taux du marché: jour le jour	Taux du marché: à trois mois	Rendements obligatoires [1] emprunts d'État	Rendements obligatoires [1] emprunts du sect. privé	Eurodevises: à un mois	Eurodevises: à un an
France . .	**10,69**	**11,06**	**9,55**	**10,62**	**10,75**	**11,31**
All. féd. .	7,75	8,35	7,69	8,04	8,00	8,75
G.-B. . . .	13,50	15,25	10,80	12,78	15,12	15,06
Suisse . .	9,62	9,94	6,12	7,00	10,00	9,63
USA . . .	8,25	8,38	8,39	9,07	8,31	8,63
Japon . .	6,47	6,94	6,52	6,81	6,75	7,38

Nota. – (1) Long terme. *Source :* Sté Générale.

Taux de l'usure. Jusqu'en 1990, 2 fois le taux du marché obligatoire (17,96 %). Depuis le 1-7-1990 (loi Neiertz du 31-12-1989), la référence au taux moyen de rendement d'obligations émises au cours du semestre précédent est abandonnée. Il y aura 11 taux dont pour les prêts à la consommation 3, prêts immobiliers 3, prêts aux entreprises 5. Sera désormais considéré comme usuraire tout prêt dont le taux effectif global excède de plus du 1/3 la moyenne des taux constatés au cours du trimestre précédent dans sa catégorie. Les nouveaux taux oscilleront entre 14,49 % (prêts aux entreprises à taux variable d'une durée initiale supérieure à 2 ans) et 25,45 % (prêts aux particuliers d'un montant de 10 000 F).

Situation pour les particuliers (au 1-7-1990). Taux d'usure applicable à partir du 1-7-90 et, entre crochets, taux moyens actuels hors perception forfaitaire, frais fixes, etc. **Crédits de trésorerie :** *Prêts de – de 10 000 F* 25,45 [16,75 (19,09)]. *Découverts autorisés contractuellement, prêts permanents, ventes à tempérament de + de 10 000 F :* 22,19 [16,14 (16,64)]. *Prêts personnels et autres prêts de + de 10 000 F :* 19,39 [14,30 (14,54)]. **Crédits immobiliers :** *Prêts relais* 16,44 [12,31 (12,33)]. *Prêts immobiliers à taux fixe* 15,27 [10,70 (13,50) au 1-3-91] ; *à taux variable* 15,32 [10,55 (12,30) au 1-3-91].

Taux réels (taux d'intérêt pratiqué moins le taux d'inflation). Moyenne annuelle en France et entre parenthèses aux USA. *1950-60 :* 0,38 (1,31) *1961-70 :* 1,74 (2,22) *1966-70 :* 2,11 (1,52, Jap. 1,56) *1971-82 :* 0,28 (0,91, Jap. 0,28) *1983-86 :* 5,06 (7,24, Jap. 4,69) *1987-89 :* 5,91 (4,51, Jap. 3,54).

Taux de l'intérêt légal. Depuis la loi du 23-6-1989, il est égal pour chaque année considérée à la moyenne arithmétique des 12 dernières moyennes mensuelles des taux de rendement actuariels des adjudications de Bons du Trésor à taux fixe à 13 semaines (*Taux 1989 :* 7,82 %. *90 :* 9,36. *91 :* 10,26)

Épargne en France

Généralités

Comparaisons internationales. Montant d'épargne par habitant (en F, 1989). Belgique 117 595, P.-Bas de sa banque (PTT, EDF-GDF, primes d'assurance, etc.) ; virement (nécessité de connaître la banque et le n° de compte du bénéficiaire) ; paiement par carte bleue.

• **Durée de validité. Chèque bancaire.** *Délais de présentation.* Émis et payable en France métropolitaine : 8 j. Payable en métropole, mais émis en Europe ou pays riverains de la Méditerranée : 20 j. Émis hors d'Europe : 70 j. En cas de présentation tardive, on peut, le cas échéant, perdre tout recours contre les endosseurs.

Délais de prescription. Calculés à partir de l'expiration des délais de présentation : recours du porteur contre le tireur du chèque : 6 mois ; du porteur contre la banque tirée : 1 an. Après, les poursuites pénales ne sont plus possibles, mais la dette correspondant à ce chèque reste exigible 30 ans, le bénéficiaire d'un chèque impayé ou non présenté peut poursuivre son recouvrement 29 ans et 8 j.

Un chèque émis en France, encaissé dans les DOM-TOM, est soumis aux mêmes frais qu'un chèque étranger, la Banque de Fr. n'ayant pas d'établissement hors de la Métropole.

Chèque postal. 1 an (dep. le 20-4-1984) à compter de son émission. Au regard de l'Administration, le chèque postal périmé est nul.

• **Vols de chèques.** La banque n'est responsable en cas de paiement des chèques qu'à l'égard du client et non envers les bénéficiaires de ces chèques ; si le voleur utilise les chèques (ou la carte) avant l'opposition, la banque n'est plus responsable. L'opposition est valable 10 ans. La jurisprudence tient de plus en plus pour responsable le titulaire du compte qui a fait preuve de négligence dans la garde du chéquier.

Statistiques

Chèques émis par an (en millions). *1970* : 478. *73* : 930. *80* : 2 600. *85, 86 et 87.* 4 500. *Nombre moyen* tiré par titulaires d'un compte-chèques (35 % des Français en détiennent au moins 2) : 10 par mois. 98,5 % des règlements *entre 10 et 50 F* se font en pièces ou en billets ; 82 % *entre 50 et 100 F* dans les « restaurants-cafés-bars » (contre 10 % pour les chèques et 2 % pour les cartes) ; *entre 100 et 200 F* 45 % des règlements se font par chèques, 45 % par espèces, 5 % par carte ; *au-delà de 500 F* 80 % par chèque.

Escroqueries avec des chèques volés, puis falsifiés ou contrefaits : *1972* : 23 414. *80* : 101 024. *86* : 230 000.

Chèques non payés. Avis de non-paiement enregistrés par la Banque de France (en millions). *1970* : 0,7. *80* : 1,37. *85* : 3,5. *88* : 5,5. *90* : 6,4. Selon l'AFB 1 chèque sur 350 émis pose un problème. Pour 1 chèque sur 2 000, la difficulté vient d'une perte ou d'un vol.

Personnes interdites de chèque. *1980* : 390 000. *85* : 730 000. **Condamnations.** *1980* : 23 000. *85* : 71 000. *86* : 69 315. 59 % sont des hommes de - de 35 ans (66 %), gagnant moins de 10 000 F par mois (76,5 % dont près de 50 % au-dessous de 5 000 F), et conscients de leur irrégularité (83 % ont reçu une lettre d'injonction).

Chèques passés en compensation (échanges interbancaires officiels) (en millions). *1986* : 3 557,8. *87* : 3 482,3.

Protection contre les chèques volés ou sans provision. *Système informatique* : le chèque est introduit dans un lecteur et le numéro de compte transmis à un mini-ordinateur. Si un voyant rouge s'allume, le chèque est refusé. Une alarme se déclenche aussi si un même client passe plusieurs fois aux caisses dans la même journée. *« Signature digitale » des chèques* : expérimentée dans certaines grandes surfaces. Le client appose son index sur une surface encrée. En cas de non-recouvrement par le commerçant, le chèque est transmis aux services pour identification. Le client peut refuser le contrôle et les commerçants ne peuvent établir de fichiers clients comportant des empreintes. *Fichier national des chèques volés* (FNCV) : mise en place dep. 18-1-1991 par la Banque de Fr. Coût d'établissement : 89 millions env. Accès réservé aux commerçants. *Victimes de chèques volés* : coût annuel 1,5 milliard de F. Accessible par Minitel ou par lecteur automatique branché sur Minitel. Abonnement gratuit. Coût de la consultation : 1,85 F, (dont 0,50 versé à France-Télécom). Nombre d'appels attendus (en millions). *1991* : 55 (- de 2 % des chèques échangés), *92* : 120 (plus tard 200, soit 1 chèque sur 15).

☞ La tenue des comptes bancaires coûte env. 10 F par mois. Le traitement de 4,5 milliards de chèques émis chaque année coûte 14 milliards de F (env. 3 F par unité de chèque) et représente le double de l'ensemble des bénéfices des banques françaises sur un exercice.

Cartes de crédit

• **Définition.** Cartes plastiques utilisées comme moyen de paiement, avec ou sans crédit associé. Émises par des milliers d'organismes dans le monde.

• **Cartes de crédit bancaires. Groupe Visa** (au 30-9-88). *Créé* 1976. 242 millions de cartes (30-6-90) ; 250 000 guichets de banque, 21 040 banques participantes, membres du réseau : banques du groupement : *Carte bleue* (créée 1967). En France (31-12-88) 10 797 000 cartes, 476 000 commerçants affiliés), chiffre d'aff. 176 milliards de F ; *Barclays* et d'autres banques en G.-B. ; *Banco de Bilbao* et toutes les autres banques en Esp., 140 banques en Italie, toutes les grandes banques aux USA. **Groupe Mastercard Eurocard-Access.** *Créé* 1968, 162 millions de titulaires, 150 000 guichets de banque. *Branche européenne du réseau* [représentée par Eurocard International, filiale des Stés Eurocard européennes (y.c. Access/GB)] : 18 millions de titulaires, 1 million de commerçants, 70 000 guichets de banques et DAB banques. *En France* 3 cartes internationales : Gold Mastercard (prestige), Executive (affaires, co-branded avec Wagons-Lits international), Eurocard Mastercard (standard). **Eurocard France.** *Créée* 1978, 2 millions de cartes bancaires internationales distribuées par le Crédit agricole et le Crédit mutuel, 116 000 guichets automatiques. **Eurochèque.** *Créé* 1972, 58 000 000 env. (France 2 000 000) ; tous les commerçants (4 500 000 en Europe) acceptent les chèques.

• **Carte bancaire unique.** En usage dep. 1985 pour réseau Carte bleue, Crédit agric. et Crédit mutuel.

• **Cartes multiservices. Accréditives : American Express.** *Créé* 1958 et en France en 1961 ; 36 millions de cartes (France 525 000, 125 000 commerçants affiliés). **Diner's Club.** *Créé* 1951 et en France 1954 ; 4 500 000 cartes (France 140 000 ; 21 500 c. affiliés). **Multienseignes : CETELEM.** Créé 1953, lance le 1er compte permanent en France en 1965 et en 1986 la carte vignettée Aurore (3 600 000 porteurs en 1990), acceptée par 100 000 commerçants.

Cartes de clientèles (ou privatives) : grands magasins, vente par correspondance, locations de voitures, etc., env. 5,21 millions [dont Auchan [1] (Accord) 0,103, BHV (Cofinoga) 0,350 ; Carrefour [4] (Pass) 0,368 ; Galeries Lafayette [2] 0,150 ; Nouvelles Galeries (Cofinoga) 0,9 ; Printemps [3] 0,300 ; La Redoute (Kangourou) 1,8 ; Trois Suisses [4] (Quatre Étoiles) 0,6 ; autres 0,639]. *Taux effectif global en % et par an* et, entre parenthèses, *par mois* : Kangourou 17,88 (1,49). Printemps 17,64 (1,47). Pass 16,92 (1,41). Cofinoga 17,94 (1,495).

Nota. – (1) Carte gérée par le Creg. (2) Par le Cetelem. (3) Par la Sovac depuis 1988. (4) Sté en participation avec Cetelem.

• **Statistiques.** France (1990). *Cartes* : 19,5 millions. *Paiements* nombre de factures : 1,18 milliard (pour 380 milliards de F), de commerces : 500 000. *Retraits* : 446 millions pour 202 milliards de F. *GAB/DAB* : 14 400.

Prix annuels (en F). Carte bancaire nationale 95 F/an ; Visa internationale 150 F ; American Express 350 F + droit d'entrée 130 ; Diner's Club 395 F + droit d'entrée 140 F ; Premier Visa 750 F. Eurocard MasterCard Internationale Noir et Or 135 F (carte standard) ; Gold MasterCard 650 F ; Carte Executive 250 F la 1re année, 200 les suivantes. Gold Card American Express 850 F.

• **Parts de marché des cartes en France** (% du nombre de porteurs). Carte bleue-Visa 65,85 %, Eurocard-Mastercard 28,87, Amex 4,18, Diners 1,09. **Commissions versées par les commerçants affiliés au réseau :** carte bleue 0,7 % ; Visa 2 % ; American Express 4 à 7 %.

• **Marché mondial** (juin 1990). *Cartes : 452,3 millions (dont Visa 55,4 %, Mastercard 35,2, American Express 7,9, Diners-Carte Blanche 1,5). Transactions :* 601,5 milliards de $ (Visa 49,5 %, Mastercard 29,9, Amer. Ex. 18,1, Diners-C. Bl. 2,5). *Points d'acceptation des cartes* : Visa (30-6) 8 263 353, Mastercard (31-12) 9 417 403, Amer. Ex. 3 100 000.

• **Fraude liée à l'usage des cartes bancaires** (montant en millions de F). *1986* : 280 *1987* : 350 (sur 330 milliards de F de transactions) *88* : 320 (sur 275 milliards de F.). Dans 31 % des cas, la fraude a lieu avant la demande d'opposition, dans 21,6 % des cas, avant et après, 23,5 % après. *Montant détourné par utilisation illicite* : - de 2 500 F : 39 % ; de 2 500 à 4 500 : 77 % ; de 4 500 à 6 500 F : 20 %. *90* : 428 (+ 237 dus à l'usage abusif des cartes).

Modes de paiement. (en %, 1990). Chèque 56,1, carte bancaire 22,2, virement 11,6, prélèvement 7,9, effet de commerce 2,2.

• **Carte à puce.** Dotée d'un microprocesseur inventé en 1974 par le Français Roland Moreno et fabriqué depuis le 21-3-1979 par Bull et la filiale de Philips Tri-Ti. Début de l'utilisation le 5-3-1985. Théoriquement inviolable et infalsifiable. Son usage devrait être généralisé d'ici à la fin 1992. Prix de revient d'une carte à puce, 20 à 25 F (magnétique 7 F). **Cartes « grillées ».** Suite à une erreur de fabrication de 1 500 lecteurs de cartes, 200 000 puces sur 1,8 million de cartes distribuées ont été détruites en août 89 par des terminaux « tueurs ».

Refus de règlement par carte bancaire. Le commerçant peut fixer un montant minimal d'achat pour réduire le nombre et le montant des commissions à verser à la banque.

Chèques postaux

France et DOM

• **Compte-chèques postal. Ouverture** : toute personne physique (majeure ou mineure émancipée) et morale peut obtenir l'ouverture d'un compte-chèques postal. *Les mineurs de 13 à 18 ans* peuvent ouvrir un compte Odyssée. *De 13 à 16 ans* : compte-chèques postal à fonctionnement restreint ; le montant des retraits hebdomadaires au guichet ou aux distributeurs de billets peut être modulé par les parents ; *de 16 à 18 ans* : compte-ch. à fonctionnement normal.

Fonctionnement : carnet de chèques adressé gratuitement au titulaire, relevé de compte (gratuit) après chaque journée d'opérations, ou décadaire ou mensuel ; correspondances en franchise avec les centres financiers de la Poste ; accès au réseau des 17 000 bureaux de poste pour toutes les opérations ; possibilité de recevoir de l'argent à domicile jusqu'à 5 000 F ; octroi d'un découvert automatique dans certaines conditions et sous réserve d'un approvisionnement régulier du compte ; *gamme de services* : virements de compte à compte, prélèvements, titre universel de paiement (TUP), titre interbancaire de paiement (TIP), lettres chèques, cartes de retrait et de paiement, Vidéoposte (banque à domicile), etc.

Vidéoposte : accessible par mot de passe sur Minitel. Permet de : consulter soldes et opérations des comptes-chèques et des comptes d'Épargne en France ; ordonner des virements internes, interbancaires et internationaux ; télé-acheter les produits de La Poste (carnets de chèques, carnets Postépargne, Postchèques, chèques de voyage, philatélie, SICAV, documentation...) ; effectuer des simulations d'épargne-logement ; accéder à des informations boursières, commerciales et fonctionnelles ; communiquer avec la Poste par la messagerie (prises de rendez-vous, réclamations, suggestions...).

• **Cartes de la Poste. Carte Jeunes :** pour les moins de 26 ans : carte de réduction (jusqu'à 50 %) dans 30 000 magasins en France, et de retrait aux distributeurs de billets de La Poste (1 800 F par semaine).

Cartes bleues : La Poste adhère aux groupements Carte bleue et Carte bancaire CB et délivre des C. bleues nationales et internationales VISA. La CB nationale permet de : retirer 3 000 F tous les 7 jours aux distributeurs de La Poste et « Point Argent » (gares SNCF, stations RER, aéroports, centres commerciaux), et 1 800 F sur les appareils des agences bancaires ; faire des retraits de dépannage, dans les agences bancaires (max. par 7 j : 2 000 F) ; payer les commerçants adhérents au réseau CB. Peut être à débit immédiat ou différé. La Poste généralise la diffusion de cartes à microprocesseur (puce).

Carte Premier Visa. Délivrée dep. février 1987, offre les mêmes services que la carte bleue Visa, plus des services complémentaires : retrait sans chèque de 10 000 F par période de 7 j en France et à l'étranger (réseau Visa) ; garanties supplémentaires, assurances, avances de trésorerie sur CCP, carte privilèges.

• **Pour les retraits à l'étranger. Chèques de voyage :** en FF et en $ US émis par American Express et Visa. Obtention dans les bureaux de poste participant au service de change. Service exclusif de vente par correspondance aux titulaires de CCP. Commission de vente 1 %. **Postchèques :** titres internationaux nominatifs délivrés par les centres de chèques postaux. Payables à vue en monnaie locale dans les

(en millions de francs)		CRÉDIT LYONNAIS	BNP	SOCIÉTÉ GÉNÉRALE
Marges d'intérêts		28,570	26,683	22,350
Commissions	+	9,775	8,516	9,700
Produit net bancaire	=	*38,345*	*35,199*	*32,050*
Autres recettes	+	2,485	608	490
Produit global d'exploitation	=	*40,830*	*35,807*	*32,540*
Frais généraux	–	29,169	26,131	23,510
(dont personnel)		(17,122)	(16,043)	(13,200)
Résultat brut d'exploitation	=	*11,661*	*9,676*	*9,030*
Provisions	–	6,490	7,256	6,790
(dont risques pays)		(594)	(3,424)	ND
(risques clients)		(4,193)	(3,673)	ND
(titres)		(842)	(159)	(1,300)
Impôt sur les sociétés	–	1,404	937	730
Divers	+	795	1,610	690
Résultat net	=	*4,562*	*2,157*	*2,930*
1989/1990 (%)		+ 30,5	–40,8 %	–26,1 %

(dont celle de l'ancien directeur de cabinet de Pierre Bérégovoy, min. de l'Économie et des Finances).

Banques protestantes. Ont été nationalisées (ex. : Banques Vernes, Odier-Bungener-Courvoisier), sauf la B. Hottinguer et la B. NSM (Neuflize, Schlumberger, Mallet S.A., issue des rapprochements entre 3 établissements protestants, mais contrôlée dep. 1977 par l'Algemene Bank Nederland, majoritaire).

Banques suisses

Nombre d'établissements financiers. (Au 1-1-1990), 631 banques et stés financières (bilan total 1 036 483 millions de FS ; effectif 126 028 personnes) dont : *29 b. cantonales* (bilan 195 173, effectif 17 995), *5 grandes b.* (b. 509 713, ef. 62 875), *210 b. régionales et caisses d'épargne* (b. 88 607, ef. 8 369), *2 organisations de caisses de crédit mutuel* comprenant 1 229 caisses affiliées (b. 31 225, ef. 3 027), *209 autres b.* (b. 153 628, ef. 27 015), *137 sociétés financières* (b. 25 080, ef. 1 954) *17 succursales de b. étrangères* (b. 27 432, ef. 2 135), *22 banques privées* (b. 5 624, ef. 2 658).

Principales banques au 31-12-1990 (en millions de F suisses)	Bilan	Fonds propres (1-1-1989)	Bénéfice net
Union de Banques suisses [1]	186 717	10 099,8	780,4
Société de Banque suisse [1]	166 436	9 107,9	696,8
Crédit suisse [1]	125 767	7 196,9	470,5
Banque populaire suisse	44 06	1 981,8	110,8
Banque cantonale de Zurich [2]	44 424	1 332,6	89
Organisation suisse des Caisses Raiffeisen (sans la Banque centrale)	33 800	n.c.	36,1
Banque cantonale de Berne	14 082	452,9	34
Banque Leu	13 630	1 293,4	2,7
Banque cantonale de St-Gall	13 178	455,2	31,5
Banque cantonale lucernoise	12 325	515	57,1
Banque cantonale vaudoise	12 200	614	57,1
Banque cantonale de Thurgovie	9 577	395,9	25,3
Crédit foncier vaudois	9 501	372	27,4
Banque de la Suisse italienne	9 184	600,6	58
Banque cantonale de Bâle-Campagne	8 433	323,4	29,5
Nouvelle banque d'Argovie	8 279	n.c.	30
Caisse hypothécaire du Canton de Berne	7 966	200	13,9
Banque cantonale des Grisons	7 303	304,9	22,1
CBI-TDB Union bancaire privée	7 200	n.c.	70,3
Banque Paribas (Suisse) S.A.	7 100	663,2	51,2

Nota. – (1) Chiffres consolidés. Union de Banques S. : bilan total 233 983 millions de FS, bénéfice net 897 ; S[té] de Banque S. : b. 192 934, b. n. 824 ; Crédit suisse : b. 149 676, b.n. 539. (2) Chiffres consolidés.

Chèques et crédits

Chèques

Différentes sortes

Au porteur. Le demandeur de chèques endossables ou non barrés d'avance doit payer un droit de timbre de 4,50 F par chèque. **A ordre.** Le nom du bénéficiaire est spécifié et celui-ci devra prouver son identité. **Barré.** Ne peut être payé qu'à un client de chèques postaux, un agent de change ou un comptable du Trésor chez qui il a un compte ouvert habituellement. Dep. le 1-4-79, seuls les chèques barrés d'avance et non endossables sont livrés gratuitement par les banques. **Certifié.** Le tireur ou le porteur d'un chèque peuvent, à condition que la provision soit suffisante, le faire certifier par la banque tirée ; celle-ci appose sur le chèque, outre sa signature, les mentions relatives à la certification (montant, date). La certification entraîne le blocage de la provision du chèque, au profit du bénéficiaire, jusqu'à expiration du délai légal de présentation (en général 8 j) ; aussi la plupart des banques proposent-elles de délivrer des chèques de banque à la place de chèques certifiés. **De banque :** chèque émis par une banque sur ses guichets ou sur ses correspondants, à la demande de personnes qui l'achètent par débit de leur compte, ou par versement d'espèces. *Validité :* 1 an et 8 j. Un vendeur peut demander d'être payé par un chèque de banque qui lui donne la garantie.

Chèque de voyage (ou Traveller's check). Moyen de paiement et de retrait émis pour un montant fixe dans une monnaie déterminée. Négociable dans les banques et accepté en paiement par des milliers de commerçants, hôteliers et restaurateurs. Par définition, établi « à ordre... » ; s'il est remis à un commerçant, celui-ci l'endosse au profit de la banque où il est payable.

Nota. – Depuis septembre 1980, des chèques rédigés en français et en breton sont émis par le Crédit mutuel de Bretagne. Ex. de chèques bilingues à l'étranger : G.-B., anglais et gallois ; Espagne : espagnol et catalan.

☞ Chèques postaux, voir p. 1901.

Réglementation générale

La loi de finances pour 1984 (art. 90) obligeait les particuliers non commerçants (sauf ceux n'ayant pas leur domicile fiscal en France) à régler par chèque barré, virement bancaire ou postal, carte de crédit ou de paiement tout achat de biens ou de services de plus de 10 000 F. La loi du 11-7-1986 a abrogé ces dispositions, sauf pour le paiement des salaires et loyers.

☞ **Sont dispensés** de payer par chèque ceux qui sont incapables de s'obliger par chèque ou auxquels il est interdit de se faire ouvrir en France un compte en banque ou un CCP, les particuliers (non commerçants) réglant des particuliers, des commerçants ou artisans.

On peut refuser un paiement par chèque (sauf commerçants adhérents d'un centre de gestion agréé). Si celui-ci est obligatoire, on peut exiger un chèque certifié ou un ch. de banque. Les infractions sont punies d'une amende fiscale fixée à 5 % des sommes indûment réglées en numéraire, qui incombe pour moitié au débiteur et au créancier, chacun d'eux étant solidairement responsable.

• **Chèque postdaté.** Un chèque présenté au paiement avant le jour indiqué comme date d'émission est payable le jour de la présentation.

• **Chèque de garantie.** Est prohibé, car le chèque n'est pas, comme la traite, un instrument de crédit, mais un instrument de paiement.

• **Chèques-vacances.** Voir aussi p. 1647. Titres nominatifs (10, 50, 100 F) émis par l'Agence nationale des chèques-vacances. Peuvent être utilisés auprès de certains prestataires de services agréés par l'Agence (hôtels, autoroutes, restaurants, campings, trains, cars...). Ces chèques sont encaissés par la Caisse des dépôts et remboursés au commerçant dans les 3 semaines.

• **Chèques sans provision.** Quelqu'un qui a émis un chèque sans provision ne peut, pendant 1 an, émettre des chèques sur tous les comptes ouverts à son nom. Mais, s'il s'agit du 1er incident, il peut, dans les 30, à compter de la date d'envoi de la lettre d'injonction par la banque, recouvrer le droit d'émettre des chèques s'il constitue à son compte la provision suffisante ou s'il justifie auprès du tiré qu'il a réglé directement le montant du chèque impayé par la remise du chèque (et non plus du chèque acquitté).
S'il s'agit d'un 2e incident de paiement, si 12 mois se sont écoulés dep. le 1er incident, le titulaire du compte reçoit une nouvelle lettre d'injonction mais peut de nouveau régulariser et dans ce cas continuer d'émettre des chèques. S'il y a – de 12 mois, il reçoit une nouvelle lettre d'injonction l'appelant à régler au plus tôt le montant du ou des chèques impayés. Il ne peut bénéficier d'une période de régularisation de 30 j et est automatiquement « interdit de chèques » pendant 12 mois à compter de la date de rejet de ce chèque. Même en période d'interdiction d'émettre des chèques, le compte peut continuer de fonctionner. Le titulaire du compte peut retirer directement des fonds à l'aide de formules de retrait disponibles au guichet de la banque, il peut aussi se faire délivrer, moyennant paiement, des chèques de banque, notamment pour les règlements sup. à 10 000 F, qui doivent être faits obligatoirement par chèque barré, carte de paiement ou virement bancaire ou postal.

Transmission. Les chèques se transmettent par *endossement* (ou *endos*) : *en blanc :* par une simple signature au dos du chèque ; *au porteur :* on écrit la formule « payez à l'ordre du porteur », on date et l'on signe ; *à personne dénommée,* en précisant le nom. On appelle *tiré* celui qui doit payer et *tireur* celui qui émet le chèque.

Recouvrement de chèque impayé. Si l'on ne peut s'entendre à l'amiable avec le tireur du chèque. 1°) *Se procurer la preuve de non-paiement.* Le tiré (c.-à-d. la banque ayant imprimé le chèque) doit remettre au porteur, sur sa demande, un certificat de « non-paiement » lorsque le chèque reste impayé « à l'issue du délai de régularisation ». La signification du certificat de non-paiement au tireur, par le ministère d'huissier, vaut commandement de payer ; l'huissier, s'il n'a pas reçu justification du paiement du chèque et des frais dans les 20 j, délivre, sans autre acte de procédure, un titre exécutoire qui permettra d'engager une action judiciaire.

2°) *Intenter une action judiciaire : a) Soit en se constituant partie civile* (en portant plainte) devant le tribunal correctionnel [qui aura d'ailleurs pu être saisi directement par le procureur de la Rép., car tout protêt (acte dressé par huissier, constatant le non-paiement) enregistré lui est obligatoirement transmis]. Si le procureur n'a pas exercé de poursuites, lui adresser une plainte ou, si l'affaire présente des difficultés, adresser la plainte au doyen des juges d'instruction ; *b) Soit en exerçant une action en paiement* devant le trib. civil de gde instance ou le trib. de commerce compétent. Si le montant n'excède pas 3 000 F entre non-commerçants, on peut utiliser la procédure simple de recouvrement des petites créances civiles.

Sanctions pour le tireur. *Le tribunal est obligé de prononcer une peine* dès qu'il est établi que le chèque n'était pas couvert ou qu'il l'était insuffisamment. Il peut tenir compte de la bonne foi, de l'inexpérience du délinquant, du fait que la dette a été réglée en espèces dès la 1re sommation. En cas de récidive, des peines doivent obligatoirement être prononcées. *Pour celui* qui consent sciemment à recevoir un chèque sans provision : mêmes peines. *Pour la banque :* si elle indique une provision inférieure à la réalité, ne déclare pas les incidents de paiement, n'applique pas les mesures prévues par la loi contre le tireur de chèque sans provision, amende possible de 2 000 à 60 000 F.

☞ La Banque de France peut communiquer au procureur de la République tout incident de paiement de chèque qui lui a été déclaré. Elle est tenue de lui communiquer les incidents de paiement dont il a demandé à avoir connaissance.

Pour un chèque postal. Demande au centre de chèques postaux accompagnée du titre, durant son délai de validité (1 an). Certificat de non-paiement délivré gratuitement. Si le tireur du chèque bénéficie d'un délai de régularisation de 30 j (décret du 10-1-1986), le certificat de non-paiement est délivré à l'issue de ce délai. Si un tireur est soumis à l'obligation d'immatriculation au registre du commerce et des Stés ou au répertoire des métiers, et que le chèque soit de + de 10 000 F, le certificat de non-paiement sera publié au greffe du tribunal compétent. Frais de publicité à la charge du tireur.

• **Perte de chèques. Par le signataire :** faire opposition : avertir la banque pour mettre obstacle au paiement (dans les 1 an et 8 j à partir de la date du chèque). Si le chèque est en blanc, l'opposition est maintenue tant que le compte existe. **Par le bénéficiaire :** avertir le plus tôt possible le signataire pour qu'il fasse opposition ; en son absence, prévenir la banque ; le tireur du chèque régularisera la situation en faisant opposition à son retour.

• **Lettre de crédit.** Délivrée par la banque, elle permet d'obtenir des fonds pour un montant déterminé dans une succursale (lettre de crédit simple), ou toutes les succursales de la banque (circulaire). Le bénéficiaire peut retirer de l'argent au fur et à mesure de ses besoins.

• **Précautions.** Pour éviter lavage, gommage ou surcharge du chèque barré : utiliser des stylos-billes noirs, appuyer fort ; éviter les stylos-feutres de couleur ; laisser le minimum d'espace entre lettres et chiffres inscrits après les mentions « BPF », « la somme de », « à l'ordre de » ; tirer un trait jusqu'au bout de la ligne ; utiliser des chèques prébarrés par la banque ; dans le cas d'une remise à sa propre banque par courrier : marquer le nom de la banque où le chèque doit être encaissé. Les grands utilisateurs de chèques peuvent employer une machine spéciale à encre indélébile. Utiliser d'autres moyens de règlement : domiciliation de certains paiements au guichet collecte est centralisée à la Caisse des dépôts moyennant une commission de placement ; 10 % sont laissés à la disposition des caisses pour les prêts aux collectivités locales. Les ressources sur Codevi sont aussi centralisées à la Caisse des dépôts. Pour le reste des ressources (livrets B, épargne-logement, emprunts, obligataires...), les caisses d'épargne et les Sorefi peuvent effectuer librement des opérations de banque en faveur de leur clientèle prédéterminée. Dep. 1987, peuvent aussi accorder des crédits à des personnes morales de droit privé (en contrepartie d'une fiscalisation progressive du réseau au titre de l'impôt sur les Stés).

• **Stés financières** (1 069 établ. représentant 7,3 % des crédits). Ne peuvent pas recevoir, sauf exception, des dépôts du public à moins de 2 ans. Pour faire leurs opérations, elles utilisent leurs ressources propres, emprunts obligataires et emprunts sur le marché monétaire. Il s'agit notamment : des Stés de financement de vente à crédit, de crédit-bail, de crédit immobilier, de crédit différé, de caution mutuelle.

• **Institutions financières spécialisées (IFS).** Établ. de crédit investis par l'État d'une mission permanente d'intérêt général, qui distribuent pour partie des prêts bonifiés par celui-ci. Les IFS représentaient 16,4 % des crédits fin 1989. 32 établ. *Principaux organismes :*

Crédit foncier de France. *Créé 1852.* Organe de financement de la construction et de crédit à l'accession à la propriété, notamment pour les financements aidés par l'État (prêts d'accession à la propriété, prêts locatifs aidés...). Accorde aussi des prêts aux collectivités locales et au secteur privé pour les opérations immobilières. Il se finance à partir de ses fonds propres et emprunts obligataires essentiellement. *En milliards de F* (au 31-12-1990) : capital 2,88, bilan 320 ; bénéfice net 0,56 ; encours global des prêts 272. *Actionnaires principaux* (en %) : AGF Groupe 7,21, Caisse des dépôts et consignation 4,44, UAP 4,78, Enskilda (Suède) personnel de la Sté). *Personnel* 3 685.

Crédit national. *Fondé* 1919 afin de faciliter le paiement des dommages de guerre, il intervient aussi essentiellement pour le financement à moyen ferme des investissements des entreprises industrielles.

CEPME (Comité d'équipement des PME). Regroupe dep. 1980 d'anciennes institutions financières.

SDR (Stés de développement régional). 21. Interviennent essentiellement sous forme de participations minoritaires dans le capital des entreprises, de prêts ordinaires à moyen ou long terme et de prêts à long terme bonifiés par l'État.

Caisse centrale de coopération économique. Consacre l'essentiel de ses ressources au financement des PVD et des TOM.

Autres IFS. Crédit local de France. ex-CAECL (Caisse d'aide à l'équipement des collectivités locales), Sofaris (Sté française pur l'assurance du capital risque des PME) ou le Comptoir des entrepreneurs. **Matif SA** (anciennement Chambre de compensation des instruments financiers de Paris) chargée de garantir le bon fonctionnement du MATIF et le contrôle des opérations ; **Sté des Bourses françaises** née 1988, substituant les Stés de Bourse aux agents de change, chargée de la surveillance et du fonctionnement quotidien du marché financier.

• CAISSE DES DÉPÔTS ET CONSIGNATIONS. *Créée 1816* pour assurer la protection des consignations judiciaires. Entretien des rapports étroits avec le Trésor et joue un rôle régulateur sur le marché financier (sans émettre directement elle-même). Dispose de ressources privilégiées au profit de secteurs particuliers. Ressources principales : fonds des caisses d'épargne et de prévoyance et de la Caisse nationale d'épargne. Emplois principaux : logement social, prêts aux collectivités locales et interventions sur les marchés de capitaux ; c'est le plus gros investisseur du marché obligataire. *Créée 1816. Bilan (1988) :* 260 milliards de F ; *résultat net (1990) :* 3,4 milliards de F.

Statistiques

• Statistiques. **Nombre de banques. Avant la loi du 24-1-1984** (au 31-12). *1946 :* 444. *50 :* 409. *60 :* 338. *70 :* 308. *75 :* 361. *80 :* 391. *81 :* 399. *82 :* 402. *83 :* 406 dont 293 banques de dépôts, 40 banques d'affaires, 73 banques de crédit à long et moyen terme. *89* (AFB) : 418.

Bilan cumulé des établissements de crédit (en milliards de F, fin 1988). Banques 6 405, banques mutualistes ou coopératives 1 832, caisses d'épargne et de prévoyance 971, crédit municipal 17, sociétés financières 1 322, institutions financières spécialisées 1 063. **Total : 11 610.**

Part de marchés (en %, 1989)	Crédits	Dépôts	Engagements en faveur de la clientèle
	31.12.89	31.12.89	31.12.89
Banques	50,2	51,2	68,8
Banques mutualistes ou coopératives	21,6	27,8	10,2
Caisses d'épargne	4,2	15,6	0,7
Caisses de crédit municipal	0,3	0,2	–
Sociétés financières	7,3	3,8	14,2
Institutions financières spécialisées	16,4	1,3	6,1
Maisons de titres	–	0,1	–
Ensemble des établissements	100	100	100

Source : rapport de la Commission bancaire (1989).

Crédits à la clientèle. 4 282,1 milliards de F dont (en %) banques 46,9, b. mutualistes ou coop. 21,6, institutions fin. spécialisées 18,5, stés fin. 8,1, caisses d'épargne et de prév. 4,6, crédit munic. 0,3.

Comptes en banque. 97 % des + de 18 a. en ont un. 90 % sont satisfaits de leur banque.

Guichets. Nombre de banques (au 1-1-1989). 25 419 dont banques AFB 9 955, mutualistes ou coopératives 11 094, populaires 1 597, Crédit agricole mutuel 5 655, Caisse centrale de Crédit coopératif 1, Crédit maritime mutuel 104, Crédit mutuel 3 261, Crédit mutuel agricole rural 393, Société coopérative de banque 83, Caisse d'épargne et de prévoyance 4 306, caisses de crédit municipal 64.

Banques défaillantes. Montant à la charge de l'AFB en millions de F et, entre parenthèses sommes récupérées par les créanciers en % du montant des créances. *1976* Banque Baud (Évian) 11,3 (60,3). *1978* B. Lacaze (Lourdes) 39,1 (75). *1979* B. hispano-française (Biarritz) 14 (50) ; B. Roy (Lille) 6,3 (44,9). *1980* B. Gadic (Paris) 10,7 (50) ; B. phocéenne (Marseille) 28,2 (60). *1989* B. de participations et de placements (Paris) 33 (49) ; United Banking Corporation (Paris) 54 (32) ; Lebanese Arab Bank (Paris) 45,5 (en cours). *1990* B. industrielle de Monaco (Monaco) 108,7 (en cours).

Collecte (fin 1990). *Dépôts à vue par réseaux :* 1 447,5 milliards de F dont banques AFB 39,8 %, banques mutualistes ou coopér. 26,5, PTT 11,3, CDC, caisses d'épargne 10,3, Trésor public 9,5, divers 2,6 (dont Banque de Fr. 0,3 %, BFCE 0,15, crédits municipaux 0,06, Stés financières et maisons de titres 1,5, IFS 0,65). *Placement à vue :* 1 259,1 mds dont Caisse d'épargne et de prév. (Écureuil) 41,2 %, Caisse nat. d'épargne (la Poste) 25,1, banques mutualistes ou coopér. 21,4, banques AFB 11,45, divers 0,85 (dont CDC 0,8 %, IFS, Trésor public et crédits municipaux 0,07). *Source :* Banque de France.

☞ La *Haute Banque*, expression née sous la Restauration, désignait les grandes banques privées, établies à Paris (exemples au XIXe s. : Heine, Hottinguer (devenue 30-3-1990 Ste anonyme), Mallet, Lazard, Vernes et Cie, Rothschild, Mirabaud, de Neuflize).

Société générale. *Fondée* 1864, nationalisée comme la BNP et le Crédit Lyonnais le 1-1-1946. En nov. 1984, elle fut la 1re Sté nationalisée à émettre des CIP (certificats d'investissement privilégié) à 560 F (ils cotaient 1 900 F le 6-5-1987). *Résultat net* (1990) : 2 934 millions de F dont part du groupe 2 678 (– 24,8 %) Banque de dépôt. 2 banques affiliées : la Sté Générale Alsacienne de Banque et la Sté Centrale de Banque. *Clients :* 3,6 millions. *Agences et bureaux :* 2 000 en métropole. *Personnel :* 34 753 en métropole. Elle fut privatisée en juin 1987 (20 900 000 actions proposées à 407 F). Le gouvernement, ayant constitué un groupe d'actionnaires stables, détient 20 % du capital. *Actionnaires* (au 31-12-90, en %) : institutions françaises 24,9, grand public et divers 24,2, industries 20,4, activités étrangères 15,8, salariés 7, autocontrôle 5,4, caisse de retraite SG 1,3, État 1.
Activités (en milliards de F, au 31-12-1990). Total bilan 1 120, crédit à la clientèle 545, dépôts de la clientèle 352, titres de filiales et participations non consolidées 15,1, fonds propres hors intérêts minoritaires 36,4, stock global de provisions 37.

L'AFFAIRE DE LA STÉ GÉNÉRALE. En 1988, après la réélection du Pt Mitterrand, le nouveau gouvernement de gauche voulut favoriser le « dénoyautage » des Stés privatisées par le gouvernement Chirac. Sous le couvert de la SIGP (Sté Immobilière de Gestion et de Participation) dans laquelle intervient pour 49 % la Caisse des dépôts, on tenta ainsi d'acquérir une part importante du capital de la Sté générale. Cependant l'opération échoua, 2 des 3 Cies d'assurances nationales (AGF et UAP) pressenties ayant refusé de s'y associer. La COB ouvrit une enquête qui révéla un délit d'initié pour certains acheteurs de titres entre juin et oct. 1988 (668 460 actions dégageant une plus-value de 42,2 millions de F). 5 inculpations furent prononcées le 30-5-89

Principales banques françaises

(en milliards de F en 1989 sauf * 1990)

Raison Sociale	Total du bilan	Capitaux propres	Dépôts (a)	Crédits (b)	Résultat net
Crédit Agricole*	1 554	78	885,4	937,3	4,7
BNP*	1 486	41,3	662	617,4	1,6
Crédit Lyonnais*	1 463	45,2	580	692	3,7
Société Générale*	1 120	27,9	352	545	2,7
Caisse d'épargne Écureuil	884	43	746 779	220,5	2,8
Cie Financière de Paribas	803	27,7	252 663	394,2	3,4
Banque Paribas	475	9,4	159 944	160,5	1,3
Cie financière de CIC	432	10,9	182 832	198,5	1
Groupe des banques populaires	375	14,8	208 990	172	1,2
Banque Indosuez	320	10,6	106 033	136,3	1
Crédit Mutuel	319	20,7	220 985	155,8	0,95
Crédit Commercial de France	264	8	78 943	95,7	0,70
BFCE	262	1,92	24 641	120,6	–
Compagnie bancaire	220	9,79	37 810	174,7	1
CIC Paris	130	1,75	34 196	42,5	0,07
CCBP	127	2,37	15 440	15,6	0,17
Crédit du Nord	118	1,49	50 810	69,2	0,10
UCB	99	3	1 082	94,5	0,06
Fuji Bank-Paris	97	0,4	1 623	3,5	0,045
Sanwa Bank France	94	0,2	2 363	1,5	0,02
Crédit Mutuel ALF-C	93,8	7,71	54 046	53,7	0,89
Sogenal	80,7	2,42	30 500	29,9	0,17
Crédisuez	79,2	2	19 322	60,9	0,27
Banque de l'Union Européenne	77	2,2	15 081	44,8	0,35
Renault Crédit international	77	6,3		38,6	0,84
Banque Worms	69,9	2,42	27 700	30,3	0,20
BRED	67,4	2	41 890	23,7	0,11
Caisse d'épargne de Paris	65,9	2	51 600	11,3	0,16
CIAL	61,1	1,9	40 934	18,5	0,32
Citibank NA	56,8	0,64	2 588	3,4	– 0,03
Lyonnaise de banque	55,7	1	26 920	26,7	0,07
Banque fédérat. Crédit Mutuel	55,6	1,4	9 999	10,3	0,30
Cie. parisienne de réescompte	52,5	1,86	13 350	2,2	0,30
Crédit Agricole Ile-de-France	51,9	2	15 791	33,8	0,33
Banque La Hénin	51,2	0,97	12 378	38,5	0,09
Crédit Mutuel de Bretagne	50,8	2,99	37 812	26,3	0,27
The Mitsubishi Bank limited	49,5	0,20	933	1,3	0,002
Sovac	47,1	3,63		41,1	0,46
CE Bouches Rhône & Corse	45,5	1,58	34 317	8,6	0,14
UBAF	45,2	1,32	1 759	7,9	0,02
The Chase Manhattan Bank	43,7	0,003	1 287	0,85	– 0,10
Cételem	43,3	3,14	318	39,5	0,50
CIC-UE, International et CIE	41,0	0,55	2 597	10,7	– 0,14
UFB Locabail	40,8	3,48	1 014	32,5	0,33
Banque Sudameris	39,1	1,53	16 526	14	0,15
The Indusrial Bank of Japon	38,7	0,30	–	9	–
Banque Natiotresorerie	36,5	0,49	–	–	– 0,06
Batif Banque	36,5	3,21	2 923	–	0,36
BCEN – Eurobank	36,5	1,06	456	7,89	0,01
Barclays Bank	33,5	1,23	12 672	19,4	0,13
BAII	31,8	0,001	7 150	14,7	– 1,21
Crédit Industriel de l'Ouest	3,3	0,61	15 294	14,9	0,04
Union Industrielle de Crédit	31	1,6	5 340	26,4	0,31
Caisse d'épargne de Lyon	30,7	0,83	23 386	5,96	0,087
Banca Nazionale del Lavoro	30,1	–	–	–	–
NSM *	32,7	1,49	11,4	13,4	0,39
Géneparts	27,8	17,31	0,5	1	0,55
Unicrédit	27	0,72	10 011	12,7	0,045
Crédit Coopératif	27	1,13	6 079	19,6	0,036
Sté Marseillaise de Crédit	26,9	0,33	13 929	11,9	0,025
Dai-Ichi kangyo Bank	26,5	0,005		1,39	– 0,01
Banque SNVB	26	0,65	14 542	14,9	0,082
Morgan Guaranty Trust	25,5	0,20	2 217	2,96	0,012
Crédipar	25,3	1,92	6 767	22,5	0,34
Banque Sofinco	25,2	1,52	6 979	22,2	0,15
Banque Scalbert Dupont	24,5	0,66	12 794	11,9	0,06
Caisse centrale de Réescompte	23,6	0,31	5 457	0,061	0,01
Sofal	23,4	1,02	1 042	21,4	0,20
Bank of Tokyo	23	0,12	970	3,72	0,004
Midland Bank SA	22,6	1,29	925	14	0,01

Nota. – (a) Comptes de passif : comptes créditeurs de la clientèle + comptes d'épargne à régime spécial + bons de caisse. (b) Comptes de l'actif : crédits à la clientèle +comptes débiteurs de la clientèle. (1) Établissement financier. (2) Maison de réescompte. (3) Dont 3,4 part du groupe. (4) Dont 24,2 part du groupe. (5) Dont 3,5 part du groupe.

Source : Le Nouvel Économiste. Résultats au 31-12-90.

décret-loi dispensant la Banque de conserver une encaisse-or égale au min. à 35 % de ses engagements à vue : entre sept. 1939 et août 40, elle évacue la quasi-totalité de l'encaisse-or = + de 2 800 t, vers pays alliés et colonies. **1940** *24-11* Conseil gén. réduit de 20 à 11. **1945** *2-12* Banque nationalisée, actions transférées à l'État. **1973** *3-1* loi fixant les règles relatives aux missions de la Banque (décret du 30-1).

☞ Jusqu'en 1939, l'émission de billets était limitée par la fixation d'un plafond, ou, depuis la loi du 25-6-1928, par un % de couverture des engagements à vue (billets en circulation et comptes créditeurs) par l'encaisse-or. Depuis 1939, le montant des émissions est redevenu libre. En 1986 les billets représentaient 15,3 % environ des disponibilités monétaires et 6,5 % de la masse monétaire.

Politique monétaire et du crédit (voir ci-dessus pour le contrôle des pouvoirs publics). La B. de F., qui est la *banque des banques,* assure en dernier ressort la liquidité de l'ensemble du système bancaire. Elle surveille l'évolution des crédits et s'efforce d'en adapter le volume aux besoins de l'économie.

Pour ce faire, elle *règle le prix des concours qu'elle consent* et qui s'effectuent essentiellement sous la forme d'interventions sur le marché monétaire (achats et ventes fermes, ou pensions à terme, et éventuellement au jour le jour, réalisés à intervalles irréguliers, sur appels d'offres, et portant sur des effets publics ou des effets privés). Le *réescompte* est devenu exceptionnel dep. janv. 1971, sauf pour certains crédits à moyen terme, à l'export. La Banque de Fr. exerce une action indirecte, quantitative ou qualitative, sur la distribution du crédit, en définissant de manière sélective les actifs bancaires capables de servir de supports à ses interventions sur le marché monétaire.

Elle fixe les modalités d'emploi de leurs disponibilités par les banques. Les banques sont tenues : de *détenir* auprès de la B. de F. des réserves obligatoires sous forme de dépôts non rémunérés au montant fixé en fonction de leurs exigibilités à l'égard des tiers, et des crédits distribués (le taux de ces réserves varie selon les exigences de la politique monétaire).

Services d'intérêt général. La B. de F. établit et publie des statistiques sur la monnaie, les crédits et l'épargne, et les résultats de ses enquêtes de conjoncture. Enfin, elle s'est attachée à faciliter les règlements interbancaires et a progressivement assumé le rôle d'*organe centralisateur des renseignements bancaires* en créant des centrales de risques, chèques impayés, incidents de paiement, bilans des entreprises (créée 1968), et en gérant un fichier bancaire des entreprises.

La Banque de France est le banquier du Trésor (les *ressources* du Trésor – personnification financière de l'État – sont principalement le produit des impôts et des taxes, et sont liées aussi aux opérations de ses correspondants – notamment le service des Chèques postaux ; ses *emplois* sont effectués au profit des créanciers de l'État et des collectivités locales, pour le règlement des dépenses publiques). La B. de F. consent traditionnellement des avances à l'État.

Avances faites au Trésor. *Avances non rémunérées :* dep. le 27-12-1973, le Trésor dispose d'une ligne de crédit gratuit, fixée initialement à 10,05 milliards de F, ajustée 2 fois par an par la prise en compte des résultats du Fonds de stabilisation des changes : un gain de change (une perte) alimente (réduit) le compte, mais réduit d'autant son droit de tirage. Depuis 1974, ce compte oscille entre 13 et 25 milliards, sauf entre juillet 1981 et 1983 où le niveau est tombé à zéro. Le Trésor peut obtenir des concours supplémentaires, rémunérés selon les conditions pratiquées sur le marché monétaire (montant max. de 10 milliards de F). S'il a le *solde créditeur* au compte courant, celui-ci est rémunéré par la B. de F. dans les mêmes conditions. La Banque ouvre gratuitement ses guichets au placement des emprunts de l'État et des bons émis par le Trésor. Dep. déc. 1985, elle gère en compte courant une nouvelle catégorie de bons du Trésor négociables d'une durée max. de 7 ans, d'un montant unitaire de 5 millions de F et émis par des adjudications. Elle gère la nouvelle procédure (mise en place le 6-2-1986) d'émission, par le Trésor, sous la forme d'adjudications, d'obligations assimilables du Trésor – OAT (titres de fonds d'État assimilables à des titres qui ont été émis précédemment ou qui pourraient l'être ultérieurement). Elle gère les comptes courants de bons auxquels sont obligatoirement inscrits les effets publics détenus par les institutions financières, et organise les adjudications de ces valeurs.

Rôle international. La Banque de France intervient sur le marché des changes pour le compte du *Fonds de stabilisation des changes* (créé par la loi monétaire du 1-10-1936, après la suppression de la convertibilité du F en or, pour régulariser les fluctuations du cours du F tout en assurant le secret des interventions sur le marché). Il est géré par la direction gén. des Services étrangers de la Banque pour le compte et sous la responsabilité du Trésor public. La Banque gère les avoirs officiels en or et devises, et négocie, si besoin est, avec les autres banques centrales des pays étrangers les accords de crédit réciproque (accords de *swaps*), pour stabiliser les mouvements de capitaux monétaires. Enfin, la Banque remplit les obligations contractées dans le cadre de la participation de la France au Système monétaire européen (SME).

Autres fonctions. Chargée des relations avec les organisations américaines monétaires et bancaires internat. [FMI, BIRD, BRI (Banque des règlements internationaux) à Bâle, Comité monétaire de la CEE, Accord monétaire européen qui fonctionne dans le cadre de l'OCDE, etc.] ; elle prépare avec le ministère de l'Économie les accords relatifs aux règlements avec l'étranger et apporte son concours à ce min. pour l'élaboration et l'application de la réglementation des changes ; elle établit la balance des paiements de la France.

☞ Le 1-4-1990 Mitsui et Taiyo Kobe ont fusionné.

En Angleterre : on appelle les *Big Five* la Barclay's Bank, la Midland Bank, la Lloyds, la National Principal Bank et la Westminster Bank. États-Unis : la loi interdit à chaque établissement de s'implanter dans plus d'un État de la Féd. Les grandes banques n'ont guère plus de dépôts que les françaises.

Principales banques dans le monde

En milliards de F au 31-12-1990.

Raison sociale	Total du Bilan	Dépôts	Crédits	Résultats nets	Capitaux propres
Dai-Ichi Kangyo Bank [1]	3 184	2 317,5	1 604,8	6,7	86,4
Sumitomo Bank [1]	2 974,9	2 122,1	1 439,3	8,5	94,5
Fuji Bank [1]	2 950,2	2 051,5	1 426,5	7,1	84,4
Mitsui Taiyo Kobe B. [1]	2 940,6	2 167,7	1 705	5,7	71
Sanwa Bank [1]	2 831,3	2 031,8	1 397	7,5	81
Mitsubishi Bank [1]	2 589,5	2 058,3	1 386,4	6,4	75,5
Ind. Bank of Japan [1]	2 083,8	702,8	1 112,2	3,9	59,9
The Tokai Bank [1]	1 797,8	1 318,1	917,5	2,3	47,7
Bank of Tokyo [1]	1 669,4	1 125,9	698,59	3,6	42,8
The Norinchukin B. [1]	1 637,1	1 010,2	548,5	1,6	9,2
Long-Term Credit B. [1]	1 473,7	430,7	867,8	2,8	47,4
Citicorp [3]	1 471,7	880,1	991,5	3,2	64,3
Mitsubishi Trust and Banking [1]	1 415,8	606,8	618,5	3,2	37,2
Crédit Agricole [2]	1 400,6	772,9	836,6	4,5	58
Mitsui Trust and Banking [1]	1 351,9	1 172,2	588,1	2,5	27,9
Yasuda Trust & Banking [1]	1 349,2	355,2	253,8	2,2	21,9
Banque Nationale de Paris [2]	1 339,7	553,4	617,4	3,4	29,9
Barclays Bank PLC [4]	1 333,1	1 084,3	984,4	4,7	65
Crédit Lyonnais [2]	1 219,7	464	552,1	3,1	36,7
National Westminster Bank [4]	1 213,7	1 057,6	936,2	2,1	62
Daiwa Bank [1]	1 197,4	629,4	493,9	1,5	24,2
The Toyo Trust and Banking [1]	1 182,3	737,5	375,8	1,6	19
Deutsche Bank [5]	1 167,1	572,1	713,1	4,4	47,7
Sté Générale [2]	1,017,5	362,4	470,6	3,5	23,3
Groupe Caisse d'épargne [2]	884	746,7	220,5	2,8	43
Sumitomo Trust and Banking [1]	876,6	489	324,3	3,2	36,4
Nippon Credit Bank [1]	860,9	230,7	502,2	1,6	21,1
Hong Kong & Shangai Banking [7]	848,2	756,7	624,2	3,9	43
Dresdner B. [5]	846,8	379,5	436,9	2,1	31,9
Bank of China [6]	833,9	340,1	304,7	6,2	44,6
Cie Financière de Paribas [2]	803,6	252,6	394,3	3,4	27,7
Saitama Bank [1]	774,9	566,9	402,5	1,2	20,9
Kyowa Bank [1]	769,7	577,5	448,9	1,4	21,5
Union de Banques Suisses [8]	687	414	400,1	3,5	51,4
Chase Manhattan Corp. [4]	685,1	440,7	468,4	- 4,2	26,2
Midland Bank [4]	65,7	571,1	475,6	- 2,1	28
Commerzbank [5]	649,9	288,5	358,1	1,9	21,5
Istituto San Paolo di Torino [9]	634,7	469,3	298,9	3	21,8
Dg Bank [5]	634,2	425,2	424,1	1,1	12,5
Swiss Bank Corp. [8]	634,2	397,4	377,1	2,9	39
Bankamerica [3]	630,2	518	462,5	7	35,3
Bank of Yokohama [1]	627,7	459,8	354,1	0,9	20,6
Royal Bank of Canada [8]	617,9	480,6	448,6	2,8	31,1
Westdeutsche Landesbank [5]	602	555,1	476,4	1,2	17,8
Lloyds Bank [4]	601,1	547,3	-	- 5,2	24,7
Banca Nazionale del Lavoro [9]	596,6	494,3	425,3	- 1,1	18,8
Bayerische Vereinsbank [5]	589,1	553,1	486,1	1	12,6
Shoko Chukin Bank [1]	585,6	524,6	469,9	0,5	14,3
Monte Dei Paschi di Siena [9]	581,7	345,2	232,6	1	20,1
JP Morgan [3]	567,7	249,8	166,1	- 8,1	28,7

Nota. – (1) Japon, (2) France, (3) USA, (4) G.-B., (5) R.F.A., (6) Chine, (7) Hong Kong, (8) Suisse, (9) Italie, (10) Canada, (11) P.-Bas. *Source :* Le Nouvel Économiste.

Établissements de crédit

☞ **Définition.** (Loi du 24-1-1984). « Personnes morales qui effectuent à titre de profession habituelle des opérations de banque comprenant la réception de fonds du public, les opérations de crédit, ainsi que la mise à disposition de la clientèle ou la gestion de moyens de paiement. Avant d'exercer leur activité, ils doivent obtenir l'agrément du Comité des établissements de crédit.

Institutions financières

• **Banques.** 2 groupes : **1) Banques AFB.** Faisant partie de l'Association professionnelle des banques. B. pouvant effectuer toutes les opérations. *Nombre (fin 1989) :* 418, représentant env. 50 % du total du bilan des établissements de crédit (crédits 50,2 %, dépôts 51,2). 8 établ. (Crédit Lyonnais, Sté générale, Banque nationale de Paris, BFCE, Paribas, CCF, Indosuez, Cie bancaire) représentent 55 %.

2) Établissements du secteur mutualiste et coopératif. *Nombre (fin 1989) :* 176 établ. (dépôts 27,8 %, crédits 21,6). 4 grands réseaux :

Crédit agricole [*Origine : 1894* statut légal donné aux caisses locales de Crédit agr. mutuel créées entre les membres des syndicats agr. *1899* caisses locales autorisées à se grouper en caisses régionales de Crédit agr. mutuel. *1920* Office nat. du Crédit agr. créé. *1926* devient Caisse nat. de Crédit agr. *1942* le bon à 5 ans créé. *1945* caisses régionales se groupent en une féd. nat. : la FNCA. *1966* autonomie à la Caisse Nat. par rapport au Trésor public. *1979* CNCA devient Établissement public à caractère industriel et commercial (EPIC) doté de l'autonomie financière. *1988* CNCA devient Sté anonyme au capital de 4,5 milliards de F, détenu à 90 % par les Caisses régionales et à 10 % par les salariés du groupe. *1990* fin du monopole du Crédit agr. sur la distribution des prêts bonifiés à l'agriculture. Possibilité de prêter à toutes les entreprises]. *Clients :* 17 millions (1 Français sur 3) ; 1re banque financière (1/6 du marché français) et de l'agriculture (85 % du financement de l'agriculture) ; 1re banque française par le bilan (1 554 milliards), les fonds propres (78) et les résultats (4,7). En milliards de F : *Dépôts clientèle et obligations :* 1 024. *Fonds gérés :* 352. *Encours de prêts :* 937 (+ 11,9).

Groupe des banques populaires : banques 33, guichets 1 855, employés 27 970, sociétaires 1 790 000, clients 3 300 000, bilan (en milliards de F en 1988) 339, fonds propres 13,1, dépôts clientèle 182, crédits 150, bénéfice net 1,37.

Crédit mutuel : structure pyramidale analogue au Crédit agricole ; totalise 3 200 guichets et env. 22 000 salariés.

Crédit coopératif : comprend l'ensemble des coopératives de crédit qui ont pour vocation d'aider l'économie sociale non agricole (coopératives, mutuelles, associations...). S'organise autour de la Caisse centrale de crédit coopératif et de la Banque française de crédit coopératif. Crédit mutuel agricole et rural. Stés coopératives de banque.

• **Organisme spécifiques. Caisses de crédit municipal :** 21 caisses placées sous la tutelle du min. de l'Écon. et des Fin. Principale activité : prêts sur gage dont elles ont le monopole (prêt contre le dépôt d'un objet dont la valeur est estimée par un commissaire-priseurs qui en fixe le montant) et les prêts aux fonctionnaires. Dep. 1987 : peuvent accorder des crédits à des personnes morales de leur zone géogr.

Banque française pour le commerce extérieur (BFCE) : juridiquement une banque, mais quasi exclusivement spécialisée dans les crédits à l'exportation, dans le cadre du soutien public au financement du commerce extérieur.

• **Caisses d'Épargne et de Prévoyance.** 3 niveaux : *local :* fin 1989, 224 caisses d'épargne et de prévoyance auxquelles sont rattachées 4 300 agences et succursales ; *régional :* 22 Stés de financement (SOREFI) ; *national :* Centre national des caisses d'épargne (CENCEP). Établissements de crédit à but non lucratif. Sont habilitées à effectuer uniquement des prêts aux personnes physiques, collectivités publiques, organismes n'exerçant pas d'activité industrielle et commerciale. Dep. 1987, ont été autorisées à accorder des crédits à des personnes morales de droit privé. Ressources constituées (pour les 3/4) par les livrets A dont elles partagent, avec le réseau de la Caisse nationale d'épargne (bureaux de poste), le monopole au niveau de la collecte. 90 % de cette

Commission bancaire. *Composition :* le gouverneur de la Banque de Fr. ou son représentant, Pt, le directeur du Trésor, vice-Pt, et 4 membres. *Rôle :* veiller au respect de la législation et de la réglementation bancaires, et à la qualité de la situation financière des établissements ; peut faire effectuer des contrôles dans tout établissement de crédit. Investie d'un pouvoir disciplinaire, elle peut prononcer des sanctions (de l'avertissement au retrait d'agrément).

Organismes professionnels

Association française des établissements de crédit (AFEC). Tout établissement de crédit doit adhérer à un organisme professionnel ou à un organe central affilié à l'AFEC ; certaines institutions financières spécialisées peuvent y adhérer directement.

Association française des banques (AFB). Membre de l'AFEC. *Pt :* Dominique Chatillon (n. 15-1-1928), dep. oct. 1986. **Comptes des banques AFB** (en 1986, en millions de F). *Produits bancaires* 399,6 [dont crédits à la clientèle 154,8, prêts de trésorerie 140,1, autres produits 104,7 (moins frais bancaires 271,8) dépôts de la clientèle 45,7, emprunts de trésorerie 147,7, emprunts obligataires et divers 78,7] ; *produit net bancaire* 127,8 (moins frais généraux 83,3) ; résultat brut d'exploitation 46,6.

Association française des Stés financières (ASF). Membre de l'AFEC. Regroupe 1 000 établissements de crédit spécialisés répartis en une douzaine de métiers de la finance. *Pt :* Christian de Longevialle (dep. 8-6-1988). *Délégué G^al :* Gilbert Mourre (dep. 10-1-1990). *Adhérents :* 1 012 (*mai 1991*). *Encours global (fin 1990) :* 1 055 milliards de F. *En % :* total des crédits bancaires à l'économie 18 (crédits de trésorerie aux particuliers dont location avec option achat : 51), financement des investissements des entreprises 24, crédits à l'habitat des particuliers 23, crédit-bail mobilier et immobilier 100.

Office de coordination bancaire et financière. 66, rue de la Chaussée-d'Antin, 75009 Paris. Association loi 1901, regroupant 180 ét. de crédit.

Office de coordination des banques françaises (OCBF). Regroupe 141 banques employant + de 50 000 personnes, gèrent env. 3 millions de comptes de particuliers et 1 million de comptes d'entreprises. Elles représentent 10 % des dépôts bancaires. **Divers.** *Effectif global des banques* (fin 87) : 251 634.

Mécanismes de contrôle

☞ En 1986, les billets ne représentaient plus que 15,3 % des disponibilités monétaires et moins de 6,5 % de l'ensemble des liquidités.

Régulation de l'émission de monnaie et de la distribution du crédit. Mise en œuvre par la Banque de Fr. en liaison avec le min. de l'Économie et des Finances. Plusieurs méthodes dont :

1°) Maniement des taux d'intérêt. Un grand nombre de banques et d'établissements financiers, notamment ceux qui sont spécialisés dans les crédits à la construction et les concours à l'équipement, sont obligés d'emprunter une partie des fonds dont ils ont besoin auprès d'autres établissements ayant des ressources excédentaires (par exemple Caisse des dépôts et consignations). Mais seule la Banque de France dispose des moyens nécessaires pour assurer l'équilibre du marché. Elle le contrôle en faisant varier le taux du marché monétaire ; elle peut agir sur les conditions finales faites aux clients des établissements, tout en respectant les contraintes de change.

2°) Réserves obligatoires. Le maniement des taux d'intérêt sur le marché monétaire, jugé insuffisant, a été complété, au début de 1967, par le blocage sans intérêt, auprès de la Banque de Fr., de fonds correspondant à un % variable des dépôts à vue ou à terme, et, de 1971 à 74, puis de nouveau à partir du 21-10-76, des crédits distribués. Comme les banques ne peuvent percevoir des intérêts sur ces fonds bloqués, et qu'elles doivent au contraire emprunter auprès de la Banque de Fr. pour constituer ces réserves, elles majorent les taux des crédits consentis à leur clientèle (à moins d'en être empêchées par la concurrence et de voir ainsi baisser leurs bénéfices). *Taux des réserves sur les exigibilités* (dep. le 21-7-1987). Exigibilités à vue (sauf comptes sur livret) et opérations de réméré ou assimilées, d'une durée inférieure à 10 j : 5 %. Comptes sur livret : 1 %. Autres exigibilités : 2 %. Avec la suppression de l'encadrement du crédit en 1987, il n'y a plus de réserves progressives pour dépassement des normes, ni de réserves ordinaires sur les crédits.

3°) Modulation de la progression des crédits distribués. Pour limiter la création monétaire des banques, les autorités monétaires fixaient les taux maximaux de progression des crédits qui ne sont pas financés par des ressources non monétaires (obligations, fonds propres). Des assouplissements étaient prévus pour les activités jugées prioritaires. Cet *encadrement du crédit* a été pratiqué : de juillet 1957 à févr. 1959, de févr. 1963 à janv. 1967, de nov. 1968 à oct. 1970, puis, de 1972 à 1986. Les banques qui enfreignaient la réglementation étaient sanctionnées par la Banque de France (abaissement du plafond de réescompte accordé par la B. de F. ; en 1970, réserves obligatoires non rémunérées auprès de la B. de F.). On reprocha à cet encadrement de geler arbitrairement des situations de fait, en abolissant toute concurrence et en pénalisant les établissements les plus actifs. En déc. 1972, les banques purent dépasser une norme indicative préalablement fixée, mais furent, dans ce cas, assujetties à la constitution de réserves supplémentaires, c'est-à-dire de dépôts obligatoires auprès de la Banque de Fr., calculés suivant un barème progressif en fonction du dépassement constaté.

De 1977 à 1984 un objectif de croissance max. a été imposé. A partir du 1-1-1985, on a suivi un régime proche dit « régulation du crédit ». Il n'était plus établi de normes annuelles de progression mais une formule (plusieurs fois modifiée) donnant une progression spécifique. En janvier 1987, on a renoncé à la régulation monétaire par des techniques quantitatives au profit d'une régulation par les taux. Des dérogations purent être accordées pour une activité prioritaire (ex. : l'exportation) ou des secteurs « sensibles » (équipements industriels, économies d'énergie...).

Ressources et emplois des banques

• **Ressources.** Les fonds déposés à leurs guichets par les particuliers (salaires et autres revenus) et par les entreprises, et les ressources de trésorerie. Au 31-12-1988, 1 274,9 milliards de F (+ certificats de dépôts, obligations émises par les banques ainsi que les ressources interbancaires de trésorerie).

• **Emplois. Prêts à court terme** aux particuliers (prêts personnels, financement des achats à tempérament) et surtout aux entreprises ; **escompte** des traites reçues par des commerçants ou des industriels en paiement de leurs fournitures : la banque verse aux entreprises le montant de leurs créances avant l'échéance de la traite en retenant l'intérêt de l'argent sur la durée restant à courir ; **ouverture de crédit, avance en compte courant, découvert par caisse, cautions** accordées pour les paiements des droits de douane et des droits indirects, **avances** sur *titres, sur marchés et sur marchandises,* **avals** de toute nature. **Prêts à moyen et long terme.** *Particuliers :* acquisition ou construction de logements. *Entreprises :* crédits d'équipement, financement des opérations d'import. ou d'export. **Autres emplois :** opérations de change et transactions sur le marché de l'eurodollar ; prises de participations minoritaires ou majoritaires dans le capital des entreprises ; placements des émissions des entreprises.

• **Services assurés.** Gestion des comptes de dépôt à vue et à terme, délivrance des chéquiers, paiement et recouvrement des chèques et effets de commerce, règlement automatique des factures (électricité, gaz, téléphone...), prélèvement fiscal mensuel, virement direct des traitements et salaires, location des coffres-forts, change, garde des titres et paiement des coupons des actions, opérations de bourse (achats ou ventes), placement des obligations, gestion des portefeuilles SICAV et fonds communs de placement.

Services informatisés. Les premiers distributeurs automatiques de billets (DAB) ont été installés en France en 1968. Les guichets automatiques de banques (GAB) ont été mis en place à partir de 1979 ; ils permettent de retirer des espèces, d'effectuer des virements de compte à compte, d'obtenir l'historique des mouvements et le dernier solde, de commander des chéquiers ou des relevés d'identité bancaire (RIB), et de déposer des espèces ou des chèques. *Nombre : 1980 (31-12) :* 2 400 DAB accessibles aux porteurs de carte bleue ; *1990 (31-12) :* 14 500 DAB/GAB accessibles aux porteurs de cartes bancaires quel que soit l'organisme émetteur en France. Beaucoup de banques offrent la possibilité, par télé-informatique (vidéotex, Minitel), de connaître des renseignements financiers (cours de Bourse, devises), le montant de son compte, les dernières transactions effectuées, ou de passer des ordres de virement, de paiement, d'achat ou de vente.

Banque de France

Organisation. Origine. 1800 *18-1* Société en commandite par actions, créée par des négociants et des banquiers (dont Perrégaux et Lecouteulx de Canteleu) avec l'appui de Bonaparte. Elle a le droit d'émettre des billets à Paris, en même temps que 5 établissements (Caisse d'escompte du commerce, Comptoir commercial, Banque territoriale, Factorerie du commerce, Caisse d'échange des monnaies). **1803** *14-4 (loi du 24 germinal an XI) :* la Banque reçoit à Paris pour 15 ans le privilège exclusif d'émettre des billets. **1806** *22-4* le privilège est prorogé jusqu'au 24-9-1843. 1 gouverneur (possédant 100 actions) assisté de 2 sous-gouverneurs (en possédant 50) nommé par l'État dirigera la banque. **1808** *16-1* la création de succursales (nommées Comptoirs d'escompte) est prévue dans les départements (plus créés en 1810). **1814-20** Laffitte gouverneur provisoire supprime les comptoirs. Ils seront remplacés par des banques départementales d'émission autonomes. **1840** *30-6* privilège d'émission prorogé jusqu'au 31-12-1867. **1848-70** apparition d'établissements nouveaux ; la Banque s'oppose à ce qu'ils prennent le nom de « banque » : Comptoir national d'escompte de Paris (1848), Crédit mobilier des *Frères Pereire* (1852), Crédit foncier (1852), Crédit industriel et commercial (1859), Crédit Lyonnais (1863), S^té générale (1864). **1857** *9-6* privilège d'émission prorogé jusqu'au 31-12-1897. **1868** l'encaisse dépasse 1 milliard de F. **1897** *17-11* privilège d'émission prorogé jusqu'au 31-12-1920. **1914** l'encaisse atteint 4,6 milliards de F (dont 4,1 en or soit 1/7 du stock mondial). **1918** *20-12* privilège prorogé jusqu'au 31-12-1945. **1928** encaisse-or 1 700 t. **1933** *sept.* 5 000 t (1/4 du stock mondial). **1973** *31-1* la loi actualise les statuts.

Comptoirs. En France 233 (fin 1986). Fin 89, décision d'en supprimer 32. **Effectifs :** 17 366 (fin 1986) (17 406 fin 1985) dont 2 093 à la fabrication des billets. **Services informatisés :** au 31-12-1986 : 8 000 appareils installés. **Laboratoires d'essais** à Puteaux (études et fabrication des coupures de valeur élevée). **Papeterie** à Vic-le-Comte (P.-de-D.). **Imprimerie** à Chamalières (P.-de-D.).

Gouverneurs. 1979 (21-11) Renaud de La Genière (1925-1990). **1984** (14-11) Michel Camdessus (1-5-1933 ; était 1er sous-gouv. dep. le 2-8-1984). **1987** (16-1) Jacques de Larosière (n. 12-11-1929) était dep. le 17-6-1978 directeur général du F.M.I. Le 9-12-1987, 200 CRS sont intervenus à 3 h du matin au siège de la Banque de France pour libérer un sous-gouverneur (Philippe Lagayette) et le directeur du personnel détenus par les grévistes.

Émission de monnaie. La B. de Fr. a le privilège exclusif d'émission. Cours légal et cours forcé. *Cours légal des billets :* particuliers et caisses publiques doivent accepter les billets en paiement. *Cours forcé :* l'Institut d'émission n'est plus obligé de rembourser en monnaie métallique les billets.

Évolution. Avant 1848, la monnaie métallique a cours légal : on peut exiger d'être réglé en numéraire ; le billet a cours libre : les créanciers ne sont pas obligés de l'accepter dans les paiements ; s'il est accepté, c'est parce qu'il inspire confiance et qu'il est convertible en espèces ; c'est un simple effet de commerce particulier, utilisé pour des raisons de commodité. **1848** *15-3* cours forcé et cours légal du billet. **1850** supprimé. **1870** *12-8* cours forcé : le billet a cours légal et le total de l'émission est plafonné (1,8 milliard porté le 14-8 à 2,4 milliards). **1875** *3-8* le billet conservera le cours légal après l'abolition du cours forcé définitivement instauré. **1914** *5-8* cours forcé rétabli. **1928** *25-6* franc Poincaré : valeur-or amputée des 4/5 : le bimétallisme est abandonné ; la circulation métallique est constituée de pièces d'or, qui ont cours légal illimité et de monnaies d'appoint (pièces en argent, en bronze et en nickel), dont le pouvoir libératoire est limité ; le cours forcé des billets est aboli. L'étalon-or est rétabli mais la convertibilité des billets en or est limitée à des lingots pour un montant mini. de 215 000 F ; l'encaisse-or doit être égale au mini à 35 % des engagements à vue (billets et comptes courants créditeurs). Le plafond d'émission des billets est supprimé. **1936** *16-7* après une campagne (allusion aux 200 plus forts actionnaires qui forment l'Assemblée générale), la Banque est réorganisée : *1 gouverneur,* assisté de *2 sous-gouverneurs,* continue de diriger la Banque. La pratique du serment, tombée en désuétude, est rétablie. Il n'a plus à justifier de la propriété d'actions de la Banque. L'*Assemblée générale* regroupe l'ensemble des actionnaires disposant chacun d'une voix. Le *Conseil général* regroupe le gouverneur, les 2 sous-gouv., les 3 censeurs élus par l'Assemblée et 20 conseillers : 2 sont élus par l'Assemblée, 9 représentant les intérêts de la nation, 8 sont choisis au titre des intérêts économiques et des usagers du crédit, 1 élu par le personnel de la Banque. *1-10* le cours forcé est rétabli, le franc dévalué. *Fonds de stabilisation* chargé de régulariser les cours de change des devises étrangères en francs. **1937** *30-6* les limites imposées en oct. 1936 sont supprimées et le franc devient « flottant ». **1939** *1-9* de l'argent à court terme entre 2 taux directeurs (distants en général d'1 demi-point). Le plus bas (plancher) est constitué par le taux des adjudications de liquidités que la Banque de Fr. effectue sur appel d'offres émanant des banques, en leur rachetant les effets de 1re catégorie qu'elles lui présentent. Le plus haut plafond (taux de pénalisation) est celui des prises en pension de « papier » pendant 7 j. En outre, la Banque peut, notamment en cas de tension, alimenter le marché au coup par coup. **Évolution. 1981** *mai* 22 % (record). **82** *mai* 16. **85** *juin* 7. **86** *(fin)* 8,5. **87** *juin* 7,5 *(nov.)* 8,25.

Taux d'escompte (voir ci-dessus). A l'exception des effets de mobilisation de créances nées à moyen terme sur les pays étrangers, la Banque de France ne refinance plus les banques par l'escompte, mais par des achats ou des pensions sur le marché monétaire. **Évolution (France) : 1968** *27-6* : 3,5. *3-7* : 5. *12-11* : 6. **69** *1-1* : 6. *8-5* : 6. *13-6* : 7. *11-8* : 7. *8-10* : 8. **70** *19-2* : 8. *27-8* : 7,5. *20-10* : 7. **71** *8-1* : 6,5. *13-5* : 6,75. *28-10* : 6,5. **72** *13-1* : 6. *6-4* : 5,75. *2-11* : 6,5. *30-11* : 7,5. **73** *5-7* : 8,5. *2-8* : 9,5. *20-9* : 11. **74** *20-6* : 13. **75** *9-1* : 12. *27-2* : 11. *10-4* : 10. *5-6* : 9,5. *4-9* : 8. **76** *22-7* : 9,5. *23-9* : 10,5. **77** *dep. 31-8* : 9,5. **86** *15-4* : 7,5. **87** *16-7* : 9,5. **88** 9,5. **89** 9,5. **90** 9,5. **91** *fév.* : 9,5.

Taux d'escompte des banques centrales. 87 *déc.* : Italie 12, G.-B. 8,5, Espagne 8, Suède 7,5, USA 6, All. féd. 2,5, Japon 2,5. **88** Italie 12,5, Espagne 12,4, *France 9,5.* Suède 8,5, USA 6,5, All. féd. 3,5, Japon 2,5. **89** Espagne 14,5, Italie 13,5, Suède 10,5, *France 9,5,* USA 7, All. féd. 6, Japon 4,25. **90** Espagne 14,7, Italie 12,5, Suède 11,5. *France 9,5,* USA 6,5, All. féd. 6, Japon 6.

Taux du marché monétaire. Taux d'intérêt fixé par la Banque de France en fonction des besoins externes (tenue du franc) et internes (inflation, croissance...). Autour de ce taux, l'offre et la demande de fonds entre banques déterminent les taux pratiqués sur le marché interbancaire.

Taux moyens du marché monétaire. Au jour le jour, entre parenthèses **marché obligataire.** *1981* : 15,3 (16,3), *82* : 14,87 (15,99), *83* : 12,53 (14,62), *84* : 11,74 (13,45), *85* : 9,93 (11,78), *86* : 7,74 (8,82), *87* : 7,97 (9,57), *88* : 7,52 (9,08), *89 (du 1-1-au 1-9)* : 8,65 (8,75), *90 (juil.)* : 9,82 (10,0585).

Taux de base bancaire. Taux servant de référence à une banque lorsqu'elle accorde un crédit. Chaque banque fixe librement son taux de base en fonction du taux de marché en emplois comme en ressources. Au taux de base s'ajoutent en général des intérêts et commissions en fonction de la qualité de l'emprunteur. *Évolution (en %) 1981* mars 13,25, mai 17 (record) ; *1982* 14 ; *1983* 12,75 ; *1984* août 12 ; *1985* janv. 11,50, mai 11,25, juillet 10,85, nov. 10,60 ; *1986* avril 10,10, mai 9,60 ; *1987* mai 9,60 sauf pour 2 établissements : 9,45 ; *1988* juillet 9,25 ; *1989* janvier 9,60, *juillet* 10 ; *1990* août 10,50.

Taux bonifié. Taux d'intérêt inférieur à celui pratiqué pour le même type de crédit, grâce à une aide de l'État par exemple.

Taux de l'usure. Taux d'intérêt qu'un prêteur, quel qu'il soit, ne peut dépasser. Au-delà de ce taux défini par la loi, le taux est dit usuraire et constitue un délit pénal.

Taux effectif global (TEG). Taux d'une opération, compte tenu des frais et des rémunérations diverses. Son mode de calcul est actuariel. Il doit être indiqué pour toute opération de crédit.

☞ **Mode de calcul. Taux nominal (t. facial).** T. affiché, correspondant au montant des intérêts (en %) payés en une seule fois, au terme d'une année complète, pour un capital nominal donné (placement ou emprunt). **Taux réel (t. effectif global).** Souvent différent du t. nominal car plusieurs facteurs interviennent : ex. : prix d'émission d'un titre inférieur à sa valeur nominale (obligations anciennes), frais engagés pour l'obtention d'un crédit, paiement des intérêts mensuels ou trimestriels et non annuels. **Taux actuariel.** Calculé en tenant compte de la capitalisation des intérêts ; tient compte du t. nominal, de la durée de l'émission, des cours, des modalités de remboursement et du t. auquel est effectué le placement (ou l'emprunt des intérêts capitalisés) ; méthode de calcul reposant sur 2 conventions : les intérêts capitalisés sont prêtés (ou empruntés) au même t. que le prêt initial, et pour une durée égale à celle qui sépare la date de versement effectif des int. de la fin de la période de référence.

• **Titrisation.** Possibilité pour les banques de refinancer les créances qu'elles détiennent dans leur bilan, telles que les prêts au logement, les crédits à la consommation. L'opération s'effectue via un fonds commun de créances qui reçoit les paiements effectués par les emprunteurs initiaux et dont les parts, négociables, sont émises dans des conditions adaptées aux besoins des marchés financiers.

Titre de créance négociable. Titre représentant une créance sur l'établissement émetteur (certificat de dépôt pour une banque, billet de trésorerie pour une entreprise) ; ce titre est librement négociable.

L'organisation bancaire en France

☞ Les lois des 13 et 14-6-1941 et la loi du 2-12-1945 ont été abrogées par la loi du 24-1-1984 relative à l'activité et au contrôle des établissements de crédit, dite « loi bancaire ».

Organes de contrôle

Conseil national du crédit. *Composition :* 51 m. dont le ministre de l'Économie et des Finances (Pt), le gouverneur de la Banque de France (vice-Pt), des représentants de l'État, des établissements de crédit, des activités économiques, des organisations syndicales, des personnalités désignées en raison de leur compétence, des assemblées parlementaires, le Conseil économique et social, des régions et des DOM-TOM. *Rôle* consultatif, notamment sur les orientations de la politique monétaire et du crédit.

Comité de la réglementation bancaire. *Composition :* ministre chargé de l'Économie et des Finances, Pt, gouverneur de la Banque de Fr., vice-Pt, et 4 membres. *Rôle :* réglementation des établissements de crédit, notamment le montant du capital, conditions d'implantation des réseaux, des opérations effectuées avec la clientèle, l'organisation des services communs, règles de liquidité, de solvabilité.

Comité des établissements de crédit. *Composition :* le gouverneur de la Banque de Fr. ou son représentant, Pt, le directeur du Trésor et 4 membres. *Rôle :* chargé des décisions, des autorisations et des dérogations prévues par la loi et la réglementation, à l'exception de celles relevant de la compétence de la Commission bancaire.

• **Caractéristiques des banques. Total du bilan.** FONDS PROPRES : capital social + réserves + bénéfices mis en report. CAPITAUX PERMANENTS : fonds propres + obligations émises par les banques.

Engagements envers les agents économiques non financiers (liquidités gérées par les banques) : dépôts à vue reçus des sociétés et des ménages ; dépôts à terme, bons de caisse, comptes sur livrets, épargne-logement.

Ressources provenant d'opérations de refinancement (net des postes de refinancements reçus – passif – et des refinancements accordés – actif) : comptes de correspondants français, valeurs données en pension ou vendues ferme, valeurs prises en pension ou achetées ferme.

Crédits distribués à la clientèle non financière (sociétés et ménages) : avances en comptes débiteurs, crédits de toutes échéances, créances douteuses et litigieuses.

Portefeuille-titres : titres de placement et de participation détenus par les banques.

• **Comptes bancaires. Comptes de dépôts :** *comptes de chèques à vue :* les sommes disponibles peuvent être retirées immédiatement, aucun intérêt n'est versé. *C. à terme :* les sommes ne peuvent être retirées qu'à date fixée, un intérêt est versé (après 1 mois de dépôt). **Comptes courants commerciaux :** ouverts aux commerçants qui peuvent escompter traites et billets à ordre. **Comptes sur livrets :** pas de chèques tirés ; rémunérés à 4,5 % l'an. **Compte joint :** permet à plusieurs personnes (ménage, parents, concubins, amis, etc.) d'utiliser un seul compte pour toutes opérations : dépôts, retraits ou virement.

Comptes courants de titres : permettent d'appliquer les procédés de l'inscription en compte et du virement à la gestion des valeurs mobilières et des bons du Trésor et bons à moyen terme admis aux opérations du marché monétaire.

☞ Lors du décès. Le compte cesse de fonctionner à partir de la date du décès et reste bloqué jusqu'au jour où les héritiers justifient officiellement de leur qualité (certificat d'hérédité ou de propriété). Tout ce qui est sur le compte entre dans la succession et est partagé comme celle-ci. S'il s'agit d'un *compte joint,* celui-ci continue à fonctionner, et seule une partie de son montant (au jour du décès) sera prise en compte dans la succession (part virile).

Levée du secret bancaire. *Justice et police :* avec une commission rogatoire, dans le cas d'une enquête pénale. *Fisc :* les banques sont tenues de lui déclarer toutes les ouvertures et fermetures de comptes en France, et les paiements de revenus d'actions et d'obligations. Droit de communication limité (documents préalablement désignés et dans les locaux de la banque seulement, sans possibilité d'interroger le personnel). *Douanes :* peuvent examiner les comptes, exiger la communication de tous documents et les saisir, interroger le personnel, ouvrir un coffre et en saisir le contenu, à la condition qu'il s'agisse de recherches spéciales dans une affaire déterminée. *Sociétés :* possibilité d'obtenir des informations limitées sur une autre société par l'intermédiaire de sa banque ou de son assureur crédit. *Tiers privés :* dans des cas précis (titulaires d'un compte collectif, représentants légaux des incapables, certains héritiers, cautions et mandataires du client, huissier d'un créancier dans le cadre d'une saisie-arrêt).

• **Solvabilité des banques.** *Rapport Cooke.* Élaboré en déc. 1987 par un comité réuni à Bâle, composé des banques centrales et des autorités de surveillance des dix pays siégeant auprès de la BRI. Le numérateur comprend des fonds propres (et des quasi-fonds propres) et le dénominateur des en-cours de crédit (actifs de crédits et engagements hors bilan) pondérés d'un coefficient de 0 % à 100 % établi selon les risques de non-recouvrement (qualité de l'emprunteur, situation géographique, etc.). 50 % au minimum sont représentés par le capital social et les réserves ; le solde par des emprunts subordonnés à terme et des provisions générales ou réserves pour créances douteuses (à l'exclusion des provisions affectées à un risque déterminé). Fin 1992, ce ratio (fonds propres/actifs pondérés) devrait être de 8 %. Une phase intermédiaire est prévue fin 1990 avec un ratio de 7,25 %.

Ratio Cooke des 20 premières banques françaises (1988). BNP 8,21, Crédit Agricole 8,68 [1], Société Générale 8,9, Crédit Lyonnais 7, Crédit Mutuel > 8, B. Populaires > 7,5, B. Paribas 9,5 [1], B. Indosuez ≃ 8, Groupe CIC 7,3, CCF 8,6 [1], CIAL > 8, Sté Générale Alsacienne de Banque ≃ 8, BUE 8, Sté Lyonnaise de Banque 4,25, B. Sofinco 5,4, B. Worms (n.c.), BPC (n.c.), B. Hervet > 8, Sté Nancéienne Varin-Bernier 7,6, B. La Hénin (n.c.).

Nota. – (1) 1989.

• **Swift.** Réseau de télétransmission interbancaire international. fondé en 1973 par 239 banques appartenant à 15 pays, ouvert en 1977. Début 1984, près de 1 500 banques étaient directement connectées à Swift. Disponible 24 h sur 24, et 7 j sur 7. Confidentialité assurée des données.

Monnaie électronique

• **Système « on line ».** Le commerçant est relié, en permanence et en temps réel, par un « terminal » à la banque du client ou à un centre de traitement ou d'autorisation. Le centre, suivant sa fonction, accorde ou non une autorisation au commerçant (interrogation du compte du client, ou d'une liste noire) et, éventuellement, enregistre la transaction. Le débit du compte du client se fait comme pour un chèque.

• **Système « off line ».** La carte du client est lue à l'aide d'un terminal placé chez le commerçant. *Types. Carte à piste magnétique :* contient le code du client et le plafond hebdomadaire à ne pas dépasser (fixé par les banques). Le terminal enregistre la transaction sur un support magnétique ; à la fin de la journée, ces informations sont transmises par le terminal à la banque par les réseaux PTT ou Transpac (expériences à Aix-en-Prov., en cours à Lyon, Blois et Caen). *Carte à mémoire* [CAM ou carte à puce, mise au point en 1974 par le Français Roland Moreno puis Michel Legon (Bull), adoptée 1981] : contient un microprocesseur qui possède des informations (sur le compte du client) lues par le terminal du commerçant (la carte fait le calcul selon l'état du compte du client) ; donne une plus grande sécurité au commerçant et permet au client de vérifier son compte à la banque. Avec la carte bleue, le débit reste différé.

Marché de l'or	Cours [1] F	Poids [2] g	Prime % [3] au 19-7-91	max.	min.
Napoléon (20 F)	406	5,806	– 2,81	129,33	– 2,81
Demi-Napoléon (10 F) [4]	370	2,903	77,13		64
Croix suisse (20 F)	420	5,806	0,77	86	– 0,66
Union latine (20 F)	410	5,806	– 2,57	67	– 2,57
Tunisie (20 F) [4]	410	5,806	– 1,85		– 1,85
Souverain (£)	517	7,322	– 2,24	64	– 2,24
Souverain [4] Élisabeth (£)	525	7,322	– 0,34		– 0,52
Demi-souverain [4]	395	3,661	49,95		0,50
Dollar ($ 20)	2 220	30,092	2,30	80	2,30
Dollar ($ 10)	1 200	15,046	8,99	94	8,94
Dollar ($ 5) [4]	575	7,522	6,22		5,54
Peso mexicain (50 pesos)	2 645	37,500	– 1,21	31	– 1,21
Mark allemand (20 marks) 4	508	7,164	– 1,05		– 1,05
Florin hollandais (10 Fl.) [4]	422	6,048	– 3,26	19	– 3,26
Rouble russe (Nicolas II : 5 roubles) [4]	270	3,871	– 3,05		– 3,50

Nota. – (1) Au 19-7-1991. (2) Poids d'or pur. (3) Par rapport au cours du lingot : 71 250 F. (4) Cotation hebdomadaire.

de destruction » (p. ex. : le comptoir Lyon-Alemand). Pour éviter le risque d'avoir des pièces usées ou détériorées (ou fausses), et celui de contestation ultérieure, exiger leur livraison sous sachet scellé.

Pièces d'or cotées à Paris

• **Cotations quotidiennes. 20 francs (français, napoléons) :** env. 617 millions d'ex. ont été frappés depuis la loi du 17 germinal an XI, dont 117 depuis 1906 ; 37 483 500 p. de 20 F (type « Coq » de Chaplain) ont été frappées de 1951 à 1960, mais millésimées de 1907 à 1914. **20 F suisses :** (or fin 5,80 g). **Union latine de 20 F :** diam. 21 mm, poids 6,45 g (or fin : 5,8 g), titre 900/1 000 ; on trouve des exemplaires frappés en Autriche-Hongrie, Belgique, Bulgarie, Grèce, Italie, Roumanie, Russie, Sardaigne, Serbie et Monaco. **Souverain (britannique) :** toutes les pièces frappées dep. la loi monétaire du 22-6-1816 sauf les pièces australiennes et sud-africaines (or fin 7,322 g). **20 dollars (US) :** diam. 34 mm, poids 34,436 g (or fin : 30,09), titre 900/1 000 ; 2 types : *liberté, aigle.* **10 dollars (US) :** diam. 27 mm, poids 16,718 (or fin : 15,046 g), titre 900/1 000 ; *2 types : Coronet :* portrait de la Liberté à l'avers : [période 1838-1907 ; ateliers : CC (Carson City), D (Denver), O (La Nouvelle-Orléans), S (San Francisco-Philadelphie)]. *Tête d'indien :* D (Denver), S (San Francisco-Philadelphie). **50 pesos mexicains :** or fin 37,49 g (encore régulièrement frappée, ; pièce cotée à Paris contenant le plus d'or). **1 livre Élisabeth :** frappée par périodes ; seules celles frappées entre 1957 et 1968 sont admises. **10 florins néerlandais :** diam. 22,5 mm, poids 6,729 g (or fin : 6,048 g), titre 900/1 000 ; 10 types différents. *Effigies :* Guillaume II, Guillaume III, Wilhelmine.

• **Cotations hebdomadaires. 10 F (demi-napoléon). Souverain** (Élisabeth II) : 7,9881 g (or fin 7,322), diam. 22 mm titre 916,66 % ; *1er type :* 1957 à 59 et 62 à 68 (seul type admis sur le marché français) ; *2e type :* 1974-76 à 82. **Demi-souverain** (or fin 3,66 g). *20 marks* (or fin 7,16 g). **Tunisienne de 20 F. 5 roubles Nicolas II** (or fin 3,87 g). **5 dollars US** (or fin 7,52 g).

Nota. – Certaines émissions sont interdites sur le marché parisien, comme le *Krugerrand* 1967-78, le *Chervonetz* (10 roubles) 1975-78 et la « *Feuille d'Érable » 50 $* Canada 1979.

• **Pièces d'or non cotées.** Exemples : *livre d'Afrique du Sud, 20 dinars yougoslave, 100 F d'Albanie, 5 livres d'Angleterre, livre australienne, ducats, schillings d'Autriche, 100 levas bulgare, 10 $ canadiens, 100 pesos chiliens, 20 pesos de Cuba, 20 kr Danemark, 500 piastres d'Égypte, la 100 lires italienne, 100 lires du Vatican Britannia,* lancée 1987, 100 livres (1 once), 50 livres (1/2 once), 25 livres (1/4), 10 livres (1/10).

Nota. – Certaines pièces (ex. : napoléons et louis, frappés entre 1803 et 1845) ont un prix de collection supérieur à leur cote boursière (parfois plus du double). Les monnaies d'or ont été démonétisées en application de la loi du 25-6-1928, ou antérieurement à la promulgation de celle-ci.

Cours officiels d'achat du napoléon (pièce d'or de 20 anciens francs). **En francs anciens** par la Banque de France. **17 germinal an XI** 20. **1926**-*27-9 :* 114,7, *-11-10 :* 113,52, *-25-10 :* 110,32, *-3-11 :* 104,52, *-8-11 :* 95,8, *-23-11 :* 90, *-16-12 :* 81,28. **1928**-*9-2 :* suspension de l'achat des pièces d'or, *-2-7* 97,55. **1936**-*1-10 :* 130,74. **1937**-*20-6 :* 148,98. **1938**-*12-11 :* 232,95.

Cours de l'or à Paris

Cours extrêmes sur le marché officiel de la Bourse de Paris dep. la réouverture du marché de l'or (3-2-1948) (en francs actuels courants).

	Napoléon	Kilogramme
1948	62 – 38,50	8 800 – 5 500
1949	61,70 – 39,50	8 360 – 5 280
1950	42,80 – 29,80	5 900 – 4 280
1951	46,60 – 39,70	6 180 – 4 900
1952	50,70 – 37,30	6 330 – 4 840
1953	39,30 – 30,40	5 160 – 4 340
1954	30,60 – 26,30	4 400 – 4 140
1955	29,60 – 24,70	4 520 – 4 200
1956	35,70 – 29,20	4 880 – 4 450
1957	43,40 – 33,60	5 900 – 4 580
1958	40,60 – 33,30	5 490 – 5 120
1959	37,20 – 34,50	5 730 – 5 560
1960	40 – 35	6 150 – 5 545
1961	42 – 36,80	5 755 – 5 565
1962	43,80 – 39,20	5 675 – 5 555
1963	42,80 – 40,60	5 600 – 5 535
1964	42,90 – 40,90	5 555 – 5 530
1965	45,90 – 42	5 640 – 5 550
1966	48,80 – 43,70	5 650 – 5 540
1967	56,90 – 47,80	5 665 – 5 555
1968	66,80 – 51,60	7 265 – 5 565
1969	78,70 – 65	7 865 – 6 535
1970	65,50 – 52,70	6 885 – 6 285
1971	63,20 – 57,10	7 280 – 6 705
1972	82,90 – 61	10 945 – 7 465
1973	190 – 80,10	17 750 – 10 700
1974	318,50 – 175	29 365 – 18 440
1975	288 – 208,50	27 020 – 20 000
1976	244,30 – 210	22 120 – 16 560
1977	254,50 – 230,90	24 940 – 21 440
1978	309,90 – 246,10	31 400 – 25 000
1979	671 – 265,80	70 000 – 30 230
1980	1 130 – 611	99 010 – 66 000
1981	959,80 – 819,50	97 000 – 83 000
1982	709,90 – 579	99 500 – 62 460
1983	750 – 645	115 400 – 94 850
1984	660 – 592	105 600 – 93 550
1985	608 – 509	105 050 – 78 000
1986	625 – 500	89 500 – 74 500
1987	551 – 510	94 800 – 77 400
1988	568 – 465	89 950 – 78 750
1989	474 – 429	82 500 – 74 150
1990 [1]	453 – 380	78 000 – 63 000
1991 [2]	490 – 375	73 800 – 57 600

Nota. – En 1972, le lingot avait perdu près de 70 % de son pouvoir d'achat depuis 1948 ; son cours aurait dû atteindre 38 000 F env. pour compenser l'érosion monétaire. Le 27-12-1973, la pièce de 20 F cotée 190 F (soit 19 000 anciens F) a battu son record historique du 5-6-1796 (17 prairial an IV), établi par le louis avec un cours de 17 950 livres-assignats. Ce nouveau record a été dépassé depuis. (1) Au 3-8-1990. (2) Au 1-7-1991.

Avant cette date, il n'existait pas de marché. Entre 1900 et 1939, et de 1939 à 1948, l'or se négociait directement entre banquiers (pas de cotation). **1939**-*12-9 :* 274,49. **1940**-*29-2 :* 274,49. **1945**-*1-1 :* 310, *26-12 :* 760,5. **1948**-*26-1 :* 136,8. **1950**-*16-8 :* 226,6. **En nouveaux francs. 1958**-*24,7 :* 27,32. **1959**-*30-1 :* 32,13. **1969**-*8-8 :* 36,18.

Nota. – (1) Dep. le 1-10-1936, les cours varient journellement.

Prime d'une pièce d'or. Différence entre la valeur du poids d'or contenu dans la pièce et le cours coté de celle-ci : pour la calculer il faut multiplier le poids d'or contenu dans la pièce par le coût du g d'or et comparer le résultat obtenu au cours officiel de la pièce. *Exemple :* si le lingot (1 000 g) cote 102 250 F, le g d'or vaut 102,25 F ; le napoléon qui contient 5,806 g d'or devrait valoir, au poids de l'or, 5,806 × 102,25 = 593,66 F ; s'il cote 614 F, la différence de 20,34 F (614 - 593,66) représente une « prime » de 3,42 % (20,34 : 593,66).

Prime du Napoléon (extrêmes + haut et, en italique, + bas, en %). **1974** 99,88 *57,50.* **75** 98,88 *71,96.* **76** 125,64 *62,87.* **77** 90,69 *62,47.* **78** 83,61 *44,96.* **79** 65 *30,22.* **80** 129,33 *33,58.* **81** 82,25 (9-10) *56,80.* **82** 67,99 (janv.) *12,88* (sept.). **83** 29,83 (mars) *10,97* (mai). **84** 12,08 (mars) - 0,12 (sept.). **85** 9,88 (janv.) - 0,04 (25-4). **86** 28,4 + 22,92. **87, 88** env. 1. **89** (févr.) 2. **90** 2,84 (2-4), 1,67 (5-4).

Banque et crédit

Définitions

• **Accréditif.** La banque ayant fait le nécessaire auprès d'une de ses succursales ou d'un de ses correspondants, le bénéficiaire pourra retirer une certaine somme en une ou plusieurs fois au cours d'une période déterminée (accréditif simple) ou par périodicité fixée au départ (jour, semaine, décade ou mois) jusqu'à révocation de l'émetteur (accréditif permanent). Dans ce cas, la somme non prélevée pendant la période prévue peut être ou non reportée sur la période suivante (accr. permanent reportable ou non).

• **Agios.** Ensemble des rémunérations qui grèvent les opérations bancaires. La loi impose aux banques de faire connaître à la clientèle (par affichage aux guichets ou brochures) le taux de leurs agios.

• **Dates de valeur (régime standard).** *j.c. :* jour calendaire. *j.o. :* jour ouvré. **Débit.** Retrait d'espèces - 1 j.c., paiement de chèque - 2 j.c., virement de compte à compte *j.*, virement émis - 1 j.c., paiement de domiciliation - 1 j.c., échéance d'un prêt *j.* (ou veille), prélèvement - 1 j.c., erreur *même date que l'opération d'origine.* **Crédit.** Versement d'espèces *+ 1 j.c.*, remise de chèque sur caisse (tireur et bénéficiaire ont un compte dans la même agence) *+ 1 j.o.*, remise de chèque sur place *+ 2 j.o.*, remise de chèque hors place *+ 5 j.o.*, virement de compte à compte *j.*, virement reçu *+ 1 j.c.*, encaissement d'effet échéance *+ 4 j.(c.)*, effet escompté *+ 1 j.c.*, octroi d'un prêt *j.*, intérêts sur compte à terme *j. de l'échéance du blocage.*

• **Découvert bancaire.** L'autorisation varie en montant et en taux suivant les établ. de crédit et suivant les emprunteurs. Peut être lié à l'ouverture d'un compte ou à l'utilisation d'une carte bancaire. *Taux effectif global plafonné à* 17,96 % (1990).

• **Escompte.** Opération qui permet au détenteur d'un titre de crédit public ou privé, à court terme, d'en percevoir le montant, déduction faite d'un prélèvement effectué par le prêteur proportionnel au nombre de jours restant à courir, et dépendant de la qualité du client, de celle de l'effet et des conditions du moment. Les banques se refinancent sur le marché monétaire, où la Banque de France intervient, soit par achats ou ventes d'effets de crédit privés ou de bons du Trésor, soit par prise ou mise en pensions (achat/vente d'effets avec engagement de revente/rachat). La Banque de France assure seule la contrepartie pour un certain nombre d'effets dits de 1re catégorie, parmi lesquels les crédits à moyen terme mobilisables au Crédit foncier de France, au Crédit national ou au Crédit d'équipement des PME. *Le papier représentatif d'escompte* commercial se négocie entre banques à des taux supérieurs à ceux pratiqués par la Banque de France.

• **Liquidité.** Désigne généralement l'aptitude d'un placement financier à être transformé facilement en moyen de paiement. « Les liquidités » : stock de moyens de paiement et de placements financiers répondant à la définition précédente.

• **Open market.** La plupart des banques centrales interviennent activement sur le marché monétaire en achetant ou vendant des effets (ce qui leur permet de rentrer dans leurs fonds sans attendre l'échéance). Sur l'open market, le taux peut varier tous les jours et même plusieurs fois par jour.

• **Taux d'intérêt. Taux directeur.** Taux auquel la Banque de France intervient pour régler la liquidité bancaire. La Banque de France ne se sert plus depuis plusieurs années de son taux d'escompte (9,5 %), mais tous les 8 ou 15 jours alimente en liquidités banques et marché interbancaire en faisant ainsi varier le loyer

Or détenu par les banques centrales (estim. 1990). 55 000 t (dont USA 10 000 gardées sous terre à Fort Knox, Kentucky ; URSS 2 500).

Taxes sur les transactions d'or dans la CEE à l'achat et, entre parenthèses **à la vente** (en %). France (5), Luxembourg, Belgique 1 (1), Italie 19, All. féd. 14, G.-B. 15, Espagne 12, Danemark 22.

L'or et la monnaie

Régime de l'or

• **Régime de l'étalon-or. Avant la guerre de 1914,** les principales monnaies étaient convertibles entre elles, en or et à des taux fixés. Les règlements entre banques centrales s'effectuaient principalement en or.

Les pièces d'or circulaient librement dans le public. L'or représentait 91 % des réserves monétaires mondiales (aujourd'hui 53 %).

A la fin de la guerre de 1914-18, les prix ayant doublé et le stock d'or n'ayant pas augmenté en conséquence, il eût fallu pour revenir à la situation antérieure, soit dévaluer les monnaies de moitié (en doublant le prix de l'or), soit faire baisser les prix. La 1re solution fut écartée pour des raisons de prestige, la 2e était irréalisable.

Cependant les principales monnaies retrouvèrent ensuite leur convertibilité en or (tout au moins pour les règlements internationaux), à la parité d'avant-guerre pour le dollar (1919) et la livre sterling (1925), à une nouvelle parité pour le franc (1928).

Gold Exchange Standard (étalon de change-or). 1922, pour réduire l'usage de l'or, on invita les États à détenir une partie de leurs réserves sous forme de devises convertibles en or (dollars et livres). Ce fut le Gold Exchange Standard que la France adopta *de facto* en 1926. Le dollar et la livre, qui auraient dû rester stables pour tenir correctement le rôle de réserve, furent dévalués après la crise de 1929 (livre 21-9-1931, dollar 30-6-1934). **1936,** on rétablit en partie l'or comme moyen de règlement (la convertibilité de Bretton Woods (New Hampshire USA, du 1 au 21-7-1944). Les 44 signataires (dont la France) pouvaient, pour leurs règlements, bénéficier de l'aide du FMI (Fonds monétaire international) qui disposait d'importantes réserves d'or et de devises étrangères et compensait ou corrigeait les fluctuations brèves des balances de paiement.

Les monnaies étaient définies par rapport à l'or, qui restait monnaie de règlement. Les USA détenant alors les 3/4 du stock mondial d'or (en 1949, leurs réserves dépassaient 24,5 milliards de $) et le dollar étant la seule monnaie convertible en or, le Gold Exchange Standard fut institué de fait avec le dollar comme seule réserve internationale.

Les citoyens américains ne pouvaient demander le remboursement en or de leurs dollars, mais les dollars cédés à une banque d'émission étrangère et présentés par elle à une autorité américaine étaient échangés contre un poids d'or équivalent.

En outre, les dollars pouvaient être librement vendus à Londres ; les banques d'émission, associées dans le *pool de l'or,* fournissant les quantités d'or demandées au cours de la parité légale (soit 1 once d'or pour 35 $). Les billets émis par la Banque de réserve fédérale amér. étaient couverts à 25 % par les réserves publiques d'or.

• **Les États-Unis et l'or.** Les USA, qui étaient les créanciers du monde (plan Marshall, voir index) et détenaient le plus gros stock d'or (V. ci-dessus) ont commencé à s'endetter à partir du début des années 60. Tandis que les investissements, l'aide au développement et les dépenses militaires à l'étranger augmentaient fortement, l'excédent commercial stagnait, puis se transformait en déficit (1971). Il en est résulté un déficit important de la balance des paiements et une accumulation des balances-dollars à l'étranger. De 1958 à 1971, les déficits cumulés de la balance des paiements dépassèrent 60 milliards de $, et le stock d'or tomba en mai 1971 à 10,9 milliards de $ (17,5 en 1960).

Cependant, longtemps par solidarité politique et stratégique, les U.S.A. bénéficièrent de concours extérieurs pour leurs échéances. La plupart des banques occidentales renonçaient à demander le remboursement en or des dollars en réserve qu'elles avaient. Certaines, comme celle de Bonn, allégeaient artificiellement la dette américaine à leur égard en achetant des bons du Trésor américain (bons *Roosa*).

Enfin, toutes les banques centrales devaient soutenir le $ (étalon monétaire international) sur leur marché des changes en achetant, au cours officiel, tous les $ offerts. En août 1971, le Pt Nixon décida l'inconvertibilité du $ qui perdit ainsi tout rapport avec l'or, alors que des banques centrales demandaient à Washington le remboursement de plusieurs centaines de millions de $ contre de l'or. Depuis le 31-12-1974, les Américains peuvent acheter et vendre de l'or librement (interdit depuis 1933).

Nota. – Pour les privilèges conférés au $ par le statut de monnaie de réserve internationale, voir Quid 1982, p. 1584.

• **Démonétisation de l'or à la suite de la modification des statuts du FMI** (Accords de la Jamaïque de janv. 1976 ; mise en vigueur en avril 1978) : 1) Les pays membres peuvent laisser flotter leur monnaie, ou définir sa valeur par une relation fixe avec les DTS ou toute autre devise à l'exclusion de l'or.

2) Par voie de conséquence, les pays membres ne versent plus d'or au FMI lors d'une augmentation des quotes-parts.

3) De 1976 à 1980, le FMI a vendu 50 millions d'onces d'or. *mai 1990 : le FMI envisageait d'en vendre 3 millions. Févr. 1990.* Les USA proposent de vendre encore 3 millions d'onces (90 t, valeur 1,2 million de $) pour permettre au FMI de faire face au non-paiement des arriérés de la dette dus par un certain nombre de pays membres. Cette proposition entraîne aussitôt la baisse des cours.

Marché de l'or

En France. Il n'y a pas (contrairement à ce qui se passe souvent ailleurs) de restriction à la propriété privée de l'or ; jusqu'en 1977, les frais d'acquisition étaient réduits (0,5 % environ du montant de l'achat) et aucun impôt ne frappait les transactions. Dep. le 1-1-1977, une taxe sur toute vente de lingots et pièces d'or ou d'argent effectuée par des particuliers (portée à 7,5 % le 1-1-1991) est perçue + une commission de courtage de 0,5 % env. sur chaque transaction (à l'achat comme à la vente).

L'anonymat des ventes et achats de lingots et pièces d'or, supprimé le 1-10-1981, a été rétabli le 6-6-1986 ; dep. le 12-7-1986 l'acquéreur n'est plus obligé de payer par chèque tout achat d'or supérieur à 10 000 F et l'intermédiaire agréé de régler par chèque tout apport d'or de + de 1 000 F.

• **Marchés principaux. Europe :** Londres (transactions quotidiennes 1 à 5 t), Zurich, Paris (200 à 300 kg). **Asie :** Dubayy, Koweït, Djedda, Macao, Hong Kong (10,58 kg à 14,11 kg/jour), Singapour. **Amérique du Nord :** Chicago, New York, San Francisco ; **Amérique du Sud :** Montevideo, Buenos Aires.

• **Unités de vente.** *Barre d'or :* entre 350 et 430 onces (10,89 à 13,37 kg), titre au moins 995/1 000, dimension modèle sud-africain : 25,5 cm de large et 4 cm d'épaisseur ; signes gravés : firme qui a fondu la barre, numéro d'ordre, titre. *Lingot* de 1 kg (qui titre de 985 à 1 000 g d'or fin). Le lingot porte 4 signes distinctifs : *cachet* avec nom du fondeur ; *poinçon* blasonné de l'essayeur qui certifie le titre ; *chiffre* qui indique le titre (varie de 995 à 999,9) ; *numéro* qui renvoie à un registre où sont notés les résultats des contrôles prescrits (une demi-douzaine de fondeurs d'or, à Paris et à Lyon).

Cours extrême de l'once atteint dans l'année (en $). 1980-*18-3 :* 481, *22-9 :* 710. **81** *30-6 :* 426, *9-10 :* 453. **82** *7-7 :* 307, *30-12 :* 457. **83** *1-2 :* 509, *1-11 :* 378. **84** *5-3 :* 406, *3-12 :* 303. **85** *26-2 :* 285, *28-8 :* 339,30. **86** *3-1 :* 326 *22-9 :* 442 ¾,. **87** *18-2 :* 392,95, *14-12 :* 502,75. **88** *15-1 :* 484,4, *26-9 :* 395,05. **89** *3-1 :* 413,6, *15-9 :* 355,7, *20-11 :* 404. **90** (au 3-8) + haut 382,6, + bas 345,85. Le 3-8 : 375,8.

L'emprunt Pinay à 4,5 % (1952-58), indexé sur le napoléon, a suivi d'assez près son cours. L'intérêt servi était faible (compte tenu du cours atteint), mais il était exonéré de l'impôt sur le revenu et le capital était affranchi de tous droits de succession. **L'emprunt Giscard à 4,5 %,** qui lui a succédé en 1973, suivait aussi d'assez près le cours de l'or.

☞ Propriétés et utilisations de l'or, voir Quid 82, page 1584.

Évolution du prix de l'or

1934-68 : le prix de l'or est fixé à 35 $ l'once. Le marché de l'or ne devient libre qu'avec la suppression du pool de l'or en mars 1968. **1968 à 71 :** l'or varie peu (34/35 $). **1971**-*15-8* suspension de la convertibilité du $; *-18-12* dévaluation de 7,89 % du $. **1971** *(déc.)* **à 1974** *(déc.) :* hausse de 45 $ à 197,50 $ l'once (+ 340 %), des mines + 720 %. *Raisons :* la généralisation des taux de change flottants en 1972/1973 et les craintes de répercussion sur le développement du commerce international et la circulation des capitaux ; la dévaluation du $ de 10 % en février 1973 ; la crise pétrolière déclenchée en octobre 1973 ; l'accélération de l'inflation (taux moyen de hausse des prix des pays de l'OCDE 13,6 % en 1974) ; l'annonce de l'autorisation d'achat d'or par les citoyens américains à partir de janvier 1975. **1975** *(janv.)* **à 1976** *(sept.) :* l'or baisse de 48 % (once 103,50 $), mines de 82 %. *Raisons :* décision du gouvernement américain de procéder aux ventes publiques d'or pour tempérer la spéculation généralisée sur l'or et dissuader les Amér. d'en acheter (2 ventes publiques d'or : en janv. et en juin 1975 portent sur 1,25 million d'onces) ; annonce en sept. 1975 de ventes par le FMI de 25 millions d'onces (780 t) réparties sur 4 ans. **1976** *(sept.)* **à 1980** *(sept.) :* l'once d'or augmente de + de 600 % (20-1-1980 : 850 $), les mines de 675 % quoique entre le 2-6-1976 et le 7-5-1980 le FMI ait vendu 25 millions d'onces (780 t) sur le marché libre. *Raisons :* faiblesse du $ (revenu de 2,36 DM au 31-12-1976 à 1,70 DM au 31-12-1980) ; le 2e choc pétrolier (26-6-1979, baril à 20/23,5 $, oct. 79 à + de 30 $; taux d'inflation élevé aux USA et dans les pays industrialisés (1976 à 5,8 %, 1980 à 13,5 % : aggravation de la crise iranienne et pénétration soviétique en Afghānistān. **1980** *(sept.)* **à 1984** *(sept.) :* baisse de 52 % (once 720 $ le 23-9-1980, 340 $ le 10-9-1984). Compte tenu de l'évolution de la parité $/FF (4 F en sept. 1980 et 9 F en nov. 1984), le prix de l'once d'or exprimée en FF a progressé de 11 % (de 2 880 F à 3 120 F). *Raisons :* hausse du $ due à l'élection du Pt Reagan en nov. 1980 et hausse des taux d'intérêt (le *prime rate* de 14,5 % fin oct. à 17,75 % fin nov.). Le $ est passé de 4,02 F (sept. 80) à 9,25 F (+ 130 %) (sept. 84) et de 1,80 DM à 3,01 DM (+ 67 %), redevenant l'investissement-refuge pour les capitaux du monde entier en raison notamment des taux d'intérêt américains réels élevés. **De 1984 à 1988,** hausse irrégulière *ex. : Août* **1987.** Chute après les événements du golfe Persique et les grèves dans les mines d'or sud-afr. baisse de l'once de 473,25 $ (le 3-8) à 453,3 $ (le 17-8), hausse modérée lors du krach d'octobre (de 465,25 $ à 481), les spéculateurs ayant vendu de l'or pour éponger une partie de leurs pertes. Hausse en fin d'année. **1989,** chute puis en fin d'année, hausse de l'or (+ 12 % provoquée par les bouleversements politiques des pays de l'Est), et des mines (83 % pour l'année, 35 % en nov.). **1990** *(janv. à juillet)* baisse le 7-6 once 352,80$ lingot 64 950, Napoléon 389 (le + bas dep. 1979) due en grande partie aux ventes d'or soviétiques (220 t du 1-1 au 10-6) et des ventes des pays du Moyen-Orient (en raison de la baisse du pétrole) (115 t entre le 2-3 et le 26-3-90), *(août)* hausse (guerre du Golfe), lingot à 71 300 F *(2-8)* puis baisse à 60 000. **1991** *(16-1)* Napoléon 490 F, *(17-1)* retombe à 412 F.

☞ *Paramètres influençant le cours de l'or.* Les achats ou ventes des gouvernements et banques centrales pour équilibrer leurs échanges commerciaux ou leurs liquidités ; l'évolution des taux d'intérêt (une baisse est généralement favorable à l'or en rendant moins attrayant le rendement des obligations) ; la stabilité ou l'instabilité des marchés financiers ; la demande industrielle ou privée ; le manque de liquidités facteur de hausses internationales.

Pièces d'or

Caractéristiques

• **Pièces de « bonne » ou de « mauvaise livraison ».** Définies par l'article 22 du règlement du marché de l'or en France. **Bonne :** monnaie d'or présentant les caractéristiques légales de frappe, poids et alliage... Y compris celles portant des éraflures dues à la circulation et les pièces normalement usées, dont le *frai* (l'usure) ne dépasse pas 5 ‰ du poids brut théorique de la pièce ou 15 ‰ pour les demi-pièces, les pièces de 5 roubles et de 5 $. **Mauvaise :** pièces montées, limées, gondolées, tachées, ayant subi une transformation susceptible d'en modifier l'aspect ou portant des marques apparentes de détérioration.

En cas de litige, p. ex. entre particulier et négociant, une commission de caissiers et de responsables, créée en mai 1981 sur l'initiative de la chambre syndicale des agents de change, examine les pièces en litige et tranche sur leur qualité, en se fondant sur l'art. 22.

Nota. – Pour être certain que des pièces de « mauvaise livraison » seront fondues (et non revendues comme des pièces de « bonne livraison »), exiger de les faire plier et les vendre à des fondeurs professionnels qui ont une « autorisation permanente

Changes à la Bourse de Paris de 1913 à 1990

Années	Livre Sterling (1 livre)	Dollar U.S.A. (1 dollar)	Franc Belge (100 F.B.)	Lire (100 L.)	Peseta (100 P.)	Franc Suisse (100 F.S.)
1913	25,256	5,180	99,390	98,280	93,070	99,710
1919	31,835	7,307	98,600	82,600	143,800	137,500
1920	52,803	14,476	104,800	69,500	226,400	242,100
1921	51,849	13,494	100,064	57,300	182,395	233,800
1922	54,624	12,246	93,683	58,300	190,830	234,700
1923	75,689	16,573	85,882	75,989	238,546	299,378
1924	85,675	19,413	88,850	84,460	257,831	353,293
1925	102,235	21,176	100,493	83,865	303,663	408,740
1926	151,558	31,211	(1) 502,854	120,516	466,191	601,702
1927	123,861	25,479	354,564	130,395	433,975	490,554
1928	(2) 124,101	25,499	355,238	134,084	423,473	491,052
1929	124,026	25,534	355,319	133,669	375,859	492,276
1930	123,885	25,479	355,496	133,439	298,407	493,708
1931	124,064 (3) 93,399	25,511	355,311	132,441	243,506	494,834
1932	89,139	25,460	354,315	130,450	204,827	493,988
1933	84,675	(4) 20,568	355,461	132,749	212,879	493,134
1934	76,811	15,237	354,498	130,497	207,220	492,694
1935	74,235	15,150	282,087	125,250	207,250	492,226
1936	(5) 82,388	16,592	280,677	118,446	207,250	493,725
1937	(6) 124,748	25,214	425,713	132,690		578,707
1938	(7) 170,760	34,996	591,232	184,162		799,514
1939	176,700	40,268	671,258	199,645		857,538
1940 (8)	176,750	43,800		221,000	440,000	985,000
			Juin 1940 800,000		Octobre 1940 425,000	23 octobre 1940 1 000,000
1941 (8)	176,750	43,800	800,000	221,000	425,000	1 000,000
1942 (8)	176,750	43,800	800,000	221,000	425,000	1 000,000
1943 (8)	176,750	43,800	800,000	221,000	425,000	1 000,000
1944 (8)	176,750	43,800	800,000	221,000	425,000	1 000,000
	5 déc 1944 200,000	5 déc 1944 49,600	10 oct 1944 113,260	Oct 1944 50,000	1er déc 1944 456,600	1er déc 1944 1 152,000
1945	200,000	49,600	113,260	50,000	456,600	1 152,000
	27 déc 1945 480,000	27 déc 1945 119,100	27 déc 1945 271,800	5 mars 1945 52,500	27 déc 1945 1 095,800	27 déc 1945 2 763,000
1946	480,000	119,100	271,800	52,500	1 095,800	2 763,000
1947	480,000	119,100	271,800	52,500	1 095,800	2 763,000
1948	480,000	119,100	271,800	52,500	1 095,800	2 763,000
	26 janv 1948 864,500	26 janv 1948 Offi. : 214,390	26 janv 1948 489,150	26 janv 1948 61,250		26 janv 1948 Offi. : 4 974,000
	17 oct 1948 1 062,000	Libre : 308,858	17 oct 1948 601,500	17 oct 1948 46,500	17 oct 1948 2 410,000	Libre : 7 789,400
1949	27 avril 1949 1 097,000	(9) Libre : 330,000	27 avril 1949 620,850	27 avril 1949 55,500	29 avril 1949 2 490,000	(9) Libre : 8 330,000
	20 sept 1949 980,000	(10) 20 sept 1949 350,000	20 sept 1949 700,000		18 oct 1949 1 480,000	(10) 20 sept 1949 8 180,000
1950	980,000	350,000	700,000	1er déc 1950 56,030	900,000	8 180,000
1951	980,708	349,965	701,965	56,099	885,020	8 087,144
1952	982,187	349,967	701,103	56,439	893,454	8 013,256
1953	982,835	349,965	701,388	56,449	909,658	8 034,393
1954	981,849	349,969	700,763	56,448	921,650	8 032,446

Années	Livre Sterling (1 livre)	Dollar U.S.A. (1 dollar)	Franc Belge (100 F.B.)	Lire (100 L.)	Peseta (100 P.)	Franc Suisse (100 F.S.)	Deutsch Mark (1 D.M.)
1955	978,119	349,969	700,880	56,238	863,770	8 000,587	83,328
1956	982,846	349,988	704,701	56,121	885,000	8 038,031	83,944
1957	983,402	349,985	701,085	56,130	927,648	8 033,893	(19) 83,816
1958 (11)	1 086,478	387,293	779,441	62,294	(12) 1 000,000	8 884,096	(20) 100,557
1959 (13)	13,775	4,904	9,815	0,790	11,765 depuis 18/7/1959 8,230	113,495	117,352
1960	13,768	4,904	9,836	0,790	8,230	113,542	1,1759
1961	13,747	4,905	9,839	0,790	8,205	113,569	(21) 1,2303
1962	13,759	4,900	9,848	0,789	8,225	113,322	1,2257
1963	13,721	4,900	9,828	0,788	8,175	113,391	1,2293
1964	13,683	4,901	9,844	0,785	8,185	113,465	1,2329
1965	13,703	4,904	9,874	0,785	8,183	113,257	1,2272
1966	13,724	4,913	9,862	0,787	8,202	113,582	1,2290
1967	13,734 (14) 11,826	4,920	9,904	0,789	8,214 (14) 7,015	113,675	1,2344
1968	11,805	4,955	9,918	0,794	7,134	114,708	1,2406
1969	11,864 (15) 13,310	4,963 (15) 5,567	9,882 (15) 11,143	0,792 (15) 0,887	7,110 (15) 7,966	115,028 (15) 129,258	1,2393 (22) 1,4318 1,5117
1970	13,241	5,528	11,136	0,882	7,938	128,257	1,5162
1971 (16) Avant la dévaluation du dollar	13,477	5,520	11,353	0,892	7,966	133,954	1,5185 (23) 1,6235 1,5989
1971 (17) Après la dévaluation du dollar	13,332	5,225	11,559	0,880	7,929	133,764	
1972	12,619	5,045	11,464	0,865	7,853	132,122	1,5819
1973	10,896	(18) 5,066 4,359	11,444	0,764	7,642	140,707	1,5879 (24) 1,6164 1,7395
1974	11,211	4,806	12,333	0,738	8,357	161,544	1,8515
1975	9,513	4,288	11,676	0,657	7,474	166,059	1,7448
1976	8,622	4,779	12,404	0,576	7,230	191,450	1,9014
1977	8,577	4,914	13,718	0,557	7,196 (25) 5,804	205,123	2,1172
1978	8,655	4,512	14,337	0,532	5,893	253,377	2,2465
1979	9,058	4,251	14,511	0,512	6,354	255,926	2,3236
1980	9,820	4,221	14,457	0,494	5,900	252,068	2,3255
1981	11,028 (26) 10,661	5,362 5,655	14,517 14,991	0,487 (27) 0,478 0,472	5,885 5,891	266,734 309,755	2,3658 2,5206
1982	11,044 (28) 11,827	6,066 6,989	14,925 (29) 13,828 14,563	0,473 0,496	5,898 6,161 (30) 5,377	316,949 329,246	2,5775 2,8098
1983	11,546	7,622	14,899	0,502	5,313	362,587	2,9811
1984	11,640	8,740	15,125	0,498	5,431	372,043	3,0705
1985	11,548	8,988	15,132	0,470	5,276	366,159	3,0523
1986	10,161	6,928	15,525	0,465	4,947	386,359	3,1952
1987	9,839	6,012	16,100	0,464	4,874	403,376	3,3448
1988	10,594	5,959	16,204	0,458	5,115	407,218	3,3921
1989	10,446	6,382	16,194	0,465	5,387	390,177	3,3933
1990	9,804	5,129	16,474	0,451	5,324	398,08	3,402

Nota. – (1) A partir d'octobre 1926 jusqu'au 10 octobre 1944, par 100 belgas au lieu de 100 francs belges, (2) Stabilisation du franc (Loi du 25 juin 1928). (3) Abandon par le Royaume-Uni de l'étalon-or (21 septembre 1931. (4) Nouvelle politique monétaire des États-Unis (Loi du 29 avril 1933). (5) Alignement monétaire du franc (Loi du 1er octobre 1936). (6) Abandon par la France de l'étalon-or (décret-loi du 30 juin 1937). (7) Réévaluation du stock d'or sur la base de 1 £ = 170 F (décrets-lois des 12 et 13 novembre 1938). (8) Accords de Clearing, à l'exception de la livre et du dollar. (9) Depuis le 17 octobre 1948 toutes les transactions commerciales se traitaient sur la base de la moyenne entre le cours officiel et le cours du marché libre. (10) Le cours officiel a été supprimé le 20 septembre 1949. (11) Les changes de 1958 (sauf pour la peseta) ne tiennent pas compte de la taxe de 20 % en vigueur du 1er janvier au 20 juin 1958. (12) Ne tient pas compte de la dévaluation du 26 décembre 1958, date à partir de laquelle la peseta a été fixée à 11,467. (13) En francs nouveaux depuis 1959. (14) Après les dévaluations de novembre 1967. (15) Après la dévaluation du franc le 8 août 1969. (16) Du 1er janvier au 17 décembre 1971. (17) Du 21 au 31 décembre 1971. (18) Dévaluation du dollar le 12 février 1973. (19) Compte non tenu du prélèvement ou du versement de 20 % institué par le décret no 57-910 du 10-8-57. (20) 83,692 pour les cinq premiers mois de l'année, 100,557 les six derniers mois de l'année : à partir de juin 1958, les moyennes mensuelles sont calculées en tenant compte des 20 %. (21) 10 derniers mois de l'année, après réévaluation du DM du 16-3-61. (22) Successivement : avant la dévaluation du FF du 10-8-69 – après cette dévaluation – du 27-10 (réévaluation du DM) au 31-12-69. (23) Successivement : avant le 10-5 – du 10-5 au 17-12 – du 18-12 au 31-12-71. (24) Successivement : jusqu'au 1-3 – du 19 au 28-6 – du 29-6 au 31-12-73. (25) Du 3-5 au 8-7 et du 12-7 – du 30-12-77. (26) Dévaluation du franc français, de la lire et réévaluation du Deutsche Mark le 5-10-81. (27) Dévaluation de la lire le 23-3-81. (28) Dévaluation du franc français et de la lire, réévaluation du Deutsche Mark le 14-6-82. (29) Dévaluation du franc belge le 22-2-82. (30) Dévaluation de la peseta le 6-12-82.

☞ Correspondance courante : 1 livre anglaise vaut 25 livres françaises en 1789, et 1 F en 1795.

de km², mais présentant souvent des « failles ». *Prof. max. exploitée* : 3 800 m [Afr. du Sud, Puits 8 des Western Deep Levels (mine d'Anglo-American)], 2 400 m (Brésil, Morro Velho ; mines du Far West Rand ou de l'Orange Free State).

• **Pépites. Les plus grosses :** Helle End (350 kg, en Afr. du S.) ; celle de Molvaque (95 kg) et le Welcome Stranger (72 kg) trouvées en Australie ; de 40 à 70 kg [USA, URSS (Oural), Zaïre]. **En France :** 543 g trouvée en 1889, à Gravières (Ardèche), par un berger. La plupart des pépites trouvées ces dernières années ont – de 1 g ; exceptions : 1 de 15 g dans le Blavet en 1976, 2 de 18 et 32 g, près de Loudéac (C.-d'-A.) en 1977.

• **L'or en France. Origine.** La Gaule était réputée riche en or. Depuis, l'or a toujours été exploité. Le sous-sol renferme de nombreux indices de minerais aurifères et, en surface, des alluvions et des sables contiennent de l'or, mais ces gisements ne paraissent pas exploitables économiquement.

Principaux gisements exploités à l'époque moderne. Production cumulée en tonnes. La Bellière (M.-et-L. 1906-62) 9,9. Le Châtelet (Allier 1905-53) 14,1. La Petite Faye (Creuse 1921-48) 0,32. Champvert, Beaune, Beaugiraud, Nouzilleras, Gareillas, (Hte-Vienne exploitations intermittentes entre 1912 et 1949) 1,15. Cheni-Douillac (Hte-V. 1913-44) 7,5. La Lucette (Mayenne 1899-1934) 8,3. La Gardette (Isère, XVIIIe s.) 0,02. Le Bourneix + Lauriéras depuis 1987 (1982 à 87) 2,87. Salsigne (Aude 1982) 77. Rouez-en-Champagne (Sarthe 1988)...

☞ **Salsigne** (Aude). Découverte en 1895 ; à plusieurs dizaines de m de profondeur ; par an : 2 000 kg d'or ; réserves est. : env. 30 t d'or. Le minerai contient 10 à 13 g/t d'or. L'or s'y présente sous forme de poussières noires, les *mattes,* ou de *bullions* dorés de 20 à 25 kg (50 % d'or, 50 % d'argent).

Or recueilli en rivière. Env. 10 à 50 kg de paillettes par an. Il reste 6 orpailleurs professionnels en France ; ils lavent 2 t de sable pour obtenir env. 5 g d'or.

Statistiques

☞ Depuis la préhistoire, on a extrait 150 000 t d'or métal dont 50 000 perdues par usure ou négligence, 40 000 à 50 000 utilisées (bijoux, etc.), 40 000 à 50 000 thésaurisées par États et particuliers.

• **Production globale** (en t de métal contenu). **Moyennes annuelles.** *1493-1520* : *5,8. 1601-20* : 8,5 *1701-20* : 12,8. *1741-20* : *24,6. 1801-10* : 17,8. *1811-20* : 11,4. *1831-40* : 20,3. *1856-60* : 21,5. **Par an.** *1880* : 160. *1882* : 153,5. *1895* : 301,4. *1982* : 1 319 (dont pays de l'Est 330). *1985* : 1 484 (340). *1986* : 1 545 (348). *1987* : 1 665 (355). *1988* : 1 801 (365). *1989* : 1 928 (373).

Par pays (en kg, 1989). *Afrique* : 646 176 dont Afrique du S. 605 452. Burkina F. 2 000. Éthiopie * 745. Ghana 13 358. Liberia 734. Mali 1 000 * Rép. Centraf. 329. Sierra Leone 400. Zaïre 2 041. Zambie 149. Zimbabwe 16 003. Divers 3 965. *Amérique* : 595 296 dont Argentine 1 086. Bolivie 3 595. Brésil 81 000. Canada 159 135. Chili 21 382. Colombie 29 506. Rép. Domin. 5 238. Équateur 9 333. États-Unis 265 541. Guyana 539. Guyane fr. 544. Mexique 8 613. Nicaragua 1 100. Pérou 4 325. Venezuela 3 866. Amér. Cent. et Antilles 462. Divers 31. *Asie* : 49 730 dont Arabie S. 2 901. Corée du Sud (³) 1 450. Inde 1 826. Indonésie 6 155. Japon 6 098. Malaysia 2 860. Philippines 30 627. Taïwan 269. Divers 445. *Europe* : 21 068 dont Espagne 6 690. France 3 537. Finlande (²) 2 491. Suède 3 654. Yougoslavie 4 349. Divers 347. *Océanie* : 242 651 dont Australie 202 307. Fidji 4 222. N.-Guinée 31 136. N.-Zélande 4 950. Divers 36. *Pays de l'Est* : 373 500 dont Chine 85 000. URSS 280 000. Autres 8 500.

• **Coût d'extration des mines d'or** (en dollars par once, au 2e trimestre 1989). *Afrique du Sud* : Free Gold 343, Vall Reefs 291, Western Deep 270, Hartebeestfontein 252, Bijvooruitzicht 341, East Rand 498, Harmony Gold 371, Buffelsfontein 311, Saint Helena 404, Driefontein 204, Kloof Gold 214, Randfontein 319, Western Areas 414. *Australie* : Placer Pacific 217, Newmont Gold 251, Kidston 231. *Canada* : American Barricks 236, Corona 226, Echo Bay 248, Hemo Gold 151, Lake Minerals 264, Placer Dome 236. *États-Unis* : Newmont Gold 239, Homestake Mining 315.

Industrie aurifère sud-africaine (en milliards de F, d'avril à mars 1990). Chiffres d'affaires 18,9. Coût d'exploitation 14,8. Investissements 2,3. Bénéf. avant impôts 4,1, après impôts 3,3. Salariés 453 000.

Demande privée. *1975* : 1 104. *76* : 1 434. *77* : 1 632. *78* : 1 744. *79* : 1 702. *80* : 812. *81* : 977. *82* : 1 140. *83* : 1 299. *84* : 1 265. *88* : 2 095 (dont bijouterie 1 175, usage ind. 245, frappe de pièces et médailles 220, solde des invest. privés 455).

• **Utilisation globale** (en %, 1989). Bijouterie 72,6, monnaies officielles 9,6, électronique 9, div. industrie 5,4, dentisterie 3,4.

Consommation par pays d'or nouveau (déchets exclus) des pays non communistes (en 1987, en t). **Europe :** 455, dont Italie 170, All. féd. 125, *France 39,* autres pays 121. **Amérique :** 290, dont USA 205, autres pays 85. **Asie :** 877, dont Proche-Orient 189, Extrême-Orient 688. **Autres : 150. Total :** *1 772.*

Nota. – Dans certains pays, une partie des pièces fabriquées n'est pas vendue l'année de leur production, mais seulement comptabilisée dans les réserves officielles.

• **Or détenu dans le monde. Réserves privées en t** (1981). 30 000 dont *Asie* 5 000 (dont Japon en *1978* : 100. *86* : 600 dont 323 par le min. des Finances (dont 220 utilisées pour frapper 10 millions de pièces d'or de 100 000 yens et 10 000 yens commémorant le 60e anniversaire du règne de Hirohito. 9 millions de pièces ont été vendues, les invendues ont été refondues. *1988* : 1 000), *Europe* 10 500 [dont *France* 6 000 (1988)], USA 3 000, *Afrique* 3 000, *pays communistes* 2 650, *divers* 5 350.

• **2 F.** ARGENT 900 ‰. **Consulat.** Bonaparte 1er Consul (Tiolier an 12), 10 g, 27 mm, 454 162 ex. **Ier Empire.** Napoléon Empereur (Tiolier an 12-an 14), 10 g, 27 mm, 1 727 676 ex. ; tête nue (Tiolier 1806-07), 10 g, 27 mm. Tête de Nègre (Tiolier 1807), 10 g, 27 mm. Revers « République » (Tiolier 1808), 10 g, 27 mm, 1 524 320 ex. ; « Empire » (Tiolier 1809-14), 10 g, 27 mm, 8 328 471 ex. **Cent-Jours** (Tiolier 1815), 10 g, 27 mm. **Louis XVIII** (Michaut 1816-24), 10 g, 27 mm, 3 687 382 ex. **Charles X** (Michaut 1825-30), 10 g, 27 mm, 4 044 802 ex. **Louis-Philippe Ier** (Domard F. 1831-48), 10 g, 27 mm. **IIe Rép.** Cérès (Oudiné 1849-51), 10 g, 27 mm, 2 115 452 ex. **IIe Empire.** Napoléon III, tête nue (Barre 1853-59), 10 g, 27 mm, 1 910 622 ex. ARGENT 835 ‰. Nap. III tête laurée (Barre 1866-70), 10 g, 27 mm, 25 905 068 ex. **Gouv. de la Défense nationale.** Cérès sans légende (Oudiné 1870-71), 10 g, 27 mm, 2 054 525 ex. Cérès (Oudiné 1870-71), 10 g, 27 mm, 16 224 733 ex. **IIIe Rép.** Idem (1872-95). Semeuse (Roty 1898-1920), 10 g, 27 mm, 102 438 423 ex. AUTRES MÉTAUX. **IIIe Rép.** Chambre de Commerce (Domard 1920-27), b.-al. 8 g, 27 mm. Morlon (Morlon 1931-40), b.-al., 8 g, 27 mm. **État français.** Idem (Morlon 1941), al., 2,2 g, 27 mm. Bazor (1943-44), al., 2,2 g, 27 mm. **France libre** (1944), b.-al., 8,15 g, 27 mm. **Gouv. provisoire** (1944-46), Morlon, 2,2 g, 27 mm. **IVe Rép.** Idem (1947-58). **Ve Rép.** Idem (1959) (Roty 1959), n., 8 ou 8,35 g, 27 mm (d'après Roty 1977-81, n. pur, 7,5 g, 26,5 mm).

• **5 F.** ARGENT 900 ‰. **Directoire.** Hercule (Dupré an 4-an 11), 25 g, 37 mm, 21 247 401 ex. **Consulat.** Bonaparte 1er Consul (Tiolier an 11-an 12), 25 g, 37 mm, 11 543 842 ex. **Ier Empire.** Napoléon Empereur (Brenet et Tioler an 12), 25 g, 37 mm, 1 482 221 ex. ; (Brenet et Tiolier an 13-an 14), 25 g, 37 mm ; (Brenet et Tiolier, 1806-07), 25 g, 37 mm, 3 238 197 ex. Transitoire (Brenet et Tiolier 1807), 25 g, 37 mm. Napoléon tête laurée, revers « République » (Brenet et Tiolier 1807-08), 25 g, 37 mm ; revers « Empire » (Brenet et Tiolier 1809-14), 25 g, 37 mm. **Cent-Jours** (1815). **Louis XVIII. 1re Restauration,** buste habillé (Tiolier 1814-15), 25 g, 37 mm, 15 959 985 ex. **2e Rest.** buste nu (Michaut 1816-24), 25 g, 37 mm, 104 249 625 ex. **Charles X** (Michaut et Tiolier 1824-26), 25 g, 37 mm. Effigie modifiée (Michaut et Tiolier 1827-30), 27 g, 37 mm. **Louis-Philippe Ier.** L.-Ph. tête nue (N.P. Tiolier 1830), 25 g, 37 mm, 600 000 ex. (N.P. Tiolier 1830-31), 25 g, 37 mm, 32 000 000 ex. ; laurée (Domard F. 1831), 25 g, 37 mm, 13 000 000 ex. ; variété tranche relief (1831) ; laurée (Domard F 1832-48), 25 g, 37 mm, 292 921 640 ex. **IIe Rép.** Hercule (Dupré 1848-49), 25 g. 37 mm, 51 925 769 ex. Cérès (Oudiné 1849-51), 25 g, 37 mm, 37 697 365 ex. Louis-Napoléon Bonaparte (Barre 1852), 25 g, 37 mm. **IIe Empire. Napoléon III,** tête nue (Bouvet 1854-59), 25 g, 37 mm, 14 150 830 ex. ; laurée (Barre 1861-70), 25 g, 37 mm, 50 094 449 ex. **Gouv. de la Défense nationale.** Cérès sans légende (Oudiné 1870-71), 25 g, 37 mm ; avec (Oudiné 1870), 25 g, 37 mm. **Gvt de la Commune.** Hercule (Dupré 1871), 25 g, 37 mm ; (Lupear 1871). **Gvt de la Défense nationale.** Hercule (Dupré 1870-71), 25 g, 37 mm. **IIIe Rép.** (1872-89) Semeuse (non adapté). ARGENT 835 [1]. **Ve Rép.** Semeuse (Roty 1959-69), 12 g, 29 mm , 195 209 000 ex. AUTRES MÉTAUX. **IIIe Rép.** Bazor 1933, n., 6 g, 23,7 mm. Lavrillier 1933-39, n., 12 g, 31 mm. Lavrillier 1938-40, b.-al., 12 g, 31 mm. **État français.** Mal Pétain (Bazor 1941), c.-n., 4 g, 22 mm. **Gvt provisoire.** Lavrillier (1945-47), b.-al., 12 g, 31 mm. Lavrillier (1945-47), b.-al., 12 g, 31 mm. Lavrillier (1945-46), al. 3,5 g, 31 mm. **IVe Rép.** (1947-52). **Ve Rép.** Semeuse (Roty 1970-81), c.-n., 10 g, 29 mm. Tour Eiffel (Joubert-Jimenez) (1989) 10 millions d'ex.

• **10 F.** ARGENT. **IIIe Rép.** 680 ‰. *Turin* (1929-39), 10 g, 28 mm. **Ve Rép.** 900 ‰. *Hercule (Dupré* 1964-73), 25 g dont 22,5 d'argent, 37 mm, 38 915 400 ex. AUTRES MÉTAUX. **Gouv. provisoire.** *Turin* avec grosse tête (1945-47), c.-n., 7 g, 26 mm ; petite tête (1947-49), c.-n., 7 g, 26 mm. **IVe Rép.** *Guiraud* (1950-58), b.-al., 3 g, 20 mm. **Ve Rép.** *Mathieu* (1974-81), c.-n., 10 g, 26 mm. (Commémoratives : Daniel Ponce 1983 bicentenaire de la conquête de l'espace, c.-n., 10 g, 26 mm et bic. de la naissance de Stendhal). Souvent imitée (5 % de pièces fausses soit env. 30 millions sur 630 millions en circulation). *La République* 6,5 g 21 mm (produite à 23 millions d'ex.) ; privée de cours légal le 31-12-86 et retirée de la circulation au 28-2-87 car ressemblant trop à la pièce de 50 c. Le retrait a coûté 100 millions de F au Trésor public (reprise par Banque de France jusqu'au 30-9-87) mais la valeur du métal récupéré et le fait qu'un certain nombre de pièces ont été thésaurisées par les ménages auraient équilibré ce coût. Commémorative Robert Schuman (aussi retirée). *Génie de la Bastille.* Cœur nickel couleur argent, bord jaune (cuivre aluminium) 6,5 g, 23 mm, semi-cannelée sur la tranche, prix de revient 1,30 F.

• **20 F.** ARGENT 680 ‰. **IIIe Rép.** Turin (1929-39), 20 g, 35 mm. e AUTRES MÉTAUX. **Gouv. provisoire.** Turin (1945), c.-n., 10 g, 30 mm. **IVe Rép.** G. Guiraud (1950), b.-al., 4 g, 23 mm. G. Guiraud (1950-54), b.-al., 4 g, 23,5 mm.

• **50 F.** ARGENT 900 ‰. **Ve Rép.** Hercule (Dupré 1974-80), 30 g dont 27 d'argent, 41 mm, 46 074 200 ex. AUTRES MÉTAUX. **IVe Rép.** Guiraud (1950-58), b.-al., 8 g, 27 mm.

• **100 F. IVe Rép.** *R. Cochet* (1950-58), c.-n., 6 g, 24 mm. **Ve Rép.** ARGENT 900 ‰, diam. 31 mm, 15 g (13,5 d'argent). *Panthéon* (1982-84), 15 g, 14 millions d'ex. prévus. *Marie Curie* (1984). *Germinal* à l'effigie de Zola (1985). *La Fayette* (1987) 4,9 millions d'ex. *Liberté* (1986) 4,5 millions d'ex. prévus (ces pièces sont délaissées par le public ; en oct. 1987, env. 37 millions de pièces de 100 F n'étaient pas en circulation). *Égalité* (1987). *La Fayette* (1987) 4,9 millions d'ex. *Fraternité* (1988) 4,9 millions d'ex. *Droits de l'homme* (1989).

Pièces en or

Titre or. 1792-1936. (900 ‰ sauf indication).

• **Louis d'or 24 livres. Gouvernement constitutionnel.** Type constitutionnel (Dupré 1792-1793), 7,649 g, 23 mm, 52 000 ex. **Convention.** Type Convention. (Dupré 1793), 7,649 g, 23 mm. 140 000 ex.

• **5 F. IIe Empire.** Napoléon III, Petit module (Barre 1854-1855), 1 612 g, 14,4 mm, 4 499 940 ex. ; grand module. (Barre 1855-60), 1,612 g, 16,7 mm, 24 181 302 ex. Tête laurée. (Barre 1862-69), 1 612 g, 17 mm, 18 006 784 ex. **IIIe Rép.** Cérès. (Merley 1878-89), 1 612 g, 16,5 mm, 70 ex.

• **10 F. IIe Rép.** Cérès. (Merley 1850-51), 3,22 g, 19 mm, 3 707 277 ex. **IIe Empire.** Nap. III, Petit module. (Barre 1854-55), 3,2 g, 17,2 mm, 3 900 030 ex. ; grand module. (Barre 1854-60) 3,22 g, 19 mm, 61 132 063 ex. ; tête laurée. (Barre 1861-69), 3,22 g, 19 mm, 31 689 923 ex. **IIIe Rép.** Cérès. (Merley 1878-99), 3,22 g, 19 mm, 2 399 139 ex. Marianne. (Chaplain 1899-1914), 3,22 g, 19 mm, 23 860 424 ex. **Ve Rép.** Montesquieu (1989), or jaune (couronne) et blanc (cœur), 12 g, 5 000 ex. (vendues 2 500 F).

• **20 F. Consulat.** Premier Consul. (Tiolier an 11-an 12), 6,45 g, 21 mm, 1 046 506 ex. **Ier Empire.** Napoléon Empereur. (Tiolier an 12), 6,45 g, 21 mm, 428 143 ex. Nap. Ier, tête nue. (Droz et Tiolier an 13-an 14), 6,45 g, 21 mm, 674 730 ex. ; (1806-07), 6,45 g, 21 mm, 15 924 990 ex. Revers « République ». (Droz et Tiolier 1807-08), 6,45 g, 21 mm, 1 727 451 ex. Revers « Empire » (Droz et Tiolier 1809-14), 6,45 g, 21 mm, 14 297 399 ex. **Cent-Jours, 1815 1re Restauration.** Louis XVIII, buste habillé. (Tiolier 1814-15), 6,45 g, 21 mm, 5 185 186 ex. (T. Wyon Jr. 1815), 6,45 g, 21 mm, 871 581 ex. **2e Rest.** Louis XVIII, buste nu (Michaut 1816-24), 6,45 g, 21 mm, 9 696 690 ex. **Charles X.** Charles X. (Michaut 1825-30), 6,45 g, 21 mm, 1 688 298 ex. **Louis-Philippe.** L.-Ph., tête nue. (Tiolier 1830-31), 6,45 g, 21 mm, 3 967 833 ex. ; tête laurée. (Domard 1832-48), 6,45 g, 21 mm, 6 869 802 ex. **IIe Rép.** Génie (Dupré 1848-49), 6,45 g, 21 mm, 2 846 061 ex. Génie (Dupré 1849-51), 6,45 g, 16 720 353 ex. Louis-Napoléon Bonaparte (Barre 1852), 6,45 g, 21 mm, 10 493 758 ex. **IIe Empire.** Napoléon III, tête nue (Barre 1853-60), 6,45 g, 21 mm, 146 226 337 ex. ; tête laurée (Barre 1861-70), 6,45 g, 21 mm, 85 457 540 ex. **IIIe Rép.** Génie (Dupré 1871-98), 6,45 g, 21 mm, 86 091 086 ex. Marianne, (Chaplain 1898-1906), 6,45 g, 21 mm, 43 034 473 ex. (1907-14), 6,45 g, 21 mm, 74 212 056 ex.

• **40 F. Consulat.** Bonaparte, 1er Consul. (Tiolier an 11-an 12), 12,9 g, 26 mm, 479 521 ex. **Ier Empire.** Napoléon, Empereur (Droz et Tiolier an 13-an 14), 12,9 g, 26 mm, 372 696 ex. ; tête nue. (Droz et Tiolier 1806-07), 12,9 g, 26 mm, 291 584 ex. ; au revers « République ». (Droz et Tiolier 1807-08), 12,9 g, 26 mm, 71 866 ex. ; au revers « Empire ». (Droz et Tiolier 1809-13), 12,9 g, 26 mm, 2 101 580 ex. **Louis XVIII.** Louis XVIII. (Michaut 1816-22), 12,9 g, 26 mm, 539 486 ex. **Charles X.** Charles X. (Michaut 1824-30), 12,9 g, 26 mm, 478 824 ex. **Louis-Philippe Ier.** L.-Ph. Ier (Domard F. 1831-39), 12,9 g, 26 mm, 773 249 ex.

• **50 F. IIe Empire.** Napoléon III, tête nue (Barre 1855-59), 16,12 g, 28 mm, 764 385 ex. ; tête laurée. (Barre 1862-69), 16,12 g, 28 mm, 168 989 ex. **IIIe Rép.** Génie (Dupré 1878-1904), 16,12 g, 28 mm, 26 945 ex.

• **100 F. IIe Empire.** Napoléon III, tête nue (Barre 1855-60), 32,25 g, 35 mm, 346 514 ex. ; tête laurée (Barre 1862-69), 32,25 g, 35 mm, 96 950 ex. **IIIe Rép.** Génie. Dieu protège la France (Dupré 1878-1906) 32,25 g, 35 mm, 273 892 ex. Génie. Liberté, Égalité, Fraternité (Dupré 1907-14), 32,25 g, 35 mm, 164 673 ex. Bazor (Bazor 1929-36), 6,55 g, 21 mm, 13 791 116 ex. **Ve Rép.** Marie Curie (Raymond Corlin) 13,49 g. Une version d'une pièce d'or de 17 g a été frappée à 5 000 ex., n'a pas de valeur légale. Droits de l'homme (1989).

Cours du kg. Argent (à Paris en F).

1979 *janv.* 800, *18-9* 2 701, *nov.* 2 416. **1980** *3-1* 5 570, *18-1* 6 942 (record absolu 654 % par rapport à janv. 79), *3-4* 2 383. **1981** *18-6* 1 954, *juillet* 1 598. **1982** *janv.* 1 496, *juin* 1 176, *juil.* 1 419. **1983** *janv.* 2 640, *juill.* 3 004. **1984** *janv.* 2 460, *mars* 2 695, *déc.* 2 251. **1985** *janv.* 2 099, *juillet* 1 914. **1986** *janv.* 1 770, *déc.* 1 348. **1987** *janv.* 2 344, *févr.* 1 309. **1988** *juillet* 1 449. **1989** *(3-8)* 1 054. **Platine. 1989 (3-8).** 100 442. **Nickel. 1988** : 50. **1989** : 110.

Monnaies de nécessité

• **Guerre de 1870-71.** Apparues en sept. 1870 dans le Nord. Émises entre 1870 et 1872, dans 48 départements, 180 émetteurs industriels, 140 municipalités ou banques de chambres de commerce (1re émission : Amiens, le 1-1-1870, coupures de 5 et 10 F ; dernière : Annonay, 1-1-1872, coupures de 5 F) près de 1 000 types de coupures.

• **Guerre de 1914-18.** France non occupée, bons de monnaie mis en circulation par chambres de commerce et municipalités (ex. Nancy dès le 29-7-1914). *Régions occupées :* émissions locales sans contrepartie financière légales (bon régional émis sous la garantie solidaire de 173 communes occupées, le 24-10-1915, pour 4 millions de F). **BRU** (bon régional unifié), émis par 75 communes de l'Aisne.

Tickets-monnaie (apparus dans le Tarn).

Timbres-monnaie (déjà employés aux USA lors de la guerre de Sécession).

Pièces de nécessité des transports en commun de la Région parisienne, cafés, casinos, bals, maisons de tolérance. Le gouvernement autorisa les chambres de commerce, villes et communes à émettre des jetons-monnaie qui devaient être garantis par le dépôt de billets de la Banque de France. (*Valeurs :* 5 c, 10 c, 25 c, 50 c, 1 F). *Matières :* papier fort, carton, puis zinc, fer, aluminium, bronze d'aluminium, laiton, fer nickelé, nickel-bronze, cuivre rouge-maillechort et même le plomb. *Formes :* rondes ou carrées. *Motifs (avers) :* souvent armoiries des villes ou des régions, paysages, travaux des champs, bateaux, etc.

• **En 1920,** le ministre des Finances répugnant à frapper des monnaies désormais en bronze d'aluminium (choisi pour remplacer l'argent devenu trop cher) décida que les jetons-monnaie destinés à remplacer leurs « Bons de monnaie » seraient libellés au nom des chambres de commerce de France et porteraient la mention « Bon pour ... F ». Considérés comme « Monnaie légale de l'État », ces pièces (dont l'avers représentait un Mercure dû au graveur Domard) circulèrent comme monnaie légale jusqu'en 1931, date à laquelle l'État frappa ses propres pièces dues au graveur Morlon. Pendant 9 ans, 964 millions de pièces avaient été mises en circulation.

• **Guerre de 1939-40.** Émissions peu nombreuses et de courte durée des chambres de commerce.

L'or

Sources : Comptoir Lyon-Alemand-Louyot, Gold Field et Mme Annette Vinchon (Numismatique et Change de Paris).

Généralités

• **Gisements.** L'or est assez répandu. *L'écorce terrestre* connue en contient en moyenne 1 cg à la tonne. *L'eau de mer* en contiendrait de 1 à 8 μg par m³ (soit en tout près de 10 milliards) (la Dow Chemical a fait en Caroline du Sud un essai sur 15 m³ qui n'a donné que 0,09 μg).

Les gisements comprennent une ou plusieurs couches (*reef* ou filon) peu épaisses de cailloux enrobés dans un ciment renfermant l'or, affleurant parfois en surface et pouvant s'étendre sur des dizaines

Pièces

Généralités

• **Coût des pièces.** La monnaie cède au Trésor les pièces qu'elle a fabriquées au pèse de fabrication + 10 %. *Pièce de 2 F.* Coût de la matière première (nickel) : 0,65 F ; TVA 0,18 ; frais de personnel 0,24 ; coût de fabrication 0,10 F ; marge du fabricant 0,13.

Prix de cession des pièces au Trésor, en 1990. Prix de revient prévisionnel en 1990 et, entre parenthèses, **prix de cession en F en 1991.** 32,800 (36,08), *10 F :* 1,000 (0,89), *5 F :* 1,746 (1,62), *2 F :* 1,482 (1,21), *1 F :* 1,146 (1,01), *1/2 F :* 0,882 (0,88), *20 C :* 0,364 (0,40), *10 C :* 0,282 (0,31), *5 C :* 0,200 (0,22) *1 C.*

Nombre de pièces en circulation par tête d'habitant (1987). *France 224,* G.-B. 237, All. féd. 546, USA 585.

> Le Trésor perd de l'argent en achetant des pièces de moins de 1 F, mais en gagne sur les autres (70 c pour 1 pièce de 2 F ; 8,70 F pour 1 pièce de 10 F ; 64 F pour 1 pièce de 100 F).

• **Pièces ayant cours légal.** Les 3 pièces de 5, 10 et 50 F en argent (frappées jusqu'en 1979-80) ont été démonétisées le 20-2-1980. Du fait de la hausse du cours de l'argent, leur prix de revient dépassait leur valeur faciale.

Coupures en réserve et en circulation. Circulation, et, entre parenthèses, ensemble des réserves (au 29-6-1990). (en millions). *Total :* 13 841 (1 167) dont *100 F :* 24 (17), *10 F :* 456 (45), *10 F bicolores :* 380 (113), *5 F :* 361 (39), *2 F :* 398 (106), *1 F :* 1 702 (139), *1/2 F :* 1 196 (89,8), *20 c :* 2 368 (258), *10 c :* 3 189 (189), *5 c :* 3 435 (168), *1 c :* 328 (0,1).

• **Pièces de collection.** Pièces cédées au Trésor pour leur donner cours légal. Elles sont ensuite rachetées par la monnaie à leur valeur faciale ; puis commercialisées au titre des monnaies de collection.

Programme de frappe des pièces de collection. Quantités produites et, entre parenthèses, recettes en F. *500 F « Charlemagne » et « Descartes » et platine* 7 000 (3 007 004), *500 F olympiques or* 60 000 (28 774 320), *100 F « Charlemagne » et « Descartes » argent* 30 000 (887 160), *olympiques* 680 000 (47 308 960), *« Panthéon »* 15 000 (445 580).

Jeux Olympiques : 10 pièces (*1989* 2 en vente), de 500 F, en or ; illustrant le patinage et ski de descente. *1990 :* 4 pièces avec saut à ski, ski de fond, ski acrobatique et hockey.

☞ La frappe de la série 1990, relatif aux J.O., représente 900 kg d'or et 9 t d'argent.

Prix de cession. *500 F olympique (or)* 479,57 (dont 50 F seront versés au Comité d'organisation des Jeux Olympiques), *Charlemagne (or ou platine)* 436,08, « Europe » 429,57 *100 F olympique* 69,57, *argent, Charlemagne et Panthéon* 36,08 (même prix que pour les pièces courantes), «Europe » 29,57.

Monnaies et médailles

Direction des Monnaies et Médailles. Relève du Ministère de l'Economie et des Finances. *Chargée :* d'assurer l'exécution des lois et règlements sur les monnaies et médailles ; de fabriquer des monnaies métalliques françaises et pour les États ou instituts d'émission étrangers qui lui en passent commande [en millions de F : *1989 :* 51,8, *89 :* 42, *90 (est.) :* 24] ; de la fabrication et vente des décorations officielles françaises ; de l'édition, de la fabrication et de la vente des médailles ; de la fabrication des instruments de marque pour le service français de la garantie et le service des instruments de mesure du ministère de l'Industrie et de la Recherche ; d'attributions annexes de caractère administratif ; d'expertise des monnaies présumées fausses ; de délivrance aux essayeurs de commerce et de leur certificat de capacité ; de délivrance à des ateliers privés d'autorisations de fabriquer des médailles (par dérogation au principe du monopole de droit que détient l'Administration) ; de la conservation et de la présentation au public des collections qui composent le musée des monnaies et médailles. *Usines :* Pessac (Gironde) : 400 personnes. Paris, quai de Conti : 700 (env. 20 graveurs).

Vente des monnaies de collection (en millions de F). Monnaies françaises et, entre parenthèses, étrangères : *1986 :* recettes encaissées 86,2 (4,6). *87 :* 67,5 (7,5). *88 :* 44,7 (5,6). *89 (prév.) :* 130 (2). *90 (prév.) :* 172,3.

• **Pouvoir libératoire des pièces.** On n'est tenu d'accepter des pièces en paiement que jusqu'à concurrence d'un montant plafond. Pièces de **50 F : non** fixé ; **10** 500 F, **5** 250 F, **1** 50 F, **1/2** 10 F, **20 c, 10 c, 5 c** 5 F, **2 c et 1 c** 1 F.

• **Programme de frappe** (en millions de pièces). **En 1991 et,** entre parenthèses, **en 1990.** Total 637 (580) dont 500 F : 0,067 (0,047) *100 F :* 0,015 (0,015), *10 F :* 250 (250), *5 F :* 7 (15), *2 F :* 0,015 (0,01), *1 F :* 55 (0,01), *1/2 F :* 50 (0,01), *20 c :* 40 (50), *10 c :* 180 (180), *5 c :* 50 (80), *1 c :* 0,015 (0,01).

Cours d'achat des métaux (HT). Prix prévu en 1990 (au kg). Platine 110 000 F/kg, or 85 000, argent 1 900, nickel 120.

Signes monétaires utilisés dans la CEE. Valeur en FF de la plus grosse pièce effectivement utilisée. *Moyenne 10* dont Espagne 27 (pièce de 500 pesetas), All. féd. 17 (pièce de 5 DM), P.-Bas 15 (pièce de 5 florins), G.-B. 11, France 10, Danemark 9, Belgique 8, Irlande 4, Italie 2,5, Grèce 2, Portugal 2.

Pièces françaises frappées depuis la Révolution

Pièces en argent et autres métaux

Légende. – a.i. acier inoxydable, *al.* aluminium, *b.* bronze, *b.-al.* bronze aluminium, *c.* cuivre, *c.-n.* cupronickel, *f.* fer, *m.* maillechort, *n.* nickel, *z.* zinc.

• **1 centime. Directoire.** (Dupré an 6-an 7), b., 2 g 18 mm. **Consulat.** (Dupré an 8), b., 2 g 18 mm. **IIe République.** (Dupré 1848-51), b., 2 g 18 mm. **IIe Empire.** Napoléon III, tête nue (Barre 1853-57), b., 1 g 15 mm ; laurée (Barre 1861-70), b., 1 g 15 mm. **IIIe Rép.** Cérès (Oudiné 1872-97), b., 1 g 15 mm. Dupuis (Dupuis 1898-20), b., 1 g 15 mm. **Ve Rép.** (Atelier de Paris 1959-80), a.i., 1,65 g 15 mm.

• **2 centimes. IIe Empire.** Napoléon III, tête nue (Barre 1853-57), b., 2 g 20,2 mm ; laurée (Barre 1861-97), b., 2 g 20,2 mm. **IIIe Rép.** Cérès (Oudiné 1877-97), b., 2 g 20,2 mm. Dupuis (Dupuis 1898-20), b., 2 g 20,2 mm. **Ve Rép.** (Atelier de Paris 1959-61), a.i., 2,3 g 17 mm.

• **5 centimes. Directoire.** (Dupré an 4-an 5), c., 5 g 23 mm. **Directoire et Consultat.** (Dupré an 5-an 9), b., 10 g 28 mm. **Directoire.** (Dupré an 5-an 7), c., 10 g 28 mm. **Ier Empire.** Napoléon Ier (Tiolier 1808), c., 8 g 28 mm. Nap. Ier, siège d'Anvers (Wolschot 1814), b., 18 g 34 mm. Nap. Ier (Gagnepain, Van Goor 1814), b., 13 g 30 mm. **1re Restauration.** Louis XVIII (Wolschot, Gagnepain, Van Goor 1814), b., 15 g 30 mm. (Gagnepain, Van Goor 1814), b., 12 g 30 mm. **IIe Empire.** Napoléon III, tête nue (Barre 1853-57), b., 5 g 25 mm ; laurée (Barre 1861-65), b., 5 g 25 mm. **Gouvernement de la Défense Nationale.** Cérès (Oudiné 1870-71), b., 5 g 25 mm. **IIIe Rép.** Cérès (Oudiné 1872-98), b., 5 g 25 mm. Dupuis (Dupuis 1847-21), b., 5 g 25 mm. Grand module (Lindauer 1914-20), c.-n., 3 g 19 mm ; petit (Lindauer 1920-38), c.-n., 2 g 17 mm. (Lindauer 1938-39), m. 1,5 g 17 mm. **Ve Rép.** (Atelier de Paris 1959-64), a.i., 3,4 g 19 mm. (Lagriffoul et Dieudonné 1966-81), b.-al., 2 g 17 mm.

• **1 décime. Directoire.** (Dupré an 4-an 5), c., 10 g, 28 mm. (Dupré an 4-an 8), c., 20 g, 31 mm. (Dupré an 4-an 5), c., 20 g, 31 mm. (Dupré an 5-an 9), b., 20 g, 32 mm.

• **10 centimes. Ier Empire.** Napoléon Ier (Tiolier 1808-10), billon, 2 g, 19 mm. (Gagnepain 1814), b., 24 g, 34 mm. (Ransonnet, Wolschot 1814), b., 24 g, 34 mm. **1re Restauration.** Louis XVIII (Gagnepain 1814), b., 24 g, 34 mm. (Ransonnet 1814), b., 24 g, 34 mm. **Ier Empire et Cent-Jours.** Napoléon Ier (1814-15), b., 22 g, 31,5 mm. **1re et 2e Restauration.** Louis XVIII (1814-15), b., 22 g, 31,5 mm. **IIe Empire.** Napoléon III, tête nue (Barre 1852-57), b., 10 g, 30,2 mm ; laurée (Barre 1861-68), b., 10 g, 30 mm. **Gouv. de la Défense Nationale.** Cérès (Oudiné 1870-71), b., 10 g, 30 mm. **IIIe Rép.** Cérès (Oudiné 1872-98), b., 10 g., 30 mm. Dupuis (Dupuis 1897-21), b., 10 g., 30 mm. Cmes Souligné (Lindauer 1914), n., 4 g, 21 mm. Lindauer (Lindauer 1917-38), c.-n., troué au centre, 4 g, 21 mm. (Lindauer 1938-39), m., 3 g, 21 mm. troué au centre **État Français.** (Lindauer 1941), z., 2,5 g, 21 mm. Grand module (Atelier de Paris 1941-43), z., 2,5, 21 mm ; petit (Atelier de Paris 1943-44), z., 1,5 g, 17 mm. **Gouv. provisoire.** Petit module (Atelier de Paris 1944-46), z., 1,5 g, 17 mm. **Ve Rép.** (Lagriffoul, Dieudonné 1962-1981), b.-al., 3 g, 20 mm.

• **2 décimes. Directoire.** (Dupré an 4-an 5), c., 20 g, 31 mm.

• **20 centimes.** ARGENT. **II Rép.** Cérès (Oudiné 1849-51), 900 ‰, 1 g, 15 mm. **II Empire.** Napoléon III, tête nue (Barre 1853-63), 900 ‰, 1 g, 15 mm ; laurée, petit module (Barre 1864-66), 835 ‰, 1 g, 15 mm, grand (Barre 1867-68), 835 ‰, 1 g, 16 mm. **IIIe Rép.** Cérès (Oudiné 1878-89), 900 ‰, 1 g, 15 mm. AUTRES MÉTAUX. **État Français** (Atelier de Paris 1941), z., 3,5 g, 24 mm. 20 (At. de Paris 1941-44), z., 3,5 g, 24 mm. (At. de Paris 1943-44), f., 3 g, 24 mm. **Gouv. provisoire.** (Lindauer 1945-46), z., 3 g, 24 mm. **Ve Rép.** (Lagriffoul, Dieudonné 1962-81), b.-al., 4 g, 23,5 mm.

• **1/4 Franc.** ARGENT. **Consulat.** Bonaparte 1er Consul (Tiolier an 12), 900 ‰, 1,25 g, 15,3 mm. **Ier Empire.** Napoléon Empereur (Tiolier an 12-an 14), 900 ‰, 1,25 g, 15,3 mm. **Ier Empire.** Napoléon Empereur (Tiolier, Calendrier grégorien, 1906-07), 900 ‰, 1,25 g, 15,3 mm. Tête de Nègre (Tiolier 1807), 900 ‰, 1,25 g, 15,3 mm. T. Nègre laurée (Tiolier 1807-08), 900 ‰, 1,25 g, 15,3 mm. Tête laurée, revers EMP-FRA (Tiolier 1809), 900 ‰, 1,25 g, 15,3 mm. **Louis XVIII.** Louis XVIII (Tiolier 1817-24), 900 ‰, 1,25 g, 15 mm. **Charles X.** Charles X (Michaut 1825-30), 900 ‰, 1,25 g, 15 mm. **Louis-Philippe Ier.** L.-Ph. Ier (Domard F. 1831-45), 900 ‰, 1,25 g, 15 mm.

• **25 centimes.** ARGENT. **Louis-Philippe Ier.** L.-Ph. Ier (Domard F. 1845-48), 900 ‰, 1,25 g, 15 mm. AUTRES MÉTAUX. **IIIe Rép.** (Patey 1903), n., 7 g, 24 mm. (Patey 1904-05), n., 7 g, 24 mm. Cmes soulignés (Lindauer 1913-17), n., 5 g, 24 mm. (Lindauer 1917-37), c.-n., 5 g, 24 mm. Points avant et après la date (Lindauer 1938-40), m., 4 g, 24 mm.

• **½ Franc.** ARGENT. **Consulat.** Bonaparte 1er Consul (Tiolier an 11-an 12), 900 ‰, 2,5 g, 18 mm. **Ier Empire.** Napoléon Empereur (Tiolier an 12-an 14), 900 ‰, 2,5 g 18 mm. (Tiolier, Calendrier grégorien, 1806-07), 900 ‰, 2,5 g, 18 mm. Tête de Nègre (Tiolier 1807), 900 ‰, 2,5 g, 18 mm. Revers « République » (Tiolier 1807-08), 900 ‰, 2,5 g, 18 mm. 11 717 421 ex. Revers « Empire » (Tiolier 1809-1814), 900 ‰, 2,5 g, 18 mm. 12 602 759 ex. **Louis XVIII.** (Michaut 1816-24), 900 ‰, 2,5 g, 18 mm, 3 662 749 ex. **Charles X.** (Michaut 1825-30), 900 %, 2,5 g, 18 mm, 4 146 937 ex. **Louis-Philippe Ier.** (Domard F. 1831-45), 900 ‰, 2,5 g, 18 mm.

• **50 centimes.** ARGENT. **Louis-Philippe Ier.** (Domard F. 1845-48), 900 ‰, 2,5 g, 18 mm. **IIe Rép.** Cérès (Oudiné 1849-51), 900 ‰, 2,5 g, 18 mm. Louis-Napoléon Bonaparte (Barre 1852), 900 ‰, 2,5 g, 18 mm. 1 010 267 ex. **IIe Empire.** Napoléon III, tête nue (Barre 1853-63), 900 ‰, 2,5 g, 18 mm ; laurée (Barre 1864-69), 835 ‰, 2,5 g, 18 mm. **Gouv. de la Défense Nationale et IIIe Rép.** Cérès (Oudiné 1871-95), 835 ‰, 2,5 g, 18 mm. Semeuse (Roty 1897-20), 835 ‰, 2,5 g, 18 mm. 377 530 982 ex. AUTRES MÉTAUX. **IIIe Rép.** Chambre de Commerce (Domard 1920-29), b.-al., 2 g, 18 mm. Morlon (Morlon 1931-40), b.-a., 2 g, 18 mm. **État Français.** Morlon (Morlon 1941), b.-al., 2 g, 18 mm. 82 957 663 ex. **Gouv. provisoire.** Morlon (Morlon 1947), b.-al., 2 g, 18 mm. 2 170 000 ex. **État Français.** Bazor (Bazor 1942-44), al., 0,8 g, 18 mm. **État Français.** (Morlon 1941), al., 0,7 g., 18 mm. **Gouv. provisoire.** (Morlon 1944-46), al., 0,7 g., 18 mm. **IVe Rép.** (Morlon 1947), al., 0,7 g, 18 mm. **Ve Rép.** (Lagriffoul, Dieudonné 1962-1964), b.-al., 7 g, 25 mm.

• **½ Franc. Ve Rép.** Semeuse (Roty 1964-81), n., 4,5 g, 19,5 mm.

• **1 Franc.** ARGENT. **Consulat.** Bonaparte 1er Consul (Tiolier an 11 A-an 12 W), 900 ‰, 5 g, 23 mm. **Ier Empire.** Napoléon Empereur, tête nue (Tiolier an 12 A-an 14 W), 900 ‰, 5 g, 23 mm ; (Tiolier 1806-07), 900 ‰, 5 g, 23 mm. Tête de Nègre (Tiolier 1807), 900 ‰, 5 g, 23 mm. Revers « République » (Tiolier 1807-1808), 900 ‰, 5 g, 23 mm ; « Empire » (1809-14), 900 ‰, 5 g, 23 mm. **Louis XVIII.** (Michaut 1816-24), 900 ‰, 5 g, 23 mm. **Charles X.** (Michaut 1826-30), 900 ‰, 5 g, 23 mm. **Louis-Philippe Ier.** L.-Ph., tête nue (Tiolier 1831-48), 900 ‰, 5 g, 23 mm. **IIe République.** Cérès (Oudiné 1849-51), 900 ‰, 5 g, 23 mm. Louis-Napoléon Bonaparte (Barre 1852), 900 ‰, 5 g, 23 mm. **IIe Empire.** Napoléon III, tête nue (Barre 1853-64), 900 ‰, 5 g, 23 mm ; laurée (Barre 1862-70), 835 ‰, 5 g, 23 mm. 82 765 949. **Gouv. de la Défense Nationale.** Cérès (Oudiné 1871), 835 ‰, 5 g, 23 mm. 33 555 162. **IIIe Rép.** 1872-95 type Semeuse (Roty 1898-20), 835 ‰, 5 g, 23 mm, 421 486 625. AUTRES MÉTAUX. **IIIe Rép.** Chambre de Commerce (Domard 1920-27), b.-al., 4 g, 23 mm. Morlon (Morlon 1931-40), b.-al., 4 g, 23 mm. **État Français.** Morlon (1941), b.-al. Bazor (1942-44), al., 1,3 g, 23 mm. Morlon (Graziani 1943), z., 4,2 g, 23 mm. Morlon (1941-43), al., 1,3 g, 23 mm. **Gouv. provisoire** (1944-46). **IVe Rép.** (1947-58). **Ve Rép.** Semeuse (Roty 1959-81), n., 6 g, 24 mm. De Gaulle (1988) 50 millions d'ex.

(BOP = 100 centavos) 1,64 *0,61.* **Botswana** Pula (BWP = 100 thebe) 2,88 *0,35.* **Brésil** Nouveau cruzado (BRN = 100 cruzeiros) cours commercial 0,02 *48,78,* touristique 0,01 *54,35.* **Brunei** Dollar de B. (BND = 100 cents) : $ B. = $ de Singapour. **Bulgarie** Lev lourd (BGL = 100 stotinka) 0,31 *3,18,* **Burkina Faso** Franc CFA (XOF = 100 centimes) 0,02 *50.* **Burundi** Franc du B. (BIF = 100 centimes) 0,03 *29,59.*

Cameroun Franc CFA (XAF = 100 centimes) 0,02 *50.* **Cambodge** Riel (KHR = 100 sen) 0,09 *103,09.* **Canada** Dollar can. (CAD = 100 cents) 5,11 *0,20.* **Canaries (îles)** Peseta (ESP = 100 centimos) V. *Espagne.* **Cap-Vert** Escudo du C.-V. (CVE = 100 cantavos) 0,07 *12,55.* **Caraïbes de l'Est** Dollar des Car. (XCD = 100 cents) 2,16 *0,46.* **Centrafrique (Rép.)** Franc CFA (XAF = 100 centimes) 0,02 *50.* **Chili** Nouveau Peso (CLP = 100 centavos) 0,01 *58,48.* **Chine** Renminbi yuan (CNY = 10 chiao = 100 fen) 1,08 *0,92.* **Chypre** Livre cy. (CYP = 1 000 mils) 12,30 *0,08.* **Colombie** Peso col. (COP = 100 centavos) 0,09 *106,38.* **Comores** Franc des C. (KMF = 100 centimes) 0,02 *50.* **Congo** Franc CFA (XAF = 100 centimes) 0,02 *50.* **Corée du Nord** Won (KPW = 100 cheun) 6,02 *0,17.* **Corée du Sud** Won (KRW = 100 chon) 0,08 *123,61.* **Costa Rica** Colon (CRC = 100 centimos) 0,04 *20,70.* **Côte-d'Ivoire** Franc CFA (XOF = 100 centimes) 0,02 *50.* **Cuba** Peso cubain (CUP = 100 centavos) 7,92 *0,14.* **Curaçao.** Voir *Antilles néerlandaises.*

Danemark Couronne d. (DKK = 100 öre) 0,88 *1,13.* **Djibouti (Rép. de)** Franc de D. (DJF = 100 centimes) 0,03 *30,21.* **Dominicaine (Rép.)** (DOP = 100 centavos) 0,45 *2,20.*

Égypte Livre égyptienne (EGP = 100 pjastres) cours officiel 1,76 *0,56,* cours libre 1,73 *0,58.* **Emirats Arabes Unis** Dirham (AED = 100 fils) 1,59 *0,63.* **Équateur** Sucre (ECS = 100 centavos) cours d'intervention 0,005 *172,41,* libre 0,05 *192,31,* **Espagne** Peseta (ESP = 100 centimos) 0,05 *18,26.* **États-Unis** Dollar des États-Unis (USD = 100 cents) 5,84 *0,17.* **Éthiopie** Birr (ETB = 100 cents) 2,82 *0,35.*

Europe. ECU 6,92456.

Falkland (îles) Livre des F. (FKP = 100 nouveaux pence) 10,01 *0,10.* **Fidji (îles)** Dollar des îles F. (FJD = 100 cents) 3,89 *0,26.* **Finlande** Mark finl. (FIM = 100 pennia) 1,42 *0,70.*

Gabon Franc CFA (XAF = 100 centimes) 0,02 *50.* **Gambie** Dalasi (GMD = 100 bututs) 0,67 *1,48.* **Ghana** Nouveau Cedi (GHC = 100 pesewas) 0,01 *62,50.* **Gibraltar** Livre de G. (GIP = 100 nouveaux pence) 10,01 *0,10.* **Grèce** Drachme (GRD = 100 lepta) 0,03 *32,30.* **Groenland.** Voir *Danemark.* **Guadeloupe** Franc (FRF = 100 centimes). **Guatemala** Quetzal (GTQ = 100 centavos) 1,19 *0,84.* **Guinée** Franc guinéen (GNF) 0,008 *124,73.* **Guinée-Bissau** Peso (GWP = 100 centavos) 0,002 *404,57.* **Guinée Équatoriale** Franc CFA (XAF = 100 centimes) 0,02 *50.* **Guyana** Dollar de G. (GYD = 100 cents) 0,05 *19,72.* **Guyane Française** Franc (FRF = 100 centimes).

Haïti Gourde (HTG = 100 centimes) 1,16 *0,86.* **Hte-Volta** Voir *Burkina Faso.* **Hawaii** Dollar (USD = 100 cents). Voir *États-Unis.* **Honduras** Lempira (HNL = 100 centavos) cours officiel 2,92 *0,34,* **cours parallèle 1,08** *0,92.* Hong Kong Dollar de H. K. (HKD = 100 cents) 0,75 *1,32.* **Hongrie** Forint (HUF = 100 filler) 0,07 *13.*

Inde Roupie (INR = 100 paise) 0,28 *3,57.* **Indonésie** Rupiah (IDR = 100 sen) 0,003 *333,33.* **Irak** Dinar ir. (IQD = 5 rials = 20 dirhams = 1 000 fil) 18,80 *0,05.* **Iran** Rial (IRR = 100 dinars) 0,08 *11,70.* **Irlande** Livre irl. (IEP = 100 nouveaux pence) 9,07 *0,11.* **Islande** Couronne isl. (ISK = 100 aurar) 0,09 *10,33.* **Israël (État d')** Sheqel (ILS = 100 nouveaux agorots) 2,44 *0,41.* **Italie** Lire it. (ITL = 100 centesimi) 0,004 *218,15.*

Jamaïque Dollar jamaïcain (JMD = 100 cents) 0,66 *1,51.* **Japon** Yen (JPY = 100 sen) 0,04 *23,59.* **Jordanie** Dinar jord. (JOD = 1 000 fil) 8,54 *0,117.*

Kenya Shilling du Kenya (KES = 100 cents) 0,20 *4,76.* **Koweït (État du)** Dinar koweitien (KWD = 10 dirhams = 1 000 fil) n.c.

Laos Nouveau Kip (LAK = 100 at) 0,008 *119,05.* **Lesotho** Loti (LSL = 100 lisente. Nouvelle monnaie dep. le 7-12-1979 loti 1 = rand 1). Voir *Afrique du Sud.* **Liban** Livre lib. (LBP = 100 piastres) 0,006 *196,25.* **Liberia** Dollar libérien (LRD = 100 cents) 5,84 *0,17.* **Libye** Dinar (LYD = 1 000 dirhams) 20,20 *0,05.* **Liechtenstein.** Voir *Suisse.* **Luxembourg** Franc lux. (LUF = 100 centimes) Valeur identique au F belge. Voir *Belgique.*

Macao Pataca (MOP = 100 avos) 0,73 *1,37.* **Madère** Escudo. V. *Portugal.* **Malaysia** Ringgit (MYR = 100 son) 2,11 *0,47.* **Malawi** Kwacha (MWK = 100 tambalas) 2,04 *0,49.* **Madagascar** Franc malgache (MGF = 100 centimes) 0,003 *319,11.* **Mali** Franc CFA (XOF = 100 centimes) 0,02 *50.* **Malte** Livre mal. (MTP = 100 cents = 1 000 miles) 17,55 *0,06.* **Maroc** Dirham (MAD = 100 centimes) 0,65 *1,53.* **Martinique** Franc (FRF = 100 centimes). **Mascate et Oman.** Voir *Oman.* **Maurice (îles)** Roupie de Maurice (MUR = 100 cents) 0,36 *2,74.* **Mauritanie** Ouguiya (MRO = 5 khoums) 0,06 *14,43.* **Mexique** Peso mex. (MXP = 100 centavos) cours contrôlé 0,001 *515,46,* libre 0,001 *518,13.* **Monaco** Franc (FRF = 100 centimes). **Mozambique** Metical (MZM = 100 centavos) cours officiel 0,004 *252,98,* cours secondaire *0,003 326,49.*

Namibie Rand (ZAR = 100 cents). Voir *Afrique du Sud.* **Népal** Roupie nép. (NPR = 100 pice) 0,18 *5,52.* **Nicaragua** nouveau Cordoba (NIC = 100 centavos) 1,16 *0,86.* **Niger** Franc CFA (XOF = 100 centimes) 0,02 *50.* **Nigeria** Naire (NGN = 100 kobos) 0,60 *1,66.* **Norvège** Couronne norv. (NOK = 100 öre) 0,87 *1,15.* **Nlle-Calédonie** Franc CFP (XPF = 100 centimes) 0,050 *18,18.* **Nlles-Hébrides** Vatu (VAV). Voir *Vanuatu.* **Nlle-Zélande** Dollar néo-zél. (NZD = 100 cents) 3,40 *0,29.*

Oman Rial Omani (OMR = 1 000 baizas) 15,20 *0,07.* **Ouganda** nouveau Shilling oug. (UGS = 100 cents) cours officiel 0,008 *115,12* cours préférentiel 0,006 *145.*

Pākistān Roupie pak. (PKR = 100 paisa) 0,24 *4,08.* **Panamá** Balboa (PAB = 100 centesimos) 5,84 *0,17.* **Papouasie-Nouvelle-Guinée** Kina (PGK = 100 tosa) 6,08 *0,16.* **Paraguay** Guarani (PYG = 100 centesimos) 0,004 *227,27.* **Pays-Bas** Florin (NLG = 100 cents) 3,009 *0,33.* **Pérou** Inti (PEI = 100 centavos) cours du MUC 7,15 *0,14.* **Philippines** Peso philippin (PHP = 100 centavos) 0,21 *4,73.* **Pologne** Zloty (PLZ = 100 groszy) 0,00005 *1886,79.* **Polynésie Française** Franc CFP (XPF = 100 centimes) 0,05 *18,1818.* **Porto Rico** Dollar (USD = 100 cents). Voir *États-Unis.* **Portugal** Escudo (PTE = 100 centavos) 0,038 *25,69.*

Qatar (État de) Rial (QAR = 100 dirhams) 1,60 *0,62.*

Réunion (La) Franc (FRF = 100 centimes). **Roumanie** Leu (ROL = 100 bani). **Royaume-Uni** Livre (GBP = 100 nouveaux pence) 10,01 *0,10.* **Rwanda** Franc du R. (RWF = 100 centimes) 0,04 *21,83.*

Saint-Pierre-et-Miquelon Franc (FRF = 100 centimes). **Salvador** Colon (SVC = 100 centavos). Dep. le 01-08-89 : cours officiel : n.c Cours Commercial : 0,72 *1,38.* **Sénégal** Franc CFA (XOF = 100 centimes) 0,02 *50.* **Seychelles** Roupie de Seychelles (SCR = 100 cents) 1,08 *0,92.* **St-Marin** Lire it. Voir *Italie.* **Sierra Leone** Leone (SLL = 100 cents) 0,02 *39,37.* **Singapour** Dollar de S. (SGD = 100 cents) 3,31 *0,30.* **Somalie** Somali Shilling (SOS = 100 centesimi) cours officiel 0,022 *454,55.* **Soudan** Livre soud. (SDP = 100 piastres = 1 000 millièmes) cours officiel 1,29 *0,77,* commercial 0,46 *2,09.* **Sri Lanka** Roupie de S. L. (LKR = 100 cents) 0,14 *7,03.* **Suède** Couronne suéd. (SEK = 100 öre) 0,94 *1,06.* **Suisse** Franc s. (CHF = 100 centimes) 3,97 *0,25.* **Surinam** Florin de Sur. (SRG = 100 cents) 3,26 *0,31.* **Swaziland** Lilangeni (SZL = 100 cents). Valeur identique au rand. Voir *Afrique du Sud.* **Syrie** Livre syr. (SYP = 100 piastres) cours officiel 0,52 *1,92,* d'encouragement 0,27 *3,59.*

T'ai-wan Nouveau dollar de T. (TWD = 100 cents) 0,21 *4,67.* **Tanzanie** Schilling tanz. (TZS = 100 cents) 0,025 *38,91.* **Tchad** Franc CFA (XAF = 100 centimes) 0,02 *50.* **Tchécoslovaquie** Couronne tchéc. (CSK = 100 haleru) 0,19 *5,18.* **Thaïlande** Baht (THB = 100 satang) 0,22 *4,38.* **Togo** Franc CFA (XOF = 100 centimes) 0,02 *50.* **Trinité-et-Tobago** Dollar de T.-et-T. (TTD = 100 cents) 1,37 *0,73.* **Tunisie** Dinar tunisien (TND = 1 000 millimes) 6,10 *0,16.* **Turquie** Livre tur. (TRL = 100 kurus) 0,0001 *666,6.*

U.R.S.S. Nouveau Rouble (SUR = 100 kopecks) cours officiel 9,81 *0,102,* cours commercial : 3,27 *0,306.* **Uruguay** Nouveau Peso (UYP = 100 centimos) 0,003 *333,33.*

Vanuatu Vatu (VUV) 0,05 *19,19.* **Venezuela** Bolivar (VEB = 100 centimos) 0,10 *9,44.* **Viêt-nam** nouveau Dông (VND = 10 hâo = 100 xu) 0,0007 *1428,57.*

Yémen (Sanaa) Rial (YER = 40 bugshahs) 0,48 *2,05.* **Yémen (Aden)** Dinar (YDD = 1 000 fil) 12,68 *0,08.* **Yougoslavie** Nouveau Dinar (YUN = 100 paras) 0,26 *3,831.*

Zaïre Zaïre (ZRZ = 100 makuta) 0,0014 *714,29.* **Zambie** Kwacha (ZMK = 100 ngwee). Dep. le 19-02-90 : cours officiel : 0,09 *10,41 ;* cours du MER : 0,09 *10,15.* **Zimbabwe** Dollar du Zimbabwe (ZWD = 100 cents) 1,90 *0,53.*

Nota. – (1) 31-03-82. (2) Juin 1986. (3) Juin 87.

Billets et pièces en France

Billets

• **Billets en circulation.** *Total à la fin de l'année.* **En milliards de F. 1939 :** 151,3. **44 :** 572,5. **50 :** 1 560,6. **55 :** 2 852,7. **60 :** 50,1. **70 :** 73,4. **75 :** 106,7. **80 :** 144,6. **81 :** 161,9. **82 :** 179,2. **Fin 83 :** 194,5. **Fin 84 :** 203,1 **Fin 85 :** 212,3. **Fin 86 :** 218,4 dont 103,8 de *500 F,* 44,9 de *200 F,* 62,9 de *100 F,* 5,3 de *50 F,* 1,1 de *20 F,* 0,4 de *10 F* (chiffres incluant les stocks dans les banques). **88 (7-7) :** 230,42. **En millions de billets : 1914 :** 50. **19 :** 653. **39 :** 667. **44 :** 2 574. **45 :** 1 711. **59 :** 1 035. **84 :** 1 300. **87 :** 1 288. **89 :** 1 241.

• **Billets produits chaque année.** Entre 600 et700 millions de billets.

☞ Chaque Français dispose en moyenne de 23 billets.

• **Cours légal. Billets ayant cours légal (filigrane et effigie). 500 F** émis 7-1-1969 Masque mortuaire de Pascal (Pascal). **200 F** (7-6-1982) Montesquieu. **100 F** (19-1-1965) Horace et Auguste (Corneille) ; Delacroix (2-8-1979). **50 F** Quentin de La Tour (5-4-1977) ; Saint Exupéry (1991). **20 F** C. Debussy (6-10-1981) ; Racine.

Billets privés du cours légal. Peuvent être refusés comme moyen de paiement par particuliers et caisses publiques. Certains sont remboursables aux guichets de la Banque de France. *Anciens francs :* **5** (1871, 1905, 1917, 1943). **10** [type 1915, 1941, 1963 (Voltaire), 1972 (Berlioz)]. **20** (1873, 1905, 1916, 1940, 1942). **50 ²** [1946, 1962 (Racine)]. **100** [1945, 1964 (Corneille)]. **300** (1938). **500** (1945, 1953). **1 000** (1945). **5 000** (1949, 1957). **10 000** (1945, 1955). *Nouveaux francs :* **5** (1959). **10** (1959). **50** (1959). **100** [1959 (Bonaparte)]. **500** [1959 (Molière)]. *Francs :* **5** [1966 (Pasteur)].

Billets non remboursables. 50 AF et plus, émis avant le 30-5-1945 et soumis à échange obligatoire par ordonnance du 30-5-1945 (ont pu être échangés du 4 au 15-6-1945) ; **5 000 AF** « type 1942 » retirés de la circulation (loi du 30-1-1948), afin de repérer les bénéficiaires du marché noir lors de l'Occupation. Ont pu être échangés du 31-1 au 3-2-1948.

Nota. – Certains billets de fabrication étrangère mis en circulation en 1944-45 sont également remboursables. (1) Privé du cours légal le 5-9-1986 (décret du 4-9). (2) Il y avait en circulation 47 millions de billets de 10 F (émis 2-1-1985), 3,4 de billets de 50 F (émis 2-1-1963), 62,8 de billets de 100 F (émis 5-11-1974).

• **Faux billets et fausses pièces. Faux billets en circulation** (en millions de F) env. 120. *Saisie de fausse monnaie française en 1984 :* billets 183 695 (20,7 millions de F), pièces 849 049 (*83 :* 290 000). Les pièces les plus souvent contrefaites sont celles de 100 F commémoratives et le 10 F « Mathieu ».

☞ Autrefois, les billets hors d'usage ou privés de cours légal étaient incinérés. Aujourd'hui, ils sont détruits par broyage à sec ou dissolution dans l'eau. Env. 600 000 à 700 000 billets sont détruits tous les ans.

Unités de production. *Laboratoire d'essais* à Puteaux. *Papeterie* à Vic-le-Comte (P.-de-D.). *Imprimerie* à Chamalières (P.-de-D.) qui imprime chaque année env. 600 à 700 millions de billets français et 100 à 200 étrangers. **Vie moyenne des billets.** *500 F :* 7 ans, *200* et *100 F :* 3, *50* et *20 F :* 1 an ½.

Billets déchirés, brûlés ou lessivés. La Banque de France peut refuser de les échanger ; en fait, si elle a pu les identifier (grâce aux numéros, aux lettres et à la date que porte chaque vignette), elle les échange. **Billets mutilés.** *De 100 F et moins,* fragments de + de 50 % de la surface, échangés immédiatement ; de – de 50 %, considérés comme sans valeur ; *de 500 F,* fragments de + des 3/5, échangés immédiatement ; inférieurs au 2/5, considérés comme sans valeur ; entre 2/5 et 3/5, remboursement ajourné jusqu'à présentation des parties manquantes ou après 3 ans.

1801, le Piémont frappe une pièce en or de 20 l. semblable aux pièces françaises. Napoléon aligne la lire sur le franc à Milan, Venise, Bologne, puis Gênes et Rome. *24-8-1862* le royaume d'Italie adopte la lire de 4,5 gr. d'argent ou 290,3225 d'or. Fait partie du SME (13-3-1979). *20-7-1985* la lire est dévaluée de 6 % et les 6 autres monnaies du SME surévaluées de 2 %.

• **Livre sterling.** Le mot *livre* correspond à l'unité de poids, et *sterling* (en vieux français esterlin ou estrelin) vient du vieil anglais *steorling* (« pièce avec une étoile » : *star*) car il y avait de petites étoiles sur certaines pièces (pennies) normandes. *1971,* la G.-B. ayant adopté le syst. décimal, la livre comprend maintenant 100 pence (au lieu de 240). *Anciennes pièces (non décimales) :* 1/2 penny (retiré de la circulation en août 1969), penny, 3 pence, 6 pence, shilling, 2 shillings, 2 shillings et 6 pence (ou demi-couronne retiré dep. le 1-1-1970). *Nouvelles pièces :* elles sont *décimales :* en cupronickel : 50 nouveaux pence (10 anciens shillings), 20 nouveaux p. (dep. juin 82), 10 nouveaux p. (2 shillings), 5 nouveaux p. (1 shilling) ; en bronze : 2 nouveaux pence, nouveau penny (2,4 anciens p.), nouveau demi-penny (1,2 p.) retiré de la circulation le 31-12-1984 ; en 1983, pièce d'une livre (en cuivre, nickel et zinc). L'abréviation pour les nouveaux pence est « p » au lieu de « d » ; doit être utilisé pour donner l'équivalent des anciens pence en 2 nouveaux pence (4,8 d). Dep. 1982, les pièces sont frappées avec la mention « pence » et non plus « new pence ». La G.-B. a adhéré au SME et participe à son fonctionnement sauf pour le mécanisme d'intervention du taux de change.

Équivalence de la livre sterling en gr. d'or fin (après 1695, prix d'achat de la Banque d'Angleterre et, entre parenthèses, *prix du marché, quand il est différent).* **1344** (Édouard III) 26,44. **1351** (Edouard III) 23,21. **1400** (Guerre de Cent Ans) 23,21. **1412** (Henri IV) 20,89. **1450** (Henri VI) 20,89. **1465** (Guerre des Deux-Roses) 15,47. **1543** (Henri VIII) 13,75. **1544** (Henri VIII) 12,89. **1552** (Édouard VI) 10,37. **1603** (Jacques Ier) 9,5. **1604** (Jacques Ier) 9,19. **1695** (Fondation de la Banque d'Angleterre : 1694) 5,3. **1790** (Guerres de la Révolution puis de l'Empire) 7,32. **1797** 7,32. **1815** (Georges III) 7,32 (6,16) Étalon-or. **1914** (Guerres du xxe s.) 7,32 (7,33). **1920** 7,32 (5,51). **1925** 7,32 (7,28). **1931** 7,32 (6,73). **1945** 3,70. **1946** 3,61. **1949** 2,49. **1967** 2,13. **1970** 2,07. **1975** 0,43. **1980** 0,12. **1984** 0,12. **1985** 0,13. **1986** 0,12. **1987** 0,11.

• **Livre turque.** Convertible depuis août 1989.

• **Mark.** Vient du nordique *mark* et de l'anglo-saxon *mearc,* unité de poids dès le IXe s. (2/3 de livre romaine) ; en Allemagne unité de poids des métaux précieux à partir du XIe s. Ce mot désigna plusieurs monnaies germaniques. La livre-poids de Charlemagne divisée en 2 marcs de Cologne (233,86 gr.) d'où naît le mark, monnaie de compte équivalent à 12 shillings (sous) ou 114 pfennigs (deniers). **1500** mark de Hambourg, 14 fois + léger que le vieux marc de Cologne. **1871**-*4-12* le Reichstag crée des pièces de 5,10 et 20 marks en or, base du nouveau système. Chaque mark représente 358,423 mgr d'or fin. **1873**-*12-7* le mark devient la seule unité de compte. La démonétisation des anciens thalers s'échelonnera jusqu'en 1907.

1918-24 inflation. **1922** le $ vaut 7 350 marks. **1923**-*11-1* il vaut 10 453, *fin janv. :* 40 000. *Juillet :* 350 000. *Févr. 1923* la livre de beurre vaut 3 400 marks, *20-10 :* 26 milliards, *5-11 :* 280 milliards, *Nov. :* le $ vaut 4 200 milliards (il monte de 613 000 marks à la seconde). On imprime des timbres de 50 milliards, un parcours d'autobus vaut 150 milliards de marks. Il y a des billets de 100 billions (100 000 milliards) de marks. Le mark est remplacé le 10-10 par le rentenmark (valant 1 billion de marks). On frappe des Rentenmark d'argent. *Indice d'oct. exprimé en milliards* (sur base 1 en 1913) : *prix de gros* 7 (max. fers et charbons 11), *change du $:* 6 mds (habillement 6, nourriture 4,3, logement 0,05). *Salaires :* 3,2 à 13,4. On imagine des billets gagés sur le seigle (comme en Ukraine) ou sur l'or. Le PM Stresemann envisage les 2 formules par l'emission d'un mark terrien (Bodenmark) ou d'un mark nouveau (Neumark) garantie par une hypothèque sur la fortune allemande et sur ce qui reste de l'encaisse-or de la Reichsbank ; mais il est renversé dans le gouv. suivant. Le ministre des Finances, Luther, pousse à la création du markrente (Rentenmark), censé valoir un mark-or ou un trillion de marks-papier : il est gagé par une hypothèque de 4 % sur la richesse immobilière de l'Allemagne (domaines agricoles, biens fonciers des entreprises industrielles et commerciales). La banque Rentenbank émet des obligations qui servent de couverture. Le système est mis en œuvre par le Dr Hjalmar Schacht. **1924**-*30-4* Rentenmark remplacé par Reichmark (égal aussi à un trillion de marks-papier et théoriquement défini par 352,42 milligrammes d'or fin). *-30-8* Reichmark [ayant la même valeur que l'ancien mark de 1914 (279 pièces de 10 RM pour 1 kg d'or fin)] remplace le mark-papier (1 RM pour 1 million de marks-papier). **1925** on frappe des Reichsmark (encore usités) d'abord à 50 % d'argent, 50 % de cuivre, puis à partir de 1933 en nickel. **1940** le mark est remplacé par un billet. **1948** *mars* les alliés créent à Francfort une Banque des pays allemands (Bank deutscher Länder). Dettes et créances annulées à 90 %. Salaires, pensions et loyers maintenus au même taux qu'en marks anciens. La production repart. *Juillet* à l'Est, les Russes qui ont fermé Bourse et banques, bloqué les dépôts, créent un mark oreintal (ostmark), théoriquement défini en or. *-21-6* réforme monétaire : deutsche Mark (DM). **1949**-*19-9* dévaluation par rapport au dollar de 20,6 % (1 $ = 4,20 DM). **1950** on frappe des pièces : 5,5 g, diamètre 23,5 mm (75 % cuivre, 25 % nickel). 1 DM = 0,30 $ (1 $ = 3,3333 DM). **1953**-*30-1* 1re parité fixée à 0,211588 g d'or fin = 1 $ = 4,20 DM après l'adhésion de l'All. féd. au FMI **1961**-*6-3* 1re réévaluation, de 5 % (le $ valait 4,20 DM dep. sept. 1949, il vaut alors 4 DM). *30-9-1969* au 24-10 flottement ; *27-10* réévaluation 9,3 % (1 $ = 3,66 DM). **1971**-*10-5/17-12* flottement ; *21-12* réévaluation par rapport au $ 13,6 % (1 $ = 3,2225 DM). *24-4-1972* mise en vigueur du SME. **1973**-*14-2* réévaluation 11,1 % (1 $ = 2,9003 DM) ; *2-3* début du flottement généralisé ; *19-3* réévál. 3 % (1 $ = 2,81583 DM) et début du flottement en commun des monnaies europ. au sein du serpent ; *29-6* rééval. 5,5 % (1 $ = 2,66903 DM) par rapport aux monnaies du serpent. **1976**-*18-10* rééval. 2 % et le **1978**-*16-10,* 4 % par rapport aux monnaies du serpent. **1979**-*13-3* mise en vigueur du SME.

Modification des cours pivots. 1979-24-9, -30-11, **81**-23-3, -5-10, **82**-22-2, -14-6, **83**-21-3, -18-5, **85**-22-7, **86**-6-4, **87**-12-1. **90**-1-7 le DM devient la monnaie de la RDA. *Parité :* 1 mark-Est pour 1 DM pour les salaires, honoraires, retraites et dépôts d'épargne jusqu'à un plafond de 4 000 DM ; au-dessus, parité de 2 marks-Est contre 1 DM pour l'épargne comptabilisée au 1-12-89. Auparavant, taux de change officiel de 3 marks-Est contre 1 DM (7 marks-Est au marché noir).

Mark finlandais. 1809 Finlande séparée de la Suède, devient *grand-duché* sous l'hégémonie du tsar de Russie. **1811** Banque de Finlande fondée. *1ers billets imprimés :* valeur de 20,50 et 75 kopecks. **1819** billets de 1,2 et 4 roubles. La monnaie suédoise reste en circulation. **1840** décret donnant à la Banque de Finl. le droit d'émettre ses propres billets en roubles remboursables en argent. La Banque de Suède accepte de convertir en argent les billets en circulation en Finlande. **1860** *avril* le Tsar Alexandre II garantit à la Finl. sa propre unité monétaire, le *mark finl.,* divisé en 100 pennies. Valeur : 1/4 du rouble-argent. Monnaies en argent de 1 et 2 marks et de 25 et 20 pennies, et m. en cuivre de 1,5 et 10 p. sont frappées. **1877** Finl. suit et adopte l'étalon-or. 1eres monnaies d'or de 10 et 20 mark et 1ers billets de 5, 10 et 500 marks. **1917** indépendance. **1926-31** étalon-or. **1963** nouveau mark (qui correspond à 100 marks anciens).

• **Peseta.** *1859* définie en argent.

• **Rouble.** Divisé en 100 kopecks. **Dep. 1917,** le rouble a été « alourdi » 5 fois (un rouble « lourd » valant 10 roubles « légers ») : **1921** *nov.,* s'échange 1 pour 10 000, **1922** *oct. :* 1 pour 100. *Tchervonetz :* « brillant », créé *Déc.,* définie comme l'égal de 10 roubles-or (774 gr. de métal fin, soit 5,15 $) ; le rouble reste la monnaie légale, mais ne cesse de s'avilir. **1921** *janv.* on envisage *l'étalon-travail* (le *troud* équivaudrait à une journée de travail d'intensité normale), puis un *rouble* (défini par une ration alimentaire de 2 700 calories d'ou le rouble-marchandise). Cependant, la banque d'État Gosbank libelle ses avances en roubles-or. Le budget d'État de 1922 est établi en roubles d'avant-guerre. **1922**-*30-3* l'État renonce à encaisser impôts, tarifs publics sur la base du rouble d'avant-guerre. Les plans gardent, comme monnaie de compte, le rouble-marchandise. **1924** *Févr.* 1 pour 50 000, le Trésor arrête la fabrication des roubles et émet des roubles « dixième de tchervonetz » qui en mars, devenant monnaie légale, sont échangés contre les roubles anciens 1/10 de tchervonetz pour 50 000 roubles 1923. *1947 (déc.) :* 1 pour 10.

Valeur d'1 million de roubles papier en roubles-or. 1914 : 1 000 000, **17 :** 340 000, **18 :** 48 000, **19 :** 6 000, **20 :** 413, **21 :** 60, **22 :** 3,5, **23 :** 0,05, **24 :** 10-3 2 millièmes de kopeks. Le rouble était à 200 milliardièmes de sa valeur-or. **1925 :** le marché des devises disparaît, **1926** la Banque rétablit son monopole sur l'or. Le cours du rouble n'a plus de valeur définie. Jusqu'en **1950,** le cours du rouble est fixé par référence au $ (sauf pendant quelques mois en 1936-37 au franc français). **Dep. 1950,** il est défini par rapport à sa teneur en or : 0,222168 g d'or en 1950, soit 4 roubles pour un $. **1961** rouble lourd créé vaut 0,987412 g d'or, 1,11 $. Le cours officiel du rouble est établi par la Banque d'État de l'URSS Le rouble est coté en Occident librement, mais un voyageur ne peut importer des roubles en URSS Le rouble n'est pas négociable à l'étranger. **1963** création de la BICE (Banque internationale de coopération économique), rouble « transférable », unité de compte collective des membres du Comecon, sans rapport avec l'unité monétaire de l'URSS, et supprimé en 1991.

Cours du rouble. Fin 1989 : officiel : 1 rouble pour 1,57 $. Marché noir : 13 à 15 roubles pour 1 $. **1990** *août :* liberté de circulation des devises et projet d'unification du taux de change du rouble.

11-12 la teneur en or du rouble n'est plus déterminée. *Taux officiel* fixé par la Gosbank d'URSS chaque semaine (59,43 roubles pour 100 $ au 8-5-91). *Taux commercial* applicable aux opérations liées au commerce extérieur et à l'investissement (178,29 roubles pour 100 $, ou le taux officiel multiplié par 3). *Taux du marché* défini par l'offre et la demande à la bourse de change extérieur interbancaire, en vigueur depuis avril 1991. Après le début des opérations, un « taux spécial » appliqué au change de numéraires pour touristes, introduit en nov. 1989, et correspondant au taux officiel multiplié par 10, a été abandonné. Les transactions en numéraires pour touristes sont effectuées dep. le 2-4-91 à un taux de 27,60 roubles pour 1 $. Jusqu'ici les taux pour des petites transactions étaient inférieurs ou égaux aux taux du « marché noir », (en janv. 91,30 roubles pour 1 $).

• **Yen.** *Créé* mai 1871, yen d'argent à peu près équivalent à la piastre mexicaine, yen d'or défini comme le $. *1882* ramené à la valeur d'1/2 $. *1897* défini en or. *19-12-1971* réévalué de 16,88 % par rapport au $ U.S. (marché des changes fermé le 20-12, rouvert le 21-12) ; flotte depuis le 14-2-1973. *1989-90* faiblesse persistante en raison du niveau trop faible des taux d'intérêt japonais (5,25 %).

• **Yuan.** Cours du $ en yuans (officiel). **1942 :** 20 ; **45** *juin :* 1 930 ; **46** *mars :* 2 020, *août :* 3 350 ; **47** *févr. :* 12 000 ; **48** *août :* 20 000 (12 millions sur le marché libre).

Gold yuan. *Créé* août 1948 en échange de 3 millions de yuans. **Cours du $. 1948 :** 4,05, *nov. :* 20, *déc. :* 125 ; **49** *mars :* 8 000, *juin :* 165 millions, *sept. :* 425 millions, *nov. :* jen-min-piao ou $ de la Banque du peuple créé par Mao Tsé-toung devient la monnaie légale de la Chine populaire. *Cours du $:* 600 jen-min-piao ; **1949 à 50** *avril :* 42 000 (cours maximal). **55** *mars-avril :* échange 1 nouveau jen-min-piao pour 1 000 anciens.

Cours des monnaies

Cours des devises

Nom de l'unité monétaire, symbole, monnaie divisionnaire, cours de l'unité en francs français et, en italique, cours du franc français en unité du pays.

Exemple : l'afghani (symbole AFA) égale 100 pool. 1 afghani vaut à la banque 0,10 F. 1 franc vaut à la banque 9,41 afghanis. *Source :* BFCE (juin 1991).

Abū Dhabī Dinar de Bahreïn V. *Bahreïn.* **Açores** Escudo portugais V. *Portugal.* **Afghānistān** Afghani (AFA = 100 pool), Banque 0,10 *9,41.* **Afrique du Sud** Rand (ZAR = 100 cents) 2,07 *0,48.* **Albanie** Nouveau Lek (ALL = 100 quintar), cours commercial [3] r.d., non c. 1,8 *0,56.* **Algérie** Dinar (DZD = 100 centimes) 0,32 *3,04.* **Allemagne féd.** Deutsche Mark (DEM = 100 Pfennigs) 3,39 *0,29.* **Andorre** Peseta espagnole et franc V. *Esp.* **Angola** Kwansa (AOK = 100 iwei) 0,09 *10,27.* **Antilles françaises** Franc (FRF = 100 centimes). **Antilles néerlandaises** Florin des Antilles néerl. (ANG = 100 cents) 3,26 *0,31.* **Arabie Saoudite** Rial (SAR = 100 halalas) 1,56 *0,64.* **Argentine** Austral (ARA = 100 centavos) 0,005 *1 694,92.* **Australie** Dollar australien (AUD = 100 cents) 4,44 *0,23.* **Autriche** Schilling (ATS = 100 Groschen) 0,48 *2,07.*

Bahamas Dollar des Bah. (BSD = 100 cents) 5,84 *0,17.* **Bahreïn** Dinar (BHD = 1 000 fils) 15,54 *0,06.* **Bangladesh** Taka (BDT = 100 paisa) 0,16 *6,23.* **Barbade** Dollar de Bar. (BBD = 100 cents) 2,90 *0,34.* **Belgique** Franc b. (BEC = 100 centimes) 0,16 *6,07.* **Belize** Dollar de Belize (BZD = 100 cents) 2,92 *0,34.* **Bénin** Franc CFA. (XOF = 100 centimes) 0,02 *50.* **Bermudes** Dollar des B. (BMD = 100 cents) 5,84 *0,17.* **Bhoutan** Ngultrum (N = 100 chetrums). **Birmanie** Kyat (BUK = 100 pyas) 0,91 *1,09.* **Bolivie** Peso

1974 (janv.) : (PM P. Messmer, min. des F. Giscard d'Estaing) : le franc sort du système monétaire européen (SME) et perd env. 5 %. **Pt V. Giscard d'Estaing** (PM J. Chirac, min. des F. J.-P. Fourcade) *1975 (juillet)* : le F entre dans le SME. *1976 (15-3)* : le F sort du SME. **Pt. V. Giscard d'Estaing** (PM et min. des F. R. Barre) *1979 (13-3)* : nouveau SME. Les monnaies varient entre + 2,25 et – 2,25 %. **Pt F. Mitterrand** (PM P. Mauroy, min. de l'Économie J. Delors) *1981 (4-10)* : – 8,5 % (– 3 % + réévaluation du DM de 5,5 %). *1982 (12-6)* : – 5,75 % (et réévaluation du DM de 4,25 %). *1983 (21-3)* : – 2,5 % + rééval. du DM de 5,5 %, soit 8 %. **Pt F. Mitterrand** (PM J. Chirac, min. de l'Économie Balladur) *1986 (6-4)* : – 3 % + réévaluation du DM de 3 %, soit 6 %. *1987 (11-1)* : le franc n'est pas dévalué mais rééval. du DM et du florin de 3 %, du F belge et luxembourgeois de 2 %.

☞ En 1988, Édouard Balladur, min. des Finances, a adopté le logo ₣ pour symboliser le franc français.

Dates	Définition du franc en mg d'or		Parité officielle	
	à 0,900	fin	dollar	livre
Germinal, an XI [1]	322,58	290,3225	5,182	25,221
25-6-1928	65,5	58,95	25,524	124,13
			15,19[2]	
1-10-1936 [3]	49	44,1	15,07	76,72
21-7-1937	43	38,7	25,14	124,44
12-11-1938	27,5	24,75	34,95	170,59
29-2-1940			43,80	176,625
8-11-1942	23,34	21		
2-2-1943			50	200
26-12-1945	8,29	7,46	119,10	480
26-1-1948		4,21	214,39	864
18-10-1948			263,50	1 062
27-4-1949			272	1 097[4]
20-9-1949		2,53	350	960[4]
16-8-1950	2,80	2,52		
10-8-1957			420[5]	1 176[5]
24-7-1958	2,35	2,115		
27-12-1958	2	1,80	493,705	1 382,376
1-1-1960 (NF) ...	200	180	4,937	13,823
11-8-1969 [8]	177	160	5,554[6]	13,330[7]

Nota. – (1) Avril 1803 à août 1914. (2) Après la dévaluation américaine du 30-1-1934. (3) Du 1-10-1936 au 1-9-1939, franc flottant non défini par un poids d'or (les teneurs or indiquées constituaient la base de réévaluation de l'encaisse de la Banque de France). (4) Après la dévaluation britannique du 18-9-1949. (5) Compte tenu du prélèvement ou du versement de 20 %. Le 1-1-1963, la dénomination *nouveau franc* devient *franc.* (6) Après les dévaluations américaines du 18-12-1971, cours central du dollar 5,116 F et du 12-2-1973, 4,604 F. (7) La livre flotte depuis le 23-6-1972. (8) Depuis le 9-1-1975, le franc flotte : il n'a plus de parité officielle avec la livre, le dollar et l'or. La Banque de France évalue son encaisse-or sur la base des cours pratiqués sur le marché libre.

Histoire des monnaies étrangères

• **Dollar.** Le mot vient du *thaler* germanique, pièce frappée v. 1518 en Bohême, dans la vallée (en all. : *thal*) de St-Joachim. Un seigneur, surpris par un orage au cours d'une partie de chasse, découvrit, dans une grotte où il s'était réfugié, un gisement d'argent. L'Empereur lui accorda le droit de battre des pièces qui prirent le nom de « Joachimsthaler Groschen ». Puis Charles Quint lui retira le privilège, fit frapper des pièces à ses propres armes. Le thaler devint ainsi la monnaie officielle des territoires sous la domination des Habsbourg (Autriche, Bohême, Allemagne puis Pologne et Suède). Les Habsbourg d'Autriche, régnant aussi, grâce à l'Espagne, sur Amérique du Sud et Am. centrale firent frapper avec l'argent du Mexique et du Pérou des pièces de 8 réaux appelés « thaler » ou « tolar » par analogie aux pièces circulant en Europe, puis « pillar dollars » du nom des 2 colonnes qui y figuraient. Connues comme « Spanish pillar dollars », elles étaient transcrites en abréviation « S II » ce qui donnera le $. Dans la mer Rouge et sur la côte orientale d'Afrique, on désigne encore sous le nom de « dollar à la grosse dame » l'écu de Marie-Thérèse frappé en 1780 pour l'impératrice d'Autriche, et qui circule encore.

Le 22-6-1775, le Congrès américain décida l'émission du « dollar continental » ; le 2-4-1792, il lui donna une valeur de 371,25 grains (soit 24,0571 g) d'argent fin, ou de 24,75 grains (soit 1,6038 g) d'or fin. Ces 2 métaux étaient alors dans un rapport de valeur de 15 pour 1.

Billets

Quelques records

• **Les plus anciens. Du monde :** les plus anciens (appelés jaozi) ont été émis en Chine au début des Song du Nord (960-1127) ; il ne reste aujourd'hui que la planche à impression. Le plus ancien billet conservé est le Zhongtong Yuanbao Jiaochao (ZYJ), émis en 1260 sous le règne Zhongtong de l'empereur Kubilay (1215-94) qui fonda la dynastie des Yuan (1271-1368) ; fait d'une matière souple à base de coton, de chanvre et d'écorce de mûrier ; en 8 valeurs nominales : 10, 10, 30, 50, 100, 200, 1 000 et 2 000 sapèques. Cette monnaie était basée sur l'étalon-argent et convertible à tout moment.

D'Europe : Suède 1661.

De France : *Monnaie de carte :* **1685** en Nouvelle France (Canada) ; l'intendant Jacques de Meulle utilise des cartes à jouer pour payer ses troupes. **1711** le montant des cartes émises atteindra 244 000 l. **1714** 1 600 000 avec des coupures dont le montant nominal peut dépasser 50 l. **1717** de Versailles, le roi interdit l'émission de cette « monnaie imaginaire » ; elle continue cependant jusqu'en 1764 ? (il y en avait alors pour 41 millions de livres). **1766** la convention franco-anglaise prévoit le rachat des cartes au ¼ env. de leur valeur nominative avec limitation de chaque reprise à 1 000 livres tournois. *Billets de monoye :* sous Louis XIV (1701). *Billets de la Banque de France :* 100 F (1848-62), voir p. 1890.

• **Le plus grand.** 1 kuan chinois (sous les Ming, 1368 à 1399) 22,8 × 33 cm. **Le plus petit.** 1 à 3 pfennigs de Passau (1920-21) 18 × 18,5 mm.

• **Cours des billets anciens** (en milliers de F). **France :** *b. de monoye (sous Louis XIV)* : 80 à 100, *b. de Law (av. 1720)* : 15, *b. de la Caisse d'Escompte (sous Louis XVI)* : 8,5, *assignat de 300 livres (1790) à l'effigie de Louis XVI* : 3, *ass. vendéen à l'effigie de Louis XVII* : 5, *1 000 F 1862 succursaliste* : 25 à 100, *500 F 1863* : 20, *25 F 1870* : 20, *5 F 1871* : 3,5, *200 F 1874* et *1848* (4 types) : 8 à 15, *5 000 F janv. 1918* : 5, *500 F Victor Hugo surchargé 5 NF (30-10-1958)* : 4. **Thaïlande :** *b. du 25-6-1918* : 300 (vente Spink and Son 19-2-1987 – record). **U.S.A. : 90,** *100* $ *1863* (contresigné et postdaté *1870* à la main) : 120, *50* et *100* $ *1891* : 90 à 120.

☞ Les collectionneurs (env. 5 000 en France) sont appelés billetophiles ou notophiles.

Évolution du dollar par rapport à l'or

Dates de dévaluation	$ en mg d'or	Once en $	Déval. %
2-4-1792	1 603,8	19,39	—
28-6-1834	1 503,4	20,69	6,3
13-1-1837	1 504,7	20,67	0,1
31-1-1934	888,7	35	40,9
8-5-1972	818,5	38	7,9
18-10-1973	736,7	42,22	10

Jusqu'à la guerre de Sécession (1861-65), la monnaie métallique prévalut, et les billets émis (par de multiples banques) portèrent intérêt. Pendant cette guerre les Sudistes émirent env. un milliard de $ en billets (1/60 de la valeur initiale) ; les Nordistes décrétèrent le cours forcé (1861) et émirent pour 450 millions de $ en billets (« greenbacks », 1ers billets – en 1862 – ne portant pas intérêt). Sur le revers de ce billet, au centre, la devise : *In God we trust* (« Nous croyons en Dieu »). A gauche, une pyramide surmontée d'un œil, symbole maçonnique, et entourée de la devise *Annuit Cœptis Novus Ordo Seculorum* (« Nouvel ordre des siècles, sois favorable à l'entreprise »). A droite, un aigle surmonté de 13 pentacles disposés en étoiles de David ; dans son bec, la devise synarchique *Ex Pluribus Unum* (De plusieurs un seul, en 13 lettres).

Le *bimétallisme* (définition de la monnaie par rapport à 2 métaux précieux) fut aboli en 1873, les États-Unis adoptant l'étalon-or. Après l'abolition du cours forcé décidée en 1879, les greenbacks revinrent au pair.

Cours du $ en F depuis 1913. Voir p. 1893.

Évolution récente. Hausse 1980-85 : jusqu'à 10,61 F le 26-2-85. *Raisons :* faible inflation, taux d'intérêt élevés (forte hausse à partir de 1981), rendement réel plus élevé des placements en $ (bons du Trésor U.S...), grandes garanties offertes par le système financier amér. aux investisseurs étrangers ; forte reprise aux USA en 1983-84 alors que l'activité écon. stagne ou progresse peu en Europe. Les besoins amér. de crédits (déficit budgétaire de l'État, besoins de fin. des entreprises) conjugués à l'attrait des placements en $ provoquent un accroissement du flux des capitaux (à court, moyen et long termes) vers les USA. **Baisse (1985-87). 1985** *févr.* : le dollar monte à + de 10 F à Paris ; *22-9 : accord du Plaza* (à New York). Ministres des Finances et gouverneurs des banques centrales de l'Allemagne, des U.S.A., de la France, de la G.-B., du Japon annoncent que le $ doit baisser ; *10-12* : engagement américain de réduire le déficit sur 5 ans. **1987** *28-1* : le $ (5,925) descend pour la 1re fois dep. 1982 en dessous de 6 F ; *22-2 : accords du Louvre ;* ministres et gouverneurs décident que la baisse doit cesser ; *9-4* : $ à 142,75 yens (cours le + bas depuis 1945). *Cause :* déficit budgétaire fédéral et dette publique, dégradation de la balance commerciale (*82* : 42,7 milliards de $, *83* : 69,4, *84* : 127,7, *85* : 139,7, *86* : 166,3) et de la balance des paiements (*82* : – 9,23 milliards de $; *85* : – 117,6, *86* : – 133,6), endettement du secteur bancaire américain. *13-8* le $ est à 6,31 F (événements du Golfe, bons indices américains). *23-10* krach boursier, $ à – de 6 F. *2-11* $ à 137 yens. *15-12* $ à 127,10 y. (5,51 F) (déficit record du commerce extérieur américain en octobre). *28-12* $ à 123 y. (5,40 F). **1988**-*4-1* $ à 120,45 y. (5,32 F). *5-1* intervention des banques centrales ; lent redressement du $. *14-4* $ à 126,25 y. (5,89 F). *30-6* $ à 132,40 y. (6,12 F). **1989**-*avril* : à 6,30 F. *-22-5* : à 142 y. (6,81 F). – *21-7* : à 6,42 F. **1990**-*1-8* : à 146 g (5,33 F). *-19-11* : à 4,96 F (niveau de 1981 à Paris). **1991**-*17-1 : à 5,16 F. 11-2* : à 4,93 F. *-12-6* : 6,07 F.

• **Florin hollandais** *(gulden, de gulden munt* : pièce d'or). *Origine* : de l'italien *fiorino* (fleur). Nom donné à partir de 1252 à la monnaie d'or de Florence (avec des fleurs de lis, armes de la ville), a ensuite désigné des pièces de nombreux pays, notamment françaises (XIIIe s.), autrich., holland. [dep. 1325 env. (en argent dep. 1540, en nickel dep. 1967) ; divisé en 20 sous de 16 denarii, depuis 1816 en 100 cents]. Défini en 1816 en or et argent. 1850 en argent, 1875 en or. Fait partie du SME (dep. le 13-3-1979).

• **Forint hongrois.** *Créé* 1946, remplace le pengoe. Parité du $: **1941** 3,46 pengoes, **45** *(fin)* : 104 000 ; **46** *(fin mars)* : 10 millions ; *fin juin* : 1 835 millions ; *juil.* création du milpengoe (1 million de pengoes), puis bilpengoe (1 milliard de pengoes), enfin pengoe-impôt ou adopengoe (2 sextillions de pengoes-papier), *13-7* un décret démonétise le pengoe et désigne le pengoe-impôt comme monnaie de compte provisoire, *1-8* le forint remplace 200 millions de pengoes-impôt, c'est-à-dire 400 octillions de pengoes-papier.

• **Franc belge.** *Créé* 1832, défini en or et en argent (comme le franc germinal). Dernière parité officielle (loi du 12-4-1957) exprimée par un poids d'or fin de 0,0177734 g (50 FB = 1 $ US). Poids d'or fixé à 0,0182639 g, le 18-12-1971 (confirmé par loi du 3-7-1972), mais pas de date d'entrée en vigueur fixée. Fait partie du SME (dep. le 13-3-1979). *23-12-88* : loi sur statut monétaire de Belgique abroge lois du 12-4-57 et 3-7-72.

• **Franc suisse.** *Créé* 1799, vaut 6,68 gr d'argent (= 1,50 F en 1803). Se superpose aux pièces cantonales, doublons, thalers ou kreuzers. A la chute de Napoléon, les cantons recouvrent l'exclusivité du droit de battre monnaie (79 monnayeurs dont 24 cantons et demi-cantons, 16 villes, 15 princes séculiers et 24 princes d'église émettent 860 sortes de monnaies). *1838* Genève se rallie au système français. *1848* la Confédération met fin aux monnayages locaux. *7-5-1850* contient 5 gr d'argent à millième. *1853* appelé franc. il a la même valeur que le F français qui a cours légal en Suisse et y circule à l'égal de la monnaie nationale, puis *1938* dévalué. Le kg d'or comptabilisé 3 435,5 FS, correspondant à env. 290,4 mg d'or fin pour le F, passe à 4 595,7 FS. Le montant des billets en circulation est obligatoirement couvert à 40 % en or, toujours évalué sur le prix officiel de 4 595,7 FS (alors que le prix du marché est d'env. 20 000 FS). *Seule monnaie aujourd'hui juridiquement* rattachée à l'or, avec obligation légale d'une couverture à concurrence de 40 % du total des billets en circulation (couverture effective 46 %). Réévalué le 9-5-1971 de 7,07 %, le 18-12-1971 de 6,4 % par rapport au $ dans le cadre du « réalignement » ; cours flottant dep. le 23-1-1973. Revalorisé de 38 500 % entre 1910 et 1989 par rapport au F français. Multiplié par 113 de 1914 à 1960.

• **Lire italienne.** Comme d'autres noms de monnaies (livre, lev bulgare, leu roumain), vient du latin *libra,* unité de poids des Romains. Gênes frappe à l'enseigne de la République ligure des pièces en lires.

au F métropolitain, passant seulement à 0,055 F lors de la création du nouveau franc, le 1-1-1960. Actuellement, le F CFP n'est plus qu'un sous-multiple du F. *Franc comorien, Franc CFA* (Communauté Financière Africaine) de l'UMOA et Franc CFA (Coopération Financière en Afrique centrale) de la BEAC. La liberté interne des transferts a été conservée, avec des aménagements. L'accord avec l'UMOA prévoit qu'un État membre peut avoir besoin d'y déroger. Les pays de la zone BEAC ont fixé chacun un plafond aux transferts, quelle que soit leur destination (aucun n'est appliqué). La parité d'une monnaie de la zone peut être modifiée, mais dep. 1948 (création du Franc CFA), cela ne s'est pas produit.

La mise en commun des réserves est assurée par le compte d'opérations où les banques centrales déposent une partie de leurs réserves contre rémunération. Elles peuvent aujourd'hui en détenir 35 % au maximum (hors D.T.S. et tranche de réserve au F.M.I.) sous des formes déterminées ; par exemple, en dépôts en compte auprès de la BRI. Les avoirs mis en commun et détenus en FF bénéficient d'une garantie de change par rapport au D.T.S., qui s'ajoute à la possibilité de détenir une partie des réserves en devises autres que le FF, choix déterminé par le double critère, des cours réciproques et des taux d'intérêt Banque de France – monnaies fortes.

Parité avec le Franc français. 1 Franc CFP = 0,055 FF. 1 Franc CFA = 0,02 FF. 1 Franc comorien = 0,02 FF.

• **Zone rouble transférable** (système monétaire international des pays membres de CAEM). Fonctionne conformément à l'Accord concernant les règlements multilatéraux en roubles transférables et l'organisation de la Banque internationale pour la coopération économique (1964). Pays participants : Bulgarie, Hongrie, Viêt-nam, RDA, Cuba, Mongolie, Pologne, Roumanie, Tchécosl., URSS. Tous les types de règlements et opérations de crédit entre ces pays s'effectuent en devise collective (rouble transférable).

• **Zone sterling** (G.-B., pays du Commonwealth sauf Canada et, à différentes époques : Islande, Irlande, Jordanie, Koweït, Libye, Pākistān). Née à la suite de la dévaluation de la livre sterling anglaise en 1931. Ses membres gardèrent la plus grande part de leurs avoirs en devises étrangères sous forme de £, en retour la G.-B. n'appliqua avec eux aucune restriction dans le contrôle des changes jusqu'en juin 1972. Les contrôles des changes furent alors étendus à tous les pays sauf l'Irlande et, après 1973, à Gibraltar. Des contrôles furent appliqués à la Rhodésie du Sud entre novembre 1965 et décembre 1979. La zone sterling a cessé d'exister quand le contrôle des changes a été établi en octobre 1979.

Histoire du franc

• **Sous l'Ancien Régime. Pièces.** Le 19-9-1356, le roi de France Jean le Bon, battu à Poitiers par les Anglais, est fait prisonnier. Pour payer sa rançon (3 millions d'écus d'or), on frappe en 1360 une pièce où le roi n'est plus représenté sur un trône, mais à cheval, brandissant dans la main gauche une épée. Elle permit au roi de retourner franc (c.-à-d. affranchi) dans son royaume. Ce nom resta à la pièce. Ensuite, la livre fut souvent appelée « franc ».

Pièces en circulation. Louis d'or (24 livres), écu d'argent (6 livres), sol en billon, liard en cuivre (divisé en deniers), avec leurs multiples et sous-multiples. (1 livre = 20 sols ; 1 sol = 4 liards ; 1 liard = 3 deniers).

Livre tournois. Teneur en or fin, en grammes, pour une pièce. *1266 :* St Louis (1 livre = 2 écus d'or) 8,271 ; *1300 :* Philippe IV 4,90 ; *1360 :* Jean le Bon 3,88 ; *1541 :* François Ier (1 écu or = 2 livres) 1,46 ; *1602 :* Henri IV (1 écu or = 3 livres 5 sous) 0,99 ; *1640 :* Louis XIII (1 louis = 10 livres) 0,62 ; *1700 :* Louis XIV 0,44 ; *1726 :* Louis XV (1 louis = 4 écus ou 24 livres) 0,31, le franc a 4,5 g d'argent, la livre 4,50516. *1775 :* Louis XVI 0,29.

Billets de monnaie. 1701 un décret stipule que les espèces ont un nouveau cours et que les anciennes monnaies sont surfrappées. On délivre au déposant un billet de monnaie de 25 à 10 000 l. remboursable dans quelques j, le temps de fabriquer de nouvelles pièces. Puis ce délai fut porté à 1 mois et + avec un décret ordonnant que les billets porteraient intérêt à 4 %. **1703** (*fin*) on échange les billets échus contre d'autres à échéance plus lointaine. **1704** des billets au-dessus de 150 l. (les autres ayant été remboursés) sont convertis en billets portant intérêt à 7,5 %. **1706** (*à partir de*) la confiance du public tombe, on émet des billets sur les Fermiers et les Receveurs généraux à 5%. Fondation de la Banque générale de Law chargée d'émettre des billets libellés en écus, moyennant le versement d'un certain poids d'argent ; on développe les opérations de crédit en plaçant ou en prêtant l'argent reçu. L'Etat rachète les actions, utilise l'émission des billets pour les besoins du Trésor, les émissions des billets se multiplient pour financer le développement d'une grande Cie commerciale. Le terme de banque est banni et est remplacé par celui de *caisse.* **1718** *4-12* la Banque générale devient Banque royale ; *fin décembre* un arrêté fixe la parité des billets (10,100 et 1 000 livres) avec l'or et interdit les règlements en espèce d'argent pour plus de 600 l. **1719** Law, (contrôleur général des Finances en janv. 1720), déclare par édit que les billets vaudront 5 % de + que l'argent courant et qu'on ne pourra régler en or les sommes supérieures à 300 l. Les billets perdent leur valeur mais les émissions se multiplient (il circulait en déc. 1718 12 millions de devises en billets, en déc. 1719 1 milliard). **1720** *15-8* arrêt rétablissant la circulation des espèces. *10-10* arrêt retirant de la circulation toutes les valeurs à compter du 1-11 suivant, fermeture de la banque. **1776** *24-3* Caisse d'escompte créée (supprimée 24-8-1793). **1777,** *juin* + de 100 000 livres en circulation. **1790** (*début*) 180 millions de l. (il y eut semble-t-il des billets de 240 soit 10 louis, 600 et 2 000 l. puis 200, 300 et 1 000).

• **Révolution. 1789 Assignats** émis par la Caisse de l'extraordinaire (créée 4-12-1789, supprimée 4-1-1792). Rapportant 5 % d'intérêts, ils étaient gagnés sur les biens de l'Église (biens nationaux). 1re émission : 400 millions de livres, valeurs : 200, 300, et 1 000 l., format : 195 × 175 mm, ramené à 195 × 136 une fois les coupons d'intérêt détachés. Ils indiquaient « Domaines nationaux hypothéqués au remboursement des assignats par le décret de l'Assemblée nationale des 16 et 17-4-1790, sanctionné par le roi ». 3 coupons d'intérêt figuraient au bas, détachés, ils firent office d'appoint, mais en 1794 leur cours fut interdit. Le verso était divisé en 20 cases pour les signatures des porteurs successifs. Le papier utilisé était filigrané avec 2 fois la mention « La Loi et le Roi », 3 fleurs de lys et, au milieu, « obligation nationale ». L'assignat de 300 l. (intérêt par j. : 6 deniers) était imprimé en noir sur papier rose, celui de 1 000 l. (intérêt par j. : 20 deniers) en rouge sur papier blanc. **1790** *29-9* émission de 800 à 1 200 millions de l. [coupures de 50 (format : 192 × 103 mm), 60, 70, 80, 90 et 100 l. et 500 et 2 000 l. Il n'y a plus de coupons car l'intérêt a été supprimé par décret du 16-10-1790. **1791** *6-5* émission de 20 millions d'assignats de 5 l. signés par Jean Corsel et surnommés « corset ». Format : 96 × 63 mm, signature imprimée. **1792** *24-1* on décide l'émission de coupures de 10 sous, 15 sols, 25 sols et 50 sols pour enrayer ces émissions incontrôlées. *24-10* émission d'1 milliard de livres. *21-11* assignat de 400 l. (1er à porter la mention « République française »). *16-12* nouveaux modèles avec « La Loi punit de mort le contrefacteur » et « La nation récompense le dénonciateur ». Les espèces métalliques ayant presque entièrement disparu, des billets de confiance apparaissent.

• **Convention.** *Loi du 17 frimaire an II (7-12-1793) :* la livre est divisée en décimes et centimes (sous et deniers étant abolis). *Loi du 18 germinal an III (7-4-1795) :* la livre prend le nom de franc. *Loi du 28 thermidor an III (15-8-1795),* teneur métallique, taille et poids des pièces d'or et d'argent sont définis, la pièce de 1 F en argent pèse 5 g.

• **Directoire.** *Loi du 17 floréal an VIII (7-5-1799) :* impose le mot « franc » à la place de « livre » (bien que le franc vaille 1 livre et 3 deniers et la livre quelques centimes) ; les anciennes pièces continuent à circuler.

Billets. Plus personne ne souhaite être payé en assignats ; l'emprunt forcé venant d'être institué, un décret autorise le Trésor à émettre des rescriptions, c'est à dire des billets permettant de payer, à plusieurs mois d'échéances, les sommes gagnées sur l'emprunt forcé. Les valeurs manuscrites étaient fixées à 25, 50, 100, 250, 500 et 1 000 l. (en mars 1796, le Directoire les assimile aux mandats territoriaux et une destruction publique de tous les objets ayant servi à la fabrication des assignats est décrétée).

Mandats territoriaux. *Créés par la loi du 28 Ventôse an IV (18-3-1796).* Etaient prévus en coupures de 1,5, 20,50, 100 et 500 F. Mais leur dépréciation fut si rapide qu'une seule coupure fut imprimée, celle de 5 F. Ces bons furent émis par le Trésor jusqu'au 22 Ventôse an VII (13-3-1800). Les assignats étaient échangés à raison de 30 pour 1 (août 1796). 1797 février : cours forcé des mandats supprimé.

Évolution. *Des assignats : 1794* (juin) 1 000 livres - assignats valent 340 livres-métal, *1795* (janv.) 210, (juillet) 40 ; *1796* (janv.) 5, (juillet) 2, (août) 10 sous. *Des mandats : 1796* (avril) 1 000 livres valent 160 livres-métal. (mai) 120, (juin) 80, (juillet) 50, (nov.) 23. *1797* (févr.) 10.

Billets privés. 1796 quelques organismes pouvaient émettre des billets au porteur, remboursables à vue, notamment la Caisse des comptes courants, la Caisse d'escompte du commerce.

• **Consulat. 1799** (*fin*) il y a pour 40 millions de F de billets en circulation. **1800** *13-2* les statuts de la *Banque de France* sont déposés, elle absorbe la Caisse des comptes courants dont elle utilise les billets en y ajoutant « Payables à la Banque de France » (billets de 500 F : 216 × 216 mm, 1 000 : 205 × 128). **1803** *Loi du 7 germinal an XI (28-3-1803),* publiée le 17 germinal (7-4) 5 g d'argent au titre de 9/10 de fin, constitue l'unité monétaire, qui conserve son nom. Des pièces de 5 F, 2 F, 1 F, 0,50 F, 0,25 F sont créées ainsi que des pièces d'or de 20 et 40 F. On taillera 155 pièces de 20 F dans 1 kg d'or à 900 millièmes, C.-à-d. dans 900 g, de telle sorte que chaque pièce pèsera 6,4516 g contenant 5,8064 g d'or (définition du futur « napoléon »). Le franc équivaudra au vingtième, soit 322,58 mg à 900 millièmes, ou 290,3225 mg d'or fin. Il sera divisé en 100 centimes, le rapport légal de la valeur de l'or et de l'argent étant, comme sous Louis XVI, de 15,5). La teneur en or du « franc germinal » est la même que sous Louis XVI. Le titre de 900 millièmes a été maintenu pour les pièces de 5 francs [celui des monnaies divisionnaires sera fixé à 835 millièmes en 1864 pour les pièces de 0,50 F et en 1866 pour les pièces de 1 et 2 F]. *14-4* la banque est dotée du privilège d'émission pour 15 ans. Montant des billets en circulation : 45 millions.

• **Du 1er empire à 1914. 1805** 80 millions (il n'y avait plus qu'env. 1 million de F en espèces dans les caisses de la Banque de France). **1806** 22-4 privilège d'émission prorogé de 25 ans. **1808** statuts modifiés, des bureaux sont créés en province sous le nom de Comptoir d'escompte de la Banque de France. **1832** loi transformant la peine de mort pour les contrefacteurs en travaux forcés à perpétuité (art. 139 du code pénal). Billet de 500 F (205 × 128 mm), 1 000 (210 × 116 mm), 250 (140 × 80 mm, émis dans les comptoirs de Lille, Lyon et Rouen). **1846** billet de 5 000 F (225 × 115, imprimé en rouge), sur 4 000 imprimés, un seul n'est jamais revenu dans les caisses de la banque. **1848** privilège d'émission étendu à l'ensemble du territoire après l'absorption des 9 banques départementales d'émission (les billets ne pouvaient pas alors être acceptés en paiement). Billets de 100 F émis, + de 80 millions émis (auparavant, minimum autorisé 200 F). **1853** billet de 50 F. **1862** billets tout bleus de 100, 500 et 1 000 F. **1870** cours légal, puis cours forcé, puis minimum des coupures à 25 F (remplacées par un billet de 20 F), apparition de « bons de monnaie » de 0,50 F, 1 F, 2 F, 5 F, 10 F, 20 et 100 F émis par des collectivités locales ou des Stés importantes. **1871** fin déc. la Banque de France est autorisée à émettre des billets de 5 et 10 F ce qui entraîne le retrait des bons de monnaie. **1878** *1-1* cours forcé aboli, mais pas le cours légal. **1888** billets à 2 couleurs + le noir (fond rose). **1908** *2-1* billet de 100 F à 4 couleurs autorisé (182 × 112 mm, dit type 1906, émis en 1910).

• **De 1914 à 1939.** *Billets* **1914** *4-8* cours forcé rétabli, petites coupures de 5, 10 et 20 F mises en fabrication pour pallier la disparition des espèces métalliques. Apparition de petits billets émis par les chambres de commerce, puis par les communes et l'Etat lui même par l'intermédiaire de la Trésorerie aux armées. Les *bons de monnaie* seront progressivement remplacés, à partir de 1921, par des jetons en bronze d'aluminium de 0,50, 1 et 2 F, frappés pour ces chambres sous leur responsabilité et distribués par la Banque de Fr. (émissions garanties par des fonds de contre-valeurs déposés à la Banque de Fr.).

• **1939 à nos jours. 1939** circulation en billets : 100 milliards de F, la Banque met en circulation 600 000 billets de 5 000 F imprimés dep. 1918 et 900 000 billets de 5 000 F imprimés en 1934-35, les petites coupures de 5 et 10 F, retirées dep. 1932, sont remises en circulation. **Après la Libération** circulation de billets américains. **1945** *4-6* échange obligatoire de tous les billets : de 50 F et au-dessus qui cessent d'avoir cours légal. Ils ne reçurent en échange que 2 billets de fabrication française (300 et 5 000 F) sur 9 distribués, les autres étant américains ou anglais (le 5 000 F fut retiré en janv. 1948).

Dévaluations de la Ve République. Pt du Conseil Ch. de Gaulle (min. des Finances A. Pinay) *1958 :* – 17,5 %. **Pt Pompidou** (PM Chaban-Delmas, min. des Finances Giscard d'Estaing) *1969 (8-8) :* – 12,5 %.

Taux de change

Définition. Prix d'une monnaie par rapport à une autre. Avant les *accords de la Jamaïque* (7/8-1-1976) (voir ci-dessous), chaque monnaie avait une parité fixe exprimée en or (pour une once d'or fin, sur la base de 35 $ de 1934 à 1971, 42,22 $ à partir du 12-2-1973). Les pays signataires des *accords de Bretton Woods* s'étaient engagés à défendre les parités en intervenant sur les marchés des changes afin que les cours ne varient pas de plus de 1 % (de 2,25 % dep. le 18-12-71). Lorsque les réserves d'un pays, c'est-à-dire ses avoirs en or et en devises qui garantissent sa propre monnaie, diminuent considérablement pour des raisons économiques ou politiques excluant un redressement, ce pays est contraint de modifier la parité de sa monnaie par rapport à l'or : c'est la *dévaluation*, qui permet de maintenir la libre convertibilité monétaire. Lorsque s'accumulent les réserves, la *réévaluation* peut être décidée.

Les accords de la Jamaïque ont légalisé le flottement des monnaies (celles-ci flottent dorénavant isolément ou par bloc), et contrairement à un régime de taux fixe, il n'y a pas de marge de variation prescrite. Voir tableau p. 1893.

Régime des changes (au 31-12-89). 152 pays sont membres du Fonds Monétaire International (voir p. 819). 50 sont rattachés à une monnaie (31 au $ US, 14 au FF, 2 au $ australien, 2 au rand sud-africain, 1 à la roupie indienne), 7 au DTS, 34 à un autre panier de monnaies, 9 à un mécanisme de coopération monétaire (SME), 4 rattachés à 1 seule monnaie, 5 ajustés en fonction d'un groupe d'indicateurs, 22 rattachés à un régime de flottement dirigé, 20 à un régime de flottement indépendant, 1 sans donnée (Kampuchéa démocratique).

Les pays membres du SME maintiennent des marges fixes pour les taux de change de leurs monnaies par rapport aux autres monnaies au sein du groupe, mais laissent flotter leurs taux de change par rapport aux monnaies des pays qui n'appartiennent pas au groupe.

Contrôle des changes. Institué en France depuis le début de 1930-45 (à l'exception de quelques mois en 1967-68), il a été levé le 1-1-1990, avec 6 mois d'avance sur les engagements européens de la France. La détention de capitaux à l'étranger n'est plus interdite aux Français, mais les comptes et mouvements doivent être déclarés.

Bureaux de change. Autorisés par arrêté du 21-5-1987 qui mettait fin au monopole des banques. Actuellement, 887 en France, dont 151 à Paris. Il s'en crée plus d'1 en moyenne par jour. *Écarts entre les cours :* jusqu'à 10 % dans les bureaux de change, en fonction de la commission qui peut atteindre 9 % du montant de la transaction.

☞ Dettes de la 1re Guerre mondiale. Voir Quid 82, p. 1578.

Monnaies

Quelques définitions

• **Agrégats monétaires.** Avant le 1-1-1986, les actifs monétaires étaient classés selon un critère de liquidité (un actif est d'autant plus liquide qu'il est rapidement transformé en moyen de paiement) et un critère institutionnel (les dépôts dans les banques étaient distingués des dépôts dans les Caisses d'épargne). Depuis, c'est essentiellement le critère de liquidité qui sert à classer les actifs monétaires.

Dans ce nouveau cadre, les actifs monétaires sont donc définis comme les liquidités détenues par les agents, non financiers résidents, dont les OPCVM *(organismes de placement, collectifs en valeurs mobilières)* c'est-à-dire SICAV et fonds communs de placement, qui sont tenus pour des organismes transparents : les liquidités qu'ils détiennent sont considérées comme des liquidités d'argent non financier qui se sont groupées pour former un OPCVM.

• **Encours** (janvier 1990) données brutes en milliards de F. **M1 :** 1 652,2, dont monnaie et billets 237,2, dépôts à vue (CDC, Caisse d'Épargne, CCP, Trésor) 1 295,4. **M2 :** 2 948,3 dont livrets soumis à l'impôt 220,2, livrets A ou bleus 789,6, livrets d'épargne populaire 72,6, CODEVI 81,7, comptes d'épargne-logement 117. **M3 :** 4 184 dont

Histoire des monnaies

Objets divers ayant servi de monnaie. *Afrique subsaharienne :* jusqu'à la fin du XIXe s., bracelets de métal, sel, étoffe, perles, boutons de chemises et surtout coquillages « cauris », enfilés par « liasse » de 12, 20, 40 ou 100 unités. Dans certaines parties de l'Afrique, disquettes de coquilles d'escargot « musanga ». *Expédition d'Égypte* (1798) : les marchands du Caire se faisaient payer avec les boutons d'uniforme des soldats français. *Amérique précolombienne.* Graines de cacao, alors denrée coûteuse. Comme étalon de valeur, les Aztèques et les Mayas utilisaient plutôt des pièces d'étoffe de coton « quachtli ». 1 quachtli équivalait à 450 h de travail et 100 graines de cacao. Au milieu du XIXe s., on se servait encore de cacao pour payer les ouvriers du Yucatan.

Monnaies les plus anciennes. *1res pièces de monnaies connues :* statères lydiens d'électrum du roi Gygès (670 av. J.-C.) ; des pièces chinoises auraient été émises v. 770 av. J.-C. (dynastie Tcheou) ; *1res pièce datée connue :* p. danoise de l'évêque de Roskilde (1234).

Poids des pièces. *La plus lourde :* p. de 10 dalers suédoise (1664) en cuivre, 19,710 kg. *La plus petite :* p. de 1/4 de dam népalaise (jawa), en argent (v. 1740), 2 × 2 (poids : 0,002 g).

Stabilité passée des monnaies

Sans dévaluation ou réévaluation. Franc français 1814-1914 (100 ans), florin hollandais 1816-1914 (98), livre sterling 1821-1914 (93), franc suisse 1850-1936 (86), franc belge 1832-1914 (82), couronne suédoise 1873-1931 (58), mark allemand 1875-1914 (39), lire italienne 1883-1914 (31), dollar 31-1-1934/20-12-1971 (38).

dépôts et titres du marché monétaire en devises 104,8, dépôts à terme en F 387,6, bons en F 388,6, titres du marché monétaire en F 551,4, épargne contractuelle 435,3. **L :** 4 906, – dont épargne contractuelle 435,3, titres du marché émis par des agents non financiers 125,1. **Contrepartie de M3 :** 4 018,6 dont extérieur – 33,1 créances sur l'État 769,1, créances sur l'économie 5 456,5, ressources stables – 1 534,3, épargne contractuelle – 453,3, divers – 204,4.

• **Disponibilité monétaire ou monnaie proprement dite.** Comprend l'ensemble des moyens de paiement : monnaie (passif du système monétaire sous forme de monnaie fiduciaire et en dépôts à vue à l'égard du secteur privé national) et monnaie de réserve (passif des autorités monétaires en monnaie fiduciaire et en dépôts à vue à l'égard des banques de dépôt et du secteur privé national). **Monnaie fiduciaire :** ensemble des billets de banque et de la monnaie métallique. **Scripturale :** ensemble des chèques, traites et lettres de change. **Quasi-monnaie.** Constituée par les avoirs aisément transformables sans perte en capital : dépôts à terme, comptes sur livrets dans les banques.

• **Placement liquide ou à court terme.** Ensemble de la quasi-monnaie, des avoirs en Caisses d'épargne et des bons du Trésor. **Masse monétaire.** Comprend les disponibilités monétaires et la quasi-monnaie. **Contrepartie de la masse monétaire.** Monnaie et quasi-monnaie constituent des dettes des banques et du Trésor public à l'égard des entreprises et des particuliers. En contrepartie sont comptabilisées à l'actif de ces institutions les opérations de monétisation des créances qui sont à l'origine de la création monétaire : l'acquisition d'or et de devises, les créances sur le Trésor public (concours accordé à l'État par la Banque de Fr. et les banques ; dépôts à vue ou à terme des entreprises et des particuliers dans les centres de chèques postaux et sur les livres comptables publ.) et les crédits aux entrepr. et aux partic.

• **Liquidité de l'économie.** Comprend les éléments de la masse monétaire, les dépôts dans les Caisses d'épargne, et les bons du Trésor souscrits par le public. La liquidité de l'économie permet d'apprécier l'évolution de la situation monétaire du pays et de la comparer à celle des pays étrangers. Elle est mesurée par le rapport entre le montant moyen annuel et l'ensemble des liquidités, et la dépense nationale brute qui prend en compte les importations.

Marché monétaire en France (fin déc. 1988). Titres en circulation env. 899,8 milliards de F (y compris titres non négociables).

Crédit intérieur total en milliards de F (1989). 7 377,5 dont État 1 453,5, autres agents non financiers 5 924. Obligations françaises 1 112,8 dont État 749,4, autres agents non financiers 363,3. Titres du marché monétaire 645,1 dont État 520, autres agents non financiers 125,1. Crédits 5 453,8 dont État 170,8, autres agents non financiers 5 283. Autres 165,9.

Titres de créances négociables (titres du marché monétaire). Encours en milliards de F (1989). Certificats de dépôt émis en F 458,5, en devises étrangères 57,1, bons des sociétés financières émis 34,1, bons des IFS émis 38,8, bons du Trésor émis 520, billets de trésorerie émis 129,1. **Total :** 1 237,6 dont 1 180,5 en F et 57,1 en devises étrangères.

• **Vitesse de circulation de la monnaie.** Nombre de fois où, pendant une période donnée, une unité de monnaie sert à acquérir un bien. Si, pendant un an, la totalité des transactions effectuées dans un pays est de 1 000 et que la masse monétaire est restée égale à 200, chaque unité de monnaie a servi 5 fois. A court terme, il semble que la vitesse de circulation soit assez stable (25 fois env.).

Zones monétaires

Une zone monétaire se présente comme un système institutionnel et centralisé de défense externe de la monnaie qui regroupe plusieurs pays. Le système est protégé de l'extérieur par un contrat des changes ; les transferts sont libres à l'intérieur de la zone et les monnaies convertibles entre elles sur la base de parités fixes ; les devises acquises sont mises en commun et gérées par un seul pays.

• **Zone dollar.** Il n'existe pas de zone dollar, mais un certain nombre de pays en voie de développement rattachent le cours de leur monnaie à celui du dollar, notamment beaucoup de pays d'Amérique latine.

• **Zone escudo.** Comprenait le Portugal et ses provinces d'outre-mer, mais Angola (8-1-1977) et Mozambique (9-3-1977) s'en sont détachés.

• **Zone franc.** *Constituée* en 1945-46. Comprend (en 1991) France, DOM-TOM, Mayotte et Monaco, 13 États africains et les Comores. Les États africains sont regroupés en 2 unions monétaires. *Ont quitté la zone :* Madagascar, Mauritanie les 1er et 9-7-1973 (la Mauritanie quittant également l'UMOA). Le Mali a quitté la zone de 1962 à 1967, en gardant un institut d'émission autonome jusqu'à ce qu'il entre à l'UMOA.

UMOA (Union monétaire ouest-africaine). Créée 14-1-1973 *admise* 1984, *membres :* Bénin, Burkina-Faso, C.-d'Ivoire, Mali, Niger, Sénégal, Togo. *Organes : conférence des chefs d'État :* se réunissant au moins 1 fois par an ; décide de tout changement dans la composition de l'union, et intervient en cas de désaccord au sein du *Conseil des ministres :* (2 ministres, mais 1 seule voix par pays) qui se réunit au moins 2 fois par an. *Banque centrale des États de l'Afr. de l'Ouest (BCEAO) :* siège à Dakar, établissement public intern., institut d'émission de l'union : participe au capital de la Banque ouest-afr. de développement (BOAD).

BEAC (Banque des États d'Afr. centrale). Créée 1972, comprend Cameroun, Centrafrique, Congo, Gabon, Guinée équatoriale (admise 1985), Tchad. *Organes : Comité monétaire* constitué des ministres des Finances. *Siège :* Yaoundé, mêmes fonctions que la BCEAO.

La France a signé des conventions de coopération monétaire les 23-11-1972 (BEAC) et 4-12-1973 (UMOA), complétées des conv. de compte d'opérations les 13-3-1973 (BEAC) et 4-12-1973 (UMOA).

Fonctionnement de la zone monétaire. Les monnaies de la zone sont librement convertibles entre elles et s'échangent à un taux fixe.

Monnaies de la zone : *Franc français, Franc CFP,* [(F des colonies françaises du Pacifique) créé 26-12-1945 pour N. Calédonie, N.-Hébrides, Etablissements français de l'Océanie]. (100 F = CFP 2 400 F). Quand le taux de change du $ est porté de 50 à 119 F en métropole, le F CFP conserve sa valeur ancienne, sa parité s'élève à 2,40 F. *1948 (26-1) :* le F métropolitain est dévalué de 80 %. Le F CFP n'est pas dévalué : 1 F CFP = 4,32 F. Puis 1 F CFP = 5,31 F, cours qui peut être modifié automatiquement dans les mêmes proportions que le cours général des devises du marché officiel, en fonction de certains % de variation du cours moyen du dollar. *1949 (27-4)* CFP = 5,48 F. *(21-9)* suit le F métropolitain, arrondi à 5,50 F. Depuis la valeur est restée fixe par rapport

Taux d'intérêt servi : égal à la moyenne pondérée des taux des instruments du marché monétaire à court terme dans les 5 pays dont la monnaie entre dans la composition du panier qui sert à calculer le DTS, calculée chaque vendredi pour la semaine commençant le lundi suivant (24-4-89 : 8,05).

• **Opérations financières du FMI. Quotes-parts.** *1980 :* 59,6 milliards de DTS ; *sept. 84 :* 89,5. *1986 :* 89,3. *1987 :* 89,9. *1990 :* 135,2. En nov. 1983, les membres du FMI avaient décidé de relever certaines quotes-parts, total atteint : 90 milliards de DTS dont env. 12 ont été répartis entre tous les pays membres, en fonction de leur quote-part, et 60 % ont été répartis de manière sélective. Chaque pays membre a payé 25 % de l'augmentation de sa quote-part en DTS ou en monnaies indiquées par le Fonds et 75 % en sa propre monnaie. En *nov. 89*, les USA, principal contributeur du FMI, ont accepté un relèvement de 35 % de ses ressources, portées ainsi à 155 millions de $ (avant 115). En 1990, montant total des souscriptions relevé de 50 %.

Utilisation des ressources. *Recours aux crédits du Fonds* (en millions de DTS) : *1983 :* 29,9. *84 :* 34,9. *85 :* 35,2. *86 :* 33,4. *87 :* 29,2. *88 :* 29,5. *89 :* 25,5. *90 :* 24,3.

Mécanisme de financement supplémentaire (en vigueur en février 1979) suivi de la politique d'accès élargi (mai 1981). Ensemble de lignes de crédit permettant au FMI d'emprunter auprès d'un certain nombre de pays industrialisés ou export. de pétrole afin d'accorder des prêts supplémentaires aux pays membres accusant des déficits de balance des paiements considérables par rapport à leur quote-part.

Le 25-4-1980 : le FMI s'est dit prêt à jouer un rôle de plus en plus important dans l'ajustement et le financement des problèmes des balances de paiements en fournissant plus d'aide pour des périodes plus longues que dans le passé.

• **Prêts du FMI. à l'Afrique.** Engagements annuels du FMI 18 milliards de F (2,4 milliards de DTS), dont 10,5 déboursés. En 1989 et 1990, des accords de *« stand-by »* ont été passés avec Côte d'Iv., Gabon, Congo et Maroc. 7 pays d'Afrique bénéficient de facilités d'ajustement structurel de 3 ans permettant à chacun de tirer 70 % de sa quote-part (Bénin, Tchad, Guinée Equat., Guinée Bissau, Mali, Sao Tomé et Le Prince, Tanzanie). 10 pays ont reçu des facilités d'ajustement structurel renforcées, donnant droit de tirer jusqu'à 250 % de sa quote-part (Gambie, Ghana, Kénya, Madagascar, Malawi, Mauritanie, Mozambique, Niger, Sénégal, Togo).

• **Ecu (European currency unit).** Unité monétaire européenne constituant l'élément central du Système monétaire européen (SME) entré en vigueur le 13-3-1979 (voir ci-contre SME). [Unités de compte antérieures en Europe : *1950* UC dans le cadre de l'Union européenne des paiements, *1975* UCE.]

• **Euromonnaie.** Monnaie détenue par un ressortissant d'un autre pays que celui d'émission ou, si le détenteur et la monnaie ont la même nationalité, qui est déposée dans une banque étrangère. Un *eurodollar* est un dollar qui appartient à un non-Américain ou un dollar appartenant à un Américain mais déposé dans une banque autre qu'américaine (les euromonnaies ne concernent donc pas que l'Europe). Le marché des euromonnaies était à l'origine un marché financier à court terme (arbitrages entre les différents taux d'intérêt de chacun des marchés nationaux). Il permet des emprunts à long terme d'entreprises privées ou publiques, non libellés en monnaies nationales, à l'abri du contrôle des changes et des réglementations des banques centrales nat.

Principes. a) *Fournisseurs :* importateurs et exportateurs qui se couvrent à terme et laissent leurs devises en dépôt en attendant le dénouement de leurs opérations ; résidents des USA qui confient leurs avoirs à des banques en Europe autres que celles de leur propre pays ; banques commerciales recherchant des placements à l'extérieur ; banques centrales qui mettent des devises à la disposition de leurs banques commerciales pour diverses raisons : financement du commerce extérieur, régulation de la liquidité interne, aménagement du volume des réserves officielles, recherche de taux de rendement supérieurs à celui du marché américain. b) *Utilisateurs :* les opérateurs qui désirent et peuvent financer leurs règlements étrangers ou leurs besoins de trésorerie internes avec des eurodollars : les résidents des USA qui rapatrient les avoirs qu'ils ont placés sur le marché ; des banques centrales qui retirent de ce marché des devises qu'elles lui avaient fournies.

Marché de l'euromonnaie (chiffres bruts) en déc. 1983 : 1 760 milliards de $ (110 en 1970, 695 en 1977, 895 en 1978, 1 155 fin 1979).

Système CHIPS (Clearing House Interbank Payment System). Système interbancaire de règlement par télétransmission, créé en 1970, et permettant l'essentiel des transactions en eurodollars entre banques européennes et américaines. Près de 100 000 affaires par jour entre 130 banques. Autres systèmes analogues : G.-B. (Chaps), Hong Kong (Chats), Singapour (Schift), France (Sagittaire ou système automatique de gestion intégrée par télétransmission de transactions avec interbancarité des règlements « étrangers ».

• **Liquidités internationales.** Ensemble des disponibilités dont les banques centrales disposent (or, devises, DTS et positions de réserve au FMI). En plus des liquidités officielles ; il existe des liq. privées. Dans le système actuel, la création des liq. est fonction de l'offre et de la demande.

• **Marché des changes.** Marché sur lequel vendeurs et acheteurs de monnaies étrangères se rencontrent pour négocier les titres de créance libellés en monnaies étrangères. L'ensemble (chèques, lettres de changes, transferts télégraphiques) forme les *devises.*

Ventes et achats : prix auquel s'équilibre le taux de change. S'il y a égalité des taux sur 2 marchés différents (ex. : Paris et New York), on dit qu'il y a *parité des changes. Arbitrage :* opération consistant à vendre ou acheter des devises pour ramener les différents taux à la parité.

Marché des changes à terme. Il couvre un risque de change en fixant immédiatement le cours auquel s'échangeront ultérieurement des avoirs en compte (dans un délai pouvant atteindre plusieurs mois ou plusieurs années). Les opérations se traitent par téléphone ou télex. *Futur* : permet d'échanger les devises sur des marchés organisés, dans le cadre de contrats standardisés fixant notamment les montants et la date de l'échange. *Option* : laisse à l'acheteur la possibilité (non l'obligation) d'acheter ou de vendre des devises à un terme fixé à l'avance. **En France.** *1939-48* marché fermé, le Fonds de Stabilisation des Changes achète ou cède des devises, à des cours fixes officiels, à des banques intermédiaires agréées. *1948* un marché libre pour dollar américain et devises convertibles en dollars. Le *1949 (20-9),* toutes les opérations en dollars ou en devises convertibles peuvent se dérouler au cours libre. *1950,* marché officiel créé à côté du marché libre. *1958 (juin),* les 2 fusionnent.

• **Parité.** Rapport de la valeur d'une monnaie à une autre (V. Taux de change).

• **Réévaluation.** Inverse de la dévaluation. La valeur d'une monnaie est relevée par rapport à celle d'autres monnaies. La réévaluation risque d'affaiblir la position compétitive extérieure du pays concerné.

• **Réserves internationales.** Fonds représentés par l'or et les devises, les DTS et les positions de réserve sur le FMI détenus par les banques centrales ou banques d'émission de chaque pays.

Évolution des réserves officielles des pays membres du FMI (en milliards de DTS fin d'année), **1er chiffre or exclu et,** entre parenthèses, **montant en or.** *1975 :* 160,2 (122). *80 :* 321,5 (440,8). *84 :* 407,1 (297,8). *85 :* 405,2 (282,6). *86 :* 418,7 (303,3). *87 :* 506,6 (322,3). *88 :* 541,6 (288,1). *89 :* 588,1 (286,5). *90* (mars) : 590,7 (265,6). Répartition au 1-3-1990 : pays industrialisés : 383,3 (225,6) ; pays en voie de développement : 207,5 (39,9) ; pays débiteurs 126,5 (30,8).

• **Swap.** *D'intérêt :* transformation d'une dette à taux fixe en une dette à taux variable et réciproquement. *De devises :* échange d'une dette libellée dans une monnaie contre un montant identique dans une autre. Sur 3 euro-émissions obligatoires, 2 sont basées sur des échanges d'intérêt, de devises ou des deux. *Volume des swaps* en circulation (en milliards de $), *1983 :* 40, *84 (estim.) :* 80 à 100.

• **SME (Système monétaire européen).** Approuvé le 5-12-1978 par les pays du Marché commun (sauf la G.-B. qui n'y rentrera que le 8-10-1990), entré en vigueur le 13-3-1979. Les gouverneurs des banques centrales ont, le 15-3-1985, accepté une revalorisation des taux d'intérêts servis sur l'Ecu (pour inciter les banques centrales des Dix à préférer l'Ecu au dollar comme instrument de réserve), et se sont engagés à l'utiliser davantage dans leurs interventions sur le marché des changes pour assurer la stabilité des cours. Il est devenu désormais, en volume échangé, la 5e monnaie intern. derrière dollar, livre sterling, mark et yen. Il possède les attributs classiques d'une monnaie (étalon de référence, instrument de règlement et de réserve) : dénominateur dans le mécanisme des taux de change, base pour l'établissement d'un indicateur de divergence, dénominateur pour les opérations des mécanismes d'intervention et de crédit, moyen de règlement entre les autorités monétaires de la Communauté européenne. Comme pour les DTS, sa valeur est calculée en additionnant la valeur des monnaies concernées qui sont affectées d'un coefficient (en fonction du PNB et du commerce extérieur des pays). Chaque monnaie a un *« taux pivot »* (parité) rattaché à l'Ecu ; à partir de ces taux pivots (qui déterminent des parités bilatérales entre les monnaies) sont fixées des marges de fluctuation de 2,25 % (en plus ou en moins) sauf – provisoirement – pour l'Espagne et la G.-B. dep. le 8-10-90 (6 %).

Si une monnaie franchit son « seuil de divergence » (75 % de l'écart maximal de divergence par rapport à l'ensemble des monnaies : « indicateur de divergence »), les autorités du pays concerné doivent réagir (« présomption d'action ») : en intervenant sur le marché des changes, en prenant des mesures monétaires et économiques, en modifiant les taux-pivots, en recourant au Fonds d'intervention (facilités de crédit illimitées à très court terme). Le Fonds dispose de 25 milliards d'Ecu (env. 120 milliards de F) dont 14 pour le soutien monétaire à court terme (– d'un an) et 11 pour les concours à moyen terme ; alimenté par la remise de 20 % des avoirs en or et de 20 % des réserves en $ des membres qui reçoivent en contrepartie des Ecu destinés au règlement des soldes des interventions des banques centrales.

Usages privés de l'ECU. *avantages :* protection contre le risque de change, possibilité pour les opérateurs de diversifier leurs avoirs en devises et d'avoir accès à des devises europ. dont le marché est étroit, taux d'intérêt plus stables et plus pondérés que ceux des monnaies constituant l'Ecu. *Usage financier :* comprend par ex. les émissions obligataires [1], les crédits bancaires internationaux, des produits d'épargne, le règlement des opérations et transactions des institutions-communautaires. *Usage commercial :* facturation par certains groupes : interne entre filiales ou vis-à-vis de fournisseurs crédits-imports-exports. **Pièces.** Le 25-3-1987, 200 000 Ecu d'or et 2 millions d'Ecu d'argent à l'effigie de Charles Quint mis en circulation. *Prix de vente :* écu d'or env. 9 000 FB, d'argent env. 500 FB. Cotés à la Bourse de Bruxelles le 1-1-1988.

Emprunts. 1er emprunt en Ecu coté à la Bourse de Paris le 18-2-1985 : emprunt de la BEI : 200 millions d'Ecu (dont 160 millions pour la Fr.), en obligations de 1 000 Ecu (7 000 F env.) pour 10 ans, 9,25 %. En avril 1989, succès d'un emprunt record de 1 milliard d'Ecu (7 milliards de F) lancé par l'État français (rendement réel de 8,66 % pour un taux nominal de 8,50 %).

• **UEM (Union Economique et Monétaire).** Sa réalisation suppose la signature d'un nouveau traité, la mise en place d'un système européen de banques centrales et l'instauration de parités fixes entre les monnaies européennes, l'objectif souhaitable (mais non nécessaire) étant l'instauration d'une monnaie commune. *8 et 9-12-1989,* signature d'un accord à 11 (la G.-B. ayant refusé de la signer) sur la convocation en décembre 90 d'une conférence intergouvernementale chargée de préparer le nouveau traité.

Ajustements (en % par rapport aux autres monnaies du SME). **1979**-*23-9 :* DM + 2, cour. dan. – 3 ; *29-11* cour. dan. – 5. **81**-*22-3 :* lire it. – 6 ; *4-10* DM et florin + 5,5, FF et lire it. – 3. **82**-*23-2 :* FB – 8,5, C. dan. – 3 ; *12-6 :* DM, florin + 4,25, FF – 5,75, lire it. – 2,75. **83**-*21-3 :* DM + 5,5, florin + 3,5, C. dan. + 2,5, FB + 1,5, FF, lire it. – 2,5, livre irl. – 3,5 ; **85**-*20-7 :* lire – 6, autres monnaies + 2. **86**-*6-4 :* FF – 3, DM et florin + 3, C. dan. et FB + 1 ; *août :* livre irl. – 8. **87**-*12-1 :* DM + 3, florin + 3, FB + 2. **90**.*5.1 :* lire it. – 2,25. **Cours pivots et cours limites d'intervention** (cours acheteurs et, entre parenthèses, vendeurs en F) : 100 deutsche Mark 327,92 (343,05) ; 100 florins 291,04 (304,44) ; 1 000 lires italiennes 4,383 (4,941) ; 100 F belges 15,899 (16,631) ; 100 couronnes danoises 85,97 (89,925) ; 1 livre irlandaise 8,785 (9,189).

Poids relatif des monnaies composant l'Ecu (en %, au 21-9-89). DM 30,1 ; FF 19 (inchangé depuis 1984) ; livre sterling 13 ; lire 10,15 ; florin 9,4 ; FB et L 7,9 ; peseta 5,3 ; couronne dan. 2,45 ; lire irl. 1,1 ; drachme 0,8 ; escudo 0,8.

Nota. – Les Ecu figurent à l'actif du bilan de chaque Institut d'émission nat. parmi les réserves en devises.

☞ Sont rattachées à l'écu les couronnes norvégienne (dep. 19-10-90) et suédoise (dep. 21-6-90).

85 : 1 041. *86* : 1 146. *87* : 1 292. *88* : 1 284. *89* : 1 290. *90* : 1 319.

Service de la dette en %, 1989. Pays servant la dette sans difficulté 15,5, pays à service de la dette difficile 37,6, lourdement endettés 39,5, à revenu intermédiaire 40,9, à faible revenu 28,6, modérément endettés 35,1. Afrique subsaharienne 27,6, Asie de l'Est et Pacifique 16,7, Asie du S. 27,5, Europe et Méditerranée 28, Moyen-Or. et Afr. du N. 38,4, Amér. latine et Caraïbes 39,7.

Principaux pays débiteurs. Dette extérieure totale (en milliards de $, 1988) et, entre parenthèses, **poids de la dette extérieure totale** (en % du PNB). Brésil 114,6 (29,6). Mexique 101,6 (52,4). Argentine 58,9 (58,6). Inde 57,5 (19,3). Indonésie 52,6 (61,7). Égypte 50,0 (126,7). Pologne 42,1 (51,1). Chine 42,0 (46,1). Turquie 39,6 (82,7). Corée 37,1 (16,2). Venezuela 34,6 (49). Philippines 29,5 (62,6). Algérie 24,8 (46,6). Grèce 23,5 (35,9). Yougoslavie 21,7 (38,9). Thaïlande 20,5 (29,7). Malaisie 20,5 (56,3). Maroc 19,9 (89,8). Chili 19,6 (79,9). Pérou 18,6 (56,1).

Cession de créances. Les banques peuvent céder leurs créances avec des décotes de 30 à 80 % à des Stés occidentales prêtes à investir dans les pays débiteurs avec la contre-valeur en monnaie locale. Ce marché porte sur 10 à 15 milliards de $ par an.

Dette subsaharienne. *A long terme* (en milliards de $, fin 1989). Dette publique ou à garantie publique : 119,7 dont multilatérale 33,2, bilatérale 52,4, crédits privés garantis 34,1, privée non garantie 5,2. *Total (hors FMI)* : 125,6 soit 87,83 % de l'encours total de la dette extérieure (dette publique 83,7 %).

Taux d'endettement (en % par rapport au PNB). Mozambique 436, Guinée-Bissau 299, Congo 238, Mauritanie 223, Madagascar 209, Mali 108, Guinée 105, Comores 96,6, Togo 93,1, Cap-Vert 38,6, Tchad 38,3, Cameroun 33,7. Moyenne 115,3 % (Afr. du Nord et Moyen-Orient 79, Amér. latine 50,9).

Dette de l'Afrique subsaharienne

	Dette totale par habitant ($)	Dette totale (millions de $)	Crédit FMI (millions de $)
Bénin	237	1 055	4
Bostwana	429	499	0
Burkina Faso	101	866	3
Burundi	154	793	33
Cameroun	377	4 229	100
Cap-Vert	378	133	0
Comores	450	199	0
Congo	2 268	4 763	15
Côte-d'Ivoire	1 219	14 125	509
Djibouti	480	183	0
Éthiopie	65	2 978	55
Gabon	2 473	2 663	133
Gambie	398	327	35
Ghana	221	3 099	762
Guinée	386	2 563	61
Guinée-Bissau	450	423	3
Guinée-Équat.	504	200	14
Kenya	256	5 888	455
Lesotho	168	281	5
Liberia	680	1 632	309
Madagascar	320	3 602	190
Malawi	165	1 349	106
Mali	259	2 067	74
Maurice	822	861	103
Mauritanie	1 089	2 076	71
Mozambique	294	4 405	41
Niger	249	1 742	95
Nigeria	279	30 718	0
Ouganda	119	1 925	252
Rép. Centrafricaine	241	673	50
Rwanda	95	632	4
São Tomé	839	99	0
Sénégal	506	3 617	318
Seychelles	2 338	159	0
Sierra Leone	185	727	109
Somalie	346	2 035	165
Soudan	499	11 853	905
Swaziland	360	265	2
Tanzanie	191	4 729	69
Tchad	64	435	17
Togo	360	1 210	78
Zaïre	252	8 474	786
Zambie	868	6 498	940
Zimbabwe	287	2 659	70

☞ **Annulation de la dette** (en millions de F) 1981 : 205,8. **Allégement de la dette. Venise** (1987) ;. Le Club de Paris (créé 1963, 18 pays créanciers) avait accepté des délais pour la dette renégociée des pays les plus pauvres et les plus endettés qui ont entrepris des efforts d'ajustement, et d'étudier la possibilité de leur appliquer des taux d'intérêt plus bas. Aucun accord n'ayant pu se faire, on a cependant recours au triplement des ressources de la Facilité d'ajustement structurel du FMI en faveur des pays les plus pauvres et les plus endettés, à la 5e reconstitution des ressources du Fonds africain de développement, à une contribution spéciale au FIDA. **Toronto** (6-6-1988), la France propose d'annuler 1/3 de la dette (qui dépasse 1 200 milliards de $) des pays dont le revenu annuel par tête ne dépasse pas 500 $, dont la dette est lourde et qui acceptent de faire un effort d'assainissement, économique et financier. Options retenues : annulation d'1/3 des échéances couvertes par le réaménagement et consolidation des 2/3 retenues par la France, allongement des durées de remboursement à taux de marché (option B retenue par les USA), application de taux concessionnels (adoptée par All. féd. et G.-B.). **Bénéficiaires** (fin juillet 90). 18 pays qui ont consenti des efforts d'ajustement dont 17 d'Afr. subsaharienne [Bénin, Guinée, Guinée-Bissau, Guinée-Équatoriale, Madagascar (2 fois), Mali (2), Mauritanie, Mozambique, Niger, Ouganda, République Centrafricaine (2), Sénégal (2), Tanzanie (2), Tchad, Togo, Zaïre, Zambie] et 1 pays d'Amér. latine (Bolivie). *Montant total de la dette ainsi réaménagée* (depuis 1988) : 5,5 milliards de dollars dont + de 25 % par la France. **Dakar** (mai 1989). Le Pt Mitterrand annonce l'annulation inconditionnelle des créances d'APD pour les 35 pays les plus pauvres d'Afrique, et des aides hors-projet consenties entre 1979 et 1985 à 5 de ces 35 pays à des conditions moins favorables que celle de l'APD (Burkina Faso, Madagascar, Niger, Sénégal et Togo). *Total des annulations consenties* : env. 20 milliards de F. *La Baule* (juin 1990), sommet franco-africain, le Pt Mitterrand annonce un allégement des taux d'intérêt, des dons au lieu de prêts et pas de dévaluation du FCFA.

Problèmes posés. Les emprunts servent surtout à acheter des marchandises dans les pays ind. où ils ont contribué à créer des millions d'emplois. Il y a de plus en plus de prêts en crédits destinés à l'exp. de produits spécifiques, et des financements pour des projets précis, favorisant l'échange avec les pays riches et non l'amélioration des revenus de la population de ces pays. Beaucoup de PVD sont en état de cessation de paiement.

Les dettes publiques (emprunts auprès d'États et crédits commerciaux garantis par l'État) sont renégociées au Club de Paris ou dans des consortiums d'aide ; *les dettes commerciales* (banques com.) sont renégociées avec des comités de banquiers. Il peut y avoir refinancement ou rééchelonnement des prêts existants d'assez courte durée (7 à 10 ans avec 3 à 4 ans de différé d'amortissement ; dettes com. en 5 à 10 a., l'allégement ne couvrant que les montants dus au titre du principal) ; actuellement, le Club de Paris et les banques com. exigent que le pays débiteur ait soumis un programme de stabilisation au FMI malgré les rééchelonnements.

Emprunts sur les marchés internationaux de capitaux (en milliards de $). *1985* : 279,6. *1988* : 452 (dont obligations 224,9, prêts commerciaux 127,1, ECP (Euro Commercial Paper) 57,3, autres facilités non garanties 19,5, actions 7,9, autres 15,5. **Par groupes d'emprunteurs,** l'OCDE 412,2, PVD 21,9, Europe de l'Est 4,6, autres 13,3. *1989* : 444 de financements nets internationaux. Prêts interbancaires entre USA et autres centres déclarants (hors Japon) : 47 millions de $. Avoirs internationaux des banques déclarantes : 173 milliards de $ (4 fois plus que le montant enregistré pour les 3 derniers mois de 1988).

• **Dette nette des pays de l'Est, y compris URSS** (en milliards de $, fin 1990). *Total* 142 (*1984* : 60, *88* : 99). *Bulgarie* : 10,4. *Hongrie* : 21,7. *Pologne* : 48,2. *Tchécoslovaquie* : 7,9. *Roumanie* : 2,3. *URSS et banques du CAEM* [1] : 52.

Nota. – (1) Banque internationale d'investissement et Banque internat. de coopération économique (siège à Moscou) qui empruntent pour l'ensemble du CAEM. Leur dette est demeurée de l'ordre de 4 à 5 milliards de $.

• **Dette des USA** (fin 1987). **Dette intérieure :** 3 000 milliards de $. **Dette extérieure :** 368 (8,8 % du PIB). *Engagement extérieur USA* : 1 536. *Investissement direct des étrangers aux USA* : 262 (dont G.-B. 50 %). *Titres du Trésor amér. possédés par des étrangers* : gouvernements : 283, privés : 78 (les investissements privés ont, par ailleurs, 344 md de $ en actions et obligations). *Avoirs américains à l'étranger* : 1 168 [*investissements directs* (surtout en Europe) : 309, *inv. des portefeuilles* : 147, *avoirs du gouvernement* : 88, *créances bancaires* : env. 500 et *dettes bancaires* : env. 500 (donc solde quasi nul)].

• **Créances des banques déclarantes** [1] **à la Banque des règlements internationaux** (en milliards de $, mi-1990). *Europe de l'Est 92,4* dont URSS 40,6, ex-All. dém. 17,2, Hongrie 11,2, Pologne 10,1. *Amérique latine 153,6* dont Brésil 55, Mexique 46,9, Argentine 25,1, Chili 8,6. *Asie 95,8. Afrique 19,9.*

Nota. – (1) Groupes des dix (All., Belg., Can., France, G.-B., Italie, Japon, P.-B., Suède, USA), Autriche, Dan., Esp., Finl., Irl., Lux., Suisse.

Taux de couverture des prêts douteux dans le Tiers-Monde, (en %, 1989). J.-P. Morgan 100, Deutsche Bank 77, Lloyds 70, Royal Bank of Can. 70, Natwest 65, Sté Générale 53, BNP 52, Midland 50, Dresdner 50, Barclays 48, Standard Chartered 46, Chase Manhattan 46, Bank Amer. Corp. 42, Manufacturers Hanover 36, Citicorp 29, Dai-Ichi 15.

• **Dévaluation.** Opération consistant à réduire la valeur d'une monnaie déterminée par rapport à l'or, donc également par rapport aux autres monnaies.

Il ne faut pas confondre dévaluation et *dépréciation de la monnaie.* Toutes les monnaies subissent en permanence une certaine perte de leur pouvoir d'achat intérieur du fait de la hausse des prix. Quand un pays subit une hausse de prix anormalement forte et durable, le gouvernement peut dévaluer pour réduire l'écart avec les niveaux de prix étrangers. La dévaluation entraîne toujours une certaine hausse des prix, liée au renchérissement des importations. Elle refrène donc celles-ci et favorise les exportations dont les prix baissent pour les étrangers.

• **Devise.** Toute créance sur l'étranger libellée en monnaie étrangère et payable à l'étranger. Elle peut prendre la forme d'avoirs auprès des banques étrangères (comptes en banque) ou de traites ou de chèques libellés en monnaie étrangère payables à l'étranger.

Dans une banque, on appelle *« position à la hausse »* les avoirs en devises et *« position à la baisse »* les dettes en devises. On peut acheter ou vendre à terme une devise, selon que l'on s'attend à sa hausse ou à sa baisse. Cependant, de nombreuses opérations à terme (effectuées pour des industriels ou des chefs d'entreprises) n'ont aucun but spéculatif. Ainsi, un importateur français qui a acheté en G.-B. des marchandises payables à 90 j en livres sterling doit, pour faire ses calculs (prix de revient, prix de vente en France, etc.), savoir combien ces livres sterling lui coûteront : il en fixera alors le cours avec sa banque par un achat à terme (s'il ne le faisait pas, il spéculerait en fait à la baisse sur la livre ou à la hausse du franc).

• **Droits de tirage spéciaux (DTS).** Instrument de réserve international créé par le FMI en 1969 pour compléter les actifs de réserve existants. Il est aussi utilisé comme unité de compte par le FMI et par d'autres institutions. La création des DTS, dans le cadre du 1er amendement aux statuts du FMI, répondait à l'inquiétude générale devant la possibilité d'une croissance insuffisante de la liquidité internationale. Les pays membres avaient l'intention – exprimée dans les statuts – de faire en sorte que les DTS deviennent le principal instrument de réserve du SMI. Les DTS sont alloués aux pays membres qui les demandent au prorata de leur quote-part, sur des périodes spécifiées dites « de base ». 21,4 milliards de DTS ont été alloués (soit environ 5 % des réserves internat. actuelles, or non compris) : 9,3 milliards en 3 versements annuels de 1970 à 1972 dans la 1re période, 12 milliards en 3 versements de 1979 à 1981 dans la 3e période).

Les DTS se différencient des droits de tirage ordinaires créés à Bretton Woods en 1944. Leur utilisation n'est soumise à aucune restriction, sinon qu'ils ne peuvent être employés par une banque centrale pour modifier la composition de ses réserves.

Afin de bénéficier d'allocations de DTS, un pays membre du FMI doit participer au Département des DTS du FMI ; à l'heure actuelle, tous les membres y participent. Un participant peut utiliser des DTS pour effectuer des versements au FMI, notamment au titre de rachats, et le FMI lui-même peut transférer des DTS à un participant, à diverses fins ; il peut, notamment, transférer des DTS au lieu de monnaie à des pays membres qui utilisent les ressources du FMI. Un participant peut aussi utiliser les DTS de diverses manières en accord avec un autre participant. Il peut, par exemple, utiliser des DTS pour obtenir une monnaie dans une transaction au comptant, pour s'acquitter d'une obligation financière, pour un prêt, pour garantir un prêt, pour effectuer un *swap* contre une monnaie, ou pour réaliser une opération de change à terme. En outre, un participant peut se servir de ces DTS pour obtenir une monnaie utilisable d'un autre participant désigné par le FMI

Valeur des DTS : le Fonds la calcule chaque jour en fonction d'un panier de monnaies. De 1974 à 80, ce panier comprenait 16 monnaies. Dep. janvier 1981, le panier se compose des monnaies des 5 pays membres dont la part dans les exportations mondiales de biens et services est la plus importante : dollar, deutsche Mark, yen, franc français, livre sterling. Les coefficients de pondération déterminant les 5 unités monétaires du panier sont révisés tous les 5 ans : depuis janvier 1986, ils sont respectivement de 42 %, 19 %, 15 %, 12 %, 12 %. Chaque jour ouvrable, le F.M.I. publie le taux de change d'un grand nombre de monnaies exprimé en DTS. **Valeur moyenne de 1 DTS en $.** *1986* : 1,773. *1987* : 1,293. *1988* : 1,344. *1991* : 1,350.

Budgets régionaux 1990

Régions	Dépense totales (1)	Dépense totales (2)	Dépenses lycées (1)	Dépenses lycées (2)	Recettes fiscales (1)	Recettes fiscales (2)
Alsace	1 098	680	373	231	529	328
Aquitaine	1 862	680	583	213	1 089	398
Auvergne	979	737	335	252	487	367
Bourgogne	1 292	800	375	232	687	425
Bretagne	1 753	632	478	172	1 032	372
Centre	1 676	714	664	283	1 120	477
Champagne-Ardenne	962	707	374	275	562	413
Corse	470	1 901	67	269	200	807
Franche-Comté	761	699	313	288	399	367
Languedoc-Roussillon	1 519	730	363	174	841	405
Limousin	513	701	141	192	299	409
Lorraine	1 682	725	483	208	736	317
Midi-Pyrénées	1 747	735	556	234	1 004	422
Nord-Pas-de-Calais	3 140	800	1 016	259	1 561	398
Basse-Normandie	1 048	756	278	201	580	419
Haute-Normandie	1 524	891	581	340	722	422
Pays de la Loire	1 967	644	686	224	1 165	381
Picardie	1 580	886	758	425	806	452
Poitou-Charentes	1 150	719	444	278	663	414
Provence-Alpes-Côte d'Azur	3 305	797	1 204	290	1 675	404
Rhône-Alpes	3 532	679	1 232	237	2 054	395
Ile-de-France	9 206	892	3 330	323	4 321	419
Métropole	42 767	767	14 634	262	22 530	404
Guadeloupe	883	2 503	109	308	503	1 427
Guyane	482	5 753	98	1 167	201	2 398
Martinique	1 237	3 640	260	766	558	1 641
Réunion	1 799	3 360	391	730	850	1 587
France entière	47 168	827	15 492	271	24 642	432

Nota. – (1) En millions de F. (2) En F par habitant. *Source :* ministère de l'Intérieur.

Produits régionaux par habitant
(en F, 1990)

	T[1]	H.[2]	F.b[3]	F.n[4]	TP[5]
Picardie	315	74	75	27	139
Centre	302	72	69	22	139
Poitou-Charentes	265	66	70	25	103
Midi-Pyrénées	265	57	74	14	121
Nord-Pas-de-Calais	263	58	49	9	147
Haute-Normandie	261	49	67	13	132
Bourgogne	258	61	65	24	109
Limousin	258	71	63	19	105
Champagne-Ardenne	254	65	57	17	115
Basse-Normandie	246	53	72	21	101
Corse	245	84	32	7	122
Auvergne	234	56	57	15	107
Pays-de-Loire	233	60	45	16	112
Languedoc-Roussillon	231	65	64	12	90
Bretagne	215	69	49	9	89
Franche-Comté	198	42	46	12	97
Aquitaine	198	46	46	11	95
Rhône-Alpes	188	36	38	5	109
Alsace	179	40	30	6	103
Ile-de-France	163	51	34	0	77
Lorraine	163	38	34	7	84
Prov.-Alpes-Côte d'Azur	143	42	30	3	69
Ensemble	**214**	**53**	**48**	**10**	**102**
Réunion	129	24	35	5	64
Guyane	107	11	28	2	66
Martinique	40	10	14	1	15
Guadeloupe	33	7	11	3	12
Toutes régions	**211**	**53**	**48**	**10**	**101**

Nota. – (1) Total. (2) Taxe d'habitation. (3) Foncier bâti. (4) Foncier non bâti. (5) Taxe professionnelle.

Secteur public local

L'ensemble du secteur public local comprend : collectivités territoriales, Offices publics d'habitations à loyer modéré (OPHLM), Offices publics d'aménagement et de construction (OPAC), hôpitaux et régies locales à caractère industriel et commercial. *Collectivités territoriales :* régions, départements, communes, leurs groupements et leurs services. *Groupements de communes :* syndicats, districts et communautés urbaines. On parle aussi d'APUL (Administrations publiques locales).

Concours de l'État aux collectivités locales (en milliards de F). *Total : 1983 :* 132,7. *84 :* 133,3. *85 :* 153,7. *86 :* 161. *87 :* 176,2. *88 :* 189,4. *89 :* 197,9. *90 :* 212,1. *91 :* 228,5 dont *dotations et subventions de fonctionnement :* 96,2 dont dotation globale 88,3, spéciale instituteurs 3,3, FNPTP 0,8 subv. des ministères : 3,7 [dont agriculture et forêt 0,8, solidarité, santé et protection sociale 0,8, culture, communication et grands travaux du bicentenaire 0,6, éducation nat., jeunesse et sports 0,1, intérieur 0,5, DOM-TOM 0,2, justice 0,2, transports et mer 0,2, travail, emploi et formation prof. 0,2, économie, finances et budget 0,02, environnement 0,01, équipement et logement 0,01, commerce et artisanat 0,0002]. *D'équipement (AP) :* 28,1 dont fonds de compensation pour la TVA 17,35, dotation globale d'équipement (AP) 5,4, subventions des divers ministères (AP) 3,44, comptes spéciaux du Trésor (AP) 1,16, prélèvement amendes forfaitaires de police 0,85. *Compensation financière des transferts de compétence :* 59 dont fiscalité transférée 38,79, dotation générale de décentralisation 13,69 , régionale d'équipement scolaire (AP) 2,57 , départementale d'équipement des collèges (AP) 1,27 , dotation de décentralisation relative à la formation profess. et à l'apprentissage 2,69. *Compensations d'exonérations et de dégrèvements législatifs :* 45.

Fiscalité directe locale : produits votés par les collectivités de métropole (en milliards de F, en 1990). Ensemble métropole 183,57 (dont taxe professionnelle 83,58 , t. d'habitation 46,93, foncier bâti 45,47, non bâti 7,59) ; communes et groupements (avec et sans fiscalité propre) 121,13 ; communes 110,97 ; département 50,51 ; régions 11,93 ; communautés urbaines 5,01 ; districts et autres groupements à fiscalité propre 3,44 ; syndicats 1,70.

Fiscalité indirecte (en milliards de F, en 1989). *Total* 53,89 dont produit des impôts transférés 34,70 (droit dép. d'enregistrement et taxe de publicité foncière 18,76, vignette automobile 11,21, cartes grises 4,69) ; des impôts hors fiscalité transférée 19,23 (taxes additionnelles aux droits d'enregistrement 8,58, autres taxes locales 6,65, droits indirects 1,60, taxe locale d'équipement 1,43, versement/dépassement PLD 0,72, permis de conduire 0,25).

Ratio communal (annuité, recettes réelles de fonctionnement) (en %, 1989). *Communes de - de 2 000 habitants :* 19,4. *2 000 à 5 000 :* 20,7. *5 000 à 10 000 :* 20,9. *10 000 à 20 000 : 19,4. 20 000 à 100 000 :* 17,7. *50 000 à 100 000 :* 16,5. *+ de 100 000 (hors communauté urbaines) :* 18,2.

Solidarité urbaine nationale (en millions de F, 1991). **Principales villes contributives :** Paris 195,96, Lyon 31,57, Bordeaux 17,99, Cannes 9,95, Nancy 8,55, Versailles 6,07, Boulogne-Billancourt 4,97, St-Maur 4,73, Annecy 4,08, Rueil-Malmaison 3,76. **Bénéficiares :** Rennes 7,5, Nantes 6,4, Angers 6,3, Le Havre 6,2, Tours 4,9, Tourcoing 4,6, Caen 4,5, Reims 4,5, Poitiers 4,4, Roubaix 4,3.

Impôt spécifique Ile-de-France. Communes qui paieront + de 2 millions de F. Paris 373,15, Puteaux 22,04, Courbevoie 19,80, Boulogne-Billancourt 19,37, Neuilly 12,96, Levallois-Perret 9,15, Vélizy-Villacoublay 7,95, St-Cloud 5,87, Chevilly-la-Rue 2,75, Paray-Vieille-Poste 2,68, Aubergenville 2,34.

Produit des 4 taxes (professionnelle, foncier bâti, non bâti et taxe d'habitation en 1990). Total pour les régions, plus de 12 milliards de F dont taxe d'habitation 25 %, foncier bâti 23, non bâti 5 et taxe professionnelle 48.

Finances publiques internationales

Définitions

• **Accords généraux d'emprunt.** Le FMI tire ses ressources de souscriptions (voir quotes-parts) mais peut les compléter par des emprunts. En vertu des Accords généraux d'emprunt (AGE), entrés en vigueur en oct. 1962, 10 pays ind. membres du FMI *(le Groupe des dix)* et la Suisse ont mis des lignes de crédit à la disposition du Fonds. Les AGE ont été renouvelés périodiquement. En 1983, l'Arabie Saoudite s'est jointe aux 11 autres participants. *Montant total des lignes de crédit :* mises à la disposition du FMI au titre des AGE et de mécanismes associés 18,5 milliards de DTS.

Accords généraux d'emprunt en DTS (déc. 1983). 17 milliards dont (en millions de DTS) USA 4 250, All. féd. 2 380, Japon 2 125, G.-B. 1 700, *France 1 700,* Italie 1 105, Suisse 1 020, Canada 892,5, P.-Bas 850, Belgique 595, Suède 382,5.

• **Balance des paiements.** Ensemble des comptes enregistrant pour une période donnée les transactions économiques et financières (et leurs soldes) entre un pays et le reste du monde.

Principaux postes. Biens et services : marchandises (exportations et importations : *balance commerciale*) et services (transports, assurances, voyages, brevets, revenus du capital, salaires...). **Transferts** (« dons et autres transactions unilatérales ») : économies de travailleurs, paiements au titre de réparations, contributions au financement d'organismes internationaux, dons... L'ensemble des biens et services et des transferts constitue la *balance des paiements courants.* **Mouvements de capitaux non monétaires :** capitaux à long terme (investissements de portefeuille, investissements directs, prêts, crédits commerciaux, crédit-bail...) et capitaux à court terme et liquides (prêts et avances, crédits commerciaux...).

• **Balances des opérations courantes dans la zone de l'O.C.D.E.** (en % du PNB/PIB en 1991 et, entre parenthèses, en 1990). Allemagne[1] 4 (4,4). Australie 4,2 (5). Autriche - 0,2 (0,1). Belgique-Lux. 1,8 (2,5). Canada 3,6 (3,4). Danemark -1,3 (-1,3). Espagne 3,4 (3,2). Finlande -4,5 (-4,7). *France -0,3 (-0,2).* G.-B. -2,4 (-3,2). Grèce -4,9 (-5,5). Irlande[1] 0,6 (1). Islande (-1,6). Italie -0,8 (-0,8). Japon[1] 2,1 (1,8). Norvège 2,9 (1,6). Nlle-Zélande -3,2 (-4,3). P.-Bas 3,1 (2,9). Portugal -2,2 (-2). Suède -4,6 (-3,5). Suisse 3,5 (3,3). Turquie[1] 0,4 (0,3). USA[1] -1,6 (1,8).

Nota. – (1) En % du PNB.

• **Balances dollars et sterling.** Avoirs en dollars ou en livres sterling que les banques centrales autres que celles des USA et de la G.-B. détiennent à titre de réserves sous le régime de l'étalon de change or.

• **Bretton Woods (accords de)** lieu du New Hampshire (USA), où se réunirent, du 1er au 21-7-1944, des délégués de 44 pays (dont *France :* P. Mendès France ; *G.-B. :* J. M. Keynes ; *USA :* Harry Dexter White) pour établir les bases d'une coopération internationale sur le plan monétaire en vue de faciliter l'expansion du commerce international. Ils décidèrent de créer le *Fonds monétaire international* (FMI) et la *Banque mondiale* et fixèrent les parités des monnaies. Ce système de taux de change fixe, reposant sur un dollar lié à l'or, dont le FMI devait être le gardien, ne fut en vigueur que le 1-1-1959, date à partir de laquelle toutes les monnaies des pays industrialisés, et pas seulement le dollar, sont redevenues librement convertibles, au moins pour les non-résidents. *Effondrement :* entre 1971 et 1973 avec l'abandon de la parité or de la devise américaine et le flottement généralisé.

• **Convertibilité.** Une monnaie est convertible quand ceux qui la possèdent peuvent librement la transformer en n'importe quelle autre monnaie.

La plupart des monnaies convertibles ne sont en fait convertibles que par les non-résidents. La convertibilité « interne » du franc est quasi totale.

Quelques monnaies sont convertibles à volonté par les résidents et les non-résidents, exemple : le mark, le franc suisse, le dollar, la livre sterling.

• **Dette internationale** (en milliards de $, 1990). Dette des pays déclarant leurs statistiques à la Banque mondiale 1 189. Dette à long terme 1 039 dont officielle 517, privée 522 ; à court terme 127. Utilisation du FMI 23. Autres pays en développement 130. Dette totale des pays en développement : *1982 :* 839.

solidarité sur céréales et graines oléagineuses pour mémoire, frais d'assiette et de recouvrement des impôts directs et taxes assimilées établis et perçus au profit des coll. loc. et de divers organismes 5 310, recouvrements de frais de justice, de frais de poursuites et d'instance 79,2 amendes forfaitaires de la circulation 850, autres amendes et condamnations pécuniaires et pénalités infligées pour infraction à la législation sur les prix 2 650, prélèvement progressif sur les jeux dans les casinos régis par la loi du 15-6-1907 : 920, prélèvement sur pari mutuel et recettes des Stés de courses parisiennes 3 563, cotisation, participation des employeurs à l'effort de construction 214, recettes diverses des comptables des impôts 129,5, du service du cadastre 55,7, des receveurs des douanes 252, service instruments de mesure 68, frais de contrôle des établ. classés pour la protection de l'environnement 50, versement au Trésor des produits visés par l'art. 5 de l'ordonnance 45-14 du 6-1-1945 : 78,6, contribution aux frais de contrôle et de surveillance de l'État p. les assurances, et aux frais de fonctionnement du Cons. nat. des assurances pour mémoire, droits d'inscription pour les examens org. par les diff. min., les diplômes, la scolarité, perçus dans les écoles du gouv. 2, taxe de sûreté sur les aérodromes 315, autres 35.

4°) **Intérêts des avances, des prêts et dotations en capital** 4 064.

5°) **Retenues et cotisations sociales** 24 108.

6°) **Recettes venant de l'extérieur** 2 142.

7°) **Opérations entre administrations et services publics** 2 101.

8°) **Divers** 31 052.

• **Fonds de concours et recettes assimilées.** Pour mémoire.

• **Prélèvement. Sur les recettes de l'État au profit des collectivités locales** – 134 100.

Sur les recettes de l'État au profit de la C.E.E. – 70 750.

• **Total général.** A + B + C – D = 1 400 306.

☞ **Recettes restant à l'État** (en millions de F) après versement pour la C.E.E. et les collectivités locales (204 851) : 1 400 306.

Recettes du budget de l'État, hors prélèvements et hors remboursements et dégrèvements d'impôts (1991). Montant en milliards de F et, entre parenthèses, part en % dans le budget. *Recettes fiscales :* TVA 669,7 (41,7), impôt sur le revenu 294,5 (18,3), sur les stés 168,9 (10,5), taxe sur les produits pétroliers 132 (8,2), autres impôts 231,5 (14,4).

Recettes non fiscales : 108,5 (6,7).

II. Budgets annexes

Imprimerie nationale 2 071. **Légion d'honneur** 105 **Ordre de la Libération** 4. **Monnaies et médailles** 1 090. **Navigation aérienne** 4 127. **Postes et télécommunications** 190 666 (90). **Prestations sociales agricoles** 81 137. **Journaux officiels** 674.

III. Comptes d'affectation spéciale

13 957 dont : **Fonds national** pour l'aménagement de l'Ile-de-France 1 025 ; **F. nat.** pour le développement des adductions d'eau 774. **F. forestier** national 455. **F. de soutien aux hydrocarbures** ou assimilés 300. **F. de secours aux victimes de sinistres et calamités,** pour mémoire. **Soutien financier de l'industrie cinématographique** 1 425, **compte d'emploi de la taxe parafiscale affectée au financement des organismes du service public de la radiodiffusion sonore et de la télé.** 8 350. **F. nat. du livre** 110. **F. nat. pour le développement du sport** 830. **F. pour la participation des pays en voie de développement aux ressources des grands fonds marins,** pour mémoire. **F. des haras et des activités hippiques** 565. **F. nat. pour le développement de la vie associative** 23.

IV. Comptes de prêts

15 358

V. Comptes d'avances du Trésor

207 301

Crédits ouverts par ministère

En millions de F	1990	1991
Affaires étrangères	11 871	13 074
Agriculture et forêt	37 543	38 367
Anciens combattants	27 347	27 232
Coopération	7 314	7 865
Culture et communication	10 484	12 105
Départements et territoires d'outre-mer	2 062	2 185
Charges communes (1)	259 314	268 812
Services financiers	38 257	40 400
Éducation nationale, ens. scolaire et supérieur	227 408	248 320
Jeunesse et sports	2 469	2 576
Équipement et logement	59 246	60 227
Industrie et aménagement du territoire	19 552	20 059
Intérieur	64 392	67 933
Justice	16 879	18 177
Recherche et technologie	24 156	25 833
Services du Premier ministre	4 914	5 526
Solidarité, santé protection sociale	37 217	38 879
Transports et mer	54 614	58 300
Travail, emploi et formation prof. et solidarité, santé et protection sociale	2 635	2 209
Travail, emploi et formation prof.	75 153	67 669
Défense	230 766	238 458
Total des dépenses	**1 220 439**	**1 280 188** [2]

Nota. – (1) Hors dégrèvements et remboursements fiscaux. (2) Avec la modification du statut de la Poste et des Télécom. 1 269 093 millions de F.

Dette publique de la France

Définitions

• **La dette de l'État.** Inscrite au bilan, elle ne comprend pas la dette gérée (emprunts du budget annexe de la Poste, des Télécom et d'EDF), ni la dette en devises pour conforter les réserves de change de la nation mais la dette garantie par l'État.

• **Dette extérieure.** Encours des emprunts à l'étranger autorisés à + de 1 an, contractés par des résidents et cédés ou ayant vocation à être cédés sur le marché des changes. Ce peut être soit des emprunts directs à l'étranger sur les euromarchés ou les marchés étrangers de capitaux (marchés nationaux), soit des avances en devises à + de 1 an consenties par le secteur bancaire résident à des résidents et n'ayant pas une finalité commerciale (les emprunts en devises réalisés par les banques résidentes pour financer leur activité de prêts en devises à des non-résidents ne sont pas pris en compte).

Montant

Dette publique

• **Dette publique totale** (en milliards de F). *1940 :* 0,5. *45 :* 15. *67 :* 147,59. *68 :* 161,44. *69 :* 166,54. *70 :* 166,93. *71 :* 176,39. *72 :* 177,76. *73 :* 179,9. *74 :* 201,5. *75 :* 237,5. *76 :* 260,8. *77 :* 287. *78 :* 320,2. *79 :* 372,7. *80 :* 418,3. *81 :* 500,4. *82 :* 616,7. *83 :* 779,6. *84 :* 915,4. *86 :* 1 194,6. *87 :* 1 281,7. *88 :* 1 474,8. *89 :* 1 622,2 dont *négociable :* 1 233 ; *non négociable :* 389,2. *90 :* 1 758 dont négociable : dette à long et moyen terme 872,66, bons du Trésor 649,80 dont émis dans le public 30,96, en comptes courants 580,94, organismes internat. 37,90 emprunt à court terme 0,64, dépôts des correspondants et des particuliers 296,08, concours de la Banque de France 38,52, compte courant à la Banque de France (–) 44,94, divers 16,37. **Évolution par rapport au PIB** *75 :* 16,1. *79 :* 15,1 ; *80 :* 15,1. *85 :* 22,7. *86 :* 23,8. *87 :* 24,2. *88 :* 25,5. *89 :* 26,5. *90 :* 27.

Dette publique des administrations (État + collectivités locales) par rapport au PIB/PNB (en %), 1989. Italie 95, USA 30,2, G.-B. 28,9, *France 26,5*, Allemagne féd. 22,1, Japon 16,4.

Évolution de la charge budgétaire (hors dette garantie) (en milliards de F). *1974 :* 6,5. *80 :* 26,1. *81 :* 44,8. *82 :* 48,2. *83 :* 68,5. *84 :* 84,7. *85 :* 89,8. *86 :* 92,9. *87 :* 94,3. *88 :* 99,5. *89 :* 116,1. *90 :* 124,3. *91* (est) : 138,1.

Dette de divers organismes prise en charge par l'État depuis 1985 en milliards de F. *1985 (1-1)* UNEDIC 6. *86 (1-1)* SOMIVAC 0,066. *88 (1-1)* Caisse d'amortissement pour l'acier (CAPA) 9,25 ; fonds spécial des grands travaux (FSGT) 15,88. *89 (1-1)* Fonds d'intervention sidérurgique (FIS) 16,46. *89 (1-2)* CNI des banques (CBN) 11,9. *90 (1-1)* Sté de développement automobile (SODEVA) (restructuration financière de la Régie Renault) 7,75. Ces opérations ont gonflé l'encours de la dette publique, mais elles ont permis, dans l'immédiat, d'alléger le déficit budgétaire. En effet, seule la charge des intérêts de la dette publique est inscrite au budget de l'État. Auparavant, celui-ci prenait en charge, sous forme de dotations à cet organisme, les intérêts de la dette et le remboursement du capital.

Montant des emprunts d'État (en milliards de F) **et entre parenthèses part dans le total des émissions brutes sur le marché financier** (en %). *1976 :* 2,5 (6 %). *77 :* 8 (16). *78 :* 13,5 (23,3). *79 :* 15 (22,9). *80 :* 31 (27,8). *81 :* 25 (23,4). *82 :* 40 (25,8). *83 :* 51 (25,8). *84 :* 85,2 (34). *85 :* 99,9 (25,8). *86 :* 137,2 (39,5). *87 :* 94 (31,6). *88 :* 109,1 (31,6).

Dette extérieure

Dette extérieure (non bancaire à moyen et long termes en cours en fin d'année) (au 31-12 en milliards de F). *1973 :* 15,1. *74 :* 23. *75 :* 31,2. *76 :* 56,9. *77 : 79. 78 :* 88. *79 :* 99,8. *80 :* 122,9. *81 : 187,7. 82 :* 295,4. *83 :* 451. *84 :* 528,5. *85 :* 469. *86 :* 398,2. *87 :* 362,8. *88 :* 392,2. Remboursements contractuels et intérêts effectiv. versés. 1980 : 15. *84 :* 68. *86 :* 62,7. *88 (du 1 au 30-4) :* 62,37.

Dette directement contractée par l'État (en milliards de F). *1984 (31-12) :* 73. *85 (31-12) :* 44. *86 :* 7. *87 :* 3,6.

Créances à moyen et long terme de la France sur l'étranger (en milliards de F). Résultent des crédits à l'exportation à + d'1 an (consentis directement par des exportateurs français à leurs clients, par les banques françaises dans le cadre de la procédure du crédit acheteur) et des prêts accordés par le secteur public à des États ou organismes étrangers. *1987 (1-1)* 324,4 PVD 55, p. socialistes 20, p. membres de l'OPEP 15, de l'OCDE 10 [dont Brésil 50 (dont 40 en devises), Mexique 40 (dont 20 en devises), Venezuela 20, Pologne 16, Égypte 14, Argentine 13, Côte-d'Ivoire 13, Nigeria 13, Maroc 12, Roumanie 10]. *1988 (30-9) :* 328,4.

Endettement net (en milliards de F). *1984 (31-12) :* 236. *85 (31-12) :* 153,7. *86 (31-12) :* 79,3. *87 (31-12) :* 41,2. *88 (30-9) :* 67,1. *90 (30-11) :* 38,14.

Dette extérieure garantie par l'État (en %). Organismes financiers 29, EDF 25, Caisse nat. des télécom. 17, SNCF 10, GDF 4, Caisse nat. des autoroutes 3, CEA 3, Charbonnages 2 ; reste 7.

Réserves officielles de change de la France (en milliards de F, entre parenthèses **dont or)** *1979 :* 209,62 (138,4) ; *80 :* 359,6 (226,98). *81 :* 315,99 (194,65). *82 :* 352,03 (247,14). *83 :* 430,02 (259,09). *84 :* 457,7 (257). *85 :* 412,9 (210,3). *86 :* 421 (218,5). *87 :* 377,6 [1] (223,5). *88 :* 361 (206,1). *89 :* 339,2 (196,7). *91 (mai) :* 338,8 (161,7) devises 106,5 ; ECU 55,7 ; créances sur le FMI 14,9.

Nota.– (1). Avec position débitrice auprès du FECOM de 23,6 milliards de F.

Balance générale des paiements de la France

En millions de F	1988	1989	1990
Transactions courantes	– 21 087	– 27 077	– 42 046
Marchandises [1]	– 50 422	– 64 689	– 73 628
Services	33 437	44 806	32 151
Transferts unilatéraux	– 40 598	– 48 049	– 43 341
Autres biens et services	36 496	40 855	42 772
Transferts en capital [2]		– 5 306	– 27 354
Mouvements de capitaux	1 659	– 31 318	– 20 312
Long terme [3]	3 245	54 957	59 650
Court terme du secteur privé [4]	– 1 586	– 86 275	– 79 962
Erreurs et omissions		–	–
Variation de la position monétaire extérieure [3,5]	19 428	64 086	90 884
Secteur bancaire [6]	13 958	37 036	150 448
Secteur public	5 470	27 050	– 59 564

Nota. – (1) Commerce extérieur FAB/FAB plus négoce intern. (2) Remises de dettes et abandons de créances sur pays en voie de développement décidés aux sommets de Dakar et Toronto. (3) Prêts en devises [à moyen et long terme, financés par les banques fr. au moyen d'emprunts extérieurs] accordés à des résidents et exclus les non-résidents. (4) Y compris erreurs et omissions. (5) Non compris variations de la position monétaire imputables aux fluctuations du cours des monnaies. (6) Y compris variation des emprunts nets à court terme pour financer les prêts en devises à long terme aux résidents et non-résidents.

• **Dépenses d'interventions (en milliards de F, 1991). Économiques.** *Emploi :* fonds national de l'Emploi et actions nouvelles pour l'emploi et la formation professionnelle 18,6, exonération des charges sociales 5,5, reclassement des travailleurs handicapés 3,6, convention sociale de la sidérurgie 5,6, chômeurs créateurs d'entreprises 1. *Logement :* prime à la construction 7,4. *Autres :* Contributions de l'État à la SNCF 18,6, subvention aux houillères nationales 6,9, charges de bonifications d'intérêts pour les pays en voie de développement 3,8, charges de bonification et autres interventions pour l'agriculture 15,2, autres bonifications d'intérêts 6,9. *Divers* 4,4. *Total* 99,8.

Sociales. Concours à divers régimes de Séc. soc. 37 (dont : prestations soc. agricoles 11,6, régime des gens de mer 4,3, charges de retraite de la SNCF 14,2, régime des mines et des chemins de fer secondaires 6,8). Aide soc. obligatoire 7,5. Revenu minimal d'insertion 9,1. Anciens combattants (pensions d'invalidité et aides diverses) 26,0. Fonds national de solidarité 17,9. Allocations aux adultes handicapés 16,5. Rapatriés d'outre-mer (indemnisation et moratoire des dettes) 3,6. Fonds nat. de chômage 8,6. Réduction de tarifs SNCF (réseau principal) 1,7. Contribution de l'État aux transports collectifs parisiens 5,1. Majoration des rentes viagères 1,9. Allocation logement et aide personnalisée au logement 21,5. Lutte contre la toxicomanie 0,6. *Divers* 7,8. *Total* 165,5.

Autres interventions. *Subventions aux collectivités locales.* Compensation des exonérations d'impôt foncier bâti 2,6. Dotation générale de décentralisation 14,6. De décentralisation formation professionnelle 2,8. *Coopération et action internationales.* Actions de coopération (+ rémunérations) 3,9. Contributions internat. (obligatoires et bénévoles) 2,8. Actions culturelles en faveur du développement 3,2. *Actions culturelles et éducatives.* Subventions à l'enseignement privé 27. Privé agricole 1,4. Bourses d'ens. (+ agricole) 7,1. Spectacles 1,7. Autres interventions culturelles 1,5. *Formation professionnelle.* Rémunérations des stagiaires de la formation prof. 6,7. Fonds de la formation prof. 4,7. Formation prof. des adultes 3,7. *Divers* 8,5. *Total* 94,4.

et formation continue 23, formation des personnels 6,8, action culturelle 10,3, recherche 13,5, dotations non réparties 6,7.

Secteur social, santé, emploi. 232,2 dont : santé 1,8, action sociale 62,4, régimes sociaux et séc. soc. 63,2, travail et emploi 64,4, anciens combattants 23,9, formation des personnels 1,1, recherche 2,2, dotations non réparties 4,2.

Agriculture et espace rural. 24,3 dont : aménagement foncier 0,3, hydraulique 0,4, amélioration de l'habitat rural 0,8, espace naturel et forêts 3,3, production agricole et moyens des exploitations 1,9, conditionnement, stockage, transformation et commercialisation 0,5, action sur les marchés 4,8, actions de type social 1,7, recherche 2,7, dotations non réparties 7,9.

☞ **Dépenses bénéficiant à l'agriculture.** 133,8 dont : budget du ministère de l'Agriculture (dont enseign. agric.) 36,2, de l'Intérieur 0,26, des Services généraux du Premier ministre 0,06, du Plan et de l'Aménagement du territoire 0,3, de la Recherche 2,5, BAPSA 47,5, comptes spéciaux du Trésor 1,8 (Fonds forestier national 0,6, Fonds de développement des adductions d'eau 0,7, Fonds national des haras et des activités hippiques 0,5), versements nets des ressources propres à la CEE 45,1.

Logement et urbanisme. 54,5 dont : aménagement foncier 0,7, transp. urb. 5,3, logement 48,2, dotations non réparties 0,3.

Transports et communications. 47,5 dont : ports et voies navigables 1,8, flotte de commerce et navig. intérieure 1,5, routes et circulation routière 21,4, transports ferroviaires (réseau grandes lignes, à l'exclusion du réseau banlieue) 17,9, aviation civile 3,3, postes et télécommunications (subventions aux stations de radiodiffusion outre-mer et versement du budget général du Centre nat. des Télécom.) 0,3, recherche 0,4, dotations non réparties 0,9.

Industries et services. 34,8 dont : énergie 11,1, minerais et métallurgie 2, constr. mécanique, électr. et électron. 4,3, industries textiles et divers 0,5, matériaux de construction, bâtiments et trav. publics 0,025, tourisme 0,7, artisanat 0,2, recherche 16,3, dotations non réparties 9,7.

Extérieur. 53,5 dont : représentation à l'étranger 4,8, action à l'étr. 8,6, aide au développement et à la coop. 8,9, org. internat. 7,6, aide à l'étranger dans le domaine militaire 0,1, recherche 2,2, dotations non réparties 21,3.

Défense. 190,8 dont : commune 45,9, air 45,1, terre 59,3, marine 40,5.

Dépenses non fonctionnelles et dotations non réparties. 123 dont intérêts de la dette et frais fin. 108,6, dépenses adm. communes 3,4, provisions globales 1,6, secteurs divers 9,4.

Autorisations de programme 1991 (et 1990)

(en milliards de F)

Budget général. 103,8 (73,8) dont affaires étrangères 0,3 (0,6), agriculture et forêt 1,5 (1,5), coopération et développement 3,2 (1,9), culture et communication 5,7 (3,5), département et territoires d'outre-mer 1,2 (1,2), charges communes 18,9 (6,3), services financiers 0,5 (0,5), éducation nationale, enseignements scolaire et sup. 5,6 (4,3), éduc. nat., jeunesse et sports 0,1 (0,1), équipement, logement, transports et mer 27,5 (26,2), ind. et aménagement du territoire 8,3 (5,8), intérieur 10,9 (10), justice 0,9 (0,7), recherche et technologie 8,3 (8), service du Premier min. 0,8 (0,7), solidarité, santé et protection sociale 1,2 (1,2), travail, emploi, formation prof. et solidarité, santé et prot. sociale. Services communs 0,01 (0,1), travail, emploi et formation prof. 0,7 (0,5). **Budgets annexes** 1,2 (48). **Comptes spéciaux du Trésor** 2,5 (2,8). **Total des autorisations du programme** 107,6 (124,8).

Évolution des dépenses fonctionnelles de l'État

	1981[1]	1984[1]	1985[1]	1986[1]	1987[1]	1988[1]	1989[1]
Pouvoirs publics et administration générale ...	10,7	11,3	11,4	12,2	12,1	12,3	12,6
Éducation et culture	24,3	23,2	23,4	23,4	22,8	22,6	23,6
Secteur social, santé, emploi .	19,8	20,8	19,7	18,9	18,4	17,8	19
Agric. et espace rural	3,1	2,5	2,5	2,4	2,2	2,1	2,1
Logement et urbanisme	4,9	4,5	4,6	4,6	4,4	4,6	4,6
Transports et communic.	4,8	4,5	4,2	4,1	4,3	4,1	4
Industrie et services	4,3	4,8	5	4,9	4,5	4,4	3
Extérieur	2,7	2,9	2,6	2,5	3,9	3,8	4,5
Défense	17,5	15,7	15,7	15,9	16,1	15,9	16,2
Dép. non fonctionnelles et dotations non réparties ...	7,9	9,8	10,9	11,1	11,3	12,4	10,4
	100	100	100	100	100	100	100

Nota. – (1) % des dépenses budgétaires au stade des lois de finances initiales.

Budget fonctionnel. *Dépenses de l'État par catégories* (lois de finances initiales) (en %). En 1989 et, entre par., en 1988. Personnel 33,7 (33,3), fonctionnement 8,1 (7,9), transferts (y compris dette publique) 42,2 (43), équipement 15,2 (15,2), prêts et avances 0,8 (0,6).

Interventions publiques

• **Dotations en capital que l'État accorde aux entreprises nationales** (en millions de F, en 1988 et, entre parenthèses, en 1987). *Entreprises. Énergie.* CDF 279 (47), CFP 0, (0). Transports. SNCF 1 752, (3 100) ; CGM 143, (569), autoroutes 0 (740), ports autonomes 1 357, (0), CFNR 55 (0). *Industrie* [1] 7 763 (15 761), *divers* 1 128 (2 791). *Total général :* 12 476 (23 008).

Nota. – (1) Aérospatiale, SNECMA, Renault, EMC, CDF chimie, SEITA, Rhône-Poulenc, Péchiney, Thomson, CGE, Bull, Usinor, Sacilor, CGCT.

• **Contributions françaises** (en 1991). Montant (en millions de F) : 2 335 dont **Contributions obligatoires :** ONU 283, UNESCO 98, OAA (FAO) 119, OIT 69, OMS 117, AIEA 75. Forces d'urgence des Nations unies au Proche-Orient (FINUL 82), Centre intern. de l'enfance 21, UEO 15,1, Conseil de l'Europe 97, OCDE 74, Eurocontrol 81,2, Secrétariat international de l'OTAN 117, Agence de coop. culturelle et technique 47,9, CERN 613, ESO 61,8. Institut du Monde Arabe 60. **Bénévoles :** PNUD 291,5, PAM 24, FISE-UNICEF 44,2, HCR 32,5, FNODI (développ. ind.) 14, UNRWA 11. Programme des Nations unies pour l'environnement 7.

☞ Sur 21 pays arabes prévus, 5 à 8 seulement effectuent un versement, d'où une cotisation française supplémentaire de 10 millions de F.

Recettes du budget 1991

(en millions de F)

I. Budget général

• **Recettes fiscales.** 1 496 610 dont : 1°) **Impôts directs et taxes assimilées.** 573 372 dont *Impôt sur le revenu* 294 490. *Autres impôts directs* perçus par voie d'émission de rôles 30 400. *Retenue à la source* sur certains bénéfices non commerciaux et sur l'impôt sur le revenu des non-résidents 1 140. Retenue à la source et prélèvements sur les revenus de capitaux mobiliers 28 570. *Impôt sur les sociétés* 168 940. *Prélèvement sur les bénéfices* de la construction immobilière 40. *Précompte* dû par les s. au titre de certains bénéfices distribués 2 200. *Impôt de solidarité sur la fortune* et *prélèvement sur les bons anonymes* 9 050. *Prélèvements sur les entreprises d'assurances* 560. *Taxe sur les salaires* 34 600. *D'apprentissage* 210. *De participation* des employeurs au financement de la formation professionnelle continue 190. *Taxe forfaitaire sur métaux précieux* (bijoux, objets d'art) 510. *Contribution des institutions financières* 2 100. *Prélèvement sur entreprises de production pétrolière* 200. *Recettes diverses* 172.

2°) **Enregistrement. Mutations :** 67 625 dont *à titre onéreux :* Meubles : Créances, rentes, prix d'offices 1 820. Fonds de commerce 4 200. Meubles corporels 180. Immeubles et droits imm. 40. *A titre gratuit :* Entre vifs (donations) 2 900. Par décès 24 900. *Autres conventions* et actes civils 7 900. *Actes judiciaires* et extrajudiciaires 90. *Taxe de publicité foncière* 370. *Taxe spéciale sur les conventions d'assurances* 22 875. *Taxe additionnelle au droit de bail* 1 600. *Recettes diverses et pénalités* 750.

3°) **Timbre et impôt sur les opérations de Bourse.** 13 930 dont *Timbre unique* 3 410. *Taxes sur les véhicules* de tourisme des sociétés 2 350. *Actes et écrits assujettis au timbre* de dimension 1 700, transports 600. *Permis de chasser* 95. *Impôts sur les opérations* des Bourses 3 600. *Recettes diverses* et *pénalités* 2 175.

4°) **Droits d'importation, taxe intérieure sur les produits pétroliers et divers produits de douanes.** 132 058 dont *Droits d'importation* 12 370. *Prélèvements et taxes compensatoires* institués sur divers produits 520. *Taxe intérieure* sur les produits pétroliers 118 618. *Autres taxes intérieures* 15. *Autres droits et recettes* accessoires 230. *Amendes* et confiscations 305.

5°) **TVA (taxe sur la valeur ajoutée)** 669 722.

6°) **Contributions indirectes.** 37 125 084 dont *Tabacs* (droits de consommation) et *allumettes et briquets* (taxe spéciale) 23 810. *Vins, cidres, poirés et hydromels* 980. *Alcools* (droits de consommation) 11 100 (droits de fabrication) 370. *Bières et eaux minérales* 620. *Débits de boissons* (taxe spéciale) 3. *Or et argent* (garantie des matières) 120. *Amendes,* confiscations et droits sur acquits non rentrés 2. Autres droits 120.

7°) **Autres taxes indirectes.** 2 778 *dont publicité télévisée* (taxe spéciale) 60. *Exploitations forestières* (taxe sur les produits) 78. *Véhicules routiers* (taxe spéciale sur certains) 530. *Cotisations* à la production sur les sucres 1 790. Liaisons radioélectriques privées (taxe sur les stations) 320.

• **Recettes non fiscales.** 108 547 dont :

1°) **Exploit. ind. et comm. et ét. publics à caractère financier** 25 790 dont : produits des participations de l'État dans des entreprises financières 8 786, *bénéfices* de divers établissements publics financiers 2 000, *produits des participations de l'État dans les entreprises non financières* 4 500, *produits* des jeux de France 4 741, de la vente des publicat. du gouv. pour mémoire. Versement du budget annexe des P.T.T. pour mémoire. Versement des autres budgets annexes 124.

2°) **Produits et revenus du domaine de l'État** 3 615 dont transports aériens par moyens militaires 8 ; établ. pénitentiaires 45, établ. d'éducation surveillée 0,5, redevances sur les aérodromes de l'État et remboursements divers par les usagers 0,2, redevances de routes perçues sur les usagers de l'espace aérien 295,6, produits et revenus du domaine encaissés par les comptables des impôts 1 600. Produit de la cession de biens appartenant à l'État 900, produit de la cession du capital d'entreprises appartenant à l'État 702,4, produits et revenus divers 14,1.

3°) **Taxes redevances et recettes assimilées** 13 864, dont taxe de protection sanitaire et d'organisation des marchés des viandes pour mémoire, taxes de

Autorisation de programme : limite supérieure du crédit qui peut être engagé pour l'exécution d'un investissement, la réalisation progressive de celui-ci donnant lieu ensuite à l'inscription de crédits de paiement en fonction de l'échéancier des travaux.

• **Budget Social de la Nation.** Document d'information contenant l'ensemble des dépenses et des recettes en matière sociale. **Économique :** simple prévision portant sur l'ensemble de l'activité économique de la Nation (peut être « prospectif » ou « exploratoire »). **Fonctionnel :** mode de présentation particulier du Budget de l'État permettant de classer les dépenses et de les regrouper suivant leurs finalités (ex. : éducation, culture, santé, emploi, extérieur...). **Général :** partie non affectée du budget : l'ensemble des ressources sert à couvrir l'ensemble des charges sans qu'une ressource particulière assure le financement d'une charge particulière. **De programme :** tranche annuelle d'exécution de l'ensemble des programmes d'action d'un groupe de services (approche RCB : rationalisation des choix budgétaires). **Annexes :** retracent des dépenses engagées sur des recettes qui leur sont spécialement affectées. Ils sont gérés par des services qui, sans être dotés de la personnalité civile, ont leur personnel propre et sont présentés en équilibre : leurs recettes proviennent de ressources propres, d'emprunts ou de subventions du budget général, et doivent couvrir leurs dépenses.

Déficits et excédents budgétaires
(millions de F)

Année	Prévision [1]	Exécution [2]	Montant [3]
1975	+ 27	– 38 204	– 2,6
1976	+ 7	– 20 239	– 1,2
1977	+ 5	– 18 339	– 1
1978	– 8 914	– 34 310	– 1,6
1979	– 15 060	– 37 572	– 1,5
1980	– 31 156	– 30 302	– 1,1
1981	– 29 384	– 80 885	– 2,6
1982	– 95 456	– 98 954	– 2,7
1983	– 117 762	– 129 614	– 3,2
1984	– 125 800	– 146 184	– 3,4
1985	– 140 192	– 153 285	– 3,26
1986	– 145 342	– 141 089	– 2,79
1987	– 129 289	– 120 058	– 2,26
1988	– 114 983	– 114 696	– 2,02
1989	– 100 541	– 100 388	– 1,64
1990	– 90 169	– 93 400	– 1,4
1991	– 80 239	– 128 250	–

Nota. – (1) Lois de finances initiales. (2) Lois de règlement, non comprises les opérations avec le F.M.I. et le Fonds de stabilisation des changes. (3) Montant en % du PIB.

• **Comptes spéciaux du Trésor. Les comptes d'affectation spéciale** sont, pour l'essentiel, placés dans les opérations à caractère définitif ; le plus important est le compte d'emploi de la redevance télé. **Les comptes de prêts** retracent des opérations temporaires dont le remboursement intervient au-delà de 4 ans (FDES). **Les comptes d'avance** concernent des opérations qui se dénouent en 4 ans maximum (trésorerie des collectivités locales assurée par l'État). Pour les **autres comptes du Trésor** – comptes de commerce, comptes d'opérations monétaires et de règlement avec des gouvernements étrangers – la loi de finances autorise non des opérations mais un solde positif ou négatif entre les ressources et les charges.

• **Crédit de paiement.** Dotation destinée à couvrir la dépense annuelle correspondant à l'exécution d'un investissement.

• **Découvert** ou **déficit budgétaire.** Excédent de l'ensemble des dépenses sur l'ensemble des recettes budgétaires.

• **Fonds de concours.** 1°) Fonds versés par des personnes morales ou physiques pour concourir avec ceux de l'État à des dépenses d'intérêt public ; 2°) Produit de legs ou de dons attribués à l'État ou à une administration publique.

• **Impasse.** Solde négatif prévisionnel de la totalité de la loi de finances.

• **Services votés.** Minimum de dotations que le gouv. juge indispensable pour poursuivre l'action des services publics dans les conditions qui ont été approuvées l'année précédente par le Parlement.

Équilibre général

• **Lois de finances initiales pour 1990** et, entre parenthèses, **pour 1991** (en milliards de F). **1°)** *Opérations à caractère définitif.* CHARGES : Dette publique 137,9 (152,6), fonctionnement des administrations 412,2 (436,4), interventions publiques 357,4 (359,8) dont interv. sociales 166 (165,5), investissements civils 81,9 (92,7), dépenses militaires [1] 230,7 (238,4), dép. des comptes d'affectation spéciale [2] 13,4 (13,9). *Total* 1 233,8 (1 294). RECETTES : 1 143 (1 223). SOLDE des opérations définitives, – 90,8 (– 70,6). **2°)** *Opérations à caractère temporaire :* solde + 0,65 –(0,1). *Solde du budget de l'État :* –90,1 (– 80,6) [par rapport au PIB 1,4 % (1,2)].

Nota. – (1) Y compris pensions militaires. (2) Dont dotation de 1 milliard de F au compte « Fonds pour l'aménagement de l'Ile-de-France ».

• **Loi de finances rectificative pour 1989** (en millions de F). *Opérations à caractère définitif.* CHARGES : dépenses ordinaires civiles 14,45, en capital 1,63 ; dette publique 10,63 dép. militaires 0,83 ; comptes d'affectations spéciales 0 ; total 27,54. RECETTES (révision des évaluations) 27,83. Solde : + 0,29. *Opérations à caractère temporaire :* solde – 0,24. *Solde général :* + 0,05.

• **Plan Pinay 1952. Mesures prises :** stabilité des tarifs publics, maintien de la pression fiscale, diminution des investissements publics, maintien de la parité du franc, maintien du pouvoir d'achat (sauf pour les agriculteurs), emprunt indexé sur l'or, blocage des prix. **Résultats :** taux d'inflation ramené de 20 % à 0 %, stagnation économique en 1953-1954, chute de la production industrielle, léger déficit budgétaire, déficit de la balance commerciale en 1952 et 53. Équilibre en 1954, faible augmentation des réserves de change due à l'amnistie fiscale (retour des capitaux).

• **Plan Rueff-Pinay 1958. Mesures prises :** hausse des tarifs publics, augmentation de la pression fiscale, maintien des investissements publics, dévaluation du F (17,55 %) et création du F lourd convertible, baisse du pouvoir d'achat (sauf des catégories les plus défavorisées), emprunt classique, liberté des prix et ouverture des frontières. **Résultats :** taux d'inflation ramené de 18 % à 3,5 %, reprise de la croissance écon. en 1959, forte hausse de la production industrielle, équilibre budgétaire, excédent de la balance com. dès 1959, augmentation des réserves de change.

• **Plan Giscard d'Estaing 1969. Mesures prises :** dévaluation du F (11,1 %), encadrement modéré du crédit, allégements fiscaux sur les revenus, réduction des dépenses publiques, liberté surveillée des prix, politique contractuelle avec les entreprises et les salariés. **Résultats :** baisse de l'inflation en 1970, excédent de la balance commerciale en 1970, reconstitution des réserves de change, forte hausse de la prod. et des investissements.

• **Plan Barre 1976 (sept.). Buts :** baisse de l'inflation et relance de l'inv. productif grâce à l'austérité financière. **Mesures prises :** blocage des prix jusqu'en janv. 1977 (avril pour les tarifs publics) et limitation ultérieure à 6,5 % ; baisse du taux de T.V.A. de 20 à 17,6 % à dater du 1-1-77. Hausse des impôts : 4 à 8 % pour les contribuables ayant payé + de 20 000 F d'IRPP, 4 % pour les Stés, de la vignette. Hausse de 15 % des prix de l'essence. Majoration des cotisations d'assurance-maladie. Indemnisation des paysans victimes de la sécheresse. **Résultats :** hausse de la prod. ind. (1,6 % en 78, 3,9 % en 79), du P.I.B.M. (3,4 % en 78, 3,4 % en 79), stabilisation du pouvoir d'achat, reprise des inv. (+ 2,7 % en 78, + 3,7 % en 79), hausse des exp. (6,4 % en 78, 7,3 % en 79), forte progression du chômage (+ 60 % dep. sept. 76), permanence de l'inflation (9,7 % en 78, 11,8 % en 79), stabilisation du F, équilibre de la balance des paiements, redressement des entreprises (productivité : + 5,9 % en 79).

• **Plan Delors 1983 (mars). But :** suite à la dévaluation du franc, plan de rigueur de lutte contre les causes structurelles de l'inflation, maintien de l'activité économique, tout en réduisant le déficit du commerce extérieur. **Mesures prises :** *épargne :* emprunt obligatoire exceptionnel, encouragement à l'épargne-logement, fonds salariaux ; hausses accélérées des *tarifs publics* (8 %) ; *fiscalité :* prélèvement de 1 % sur les revenus imposables et taxe sur l'essence ; *économies :* réaliser 12 milliards de F d'économies pour EDF, GDF, SNCF et RATP et 15 milliards sur les dépenses publiques ; *sécurité soc. :* vignette sur alcool et tabac, forfait hospitalier à la charge du malade ; *change :* limitation des dépenses touristiques à l'étr. ; *masse monétaire :* croissance ramenée de 10 % (objectif fixé) à 9 % pour 1983 et adaptation de dispositifs de contrôle ; *prix :* contrôles renforcés, sanctions plus sévères.

Charges

Accroissement des dépenses budgétaires par rapport à la loi de finances de l'année précédente (en %)

1964 : + 8,81	*74 :* + 12,4	*84 :* + 6,4
65 : + 6,85	*75 :* + 13,9	*85 :* + 5,3
66 : + 6,59	*76 :* + 13,4	*86 :* + 3,6
67 : + 11,08	*77 :* + 13,7	*87 :* + 4,6
68 : + 9,26	*78 :* + 12,5	*88 :* + 4,8
69 : + 16,10[1]	*79 :* + 15,2	*89 :* + 1,8
70 : + 6,33	*80 :* + 14,4	*90 :* + 5,3
71 : + 8,22	*81 :* + 18,9	*91 :* + 4
72 : + 9,74	*82 :* + 27,6	
73 : + 11,1	*83 :* + 11,9	

Nota. – (1) Après les économies décidées à la suite de la crise monétaire de nov. 1968 (18,40 avant).

Produit intérieur brut marchand et montant des dépenses définitives publiques

Année	P.I.B.M. en milliards de F	Dépenses définitives	
		milliards de F	% du P.M.I.B.
1970	695,7	161,79	23,3
1971	772,5	173,20	22,4
1972	862,7	188,93	21,9
1973	987	211,53	21,4
1974	1 129,8	243	21,5
1975	1 255,7	305,25	24,3
1976	1 448,9	345,25	23,8
1977	1 625,4	383,97	23,6
1978	1 843,3	442,34	24
1979	2 094,3	506,66	24,2
1980	2 360,1	592,26	25,1
1981	2 644,8	709,48	26,8
1982	3 012	834,60	27,7
1983	3 321,5	927,30	27,9
1984	3 611,4	1 003,14	27,8
1985	3 904,6	1 069,82	27,4
1986	4 207,2	1 126,00	26,9
1987	4 427,6	1 160,76	27,2
1988	4 749,8	1 175,78	24,8
1989	5 146,6	1 224,30	23
1990	5 407	1 281,84	–
1991	–	1 294,14 [1]	–

Nota. — (1) Loi de fin. initiale.

% du déficit budgétaire par rapport au produit national brut. *En 1986 :* All. féd. 1,9 ; *France 2,8 ;* G.-B. 2,5 ; Italie 14,2 ; P.-Bas 2,2.

Présentation juridique

Loi de finances initiale

En milliards de F, en 1991

I) Budget général. *1°) Dépenses ordinaires :* 1 084,3 dont dette publique 152,6, pouvoirs publics 3,5, rémunérations et charges sociales 355,2 (dont militaires 65,2), pensions 110,7 (dont militaires 43,9), subventions de fonctionnement 39,1, matériel, entretien et charges diverses de fonction 63,1, interventions économiques 99,8, sociales 165,5, autres 94,4. *2°) Dépenses en capital :* 195,8 dont investissements civils directs 22,4, subventions d'invest. civils 70,2, réparation des dommages de guerre 0, équipement militaire 103,1. **Total** *1* **et** *2* 1 280 188. **II) Comptes d'affectation spéciale** *à caractère temporaire :* + 0,65 (solde des comptes de prêts – 10,2, des autres comptes spéciaux du Trésor – 10). *Opérations à caractère définitif :* 13,9.

Présentation fonctionnelle

En milliards de F en 1990

Dépenses étudiées dans la présentation fonctionnelle. 1 220,4.

Pouvoirs publics et administration générale. 147,9 dont : pouvoirs publics 4, administrations centrales 11,9, justice 16,4, adm. territoriale 28,7, sécurité intérieure 53, adm. économique et financière 29, recherche 0,4, dotations non réparties 4,5.

Éducation et culture. 277,6 dont : enseignement du 1er degré 60,5, 2e degré 126,5, supérieur 27,2, sports et activités socio-éducatives 3,1, orientation obligations et actions, crédits...) des secteurs non financiers (sociétés, ménages...) et des intermédiaires financiers (institutions de crédit monétaires et non monétaires, entreprises d'assurances, administrations publiques). **Économie d'ensemble (TEE) :** présente l'ensemble des comptes des secteurs institutionnels, le compte des relations avec le reste du monde et le compte des biens et services.

• Agrégats. Grandeurs synthétiques mesurant le résultat de l'ensemble de l'économie. Principaux :

Produit intérieur brut (PIB). [Principal agrégat du SECN *(Système élargi de comptabilité nationale).*] Somme de toutes les valeurs ajoutées (différence entre biens et services produits et biens et services consommés) + la TVA et les droits de douane sur les produits importés ; l'ancienne production intérieure brute ne comptabilisait pas les productions de l'Administration, des institutions de crédit, des entreprises d'assurances et des employés de maisons.

Produit intérieur brut marchand (PIBM). Particulier à la sphère marchande, le PIBM est défini par l'égalité : PIB marchand + importations et le total des emplois finals en produits marchands + consommations intermédiaires (nettes des ventes résiduelles) des branches non marchandes.

Produit national brut (PNB). Produit intérieur brut auquel on ajoute les revenus de facteurs en provenance de l'extérieur et dont on retranche les revenus de facteurs versés à l'extérieur (par ex., revenus de capitaux nationaux investis à l'étranger et de capitaux étrangers investis en France).

Revenu national des facteurs. Égal au *produit national net (PNN) au coût des facteurs.* Pour le déterminer : 1°) on retranche les amortissements du PNB, obtenant ainsi le PNN ou *revenu national aux prix du marché ;* 2° on retranche les impôts (liés à la production et à l'exportation) du PNN *aux prix du marché* et on y ajoute les subventions d'exploitation versées par les administrations aux entreprises (impôts négatifs), obtenant ainsi le *produit national au coût des facteurs ; le revenu national des facteurs* est donc constitué par la rémunération du travail salarié (salaires et charges sociales) et les excédents nets d'exploitation des producteurs (revenus de la propriété, de l'entreprise et du travail non salarié).

• Comptes. **De production :** décrit la liaison entre la production de biens et services par un agent qui figure en ressources de ce compte, et les consommations intermédiaires de biens et services que cet agent a effectuées pour assurer la production qu'on trouve en emploi du compte ; son solde est la valeur ajoutée. **D'exploitation :** montre la répartition de la valeur ajoutée (et des subventions d'exploitation) entre les emplois courants liés à la production (frais de personnel, impôts et taxes) ; son solde est l'excédent brut d'exploitation. **De revenu :** comprend en ressources l'excédent brut d'exploitation et les revenus non liés à la production (transferts), en emplois les dépenses de transfert et charges obligatoires (financières, fiscales, sociales...) ; son solde est le revenu disponible brut (destiné à l'épargne et à la consommation). **De capital :** décrit les investissements réalisés (emplois) et leur financement par l'épargne (ressources) ; son solde est la capacité de financement pour les ménages, le besoin de financement pour les sociétés. **Financier :** décrit les mouvements de créances (emplois) et de dettes (ressources) ; pour une société, le solde de ce compte est égal au solde du compte de capital (besoins de financement).

Nota. – Selon les secteurs (Stés, ménages...), ces comptes présentent certaines différences.

• Comptes satellites. Permettent de calculer *la dépense nationale.* Ils sont liés à une fonction ou à un domaine déterminé, ensemble des dépenses (courantes et en capital) engagées par tous les secteurs pour financer les activités concernées et acquérir les biens ou services concernés.

Comptes satellites existants ou en cours de création : santé, éducation, recherche, logement, protection sociale.

Nota. – D'autres sortes de comptes sont ou pourraient être envisagés : comptes de patrimoine, indicateurs écologiques et sociaux (pollution, qualité de vie), comptes trimestriels, comptes régionaux.

Comptes de la nation (en milliards de F, en 1990)

Produit intérieur brut 6 484 (dont marchand 5 470,1 non marchand 1 013,9).

Répartion de la valeur ajoutée des entreprises. Rémunération des salariés 2 143,8 ; Impôts liés à la production 232. Excédent brut d'exploitation 1 842,6 (dont stés et quasi-stés 1 154,6, entreprises individuelles 688).

Sociétés et quasi-sociétés non financières. Revenus de la propriété et de l'entreprise nets versés 577,2. Impôts sur le revenu et le patrimoine 135,1. Épargne brute 577,2. Formation brute de capital fixe 671,7. Variations de stock 24,46. Besoin de financement – 130,8. Taux de marge [1] (%) 32,6, d'autofinancement [2] (%) 82,8.

Ménages. Excédent brut d'exploitation 1 147. Salaires nets reçus 2 012. Prestations sociales reçues 1 501,8. Impôts sur le revenu et le patrimoine 396,7. Revenu disponible brut 4 423,8. Consommation finale 3 894,6. Épargne brute 529,2. Formation brute de capital fixe 450,7. Capacité de financement 109,5. Taux d'épargne [3] (%) 12,0, d'ép. financière [4] (%) 2,5.

Administrations publiques. Ensemble des recettes fiscales [5] 1 520,8. Cotisations sociales effectivement reçues 1 257. Prestations sociales versées 1 389,2. Subventions d'exploitation et aides à l'investissement versées 177,8. Consommation finale [6] 1 170. Formation brute de capital fixe 212. Capacité de financement – 108 (dont administration publique centrale – 113,8, Séc. sociale 15,1).

Relations avec le reste du monde. Importations de biens 1 272,9, de services 128,6. Exportations de biens 1 174, de services 184,1. Solde des opérations de répartition – 71,1. Capacité (+) ou besoin (–) de financement de la nation – 65,7.

Nota. – (1) Rapport de l'excédent brut d'exploitation à la valeur ajoutée. (2) Rapport de l'épargne brute et des transferts en capital nets reçus à la FBCF augmentée des variations de stocks et des acquisitions de terrain et d'actifs incorporels. (3) Rapport de l'épargne brute au revenu disponible brut. (4) Rapport de la capacité de financement au revenu disponible brut. (5) Impôts liés à la production et à l'importation, impôts sur le revenu et le patrimoine, impôts en capital. (6) Consommation intermédiaire, rémunération des salariés, impôts liés à la production et à l'importation, consommation de capital fixe des branches non marchandes moins ventes résiduelles et paiements partiels.

Budget

Généralités

• Lois de finances. **Définition.** Déterminent la nature, le montant et l'affectation des ressources et des charges de l'État en fonction d'un équilibre économique et financier qu'elles définissent. Ont caractère de lois de finances : 1° *la loi de finances de l'année* qui prévoit et autorise pour chaque année civile l'ensemble des ressources et des charges de l'État ; 2° *les lois de finances rectificatives* (ou *collectifs*) qui, en cours d'année, modifient les dispositions de la loi de finances de l'année ; 3° *la loi de règlement* qui constate les résultats financiers de chaque année civile et approuve les différences entre les résultats et les prévisions de la loi de finances de l'année, complétée, le cas échéant, par ses lois rectificatives.

• Élaboration. **Préparation gouvernementale.** *Février :* le directeur du budget dresse pour le min. chargé du Budget un panorama de la situation à partir duquel il propose, pour l'année suivante, une esquisse prévoyant l'évolution des dépenses publiques et de chacun des postes qui les composent, ainsi que certaines orientations d'ensemble en matière de recettes fiscales. Le ministre met au point un projet à partir des indications fournies par le directeur du budget ; ce projet permet l'adoption d'orientations générales notifiées ensuite par le Premier ministre aux membres du gouvernement qui font, dans les semaines qui suivent, parvenir à la Direction du Budget leurs demandes. *Avril-mai :* les ministres, lors de « conférences budgétaires », doivent justifier leurs demandes ; d'éventuels désaccords avec le min. chargé du Budget sont soumis à l'arbitrage du Premier min. ou du Pt de la Rép.. Le volume global des dépenses définitives par ministères est arrêté par le Premier ministre. *Juin-juillet :* mise au point de la répartition définitive des dépenses dans la limite du volume global accordé à chaque min.. *Août :* évaluation des recettes. *Mi-septembre :* présentation au gouvernement par le min. chargé du Budget du projet de loi de finances, ensuite soumis au Parlement.

Approbation par le Parlement. *1er mardi d'octobre :* dépôt du projet de loi de fin. sur le bureau de l'Assemblée nat. *Dans un délai de 40 j :* examen sur rapport de la Commission des fin. du projet et des amendements ; vote unique pour les « services votés », et par titre et ministère pour les mesures nouvelles. *2e quinzaine de novembre :* projet transmis au Sénat qui doit se prononcer dans les 20 j.

En cas de désaccord entre les 2 Chambres, il y a navettes et réunions de commission mixte paritaire. Si le délai de 70 j est dépassé, le gouvernement peut mettre en vigueur la loi de fin. par ordonnance.

• Règles de présentation. **Unité budgétaire :** l'ensemble des recettes et des dépenses de l'État doit être regroupé dans un document unique. *Exceptions :* les *budgets annexes* (8 en 1989) qui concernent certains services autonomes à caractère plus ou moins commercial, ex. : PTT ; les *comptes spéciaux du Trésor :* comptes d'affectation spéciale, ex. : FFN (Fonds forestier national), *comptes de prêts* de + de 4 ans [prêts du FDES (Fonds de développement économique et social)], comptes de règlement avec les gouv. étrangers ; les *établissements publics* (non soumis au vote au Parlement).

Universalité budgétaire : le document budgétaire regroupe toutes les ressources et dépenses prévues dans leur montant brut et interdit les compensations entre recettes et dépenses (principe de *non-affectation*). *Exceptions :* les *fonds de concours* versés par des personnes morales ou physiques pour concourir avec ceux de l'État à des dépenses d'intérêt public ; le *rétablissement de crédit* qui consiste à annuler les dépenses déjà réalisées en « restituant » des crédits aux chapitres d'un ministère à la suite de reversements de fonds dont le paiement avait été imputé sur les crédits de ce ministère ; l'*affectation est de droit* pour les budgets annexes et les CST (comptes spéciaux du Trésor).

Annualité budgétaire : l'autorisation de percevoir des recettes et d'effectuer des dépenses est valable une année. *Exceptions :* les *autorisations de programme :* données par le Parlement pour entreprendre une opération qui se prolongera sur plusieurs exercices budgétaires, les *crédits de paiement* étant la limite supérieure des dépenses pouvant être ordonnancées ou payées pendant l'année pour la couverture des engagements contractés dans le cadre des autorisations de programmes correspondantes ; les *reports de crédits* d'une année sur l'autre de certains crédits limitativement énumérés.

Spécialité budgétaire : les crédits budgétaires ne sont pas acceptés en bloc, mais spécialisés par chapitres. *Exceptions :* les *transferts de crédits :* modification de la répartition des dotations entre les chapitres touchant la détermination du service responsable de l'exécution de la dépense, sans modifier la nature de cette dernière ; les *virements de crédits :* modification de la répartition des dotations entre les chapitres touchant la nature de la dépense prévue par la loi de fin. sans modifier le titre et le ministère intéressés.

Budget de l'État

• Définition. Partie chiffrée de la loi de finances. « Ensemble des comptes qui décrivent pour une année civile toutes les ressources et toutes les charges permanentes de l'État » (Art. 16, Ordonnance 2-1-1959). Il comprend des opérations *à caractère définitif* (le budget général, les budgets annexes et les comptes d'affectation spéciale à caractère définitif) et des opérations à caractère *temporaire* (dép. remboursées à plus ou moins brève échéance) retracées dans les autres comptes d'affectation spéciale.

Recettes de l'État : comprennent : des opérations *à caractère définitif* (impôts et recettes non fiscales du budget général ; recettes des budgets annexes et recettes définitives des comptes spéciaux du Trésor après déduction des doubles emplois avec le budget général) ; *à caractère temporaire* (remboursements de prêts ou d'avances).

Dépenses de l'État : redistribution des recettes entre les 3 autres agents économiques : *les ménages* qui reçoivent des rémunérations d'activité et de pensions (agents de la Fonction publique et leurs ayants droit, pensions des anciens combattants), et des transferts (subventions de caractère social et culturel) ; *les entreprises* qui reçoivent les subventions économiques des crédits de matériel et d'investissement par le fait des achats de l'État ; *l'extérieur,* outre-mer compris, qui reçoit des rémunérations versées aux fonctionnaires en poste hors métropole ; les intérêts de la dette extérieure, les contributions aux organismes internationaux et l'aide aux pays en voie de développement.

On distingue dépenses *ordinaires* (ou *courantes*) : dette publique, dépenses des Pouvoirs publics, dépenses de fonctionnement (personnel et matériel) et dépenses de transferts ou interventions publiques ; et dépenses *en capital* (ou *d'équipement*) : investissements directs, subventions, dommages de guerre.

Pouvoir d'achat du franc

Prenez dans le tableau ci-dessous le coefficient de transformation de l'année qui vous intéresse. Vous le multipliez par la somme exprimée en F de l'année en question et vous obtenez le montant en F d'aujourd'hui.

Exemple : 150 F de 1943 valent 10,20 F de 1914 (le coefficient de transformation est de 0,068), 67,50 F de 1938 (coefficient de 0,45), ou 139,50 francs de 1988 (coefficient de 0,93).

Année	Coeff. de transformation en francs de			Année	Coeff. de transformation en francs de			Année	Coeff. de transformation en francs de			Année	Coeff. de transformation en francs de		
	1914	1938	1988		1914	1938	1988		1914	1938	1988		1914	1938	1988
1901	1,15	7,69	15,81	1923	0,31	2,04	4,19	1945	0,037	0,249	0,512	1967	0,368	2,45	5,04
1902	1,15	7,69	15,81	1924	0,27	1,79	3,67	1946	0,024	0,163	0,336	1968	0,351	2,34	4,82
1903	1,15	7,69	15,81	1925	0,25	1,67	3,43	1947	0,016	0,110	0,225	1969	0,330	2,20	4,52
1904	1,15	7,69	15,81	1926	0,19	1,27	2,60	1948	0,0104	0,069	0,142	1970	0,313	2,09	4,29
1905	1,15	7,69	15,81	1927	0,18	1,22	2,51	1949	0,0091	0,061	0,125	1971	0,296	1,98	4,06
1906	1,25	8,33	17,13	1928	0,18	1,22	2,51	1950	0,0083	0,055	0,114	1972	0,279	1,86	3,82
1907	1,15	7,69	15,81	1929	0,17	1,15	2,36	1951	0,0072	0,048	0,098	1973	0,260	1,74	3,57
1908	1,15	7,69	15,81	1930	0,17	1,14	2,34	1952	0,0064	0,043	0,088	1974	0,229	1,53	3,14
1909	1,15	7,69	15,81	1931	0,18	1,19	2,45	1953	0,0065	0,043	0,089	1975	0,205	1,37	2,80
1910	1,15	7,69	15,81	1932	0,19	1,30	2,67	1954	0,0065	0,043	0,089	1976	0,186	1,24	2,55
1911	1,00	6,67	13,70	1933	0,20	1,35	2,78	1955	0,0064	0,043	0,088	1977	0,170	1,14	2,33
1912	1,00	6,67	13,70	1934	0,21	1,41	2,89	1956	0,0062	0,041	0,084	1978	0,156	1,04	2,14
1913	1,00	6,67	13,70	1935	0,23	1,52	3,11	1957	0,0060	0,040	0,082	1979	0,141	0,94	1,93
1914	1,00	6,67	13,70	1936	0,21	1,43	2,94	1958	0,0052	0,035	0,071	1980	0,124	0,83	1,70
1915	0,83	5,56	11,42	1937	0,17	1,14	2,33	1959	0,0049	0,033	0,067	1981	0,110	0,73	1,50
1916	0,75	5,00	10,28	1938	0,15	1,00	2,05	1960	0,472	3,15	6,47	1982	0,098	0,66	1,35
1917	0,63	4,17	8,56	1939	0,14	0,93	1,92	1961	0,457	3,05	6,26	1983	0,090	0,60	1,23
1918	0,48	3,23	6,63	1940	0,119	0,79	1,63	1962	0,436	2,91	5,97	1984	0,084	0,56	1,15
1919	0,39	2,63	5,41	1941	0,101	0,68	1,39	1963	0,415	2,77	5,69	1985	0,079	0,53	1,09
1920	0,28	1,89	3,88	1942	0,084	0,56	1,15	1964	0,403	2,69	5,52	1986	0,077	0,52	1,06
1921	0,33	2,17	4,47	1943	0,068	0,45	0,930	1965	0,392	2,61	5,37	1987	0,075	0,50	1,03
1922	0,33	2,22	4,57	1944	0,056	0,370	0,761	1966	0,380	2,53	5,20	1988	0,077	0,051	1,00

Évolution de la valeur de 1 F depuis 1840

Exemple : 1 F de 1840 valait 451 F en 1970 et 1 732 F en 1984 ; 1 F de 1940 valait 38 F en 1970 et 146 F en 1984.

	1840	1860	1880	1900	1920	1940	1950	1960	1970	1980	déc. 83	déc. 85
1840	1	1,13	1,06	1,22	4,96	11,93	173	305	451	1 127	1 633	1 818,6
1860		1	0,94	1,08	4,39	10,56	153,1	270	399	997	1 437	1 609,6
1880			1	1,15	4,68	11,23	162,9	287	424	1 061	1 528	1 711,5
1900				1	4,07	9,77	141,7	249,4	369,1	923	1 329	1 489
1920					1	2,40	34,8	61	91	229	328	367,5
1940						1	14,5	25,5	38	95	137	153
1950							1	1,76	2,62	6,6	9,44	10,6
1960								1	1,48	3,7	5,36	6
1970									1	2,5	3,6	4
1980										1	1,44	1,6
déc. 85												1

Nota. – (1) à compter de 1960 le tableau doit se lire en centimes en remontant dans le temps.

Niveaux annuels pour quelques ménages types, en 1989, en F

	Homme cadre	Femme cadre	Homme technicien	Femme au foyer	Ouvrier non qualifié	Femme au foyer
	0 enfant	3 enfants	0 enfant	3 enfants	0 enfant	3 enfants
Salaire brut annuel	490 000	490 000	149 100	149 100	93 600	93 600
Charges sociales, part salariale (a)	73 100	73 100	24 600	24 600	16 500	16 500
Salaires nets	416 900	416 900	124 500	124 500	77 100	77 100
Prestations familiales	–	15 760	0	27 050	0	34 544
Impôt sur le revenu payé (b)	80 707	48 958	7 590	0	0	0
Impôts locaux	4 653	4 502	3 660	2 353	1 608	1 708
Revenu disponible total	331 540	379 200	113 250	149 197	75 492	109 936

Nota. – (a) Estimations. (b) Impôt payé dans l'année, sur les revenus de l'année précédente.

Pouvoir d'achat

Définition

Le pouvoir d'achat d'un ménage (individu ou groupe – en général la famille) est l'ensemble des biens et des services de toute nature que l'on peut se procurer avec ses revenus. Il dépend de l'ensemble des *revenus* perçus (ex. : salaire + assur. maladie, prest. fam.) ; des *biens* qu'on peut ou doit acheter ; de leurs *prix*.

Les hausses du pouvoir d'achat des salaires ne sont possibles que lorsque la hausse des salaires est supérieure à celle des prix. Une baisse relative des prix s'obtient par l'amélioration de la productivité, mais il est des secteurs (celui des services) où cette amélioration est difficile.

Budgets types

UNAF. *Budgets types en F (2 adultes et 2 adolescents en* mars 1991) : Alimentation 5 772,05. Habillement 2 071,97. Logement 3 891,77. Entretien 717,53. Amortissements 462,75. Transports 1 300,07. Loisirs, divers 2 592,12. *Ensemble* 16 808,26.

Répartition des dépenses des ménages. (en %) *Budget des hauts revenus* (quart des ménages à revenu moyen par unité de consommation supérieur à 88 300 F) : habitation 26 ; alimentation 15,6 ; transports 15,6 ; impôts 10,5 ; habillement 8,4 ; culture loisirs 7,6 ; vacances 4,7 ; santé 4,1 ; divers 7,5. *Bas revenus* (quart des ménages à revenu moyen par unité de consommation inférieur à 41 500 F) : habitation 32,2 ; alimentation 27,1 ; transport 12,5 ; habillement 7,5 ; culture, loisirs 7,4 ; santé 6,7 ; vacances 1,4 ; impôts 1,3 ; divers 3,9. (*Source :* INSEE).

☞ En F constants 1989, le quart des familles les plus modestes dépensent la même somme par an depuis 10 ans (*1979 :* 42 850, 85 : 44 000, 89 : 42 650). Pour le quart des familles à hauts revenus, les dépenses sont passées en moyenne de 110 900 F à 132 750 F. La consommation des + riches est 3,1 fois sup. à celle des + pauvres (*1979 :* 2,6 fois, 85 : 2,5).

Finances

Finances publiques françaises

Comptabilité nationale

Définitions

La Comptabilité nationale vise à représenter l'économie sous une forme simplifiée.

• **Secteurs institutionnels. Sociétés et quasi-sociétés non financières :** produisent des biens et des services (sauf les services financiers) s'échangeant sur le marché : sociétés, organismes sans but lucratif mais vendant des services, entreprises publiques (avec PTT), succursales en France d'entreprises étrangères (même sans personnalité juridique), organismes sans but lucratif exclusivement au service des entreprises (ex. : syndicats patronaux). **Institutions de crédit :** collectent l'épargne et accordent des crédits. **Entreprises d'assurances. Administrations publiques :** organismes produisant des services « non marchands » destinés à la collectivité et affectant des redistributions de revenus et de patrimoines pour le compte de la collectivité ; État, collectivités locales, organismes de Sécurité sociale, organismes qui en émanent. **Administrations privées :** organismes sans but lucratif, autres que ceux qui sont classés avec les sociétés (au service des entreprises ou vivant de la vente de leurs produits) ou avec les administrations publiques (financés par elles). **Ménages :** ensemble des personnes physiques, en tant que titulaires de revenus et consommateurs, et en tant que producteurs (entrepreneurs individuels). *Reste du monde :* relations entre les agents français et le reste du monde (unités non résidentes).

• **Opérations. Sur biens et services :** production, consommation, investissement, transactions commerciales. **De répartition :** la valeur ajoutée par la production est répartie entre les unités économiques (versement sans contrepartie directe sous la forme d'un bien ou d'un service) ; comprennent les transferts courants (rémunération des salariés, impôts liés à la production, subventions d'exploitation, revenus de la propriété et de l'entreprise, opérations d'assurances, impôts sur le revenu et le patrimoine, cotisations et prestations sociales...). **Financières :** créations et circulation des moyens de paiement.

• **Tableaux. Entrées-sorties (TES) :** présente à la fois l'équilibre des ressources et des emplois des biens et services décomposé par produit et le compte de production et d'exploitation des branches. **Des opérations financières (TOF) :** décrit l'ensemble des flux nets de créances et de dettes (sous ses différentes formes : moyens de paiement internationaux, monnaie, dépôts « non monétaires », bons négociables,

Pour la CGT, son indice, qui ne traite qu'un cas, est plus proche de la réalité que l'indice INSEE qui englobe des situations très différentes (revenus, nombre et âges des membres du ménage non précisés) ; voulant être une moyenne, il ne correspondrait à aucune réalité.

La CGT fait entrer les loyers et les charges pour 14,8 % du total dans son indice. L'INSEE le fait pour un plus faible %, différence due à la proportion de 40 % de propriétaires parmi les ménages considérés comme n'ayant pas de dépenses de loyer (les remboursements sont comptés comme formation de capital fixe et non dépenses de consommation).

La prise en compte par l'INSEE de *« l'effet qualité »* ainsi que les méthodes de *lissage d'augmentations brusques de prix des articles saisonniers* ont également pour effet, selon la CGT, de ne pas enregistrer au fur et à mesure la hausse réelle des prix. En attribuant une partie de ces hausses à l'amélioration qualitative des produits, l'indice INSEE enregistrerait une hausse de prix inférieure à celle effectivement subie par les consommateurs, qui souvent ne trouvent plus les anciens produits aux prix inférieurs sur le marché. C'est pourquoi la CGT ne prend pas cette amélioration en considération dans le cas où le consommateur n'a pas le choix entre le produit « amélioré » et l'ancien.

• **CFDT.** L'indice n'est plus publié, faute de moyens nécessaires, il était calculé à partir des relevés de l'INSEE, en utilisant une pondération différente.

• **Indice CGT-FO.** Indice des prix à la consommation et budget type correspondant au minimum indispensable à une personne active salariée résidant en ville. 160 articles ou services regroupés en 118 postes. Calculé mensuellement.

• **Indice CGC.** Établi 1972, supprimé 1985.

• **Indices UNAF.** Indices des dépenses de subsistance de 4 familles types disposant du niveau de vie minimal décent établi par l'UNAF. Calculés mensuellement : familles A (2 adultes, 2 enfants de 6 à 12 ans) ; B (2 adultes et 2 adol. de 15 à 17 a.) ; C (1 adulte et 2 enf.) et D (2 adultes, 2 adol., 2 enf.). 7 postes (alimentation, habillement, logement, entretien, amortissement du mobilier, transports, loisirs-culture et divers). **Comparaison de différents indices** (base 100 en 1980) **au 1-3-1991 et, entre parenthèses, variation sur 1 an** (en %). *Prix et budgets :* Ind. nat. INSEE 187,6 (3,2 %). Ind. parisien INSEE 186,4 (3,4). Coût de vie moyen INSEE, CGT, FO, UNAF enfants 206,3 (3,8). CGT 229,1 (4,8). CGT-FO 202 (3,7). UNAF (2 adult. + 2 enf.) 206,8 (3,5). *Salaires :* SMIC 231,5 (6,8). Ind. de référence 186,7 (-). Seuil de déclenchement 190,4 (-). Minimum garanti (pour certaines indexations) 192,7 (5,1). Salaire horaire ouvrier/ensemble (CVS) 209,2 (4,7). *Traitements bruts fonction publique :* ensemble fonction publique 180,8 (4). Catégorie A 174,9 (3,2). Cat. B 185,2 (4,1). Cat. C et D. 182,3 (4,3). Minimum garanti Paris 182,8 (4,8). *Pouvoir d'achat :* salaire horaire ouvrier/ensemble – (1,6). Industrie – (1,4). SMIC 123,5 (3,5). Fonction publique (min. garanti) 97,4 (1,6).

Évolution des prix

• **Modes de calcul. 1°) La hausse « en glissement » :** on compare le niveau de l'indice des prix d'un mois donné à l'indice d'un autre mois. **Pouvoir d'achat** (base 100 en 1985) **en janv. 1991 :** All. 116,5, Belgique 103,4, Espagne 107,6, G.-B. 113,3, Italie 104, Japon 87,7, P.-B. 104,9, USA 92,7.

2°) La hausse « en moyenne annuelle » : on compare l'indice moyen des prix de l'année *n* par rapport à l'indice des prix de l'année *n-1*. L'indice moyen d'un an est calculé à partir d'une série des 12 indices mensuels recalculés par l'INSEE (et non publiés) tenant compte de la spécificité des évolutions saisonnières de 6 postes de produits frais.

En période de décélération des prix, la hausse en glissement annuel est plus faible que la hausse en moyenne. Ainsi, en 1985 : + 5,8 % en « moyenne annuelle », + 4,7 % en « glissement annuel ». En période d'accélération, elle est plus forte.

Prix

• **Comparaisons.** (Anciens francs jusqu'en 1959, nouveaux Francs dep. 1960.)

Pain. *Kg de pain à Paris : 1875 :* 0,36, *90 :* 0,40, *1910 :* 0,39, *14 :* 0,44, *20 :* 1,13, *25 :* 1,58, *30 :* 2,15, *35 :* 1,61, *39 :* 3,10, *44 :* 3,96, *45 :* 6,67, *50 :* 35,40, *55 :* 56,60, *60 :* 0,62, *64 :* 0,72. *Baguette de 250 g : 65 :* 0,44, *70 :* 0,57, *75 :* 0,90, *80 :* 1,67, *85 :* 2,50, *89 :* 3,20, *91 :* 3,50.

Variations des prix en % de 1900 à 1950

Année	Prix de gros	Prix de détail	Année	Prix de gros	Prix de détail
1900 ..	+ 8,3	–	1926 ..	+ 27,2	+ 31,6
1901 ..	+ 7,6	+ 7,6	1927 ..	– 12,57	+ 3,7
1902 ..	+ 7,6	+ 7,6	1928 ..	+ 1,02	+ 1,2
1903 ..	+ 7,6	+ 7,6	1929 ..	– 2,02	+ 6,09
1904 ..	+ 7,6	+ 7,6	1930 ..	– 12,3	+ 1,1
1905 ..	+ 7,6	+ 7,6	1931 ..	– 15,2	– 4,5
1906 ..	+ 7,1	+ 7,6	1932 ..	– 11,1	– 8,3
1907 ..	+ 9,1	+ 8,3	1933 ..	– 4,6	– 3,8
1908 ..	– 6,6	+ 9,6	1934 ..	– 6,5	– 4,05
1909 ..	+ 9,1	+ 9,6	1935 ..	– 5,2	– 8,4
1910 ..	+ 7,1	+ 9,6	1936 ..	+ 16,6	+ 23
1911 ..	+ 6,6	+ 15,3	1937 ..	+ 39,6	+ 25,7
1912 ..	+ 6,2	+ 6,6	1938 ..	+ 13,8	+ 13,6
1913 ..	+ 6,2	+ 6,6	1939 [1] .	+ 5	+ 7
1914 ..	+ 6,2	+ 6,6	1940 ..	+ 31,4	+ 17,7
1915 ..	+ 50	+ 20	1941 ..	+ 22,4	+ 16,6
1916 ..	+ 36,3	+ 11,1	1942 ..	+ 17,1	+ 20,2
1917 ..	+ 40	+ 20	1943 ..	+ 16,1	+ 24,1
1918 ..	+ 28,5	+ 95,8	1944 ..	+ 12,6	+ 22,1
1919 ..	+ 35,1	+ 22,5	1945 ..	+ 41,3	+ 48,5
1920 ..	+ 42,1	+ 39,4	1946 ..	+ 42,4	+ 52,6
1921 ..	– 32	– 13,2	1947 ..	+ 52,1	+ 49,1
1922 ..	– 5,4	– 2,1	1948 ..	+ 72,3	+ 36,9
1923 ..	+ 9,6	+ 8,8	1949 ..	+ 11,6	+ 13,1
1924 ..	+ 16,4	+ 14,2	1950 ..	+ 8,2	+ 12,5
1925 ..	+ 12,8	+ 28,5	1951 ..	+ 27,7	+ 12,5

Nota. – (1) En septembre, blocage Reynaud.

Évolution des salaires et des prix de 1950 à 1990

	Indice de prix	Salaire net annuel	Indice de salaire annuel	Pouvoir d'achat du salaire	Taux annuel		
					Prix	Salaire	Pouvoir d'achat
1950 ...	100	2 728	100	100	–	–	–
1951 ...	117	3 151	116	99	16,5	15,5	– 1,3
1952 ...	131	3 715	136	104	12,1	17,9	5,7
1953 [1] ..	129	3 805	140	108	– 1,4	2,4	3,8
1954 ...	130	4 158	152	118	0,6	9,3	8,6
1955 ...	131	4 594	168	129	1	10,5	9,4
1956 [2] ..	137	5 078	186	136	4,4	10,5	5,9
1957 ...	139	5 610	206	148	1,9	10,5	8,4
1958 ...	160	6 246	229	143	15	11,3	– 3,2
1959 ...	170	6 645	244	143	6,2	6,4	0,1
1960 ...	176	7 310	268	152	3,7	10	6,1
1961 ...	182	7 894	289	159	3,3	8	4,5
1962 ...	191	8 663	318	167	4,7	9,7	4,8
1963 [3] ..	200	9 526	349	175	4,8	10	4,9
1964 ...	207	10 137	372	180	3,4	6,4	2,9
1965 ...	212	10 743	394	186	2,5	6	3,4
1966 [4] ..	218	11 422	419	192	2,7	6,3	3,4
1967 ...	224	12 030	441	197	2,6	5,3	2,6
1968 ...	234	13 245	486	208	4,6	10,1	5,3
1969 ...	249	14 669	538	216	6,5	10,8	3,9
1970 ...	262	16 046	588	225	5,2	9,4	4,1
1971 ...	276	17 788	652	236	5,5	10,9	5,1
1972 ...	293	19 580	718	245	6,2	10,1	3,7
1973 ...	315	21 951	805	256	7,3	12,1	4,5
1974 ...	358	25 742	944	264	13,7	17,3	3,1
1975 ...	400	29 482	1 081	270	11,8	14,5	2,5
1976 [5] ..	439	34 141	1 252	285	9,6	15,8	5,7
1977 ...	480	37 659	1 380	288	9,4	10,3	0,8
1978 ...	523	42 647	1 563	299	9,1	13,2	3,8
1979 ...	579	46 312	1 698	293	10,8	8,6	– 2
1980 ...	658	52 724	1 933	294	13,6	13,8	0,2
1981 ...	746	60 911	2 233	299	13,4	15,5	1,9
1982 ...	834	67 870	2 488	298	11,8	11,4	– 0,4
1983 ...	914	74 986	2 749	301	9,6	10,5	0,8
1984 ...	982	80 390	2 947	300	7,4	7,2	– 0,2
1985 ...	1 040	86 110	3 157	304	5,8	7,1	1,2
1986 ...	1 068	90 571	3 320	311	2,7	5,2	2,4
1987 ...	1 101	93 037	3 410	310	3,1	2,7	– 0,4
1988 ...	1 130	95 578	3 504	310	2,7	2,7	0
1989 [6] ..	1 171	98 923	3 626	310	3,6	3,5	– 0,1
1990 [6]	1 211	104 265	3 822	316	3,4	5,4	1,9

Nota. – (1) Février blocage Mendès France. (2) Juillet blocage Mollet. (3) Septembre blocage Pompidou. (4) Mars contrats de progrès. Crise de l'énergie. (5) Plan Barre fin 1976 et baisse de la T.V.A. en janv. 1977. (6) Les salaires nets annuels de 1989 et 1990 ne sont pas définitifs.

Journal quotidien. *1875 : 0,15, 1900 :* 0,05, *14 :* 0,07, *20 :* 0,20, *39 :* 0,60, *45 :* 2, *50 :* 10, *60 :* 0,30, *70 :* 0,50, *75 :* 1,20, *80 :* 2,50, *85 :* 4,50.

Timbre-poste. *Pour lettre simple : 1849 :* 0,20, *50 :* 0,25, *54 :* 0,20, *62 :* 0,20, *71 :* 0,25, *76 :* 0,25, *78 :* 0,15, *1906 :* 0,10. *Poids porté à 20 g : 1910 :* 0,10, *17 :* 0,15, *20 :* 0,25, *25 :* 0,30, *26 :* 0,40 puis 0,50, *37 :* 0,65, *38 :* 0,90, *39 :* 1, *42 :* 1,50, *45 :* 2, *46 :* 3, *47 :* 5 puis 6, *48 :* 10, *49 :* 15, *57 :* 20, *59 :* 25, *60 :* 0,25, *65 :* 0,30, *69 :* 0,40.

Courrier à 2 vitesses : 1971 : 0,30/0,50, 74 : 0,60/0,80, *76 :* 0,80/1, *78 :* 1/1,20, *79 :* 1,10/1,30, *80 :* 1,20/1,40, *81 :* 1,40/1,60, *82 :* 1,60/1,80, *83 :* 1,60/2, *84 :* 1,70/2,10, *85 :* 1,80/2,20, *86 :* 1,90/2,20, *87 :* 2/2,20, *90 :* 2,30, *91 :* 2,50.

• **Années de grande inflation.** Depuis 1910, + de 20 % de hausse des prix. **1917** + 20 %. **1918** + 30. **1919** + 25. **1920** + 37. (De 1915 à 1920, les prix ont augmenté de 300 % en raison de la pénurie de guerre.) La chute des prix des matières premières en 1920 et 1921 mit fin à l'inflation. **1926** crise de « confiance » dans le franc des créanciers de la France. Arrêtée par la « stabilisation Poincaré ». De 1930 à 1935, *déflation* (en 1935, les prix ont baissé de 25 % par rapport à ceux de 1930). Le pouvoir d'achat des salaires augmente de 30 % en 6 ans, mais le chômage s'étend. Après la dévaluation de la livre (1932), les prix français sont supérieurs aux prix mondiaux. La production stagne. **1937** le Front populaire élu en 1936 (Léon Blum) relève les salaires horaires de 25 % en un an, impose la semaine de 40 h avec 2 semaines de congés payés. Le pouvoir d'achat des salaires horaires monte d'abord de 26 % en 2 ans, mais la production ne suivant pas (par suite de la limitation de la durée du travail), les années 1938, 1939 et 1940 enregistrent une baisse du pouvoir d'achat égale aussi à 26 %. En 1940, le niveau de vie retombe à son niveau de 1935. **Occupation : 1942** + 20 %. **1943** + 24. **1944** + 22. Due à la pénurie. **Libération.** De 1944 à 1949, les prix augmentent de 600 % (**1945** + 48 %. **1946** + 53. **1947** + 49. **1948** + 58). De très fortes hausses de salaires ont été accordées sans que la prod. augmente suffisamment. La hausse nominale du pouvoir d'achat (55 %) ainsi obtenue en 1945 est aux 3/4 reperdue. En 1949, prix et salaires retrouvent leur équilibre.

1952-59 Antoine Pinay, en conjuguant le blocage et l'appel à la confiance, puis Edgar Faure, ont obtenu en 1953-54 une forte hausse du pouvoir d'achat ; la fin de la guerre de Corée, qui fit baisser en flèche le coût des matières premières, les aurait aidés. De mi-1952 à mi-1955, la stabilité a été obtenue par des mesures arbitraires créant des distorsions qui expliquent quelque peu l'explosion ultérieure.

• **Années de déflation.** Baisse du pouvoir d'achat (%). **1926** – 10. **1933** – 3. **1939** – 6. **1940** – 14. **1946** – 16. **1947** – 9. **1948, 1949** – 5. **1952** – 9.

☞ En *1925,* les prix étaient en anciens francs ce qu'ils étaient, en mars 1974, en nouveaux francs, tandis que le salaire horaire des manœuvres (8 NF en 74) était 4 fois sup. au salaire correspondant de 1925 (2,12 AF). Ce salaire était de 8 AF en avril 42.

Année	Coef. [1]	Année	Coef. [1]	Année	Coef. [1]
1901	16,94	1931	2,62	1961	6,70
1902	16,94	1932	2,85	1962	6,40
1903	16,94	1933	2,98	1963	6,10
1904	16,94	1934	3,10	1964	5,91
1905	16,94	1935	3,34	1965	5,75
1906	18,34	1936	3,14	1966	5,57
1907	16,94	1937	2,50	1967	5,41
1908	16,94	1938	2,20	1968	5,16
1909	16,94	1939	2,06	1969	4,84
1910	16,94	1940	1,75	1970	4,59
1911	14,67	1941	1,49	1971	4,34
1912	14,67	1942	1,24	1972	4,09
1913	14,67	1943	0,996	1973	3,81
1914	14,67	1944	0,816	1974	3,36
1915	12,23	1945	0,549	1975	3,01
1916	11,01	1946	0,36	1976	2,74
1917	9,17	1947	0,241	1977	2,50
1918	7,10	1948	0,152	1978	2,29
1919	5,79	1949	0,134	1979	2,07
1920	4,16	1950	0,122	1980	1,83
1921	4,79	1951	0,105	1981	1,61
1922	4,89	1952	0,094	1982	1,45
1923	4,49	1953	0,095	1983	1,32
1924	3,93	1954	0,095	1984	1,23
1925	3,67	1955	0,094	1985	1,17
1926	2,78	1956	0,090	1986	1,14
1927	2,69	1957	0,088	1987	1,10
1928	2,69	1958	0,076	1988	1,07
1929	2,53	1959	0,071	1989	1,04
1930	2,53	1960	6,93	1990	1,00

Nota. – (1) Coefficient de transformation du franc. En ancien francs jusqu'en 1960 (convertis en nouveaux francs), en nouveaux francs après cette date.

• **Déflation.** Contraire de l'*inflation.* Elle freine la demande sans porter préjudice à la production. Au *XIXe siècle,* on voit avec les progrès de l'industrialisation des périodes de baisse de prix, ainsi aux États-Unis (1820-50 et 1870-90) ou en France (fin du XIXe siècle).

• **Politique récente des prix en France. 1972** *mars* pour réduire le rythme annuel de hausse des prix (5,8 % en 1971), le gouv. met en place des contrats antihausse (entre l'État et les entreprises) fixant des augmentations annuelles maximales. **1974** *oct.* système d'accords forfaitaires : l'Administration n'autorise les hausses de prix qu'à intervalles et dans des proportions déterminées. **1975** *janv.* réglementation des marges commerciales. *Juin* fixation autoritaire des prix de certains produits pendant 3 mois. *Nov.* les marges commerciales de 50 produits de grande consommation sont plafonnées pour 6 mois. **1976** *sept.* blocage des prix de tous les produits (sauf prix agr. à la production, les prix pétroliers et matières 1res importées) durant 3 mois 1/2. **1977** *janv.* système négocié de contrats appelés « engagements de modération » pour toutes les entreprises de + de 20 salariés. *Nov.* blocage des prix de certains produits alim. **1978**-*1-6* libération des prix ind., puis de ceux du commerce et des services, pour la 1re fois depuis 40 ans. Seuls demeurent fixés par l'Administration les prix des taxis, des produits pétroliers, des médicaments remboursables et les prix d'intervention agr. **Depuis 1981. 1981** *oct.* blocage durant 3 mois des prix de certains produits alim. et des services. Blocage des marges des importateurs. **1982** *janv.* accords de modération dans les services et opération « trêve des prix » sur des produits de grande consommation. *Avr.* blocage des marges commerciales sur certains produits alim. *Juin* blocage général des prix (sauf prod. pétroliers, matières 1res importées et prod. agricoles) durant 4 mois 1/2. *Oct.* signature d'accords par profession, limitant les hausses pour 1983 à 7 % en moyenne, hausses sur les produits importés non comprises. **1983** *nov.* fixation des prix par arrêté pour tous les prestataires de services n'ayant pas respecté les accords contractuels d'oct. 1982. **19-11-1984** certains prix sont libérés. **Depuis avril 1986** libération des prix en cours.

Prix comparés

☞ Pour acheter : *1 kg de bœuf,* un métallurgiste doit travailler aux USA 16 minutes, 45 secondes ; All. féd. 1 h, 11 mn ; G.-B. 1 h, 17 mn ; *France 1 h, 42 mn ;* Japon 2 h, 26 mn ; *un réfrigérateur :* USA 25 h, Italie 67 h, *France 83 h,* Suède 85 h, Chili 410 h, Inde 997 h ; *une automobile :* Japon 341 h, USA 753 h, G.-B. 1 318 h, Italie 1 463 h, Espagne 1 545 h, Australie 1 781 h, *France 1 922 h.*

Prix comparés dans quelques villes en 1988

Source : Union de banques suisses.

Prix des denrées alimentaires en FS. [1] Tokyo 1 240, Helsinki 780, Genève 740, Oslo 740, Stockholm 660, Zurich 660, Singapour 560, Copenhague 500, Séoul 490, New York 470, Abu Dhabi 470, Madrid 450, Chicago 440, Vienne 440, Paris 430, Milan 420, Toronto 420, Francfort 420, Düsseldorf 420, Manama (Bahreïn) 410, Lagos 400, Bruxelles 390, Djedda 390, Montréal 390, Dublin 380, Hong Kong 380, Panamá 370, Amsterdam 370, Luxembourg 370, Tel-Aviv 370, Londres 360, Houston 350, Sydney 340, Nicosie 320, Los Angeles 320, Istanbul 320, Lisbonne 310, Bangkok 310, Kuala Lumpur 300, Le Caire 300, Athènes 290, Djakarta 290, Manille 250, Johannesburg 240, Nairobi 230, Bogotá 230, Buenos Aires 220, Bombay 210, Mexico 200, Rio de Janeiro 200, Caracas 190, São Paulo 180.

Nota. – (1) Panier de 39 denrées alimentaires (données pondérées).

Prix des repas [1] et, entre parenthèses, des chambres d'hôtel [2] en FS. Abu Dhabi 47 (246), Amsterdam 37 (330), Athènes 36 (215), Bangkok 36 (226), Bogotá 14 (125), Bombay 22 (207), Bruxelles 30 (315), Buenos Aires 26 (265), Le Caire 19 (177), Caracas 16 (181), Chicago 36 (338), Copenhague 44 (359), Djakarta 6 (422), Djedda (54), Dublin 34 (247), Düsseldorf 25 (290), Francfort 27 (309), Genève 40 (330), Helsinki 49 (303), Hong Kong 53 (214), Houston 35 (284), Istanbul 34 (263), Johannesburg 18 (116), Kuala Lumpur 13 (119), Lagos 16 (112), Lisbonne 28 (212), Londres 40 (552), Los Angeles 22 (200), Luxembourg 58 (237), Madrid 38 (203), Manama (Bahreïn) 31 (174), Manille 13 (186), Mexico 30 (150), Milan 44 (358), Montréal 30 (269), Nairobi 13 (188), New York 46 (347), Nicosie 18 (208), Oslo 42 (331), Panamá 26 (179), Paris 29 (408), Rio de Janeiro 14 (200), São Paulo 26 (250), Séoul 19 (298), Singapour 31 (162), Stockholm 35 (400), Sydney 33 (327), Tel-Aviv 29 (221), Tokyo 149 (330), Toronto 31 (263), Vienne 27 (309), Zurich 44 (315).

Nota. – (1) Prix d'un dîner (entrecôte/rumsteck avec garniture, dessert ; sans boisson), service compris, dans un bon restaurant. (2) Prix chambre à 2 lits avec bain et WC, petit déjeuner pour hôtel de 1re classe (catégorie internationale).

Loyers appart. non meublés de 3 pièces chers et, entre parenthèses, **bon marché en FS.** [1] Abu Dhabi 1 100 (570), Amsterdam 1 620 (540), Athènes 820 (310), Bangkok 2 200 (1 320), Bogotá 1 000 (650), Bombay 2 140 (540), Bruxelles 1 100 (750), Buenos Aires 810 (390), Le Caire 500 (170), Caracas 1 880 (660), Chicago 2 290 (970), Copenhague 1 070 (460), Djedda 1 300 (440), Dublin 970 (720), Düsseldorf 1 510 (740), Francfort 1 240 (500), Genève 2 000 (600), Helsinki 1 320 (740), Hong Kong 3 560 (1 780), Houston 690 (490), Istanbul 900 (260), Johannesburg 430 (170), Kuala Lumpur 650 (360), Lagos 910 (420), Lisbonne 710 (n. c.), Londres 2 760 (1 100), Los Angeles 1 460 (1 040), Luxembourg 970 (580), Madrid 1 850 (980), Manama (Bahreïn) 1 300 (440), Manille 340 (180), Mexico 540 (180), Milan 1 120 (730), Montréal 810 (530), Nairobi 810 (490), New York 2 780 (1 730), Nicosie 340 (260), Oslo 1 650 (880), Panamá 2 500 (1 390), Paris 1 500 (1 020), Rio de Janeiro 1 570 (740), São Paulo 1 790 (870), Séoul 2 420 (1 600), Singapour 3 460 (690), Stockholm 820 (470), Sydney 2 010 (750), Tel-Aviv 590 (370), Tokyo 13 200 (5 500), Toronto 1 760 (880), Vienne 1 130 (610), Zurich 2 500 (980).

Nota. – Loyers d'appartements construits après 1960 (3 pièces, cuisine, bain, *sans* garage, *y compris* les charges), répondant dans l'ensemble aux exigences de confort locales, situés à proximité d'une ville.

Prix en France

Indices des prix de détail

• **De 1900 à 1949.** Plusieurs indices ont été établis. Ils ne contenaient que 34 articles, essentiellement dans le secteur alimentaire. **De 1949 à 1957.** Le nombre des articles s'accroît et couvre le secteur alim., la plupart des prod. manufacturés et de nombreux services (indice des 213 articles pour le dép. de la Seine, 183 pour la province). Les gouv. de l'époque peuvent manipuler l'indice. Ainsi Ramadier en agissant l'hiver 1956-57 sur certains prix (détaxation, subvention, blocage) put empêcher l'indice de monter. Dep. 1970, les prod. dont on relève le prix et qui figurent dans l'indice sont secrets, ce qui rend quasi impossible le risque de manipulation.

• **Indice. Des 235 articles :** calculé de mars 1957 à mars 1963 (1957 p. base 100), il mesurait l'évolution des prix en province. **Des 250 articles :** 1-7-56/30-6-57 : base 100, pour l'agglomération parisienne. **National des 259 articles :** calculé de janv. 1962 à févr. 1971, il mesurait l'évolution des prix des produits ou services consommés par les ménages de toutes tailles (célibataires exclus) dont le chef était ouvrier, employé ou « personnel de service » dans les agglomérations de plus de 10 000 hab. (+ de 2 000 hab. à partir de 1964). Par rapport aux indices précédents, l'observation était plus étendue et plus diversifiée.

• **Indice des 296 postes de dépenses.** On peut le raccorder à l'indice des 259 articles en le multipliant par 3,448. La période de base est, pour chaque année, le mois de décembre de l'année précédente.

Population de référence : ménages urbains (agglomérations de + de 2 000 h.) dont le chef est ouvrier ou employé (les contremaîtres considérés ici comme cadres moyens sont exclus).

Relevés mensuels. Environ 160 000, soit en moy. 500 par poste et par mois (de 150 pour l'habillement à + de 900 pour l'alimentation).

La liste est adaptée aux changements du marché et n'est communiquée à aucune personne extérieure à l'INSEE. La liste des postes de dépenses avec leur pondération est publique. *Révisée chaque année depuis 1971,* en fonction de l'évolution des dépenses de consommation.

L'indice exclut : achat de logements, de valeurs mobilières, frais financiers impliqués par les achats à crédit, impôts directs sur le revenu des personnes physiques et impôts directs locaux (contribution mobilière), cotisations sociales, primes d'assurance (assurance auto et assurance incendie entraient dans l'indice des 259 art.), loteries et jeux, salaires versés aux domestiques (inclus dans l'indice des 259 art.), dépenses d'hospitalisation, services juridiques, frais de vétérinaire, achat d'œuvres d'art.

Les impôts indirects ne sont exclus que s'ils sont liés à l'activité « productrice » des ménages : contribution mobilière, droits de mutation. Les prix incluent TVA et autres impôts sur la dépense. Loyers, services de santé, pharmacie et réparations de véhicules sont suivis en valeur brute (à la différence de l'indice des 259 articles).

Indice des prix de détail (base 100 en 1980 et, entre parenthèses base 100 en 1970). En mai 1991. *Indice d'ensemble :* 188,7 (456,6). *Alim. et boissons :* 187,7 (462,5). *Produits manufacturés :* 175,7 (411,7). *Habillement – textiles :* 198,5 (459,8). *Autres prod. manufacturés :* 170,2 (398,4) dont appareils ménagers 148,8 (259,5) ; papeterie-librairie-journaux 220,4 (595,5) ; photo-optique-électroacoustique 100 (137,7) ; combustibles-énergie 163,5 (520,4) dont chauffage-éclairage 157,3 (566,4) ; tabacs et prod. manufacturés divers 177,8 (462,7). *Services :* 209,1 (521,1) ; loyers 213,6 (451) ; services de santé 156,5 (360,9) ; transports publics 205,9 (521,5) ; hôtels 257,4 (603,3) ; restaurants 223,5 (651).

Poursuite de la base 100 en 1949. Pour mars 1991 (série France entière). *Indice d'ensemble :* 1 344,5. Base 100 en 1962. Pour mars 1991 (série France entière). *Indice d'ensemble :* 646,8. Alimentation (y compris restaurants, cantines, cafés) 684,4. Habitation 740,9. Loyers 929. Chauffage-éclairage 793,1. Habillement-textiles 588. Produits manufacturés (sans chauffage-éclairage) 503,8. Services (y compris restaurants) 957,6. Services (sans restaurants, cantines cafés) 918,8.

Indice des 296 postes. Pondérations 1991 et, entre parenthèses, *indice mars 1991.* Ensemble 10 000 (187,6). **Alimentation :** 2 305 (186,8) dont boulangerie-pâtisserie 211 (196,7), autres produits à base de céréales 38 (184,3), viandes de boucherie 263 (189,3), viandes de porc et charcuterie 248 (185,7), volailles, lapins, gibiers 116 (158,9), autres produits contenant de la viande 77 (183,6), prod. de la pêche 115 (207,1), laits et fromages 272 (180,7), œufs 29 (164,1), beurres et corps gras 74 (157,4), légumes 182 (226,3), fruits 146 (200,6), sucres et prod. à base de sucre 93 (188,4), prod. alim. divers 92 (180,2), boissons alcoolisées 244 (192), café-thé-infusions 38 (120), autres boissons non alcoolisées 67 (169,9). **Produits manufacturés :** 4 251 (174,9) dont *habillement et articles textiles* 843 (197,3) dont vêtements de dessus 292, autres vêtements et accessoires 326 (213,6), lingerie (bonneterie-accessoires) 291 (217,4), linge de maison-textiles d'ameublement 44 (197,8), tissus-fils-mercerie 26 (228,1). *Autres prod. manufacturés :* 3 408 (169,6) dont meubles et tapis 283 (185,9), appareils ménagers élect. et à gaz 139 (148,5), articles de ménage 137 (211,2), élect.-quincaillerie 39 (199,3), savons de ménage et prod. d'entretien 72 (176,6), articles de toilette et de soins 500 (155,3), véhicules 485 (176,3), articles de papeterie 25 (210,5), livres et journaux 184 (219), photo, optique non médicale 32 (168,1), articles électroacoustiques 160 (89,9), autres articles de loisirs 183 (180,4) ; combustibles-énergie 860 (163,3) ; tabacs et produits manufacturés divers 309 (177,9). **Services :** 3 444 (207,4) dont loyers-eau 825 (211,9) ; réparation et entretien logement et appareils ménagers 119 (227,8) ; ressemelage-blanchissage-nettoyage-teinture 34 (223,1) ; soins personnels 106 (243,3) ; services de santé 458 (156,7) ; transports publics 209 (202,5) ; services d'utilisation de véhicules privés 463 (237,4) ; postes et télécommunications 146 (138,5) ; frais d'enseignement 56 (221) ; spectacles 50 (267,2) ; hôtels-restaurants-cantines 572 (219,2) dont hôtels 69 (254,3), repas dans les restaurants 316 (221,4) ; consommations dans les cafés 170 (250,7) ; services de vacances-sport-camping 81 (239) ; services divers 155 (175,6). Chauffage-éclairage 446 (167,6).

Autres indices

• **Indice CGT.** Publié tous les mois (sauf août, les variations de ce mois étant enregistrées dans l'indice de septembre), base 100 au 1-1-80, 372 postes, établi à partir de 15 000 relevés mensuels en région parisienne sur les dépenses d'une famille type dont le chef est ouvrier qualifié dans la région parisienne, a 2 enfants de 10 et 15 ans et est locataire.

courrier parlementaire (dep. 1924), carte de circulation SNCF (1re cl. ou wagons-lits), 40 allers et retours gratuits sur les lignes aériennes intérieures, prêts à taux bonifiés pour une résidence.

Imposés sur 11/20 de l'indemnité brute, soit sur 20 278 F. **Charges** : cotisation au parti ou autre groupe politique [ex. PC (le parti leur reverse 10 542 F par mois), PS 7 500 à 16 500 selon ses charges de famille, s'il est ou non Pt, vice-Pt de conseil général ou régional, maire de grande ville, etc., UDF 2 500 F, RPR 1 500 F], plus en période électorale reversement au parti d'une partie du droit à des assistants (ex. : 4 600), frais dans la circonscription (loyer de permanences, matériel de secrétariat, essence pour tournées + la moitié des frais d'entretien de sa voiture = 9 000/mois, secr. dans la circonscription 8 200 F).

Cumuls d'indemnités. Les indemnités parlementaires ne peuvent pas être cumulées avec celles de cons. général ou régional. Les ind. de fonction versées à un maire ou à un adjoint, également parlementaire, sont réduites de moitié. Les élus municipaux peuvent également percevoir des ind. au titre des responsabilités qu'ils exercent dans des établissements publics locaux (syndicats intercommunaux en particulier).

Retraite des parlementaires. Système autonome et obligatoire. Les *députés* peuvent commencer à se constituer une retraite (un peu moins de 10 000 F par mois) en une seule législature de 5 ans, en payant une double cotisation mensuelle de 6 000 F. A chaque nouvelle élection, le montant de leur pension augmente jusqu'à 32 800 F au bout de 37 ans et demi. Ass. nationale et Sénat participent aux cotisations. S'ils sont élus au Parlement, les fonctionnaires étant placés en position de détachement doivent quitter leurs fonctions (sauf les prof. d'université). S'ils sont battus, ils retrouvent leur administration d'origine et peuvent continuer à cotiser à la retraite des fonctionnaires. Dans les conditions de droit commun, les parlementaires déduisent de leur revenu imposable leurs cotisations à la caisse des retraites de leur assemblée.

• **Sénateurs. Nombre** 321 (au 1-5-91) Brut 36 867 F dont *imposable :* indemnité parlementaire 15 749, de fonction 4 055, de résidence 473 ; *non imposable :* indemnité parlementaire 12 886, de fonction 3 318, de résidence 386. *Retenues* 4 574 F dont retraite normale 2 336, SS maladie 779, SS décès 779, contribution de solidarité 295, CSG 385. *Indemnité nette* 32 293 F. **Avantages annexes :** indemnité de secrétariat de 19 198 F (non imposable), 24 906 F (hors charges patronales) versés directement aux assistants (1 à 4 par sénateur). Possibilité d'emprunter 1 million de F pour acheter un logement (2/3 sans intérêts, 1/3 à 6 %) et 90 000 F sans intérêt pour acheter une voiture. Les indemnités supplémentaires versées aux membres du bureau et aux Pts des commissions sont identiques aux « ind. spéciales » allouées par l'Ass. nat. De même, les sénateurs disposent, comme les députés, de facilités postales, téléphoniques et de transports.

• **Élus communaux. Maires. Nombre des communes** (au 31-12-1989). 36 551. *Indemnités annuelles de fonction des maires et indemnités annuelles des adjoints* (en %) Max. pouvant être accordé à chacun (au 1-12-1990) fixé par décret selon le nombre d'habitants de la commune : *- de 501 hab. :* 18 078 (50), *501 à 1 000 :* 22 598 (50), *1 001 à 2 000 :* 33 897 (50), *2 001 à 3 000 :* 52 731 (50), *3 001 à 5 000 :* 61 712 (45), *5 001 à 9 000 :* 78 517 (40), *9 001 à 15 000 :* 88 788 (40), *15 001 à 30 000 :* 99 667 (40), *30 001 à 50 000 :* 115 023 (40), *50 001 à 80 000 :* 124 004 (40), *80 001 à 120 000 :* 136 463 (40), *120 001 à 150 000 :* 151 529 (40), + *de 150 000 :* 173 838 (40), *Lyon-Marseille :* 183 399 (50), *Paris :* 232 943 (50).

Maires et adjoints bénéficient aussi du remboursement de frais de mission (incluant dépenses de transport); les conseils municipaux peuvent, en outre, voter sur ressources ordinaires des indemnités aux maires pour frais de représentation.

Conseillers municipaux. *Indemnités annuelles de fonction :* aucune sauf : conseillers de Paris (96 770 F), de Lyon et de Marseille (64 513 F) ou des communes de + de 120 000 h. ou de 400 000 h. dans lesquelles le conseil municipal décide de créer ces indemnités. Les cons. municipaux ne perçoivent pas d'indemnités de fonction, ils ont droit, comme les maires et adjoints, au remboursement de leurs « frais de mission ». *Nombre total de conseillers :* 508 261 dont 331 259 ne touchent pas d'indemnités. *Majorations possibles :* chefs-lieux de département (25 %), d'arrondissement (20 %) et de canton (15 %), communes sinistrées (% égal au % d'immeubles sinistrés), classées stations hydrominérales, climatiques, balnéaires, touristiques, uvales ou dont la population a augmenté suite à des travaux publics d'intérêt national : 50 % si pop. inférieure à 5 000 h., 25 % si au-delà ; communes de + de 2 500 h. situés dans la 1re zone de salaires de la région parisienne et c. suburbaines à caractère ind. des villes de + de 120 000 h. (échelon immédiatement supérieur).

Élus à l'étranger

• **Députés européens.** *Indemnités fixées par chaque pays de la Communauté* (en F, net par mois, juillet 1983) : *France 29 000,* All. féd. 24 000, Italie 22 800, Belgique 22 100, P.-Bas 20 450, G.-B. 16 000, Luxembourg 15 300, Danemark 13 500, Irlande 13 000, Grèce 11 960. Indemnités versées directement par l'Ass. européenne à chaque groupe parlementaire. Frais de secrétariat 90 000 à 98 000 F en 1988, activités politiques supplémentaires 40 000 à 50 000 F, budget informatique 14 000 à 18 000 F. Frais généraux 1 776/mois (– 50 % pour les députés qui n'assistent pas à au moins la moitié des journées de session parlementaire) ; indemnités de présence 125 E./j ; frais de voyage et séminaires 2 500 E./an ; déplacement pour session : 0,47 E./km pour les 400 1ers (0,23 au-delà).

• **Parlementaires étrangers.** *Allemagne :* Bundestag 40 000 F (13 139 DM) dont 25 000 imposables ; Bundesrat pas d'indemnité. *États-Unis :* Sénat ou Chambre des représentants (1988) (89 500 $) 600 000 F par an, Pt et chefs de l'opposition et de la majorité : 99 500 $, porte-parole de la Chambre des représentants : 115 000 $. *Italie :* 48 000 F par mois, nets de cotisations sociales et d'impôts + 16 000 F env. pour payer des collaborateurs. *Portugal :* député 7 617 F par mois (1988). *Royaume-Uni :* Chambre des communes 15 500 F (1 410 £), Chambre des lords 1 400 F (127 £).

Honoraires. Libres, soumis à la TVA (18,60 %). Les interventions médicales ou chirurgicales importantes doivent, si possible, faire l'objet d'une entente préalable entre praticien et patient.

Salariés. Salaire annuel 124 000 à 520 000 F.

• **Voleurs à la tire (expérimentés).** A Paris, dans le métro, env. 40 000 F par mois.

Prix

☞ Évolution des prix, voir p. 1877.

Prix dans le monde

Augmentation annuelle en % prix à la consommation

	83	84	85	86	87	88	89	90
All. féd.	2,6	2	1,8	- 1,1	1	1,6	3	2,8
Australie	8,6	2,6	7,6	9,8	7,1	7,7	7,8	6,9
Autriche	3,8	5	2,8	1,1	1,7	1,9	2,9	3,5
Belgique	7,2	5,3	4	0,6	1,4	1,9	3,6	3,5
Canada	4,5	3,8	4,4	4,2	4,2	4	5,1	5
Danemark	6	5,6	3,6	4,3	4,1	4,5	4,8	1,9
Espagne	12,2	9	8,1	8,2	4,6	5,8	6,9	6,5
Finlande	8,3	6,1	4,9	3,4	4,2	6,5	6,6	4,9
France	*9,3*	*6,7*	*4,7*	*2,1*	*3,1*	*3,1*	*3,6*	*3,4*
G.-B.	20	4,6	5,7	3,7	3,7	6,8	14,8	9,3
Grèce	10,3	18,2	25	16,9	15,7	14	4,7	22,8
Irlande	84,3	6,7	4,9	3,2	3,1	2,7	25,2	2,7
Islande	12,4	14,9	38,4	13,8	24,3	20,5	6,5	7,2
Italie	1,8	9,2	8,9	4,2	5,2	5,4	2,6	6,4
Japon	8	2,6	1,8	0	0,5	0,9	3,9	3,8
Luxemb.	7,1	2,3	4,1	- 1,4	0,7	1,9	4,2	4,4
Norvège	3,6	5,9	5,6	8,9	7,4	5,6	7,2	4,4
N.-Zélande	3	9,4	15,3	18,2	9,6	4,7	1,3	4,9
P.-Bas	33,9	2,8	1,7	- 0,1	- 0,2	1,2	11,6	2,6
Portugal	5,3	21,2	16	10,6	8,9	11,7	7,7	13,7
Suède	9,2	8,2	5,6	3,3	5,1	6	6,6	10,9
Suisse	2,1	2,9	3,2	0	1,9	2	5	5,3
Turquie	24,6	43,3	47,5	32,5	55,1	75,2	68,8	60,4
USA	3,8	4	3,8	1,1	4,4	4,4	4,6	6,1

Nota. – Source : OCDE.

Indices des prix à la consommation (Base 100 = 1980)

Afr. du S.	422,4 [1]	Indonésie	117,9 [1]
Algérie	201,3 [2]	Irlande	213,5 [5]
All. féd.	132 [3]	Israël	71 767,7 [5]
Arabie S.	97,9 [4]	Italie	257,7 [4]
Argentine	179 950,3 [5]	Japon	125,1 [5]
Australie	224,2 [4]	Luxembourg	155,7 [4]
Autriche	144,6 [3]	Madagascar	541,8 [3]
Belgique	159,2 [3]	Maroc	203,6 [6]
Bolivie	1 294 159 [1]	Mexique	17 249 [1]
Brésil	48 544,4 [6]	Nigeria	575,4 [12]
Canada	186,3 [5]	Norvège	214,5 [3]
Chili	722,8 [3]	N.-Zélande	280,3 [4]
Colombie	173,3 [5]	Pākistān	177 [5]
Corée (Rép. de)	197,8 [3]	P.-Bas	129,4 [3]
Costa Rica	1094,1 [4]	Pérou	56 632,7 [13]
Danemark	180,1 [3]	Philippines	411,4 [3]
Égypte	487,2 [7]	Pologne	27 155,8 [4]
Espagne	252,9 [5]	Portugal	506,4 [14]
États-Unis	164,1 [8]	Sénégal	175,6 [12]
Éthiopie	145 [9]	Suède	225,8 [3]
Finlande	198,3 [3]	Suisse	145,7 [3]
France	*187,6* [3]	Tanzanie	1 148,7 [15]
Gabon	167,6 [10]	Tchécosl.	182,3 [5]
Ghāna	2 733,3 [11]	Thaïlande	162,7 [3]
G.-B.	196,6 [3]	Tunisie	227,3 [4]
Grèce	639 [3]	Turquie	3 509,1 [5]
Guatemala	399,8 [4]	Venezuela	567,7 [6]
Hong Kong	234,2 [5]	Yougoslavie	1 178 235 [3]
Hongrie	345,2 [5]	Zambie	3 150,6 [9]
Inde	251,6 [4]		

Nota. – (1) Janv. 91. (2) Juin 90. (3) Mars 91. (4) Déc. 90. (5) Fév. 91. (6) Sept. 90. (7) Août 90. (8) Avr. 91. (9) Mars 90. (10) 1987. (11) Juill. 90. (12) Janv. 90. (13) Juin 90. (14) Nov. 90. (15) Déc. 90. *Source :* ONU (juin 1991).

Inflation et taux d'intérêt dans les pays de la CEE. Taux d'intérêt à court terme et, entre parenthèses taux d'inflation en rythme annuel (juillet 1989) : Grèce 16 (13), Danemark 15,7 (4,9), Espagne 14,7 (6,9), Portugal 12,4 (13,2), Italie 12,2 (6,5), G.-B. 12,2 (8,3), *France 8,8 (3,7),* Belgique 8,6 (3), Irlande 7,8 (3,3), P.-Bas 7,3 (1,4), All. féd. 6,4 (3,1), Luxembourg 4,2 (3,2).

Définitions

• **Inflation.** Causée par un excès de la demande par rapport à l'offre des biens et services, ou par une hausse des coûts de production. Ces 2 phénomènes, le plus souvent combinés, sont liés à une augmentation du pouvoir d'achat de l'État, des particuliers et des entreprises, qui n'est pas équilibrée par une croissance de la production. Le déficit des finances publiques est aussi un facteur d'inflation : il introduit trop de monnaie sans compensation de production dans les circuits écon. Notre société de consommation est une société d'inflation. Elle multiplie les besoins et les exaspère. Les groupes sociaux s'affrontent et s'organisent pour défendre leur pouvoir d'achat, anticipant même sur la hausse des prix pour être sûrs de ne pas en être victimes.

Dans de nombreux secteurs, les grandes firmes fixent des prix « concertés » qui poussent le niveau général des prix en avant, quel que soit le volume de la demande. En outre, la forte augmentation du crédit, des déficits des balances des paiements, des réserves des Banques centrales, des prix des matières premières, le surendettement des entreprises et la croissance trop rapide de la masse monétaire ont renforcé l'inflation ces dernières années.

La généralisation de l'inflation a été une cause supplémentaire de sa prolongation. Quand un pays était seul à connaître l'inflation (par exemple la France en 1958), il devait prendre rapidement des mesures pour en sortir, car il risquait d'être asphyxié par les autres. La lutte a été plus molle par la suite car ce n'était plus le cas.

Évolution. Dep. 1914, les prix ont presque toujours monté. Il n'y a eu que 9 années de baisse et 3 années de stabilité. Les poussées d'inflation se sont terminées par la baisse des prix des mat. premières (ex. : en 1920) ou par la chute du pouvoir d'achat des salariés pendant une période plus ou moins longue.

Depuis 1974, les tendances inflationnistes n'épargnent plus les pays socialistes. *Causes :* ouverture de l'économie au marché mondial ; répercussion des hausses des prix des matières premières et des produits industriels ; importance de la masse monétaire par rapport à la faiblesse de la production des produits de consommation ; insuffisance des produits agricoles.

Chancel : 1 089 284. Philippe Bouvard : 1 063 726. William Leymergie : 836 000. Jean-Marie Cavada 700 000. Ève Ruggieri : 610 643. Claude Barma : 603 565. Jean-Luc Leridon : 580 831. Dominique Colonna : 578 129.

☞ P.-L. Sulitzer : 1 779 000 F pour parrainer des « Histoires de fortunes ». Yves Montand 800 000 F pour sa participation à « Montand à domicile » sur TF1 le 12-12-1987.

• Tribunaux. **Greffiers.** Traitement mensuel en 1991 net indiciaire n.c. l'indemnité de résidence. *En chef :* 8 570 à 16 601 F. *Greffiers :* 5 582 à 9 338. **Jurés.** Indemnité journalière : 40 + (S[1] × 8) ; s'il y a perte de salaire, indemnité supplémentaire S × nombre d'heures.

Magistrats. Traitement mensuel net (1991) compte tenu des indemnités. *Juges de tribunaux de grande instance, d'instance, d'instruction, d'enfants, d'application des peines et substituts :* 12 728 à 29 985 F. *Auditeurs de justice* (ind. 352) : net après retenues 7 304 F.

Témoins. Indemnité de comparution : 10 + (S [1] × 4) ; s'il y a perte de salaire, indemnité supplémentaire : S × nombre d'h.

Nota. – (1) S est le montant du SMIC.

Tribunal de commerce. Pas de rémunération.

• Vendeurs. **Effectifs** (au 1-1-1985). Représentants de commerce statutaires 200 000, vendeurs à domicile 50 000, autres catégories (inspecteurs des ventes, technico-commerciaux, marchandisiers, attachés commerciaux, etc.) 250 000.

Rémunérations des représentants statutaires (1981) : jusqu'à 800 000 F par an. Moyenne brute env. 150 000 F.

• Vétérinaires. **Nombre** (au 1-1-1988) : 8 890 (dont près de 7 000 inscrits au tableau de l'ordre, 7 300 en (86). *Exercice libéral* 6 500 (82,04 %) [dont 4 800 en médecine rurale et mixte, 1 700 dont médecine rurale et mixte 4 800, canine 1 700].

Fonctionnaires 1 280 (15 %) dont administration 870, enseignement 410.

Salariés 1 100 (12 %) dont secteur privé 750, recherche et pharmacie 360.

Chefs d'État

• France. LISTE CIVILE (en F) : **Louis XVI** 26 000 000. **Napoléon Bonaparte** *1er Consul* (an VIII) 500 000. *Empereur* 25 000 000 (il eut en outre le domaine de la couronne, un domaine dit d'extension, et un d. privé). **Louis XVIII** 25 000 000 pour sa maison civile, 9 000 000 pour sa maison privée, 4 000 000 de dotation immobilière. **Louis-Philippe** 12 000 000 (Cte de Paris 1 000 000, Duchesse d'Orléans 300 000). **IIe République,** *Pt* 600 000 F + frais de représentation 600 800 F. **Napoléon III,** *1849-1851* 1 500 000, puis 25 000 000 (Pces de la famille impériale 2 200 000).

IIIe République. *Pt* 600 000 F (+ frais de maison : *1873* 143 000, *1875* 300 000, *1877* 600 000). *1928* 1 800 000 (+ frais de maison 1 800 000). **IVe République.** *1953* 73 000 000 AF (avec frais de maison). **Ve République.** *1965* 1 624 000 F pour la Présidence de la Rép. et 2 320 256 F pour la Communauté (avec frais de maison). *1990* Dotation et frais de maison 5 245 000 F ; secrétariat gén., services adm. 6 890 000 F ; frais de représentation et de déplacement 3 057 000 F ; parc automobile (frais de renouvellement et de fonctionnement) 1 732 000 F, soit au total 16 924 000 F. Taxe d'habitation acquittée en 1989 par le Pt de la Rép. pour son appartement de fonctions : 14 273 F.

Nota. – Soumis à l'impôt sur le revenu pour son traitement.

Retraites des anciens Pts de la République. La loi de Finances du 3-4-1955 (art. 19 toujours en vigueur) leur attribue une dotation annuelle égale au traitement incidiaire brut d'un conseiller d'État en service ordinaire », soit, en 1985, 336 000 F (la moitié étant réversible sur sa veuve ou ses enfants jusqu'à leur majorité). L'usage s'établit aussi de mettre gratuitement à leur disposition logement, voiture, secrétariat. Depuis la Constitution de 1958 (art. 56), les anciens Pts « font, de droit, partie à vie du Conseil constitutionnel » et perçoivent à ce titre « une indemnité égale aux traitements afférents aux deux catégories supérieures des emplois de l'État classés hors échelle », soit, en 1985, 349 000 F ; cette indemnité étant réduite de moitié pour les membres du Conseil qui continuent d'exercer une activité compatible avec leur fonction. Cette indemnité est cumulable avec celle de la loi du 3-4-1955 ; ce n'est pas le cas pour le Pt Giscard d'Estaing qui ne perçoit que 70 000 F par mois (+ revenus personnels et droits d'auteurs) ; il a une voiture avec chauffeur à Clermont-Ferrand, en tant que Pt du Conseil régional d'Auvergne ; comme ancien Pt de la Rép., il a également à Paris une voiture avec chauffeur et un appartement dans lequel il loge sa secrétaire.

• Étranger. **Souverains :** LISTE CIVILE GLOBALE ET, entre parenthèses, PART PERSONNELLE DU SOUVERAIN (en millions de F, 1978) : *Belgique* (Baudoin Ier) 17,3 (14,7). *Danemark* (Margareth II) 14,4 (11,8). *Espagne* (Juan Carlos Ier) 182 millions de pesetas en 79. *G.-B. (au 1-1-1991)* (Élisabeth II) 80 [7 900 000 £ (Reine Mère 640 000, Pce Philippe 360 000)]. *Luxembourg* (Grand-duc Jean) 4,9 (4,3). *Monaco* (Rainier) 24,4. *Norvège* (Olaf V) 12,2. *Pays-Bas* (Béatrix) 5 236 000 florins en 80 ; Guillaume Pce héritier 1 300 000 en 91. *Suède* (Carl-Gustaf XVI) 17 (7).

Autres dirigeants. SALAIRE ANNUEL (F, 1982) : *Allemagne* (chancelier) 780 000. *CEE* (Pt) 910 000. *Chine* 25 424. *G.-B.* (PM) 320 000. *Inde* (PM) 20 000. *Italie* (Pt) 3 000 000. *ONU* (secr.) 1 470 000. *Sri Lanka* 1 520. *USA* (1988, Pt Reagan) 200 000 $ imposables de traitement + indemnité de frais de fonction 50 000 et une somme n'excédant pas 100 000 $ (non imposable) de frais de déplacement + 20 000 $ de dépenses d'agrément. *URSS* Gorbatchev 1 500 roubles (15 750 F en 1989).

☞ Retraite de Reagan. Pension de Pt 99 500 $, de gouv. de Californie 30 000 $, allocation de secrétariat 300 000 $. Il dispose de bureaux à Los Angeles et d'un pied-à-terre à Washington.

Ministres en France

Traitement mensuel net. Ministres fonctionnaires et, entre parenthèses, non fonctionnaires [1] + indemnité représentative de frais (en F, au 1-3-1989) : *Premier ministre :* 40 076 (36 685) + 16 893. *Ministre :* 36 311 (33 341) + 7 686. *Secr. d'État :* 34 874 (31 929) + 3 682.

Nota. – (1) La différence de traitement entre ministre fonctionnaire et non fonctionnaire tient au mode de calcul des retenues de Séc. soc. et de retraite.

☞ Au 14-12-1990, un ministre relevant de la fonction publique gagne 45 887,68 F par mois et un ministre fonctionnaire 42 779,19 F. Sur ces sommes, une indemnité de 8 016,33 F n'est pas soumise à l'impôt.

Train de vie d'un ministre (montant mensuel, en F, évalué par « Le Nouvel Observateur » (sept. 90) : *ministre :* traitement après impôt env. 30 000 + rémunérations liées aux charges de maire 1 300 à 18 000, 2 voitures de fonction (R25, Citroën XM ou 605 Peugeot), 2 chauffeurs à 16 000 et 2 chauffeurs à sa disposition 30 000. Logement 20 à 100 000. Pour ceux habitant au ministère, frais de table 10 000 à 30 000, 2 à 3 domestiques 36 000. Carte de libre accès SNCF, 1re cl. 4 500. Part des fonds secrets 25 000 à 50 000 distribués en grande part à ses collaborateurs. *Total général :* ministre maire d'une ville moyenne : appartement de fonction de 400 m², 3 domestiques, 2 voitures, 2 chauffeurs, gardant pour faux-frais 10 000 F : 250 000 F soit avant impôt 487 000 F soit 5 800 000 par an. *Secrétaire d'État* sans logement de fonction, bénéficiant de 2 voitures avec chauffeur et ne gardant pour lui aucun fonds secret env. 90 000 soit 170 000 F bruts.

Retraite des membres du gouvernement. *Ordonnance du 27-11-1958 :* indemnité égale au traitement alloué lorsqu'ils étaient en fonction ; servie 6 mois s'ils n'ont pas repris une activité rémunérée. Sinon aucun régime indemnitaire ou de retraite propre attaché à la qualité d'ancien 1er min. ou d'ancien min. ou secr. d'État. *Sécurité sociale :* régime général. Les non fonctionnaires sont affiliés au régime des retraites complémentaires institué pour les agents non titulaires de l'État, l'IRCANTEC. Les parlementaires devenus ministres continuent à verser leur cotisation à la caisse des retraites du Parlement. Les parlementaires fonctionnaires devenus ministres cotisent à la fois à la caisse des retraites du Parlement et au titre de leur administration, ceux qui sont députés sont autorisés à cotiser à la caisse des pensions des députés et anciens députés jusqu'à la fin de la législature, s'ils ont cessé avant cette date d'exercer leurs fonctions ministérielles et s'ils n'ont pas retrouvé un mandat de député.

Élus en France

☞ Le 14-12-1990, le gouvernement s'est engagé à ce que les élus soient soumis au droit fiscal commun à partir du 1-1-1992.

• Traitements passés. **Directoire :** m. du Conseil des 500 et du C. des Anciens : indemnité annuelle en nature égale à la valeur de 613 quintaux 32 livres de froment. **Consulat** *par an : tribuns* 15 000 F, législateurs 10 000 F, sénateurs 25 000 F. **Empire :** sénateurs 30 000 F. **Restauration, gouv. de juillet :** aucun traitement. **IIe Rép. :** sénateur 30 000 F par an, députés 25 F par j. **IIe Empire :** la Constitution ne prévoyait aucune indemnité ; plus tard on verse une indemnité journalière selon la durée des sessions à raison de 2 500 F par mois. **IIIe Rép. 1849 :** 9 000 F par an. **1906 :** 15 000 F. **Ve Rép. :** indemnité mensuelle (montant fixé par l'ordonnance 58-1210 du 13-12-58) égale à la moyenne du traitement le plus bas et du traitement le plus élevé des fonctionnaires de l'État classés dans la catégorie hors échelle + indemnité de résidence (3 % de l'indemnité de base) + indemnité de fonction égale à 25 % du total du traitement et de l'indemnité de résidence.

• Conseillers généraux. **Nombre** 3 984 (dont métropole 3 814 ; DOM-TOM 170) au 1-2-1990. **Indemnités** (montant annuel moyen par cons. en 1990, en milliers de F) : Hts-de-S. 250, S.-St-Denis 225, Vaucluse 220, Yvelines 205, Pas-de-C. 190, Val-de-M., Meurthe-et-M. 180, Rhône 175, Hérault 165, Essonne 160, Hte-Garonne, Oise 155, Val-d'O., Pyrénées-Atl., Meuse, Nord 150, Drôme 145, Bouches-du-Rh., Vosges, Moselle, Orne 140, Finistère 137, S. Mar., Ardennes 130, Aisne, Pyr. Orientales 120, Bas-Rhin, Doubs, Loire, Aube, Somme, S.-et-M., Loire 115, Loiret 112, Lot-et-Garonne, Isère, Savoie 110, Dordogne 108, Hte-Savoie, Deux-Sèvres 105, Eure, Allier, Gard, Ille-et-Vilaine 100, Vienne, Charente, Marne 95, Morbihan, Loire-Atl., Maine-et-L., Aude, Alpes-de-Hte-Prov., Saône-et-L., Ht-Rhin, Indre-et-Loire 90, Sarthe, Cher 85, Loir-et-C., Indre, Jura, Puy-de-D., Ardèche, Tarn-et-G., Landes, Gers 80, Manche, Ariège, Hte-Saône 75, Vendée, Charentes Mar., Hte-Vienne 70, Calvados, Mayenne, Ain, Corse-du-S. 65, Eure-et-L., Yonne, Hte-Marne, Côte d'Or, Nièvre, Tarn, Belfort 60, Aveyron, Gironde, Côte-d'Armor 55, Htes-Alpes 45, Hte-Loire 44, Cantal, Htes-Pyr. 43, Hte-Corse, Lot 39, Creuse, Var 37, Lozère 36, Corrèze 31.

• Conseillers régionaux. **Nombre** 1 998 (dont métropole 1 840, DOM-TOM 158) au 1-1-1989 se réunissant 3 ou 4 fois par an pour des sessions de 1 à 2 j. **Indemnité** (montant annuel moyen par cons. en 1987, en milliers de F) : Alsace 121,2. Aquitaine 136,8. Auvergne 74,5. Bourgogne 90,8. Bretagne 93,2. Centre 106,1. Champagne-Ardenne 75. Corse 30,5. Fr.-Comté 75,7. Ile-de-Fr. 197. Languedoc-Roussillon 78,2. Limousin 63,8. Lorraine 218,4. Midi-Pyr. 126,8. Nord-P.-de-C. 272,1. Normandie (Basse) 80. (Hte) 72,5. P. de la Loire 70. Picardie 142,5. Poitou-Ch. 132,8. Prov.-Alpes-C-d'Azur 94,4. Rh.-Alpes 131,1.

☞ Les indemnités journalières des cons. généraux et régionaux sont fixées librement par chaque assemblée départementale ou régionale, en fonction : 1°) du montant de l'indemnité journalière fixée par délibération de l'assemblée dép. ou rég. ; 2°) du nombre de réunions ou missions auxquelles a participé l'intéressé.

• Députés. **Nombre.** 577 (au 1-2-91). **Indemnité brute :** 36 867,57 F dont indemnité parlementaire 28 635, de résidence 859,05, de fonction 7 373,52. **Nette :** 29 167,21 F (après déduction des cotisations retraite 6 075,20, Sécurité soc. 944,96, solidarité 294,94 et CSG 385,26). **Avantages annexes :** indemnité personnelle pour frais de secrétariat de 24 198 + 23 028 versés par l'Assemblée aux assistants qu'il embauche (2 ou 3). « Indemnités spéciales » (par mois en 1991) : Pt de l'Ass. nationale 53 089,29 F, questeurs 7 078,58, vice-Pts 5 308,93, Pts des commissions permanentes, de la commission spéciale chargée de vérifier et d'apurer les comptes, rapporteur gén. de la commission des Finances 4 492,06, secr. de bureau 3 539,29. En outre, les vice-Pts de l'Ass. et les Pts de commission disposent d'un secrétariat renforcé, d'une voiture et d'un chauffeur. **Autres facilités :** forfait de communications téléphoniques gratuites à partir de la circonscription, gratuité à l'Ass. des appels interurbains, affranchissement par l'Ass. du

• **Boxe.** Pour le championnat du monde des poids lourds entre J. Frazier et George Foreman, quelle qu'en soit l'issue, Frazier était assuré de recevoir 5 millions de F et Foreman 2 millions de F. Mike Tyson a signé le 5-1-1988 un contrat de 25 millions de $ donnant l'exclusivité de ses 6 prochains combats à la chaîne HBO. En 1990, la fortune de Mike Tyson est de 28,6 millions de $, James Douglas 26, « Sugar » Ray Leonard 13 (a gagné 29,5 millions de $ en 1989 pour 2 combats).

• **Cyclisme.** *Prix et primes attribuées au Tour de France 1990* : 10 073 450 F dont (1989) au vainqueur 1 500 000 F, de chaque étape 50 000, meilleur grimpeur 50 000, vainqueur du classement par points 100 000, à l'équipe victorieuse 100 000, prime au 1 789e km de la course 17 890 F.

• **Football.** *Salaire versés par les clubs français en 1988* (salaire moyen par mois, en F, en italique s. min. par an et, entre parenthèses s. max. par an). Toulouse 89 659 *258 760* (2 916 420). Auxerre 41 579 *52 126* (1 264 876). Toulon 63 659 *182 672* (1 881 748). Bordeaux 206 825 *186 806* (12 268 998). St-Étienne 61 846 *53 686* (2 044 656). Cannes 43 667 *60 000* (2 358 510). Paris-St-Germain 96 356 *142 025* (2 677 906). Laval 41 710 *86 866* (2 106 800). Nice 71 807 *84 305* (2 070 313). Lens 48 387 *99 705* (1 875 164). Nantes 61 324 *181 900* (2 224 174). Lille 69 152 *88 854* (2 491 755). Montpellier 92 588 *194 294* (2 701 967). Marseille 152 078 *495 516* (8 612 360). Metz 69 122 *281 830* (1 863 645). Matra 158 236 *330 179* (3 888 800).

Salaire moyen par mois d'un professionnel en 1990 : 85 000 à150 000 F. *Masse salariale moyenne d'un club en 1988* (68 employés) : 26 561 235 F.

Subventions des municipalités aux clubs professionnels en 1989 (en milliers de F et entre parenthèses coût par hab., en F). Mulhouse 20 000 (177). Cannes 8 000 (111). Auxerre 2 400 (58,5). Toulon 10 000 (55). Caen 6 000 (51). Montpellier 10 500 (48). Nantes 10 000 (41,5). Bordeaux 8 300 (39,5). Nice 12 000 (35,5). Metz 4 000 (33,5). Brest 3 815 (24). St-Étienne 5 000 (24). Lyon 9 000 (21,5). Lille 3 248 (18,5). Marseille 14 000 (17,5). Toulouse 3 500 (10). Paris 18 900 (8).

Montant des transferts (en millions de F). Diego Maradona 70 (1984). Roberto Baggio 55 (1990). Chris Waddle 45 (1989). Ruud Gullit 40 (1987). Marco Van Basten 30 (1988). Carlos Mozer 27,5 (1989). Enzo Francescoli 18 (1989). Carlos Valderrama 15 (1989). Enzo Scifo 6 (1989). Joseph-Antoine Bell 5 (1989). Safet Susic 2 (1983).

Répartition des gains en compétition (en %, 1989) : golfeur 75, agent 10, voyage 10, caddy 5.

• **Golf.** *Record des gains en 1989* (millions de $) : Arnold Palmer 9, Greg Norman 8, Jack Nicklaus 7, Nick Faldo 4,25. Tom Kite (USA, 8e joueur mondial) 1,4, soit 6 402 893 $ dep. ses débuts. *Joueurs européens* : Ronald Rafferty (Irlande) 400 311 livres. José-Maria Olazabal (Esp.) 336 239. *France* : Jean Van de Velde 441 192 F, Gerry Watine 396 245 F, Emmanuel Dassart 357 423 F.

Au cours de sa carrière, Lee Trevino a gagné 3 500 000 $ dont 385 814 en 1980 et 1 165 470 en 1990.

• **Hippisme** (salaires moyens mensuels). *Moniteur* 6 900 à 7 900 F ; *instructeur* 9 600 à 10 100 F ; *palefrenier* 5 530 F ; *accompagnateur* 3 700 F ; *personnel administratif* 5 510 F.

• **Jockey.** *En course* : gagnant 8,5 % de la valeur nominale du prix, monte placée 8,5 % de l'allocation attribuée selon la place à l'arrivée, perdante 74,90 F (région parisienne). En 1988, 15 jockeys ont gagné, du fait de leurs victoires et places, plus de 5 000 000 F (gains des chevaux). *Classement d'après les gains (1988).* C. Asmussen 27 760 300 F. Head 18 369 650. G. W. Moore 12 686 000. E. Legris 12 202 675. G. Mosse 9 654 800. Guignard 9 303 300. D. Bœuf 8 554 150. A. Gibert 7 704 550. M. Philipperon 7 704 500. E. Saint-Martin 6 987 500.

• **Maître nageur sauveteur.** *Effectifs* : env. 20 600 maîtres nageurs sauveteurs dont 9 000 exerçant à temps plein ou temporaire, titulaires du diplôme d'État. *Salaire brut mensuel* (au 1-9-1989) : employés communaux-saisonniers-stagiaires-titulaires : *maître nageur sauveteur et éducateur sportif 1er degré* 6 563,41 à 8 180,83, *chef de bassin* 6 375,81 à 9 352,91.

• **Ski.** *Moniteurs de ski* (travailleurs indépendants brevetés env. 10 600 répartis entre 220 écoles du Ski français et 50 centres de collectivité) pour un travail saisonnier d'env. 4 mois et demi (15-12 au 30-4) : 40 000 à 100 000 F net (pour 90 % d'entre eux). *Pisteurs secouristes* brevetés pour 4 mois et demi d'activité : 15 000 à 30 000 F. Un quart d'entre eux ont des contrats à l'année.

• **Squash.** Jahanghir (dit Janghi) Khan : 800 000 $ par an.

• **Tauromachie.** Cachet (en millions de pesetas, 1988). Espartaco (pour 5 corridas) 45, Curro Romero 21, Paco Ojeda 18, Nino de la Capea 15, Rafæl de Paula 13,5. *Rémunération* (1991, en Espagne) : groupe A (ayant toréé au min. 38 fois) tarifs libres, groupe B 4 500 à 17 500 F.

• **Tennis.** *Professeurs. EPS certifié* 4 500 à 8 700 F. *EPS adjoint* 3 700 à 5 900. *BEES 1er et 2e degrés* 80 à 200 F de l'heure en leçon particulière. *Dans un club* 50 à 120 F de l'h. *Entraîneur professionnel* 6 000 à 20 000 plus primes de matches. *Conseiller technique régional* 6 000 à 8 000.

Fortune de quelques joueurs (en millions de $, 1988) Navratilova 12,7, Lendl 12,3 (1978-90 : 16), McEnroe 9,6, Evert 7,9, Connors 7,5, Wilander 5,1, Vilas 4,8, Borg 3,6, Edberg 3,6, Shriver 3,4, Smid 3,3, Mandlikova 3, Gerulaitis 2,8, Gottfried 2,8, Fibak 2,7, Becker 2,6, Turnbull 2,6, Gomez 2,5, Noah 2,5, Jarryd 2,2.

Nota. – Steffi Graf aurait gagné 17,5 millions de F sur les courts.

Gains. *Gains de match, + recettes publicitaires : Borg* : Suédois (1,80 m, 73 kg) touchait (en F) pour porter chemise, short, chaussettes, pull-over et survêtement Fila 1 500 000 ; employer la raquette Bancroft 1 000 000 ; chausser Tretorn 250 000 ; corder ses raquettes avec VS 10 000 ; utiliser la balle Penn 100 000 ; le poignet-éponge 150 000 ; vanter Tuborg sur son bandeau 250 000 ; le badge SAS sur sa manche gauche 125 000. En 1980, il aurait gagné 20 000 000 de F. La vente de l'exclusivité des photos de son mariage (24-7-80) lui a rapporté 250 000 F + les droits de reproduction. *John Mac Enroe* : Amér. gagnait 60 millions de F par an. Il a touché en 1982 (en $) pour porter les vêtements Tacchini 400 000, jouer avec la raquette Dunlop 600 000, porter les chaussures Nike 300 000 et la montre Omega (en 84) 75 000 (contrat de 1984 pour porter des vêtements : env. 1 million de $). Dep. la retraite de Borg, son contrat avec Donnay est passé de 500 000 à 125 000 $. *Yannick Noah* (Fr.) a gagné 3 270 000 F en 1983.

Gains de quelques tennismen dans leur carrière (en millions de $). Arthur Ashe 1,58, Rod Laver 1,56, John Newcombe 1,06, Ken Rosewall 1,6, Stan Smith 1,77.

Répartition des gains en compétition (en %, 1989) : joueur 80, coach 10, voyage 10.

Gains 1990, en $: *1* Lendl 530 937, *2* Becker 259 197, *3* Sampras 196 895, *4* Mayotte 159 560, *5* Edberg 105 250, *6* Gomez 98 185, *7* McEnroe 91 795, *8* Noah 91 795, *9* Korda 86 549, *10* Gustafsson 79 273, *25* Forget 56 204, *39* Agassi 45 102, *52* Fleurian 35 308, *93* Potier 19 217, *98* Winogradsky 17 551, *101* Lecomte 17 220, *104* Delaître 15 816, *130* Champion 10 830, *142* Cash 9 900, *149* Bahrami 8 599, *157* Santoro 7 720, *182* Connors 5 595, *186* Soules 5 055, *193* Tulasne 4 505, *197* Pioline 4 456, *206* Bœtsch 3 970.

Gains en tournois simples et doubles (en $) : HOMMES : Björn Borg (Suède) 4 141 449, Jimmy Connors (USA) 3 506 715, John McEnroe (USA) 3 425 399, Guillermo Vilas (Arg.) 2 880 206, Brian Gottfried (USA) 2 090 551, Raul Ramirez (Mex.) 2 012 612, Ilie Nastase (Roumanie) 1 932 691, Eddie Dibbs (USA) 1 830 403, Vitas Gerulaitis (USA) 1 800 591, Stan Smith (USA) 1 722 162. FEMMES : Chris Evert-Lloyd (USA) 3 657 352, Martina Navratilova (USA) 3 399 004, Billie Jean King (USA) 1 688 217, Tracy Austin (USA) 1 581 703, Virginia Wade (G.-B.) 1 404 351, Evonne Goolagong (Australie) 1 312 683, Wendy Turnbull (Australie) 1 187 320, Rosie Casals (USA) 1 077 645, Betty Stowe (P.-B.) 1 007 960, Hana Mandlikova (Tchéc.) 784 564. En 1983, Ivan Lendl 10 600 000 F, Martina Navratilova 12 000 000 F, Yannick Noah 3 222 600 F.

Nombre de joueurs ayant gagné + de 100 000 $ de prix dans l'année. 1984 : 43, *85* : 52, *86* : 53, *87* : 67, *88* : 83.

Dotations (1991). Wimbledon : total 6,4 millions de $ dont simple messieurs 0,24 (dames 0,216), demi-finaliste 60 (dames 52,5). **Roland-Garros :** 37,67 millions de F dont simple messieurs 2,448 (dames 2,237), finaliste messieurs 1,224, double messieurs 1, double mixte 0,22.

• **Télévision. Artistes interprètes** au 1-1-90. *Dramatiques* : journée répétition ou enregistrement : 928 F (journée unique : 978). Les comédiens touchent 25 % de leur cachet initial lors des rediffusions, 35 % pour la première. *Variétés* (répétitions effectuées en dehors de la journée au cours de laquelle a lieu l'enregistrement) : répétition 4 h ou – : 593 ; + : 928 ; enregistrement : 1 344. *Lyriques* : répétition ou enregistrement : solistes 1 391, artistes des chœurs 928 ; préparation ou déchiffrage (3 h par jour au max.) : solistes 533, artistes des chœurs 354. *Chorégraphiques* : répétition ou enregistrement (6 h au max.) : solistes 1 391, corps de ballet 928.

Répartition des salaires des journalistes en % (– de 10 000 F par mois et, entre parenthèses, + de 18 000 F) : *A2* : 0,8 (23), *FR3* : 7 (8), *Radio-France* : 20 (9), *RFI* : 16 (9), *RFO* : 11 (5).

Journaliste (moyenne mensuelle brute hors avantages particuliers et annexes, en F). Débutant [10 ans d'ancienneté *(rédacteur en chef)*]. **TF1** : 11 500 [15 000/20 000 *(30 000/35 000)*]. **A2** : 7 500 [12 000/20 000 *(20 000/30 000)*]. **FR3** : 9 000 [12 000/14 000]. **La 5** : 12 000/15 000 [14 000/20 000]. **Canal + :** 10 000 [*30 000*].

Nota. – Canal + fait bénéficier une partie de son personnel de « stock options » (intéressement aux bénéfices).

Personnel technique et administratif (moyenne mensuelle brute hors avantages particuliers et annexes, en F). **Secr. dactylo confirmée** *TF1* : 6 500, *A2* : 6 000, *FR3* : 6 300, *La 5* : 8 000-10 000, *Canal +* : 6 000. **Secr. de direction** *TF1* : 10 000-12 000, *A2* : 8 500-10 000, *Canal +* : 9 900. **Preneur de son** *TF1* : 12 000-15 000, *A2* : 12 000-13 000, *FR3* : 12 000-13 000, *La 5* : 11 000-12 000, *Canal +* : 7 700 (débutant). **Caméraman de plateau** *TF1* : 12 000, *A2* : 8 000, *Canal +* : 10 000.

☞ Certains sont payés au cachet, à l'émission ; d'autres au mois (certains 10 mois sur 12 ; d'autres 11 ou 13 mois). Certains sont payés comme animateurs *ou* comme producteurs ; d'autres comme animateurs *et* producteurs. Quelques-uns bénéficient d'avantages en nature : voiture, chauffeur, frais de représentation. Certains touchent d'autres salaires [radios, autres médias, édition, à-côtés : animations de débats, de fêtes ou de galas (ex. 10 000 à 30 000 F pour une conférence ; 20 000 à 50 000 F pour animer un gala ; 15 000 à 20 000 F pour une présentation)].

Aux USA les présentateurs peuvent toucher 1,5 à 2,5 millions de dollars (ex. Bill Cosby 10 millions de dollars).

Salaires bruts mensuels (en milliers de F). *Source* : Le Nouvel Observateur du 23-9-1988. **TF1** : *Anne Sinclair* : « Questions à domicile » et « 7 sur 7 » 110, *Patrick Poivre d'Arvor* : présentateur et dir. adjoint de réd. 70 (+ piges pour « Ex-Libris ») en nov. 89. « Ex-Libris » 30. *Bruno Masure* : prés. du Journal de 20 H (week-end) 50. *Jean-Michel Leulliot* : prés. du Journal de 23 H (week-end) 45. *Robert Namias* : prés. de « Une première » (6 h 30-7 h 30) 30. *Rédacteur en chef* : 30-35. *Chef de service* : 22-24. *Preneur de son* : 12-15. *Secr. de dir.* : *10-12. Journaliste débutant* : 10-12. *Caméraman de plateau* : 12. *Dactylo* : 6,5. **A2 :** *Bernard Pivot* : « Apostrophes » et « Apos » 140. *Christine Ockrent* : prés. du 20 Heures 120 (plus, selon la CGT, 50 de primes et indemnités). Elle aurait touché auparavant 240 à TF1 qu'elle a quitté le 8-7-1988. *William Leymergie* : prés. du 13 H/100. *Henri Sannier* : prés. du 23 H/60. *Claude Contamine,* PDG : 55. *Gérard Sebag* : réd. en chef, chef du service société 30. *Paul Amar* : chef du service politique, réd. en chef adjoint 29. *Jacques Abouchar* : envoyé permanent à Washington, réd. en chef 27 + prime de résidence (20). 28 ans d'ancienneté. *Betty Durot* : réd. en chef des journaux du week-end 26. *Daniel Bilalian* : prés. du Journal (week-end) 26. *Philippe Rochot* : correspondant permanent à Bonn 22,3 (+ 20 de prime de résidence). *Noël Mamère* : Magazine « Résistances » 18. *Bernard Benyamin* : grand reporter 17. *Patricia Coste* : politique étrangère 12. *Secr. de dir.* : 8,5-10. *Caméraman de plateau* : 8. *Journaliste débutant* : 7,5. *Preneur de son (débutant)* : 6,5. *Dactylo* : 6. **FR3** : *Jacqueline Alexandre* : prés. du 22 H/ 22. **La 5 :** *Guillaume Durand* : prés. du 20 H/ 80. *Jean-Claude Bourret* : prés. du Journal 60. *Marie-France Cubbada* : prés. des Journaux du week-end, rédactrice en chef 50. *Gilles Schneider* : prés. des Journaux du week-end, chef des info 50. **Canal + :** *Pierre Lescure* : dir. gén. 70. *Éric Gilbert* : dir. de la réd. 45. *Charles Bietry* : dir. du service des sports 40. *Rédacteur en chef* : 30. *Chef de service* : 25. *Caméraman de plateau* : 10. *Journaliste débutant* : 10. *Secr. de dir.* : 9,9. *Preneur de son (débutant)* : 7,2.

Pt d'A2 et FR3 : 1991, Hervé Bourges, 70.

Cachets annuels les plus élevés sur A2 (en 1987, en F) (*source* : rapport du Sénat) : Bernard Pivot : 1 364 340. Armand Jammot : 1 150 239. Jacques

• **Mineurs(charbon).** *Ouvrier du fond* (1988) 9 400 F, *du jour* (sauf centrales thermiques) 7 360 F, usines annexes et centr. therm. 7 565 F (1987).

• **Musée. Personnel de la Ville de Paris :** traitement brut mensuel et indemnité de résidence (au 1-12-1990, en F) : Agent de la surveillance spécialisée des musées de 2e cl. : 5 713 à 7 162 F. 1re cl. : 5 906 à 7 660. *Agent-chef :* 6 027 à 8 207. *Inspecteur adjoint :* 6 196 à 8 704. Inspecteur : 6 703 à 10 121. Conservateur de 2e cl. : 9 027 à 12 310 ; de 1re cl. : 12 733 à 17 184. Chef : 14 349 à 20 293.

• **Pêcheurs. Chalutiers de grande pêche** (soldes et salaires minimaux en F, au 1-4-1987). Capitaine 6e échelon 23 371 à 24 240. 1er éch. 19 806 à 20 767. Chef mécanicien 6e éch. 21 111 à 21 898 ; 1er éch. 18 509 à 18 857. Second capitaine et 2e mécanicien 15 014 à 18 171. Lieutenant 11 972 à 15 105. Chef d'usine 6 368. Cuisinier 6 149. Matelot 5 017. Novice 3 674. Indemnité nourriture 73,30 F par j, frais de route 47,60 par j.

Nota. – 1/5 du produit brut de la pêche est réparti entre l'équipage (salaires du capitaine et du chef mécanicien, fixés par accord particulier, exclus), en parts dont le nombre est égal à celui des membres de l'équipage restants, multiplié par un coefficient déterminé (entre 1,60 et 1,77). *Nombre de parts attribuées selon les fonctions :* second capitaine 4, mécanicien 2,30 à 4, matelot 1,25 à 1,35, novice 0,75 à 0,85. Les capitaines ont un contrat commercial avec leur armement (rémunération annuelle 350 000 à 550 000 F).

• **Pharmacie. Bénéfice moyen par pharmacie en 1990 :** 440 000 F (après remboursement des emprunts) selon Fédération ; **% du chiffre d'affaires** (hors taxes, en %). Spécialités normales 80,5, publiques 4,7, préparations 0,5, droguerie, conditionnés 1,1, pansements 3,2, accessoires 2,2, diététique (sauf le lait) 2,2, laits 2,3, parfumerie 2,8, analyses, locations 0,3, récipients 0,2.

Salaires. Personnel des pharmacies : pour 39 h de travail par semaine (1990). *Préparateur en pharmacie* 6 900 à 10 400 F par mois. *Pharmacien assistant* 11 500 à 22 700.

• **Police nationale. Traitement mensuel** net pour un célibataire au 1-2-91 en début et, entre parenthèses, en fin de carrière, zone d'abattement 0. **Emplois actifs en civil de la police nationale.** *Commissaire* (recrutement licence ou diplôme d'ét. supérieures). Élève 8 634, stagiaire 10 223, commissaire 11 183 (16 209), principal 15 672 (18 769), divisionnaire 18 769 (20 888), divis. avec des responsabilités particulièrement importantes 24 518. *Inspecteur* (recrutement : baccalauréat, capacité en droit ou brevet de technicien) : élève 7 032, stagiaire 8 548, inspecteur 9 041 (12 344), principal 10 640 (13 185), divisionnaire 13 183 (15 037), chef-inspecteur divisionnaire 14 673 (16 111). *Enquêteur* (recrutement BEPC ou niveau équivalent) : élève 6 466, stagiaire 7 563, enquêteur 2e cl. 7 644 (10 630), 1re cl. 10 088 (11 418), chef-enquêteur 11 910.

Emplois actifs en tenue de la police nationale. *Commandants et offic. de paix :* élève 7 032, stagiaire 8 843, offic. de paix 9 755 (12 344), officier de paix principal 12 466 (13 744), Cdt (emploi comportant des responsabilités particulièrement importantes) 12 933 (16 111). *Gradés et gardiens de la paix* (recrutement : CEP ou niveau équivalent) : élève 6 715, stagiaire 7 812, gardiens de la paix et sous-brigadiers 7 983 (11 379), brigadier 10 410 (11 787), brigadier-chef 2 296.

• **Politique.** Voir encadré p. 1874.

• **Pompiers (à Paris). Solde mensuelle** (après la durée légale du service pour un célibataire, au 1-5-91) : sapeur 1re *cl. :* 7 580,42 à 8 593,16 F. Caporal 7 638,25 à 8 621,83. Caporal-chef 7 618,01 à 9 069,36. Sergent 8 484,11 à 10 268,65. **(Communes et départements). Professionnels** [(traitement net (au 1-12-1990) sans enfants à charge, non logés, région parisienne, 1er échelon du grade, retenues faites pour pensions, Séc. soc. + indemnité de feu de 19 %, de logement (province), de conduite de véhicules (de sapeur 2e cl. à sergent-chef ; variables selon départements), de qualification (officiers en fin de carrière)]. *Début de carrière :* sapeur 2e cl. 6 376,25 ; 1re cl. 6 502,98 ; sous-lieutenant 7 434,6 ; capitaine 9 793,33. *Fin de carrière :* caporal-chef 9 310,63 ; sergent-chef 10 092,46 ; adjudant et a.-chef 10 607,88 ; lieutenant 2e cl. 13 101,77 ; lieut. 1re cl. 13 857,57 ; lieut. hors cl. 14 809,41 ; capitaine 16 576,8 ; commandant 18 753,84 ; lieut.-colonel 20 936,47 ; colonel 23 435,12. **Volontaires** (vacation horaire au 1-1-91) : officiers 56,43 ; s.-off. 45,36 ; caporaux 40,35 ; sapeurs 37,52. **Pilote de Canadair** (1986) : 13 000 F par mois, prime comprise.

• **Pourboire.** Imposable, il doit être déclaré. *Ouvreuse de cinéma* environ 5 000 F (jusqu'à 15 000 F à Paris pour un très grand succès). *Shampooineuse* 5 000 F et +.

• **Prisons. Agents pénitentiaires,** traitement mensuel net. *Exemples (1991) :* directeur catégorie A (sous-direct., direct., direct. régional) 9 340 à 24 325 F. Surveillant (élève surveillant à surv.-chef) 6 733 à 10 420 F.

Paris. Rémunération mensuelle brute en début de carrière et, entre parenthèses fin de carrière (primes comprises, au 1-1-91, en F). Inspecteur principal 11 713 (dir dep. adjoint 22 577). Inspecteur 8 924 (chef de division 18 295, dir. dep. adjoint 22 677). Contrôleur 7 949 (surveillant en chef de 2e cl. 14 019). Agent d'exploitation de la distribution-acheminement 7 502 (agent principal 10 234, conducteur de travaux 11 676). Conducteur de travaux de la distr.-ach. 8 244 (vérificateur principal de la distr. 13 747). Préposé 7 119 (agent d'adm. principal de la distr.-ach. 10 234).

Nota. – Rémunération brute : traitement brut + indemnité de résidence + primes à caractère général (notamment prime de résultat d'exploitation et prime de rendement) + primes de sujétions liées à l'appartenance aux grades.

Détenus. *Stagiaires de formation professionnelle :* rémunération brute (base 1991) : 13,27 F de l'heure. Travail, rémunérations moyennes brutes : service général 19 à 59 F/j, RIEP 21 F/h, entreprises concessionnaires 17 F/h. Prélèvements obligatoires (en % du net) : indemnisation des victimes : 10, frais d'entretien 30 avec plafond, constitution d'un pécule de libération 10.

Nota. – Les prévenus qui font l'objet d'un non-lieu, d'une relaxe ou d'un acquittement peuvent demander le remboursement des sommes prélevées au titre des frais d'entretien.

• **Professions libérales.** *Effectifs :* médecins 107 000 ; chirurgiens-dentistes 37 850 ; infirmières 32 900 ; kinésithérapeutes 27 250 ; pharmaciens 24 500 ; agents d'assurance 21 000 ; architectes 19 500 ; avocats 18 100 ; experts-comptables + comptables agréés 10 050 ; vétérinaires 8 300 ; notaires 7 450 ; ortophonistes 6 350 ; biologistes 6 300 ; conseils juridiques 4 900 ; huissiers 2 950 ; géomètres experts 2 150. Officiers publics et ministériels (commissaires-priseurs, greffiers des tribunaux de commerce, avoués près la cour d'appel, avocats au Conseil d'État et à la Cour de cassation) 1 100.

Au rec. de mars 1982 : 237 200 personnes exerçaient pour leur propre compte (salariés exclus) dont médecins spécialistes : 25 940 ; généralistes : 51 980 ; chirurgiens-dentistes : 31 420 ; psychologues, psychanalystes non médecins : 9 060 ; vétérinaires : 8 000 ; pharmaciens : 23 120 ; avocats : 14 600 ; notaires : 6 780 ; conseillers juridiques et fiscaux : 4 200 ; experts comptables et comptables agréés : 10 260 (au 23-5-89 : 11 010) ingénieurs-conseils en recrutement, organisation, en études économiques : 2 080 ; techniques : 10 140 ; architectes : 19 640 ; huissiers de justice et off. ministériels : 4 620 ; aides familiales non salariées effectuant un travail administratif : 15 360. On peut ajouter 100 000 indépendants : agents immobiliers, de voyage, courtiers ; 6 000 professionnels rattachés à la santé (sages-femmes, infirmières).

Nota. – Dans chacune de ces professions ne sont recensés que les « libéraux ».

Revenus moyens annuels (1987, en milliers de F). Avocat au Conseil d'État et à la Cour de cassation 875, médecin biologiste 785, administrateur judiciaire et mandataire liquidateur 712, avoués 631, greffier des trib. de commerce 630, radiologue 556, notaire 550, anesthésiste-réanimateur 546, commissaire-priseur 537, chirurgien 517, huissier de justice 440, dentiste 367, avocat 346, expert-comptable 333, médecin généraliste 235, conseil juridique 215, architecte 177, kinésithérapeute 139.

• **PTT.** *Effectifs* (au 31-3-1991). Agents titulaires 277 422 (hommes : 170 708, femmes : 106 714). Agents contractuels 243. **Travail à temps partiel.** Agents 15 315 dont *femmes :* 13 962, *hommes :* 1 353.

• **RATP. Rémunérations statutaires mensuelles brutes** (en F, 1-4-1985) début et fin de carrière, entre parenthèses part des primes. **Autobus :** machinistes, receveurs (voiture à 1 agent) 7 920 à 9 610 (dont primes env. 700). **Réseau ferré (métro et RER) :** *conducteurs* 8 400 à 11 200 (env. 720). *Chefs de station* 6 740 à 8 610 (env. 630). *OS* et *OP* 5 780 à 8 120 (env. 500). *O. qualifiés* 7 040 à 8 850 (env. 540). *Maîtrise* 8 100 à 13 490 (570 à 860). *Cadres* 11 070 à 13 490 (880 à 1 280). **Retraite.** Âge légal 50 ans, limite 55 ans (moyenne 52 chez les roulants), en Allemagne 63 ans (nombreuses préretraites).

• **Secrétariat. Statistiques.** *Nombre :* env. 800 000 secrétaires. *Records :* dactylographie : 85 mots/minute pendant 30 mn. Sténo (championnats) : 300 mots/minute pendant 3 mn de dictée. **Rémunérations annuelles.** Assist. de direction 130 000 à 200 000 F, secr. de direction 110 000 à 160 000 F, secr. 70 000 à 110 000 F.

• **SNCF. Rémunérations brutes moyennes** comprenant la part fixe mensuelle, le 1/12 de la prime de fin d'année et la prime de travail, calculées sur la dernière zone de résidence [env. 71 % du personnel (2,2 % d'abattement par rapport aux salaires de la rég. par.)] et pour l'ancienneté moyenne du personnel de l'emploi (au 1-6-89) : agent d'exploitation, d'entretien de la voie 6 440 (début 5 670). Ouvrier qualifié 7 190 (début 6 440). Aide-conducteur de locomotive 7 000. Conducteur de locomotive 10 600. Agent commercial de train principal 7 430. Chef de gare : petite 8 360. Moyenne 13 390. Grande 21 650.

Conducteur de TGV (1991) 11 360 à 13 680 F.

• **Sociales (carrières). Salaires mensuels bruts** (au 1-1-1989), du secteur public, début et entre parenthèses fin de carrière : assistant(e) de service social 6 674 (11 307). Conseiller en économie soc. et familiale 6 674 (11 307). Éducateur de jeunes enfants 5 665 (8 922). Moniteur éducateur 5 665 (8 692). Agent technique (dactylo) 5 022 (6 146). Rédacteur juridique (économe) 7 431 (12 523). Monitrice d'ens. ménager 6 422 (10 779). Assistante maternelle 6 422 (10 779). Assistante maternelle au moins 2 fois le montant du SMIC horaire par enfant et par j de 8 h. Cadre (éducateur-chef) 7 545 (11 857). Agent de direction (dir. de foyer de l'enfance 1re cl.) 11 055 (14 564).

Sports

• **Athlétisme** (1987, en $). Pour participer à un meeting : Lewis 35 000, Moses 25 000, Aouita 20 000 à 25 000, Vigneron 4 000, Joyner-Kersee 3 000 à 5 000, Caristan 3 000 à 4 000, Collard 2 000, Quénéhervé 2 000 ; les athlètes bulgares 1 500 à 2 000. Carlos Lopes a reçu 120 000 $ le jour de son record du marathon.

• **Automobile.** Niki Lauda 10 000 000 F/an, Jacques Laffite 3 000 000, Jean-Pierre Jarier 1 000 000. *Records de gains* (en millions de $, 1989) : Ayrton Senna 6, Alain Prost 1,6, Nelson Piquet 1,6, Nigel Mansell 1,55. *Fortune* (en millions de $, 1990) : Senna 10, Prot 9.

• **Basket.** Joueurs américains en National I 150 000 F par mois ; les Français Hervé Dubuisson et Stéphane Ostrowski 90 000 F.

• **Base-ball.** Roger Clemens (1991) 31,7 millions de F par an. Dwight Gooden (1991) 30,38 millions de F.

Sportifs les mieux payés, 1988 (millions de F.). *1.* Tyson (boxe), 139,4, *2.* Spinks (boxe) 97,6, *3.* Leonard (boxe) 73,710, *4.* Lalonde (Can., boxe), 24,2, *5.* Abdul-Jabbar (basket), 18,9, *6.* Holmes (boxe), 17,6, *7.* Hershiser (base-ball), 17,4, *8.* Ewing (basket), 17,3, *9.* Johnson (basket), 15,7, *10.* Ripken Jr. (base-ball), 15,5.

Cote (en milliers de F. *Source :* L'Équipe 8-4-1989). *Jean-François Lamour* [1] 416 [médaille d'or 200, aides et sponsor (12 mois) 216]. *Philippe Ribout* [1] 405 (m. d'argent 150, de bronze par équipe 75, aide 12 mois 180). *Pierre Durand* [2] 395 (m. d'or en saut d'obstacles 200, de bronze par équipe 75, aide personnalisée 12 mois 120). *Marc Alexandre* [3] 380 (m. d'or 200, aide et sponsor 12 mois 180). *Stéphane Caron* [4] 363 (m. de bronze 75, aide 12 mois 120, sponsors 168). *Le Déroff et Hénard* [5] *de 332 à 356 (m. d'or 200, salaire prof. éducation physique et sportive de 132 à 156). Laurent Boudouani* [6] 270 (m. d'argent 150, aide 12 mois 120). *Christian Plaziat* [7] salaire PTT (aide, sponsors et primes de meetings ou exhibitions 12 mois de 240 à 264). *Catherine Plevinski* [4] 231 (m. de bronze 75, aide et sponsor 12 mois 156). *Olivier Lenglet* [1] 219 (m. de bronze 75, aide et salaire de professeur EP détaché 144). *Gilles Quenehervé* [8] 211 (m. de bronze 75, aide 12 mois 36, primes meetings 100) y compris honoraires d'attaché commercial.

Nota. – (1) Escrime. (2) Équitation. (3) Judo. (4) Natation. (5) Voile. (6) Boxe. (7) Décathlon. (8) Athlétisme.

J.O. *Primes accordées aux vainqueurs français en 1988 :* médaille d'or 200 000 F, argent 100 000 F, bronze 60 000 F.

• **Journalistes. Salaires mensuels** (en milliers de F) : dir. de journal spécialisé 30 à 150. Dir. de la rédaction quotidien 40 à 100 (Figaro), hebdo 30 à 70. Rédacteur 12 à 20. Secrétaire 6 à 13. **Piges :** ligne 5,90, écho 69,06, dessin accepté 382,65, croquis le 1er 230,13, 2e 155,32, 3e 77,62, cabochon, lettrine illustrée, culs-de-lampe 136,47.

• **Magasins (Paris). Salaires moyens** (au 1-5-1990). **Grands magasins :** magasinier 6 200, employé de service administratif 6 500, caissier 2e échelon 7 200, vendeur rayon mercerie 6 800, confection dames 7 800, électroménager 9 000, meubles 10 000. **M. populaires :** vendeur débutant 5 156 F, v. très qualifié 5 156, v. technique 5 250, étalagiste qualifié 5 520.

• **Mannequins.** Payés à Paris de 1 300 à 7 500 F par défilé. Les plus recherchés : 600 000 F et + par an. Top model : 40 000 F/jour. **Enfants.** *Photos :* jusqu'à 13 ans, 440 F HT ; pour 1 h, 162 F (après déduction de la commission de l'agence et des charges soc.). Major. de 50 % après 19 h. De 13 à 18 ans, 580 F l'heure. *Cinéma :* jusqu'à 13 ans, 1 750 F par jour ; de 13 à 18 ans, 2 500 F. 90 % des gains sont bloqués sur un compte de la Caisse des dépôts et consignations.

• **Marine marchande.** Salaires mensuels min. (au 1-1-1989). **Cabotage ou long-cours** (sur navires cargos) : matelot cabotage 5 103 F (long cours 5 585) ; qualifié 5 300 (5 835) ; maître d'équipage 6 145 (6 932). Lt/officier mécanicien 1er éch. 8 372 (10 280) ; *10e échelon* 11 030 (12 613). Second capitaine 1er éch. 10 442 (12 808) ; 6e éch. 13 220 (15 055). Chef mécanicien 1er éch. 13 495 (15 603) ; 6e éch. 15 611 (18 122). Capitaine 1er éch. 14 900 (17 188) ; 6e éch. 17 047 (20 065). **Commandant du port** [1] 13 000 ; officier de port 9 700 à 12 000 ; pilote 14 000 à 18 000 (variable selon mois et trafic). **Remorqueur (capitaine)** [1] 9 000 ; matelot 5 000. **Scaphandrier** [1] 10 000 à 12 000 ; indépendant 60 000 (pour mission de 2 mois).

Nota. – (1). Au 1-10-1985. Ces salaires varient *pour les officiers* selon brevet détenu (capitaine au long cours, officier chef de quart...), ancienneté, taille du navire et genre de navigation (long-cours, cabotage, remorquage). *Pour les marins du personnel d'exécution* selon ancienneté, fonction exercée, volume d'h supplémentaires incluses dans les rémunérations, genre de navigation.

• **Masseurs-kinésithérapeutes. Exercice libéral.** *Honoraires* à l'acte selon nomenclature officielle établie par le ministère de la Santé. *Lettre clé* AMM au 9-3-88 : 11,55 F. Tarif fixé par arrêté ministériel. *Frais d'installation :* 100 000 F. *Revenu brut annuel moyen* (1989) : 319 608 F. *Frais prof. :* 40 à 50 %. **Exercice salarié** (en F, au 1-1-1991). *Établissements publics 2e échelon* 7 219 ; *8e* 10 454 + indemnité de résidence et éventuellement supplément familial. *Éts privés à but lucratif* (au 1-4-91) : 6 875 F (coeff. 255), *non lucratif* (au 1-10-90) : 8 974 F (coeff. 358).

• **Médecins et assistants. Nombre moyen d'actes médicaux par jour.** *Généraliste :* 23 (8 visites et 13 consultations, 2 actes techniques) ; *spécialiste :* 15 (5 consultations, 10 actes pratiqués par j). Mais on a vu des médecins atteindre de 50 à 200 « consultations » par j (psychiatre 30 par j). **Revenu** peut aller de pratiquement zéro (débutant malchanceux) à 220 000 F par mois (pour une dizaine de médecins non conventionnés), échelle 1 à 20.

Médecins libéraux (revenus en F, 1988). Radiologues 2 176 402, chirurgiens 956 151, cardiologues 794 413, ophtalmologues 710 270, oto-rhino-laryngologistes 693 918, gynécologues 688 439, spécialistes (sauf radiologie) 665 077, généralistes 481 731, pédiatres 462 153, psychiatres 387 052. *En 1989 :* 5 360 généralistes à faible activité ont un chiffre d'aff. annuel de 200 000 F ou moins (soit 8 000 F charges déduites avant impôt). *Source.* Caisse nat. d'assurance-maladie des salariés.

Médecins hospitaliers (salaire mensuel brut en F, 1989). *Interne :* débutant 6 510, en 2e année 9 988,33. *Chef de clinique :* assistant 13 636,50 à 15 906,50. *Praticien :* 15 663 à 34 794 (après 21 ans de carrière). *Prof. agrégé de CHU :* 28 400 à 52 000.

Médecins militaires. Chef de service agrégé, marié + 2 enfants : 23 000/25 000 F primes incluses.

Avenir des carrières médicales. *Années 1960 :* on parlait de pénurie et on ouvrit des nouvelles facultés de médecine. *1972 : numerus clausus* instauré en 2e année de médecine (*1978 :* + de 8 000, *1988 :* 4 100). *Chômage :* sur 22 000 diplômés inscrits à l'ordre, n'ayant ni cabinet libéral, ni activité à temps plein, moins de 1 000 se retrouvent à l'ANPE. Sur 100 000 médecins libéraux, 14 % connaîtraient une situation délicate.

Militaires

• **Active. Soldes et indemnités (y compris solde nette par mois, indemnité de résidence à Paris, charges militaires)** (Total en F, en 1989). **Non-officiers :** caporal-chef, quartier-maître de 1re classe (1 an de service) 6 039. Sergent, second maître (après 5 ans) 6 587. Sergent-chef, maître (après 10 ans) 8 154. Adjudant, premier maître (après 13 ans) 8 886. Adjudant-chef, maître principal (après 17 ans) 9 565. Major (après 26 ans) 10 459. Gendarme. Voir Gendarmes.

Officiers du régime général *(Terre, Air, Mer, Gendarmerie) :* lieutenant (1 an de grade), enseigne de vaisseau 9 879. Capitaine (4 ans de gr.), Lt de vaisseau 11 580. Cdt (2 ans de gr.), capitaine de corvette 13 469. Lt-colonel (2 ans de gr.), capitaine de frégate 15 954. Colonel (3 ans de gr.), capitaine de vaisseau 18 949. Gal de brigade (après un an), contre-amiral 22 929. **Médecins des armées :** médecin (capitaine, 4 ans de gr.) 13 326. Médecin principal (Cdt, 2 ans de gr.) 15 126. Médecin en chef (Lt-colonel, 2 ans de gr.) 16 455. Médecin en chef (colonel, 6 ans de gr.) 18 111. Médecin chef des services (entre colonel et Gal) 22 035. **Ingénieurs de l'armement :** ingénieur de l'armement (28 ans, capitaine à 3 ans de gr.) 12 019. Ingénieur principal de l'armement (35 ans, Cdt, 2 à 3 ans de gr.) 14 885. Ingénieur en chef (42 ans, colonel 2 ans de gr.) 15 866. Ingénieur Gén. de 2e cl. (52 ans, Gal de brigade) 22 929.

Nota. – De la solde mensuelle nette se retranche la retenue de la Séc. soc. et s'y ajoute le supplément familial de solde ; des primes de qualification et liées à certaines activités (ex. indemnité pour services aériens ou sous-marins, de services en campagne).

Quelques exemples de salaires mensuels dans l'Armée

(en milliers de F, 1991)

Grade	Mét.	Ant.	Ré.	Poly.	Tch.	Dji.	Lib.
Terre :							
Gal. div. [1]	33,6	56	63,1	74,3	78	76,6	82,9
Gal. brig. [2]	28,6	47,2	53,1	62,1	78	76,2	82,5
Colonel [2]	27,7	45,6	51,2	60	73	70,1	75,2
Lt. Col. [2]	21	34,1	38,4	45,2	60,2	57,9	63
Cdt. [2]	16	26,6	30	35,9	48,5	46,8	51,4
Capitaine [2]	13,9	23	26	31	43,9	41,7	46,4
Lieut. [3]	11,6	19,3	22	27	33	31,4	35,8
S.-Lieut. [4]	8,3	13,1	14,9	19	28,4	27,1	31,2
Maj. [2]	12,5	20,9	23,5	27,6	37,7	35,9	40,9
Adj.-chef [2]	12,1	20,3	23	27	35,6	33,6	38,5
Adj. [2]	8,8	15,1	17,2	20,4	25,9	24,6	29,4
Sergent [4]	6	9,7	11,1	14	20,7	19,7	24
Cap. chef [4]	6	9,6	10,9	13,8	20,7	19,6	23,9
Caporal [4]	5,7	8,5	9,6	12,9	15,5	15,3	16,8
1re classe [4]	4,2	6,1	6,9	9,3	8,9	8,8	9,6
2e classe [4]	3,6	5,2	5,9	6	8,4	8,2	9
Parachutiste :							
Gal div. [1]	38,8	61,2	68,3	79,6	83,2	81,8	88,1
Gal. brig. [2]	33,8	52,4	58,3	67,4	83,2	81,4	87,7
Colonel [2]	32,9	50,8	56,4	65,2	78,1	75,2	80,4
Lt.-Col. [2]	26,2	39,3	43,6	50,5	65,4	63	68,2
Cdt [2]	21,2	31,7	35,3	41,1	53,7	51,9	56,6
Capit. [2]	19,1	28,2	31,2	36,3	49	46,8	51,5
Lieut. [3]	16,8	24,5	27,2	32,2	38,1	36,6	41
S.-Lieut. [4]	12,2	17,1	18,9	23	32,5	31,1	36
Major [2]	16,4	24,8	27,5	31,6	41,6	39,8	44,8
Adj.-chef. [2]	16,1	24,3	26,9	30,9	39,4	37,5	42,4
Adj. [2]	14,5	21,7	24	27,7	38	36,1	41
Sergent [4]	9	12,7	14	16,9	23,7	22,6	26,9
Cap.-chef [4]	8,8	12,5	13,8	16,7	23,6	22,5	26,8
Caporal [4]	8,3	11	12,1	15,5	18,1	17,8	19,3
1re classe [4]	5,7	7,7	8,5	11	10,5	10,3	11,1
2e classe [4]	4,8	6,4	7,2	9,2	9,6	9,5	10,3
Pilote :							
Lt.-Col. [2]	26,7	39,8	44	50,5	65,4	63	68,6
Cdt [2]	21,7	32,3	35,7	41,6	54,1	52,4	57,1
Capit. [2]	19,5	28,6	31,7	36,7	49,5	47,3	52
Lieut. [3]	16,9	24,6	27,3	32,3	38,3	36,7	41
S.-Lieut. [4]	12,8	17,6	19,5	23,6	33,1	31,7	35,7
Major [2]	16,7	25,1	27,8	31,9	41,9	40,1	45,1
Adj.-chef [2]	16,4	24,6	27,2	31,2	39,8	37,8	42,7
Adj. [2]	15,2	22,4	24,7	28,4	38,7	36,8	41,6
Sergent [4]	9,1	12,8	14,1	17	23,8	22,7	27
Marine :							
Gal. div. [1]	39,7	62	89,1	80,3	84,1	82,6	88,9
Gal. brig. [2]	33,3	52	57,8	66,9	82,8	81	87,3
Colonel [2]	32,3	50,1	55,8	64,5	77,5	74,6	79,8
Lt.-Col. [2]	24,4	37,5	41,7	48,6	63,6	61,2	66,3
Cdt [2]	18,7	29,3	32,8	38,6	51,2	49,4	54,1
Capit. [2]	16,2	25,3	28,3	33,3	46,2	44	48,7
Lieut. [3]	13,8	21,5	24,1	29,1	35,2	33,6	38
S.-Lieut. [4]	9,9	14,8	16,6	20,6	30,2	28,8	32,8
Major [4]	14,6	23	25,7	29,8	39,8	38	43
Adj.-chef [2]	14,2	22,4	25	29	37,6	35,7	40,5
Adj. [2]	12,8	20	22,3	25,9	36,3	34,3	39,2
Sergent [4]	7,3	11	12,3	15,2	22	20,9	25,2
Cap.-chef [4]	7,2	10,8	12,2	15	21,9	20,8	25,1
Caporal [4]	6,8	9,5	10,7	14	16,6	16,3	17,8
1re classe [4]	5,2	7,2	8	10,5	10	9,8	10,6
2e classe [4]	4,1	5,7	6,4	8,5	8,9	8,7	9,5

Nota. – Mét. : Métropole, Ant. : Antilles, Ré. : Réunion, Tch. : Tchad, Dji. : Djibouti, Lib. : Liban. (1) marié, un enfant. (2) marié, deux enfants. (3) marié, sans enfant. (4) célibataire, sans enfant.

Groupes de grade. 1° Officiers subalternes [sous-lieutenant : durée 1 an (*éch. 3 :* après 15 ans de service, *2 :* après 5 a., *1* avant 5 a.) ; lieutenant : durée 4 ans (*éch. 5 :* après 21 a. ; *4 :* 2 a. ou après 16 a. ; *3 :* 1 a. ou après 11 a., *2 :* 1 a. ou après 6 a. ; *1 :* 1 a. ou avant 6 ans) ; capitaine : durée 5 ans (*éch. 4 :* après 26 a. ; *3 :* 2 a. ou après 24 a./1 a. ou après 23 a., *2 :* 2 a. ou après 22 a., *1 :* 2 a.)]. 2° Officiers supérieurs [commandant : durée 4, 5 ou 6 ans (*éch. 2 :* 2 a., *1 :* 2 a.) ; lieutenant-colonel : durée min. 3 ans (*éch. 2 :* 1 a., *1 :* 2 a.)]. 3° Colonels (*éch. exceptionnel :* accessible après 4 ou 5 a. dans la limite d'un contingent, *2, 1 :* 3 a.). 4° Officiers généraux [général de brigade (au choix)].

Avancement. *De capitaine à commandant :* se fait exclusivement au choix avec condition (au – 5 ans et au + 9 dans le grade) ; ceux qui ont dépassé 9 ans accèdent à l'échelon spécial et ne peuvent plus passer Cdt au choix sauf dans la limite de 2 % des promouvables du grade.

De lieutenant-colonel à colonel : exclusivement au choix avec condition (au – 3 ans et au + 7 ans dans le grade) ; ceux qui ont dépassé 7 ans accèdent à l'échelon spécial et ne peuvent plus passer colonel au choix sauf dans la limite de 2 % des promouvables du grade.

• **Appelés. Montant du prêt du soldat (ou matelot) de 2e classe dep. 1960 (taux du 2e cl.). Solde mensuelle.** *1960* (1-1) 9, *65* (1-5) 15, *71* (1-7) 22,50, *72* (1-7) 42, *73* (1-7) 52,50, *74* (1-7) 60, *75* (1-1) 75, *76* (1-4) 210, *77* (1-7) 240, *78* (1-6) 255, *79* (1-7) 270, *80* (1-7) 285, *81* (1-4) 315, *82* (1-1) 345, *83* (1-7) 375, *84* (1-9) 405, *85* (1-9) 405, *86* (1-1) 435 (soit 14,50 F par jour), *88* (1-3) 444 (soit 14,80 F par jour), *89* (1-3) 453, *90* (1-3) 463 (soit 15,45 F par jour) [Matelot 1re classe 579. Caporal, quartier-maître 2e cl. 809. Caporal-chef, quartier-maître 1re cl. 926. Sergent, second maître 1 159. Aspirant 1 389. Sous-Lt, enseigne de vaisseau pendant la durée légale 1 480. Autres avantages : prime de service en campagne 17 F/j (au-dessus de 36 h de manœuvre) ; indemnité pour services aériens (montant mensuel 1 255 F en 1989)].

Permissions annuelles : 16 j (+ pour événements familiaux 3 j, récompense 5 j, obtention de brevets militaires 4 j), affaires personnelles (sous réserves des nécessités du service) permissions possibles de 72, 48, 36 et 24 h ; 10 j de perm. de longue durée en + pour agriculteurs et appelés en All. féd. ou embarqués sur un bâtiment de la marine nationale ; autorisations d'absence « quartiers libres », en dehors du service, avec autorisation de se mettre en civil. *Réductions chemin de fer :* 12 voyages gratuits garnison/domicile et 75 % de réduction sur les autres trajets. *Protection sociale :* soins médicaux gratuits, pensions d'invalidité ; extension à la famille des allocations d'aide sociale en cas de besoin. *Droit de recours :* 1°) Recours hiérarchique. 2°) Réclamation personnelle adressée à l'inspecteur général de l'armée à laquelle appartient l'appelé.

• **Volontaires du service long.** *Le coefficient varie selon la durée des services :* 0 à 6 mois 1,5 ; 7 à 12 mois 2 ; 13 à 18 mois 2,5 ; 19 à 24 mois 3. **Solde mensuelle de 7 à 12 mois et,** entre parenthèses, **de 19 à 24 mois** (en F, au 1-3-1989). Sous-Lt 2 898 (4 347). Aspirant 2 718 (4 077). Sergent 2 268 (3 402). Caporal-chef 1 812 (2 718). Caporal 1 584 (2 376). Soldat 1re cl. 1 134 (1 701), 2e cl. 906 (1 359). Pécule en fin de service, de 1 359 à 8 694.

• **Militaires du contingent en Allemagne, sauf Berlin.** *Indemnité de séjour par an* (en F) : aspirant 1 880, sergent 1 270, caporal-chef 1 129, caporal 986, soldat 894 [payée partie en F, partie en Mark (mensuellement 50 DM pour aspirants et sergents et 30 DM pour hommes du rang)]. **À Berlin :** *indemnité supplémentaire d'expatriation par an :* aspirants 2 304 DM, sous-off. 1 692 DM, caporaux ADL 936 DM, hommes du rang 792 DM. **Pour tous :** indemnité compensatrice de perte au change pour compenser les variations du DM.

• **Légionnaires** (*soldes par mois, en F, à Aubagne et,* entre parenthèses *à Djibouti au 1-3-89).* Solde début de contrat 1 487 (5 233), + de 9 ans de service 7 576 (16 914). Caporal-chef 9 257 (21 858). Adjudant-chef 11 209 (25 556).

• **Marine nationale** (*Solde des matelots, en 1990).* Matelot au-delà de la durée légale, 2e et 3e année : 4 373 F. Quartier-maître de 2e et 3e a. : 5 155, de 1re cl., 2e et 3e a. : 5 961, des transports du VIIIe Plan, ils travaillaient en moy. 60 h par semaine et 60 % d'entre eux + de 60 h. 80 à 90 % des grands routiers (transport sur plus de 250 km) travaillaient de 60 h à 100 h. 40 % d'entre eux conduisaient + de 8 h par j. Les primes représentaient env. 25 % du salaire (5 % dans les autres branches de l'écon.). Il s'agissait souvent de primes de rendement présentées sous diverses appellations (bonne conduite, nettoyage) incitant à dépasser la durée du travail et la vitesse.

Régime de prévoyannce : en cas d'inaptitude à la conduite résultant d'un retrait de permis pour raisons médicales ou d'une décision du médecin du travail. Critères : 15 ans de métier, âgé d'au moins 50 ans. *Indemnités :* 90 % du manque à gagner entre ancien et nouveau salaire ou prestations Séc. sociale, ou indemnités de chômage. *Conducteurs en déplacement :* indemnités au 27-4-87 : repas 45,40 F, repos unique 28,10 F, spéciale 13,90 F, casse-croûte 28,10 F, repos journalier (chambre + casse-croûte) 91,50 F. A l'étranger : + 18 %.

• **Chercheurs au CNRS. Traitements annuels** (en milliers de F, au 21-4-1989). *Chercheurs :* Dir. de rech. de classe exceptionnelle : 333 à 377,6. Dir. de rech. de 1re cl. : 236,9 à 333, 2e cl. : 189,6 à 276,8. Chargé de rech. de 1re cl. : 130,1 à 235,6, de 2e cl. : 119,2 à 158,6. *Ingénieurs :* ing. de recherche : 136,9 à 305,8, d'études : 118 à 206,2. Chargé de mission de la recherche : 157,7 à 227,9, assistant ing. : 106,8 à 165,1. *Techniciens :* tech. de la recherche : 86,7 à 149,4. Adjoint tech. : 77,6 à 108,4. Agent techn. : 73,8 à 92,5.

• **Clergé. Prêtres :** *en 1987 :* 4 110 F par mois + logement (à Paris logé 3 550, sinon 4 190). Le prêtre, sauf dans quelques diocèses, reverse à une caisse centrale les sommes lui parvenant directement [honoraires de messe (50 F), casuels, dons divers]. Une fois payés nourriture, chauffage et éclairage, il lui reste environ 1 600 F pour les autres dépenses. *L'évêque* perçoit le même traitement. Des indemnités de charges variables selon fonctions sont versées directement. **Minimum interdiocésain de ressources garanti :** *aux prêtres retirés :* 40 800 F en 1987. *Prêtres relevés de leurs vœux :* bénéficient de la retraite versée par la Caisse mutuelle d'assurance vieillesse des cultes, proportionnellement à leurs années passées dans le ministère (17 650 F pour 37 ans 1/2 au service de l'Eglise). Si le montant cumulé de cette retraite avec celles perçues pour leurs années de salariat n'atteint pas le minimum garanti de 40 800 F, l'Église leur verse un complément jusqu'à concurrence de ce montant. **Personnel paroissial** (sacristains ou employés d'église, musiciens du culte, secrétaires et assistantes paroissiales...) : chacun reçoit un salaire établi par accord paritaire.

Recettes ordinaires des paroisses : denier du clergé ou denier du culte, quêtes ordinaires, honoraires de messes, casuels (à l'occasion des obsèques et mariages), dons divers.

Pasteurs : env. 5 à 6 000 F par mois, logement gratuit.

• **Concierges. Catégories** (au 1-1-1991). *A, effectuant 169 h par mois :* agent de surveillance 5 526,66, employé d'immeuble 5 526, 66, surveillant 5 330,76, employé d'im. spécial 5 535,31, surveillant en chef 6 038,96, agent de sécurité IGH 6 228,51, chef d'équipe de sécurité IGH 7 555,36, employé d'im. qualifié 6 228,51 ; *B, totalisant 10 000 unités de valeur :* gardien concierge 5 546,13, gardien concierge de sécurité IGH 6 228,51, gardien principal A 6 418,06, B 7 555,36, gardien chef 8 692,66. Val. point (au 1-7-1991) : 37,91.

Salaire en nature logement au m² (au 1-1-1991) : catégorie I 13,71 F, II 10,20 F, III 3,36 F.

• **Contractuelles.** Payées par la ville (coût prév. 106 millions de F) mais, comme auxiliaires de la police, elles sont sous l'autorité du préfet de police. Salaire mensuel proche du SMIC. Les contraventions dressées par les contractuelles reviennent à l'État (100 millions de F par an), le prix du stationnement (200 millions) revient à la mairie.

• **Couture.** Salaires mensuels minimaux conventionnels, en F, au 1-1-87. *Seconde main débutante* SMIC, *1re main qualifiée ayant 1 an de qualification* 6 455, *2e d'atelier* 7 773, *1er d'atelier dirigeant - de 7 personnes* 8 449.

• **Cover-girls.** Cotées : 2 000 F par j de travail dans un magazine, 6 000 F min. pour une pub.

• **Détectives privés.** *Enquêteurs salariés :* 6 300 à 8 400 F par mois, *indépendants :* payés à la vacation et selon l'importance de l'affaire (frais km et de repas en +), de 12 600 à 21 000 F par mois selon qualification et horaire des missions. Journée de filature de 8 heures facturée de 2 100 à 5 250 F (16 h et h de nuit). Prix des enquêtes, selon le nombre de vacations (1 v. = 4 h indivisibles). En moyenne, prix horaire de 262,50 F.

• **Dentistes.** *Évolution des recettes et,* entre parenthèses, des dépenses (en milliers de F). *1976 :* 369 (193), *81 :* 501 (240), *84 :* 658 (303), *86 :* 725 (322), *87 :* 757 (343), *88 :* 712. *Répartition de 100 F de recettes :* achat de fournitures 27, personnel 10, cotisations sociales 5, cot. professionnelles, honoraires, frais divers 3, locaux 3, amortissements 5 ; bénéfice imposable 45.

• **Dockers.** *Salaire annuel* moyen (1990) : 146 153 F pour 141 jours de travail par an, variable suivant travaux effectués. Embauche journalière réservée en priorité aux dockers professionnels immatriculés par le Bureau central de la main-d'œuvre.

• **Employés de maison.** *Salaire horaire* et, entre parenthèses, *salaire mensuel minimal brut* y compris prestations en nature au 1-4-91 sous réserve de l'application du SMIC (en F, sur le plan national). *Coefficient 100* 31,94 (5 557,56), *110* 32,26 (5 613,24), *120* 32,58 (5 668,92), *130* 33,17 (5 771,58), *140* 33,67 (5 858,58), *150* 34,15 (5 942,10), *160* 35,36 (6 152,64), *180* 37,79 (6 575,46). Avec ancienneté, calculer + 3 % après 3 ans, 4 % après 4 ans..., + 10 % après 10 ans. Salaires réels souvent plus élevés.

Prestations en nature, sauf contrat particulier. *1 repas :* 14,38 F (par mois : 28,76 F × *26 jours) ; logement,* par mois : 287,60 F. Le montant des prestations en nature est à déduire du salaire brut pour obtenir le salaire en espèces. Total/mois : 1 035,36 F.

☞ En 1987, 250 000 emplois domestiques à temps plein et 500 000 à temps partiel sont déclarés.

• **Enseignement. Rémunération mensuelle nette en début et en fin de carrière** (en F, au 1-5-1991) : *Élèves-instituteurs :* pendant 3 mois : 5 499 ; ensuite 5 914. *Instituteurs :* 6 599/10 583. *Professeurs des écoles :* 7 076/13 551. *Adjoints d'enseignement :* 6 433/10 895. *Prof. d'enseignement gén. :* 6 454/10 916 (11 102 au 1-9-91) ; hors classe : 12 596 (13 530 av. 1-9-92). *Prof. de lycée prof. de 1er grade :* 6 454/11 102. *Prof. certifiés et prof. de lycée prof. de 2e gr. :* 7 076/13 551 ; hors cl. : 15 128. *Agrégés :* 8 176/16 934 ; hors classe : 19 898.

Majoration annuelle due au complément indiciaire (au 1-5-91) lié à l'exercice d'une fonction quel que soit le grade de l'enseignant. *Directeur d'école nouveau régime* 748 à 9 970 F, selon le nombre de classes de l'école, *de SES (section d'éd. spécialisée), instituteur chargé de section d'éducation spécialisée* 8 128, *principal collège, proviseur de LEP, proviseur de lycées* et *adjoints* 5 595 à 32 424 selon cat. de l'établissement et sujétions.

Heures supplémentaires annuelles (au 1-5-91) calculées à partir d'un maximum hebdomadaire déterminé statutairement. (1 h supp./semaine durant 1 an). *Pour les prof. d'enseign. secondaire :* par an pour : un pr. d'enseignement gén. de collège 5 614 F, de lycée d'enseignement professionnel 4 092 F, certifié 6 666 F, agrégé 9 561 F. *Pour les prof. d'enseign. supérieur :* par h. supplémentaire effective, le taux varie de 83 à 311 F selon prestation et discipline.

Indemnités. *Logement :* instituteurs et directeurs d'école élémentaire ont droit au logement en nature ou à une indemnité représentative payée par la commune. Cette indemnité est versée par l'État aux communes. Montant de la DSI (dotation spéciale instituteur) en 1990 : 11 557 F pour l'année. *I. de suivi et d'orientation des élèves pour prof. des lycées et collèges :* 6 252 F par an au 1-5-91. *I. de prof. principal :* 5 387 à 10 271 F/an selon le grade de l'enseignant. *I. de 1re affectation :* 12 154 F. *I. de sujétions spéciales : 2 025 F.*

Supplément familial (au 1-5-91) : 1 enfant : 15 F, *2 :* 70 F et 3 % du salaire mensuel brut, *3 :* 100 F et 8 %, *autres enfants :* 30 F et 6 %. *Mutuelle générale de l'Éducation nationale (MGEN) :* cotisations 2,5 % sur traitement mensuel brut + ind. résidence. *I. résidence :* 0 %, 1 % ou 3 % du traitement mens. brut selon le lieu d'exercice.

Temps de service hebdomadaire. *Instituteurs* 27 h d'enseignement, *professeurs de collège d'enseignement général* (PEGC) *et certifiés* 18 h (20 h pour les disciplines artistiques et EPS), *pr., agrégés* 15 h, *pr. d'université* 3 h, *maîtres assistants* 12 h.

Contribution exceptionnelle de solidarité. Pour tous les agents de l'État (titulaires et auxiliaires du public et personnels d'enseignement des établissements privés sous contrat d'association) : taux de 1 % de la rémunération nette totale (non compris remboursements de frais professionnels, dans la limite du plafond) 46 480 F au 1-7-91 ; précomptée : chaque mois, déduction faite du montant de la cotisation Sécurité sociale de la retenue pour pension civile et le cas échéant de la cotisation pour retraite complémentaire à caractère obligatoire ; en sont exonérés dont traitement net (+ indemnité de résidence) est inférieur à l'indice majoré 254 de la fonction publique.

• **Étrennes. Concierges :** quand les loyers étaient très bas : 2 à 5 % du loyer annuel, charges non comprises. Actuellement pour les services habituels, selon la catégorie de l'immeuble, de 100 à 800 F. **Éboueurs :** un arrêté préfectoral de 1936 interdit aux agents des services municipaux, sous peine de sanctions, de solliciter des étrennes auprès des particuliers. Cependant, certains leur donnent de 5 à 30 F. **Pompiers :** aucun texte n'autorise ni n'interdit leur tournée annuelle. On leur donne souvent de 10 à 30 F.

• **Étudiants salariés.** Voir p. 1445.

• **Gardes du corps.** 80 à 120 F l'h. *Soirée mondaine :* 500 à 1 000 F par garde (plus 37 % de charges sociales et 20 % de TVA). *Garde d'un appartement une nuit (20 h à 8 h) :* 700 à 2 800 F HT par garde du corps selon les risques. *Protection d'une femme seule pendant une soirée (4 h) :* 600 F HT.

• **Gardes républicains.** Voir Gendarmerie nat.

• **Gardiens de nuit.** *Sédentaire. Salaire :* pour 169 h par mois, compris entre SMIC et 1,5 du SMIC pour la majorité (de 4 110 à 9 075 F par mois, agents de maîtrise 6 425 à 10 860 F, ingénieurs et cadres 8 514 à 19 814 F). *Nombre :* environ 70 000 dans les entreprises spécialisées dans la sécurité.

• **Gardiens de phare.** Débutant 5 000 F, avec 15 ans d'ancienneté 6 000 à 7 000 F.

• **Gendarmerie nationale (y compris Garde rép.). Solde mensuelle nette** (personnel marié, zone résidence Paris, au 20-3-91). *Officiers :* lieutenant à général 11 414,5 à 32 492,65 F. *Sous-officiers :* élève gendarme à gendarme (échelon exceptionnel, 21 ans de services) : 6 847,02 à 10 948,09 F. Maréchal des logis-chef (10 a. de services) à adjudant-chef (21 a. de services) : 10 198,55 à 13 476,57 F. Major (échelon exceptionnel, 29 a. de services) : 14 310,92 F. **Appelés.** Voir militaires.

Carrières. *Officiers :* âge moyen au 1-1-91 : Gal de corps d'armée 57 a. 5 mois, Gal de division 58 a. 1 m., Gal de brigade 56, colonel 52 a. 3 m., Lt-col. 47 a. 6 m., chef d'escadron 43 a. 9 m., capitaine 41 a. 4 m., lieutenant 38 a. 3 m. Début de carrière 22 ans 2 mois, fin 55 à 61. *Sous-officiers :* âge moyen au 1-1-91 : major 50, adjudant-chef 48, adjudant 43, maréchal des logis-chef 38, gendarme 33, élève gendarme 22. Moyenne générale 35 a. 3 m. Début de carrière : engagement possible à 18 a. *Probabilité de terminer* en % et, entre parenthèses, âge moyen de franchissement des grades : gendarme 52,16 (23 a. 7 m.), maréchal des logis-chef 10,68 (35 a. 8 m.), adjudant 9,44 (42 a. 8 m.), adjudant-chef 14,04 (47 a. 3 m.), major 11,36 (50 a. 4 m.). 2,32 % des sous-officiers réussissent le concours interne et deviennent sous-officiers.

• **Hôtellerie-Restauration. Salaires annuels moyens. Hôtellerie** (en milliers de F, 1986). Directeur d'exploitation 201 à 391. Directeur technique 75 à 345. Chef de service 98 à 175. Chef de réception 78 à 132. Réceptionnaire 65 à 71. Intendante générale 134. Gouvernante 86 à 87,5. Femme de chambre 60,5 à 72. Directeur de la restauration commerciale 106 à 245. Responsable de la restauration 125 à 165. Responsable des banquets 105 à 145. *Chef de cuisine* 115 à 155. Cuisinier 75 à 84. Maître d'hôtel 75 à 120. **Restauration commerciale** (1986). Directeur 106 à 245. Chef de service 120 à 180. Chef de cuisine 82 à 148. Cuisinier 68 à 101. Chef pâtissier 95 à 154. Maître d'hôtel 105 à 145. Serveur 61 à 95. Barman 95 à 105. Caissier 70 à 78. **Restauration collective** (1986). Gérant 93 à 128. Chef de cuisine 83 à 95. Cuisinier 69,2 à 72. Pâtissier 75,8 à 81,5. Serveuse 59,9 à 62.

• **Infirmières.** La carrière s'étale sur une durée moyenne de 21 ans et s'effectue sur 2 grades : cl. normale et cl. supérieure (accessible après env. 15 a.). **Rétribution mensuelle nette** au 1-1-1990. **Assistance publique de Paris. Cl. normale :** *2 ans (2e échelon) :* 7 059,66. *5 ans (3e) :* 7 516. *9 ans (5e) :* 8 165,66. *13 ans (5e) :* 8 908,14. *17 ans (6e) :* 9 534,63. *(7e) :* 9 975,38. **Cl. supérieure :** *3 ans (1er échelon) :* 8 768,86. *6 ans (2e) :* 9 186,57. *9 ans (3e) :* 9 743,42. *13 ans (4e) :* 10 230,64. *(5e) :* 10 787,5.

Nota.– S'ajoutent : une prime de service semestrielle (2 700 à 4 200 F selon l'ancienneté) et éventuellement le supplément familial de traitement, des indemnités pour travail de nuit (5,96 F/h) et dimanches et j fériés (130 à 206 F par dimanche ou j férié travaillé, selon l'ancienneté).

organisateurs ; soit *de reproduction mécanique,* œuvres enregistrées : disques et cassettes, bandes de musique de film, vidéogrammes, etc. Le plus souvent, auteur et compositeur se partagent alors 50 % de ces droits perçus auprès des reproducteurs, l'éditeur touchant le reste.

• **Concertiste.** Musicien d'orchestre : *7 000* à 11 000 F.

• **Danseuses.** *Du « Crazy Horse » (créé à Paris 19-5-51) :* 18 000 à 40 000 F par mois, dont 20 % obligatoirement placés sur un compte d'épargne logement.

• **Disques. Salaires min. d'enregistrement** (au 1-10-89) : *base musicien :* 556 F. *Artistes de variétés* (par tranche indivisible de 20 mn utiles) : ayant enregistré 8 titres ou + (300 %) 1 668 F, – de 8 titres (125 %) 695 F. *Artistes dramatiques et lyriques solistes* (par séance indivisible de 3 h) (120 %) : 667 F. *Artistes lyriques choristes* (par séance indivisible de 3 h) : 556 F. **Royalties :** 6 à 12 % du prix de vente gros H T.

• **Publicité. Rémunération des artistes-interprètes** (au 1-1-90). **Tournage :** *journée :* 5 496 F, *casting* (rémunéré si exécution de simulations sur un produit avec ou sans accessoires, interprétation d'un texte) : 405. **Exploitation. Télévision** (par passage) : *TF1 :* 684, *A2 :* 454, *FR3 :* 334, *Canal + :* 212, La 5 : 297, *M6 :* 190, *TMC :* 54, *RTL/TV :* 51, *FR3 région parisienne :* 65, *autres régions :* 46, *forfait annuel pays étranger :* pays francophone (hors Europe, y compris DOM/TOM) 8 854, DOM/TOM seuls 1 476, par pays isolé 4 429, Europe 29 516, Amérique du Nord (Canada, USA) 29 516, reste du monde 29 516, droits mondiaux 59 030. **Circuits non commerciaux télévision privée.** *Réseaux de concessionnaires ou magasins en franchise* (par période de 3 mois) : 5,63 par concessionnaire ; *diffusion en continu type aéroport, salons, lieux de passage* (par tranche de 2 semaines non fractionnables à compter du 1er j de diffusion) : 16,87 par point de diffusion ; *points de vente et grandes surfaces* (par période de 2 sem. à partir du 1er j de diffusion fractionnable pour cause de fermeture hebdomadaire) : 11,25 par point de vente. **Salles de cinéma :** *tests de films :* province (durée max. 3 sem. dans 24 salles) : forfait 1 687 ; Paris/banlieue (max. 1 sem. dans 5 salles) : forfait 1 125 ; *film publicitaire ou documentaire exploité exceptionnellement :* 22,49 par sem. et par salle ; *film publicitaire diffusé en circuit cinéma :* 2,811 par sem. et par salle (une campagne nationale moyenne peut comprendre 5 000 salles par semaine). *Câble de TV ou TV locale hertzienne, utilisation par vidéogramme* (circuit commercial vente/location au public ; pédagogique), *utilisation d'images ou d'enregistrements sonores extraits de l'œuvre audiovisuelle :* de gré à gré.

• **Radio-France. Artistes dramatiques, lyriques et de variétés. Tarifs des émissions dramatiques et littéraires** (service de 4 h, en F, au 1-1-1991) : *catégorie A :* 399,5 *B :* 476,50 *C :* 625,50 ; *hors catégorie :* de 758 (1er échelon) à 1 528 (7e échelon). *Cas particulier des engagements de 1 à 2 services :* 1 047,50 à 1 929. *Artistes lyriques :* 769 ; *de variétés :* 384.

• **Théâtre. Répartition des acteurs** (en %) **selon la rémunération moyenne annuelle** (1980). **Artistes dramatiques :** *– de 9 000 F :* 29,8. *9 000 à 30 000 :* 32. *30 000 à 60 000 :* 19,2. *60 000 à 120 000 :* 11,8. *+ de 120 000 :* 7,2. **Lyriques :** *– de 9 000 :* 27,4. *9 000 à 30 000 :* 34,8. *30 000 à 60 000 :* 20,8. *60 000 à 120 000 :* 13,3. *+ de 120 000 :* 3,7. **Chorégraphiques :** *– de 9 000 :* 29,9. *9 000 à 30 000 :* 37,7. *30 000 à 60 000 :* 22,9. *60 000 à 120 000 :* 8,2. *+ de 120 000 :* 1,3. Les femmes sont défavorisées, sauf les danseuses (nombre et durée, engagements, rémunération journalière).

Durée d'emploi dans l'année. Artistes dramatiques : – de 51 jours 49 %. 51 à 100 j 20 %. 100 à 200 j 20 %. + de 200 j 11 %. **Lyriques :** – de 51 j 52 %. 51 à 100 j 23 %. 100 à 200 j 20 %. + de 200 j 5 %. **Chorégraphiques :** – de 51 j 36 %. 51 à 100 j 21 %. 100 à 200 j 19 %. + de 200 j 24 %.

Centres dramatiques – CAC – Th. nationaux (sauf Comédie-Française) – Établissements de l'action culturelle (au 1-9-89 en F). **Salaires :** artistes-interprètes. *Contrats de + de 3 mois :* artistes-interprètes 6 925, stagiaires 1re année 4 884, 2e a. 5 803 ; *3 mois et – :* artistes-interprètes 7 373, stagiaires (– 15 %) 5 276 ; *au cachet :* – de 150 lignes 261, + de 150 lignes 298. Artistes-musiciens. *Cachet de base :* 425 ; salaire min. mensuel (cachet × 25) 10 625. **Répétitions** (SMIC horaire) : au 1-8-91 : 32,66 × 4 = 130,64. **Indemnités.** Feu (artistes, art. 21) 82, aide technique (artistes, art. 6) 82, feu habillé (annexe F) 65, feu de participation au jeu 86, prime d'équipement (tournées, art. 20) 43, indemnités de conduite au km (tournées, art. 14) VL 0,40, VU 0,47, PL ou TEC 0,65. **Indemnités journalières de déplacement** (au 1-2-90) : 1 chambre 156, 1 petit déjeuner 20, 1 repas (éventuellement 2) 95, indemnité d'installation (artistes, art. 4) 183, découché (artistes, art. 4) 176, panier (annexe F.) 47,50, indemnité de repas grande couronne de la région parisienne (tournées, art. 4) 86 jusqu'au 31-12-90.

Théâtres de Paris (au 1-4-90). **Artistes dramatiques** (+ 1,5 %) : théâtres, jusqu'à 400 places, par représentation, en italique au-dessus de 400 pl. et, entre parenthèses, pour saisons 6 mois minimum (30 repr./m), par mois : *utilités ou rôles de figuration* 188,6 *188,6* (5 093,7), *petits rôles jusqu'à 13 lignes* 212,3 *235,8* (6 367,2), *doublure et rôle de 14 à 30 l.* 259,4 *282,9* (7 640,6), *31 à 150 l.* 282,9 *311,3* (8 404,7), *+ de 150 l.* 344,3 *372,5* (10 060,1).

Artistes lyriques et des chœurs (+ 1,5 %) : pièce par représentation et, entre parenthèses, à l'année ou à la longue durée – 9 mois min. (30 représentations par mois) : *utilités ou rôle de figuration* 188,6 (5 093,7), *3e emploi/ou artistes lyriques d'ensemble et doubles* 327,4 (9 167,5), *2e emploi* 409,2 (11 459,3), *1er emploi comique et comédie* 450,1 (12 605,2), *1er emploi chant* 495,2 (13 865,8).

Artistes chorégraphiques (+ 1,5 %) : Pièce par représentation et, entre parenthèses, à l'année ou à la longue durée – 9 mois minimum (30 représent. par mois) : *utilités* 188,6 (5 093,7), *élèves exclusivement pour les théâtres entretenant une école de danse* (limitée à 15 ans pour les filles, 16 a. pour les garçons, pas plus de 20 % de l'effectif total des danseurs engagés) 212,26 (5 942,7), *artistes ballet ou artistes chorégraphiques d'ensemble* 327,4 (9 167,5), *sujets* 409,2 (11 459,3), *1er danseur* (ne dansant pas dans les ensembles) 450,1 (12 605,2), *étoiles-attractions,* de gré à gré (de gré à gré).

Musiciens (+ 1,5 %) : 1re partie, par service 403.

Artistes de revue (+ 1,5 %) : par représentation, entre parenthèses, jusqu'à 3 mois et, en italique, + de 3 mois : mannequin habillé 205,65 (5 763,85) *5 187,5,* nu 220,27 (5 984,22) *5 709,* danseur 322,37 (9 035,7) *8 124,3,* rôles 377,31 (10 592) *9 524,07.*

Artistes de variétés (+ 1,5 %) : par représentation : numéro à 1 artiste 515,18, à 2 artistes 857,72, à 3 artistes 1 372,4, assistant d'attraction 343,34, personne supplémentaire (par personne) 343,34.

Employés du spectacle (+ 1,5 %) : par service. *Contrôleur en second :* 93,22, *contrôleur chef :* 121,76, *caissière de location :* journée 243,53, mois (minimum garanti) 5 144,49, *habilleuse :* à l'heure (au 1-4-88) 37,75, *couturière :* à l'heure (au 1-4-88) 42,14, *postier :* par représentation 91,18, *inspecteur de salle :* par représentation 91,18, *contrôleur caissier :* par représentation 91,18, *caissière de bureau :* par service de 3 heures 91,18.

Tournées. 26 représentations par mois pour un minimum de 3 mois consécutifs. Salaires minimaux par mois (du 1-10-1989 au 30-9-90). **Spectacles dramatiques** (par représentation) : *rôles de 1 à 100 lignes :* 311 F, *+ de 100 l. :* 362. **Lyriques :** *artistes :* 3e emploi (ou art. lyr. d'ensemble et chœurs) 6 779, 2e 9 864, 1er 11 100, 1er emploi chant 12 327 ; *art. chorégraphiques :* ballet 6 779, sujet 9 864, 1er danseur (ne dansant pas dans les ensembles) 11 100. **Chorégraphiques :** ballet 8 280, *sujet* 10 366, *1er danseur* 12 446, *étoile* de gré à gré. **Variétés :** *mannequins habillés* 5 284, *nus* 6 163, *danseurs habillés* 6 779, *nus* 8 011, *attraction par artiste* 10 888, *rôles secondaires* 9 067, principaux 10 888. *Music-hall :* attraction par artiste 10 888, assistant (pas + de un par représentation) 6 163. **Indemnités : journalière de déplacement** *(en France)* 330 dont chambre et petit déjeuner 190, chaque repas principal 70 ; **vestimentaire** (par costume et par représentation) costume de ville 30, tenue de soirée 45, plafond 980. **Répétitions :** 4 h du SMIC par service (raccords d'une durée limitée à 2 h, rémunérés à 50 % de cette somme), **de spectacles chorégraphiques :** 4 heures du SMIC + 50 % (dont ¾ d'h au moins d'échauffement).

• **Aviation civile. Salaires mensuels moyens** *(12 mois, 14 mois par an pour les Cies de 1er niveau, au 1-1-1991) :* commandant de bord 51 000 à 75 000, pilote 24 000 à 47 000, officier mécanicien navigant ou ingénieur navigant 23 000 à 48 000 (bénéficient d'un abattement fiscal de 30 % plafonné à 50 000 F), hôtesse et steward (salaire annuel, 1991) 143 000 à 238 000 F, chef de cabine 218 000 à 270 000 F. *Retraite :* 50 ans âge possible pour pension de retraite complémentaire (25 annuités nécessaires), pour la Sécurité sociale (comme pour autres salariés). *Avantages divers :* réduction de 90 % sur les billets pour les navigants et leurs familles (femmes et enfants scolarisés) sans réservation possible ou 50 % avec réservation, billets gratuits sur le réseau moyen-courrier Air France, sur la France pour Air Inter (navigants). *Retraites :* dep. 1981 : possibilité de retraite anticipée à 50 ans, retraite à 55 ans, rénumérée à 55 % du salaire jusqu'à 60 ans, travail en temps alterné (à 92, 75, 66 ou 50 % du temps). *Temps de travail :* 15 à 24 j par mois dont plusieurs nuits et décalage horaire (65 à 75 h de vol) pour les Cdts de bord, pilotes, officiers mécaniciens, ingénieurs naviguant, hôtesses et stewards.

Ingénieurs de contrôle de la circulation aérienne. Rémunérations globales mensuelles (au 1-4-1991). *Élève :* 6 258 F (pas de prime). *Stagiaire* (1re a., dans un aérodrome de famille 1, ex. Lille) : 10 160 F dont primes 3 527. *Ingénieur démissionnaire* (fin de carrière, dans un centre régional de la navigation aérienne, CRNA) : 23 571 F dont 9 015 de primes. Les primes étant en partie constituées d'indemnités de sujétions particulières, elles diffèrent selon la fonction et le lieu d'exercice de la fonction.

• **Bâtiment. Salaires bruts mensuels à Paris,** au 1-1-91 : pour 39 h 60 par semaine, en tenant compte d'une indemnité mensuelle de petit déplacement évaluée à 1 000 F. *Gros œuvre :* chef d'équipe 9 800, convoyeur 8 700. *Métal :* chef d'équipe 10 250, dessinateur projeteur 12 500, soudeur 8 200, conducteur de travaux 15 300. *Bois :* métreur 13 000, commis d'entreprise 14 000, charpentier 9 500. *Équipement électrique :* chef d'équipe (installation thermique) 9 900, commis technicien (électricité) 13 000, aide-monteur (électricité) 7 600, contremaître (électricité) 13 200. *Décoration :* métreur (peinture) 14 300, commis d'entreprise (peinture) 13 300, chef peintre 11 000. *Avantages sociaux en + :* intéressement, primes de vacances, indemnisation intempéries, retraites complémentaires, régimes de prévoyance, etc. ; indemnités « petits déplacements » pour ouvriers.

• **Bibliothèques. Nombre : 6 000. Traitement mensuel net à Paris, primes incluses,** en 1985 (bibliothèques de l'État). *Gardien :* 1er échelon 4 504 F, 9e éch. 5 399 F. *Magasinier groupe III :* 1er éch. 4 599 F, 10e éch. 5 399 F. *Magasinier groupe IV :* 1er éch. 4 751 F, 10e éch. 5 742 F. *Adjoint administratif de bibliothèque G 5 :* 1er éch. 4 891 F, 10e éch. 6 179 F. *Adjoint admin. G 6 :* 1er éch. 4 986 F, 10e éch. 6 610 F. *Adjoint admin. G 7 :* 1er éch. 5 158 F, 10e éch. 7 000. *Bibliothécaire adjoint :* 1er éch. 5 289 F, 12e éch. 8 155 F. *Bibliothécaire adjoint chef de section :* 1er éch. 7 385 F, 5e éch. 9 091 F. *Bibliothécaire adjoint principal :* 1er éch. 7 013 F, 5e éch. 9 738 F. *Autres carrières :* voir Fonctionnaires.

• **Bourse. Salaire brut annuel moyen, primes incluses** (en milliers de F, 1989) : 25-30 ans et 41 ans et +. *Trader matif :* école de commerce et de gestion 1 : 293/450 ; formation secondaire : 183/384. *Trader obligataire :* éc. de com. et gest. 1 : 298/430 ; formation universitaire : 183/384. *Trader actions :* éc. de comm. et gest. 1 : 344/680 ; formation secondaire : 160/320. *Vendeur :* éc. de comm. et gest. 1 : 340/530 ; formation universitaire : 305/470. *Analyste financier :* éc. de comm. et gest. 1 : 220/490 ; formation universit. : 220/470. *Chef de table* (dir. département) : éc. de comm. et gest. 1 : 390/700 ; formation universitaire : 293/480. *Responsable informatique back-office :* éc. de com. et de gest. 1 : 360/500 ; formation universit. : 285/370.

• **Cantonniers et éboueurs. Traitement brut mensuel à Paris et indemnité de résidence** (en F, au 1-12-1990). *Éboueur :* 6 027 à 8 207. *Ouvrier 2e catégorie :* 5 906 à 7 660 ; *1re catégorie :* 6 196 à 8 704. *Cantonnier :* 5 713 à 7 162.

• **Chauffeurs. Rémunération globale mensuelle garantie pour 39 h de travail par semaine et 169 h par mois** (au 1-2-87). **Transports marchandises :** grand routier hautement qualifié à l'embauche : 5 078 F ; après 15 ans : 5 484. *Durée de conduite journalière,* territoire national : 9 h ; 10 h deux fois par semaine ; le repos journalier doit être de 12 h dont 8 h consécutives ; *max. hebdom. :* 6 j consécutifs max. Les véhicules de + de 3,5 t et de transport voyageurs doivent être équipés d'un appareil de contrôle. **Voyageurs :** conducteur de car-receveur à l'embauche : 4 603 ; après 15 ans : 4 971, amplitude maximale journalière : 12 h. Au-delà de 12 h, paiement de bonifications calculées à la journée. Au-delà de 12 h et jusqu'à 14 h, autorisation de l'Inspection du travail ; paiement de 12 à 13 h 75 % ; au-delà de 13 h 100 %. *Primes :* règlement communautaire interdit les primes ayant un caractère de rendement (kilométrique, chiffre d'affaires, tour, tonnage). **Déménagement :** déménageur-facteur à l'embauche : 4 703 ; après 15 ans : 5 079 ; région parisienne + 5 % et primes diverses. Les primes ayant un caractère de rendement (kilométrique, chiffre d'affaires, tour, tonnage) sont interdites. **Routiers :** d'après le comité confie, c.-à-d. ne rentrant pas dans le cadre normal de leurs fonctions et ne revêtant pas un caractère permanent. Ces rémunérations doivent correspondre à un travail effectif et ne pas être exagérées. Une attribution constitue une convention entre la société et l'un de ses administrateurs.

Tantièmes [en % (max. 10 % dep. la loi de 1966 sur les *superbénéfices*)] : supprimés par la loi du 31-12-1975. Toute clause statutaire prévoyant leur attribution est réputée non écrite.

☞ Aux administrateurs d'autrefois, grands actionnaires personnellement attachés à l'expension des profits, se substituent de plus en plus des représentants de grandes sociétés ou de grandes banques. Ils rétrocèdent alors souvent à la Sté ou à la banque qui les appointe les jetons qu'ils reçoivent. Les représentants de l'État dans les conseils reversent aussi à une caisse commune la plus grande partie de leurs jetons.

Mandats. Un administrateur peut cumuler 8 mandats au max. (non compris mandats d'outre-mer) + 5 dans des Stés ou des firmes qu'il administre et dans lesquelles il a une participation d'au moins 20 % ; il reçoit donc autant de fois des jetons de présence.

Statistiques. Il y a en France env. 300 000 sociétés commerciales et 900 000 mandats d'administrateurs (mais le nombre réel d'adm. est moindre car les cumuls sont fréquents).

Dans les fausses Stés (entreprises individuelles déguisées), la plupart des administrateurs sont de simples prête-noms. Ils ont des responsabilités théoriques, donnent 1 ou 2 signatures par an et reçoivent en contrepartie soit un petit chèque, soit des invitations, un cadeau, des commandes.

Les Stés cotées en Bourse (env. 1 400) représentent au total, selon le fichier de la DAFSA, 12 882 administrateurs dont exercent : *1 mandat* : 6 846, *2 m* : 1 762, *3 m* : 1 012, *4 m* : 710, *5 m* : 543, *6 m* : 435, *7 m* : 334, *8 m* : 245, *de 9 à 13 m* : 742, *les hors-la-loi de 14 à 50 m* : 253.

Nota. – Un mandat peut signifier une simple place d'administrateur ou un poste de Pt.

• **Agriculteurs** (pop. active agric.). % de la pop. active. *1921* : 42, *54* : 27, *62* : 20, *68* : 15, *78* : 8,5, *82* : 7,4, *87* : 6,7, *88* : 6,4 dont chefs d'exploitation 50 %, conjoints 25 %, autres aides familiaux 17 %, salariés permanents 8 %. 60 % des actifs agricoles travaillaient à temps partiel en 1988. *Population agricole familiale totale en 1988* : 3 259 500.

Structure par âge et par sexe (1988). – *de 15 ans* : 15 %, *15 à 24 a.* : 15 %, *25 à 39 a.* : 17 %, *60 a. et +* : 21 %.

Il y a 113 hommes pour 100 femmes.

Chefs d'exploitation (1988). 1 016 800 dont 15 % sont des femmes (*– de 35 a.* : 13 %, *65 a. et +* : 13 %). 57 % des exploitants ont + de 50 a. Les exploitantes sont plus âgées (70 % ont + de 50 a.) car elles succèdent en général à leur mari retraité ou décédé (27 % sont des veuves). La superficie moyenne diminue avec l'âge (37 ha pour les expl. de – de 35 a., 29 ha pour les 50-59 a., 17 pour les + de 60 a.). 32 % des chefs travaillent moins d'un mi-temps sur l'exploitation (essentiellement des retraités ou actifs ayant une double activité).

Conjoints actifs et aides familiaux (1988). 852 800 ; 64 % de femmes. 59 % sont des conjoints.

Salariés agricoles (1988). *Permanents* : 156 100 dont femmes 25 800 (17 %). 68 % travaillent à temps complet. 7 % des exploitations emploient des permanents (les 2/3 n'en ont qu'un seul). 17 % ont – de 25 a. ; 28 % entre 25 et 34 a. ; 22 % entre 50 et 64 a. *Origine, en %* (oct. 1984) : France 82,4, Afr. du N. 7,5 , Portugal 6 , Espagne 2,8 , Italie 0,6, autres nationalités 3,3. 6,6 % de salariés ont – de 21 a. *Salaire horaire moyen brut des ouvriers permanents à temps complet. Qualifiés et*, entre parenthèses, *non qualifiés* (1988) : ni logés, ni nourris 37,43 (33,15). Ensemble 36,52 (32,76). 77 % des salariés à temps complet ne sont ni logés ni nourris.

Revenus non salariaux agricoles. Voir Index.

☞ **Enquête du Centre nat. des jeunes agr.** (1990). Échantillon de 821 jeunes (sur les 85 000 de 18 à 35 ans). Surface agricole moyenne : 62,5 ha. Revenu mensuel moy. 5 300 F.

Ingénieurs agronomes. (rémunération annuelle 1990, en milliers de F.) *24-26 ans* : 146, *26-29 a.* : 168, *30-34 a.* : 211,7, *35-39 a.* : 204,2, *40-44 a.* : 284, *45-49a.* : 317,6, *+ de 50 a.* : 316,9.

• **Architectes. Nombre :** *1973* : 8 000 (pour 570 000 chantiers/an) ; *1988* : 24 000 (pour 320 000). **Gains :** 60 % des arch. diplômés gagnent moins de 8 000 F/mois, charges déduites. Depuis le 1-12-1986, rémunération en fonction du contenu et de l'étendue de la mission, de la complexité de l'opération et de l'importance de l'ouvrage.

Rémunération annuelle (1986, en milliers de F). *Moyenne* 135,8 (148 en 1990). – *de 120* (65 %), *120 à 260* (25 %), *260 à 780 et +* (10 %). **Honoraires :** 6 à 8 % des travaux (15 % pour l'architecte Pei à la Pyramide du Louvre).

• **Artisans. Nombre.** *Entreprises artisanales* (1990) : 917 069, représentant 1 185 849 salariés, 146 000 apprentis, 243 000 auxiliaires familiaux. **Chiffre d'affaires** (1988, en milliards de F). 579 HT. **Valeur ajoutée** 228. **Investissements** 32 %, 30 % des entreprises sont au forfait, 49 au réel simplifié, 21 au réel normal.

Artistes, vedettes, virtuoses

• **Chanteurs. Vedettes internationales :** *Frank Sinatra ; Bob Dylan* (2 700 000 F pour un concert près de Londres au festival de Blackbushe en 1978 ; env. 4 500 F/mn sur scène) ; *Elvis Presley* (300 millions de disques, 30 films) ; *Barbra Streisand ;* jusqu'à leur séparation, les *Beatles ; Michæl Jackson* tournée mondiale 1988 : 124 millions de F (recette brute) ; quelques artistes adulés de leur public (comme la chanteuse égyptienne *Oum Kalsoum,* qui aurait obtenu pour une seule soirée le plus gros cachet jamais versé par l'Olympia). *David Bowie :* 1,5 million de $ pour un concert en Californie le 26-5-1983.

Exemples (1988, en millions de $) : Michæl Jackson 97, Bruce Springsteen 61, Madonna 46 (147,5 millions de F en 1990), U2 42, George Michæl 38, Bon Jovi 34, Whitney Houston 30, Pink Floyd 29, Julio Iglesias 26, Kenny Rogers 26.

En France. Disques : le c. touche de 2 à 15 % du prix de vente en gros du disque (le prix de gros d'un 45 tours est d'env. 2,80 F). **Télévision :** cachet de 503 F (minimum répétition), 1 140 F (minimum enregistrement) à 1 500 F pour 2 ou 3 chansons, 10 000 F pour un show (seuls les « grands » en font, à peu près 1 tous les 2 ans). **Radio :** cachets très faibles. **Galas :** peu réussissent à en faire. Mais un « grand » chanteur peut en faire 100 dans l'année. Pour un gala (où il passe de 45 mn à 1 h), il peut toucher entre 70 000 et 300 000 F de fixe, ou être rémunéré en % de la recette, mais il doit verser env. 40 % de sa part à son orchestre (dont les musiciens ont de toute manière un cachet minimal garanti). **Chanteurs passant dans les cabarets parisiens** (en particulier rive gauche) : de 60 à 400 F (pour les connus) à chaque passage. Aussi ces chanteurs se produisent-ils dans plusieurs établissements chaque nuit (parfois plus de 5). Certains établissements donnent + (ex. 1 200 à 1 500 F) à la vedette.

Les numéros deux sur l'affiche et les bénéficiaires provisoires du succès d'une chanson touchent 3 000 à 9 000 F par gala et de 1 000 à 3 000 F par soirée.

• **Cinéma. Acteur :** après un film raté, sa cote peut baisser de 50 % et +, après un succès fulgurant elle peut se multiplier par 10 ou 20 en quelques mois. En 1973, M. Brando aurait touché 10 % des recettes (1 500 millions de F) sur le *Dernier Tango à Paris,* et 800 millions avec *le Parrain.*

Les acteurs français d'envergure internationale (5 ou 6 maxi.) touchent de 1 000 000 à 7 000 000 F par film [ceux d'envergure nationale (10 ou 12 env.) gagneraient au maximum 500 000 à 900 000 F par film]. Au-dessous, un acteur peut descendre jusqu'au tarif mini. synd. que gagne la majorité des comédiens, soit, au 1-1-89 : engagement au cachet (1 576 F/cachet), à la semaine (pour 2 semaines au moins : pour 5 j : 4 793 F/sem., pour 6 j : 5 577 F/sem.).

☞ La rétribution au % sur les recettes se répand de plus en plus.

Acteurs américains : certains avec des participations sur recettes auraient touché + de 100 millions de F par film (M. Brando 119, dans *Superman :* 24 + 95 de % sur bénéfices) ; 80 (S. Stallone dans *Over the top*) ; env. 50 (ex. R. Redford, B. Streisand, M. Brando pour *Apocalypse Now*) ; 35 (R. Gere dans *Cotton Club*) ; 14 (Al Pacino, D. Hoffman, C. Bronson, J. Nicholson, B. Reynolds dans *Cannonball Run*) : 2 par j de tournage.

En 1984, Johnny Carson obtint 1 million de $ pour le gala du centenaire des magasins Sears & Roebuck.

Exemples récents (en millions de $ ou salaire de base). Bill Cosby 97, Sylvester Stallone 63, Eddie Murphy 62, Arnold Schwarzenegger 43, Paul Hogan 29, Tom Selleck 25, Jane Fonda 23, Steve Martin 22, Jack Nicholson 21, Michæl J. Fox 19. (1990, salaire de base, en millions de $). Stallone 25, Schwarzenegger 15, Murphy 12, Cruise et Nicholson 10, Murray 8, Connery et Gibson 7, Willis 5.

Actrice de film porno : 1 500 à 2 500 F par j (France).

Animaux acteurs : la chienne *Lassie* touchait 50 000 $ par an + 4 000 $ pour chaque spot publicitaire. Le chien *Bengi* (sacré « meilleur acteur quadrupède pour 1987 ») touchait 1,5 million de $ par an dès 1974, + 12 à 17 000 $ par jour à la TV.

• **Chefs d'orchestre.** Daniel Barenboïm a perçu en 1987, comme dir. de l'orchestre de Paris, 3 276 000 F. Comme dir. musical de l'Opéra de la Bastille, il devait toucher du 1-9-1987 au 31-8-89 une somme forfaitaire de 3 000 000 (1 500 000/an). Son contrat (rompu depuis) prévoyait pour la période du 31-8-1989 au 31-8-93 un salaire annuel de 350 000 F + ses cachets de chef d'orchestre pour 25 représentations minimum, à 192 000 F chacune (soit 4 800 000 F/an).

• **Compositeurs, auteurs et éditeurs de musique. Exemplaires vendus** (en millions) et, entre parenthèses, **droits rapportés** (en millions de F), **exécution publique et reproduction confondues : TUBE :** *Démons de Minuit,* Image 1,5 (+ de 3) ; *On se retrouvera,* Francis Lalanne 1,4 (1,8) ; *Viens boire un petit coup,* Licence IV 1,3 (2,7) ; *Joe le taxi,* Vanessa Paradis 1,2 (+ de 2) ; *T'en vas pas,* Elsa 1,2 (+ de 2) ; *Il faudra leur dire,* Francis Cabrel, 0,7 (1,35) ; *Voyage, voyage* Desireless, 0,74 (2,5). **En 1990 :** *Joue pas,* François Feldman 0,97 (2) ; *Nuit de folie,* Début de Soirée 0,71 (2,1) ; *C'est écrit,* Francis Cabrel 1,16 (1,7) ; *Il changeait la vie,* Jean-Jacques Goldman 1,15 (1,5) ; *Fête au village,* Les Musclés 1,35 (1,7).

☞ En France, la Sté des auteurs, compositeurs et éditeurs de musique (SACEM), v. encadré p. 456, perçoit leurs droits d'auteur dits soit *d'exécution publique,* quand les œuvres passent à la radio, à la télév., dans les sonorisations commerciales (restaurants, hôtels, supermarchés, magasins), juke-boxes, discothèques, les bals, concerts, galas, salles de cinéma, etc. ; auteur, compositeur et éditeur touchent alors chacun 1/3 de ces droits perçus auprès des

Évolution des salaires du cinéma

• **Avant 1929. Mary Pickford :** *1912* 175 $ par semaine à la Biograph. *1913* : 500. *1914* : 1 000. *1915* : 1 500. Elle était alors l'actrice la mieux payée dans le monde. *1916* : à égalité avec l'homme le mieux payé du monde (Charlie Chaplin). 50 % des bénéfices de ses films + salaire de 10 000 $ min. par sem. + prime spéciale de 300 000 $ + 150 000 $ pour sa mère + 40 000 $ pour la lecture des scénarios avant contrat.

Francesca Bertini, diva italienne, la mieux payée d'Europe : env. 175 000 $ par an.

• **De 1929 à 1939.** *1927* : 40 vedettes touchaient plus de 5 000 $ par semaine ; *à partir de 1931* : 23 vedettes seulement touchaient plus de 3 500 $, notamment : John Barrymore (30 000 par semaine), Constance Bennet (30 000 par semaine), Greta Garbo (250 000 pour *The Painted Veil,* 1934, et Anna Karénine 1935). Plus hauts salaires *1935* : Mae West (480 833), *1937,* Marlène Dietrich (450 000), *1938* Shirley Temple (307 014), *1939* : James Cagney (368 333). Le magazine *Forbes* a publié la liste des 400 personnes les plus riches d'Amérique. Seuls deux acteurs figurent dans cette énumération : Gene Autry : 130 millions de $ et Bob Hope (malgré ses dénégations) : 200 millions de $.

• **Après 1945.** Plus hauts salaires (en $, pour un film) : *1946* Bing Crosby (325 000), *années 1940 et 1950* 250 000-400 000, *1959* Elisabeth Taylor en G.-B. (500 000, pour *Soudain l'été dernier*), et John Wayne et William Holden aux U.S.A. (750 000 chacun, pour *The Horse Soldiers,* + 20 % du net) ; *années 1960* : 1 million ; *années 1970* : plusieurs millions, *v. 1975* : Charles Bronson (20 000-30 000 $ par jour, + indemnité de 2 500 par jour) ; *1978-79* Marlon Brando (3,5 millions pour 12 jours de tournage de *Superman,* soit 290 000 $ par jour [en 1982 il reçut encore 15 millions de $ (11,3 % des bénéfices du film), soit en tout env. 18,5 millions pour une apparition de 10 min.)], Paul Newman, Robert Redford et Steve McQueen (3 millions), John Travolta et Olivia Newton John (10 millions comme % sur les profits de *Grease,* 1978), Clint Eastwood (env. 10 millions pour *Escape from Alcatraz,* 1979), *1981* Burt Reynolds (5 millions de $ pour *L'Équipée du Cannonball*), *1982-83* Sean Connery (5 millions + % pour *Jamais plus jamais*), Roger Moore (25 millions pour *Octopussy*), *1985* Sylvester Stallone (20 millions pour *Rocky IV*).

V. 1984 (en millions de F, 1984). L. Ventura 8 (pour *Les Misérables*), J.-P. Belmondo 7, Coluche 4, P. Richard, A. Delon, C. Zidi 3,5, Y. Montand, L. Ventura, C. Sautet, H. Verneuil, G. Oury, G. Depardieu 3, I. Adjani 2,5, C. Deneuve, P. Noiret 2, M. Serrault, N. Baye 1,5, Miou-Miou, C. Brasseur, A. Maccione 1.

de l'État ont perçu une rémunération nette supérieure à 8 440 F (privé 7 075 F). En 1988, *2 % des agents* ont touché 204 600 F de traitement annuel, *10 % :* + de 146 000 F, *10 % :* entre 60 000 et 68 000 (minimum annuel dans la fonction publique 59 420 F). *Primes.* 15 % des agents touchent – de 600 F de primes par an, 10 % + de 25 000 F. En 1989, les primes ont augmenté de 25,4 % et ont représenté 15,2 % du traitement des fonctionnaires (*1988 :* 12,4). Chaque agent a bénéficié en 1989 d'une prime de croissance uniforme de 1 200 F.

• Rémunération des agents de l'État par catégories. **En début et en fin de carrière** (en F, au 1-12-1990). *Catégories A* (dans l'ordre croissant des rémunérations : inspecteur du Trésor, PEGC, receveur des PTT, ingénieur des services techniques, auditeur à la Cour des comptes, commissaire de police principal, prof. agrégé, insp. de la répression des fraudes) : 6 463 à 16 200. *B* (infirmière, contrôleur du Trésor, contrôleur des PTT, insp. de police, assistante sociale, instituteur, dir. d'école, maître-dir.) : 5 822 à 10 270 (2e grade) ou 10 591 (3e grade). *C* (Groupe 3 : facteur, aide-soignante, préposé des douanes ; 4 : égoutier, éboueur, sténodactylo ; 5 : guichetier, secrétaire sténo-dactylo) : 4 633/4 774 à 5 620/6 859 (catégorie E2) ; 5 036 à 7 151/7 734 (catégorie E4) ; et 806 a (E5). *D* [agent de service, aide-laboratoire, agent de chancellerie, de service spécialisé (écoles maternelles), aides ménagères, agent de bureau, huissier] : désormais assimilés à la catégorie C.

• Au sommet de la hiérarchie, par échelons (en F, au 1-12-1990). *Échelon A* (Pt de tribunal, colonel, ingénieur en chef des ponts et chaussées, insp. gén. de ministère) : de 21 150 à 23 130. *B* (général de brigade, directeur régional des impôts, sous-directeur de ministère, trésorier-payeur général). *B bis* [Pt de section du tribunal administratif, chef de service de ministère, maître des requêtes au Conseil d'État, inspecteur des finances (1re classe)] : 23 130 à 26 800. *C* (préfet, directeur de ministère, conseiller maître à la Cour des comptes, prof. agrégé titulaire de chaire) : 26 800 à 27 983. *D* (receveur des finances, dir. de ministère, recteur d'académie, conseiller d'État, insp. gén. des finances, ingénieur général des ponts et chaussées) : 27 983 à 30 542. *E* (dir. de ministère, Pt du tribunal de Paris, conseiller d'État, insp. gén. des finances, conseiller à la Cour des comptes) : 30 542 à 31 749. *F* [Pt de section et de chambre, Conseil d'État, préfet (hors classe)] : 32 932. *G* (24 dont secr. gén. du gouvernement, secr. gén. de la Défense nationale, commissaire général au Plan, chef d'état-major des armées, les 3 chefs d'état-major des 3 armes, secr. gén. des affaires étrangères, 7 ambassadeurs plénipotentiaires, vice-Pt du Conseil d'État, préfet de la région Ile-de-France, recteur de l'académie de Paris) : 36 119.

• Traitement mensuel brut (en milliers de F, au 1-9-1988) lors de l'entrée en fonction et en fin de carrière (non compris les indemnités et les éventuelles primes). Conseiller à la Cour de cassation 26,4/30. Gal de division 25,4/34,2. Préfet 21,9/34,2. Dir. gén. de l'adm. centrale 25,4/30,1. Ingénieur gén. des ponts et chaussées 25,4/28,9. Contrôleur gén. des armées 21,9/30,1. Inspecteur gén. de l'instruction publique 24,5/28,9. Ministre plénipotentiaire 20/30,1. Contrôleur financier 18,6/28,9. Ingénieur gén. des télécommunications 18,6/26,4. Contrôleur d'État 18,6/27,2. Dir. de recherche au CNRS 18,6/30,1. Médecin-chef des armées 21,9/30,1. Pt du tribunal adm. 17,8/24,1. Inspecteur des finances 1re classe 18,6/25,4. Maître des requêtes au Conseil d'État 14,9/25,4. Dir. régional des PTT 18,6/24,8. Dir. départemental de l'équipement 15,4/24,1. Ingénieur en chef des ponts et chaussées 14/26,3. Adm. civil hors classe 14,9/21,9. Maître de recherche au CNRS 14,9/21,9. Colonel 17,8/21,9. Commissaire divisionnaire 16,6/18,6. Conservateur en chef de musée 13,1/18,6. Médecin inspecteur du travail 10,1/18,6. Évêque n.c./17,9. Trésorier principal 15,6/16,6. Sous-préfet 8,4/21,9. Lieutenant-colonel 14,6/16,7. Conseil commercial à l'étranger 12,3/17,8. Adm. civil 1re classe 12,3/17,6. Commissaire de police principal 12/16,6. Adm. PTT 1re cl. 12/17,5. Ingénieur de météorologie 8/26,5. Magistrat à la cour d'appel 10,2/17,7. Attaché principal d'adm. centrale 9,6/14,9. Médecin santé publique 8,4/14. Conservateur d'archives 7,7/18,6. Capitaine de port 10,3/14,5. Cdt de CRS 11,1/13,7. Auditeur à la Cour des comptes 8,4/14. Adm. civil 2e cl. 8,4/14. Ingénieur des services tech. 8,2/17,6. Ing. agronome 8,1/15,8. Chef d'agence locale ANPE 8/14,1. Receveur des PTT 7,3/16,6. Dir. de la répression des fraudes 8,1/24,1. Dir. vétérinaire 8,1/18,6. Dir. des travaux ruraux 7/14,2. Surveillante chef (hôpital) 8,6/11. Chargé de mission INSEE 5,3/24,1. Secr. d'adm. centrale 5/11. Inspecteur du travail 7,7/14, du Trésor 6,4/14,5. Chancelier des aff. étrangères 5/11. Documentaliste 7/14,5. Attaché de préfecture 7,7/14,5. Chef de section adm. locale 8,3/10,3. Contrôleur de l'aviation civile 5,9/12,6. Curé (Alsace-Lorraine) 6,6/10,7. Jardinier en chef 5,9/10,3. Brigadier CRS 8,3/9,5. Sage-femme 6,4/10,3. Inspecteur de police 6,4/10,6. Sous-lieutenant 7,7/8,9. Tech. du génie rural 5,9/9,3. Greffier en chef des tribunaux 7/16,6. Greffier 5,9/11. Contrôleur des PTT 5,9/10,2. Dessinateur-projeteur 5,9/9,2. Contrôleur du Trésor 5,9/9,2. Surveillant d'adm. pénitentiaire 5,7/10. Contrôleur des prix 5,9/9,2. Infirmière 5,2/9,2. Gardien de la paix 6,7/8,8 [1]. Contrôleur des trav. publics 5,6/7,9. Ouvrier prof. 5,1/7,9. Sténo-dactylo 5,3/7. Téléphoniste 5,1/7,9. Préposé aux PTT 5,1/7,9. Huissier 4,9/6,5. Préposé aux douanes 5,1/6,5. Agent de service hospitalier 4,9/6,1. Gardien de musées et monuments historiques 4,9/6,1. Gardien d'archives 4,9/6,1.

Nota. – (1) Après une augmentation récente du salaire.

En 1990 : un sous-préfet gagne entre 11 000 et 18 000 F (+ avantages : logement, voiture avec chauffeur, frais de réception, charges gratuites, etc.).

Primes

Source : « Le Point » du 27-1-1986.

• Ambassadeur. A Washington : env. 30 000 F par mois + 100 000 F par mois de représentation.

• Conseil d'État et Cour des comptes. Traitements et primes comparables (50 000 F/mois tout compris), *1er Pt de la Cour des comptes* 28 500 F de traitement net par mois + une indemnité de résidence, 12 000 à 14 000 F de primes, voiture avec chauffeur et secrétaire ; conseiller-maître 23 000 + 1 000 à 8 000 F de primes selon le travail fourni, s'il préside un organisme public, prime de 1 000 F.

• Finances. *Directeurs* (12) et *sous-dir.* (100) doublent leurs traitements grâce aux primes : 41 000 à 50 000 F par mois. *Sous-dir.* (aux Douanes, au Budget ou aux Impôts) env. 34 000 F (au Quai d'Orsay, 22 000 à 23 000 F net) ; directeurs 21 149 à 25 076 F + prime de 20 000 F env. *Dir. des Douanes,* près de 350 000 F/an. *Trésoriers-payeurs* 1 par département, chargé du recouvrement d'impôts et de créances de l'État et des collectivités locales, du paiement des dépenses publiques et du contrôle de nombreux organismes (caisses) d'épargne, établissements d'enseignement, caisses de Sécurité sociale, etc.). Comptables publics, ils sont personnellement et pécuniairement responsables devant la Cour des comptes des opérations dont ils ont la charge. En garantie de leur gestion, ils doivent verser un cautionnement ; leurs biens meubles sont grevés d'un privilège général et leurs biens immeubles d'une hypothèque légale ; certains touchent de 400 000 à 500 000 F par an (celui de Paris env. 1 million) [1]. *Conservateurs des hypothèques* (20 env. toucheraient de 500 000 à 600 000 F par an). *Receveur divisionnaire des Impôts* (30 000 F par mois) en gros reçoit + de 200 000 F par an au titre de remises sur les obligations cautionnées. Au même titre, *un receveur principal* touchera 120 000 F.

• Justice. Les magistrats reçoivent une indemnité de fonction (de 13 à 25 % de leur traitement de base) + pour certains responsables de cours et tribunaux, une indemnité forfaitaire de frais de représentation. Quelques hauts magistrats bénéficient d'un appartement de fonction. *Juge d'instruction* 9 500 F par mois. *Procureur général* près une cour d'appel (sauf Paris). *Procureur de la République* près les tribunaux de grande instance les + importants (Nanterre, Lyon, Marseille, Paris) 25 000 à 28 000 F par mois + 4 000 F de primes.

• Fonctionnaires du Parlement (950). Outre leur salaire de base, ils bénéficient d'*indemnités de séance de nuit* (séance prolongée au-delà de 21 h 30) : égales à 1/30 du salaire. Indemnités supplémentaires en cas de séance prolongée au-delà de minuit et après 4 h 05 ; *de non-séance* s'il n'y a pas eu suffisamment de séances de nuit ; *indemnités de logement, de chauffage* (dite « de charbon »), *de transport, service, résidence, traitement, majorations, guerre, diplôme, direction, représentation, et indemnités spéciales.* Les indemnités sont exemptes d'impôt (sauf un mois de séances de nuit).

• Préfets. Env. 30 000 F par mois, mais sont « logés, éclairés, chauffés et servis » + voiture, chauffeur, cuisinière, maître d'hôtel-huissier, femme de ménage et frais de représentation pouvant aller jusqu'à 300 000 F par an.

• Préfet de police de Paris. 28 543,72 F net + 900 F d'indemnité de résidence + enveloppe pour frais de police.

Fonctionnaires des DOM-TOM

La loi de départementalisation de 1946 a assimilé Gdes Antilles, Guyane, Réunion à la Métropole sociale (salaire min. garanti avec abattement de 20 %, même droit aux prestations sociales et à la Séc. soc.), puis, plus récemment, droit aux alloc. famil. jusque-là versées à un fonds soc. et alloc. de chômage [total annuel 1980 : 9 000 F par h., 40 000 F par famille moyenne (env. 4,5 personnes)].

Les *fonctionnaires* corps préfectoral et directeurs des services départementaux (autochtones compris) touchent une indemnité de 40 %, une indemnité de résidence de 2 %. Autrefois, Antilles, Réunion et Guyane étaient assimilées aux colonies d'Afrique et d'Indochine pour les traitements des fonct. métropolitains. Ceux-ci touchaient des suppléments, doublant en moyenne leurs salaires métrop., pour « compenser les fatigues du climat et l'éloignement (il fallait des semaines de bateau pour rejoindre son poste) », avaient des avantages en nature (frais de représentation, voiture et logement de fonction, personnel domestique plus ou moins rémunéré sur le budget d'un cercle), un congé de 6 mois tous les 2 ou 3 ans, selon le degré d'insalubrité du territoire (avec transport gratuit en métropole pour eux et leur famille). En 1946, les fonctionnaires de la métropole ont conservé ces avantages qui ne se justifiaient plus (le climat est recherché par les vacanciers ; les maladies tropicales ont disparu ; l'avion a aboli l'éloignement ; nombre de produits aliment. y sont moins chers qu'en métropole). Les fonctionnaires autochtones ont obtenu les mêmes avantages (règle d'assimilation).

Fonctionnaires européens

Traitements fixés par Conseil des ministres sur proposition de la Commission des Communautés européennes. Publiés au J.O. En 1990 (en FF, par mois), **salaires de base :** directeur général 39 288 à 47 597 ; administrateur débutant (diplômé d'université) 18 508 à 20 052. **Indemnités :** 5 % du traitement de base pour les chefs de famille ; 16 % de prime de dépaysement pour ceux affectés hors de leur pays d'origine ; 1 204 F de prime mensuelle fixe par enfant à charge et 538 F d'allocation scolaire. **Cotisations sociales :** assurance maladie et pension : 8,55 % du traitement de base. **Fiscalité :** l'impôt, pouvant atteindre un taux de 45 %, est prélevé à la source et constitue une recette pour le budget général des Communautés. **Prélèvements de crise :** par solidarité, un prélèvement exceptionnel de crise est déduit du salaire (2 362 à 3 047 FF pour un directeur général ; 648 à 775 FF pour un administrateur débutant).

Évolution du pouvoir d'achat moyen des fonctionnaires (en %). *1980 :* 1,6. *81 :* 1,3. *82 :* 1,5. *83 :* 1,7. *84 :* 1,4. *85 :* 1,2. *86 :* 1,7. *87 :* 0,7. *88 :* 1,5. *89 :* 3,2. *90 :* 2,4

Salaires de quelques secteurs

• Administrateurs de sociétés. **Rémunérations. Jetons de présence.** Rémunèrent en principe la participation aux séances du conseil d'adm. Aujourd'hui, ces jetons consistent en une somme fixe annuelle répartie librement entre les administrateurs, une part plus forte pouvant être allouée à ceux qui sont membres de comités. Les jetons de présence sont déductibles des bénéfices imposables de la société débitrice, mais seulement dans la mesure où ils n'excèdent pas une certaine proportion des salaires des dirigeants. Ils ne sont déductibles que dans la limite de 5 % du produit obtenu en multipliant la moyenne des rémunérations déductibles attribuées aux 10 ou 5 personnes les mieux rémunérées, selon que l'effectif du personnel excède ou non 200 salariés, par le nombre des membres composant le conseil. Pour l'impôt sur le revenu, les jetons de présence sont assimilés à des revenus de valeurs mobilières sans ouvrir droit à l'avoir fiscal, qu'ils soient déductibles ou non des bénéfices sociaux [assimilables à un salaire pour les fonctions de direction (président, directeur général, délégués ou fonctions techniques), dans la mesure ou cela correspond à un travail effectif].

Rémunérations exceptionnelles : le conseil d'administration peut en allouer aux administrateurs pour les missions ou mandats exceptionnels qu'il leur

Effectifs réels au 1-1-1989	Total général	Titulaires civils					Non titulaires et ouvriers	Militaires
		Total	A	B	C	D		
Affaires étrangères	15 314	5 316	1 154	813	3 072	277	9 698	300
Affaires sociales	22 373	20 602	3 742	4 971	9 597	2 292	1 771	
Agriculture	29 351	24 519	10 101	4 288	8 206	1 924	4 832	
Anciens combattants	4 215	3 774	179	503	2 285	807	441	
Aviation civile	12 394	9 964	1 982	6 653	1 296	33	2 262	168
Coopération	7 810	5 116	4 398	307	361	50	2 694	
Culture	13 345	10 493	2 085	1 927	6 025	456	2 852	
Défense	437 082	36 645	4 171	9 540	20 987	1 947	98 057	302 380
DOM-TOM	2 613	1 439	433	298	420	288	274	900
Économie et finances	196 193	184 730	34 702	45 232	93 010	6 786	11 468	
Éducation nationale	1 036 109	942 214	430 264	364 540	69 946	77 464	93 895	
Équipement	103 345	75 327	6 363	9 195	57 895	1 874	28 018	
Industrie	9 090	4 935	1 441	816	2 023	705	4 105	
Intérieur	150 144	147 319	6 601	23 444	110 234	7 040	2 825	
Justice	49 188	48 184	8 939	10 396	27 242	1 607	1 004	
Mer	2 864	1 922	186	532	739	465	242	700
Premier ministre	2 710	1 186	219	136	704	127	1 524	
P.T.E.	509 990	440 150	39 767	139 992	248 393	11 998	69 840	
Total	2 604 135	1 963 885	556 727	623 583	667 435	116 140	335 802	304 448

Nota. – Titulaires : agents civils, stagiaires et élèves-fonctionnaires soumis au statut de la fonction publique ou de la magistrature. *Non-titulaires :* agents qui ne sont ni titulaires, ni militaires, ni ouvriers de l'État ; certains comme les contractuels ont un emploi permanent, d'autres comme les vacataires un emploi intermittent ou occasionnel.

52 % des effectifs sont des femmes.

Source : DGAFP sur enquêtes auprès des directions de personnel.

réseau 10,7 (16,2). Ing. entretien 10,3 (16,2). Adjoint comptable 11,5 (16,4). Assistant chef de produit 10,9 (16,4). Ing. méthodes 10,5 (16,5). Interfaceur 12,7 (16,6). Architecte 7,7 (16,8). Ing. de labo. 8,9 (16,9). Acheteur 11,6 (17,4). Ing. logistique 11,2 (18,1). Ing. contrôle qualté 9,3 (18,1). Chef de projet inform. 12,2 (18,2). Assistant commercial 10,9 (18,7). Statisticien 10,2 (19,1). Chef de prod. 13,6 (19,3). Mécatronicien 12,3 (19,5). Ing. de prod. 9,9 (19,6). Ing. en organisation 10 (19,9). Technologue 12,3 (20,1). Chargé de mission 12,9 (20,3). Ing. bureau d'études 9,1 (20,7). Cogniticien 10,5 (20,9). Chef de ventes export 10,6 (21,1). Contrôleur de gestion 13,2 (21,2). Packageur 10,7 (21,5). Chef de pub. 11,2 (23). Cambiste 14,2 (23,9). Ing. technico-commercial 11,1 (24). Ing. commercial 13,2 (26). Ing. d'affaires 13,1 (26,6).

Source : Nouvel Observateur, sept. 1990.

☞ **Enquête du Point** (14-5-1990). Voir Quid 1991 p. 1858b.

Fonctionnaires

Hiérarchie

• **Grille de la fonction publique.** Créée par la loi du 19-10-1946 (mise en place en 1948) qui institue 4 *catégories* correspondant au niveau d'étude (A : licence, B : baccalauréat, C : BEPC ou CAP, D : pas de diplôme) et une catégorie hors échelle (avec une grille de A à G). A l'intérieur de chaque corps, les fonctionnaires sont classés selon leur *grade* et leur *échelon.* Le traitement de base dépend de ces 2 facteurs ; il faut lui ajouter les primes. En 1924, la fonction publique regroupait 483 échelles de traitement regroupant 1 775 catégories de personnels. Aujourd'hui, on compte 6 millions de fonctionnaires derrière la grille unique, mais le système demeure complexe : pour la seule fonction publique d'État, les agents sont répartis en 1 300 corps.

• **Catégorie hors échelle** (au 3-12-1986). 25 672 dont militaires 1 943, classés en 8 groupes. *A :* Conseiller référendaire 2e classe (Cour des comptes), administrateur civil hors classe, maître des requêtes au Conseil d'État, Pt du tribunal (hors classe), colonel, inspecteur général de ministère, sous-directeur de min., ing. en chef Ponts et Chaussées, ing. en chef Mines, TPG. *B :* Gal de brigade, dir. régional des Impôts, sous-dir. de ministère. TPG. *BB :* Pt de section trib. adm., chef de service de min., conseiller référendaire 1re cl. (Cour des comptes), maître des requêtes au Conseil d'État, inspecteur des Finances 1re cl. *C :* Préfet, dir. min., conseiller maître de la Cour des comptes, prof. agrégé titulaire de chaire. *D :* Receveur des Finances, payeur gén. du Trésor, dir. min., ingénieur gén. 1re cl. Mines, recteur d'académie, conseiller d'État, inspecteur gén. des Fin., conseiller maître Cour des comptes, ingénieur gén. des Ponts et Chaussées. *E :* Dir. min., Pt du tribunal de Paris, Conseiller d'État, inspecteur gén. des Fin., conseiller Cour des comptes. *F :* Pt de section et de chambre. Conseil d'État, préfet hors cl. *G :* 21 personnes dont le recteur de l'université de Paris, le secr. gén. du Gouv., le 1er Pt de la Cour de cassation, le vice-Pt du Conseil d'État, le 1er Pt de la Cour des comptes, le préfet de Paris, ambassadeurs de France (ayant le rang d'ambassadeur). Secr. gén. de ville de + de 80 000 hab.

• **Catégorie A** (Indices 340-1 015). Fonction de conception et de direction. Niveau théorique de recrutement : enseignement sup. *Exemples : enseignement* (prof. agrégés et certifiés, etc.), *régies financières et postes* (inspecteur des Impôts, des PTT, insp. central, insp. principal, dir. départemental des Impôts, régional des Douanes, etc.), *emplois adm.* des adm. centrales (attaché d'adm., attaché principal d'adm., administrateur civil, sous-dir., chef de service, dir., secr. gén.), *e. techniques* (ingénieurs des Travaux publics de l'État, ing. divisionnaire, ing. et ing. en chef des Ponts et Chaussées). Dir. des services tech. de ville de 20 à 40 000 h.

• **Catégorie B** (Indices 210-579). Fonction d'application. Niveau de recrutement : diplômes de l'enseignement du 2e degré. *Exemples : enseignement* (instit.), *régies financières et postes* (contrôleur et contr. principaux des Impôts, des Douanes, des Postes, chef de section des Impôts, des Douanes), *emplois adm.* (secr. adm., chef de section), *techniques* (techn. des Tr. publics de l'État). Puéricultrice.

• **Catégorie C** (Indices 203-390). Fonctions d'exécution spécialisée (niveau fin de cl. de 3e). *Ex. : régies financières et postes :* préposé (facteur), préposé-chef, agent de constatation ou d'assiette des Impôts, des Douanes, des Postes, *emplois administratifs* (sténo-dactylo et secr.-sténo., agent adm., chef de groupe), *techniques* (agent de travaux, cantonnier). 2 niveaux de recrutement : E2 (le + bas) et E4. Garde-champêtre.

• **Catégorie D** (Indices 189-253). Fonctions d'exécution simple (niveau certificat d'études). *Ex. : emplois admin.* (huissier, agent de bureau, dactylo). Catégorie appelée à disparaître en tant qu'emploi budgétaire. Les agents bénéficieront d'un plan de reclassement sur 7 ans et auront le profil de carrière des agents de catégorie C (E2). L'accord cadre sur les rémunérations et les classifications conclu en févr. 1990 entre le gouvernement et les syndicats prévoit la suppression des catégories.

Fonction publique territoriale. 58 % de femmes, 42 % d'hommes. Communes : 819 000 salariés ; organismes régionaux et départementaux : 185 000 ; org. privés et semi-publics d'action locale : 36 000 ; HLM et Caisse de Crédit municipal : 31 000. Fin déc. 1988, on comptait 18 agents en moyenne pour 1 000 habitants (Paris 30, Hte-Saône 10).

Rémunération

Modes de rémunération

• **Avantages divers. Automobiles :** 12 000 dites de « liaison ». Logements de fonction : env. 2 millions mis à disposition, soit 10 % du parc national (selon l'INSEE). **Double emploi :** certains fonctionnaires peuvent cumuler leur emploi avec celui d'enseignant.

• **Vacances.** Conseiller d'État, Cour des comptes, prof. de l'ens. sup. 3 mois de vacances ; Éd. nat. (services extérieurs), Jeunesse et Sports 2 mois ; Finances, Industrie, Culture, Travail 31 jours + 1 semaine ; PTT, Agriculture 31 jours + 4 j.

• **Frais de déplacement.** Indemnités de mission (en cas de séjour dans une même localité, les indemnités de mission sont réduites de 10 % à partir du 11e jour et 20 % à partir du 31e j) et, entre parenthèses, indemnités de tournée en F, au 1-1-1991. I (cat. A) 345 (270) ; II (cat. B) et III (autres) 305 (236).

• **Garanties de l'emploi.** Sauf : faute professionnelle d'une extrême gravité ; licenciement pour insuffisance professionnelle (très rare) entouré de garanties et assorti d'indemnités ; dispositions législatives exceptionnelles (tombées en désuétude). Les fonctionnaires ne perdent leur emploi que lorsqu'ils atteignent la limite d'âge de leur corps.

• **Indemnités diverses.** Plusieurs milliers représentant env. 10 milliards de F distribués par le Trésor. Ex. : primes de chaussures (facteurs), bicyclette (douanier), habillement (agents des labo.), costume (Cour des comptes, magistrats), langues étrangères (douaniers et PTT), éloignement (DOM et TOM), danger (hôpital psychiatrique), contrôle des casinos (agents du Trésor), risque (douaniers et policiers), jauge (douaniers). Impôts et douanes touchent un % sur fonds publics. Env. 5 000 agents des PTT ont un téléphone de service (gratuité du raccordement 500 F, de l'abonnement 50 F, dégrèvement de 3 000 taxes de base).

• **Indemnité de résidence.** Proportionnelle au traitement soumis aux retenues pour pension (trait. brut). Varie selon les zones de salaire. Au 1-10-86 : 1re zone : 3 % ; 2e : 1 % ; 3e : 0 %.

• **Retraite.** Calcul : 2 % des émoluments de base × par le nombre d'annuités liquidables (années effectives de service + temps fictif des bonifications et campagnes). Ex. : pour un traitement de base (indice 100) de 28 973 F et 32 annuités liquidables, la pension

$$= \frac{28\,973 \times 2}{100} = 579{,}46 \times 32 = 18\,542 \text{ F.}$$

Si le fonctionnaire a au moins 25 ans de service, sa pension est au moins égale au traitement brut afférent à l'indice net 100. S'il a – de 25 ans de service, elle est au moins égale à 4 % de ce traitement × par le nombre d'annuités.

• **Traitements.** En principe un multiple du traitement de base d'une grille hiérarchique exprimée en indices nets jusqu'au 31-12-55, bruts du 1-1-56 au 30-11-62, nouveaux du 1-12-62 au 31-3-68, majorés (de 15 points pour les indices inférieurs ou égaux à 304, de 10 points pour les autres) du 1-6-68 au 30-9-70, indices majorés du 1-10-70 au 1-9-79 (majoration uniforme de 5 points d'indice), et majorés à nouveau depuis cette date de 3 points (pour les indices 147 à 262), 2 points (ind. 265 à 399), 1 point (400 à 445).

En 1956, la grille hiérarchique concerna les traitements bruts et non plus nets (de retenue pour retraite et d'impôts sur le revenu pour les fonctionnaires célibataires) comme on l'avait décidé à l'origine en 1948.

En 1962, on a intégré dans le traitement brut l'indemnité spéciale dégressive attribuée à partir de 1953 aux petits fonctionnaires, puis, en 1968 et en avril 1970, on a intégré une partie de l'indemnité de résidence.

Les majorations indiciaires accordées en juin 1968 et en sept. 1979, oct. 1970, bénéficient aux fonctionnaires de façon inégale suivant leur situation dans la hiérarchie. La grille des salaires est telle qu'une augmentation de 1 % du point d'indice coûte 3,24 milliards de F aux contribuables.

Traitements et soldes bruts annuels (soumis à retenue pour pension au 1-12-1990) (en milliers de F). **Catégorie hors échelon. Chevrons 1,** entre parenthèses **2** et en italique **3.** A : 253 (263) *277.* B : 277 (289) *305.* B bis : 305 (313) *321.* C : 321 (328) *335.* D : 335 (351) *366.* E : 366 (380). F : 395. G : 433.

Catégorie individuelle. Indices majorés au 1-12-1990. *156 :* 45,1. *200 :* 57,9. *300 :* 86,9. *400 :* 115,8. *500 :* 144,8. *600 :* 173,8. *700 :* 202,8. *800 :* 231,7.

Supplément familial (élément fixe annuel en F et, entre parenthèses, **élément proportionnel en %).** *1 enfant :* 180 F ; *2 :* 840 (3 %) ; *3 :* 1 200 (8) ; *par enfant en sus du 3e :* 360 (6).

Salaires types

• **Rémunération nette moyenne de la fonction publique.** 109 920 (1989), soit 5 % de plus que celle du secteur privé (104 700). En 1989, 50 % des agents

Enquête de « L'Expansion »

• **Salaire annuel brut** (en milliers de F) **et avantages** (en % de bénéficiaires). **Direction Générale. P-DG :** 657 à 1 927. Bonus 60 (22 % du salaire). Stock-options 30. Voiture de fonction 80. Retraite supplémentaire 25. **Directeur général :** 553 à 1 268. B. 69 (20 % du salaire). S. 36. V. 81. R. 25. **Dir. gén. adjoint :** 552 à 1 120. B. 73 (19 % du salaire). S. 26. V. 71. R. 24. **Dir. de division :** 457 à 1 001. B. 83 (16 % du salaire). S. 39. V. 70. R. 25. **Secr. général :** 365 à 905. B. 64 (14 % du sal.). S. 22. V. 64. Retr. 11. **Dir. de la communication :** 416 à 711. R. 67 (9 % du sal.) S. 21. V. 38. R. 8. **Dir. industriel** (niveau central) **:** 438 à 883. B. 80 (11 % du sal.). S. 26. V. 64. R. 18. **Production. Dir. de la prod.** (niveau central) **:** 342 à 765. B. 81 (10 % du sal.). S. 27. V. 45. R. 13. **Dir. usine :** 331 à 633. B. 69 (10 % du sal.). S. 17. V. 37. R. 4. **Dir. achats** (niv. cent.) **:** 276 à 637. B. 56 (7 % du sal.). S. 13. V. 25. R. 13. **Dir. logistique** (niv. cent.)**:** 305 à 580. B. 70 (8 % du sal.). S. 13. V. 30. R. 14. **Chef de fabrication** (niv. cent.) **:** 216 à 454. B. 51 (6 % du sal.). V. 9. **Responsable entretien et maintenance** (niv. usine) : 200 à 400. B. 52 (6 % du sal.). V. 3. **Ingénieur de prod. :** 217 à 376. B. 44 (5 % du sal.). V. 2. **Resp. méthodes** (niv. usine) **:** 218 à 376. B. 49 (5 % du sal.). V. 0. **Resp. contrôle qualité** (niv. usine) **:** 195 à 390. B. 43 (5 % du sal.). V. 2. **Resp. ordonnancement et lancements** (niv. usine) **:** 194 à 398. B. 51 (4 % du sal.). V. 4. **Acheteur :** 191 à 350. B. 45 (6 % du sal.). V. 1. **Ingénieur méthodes :** 180 à 336. B. 31. (5 % du sal.). V. 1. **Resp. atelier :** 171 à 315. B. 40 (4 % du sal.). V. 0. **Recherche et développement. Dir. :** 375 à 680. B. 62 (11 % du sal.). S. 28. V. 40. R. 10. **Resp. laboratoire :** 235 à 505. B. 49 (7 % du sal.). V. 0. **Resp. bureau d'études :** 229 à 375. B. 50 (6 % du sal.). V. 8. **Ingénieur :** 174 à 319. B. 26 (5 % du sal.). V. 1. **Administration et gestion. Dir. financier :** 384 à 825. B. 74 (12 % du sal.). S. 23. V. 44. R. 22. **Resp. audit interne :** 260 à 701. B. 51 (9 % du sal.). V. 14. **Resp. aff. juridiques :** 245 à 606. B. 60 (8 % du sal.). V. 17. **Resp. contrôle de gestion :** 266 à 558. B. 59 (8 % du sal.). V. 14. **Resp. services comptables :** 270 à 514. B. 52 (8 % du sal.). V. 8. **Resp. recherche :** 204 à 598. B. 56 (7 % du sal.). V. 6. **Resp. comptabilité d'un établissement :** 221 à 389. B. 54 (5 % du sal.). V. 3. **Juriste :** 180 à 380. B. 43 (7 % du sal.). V. 0. **Contrôleur de gestion :** 194 à 364. B. 49 (5 % du sal.). V. 1. **Auditeur interne :** 190 à 342. B. 34 (3 % du sal.). V. 0. **Resp. groupe comptable :** 194 à 331. B. 49 (6 % du sal.). V. **Personnel. Dir. ressources humaines :** 343 à 823. B. 78 (11 % du sal.). S. 23. V. 48. R. 27. **Resp. gestion des cadres** (niv. centr.) : 252 à 556. B. 71 (6 % du sal.). V. 21. **Resp. formation** (niv. cent.) **:** 222 à 495. B. 53 (6 % du sal.). V. 4. **Chef du personnel** (niv. établ.) **:** 222 à 393. B. 52 (6 % du sal.). V. 3. **Chargé du recrutement des cadres :** 187 à 352. B. 48 (4 % du sal.). V. 0. **Marketing. Dir. :** 344 à 689. B. 64 (10 % du sal.). S. 17. V. 33. R. 20. **Chef de groupe de produits :** 262 à 469. B. 48 (8 % du sal.). V. 6. **Resp. études marketing :** 237 à 454. B. 50 (5 % du sal.). V. 10. **Resp. publicité :** 235 à 410. B. 52 (6 % du sal.). V. 10. **Chef de produit ou chef de marque :** 210 à 334. B. 43 (6 % du sal.). V. 6. **Chargé d'études marketing :** 177 à 304. B. 48 (6 % du sal.). V. 2. **Assistant chef de produit :** 171 à 265. B. 29 (6 % du sal.). V. 0. **Dir. commercial (marketing et ventes) :** 390 à 751. B. 70 (12 % du sal.). S. 27. V. 56. R. 15. **Dir. exportation :** 349 à 638. B. 71 (9 % du sal.). S. 7. V. 38. R. 10. **Dir. ventes :** 332 à 682. B. 72 (11 % du sal.). S. 16. V. 45. R. 14. **Resp. agence commerciale :** 306 à 534. B. 67 (9 % du sal.). V. 44. **Resp. régional des ventes :** 252 à 488. B. 65 (10 % du sal.). V. 28. **Resp. service après-vente :** 203 à 523. B. 65 (7 % du sal.). V. 19. **Chef de zone export :** 206 à 440. B. 54 (10 % du sal.). V. 8. **Resp. équipe de vente :** 203 à 395. B. 66 (13 % du sal.). V. 29. **Chef de zone export :** 206 à 440. B. 54 (10 % du sal.). V. 8. **Resp. équipe de vente :** 203 à 395. B. 66 (13 % du sal.). V. 29. **Resp. service administration des ventes :** 198 à 380. B. 36 (6 % du sal.). V. 7. **Ingénieur comm. :** 196 à 381. B. 76 (16 % du sal.). V. 25. **Délégué comm. :** 159 à 311. B. 62 (22 % du sal.). V. 31. **Resp. de l'organisation :** 273 à 587. B. 10 (4 % du sal.). V. 0. **Resp. études informatiques :** 247 à 454. B. 52 (5 % du sal.). V. 1. **Resp. système :** 244 à 443. B. 51 (5 % du sal.). V. 2. **Resp. d'exploitation :** 220 à 431. B. 49 (6 % du sal. V. 4. **Chef de projet :** 222 à 353. B. 48 (6 % du sal.). V. 2. **Ingénieur système :** 201 à 332. B. 44 (3 % du sal.). V. 0. **Analyste** ou **resp. d'application :** 189 à 294. B. 42 (4 % du sal.). V. 0. **Analyste programmeur cadre :** 156 à 248. B. 41 (4 % du sal.). V. 0. **Banque Dir. d'un groupe d'agences :** 331 à 720. B. 79 (8 % du sal.). V. 41. **Cambiste :** 212 à 856. B. 65 (30 % du sal.). V. 0. **Resp. d'une clientèle grandes entreprises :** 280 à 624. B. 80 (16 % du sal.). V. 5. **Gestionnaire patrimoine :** 181 à 592. B. 58 (11 % du sal.). V. 0. **Dir. agence** (+ 15 pers.) : 257 à 515. B. 76 (9 % du sal.). V. 12. **Analyste financier :** 204 à 546. B. 68 (12 % du sal.). V. 0. **Resp. clientèle de particuliers** (niv. ag.) : 213 à 479. B. 75 (10 % du sal.). V. 16. **Resp. back-office** (siège) : 202 à 439. B. 73 (5 % du sal.). V. 0. **Resp. clientèle de PME** (niv. ag.) : 196 à 450. B. 61 (7 % du sal.). V. 18. **Distribution. Dir. régional :** 487 à 701. B. 100 (70 % du sal.). V. 70. **Dir. d'une grande surface :** 329 à 527. B. 100 (8 % du sal.). V. 63. **Publicité. Dir. artistique :** 293 à 614. B. 0. V. 9. **Concepteur-rédacteur :** 238 à 677. B. 9 (6 % du sal.). V. 5. **Dir. clientèle :** 300 à 459. B. 21 (5 % du sal.). V. 4. **Chef de groupe :** 200 à 361. B. 24 (3 % du sal.). V. 0. **Chef de pub. :** 140 à 222. B. 5 (4 % du sal.). V. 0. **Conseil. Consultant manager** ou **partner :** 665 à 1 631. B. 100 (19 % du sal.). V. 35, **Senior :** 313 à 731. B. 87 (12 % du sal.). V. 13. **Junior :** 192 à 432. B. 71 (6 % du sal.). V. 0.

• **Salaires annuels des cadres débutants, 1re embauche et,** entre parenthèses, **après 20 à 36 mois d'expérience** (1991, en milliers de F). **Écoles d'ingénieurs :** Polytechnique 198,9 (230). Ponts et Chaussées 193,1 (220,9). Mines de Paris 192 (211,5). Mines de Nancy 191,8 (215). Centrale Paris 190,6 (216,5). Supelec 190,4 (216,5). INSIA 189,9 (221,1). Supaero 189,1 (204,7). ESCPI 183,2 (196,3). ENST 182,6 (219,9). Arts et Métiers 180,2 (202). IDN 180 (199,3). ENSCP 178,4 (200,2). ECL 178 (196,6). Mines de St-Étienne 177,6 (195,5). ICAM 177 (200). ENSIEG 176,6 (200). ESIEE 175,6 (179,8). ESME 174,4 (194,1). ESTP 173,2 (189,9). INSA 172,2 (195,5). UTC 171,5 (192,2). ENI 170 (182). ENSERB 169,5 (199,8). ISEN 167,7 (199,5). EPF 167,5 (193,2). HEI 166,9 (195).

Écoles de commerce : ESSEC 194,3 (210). HEC 191,6 (210). ESCP 178,2 (209). ESC-Lyon 174,9 (198,5). Sc. Po. Paris 174,9 (198,5). ESC-Rouen 167,9 (192). EDHEC 167,5 (196). ESC-Reims 167,5 (196). ISC 164,5 (184,8). ICN 164 (186,7). ESC (autres) 161,7 (185,5). ISG 155,6 (190,8). Sc. po. province 149,7 (184,1). ESSCA 148,1 (192,5). ESG 145,6 (175,6). EDC 130 (157,2). **Universités :** doctorats 200 (213,6). DEA-DESS informatique 173,5 (189,8). DEA-DESS physique-chimie 170,2 (187,9). DEA-DESS communication, ressources humaines, psycho., socio. 169 (190,5). DEA-DESS marketing, éco., gestion, finance, droit, fiscalité 158 (178,2). IAE Paris et province 156 (182,5). Maîtrise, licence scientifique 156 (182,5). Maîtrise, licence non sc. 145 (169,9). DUT informatique 124 (142,5). Autres DUT 120 (139,1).

Source : L'Expansion, 21-3-1991.

• **Salaires des cadres débutants, selon formation et secteur** (1990, en milliers de F). **Écoles d'ingénieurs. Groupe A.** *Fonctions :* finances 208,4, production-achats 201, informatique 193,9 recherche 186,4. *Secteurs :* chimie-pharmacie 210,3, banque-assurance 204,1 métallurgie 193,1 autres services 191,6, high-tech. 189,7, autres industries 185,3, BTP 182. **Groupe B.** *Fonctions :* finances 190,7, administration-ressources humaines 189,6, commercial-marketing 183,2, production-achats 177,2, informatique 175, recherche 174. *Secteurs :* banque-assurance 187,7, chimie-pharmacie 186,6, high-tech. 178,4, métallurgie 176, BTP 175,2, autres services 173,1, autres industries 169,3, agroalimentaire 186,6.

Écoles de commerce. Groupe A. *Fonctions :* informatique 182,7, commerce-marketing 182,1, finances 181,8 adm.-ressouces hum. 181,5. *Secteurs :* autres ind. 194,9, BRP 187,3, chimie-pharm. 187,1, autres services 184,7, high-tech. 183,1, métallurgie 180,9, banque-assur. 178,5, agroalim. 173,4. **Groupe B.** *Fonctions :* production-achats 166,6, informatique 166,4, commerce-marketing 158,3, adm.-ressources hum. 157,6, finances 156. *Secteurs :* high-tech. 176,6, métallurgie 166,9, BTP 164,1, chimie-pharmacie 162,5, autres ind. 159,4, autres services 153,3, agroalim. 151,5, banque-assurance 150.

Doctorats. Chimie-pharm. 196,7, high-tech. 183,2, autres ind. 175,1, autres services 168,3, banque-assur. 141.

DEA-DESS. Scientifiques. High-tech. 183,6, chimie-pharm. 174,4, métallurgie 169,2, BTP 166,2, banque-assur. 162,9, autres services 154,2, autres ind. 149,4. **Ressources humaines et psychologie.** Chimie-pharm. 174,1, métallurgie 171,6, BTP 168,1, autres services 167,2, banque-assur. 160. **Droit, économie et IAE.** Métallurgie 174,6, autres ind. 169,9, BTP 166,5, autres services 164,6, chimie-pharm. 155,5, banque-assur. 141

Maîtrises, licences. Scientifiques. *Fonctions :* recherche 168,9, production-achats 159,5, informatique 158,1, adm.-ressources hum. 157. *Secteurs :* chimie-pharm. 188,6, métallurgie 172,3, high-tech. 161,2, BTP 156,7, autres services 154,5, banque-assur. 152,5, autres ind. 148,7. **Non scientifiques.** *Fonctions :* finances 156,3, adm.-ressources hum. 139,6, commerce-marketing 136,7, informatique 132,2. *Secteurs :* high-tech. 172,4, chimie-pharm. 172,2, métallurgie 160,3,3 BTP 158,7, agroalim. 158,2, autres ind. 155,3, autres sevices 140,9, banque-assur. 128,4.

DUT. *Fonctions :* recherche 127,9, production-achats 124,2, informatique 123,4, finances 122, adm.-ressources hum. 118,3, commerce-marketing 116,7. *Secteurs :* high-tech. 138,7, métallurgie 126,5, BTP 125,9, autres ind. 122,6, chimie-pharm. 119,5, agroalim. 119, autres serices 118, banque-assur. 111,5.

Écoles de gestion européennes (EAP-EBS-EME-ESCE-CESEM). *Fonctions :* finances 184,2, production-achats 180,1, commerce-marketing 179,7, adm.-ressources hum. 157,6. *Secteurs :* chimie-pharm. 200, high-tech. 194,1, métallurgie 188, autres services 182,4, autres ind. 173,3, agroalim. 170,4, banque-assur. 159,7.

• **Salaires des débutants** (en milliers de F, 1990) **minimum et,** entre parenthèses, **maximum.** Agent de nettoyage 5,1 (5,9). Manutentionnaire 5,4 (6,3). Emballeur/se 5,2 (6,4). Ouvrier non prof. 5,4 (6,5). Aide-soignante 5,4 (6,8). Régleur 5,3 (6,8). Vendeur 5 (6,8). Gardien de parking 5,6 (6,8). Agent de sécurité 5,4 (7). Aide-magasinier 5,4 (7). Standardiste 6 (7). Agent d'entretien 5,8 (7,1). Monteur-câbleur 5,4 (7,1). Conducteur d'engin 5,9 (7,1). Pompiste 5,4 (7,2). Auxiliaire puéricultrice 6,3 (7,2). Employé adm. 5,9 (7,2). Gardien d'immeuble 5,8 (7,3). Aide-comptable 5,6 (7,3). Ouvrier de montage 5,4 (7,4). Aide-laborantin 5,4 (7,4). Veilleur de nuit 5,5 (7,5). Sécr. doc. 5,8 (7,5). Coursier 5,2 (7,6). Cariste 5,4 (7,6). Aide-doc. 5,7 (7,7). Prépa. pharm. 5,6 (7,8). Soudeur 5,9 (7,8). Agent de planning 5,4 (7,8). Coiffeur 6,2 (7,9). Sécr. commerciale 6 (7,9). Caissière hypermarché 5,4 (7,9). Aide-programmeur 6 (8). Tourneur 5,7 (8). Agent d'approvisionnement 5,5 (8). Puéricultrice 7,2 (8,1). Hôtesse réception. 5,4 (8,1). Opérateur machine 5,4 (8,2). Assistant dentaire 6,4 (8,4). Ajusteur-monteur 5,4 (8,4). Gérant salarié de sucursale 7,6 (8,4). Sécr. médicale 6,1 (8,4). Agent de lancement 5,7 (8,5). Contremaître d'atelier 5,9 (8,5). Sténo-dactylo 5,4 (8,5). Coiffeur coloriste 6,4 (8,5). Aide-technicien 5,7 (8,6). Sécr. comptable 6 (8,6). Sécr. 5,6 (8,6). Chef d'équipe d'ouvriers non prof. 6,3 (8,7). Standardiste-télex. 6,4 (8,7). Fraiseur 6,4 (8,7). Prothésiste dentaire 5,8 (8,8). Sténotypiste 5,5 (8,9). Esthéticienne 6,5 (8,9). Déménageur 5,4 (9). Ajusteur-outilleur 5,6 (9). Chauffeur livreur 5,9 (9,1). Agent des services tech. 6,1 (9,1). Guichetier 5,4 (9,1). Techn. d'atelier 6 (9,3). Laborantin 6,8 (9,3). Standardiste-télex. bilingue 7 (9,4). Infirmière 7,3 (9,5). Mécanicien d'entretien 7 (9,5). Sage-femme 7,7 (9,5). Agent de contrôle qualité 7 (9,6). Chef de magasin 7 (9,6). Dessinateur ind. 6,5 (9,6). Documentaliste 6,3 (9,6). Pupitreur inform. 5,9 (9,6). Opérateur sur ordinateur 7,8 (9,7). Sécr. bilingue 6 (9,7). 1er vendeur 8,2 (9,7). Agent d'aff. 6,8 (9,7). Kiné. 7,8 (9,7). Tech. d'entretien 5,7 (9,8). Assistante d'ing. 7,5 (9,9). Sécr. de dir. 6,3 (9,9). Chef d'équipe d'ouvriers prof. 7,4 (10). Responsable de maintenance 6,7 (10). Ambulancier 6,9 (10,1). Sécr. trilingue 6,9 (10,1). Chauffeur poids lourds 6,9 (10,1). Tech. de maintenance 7,3 (10,1). Assistant de gestion 7 (10,2). Chef de groupe de caisses libre-service 6,8 (10,3). Hôtesse 6,8 (10,3). Agent technico-commercial 8,6 (10,6). Caissière comptable libre-service 8,4 (10,6). Dessinateur-projecteur 7,2 (10,6). Attaché de relations pub. 9,3 (10,6). Sécr. de dir. bilingue 7,5 (10,7). Infirmier 7,5 (10,8). Chauffeur de dir. 6,5 (10,8). Chef de chantier 9,8 (11). Dessinateur de pub. 7,5 (11). Secrétaire tech. de pub. 6,6 (11,1). Programmeur 8,4 (11,2). Métreur 10,1 (11,4). Agent de méthodes 6,5 (11,5). Opératrice traitement de texte 6,3 (11,5). Assistant études marketing 6,3 (11,5). Conducteur de travaux 9,6 (11,6). Attaché de presse 6,7 (11,7). Gestionnaire de clientèle 8,6 (11,8). Sécr. de dir. trilingue 8,1 (12,1). Inspecteur des travaux 10,1 (12,4). Adjoint chef ordonnancement 7,9 (12,6). VRE exclusif 9,1 (12,6). Analyste programmeur 9,1 (12,7). Chef d'entretien 8,3 (12,7). Ing. doc. 10,7 (12,9). Chef de département (ventes) 10,2 (13). Agent commercial 9,5 (13,1). Tech. de recherche 7,9 (13,2). Bureauticien 9,4 (13,6). Chargé d'études sur le personnel 8,8 (13,6). Assistant pub. 8,5 (14). Chef du service doc. 11,2 (14,5). Attaché de dir. bilingue 9,2 (14,6). Analyste financier 11,1 (14,7). Attaché de dir. 8,6 (14,8). Courtier d'assur. 9,8 (14,8). Insp. des ventes 9,6 (14,9). Programmeur système 9,2 (14,9). Pharmacien 10,7 (15). Ing. sécurité 10,2 (15,5). Ing. frigoriste 9,6 (15,8). Chargé d'études marketing 9,4 (15,9). Ing. système informatique 11,9 (15,9). Juriste 11,5 (16,1). Contrôleur

400 000 allocataires [23 % n'étaient pas couverts par la Séc. soc. avant de toucher le RMI et 55 % (composés de personnes seules et de couples sans enfant ne bénéficiaient d'aucune intervention sociale avant cette allocation)].

Diplôme des allocataires (en %). Aucun 46,5, CEP 18, BEPC 5,6, CAP-BEP 19,5, < BAC 4, BAC 3,5, inconnu 2,9.

Durée d'inactivité (en %). < *1 an* : 17,1, *1-2 a.* : 15,6, *2-3 a.* : 10,2, *3-5 a.* : 13, > *5 a.* : 44.

Ressources totales (en F/mois). *Couple* : 3 388, *avec 1 enf.* : 4 186, *2 enf.* : 4 477, *3 enf.* : 5 750, *4 enf.* : 6 446 ; isolé homme 2 411, femme 2 806, *f. avec 1 enf.* : 3 457, *2 enf.* : 4 300, *3 enf.* : 4 880.

Systèmes déjà existants. *Collectivités locales* : une trentaine ont instauré un revenu minimum [1res Besançon (1968), Montbéliard (1971)]. Destiné aux personnes âgées ou invalides, il a été étendu aux personnes sans emploi. L'allocation, d'abord sans contrepartie, a été progressivement subordonnée à un contrat entre la commune et le bénéficiaire (document signé ou contrat moral, le bénéficiaire s'engageant à rechercher un emploi, à mieux gérer son budget, à se mettre en règle administrativement, etc). *Durée des versements* : le plus souvent illimitée (Belfort, Ille-et-Vilaine, 2 ans. Clichy, 6 mois). *Population concernée* : généralement moins de 0,5 % de la population de la commune. *Montant moyen des allocations mensuelles* (1986) : 1 300 à 1 800 F. *Coût* : 0,3 à 1,7 % du budget de fonctionnement de la commune (50 F par an et par habitant).

Contrat local de ressources. Mis en place par l'État en 1984 (prestation différentielle, contractuelle et facultative, destinée aux sans-emploi, ne bénéficiant pas de prestations sociales légales et dont les revenus étaient inférieurs à un certain plafond), 100 000 personnes visées (montant moyen 1 000 F) versée en contrepartie d'un travail, d'une formation ou d'un projet de réinsertion, et pour une période limitée. 2 conventions seulement ont été signées (entre l'État et l'Ille-et-Vilaine, et Belfort). En 1986 (gouvernement Chirac), le complément local de ressources (pouvant atteindre 2 000 F pour une personne seule) a été limité à 6 mois et est devenu la contrepartie d'un travail à mi-temps pour une association, une collectivité locale ou un établissement public. *Participation de l'État* : 40 % (50 % précédemment). Les 2/3 des départements ont signé une convention. *Nombre de bénéficiaires* : de 8 000 à 17 000.

☞ **Revenus minimaux garantis à l'étranger.** *All. féd.* dep. 1962, *Belgique* 1974, *P.-Bas* 1968, *G.-B.* 1948/66.

Salaires des cadres

Quelques précisions

Président-directeur général. Ce poste n'a plus de réalité juridique depuis la loi du 24-7-1966 qui a rénové le droit des Stés. On assimile au poste de P-DG celui du Pt du directoire. Il rend compte au conseil d'administration et aux actionnaires. S'il s'agit d'une filiale, il rapporte le plus souvent à la dir. gén. de sa maison mère.

Directeur général. Assure la direction opérationnelle quotidienne de l'entreprise. Souvent convié aux réunions du conseil d'administration. *Formation* : IEP + droit social, ingénieur (Centrale, X, Mines, Arts et Métiers), doctorat de gestion, ingénieur + Essec ou Sup. de co.

Secrétaire général. Poste variable suivant les entreprises. Souvent conseiller auprès du Pt et de la dir. gén. Supervise une ou plusieurs des fonctions suivantes : administrative, juridique, personnel, financière, informatique, services généraux, relations extérieures. *Formation* : IEP, Essec, Sup. de co., maîtrise en droit.

Directeur administratif. Rattaché au secr. gén. ou au dir. gén. ou au P-DG. Dans les PMI, cumule souvent avec la direction financière. *Formation* : DECS, IAE + sciences éco., DUT finances-comptabilité, Sup. de co. option finances.

Responsable du service juridique. Se rattache au P-DG ou au dir. gén. ou au secr. gén. Assistance juridique : investissements, exportations, prises de brevets, opérations financières et comptables, droit du travail. *Formation* : maîtrise en droit, DEA.

Directeur du personnel (ou des relations humaines). Supervise recrutement et licenciement, appréciation des performances et rémunération, formation et promotion interne. Chargé des relations avec les syndicats. *Formation* : Droit du travail, niveau DESS ou DEA, ESC, IEP, Essec, + 5 à 10 ans d'expérience. **Responsable du recrutement.** *Formation* : Bac + 3 (gestion de personnel, psycho-prat.), ingénieur. **De la formation.** Sélectionne les cabinets de formation, assure l'information du personnel sur l'offre disponible, établit le planning des participations et peut organiser des séminaires internes. *Formation* : études sup., Sciences hum. (Bac + 4 min.), ESC, IEP, DESS psycho-socio.

Directeur financier. Coordonne études financières aux décisions majeures, gestion de la trésorerie, relations de la trésorerie, relations avec les banques, services de comptabilité générale, contrôle budgétaire et contrôle de gestion. *Formation* : DECS + ESC option finance, IEP section éco-fi, IAE, IGR, maîtrise gestion (Dauphine). **Responsable de la comptabilité.** *Formation* : DECS, DUT comptabilité-gestion. **Du contrôle budgétaire et du contrôle de gestion.** *Formation* : école et institut de gestion (Dauphine). **De l'audit interne.** Contrôle les opérations comptables et financières, met en place de nouvelles procédures d'organisation des circuits comptables, harmonise les procédures de l'ensemble des filiales dans les groupes importants. **De la trésorerie.** Gestion de la trésorerie, en F et en devises. Optimisation de placements à court terme des liquidités disponibles. Négociation des crédits à court ou moyen terme avec les banques. *Formation* : DUT finances, IEP éco-fi, Bac + 2 avec 3 ans d'expérience en comptabilité générale.

Directeur commercial. Participe à l'élaboration de la politique commerciale qu'il est chargé de mettre en œuvre. Supervise les activités de vente, marketing et publicité. Peut assumer la responsabilité de la fixation des prix de vente. Définit les règles particulières aux conditions de vente : rabais, remises, ristournes. *Formation* : grande école de commerce ou d'ingénieurs. **Responsable des ventes.** *Formation* : BTS, DUT commercialisation.

Directeur de l'exportation. Se tient informé de l'évolution des marchés à l'exportation, des contraintes douanières et de stockage. Décide des tarifs à l'exportation. *Formation* : ESC option affaires internationales, MBA, ingénieurs, Centrale, ESE, AM, IEG, avec expérience exportation.

Directeur du marketing. Effectue des analyses statistiques des marchés, assure des tests produits, conçoit des plans marketing. Conseille les responsables commerciaux opérationnels sur la stratégie de vente, etc. *Formation* : ESC, option marketing, HEC. **Responsable des études de marché.** Étudie la concurrence (parts de marché, produits, stratégie). Réalise des enquêtes avec ses propres moyens ou avec l'aide des Stés spécialisées. *Formation* : HEC, Essec, ESC, Escae, IEP, DESS marketing. **Chef de produits.** Chargé de l'ensemble des études marketing pour 1 ou 2 produits de l'entreprise. Assure leur application. *Formation* : HEC, Essec, ESCP option marketing. Escae, BTS action commerciale, parfois ingénieurs électroniciens. **Responsable du service après-vente.** *Formation* : BTS ou ingénieur, autodidacte avec expérience.

Directeur des relations extérieures. Parfois appelé dir. de la communication. Porte-parole de la direction auprès de la presse et du public. Représente l'entreprise dans les organismes professionnels. *Formation* : IEP, HEC, ESCP.

Directeur de l'informatique. *Formation* : grande école (X, Mines, Centrale), Supelec, Insa, Ensimag. **Responsable des études informatiques.** *Formation* : X, Centrale, Mines, DEA informatique. **Chef de projet.** Responsable de la réalisation et de la mise en place d'une application informatique satisfaisant à un besoin précis d'un service. Prépare l'analyse fonctionnelle, coordonne et contrôle le travail des analystes et des programmeurs. Responsable de la qualité de l'application. *Formation* : Miage ou ingénieur informaticien ESI.

Directeur de la production. Poursuit certains objectifs de production (quantité, qualité, délais, prix de revient) en organisant les moyens mis à sa disposition : méthodes planning et fabrication. *Formation* : ingénieur (AM, ENSM, Icam, Centrale, Mines), 7 à 10 ans d'expérience.

Directeur d'usine. Veille à la réalisation des plannings de fabrication et au respect des normes de qualité et de prix de revient. Peut participer au choix des investissements industriels. Responsable du budget de fonctionnement de son usine. *Formation* : grande école ou autodidacte de haut niveau. **Responsable du contrôle qualité.** *Formation* : BTS, DUT génie mécanique, diplôme école d'ingénieurs. **Des achats.** *Formation* : d'ingénieurs type AM ou Ensi et/ou commerciale (ESC, Edhec, Escae, ISA, IAE, Cesem). Anglais courant. **De la logistique.** Supervise achats, planning et approvisionnements, magasins, expéditions et transports, relations avec douanes et transitaires. *Formation* : Cnam + formation complémentaire en gestion, IAE, DESS en logistique. Éventuellement école de gestion. **Des méthodes de fabrication.** *Formation* : ingénieur diplômé (AM, ENI, Icam, Ensi, éventuellement DUT-BTS génie mécanique). Expérience CFAO parfois souhaitée. **Du bureau d'études.** *Formation* : écoles d'ingénieurs : Cesti, Ensi, Cnam pour la mécanique ; Enseeiht (Toulouse), Enserb (Bordeaux) et Enserg (Grenoble), Télécom, Supélec, Ensem Nancy pour l'électronique, Sup Aéro, Ensma pour l'aéronautique.

Directeur recherche et développement. *Formation* : ingénieur AM, Ensi, Insa, Icam, ESE, Centrale, connaissances CFAO et micro-informatique souvent exigées.

Montant des salaires

Salaire des P-DG (oct. 1989, en millions de F). *Source* : « Le Point » et « L'Expansion ». – **de 1 million de F :** Air France (Bernard Attali) 0,9. SNCF (Jacques Fournier) 0,89. Air Inter (Pierre Elsen) 0,79. RATP (Christian Blanc) 0,77. SNECMA (Louis Gallois) 0,76 (5 de ses subordonnés gagnent davantage et le pilote d'essai de la SNECMA 2,5 millions). RFI (André Larquié) 0,5. Nouvelles Frontières (Jacques Maillot) 0,48. Aérospatiale (Henri Martre) 0,39 (30 fois moins que le patron de Boeing mais il touche par ailleurs une retraite d'ancien directeur général de l'Armement). **1 à 2 millions :** Havas (Pierre Dauzat) 1,8. Pechiney (Jean Gandois) 1,7. Thomson (Alain Gomez) 1,5. AGF (Michel Albert) 1,4. Groupe Expansion (Jean-Louis Servan-Schreiber) 1,65. Renault (Raymond Lévy) 1,3. ELF (Loïk Le Floch-Prigent) 1,3. UAP (Jean Peyrelevade) 1,2. Rhône-Poulenc (Jean-René Fourtoux) 1,1 (salaire indexé pour 1/3 sur les résultats de l'entreprise). **2 à 5 millions de F :** St-Gobain (Jean-Louis Beffa) 4,5. CGIP (Ernest-Antoine Seillière) 4,1. Lyonnaise des eaux (Jérôme Monod) 4. Suez (Renaud de la Genière) 3,5. CERUS (Alain Mine) 2,5 (+ 700 000 F de droits d'auteur pour 1988). Groupe Pelège (Michel Pelège) 2,5 (+ 5 millions env. de dividendes de son groupe dont il détient 83 % des parts). Peugeot SA (Jacques Calvet) 2,22. **+ de 5 millions de F :** Banque Lazard (Michel David-Weill) 400 millions (en répartition des résultats de la banque). CGE (Pierre Suard) 13. Cie Générale des Eaux (Guy Dejouany) 11. BSN (Antoine Riboud) 5,79.

Rémunération de quelques chefs d'entreprise français (en millions de F, 1990). Michel David-Weill 400 (Lazard). Pierre Suard 13 (CGE). Guy Dejouany 11 (Cie Gale des Eaux). Antoine Riboud 5,79 (BSN). Jean-Louis Beffa 4,5 (St-Gobain). Ernest-Antoine Seillière 4,1 (CGIP). Jérôme Monod 4 (Lyonnaise des eaux). Renaud de la Genière 3,5 (Suez). Alain Minc 3,2 (Cerus). Michel Pelège 2,5 (Groupe Pelège). Jacques Calvet 2,22 (Peugeot). Pierre Dauzier 1,8 (Havas). Jean Gandois 1,7 (Pechiney). Alain Gomez 1,5 (Thomson). Michel Albert 1,4 (AGF). Loïk Le Floch-Pringent 1,3 (ELF). Raymond Lévy 1,3 (Renault). Jean Peyrelevade 1,2 (UAP). Bernard Attali 0,9 (Air France). Jacques Fournier 0,89 (SNCF). Pierre Elsen 0,79 (Air Inter). Christian Blanc 0,77 (RATP). Louis Gallois 0,76 (SNECMA). André Larquié 0,5 (RFI). Jacques Maillot 0,48 (Nelles Frontières). Henri Martre 0,39 (Aérospatiale).

Métiers de la finance dans les entreprises (salaire annuel brut en milliers de F) 5 à 10 ans d'expérience, en ital. 10 à 15 ans, entre parenthèses + de 15 ans. Dir. administratif et financier 300-400, *450-550*, (650-1 000). Trésorier 300-350, *400-500*, (550-750). Contrôle de gestion 330-350, *400-500*, (550-900). *Source* : Cabinet Daniel Jouve et Associés.

Embauche de cadres en 1990 et, entre parenthèses, **prévisions 1991. Direction** 5 700 (4 000-5 000), **finance** 7 300 (6 000-7 000), **administration** 10 100 (7 000-8 000), **recherche** 23 300 (21 000-22 000), **production** 29 100 (22 500-23 500), **commercial** 30 400 (32 000-34 000), **informatique** 16 600 (17 000-18 000), **ensemble** 122 600 (112 000-115 000) **dont jeunes diplômés** 31 100 (30 000-32 000), **jeunes cadres** 37 700 (36 000-39 000), **cadres confirmés** 53 800 (45 000-48 000).

prises ont distribué 5 901 546 actions pour une valeur de 1 940 834 006 F à 596 830 bénéficiaires (soit en moyenne 3 252 F par bénéficiaire).

Salaires et charges

Charges sociales obligatoires sur salaires (au 1-3-1991). Taux (en %) : employeur, entre parenthèses salariés ; plafond (en F). *Sécurité sociale.* Assurance maladie, maternité, invalidité, décès 12,6 (5,9) non plafonné, vieillesse 8,2 pl. *11 340,* 1,60 non pl. (6,55 pl), veuvage (0,10) n. plaf., allocations familiales 5,4 non pl. *Retraite complémentaire.* Non-cadres (min., répartition courante) 2,952 (1,968) pl. *34 020,* cadres (min.) : tranche A 2,952 (1,968) pl. *11 340,* B 7,02 (2,34) pl. *de 11 340 à 45 360,* C (obligatoire dep. 1-1-1991) 7,02 (2,34),pl. *de 45 360 à 90 720. Assurance chômage.* ASSEDIC (non-cadres et cadres) 4,25 (2,33) pl. *11 340,* 4,37 (2,91), *pl. de 11 340 à 45 360,* fonds de garantie des salaires 0,15 pl. *45 360,* APEC 0,036 (0,024) pl. *de 11 340 à 45 360. Construction, logement.* Participation employeurs 0,65 non pl., fonds nat. d'aide au logement : contribution de 0,10 % à la charge des entreprises 0,10 pl. *11 340,* de 0,20 % à la charge des entr. de + de 9 salariés 0,20 non pl. *Taxe d'apprentissage.* 0,60 non pl. *Participation des employeurs à la formation professionnelle continue.* 1,20 non pl. *Taxe sur les salaires.* 4,25 non pl., employeurs non assujettis à la TVA + 4,25 non pl. *Transports.* Taxe (taux Paris) 2,20 pl. *11 340.*

Taux de croissance du salaire horaire. *1990 :* 5 (*89 :* 4). Smic en F. constants 0,8 (0,6).

Évolution récente

Salaires annuels nets : secteurs privé, semi-public

Salaire annuel net (en F/an)	1985	1986	1987	1988	1989	1990
Hommes	**98 700**	**103 900**	**107 000**	**109 900**	**113 700**	**119 900**
Chefs entr., Cadres	207 600	217 300	231 800	229 800	237 500	248 400
Techniciens	112 200	115 100	117 400	118 500	122 100	128 000
Autres professions intermédiaires	123 700	129 400	131 100	126 600	130 700	137 400
Employés	81 600	86 700	83 800	83 800	86 400	91 000
Ouvriers qualifiés	75 600	78 900	79 700	81 900	84 300	89 000
Ouvriers non qualif.	67 700	71 700	73 000	73 400	75 500	79 100
Femmes	**74 000**	**78 000**	**80 100**	**82 900**	**85 900**	**90 700**
Chefs entr., Cadres	141 200	146 800	158 100	162 200	167 800	176 000
Techniciens	94 200	95 500	100 400	100 400	103 500	108 700
Autres professions intermédiaires	95 200	98 800	100 700	101 500	104 700	110 000
Employés	68 000	71 500	72 300	73 900	76 000	80 000
Ouvriers qualifiés	61 900	64 800	66 200	68 100	70 000	73 600
Ouvriers non qualif.	54 400	56 900	58 500	59 300	60 900	63 800

Source : INSEE.

Salaire annuel (en milliers de F, 1990) (salaire médian 89). *Moins de 58* (10 % des salaires), *58 à 75* (20 %), *75 à 89* (20 %), *89 à 111* (20 %), *111 à 132* (10 %).

Smicards. Nombre (1989). Sur env. 14 millions de salariés travaillant dans les secteurs marchands non agricoles, 10,5 % avaient un salaire égal ou inférieur au SMIC dans les cas prévus légalement (apprentis, salariés de – de 18 ans) ; la proportion est plus forte dans les établissements de – de 10 salariés (17,1 %), plus faible dans ceux de + de 10 (8,2 %). Secteurs où la proportion de smicards est forte : hôtels, cafés, restaurants (28,4 %), commerce de détail alimentaire (25,6 %), ind. textile et habillement (24,1 %), ind. du cuir et de la chaussure (19,4 %).

Si l'on voulait ramener tous les Français à égalité de salaire, chacun gagnerait 2 SMIC (si l'économie tournait au même rythme, c'est-à-dire si les hauts salaires continuaient à produire autant de valeur malgré la diminution de leur salaire).

Plus de 2 milliards d'hommes vivent aujourd'hui dans le monde avec des salaires dont le pouvoir d'achat est inférieur au 1/10 de notre SMIC.

☞ **Salarié le mieux payé en France.** *David Vidal-Madjar* (n. 1905) : commis dans une Sté de gestion « Meeschaert, Rousselle et Cie », il a reçu au total en salaires, en 1986 : 9 179 636 F [soit 764 969 F par mois (152 fois le SMIC)].

Salaire minimal

SMIG (salaire minimum national interprofessionnel garanti). *Créé* par la loi du 11-2-1950. La loi du 18-7-1952 introduisit une clause d'*échelle mobile.* En cas d'augmentation égale ou supérieure à 5 % de l'indice mensuel des prix (à l'époque « 213 articles »), le SMIG devait être, par arrêté, majoré proportionnellement. La loi du 26-6-1957 indexa le SMIG sur l'indice des « 179 articles », spécialement créé et représentant le budget d'un célibataire parisien (à partir de 1966, indice national des prix à la consommation dit des « 259 » articles) ; le relèvement était automatique quand il y avait 2 mois consécutifs une augmentation d'au moins 2 %.

SMAG (salaire minimum garanti annuel en agriculture). *Créé* le 9-10-1950, aligné sur le SMIG en juin 1968 (accords de Varenne).

SMIC (salaire minimum de croissance). *Créé* par la loi du 2-1-1970 pour éliminer toute distorsion durable entre la progression du salaire minimal et l'évolution générale des salaires. Le SMIG, créé pour préserver le pouvoir d'achat des travailleurs les plus défavorisés, n'avait pas atteint son objectif ; de janvier 1956 à janvier 1968, il avait progressé de 76,1 % au lieu de 137,4 % pour l'ensemble des salaires horaires.

Le SMIC est *le niveau de salaire horaire brut* (primes comprises) *au-dessous duquel aucun employeur ne peut descendre pour rémunérer un salarié valide adulte* (18 a. révolus). Avant 18 ans, il est appliqué avec des abattements (20 % avant 17 ans, 10 % 17-18 a.) qui sont supprimés après 6 mois de pratique professionnelle dans la branche d'activité considérée. De nombreuses conventions collectives ou accords d'entreprise réduisent ou suppriment ces abattements.

☞ **Salaire min. en Europe.** Montant fixé par l'État au Luxembourg, P.-Bas, Portugal (touche 20 % des salariés), Espagne (10 %), France (11 %) ; montant fixé par négociation en Belgique et Grèce.

Évolution du salaire minimal

Date d'application ; taux horaire du SMIG (devenu le minimum garanti le 1-1-1970), zone d'abattement nul (le 1-6-1968, le taux du SMIG est devenu uniforme dans toute la France et il s'applique aujourd'hui aussi bien dans l'ind., le commerce, les services et l'agriculture) ; montant en F ; *taux horaire du SMIC,* montant en F.

DATE	SMIG	SMIC	DATE	SMIG	SMIC
1- 9-50	78 AF		1- 7-75	5,20	7,55
1- 4-51	87		1-10-75	5,31	7,71
16- 6-51	87		1- 1-76	5,43	7,89
10- 9-51	100		1- 4-76	5,56	8,08
8- 2-54	115		1- 7-76	5,69	8,58
11-10-54	121,50		1-10-76	5,81	8,76
4- 4-55	126		1-12-76	5,93	8,94
1- 4-56	126		1- 4-77	6,06	9,14
1- 8-57	133,45		1- 6-77	6,19	9,34
1- 1-58	139,20		1- 7-77	6,25	9,58
1- 3-58	144,80		1-10-77	6,39	9,79
1- 6-58	149,25		1-12-77	6,50	10,06
1- 2-59	156		1- 5-78	6,68	10,45
1-11-59	160,15		1- 7-78	6,82	10,85
1-10-60	1,6385 NF		1- 9-78	6,96	11,07
1-12-61	1,6865		1-12-78	7,11	11,31
1- 6-62	1,7280		1- 4-79	7,29	11,60
1-11-62	1,8060		1- 7-79	7,51	12,15
1- 1-63	1,8060		1- 9-79	7,68	12,42
1- 7-63	1,8820		1-12-79	7,92	12,93
1-10-64	1,9295		1- 3-80	8,19	13,37
1- 3-65	1,9680		1- 5-80	8,37	13,66
1- 9-65	2,0075		1- 7-80	8,55	14,00
1- 3-66	2,05		1- 9-80	8,73	14,29
1-10-66	2,10		1-12-80	8,99	14,79
1- 1-67	2,10		1- 3-81	9,24	15,20
1- 7-67	2,15		1- 6-81	9,54	16,72
1- 1-68	2,22		1- 3-82	10,52	18,62
1- 7-68	3,00		1- 5-82	10,75	19,03
1-12-68	3,08		1- 7-82	10,97	19,64
1- 4-69	3,15		1-12-82	11,22	20,29
1-10-69	3,27	3,27	1- 3-83	11,53	21,02
1- 3-70	3,36	3,36	1- 7-83	11,96	21,89
1- 7-70	3,42	3,50	1-10-83	12,20	22,33
1- 1-71	3,50	3,63	1- 1-84	12,44	22,78
1- 4-71	3,55	3,68	1- 5-84	12,74	23,56
1- 7-71	3,61	3,85	1- 7-84	12,89	23,84
1-12-71	3,69	3,94	1-11-84	13,17	24,36
1- 5-72	3,77	4,10	1- 4-85	13,46	24,90
1- 7-72	3,80	4,30	1- 5-85	13,46	25,54
1-11-72	3,90	4,55	1- 7-85	13,72	26,04
1- 2-73	3,98	4,64	1- 7-86	14,04	26,92
1- 7-73	4,08	5,20	1- 3-87	14,38	27,57
1-10-73	4,17	5,32	1- 7-87	14,52	27,84
1-12-73	4,25	5,43	1- 6-88	14,85	28,48
1- 3-74	4,39	5,60	1- 7-88	14,88	28,76
1- 5-74	4,50	5,95	1- 3-89	15,19	29,36
1- 7-74	4,63	6,40	1- 7-89	15,43	29,91
1- 9-74	4,74	6,55	1- 4-90	15,74	30,51
1-12-74	4,89	6,75	1- 7-90	15,88	31,28
1- 2-75	5,03	6,95	1-12-90	16,21	31,94
1- 6-75	5,16	7,12	1- 7-91	16,39	32,66

La réévaluation se fait automatiquement sur l'indice des prix de l'INSEE, dès que celui-ci a augmenté de + de 2 % depuis la dernière augmentation du SMIC. Son niveau est *fixé annuellement, avec effet au 1er juillet,* par décret en Conseil des ministres, après avis motivé de la Commission sup. des conventions coll., devenue « Commission nationale de la négociation collective », et compte tenu de l'évolution des conditions économiques générales. Il évolue selon les prix et la croissance. En aucun cas, l'accroissement annuel du pouvoir d'achat du SMIC ne peut être inférieur à la moitié de l'augmentation du pouvoir d'achat du taux de salaire horaire enregistrée par l'enquête trimestrielle du ministère du Travail, entre le 1-4 de l'année précédente et le 1-4 de l'année considérée. Le gouvernement peut décider une augmentation supérieure à celle qui résulte de l'avis de la commission.

Montant (en F, au 1-7-91). *Taux horaire :* 32,66, *mensuel* 5 519,54 (net 4 534,25). Pour 169 h, calcul forfaitaire, en raison de la variation du nombre de j dans les mois. **Heures supplémentaires :** de 40 à 47 h par semaine, 40,825 F (heure majorée de 25 %), au-delà de 47 h, 48,99 F (heure majorée de 50 %). **Jeunes travailleurs** (moins de 18 ans, capacité physique normale) prix de l'heure avec abattement de 20 % avant 17 ans : 26,128 F ; de 10 % entre 17 et 18 ans : 29,394 F. L'abattement est supprimé pour les jeunes travailleurs justifiant de 6 mois de pratique professionnelle dans la branche d'activité dont ils relèvent.

Évolution du pouvoir d'achat de l'indice du salaire horaire ouvrier, moyenne générale

	1983	1984	1985	1986	1987	1988	1989	1990
Salaire brut . . .	1,5	0,2	0,1	1,5	0,2	0,7	0,4	1,5
Salaire net	0,6	–1,4	–0,1	0,8	–0,7	0,1	–0,8	1,5
– SMIC brut	2,4	1,9	2,2	1,6	0,9	0	0,6	0,8
– SMIC net	1,5	0,3	2	0,9	0	0	–0,6	0,9

Source : INSEE.

Avantages en nature. Déduits du SMIC pour les *professions non agricoles ; nourriture* 2 fois le minimum garanti pour 2 repas, 1 fois pour 1 repas (personnel des hôtels, cafés, restaurants et établissements assimilés : la moitié) ; *professions agricoles ; nourriture* 2 fois 1/2 le minimum garanti (par jour) ; *logement* 8 fois le min. garanti (par mois).

Départements d'outre-mer (au 1-7-1990). Salaire en F pour 39 h de travail effectif et, entre parenthèses, minimum garanti à l'heure en F. Guadeloupe, Guyane et Martinique 1 017,17 (13,52), Réunion 971,82 (11,13), St-Pierre-et-Miquelon 31,28 F/h (15,88).

• **Minimum garanti.** Indexé sur les prix selon les mêmes modalités que le SMIC : lorsque l'indice nat. des prix à la consom. subit une hausse d'au moins 2 % par rapport à l'indice constaté lors de l'établissement du SMIC immédiatement antérieur, le niveau du minimum garanti est relevé dans la même proportion, à compter du 1er j du mois qui suit la publication de l'indice entraînant le relèvement.

• **R.M.I. (revenu minimum d'insertion).** *Créé* par la loi du 1-12-1988, applicable jusqu'au 30-6-92. *But :* permettre à chacun de disposer de ressources suffisantes pour faire face à ses besoins et favoriser la réinsertion des plus démunis. *Conditions :* résider en France (donc ouvert aux étrangers résidents), avoir 25 ans minimum (sauf si on a des enfants à charge), s'engager à s'insérer dans la société. *Allocation* (au 1-7-1991) : égale à la différence entre le montant des ressources de la personne et celui du RMI [2 163 F (1 730,40 F dans les DOM-TOM) par mois pour une personne seule, 1 081,50 F (865,20 F) pour la 2e personne du foyer, 648,90 F (519,12 F) pour les suivantes, 865,20 F (692,16 F) à partir de la 3e] en général accordée pour 3 mois, renouvelable pour 3 à 12 mois. *Formalités :* déposer une demande auprès des services sociaux ou d'une association caritative, ce qui implique de s'engager à participer aux actions d'insertion qui seront définies avec la personne.

Statistiques. Coût total du RMI. *1990 :* 8,6 milliards de F [*91 (est.) :* 11 milliards de F].

3 000 contrats d'insertion ont été passés, 88 000 Rmistes ont eu accès au plan emploi, 45 000 à la formation, 78 000 aux autres actions d'aide à la réinsertion professionnelle.

Bénéficiaires dep. la création. 700 000 foyers [dont 200 000 en métropole (soit env. 1 500 000)]. *Fin 1990:* 500 000 dont DOM 100 000. EN MÉTROPOLE : *fin 1990:*

Alsace 65,4. Provence-Alpes-Côte d'Azur-Corse 61,8. Rhône-Alpes 61,8. Champagne-Ardenne 61,7. Aquitaine 61,4. Bourgogne 60,6. Haute-Normandie 60,2. Lorraine 60,2. Midi-Pyrénées 60. Centre 59,9. Bretagne 59,6. Limousin 59,3. Auvergne 59,2. Pays-de-la-Loire 58,4. Languedoc-Roussillon 58,2. Basse-Normandie 57,6. Nord-Pas-de-Calais 57,3. Poitou-Charentes 56,9. Franche-Comté 56,8. Picardie 55,4. Corse 53,9. *Source : Comptes régionaux des ménages 1983-1986,* INSEE.

• **Revenu net moyen pour un salarié ayant exercé une carrière complète** (1988). Hommes 7 154, femmes 6 469.

• **Revenu disponible en F par an** (1986). **Salariés** (0 enfant et, entre parenthèses, 3 enfants). **Homme cadre supérieur, femme cadre moyen :** *salaire net* 329 993 (brut 381 451 ; charges sociales, part salariale 51 458), prestations familiales 0 (14 657), impôt sur le revenu payé 60 880 (30 435). *Revenu disponible total* 271 393 (314 055). **Cadre moyen, femme sans activité professionnelle :** *salaire net* 120 931 (brut 141 904, charges soc. 20 973), prest. famil. 0 (24 701), impôt sur le revenu payé 8 103 (2 111). *Revenu disponible total* 111 427 (141 604). **Ouvrier spécialisé, femme sans activité professionnelle :** *salaire net* 68 707 (brut 81 542, charges soc. 20 973), prest. famil. 0 (28 175), impôt sur le revenu payé 1 832 (0). *Revenu disponible total* 65 236 (96 053).

• **Retraités. Couple, un retraité cadre :** *retraite nette* 97 835 (brute 99 371, cotisations sociales 1 536), impôt [1] sur le revenu 6 713. *Revenu disponible total* 95 122 ; par unité de consommation 55 954. **Couple, un retraité ouvrier :** *retraite nette* 51 135 (brute 51 170, cotis. 35), imp[1] 0. *Revenu disponible total* 51 135 ; par unité de c. 30 070. **Couple, deux retraités employés :** *retraite nette* 92 006 (brute 93 204, cotis. 1 198), impôt [1] 4 578. *Revenu disponible total* 87 428 ; par unité de c. 51 428. **Personne seule, allocataire du minimum vieillesse :** *retraite nette* 28 355 (brute 28 355, cotis. 0), impôt [1] 0. *Revenu disponible total* 28 355 ; par unité de c. 28 355.

Nota. – (1) Impôt payé dans l'année, sur les revenus de l'année précédente.

• **Patrimoine de rapport. Structure et,** entre parenthèses, **structure des revenus courants de ce patrimoine** (en %, 1986). Immobilier (bâti ou non bâti) 32 (20), valeurs mobilières 38 (40), autres placements 30 (40) dont épargne liquide ou à court terme 28 (38).

Masse des revenus courants du patrimoine de rapport des particuliers (en milliards de F, 1986). 305 dont immobilier (bâti ou non bâti) 61, valeurs mobilières (y compris dividendes des sociétés non cotées) 122, autres placements (épargne liquide ou à court terme pour l'essentiel) 122.

• **Prestations sociales versées aux ménages** (en milliards de F, 1986). Emploi 86,1, vieillesse-survie 608 dont préretraite 50,5, maternité-famille 160,7, santé 326,9, hôpital public (dotation globale de financement) 132,9, divers 3,4. *Total* 1 318.

• **Progression du revenu national 1988-89** (en %). Travail 2,2. Sociétés 7,4. Propriétés 6,4. Entrepreneurs individuels 3,8.

Salaires en France

Données générales

Saisie-arrêt sur salaire. Dep. le 1-1-1988, les rémunérations annuelles sont saisissables jusqu'à concurrence de 5 % sur la portion inférieure ou égale à 15 000 F, de 10 % entre 15 000 et 30 000 F, de 20 % entre 30 000 et 45 000 F, de 25 % entre 45 000 et 60 000 F, de 33,3 % entre 60 000 et 75 000 F, de 66,6 % entre 75 000 et 90 000 F, de 100 % à partir de 90 000 F. Ces montants sont majorés de 4 800 F par enfant à charge.

Éventail des salaires

Mesure. Il existe plusieurs façons de le mesurer. 1°) *On peut mesurer l'écart entre 2 catégories extrêmes.* Exemples : entre le smicard et le P-DG. le mieux payé de France (écart de 1 à 100) ; entre le groupe des cadres supérieurs gagnant plus de 28 000 F par mois et les ouvriers les plus mal payés (écart de 1 à 15) ; entre les salaires moyens de la femme manœuvre et du cadre administratif supérieur (écart de 1 à 6,8) ; entre l'ensemble des ouvriers et l'ensemble des cadres supérieurs (écart de 1 à 4) ; entre 2 couples types avec 2 enfants et un seul salaire en tenant compte du salaire direct cadre moyen et ouvrier (écart de 1 à 3), et du revenu disponible (cotisations diverses et prestations sociales comprises) (écart de 1 à 1,9).

2°) *Méthode des déciles :* le 1er décile est le seuil au-dessous duquel se trouvent les 10 % des salaires les + bas, et le 10e décile celui au-dessus duquel se trouvent les 10 % des sal. les + élevés.

Salaires d'autrefois
Ouvriers artisans

Salaires journaliers (en F)	1806	1840	1860	1880	1900	1919
France entière						
Ouvrier des mines de houille	1,80	2,00	2,50	3,50	4,65	13,50
Ouvrier agricole non nourri	1,00	1,50	1,85	2,20	3,00	12,00
Région parisienne						
Tailleur de pierre	3,25	4,20	5,50	7,50	8,50	22,00
Maçon	3,25	4,15	5,25	7,50	8,00	22,00
Garçon maçon	1,70	2,45	3,30	5,00	5,00	17,20
Couvreur	5,00	5,50	7,00	8,50	8,50	22,00
Plombier	3,00	3,50	4,00	6,00	7,50	20,00
Charpentier	3,00	4,00	6,00	8,00	9,00	22,00
Menuisier	3,50	3,25	4,50	7,00	7,00	22,00
Tapissier	3,00	3,50	4,00	5,00	9,00	22,00
Serrurier	3,75	3,25	4,00	6,50	7,50	22,00
Forgeron	5,00	5,00	6,50	7,75	8,00	22,00
Terrassier	2,25	2,75	4,00	5,50	5,50	20,00
Boulanger	3,50	4,00	4,55	7,00	8,00	13,00

Salaires en 1832. Annuels. *Famille ouvrière :* 760 F dont le père ouvrier 450 F (pour 300 j de travail), la mère 180 F (200 j), leurs 2 enfants 65 F chacun (80 j). **Journalier.** Pour 15 h, *homme* 2 F, *femme* 1 F, *enfant* 0,30 à 0,45 F. Les rétributions des ouvriers agricoles sont plus faibles.

Budget familial annuel 860 F(dont nourriture 570, logement 130, vêtements 140, divers 19). L'ouvrier doit donc se restreindre d'autant plus que le plein-emploi n'existe pas, que les salaires varient d'une région à l'autre (73 centimes par j dans certaines manufactures d'Alsace) et que la moindre maladie vient bouleverser cet « équilibre ». 10 centimes par j au-dessus ou au-dessous du taux nécessaire à l'entretien d'un travailleur économe et sans famille suffisent pour le placer dans une sorte d'aisance ou pour le jeter dans une grande gêne (étude Vuillermé).

Salaires en 1894 (en F). *Par jour :* ouvrier 2,25 pour 10 h de travail ; repasseuse, blanchisseuse 3 ; passementière 3,5 à 5 ; couturière 3,7. *Par mois :* cuisinier 50 à 75 ; femme de chambre 40 à 70 ; bonne d'enfants 20 à 40 ; ; nourrice 60 à 80 ; vendeuse 150 à 200 (12 h par jour de 8 h à 20 h, avec 2 h pour le repas). *Par an :* instituteur 1 000 à 1 500 ; chef de rayon 3 000 à 20 000 ; employé de poste 900 à 1 800.

Fonctionnaires

• **Sous l'Empire** (en F par an). *Ponts et chaussées :* inspecteur général 12 000, divisionnaire 8 000, ingénieur en chef 5 000, ordinaire 1 800 à 2 800. *Conseil d'État :* conseiller 25 000, maître des requêtes 5 000, auditeur 2 000. **1907.** Pt de la Rép. 1 200 000, du Sénat 100 000, de la Ch. des députés 100 000, ministre 60 000, gouverneur de colonie de 60 000 (Indochine) à 20 000 (N.-Calédonie), Préfet de police 50 000, trésoriers généraux 47 500, ambassadeur 40 000 (+ frais de représentation : de 20 000 F à Berne à 170 000 F à St-Pétersbourg), grand-chancelier de la Légion d'honneur 40 000, min. plénipotentiaire 30 000, 1er Pt de la Cour de cassation 25 000, procureur à la C. de cassation 25 000, sous-secr. d'État 25 000, préfet 22 000, conseiller à la C. de cassation 18 000, conseiller d'ambassade et consul gén. 18 000, recteur de l'Université 16 000, député et sénateur 15 000, 1er Pt de Cour d'appel 12 à 18 000, conseiller de C. d'appel 9 à 12 000, questeur du Parlement 8 000. *P. et ch.*[1] : inspecteur général 12 000 et 15 000. *C. d'État*[1] : conseiller 16 000, maître des requêtes 8 000, auditeur 2 000 à 4 000.

Nota. – (1) 1901-07.

A l'époque en Angleterre. Roi 10 000 000, gouverneur de colonie de 500 000 (Vice-roi des Indes) à 175 000 (Nouvelle-Galles du Sud), Pt de la Ch. des Lords 250 000, des Communes 125 000, ministre 125 000, sous-secr. d'État 50 000, ambassadeur (sans frais de représentation) de 36 250 à 225 000, juge de la City-Court 100 000, consul gén. 20 000 à 90 000.

• **En 1914,** en italiques **en 1934 et,** entre parenthèses, **en 1982. Directeurs de ministères :** *salaires directs bruts* (en F de chaque époque) : 25 000 *117 000* (320 000), *salaires directs disponibles* (après impôt sur le revenu) 25 000 *93 000* (200 000), *revenu salarial disponible* (y compris prestations sociales reçues) 25 000 *102 000* (220 000). **Fonctionnaires les moins payés :** *brut :* 1 200 *11 240* (42 220), *net :* 1 200 *10 500* (39 000), *rev. disp. :* 1 200 *12 500* (58 000).

Inégalités entre hommes et femmes

La loi du 22-12-1972 oblige tout employeur à assurer, à travail égal, une même rémunération quel que soit le sexe. *La loi du 11-7-1975* a instauré le principe d'égalité en matière d'embauche (rédaction des offres d'emploi par ex.) et de licenciement (sous peine de poursuites pénales).

Différence entre les salaires moyens des hommes et des femmes, toutes catégories confondues (en 1986). 27 % de – que les hommes. Écart de salaires de 31 % chez les cadres sup., 19 % cadres moyens, 18 % employés, 24 % ouvriers. En 4 ans, le nombre de femmes cadres supérieurs s'est accru d'env. 30 %, alors que le nombre d'employées se stabilisait et que celui d'ouvrières diminuait.

Le rapprochement des taux horaires des ouvriers hommes et femmes (écart de 15 % vers 1946, de 3,9 % aujourd'hui) ne se reflète pas dans les salaires mensuels car 1° *La durée moyenne de travail des femmes est inférieure de 10 % à celle des hommes.* En raison de leurs tâches ménagères et de l'éducation des enfants, les femmes choisissent des horaires plus souples et courts, leur absentéisme est plus fort (congés de maternité, absences pour soigner les enfants malades). Elles interrompent souvent leur carrière, ce qui influe sur leur ancienneté (donc sur leur rémunération) ; elles ont du mal à allonger leurs horaires et ont ainsi plus difficilement accès à la formation permanente. 2° *Différences de qualification :* elles forment 36 % des salariés, mais 13 % des cadres supérieurs et 45,5 des employés. La différence des études expliquant en partie cette inégalité. 3° *Les employeurs, prévoyant une durée d'emploi moins longue* (mariage, maternité), répugnent souvent à confier nombre de postes à des femmes : de leur côté, les femmes choisissent souvent entre leurs responsabilités familiales et prof. 4° *Hommes et femmes ne se dirigent pas vers les mêmes emplois.* Il s'établit 2 marchés du travail relativement distincts.

Intéressement et participation

• **Intéressement.** Instauré par l'ordonnance de 1959. Facultatif. Les partenaires sociaux peuvent choisir le critère de performance dont il dépendra. Ce critère peut varier en fonction de la catégorie de personnel ou de l'unité de travail. L'intéressement ne peut pas représenter plus du 5e de la masse salariale. Les accords n'ont plus besoin d'être soumis à l'approbation préalable du CERC (Centre d'études sur les revenus et les coûts).

Les sommes versées sont exonérées de charges fiscales et sociales pour l'entreprise. Le bénéficiaire ne paie pas de charges sociales mais paie l'impôt sur le revenu. Il peut y échapper en versant son intéressement dans le plan d'épargne entreprise, régime englobant également les actuels plans d'actionnariat et fonds salariaux. Les versements complémentaires des entreprises sur ces plans (les abondements) peuvent atteindre 10 000 F.

Nombre d'accords en cours (entre parenthèses salariés concernés) : *1985 :* 1 303 (401 530). *88 :* 4 600 (984 811). *Montant moyen de l'intéressement versé* (en F) : *1986 :* 3 739. *87 :* 3 385. *88 :* 4 662. *89 :* 4 930.

• **Participation.** Obligatoire dep. 1967 au-delà de 100 salariés. Réformée par l'ordonnance du 21-10-1986. *Nombre d'accords en cours* (entre parenthèses salariés concernés) : *1971 :* 6 863 (2 634 287). *75 :* 9 581 (2 713 108). *80 :* 10 091 (3 251 129). *85 :* 10 336 (2 638 326). *89 :* 10 214 (2 616 159).

Résultats financiers de la participation (1986). Réserve 9 627 millions de F, bénéficiaires 2 729 313, % moyen de la RSP par rapport au bénéfice 14,49 %, des bénéfices par rapport aux capitaux 15,34, des salaires versés par rapport à la valeur ajoutée 35,79, de la RSP par rapport aux salaires pris en compte pour la répartition 3,40.

Montant de la part individuelle (en F). *1971 :* 623, *75 :* 891. *80 :* 1 740. *85 :* 2 900. *88 :* 4 389.

• **Actionnariat.** Créé par la loi du 24-10-1980. Distribution d'actions aux salariés. *Bilan* (1988). 350 entre-

20,5 (29) *73.* Sydney 21,8 (39) *20.* Tel Aviv 8 (32) *92.* Tokyo 50,3 (43) *10.* Toronto 29,8 (39) *72.* Vienne 18,2 (24) *54.* Zurich 56,7 (29) *83.*

Nota. – (1) L'État verse en outre une alloc. de logement ou met maison ou logement gratuitement à disposition. (2) Impôts et les cotis. sociales sont payées directement par l'État. (3) 1985.

• **Manœuvre et mécanicien.** *Revenu net (après déduction des impôts et des cotisations sociales) par an, en 1988, en milliers de F suisses.* Pour un manœuvre du bâtiment (ou un ouvrier ayant reçu une formation accélérée, 25 ans env., célibataire) et, entre parenthèses, un mécanicien sur autos (avec diplôme de fin d'apprentissage et 5 années env. de pratique, 25 ans env., célibataire). Abu Dhabi [1,2] 3,9 (9,5). Amsterdam 14,8 (17,3). Athènes [3] 10,6 (8,4). Bangkok 1,4 (2,8). Bogotá 2,9 (5). Bombay 0,8 [4] (1,8). Bruxelles 17,8 (14,8). Buenos Aires 1,9 (3,6). Le Caire 1,3 (1). Caracas 4,4 (8,2). Chicago 27,8 (32,7). Copenhague 20,2 (24,8). Djakarta [2] 1,4 (1). Djedda [2] 4,9 (8,2). Dublin 13,4 (12,7). Düsseldorf 15,9 (17,5). Francfort 17,3 (19,4). Genève 26,3 (34,4). Helsinki 18,1 (17,5). Hong Kong 10,2 (13,6). Houston 29,8 (26,5). Istanbul 5 (7,6). Johannesburg 6, 4 [5] (10,7) [6]. Kuala Lumpur 4,1 [4] (3,5). Lagos 0,5 (1,1). Lisbonne 2,7 (4,9). Londres 16,7 (17,7). Los Angeles 28,8 (34). Luxembourg 15,8 (18,5). Madrid 10,3 (9). Manama (Bahreïn) 5 (6,7). Manille 1,3 (1,4). Mexico 1,8 (2,4). Milan 12,9 (17,6). Montréal 23,4 (22,6). Nairobi 1,5 (2,8). New York 24,2 (27,8). Nicosie 8 (9,8). Oslo 15,1 (14,5). Panama 5,2 (6,5). Paris 11,4 (12,6). Rio de Janeiro 1,4 (3,5). São Paulo 1,5 (3,4). Séoul 6,9 (8,9). Singapour 3,1 (4,1). Stockholm 23,3 (16,9). Sydney 16,6 (15). Tel Aviv 8,2 (11,6). Tokyo 27,6 (24,7). Toronto 21,6 (22,9). Vienne 18,2 (18,4). Zurich 34,2 (38,1).

Vacances payées. Par année, jours ouvrables pour un manœuvre du bâtiment et, entre parenthèses, un mécanicien sur autos. Abu Dhabi [1,2] 30 (30). Amsterdam 41 (37). Athènes [3] 24 (0). Bangkok 10 (10). Bogota 15 (15). Bombay 0 [4] (6). Bruxelles 20 (20). Buenos Aires 10 (13). Le Caire 13 (19). Caracas 15 (15). Chicago 5 (10). Copenhague 13 (13). Djakarta 15 [2]. Djedda [2] 15 (15). Dublin 20 (18). Düsseldorf 28 (30). Francfort 23 (30). Genève 20 (20). Helsinki 30 (34). Hong Kong 0 (0). Houston 10 (15). Istanbul 20 (20). Johannesburg 15 [5] (15) [6]. Kuala Lumpur 0 [4] (14). Lagos 15 (20). Lisbonne 22 (22). Londres 20 (21). Los Angeles 10 (10). Luxembourg 25 (25). Madrid 25 (25). Manama (Bahreïn) 21 (22). Manille 5 (5). Mexico 6 (6). Milan 24 (24). Montréal 10 (15). Nairobi 24 (24). New York 8 (13). Nicosie 15 (18). Oslo 21 (21). Panama 30 (30). Paris 25 (25). Rio de Janeiro 18 (18). São Paulo 22 (22). Séoul 6 (14). Singapour 15 (11). Stockholm 25 (25). Sydney 20 (20). Tel Aviv 12 (16). Tokyo 15 (17). Toronto 13 (15). Vienne 25 (25). Zurich 20 (20).

• **Chef de service et ingénieur-électricien.** Revenu net annuel (après déduction des impôts et des cotisations sociales) en milliers de F suisses. Pour un chef de service (dans une grande entreprise de transformation des métaux, ayant une centaine d'ouvriers sous ses ordres, diplôme d'apprentissage ou d'une école technique, 40 ans env., marié sans enfants) et entre parenthèses pour un ingénieur-électricien (dans branche machines ou électrotechnique, centrale électrique, etc., diplôme universitaire ou d'une école techn. sup., au moins 5 ans de pratique, env. 35 ans, marié sans enfants). Abu Dhabi [1,2] 45,4 (53). Amsterdam 36,3 (34,9). Athènes n.c. Bangkok 14,5 (8). Bogota 16,1 (13,9). Bombay 4,4 (5,3). Bruxelles 44,3 (34,5). Buenos Aires 7,1 (17,7). Caire (Le) 5,9 (3,1). Caracas 9,1 (15,1). Chicago 43,7 (42,2). Copenhague 57,2 (40,8). Djakarta [2] 9,6 (12,5). Djedda [2] 29,6 (26,7). Dublin 34,5 (27,4). Düsseldorf 42,5 (32,6). Francfort 70,2 (37,3). Genève 62,8 (57,4). Helsinki 37,9 (30,9). Hong Kong 38,6 (31). Houston 62,8 (47,5). Istanbul 27,3 (11,2). Johannesburg [6] 18,5 (21,9). Kuala Lumpur 15,2 (11,9). Lagos 5,5 (3,1). Lisbonne 8,4 (9,8). Londres 35,8 (28,1). Los Angeles 57,3 (49,5). Luxembourg 54,2 (42,6). Madrid 13,1 (15,5). Manama (Bahreïn) 31,6 (31,1) [2]. Manille 6,2 (6). Mexico 2,1 (5,6). Milan 26,4 (30,3). Montréal 44,7 (36,5). Nairobi 9,4 (10,6). New York 49,3 (39,1). Nicosie 18,3 (19,1). Oslo 20,5 (18,5). Panama 23,5 (21,8). Paris 31 (37,3). Rio de Janeiro 13,6 (10,2). São Paulo 6 (10,3). Séoul 21,6 (19,3). Singapour 28,6 (18,8). Stockholm 33,2 (30,5). Sydney 33 (23). Tel Aviv 16,1 (14,9). Tokyo 75,8 (45,2). Toronto 31,7 (40). Vienne 38,4 (40,7). Zurich 80,2 (65,3).

Vacances payées. Par année, jours ouvrables. Chef de service (ingénieur-électricien). Abu Dhabi 30 (30). Amsterdam 37 (37). Athènes n.c. Bangkok 10 (15). Bogota 15 (15). Bombay 33 (31). Bruxelles 22 (14). Buenos Aires 18 (13). Caire (Le) 26 (19). Caracas 25 (20). Chicago 22 (15). Copenhague 28 (25). Djakarta n.c. Djedda 30 (15). Dublin 24 (18). Düsseldorf 30 (30). Francfort 30 (30). Genève 25 (20). Helsinki 33 (28). Hong Kong 16 (16). Houston 20 (15). Istanbul 25 (20). Johannesburg 18 (25). Kuala Lumpur 27 (25). Lagos 25 (23). Lisbonne 22 (22). Londres 25 (23). Los Angeles 15 (15). Luxembourg 26 (25). Madrid 25 (25). Manama (Bahreïn) 13 (30). Manille 15 (16). Mexico 6 (6). Milan 24 (24). Montréal 20 (20). Nairobi 28 (28). New York 15 (13). Nicosie 15 (24). Oslo 21 (21). Panama 30 (30). Paris 30 (25). Rio de Janeiro 18 (16). São Paulo 22 (22). Séoul 27 (21). Singapour 21 (15). Stockholm 30 (25). Sydney 20 (20). Tel Aviv 25 (26). Tokyo 20 (20). Toronto 18 (18). Vienne 30 (30). Zurich 25 (20).

• **Secrétaire** (d'un chef de service d'une entreprise industrielle, env. 5 années de pratique, sténo-dactylo, une langue étr., env. 25 ans, célibataire). Revenu net annuel et, entre parenthèses, vacances annuelles payées (jours ouvrables). Abu Dhabi [1,2] 13,6 (30). Amsterdam 16,7 (35). Athènes n.c. Bangkok 6,4 (14). Bogota 8,5 (15). Bombay 2,4 (34). Bruxelles 19,9 (20). Buenos Aires 7,5 (13). Caire (Le) 2,5 (19). Caracas 8,2 (15). Chicago 25,1 (13). Copenhague 23,5 (25). Djakarta [2] 6,7 (n.c.). Djedda [2] 18,5 (30). Dublin 13 (21). Düsseldorf 22,2 (30). Francfort 22,3 (30). Genève 36,3 (20). Helsinki 18,6 (28). Hong Kong 12 (12). Houston 23,3 (10). Istanbul 10 (25). Johannesburg [6] 11,5 (15). Kuala Lumpur 7,2 (19). Lagos 2,8 (32). Lisbonne 7,7 (22). Londres 20,7 (23). Los Angeles 25,2 (10). Luxembourg 25,3 (28). Madrid 11 (25). Manama (Bahreïn) 21,5 (30). Manille 1,9 (15). Mexico 4,2 (6). Milan 16,3 (24). Montréal 21,5 (15). Nairobi 5,8 (24). New York 20 (10). Nicosie 10,1 (15). Oslo 13,5 (21). Panama 12,9 (30). Paris 18,6 (25). Rio de Janeiro 3,8 (16). São Paulo 6,6 (22). Séoul 9,4 (25). Singapour 11,5 (15). Stockholm 18 (25). Sydney 16,9 (20). Tel Aviv 8,8 (16). Tokyo 24,2 (17). Toronto 19 (15). Vienne 18,6 (25). Zurich 37,1 (20).

Nota. – (1) L'employeur verse en plus une allocation logement ou met un logement gratuitement à disposition. (2) Ses impôts et cotisations sociales sont payés directement par l'employeur. (3) 1985. (4) Travail à la journée. (5) Race noire. (6) Race blanche.

P-DG (en $). *Suisse :* chiffre d'affaires annuel brut : env. 130 millions, salaire annuel brut primes et avantages inclus : 159 000. *Italie :* 138 000. *All. de l'ouest :* 130 000. *France :* 120 000. *Belgique :* 110 000. *G.-B. :* 99 000. *P.-Bas :* 94 000.

• **Rémunération brute annuelle des dirigeants** (salaires et primes, en milliers de F, 1988). États-Unis 1 700. Suisse 1 430. Japon 1 360. RFA 1 170. *France 1 100.* Belgique 1 070. Pays-Bas 1 035. Canada 1 035. Italie 1 020. Espagne 1 000. G.-B. 935. Brésil 830. Argentine 780. Singapour 710. Hong Kong 700. Suède 680. Venezuela 560. Australie 510. Mexique 408. Corée du Sud 374.

Source : L'Expansion.

Coût horaire de la main-d'œuvre

En 1988 (en $ US). Indonésie 0,22. Chine populaire 0,27. Thaïlande 0,66. Turquie 1,01. Maroc 1,10. Hong Kong 2,19. Portugal 2,19. Corée du Sud 2,29. Tunisie 2,69. Taiwan 2,94. Grèce 4,47. Espagne 5,69. Irlande 7,39. G.-B. 8,43. États-Unis 9,42. *France 10,88.* Italie 13,81. RFA 14,67. Japon 14,93. Belgique 15,07. Pays-Bas 15,62. Suisse 17,15. *Source :* Werner International (management consultants).

Coût horaire dans l'industrie, en écus et, entre parenthèses, **nombre moyen d'heures travaillées dans l'année (1988).** All. féd. 18,27 (1 645). Danemark 15,51 (1 680). *France 15,27 (1 681).* G.-B. 10,97 (1 912). Portugal 2,98 (1 944).

Structure du coût salarial dans l'industrie (en %, 1998). En italiques : coût direct charges légales de Séc. soc. et, entre parenthèses, charges conventionnelles de Séc. soc. Danemark 96,2 *1,9* (1,1). G.-B. 86 *7,3* (4,6). All. féd. 76,3 *16,9* (4,6). Portugal 74,2 *18,9* (2,8). *France* 68 *19,1* (9,4).

Prix des diplômes (en milliers de F). **Autodidactes, bac :** – *de 30 ans :* 169 à 208 ; *30-40 a. :* 192 à 255 ; *41-50 a. :* 22 à 308 ; *+ de 50 a. :* 242 à 341. **Bac + 2 :** – *de 30 a. :* 169 à 215 ; *30-40 a. :* 215 à 288 ; *41-50 a.* 237 à 337 ; *+ de 50 a. :* 267 à 407. **Bac + 3 ou 4 :** – *de 30 a. :* 177 à 242 ; *30-40 a. :* 222 à 320 ; *41-50 a. :* 279 à 388 ; *+ de 50 a. :* 309 à 455. **Bac + 5 :** – *de 30 a. :* 181 à 235 ; *30-40 a. :* 240 à 336 ; *41-50 a. :* 289 à 412 ; *+ de 50 a. :* 327 à 453. **Grandes écoles d'ingénieurs :** – *de 30 a. :* 189 à 262 ; *30-40 a. :* 273 à 419 ; *41-50 a. :* 366 à 523 ; + de 50 a. : 355 à 520. **Grandes écoles de commerce :** – *de 30 a. :* 204 à 303 ; *30-40 a. :* 312 à 430 ; *41-50 a. :* 358 à 525 ; *+ de 50 a. :* 380 à 518.

Cas de quelques pays

• **États-Unis. Salaires records des P-DG américains** (1990, en milliers de $). Total et, entre parenthèses, salaire et primes. Stephen M. Wolf (United Airlines) 18 301 (1 150), John Sculley (Apple) 16 730 (2 199), Paul B. Fireman (Reebok) 14 822, Dean L. Buntrock (Waste Management) 12 290 (1 582), Leon C. Hirsch (US Surgical) 11 676 (1 128), Michael D. Eisner (Walt Disney) 11 233, Joseph D. Williams (Warner-Lambert) 8 483 (1 585), David O. Maxwell (Federal National Mortgage) 7 568 (1 039), George V. Grune (Reader's Digest) 7 463 (1 192), P. Roy Vagelos (Merck) 7 142 (2 092), Rand V. Araskog (ITT) 7 023 (3 844), Richard D. Wood (Eli Lilly) 6 885 (1 781), Daniel B. Burke (Capital Cities/ ABC) 6 617 (1 033), William S. Edgerly (State Street Boston) 6 514 (953), Robert P. Luciano (Schering-Plough) 6 386 (1 695), Martin S. Davis (Paramount Communications) 6 260 (3 646), James E. Preston (Avon Products) 6 249 (1 188), Roberto C. Goizuela (Coca-Cola) 6 242 (3 142), H. William Lurton (Jastens) 5 979 (880), Robert E. Cawthorn (Rhône-Poulenc Rorer) 5 889 (1 054).

Nota. – *1986 :* record détenu par Lee A. Iacocca (Chrysler 20 500 (118,9 millions de F). *1987 :* Charles Lazarus (Toys 'R' US) 60 000. *1988 :* Michael Eisner (Walt Disney) 40 100. *1989 :* Craig O. McCaw (entrepreneur) 53 900. *1990 :* Steven J. Ross (Time Warner) 78 200.

Revenu moyen par hab. *En 1986 :* 14 641 $ dont Connecticut 19 600 $, Mississippi 9 700 $ (New York 16 300 $). En 1983 : 2 % des familles amér. possèdent 28 % du total des patrimoines familiaux ; les 10 % les + riches contrôlaient 57 % des patrimoines amér.

• **Grande-Bretagne. Traitement annuel des hauts fonctionnaires** (en £, 1983) : directeur gén. des Services de Police, Secr. permanent du Trésor 38 910. Amiral de la Flotte, Maréchal de l'Armée de Terre, Maréchal Royal Air Force 48 000. Chef suprême de la Magistrature 50 500. 1 £ = env. 10,50 F.

Quelques émoluments annuels (en £). Paul McCartney 25 000 000. P-DG d'ICI 124 380, de British Steel 56 390. Premier ministre 38 910. Archevêque de Canterbury 22 930.

• **Inde** (1981). Salaire moyen horaire dans l'ind. : 3 roupies. *Enfant :* 4 roupies par mois dans l'agriculture (2,20 F). *Cadre :* rémunération max. 72 000 roupies par an et 60 000 d'indemnités. **Ouvrier spécialisé** à Calcutta 600 roupies par mois. On estime qu'un pauvre est celui qui n'a pas une roupie (soit env. 0,5 F) par j pour « vivre ». 300 millions d'h. sont dans ce cas (un kg de riz vaut 1,50 roupie, 1 l de lait 2 roupies).

• **Japon** (en F, 1982). *Débutant* 18 ans 2 800, sortie de l'université 4 400, ouvrier (ind. manuf.) de 30 a. 5 200, directeur 10 000 à 13 500 + un bonus (env. 6 mois de salaire par an). A grade égal, un ouvrier de 50 ans gagne env. le double de celui de 25 ans. Revenu moyen d'un ménage (en 1986) : 26 700 $ mais coût de la vie élevé, éducation et retraite (épargne importante).

Congés. 2 168 h de travail par an (1 659 h en Europe). 38 % des travailleurs prennent annuellement le minimum de congés légaux (env. une semaine). Les congés, dans la plupart des cas, sont pris au jour le jour. Il est de règle que l'employé prenne une partie de ses vacances sur les congés maladie.

Caractéristiques du travail. Emploi à vie et salaire à l'ancienneté, absentéisme presque nul, congés payés réduits, nombreuses h. suppl., débordement de l'activité professionnelle au-delà des h. de travail. **Syndicalisation :** 31,6 % soit 12 300 000 travailleurs sur 39 000 000 d'employés. *Grève* rarissime.

• **URSS.** *En 1986 :* un ouvrier gagne 200 roubles par mois (300 $), un employé de ferme collective 220 $. Ressources : 2/3 salaire, 23 % d'alloc. famil., travail individuel, lopin de terre, aide de la famille.

En France

Revenu des ménages

• **Revenu des ménages** (1990, en F). Cadres supérieurs 232 100. Professions intermédiaires 124 700. Employés 83 100. Ouvriers 82 800 dont qualifiés 87 000, non qualifiés 74 300. **Ensemble 109 300.** SMIC 51 200. *Source :* INSEE.

• **Revenu annuel disponible brut des ménages par habitant** (1986, en milliers de F). Ile-de-France 78,6.

+ de 6 md) dont il possède 27,2 % avec sa famille proche. **Famille Roussel :** 1 à 1,1 [1,3 md], dont le produit de la vente à Hoechst des 75 à 80 % d'actions qu'elle détenait dans la firme (1 md), 0,7 à 0,8 % de Roussel-Uclaf et un des châteaux de la Loire. **Denis et Jacques Defforey :** 1,1 chacun [1,6 à 1,65 md], respectivement P-DG et directeur général de Carrefour (C.A. : 56 md) dont ils possèdent 18 %.

• **De 0,5 à 1 milliard de F. Michel et Jean-Louis Doumeng :** 0,9 à 1 md, détiennent 76 % d'Interagra (1 md) dirigée par Michel (C.A. : 17 md) également Pt de la CEP dont il possède 40 %, Jean-Louis dirige la SEAV Interag de Toulouse (C.A. : 1 md). **Famille Hériard Dubreuil :** 0,9 à 1,1 [1,1 md], dont 51 % du groupe Rémy Martin (C.A. : 3,5 md), le champagne Piper Heidsieck et Charles Heidsieck. **Léon Cligman :** 0,99 à 1 [1,2 à 1,4 md], dont 20 % de Devanlay (C.A. : 1,8 md) comprenant sous-vêtements Orly et Scandale, Yves-Saint-Laurent, Jil, Polichinelle, Lacoste et Timwear et 75 % d'Indreco (C.A. : 1,2 md) comprenant New Man, prêt-à-porter féminin Yves Saint Laurent, Josse et Jacques Pernet. **Édouard Buffard :** 0,9 à 1 [0,51 à 0,54 md], dont près de 15 % de Bic. **Jacqueline Beytout :** 0,9 à 1 [0,8 à 0,9 md], dont, pour la vente des Échos à Pearson, 4 % du Groupe Pearson et 355 millions de F. **Jean-Claude Poutrel :** 0,9 à 1 [1 à 1,05 md], détient 54 % de son entreprise Ingenico présente dans la banque J.-P. Eckam (11 %) et actionnaire de Jacques Borel, Geostar et Gém Card. **Jean-Louis Descours :** 0,85 à 1 [0,87 à 0,92 md], P-DG du Groupe André (André, Orcade, Pinet, Minelli, Cassina, Weston, Jallatte, Adolphe Lafont, les Tricots Caroll) dont il possède 25 %. **Jacques Durand :** 0,9 à 0,95 [0,7 à 0,76 md], P-DG des Cristalleries d'Arques (C.A. : 3,5 md). **Bernard Tapie :** 0,8 à 0,95 [0,8 à 0,82 md], dont à travers la holding BT Finances 50 % de Terraillon, 51 % de Donnay, 57 % de la Vie Claire, les chaussures Patrick (1er fabricant français de chaussures de sport), la société américaine Sunbean, filiale d'Allegheny International (produits de grande consommation). **Lucien Barrière :** 0,88 à 0,9 [0,95 à 1,05 md], dont 56 % de la Sté des Hôtels et Casinos de Deauville (C.A. : 0,158 md) comprenant Casino d'été, Normandy, Hôtel du Golf, 90 % des actifs de La Baule (Hermitage, le Royal, le Castel Marie-Louise, casino) et 76 % de la Sté fermière du casino de Cannes contrôlant à 80 % le golf de Mandelieu et 74 % de l'Hôtel Majestic. **Charles Mérieux :** 0,85 à 0,9 [0,87 à 0,9 md], dont 10 % de l'Institut Mérieux, 50 % de Biomérieux et un important patrimoine immobilier lyonnais. **Tristan Vieljeux :** 0,8 à 0,85 md, possède avec sa famille 35 % de la Cie financière Delmas-Vieljeux détenant une part importante de la Sté navale et commerciale du même nom. **Henry-Louis, André, Claude Vuitton et Odile Racamier :** 0,75 à 0,85 chacun [0,7 à 0,72 md], la famille détient 23 % (chaque membre 5 %) de la holding LVMH, no 1 français du luxe (C.A. : 16 md) possédant elle-même 12 % de Guinness. **Yves Rocher :** 0,8 à 0,82 [0,81 à 0,83 md], dont 30 % du groupe Yves Rocher comprenant pantalons Sym (C.A. : 0,14 md) et 56,6 % de Petit Bateau. **Bernard Darty :** 0,78 à 0,8 [0,42 à 0,45 md], dont 10 % de Darty (0,71 md). **Robert Leroy :** 0,75 à 0,80 [0,72 à 0,75 md], fondateur du groupe Maison familiale (C.A. : près de 5 md) dont il détient env. 1/3. **Kilian Hennessy :** 0,81 [0,69 à 0,75 md], détient 2 % de LVMH (+ de 0,7 md). **Nicholas Clive Worms :** 0,7 à 0,8 [0,85 à 0,9 md], détient personnellement + de 17 % du groupe Worms (les héritiers Worms en détiennent 33 %) présent dans la banque (Demachy), l'assurance (PFA), l'industrie et ayant une large participation dans le capital de Saint-Louis. **Bernard Weisweiller :** 0,7 à 0,8 md, héritier, par sa mère, de Georgette Deutsch de La Meurthe et de son père Guy Weisweiller. **Natan Darty :** 0,75 à 0,78 [0,58 à 0,62 md], détient 11 % du groupe Darty (0,781 md). **Pierre Bellon :** 0,74 à 0,75 [0,7 à 0,745 md], propriétaire-fondateur de la Sodexo (C.A. 87 : + de 5 md) dont il détient 7 % et sa famille 41 %. **Robert Fiévet :** 0,7 à 0,75 [0,63 à 0,7 md], détient 39 % de la Carbonique contrôlant elle-même 1/3 des fromageries Bel. **Laura Mentzelopoulos-Mersentes :** 0,7 à 0,75 [0,64 à 0,68 md], détient 20 % env. de la holding Exor. **Marc Fournier :** 0,7 à 0,75 md, P-DG de Navigation mixte (comprenant coffres-forts Fichet-Bauche, assurances et les plantations d'orangers Hurel du Bois, Sfim et parc immobilier), possède une bonne part des 10 % détenus par les dirigeants. **Patrick Defort :** 0,73 à 0,74 md, P-DG de la SEDRI (informatique et image). **Frédéric Chandon de Briailles :** 0,65 à 0,7 [0,5 à 0,6 md], dont 2 % env. de LVMH, sa famille proche en détenant 5 %. **Serge Varsano :** 0,5 à 0,7 [0,75 à 0,85 md], Pt de la Cie financière Sucres et Denrées dont il détient 33 % env. **Lucien Lurton :** 0,68 à 0,7 [0,7 à 0,75 md], possède Château-Branc-Cantenac (0,4 md), Dufort-Vivens et Desmirail à Margaux, Villegorge à Avensan, Château-Climens et Château-Bouscaut. **Paul Ricard :** 0,66 à 0,7 [0,7 à 0,8 md], dont 10 % du groupe Pernod-Ricard. **Denise Simonet-Haïbé :** 0,65 à 0,66 md, détient 100 % de Biotrol S.A. qu'elle dirige (C.A. : 0,4 md). **Jean de Beaumont :** 0,65 à 0,67 [0,5 à 0,56 md], dirige le groupe Rivaud dont il détient une part importante. **Édouard de Ribes** (son gendre) : 0,63 à 0,65 [0,48 à 0,5 md], dont 37,5 % de la Sté industrielle et financière de l'Artois (0,18 md), 17,4 % d'Intertechnique (0,77 md), 27 % de Transports et Entreprises (0,114 md) et 14,7 % de Pathé-Cinéma. **Michel Seydoux :** 0,6 à 0,65 [0,56 à 0,6 md], actionnaire de la Gaumont, possède MSC qui détient 40 % d'Euralair. **Philippine de Rothschild-Sereys :** 0,6 à 0,65 [0,5 à 0,55 md], héritière de Philippe de Rothschild, possède Mouton-Rothschild et Mouton-Baronne. **Christian Derveloy :** 0,6 à 0,65 [0,35 à 0,41 md], P-DG du groupe Prouvost dont il contrôle + de 50 %. **Philippe Kahn :** 0,6 à 0,65 [0,6 à 0,615 md], créateur de Borland (logiciels) dont il possède la majorité. **Marcel Bleustein-Blanchet :** 0,62 à 0,635 [0,53 à 0,55 md], possède 35,8 % de Publicis (C.A. : 8 md) et sa famille 40,9 %. **Vincent et Michel-Yves Bolloré :** 0,6 à 0,63 md, possèdent 30 % de Bolloré-Technologies (C.A. 87 : 12 md). **Simone Del Duca :** 0,58 à 0,6 [0,5 à 0,52 md], dont le produit de la vente des Éditions mondiales en 1980 (0,6 md). **François Reynaud :** 0,58 à 0,6 [0,3 à 0,315 md], dont 80 % de Teisseire. **Guy de Rothschild :** 0,55 à 0,6 [0,6 à 0,64 md], dont 0,44 md d'indemnisation partagé avec sa famille lors de la nationalisation de la banque Rothschild, patrimoine immobilier et portefeuille importants. **Jacques Dauphin :** 0,5 à 0,6 md, Pt de Dauphin-OTA, contrôlé à 68 % par les héritiers, détient les 2/3 du portefeuille. **Henri Genevray :** 0,55 à 0,6 md, contrôle 65 % de NSC (machines-outils pour l'industrie cotonnière). **Jean-Luc Lagardère :** 0,55 à 0,6 [0,45 à 0,55 md], possède 43 % de Multi-Média-Beaujon détenant 41,7 % de Marlis (Hachette) et 11 % de Matra, P-DG de Hachette (C.A. : 22 md) et de Matra, a créé sa propre banque en 87 (banque Arjil). **Paul Dini :** 0,7 à 0,75 [0,425 à 0,44 md], fondateur de la Comareg (1er groupe de journaux gratuits contrôlant 116 titres) dont il possède 35 %. **Famille Bonduelle :** 0,5 à 0,6 md dont 59 % de la holding familiale (C.A. : 3,2). **Maurice Bidermann :** 0,58 à 0,595 [0,65 à 0,7 md], dont 85 % du groupe Bidermann (C.A. 3 md). **Laurent Negro :** 0,5 à 0,55 [0,31 à 0,34 md], dont 30 % de Bis. **Jack Setton :** 0,5 à 0,55 md, importateur de Pioneer, ITT, Fuji, 4e contribuable de France. **Jean-Bernard Bosmorin :** 0,5 à 0,55 md, P-DG de Sodinforg. **Michel Pelège :** 0,5 à 0,55 md, détient 78 % de la holding Pelège S.A. contrôlant + d'une douzaine de sociétés dont Gestim, Avenue-Banque, Nord-Fance, le Méridien à Paris.

☞ Le 28-10-1934 au congrès du Parti radical à Nantes, Édouard Daladier affirmait : « 200 familles sont maîtresses de l'économie française, et en fait, de la politique française ». Ce chiffre lui avait été inspiré des statuts de la Banque de France. De droit privé mais sous contrôle de l'État dep. Napoléon, elle rassemblait des milliers d'actionnaires (30 000 en 1900), représentés en assemblée générale par les 200 plus gros d'entre eux dont une dizaine (les plus influents et les plus riches) accédaient à la fonction de régents et avaient à l'époque plus d'influence qu'un ministre des Finances. Parmi les plus riches selon René Sédillot : les Seillière (32 millions), Rochechouart (25), Say (19), Pereire (16), Hottinguer (14). Les Schneider régnaient sur Le Creusot, les Wendel sur Hayange (Lorraine), les Mallet, Hottinguer et Rothschild alors grands banquiers avaient des intérêts dans les chemins de fer, le commerce colonial, l'industrie, l'assurance.

Selon « Science et Vie Économie », les grandes familles sont toujours propriétaires de grandes Stés françaises contrôlant 71 des 125 premiers groupes nationaux par le biais d'une minorité de blocage. Elles sont souvent éparpillées (200 à 300 héritiers Wendel), parfois elles ne dirigent plus complètement leur groupe (les Peugeot ont choisi Jacques Calvet comme Président).

Le nombre de postes d'administrateurs détenus par un seul individu est un autre critère de puissance. En déc. 1987, selon le « Point » René Thomas P-DG de la BNP et Jean Dromer P-DG de l'UAP étaient aux 1er et 2e rangs des hommes d'influence par le poids des chiffres d'affaires des Stés au conseil d'administration desquelles ils siégeaient. Au 8e rang Jean-Marc Vernes, P-DG de Béghin-Say, 13e rang Ernest-Antoine Seillière, P-DG de De Wendel, puis Michel David-Weill, Jérôme Seydoux, François Michelin, Nicholas Clive Worms. Cependant, comparée à la puissance financière d'EDF, de la SNCF, d'Elf Aquitaine, la fortune des grandes familles apparaît modeste.

Salaires et Revenus

Comparaisons internationales

Cadres

Cadres (mariés avec 2 enfants) ayant une rémunération annuelle brute de 600 000 F

Pays	Pouvoir d'achat (RN)	Revenu net[1]	Rev./Rém.	Revenu net après impôt
France	100,00	407 000	67,80	100,00
Allemagne	90,00	367 000	59,50	88,00
Belgique	80,00	294 000	49,00	72,00
Italie	86,00	375 000	62,70	92,00
Pays-Bas	75,00	275 000	45,80	68,00
Angleterre	93,00	390 000	85,00	96,00

Nota. – (1) (en milliers de F) après déduction des impôts et charges sociales.

Pouvoir d'achat

	Cadres intermédiaires	Cadres sup.	Cadres dirigeants
Allemagne	526	869	1 345
Danemark	384	655	926
Belgique	469	781	1 081
Pays-Bas	460	727	1 033
Italie	494	863	1 212,6
France	429	678	976
Espagne	508	833	1 212,7
Irlande	416	561	863
Roy.-Uni	372	600	860
Portugal	431	619	886
Grèce	302	482	–
Médiane	*392*	*639*	*962*

Nota. – En prenant pour base un panier représentatif de biens et services évalué à 100 $, un cadre sup. français pourra acheter 678 paniers, un cadre sup. allemand 869 (+ 28 % de pouvoir d'achat). (*Source :* « Entreprises et Carrières »).

Autres catégories

Source : Union des Banques Suisses (enquête triennale).

• **Instituteur.** *Revenu annuel net/an (après déduction des impôts et des cotisations sociales) en milliers de F suisses en 1988.* Entre parenthèses, nombre d'heures hebdomadaires d'enseignement et, en italique, jours ouvrables de vacances payées/an pour un instituteur (depuis 10 ans dans l'enseignement public ; env. 35 ans, marié, sans enfants). Abu Dhabi [1,2] 6,2 (46) *80.* Amsterdam 24,7 (40) *53.* Athènes [3] 15,1 (27) *55,5.* Bangkok 3,5 (38) *10.* Bogotá 3,6 (48) *50.* Bombay 2,2 (24) *26.* Bruxelles 19,9 (24) *90.* Buenos Aires 2,4 (25) *60.* Le Caire 1,4 (48) *26.* Caracas 4,6 (35). *60.* Chicago 28,1 (35) *10.* Copenhague 22,9 (38) *30.* Djakarta [3] 0,8 (18). Djedda [2] 22,2 (24) *80.* Dublin 23,3 (37) *70.* Düsseldorf 30,1 (28) *45.* Francfort 32,8 (27) *29.* Genève 58,1 (26) *61.* Helsinki 23,1 (31) *60.* Hong Kong 18,4 (33) *60.* Houston 24,6 (35). Istanbul 2,6 (33) *67.* Johannesburg (race blanche) 12,4 (33) *44.* Kuala Lumpur 6,6 (39) *55.* Lagos 0,9 (25) *20.* Lisbonne 8,8 (22) *42.* Londres 21,2 (24) *63.* Los Angeles 40 (35) *70.* Luxembourg 37,9 (31) *74.* Madrid 18,2 (30) *70.* Manama (Bahreïn) [2] 22,2 (36) *60.* Manille 2,5 (30) *53.* Mexico 2,4 (25) *75.* Milan 19 (24) *32.* Montréal 28,2 (40) *44.* Nairobi 2,3 (50) *63.* New York 28,2 (33) *53.* Nicosie 16,7 (33) *60.* Oslo 14,9 (30) *58.* Panama 6,8 (35) *90.* Paris 19,8 (27) *80.* Rio de Janeiro 2 (25) *27.* São Paulo 3 (20) *22.* Séoul 13 (34) *81.* Singapour 8,2 (35) *80.* Stockholm

Le principe de Peter. Défini par le psychologue canadien Laurence Peter († 1990), il établit que tout employé monte en grade jusqu'au moment ou il atteint son «point d'incompétence». Il restera alors dans cette position, et avec le temps, chaque poste finit par être occupé par un incompétent. Ex. Hitler, politicien génial, trouva son niveau d'incompétence comme généralissime.

Klaus Jacobs 1,4 (café, chocolat, travail temporaire). *Walter Haefner* 1,1 (informatique, vente automobiles).

Taïwan : *Tsai Wan-lin* 2 (assurances vie, construction). *Douglas Hsu* 1,5 (textile, ciment, grands magasins).

Thaïlande : *Famille Chearavanont* 1 (agro alimentaire). *Famille Sophonpanich* 1 (banque, finance).

Turquie : *Vehli M. Koc* 3 (groupe diversifié). *Famille Sabanci* 1,5 (groupe diversifié). *Nejat F. Eczaibasi* 1 (industrie pharmaceutique).

Venezuela : *Famille Cisneros* 1,7 (groupe diversifié).

Fortunes françaises

Patrimoine calculé par des enquêtes

Répartition du patrimoine entre les ménages par décile (des 10 % les plus pauvres aux 10 % les plus riches) (en %, 1988). **1 :** 0,1. **2 :** 1. **3 :** 1,5. **4 :** 2,3. **5 :** 3,4. **6 :** 5,2. **7 :** 7,4. **8 :** 10,4. **9 :** 16. **10 :** 52,7.

Patrimoine moyen des ménages selon la catégorie socio-professionnelle (en milliers de F, 1988). Salariés agricoles 217, ouvriers 268, employés 331, cadres moyens 439, inactifs 514, artisans, petits commerçants 950, cadres supérieurs 1 011, agriculteurs exploitants 1 361, professions non commerciales 1 749, industriels, gros commerçants 2 472.

Ménages ayant touché un héritage de 100 000 F ou + (en 1988, % par catégorie). Ouvriers 19,9, cadres moyens 20,2, employés 20,4, artisans, petits commerçants 25,3, inactifs 25,5, cadres supérieurs 38,3, agriculteurs 39,6, professions libérales 42,2, industriels, gros commerçants 43,6. Ensemble 27,1.

Patrimoine moyen par ménage (en F). *1949 :* 18 400. *59 :* 52 700. *69 :* 136 200. *79 :* 397 900. *83 :* 597 800. *87 (est.) :* 750 000.

% des ménages propriétaires

	A	O	E	CM	CS	PF	I	IN
Rés. principale	60,6	41,7	38	47,2	57	60	67,7	54
Rés. secondaire	4,6	8,4	2,4	5,4	29,5	14,6	15,2	12,8
Patrimoine immob. de rapport	17,8	3	6	7,2	16	24,1	34,5	13
Actions ou obligations	9,6	4,9	10,3	12,7	38	46,4	42	28,5

Légende. – **A :** artisans. O : ouvriers. E : employés. CM : cadres moy. CS : cadres sup. PF : prof. libérales. I : industriels, gros commerçants. IN : inactifs. *Source :* Conseil des impôts.

Tranches de fortunes des Français de 20 ans et + (en millions de francs)	Répartition des patrimoines bruts en 1984	
	Nombre de personnes	Nombre cumulé
1) plus de 80	700	700
2) entre 40 et 80	2 800	3 500
3) entre 20 et 40	15 200	18 000
4) entre 13,5 et 20	30 500	45 700
5) entre 9 et 13,5	85 500	116 000
6) entre 6,75 et 9	140 500	226 000
7) entre 4,5 et 6,75	434 500	575 000
8) entre 3 et 4,5	770 500	1 205 000
9) entre 2,25 et 3	1 104 500	1 875 000
10) entre 1,35 et 2,25	2 020 500	3 125 000
11) entre 1,125 et 1,35	2 104 500	4 125 000
12) entre 0,9 et 1,125	3 312 500	5 417 000
13) entre 0,675 et 0,9	3 346 500	6 749 000
14) entre 0,450 et 0,675	5 072 500	8 509 000
15) entre 0,225 et 0,450	6 501 500	11 574 000
16) moins de 0,225	30 102 500	36 604 000

Source : étude « The size distribution of personal wealth in France », Faits et Chiffres.

Taux de détention de valeurs mobilières (en %, 1986). *Ensemble :* 20. *– de 30 000 F :* 5. *30 000 à 50 000 F :* 7. *50 000 à 75 000 :* 11. *75 000 à 100 000 :* 13. *100 000 à 130 000 :* 19. *130 000 à 200 000 :* 30. *200 000 à 300 000 :* 49. *300 000 et + :* 68.

Patrimoine révélé par l'impôt

☞ **Impôt sur les grandes fortunes (IGF).** En vigueur de 1982 à 1986.

Au 31-12-1982 et 1983. Sur 104 000 déclarations reçues, 101 050 avaient pu faire l'objet d'une exploitation informatique.

Patrimoine total déclaré. *Brut* 736,5 milliards de F, dont biens professionnels (non imposables) 118, immeubles 357,5, biens meubles 260,9.

Net après déclaration du passif mobilier 701,5.

Composition des patrimoines de 3,2 à 4 millions de F et, entre parenthèses, de + de 100 millions F (en %). *Immeubles* 68,6 (7,3) dont résidences principales 18,2 (1,5) ; secondaires 8,9 (0,9) ; bois et forêts 0,5 (0,2) ; autres immeubles bâtis 34,4 (3,9) ; autres immeubles non bâtis 6,6 (0,8).

Meubles 31,4 (92,7) dont valeurs mobilières 20,6 (85,9) ; liquidités 7,2 (4,4) ; autres meubles (y compris le forfait mobilier) 3,6 (2,4).

Patrimoines de + de 100 millions de F (141 contribuables concernés) : moyenne 218 186 000 F (biens profess. 80 911 000 F, immeubles 218 186 000 F, immeubles 15 300 000 F, biens meubles 121 975 000 F dont valeurs mobilières 108 470 000 F).

En 1983 : le Parti communiste estimait le capital réel des grosses fortunes à 1 500 milliards de F, en tenant compte *1°)* de la valeur réelle des bois et forêts (évaluée au quart de la valeur effective) et des œuvres d'art (non comptées pour le calcul de l'impôt), soit pour le tout 200 milliards de F ;

2°) de la sous-estimation par les déclarants, des dérogations diverses légales et de la hausse des prix depuis 1981 ; 3° d'un nombre total de 110 000 familles au lieu de 101 050 après vérification des déclarations.

☞ **Impôt de solidarité sur la fortune (ISF).** Établi à partir de 1989.

(En milliards de F)

Tranche d'actif net	Bases	Produit	Nombre de redevables
4-6,5	304 195	334	58 080
6,5-12,9 ..	464 750	1 470	52 750
12,9-20 ..	190 108	982	12 054
> 20	250 348	1 644	2 158
Total	*1 209 401*	*4 430*	*125 042*

Estimations 1990. Base totale : 1 330 milliards de F, produit env. 5 milliards. Les 2 158 ménages les plus riches disposent d'un actif moyen de 116 millions de F (173 fois le patrimoine moyen des Français). 1 patrimoine sur 10 ne dépasse pas 12 200 F ; 1 ménage sur 2 possède – de 200 000 F.

Les plus grosses fortunes de France

Légende. – md : milliards de F.

Les 100 Français les plus riches en 1988 (d'après « Le Nouvel Observateur » 8/14-12-88 et entre crochets « L'Expansion » 23-9/6-10-88).

• **Plus de 2 milliards de F. Liliane Bettencourt :** 9,5 à 9,6 [9,8 à 10,3 md], dont 25 % de L'Oréal (4 md contrôle 51 % du holding Gesparal qui possède 55,9 % de L'Oréal), 20 % de sa branche américaine Cosmair (1 md) et 4 % de Nestlé (4,5 md). **Gérard Mulliez et sa famille :** 6,8 à 7 [7 md], P-DG du groupe Auchan (C.A. : 46 md dont 29 pour les hypermarchés), la famille détient 84 % d'Auchan dont Gérard 5 % env. **Madeleine Dassault :** 6 à 6,5 [4 à 4,2 md], héritière de la moitié du patrimoine Dassault. **James Goldsmith :** 5 à 5,5 [4,3 à 4,7 md], dont 1,5 md pour la vente de la Générale occidentale. **Michel David-Weill :** 4,5 à 4,8 [3,2 à 3,5 md], contrôle 51 % de Lazard-Paris et 30 % de Lazard-New York. **François Michelin et sa famille :** 4 à 4,1 [3,1 md], dont 25 % env. de Michelin. **Serge Kampf :** 3,2 à 3,5 [1,3 à 1,4 md], dont 25 % env. de Cap Gemini Sogeti, 1er groupe européen de services informatiques (C.A. : 5,6 md). **Marcel Bich :** 3 à 3,5 [2,1 à 2,3 md] dont 46 % de Bic France (près de 1,6 md) et 10 % de Bic Corp aux USA (0,165). **Charles et Pierre Verspieren :** 2,8 à 3 [2,5 md], la famille possède le groupe Verspieren (C.A. : 2 md) ainsi que 51,5 % des Établissements Legrand (appareillage électrique). **Corinne Mentzelopoulos Petit :** 2,5 à 3 [1,4 à 1,5 md], propriétaire de Château-Margaux et de + de 40 % du groupe Exor. **Bernard Arnault :** 2,5 à 2,7 [1,05 à 1,25 md], dont 60 % d'Arnault et associés et 4,5 % de Financière Agache qui détient 62 % de Boussac (Bernard Arnault près de 50 % à lui seul), 62 % de Christian Dior, 89 % de Conforama, 59 % du Bon Marché et + de 25 % de LVMH. **François Pinault :** 2,5 à 2,6 [2 à 2,2 md], dont 51,27 % de Pinault S.A. (C.A. : 7 md). **Serge Dassault :** 2 à 2,5 [2 à 2,4 md], dont 49 % d'Électronique Serge Dassault et 5,4 % de la Société centrale d'Études Marcel Dassault. **Robert Hersant :** 2 à 2,3 [1,8 à 2 md], dont 60 % de la Socpresse (C.A. 87 : 7 md). **Edmond de Rothschild :** 2 à 2,2 [2,1 à 2,4 md], contrôle le groupe Edmond-de-Rothschild qui possède plus d'une centaine de participations dans le monde dont par la Cie financière Edmond-de-Rothschild 7 % d'Hachette, 2,5 % de Filipacchi, 70 % de Cogifrance, 5 % du Club Méditerranée, 95 % des jouets Geji, 10 % des papiers Bolloré et 19 % du groupe Expansion.

• **De 1 à 2 milliards de F. Pierre Cardin :** 1,8 à 2 [1,9 à 2,2 md]. **Jean-Marc Vernes :** 1,8 à 2 [0,9 à 0,95 md], créateur avec Marcel Dassault de la Banque industrielle et commerciale du Marais après la nationalisation de la banque Vernes, détient 34 % de la Sté centrale d'investissement à travers laquelle il possède une forte participation dans le groupe d'assurances Victoire, 5 % de Havas (+ de 0,45 md), une participation à La Cinq, 40 % de BVA et le produit de la vente de Béghin-Say à l'italien Ferruzzi. **Philippe Foriel-Destezet :** 1, 7 à 2 [1 à 2 md], P-DG du holding Ecco SA qui détient 85 % de Ecco travail temporaire. **Claude Dassault :** 1,5 à 2 [1,8 à 2 md], héritier de 25 % de la fortune de Marcel Dassault. **Gustave Leven :** 1,8 à 1,9 [1,45 à 1,5 md], dont 18 % du groupe Perrier (C.A. : + de 12 md) et 10 % des Chaussures André. **Michel Besnier :** 1,8 à 1,9 [1,5 à 1,6 md], possède avec sa famille la quasi-totalité des actions de Besnier S.A. (C.A. 87 : 8,8 md). **Christian Pellerin :** 1,7 à 1,8 [1,15 à 1,25 md], Pt de la Sari-Seeri (promotion immobilière) dont il est actionnaire, possède 63 % de la foncière Lucia, un portefeuille boursier de 0,27 md, une participation dans Olida et une partie du Sofitel Défense avec Accor. **Famille Taittinger :** 1,7 à 1,8 [1,8 md], possède Taittinger CCVC, 58 % des droits de vote de la Sté du Louvre (le Crillon, le Lutétia, le Martinez à Cannes, le Grand Véfour, les 170 hôtels 2 étoiles Campanile), et des participations dans Deville, Eurosit et la Banque privée de dépôt et de crédit. **Francis Bouygues :** 1,6 à 1,8 [1,6 à 1,8 md], contrôle avec ses proches 10 % de son groupe (C.A. 87 : 53,4 md). **Jean-Louis Bouchard :** 1,6 à 1,7 [0,72 à 0,75 md], Pt-fondateur du groupe Econom International (C.A. : 3,5 md) dont il possède les 2/3. **Geneviève Seydoux :** 1,5 à 1,6 [1,10 à 1,20 md], participation majoritaire dans le holding familial Fornier par laquelle elle détient 7 % des Chargeurs S.A. et 10 % de la Gaumont. **Marcelle Rouzaud :** 1,4 à 1,5 [0,290 à 0,300 md], dont 40 % du capital de Roederer (C.A. 87 : 0,243). **Jean-Claude Decaux :** 1,4 à 1,5 [1,6 à 1,7 md], dont 80 % de son entreprise (1,3 md) et un patrimoine immobilier d'env. 0,2 md. **François Dalle :** 1,3 à 1,5 md dont 5 % de L'Oréal (0,8 md), 10 % de Cosmair (env. 0,5 md) et une participation dans Nestlé. **Jérôme Seydoux :** 1,3 à 1,5 [1,5 à 1,8 md], Pt et actionnaire majoritaire de Chargeurs S.A. (C.A. 87 : 11 md) qui détient 82 % d'UTA (possédant elle-même 35 % d'Air Inter), 40 % de Prouvost, 25 % du consortium européen pour la télévision europ., 10 % de la British Satellite Corp. et 7 % de La Cinq. **Pierre Lévy :** 1,3 à 1,4 [1,05 à 1,10 md], dont 25 % de Devanlay-Recoing (sous-vêtements Jil, chemises Lacoste, pulls Timwear, collants Chesterfield) et 31 % des Nouvelles Galeries (0,5 md). **Jacques Servier :** 1,2 à 1,3 [1 à 1,5 md], à la tête des laboratoires Servier, 4e groupe pharmaceutique de France (C.A. : 3 md) dont il est le seul actionnaire connu. **Albert Cam :** 1,2 à 1,3 [0,6 à 0,65 md], héritier et P-DG des magasins Rallye (C.A. : 13 md) comprenant Burton, Marest, les magasins Jean, Athlete' Foot, Hyperrallye, en possède les 2/3. **Philippe Bouriez :** 1 à 1,25 [1 à 1,25 md], Pt du groupe familial (C.A. 30 md env.) dont il possède au moins 25 %, comprenant Cora, Revillon et les Éditions Mondiales. **Jacques Courtin :** 1,1 à 1,2 [1,10 à 1,15 md], P-DG-fondateur du groupe Clarins dont il détient personnellement 32 % et à travers le groupe familial Sté financière FC 46,6 %. **Pierre Fabre :** 1,1 à 1,2 [0,95 à 1,1 md], propriétaire des laboratoires Fabre, 5e groupe pharmaceutique français (C.A. : 1,8 md) et de Sud-Radio. **Nicolas Seydoux :** 1,1 à 1,2 [0,65 à 0,75 md], patron de la Gaumont dont il possède 57 % + diverses participations dont 50 % du Point. **Jean-Noël Bongrain :** 1,1 à 1,2 [1,1 à 1,3 md], dont 4 % de Bongrain S.A. personnellement et 25 % au travers de la holding familiale Soparind. **Sylvain Floirat :** 1,1 à 1,2 [1,25 à 1,35 md], dont par sa holding Aigle Azur (alimentée par les 14 % de MMB et 16 % de Marlis, les 2 holdings qui contrôlent Hachette) 9,3 % de Matra, 2,43 % de Hachette, 0,95 % d'Europe 1, possède hôtels Byblos (St-Tropez et Courchevel). **Jean-Claude Mimran :** 1 à 1,2 [0,3 à 0,36 md] dont les monopoles du sucre au Sénégal, des produits alim. en Côte-d'Ivoire et des bois tropicaux au Gabon. Possède aussi les Grands Moulins d'Abidjan (C.A. : 0,4 md), ceux de Dakar (C.A. : 0,68 md) et 5 % de Olida (env. 0,5 md). **Bernard Deconinck :** 1,1

Salaires et prix

Grandes fortunes

☞ Voir également **Dernière heure** p. 1929.

Fortunes mondiales

Enquête de la revue « Forbes » (juillet 1991)

• **Nombre de milliardaires par pays** (en $). USA 96, Japon 41, All. féd. 40, Canada et *France* 9, Hong Kong 7, Italie, G.-B., Arabie Saoudite, Suisse, 6, Taïwan 5, Corée du S. 4, Brésil, Espagne, Grèce, Indonésie, P.-Bas, Suède, Turquie 3, Colombie, Liban, Mexique, Singapour, Thaïlande 2, Australie, Autriche, Danemark, Inde, Malaisie, Philippines, Venezuela 1, l'Aga Khan, citoyen du monde.

• **Plus grosses fortunes** (en milliards de $). **+ de 10 milliards :** *Mori* Taikichiro [1] et *Tsutsumi* Yoshiaki [1], bâtisseurs d'empire. **+ de 5 milliards :** *Dorrance* famille [2], ind. *Du Pont* héritiers [2]. *Haniel* famille [3], commerce. *Irving* famille [4], pétrole, papier, terre. *Kluge* John Werner [2], presse. *Nakajima* Kenkichi [1], ind. mécanique. *Otani* Yoneichi et famille [1], hôtels. *Rausing* Hans et Gad [5], emballages. *Reichmann* Paul, Albert et Ralph [4], immobilier, investissement. *Rockefeller* famille [2], pétrole. *Sainsbury* David [6], supermarchés. *Schin* Kyuk-ho [7], confiserie, immob. *Takénaka* famille [1], construction. *Thomson* Kenneth Roy [4], édition, commerce. *Watanabe* Kitaro [1], immob. **+ de 2 milliards :** *Agnelli* Giovanni [8], automobile. *Albrecht* Karl et Theo [3], supermarchés. *Al-Rajhi* famille [9], banque. *Antony* Barbara Cox [2], héritage. *Arison* Ted [2], transports. *Beishein* Otto [3], commerce. *Bettencourt* Liliane [10], cosmétiques. *Bin Mahfouz* famille [9], banque. *Boehringer* famille [3], pharmacie. *Brenninkmeyer* famille [11], commerce. *Bronfman* Edgar Miles [2], Seagram. *Buffet* Warren Edward [2], bourse. *Busch* famille [2], Anheuser-Busch. *Chambers* Anne Cox [2], héritage. *Devos* Richard Marven [2], chimie. *Escobar* Gaviria Pablo [12], cocaïne. *Fentener van Vlissingen* famille [11], pétrole, gaz, commerce. *Finck* August et Wilhlem, von [3], banque, immob. *Flick* Friedrich Carl Jr [3], ind. lourde. *Garza-Sada* famille [13], bière, acier, emballage. *Gates* William Henry III [2], micro-informatique. *Grosvenor* Gerald Gavendish [6], immobilier. *Haas* famille [2], vêtements. *Hariri* Rafik B. [14], construction, investissements. *Hattori* famille [1], horlogerie. *Haub* Erivan [3], supermarchés. *Hayashibara* Ken [1], pharmacie, immob. *Hearst* famille [2], information. *Henkel* famille [3], prod. de consommation. *Hillman* Henry Lea [2], industrie, capitaux. *Hoffmann* famille [15], pharmacie. *Isono* famille [1], importateur, vente en gros. *Ito* Masatoshi [1], commerce. *Itoyama* Eutaro [1], terres. *Iwosaki* Yahachiro [1], bois. *Kanprad* Ingvar [5], meubles. *Kipp* Karl Heinz [3], grands magasins, immob. *Koc* Vehbi [16], biens de consommation. *Kwok* famille [17], immob. *Li* Ka-shing [17], industrie. *Liem Sioe Liong* famille [18], finance, commerce, manufactures. *Mac Millan* famille [2], sté Cargill. *Merck* famille [3], pharmacie, chimie. *Mellon* famille [2], héritage. *Milliken* famille [2], textile. *Mohn* famille [3], édition. *Mulliez* famille [10], supermarchés. *Murata* Junishi [1], télécopie, machines industrielles. *Newhouse* Samuel Irving Jr [2], édition, TV. *Newhouse* Donald Edward [2], édition, TV. *Ochoa* famille [12], cocaïne. *Oetker* famille [3], alimentation, brasseries. *Ohga* Tetsuo [1], édition. *Oppenheim* famille, von [3], banque. *Otto* famille [3], messageries, immob. *Perelman* Ronald Owen [2]. *Perot* Henry Ross [2], électronique. *Pritzker* Jay Arthur [2], finance, manufactures. *Pritzker* Robert Alan [2], finance, manufactures. *Quandt* famille [3], automobile. *Sagawa* Kiyoshi [1], services. *Schickedanz* famille [3], vente par correspondance. *Schmidheiny* famille [15], construction, industrie. *Schmidt-Ruthenbeck* famille [3], commerce. *Schorghuber* Josef [3], construction, immob., biens. *Seydoux-Schlumberger* famille [10], textiles, communication, services pétroliers. *Shino* Rinji [1], immob., loisirs. *Tada* famille [1], immob. *Takei* Hirotomo [1], immob. *Taubman* Alfred [2], immob., art. *Tsai* Wan-lin et famille [19], assurances, construction. *Van Andel* Jay [2], chimie. *Vestey* Samuel et Edmund [6], conserveries. *Walton* Sam Moore, Alice, Jim, John T., S. Robson [2], magasins. *Weston* famille [4], alimentation. *Wexner* Leslie Herbert [2], sociétés. *Widjaja* Eka Tjipta [18], papier, banque. *Yamaguchi* Hisakihi [1], emballages. *Yamauchi* Hiroshi [1], jeux vidéo. *Yoshida* Tadao et famille [1], matériaux de construction. *Yoshimoto* famille [1], immob. **+ de 1 milliard dont :** *Aga Khan IV* [20], religion, investissements. *Benetton* famille [8], vêtements. *Berlusconi* Silvio [8], communication, commerce, immob. *Bosch* famille [3], équipements auto. *Bouriez* famille [10], supermarchés, produits de luxe. *Dassault* Serge et famille [10], aéronautique, électronique. *David-Weill* Michel [10], banqye. *Ferruzzi* famille [8], agroalimentaire, chimie. *Grundig* famille [3], électronique. *Herz* famille [3], café, cigarettes, *Jacobs* Klaus [15], café chocolats, travail temporaire. *Kristiansen* famille [21], jouets. *Maxwell* Robert [3], édition. *Niarchos* Stavros [22], armateur, art, investissements. *Peugeot* famille [10], automobile. *Porsche* famille [3], automobile. *Siemens* famille von [3], équipements électriques. *Thurn und Taxis* Prince Albert von [3], terres, investissements. *Vuitton* famille [10], prod. de luxe. *Wertheimer* Alain et famille [10], parfums et vêtements.

Nota. – (1) Japon. (2) USA. (3) All. féd. (4) Canada. (5) Suède. (6) G.-B. (7) Corée du S. (8) Italie. (9) Arabie S. (10) France. (11) P.-Bas. (12) Colombie. (13) Mexique. (14) Liban. (15) Suisse. (16) Turquie. (17) Hong Kong. (18) Indonésie. (19) Taïwan. (20) citoyen du monde. (21) Danemark. (22) Grèce.

• **Fortunes privées importantes par pays** (en milliards de $). **Allemagne :** *Famille Haniel* 5,3 (épicerie en gros). *Erivan Haub* 4,9 (supermarchés). *Famille Schickedanz* 4,8 (« Quelle »). *Konrad Henkel* 4,2 (prod. chim.). *Johanna Quandt* 3,7 (MBW). *Reinhard Mohn* 3,5 (Bertelsmann, 74 % du groupe Grüner et Jahr, Bantan Books, en France : magazines Prima, Femme Actuelle et Géo, disques RCA). *Karl et Theo Albrecht* 3 (supermarchés). *Friedrich Karl Flick Jr* 2,8 (papier, chimie, mécanique, acier, 29 % de Daimler-Benz). *Ernst Boehringer* 2,6 (ind. pharmaceutique). *August Oetker* 2,6 (alim., banque, assur., hôtel.). *August von Finck* 2,5 (terres, 25 % de la brasserie Lowenbraü). *Siegfried Otto* 2,5 (catalogues, mode, immob.). *Manfred von Oppenheim* 2,4 (banque). *Karl-Heinz Kipp* 2,3 (hôtellerie, immob.). *Famille Merck* 2,2 (ind. pharmaceutique). *Josef Schorghuber* 2,1 (entrepreneur et brasseur). *Otto Beisheim* 2 (banque). *Chantal Grundig* 1,9 (veuve de Max Grundig, fondateur de Grundig AG, électronique, hôtel. de luxe).

Arabie Saoudite : *Famille Al-Rajhi* 4,9 (banque). *Abdul Latif Jameel* 2 (autom. Toyota). *Salim Bin Mahfouz* 2 (banque). *Saleh Abdullah Kamel* 1,1 (banque).

Australie : *Kerry Packer* 1,5 (communication, groupe diversifié).

Autriche : *Daniel et Manfred Swarovski* 1,1 (cristallerie, joaillerie).

Brésil : *Antonio Ermirio de Moraes* 1,6 (groupe diversifié). *Roberto Marinho* 1 (communication). *Sebastiao Camargo* 1 (construction).

Canada : *Kenneth Roy Thomson* 6,8 (presse, médias). *Albert, Paul et Ralph Reichmann* 6 (immobilier). *Famille Irving* 5 (insdustrie agroalimentaire, distribution de pétrole). *Garry Weston* 3,5 (agroalimentaire). *Charles Rosner Bronfman* 1,7 (Claridge, Seagram). *Famille Eaton* (immobilier, commerce de détail).

Colombie : *Pablo Escobar Gaviria* 3 (cocaïne). *Famille Ochoa* 2 (cocaïne).

Corée du S : *Shin Kyuk-oho* 6 (confiserie, immobilier).

Danemark : *Kjeld Kirk Kristiansen* 1,3 (jouets « Lego »).

Espagne : *Emilio Botin* 1,6 (banque). *Juan et Carlos March* 1,3 (banque). *Alicia et Esther Koplowitz* 1,2 (construction).

États-Unis : *Famille Du Pont (héritiers)* 10. *Famille Rockefeller* 5,2. *John Werner Kluge* 5,6 (communication). *Famille Dorrance* 5,2 (Campbell Soup). *William Henry Gates III* 4,4 (micro-informatique). *Famille Mac Millan* 4,4 (édition). *Famille Mellon (héritiers)* 4,4. *Famille Hearst (héritiers)* 4,3 (communication). *Warren Edward Buffett* 4,4 (bourse). *Richard Marvin Devos et Jay Van Andel* 4,2 chacun (chimie). *Sam Moore Walton et ses héritiers John, Alice, Jim, John T., S. Robson* 3,7 chacun (magasins discount).

France : *Gérard Mulliez* 2,2 (supermarchés Auchan). *Liliane Bettencourt* 2,1 (L'Oréal). *Famille Peugeot* 1,4. *Philippe Bouriez* 1,3 (supermarchés Cora, fourrures Révillon, Éditions Mondiales). *Famille Vuitton* 1,3 (produits de luxe). *Michel David-Weill* 1 (banque Lazard). *Familles Seydoux/ Schlumberger* 1 (groupe diversifié ; 3,2 milliards d'actions). *Serge Dassault* 1 (aéronautique, électronique). *Alain Wertheimer* 1 (parfums Chanel).

Grande-Bretagne : *David et John Sainsbury* 5 (supermarchés). *Gerald Gavendish Grosvenor, duc de Westminster* 2 (immob. : 120 ha entre Mayfair et Belgravia à Londres). *Samuel Lord Vestey et Edmund Vestey* 2 (secteurs divers). *Robert Maxwell* 1,9 (communication). *Sir John Moores* 1 (magasins Littlewoods).

Grèce : *Ioannis Goulandris* 1,3 (armateur, arts). *John Latsis* 1,3 (armateur, pétrole). *Stavros Niarchos* 1 (armateur, chevaux de course, peinture).

Hong Kong : *Famille Kvok* 2 (immobilier). *LiKashing* 2 (armateur).

Inde : *Famille Birla* 1 (ciment, aluminium, automobile).

Indonésie : *Famille Liem Sioe Liong* 2,5 (groupe diversifié). *Eka Tjipta Widjaja* 2 (bois, papier, banque). *William Soeryadjaya* 2 (groupe diversifié).

Italie : *Giovanni Agnelli* 4,3 (Fiat, groupe diversifié). *Famille Benetton* 1,7 (vêtements). *Silvio Berlusconi* 1,7 (communication, immobilier, édition). *Michele Ferrero* 1,6 confiserie : Nutella, Tic-Tac...). *Raul Gardini* + de 1 (groupe Ferruzzi, agroalimentaire, chimie). *Salvatore Ligresti* 1 (immob., assurances, construction).

Japon : *Taikishiro Mori* 15 (bâtisseur d'empire). *Yoshiaki Tsutsumi* 14 (immob., terres, chemins de fer). *Kitaro Watanabe* 12,1 (immob.) *Nakajima Kenkichi* 6,1 (industrie). *Famille Takenaka* 5,4 (construction). *Yoneishi Otani* 5 (hôtels). *Hiromoto Takei* 4,5 (immob.). *Tetsuo Ogha* 4 (édition).

Liban : *Famille Safra* 8,4 (banque). *Rafik B. Hariri* 2,5 (travaux publics).

Malaisie : *Robert Kuok* 1 (armateur, agroalimentaire).

Mexique : *Famille Garza-Sada* + de 2 (chimie). *Carlos Slim Helu* 1,7 (immob., construction, cigarettes).

Pays-Bas : *Roelandus Brenninkmeyer* 4,2 (grands magasins). *Famille Fentener Van Vlissingen* 1,3 (pétrole, gaz, grands magasins). *Anton Dreesmann* 1 (commerce).

Philippines : *Famille Hobel* 1 (construction, immobilier).

Singapour : *Famille Kwek* 1 (immobilier, construction). *Famille Lee* 1 (banque, caoutchouc).

Suède : *Hans and Gad Rausing* 9 (emballage Tetrapak). *Ingvar Kamprad* 2,5 (mobilier Ikea).

Suisse : *Paul Sacher* 2,5 (laboratoires Hoffmann-Laroche). *Stephan Schmidheiny* 2 (groupe diversifié). *Famille Maus-Nordmann* 1,7 (magasins). *Hans Heinrich Thyssen-Bornemisza* 1,4 (arts, industrie).

CAP (Centre aéroporté de Toulouse) : aérotransport (largage, parachutage et emballage). **GIAT-industrie (Groupement industriel des armements terrestres), créé 1971 :** 14 300 personnes, 12 500 prévues en 1992). C.A. : 7 milliards de F (1989). Transformé en 1990 en Sté nationale à capitaux publics, a repris Luchaire, Manhurin Défense, Herstal. Systèmes d'armes ou sous-ensembles (conduite de tir, optique) ; artillerie, armes d'infanterie de moyen calibre et munitions ; fabrications pyrotechniques ; munitions et missiles. Matériels pour le soutien des blindés en campagne. Grosse et moyenne mécanique, chaudronnerie, tourelles, obuserie et pyrotechnie. Armes et roquettes antichars ; dispositifs de protection contre agents nucléaires et chimiques.

2°) **D. des constructions navales (DCN).** 8, bd Victor, 75732 Paris Cedex 15. *Effectifs au 31-12-88 :* 29 450 personnes *Production :* plus de 20 milliards de F. **Implantation et activités.** *Paris :* 2 004 pers. ; direction des programmes, ingénierie navale, gestion. *Cherbourg :* 4 687 pers. ; construction des sous-marins. *Brest :* 6 677 pers. ; etudes, construction et entretien des navires de fort et moyen tonnage, entretien des sous-marins nucléaires lanceurs d'engins (SNLE). *Lorient :* 3 593 pers. ; construction et entretien des navires de surface de moyen tonnage, entretien des sous-marins .*Indret :* 1 670 pers. ; études, fabrication, essais d'appareils propulsifs et de chaudières nucléaires. *Ruelle :* 1 789 pers. ; études et réalisations d'équipements de manutention embarquée, de mécanique d'armes et de cybernétique navale. *Toulon :* 7 503 pers. ; entretien et soutien logistique de la flotte de Méditerranée, entretien des sous-marins nucléaires d'attaque (SNA), entretien des aéronefs et des munitions, conception, études, essais et évaluations de systèmes d'armes.

3°) **D. des constructions aéronautiques (DCAé).** 26, bd Victor, 00460 Armées. 8 620 personnes. **Centres d'essais** 4 050 pers. **C. d'essais en vol (CEV)** bases : Brétigny (Essonne), Istres (B.-du-Rh.), Cazaux (Landes) ; **C. d'essais des propulseurs (CEPr.)** Saclay ; **C. d'essais aéronautiques (CEAT)** Toulouse. **Ateliers industriels de l'aéronautique (AIA)** (réparations 2 750 pers.) : Bordeaux 1 300 pers., Clermont-Ferrand 1 450 pers. ; **Service technique des programmes aéronautiques (STPA) ; Service technique des télécommunications et des équipements aéronautiques (STTE) ; Service central de la production, des prix et de la maintenance (SCPM).**

4°) **D. des missiles et de l'espace (DME).** 4, avenue de la Porte d'Issy, 75 015 PARIS. *Services techniques* des sytèmes stratégiques et spatiaux (ST3S) des systèmes de missiles tactiques (STSMT), des poudres et explosifs (STPE). *Etablissements :* Laboratoires de recherches balistiques et aérodynamiqurs (LRBA) Vernon (Eure), Centre d'achèvement et d'essais des propulseurs et engins (CAEPE) St-Médard-en-Jalles (Gironde). Centre d'essais des Landes (CEL) à Biscarrosse (Landes, 15 000 ha) et Captieux (10 000 ha) ; il peut utiliser grâce à son annex e de Flores aux Açores et au bâtiment réceptable le monge des axes de tir offrant des portées de 4 000 km vers les Antilles et de 6 000 km vers le Brésil. Centre d'essais de la Méditerranée (CEM) Toulon (Var).

5°) **D. de l'Electronique et de l'Informatique (DEI).** 952 personnes. Service Technique de l'Electronique et de l'Informatique (STEI) au Fort d'Issy-les)Moulineux (H.de-S.), 144 personnes. Centre d'Electronique de l'Armement (CELAR) à Bruz (I.etV.), 745 personnes.

• **Formation :** 33 écoles formant chaque année 450 ingénieurs, 600 techniciens et ouvriers de haut niveau. **Écoles.** *Polytechnique :* forme les futurs ingénieurs de l'armement avant leur entrée en école d'application (50 postes d'ing. de l'arm. sont offerts chaque année aux 330 ing. sortant de l'École). *Éc. Nat. Supérieure des Techniques Avancées (ENSTA)* et *Éc. Nat. Sup. de l'Aéronautique et de l'Espace (ENSAE). Éc. Nat. Sup. des Ingénieurs des Études et Techniques de l'Armement (ENSAE). Éc. Nat. sup. des Ingénieurs des Études et Techniques de l'Armement (ENSIETA) et Éc. Nat. Sup. des Ingénieurs de Construction Aéronautique (ENSICA). Éc. d'Administration de l'Armement (EAA). 3 éc. techniques normales et 2 techniques normales professionnelles. 8 de formation technique. 9 techniques préparatoires de l'Armement.* **Centres de formation continue** (pour personnel de haut niveau) : *Centre des Hautes Études de l'Armement (CHE.Ar.), Enseignement Militaire Supérieur de l'Armement (EMS.Ar.). Centre d'Enseignement et de Formation d'Arcueil (CEFA).*

Faites ce test...Sauriez-vous répondre ?

Qu'est-ce que l'hémochromatose ?

Une maladie génétique très répandue (1 personne sur 300) liée à un gène porté par le chromosome 6. Elle est caractérisée par une absorption anormalement élevée du fer au niveau de l'intestin. Ce fer est alors stocké par l'organisme dans le foie, la rate, les glandes endocrines (pancréas, surrénales), les organes génitaux et même le cœur et le cerveau où il peut provoquer des lésions.

Les plombages sont-ils dangereux pour la santé ?

Non car les vapeurs de mercure émises durant la pose ou la dépose d'un amalgame (composé pour moitié de mercure) sont très inférieures aux valeurs limites de toxicité recommandées par l'OMS, soit 500 microgrammes par m³.

D'où viennent les « trous de mémoire » de la cinquantaine ?

Ces « ictus amnésiques » sont souvent liés à un surmenage ou à un stress émotionnel mais n'ont pas de causes vraiment définies. Ils surviennent brutalement, 9 fois sur 10 chez les plus de 50 ans, ne durent guère plus d'une demi-journée et disparaissent progressivement sans aucun traitement. Contrairement aux autres ictus amnésiques, ils ne s'accompagnent d'aucun symptôme et ne sont pas provoqués par une maladie (accident vasculaire cérébral, début de la maladie d'Alzheimer, épilepsie temporale, troubles hystériques).

Quels risques a un avion d'être frappé par la foudre ?

1 fois tous les 10 000 décollages et 1 fois toutes les 1 000 à 1 500 h de vol. Un avion volant 7 h par jour sera en moyenne foudroyé une cinquantaine de fois sur 20 ans. Dans 80 % des cas, l'avion lui-même déclenche la foudre en amplifiant le champ électrique dans lequel il a pénétré.

Que pensent les Français de la sexualité à la TV ?

41 % des 25-34 ans et 38 % des 18-24 ans (20 % des 50 ans) se disent intéressés. 53 % préfèrent les émissions à caractère médical, 17 % les reportages sur les comportements sexuels des Français. 14 à 20 % (hommes 21, femmes 11) souhaiteraient davantage d'émissions à caractère érotique ou de films pornographiques. (*Sondage :* TV-Magazine-Louis Harris nov. 90).

Les Français ont-ils bonne opinion de la police ?

Oui pour 4 Français sur 5 (83 %).

Abraham Lincoln avait-il la maladie de Marfan ?

Pour savoir si le président américain souffrait de cette maladie héréditaire, caractérisée notamment par une grande taille et un allongement excessif des membres, des chercheurs américains vont examiner l'ADN de Lincoln à partir de tissus prélevés lors de son autopsie (taches de sang sur un vêtement, cheveux, fragments osseux) et conservés au Musée national américain de la Santé et de la Médecine. La technique consiste à extraire l'ADN de ces prélèvements et à amplifier (démultiplier) les gènes pour obtenir une quantité suffisante d'ADN.

Quelle est la race de chiens la plus dangereuse ?

Celle des pit-bull-terriers, hybrides de plusieurs molosses, mise au point aux États-Unis pendant 2 siècles. Un quart des 500 agressions de chiens répertoriées à Londres en 1990 étaient dues à des pit-bulls (114 à des bergers allemands, 79 à des rottweillers). Il est désormais interdit en Angleterre de posséder un pit-bull.

Est-il payant pour un salarié d'être un inventeur ?

Oui, les inventions réalisées par des salariés dans le cadre de leur contrat de travail donnent lieu obligatoirement à une rémunération supplémentaire (loi du 26-11-1990).

Combien Manet a-t-il vendu le « Déjeuner sur l'herbe » ?

2 600 F, au baryton et compositeur J.-B. Faure, après l'avoir gardé 6 ans dans son atelier. Il avait espéré en tirer 25 000 F.

Quel rôle le Soleil joue-t-il dans les cancers ?

Il serait le principal responsable des cancers de la peau. En France, sur 80 000 tumeurs de la peau répertoriées chaque année, 77 000 seraient directement imputables au soleil : les épithéliomas baso-cellulaires sont les plus fréquents ; les épithéliomas spino-cellulaires sont plus dangereux car susceptibles de dissémination, mais ils peuvent être diagnostiqués précocément ; enfin, les mélanomes malins sont les plus dangereux (5 000 cas par an). Les coups de soleil importants dans l'enfance et l'adolescence seraient un des facteurs de risque de ces mélanoanes.

Comment est mort le cascadeur Alain Prieur ?

En tentant une chute libre entre deux planeurs, à 4 000 m d'altitude au-dessus des Alpes de Provence, le 4 juin 1991. Ayant manqué son rendez-vous avec le planeur qui devait le réceptionner, il n'a pu ensuite être « cueilli » par le parachutiste qui l'accompagnait et son parachute de secours ne s'est pas ouvert.

Quelles sont les maladies les plus répandues en Afrique ?

En 1990, le paludisme (250 millions d'Africains touchés), la bilharziose (141 millions), la filariose lymphatique (28 millions), la cécité des rivières (17 millions), la lèpre (2 millions), la leishmaniose (500 000), la maladie du sommeil (25 000). Autres maladies courantes : tuberculose, méningite, dracunculose et choléra.

Quel est le taux de mortalité des enfants africains ?

Dans la moitié des pays africains, + de 20 % meurent avant 5 ans (30 % dans certains pays). Une Africaine court 25 fois plus de risques de mourir d'une cause liée à la grossesse qu'une Européenne.

Combien de temps peut-on rester sans dormir ?

La limite supérieure de la performance humaine pour un travail continu est de 2 à 3 jours lorsque les tâches sont à la fois physiques et mentales. Les effets du manque de sommeil (somnolence, irritation, démotivation) apparaissent au bout de 24 h. Des expériences ont montré la possibilité d'un éveil continu de 264 h mais au prix d'un stress majeur.

Un policier peut-il provoquer légalement une vente d'héroïne ?

Oui, si le but est de permettre l'arrestation d'un vendeur en flagrant délit (arrêt de la Cour de cassation de juillet 1990).

Le muguet est-il bon pour les intellectuels ?

Selon 2 physiologistes de l'université de Cincinnati (USA), les odeurs de muguet et de menthe stimuleraient la concentration intellectuelle, améliorant de 30 % les tests de ceux qui en avaient respiré.

Quel est l'état dentaire des Français ?

Selon une étude financée par la Caisse nationale d'assurance-maladie et portant sur 5 190 personnes, chacune avait en moyenne 14 dents cariées, 61 seulement (35 hommes, 26 femmes), soit 1,2 %, avaient une denture totalement saine. 219 (96 h., 123 f.), soit 4,2 %, ne possédaient plus aucune dent normale. 40,6 % de la population adulte ont au moins 1 dent cariée. Chaque sujet atteint a en moyenne au moins 2,3 dents à faire traiter. On rencontre 2 fois plus de dents cariées chez les ouvriers que chez les personnes exerçant une activité intellectuelle supérieure. Le maxillaire est plus touché que la mandibule et les premières molaires sont les plus atteintes (86 % cariées, obturées ou absentes). Les Français consacrent pourtant 30 milliards de F par an à leurs dents, dont 13 seulement sont remboursés par la Sécurité sociale.

Dans quelles villes a-t-on créé le plus d'emplois de 1982 à 1990 ?

Villes de 50 000 à 100 000 habitants (en %) : Menton + 15,6, Fréjus Saint-Raphaël + 12,8, Annemasse + 10,9, Cherbourg + 10,5, Évreux + 9,6, Thonon-les-Bains + 8,1. *Villes de + de 200 000 habitants :* Nice + 15,5, Montpellier + 13, Toulouse + 9,9, Rennes + 6,2, Bordeaux et Strasbourg + 5,1 chacune.

Quelles sont les villes françaises les plus cotées à l'étranger pour y implanter une entreprise ?

En %. Paris 52, Lyon 37, Strasbourg 32, Nice 21, Grenoble 19, Marseille 17, Toulouse 15, Grasse, Cannes, Antibes 13, Bordeaux 12.

Ier Empire, d'étoiles d'or de 1830 au IIe Empire, d'aigles d'or sous Napoléon III, d'étoiles d'or dep. la IIIe Rép., terminé par 2 calottes d'or portant autrefois l'une les armes de France, l'autre les armoiries du maréchal, puis ces 2 inscriptions. *Terror belli, Decus pacis.* **Uniforme.** 3 rangées de feuilles de chêne figurèrent en broderie sur l'uniforme et le chapeau, puis sur le képi des maréchaux avec 7 étoiles.

Familles françaises ayant compté le plus de maréchaux. Montmorency (toutes branches confondues) : 9 ; Durfort (toutes branches confondues) : 5 ; Gontaut-Biron, Cossé-Brissac, Choiseul, Harcourt, Noailles (toutes branches confondues) : 4 ; Broglie, Ornano : 3.

Nombre. Sous *St Louis* : 2 ; *Philippe le Bel* : 7 (dont 2 tués à l'ennemi) ; *Jean le Bon* : 8 (3 t. à l'e.) ; *Charles VI* : 6 (2 t. à l'e.) ; *Charles VII* : 4 (1 t. à l'e.) ; *François Ier* : 5 (1 t. à l'e.) ; *Henri II* : 5 (3 t. à l'e.) ; *François II* : 4 ; *Charles IX* : 6 ; *Henri III* : 8 (2 t. à l'e.) ; *Louis XIII* : 30 (3 t. à l'e.) ; *Louis XIV* : 54 (8 t. à l'e.) ; *Louis XV* : 49 (1 t. à l'e.). *1791* : 6. *1793* (21-2) : supprimés. *1804* (19-5) : rétablis, sous le nom de Mar. d'Empire comme une dignité d'État. *1815* : 20 (la Restauration les considère comme une dignité militaire). *1816 à 1849* : 18 nommés. *1850 à 1870* : 19. *1916 à 1923* : 8. *1952* : 3. *1984* : 1.

Maréchaux. D'origine étrangère. *Allemands* : Frédéric de Schomberg (1675), Louis de Hohenlohe (1827) *Anglais* : James de Berwick (1706) ; *Danois* : Josias de Rantzau (1645), Ulrich de Lowendal (1700-55) ; *Estonien* : Conrad de Rosen (1703) ; *Italiens* : Jean-Jacques Trivulce (1500), Théodore Trivulce (1526), Jean Caraccioli (1544), Pierre Strozzi (1554), Concino Concini (1614) ; *Polonais* : Jean Poniatowski (1813). **Académiciens.** Voir Académie à l'Index.

Condamnés à mort. *Ancien Régime* : Gilles de Retz, brûlé vif 1440 ; Charles de Gontaut-Biron, décapité 1632 ; Louis de Marillac, décapité 1632 ; Henri de Montmorency, décapité 1632 ; duc de Mouchy, marquis d'Harcourt, baron de Lückner, guillotinés 1794 ; gracié : Oudard du Biez, 1549. *Restauration* : Ney 1815 (fusillé). *IIIe Rép.* : Bazaine 1873 (peine commuée, v. Index). *IVe Rép.* : Pétain 1945 (peine commuée en détention perpétuelle).

Maréchaux nommés depuis 1804. 1804 *Augereau* (1757-1816), duc de Castiglione 1808. *Bernadotte* (1763-1844), Pce de Pontecorvo 1810, roi de Suède et de Norvège 1818. *Berthier* (1753-1815), Pce de Neuchâtel, duc de Valengin, Pce de Wagram 1809. *Bessières* (1768-1813), duc d'Istrie 1809, tué à l'ennemi. *Brune* (1763-1815) : exécuté. *Davout* (1770-1823), duc d'Auerstaedt 1808, Pce d'Eckmühl 1809. *Jourdan* (1762-1833), comte. *Kellermann* (1735-1820), duc de Valmy 1808. *Lannes* (1769-1809), duc de Montebello 1808, tué à l'ennemi. *Lefebvre* (1755-1820), duc de Dantzig 1808. *Masséna* (1758-1817), duc de Rivoli 1808, Pce d'Essling 1810. *Moncey* (1754-1842), duc de Conegliano 1808. *Mortier* (1768-1835), duc de Trévise 1808, † en service commandé. *Murat* (1767-1815), grand amiral et prince d'Empire 1805, grand-duc de Berg et de Clèves (mars 1806-juillet 1808), roi de Naples 1808, fusillé. *Ney* (1769-1815), duc d'Elchingen 1808, Pce de la Moskova 1812, fusillé. *Pérignon* (marquis de) (1754-1818). *Sérurier* (1742-1819), comte. *Soult* (1769-1851), duc de Dalmatie 1808. **1807** *Victor Perrin,* dit Victor (1764-1841), duc de Bellune 1808. **1809** *Macdonald* (1765-1840), duc de Tarente 1809. *Marmont* (1774-1852), duc de Raguse 1808. *Oudinot* (1767-1847), duc de Reggio 1809. **1811** *Suchet* (1770-1826), duc d'Albufera 1813. **1812** *Gouvion-Saint-Cyr* (1764-1830), (marquis de 1816). **1813** *Poniatowski* (1763-1813), Pce 1764, tué à l'ennemi. **1815** *Grouchy* (marquis de) (1766-1847), comte d'Empire 1809. **1816** *Beurnonville* (1752-1821), marquis de 1817. *Clarke* (1765-1818), comte d'Hunebourg, duc de Feltre. *Coigny* (duc de) (1737-1821). *Vioménil* (marquis de) (1734-1827). **1823** *Lauriston* (1768-1828), comte de 1808, marquis 1817. *Molitor* (1770-1849), comte 1808. **1827** *Hohenlohe* (Pce de) (1765-1829). **1829** *Maison* (1771-1840), marquis 1817. **1830** *Bourmont* (1773-1846), comte. *Gérard* (1773-1852), comte. **1831** *Clausel* (1772-1842), comte. *Mouton* (1770-1838), comte de Lobau 1809. **1837** *Valée* (1773-1846), comte. **1840** *Sebastiani de La Porta* (1772-1851), comte. **1843** *Bugeaud* (1784-1849), marquis de La Piconnerie, duc d'Isly 1844. *Drouet* (1765-1844), comte d'Erlon. **1847** *Dode de La Brunerie* (1775-1851), vicomte, pair. *Reille* (1775-1860), comte 1808. **1850** *Jérôme Bonaparte* (1784-1860), roi de Westphalie 1807. **1851** *Exelmans* (1775-1852), comte. *Pélissier* (1794-1864), duc de Malakoff 1856. **1856** *Bosquet* (1810-61). *Canrobert* (1809-95). *Randon* (1795-1871), comte. **1859** *Mac-Mahon* (1808-93), comte de, duc de Magenta 1859. *Niel* (1802-69). *Regnault de Saint-Jean-d'Angély* (1794-1870), comte. **1861** *D'Ornano* (1784-1863), comte. **1863** *Forey* (1804-72). **1864** *Bazaine* (1811-88), condamné à mort, puis gracié. **1870** *Lebœuf* (1809-88). **1916** *Joffre* (1852-1931). **1918** *Foch* (1851-1929), maréchal de Fr., de G.-B. et de Pologne. *Pétain* (1856-1951), condamné à mort, puis gracié. **1921** *Fayolle* (1852-1928). *Franchet d'Esperey* (1856-1942). *Gallieni* (1849-1916) (posthume). *Lyautey* (1854-1934). **1923** *Maunoury* (1847-1923) (posthume). **1952** *De Lattre de Tassigny* (1889-1952) (posthume). *Juin* (1888-1967). *Leclerc de Hauteclocque* (1902-47) (posthume), † en service commandé. **1984** *Kœnig* (1898-1970) (posthume).

Amiral de France

Origine. Le mot (de l'arabe *amir al-bahr,* « prince de la mer »), a été adopté sous l'influence de Charles d'Anjou, roi de Naples, adversaire des Barbaresques. La dignité d'amiral de France était équivalente à celle de connétable. Le 1er fut Florent de Varenne (1270). La charge avait eu 53 titulaires quand elle fut supprimée, en janvier 1627. Rétablie en 1669, elle fut donnée, surtout à titre honorifique, à des princes du sang (exception pour le Cte d'Estaing en 1791). *Napoléon* nomma amiral de Fr. son beau-frère, Joachim Murat, en 1805 ; et *Louis XVIII,* son neveu, le duc d'Angoulême, *en 1814. De 1830 à 1869,* il y eut 12 amiraux de Fr. : Victor Duperré (1775-1846) 1830 ; Laurent Truguet (1752-1839) 1831 ; Albin Roussin (1781-1854) 1840 ; Ange de Mackau (1788-1855) 1847 ; Charles Baudin (1784-1854) 1854 ; Alexandre Parseval-Deschênes (1790-1860) 1854 ; Jacques Hamelin (1796-1864) 1854 ; Armand Bruat (1796-1855) 1855 ; Joseph Desfossés (1798-1864) 1860 ; Charles Rigault de Genouilly (1807-73) 1864 ; Léonard Charner (1797-1869) 1864 ; François Tréhouart (1798-1873) 1869. Le titre cessa d'être donné sous la IIIe République.

☞ Le 29-6-1939, par décret-loi, l'amiral Darlan fut nommé « Amiral de la Flotte » afin qu'en tant que chef d'état-major de la Marine il ne se trouve pas en état d'infériorité protocolaire vis-à-vis de son homologue britannique qui était « admiral of the Fleet », mais il s'agissait d'une simple appellation et non d'une dignité.

L'armement en France

Généralités

Légendes. – C.A. = chiffre d'affaires.

Effectifs 1991. 256 000 (400 000 emplois et 10 000 entreprises si l'on tient compte des achats courants, de la sous traitance, des investissements et travaux généraux) dont 207 000 travaillent pour les besoins français et 54 000 (hors GIAT) pour l'exportation. *Par tâches* : étatiques DGA 24 700, DGA industrielle 29 600, GIAT 14 900, CEA 10 400, secteur industriel public 81 400, autres 100 000. *Par secteur* : DGA 54 000 (dont construction navale 27 000, maintenance et entretien aéronautique 3 800), nucléaire 10 000, aérospatiale 64 000, électronique 49 000, autres industries (mécanique-poudres) 64 000, armement terrestre 15 000. Au total, l'industrie de défense représente 1,1 % de la pop. active et 5,4 de l'effectif industriel.

Principales entreprises de l'armement (au 1-1-1990). *Effectifs total,* entre parenthèses, % effectif employé à des activités d'armement. Thomson-CFS 37 830 (74), Aérospatiale 32 960 (45), SNECMA 14 000 (53), Dassault Aviation 13 380 (73), MATRA SA 9 330 (65), SNPE 5 840 (68).

L'armement en chiffres

	1980	1985	1988	1989	1990
CA global [1]	60	104	116	120	–
% du PIB	–	2,7	2,4	2,3	–
Cde export. [1]	37,3	61,4	37,5	20	33
livr. export. [1]	23,4	37	33,7	36	40
% du CA à l'export.	–	42	33	31	–
% dans l'export. Fr.	4,8	4,8	–	–	–

Nota. – (1) En Milliards de F courants.

Rang sur le marché mondial et, entre parenthèses, **part en %.** *1986* : 3 (11,4). *88* : 3 (6,8). *89* : 3 (7,7). *90* : 3 (8,3).

Répartition des achats d'armements. Crédits de paiement hors dépenses d'entretien (1990), en %). Industrie française de droit privé 75 [dont en % électronique 39, aérospatial (aéronefs et engins) 33, armement terrestre 12, construction navale 6, divers 10]. Établissements industriels D.G.A. 12 (dont en % armement terrestre 33, construction navale 40, électronique 14, aérospatial 5, divers 8). Autres (commissariat à l'énergie atomique, industrie étrangère) 13.

Part de l'armement dans le chiffre d'affaires (en %, en 1990). DGA 100. CEA 40. Secteur privé ou para-public (aérospatiale 54, électronique 23, mécanique et métallurgique 5).

Destination (en %). *1990* : tiers monde 74, monde industrialisé 26 dont en 1988 : Europe de l'Ouest et Amér. Nord 32. Extrême-Orient 12. Amér. latine et Caraïbes 4. Afrique 3. Europe de l'Est 1. **Nature** (en % en 1988) matériels aériens 54 ; terrestres (y compris défense antiaérienne) 34 ; navals 12.

Solde du commerce extérieur de l'armement (milliards de F). *1979* : 11,1. *80* : 16,3. *81* : 21,1. *82* : 20,1. *83* : 21,5. *84* : 31,6. *85* : 30,5. *86* : 34,1. *87* : 26,4. *88* : 24,6.

• **Dépense budgétaire de recherche-développement militaire (DBRDM)** (en milliards de F). *1985* : 21,1. *90* : 34,5 en autorisations de programmes 30,8 en crédits de paiements (dont FNS 12,2, classique 16, espace 2,5). *91* : 33,1 en AP, 29,9 en CP (FNS 7,8, classique 16,7, espace 2,4) soit en % par secteur, nucléaire 20, électronique 27, aérospatial et missiles 33, autres 20.

Premières Stés. Chiffres d'affaires total et, entre parenthèses, **C.A. armement en milliards de F. 1989.** Thomson CSF 33,7 (31,2), Aérospatiale 31,7 (13,9), CEA 24,9 (9,9), Matra 22,1 (6,5), RVI 19,3 (2,3), Dassault aviation 17,4 (13,5), SNECMA 13,4 (5,6), DCN 12,7 (12,7), Labinal 6,8 (n.c.), GIAT industries 6,7 (6,7), Sextant avionique 6 (n.c.), SEP 4,3 (1,1), Dassault élctronique 4,1 (3,4), SNPE 3,1 (1,8), SAT 2,9 (0,9), Luchaire 1,8 (0,6), CSEE 1,3 (0,4), SFIM 1,2 (0,7).

Délégation générale pour l'armement (DGA)

Créée en 1961. Placée sous l'autorité du délégué général pour l'armement, collaborateur direct du ministre de la Défense ; quadruple mission : définir les systèmes d'armes du futur en liaison avec les états majors, assurer les études recherches et développement correspondantes, participer à la construction et à l'entretien de certains matériels (navires et aéronefs) et enfin, développer les coopérations internationales avec nos partenaires, contribuer aux exportations autoriées par le gouvernement. **C.A.** (1988) 108 milliards de F (2,6 % du P.I.B.).

Organisation

• **Effectifs. 1989 :** 72 600 personnes. **91 :** 55 000 (hors GIAT) dont 8 000 ingénieurs et cadres sup., 9 000 cadres, 38 000 pers. d'exécution. *Régime* (%) : titulaire 16, milit. 9, ouvriers 65, sous contrat 10.

• **Directions fonctionnelles. DPAG** (D. des personnels et affaires générales) 26, bd Victor, 75015 Paris. 682 personnes. **SCAI** (Service central des affaires industrielles de l'armement). 2 278 personnes. **DRET** (D. des recherches, études et techniques) 26, bd Victor à Paris. 1 191 personnes. La DGA ne possède pas de labo. ; seuls 2 établissements publics lui sont rattachés : l'*Office national d'études et recherches aérospatiales* (*ONERA*, 29, av. Div.-Leclerc, Châtillon-sous-Bagneux) et l'*Institut franco-allemand de St-Louis (I.S.L.)* ; elle passe des contrats avec des organismes de recherches publics ou privés.

• **Directions opérationnelles.**

1°) **D. des armements terrestres (DAT).** *Siège* : St-Cloud.

Centres techniques d'essais (secteur étatique) : 3 500 personnes. *SEFT* (Section d'études et fabrications des télécommunications à Issy-les-Moulineaux) : transmissions, équipements et systèmes électroniques et informatiques de conduite de tir. Centre technique pour les équipements. *ETBS* (Ét. technique de Bourges) : armes et munitions (CETAM). *ETAS* (Ét. technique d'Angers) : mobilité et blindés.

• **Gendarmerie. Officiers.** Tous les emplois d'état-major (organismes centraux, états-majors de région de gendarmerie), ainsi que les fonctions dans les services adm. et techniques des corps sont ouverts. Ne peuvent occuper les emplois de la gend. mobile, des unités navigantes de la gend. maritime, et de la garde républicaine (sauf l'escadron motocycliste). Sous-officiers. *Recrutement :* mêmes conditions que les hommes. *Formation :* initiale en école, identique à celle des hommes. *Spécialités :* emplois administratifs et d'état-major de la gend. **Engagées féminines du rang. Sous-officiers sous contrat et de carrière. Gendarmes auxiliaires féminins.**

• **Service de santé des armées. Officiers.** *Recrutement :* mêmes conditions que les hommes. **Sous-officiers. Militaires infirmiers et techniciens des hôpitaux des armées (MITHA). Volontaires militaires féminines.** Employées suivant leur formation antérieure. *Recrutement :* 320 par an.

• **Délégation générale pour l'armement. Officiers.** *3 corps :* corps des Ingénieurs de l'armement (IA) ; des Ingénieurs des études et techniques d'armement (IETA) ; technique et administratif de l'armement (OCTAA). Accueillent les femmes dep. IA 1975, IETA 1976, OCTAA 1978. *Critères de recrutement* (conditions physiques et épreuves sportives adaptées) et carrières analogues à ceux des hommes.

Grades

Légende. – Ét. : étoiles ; ch. : chevrons ; g. : galons.

☞ **Étoiles.** Le règlement du 1er vendémiaire an XII prévoit 4 étoiles pour les généraux en chef, 3 pour les divisionnaires et 2 pour les généraux de brigade. Les maréchaux portent 4 étoiles jusqu'à l'ordonnance du 19-8-1836, qui leur en attribue 7. La 4e étoile ne reparaît qu'en 1921 pour les généraux commandants de corps d'armée, puis la 5e étoile pour les généraux commandants d'armée, membres du Conseil supérieur de la guerre.

Feuilles de chêne. En 1794, elles apparaissent sur les broderies d'uniforme des officiers généraux (le chêne est le symbole de Jupiter, l'attribut de la force et du commandement).

Armée de terre

☞ **Étoiles** sur les manches, **galons** sur les épaules, **chevrons** sur le haut des manches. **Or :** infanterie, artillerie. **Argent :** cavalerie, train, chasseurs à pied, chasseurs alpins.

Officiers généraux. Général d'armée (5 ét.), corps d'armée (4 ét.), division (3 ét.), brigade (2 ét.). Général (titre complet : officier général). Capitaine-général XIVe s., lieutenant général XVIe s., major-général XVIIe s. ; le substantif *général* XVIIIe s. *Insignes du grade :* XVIIe et XVIIIe s., la cuirasse (d'apparat), l'écharpe blanche, le bâton de commandement (réservé en 1804 aux maréchaux d'Empire). Jusqu'en 1914, écharpe-ceinture rouge et or pour les généraux de div., bleu et or pour les g. de brigade.

Officiers supérieurs. Colonel (5 g.), lieutenant-colonel (5 g. panachés), chef de bataillon (inf.) ou chef d'escadrons (cavalerie, train), d'escadron (art.) (appellation : commandant) (4 g.). **Subalternes.** Capitaine (3 g.), lieutenant (2 g.), sous-lieutenant (1 g.), aspirant (1 g. coupé de 2 traits noirs).

Sous-officiers. Major (1 g. de 6 or et 1 g. or avec raie rouge), adjudant-chef (1 g. or avec raie rouge), adjudant (1 g. argent avec raie rouge), sergent-chef ou maréchal des logis chef [1] (3 ch.), sergent ou mar. des logis [1] [2 ch. ou (PDL [2])1 ch.].

Hommes du rang. Caporal-chef ou brigadier-chef [1] (1 ch. or ou argent et 2 ch. de couleur), caporal ou brigadier [1] (2 ch. de couleur), soldat 1re classe (distinction et non grade) (1 ch. de c.), 2e classe.

Age moyen d'accès au grade (1974). Lieutenant 27 ans 4 mois ; capitaine 33 a. 4 m. ; commandant 40 a. 10 m. ; lieut.-col. 46 a. 6 m. ; colonel 51 a. 10 m.

Nota. – (1) Cavalerie, train, artillerie. (2) PDL : pendant la durée légale du service.

Durée minimale dans chaque grade avant dêtre promu au grade supérieur dans les armes, et entre parenthèses **durée moyenne. Officiers** (1987) : colonel 4 ans (6 ans 10 mois), lieut.-col. 4 a. (5 a., 8 m.) commandant 4 a. (5 a.), capitaine 5 a. (7 a., 6 m.), lieutenant 4 a. (4 a.), sous-lieut. 1 a. (1 a.). **Sous-officiers** (1988) : sergent 3 a. (6,2 a.), sergent-chef 3 a. (5,9 a.), adjudant 4 a. (6,7 a.).

• **Age. Limites les plus courantes.** (*Légende :* t : armée de terre ; m : marine ; a : air ; g : gendarmerie). **Officiers.** *Colonel (cap. de vaisseau)* t 57 ans, m 56, a 52, g 58 ; *lieutenant-colonel (cap. de corvette) :* t 56, m 54, a 50, g 57 ; *commandant (cap. de frégate) :* t 54, m 52, a 48, g 56 ; *capitaine (lieutenant de vaisseau) :* t 52, m 52, a 47, g 55. **Sous-officiers et officiers mariniers.** Projet de loi instaurant limite d'âge unique (suppression limite d'âge supérieure octroyée selon états de service) et commune à toute les armes. Privilégie carrières courtes pour grades correspondants à des postes d'exécution, et c. longues pour des postes très qualifiés (55 ans pour adj.-chef et maîtres principaux, 56 pour majors.)

• **Aumôniers militaires** (catholiques, israélites, protestants). Ils sont nommés par le ministre d'État chargé de la Défense nationale, n'ont ni classe, ni grade dans la hiérarchie militaire ; ne sont pas obligés de porter l'uniforme ; n'ont pas de pouvoir disciplinaire et nul n'est astreint à les saluer. Protestants et israélites ont le même statut que les catholiques.

• **Commandements (catégories marines).** *Enseignes et lieutenants de vaisseau :* patrouilleurs, dragueurs et escorteurs côtiers, petits ravitailleurs, bâtiments hydrographes, sous-marins, escadrilles, commandos. *Capitaines de corvette :* escorteurs rapides, avisos, chasseurs de mines, bâtiments de débarquement et de transport léger, division de dragueurs, sous-marins, flottilles, aéro... *Capitaines de frégate :* escorteurs d'escadre, corvettes, division d'escorteurs, d'avisos et de dragueurs, avisos escorteurs, pétroliers, bâtiments de soutien logistique, transports de chaland de débarquement, SNLE, bases aéronavales, groupement de commandos... *Capitaines de vaisseau :* frégates, porte-avions, croiseurs, *Jeanne-d'Arc,* flottilles de bâtiments, escadrilles de sous-marins, écoles, commandements maritimes, base aéronavale, région aéronavale, direction de ports, dépôts...

• **Femmes et grades.** Depuis mars 1973 (décret du 25-3), les femmes peuvent accéder aux grades d'officier supérieur (entre commandant et colonel) et d'officier général (général de brigade ou contre-amiral). Elles peuvent désormais devenir des officiers et des sous-officiers de carrière (auparavant, officiers ou sous-officiers sous contrat), propriétaires de leur grade.

• **Officiers, recrutement** (en %). *1869 :* indirect 60 ; direct [1] 40. *1913 :* Off. d'active [2] 43,9 ; St-Cyr 40 ; Polytechnique 12,1 ; rang [3] 4. *1938 :* Off. d'active 30,3 ; St-Cyr 27,5 ; rang 24,3 ; réserve 9,3 ; Polytechnique 8,4.

Nota. – (1) Concours des grandes éc. mil. (Polytechnique et St-Cyr). (2) Examens ou concours. (3) Promotion au mérite de sous-officiers.

• **Sous-officiers, recrutement et formation.** *3 sources :* meilleurs caporaux-chefs spécialistes ; sergents du contingent désirant faire carrière ; engagés dans les écoles de sous-officiers. *Écoles :* Éc. nat. des sous-off. d'active (Issoire et St-Maixent). Éc. d'application : *Infanterie* (Montpellier), *Blindés* (Saumur), *Artillerie* (Draguignan), *Génie* (Angers), *Train* (Tours), *Transmissions* (Agen), *Matériel* (Châteauroux), *Haute montagne* (Chamonix).

Les contrats initiaux sont de 5 ans (7 pour l'ENTSOA). L'emploi dans la spécialité est garanti 2 ans. Entre 5 et 10 ans de service, accès à l'état de sous-off. de carrière. Ce statut garantit la stabilité de l'emploi jusqu'à la limite d'âge inférieure au moins, l'avancement à l'ancienneté jusqu'au grade d'adjudant, la préparation aux certificats mil. et l'accès à l'échelle de solde no 4.

Armée de l'air

☞ *Off. et sous-off. :* étoiles, galons et chevrons au bas des manches de la tenue de cérémonie, sur les pattes d'épaules de la tenue de travail. *H. du rang :* chevrons sur les pattes d'épaules pour toutes les tenues.

Officiers généraux. Gén. d'armée aérienne (5 ét.), corps aérien (4 ét.), division aér. (3 ét.), brigade aérienne (2 ét.). **Supérieurs.** Colonel (5 g. or), lieutenant-colonel (5 g. panachés 3 or 2 argent), commandant (4 g. or). **Subalternes.** Capitaine (3 g.), lieut. (2 g.), sous-lieut. (1 g.), aspirant (g. en forme de gamma renversé).

Sous-officiers. Major (1 g. de 6 or et 1 g. or avec raie rouge), adjudant-chef (1 g. d'or avec raie rouge), adjudant (1 g. d'argent, raie r.), sergent-chef (3 chevrons or), sergent [2 ch. ou (PDL) 1 ch.].

Hommes du rang. Caporal-chef (1 ch. or et 2 rouges), caporal (2 ch. r.), soldat 1re cl. (1 ch. r.), 2e cl.

Temps de grade moyen. Sous-officiers (1988) : adjudant 6 ans 10 mois ; sergent-chef 7 a. 11 m. ; sergent 7 a. 2 m.

Marine

Officiers généraux. Amiral (5 ét.), vice-am. d'escadre (4 ét.), vice-amiral (3 ét.), contre-amiral (2 ét.).

Officiers supérieurs. Capitaine de vaisseau (5 g. or), cap. de frégate (5 g. 3 or 2 argent), cap. de corvette (4 galons). **Subalternes.** Lieut. de vaisseau (3 g.), enseigne de vaisseau de 1re cl. (2 g.), de 2e cl. (1 g.), aspirant (1 g. 2 barres, dits « sabords »).

Officiers mariniers. Major [1 galon or de 6 mm avec 2 soutaches de 2 mm, l'une en argent (intermédiaire) et l'autre en or, espacées de 1,5 mm + 2 ancres cursés], maître principal (1 g. et 2 soutaches), 1er maître (1 g. et 1 soutache), maître (3 g. de biais), second maître (2 g. de biais, 1 pendant la durée légale).

Quartiers-maîtres et marins. Quartier-maître de 1re cl. (3 g. de biais de laine rouge), de 2e cl. (2 g. de biais rouges), matelot breveté (1 g. de biais rouge).

Nota. – Les amiraux sont choisis généralement parmi les capitaines de vaisseau ayant exercé le commandement d'une grosse unité de surface.

Temps de grade moyen (1988). Premier maître 5 ans, maître 5 a. 3 m., second maître 4 a. 6 m., quartier-maître 1re cl. 3 a. 6 m.

Services

Exemples. Avec correspondances.

Contrôle général des armées. Contrôleur général des armées, contrôleur, contrôleur adjoint. Le contrôle a une hiérarchie propre ne comportant aucune assimilation avec des grades des différents corps d'officiers. Ses membres bénéficient des rangs de préséance accordés aux officiers généraux.

Commissariat de l'armée de terre. Intendant général de 1re cl. (gén. de div.), de e cl. (gén. de brig.), intendant militaire de 1re cl. (colonel), de 2e cl. (lieut.-col.), de 3e cl. (commandant), intendant militaire adjoint (capitaine). **De la marine.** Commissaire de 3e cl. 1 galon (or), 2e cl. 2 g. (or), 1re cl. 3 g. (or), principal 4 g. (or), en chef de 2e cl. 5 g. (3 or, 2 argent), en chef de 1re cl. 5 g. (or), c. général de 2e cl. 2 ét. (argent), de 1re cl. 3 ét. (médecin général 2/3 ét., inspecteur 3 ét.).

Matériel. Ingénieur gén. de 1re cl., de 2e cl. ; ing. en chef de 1re cl., de 2e cl. ; ing. principal ; ing. de 1re cl., de 2e cl., de 3e cl. Armement. Ingénieur gén. de 1re cl., de 2e cl. ; ing. en chef de 1re cl., de 2e cl. ; ingénieur principal, ingénieur adjoint.

Services santé des armées. Médecin général inspecteur (3 étoiles), médecin général (2), méd. en chef (colonel, Lt-colonel), méd. principal (commandant), méd. (capitaine). **Des essences.** Voir matériel.

Dignité

Maréchal de France

Origine. Du francique *marhskalk,* domestique chargé de soigner les chevaux. Au début, seconde le *connétable* (*comes stabuli :* maître des écuries). Le premier fut Albéric Clément († 1191, tué à l'ennemi), sous Philippe Auguste (1185). Le maréchalat devient une dignité inamovible sous François Ier : le maréchal est officiellement cousin du roi (cousin de l'Empereur en 1804). À la fin du XVIe s., la dignité est conférée à des vieillards ; consécrant une carrière militaire. A partir de Louis XIV, la moyenne d'âge redescend à 50 ans. 6 maréchaux généraux eurent autorité sur tous les autres : Armand de Gontaut-Biron (1524-92), François de Lesdiguières (1543-1626), Henri de Turenne (1611-75), Claude de Villars (1653-1734), Maurice de Saxe (1696-1750), Nicolas Soult (1769-1851).

Bâton de maréchal. Insigne de la dignité, remonte à la guerre de Cent Ans. Long de 50 cm avec 45 mm de diamètre ; il était recouvert de velours bleu de roi parsemé de fleurs de lys d'or sous l'Ancien Régime et la Restauration, de 20 abeilles d'or sous le il faudrait sous-traiter avec des entreprises privée les tâches non militaires : nourriture, entretien des casernes et nombre de véhicules. Une armée moderne n'est pas un substitut au chômage. Elle est faite pour défendre le pays. **Réponses des adversaires.** L'armée de métier coûterait plus cher. Un appelé coûte 23 000 F/an, un engagé 140 000. Le surcoût serait pour l'armée de terre de 20 milliards de F, à organisation inchangée (17 avec 150 000 h., 23 avec 200 000 h.) + 4,5 pour marine et aviation. Le service nat. associe chacun à l'effort de défense et renforce la dissuasion, car il manifeste la détermination de la Nation à se défendre. Faute d'une rémunération suffisante des « professionnels », notamment des hommes de rang, le recrutement serait médiocre. L'électronique s'implifie les tâches (le Stinger missile Sol-air sophistiqué a été utilisé par les maquisards afghans sans formation technique).

Durée du service militaire. Hypothèse de 6 mois. F. Mitterrand, lorsqu'il était candidat, avait prévu une nouvelle forme de service à 6 mois. Le collectif national pour le service militaire à 6 mois a lancé un appel au Pt de la Rép. pour qu'il respecte sa proposition (dizaine de milliers de signatures en déc. 1981). Selon une étude d'état-major (fin 1981), une baisse de la durée du service militaire à 6 mois, non compensée par l'apport d'un grand nombre d'engagés volontaires, priverait l'armée de terre de 3 divisions ; le nombre des appelés sous l'uniforme serait de moitié (131 160 au lieu de 262 320). Financièrement, si les 131 160 appelés en moins étaient remplacés par autant d'engagés, l'État économiserait 2,4 milliards de F (chiffres 1981) sur les appelés, mais paierait 15 milliards de F en + pour les engagés, soit une dépense en hausse de 13 milliards de F. Le 6-3-1990, le min. de la Défense, J.-P. Chevènement, a déclaré que « si le Parti socialiste a préconisé, en 1981, un service militaire de 6 mois, c'est parce qu'il ne connaissait pas le dossier à l'époque ». **1991.** La guerre du Golfe a montré que le retrait des appelés des unités envoyées imposait une lourde contrainte de recomposition des unités et que seuls des régiments professionnels pouvaient être disponibles rapidement.

☞ Selon un sondage du *Point* de février 89, 62 % des Français préfèrent l'armée de métier (h. 65 %, f. 59 %) contre 31 % le service militaire (h. 32 %, f. 31 %).

Préparation militaire

Préparation militaire (PM) (Ex. : PME). *Conditions :* âge min. 17 ans, autorisation des parents ou du tuteur pour les mineurs. *Cycle d'instruction :* 1 année (120 à 200 h réparties en 2 à 3 séances par mois avec période bloquée de 1 ou 2 semaines pendant vacances scolaires). Cours par des cadres de réserve volontaires. Examen final : brevet. *Avantages :* possibilité de report jusqu'à 25 ans pour études sup. ou prof. ; priorité pour l'accès au peloton d'élèves gradés ou pour l'emploi dans la spécialité étudiée ; permission supplémentaire de 4 j, 1 mois d'ancienneté pour l'avancement et, sous certaines conditions, choix du corps d'affectation. Si mention « très bien » et aptitude au commandement manifeste : peut être admis à un peloton préparatoire à la formation d'élèves officiers de réserve (EOR) ou à la PMS.

Préparation militaire parachutiste (PMP). *Brevets délivrés* (1988) : 9 123. *Conditions :* il faut être apte physiquement, âge minimal 17 ans ½, autorisation des parents ou tuteur. *Cycle d'instruction :* 12 j, en 2 phases : 8 j (en une ou plusieurs séances) pour l'instruction technique au sol et 4 j d'instruction en vol (4 sauts à ouverture automatique). *Avantages :* comme ci-dessus + incorporation directe dans les troupes aéroportées, solde majorée (1 000 F par mois), indemnités pour service aérien.

Préparation militaire supérieure (PMS). *Brevets délivrés* (1988) : 2 962 *Conditions :* volontaire, âge min. 17 ans, non incorporable avant le 1-10 de l'année suivant celle de la candidature, titulaire du bac, du BTS ou d'un diplôme équivalent (ou préparant ces diplômes), ou du brevet de PM ou de PMP avec mention « très bien ». *Déroulement sur 1 an :* 2 ou 3 périodes de 6 j, 1 période estivale bloquée de 3 semaines ; brevet attribué en fonction du classement (examen fin.) *Avantages :* report jusqu'à 26 a ; admis de droit aux pelotons d'EOR dès incorporation (possibilité d'être aspirant 4 mois plus tard).

Préparations militaires (PM) (1987-88). *Brevetés PM :* terre 8 089, air 3 014, mer 1 799 ; *brevetés PMS :* terre 2 487, air 356, mer 119 ; *PMP :* inscrits 13 347, instruits 90,9 %, brevetés 67,9 %.

Bilan des PMS : sécurité civile : inscrits 524, instruits 27,9 %, brevets 22,7 % ; *mer :* 2 470, 74 %, 73 % ; *air :* 4 803, 82 %, 63 % ; *terre :* 21 374, 43 %, 38 % ; *para :* inscrits 13 437, inscrits 91 %, brevets 68 %.

PM Sécurité Civile. *Conditions :* 17 ans mini., apte médicalement, titulaire du brevet national de secourisme, non candidat à une autre forme de PM, incorporable durant cycle de formation. *Déroulement :* stage de 15 j. dans une unité d'instruction de la sécurité civile, passage brevet (environ 100 places par an, 1 stage par an). *Avantages :* comme PM. *Inscription :* Sécurité civile de la préfecture. *Renseignemenbts :* dans les CIPM (Terre), BDCM (Mar.), BAI (Air).

Engagement

Engagés volontaires (EV). Ils souscrivent un contrat de service de 3 ans ou 5 ans.

Volontariat service long. Service allongé à 16, 18, 20, 22 ou 24 mois (au choix). Formule offerte, depuis 1983, à un max. de 25 000 jeunes par an, peut être accompli comme militaire du rang, sous-officier, officier, dans les 3 armes. *Avantages :* solde 1,5 à 3 fois plus élevée selon cas et période (avant ou ap. durée légale) ; permissions plus nombreuses ; priorité à l'engagement ; aide éventuelle au retour à la vie civile ; possibilité de choisir l'armée, et soit la spécialité, soit le lieu d'affectation.

Volontaires service long. (1990) : 20 684, dont Terre 12 555, mer 3 160, air 2 552, gendarmerie 2 132, santé 2 544, PDL (avant 12 mois) 9 643 ADL 11 041.

Volontaires du service national entreprise (VSNE). *1978 :* 30. *85 :* 598. *87 :* 1 119. *88 :* 1 663. *89 :* 1 873. *90 :* 2 147.

Les femmes et l'armée

• **Service national féminin.** *Femmes incorporées. 1978 :* 410, *83 :* 757, *85 :* 1 305 (max.), *88 :* 1 136, *90 :* 815 (dont Terre 281, service de Santé 166, Marine 97, Aviation 72, Gendarmerie 139, Coopération 60, nombre en baisse constante depuis 85, la moitié des candidates sont retenues.

• **Personnels féminins. Effectifs budgétaires** (au 1-2-90). 21 521 y compris personnels appelés dont *air* 5 753 (dont officiers, y compris aspirants 212, sous-off. 4 175, militaires du rang 1 227) ; *terre* 8 682 dont off. 316 (dont 1 général), sous-off. 6 078, m. du r. 1 570 ; *marine* 1 983 dont off. 65, sous-off. 923, m. du r. 852. *Gendarmerie* 1 953 dont sous-off. 1 543, m. du r. 243. *Santé* 2 991 dont off. 515 (dont 1 général), sous-off. 2 021. *Essences* 3 dont 3 off. *Délégation générale pour l'armement* 134 dont 69 off. *Total* 21 521 dont active 20 091 (dont sous-off. 14 762, militaires du rang 3 892, off. subalternes 1 047, aspirants et élèves 253, off. supérieurs 135, off. généraux 2), volontaires militaires féminins 1 430.

• **Armée de terre. Officiers.** 316 (1 % de l'ensemble des off.). *Recrutement :* comme pour les hommes [le corps des off. féminins de l'armée de terre (OFAT) ayant été mis en extinction en 1973]. *Corps accessibles : 1° Off. des armes : emplois interdits :* ceux du combat de l'avant ou ceux qui requièrent une aptitude physique particulière. *Spécialités :* informatique, télécommunications, travaux publics, sciences humaines, droit, relations internationales, économie, gestion... *2° Commissaires de l'armée de terre. 3° Off. du corps technique et administratif :* concours direct ouvert aux femmes dans la limite de 40 % des places disponibles (20 % pour corps technique et adm. des essences ; branche adm.). **Sous-officiers.** *Recrutement :* contrat (de 5 ans min.) d'engagé volontaire sous-off. (FVSO). *Corps accessibles :* groupe de spécialités état-major (GSEM), transmissions, armes d'appui et de soutien. Des places sont aussi offertes dans le service de santé. Dep. 1984, les candidates s'engagent, comme les candidats, au titre de l'École nationale des sous-off. (ENSOA) de St-Maixent, ou, directement, dans certaines écoles d'armes ou de services (Draguignan, artillerie ; Angers, génie ; Tours, train ; Châteauroux, matériel ; près d'Orléans, service de santé ; Agen, transmissions). *Conditions requises :* âgée de 18 à 28 ans, brevet des collèges, ou bac., tests psychotechniques. **Militaires du rang sous contrat.** En majorité parmi les VMF. *Engagés volontaires sédentaires. Spécialités :* administratives, sociales et divers. *Engagés volontaires spécialistes (EVS) :* transmissions, langues, santé, parachutistes, plieuses de parachutes et réparatrices. Accès possible au corps des sous-officiers.

• **Marine nationale. Officiers.** *Recrutement :* comme pour les hommes, uniquement dans les corps mixtes d'off. de la marine (corps technique et admin. de la marine, c. des ingénieurs des études et techniques de travaux maritimes, c. des administrateurs des affaires maritimes, c. techn. et admin. des aff. maritimes, c. des off. spécialisés de la marine). Les autres corps (off. de marine et du commissariat de la marine) n'accueillent des femmes que comme off. de réserve en situation d'activité (ORSA). **Personnel non officier.** *Recrutement :* sur dossier. *Corps accessibles :* off. mariniers de maistrance des ports, majors de sports. **Volontaires militaires féminines (VMF).** *Recrutement* (en fonction des qualifications) comme volontaires techniciennes, spécialistes. Incorporation semestrielle (avril et août). *Formation :* stage de 1 mois, puis affectation selon la formation antérieure. *Spécialités :* emplois administratifs, médicaux sociaux, linguistes. et à caractère télématique, parachutiste (pour le détachement d'intervention parachutiste féminin DIPF). Les VMF pourront détenir les mêmes grades que les hommes.

Nombre *1988 (1-4).* 1 713. *1990 (1-2) 1430 dont terre 697, mer 135, air 115, gendarmerie 184, santé 319.*

• **Armée de l'air. Officiers.** *Recrutement :* comme pour les hommes. *Spécialités et limites des places : 1°) élèves pilotes à vocation d'officiers/ORSA :* 4 recrutées en 1983. 23 femmes off. servent comme convoyeuses dans l'armée de l'air au titre d'ORSA. *Recrutement :* 10 % du recr. annuel des pilotes du transport aérien militaire. *2°) Off. mécaniciens de l'air :* 20 % des recrutements annuels. *3°) Off. des bases de l'air :* 20 % des recrut. annuels. *4°) Commissaires de l'air :* 20 % des recrut. annuels.

Sous-officiers. Spécialistes élémentaires du 2e degré (non navigant). *Recrutement :* Candidates de 17 à 30 ans. *Formation :* identique à celle des hommes. *Spécialités : non* accessibles aux femmes : fusiliers-commandos, maîtres-chiens et mécaniciens d'armement. Possibilités d'accès à la carrière d'officier. Militaires du rang. Spécialistes élémentaires du 1er degré. *Recrutement :* sur épreuves de sélection ; 17 à 30 ans. *Spécialités :* identiques à celles offertes aux sous-off. Aides-spécialistes engagées localement (ASEL). *Recrutées* (au titre de la base choisie) pour un emploi défini en fonction des besoins. *Contrat :* 18 mois à 3 ans ; âge 17 à 30 ans. Au bout de 6 mois, deviennent en général caporal-chef.

Volontaires militaires féminines. Formation identique à celle des hommes. *Spécialités :* administratives, sociales, techniques, divers.

Inscription maritime

Ordonnance du 22-9-1668 due à Colbert. Système consistant à assortir à un temps de service dans la Marine royale le droit d'exercer un métier lié à la mer (marin de commerce, pêche, etc.) et le bénéfice d'une protection sociale particulière.

Les marins étaient inscrits sur des registres spéciaux, les matricules, et enrôlés par classes. La tenue des matricules était assurée par l'inscription maritime qui a été supprimée en 1965. Déjà, une part importante des réservistes de la Marine venait de la conscription pour compléter l'éventail des qualifications requises que ne pouvaient couvrir les seuls gens de mer.

Peintres officiels de la marine.

Origine : au moment de la Restauration, le titre de « peintre du grand amiral de France » fut mis en concours. Louis Ambroise Garneray (1783-1867) l'emporta. Dans l'annuaire de la Marine de 1830 apparurent les noms de 2 peintres affectés au ministère (les peintres du département de la Marine venaient de naître) : le baron Gudin (1802-1880) et Louis P. Crépin (1772-1851). *Les peintres agréés* sont nommés par arrêté ministériel, à l'issue du Salon de la Marine, pour une période de 3 ans renouvelable sur la proposition d'un jury présidé par un officier général et où siègent des représentants des Beaux-Arts, de la Marine et des peintres titulaires. Cette nomination correspond à un prix décerné par ce salon. Ces artistes, dont 1 sculpteur et 2 photographes, relèvent du Service historique de la Marine. Ils peuvent embarquer à bord de tous les bâtiments de guerre, être chargés, le cas échéant, de missions, mais ne reçoivent aucun traitement ni aucune promesse de commande officielle. Ils ont droit au port de l'uniforme d'officier mais ne portent pas de galon ; ils sont assimilés au grade de lieutenant de vaisseau (les peintres officiels à celui de capitaine de corvette) et ajoutent à leur signature une petite ancre. Ils doivent exposer au Salon de la Marine tous les 2 ans. *Nombre :* 38 (17 agréés, 21 titulaires).

Lycées militaires et Prépa.

• **Établissements d'enseignement général sous régime d'internat. mixtes.** Ayant pour vocations : *Aide à la famille* (classes secondaires) : sont admis les enfants d'ayant droit (milit. et fonct. surtout). *Aide au recrutement* [cl. préparatoires aux grandes écoles militaires (St-Cyr, Ec. Navale, Ec. Air, Polytechnique)] : tout titulaire d'un bac.

• **Lycées militaires. La Flèche.** *Fondé* 1603 par Henri IV, affecté v. 1760 par Choiseul aux futurs élèves-officiers. [Appelée traditionnellement « prytanée », du nom de l'établissement public d'Athènes (ve s. av. J.-C.) où l'on hébergeait des hôtes aux frais des prytanes (magistrats suprêmes). Les élèves sont appelés des *Brutions,* du nom de la prov. du Brutium qui fournissait à Rome la majorité de ses centurions (ou aussi « gnasse » en argot). Fournit 1 St-Cyrien sur 5, 1 fistot (élève 1re année École navale) sur 4 et 1 poussin (él. 1re année École de l'Air) sur 10]. *Secondaire* : 2e à terminale (A, C, D) : 540 élèves. *Prépa. : lettres (lettre sup. et 1ere sup.), sciences (math. sup. et spé. : M et M') 340 él. Admission :* par concours de la 6e à la seconde, sur titres pour autres classes.

Aix et St-Cyr l'École. *Secondaire :* 2e à term. (A, B, C et D). Aix 540 él., St-Cyr 420. *Prépa. :* lettres (lettre sup. et 1ere sup.), sciences (math. sup. et spé. : M) A. 340 él., St-C. 285.

Brest (Lycée Naval). *Secondaire :* 2e à terminale, 270 él. *Prépa. :* sciences (math. sup. et spé. : M et P'), 130 él.

Autun. *Secondaire :* 6e à terminale (séries B, C, D, E et G2) 655 él. *Prépa. :* lettres (lettre sup. et 1re sup.), sciences (math. sup. et spé. : M), 120 él.

Grenoble Montbonnot (Ecole des pupilles de l'Air). *Secondaire :* 6e à terminale (B, C, D), 480 él. *Prépa :* (math. sup. et spé. : M et P), 130 él.

à certains établissements, ou si on est dans une situation sociale ou familiale grave. *Ages limites :* jusqu'au 30-11 de l'année des 24 ans sans autre condition, 25 ans si l'on a le brevet de PM, 26 ans si l'on a le brevet de PMS. *Demande* à déposer au bureau du service national avant 1er août année des 22 ans.

Nota. – Si pas certain de terminer études avant 23 ans, ne pas oublier de s'inscrire à une préparation militaire avant le 1er oct. de l'année des 22 ans, dernier délai.

Report spécial. Selon études poursuivies et si demande est acceptée, incorporation retardée jusqu'à 25 ou 27 ans. *Jusqu'à 25 ans :* si on veut accomplir son service national dans cadre coopération ou aide technique, ou comme scientifique du contingent (chercheur, ingénieur, professeur) et si candidature acceptée. Sous réserve contrôle progression des études.

Jusqu'à 27 ans : si l'on a entrepris des études médicales, pharmaceutiques, dentaires ou vétérinaires, avant le 31-12 de l'année des 21 ans. Sous réserve contrôle progression universitaire.

Démarche : demande déposée au bureau du service national entre le 1-10 et le 15-12 de l'année des 21 ans.

☞ *On peut résilier report avant terme :* s'adresser au bureau du service national ou au bureau commun du service national de la coopération (si l'on bénéficie du report spécial), 2 mois au moins avant date choisie pour l'incorporation (3 mois pour gendarmerie). Toutefois, cette date pourra être décalée de 2 à 6 mois selon besoins armée. Si les bénéficiaires du report spécial au titre aide technique ou coopération renoncent à ces modes du service national après 23 ans, ou refusent l'affectation proposée, ils accomplissent un service militaire de 16 mois dans les armées.

Vie militaire

Permissions. De sortie. *Quartier libre :* les appelés peuvent sortir le soir, de la fin du service jusqu'à 1 h du matin, en civil. *Fin de semaine :* 48 h (du vendredi soir au lundi matin ou 72 h (l'appelé dispose au minimum de 3 week-ends par trimestre).

De détente. 16 j de permission sur l'année, à prendre généralement en plusieurs fois, entre le 3e et le 11e mois.

De faveur. Non décomptée.

Sanctions. *Avertissement ; consigne* suppression sortie du soir (jour ouvré) ou par demi-journée (j. chômés) ; *arrêts* (même chose et l'on dort en prison) ; *période d'isolement (prison continue) :* si faute lourde ou risque le justifiant ; *sanction pénale :* si faute très grave.

Exemples de fautes sanctionnées. Faire le mur : 10 j d'arrêts, 20 si en service. Absence irrégulière sup. à 2 h. : 10 j (de 1 à 6 j : 30 j). Désertion (absence sup. à 1 semaine) : 40 j d'arrêts avec isolement. Tentative de suicide : 30 j d'arrêts avec isolement. Vol, brimade : 15 à 40 j d'arrêts avec isolement. Perte de papiers militaires : 10 j de consigne ou d'arrêts si on ne l'a pas signalée. Sommeiller étant de faction, de quart ou de veille : 15 j.

Solde. Voir Index salaire militaire. Non imposable. Appelés peuvent travailler et toucher un salaire civil, en dehors des heures de service (permissions, quartier libre...).

Doivent en avertir leur chef de corps et leur patron ; celui-ci les inscrit à un régime civil de Sécurité sociale.

Statistiques

• **Classes.** Effectifs recensés et, entre parenthèses, ressources réelles, déduction faite doubles inscrits, étrangers inscrits à tort, hors d'âge, décédés, etc.). *1982 :* 444 125 (418 800). *83 :* 462 640 (437 000). *84 :* 468 064 (443 500). *85 :* 462 298 (337 000). *86 :* 434 600 (436 000). *87 :* (419 700). *88 :* (413 300). *89:* 438 000 (424 700). *90 :* 424 500 (424 000). *92 :* 462 400 (435 300).

• **Contingent.** Ensemble des jeunes gens sous les drapeaux au titre du service national. Un contingent peut être alimenté par des jeunes gens de 18 à 29 ans, appartenant à 11 classes d'âge différents en raison des avances ou des retards d'incorporation.

Incorporés (1990). 270 379 dont : *service militaire* 253 246 [dont terre 190 299, (70,4 %), air 35 923 (13,3), marine 20 447 (7,6), gendarmerie 11 191 (4,1)], *service civil* 12 519 [dont coop. 4 709 (1,7) (y compris VSNE), aide technique 864 (0,3), police nat. 3 580 (1,3), objecteur de conscience 3 162 (1,2), service actif de défense (expérimental) 204].

Inscrits d'office (Français omettant le recensement obligatoire à 17 ans). Classe 1990 : 16,88 %. *92 :* 14 % (dont Corse 26,4, Ile-de-Fr. 21,8, Hte Normandie 19,4, Prov. Côte-d'Azur 15,2). Ils risquent d'être poursuivis pour insoumission s'ils ne peuvent être joints au moment de l'appel.

Par grade. (1987). Aspirants 1,30 %, sous-off. 2,80 %, hommes du rang 95,40 %. **Par âge. (1990, en %) :** *18 à 20 ans :* 59,5 ; *21-22 :* 24,1 ; *plus de 22 :* 16,4.

% des appelés (1989). Terre. 10 % des officiers, soit 25 % des chefs de section ou de peloton, 3 % des sous-off. soit 30 % des chefs de groupe de combat, 90 % des militaires du rang. **Marine.** 10 % des officiers, 60 % des quartiers-maîtres et matelots. 35 % des appelés reçoivent une affectation embarquée. 7 % une affectation outre-mer. **Air.** 2 % des officiers, 4 % des sous-officiers, 94 % des mil. du rang. **Gendarmerie.** 100 % gendarmes auxiliaires. **Service de santé.** 45 % des appelés.

• **Ceux qui ne font pas le service.** (en %). **1962 :** 26,3 (exemptés 16,5, dispensés 5,6, réformés 4,2). **1990 :** 30,2 (ex. 20,7, d. 5,8, r. 3,7). dont (en nombre) : *Dispensés* 23 981 (dont pupilles de la nation, parents de mort pour la France 48, soutiens de famille 12 164, chefs d'exploitation 2 059, d'entreprise 493, résidents à l'étranger 451, doubles nationaux 8 487, cas sociaux d'exceptionnelle gravité 279) ; *Exemptés* 87 039 [motifs : 95 083 (dont psychisme 33 767, état général 26 343, membres infér. 12 036, m. super. 3 045, yeux 10 854, oreilles 9 038)].

☞ Lors d'un test de lecture effectué en 1990 sur 259 365 jeunes n'ayant pas dépassé la 3e, 6 099 (2,35 %) ne peuvent accéder au sens des mots, 14 177 (5,46 %) ne comprennent que mots et phrases simples, 26 999 (10,40 %) ont les mécanismes de base pour la lecture, 17 554 ont les moyens d'une lecture normale.

• **Objecteurs de conscience** (appelés qui, pour des motifs de conscience, se déclarent opposés à l'usage personnel des armes). **Nombre.** *1975 :* demandes déposées 770 (retenues 666 pour service actif). *1980:* 1 148 (731). *1985 :* 2 603 (2 240). *1988 :* 2 931 (2 940). *90 :* 4 121 (3 843). Env. 1,5 % du contingent de l'année (All. féd. service civil de 70 000 pers.). **Statut** accordé par le ministre à ceux qui en font la demande (commission juridictionnelle supprimée). **Délais :** 15 j. au + tard avant incorporation. Toute demande ultérieure est rejetée sans recours. En cas de résiliation d'incorporation ou de devancement d'appel, demande de statut à faire avant toute autre démarche (lettre recommandée au bureau du serv. nat. du demandeur). *Renseignements :* service Minitel du Comité de coordination pour le service civil (CCSC), accessible par le 60-77-84-62. **Service.** *Durée :* 2 ans.

Les objecteurs de conscience sont mis à la disposition du min. des Affaires sociales et de la Solidarité nationale. Ils sont affectés dans un service civil relevant d'une administration de l'État ou des collectivités locales, ou dans un organisme à vocation sociale ou humanitaire assurant une mission d'intérêt général. Un rapport du Sénat a constaté qu'au 30-7-1988, sur 4 518 objecteurs, 1 656 étaient affectés à des organismes à vocation sociale, 1 434 dans des organismes relevant de la Jeunesse et des Sports, 186 à l'Office nat. des forêts. Leurs incorporations réelles sont souvent décalées d'un mois, les permissions ne sont guère contrôlées et se trouvent correspondre aux vacances scolaires, les libérations anticipées sont fréquentes et accordées par le ministère des Affaires sociales alors qu'elles doivent être soumises au min. de la Défense. Organismes agréés (1988) : 1 803 dont universités, CNRS, diverses écoles où les objecteurs poursuivent leurs études en bénéficiant d'une bourse (2 800 F par mois ou 2 300 F nourris et logés à leur domicile, alors que le prêt du soldat est de 453 F/mois). Parmis les organismes à vocation sociale ou humanitaire assurant une mission d'intérêt général figurent la « Fédération des associations de solidarité avec les travailleurs immigrés », le « Centre d'information inter-peuples » de Grenoble, le « Centre de documentation du mouvement ouvrier et du travail » à la Bourse du travail de Nantes, d'autres organismes plus proches du mouvement syndical ou militant que du mouvement associatif.

• **Insoumis** (1990). 7 672 cas dont 70 % insoumis administratifs (doubles nationaux par exemple). L'*insoumis* ne répond pas à l'appel sous les drapeaux. Le *déserteur* est celui qui s'absente sans autorisation de son corps d'affectation, une fois sous l'uniforme. En temps de paix, la désertion est prononcée après 6 j d'absence illégale constatée en France, et 3 j à l'étranger. *Infractions. 1973* 3 149 ; *1978* 4 856 (104 sous-off., 4 752 hommes du rang : soit 0,54 % de l'ensemble des effectifs mil.) ; contingent : 2 904 (0,79 %). 80 % des déserteurs appartenaient, pour la plupart, à des familles nombreuses de 3 enfants et 70 % à un milieu social modeste, 50 % des familles étaient dissociées et 8 % des déserteurs avaient déjà voulu s'en évader.

• **Jeunes Français d'origine maghrébine (JFOM).** En âge d'être appelés : 20 000 dont 5 800 appelés (dont terre 5 268, air 232, mer 200, gendarmerie 100), 4 500 feraient leur service en Alg., 3 200 dispensés, 5 600 exemptés ou réformés.

• **Binationaux. Application de l'accord franco-algérien sur les obligations du service nat. (1990).** Nombre de Franco-Algériens : 12 000 par classe. Demandes de service en Algérie classe 1990 : 2 530 (nombreuses options non encore exprimées ; effectuées : 275).

• **Ressource globale des réserves militaires** (calculée sur 12 années, jusqu'à l'âge de 35 ans). 3 200 000. **Besoins des armées** (volant de gestion compris). 550 000 dont terre 305 000, gendarmerie 125 000, air 72 000, marine 33 000.

• **Besoin en spécialistes.** Emplois militaires dont la ressource est déficitaire (1990). Nombre à pourvoir : mécaniciens dépanneurs 11 580, cuisiniers 4 805, musiciens 3 033, enseignants 3 000, médecins 1 580, bouchers 1 545, conducteurs d'engins de terrassement 1 165, mécaniciens dieselistes 960 (44), cond. d'appareil de levage 916, aides-cuisiniers 849, mécaniciens radio 838, coiffeurs 737, électriciens auto 626, linguistes 390, opérateurs topographie 303, nageurs sauveteurs 259.

Thèses sur le service

Controverse sur la conscription. Arguments des partisans de l'armée de métier (Ex. : 1989-90, Valéry Giscard d'Estaing, Pierre Messmer, François Fillon Charles Hernu, Gal Jeannou Lacaze). Le service nat. n'est plus universel (dispenses et exceptions), est inefficace (on ne peut confier des armes ultraperfectionnées à des gens que l'on remplace tous les 10 ou 12 mois. Quel industriel pourrait-il supporter que la totalité de ses ouvriers spécialisés soit renouvelée tous les 10 mois ?) et coûteux (il impose des effectifs pléthoriques alors que la mission de nos forces n'est plus d'opposer leur masse à celle de l'armée adverse, mais de résister assez longtemps et assez durement à l'agression pour marquer la détermination de la France à recourir, si besoin était, au tir nucléaire). Le surcoût d'une armée de métier n'est pas évident :

Armée de l'Air

École de l'Air (EA). 13661 Salon-de-Provence Air. *Fondée* 1935 à Versailles, transférée 1937 à Salon. *Forme* officiers d'active (corps du personnel navigant, des mécaniciens, des bases). *Effectif 91 :* 294 (femmes 7) *Concours.* être français, – de 22 ans au 1-1 de l'année en cours (pilotes), avoir le bac, physiquement apte. *Conditions :* programme Math. Spéc. M, P, T, TA. Candidats : 1 561 en 91. *Élèves à recruter 91 :* 101 [80 élèves pilotes, 14 méca. (F2), 7 bases (F1)]. *Formation :* 3 ans, sanctionnée par diplôme d'ingénieur de l'École de l'air (accès 3e cycle), *3 domaines :* officier, ingénieur, spécialiste. *Internat* les 2 premières années. *Solde mensuelle nette* (en fonction du corps d'origine) : 1re année : 2 500 ou 3 300, 2e a. : 6 300 ou 8 000, 3e a. : 8 100 ou 10 400. *Contrat d'engagement comme officier* (3e année comprise) : 8 ans pour pilote, 6 ans mécaniciens et bases.

École militaire de l'Air (EMA). 13661 Salon-de-Provence Air. *Créée* 1922 à Versailles, transférée 1946 à Salon : forme des officiers d'active. *Recrutement :* interne, ouvert aux off. de réserve en situation d'activité (ORSA) et aux sous-off. Admis C. *Conditions :* 23 à 30 ans selon corps choisi, titulaire bac. Ca 90 : 488 (38 femmes), ad. 25 personnel navigant, 36 méca. (2 femmes), 40 bases (7 femmes). *Formation.* 1re a. : tronc commun, formation militaire + scientifique. 2e a. : spécialisation.

École du Commissariat de l'Air. Base aérienne 701, 13661 Salon-de-Provence Air. *Créée* 1953. *Eff. 91* 26 (f. 3) dont 7 étrangers. *Concours* comm. avec éc. du commissariat de la marine et éc. du com. de l'armée de terre pour tit. dipl. exigé *Concours* externe ENA, – de 25 a. *En 1990,* 226 candidats (dont 59 f.), 8 ad. (dont 1 f.). *Formation :* 2 a., gestion et administration. *Dipl. 89* 8 (2 f.). Él. d'active (dont 2 f.). *Rémun. mens.* 1re année 6 750 F/mois.

École du personnel navigant D'abord Avord pour ORSA puis *Concours* ouvert aux bacheliers (ou titre reconnu équivalent). *Age* 17 à 22 ans. *Études* 2 ans. éc. de pilotage de base (Cognac), puis éc. de spécialisation (Tours, Avord, Toulouse). *Places offertes (1985)* 230.

École du personnel non navigant à Nîmes. Formation initiale, puis éc. de spécialisation à Rochefort ou Évreux (électronique, radio, radar, mécanique avion, sécurité, transmissions, informatique, secrétariat, gestion, etc.). *Durée du stage :* variable selon spécialité. *2 niveaux :* futurs sous-off. (CE 2), caporaux-chefs (CE 1). *Concours* niveau 1re pour futurs sous-off., BEP pour futurs caporaux-chefs. *Age* 17 à 30 ans.

École d'enseignement technique de l'armée de l'air (Saintes). *Concours :* 2 par an (mai et sept. : niveau seconde). *Age : + 16 à 17 a. au 1er j* d'entrée à l'école. *Scolarité :* 20 mois. Admission à Rochefort ensuite. Futurs sous-off.

Nota. – Les femmes peuvent servir dans l'armée de l'air dans des conditions identiques aux hommes.

☞ **Recrutement des officiers d'active de l'Armée de l'air pour 1990 :** École de l'air 101 (dont 80 pilotes). Éc. militaire de l'air 101 (dont 25 pilotes). Éc. du personnel navigant 140 (dont 4 femmes). **Renseignements :** Division recrutement SIRPA 26, bd Victor, 00460 Armée.

Service de santé des armées

Concours. Tit. du bac. et âgés de – de 23 ans (sections médecine et pharmacie), étudiants en cours d'ét. de médecine ou de pharmacie, limite d'âge 23 ans + nombre d'années d'études médi. ou pharm. ou tit du diplôme du 1er cycle de l'ens. sup. (et de – de 30 ans) (section technique et adm. ; concours direct) ; *c. du niveau du bac* (différentes catégories de militaires ou de fonctionnaires civils de la défense ; âge : 32 à 38 ans (section techn. et adm. ; concours semi-direct). Élèves médecins et pharmaciens sont inscrits dans les UFR de Lyon et Bordeaux où ils obtiennent leurs diplômes dans les mêmes conditions que les civils. Un enseignement complémentaire, technique, militaire et général leur est donné dans les écoles. **Durée des études :** médecins 7 a. ; pharmaciens chimistes 5 ; vétérinaires biologistes 4 ; off. d'adm. 1.

Écoles d'application. *Durée :* 6 à 8 mois. *Armée de terre :* Paris ; *air :* Paris ; *marine :* Toulon, et stage sur *Jeanne-d'Arc. Médecine tropicale :* Marseille. Éc. nat. des élèves off. de réserve (Libourne). *Durée* 7 semaines ; examen. (ceux qui ont obtenu au moins 12/20 sont nommés aspirants).

Délégation générale pour l'armement

Les cadres supérieurs sont constitués des ingénieurs de l'Armement (IA) [c. de direction recrutés essentiellement à la sortie de Polytechnique, sinon par concours ou au choix (après examen professionnel) parmi les IETA] et des ingénieurs des Études et Techniques d'Armement (IETA).

École nat. sup. de l'Aéronautique et de l'Espace (ENSAE) et **École nat. sup. de techn. avancées** (ENSTA) à Paris : voir Index.

École nat. sup. des ingénieurs des Études et Techniques d'Armement (ENSIETA). Rue François-Verny, 29240 Brest Naval. *Eff.* 315 (f. 10 %). *Adm.* C. pour maths spé. 786 ca. 75 ad. (+ 116 liste compl.). *Adm. p.* 2e a. tit. maîtr. ès. sc. sur dossier 52 ca. 9 ad. *Dipl. 83* 53. *An.* 4. *Frais* mil. rémunérés 3 609 à 5 901 F/mois ou étudiants (civils) : d.u.

École nat. sup. d'ingénieurs de constructions aéronautiques (ENSICA) à Toulouse. Voir Index.

École d'administration de l'armement (EAA) à Arcueil. *Sur concours ;* 3 ans d'études.

Écoles techn. normales (ETN). *Niveau* terminales E et F ; 2 ans d'études.

Écoles de formation techn. du niveau secondaire. *Sur concours, niveau* classe de 3e ; 3 ou 4 ans d'ét.

Écoles de spécialisation

Cours sup. d'armement (COSAR). Éc. militaire, 1, place Joffre, 75007 Paris. *Eff. 84* 24. *Adm.* examen + dossier militaire pour officiers niveau DEUG. *Dipl. 84* 5. *An.* 2.

Cours sup. d'engins missiles (COSEM). Éc. militaire 1, place Joffre 75007 Paris. *Eff. 84* 8. *Adm.* officiers niveau DEUG. *Dipl. 84* 7. *An.* 2.

École sup. de l'électronique de l'armée de terre (ESEAT). Quartier Leschi, 35998 Rennes-Armées. *Eff. 84* 25. *Adm.* off. ou fonctionnaires des armées, niveau DEUG sur dossier 6 ad. *Dipl. 84* 13. *An.* 2.

École sup. du génie militaire (ESGM). 3, rue de l'Indépendance-Américaine, 78013 Versailles Cedex. *Eff. 84* 56. *Adm.* off. et sous-off. niveau DEUG sc. 32 ca. 32 ad. *Dipl. 84* 24. *An.* 2.

Écoles d'enseignement militaire supérieur

École d'application militaire de l'énergie atomique à Cherbourg. École nat. sup. de l'armement. École sup. technique du Génie et des Transmissions. École sup. du Matériel et de l'Intendance. École militaire de spécialisation atomique de Lyon.

Écoles supérieures de guerre des trois armées. Cours supérieurs interarmées. École supérieure de guerre interarmée.

École militaire sup. scientifique et technique.

Centre des Hautes Études militaires.

Service national

Recrutement

Quelques dates

1793-*25-8* décret de la Convention sur la « levée en masse » : tous Français sont en « réquisition permanente » pour le service armé (sans limitation de durée). **1798**-*5-9* loi Jourdan : la conscription touche chaque année les jeunes gens d'un même âge (21 ans). **1805**-*29-8* institution des conseils de révision et organisation du remplacement (on fixait d'avance le nombre des conscrits à atteindre et on prenait les plus jeunes, nés le 31-12 de la classe mobilisée. On s'arrêtait au nombre fixé, ce qui dispensait de service les natifs de mars, févr., janv. Les mobilisés pouvaient payer un non-mobilisé comme remplaçant. Si le remplaçant était tué, le remplacé devait partir ou payer un autre remplaçant). **1818** service de 6 ans [appelés sont désignés par tirage au sort (effectif de paix 240 000 h. ; contingent annuel 40 000 h.) ; on peut se faire remplacer]. **1824** 8 ans, même effectif, contingent 60 000 h. **1832**-*21-3* appels annuels par tirage au sort (durée 7 ans ; remplacements possibles ; effectif de paix 280 000 h., contingent 80 000 h.) ; **1867** tirage au sort pour le service dans la garde mobile entre les hommes de 20 à 25 ans (20 à 40 ans pour les célibataires), effectif paix 400 000 h., contingent (1868) 100 000 h. ; **1872**-*25-7* service obligatoire pour tous (remplacements supprimés) : active 5 a., réserve d'active 4, territoriale 5, réserve de territoriale 6 (volontariat : libération possible après 1 an, avec versement de 1 500 F, pour diplômés ou soldats ayant passé un examen spécial) ; effectif de paix 500 000 h. ; **1889**-*15-7* active 3 a., réserve active 9, territoriale 6, rés. terr. 7 (périodes de 28 ou 13 j pour les réservistes) ; effectif paix 610 000 h. ; **1905**-*21-3* active 2 a. (à partir de 1907 ; eff. de paix 610 000 h.) ; **1913**-*19-7* active 3 a. ; **1920** active 12 m. ; **1923**-*1-4* active 18 m., disponibilité 2 a., 1re réserve 16 a., 2e réserve 8 a. ; **1928**-*31-3* active 1 a. (mêmes dispositions pour 1re et 2e réserves) ; **1935**-*15-3* 2 a. ; **1946**-*7-10* 1 a. ; **1950**-*3-11* 18 m. (maintien sous les drapeaux 18 à 30 m. pendant opérations d'Algérie) ; **1965**-*9-7* 16 m. ; **1970**-*9-7* 1 a. ; **1970** suppression du sursis remplacé par des reports d'incorporation soumis à des restrictions plus strictes ; création d'un service féminin et d'un service dans la gendarmerie ; **1983** instauration d'un volontariat serv. long et d'un serv. des objecteurs de conscience. *-8-7* loi 83-605 modifiant le code du serv. nat. **1991**-*10-7* service militaire réduit à 10 mois.

Organisation actuelle

Étapes. *Recensement :* obligatoirement le 1er mois qui suit le trimestre où l'on atteint 17 ans. S'adresser à la mairie. *3 jours :* en fait, 1 à 2 j. Nom donné à l'opération de sélection des jeunes recensés. 10 centres de sél. Vincennes, Cambrai, Guingamp, Limoges, Auch, Commercy, Mâcon, Lyon, Tarascon et Blois. Examen médical classant : aptes, exemptés (pas de service), ajournés (réexamen sous 2 à 4 mois) ; tests et entretien d'orientation pour les non exemptés. Les jeunes gens qui ne se rendent pas aux 3 jours sont considérés d'office comme aptes au service. *Incorporation (ou appel) :* normalement à 19 ans ; tous les mois pairs : 1-2, 1-4 etc. appel du contingent. On peut demander à être appelé dès le 1-10 de l'année de ses 18 ans (sauf opposition des parents ou tuteurs). On ne peut être appelé au service actif au delà de 29 ans (34 en cas d'insoumission ou d'omission de recensement). *Périodes de réserve :* 6 mois maximum.

Formes, durées (âge limite, disponibilité et réserve). Service militaire pour les besoins des armées ; 10 mois, jusqu'à 35 ans sauf maintien dans les cadres de certains officiers et sous-offi. de réserve ; pour 1 adjudant 55 a., gendarme 60 a., certains agents techniques 65 a.). *Cas particulier :* 12 mois pour scientifiques du contingent et pour médecins, pharmaciens, dentistes et vétérinaires biologistes (en contrepartie, peuvent terminer leurs études et exercer leur spécialité au service). EOR 16 mois. **Serv. de défense** pour besoins de la défense (protection des civils) en personnel non militaire ; 10 mois ; (jusqu'à 50 ans). **Serv. de l'aide technique** pour DOM et TOM : 16 mois. **Serv. de la coopération** en faveur des États étrangers : 16 mois. **Serv. dans la police nationale** 12 mois. **Serv. des objecteurs de conscience** 24 mois. Les **volontaires service militaire long (VSL)** souscrivent, avant ou après incorporation, un contrat pour un service long de 16 ou 24 mois max. ; peuvent, en contrepartie (si aptes) choisir armée, affectation : embarquement, fusiliers-commandos, service outre-mer, en métropole, aux FFA (Forces françaises en Allemagne), force d'action rapide (FAR), troupes alpines ou gendarmerie... ; bénéficient d'avantages financiers (solde majorée et pécule en fin de contrat), permissions plus nombreuses, aide à la réinsertion socio-professionnelle, etc.

☞ On peut faire son service militaire dans l'armée de terre, la marine, l'armée de l'air, la gendarmerie. *Autres formes :* scientifiques du contingent (travaillent en qualité d'ingénieurs, de chercheurs ou de professeurs), sécurité civile, police nationale (dep. oct. 1986, on peut accéder à un des 3 grades : gardien auxiliaire de 1re classe, sous-brigadier auxiliaire de 2e cl. ou de 3e cl.), service militaire adapté. Cadre dans une entreprise à l'étranger [VSNE (volontaire pour le service nat. à l'étranger)] : durant 16 mois, le poste est exonéré des charges sociales, l'État verse une indemnité aux entreprises.

Report

Report initial. Même sans justificatif, permet de retarder le S.N. jusqu'à 22 ans si l'on en fait la demande. Toujours accepté. *Demande* à déposer à la mairie au moment recensement ou dans mois qui suit, sinon au bureau du service national avant 18 ans.

Report supplémentaire. Accordé si on doit achever un cycle d'enseignement ou de formation professionnelle, ou si on se présente au concours d'admission

AUF1 : 9 (0) *319* ; canon tracté 155 : 38 (0) *130.* **Mer.** PG PAN « Charles de Gaulle » (attente commande n° 2) ; PG SNA n° 6, 7, 8 ; PG Frégates légères 1 à 3, frégates de surveillance 2 à 6, bâtiment antimines océanique n° 1. Livraisons : frégates anti-aérienne Jean Bart (4 500 t), frégate de surveillance floréal (3 000 t), SNA Améthyste (2 400 t), SNA Saphir (id.) après refonte, bât. hydro Arago (800 t) ; Atlantic : 4 (3) *20* ; PG modernisation 10 super Etendard ; hélico polyvalent Dauphin : 1. *Retraits en 1991 :* SM Galatée (800 t), Croiseur Colbert (10 000 t), EE du Chayla (2 800 t) ; AE Doudart de Lagrée (2 000 t), Patr. La Combattante, bat hydro Estafette. **Air.** Mirage 2 000 D (18) ; Mirage 2 000 DA : 18 (6 au lieu de 10) ; Mirage 2 000 N : 8 ; missiles air-air : 130, (210) ; missiles sol-air très courte portée (SATCP) Mistral : 160 ; bombes modernes : 1 003 (700).

☞ Loi de programmation du 22-5-1987 pour les années 1987-91, voir Quid 1991 p. 1912a.

Loi de programmation du 12-1-1990 pour les années 1990-93

(en milliards de F 1990)

Crédits d'équipement. 437,8. Depuis, loi révisée à la baisse (45 milliards d'économies).

Financement 1990 à 1993 et, entre parenthèses, 1res livraisons. **Terre.** 103 (inscrit au projet de budget : 23,5). *Hélicoptères HAP-HAC* 3,1 (1997). *Orchidée* 1,1 (1996). *Véhicule blindé léger* 1,3 (1990). *AMX Leclerc* 6 (1991). *Lance-roquettes multiple* 4,1 (1990). **Marine.** 99 (*1990 :* 24). *SNLE-SNG* 26,2 (1994). *SNA* 3,2 (1992). *Porte-avions nucléaire* 6,2 (1998). *Frégates légères* 3,5 (1994). *Atlantique* 28,7 (1989). *Torpilles Murène* 1,7 (1994). **Air.** 106,2 (*1990 :* 25). ACT/ACM (Rafale) 18,5 (1996). Mirage 2000 29,6 (1992 Mirage 2000 N'). Missile Mica 1,6 (1996). **Section commune.** 119,5 (*1990 :* 27,6). *M4* 8,9 (1985). *A.S.M.P.* (missile air-sol moyenne portée) 0,6 (1986). *Hadès* 4,5 (hors têtes nucléaires et système informatique) (1992). *S4* 5 (hors têtes nucléaires) (2000). *Satellite d'observation Hélios* 4 (1993), *de télécom. Syracuse II* 6,5 (1991).

Principales écoles des armées

☞ *Admis :* Ad. *Admission :* Adm. *Admission parallèle :* Adm. p. *Année :* An. *Baccalauréat :* Bac. *Candidat :* Ca. *Concours :* C. *Classes :* Cl. *Cycle :* Cy. *Diplôme, diplômé :* Dipl. *École :* Éc. *Effectifs :* Eff. *Élève :* Él. *Femme :* F. *Polytechnique :* X. *Préparation :* Prépa. *Titulaire :* Tit.

Armée de Terre

École spéciale militaire (ESM dite « St Cyr »). **Histoire.** *Créée* 1802 dans le château de Fontainebleau par Napoléon, transférée 1808 à *St-Cyr* (Yvelines) dans l'ancienne maison royale de St-Louis, fondée 1685 pour l'éducation des « demoiselles de St-Cyr ». *1940* à Aix-en Provence, fermée en 1942 ; l'école de *Cherchell* (Algérie) assure la relève jusqu'en 1945. *1945* à *Coëtquidan* (Morbihan). Les bâtiments de Saint-Cyr ont été détruits par des bombardements alliés en 1944. Dep. 1802, l'école a formé 55 000 saint-cyriens dont env. 10 000 tombés au champ d'honneur. Sur 20 000 st-cyr. en vie, env. 50 % adhèrent à la « Saint-Cyrienne », association des élèves et anciens élèves, fondée en 1887. *Effectif* 570. **Formation** en 3 ans des off. des armes de l'armée de terre. Ouverte aux Fr. (f. 5 places dep. 1983) de + de 17 a. et – de 22 a. au 1-1 de l'année des épreuves (23 a. pour militaires ou ayant accompli leur service national). **Admission** 3 concours (lettres, sc., sc. éco.) pour bacheliers ayant suivi prépa. 2 a. dans cl. prépa. spécifiques « corniches » (« melon » : élève de 1re année), cl. prépa. aux grandes éc. ou fac sc. éco. niveau DEUG (80 % des reçus sortent des lycées militaires) ; 2 C. sur titres pour dipl. 2e cy. ou figurant sur listes d'ad. à certaines éc. d'ingénieurs. *Rémunérations 1re a.* 2 246 F p. mois, *2e* 5 790 F, *3e* 7 109 F (sous-lieutenants). Niveau atteint permet ultérieurement accès au 3e cy. de l'enseign. sup. ou 2e a. de certaines éc. d'ing. *Candidats 1960* 831 (360 pl.), *66* 443 (250), *74* 791 (198), *80* 600 (160), *85* 882 (172), *87* 908 (175), *89* 891 (165) ; *90 :* 914 (160) dont admis sciences 66 (1 f), lettres 60 (1 f), sciences éco 26, sur titre 8. *Dipl. 82* 80, *85* 163, *86* 156, *87* 149, *88* 161, *89* 162 dont 57 ingénieurs de l'E.S.M., 3 étrangers. **Carrière des reçus :** nomination au grade de lieut. puis 1 a. en éc. d'application et 3 a. en régiment. V. 27 ou 30 a. : pour 2 a. nommés capitaines d'une compagnie, batterie ou escadron. V. 30-35 a. accès à l'enseign. militaire sup. préparant aux plus hautes responsabilités.

École militaire interarmes (EMIA). Coëtquidan depuis 1945. Héritière l'éc. de *St-Maixent*, et des autres éc. d'armes, formant des off. par recrutement interne. Fusionnée avec St-Cyr entre 1945 et 61, elle a retrouvé en 61 son uniforme (bleu), son drapeau et son appellation particulière, tout en demeurant à Coët. sous commandement unique. *Forme* en 2 a. des off. masculins et féminins (10 places en 1988) des armes de l'armée de terre issus du corps des sous-off. et des off. de réserve en situation d'activité (ORSA). *Adm.* C. pour ca. 22 à 30 a. tit. bac., après prépa. par correspondance ; l'enseignement dispensé (niveau DEUG sciences, langues et éco.) permet accès au 2e cycle de l'enseignement sup. *Candidats 1976* 332 (190 pl.), *81* 567 (260), *85* 460 (200), *87* 593 (204), *89* 905 (200 él. français dont 3 F, 7 él. étrangers), *90 :* 925. *Diplom. : 88* 152, *89* 175 Fr., 7 étrang. **Carrière des reçus :** nommés lieutenants à l'issue de l'éc. puis 1 a. en éc. d'application, et carrière sensiblement parallèle à celle d'un off. de l'ESM.

École militaire du corps technique et administratif (EMCTA). *Créée* 1977 à Coëtquidan. Forme des off. masculins et féminins destinés aux services et états-majors de l'armée de terre et à certains services interarmées (essence, santé, armement). *Adm.* C. direct pour tit. DEUG (– de 30 a.), C. à recrutement interne pour sous-off. ou off. de réserve en activité de 24 à 32 a., bacheliers, après prépa. par correspondance, ou sur titres pour les admissibles à une grande éc. militaire. *Carrière :* de sous-lieutenant à général ou équivalent. *Candidats. 1981 :* C. direct 280 (32 pl.), interne 93 (30 pl.), *89* 200 (16), 157 (20 ad., 5 étrangers) ; *90 :* 176 (35 pl. dont 15 F), 143 (26 pl. et 9 F).

Écoles d'application. *Infanterie :* Montpellier. *Blindés :* Saumur. *Artillerie :* Draguignan. *Train :* Tours. *Génie :* Angers. *Transmissions :* Montargis. *Aviation légère :* Le Luc. *Matériel :* Bourges. *Administration :* Montpellier.

Écoles de spécialisation. *Aviation légère :* Dax. *Montagne :* Chamonix. *Commando :* Mont-Louis. *Armes spéciales :* Caen. *Aéroportés :* Pau. *Sports :* Fontainebleau (interarmées).

Marine

École navale (EN, dite **« la Baille »).** Lanvéoc-Poulmic, 29240 Brest-Naval. *Fondée* à Brest le 1-11-1830 et installée sur un vaisseau en rade, l'*Orion,* puis transférée successivement sur 3 navires appelés Borda [ex-*Commerce de Paris* (1840-64), ex-*Valmy* (1864-85) et ex-*Intrépide* (1890-1913)]. [De Charles de Borda, mathématicien, physicien et marin fr. (1733-99)]. Installée ensuite à bord du *Duguay-Trouin* (1913-14). Après 1914, à terre à Brest jusqu'en 1940, puis à Toulon, puis à Lanvéoc Poulmic, au sud de la rade de Brest. *Eff.* env. 150. *Conditions :* être Français (ou être admis à titre étranger), avoir moins de 22 ans au 1-1 de l'année du concours (ou moins de 23 ans si service national effectué), avoir le bac, être physiquement apte. *Concours :* niveau math. spé. M, P' ou TA. *Formation initiale d'officier de marine :* 3 ans (27 mois à l'École navale suivis de 6 mois d'application à bord du *Jeanne-d'Arc. 2 options : opérations et techniques* (navigation, manœuvre, mise en œuvre des systèmes d'armes), et fonctions tech. correspondantes (maintenance, mise en fonction et définition de matériels) ; *sciences et techniques* (techn. de propulsions classiques ou nucléaires, équipements et armes, électronique ou informatique). Après 2 ans, les élèves sont admis dans le corps des officiers de marine avec le grade d'enseigne de vaisseau de 2e classe. Diplôme d'ingénieur à l'issue de la 3e année de formation initiale d'officier de marine. *Solde mensuelle : 1re année* 3 000 F ; *2e* 7 800 F min. ; *3e* 9 900 F min. En 1990, élèves 140, diplômés 70, candidats 570, admis 75.

École mil. de la Flotte (EMF). Lanvéoc-Poulmic, 29240 Brest-Naval. *Créée* 1969. **Section officiers de Marine.** *concours* réservé au personnel présent au service. (23 à 28 ans au 1-1 de l'année du concours, 1 an de service si admissible à l'École navale, X, Air ou St-Cyr, 2 ans si bachelier, 4 ans pour les autres candidats. Carrière identique à celle des officiers de l'École navale ; 21 mois d'études + 6 mois d'application sur la Jeanne d'Arc. Utilisés dans des fonctions opérationnelles, option « opérations-armes » (OA), ou dans des fonctions d'ingénieurs, option « services techniques » (ST). **Section officiers spécialisés de la marine (OSM)** créée 1975. 15 spécialités réparties en branche opérationnelle et branche technique. *concours :* avoir moins de 40 ans, 9 ans de service, être breveté supérieur depuis au moins 2 ans ou officier de réserve en situation d'activité, aptitude physique. *Formation :* générale d'officiers (8 mois, puis école de spécialité d'officiers). *Nomination* au grade d'enseigne de vaisseau de 2e classe à l'issue. **Corps à hiérarchie complète.** « Recrutement au choix. (+ de 36 et – de 43 ans, 15 a. au moins de service effectif, être breveté supérieur et physiquement apte). *Formation :* générale, 2 mois, puis 3 mois d'école de spécialité. » *Nomination* au grade d'enseigne de vaisseau de 1re classe à l'issue.

Cours des officiers de réserve en situation d'activité (ORSA) Lanvéoc-Poulmic, 29240 Brest-Naval. *Adm. :* tests, commission de sélection. *Conditions* exigées : + de 21 et – de 27 ans au 1er janv. de l'année d'adm., bac + 2 ans d'études sup. et aptitude physique. 6 spécialités de recrutement (chef de quart, informatique, pilote, contrôleur aérien, navigateur aérien, énergie-propulsion) dont les 4 premières accessibles aux femmes. Off. servant par contrats (4 et 6 ans) renouvelables jusqu'à 20 ans de service. En 1989 : 412 ca., 76 admis.

Recrutement des officiers d'active de la marine par filière. *En 1990 :* éc. navale : 75 ; éc. mil. de la flotte : 30 ; off. spécialisés recrutement concours : 35 ; choix : 40.

☞ *Renseignements et inscriptions (EN, EMF, ORSA).* Direction du personnel militaire de la Marine, Section recrutement officiers, 2, rue Royale, 00351 Paris Armées.

École technique sup. des travaux maritimes (ETSTM). Rue Maurice-Audin, 69120 Vaulx-en-Velin. *Eff.* 8 (1 f.). *Adm.* C. commun ENTPE, Mines Douai, ENSG pour maths spé. M, P, TA, 1 850 ca. 132 ad. dont 7 à l'ETSTM. *Dipl. 83* 7. *An.* 3. *Frais* gratuit.

École nationale supérieure des travaux maritimes (ENSTM). Rue Maurice-Audin, 69120 Vaulx-en-Velin. *Eff. des 3 années* 7 (2 f.). *Adm.* C. Commun ENTPE, Mines Douai, ENSG M, P', TA, 3 084 ca., 130 ad. dont 2 à l'ENTM. *Dipl. 88* 6. Scolarité gratuite.

École du Commissariat de la marine. 83800 Toulon Naval. *Fondée* 1863. *Adm.* C. com. avec ECA et ECAT pour tit. dipl. donnant accès au C. ENA et ayant – 25 a. au 1-1 de l'année considérée. 300 ca. dont 12 ad. ECM. *Adm. p.* 1re a. pour tit. X ou Centrale. *An.* 2. *Dipl. 90 :* 12. *Rémun. mensuel* 6 750 F/mois. *Formation :* 2 a. (à Toulon + campagne d'application sur le *Jeanne-d'Arc*). *En 1990 :* 36 élèves (active 1ere année : 12, 2e an. : 8 ; réservistes 13 dont 2 X et 4 ENA/ENM ; stagiaires étrangers : 3).

École d'application des enseignes de vaisseau. *Fondée* 1864, installée sur l'*Iphigénie* 1884-1900, le *Duguay-Trouin* 1900-12, le *Jeanne-d'Arc* 1912-27, croiseur-école 1930-63, porte-hélicoptères dep. 1963. **Écoles de spécialités des officiers.** 9 mois dans un centre d'instruction naval ; brevet de spécialité (détecteur, armes sous-marines, missilier, transmission, énergie propulsion, fusilier, informatique).

École supérieure de guerre navale (Paris). 1 année d'enseignement.

École d'administration de la marine. Toulon. C direct pour tit. DEUG (– 30 ans). C. recrutement interne sous-off. ou off. de réserve en situation d'activité et bacheliers (24 à 32 ans), fonctionnaires de cat. B en service à la Défense et sous-off. tit. échelle 4 (– 38 ans). Accessible aux femmes. *Formation :* 2 a. de cours.

École de maistrance. Brest. *Ouverte :* 1-9-1988. héritière des éc. préparatoires et des éc. de maistrance pont et machine. *Age :* (18 à 23 ans). *Recrutement :* sur dossier, niveau Bac. *Engagement min. exigé :* 6 ans. *Eff. annuel : 1988 :* 200, *1991 :* 600 à 800. *Cours :* 4 à 6 mois (selon option). *3 options : A :* formation générale maritime et militaire (13 semaines) ; *B :* « mécanique, électronique » (24 sem.) ; *C :* « électronique, informatique » (24 sem.). Dès l'entrée, les élèves porteront la tenue d'officier marinier. A l'issue, ils iront dans une école de spécialité pour recevoir une formation professionnelle. Ils seront promus second maître entre 1 et 3 ans de service.

navigant (spécialités et service général) ; Éc. mil. prépar. **Matériel.** avions à réaction 155, autres 175. (Alpha Jet, Fouga, Nord 2 501, Flamant, Cap 10 et 20, Broussard).

c) **Marine.** *En 1991 :* 4 020 mil. actifs (appelés 2 150), civils 113. *Écoles :* Éc. d'ens. mil. sup. ; Éc. de formation de base et de spécialités Marine ; C. de perfectionnement ; Éc. de formation de personnel navigant de l'aéronautique ; Éc. mil. prépar. **Matériel.** Bâtiments 12, aéronefs 120. *Diplômes délivrés :* enseignement militaire supérieur du 2e degré 55, du 1er degré 160, niveau BAC 100, technicien sup. 750, technicien 1 250, CAP 2 080, éc. préparatoires : collège naval 370.

d) **Gendarmerie.** *En 1990 :* 3 208 mil. (3 119 ap.), 202 civ. Centre d'enseignement supérieur ; éc. des off. ; éc. prépa. de formations des ss-off. ; centres d'instruction ; c. de spécialisation (motocycliste, montagne, transmissions, plongée, maîtres de chiens). *Personnels incorporés ou à incorporer, 1991.* Formation de base des officiers 147, initiale des élèves-gendarmes 4 476, des auxiliaires 11 800, recyclage des spécialistes moto 1 250, transmissions 510, maîtres-chiens 120, moniteurs des équipes légères d'intervention 80, stages de franchissement de grade 1 800, de perfectionnement des comm. de Cie 85, escadrons passés au CEPG (Centre d'entraînement et de perfectionnement de la gend. mobile) 48.

e) **Organismes de formation communs.** *En 1990 :* 2 363 mil. (226 ap.), 881 civ. Écoles et centres d'instruction relevant : *1°) de l'état-major des Armées :* Centres d'études supérieures interarmées (Centre des hautes études mil., Cours sup. interarmées), ens. sup. mil. spécialisé (énergie atomique, techniques d'action, opérations combinées, renseignements) ; Éc. interarmées des sports de Fontainebleau ; *2°) de la Délégation générale pour l'armement :* Éc. polytechnique ; Éc. d'application d'ingénieurs ; Centre des hautes études de l'armement ; cours et stages spécifiques ; *3°) du service de santé :* Éc. d'application ; Institut de médecine tropicale ; Éc. de formation ; Éc. d'infirmières mil. ; participation technique du centre nat. d'instruction des élèves off. de réserve du serv. de santé et des éc. et centres d'instruction des sous-off., off. mariniers et h. du rang infirmiers.

Soutien des personnels

Effectifs totaux (1991). 39 484 (dont 12 664 milit. act., 9 811 ap. et 17 009 civ.).

Missions. Santé, sélection/orientation, besoin en substances, habillement et ameublement, besoins, en denrées, soldes et indemnités, déplacements et transports, administration des personnels des unités, action sociale.

a) **Terre.** 17 900 (dont 4 350 milit. act., 5 450 ap. et 8 100 civ.). Commissariat intendance, recrutement, service national, service vétérinaire, action sociale.

b) **Air.** 2 878 (dont 1 321 milit. act., 1 011 ap. et 546 civ.). Org. et établissements du commissariat de l'Air (créé 17-2-1942 ; école à Salon-de-Provence, créée 1953) ; centres et antennes de documentation, sélection, recrutement et mobilisation ; participation au service de santé et à l'action sociale.

c) **Marine.** 4 000 (dont 2 200 milit. act., 1 400 ap. et 400 civ.). Organisme et états du commissariat de la Marine ; org. de sélection et d'orientation ; participation au service de santé et à l'action sociale.

d) **Personnels communs.** 14 706 (dont 4 793 milit. act., 1 957 ap. et 7 956 civ.). 25 hôpitaux des armées en métropole (7 002). h. thermaux 4 (763 lits). Centres hospitaliers des FFA 4 (849 lits), d'outre-mer 1 (104 lits), infirmeries hosp. d'O.-M. 2 (164 l.). 700 infirmeries (60 outre-mer). **Établissements sociaux** gérés par l'Institution de gestion sociale des armées (IGESA) : 34 ét. familiaux de vacances, 71 c. de vacances de jeunes, 2 ét. médico-sociaux, 33 c. sociaux, 29 crèches, garderies, 16 jardins d'enfants.

Service de santé des armées (1990). *Effectifs :* 13 326 (4 780 mil. dont active 4 694, appelés 1 957, 6 589 civils).

Médecins (1990) : 2 850 [dont (1988) 627 *hors des armées* (dont outre-mer 510, métropole 117)].

Soutien des matériels

• **Effectifs totaux** (1991). 73 896 (dont 13 820 milit. act., 6 038 ap. et 55 038 civ.).

a) **Armée de Terre.** 20 138 (dont 4 649 milit. act., 1 489 ap. et 14 000 civ.) : 108 établ. d'infrastructure du service du matériel ; serv. des travaux du génie ; participations au serv. des essences.

b) **Armée de l'Air.** 7 427 (dont 3 406 milit. act., 2 189 ap. et 1 732 civ.). Serv. du matériel de l'armée de l'air et unités du génie de l'air.

c) **Marine.** 6 788 (dont 3 515 milit. act., 1 060 ap. et 2 213 civ.). Organismes de soutien matériel des ports et de Paris ; org. d'approvisionnement et de stockage ; directions locales de travaux mar.

d) **Gendarmerie.** 1 318 (dont 1 009 milit. act., 222 ap. et 87 civ.). Centre de traitement de l'informatique de la gendarmerie ; C. nat. d'inform. routières ; C. de renseign. et de rapprochements judiciaires, etc.

e) **Services communs.** 38 499 (dont 1 312 milit. d'act., 181 ap. et 37 499 civ.). Base de transit interarmées ; Bureau interar. de codification des matériels et Serv. ind. de surveillance de l'armement (SIAR).

Administration générale

• **Effectifs totaux** (1991). 29 676 (dont 12 915 milit. act., 5 276 ap. et 11 485 civ.) [dont (90) : **Terre** 9 611 (dont 5 538 milit. act., 2 253 ap. et 1 820 civ.). **Air** 5 280 (dont 2 946 milit. act., 2 077 ap et 257 civ.). **Mer** 3 122 (dont 1 959 milit. act., 784 ap. et 379 civ.). **Gendarmerie** 1 059 (dont 982 milit. act., 48 ap. et 29 civ.). **Section commune** 10 304 (dont 1 342 milit. act., 71 ap. et 8 891 civ.)].

Organismes divers : cabinet du ministre de la Défense nationale ; état-major des Armées ; secrétariat général pour l'Administration ; org. centraux (états-majors, directions gén. et techniques, inspections, etc.) de la délégation gén. pour l'armement, des armées, de la gendarmerie, du service de santé, du serv. des essences et de la direction des centres d'expérimentation nucléaire ; contrôle gén. des armées. Y sont aussi rattachés : des serv. interarmes (DGSE, sécurité mil., information et relations publiques) ; des contributions en personnel au titre des représentations à l'étranger, des participations à des organismes gouvern. ou interminist. et à des org. div. (instituts, fondations ou mutuelles à vocation militaire).

Budget

Budget global

Crédits d'équipements militaires proposés par le projet de loi (en millions de F). *1986 :* 75 680. *87 :* 85 810, *88 :* 90 847. *89 :* 98 000. *90 :* 102 100. *91 :* 103 148.

Budget de la Défense pour 1991
(en millions de F)

Sections budgétaires	Fonction-nement Titre III	Équi-pement Titre V [2]	Total crédits de paiement	en %	Autorisa-tions de programmes [4]
Terre	26 911	23 094	50 005	25,7	26 719
Marine	13 532	24 910	38 442	19,8	27 283
Air	14 937	25 334	40 271	20,7	29 513
Gendarmerie	16 133	1 989	18 122	9,3	2 324
Section commune	19 887	27 821	47 708	24,5	30 161
TOTAL	*91 400 [3]*	*103 148*	*194 548*	*100 %*	*116 000*
% du PIB	47 [1]	53	100	3,37	-

Nota. – (1) 47 % du budget rémunérations et charges sociales dont 33,8 %, vie courante 10,4 %, activités 3,6 % (2) 53 % du budget dont fabrications 25,1 %, études 15,4, activités 6,8 infrastructures 5. (3) Non comprises les pensions et la participation au Fonds spécial des ouvriers de l'État gérées par le ministère de l'économie, des finances et du budget (4) Pour les titres V et VI uniquement.

Dépenses du budget (en milliards de F, 1989). 189,4 dont *dépenses de personnel* (dép. de rémunérations et charges sociales) 61,5 ; *achats à l'économie :* autres dép. 127,9.

☞ **Budget 1992.** 210 milliards de F environ selon loi de programmation 90-93 (budget réel 91 inférieur de 7 milliards à la LP).

Budget des Armées par systèmes de forces et de soutiens (1991) en millions de F (% du budget de défense), fonctionnement/équipement. *1)/Forces nucléaires stratégique :* 42 952 (22,1) 5 564/37 388 (1). *2)/Forces terrestres :* 34 704 (17,8), 18 702/16 002. *3)/Forces maritimes (hors FNS) :* 23 798 (12,2) 9 713/14 085 *4)/Forces aériennes (hors FNS) :* 23 916 (12,3) 8 126/15 790. *5)/Gendarmerie :* 15 670 (8,1) 14 051/1 619. *6)/Forces outre-mer :* 5 612 (2,9) 4 141/1 471. *7)/Recherche-essais :* 10 791 (5,5) 2 596/8 195. *8)/Formation :* 11 588 (6) 8 488/3 100. *9)/Soutien du personnels :* 9 372 (4,8) 8 315/1 057. *10)/Soutien des matériels :* 7 715 (4) 5 683/2 032. *11)/Administration :* 7 766 (4) 5 709/2 057. *12)/Spacial :* 3 089 MF, en augmentation de 2,4 % (axes sur satellites observation HÉLIOS et transmissions SYRACUSE).

Coût d'un appelé. En **1981.** Homme du rang : 20 062 F/an dont (en F) rémunération 3 780, alimentation 4 485, habillement 2 499, instruction 5 341, autres dépenses 7 737 (entretien, chauffage, éclairage, eau, casernement, ameublement, permis de conduire, secours aux appelés, entretien de casernement, voyages gratuits). En **1983** *(est.) :* 26 000 F pour 12 mois (volontaire pour un service plus long 31 000, engagé de 3 ans 44 000).

Coût du service national (en milliards de F, 1987). *Total* 8,72 (1,7 % du budget de la Défense), dont alimentation et entretien du personnel 3,58, solde et indemnités 2,41, transport des permissionnaires 2,41, coût des centres de mobilisation 0,72, coût des bureaux du service nat. 0,48, coût des centres de sélection 0,18. *Source :* rapport Chauveau.

Coût des actions extérieures des armées françaises (millions de F). *1976 :* 44. *77 :* 187. *78 :* 591. *79 :* 474. *80 :* 347. *81 :* 386. *82 :* 615. *83 :* 1 594. *84 :* 2 586. *85 :* 1 715. *86 :* 1 973 dont en Afrique 1 012 (Tchad, Centrafrique et Gabon), Liban 330, N.-Calédonie et Guadeloupe 428, observateurs français dans le Sinaï 66. *87 :* 3 244 dont en Afrique 2 000 (Tchad et Centrafrique), Golfe Persique 620, Nouv.-Calédonie 421, Liban 139, Guyane 46. *88 :* 3 700 dont Tchad (opération Épervier : 1 000 h), Liban (Finul : 350 h), Golfe Persique (groupe aéronaval durant 14 mois), Guyane. Surcoût de 1 milliard de F. *90 :* 2 100 dont 2 000 pour les opérations du Golfe (Daguet + Artimon), 50 pour renforcement au Tchad (Epervier) et intervention au Gabon (Requin). Voir index g. du Golfe.

Coût de la force nucléaire stratégique. *Selon le rapport de Raymond Tourrain* (député RPR). De 1960 à 1980, 222 milliards de F (valeur 1980) dont pour les recherches et études 40 %, vecteurs (avions et missiles) 16,3, expérimentations 12,1, dépenses industrielles 11,1, maintien des systèmes en condition opérationnelle 9,1, fabrication des armes (charges) 7,8 et infrastructures 3,6. *Selon Jacques Percebois.* De 1960 à 1981, 334,4 milliards de F constants 1983 dont, sous de Gaulle, 143,8 (soit 14,4 en moyenne par an), Pompidou, 79,4 (15,9 par an), Giscard d'Estaing, 111 (15,9). Il faudrait 122 milliards de F supplémentaires de 1980 à 2000 pour la moderniser.

Évolution des dépenses (hors pension)

Années	Dépenses Défense (1)	% des dépenses publiques	% du PIB (march.) (2)
1960	17 940	27,90	5,90
1980	88 602	16,87	3,67
1985	150 200	15,09	3,79
1986	158 350	15,40	3,77
1987	169 200	16,10	3,79
1988	174 276	16,16	3,86
1989	182 360	15,83	3,69
1990	189 443	15,50	3,55
1991	194 548	15,2	3,37

Nota. – En millions de F. (2) Base 1962. (3) 238 458 avec les pensions et la participation au Fonds spécial des ouvriers de l'État, soit 3,37 % du PIB.

Principaux programmes nucléaires

Livraisons, entre parenthèses **commandes,** en italiques (ou PG) **poursuite du programme** (nombre, 1991). *Forces aériennes stratégiques :* préétudes ASLP extrapolées de l'ASMP. FOST : SNLE nouv. génération (2) *6 ;* fin PG refonte M4 du Foudroyant. *Armes préstratégiques :* Mirage 2 000 N (ASMP) 8 ; Hadès PG 40 missiles/20 véhicules au lieu de 120/60 initialement ; PG Ramsés (réseau « durci » de transmissions stratégiques). **Terre.** Char Leclerc : 1, (44) *1 400 ;* en réduction, AMX 30 B2 : 66 (0) (série interrompue à 630) ; Lance Roquette Multiple (LRM) : 17 (12) *57* d'ici 94 ; véhicules de l'avant blindés (VAB) : (105) ; VBL : 160 (0) *1 214 ;* VTL (véhic. transp. logistiques) : (330) ; missile antichar courte portée Eryx (200) (mise en service 92) ; missile sol-air très courte portée Mistral : 360 miss./60 postes de tir (55 Pdt) *498* Pdt ; Canon automoteur 155

Remplacement des Crusaders. 86 Rafale Marine (ACM), opérationnels en 1998. En attendant, les Crusaders et les super étendards seront modernisés (coût 1,73 milliard de F). On avait envisagé l'achat en 1993 de 15 F-18 américains d'occasion (solution proposée par la Marine) (coût 3,73 milliards de F).

• **Autres programmes.** Missiles porte torpille Milas (avec Italie) ; missiles surface-air antimissile SARM (avec Italie) débouchant sur toute une famille de missiles Sol-air ; torpille ultra-rapide Murène. La part des investissements est très levée dans le budget de la Marine (2/3 contre 1/3 au fonctionnement).

3 - Forces aériennes

Généralités

Effectifs (non compris soutiens, forces nucléaires et forces outre-mer) 48 468 (dont 27 365 mil. d'act., 19 476 ap. et 1 627 civ.). Depuis 1983, perte de 7 000 emplois.

Missions. Sauvegarde du potentiel de riposte nucléaire ; participation à la dissuasion nucléaire ; surveillance permanente de l'espace aérien ; détection et évaluation de la menace aérienne, et liée à elles, protection et souveraineté de l'espace aérien national ; recherche du renseignement par la localisation des objectifs et l'évaluation des défenses de l'ennemi ; attaque du potentiel militaire adverse, couverture et appui des forces terrestres. **Organisation : 7 grands commandements** spécialisés ; régions aériennes (*Nord-Est* : PC à Villacoublay, *Mediteranée :* Aix, *Atlantique :* Bordeaux, qui assurent la protection des points sensibles et peuvent pourvoir aux besoins de la vie courante des unités stationnées sur leur territoire. **Forces :** le standard actuel de 450 avions de combat est contesté et pourrait être réduit à 400, avec des avions plus polyvalents. Ex : l'alpha Jet (entraînement) peut être armé, le mirage 2 000 N (mission nucléaire tactique) peut être rendu apte à l'appui au sol...

Commandement spécialisé

• **Commandement des forces aériennes stratégiques** (COFAS). Voir p. 1844c.

• **Commandement des forces de défense aérienne** (CAFDA). **Mission.** Assurer la défense du territoire et de ses approches contre les attaques aériennes. 3 sortes d'actions : détecter et identifier en permanence tous les mouvements aériens, évaluer la menace et transmettre l'alerte aux autorités, aux forces et aux populations, conduire les missions aériennes d'interception (menées par les avions de la FATAC).

En temps de paix ; assure également guidage et contrôle des aéronefs militaires, assistance en vol aux aéronefs en difficulté, recherche, sauvetage des avions disparus ou accidentés.

Effectifs. 19 463 (active 11 334, appelés 8 129). **Moyens. Stations radar militaires.** 10 équipées de *radars tridimensionnels* ARES [puissance de crête 20 MW, multipinceaux (direction, distance et altitude des aéronefs détectés même en cas de brouillage électronique)], ou de *radars de veille 23 cm* auxquels sont associés *des radars d'altimétrie* SATRAPE. Un système informatisé de traitement, le STRIDA, permet de centraliser l'information. L'interconnexion avec les radars de l'aviation civile et les systèmes analogues de pays voisins ou alliés étendent ainsi nos capacités de détection jusqu'à plus de 2 000 km des frontières françaises. De nouveaux radars d'aérodrome sont en cours d'installation sur les bases aériennes (Aladin et Centaure). Si un aéronef n'est pas identifié lorsqu'il pénètre dans l'espace aérien français, il est intercepté par un avion de chasse en alerte qui décolle 2 minutes après l'ordre d'interception. **Avions.** Avions radars Boeing AWAC pour la détection longue portée basse altitude et la conduite des missions aériennes. 1e des 4 unités arrivée en 91, les autres en 92 ; avions basée à Avord (Cher), le CAFDA va perdre ses escadrons d'intercepteur qui seront reversés à la FAFAC dans le cadre du plan armées 2 000. **Missiles sol-air à courte portée :** 24 sections *(Crotale)* assurent la défense à basse et très basse altitude des principales bases de l'armée de l'air. **Canons antiaériens bitubes de 20 mm :** complètent l'action des unités *Crotale* et assurent la défense rapprochée des autres points sensibles.

Entraînement des équipages. Norme : 15 heures de vol aux commandes par mois et par pilote (180 h/an) soit globalement 400 000 h.

• **Commandement de la force aérienne tactique** (FATAC). Commande aussi la 1re région aér. ; dispose de 2 commandements aériens tact. (Metz et Nancy). Voir p. 1845b. **Effectifs.** 12 108 (active 7 265, appelés 4 843). **Missions.** Mise en œuvre de l'arme nucléaire préstratégique air, défense aérienne du territoire nat., recherche du rens. sur les forces adverses, destruction au sol du potentiel aérien ennemi, appui et couverture de la manœuvre des forces terrestres, participation à l'action rapide outre-mer. **Moyens. Avions :** (au 31-12-90). *Mirage III E/R/R* 15, *VF* 30, *F 1CR* 45, *Jaguar* 45. **Bases aériennes :** 12 en 1re Région aérienne, 2 en R.F.A., 12 797 hommes ; 3 bases stations radar, base logistique de Reims. Va hériter des 12 escadrons de Mirage F1 C90 et 2 000 C90 du CAFDA pour la défense aérienne, ainsi que des bases correspondantes. Par contre les programmes Mirage 2 000 et transformation du F1 CT pour l'appui seront réduits. **Groupement de transmission tactique.** Met en œuvre des moyens mobiles de détection et de contrôle couvrant la zone de l'avant, ainsi que des chaînes de transmission reliant le PC de la FATAC aux organismes « air » implantés auprès des unités terrestres.

• **Commandement du transport militaire aérien** (COTAM). **Missions.** Participer à la manœuvre par largage de parachutistes et de matériels ou par atterrissage sur des terrains sommaires, assurer le soutien logistique des forces armées. En temps de paix : missions d'intérêt public (transport de personnalités, évacuation sanitaire, recherche et sauvetage), et missions humanitaires en cas de catastrophe naturelle en France ou à l'étranger. **Effectifs.** 9 618 (active 5 685, appelés 3 933) personnes, dont 1 400 navigants et 1 980 mécaniciens. **Moyens :** 126 hélicoptères, 77 C160 transall (dont 6 pour missions) spéciales, 12 C130 Hercules, 4 DC8, 24 N262, 21 Falcon (15 F20, 4 F50, 2 F900). **Répartition.** *4 escadres* (Orléans, Toulouse, Évreux, Villacoublay) et une *trentaine d'escadrons, 4 unités de maintenance* et *2 centres d'instruction,* répartis sur *10 bases* en France (Évreux, Orléans, Villacoublay, Toulouse, Metz, Apt, Aix, Solenzara, Cazaux, Bordeaux) et 6 outre-mer (Pointe-à-Pitre, Cayenne, Dakar, Djibouti, la Réunion, Nouméa). **Activités quotidiennes** (transport, instruction des troupes aéroportées, etc.). 80 000 km, 1 400 passagers (dont 900 parachutistes), 70 t de fret, 10 t larguées. Participe également à la protection civile : évacuations sanitaires, secours dans diverses catastrophes (inondations, incendies). **Besoins et programmes.** Poursuite du remplacement des Alouettes par des Ecureuils, début livraisons cargos légers Casa 235. Besoin confirmé de 6 Airbus cargos en remplacement des vieux DC8, et de 4 à 6 cargos lourds C17. Conversation avec USA pour conception d'un avion remplacant les Transall. Par contre, les programmes actuels concernant le Mirage 2 000 et transformation du F1 CT en avion d'appui seront réduits.

• **Commandement des transmissions de l'armée de l'Air** (CTAA). 3 réseaux : hertzien, télégraphique, téléphonique automatique.

• **Génie de l'air. Missions.** Réparer les plates-formes aéronautiques endommagées, aménager des plates-formes nouvelles, neutraliser les munitions non éclatées. En temps de paix, participer à la réalisation de chantiers d'infrastructure aéronautique. **Effectifs.** 2 300 h. **Moyens.** 1 400 véhicules et engins.

• **Commandement des écoles de l'armée de l'air** (CEAA). Voir ci-contre.

☞ **Fusiliers commandos de l'Air.** Groupement créé à Nîmes 1-8-1979. Héritiers des troupes parachutistes de l'armée de l'Air (créées 1936) passées à l'armée de Terre en 1945, puis des groupements des commandos parachutistes de l'air utilisés en Algérie. Protection des bases aériennes contre les infiltrations ennemies. Formation de plusieurs centaines de personnes chaque année.

Patrouille de France : [9 pil (renouvelés par 1/3 tous les ans) et 29 mécaniciens] p. de démonstration de l'armée de l'Air créée 1953, basée à Salon-de-Provence dep. 1964 ; équipée d'*Alpha Jet* dep. 1981. Se produit chaque année dans une cinquantaine de meetings.

Équipe de voltige de l'armée de l'air 6 pilotes, 4 mécaniciens : créée en 1968, basée à Salon-de-Provence, équipée de CAP 20 et CAP 230. Se produit chaque année dans une cinquantaine de meetings.

4 - Forces de gendarmerie

Voir à l'Index.

• **Effectifs** (31-12-91) (non compris soutiens, forces nucléaires et forces outre-mer) : 77 389 h. (dont 69 908 actifs, 6 906 appelés et 575 civils). **Officiers.** *Active :* 2 549 dont général de division 7, de brigade 14, colonel 159, lieutenant-colonel et chef d'escadron 842, capitaine, lieutenant et sous-lieutenant 1 527. **Sous-officiers.** *Active* gendarmarie : 74 766 dont aspirant 55, major 1 038, adjudant-chef 2 655, adjudant 5 032, maréchal des logis-chef 10 879, gendarme 55 107 : *Personnel administratif et d'état-major :* 405 dont major, adjudant-chef 23, adjudant 40, sergent-chef 103, sergent 238 : *appelés :* 344 dont aspirant 3, maréchal des logis 344. **Personnel du rang.** 88 262 dont *PAEM :* 200 (dont caporal-chef 195, caporal 1, soldat 4) ; *appelés :* 9 998 gend. aux (dont brigadier-chef 578, brigadier 1 201, g. de 1re classe 1 026, auxiliaire 7 193). **Unités territoriales** [à compétence générale (sécurité publique, renseignement, police judiciaire, concours aux autorités, mobilisation) ou unités spécialisées (de recherche, aériennes, pelotons de surveillance, d'intervention, de montagne)] : 48 008 h. (act. 42 924, ap. 5 084). **Unités de police de la circulation** (dont motards) : 7 038 h. (act. 6 084, ap. 954). **Gendarmerie mobile** (force d'intervention toujours disponible pour toute mission de sécurité ou de maintien de l'ordre) : 16 561 (act. 16 372, ap. 189). **Formations adaptées :** 5 207 h. (act. 4 528, ap. 679) dont garde républicaine, gendarmerie des transports aériens, gendarmerie des FFA, gendarmerie de l'armement. **Origine des élèves gendarmes** (profession du père) (en %). *1962 :* ouvriers et manœuvres 56,3, cultivateurs 15, autres ruraux 6,2, autres professions 22,5. *1987 :* employés 27,95, ouvriers 14,37, officiers et sous-officiers de gendarmerie 10,06, commerçants ou artisants 8,05, cadres 6,13, agents de maîtrise 3,56, agriculteurs 3,23, techniciens 3, enseignants 1,78, divers 20,27. **Suicides dans la gendarmerie.** De 1979 au 31-7-1989 : 253.

• **Principaux matériels.** (31-12-90) 128 véhicules blindés à roues, 121 AML, 36 hélico., 33 véhicules tous terrains AMX, 28 chars VBC 90, 6 avions légers.

Forces d'outre-mer

• **Effectifs.** (1991) 19 925 h. (dont 11 656 actifs, 6 103 appelés et 2 166 civils). **Dom-Tom :** 4 commandements supérieurs interarmes (Terre/Marine) (Antilles-Guyane, Polynésie, océan Indien, Nouv.-Calédonie) **Étranger :** *2 com. interarmes* (Forces françaises stationnées à Djibouti, point d'appui du Cap-Vert), *3 com. autonomes :* Port-Bouët (Côte-d'Ivoire), Libreville (Gabon), forces navales de l'océan Indien.

Principaux matériels (au 31-12-91). *Terre :* blindés (A.M.L., Sagaie, VBL, VAB) 107, 5 hélicoptères (SA 330). *Air :* 10 Mirage F1 C, 12 avions de transport, 35 hélicoptères. *Marine :* bâtiments 16 stationnés + passage fréquents d'autres forces, aéronefs 28. *Gendarmerie :* véhicules blindés à roues 27, hélicoptères 6.

II - Système de fonction

Recherches et essais

• **Effectifs** (1990). 4 385 d'active, 2 750 appelés et 12 594 civ. **Missions.** Chaque armée dispose d'un organisme : section technique de l'armée de terre ; centre d'expérimentations aériennes militaires ; commission d'études pratiques de la marine. Recherches et essais communs aux 3 armées sont effectués par la *Délégation générale de l'armement.* Le *service de santé* dispose de 5 centres de recherches spécialisés en sciences humaines, agressions et nuisances, pathologie exotique, médecine aéronautique et recherches biophysiologiques.

Organismes de formation

Effectifs totaux (1990). Militaires 59 720 (dont 32 929 d'act., 22 007 ap. et 4 784 civils).

a) **Armée de Terre.** 12 725 mil. (+ 12 880 ap.), 2 899 civ. *Indicateur d'activités de formation* en nombre de journées de formation/nbre d'élèves officiers (entre parenthèses sous-off.). École 277 110/1 854 (714 309/3 017), stages d'application 161 600/505, perfectionnement ou spécialisation 230 000/5 000 450 000/13 000). *Matériels principaux.* Blindés 124, sol-air 15, canons de 155 11, hélicoptères 100.

b) **Armée de l'Air.** CEAA Commandement des Écoles de l'armée de l'air. *En 1990 :* 10 552 (4 049 ap.) 765 civils. *Effectifs formés* en 1984 : 648 officiers, 1 239 sous-off., 1 200 aspirants du contingent. *Écoles :* Éc. d'ens. mil. sup. ; Éc. d'off. de l'armée de l'Air ; Éc. du personnel navigant ; Éc. du personnel non

Afrique noire. *Dakar (Sénégal) :* 23e BIMa. *Port-Bouët (Côte-d'Ivoire) :* 43e BIMa. *Libreville (Gabon) :* 6e BIMa. *Djibouti :* 10e BCS, 5e rég.

Europe. Principalement intégrée dans la FAR et, à un moindre degré, dans les f. de manœuvre.

☞ **Assistance militaire technique :** env. 100 off. et 150 s.-off.

Train

Origine. Voir Quid 1982 p. 1373.

Écoles. *École d'application du Train :* Tours (nov. 1945). *Régiment d'instruction spécialisé :* Fontainebleau.

Organisation. Régiments de circulation routière, de livraison par air et de transit maritime. *Unités de QG. :* l'encadrement des formations de soutien des forces.

Missions. Transport par voie routière. Matériels. Véhicules de transport non spécialisés *GBC 8 KT Berliet* (capacité 3,5 t ou 20 h. équipés) ; *camions routiers ou « tous chemins »,* charge utile 4 à 10 t. **Unités « transport » :** *groupes d'escadrons de transport des réserves ministérielles* agissant au profit de l'ensemble des forces, progressivement équipés de véhicules de fort tonnage ; *groupes d'escadrons régionaux du Train* agissant au profit exclusif des zones de défense ; *groupes d'escadrons placés en soutien des corps d'armée ; escadrons de transport organiques aux divisions,* équipés en véhicules de tr. tactique.

Transport sanitaire. Évacuation des malades et blessés (si impossibilité par avion ou chemin de fer). Capacité instantanée des unités : 12 000 blessés.

Circulation routière. Matériel. Motos et jeeps. **Unités de « circulation routière » :** *patrouille* (1 sous-off., 2 Jeep, 2 motos, un poste radio) ; *peloton* (4 patrouilles et 1 patrouille de commandement) ; *escadron* (en général 3 pelotons) ; *groupe* (en général 3 escadrons ; fait partie de la réserve ministérielle et peut être mis à la disposition de l'armée ou des corps d'armée).

Livraison par air. Conditionne, charge, accompagne en vol et largue matériels et provisions.

Transbordement. Unités dotées d'engins amphibies, pour transporter personnel et approvisionnement (de navires à plages, cours d'eau).

Transmissions

Organisation. 1 compagnie de tr. dans chaque division. 3 rég. de tr. par corps d'armée, 1 de l'échelon gouvernemental. 1 d'instruction. 1 unité de tr. d'infrastructure (rég. ou groupe d'exploitation) par région militaire et territoire. 1 centre de traitement de l'information par région militaire, 2 nationaux.

Écoles. *Éc. d'application :* Montargis. *Éc. sup. d'électronique de l'armée de terre :* Rennes. *Éc. des sous-off. d'active transmissions :* Agen. **Centres d'instruction :** Montélimar, Laval.

Moyens informatiques et de télécom. Stations de faisceaux hertziens, centres téléphoniques de toutes capacités, dispositifs à voies multiples, téléimprimeurs, transmetteurs d'images...

Matériel

Organisation. *Direction centrale* à Paris ; *directions régionales et de grandes unités ; établissements d'infrastructure ; unités de réparation, de magasinage et de stockage.* Emploie plus de 40 000 personnes. Approvisionne, répare, stocke et gère la quasi-totalité des matériels de l'armée de terre.

Écoles. *Éc. d'application :* Bourges. *Éc. supérieure du matériel :* Châteauroux.

> **Tenue de l'armée de terre**
>
> *1914* veste noire, pantalon rouge remplacé par bleu horizon. *1935* kaki (le mot « kaki », couleur poussière, vient des Indes). Longtemps encore, l'intendance a distribué des uniformes bleus jusqu'à épuisement des stocks. *De sept. 1990 à déc. 1992* uniformes Terre de France (gris très clair) de Balmain. Tenue simplifiée et allégée.
>
> *Cadre de métier :* képi ou béret, popeline (été), veste (hiver) et pantalon polyester, imperméable, manteau forme loden couleur bronze. *Homme du rang :* blouson et pantalon, chemise popeline. *Femme :* vareuse croisée 6 boutons portée sur pantalon à pince, ou jupe portefeuille recouvrant un bermuda. Tricorne ou béret moins large. Cravate et gants noirs (cravate verte pour la Légion). Tenue d'été et d'hiver disparaissent, chacune adaptant son habillement au jour le jour.

Commissariat de l'armée de terre

Origine. Corps des intendants militaires créé par ordonnance royale de 1817.

Missions. *Attributions financières :* paie, administration du personnel. *Fournit* alimentation et mat. pour préparer denrées, vêtements, équipement.

2 – Forces maritimes

Généralités

• **Effectifs 1991** (non compris soutiens, forces nucléaires et forces outre-mer) 42 566 h. et f. (dont 27 408 milit. act., 11 412 ap., 3 746 civ.). **1990 :** *officiers* 4 560 (tous corps d'officiers de la marine confondus) dont amiraux 51, capitaines de vaisseau 290, cap. de frégate et de corvette 1 457, lieutenants et enseignes de vaisseau 2 744, aspirants et élèves-officiers 233 ; *officiers mariniers* 30 150 ; *quartiers-maîtres et matelots* 30 150 (dont 19 096 ap.) ; *personnel militaire. Répartition :* fonctions opérationnelles 77 % (48,5 % mise en œuvre des forces ; 28,5 % soutien aux unités opérationnelles), 23 % écoles (élèves et instructeurs), soutien administratif et volant de gestion ; le % élevé de soutien s'explique par des opérations lointaines.

Affectations opérationnelles (1991). 40 208 hommes dont forces de surface (unités et états-majors de force) 20 767, aéronautique navale (flottilles + escadrilles + états-majors + bases) 11 091, forces sous-marines (sous-marins + états-majors) 5 207, unités de fusiliers marins, commandos, protection, plongeurs démineurs et divers 3 143.

• **Missions. Dissuasion nucléaire :** v. Force océanique stratégique (FOST). **Sûreté des approches maritimes** afin de participer, en profondeur, à la défense aéroterrestre du territoire ; assure aussi le libre accès à nos principaux ports militaires et civils et le libre usage de nos eaux côtières. **Sécurité en Méditerranée. Présence dans le monde :** dans les DOM/TOM et les pays auxquels nous sommes liés par des accords de défense et d'assistance pour soutenir la politique extérieure de la France, la défense de nos intérêts, assurer la sécurité de nos approvisionnements. **Tâches de service public :** surveillance et contrôle du trafic maritime et des activités en mer (d'autres administrations participent à ces tâches et peuvent être placées dans certains cas sous l'autorité des préfets maritimes). **Sauvegarde de la vie humaine. Assistance aux pêches. Surveillance de la zone économique des 200 milles. Lutte contre la pollution. Service hydrographique et océanographique de la marine (SHOM),** (cartes et documentation nautique) à Brest ; **Groupe d'intervention sous la mer** (GISMER) : bâtiment d'expérimentation Triton.

• **Organisation territoriale.** Voir p. 1843.

Capacités stratégiques

FOST. 5 SNLE (sous-marins nucléaires lance engins) [après le retrait du Redoutable (fin 1991)], tous refondus M4. Le taux de disponibilité est tel qu'une permanence de 3 à la mer sera maintenue. **SNLE** 5 [(45 000t) : *le Terrible* (1972), *le Foudroyant* (1974), *l'Indomptable (1976), le Tonnant* (1980), *l'Inflexible* (1985)].

Moyens navals (au 1-1-1992)

Surface. Forces pouvant être constituées en groupes occasionnels adaptés aux circonstances ; bâtiments à vocation prioritaire anti-sous-marins, (12), antiaérienne (5) et 34 bâtiments type aviso et patrouilleur.

Bâtiments de combat et de soutien. 112 (273 200 t), dont **Sous-marins d'attaque** 13 (18 800 t) [dont 5 nucléaires **(SNA) de 2 265t** qui recevront des améliorations de type Améthyste : *Rubis, Saphir, Casabianca, Émeraude, Améthyste et 9 diesels/électriques (de 700 à 1 200 t)].* **Porte-avions** 2 (48 300 t) [*Clemenceau* (1961, retrait prévu 1998), peut embarquer des Super-Étendard dotés d'une bombe AN-52), *Foch* (1963, retrait prévu 2004), aménagé, à la mi-1989, pour embarquer une vingtaine d'avions Super-Étendard armés du même missile que le Mirage-2000-N]. **Porte-hélicoptères** 1 (10 600 t) [*Jeanne-d'Arc* (1964)] Vocation ASM et bâtiment école. **Bât. antiaériens** 5 (20 000 t) (retrait du Colbert et du du Chayla, entrée en service du Jean Bart) ; 2 *frégates lance-missiles : Suffren* (1968, retrait prévu 1998), *Duquesne* (1970, retrait prévu 2000) ; 2 *frégate antiaériennes : Cassard et Jean Bart* (1988, 4 200 t, 30 nœuds, moteur diesel 250 c). **Bât. anti-sous-marins** 12 (44 200 t) [3 frégates ASM : *Tourville* (1974), *Duguay-Trouin* (1975), *De Grasse* (1977) ; 6 corvettes ASM : *Georges-Leygues* (1979), *Dupleix* (1981), *Montcalm* (1982), *Jean-de-Vienne* (1984), *Primauguet* (1987), *La Motte-Picquet* (1988), *Latouche Treville* (90) ; 2 escorteurs ASM]. **Batiments de présence** 23 (34 500 t) [5 avisos-escorteurs, 17 avisos, 1 frégate de surveillance type Floral (91)], **patrouilleurs** 10 (7 200 t). *Bât. antimines* 22 (12 800 t) [15 chasseurs de mines, 4 dragueurs de mines, 3 bât. base de plongeurs-démineurs]. **Bât. logistique** (doit en assurer le soutien direct de nos forces sans utilisation de base continentale ; 11 pétroliers et bâtiments de soutien logistique) : 11 (56 000 t) [*5 pétroliers ravitailleurs d'escadre + 1 civil affrété, 6 bât. de soutien mobile*], **Bât. de transport opérationnel** 8 (26 000 t) [3 transports de *chalands de débarquement, (la Foudre,* opérationnel 1990, 11 200 t, 168 m, 20 n), 5 bât. de trans. légers].

Antimines : 22 bâtiments (chasseurs de mines, dragueurs, bâtiments-bases de plongeurs démineurs) ; permet l'entrée et la sortie des SNLE de Brest et simultanément le libre accès à Toulon ainsi qu'à un grand port commercial sur chaque façade maritime. **Amphibie :** permet de transporter et de mettre à terre sur une côte non équipée un régiment mécanisé ; 2 transports de chalands de débarquement, 5 bâtiments de transports légers.

Bâtiments en construction. SNLE-NG : *le Triomphant* 14 200 t (prévu pour 1994) ; *le Téméraire* (1997). **SNA :** *no 6 La Perle* (admission 93), *no 7 La Turquoise* (97), *no 8 Le Diamant* (99). **Porte-avions :** *Charles-de-Gaulle* (1998). **Frégates légères** (6 unités de 3 200 t prévues) : *no 1 La Fayette* (1995), *no 2 Surcouf* (1996), *no 3 Courbet* (1997) ; **de surveillance** (6 de 3 000 t) : *no 2, Prairial* (1991), no 3 *Nivôse* (1992), no 4 *Ventôse* (1992).

• **Répartition en métropole.** *2 escadres :* Atlantique (base Brest) et Méditerranée (base Toulon) (regroupant les bât. de haute mer de tonnage supérieur aux avisos) ; *3 flottilles de bât. légers :* Nord (Cherbourg), Atlantique, Méditerranée (avisos, patrouilleurs, bât. antimines) ; *3 escadrilles de sous-marins :* SNLE (Brest), Atlantique (Lorient, s.-m. d'attaque), Méditerranée (Toulon, s.-m. d'attaque).

Nota. – De 1987 à l'an 2000, la marine nationale aura perdu entre le 5e et le quart de ses bâtiments, qui passeront de 128 unités (266 300 t) à 99 (282 000 t).

☞ **Flotte française de 1939.** Voir Quid 1982, p. 1374.

• **Activités tous bâtiments par groupe** (en %). Mission 33, soutien (écoles, concours, essais...) 25, entraînement 22, service public 13, soutien autres armées 7.

Jours de mer (1990). Bâtiments de combat : 125 j de mer par an en moyenne ; b. de soutien 105, soit 425 000 h. *Mission Prométhée* (océan Indien 1988) : *Clemenceau* 230 j à la mer (absence du port de base 15 mois), 5 000 appontages dont 1 000 de nuit. **1990** *(prév.)* 100 j. **Heures de vol.** Aéronavale 99 500 h

• **Moyens aériens de combat (aéronautique navale,** 1-1-1990). **2 porte-aéronefs** (avec *Super Etendard, Crusader* et *Alizé* modernisés). **Patrouilles maritimes :** les Atlantic assurent la sûreté éloignée des SNLE et participent aux actions antinavires et anti-sous-marines menées dans nos eaux et outre-mer. *Atlantique 2* en construction (avion de patrouille maritime chargé grâce à de nombreux senseurs optiques, électroniques, magnétiques, bouées acoustiques, infrarouges..., et à une informatique de traitement intégrant le tout, de détecter, pister, harceler, les sous-marins ; très efficace pour la lutte de surface ; 46 tonnes, 14 à 18 h d'autonomie, 650 Km/h, armé de tropilles, charges diverses et missiles AM 39 ou Martel). **Aéronefs de combat en ligne** (et en parc ou réserve) : 144 (207). **Avions embarqués :** 74 (116 en parc), *Super Étendard d'assaut :* 38 (22), *Crusader d'interception 8 (12). Étendard IV P de reconnaissance :* 8, *Alizé de sûreté :* (reconnaissance et détection active et passive) : 27 (6). **Hélicoptères :** 42 (56), *Super Frelon :* 17 (0), *Lynx WG13 :* 36. **Avions à terre :** 28 (35), *Atlantic 1 :* 28 (10), *Atlantic 2 :* 1 (42 prévus), Gardian 5, divers aéronefs d'entrainement et de soutien : 130. **Répartition à terre :** *Landivisiau* (flottilles de Super Étendard : 11F et 14F, de Crusader : 12F, d'Étendard IV P : 16F), *Lann-Bihoué* (Atlantic : 23F et 24F), *Lanvéoc-Poulmic* (Super Frelon : 32F, Lynx : 34F et 35F), *Hyères* (Super Étendard : 17F), *Nîmes-Garons* (Atlantic : 21F et 22F), *St-Mandrier* (Lynx : 31F). **Activité :** 100 000 h de vol par an.

matique FAMAS 5,56 (« clairon »), remplace le pistolet mitrailleur (PM MAT 49) et le fusil semi-automatique 49-56, portée 400 m ; fusil de précision FRF 1, portée 600 m ; arme automatique AA 52 (versions fusil-mitrailleur et mitrailleuse) ; canon mitrailleur de 20 mm, portée 1 000 m ; grenades à main offensives OF 27 et défensives DF 37 ; grenades à fusil, portée 300 m ; mines ; mortiers de 81 mm, portée 3 200 m ; mortiers de 120 mm, portée 8 000 m. *Antichar :* grenade à fusil, portée 80 m ; mines (HPD et MAH) ; lance-roquettes (LRAC) de 89 mm, portée 500 m ; canon 106 sans recul et canon de 90 mm équipant le char AMX 13 des régiments mécanisés ; missiles SS-11, portée 3 000 m ; missile MILAN et ENTAC, portée 2 000 m.

Véhicules. Camionnettes tactiques Simca Marmon, TRM 2000, camion tactique Berliet, véhicule de l'avant blindé (VAB), chars AMX 13 (canon, lance-missiles), véhicules transport de troupe VTT AMX 13 ou AMX 10 amphibies, VTT remplacés progressivement par AMX 10 amphibies.

Transmissions. Postes à modulation de fréquence : TRPP 11 : 2 kg, portée 5 km, TRPP 13 : 6,5 kg, portée 13 km ; poste plus puissant, utilisé sur véhicule AMX 30 (il peut franchir des plans d'eau de 2 m de prof., de 4 m avec schnorchel), TRVP 213 de portée 30 km ; postes à bande latérale unique permettant des liaisons à grande distance.

Renseignement et combat de nuit. *Radars* Rasura (montés sur Jeeps), portée 5 km, et Olifant (portables à dos d'homme), portée 1,5 km. *Appareils infrarouges* et à intensification de lumière utilisés ou à l'étude pour la conduite de nuit des véhicules et le tir des armes légères et des canons de chars.

• Unités spécialisées de l'infanterie. 1°) **Troupes de montagne.** PC 27ᵉ division alpine, Grenoble. *École mil. de haute montagne* Chamonix.

2°) **Légion étrangère. Origine :** *créée* par une ordonnance royale du 10-3-1831 qui spécifiait sa vocation à servir « hors du territoire du Royaume » (cette exclusivité a été levée). Elle forma, avec d'anciens membres de la garde suisse et du régiment Hohenlohe encadrés par des officiers français, la Légion étrangère qui participera à la conquête de l'Algérie. Cédée à l'Espagne, elle l'aidera à réduire l'insurrection carliste de 1835 à 1838. Parallèlement, une 2ᵉ Légion, créée le 16-12-1835, poursuivra la conquête de l'Algérie.

1855 engagée en Crimée à Sébastopol. **1859** sous le nom de 1ᵉʳ et 2ᵉ Régiments étrangers, en Italie à Magenta. **1867** au Mexique ; elle y perd 31 officiers, 1 917 sous-off. et légionnaires. Là, le 30 avril 1863, dans l'hacienda de *Camerone,* 3 officiers et 62 légionnaires du capitaine Danjou résistent une journée à 2 000 Mexicains, en tuant 300 et en blessant 300. Le soir, les 5 derniers survivants chargent à la baïonnette. Le nom de ce combat est inscrit sur tous les drapeaux de la Légion. Amputé de la main gauche en 1853, le capitaine Danjou portait, depuis, une prothèse en bois. Retrouvée le 1-5-1863 sur les lieux du combat, devenue une précieuse relique, elle est exposée dans la crypte du musée de la Légion. Chaque année, lors de la prise d'armes du 30 avril, la main de Danjou est présentée aux troupes. **1870-71** participe à la guerre, puis retourne en Algérie. **1875** reprend son nom de Légion étrangère. **1883** envoyée au Tonkin protéger les populations contre les Pavillons-Noirs à Tuyen-Quang : 600 légionnaires résistent à 20 000 Chinois. **1892** engagée au Dahomey contre Béhanzin, puis au Soudan et à Madagascar. De retour à Sidi-bel-Abbès, engagée dans le Sud-Oranais où les nomades multiplient les razzias.

1914-18 stationnée au Maroc, rentre en France ; 36 644 volontaires étrangers et 6 329 Français passeront, en 52 mois de guerre, dans 4 « Bataillons de marche » de la Légion encadrés par les anciens légionnaires ; les pertes les réduiront, à la fin des combats, à un rég. de marche (RMLE) qui sera le 1ᵉʳ de tous les régiments de l'armée française à recevoir la Médaille militaire (août 1919) ; décoré de la Légion d'honneur, il a 9 citations. **1920-26** contribue à la pacification du Maroc ; en Syrie, lutte contre les Druzes. **1935** comprend 18 000 Allemands. **1939** nombreux engagements de républicains espagnols : 5 régiments et 1 groupement de reconnaissance divisionnaire étranger sont constitués en France. **1940** *avril,* la 13ᵉ demi-brigade participe à l'expédition de Narvik (Norvège), puis en mai-juin 1942 à Bir Hakeim (Libye). A El Alamein, le colonel Amilakvari est tué. **1942** combat en Tunisie, puis Italie. **1944** débarque en Provence. Lors de sa remontée vers Belfort, incorpore un bataillon de Russes blancs servant alors dans la Wehrmacht.

1945-54 en *Indochine* perd 109 off., 1 082 sous-off. et 9 092 h. du rang. Diên Biên Phu (13-3/7-5-1954), fournit env. 50 % des troupes avec 4 régiments d'infanterie, 1 r. de cavalerie blindée, 2 bataillons de parachutistes et diverses formations autonomes (génie, transport, entretien), elle perd 1 500 h. et a 4 000 blessés. **1954-62** en *Algérie,* 20 000 lég. participent au maintien de l'ordre. Après la guerre d'Algérie, en 1962, elle perdra 55 off., 278 sous-off., 1 633 h. du rang. *En avril 1961,* lors du putsch, le 1ᵉʳ REP (Régiment étranger parachutiste) se rallie au Gᵃˡ Challe (il sera dissous le 30-4-1961 à Zeralda), mais pas le 1ᵉʳ Régiment étranger.

1962 quitte Sidi-bel-Abbès, brûle le pavillon chinois qui, pris en 1884 à Tuyen-Quang, ne doit pas quitter Sidi-bel-Abbès, emporte la main de bois du capitaine Danjou, les reliques du musée du Souvenir et exhume les cercueils du Gᵃˡ Rollet « père de la légion », du Pᶜᵉ Aage de Danemark et, symboliquement, du légionnaire Heinz Zimmermann, dernier tué d'Algérie ; ces cercueils seront transférés à Puyloubier, près de Marseille. **1969-71** au Tchad. **1978** rappelée ; le 2ᵉ REP, avec le colonel Érulin, protège nationaux et Européens au Zaïre contre les rebelles katangais (raid sur Kolwezi), puis revient au Tchad, au Liban où la Légion fait partie de la force d'interposition.

Engagement. Minimal de 5 ans, peut être résilié par le commandement et par l'intéressé pendant 6 mois probatoires. 60 % des lég. rengagent pour différentes durées. Le candidat n'est pas obligé de donner sa véritable identité. La Légion lui garantit son anonymat, le protégeant contre toute ingérence relative à son passé. Il est alors juridiquement une « non-personne civile », et ne peut ni se marier, ni obtenir un permis de construire, ni acheter une maison, ni même une voiture. Il peut retrouver son identité civile à sa demande (procédure de régularisation de situation militaire) ou à son retour à la vie civile. Une enquête de sécurité permet d'éviter le recrutement de condamnés de droit commun (sauf les petits délits) : aucun délinquant recherché par Interpol ne peut être admis.

Effectifs. *1960 :* 40 000. *80 :* 7 500. *85 :* 8 356. *88 :* 8 500. *91 :* 8 500 [(dont 350 off., 1 400 sous-off., 6 750 lég.) dont 38 % de Français, 62 % d'étrangers de 107 nationalités]. *Engagés :* 1 500 en 1990 (7 000 candidats) dont 1/3 francophone, 1/3 pays de l'Est, 1/3 reste du monde. *Motivation de l'engagement :* idéal 20 % ; problème social ou familial 80 %. *Délinquance :* moyenne pour 1978 0,08 % (199 actes délictuels), contre 0,61 % pour l'ensemble de l'armée française.

Implantation en 1991. *France : Aubagne* (B.-du-Rh.), commandement de la Légion et 1ᵉʳ RE « maison mère » qui regroupe les services communs de la Légion ; le 4ᵉ RE (école) assure la formation de base, la formation de spécialité, la formation des cadres non-officiers ; 3 régiments font partie de la 6ᵉ division légère blindée et participent aux missions de la FAR. *Nîmes,* 2ᵉ RE d'inf. *Orange* (Vaucluse), 1ᵉʳ RE de cavalerie. *L'Ardoise,* 6ᵉ RE du génie, créé juillet 1984. Des Cⁱᵉˢ tournantes sont détachées hors métropole (ex. : Mayotte, Rép. centrafricaine...) en fonction des besoins. *Outre-mer : Guyane,* 3ᵉ REI (régiment étranger d'inf.), assure la sécurité du centre spatial de Kourou, patrouille à la frontière du Brésil et participe à la construction de la « route de l'Est » à travers la forêt vierge. *Djibouti,* 13ᵉ DBLE (demi-brigade de la Légion étr.), assure, avec d'autres unités françaises, l'assistance aux forces de la républ. de Djibouti. Le 2ᵉ REP, inclus dans la 11ᵉ division parachutiste, participe aux missions d'intervention extérieure et au tour des unités présentes à Djibouti. *Mayotte,* détachement assurant une présence. *Mururoa* (Polynésie), 5ᵉ REI, travaux d'équipement et

Troupes suisses au service de la France. Louis XI, encore Dauphin du Viennois, avait apprécié la valeur des Suisses en 1444 à la bataille de la Birse. Devenu roi, il en engagea dans ses armées (10 000 en 1480). En 1497, Charles VIII créa la Compagnie des Cent-Suisses, gardes du corps qui se maintiendront jusqu'en 1830. En 1516 (un an après la bataille de Marignan), François Iᵉʳ signa avec les cantons un traité d'alliance perpétuel qui permit à la France de recruter en Suisse de 6 000 à 16 000 h. de pied en temps de paix, et un nombre illimité en temps de guerre, à condition que les officiers soient suisses. Ils formèrent un corps d'élite (gardes suisses) sous l'Ancien Régime et furent les derniers à défendre Louis XVI. Intégrés par Napoléon aux régiments de la Grande Armée, les Suisses furent reconstitués en corps distincts par Louis XVIII en 1814 (régiment de Diesbach). Supprimés par Louis-Philippe en 1830, ils formèrent l'ossature de la Légion étrangère.

d'entretien du centre d'expérimentation du Pacifique, sécurité terrestre.

Marche. *Le Boudin* composé en 1862 par Wilhelm (2ᵉ étranger).

Nota. – Les généraux Franco et Milan Astray ont créé en 1920 une légion étrangère espagnole, le *Tercio,* pour servir au Maroc. Pendant la guerre civile, elle comprenait 90 % de volontaires espagnols.

Génie

Mission. *En temps de paix,* réalise et gère l'essentiel de l'infrastructure nécessaire aux Armées pour vivre et se préparer à combattre (domaine de 200 000 ha, dont 4 000 ha de surfaces bâties). *En temps de guerre,* assure : maintien en état et rétablissement des voies de communications ; création et mise en œuvre des systèmes d'obstacles ; la réalisation des installations protégées de combat, de commandement ou de stockage ; certaines missions logistiques : fourniture d'énergie, ravitaillement en matériaux.

Matériel de franchissement. *Coupures inférieures à 40 m : PAA :* pont automoteur d'accompagnement. AMX 13 poseurs de pont, disposant chacun de 2 travures de 12 m. Juxtaposées, permettent le passage des AMX 30 sur 22 m. Avec un chevalet autostable, on peut utiliser 2 engins et franchir ainsi une brèche de 40 m. *Coupures supérieures à 40 m : MLF :* moyens légers de franchissement, moyens de franchissements discontinus : bacs et portières gillois [bacs (couplés) : 24 véhicules ou 6 AMX 30 en 1 h ; portières (montage de 30 à 40 min) : de 4 à 6 rotations à l'heure, avec chaque fois 4 AMX 13]. *Moyens continus :* Pont Gillois (assemblage de portières) : 48 m en 40 min. Les 2 régiments du génie de corps d'armée possèdent chacun 4 engins-ponts et 2 engins rampe-travure permettant la construction de 96 m de pont par régiment (débit : 200 véh./h).

Formation du service du Génie. *Section technique des bâtiments, fortifications et travaux (STBFT) :* organisme d'études. *Directions de travaux* (25 en métropole) : organes d'exécution du Service régional.

Génie des forces de manœuvre et des forces du territoire. **Formations de l'armée.** *Division blindée :* 1 régiment du génie a 2 Cⁱᵉˢ blindées, 1 Cⁱᵉ mécanisée, 1 Cⁱᵉ d'appui, 1 Cⁱᵉ de commandement et des services. *Corps d'armée :* 2 régiments du génie comportant chacun 2 Cⁱᵉˢ de combat, 1 Cⁱᵉ d'appui, 1 Cⁱᵉ de franchissement. *Division d'infanterie :* 1 Cⁱᵉ de combat du génie, renforcée d'une section d'appui dotée de moyens de terrassement, de pose mécanique de mines, de franchissement légers. La zone de franchissement du Rhin conserve ses moyens actuels.

Autres formations. *Génie de l'air. Brigade de sapeurs-pompiers de Paris :* placée pour emploi sous l'autorité du préfet de police de Paris.

Écoles. *Angers* éc. d'application du Génie (dep. 1945). *Versailles* éc. sup. du Génie militaire (1946). *La Valbonne* éc. des plongeurs de l'armée de terre (1972). **Centres d'instruction du Génie.** *Metz* (électrotechnique et électronique ind.) CIG nᵒ 2. *La Valbonne* (matériels de franchissement) nᵒ 4. *Angers* (techniques du Génie : combat-travaux) nᵒ 6. *Avignon* (trav. publ. et construction) nᵒ 7.

Troupes de marine

Origine. *Infanterie de Marine* (créée 14-5-1831). Héritière des « compagnies ordinaires de la mer », mises sur pied par Richelieu en 1622 pour tenir garnison à bord des vaisseaux royaux. *Artillerie de Marine* (en 1692, avait été créé un corps d'artillerie de la marine et des colonies) et *Service de Santé de la Marine.* Groupes autochtones : *tirailleurs* sénégalais (1853), gabonais, haoussas, annamites (1879), tonkinois (1884), sakalaves, soudanais (1892). Appelés troupes coloniales (de 1901 à 1958, puis troupes d'outre-mer de 1958 à 1961. **Effectifs** (1991). 33 000 h. dont 10 000 engagés, 6 200 sous-off., 2 200 off., 14 500 app.

Vocation principale : service d'outre-mer. **Outre-mer** (90). *Antilles et Guyane :* 33ᵉ RIMa (régiment d'inf. de Marine). Corps interarmes, 9ᵉ BIMa (bataillon d'inf. de M.). 41ᵉ BIMA, 16ᵉ BCS (bataillon de commandement et soutien). *La Réunion :* 53ᵉ BCS. 2ᵉ RPIMa (Régiment parachutiste d'inf. de M.). Dans les DOM, des unités mixtes troupes de Marine-Génie, constituant le service militaire adapté (SMA), permettent aux jeunes du contingent d'effectuer un service mil. en exécutant des travaux d'intérêt général et en recevant une formation professionnelle. Aux Antilles-Guyane, un commandement du SMA regroupe les 1ᵉʳ, 2ᵉ, 3ᵉ régiments. Le 4ᵉ est à la Réunion. *Nouvelle-Calédonie :* Nouméa : Régiment d'inf. de M. du Pacifique (RIMaP), 42ᵉ BCS. Corps interarmes. *Polynésie :* Tahiti : rég. d'inf. de M. de Tahiti (RIMaT). 42ᵉ BCS, 53ᵉ BCS 57ᵉ BCS.

Domaine militaire en métropole

• **Composition** 4 200 emprises réparties dans 400 garnisons, sans compter les installations à la disposition des FFA et de nos forces à l'étranger. **Superficie totale** 254 882 ha, 28 millions de m² de surface bâtie développée, 6 091 immeubles dont 503 casernements, 45 écoles et centres d'instruction, 289 établissements de soutien relevant de la Direction centrale du matériel et de la Direction centrale du commissariat de l'armée de terre.

• **Principaux camps militaires (superficie en ha). Est :** *Suippes* (Marne) 13 500, *Mailly* (Aube) 12 000, *Mourmelon* (Marne) 11 400 (dont annexe de Moronvilliers 2 000), *Sissonne* (Aisne) 6 000, *Le Valdahon* (Doubs) 3 500, Bitche (Moselle) 3 500. **Ouest :** *Coëtquidan* (Morbihan) 5 300 (réservé aux écoles d'officiers), *Fontevrault* (Maine-et-Loire) 3 250, *Chambaran* (Isère) 1 600, *Le Ruchard* (I.-et-L.) 1 440, *Bourg-Lastic* (P.-de-D.) 810. **Sud :** *Canjuers* (Var) 35 000, *La Courtine* (Creuse) 6 200, *Caylus* (T.-et-G.) 5 500, *Les Garrigues* (Gard) 5 000, *Le Larzac* (Aveyron) 4 600 au 1-10-78 [1 projet d'extension à 16 600 ha afin de donner à chaque régiment la possibilité d'effectuer 3 séjours de 3 semaines par an et de faire manœuvrer ses unités élémentaires qui avait déchaîné l'opposition des paysans du Larzac soutenus par des écologistes, a été abandonné par le Pt Mitterrand en juin 1981].

☞ **% de la superficie des pays occupés par les camps militaires.** Hongrie 1,9 ; All. dém. 1,85 ; Tchéc. 1,3 ; All. féd. 0,7 ; G.-B. 0,58 ; *France 0,45 ;* Pologne 0,36.

Ces forces seront progressivement retirées d'Allemagne entre 1991 et 1994. 1ers retraits prévus d'ici le *31-8-91 :* état-major et 11 formations appartenant principalement à la 3e DB. *En 1992 :* état-major et formations appartenant principalement à la 5e DB. Ainsi, 7 garnisons seront totalement évacuées : Fribourg, Oppenbourg, Reutlingen, Kaiserslautern, Munsingen, Neustadt, Friedrichshafen. Les forces du secteur français de Berlin et la Brigade franco-allemande ne sont pas touchées.

Ces retraits résultent du traité « 4 + 2 » signé à Moscou le 12-9-90 marquant la réunification de l'Allemagne, du traité FCE sur la réduction des forces conventionnelles en Europe et de la réduction des effectifs dans l'armée de Terre de 285 000 à 250 000 h. (pour raisons budgétaires) ainsi amorcée de façon indolore sur la vie locale française.

Secteur français de Berlin (juil. 1991). 2 500 h. dont 60 % appelés, 1 150 civils (surtout allemands), avec les familles plus de 6 000 pers. Force orientée plus particulièrement vers le combat en milieu urbain, prête à se mettre sur pied et à se déployer en moins de 2 h. Ne relève pas du statut de l'OTAN et n'est pas concernée par les réductions des effectifs outre-Rhin. *Armée de terre :* 2 160 h. dont 1 état-major, 1 régiment d'infanterie (46e RI), 1 de chars (11e RC, 39 chars AMX 30 équipés combat urbain), 330 h. armant la BA 265 et 1 cie du génie, armes et services de soutien. *Air :* 330 h. armant la BA265 assurant par ailleurs la direction de l'aéroport international de Berlin (3e aéroport français après Roissy et Orly pour le trafic à 97 % civil). *Gendarmerie :* 1 détachement prévôtal réduit veillant à la sécurité et au respect de la législation. *Service de santé :* pour ces forces et leurs familles. *Retrait :* possible dans 4 à 5 ans.

Brigade franco-allemande. *Créée* 1988. *État-major (à Böblingen) :* 31 Fr. et 22 All. sous les ordres du Gal Jean-Pierre Sengeisen (de l'armée franç.), secondé par le colonel Günther Wassenberg (de la Bundeswehr). 200 chars de combat, 1 000 véhicules, 4 200 h. dont 2 063 Fr. [1 escadron de reconnaissance à Böblingen, 1 régiment blindé et le 110e Rég. d'infanterie basés à Donaueschingen (équipés de VAB)] et 2 137 All. [1 bataillon d'infanterie , 1 bat. d'artillerie basé à Horb Neckar, 1 compagnie de génie et 1 comp. de chasseurs de chars basée à Stetten (où se trouve 1 bat. mixte de soutien de 650 h.)]. La mixité n'est pour le moment assurée qu'au quartier général et au bataillon de soutien de Stetten. Les autres unités sont pour le moment nationales. En temps de crise, la brigade peut passer sous contrôle opérationnel soit allemand (forces territoriales), soit français, soit OTAN.

• **Forces stationnées outre-mer.** *Potentiel :* en 1990 11 784 h. (active 5 390, appelés 54 305, civils 1 681). *Organisation : 1°* forces dites de souveraineté dans les DOM/TOM (Martinique, Guadeloupe, Guyane, Réunion, Mayotte, N.-Calédonie et Polynésie) et dans 4 États liés à la France par des accords de défense (Sénégal, Côte-d'Ivoire, Gabon, Djibouti). *2°* actuellement, env. 15 unités élémentaires de toutes les armes effectuent des séjours outre-mer de 4 à 6 mois, soit en renfort des forces précédentes, soit dans le cadre des éléments français d'assistance opérationnelle (EFAO), en Rép. centrafricaine. Au titre de l'assistance milit. technique, l'armée de terre fournit à 30 États, dont 20 en Afrique, + de 650 h. pour aider au développement et à l'instruction des Armées nationales. *3°* env. 1 500 h. effectuent des séjours de 6 mois au sein de la Force Intérimaire des Nations Unies au Liban (FINUL) dans le cadre du bataillon français ou du 420e détachement de soutien logistique.

Organisation structurelle

Corps d'armée (CA). Échelon de conduite de la manœuvre aéroterrestre, de mise en œuvre du feu nucléaire tactique, et de soutien logistique des forces. Il dirige la manœuvre tactique des divisions dans un cadre national ou interallié. Il constitue un échelon logistique complet capable de ravitailler et soutenir l'ensemble des forces placées sous son commandement. *Composition :* 50 000 à 70 000 h. répartis entre : 3 ou 4 divisions, dont au moins 1 d'infanterie ou 1 légère blindée issue des écoles ; des éléments organiques de CA dont une partie peut être mise en renforcement des divisions, comprenant env. 15 régiments incluant des moyens de commandement (transmissions, acquisitions d'objectifs), les régiments *Pluton,* des moyens de combat (cavalerie légère blindée, aviation légère) et des moyens d'appui (artillerie sol-sol et sol-air, génie, circulation routière et défense NBC), 1 brigade logistique chargée d'assurer ravitaillement, maintien en condition et soutien santé de toutes les formations ; une grande unité de la FAR, ou une grande unité alliée, peut être donnée en renfort au CA ou placée sous son contrôle opérationnel.

Division blindée. Grande unité interarmes organisée, équipée et entraînée en vue de conduire un combat mobile, en ambiance nucléaire et chimique contre les formations blindées et mécanisées de l'adversaire. *Composition :* 2 ou 3 régiments de chars, 2 d'infanterie mécanisée, 1 d'infanterie motorisée, 2 d'artillerie incluant chacun une section sol-air, 1 du génie, 1 escadron d'éclairage et une compagnie antichar, 1 rég. de commandement et de soutien. *Effectif :* 10 000 h. *Matériel :* AMX 30 (174 à 190), AMX 10 (114), VAB (280), moyens antichars et mortiers (48 Milan, 13 mortiers 120, 12 VAB/Hot, 12 SATCP). Les rég. d'artillerie seront dotés de 40 155 AU F1 à grande cadence de tir.

Nota. – Char Leclerc. Besoins prévus : 1 400 chars en parc, pour 1 100 en ligne de bataille (100 unités produites par an). Ainsi le régiment blindé français compterait 80 chars (au lieu de 52) avec 2 bataillons chacun, et se rapprocherait de l'organisation des régiments de chars soviétiques.

Division d'infanterie. Grande unité conçue pour mener en ambiance NBC des actions agressives en mettant à profit les qualités traditionnelles de l'infanterie combattant à pied dans les terrains couverts, coupés, urbanisés, de nuit, par mauvaise visibilité. *Composition :* 3 régiments d'infanterie, 1 blindé, 1 d'artillerie incluant une composante sol-air, 1 bataillon du génie, 1 r. de com. et de soutien. *Effectif :* 7 500 h. *Matériel :* 400 VAB, 96 Milan, 3 AMX 10 RC, 24 155 BF, 18 mortiers 120, 1 SATCP.

Division légère blindée-école. Constituée à partir des personnels et matériels servant en temps de paix à l'instruction des cadres de l'armée de terre. *Composition :* 2 régiments d'infanterie, 2 r. blindés, 1 r. d'artillerie, 1 compagnie du génie, 1 r. de commandement et de soutien. *Effectif :* 5 000 h. *Matériel :* 35 à 54 chars, 100 véhicules blindés, 30 pièces d'artillerie et mortiers lourds, 36 à 48 Milan.

Armes et Services

Aviation légère de l'Armée de terre (ALAT)

Organisation. *Commandement :* Villacoublay. *Régiments d'hélicoptères de combat :* au niveau du corps d'armée et de la FAR, articulés en escadrilles de renseignement, antichars et de manœuvre. *Groupes d'hélic. légers* articulés en plusieurs esc. au niveau du corps d'armée ou de la zone de défense. **Écoles :** *Dax* (spécialisation) ; le *Cannet-des-Maures* (application). 6 000 h.

Appareils utilisés. SE 3160 Al. 3 ; SA 341 Gazelle ; SA 342 Gazelle ; SA 330 Puma. Au total, 620 hélicoptères et 80 avions de liaison et d'observation.

Arme blindée et cavalerie

• **Origine.** Issue de la fusion de la cavalerie et des chars de combat. **Écoles :** *Saumur* (application), *Camp de Fontevrault* (à 15 km de Saumur) (instruction tactique), *Carpiagne* (centres d'instruction), *Canjuers* (Var) (centre de perfectionnement des cadres et d'instruction des tireurs).

• **Organisation. Régiments de cavalerie légère blindée.** *2 types :* 1° 240 véhicules dont 63 blindés ; 850 h. Articulés en 1 escadron de commandement et des services et 4 esc. de combat équipés en AMX 10 RC (canon 105 mm, 1 mitrailleuse 7,62, engin blindé de reconnaissance). Canon de 90 et 3 mitrailleuses légères, autonomie 600 km. 2° 150 véhic. (dont 50 blindés) ; 700 h. Articulés en 3 esc. de combat équipés d'AML (automitrailleuse légère, autonomie 550 km, mortier 60 m, canon 90 mm). **Régiments de chars de bataille.** *Effectifs :* 800 (officiers 42, s.-off. 138, h. 620). 53 chars, 25 véhicules blindés, 190 véh. à roues. *Organisation :* 4 escadrons de chars (13 AMX 30), 1 esc. porté (13 AMX 10, 100 combattants à pied), 1 peloton de reconnaissance (avec Jeep), 1 de plongeurs (aide au franchissement des cours d'eau), 1 de commandement, 1 de soutien (15 chars, 80 véhicules à roue). *Mission offensive :* s'infiltrer dans le dispositif ennemi pour détruire ses moyens logistiques et livrer des combats à front renversé [faiblesses actuelles : 1° capacité antiaérienne limitée ; 2° supériorité temporaire des projectiles antichars sur les blindages ; 3° forte dépendance des moyens logistiques ; 4° insuffisance du nombre des combattants à pied]. **Régiments mécanisés.** 1 000 h., dont 250 combattants à pied, 20 chars AMX 30 (canon 105 mm, 1 mitrailleuse 7,62), 44 véhicules tout terrain AMX 10, 6 mortiers de 80 mm. *Organisation :* 2 compagnies méc. (AMX) à 4 sections méc. + 1 section Milan ; 2 comp. de chars (AMX 30) à 3 sections de char + 1 section méc., 1 comp. de commandement d'appuis et des services (CC AS) à 1 section d'éclairage et de renseignement (SER), 1 de mortiers lourds (SML) et 1 de protection. *Missions :* offensive (renseignement, destruction du système antichar) ; défensive (freinage de l'attaque ennemie, réactions contre-offensives, action d'arrêt). *Manœuvre :* mobile, dans une zone d'engagement de 5 à 6 km de front (pouvant être portée à 12 km). *Cibles :* chars (avec 20 AMX 30, 16 Milan, 55 lance-roquettes) ; personnel à pied (avec 700 fusils 5,56, 44 canons de 20 mm, 6 mortiers de 120 mm) ; avions (64 canons 20 mm).

Artillerie

• **École d'application.** (EAA) *Draguignan.*

• **Organisation. Artillerie sol-sol.** *Régiment d'artillerie :* équipé de 155 AUF1, 155 TR, sont équipés de RATAC (radar de tir de l'artillerie de campagne), portée : 20 km. Des rég. identiques, mais équipés de 155 mm tractés, existent pour des réserves gén. *Rég. d'artillerie de montagne :* équipés de 105 mm HM2. *Artillerie parachutiste,* équipée de 105 mm largables ou démontables en fardeaux.

Artillerie sol-air. *Régiment Roland :* 2 batteries de 8 blindés Roland (missile sol-air basse altitude portée 6 km), avec radar de surveillance, radar de tir et calculateur – 1 batterie de 12 blindés bitubes de 30 mm (canons jumelés antiaériens très basse altitude d'une portée de 3 km, 1 200 coups/mn), avec radar de veille et télémétrie. *Rég. Hawk* (défense antiaérienne contre avions supersoniques volant jusqu'à 18 000 m) : à l'échelon du corps d'armée : missiles Hawk, radars de veille, de poursuite, illuminateurs, centre de contrôle équipé d'un terminal de transmission automatique des données.

Autres unités. Aux missions particulières. *Unités géographiques* (travaux topographiques, cartographiques ou d'impression). *Unités de détection et de décontamination.*

Nota. – Le système Atila (automatisation des tirs et des liaisons de l'artillerie), fondé sur l'ordinateur Iris 35 et utilisé dans les rég. Pluton, élabore les ordres et les informations initiales à fournir à l'engin en fonction de la cible et du type de trajectoire choisis, les extrapole pour les cibles mobiles.

Infanterie

• **École d'application.** *Montpellier* (EAI). **Principales unités.** *Rég. d'infanterie. Rég. parachutistes.*

• **Matériel. Armement.** *Antipersonnel :* pistolet automatique (PA) ; dep. le 5-12-79 : fusil semi-autokm, sur 185 ha, dispositif souterrain pour montage, entretien et stockage des missiles et des têtes nucléaires. Après 5 ou 6 ans de service, ils entrent en grand carénage (13 mois) ; après 10 à 12 ans, en refonte (2 ans). Chacun a 2 équipages de 135 h. se relayant sans discontinuer et effectuant des croisières sous-marines de 73 j (90 j max.). 3 SNLE sont en patrouille permanente. Leur commandement est assuré à partir du PC de Houilles (Yvel.), relié en permanence aux SNLE en patrouille par l'intermédiaire du centre de transmissions de Rosnay (Indre) (puissance moyenne rayonnée d'env. 500 kW, signaux basse fréquence pénétrant dans l'eau pour réception en plongée) et d'une station de secours à Kerlouan (Finistère).

Nota. – Proportion des forces nucléaires sol/sol (en silos) : 8,2 % de la force nucléaire française (USA 25 % ; URSS 75 %). Cette proportion s'explique : Amér. et surtout Soviét. ont recherché les moyens d'une stratégie de coercition (destruction préventive des armes de l'autre de manière à ne pas avoir à en subir les effets) exigeant des armes précises et très nombreuses (cas de l'URSS). La France n'a envisagé qu'une stratégie de dissuasion consistant à pouvoir infliger à l'adv. des dommages sup. à l'enjeu que représente pour lui la France.

Missile sol-sol balistique mobile. Programme abandonné (déclaration ministérielle du 22-7-91). Le territoire français et son réseau routier ne se prêtent pas à ce genre de transport qui ne peut souffrir le moindre risque (accident ou attentat). La proposition de les cantonner dans des camps militaires avec ordre de dispersion en cas de crise n'a pas semblé convaincre les responsables politiques.

ASLP (Air-sol longue portée). Dérivé de l'ASMP : portée 600 à 1000 km + rayon d'action avion, tête 300 kt. Seul projet restant pour le remplacement des Mirage IV et S3 d'Albion, dépassés ou vulnérables. *Avantages :* coopération internationale possible (G.-B. non confirmée pour le moment). Souple d'emploi, peut être déployé partout (avec têtes classiques si nécessaire). *Inconvénients :* plus repérable, moins affranchi des conditions extérieures, vulnérable au sol (destruction préventive des bases)

Forces nucléaires tactiques

• **Armement nucléaire tactique (ANT), préstratégique (ANP). Effectifs totaux.** 11 413 (dont 4 855 mil. act., 6 071 ap. et 487 civ.). *Rôle :* Conçu pour être utilisé contre des forces adverses (forces engagées au combat ou contre leurs arrières), accroît le caractère dissuasif des forces classiques. Son utilisation, sur décision du Pt de la Rép., constituerait pour l'adversaire un ultime avertissement avant le déclenchement de la riposte nucléaire stratégique.

La recherche s'oriente actuellement vers l'arme à rayonnement renforcé *(bombes à neutrons).* Voir p. 1817b.

Charge nucléaire tactique commune aux 3 armées : 10 à 25 kt de TNT. *Charges devant équiper les systèmes d'armes futurs :* de quelques kt à 300 kt.

a) Composante terrestre. Pluton. *Effectifs* 6 356 (dont 1 465 mil. act., 4 883 ap. et 8 civ.). *4 régiments* [camp de Mailly 3ᵉ R.A. (rég. d'artillerie), Laon Couvron (4ᵉ), Belfort (camp des Fougerais) (74ᵉ), Oberhoffen (près de Haguenau) (32ᵉ)] (chacun de 1 000 h., 300 véhicules, 3 batteries de tir, de chacune 2 rampes Pluton ; 1 batterie de commandement et des services ; 1 batterie de sécurité) ; *au total* 30 blindés AMX 30 pouvant lancer des missiles Pluton (mis en service en 1974), longueur 6,3 m, 2 t (3 avec le conteneur de lancement) à 1 étage, portée 17 à 120 km ; précision 200 à 400 m, charge à fission au plutonium de 10 à 25 kt, mise en service en 30 min entre 1ʳᵉˢ instructions et tir ou 5 min en cas de préavis (les opérations préalables ayant été exécutées).

Le lanceur peut être rechargé pour une seconde salve. Le 5ᵉ régiment Pluton [15ᵉ R.A. de Suippes est en cours de transformation pour recevoir le Hadès (opérationnel en 1992)].

Système de remplacement : Hadès (dieu des enfers dans la mythologie grecque) : *système* semi-balistique dans l'atmosphère avec pilotage automatique. Statoréacteur 1,5-2 t. *Portée* 480 km. *Précision* excellente. *Puissance* 80 kt. *Coût :* 13,5 milliards de F (1990) au total (1 missile : 17 millions de F) ; pourrait être doté d'armes à rayonnement renforcé (b. à neutrons), en nombre limité. Missile très supérieur au Pluton en matière de pénétration (vitesse, manœuvres terminales...). Hadès sera mis en service à partir de 1992. *Prévu 3 puis 2 régiments* [camp de Suippes (15ᵉ R.A.), Mailly (3ᵉ R.A.)]. Les régiments Hadès seront regroupés au sein d'une grande unité autonome (40 missiles sur 20 véhicules). L'intérêt du Hadès a été discuté : sa portée maximum est encore faible pour tirer au-delà des pays amis, mais trop forte pour invoquer une menace directe sur le territoire (d'où des risques de représailles désastreuses).

b) Composante aérienne (FATAC). 270 avions en ligne, 12 686 h. (dont 7 233 milit. act., 4 979 ap., 474 civ.), **18 escadrons dont 5 à vocation nucléaire prestratégique : 3 escadrons de 45 Mirage 2000 N, 2 escadrons de 30 Jaguar** de la 7ᵉ escadre de chasse (monoplace propulsé par 2 réacteurs Adour, rayon d'action 750 km à très basse alt., ravitaillement en vol). Sont armés de l'AN 52, bombe nucléaire de 25 kt ; seront équipés de l'ASMP : propulsion par statoréacteur, long. 5 m, 800 kg, portée de 100 à 300 km, vit. Mach 2 à 3, tête 100 à 300 kt à fission, missile manœuvrant sur programme pour contourner relief et éviter passage sur défenses adverses, durci pour résister aux ABM.

c) Composante maritime. 150 milit. *2 flottilles de Super-Étendard* (40 avions, rayon d'action 700 km) aptes à larguer l'AN-52 et l'ASMP. Basées à Landivisiau et Hyères ou embarquées à bord des porte-avions *Clemenceau* et *Foch* (pouvant embarquer chacun 40 aéronefs).

B – FORCES CLASSIQUES

1 – Forces terrestres

Généralités

• **Effectifs** (1991, non compris soutiens, forces nucléaires et d'outre-mer). 219 192 h. (dont 70 825 mil. act., 138 890 ap. et 9 477 civ.) dont corps blindé et mécanisé 126 060, force d'action rapide (FAR) 48 754, forces du territoire 33 729, autres forces 10 649.

Heures de sortie (1990). Norme 100, dont 50 à potentiel économique en matériel. Normes atteintes en 90 ; sans doute dépassées en 91 avec Daguet. A noter que les simulateurs et entraîneurs de vol ont fait économiser 19 000 h de Gazelle et 5 000 de Puma.

• **Principaux matériels.** 1 340 chars AMX 30 et 30 B2, 326 AMX 10 RC, 147 ERC 90 Sagaie, 135 VAB Hot, 3 523 VAB, 242 canons de 155 AUF1, 30 canons de 155 tractés, 370 mortiers, 1 440 postes antichars Milan, 180 postes sol-air Roland, 351 hélicos SA 341 et 342, 152 hélicos de transport SA 330 Puma, 20 hélicos de transport Super Puma, 1 940 m de pont flottant motorisés (PFM), 70 postes sol-air très courte portée (SATCP), 28 EB4.

• **Rôle.** Contribuer à assurer la sécurité de l'appareil de défense – en particulier les moyens nucléaires et les centres de décision et de transmissions – contre toute agression y compris terroriste et préserver ainsi la liberté d'action du gouvernement ; mener un combat classique visant à détruire aux abords du territoire national ou à en rejeter un ennemi qui tenterait d'y prendre pied ; combattre de façon autonome ou en coopération avec nos Alliés en exécution notamment de nos accords et traités d'alliance ; participer à l'extérieur de la métropole à toute action que le gouvernement jugerait opportun d'entreprendre dans un cadre national ou international pour la défense de notre souveraineté, la sauvegarde de nos intérêts, l'application d'accords d'assistance, le respect des règlements internationaux et le maintien de la paix ; pouvoir assurer toute mission humanitaire ou de service public et concourir à l'effort de sécurité générale à la requête des autorités civiles.

Principales composantes

Sous réserve des restructurations en cours (Plan Armées 2000) dont toutes les modalités ne sont pas encore connues.

• **1ʳᵉ armée. Corps blindé-mécanisé (CBM). Effectif** 121 116 h. **Organisation :** état-major de la 1ʳᵉ Armée (à Metz depuis juillet 1991, auparavant Strasbourg) et éléments organiques d'armée, états-majors de 2 corps d'armée et éléments organiques, 6 divisions blindées, 2 div. d'infanterie, 2 div. légères blindées issues des écoles. **Capacité :** *chars :* 1 197 (après réorganisation) AMX 30 B2 en remplacement des AMX 30 ; *artillerie :* 336 canons de 155 AUF1 et TRF1 + 48 lance-roquettes multiples (LRM) (1 régiment de LRM) lançant 24 lanceurs en 4 batteries (24 roquettes en 1 minute) à moyen terme ; *blindés canons à roues :* 228 (la FAR en a 180) ; *hélicoptères :* 192 (la FAR a 241 hél.) ; *VAB/Hot :* 96 ; *missiles antichars :* 666 ; *Roland :* 144 ; *SATCP* (missile sol-air à très courte portée) 212 (à moyen terme).

Articulation des 3 corps d'armée. 1ᵉʳ C.A. (PC à Lille) : 7ᵉ DB (Besançon) ; 10ᵉ DB (Châlons-sur-Marne) ; 14ᵉ DLB (Montpellier) ; 2ᵉ DB (Versailles) ; 8ᵉ DI (Amiens) ; 12ᵉ DLB (Saumur) ; **2ᵉ C.A.** (PC à Baden) : 1ʳᵉ DB (Trèves) ; 5ᵉ DB (Landau) (3ᵉ DB dissoute, ses éléments étant repliés sur la France en août 91, la 5ᵉ DB devant suivre en 92) ; 15ᵉ DI (Limoges).

• **Force d'action rapide (FAR)** [PC à Maisons-Laffitte]. **4ᵉ DAM (division aéromobile)** [Nancy]. *Potentiel :* 6 000 h., + de 200 hélic., + de 400 lance-missiles antichars. 3 régiments d'hélicoptères de combat, 1 r. de combat aéromobile, 1 r. d'hélic. de commandement, de manœuvre et de soutien. *Mission :* détruire ou arrêter les forces vives blindées ennemies (ne conquiert ni ne défend le terrain). Peut combattre seule ou en précédant les forces blindées mécanisées amies, mais obtient son meilleur rendement en conjuguant son action avec celle de la 6ᵉ DLB.

6ᵉ DLB (division légère blindée) (Nîmes). *Potentiel:* 7 500 h., 72 blindés canon, 24 VAB/HOT, 340 VAB, 36 pièces d'artillerie et mortiers lourds, 48 Milan. 2 régiments blindés sur roues, 2 r. d'infanterie sur VAB, 1 r. d'artillerie incluant une batterie sol-air, 1 r. de génie, 1 r. de commandement et de soutien.

9ᵉ DIMA (division d'infanterie de marine) (St-Malo). *Potentiel:* 8 000 h., 36 blindés canon, 48 pièces d'artillerie et mortiers lourds, 120 Milan. 3 rég. d'inf. motorisée, 1 r. blindé avec 1 escadron antichar, 2 compagnies du génie, 1 r. de com. et de soutien, 1 r. d'inf. supplémentaire lui est rattaché en temps de paix (il reçoit une mission territoriale spécifique en temps de crise ou de guerre). *Aptitude particulière :* être engagée par voie routière, aérotransport, héliportage ou par des moyens amphibies pour conquérir une zone de sûreté et l'infrastructure nécessaires à l'acheminement de renforts ultérieurs.

11ᵉ DP (div. parachutiste) (Toulouse). *Potentiel :* 13 000 h., 36 blindés canon, 54 pièces d'artillerie et mortiers lourds, 168 Milan. Spécialement organisée et entraînée pour agir outre-mer et en Europe. 6 rég. d'infanterie, 1 de cavalerie légère blindée, 1 du génie, 1 d'artillerie, 2 de com. et de soutien. Peut être engagée, groupée ou articulée en groupements organiques ou temporaires, seule ou en complément de la manœuvre des grandes unités de la FAR ou du corps blindé-mécanisé. *Aptitudes particulières :* interventions rapides par surprise à longue distance, combat temporaire d'interdiction de zone contre les blindés, actions décentralisées de style commando pour la recherche du renseignement, la saisie ou la destruction d'objectifs ponctuels.

Unités de para-commandos CRAC (Commandos de renseignement et d'action en profondeur) : 160 chuteurs opérationnels spécialisés dans la lutte contre les arrières adverses.

Nota. – En mars 1990, force d'urgence de 180 parachutistes de la 11ᵉ DP larguée pour la 1ʳᵉ fois à 6 000 km sans escale au Togo.

27ᵉ DA (division alpine) (Grenoble). *Potentiel :* 9 000 h., 36 blindés canon, 60 pièces d'artillerie et mortiers lourds, 108 Milan. *Actions en terrain très difficile :* 6 corps d'infanterie, 1 r. blindé à roues avec un escadron antichar, 1 r. d'artillerie et une composante sol-air, 1 bataillon du génie, 1 r. de commandement et de soutien. *Unités :* Grenoble, Annecy, Briançon (15/9), Gap (4ᵉ RCA), Chambéry, Vars et Barcelonnette [11ᵉ BCA 6 compagnies, 1 000 h., dont 800 appelés). Remplacé (10-11) par 2 nouvelles unités militaires : centre d'entraînement en montagne de Barcelonnette (166 permanents, 520 stagiaires) et groupement d'instruction de Jausiers (101 permanents et 267 appelés)].

• **Forces d'appui du Corps de manœuvre.** 10 649 h. (forces d'appui de CBM et de la FAR, forces d'appui logistiques, forces stationnées à Berlin, élément français de la brigade franco-allemande.

• **Forces de défense du territoire.** 33 729 h. (articulées en *forces du niveau* zone de défense ; du niveau division militaire territoriale, d'appui des forces de défense du territoire).

• **Forces françaises en Allemagne (FFA).** La France entretenait 1 corps d'armée (le 2ᵉ Trèves) stationné dans 28 garnisons du sud de l'All., constitué de 3 divisions blindées, 48 000 h. : active 11 600, appelés 34 450, air 1 200, gendarmerie 750 + familles et personnels civils 32 000 (dont 11 800 enfants scolarisés sur place et 950 enseignants ou agents relevant du min. de l'Éducation nationale) ; 1 détachement à Berlin, non compris la brigade franco-all.

Responsables

Ministre de la Défense : Pierre Joxe (28-11-34). **Chef d'État-Major des Armées :** Amiral Jacques Lanxade (08-09-34). **Délégué général pour l'Armement :** Yves Sillard (5-1-36). **Chefs d'É.-M.** *Terre :* Gal d'armée A. Monchal (27-08-35) ; *Marine :* Amiral A. Coatahca (27-03-33) ; *Air :* Gal d'armée aérienne Jean Fleury (1-12-34). **Chef du contrôle gén. :** Contrôleur gén. Cailleteau (17-5-38). **Gendarmerie :** *Dir. :* Charles Barbeau (23-12-32). *Major Gal :* Gal Mary-Jean Voinot (30-04-34). **Direction gén. de la sécurité extérieure (DGSE).** *Dir. gén. :* Claude Silberzahn (18-3-35). **Directeur de la surveillance du territoire (DST) :** Jacques Fournet (7-2-46). **Secrétaire général de la Défense nationale :** Guy Fougier (13-3-32). **Commandant de la FAR : Gal Roquejoffre (28-11-33). Commandant de la 1re armée :** Gal Jean Cot (6-4-34), commandant de la Fost. **Inspecteurs généraux.** *Marine :* Amiral Michel Merveilleux du Vignaux (25-4-32). *Air :* Gal de corps aérien Vincent Lanata (7-6-35). *Terre :* Gal d'armée Dupont (30-09-31). *Gendarmerie :* Gal de corps d'armée Édouard Amardeil (18-10-33), dep. 1-8-90.

Effectifs militaires totaux. Y compris la gendarmerie. **1962 :** 1 027 807 (dont en Algérie 441 346 et outre-mer 42 004). **1965 :** 611 000 (dont Alg. 18 500 et O.-M. 37 000). **1970 :** 566 610. **1975 :** 584 405. **1980 :** 584 579 (dont O.-M. 16 408). **1985 :** 560 165 (+ 141 675 civils). **1986 :** 557 893 (dont active 309 571, appelés 248 322). **1988 :** 557 904. **1990 :** 549 647. **1991 :** 542 359 (dont active 300 643, appelés 241 716).

Effectifs civils budgétaires. 1989 : 132 095. **90 :** 129 601. **91 :** 127 778 (T 37 762, M 7130, A 5 403, Gend. 967, Section commune 76 516).

De 1980 à 91, le nombre de militaires d'active dans les 3 armées a baissé de 7,5 % : 210 429 (au lieu de 227 483), dont armée de terre 106 814 (au lieu de 115 385) (–7,4 %), marine 46 197 (au lieu de 49 928) (–7,5 %), armée de l'air 57 418 (au lieu de 62 170) (–7,6 %). Cette évolution semble devoir se poursuivre particulièrement pour l'armée de terre.

Répartition par armée

Militaires	Terre	Air	Marine
1962	721 102	139 873	78 506
1965	365 000	113 000	67 000
1970	321 916	104 263	69 141
1975	331 522	102 078	68 315
1980	314 253	100 625	67 937
1985	299 826	96 547	67 040
1988	295 989	94 892	66 090
1990	288 553	93 118	65 294
1991	280 318	89 278	65 295

1991. Terre. *Total* 318 080 dont *personnels de carrière ou sous contrat :* 106 814 [dont officiers 19 440 (dont généraux 195, officiers supérieurs 7 091, officiers subalternes 11 804) ; sous-off. 61 055 (dont aspirants et élèves officiers 564) ; militaires du rang 34 736]. *Appelés :* 171 547 (dont officiers et aspirants 2 047 ; sous-off. 5 762). *Civils* 37 762.

Marine. *Total* 72 425 [dont *active* 46 197 (off. 4 684 ; sous-off. 31 614 ; h. du rang 9 639) ; *appelés* 19 752 [dont officiers et aspirants 481, sous-off. 88] ; *civils* 7 130.

Air. *Total* 98 264 (dont *active* 57 418 ; *appelés* 35 443) ; *civils* 5 403.

Gendarmerie. *Total* 90 245 [dont *active* 78 676 (dont officiers 2 648 ; sous-off. 76 608 ; h. du rang 200)] ; *appelés* 10 907 ; *civils* 967.

Services communs. *Total* 91 123 (dont *active* 11 538, *appelés* 3 069) ; *civils* 75 516.

Effectifs hors d'Europe (1991). 32 036 dont Mer 7 656, Gendarmerie 5 436, Air 3 577, section commune 970 (dont DGA 536).

☞ On peut considérer l'organisation des forces armées sous 2 aspects : *1°) fonctionnel* par 4 systèmes de forces spécifiques et polyvalentes (forces nucléaires stratégiques, armement nucléaire préstratégique, forces classiques, forces d'outre-mer), et 5 de fonctions (recherches et essais, organismes de fonction, organismes de soutien des personnels, organismes de soutien des matériels, administration générale) ; *2°) structurel* (armée de terre, marine, armée de l'air, gendarmerie).

Quelques précisions

• **Taux d'encadrement** (1991). Officiers et entre par. sous-officiers (y compris les aspirants) en %. *Air* 8 (47). *Terre* 6,9 (21,8). *Marine* 7,2 (48). *Gendarmerie* 3 (85). *Ensemble* 6,5 (40). [RFA 5,5 (25,5), G.-B. 10,5 (26), USA 11 (32), URSS 14 (28)].

Il y avait en *1960 :* 1 général pour 2 600 appelés, 1 off. sup. pour 87 appelés. En *1976 :* 1 général pour 1 200 ap., 1 off. sup. pour 35 appelés.

• **Femmes** (1988). **Terre.** 8 666 (de carrière ou sous contrat) dont 304 off., 6 053 sous-off., 1 414 mil. de rang. Volontaires : 1 713. **Air.** 5 796 dont 229 off., 4 107 sous-off., 1 307 MDR. **Marine.** 1 814 dont 58 off. (*en 1985 :* 30, *en 1989 :* 64), 850 off.-marin. (en *85 :* 720), 739 MDR (en *85 :* 360). Volontaires : 162 (en *85 :* 180). **Gendarmerie.** 1 747 dont 169 off. (86), 1 340 sous-off. dans emplois adm. spéciaux, 254 MDR. Volontaires : 151.

Femmes européennes à l'armée (1988). *France 18 311 (dont officiers 1 037, sous-officiers 13 837, soldats 3 487) ;* G.-B. 16 000 (dont o. 2 300, s.-o. + s. 13 700) ; Belgique 3 282 (dont o. 129, s.-o. 699, s. 2 454) ; Grèce 2 232 (dont o. 370, s.-o. + s. 1 862) ; P.-Bas 2 026 (dont o. 231, s.-o. 370, s. 1 425) ; Danemark 978 (dont o. 65, s.-o. 122, s. 791) ; Espagne 224 (dont o. + s.-o. 28, s. 196) ; All. féd. 194 (dont o. 194) ; Portugal 164 (dont o. 14, s. 150) ; Irlande 62 (dont o. 29, s. 33) ; Luxembourg 17 (dont s.-o. 1, s. 16) ; Italie 0.

I – Systèmes de Forces

A – FORCES NUCLÉAIRES

• **Conditions d'emploi.** Les armes nucléaires stratégiques et tactiques (AN-52, ASMP et Pluton) ne peuvent être utilisées que sur ordre ou autorisation expresse du Président de la République (ou en son absence PM).

L'évaluation des menaces est élaborée au CODA (Centre opérationnel de la défense aérienne) dans des galeries bétonnées sous 60 m de gypse. Elle peut entraîner des ordres de tirs qui sont transmis soit par le Centre d'opérations des forces aériennes stratégiques (COFAS), installé à Taverny (Val-d'Oise), éventuellement relayé à Mont-Verdun (Rhône) et à Évreux aux postes de tir des missiles enfouis au plateau d'Albion (Hte-Prov.) et aux escadrons de bombardiers Mirage IV, soit par ALFOST (Centre des opérations de l'Amiral commandant la Force océanique stratégique), à Houilles, aux sous-marins nucléaires, lance-missiles en patrouille. 1989-90 : le réseau Astarté a été créé (avion station-relais de transmissions exceptionnelles) avec 4 PC volants Transall, capables de relayer les PC rendus inopérants en cas de crise ou de guerre (avec lesquels il est en relation par le réseau Ramsès).

En alerte permanente, le réseau CODA permet de détecter tout appareil dans une zone aérienne de 6 millions de km² (2 400 km de côté) ; il centralise l'information grâce au système STRIDA (voir Index). Un réseau de guet à vue (vision humaine) est disposé aux frontières pour prévenir les pénétrations à basse alt. Tout avion non identifié provoque le décollage d'un intercepteur. Cet ensemble de détection est vulnérable aux tirs d'engins précis.

Nota. – **Programme Hermès (1989) :** coût 1,37 milliard de F, sera un réseau maillé de transmissions, réparti sur 80 sites sur le territoire national et transmettra l'ordre d'engagement venu de l'Élysée aux Forces aériennes stratégiques et aux Forces préstratégiques (le réseau Astarté deviendra son sous-programme).

Programme Ramsès. (réseau amont maillé stratégique et de survie). Réseau de transmissions protégé contre les menaces adverses et l'IEM (impulsion électromagnétique) reliant les PC des centres de décision gouvernementaux à l'avion Astarté, aux principales unités de forces nucléaires stratégiques, aux PC des forces nucléaires préstratégiques et aux systèmes d'armes associés, aux abonnés concourant à la mise en œuvre de l'arme nucléaire. *Ramsès Initial (1988) :* dessert les principales autorités gouvernementales et militaires de la région parisienne, les bases Astarté et les stations sol-air Astarté. *Ramsès Étape 2 (1989-93) :* différentes extensions, principalement dans l'Est et le Sud, dessert les PC de la 1re Armée, de la FATAC, de la division Hadès, les bases de Mirage 2 000 N, le plateau d'Albion, les bases des FAS non encore desservies, et les stations sol-air nécessaires à la création d'une zone de patrouille Astarté en Méditerranée. *Ramsès Étape 3* (en phase définition) : devrait étendre les fonctionalités et le nombre d'abonnés.

• **Forces nucléaires dans le budget militaire** (en %). *1961-1965 :* 27,6. *66-70 :* 49,5. *71-75 :* 37. *80 :* 31,2. *81-85 :* 31,4. *86-90 :* 24,5. *91 :* 22,1.

• **Effectifs totaux forces nucléaires (1991).** 38 942 (dont 16 755 milit. act., 12 745 ap. et 9 442 civ.)

Forces nucléaires stratégiques (FNS).

Forces aériennes stratégiques (FAS). *1991 :* 10 003 (dont 5 429 mil. act., 4 308 ap. et 266 civ. dépendant du COFAS).

Forces pilotées. *Mirage IV.* Mach 2 pendant env. 50 min, emporte un missile air-sol moyenne portée, ASMP (Mach 2/300 km malgré un faible poids), avec une charge de 100 à 300 Kt [1er escadron en service en 1987 : 18 appareils (retrait en 1996)]. L'équipement permet la pénétration basse altitude tout temps et le ravitaillement en vol. *Coût d'investissement :* 32 milliards de F + coût des missiles ASMP 6,8. *C-135 F-R* (1 escadre : 11 appareils). *Rafale* (projet), doté d'un missile air-sol longue portée (ASLP), portée 750 km, qui pourrait être développé en coopération avec la G.-B.

☞ L'alerte permanente des Mirage IV a été supprimée en 1975, la dissuasion des sous-marins en patrouille étant suffisante. L'alerte reste fixée à 12 h. Cependant, toute la force aérienne est vulnérable aux armes balistiques russes. La dispersion des avions serait envisageable s'il y avait un préavis suffisant (peu vraisemblable).

Forces balistiques. Groupement de missiles stratégiques (GMS) de 2 unités de tir (1re opérationnelle dep. 2-8-71, 2e dep. 23-4-72) armées chacune de 9 missiles sol-sol balistiques stratégiques (SSBS). [Prévu à l'origine 54 puis 27 silos. En 1980, les S2 ont été remplacés par des S3D (longueur 13,8 m, diam. 1,5 m, 25,8 t, portée 3 500 km, charge thermonucléaire mégatonnique).] Implantés sur le plateau d'Albion à St-Christol (Vaucluse, 500 ha répartis sur 36 000 ha). Site choisi en raison de l'altitude (altitude de lancement accroît la portée), de la faible concentration de population. Les conditions climatiques devaient permettre une accessibilité en toute saison des zones de lancement et des postes de conduite de tir. Les unités sont commandées chacune par un poste de tir [à Rustrel (Vaucluse), et Reilhanette (Drôme), distants de 26 km], enfoui à 400 m de profondeur, accessible seulement par une galerie de 1 500 m formant plusieurs angles droits. 6 réseaux de transmission indépendants les relient au COFAS (en particulier les systèmes Tigre et Vestale). En outre, il existe un réseau survie, le TOS (transmissions par ondes de sol).

Dans ces postes, 2 officiers veillent par roulement de 24 h, recevant directement du gouvernement l'ordre de tir sur des cibles désignées d'avance. Les *silos* sont distants d'au moins 3 km les uns des autres. La zone militaire entourant chaque silo représente un carré de 200 m de côté (les cultures du plateau sont conservées). Chaque silo (profondeur 24 m ; fermé par 1 porte d'acier de 140 t) enferme 1 missile qui peut s'élancer 1 min après la réception de l'ordre de tir. Le durcissement des sites contre les effets de l'impulsion magnétique a été achevé en 1984.

☞ *A terme le site est condamné :* la précision des engins soviétiques (env. 300 m), la puissance de chacune de leurs ogives permettent de le neutraliser.

Force océanique stratégique (FO-ST). *Effectifs :* 4 906 (dont 1 064 appelés). *Puissance globale de destruction :* 72 mégatonnes. *Composée* de 5 SNLE (sous-marin nucléaire lanceur d'engins) tous refondus M4 [16 missiles MIRV haut. 10,70, diam. 1,90 m, 36 t portant 6 têtes de 150 Kt TN70 ou TN71 (plus légère et discrète) ou TN75 (furtive avec leurres), portée 3500 à 6 000 km selon têtes emportées] : *le Terrible* (1972), *l'Indomptable* (1976), *l'Inflexible* (1985), *le Tonnant* (1980). SNLE (NG) (nouvelle génération) : 6 prévus 1994 à 2007 ; 1er en service : *le Triomphant. Coût du programme estimé :* 80 milliards de F (fin 1988). Long. 138 m, 12 700 t en surface, 14 200 t en plongée, 110 kg avec 16 missiles M 4, équipés de 6 têtes furtives TN-75, efforts de conception axés sur une extrême discrétion. 2e SNLE (NG) *le Téméraire* (1997) *Projet du M-5* (missile à 12 charges) pour équiper les SM en 2002. Coût du programme estimé fin 1988 à 53,1 milliards de F.

Les SNLE sont basés à l'Ile-Longue, à Brest (80 ha + 30 ha gagnés sur la mer : 300 000 m³ de béton coulé, plusieurs km de galeries percées ; 2 bassins jumeaux couverts, de 200 m de long). A quelques

Organisation générale et territoriale (Armées 2000)

• **Organisation générale.** Notre dispositif de défense était jusqu'à maintenant principalement axé sur la menace à l'Est. Il était par ailleurs très dépendant (pour logistique, gestion ressources humaines et budgétaires) de structures territoriales peu homogènes (6 régions militaires, 4 aériennes, 3 maritimes). Plan Armées 2000 : se propose de restituer la « priorité à l'opérationnel », en rendant aux échelons investis d'une mission la plénitude des responsabilités, en favorisant la coopération interarmes par un découpage territorial simplifié et harmonisé tenant mieux compte des réalités géopolitiques actuelles, en alignant l'organisation du temps de paix sur celle du temps de crise.

Les décrets Armées 2000 (entrée en vigueur 1-9-1991) prévoient le transfert, dès le temps de paix, aux commandements opérationnels, de la totalité des responsabilités de commandement et de soutien logistique du temps de guerre. Ils définissent une nouvelle architecture territoriale de la défense. On passe à 3 régions militaires de défense (RMD) communes aux 4 armes (Terre, Air, Mer, Gendarmerie) :

Organisation territoriale militaire envisagée

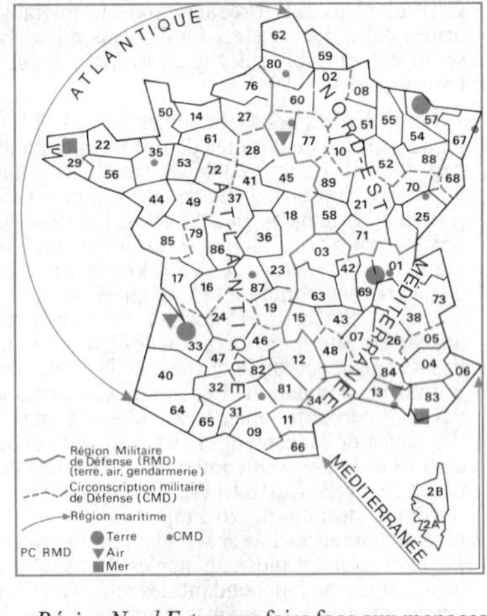

Région Nord-Est : pour faire face aux menaces de crises en Centre Europe ; *région Méditerranée :* tournée vers le Sud et le monde méditerranéen ; *région Atlantique :* pour assurer la liberté de nos approvisionnements océaniques et la sûreté de notre dissuasion. Aux RMD Atlantique et Méditerranée viennent s'ajouter 2 régions maritimes qui les prolongent sur le littoral et au large. Aux RMD correspond le niveau de planification de grands ensembles à vocation stratégique (théâtres d'opération des forces de manœuvre), découplés dans une certaine mesure des structures purement hexagonales.

Pour l'Armée de Terre, aux 22 divisions militaires territoriales sont substituées 9 circonscriptions militaires de défense (CMD). Aux CMD correspondent le niveau de conduite de l'action sur le territoire national et la coordination avec les mesures civiles et économiques. Ce sont en effet les CMD qui deviennent zones de défense civile et militaire si des menaces directes sur le territoire exigent la mise en œuvre de la défense opérationnelle du territoire (DOT). Structure départementale non modifiée.

• **Structures de défense civile et économique. Zone de défense. Limites territoriales :** celles de la RMD.

Le préfet du département chef-lieu de la zone de défense *(préfet de zone)* est le délégué des ministres placés à la tête des administrations civiles dans leurs responsabilités de défense.

1°) *Il dirige en matière de défense civile* (maintien de l'ordre et protection civile) l'action des préfets de région et des préfets des dép. de la zone.

2°) *Il assure la coordination* des mesures prises par les préfets de région pour l'emploi des ressources et l'utilisation de l'infrastructure en fonction des besoins civils et militaires.

3°) *Il fait,* en cas de rupture des communications avec le gouvernement, *prescrire la mise en garde* et les mesures nécessaires à l'exécution des plans de défense intérieure ou extérieure.

Il peut être remplacé par un *délégué du gouvernement.* Il est assisté par : l'inspecteur général des Finances dont la circonscription comprend le chef-lieu de zone pour les questions écon. intéressant la défense ; l'officier général commandant la CMD (qui coïncide avec la zone), consulté pour les problèmes de défense opérationnelle du territoire (DOT) ; le Comité de défense de zone composé des autorités civiles et militaires de la zone. Il dispose d'un secrétariat général permanent, dirigé par un membre du corps préfectoral qui prépare (à l'avance) plans et mesures, et d'un Centre Opérationnel de Défense (COD, organisme interministériel d'assistance).

• **Circonscription d'action régionale.** *Préfet de région :* assure la défense économique (mise en œuvre des ressources). Le préfet de circonscription peut lui déléguer des pouvoirs en matière de défense civile. Il est assisté par 3 organismes de défense : *Commission régionale de défense économique :* composée de fonctionnaires appartenant aux services extérieurs des ministères (Économie et Finances, Intérieur, Armées, Industrie, Transports, Agriculture, Équipement, Postes et Télécom.) ; *Service interministériel régional des affaires civiles et économiques et de protection civile (SIRACEPC) :* coordination interministérielle pour les mesures de défense non militaire ; *Centre opérationnel de défense :* voir ci-dessus.

• **Département.** Dans chaque département, le préfet est responsable de la préparation et de l'exécution des mesures non militaires de défense.

Le *délégué militaire départemental* est le représentant permanent du commandant de la CMD auprès du préfet.

Le *trésorier-payeur général* du département est le conseiller du préfet pour les questions économiques intéressant la défense.

• **Structures militaires territoriales. RMD Atlantique** (PC Terre, Gendarmerie et Air à Bordeaux). Comprend 3 CMD (circonscriptions milit. de défense) : Bordeaux (Aquitaine, Midi-Pyrénées), Limoges (Limousin, Centre, Poitou-Charentes), Rennes (Bretagne, Normandie, Pays de la Loire). **RMD Méditerranée** (PC Terre et Gend. à Lyon, Air à Aix). 2 CMD : Lyon (Rhône-Alpes, Auvergne), Marseille (Provence, Languedoc-Roussillon, Corse). **RMD Nord-Est** (PC Terre et Gend. à Metz, Air à Villacoublay) ; 3 CMD : Metz (Alsace, Lorraine, Champagne-Ardenne), Lille (Nord-Pas-de-Calais, Picardie), Besançon (Bourgogne, Franche-Comté). **CMD autonome :** Ile-de-France (St-Germain-en-Laye).

• **Éléments d'organisation spécifiques à chaque arme. Terre** (répercussions du plan Armées 2 000). Réorganisation de l'armée de terre en 2 corps d'armée : état-major du 1er C.A. dissous (mais le PC de la 1re armée est déplacé de Strasbourg à Metz, et opérera en collaboration avec l'état-major de la Fatac). **1er corps d'armée (ancien 3e C.A.).** PC à Lille : 8e D.I. (Amiens) ; 2e D.B. (Versailles) ; 7e D.B. (Besançon) ; 10e D.B. (Châlons-sur-M.) ; 12e DLB (Saumur) ; 14e DLB (Montpellier). **2e C.A.** PC à Baden : 1er D.B. (Trèves) ; 5e D.B. (Landau) ; 15e D.I. (Limoges) (3e D.B. dissoute, éléments repliés sur la France, la 5e D.B. devant suivre en 1992, le 2e C.A. devrait être replié sur Strasbourg dès que le repli de RFA deviendra significatif). *Organisation armée de terre :* 4 chaînes fonctionnelles : manœuvre, militaire de défense, services et écoles [sous l'Autorité Unique de Tutelle (AUT)]. AUT : réalise une synthèse à partir des ordres qu'elle a reçus, ses attributions et les besoins exprimés par les AUT d'autres chaînes. *Généraux AUT : chaîne de manœuvre :* commandement de la 1re Armée (éléments organiques d'armée, EOA) ou de la Far (EOFAR) ou d'un corps d'armée (EOCA) ou de division ; *ch. militaire de défense :* commandement de la circonscription ou de la région militaire de défense (CMD ou RMD) ; *ch. de services :* directions centrales ou locales (CMD ou RMD) suivant le service ; *ch. des écoles :* commandement des éc. ou comm. de l'éc., pour les + importantes d'entre elles.

Air. La Force Aérienne Tactique (FATac), grand commandement aérien spécialisé, installée à Metz, sera découplée de la région Nord-Est. *Zones Aériennes de Défense (ZAD) :* pour raisons techniques et parce qu'il faut remodeler le système de transmission des informations de la défense aérienne (Strida), il faudra attendre 1993 pour que l'espace aérien soit redécoupé en 3 ZAD, articulées chacune en 2 secteurs. D'ici là, une organisation transitoire assurera le passage d'un dispositif à l'autre. *Regroupements des vecteurs :* l'ensemble des Forces aériennes nucléaires stratégiques et pré-stratégiques seront placées sous le seul commandement des Forces Aériennes Stratégiques (FAS, PC à Taverny), auxquelles sera rattachée la 4e escadre de chasse actuellement sous commandement de la FATac. De son côté, la FATac regroupe tous les avions de combat conventionnels, de chasse et de reconnaissance, à partir du 1-9-91. Le Commandement air des forces de défense aérienne (Cafda) conserve la mission de défense aérienne avec les moyens de veille (radars sol et aéroportés) et de défense sol-air. Il sera également chargé de la surveillance de l'activité spatiale et assurera à terme les responsabilités confiées à l'armée de l'air pour la mise en œuvre du système interarmées *Hélios.* Le Commandement du transport aérien militaire (Cotam) conserve ses missions et ses moyens.

Mer. 2 régions maritimes (assimilables aux RMD) : *Atlantique* (chef CECLANT, PC à Brest), de la frontière belge à la front. espagnole, divisée en 3 arrondissements (Cherbourg, Brest, Lorient), commandée par des COMAR pour les 2 qui ne sont pas confondus avec le PC de région (COMAR Cherbourg et Lorient) ; *Méditerranée* (chef CECMED, PC à Toulon). Les régions maritimes englobent un ensemble de forces, bases et installations avec emprises terrestres (portuaires ou non). **Préfets maritimes** (PREMAR) : 3 : Manche et mer du Nord (assumées par COMAR Cherbourg), Atlantique (CECLANT) et Méditerranée (CECMED) ; les préfets maritimes, en tant que représentants directs des ministres, exercent des responsabilités civiles sur le domaine maritime et coordonnent l'action des différentes administrations en mer (arrêtés préfectoraux réglementant circulation et activités maritimes, police). **Zones maritimes** (commandement des forces de zone, surveillance et contrôle de l'activité maritime) : 7 pour l'ensemble des mers du globe placées sous l'autorité de commandants de zones dont 3 sont également Cdt de régions ou d'arrondissement (CECLANT/PREMAR Brest, CECMED/PREMAR Toulon, COMAR Cherbourg), les 4 autres se répartissant les zones Atlantique Sud, Caraïbes, Pacifique et océan Indien.

Nota. – (1) Plan Armées 2 000 (prév. 1989) : 23 états-majors supprimés, 13 unités dissoutes.

Missions des forces armées : garantir le territoire national contre toute tentative de prise de gage ou d'agression et garantir en toute circonstance la liberté des Français ; sans aliéner l'indépendance fr., être en mesure de participer à la défense de l'Europe ; en dehors de l'Europe, être en mesure de contribuer à la sécurité des pays avec lesquels la France est liée par des accords ou par une solidarité de fait, économique ou culturelle ; en mer, être en mesure de protéger les intérêts fr. et de contribuer à la sécurité du trafic maritime indispensable à la continuité des approvisionnements français.

• **Thèses sur la stratégie.** 1°) RETOUR DANS LE SYSTÈME DE L'OTAN et sous la protection américaine. *Inconvénient :* doute sur l'automaticité de cette protection, perte d'indépendance. 2°) SANCTUARISATION (Gal Gallois). La France ne doit pas s'occuper des pays qui l'entourent mais accélérer son armement nucléaire (surtout les sous-marins). L'ennemi doit être convaincu que l'hexagone est intouchable, mais lui seul. 3°) SANCTUARISATION ACCOMPAGNÉE DE ZONES D'INTERVENTION EXTÉRIEURES. Suppose le développement régulier des forces nucléaires plus une force d'intervention mobile de 50 000 h. disposant d'avions et de bateaux.

Effectifs budgétaires

Effectifs totaux du ministère de la Défense

Effectifs budgétaires totaux. 1975 : 716 500. **1980 :** 709 478. **1983 :** 721 123. **1987 :** 699 460. **1989 :** 685 791. **1990 :** 679 248. **1991 :** 670 137 (active 300 643, appelés 241 716, civils 127 778).

☞ *Diminution des effectifs (projet du secrétaire à la Défense (fin 1990). Armée de terre :* 2 divisions en 91 plus 3 autres d'ici 1995 (compression globale à 500 000 h). Réduction de 1/3 des forces en Centre Europe (accord bilatéral avec URSS) ramenant les forces à 195 000 h (225 000 pour l'ensemble de l'Europe), puis 70 à 80 000 ultérieurement. *Marine.* 488 navires en 1997 (au lieu de 542, 600 prévus sous Reagan), perte de 50 000 marins ; 2 porte-avions, 5 sous-marins nucléaires et 13 d'attaque déclassés. *Aviation.* Achat de 75 bombardiers furtifs B-2 au lieu de 135, 1 000 missiles furtifs au lieu de 1 491, 200 Minuteman II ICBM retirés, 28 escadrilles au lieu de 36, perte de 17 bases aux USA, et de 15 à l'étranger (sur 375 dans 21 pays), destruction des F-4, A-7 et A-10, retrait de 75 KC-135 ; personnel réduit à 476 000 personnes (au lieu de 545 000). Les forces américaines dans le Pacifique seraient réduites de 10 % avant 1993 (1990 : 120 000 h dont Japon 50 000, Corée du S. 43 000, Philippines 18 000).

• **Venezuela.** 71 000 (T 34 000, M 10 000, A 7 000). PM 20 000. *Serv. mil. :* 2 ans (sélectif). 18 mois dans la marine.

• **Viêt-nam.** 1 052 000 (T 1 900 000, M 40 000, A 12 000). PM 500 000, Milice armée 2 600 000. *Serv. mil. :* de 2 ans à 4 ans.

• **Yemen Nord.** 38 500. *Serv. mil. :* 3 ans. 430 chars, 120 avions de combat, 8 patrouilleurs.

• **Yemen Sud.** 27 500. *Serv. mil. :* 2 ans. 534 chars, 94 avions de combat, 6 patrouilleurs OSA 2.

• **Yougoslavie.** 180 000 (T 138 000, M 10 000, A 32 000). Réserv. 510 000. PM 15 000, Milice 2 000 000. *Serv. mil. :* 12 mois, 8 millions de personnes (h. et f.) sur 22 sont « porteurs de fusil ». **Terre.** 1 850 chars (850 T54/55), 2 000 pièces d'art., 4 Frog 7. **Air.** 455 avions de combat, 12 escadrons de chasseurs-bombardiers, 13 d'interception, 4 de reconnaissance. **Marine.** 5 sous-marins, 59 patrouilleurs, 14 dragueurs chasseurs de mines, 4 frégates.

• **Zaïre.** 51 000 (T 22 000, M 1 500, A 2 500). PM 50 000. *Serv. mil. :* volontaire.

• **Zambie.** 16 200 (T 15 000, A 1 200). PM 1 200. *Serv. mil. :* volontaire.

• **Zimbabwe.** 51 000 (T 51 000, A 1 000). PM 18 000. Milice nationale : 20 000. *Serv. mil. :* conscription.

La Défense en France

Institutions

L'organisation de la Défense nationale en France découle :

I - De la Constitution

Président de la République. Il est le garant de l'indépendance nationale, de l'intégrité du territoire, du respect des accords de communauté et des traités (art. 5). Il est le chef des armées. Il préside les conseils et comités supérieurs de la Défense nat. (art. 15). Lorsque les institutions de la République, l'indépendance de la Nation, l'intégrité de son territoire ou l'exécution de ses engagements internationaux sont menacées d'une manière grave et immédiate et que le fonctionnement régulier des pouvoirs publics constitutionnels est interrompu, le Pt prend les mesures exigées par ces circonstances, après consultation officielle du Premier ministre, des présidents des assemblées ainsi que du Conseil constitutionnel. Il en informe la Nation par un message (art. 16).

La loi détermine les principes de l'organisation générale de la Défense nationale... (art. 34).

La déclaration de guerre est autorisée par le Parlement (art. 35).

L'état de siège est décrété en Conseil des ministres. La prorogation au-delà de 12 j ne peut être autorisée que par le Parlement (art. 36).

II - De l'ordonnance 59147 du 7-1-1959

• **Objet de la Défense.** Assurer en tout temps, en toutes circonstances, et contre toutes les formes d'agression, sécurité, intégrité du territoire et vie de la population. Elle pourvoit au respect des traités, alliances et accords internationaux (art. 1).

• **Politique de la Défense.** Définie en Conseil des ministres. Les décisions en matière de direction générale sont arrêtées en comité de Défense, et en matière de direction militaire en comité de Défense restreint. Le Gouvernement dispose du Conseil supérieur de défense (présidé par le Pt de la Rép.) : composition fixée par décret.

• **Premier ministre (PM).** Il est responsable de la *Défense nationale,* il exerce la *direction générale* et la *direction militaire* de la Défense. Il formule les directives générales pour les négociations concernant la défense et suit le développement de toutes ces négociations.

Il décide de la *préparation* et de la *conduite supérieure des opérations* et assure la *coordination de l'activité* en matière de défense de tous les départements ministériels.

Comité de défense. Comprend *sous la présidence* du Pt de la Rép. : PM, ministres des Affaires étrangères, de l'Intérieur, de la Défense, de l'Économie et des Finances, de l'Industrie et, s'il y a lieu, sur convocation du Pt, les autres ministres pour les questions relevant de leur responsabilité.

Comité de défense restreint. Présidé par le *Pt de la Rép.,* qui peut se faire suppléer par le PM. Celui-ci réunit ce comité à sa diligence et en fixe la composition pour chaque réunion.

Comité d'action scientifique de la Défense. Assure, sous l'autorité du PM, l'orientation et la coordination de la recherche scientifique et technique de défense.

Comité interministériel de renseignement. Assure, sous l'autorité du PM, l'orientation et la coordination des services de documentation et de renseignement. Dans le cas d'événements interrompant le fonctionnement régulier des pouvoirs publics et entraînant la vacance simultanée de la présidence de la Rép., de la présidence du Sénat et des fonctions de PM, responsabilités et pouvoirs de défense sont automatiquement et successivement dévolus au ministre chargé des Armées et, à défaut, aux autres ministres dans l'ordre indiqué par le décret portant composition du Gouvernement.

Chaque ministre est responsable de la préparation et de l'exécution des mesures de défense incombant à son département. Il est assisté (sauf le min. chargé de la Défense) par un *haut fonctionnaire* désigné à cet effet.

Ministre chargé de la Défense. Il est responsable *sous l'autorité du PM* de l'exécution de la politique militaire (en particulier : organisation, gestion, mise en condition d'emploi et mobilisation des forces et de l'infrastructure militaire nécessaire). Il *assiste* le PM pour leur mise en œuvre. Il a autorité sur les forces et services des armées et est responsable de leur sécurité.

Ministre de l'Intérieur. Il prépare en permanence et met en œuvre la *Défense civile ;* il est responsable de l'ordre public, de la protection matérielle et morale des personnes et de la sauvegarde des installations et ressources d'intérêt général.

Dans les zones où se développent des opérations militaires et sur décision du Gouvernement, le commandement militaire désigné devient responsable de l'ordre public et exerce la coordination des mesures de défense civile avec les opérations militaires.

Ministre chargé de l'Industrie et de la Recherche. Il oriente aux fins de la Défense l'action des min. responsables de la production, de la réunion et de l'utilisation des diverses catégories de ressources ainsi que de l'aménagement industriel du territoire. Il assure la liaison permanente avec le min. des Armées afin de tenir compte, dans son plan d'équipement économique, des nécessités essentielles de la Défense.

III - De ses décrets d'application

Conseils ou comités de défense. Réunis et présidés par le Pt de la Rép., assurent la direction d'ensemble de la Défense et, le cas échéant, la conduite de la guerre. Secrétariat tenu par le *Secrétariat général de la Défense nationale.*

Ministre de la Défense. Assisté par : 1° *Un délégué général pour l'Armement* (étude, recherche et fabrication d'armement). 2° *Un secrétaire général pour l'Administration* (administration, finances, action sociale). 3° *Un chef d'état-major des Armées* (étude de plans, directives intéressant l'organisation générale et la mise en œuvre des forces armées).

Il dispose des *états-majors de l'armée de Terre, de la Marine, de l'armée de l'Air* et des *inspections générales* (il préside le comité des chefs d'état-major, des *conseils supérieurs de l'armée de Terre, de la Marine, de l'armée de l'Air,* organes consultatifs et d'études propres à chaque armée ; du *Conseil permanent du service militaire* chargé d'élaborer des propositions relatives au service militaire, du *Conseil supérieur de la fonction militaire* qui examine les problèmes de la condition des cadres).

Par délégation du PM : il prépare les directives générales pour les négociations concernant la Défense ; il coordonne la préparation et l'exécution des mesures de défense intéressant plusieurs départements ministériels ; il dirige les organismes en matière d'action scientifique de la Défense. En cas d'empêchement du PM, il préside le comité interministériel du renseignement.

Chef d'état-major des Armées. Il peut, par décret pris en Conseil des ministres, être nommé chef d'état-major général des Armées. *Sous l'autorité du Pt de la Rép.* et du Gouvernement, il assurera alors le commandement de l'ensemble des opérations militaires, *sous réserve des dispositions particulières relatives aux forces nucléaires stratégique et préstratégique* pour lesquelles des procédures spéciales sont définies. Il est le conseiller militaire du Gouvernement. Les chefs d'état-major de l'armée de Terre, de la Marine et de l'Air seront ses adjoints pour la conduite des opérations militaires.

Commandant des forces aériennes stratégiques. Il est chargé de l'exécution des opérations de ces forces *sur ordre d'engagement donné par le président de la République.*

Commandant des forces océaniques stratégiques. Ayant sous ses ordres les sous-marins lanceurs de missiles balistiques strat., il fait de même.

Défense opérationnelle du territoire (DOT). Conduite en liaison avec les opérations de défense extérieure, elle s'oppose aux forces ennemies (éléments implantés, parachutés, débarqués ou infiltrés). Les mesures de DOT complètent celles d'ordre public, prises dans le cadre de la Défense civile. Les commandants de zone de défense assurent la préparation des plans de DOT, conformément aux directives du PM, qui leur sont notifiées par le ministre de la Défense.

Politique militaire de défense

• **Fondement. La Défense nationale française fondée sur la dissuasion** s'appuie sur les forces nucléaires stratégiques (FNS) et tactiques (dites préstratégiques).

Potentiels stratégique et préstratégique (1990). Projectiles : 691 de 12 Kt à une Mt à 70 % sur les SNLE. **Vecteurs.** *Sous-marins* 5 lançant chacun 16 missiles à 6 têtes, soit 96 charges par sous-marin (480 charges en tout soit 91 % des charges stratégiques françaises), qui pourraient atteindre, selon la zone géographique visée, 50 à 60 objectifs différents. 32 Pluton avec projectile de 12 à 25 Kt ; 40 Super Étendard avec ASMP de 100 à 300 Kt ; 45 Mirage 2 000 N avec ASMP de 100 à 300 Kt ; 30 Jaguar avec 2 bombes AN 52 de 15 Kt. *Lanceurs du Plateau d'Albion,* 18 unités dep. 1972. 16 Mirages IV avec ASMP de 100 à 300 Kt. AN 22. **Objectifs possibles :** en 1991, env. 500 (20 à 60 millions de † potentielles en stratégie anticité).

• **Objectif majeur. Maintien de l'indépendance de la France dans la liberté et pour la paix.** La sécurité et l'indépendance du pays exigent l'intégrité du territoire national et la protection de ses habitants contre tout risque d'agression. La France a résolu de disposer d'armes nucléaires nationales, tout en apportant une contribution au renforcement global de la dissuasion. Cet effort sera poursuivi.

Position dans l'OTAN. La France demeure membre de l'Alliance atlantique, malgré son retrait dep. févr. 1966 du dispositif militaire intégré (OTAN). Elle rejette tout automatisme pouvant aliéner la maîtrise qu'elle entend garder de sa politique de sécurité. Mais elle continue à participer à des manœuvres de l'OTAN pour vérifier procédures et plans de l'alliance. Elle a maintenu sa participation à l'*Eurocom* qui prépare la coopération des systèmes de transmission tactique et au réseau *Nadge* de surveillance radar à longue distance. Elle assiste aux travaux du secrétariat international de l'OTAN en matière de coopération des armements classiques et de la conférence des directeurs nationaux d'armement. Elle est représentée au *CEOA* chargé de la gestion des oléoducs militaires qui traversent le nord de la France, à l'*Agence de défense et de sécurité aériennes,* consortium de fabrication des missiles sol-air Hawk, au *Namso,* organisme d'entretien des matériels communs (en particulier Hawk), au *BMS* (Bureau mil. de standardisation des armements), au *Bureau de la recherche aérospatiale.*

• **Turquie.** 647 000 (T 525 000, M 55 000, A 67 400). PM 71 000. Réserv. 1 107 000. *Serv. mil.* : 18 mois (16 pour les officiers). **Terre.** 13 divisions d'infanterie, 2 div. mécanisées, 24 brigades. 3 727 chars, 2 260 canons. **Marine.** 12 destroyers, 4 frégates, 4 escorteurs, 79 navires amphibies, 22 patrouilleurs rapides, 9 mouilleurs de mines, 25 dragueurs de mines, 33 av. de patrouille marit., 18 hélic. **Air.** 498 avions de combat, 2 escadrilles de chasse, 4 de transport, 3 d'entraînement, 7 unités d'attaque au sol

• **URSS.** 3 988 000 (T 1 596 000, M 437 000, A 448 000, forces stratégiques 410 000). PM 570 000. Réserv. 6 207 000. *Potentiel* : 55 000 000. *Serv. mil.* : marine 3 ans, autres armes 2 ans.

Forces nucléaires stratégiques. Offensives maritimes. 63 s.-m. portant 930 missiles SLBM [dont s.-m. nucléaires : 12 Y-I (portant 16 SS-N-6), 18 DI (12 SS-N-8), 4 DII (16 SS-N-8), 14 DIII (16 SS-N-18), 6 D IV (16 SS-N-23) ; 2 G-II (3-SS-N-5), 6 Typhoon (20 SS-N-20)]. *Missiles à terre* : environ 1 398 ICBM (350 S-11, 60 SS-13, 75 SS-17, 308 SS-18, 320 SS-19, 60 SS-24, 225 SS-25) ; 174 IRBM SS-20 à éliminer en vertu du traité INF. 565 bombardiers [175 à long rayon d'action, 390 à moyen rayon dont 190 Backfire B (Tupolev à géométrie variable ; ravitaillable en vol ; porteur du missile AS-4 Kitchen), 69 avions ravitailleurs, 100 avions de guerre électronique, 70 de reconnaissance ; missiles de croisière AS 3 (Kangaroo), 4 (Kitchen), 5 (Kelf), 6 (Kingfish), AS 15 (Kent), AS 16 (Kickback).

Défense aérienne. Commandement de la défense aérienne (PVO-Voyska) comprenant un réseau de 7 000 radars de contrôle aérien et d'alerte avancée ; 2 315 chasseurs dont 850 Mig 23, 350 Mig 25, 360 Mig 31, 500 Su 15, 210 Su 27. 3 Tu 126 d'alerte aérienne avancée ; un réseau de 100 rampes de lancement de missiles antimissiles balistiques GALOSH et Gazelle en stations autour de Moscou ; 8 500 rampes de missiles sol-air SAM (SA-1 Guild, SA-2 Guideline, SA-3 Goa, SA-5 Gammon, SA-10).

Nota. – L'URSS expérimenterait 2 nouveaux ICBM : le PL-4, variante du SS-17, lancé en oct. 82, et le PL-5 (version modifiée du SS-13), lancé en déc. 82, et de nouveaux missiles de croisière : une version (portée : 3 000 km) lancée d'avion (baub Bear, Backfire, Blackjack) ; une lancée du sol (SSC-X 4), d'une batterie quadruple et mobile (portée : 3 000 km) ; deux lancées de la mer (SS-NX-21 et 23).

Terre. 46 divisions blindées, 142 mécanisées, 7 aéroportées. *Équipement* : env. 53 350 chars dont 65 % ont plus de 20 ans de conception (T-10 à T-64), (env. 10 000 T-72-L/-M, 4 000 T-80) ; *légers de reconnaissance amphibies* PT-76 : 1 000. La plupart sont équipés pour le franchissement des cours d'eau en gués profonds. Env. 64 700 véhicules blindés (v. blindés de transport du personnel BTR-50P/60P/70/152 ; v. de combat d'infanterie BMP ; scout-cars BRDM ; v. de combat blindés aéroportés BMD). Env. 42 000 pièces d'artillerie (calibre 100 à 203) (1). 13 000 mortiers. 8 000 lance-roquettes multiples 122 mm, 140 mm, 220 mm, 240 mm. 8 000 canons antichars dont 57 ASU et 85 automoteurs. Missiles AC Swatter (radioguidé) et Sagger (filoguidé) montés sur des BRDM étanches aux retombées. Artillerie antiaérienne : 12 000 canons, 4 900 bat. de missiles sol-air SA-4, SA-6 à 9, SA-11 à 19. 1 723 lance-missiles sol-sol avec possibilité de tête nucléaire dont 650 Frog (15-60 km), 660 Scud B (270 km), 300 SS-21 (120 km), 4 500 hélic.

Désengagement militaire soviétique d'Europe centrale et orientale. 1°) Allemagne (380 000 h), retrait de 30 % des forces chaque année ; le reste en 1994 (soit 100 000 h/an). *2°)* Tchécoslovaquie retrait total au 30-6-1991 (80 000 h). *3°)* Hongrie 55 000 h sur 60 000 ont déjà quitté la Hongrie. *4°)* Pologne pas de calendrier officiel, mais accord tacite prévoit le retrait total fin 93 (48 000 h). Dès 91, 10 000 h quittent la Pologne.

Les divisions soviétiques se classent en 3 degrés de disponibilité opérationnelle : *catégorie 1* (100 % de la dotation complète avec matériel au complet) ; *cat. 2* (entre 50 et 75 % de la dotation avec véh. de combat au complet) ; *cat. 3* (à 20 % env. de la dotation avec peut-être les véh. de combat au complet, bien que certains soient périmés). Les 30 div. de l'Europe de l'Est sont de *cat. 1*. Env. 20 % de celles de la Russie d'Europe étaient de *cat. 1* ou *2*. La plupart de celles de la Russie du Centre et du Sud et celles d'Extrême-Orient sont de *cat. 3*. Sur la frontière russo-chinoise, les vieux T 34 et T 10 ont été coulés dans des blocs de béton armé, la tourelle émerge, un système radar commande le tir (ligne continue de défense, à 3 km de la frontière).

Nota. – (1) Rapport entre pièces tractées et automouvantes inversé en 10 ans : 65 % de tractés en 1980, 65 % d'automouvants en 1990.

Marine. *Effectifs* : 410 000 (y compris aéronavale 68 000 et infanterie de marine 15 000). 323 sous-marins [60 avec missiles de croisière (dont 46 à propulsion nucléaire), 68 d'attaque à propulsion nucléaire, 132 classiques], 5 porte-avions (Kiev de 37 000 t), 2 porte-hélic. (Moskva), 1 croiseur lance-missiles dont 10 Kresta II (SSN 14 et SAN 3) [2 croiseurs lourds nucléaires de 32 000 t (Kirov) transportant des avions à décollage vertical et des hélic., anti-s.-m.], 31 destroyers et 148 frégates lance-missiles, 395 patrouilleurs divers (dont 150 lance-missiles), 77 nav. amphibies.

Nota. – Certains modèles anciens ne représentent, pour des marines bien équipées en moyens de détection, qu'une faible menace. Parmi les nucléaires, les plus âgés sont peu à peu retirés du service. En 1990, nouvelle génération de sous-marins en cours de construction : 6 nucléaires lanceurs de missiles (Typhoon et Delta IV), dont les 3 plus gros font 18 500 t ; plusieurs nucléaires d'attaque (type Akula, Sierra et Oscar II) prévus dans les années 90, et équipés de nouvelles torpilles et de missiles aérodynamiques antinavires, portée 550 km.

Aéronavale. 750 avions de combat, 320 hélic. et 129 Backfire B ; répartis entre mer Blanche et Grand Nord, Baltique, mer Noire et Méditerranée, Pacifique. **Fusiliers marins.** 15 000 h avec chars et artillerie ; 1 rég. à la flotte du Nord, 1 de la Baltique, 1 de la mer Noire, 2 du Pacifique.

☞ La flotte soviétique est la 2e du monde en tonnage mais la 1re pour la jeunesse et le nombre de ses navires de combat. Elle possède plus de sous-marins que toutes les autres marines réunies. Mais la plupart des bât. sont d'un faible tonnage et destinés à protéger les côtes, et le gros des équipages est formé de recrues (8 % d'officiers mariniers contre 30-50 % aux USA et en Eur. occ.). En 2000 cette flotte devrait être plus jeune et moins nombreuse que celle de 1990, mais composée d'unités plus puissantes. *Bases extérieures* : mer Rouge : Aden (radoub de 35 000 t, arsenal), Assab (Éthiopie), Nakala (Mozambique, rade naturelle en eau profonde), Luanda (Angola), Vishaka et Patnam (Inde), Camranh et Nhatrang (Viêt-nam).

Déploiement : *flotte du Nord* (153 sous-marins dont 37 stratégiques ; 50 grands bâtiments dont 2 PA) ; *f. de la Baltique* (40 sous-m. classiques, 39 grands bât. de combat) ; *f. de la mer Noire* (20 sous-m., 54 grands bât.) ; *f. du Pacifique* (110 sous-m., 69 grands bât.). *Escadre de Méditerranée* bât. détachés des autres flottes européennes (30 à 40).

Nota. – Alors qu'en 1960, la flotte sov. restait près des côtes sov., elle est en permanence en Méditerranée dep. 1964, a pénétré dans l'o. Indien en 1968 et est présente sur tous les océans dep. 1974. L'Eskadra ne dispose pas de bases mais de « facilités », notamment en Syrie et Yougoslavie. 6 ou 7 bâtiments de combat (croiseurs ou frégates), 6 sous-marins d'attaque (dont 2 nucléaires) et 8 navires collecteurs de renseignements, 20 navires de soutien logistique.

Air. *Forces aériennes tactiques* : env. 4 335 avions de combat, 2 500 av. d'appui dont 905 Mig-27, 535 SU-17, 830 SU-24, 340 SU-25). 1 825 chasseurs (50 Mig-21, 595 Mig-23, Mig-25, 90 SU-27, 540 MIG-29). 590 av. de reconnaissance et de guerre électronique. *Transport aérien* : 669 avions.

Nota. – Nouveaux avions attendus : Mig-29 Fulcrum, SU-27 Flanker (forment 60 % du parc). Production en cours du SU-25 Frogfoot. Armes chimiques et biologiques : voir p. 1815c.

Forces à l'étranger. Libye 1 500, Mongolie 37 000, Viêt-nam 2 800, Cuba 8 100, Yémen du S. 1 000.

• **Uruguay.** 25 200 (T 17 200, M 4 500, A 3 500). *Serv. mil.* : volontaire, 1 à 2 ans.

• **USA.** 2 117 900 dont 216 000 femmes (T 761 000, M 590 000, A 571 000, fusiliers marins 199 600). Réserve 1 613 000. *Potentiel* 1 819 300. *Serv. mil.* : volontaire (conscription supprimée en 1973).

Forces nucléaires stratégiques. 1°) Offensives. *Marine* : flotte sous-marine à missiles balistiques (FBM) SNLE : 34 s.-m. dont 12 portent les missiles Poséidon (12 × 6 = 72), 22 les Trident [10 Ohio dont 2 avec 24 Trident D5 (11 000 km, guidage inertiel, recalage stellaire, 14 MIRV de 150 kt), 20 avec 16 à 24 Trident C4 (8 à 14 MIRV), en tout 432 missiles] ; opèrent à partir de 3 bases [Charleston, S.C., Kings Bay en Georgie (USA), Holy Loch (Écosse)], entretenues par un s.-m. ravitailleur et un dock flottant ; les bateaux ravitailleurs MBF (T-Aks) fournissent le support logistique aux bases de Holy Loch et Kings Bay. Construction d'1 s.-m. Trident par an jusqu'à ce que le niveau prévu soit atteint. *Strategic Air Command* : 1 000 *missiles* ICBM (450 Minuteman II à 1 seule tête, 500 Minuteman III, 50 Peacekeeper). 21 escadres comprenant 301 *bombardiers* dont opérationnels 90 B1-B, 187 B 52 G et H, 94 équipés du missile de croisière SRAM (dont 24 FB 111). 648 *avions de ravitaillement* en fuel et 61 *avions de reconnaissance* ; 19 SR-71-A et B ; 18 U-2 ; 2 U-CT ; 27 TR-1A et B ; 20 RC 135.

2°) Défensives. Réserves prêtes. *Recueil de l'information* : 5 satellites géostationnaires de détection avancée (programme DSP) ; satellites de recueil d'images Key Holes (KH) et AFP 731 ; système de surveillance des océans SOSUS (bouées et satellites radars et infrarouges) ; système de navigation Navstar (21 sat. en 1992) devant recevoir des équipements de détection des explosions nucléaires. *Alerte avancée et défense* : sat. d'alerte avancée SEWS (1 par océan), détection infrarouge ; radars de suivi de l'espace (Turquie, Aléoutiennes, Thulé, Flyingdale + stations du système NAVPASUR de la marine ; système de suivi optique (Canada, Corée du S., Italie, Diego Garcia ; barrières radars du Pacifique PACBAR (Philippines, Kwojalein, Mariannes), du Nord (15 stations longue portée et 39 courte portée remplacent le système DEW), 4 radars transhorizon sur le territoire amér. (3 en constr.) ; système d'évaluation et d'acquisition par radar PARCS à Grand Forks, et PAWS à balayage de phase (Massachusetts, Géorgie, Texas, Californie) ; système électro-optique de surveillance de l'espace GEODOSS (Corée, Hawaii, Diego Garcia).

Terre. 18 divisions : 4 blindées, 6 mécanisées, 6 d'infanterie, 1 d'assaut héliportée, 1 aéroportée. Plus 2 brig. blindées et 1 mécanisée indépendantes, 2 d'infanterie ; 3 rég. de cavalerie blindée (reconnaissance) ; 3 bataillons de missiles sol-sol Pershing et 7 de Lance ; 10 bat. de Patriot, 9 brig. d'aviation. L'*Alat* comprend env. 626 avions, env. 8 376 hélic. *Stationnement* : *USA* (réserve stratégique), *Allemagne* (7e Armée équipée notamment de chars Patton M-60 et de missiles Honest John et Pershing, qui remplacent peu à peu l'engin Lance), *Extrême-Or.* (Corée du Sud, îles du Pacifique). *La garde nat.*, demeurant théoriquement dans les États, sert de réserve gén.

Équipement : 15 440 chars moyens (M 48, M 60, M 1) et 1 334 légers (Sheridan) équipés de lance-missiles antichars Shillelagh, 26 480 véhicules blindés de transport de troupes (M 577, M 113). Artillerie et missiles : env. 3 466 canons obusiers automoteurs automatiques de 155 et 203 mm ; 2 259 canons ou obusiers tractés de 105 et 155 mm ; 2 800 mortiers et lance-roquettes ; 18 000 engins antichars TOW et Dragon. Artillerie antiaérienne : missiles sol-air Hawk, Adats, Stinger, Redeye et Roland ; 700 avions, 8 500 hélic. 1 force d'opérations spéciales combinée Terre (4 000 h), M (3 360 h), A (4 100) + réserves.

Air. 3 700 avions de combat : 76 escadrons de chasse ou d'appui (F15, F16, F111, A10, F4, F117) ; 5 esc. de reconnaissance, 15 esc. d'alerte avancée ou de guerre électronique, 3 d'opérations spéciales, 33 de transport.

Marine. 14 porte-avions dont 6 nucléaires (5 *Nimitz*, 1 *Entreprise*), 8 conventionnels (carriers) dont 4 type Forrestal, 1 type Midway, 2 Kitty Hawk et 1 Kennedy, porte-avions école. 127 sous-marins dont 124 nucléaires (90 d'attaque, 31 MBF, 4 Trident Ohio). 4 cuirassés Iowa. 43 croiseurs dont 9 nucléaires. 59 destroyers. 100 frégates classiques. 65 navires de guerre amphibies, 29 de guerre des mines, 140 nav. de soutien et logistique.

Aéronavale. 13 escadres aériennes sur porte-avions. 26 escadrons de F-14, 47 d'appui (A-6E, A-7E, F-18), 16 de guerre électronique, 37 de patrouille marit., 12 de lutte ASM, 12 d'alerte avancée (E-2C), 14 de soutien ; 36 esc. d'hélic. (Lamps et SH-60F).

Marine. 195 300. 3 divisions, 2 aux États-Unis et 1 dans le Pacifique ; 1 div. de réserve à La N[lle]-Orléans. 716 tanks, 1 600 blindés transportant des troupes. 162 avions, 156 hélic.

☞ Les USA entretiennent 429 bases militaires à l'étranger et 2 972 installations de moindre envergure dans 30 pays (ainsi qu'à Hawaii et en Alaska). Leur prix de revient approche 30 milliards de F par an. En 1991, les soldats américains se répartissaient ainsi hors des USA : Allemagne 243 000, sur mer 125 500, Japon 50 000, Corée du S. 44 000, G.-B. 27 500, canal de Panamá 8 300, Ryu Kyu 20 000, Guam 8 200, Philippines 14 000, Italie 15 600, Espagne 8 900, Turquie 4 900, Puerto-Rico 3 600, Grèce 3 300, Belgique 2 000, P.-Bas 3 000. Ces militaires sont accompagnés d'env. 250 000 membres de leurs familles. Les bases américaines fournissent du travail à env. 200 000 étrangers.

plus proportionnée à la valeur du bien). Dans ces 2 cas, la revalorisation judiciaire sera au max. de 75 % du coeff. de la plus-value déterminée par le trib. après expertise.

Taux de majoration forfaitaire pour les rentes entre particuliers et pour les rentes du secteur public (en 90). Date de constitution de la rente, taux de la majoration en % en 1991 (entre parenthèses taux de majoration des rentes du secteur public s'il est différent du taux des rentes entre particuliers). *Avant le 1-8-1914* : 73 094,3. *1-8-14/31-12-18* : 41 726,9. *1-1-19/31-12-25* : 17 514,6. *1-1-26/31-12-38* : 10 703,8. *1-1-39/31-8-40* : 7 698,1. *1-9-40/31-8-44* : 4 647,5. *1-9-44/31-12-45*: 2 243,7. *1946, 1947 et 1948*: 1 032,7. *1949, 1950 et 1951* : 546,3. *1952/1958* : 389,2. *1959/1963* : 308,1. *1964 et 1965* : 286,1. *1966, 1967 et 1968* : 268,3. *1969 et 1970* : 224,3 (214,2). *1971, 1972 et 1973* : 189,4 (180,4). *1974* : 120,5 (113,7). *1975*: 109,3 (102,8). *1976 et 1977*: 91,3 (85,3). *1978*: 77,4 (71,9). *1979* : 62 (56,9). *1980* : 43,5 (39). *1981* : 27,6 (23,6). *1982*: 18,1 (14,4). *1983*: 12,4 (8,9). *1984*: 9 (5,6). *1985* : 7,2 (3,8). *1986* : 6,1 (2,8). *1987* : 4,5 (1,3). *1988* : 3,2. *1989* : 1,7.

Nota. – Les rentes du secteur public sont revalorisées plus faiblement si elles ont été constituées à partir de 1969, du fait que les organismes qui les versent distribuent aux crédirentiers (au moins pour les rentes plus récentes) une participation aux bénéfices ; celle-ci s'ajoute à la majoration légale, ce qui permet, souvent, d'obtenir une rémunération réelle supérieure au taux de l'inflation.

Capital nécessaire pour bénéficier d'une rente mensuelle donnée à partir d'un certain âge

Revenu mensuel (en F) [1]	A 30 ans [2] (en F)	A 40 ans (en F)	A 50 ans (en F)	A 60 ans (en F)
10 000	4 000 000	2 963 000	2 690 000	2 045 000
20 000	8 000 000	5 926 000	5 380 000	4 090 000
30 000	12 000 000	8 889 000	8 070 000	6 135 000
40 000	16 000 000	11 852 000	10 760 000	8 180 000
50 000	20 000 000	14 815 000	13 450 000	10 225 000

Nota. – (1) Avant impôts. (2) Jusqu'à 80 ans (espérance de vie moyenne), pour préserver la valeur de sa mise de fonds, celle-ci est indexée sur le rendement d'un placement immobilier (SCI, SCPI). Les héritiers peuvent espérer récupérer un capital équivalent dans 50 ans.

Barème du Centre national de rentes viagères

Age du Crédirentier	Durée moyenne de vie des rentiers viagers		Taux de rente	
	H	F	H	F
60	16,37	20,82	7,73	6,46
61	15,67	19,98	8,00	6,65
62	14,99	19,15	8,29	6,86
63	14,33	18,34	8,60	7,09
64	13,70	17,54	8,91	7,33
65	13,08	16,77	9,25	7,59
66	12,48	16,01	9,62	7,87
67	11,91	15,26	10,00	8,17
68	11,35	14,54	10,41	8,49
69	10,82	13,84	10,84	8,84
70	10,31	13,16	11,29	9,21
71	9,82	12,50	11,78	9,60
72	9,36	11,87	12,28	10,03
73	8,92	11,26	12,80	10,48
74	8,50	10,68	13,35	10,96
75	8,10	10,12	13,93	11,48
76	7,72	9,59	14,54	12,02
77	7,37	9,08	15,16	12,60
78	7,02	8,60	15,83	13,22
79	6,71	8,15	16,49	13,86
80	6,42	7,72	17,16	14,54
81	6,13	7,32	17,90	15,25
82	5,87	6,94	18,63	16,00
83	5,64	6,59	19,32	16,76
84	5,42	6,26	20,04	17,56
85	5,20	5,95	20,82	18,40

Nota. – Le calcul est établi en tenant compte du fait que la rente est payable trimestriellement.

• **Rachat des rentes perpétuelles.** Constituées contre versement d'un capital (r. constituées), peuvent être rachetées après un délai d'au max. 10 ans. Les r. perpétuelles constituées moyennant une amélioration immobilière (r. foncières) peuvent être rachetées après un délai d'au max. 30 ans. On peut s'adresser à 2 Stés qui jouent les intermédiaires entre les particuliers, le Centre national des rentes viagères (CNRV) et la Française de rentes et financements.

Valeurs mobilières

Types

• **Actions.** Représentant une part du capital de la société, indiquée par leur valeur nominale. L'actionnaire est un associé. Il a droit : 1°) *A une part des bénéfices* après constitution des amortissements industriels, des provisions et des réserves (légales, statutaires ou facultatives) ; le dividende est payé 1 fois par an (l'assemblée peut décider de ne pas en verser). 2°) *De participer aux assemblées gén.* 3°) *Par préférence aux augmentations de capital* (avec un délai de 15 j minimal pour en profiter). Ce droit, proportionnel au nombre de ses actions, est négociable. 4°) *Au remboursement de la valeur nominale des actions,* mais il ne sera payé qu'une fois les créanciers désintéressés et au moment de la dissolution de la société. Le remboursement peut avoir lieu par anticipation (voir action de jouissance). 5°) *Aux bénéfices de liquidation :* après le désintéressement des créanciers et le remboursement de la valeur nominale des actions. 6°) *De communication des documents* soumis à l'approbation des assemblées générales ordinaires. Les Stés cotées et leurs principales filiales doivent publier au BALO, outre les documents soumis à l'approbation de l'assemblée générale ordinaire (bilan, compte de résultat, etc.), un tableau d'activité et de résultats du 1er semestre de l'exercice, un rapport semestriel, et le chiffre d'affaires trimestriel. Elles doivent publier des comptes consolidés si elles sont à la tête d'un groupe. 7°) *De négocier librement son action :* par la simple remise (titre au porteur), ou par transfert sur les registres de la société (titre nominatif) ; parfois soumis à l'agrément du conseil. Les actions d'apport ne sont négociables que 2 ans après leur création. Les actions déposées par chaque administrateur en garantie de gestion sont inaliénables pendant son mandat. 8°) *D'être désigné aux fonctions sociales* (conseil d'administration, directoire, conseil de surveillance). 9°) *D'agir en justice* (contre les organes sociaux ou même contre la société).

Action de jouissance. Action dont le capital a été amorti par prélèvement sur les réserves et par conséquent remboursé aux actionnaires ; n'a pas droit au dividende statutaire. **Action de priorité ou action privilégiée.** A droit en priorité au dividende (qui peut être majoré par rapport à celui des actions ordinaires). **Action à dividende prioritaire sans droit de vote.** Donne droit à un dividende prioritaire en contrepartie de la suppression du droit de vote. **Action accumulante.** L'actionnaire a le choix entre le paiement du dividende en numéraire et l'attribution d'actions nouvelles. **Action à droit de vote plural.** Libérée dès l'origine, nominative (éventuellement pendant 2 ans suivant l'origine), bénéficiant d'un droit de vote double.

Régime fiscal des actions. *Avoir fiscal* égal à la moitié du dividende distribué. *Imposition à l'IRPP des dividendes* (y compris avoirs fiscaux) : abattement forfaitaire de 3 000 F.

Augmentations de capital. Peuvent être gratuites ou payantes. *Gratuites* : 3 formes : élévation de la valeur nominale de l'action, division du titre ou distribution d'actions gratuites. *Payantes:* supposent le détachement d'un droit de souscription ou d'attribution. *Calcul d'un droit de souscription : Formule :* K = (c × n) + P. K étant le prix de revient de l'action nouvelle ; c, le cours du droit ; n, le nombre de droits pour avoir une action ; P, le prix de souscription. *Exemple:* le droit cote 17 F et il en faut 3 pour souscrire à une action au prix de 150 F. L'action nouvelle revient à : (17 F × 3) + 150 F = 201 F. Si l'action ancienne cote par exemple 209 F, il y a intérêt à acheter les droits et à souscrire si l'écart de cours ne s'explique pas par une différence de jouissance (actions anciennes bénéficient d'un dividende auquel les nouvelles ne peuvent pas prétendre) et si les frais de Bourse sont inférieurs à la différence constatée.

Compte d'épargne en actions (CEA). Loi du 13-7-1978 (loi *Monory*). Valable du 1-1-83 au 31-12-88, voir Quid 1991 p. 1832. Réduction d'impôt égale à 25 % des achats nets d'actions françaises effectués en cours d'année.

Certificats d'investissement. Créés par le démembrement de l'action d'une sté ; l'action conserve le droit de vote et le certificat d'investissement en reçoit les droits pécuniaires.

• **Emprunt à sensibilités opposées (ESOPE).** Lancé en oct. 1986 par Paribas. La première tranche permet au souscripteur de parier sur une hausse des taux d'intérêt et la seconde sur une baisse de ceux-ci.

• **Emprunts d'État indexés. Rente Pinay 4,5 % en 1973 :** sur la base d'un prix de référence de 36 F fixé par l'Administration, chaque année un prix de remboursement ou de reprise était fixé le 1-6 et le 1-11 en fonction de la moyenne des cours du Napoléon durant les 110 séances de Bourse précédant le 15-5 et le 15-11 (avait remplacé la rente 3,5 % 1952-58). Le 1-6-1988, tous les titres restant en circulation ont été remboursés par anticipation sur 1989 à 1 474 F. Le prix de remboursement avait culminé à 2 447 F en juin 1981. L'État a remboursé environ 2,75 milliards pour 1 860 000 millions de titres amortis.

Au total l'emprunt avait permis de recueillir plusieurs milliards de F de l'époque et 185 t d'or utilisées pour souscrire.

Emprunt Giscard. 7 % en 1973 : emprunt de 6,5 milliards de F lancé pour financer, par avance, une baisse de la T.V.A. ramenée de 23 % à 20 % et de 7,5 % à 7 %. Préparé par Claude Pierre-Brossolette, directeur du Trésor, et Jean-Yves Haberer, chef du service des affaires monétaires et financières du Trésor. L'indexation directe sur l'or-métal paraissant dangereuse, l'emprunt fut indexé sur le rapport, au jour de l'émission, entre le poids d'or du F et l'unité de compte européenne (UCE), utilisée alors essentiellement pour fixer les prix agricoles. Si le F et l'UCE n'étaient plus définis par un poids d'or, comme ils l'étaient alors, l'indexation se ferait sur les variations des cours du lingot d'or de 1 kg, coté à la Bourse de Paris, avec 10 483 F comme base de départ. L'emprunt, émis avec un taux inférieur d'un point en dessous de celui du marché, fut assez mal accueilli. Peu après son lancement, il perdait jusqu'à 15 % de sa valeur. Quand l'accord de la Jamaïque en janv. 1976 (ratifié sans la participation formelle de la France au début 1978) officialisa l'abandon de l'étalon-or et la généralisation des changes flottants, l'emprunt 1973 monta de janv. 1976 à 1978 de 1 000 F à 3 000 F puis à + de 10 000 en 1980 parallèlement à la montée de l'or. C'est ainsi que le Trésor a dû rembourser 55 milliards de F au lieu de 6,5 Md (coefficient 8,5) et verser 35 milliards de F d'intérêts au lieu des 6,8 prévus. Au total l'emprunt a donc coûté 76,7 milliards de F (soit en F constants 34 Md dont remboursement 24, intérêts 10). Le remboursement se fit le 18-1-1988 en partie avec 45 Md prélevés sur les 67 Md obtenus des privatisations en 1987. Il représentait 5 % de la dette de l'État (contre 10 % en 1981), 12 % à 14 % de la charge de refinancement supportée par le Trésor en 1987 (400 md) et un peu plus de 50 % des obligations publiques émises en 1986 et 1987 (137 et 96). Il a peu allégé le montant nominal de la dette publique (1 300 milliards de F), où le 7 % 1973 n'y figurait que pour ses 6,5 milliards de F d'origine.

Emprunt Barre. 8,80 % en 1977 : le nominal (1 000 F) est indexé sur la valeur en F de l'unité de compte européenne (U.C.E.) sur la base de sa composition et de sa valeur au 29-4-1977 (5,60127 F). *Valeur instantanée :*

$$\frac{\text{cours de l'UCE}}{\text{cours de référence}} \times \text{nominal.}$$

Obligations (3 % *de la Caisse nationale de l'énergie).* Réparties entre les actionnaires des Stés de gaz et d'électricité en compensation de leur nationalisation en 1946 ; indexation sur un prélèvement d'au moins 1 % des recettes d'EDF-GDF.

☞ Depuis le remboursement du 4,5 % 1973, et du 7 % 1973, un seul emprunt indexé sur l'or est coté à la Bourse de Paris : l'emprunt d'Algérie 3,5 % 1952 indexé sur le cours du napoléon, émis en coupures de 100 F, 500 F et 1 000 F de nominal (cotait 1 060 F, 5 300 F et 10 090 F en juin 1988), amortissable par tranches de 1953 à 2012 (les résultats des tranches tirées au sort ne sont connus généralement qu'au bout de 10 mois) et peu de titres sont échangés à chaque séance (de 5 à 10).

• **Fonds d'État.** Titre générique qui recouvre *rentes perpétuelles* (sorte de rente viagère) et *emprunts d'État.* La rente perpétuelle de 3 %, dont l'origine remonte à 1825 et qui servit au règlement de l'indemnité de 1 milliard de F-or allouée aux émigrés et à leurs descendants dont les biens avaient été confisqués pendant la Révolution, est encore négociée.

• **MATIF (marché à terme des instruments financiers).** *Créé* février 1986 sur le modèle des marchés à terme de marchandises pour permettre aux investisseurs de protéger la valeur de leurs actifs face, en particulier, à l'instabilité des taux de change. 3 types de contrats y sont négociés. 3 catégories interviennent : ceux qui veulent assurer leurs portefeuilles, des arbitragistes et des spéculateurs. *Pertes enregistrées* par certaines sociétés (en 1987 en millions de F) : COGEMA – 259. Banque d'entreprise – 200. Sté des Banques fr. 500 (en 1987 et 1er sem. 1988).

• **Obligations.** Valeur mobilière (au min. de 100 F nominal) négociable, représentant une créance exigible généralement à long terme (+ de 7 ans). Seuls collectivités publiques et GIE peuvent en émettre : le 1er exercice d'exploitation doit être achevé et le 1er bilan dressé, les actions doivent être entièrement libérées (payées). Le min. des Finances doit être informé 10 j avant l'émission et donner son autorisation (émission de 1 milliard ou +). Les obligations sont remboursées au terme indiqué, ou annuellement, par tirage au sort. Une prime est souvent prévue, l'obligation ayant été émise au-dessous de la valeur nominale mais étant remboursée à celle-ci. *Droits des obligataires :* d'information, de faire partie d'une masse qui se réunit en assemblées, d'aliéner les obligations, d'être remboursé avant l'actionnaire en cas de dissolution de la sté, droit au paiement des intérêts.

Différents types d'obligations. A taux fixe. Taux d'intérêt garanti fixé une fois pour toutes lors de l'émission. Le cours de l'obl. peut varier cependant en fonction du taux d'intérêt moyen des emprunts à l'émission et des conditions propres à chaque obl. (durée de vie, modalités d'amortissement, qualité de l'emprunteur, sensibilité, etc.). **A taux variable.** Intérêt annuel ou semestriel déterminé en fonction des variations d'un taux de référence (taux du marché obligataire, taux du marché monétaire, etc). **A taux révisable.** Indices les plus usuels : TRA (taux révisable annuel) TRO (taux révisable tous les 3 ans).

A bons de souscription. D'actions (OBSA). Également appelés warrants. Donnent le droit de souscrire à une nouvelle action de la Sté émettrice à un prix fixé par le contrat d'émission, et durant une période déterminée. **D'obligation (OBSO).** Le warrant fait l'objet d'une cotation séparée et se négocie indépendamment de l'obligation. La durée de ces bons est en général assez limitée.

Convertibles. En actions. Peut être échangée contre une action de la Sté émettrice durant une période et selon des modalités définies par le contrat d'émission. Si le cours de l'action monte, celui de l'obligation convertible est logiquement tiré vers le haut. Si le cours de l'action baisse, le porteur de l'obligation est mieux protégé que l'actionnaire puisqu'il a l'assurance de recevoir un revenu régulier. Seules les Stés en commandite par actions (après décision de l'ass. gén. extr.) et les Stés anonymes peuvent en émettre.

A bons de souscription d'actions (OCBSA). Lancée en juin 1987 par la Sicomi Frankoparis. Chaque obligation est convertible à tout moment dep. le 1-7-1991 en 10 actions Frankoparis.

Indexées. Ex. : emprunt 8,80 % 1977 indexé sur l'Ecu et les emprunts du Danemark et de la Suède, cotés à Paris, indexés sur l'indice de la Cie des agents de change.

A fenêtres. Comportent une clause de remboursement anticipé (la 7e, 10e ou 14e année) au gré du porteur ou de l'émetteur. Le porteur qui demande un remboursement anticipé supporte une pénalité sur son dernier coupon. Il n'a donc intérêt à le faire que si les taux montent. Inversement, l'émetteur ne remboursera par anticipation son emprunt que si les taux baissent fortement. Il doit, dans ce cas, une prime de remboursement au souscripteur.

A lots. Doivent être autorisées par une loi. Ex. : Obligations à lots SNCF (permettent aux porteurs tirés au sort de gagner des km de voyage).

Assimilables du Trésor (OAT). *Émises depuis mai 1985.* Chaque mois, les nouveaux titres émis ont les mêmes caractéristiques que ceux de l'emprunt initial.

Renouvelables du Trésor (ORT). *Émises* le 6-6-1987. A taux fixe légèrement inférieur aux emprunts d'État. Les coupons sont capitalisés (seule la plus-value est imposable si l'on revend le titre avant le détachement du coupon). Durée de vie (6 ans), on peut (au bout de 3 ans) échanger une ORT contre une autre ORT émise à un taux plus avantageux.

A coupon zéro. Très répandu sur les marchés américain et euro-obligataire. Le porteur ne reçoit donc aucun intérêt annuel. En compensation, le prix d'émission de l'obligation est nettement inférieur à sa valeur de remboursement. Ne bénéficient, en France, d'aucun avantage fiscal.

Spéciale à coupons à réinvestir (OSCAR). Lancée par la Sté financière du gaz (SFIG) en février 1986. Le porteur peut recevoir le coupon chaque année sous la forme d'obligations nouvelles de 5 000 F au taux de 10 % sur la base du coupon net.

D'intérêt nominal (FELIN). Titres à coupon zéro émis en 10 tranches, les 9 premières correspondant à une échéance d'intérêt, la 10e à l'échéance de remboursement le 31-1-1996. Les prix d'émission sont fixés d'autant plus bas par rapport au nominal que les échéances sont lointaines. Le rendement résulte donc de la progression du capital, étalée sur la durée de vie des titres.

Remboursables. En certificats d'investissement privilégié (ORCIP) : remis à l'échéance par la Sté émettrice. **En action (ORA) :** à l'échéance, en actions ordinaires de la Sté émettrice selon des modalités fixées par le contrat d'émission.

Régime fiscal des obligations françaises (ou assimilées : émises en France par des organismes étrangers ou internationaux) **non indexées,** 2 options : 1° déclarer l'intérêt net perçu augmenté du crédit d'impôt (10 %) dans la déclaration annuelle de revenus ; 2° prélèvement libératoire de 26 %.

En pratique, on a intérêt à appliquer, au moins partiellement, la 1re solution jusqu'à 5 000 F (montant de l'exonération des intérêts) et tant que la tranche d'imposition est inférieure à 25 %.

Nota. – Les cours des obligations tendent à monter et à baisser en raison inverse de l'évolution des taux d'intérêt à long terme (du moins en période de stabilité monétaire). Le mécanisme est, en partie, le même pour le cours des actions (mais ce phénomène peut être annulé par les avantages fiscaux attachés à l'achat d'actions).

• **Titres du marché monétaire.** Emis sous la forme de billets à échéance qui représentent un droit de créance portant intérêt, ils sont négociables mais n'ont pas vocation à être cotés en bourse. *Durée :* de 10 j à 7 ans (en pratique, 13 semaines) ; jusqu'à 5 ans pour les Bons du Trésor. *Catégories :* certificats de dépôt (billets au porteur ou à ordre, à échéance fixe) ; billets de trésorerie émis par des sociétés non financières ayant au moins 2 ans d'existence ; bons du Trésor négociables, bons des institutions financières spécialisées (IFS) et des établissements visés à l'art. 9 de la loi du 24-1-1984 (maisons de titres).

• **Titres subordonnés à durée indéterminée (TSDI).** S'apparentent plus à des rentes perpétuelles qu'à des créances obligataires classiques. Le souscripteur n'a pas droit au remboursement de son apport à une date déterminée. C'est la société émettrice qui se réserve la possibilité de rembourser les titres à son gré.

• **Parts de fondateurs.** Elles n'ont pas de valeur nominale et ne sont pas comprises dans le capital social, mais confèrent un droit à répartition des bénéfices. Négociables en bourse.

• **RES (Rachat d'entreprises par les salariés) ; LMBO (leveraged management buy-out).** Aux Etats-Unis, opérations généralement dénouées par la revente d'actifs pour rembourser les « junk bonds ». En Europe, les crédits sont gagés sur les cash-flows futurs de l'entreprise et non sur les actifs. De 1980 à 1988, il y a eu + de 10 000 LMBO aux Etats-Unis, 2 500 en G.-B., + de 300 en France.

• **Titres participatifs.** *Créés* par la loi du 3-1-1983 (début 1990, il y en avait 7 au règlement mensuel et 5 au comptant). Seules peuvent en émettre les Stés par actions de droit public, les Stés anonymes coopératives, et les établ. publics à caractère ind. et commercial. Perpétuels, ils ne sont pas remboursables, sauf en cas de liquidation de la sté. Négociables en Bourse, dans le cadre d'OPA et d'OPE. *Rémunération :* comprend une partie fixe, souvent fixée par rapport au taux du marché obligataire, et une partie variable, fonction du résultat net de la sté, ou de sa marge d'autofinancement, ou de son chiffre d'affaires consolidé (elle peut comporter un plancher et un plafond). *Régime juridique :* celui des obligations. *Cotation :* à la cote officielle au comptant. *Fiscalité :* abattement de 5 000 F et prélèvement libératoire à 26 %. Certaines émissions peuvent être accompagnées de bons de souscription.

• **Taux annuel monétaire (TAM).** Permet de capitaliser les intérêts au taux du marché monétaire sur 12 mois ; en juin 1988 : 8,0098 %. Taux 4. **Taux moyen mensuel en 1988 du rendement à l'émission des emprunts de stés privées.** Février 9,49 %, juin 9,20 % ; **des emprunts garantis et assimilés.** Janv. 9,92 %, juin 9,10 %. Ces taux sont rarement indexés ; ils ne peuvent l'être que sur un indice propre à l'entreprise (chiffre d'affaires, volume des ventes, etc.) ou à son secteur industriel. **Taux nominal ou facial.** Taux d'intérêt auquel l'obligation est émise au moment de son lancement et qui figure sur le titre. **TRA** (taux révisable annuel). **TRO** (taux révisable tous les 3 ans en fin de période). **TSM** (taux du marché monétaire à 6 mois) ; dénommé « taux flottant », déterminé à l'avance, formule d'obligations intermédiaires entre celles à taux fixe et celles à taux variable.

Références les plus utilisées (taux variables). *Références monétaires (courtes). TMP :* taux moyen pondéré des opérations de prêt au jour le jour (24 h). Pondération fonction du volume échangé. *Tiop 1 mois :* taux interbancaire offert à Paris à 1 mois (ou en anglais *Pibor :* Paris Intern Banking Offert Rate). Même référence pour le 1, 2, 3 et 6 mois. *TMM (ou TMMMM ou T4M)* : taux moyen mensuel du marché monétaire au j le j entre banques. Égal à la moyenne arithmétique des taux journaliers du marché monétaire à 1 jour. *TAM :* taux annuel monétaire. Il est pour un mois donné le placement à intérêts composés calculé pendant 12 mois du TMM. *THB :* taux hebdomadaire des bons du Trésor à 13 semaines. Égal au taux de rendement actuariel annuel constaté lors des adjudications de BTH. *TMB :* taux moyen mensuel des bons du Trésor à 13 semaines. Égal pour un mois donné à la moyenne arithmétique des THB. **Références obligatoires (longues).** *TMO :* taux actuariel moyen au règlement des obligations à taux fixe du secteur privé pour un mois. (THO : idem, avec une référence hebdomadaire). *THE :* taux moyen hebdomadaire des emprunts d'État à long terme, calculé à partir d'un échantillon d'emprunts d'État dont la durée de vie est de 7 à 10 ans. *TME :* moyenne arithmétique des THE du mois.

Comparaisons (en %, à mi-mai 1990). *TMP* [1] *:* 9,625. *Tiop 1 mois* [1] *:* 9,75 ; *2 mois* [1] *:* 9,8125 : *3 mois* [1] *:* 9,8750. *TMM d'avril :* 9,8895. *TAM d'avril :* 10,2596. *THB* [2] *:* 9,62. *TMB* [2] *:* 9,70. *TMO d'avril :* 9,70. *THE* [2] *:* 9,63. *TME* [2] *:* 9,67.

Nota. – (1) Au 10-5-90. (2) Au 7-5-90.

Dématérialisation des valeurs mobilières. Depuis le 3-11-1984, les valeurs mobilières émises en France et soumises à la législation française doivent être déposées en compte par leurs détenteurs auprès de leur intermédiaire agréé (banque, agent de change, etc.) ; ces valeurs sont inscrites auprès de la Sicovam (Sté interprofessionnelle pour la compensation de valeurs mobilières). Pour les titres déjà confiés aux intermédiaires agréés, l'inscription en compte par ceux-ci est automatique ; pour les titres « vifs » (matériellement représentés), délai de 3 ans et demi à partir de cette date. **Exceptions (titres non dématérialisés).** *Emprunts d'État : 1973 :* 4 1/2 %, *45-54 :* 3 %, *42-55 :* 3 %, *41-60 :* 4 %, *42-52 :* 3 % ; *emprunts P.T.T. : 64 :* 5 %, *65 :* 5,75 %, *66 :* 5,75 %, *67 :* 6,25 %, *68 :* 6,5 %, *69 :* 7 %, *70 :* 8,5 %, *71 :* 8,5 %.

Nota. – Début 1983, la Sicovam avait en dépôt env. 1,4 milliard de valeurs mobilières (près de 80 % des valeurs françaises cotées en Bourse).

Taux d'intérêts réels comparés (rendement des obligations d'État). Moyenne annuelle en % en 1990 : taux nominaux et, entre parenthèses, taux réels. G.-B. 11,3 (5,2), *France 9,9* [1] *(6,3),* Allemagne 8,7 (5,1), USA 8,7 (4,3), Japon 7,4 (5,8).

Nota. – (1) Taux pratiqués pour les entreprises généralement + de 10 % (taux réels env. 7 %).

Titrisation. Depuis la loi du 22-12-1988, les créances détenues en portefeuille par des établissements de crédit peuvent être mises sur le marché. Les premières opérations [Caisse autonome de refinancement (CAR), Crédit Lyonnais et Compagnie Bancaire] ont porté uniquement sur des créances à taux d'intérêt élevé permettant de les revendre sur le marché, après transformation en titres, à un taux moins élevé pour couvrir les frais et risques des variations de taux.

Modalités particulières de diffusion

• **Club d'investissement ou d'actionnaires.** *Origine :* USA (Dallas 1898). *En France :* 1er club (Femmes de valeurs) *créé* 6-3-1969 par Roselyne Pierre. Groupes de 5 à 20 personnes formés pour un max. de 10 ans, pour pratiquer achats et ventes de titres en commun. Le club bénéficie d'avantages fiscaux. *Versements mensuels max. :* 2 000 F par membre après un vers. initial de 3 000 F (max.). *Nombre de clubs : fin 1969 :* 250, *fin 1988 :* 20 000 (250 000 adhérents). *Actif moyen fin 1975 :* 33 190 F, *fin 1987 :* 130 410 F. *La Féd. nat. des clubs d'inv. (FNACI, 22,* *bd de Courcelles, 75017 Paris) créée* 21-2-1978, représente l'ensemble des clubs.

• Clubs d'investissement pour enfants. 1ers *créés* en janvier 1986 par l'ANFEN (Association nationale familiale pour l'Enfance). Réservés aux 8 à 16 ans, rassemblés par groupes d'âge homogène. *Droit d'entrée :* 130 F. *Inv. min. par enfant :* 50 F par mois. *Réunions :* mensuelles (en dehors de la présence des parents), animées par un étudiant de grande école. Le club reste la propriété juridique d'adultes mais est animé par des enfants. Le Pt du club doit être majeur. Il reçoit, pour exercer sa fonction, pouvoir des parents des mineurs appartenant au club qui s'engageront à verser, chaque mois, la somme convenue au club. *Décisions :* prises par la majorité, les enfants ayant chacun 1 voix. *Nombre de clubs (avril 1987) :* 18 clubs de 15 enfants chacun à Paris.

• Fonds communs de placement (Fcp) (clientèle privée et entreprises). *Créé* par la loi du 13-7-1979. Copropriété de valeurs mobilières et de sommes placées à court terme ou à vue. Le fonds n'a pas de personnalité morale et n'est pas une indivision ; chaque part correspond à une fraction des actifs qui y sont compris (loi du 23-12-1988). Il y a notamment des *fonds à vocation générale, des fonds de court terme* (créés en oct. 1981) *et des fonds « à risques »* créés par la loi du 3-1-1983 (40 % des actifs au min. constitués par des titres de Stés non cotées) ; ils bénéficient d'un régime fiscal plus favorable sous certaines conditions (de durée, d'investissements). **Montant min. des actifs de chaque fonds au départ.** 2 500 000 F (loi du 23-12-1988).

Souscriptions. En espèces ou en valeurs mobilières (le gérant peut les refuser), rachats en espèces. Droits et frais sont fixés librement par le règlement intérieur. **Fiscalité.** Pas d'impôt à l'intérieur du fonds sur les plus-values réalisées lors des cessions de valeurs mobilières, à condition qu'aucune personne physique ne possède plus de 10 % des parts. Pas de droit d'enregistrement pour les souscriptions ni de droit de partage pour les rachats ; crédits d'impôt et avoirs fiscaux liés aux revenus des fonds sont répartis suivant leur quote-part entre les porteurs.

• Fonds communs d'intervention sur les marchés à terme. Prévus par la loi du 31-12-1987.

• Fonds communs de créances. Prévus par la loi du 23-12-1988, détiennent des créances cédées par les établissements de crédits. Statistiques. Voir p. 1913c.

• Fonds off shore. *Régime juridique de droit étranger :* souvent créés par des banques nationales mais domiciliés dans un autre pays (ex : Jersey, Guernesey, île de Man, Bermudes, Curaçao, Luxembourg, Hong Kong...) au droit duquel ils sont soumis. Ouverts aux résidents français (fonds cotés sur une bourse étrangère ou bénéficiant d'une autorisation de vente en France par la Banque de Fr.), mais le démarchage est interdit en Fr. ; la demande doit venir du souscripteur. *Avantages, pour le gestionnaire* (banque française par ex.) : montant de l'actif illimité, placement possible des liquidités sur le marché international des capitaux, endettement possible sur certaines places (ex. Hong Kong) ; *pour le souscripteur :* valorisation dépendant de la gestion et des variations de change ; fiscal : possibilité de ne pas percevoir de coupons. *Nombre :* 580. *Conditions d'achat :* frais élevés : commission du courtier étranger et courtage de l'intermédiaire français.

• Organismes de placement collectif de valeurs mobilières (OPCVM). Loi du 23-12-1988. Forme générique désignant à la fois les Sicav et les Fcp. Part dans la composition des portefeuilles-titres : 27,4 % en 1989 (a doublé en 6 ans), et 43,1 % des actifs-titres des ménages (28,7 % en 1985).

• Participation et actionnariat des salariés. Fcp de la participation. Gèrent les sommes venant de la participation et des plans d'épargne d'entreprises. **Actionnariat des salariés. Secteur privé :** *plans d'options sur action* (1970) : *plans de souscription ou d'achat d'actions* (déc. 1973). Actions incessibles 5 ans ; distribution gratuite d'actions (loi du 24-10-1980) dans la limite max. de 3 % du capital. **Secteur public :** actionnariat à la Régie Renault (1970) : 7 % du capital distribué gratuitement à 70 000 salariés ; dans les entreprises d'assurances nationales (1973) à titre gratuit (actions indisponibles 5 ans) et à titre onéreux (actions négociables dep. le 1-10-1973).

• Plans d'épargne en valeurs mobilières. **Compte d'épargne à long terme (Celt).** Versements fixes annuels (en une ou plusieurs fois) d'un montant déterminé lors de l'engagement et pendant au moins 5 ans. Plus de nouveaux contrats ou de prolongations de contrat dep. le 31-12-1981.

• Plans d'épargne libre (Pel). *2 sortes : p. comptants* (versement initial d'un montant minimal) ; *p. à versements successifs* (obligation d'effectuer pendant 5, 10 ou 15 ans des versements périodiques et réguliers).

• Stés civiles de placements immobiliers (Scpi). *Objet exclusif :* acquérir et gérer un patrimoine immobilier locatif. Ne peuvent pas participer à des opérations de promotion immobilière. Capital divisé en parts. La responsabilité des associés est limitée, vis-à-vis des créanciers de la Sté, au double de la fraction de capital qu'ils possèdent. Risque limité : les Scpi ayant généralement été créées sous l'égide d'une banque ou d'un groupe financier et étant non cotées en Bourse, soumises au contrôle de la COB. *Rendement annuel brut :* de 6 à 8 %. **Scpi Méhaignerie** [logements neufs destinés à la location pendant 6 ans, accordent pour leur souscripteur une réduction égale à 7,5 % de leur investissement (jusqu'à 40 000 F par ménage) et un abattement de 35 % (ou de 15 %) sur les recettes pendant 10 ans : 3,5 à 5 %]. Les Scpi bénéficient de la transparence fiscale (elles ne paient pas l'impôt sur les Stés). Les revenus perçus sont répartis entre les porteurs de parts, qui sont soumis à l'impôt sur les revenus immobiliers comme s'ils étaient directement propriétaires d'immeubles. **Stés d'investissement à capital fixe (SICAF).** Gèrent un capital donné. Quand elles sont cotées en Bourse, l'achat ou la vente des titres s'effectue comme pour une autre action. Le cours peut être différent (généralement en dessous) de la valeur liquidative.

Évolution d'un capital de 10 000 F placé à intérêt fixe dont les montants sont réinvestis au même taux

%	5 ans	10 ans	15 ans	20 ans	30 ans
5	12,763	16,289	20,789	26,532	43,219
6	13,382	17,908	23,965	32,071	57,435
8	14,693	21,589	31,722	46,609	100,626
10	16,105	25,937	41,772	67,275	174,493
12	17,623	31,058	54,736	96,463	299,597
15	20,114	40,456	81,370	163,664	662,114
20	24,883	61,917	154,070	383,375	2 373,763

• Sté d'investissement à capital variable (Sicav). Sté anonyme ayant pour objet la gestion d'un portefeuille de valeurs mobilières presque toutes négociées sur un marché règlementé, et pour particularité la variabilité de son capital, en fonction des souscriptions et des rachats d'actions. Elles ne peuvent investir plus de 5 % de leur actif dans une même valeur, ni acquérir plus de 10 % du capital d'une même Sté (loi du 23-12-1988). Elles ne sont pas soumises à l'impôt sur les Stés et peuvent capitaliser l'ensemble de leurs revenus (loi du 2-8-1989 pour les intérêts des créances et loi de finances pour 1990 pour les dividendes d'actions). *Avantage fiscal :* dividendes imposés comme des revenus, alors que les plus-values sont taxées à 17 %, si le contribuable a cédé pour plus de 307 600 F de valeurs mobilières dans l'année. *Commissions* (frais et commissions libres ; loi du 17-6-1987). Pour les Sicav de « court terme » créées en oct. 1981 au portefeuille composé d'obligations à taux variable ou à échéance rapprochée, droits d'entrée réduits. Prix de souscription et de rachat sont publiés quotidiennement. On peut souscrire ou racheter tous les jours de Bourse.

Sicav monétaires (à court terme). Créées au départ pour rémunérer la trésorerie des entreprises (part : 50 000 F minimum, 100 F env. aujourd'hui). Fonds investis dans des placements financiers à court terme (bons du Trésor, certificats de dépôts émis par les banques, ou billets de trésorerie des entreprises) et rémunérés aux taux du marché monétaire [entre 8 à 10 % d'intérêt, net d'impôt dans certains cas (Sicav de capitalisation)]. *Montant des dépôts* (en milliards de F). *1986 :* 312, 91 *(mars) :* + de 1 000.

• Stés immobilières pour le commerce et l'industrie (Sicomi). *Créées* en 1967. Stés anonymes (25 sur 60) cotées en Bourse. Peuvent réaliser : *1° la location d'immeubles,* en restant propriétaires (baux commerciaux classiques) ; *2° le crédit-bail :* la Sicomi utilise les fonds qui lui ont été confiés pour l'achat d'immeubles à usage de bureaux. Elle les loue ensuite en crédit-bail à des entreprises qui ne peuvent ou ne veulent pas emprunter pour acheter ou faire construire, mais s'engagent à louer pendant une période fixée à l'avance de 10 à 20 ans. Les loyers sont réévalués régulièrement. Au terme du bail, l'entreprise se retrouve propriétaire des locaux en ne versant qu'une somme minime (souvent 1 F symbolique). Les Sicomi bénéficient de la transparence fiscale, à condition de distribuer à leurs actionnaires 85 % au moins des bénéfices (pas d'avoir fiscal). Le crédit-bail est sensible aux variations des taux d'intérêt (la baisse des taux avantage les Sicomi). Pour les locations simples, l'indexation des loyers les rend rentables à terme. Une Sicomi non cotée en Bourse est obligée de reprendre aux actionnaires qui le souhaitent les titres qu'ils veulent vendre si le total de la demande de vente n'excède pas 10 % du capital de la Sté ou si la Sicomi est automatiquement cotée en Bourse après 4 ans. *Rendement (1988) :* 7 à 9 %.

• Stés immobilières d'investissement (SII). *Créées* en 1958). Stés anonymes cotées en Bourse. *Objet :* construction et location d'immeubles dont 75 % au moins de la surface sont consacrés à l'habitation, et le quart restant à l'immobilier commercial. Bénéficient de la transparence fiscale à condition de distribuer à leurs actionnaires 85 % au moins des bénéfices (le dividende perçu ne donne pas droit à un avoir fiscal). *Rendement :* supérieur au rendement moyen de l'immobilier locatif (à cause de la sous-évaluation des actifs immobiliers des SII). *Rendement (1988) :* 5,5 %. *Décote par rapport à la valeur intern. du patrimoine :* env. 30 %

• Stés foncières. *Créées* à la fin du XIXe s. Stés de droit commun, ne disposant pas de statut spécifique. Patrimoine diversifié, plutôt ancien dans le centre des villes. Certaines sont cotées en Bourse. *Rendement :* faible. Pas d'avantage fiscal : les revenus des Stés cotées en Bourse sont imposés comme ceux des actions. Pour les Stés non cotées, la taxation des plus-values est la même que celle des SCPI.

Placements divers (exemples)

☞ Placements divers. La loi du 3-1-1983 a institué une surveillance de certains placements mobiliers (conteneurs, wagons, baraques de chantier, cheptel, chevaux...) ou immobiliers (bâtiments, forêts, carrières...) dont les acquéreurs n'assurent pas eux-mêmes la gestion, dès lors qu'ils sont assortis d'appel public à l'épargne ou de démarchage. Aucun appel public ou démarchage en faveur de tel placement ne pourra être réalisé, sous peine de sanctions pénales, avant que la COB ait pu vérifier le document d'information, qui doit être établi, et le contrat type proposé aux épargnants. La COB dispose d'un délai de 30 j, renouvelable 1 fois, pour formuler ses observations : le document définitif ne sera diffusé que lorsqu'il aura été mis en conformité avec les observations formulées, ou, à défaut de remarques, à l'expiration du délai. Le juge peut annuler tout contrat dont les stipulations ne seraient pas conformes au contenu du document d'information.

• Baraques de chantier (« transit bungalow »). Coût : à partir de 16 000 F. Revente difficile : après 10 ans, le bungalow usagé a perdu 90 % de sa valeur. Intérêt annuel : 16 à 17 % la 1re année. Les intérêts sont exonérés d'impôt les 5 premières années, sauf s'ils atteignent un niveau exceptionnel.

• Boutiques (murs). Paris 5,5 à 8 % ; Province 8,5 à 11 %.

• Bureaux. 4,5 à 9,5 %.

• Camping. *Investissement :* terrain 2 étoiles (– de 100 places) : 3 à 5 millions de F ; 3 ou 4 étoiles (de 150 à 200 places) : 5 à 7 ; jusqu'à 15 si la situation est exceptionnelle. *Coût de réalisation d'un emplacement :* 6 000 à 9 000 F (1 étoile), 30 000 à 60 000 F (4 étoiles). 50 j de remplissage à 100 % sont nécessaires pour couvrir les frais de gestion (personnel, consommation d'eau et d'électricité) et pour amortir installations et charges financières correspondant aux intérêts d'emprunts ; 20 à 35 j pour les seuls frais de gestion. Les revenus sont assimilés à des BIC (à des revenus fonciers et à une location foncière du sol, pour une petite structure).

• Capitaux placés en report. Chez les agents de change. Taux : 6 3/4 (liquidation juin 1988).

• Cheval de course. *Formules d'achat : foal* (poulain de l'année) en général investissement de professionnels ou d'investisseurs à long terme, *yearling* (cheval né l'année précédente et prêt à commencer l'entraînement) ventes aux enchères à Deauville en août et à Paris à l'automne, compter au min. 50 000 F, *cheval qui commence à courir* (2, 3 ou 4 ans) 150 000 F au min. On peut constituer une écurie de groupe sous forme de Sté civile. *Rentabilité :* 2 sources : prix des courses (40 % du 1er prix pour le 2e, 20 % pour le 3e, 10 % pour le 4e) ; gains sur les parts d'étalon : avec 40 saillies possibles par an et une hausse jusqu'à 50 % de la valeur de la part en 1 an, on peut amortir son investissement en 2 ans. Le trotteur *Idéal du Gazeau* acheté 15 000 F en 1976 a gagné 15 millions de F et a été 3 fois champion du monde aux USA et a été revendu 15 millions de F à la Suède.

• **Conteneur.** *Rendement :* annoncé 14 à 18 % brut, réel 0 à 8. On peut aussi acheter des parts de la Sté qui possédera et gérera, en pool, plusieurs centaines de conteneurs. *Inconvénients :* revente difficile ; usure (vie de 8 à 15 ans) ; frais d'entretien s'élevant avec les années. *Fiscalité :* TVA récupérée ; amortissement sur 8 ans.

• **Diamant.** Placement à (très) long terme : il faut amortir la taxe sur la plus-value, la TVA (22 % depuis 1991 sur une pierre non montée) et la commission du joaillier (45 à 100 %), la taxe à la revente (7 %). Les plus faciles à négocier sont les diamants de 1 à 5 carats, parfaitement purs, d'une couleur dite « premier blanc » et parfaitement taillés. La formule du dépôt-vente (le négociateur n'achète pas la pierre, il la prend en dépôt), assimilée à une vente entre particuliers, échappe à la TVA.

• **Emprunts émis par la Russie tsariste. G.-B. :** env. 45 millions de £ d'avoirs russes (460 millions de F) étaient bloqués dep. 1918 par la G.-B. qui estimait à 900 millions de £ le préjudice subi par la Couronne et les épargnants britanniques. De son côté, l'URSS réclamait 2 milliards de £ pour les dommages subis du fait de l'intervention du corps expéditionnaire brit. entre 1918 et 1921. Le 15-8-1986, G.-B. et URSS ont renoncé à leurs prétentions. Les 45 millions de £ (bloqués à la banque Baring) serviront à indemniser les particuliers qui ne recevront qu'env. 10 % de la valeur des titres qu'ils détenaient. **France**, 77 emprunts russes étaient cotés à Paris. 1 500 000 rentiers avaient souscrit pour 123 milliards de F-or d'emprunts russes entre 1888 et 1917, soit environ 420 milliards de F actuels. La France détient, par ailleurs, l'or des États baltes (près de 5 t. remis en 1939, évalués à env. 450 millions de F). *Cours* de l'emprunt russe (4% en 1890) à la Bourse : 5,20 F (aux Puces, env. 20 F). Valeur théorique : entre 12 000 et 40 000 F. Un groupement national des porteurs russes (BP19 59010 Lille Cedex) regroupe 1 500 épargnants ou descendants d'épargnants. [*1917*, traité de Brest-Litovsk avec l'Allemagne, la Russie s'engage à livrer 55 t d'or en dommages de guerre et à titre d'indemnisation des porteurs allemands d'emprunts russes. *1919*, traité de Versailles, l'or russe passé dans les caisses allemandes se retrouve dans les coffres de la Banque de Fr. La Fr. en conserve 47 t. *1926*, l'URSS propose à la Fr. d'apurer sa dette en versant 61 annuités de 60 millions de F-or. En contrepartie, la Fr. fournirait un crédit marchandises de 120 millions de $. La Fr. refuse. *1963*, des contacts franco-soviétiques sont pris. Les 47 t d'or sont officiellement affectées en atténuation de la créance de l'État français. Il reste alors dans les comptes publics une créance théorique de 7 milliards de F-or. *1965*, la visite de Khrouchtchev provoque une spéculation (le 5 % 1906 montant de 800 % en 12 mois)]. *1990-29-10* traité d'entente franco-sov. stipule dans son art. 24 que l'U. doit régler ses arriérés (300 000 porteurs concernés). A la Bourse de Paris, 38 emprunts encore cotés. **Emprunts recensés.** L'URSS a négocié des emprunts auprès des syndicats de banques occidentales (à des taux d'intérêt compétitifs et rapidement souscrits), ses exportations étaient insuffisantes [mauvaise qualité des produits manufacturés, chute des prix du pétrole et du gaz qui représentent env. 80 % de ses recettes en devises, réduction des ventes d'armes au tiers monde (difficultés financières des pays dont les revenus pétroliers ont baissé)].

En 1988, elle a développé des *« joint-ventures »* (Stés mixtes) associant des entreprises sov. et des entr. occidentales et s'est adressée aux particuliers. Ayant réglé avec la G.-B. (accord du 15-8-1986) la question des emprunts tsaristes, elle a pu s'adresser au marché londonien des euro-obligations, le 1er par son importance. En févr. 1988, par la Banque sov. du commerce extérieur (Vneshekonombank), elle a lancé un 1er emprunt de 100 millions de F suisses (405 millions de F) à 5 % sur 10 ans, puis par la Promstroybank (Banque sov. de l'industrie et de la construction), un autre de 500 millions de DM (1 675 millions de F) placé sur le marché allemand à 6,376 % sur 7 ans.

En février 1990, la Suisse a conclu un accord et obtenu l'indemnisation des biens helvétiques détruits durant la guerre 1939-45 et des biens nationalisés à la suite de l'annexion ou de l'occupation de la Pologne, des rép. Baltes et de la Roumanie.

• **Fonds du trésor.** On peut se faire ouvrir dans les recettes-perceptions des comptes à vue (non rémunérés) et à terme à 1, 3 ou 6 mois (mêmes taux que dans les banques.

• **Forêts. Groupement forestier.** Forêt achetée par un gestionnaire et revendue par parts de 10 000 à 200 000 F à des particuliers. Frais (plantation, entretien) et revenus (coupes de bois) sont partagés entre les associés proportionnellement à leurs investissements. *Fiscalité :* droits d'enregistrement 3,6 à 10 % (Landes, Val-de-Marne, Seine-St-Denis), exonération des 3/4 de la valeur pour les droits de mutation et de l'ISF (sous certaines conditions), exonération pour successions et donations ; revenu de la forêt taxé sur le rev. cadastral (et non celui des ventes) ; peuplements exonérés 30 ans (feuillus) ou 20 ans (résineux) ; cessions de terrains exonérées quand prix de – de 50 000 F. *Rendement brut :* 1 à 3 %. *Durée optimale :* très long terme.

• **Groupement foncier Agricole (GFA)** (voir aussi p. 1537c). Le porteur de part est responsable en proportion de sa quote-part détenue dans le capital du GFA. *Liquidité :* faible (plusieurs semaines ou mois pour vendre la part). *Rentabilité :* revenus annuels de 0,5 à 3 %, plus-value aléatoire. *Fiscalité :* exonération des 3/4 de la valeur à la 1re mutation si le GFA loue ses terres à long terme ; revenus assimilés aux autres rev. fonciers ; abattement de 10 à 15 % ; droits d'enreg. réduits (4,80 %). Viticoles (GFV). *Revenu :* 3 % avec avantages en nature (vin, etc.). Plus-values potentielles. Demande soutenue.

• **Locaux industriels.** 7 à 9,5 %. **Logements :** rendement brut (avant déduction des frais ou provisions pour travaux) par rapport à la valeur vénale. Loyer libre 3 à 7 %. Log. soumis à la loi de 1948 1 à 2 %. **Log. de vacances :** 1 à 1,5 %.

• **Microcentrale électrique. EDF :** n'ayant que le monopole de la distribution et du transport, et non celui de la production d'électricité, un particulier peut construire une microcentrale hydraulique après autorisation préfectorale [pour 40 ans max. (– de 4 500 kW)] ou concession accordée par le Conseil d'État (pour 75 ans renouvelable pour 30 ans). 1 300 producteurs autonomes gèrent ainsi des centrales et produisent environ 3 milliards de kWh (1 % de la consommation). Investissements nécessaires : 8 000 à 12 000 F par kW installé. EDF doit acheter la production (43,07 c le kWh de nov. à mars et 13,57 c d'avril à oct., plus primes si le débit est régulier). Des Stés spécialisées achètent des moulins abandonnés, les équipent et les vendent clés en main aux investisseurs en se chargeant du montage financier. *Avantages :* pas de stocks, une usine qui doit tourner 24 h sur 24 sauf incidents et sécheresse, avec un matériel simple et automatique, un contrat entretien (contrôle par 1 personne à temps partiel). *Fiscalité :* amortissement sur 15 a., possibilité d'amortissements dégressifs sur 5 a., assurances déductibles. *Attention :* plusieurs escroqueries signalées.

• **Placements anonymes. Objets d'art :** voir Index. Très variable, médailles nouvelles (vendues 2 à 3 fois leur valeur, au poids de métal précieux) revente quasi impossible ; argenterie [baisse dep. 1983 sur les objets courants au poinçon minerve : couverts 2 F le g (3 F en 1982)]. **Or et métaux précieux :** sécurité et plus-value aléatoires. Aucune rémunération et taxe forfaitaire sur la vente de 7,5 %. **Billets, devises :** sécurité et plus-value aléatoires et érosion en période d'inflation ; aucune rémunération. **Bons ou contrats de capitalisations, bons du Trésor de formule :** voir à ce nom.

• **DOM-TOM.** Loi du 11-7-1986. Investissements des particuliers et entreprises assortis de facilités fiscales, acquisition ou construction de logements neufs (possible également par la souscription de titres de Stés immobilières) [*avantages :* 25 % des travaux déductibles, aucun plafond d'investissement. *Conditions :* logements affectés à la résidence principale, devant être conservés 5 ans], pêche [souscription de quirats (parts de propriété d'un navire indivis)] et parts de bateau. Aide fiscale aux entreprises plus étendue.

• **Vaches.** L'investisseur achète des vaches, les fermiers les entretiennent, gardent lait, fumier et descendants mâles, et partagent la descendance femelle avec l'investisseur. *Rendement :* 8,5 % an indexé sur le prix du bétail. *Régime fiscal :* taxées au bén. réel normal (bén. agric.) ; amortissement : 10 % an ; à la vente, plus-value au taux réduit de 15 %.

• **Wagons.** Des Stés spécialisées vendent des parts (Simotra, Algeco, Sati, etc.). *Rentabilité* annoncée : brute 14 %, nette 9-10 %. *Régime fiscal :* on peut déduire la part d'amort. correspondant à l'année en cours, amortissement linéaire ou dégressif selon les sociétés (sur 10 a.).

Grandes places boursières

Principales Bourses mondiales

Capitalisations boursières des actions nationales (en fin d'année)

	Paris	Francfort	Londres	New-York	Tokyo
Miliards de $					
1985	79,1	178,3	353,5	1 950,3	948,3
1986	153,4	257,7	472,9	2 128,5	1 783,6
1987	155,6	218,5	679,7	2 132,0	2 726,4
1988	222,9	250,9	711,5	2 366,1	3 789,0
1989	337,6	365,2	814,3	2 903,5	4 260,4
1990	304,4	372,3	850,7	2 692,1	2 803,4
% PIB					
1985	12,6	23,8	68,5	48,5	58,9
1986	19,2	25,6	83,0	50,3	84,3
1987	15,6	17,1	85,6	47,2	94,8
1988	23,9	21,0	84,0	48,5	127,5
1989	31,9	27,7	99,3	55,8	155,0
1990	23,8	22,9	80,8	49,3	89,1
Montant PIB	1 544 mds F	555 mds DM	444 mds Livres	2 692 mds Dollars	379 720 mds Yens

Indices moyens des bourses de valeurs (100 = 1980)

	Paris	Francfort	Londres	New-York	Tokyo
1985	179,5	213,6	216,3	157,5	210,2
1986	297,8	311,4	277,2	199,0	279,3
1987	327,4	274,6	344,5	241,5	411,3
1988	278,3	226,4	311,9	223,8	449,6
1989	402,4	290,7	383,2	271,8	541,7
1990	406,7	345,4	376,7	281,7	459,9
Janv.	441,1	358,8	407,9	286,2	581,9
Fév.	418,2	367,6	391,2	278,2	565,3
Mai	457,4	372,3	378,4	294,9	499,0
Juill.	439,6	384,7	403,4	303,1	493,5
Nov.	349,9	293,2	351,1	265,5	366,2
Déc.	354,9	300,3	365,2	276,8	367,9
Janv.	336,9	280,1	354,9	274,0	359,2
Mars	392,2	312,1	420,7	313,4	415,7

Nota. – Indice (Morgan Stanley) mondial des bourses (base 100 : 31-12-1969) au 31-12-1990 : 461,5, au 1-8-191 : 505,1.

Statistiques

	C	S	SE	T
Allem. féd	355 311	647	234	11 897
American	104 325	859	70	1 850
Australian	107 265	1 122	33	1 495
Amsterdam	148 553	498	238	1 538
Bâle	141 320	387	236	n.c.
Barcelone	100 476	481	2	n.c.
Bruxelles	65 449	341	159	n.c.
Buenos Aires	3 615	179	1	n.c.
Copenhague	39 058	282	9	n.c.
Corée	110 301	677	–	n.c.
Genève	159 970	411	249	n.c.
Helsinki	22 730	77	4	96
Hong Kong	83 386	299	15	4 709
Italie	148 765	220	–	n.c.
Johannesbourg ...	136 869	769	29	
Kuala Lumpur ...	47 869	271	3	12 870 000
Londres	858 165	2 559	613	00
Luxembourg	10 455	732	182	13
Madrid	111 404	429	2	n.c.
Mexico	41 054	390	–	223 750
Midwest	n.c.	2 377	124	3 933
Montréal	217 013	657	21	747
New York	2 692 123	1 774	96	19 050
N.-Zélande	8 828	249	78	118
Osaka	2 389 005	1 138	–	1 013
Oslo	26 130	121	9	n.c.
Paris	304 390	669	226	n.c.
Rio de Janeiro ...	15 371	612	–	852
Sao Paulo	14 872	579	–	938
Singapour	34 268	172	22	n.c.
Stockholm	92 015	132	11	376
Taiwan	98 927	205	–	82 432
Tel-Aviv	10 318	216	–	457
Thaïlande	20 777	159	–	3 349
Tokyo	2 821 660	1 752	125	29 145
Toronto	241 924	1 193	66	3 051
Vienne	28 303	151	52	n.c.
Zurich	163 415	422	240	n.c.

Légende. – *C :* capitalisation boursière des actions nationales à fin 1990 en millions de $. *S :* nombre de sociétés dont Stés étrangères. *SE :* dont Stés étrangères. *T :* nombre de transactions en milliers en 1990.

	Indice	1990 + haut	1990 + bas	fin 1990	fin 1988
Allemagne féd.	Deutscher Aktien Index (Dax)	1 968,55	1 334,89	1 398,23	1 790,37
American	Amex Market Value	382,45	287,79	308,11	378,00
Australie	All Ordinaries Index	1 717,10	1 270,70	1 279,80	1 649,80
Amsterdam	All Share Index	206,30	165,10	168,30	202,80
Bâle	Swiss Performance Index (SPI)	1 231,00	884,70	908,30	1 137,90
Barcelone	General Index	340,63	210,73	216,07	329,27
Bruxelles	Indice Genl Belge	6 599,43	4 930,49	4 963,81	6 476,39
Buenos Aires	BA Stock Exch Value Index	28 140 574,39	4 019 133,64	22 028 787,52	7 172 416,15
Copenhague	Total Share Index	388,29	310,58	314,80	363,22
Corée	Composite Index	928,82	566,27	696,11	909,72
Genève	Swiss Performance Index (SPI)	1 231,00	884,70	908,30	1 137,90
Helsinki	Hex General Index	1 674,13	986,89	1 000,00	1 533,05
Hong Kong	Hong Kong Index	2 342,45	1 795,74	1 982,88	1 861,33
Italie	MIB Historical Index	11 882,00	7 742,00	8 007,00	10 684,00
Johannesbourg	JSE Actuaries Shares Index	3 399,00	2 537,00	2 720,00	2 976,00
Kuala Lumpur	KLSE Composite Index	632,22	459,08	505,92	562,28
Londres	FT SE 100	2 463,70	1 990,20	2 143,50	2 422,70
Luxembourg	Shares Return Index	3 052,65	2 479,77	2 566,38	2 921,10
Madrid	General Index	309,74	209,37	223,25	296,60
Mexico	Price & Quotations Index	683 641,98	417 429,85	628 790,34	418 925,13
Midwest	Dow Jones Industrial Average	2 999,75	2 365,10	2 633,66	2 753,20
Montréal	XXM Index	2 066,98	1 606,45	1 726,13	2 030,83
New York	NYSE Composite Index	201,13	162,20	180,49	195,04
N.-Zélande	NZSE Gross Index	831,51	506,21	514,02	802,21
Osaka	300 Common Stock Index	2 379,77	1 287,83	1 464,82	2 377,54
Oslo	Oslo SE Total Index	666,35	435,93	456,54	527,50
Paris	CAC Index	564,60	410,20	413,00	553,80
Rio de Janeiro	IBV Index	13 077,00	2 539,00	11 530,00	2 466,00
São Paulo	Bovespa Index	32 088,00	6 373,00	25 156,00	6 161,50
Singapour	SES All Share Price Index	446,87	301,45	323,28	411,67
Stockholm	SX General Index	1 308,00	807,00	865,00	1 231,17
Taiwan	TSE Weighted S. Index	12 495,34	2 560,47	4 530,16	9 624,18
Tel-Aviv	General Share Index	240,00	164,51	202,80	176,24
Thaïlande	SET Index	1 143,78	544,30	612,86	879,19
Tokyo	Topix	2 867,70	1 523,43	1 744,42	2 881,37
Toronto	TSE Composite Index	4 020,86	3 007,80	3 256,75	3 969,79
Vienne	Wiener Börsekammer Index	739,21	464,68	502,26	511,51
Zurich	Swiss Performance Index (SPI)	1 231,00	884,70	908,30	1 137,90

Variation en % par rapport à l'indice mondial (en monnaies locales)

1986		1987		1988		1989 (fin juin)	
Italie	73,6	Japon	8,5	Danemark	66,7	Norvège	+33,6
Japon	53,9	R.-U.	4,6	Suède	54,5	Danemark	+23,9
France	45,2	Canada	4	France	51,5	R.-U.	+20,7
Suède	36,1	U.S.A.	0	Norvège	43,9	Suisse	+20,6
Monde	*29,6*	*Monde*	*– 0,9*	Japon	39,5	Suède	+19,8
R.-U.	20,3	Danemark	– 4,5	RFA	28,3	Pays-Bas	+17,2
U.S.A.	14,2	Norvège	–14	Pays-Bas	26,6	France	+16,2
Suisse	9,9	Suède	–15	*Monde*	*24,4*	U.S.A.	+15,9
Canada	6,4	Pays-Bas	–19	Italie	22,8	Italie	+ 9,6
RFA	5,6	France	–27,8	Finlande	20,4	Finlande	+ 9
Pays-Bas	4	Italie	–32,4	U.S.A.	12,6	RFA	+ 7,5
Norvège	–8,8	Suisse	–34	Suisse	10,2	Japon	+ 2,8
Danemark	–15,3	RFA	–37	R.-U.	6,6	*Monde*	*+ 0,8*

	PER moyen 1990	Rendement moyen actions	Taux des emprunts d'État long terme [1]	Taux court terme [1]
All. féd.	11,6	3,8	8,90	9,21
Belgique	9,8	3,6	9,99	10,10
Danemark	n.c.	n.c.	n.c.	n.c.
France	*10,2*	*3,94*	*10,00*	*10,12*
Espagne	10,4	3,05	14,29	15,12
G.-B.	10,1	5,73	10,94	13,41
Italie	16,4	3,3	11,17	13,00
P.-Bas	11,3	2,4	9,16	9,43

Nota. – (1) En fin d'année.

Sociétés les plus capitalisées

En 1989, en milliards de $. **All. féd.** Daimler Benz 13,92, Allianz 12,61, Siemens 12,58, Deutsche Bank 9,66, Bayer 9,38. **Belgique.** Petrofina 6,43, Générale de Belgique 4,72, Tractebel 3,2, Intercom 2,6, Solvay 2,5. **Danemark.** D/S 1,78, D/S Svenborg 1,6, Carlsberg 1,4, Danske Bank AF 1871 1,14, Novo Industries 1. **Espagne.** Banco Bilbao Viscaya 6,97, Telefonica 6,95, Banco de Santander 5,65, Banco Central 3,91, Banco Español de Credito 3,85. **France.** LVMH 6,76, ELF Aquitaine 6,43, Peugeot SA 6,32, Midi 5,63, BSN 5,13. **G.-B.** British Telecom 26,23, British Petroleum 24,04, Shell T&T 20,19, Glaxo 15,63, BAT Industries 13,85. **Italie.** Generali 15,41, Fiat 12,72, Stet 4,09, RAS 3,80, Fondiara (La) 3,54. **P.-Bas.** Royal Dutch (Shell) 31,3, Unilever (NV) 9,18, Philips 4,33, Nationale Nederlanden 3,84, Akzo 2,63. **Japon** NTT 248,1, Sumitomo Bank 59,33, Fuji Bank 57,63, Daiichi Kangyo Bank 57,03, Tokyo Electric Power 56,79. **USA** [1] IBM 73,65, Exxon 62,1, General Electric 40,86, ATT 31,16, General Motors 26,64.

Indice européen. *Créé* 15-7-1990 par la Bourse European Option Exchange (EOE) : European Top One Hundred (calculé en temps réel, coté en écus), 100 valeurs dont 15 françaises : PSA, Lafarge Coppée, BSN, LVMH, Navigation mixte, CGE, Compagnie du Midi, Michelin, Sté générale, Thomson-CSF, Elf-Aquitaine, Générale des eaux, St-Gobain.

Performances globales sur 1990 Source Vie Française (19-11991). **Hausse :** Bourse d'Athènes 86,6, SCPI (rendement + Plus-value, estim.) 12, moyenne des Sicav monétaires 9,95, assurance Vie (estim.) 9, emprunts d'Etat à long terme 6,80, moyenne des Sicav (obligations françaises) 6,29, plan d'épargne logement 6, livret A 4,5. **Baisse :** Napoléon 2,5, once d'or à Londres 2,65, bourse de New York (Stand. et Poor 500) 8,19, bourse de Londres (F.T. 100) 11,93, moyenne des Sicav actions Amérique 13,65, Europe 14,14, internationales 15,01, françaises 17,48, Second marché (Indice Ageli) 19, bourse de Francfort (Ind. Faz) 19,18, bourse de Paris (Ind. SBF, actions RM + comptant) 25,3, moyenne des Sicav actions Pacifique 26,08, mines d'or australiennes 32,83, Bourse de Tokyo 38,39, Bourse de N.-Zél. 40,3, mines d'or sud-africaines (Ind. F.T.) 40,78, américaines (estim) 48, Bourse du Brésil (en $) 63,6.

Grandes places étrangères

Indice des places

• **Afrique du Sud. Johannesbourg : JSE Actuaries** (148 valeurs) ; base 100 (1-1960).

• **Allemagne.** Féd. des 8 bourses all. : Berlin, Brême, Hambourg, Hanovre, Munich, Stuttgart, Düsseldorf et Francfort (en 1989, 66 % des volumes échangés effectués à Francfort soit 2 179 milliards de deutschemarks dont 743 en actions et 1 436 en obligations). **Deutschemark Aktien (Dax)** 30 actions ; base 1 000 (31-12-1987). **Faz** base 100 (31-12-1988). **PER** (1991) : 15,6.

• **Argentine. Buenos Aires : Value Index** (179 valeurs) ; base 0,1 (30-12-1977).

• **Australie.** *Indice* global. **All Ordinaries Index** (242 valeurs) ; base 500 (31-12-1979).

• **Autriche. Vienne : Wiener Börsekammer** (75 valeurs) ; base 100 (31-12-1967).

• **Belgique. Origine.** Vers 1360, les négociants de Bruges se réunissaient pour traiter leurs affaires devant l'hôtel du chevalier Van der Buerse dont les armes, composées de 3 bourses, étaient sculptées sur le fronton de l'édifice. On se rendait « aux bourses ». De là vient le mot Bourse. 3 Bourses : Bruxelles, Anvers et Liège.

Bruxelles. Opérations de liquidation quotidiennes (comptant) et bimensuelles (terme ; au milieu et à la fin de chaque mois). Séances de 11 h 30 à 14 h 30 et de 9 h à 16 h au marché continu CATS. Fin 1990 : 128 sociétés de bourse, 103 emprunts d'État et 26 obligations belges du secteur privé ; 182 sociétés belges, 159 Stés étrangères, 5 obligations étrangères et 7 fonds communs de placement. **Volume des transactions** (en milliards de FB). *Actions et obligations de Stés belges et,* entre parenthèses, *étrangères puis obligations secteur public : 1981 :* 26,1 (34,2) 113,3. *85 :* 118,6 (7,5) 121,8. *88 :* 307,6 (87,9) 158,4. *89 :* 307,7 (114,3) 119,4. *90 :* 226,8 (94,4) 222,5. **Capitalisation boursière des stés belges cotées** (milliards de FB., fin déc.) : *1981 :* 321,9. *85 :* 1 051. *86 :* 1 509. *87 :* 1 380. *88 :* 2 195,4. *89 :* 2 677,6. *90 : 2 027, 8.* **Indice général** (270 valeurs) : base 1000 1-1-1980. **PER** (1991) 12.

• **Brésil. Rio de Janeiro : IBV** (68 valeurs au 31-12-1990) ; base 100 (29-12-1983). **São Paulo : Bovespa** (67 val.) ; base 0,001 (2-1-1968) divisé par 100 le 3-10-83, 10 le 2-12-85, 10 le 26-8-88, 10 le 14-4-89, 10 en janv. 90.

• **Canada.** 4 bourses de valeurs, 1 bourse de denrées. **Montréal : XXM** (25 valeurs) ; base 1 000 (4-1-1983) ; 74 firmes de courtage membres. **Toronto : TSE Composite** (300 valeurs) ; base 1 000 (1975). **Vancouver. Calgary.** Bourse de denrées : **Winnipeg.**

• **Corée. Korea Composite Stock Price** (toutes les actions ordinaires) ; base 100 (4-1-1980).

• **Danemark. Copenhague : Indice gén.** (toutes les valeurs sauf 2) ; base 100 (1-1-1983).

• **Espagne.** 4 places : **Madrid** (80 % du marché), **Valence, Bilbao** et **Barcelone. Indices** : Madrid [70 actions ; base 100 (31-12-1985)], Barcelone [75 actions ; base 100 (1-1-1986)], 34 Stés anonymes de bourse et 17 agences de valeurs.

• **États-Unis.** Voir p. 1910.

• **Finlande. Helsinki : Hex** (toutes les valeurs) ; base 100 (28-12-1990).

• **France.** Voir p. 1911.

• **Hong Kong Stock Exchange (HKSE). Hang Seng** (base 100 : 31-7-1964). **1987** *30-9 :* 3 943,64 (le + haut, 71 % dep. le 1-1-87). *19-10 :* – 11 % ; *20 au 25-10 :* fermeture ; *26-10 :* – 33 % (ind. 2 241). *Début déc. :* 1880. Dep. 30-9, 50 %. **1988** *juillet :* 2 770. **1989** *15-5 :* 3 309,64 (le + haut dep. le krach) ; *19-5 :* – 4 % (– 152 points), *22-5 :* – 10,8 (– 339,06 points) ; *5-6 :* 2 093,61 (– 22 %) dep. le 15-5 (troubles en Chine), – 58 %. **1990** *8-8 :* 3 145,57. **Indice H.K.** (45 valeurs) ; base 1 000 (2-4-1986).

• **Hongrie. Budapest :** bourse ouverte de 1864 à 1948, réouverte officiellement 21-6-1990.

• **Israël. Tel-Aviv : Indice gén.** (558 valeurs) ; base 100 (31-12-1988).

• **Italie. Milan. Stés cotées :** 211. **Capitalisation boursière :** 129 milliards de $ (concentre 90 % des transactions des Bourses italiennes). **BCI (Banco Commerciale Italiana) :** 220 valeurs (base 100, 1972) dont assurances 28 %, automobiles 14, holdings et banques 10. **Indice historique MIB** (toutes les valeurs) base 1000 (2-1-1975). **Séance officielle :** 10 à 14 h. Pas de cotation en continu, aucune obligation légale d'effectuer ses ordres en Bourse ; env. 70 % des transactions s'effectuent en dehors du marché. Les actionnaires minoritaires ne sont pas protégés et les OPA ne sont pas réglementées. Les grandes familles (Agnelli, Gardini, De Benedetti) contrôlent plus de 50 % du marché ; 22 Stés du groupe Agnelli représentent 20 % de la capitalisation totale.

• **Japon. Tōkyō :** 1 bourse : Kabuto-Cho, *créée* 19-5-1878. **Membres réguliers :** 144 qui recoivent et exécutent les ordres et 4 « saitori » qui servent d'intermédiaires entre membres réguliers et font le marché. **Séances :** 9 h à 11 h et 13 h à 15 h et samedi de 9 h à 11 h (sauf fermé 2ᵉ samedi du mois). **Opérations :** à la criée pour les 150 actions les + actives et pour étrangères, quotités minimales 1 000 titres d'une valeur égale ou supérieure à 50 000 yens (env. 1 900 F) et 100 pour les titres les + lourds. Transactions sur les autres valeurs (1300) : par système informatisé Corès lancé 1982. Transactions au comptant mais il existe un système d'achat ou de vente à crédit en espèces ou en valeurs (margin trading), Tokyo International Financial Futures Exchange (TIFFE) lancé 20-6-1989. **Crise d'octobre 87 :** baisse max. de 14 % seulement 1°) parce que les entreprises sont peu orientées à faire du bénéfice un critère essentiel de gestion (pour des raisons fiscales et stratégiques) 2°) n'a pas connu les problèmes informatiques de Wall Street. L'actionnaire s'intéresse plus à ses plus-values qu'à ses dividendes et le PER moyen (60 au lieu de 8 à 15 ailleurs) est sans grande signification. 60 % des actions ne changent pas de main en raison des participations croisées entre Stés.

Le ministère des Finances (MDF) intervient fréquemment. **Transactions** (en %) : Tōkyō 85,8, Osaka 10. Nagoya 3,4. **Clients :** 21 600 000 Japonais, 152 599 étrangers. **Capitalisation boursière** (milliards de $) : Japon 4,3 dont Tōkyō 4,174 (595,973 milliards de yens). **Valeur d'affaires moyenne** (1989) : 11,6 milliards de $ (1 660,04 milliards de yens). PER (1988) 58,4 (bénéfices déclarés), 62 (sur bénéfices prévisionnels).

Grandes maisons de titres. Résultats (1990 en milliards de yens). *Nomura* (créée 1925), 3 000 démarcheurs, 34 succursales internationales, 11 000 salariés ; 14,7 milliards de $, clients : (4 millions). 105,5 (voit 4,39 md de F) – 51,8 % sur 1983. *Daïwa* 59,5 (– 59,2 %). *Nikko* 33,7 (-67 %). *Yamaichi* 38,6 (60,6 %).

Nota. – Les Pts de Nomura et de Nikko ont démissionné en juin 1991, à la suite de scandales boursiers (remboursement de pertes à de gros clients après entente préalable).

Indices. Nikkei : Dow Jones 225 valeurs (base 1000, 16-5-1949 pondéré sur la somme de cours). **1987 :** + *bas* 18 820,55 (8-1), + *haut* 26 646,43 (record, 14-10). 21 036,76 (11-11). **88 :** + *haut* 30 159. **89 :** 38 915,87 (29-12). **90**, + haut 32 445,12 (16-7). Baisses importantes en 1 séance : *oct. 89* 647 points, **90** (8-8) 28 509,14, (1-10) 20 221,86. **91** (8-1) 22 897,84, (16-1) 23 808, (22-2) 25 902. **Topix** (le + représentatif) : 1 197 valeurs (base 100 le 4-1-1968). **OSF** 50 (50 valeurs traitées à Osaka) créé 8-6-1987. **Osaka :** 300 Common Stock ; base 100 (4-1-1968) (créée 17-6-1878).

• **Luxembourg. Shares Return Index** (13 valeurs) ; base 1 000 (20-1-1985).

• **Malaisie. Kuala Lumpur : indice composite KLSE** (83 valeurs) ; base 100 (1977).

• **Mexique. Mexico : indice des actions** (39 valeurs) ; base 781,62 (31-10-1978).

• **Norvège. Oslo : indice gén.** ; base 100 (2-1-1983).

• **Nouvelle-Zélande. Indice général** (toutes les valeurs) ; base 1 000 (30-6-1986).

• **Pays-Bas. CBS General Index** (151 valeurs base 100 31-12-1983).

• **Royaume-Uni et Irlande. London Stock Exchange.** *Membres* (30-4-1991) : 402 firmes. 100 market makers (au 30-4-90) dont 28 brit., 54 intern., 19 fonds d'Etat [teneurs de marché]. [Pays d'origine des firmes (en %, au 30-4-90) : USA 12, France 5, Suisse 3,1, P.-Bas 2,4, autres pays europ. 3,6, Japon 5, Canada 1,6, Australie 1,4.] *Séances :* lundi au vendredi de 9 h à 17 h. *Valeurs cotées* (au 31-3-91) : 7 158 (dont 2 790 actions). *Actionnaires :* env. 12 millions (31-12-90). Env. 70 % des actions brit. étaient détenues fin 1989 par les institutionnels (banques, assurances...).

USM (second marché). *Capitalisation* (en milliards de £) au 31-3-1991 : 6,2. *Valeurs cotées :* 449. Au 1-5-1990 : **SEAQ International :** 642 valeurs cotées. Séances : lundi au vendredi de 8 h 30 à 16 h 30. LTOM : pas d'options françaises.

Indices FT (Financial Time) dit Footsie : 100 valeurs (base 100 le 3-1-1984), record 1991 (23-4) : 2 587,9. FT all Shares (710 valeurs ; base 100 le 10-4-1962). FT Industrial base 100 (30 valeurs 1-7-1935) de – en – utilisé. Mines d'or base 100 12-9-1959.

☞ Dep. le 27-10-1986 (le Big Bang), suppression des commissions fixes sur achats et ventes de titres ; transformation des agents de change (brokers) en broker-dealers ; mission confiée à la banque d'Angleterre d'émission des fonds d'État (gilts) auprès de courtiers agréés.

OPA lancées en 1989 : total 52 milliards de £ (570 milliards de F) dont 18 de + de 0,5 milliard de £.

• **Singapour. Singapore Stock Exchange** (SES) créé 1973. **Marché.** à terme : Simex (Singapore Internat. Monetary Exchange) créé sept. 1984 succédant au Gold Exchange of Sing. mis en place en nov. 1978 et tombé en disgrâce à la suite d'irrégularités. *Second marché :* Sesdaq (Stock Exchange of Singapore's Dealing and Automated Quotation System) créé mars 1988, relié au Nasdaq de New York. Mars 89 : toutes les transactions sur le marché principal ont été informatisées. Le système de cotation (Clob Central Limit Order Book) s'inspire du Nasdaq. **Indices : Straits Time Index** 30 valeurs. **All Shares Index** (1975 : 100), 150 valeurs. **Cotations** 10 à 12 h 30 et de 14 h 30 à 11 h. **Maisons de courtage :** 26.

• **Suède. Affaers Vaerleden** (45 valeurs, base 100 le 31-12-1979 et 1-2-1987). **Jacobson & Ponsbach** (base 100 le 1-1-1958).

• **Suisse.** 3 places : **Zurich, Genève, Bâle** (4 fermées en 1991 Lausanne 31-1, Neuchâtel, St-Gall 31-3, Berne 30-6). **SPE (Swiss Performance Index)** 384 valeurs) ; base 1 000 (1-6-1987). **Zurich indice gén. SBS** base 100 (fin 1958). **Per** (1991) 12.

• **Taïwan. Taiex** base 1 000 (1987) 12 682 (févr. 89) 5 900 (11-6-90). **Indice pondéré** (173 valeurs) ; base 100 (1966). **PER** (1989) 55,9 (banques et assurances Vil 110 à + de 200). **Transactions :** record 16-3-90 8 milliards de $. **Maisons de courtage** 400.

• **Yougoslavie. Ljubljana.** 1re bourse crée déc. 1989. *Capitalisation* 100 millions de F (20 milliards de dinars). *Titres cotés* 152. **Indice YUIX.**

Bourse américaine

Marchés

☞ En 1986, les Bourses amér. représentaient 2 600 milliards de $ (soit 43 % de la valeur totale des Bourses dans le monde). Les investisseurs étrangers avaient acheté 277,6 milliards de $ d'actions américaines. De leur côté, les USA avaient acheté 102 milliards d'actions étrangères.

• **New York Stock Exchange (NYSE) dite Wall Street** (nom de la rue). Sté à but non lucratif composée de courtiers individuels *(brokers)* et de firmes de courtage. La plus importante Bourse amér.

Origine. 1792 *17-5* 24 courtiers s'entendent pour former le 1er marché de valeurs organisé à New York. Ils se rencontrent sous un arbre à l'emplacement actuel du 68 Wall Street. **1817** *8-3* statut et nom adoptés New York Stock and Exchange Board. **1863** *29-1* nom actuel. **Membres** 1989 : 535 (117 partners, 418 corporations ; *bureaux* 1988 : 6 795 ; *personnel 1987 :* 89 374, *88 :* 82 915. **Valeurs.** 2 246 (1 720 Stés) dont 77 valeurs étrangères cotées.

Transactions. De 9 h 30 à 16 h du lundi au vendredi.

Capitalisation (milliards de $). *1924 :* 27. *50 :* 93,8. *60 :* 307, *70 :* 636,4, *80 :* 1 242,8, *85 :* 1 950, *90 :* 3 029,6. **Echanges** moyenne par jour (en millions de titres). *1900 :* 0,5. *30 :* 2,9. *50 :* 1,98. *60 :* 3,04. *70 :* 11,56. *80 :* 44,87. *85 :* 109,17. *86 :* 141,03. *87 :* 188,93. *88 :* 161,46. *89 :* 165,47. **Records.** *Echanges le + fort :* 608,15 le 20-10-1987, *le + faible :* 86,37 le 27-11-1987, *88 :* 343,95 (17-6), 77,09 (25-11), *89 :* 416,4 (16-10), 68,87 (3-7), *des transactions pour une Sté :* (en valeur

Le krach d'octobre 1987

• **Chronologie. New York.** *14-10* on annonce que le déficit commercial américain est de 15,7 milliards de $ pour août (après 16,47 milliards en juillet). Baisse du $ de 6,07 F à 6,03 F et relèvement des taux d'intérêt en Allemagne féd. (de 3,5 % à 4 %). Baisse du Dow Jones (DJ) de 95 points (200 millions de titres échangés). *15-10 :* relèvement du taux de base bancaire de 9 1/4 % à 9 3/4 % aux USA et annonce d'une augmentation de la masse monétaire de 5,7 milliards de $ pour la semaine terminée le 5-10. James Baker, secrétaire au Trésor, parle d'une possible baisse du $ en réponse au relèvement des taux d'intérêt en All. féd. DJ – 58 points (263 millions de titres échangés). *16-10 :* DJ – 108,36 (343 millions de titres échangés). La hausse des taux d'intérêt dans le monde fait craindre que la croissance économique américaine entamée en 1983 touche à sa fin. On craint aussi une aggravation de la crise au Moyen-Orient après l'attaque de plusieurs navires amér. dans le Golfe (hausse du pétrole : 20 $ le baril). *19-10 :* DJ – 508 (600 millions de titres échangés, les 2/3 des ventes seraient imputables aux programmes de ventes par ordinateurs déclenchés automatiquement lorsque certains indices sont atteints. James Baker a déclaré que les accords du Louvre devraient être révisés (les Bourses en déduisent l'annonce d'une nouvelle baisse du $ en riposte au relèvement des taux allemands). Baisse sur tous les marchés mondiaux ; demandes de remboursement de parts de fonds de placement entraînant des ordres de vente de ceux-ci. L'annonce d'une rencontre le 19-10 entre James Baker, Gerhard Stoltenberg (ministre allemand de l'Économie) et Karl-Otto Poehl (Pt de la Bundesbank) enraye la baisse du $. *20-10 :* reprise technique : DJ + 102 (1 398 actions encore en baisse, 537 en hausse). Baisse de l'indice de l'Amex (8,6 %) et du marché hors cote américain (9 %). M. Greenspan fait savoir que « la Réserve fédérale est prête à servir de source de liquidités pour soutenir l'économie amér. » (la Bourse y voit le passage d'une politique anti-inflationniste à une politique antirécession). *21-10 :* DJ + 186 (450 millions de titres échangés). Reprise des Bourses du monde stimulées par une baisse des taux d'intérêt aux USA ; et par l'intention déclarée du Pt Reagan de rechercher avec le Congrès le moyen de réduire le déficit budgétaire. *22-10 :* taux directeur des banques à 9 % (– 0,25 %). DJ : – 77. *23-10 :* DJ inchangé. *26-10 :* DJ – 157 (– 8 %), baisse à Hong Kong. *27-10* + 2,9 %. *28-10 :* DJ inchangé ; $ baisse à 5,86 F (1,73 DM, 138 yens). *29-10 :* DJ : + 91 (+ 5 %) ; 1 395 valeurs en hausse, 362 en baisse, 242 inchangées. **Baisse du 8-10 au 28-10 : exemples en %.** Kodak 49. Amrax 48. 3M 45. United Technology 36. American Express 35. General Electric 28. Du Pont 25. IBM 23.

• **Comparaisons mondiales. A Paris.** *15-10 :* indice – 5,5 %, *16-10 :* + 2 %. *Sur la semaine* – 8,2 %. **Transactions en milliards de F.** *12-10 :* 15,94. *13-10 :* 13,46. *14-10 :* 18,56. *15-10 :* 19,84 (dont 3,15 au règlement mensuel). *16-10 :* 14,62. **Baisse d'une liquidation à l'autre :** 21 %. (Exemples : Arjomari-Prioux – 40. Moët-Hennessy – 33,7. Nouvelles-Galeries – 33,3. Colas – 30,6. Intertechnique – 30,6. Béghin-Say – 29. Thomson-CSF – 28,7. Cie du Midi – 28,2. SEB – 27. Cie bancaire – 26,7. BHV – 26,2. Darty – 24,7. Elf Aquitaine – 23,5. Alcatel – 23. Peugeot – 23. Source Perrier – 23.)

A Tōkyō. Variation de l'indice (en %). *19-10 :* – 2,6. *20-10 :* – 14,5. *21-10 :* + 9,4. *22-10 :* + 1,4. *23-10 :* + 0,6. *26-10 :* – 4,6. *27-10 :* + 2. *28-10 :* – 0,7. *29-10 :* + 3.

A Hong Kong. *19-10* indice – 400 points. La Bourse est fermée. *26-10 :* réouverture ; l'indice est alors à 3 362 points (1 126 à la clôture) [soit – 33 %].

	8/19-20-10	19/28-10	2/28-10
Francfort		– 14	– 21
Londres	– 32,3	– 21	– 2,4
New-York ...	– 31	+ 6,2	– 4,2
Tokyo	– 16,7	– 12	+ 20
Paris	– 18,4	– 15	– 24

Le mini-krach d'octobre 1989.

• **Chronologie.** *13-10* (vendredi). – 190 points (– 200 milliards de $ de capitalisation). Baisse provoquée par les junk bonds et par l'échec d'une OPA sur United Air Lines, les employés de la compagnie aérienne n'ayant pu trouver le financement de leur *leverage buy out* de 6,8 milliards de $. Les cotations de 10 titres sont suspendues, dont 7 ne reprendront pas (UAL, AMR, Bank America, Walt Disney, Capital Cities, Philip Morris, Pacific Felesis). Malgré 2 « coupures de courant » (mesure de précaution décidée après le krach de 1987) qui suspendent provisoirement les *program tradings* (ordres de vente automatiques enregistrés sur ordinateur dès qu'un certain niveau de cours est atteint), 108 millions de titres sont échangés la dernière heure de cotation. Tōkyō : – 1,87 %. N.-Zélande – 12. Australie – 8. Hong Kong – 6,5. Francfort – 15,5 (+ forte baisse en une seule journée depuis la guerre). Paris – 6,3. Londres – 3,15. Zurich – 11. Madrid – 7. Amsterdam – 6. Milan – 5. *17-10* (mardi) Paris + 2,78 % mais l'annonce du déficit du commerce extérieur américain (10,8 milliards de $) provoque une nouvelle baisse : Paris – 0,23 %. Londres – 1,28. Francfort – 6,5. New York – 0,7. *19-10.* DJ + 33 points (l'indice des prix en sept., meilleur que prévu, éloignant la menace d'inflation). *20-10* la plupart des places ont effacé les 3/4 de leurs pertes.

• **Variations du 13 au 16-10 et,** entre parenthèses, **du 13 au 19-10 (en %).** Francfort – 13,3 (– 4,7), Zurich (Swiss Market) – 10,5 (– 2,7), Oslo – 10,1 (– 3,7), Singapour – 10 (– 6,3), Johannesburg (mines d'or) – 8,14 (+ 1,2), Sydney – 8,06 (– 4,9), Stockholm – 7,46 (– 2,6), Milan – 7,1 (– 4,7), Paris – 6,9 (– 2,5), Vienne – 6,74 (– 6,4), Madrid – 6,53 (– 3,7), Hong Kong – 6,49 (– 4,2), Amsterdam – 5,65 (– 1,5), Helsinki – 4,3 (– 2,6), Londres (FT 100) – 3,16 (– 1,9), Tōkyō (Nikkel) – 1,8 (+ 0,7).

et nombre d'actions) Navistar Int. 487 888 000 $ (48 788 800 actions), 4-10-86.

Émission de junk bonds (en 1989, en milliards de $) 25,3 dont Drexel Burnham Lambert 9,7, Shearson Lehman Hutton 2,4, Morgan Stanley 2,3, Merrill Lynch Capital Markets 2,3, Goldman Sachs 2,2, First Boston 2. Le 13-2-1990 Drexel se met en faillite.

Plus grandes faillites aux USA (Stés ayant recouru à l'art. 11 de la loi sur les faillites, montants des actifs en milliards de $). Texaco Inc. (1987) 34,9. Federated/Allied (1990) 11,4 (est.). Baldwin United (1983) 9,3. Penn Central (1970) 6,9. Lomas Financial (1989) 6,6. LTV Corp. (1986) 6,3. Southmark (1989) 4. American Continental (1989) 3,8. Eastern Airlines (1989) 3,8.

Moyennes et extrêmes depuis 1929. Cours/bénéfice par action 14,1 [28 (août 35), 6 (oct. 79)]. Cours/actif net par action 1,6 [4,2 (août 29), 0,5 (juin 32)]. Cours/dividendes 22,6 [38,4 (août 87), 6 (mai 32)]. Cours/chiffre d'affaires 0,79 [1,27 (déc. 61), 0,35 (mars 82)].

Rapport cours/bénéfice sur bén. estimé et, entre parenthèses, **sur bén. des 12 derniers mois.** *Avant le krach de 1987:* 19,50 (20,29). *Fin 1987:* 12,35 (14,11). *Fin 1988 :* 11 (11,63). *Fin mars 1989 :* (11,82).

• American Stock Exchange **(AMEX). Valeur** 1 050 cotées (dont 71 étrangères). Montant total des actions cotées (sauf garanties et droits) : 44,4 milliards de $. **Echanges** moyenne (1990) ; 14 millions de titres par jour. **Records** *échanges :* 43 432 760 titres (20-10-1987) ; *transactions pour une Sté* (en valeur et nombre de titres) : Wang Laboratories 191,2 millions de $ (10 millions d'actions) le 7-1-1986. **Marché des options :** 171, volume par jour : 175 000 contrats.

• **Chicago.** CBOE (Chicago Board Options Exchange). CBOT (Chicago Board of Trade). CME (Chicago Mercantile Exchange) : 2e marché à terme du monde, a mis au point avec l'agence Reuter le Globex (système de transactions électron. en continu sur les marchés à terme) qui sera à terme une liaison instantanée de milliers de terminaux répartis sur toutes les places financières en un réseau interactif. Seuls les membres des Bourses partenaires pourront disposer d'écrans. Entrera en vigueur progressivement aux USA et à Londres (1er trimestre 1991 : le Matif français disposera d'écrans, et les contrats à terme d'options sur emprunt notionnel 10 ans et Pibor 3 mois seront lancés sur le système).

• Autres bourses. **Boston, Cincinnati, Midwest** (indice : 30 valeurs), **Philadelphie, Spokane, Pacific Intermountain.**

• Marché hors cote (over the counter). Traité hors de la bourse, par téléphone, et par l'intermédiaire d'un réseau de terminaux d'ordinateur (système NAS DAQ), directement et librement. **Valeurs :** plus de 90 % des 55 000 Stés amér.

Troisième marché (marché hors cote). Gros blocs d'actions cotées sur une place officielle, mais négociées hors bourse pour ne pas peser sur les cours.

• Marché des options. CBOE (Chicago), AMEX (NY), Pacific, PBW (Philadelphie), Midwest. L'option est le droit d'acheter (call) ou vendre (put) un certain nombre (100 en général) d'actions d'une Cie déterminée à un prix donné (Striking Price) jusqu'à une date dite d'expiration.

Indices

• Amex. Amex Market. Value index base 50 (4-9-1973) ; toutes les actions ordinaires et warrants (893 valeurs).

• Dow Jones Industrial Average. *Créé* en 1884 par Charles Dow, Edward Jones et Charles Bergstresser avec 11 valeurs dont 9 Cies de chemins de fer. L'indice était calculé en additionnant le prix des actions et en divisant le total par 11. Depuis 1928, la liste comprend 30 valeurs dites les *blue chips.*

En 1990, « poids » en %. Allied Signal 2,4, Alcoa 4,4, American Express 2,1, ATT 2,8, Bethlenem Steel 1,3, Boeing 4,1, Chevron 4,5, Coca-Cola 4,7, Du Pont 2,6, Eastman Kodak 2,7, Exxon 3,3, General Electric 4,4, General Motors 2,9, Goodyear 2,5, IBM 6,8, International Paper 3,6, 3M 5,3, McDonald's 2,2, Merck 5,1, NAVISTAR 0,3, Phillip Morris 2,6, Primerica 1,8, Procter and Gambie 4,4, Sears Roebuck 2,7, Texacco 4,0, USX 2,3, Union Carbide 1,5, United Technologies 3,5, Westinghouse 5, Woolworth 4,1.

L'indice est calculé en utilisant un diviseur (en *1928 :* 16,67, *49 :* 10, *56 :* 5, *87 :* 1,09). La Dow Jones Company emploie 7 000 personnes et contrôle le *Wall Street Journal* (2 millions d'ex.), 22 quotidiens régionaux, 2 hebd. économiques et 25 % d'une Sté de TV par câble. Il y a 40 ans, la capitalisation boursière des 30 valeurs du Dow Jones représentait 20 % de la capitalisation totale des titres cotés à N. York (en 1949, 45 %, en 1968, 25 %, en 1987, 25 %).

Cours atteint 1895 (2e sem.) : 33. **1906** *9-1 :* 75,57 (record jusqu'en août 1914). **1929** *3-3 :* 386,10 (record jusqu'en 1955) ; *20-10 jeudi noir :* – 12,9 % (de 260,64 à 222,31), 16,4 millions de titres échangés. **1932** *8-7 :* 40,56 (record de baisse). **1941** *17-12 :* (après Pearl-Harbor) – 3,5 %. **1950** *25-6 :* (début g. de Corée) – 7 %. **1955 :** le niveau de 1929 est retrouvé. **1962 :** *24-8 :* (crise de Cuba) – 9 % ; cours le plus bas 14-6 (561,3). **1970 :** – 21 % de janvier à mai ; + 33 % de mai à déc. **1974 :** point le plus bas 573,22. **1975 :** extrêmes 570,01 et 888,85. **1976 :** 850 et 1 026. **1977 :** 793 et 1 008. **1978 :** 736 et 917. **1979 :** 794 et 905. **1980 :** 729,95 et 1 009. **1981 :** 824 et 1 024. **1982 :** 776,92 et 1 070,54. **1983 :** 1 027,04 et 1 287,20. **1984 :** 1 086,57 à 1 286,64. **1985 :** 1 184,96 et 1 556,1. **1986 :** 1 502,29 (le 22-1) et 1 909,03 (2-7). **1987 :** 2 722,41 (25-8, le + haut) 2 246,73 (16-10) 1 738,41 (19-10, le + bas, lors du krach). **1988 :** 1 879,14 (21-10) et 2 183,58 (21-10). **1989 :** 2 256,43 (24-1) redépasse 27-7 le niveau atteint le 16-10-87 à la veille du krach : 2 635,62. **1990 :** 2 810,15 (2-1), 2 999,75 (17-7), 2 365 (12-10), 2 633,66 (21-12). **1991 :** 2 470,30 (9-1), 3 035,33 (3-6), 2 994,86 (6-6).

Records en points. Hausse : 1982 *16-11 :* 36,43. **1987** *17-2 :* 53,99 ; *20-10 :* 102. **1989** *14-5 :* 19,95. **1991** *17-1 :* 114,6 (4,57 %). **Baisse : 1929** *29-10 (jeudi noir) :* 38,33 (12,9 %). **1962** *28-5 :* 34,95. **1986** 7-7 : 61,87 ; 11-9 : 86,62 (SOIT 4,6 %). **1987** 12-10 : 95,46 (3,8 %) ; 16-10 : 108,36 (4,6 %) ; 19-10 : 508 (22,7 %). **1988** *8-1 :* 140 (6,8 %). **1990** *3-8 :* 120.

• Standard and Poor's (industries) : *500 :* 500 valeurs base 10 fin 1941. *100 :* 100 valeurs base 100 le 2-1-1976.

• NYSE (New York Stock Exchange). Indice global (1 741 valeurs) : base 50 le 31-12-1965.

• OTC. Composite : ensemble des valeurs du marché hors cote.

Statistiques

Nombre d'Américains possédant des actions ou des parts de fonds d'investissements. *1952 :* 6,5 millions, *70 :* 30,8, *75 :* 25,27, *80 :* 29,8, *85 :* 47,04, *87 (sept.) :* 57, *88 :* 38.

Nombre de Stés amér. faisant appel à l'épargne publique. 11 000 env.

Principales firmes de courtage américaines en 1989. Capital consolidé (en milliards de $) et, entre parenthèses, nombre de salariés. Merrill Lynch & Co 10 (41 000). Shearson Lehman Hutton 9 (38 000). Salomon Brothers Holding Co. 5,8 (6 612). Goldman, Sachs & Co. 4 (6 400). Morgan Stanley & Co. 2,6 (6 747). Prudential-Bache Securities 1,8 (19 000). First Boston Corp. 1,8 (6 252). Paine Webber Group 1,5 (12 943). Bear, Stearns & Co. 1,4 (5 953). Dean Witter Reynolds 1,4 (17 470).

La Bourse en France

Source : Sté des Bourses françaises.

Quelques dates

• **1303** les *changeurs* obtiennent le privilège exclusif des changes. **1791** *8-5* une loi dissout la *compagnie des agents de change.* **1795** désordres boursiers dus à l'absence d'intermédiaires officiels. *9-9* fermeture de la Bourse. *20-10* réouverture avec 25 *agents de change* officiels bénéficiant du monopole des opérations de Bourse. **1808-26** construction du Palais de la Bourse à Paris d'après les plans de Théodore Brongniart (1739-1813). *Les Bourses* de valeurs sont des marchés officiels où se négocient des valeurs mobilières (actions, obligations et fonds de l'État). Les 7 Bourses françaises constituent les unités décentralisées d'un marché unique dont l'organisation et le fonctionnement ont été confiés à des intermédiaires officiels et spécialisés : les agents de change.

• **1987** 7-7 *la corbeille* où seuls les agents de change ont le droit d'opérer, à la Bourse de Paris, disparaît ; les titres sont désormais traités de la même façon, groupe par groupe. **1988**-*1-1* ouverture du capital des charges d'agents de change, à des personnes morales (dont banques françaises et étrangères) au 1-7 29 stés de Bourse sur 58 avaient de nouveaux partenaires ; les 1ers rachats se sont faits sur la base de 6 ou 7 fois les bénéfices estimés pour 1987. **1991** *6-1* fusion des 6 bourses régionales avec celle de Paris. **1993**-*1-1* les agents de change perdront leur monopole de négociation des valeurs mobilières ; un agrément délivré par le Conseil des Bourses de valeurs permettra d'opérer sur le marché boursier français.

☞ *Au 1-3-1987. Agents :* 107 (77 à Paris, 30 en province). *Charges :* 61 dont 35 sont parisiennes, 10 fusionnées Paris-Province, 16 uniquement provinciales. *Employés :* 3 800 (Ch. syndicale comprise).

Les agents sont regroupés dans une compagnie nationale unique, élisant chaque année une chambre syndicale (présidée par un syndic)

Organisation

Principes généraux

Toutes les transactions en valeurs mobilières sont effectuées par les Stés de Bourse. Un titre ne peut être négocié que sur l'une des 7 Bourses françaises de valeurs qui constituent un ensemble unique organisé selon les mêmes principes, dirigé par les mêmes instances et fonctionnant selon les mêmes règles. Ainsi, les titres négociés à Paris ne le sont qu'à Paris et les Stés de Bourse ne peuvent négocier que des titres inscrits à leur Bourse.

Nouvelle structure

Loi sur la réforme boursière du 22-1-1988.

1°) **Stés de Bourse.** Elles se substituent aux « agents de change » en transférant le membership des individus aux firmes. Les Stés de Bourse sont désormais autorisées à ouvrir leur capital aux banques, Cies d'assurances, institutions fin., Stés industrielles et comm. franç. et étr. **Principales Stés de Bourse.** Actionnaires et participation en % : *De Cholet-Dupont :* Crédit Lyonnais 40, UAP 5, Nippon Life 5, Commerzbank 5 ; *Bacot-Allain-Parra :* Warburg (GB) 90 ; *Cheuvreux-De Virieu :* Indosuez 92 ; *Oddo :* Banque générale Phénix (AGF) 25, Instituto Bancario San Paolo di Torono 10 ; *Meekchaert-Rousselle :* Axa-Midi 100 ; *Massonaud-Fontenay :* Amsterdam Rotterdam Bank (NL) 52 ; *Puger-Mahé :* BZW (GS) 75 ; *Fauchier-Magnan-Durant des Aulnois :* CDC 10, UAP 10, Kleinwort-Benson (GB) 10 ; *François-Dufour-Kervern :* Banque Neuflize 50, CDC 10, UAP 10, Nomura (J) 10.

2°) **Conseil des Bourses de valeurs.** Fixe les règles du marché et des Stés de Bourse.

3°) **Sté des Bourses françaises (SBF)** (à ne pas confondre avec les Stés de Bourse). *Capital :* 1 080 millions de F en juin 1988. Assure le bon fonctionnement du marché et le contrôle des acteurs. Organe exécutif du Conseil des Bourses de valeurs. *Pt :* Régis Rousselle, *dir. gén. :* Jean-François Théodore.

Exercice 1989 (en millions de F). *Résultat d'exploitation net :* + 55,1 (*88 :* – 120,5). *Produit des prestations de service :* 754,6, dont redevance de négociation 459,4, redevance institutionnelle 54. *Bénéfice net :* 166,3 (*88 :* perte 509,8). *Volume des transactions :* 5,8 milliards de F sur le marché à règlement mensuel (*87 :* 2,9).

☞ Le 14-6-1988 : Xavier Dupont, Pt du conseil d'administration de la Sté des Bourses françaises, et Xavier Cosserat, directeur général, avaient démissionné (on avait annoncé que la Sté avait perdu 500 millions de F sur le Matif, après le krach d'oct. 1987). En 1988-89 l'Ex-Compagnie des agents de change aurait perdu 2 milliards de F dont sur le Matif 0,7 dont Rondeleux 0,4, Buisson 0,28, Bertrand Michel 0,15, Nivard-Flornoy 0,15, Lavandeyra 0,10. Depuis, Buisson a été démantelé. Rondeleux et Tuffier ont déposé leur bilan ; Tuffier a dû suspendre ses activités le 13-7-90, ayant subi une perte de 62 millions de F sur les 5 premiers mois de 1990. (Son Pt, a été inculpé depuis, pour abus de confiance.)

4°) **Association française des Stés de Bourse.** Représente l'ensemble des Stés de Bourse et de la Sté des Bourses françaises.

Sécurité du marché et des opérateurs

1°) **Garanties des Stés de Bourse.** *Chaque Sté de Bourse* est responsable de ce que ses clients achètent et vendent sur le marché. Le *Conseil des Bourses de valeurs* fixe le montant minimal de fonds propres que les Stés de Bourse doivent présenter : un ratio de couverture des risques (proportion des engagements pris par une Sté de Bourse à sa surface financière) ; un ratio de division des risques (visant à limiter la concentration des risques sur une même contrepartie) ; un ratio de liquidité (tel que les dettes à court terme soient couvertes par des actifs immédiatement réalisables) ; une règle de cantonnement des actifs [pour s'assurer que la Sté de Bourse ne fait pas usage des actifs de la clientèle pour ses opérations propres (contrepartie par exemple)].

2°) **Garanties des autorités de marché. Conseil des Bourses de valeurs :** il gère un fonds de garantie qui interviendrait pour préserver les intérêts des clients en cas de défaut d'une Sté de Bourse. Si ce fonds se révélait insuffisant, le Conseil pourrait demander à la SBF son soutien.

Commission des opérations de Bourse (COB). Statut : autorité administrative autonome *créée* en 1967 à l'exemple de la SEC américaine. Dirigée par un collège de 5 membres nommés pour 4 ans par le gouvernement et inamovibles pendant leur mandat. *Pt :* Jean St-Geours (n. 24-4-1925) dep. le 4-10-1989. **Rôle :** surveille les marchés (Bourses des valeurs, marché des options négociables MONEP, MATIF), contrôle l'information du public par les Stés (lors d'émissions d'actions de numéraire ou d'obligations, lors des offres publiques ou des publications trimestrielles, semestrielles et annuelles), autorise la création des SICAV et FCP, veille à la régularité des transactions : la loi française réprime les opérations d'initiés et de manipulation de cours, reçoit plaintes et réclamations du public. Elle peut s'opposer à l'admission ou à la radiation d'une Sté décidée par le Conseil des Bourses de valeurs, si elle l'estime nécessaire à la protection des épargnants.

Fonctionnement de la Bourse

Méthodes de négociation. Le marché fonctionne désormais de 10 h à 17 h ou de 10 h à 16 h ; à partir de terminaux installés dans les Stés de Bourse [le parquet n'est plus utilisé que pour les emprunts d'État et les valeurs supports d'options négociées à la criée en continu de 10 h à 16 h ; les titres négociés sur le hors-cote de 12 h 30 à 14 h 30]. Les intermédiaires financiers peuvent agir en « principal » vis-à-vis de leurs clients (cf. infra) pendant les séances et en dehors des séances. **Règlements :** se font aux normes internationales de J + 5.

Marchés d'inscription. Marché officiel. Accueille, sur des critères quantitatifs et qualitatifs stricts, les plus grandes Stés françaises et étrangères et la quasi-totalité des emprunts obligataires.

Second marché. *Créé* le 1-1-1983 (inauguré le 1-2).Accueille les entreprises moyennes selon des normes plus souples, en matière d'ouverture de leur capital au public. *Conditions :* diffusion des actions dans une proportion d'au moins 10 % du capital, information régulière du public sur activités et résultats de la Sté et nomination d'un 2e commissaire aux comptes (s'il n'y en a qu'un). Quelques Stés étrangères y sont inscrites. **Marché hors-cote.** Permet la négociation des titres non inscrits au marché officiel ou au second marché, sans formalités ni conditions. En pratique y figurent essentiellement des titres à faible volume de transactions.

• **Marchés de négociation. Marché au comptant.** Actions françaises et étrangères les moins actives du marché officiel : obligations du marché officiel ; tous les titres du second marché et du marché hors-cote. Les ordres peuvent porter sur n'importe quelle quantité ; les acheteurs doivent disposer de l'argent correspondant et les vendeurs doivent avoir les titres en compte.

Marché RM (à règlement mensuel). Système de paiement différé des titres avec règlement à 30 j. Seul un dépôt de couverture est demandé (20 % si celui-ci est en liquide ou Bons du Trésor, 25 % en rentes ou obligations françaises, 40 % avec des FCP ou autres valeurs). Pratiqué uniquement par la Bourse de Paris, le RM devrait disparaître prochainement pour mettre Paris aux normes internationales.

Relit. Système de règlement-livraison des titres automatisé entré en service en 1991 à la Bourse de Paris. (Règlement à J + 5 et à J + 30 pendant un certain temps.) Ultérieurement, Relit sera interconnecté avec les systèmes de règlement-livraison des différentes places.

Ordres de Bourse

Pour permettre leur exécution, ils doivent :

1°) **Indiquer pour quelle durée ils sont valables.** Leur ordre n'est plus valable en cas de non-exécution sur le marché. Sans date limite, les ordres sont dits « à révocation ».

2°) **Indiquer le cours d'exécution souhaité.** *Au prix du marché :* si l'ordre est donné avant l'ouverture du marché, il sera exécuté au cours d'ouverture ; s'il est donné pendant la séance, il sera exécuté aux meilleures conditions existant lors de la mise sur le marché. *A cours limité :* le client spécifie le prix maximal (ordre d'achat) ou minimal (ordre de vente) d'exécution ; *ordres stop* assortis d'une limite au-dessus de laquelle les ordres d'achat ne sont pas exécutables ou d'une limite au-dessous de laquelle les ordres de vente ne sont pas exécutables.

3°) **Il peut porter des mentions particulières.** *Tout ou rien :* l'ordre doit être exécuté en totalité ou pas du tout ; *sans forcer :* l'ordre peut être ajusté si nécessaire par le négociateur afin de ne pas peser sur le cours d'exécution.

☞ Le cours des actions et celui des obligations convertibles est exprimé en francs et centimes. Sauf exception, celui des obligations est en % de la valeur nominale, compte non tenu de la fraction courue du coupon.

Établissement des cours sur le système CAC (cotation assistée en continu)

• **Fonctionnement.** Le marché est centralisé, gouverné par les ordres et animé par les courtiers (comme à New York, Tōkyō et Toronto, au contraire du Nasdaq et de l'International Stock Exchange à Londres qui sont gouvernés par les prix et animés par des market makers).A l'exception des valeurs encore négociées sur le parquet en continu crié (valeurs supports d'options négociables et fonds d'État) ou en fixing (valeurs du hors-cote), les transactions sont effectuées au travers du système informatique CAC, à partir de terminaux installés dans les Stés de Bourse et reliés aux ordinateurs centraux de la SBF. La CAC est liée en amont au système de routage des ordres et en aval au système de diffusion en temps réel absolu de l'information. Le système de transmission actuel sera complété par un système de connexion entre le carnet d'ordres des Stés de Bourse (qui enregistre les ordres transmis par le routage) et les ordinateurs de cotation; dénommé COCA, il acheminera et répartira automatiquement dans les ordinateurs de cotation les ordres enregistrés dans le carnet. Tous les ordres sont rentrés dans la CAC par les Stés de Bourse, qu'elles agissent pour le compte de clients ou pour leur propre compte. Ils sont automatiquement classés par limite de prix et à chaque limite par ordre d'introduction.

De 9 h à 10 h : phase de pré-ouverture. Les ordres s'accumulent dans le cahier de cotation sans qu'aucune transaction n'intervienne. *A 10 h :* ouverture. Le système calcule, en fonction des ordres à cours limité, un prix d'équilibre ou *prix de fixing*, c'est-à-dire le cours qui permet l'échange du plus grand nombre de titres. Dans le même temps, le système transforme les ordres « au prix du marché » en ordres limités au cours d'ouverture. Ainsi, tous les ordres d'achat limités à un prix supérieur et tous les ordres de vente limités à des prix inférieurs sont exécutés en totalité. Les ordres limités au cours d'ouverture sont exécutés en fonction des possibilités. *De 10 h à 17 h,* le marché fonctionne en continu et l'introduction d'un nouvel ordre provoque immédiatement une (ou plusieurs) transaction(s) dès lors qu'il existe un (ou plusieurs) ordre(s) en sens contraire sur le cahier de cotation. Le cours d'exécution est celui de la limite de l'ordre en contrepartie dans le cahier. A une même limite de prix, les ordres sont exécutés dans leur ordre d'enregistrement : 1er entré, 1er exécuté.

• **Diffusion de l'information.** Les clients peuvent recevoir en temps réel absolu les 5 dernières transactions (heure, cours, nombre de titres échangés) ; les 5 meilleures offres et les 5 meilleures demandes en prix et quantités telles qu'elles figurent sur les écrans des négociateurs à l'intérieur des Stés de Bourse.

• **Surveillance et contrôle.** Assurés par la cellule de surveillance de la SBF. Elle peut, si elle l'estime nécessaire à l'intérêt du marché, suspendre provisoirement les transactions sur une valeur ou limiter les fluctuations de cours.

• **Opérations de contrepartie.** En 1989, Stés de Bourse, banques et autres intermédiaires agréés pourront agir en principal et en prix nets avec leurs clients dans le respect du marché central auquel devront être rapportées toutes les opérations. La contrepartie ordinaire peut être effectuée sur toutes les valeurs : pendant la séance, elle est effectuée sous forme d'une application introduite dans le système CAC à un prix inclus dans la fourchette de marché existant au moment de son exécution.

MONEP (marché des options négociables de Paris)

Créé en 1987 ; il est placé sous l'autorité réglementaire du Conseil des Bourses de valeurs.

Chambre de compensation. La SBF, qui en dernier ressort assure la garantie financière du marché, a délégué à une filiale spécialisée, la SCMC, les responsabilités de la compensation technique et de la gestion du marché ainsi que la surveillance et le contrôle des opérations.

Intervenants du marché. Les Stés de Bourse de Paris, garantes de la bonne fin des négociations et des contrats, sont seules habilitées à négocier sur le Monep. Leurs représentants sur le parquet sont soit *négociateurs* (dépositaires d'ordres émanant des clients ou de leurs maisons, ils les négocient entre eux ou avec les chefs de groupe de la SCMC ou avec les teneurs de marché) soit *teneurs de marché* (ils assurent la régularisation du marché afin d'en favoriser la continuité et la liquidité. Ils doivent fournir à tout moment sur les séries auxquelles ils sont affectés une fourchette de prix acheteur/vendeur à laquelle ils sont tenus à l'exécution minimale de contrats selon des règles définies). Les chefs de groupe de la SCMC peuvent également être dépositaires d'un carnet d'ordres dont l'exécution leur est confiée par les Stés de Bourse. Ces ordres, émanant exclusivement de clients, ont priorité d'exécution sur tous les ordres du marché libellés au même cours.

Membres de la compensation. Les Stés de Bourse (membres de droit) et les établissements de crédit qui peuvent adhérer. **Négociations sur le parquet de la Bourse de Paris** de 10 h à 17 h selon le principe des marchés continus à la criée. Les *options* sont de type « américain » (exerçable à tout moment). Elles portent soit sur des actions soit sur l'indice de cours CAC 40. Les opérateurs détenant une position globale nette vendeur se voient appeler une couverture ajustée quotidiennement.

Opérations de Bourse

☞ **Avant la réforme. Se faisaient** 1°) **à la criée** pour les valeurs les + importantes : offreurs et demandeurs criaient les cours auxquels ils étaient disposés à vendre et à acheter telle valeur en fonction des limites préalablement fixées par leur clients ; 2°) **par casiers ;** 3°) **par boîtes ;** 4°) **par adjudications.**

• **Types d'opérations.** 1°) **Au comptant :** règlement et livraison des titres en principe immédiats (en fait, dans les 48 h). 2°) **A règlement mensuel :** règl. et livraison se font aux dates prévues par le calendrier de *liquidation* (une fois par mois, au début de la 7e séance de Bourse avant la fin du mois). Porte sur un nombre minimal de titres, on doit déposer une « couverture ».

Principaux indices

Indice	Nombre de valeurs	Marché	Pondération	Diffusion
Indice général CAC	245	RM et comptant	Capitalisation boursière	1 fois par jour à 15 h 35
Indicateur de tendance	50	RM	Pas de pondération	de 10 h à 17 h ajusté en permanence
CAC 40	40	RM	Capitalisation boursière	De 10 h 30 à 16 h ajusté toutes les 30 s
INSEE quotidien	50	RM et comptant	Pas de pondération	1 fois par jour
INSEE hebdomadaire	250	RM, comptant, second marché	Flottant	Tous les vendredis

a) **Opérations fermes.** Intéressant toutes les valeurs cotées à règlement mensuel. **Achat ferme :** règlement et livraison sont différés au jour de la *liquidation.* Si l'acheteur ne veut pas *dénouer* (c.-à-d. ne pas régler le montant des titres ni les vendre), il peut se faire *reporter :* il revend en liquidation courante les titres qui lui sont livrables afin de payer son vendeur et les rachète au même cours à la liquidation suivante. **Vente ferme :** le vendeur vend à terme des titres qu'il possède ou non. Il doit les livrer au jour de la liquidation.

b) **Opérations conditionnelles.** Pour toutes les valeurs du marché à règlement mensuel.

Call of more *(option du double).* Achat ferme avec faculté de lever à l'échéance fixée le double de la quantité initiale. L'acheteur ne doit aucun dédit.

Opérations à options. L'acheteur, moyennant un prix librement débattu et payé au vendeur de l'option à la conclusion du marché, peut se porter à l'une des 9 échéances suivantes, soit acquéreur si l'option traitée est une *option d'achat,* soit vendeur si elle est une *option de vente,* d'une certaine quantité de titres d'une même valeur, à un cours qui est celui pratiqué sur le marché à règlement mensuel ferme au moment de la conclusion du contrat.

Opérations à primes. Elles peuvent être conclues pour la liquidation en cours ou les 2 suivantes. La veille de la liquidation convenue (j de *réponse des primes*), l'acheteur peut soit lever les titres (c'est-à-dire les régler et en prendre livraison), soit payer une prime au vendeur qui le dispense d'effectuer son achat.

Put of more. Opération inverse du « call of more » : le *vendeur* se réserve le droit de livrer le double des titres ayant fait l'objet du marché.

Stellage. L'*acheteur* d'un stellage a le choix, à une échéance donnée, entre un achat avec un écart supérieur au cours du marché du jour et une vente avec un écart inférieur. Il pense donc que d'ici à l'échéance le titre va faire l'objet de fluctuations importantes des cours, soit en hausse, soit en baisse. Le *vendeur* pense au contraire que les cours du titre resteront stables dans la fourchette du stellage.

☞ Les opérations à primes ont été supprimées dep. 22-5-1989.

• **Traitement des ordres en Bourse.** Dep. le 1-6-1988, les ordres fixés « au mieux » inférieurs ou égaux à 30 000 F (actions et droits) et à 50 000 F (obligations) passés par un particulier sont réalisés le jour suivant. Le prix d'exécution est celui du cours d'ouverture du lendemain, sauf si le client demande la réalisation de ses ordres en temps réel (les frais de courtage sont alors plus élevés).

☞ **Coût** moyen d'une transaction à la Bourse de Paris, *juin 89 :* 224 F (de 107 à 401 F), dont coût du traitement 90 F, autres coûts 134 F (entre 54 et 298 F). Dep. le 1-7-1989 chaque société est libre de fixer elle-même les tarifs pour l'achat ou la vente de valeurs mobilières. **Frais d'encaissement des coupons :** 0 % et 5,3 %, moyenne 3-3,5. Parfois dégressifs en fonction de l'importance du portefeuille. **Droits de garde :** de 0,10 à 0,5 % du montant du portefeuille. Encaissement de coupons : jusqu'à 10 %.

Définitions

• **Bear (Ours).** Symbole anglo-saxon de la baisse des cours de Bourse.

• **Big Bang.** Utilisation des ordinateurs. Les transactions ne s'effectuent plus de personne à personne, mais d'ordinateur à ordinateur, par l'intermédiaire d'écrans, en continu. Abolition du barème des commissions fixes. Dep. 1986, technique appliquée à Londres, à Paris et New York.

• **Black & Scholes (Modèle).** Modèle mathématique développé en 1973 par 2 Américains, Fisher Black et Myron Scholes, pour évaluer le prix théorique d'une option d'achat.

• **Blue Chips.** Valeurs vedettes du marché américain, notamment celles de l'indice Dow Jones. Origine du nom : salle bleue où étaient cotées les plus grandes Stés.

• **Bon de souscription.** Appelé aussi *warrant,* permet de souscrire des actions nouvelles pendant une certaine période à prix déterminé à l'avance dit prix d'exercice. Le bon est détaché d'une obligation ou d'une action et coté séparément. Il peut aussi être attribué à titre gratuit aux propriétaires des actions anciennes.

• **Bull.** Symbole de la hausse.

• **Call.** Option d'achat.

• **Capacité d'autofinancement par actions.** Voir Cash flow.

• **Capital. Flottant.** Part du capital qui n'est pas détenue par les actionnaires qui contrôlent la Sté et qui peut donc être vendue (ou achetée) à tout moment sur le marché des valeurs. **Social.** Capital initial de la société majoré des augmentations de capital successives. **Permanent.** Somme des capitaux propres de l'entreprise et des dettes à plus d'un an. **Propre.** Capital social de l'entreprise majoré des réserves et du report à nouveau.

• **Capitalisation boursière.** S'obtient en multipliant le cours d'une action par le nombre de titres composant le capital inscrits à la cote officielle.

• **Cash flow.** Résultat net de la société après impôt augmenté des dotations aux amortissements et aux provisions. C'est le montant net disponible pour investir et verser des dividendes.

• **CCIFP.** Chambre de compensation des instruments financiers de Paris.

• **Compensation** (Cours de). Moyenne des cours enregistrés la 1re h de Bourse le jour de la liquidation sur la base de laquelle se calculent les intérêts de report.

• **Comptes consolidés.** Intègrent ceux de la Sté mère et ceux des filiales. Si ses filiales ne sont pas détenues à 100 %, le bénéfice net consolidé final est scindé en une part du groupe qui revient aux actionnaires de la Sté cotée, l'autre revient aux actionnaires minoritaires des filiales.

• **Corbeille.** Balustrade en forme de corbeille à laquelle s'accoudaient les agents de change pour négocier les valeurs vedettes. Aujourd'hui remplacée par des écrans.

• **Corner.** Situation dans laquelle il n'existe pratiquement plus de titres à la vente sur le marché à règlement mensuel d'où un *taux de déport* élevé.

• **Coup d'accordéon.** Double opération consistant à réduire puis à augmenter le capital d'une Sté afin de rétablir une situation nette positive. *En 1986,* les dirigeants d'*Usinor* choisirent en accord avec l'État de ramener le capital à zéro, puis de procéder à une augmentation de capital. 5 000 petits porteurs (détenant 20 % du capital) virent leurs actions annulées. Me Yvon Thiant représentant 50 % de ces actionnaires demande leur indemnisation (sur la base du nombre d'actions × 10 F) et le remboursement du passif social, soit 21,9 milliards de F.

• **Cours ajusté.** Tient compte des opérations sur le capital de la Sté (augmentation ou réduction du capital).

• **Décote.** Rapport entre le cours de Bourse de l'action de la Sté de portefeuille et la valeur par action de ses participations. Appelée parfois *« valeur à la casse »,* la valeur réelle du patrimoine de toute Sté doit être minorée des frais éventuels liés à une cession de ses actifs (impôts, passifs, frais de dissolution, de vente, etc.).

• **Déport.** Taux de report négatif. Le vendeur reporte sa position à l'acheteur qui fait reporter sa position quand le nombre des vendeurs est supérieur à celui des acheteurs.

• **Devises-titres.** Instaurées à plusieurs reprises pour payer l'achat de valeurs mobilières étrangères auprès d'un intermédiaire agréé qui se les procure auprès de revendeurs de valeurs mobilières sur cette même place.

• **Golden Boy.** Jeune diplomé des Grandes Écoles, travaillant (à prix d'or) sur les nouveaux marchés financiers.

• **Holding.** Sté de portefeuille gérant des participations dans d'autres entreprises qu'elles soient ou non cotées en Bourse.

• **Hors-cote.** Marché ouvert à toutes les entreprises sans formalité particulière (présentation de 2 bilans, comptes de résultats et comptes d'exploitation).

• **Junk Bonds** (« obligations pourries ».) Obligations à taux d'intérêt élevé et à haut risque qui ont permis de financer de nombreux achats de Stés amér. Elles ne sont garanties par aucun actif et remboursées par une partie du cash flow de l'entreprise visée. Très en vogue aux USA (25 % des émissions des entreprises privées). Pour attirer les investisseurs, leurs taux nominaux sont en moyenne supérieurs de 2,6 % à ceux des emprunts du Trésor amér. En France, les entreprises préfèrent l'endettement bancaire aux *junk bonds* comme mode de financement.

• **LIFFE** (London International Financial Future Exchanges) : créé sept. 1982 ; le plus grand marché à terme de produits financiers d'Europe.

• **Marge brute d'autofinancement (MBA). V.** Cash flow.

OPA (Offre publique d'achat). Réglementation (loi du 2-8-1989). Une fois l'opération lancée, interdiction à l'*attaqué* d'acheter ses propres actions pour se défendre. Obligation pour l'*attaquant* de lancer une OPA sur 66 % au moins du capital après avoir franchi le seuil de 33,3 % des titres de la Sté convoitée, et interdiction d'opérer des achats en bourse à un cours supérieur à son prix d'offre. S'il le fait, relèvement automatique de 2 % du prix de l'offre. **OPR (Offre publique de retrait).** Possibilité offerte à tout actionnaire, majoritaire ou minoritaire, d'exiger qu'une Sté offre de racheter les titres des minoritaires. *3 cas.* **1)** 1 actionnaire ou un groupe d'actionnaires acquiert + de 95 % du capital ou des droits de vote d'une société ; l'initiative de l'OPR peut alors venir d'un actionnaire majoritaire ou minoritaire ; l'OPR sera suivie d'une radiation de la cote. **2)** 1 actionnaire, ou un groupe d'actionnaires, détenant les 2/3 du capital ou des droits de vote, décide de transformer la Sté en Sté en commandite ou par actions, ce qui prémunit contre tout risque d'OPA hostile. Les personnes physiques ou morales contrôlant la Sté sont tenues de déposer une offre d'OPR. **3)** L'actionnaire majoritaire propose de modifier les statuts de la Sté (forme, conditions de cession, etc.) ; il est tenu d'avertir le Conseil des Bourses de valeurs qui pourra décider s'il y a lieu de procéder ou non à une OPR ; l'actionnaire majoritaire a alors la faculté de demander la radiation de la cote.

• **PER ou CCR** (Price Earning Ratio ou Coefficient de Capitalisation des Résultats). Rapprochement par action du cours et du bénéfice d'une Sté. Quand une Sté a un PER de 10, on dit qu'elle capitalise 10 fois ses bénéfices. *Ex. :* pour une Sté en forte croissance (30, 35 % par an), un PER de 15 est courant, pour une Sté en stagnation, un PER de 10 est élevé.

PER du marché. Rapport entre la capitalisation boursière [valeur totale des actions cotées au cours du jour et le bénéfice global additionné de l'ensemble des sociétés cotées. Tend à s'élever en période de ralentissement de l'inflation et à baisser en cas de reprise de la hausse des prix. **Évolution à Paris** *(en janvier).* **1970 :** 13,8. **75 :** 9,3. **76 :** 10,4. **77 :** 7,8. **78 :** 5,9. **79 :** 7,6. **80 :** 7,8. **81 :** 7,7. **82 :** 7,1. **83 :** 6,6. **84 :** 9,9. **85 :** 10,7. **87** *26-3 :* 17,4 *1-10 :* 15,6 (13,2 sur bén. 88 estimés) *29-10 :* 11,3 (9,6) *28-11 :* 10,8 (9,3). **88 :** *24-5 :* 12,5 (10,9). **89 :** *25-5 :* 15,2 (sur bén. 88), 13,1 (sur bén. 89). **90 :** *25-6 :* 15,3 (sur bén. 89) 13,6 (sur bén. 90). **91 :** *13-5* (Tokyo 40,6, Francfort 13,5, Londres 13,3).

☞ Si l'on a recours à la notion de délai de recouvrement, qui corrige le rapport cours-bénéfice par la croissance attendue et intègre le taux d'intérêt en vigueur dans chaque pays, les ratios établis au 31-1-1989 par la Sté DR Gestion étaient les suivantes : Düsseldorf 12,2, Londres 11,7, Tōkyō 11,2, Paris 11, New York 10,8. En juin 1990, Tōkyō 25,9, New York 14, Paris 13,8, Francfort 12,7, Londres 10,4.

• **Position de place.** Situation qui ressort de la confrontation, lors de chaque liquidation, des acheteurs et des vendeurs sur le marché à terme, qui ont décidé de reporter leur position sur la liquidation suivante.

• **Trading.** Opération d'achat et de vente de titres, réalisée dans les délais les plus brefs, afin de profiter d'écarts de cours tout en diminuant l'exposition du portefeuille au risque du marché.

• **Zinzins ou gendarmes.** Investisseurs institutionnels (banques nationalisées, caisses de retraites, compagnies d'assurances, Caisse des dépôts, Crédit national et Stés d'investissement).

Statistiques

Évolution du marché financier

Cote officielle et second marché (au 31-12-1990). Émetteurs. 1 515 dont *Paris* 1 170 (dont valeurs françaises 892, zone franc 16, étrangères 262), *Province* 357 (dont françaises 357, zone franc 0).

Lignes de cotation. 4 577 (actions 1 179, obligations 3 398) dont *Paris* 3 785 (ac. 922, obl. 2 863), *Province* 792 (ac. 257, obl. 535).

Émissions (en milliards de F). *1980 :* 135,9, *81 :* 138, *82 :* 193,3, *83 :* 240,8, *84 :* 298,3, *85 :* 389,9, *88 :* 505,5, *89 :* 577,3, *90 :* 567 (dont obligations 339, actions 228).

Émissions d'obligations (en milliards de F en 1990). 337 [dont taux fixe 288,83 (fonds d'État 98,3 secteur public 137,34, autres 53), taux variable (TME, THE 13,29 ; TMB, THB, TEB, TIF 3,24 ; Pibor 1M, 3M 31,55 ; TMM, TRM, TAM 0,17),] dont fonds d'État 110,55, secteur public 156,16, autres 70,37.

Marché boursier des valeurs françaises, en milliers de F, (cote officielle de Paris). **Capitalisation** (en fin d'année) : actions, obligations entre parenthèses, et titres participatifs. *1980* : 248 (567,3). *89* : 2 111,7 (2 353). *90* : 1 679,3 (2 472). **Transactions sur l'année** : actions et entre parenthèses obligations (en milliards de F). *1980* : 42,8 (63). *81* : 45,7 (83,7). *82* : 46,2 (151,3). *83* : 63,6 (221,5). *84* : 67,2 (409,6). *85* : 131,8 (717,6). *86* : 357 (1 672,9). *87* : 477,4 (2 425,4). *88* : 412,7 (3 424,9). *89* : 715 (3 314) [+ province 19,7 (78,4)]. *90* : 716 (3 376).

Placements collectifs (v. ci-contre). **Sicav.**

Capitalisation boursière *des actions françaises (en milliards de F). 1984 (fin)* : 432. *1985 (fin)* : 675. *1986 (fin)* : 1 156. *1987 (avril)* : 1 370, *31-12* : 972. *1988 (31-12)* 1 537. *1989 (31-12)* 2 192. *1990 (31-12)* 1 737.

☞ **Plus grosses OPA réussies en France** : celle du groupe Schneider sur Télémécanique (7,1 milliards de F) ; Darty (6,6) ; Seagram sur Martell (4,5) ; Géfina sur Épéda-Bertrand-Faure (3,2) ; Thorn-Emi sur Holophane (0,8).

PER (rapports cours/bénéfice au 17-4-1990 par secteurs (nombre de fois). Cours estimés 1989, et, entre parenthèses, 1990. Automobiles, équipements 6,4 (5,4). Crédit 11,3 (9,8). Pétrole, carburants 9,7 (10,1). Matériaux de construction 11,5 (10,5). Assurances 11,3 (10,6). Divers 12,5 (10,9). Chimie, produits de base 11,7 (11). Pâte, papiers, cartons 11,4 (11,1). Sicomi 13,7 (3,1). Constr. électriques, électroniques 14,8 (13,4). Équipement ménager 16,9 (13,7). Construction mécanique 16,5 (13,7). Bâtiment, travaux publics 17,3 (4). Textiles, habillement 17,5 (14,1). Sociétés de portefeuille 17,6 (4,8). Alimentation 17,6 (5,5). Distribution 19,3 (6,3). Boissons 21,5 (8). Imprimerie, édition 22,4 (8,4). Pharmacie, cosmétiques 20,4 (9,2). Services informatiques 23,8 (0). Hôtellerie, loisirs 25,6 (1,6). Foncier, immobilier 22,7 (2,3). Distribution eau et air 25,8 (2,8). Communication-Publicité 29,8 (5,5).

Bénéfices distribués par les Stés françaises (en milliards de F). *1985* : 13,5, *86* : 15,6, *87* : 20,2, *88* : 24,8, *89* : 31, *90* : 37,8, *91* : 43,5 (estim.)..

Principaux montants distribués (en millions de F en 1991). Elf-Aquitaine 3 068. Alcatel-Alsthom (ex-CGE) 1 355,3. Sté Générale 1 031. St-Gobain 945,7. LVMH 945. UAP 924. Total 842,7. Suez 836. Paribas 833,3. GAN 824,6. Peugeot SA 799. Cie Générale des Eaux 777,7. Crédit Lyonnais 763,4. Thomson-CSF 756. BSN 722,1. Air Liquide 702. AGF 602,8. Rhône-Poulenc 596. AXA SA 561,8. Navigation Mixte 539,7.

• **Porteurs de valeurs mobilières.** *1988* : 9 279 560 (+ 2,3 % par rapport à 1987), dont 4,5 à 5 millions d'actionnaires directs, soit 1 pour 6 hab. (Suède 1 pour 4, USA 1 pour 5, G.-B. 1 pour 8, Japon 1 pour 16).

Valeur moyenne des portefeuilles-titres des particuliers. 1988 : env. 140 000 F (+ 15,6 %).

Sicav

Nombre. *1989* (31-12) 862. (*88* : 722). Sicav nouvelles : court terme 22, obligataires 24, internationalement diversifiées 23.

Actif net (en milliards de F). *1984* : 298,6, *85* : 449,6, *86* : 701,7, *87* : 821,5 dont 222,4 de souscriptions nettes [dont (en %) actions françaises 10, obligations fr. 59, actions étrangères 3, obligations étr. 1,4, TCN (titres de créance négociables 20), OPCVM 4, liquidités 2,5]. *88* : 1 072,6 (dont réseau CNCA 176,3, BNP 127,1, CDC-CE-Poste 116,6, Crédit Lyonnais 87, Sté Générale 74,3, Gr. Banques Populaires 44,9, Groupe CIC 39,9, CCF 28,8, Paribas 26,2, Indosuez 23,4. *1989* : encours total 1 271,6 milliards de F, dont réseau CNCA 212.

Fonds communs de placement

Légende. – (A) fonds ouvrant droit aux avantages des lois du 13-7-1978 et 29-12-1982. (B) fonds spécialisés en obligations à échéance rapprochée à taux variable.

Nombre en activité. *Au 31-12-1987* : 3 023 dont établissements de crédit 2 111, agents de change 633, établissements à statut spécial 186, compagnies d'assurances 30, divers 63 ; *1989* : 3 881.

Actif net. *Au 31-12-1987* : 269,8 milliards de F dont en % : *valeurs françaises* 65,7 (dont obligations 59,8, actions 7 ; *étrangères* 8,9 (dont obligations 1,8, actions 7 ; OPCVM 12,4, TCN 6,7) ; **31-12-1988.** 357,6 milliards de F.

Porteurs de parts. 1984 *(31-12)* : 1 291 249. **1985** *(31-12)* : 1 798 374. **1986** *(31-12)* : 3 676 444 dont pers. phys. 2 451 531, pers. morales 1 224 913. Porteurs de parts fonds Monory CEA 255 515, fonds de CT 600 831. *Souscriptions nettes* : *1986* : 69,3 milliards de F.

Variation de l'indice des cours de la Sté des Bourses françaises (en %)

1945	– 12	*1961*	+ 20,5	*1977*	– 6,4
1946	+ 65	*1962*	+ 3,6	*1978*	+ 46
1947	– 2	*1963*	+ 17	*1979*	+ 17
1948	+ 9	*1964*	– 6,6	*1980*	+ 9
1949	– 20	*1965*	– 8,1	*1981*	– 17,5
1950	– 13	*1966*	– 9,3	*1982*	+ 0,2
1951	+ 55	*1967*	– 2,1	*1983*	+ 56,4
1952	+ 10	*1968*	+ 9,3	*1984*	+ 16,4
1953	+ 17	*1969*	+ 37,1	*1985*	+ 45,7
1954	+ 63	*1970*	– 7	*1986*	+ 49,7
1955	+ 6	*1971*	– 8	*1987*	– 29,5
1956	+ 4	*1972*	– 17,1	*1988*	+ 48
1957	+ 25	*1973*	– 2,9	*1989*	+ 33,2
1958	– 3	*1974*	– 30,8	*1990*	– 24,9
1959	+ 49	*1975*	– 30,7		
1960	+ 3	*1976*	– 17		

Évolution de la Bourse de Paris après les élections (en %). De Gaulle *22-12-58* : + 1. **Pompidou** *16-6-69* : – 1,8. **Giscard d'Estaing** *20-5-74* : – 1,3. (après victoire de la droite au 1er t. *des législatives 13-3-78 : + 9).* **Mitterrand** *11-5-81* incotable à la baisse ; *9-5-88* : + 2,35 à 11 h 15, + 1,31 en clôture (*Fortes hausses* : Chargeurs + 7,37. SGE + 6,48. SAE + 5,35. Bouygues + 5,09. Bic + 5,09).

Bourse de Paris

Statistiques générales

• **Évolution. Transactions 1990** (en milliards de F). Total dont entre parenthèses règlement mensuel en %. *1976* : 55 (33). *80* : 121,7 (35,4). *81* : 149,7 (31). *82* : 216,8 (19,6). *83* : 311,3 (27,9). *84* : 503,9 (16,4). *85* : 883,8 (14,8). *86* : 2094,5 (15,4). *87* : 3011,5 (15,1). *88* : 2 646. *89* : 4 029 (15). *90* : *3 716 (16,2).* **Part des obligations et titres participatifs (en %).** *1976* : 51. *80* : 51,9. *81* : 56. *82* : 69,8. *83* : 69. *84* : 81,3. *85* : 81,2. *86* : 79,9. *87* : 70,17. *89* : 82. *90* : 81. **Part des valeurs étrangères (en %).** *1976* : 12. *80* : 11,3. *81* : 18,5. *82* : 8,2. *83* : 10,6. *84* : 4,4. *85* : 12,4. *86* : 2,6. *89* : 0,8. *90* : 0,8.

Transactions à Paris (en milliards de F en 1990). **Marché officiel** 3 716 (dont RM 601, comptant 3 115,3) dont actions 697,8, obligations 3 018 ; dont françaises 3 686,8, zone franc 1,34, étrangères 28,2. **Second marché** 41,8 (dont actions 38,9, obligations 2,8) dont françaises 41,7, étrangères 0,007. **Hors cote** 7,92 (dont actions 7,33, obligations 0,56) dont françaises 6,58, zone franc 0,002, étrangères 1,33.

• **Valeurs les plus actives de la cote en 1990** (moyenne quotidienne en millions de F). *OAT 8,12 % 1999* : 998,8 ; *TRB 1993* : 615 ; *8,50 % 2 019* : 570,8 ; *9,70 % 1997* : 471,9 ; *9,80 % 1996* : 445,7 ; *8,50 % 1997* : 429,9 ; *9,90 % 1994* : 419,7 ; *9,50 % 1998* : 384,9 ; *8,25 % 2 204* : 310,8 ; *8,50 % 2 012* : 217,9 ; *TMB 1999* : 206,3 ; *TME 2 001* : 179,7 ; *8,70 % 1995* : 177,1 ; *10 % 2 000* : 164,9 ; *9,90 % 1997* : 135,1 ; *CGE* : 123,1 ; *Etat 11 % 1985* : 102,4 ; *Elf-Aquitaine* : 98,7 ; *Peugeot* : 97,4.

• **Rendement. Actions** (en %, avoir fiscal compris, en fin d'année) : *fin 1972* : 4,54. *73* : 5,40. *74* : 7,82. *75* : 6,70. *76* : 6,96. *77* : 7,68. *78* : 5,84 (8,36 au plus haut). *79* : 5,72. *80* : 6,88. *81* : 8,25. *82* : 8,11. *83* : 5,30. *84* : 4,88. *85* : 3,90. *86* : 2,47. *87* : 5,01. *88* : 3,03. *89* : 2,60. *90* : 3,98.

Obligations (à fin déc., secteur public et semi-public et, entre parenthèses, secteur privé) : *1978* : 9,94 (10,27). *79* : 12,59 (12,92). *80* : 14,31 (14,68). *81* : 16,44 (17,33). *82* : 15,5 (15,9). *83* : 13,32 (14,5). *84* : 12,70 (12,94). *85* : 11,33 (11,76). *86* : 9,89 (10,18). *87 (fin juin)* : 9,13 (9,22). *88 (1-7)* : 9,07 (9,44). *90 (8-8)* : 10,56 (10,61).

• **Sociétés les plus capitalisées au 31-12** (en milliards de F). **1963 :** Rhône-Poulenc 5. Air liquide 3,4. Esso Standard 2,5. St-Gobain 2,1. Michelin 1,8. **1967 :** Aquitaine 4,3. Rhône-Poulenc 2,3. Pechiney 2,2. Michelin 1,9. Française des Pétroles 1,7. **1972 :** Michelin 6,5. St-Gobain-Pont-à-Mousson 4,3. Péchiney-Ugine-Kuhlman 3,3. Aquitaine 3,2. Rhône-Poulenc 3,1. **1977 :** Av. M. Dassault-Breguet 5. Aquitaine 5. Michelin 4,6. St-Gobain-Pont-à-Mous. 3,5. Air liquide 2,6. **1982 :** Elf-Aquitaine 9,5. Air liquide 7. Av. M. Dassault-Breguet 4,4. L'Oréal 4. BSN 3,8. **1987 :** Midi (Cie du) 39,6. Elf-Aquitaine 38,71. LVMH 37,73. Peugeot 34,3. St-Gobain 34,07. BSN 33,31. Sté Générale 30,27. **1989 :** LVMH 64,97. Elf-Aquitaine 55,47. CGE 49,8. Paribas 44,4. BSN 42,3. Gén. des Eaux 41,5. St-Gobain 38,5. Midi 36,2. Louis Vuitton 33,3. Sté Générale 32,8. Air Liquide 31,1. L'Oréal 28. **1990 :** Elf-Aquitaine 69,73, CGE 57,70, LVMH 45,93, Eaux 41,60, BSN 39,59, UAP 39,22, Suez 36,35, Air Liquide 31,18, Paribas 30,13, L'Oréal 27,55, Sté Générale 25,88, Midi 25,81.

• **Les plus fortes hausses** (en %, en 1990). *A règlement mensuel* : Immobilière Phénix 66. Elf Gabon 39,1. Synthélabo 33,7. Elf Aquitaine 14,9. Total 12,5. Auxiliaire d'Entreprises 10,5. *Au comptant* : AD Capit. (ex-Docks indust.) 673,8. Magnant 512,4. Allianz France Vie 148,9. Entrepôts de Paris 129,2. Immobilière Borralha 127,8. Ateliers de la Loire 127,3. Ferm. du Casino de Cannes 113. *Second marché* : Trouvay Cauvin 240. Petit Bateau 121,6. Mat-Service France 55,8. Eurafrep 55,2. Paris Bail 54,7.

• **Les plus fortes baisses** (en %, 1990). *A règlement mensuel* : Concept SA 73,7. Cerus (ex-Duménil) 73,3. Métaleurop 72,6. Bail-Equipement 71,4. Dassault Electronique 69. Métrologie 67,5. SCOA 67,2. Rochette (La) 65,8. Hachette 63,4. Michelin 62. MMB 61,9. Salomon 60,9. CSEE 60,5. Valeo 60,1. AGF. 59,1. CMB Packaging 59,1. Damart 57,6. Bis 57,4. Ingénico 57,2. Majorette 57,1. UFB-Locabail 57. *Au comptant* : Jaeger 84,2. Vitos 81,2. Safic Alcan 77,7. Chimique Grande Paroisse 75,8. Saft 75,8. Case-Poclain 74,6. Aciéries de Beautor 74,6. CEM 73,1. CFF (Française des Ferrailles) 70. Ugine 68,5. France SA 67,7. Sacer 65,5. Pneumatiques Kléber 65,1. Nozal 60. *Second marché* : Sedri 99,8. Lectra Systèmes 93,6. Tuffier Associés 93,1. Digital Design 85,2. Celatose 77,4. Technomed 76,4. Tonna Electronique 75. Asap 75. Pier Import 72,6. Publications Filipacchi 69.

• **Stés les plus capitalisées en province** (en millions de F au 31-12-90). Castorama (Lille) 2 385. FFP (Nancy) 2 117,8. Salomon (Lyon) 1 721,9. Rue Impériale (Lyon) 1 789,2. Quillet (Nancy) 1 606,6. Alsacienne Supermarchés (Nancy) 1 220. Sogenal (Nancy) 970. Ruche Picarde (Lille) 886,4. Gerland 869,8. Saupiquet (Nantes) 742,9.

Nota. – Depuis le 24-1-1991, les Bourses régionales sont remplacées par de simples délégations commerciales de la SBF.

Marchés à terme et options

Dans le monde

Des contrats à terme et des options négociées sont effectuées sur des marchés internationaux pour un certain nombre de produits d'origine végétale, animale, minérale ou financière.

Bourses régionales en 1990, en millions de F

	Bordeaux	Lille	Lyon	Marseille	Nancy	Nantes
Transactions globales	5 496,3	16 581	46 307,6	7 644,6	7 350,3	6 015,5
dont actions	2 434	1 351,9	3 172,6	797,4	1 296,3	673
Capitalisation boursière, obligations secteur public ..	4 839,5	2 021,9	44 079,7	9 169,9	6 011,7	2 148,4
Obligations autres	8 900,9	16 733,1	12 715,2	4 131,6	5 600,2	5 187,6
Actions	2 898,4	5 605,3	10 656,3	4 987,1	11 746,1	1 543,7

• **Bourses étrangères. Places principales. USA :** New York, Chicago, Kansas City, Minneapolis, plus de 60 produits faisant l'objet de transactions (céréales, textiles, oléagineux, animaux, sucre, métaux, caoutchouc, actifs financiers, etc.) ; **G.-B. :** plusieurs Bourses à Londres. **Autres places :** Australie, Brésil, Canada (2), Danemark, Finlande, Hong Kong, Irlande, Japon, Malaisie, N.-Zélande, P.-Bas (Amsterdam), Singapour, Suède, Suisse.

• **Activités des principales Bourses de commerce.** *En 1988,* en millions de lots (contrats à terme et option sur contrats à terme) : *USA* 295 [dont Chicago Board of Trade 143 (48,5 %), Chicago Mercantile Exchange 78 (26,4 %), New York Mercantile Exchange 34,3 (11,6 %)]. *France :* MATIF 16,9. *G.-B. :* LIFFE 15,5 ; London Metal Exchange 7,8. *Japon :* marché à terme Tokyo Stock Exchange 20,6 ; Tokyo Commodity Exchange for Industrie 11,7. *Australie :* Sydney Futures Exchange 7,5.

• **Activité des principales Bourses d'option** [1]. *En 1988,* en millions de contrats (options sur produits négociés au comptant). Chicago Board Options Exchange 111,8, American Stock Exchange 45, Philadelphia Stock Exchange 17,2, European Stock Exchange 8,5.

Nota. – (1) Bourses qui négocient des options sur des produits au comptant (et non sur contrats à terme comme dans les Bourses de commerce).

En France

Principes de fonctionnement

Contrat à terme. Conclusion d'une opération entre un acheteur et un vendeur à un prix déterminé pour une échéance déterminée. L'acheteur verse à la chambre de compensation un dépôt de garantie *(deposit)* qui représente une part du prix de son contrat (– de 10 %). Ce deposit devant rester constant, il est débité quotidiennement d'une somme complémentaire *(appel de marge)* en cas d'évolution défavorable des cours. A l'échéance, la livraison intervient dans une faible minorité des cas, les intervenants ayant généralement annulé leurs positions dans l'intervalle en effectuant une opération inverse de celle par laquelle ils avaient commencé (vente de contrats pour l'acheteur ou achat de contrats pour le vendeur).

Option. Son porteur peut (sans obligation) acheter ou vendre un nombre déterminé des produits à un prix fixé à la date de la transaction *(prix d'exercice).* La *prime* représente le prix de l'option. On distingue les options d'achat *(calls)* et les options de vente *(puts).* **Types d'opérations.** 3 types différents (ou conjugués) : *de couverture :* réalisées par des professionnels qui protègent leurs opérations au comptant effectives des variations de prix en réalisant sur le marché à terme une opération inverse à celle effectuée sur le marché physique ; *de spéculation :* réalisées sans lien avec des transactions de produits sous-jacents, par anticipation de fluctuations à venir ; *d'arbitrage :* réalisées en tirant parti de différences d'évolution des cours pouvant survenir entre 2 marchés, 2 échéances ou 2 places.

Organisation en France

3 Bourses négocient aujourd'hui en France des contrats à terme et/ou des options : 1°) *MATIF SA* (produits financiers et agricoles) : contrats à terme et options sur contrats à terme ; 2°) *OMF* (produits financiers) : contrats à terme et options sur contrats à terme ; 3°) *MONEP* (Marché des Options Négociables de Paris) (produits financiers) : options sur produits au comptant.

La loi du 31-12-1987 a placé l'ensemble des marchés à terme français (c'est-à-dire, actuellement, ceux de MATIF SA et d'OMF) sous la tutelle du Conseil du marché à terme. La Commission des marchés à terme de marchandises (créée en 1983), qui avait précédemment autorité sur les marchés à terme de matières premières, a été dissoute.

Statistiques des marchés français

En 1988, (en milliers de contrats) : obligations du Trésor français (contrat notionnel) 12 357,2 ; options sur contrat d'obligation du Trésor français 3 430,9 ; options sur actions 2 403,1 ; taux PIBOR 3 mois 452,4 ; sucre 352,6 ; indice CAC 40 : 64,7 ; indice OMF 50 : 57,8 ; pomme de terre 27,4.

• **Statistiques de la Bourse de commerce de Paris** (2, rue de Viarmes, 75001 Paris). En 1987 et, en italique en 1986 (en milliers de tonnes). Place : 24 349 *26 272* dont cacao en fèves 12,5, *44,* café 54,55, *187,* sucre 24 282, *26 040.* En duplex avec le Havre : café Robusta ; Roubaix-Tourcoing : pommes de terre 475 040, *559.*

• **Commission des marchés à terme de marchandises (COMT).** *Créée* le 8-7-1983, entrée en vigueur le 1-12-1985.

Placée sous la tutelle du ministère de l'Économie et du ministère des Finances et du Commerce. *Pte :* Nicole Briot.

Cours des matières premières (au 18-7-88), **en F par t.** Cuivre 13 800, plomb 4 000, zinc 9 230, aluminium 15 589; **en F par kg :** argent 1 446, platine 110 998, nickel 902 100.

Fiscalité

Comparaisons internationales

Données globales

Impôt sur le patrimoine. Taux général d'imposition des personnes physiques (hors taxation des plus-values) en % du P.I.B. (1989) : G.-B. : 4,61, Luxembourg 3,30, USA 3,07, France 2,19, Espagne 1,28, All. féd. 1,16, Italie 0,95.

Modalités de l'impôt sur le capital suivant les pays (1988). All. féd. *Évaluations :* biens immobiliers : valeur cadastrale pas forcément actualisée, revenant généralement au quart de la valeur pénale ; actifs commerciaux et industriels : forfaitaires avec référence à la valeur partielle ; titres cotés : selon le cours le plus bas de l'année. *Exonérations :* aucune (y compris objets d'art et collections). *Abattements :* célibataires : 245 000 F ; couples : 490 000 F + 245 000 F par enfant ; personnes âgées + de 60 ans exonérées. *Taux :* 0,5 %. Plus-values non taxées sauf dans des cas très précis.

Danemark. *Évaluations :* normalement valeur de marché mais règles spéciales pour titres cotés et immobilier, actifs commerciaux et industr. retenus pour la valeur comptable. *Exonérations :* fonds de commerce, collection d'art, bijoux personnels, droits à des rentes ou à des pensions vieillesse. *Abattements :* à la base, de 11 millions de F. *Taux :* 2,2 %. Le montant total de l'impôt sur le capital ne doit pas dépasser 70 % du revenu imposable. En cas de dépassement, l'impôt est réduit jusqu'à 60 % de son montant.

Espagne. *Évaluations :* immeubles : valeur cadastrale actualisée (règles spéciales pour les immeubles ruraux) ; actifs commerciaux et industr. : sur la base de la comptabilité (sur la différence entre l'actif et le passif) ; titres non cotés : valeur théorique inscrite au bilan ; mobilier, effets personnels : forfait de 3 % à 5 % au-delà de 75 000 F ; dettes déductibles. *Exonérations :* néant. *Abattements :* à la base, de 300 000 F (600 000 F pour un couple et 37 500 F par enfant), 75 000 F pour un enfant handicapé. *Taux :* progressif de 0,20 % à partir de 1,25 million de F à 2 au-delà de 12,5. Le montant total de l'impôt sur le revenu et celui sur le capital ne doit pas excéder 70 % du revenu imposable. Plus-values peu imposées.

Luxembourg. *Évaluations :* selon la loi. *Exonérations :* pierres et métaux précieux (jusqu'à 50 000 F) ; titres lux. de Stés anonymes (jusqu'à 500 000 F) ; objets d'art et de collection ; capitaux à risque visant à favoriser les investissements productifs et la création d'emplois. *Abattements :* à la base de 100 000 F plus 100 000 F pour un conjoint et 100 000 F par enfant de moins de 21 ans ; personnes âgées de + de 60 ans sous certaines conditions. *Taux :* 0,05 %. Les plus-values immobilières réalisées dans un délai supérieur à 6 mois ne sont pas taxées.

Pays-Bas. *Évaluations :* valeur du marché. *Exonérations :* objets domestiques, d'art et antiquités ;

Évolution des principaux prélèvements obligatoires en 1989

(en % du P.I.B.). *Source :* O.C.D.E.

	RECETTES FISCALES TOTALES % DU PIB								Structure fiscale % des recettes fiscales totales						Taux des impôts de l'administration centrale sur le revenu des personnes physiques [1]	
									IR[2]	IR[3]	Contributions à la Séc. sociale		Taxes sur biens et services	Autres	le + bas %	le + haut %
	1965	1970	1975	1980	1985	1986	1988	1989			S[4]	E[5]				
Allemagne	31,6	32,9	36	37,9	37,8	37,4	37,6	37,4	28,9	5,3	16,2	19,1	25,2	5,3	22,0	56,0
Australie	24,3	25,4	29,1	30,3	30,3	31,4	31,3	30,8	45,9	10,6	0,0	0,0	28,0	15,5	24,0	49,0
Autriche	34,7	35,7	38,6	41,2	42,5	42,3	42,3	41,9	22,5	3,2	13,7	16,1	32,0	12,5	21,0	62,0
Belgique	30,8	35,2	41,1	43,9	46,9	45,4	46,1	45,1	32,0	6,9	10,7	20,6	24,9	5,0	24,0	70,8
Canada	25,9	32	32,9	32	33,1	33,9	34,5	34,0	36,7	8,6	4,6	8,4	30,1	11,5	17,0	29,0
Danemark	29,9	40,4	41,4	45,5	49,2	50,3	52,0	52,1	51,0	4,4	2,0	0,2	34,1	8,3	22,0	40,0
Espagne	14,7	17,2	19,6	24,1	28,8	30,3	33,0	32,8	21,5	6,5	5,9	27,2	30,5	8,4	25,0	56,0
États-Unis	26,3	29,6	29,6	30,4	29,2		30,0	29,8	34,7	8,4	11,4	17,0	16,9	11,6	15,0	28,0
Finlande	29,6	31,6	15,4	34,2	37,3	38,6	35,9	37,9	46,2	4,2	0,0	8,2	37,6	3,8	6,0	51,0
France	*35*	*35,6*	*37,4*	*42,5*	*45,6*	*45,1*	*44,8*	*44,4*	*12,1*	*5,2*	*12,5*	*27,2*	*29,4*	*13,6*	*5,0*	*56,8*
Grèce	20,6	24,3	24,6	28,6	35,1	36,7	37,4	35,9	13,7	3,9	13,6	14,9	45,4	8,6	18,0	50,0
Irlande	26	31,2	31,6	34,7	39,1	40,2	39,9	41,5	34,8	3,8	5,1	8,4	42,0	5,9	35,0	58,0
Italie	27,3	27,9	29	33,2	34,7	35,9	36,2	37,1	26,8	9,4	6,6	23,4	28,0	5,8	12,0	62,0
Japon	18,4	19,7	21	25,9	28	28,8	30,2	31,3	22,9	24,4	11,1	14,4	12,6	14,7	10,0	60,0
Luxemb.	30,5	30,5	36,5	36,3	42,8	41,5	43,8	42,8	24,4	17,3	10,4	13,6	25,2	9,1	10,0	56,0
Norvège	33,2	39,2	44,8	47,1	47,8	49,9	48,3	46,9	27,9	5,6	7,3	17,3	37,4	4,5	10,0	23,0
N.-Zélande	24,9	26,9	29,6	30,9	34,3	32,9	38,6	37,9	51,0	7,9	0,0	0,0	31,6	9,5	19,5	40,5
Pays-Bas	33,6	37,8	43,6	45,8	45	46,1	48,0	48,2	20,5	7,3	19,0	16,9	25,9	10,3	14,0	72,0
Portugal	18,4	23,1	24,7	29,2	31,1	30,6	31,4	34,6	..	..	9,4	16,6	48,1	26,0	0,0	20,0
Roy.-Uni		30,6	37,2	35,5	36,4		37,5	37,3	26,6	10,8	8,5	9,5	31,2	13,3	25,0	40,0
Suède	35,7	40,2	43,9	49,4	50,5	52,2	56,7	55,3	38,8	5,2	0,0	24,3	24,2	7,6	5,0	45,0
Suisse	20,7	23,8	29,6	30,8	32,1	31,1	32,0	32,5	34,2	6,6	10,3	10,1	18,9	20,0	1,1	13,2
Turquie	15	17,7	20,7	19	16,1	22,7	24,1	22,9	23,8	10,5	5,5	8,7	31,7	19,8	25,0	50,0

Nota. – (1) En comparant les pays, on doit tenir compte des différences suivantes : le point où le revenu devient imposable ; le montant des allégements fiscaux ; le taux de contribution des salariés à la Sécurité sociale ; le taux des impôts locaux sur le revenu. (2) Impôts sur le revenu personnes physiques. (3) Impôts sur les Stés. (4) Salariés. (5) Employeurs.

perles, pierres précieuses, objets en or ou argent, droits sur rentes viagères, police d'assurance vie, retraite vieillesse, entreprises individuelles dont le capital est inférieur à 345 000 F ; au-delà la moitié du capital avec un minimum de 950 000 F. *Abattements :* à la base de 330 000 F. *Taux :* 0,8 %. Le montant de l'impôt sur le revenu et celui de l'impôt sur le capital ne doivent pas dépasser 80 % du revenu imposable. Plus-values rarement taxées.

Impôt sur le revenu

Contribuables imposables (en %) au 17-11-1988. Belgique 95,3. Luxembourg 94,7. All. féd. 84. Pays-Bas 83,3. Irlande 77,8. Espagne 75,4. G.-B. 65,6. *France 52,1.* Portugal 44,2.

Taux frappant les tranches les plus élevées, en %. All. féd. *1978 :* 56, *89 :* 56, *99 (prév.) :* 53 ; **Belgique** *89 :* 71,2 [1] [2] ; **Danemark** *89 :* 40 ; **Espagne** *89 :* 66 [3] ; **France.** *78 :* 60, *83 :* 65, *89 :* 56,8 ; **G.-B.** *78 :* 83, *83 :* 60, *89 :* 40 (taux de base : 25) ; **Grèce** *89 :* 63 ; **Irlande** *89 :* 58 ; **Italie** *89 :* 62 ; **Luxembourg** *89 :* 56 ; **P.-Bas.** *78 :* 72, *83 :* 72, *89 :* 72. **Portugal** *89 :* 20 ; **U.S.A.** *26 :* 27, *63 :* 41, *78 :* 70, *81 :* 60, *82 :* 50, *83 :* 50, *87 :* 28, *88 :* 28 (2 tranches fiscales : 15 % et 28 %).

Nota. – (1) Impôt d'État et impôt local combinés. (2) La charge totale ne peut dépasser 73,8 % du revenu imposable. (3) Ne peut dépasser 46 % du revenu imposable.

Impôt sur les sociétés

Taux général d'imposition des Sociétés (en %). *Allemagne :* sur les bénéfices non distribués 56 (1990 : 50), distribués 36. *Belgique :* bén. sup. à 14,4 millions de FB. : 45 ; inférieurs : 31. *Danemark :* 40. *France :* 39 (avant 50, *1986 :* 45, *88 :* 42, *90 :* non distribués 37, distribués 42). *G.-B. :* bén. sup. à 500 000 F 35 ; inf. : taux réduit. *Irlande :* bénéfices sup. à 35 000 £ ; inf. : taux réduit, dans certains cas : 10. *Italie :* 36. *Japon :* sur bén. non distribués 42, distribués 34. *Luxembourg :* bén. sup. à 312 000 florins : 40 ; inf. : taux réduit. *Pays-Bas :* bén. sup. à 50 000 florins : 35 ; inf. : taux réduits. *USA :* 15 à 48 selon bénéfices (à 34 en 1988).

En France

Source : INSEE direction gén. des Impôts, direction de la Prévision.

Impôts sur le capital

Données globales. Montant des différents impôts frappant le capital qui a été perçu en 1986 au profit du budget de l'État. **Direction générale des impôts :** 29 milliards de F dont *impôts frappant la détention du capital :* impôt sur les G.F. (y compris prélèvement sur bons anonymes) 5,9, taxe de 3 % sur immeubles détenus par des Stés non domiciliées en France 0,12 ; *impôts perçus à l'occasion de la transmission d'un capital :* droits de mutation à titre gratuit 14,8, onéreux 4,7, d'apport en société 0,6, impôt sur opérations de bourse 2,6, taxe forfaitaire sur métaux précieux, bijoux, objets d'art et d'antiquité 0,3. **Services extérieurs du Trésor :** 56,2 dont *impôts locaux :* taxe foncière sur propriétés bâties et taxe foncière sur p. non bâties 47,5 ; *sommes revenant à l'État :* frais d'assiette et de recouvrement 3,3 ; frais de dégrèvement et de non-valeurs 3,3 ; *impôts d'État :* part de l'impôt sur le revenu correspondant à la taxation des plus-values réalisées à titre profess. ou par des particuliers 5,3.

Impôt sur les grandes fortunes

Origine. *Créé* 1982, abrogé par la loi de finances du 30-12-1986. Voir Quid 1991 p. 1843.

Produit de l'impôt (en milliards de F) *1982 :* 2,8. *1986 :* 4,2. *Produit du prélèvement en capital sur les bons anonymes* (instauré en 1982 et conservé après le 16-3-1986 pour pénaliser les contribuables utilisant ce mode de placement pour minimiser la part de leur fortune accessible aux contrôleurs du fisc). *1982 :* 0,991 Md de F, *1986 :* 1,68. En 1984, 37 500 foyers disposant d'une fortune moyenne de 5 millions de F disposaient d'un revenu annuel inférieur à 300 000 F. 600 avaient acquitté un impôt global (IGF + IRPP) supérieur aux revenus qu'ils avaient perçus de – de 100 000 F.

Barèmes de l'IGF. Tranches de patrimoine en millions de F, en 1982 et, entre parenthèses, en 1986. Taux en %. *0 :* ⩽ 3 (⩽ 3,6). *0,5 :* 3 à 5 (3,6 à 6). *1 :* 5 à 10 (6 à 11,9). *1,5 :* > 10 (11,9 à 20,6). *2 :* (> 20,6). *Majoration de 8 % :* non (oui).

Nota. – Pour les patrimoines comprenant des biens professionnels, les tranches étaient, en 1982, augmentées respectivement de 2 et 2,2 millions de F.

Impôt de solidarité sur la fortune

Origine. Adopté le 13-7-1988 par gouv. Rocard, et voté le 22-10-1988 par l'Ass. (299 pour/288 contre dont UDF : 85 contre [1 pour (François d'Harcourt), 2 abstentions (André Rossi et André Rossinot)] ; UDC : sur 40 membres, 37 abstentions (dont Raymond Barre) et 3 contre.

Modalités au 1-1-1991 (en millions de F). *De 4,26 à 6,95 :* 0,5 ; *6,95 à 13,74 :* 0,7 ; *13,74 à 21,32 :* 0,9 ; *21,32 à 41,28 :* 1,2 ; *au-delà :* 1,5. **Plafond :** contribution globale ISF + impôt sur le revenu : 85 % du revenu imposable.

Biens exonérés. *1°) objets d'antiquité* (plus de 100 ans d'âge), *d'art et de collection. 2°) biens professionnels :* entreprises individuelles, parts de sociétés de personnes, titres de SARL ou de SA à condition que le redevable détienne avec son groupe familial 25 % min. du capital de la société, y exerce des fonctions de direction et en retire plus de la moitié de ses revenus professionnels. *3°) biens ruraux loués par bail à long terme et parts de groupements fonciers agricoles :* taxables à 25 % jusqu'à 500 000 F et à 50 % au-delà. Bois et forêts et parts de groupements forestiers ne sont, sous certaines conditions, imposables qu'à 25 %. *4°) revenus des brevets.* **Biens imposables.** Immeubles, valeurs mobilières, liquidités, pièces et lingots d'or, créances, objets d'ameublement (sauf s'ils sont exonérés comme objets d'art), bijoux et pierreries, bons d'épargne, rentes viagères et contrats d'assurance vie (avec faculté de rachat). **Dettes déductibles.** Emprunts et impôts dus au 1er janvier de l'année.

Recettes. *1989 :* 4,54 milliards de F permettant de financer le revenu minimal d'insertion (4,5 milliards de F ; 400 000 pers. concernées). 126 370 redevables dont 58 020 de 4 à 6,5 millions de F (7,5 % des recettes soit 5 750 F en moyenne) et 2 158 + de 20 millions de F (57 % soit 761 816 F en moyenne). *1990 :* 5,71 milliards de F. 135 468 redevables (dont 40 020 Parisiens). *1991 (prév.) :* 7 milliards.

Patrimoine total : 1 209 milliards de F.

Comparaison du tarif

Valeur du patrimoine (en MF)	IGF 1985		ISF 1989	
	Impôt dû (en francs)	Patrimoine (en %)	Impôt dû (en francs)	Patrimoine (en %)
3,1	0	–	0	–
3,5	0	–	0	–
5	8 056,3	0,16	5 000	0,1
6	14 422,5	0,24	10 000	0,17
10	57 156,0	0,57	37 000	0,37
12	80 750,3	0,67	51 000	0,42
15	128 563,0	0,86	76 200	0,51
20	208 250,8	1,04	121 200	0,61
25	312 775,0	1,25	176 200	0,66
50	841 111,0	1,68	451 200	0,78
100	1 897 783,0	1,90	1 001 200	0,84

Source : Commission des Finances de l'Assemblée nationale.

Impôt sur le revenu des personnes physiques (IRPP)

Définition. Le revenu imposable des personnes physiques englobe : revenus fonciers, bénéfices industriels et commerciaux (B.I.C.), rémunération des gérants et associés, bénéfices de l'exploitation agricole, traitements, salaires, pensions et rentes viagères, bénéfices des professions non commerciales, revenus de valeurs et capitaux mobiliers, créances, dépôts, revenus encaissés hors de France, plus-values de cessions d'éléments d'actifs, de biens immobiliers, de droits sociaux, d'autres biens meubles, et professionnelles.

Quelques dates

En France. 1791-*17-3* l'Assemblée constituante instaure la patente pour remplacer « droits de maîtrise, de jurande et des vingtièmes ». **1872** impôt sur le revenu des valeurs mobilières. **1876** Gambetta propose la création d'un impôt proportionnel sur les revenus. **1889** projet de Peytral (min. des Fin. du gouv. Floquet) déposé au Parlement (le programme radical prévoit la création d'un impôt sur le revenu) mais non discuté. **1893-94** propositions Pelletan (impôts progressifs sur le capital et le revenu), Goblet, Doumer et Cavaignac (imp. sur le rev. à taux progressif), Jaurès, Rameau, Ducos, etc. ; création d'une commission extra-parlementaire pour étudier le problème : favorable à la taxation de nouveaux revenus (fonds d'État, profits agricoles, traitements et salaires) mais opposée à l'impôt global de superposition. **1896** projet Doumer, min. des Fin. du gouv. Bourgeois (radical homogène) : impôt progressif sur les successions, impôt gén. sur le revenu ; adopté par la Chambre, mais, devant l'hostilité du Sénat, le gouv. démissionne. **1898** controverse entre partisans et adversaires de l'impôt sur le revenu lors des élections à la Chambre ; le gouv. Brisson doit renoncer à l'impôt progressif faute de majorité homogène. **1900** projet Caillaux, min. des Fin. du gouv. Waldeck-Rousseau, rejeté. **1901** progressivité des droits de succession. **1907** projet Caillaux, min. des Fin. : impôt cédulaire sur les revenus et impôt progressif sur le revenu global. **1909** voté par la Chambre, mais le Sénat adopte un texte différent. **1914** *(15-7)* impôt progressif général sur le revenu global introduit dans la loi de Fin. [1]. **1917** *(31-7)* loi créant les impôts cédulaires [1] : les *quatre vieilles* (contributions personnelle et mobilière, foncière, des portes et fenêtres, des patentes) remplacées (mais conservées en tant qu'impôts locaux) par des impôts proportionnels sur 7 catégories de revenus (foncier, bénéfices ind. et commerciaux, agric., des prof. non commerciales, traitements, salaires, pensions et rentes viagères, revenus des créances, des valeurs mob.). **1959-*7-3*** ordonnance prévenant la modernisation des « quatre vieilles » et le remplacement de la patente par la taxe professionnelle. **1975** l'Assemblée nationale adopte le remplacement de la patente par la taxe professionnelle. **1982-86** impôt sur les grosses fortunes. **1988** impôt de solidarité sur la fortune.

Nota. – (1) Raisons et buts : plus grande égalité fiscale et sociale, accroissement du rôle écon. et social de l'État et de ses besoins fin. Principe : substitution, à des impôts réels assis sur les signes extérieurs de richesse, d'impôts personnels (avec déclaration des contribuables).

A l'étranger. Grande-Bretagne : Income Tax [impôt cédulaire créé en 1803 (ébauche en 1798)], supprimé de 1816 à 1841, rétabli en 1842 ; progressif sur le revenu global en 1910. **Allemagne :** Hambourg et Lübeck avant 1870, Saxe 1874, Bade 1884, Prusse 1891, Wurtemberg 1893, Bavière 1910. **Italie :** 1864. **États-Unis :** pendant la guerre de Sécession (1861-65), loi votée en 1894 mais déclarée inconstitutionnelle ; impôt fédéral en 1913. **P.-Bas :** 1914-18. **Belgique :** 1919.

☞ **Renseignements pratiques.** Consultez le « Guide du contribuable ».

Charges déductibles

● **Liste limitative. Au 1-8-1990, 2 groupes :**

1°) **ouvrant droit à réduction d'impôt** dont déductions relatives à l'*habitation principale* (habitation au sens strict + partie réservée au stationnement du véhicule), 25 % du montant des intérêts d'emprunt, base max. commune 30 000 F + 2 000 F par pers. à charge (2e enfant : + 2 500 F 3e enfant : + 3 000 F; autres situations et emprunts conclus à compter du 1-1-1985 : 25 % de 15 000 F + 2 000 F par personne à charge; intérêts d'emprunts conclus en 1990 : réduction d'impôt réservée aux contribuables dont le taux marginal d'imposition est inférieur à 40 % ; dépenses et prêts contractés dep. le 1-1-90 : réduction réservée aux contribuables dont le revenu net imposable est inférieur à 216 940 F par part).

Versements au profit des fonds salariaux : dans la limite de 25 % de leur mouvant, lui-même limité à 5 000 F ; *assurance-vie* (limitée), 25 % de la fraction de la prime assimilée à une épargne dans la limite de 4 000 F + 1 000 F par enfant à charge. *Acquisition* de logements neufs destinés à la location : 10 % du prix de revient, base de calcul de la réduction limitée à 300 000 F pour personne seule et 600 000 F pour les couples mariés (réduction accordée une seule fois pour 1990-92). *Adhérents des centres de gestion agréés :* sous certaines conditions, réduction d'impôt égale aux dépenses de tenue de leur comptabilité, limitée à 4 000 F (agriculteur 5 000) ou à l'impôt dû s'il est inférieur. *Cotisations versées aux organisations syndicales par salariés fonctionnaires ou retraités :* 30 % de leur montant plafonné à 1 % du montant brut des rémunérations ou pensions imposables.

Aide à domicile et frais d'hébergement : 25 % des sommes versées pour l'emploi d'une aide à domicile max. 13 000 F par an pour les personnes âgées de plus de 70 ans vivant seules ou s'il s'agit de couples, vivant sous leur propre toit ou accueillis par des personnes tenues envers eux à l'obligation alimentaire ; les titulaires de la carte d'invalidité (au moins 60 % d'incapacité permanente) ; les pers. qui ont à charge un enfant donnant droit au complément de l'allocation d'éducation spéciale. *Dons à des œuvres ou organismes d'intérêt général* (y compris les associations diocésaines et humanitaires) : réduction d'impôt sur 40 % des sommes versées plafonnées à 1,25 % du revenu imposable, à 5 % pour des fondations ou assoc. reconnues d'utilité publique. *Dons versés par chèque, à titre définitif et sans contrepartie, aux candidats aux élections législatives ou présidentielles* [loi du 11-3-1988 relative à la transparence financière de la vie politique (loi organique)]. Plafonnés à 40 % de leur montant en tenant compte des autres dons éventuellement versés aux œuvres et organismes d'intérêt général : 2 ‰ du C.A. pour les entreprises (dans la limite globale annuelle de 3 ‰ du C.A.), 1,25 % du revenu imposable pour les particuliers. Les donateurs peuvent donc déduire jusqu'à 5 % de leur revenu imposable tous les dons envoyés aux associations diocésaines, ces assoc. peuvent recevoir les versements annuels des entr. dans la limite de 3 % du C.A. de ces dernières. *Dons à des organismes d'aide alimentaire :* plafonnés à 5 % ou à 1,25 % du revenu imposable, selon qu'il s'agit ou non d'une assoc. d'utilité publique. Réduction d'impôts égale à 50 % des dons effectués, dans une limite de 520 F ; le supplément versé sera déductible selon le régime habituel des dons. *Souscription au capital de nouvelles Stés :* (jusqu'au 31-12-93) : 25 % des versements plafonnés à 10 000 F pour 1 personne (20 000 pour un couple).

2°) **donnant lieu à déduction du revenu global** dont *frais de garde* des enfants 25 % des sommes versées dans la limite de 15 000 F par an et par enfant de – de 6 ans, soit une réduction max. de 3 750 F ; *pensions alimentaires* (versées aux ascendants, à des enfants mineurs dont le contribuable n'a pas la charge, à certains enfants majeurs, entre époux séparés de corps ou divorcés ou en instance de séparation ou de divorce). *Pension alimentaire* versée à un enfant majeur étudiant (déduction d'impôt de 4 000 F min., ne pouvant dépasser 35 % des sommes versées). *Arrérages de rentes payées* à titre obligatoire et gratuit, constituées avant le 2-11-1959 ; *intérêt des emprunts* contractés avant le 1-11-1959. *Retraite mutualiste* du combattant ; charges foncières de certains monuments historiques (limitées). Versements à des œuvres d'intérêt général y compris culturel (1 à 5 %, si association d'utilité publique, du revenu global). *Pour les contribuables nés avant le 1-1-1932 :* excédent net annuel des acquisitions d'actions ou de parts des Stés françaises dans la limite annuelle de 5 000 F par foyer. + 500 F pour les 2 premiers enfants à charge et + 1 000 F pour les suivants. Majoration de 1 000 F à compter de la 5e année de déduction. *Cotisations de Sécurité sociale* non déduites d'un revenu catégoriel (gens de maison, cotisations exclues). *Frais d'accueil des personnes âgées* (de 75 ans au moins) dans le besoin (du 1-1-1984), dans la limite de 15 730 F pour 1 personne et 28 170 F pour 2. *Souscription au capital des Stés exclusivement d'œuvres cinématographiques* (du 1-7-1983) dans la limite de 25 %. *Acquisition de parts de copropriété de navires* (entre le 1-1-91 et le 31-12-94) : déduction limitée à 25 % des sommes versées et à 25 000 F pour 1 personne (50 000 F pour un couple marié).

Fraction du revenu imposable (1 part) en F	Taux (%)	Fraction du revenu imposable (2 parts) en F	Taux (%)
0 à 36 280	0	0 à 18 140	0
36 280 – 37 920	5	18 140 – 18 960	5
37 920 – 44 940	9,6	18 960 – 22 470	9,6
44 940 – 71 040	14,4	22 470 – 35 520	14,4
71 040 – 91 320	19,2	35 520 – 45 660	19,2
91 320 – 114 640	24	45 660 – 57 320	24
114 640 – 138 740	28,8	57 320 – 69 370	28,8
138 740 – 160 060	33,6	69 370 – 80 030	33,6
160 060 – 266 680	38,4	80 030 – 133 340	38,4
266 680 – 366 800	43,2	133 340 – 183 400	43,2
366 800 – 433 880	49	183 400 – 216 940	49
433 880 – 493 540	53,9	216 940 – 246 770	53,9
+ de 493 540	56,8	+ de 246 770	56,8

Frais des propriétaires d'un monument historique (restauration, entretien, gardiennage, intérêts d'emprunt, taxe foncière) plafonnés à 50 % si habité par le propriétaire et non ouvert au public, non plafonnés si habité et ouvert au public ou si loué.

Calcul du nombre de parts. *Couple marié sans enfant* à charge 2. *Célibataire* ou *divorcé* avec 1 enfant à charge 2 puis 0,5 par enfant en +. *Marié ou veuf* avec 1 enfant à charge 2,5 (avec 2 enf. à charge 3, au-delà du 2e, 1 part supplémentaire par enfant en +). Majoration de 1 part quand les 2 époux sont invalides, de 1/2 part quand l'un des époux est invalide, de 1/2 part pour les anciens combattants de + de 75 ans.

Quotient familial. *Plafond :* réduction d'impôt plafonnée à 11 800 F (15 090 F pour célibataire, veuf ou divorcé) pour chacune des 1/2 parts s'ajoutant au nombre de parts suivant : 1 part pour les contribuables célibataires, divorcés ou veufs ayant ou non des personnes à charge, 2 parts pour les contribuables mariés ayant ou non des enfants à charge. *Abattement sur le revenu au titre des enfants mariés rattachés au foyer fiscal :* 20 780 F par enfant. *Quotient familial des personnes seules invalides chargées de famille :* dep. l'imposition des revenus de 1982, 1/2 part en + pour les contribuables célibataires, divorcés ou veufs ayant 1 ou plusieurs enfants à charge quand ils ont : une pension d'invalidité pour accident du travail d'au – 40 %, une pension militaire pour invalidité d'au – 40 %, la carte d'invalidité prévue à l'art. 173 du Code de la famille et de l'aide sociale.

☞ L'impôt n'est pas établi si le revenu net imposable ne dépasse pas 37 000 F pour 1 part et 58 000 F pour 2 parts.

Si l'impôt établi n'excède pas 420 F (quel que soit le nombre de parts), il n'est pas mis en recouvrement.

Jusqu'à 18 140 F de revenu net global imposable par part, il n'y a pas d'impôt. *Exonérations spéciales :* contribuables dont le revenu net de frais professionnels qu'elle qu'en soit l'origine n'excède pas 39 300 F ; personnes de + de 65 ans au 31-12-90 au revenu max. de 42 800 F.

Plafonds. *Abattement de 10 %* (sur pensions, retraites et rentes viagères à titre gratuit) : 27 500 F. *Déduction forfaitaire de 10 %* (sur salaires) : 64 870 F. *Imposition des plus-values boursières :* 288 400 F. *Abattement de 20 % sur pensions ou salaires* (nets de frais professionnels) et bénéfices des adhérents des centres de gestion agréés : 588 000 F et 10 % pour la fraction comprise entre 413 200 F et 588 000 F des salaires nets versés à des dirigeants par des Stés dans lesquelles ils contrôlent + de 35 % des droits sociaux.

Abattement pour + de 65 ans ou invalides : revenu (net de frais prof.) de – de 51 400 F : 8 300 F, entre 51 400 et 83 000 F : 4 150 F.

• **Acompte provisionnel.** A verser par tout contribuable imposé l'année précédente pour plus de 1 000 F (sauf s'il a opté pour le paiement mensuel) au 31-1 et au 30-4 correspondant chacun au tiers de l'impôt payé l'année précédente (ou 1 seul versement le 30-4 égal à 60 % de l'imposition de l'année précédente). Si les acomptes ne sont pas versés les 15-2 et 15-5 au plus tard, majoration de 10 % du montant de la fraction des impositions non payées à cette date (applicable le 15 du 2e mois suivant la date de mise en recouvrement du rôle). Si le contribuable estime ses revenus inférieurs à ceux de l'année précédente, il peut diminuer d'autant le montant de ses versements. En général, il reçoit un avertissement du percepteur indiquant le montant de la somme à payer.

• **Décote. Créée** en 1982. Si l'impôt d'un contribuable est inférieur à 4 670 F, il est diminué d'une décote égale à 4 670 F moins le montant de l'impôt.

Minoration. *Quand le revenu, par part de quotient familial, n'excède pas 322 670 F :* si l'impôt sur le revenu ne dépasse pas 25 480 F : minoration de 11 % ; 31 830 F : min. égale à la différence entre 6 370 F et 14 % de l'impôt ; 38 200 F : de 6 % ; 44 910 F : min. égale à la différence entre 7 640 F et 14 % de l'impôt ; + de 44 910 F : min. de 3 %

• **Impôt complémentaire.** 1 % des revenus de capitaux mobiliers, si plus de 420 F d'impôts.

• **Informations sur les contribuables.** Consultation possible de la liste des contribuables (impôt sur le revenu, les Stés, les grandes fortunes) à la direction des services fiscaux. Nature des renseignements : nombre de parts de quotient familial, montant de l'impôt sur le revenu acquitté 2 ans avant ; revenu imposable, montant de l'avoir fiscal ; pour l'ISF, montant de l'impôt et valeur du patrimoine, nom des personnes non assujetties à l'impôt sur le revenu ou sur les stés bien qu'ayant une résidence dans la commune.

• **Prélèvements sur les gains du loto.** *De 5 000 à 100 000 F :* 5 %, *100 000 à 500 000 :* 10, *500 000 à 1 000 000 :* 15, *1 000 000 à 2 000 000 :* 20, *2 000 000 à 5 000 000 :* 25, *au-delà de 5 000 000 :* 30.

• **Pression fiscale** (en 1990). Salaire net mensuel 1989 en italique, impôt dû en 1990, et entre parenthèses pression fiscale en %.

Célibataire sans enfant : *6 000 :* 5 249 (7,3). *7 500 :* 8 413 (9,3). *9 000 :* 12 194 (11,3). *12 000 :* 21 053 (14,6). *18 000 :* 43 479 (20,1). *30 000 :* 94 403 (26,2). *50 000 :* 195 473 (32,6).

Couple marié sans enfant : *6 000 :* 0 (0). *7 500 :* 2 597 (2,9). *9 000 :* 5 420 (5,0). *12 000 :* 10 498 (7,3). *18 000 :* 25 069 (11,6). *30 000 :* 65 235 (18,1). *50 000 :* 142 505 (23,8).

Avec 2 enfants : *6 000 :* 0 (0). *7 500 :* 0 (0). *9 000 :* 991 (0,9). *12 000 :* 5 915 (4,1). *18 000 :* 15 748 (7,3). *30 000 :* 49 525 (13,8). *50 000 :* 119 613 (19,9).

4 enfants : *6 000 :* 0 (0). *7 500 :* 0 (0). *9 000 :* 0 (0). *12 000 :* 0 (0). *18 000 :* 7 611 (3,5). *30 000 :* 27 449 (7,6). *50 000 :* 82 542 (13,8).

• **Train de vie (imposition).** Impôt sur le revenu payé par un couple marié avec 2 enfants (un seul salaire).

Revenu net perçu (francs 91)	Montant de l'impôt			
	1974		1991 (1)	
	francs 91	% du revenu	francs 91	% du revenu
100 000 F	1 263	1,3	0	0
200 000 F	13 415	6,7	12 564	6,3
500 000 F	85 041	17,0	85 740	17,1
800 000 F	176 321	22,3	211 880	26,5
1 000 000 F	243 242	24,3	323 351	32,3

Nota. – (1) Impôt calculé en tenant compte de la CSG qu'il faut ajouter au revenu net perçu pour obtenir le revenu imposable. Calculs établis sur la base d'une hausse des prix de 3 %.

En cas de disproportion marquée entre le train de vie d'un contribuable et les revenus qu'il déclarait, sa base d'imposition à l'impôt sur le revenu peut être fixée à une *somme forfaitaire* déterminée en appliquant le barème à certains éléments de ce train de vie : résidence principale après déduction de la valeur locative des locaux professionnels, résidences secondaires, employés de maison, précepteurs, gouvernantes, automobiles, motocyclettes de + de 450 cm³, yachts ou bateaux à voile, de plaisance jaugeant au moins 3 tonneaux, bateaux de plaisance à moteur fixe ou hors-bord d'une puissance réelle d'au moins 20 chevaux, avions de tourisme, chevaux de course, chevaux de selle, location de droits de chasse et participation dans les Stés de chasse, participation dans les clubs de golf et abonnements payés en vue de disposer de leurs installations.

• **Contribution sociale généralisée (CSG).** Concerne toute personne fiscalement domiciliée en France, s'applique sur tous les revenus d'activité (salaires, revenus des professions non salariées agricoles et non agricoles, droits d'auteurs), de remplacement (pensions, indemnités chômage et préretraite sup. au SMIC, sauf pour les non-imposables), du capital financier ou immobilier (rentes viagères, revenus fonciers, de capitaux mobiliers, plus-values de cession de biens meubles ou immeubles). *Taux (1991) :* 1,1 % des revenus (déduction forfaitaire opérée sur le montant brut des salaires et des alloc. de chômage). *Mode de prélèvement :* à la source pour les revenus d'activité et de remplacement, sur avis de paiement pour les revenus d'intérêt.

Statistiques

Données globales

• **Fiscalité personnelle. Nombre de contribuables imposés à l'impôt sur le revenu, en millions.** *1974 :* 12,8, *75 :* 13,5, *76 :* 14,2, *77 :* 14, *78 :* 14,6, *79 :* 15,2, *80 :* 15,5, *81 :* 15,2, *82 :* 15,5, *83 :* 15,4, *84 :* 15,2, *85 :* 15,1, *86 :* 15,1, *87 :* 13,1, *88 :* 13,2.

En 1988 : 25 539 769 avaient déposé une déclaration de revenus, 10 621 934 n'étaient pas imposés ou avaient bénéficié d'une non-mise en recouvrement (cotisation inférieure ou égale à 350 F), 2 123 246 avaient bénéficié d'une restitution d'avoir fiscal ou de crédit d'impôt ou de dégrèvements.

• % des foyers fiscaux non imposés *1980* : 29,2. *1981* : 29,7. *1982* : 29. *1983* : 28,8. *1984* : 31,8. *1985* : 32,8. *1986* : 33,1. *1987* : 47,1. *1988 (prév.)* : 50 %.

Montant total des impôts payés en 1985, par catégorie (en milliards de F) **et,** entre parenthèses, effectifs. Cadres supérieurs 38,2 (1 090 000), moyens 33,6 (2 600 000), retraités 20,4 (2 100 000), ouvriers 19,6 (3 600 000), professions libérales 18,5 (247 000), artisans, commerçants 17,8 (860 000), agriculteurs 4,6 (360 000).

Ceux qui n'ont pas payé d'impôts sur le revenu en 1985. Salaire brut et, entre parenthèses, revenu disponible (hors prestations sociales) (en F). *Célibataire* : 46 500 (40 300). *Marié, sans enfant à charge* : 47 000 (41 000). *Marié, 2 enfants à charge* : 70 000 (61 000). Au total 9 646 326 contribuables dont le revenu imposable était de 241,2 milliards de F et qui auraient payé 0,423 Md de F d'impôts s'il n'y avait pas eu de seuil de recouvrement d'impôt.

% des revenus non déclarés (calculé d'après l'écart moyen entre bénéfice estimé et bénéfice déclaré aux services fiscaux). *Source* : C.E.R.C. Exploitants agricoles 71,7 %, Taxis, pâtissiers, cordonniers 52. Fabricants de bijoux 44. Peintres-décorateurs 42. Coiffeurs 41. Fabricants de meubles, teinturiers-blanchisseurs 40. Restaurateurs, cafés-restaurants 39. Commerçants forains, poissonniers 37. Avocats 36. Réparateurs de matériel électrique 35. Hôteliers (sans restaurant) 33. Détaillants fruits et légumes 32, vétérinaires, menuisiers-serruriers, libraires-papetiers 31. Droguistes, crémiers 30. Bouchers-tripiers, radio-électriciens 29. Entrepreneurs de bâtiment, quincailliers, horlogers-bijoutiers 27. Vendeurs d'automobiles, gérants de débit de boissons, gérants d'auto-école 26. Prothésistes 25. Salariés agricoles 24,6. Médecins généralistes, garagistes, électriciens 24. Boulangers 23. Plombiers-couvreurs 22. Marchands de cycles, gérants de débit de tabac, épiciers 21. Conseils juridiques et fiscaux 20. Électro-radiologistes 19. Marchands de bestiaux 18. Inactifs 17,4. Chirurgiens-dentistes 17. Architectes, médecins spécialistes 16. Charcutiers 15. Métreurs-géomètres 14. Masseurs-kinésithérapeutes 13. Marchands de meubles, marchands de chaussures, stations-service 11. Ouvriers 9,8. Employés 8,4. Cadres supérieurs 7,8. Experts-comptables 7. Cadres moyens 6,7.

Selon le CERC (Centre d'études des revenus et des coûts), 50 % des professions artisanales, commerciales et libérales seraient sous-déclarées, le bénéfice réel étant en moyenne supérieur de 28 % au bénéfice moyen déclaré. En moyenne, les exploitants agricoles ne laissent au fisc que 6 % de leurs revenus (employés 8 % et cadres moyens 10 %). Sur 100 F encaissés par l'État au titre de l'impôt sur le revenu, 1,50 F vient des agriculteurs (4,6 % des foyers fiscaux), 21,90 F des cadres supérieurs (4,9 % des foyers fiscaux).

Nombre par tranche de revenu annuel imposable au titre 1987. Il s'agit des ressources nettes, après abattements et exemptions diverses. Les plus-values sur cessions de terrains à bâtir et les revenus encaissés hors de France ne sont pas comptabilisés.

Tranches	Nombre	%
0 à 40 009	715 736	5,4
40 010 à 50 009	1 299 380	10,45
50 010 à 60 009	1 439 209	11,60
60 010 à 70 009	1 336 319	10,70
70 010 à 80 009	1 035 620	8,30
80 010 à 90 009	1 097 298	8,90
90 010 à 100 009	1 009 061	8,10
100 010 à 125 009	1 928 485	1,55
125 010 à 150 009	1 187 236	9,55
150 010 à 200 009	1 137 567	9,15
200 010 à 250 009	451 412	3,65
250 010 à 500 009	488 815	4
+ de 500 009	116 406	8,65
Total	13 242 344	100

• Fiscalité patrimoniale. *Déclarations de succession déposées en 1988* : 278 510 (dont exonérées 170 533).

Actes portant sur des mutations d'immeubles ou de biens meubles (ex. : actes de Stés, fonds de commerce...) présentés aux receveurs des impôts pour enregistrement : 1 476 591.

• Fiscalité professionnelle. **Nombre d'entreprises par régime** (en milliers). **Bénéfices industriels et commerciaux (BIC), impôt sur les Stés (IS).** BIC réel RSI 780, normal 250 ; forfait 513,5 ; IS normal 550, RSI 130. **Non commerciaux.** *Évaluation administrative* : 132, *déclaration contrôlée* : 359.

Agriculteurs soumis à un régime réel d'imposition (1988), 155 000 (simplifié et normal), soit env. 13 % des agriculteurs imposés à l'impôt sur le revenu.

TVA (au 31-12-1988). Redevables assujettis : 2 898 432 (plus de 20 millions de déclarations). **Remboursement de TVA :** *demandes* : plus de 490 000 déposées.

Montant remboursé : 79 milliards de F (20 % du total des encaissements). 374 000 petits et moyens agriculteurs ont obtenu un remboursement forfaitaire de la TVA, supportée sur leurs achats professionnels, pour 1,2 milliard de F.

• Fiscalité locale. **Articles d'imposition émis :** 44,6 millions (dont taxes foncières 21,1 et d'habitation 20,6). Taxe professionnelle : 2,9 millions d'avis émis. Env. 1,1 million de contribuables non imposables à l'impôt sur le revenu mais redevables d'une cotisation de taxe d'habitation supérieure à 1 098 F ont bénéficié d'un dégrèvement partiel. En outre, à raison de leur habitation principale, 749 000 propriétaires ont été dégrevés de leur cotisation de taxe foncière sur les propriétés bâties, et 399 900 occupants de leur cotisation de taxe d'habitation.

• Effectifs budgétaires des services extérieurs de la Direction des impôts (1988) : 81 231 agents (dont femmes 65 %).

• Missions foncières et domaniales (en millions). **Cadastres.** *Situation au 1-1-1989* : nombre de propriétaires 27, de locaux 37,203, de parcelles non subdivisées et de subdivisions fiscales 98, d'articles du répertoire informatisé des voies et lieux-dits (Rivoli) 6,5. *Évaluations cadastrales* : nombre de déclarations 1,476, de changements relatifs aux propriétés non bâties exploitées 1,548.

Domaine. *Gestion du domaine de l'État en 1988* : *immobilier* : nombre d'autorisations d'occupation et de concessions en cours sur le domaine public 0,138, de concessions de logements 0,103, d'aliénations 0,005, d'unités immobilières inscrites au tableau général des propriétés de l'État 0,152 ; *mobilier* : nombre d'aliénations 0,107. *Gestion de certains patrimoines privés (successions non réclamées, vacantes ou en déshérence, séquestres)* : nombre de dossiers à traiter 0,029. Successions assurées 0,007. *Interventions immobilières* : nombre d'évaluations immobilières 0,159, d'opérations réalisées à l'amiable pour le compte de l'État : acquisitions 0,009, prises à bail 0,009, de procédures d'expropriation engagées par l'État et les collectivités publiques 0,007.

Taxation des plus-values

• Immobilières (régime du 1-1-1982 modifié par la loi de fin. pour 1983). 2 catégories (au lieu de 5) : p.-v. à court terme (– de 2 ans), intégralement soumises à l'impôt sur le revenu ; p.-v. à long terme (+ de 2 ans), imposées pour leur montant, corrigé de l'érosion monétaire et d'un abattement (3,33 % par an au-delà de la 2e année de détention pour les terrains à bâtir, 5 % pour les autres immeubles) progressant avec le temps jusqu'à l'exonération totale. Exonération pour la 1re cession d'une résidence secondaire (sous certaines conditions) si vente dep. 1-1-1982.

Coefficients de revalorisation applicables aux plus-values réalisées sur les dépenses d'acquisition (et de travaux éventuels ultérieurs) pour corriger les dépréciations monétaires (plus-values réalisées plus de 2 ans après l'acquisition ou les dépenses pour un bien immobilier, après 1 an pour les biens mobiliers). *1959* : 7,12. *1960* : 6,86. *1961* : 6,64. *1962* : 6,34. *1963* : 6,05. *1964* : 5,85. *1965* : 5,71. *1966* : 5,55. *1967* : 5,41. *1968* : 5,18. *1969* : 4,86. *1970* : 4,62. *1971* : 4,38. *1972* : 4,12. *1973* : 3,85. *1974* : 3,38. *1975* : 3,02. *1976* : 2,76. *1977* : 2,52. *1978* : 2,31. *1979* : 2,09. *1980* : 1,84. *1981* : 1,62. *1982* : 1,45. *1983* : 1,32. *1984* : 1,23. *1985* : 1,16. *1986* : 1,14. *1987* : 1,10. *1988* : 1,07. *1989* : 1,03. *1990* : 1. Un abattement annuel de 3,33 % est en outre accordé sur la plus-value des immeubles à partir de la 3e année de détention.

• Mobilières. *Taux* : 17 % (16+1 au titre de la SS) si les opérations imposables ont dépassé 307 600 F (en 1990) de cessations brutes (avant déduction des frais). Les moins-values sont reportables sur les plus-values des 5 années suivantes. Si le seuil n'est pas atteint, les plus-values ne sont pas imposables, les moins-values ne sont pas reportables.

• Missions économiques. **Boissons frappées de droits indirects.** *Quantités taxées en millions d'hectolitres* : vins soumis au droit de circulation 37,7. *Alcools purs* : droit de consommation 1,380, de fabrication 0,5. *Bières et certaines boissons non alcoolisées* 82,8. **Personnes soumises à une réglementation économique ou fiscale.** *Boissons alcoolisées* : bouilleurs de cru ayant effectivement exercé leurs droits *1988* : 705 039 (*1987* : 720 336), viticulteurs ayant souscrit une déclaration de récolte 532 300 (568 232). *Commerce des boissons alcoolisées (en 1988)* : nombre de marchands en gros de boissons 18 674, de redevables du droit de fabrication 1 737, de débits de boissons permanents 354 527. *Ouvrages en or, argent et platine* : nombre de fabricants et importateurs (1988) : 8 564, de marchands 21 740. *Tabacs* : nombre de débits au 31-12-1988 : 39 400.

• Information du public et simplifications. Au 31-12-1988. *Centres BIC* : nombre de centres 225, nombre total d'adhérents 472 146. *BA* : centres 153, adhérents 205 129. *Calcul de l'impôt sur Minitel (CALIR)* : 700 000 usagers en 1987.

Associations : nombre d'associations 186, adhérents admis au bénéfice de l'abattement spécial 248 180.

Activité de la Direction générale des Impôts en 1988

La DGI, qui emploie 81 231 (en 88) agents, a : *géré* 44 100 000 dossiers individuels (personnes morales ou physiques) ; *traité* plus de 53 000 000 de déclarations souscrites par 25 530 000 contribuables à l'impôt sur le revenu, 3 958 559 redevables des taxes sur le chiffre d'aff. et 120 424 (par voie de rôle) entreprises redevables de l'impôt sur les Stés ; *établi* + de 75 000 000 d'avis d'imposition (feuilles d'impôt) ; *encaissé* 534 milliards de F au profit de l'État et 65,5 milliards de F au profit des collectivités locales ou d'organismes divers ; *délivré* 5 960 000 documents cadastraux et 3 904 441 renseignements relatifs à la propriété des terres ou des immeubles ; *contrôlé* 8 564 fabricants d'objets précieux et 21 740 marchands, *assuré la tutelle administrative* de 39 400 débits de tabacs ; enregistré 1 476 591 ventes, donations, legs ou successions de terres ou d'immeubles.

Les CDI (Centre des Impôts) comprennent chacun une ORDOC (cellule d'ordre et de documentation) de « secteurs d'assiette » et d'inspections spécialisées (fiscalité personnelle, des entreprises, immobilière).

☞ Certains sont pour la suppression de l'impôt sur le revenu. Pour Michel Jobert, « il faut un fort impôt sur la dépense et un impôt modéré sur le capital. Dans 10 ans, il n'y aura pratiquement plus d'impôt sur le revenu en France. Déjà, de nombreux contribuables ne le paient plus (env. 50 % en 1988). Si l'on n'y vient pas de façon consciente, on y vient de façon hypocrite. »

• Paradis fiscaux. **Pays ne percevant aucun impôt sur le revenu :** Bahamas, Bermudes ; Caïmans. Monaco. Andorre. **Territoire où le niveau de charge fiscale est très bas :** îles Vierges ; Hong Kong ; île de Man. **Pays refuge ne taxant pas les revenus de source étrangère :** *Antilles néerlandaises* : avantages fiscaux multiples pour les non-résidents ; *Panamá* et *Liberia* : spécialité du pavillon de complaisance ; *Uruguay, Venezuela.* **Autres pays :** *Gibraltar* : exonération d'impôt, sous certaines conditions, pour les Stés internationales de vente et les holdings ; *Jersey, Nauru* : avantages divers ; *Luxembourg* : exonération ou réduction de certains impôts pour holdings ; *Liechtenstein* : exonération d'impôt pour Stés domiciliées et holdings ; *Suisse* : secret bancaire ; tolérances fiscales diverses pour les Stés domiciliées et holdings.

☞ Corse. Dep. l'arrêté de l'administrateur général Miot du 21 prairial an IX (10-6-1801), les droits de succession ne sont plus assis sur la valeur vénale réelle des biens (prix du marché) mais sur un système de capitalisation du montant de la contribution foncière d'État ; et leur montant est souvent symbolique. Dep. le 1-1-1949 (suppression de la contribution foncière d'État) les droits exigibles sur les immeubles (bâtis ou non bâtis) sont calculés sur un montant égal à 24 fois le revenu cadastral (d'où une sous-estimation fiscale de 50 % pour les immeubles bâtis et de + de 50 % pour les terrains). Aucune pénalité de retard ne peut être réclamée à ceux qui s'abstiennent de souscrire une déclaration de succession dans le délai légal des 6 mois suivant le décès. L'Administration en a conclu qu'« il n'existe aucun délai pour souscrire la déclaration des biens situés en Corse ». Si l'attention de l'Administration n'est pas attirée par exemple par une vente ou un partage de l'indivision successorale pendant 10 ans, on peut échapper à l'impôt en raison de la prescription.

Statistiques

• Contrôle sur place. **Nombre de vérifications de comptabilités.** *1980* : 39 017, *81* : 35 935, *82* : 36 444, *83* : 36 628, *84* : 38 578, *85* : 41 169, *86* : 46 147, *87* : 49 508, *88* : 48 243. **Vérification approfondie de situation fiscale d'ensemble (VASFE).** *1980* : 7 347,

81 : 6 676, *82* : 6 755, *83* : 6 393, *84* : 6 216, *85* : 6 504, *86* : 5 782, *87* : 3 966, *88* : 3 250. **Examen de la situation fiscale personnelle (ESFP).** *1987* : 3 966. *88* : 3 250.

Sommes réclamées après contrôle (en millions de F) **(pour les contrôles sur place et sur pièces).** *1976* : 9 574, *77* : 9 535, *78* : 9 060, *79* : 10 222, *80* : 11 371, *81* : 12 507, *82* : 16 009, *83* : 19 313, *84* : 22 539, *85* : 24 502, *86* : 28 003, *87* : 31 611, *88* : 33 529 dont impôt sur les Stés 9,6, sur le revenu 7,8, T.V.A. 8,9.

• **Recouvrement.** Montant (en millions de F) des paiements effectifs au titre des émissions des années antérieures (dep. 1976) et de l'année en cours (au 31-12) : i. sur le revenu : *81* : 1 606, *86* : 2 225, *87* : 2 250 ; i. sur les Stés : *81* : 2 109, *86* : 11 714.

Poursuites pénales (nombre) *1983* : 512. *84* : 522. *85* : 546. *86* : 579. *87* : 619. *88* : 662 (ayant donné lieu à 450 peines de prison avec sursis et 40 ferme).

☞ **Taxation d'office** appliquée 22 fois dans toute la France, en 1983 **sur les signes extérieurs de richesse,** appliquée 123 fois. **Taxation** (en 1974 : 1 800 fois).

• **Fréquence des contrôles fiscaux selon le montant du C.A., en 1984, pour les commerçants** et, entre parenthèses, **pour les prestataires de service.** *- de 1 million de F (- de 0,3 million de F)* : 1 tous les 56 ans. *1 à 5 MF (0,3 à 1 MF)* : 1 tous les 28,7 a. *5 à 10 MF (1 à 5 MF)* : 1 tous les 18,3 a. *+ de 20 MF (5 MF)* : 1 tous les 9,9 a.

☞ En 1988, sur 2 500 000 déclarations de revenus examinées, 25 % présentaient une irrégularité, entraînant 900 000 redressements pour un montant de 4,996 millions de F pour l'impôt sur le revenu).

• **Contentieux administratif** : 77 % des demandes (soit 2 858 000) pour obtenir une rectification d'erreurs ou d'omissions dans les bases d'imposition.

• **Recours gracieux** : 15 % des demandes (soit 636 000) pour obtenir la modération des pénalités appliquées ou la remise d'impôts directs.

• **Interprétation du droit** : 8 % des demandes (soit 286 000) correspondent à un vrai contentieux déférable devant les tribunaux. L'Administration a traité en 1988 : 286 000 réclamations [dont 185 000 décisions favorables (dont 158 000 admissions totales, 41 000 partielles, 87 000 décisions de rejet)].

• **Dégrèvements d'office** : *des cotisations d'impôts directs locaux* (mise à la charge des contribuables âgés ou invalides et de condition modeste).

Dégrèvements prononcés en 1988 : 6 919 000. *Décisions d'office pour le non-recouvrement* des cotisations de fiscalité directe locale inférieures à 80 F : 2 773 000.

• **Affaires juridictionnelles reçues ou engagées en 1979, et,** entre parenthèses, **en 1988. Juridictions administratives.** *Tribunaux adm.* 15 000 (16 566) ; *Conseil d'État* : 918 (1 470). **Trib. judiciaires.** *Trib. grande instance* 1 643 (1 121). *Cour d'appel* : 321 (13). *Cour de cassation* : 178 (190).

• **Montant de la fraude fiscale** (estimation 1988) 106 milliards de F, dont impôt sur Stés 36,1, sur le revenu 34,4, taxes, sur le chiffre d'affaires 26,7.

• **Dossiers transmis au parquet sur avis favorable de la Commission des infractions fiscales.** *1986* : 552, *87* : 619 (dont activités occultes 60 %, dissimulations fiscales 38 %). *Total des redressements (1987).* 785 millions de F (1,27 par affaire). Principaux visés (1987) : commerçants 198, professions lib. 86, industriels 67.

☞ **Amnistie fiscale.** *1948* paiement d'une taxe forfaitaire de 25 % du montant des capitaux. *1952* (Antoine Pinay) totale, notamment pour les avoirs à l'étranger ; rentrées plusieurs millions de F. *1981* taxe forfaitaire de 25 % sur le montant des capitaux rapatriés (600 millions de F). *1986* paiement d'une taxe de 10 %, anonymat conservé.

Finances locales et régionales

Source : Direction de la comptabilité publique du min. des Finances.

Impôts locaux

• **Nature.** Les impôts locaux sont perçus au profit des communes, des départements, des groupements de collectivités locales (communautés urbaines, syndicats de communes), certains syndicats mixtes, districts, agglomérations nouvelles, établissements publics administratifs (région, district de la région parisienne, Basse-Seine, Métropole lorraine), établissements consulaires (chambres de commerce et d'industrie, ch. de métiers, ch. d'agriculture), ou d'organismes divers (budget annexe des prestations sociales agricoles).

• **Taxe foncière sur les propriétés bâties.** Due par le propriétaire au 1er janvier. Exonération de 2 ans en faveur des constructions nouvelles (10 ou 15 pour celles affectées à l'habitation principale). La **base d'imposition** ou revenu net est égale à la moitié de la valeur locative brute, l'abattement ainsi opéré (50 %) est destiné à tenir compte forfaitairement des frais de gestion, d'assurances, d'amortissements, d'entretien... supportés par le propriétaire. Cette base est multipliée par un coefficient de réduction fixé à 0,962 pour 1988.

Pour les *locaux d'habitation,* la valeur locative brute est la même que celle utilisée pour la taxe d'habitation, y compris les revalorisations. Les locaux loués sous le régime de la loi de sept. 1948 ont une base d'imposition particulière. Pour les *locaux commerciaux,* la valeur locative brute est fonction du loyer pratiqué au 1er janvier 1970 si ce dernier a été jugé normal. A défaut de loyer normal, la valeur locative a été déterminée par comparaison. Les valeurs locatives des locaux commerciaux ont été actualisées en 1980 par application, à Paris, du coefficient 2,23, puis majorées de 10 % en 1981, 11 % en 82, 13 % en 83, 12 % en 84, 8 % en 85 et 86.

Taux de l'impôt. Décomposé à Paris en 3 éléments (taux appliqués à la base nette d'imposition). 1° taux communal (part revenant à la Ville de Paris) 5,67 % ; 2° taxe spéciale d'équipement (part revenant à la région Ile-de-France) 0,427 % ; 3° frais de confection des rôles et de dégrèvement 7,60 %, taux appliqué au total des cotisations obtenues, revenant à l'État en rémunération des travaux effectués par les services fiscaux et pour couvrir les dégrèvements. **Dégrèvements.** Possibles pour les personnes âgées ou handicapées aux ressources modestes.

Non bâties (exonération pendant 30 ans pour terrains plantés ou replantés en bois ; 10 ans pour terres incultes depuis 15 ans et +, remises en culture ou plantées d'arbres fruitiers). *Base* : revenu net cadastral déterminé en appliquant à la valeur locative cadastrale des propriétés un abattement de 20 %. Cette valeur locative déterminée lors des révisions générales est actualisée tous les 3 ans et majorée chaque année. Dernière révision générale mise en application à partir du 1-1-1974 (application de coefficients d'adaptation, date de référence le 1-1-1970) aux valeurs locatives cadastrales issues de la révision quinquennale précédente (référence 1-1-1961). Valeurs actualisées 1°) au 1-1-1978 (rôles de 1980), 2°) au 1-1-1983 (coefficients forfaitaires).

Taux d'imposition bâti et entre parenthèses non bâti (1989, en %). Bordeaux 18,49 (66,71). Clermont-Ferrand 20,93 (72,16). Dijon 27,52 (80,49). Grenoble 35,58 (89,99). Le Havre 39,45 (55,70). Lille 21,89 (33,11). Lyon 11,52 (18,14). Marseille 20,94 (28,89). Metz 22,87 (96,02). Montpellier 29,37 (106,11). Nancy 20,32 (35,59). Nantes 25,42 (61). Nice 22,71 (38,62). Paris 5,06 (11,16). Rennes 26,26 (49,70). Rouen 27,23 (47,65). St-Etienne 26,07 (50,45). Strasbourg 12,82 (48,72). Toulon 27,63 (72,07). Toulouse 34,05 (139,90).

• **Taxe d'habitation.** Due pour l'année entière par toute personne (propriétaire, locataire ou occupant à titre gratuit) ayant la disposition au 1er janvier d'un local meublé affecté à l'habitation. La taxe porte également sur les dépendances de l'habitation (garage, emplacements de stationnement) sauf celles situées à plus de un kilomètre. **Base nette d'imposition :** valeur locative nette [valeur locative brute diminuée des abattements éventuels, multipliée par un coefficient de réduction (0,960 pour 1990)]. *La valeur locative brute* d'un local correspond à la valeur locative moyenne que l'on pourrait attendre de la location du local loué librement à des conditions de prix normal. Fixée en fonction des loyers pratiqués au 1-1-1970, cette valeur a été actualisée en 1980 (coeff. 1,85 à Paris) puis majorée de 10 % en 1981, 11 % en 82, 13 % en 83, 12 % en 84, 8 % en 85 et 86. Cette valeur est donc indépendante du loyer réel qu'il soit libre ou réglementé et du revenu de l'occupant. *Les abattements* ne s'appliquent qu'à la résidence principale du contribuable et peuvent se cumuler, à Paris : abattement général de base, pour la résidence principale en 1986 : 7 600 F, soit un allègement de cotisation de 760 F ; *abattement pour charges de famille* : idem, abattement spécial à la base en faveur des contribuables qui n'ont pas été passibles de l'impôt sur le revenu de la dernière année précédant celle de l'imposition à la taxe d'habitation, mais à condition que la valeur locative brute de leur appartement n'excède pas un certain plafond. D'un montant de 3 330 F, il réduit la cotisation de 330 F.

Taux de l'impôt. A Paris, taux communal 9,39 %, taxe spéc. d'équipement versée à la région : 0,482 % (taux appliqués à la base nette d'imposition). Frais de confection des rôles versés à l'État 4 % pour rémunération des travaux des services fiscaux (taux appliqué au total des cotisations obtenues). **Dégrèvements.** Possibles pour les contribuables âgés, invalides, handicapés, veufs ou veuves de ressources modestes.

Taux de la taxe d'habitation (1989, en %). Aix. 16,55. Amiens 16,48. Angers 16,40. Argenteuil 10,38. Avignon 19,90. Besançon 17,91. Bordeaux 9,03. Boulogne 6,99. Brest 14,13. Caen 14,86. Clermont 11,11. Dijon 15,33. Dunkerque 14,23. Grenoble 15,56. Le Havre 15,91. Le Mans 7,24. Lille 21,03. Limoges 14,30. Lyon 10,06. Marseille 34,31. Metz 17,31. Montpellier 12,48. Mulhouse 15,14. Nancy 11,68. Nantes 17,16. Nice 18,93. Nîmes 25,23. Orléans 16,72. Paris 8,48. Pau 16,55. Perpignan 12,90. Poitiers 19,11. Reims 10,08. Rennes 18,92. Roubaix 20,75. Rouen 13,33. St-Denis de la Réunion 14. St-Etienne 19,02. Strasbourg 9,65. Toulon 17,91. Toulouse 19,25. Tourcoing 21,50. Tours 19,74. Versailles 7,69. Villeurbanne 12,32. *Moyenne des villes* : 13,11.

• **Taxe départementale sur le revenu (TDR).** Entrera en application le 1-1-1992. *Abattement* : taux minimum de 15 % du revenu moyen national par hab. (majorable jusqu'à 18 % par département). Montant mini. de l'abattement à la base 15 000 F pour 1 personne et 30 000 F pour un couple marié (majorables à 18 000 et 30 000 F). *Exonération* : les personnes déjà exonérées continuent de l'être, dégrèvement de 8 % de l'impôt prévu pour tous les contribuables. Les contribuables dont le montant de la taxe pour 1991 excédera de 50 % ou de 500 F celle acquittée en 1990, bénéficieront de 75 % de dégrèvement sur la part de l'impôt située au-dessus de ces 2 seuils (50 %, puis 25 % les années suivantes). *Recouvrement* : à partir de 200 F (80 actuellement). 63 % des contribuables payeront moins. *Nouveaux exonérés* : 1,2 million. *Nouveaux payeurs* : 1 million. *Recette supplémentaire attendue : 900 millions de F.*

• **Taxe spéciale d'équipement.** *Taux* : Ile-de-France : 0,482 %.

• **Taxe d'enlèvement des ordures ménagères.** Porte sur toutes les propriétés et leurs dépendances assujetties à la taxe foncière sur les propriétés bâties ou qui en sont temporairement exonérées, à l'exception des usines ou des locaux loués pour un service public. Calculée de manière forfaitaire sur la même base que la taxe foncière. Elle est donc totalement indépendante du volume des ordures présentées à la collecte et reste due en l'absence totale et constante d'ordures, elle est due pour un simple emplacement de stationnement. *Taux à Paris,* calculé en fonction du produit voté par le Conseil de Paris, elle est due par le propriétaire au 1er janvier qui peut en obtenir le remboursement par le locataire.

• **Taxe de balayage.** Due au 1er janvier par le propriétaire et remboursable par le locataire des immeubles riverains de la voie publique. Établie par la mairie de Paris, elle est fonction de la superficie balayée sur toute la longueur de la façade jusqu'au milieu de la chaussée sans que la largeur imposée puisse dépasser 6 m, et du tarif au m² fixé selon la catégorie de la voie.

• **Taxe professionnelle** (loi du 29-7-1975) a remplacé dep. le 1-1-1976 la contribution des patentes. Due chaque année par toute personne physique ou morale qui exerce à titre habituel une activité professionnelle non salariée. **Base d'imposition :** constituée par la somme de la *valeur locative* des biens passibles de la taxe foncière pour les petits redevables, à laquelle s'ajoute pour les entreprises d'une certaine importance celle de l'ensemble des immobilisations corporelles (outillage, matériel, mobilier) utilisées pour les besoins de la profession ; une *quote-part* des salaires versés, pour la plupart des contribuables ou, pour certaines activités, le dixième des recettes globales. Des réductions sont prévues en faveur des artisans employant moins de quatre salariés. La base d'imposition déterminée est multipliée par un coefficient de réduction fixé à 0,962 pour 1988.

Taux. 5 éléments (ex. à Paris) : *taux communal* 10,40 %, *taux régional* 0,517 % (taxe spéciale d'équipement), *taux des taxes perçues au profit des organismes consulaires* 0,918 % pour les Chambres de Commerce et droits fixes de 644 F et additionnel de 0,500 % pour les Chambres des Métiers, *taux de cotisation de péréquation* perçu au profit du fonds national de péréquation de la taxe professionnelle fixé par la loi à 0,75 % ; frais de confection des rôles et de dégrèvement (part revenant à l'État) 7,6 % de la cotisation communale, régionale et de la péréquation, 8,6 % de la cotisation allant aux organismes consulaires. **Réduction forfaitaire.** 10 % à l'exclusion des taxes perçues au profit des organismes consulaires.

Montant (1989 en %). Paris 9,9. Lyon 14,7. Strasbourg 14,2. Bordeaux 19,8. St-Étienne 21,8. Montpellier 23,8. Nantes 26. Nice 33,3. Marseille 21,9. Le Havre 24,2. Toulouse 30,6.

Reproches. La T.P. pénalise les entreprises qui créent des emplois ou augmentent les salaires (car elle augmente avec la masse salariale), qui engagent des investissements nouveaux (car elle augmente aussi avec la valeur des équipements), qui exportent car elle n'est pas déductible comme la TVA. Aussi a-t-on modifié les bases de l'assiette comme en 1982, accordé une remise de 10 % sur son montant ou érigé des plafonnements. *Projets :* baser son assiette sur la valeur ajoutée, la remplacer par une augmentation de la TVA de 2,6 points (conséquences : hausse des prix de 1,9 % dès la 1re année, mais stimulation de la croissance sans accroître le déficit extérieur).

Statistiques

• **Principaux impôts locaux** (en milliards de F, en 1989). *Produits :* taxe professionnelle 101,4, d'habitation 43,9, foncier bâti 52,9, non bâti 8,8. *Répartition :* communes 100,8, départements 41,3, régions 7. *Aides de l'État :* aides au fonctionnement 97, à l'investissement 20,7. En 1991 : taxe professionnelle 86, d'habitation 48,4, foncier bâti 47,4, non bâti 7,6. Total : 189,4 (+ 9,3 % par rapport à 1990).

• **Taux moyens nationaux. Taux communaux** et entre parenthèses **départementaux** (en 1985) : taxe d'habitation 10,72 (4,93). Taxe foncière sur propriétés bâties 12,84 [13,56 en 1989] (6,37) ; non bâties 35,61 [36,86 en 1989] (20,02). Taxe professionnelle 11,88 (5,46).

• **Taxe professionnelle. Montant payé par les entreprises et,** entre parenthèses, **allégements pris en charge par l'État** (en milliards de F). *1981* 43,1 (6,4). *1985* 61,3 (17,2). *1986* 71,5.

T.V.A.

Principe. Taxe à la valeur ajoutée, à partir du prix hors taxe. **Créée** en 1954 pour les industries et généralisée à partir du 1-1-1968. Remplace 11 taxes dont la taxe locale qui frappait les produits chaque fois qu'ils changeaient de main. Dep. déc. 1978, et 1981 toutes les activités lucratives, sauf exonération expresse, sont assujetties : industrielles, commerciales, artisanales, extractives, agricoles, libérales et civiles. Exonérations (régime intérieur) : avec option possible pour le paiement de la TVA : auteurs et artistes, avocats et avoués d'appel ; sans option : professions médicales ou paramédicales, exploitants de laboratoires d'analyses médicales, VRP, courtiers d'assurances, prothésistes dentaires, publications de presse quotidiennes.

Taux normal : 18,6 % (dep. 1-7-1982, 17,6 % avant). **Majoré : 22 % 25 %** (avant le 15-9-90, **28 %** (avant le 19-10-1989) et 33,33 % avant le 1-10-88) : pelleteries (sauf celles de lapins ou de moutons d'espèces communes) et vêtements et accessoires dans lesquels elles entrent pour 40 % et + ; pierres précieuses, tabacs et allumettes, films porno ou d'incitation à la violence, magnétoscopes, rémunérations des organisateurs et intermédiaires de la loterie nat., du loto et des paris mutuels hippiques. Automobiles et moto de + de 240 cm³ (dep. 17-9-87). **Réduit : 5,5 % :** (dep. 1-1-89, 7 % avant) hôtels classés de tourisme, villages de vacances agréés, pensions, gîtes ruraux, terrains de camping ; livres ; conserves, plats cuisinés, potages préparés, entremets et desserts, produits diététiques ; théâtres, concerts ; produits pharmaceutiques, forums ; abonnements de gaz et d'électricité à usage domestique (dep. 10-10-88, avant 18,6 %). (dep. 1-7-82) : produits agricoles non transformés : céréales, fruits, viandes ; produits alim. de large consommation : huiles, pâtes, sucre, chocolat, confitures, pain ; produits laitiers, boissons non alcoolisées (dep. 8-7-88). **Super réduit : 2,1 % :** médicaments remboursables, publication de presse, redevance TV. *Déduction pour le gazole :* 10 % en 82, 20 en 83, 30 en 84, 40 jusqu'au 30-6-85, 50 à partir du 1-7-85. 4 % jusqu'au 31-12-83 pour publications de presse non quotidiennes.

☞ A partir du 1-1-1993, les produits importés seront affectés de la TVA au taux du pays exportateur.

Rapport de la TVA en 1986, en milliards de F. *33,3 % :* 44,5. *18,6 % :* 406. *7 % :* 9,1. *5,5 % :* 13. **1989** 566,8.

☞ La baisse de 33 % à 28 % de la TVA sur les automobiles a représenté un manque à gagner annuel de 6,2 milliards de F. La baisse sur les disques et supports audiovisuels de 33,3 à 18,6 en vigueur le 1-1-1988 représente une perte de 0,68 milliard de F.

☞ **Taux de TVA en Europe en 1989. Taux normal et,** entre parenthèses, **taux réduit et taux majoré s'ils existent (en %) :** Allemagne 14 (7). Belgique 19 (6 et 17/25) surtaxe de 8 % qui s'ajoute au taux majoré 25 %. Danemark 22. Espagne 12 (6/33). *France 18,6 (5,5 et 25).* G.-B. 15. Grèce 18 (6/36). Irlande 25 (2,4/10). Italie 18 (2 et 9/38). Luxembourg 12 (3 et 6). Pays-Bas 20 (6). Portugal 17 (8/30).

☞ **Harmonisation des taux de TVA dans la C.E.E. Propositions de la Commission.** Taux normal : 15 % minimum ; réduit : 4 à 9 %. La baisse du taux de 28 % à 18,6 % coûterait à la France 15 milliards de F.

Quelques précisions

Impôt sur le revenu en France

Caractéristiques

Taux maximaux : parmi les plus élevés du monde, atteints très vite.

Impôt très concentré sur les contribuables aisés du fait de la progressivité élevée et de la faible imposition des petits et moyens revenus. Les 64 % les moins imposés paieront 10 % de l'impôt et les 2 % les plus imposés 30 %. Le quotient familial ne joue un rôle important que pour les revenus moyens du fait du plafonnement institué en 1983.

Le revenu imposable est assez fortement réduit par rapport au revenu réel du fait d'abattements surtout sur les revenus du travail. L'abattement forfaitaire de 10 % pour frais professionnels et les déductions supplémentaires dont bénéficient certaines professions (qui représentaient en 1984 une moins-value fiscale de 1,8 milliard) n'ont pratiquement pas d'équivalent à l'étranger. L'abattement de 20 % pour les salaires et pensions, qui s'étend à de nombreuses professions non salariées avec le développement des centres de gestion agréés, n'existe qu'en France.

La sous-imposition des revenus agricoles marquée en France se retrouve dans les principaux pays étrangers. *L'imposition des revenus industriels, commerciaux ou libéraux* est déterminée à peu près de la même manière dans les différents pays, les règles de déduction des charges étant sans doute un peu plus strictes en France.

Les exonérations portant sur les prestations sociales et les revenus de transfert (notamment les allocations familiales) sont un peu plus étendues en France qu'à l'étranger. *Les exonérations et abattements concernant les revenus d'épargne* (livrets d'épargne, intérêts d'obligations, dividendes d'actions) sont plus larges qu'en Allemagne et en G.-B. (mais dans ces 2 pays, il existe désormais un avoir fiscal égal, ou presque, à 100 %) ; moins qu'au Japon et aux U.S.A. (mais ces pays n'ont pas de système d'avoir fiscal). *L'imposition des plus-values* se situe dans la moyenne.

L'ensemble des règles françaises reste plus simple que dans les autres pays, mais la déduction des charges professionnelles a toujours été plus « formaliste » et réglementée en France. La multiplication des demi-parts supplémentaires de quotient familial, la mise en place de seuils spécifiques et d'exonérations, puis, plus récemment, l'introduction de majorations exceptionnelles, de plafonnements (quotient familial, abattements) et de décotes ont compliqué un barème qui était assez simple.

Les mesures concernant l'épargne ou les incitations fiscales diverses (déductions et crédits liés à la résidence principale, à l'assurance vie, etc.) sont devenues une des causes majeures de complexité pour le contribuable.

La fraude fiscale existe en France (en gros 10 %) comme dans tous les autres pays. Elle concerne à peu près partout les mêmes secteurs : économie « souterraine », travail noir, petites entreprises, certaines professions libérales, etc.

L'impôt français sur le revenu est le seul qui ne soit pas retenu à la source. Les revenus sont déclarés au début de l'année suivante, mais le contribuable doit payer lui-même l'impôt dans le courant de l'année par acomptes ou mensualités. L'impôt total à payer effectivement sur les revenus, calculé sur le montant des impôts payés au titre de l'année précédente, étant régularisé à la fin de l'année suivante. Le projet du Xe Plan (1989-92) préconise l'étude d'un système de retenue à la source pour l'impôt sur le revenu, applicable en 1993.

La proportion des ménages non imposables reste plus élevée qu'en G.-B., U.S.A., Allemagne (10 à 15 %).

La faiblesse apparente de l'impôt sur le revenu dans les recettes fiscales en France tient essentiellement à ce que les revenus petits et moyens ne payent pas ou peu d'impôt.

Une comparaison entre les pays doit inclure les cotisations sociales : chez nos principaux partenaires, une part très importante de la protection sociale est fiscalisée.

Renseignements pratiques

• **Obligation.** La déclaration d'ensemble des revenus est obligatoire si l'on est passible de l'impôt sur le revenu ; si l'on possède un avion de tourisme, une automobile de tourisme, un yacht ou un bateau de plaisance, un ou plusieurs chevaux de course ; si l'on emploie un domestique autre qu'une femme de ménage ; si l'on dispose d'une ou de plusieurs résidences secondaires ; si la résidence principale présente une valeur locative supérieure à 1 000 F (à Paris ou dans un rayon de 30 km de Paris) ou à 750 F (autres localités).

Les époux sont soumis à une imposition commune. Dep. 1982, ils doivent conjointement signer la déclaration d'ensemble des revenus de leur foyer qui comprend leurs revenus personnels et ceux des enfants à charge.

• **Exceptions.** *En cas de divorce ou de séparation,* les revenus de la femme, depuis la date de l'événement, doivent être déclarés séparément : 1° si, séparée de biens, elle ne vit pas avec son mari ; 2° si, en instance de séparation de corps ou de divorce, elle a une résidence séparée ; 3° si, abandonnée par son mari ou ayant quitté le domicile conjugal, elle dispose de revenus distincts (ne constituent pas un revenu imposable les sommes versées par le mari sans décision de justice). Si elle était à charge dans le foyer paternel, elle peut demander le rattachement à ce foyer pour cette période.

En dehors de ces cas, les conjoints ont le choix entre une déclaration globale ou séparée (à partir de la date du divorce).

• **En cas de mariage dans l'année.** 3 impositions distinctes sont établies l'année du mariage et 3 déclarations doivent être souscrites par les nouveaux époux : la femme pour les revenus perçus du 1-1 au jour du mariage, le mari pour les revenus perçus pendant cette période, les époux pour les revenus perçus du jour du mariage au 31-12.

• **Déclaration de l'enfant imposé distinctement.** Si le chef de famille a demandé une imposition distincte pour son enfant mineur qui tire un revenu de son propre travail ou d'une fortune personnelle, l'enfant doit souscrire une déclaration séparée. L'enfant majeur fait aussi une déclaration distincte s'il ne demande pas le rattachement au foyer des parents.

En général, on a intérêt à demander l'imposition distincte d'un enfant à charge, sauf si le revenu personnel de l'enfant ne représente qu'une fraction très faible du revenu des parents.

En cas de décès de l'un des époux, les ayants droit doivent faire une déclaration dans les 6 mois ; le conjoint survivant fait 2 déclarations distinctes : l'une pour les revenus communs jusqu'au décès, l'autre pour ses revenus propres dep. le décès jusqu'au 31-12.

• **Pénalités pour retard ou absence de déclaration.** Déclaration déposée hors délais, mais spontanément ou dans les 30 j suivant la 1re mise en demeure : majoration de 0,75 % par mois de retard avec minimum de 10 % du montant de l'impôt ; + de 30 j après la 2e mise en demeure ou dans les 30 j de la seconde : possibilité de taxation d'office et + 25 % ; non produite dans les 30 j de la 2e mise en demeure : taxation d'office et + 100 %.

• **Imprimés à utiliser.** *Imprimé 2042 N* ou formulaire simplifié *2042 S.* L'ordinateur calcule désormais : la déduction forfaitaire et l'abattement de 20 % (lorsqu'il est applicable) afférent aux traitements et salaires ; l'abattement de 20 % pour les pensions ; la fraction taxable des rentes viagères à titre onéreux. Il établit automatiquement les limites fixées par la loi en ce qui concerne certaines charges déductibles du revenu global, à l'exception des primes d'assurance vie.

• **Déclarations annexes :** *A (feuillet bleu n° 2044) :* revenus fonciers ; *B (feuillet rose n° 2047) :* revenus encaissés à l'étranger ; *D (feuillet vert n° 2049) :* plus-values sur immeubles et biens meubles autres que valeurs mobilières ; *feuillet n° 2074 :* plus-values de cession de valeurs mobilières. *Feuillet n° 2048 :* réduction d'impôt « Compte d'épargne en actions ».

• **Déclarations spéciales.** Date limite de **dépôt des déclarations : Bénéfices industriels et commerciaux :** *forfait, imprimé n° 951 M :* 15-2 (ou 15-4 pour la 2e année de la période biennale). *Réel simplifié n° 2033 NRS + 2034 NRS pour Stés de personnes :* 31-3 quelle que soit la date de clôture de l'exercice, 15-4 si le bénéfice n'a pas dépassé 130 000 F. *Réel normal n° 2031 :* 29-2 (31-3 lorsque l'exercice est clos au 31-12, 15-5 dans ce cas si le bénéfice n'a pas dépassé 130 000 F). **Bénéfices non commerciaux :** *Déclaration contrôlée n° 2035* 29-2. *Evaluation adm. n° 2037 :* 29-2. **Bénéfices agricoles :** *Bénéfice réel n° 2143 et* annexes n^os^ *2144 à 2150 :* 29-2 (ou 31-1 lorsque l'exercice est clos au 31-12). *Réel simplifié n° 2139 :* 15-6.

• **Revenus. Traitements et salaires imposables.** Imposables sur la rémunération principale et toutes les sommes et avantages alloués à l'occasion ou en contrepartie de l'activité exercée. Par ex. : *indemnités* [congés payés, résidence, logement, intempéries, cherté de la vie, départ à la retraite pour la fraction au-dessus de 20 000 F, fonctions, encadrement, caisse ou manipulation de fonds, travaux insalubres, dangereux ou fatigants en altitude ou dans des conditions atmosphériques particulières, travail de bureau, travail temporaire, gardiennage, travail de nuit, dépaysement, séparation, indemnités journalières de la Séc. soc. pour maladie (exception si traitement thérapeutique très coûteux, indemnité de soins des tuberculeux, si le revenu net global ne dépasse pas 28 780 F)], *primes* (fin d'année, rendement, bilan, assiduité, ancienneté, responsabilité, risques, trajet), *allocations* (supplément familial, chômage ASSEDIC, préretraite), *pourboires, gratifications* [étrennes, enveloppes ou cadeaux (y compris ceux accordés à l'occasion d'un événement familial sauf s'il s'agit s'un simple cadeau)], *subventions* (versées par l'employeur pour le logement), *participation* (aux bénéfices ou versée en espèces par suite d'un contrat d'association ou d'intéressement), *pourcentage* [sur le chiffre d'affaires, en nature (logement, nourriture, etc.), ou en espèces].

Les gains du tiercé et paris sur les champs de course n'ont pas à être déclarés (Conseil d'État 21-3-1980).

Exonérés. Allocations spéciales destinées à couvrir les frais d'emplois. **Prestations familiales ;** certaines allocations, indemnités, pensions, gratifications ou subventions de caractère social. **Indemnités de licenciement.** *Sont exonérés :* indemnités réparant le préjudice subi par la seule perte de salaire, dommages et intérêts accordés par les tribunaux en cas de licenciement sans cause réelle ou sérieuse ou d'inobservation de la procédure. *Ne sont pas exonérés :* la part excédant le min. prévu par le Code du travail (1/10 du salaire par année d'ancienneté) ou les conventions collectives (en général 1 mois de salaire par année d'ancienneté), indemnités de départ volontaire en retraite ou en préretraite de + de 20 000 F, indemnités de non-concurrence, compensatrices de congés payés et de préavis (elles peuvent bénéficier du régime d'étalement des revenus différés). *Indemnités de départ à la retraite* à concurrence de 20 000 F. **Salaire différé** de l'héritier d'un exploitant agricole. **Indemnités de stage** versées à des étudiants ou des élèves d'écoles techniques, si les stages font partie du programme de l'école ou des études, s'ils sont obligatoires et n'excèdent pas 3 mois. **Rentes viagères** servies aux victimes d'accidents du travail ; servies en représentation de dommages-intérêts (condamnation judiciaire pour réparation d'un préjudice corporel entraînant une incapacité permanente totale). *Pensions militaires* d'invalidité et des victimes de la guerre. **Traitements attachés à la Légion d'honneur ou à la Médaille militaire. Participations des salariés.** *Salaires des apprentis. Titres de restaurant.*

• **Autres revenus. Imposables.** Voir bénéfices agricoles, bénéfices industriels, revenus immobiliers, plus-values.

Exonérés. *Bourses d'études* pour permettre de continuer des études personnelles. *Cadeaux en nature* de faible valeur. *Certains revenus mobiliers* (épargne-logement, certains emprunts d'État...).

Placements exonérés (comparaisons). Rémunération en % et, en italique **montant maximum de l'investissement en milliers de F. Livret A des Caisses d'épargne** (Écureuil et PTT ; un livret par personne) 4,5, *90.* **Livret bleu du Crédit Mutuel** (si l'on n'a pas déjà un livret A) 4,5, *90.* **Codevi** 4,5, *15* pour une personne, *30* pour un couple. **Compte d'épargne logement** 2,75, *100.* **Plan d'épargne logement** 6 dont 4,5 + prime de 10 000 F, *300.* **Actions et obligations** (limite de 8 000 F pour un célibataire, 16 000 pour un couple) obligations : célibataire *68,* couple : *13 ;* actions : célibataire *240,* couple : *480 ;* les plus-values réalisées ne sont pas imposables si le montant des cessions des titres ne dépasse pas 298 000 F au cours de l'année 1989. Au-delà, prélèvement libératoire de 17 %, pour les obligations seulement. **Emprunt Barre** 8,80 % (limite de 1 000 F par foyer fiscal) 8,8, *13,8.* **Parts de Sicav et de fonds communs de placement :** pas d'impôt sur les plus-values si le montant des cessions ne dépasse pas 288 000 F. **Bons de capitalisation :** à garder 6 ans (8 ans pour ceux souscrits après le 1-1-1990) ; en cas de vente avant le terme des 6 ans, prélèvement libératoire de 47 % si le bon a été conservé moins de 2 ans, 27 % entre 2 et 4 ans, 17 % entre 4 et 6 ans. **Contrat d'assurance vie :** à garder 6 ans ; exonération des droits de succession si le souscripteur a moins de 66 ans.

• **Frais professionnels. Abattement général.** 10 % (min. 1 800 F, max. 64 870 F) ; augmenté le cas échéant de la *déduction supplémentaire* (min. 1 800 F, max. 50 000 F), accordé à certaines professions. Les salariés peuvent déduire leurs *frais professionnels réels,* sur justification, si leur montant dépasse la déduction forfaitaire de 10 % (éventuellement augmentée de la déduction supplémentaire), ou un forfait de 10 %.

Déductions supplémentaires. La pratique d'une déduction supplémentaire entraîne l'imposition des allocations pour frais d'emploi versées par l'employeur. On peut choisir la déduction normale de 10 % ou la déd. supplémentaire avec incorporation des all. pour frais d'emploi dans le revenu brut ; déd. normale de 10 % seulement, en ne retenant alors que les salaires proprement dits, à l'exclusion des all. pour frais d'emploi.

Taux. *30 % :* pilotes moniteurs, journalistes, rédacteurs, photographes, directeurs de journaux, critiques dramatiques et musicaux, représentants en publicité, VRP, navigants de l'aviation marchande, inspecteurs d'assurance vie, capitalisation et épargne. *25 % :* artistes dramatiques, lyriques, cinématographiques ou chorégraphiques, écrivains, compositeurs. *20 % :* annonceurs (radio ou télé, musiciens, choristes, chefs d'orchestre, régisseurs de théâtre, personnel de l'ind. du cinéma, chauffeurs et receveurs convoyeurs de cars à services réguliers, commis d'agents de change (à Paris), du marché en banques, modélistes (couture), fonctionnaires (ou agents) des assemblées parlementaires, internes des hôpitaux de Paris, personnels de casinos et cercles supportant certains types de frais, chauffeurs, convoyeurs, receveurs de transport de pers. ou de marchandises, présentateurs de télé. *12 % :* personnel ayant 2 résidences, certains pers. de casinos ou cercles. *10 % :* mannequins, ouvriers forestiers, du bâtiment occupés sur les chantiers, mineurs et agents de maîtrise travaillant au fond des mines, scaphandriers. *8 % :* personnel supportant frais de représentation et de veillée. *5 % :* casinos et cercles, ouvriers horlogers, ouvriers propriétaires de leurs outils et de petites machines, ouvriers d'imprimeries de journaux travaillant la nuit, ouvriers bottiers de la Région parisienne. *5 à 40 % :* ouvriers à domicile (nombreuses catégories).

Bénéfices agricoles

• **Définition.** Revenus tirés de la culture ou de l'élevage. Peuvent être taxés comme des BIC quand l'activité agricole n'est que l'accessoire d'une profession industrielle ou commerciale.

Si l'activité agricole est prépondérante ou nettement distincte de l'autre activité, les produits des 2 activités sont en général rattachés aux bénéfices agricoles d'une part, aux bénéfices industriels et commerciaux d'autre part. Les revenus accessoires ayant leur source dans le droit de propriété sont imposés comme des revenus fonciers ou des bénéfices agricoles selon les cas.

• **Régimes d'imposition. Forfait.** Quand la moyenne des recettes annuelles (t.t.c.) sur 2 ans est comprise entre 500 000 et 750 000 F. **Réel simplifié.** Quand la moyenne des recettes annuelles sur 2 ans est comprise entre 500 000 et 1 800 000 F. Ce régime peut être choisi par les agriculteurs relevant du forfait et est applicable à ceux dont le forfait a été dénoncé par l'Administration. **Réel normal.** Quand les recettes annuelles moyennes sur 2 ans excèdent 1 800 000 F ; peut être choisi par les personnes relevant du forfait ou du mini-réel. **Adhésion à un centre de gestion agréé d'assistance comptable.** Permet à l'adhérent de pratiquer un abattement sur son bénéfice imposable de : 20 % jusqu'à 413 200 F, 10 % entre 413 200 et 588 000 F. Conditions : être placé sous un régime de bénéfice réel (mini-réel ou réel normal). **Abattement sur le bénéfice des jeunes agriculteurs** 50 %.

Bénéfices industriels et commerciaux (BIC)

Bénéfice des professions industrielles, commerciales et artisanales. Régimes d'imposition. *Bénéfice réel* traditionnel ou régime simplifié (C.A. entre 150 000 F et 900 000 F pour les prestataires de services, 500 000 F et 3 000 000 F pour les entr. de vente). *Forfait* réservé aux entreprises de faible importance.

Adhésion à un centre de gestion agréé d'assistance comptable. Permet à l'adhérent de pratiquer un abattement sur son bénéfice imposable de : 20 % jusqu'à 413 200 F, 10 % de 413 200 F à 588 000 F. Conditions : l'entreprise doit être placée sous un régime réel d'imposition, de droit ou sur option.

Charges non déductibles. *Dépenses personnelles* de l'exploitant, et d'une manière générale *toutes les dépenses qui n'ont pas été exposées dans l'intérêt de l'exploitation* ou qui ne se rattachent pas à cette exploitation. *Dépenses ayant pour contrepartie l'entrée dans l'actif d'un nouvel élément, ou l'augmentation de valeur d'un élément de l'actif. Dépenses n'ayant pas pris naissance au cours de la période d'imposition. Dépenses somptuaires. Charges* résultant de l'achat, de la location ou de toute autre opération faite en vue d'obtenir la disposition de résidences de plaisance ou d'agrément, ainsi que de l'entretien de ces résidences. *Dépenses relatives à l'achat ou à la location de yachts,* bateaux de plaisance à voile ou à moteur, ainsi que leur entretien. *Transactions, amendes, confiscations et pénalités. Taxe sur les frais généraux 1986 :* 30 %, *87 :* 15, *88 :* 10, *89 :* sera supprimée.

Exonération d'impôt sur les bénéfices des entreprises créées depuis le 1-11-1988. 100 % les 2 premières années, 75 % la 3e année, 50 % la 4e, 25 % la 5e.

Bénéfices non commerciaux

• **Assujettis.** *Professions libérales* (médecin, avocat, conseil juridique, architecte, etc.) et *revenus assimilés.* Ex. : produits des inventions, hommes de lettres [1], auteurs et compositeurs de musique [1], rémunération des dirigeants de Stés (administrateurs de S.A. dans l'exercice de fonctions non salariées, comme celles d'ingénieur-conseil, d'architecte, de conseil juridique, etc.), ou à titre de redevances de propriété ind. ; membres des conseils de surveillance des Stés en commandite par actions ; administrateurs des Stés purement civiles passibles de l'impôt sur les Stés, ainsi que toute activité lucrative ne se rattachant pas à une autre catégorie de bénéfices.

Nota. – (1) Les produits des droits d'auteur sont imposés comme des salaires quand ils sont intégralement déclarés par les tiers.

• **Régimes. Déclaration contrôlée** (obligatoire pour ceux dont les recettes non commerciales excèdent 175 000 F par an, les officiers publics et ministériels, certains contribuables dont les bénéfices sont d'origine littéraire, scientifique ou artistique ou réalisant des opérations soumises à la TVA ; on doit tenir un livre-journal au j le j et présentant le détail des recettes et des dépenses professionnelles et enregistrant les immobilisations et amortissements) ou évaluation administrative. Dans le cas où des revenus non commerciaux n'excèdent pas 21 000 F, on peut se dispenser de produire la déclaration 2035 ou 2037 et les faire figurer sur la déclaration 2042 (col. bénéf. non commerciaux) après réfaction forfaitaire de 25 % avec minimum de 2 000 F.

Adhésion à un centre de gestion agréée d'assistance comptable. Permet à l'adhérent de pratiquer un abattement sur son bénéfice imposable (et sur ses plus-values à long terme), de : 20 % jusqu'à 426 400 F et de 10 % entre 426 400 F et 607 000 F. Conditions : le contribuable doit être placé sous le régime de la déclaration contrôlée.

• **Fédérations.** *Conférence des Aralp (Ass. rég. agréée des prof. libérales).* Créée 1978. 60 000 adhérents. *Fnaga (Fédération nat. des assoc. agréées).* Créée 1983. 30 000 adh. *Unasa (Union nat. des assoc. agréées).* Créée 1986. 60 000 adh. *Conseil des assoc. agréées prof.* Créée 1988. 62 500 adh.

Revenus immobiliers

• **Propriétés rurales** (exploitations agricoles, terrains nus non cultivés, étangs et lacs). On peut déduire : 1° une partie pour frais divers (10 % et 15 pour locaux d'habitation exonérés de taxe foncière et propriétés louées par bail de 18 ans au -) ; 2° les frais réels de gérance et de rémunération des gardes ; 3° travaux ; 4° primes d'assurances ; 5° intérêts des dettes contractées pour acquisition, construction, réparation, amélioration, conservation des immeubles ; 6° taxes foncières et annexes, fraction de la part du propriétaire.

• **Propriétés urbaines données en location.** On peut déduire : 1° 10 % du revenu brut pour frais divers [de gestion, d'assurances, amortissement de l'immeuble (35 % pendant 10 ans sur les revenus tirés de la location de logement neuf acquis avant le 1-1-1990 et 25 % acquis après)] ; 2° frais réels de gérance et de rémunération des concierges ; 3° travaux d'amélioration, réparation et entretien ; 4° intérêts et frais des emprunts contractés pour acquisition, construction, réparation, amélioration, conservation. La déduction ne peut être faite que sur les revenus fonciers ; 5° taxes foncières sur les propriétés bâties, régionale et spéciale d'équipement. Le déficit éventuel est reportable 5 ans (9 pour les immeubles donnés à bail dans le cadre du statut du fermage).

• **Monuments historiques** et inscrits à l'Inventaire supplémentaire. Régime particulier. Les charges peuvent, dans certaines conditions, être déduites de l'ensemble des revenus et non seulement des revenus fonciers.

Contestation, vérification et fraude

Vérification

Formes. Le contrôle fiscal comporte 2 phases : 1) *étude des dossiers* au vu des dossiers et des informations disponibles : « contrôle sur pièces » ; 2) *recherches extérieures* sous forme de vérifications comptables (revenus professionnels et bénéfices des sociétés) et de vérification approfondie de situation fiscale d'ensemble (revenu global) : « contrôle sur place ». **Durée.** La vérification sur place ne peut dépasser 3 mois pour les contribuables dont le C.A. ou le montant des recettes brutes n'excède pas 1 800 000 F (entreprises ind. et commerciales de négoce ou de fourniture de logement et entr. agric.), 540 000 F (prestataires de services). **Période.** En principe, porte sur les déclarations des 4 dernières années.

Lieu. En principe, domicile du contribuable ou siège de l'entreprise. Sur demande écrite du vérificateur, celui-ci peut emporter les documents dans ses bureaux (après avoir délivré un reçu détaillé des pièces remises).

Assistance. Le contribuable peut à tout moment se faire assister d'un conseil de son choix (qui peut le représenter).

Avis de vérification de comptabilité. En principe, envoyé par l'agent du fisc à l'entreprise 15 j avant sa visite (sous pli recommandé avec accusé de réception). Mais le vérificateur peut se présenter à l'improviste si nécessaire (il remet alors l'avis en mains propres à son arrivée) ; dans ce cas, il ne peut que constater matériellement les « éléments physiques de l'exploitation » (stocks...) et apprécier s'il existe une comptabilité et son état ; dans un 2e temps seulement, après un délai « raisonnable », il pourra procéder à l'examen au fond.

Polyvalents. Créés en 1952, ils vérifient les comptabilités selon : les impositions indirectes, directes et d'enregistrement. Au lieu de 3 vérificateurs, il n'y en a plus qu'un. Ils jouent un rôle important dans la montée du poujadisme (leur contrôle se montrant plus efficace).

Contestation et sanctions

Si l'administration des impôts estime un contribuable en infraction (volontaire ou non) avec la législation en vigueur, elle lui adresse une notification de redressement motivée. Elle peut y ajouter une pénalité, modérée en cas de simple méconnaissance des règles, mais allant jusqu'à 150 % en cas de manœuvres frauduleuses. Le contribuable dispose d'un délai de réflexion et de réponse de 30 j, pour accepter, présenter des observations, ou rejeter les conclusions de l'Administration.

Il peut y avoir désaccord pour : 1° Une question de principe (application d'un texte légal ou réglementaire). Le contribuable se trouve dans la situation d'un citoyen quelconque défendant ses droits. Un recours gracieux lui est offert auprès de la hiérarchie administrative. Si sa requête est rejetée, il peut porter le litige devant le juge (*tribunal administratif* pour l'impôt sur le revenu, la TVA ou *civil – trib. d'instance* – pour les droits d'enregistrement et de timbre) en sollicitant le sursis de paiement de l'impôt litigieux (sursis fréquemment accordé). Insatisfait du jugement de première instance, il peut faire appel devant le Conseil d'État ou la Cour de cassation.

2° Une question de fait entraînant une part de subjectivité (litige par ex. sur une minoration de recette ou de bénéfices). Le contribuable peut demander l'intervention d'une commission paritaire. Celle-ci émet un avis. Si le contribuable ne l'accepte pas, il peut saisir le juge de l'impôt. Il devra alors faire la preuve de ce qu'il soutient (en général, l'Administration se soumet à l'avis de la commission, même si cet avis lui est défavorable ; si elle ne se soumet pas, elle peut aussi saisir le juge et doit aussi faire la preuve).

Dans les cas graves (manœuvre frauduleuse pour se soustraire à l'impôt : comptabilité truquée, vente sans facture, facture sans vente...), l'Administration peut, parallèlement à cette procédure de sanctions administratives, s'adresser à la justice pénale (avec sa hiérarchie : tribunal correctionnel, cour d'appel, Cour de cassation) en portant plainte pour « fraude fiscale » et en demandant que le redevable récalcitrant soit frappé de peine de 1 à 5 ans de prison, avec ou sans sursis, d'amende à partir de 5 000 F, exclusion des marchés publics, incapacité commerciale et retrait du permis de conduire. Cette poursuite n'est pas intentée d'office par le procureur de la République, comme en droit commun : il faut une plainte du service chargé de l'impôt, qui est libre de décider si le contribuable sera poursuivi ou non.

Transactions. L'administration fiscale peut en proposer (bien que le mot ne soit pas énoncé par le Code). Le ministère de l'Économie et des Finances en est seul juge.

Elles peuvent intervenir avant tout recours à une juridiction ou après un jugement, même pénal (le ministère pouvant alors accepter de réduire la somme à recouvrer).

Il établit un compte maximal de ce qu'aurait pu être le préjudice de l'État dans l'hypothèse où le contribuable n'avait rien à faire valoir. Il ajoute des majorations, des amendes spéciales, des intérêts de retard.

Sanctions fiscales en matière d'impôt sur le revenu. *Défaut de production ou production tardive d'un document :* amende de 25 F par doc. non produit ou produit tardivement, portée à 200 F si les doc. n'ont pas été fournis dans les 30 j à compter de la mise en demeure.

Omissions ou inexactitudes relevées dans les doc. produits : amende de 25 F par omission ou inexactitude, min. 200 F par doc. omis, incomplet ou inexact.

Insuffisance de déclaration ou de versement conduisant l'Administration à effectuer des redressements. Bonne foi : intérêts de retard de 0,75 % par mois. Mauvaise foi : majoration des droits de 30 % ou de 50 % suivant que les droits n'excèdent pas ou dépassent 50 % des droits réellement dus. *Manœuvres frauduleuses :* majoration de 150 %.

Défaut de déclaration ou déclaration tardive entraînant une taxation d'office : suivant les cas, intérêts de retard 10 %, majoration des droits 25 à 100 %.

Opposition à l'exercice du contrôle fiscal donnant lieu à une évaluation d'office : majoration de 150 %.

Dissimulation juridique ou abus de droit : amende fiscale de 200 % des droits.

Garanties nouvelles en cas de contrôle. Délais. *Période susceptible d'être vérifiée :* 3 ans. *Seuils relatifs à la limitation à 3 mois de la durée des vérifications sur place* [limite des recettes (en F hors taxes) dep. le 1-7-87] : artisans, commerçants, industriels : vente de marchandises 3 000 000, prestations de service 900 000 ; entreprises agricoles 1 800 000 ; professions libérales 900 000. *Examen contradictoire de l'ensemble de la situation fiscale personnelle (ESFP) :* sauf exception, durée limitée à un an à compter de la réception de l'avis de vérification. **Garantie contre les changements de doctrine de l'administration.** L'administration est liée par les prises de position formelles antérieures qui portent sur des questions de fait. **Droit de visite.** Le droit de perquisition, y compris pour la recherche des infractions en matière de contributions indirectes, est subordonné à une autorisation du Pt du tribunal de grande instance, sauf cas de flagrant délit.

Abrogation de la procédure de rectification d'office. Tout contribuable qui a déposé ses déclarations dans les délais bénéficie des garanties de la procédure contradictoire, même si l'Administration estime la comptabilité irrégulière.

Généralisation de la mise en demeure. Comme en matière d'impôt sur le revenu, l'Administration ne peut mettre en œuvre les procédures d'imposition d'office en matière de bénéfices professionnels que si le contribuable refuse de régulariser sa situation après l'envoi d'une mise en demeure.

Abrogation de la taxation sur les dépenses personnelles. L'Administration pouvait taxer d'office un contribuable sur les dépenses qu'il avait effectuées, sans qu'il puisse apporter la preuve contraire.

Taxation d'après les éléments du train de vie. Réservée aux cas les plus significatifs. Le contribuable peut apporter la preuve qu'il a disposé de ressources suffisantes pour assurer son train de vie.

Délais de réponse aux demandes d'éclaircissements ou de justifications. 60 jours. Si l'Administration juge la réponse insuffisante, elle doit d'abord demander au contribuable de préciser les points obscurs. Il dispose alors d'un nouveau délai de 30 j pour répondre.

Recours internes. *Supérieurs hiérarchiques ou vérificateurs :* on peut demander à les rencontrer. L'avis de vérification indique noms et qualité de l'inspecteur principal et de l'interlocuteur départemental.

Commission départementale des impôts directs et des taxes sur le chiffre d'affaires (comprenant 1 Pt, magistrat du tribunal administratif, 2 représentants de l'Administration et 3 représentants des contribuables dont 1 expert-comptable) peut traiter les litiges portant sur des comptabilités jugées irrégulières et les cas de taxation d'office à l'issue d'un examen contradictoire de l'ensemble de la situation fiscale personnelle.

Commission départementale de conciliation (présidée par un magistrat de l'ordre judiciaire) compétente pour les litiges relatifs aux valeurs de biens qui ont servi de base aux droits d'enregistrement.

Pénalités. Intérêt de retard unique : 0,75 % par mois ; pour les contribuables ayant commis une infraction grave, majoration décidée par l'inspecteur principal de 40 à 80 %.

Charge de la preuve. Supportée par l'Administration lorsque le contribuable a souscrit ses déclarations dans les délais et dispose d'une comptabilité régulière. **Sursis de paiement :** de droit. Le montant des garanties à constituer est limité à l'impôt et à l'intérêt de retard. **Égalité devant le juge.** Le contribuable peut, comme l'Administration, soulever à tout moment de la procédure tout moyen de droit nouveau destiné à établir le caractère excessif ou irrégulier de l'impôt contesté. *Références :* Charte du contribuable, B.P. 76, 93152 Le Blanc-Mesnil Cedex.

Fraude

Généralités

Formes. Évasion fiscale : le contribuable utilise les failles de la législation et échappe à l'impôt sans commettre d'infraction. Le fraudeur crée une société de base dans un paradis fiscal qui accumulera des revenus « passifs » sans déployer d'activité économique propre. *3 types de Stés sont utilisées : Sté d'achat et de vente,* qui recueille, par le jeu des prix à l'importation et à l'exportation, les fruits commerciaux et financiers du travail de production réalisé par les filiales dans différents pays, notamment ceux à haute pression fiscale ; *Sté de gestion de brevets,* qui sert à percevoir à des conditions favorables, du point de vue fiscal, les droits de licence venant de la cession de brevets ; *Stés de financement,* dont l'objet est, par ex., d'éviter à une Sté nationale la retenue à la source sur les intérêts en servant de prête-nom.

Dissimulation de la matière imposable, ex. : achats et ventes sans factures (ind. et commerçants), déclarations minorées d'honoraires (prof. libérales), transmission de la main à la main d'éléments mobiliers du patrimoine.

Travestissement d'opérations pour obtenir un régime fiscal plus avantageux (ex. : donations transformées en vente à prix fictif).

Sous-estimation *de valeurs.*

Opérations fictives, ex. : délivrance de factures ne correspondant à aucune livraison de marchandises (« taxis fiscaux »).

Jeux

☞ Voir également les sports et jeux divers, p. 1796 et suivantes.

Jeux de cartes

• **Origine.** Très ancienne. Connus en Chine vers le Xe s. Semblent liés au développement du papier et de la gravure sur bois. Arrivent en Europe (via le Proche-Orient) v. 1370 et s'y répandent très vite. 3 types de « couleurs » émergent dès le XVe s. : c. françaises (cœurs, piques, trèfles, carreaux), latines (coupes, épées, bâtons, deniers), germaniques (cœurs, feuilles, glands, grelots). V. 1430, en Italie, naissent les *tarots :* cartes ordinaires auxquelles est jointe une série spéciale dite « triomphes » ou « atouts ».

Les plus anciens jeux conservés (XVe s.) sont souvent des fantaisies d'artistes, richement enluminées. Toutes les techniques de la gravure ont été utilisées en Europe, alors qu'en Inde on peint encore les cartes (généralement rondes) à la main. Outre les cartes chinoises, il existe des cartes japonaises, empruntées aux Portugais au XVIe s.

• **Désignation. Cœur** *roi* Charles (Charlemagne, emp. d'Occident), *dame* Judith (héroïne de la Bible), *valet* Lahire (officier du roi Charles VIII). **Pique** *roi* David (roi d'Israël), *dame* Pallas (Athéna, déesse protectrice des arts), *valet* Ogier (héros de chansons de geste). **Carreau** *roi* César (emp. romain), *dame* Rachel (héroïne de la Bible), *valet* Hector (héros de la g. de Troie). **Trèfle** *roi* Alexandre (Grèce-Perse), *dame* Argine (fille du roi d'Argos), *valet* Lancelot (héros des romans de la Table ronde).

Musées. *Musée français de la carte à jouer* (Issy-les-Moulineaux) ; *Museo del Naipe Fournier* (Vitoria, Espagne) ; *Deutsches Spielkarten-Museum* (Leinfelden-Echterdingen, All. féd.) ; *Nationaal Museum van de Speelkaart* (Turnhout, Belgique) ; *Spielkartenmuseum* (Altenburg, All. dém.) ; *The Playing Card Museum* (Cincinnati, Ohio, USA).

Production (en millions, 1989). Commerciales, et entre parenthèses, publicitaires. France-Cartes 16 (5), S.A. Héron 1,2 (6), importation 5 (2,5).

Le plus ancien fabr. français : Baptiste-Paul Grimaud, établi en 1848, introducteur des cartes à coins ronds à partir de 1858. Quasi-monopole de 1910 à 1945. 1er fabr. français.

• **En France. Ventes** (1988). Env. 33 millions de jeux (dont fabriqués en Fr. 26, à l'étranger 7).

• **Prix de jeux anciens.** *Flamand du XVe s.* 1 000 000 de F. *Jeux anciens (avant 1914)* 400 à 30 000 F.

Bridge

Généralités

• **Origine. XVe s.** Né avec le tarot, le principe de l'atout est adapté aux cartes ordinaires et nommé *triomphe.* Se répand en Espagne *(triunfo),* en Allemagne *(Trumpf)* et en Angleterre [*French trump :* « triomphe française »] (XVIe s.). Chaque joueur reçoit alors 5 cartes et l'atout est désigné par la retourne. **Début XVIIe s.,** *English trump,* dit aussi *whisk :* 12 cartes données à chacun. **1674,** codifié devient *whist (de whist:* chut). **1742** Edmund Hoyle publie un traité de whist. **V. 1750,** introd. sur le continent, avec les termes *partner* (« partenaire ») et *slam* (« chelem »). **1780,** whist « bostonien » ou *boston :* enchères par levées. **V. 1810,** apparition de la hiérarchie des couleurs (boston de Fontainebleau). **V. 1818,** du sans-atout (le « quatre-couleurs » du boston de Lorient). **XIXe s.,** variantes : bridge à trois avec un mort (décrit par Deschapelles en 1842), contre et surcontre, formes élémentaires d'enchères. **V. 1885,** apparition du *bridge,* en Angleterre sous la forme « Biritch » (qui n'existe pas en russe). Adopté aux USA et en France. **V. 1890,** *bridge aux enchères* (*auction bridge,* **v. 1900**), l'atout est désigné par le donneur qui peut passer pour déléguer ce choix à son partenaire (d'où l'explication par l'anglais *to bridge* « jeter un pont ») ; *bridge-plafond,* seul le joueur qui demande la manche marque la prime correspondante. **V. 1925,** H. Vanderbilt et E. Culbertson mettent au point le *bridge-contrat (contract bridge) :* le camp qui remporte l'enchère ne marque que ce qu'il a annoncé. Introduction de la notion de vulnérabilité. **1935** 1ers championnats du monde ; Fédération française de Bridge créée. Après l'essor des enchères « naturelles », succès dans les années 50, des systèmes conventionnels (trèfles romain, napolitain, monaco, etc.), puis triomphe de la « majeure cinquième » (ouverture avec 5 cartes à pique ou à cœur). **1949** Charles Goren (USA, 1901-91) invente une nouvelle méthode de comptage (*Point-count bridge).*

La marque du bridge-contrat

Colonne des Tricks		Non contré	Contré	Sur-contré
	Chaque trick [1] demandé et fait :			
	à Trèfle ou à Carreau	20	40	80
	à Cœur ou à Pique ..	30	60	120
	à Sans Atout :			
	Le 1er	40	80	160
	Chacun des suivants	30	60	120
	100 points de tricks font une manche			

Colonne des Honneurs		Non Vulnérable	Vulnérable
	Levée supplémentaires :		
	Non contrées	Valeur du trick	
	Contrées	100	200
	Surcontrées	200	400
	Contrats contrés ou surcontrés et réussis :		
	Bonification	50	
	Levées manquantes :		
	Non contrées	50	100
	Contrées :		
	La 1re	100	200
	Les suivantes	200	300
	A partir de la 4e levée	300	
	Surcontrées :		
	La première	200	400
	Les suivantes	400	600
	A partir de la 4e levée	600	
	Dans une couleur d'atout :		
	4 honneurs dans une seule main		100
	5 honneurs – une –		150
	A Sans Atout : 4 As dans une seule main		150
	Petit Chelem : non vulnérable		500
	vulnérable		750
	Grand Chelem : non vulnérable		1 000
	vulnérable		1 500

Nota. – (1) « Trick » = levée en anglais.

• **Points de partie.** En 2 manches : 700 ; en 3 manches : 500. *Partie interrompue :* le gagnant d'une manche marque 300.

Cartes manquantes d'une couleur

Répartition probable chez les adversaires

Vous avez dans votre camp	Il y a chez l'adversaire	Répartition entre les deux adversaires	
11 cartes ..	2 cartes	1-1	52 fois sur cent
		2-0	48 –
10 – ..	3 –	2-1	78 –
		3-0	22 –
9 – ..	4 –	3-1	50 –
		2-2	40 –
		4-0	10 –
8 – ..	5 –	3-2	68 –
		4-1	28 –
		5-0	4 –
7 – ..	6 –	4-2	48 –
		3-3	36 –
		5-1 ou 6-0	16 –
6 – ..	7 –	4-3	62 –
		5-2	31 –
		6-1 ou 7-0	7 –
5 – ..	8 –	5-3	47 –
		4-4	33 –
		6-2, 7-1 ou 8-0	20 –

• **Jeux possibles.** 635 013 559 600 « mains ». Factorielle 52 (nombre total de cartes)/Factorielle 13 (nombre de c. d'un joueur) × Factorielle 39 (nombre de c. détenues par les autres j.). **Coups différents.** + de 50 milliards de milliards de milliards.

• **As et honneurs.** 4 as dans la même main toutes les 379 donnes en moyenne ; 5 honneurs d'atout toutes les 2 019 donnes et 4 toutes les 93 ; 4 honneurs chez l'un et le 5e chez l'autre, toutes les 279.

Un joueur a en relevant son jeu : 30,38 % chances de trouver 0 as ; 43,84 : 1 as ; 21,35 : 2 as ; 4,12 : 3 as ; 0,26 : 4 as. **Les as ont des chances :** *1111* (soit 1 dans chaque main) : 10,55 ; *2110 :* 58,43 ; *2200 :* 13,48 ; *3100 :* 16,48 ; *4000 :* 1,06.

• **Couleurs. Chances d'avoir des couleurs longues** (en %) : 35,08 (4 c). 44,33 (5 c.). 16,54 (6 c.). 3,54 (7 c.). 0,47 (8 c). 0,04 (9 et +). *Des couleurs courtes :* Chicane 5,10. Une 30,55. Deux 53,81. Trois 10,54.

• **Scores les plus hauts possibles.** *Chute de l'adversaire* ayant demandé 7 levées à la couleur ou 7 sans atout qui est contré et surcontré et vulnérable. S'il ne fait aucune levée ; 1re levée de chute 400, 12 levées de chute suivantes (à 600 points) 7 200, tous les honneurs 150, *total 7 750. Annonce réussie :* un sans atout, contré, surcontré, vulnérable et l'on réussit toutes les levées : 1re levée (40 × 4) 160, 6 levées suppl. (400 × 6) 2 400, 2e robre gagnant 700, tous les honneurs 150, réalisation du surcontré 50 (plus haut score possible) 3 460.

Principales épreuves

Championnats du monde. Messieurs *(Coupe des Bermudes). Créée* 1950, annuelle, puis actuellement tous les 2 ans. *57-59, 61-63, 65-67, 69, 73-75* Italie. *50-51, 53-54, 70-71, 76-77, 79, 81, 83, 85, 87* USA. *55* G.-B. *56* Fr. *89* Brésil. **Dames** *(Coupe Venise). 74, 76, 78, 87, 89* USA. *81, 85* G.-B.

Olympiades mondiales par éq. de 4. *Créées* 1960. Tous les 4 ans. **Messieurs.** *60* France, *64, 68, 72* Italie, *76* Brésil, *80* Fr., *84* Pologne, *88* USA. **Dames.** *60* Égypte, *64* G.-B., *68* Suède, *72* It., *76, 80, 84* USA, *88* Danemark.

Championnats du monde open par paires. *Créés* 1962. Tous les 4 ans. **Messieurs.** *62* Fr., *66* P.-Bas, *70* Autriche, *74* USA, *78* Brésil, *82, 86* USA, *90* Brésil. **Dames.** *62, 66* G.-B., *70* USA, *74* G.-B., *78, 82, 86, 90* USA.

Championnats du monde open par équipes *(Coupe Rosenblum).* Tous les 4 ans. *78* Pologne, *82* Fr., *86* USA, *90* All.

Ch. d'Europe open. *87, 89* Suède. **Ch. d'Europe dames.** *87* France, *89* P.-Bas. **Ch. d'Europe mixte par paires.** *90* France ; **par équipes :** *90* France.

Joueurs

Classement publié tous les ans par la Féd. fr. de bridge. Basé sur le nombre de points d'expert et de performances gagnés dans les championnats. *4 séries :* non classés, 4e, 3e, 2e et 1re séries subdivisées : Trèfle, Carreau, Cœur, Pique, Promotion. **Meilleurs joueurs mondiaux.** Belladona Giorgio, Chagas, Culbertson Ely (Amér. 1891-1955), Eisenberg, Forquet Pietro, Garozzo Benito, Hamilton, Hamman Robert, Mahmood Zia, Meckstroth Jef, Reese Terence, Rodwell Eric, Ross, Rubin, Sharif Omar, Soloway Paul (Amér., n. 1909), Stayman Sam. Wolf. **Meilleurs joueurs français.** *Hommes :* Abecassis Michel, Albarran Pierre (1893-1960), Aujaleu Maurice, Bacherich René, Boulenger Jean-Michel (1934-86), Bourchtof Gérard, Chemla Paul, Corn Michel, Covo Félix, Cronier Philippe, Delmouly Claude, Desrousseaux Gérard (1927-89), Faigenbaum Albert, Ghestem Pierre, Jais Pierre (1913-88), Lebel Michel, Le Royer Gérard, Mari Christian, Meyer Jean-Paul, Mouiel Hervé, de Nexon Robert (1891-1967), Paladino Fivo, Pariente Jacques, Perron Michel, Pilon Dominique, Poubeau Dominique, Quantin J.-Christophe, Romanet Bertrand, Roudinesco Jean-Marc, Soulet Philippe, Stetten Jacques, Stoppa Jean-Louis, Szwarc Henri, Theron Georges (n. 1922), Tintner Léon, Trezel Roger (1918-86), Vial Edmond. *Femmes :* Allouche-Gaviard Danièle, Bessis Véronique, BLOUQUIT Claude, BORDENAVE Hélène, CHEVALLEY Ginette, COHEN Nadine, CRONIER Bénédicte, DELOR Élisabeth, GUILLAUMIN Catherine, HUGON Élisabeth, KITABGI Anne-Marie, LISE Colette, PIGEAUD Fabienne, SAUL Catherine, SERF Marianne, SUSSEL Andrée, VALENSI Odile, WILLARD Sylvie, ZUCCARELLI Hélène.

Nombre de joueurs. *France* 3 000 000 (250 000 pour épreuves homologuées par la Féd. fr. de bridge), 75 000 adhérents à la féd. *USA* et *Canada* 200 000 affiliés à la féd. **Clubs.** *France* env. 1 000 affiliés à la féd. mais il en existe d'autres non affiliés.

Autres jeux

Aluette. *Origine :* Espagne. Introduit en France au XVe s. Se joue avec 48 cartes spéciales, les couleurs étant remplacées par des catégories (denier, coupe, bâton, épée). Des mimiques codifiées permettent de faire connaître son jeu à son partenaire.

Barbu (ou Bambu). *Origine :* début du XXe s. Jeu de levées à l'envers. Il faut respecter 7 contrats ayant des règles et des objectifs propres.

Bataille. *Origine :* v. 1820. Jeu élémentaire reposant sur le mécanisme de la levée. Se joue à 2 avec un jeu de 32 ou 52 cartes. Les 4 couleurs sont équivalentes. Ordre : As, Roi, Dame, Valet, 10, 9... On prend une carte avec une carte plus forte.

Belote (ou belotte). *Origine :* Europe centrale et Hollande *(Klaverjas).* Introduit en France au début du XXe s. Se joue à 2 ou à 4 (par équipes de 2) avec un jeu de 32 cartes. Jeu de levées et de combinaison. But : faire le max. de points. Ordre : As, 10, Roi, Dame, Valet, 9, 8, 7. Sauf dans la couleur d'atout : Valet, 9, As, 10, Roi, Dame, 8, 7. *Variantes :* belote bridgée : fait intervenir l'annonce de Sans-Atout, Contre et Surcontre ; belote contrée : les joueurs proposent au cours des annonces de faire un certain nombre de points minimal à une couleur donnée.

Pratique (France) : 35 000 000 dont en compétition env. 4 000 000. *Féd. française de belote* créée 1984 a organisé les 1res coupes de France le 27-4-1986.

Bésigue. *Origine :* Limousin, dérivant du *mariage* ou de la *Brisque.* Apparaît v. 1840 ; se joue à 2 avec 2 jeux de 32 cartes. Jeu de levées et de combinaisons. Le nom est la réunion de la dame de pique et du valet de carreau.

Canasta. Panier en espagnol. Inventé en Uruguay v. 1940. Se joue à 4 avec 2 jeux de 52 cartes et 4 jokers. Il faut se débarrasser de ses cartes (reçues ou tirées d'un talon après défausse) en formant des séries de cartes d'une même valeur allant du brelan (3) à la canasta (7).

Crapette. Entre le jeu de carte et la réussite. Se joue à 2 avec 2 jeux de 52 cartes, le but étant de se débarrasser le 1er de toutes ses cartes.

Écarté. *Origine :* apparu en France début XIXe s. Dérive de la *Triomphe* (connu au XVe s.). 2 joueurs. Jeu de levées dans lequel on peut écarter certaines cartes.

Gin-rummy. Variante du *rami.* 2 joueurs. Se joue avec 2 jeux de 52 cartes et sans joker. Il faut se débarrasser de ses cartes en formant des brelans (3 cartes) ou des suites.

Manille. *Origine :* Espagne. Surtout répandu dans le midi de la France (très populaire au XIXe s.). Plusieurs variantes. *Manille parlée :* avec 32 cartes (ordre décroissant : 10 (dit manille) vaut 5, as (dit manillon) vaut 4, Roi 3, Dame 2, Valet 1. Se joue à 3, 4, 5 ou 6. Jeu de levées dans lequel il faut réaliser le max. de points.

Nain jaune. Origine incertaine. Connu au XVIIIe s. sous le nom de *Lindor.* 3 à 8 joueurs. Se joue avec 52 cartes, des jetons et un plateau sur lequel sont représentées les *belles cartes* (au centre, le 7 carreau tenu par un nain jaune qui est la carte maîtresse, aux angles le 10 de carreau, le valet de trèfle, la dame de pique et le roi de cœur). Un joueur fait *grand opéra* quand il peut se défaire de toutes ses cartes. Il prend alors toutes les mises du carton et reçoit des joueurs autant de jetons qu'ils ont de cartes en main.

Piquet. Sans doute très ancien, aurait été pratiqué par Charles VII. 2 joueurs. Se joue avec 32 cartes. Jeu de combinaisons et de levées.

Poker. Né en Louisiane au début du XIXe s. Le mot vient de l'anglais pour « tisonnier » (le joueur attise son partenaire). Se joue en principe à 4 joueurs (ou à 5) et avec un jeu de 52 cartes. La durée de la partie se fixe avant de commencer. *Ordre des cartes* (dans chacune des 4 couleurs) : As, Roi, Dame, Valet,

Flush royal	4	649 739 à 1
Autre flush	36	72 192 à 1
Carré	624	4 164 à 1
Full	3 744	69 à 13
Couleur	5 108	508 à 1
Quinte	10 200	254 à 1
Brelan	54 912	46 à 1
Deux paires	123 552	20 à 1
Une paire	1 098 240	4 à 3
Rien	1 302 540	1 à 1
Total	*2 598 960*	

10, 9... *But :* exposer la combinaison de cartes la plus forte. Définitions. *Flush royal :* 5 cartes d'une même couleur qui se suivent. *Carré :* 4 c. de même valeur. *Couleur :* 5 c. d'une seule couleur, qui ne se suivent pas. *Full :* 1 brelan (3 c. de même valeur) et 1 paire (2 c. de même valeur). *Séquence (ou quinte) :* 5 c. qui se suivent mais de couleur quelconque. Probabilités : nombre de mains possibles et chances d'avoir de telles mains. 4 joueurs, 52 cartes.

Rami. *Origine :* Amérique latine v. 1920. 2 à 6 joueurs. Se joue avec 52 cartes et 1 joker. Jeu de combinaisons dont le but est de se débarrasser de toutes ses cartes *(faire rami).*

Réussite ou patience. 1 seul joueur qui doit placer ou employer ses cartes selon un ordre ou des combinaisons déterminées.

Reversi. Introduit en France au XVIe s. Se joue à 4 avec 48 cartes (on ôte les 10). Il faut faire le moins de levées et le moins de points possible ou faire toutes les levées *(faire reversi).*

Tarots. Nom utilisé pour la 1re fois en 1519. *Origine : début du XVe s.* dans les cours princières d'Italie du N. (appelé *trionfi*). Les plus anciens datent d'env. 1430. *V. 1500* introduit en France et *v. 1750* en All. où l'on change les images contre des couleurs françaises et des scènes conservées aujourd'hui. *Fin XVIIIe s.* sert à la divination.

3, 4 ou 5 joueurs. Jeu spécial de 78 cartes. *4 couleurs :* pique, trèfle, cœur et carreau (ou coupe, épée, bâton, denier) de 14 cartes chacune (roi, dame, cavalier, valet et 10 cartes de points). Le roi est la plus forte, l'as la plus faible. S'y ajoutent *21 atouts* (numérotés de 1 à 21) autrefois ornés de figures allégoriques et aujourd'hui de scènes profanes. La 78e carte, l'*excuse,* peut être jouée à tout moment en remplacement de n'importe quelle carte. Les *3 bouts* sont l'excuse, l'atout 21 et l'atout 1.

But du jeu : faire des levées contenant le maximum de points. Un joueur s'engage à réaliser un contrat précis, ses adversaires se liguent contre lui.

Jeux de cartes divers. Ambigu, pratiqué au XVIIIe s. **Bassette,** venu d'Italie (XVe s.), joué sous Louis XIV, interdit 1680. **Boston,** sorte de whist aux enchères né au moment de l'Indépendance américaine. **Brelan,** à la mode aux XVIIe et XVIIIe s., il faut y obtenir 3 cartes de même valeur. **Brusquembille** (ou brisque), v. 1700, ancêtre du bézigue. **Comète,** prédécesseur du *nain jaune,* vers 1700. **Hombre,** 1er jeu à enchères, Espagne v. 1600, répandu à partir de 1660. **Huit américain,** jeu d'élimination récent. **Lansquenet,** type de cartes v. 1550, puis nom d'un jeu, surtout joué au XVIIe s. **Pharaon,** issu de la bassette, jeu de hasard le plus joué au XVIIIe s. **Prime,** préfiguration du poker, très goûtée au XVIe s. **Trente et quarante,** plus ancien jeu de casino encore joué, connu XVIIe s. **Triomphe,** 1er jeu de levées avec atout, donnera naissance à l'écarté. **Whist,** voir bridge.

Jeux étrangers. Cribbage, anglais très joué dans les pubs. Se joue à 2 avec 52 cartes. **Euchre,** né aux U.S.A., créateur du joker. **Jass,** belote suisse avec 36 cartes. **Klaverjas,** hollandais, origine de la belote. **Mus,** poker basque. **Pinochle,** bézigue américain. **Romé,** allemand, 55 cartes (y compris 3 jokers). **Scopa,** italien, très populaire. **Sechsundsechzig** (66), bézigue allemand. **Skat,** allemand, 3 joueurs et 32 cartes. **Tute,** le plus joué en Espagne. **Tressette,** jeu de levées sans atout, italien.

Scrabble

Généralités

Origine. Breveté 1948 par l'Américain James Brunot. Inspiré du *« it »* inventé 1931 par Alfred Moscher Butts (architecte américain). Apparut en Angleterre et en France en 1951. Jeu de mots.

Règles françaises. *Sont admis :* tous les mots figurant dans l'Officiel du Scrabble (éd. Larousse), les verbes pouvant se conjuguer. *Sont refusés :* préfixes et symboles chimiques, abréviations, mots qui n'y sont pas présentés isolément. *Pluriels :* les mots variables peuvent se mettre au pluriel sauf les lettres des alphabets étrangers (en particulier), les notes de musique, les 4 points cardinaux. Sont indiqués dans l'« Officiel du Scrabble », les *mots invariables,* les *pluriels multiples* (émails ou émaux, santals ou santaux...), les pluriels particuliers des mots d'origines étrangères (hobbys ou hobbies, etc...), les tableaux de *conjugaisons* de tous les verbes. Pour les verbes très défectifs, les formes admises sont indiquées.

K, W, X et Y, qui valent 10 en France, ne valent que 5, 4, 8 et 4 en Angl. (grande fréquence).

Fédération française de Scrabble. Fondée 1973. En 1990, 8 000 licenciés dans 550 clubs. 96, bd Pereire, 75017 Paris. **Pratiquants.** Selon l'IFRES, le Scrabble est la distraction préférée de 42 % de Français devant les mots croisés (41 %), la belote (38 %), les échecs (12,5 %), le bridge (7,5 %).

Épreuves

Championnats du monde francophone. *Créés* 1972. *Individuel :* **72** H. Wouters (Belg.). **73** A. Lempereur (Belg.). **74** M. Selis (Belg). **75** M. Charlemagne (Fr.). **76** M. Selis (Belg.). **77** J.-M. Bellot (Fr.). **78** Yvon Duval (Belg.). **79** B. Hannuna (Fr.). **80** V. Labbé (Fr.). **81** J.-H. Muracciole (Fr.). **82, 83** M. Duguet (Fr.). **84** B. Hannuna (Fr.). **85** M. Duguet (Fr.). **86** P. Bellosta (Fr.). **87, 88** M. Duguet (Fr.). **89** P. Levart (Fr.). **90** M. Treiber (Fr.).

Championnats de France. *Individuel :* **1976** P. Spaeter. **77** J.-C. Bouet. **78** J.-M. Bellot. **79, 80** B. Hannuna. **81, 82, 83, 84, 85, 87** M. Duguet. **88** B. Caro. **86, 89, 90** P. Vigroux.

Échecs

Généralités

Origine. *Nom :* du persan *Shah* (roi). « Échec et mat » signifiant « le roi est mort ». *Né aux Indes* aux VIe-VIIe s. ; introduit en Europe par les Arabes ; il y a subi ses dernières modifications : augmentation de puissance de la dame, introduction du roque et de la prise en passant. Les Chinois jouent au *Xiang-qi* (importé par les Arabes) et les Japonais au *Shogi* (apparu XVIe s.).

Valeurs. On estime que la Dame vaut 9 pions, la Tour 5, le Fou ou le Cavalier 3. **Jeu possible.** Les 10 premiers coups d'une partie peuvent être joués d'env. 170 000 milliards de milliards de milliards de manières.

Organisation. Fédération internationale des échecs (FIDE). *Pt :* F. Campomanès. *Fondée* 1924 à Paris (*siège* Lucerne). Groupe 125 fédérations dont : URSS 4 000 000 de joueurs, Yougoslavie 100 000, All. féd. 74 143, USA 50 758, Hongrie 41 000, All. dém. 39 000, Tchéc. 34 200, Suède 33 080, P.-Bas 31 961, Philippines 27 000, Pologne 25 926, *France 23 917* (mars 1991), Argentine 18 440, Espagne 13 462, G.-B. 12 000, etc. **Féd. française** (FFE). *Pt :* Jean-Claude Loubatière, *fondée* 1921.

Épreuves

En compétition, le temps de réflexion de chaque concurrent est limité par une pendule différentielle. Cadence internationale 60 coups en 3 h ou 40 coups en 2 h 30. L'ordinateur « DEEP THOUGHT » peut battre 99,9 % de tous les joueurs du monde. Il peut analyser 5 000 000 de coups par seconde.

• **Championnats du monde.** La Féd. intern. décerne les titres internationaux. 280 grands maîtres dont URSS 65, Yougoslavie 41, USA 33, Hongrie 16, Bulgarie 13, All. féd. 12, Angleterre 10, Argentine 10, *France 5* (1991) ; plus de 1 000 maîtres internat. dont URSS 76, Youg. 94, *France 19* (*27* en 1991).

Nota. – (1) All., (2) USA, (3) Autriche, (4) Cuba, (5) France, (6) P.-Bas, (7) URSS, (8) G.-B.

Le titre de champion du monde est disputé tous les 3 ans entre le tenant du titre et son challenger qui se qualifie à la suite de tournois et matches éliminatoires.

Messieurs. 1886-94 Wilhelm Steinitz [3] (1836-1900), **1894-1921** Emmanuel Lasker [1] (1868-1941), **1921-27** José Capablanca [4] (1888-1942), **1927-35** Alexandre Alekhine [5] (naturalisé fr. 1927, 1892-1946), **1935-37** Max Euwe [6] (1901-81), **1937-46** A. Alekhine [5], **1948-57** Mikhail Botvinnik [7] (n.

1911), **1957-58** Vasiliy Smyslov [7] (n. 1921), **1958-60** M. Botvinnik [7], **1960-61** Mikhail Tal [7], **1961-63** M. Botvinnik [7], **1963-69** Tigran Petrosian [7] (1929-84), **1969-72** Boris Spassky [7] (n. 30-1-37), **1972-75** Robert Fischer [2] (n. 9-3-43, n'ayant pas défendu son titre, la FIDE l'attribue en juin 75 à A. Karpov), **1975-85** Anatoly Karpov [7] (n. 23-5-51), **1985, 87 et 90** Gary Kasparov [7] (n. 13-4-63) garde son titre. **1993** prochains ch.

Dames. 1927-44 Vera Menchik [8] (1906-44), **1950-53** Lyudmila Rudenko [7], **1953-56** Yelizaveta Bykova [7], **1956-58** Olga Rubtsova [7], **1958-62** Y. Bykova [7], **1962-78** Nona Gaprindashvili [7], **dep. 1978** Maya Ichibourdanidze [7].

Championnat du monde (équipes de 6 joueurs). Disputé pour la 1re fois à Lucerne en déc. **1985** : 1er URSS, 2e Hongrie, 3e Angl., 4e France. **89** : 1er URSS, 2e Youg., 3e Angl.

• **Olympiades (par équipes).** Actuellement tous les 2 ans. **Messieurs.** *Créées* 1927. **27, 28** Hongrie, **30** Pologne, **31, 33, 35, 37** USA, **39** All., **50** Youg., **52, 54, 56, 60, 62, 64, 66, 68, 70, 72, 74** URSS, **76** USA, **78** Hongrie, **80, 82, 84, 86, 88, 90** URSS.

Dames. *Créées* 1957. **57, 63, 66, 69, 72, 74** URSS, **76** Israël (sans l'URSS et les pays de l'Est car ont lieu à Haïfa), **78, 80, 82, 84, 86** URSS, **88, 90** Hongrie.

• **Coupe du monde.** Série de 6 tournois entre avril 1988 et sept. 89 disputés par 25 grands maîtres. **89** Kasparov [7].

• **Championnats de France.** Officiels depuis 1914. **1970** Maclès. **71** Letzelter. **72** Haïk. **73** Benoît. **74** Letzelter. **75** Todorcevic. **76** Chevaldonnet. **77** L. Roos (fait unique au monde : participation de 3 autres membres de la famille Roos). **78** Giffard. **79** Kouatly. **80, 81** Seret. **82** Giffard. **83** Haïk. **84, 85** Seret. **86** Mirallès. **87** Bernard. **88** Andruet. **89** Mirallès. **90** Santo-Roman.

• **Coupe de France. 1976** Jouy-en-Josas. **77** Issy-les-Moulineaux. **78** Toulouse. **79** Évry. **80, 81, 82, 83** Strasbourg. **84** Cannes. **85, 86** Strasbourg. **87** Clichy. **88** Dortan. **89** Montpellier. **90** Strasbourg.

Joueurs

Quelques joueurs célèbres. Henri IV, Gustave-Adolphe et Charles XII de Suède, la marquise de Sévigné, Voltaire, J.-J. Rousseau, Robespierre, Napoléon, Alfred de Musset, Leibniz, Euler, Raymond Poincaré, Einstein.

Grands maîtres. Système de classement bisannuel publié par la Féd. int. d'échecs qui attribue des points (dits points Elo du nom de l'inventeur) aux joueurs en fonction de leurs résultats. Il faut au min. 2 500 points. **Joueurs** (au 1-1-1991). Tous soviétiques, Kasparov 2 800 (record), Karpov 2 725, Guelfand 2 700, Ivantchouk 2 695, Bareïv 2 650, Gourevitch 2 650, Ehlvest 2 650, Youdassine 2 645, Salov 2 645. **Joueuses** (au 1-1-1991). Judith Polgar 2 540, Isuzsa Polgar 2 510, Ichibourdanidze 2 485, Cramling 2 470, Ioseliani 2 470, Xie 2 460.

Meilleurs français (1991). **Joueurs :** Spassky 2 560, Lautier (n. 12-4-1973) 2 550, Santo-Roman 2 500, Kouatly 2 495, Chabanou 2 480, Brié 2 480, Renet 2 470, Mirallès 2 470, Koch 2 450, Degraeve 2 450, Armas 2 450. **Joueuses :** 1re Flear, 2e Roos, 3e Wohlers-Armas, 4e Tagnon.

Meilleurs joueurs du monde avant 1850. Ruy Lopez (Esp., 1570-75), Leonardo (It., 1575-87), Greco (Esp., 1622-34), puis les Français de 1750 à 1850 : Philidor (1726-95), Deschapelles (1780-1847), La Bourdonnais (1797-1840) et Saint-Amant (1800-72). La couronne mondiale fut ensuite disputée par Staunton (Angl., 1810-74), et Adolph Anderssen (All., 1818-79) ch. 1851-58 et 1862-66, Paul Morphy (USA, 1837-84) ch. 1858-62.

Jeux de société

Abalone. Jeu de stratégie créé 1987 par les Français Michel Lalet (n. 1953) et Laurent Lévi (n. 1955). 2 joueurs. Plateau hexagonal portant 14 boules en verre noires et 14 blanches. Victoire à celui qui a ejecté 6 boules adverses (pour cela, il faut faire un *sumito* c'est-à-dire avoir dans le même alignement plus de boules que lui).

Backgammon. Variante du jacquet et du trictrac. Jeu de dés dans lequel 2 joueurs (blanc et noir) essaient de sortir leurs 15 pions avant ceux de l'adversaire. Le plateau de jeu (*tablier* ou *trictrac, board* en Anglais) comprend 24 cases en forme de triangle (*flèches*) groupées en 4 compartiments (*jans*). Chaque joueur a devant lui 2 *jans* (intérieur et extérieur). Les pions se déplacent de flèche en flèche dans le sens des aiguilles d'une montre pour les blancs et dans le sens inverse pour les noirs selon le lancer des 2 dés. Si à la fin de la partie, un joueur a sorti tous ses pions et l'autre aucun, la partie est double (*gammon*), s'il reste encore un pion adverse sur la barre ou dans le jan intérieur, elle est triple (*backgammon*).

Dames (jeu de). A la française : 1er traité d'Antonio Torquemada (1547) ; 1er traité français de Pierre Mallet (1668). Les dames seraient une transformation du jeu d'échecs. A l'origine tous les pions s'appelaient dames, et le pion transformé en dame, *dame damée* (recouverte d'une autre dame), puis simplement dame à la fin du XVIIe s. *Principe :* 64 cases, 12 pions sur 3 rangées ; le pion ne peut prendre qu'en avant ; la dame prend aussi en arrière. **A la polonaise :** *créé* 1723 par un officier du Régent qui jouait dans un café de l'hôtel de Soissons avec un Polonais. *Principe :* damier de 100 cases ; chaque joueur joue avec 20 pions noirs ou blancs disposés sur 4 rangées ; le pion peut prendre en tout sens ; la dame peut prendre en diagonale à toute distance. Victoire à celui qui a pris les pions de son adversaire.

Dés. *Moyen Age* très en vogue (en bois, corne, os, ivoire), il existe une corporation des *déciers. 1524* dés interdits (ordonnance de St Louis). *Probabilités en un seul coup avec 2 dés de faire : 2* 35 à 1. *3* 17 à 1. *4* 11 à 1. *5* 8 à 1. *6* 31 à 5. *7* 5 à 1. *8* 31 à 5. *9* 8 à 1. *10* 11 à 1. *11* 17 à 1. *12* 35 à 1.

Dominos. *Origine :* Europe au XVIIIe s. Comporte 28 pièces, chacune étant divisée en 2 et portant les différentes combinaisons de points de 0 à 6. On appelle *doubles* ceux dont les 2 parties portent le même nombre. 2 à 4 joueurs prennent 7 dominos, les pièces restantes constituant éventuellement le talon. Le 1er joueur pose un domino, puis chacun à tour de rôle doit essayer de poser un domino à l'une des extrémités du jeu. Le joueur qui réussit à poser tous ses dominos gagne la manche et marque la somme de tous les numéros marqués sur les dominos restant à ses adversaires.

Go. Jeu de stratégie originaire de Chine et introduit en Europe au XIXe s. Se pratique sur un plateau carré (*go-bang*) comportant 19 lignes verticales et 19 horizontales formant 361 intersections. Chacun des joueurs dispose d'un nombre illimité de pions (ou *pierres*) noirs ou blancs. Chacun à son tour pose des pions de manière à délimiter des territoires (zones vides entourées de pierres d'une même couleur).

Jacquet. *Créé* dans la 2e moitié du XVIIIe s., version simplifiée du trictrac. Jeu à 2 sur une table divisée en 2 compartiments (et 4 *jans*) sur lesquels sont dessinées 24 flèches alternativement claires et sombres. On joue avec 15 dames de 2 couleurs différentes.

Jeu de l'oie. Selon la légende, inventé par Palamède pour abréger les longueurs du siège de Troie. Très à la mode au XVIIIe s. Se joue avec 2 dés sur un plateau représentant une spirale comportant 63 cases illustrées. Toutes les 9 cases se trouvent les figures de l'oie. Il faut atteindre le 1er la dernière case sans tomber dans les pièges.

Jeux de rôles. *Pratiquants :* USA 8 000 000, *France 200 000* (dont 20 000 fervents). **Donjons et Dragons (D & D) :** *créé* 1973 par Gary Gigax, inspiré par « le Seigneur des anneaux », roman fantastique de John Revel Ronald Tolkien. **L'Appel de Cthulhu** de Lovecraft : auteur de romans fantastiques. **Légendes :** mythologies celtes. **Maléfices :** production française. **Féerie :** *créé* par Philippe Mercier. **Empires galactiques** de François Nédelec. **Shadowrun. Fédération française des jeux de stimulations stratégiques et tactiques :** 150, av. d'Italie, 75013 Paris.

Mah-jong. Apparu en 1850 en Chine. Comprend 144 pièces ou *tuiles* dont *tuiles ordinaires* de 1 à 9 (4 séries de Bambous, 4 de caractères et 4 de cercles), *honneurs simples* 4 vents (Est, Sud, Ouest, Nord), *h. supérieurs* 4 dragons (rouges, verts, blancs), *h. suprêmes* (4 fleurs, 4 saisons). Les jetons de marque valent 2, 10, 100 et 500 points. Jeu de combinaison ressemblant au rami. 4 joueurs. Victoire à celui qui fait *mah-jong* [réunissant dans sa main 4 groupes de 3 ou 4 tuiles (brelan de 3 tuiles semblables, carré de 4 tuiles, séquence de 3 tuiles se suivant)].

Mastermind. Inventé par l'Israélien Mardecai Maerowitz en 1970. Jeu de déduction. 2 joueurs, chacun compose un code de 4 couleurs que l'adversaire cherche à découvrir par propositions successives.

Monopoly. Inventé par l'Américain Charles B. Darrow (1889-1967) en 1935, en reprenant des rues d'Atlantic City (New Jersey). Il faut acheter, vendre ou louer des immeubles jusqu'à ce qu'un joueur arrive au monopole. **Ventes** (1935-87). USA 250 000 000, France 9 000 000 (env. 400 000 par an). **Champ. du monde.** *Créé* 1985. Tous les 3 ans. *85* Jason Bunn (G.-B.). *88* Ikyo Hiyakuta (Japon).

Mots croisés. *Créés* XIXe s. par Arthur Wynne (G.-B.). Apparus 21-12-1913 dans le *New York World.*

Othello. *Origine :* Reversi, recréé 1971 par Goro Hasegawa (Japon). Lancé 1973. 2 joueurs. Grille de 8 × 8 cases. 64 pions réversibles. Il faut à la fin de la partie avoir le plus de pions de sa couleur. *Joueurs :* Japon 25 000 000, Angleterre 500 000, France 300 000 (dont 250 000 affiliés à la Fédération fr. Othello). *Champion du monde* (1984) Paul Ralle, Français (16 ans).

Pictionary (de l'Anglais *picture* et *dictionary*). *Créé* 1986 par Rob Angel (canadien vivant à Seattle, USA). Deviner un mot à l'aide d'un croquis.

Pong. Tennis sur écran. 1er jeu-vidéo, inventé 1972 par Noland Buschnel (USA) qui créa Atari.

Rubik's cube. Inventé 1979 par le Hongrois Ernö Rubik. Composé de 27 cubes, dont les 6 faces ont une teinte différente. 43 252 003 274 489 856 856 000 combinaisons. *Records monde : 22'95"* pour reconstituer le Rubik's cube. *France : 28'6"*.

Trivial Pursuit (chasse aux petites choses). *Créé* 1982 par des journalistes canadiens : Chris Haney et Scott Abbott. Adapté en français en janv. 1984. Jeu de connaissances. Il faut parvenir à la fin d'un parcours en répondant à des questions. *Ventes dans le monde :* 50 000 000 (au 1-1-1987) ; en France *84 :* 20 000, *85 :* 150 000, *86 :* 600 000, *87 est. :* 1 000 000. 32 adaptations en 18 langues.

Nota. – Selecta (BP 11, 01150 Lagnieu), mensuel (1 600 ex.), aide à trouver les réponses aux concours.

Jeux de hasard

• *Le Code civil* refuse la notion de jeu et la dette de jeu. *Le Code pénal* interdit les jeux d'argent et de hasard (article 410). Une loi dérogatoire pourtant les autorise (loi du 15-6-1907 modifiée par l'ordonnance du 7-1-1959 et le décret du 22-12-1959). L'ouverture d'un casino peut être autorisée par le min. de l'Intérieur. Le jeu fait vivre env. 200 000 personnes. Les gains aux jeux de hasard sont exonérés d'impôts ; mais, s'ils sont placés, ils sont normalement imposés.

Sommes jouées par les Français (en milliards de F, 1989) : 54 (1990) dont courses de chevaux (PMU et pari mutuel hippodrome) 30 ; loto 12 ; loterie 0,5 et tacotac 3,7 (1988) ; casinos 11 (1991) ; loto sportif 1,5 (1988) ; tapis vert 1,1 (1988) ; jackpots 9 à 10 (1985) ; cercles de jeux 3 (1985).

Répartition des enjeux (en %, 1988). Part revenant aux joueurs, entre parenthèses à l'État, et en italique frais divers et de fonctionnement. Loto 51 (33,9) *16,1,* Loterie et tacotac 60 (24,1) *15,9,* loto sportif 50 (37 dont 30 % pour le sport) *13,* tapis vert 60 (24,1) *15,9,* jeux instantanés 50 (32,4) *17,6.* PMU (en 1986) 70,4 (19,4) *10,2.*

Prélèvements de l'État

Pour 100 F prélevés	Loto	PMU			Total
		Tiercé	Quarté	A. j. [4]	
Part du Trésor	71,2	60,9	64,5	36,5	54,9
Droits de timbre	10,8	13 [1]	11,9 [1]	21,3 [1]	16,4
TVA	10,8	2,2 [2]	2 [2]	3,6 [2]	
		4,4 [3]	4,1 [3]	7,3 [3]	8,4
Jeunesse et Sports	7,2	1,3	1,2	2,1	1,7
Adduction d'eau		5,3	6,1	10,7	8,2
Ville de Paris		4,7	2,9	5,3	4,7
Élevage (1)		6,5	4,9	10,6	3,8
Protection de la nature		1,7	1,4	2,6	1,9

Nota. – (1) Sur ticket PM. (2) Sur part sociétés. (3) Sur parieurs. (4) Autres jeux de chevaux.

Loterie nationale

• **Origine. Antiquité** à Rome, après banquet ou spectacle ; Néron offre des esclaves ou des villas ; Héliogabale donne à certains gagnants un chien crevé ou des mouches mortes. **XVIe s.** Gênes choisit ses chefs au hasard sur une liste de 90 personnes. Se répand dans les Flandres, « lot. de charité » tirées à Malines (1519), Louvain (1520) et Lille (1527). **1530** 1re lot.

publique à Florence. Reprise à Rome et Venise. **1539**-*21-5* édit de Châteaurenard : François Ier concède à Jean Laurent le soin d'établir une lot. appelée *blanque,* à charge de verser au Trésor royal 2 000 livres. **1660** lot. royale lors du mariage de Louis XIV. **1759** « loteries de charité » (Marseille, Lyon, Tours...). **1776**-*30-6* lot. royale créée pour arrêter l'exportation de l'argent qui va se placer à l'étranger dans les lot. plus séduisantes que les nôtres. **1793**-*15-11* supprimée. **1797**-*8-9* rétablie (lot. nat. puis impériale, puis royale). **1836**-*31-5* supprimée (sauf bienfaisance). **1930** *loi du 29-4* autorisant le gouvernement à permettre aux communes de faire des lot. pour « l'acquisition de matériel d'incendie ou pour l'organisation d'extinction d'incendie ». **1933**-*31-5* Lot. nationale créée. Ses bénéfices iront à la Caisse de retraite des Anciens Combattants (billets des Gueules cassées) et aux victimes des calamités agricoles. *-7-11* 1er tirage au Trocadéro ; le 1er gagnant du gros lot (5 millions de F de l'époque) est un coiffeur de Tarascon : Paul Bonhoure († 1961). *A partir de 1945,* placée sous l'autorité du ministre des Finances (bénéfices comptabilisés dans le budget général). Les émetteurs de billets sont alors la Lot. nationale pour les billets entiers et les Associations de mutilés, anciens combattants et victimes de guerre (Gueules cassées, Fédération Maginot...) pour les dixièmes. Des mutuelles (Conf. des débitants de tabac, Mutuelle des PTT, Mutuelle du Trésor) et des établ. privés pourront plus tard faire les mêmes opérations. **1976**-*29-9* pour la 1re fois, n° 00 000 sorti au tirage ; n° 100 000 est pris en considération. **1990**-*13-12* dernier tirage de la Lot. nat. avant suppression.

• Tirages. Effectués en public, à Paris, au moyen de sphères fonctionnant automatiquement, brassant des boules en caoutchouc plein avec, en incrustation, les chiffres nécessaires pour la formation des numéros gagnants. Les tirages du *tacotac* étaient retransmis en direct à la télévision.

Billet entier (prix). 10, 20, 92, 184 F en 1989.

Gros lot (montant). *Tacotac :* 4 000 000 de F, *Bicentenaire :* 2 000 000 de F, *autres tranches :* 10 000 000 de F.

Tranches. *Bicentenaire :* un seul type de billet commercialisé, le dixième à 10 F. Gros lot : 2 millions de F. Sur chaque billet est repris un des 4 thèmes révolutionnaires retenus : mois du calendrier révolutionnaire, grands événements de 1789, artistes vivant au temps de la Révolution, principaux personnages. *Tranches diverses :* Fête des Mères, Vendredi 13... émises chaque année à 184 F le billet entier et 20 F le dixième. L'Arlequin a été arrêté en 1984, les tranches du Sweepstake et du Suspense en 1987.

Tacotac (1er tirage 25-1-1984). Loterie instantanée se combinant à la Loterie nationale classique. Billets en 2 parties offrant 2 chances de gagner : la 1re partie (à gratter) permet de gagner immédiatement (gros lot 300 000 F) ; la 2e participe à un tirage télévisé (gros lot 4 000 000 de F). 92 F le billet entier, 10 F le dixième. Hebdomadaire dep. le 1-9-1984.

• Statistiques. **Joueurs.** 12 à 15 millions achètent 1 ou 2 dixièmes par an ; 7 millions de billets de tacotac vendus chaque semaine. **Lots payés :** en 1988, env. 1,6 milliard de F (placement des billets : 3,7 milliards de F). **Courtiers.** Ils reçoivent les billets et approvisionnent 27 000 détaillants, vendeurs ambulants, magasins spécialisés, débitants de tabac, dépositaires de presse.

Loto national

☞ Ne pas confondre avec le *loto* qui se joue avec des cartons et des pions numérotés.

• Origine. *Nom :* de l'italien *lotto,* lot. **1955**-*9-10* 1er loto du N.-O. créé en Rhénanie (Nord-Westlotto, suivi d'autres dans la plupart des Länder). **1976**-*19-5* 1er tirage en France. **1979**-*1-1* rejoint la loterie nat. dans la Sté de la Loterie nat. et du Loto nat. (Sté d'économie mixte) qui devient janv. **1989** France Loto. L'État possède 72 % du capital, les émetteurs de dixièmes 20 %, les salariés 5 %, les courtiers 3 %. L'État détient également la majorité à l'assemblée gén. des actionnaires et au conseil d'adm.

• Principe. On coche d'une croix 6 numéros parmi les 49 qui se trouvent sur chaque grille. *Tirage : 1976-84* 1 tirage (mercredi). *1984* (7-3) 2 tirages (mercredi et samedi). Les joueurs peuvent participer au tirage du mercredi seulement ou aux 2 tirages. Dans ce cas, le même bulletin participe aux 2 tirages. Pour le tirage du samedi seulement : *bonus* si une même grille comporte uniquement 3 bons numéros + le complémentaire ; les gains de cette grille sont doublés.

Bulletins. Simples : 8 grilles groupées par 2 ; chacune a 49 cases numérotées. On peut miser autant de grilles que l'on veut, remplir autant de bulletins que l'on désire. *Mise* correspondante à chaque groupe de 2 grilles, mercredi seulement : 2, 4, 6 ou 8 F ; mercredi et samedi : 4, 8, 12 ou 16 F. **Multiple :** une seule grille sur laquelle on peut cocher 7, 8, 9 ou 10 numéros. Les numéros ainsi choisis forment 7, 28, 84 ou 210 ensembles différents de 6 numéros. Mises correspondantes, mercredi seulement : 7, 28, 84 ou 210 F ; mercredi et samedi : 14, 56, 168 ou 420 F. **Abonnement :** *simple* permet de faire participer les 8 grilles d'un bulletin simple au tirage de 5 mercredis consécutifs ou 10 tirages consécutifs (mercredi + samedi) ; *multiple* permet de faire participer un bulletin multiple 7, 8 ou 9 numéros pendant 5 mercredis consécutifs ou 10 tirages consécutifs (mercredi + samedi). Plus de 90 % des joueurs du mercredi participent au tirage du samedi.

• Gains. Payables sur présentation du reçu informatique rendu au joueur après validation. Le volet A, justificatif du jeu et du paiement, est enregistré, microfilmé, puis mis sous scellés dans un centre de traitement informatique (Vitrolles et Moussy).

• Probabilités de gains. *5e rang* ceux qui ont trouvé 3 bons numéros, *4e* 4, *3e* 5, *2e* 5 et le numéro complémentaire, *1er* 6 numéros du tirage.

Rang	*Probabilité*	1 chance sur
1er – 6 numéros	1/13 983 816	1/13 983 816
2e – 5 + compl.	6/13 983 816	1/ 2 330 636
3e – 5 numéros	258/13 983 816	1/ 55 491
4e – 4 numéros	13 545/13 983 816	1/ 1 032
5e – 3 numéros	246 820/13 983 816	1/ 57
	260 624/13 983 816	1/ 54

Un joueur qui jouerait toutes les possibilités (13 983 816) devrait écrire sans erreur 84 millions de croix et faire valider 2 300 000 bulletins (ou 665 896 grilles à 210 F, soit, seulement, près de 6,7 millions de croix). Il lui faudrait miser en contrepartie 14 millions de F et il gagnerait 1 fois le gros lot, 6 fois le 2e lot et ainsi de suite. Si un joueur avait ainsi misé pour le tirage du 3-9-1980, il aurait gagné : *1er rang* 819 704 F, *2e* 711 847, *3e* 1 093 806, *4e* 1 426 288, *5e* 2 468 200, total de 6 519 845 F (perte 7 463 971 F).

Lorsque les numéros d'un loto sont de petits chiffres, dans la 1re trentaine, on a plus de gagnants. Beaucoup de joueurs cochent les croix correspondant à des anniversaires.

Fréquence de sortie. Jusqu'au tirage du 25-3-1989 inclus. **Le plus souvent.** *48 :* 151 fois, *38 :* 148, *26 :* 147, *34 :* 145, *40 :* 144, *25 :* 143, *16 :* 142, *27 et 31 :* 141, *12, 18 et 28 :* 140. **Le moins souvent.** *47 :* 112 fois, *10 et 13 :* 119, *46 :* 120, *41 :* 121, *29 :* 122, *2, 9 et 44 :* 124, *1, 4, 11 et 33 :* 125. *Du 1-1 au 25-3-1989, 17 et 27 :* 6 fois, *4 et 10 :* 1 fois.

• Gros lot. Pour gagner, il faut que les 6 numéros sortis au tirage correspondent à tous ceux cochés dans une même grille. Les gains sont exempts d'impôts sur le revenu et payables au porteur, sans qu'il ait à justifier son identité.

• Statistiques. **Effectifs** (France-Loto, y compris circuit commercial) 3 500. **Points de vente** (Loto : 13 500 en 1989).

• Enjeux et bulletins. *31-12-88 :* 327 183 898 F pour 16 598 940 bulletins joués. **Record de participation.** 19 094 520 bulletins déposés (15-2-1984). **Répartition des enjeux du loto (1989).** En % : gagnants 51, puissance publique et frais de fonctionnement 49.

• Mises encaissées (en millions de F) : *1981 :* 7 234,5. *1982 :* 7 755,2. *1983 :* 8 375,8. *1984 :* 10 976,9. *1985 :* 11 804. *1986 :* 11 778. *1987 :* 11 467. *1988 :* 11 564. *1989 :* 12 000.

• Gagnants au loto. **Sommes qui leur sont reversées** (1988) : 5 890 799 959 F. **Répartition : 1er rang** (15 %), **2e** (7 %), **3e** (22 %), **4e** (22 %), **5e** (32,5 %), fonds de réserve destiné à alimenter les tirages spéciaux (1,5 %).

• Gros gagnants. *De mai 1976 à mars 1989,* 2 920 personnes ont gagné plus de 1 million de F, 142 plus de 5 millions et 27 plus de 10 millions. Un détaillant de Villers-le-Lac (Doubs) a enregistré 8 fois le gros lot. **Records.** *1977 (9-11)* 8 313 833,40 F ; *78 (6-9)* 8 077 354 F ; *80 (26-3)* 9 330 410 F [Mme Arlette Hentinger, 31 ans, habitant La Ciotat ; avait joué depuis des mois, chaque semaine, et pour 7 F, les mêmes numéros (4, 10, 18, 35, 41, 46, et 27 comme numéro complémentaire)] ; *1981 (févr.)* M. et Mme Zambelli, retraités (Toulon) : 9 775 886,80 F avec une grille simple ; *1984 (11-1)* 38 employés de l'usine Moulinex de Falaise (Calvados) 12 368 658 F avec 5 bulletins multiples. 36 ont touché 312 687 F chacun et les 2 autres 625 375 F, ayant misé double ; *(nov.)* Serge (cuisinier, 25 ans) et Louisa (serveuse, 20 ans) travaillant dans le même restaurant parisien : 10 158 535 F ; *29-12* Sandrine Grognet (18 ans, Eure) : 10 583 640 F. *1985 (16-1)* anonyme de Martigues (B.-du-Rh.) : 10 748 490 F ; *(16-2)* Jacqueline Bas (Doubs) : 10 563 030 F (avec multiple à 14 F) ; *(21-12)* anonyme d'Orly : 17 086 035 F (multiple à 14 F). *1986 (14-5)* 2 joueurs de la région parisienne : 32 353 055 F (bulletin simple à 16 F). *1988 (8-8)* J.P. Gimello (Nice) : 17 687 190 F (bulletin à 14 F). *1988 (24-12) :* anonyme de Nancy : 33 456 975 F (bulletin abonnement à 280 F). *1989 (nov) :* Thierry Khalifa (Marseille) 18 580 000 F. *1990 (30-6)* anonyme : 33 000 000 F ; *(5-8)* anonyme de Besançon 33 000 000 F ; *(29-9)* anonyme 39 929 370 F ; *oct.* supercagnotte, 3 personnes, 119 683 665 F ; *déc.* supercagnotte, 2 frères de Perpignan, 53 000 000 F.

Loto sportif

Origine. **1985** *avril,* lancé comme multisports, *juin* interrompu, *27-9* consacré au football. 16 matches retenus. La part de chance est constituée par un tirage au sort de 7 matches sur 16 : ce sont « les 7 numéros de la Chance ». **1988**-*16-7* nouvelle formule basée sur 13 matches.

Principe. Prévoir les résultats de 13 matches de chaque loto sportif en cochant la case 1 ou 2 selon l'équipe gagnante choisie, ou pour un match nul, la case N. La part de chance est constituée par un numéro-pactole tiré au sort en direct à la télévision. Tous les gagnants dont le reçu de jeu comporte le numéro-pactole doublent leur gain. En cas de match annulé, la rencontre est considérée comme gagnante quelle que soit la case cochée. 3 rangs de gains : 13, 12 et 11 bons pronostics. En cas d'absence de gagnants à 13, les grilles comportant 10 bons pronostics sont gagnantes et ainsi de suite. **Bulletins.** A gauche, une grille qui reproduit la liste des 13 matches avec en fin de ligne les 3 cases à cocher 1-N-2 ; à droite les 18 possibilités de mise (de 5 F à 1 080 F). **Record d'enjeux de participation.** *6-12-1985 :* 91 218 395 F (7 480 491 bulletins joués). **Répartition (en %).** Gagnants 50, frais de fonctionnement 13, État et sport 37. **Répartition pour chaque catégorie de gains** (11 à 13). 30 %, les 10 % restants sont affectés au numéro-pactole. **Gros lots.** *Record (3-8-1987) :* 14 464 721 F pour un joueur anonyme de Grasse avec un bulletin à 1 080 F.

Nota. – La loi de Finances rectificative du 11-7-86 a instauré un prélèvement fiscal sur les gains du loto et du loto sportif de 5 % de 5 000 à 100 000 F, 10 % de 100 000 à 500 000, 15 % de 500 000 à 1 million, 20 % de 1 à 2 millions, 25 % de 2 à 5 millions, 30 % au-dessus de 5 millions.

La Loterie nationale était exonérée.

Tapis vert

Créé. 15-10-1987. **Principe.** Jeu de contrepartie basé sur les cartes. Cocher 4 cases (1 par couleur) sur une grille comportant 32 cases (de l'as au 7 dans les 4 couleurs pique, cœur, carreau, trèfle). Traitement informatique des bulletins. **Tirage.** Tous les jours à 20 h 30 sur TF 1 (validation jusqu'à 19 h 30, 14 h le dimanche).

Bulletins. 6 tables de 2 à 100 F. **Possibilités de jeu.** 1, 3 et 7 jours.

Gains. *4 cartes exactes :* 1 000 fois la mise, *3 c. :* 30 fois, *2 c. :* 2 fois. Paiement dès le lendemain. Le carré d'as est sorti le 29-3-1988 (22 000 joueurs ont gagné 105 millions de F), le carré de valets le 8-8-1988 (10 000 joueurs ont gagné 54 millions de F).

Jeux instantanés

Principe. Il suffit de gratter les cases de jeu pour voir apparaître les chiffres ou les symboles. La comparaison avec le tableau de lots permet instantanément au joueur de connaître son gain. 1ers lancés : 2-4-1989 *100 000 F CASH ;* 15-6-89 *100 000 F Surf.*

Prix du ticket. 10 F. **Gains.** 10 à 100 000 F. **Périodicité.** Environ tous les trimestres.

Paiement des gains. Immédiatement sur le lieu d'achat du ticket. Jusqu'à 1 000 F. Au-delà, dans les 107 centres de paiement de France Loto.

Pari mutuel

Généralités

• **Origine.** **1891**-*2-6* le Pari mutuel sur l'hippodrome (PMH) est légalisé. **1930**-*16-4* son extension, Pari mutuel urbain (PMU), est autorisée. **1931**-*28-12* pari mutuel autorisé sur les courses de lévriers. **1954**-*22-1* 1er tiercé (mis au point par André Carrus). **1976**-*26-2* 1er quarté. **1989**-*12-9* 1er quinté.

• **Organisation.** Le PMU est un « groupement d'intérêt économique sous la tutelle du ministre de l'Agriculture et relève d'un contrôleur d'État ». Il est constitué entre les Stés de courses parisiennes : *Sté d'encouragement pour l'amélioration des races de chevaux en France* (Hipp. de Longchamp, Chantilly, Deauville), *Sté des steeple-chases de France* (Auteuil, Pau), *Sté d'encouragement à l'élevage du cheval français* (Vincennes, Caen), *Sté sportive d'encouragement* (St-Cloud, Maisons-Laffitte, Enghien), *Sté de sport de France* (Évry, Vichy), et les Stés de province bénéficiant du PMU (28 réunions pour 5 sociétés). Il existe 266 Stés de province.

Employés (1991) : 2 375.

• **Book** (ou *bookmaker*). Personne qui propose ou accepte des paris à cote fixe. Activité interdite en France et dans de nombreux pays (USA), autorisée dans d'autres (G.-B., Belgique, Italie, All. féd.).

Statistiques

• **Enjeux** (millions de F). *1955 :* 659. *87 :* 31 258. *90 :* 37 678 dont 33 880 au PMU (dont 18 734 aux tiercé, quarté, quarté + et quinté +) versés par 8 millions de parieurs. *91 (est.) :* 35,2.

• **Record** *1989-29-1* Vincennes, prix d'Amérique : 212 577 491 F.

Enjeux PMU par habitant (*1990*) 608 F ; Paris (89) 1 476 F. **Répartition enjeux PMU** en %, 1990 : paris simples 6,84 ; reports 2,24 ; couplés 21,06 ; trios 3,39 ; tiercé 23,40 ; quarté plus 24,19 ; jumelés CPC 11,18 ; quinté plus 7,70. **Formulaires PMU traités** *(1990) :* 905 160 475 (dont 675 552 318 aux tiercé, quarté, quarté + et quinté +).

• **Tiercés. Nombre.** *1954 :* 56, *70 :* 77, *87 :* 137 (non compris quartés), *90 :* 212. **Enjeux :** *1er tiercé (1954) :* 28 000 F, *90 :* 7 927 693 327 F (*record :* prix d'Amérique 30-1-83 : 155 420 760 F).

• **Quarté Plus. Nombre.** *1987 :* 26, *88 :* 112, *90 :* 160. **Enjeux.** *90 :* 8 196 661 920 F (*record* 29-1-89 à Vincennes : 70 463 406 F).

• **Quinté plus. Nombre.** *1989 :* 15, *90 :* 52. **Enjeux** *90 :* 2 609 106 500 F.

• **Record des sommes gagnées. Tiercé.** 21-4-1957 (prix du Pt de la Rép. à Auteuil) : combinaison 20-18-19 (Quimilgrey-Junia-Xanthor). Les 116 gagnants dans le désordre (6 491 960 AF) se sont partagé toutes les mises, soit + de 750 000 000 AF (prélèvement déduit). S'il y avait eu 1 seul gagnant dans l'ordre exact, il aurait touché environ 50 % des mises (suivant le prélèvement en cours) soit 375 000 000 AF et les 115 gagnants dans le désordre auraient touché 3 250 000 AF pour une mise de 200 AF. *Grande course de haies de Printemps* (Auteuil, 7-4-1985) : combinaison 14-21-19-11 (Bridore-Orélienne-Prince Wo) 36 851,90 F pour 1 F.

☞ Le 17-7-1988, à Maisons-Laffitte, le juge ayant interverti les nos, le PMU paie la combinaison 14-8-11 au lieu de la combinaison gagnante 14-8-5 (payée ensuite également par le PMU).

Quarté. 1-9-1988 à Vincennes : combinaison 1-4-17-2 (Rando, Rama, Rex du Chesnay, Ramadan) 760 694,80 F pour 1 F.

Quarté Plus. 7-5-1988 à Vincennes, Prix du Vivarais ; combinaison 7-14-20-9 (Réel Chonan, Royal Bellemois, Rosé Thé, Robin de la Forêt) 364 818,30 F pour 1 F.

Quinté Plus. 13-3-1990 à Enghien, Prix St-Germain ; combinaison 12-13-10-5-3 (Quasimodo, Raichman, Qualis Mab, Rosco de Jonceray) 866 465 F pour 1 F.

• **Postes d'enregistrement PMU.** 6 891 points PMU et 128 points courses. Employés titulaires 2 375. Automatisation fin mars 1988.

En 1990, 10 Stés ont tenu 457 réunions avec pari mutuel, etc.

• **Prélèvements légaux** (en %, 1990). *PMH* Paris 20,36 (dont 10,5 pour la Sté organisatrice) ; province 21,032 % (dont 11,72 pour la Sté). *PMU* Paris 20,50 dont 10,357 pour la Sté ; province 20,429 (dont 10,229 pour la Sté et le reste à l'État).

A partir du rapport de 30 fois la mise, l'État perçoit un supplément de 6,80 à 23,15 % selon le rapport et le type de pari, les bénéfices sur centimes (résultant de l'arrondissement des rapports à l'issue des calculs de répartition) sont à nouveau affectés au budget général pour tous les paris enregistrés pour les Stés de Courses parisiennes. Ils restent acquis aux Stés de Courses de province pour leurs propres enjeux. De 1982 à 1985, ils étaient affectés à la modernisation du PMU. En 1990, les Stés de Courses ont versé plus de 6 060 millions de F à l'État et aux organismes publics et sociaux.

Paris

• **Différents modes.** *PMH pari simple (gagnant ou placé), jumelé, trio, triplet et quartet ; PMU pari simple (gagnant ou placé), par report (g. ou p.) : couplé (g. ou p.), trio, tiercé* (créé 1954), *quarté* (créé 1976), *quarté plus* (créé 1987), *quinté plus* (créé 1989). *Minimum d'enjeux* 10 F, trio, tiercé et quarté 5 F. PMH 10 F. Quarté plus 6 F. Quinté plus 10 F. *Maximum d'enjeux* tiercé, quarté, quarté + et quinté +, 20 fois le min., couplé 200 fois, trio 120 fois, pari simple pas de max.

Nombre de combinaisons possibles sur n partants :

Couplé et jumelé : $\frac{n(n-1)}{2}$;

Tiercé avec ordre d'arrivée exact n (n – 1) (n – 2) [6 fois moins dans un ordre stipulé]. *Ex. :* tiercé dans l'ordre pour une course de 15 partants : 15 (15-1) (15-2) = 15 × 14 × 13 = 2 730. Un parieur n'a donc théoriquement qu'1 chance sur 2 730 de désigner les 3 premiers dans l'ordre exact d'arrivée.

Quarté : ordre exact : n (n – 1) (n – 2) (n – 3) ; 24 fois moins dans un ordre stipulé.

Quinté plus : ordre exact : n (n – 1) (n – 2) (n – 3) (n – 4).

Nota - Le Derby, mis en place le 18-9-1985, a été vite abandonné. Il fallait, les mercredis, trouver tous les gagnants des 7 premières courses d'une réunion.

Modélisme

• **Modèles réduits. Pratiquants.** 2 000 000 en France.

• **Aéromodélisme.** Les 1ers avions furent des modèles réduits (Otto Lilienthal). *1933* 1re revue spécialisée française *(Le Modèle réduit d'avion).* Avion de 60 cm, en rotin et lamelles de peuplier, moteurs à caoutchouc qu'on enroulait ; à piston parfois animé par une petite bouteille d'air comprimé, gonflée à la pompe à vélo. *1930* moteurs à explosion, Diesels 2 temps de 10 cm³ fonctionnant avec un mélange d'éther et d'huile. Puis avions de 1,50 m d'envergure. *V. 1945* vol circulaire, appareil relié au pilote grâce à 2 câbles d'env. 10 m. *1951* radiocommande. Aujourd'hui, on peut agir simultanément sur 8 commandes ou plus : gouvernail de queue (direction et profondeur), ailerons, carburateurs, aérofreins, volets de courbure, train d'atterrissage, lumières, phares, largage de bombes ou mitrailleuses factices. Moteurs 2 temps, puissance 1 à 25 CV, 10 000 à 30 000 tours min. grâce à un mélange méthanol-huile, ou essence super pour moteur dépassant 50 cm³. **Catégories.** *Voltige :* appareils d'envergure moyenne de 1,70 m ; *avions de vitesse :* envergure 1,20 à 1,50 m ; *gros modèles :* moteurs dépassant 50 cm³, envergure 6 m. *Prix :* kit de 1 000 à 15 000 F, moteur 1 000 F pour 10 cm³ de 2 CV, radiocommande 1 000 à 7 000 F. *Records : avion :* vitesse (ligne droite) 455,23 km/h ; altitude 8 208 m, *planeur :* vitesse 392,4 km/h.

Pratiquants : 17 000 licenciés, 550 clubs regroupés dans la Féd. française d'aéromodélisme, 52, rue Galilée, 75008 Paris. Les Israéliens ont pu détecter des missiles Sam 6 dans le Sinaï, grâce à des avions de 25 kg à moteur de 50 à 80 cm³ porteurs d'une caméra vidéo.

Automodélisme. *Voitures modèles réduits, au 1/8e (de piste ou tout-terrain) :* 2,8 kg, long. 60 cm, réservoir 125 cm³, autonomie 13 mn, vitesse 60 à 100 km/h, moteur à explosion 2 temps (30 000 t/mn), cylindrée 3,5 cm³, carburant : mélange d'alcool méthylique et huile de ricin ; coût : 1 200 à 5 000 F + boîtier de radiocommande + moteur env. 1 500 F. *Au 1/12e moteur électrique :* vitesse jusqu'à 70 km/h, batterie NiCad (6 × 1,2 V), coût : 1 000 à 2 000 F + radiocommande env. 1 000 F. *Au 1/10e électrique, tout-terrain.*

Pratiquants. Groupement national de modélisme automobile radiocommandée (GNMARC, 9, rue A.-Lahaye, 93170 Bagnolet). 300 clubs et 5 300 licenciés.

Records mondiaux. Modèles tournant au bout de câbles d'acier sur piste circulaire de 52 m. En km/h. *1re catégorie* (10 cm³) : Steve Torrey (USA) 320,907 ; *2e* (5 cm³) Bengt Abrahamson (Suède) 288,831 ; *3e* (2,5 cm³) T. Johannesen (Norv.) 273,390 ; *4e* (1,5 cm³) A. Karpuzikov (URSS) 247,184.

Épreuves. Champ. du monde, d'Europe, nationaux.

Collections. Échelle 1/160e à 1/16e avec dominante 1/87e et 1/43e. Production industrielle (Solido, Majorette) ou artisanale (env. 50 marques), Jouets anciens au 1/43e (Dinky-Toy) ou en tôle (Citroën). Env. 50 clubs en France. *Association française de l'automobile miniature,* BP 40, 78230 Le Pecq.

• **Modélisme ferroviaire. Échelles.** *« 0 » (zéro) :* rapport de 1/43,5 par rapport au réel, écartement de 32 mm pour la voie normale, réservée aux collectionneurs, env. 10 000 F ; *« H0 » (de l'anglais « half-0 », demi-zéro) :* écartement de 16,5 mm pour la voie normale, rapport de réduction de 1/87, adopté par 80 % des amateurs, wagons à moins de 50 F, locomotives à 100 F ; *« N » :* écartement de 9 mm, réduction de 1/160e ; *Z :* écartement de 6,5 mm, réduction de 1/220e, env. 35 000 pratiquants.

• **Modélisme naval.** Maquettes fixes et navigantes, électriques ou à moteur thermique. Expositions et démonstrations. **Compétitions.** Maquettes, voiliers, racers, off-shore et toutes catégories radiocommandées. Championnats de France et internationaux. **Fédération française de modélisme naval.** Musée de la Marine, Palais de Chaillot, 75116 Paris, *créée* 1963, 110 clubs, 1 200 licenciés.

Dernière heure

☞ suite de la p. 13

• **Prix littéraires. P. Albert Costa de Beauregard** *(mai) 90 :* Alain Etchegoyen, *le Capital lettres ; 91* Dominique Nora, *l'Étreinte du samouraï.* **P. Roger-Nimier** *(mai) :* Stéphane Hoffmann, *Château-Bougon.* **P. Jean-Jacques Rousseau** *(1-5) :* Tzvetan Todorov, *les Morales de l'Histoire.* **P. Colette** *(3-5) :* Marc Lambron, *la Nuit des masques.* **P. Albert-Londres** *(16-5) :* Patrick de Saint-Exupéry, Hervé Brusini et Dominique Tierce. **P. Maurice-Genevoix** *(22-5) :* Jean-Didier Wolfromm, *la Leçon inaugurale.* **P. Valery Larbaud** *(26-5) :* Frédéric Vitoux, *Sérénissime.* **P. du livre Inter** *(27-5) :* Nina Bouraoui, *la Voyeuse interdite.* **P. littéraire Pierre-de-Monaco** *(28-5) :* Jean-Marie Rouard. **Grands prix de printemps de la Sté des gens de lettres** *(28-5) :* Pierre Gascar, Dominique Rolin, Dominique Arban, Jacques Duquesne, Jean-Claude Renard. **P. des lectrices de Elle** *(3-6) :* Claire Bonnafé, *Le Guetteur immobile.* **P. Philip-Morris** *(10-6) : Maths :* Patrick Flandrin et Jean-Michel Morel. *Sciences de la vie :* Claude Combes, Philippe Cury, Claude Roy. *Sc. de l'Homme :* Jean-Pierre Adolphe, Luc Robbiola. **P. Tocqueville** *(11-6) :* François Furet. **Grand P. du roman de l'Académie fr.** *(14-6) :* François Sureau, *l'Infortune.* **Grand P. de littérature :** Jacques Lacarrière. **P. des Ambassadeurs** *(juin) :* Gabriel de Broglie, *Guizot.* **P. Albert-Camus** *(juin) :* Marcel Moussy, *Un parfum d'absinthes.*

• **Régions.** *-29-5* explosion FLNC au Conseil g^al de Hte-Corse. *-17-6* le parc nat. des Pyrénées perd son label européen car il ne protège pas efficacement les ours. *-25-6* l'organisation corse Resistenza revendique 8 opérations de commando et 6 attentats. *-25/26-6* à Nice, profanation de 13 tombes dont celle du père de Jacques Médecin. *-7-7* explosion FLNC au siège du personnel enseignant des collèges rue de Châteaudun à Paris. *-8-7* accord avec l'État sur la dette d'Angoulême. *-9/10-7* attentat contre la direction dép. de l'équipement d'Ajaccio. *-11/12-7* contre la gendarmerie d'Ajaccio.

• **Religions.** *-2-5* publication de l'encyclique *Centesimus annus. -5-5* Jean Kahn élu Pt du Congrès juif européen. *-13-5* Jean-Paul II à Fatima (Portugal). *-28-5* attentat au Sacré-Cœur de Montmartre. *28-6* création de 23 *nouveaux cardinaux.* Fiorenzo Angelini (It., 1-8-1916), Antony Joseph Bevilacqua (USA, 17-6-1923), Edward Idris Cassidy (Austr., 5-7-1924), Robert Coffy (Fr., 24-10-1920), Cahal Brendan Daly (Irl., 1-10-1917), Paolo Dezza (It., 13-12-1901), Frédéric Etsou-Nzabi-Bamungwabi (Zaïre, 3-12-1930), Jan Chryzostom Korec (Tchéc., 22-1-1924), Pio Laghi (It., 21-5-1922), Roger Michael Mahony (USA, 27-2-1936), Guido Del Mestri (It., 13-1-1911), Virgilio Noè (It., 30-3-1922), Juan Jesus Posadas Ocampo (Mex., 10-11-1926), Ignatius Kung Pinmei (Chine, 2-8-1901), Antonio Quarracino (Arg., 8-3-1923), Jesus Lopez Rodriguez (St-Dom., 31-10-1936), Camillo Ruini (It., 19-10-1931), Giovanni Saldarini (It., 1-12-1924), José Sanchez (Phil., 17-3-1920), Henry Schwery (Suisse, 14-6-1932), Angelo Sodano (It., 23-11-1927), Georg Maximilian Sterzinsky (All., 6-2-1936), Alexandru Todea (Roum., 5-6-1912). *Au 28-6-91,* 162 card. (dont 120 électeurs) dont Italie 40 (23), USA 10 (8), France 10 (5), Brésil 7 (6), Esp. 6 (5), Can. 5 (4), All. 5 (4), Pol. 4 (4), Inde 4 (4). *Juin* Kathleen Richardson, 1re femme élue Pte de l'Eglise méthodiste de G.-B. *-15-7* publication de l'annuaire stat. du Vatican (1989) : 906 millions de baptisés, 7 686 ordinations, 401 479 prêtres, 62 942 religieux, 885 645 religieuses.

• **Transports.** A1 Paris-Lille sera la 1re autoroute entièrement éclairée.

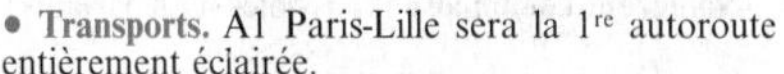

Antoine Blondin † le 7-6-91

Vercors (Jean Bruller) † le 10-6-91

☞ **Crédits photographiques de couverture :**

Photographes et Agences : Sygma-Isserman ; Hires-Gamma ; Trippett-Sipa. *Dos :* G. Planchenau-Vandystadt. *4e de couverture* (de haut en bas et de gauche à droite) : Lafosse-Sygma ; W. Steger/APA et W . Stetson/APA ; Borredon-Explorer ; Slone-Sygma ; G. Schoeller ; Swersey-Gamma Liaisons ; Krafft-Explorer ; Golberg-Sygma.

Sujets : Charlotte Gainsbourg ; Manifestation Serbe en mai 1991 ; Boris Eltsine. *Dos :* Course de V.T.T. près de Cavaillon (France). *4e de couverture* (de haut en bas et de gauche à droite) : 2 marionnettes du Bêtête Show ; Jean-Louis Etienne au cours de la Transantarctica ; Un technicien travaillant sur le câblage du détecteur Delphi ; Réfugiés Kurdes ; Eléphants au Botswana ; Général Norman Schwarzkopf ; Lac de lave du Nyiragongo (Zaïre) ; Taggeurs.

INDEX

☞ *Nota* – Cet index donne la liste des principaux mots clefs. Il n'a pas été possible d' y faire figurer tous les noms propres cités dans l'ouvrage (car il aurait fallu disposer de plus 300 pages). Si vous désirez, par exemple, connaître :
– la superficie, la population, les souverains d'un pays, cherchez au pays en question.
– les villes, les prix des terres d'un département, cherchez à département ou à terre.
– les œuvres d'un écrivain ou d'un peintre, cherchez à littérature ou à peinture.
– la date de naissance d'une actrice, cherchez à cinéma ou à personnalités, d'un homme d'État, cherchez à chefs d'État, ministres ou partis, etc.

Légende – Mots imprimés en gras : mots clefs ; *en caractères ordinaires :* mots seconds ; *en italiques :* mots troisièmes.
Exemple : **Accident** automobile *assurance..*
– *a* colonne de gauche ; *b* colonne du milieu ; *c* colonne de droite ; V. voir.

A

B

C

F

H

I

J

K

L

M

O

P

R

S

V

W

X

Y

Z

Connaissez-vous les autres Quid ?

QUID DES PRÉSIDENTS DE LA RÉPUBLIQUE ET DES CANDIDATS (Éditions Robert Laffont) 1 volume, 720 p. avec hors-textes.

QUID DE LA TOUR EIFFEL (Éditions Robert Laffont) 1 volume illustré.

QUID DES AUTEURS (dans la Collection Bouquins, Éditions Robert Laffont) :

- **Marcel Proust,** 3 volumes sous coffret
- **Guy de Maupassant,** 2 volumes sous coffret
- **Alexandre Dumas,** 2 volumes sous coffret

Paris : plan du métro et du R.E.R.

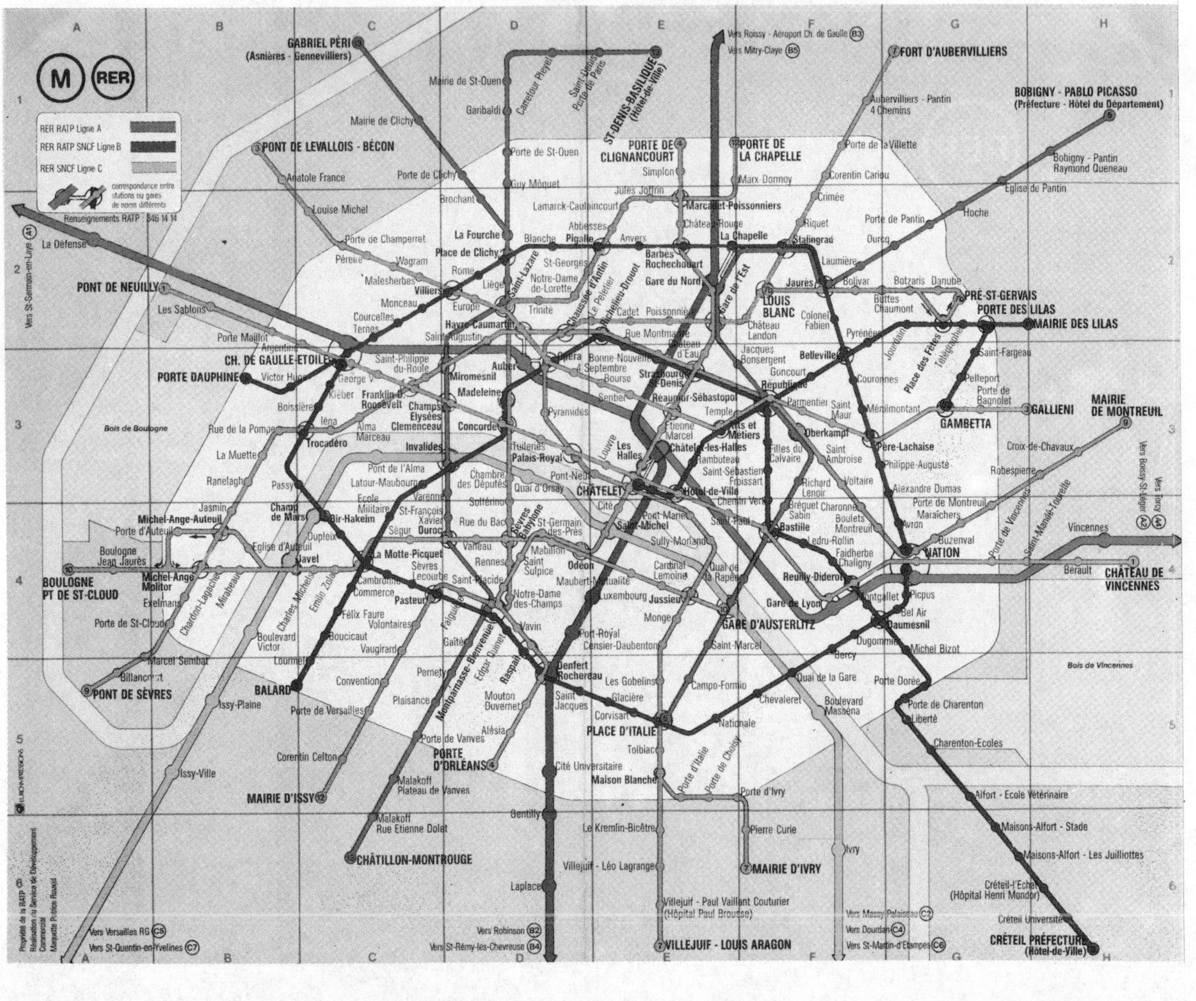

Cet ouvrage a été achevé d'imprimer
le 6 septembre 1991 sur les presses
de Maury-Imprimeur S.A. à Malesherbes
pour les Éditions Robert Laffont

N° d'imprimeur : B91/32614 Q – N° d'éditeur : 33371
Dépôt légal : septembre 1991
ISBN 2-221-06771-5

Quid 1992 interroge ses lecteurs

Pour améliorer ce QUID qui vous est destiné, vous pouvez nous adresser ci-dessous vos suggestions, ainsi que la fiche à remplir au verso de cette page :

Vos suggestions

Page . . . . Chapitre . . . .

. . . .

. . . .

Page . . . . Chapitre . . . .

. . . .

. . . .

Page . . . . Chapitre . . . .

. . . .

. . . .

Page . . . . Chapitre . . . .

. . . .

. . . .

Page . . . . Chapitre . . . .

. . . .

. . . .

NOM . . . .

Prénom . . . .

Adresse . . . .

Age . . . . *Sexe* . . . .

Profession . . . .

Quand avez-vous connu Quid ? . . . .

Vous l'a-t-on offert ? . . . .

L'avez-vous acheté ? . . . . *Si oui, l'achetez-vous chaque année ?* . . . .

. . . .

tous les 2 ans, tous les 3 ans ou plus ? . . . .

Consultez-vous Quid fréquemment ? . . . .

Plusieurs fois par jour ? . . . . *Plusieurs fois par semaine ?* . . . .

. . . .

A quelle occasion ? . . . .

. . . .

. . . .

Combien de personnes consultent votre exemplaire de Quid ? . . . .

. . . .

Souhaitez-vous un Quid sur Minitel ? ☐ Oui ☐ Non

Pourquoi ? . . . .

Combien de fois le consulteriez-vous ?

par semaine . . . . *par mois* . . . . *par an* . . . .

Veuillez adresser vos suggestions :

M. Frémy – B.P. 447.07 – 75327 Paris Cedex 07

◂ **Technopôle Metz 2000 - CESCOM (57).**
Le Technopôle Metz 2000 est le premier pôle technologique européen consacré exclusivement à la communication.

CNRS - Technopôle Nancy-Brabois (54). ▸
Installés sur le Technopôle de Nancy-Brabois, le Centre National de la Recherche Scientifique, l'Institut National de Recherche en Informatique et Automatique et l'Institut National de Santé et de la Recherche Médicale contribuent à faire de Nancy un pôle de recherche de dimension européenne.

L'européenne qui gagne

◂ **Le Palais Episcopal, siège du Centre Mondial de la Paix, des Libertés et des Droits de l'Homme. Verdun (55).**
Verdun, symbole de la réconciliation et de la nécessité de la paix.

Papeteries de Golbey - Norske Skog - Golbey (88). ▸
Avec Clairefontaine et Papeteries de Golbey, les Vosges dynamisent la filière bois-papier.

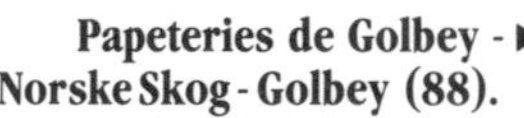

DANZAS

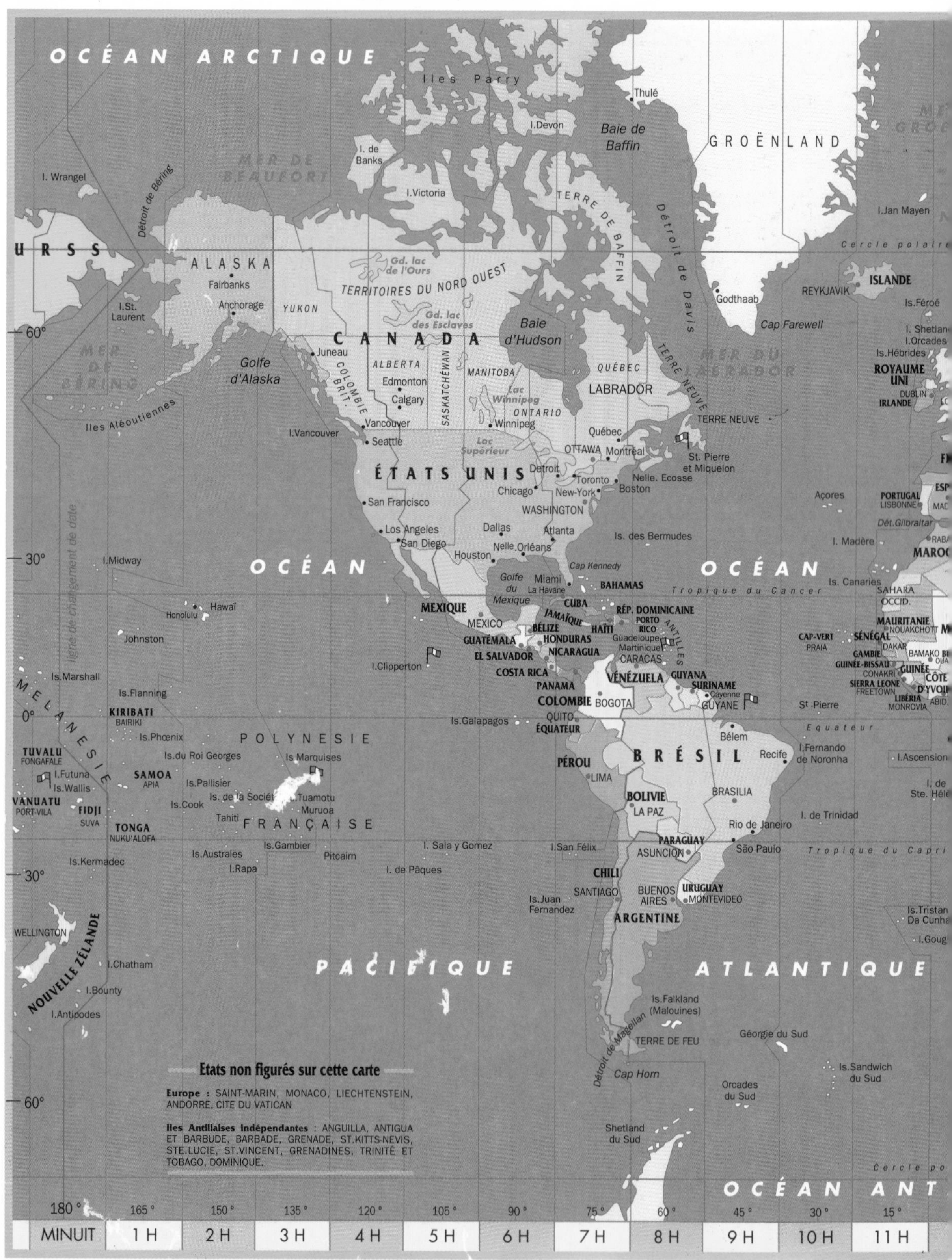

Connaissez-vous les autres QUID ?

LE QUID DES PRÉSIDENTS DE LA RÉPUBLIQUE : *720 pages de faits, de dates, de chiffres et d'anecdotes sur : la vie des présidents et des candidats à la présidence, l'histoire de chaque présidence (Politique intérieure et extérieure, guerres, conflits, scandales), des élections, des comparaisons internationales, l'évolution des pouvoirs et des privilèges des présidents, etc. Un ouvrage indispensable pour comprendre les bouleversements politiques de notre époque.*